Dänemark
Ostsee
Fehmarn
Puttgarden
Saßnitz
Rügen
Kiel
Stralsund
Rostock
Greifswald
Neumünster
Lübeck
Holstein
Wismar
Mecklenburg-
Vorpommern
Neubrandenburg
Norderstedt
Schwerin
Lüneburg
Schwedt
Celle
Stendal
Wolfsburg
Braunschweig
Hildesheim
Salzgitter
Wolfen-
büttel
Hameln
Sachse
Anhalt
Göttingen
Halle-
Neust
Elbe
Hoyerswerda
Neiße
Dresden
Bautzen
Görlitz
Gotha
Erfurt
Weimar
Jena
Gera
Sachsen
Thüringen
Chemnitz
Zwickau
Suhl
Plauen
Hof
Eger
Schweinfurt
Main
Bamberg
Bayreuth
Tschecho-
slowakei
Würzburg
Weiden
Erlangen
Fürth
Nürnberg
Regensburg
Zwiesel
Moldau
Aalen
Schwäbisch
Gmünd
Ingolstadt
Landshut
Passau
Ulm
Donau
Bayern
Augsburg
Inn
München
Rosenheim
Kempten
Österreich

독일어의 자모(字母)

(Alphabet)

라틴 문자		독일 문자		필사체(筆寫體)		이름
A	a	𝔄	𝔞			a:
B	b	𝔅	𝔟			be:
C	c	ℭ	𝔠			tse:
D	d	𝔇	𝔡			de:
E	e	𝔈	𝔢			e:
F	f	𝔉	𝔣			ɛf
G	g	𝔊	𝔤			ge:
H	h	ℌ	𝔥			ha:
I	i	ℑ	𝔦			i:
J	j	𝔍	𝔧			jɔt
K	k	𝔎	𝔨			ka:
L	l	𝔏	𝔩			ɛl
M	m	𝔐	𝔪			ɛm
N	n	𝔑	𝔫			ɛn
O	o	𝔒	𝔬			o:
P	p	𝔓	𝔭			pe:
Q	q	𝔔	𝔮			ku:
R	r	ℜ	𝔯			ɛr
S	s	𝔖	𝔰, ſ			ɛs
T	t	𝔗	𝔱			te:
U	u	𝔘	𝔲			u:
V	v	𝔙	𝔳			fau
W	w	𝔚	𝔴			ve:
X	x	𝔛	𝔵			ɪks
Y	y	𝔜	𝔶			ʏ́psi·lɔn
Z	z	ℨ	𝔷			tsɛt

변모음(變母音)

(Umlaute)

𝔄̈ ä 𝔒̈ ö 𝔘̈ ü

변모음은, 본디 aͤ, oͤ, uͤ, 처럼 썼다. 라틴 문자의 타이프라이터 등에서는 편의상 ae, oe, ue 로 하는 수가 있다.

복합자음(複合子音)

𝔆𝔥 𝔠𝔥 𝔖𝔠𝔥 ſ𝔠𝔥 𝔖𝔱 ſ𝔱 𝔠𝔨 ß 𝔱𝔷

ſſ는, 라틴문자에서는 ss를, 라틴체(體)의 필사 문자(筆寫文字)에서는 ss를 쓴다. ß[글자 이름 : ɛs-tsɛ́t; 발음 : s]는, 라틴체(體)에서도 ß에 가까운 것을 (대문자만으로 쓸 경우에는 SS), 라틴체(體)의 필사 문자(筆寫文字)에서는 보통 ß를 쓴다.

MINJUNG

ESSENCE

엣센스 독한사전

[전면 개정판]

허 형 근 원저

서울대 독일학 연구소 개편

DEUTSCH - KOREANISCHES WÖRTERBUCH

民衆書林

머 리 말

『엣센스 독한 사전』은 1962 년 초판이 발간된 이후 1983 년에 첫 개정판이 나온 바 있다. 그 사이에 또 세월이 흘러 21 세기를 맞이하는 시점에서 시대의 변화를 반영하고 독자들의 요구에 부응하기 위하여 다시 대대적인 개정 및 증보 작업이 불가피하게 되었다. 그리하여 이 사전의 초판 발행 때부터 발간 작업을 이끌었던 허형근 선생님을 중심으로 당시의 필자들에서부터 최근 박사 학위를 취득한 소장 학자들에 이르기까지 40 여명의 집필진이 구성되어 지난 1996 년부터 본격적인 개정 작업에 착수하였다. 그로부터 꼬박 5 년에 걸친 공동의 노력이 결실을 거두어 이번에 전면 개정 증보판을 내놓게 되었다. 이로써 초판 발간 이후 40 년만에, 그리고 첫 개정판 이후 20 년만에『엣센스 독한 사전』은 그 내용과 체제를 완전히 쇄신하여 전혀 새로운 모습으로 독자 여러분에게 선보일 수 있게 되었다. 기존의 사전과 비교할 때 이번 개정 증보판의 특징과 장점은 다음과 같다.

첫째, 새로운 어휘를 대폭 보강하였다 최근의 독일 문학 작품이나 독일어 전공 서적, 신문, 잡지 등에는 기존의 사전에서 찾아볼 수 없는 새로운 어휘가 빈번히 나오기 때문에 전공자들도 애로를 겪는 경우가 많다. 이러한 문제점을 해결하기 위하여 이번 개정 증보판에는 독일의 대표적인 사전들을 면밀히 비교 검토하여 새로운 학술 전문어, 시사어, 일상어를 최대한 빠짐없이 수록하였다. 다른 한편 기존 엣센스 사전에는 독일의 〈Wahrig 대사전〉이나 〈Duden 대사전〉뿐만 아니라 〈Grimm 대사전〉에서도 찾아볼 수 없는 어휘가 상당수 수록되어 있는데, 그러한 어휘들도 20 세기 이전의 문학 작품이나 문헌을 읽을 때는 요긴하다고 판단되어 그대로 남겨두기로 하였다. 그 결과 이번 개정 증보판은 기존 사전에 비해 700 면 가까이 늘어나 2800 면에 이르는 국내 최대의 독한 사전이 되었다. 이처럼 무엇보다 풍부한 어휘와 예문을 싣고 있다는 점에서 이 개정 증보판은 명실상부하게 국내 최고의 독한 사전이라고 자부할 수 있을 것이다.

둘째, 한글 세대의 감각에 맞게 어휘 설명을 쇄신하였다 기존의 독한 사전에는 어휘 설명에서 일본식 한자어나 낡은 한자어와 고루한 표현들이 많이 등장하기 때문에 낱말의 뜻을 머릿속으로는 파악해도 정작 독일어 텍스트의 해석이나 번역 과정에서 어려움을 겪는 수가 많다. 이러한 문제점을 해결하기 위하여 집필진은 어휘 설명에서 최대한 우리말의 실감에 가까운 표현을 찾아내고자 고심하였다. 그리고 새로 수록된 어휘들에 대해서도 적절한 예문과 해석을 추가하는 한편, 기존의 예문들도 해당 어휘의 뜻과 용법을 가장 잘 살릴 수 있는 보다 적절한 예문들로 대폭 교체하였다.

셋째, 독일어 새 정서법을 우리 현실에 맞게 반영하였다 이번 개정 작업에 착수하면서 가장 고심한 문제는 새 정서법을 어느 수준까지 도입할 것인가 하는 문제였다. 새 정서법을 도입하는 문제는 독일에서도 상당한 논란을 거친 끝에 오는 2005 년부터 출판되는 책에 대해서는 새 정서법을 적용하는 것으로 되어 있다. 그러나 한국의 독일어 사용자를 중심에 놓고 볼 때 가장 중요한 판단 기준은, 우리가 읽는 독일어 텍스트의 대부분이 기존의 정서법대로 활자화되어 있고 또 앞으로도 상당 기간은 그러할 것이라는 사실이다. 따라서 지금 시점에서 독한 사전에 새 정서법을 전면적으로 도입할 경우에는 오히려 독한 사전 이용자에게 불편과 혼란만 주게 될 것이라고 판단하였다. 그 대신 새 정서법에 따라 출판되는 독일어 서적을 읽을 때에도 불편함이 없도록 하기 위하여 〈Duden 독일어 정서법 사전〉에서 기본 어휘를 선별하여 표제어로 수록하고, 어휘 설명은 본래의 어휘를 찾아보도록 하였다.

넷째, 체제를 개선하였다 이번 개정 증보판이 애초의 예상보다 훨씬 방대한 분량으로 늘어남에 따라 집필진은 사전의 체제와 형식을 최대한 간결하게 정리하고자 노력하였다. 이를 위해 풍부한 낱말뜻을 손상시키지 않는 한도 내에서 어휘 설명을 최대한 간결하게 다듬고 예문 역시 간결한 것으로 엄선하였으며, 사용 빈도가 높은 중요한 낱말뜻은 고딕체로 부각시켜서 얼른 눈에 띄도록 하였다. 또한 기존 사전에서 한자어로 되어 있는 전문어 표기와 용법 표시는 간결한 우리말 용어로 대폭 교체하되, 독한 사전 이용자가 여러 세대에 걸쳐 있는 점을 고려하여 의미 전달에 무리가 없는 용어는 한자어로 살려 두었다. 그 밖에 기존 사전에 사용되던 각종 기호와 부호, 약어를 가능하면 우리말 설명으로 바꾸어서 누구나 쉽게 알아볼 수 있게 하였다.

다섯째, 부록을 대폭 보강하였다 이번 개정 증보판 부록에서는 우선 독일어 발음 원리를 알기 쉽게 설명하였고, 새로 도입되는 독일어 정서법을 일목요연하게 소개하였다. 또한 기존 사전에서 대개 도표 형태로만 소개되어 있는 독일어 문법을 중요한 용법에 따라 가능하면 간단한 예문까지 곁들이는 방식으로 보강하여 독일어 문법책을 따로 보지 않더라도 그때그때 문법 문제를 해결할 수 있도록 하였다. 그 밖에도 독한 사전 이용자의 다양한 요구를 충족시키기 위하여 최신판 연감과 사전들을 참조하여 전세계 국가와 민족들의 독일어 표기, 독일의 인명, 독일어권 국가들의 연방주와 수도 등을 수록하였다. 특히 독일, 오스트리아, 스위스 소재의 모든 종합 대학과 전문 대학 홈페이지 주소를 빠짐없이 수록하여 장차 독일어권 대학에서 공부하고자 하는 학생들에게 도움이 되도록 하였다.

이처럼 알찬 내용을 갖추기 위하여 그 동안 고된 공동 작업에 헌신적으로 참여한 모든 분들께 감사드리며, 예상보다 훨씬 길어진 작업 기간 내내 더 좋은 사전을 만들기 위한 일념으로 묵묵히 작업을 뒷받침해준 민중서림의 후의와 재정적 지원에도 사의를 표하고자 한다. 그리고 안타깝게도 오늘의 결실을 보지 못한 채 타계하신 허형근 선생님 영전에 삼가 이 책을 바치며, 아울러 이번 개정 증보판에서도 미처 해결하지 못한 결함이나 잘못은 향후 수시로 개선하여 더욱 훌륭한 사전이 될 수 있도록 최선을 다할 것을 독자 여러분에게 약속드린다.

2001 년 10 월
서울대학교 인문대학 독일학연구소
독한 사전 간행 위원회

- 집필 및 편집 책임: 김석도(서울대), 신태호(서울대), 안삼환(서울대), 임종대(서울대), 임한순(서울대), 임홍배(서울대), 황윤석(서울대)
- 집필 및 교열: 강미란(서울대), 강창우(서울대), 구명철(숙명여대), 권기록(서울대), 김길웅(서울대), 김누리(중앙대), 김명찬(서울대), 김영룡(서울대), 김태환(서울대), 김홍기(서울대), 남완석(서울대), 손호은(경성대), 오성균(서울대), 오순희(서울대), 윤미애(서울대), 이민용(서울대), 이민행(연세대), 이병진(서울대), 이재원(서울대), 이재황(서울대), 이정희(충북대), 이준서(서울대), 이해윤(서울대), 인성기(서울대), 장희창(서울대), 전경재(한양대), 전영애(서울대), 정동규(경원대), 정항균(서울대), 조경태(성신여대), 조우호(서울대), 천미수(서울대), 최성만(이화여대), 최윤영(서울대), 편영수(전주대), 피종호(한양대), 홍성광(서울대), 홍성군(창원대)
- 편집 및 교정: 양재성(민중서림), 노상인(민중서림)

Vorwort

Der ersten Auflage des „Essence Deutsch-Koreanischen Wörterbuches“ von 1962 folgte im Jahr 1983 die zweite verbesserte Auflage. Ein weiteres Jahrzehnt später hat es sich an der Schwelle des neuen Milleniums als unvermeidlich erwiesen, grundlegende und umfassende Veränderungs- und Ergänzungsarbeiten an unserem Wörterbuch in Angriff zu nehmen, um den Anforderungen der neuen Sprachentwicklung und den Lesererwartungen Genüge zu tun. Mit diesem Ziel haben sich mehr als 40 Germanisten um Herrn Professor Dr. Huh, Hyung-Kun versammelt, der sich durch seine federführende Rolle als Herausgeber dieses Wörterbuchs seit seiner ersten Auflage verdient gemacht hat. Die Verfasser der neuesten Auflage des Wörterbuchs, zu denen sowohl diejenigen der ersten Stunde aus dem Jahre 1962 als auch vor kurzem promovierte, junge Germanisten gehören, haben heute die große Freude, nach einer 5-jährigen Zusammenarbeit dem Publikum eine völlig veränderte, erweiterte Auflage vorlegen zu können. Damit ist es uns gelungen, 40 Jahre nach dem ersten Erscheinen und 20 Jahre nach der zweiten veränderten Auflage des Wörterbuches, dem Publikum eine sowohl inhaltlich als auch organisatorisch völlig revidierte Auflage in neuer Aufmachung vorzustellen. Die neue veränderte und erweiterte Auflage unterscheidet sich von den früheren Auflagen durch die folgenden Eigenschaften und Verbesserungen :

Erstens wurde ein umfangreiches neues Vokabular aufgenommen. Da die gegenwärtige deutsche Sprache in der Belletristik, in der Fachliteratur und auf dem Gebiet der Journalistik viele Neuprägungen von Wörtern aufweist, hat die bisherige Auflage nicht der Erwartung vieler anspruchsvoller Benutzer entsprechen können. In der neuesten Auflage haben wir neue Fachtermini, journalistische Neuprägungen sowie Ausdrücke der Umgangssprache so vollständig wie möglich in die neue Liste integriert, nachdem wir alle namhaften Wörterbücher deutscher Sprache durchgesehen haben. Das vorhandene Vokabular unserer bisherigen Auflage, das im „Wahrig“, „Duden“ oder in „Grimms Wörterbuch“ nicht zu finden ist, haben wir in der neuen Auflage beibehalten, denn dieses Vokabular hat sich in der Vergangenheit speziell für die Lektüre der Literatur vor dem 20. Jahrhundert als nützlich erwiesen. Das hat zur Folge, dass die neue Auflage mit ihrem um 700 Seiten auf 2800 Seiten erweiterten Umfang zum größten Deutsch-Koreanischen Wörterbuch geworden ist. Wir sind sehr stolz auf unser neues Wörterbuch, das im Umfang des aufgenommenen Vokabulars und der gegebenen Beispielsätze seinesgleichen im koreanischen Sprachraum sucht.

Zweitens : wir haben die Erläuterungen der Wörter dahingehend verändert, dass sie dem Sprachgefühl der jüngeren Han-Gul (Koreanisches Alphabet) -Generation Rechnung tragen. Die Erläuterungen in den bisherigen deutsch-koreanischen Wörterbüchern mit ihren vielen japanisch gefärbten oder altmodischen chinesischen

Wortbegriffen haben dazu beigetragen, dass man zwar das Wort dem Wortsinn nach verstanden zu haben meint, sich aber bei der Interpretation und Übersetzung der deutschen Texte dennoch Verständnisschwierigkeiten ergeben. Die Verfasser haben sich deshalb bemüht, in der jeweiligen Erläuterung den passenden Ausdruck zu finden, der dem tatsächlichen Sprachgebrauch im Koreanischen entspricht. Auch die Beispielsätze für das neu aufgenommene und das bereits vorhandene Vokabular sind revidiert und auf den neuesten Stand gebracht.

Drittens : Der neuen deutschen Rechtschreibreform wird der koreanischen Situation entsprechend Folge geleistet. Zu Anfang unserer Arbeit sahen wir uns mit der Frage konfrontiert, inwieweit die deutsche Rechtschreibreform in die neue Auflage eingebracht werden soll. Die nicht unumstrittene Schreibreform wird erst ab 2005 offiziell in Kraft treten. Für die koreanischen Benutzer unseres Wörterbuchs ist aber die Tatsache entscheidend, dass die meisten deutschen Texte nach den bisherigen Richtlinien geschrieben sind. Aus diesem Grund sind wir der Meinung, dass die jetzige Einführung der neuen Regeln in unsere neue Auflage unseren Benutzern bloss Unbequemlichkeit und Verwirrung bereiten würde. Wir haben dennoch dem Fall Rechnung getragen, dass man die nach den neuen Richtlinien geschriebenen Texte lesen können muss, und zwar dadurch, dass das Grundvokabular aus dem „Duden Rechtschreibwörterbuch" ausgewählt und mit eigenen Stichwörtern angeführt wird, so dass man auf die Worteintragungen nach den bisherigen Richtlinien weiter hingeführt wird.

Viertens wird die Organisation des Vokabulars überall gestrafft und die Eintragungen klar geordnet. Da die revidierte und erweiterte Auflage einen unvorgesehenen quantitativen Zuwachs erfahren hat, haben die Verfasser besonders auf klare Organisations- und Gliederungsprinzipien geachtet. Bei den Worterläuterungen und Beispielsätzen wird insofern optimale Übersichtlichkeit angestrebt, als die Reichhaltigkeit der Wortbedeutung nicht zu kurz kommen darf. Häufig gebrauchte Wörter sind durch Fettdruck schnell erkennbar. Die meisten chinesischen Lehnwörter für Fachtermini und Abkürzungen sind in ein klar verständliches Koreanisch übersetzt, nur die leicht verständlichen Lehnwörter werden beibehalten, zumal zu den Benutzern unseres Wörterbuchs sowohl die älteren als auch die jüngeren Generationen gehören.

Fünftens wurde der Anhang wesentlich ergänzt. Im Anhang wird die deutsche Aussprache in leicht verständlicher Sprache erläutert und die neue Rechtschreibreform wird übersichtlich vorgestellt. Die deutsche Grammatik, die in der bisherigen Auflage nur tabellarisch umrissen war, wird durch einfache Beispielsätze nach dem grammatischen Gebrauch erweitert, so dass man nun Antworten auf grammatische Fragen im Anhang finden kann. Wir haben weiterhin die deutschen Schreibarten von Nationen und Völkern der Welt, die deutschen Personennamen sowie die Namen der Hauptstädte und Länder im deutschsprachigen Raum auf den neuesten Stand gebracht. Nicht zuletzt verzeichnen wir die Website-Adressen aller Universitäten und Fachhochschulen in der BRD, Österreich und in der Schweiz.

An dieser Stelle sei allen Mitarbeitern dieses Projekts gedankt, die gemeinsam ihre Zeit und ihr Fachwissen zur Verfügung gestellt haben, um ein Wörterbuch von diesem Anspruch zu erarbeiten. Unser Dank gilt auch dem Minjung-Verlag für die gute Zusammenarbeit und für die finanzielle Unterstützung während der langen Arbeitszeit. Dieses Wörterbuch wird Herrn Professor Huh † gewidmet, der leider die Frucht langjähriger Arbeit nicht mehr mit uns feiern kann. Wir versprechen den Benutzern, dass wir auch in Zukunft unser Mögliches tun werden, um eventuelle Mängel und Fehler zu korrigieren und damit das Wörterbuch auf den jeweils neuesten Stand zu bringen.

Oktober 2001
Institut für deutschsprachige Kultur und Literaturen
Seoul National University
Herausgeberkomitee des Deutsch-Koreanischen Wörterbuchs

일러두기

1. 표제어

1. 선정 기준
   ① 독일의 〈Brockhaus-Wahrig 대사전〉에 복합어가 아닌 단독 표제어로 실려 있는 모든 어휘를 채택하였다.
   ② 복합어 중에서는 〈Brockhaus-Wahrig 대사전〉과 〈Duden 대사전〉에 공통으로 실려 있는 모든 어휘를 수록하였다.
   ③ 최신판 〈Duden 독일어 정서법 사전〉에 수록되어 있는 모든 어휘를 채택하여 최근 시사어와 일상어를 보강하였다.
   ④ 기존의 엣센스 독한 사전에 실려 있는 어휘들은 최대한 살렸다.

2. 배열 순서
   ① 예외 없이 알파벳 순서에 따라 배열하였다.
   ② 철자가 같은 경우에는 대문자로 시작하는 어휘를 앞에 두되, 어원상 파생된 어휘는 뒤에 두는 것을 원칙으로 하였다.
   ③ 철자가 동일하되 어원을 달리하는 낱말들은 오른쪽 어깨 위에 숫자를 붙여 서로 구별하는 것을 원칙으로 하였다.
   ④ 동사의 과거 분사, 현재 분사형이 전성된 의미로 쓰일 때는 별도의 표제어로 실었다.
   ⑤ 새 정서법에 따라 수록된 어휘는 **新정서** 로 표시하고, 옛 표기법에 따른 어휘를 찾아보도록 하였다. (보기) **Kuss** **新정서** ⇦ Kuß

2. 발음 표기

1. 발음 표기 방식은 원칙적으로 독일의 〈Brockhaus-Wahrig 대사전〉에 따랐다.
2. 복합어가 아닌 단독 표제어에만 발음 기호를 넣되, 강세의 이동에 따라 발음이 바뀌는 경우에는 해당 부분의 발음 기호를 별도로 표시하는 것을 원칙으로 하였다.
3. 별도로 발음 기호가 표시되지 않는 경우에는 다음과 같이 강세 및 장단을 표시하였다.
   (보기) 강세가 있고 길게 발음되는 경우(長强音) : **Disharmon<u>ie</u>**
   강세가 있고 짧게 발음되는 경우(短强音) : **Kịndergarten**
   단, 한 단어의 강세가 두 곳일 경우 발음 기호로 나타냈으며, 그 단어의 파생어 및 관련어의 강세가 두 곳일 때 대개 발음 기호나 강세 표시를 기입하거나 생략하여 그 앞 또는 뒷단어로 미루어 알게 하였다.
   (보기) **unbeirrt** [ύnbə|ɪrt, ʊnbə|ɪ́rt] *a.* … →**Unbeirrtheit** *f.* …
   차용어는 발음 기호를 달았으며 그 복합어 등의 발음은 대개 생략하고 그 앞말로 알게 했다.
4. 복수형에서 발음이 바뀌는 경우에는 별도로 표시하는 것을 원칙으로 하였다.
   (보기) **Antrag*** [ántra:k] *m.* -(e)s, ..träge [..trɛ:gə]
   Base [be:s] 《engl.》 *f.* -s [be:ziz, be:zis]

3. 낱말 설명

1. 낱말의 어원은 발음 기호 앞에 오는 《 》에서 설명하였다.
2. 강변화 동사의 과거형 및 과거 분사형, 불규칙 변화 형용사의 비교급 및 최상급은 발음 기호 다음에 표시하였다. (보기) **denken** […] (dachte, gedacht) ; **gut** […] (besser, best)
3. 품사 표시
   ① 명사의 성(性)은 남성(*m.*), 여성(*f.*), 중성(*n.*)으로 나타냈다.
   ② 형용사 어미 변화를 하는 명사는 낱말 오른쪽 어깨에 * 표시를 하고, 정관사를 병기

하였다.

(보기) **Abgeordnete*** *der/die*; **Beamte*** *der*; **Gelehrte*** *der/die*

③ 동사는 용법에 따라 자동사, 타동사, 재귀 동사로 분류하였다.

(보기) **sprechen** 《I》 *i.* (h.) …… 《II》 *t.* …… 《III》 *refl.* sich ~

④ 형용사적 용법으로 쓰이는 동사의 과거 분사, 현재 분사는 *p.a.* 로 나타냈다.

(보기) **abgearbeitet** *p.a.*; **bedeutend** *p.a.*

⑤ 전치사의 격지배는 *prp.*², *prp.*³, *prp.*⁴ 등으로 표시하고, 3·4 격 지배 전치사는 *prp.*³ᐟ⁴ 로 표시하였다.

4. 기호 설명

1. 표제어에 사용되는 기호

① 복합어에는 가운뎃점(·)을 넣었다. (보기) **Flug·hafen**

② 하나의 낱말에 여러 복합어가 이어질 때는 처음에 ≈표시를 하고, 반복되는 기본 낱말은 ~로 표시하였으며, 품사 변화로 인해 대문자·소문자가 바뀌는 경우에는 ≈로 표시하였다.

(보기) **Arbeits≈moral** *f.* …… **~pflicht** *f.* …… **≈pflichtig** *a.*

③ 사용 빈도가 많은 기본 어휘는 왼쪽 어깨에 * 표시를 하였다. (보기) ***Schule**

④ 동사의 분리 전철은 가운데 선(|)을 넣어 표시하였다. (보기) an|kommen

⑤ 강변화 동사 표시 : **biegen*** (강변화) ; **backen**⁽*⁾ (강변화·약변화 혼용)

2. 용법 설명 및 예문에서 사용되는 기호

① 어원 설명에서 <는 말의 유래를 나타내며, ♧는 어원을 같이하는 말을 표시한다.

② 〖 〗 기호는 전문어를 나타내며, 〘 〙 기호는 어법, 문법 및 용법 설명을 나타낸다.

③ 〔 〕 기호는 대체할 수 있음을 나타낸다.

(보기) Karten〔Schach〕 spielen 카드놀이를 하다〔체스를 두다〕

④ 방언 및 지역어는 (nd.) (öst.) 등의 방식으로 표시하였다.

⑤ 완료형에서 sein 동사를 조동사로 취하는 자동사는 *i.* (s.) 로 표시하였다.

⑥ 비인칭 주어 es 와 함께 쓰이는 동사는 *imp.* 로 표시하였다.

⑦ 예문에서 동사의 4 격 목적어는 et. 로, 3 격 목적어는 et.³ 으로 표시하였고, 3·4 격을 동시에 목적어로 취하는 경우에는 et.³ᐟ⁴ 로 표시하였다. 드물게 쓰이는 2 격 목적어는 eines Dinges 의 형태로 표시하였다.

5. 약 어 표

1. 문법 및 용법 표시

a. = Adjektiv 형용사
ad. = Adverb 부사
cj. = Konjunktion 접속사
et. = etwas 의 4 격
et.³ = etwas 의 3 격
f. = Femininum 여성
(h.) = 조동사 haben 을 취함
i. = 자동사
imp. = 비인칭 동사
int. = Interjektion 감탄사
jm. = jemandem
jn. = jemanden
js. = jemandes
m. = Maskulinum 남성
n. = Neutrum 중성
num. = Numerale 수사
p.a. = participium adjektivum 분사적 형용사
pl. = Plural 복수
p.p. = participium perfecti 과거 분사
pref. = Präfix 전철
prn. = Pronomen 대명사
prp. = Präposition 전치사
refl. = Reflexiv 재귀 동사
(s.) = 조동사 sein 을 취함
suf. = Suffix 후철
t. = Transitiv 타동사

2. 어원 및 방언 표시

ägypt. = ägyptisch 이집트어
ahd. = althochdeutsch 고고(古高) 독일어
alem. = alemannisch 알레만어
am. = amerikanisch 미국어
ar. = arabisch 아랍어
bayr. = bayrisch 바이에른 방언
berl. = berlinisch 베를린 방언
bras. = brasil(ian)isch 브라질어
chin. = chinesisch 중국어
dt. = deutsch 독일어
dän. = dänisch 덴마크어
engl. = englisch 영어
frz. = französisch 프랑스어
germ. = germanisch 게르만어
got. = gotisch 고트어
gr. = griechisch 그리스어
hebr. = hebräisch 히브리어
hind. = hindustanisch 힌두어
it. = italienisch 이탈리아어
jap. = japanisch 일본어
jidd. = jiddisch 이디시어(유대인식 독어)
jüd. = jüdisch 유대어
klt. = keltisch 켈트어
lat. = lateinisch 라틴어
mal. = malaiisch 말레이어
md. = mitteldeutsch 중부 독일어
mhd. = mittelhochdeutsch 중고(中高) 독일어
ndd. = niederdeutsch 저지(低地) 독일어
ndl. = niederländisch 네덜란드어
nordd. = norddeutsch 북부 독일어
obd. = oberdeutsch 상부〔고지〕 독일어
öst. = österreichisch 오스트리아어
pers. = persisch 페르시아어
poln. = polnisch 폴란드어
port. = portugiesisch 포르투갈어
rom. = romanisch 로망어
russ. = russisch 러시아어
schweiz. = schweizerisch 스위스어
skand. = skandinavisch 스칸디나비아어
sl. = slawisch 슬라브어
sp. = spanisch 에스파냐어
südd. = süddeutsch 남부 독일어
tschech. = tschechisch 체코어
türk. = türkisch 터키어
ung. = ungarisch 헝가리어

3. 전문어 범례

〖經〗= 경제
〖工〗= 공학
〖空〗= 항공
〖官〗= 관청
〖軍〗= 군사
〖農〗= 농업
〖動〗= 동물
〖物〗= 물리학
〖法〗= 법률
〖史〗= 역사
〖商〗= 상업
〖生〗= 생물
〖聖〗= 성경
〖修〗= 수사학
〖數〗= 수학
〖植〗= 식물
〖心〗= 심리(학)
〖藥〗= 약학
〖漁〗= 어업
〖醫〗= 의학
〖理〗= 이공학
〖印〗= 인쇄
〖林〗= 임업
〖政〗= 정치
〖宗〗= 종교
〖車〗= 자동차
〖天〗= 천문
〖哲〗= 철학
〖컴〗= 컴퓨터
〖海〗= 해양, 해운, 항해
〖畫〗= 회화
〖化〗= 화학

4. 용법 표시

〔격식〕
〔경박〕
〔고어〕
〔교양〕
〔구어〕
〔농담〕
〔드물게〕
〔반어〕
〔방언〕
〔비속〕
〔비유〕
〔속담〕
〔시어〕
〔아동〕
〔雅語〕
〔은어〕
〔폄어〕
〔학생〕

A

*A, a [aː] *n.* -, -〖구어체의 단수 2격과 복수에서는 [aːs]〗① 독일어 자모의 첫째 자;〖비유〗처음, 최초(의 것); 주요한 것, 핵심: von A bis Z 처음부터 끝까지, 철두철미하게; noch beim A stehen 아직 초보다, 배우기 시작하다;〖속담〗wer A sagt, muß auch B sagen 시작한 일은 계속해야 한다. ② =Alpha [álfa] 그리스어 자모의 첫번째 글자:〖비유〗das A und (das) O (O는 그리스어 자모의 끝자 Omega [óːmega]) 처음과 끝, 가장 중요한 것, 핵심;〖聖〗ich bin das A und das O 나는 알파요 오메가라(요한 계시록 1 : 8).

A[1], **a**[1] [aː] *n.* -, -〖구어체의 단수 2격과 복수에서는 [aːs]〗〖음악〗① 가음(音); 기본 장음계의 제 6음(특히: 대문자는 장조음, 소문자는 단조음). ② 가조(調) (A-Dur는 가장조, a-Moll은 가단조).

A[2], **a**[2] =Avance《frz.》빠르게 (시계의 속도 조절 표시) (↔ R).

A[3] [aː] ①〖전기〗 = Ampere 암페어. ② 제 1 조폐국의 기호(독일에서는 베를린, 오스트리아에서는 빈, 프랑스에서는 파리 조폐국을 표시함). ③〖드물게〗로마 숫자의 5000. ④〖化〗아르곤(보통: Ar).

a[3] ① =Ar 아르(100 제곱 미터). ② =Atto… (아토(10^{-18})를 나타내는 연결형).

à [a]《frz.》*prp.* ①〖프랑스어의 관용구에서 옴〗…에 따라〔맞추어〕: ~ la carte 메뉴에 맞추어; ~ la mode 최신유행에 따라. ② …에 대하여, …의 비율로, …당(當), …씩: zwei Kilogramm ~ 1 Mark 1 마르크에 2 킬로그램; ~ fünf Prozent 5%의 비율로; ~ Person 1 Mark 한 사람 당 1 마르크씩; zwei Fahrkarten ~ 3 Mark 3 마르크짜리 차표 2 장.

Å〖物〗옹스트롬(파장의 측정 단위).

A., a. =Anno, anno (서기) …년에.

a. ① =am(지명에서): Frankfurt ~ M. 마인 강변의 프랑크푸르트. ② = alt 전(前) (스위스에서 관직 앞에): ~ Bundesrat 전 연방 각료.

a.. [aː.., a..]《gr.》*pref.* "불(不)·비(非)"의 뜻, 모음 앞에서는 an..으로 변함(보기: Anarchie, atonal).

Ä, ä [ɛː]〖구어체의 단수 2격과 복수에서는 [ɛːs]〗A, a의 변모음(Umlaut)이며 a͏ͤ 에서 온 꼴(ae로도 씀).

ä [ɛː] *int.* 아이의 우는 소리; 헛기침 소리; 말을 머뭇거릴 때나 혐오를 나타낼 때의 감탄사.

Aa[1] [a|áː] *n.* -s〖아동〗~ machen 똥누다, 응가하다.

Aa[2] [aː] *f.* -en (obd., md.) 강, 시내.

A.A. = Auswärtiges Amt 외무부.

a.a. = ad acta.

a.a.C. = anno ante Christum《lat.》서력 기원전 …년에.

Aach [aːx] *f.* -en (obd.) ↑ Aa².

Aachen [áːxən] *n.* 아헨(독일 도시).

Aachener 《Ⅰ》*m.* -s, - 아헨 사람. 《Ⅱ》*a.* 아헨의.

aaen [aáən] *i.*〖아동·드물게〗똥〔오줌〕누다.

Aak [aːk] *n.* -(e)s, -e, **Aake** *f.* -n ① (라인 강의) 포도(주) 운반선. ② (네덜란드의) 거룻배.

Aal [aːl] *m.* -(e)s, -e ①〖動〗뱀장어: glatt wie ein ~ a) 매끈거리는, (손에) 잘 잡히지 않는, b) 교활한; den ~ beim Schwanz fassen 서투른 짓을 하다, 헛수고하다; sich (drehen und) winden wie ein ~ (곤경에서) 빠져 나가려고 몸부림치다. ② 뱀장어 모양의 동물; 적충류(滴蟲類). ③ 물고기류의 등에 충상(蟲狀)으로 응결된 점액(粘液). ④ 뱀장어 모양의 빵 과자. ⑤ (빛바랜 옷의) 주름 무늬.

aal≈ähnlich, ~artig *a.* 뱀장어 같은, 뱀장어처럼 생긴. **~baum** *m.*〖植〗인동과(忍冬科)의 일종. **~beere** *f.*〖植〗가막까치밥 나무의 열매. **~butte** *f.* ↑ ~raupe. **~eisen** *n.* 뱀장어잡이 작살.

aalen [áːlən] 《Ⅰ》*i.* (h.) 뱀장어를 잡다. 《Ⅱ》*t.*〖고어〗(진흙으로 막힌 파이프를) 뱀장어로 뚫다. 《Ⅲ》*refl.*〖구어〗sich ~ 몸을 쭉 뻗고 편안히 쉬다; 게으름피우다.

Aal≈fang *m.* 뱀장어 잡이〔잡는 시기·어장·도구〕. **~flöße** *f.* (갈대류의 다발에 매달아 띄워 놓은) 뱀장어 미끼. **~förmig** *a.* 뱀장어 모양의. **~frau** *f.*〖動〗↑ ~mutter. **~gabel** *f.* ↑ ~eisen. **~glatt** *a.* 미끈미끈한;〖비유〗미꾸라지 같은, 약삭빠른. **~kasten** *m.* (쇠막대기 격자로 만든) 뱀장어잡이통. **~mutter** *f.*〖動〗태생(胎生)의 베도라치. **~puppe** *f.* ↑ ~flöße. **~quappe** *f.* ① ↑ ~mutter. ② ↑ ~raupe. **~quaste** *f.* ↑ ~flöße. **~räucherei** *f.* 뱀장어 훈제 공장. **~raupe** *f.*〖動〗모캐(대구과의 민물 고기). **~reuse** *f.*〖漁〗뱀장어 잡이 어살. **~stachel, ~stecher** *m.* ↑ ~eisen. **~streif, ~strich** *m.* 소〔말〕의 등에 있는 검은 줄무늬. **~tierchen** *n.*〖動〗적충류(滴蟲類). **~wehr** *n.* ↑ ~reuse. **~wurm** *m.* ↑ ~tierchen.

a.a.O. ① =am angeführten〔angegebenen〕Ort 위에 인용한 곳에서. ②〖드물게〗=an anderen Orten 다른 곳에서.

Aap [aːp] *m.* -s, -e (ndd.) ① 원숭이. ②〖海〗삼각돛.

Aar [aːr] *m.* -(e)s, -e〔(드물게) -en, -en〕〖시어〗(독)수리; 맹금(猛禽).

Aarau [áːraʊ] 아라우(스위스의 도시).

Aar·beere *f.* ↑ Elsbeere.

Aar(e) [aːr, áːrə] *f.* 아르(스위스의 강).

Aargau [áːrgaʊ] *m.* -(e)s 아르가우(스위스의 주).

Aargauer 《Ⅰ》*m.* 아르가우 사람〔주민〕. 《Ⅱ》*a.* 아르가우의.

aargauisch *a.* 아르가우 (주민)의.

Aaron [áːrɔn] *m.*〖聖〗아론(모세의 형).

Aaron(s)·stab *m.*〖植〗미역취.

Aar≈weih *m.*, **~weihe** *f.* 〖動〗 솔개.

***Aas** [a:s] 《<essen》 *n.* -es, -e/Äser [ɛ́:zər] ①〔고어〕 짐승의 먹이, 모이. ②〔복수: -e〕 썩은 짐승의 시체; 썩은 살코기: 〔비유〕 wo ~ ist, sammeln sich die Geier 썩은 고기가 있는 곳에 독수리가 모여든다. ③〔복수: Äser〕〔욕설〕 망나니, 상놈: 〔경박〕 ein ~ auf der Baßgeige sein 몹시 교활하다, 아주 약삭빠르다; 〔구어〕 kein ~ ließ sich sehen 한 놈도 나타나지 않았다.

Aas≈anger *m.* 폐마(廢馬) 도살장. **~blatter** *f.* 〖醫〗 옹(癰). **~blume** *f.* 〖植〗 스타페리아속의 다육(多肉) 식물.

aasen [á:zən] 《I》 *i.* (h.) ① (짐승이) 썩은 살코기를 먹다. ②〔구어〕 mit et.³ ~ 무엇을 낭비하다: er aaste mit dem Geld 그는 돈을 낭비했다. 《II》 *t.* ①…에서 살을 제거하다: Felle ~ 짐승의 가죽에서 살을 발라내다. ② jn. ~ 누구를 매도(罵倒)하다. ③ 미끼로 유인하다.

Aas≈fliege *f.* 똥파리, 쉬파리. **~fressend** *a.* 썩은 고기를 먹는. **~geier** *m.* ① 독수리류. ②〔비유·구어〕 욕심쟁이, 착취자. **~geruch, ~gestank** *m.* 썩은 고기 냄새. **~grube** *f.* 시체 구덩이.

aashaft *a.* ↑ aasig 《I》.

aasig [á:zıç] 《I》 *a.* ① 썩은 고기의, 부패한; 더러운, 추한. ②〔비유·구어〕 비열한; 불쾌한. ③〔방언〕 야무지지 못한, 게으른. 《II》 *adv.* 〔구어〕 대단히, 굉장히.

Aas≈insekt *n.* 썩은 고기를 먹고 사는 곤충. **~jäger** *m.* 밀렵꾼, 마구잡이 사냥꾼. **~käfer** *m.* 〖動〗 송장벌레과(科)의 곤충. **~krähe** *f.* 〖動〗 까마귀. **~pflanze** *f.* ↑ ~blume. **~pocke** *f.* ↑ ~blatter. **~rabe** *m.* ↑ ~krähe. **~seite** *f.* 가죽의 안쪽(↔ Haarseite, Narbenseite).

aaßen [á:sən] *i.* (h.) ↑ aasen 《I》.

Aas≈tier *n.* 썩은 고기를 먹는 짐승. **~vogel** *m.* 썩은 고기를 먹는 조류.

a.a.u.c. =anno ab urbe condita 《lat., „im Jahr nach der Erbauung der Stadt (Rom)"》 로마 건국(기원전 753 년) …년에.

A.B. =Augsburger Bekenntnis 아우크스부르크의 신앙 고백(1530 년).

***ab** [ap] 《I》 *adv.* ① 떨어져서, …에서부터: **(a)** 〔공간적〕 von hier ~ 여기서부터; von Bremen ~ 브레멘으로부터, 〖商〗 브레멘도(渡); weit ~ 〔weit~〕 von der Stadt 도시에서 멀리 떨어져; wir sind ganz vom Weg ~ 우리는 완전히 길을 잃었다. **(b)** 〔시간적〕 von da 〔nun, jetzt〕 ~ 그 때〔지금〕부터. ② **(a)** (fort) 저리로, 떠나서; 떨어져서, 없어져서: 〖연극〗 Karl (geht) ~ 카를 퇴장; 〔구어〕 der Henkel ist ~ 자루가 빠졌다; ~ nach Kassel! (어서) 나가, 빨리 가!; das ist ~ 그것은 시대〔유행〕에 뒤졌다; 〔구어〕 ~ durch die Mitte〔~ die Post〕 가 버려, (물러) 가; 〔방언〕 ~ trimo〔trümo〕 (물러) 가. **(b)** 〔구어〕 (erledigt) 결말이 난, 다 마친: ~ dafür! 그것은 끝났다! **(c)** 〔구어〕 쇠약해진, 지친, 기진맥진한: ich bin sehr ~ 나는 몹시 지쳤다. ③ 감소시켜서, 감하여: von fünf drei ~ 5에서 3을 빼내어; ~ an Unkosten 잡비를 공제하여. ④ 아래로: den Berg ~ 〔berg~〕 산을 내려가서; Hut ~! 탈모!; 〖軍〗 Gewehr ~! 세워 총! ⑤〔다른 부사와 함께〕 auf und ~ a) 위아래로, b) 이리저리(hin und her); 10 Mark auf und ~ 약 10 마르크; ~ und an 〔zu〕 a) 때때로, b) 이리저리; ~ und zu nehmen (약 따위를) 이따금 섭취하다(단: ab- und zunehmen 증감(增減)하다); das Auf und ∼ 기복, 변동, 부침. 《II》 *prp.*³ ①〔공간적으로〕 …에서부터: ~ dem Strand von Askalon 아스칼론 해안에서부터; 〖商〗 ~ Fabrik 공장도(渡); Fracht ~ hier kostet 10 Mark 이곳에서부터의 운임은 10 마르크이다; frei ~ dort 운임은 이쪽 부담; 〖철도〗 ~ Berlin, 7 Uhr 베를린 7 시발(發). ②〔시간적으로·구어에서는 때때로 4 격 지배〕 …부터: ~ heute 오늘 부터; ~ 1. März 3 월 1 일 부터.

***ab..** *pref.* 《I》〔동사의 분리 전철; 대개 강세가 있음〕 ① "분리·제거 따위"의 뜻(보기: abnehmen 떼어 내다; abschaffen 폐지하다). ② "쇠퇴"의 뜻(보기: abnutzen 오래 써서 낡게하다; abbleichen 오래 되어 바래다). ③ "출발"의 뜻(보기: abreisen 여행을 떠나다). ④ "축소"의 뜻(보기: abrüsten 군비를 축소하다). ⑤ "취소"의 뜻(보기: abbestellen 주문을 취소하다). ⑥ "모방"의 뜻(보기: abbilden 모사하다). ⑦ "완료"의 뜻(보기: ablaufen 기한이 만료되다). ⑧ "유래"의 뜻(보기: abstammen 유래하다). ⑨ "부정"의 뜻(보기: ablehnen 거부하다). ⑩ "아래·밑으로의 방향"을 나타냄 (보기: abspringen 뛰어내리다). ⑪ 동사의 뜻을 강조(보기: abbetteln 구걸하여 얻다). 《II》 〔형용사나 부사의 전철〕 "탈락·부정"의 뜻(보기: abnorm 변칙의, 비정상적인).

Aba [abá:] *f.* -s 아바(아랍인들의 통넓고 옷깃이 없는 외투).

ab|aasen [áp|a:zən] *t.* ① ↑ aasen 《II》①. ② (짐승이) 다 먹어치우다.

ạb|ächzen *refl.* sich ~ 끙끙대며 애쓰다; 안달하다, 안절부절 못하다.

ạb|ackern 《I》 *t.* (논밭을) 다 갈다, 갈이를 끝내다. 《II》 *refl.* 〔비유〕 sich ~ 과로하여 지치다, 기진맥진하다.

ạb|äffen *t.* jm. et. ~ 누구의 무엇을 흉내내다, 배우다; 알아채다.

Abakus [á:bakus] 《gr.》 *m.* -, - ① 주판. ② 〖건축〗 원주(圓柱)의 갓머리판(冠板).

Abälard [abɛlár(t)] *m.* Peter ~ 아벨라(트) (프랑스의 스콜라 철학자, 1079-1142).

Abalienation [ap|alienatsió:n, aba..] 《lat.》 *f.* -en ① 소외(疏外); 멀리함. ② 양도.

abalienieren [..ní:rən] *t.* ① 소외시키다; 멀리하다. ② 양도하다, 넘겨주다.

ab|änderlich [áp|ɛndərlıç] *a.* 변경할 수 있는, 가변적인.

Ạb|änderlichkeit *f.* -en 변경 가능성, 가변성.

***ab|ändern** [áp|ɛndərn] 《I》 *t.* ① 고치다, 변경하다. ② 개량〔수정〕하다. ③〖문법〗 (명사·동사 등을) 변화시키다(deklinieren). 《II》 *i.* (돌연변이나 환경에 의해) 변하다.

Ạbänderung *f.* -en ① 변경. ② 개량, 수정. ③〖문법〗 변화. ④〖生〗 변이, 변종.

***Ạbänderungs≈antrag** *m.* (의회에서의) 수정 제안〔동의〕. **~bedürftig** *a.* 수정〔변경〕이 필요한. **~jahre** *pl.* 갱년기, 폐경기. **~plan** *m.* 수정안. **~recht** *n.* 수정권(修正權). **~vorschlag** *m.* ↑ ~antrag.

Abandon [abãdɔ̃:] *m.* -s, -s, **Abandonne-**

ment [abãdɔn(ə)mã:] 《frz.》 *n.* -s, -s 포기, 유기(遺棄); 『法』 위부(委付).

abandonnieren [abãdɔní:rən] *t.* 포기〔유기〕하다; 『法』 위부(委付)를 선언하다.

ab|ängsten *t./refl.* ↑ abängstigen.

ab|ängstigen 《I》 *t.* 〖구식〗 불안하게 하다, 괴롭히다. 《II》 *refl.* sich ~ 몹시 불안해하다, 애태우다, 고민하다.

Abängstigung *f.* -en ①〖구식〗 강탈, 공갈. ② 근심, 고민, 걱정.

ab|ankern *t./i.* (h./s.) 닻을 올리다.

***ab|arbeiten** 《I》 *t.* ① (일을) 끝내다, 완수하다. ② 잘라내다: das Gröbste ~ 건목치다. ③ 일을 해서 갚다: eine Schuld ~ 일하여 빚을 갚다. ④ 『海』 (배를) 이초(離礁)시키다: ein Schiff ~ 암초에 걸린 배를 다시 띄우다. ⑤ 혹사하다, 마구 부려 지치게 하다; 써서 닳게 하다. 《II》 *refl.* sich ~ 일하여 지치다: ich arbeite mich ab und du schaust zu 나는 힘들게 일하는데 너는 쳐다보고만 있구나.

Abarbeitung *f.* ↑ abarbeiten 의 명사형.

ab|ärgern 《I》 *t.* ① jm. et. ~ 누구를 화나게 하여 무엇을 빼앗다. ② 약올리다: ich ärgere mir die Seele ab 나는 몹시 화가 난다. 《II》 *refl.* sich ~ 몹시 화가 나 지치다, 몹시 속상해하다, 속썩이다.

***Abart** [áp|a:rt] *f.* -en ① 변종. ② 퇴화(退化)한 종속.

ab|arten *i.* (s.) (정상적인 것과) 차이가 나다, 변종하다; 변질〔퇴화〕하다.

abartig *a.* 변종의; 변질된, 퇴화한; 〖비유〗 변태의.

Abartigkeit *f.* 변태, 비정상.

Abartling *m.* -s, -e (동·식물의) 변종.

Abartikulation [ap|artikulatsió:n, abar..] 《lat.》 *f.* -en 『醫』 ① 전동관절(全動關節). ② 탈구(脫臼).

Ab|artung *f.* -en ① 변종, 돌연 변이. ② 변질, 퇴화.

à bas [abá] 《frz.》 *int.* (nieder) 타도, 끌어내려, 없애버려.

ab|äschern 《I》 *t.* 『제혁』 양잿물에 넣어 털을 제거하다; 재로 문지르다, 닦다. 《II》 *refl.* 〖방언〗 sich ~ (과로하여) 지칠 대로 지치다, 녹초가 되다.

ab|äsen *t.* 『사냥』 ① (풀·새싹 따위를) 다 뜯어먹어 바닥이 드러나게 하다: das Wild äst die Fläche ab 짐승이 들판의 풀을 다 뜯어먹는다. ② (다) 뜯어먹다: das Reh äst Gras ab 노루가 풀을 (다) 뜯어먹는다.

Abasie [abazí:] 《gr.》 *f.* -n [..zí:ən] 『醫』 보행장애〔불능증〕.

ab|asten *refl.* ① sich (mit et.³) ~ 〖구어〗 (무엇을) 운반하느라 고생하다: wir haben uns beim Umzug mit den Möbeln ganz schön abgeastet 우리는 이사하면서 가구를 나르느라 몹시 고생했다. ② 〖구어〗 sich einen ~ 몹시 애를 쓰다.

ab|ästen *t.* einen Baum ~ 나무의 가지를 잘라 내다.

Abate *m.* -(n), -n/(it.) ..ti (이탈리아와 에스파냐의) 재속(在俗) 신부.

Abatjour [abaʒú:r] 《frz.》 *m.* -s, -s ① (램프의) 갓; 차양. ② 『건축』 천창(天窓).

ab|atmen *t.* 숨을 쉬어 내보내다〔내뿜다〕.

Abaton [ábatɔn] 《gr.》 *n.* -s, -ta 『宗』 그리스 정교 성당의 지성소(至聖所).

a battuta *adv.* 『음악』 박자에 맞추어(약어: a batt.).

ab|ätzen *t.* ① (부식제를 써서) 떼어 내다: eine Warze ~ 무사마귀를 떼어 내다. ② 부식제를 써서 깨끗이 하다: eine Marmorplatte ~ 부식제를 써서 대리석 판을 깨끗이 닦다.

ab|äugeln *t.* jm. et. ~ ① 누구의 모습에서 무엇을 눈치채다. ② 누구에게 추파를 던져 무엇을 얻어내다.

ab|äugen *t.* ① einen Bezirk ~ 어떤 지역을 샅샅이 훑어보다. ② (사냥개를 쓰지 않고) 짐승의 발자국을 찾다.

Abaziskus [abatsíus] 《gr.》 *m.* -, - 『건축』 소관판(小冠板).

Abb. = Abbildung 삽화, 도해(圖解).

Abba [ába] 《aramä.》 *m.* -s 『聖』 ① 아버지 (신약성서에서 하느님의 호칭). ② 사부(師父)님(그리스 정교에서 성직자에 대한 호칭).

ab|backen* 《I》 *t./i.* (h.) ① (빵 따위를) 다 굽다. ② 지나치게 굽다. 《II》 *i.* (s.) (반죽이) 구워져 그릇 바닥에서 떨어지다〔일어나다〕.

ab|baden 〖드물게〗 《I》 *t.* ① (때를) 씻어내다. ② 목욕하여 …을 다 쓰다: seine Marken ~ 자기의 목욕표를 다 써 버리다. 《II》 *i.* (h.) 목욕을 끝마치다.

ab|baggern *t.* 준설(浚渫)하여 없애다.

ab|baken *t.* 『海』 (항로를) 부표(浮標)로 표시하다.

ab|balgen 《I》 *t.* ① (짐승의) 가죽을 벗기다, (콩의) 깍지를 까다. ② jm. et. ~ 격투하여 누구에게서 무엇을 빼앗다. 《II》 *refl.* sich ~ 맞붙어 싸워 지치다; 〖구어〗 일하여 몹시 지치다.

ab|bälgen *t.* ↑ abbalgen 《I》 ①.

ab|balzen *i.* (h.) (날짐승이) 교미를 끝내다.

ab|bangen *t./refl.* ① ↑ abängstigen. ② (ndd.) sich nach jm. ~ 누구를 몹시 그리워하다.

ab|barbieren *t.* 수염을 깎다.

Abbas [ábas] *m.* 아바스(마호메트의 숙부이며 이슬람 왕조의 시조, 566-652).

Abbaside [abazí:də], **Abbasside** [..sí:..] *m.* -n, -n 아바스의 자손; 〖복수〗 아바스 왕조 (750-1258).

ab|basten *t.* …의 (속)껍질을 벗기다: einen Baum ~ 나무의 속껍질을 벗기다.

Abbate [abá:tə] 《it.》 *m.* -(n), -n/(it.) ..ti ↑ Abate.

***Abbau** [ápbau] *m.* -(e)s ① 『광산』 **(a)** 채광. **(b)** 〖복수: -e〗 채광장, 막장. **(c)** 〖드물게〗 폐갱(廢坑): in ~ bringen 다 파내다, 폐갱이 되게 하다. ② 『農』 폐농: in ~ bringen 농사를 그만두다, 황무지가 되게 내버려두다. ③ 철거, 해체; 『化』 분해: ~ von Traubenzucker 포도당의 분해. ④ 제한, 축소; (물가·임금 등의) 인하; 정리, 해고; (관리·통제 등의) 철폐, 해제; (체력의) 감퇴. ⑤ 『農』 **(a)** 농가를 촌락에서 농경지가 있는 곳으로 옮김. **(b)** 〖복수: -ten〗 외딴집〔마을〕. ⑥ 『植』 변종, 퇴화; 수확감소, 품질 저하. ⑦ 〖속어〗 낙심.

***ab|bauen** 《I》 *t.* ① 『광산』 **(a)** 채굴하다. **(b)** 다 파 버리다, 폐광이 되게 하다. ② 철거하다; 해체하다. ③ 『化』 분해하다. ④ 〖비유〗 제한〔축소〕하다; (물가·임금 따위를) 인하하다: die Gehälter ~ 봉급을 삭감하다. ⑤ 해고〔정리〕하다; (관리·통제 따위를) 철폐하다. 《II》 *i.*

(h.) ①〖속어〗떠나다; 그만두다. ② (전투·경기를) 포기하다; 기력을 잃다; (능력이) 감퇴하다: der Mensch baut im Alter körperlich und geistig ab 인간은 나이가 들면 육체적으로나 정신적으로 기력이 감퇴한다;〖軍〗(적을 견제 공격하면서) 주력 부대를 몰래 퇴각시키다. ③〖植〗(작물의) 수확량〔품질〕이 떨어지다.

Abbau·feld *n.* 채굴장. **~gerechtigkeit** *f.* 채굴권.

ab|baumen *i.* (h.)〖사냥〗(짐승이) 나무에서 떠나가다〔뛰어내리다, 날아가다〕.

ab|bäumen *t.* ①〖방직〗(피륙을) 베틀에서 떼어 내다(↔ aufbäumen). ② (배를) 장대로 언덕에서 밀어내다.

Abbau·recht *n.*〖광산〗채굴권. **~würdig** *a.* 채굴할 가치가 있는.

Abbé [abé:] 《frz.》 *m.* -s, -s〖가톨릭〗① (일정한 소속이 없는) 재속(在俗) 성직자〔수도사〕. ②〖드물게〗수도원장(Abt).

ab|bedingen *t.*〖法〗계약에 의해 무효화하다.

ab|beeren [..be:rən] *t.* (포도·딸기 등을) 따다: eine Traube ~ 포도를 따다.

Abbefehl [ápbəfe:l] *m.* -(e)s, -e 반대〔취소〕명령, 개령(改令); 전속 명령.

ab|befehlen* *t.* ① 취소 명령을 내리다, 명령을 변경하다: eine Parade ~ 열병식 취소 명령을 내리다; die Jagd ~ 사냥을 취소시키다. ② 소환하다.

ab|befördern *t.* (화물을) 발송〔운송〕하다.

ab|begehren *t.*〖구식〗jm. et. ~ 누구에게 무엇을 요구하다〔조르다〕.

ab|behalten* *t.* (모자·외투를) 벗은 채로 있다, 들고 있다.

ab|beißen* 《I》 *t.* 물어뜯다〔끊다〕: er hat aller Scham den Kopf abgebissen 그는 아주 염치없는 놈이다;〖구어〗da beißt die Maus keinen Faden ab 속수무책이다; einen ~ (nordd.) 술 한잔 마시다. 《II》 *refl.* sich ~ ① (깨)물다가 지치다. ② sich (einander) ~ 서로 (싸우며) 물어뜯다.

ab|beizen *t.* ① 부식제〔용제(溶劑)〕로 제거하다: Lackreste ~ 부식제를 써서 덜 벗겨진 칠을 벗겨 내다. ② 부식제를 써서 깨끗이 하다: den Tisch ~ 용제로 책상을 깨끗이 하다. ③〖제혁〗(가죽을) 무두질하다.

Abbeiz·mittel *n.* 부식제.

ab|bekommen* *t.* ① 분배받다, 제몫으로 받다:〖반어〗er wird dabei etwas ~ 그놈혼 좀 날걸. ② 떼다, 떼어 내다: er kann den Reifen nicht ~ 그는 타이어를 떼어내지 못한다. ③ 당하다, 감수하다: eine Tracht Prügel ~ 심하게 매맞다.

ab|bellen *refl.* sich ~ 짖다가 지치다; 짖기를 그치다.

ab|bersten* *i.* (s.) 박살나다, 산산이 부서지다.

ab|berufen* *t.* 소환하다, 면직시키다:〖비유〗aus diesem Leben ~ werden 죽다.

Abberufung *f.* -en ① 소환; 면직. ② 사망, 서거. ③ 공소(控訴), 상고.

Abberufungs·schreiben *n.* 소환장.

ab|bestellen *t.* …의 주문을 취소하다: die Zeitung ~ 신문 구독을 그만두다.

Abbestellung *f.* -en 주문 취소.

ab|beten *t.* ① (기도문을) 외우다, 암송하다; 건성으로 기도하다. ② (죄·잘못을) 기도로써 씻다, 속죄하다. ③ 기도로써 물리치다: dem Teufel eine Seele ~ 기도로 마귀를 쫓아내고 영혼을 구제하다.

ab|betteln *t.* jm. et. ~ 누구에게 무엇을 구걸〔간청〕하여 얻다: er hat die ganze Straße abgebettelt 그는 온 거리를 구걸하며 돌아다녔다.

ab|betten 《I》 *t.* ① **(a)** (침대·잠자리를) 치우다. **(b)** jn. ~ 누구의 침대를 옮기다. ② einen Fluß ~ 강줄기를 다른 데로 돌리다. 《II》 *refl.* sich von jm. ~ 누구와 잠자리를 따로 하다, 누구와 동침하지 않다.

ab|beugen *t.* ① 구부리다, 휘다. ② 굴복시키다, (기를) 꺾다.

ab|beuteln *t.* (südd., öst.) 흔들어 털어버리다, 떨쳐버리다, 뿌리치다.

Abbevillien [abəvıljɛ̃:] 《frz.》 *n.* -(s) 초기 구석기 시대(의 문화).

ab|bezahlen *t.* ① (빚을) 조금씩 나누어 갚다. ② 모두 갚다, 완납하다: das Auto ist noch nicht abbezahlt 자동차 대금이 아직 완납되지 않았다.

Abbezahlung *f.* -en ① 할부, 분할 납입. ② 완불(完拂).

ab|biegen* 《I》 *i.* (s.) 옆으로 굽다〔꺾이다〕, 방향이 바뀌다. 《II》 *t.* ① 꺾어 굽히다; 꺾어 나누다. ②〖비유〗(화제를) 딴 데로 돌리다; (위험을) 피하다; 왜곡하다; 호전시키다: er hat die Sache noch einmal abgebogen 그는 사태를 다시 한번 호전시켰다. ③〖植〗휘묻이하다. ④〖문법〗변화시키다(flektieren). ⑤〖방언〗훔치다.

Abbiege·spur *f.* -en 방향 전환 차선.

Abbiegung [ápbi:gʊŋ] *f.* -en ① 꺾어 굽힘; 방향 전환; 길이 꺾이는 지점, 분기(分岐), 굴곡: an der nächsten ~ fahren Sie rechts 다음번 길이 꺾이는 지점에서 우회전하시오. ②〖植〗휘묻이. ③〖문법〗변화.

ab|bieten* 《I》 *t.* ① jn. ~ (경매에서) 다른 사람보다 비싼 값을 부르다. ② ein Brautpaar ~ (목사가 설교단에서) 결혼을 공표하다. 《II》 *i.* (h.) ① 값을 깎다. ② (폐점 시간에) 손님에게 나가달라고 재촉하다.

Abbild [ápbılt] *n.* -(e)s, -er 모사(模寫), 복사; 모상(模像); 초상: das ~ von et.³ sein 무엇을 꼭 닮았다.

ab|bilden 《I》 *t.* ① 모사하다, 사생(寫生)하다, 초상을 그리다; (밀·석고 따위로) 모형을 뜨다. ② 묘사하다, (말로) 표현하다. 《II》 *refl.* sich ~ 묘사되다, 반영되다.

Abbild·theorie *f.*〖哲〗모사설(模寫說), 반영론.

***Abbildung** *f.* -en ① 모사, 사생; 묘사. ② 사본, 사생화, 초상화; 삽화, 도해(圖解)(약어: Abb.);〖理·數〗사상(寫像).

ab|billigen *t.* jm. et. ~ 누구에게 무엇을 승인〔인정〕하지 않다, 부인하다; 누구에게서 무엇을 탈취〔박탈〕하다.

ab|bimsen *t.* (허가없이) 베끼다, 표절하다, 커닝하다.

ab|binden* 《I》 *t.* ① 풀어놓다, 벗기다; 느슨하게 하다. ②〖農〗(가축을) 젖떼다: ein Kalb ~ 송아지의 젖을 떼다. ③〖醫〗(사마귀 따위를) 묶어서 떼다; 동여 매다; 거세하다: die Nabelschnur ~ 탯줄을 묶어서 떼어내다. ④

〖건축〗 깎아 맞추어 보다; 동이기〔묶기〕를 끝내다: ein Gebäude ~ 건물의 뼈대 세우기를 끝내다; ein Faß ~ 통에 테를 두르다. ⑤〖비유·고어〗 den Bären ~ 빚을 갚다. ⑥〖工〗 (옻·양회 따위를) 응결시키다. 《Ⅱ》 *i.* (h.) (시멘트 등이) 굳다.

Abbiß [ápbɪs] *m.* ..bisses, ..bisse ① 물어 떼기〔끊기·뜯기〕. ② (짐승이) 물어 뗀 자리, 물어뜯긴 새순; 〖사냥〗 (Köder) 미끼. ③〖植〗 (물어뜯은 것같이) 뿌리가 짧은 식물, (특히) 체꽃(Teufels~).

***Abbitte** [ápbɪtə] *f.* -n 용서를 빎, 사죄: jm. 〔bei jm.〕 ~ tun 〔leisten〕 누구에게 사죄하다, 용서를 빌다.

ạb|bitten* *t.* ① jm. et. ~ **(a)** 누구에게 무엇에 대한 용서를 빌다〔사죄하다〕. **(b)** 누구에게 무엇을 간청하여 얻어내다〔빌리다〕. ② (위험 따위를) 애써서 막아내다.

ạb|blasen* 《Ⅰ》 *t.* ① (먼지 따위를) 불어 털어내다; (수프 따위를) 불어서 식히다. ② (화약·압착 공기·수증기 따위로) 청소하다: die Kanone ~ 포신(砲身)을 청소하기 위해 소량의 화약으로 발포하다. ③ (가스를) 배출〔방출〕시키다; 〔드물게〕 (가스를 배출하여) 비우다: den Dampfkessel ~ 기관(汽罐)의 증기를 배출시키다. ④ (시간을) 나팔을 불어 알리다; (호각·나팔을 불어) 종료 신호를 하다: die Jagd ~ 사냥이 끝났음을 나팔로 알리다; 〖비유〗 die Sache ist noch nicht abgeblasen 그 일은 아직 결판나지 않았다. ⑤〖음악〗 (악곡을) 취주하다; 취주를 끝내다. ⑥ 취소하다, 그만두다. 《Ⅱ》 *i.* (h.) ① 후퇴〔소집〕 나팔을 불다. ② 그만 불다.

Ạbblase·ventil *n.* 〖工〗 방출〔배기〕 밸브.

ạb|blassen *i.* (s.) 〖雅語〗 퇴색하다; (안색이) 창백해지다.

ạb|blatten *t.* (사료용으로) 잎을 따다.

ạb|blattern *i.* (h.) (두창(痘瘡)을 앓은 뒤에) 껍질이 벗겨지다; 두창에서 회복되다.

ạb|blättern 《Ⅰ》 *t.* 잎을 따〔훑어〕내다. 《Ⅱ》 *i.* (s.) (껍질이) 벗겨지다; 잎이 떨어지다.

Ạbblätterung *f.* -en ① 낙엽. ② 벗겨짐; 〖醫〗 탈피. ③ 얇은 층, 얇은 조각.

ạb|bläuen *t.* 〔구식〕 ① (파란)색이 빠지다. ② 〔구어〕 ↑ abbleuen.

ạb|bleiben* *i.* (s.) ① 떨어져 있다, 가까이 오지 않다. ② (떨어져) 위치하다: ich weiß nicht, wo der Schlüssel abgeblieben ist 나는 그 열쇠가 어디에 있는지 모른다.

ạb|bleichen[(*)] 《Ⅰ》 *i.* (s.) 〔강변화〕 ↑ abblassen. 《Ⅱ》 *t.* 〔약변화〕 표백하다, 바래다.

Ạbblende *f.* -n 〖영화〗 페이드 아웃(영상이 점차 희미해지면서 사라짐) (↔ Aufblende).

ạb|blenden 《Ⅰ》 *t.* (창문·등불을) 가리다; (광선을) 어둡게 하다, 광도를 줄이다; 헤드라이트의 밝기를 줄이다(↔ aufblenden). 《Ⅱ》 *i.* (h.) ①〖사진〗 조리개를 좁히다〔줄이다〕. ②〖사진·영화〗 페이드 아웃하다; 촬영을 끝내다〔중지하다〕.

Ạbblend·licht *n.* (자동차의) 하향 조정한 전조등, 로빔(↔ Fernlicht).

Ạbblend·schalter *m.* 광도 조절 스위치.

Ạbblendung *f.* -en ① (광선) 차단; 소등. ② ↑ Abblende. ③ 촬영 중단〔종료〕.

ạb|bleuen *t.* 〔구어〕 호되게 때리다, 때려눕히다.

ạb|blicken *i.* (h.) ① 한눈팔다. ②〖광물〗 광택을 잃다.

ạb|blitzen 《Ⅰ》 *i.* ① (h.) *imp.* es hat abgeblitzt 번개가 뜸해졌다. ② (s.) (총·화약 따위가) 불발이다; 〔비유〕 반짝하고 말다, 목적을 이루지 못하다; 〔구어〕 퇴짜맞다: er ist bei ihr abgeblitzt 그는 그녀에게서 퇴짜맞았다. 《Ⅱ》 *t.* (총을) 발사하다.

ạb|blocken *t.* 상대의 공격을 차단하다.

ạb|blühen *i.* (h./s.) ① 꽃이 시들다. ②〔비유〕 한창 때가 지나다, 쇠잔〔쇠퇴〕하다: ihre Jugend war nun endgültig abgeblüht 그녀의 청춘은 이제 완전히 지나가버렸다.

ạb|blüten *t.* 〔구식〕 꽃을 꺾다.

ạb|bohren *t.* 〖광산〗 ① 구멍을 다 뚫다. ② 구멍을 뚫어 분리하다; 구멍을 뚫어 지질을 조사하다. ③ 커닝하다, 베끼다.

Ạbbohrer *m.* -s, - 〖광산〗 착암기(機).

ạb|borgen *t.* jm. et. ~ 누구에게서 무엇을 빌리다〔꾸다〕.

ạb|böschen *t.* 비탈지게 하다, 사면(斜面)을 이루게 하다; 〖軍〗 (참호의 안쪽을) 비스듬하게 깎다.

Ạbböschung *f.* -en 경사, 사면; 비스듬히 깎기〔깎은 면〕.

ạbbosseln *t.* ↑ abbossieren.

ạbbossen *t.* ↑ abbossieren.

ạb|bossieren *t.* ① (석재(石材)를) 대강 다듬다〔가공하다〕; (조상(彫像)을) 거칠게 조각하다. ② 모형을 뜨다; 양각 세공을 하다.

Ab|brand [ápbrant] *m.* -(e)s, ..brände [..brɛndə] ①〖제련〗 연소로 인한 금속 중량의 감량〔감소〕. ② 핵 연료의 에너지화. ③ 망치질할 때 생기는 쇠부스러기, 쇠똥. ④ 로켓 고체 연료의 연소.

Ạbbrandler *m.* -s, - ↑ Abbrändler.

Ạbbrändler *m.* -s, - 화재의 피해자, (화재로 인한) 이재민.

ạb|brassen *t.* 〖海〗 (돛을) 팽팽하게 달다.

ạb|braten* *t.* 〔드물게〕 충분히 굽다.

ạb|brauchen 《Ⅰ》 *t.* 다 써버리다, 소모하다; 써서 낡게〔닳게〕 하다. 《Ⅱ》 *refl.* sich ~ (옷감 등이) 써서 낡아 지다〔닳다〕; (물의 따위가) 사그러들다.

ạb|brauen *t.* (술을) 충분히 발효〔숙성〕시키다; 양조(釀造)를 끝내다.

ạb|bräunen *t.* (고기를) 충분히 굽다, 노릇하게 굽다.

ạb|brausen 《Ⅰ》 *i.* ① (h./s.) 발효가 멎다; 부글거림이 멎다. ② (s.) 요란하게 (소리내며) 달려가다. 《Ⅱ》 *t.* ① 샤워를 시키다, 물을 끼얹다. ② (취주곡 따위를) 격렬하게 연주하다.

ab|brechen [ápbrɛçən] 《Ⅰ》 *t.* ① **(a)** 꺾어 떼다; (꽃·과일을) 따내다; 부러뜨리다: die Nadel ~ 바늘을 부러뜨리다. **(b)** (집을) 헐다, 해체〔철거〕하다: 〔비유〕 alle Brücken hinter sich³ ~ 배수진을 치다. **(c)** 〖印〗 (낱말을) 분철하다. ② **(a)** 줄이다, 빼다: jm. et. am Lohn ~ 누구의 임금에서 무엇을 공제하다. **(b)** sich³ et. ~ 무엇의 아쉬움을 참다, 무엇을 절약하다. ③ (실 따위를) 툭 자르다, 끊다; (협상 따위를) 갑자기 중단하다; (관계·교제를) 단절하다. ④〖양조〗 (맥주를 냉각기 안에서) 휘젓다. ⑤〔약변화로도 쓰임〕 (삼을) 다다듬다. ⑥〔구어〕 sich³ einen ~ a) 고상한 척하다, 까다롭게 굴다, b) 지나치게 열성을 보

이다: brich dir nur keinen ab! 그렇게 까다롭게 굴지 말아라, 너무 무리하지 말아라! 《Ⅱ》 *i.* ① (s.) 꺾어지다, 부러지다. ② (h.) 갑자기 그치다; 중단되다; 낭떠러지를 이루다: in der Rede ~ 말을 뚝 그치다; von et.³ ~ 무엇을 돌연 그만두다; wir wollen hiervon ~ 이 이야기는 그만두자. ③ (h.) 〚軍〛 종대로 행진 대열을 만들다: zu zweien ~ 2 열 종대로 헤쳐 모이다. ④ (h.)/(*refl.*) 모두 토하다: der Kranke hat (sich) abgebrochen 환자는 다 토했다.

Ạbbrechung *f.* -en 꺾음; 해체, 철거; 〚印〛 (낱말의) 분철; 중지; 단절, 절연.

ạb|bremsen *t.* 속도를 줄여 멈추게 하다, (브레이크로) 속도를 줄이다; (생산·발전 등을) 억제하다: die Fallgeschwindigkeit auf 400 km/h ~ 낙하 속도를 시속 400 km 로 줄이다.

Ạbbremsung *f.* -en 제동.

ạb|brennen* 《Ⅰ》 *t.* ① 태워버리다; 태워 없애다: den Acker ~ 밭에 난 잡초를 태워 없애다; jn. ~ 누구의 재산을 잿더미로 만들다. ② 점화하다; 발사하다, (불꽃을) 쏘아 올리다. ③ 〚工〛 담금질하다; 정련하다; (벽돌 따위를) 구워내다; (커피를) 충분히 볶다. 《Ⅱ》 *i.* (s.) ① 전소하다, 소실되다, 불타 없어지다: das Gebäude ist abgebrannt 그 건물은 전소되었다. ② 화재로 (재산) 피해를 입다. ③ 〔드물게〕 (화약이) 불발이다.

Ạbbrennung *f.* -en 소각, 소실.

Abbreviation [abreviatsió:n] *f.* -en 〔구식〕 (Abkürzung) 단축, 줄임; 생략.

Abbreviatur [..viatú:r] 《lat.》 *f.* -en (Abkürzung) ① =Abbreviation. ② 약어; 〚음악〛 약기법(略記法).

abbreviieren [..vií:rən] *t.* 〔구식〕 (abkürzen) (특히 단어를) 줄이다, 단축〔생략〕하다.

ạb|bringen* *t.* ① 치우다; (곡식을) 거둬들이다; 〚海〛 (좌초한 배를) 다시 띄우다. ② jn. ~ 누구의 마음을 다른 데로 돌리게 하다, 단념하게 하다: jn. vom rechten Weg ~ 누구를 나쁜 길로 끌어들이다; jn. von der Spur ~ 누구를 따돌리다; er läßt sich von seiner Meinung nicht ~ 그는 자기의 의견을 굽히려 하지 않는다. ③ (**a**) (유행·풍습 등을) 빗나가게 하다, 타락케 하다. (**b**) 유행에 뒤떨어지게 하다. ④ 〚商〛 (상품을) 팔아 치우다, 처분하다. ⑤ (schweiz.) (일을) 끝내다, 처리하다.

Ạbbringung *f.* -en ① 제거; 〚海〛 이초(離礁). ② 전환, 유도; 호도(糊塗); 〔드물게〕 (간곡한) 만류, 제지.

ạb|bröckeln 《Ⅰ》 *t.* 부수어 (떼어)내다. 《Ⅱ》 *i.* (s.)/*refl.* (sich) ~ ① 부서져 떨어지다, (칠 따위가) 벗겨지다. ② 〚商〛 (시세가) 하락하다.

Ạbbröckelung *f.* -en ① 벗겨짐, 떨어짐; 시세 하락. ② 부서진 조각.

ạb|brocken *t.* (südd., öst.) ① (꽃을) 꺾다, (열매를) 따다. ② 토막내다.

***Abbruch** [ápbrux] *m.* -(e)s, ..brüche ① 헐기, 철거: ein Haus auf ~ verkaufen 집을 헐값으로 팔다. ② 중단, 단절: mit dem ~ der diplomatischen Beziehungen drohen 외교 관계를 단절하겠다고 위협하다; ohne ~ 중단없이. ③ 붕괴; (빙하 따위의) 파편; (소택지의) 씻겨 내려간 토지. ④ 〚권투〛 티케이오(T.K.O.)패: durch ~ unterliegen 티케이오 패하다. ⑤ 손해, 손실: jm. 〔einem Dinge〕 ~ tun 누구에게〔무엇에〕 손해를 입히다; ~ leiden 손해를 입다; sich³ an et.³ ~ tun 무엇을 절약하다.

ạbbrüchig *a.* ① 부서지기 쉬운, 부실한. ② 해로운, 손해되는.

Ạbbruch≈arbeit *f.* (건축물의) 철거 공사. **~firma** *f.* 철거 시공 업체. **~genehmigung** *f.* 건축물 철거 승인. **~reif** *a.* 헐어야〔철거해야〕 할; 금방 무너질 듯한. **~sieg** *m.* 티케이오 승. **~unternehmen** *n.* ↑ ~firma. **~unternehmer** *m.* 철거 시공 업자.

ạb|brücken *i.* (h.) 교량을 철거하다.

ạb|brühen *t.* ① 끓는 물로 익히다: eine Gans ~ 끓는 물을 끼얹어 거위털을 뽑아내다. ② (소독·세척을 위하여) 끓는 물을 붓다. ③ (과도한 자극으로) 감각을 마비시키다, 멍하게 만들다.

ạb|brüllen 《Ⅰ》 *t.* ① (노래를) 울부짖듯이 부르다. ② jm. et. ~ (악을 써서) 누구로부터 무엇을 빼앗다. 《Ⅱ》 *refl.* sich ~ 울부짖다가 지치다; (고래고래) 울부짖다, 악을 쓰다.

ạb|brummen 《Ⅰ》 *t.* ① 중얼거리다; (노래를) 입 속으로 웅얼거리다. ② 〔구어〕 징역살이하다, 복역하다: eine Strafe ~ 징역살이하다; ein Jahr ~ 1 년간 복역하다. 《Ⅱ》 *i.* (s.) 굉음을 내며 달려가 버리다.

ạb|buchen *t.* 〚商〛 ① 차감하다, 공제하다; (예금을) 인출하다: einen Betrag von dem Konto ~ 계좌에서 일정 금액을 빼내다. ② 손실 처리하다, 감가 상각하다; 장부의 기록을 지우다.

Ạbbuchung *f.* -en 차감, 공제; 손실 처리.

ạb|bügeln *t.* ① (빨래를) 충분히 다리다; (새 옷을) 다리미질하여 끝맺음하다. ② 〚스키〛 리프트의 손잡이를 놓다.

ạb|bummeln *t.* (초과 근무한 시간을) 휴식 시간으로 상쇄하다.

ab|bunken [ápbuŋkən] *t.* 〚광산〛 토탄층(土炭層) 위의 흙을 제거하다.

ạb|bürden *t.* 〔드물게〕 짐을 부리다〔내리다〕.

ạb|bürsten *t.* ① (먼지를) 솔질하여 털다; (양복·구두에) 솔질하다. ② 〔구어〕 (jn.) 질책하다, 꾸짖다.

ạb|büßen *t.* ① 속죄하다. ② (죄값을) 치르다: eine Strafe ~ 복역하다.

Ạbbüßung *f.* -en 속죄, 수형(受刑).

***Abc** [a:be:tsé:] *n,* -, - ① 알파벳, 아베체: nach dem ~ 알파벳 순서로. ② 〔비유〕 초보, 기초.

ABC-Abwehr [a:be:tsé:..] *f.* 화생방(化生放) 무기에 대한 방어.

Abc≈Bank [a:be:tsé:..] *f.* 초등 학교 1 학년(의 의자). **~-Buch** *n.* ① 초등 학교 1 학년용 읽기 교과서. ② 입문서. **~-Code** [..ko:t] *m.* 국제 전신 약호부.

ab|checken~ [áptʃɛkən] *t.* ① 검사하다, 검열하다. ② (명단을) 체크하다.

Abc≈-Schule [a:be:tsé:..] *f.* 초등 학교. **~-Schüler, ~-Schütz(e)** *m.* 초등 학교 1 년생.

ABC≈-Staaten [a:be:tsé:..] *pl.* ABC 3 국(Argentinien, Brasilien, Chile). **~-Waffen** *pl.* 화생방 무기(atomare, biologische und chemische Waffen).

Abc-Tafel [a:be:tsé:..] *f.* 알파벳표, 자모표.

Abdach [ápdax] *n.* -(e)s, ..dächer ① 〚건축〛 차양, 처마, 달개 지붕. ② 광, 헛간.

ạb|dachen 《Ⅰ》 *t.* ① (집의) 지붕을 벗겨내다.

② (지붕 모양으로) 경사지게 하다. 《Ⅱ》 *refl.* sich ~ 경사지다, 기울다.
abdachig, abdächig *a.* 비탈진, 비스듬한.
Abdachung *f.* -en 경사, 구배, 사면; 〖軍〗 차폐(遮蔽).
Abdachungs⸗ebene *f.* 〖軍〗 차폐면(遮蔽面). **~winkel** *m.* 경사각; 〖軍〗 차폐각(角).
ab|dämmen *t.* ① (어떤 지역을) 둑을 쌓아 보호하다. ② 저지하다, 막아내다.
Abdämmung *f.* -en ① 둑을 쌓아 막기, 축제(築堤). ② 둑, 제방. ③ 방음 장치.
Abdampf [ápdampf] *m.* -(e)s, ..dämpfe 〖工〗 배기(排氣), 배출 증기.
Abdampf⸗apparat *m.* 배기 장치. **~austritt** *m.* 〖기술〗 배기 밸브〔코크〕.
ab|dampfen 《Ⅰ》 *i.* ① (s.) 증발하다. ② (s.) (기차·기선이 또는 사람이 기차·기선을 타고) 출발하다; 도망치다. 《Ⅱ》 *t.* 증발시키다.
abdämpfen *t.* ① 〖요리〗 찌다, 증기에 삶다. ② 〖비유〗 (색채·음향을) 흐리게〔약하게〕 하다; (감정을) 가라앉히다, 진정시키다.
Abdampf⸗kessel *m.* 증기 가마. **~pfanne, ~schale** *f.* 증발 접시. **~turbine** *f.* 〖工〗 증기 터빈.
Abdampfung *f.* -en 증발.
Abdämpfung *f.* -en 〖요리〗 찜; (음향의) 약화, 완화; 〖전기〗 제동(制動).
Abdampf·wärme *f.* ① 〖工〗 배기열(排氣熱). ② 〖化〗 증발시키는 데 드는 열에너지.
***ab|danken** 《Ⅰ》 *t.* 해고하다, 면직시키다; (군대를) 해산시키다; (선박을) 폐선시키다: ein abgedankter Hauptmann 퇴역 육군 대위. 《Ⅱ》 *i.* (h.) 사직하다, 퇴직하다, 퇴임하다; 퇴위하다: der Herrscher dankt ab 군주가 퇴위를 한다.
Abdankung *f.* -en 해고, 면직; 사직, 퇴직; 퇴위.
ab|darben *t.* sich³ et. ~ 무엇을 절약하다, 아끼다: ich darbte mir die paar Groschen vom 〔am〕 Munde ab 나는 먹을 것을 아껴 돈 몇 푼을 모았다.
ab|darren *t.* 〖양조〗 건조시키다(darren).
ab|dasseln *t.* 망교종(虻蛟腫; 쇠파리에 쏘여 생기는 종기)을 치료하다.
***ab|decken** *t.* ①…의 덮개를 벗기다: ein Dach 〔Haus〕 ~ 지붕을 벗기다; den Tisch ~ (식후에) 식탁보를 벗기다, 식탁을 치우다; 〖고어〗 ein Tier ~ 짐승의 가죽을 벗기다. ② 덮다, 가리다; (담에) 갓돌을 얹다. ③ 〖구어〗 호되게 때리다, 마구 패다. ④ (빚 따위를) 갚다. ⑤ 막다, 방어하다: das Tor ~ 골을 막아내다. ⑥ (수요를) 충족시키다.
Abdecker *m.* -s, - 가죽 벗기는 사람, 박피공.
Abdeckerei [apdɛkərái] *f.* -en 박피업(剝皮業); 박피 공장.
Abdeck·platte *f.* 〖건축〗 갓돌, 관석(冠石).
Abdeckung *f.* -en ① (덮개·가죽을) 벗김; 박피. ② 〖건축〗 (담의) 갓돌.
ab|deichen *t.* ↑ abdämmen.
Abdera [apdé:ra] 압데라(고대 그리스의 도시).
Abderit [..rí:t] *m.* -en, -en 압데라 사람; 〖비유〗 어리석은〔우매한〕 사람.
abderitisch *a.* ① 압데라(사람)의. ② 〖비유〗 어리석은.
ab|dichten *t.* ① 농축하다, 조밀하게 하다. ② (틈새를) 메우다, 틀어막다; 방수 처리하다: 〖海〗 mit Werg ~ (갑판의 널빤지 틈을) (뱃밥으로) 메워 방수(防水)하다.
Abdichtung *f.* -en ① 농축. ② 메우기, 패킹.
ab|dicken *t.* (음식을) 조리다.
ab|dielen *t.* den Boden ~ 마루청을 깔다.
ab|dienen *t.* ① 복무〔근무〕를 마치다: 〖軍〗 sein Jahr ~ 복무 연한을 마치다. ② 〖구식〗 (부채를) 노역으로〔봉사로〕 갚다.
Abdikation [apdikatsió:n] 《lat.》 *f.* -en 〖구식〗 포기, 기권; 사직, 퇴위(退位).
abdingbar *a.* 〖法〗 (합의에 의해) 변경할 수 있는, 절충〔변경〕의 여지가 있는.
ab|dingen⁽*⁾ *t.* ① 값을 깎다: jm. et. ~ a) 누구에게서 무엇의 값을 깎아 사다, b) 누구에게서 무엇을 교섭하여 얻어내다. ② 스카우트하다.
ab|disputieren 《lat.》 *t.* 부정〔부인〕하다.
abdizieren [apditsí:rən] 《lat.》 *i.* (h.) 기권하다; 사직하다, 퇴위(退位)하다.
ab|docken *t.* ① (실을) 타래로 만들다. ② (사냥개의 목줄을) 풀어 주다.
Abdomen [apdó:mɛn] 《lat.》 *n.* -s, -/..mina 〖해부〗 ① 배, 복부(腹部). ② 〖動〗 절족류(節足類)의 후반신.
abdominal *a.* ① 〖해부〗 복부의. ② 〖動〗 (절족류의) 후반신의.
Abdominal⸗atmung *f.* 복식(腹式) 호흡. **~typhus** *m.* 장티푸스.
ab|donnern 《Ⅰ》 *imp.* es hat (sich) abgedonnert 천둥이 그쳤다. 《Ⅱ》 *i.* (s.) (차·비행기 따위가) 굉음을 울리며 떠나가다: er ist mit seinem Motorrad abgedonnert 그는 오토바이를 타고 요란하게 소리내며 떠나갔다. 《Ⅲ》 *t.* (jn.) 호되게 꾸짖다, 호통치다.
ab|dorren *i.* (s.) (꽃잎이) 메마르다, 시들다.
ab|dörren *t.* ① 바싹 말리다〔건조시키다〕. ② 〖제련〗 정련(精鍊)하다.
Abdraht *m.* -(e)s ↑ Abdrehspäne.
ab|drängen *t.* ① 밀쳐내다. ② jm. et. ~ 누구에게서 무엇을 억지로 빼앗다〔강탈하다〕.
ab|drechseln *t.* 선반으로 깎아내다〔다듬다〕.
Abdreh⸗bank *f.* 〖복수: ..bänke〗 〖工〗 선반(旋盤). **~eisen** *n.* 선반용 끌.
ab|drehen 《Ⅰ》 *t.* ① 비틀어 뜯다〔끊다〕: 〖비유〗 jm. den Hals ~ 누구의 목을 비틀다, 궁지에 몰아넣다; 〖구어〗 jm. et. ~ 누구로부터 무엇을 속여서 빼앗다. ② 스위치를 돌려 끄다〔잠그다〕: das Gas〔Wasser〕 ~ 가스〔수도〕 꼭지를 틀어 끄다〔잠그다〕: das elektrische Licht ~ 전등의 스위치를 돌려 끄다. ③ 선반으로 깎아내다. ④ 돌리다, (방향을) 틀다: sie dreht ihr Gesicht ab 그녀는 얼굴을 돌린다. ⑤ (영화 촬영을) 끝내다. 《Ⅱ》 *i.* (h.) 〖海〗 항로를 돌리다, 진로를 바꾸다: das Schiff dreht nach Westen ab 배가 서쪽으로 방향을 바꾼다.
Abdreh⸗späne *pl.* 선반(旋盤)의 깎은 부스러기. **~stahl** *m.* ↑ ~eisen. **~zeug** *n.* 선반 용구(用具).
ab|dreschen* *t.* ① (무엇의) 타작을 끝내다. ② 〖구어〗 호되게 때리다, 마구 패다.
Abdrift [ápdrɪft] *f.* -en 〖海·空〗 (바람·조류로 인한) 편류(偏流).
ab|driften *i.* (s.) (선박·비행기가) 항로에서 벗어나다.

ab|dringen* *t.* jm. et. ~ 누구에게서 무엇을 억지로 빼앗다.
Abdringung *f.* 강제 탈취, 강탈.
ab|drohen *t.* jm. et. ~ 누구에게서 무엇을 갈취하다, 위협하여 빼앗다.
ab|drosseln *t.* ①〖工〗(**a**) …의 흐름〔유통〕을 막다: Dampf ~ 증기의 유입을 막다. (**b**) 잠그다: ein Ventil ~ 밸브를 잠그다. (**c**) …으로 들어가는 연료 유입을 줄이다〔막다〕: einen Motor ~ 연료의 유입을 막아 모터를 감속〔정지〕시키다. ② (사람의 목을) 조르다.
Abdrosselung *f.* (연료·가스를) 잠금, 차단.
Abdruck [ápdrʊk] *m.* -(e)s 《I》① 인쇄; 복사. ②〔복수: -e〕 인쇄물; 복사물, 사본: neuer ~ (서적의) 신판. 《II》〔복수: ..drücke〕① 눌러 찍음, 각인(刻印). ② 각인된 자국, 압형(押型); 화석. ③〖비유·고어〗사생(寫生). ④ (총의) 방아쇠.
Abdruck·blatt *n.* 인쇄물.
ab|drucken *t.* ① 인쇄하다; 복사하다; 게재하다: wieder ~ 재판(再版)을 찍다. ② (무늬·형을) 찍다.
ab|drücken 《I》 *t.* ① (석고 따위로) 무엇의 압형을 뜨다. ② 발사하다: einen Pfeil 〔ein Gewehr〕 ~ 활〔총〕을 쏘다. ③ (숨통을) 조이다, 막다: die Erregung drückte ihr die Luft ab 그녀는 흥분하여 숨이 막혔다;〖비유〗Angst wollte ihr das Herz ~ 그녀는 불안해서 가슴이 미어질 듯 했다. ④ 밀쳐내다. ⑤〖구어〗꼭 끌어안고 키스하다. 《II》 *i.* (s.)/*refl.*〖구어〗(sich) ~ 몰래 떠나다, 도망치다.
Abdruck⸗papier *n.* 인쇄 용지. **~schraube** *f.*〖工〗압착(壓搾) 나사.
Abdrucks·recht *n.* 판권, 저작권.
abds. =abends 저녁〔밤〕에.
ab|ducken *i.* (h)〖스포츠〗몸을 굽혀〔더킹 모션으로〕 상대의 공격을 피하다(abtauchen).
ab|dudeln *t.* (곡을) 단조롭게 노래〔연주〕하다.
ab|duften *i.* (s.) ① 향기를 잃다. ② 몰래 사라지다.
Abduktion [apdʊktsió:n] 《lat.》 *f.* -en〖醫〗외전(外轉).
Abduktor [apdʊ́ktɔr, ..tɔ:r] *m.* -s, ..toren [..dʊktó:rən]〖해부〗외전근(外轉筋).
ab|dunkeln 《I》 *i.* (s./h.) 어두워지다, 어두운 빛을 띠다. 《II》 *t.* 어둡게 하다, 어두운 빛을 띠게 하다; (색을) 진하게 하다.
ab|dunsten〖드물게〗《I》 *i.* (s.) 증발〔기화〕하다. 《II》 *t.* ↑ abdünsten.
ab|dünsten *t.* 증발〔기화(氣化)〕시키다.
Abdunstung, Abdünstung *f.* -en 증발, 기화.
Abdünstungs⸗bad *n.* 한증(汗蒸)욕; 한증탕. **~haus** *n.* 정염소(精塩所).
ab|duschen 《I》 *t.* 샤워를 시키다. 《II》 *refl.* sich ~ 샤워를 하다.
abduzieren [apdutsí:rən] 《lat.》 *t.*〖醫〗(사지를) 옆으로 내뻗다;〖드물게〗유괴하다, 연행해 가다.
ab|ebben *i.* (h.) (흥분·싸움 따위가) 가라앉다, 수그러들다.
ab|ebnen *t.* 평탄하게 하다, 고르다.
Abece [a:be:tsé:] *n.* ↑ Abc.
Abecedarier [abetsedá:riər] 《lat.》 *m.* -s, - ① 초등 학교 1학년생; 초학자, 초심자. ② (Wiedertäufer) 재침례론자(의 별명).
Abecedarius *m.* -, ..rii [..rii] ① 초등 학교 1학년생; 초등 학교 1학년 담당 교사. ② 각 절의 머릿자가 ABC 순으로 된 시.
abecedieren *i.* (h.) 알파벳을 외다.
abecelich [abetsé:lıç] *a.* 알파벳순(順)의.
Abeceling *m.* -s, -e ↑ Abc-Schüler.
abece·weise *adv.* 알파벳 순으로.
ab|ecken *t.* ① 모서리를 없애다. ② 모서리를 만들다. ③ 직사각형으로 만들다.
Abee [abé:, abe] *m./n.* -s, -s〖방언〗화장실.
ab|eggen *t.*〖農〗써레로 (풀을) 제거하다; (써레 비슷한) 제초기로 밭을 매다.
ab|eichen *t.* (도량형기로) 달다, 재다.
ab|eiden *t.*〖고어〗jm. et. ~ 누구의 다짐〔서약〕을 받아 무엇을 얻어내다.
ab|eifern *refl.* sich ~ (일에) 너무 열중하여〔골몰하여〕 지치다.
ab|eilen 《I》〖드물게〗 *i.* (s.) 서둘러 떠나다. 《II》 *refl.* sich ~ 서두르다가 지치다.
ab|eisen *t.* …의 얼음을 제거하다.
Abel [á:bəl] 《hebr.》 *m.*〖聖〗아벨(아담의 둘째 아들, 카인에게 살해됨; 창세기 4:2).
Abele [abé:lə] 《frz.》 *f.* -n〖植〗백양(白楊).
Abelmoschus [a(:)bəlmɔ́ʃʊs, á:bəlmɔʃʊs] 《ar.》 *m.*〖植〗아벨모스크(당아욱의 일종).
*__Abend__ [á:bənt] *m.* -s, -e [..də] ① 저녁, 초저녁, (잠자리에 들기 이전의) 밤: am ~ 저녁에; diesen ~ 오늘 저녁에; eines ~s 어느날 저녁에; am Dienstag~ 화요일 밤에(Dienstag abends, dienstags abends 화요일 밤마다); an einem Montag~ 어느 월요일 밤에; jeden ~ 매일 저녁에; am ~ vorher 전날 밤에; gegen ~ 해질 무렵에; es wird ~ 저녁이 된다, 날이 저문다; guten ~! (밤·저녁 인사) 안녕하십니까!; jm. einen guten ~ sagen 〔wünschen, bieten〕 누구에게 저녁〔밤〕 인사를 하다; zu ~ essen 저녁 식사를 하다; ~ machen 일을 끝내고 쉬다;〖속담〗man soll den Tag nicht vor dem ~ loben 결과를 보고 칭찬해라; es ist noch nicht aller Tage ~ 안심하기에는 아직 이르다;〖은어·비속〗du kannst mich mal am ~ besuchen 내 똥이나 먹어라. ② (~gesellschaft) 저녁 모임, 야회(夜會): Goethe-~ 괴테 문학의 밤; ein bunter ~ 다채로운 저녁 행사. ③ (**a**) (축제의) 전야(前夜) (Vor~): Heiliger ~ 크리스마스 이브. (**b**) 전날. ④〖비유〗종말, 끝: ~ des Lebens 인생의 황혼. ⑤〖구식〗서쪽; 서양(~land): (ge)gen ~ 서쪽으로. ⑥〖방언〗오후.
abend *adv.* 저녁에, 밤에: heute〔gestern, morgen〕 ~ 오늘〔어제·내일〕 저녁〔밤〕에.
Abend⸗akademie *f.* 야간 대학. **~andacht** *f.* 저녁 기도〔예배〕. **~anzug** *m.* (남자의) 야회복. **~aufführung** *f.* 야간 공연. **~ausgabe** *f.* 석간 (신문). **~beleuchtung** *f.* 야간 조명, 저녁놀. **~besuch** *m.* 저녁의 방문(객). **~blatt** *n.* 석간 신문. **~brot** *n.* 저녁 식사. **~dämmerung** *f.* 땅거미, 황혼. **~dunkel** *n.* 저녁 어둠.
abende·lang [á:bəndə..] *adj.* 몇 날 저녁〔밤〕 동안, 여러 날 저녁〔밤〕에 걸쳐.
Abend⸗essen *n.* 저녁 식사. **~falter** *m.*〖動〗박각시나방. **~friede(n)** *m.* 저녁의 평온. **~füllend** *a.* 저녁 늦게까지의 시간을 채우는:

~es Stück 저녁 내내 공연해야 할 만큼 긴 작품. **~füller** *m.* 저녁 늦도록 하는 장시간 공연(물). **~gang** *m.* 저녁 산책. **~gebet** *n.* 저녁 기도. **~gegend** *f.* 서쪽. **~geläut(e)** *n.* 저녁 종(소리), 만종(晩鐘). **~gesang** *m.* 저녁 찬송(가). **~gesellschaft** *f.* 저녁 모임, 야회. **~glanz** *m.* 저녁놀. **~glocke** *f.* 저녁 종. **~glut** *f.* ↑ ~glanz. **~gottesdienst** *m.* 저녁 예배. **~grauen** *n.* 땅거미. **~hauch** *m.* 저녁 바람. **~imbiß** *m.* 간단한 저녁 식사. **~kasse** *f.* (저녁 공연 전에 문을 여는) 야간 매표소. **~kleid** *n.* (여성의) 야회복. **~kost** *f.* 저녁 식사. **~kreis** *m.* 저녁 모임, 야회. **~kühle** *f.* 저녁의 냉기. **~kurs(us)** *m.* 야간 강좌.

***Abend·land** *n.* 서양(↔ Morgenland). **~länder** *m.* 서양인. **~ländisch** *a.* 서양의: die ~e Kirche 로마 가톨릭 교회. **~lehr·gang** *m.* ↑ ~kurs.

abendlich 《I》 *a.* ① 저녁〔초저녁·밤〕의. ② 〖고어〗 서쪽의, 서쪽 방향에 (있는). 《II》 *adv.* 밤에, 저녁에; 저녁마다.

Abend≈licht *n.* 저녁놀, 석양. **~lied** *n.* 저녁 노래. **~luft** *f.* 저녁 공기, 저녁 바람. **~mahl** *n.* ① ↑ ~mahlzeit. ② 〖宗〗 (das heilige ~) (그리스도의) 최후의 만찬; 〖개신교〗 성찬식; 〖가톨릭〗 미사와 성체 배령(聖體拜領): das ~ halten 〔empfangen, nehmen〕 성찬식을 올리다〔성찬을 받다〕; 〖구어〗 darauf will ich das ~ nehmen 그것을 나는 확실히 안다. **~mahls·brot** *n.* 성찬용의 빵. **~mahls·feier** *f.* 성찬식. **~mahls·gänger,** **~mahls·gast** *m.* 성찬을 받는 사람. **~mahls·kelch** *m.* 성찬용 잔. **~mahls·wein** *m.* 성찬용 포도주. **~mahlzeit** *f.* 만찬, 저녁 식사. **~messe** *f.* 〖가톨릭〗 저녁 미사, 성제(聖祭). **~mette** *f.* ↑ ~messe. **~musik** *f.* 소야곡(Serenade). **~programm** *n.* 저녁 프로그램. **~punkt** *m.* 〖天〗 정서(正西). **~regen** *m.* 밤비. **~rot** *a.* 저녁놀의, 저녁놀에 불타는. **~rot** *n.*, **~röte** *f.* 저녁놀.

***abends** [á:bənts] (약어: abds.) *adv.* 저녁에, 밤에; 저녁마다, 밤마다: ~ spät 〔spät ~〕 밤늦게; Sonntag〔sonntags〕 ~ 일요일 밤에; (um) 9 Uhr ~〔~ (um) 9 Uhr〕 밤 9시에; von morgens bis ~ 아침부터 저녁까지.

Abend≈schein *m.* 낙조, 석양빛, 저녁놀. **~schicht** *f.* 〖광산〗 (2교대 또는 3교대 작업 방식에서) 저녁 작업조. **~schimmer** *m.* ↑ ~rot. **~schule** *f.* 야간 학교. **~segen** *m.* ↑ ~andacht. **~seite** *f.* 서쪽. **~sonne** *f.* 석양, 저녁 해. **~ständchen** *n.* ↑ ~musik. **~stern** *m.* 금성. **~still** *a.* 밤같이 고요한; 적막한. **~tau** *m.* 밤 이슬. **~tisch** *m.* 저녁밥; 저녁상. **~trunk** *m.* 저녁 반주. **~unterhaltung** *f.* 저녁〔밤〕의 여흥〔오락·환담〕. **~vogel** *m.* 〖動〗 박각시나방; 〖비유〗 밤놀이〔밤나들이〕를 즐기는 사람. **~völker** *pl.* 서양의 여러 민족. **~vorstellung** *f.* 저녁 공연: die ~ ist bereits ausverkauft 저녁 공연 표는 이미 매진되었다. **~wärts** *adv.* 〖구식〗 서쪽으로. **~wind** *m.* 저녁 바람; 서풍. **~zeit** *f.* 저녁 때. **~zeitung** *f.* 석간 신문. **~zirkel** *m.* ↑ ~gesellschaft. **~zug** *m.* 야간 열차.

***Abenteuer** [á:bəntɔʏər] *n.* -s, - 모험; 정사(情事): ein galantes ~ (파란만장한) 연애 사건, 사랑의 모험; auf ~ ausgehen 모험하러 나서다; ein ~ bestehen 모험을 겪(어내)다.

Abenteuer·film *m.* 모험 영화.

Abenteuerin *f.* -nen ↑ Abenteurerin.

abenteuerlich *a.* ① 모험적인; 모험을 좋아하는. ② 진기한, 공상적인, 기상천외의.

Abenteuerlichkeit *f.* -en 모험, 진기한 일.

Abenteuer≈lust *f.* 모험심, 모험욕. **~lustig** *a.* 모험을 좋아하는.

abenteuern *i.* (h.) 모험하러 나서다, 모험하다: ein ~der Ritter 무예를 닦기 위해 모험에 나서는 기사.

Abenteuer·spielplatz *m.* (어린아이들을 위한) 모험 놀이터.

Abenteurer *m.* -s, - 〖대개 펌어〗 ① 모험가; 떠돌이. ② 바람둥이; 사기꾼, 야바위꾼.

Abenteurerin *f.* -nen ↑ Abenteurer 의 여성형.

Abenteurer·natur *f.* 모험을 즐기는 기질.

***aber** [á:bər] 《I》 *adv.* 다시 한 번 더, 또다시: tausend und ~ tausend 〔(öst.) ~tausend〕 수천의, 수없이; ~ und ~mals 재삼재사. 《II》 *cj.* ① 그러나, 하지만: edel, ~ arm 고귀하긴 하나 가난한; ~ doch 그럼에도 불구하고; nun ~ 그런데, 하지만; oder〔sonst〕 ~ 그렇지 않다면. ② **(a)** 〖의아함의 표현〗 ~ wie siehst du aus? 저런 네 꼴이 그게 뭐냐?; ~ Vater 아이 아버지도(뭘 그런 말씀을 하셔요〔그러셔요〕). **(b)** 〖강조〗 ~ ja 그렇고 말고요; ~ freilich 물론이죠; ~ nein 그렇지 않습니다, 천만에요; ~ fein 참 괜찮군. **(c)** 〖auch 와 함께 '비난·혐오'의 뜻〗 du kannst ~ auch nie den Mund halten 너는 입을 다물고 있지 못하는구나. **(d)** 〖놀라움을 나타냄〗 die ist ~ dick! 그 여자 정말 뚱뚱하군! ③ 〖단지 말의 계속을 나타냄〗 그리고, 그런데: es waren einmal zwei Brüder, der eine hieß Franz, der andere ~ Hans 옛날에 두 형제가 살았는데 한 사람은 프란츠였고 (그리고) 또 한 사람은 한스였다.

Aber *n.* -s, - 조건, 단서; 난점: es ist ein ~ dabei 거기에는 어려운 점이 하나 있다; er hat immer ein Wenn und ein ~ 그는 언제나 무슨 흠을 잡는다.

aber.. *pref.* "반복·후방·도착(倒錯)"의 뜻.

Aber≈acht *f.* 〖중세〗 (엄중한) 추방. **~ächter** *m.* 추방의 벌을 받은 중죄인. **~ahn** *m.* 고조부(高祖父).

ab|erben *t.* jm. et. ~ 누구에게서 무엇을 상속받다.

***Aber≈glaube** *m.* 미신. **~glauben** *m.* 〖구식〗 ↑ ~glaube. **~gläubig** *a.* ↑ ~gläubisch. **~gläubisch** *a.* 미신적인, 미신의.

aberhundert *a.* 수백의: es kamen ~e Reiter 수백의 기사〔기병〕들이 왔다.

Aberhunderte *pl.* 수백.

ab|erkennen* *t.* jm. et. ~ (판결에 의하여) 누구의 무엇을 박탈〔부인〕하다.

Aberkennung *f.* (권리 따위의) 박탈: ~ bürgerlicher Rechte 공권 박탈.

Aber·klaue *f.* ↑ Afterklaue.

aber≈klug *a.* ↑ überklug. **~könig** *m.* (합법적인 왕에 맞서는) 비합법적 왕. **~malig** *a.* 다시〔또〕 한 번의, 거듭된. **~mal** *adv.* 〖구식〗 ↑ ~mals. **~mals** *adv.* 다시〔또〕 한번, 거듭.

abern [á:bərn] *i.* (h.) ①〔고어〕(예상대로) 또 말썽을 부리다, 으레 무어라고 이의를 달다. ②〔구식〕(obd.) ↑ apern.
Aber·name *m.* 〖드물게〗 별명 (Spitzname).
ab|ernten 《I》 *t.* (작물을) 완전히 거두어들이다: den Acker ~ 전답의 작물을 거두어들이다. 《II》 *i.* (h.) 수확을 마치다.
ab|erobern *t.* 〖드물게〗 jm. et. ~ 누구를 정복해서 무엇을 탈취〔약탈〕하다.
Aber·papst *m.* -(e)s, ..päpste (합법적인 교황에 맞서는) 비합법적〔반역〕 교황.
Aberration [abεratsió:n, ap|εra..] 《lat.》 *f.* -en ① 일탈, 상궤 이탈; 비정상. ②〖天〗 광행차(光行差). ③〖광학〗 수차(收差): chromatische ~ 색수차(色收差). ④〖動·植〗 변이체, 이상형(異狀形).
Aber≈raute [á:bər] 《lat.》 *f.* 〖植〗 개사철쑥. **~saat** *f.* 〖農〗 재(再)파종. **~sinn** *m.* 고집, 미련함. **≈tausend** *a.* 수천의. **~tausende** *pl.* 수천. **~wahl** *f.* (schweiz.) 이의(異議) 신청권. **≈weise** *a.* 〔폄어·드물게〕 너무 영리한, 약은. **~wille** *m.* 혐오, 불쾌, 반감. **~witz** *m.* 어리석음, 몰상식, 난센스; 〖醫〗 정신 박약. **≈witzig** *a.* 어리석은, 상식밖의, 어처구니없는.
ab|eschern [áp|εʃərn] *t.* ↑ abäschern.
ab|essen* 《I》 *t.* 먹어 치우다, 다 먹다: die Speise vom Teller ~〔den Teller ~〕 접시의 음식을 먹어 치우다; einen Knochen ~ 뼈를 핥아〔뜯어〕먹다. 《II》 *i.* (h.) 식사를 마치다: 〖대개 과거형이나 비인칭 수동으로〗 es ist abgegessen 식사가 끝났다; 〔비유〕 du hast bei uns abgegessen 우리는 너에게 더 이상 줄 것이 없다, 너는 우리 집에서 환영받지 못한다.
Abessinien [abεsí:niən] *n.* 아베시니아(↑ Äthiopien의 옛 명칭).
Abessinier *m.* -s, - 아베시니아〔에티오피아〕 사람.
abessinisch *a.* 아베시니아의.
ABF =Arbeiter-und-Bauern-Fakultät 노동자 농민학부(1949년 동독의 대학에 신설).
Abf. =Abfahrt 발차, 출범.
ab|facen [ápfa:sən] *t.* ↑ abkanten.
ab|fachen *t.* 구분〔구획〕하다; 분류하다.
Abfachung *f.* -en 구분, 구획; 분류.
ab|fackeln *t.* (폐기 가스 따위를) 태워 없애다〔처리하다〕.
ab|fädeln *t.* 〔방언〕 Bohnen ~ 콩깍지의 심줄을 떼다; Perlen ~ 줄에서 진주를 뽑아 내다.
ab|fadmen 《<Faden》 *t.* 〖海〗 깊이를 재다.
ab|fädmen, ab|fädnen *t.* ↑ abfädeln.
abfahr·bereit *adv.* 출발 준비가 (완료)된.
ab|fahren [ápfa:rən] 《I》 *i.* (s.) ① 출발하다, 떠나가다, 발차〔출항〕하다. ②〔구어〕 **(a)** 급히 떠나다: fahr ab! 썩 물러가! **(b)** 죽다. ③ 퇴짜 맞다: jn. ~ lassen 누구의 요구를 퇴짜 놓다. ④ (배·차 따위로) 내려가다; (스키를 타고) 미끄러져 내려가다, 활강하다. ⑤ 미끄러져 떨어지다. ⑥ vom Weg ~ 길에서 벗어나다, 길을 잃다. ⑦〖영화·방송〗 방송〔방영〕하기 시작하다. ⑧〔경박〕 auf jn.〔et.〕 ~ 누구에〔무엇에〕 푹 빠지다〔반하다〕: auf Rockmusik ~ 록 음악에 빠지다. 《II》 *t.* ① (차편으로) 운반해 가다. ② einen Weg ~ 길에 차 지나간 자국을 내다, 차로 길을 트다. ③ (차를) 많이 몰아 마모시키다; (말을) 부려서 지치게 하다: die Reifen haben sich schon sehr abgefahren 타이어가 벌써 몹시 닳았다. ④ (차로) 치어 끊어 놓다; (차로) 받아 부수다: ihm wurde der Fuß abgefahren 그는 차에 치어 다리가 잘렸다; ich fuhr mit dem Wagen ein Stück von der Mauer ab 나는 차로 받아 담의 한 부분을 무너뜨렸다. ⑤ 마부로 일하여 빚을 갚다. ⑥ (차를 타고) 순회하다: der Doktor hat seine Krankenbesuche abgefahren 의사는 회진을 끝냈다. ⑦ (승차권을) 다 사용하다.
***Abfahrt** [ápfa:rt] *f.* -en ① 출발, 발차, 출범. ②〔구어〕 서거, 사망. ③〖法〗 이주(移住). ④〖스키〗 활강(滑降). ⑤ (고속 도로의) 출구, 인터체인지. ⑥ 반출, 수송.
Abfahrt·befehl *m.* ↑ Abfahrtsbefehl.
abfahrt·bereit *a.* (사람·탈것 등이) 발차〔출발〕 준비가 된.
Abfahrts≈bahnsteig *m.* 발차 플랫폼. **~befehl** *m.* 발차 명령. **~flagge** *f.* 〖海〗 출범기(出帆旗). **~geld** *n.* 〔구식〕 국외 이주세(移住稅). **~geleise** *n.* 〔고어〕 ↑ ~gleis. **~gleis** *n.* 〖철도〗 발차선(發車線). **~hafen** *m.* 출범항(港). **~halle** *f.* ↑ ~bahnsteig. **~lauf** *m.* 활강 (경기). **~punkt** *m.* 출발점. **~schuß** *m.* 출발 신호총 발사. **~signal** *n.* 발차〔출범〕 신호. **~strecke** *f.* 활강 코스. **~tafel** *f.* 열차 출발 시간표. **~zeichen** *n.* ↑ ~signal. **~zeit** *f.* 출발 시간. **~zug** *m.* 떠나는 열차.
***Abfall** [ápfal] *m.* -(e)s, ..fälle [..fεlə] ① 낙하, 탈락; 침강, 함몰. ② 내리받이, 비탈; 경사(면): ein schroffer〔steiler〕 ~ 급경사면. ③ 폐물, 쓰레기. ④ 배반, 이반: ~ vom Glauben 배교(背教). ⑤ **(a)** 감소. **(b)** 쇠퇴: in ~ kommen 쇠퇴하다. ⑥ 차이; 대조; 농담(濃淡). ⑦ 평이 나쁨(↔ Beifall). ⑧〖海〗 표류, 항로 이탈. ⑨ 폐수(廢水); 배수관.
Abfall≈behälter *m.* 쓰레기통. **~brennstoff** *m.* 쓰레기 연료. **~eimer** *m.* 쓰레기통. **~eisen** *n.* 쇠부스러기.
ab|fallen [ápfalən] 《I》 *i.* (s.) ① 떨어지다, 떨어져 나가다: der Mörtel fällt von der Mauer ab 모르타르가 벽에서 떨어진다. ② 기울다, 경사지다; 함몰하다, 몰락하다: die Straße fällt hier steil ab 도로가 여기서 급경사진다. ③ 쓰레기로 나오다; 이익이 남다: 〔비유〕 es fällt dabei nicht viel ab 그것은 큰 벌이가 되지 않는다. ④ von jm. ~ 누구를 배반〔거역〕하다: von einer Partei ~ 탈당하다; vom Glauben ~ 배교자가 되다; der Abgefallene 배교자, 변절자. ⑤ **(a)** 감소하다; 값이 떨어지다, (물가가) 하락하다: gegen jn.〔et.〕 ~ 누구〔무엇〕보다 못하다, 열등하다. **(b)** 살이 빠지다, 여위다. ⑥ von et.[3] ~ 무엇과 어긋나다〔대조를 이루다〕. ⑦ mit et.[3] ~ 무엇에 실패하다, 무엇에 대해 악평을 받다; jn. ~ lassen 누구의 요구를 거절하다. ⑧〖海〗 (바람을 등지게) 침로(針路)를 바꾸다; 바람에 밀려 표류하다. ⑨ (사냥개가) 짐승의 발자국을 놓치다. 《II》 *t.* sich[3] den Hals ~ 떨어져 목을 삐다.
abfällig [ápfεlıç] *a.* ① 떨어질 듯한. ②〔드물게〕 비탈진. ③〔고어〕 배반〔배신〕하는. ④ (비평·의견 따위가) 부정적인, 동의하지 않는, 경멸적인: sich ~ über jn. äußern 누구를 악평하다, 멸시하다; jn. ~ bescheiden 누구의

요구를 거절하다〔기각하다〕.

Abfälligkeit *f.* -en ①〖植〗낙엽성(落葉性). ② 배교, 불신. ③ 낙하; 내리받이.

Abfall≈produkt *n.* ① (폐기물을 이용한) 재활용품. ② 부산물. **~rohr** *n.*, **~röhre** *f.* 배수관. **~stoffe** *pl.* 쓰레기, 폐기물. **~verwertung** *f.* 쓰레기〔폐기물〕 활용. **~wasser** *n.* 폐수. **~wirtschaft** *f.* 폐기물 처리업.

ab|fälschen *t.*〖스포츠〗(공을) 엉뚱한 방향으로 치다〔차다〕.

ab|falzen *t.* (짐승 가죽에서) 살을 발라내다.

ab|fangen* 《Ⅰ》 *t.* ① 빼앗다, 강탈하다: jm. et. ~ 누구에게서 무엇을 탈취하다; jm. das Wasser ~ 누구의 물을 자기 쪽으로 끌어대다. ② 매복하여 붙잡다: Briefe ~ 편지를 가로채다. ③ (총맞은 짐승을) 사냥칼로 일격에 숨을 거두게 하다. ④〖광산〗�목으로 받치다. ⑤〖스포츠〗 따라잡다: jn. erst auf den letzten zwanzig Metern ~ 마지막 20 미터를 남겨 놓고 비로소 누구를 따라잡다. ⑥〖空〗(급강하로부터) 수평을 잡다; (미끄러지는 자동차 따위를) 다시 제어하다. ⑦ 저지하다, 막다. 《Ⅱ》 *refl.* sich ~ 흥분을 억제하다.

Abfang≈jäger *m.*〖軍〗요격기. **~satellit** *m.* 요격 인공 위성.

ab|färben 《Ⅰ》 *i.* (h.) 색이 바래다, (다른 것에) 색이 번지다: 〔비유〕auf jn. ~ 누구에게 영향을 주다. 《Ⅱ》 *t.* 물들이다.

ab|fasen *t.* ↑ abkanten.

ab|fasern 《Ⅰ》 *t.* Bohnen ~ ↑ abfädeln. 《Ⅱ》 *i.* (h.) / *refl.* (sich) ~ 풀리다, 흩어지다.

***ab|fassen** *t.* ① 체포하다, 구인(拘引)하다: jn. bei et.³ ~ 누구를 무엇을 하는 현장에서 체포하다. ② (문서·편지 따위를) 작성〔기초〕하다, 쓰다. ③〖工〗(쇠를) 굽히다.

Abfasser *m.* -s, - (문서의) 작성자.

Abfassung *f.* -en ① (문서의) 작성, 기초. ② 구인(拘引).

ab|fasten 《Ⅰ》 *t.* 단식하여 속죄하다. 《Ⅱ》 *refl.* sich ~ 장기간 단식으로 쇠약해지다.

ab|faulen *i.* (s.) 부패하다; 썩어 떨어지다.

ab|fechten* 《Ⅰ》 *t.* ① jm. et. ~ 누구에게서 무엇을 싸워서 빼앗다. ② eine Straße ~ 거리를 집집마다 구걸하며 다니다. 《Ⅱ》 *refl.* sich ~ 싸워 지치다.

ab|federn 《Ⅰ》 *t.* ① (새의) 깃털을 잡아 뽑다; (새를 뒷머리를 찔러) 죽이다. ② (자동차 따위에) 용수철을 달아 충격을 흡수하다. ③〖工〗용수철을 달다. 《Ⅱ》 *i.* (h.) 깃털을 갈다.

ab|fegen 《Ⅰ》 *t.* ① (먼지·쓰레기를) 쓸어 내다; (책상·책을) 깨끗이 털다〔치우다〕. ②〖사냥〗das Gehörn ~ (사슴이 머리를 비벼대어) 각피(角皮)를 떨어뜨리다〔없애다〕. 《Ⅱ》 *i.* (s.) (바람이) 스쳐 가다, 재빨리 떠나다.

ab|feiern *t.* 〔구어〕초과 근무한 시간만큼 휴가를 얻다.

ab|feilen *t.* ① 줄로 깎아내다. ② 줄로 매끈하게 갈다. ③〔비유〕퇴고(推敲)하다. ④ 베끼다, 커닝하다.

ab|feilschen *t.* 〔폄어〕값을 깎다: jm. et. ~ 누구에게서 무엇의 값을 깎아 사다.

ab|feimen 《Ⅰ》 *t.* 〔구식〕무엇의 거품을 걷어내다. 《Ⅱ》 **abgefeimt** *p.a.* ↑ abgefeimt.

ab|feinen *t.* (사탕을) 정제(精製)하다.

ab|fenstern *t.* 〔드물게〕① 몹시 꾸짖다. ② (연인을) 매정하게 퇴짜놓다.

***ab|fertigen** *t.* ① (일·문제를) 처리하다, 마치다. ② (기차·기선 따위를) 출발〔출항〕 준비하다; (우편물·수하물을) 발송하다, 발송 준비를 마치다; (사자를) 파견하다; (구하는 물품을 주어 손님을) 전송하다. ③ 쫓아내다: kurz ~ 냉정하게 거절하다, 퇴짜놓다; sich mit Geld ~ lassen 돈을 받고 타협하다〔물러나다〕. ④〖스포츠〗 완패시키다: die deutsche Mannschaft wurde klar 0 : 3 abgefertigt 독일 팀은 0 : 3 으로 완패했다.

Abfertigung *f.* -en ① 처리, 완료. ② 발송, 파견.

Abfertigungs≈amt *n.* 우편물〔수하물〕 발송부서. **~beamte*** *der*〖철도〗우편물〔수하물〕 발송 직원. **~dienst** *m.* 우편물〔수하물〕 발송 업무〔부서〕. **~schalter** *m.* 발송 창구, 통관 수속 창구. **~schein** *m.* 세관 검사필증. **~schreiben** *n.* ↑ ~schein. **~stelle** *f.* ↑ ~amt. **~verfahren** *n.* 통관 절차.

ab|fetten 《Ⅰ》 *t.* ①〖요리〗기름을 듬뿍 치다, 기름에 절이다. ② (무엇에서) 기름을 건져내다〔떠내다〕: die Suppe ~ 수프의 기름기를 걷어내다. 《Ⅱ》 *i.* (h.) ① 지방분이 없어지다〔빠지다〕. ② 기름기가 묻다.

ab|fetzen *t.* jm. et. ~ 누구의 무엇을 갈기갈기 찢다.

ab|feuchten 《Ⅰ》 *t.* 무엇의 물기를 없애다, 말리다. 《Ⅱ》 *i.* (h.) 물기가 없어지다; 습기가 번지다.

ab|feuern *t.*/*i.* (h.) ① **(a)** 발사〔발포〕하다:〖軍〗abgefeuert! 발사! **(b)** 쏘아 떨어뜨리다. ②〖제련〗불을 끄다, (용광로의) 불씨를 없애다. ③〖축구〗슛을 날리다.

Abfeuerung *f.* -en 발사, 발포, 포격.

ab|fiedeln *t.* ① 바이올린으로 서툴게 연주하다. ② 여러 번 칼질하여 자르다.

ab|fiedern *t.* ① (무엇의) 가장자리를 갈다: Glas ~ 유리의 가장자리를 매끄럽게 잘라 내다. ② (무엇의) 깃털을 잡아 뽑다(abfedern).

ab|fieren *t.*〖海〗ein Tau ~ 밧줄을 풀어내리다.

ab|filmen *t.*〖영화〗촬영하다.

ab|filtern *t.* 거르다, 여과하다.

ab|filtrieren *t.* ↑ abfiltern.

ab|filzen *t.* 〔비유·드물게〕①〖工〗(모직물의) 털을 없애다. ②〖구어〗꾸짖다. ③〖건축〗회반죽을 발라〔옻칠하여〕 마무리짓다.

ab|finden* [ápfɪndən] 《Ⅰ》 *t.* ① 만족〔납득〕시키다. ② 배상하다, 빚을 다 갚다, 타협하다: er hat seinen Gläubiger abgefunden 그는 채권자와 타협했다. ③ 누구에게 상속권을 주다. 《Ⅱ》 *refl.* ① sich mit et.³ ~ 무엇에 만족하다. ② sich mit jm. ~ 누구와 타협〔화해〕하다: er suchte sich mit seinem Schicksal abzufinden 그는 자기 운명을 받아들이려고 애썼다. ③〔방언〕sich bei jm. ~ 누구에게 사의를 표하다; sich für et. mit et.³ ~ 무엇에 대해 무엇으로 답례하다.

Abfindung *f.* -en ① 협정, 타협; 배상, 보상, 완납. ② ↑ Abfindungssumme.

Abfindungs≈erklärung *f.* 보상〔배상〕 선언. **~geld** *n.*, **~quantum** *n.*, **~summe** *f.* 배상금, 보상금, 퇴직금, 화의금. **~vertrag** *m.* 보상〔배상〕 협정.

ab|fingern *t.* ① 손꼽아 세다: 〔비유〕 das

läßt sich leicht ~ 그것은 명백한 사실이다. ② 손가락으로 만지작거리다〔더럽히다〕.

ab|fischen 《I》 *t.* ① (연못 등에 있는) 고기를 모두 잡다: einen Teich ~ 연못에 있는 고기를 남김없이 잡다. ②〖비유〗낚아〔가로〕채다: das Beste ~ 제일 좋은 것을 가로채다; jm. et. ~ 누구에게서 무엇을 사취하다. 《II》 *i.* (h.) 고기잡이〔낚시〕를 마치다.

ab|fitzen *t.*〖방직〗(실을) 실패에 나누어 감다.

ab|flachen 《I》 *t.* ① 평평하게 하다. ② 경사를 완만하게 하다. 《II》 *refl.* sich ~ ① 평평해지다. ② 완만히 비탈지다. ③ 수량이 감소하다, 줄다; 수준이 떨어지다.

Abflachung *f.* -en 완만한 경사, 사면(斜面).

ab|flammen *t.* ① 불태워 없애다. ② 불로 태워 깨끗이 하다.

ab|flattern 《I》 *i.* (s.) 〖드물게〗날개를 퍼덕이며 날아가다. 《II》 *refl.* sich ~ 날개쳐 지치다.

ab|flauen 《I》 *t.* ①〖제련〗세광(洗鑛)하다. ②〖방직〗바래다, 빨다. 《II》 *i.* (h.) ① (바람이) 잔잔해지다. ② (경기가) 부진〔침체〕하다, (물가가) 떨어지다: nach Weihnachten flaut das Geschäft ab 크리스마스 이후에는 장사가 잘 안 된다.

ab|flechten* *t.* (뜨개질한 것을) 풀다.

ab|flecken *i.* (h.) 〖드물게〗더러워지다, 얼룩지다.

ab|fledern *t.* (곡식을) 까부르다, 키질하다.

ab|flehen *t.* jm. et. ~ 누구에게 간청하여 무엇을 얻다.

ab|fleischen *t.* …에서 살을 발라내다: Felle ~ 짐승의 가죽에서 고기를 발라내다.

ab|fliegen* 《I》 *i.* (s.) ① (새가) 날아가다(↔ anfliegen). ②〖林〗시들어 떨어지다. ③〖드물게〗거절당하다: er ist mit seinem Antrag abgeflogen 그의 신청은 거절당했다. ④〖空〗이륙하다. 《II》 *t.* ① 비행기로 실어 가다. ② 정찰비행하다. ③〖구어〗날아가 버리다; 떨어져 나가다: der Knopf vom Sakko flog ab 상의의 단추가 갑자기 떨어졌다.

ab|fließen *i.* (s.) ① **(a)** 흘러나오다. **(b)**〖비유〗유래하다. ② 떠내려가다, 흘러가다: ein Teich fließt ab 못의 물이 빠지다. ③ (자원이) 국외로 유출되다: das Gold fließt ins Ausland ab 금이 외국으로 유출된다. ④ (시간이) 흘러가다, 경과하다.

ab|flöhen 《I》 *t.* einen Affen ~ 원숭이의 벼룩을 잡다. 《II》 *refl.* sich ~ 제 몸의 벼룩을 잡다.

ab|flößen *t.* Holz ~ 목재를 뗏목으로 짜서 띄워 보내다.

ab|fluchten *t.*〖건축〗건축 기준선〔제한선〕을 표시하다.

Abflug [ápflu:k] *m.* -(e)s, ..flüge ① (철새 따위가) 날아감, 떠나감. ②〖林〗조락(凋落). ③ (풍매화(風媒花) 식물의) 씨앗의 비산(飛散) (번식). ④〖空〗이륙.

Abflug≈deck *n.*〖空〗(항공 모함의) 비행 갑판. **~geschwindigkeit** *f.* 이륙 속도. **~hafen** *m.*〖空〗이륙 공항. **~stellung** *f.*〖動〗이륙 자세. **~zeit** *f.* 비행기 출발 시간.

ab|flügeln 《I》 *t.* (특히 풍매(風媒) 종자의 번식을 막기 위해) 날개를 제거하다. 《II》 *i.* (h.) ① (수목 따위가) 마르다, 시들다. ② (s.) (위아래로 흔들거리며) 날아가 버리다.

Abfluß [ápflʊs] *m.* ..flusses, ..flüsse ① 유출, 방출; 배수(排水); 간조(干潮): dem Wasser ~ geben 배수하다; ~ des Goldes ins Ausland 금의 해외 유출. ② 하수, 구정물; 수채, 하수도, 배수구: der ~ der Badewanne ist verstopft 욕조의 배수구가 막혔다. ③ 유출물, 방출물;〖광산〗(체로 거른) 광석.

Abfluß≈graben *m.* 배수구, 하수구, 고랑창. **~hahn** *m.*〖기계〗배수콕, 방수(防水)콕. **~kanalisation** *f.* 하수 장치, 하수도. **~krümmer** *m.* 배수관〔배출관〕의 직각 굴곡부〔L자관〕. **~loch** *n.* 배수구, 수챗구멍. **~rinne** *f.* 배수관, 개골창. **~rohr** *n.*, **~röhre** *f.* 배수관, 하수관. **~schleuse** *f.* 수문, 보. **~ventil** *n.* 배수판(瓣), 배출 밸브. **~wasser** *n.* 하수;〖工〗배수.

ab|fluten *i.* (s.) (물이 대량으로) 빠져나가다, 썰물이 되다.

Abfolge [ápfɔlgə] *f.* -n 순번; 연속, 계승.

ab|folgen *t.* 〖드물게〗jm. et. ~ (lassen) 누구에게 무엇을 내어주다〔교부하다〕.

Abfolgung *f.* -en 교부.

ab|fordern *t.* ① jm. et. ~ 누구에게 무엇을 요구〔요청〕하다. ② 소환하다: unangemeldet fordert der Tod die Menschen ab 죽음은 예고 없이 인명을 빼앗아간다.

Abforderung *f.* -en 청구, 요청; 소환.

Abforderungs≈brief *m.* 소환장. **~schreiben** *n.* ↑ ~brief.

Abform [ápfɔrm] *f.* -en 모형, 본.

ab|formen *t.* 틀에 맞추어 만들다, 본을 뜨다: einen Schuh ~ 구두를 구둣골에서 빼내다.

ab|forschen *t.* 〖드물게〗jm. et. ~ 누구에게 무엇을 심문하다〔캐묻다〕.

ab|forsten *t.*〖林〗(삼림을) 벌채하다.

ab|fotografieren *t.* 사진을 찍다: die Familie ~ 가족 사진을 찍다.

ab|fragen *t.* ① jn.〔jm.〕 et. ~ 누구에게 무엇을 탐문하다, 물어서 알아내다. ② (테스트하기 위해) 물어보다: etwas Gelerntes ~ 배운 것을 물어보다; eine Klasse ~ 어떤 학급에 구두시험을 치르다. ③〖통신〗eine Leitung ~ (교환원에게) 특정 번호의 전화가 통화 중인지를 묻다. ④〖컴〗탐색〔검색〕하다.

ab|fressen* *t.* 다 먹어치우다; (일부를) 떼어 먹다; 좀먹다: die Raupen fressen die Bäume ab 모충(毛蟲)이 나뭇잎을 모조리 갉아 먹는다;〖비유〗es will mir aber das Herz ~ 나는 가슴이 찢어질 것만 같다.

ab|fretten *refl.* (öst., bayr.) sich ~ 고생하다, 고생하여 지치다, 악전고투하다.

ab|frieren* 《I》 *i.* (s.) ① 동상에 걸리다: es ist ihm die Zehe abgefroren 그의 발가락이 동상에 걸렸다. ② 얼어 죽다: Blüten frieren ab 꽃들이 얼어 죽는다. ③〖드물게〗얼어붙다. 《II》 *t.* 동상으로 잃다: er hat sich³ die Zehe abgefroren 그는 동상으로 발가락을 잃었다. 《III》 *refl.* sich³ ~ 추위로 고생하다;〖구어〗ich habe mir bei der Kälte einen abgefroren 나는 추워서 너무 고생했다.

ab|fronen *t.* (부역으로) 빚을 갚다.

ab|frönen *t.* ↑ abfronen.

ab|frottieren *t.* 세게 문지르다.

ab|fühlen *t.* 감지하다,〖醫〗촉진(觸診)하다; (전파를) 주사(走査)하다.

Abfuhr [ápfu:r] *f.* -en ① 반출, 운송. ② 연

행, 구류. ③ (단호한) 거절; 호된 질책: 〖비유〗 jm. eine ~ erteilen 누구를 호되게 나무라다. ④ 쓰레기, 폐기물. ⑤〖학생·고어〗결투에서의 패배. ⑥〖스포츠〗 대패(大敗).

*ab|führen 《I》 t. ① 데리고 가다; 연행〔유괴〕하다: führe ihn ins Gefängnis ab! 저놈을 투옥하라!; die Wache ~ 보초를 교대시키다. ② (방향을) 딴 데로 돌리다: Wasser ~ a) 물길을 돌리다, b) 배수하다; 〖비유〗 jn. vom rechten Weg ~ 누구를 나쁜 길로 인도하다. ③〖목적어 없이〗 (a) 배설하다: sie konnte schon drei Tage nicht ~ 그 여자는 벌써 3일 동안 변을 보지 못했다. (b) 설사하게 하다. ④ (돈·세금·이자 따위를) 지급하다. ⑤ (jn.) 거절하다; (논쟁 등에서) 꼼짝 못하게 만들다. ⑥〖학생〗 결투의 패배를 선언하고 데려가다. ⑦ Draht ~ 철사를 가늘게 잡아늘이다. ⑧〖사냥〗 Hunde ~ 개를 훈련시키다. ⑨〖구식〗 속이다. ⑩〖印〗 끝맺음 인용 부호를 달다. 《II》 refl. sich ~ 도망치다, 죽다.

abführend p.a. 배설시키는: 〖醫〗 ~es Mittel 설사 촉진제, 하제(下劑).

Abfuhr≈gesellschaft f. 청소 회사. ~kanal m. 하수관(管). ~karren m. 청소차. ~kosten pl. 운임, 반송(搬送)비. ~lohn m. 청소비.

Abführ·mittel n. 〖藥〗 하제(下劑).

Abfuhr≈stelle f. 오물 배출구. ~system n. 오물 청소 제도.

Abführung [ápfy:ruŋ] f. -en ① 연행, 유괴, 유인. ② 배설; 배수; 폐기물 처리. ③ 지급, 지불. ④〖印〗 끝맺음 인용 부호.

Abführungs≈gang, ~kanal, ~weg m. 〖醫〗 분비관, 배설관.

Abfuhr·wagen m. 쓰레기차.

ab|füllen t. ① (액체를 다른 그릇에) 차례로 채워 넣다, 따르다: Wein ~ 포도주를 통에서 (병에) 따르다; ein Faß ~ 통을 기울여 비우다. ② (뜬 찌꺼기 따위를) 걷어내다. ③〖구어〗 (schweiz.) jn. ~ 누구를 취하게 하다.

ab|furchen t. 〖드물게〗 ① 두렁으로 구분하다. ② 쟁기질을 끝내다.

ab|futtern t. ↑ abfüttern[1], abfüttern[2].

ab|füttern[1] 《<füttern[1]》 t. ① (충분히) 사료를 주다. ② 먹이를 다 주다. ③〖구어〗 Leute ~ 사람들을 잘 먹이다.

ab|füttern[2] 《<füttern[2]》 t. (옷에) 안감을 대다: ich fütterte den Mantel mit Seide ab 나는 비단으로 외투의 안감을 대었다.

Abfütterung f. ① (가축을) 먹이기, 사료 공급. ② (옷에) 안감 대기.

Abg. =Abgeordnete der/die 대표, 대의원, (국회) 의원.

*Abgabe [ápga:bə] 《<abgeben》 f. -n ① 교부, 배달; 인도, 양도; 판매, 매도; 투표 (Stimmen≈); 〖軍〗 발사, 발포, (탄약의) 지급. ②〖經〗 조세, 관세, 공과금; (특허·저작권 등의) 사용료; 수업료(Schul≈). ③〖商〗 환어음. ④ 수하물 보관소; (südd.) 판매〔교부〕소. ⑤ 발산, 방출. ⑥ 발표, 발언: die ~ einer Erklärung 성명 발표. ⑦〖구기〗 패스; 패스된 공. ⑧〖스포츠〗 (세트·점수·타이틀의) 상실.

Abgaben≈büro n. 세무서. ≈frei a. 면세의, 공과금이 면제된. ~freiheit f. 면세, 공과금 면제. ~pächter m. (세무서의) 위탁 수금원. ~pflicht f. 납세 의무. ≈pflichtig a. 납세 의무가 있는. ~preis m. 인도〔판매〕 가격. ~soll n. (농산물의) 공출 의무량, 인도분(引渡分). ~termin m. (서류·논문의) 제출〔교부〕 기한. ~verteilung f. 세액의 부과〔사정(査定)〕. ~wesen n. 세제(稅制), 세무 제도.

*Abgang [ápgaŋ] 《<abgehen》 m. -(e)s, ..gänge ① (a) 퇴거; 출발, 출항; 발송; (총의) 발사. (b) 서거, 별세. (c) 졸업; 퇴직, 사임, 퇴위. (d) 〖연극〗 퇴장 (직전의 연기). (e) 판매(량). (f) 손실, 감소, 부족: in ~ kommen 쇠퇴하다. (g) 경사지(傾斜地). ② (a) 〖商〗 공제액; 〖軍〗 사상자. (b) 쓰레기, 폐기물, 유출물: beim Obsthandel gibt es viel ~ 청과물 거래에는 많은 쓰레기가 생긴다. (c) 배출, 배설; 똥, 오물. ③〖醫〗 (a) 유산, 조산. (b) 배설. ④〖체조〗 (기구에서) 뛰어내림.

Abgänger m. -s, - 졸업생.

abgängig [..gɛŋıç] a. ① 잘 팔리는; (südd.) 혼기(婚期)에 이른. ②〖방언〗 쓸모없는, 써서 낡은, 폐물이 된. ③ 분실된, 사라진. ④ 실종된, 행방 불명된.

Abgängigkeits·anzeige f. 실종 신고.

Abgängling m. -s, -e ① 폐물, 오물. ②〖醫〗 유산아, 조산아.

Abgangs·dampf m. 배출 가스〔증기〕.

Abgängsel [ápgɛŋzəl] n. -s, - 쓰레기, 폐물, 찌꺼기, 자투리.

Abgangs≈examen n. 졸업 시험. ~ort m. 발신지. ~prüfung f. 졸업 시험. ~rechnung f. (포장된 상품) 포장재의 계산. ~richtung f. 〖軍〗 발사 방향. ~rohr n. 〖工〗 유출〔배출〕관. ~station f. 출발역; 발신국(局). ~winkel m. 〖軍〗 발사각(角). ~zeit f. 〖軍〗 출발 시각; 발사〔발신〕 시간. ~zeugnis n. 수료증 졸업 증서(Abschlußzeugnis)와는 구분됨).

ab|gären* i. (h.) 충분히 발효하다.

Abgas [ápga:s] n. -es, -e 〖工·化〗 폐기〔배기〕 가스.

Abgascht m. -s, ..gäschte (alem.) 거친 사람, 무뢰한.

Abgas≈entgiftung f. 배기 가스정화. ≈frei a. 배기 가스를 내뿜지 않는. ~grenzwert m. 배기 가스 허용 기준치. ≈reduziert a. 배기 가스를 줄인. ~untersuchung f. 자동차 배기 가스 검사(약어: AU). ~verwertung f. 배기 가스 활용. ~wert m. (대기 중) 배기 가스 함유량. ~wolke f. 배기 가스 구름, 매연.

ab|gattern t. ① 울타리로 구획하다. ② jm. et. ~ 누구의 무엇을 캐내다〔우려내다〕.

ab|gaukeln t. 〖드물게〗 ↑ abgaunern.

ab|gaunern t. jm. et. ~ 누구에게서 무엇을 사취하다, 속여 빼앗다.

ABGB =Allgemeines Bürgerliches Gesetzbuch (오스트리아의) 민법전.

abgearbeitet 《I》 p.p. ↑ abarbeiten. 《II》 p.a. 일하여 지친.

abgebacken 《I》 p.p. ↑ abbacken. 《II》 p.a. 다〔너무〕 구워진.

abgebaut 《I》 p.p. ↑ abbauen. 《II》 p.a. 〖農〗 ~es Feld 휴한지, 휴경지.

ab|geben 《I》 t. ① 교부하다, 내주다: ein Geschenk ~ 선물을 주다; einen Brief auf der Post ~ 편지를 우체국에서 부치다; Gepäck ~ 수하물을 맡기다; seine Karte ~ (방문 때) 명함을 내주다. ② 발표하다; 전달하

다: ein Urteil ~ 판단을 내리다; seine Meinung ~ 의견을 발표하다; seine Stimme ~ 투표하다. ③〖비유〗jm. etwas〔eins〕~ 누구를 때리다〔윽박지르다〕. ④ (**a**) (어떤 역할을) 맡아하다, 출연하다: den Wilhelm Tell ~ 빌헬름 텔 역할을 하다; er wird einen brauchbaren Soldaten ~ 그는 유능한 병사가 될 것이다. (**b**) den Hintergrund für et. ~ 무엇의 배경을 이루다. ⑤ 넘겨주다, 사퇴하다: ein Amt ~ 사직하다. ⑥ (세금을) 납부하다. ⑦ einen Wechsel ~ 어음을 발행하다. ⑧ jm. et.〔et. auf jn.〕~ 누구에게 무엇을 매도〔양도〕하다, 판매하다. ⑨〖카드〗Runde ~ 마지막으로 패를 돌리다(↔ angeben). ⑩〖구기〗패스하다: den Ball an den Verteidiger ~ 공을 수비수에게 패스하다. ⑪ (열·가스를) 내다, 방출하다: Wärme ~ 발열하다, 열을 내다. 《Ⅱ》 *i.* (h.) ① 물러나다, 포기하다: vor jm. ~ müssen 누구에게 양보〔굴복〕하다;〖사냥〗die Hunde geben ab 개가 (짐승) 쫓기를 그만두다. ② das Pferd hat abgegeben 말이 이갈이했다. ③〖카드〗마지막 패를 돌리다(↔ angeben). ④ jm. von et.³ ~ 누구에게 무엇의 일부를 나누어주다. 《Ⅲ》 *imp.* 일어나다, 생기다: es gibt Gewitter〔Schläge〕ab 소나기가 온다〔격투가 벌어진다〕. 《Ⅳ》 *refl.* sich ~ ① sich mit et.³ ~ (부업으로) 무엇에 종사〔관여〕하다. ② sich mit jm. ~ 누구와 (달갑지 않게) 교제〔상종〕하다: sich mit Huren ~ 창녀들과 어울리다.

abgeblaßt 《Ⅰ》 *p.p.* ↑ abblassen. 《Ⅱ》 *p.a.* 퇴색한, 빛을 잃은, 창백한.

abgebrannt 《Ⅰ》 *p.p.* ↑ abbrennen. 《Ⅱ》 *p.a.* ① 완전히 타버린, 전소된. ② 빈털터리가 된, 거덜난.

Abgebrannte* *der/die* 이재민; 빈털터리.

abgebraucht 《Ⅰ》 *p.p.* abbrauchen. 《Ⅱ》 *p.a.* 써서 닳은〔낡은〕; 진부한, 고리타분한.

abgebrochen 《Ⅰ》 *p.p.* ↑ abbrechen. 《Ⅱ》 *p.a.* 부러진, 중단된; 지리멸렬한.

Abgebrochenheit *f.* 지리멸렬; 중절.

abgebrüht 《Ⅰ》 *p.p.* abbrühen. 《Ⅱ》 *p.a.* 교활한, 뻔뻔스러운; 둔한, 무감각한.

Abgebrühtheit *f.* ↑ abgebrüht 의 명사형.

abgebunden 《Ⅰ》 *p.p.* ↑ abbinden. 《Ⅱ》 *p.a.* kurz ~ sein 무뚝뚝하다, 퉁명스럽다.

abgedrechselt 《Ⅰ》 *p.p.* ↑ abdrechseln. 《Ⅱ》 *p.a.* 〔비유〕 딱딱한, 가식적인.

***abgedroschen** *p.a.* 〔비유〕 낡은, 진부한.

Abgedroschenheit *f.* 사소한 일; 무의미.

***abgefeimt** 《Ⅰ》 *p.p.* ↑ abfeimen. 《Ⅱ》 *p.a.* 교활한, 약삭빠른.

Abgefeimtheit *f.* 교활, 노회(老獪).

abgegrast 《Ⅰ》 *p.p.* ↑ abgrasen. 《Ⅱ》 *p.a.* 다 써버린; 철저히 조사된.

abgegriffen 《Ⅰ》 *p.p.* ↑ abgreifen. 《Ⅱ》 *p.a.* 닳은; 진부한: ein ~es Wort 진부한 말.

abgehackt 《Ⅰ》 *p.p.* ↑ abhacken. 《Ⅱ》 *p.a.* 짧은; 조각난: die Beine sind mir wie ~ 나는 지쳐서 거의 걸을 수가 없다.

abgehärmt 《Ⅰ》 *p.p.* ↑ abhärmen. 《Ⅱ》 *p.a.* 걱정으로 여윈, 노심초사하는.

ab|gehen 《Ⅰ》 *i.* (s.) ① 떠나가다, (멀리) 떨어지다; (차·배가) 출발〔출범〕하다;〖스포츠〗스타트하다, (체조 기구에서) 뛰어내리다:〖軍〗Geschütze ~ lassen 발포하다; ab- und zugehen 이리저리 거닐다. ② 발신〔발송〕되다. ③ 물러나다, 퇴장하다; 사퇴하다: aus einem Dienst〔einer Stelle〕~ 어떤 직위에서 물러나다; mit (dem) Tod〔in die Ewigkeit〕~ 죽다. ④〖비유〗포기하다, 멀어지다: ich gehe von deiner Meinung ab 나는 너와 의견을 달리한다; von einem Kaufmann ~ 어떤 상인과의 거래를 끊다; von einer Gewohnheit ~ 서서히 어떤 습관을 버리다. ⑤ 탈락하다; 쇠퇴〔감소〕하다: die Farbe (von der Wand) geht ab 색이 (벽에서) 지워진다; das Feuer ~lassen 불을 서서히 끄다. ⑥〖商〗팔리다: die Ware geht gut ab 그 물건은 잘 팔린다. ⑦〖商〗(값이) 깎이다, 할인되다: es geht nichts vom Preis ab 한 푼도 깎아 드릴 수 없습니다. ⑧ (일이) 진행되다, 경과하다: glatt ~ 순조롭게 진행되다. ⑨ (피 따위가) 유출되다, 배설되다: der Frau ist die Leibesfrucht abgegangen 그 여자는 유산했다; ihm ging Wasser ab 그는 오줌을 쌌다;〔경박〕jm. geht einer ab 누가 (성교하지 않고) 사정하다, 헛물켜다. ⑩ 모자라다, 부족하다: sich³ et. ~ lassen 무엇을 삼가다〔절제하다〕; es geht ihm der Mut ab 그에게는 용기가 부족하다; dir soll nichts ~ 너에게 부족한 것이 없게 해 주마; sie ging mir sehr ab 그녀가 없어서 매우 섭섭했다. ⑪ 제외되다: von dem Gewicht geht die Verpackung ab 중량에서 포장 무게는 제외된다. ⑫ (길이) 갈라지다. 《Ⅱ》 *t.* ① sich³ die Absätze ~ 구두의 뒤축이 닳다. ② 순찰〔시찰〕하다:〔비유〕sonntags geht der Bauer sein Feld ab 일요일마다 농부는 자기의 밭을 돌아본다. ③〔구어〕er ist abgegangen worden 그는 (직장에서) 잘렸다.

abgehungert 《Ⅰ》 *p.p.* ↑ abhungern. 《Ⅱ》 *p.a.* 굶주려 쇠약한.

abgehurt 《Ⅰ》 *p.p.* ↑ abhuren. 《Ⅱ》 *p.a.* 〔속어〕 방탕한 생활로 정력이 다한.

ab|geizen 《Ⅰ》 *t.* jm. et. ~ 누구에게 무엇을 아까워서 주지 않다. 《Ⅱ》 *refl.* sich³ et. ~ (먹을 것도 먹지 않고) 무엇을 절약하다.

abgekämpft 《Ⅰ》 *p.p.* ↑ abkämpfen. 《Ⅱ》 *p.a.* 싸워 지친: ~e Truppen 싸워 지친 군대.

abgekapselt 《Ⅰ》 *p.p.* ↑ abkapseln. 《Ⅱ》 *p.a.* 교갑〔캡슐〕에 넣은; 바깥 세상과 고립된.

abgekartet 《Ⅰ》 *p.p.* ↑ abkarten. 《Ⅱ》 *p.a.* 몰래 꾸민: eine ~e Sache 음모.

abgeklappert 《Ⅰ》 *p.p.* ↑ abklappern. 《Ⅱ》 *p.a.* 낡은, 진부한.

abgeklärt 《Ⅰ》 *p.p.* ↑ abklären. 《Ⅱ》 *p.a.* 정제된; 명철한; 해결된.

Abgeklärtheit *f.* ① 청명. ② 원숙, 명철.

abgekrangelt *a.* (ndd.) 다 써버린, 피폐한.

abgekürzt 《Ⅰ》 *p.p* ↑ abkürzen. 《Ⅱ》 *p.a.* 단축된, 생략된.

abgelagert 《Ⅰ》 *p.p.* ↑ ablagern. 《Ⅱ》 *p.a.* 침전된, 퇴적된; 맛이 잘 든; 잘 말린: ~es Gestein 퇴적암: ~er Wein 오래 묵혀 잘 숙성된 포도주; ~e Zigarren 잘 말린 여송연.

abgelatscht 《Ⅰ》 *p.p.* ↑ ablatschen. 《Ⅱ》 *p.a.* 낡은, 닳아빠진.

abgelaufen 《Ⅰ》 *p.p.* ↑ ablaufen. 《Ⅱ》 *p.a.* (시한·일이) 완료된, 지나간.

Abgeld [ápgɛlt] *n.* -(e)s 손실.

abgelebt 《Ⅰ》 *p.p.* ↑ ableben. 《Ⅱ》 *p.a.* 노쇠

한; 시대에 뒤진, 진부한.

Abgelebtheit *f.* 노쇠, 노망; 진부.

abgeledert 《I》*p.p.* ↑ abledern. 《II》*p.a.* 닳아 빠진, 남루한.

abgelegen 《I》*p.p.* ↑ abliegen. 《II》*p.a.* 외진, 고적한; 변두리의, 벽지의.

Abgelegenheit *f.* 변두리, 벽지, 두메.

abgelegt 《I》*p.p.* ↑ ablegen. 《II》*p.a.* ① 낡은: ~e Kleider 헌 의류. ② 성립〔성사〕된: der ~e Handel 성립된 거래.

abgeleiert 《I》*p.p.* ↑ ableiern. 《II》*p.a.* (자주 말해서) 진부한.

abgeleitet 《I》*p.p.* ↑ ableiten. 《II》*p.a.* 유도된, 파생된: 〖문법〗 ein ~es Wort 파생어.

ab|geloben *t.* 〔고어〕 (의견·신앙을) 버릴 것을 맹세하다.

ab|gelten* *t.* 변상하다, 보상하다.

Abgeltung *f.* -en 변상, 보상.

abgelumpt *a.* 〔구어〕 옷차림이 남루한.

abgemacht 《I》*p.p.* ↑ abmachen. 《II》*p.a.* 해결된, 결정된.

abgemagert 《I》*p.p.* ↑ abmagern. 《II》*p.a.* 여윈, 수척한.

abgemeldet 《I》*p.p.* ↑ abmelden. 《II》*p.a.* 〔구어〕 bei jm. ~ sein 누구의 총애를 잃다.

abgemessen 《I》*p.p.* ↑ abmessen. 《II》*p.a.* 규칙적인, 정연한, 절도 있는.

Abgemessenheit *f.* 정확, 정밀; 꼼꼼함.

abgeneigt 《I》*p.p.* ↑ abneigen. 《II》*p.a.* ① (완만하게) 경사진. ② 싫어하는, 혐오하는: jm.〔et.³〕 ~ sein 누구를〔무엇을〕 싫어하다.

Abgeneigtheit *f.* 반감, 혐오.

abgenutzt 《I》*p.p.* ↑ abnutzen. 《II》*p.a.* 오래 써서 낡은, 해진, 진부한.

abgeordnet [ápgəɔrdnət] 《I》*p.p.* ↑ abordnen. 《II》*p.a.* 위임받아 파견된.

Abgeordnete *der/die* 위원, 대표; 국회 의원, 대의원(약어: Abg.).

Abgeordneten≈bank *f.* 의원석. **~haus** *n.* 국회, 의회, 하원. **~kammer** *f.* ① 국회(의원 전체). ② 국회; 국회 의사당. **~sitz** *m.* 의석. **~versammlung** *f.* 의원 총회. **~wahl** *f.* 국회 의원 선거.

abgepaßt 《I》*p.p.* ↑ abpassen. 《II》*p.a.* ① 딱 맞는, 적절한: gut ~ 시의(時宜)에 맞는. ② (의복·커튼·냅킨에) 레이스로 가를 두른.

ab|geraten *i.* (s.) (자기도 모르게) 길을 잃다.

ab|gerben *t.* ① (가죽을) 충분히 무두질하다. ② 〔구어〕 흠씬 패주다. ③ (obd.) 탈곡하다.

abgerieben 《I》*p.p.* ↑ abreiben. 《II》*p.a.* ① 닳아빠진, 마모된. ② 교활한.

abgerissen 《I》*p.p.* ↑ abreißen. 《II》*p.a.* 낡아빠진, 남루한; 지리멸렬한.

Abgerissenheit *f.* 진부〔초라〕함; 지리멸렬.

abgerundet 《I》*p.p.* ↑ abrunden. 《II》*p.a.* 둥근; 온전한, 완결된.

abgesagt 《I》*p.p.* ↑ absagen. 《II》*p.a.* 〔다음 용법으로〕 ein ~er Feind von et.³ 무엇을 단호히 반대하는 사람.

abgesandt 《I》*p.p.* ↑ absenden. 《II》*p.a.* 파견된.

Abgesandte* [ápgəzantə] *der/die* ① 사신(使臣), 사절. ② 공사, (전권) 대사.

Abgesang [ápgəzaŋ] *m.* -(e)s, ..sänge ① (중세 독일의 궁정·직장(職匠) 가인(歌人) 가요의) 후절(後節) (↔ Aufgesang). ② 〖가톨릭〗 짧은 기도; 찬송가의 후렴. ③ 마지막 노래, 이별가.

abgeschabt 《I》*p.p.* ↑ abschaben. 《II》*p.a.* 닳아 해어진, 낡아빠진.

abgeschieden 《I》*p.p.* ↑ abscheiden. 《II》 ① 외로운, 외딴. ② 죽은, 고(故): ~e Seelen 죽은 영령들.

Abgeschiedene* *der/die* 고인(故人).

Abgeschiedenheit *f.* 은퇴, 은거; 고독, 고적, 한적(閑寂).

abgeschlagen 《I》*p.p.* ↑ abschlagen. 《II》 *p.a.* 완패한; 지친, 피로한; 금간, 이 빠진.

Abgeschlagenheit *f.* ① 피로, 의기 소침, 쇠약. ② 교활, 노회(老獪).

abgeschliffen 《I》*p.p.* ↑ abschleifen. 《II》 *p.a.* 닳은, 매끄러운; 세련된.

Abgeschliffenheit *f.* 세련; (화폐 따위의) 마모.

abgeschlossen 《I》*p.p.* ↑ abschließen. 《II》 *p.a.* 완결된; 격리된; 폐쇄적인.

Abgeschlossenheit *f.* 완결, 종결; 격리.

Abgeschmack *m.* -(e)s 〔고어〕 몰취미, 무취미; 야비.

abgeschmackt *a.* ① 〔드물게〕 맛없는. ② 무미건조한, 몰취미한. ③ 황당무계한; 상스러운, 조야한.

Abgeschmacktheit *f.* -en ① 몰취미(한 언행), 무미건조. ② 황당무계; 상스러움.

abgeschnitten 《I》*p.p.* ↑ abschneiden. 《II》 *p.a.* 차단〔단절〕된.

Abgeschnittenheit *f.* 차단〔단절〕 상태.

abgeschworen 《I》*p.p.* ↑ abschwören. 《II》 *p.a.* ein ~er Feind 불구대천의 원수.

abgesehen 《I》*p.p.* ↑ absehen. 《II》*p.a.* ~ von et.³ 무엇을 제외하고〔별도로 하고〕; ~ (davon), daß ..., …은 제쳐놓고.

abgesetzt 《I》*p.p.* ↑ absetzen. 《II》*p.a.* 폐기된: ~e Wörter 폐어.

abgesinnt *a.* (alem.) 적의를 가진, 혐오하는.

abgesondert 《I》*p.p.* ↑ absondern. 《II》*p.a.* 격리된, 분리된; 고립된, 고독한: er lebt von allen Menschen ~ 그는 모든 사람과 교제를 끊고 있다.

Abgesondertheit *f.* 고독, 은둔, 격리.

abgespannt 《I》*p.p.* ↑ abspannen. 《II》*p.a.* 기운 없는, 맥풀린.

Abgespanntheit *f.* 권태, 피로; 〖醫〗 이완, 쇠약.

Abgestalt *f.* -en 〔고어〕 불구자, 기형.

abgestanden 《I》*p.p.* ↑ abstehen. 《II》*p.a.* ① 김 빠진, 신선하지 않은. ② 무의미한.

abgestorben 《I》*p.p.* ↑ absterben. 《II》*p.a.* 사멸한, 멸종된, 죽은; 냉담해진; 마비된, 무기력한.

Abgestorbenheit *f.* ① (나뭇가지의) 죽은 상태; (신체 국부의) 마비, 무감각. ② 무감정, 냉담; 무기력.

abgestumpft 《I》*p.p.* ↑ abstumpfen. 《II》 *p.a.* 무디어진, 둔감해진.

Abgestumpftheit *f.* ① (칼날 따위의) 무딤. ② 무감각, 무신경.

abgestutzt 《I》*p.p.* ↑ abstutzen. 《II》*p.a.* 짧게 자른, 뭉툭한: eine ~e Nase 주먹코.

abgesungen 《I》*p.p.* ↑ absingen. 《II》*p.a.* 노래하여 지친.

abgetakelt 《I》*p.p.* ↑ abtakeln. 《II》*p.a.* 〖海〗

폐선 처리한; 퇴역〔퇴직〕한; 쇠퇴한, 퇴색한.

abgetan 《I》*p.p.* ↑ abtun. 《II》*p.a.* 끝난, 처리된; 소용 없는: er ist für mich ~ 나는 더 이상 그를 상대하지 않겠다.

A

abgetönt 《I》*p.p.* ↑ abtönen. 《II》*p.a.* (색채의 농담·음영이) 잘 조화된: fein ~e Tapete 색채의 조화가 훌륭한 양탄자.

abgetragen 《I》*p.p.* ↑ abtragen. 《II》*p.a.* 해어진, 누추한; 쇠퇴한, 진부한.

Abgetragenheit *f.* (의복이) 해어짐; 〔비유〕 진부, 평범, 초라함.

abgetrieben 《I》*p.p.* ↑ abtreiben. 《II》*p.a.* 기진맥진한, 혹사당한.

abgetrunken 《I》*p.p.* ↑ abtrinken. 《II》*p.a.* 과음한, 과음하여 목이 잠긴.

abgewandt 《I》*p.p.* ↑ abwenden. 《II》*p.a.* 딴 쪽을 향한; 외면한, 등진.

ab|gewinnen* *t.* ① (es) jm. ~ 누구에게 이기다. ② sich³ et. ~ 극기하여 무엇을 하다, 무엇을 결심하다. ③ jm.〔et.³〕 et. ~ 누구에게서〔무엇에서〕 무엇을 얻어내다; jm. Geld im Spiel ~ 도박에서 누구의 돈을 따다; der Dame ein Lächeln ~ 부인으로 하여금 미소를 짓게 하다; dem Meer Land ~ 바다를 메워 땅을 얻다; jm. einen Vorsprung ~ 누구를 앞지르다.

ab|gewöhnen *t.* ① jm. et. 〔jn. von et.³〕 ~ 누구의 어떤 버릇을 고치다; sich³ das Rauchen ~ 담배를 끊다. ② 〔고어〕 ein Kind ~ 아이를 젖떼다. ③ 〔농담〕 noch einen (Schnaps) zum Abgewöhnen trinken 술을 끊기 위해 (소주) 한 잔만 더 마시다.

Abgewöhnung *f.* ① 버릇의 교정. ② 이유(離乳).

abgewunken *p.a.* 〔abwinken 의 과거 분사 abgewinkt 대신 우스꽝스럽게 쓰임〕 〔구어〕 ich habe ihm ~ 나는 그에게 거절했다.

abgezehrt 《I》*p.p.* ↑ abzehren. 《II》*p.a.* 야윈, 쇠약한, 초췌한.

abgezielt 《I》*p.p.* ↑ abzielen. 《II》*p.a.* 노린, 의도한, 겨냥한.

abgezirkelt 《I》*p.p.* ↑ abzirkeln. 《II》*p.a.* 꼼꼼한, 신중한; 고지식한.

abgezogen 《I》*p.p.* ↑ abziehen. 《II》*p.a.* 퇴거한; 은퇴한.

Abgezogenheit *f.* 은둔, 독거(獨居).

ab|gieren 《I》*i.* (h.) 〔海〕 (배가) 침로에서 벗어나다. 《II》*t.* jm. et. ~ 누구를 졸라서 무엇을 얻다.

ab|gießen* *t.* ① 따라〔쏟아〕내다. ② 윗물을 떠내다: die Kartoffeln ~ (물그릇에 담가 두었던) 감자의 물을 쏟아 버리다. ③ 〔工〕 주조(鑄造)하다: eine Statue (in Bronze) ~ (청동) 입상을 주조하다.

Abgießer *m.* -s, - 주조공(鑄造工).

Abgießung *f.* 따라〔쏟아〕냄; 주조.

ab|gipfeln *t.* 〔林〕 우듬지를 치다.

ab|gittern *t.* (격자로) 칸막이〔구획〕하다.

Abglanz [ápglants] *m.* -es ① 반사(광(光)), 반조(返照), ② 초상. ③ 〔비유〕 자취, 여운.

ab|glätten 《I》*t.* ① 갈다, 닦다; 마무리하다. ② ein Muster ~ 판박이를 문질러 무늬를 인쇄하다. 《II》*refl.* 〔비유〕 Menschen glätten sich ab 사람들이 세련되어진다.

Abgleich *m.* -(e)s, -e 조정.

ab|gleichen^(*) *t.* ① 고르게〔균등하게〕 하다: eine Straße ~ 도로를 평평하게 고르다; eine Mauer ~ 벽을 완전히 철거하다. ② (콘덴서·코일의) 채널을 맞추다. ③ 〔經〕 (빚을) 청산하다. ④ (화폐·도량형기를) 맞추다, 조정하다. ⑤ 〔광학〕 (두 눈의) 시력을 서로 맞추다, (두 안경 알의) 도수를 맞추다.

Abgleich≈feile *f.* 〔工〕 반반하게 가는 줄. **~mittel** *n.* (라디오·텔레비전의) 정합(整合) 장치. **~stange** *f.* (시계공(工)용의) 조정기.

Abgleichung *f.* -en 균등화; 조정, 조율; 청산, 변제.

Abgleichungs≈waage *f.* (화폐 등의) 검량(檢量) 저울. **~zirkel** *m.* 분할 컴퍼스.

ab|gleiten^(*) *i.* (s.) 미끄러져 떨어지다; 〔비유〕 (바른 길에서) 벗어나다; 〔經〕 값이 떨어지다: alles gleitet an ihm ab 그는 어떤 말도 듣지 않는다; die Valuta gleitet ab 환시세가 하락한다.

ab|gliedern *t.* 〔해부〕 해체〔절단〕하다.

Abgliederung *f.* -en 해체, 절단.

ab|glimmen^(*) *i.* (s.) (불·빛이) 꺼지다, 사라지다.

ab|glitschen *i.* (s.) 〔구어〕 미끄러져 떨어지다.

ab|glühen 《I》*t.* ① 작열시키다. ② (술에 향료를 넣어) 데우다. 《II》*i.* (s.) (천천히) 식다.

ab|gondeln *i.* (s.) 거룻배를 저어 떠나가다.

***Abgott** [ápgɔt] *m.* -(e)s, ..götter 우상, 숭배의 대상: der ~ eines Volkes 한 민족의 우상.

Abgott≈anbeter *m.* 우상 숭배자; 열광적 숭배자. **~dienst** *m.* 우상 숭배.

Abgötterei [..gœtərái] *f.* -en 우상 숭배 : mit jm. ~ treiben 누구를 우상화하다.

Abgöttin *f.* -nen (여신으로 받드는) 우상; 숭배〔사랑〕받는 여인.

abgöttisch *a.* 우상 숭배의: ~ verehren 우상처럼 섬기다, 숭배하다.

Abgott·schlange *f.* 〔動〕 (남아메리카의) 왕뱀, 이무기.

ab|graben* *t.* ① 파서 없애다〔옮기다〕, 파내리다: Wasser ~ 수로를 파서 물을 빼내다; einen See ~ 호수의 물을 빼다; einen Fluß ~ 강 줄기를 돌리다; jm. das Wasser ~ a) 누구의 수로를 끊다, b) 〔비유〕 누구를 궁지에 빠뜨리다, 누구에게 손해를 입히다; einen Hügel ~ 언덕을 파 없애다; 〔비유〕 einer Behauptung den Boden ~ 어떤 주장의 근거를 빼앗다. ② 〔구식〕 einen Waldbrand ~ 도랑을 파서 산불을 막다; ein Feld ~ 밭의 경계를 표시하는 구덩이를 파다.

ab|grämen *refl.* sich ~ 근심으로 여위다.

ab|grasen 《I》*t.* ① (짐승이) 풀을 모조리 뜯어 먹다; (사람이) 풀을 다 베어버리다. ② 〔비유〕 다 써버리다; 구석구석 다 찾다: dieser Themenkreis ist schon abgegrast 이 분야의 주제는 이미 샅샅이 연구되었다. 《II》 **abgegrast** *p.a.* ↑ abgegrast.

ab|graten *t.* (주물의) 거친 모서리를 다듬다.

ab|grätschen *i.* (s.) 〔체조〕 (기구에서) 두 다리를 벌린 자세로 뛰어내리다.

ab|greifen* 《I》*t.* ① 써서 망가뜨리다〔닳게 하다〕. ② 만져서 진단하다, 촉진하다. ③ (손가락이나 컴퍼스로) 재다. ④ (전기·시그널을) 끌어오다, 연결하다. 《II》 **abgegriffen** *p.a.* ↑ abgegriffen.

ab|grenzen 《I》*t.* ① (무엇의) 경계〔한계〕를 정하다, 구획〔구분〕하다: ~d 경계〔한계〕를 이

루는. ②〔비유〕(화제를) 국한하다. 《Ⅱ》 *refl.* sich von jm.〔et.³〕 ~ 누구와〔무엇과〕 거리를 두다.

Abgrenzung *f.* -en ① 경계 설정, 구획. ② 경계.

***Abgrund** [ápgrunt] *m.* -(e)s, ..gründe. ① 심연, 절벽. ② 지옥, 나락(奈落). ③ 몰락, 파멸, 타락.

abgründig [..grʏndıç] *a.* ① 심연〔절벽〕을 이룬, 깊이를 모를, 끝이 없는. ②〔비유〕심원한, 정통한. ③ 심한: ~er Haß 극심한 증오; ~ böse 매우 화가 난.

abgrund≠tief *a.* 한없이 깊은, 깊이를 헤아릴 수 없는. **~wärts** *adv.* 심연을 향하여.

ab|grünen *i.* (h.) (초목이) 푸른 빛을 잃다.

ab|gruppieren *t.* 저임금 계층으로 분류하다.

ab|gucken 《Ⅰ》 *t.* ① jm. et. ~ 누구의 무엇을 알아채다. ② 엿보다: der Schüler hat (von seinem Nachbar) abgeguckt 그 학생은 (옆 사람의 것을) 커닝했다; ich guck' dir nichts ab (훔쳐보지 않을 테니) 너 수줍어할 필요 없어. 《Ⅱ》 *refl.* sich³ die Augen ~ 엿보느라고 눈이 피로해지다.

Abgunst [ápgunst] *f.* (↔ Gunst) 증오, 혐오, 적의; 불신.

abgünstig [..gʏnstıç] *a.* 혐오하는, 악의를 품은; 불신하는.

ab|gurgeln *t.* ① jn. ~ 누구의 목을 베다. ②〔비속〕(노래를) 서투르게 부르다. ③ et. ~ 양치질해서 무엇을 제거하다.

ab|gürten *t.* (띠를) 풀다, 끄르다.

Abguß [ápgus] *m.* ..gusses, ..güsse ① 따라냄; 따라낸 것;〔醫〕kalter ~ 주수(注水) 요법. ② 주조(鑄造); 주조물; 거푸집; (조각의) 모조품. ③ ~ einer Pfeife 담배 설대. ④〔방언〕하수구, 수채.

ab|guten *t.* 재물을 주어 (요구를) 물리치다, 보상하다.

Abh. = Abhandlung 논문.

ab|haaren 《Ⅰ》 *t.* 털을 뽑다. 《Ⅱ》 *i.* (h.) 털이 빠지다.

ab|haben* *t.* ① 제몫을 받다:〔비유〕seinen Teil ~ 매를 맞다, 벌을 받다;〔경박〕einen ~ a) 술 취하다, b) 어리숙하다. ② 벗고 있다: er hat seinen Hut ab 그는 모자를 벗고〔안 쓰고〕 있다. ③ 제거하다, 없애다.

ab|hacken 《Ⅰ》 *t.* (칼·도끼로) 잘라내다: jm. den Kopf ~ 누구의 머리를 베다. 《Ⅱ》 **abgehackt** *p.a.* ↑ abgehackt.

ab|hadern *t.*〔고어〕(jm. et.) 다투어 빼앗다.

ab|hageln 《Ⅰ》 *t.* et. ~ 우박으로 무엇을 상하게 하다: das Unwetter hat alle Blüten abgehagelt 악천후로 우박이 내려 모든 꽃들이 떨어졌다. 《Ⅱ》 *refl.* es hagelt (sich) ab 우박이 그치다.

ab|hägen [áphɛːgən] *t.* 울타리로 두르다.

ab|hagern *i.* (s.) 여위다, 수척해지다.

ab|häkeln *t.* ① …의 갈고리〔단추〕를 풀다. ② 코바늘로 (본을) 뜨개질하다.

ab|haken *t.* ① …의 갈고리〔단추〕를 풀다, 갈고리에서 벗기다〔풀다〕. ② 갈고리로 벗기다〔풀다〕: den Mist vom Wagen ~ 수레에서 거름을 쇠스랑으로 끌어내다. ③ 갈고리표(∨)를 붙이다(처리되었음을 뜻함): die Streitfragen in der Sache waren abgehakt 이 사안의 쟁점들은 처리되었다. ④〔農〕갈아내다. ⑤〔원예〕휘묻이하다. ⑥〔구어〕jn. ~ 누구의 요구를 물리치다.

ab|halftern *t.* ① das Pferd ~ 말의 굴레를 벗기다. ②〔구어〕해고하다: abgehalftert 해고당한. ③〔구어〕호통치다.

Abhalfterung *f.* -en ↑ abhalftern의 명사형.

ab|halsen 《Ⅰ》 *t.* ① (개를) 줄에서 풀어주다. ② 목을 껴안다, 포옹하다. 《Ⅱ》 *refl.* sich³ et. ~ 무엇을 벗어나다〔제거하다〕.

ab|halten [áphaltən] 《Ⅰ》 *t.* ① 곁에 오지 못하게 하다, 멀리하다; 가로막다, 저지하다: den Fleißigen von der Arbeit ~ 근면한 사람의 일을〔공부를〕 방해하다; lassen Sie sich nicht ~! 주저하지 마십시오!;〔海〕das Schiff ~ 배를 (좌초하지 않게) 해안에서 떨어져 항해하게 하다;〔비유〕ein Kind ~ 아이에게 대소변을 시키다. ② (축제·회의를) 열다, 개최하다, 거행하다: Markt ~ 장을 열다; eine Konferenz ~ 회의를 개최하다. ③ 참아내다, 견디다, 지탱하다: der Stoff hält nicht viel ab 이 옷감은 질기지 않다; das Kind hält wenig ab 이 아이는 약질〔약골〕이다. 《Ⅱ》 *i.* (h.)〔海〕① 순풍을 받도록 배의 키를 돌리다. ② vom Land ~ 해안에서 떨어져 (너른 바다를) 항행하다.

Abhalter *m.* -s, -〔海〕벌이줄.

Abhaltung *f.* -en ① 방해, 저지; 지장: ~ haben 방해받다. ② 개최, 거행, 집행: die ~ der Volksversammlung 대중 집회의 개최.

Abhaltungs·grund *m.* 차질〔지장〕이 생긴 이유; 선약.

ab|hämmern *t.* 망치로 두들겨 떼어내다.

ab|handeln *t.* ① 협정〔타결〕하다. ② 논하다, 논의하다. ③ jm. et. ~ 누구에게서 무엇을 사들이다. ④ 값을 깎다: er läßt sich nichts ~ 그는 한 푼도 깎아 주지 않는다, 조금도 양보하지 않는다.

abhanden [aphándən] *adv.*〔다음 용법으로〕~ kommen 없어지다; meine Uhr ist mir ~ gekommen 나는 시계를 잃어버렸다.

Abhanden·kommen *n.* 분실.

Abhandler *m.* -s, - 논술자, 논문 집필자.

***Abhandlung** [..dluŋ, ..tl..] *f.* -en ① 논의, 협상. ② 논문, 논술(약어: Abh.). ③ (공공 기관의) 보고서.

Abhang [áphaŋ] *m.* -(e)s, ..hänge 비탈, 산중턱, 산허리.

ab|hangen *i.* (h.)〔고어〕↑ abhängen¹.

ab|hängen*¹ *i.* (h.) ① 드리워지다, 걸려〔매달려〕 있다. ② 좌우되다: sein Glück hängt ganz von dir ab 그의 행복은 순전히 네게 달렸다. ③ 기울다, 아래쪽으로 향하다.

***ab|hängen**² *t.* ① (걸려 있는 것을) 벗기다;〔철도〕(차량을) 분리하다. ②〔구어〕jn. ~ 누구를 떨쳐 버리다. ③〔스포츠〕jn. ~ 누구보다 우세하다, 누구를 리드하다. ④ *t.*/*i.* (h.) (수화기를 걸어) 전화를 끊다. ⑤ (육류를) 오래 매달아 두어 연하게 하다.

***abhängig** [áphɛŋıç] *a.* ① 드리워져 있는, 비탈진, 기운: ein sanft ~er Hügel 경사가 완만한 언덕. ② 의존하는, 종속된: von jm.〔et.³〕~ sein 누구에게〔무엇에〕 의존〔의지〕하고 있다;〔문법〕~e Rede 간접 화법; ~er Satz 종속문, 부문장;〔法〕eine ~e Gesellschaft 종속 회사; ich bin von meinen Eltern

~ 나는 양친에게 의지하고 있다.

Abhängigkeit *f.* -en ① 경사. ② 종속, 예속; 〖언어학〗 의존; 〖法〗 의속(依屬): in ~ geraten 예속되다.

A

Abhängigkeits·gebiet *n.* 보호령, 속령. **~gefühl** *n.* 예속 감정, 의존심. **~verhältnis** *n.* 종속〔주종〕 관계.

Abhängling [áphɛŋlɪŋ] *m.* -s, -e ①〖건축〗 종석(宗石), 펜던트(천정 중앙에 늘어뜨린 장식). ②〖고어〗 식객.

ab|hären *t.* 털이 빠지게 하다(abhaaren).

Abharke *f.* -n 〖農〗 뒷목.

ab|harken *t.* 〖방언〗① 갈퀴로 긁어내다. ② (길을) 갈퀴로 치우다.

ab|härmen 《I》 *refl.* sich ~ 걱정하여 여위다, 애타다. 《II》 **abgehärmt** *p.a.* ↑ abgehärmt.

ab|härten 《I》 *t.* 단단하게 하다; (심신을) 단련하다. 《II》 *refl.* sich ~ 심신을 단련하다: sich gegen et. ~ 무엇에 대해 단련되다. 《III》 **abgehärtet** *p.a.* ↑ abgehärtet.

Abhärtung *f.* -en ① 단련. ② 저항력.

ab|harzen *t.* einen Baum ~ 나무의 수지(樹脂)를 제거하다.

ab|haschen *t.* jm. et. ~ 누구에게서 무엇을 잡아채다.

ab|haspeln 《I》 *t.* ① Garn ~ (물레에서) 실을 풀어내다. ②〖비유〗eine Rede ~ 입을 재게 놀리다, 척척 말을 맺다. 《II》 *refl.* sich ~ 몹시 서두르다; 서둘러서 지치다.

Abhaspelungs·maschine *f.* 실 푸는 기계.

ab|hasten *refl.* sich ~ 너무 서두르다.

ab|hauben *t.* 〖사냥〗 (매의) 볏을 잘라내다.

ab|hauen* 《I》 *t.* ① 베어〔잘라〕내다: jm. den Kopf ~ 누구의 목을 자르다. ②〖학생〗(남의 답안을) 베껴 쓰다. ③〖광산〗위에서 아래쪽으로 갱도를 파내려가다(↔ aufhauen). 《II》 *i.* (s.) 달아나다; 〖空〗 (비행기가) 이륙하다: hau ab! 꺼져 버려!

ab|häufeln *t.* 작은 더미로 나누다.

abhäufln *t.* 〖드물게〗 ↑ abhäufeln.

ab|hausen 《I》 *i.* (h.) 몰락〔파산〕하다. 《II》 *t.* 거주하여 황폐하게 하다.

ab|häuten 《I》 *t.* 가죽을 벗기다. 《II》 *i.* (h.) 가죽이 벗겨지다, 탈피하다.

Abhebe·gabel *f.* (수화기를 거는) 걸쇠, 수화기걸이. **~geschwindigkeit** *f.* (비행기의) 이륙 속도.

ab|heben* [áphe:bən] 《I》 *t.* ① 들어〔떼어〕내다; (예금을) 인출하다: Geld von der Bank ~ 은행에서 예금을 찾다. ②〖카드〗 Karten ~ 패를 떼다. ③ 부각시키다, 눈에 뜨이게 하다: et. gegen et. 〔von et.³〕 ~ 무엇을 무엇에 대해 두드러지게 하다. 《II》 *refl.* sich von et.³ ~ 〔sich gegen et. ~〕 무엇과 대조를 이루다, 무엇에 비해 두드러져 보이다: die Wolken hoben sich vom Abendhimmel ab 구름이 저녁 하늘에 두드러져 보였다. 《III》 *i.* (s./h.) ① (비행기가) 이륙하다. ② auf et. ~ 무엇을 언급〔지적〕하다.

Abhebung *f.* -en ① 철거, 배제. ② (예금의) 인출. ③〖카드〗 패떼기.

Abhebungs·beschränkung *f.* (예금의) 인출 한도(액).

ab|hebern *t.* (액체를) 사이펀으로 뽑아내다.

ab|hecheln *t.* (삼을〔마를〕) 남김없이 훑다.

ab|hechten *t.* 〖스포츠〗 (몸을 쭉 편 자세로) 뛰어내리다, 착지하다.

ab|heften *t.* ① 서류철에 철하다: Rechnungen ~ 계산서를 철하다. ② (기성복 따위의 가장자리를) 시침질해 꿰매다. ③〖드물게〗(꾸러미·소포를) 풀다(↔ anheften).

ab|hegen *t.* 울타리로 둘러싸다; (동물을) 우리에 가두다.

ab|heilen 《I》 *t.* 완치하다. 《II》 *i.* (h./s.) (상처가) 낫다, 완치되다.

Abheilung *f.* -en 완치.

ab|heischen *t.* jm. et. ~ 누구에게서 무엇을 뜯어내다〔강탈하다〕.

ab|helfen* 《I》 *t.* (옷을) 벗는 것을 돕다: jm. den Rock ~ 누가 저고리 벗는 것을 거들다. 《II》 *i.* (h.) ①〖고어〗 jm. eines Dinges 〔von et.³〕 ~ 누구를 도와 무엇에서 벗어나게 하다. ② 제거하다; (잘못을) 시정하다, 고치다: dem ist leicht abzuhelfen 그것은 쉽게 고칠 수 있다.

abhelflich *a.* 고칠〔구해낼〕 수 있는.

ab|hellen 《I》 *t.* 밝게 하다, 맑게 하다. 《II》 *refl.* sich ~ (날씨가) 맑아지다, 개다.

ab|henken *t.* ↑ abhängen.

ab·her *adv.* 〖고어〗 아래쪽으로(↑ herab).

ab|herzen *t.* (jn.) 끌어안고 키스〔애무〕하다.

ab|hetzen 《I》 *t.* ①〖사냥〗 마구 몰아대다, 몰아서 지치게 하다. ②〖비유〗혹사하다, 학대하다. 《II》 *refl.* sich ~ (일을 서둘러서) 몹시 지치다, 녹초가 되다.

Abhetzerei [aphɛtsərái] *f.* -en, **Abhetzung** *f.* ①〖사냥〗 몰이; 혹사. ② 분망, 분주.

ab|heucheln *t.* jm. et. ~ 누구에게서 무엇을 속여서 빼앗다, 사취하다.

ab|heuen *t.* eine Wiese ~ 목초지의 풀을 베어 건초를 만들다.

ab|heuern 《I》 *t.* 〖海〗 해고하다: ein Besatzungsmitglied ~ 승무원을 해고하다. 《II》 *i.* (h.) 〖海〗 선원일을 그만두다.

ab|heulen 《I》 *t.* 〖고어〗 짖다: ein Lied ~ 노래를 고래고래 불러대다. 《II》 *refl.* sich ~ 지치도록 짖어대다〔소리지르다〕.

ab|hexen *t.* jm. et. ~ 누구에게서 무엇을 마법을 써서 빼앗다.

Abhieb *m.* -(e)s, -e 〖林〗 ① 벌목. ② 나무가 잘려진 자리〔곳〕.

ab·hier [aphí:r] *adv.* 여기서부터.

***Abhilfe** [áphɪlfə] 《<abhelfen》 *f.* 구제(책); 시정: für et. ~ schaffen〔bringen〕 무엇의 구제책을 강구하다; dieser Übelstand verlangt sofortige ~ 이런 폐단은 시급히 시정되어야 한다.

ab·hin [áphɪn, aphín] *adv.* 〖구어〗 (schweiz.) 최근, 얼마 전에(↑ hinab).

ab|hinken *i.* (s.) 절뚝거리며 떠나가다.

Abhitze [áphɪtsə] *f.* 〖工〗 여열(餘熱), 폐열(廢熱).

Abhitze·kessel *m.* 〖工〗 폐열관(廢熱罐).

ab|hobeln 《I》 *t.* ① 대패질하여 다듬다. ② 〖비유〗 jn. ~ 누구에게 예의 범절을 가르치다. 《II》 *refl.* sich ~ 다듬어지다.

ab|hocken 《I》 *t.* ① eine Last ~ 등〔어깨〕에 진 짐을 내리다. ② Zeit ~ 쪼그리고 앉아서 시간을 모두 보내다(absitzen). 《II》 *i.* (s.) ①〖체조〗 기구에서 쪼그린 자세로 뛰어내리다. ② 〖스키〗 (도약 전에) 쪼그린 자세로 앉다.

abhold [áphɔlt] *a.* 〖서술어로만〗 꺼리는, 싫

어하는: jm.〔et.³〕 ~ sein 누구를〔무엇을〕 싫어하다; ich bin dem Wein 〔großen Worten〕 ~ 나는 포도주를〔호언장담을〕 좋아하지 않는다; er ist mir ~ (gesinnt) 그는 내게 반감을 품고 있다.

***ab|holen** [ápho:lən] *t.* ① (예약된 것을) 수령하다, 가져오다: ein Paket von der Post ~ 우체국에서 소포를 찾아오다; 〖우편〗 wann wird abgeholt? 몇 시에〔언제〕 개함(開函)합니까? ② (jn.) 마중나가 데려오다: jn. vom 〔am〕 Bahnhof ~ 정거장에 누구를 마중나가다; jn. ~ lassen 누구를 부르러〔데리러〕 보내다. ③〖海〗ein Schiff vom Strand ~ 배를 다시 띄우다.

Abholung *f.* -en 수령; 마중.

Abholungs≈fach *n.* 우편 사서함. **~zeit** *f.* (우편물) 수거 시간.

Abholz *n.* -es ① 지저깨비, 나무 쪼가리. ② 썩은 나무, 죽은 나무.

ab|holzen 《I》 *t.* ① 벌채하다: einen Wald ~ 숲을 개간하다; einen Baum ~ 나무의 가지를 치다. ②〔비유〕 (jn.) 구타하다. 《II》 *i.* (s.) 〖사냥〗 (짐승이) 나무에서 튀어나오다.

abholzig *a.* 〖林〗 (나무 줄기가) 우듬지로 갈수록 가느다랗게 된.

Abholzung *f.* -en 〖林〗 벌채.

Abhör≈apparat [áphø:r..] *m.* 도청기, 청취 기구. **~box** *f.* 청취실. **~einrichtung** *f.* 도청 시설. **~gerät** *n.* 도청 장치. **~verbot** *n.* 청취〔도청〕 금지. **~wanze** *f.* (빈대 모양의) 미니 도청기.

ab|horchen *t.* ① jm. et. ~ 누구에게서 무엇을 엿듣다, 도청하다. ②〖醫〗 청진하다. ③ **(a)** 경청하여 알아내다. **(b)** jn. ~ 누구에게 질문해 확인하다.

ab|hören [áphø:rən] *t.* ① 들어서 알다; 엿듣다, 도청하다; die Telefonleitung ~ 전화선에 몰래 연결하여 엿듣다; (라디오를) 청취하다; jm. et. ~ 누구의 무엇을 엿듣다. ② jn. 〔jm.〕 et. Gelerntes ~ 누구에게 배운 것을 물어보다; 〖法〗 Zeugen ~ 증인을 심문하다. ③〖醫〗 청진하다. ④〖商〗 Rechnungen ~ 회계 감사를 하다.

Abhörender *m.* -s, - 청취자.

abhorrent 《lat.》 *a.* 섬뜩한; 혐오스러운, 보기 싫은.

Abhorreszenz *f.* -en 혐오, 역겨움.

abhorreszieren [aphɔrɛstsí:rən] 《lat.》 *t.* ↑ abhorrieren.

abhorrieren *t.* 싫어하다; 〖法〗 기피하다.

Abhörung *f.* -en 배운 것을 물어 봄; 〖法〗 심문, 심리; 검사.

Abhub [áphu:p] 《<abheben》 *m.* -(e)s ① 찌꺼기, 허섭스레기, 잔반(殘飯). ②〔비유〕 쓰레기 같은 인간. ③〖제련〗 슬래그. ④〖畫〗 대조, 콘트라스트.

Abhülfe *f.* ↑ Abhilfe.

ab|hülsen 《I》 *t.* (곡식·열매의) 껍질을 벗기다: Erbsen ~ 완두의 깍지를 까다. 《II》 *refl.* sich ~ 껍데기〔깍지〕가 벗겨지다.

ab|humpeln *i.* (s.) 비틀거리며 떠나가다.

ab|hungern 《I》 *i.* (s.) / *refl.* (sich) ~ 굶주려 쇠약해지다, 굶어 죽다; 굶어 살을 빼다; 굶어가며 근검절약하다. 《II》 **abgehungert** *p.a.* ↑ abgehungert.

ab|hüpfen *i.* (s.) (껑충껑충) 뛰어 가버리다, 뛰어 내려가다.

ab|huren 《I》 *refl.* 〔비속〕 sich ~ 계집질하다, 방탕한 생활로 정력을 소모하다. 《II》 **abgehurt** *p.a.* ↑ abgehurt.

ab|huschen *i.* (s.) 〔구어〕 몰래 내빼다, 쏜살같이 달아나다.

ab|husten 《I》 *t.* Schleim ~ 기침을 하여 가래를 뱉다. 《II》 *refl.* sich ~ 지치도록 기침을 하다.

ab|hüten *t.* eine Wiese ~ 목장의 풀을 모조리 먹이다.

ab|hütten *t.* 〖광산〗 폐갱하다.

Abi *n.* -s, -s =Abitur 고등 학교 졸업 시험.

abi *adv.* (bayr.) 아래로(ab, herab).

äbich [ɛ́:bɪç] *a.* (obd.) ① 왼편의, 뒷면의, 역(逆)의: ~e Seite (옷감 따위의) 안쪽. ② 북쪽의. ③ 싫은, 불쾌한.

äbicht *a.* ↑ äbich.

Äbichte *f.* -n (obd.) 손등으로 따귀 때리기.

Abietin 《lat.》 *n.* -s 〖化〗 아비에틴(전나무의 수지(樹脂)).

Abietin·säure *f.* 아비에틴산(酸).

Abiogenese *f.* (Urzeugung) (생명체의) 자연〔우연〕 발생(설).

Abiogenesis [abiogé:nezɪs, ..gɛ́..] 《gr.》 *f.* ↑ Abiogenese.

Abiose 《gr.》 *f.* 무기력; 〖醫〗 조기 노화.

abiotisch *a.* 활기가 없는, 무기력한.

ab|irren *i.* (s.) 길을 잃다; 〔비유〕 (정도(正道)에서) 벗어나다; 잘못하다: er ist vom rechten Weg abgeirrt 그는 정도를 벗어났다.

Abirrung *f.* -en ① 일탈; 착오, 착란. ②〖天〗 광행차(光行差), 〖광학〗 수차(收差).

äbisch *a.* ↑ äbich(t).

ab|isolieren *t.* (무엇의) 절연제를 제거하다.

Abisolier·zange *f.* 절연제 제거 집게.

Abitur [abitú:r] 《lat.》 *n.* -s, -e (독일의) 고등 학교 졸업 시험, 대학 입학 자격 시험.

Abiturient [..riɛ́nt] *m.* -en, -en 고등 학교 졸업 시험의 수험생〔졸업반 학생〕.

Abiturienten≈examen *n.*, **~prüfung** *f.* 고등 학교졸업〔대학입학자격〕 시험. **~zeugnis** *n.* 고등 학교 졸업〔대학 입학 자격〕 증서.

Abiturientin *f.* -nen ↑ Abiturient의 여성형.

Abiturium [abitú:riʊm] 《lat.》 *n.* -s, ..rien [..riən] ↑ Abitur.

ab|jachern *t.* ↑ abjagen.

ab|jachtern *refl.* sich ~ ↑ abjagen 《III》.

Abjagd *f.* -en 〖사냥·고어〗 사냥을 끝냄.

ab|jagen 《I》 *t.* ① 모조리 사냥하다: ein Revier ~ 사냥 구역내에 있는 짐승을 다 잡아 버리다. ② 마구 몰아서 지치게 하다: ein Pferd ~ 말을 몰아대어 지치게 만들다. ③〔비유〕 급히 끝내다. ④〔드물게〕 쫓아내다, 몰아내다: jm. die Fliegen ~ 누구의 (몸에 앉은) 파리를 쫓다; jn. von seinem Platz ~ 누구를 그 지위에서 몰아내다. ⑤ (jm. et.) **(a)** 쫓아가서 빼앗다: wir haben dem Fuchs die Gans wieder abgejagt 우리는 여우를 뒤쫓아가 거위를 도로 빼앗았다. **(b)** 느닷없이 빼앗다〔얻어내다〕: jm. Rührung ~ 누구를 부지중에 감동시키다. 《II》 *i.* (h.) 사냥을 마치다. 《III》 *refl.* sich ~ 분주하게 뛰어다녀 지치다, 과로로 녹초가 되다.

ab|jammern 《I》 *t.* jm. et. ~ 누구에게 애걸

하여 무엇을 얻다. 《Ⅱ》 *refl.* sich ~ 탄식으로 지치다.

ạb|jäten *t.* ① (잡초를) 뽑다. ② (밭·정원의) 잡초를 완전히 뽑다.

ạb|jauchzen *refl.* sich ~ 지치도록 환호성을 지르다.

ạb|jochen *t.* Ochsen ~ 소의 멍에를 벗기다.

Ạbjudikation [apjudikatsió:n] 《lat.》 *f.* -en 〖法〗 (Aberkennung) (판결에 따른) 권리·자격의 박탈.

abjudizieren *t.* (판결에 따라 누구의 무엇을) 박탈〔부인〕하다.

Abjuration [apjuratsió:n] 《lat.》 *f.* -en (Abschwörung) (이교(異敎)에 대한) 포기〔부인〕의 맹세.

abjurieren *t.* (이교의) 포기를 맹세하다.

Abk. =Abkürzung 생략, 약어.

ạb|kalben *t.* 〔방언〕 송아지를 낳다.

ạb|kälten *t.* 냉각하다: Bier ~ 맥주를 차게 하다.

ạb|kämmen *t.* 빗으로 빗어 제거하다; 충분히 빗(질하)다; 샅샅이 뒤지다〔수색하다〕: Wolle ~ 양털을 가리다.

ạb|kämpfen 《Ⅰ》 *t.* jm. et. ~ 누구와 싸워 무엇을 얻어 내다. 《Ⅱ》 *refl.* sich ~ 싸워 지치다; nach dem Spiel kamen sie völlig abgekämpft nach Hause 놀이를 끝낸 후에 그들은 완전히 녹초가 되어 집으로 돌아왔다. 《Ⅲ》 **ạbgekämpft** *p.a.* ↑ abgekämpft.

ạb|kanteln *t.* ↑ abkanten.

ạb|kanten *t.* ① (목재 등의) 모서리를 깎아 없애다. ② Bleche ~ 양철판을 꺾어 각지게 하다. ③ 〖海〗 (풍향에 따라 돛을) 바로잡다. ④ et. von einem Wagen ~ 무엇을 차의 가장자리로 넘겨 내리다.

ạb|kanzeln *t.* ① 질책〔훈계〕하다. ② 〔고어〕 설교단에서 나무라다.

Ạbkanzelung *f.* -en 질책, 훈계.

Ạbkanzlung *f.* -en ↑ Abkanzelung.

ạb|kapiteln *t.* 〔방언〕 호통치다, 꾸짖다.

ạb|kappen *t.* ① 〖林〗 einen Baum ~ 나무의 우듬지를 치다. ② 〔방언〕 (끝부분을) 잘라 내다. ③ 〖海〗 ein Tau ~ 밧줄을 잘라 짧게 하다. ④ 〔비유·방언〕 **(a)** (누구를) 단호히 거절하다. **(b)** 꾸짖다; 때리다.

ab|kapseln [ápkapsəln] 《Ⅰ》 *t.* ① 〖醫〗 캡슐에 넣다. ② 〔비유〕 차단〔격리〕하다: sich ~ 은둔하다. 《Ⅱ》 **ạbgekapselt** *p.a.* ↑ abgekapselt.

Ạbkapselung *f.* -en 캡슐에 넣기; 격리, 차단; 은둔.

Ạbkapslung *f.* -en ↑ Abkapselung.

ạb|kargen *t.* 아껴서 주지 않다; 아끼다.

ạb|karren *t.* ① 짐수레로 운반하다. ② (차·수레를) 사용해서〔부려서〕 낡게 하다.

ạb|karten 《Ⅰ》 *t.* 몰래 획책하다, 공모하다. 《Ⅱ》 **ạbgekartet** *p.a.* ↑ abgekartet.

ạb|kassieren *i.* 〔구어〕 ① (Gäste) ~ (문을 닫기 전에) 남은 손님에게서 돈을 받다. ② 〔비유〕 부자가 되다: groß ~ 큰 부자가 되다.

ạb|kasteien *refl.* sich ~ 〖宗〗 금욕 고행을 하다; 고행하여 몸이 쇠약해지다.

ạb|kauen *t.* ① 물어 끊다, 오래 씹어 부수다: sich³ die Nagel ~ 손톱을 깨물다; sich ~ (말이) 재갈을 물다. ② 〔비속〕 구강 성교를 하다.

Abkauf [ápkauf] *m.* -(e)s, ..käufe 사들임, 구입, 구매.

ạb|kaufen 《Ⅰ》 *t.* ① jm. et. ~ 누구에게서 무엇을 사들이다; 〔비유〕 man muß ihm jedes Wort ~ 그는 입이 무겁다. ② (죄를 금전으로) 속죄하다, 면하다; 〔드물게〕 jn. ~ 변상해 줌으로써 누구와 타협하다. ③ (돈·수표·구입권을) 모두 사용하다. ④ 〔구어〕 믿다(대개 부정할 때): ich kauf ihm die Story nicht ab! 나는 그 사람의 이야기를 믿지 않아! 《Ⅱ》 *refl.* sich von jm. 〔et.³〕 ~ 몸값을 치르고 누구에게서〔무엇에서〕 자유로운 몸이 되다, 돈으로 속죄하다.

Ạbkäufer *m.* -s, - 구입자, 구매자.

ạbkäuflich *a.* 살〔돈으로 속죄할〕 수 있는.

ạb|kehlen *t.* ① (짐승의) 목을 자르다, 죽이다. ② 〖목공〗 (목재에) 홈을 파다.

Abkehr [ápke:*r*] *f.* ① 전향(轉向), 이반, 등짐: ~ von der Sünde 죄의 회개; ~ von der Welt 은둔. ② 〖광산〗 채광 중지.

ạb|kehren[1] 《Ⅰ》 *t.* 전향하다, 등지다, 벗어나다: ein Übel ~ 화를 딴 데로 돌리다. 《Ⅱ》 *refl.* sich von jm.〔et.³〕 ~ 누구를〔무엇을〕 등지다, 멀리하다; er kehrt sich von seinem Sohn ab 그는 아들을 돌보지〔대하지〕 않는다.

ạb|kehren[2] *t.* ① 청소하다, 쓸어 내다. ② 오래 쓸어 닳게 하다: der Besen ist abgekehrt 이 비는 써서 닳았다. ③ 〖軍〗 소탕하다.

Ạbkehrer *m.* -s, - 청소부.

Ạbkehr·schein 《<abkehren[1]》 *m.* (광원의) 전출 증명.

ạb|keilen *t.* ① 쐐기로 쪼개다〔가르다〕. ② 〔구어〕 jm. et. ~ 누구에게서 무엇을 사들이다. ③ 〔구어〕 부서지도록 때리다, 두들겨 패다.

ạb|keltern 《Ⅰ》 *t.* (포도를〔포도즙을〕) 짜다. 《Ⅱ》 *i.* (h.) 포도를 다 짜다.

ạb|ketteln *t.* 〖재봉〗 Maschen ~ 마지막 코를 마무리하다.

ạb|ketten *t.* ① ↑ abketteln. ② …의 사슬을 풀다, …을 줄에서 풀다.

ạb|keulen *t.* ↑ abkeilen ③.

ạb|kinden *i.* (h.)/*t.* 피임하다.

ạb|kippen 《Ⅰ》 *t.* ① (핀·못의) 대가리를 잘라 내다. ② (덤프차에서 짐을) 내리다. 《Ⅱ》 *i.* (s.) (비행기가) 균형을 잃고 기우뚱하다, 속도를 잃고 떨어지다; 나둥그러지다.

ab|klabastern [ápklabastə*r*n] *t.* (nordostd.) 차례대로 찾다, 탐방하다.

ạb|klaftern *t.* Holz ~ 목재 부피를 평(坪) 단위로 나누어 재다.

ạb|klagen *t.* jm. et. ~ 소송하여〔호소하여〕 누구에게서 무엇을 받아내다〔얻다〕.

ạb|klammern *t.* …의 집게를 벗기다.

Ạbklang [ápklaŋ] *m.* -(e)s, ..klänge 소리의 작아짐, 여운; 반향; 불협화음.

ạb|klappen 《Ⅰ》 *t.* die Lehne ~ (의자의) 등받이를 아래로 펴다〔꺾다〕. 《Ⅱ》 *i.* (s.) ① (갑자기) 쇠약해지다. ② 〔비속〕 죽다.

ab|klappern [ápklapə*r*n] *t.* 〔구어〕 차례차례〔샅샅이〕 찾다.

***ạb|klären** 《Ⅰ》 *t.* 맑게 하다; 순화〔정화〕하다. 《Ⅱ》 *refl.* sich ~ ① 밝아지다; 〔비유〕 각성〔성숙〕하다. ② (하늘이) 밝아지다, 개다. 《Ⅲ》 **ạbgeklärt** *p.a.* ↑ abgeklärt.

Ạbklärung *f.* -en 갬, 밝아짐; 각성, 성숙; 순화, 정화.

Ạbklärungs≈gefäß *n.* (술의 윗물을) 부어

옮기는 그릇. **~methode** *f.* 순화법. **~mittel** *n.* 정화제.

Abklatsch [ápklatʃ] *m.* -es, -e ①〖印〗인쇄; 교정쇄; 스테레오판: einen ~ machen 교정쇄를 뽑다. ② 모사(模寫), 사생; 서투른 모방; 모조품. ③〖우표〗(우표 뒷면에 실수로 찍힌) 역상(逆象) 인영(印影).

ab|klatschen *t.* ① (솔질로 깨끗이하여) 인쇄하다; 교정쇄를 찍어 내다. ②〖평어〗(서투르게) 모방〔모사〕하다; 모조하다. ③〖醫〗(순환 촉진을 위해) 젖은 수건으로 가볍게 두들기다. ④〖연극〗손뼉을 쳐 중단시키다. ⑤〖스포츠〗두 손을 펴 공을 쳐내다. ⑥ (춤추고 있는 사람에게) 파트너를 양보하라고 손뼉을 치다.

Abklatschung *f.* -en ① ↑ abklatschen의 명사형. ②〖醫〗박타(拍打)법.

ab|klauben *t.* 뜯어 내다, 쥐어 뜯다: das Fleisch von einem Knochen ~ 〔einen Knochen ~〕 뼈에 붙은 고기를 뜯다.

ab|klauen *t.*〖속어〗(남의 답안을) 베끼다, 커닝하다.

ab|klavieren *t.*〖방언〗① 피아노를 서투르게 치다. ② sich³ et. ~ 무엇을 손꼽아 세다〔헤아리다〕.

ab|klecken 〖고어〗*i.* (s.) (액체가) 뚝뚝 떨어지다.

ab|klecksen [..ksən] *t.* 서투르게 그리다, 아무렇게나 베끼다.

ab|kleiden *t.* ①〖고어〗옷을 벗기다. ②〖건축〗모조벽을 두르다: einen Raum ~ 공간에 격벽을 둘러 막다. ③〖海〗das Tau ~ 밧줄의 피복(被覆)을 떼다.

Abkleidung *f.* -en ① ↑ abkleiden의 명사형. ②〖건축〗칸막이벽;〖海〗(배의) 격벽(隔壁); 절연(체).

ab|klemmen *t.* ① 집게로 집어 떼다: sich³ die Finger ~ 손가락이 (틈에) 끼여 잘리다. ② 집게로 죄다. ③〖비유〗중단시키다: Beziehung ~ 관계를 끊다.

ab|klettern *i.* (s.) 기어 내려오다.

ab|klieren *t.*〖속어〗(남의 답안을) 베끼다, 커닝하다.

ab|klimpern *t.* (피아노·기타를) 서투르게 연주하다.

ab|klingeln *i.* (h.) ① (벨을 울려) 전화를 끊다. ② 벨을 울려 발차 신호를 하다. ③ (도둑이) 벨을 울려 집이 비어 있는지 확인하다.

ab|klingen* *i.* (s.) ① (소리가) 차차 사라지다. ②〖비유〗(빛깔·자극이) 감퇴하다.

Abklingen *n.* -s〖心〗점소(漸消);〖醫〗붕괴, 소멸.

Abklopf·bürste *f.*〖印〗활자 소제용 솔, 옷〔쿠션〕솔.

ab|klopfen *t.* ① 두드려 털다; 털어내다, 청소하다. ②〖구어〗호되게 때리다. ③〖비유〗찾아다니다: eine Straße ~ (집집마다) 동냥하며 돌다. ④〖印〗einen Probebogen ~ 교정쇄를 찍다. ⑤〖醫〗타진(打診)하다. ⑥ 가볍게 두드리며 애무하다. ⑦〖스포츠〗(게임을 포기한다는 신호로) 바닥이나 상대방의 몸을 손으로 두 번 두드리다. ⑧ (지휘봉을 두드려) 연주의 중지 신호를 하다.

ab|klöppeln *t.* ① eine Spitze ~ 단을 뜨다. ② ein Muster ~ (보빈을 사용하여) 어떤 무늬를 레이스에 짜넣다.

ab|klören *t.* 색을 빼다, 탈색하다.

ab|knabbern *t.* 물어 끊다; 조금씩 뜯어 먹다; 말끔히 뜯어먹다: die Knochen ~ 뼈에 붙은 살을 말끔히 뜯어먹다.

ab|knacken 《I》*t.* 뚝 꺾다, 부수다. 《II》*i.* (s.) 뚝 꺾어지다, 부서지다.

ab|knallen 《I》*t.*〖평어〗마구 쏘아 죽이다, (총을) 발사하다, 발포하다; 폭발시키다. 《II》*i.* (s.) 폭발하다.

ab|knappen *t.* ① jm. et. ~ 누구에게서 무엇을 빼앗다〔가로채다〕. ②〖商〗(상품의 무게를) 속이다.

ab|knappern *t.* ↑ abknabbern.

ab|knapsen *t.* ↑ abknappen.

ab|knaupeln *t.* ↑ abklauben.

ab|knausern *t.* ↑ abknappen.

ab|kneifen* *t.* ① (집게·손가락으로) 집어 떼다〔따다〕. ②〖海〗den Wind ~ 풍향을 이용하다, (특히) 바람이 불어오는 쪽으로 나가다; einem Schiff den Wind ~ 뱃머리를 바람부는 쪽으로 향하게 하다.

ab|kneipen *t.*〖방언〗↑ abkneifen.

ab|knicken 《I》*t.* ① 툭 자르다〔꺾다〕, 물어 끊다. ② ↑ abnicken. 《II》*i.* (s.) 뚝 꺾어지다.

ab|knickern *t.* ↑ abknappen.

ab|knippen *t.* 툭〔똑〕소리를 내며 떼어 내다, 탁 퉁기다: das elektrische Licht ~ 전등을 톡 끄다.

ab|knipsen *t.* ① ↑ abknippen. ② (필름을) 끝까지 모두 찍다.

ab|knistern 《I》*i.* (s.) (소금 따위가) 빠작빠작 타는 소리를 내다. 《II》*t.* (소금 따위를) 빠작빠작하게 볶다.

ab|knöpfen *t.* ① 단추를 끄르다(↔ anknöpfen). ②〖경박〗jm. et. ~ 누구에게서 무엇을 사취하다〔우려내다〕.

ab|knubbern *t.* ↑ abknabbern.

ab|knuppern *t.* ↑ abknabbern.

ab|knüpfen *t.* 매듭을 풀다, 풀어 떼다〔내다〕: die Schleife ~ 나비 넥타이를 떼다; den Gehängten ~ (교수대에서) 처형된 자를 끌어 내리다.

ab|knutschen *t.*〖구어〗끌어 안고 오랫동안 마구 입맞추다〔애무하다〕.

ab|kochen 《I》*t.* ① 푹 삶다, 푹 끓이다; 삶아〔끓여·쪄·달여〕 내다. ②〖스포츠〗시합 전에 한증으로 (체중을) 줄이다. ③〖구어·비유〗녹초가 되게 하다. 《II》*i.* (h.) 취사를 끝내다;〖軍〗야외에서 취사하다.

Abkochung *f.* -en ① ↑ abkochen의 명사형. ②〖醫〗달인 즙〔약〕.

ab|koddern *i.* (s.) 몰락〔파멸〕하다.

ab|kohlen *t.*〖工〗먹줄을 긋다, 숯으로 표시하다.

ab|kollern 《I》*i.* (s.) 굴러 떨어지다. 《II》*t.* (죽은 양 따위의) 가죽을 벗기다.

ab|kommandieren *t.*〖軍〗파견하다, 배속하다:〖비유〗er ist zur großen Armee abkommandiert 그는 죽었다.

abkommandiert 《I》*p.p.* ↑ abkommandieren. 《II》*p.a.*〖軍〗zum Stab ~ 사령부 근무를 명령 받은; ein ~er Offizier 파견 장교.

Abkomme [ápkɔmə] *m.* -n, -n〖고어〗후손, 후예(↑ Abkömmling ①).

ab|kommen [ápkɔmən] *i.* (s.) ① (…에서) 벗어나다, 멀어지다, 이탈하다: vom Weg ~ 길을 잃다; von et.³ ~ 무엇〔무슨 생각〕을 버

리다; vom Thema ~ 주제에서 벗어나다; von einer Ansicht ~ 의견을 바꾸다. ② 모면하다, 피하다: ich kann heute nicht abkommen 오늘은 빠져 나갈 수 없다; kannst du nicht mal für eine halbe Stunde ~? 반 시간만 틈을 내줄 수 없겠니? ③ 끝장나다: billig davon ~ 쉽게 끝장이 나다; mit Verlust ~ 손해 보다. ④ 시대에 뒤지다, 쇠퇴하다. ⑤ 〖사냥〗 gut ~ 잘 겨냥하다. ⑥ 〖海〗 das Schiff kommt ab a) 배가 암초를 벗어나다, b) 배가 항로를 벗어나다. ⑦ 〖스포츠〗 출발〔스타트〕하다: vom Start gut ~ 스타트를 잘 하다. ⑧ (**a**) (ndd.) 여위다. (**b**) (schweiz.) 뽐내다. ⑨ 〘고어〙 von jm. ~ 누구의 혈통을 이어받다, 자손이다; von et.³ ~ 무엇에서 유래〔파생〕하다. ⑩ 〘고어〙 mit jm. über et. ~ 누구와 어떤 일에 대해 의견을 같이하다〔협정을 맺다〕.

Abkommen *n.* -s, - ① 혈통, 가문: von gutem ~ 가문이 좋은. ② 협정, 합의: das Genfer ~ 적십자 조약; mit jm. über et. ein ~ treffen 누구와 무엇에 관하여 협정하다.

Abkommenschaft *f.* 자손, 후예.

Abkommin *f.* -nen 〘고어〙〘↑ Abkomme 의 여성형〙 여손(女孫).

abkömmlich [ápkœmlɪç] *a.* 〘고어〙 ① 없어도 무방한, 있으나마나 한. ② 유래〔파생〕한.

Abkömmling *m.* -s, -e ① 자손, 후예. ② 〖化〗 (Derivat) 유도체.

ab|komplimentieren 《frz. compliment, „Gruß"》 *t.* 감언이설로〔아부하여〕 얻어내다.

ab|können *t.* 〘경박〙 (ndd.) 참다, 견디다: diese Musik kann ich nicht ab 나는 이 음악을 참고 들을 수 없다.

ab|konterfeien 《frz.》 *t.* 〘고어〙 모사(模寫)하다, 베끼다: jn. ~ a) 누구의 초상을 그리다, b) 〘비유〙 누구를 모방하다.

ab|köpfen *t.* 누구의 목을 베다; 무엇의 끝을 자르다: den Baum ~ 우듬지를 자르다.

Abköpf·maschine *f.* -n 단두기(斷頭機).

ab|kopieren *t.* 복사〔복제〕하다.

ab|koppeln *t.* ① (짐승을 한데 매놓은 끈을) 풀다. ② (열차의) 연결을 풀다.

ab|koppen *t.* 〖林〗 einen Baum ~ 우듬지를 치다.

ab|körnen *t.* (곡식의 낟알·씨앗을) 까내다.

ab|kosen *t.* ① jn. ~ 껴안다, 어루만지다, 애무하다. ② jm. et. ~ 누구를 감언이설로 꾀어 무엇을 빼앗다.

ab|krageln *t.* 〘구어〙 (öst.) (날짐승의) 목을 비틀다〔자르다〕.

ab|kragen [ápkraːgən] *t.* 〖건축〗 (목재·석재 따위를) 비스듬히 자르다.

ab|krallen *t.* (짐승의) 발톱을 찢어내다.

ab|kramen *t.* 치우다, 정리하다.

Abkratz=bürste *f.* (흙을 터는) 거센〔철사〕 솔. **~eisen** *n.* 신발의 흙을 긁어 내는 쇠주걱.

ab|kratzen 《I》 *t.* ① 긁어 내다, 문질러 없애다: sich³ die Schuhe ~ 신발의 흙을 긁어 내다. ② 바이올린을 서투르게 켜다. 《II》 *i.* (s.) 〘비속〙 도망치다; 뒈지다.

Abkratzer *m.* -s, - ↑ Abkratzeisen.

ab|krauten *t.* 풀을 뽑다, 제초하다: einen Weinberg ~ 포도원을 제초하다.

ab|kreischen 《I》 *t.* ① 〘고어〙 (버터·지방을) 녹이다. ② 〘고어〙 (기름에) 튀기다, 지지다. 《II》 *refl.* sich ~ 고함을 쳐서 지치다.

ab|kreisen 《I》 *t.* 원으로 구획하다〔둘러싸다〕. 《II》 *i.* (s.) 원을 그리며 날아가다.

ab|krempen *t.* ① einen Hut ~ 모자의 차양을 숙이다. ② 모자의 테를 없애다〔좁게 하다〕.

ab|kriegen 《I》 *t.* ① 몫으로 받다: von dem Geld nichts ~ 한푼도 못 받다; 〘구어〙 er hat etwas abgekriegt 그는 혼쭐이 났다(문책·벌·구타 따위로). ② 떼어 내다: ich kriege den Korken nicht von der Flasche ab 나는 병에서 코르크 마개를 빼내지 못하겠다. ③ (상처·화를) 입다, 당하다: er hat durch den Unfall schwere Verletzungen abgekriegt 그는 사고로 중상을 입었다.

ab|kritzeln *t.* 서투르게 베끼다.

ab|kröschen *t.* 〘고어〙 (버터·지방을) 녹이다; 튀김질을 끝내다; (기름을) 빵조각으로 닦아내다.

ab|krümeln 《I》 *t.* 분쇄하다. 《II》 *i.* (s.) 산산히 부서지다.

ab|krümmen 《I》 *t.* 비틀어 구부리다. 《II》 *refl./i.* (s.) (sich) ~ 구부러지다, 휘다.

ab|krusten *t.* …의 깍지를〔껍질을〕 벗기다; (쇠붙이의) 녹을 떨어 내다.

ab|kugeln 《I》 *i.* 〘고어〙 ① (s.) 멀리〔아래로〕 굴러가다. ② (h.) (투표용의 작은 공으로) 투표〔표결〕하다. 《II》 *t.* 〖가톨릭〗 einen Rosenkranz ~ 묵주를 하나씩 세며 기도하다.

Abkühl·apparat *m.* 냉각기, 냉장고.

ab|kühlen 《I》 *t.* ① 식히다, 차게 하다; 〖제련〗 (쇠붙이·유리를) 담금질하다. ② 〘비유〙 (정열·욕망을) 가라앉히다, 진정시키다: sein Mütchen an jm. ~ 누구에게 화풀이를 하다. 《II》 ① *i.* (h./s.) / *refl.* (sich) 식다, 냉각되다; 〘비유〙 냉정〔냉담〕해지다: ihre Beziehungen kühlten sich ab 그들의 관계는 냉각되었다. ② *refl.* 〘사람이 주어〙 sich ~ 기분이 상쾌해지다.

Abkühler *m.* -s, - 냉각기, 냉동〔냉각〕 장치.

Abkühl=faß *n.*, **~trog** *m.* 냉각통.

Abkühlung *f.* -en ① 냉각; 진정; 〖醫〗 청량법(清涼法); 〖工〗 냉동. ② 〖化〗 냉각(제).

Abkühlungs=fläche *f.* 냉각면(面). **~kurve** *f.* 〖物〗 냉각 곡선. **~mittel** *n.* 청량제, 냉각제; 〖醫〗 해열제. **~pause** *f.* 〖法〗 냉각 기간. **~raum** *m.*, **~zimmer** *n.* 냉각실, 냉장실.

ab|kümmern 〘고어〙 《I》 *t.* jm. 〔et.³〕 et. ~ 누구에게서〔무엇에서〕 무엇을 애써서 얻어 내다. 《II》 *refl.* sich ~ 슬픔으로 수척해지다.

ab|kunden *t.* ↑ abkündigen.

ab|kündigen *t.* ① 해약을 통고하다: Vereinbarung ~ 협정의 철회를 통고하다. ② (설교단·무대 등에서) 발표〔공고〕하다: ein Brautpaar ~ (교회에서) 약혼을 발표하다.

Abkündigung *f.* -en ① 해약 통고. ② 공고, (결혼·세례 등의) 발표, 고지.

Abkunft [ápkʊnft] *f.* ..künfte ① (**a**) 출신, 혈통, (동물의) 종속: von hoher ~ 명문 출생의. (**b**) 〘드물게〙 후예. ② 협정, 합의.

ab|kupfern *t.* 〘방언·평어〙 허가 없이 베끼다, 커닝하다.

ab|kuppeln *t.* ↑ abkoppeln.

ab|kuranzen *t.* 때리다, 괴롭히다.

***ab|kürzen** [..kʏrtsən] 《I》 *t.* ① 단축하다, 생략하다: eine Rede ~ 연설을 단축하다; 〖軍〗 den Angriff ~ 급습하다; den Weg ~ 지름길

로 가다. ② (임금·가격을) 줄이다, 내리다: den Preis ~ 값을 내리다. ③〖數〗약분하다: einen Kegel ~ 원뿔체를 자르다. ④ 약어로 표기하다. 《Ⅱ》 **ạbgekürzt** *p.a.* ↑ abgekürzt.

Ạbkürzung *f.* -en ① 단축, 생략; 약어; 〖음악〗 생략법. ②〖數〗 약분.

Ạbkürzungs≈sprache *f.* 생략어; 약칭(약어: Aküsprache). **~taste** *f.* 〖컴〗 단축 키. **~verzeichnis** *n.* 약어표. **~weg** *m.* 지름길. **~zeichen** *n.* 생략 부호.

ạb|küssen 《Ⅰ》 *t.* 정열적으로 입맞추다: jm. die Tränen ~ 누구의 눈물을 키스로 닦아 주다, 누구를 위로하다. 《Ⅱ》 *refl.* sich (einander) ~ 서로 실컷 입맞추다.

ạb|kutschieren *i.* (s.) (마차를 타고) 떠나가다.

Abl. =〖문법〗 Ablativ 탈격(脫格).

ạb|lachen *refl.* sich ~ 너무 웃어 지치다.

Ạblade≈gebühren *pl.* (배·차의) 하역료. **~gewicht** *n.* 선하(船荷) 적재량.

ạb|laden* 《Ⅰ》 *t.* ① (차·배 따위에서) 짐을 풀어 내리다: wo kann ich Sie ~? 어디에서 내려드릴까요?: den Wagen ~ 차에 실은 짐을 부리다; 〔비유〕 seine Sorge ~ 근심을 털어 놓다; Geld ~ 돈을 치르다. ②〖軍〗 탄약을 빼내다. ③〖海〗 선적하다: Schiffe ~ 선적하다. ④ et. auf jn. ~ 무엇을 누구에게 전가하다. 《Ⅱ》 *i.* (h.) 〔비유〕 bei jm. ~ 누구에게 속마음을 털어놓다.

Ạblade≈ort *m.* ↑ ~platz. **~platz** *m.* 하역장; 쓰레기 버리는 곳.

Ablader [ápla:dər] *m.* -s, - 하역 인부; 거룻배의 사공; 〖法〗 화물 취급자, 선적인; 하주.

Ạbläder *m.* -s, - ↑ Ablader.

Ạblader·lohn *m.* ↑ Abladelohn.

Ạblade≈schein *m.* 하역증(荷役證). **~stelle** *f.* ↑ ~platz.

Abladung [ápla:duŋ] *f.* -en ① 하역; 〖商〗 선적. ② ↑ Abladeplatz.

Ạbladungs≈boot *n.* 거룻배. **~hafen** *m.* 하역〔선적〕 항구. **~lohn** *m.* 하역료. **~ort,** **~platz** *m.* 하역〔선적〕장. **~schein** *m.* 〖商〗 선하 증권.

Ablage [ápla:gə] *f.* -n ① (알을) 낳음, 산란(産卵). ② 저장소, 창고; 겉옷〔휴대품〕 보관소; 현관. ③ (유산 대신에) 자식들에게 주는 생활 자금(의 분배). ④ (schweiz.) 수납소, 대리점; 보관, 기탁. ⑤ 보관 서류.

Ablager [ápla:gər] *n.* -s, - 숙소; 숙사; (도둑 등의) 소굴.

ạb|lagern 《Ⅰ》 *t.* ① **(a)** 퇴적〔침전〕시키다, 앙금을 가라앉히다: sich ~ 침전하다. **(b)** 저장〔보관〕하다. ② 따로따로 야영시키다. ③ (무엇의 저장소를) 옮기다. 《Ⅱ》 *i.* (s.) (저장하여) 숙성하다, 맛이 들다. 《Ⅲ》 **ạbgelagert** *p.a.* ↑ abgelagert.

Ạblagerung *f.* -en ① 퇴적, 침전; 저장. ② 퇴적물, 침전물; 〖지질〗 침적물(沈積物); 〖醫〗 결석(結石).

Ạblagerungs≈gebiet *n.* 〖지질〗 침적지(沈積地). **~platz** *m.* 저장소.

ạb|laichen *i.* (h.) 〖動〗 (어류·양서류가) 알을 낳다, 산란하다.

Ablaktation [aplaktatsió:n, ablak..] *f.* -en ① 이유(離乳). ② 접붙임, 접목.

ạb|laktieren 《lat. lac, „Milch"》 *t.* (absäugen) ① 젖을 떼다. ② 접붙이다.

ạb|lammen *i.* (h.) (양이) 새끼를 낳다.

ạb|landen *i.* (s.) 〖海〗 출범하다, 진수하다.

ạb|länden *i.* (s.) ↑ ablanden.

ablandig [áplandıç] *a.* 〖海〗 뭍〔육지〕에서 바다로 부는(↔ auflandig): der Wind steht ~ 바람이 육지에서 바다로 불고 있다.

ạb|langen *t.* ① 아래로 내려 주다, 내 주다. ② **(a)** 붙잡다; 도달하다; 무엇에 손이 닿다. **(b)** 가지러 가다.

ạb|längen *t.* (목재를) 일정한 길이로 자르다.

***Ạblaß** [áplas] *m.* ..lasses, ..lässe ① 방출, 유출. ② 배수관, 배수로; 수문; (통 따위의) 주둥이, 꼭지. ③ 중지, 중절: ohne ~ 끊임 없이. ④ 할인. ⑤〖가톨릭〗 면죄(부), 속죄, 대사(大赦): ~ erteilen 죄를 용서하다, 면죄부를 주다; ~ nach Rom tragen 쓸데 없는 짓을 하다.

Ạblass 新정서 ⇦ Ablaß.

Ạblaß·brief *m.* 〖가톨릭〗 면죄부, 사죄장(狀).

ab|lassen [áplasən] 《Ⅰ》 *t.* ①〔구어〕 내버려 두다: den Knopf ~ (떨어진) 단추를 다시 달지 않다. ② **(a)** 놓아 보내다: den Bogen ~ 활을 쏘다; den Boten ~ 사절〔사신〕을 보내다; ein Schiff ~ 진수시키다; einen Zug ~ 발차시키다. **(b)** 방출하다; 비우다: 〖醫〗 jm. Blut ~ 누구의 (나쁜) 피를 뽑다; das Faß ~ 통의 내용물을 비우다; den Kessel ~ 배기(排氣)하다; die Luft aus einem Reifen ~ 타이어에서 공기를 빼다. **(c)** 뚜껑을 닫아 격리하다. ③ 할인하다: er läßt (ihm) von dem Preis 15 % ab 그는 (그에게) 가격의 15 %를 할인해 준다. ④ (jm. et.) 양도하다; 팔다; er ließ uns ein paar Möbel billig ab 그는 우리에게 가구 몇 개를 싸게 팔았다. ⑤〔고어〕 (죄를) 용서하다: den Zorn ~ 노여움을 풀다. 《Ⅱ》 *i.* (h.) ① von et.³ ~ 무엇을 포기하다, 그만두다; sie läßt nicht von ihm ab 그 여자는 그에 대한 지조를 지키고 있다, 그를 포기하지 않고 있다. ② 그치다, 진정되다.

Ạblasser *m.* -s, - 〖스포츠〗 (경주·경마의) 출발 신호원.

Ạblaß≈geld *n.* 면죄(용) 헌금. **~graben** *m.* 배수구(排水溝), 수채. **~hahn** *m.* 배출〔배수(排水)〕 꼭지. **~handel** *m.* 〖史〗 면죄부 판매.

ạblässig *a* 〔방언〕 태만한, 나태한.

Ạblaß≈jahr *n.* 〖가톨릭〗 대사면(大赦免)의 해 (옛날에는 100 년마다, 지금은 25 년마다). **~kram** *m.* ↑ ~handel. **~krämer** *m.* 면죄부 장사꾼(성직자에 대한 욕설). **~lehre** *f.* 면죄설(免罪說). **~leitung** *f.* 〖工〗 배출관(排出管). **~münze** *f.* (교황이 로마 순례자에게 준) 면죄 기념패. **~prediger** *m.* ① 면죄의 설교사. ② ↑ ~krämer. **~rohr** *n.* 〖工〗 배출관(排出管). **~streit** *m.* 면죄(에 대한) 논쟁. **~tag** *m.* (obd.) (Gründonnerstag) 성(聖)목요일, 세족(洗足) 목요일(부활절의 전 날, 예수가 제자들의 발을 씻어 준 날). **~tage** *pl.* 면죄일.

Ablassung [áplasuŋ] *f.* ① 유출, 배출. ② 해방, 면죄. ③ 중지, 정지.

Ạblaß≈ventil *n.* 〖工〗 배출 밸브. **~vorrichtung** *f.* 배출 장치. **~woche** *f.* 〖가톨릭〗 성체절(聖體節), 면죄주(週). **~zettel** *m.* 〖가톨릭〗 면죄부.

Ablation [ablatsió:n, ap..] 《lat. ablatus》

f. -en ① 제거; 〖醫〗 절제(切除). ② 〖地〗 (**a**) (빙하·암석의) 융해 분리. (**b**) ↑ Abtragung.

Ablativ [áblati:f, áp..; ablatí:f, ap..] *m.* -s, -e 〖문법〗 탈격(라틴어 문법의 제 6 격).

ablativisch [áb.., áp..; ..tí:..] *a.* 〖문법〗 탈격의, (라틴어의) 제 6 격의.

Ablativus absolutus [áblati:vus apzolú:tus] *m.* - -, ..vi, ..ti 〖문법〗 절대 탈격.

ab|latschen 《Ⅰ》 *t.* (구두를 마구) 신어서 망가뜨리다. 《Ⅱ》 *i.* (s.) 다리를 질질 끌면서 떠나다. 《Ⅲ》 **abgelatscht** *p.a.* ↑ abgelatscht.

ab|latten *t.* 〖건축〗 외(椳)를 없애다: das Dach ~ 지붕의 산자(橵子)를 치우다.

ab|lauben *t.* 〔드물게〕 …의 잎을 따내다: den Wein ~ 포도나무 군잎을 쳐내다.

ab|lauern *t.* ① 엿보며 기다리다; 매복하다. ② jm. et. ~ 누구의 무엇을 염탐하다.

Ablauf [áplauf] *m.* -(e)s, ..läufe ① 달려감, 흘러감; 〖工〗 유출; 〖스포츠〗 스타트. ② 유출구(口); 수문; 〖海〗 갑판 배수공(排水孔). ③ (**a**) 경과, 진행. (**b**) 만료, 만기: 〖法〗 nach ~ der Frist 만기〔기한〕 후에. ④ 결말. ⑤ 〖海〗 진수, 출범.

Ablauf·bahn *f.* 〖스키〗 도약대의 활주로. **~berg** *m.* 〖鐵〗 험프, 활주구(滑走丘)(중력을 이용해서 조차(操車)하기 위하여 만든 언덕). **~bewegung** *f.* 〖전기〗 반전(反轉) 운동.

ab|laufen 《Ⅰ》 *i.* (s.) ① (**a**) 뛰어 가버리다; 〖스포츠〗 스타트하다; 〖海〗 출범하다; 진수하다. (**b**) 흘러가다, 흘러 내려가버리다; (욕조가) 배수되어 비다; 유출되다; (조수가) 써다: das Licht läuft ab 촛농이 흐른다. ② (**a**) Waren ~ lassen 상품을 발송하다. (**b**) 〖펜싱〗 seinem Gegner ~ lassen 상대방의 칼을 맞받아쳐 떨어뜨리게 하다. (**c**) 〔구어·비유〕 jn. ~ lassen 누구의 요구를 물리치다. ③ 달리기를 끝내다: seine Uhr ist abgelaufen a) 그의 시계는 멎었다, b) 〔비유〕 그의 명도 이젠 다 했다; ein Film läuft ab 필름이 다 돌아가다. ④ 진행되다, 경과하다, (기한이) 만료하다: der abgelaufene Monat 지난 달. ⑤ 끝나다, 어떤 결과가 되다: gut 〔übel〕 ~ 좋은〔나쁜〕 결과로 끝나다. ⑥ (토지가) 비탈지다, 기울다. ⑦ (길이) 갈리다, 분기(分岐)하다. ⑧ (시찰·조사 목적으로 어떤 지역·구간을) 따라 걷다: nach et.³ die ganze Stadt ~ 무엇을 찾아 온 시내를 샅샅이 뒤지며 다니다. 《Ⅱ》 *t.* ① (몸·신발을) 달려서 닳게〔못쓰게〕 하다: 〔비유〕 sich³ die Beine 〔die Hacken〕 nach et.³ ~ 무엇을 찾아 동분서주하다; sich³ die Hörner ~ a) 모진 데가 없어지다, b) 경험을 쌓아 분별이 생기다; 〔비유〕 das habe ich mir an den Schuh(sohl)en abgelaufen 나는 그 일을 벌써부터 잘 알고 있다. ② 달려가서 (상대방을) 찔러 말에서 떨어뜨리다. ③ 달려가서 얻다: jm. den Rang ~ 누구를 앞지르다, 능가하다; 〖海〗 einem Schiff den Wind ~ 뱃머리를 바람 부는 쪽으로 향하게 하다. ④ die Läden ~ 이 가게 저 가게를 기웃거리며 돌아다니다; die Straßen ~ 거리를 쏘다니다. ⑤ 〖광산〗 운반하다. 《Ⅲ》 *refl.* sich ~ 너무 걸어〔달려〕 지치다.

Ablaufen *n.* -s ↑ Ablauf ①③.

Abläufer *m.* -s, - 〖방직〗 실감개; 〖海〗 (갑판의) 배수 구멍.

Ablauf·balken *m.* 〖海〗 (진수·건조할 때의) 진수가(架); 선가(船架). **~faß** *n.* 〖광산〗 세광조(洗鑛槽). **~frist** *f.* 〖商〗 (어음의) 만기 기한. **~gerüst** *n.* ↑ ~balken. **~geschwindigkeit** *f.* 활주 속도. **~kanal** *m.* 하수도. **~marke** *f.* 〖스포츠〗 주자 출발 표시선. **~plan** *m.* 프로그램 진행 계획. **~platz** *m.* 〖스포츠〗 출발점. **~rinne** *f.* 홈통; 〖海〗 갑판 배수 구멍. **~rohr** *n.* 배수관. **~termin** *m.* 〖商〗 만기일. **~zeit** *f.* ↑ ~frist.

Ablauge *f.* -n 〖工〗 오수(汚水), 폐수.

ab|laugen *t.* 잿물로 씻다〔제거하다〕.

ab|lauschen *t.* 엿듣다: jm. ein Geheimnis ~ 누구의 비밀을 엿듣다; die Erzählung ist dem Leben abgelauscht 그 소설은 실화를 바탕으로 하고 있다.

ab|lausen *t.* ① 이를 잡다. ② 〔비유·경박〕 (jm. et.) 꾀를 써서 빼앗다.

Ablaut [áplaut] *m.* -(e)s, -e 〖문법〗 (특히 동사의 강변화에서) 어간 모음 교체.

ab|lauten *i.* (h.) 어간 모음 교체하다; ~de Verba 강변화 동사.

ab|läuten *i.* (h.)/*t.* (출발·종료·중지를) 종을 쳐서 알리다: der Schaffner läutete ab 차장이 종을 쳐서 출발을 알렸다; den Gottesdienst ~ 종을 울려 예배가 끝났음을 알리다.

ab|läutern *t.* 순화하다, 정제(精製)하다; 〖제련〗 세광(洗鑛)하다.

Abläuterung *f.* -en 순화; 세광.

Ablaut·verb *n.* 〖문법〗 강변화 동사.

ab|leben 《Ⅰ》 *t.* ① 살다, (때를) 보내다, (일정 기간을) 계속 살다: er lebte die restlichen Jahre im Exil ab 그는 여생을 망명 생활로 보냈다. ② 속죄하며 살다. 《Ⅱ》 *refl.* sich ~ ① 끝나다. ② 노쇠하다, 죽다. 《Ⅲ》 *i.* (s.) ① 죽다. ② 기력을 잃다. 《Ⅳ》 **abgelebt** *p.a.* ↑ abgelebt.

Ableben *n.* -s 사망, 사별.

ab|lecken *t.* 핥아내다, 핥아서 제거하다.

ab|ledern *t.* ① 가죽으로 닦아 윤을 내다. ② 가죽으로 닦아내다〔건조시키다〕. ③ 〔비유〕 때려 눕히다. ④ (동물의) 가죽을 벗기다.

ab|leeren *t.* 비우다, 치우다, 처리하다; (과일을) 모두 따다.

Ablegat [ap.., ab..] 《lat. legare, „absenden"》 *m.* -en, -en 로마 교황의 (대리) 사절; 피(被)추방자.

Ablegation *f.* -en 〖法〗 (Jahresbann) 1년간의 추방.

***ab|legen** [áple:gən] 《Ⅰ》 *t.* ① (↔ anlegen) 벗다, 떼어 놓다; (짐을) 내려 놓다: legen Sie ab! (모자·외투 따위를) 벗으십시오!; die Trauer ~ 상복을 벗다, 탈상하다; 〔비유〕 die Kinderschuhe ~ 철이 들다, 성숙하다. ② (편지·서류를) 철해서 정리하다. ③ 〔비유〕 (나쁜 버릇을) 고치다, 버리다. ④ (고백·변명·증언·시험·계산 따위를) 행하다, 마치다, 다하다: einen Eid ~ 선서하다; von et.³ Zeugnis ~ 무슨 일에 대해 증언을 하다. ⑤ 〔雅語〕 의도하다, 노리다: er hatte es auf eine Kränkung abgelegt 그는 모욕을 줄 작정으로 그렇게 했다. ⑥ 〖印〗 die Form ~ 해판(解版)하다. ⑦ 접붙이다, 휘묻이하다, 꺾꽂이하다. ⑧ 〖광산〗 해고하다; 폐갱하다. ⑨ 〔방언〕 저버리다; 배신하다. ⑩ 〖海〗 ein Schiff ~ 배를 출범시키다 (↔ anlegen). 《Ⅱ》 *i.* (h.) ① 〔고어〕 jm. ~ 누구에게 반대하다. ② (시력·기억이) 감퇴하다, 쇠약해지다. ③ 〖海〗 mit dem Schiff ~ 출범하

다. ④ (가축이) 새끼를 낳다; 〖비속〗(사생아를) 낳다. 《Ⅲ》 **abgelegt** *p.a.* ↑ abgelegt.

Ableger *m.* -s, - ① 휘묻이, 꺾꽂이; (휘묻이하기 위한) 어린 가지. ② 지점, 지사(支社). ③ (인공으로 분봉(分蜂)한) 꿀벌 떼; 짐승의 새끼. ④〖구어·농담〗아들, 자손. ⑤〖印〗식자실 조수.

Ablege≈satz *m.* 〖印〗(해판(解版) 직전의) 폐판(廢版). **~zimmer** *n.* (Garderobe) 휴대품 보관소.

Ablegung [áple:guŋ] *f.* -en ↑ ablegen 의 명사형.

ablehnbar *a.* 거절〔기피〕할 수 있는.

*__ab|lehnen__ [áple:nən] *t.* ① 거부하다; 기각하다: die Ausführung eines Befehls ~ 명령이행을 거부하다. ② 반대하다, 환영〔동의〕하지 않다: die modernen Maler ~ 현대 화가들에 대해 부정적이다.

ablehnend *p.a.* 거부〔거절〕하는, 가까이 오지 못하게 하는.

Ablehnung [..nuŋ] *f.* -en 거절, 거부; 〖法〗기피, 기각, 부결: auf ~ stoßen 거부되다.

Ablehnungs≈brief *m.* 신청 거절서. **~erklärung** *f.* 거절 표시. **~gesuch** *n.* 기피 신청. **~urkunde** *f.* 거절 증서. **~verfahren** *n.* 기피 절차.

ab|leiben *i.* (s.) 죽다.

ab|leiern 《Ⅰ》 *t.* ① 단조롭게〔기계적으로〕 암송〔낭독〕하다. ② (뻔히 아는 것을) 번번이 되풀이하다. 《Ⅱ》 **abgeleiert** *p.a.* ↑ abgeleiert.

ab|leihen* *t.* jm. et. ~ 누구에게서 무엇을 빌려오다.

ab|leisten *t.* ① 해내다, 이룩하다. ② **(a)** 〖法〗 einen Eid ~ 선서하다. **(b)** 〖軍〗 den Militärdienst ~ 병역을 마치다. **(c)** eine Schuld ~ 일해서 빚을 갚다.

Ableistung *f.* -en 이행, 수행.

ableitbar *a.* ① 파생〔유도〕할 수 있는; (이)끌어낼 수 있는. ② von et.³ ~ sein 무엇에서 추론할 수 있다, 무엇에서 근원을 찾을 수 있다.

*__ab|leiten__ [áplaɪtən] 《Ⅰ》 *t.* ① 이끌어내다, 유출시키다: einen Fluß ~ 강줄기를 다른 곳으로 돌리다; jn. vom rechten Weg ~ 누구를 탈선시키다. ② 파생시키다: ein Wort ~ 어떤 단어를 파생시키다. ③〖논리〗 연역〔추론〕하다. 《Ⅱ》 *refl.* sich ~ 유래하다: das Wort leitet sich aus dem Griechischen ab 그 단어는 그리스어에서 유래한다. 《Ⅲ》 **abgeleitet** *p.a.* ↑ abgeleitet.

ableitend *p.a.* 〖醫〗 유도성의, 설사를 촉진하는: ein ~es Mittel 유도제, 하제.

Ableiter *m.* -s, - ① 도관(導管); 〖物〗 도체(導體), 도선, 양전극(陽電極); 〖工〗 피뢰침. ②〖문법〗 파생어를 만드는 전철〔후철〕.

ableitlich *a.* 〖문법〗 어원상의.

*__Ableitung__ *f.* -en ① 유도, 이끌어냄; 〖醫〗 유도법. ②〖문법〗 파생(어). ③ 연역, 추론. ④ **(a)** 〖전기〗 누전; 접지(接地)(선); (피뢰침의) 도선. **(b)** 배수(로). ⑤〖數〗 도함수(導函數); 미분 계수. ⑥〖動·植〗 계통.

Ableitungs≈angriff *m.* 〖軍〗 유도 공격. **~draht** *m.* 〖電〗 유도선. **~graben, ~kanal** *m.* 도랑, 배수구(溝); 방수로. **~kur** *f.* 〖醫〗 유도 요법. **~mittel** *n.* 〖醫〗 유도제(劑). **~rinne** *f.* 배수〔하수〕관(管). **~röhre** *f.* (가스의) 송출관, 배기관; 배수관; (기관차·기차의) 연통. **~silbe** *f.* 〖문법〗 파생어를 만드는 전철〔후철〕. **~wort** *n.* 파생어.

ablenkbar *a.* 딴 쪽으로 돌릴 수 있는, 전향〔전환〕시킬 수 있는.

*__ab|lenken__ [áplɛŋkən] 《Ⅰ》 *t.* ① (물줄기·주의를) 딴 쪽으로 돌리다, 빗나가게 하다; 기분을 전환시키다: du lenkst dich ein wenig ab, wenn du ins Kino gehst 너는 영화 구경하면 약간 기분 전환이 될 것이다; jn. vom Bösen ~ 누구를 나쁜 길에서 벗어나게 하다. ②〖物〗 (광선을) 굴절시키다; (자침을) 편향(偏向)시키다. 《Ⅱ》 *i.* (h.) ① 방향을 바꾸다; 빗나가다. ② 화제를 바꾸다.

Ablenker *m.* -s, - 〖전기〗 전향자(轉向子); (기류의) 전향 장치.

Ablenkung [..lɛŋkuŋ] *f.* -en ① 딴 쪽으로 돌리기; 〖軍〗 유도; 〖物〗 편향(偏向), 편차. ② 기분 전환.

Ablenkungs≈angriff *m.* 〖軍〗 유도〔견제〕 공격. **~kondensor** *m.* 〖物〗 편향판(偏向板). **~manöver** *n.* 견제〔교란〕 작전: ein ~ betreiben 교란 술책을 부리다. **~messer** *m.* 〖物〗 편자계(偏磁計). **~phänomen** *n.* 〖醫〗 편향(偏向) 현상. **~spule** *f.* 〖物〗 편향 코일. **~versuch** *m.* 〖心〗 견제 실험. **~winkel** *m.* 〖物〗 편각; 〖軍〗 전향각(角).

ab|lernen *t.* jm. et. ~ 누구의 무엇을 보고 배우다〔익히다〕.

Ablese *f.* -n 포도 나무 곁가지를 두 번 치기.

ab|lesen* 《Ⅰ》 *t.* ① 따다; 채집하다; 골라〔솎아〕내다. ② (각본 따위를) 읽어 주다; (쓴 것을) 보고 말하다: eine Rede ~ 낭독 연설을 하다. ③ 알아내다, 추론하다: jm. et. vom 〔am〕 Gesicht ~ 누구의 얼굴〔안색〕을 보고 무엇을 알아채다. ④ (가스·전기 계량기를) 검침하다; (온도·압력을) 측정하다. ⑤〖고어〗 (책을) 읽어서 더럽히다〔헐게 하다〕.

Ablesen *n.* -s ↑ Ablesung.

Ableser *m.* -s, 채집하는 사람, (포도 따위를) 따는 사람; 낭독하는 사람; 〖전기〗 검침원.

Ablesung *f.* -en ① 채집. ② 읽어서 알아챔. ③ 조사, 검침. ④ 추측, 추론.

ab|leuchten *t.* 불을 비추며 조사하다; 탐조등으로 비추다.

Ableucht·lampe *f.* 〖전기〗 ↑ Handlampe.

ab|leugnen *t.* 부인〔부정〕하다; 거부하다: den hellen Tag ~ 딱 잡아 떼다, 시치미 떼다.

Ableugnung *f.* -en 부인, 부정, 거부.

Ableugnungs·eid *m.* 〖法〗 거부 선서.

ab|lichten *t.* ① 복사하다. ② einen Wald ~ 숲의 나무를 쳐내어 탁 트이게 하다.

Ablieferer *m.* -s, - 〖商〗 인도인(引渡人); 교부자; 배달부.

ab|liefern *t.* 인도〔교부〕하다; 배달하다.

Ablieferung *f.* -en 〖商〗 인도(引渡), 교부, 배달.

Ablieferungs≈bescheinigung *f.* 인도(引渡) 증서. **~frist** *f.* 인도 기간. **~preis** *m.* 인도가격. **~rück·stand** *m.* 인도해야 할 잔량. **~schein** *m.* (인도하기 전의) 인도 증서; (인도 후의) 수령증. **~soll** *n.* 인도 의무량〔액〕. **~tag** *m.* 인도일. **~termin** *m.*, **~zeit** *f.* 인도 기일.

ab|liegen* 《Ⅰ》 *i.* ① (h.) 떨어져〔멀리〕 있다. ② (h.) 연관이 없다: diese Bemerkung liegt vom Thema ab 이 발언은 주제와 연관이 없

다. ③ (s.) (sich) ~ (오래 두어 포도주·과실이) 숙성되다, 결이 삭다, 익다. 《Ⅱ》 *refl.* sich ~ 오래 누워 있어〔쓰지 않아〕 (병·품질이) 악화되다: sich³ die Haare ~ 오래 앓아 누워 털이 빠지다. 《Ⅲ》 **abgelegen** *p.a.* ↑ abgelegen.

ab|listen *t.* 편취〔사취〕하다: jm. sein Geheimnis ~ 누구를 꾀어 비밀을 알아내다.

ab|lochen *t.* 천공 카드에 입력하다.

ab|locken *t.* jm. et. ~ 누구를 속여 무엇을 빼앗다, 울궈내다, (비밀 등을) 꾀어서 알아내다: jm. Geld ~ 누구의 돈을 울궈내다; jn. von et.³ ~ 누구를 꾀어 무엇에서 이탈하게 하다.

ab|lohnen *t.* 급료를 주고 해고하다; 품삯을 모두 주다: er lohnte den Kutscher ab 그는 마부에게 요금을 지급했다.

ab|löhnen *t.* ↑ ablohnen.

ablösbar *a.* ↑ ablöslich.

ab|löschen *t.* ① (불을) 끄다. ② (음식·쇠를) 식히다; (석회를) 소화(消和)시키다: Eisen ~ 달군 쇠를 찬물에 넣어 식히다. ③ 지우다, 닦아내다; 결제하다, (빚·셈을) 다 갚다. ④ (잉크를) 압지로 말리다.

Ablöse [áplø:zə] *f.* -n (südd.) ① 이적료. ② 셋집 입주금.

***ab|lösen** [áplø:zən] 《Ⅰ》 *t.* ① 떼어내다, 분리하다; 늦추다; (가죽을) 벗기다; 〖醫〗 (팔·다리를) 절단하다; (이를) 뽑다: die Briefmarke vorsichtig ~ 우표를 조심스럽게 떼다. ② 변상〔보상〕하다; 〖商〗 (빚을) 갚다. ③ 교대〔교체〕하다: 〖軍〗 die Wache ~ 보초를 교대시키다. ④ (돈을 지급하고 저당물을) 찾다. ⑤ 〔고어〕 열다: das Geschütz ~ 포문을 열다. 《Ⅱ》 *refl.* sich ~ ① (벗겨져) 떨어지다; 느슨해지다. ② (그림의 어느 부분이) 뚜렷하다, 두드러지다. ③ 교대하다; 〔비유〕 번갈아 오가다.

Ablöse·spiel *n.* 〖스포츠〗 이적(移籍) 시합 (이적하는 선수의 현 소속팀과 앞으로 이적할 팀 사이의 시합). **~summe** *f.* 이적료.

ablöslich *a.* ① 뗄〔풀·벗길〕 수 있는; 〖醫〗 절단할 수 있는. ② 〖商〗 변상〔상환〕할 수 있는.

Ablösung *f.* -en ① 분해, 분리; 〖醫〗 (팔·다리의) 절단. ② 해제; 상환, 상각: frei durch ~ 요금 별납의. ③ 교대; 교대자; 〖軍〗 교대병. ④ 〖法〗 (벌금에 의한) 대형(代刑), 감형. ⑤ 〖광산〗 (탄층의) 균열.

Ablösungs·fonds *m.* 〖商〗 감채(減債) 기금. **~gesetz** *n.* 〖史〗 농노 해방의 칙령. **~kasse** *f.* 상환 준비금. **~mannschaft** *f.* 교대자; 〖軍〗 교대병. **~summe** *f.* 상환액. **~verordnung** *f.* 상환 규정.

ab|loten *t.* 〖건축〗 측연(測鉛)으로 재다.

ab|löten *t.* …의 납땜한 것을 떼어내다.

ab|luchsen [ápluksən] *t.* (jm. et.) (누구의 무엇을) 속임수로 빼앗다; 누구의 무엇을 간파하다.

Abluft [ápluft] *f.* 배기(排氣); 불결한 공기.

Abluft·schlot *m.* 배기통, 통풍통.

ab|lugen *t.* ↑ abgucken.

ab|lügen* *t.* ① 거짓을 꾸며대어 부인하다. ② jm. et. ~ 누구를 속여 무엇을 빼앗다, 가로채다.

ab|lugsen *t.* 〔고어〕 ↑ abluchsen.

Ablution [aplutsió:n] 《lat. luere, „waschen"》 *f.* -en ① 세척, 목욕; 〖가톨릭〗 세정(洗淨) (영성체 후에 손을 씻는 의식 또는 미사 성배(聖杯)의 세정). ② 〖醫〗 박타법(拍打法).

ab|lutschen *t.* 빨아서〔핥아서〕 없애다〔비우다〕.

ABM ① =Anti-Ballistic Missile 탄도탄 요격 미사일. ② =Atomic Bomb Mission 원폭 조사 위원회. ③ =Arbeitsbeschaffungsmaßnahme 고용 창출 조치.

ABM-Stelle *f.* 고용 창출 조치를 통해 마련된 일자리.

***ab|machen** [ápmaxən] 《Ⅰ》 *t.* ① 제거하다, 떼어내다: den Schmutz ~ 오물을 제거하다; das Tier ~ a) 동물의 가죽을 벗기다, b) 〔방언〕 죽이다. ② (**a**) 〔구어〕 끝내다, 정돈〔정리〕하다: zwei Jahre als Lehrling ~ 2 년간의 도제 수업을 마치다. (**b**) 합의하다, 타협〔조정〕하다: einen neuen Termin ~ 새로운 약속 일정을 정하다; gütlich ~ 화해하다; et. bei sich³ ~ 무엇을 결심하다. ③ 〖요리·방언〗 뒤섞다: die Suppe mit einem Ei ~ 수프에 달걀을 넣어 뒤섞다. 《Ⅱ》 **abgemacht** *p.a.* ↑ abgemacht.

Abmachen *n.* -s ① 떼어냄, 제거. ② ↑ Abmachung. ③ 〔비유〕 das ist ein ~ 이것으로 단번에 결말이 난다.

Abmachung *f.* -en 결정, 협정, 약정; 〖商〗 청산: 〖法〗 vertragsmäßige ~en 계약; mit jm. über et. eine ~ treffen 누구와 무슨 일에 관하여 협정을 맺다.

ab|magern [ápma:gərn] 《Ⅰ》 *i.* (s.) 여위다, 쇠하다. 《Ⅱ》 *t.* 여위게 하다. 《Ⅲ》 **abgemagert** *p.a.* ↑ abgemagert.

Abmagerung *f.* -en 수척, 여윔; 〖醫〗 위축.

Abmagerungs·kur *f.* 다이어트 요법.

ab|mähen *t.* (풀을) 베다.

ab|mahlen* *i.* (h.)/*t.* 제분을 끝내다, 다 빻다; (맷돌이) 닳다.

ab|mahnen 《Ⅰ》 *i.* (h.)/*t.* jm.〔jn.〕 von et.³ ~ 누구에게 무엇을 포기〔단념〕하라고 경고〔충고〕하다: er mahnte mich von dem Unternehmen ab 그는 내게 그 사업을 포기하라고 경고했다. 《Ⅱ》 *t.* jm. et. ~ 누구에게 무엇을 독촉하다.

ab|maischen *t.* (엿기름물을) 뒤섞다.

ab|malen *t.* 《Ⅰ》 ① 그리다, 베끼다; 모사하다: nach dem Leben ~ 사생하다; jn. ~ 누구의 초상을 그리다; sich ~ lassen 자기의 초상화를 그리게 하다. ② 〔비유〕 묘사〔서술〕하다: jn. ~ 누구를 흉내내다: 〔폄어〕 du kannst dich ~ lassen! 너 놀림감된다. 《Ⅱ》 *refl.* sich ~ 반영되다, 나타나다: ein blankes Entsetzen malte sich in seinem Gesicht ab 그의 얼굴에 경악이 역력히 드러났다.

Abmangel [ápmaŋəl] *m.* -s, ..mängel 〖商〗 결손.

ab|mangeln *t.* 압착 롤러로 (빨래의) 주름을 잘 펴다.

ab|marachen *refl.* 〔방언〕 sich ~ 몹시 애쓰다.

ab|marken [ápmarkən] *t.* ① 구분하다. ② 무엇의 경계를 정하다.

ab|markten [ápmarktən] *t.* …의 값을 깎다: davon läßt sich nichts ~ 거기서 한 푼도 깎을 수 없다.

Abmarkung *f.* -en 경계 표시〔설정〕.

***Abmarsch** [ápmarʃ] *m.* -es, ..märsche ① 출발, 행진, 진군: zum ~ blasen 행군 나팔을 불다; den ~ antreten 행군을 시작하다. ② 〖軍〗 분대.

ạbmarsch·bereit *a.* 출발〔행군〕준비가 된.
ạb|marschieren *i.* (s.) 출발하다, (방향을 바꾸어) 행진하다: links abmarschiert! 좌향앞으로가!
ạb|martern 《I》 *t.* 괴롭히다, 고문하다. 《II》 *refl.* sich ~ 괴로워하다.
Ạbmarterung *f.* 가책, 고문; 고민.
Ạbmaß [ápma:s] *n.* -es, -e 기준, 척도.
ab|matten [ápmatən] 《I》 *t.* ① 지치게 하다; 혹사하다: das Fieber mattete ihn ab 열이 그를 기진맥진하게 했다. ②〚化〛 (금속의) 광택을 지우다. 《II》 *refl.* sich ~ 몹시 지치다.
Ạbmattung *f.* ① ↑ abmatten의 명사형. ② 피로, 권태; 탈진; 〚化〛 광택을 지움.
ạb|mauern *t.* …에 담을 쌓아 경계를 짓다.
ạb|mehren *t.* (schweiz.) ① 손을 들어 표결하다. ② 다수결로 거부하다.
ạb|meiern *t.* ① einen Pächter ~ 소작인의 소작지를 회수하다. ② 물러나게 하다; 해고하다; 질책하다.
Ạbmeierung *f.* -en 〚法〛 소작지 회수; 농지 경작권〔소유권〕 박탈.
ạb|meißeln *t.* ① 끌로 깎아내다. ② 끌질하여 작게 만들다.
ạb|melden 《I》 *refl.* sich ~ 퇴거〔전출·탈퇴〕 신고를 하다: sich bei seinem Vorgesetzten ~ 상관에게 전출 신고를 하다; 〔비유〕 bei jm. abgemeldet sein 누구의 신임을 잃다. 《II》 *t.* 〚스포츠〛 상대를 제압하다. 《III》 **ạbgemeldet** *p.a.* ↑ abgemeldet.
Ạbmelde=bestätigung *f.* 퇴거〔전출〕 신고 확인(증). **~formular** *n.* 퇴거〔전출〕 신고 용지〔양식〕. **~schein** *m.* 퇴거〔전출〕 신고증. **~zettel** *m.* ↑ ~schein.
Ạbmeldung *f.* -en 퇴거〔전출〕 신고.
Ạbmelk·betrieb *m.* ↑ ~wirtschaft.
ạb|melken *t.* ① 젖을 짜다: eine Kuh ~ 소의 젖을 짜다. ② 젖을 남김없이 짜다: 〔비유〕 der Schriftsteller milkt den Zeitgenossen seine Existenz ab 그 작가는 동시대인에게서 자신의 존재 의의를 남김없이 인정받는다.
Ạbmelk·wirtschaft *f.* 낙농업.
ạb|mergeln[1] 《<Mergel》 *t.* 〚農〛 …에 석회 비료를 주다.
ạb|mergeln[2] 《<Mark[2]》 《I》 *t.* 쇠진〔탈진〕하게 하다. 《II》 *i.* (s.) 쇠진하다: abgemergelt 기진맥진한.
ạb|merken *t.* 알아차리다: jm. et. an den Augen ~ 누구의 눈을 보고 무엇을 알아차리다.
ạbmessbar *a.* 측정〔예측〕할 수 있는.
ạb|messen* 《I》 *t.* ① (옷감의) 치수를 재어 마르다: 〔비유〕 Verse ~ 시의 운율을 맞추다. ② 측정〔측량〕하다: eine Entfernung ~ 거리를 측량하다. ③ 〔비유〕 헤아리다, 고려하다: seine Worte ~ 말을 신중히 하다; nach et.[3] ~ 무엇을 근거로 판단하다. 《II》 **ạbgemessen** *p.a.* ↑ abgemessen.
Ạbmesser *m.* -s, - 측량사.
Ạbmessung *f.* -en ① 측정, 측량. ② 고려, 판단. ③ 〚數〛 용적.
ab|mieten *t.* 빌리다, 임차하다: jm. ein Zimmer ~ 누구의 방을 빌리다; 〔드물게〕 jm. einen Dienstboten ~ 누구의 하인을 빼돌리다.
Ạbmieter *m.* -s, - 임차인, 세입자.
Ạbmietung *f.* -en 〚法〛 임차.
ạb|mildern *t.* 부드럽게 하다, 완화하다.
Ạbmilderung *f.* 완화, 약화.
ạb|mindern *t.* 줄이다, 감하다: 〚法〛 eine Strafe ~ 감형하다.
Ạbminderung *f.* 경감, 축소: 〚法〛 die ~ der Strafe 감형.
ạb|misten *t.* …의 똥을 치우다: das Vieh ~ 가축의 똥을 치우다.
ạb|modeln *t.* 본뜨다, 모사(模寫)하다.
ạb|montieren *t.* ① (기계의 부품을) 떼어내다 (↔ anmontieren): die Lenkstange (vom Fahrrad) ~ (자전거에서) 핸들을 떼어내다. ② 해체〔분해〕하다.
ạb|moosen *t.* …에서 이끼를 떼어내다.
ạb|mucken *t.* ① 〔구어·방언〕 몰래 죽이다, 해치우다. ② 침묵시키다; 질책하다.
ạbmüden *t.* 〔드물게〕 지치게〔피로하게〕 하다.
ạbmühen *refl.* sich ~ 애쓰다, 수고하다: sich mit einer Aufgabe ~ 어떤 과제를 해결하려고 애쓰다.
ạb|murksen [..murksən] *t.* 〔구어〕 몰래 죽이다: 〔비유〕 den Motor ~ (잘못하여) 엔진을 꺼지게 하다.
ạb|müßigen 《<Muße》 〔구식〕 《I》 *t.* 〚官〛 jm. et. ~ 누구에게 무엇을 강요하다. 《II》 *refl.* sich von et.[3] ~ 무엇을 모면하다; sich nicht ~ können, et. zu tun 무엇을 하지 않을 수 없다; sich[3] Zeit ~ (힘들게) 시간을 내다.
ạb|mustern *t.* ① 〚방직〛 무늬를 넣다. ② 〚軍〛 사열〔검열〕하다. ③ 〚海〛 (선원을) 해고하다; 선원 일을 그만두다.
Ạbmusterung *f.* 〚軍〛 사열, 검열; 〚海〛 해고.
ạb|nabeln *t.* ① (갓난애의) 탯줄을 자르다. ② 〔농담〕 그만두다, 포기하다.
Ạbnabelung *f.* 〚醫〛 탯줄 절단(술).
ạb|nagen *t.* 물어 뜯다, 갉아먹다: den Knochen ~ 뼈를 발라 먹다; 〔비유〕 der Kummer nagt ihr das Herz ab 근심 걱정이 그녀의 마음을 갉아먹는다.
ạb|nähen 《I》 *t.* ① 바느질하여〔꿰매어〕 줄이다. ② 〔드물게〕 주름잡아 꿰매다. ③ 〔드물게〕 수를 놓다. ④ 〔드물게〕 (빚을) 바느질 품으로 갚다. 《II》 *refl.* sich ~ 〔드물게〕 바느질하여 지치다.
Ạbnäher *m.* -s, - 꿰맨 주름, 줄인 솔기.
***Ạbnahme** [ápna:mə] 《<abnehmen》 *f.* -n ① 떼어냄, 제거; 절단: ~ eines Verbandes 붕대를 떼어냄. ② (상품의) 인수, 구입: ~ finden 잘 팔리다. ③ (↔ Zunahme) 감소, 감퇴; 쇠퇴: in ~ kommen 쇠퇴하다; ~ erleiden (기억력 등이) 쇠퇴하다; ~ des Mondes 달의 이지러짐. ④ 검열, 검사, 감정: die ~ einer Parade 사열.
Ạbnahme=abteilung *f.* 구매부. **~bedingung** *f.* 구입 조건. **~besichtigung** *f.* 〚軍〛 구매 검사. **~frist** *f.* 〚商〛 인수 기한. **~garantie** *f.* 구입 보증. **~pflicht** *f.* (상품의) 인수 의무. **~prüfung** *f.* 구매품 심사. **~vorschrift** *f.* 검사 규정.
ạb|narben *t.* ① 〚제혁〛 가죽의 까칠까칠한 것을 제거하다. ② 〚農〛 (풀을) 모두 베다.
ạb|naschen *t.* 훔쳐〔몰래〕 먹다: 〔비유〕 das beste Fett von et.[3] ~ 무엇의 노른자위를 몰래 차지하다.

Abnegation [apnegatsió:n] ⟪lat.⟫ *f.* -en 〔구식〕 ① 부인, 부정. ② 거부, 거절.
ab|negieren *t.* 〔구식〕 ① 부인〔부정〕하다. ② 거부〔거절〕하다.
ab|nehmen [ápne:mən] ⟪Ⅰ⟫ *t.* ① 떼어내다, 제거하다, 절단하다: den Tisch ~ 식탁을 치우다; sich³ den Bart ~ lassen 수염을 깎게 하다; den Hörer ~ 수화기를 들다. ② **(a)** 빼앗다: 〔구어〕 jm. das Fett ~ 누구의 돈을 모조리 옭아내다; jm. sein Amt ~ 누구를 해임하다. **(b)** 줄이다, 경감하다: jm. die Last 〔Mühe〕 ~ 누구의 부담을〔노고를〕 덜어 주다. ③ **(a)** 받아들다: er nahm ihr die Einkaufstasche ab 그는 그녀가 든 쇼핑백을 받아들었다. **(b)** 받아들이다, 인수하다: jm. Waren ~ 누구에게서 상품을 인수하다; jm. einen Eid 〔ein Versprechen〕 ~ 누구에게서 선서를〔약속을〕 받다; jm. die Beichte ~ 누구의 고해를 듣다; 〖軍〗 die Parade ~ 열병을 하다. **(c)** 검사하다: eine Rechnung ~ 회계를 감사하다; den Neubau ~ 신축 건물의 준공 검사를 하다; 〖전기〗 einen Draht ~ 전선을 시험하다. ④ jn. ~ 누구의 초상을 그리다, 촬영하다: sich ~ lassen 자기의 초상을 그리게 하다, 촬영시키다; die Totenmaske ~ 데스마스크를 뜨다. ⑤ 추정〔추측〕하다: et. an js. Verhalten ~ 누구의 태도에서 무엇을 추측하다; sich³ ein Beispiel aus jm. ~ 누구의 사례를 참조하다. ⑥ 〔고어〕 (가축을) 잡다, 도살하다. ⑦ (놀이·시합에서) 따다, 이기다: jm. beim Skat viel Geld ~ 카드놀이에서 누구의 돈을 많이 따다. ⟪Ⅱ⟫ *i.* (h.) ① (↔ zunehmen) 줄어들다, 감소하다; 쇠퇴하다; (열·물가가) 내리다; (조수(潮水)가) 써다; (달이) 이지러지다: seine Kräfte nahmen rasch ab 그의 체력이 급속히 떨어졌다; die Tage nehmen ab 낮이 짧아진다. ② (den Faden) ~ 실뜨기 하다(어린이의 놀이).
Abnehmen *n.* -s 감소, 쇠퇴: im ~ sein 감소〔쇠퇴·하락〕하고 있다.
abnehmend *p.a.* 줄어드는, 감소하는: ~er Mond 하현달, 이지러진 달; ~e Flut 썰물; 〖數〗 ~e Reihe 체감(遞減) 급수; 〖物〗 ~e Geschwindigkeit 점감(漸減) 속도.
Abnehmer *m.* -s, - 구매자, 고객.
Abnehmer⸗kreis *m.* 구매자 계층. **~land** *n.* 수입국. **~verband** *m.* 구매자 동맹.
Abnehme·spiel *n.* 실뜨기놀이.
Abnehm·kraut *n.* 〖植〗 광대수염 무리의 족엽(族葉).
ab|neigen 〔구식〕 ⟪Ⅰ⟫ *t.* ① 기울게 하다, 굽히다. ② 꺼리다, 혐오하다. ⟪Ⅱ⟫ *refl.* sich ~ 기울다, 구부러지다, 멀어지다. ⟪Ⅲ⟫ **abgeneigt** *p.a.* ↑ abgeneigt.
Abneigung [ápnaɪgʊŋ] *f.* -en ① 경사, 비탈; 〖物〗 편차. ② 혐오, 꺼림: gegen et.〔jn.〕 ~ empfinden 무엇〔누구〕에 대하여 혐오감을 느끼다.
ab|nibbeln *i.* (s.) 〔비속·방언〕 죽다.
ab|nicken *t.* (짐승의) 목덜미를 찔러 죽이다.
abnorm [apnórm, ab..] ⟪lat. norma, „Regel"⟫ *a.* ① 비정상의, 변칙의. ② 〔구어〕 보통이 아닌, 터무니 없는.
abnormal [ápnɔrma:l] *a.* (öst., schweiz.) 비정상적인: das Kind verhält sich ~ 그 아이는 비정상적으로 행동한다.
Abnormität [..mitɛ́:t] *f.* -en 비정상; 변태; 병적 상태; 불구, 기형.
ab|nötigen *t.* 〖雅語〗 ① 강요하다: jm. eine Antwort ~ 누구에게 대답을 강요하다; jm. ein Geständnis ~ 누구에게서 억지 자백을 받아내다. ② 〔구식〕 곤란하게 하다, 괴롭히다.
ab|nutschen *t.* 〔구어〕 빨다, 핥다; 〖工〗 흡인 여과하다.
ab|nutzen ⟪Ⅰ⟫ *t.* 써서 줄게〔낡게·더럽게〕 하다, 상하게 하다. ⟪Ⅱ⟫ *refl.* sich ~ 써서 낡아지다〔망가지다〕. ⟪Ⅲ⟫ **abgenutzt** *p.a.* ↑ abgenutzt.
Abnutzung *f.* 소모; 마모.
Abnützung *f.* ↑ Abnutzung.
Abnutzungs⸗erscheinung *f.* 마모〔소모〕 현상. **~gebühr** *f.* 사용료. **~kampf** *m.* 소모전. **~krankheit** *f.* 소모성 질환. **~quote** *f.* 〖醫〗 (체내 단백질의) 소모율. **~satz** *m.* 〖林〗 (1 년간의) 표준 벌채량.
Abo [ábo] *n.* -s, -s 〔구어〕 = Abonnement 정기 구독.
ab|öden *t.* 〔구식〕 (숲을) 남벌하다, (토지를) 황폐하게 만들다.
ab|ohrfeigen *t.* (jn.) 따귀를 때리다.
abolieren [abolí:rən] ⟪lat.⟫ *t.* 〔구식〕 ① 폐지〔폐기〕하다. ② 사면하다.
Abolition [..litsió:n] *f.* -en 폐지, (북아메리카의) 노예 제도 폐지; 〖法〗 면소, 사면.
Abolitionismus [..tsionísmus] *m.* - 노예 폐지론.
Abolitionist *m.* -en, -en 노예 폐지론자.
abominabel [abominá:bəl] ⟪lat.⟫ *a.* 〔구식〕 혐오스러운.
Abomination *f.* -en 혐오, 증오.
Abonnement [abɔnəmã́:] ⟪frz.⟫ *n.* -s [..nəmã́:s], -s [..mã́:s] 정기 구독; 예약; 정기권: aus dem ~ treten 예약을 취소하다; im ~ 예약으로.
Abonnements⸗billet *n.* ↑ ~karte. **~karte** *f.* 예약(차)표, 정기권. **~konzert** *n.* 정기권 회원을 위한 음악회. **~liste** *f.* 〖商〗 예약자 명부. **~preis** *m.* 〖商〗 정기권 소지자를 위한 할인가. **~vorstellung** *f.* 정기권 소지자를 위한 공연.
Abonnent [abɔnɛ́nt] ⟪frz.⟫ *m.* -en, -en 정기 구독자, 예약자; 정기권 소지자.
Abonnenten·versicherung *f.* 〖經〗 구독자 보험.
Abonnentin *f.* -nen ↑ Abonnent 의 여성형.
abonnieren [abɔní:rən] *t.* ① 정기 구독하다, 정기권을 구입하다: eine Zeitung ~ 신문을 정기 구독하다. ② jn. auf et. ~ 〔구식〕 누가 무엇을 정기 구독하게 하다: auf eine Zeitung abonniert sein〔haben〕 어떤 신문을 구독하고 있다; 〖전기〗 sich auf einen Draht ~ 전화에 가입하다; auf der Eisenbahn 〔im Theater〕 ~ 철도〔극장〕 정기권을 구입하다.
ab|ordnen ⟪Ⅰ⟫ *t.* ① (대표로) 파견하다. ② (명령을) 취소〔변경〕하다. ⟪Ⅱ⟫ **abgeordnet** *p.a.* ↑ abgeordnet.
Ab|ordnung *f.* -en ① ↑ abordnen 의 명사형. ② 의원 선출; 파견단.
Aboriginer [aborí:ginər, ap|o..] ⟪lat.⟫ 원주민 (↔ Kolonisten).
Aborigines [aporí:gine:s] *pl.* (오스트레일리아의) 원주민.

Abort[1] [abɔ́rt, ábɔrt] *m.* -(e)s, -e 변소.
Abort[2] [abɔ́rt] 《lat.》 *m.* -s, -e 〖醫〗 유산, 낙태.
abortieren [abortí:rən, ap|ɔr..] *i.* (h.) 〖醫〗 유산〔낙태〕하다.
Abort≈anlage *f.* 변소, 화장실. **~deckel** *f.* 변기 뚜껑. **~druck·spüler** *m.* 변소의 수세식 시설. **~grube** *f.* 변소의 똥통.
Abortion *f.* -en 〖醫〗 낙태.
abortiv *a.* 유산(을 유발)하는.
Abortiv≈anfall *m.* 〖醫〗 부전(不全) 발작. **~mittel** *n.* 〖醫〗 낙태약.
Abort·seuche *f.* (소의 유행성) 유산병.
Abortus [abɔ́rtus] 《lat.》 *m.* -, - ↑ Abort².
Abort·zange *f.* 〖醫〗 낙태용 겸자.
ab ovo [ap ó:vo] 《lat.; „von Ei an"》 애초부터, 태초부터; 원래부터.
ab|paaren 《Ⅰ》 *t.* 짝을 지우다, 결합시키다. 《Ⅱ》 *i.* (h.) 짝을 이루다; (짝지어) 합의하다: sie haben abgepaart, sich der Stimme zu enthalten 그들은 투표에 기권하기로 합의하였다.
ab|pachten *t.* jm. et. ~ 누구에게서 무엇을 임차하다, 누구에게서 전답을 빌려 소작하다.
Abpachter *m.* -s, - ↑ Abpächter.
Abpächter *m.* -s, - 임차인, 소작인.
ab|packen *t.* ① (상품을) 꾸리다, 포장하다. ② (짐을) 부리다.
Abpacker *m.* -s, - 포장하는 사람.
Abpackung *f.* (상품의) 포장.
ab|paddeln *i.* (h.) 카누를 타고 통과하다.
ab|palen *t.* 〔방언〕 (콩의) 깍지를 까다.
ab|parieren *t.* 〖펜싱〗 (공격을) 피하다, 막아내다.
ab|parken *t.* (주차 미터기에 앞 사람이 넣은 돈이 남아 있는 시간을 이용하여) 편승 주차하다.
ab|passen 《Ⅰ》 *t.* ① (옷감·목재의) 치수를 맞추다, 꼭 맞게 마름질하다. ② 〖비유〗 jn. 〔(südd.) jm.〕 ~ 누구를 기다리다; (기회를) 엿보다: et. übel ~ 무슨 일의 좋은 기회를 놓치다. ③ (레이스로) 가를 두르다. 《Ⅱ》 **ab-gepaßt** *p.a.* ↑ abgepaßt.
ab|patrouillieren [..patrulji:rən, ..trují:..] 《frz.》 *t.* 순찰하다.
ab|pauken *t.* 〔구어〕 때려 눕히다.
ab|pausen *t.* 카본지로 복사하다.
Abpaus·papier [áppaus..] 《<pausen¹》 *n.* 카본지; 투사지(透寫紙).
ab|pegeln *t.* ① (물의) 깊이를 재다. ② 마셔 치우다.
ab|peinigen *t.* jm. et. ~ 누구를 괴롭혀 무엇을 빼앗다.
ab|peitschen *t.* 채찍질하여 몰아내다; (누구를) 채찍으로 몹시 갈기다〔다그치다〕.
ab|pellen *t.* …의 껍질을 벗기다.
ab|pelzen *t.* ① ein Tier ~ 짐승의 가죽을 벗기다. ② 〔구어〕 때려 눕히다. ③ (가죽을) 무두질하다. ④ 〖원예〗 접붙이다.
ab|perlen *i.* (s.) 방울져 흘러내리다.
ab|pfählen *t.* ① 〖측량〗 말뚝으로 표시하다. ② …에 울타리를 두르다.
ab|pfänden *t.* jm. et. ~ 누구의 무엇을 저당잡다; 〖法〗 압류하다.
Abpfändung *f.* -en 〖法〗 압류.
ab|pfarren *t.* einen Bezirk ~ 어떤 구역을 교구에서 분리시키다〔이관하다〕.
ab|pfeifen* 《Ⅰ》 *t./i.* (h.) (심판이) 호각을 불어 중단시키다〔경기 종료를 알리다〕. 《Ⅱ》 *refl.* sich ~ 휘파람을〔피리를〕 불며 사라지다.
ab|pferchen *t.* 울타리를 쳐서 분리하다: Schafe ~ 양을 다른 우리에 옮겨 넣다.
Abpfiff *m.* -(e)s, -e 경기 종료〔중지〕 호각.
ab|pflocken *t.* ↑ abpflöcken.
ab|pflöcken *t.* ① …에 말뚝을 박아 표하다. ② Wäsche ~ 빨래를 걷다. ③ ein Tier ~ 짐승을 말뚝에서 풀어주다.
ab|pflücken *t.* ① (과일·꽃을) 따다, 꺾다. ② (새의 깃털을) 뽑다.
ab|pflügen *t.* 파 일구다; 일구어서 자기 땅으로 만들다.
ab|picken *t.* 쪼아서 떼어내다.
ab|pinnen *t.* 〔학생〕 커닝하다, 베껴 쓰다.
ab|pinseln *t.* 〔구어·폄어〕 베껴 그리다, 어설프게 흉내내다.
ab|placken *refl.* ↑ abplagen.
ab|plagen *refl.* sich ~ 힘들게 일하다〔해내다〕.
ab|plaggen *t.* (잔디를) 베어내다.
ab|planken *t.* ein Leck ~ 새는 곳을 널빤지로 막다.
ab|plärren 《Ⅰ》 *t.* 울부짖듯이 노래하다, 고함을 지르다. 《Ⅱ》 *refl.* sich ~ 고함을 쳐 지치다.
ab|platten 《Ⅰ》 *t.* 편평〔반반〕하게 하다. 《Ⅱ》 *i.* (s.) 편평해지다. 《Ⅲ》 *refl.* sich ~ 편평해지다.
Abplattung *f.* -en ① 편평하게 하기. ② 편원형; 〖理〗 편평율(扁平率).
ab|plätten 《Ⅰ》 *t.* ① (옷을) 다리다. ② (쇠붙이를) 눌러 펴다. ③ (무늬를) 다림질로 본뜨다. 《Ⅱ》 *i.* (h.) (옷을) 다 다리다.
Abplätt·muster *n.* 다림질로 본뜬 무늬.
ab|platzen *i.* (s.) 튀어 날아가다, 작렬하다; 〖林〗 (나무를 쳐서) 길을 내며 가다.
ab|plätzen *t.* 〔구식〕 철썩 때리다.
ab|plündern *t.* ① jm. et. ~ 누구에게서 무엇을 약탈하다. ② einen Baum ~ 나무 열매를 모조리 훑어내리다.
ab|pochen *t.* ① 두드려서 떼어내다〔펴다〕. ② 〖비유〗 jm. et. ~ 누구를 위협하여 무엇을 빼앗다. ③ 때려 눕히다.
ab|polieren *t.* 갈다, 닦다, 닦아내다.
ab|polstern *t.* 쿠션을 넣다〔대다〕.
ab|prägen 《Ⅰ》 *t.* ① 새기다; 〖비유〗 모사하다. ② Geld ~ 화폐를 주조하다. 《Ⅱ》 *i.* (h.) 다 새기다, 주조를 끝내다. 《Ⅲ》 *refl.* sich ~ 새겨지다; 〖비유〗 명확히 나타나다; das Wesen des Menschen prägt sich in seiner Geschichte ab 인간의 본질은 인간 역사에 새겨진다.
Abprägung *f.* -en 새김, 각인.
Abprall [áppral] *m.* -(e)s, -e ↑ Abprallung.
ab|prallen *i.* (s.) 튀어서 되돌아오다; 반사〔반향〕하다: 〖비유〗 (wirkungslos) an〔von〕 jm. ~ (충고 등이) 누구에게 먹혀들지 않다.
Abpraller *m.* -s, - ① 〖軍〗 불발 유탄. ② 〖스포츠〗 (골대에 맞고) 튀어나오는 공.
Abprallung *f.* -en ① ↑ abprallen 의 명사형. ② 〖物〗 반사, 반향.
Abprallungs·winkel *m.* 〖物〗 반사각.
Abprall·winkel *m.* 〖物〗 ↑ Abprallungswinkel.

ab|prellen 《Ⅰ》 *i.* (s.) ↑ abprallen. 《Ⅱ》 *t.* 튕겨내다; 〖비유〗 반발하다.
ab|preschen *t.* ein Pferd ~ 말을 혹사하여〔몹시 몰아〕 지치게 하다.
ab|pressen *t.* ① 압착하다, 짜내다. ②〖비유〗 jm. et. ~ 누구에게서 무엇을 강탈〔강요〕하다.
ab|protzen *t.* ①〖軍〗 ein Geschütz ~ (발포를 위하여) 대포를 견인차에서 떼다. ②〖비속〗 똥누다.
ab|prozessieren *t.* jm. et. ~ 소송으로 누구에게서 무엇을 얻어내다.
ab|prügeln *t.* 마구 때리다, 때려 눕히다.
ab|puffen 《Ⅰ》 *t.* ① (짐승의) 가죽을 벗기다. ② 주먹으로 세게 때리다. 《Ⅱ》 *i.* (s.) (화약 등이) 불발로 끝나다.
Abpuffer *m.* -s, - 〖드물게〗 박피공.
ab|pumpen *t.* ① 펌프로 퍼내다. ②〖경박〗 (어거지로) 빌리다.
ab|punktieren *t.* (문장의) 구두점을 찍다.
ab|pusten *t.* 불어서 털어내다.
Abputz [áppʊts] *m.* -es 〖건축〗 회〔페인트〕 (칠하기).
ab|putzen *t.* ① 문질러내다; 닦아내다: Kartoffeln ~ 감자를 깨끗이 씻다; sich[3] die Nase〔die Zähne〕 ~ 코를 풀다〔이를 닦다〕. ② 회칠〔페인트칠〕하다. ③〖방언〗 꾸짖다.
Abputzer *m.* -s, - 미장이, 칠장이.
ab|quälen 《Ⅰ》 *t.* 괴롭히다: jm. et. ~ 누구를 괴롭혀 무엇을 빼앗다. 《Ⅱ》 *refl.* ① sich (mit et.[3]) ~ (무엇으로) 고생하다. ② sich[3] et. ~ 억지로 무엇을 하다: ich habe mir ein Lächeln abgequält 나는 억지로 미소를 지었다.
ab|qualifizieren *t.* 혹평하다, 부정적으로 평가하다: ein Buch ~ 책을 혹평하다.
ab|quetschen *t.* 뭉개다, 으깨어 떼어내다.
Abquetschung *f.* -en ① ↑ abquetschen 의 명사형. ②〖醫〗 좌상(挫傷), 좌궤.
ab|quicken *t.* 〖제련〗 혼홍법(混汞法)으로 정제하다, 아말감에서 (금·은을) 석출하다.
Abquickung *f.* -en ↑ abquicken 의 명사형.
ab|quirlen *t.* 충분히 휘저어 섞다.
ab|rackern *refl.* sich ~ ①〖구어〗 악착같이 일하다, 일하여 지치다. ② (obd.) 절약하다.
ab|rädeln *t.* ① (반죽 등을) 바퀴 모양으로 자르다. ② (감긴 철사 등을) 풀어 내다.
ab|radieren *t.* (칼 따위로) 긁어내어 없애다; 말살하다.
ab|raffen *t.* ① 낚아 채다. ②〖農〗 (벤 곡물을) 다발로 엮다.
Abraham [á:braham] 《hebr. „Vater der Menge"》 *m.* -s 〖성경〗 아브라함: in ~s Schoßsitzen 편안히 지내고 있다.
Abrahamit [abrahamí:t] *m.* -en, -en 아브라함파 신도(18 세기말 보헤미아의 한 종파).
ab|rahmen[1] 《<Rahm[1]》 *t.* die Milch ~ 우유에서 유지(乳脂)를 걷어내다; 〔비유〕 단 물을 빨아 먹다: abgerahmte Milch 탈지유.
ab|rahmen[2] 《<Rahmen》 *t.* 액자〔틀〕에서 떼어내다.
ab|rainen *t.* (전답을) 두렁으로 구분하다.
Abrakadabra [a:brakadá:bra] 《lat.》 *n.* -s ① 주문(呪文). ②〔비유〕 종잡을 수 없는 말, 허튼 소리, 잠꼬대.
ab|rammeln 《Ⅰ》 *i.* 교미기를 끝내다. 《Ⅱ》 *t.* 교미하다; 〔비속〕 성교하다.
ab|rändern *t.* 〔드물게〕 테두리를 두르다.
ab|randen *t.* ↑ abrändern.
ab|ranken 《Ⅰ》 *t.* ① 덩굴손을 쳐내다. ② (가격·임금을) 강제로 낮추다. 《Ⅱ》 *refl.* sich ~ 벗어나다, 빗나가다.
ab|rasen[1] 《<Rasen》 *t.* ① (잔디를) 베다. ② (풀을) 뜯어 먹다.
ab|rasen[2] 《<rasen》 *refl.* sich ~ 마구 날뛰어 지치다.
ab|rasieren *t.* ① (수염·머리를) 깎다, 면도하다: jm. den Bart ~ 누구의 수염을 깎아 주다. ②〖구어〗 초토화하다.
Abrasion [aprazió:n, ab..] 《lat.》 *f.* -en ① 긁어냄, 깎아냄. ②〖지질〗 (파도에 의한) 해안 침식. ③〖醫〗 자궁 소파(搔爬).
ab|raspeln *t.* 줄로 갈(아내)다.
ab|rasseln *i.* (s.) 덜커덩거리며 지나가다.
ab|raten *t.* ① jm. et. ~ 누구에게 무엇을 하지 않도록 충고하다(↔ zuraten). ② jm. seine Gedanken ~ 누구의 생각을 추측하다. ③ et. mit jm. ~ 무엇을 누구와 협정〔합의〕하다.
Abratung *f.* -en 만류, 제지; 추측.
ab|rauchen 《Ⅰ》 *i.* (s.) 증발하다. 《Ⅱ》 *t.* (품질검사를 위해) 담배 피우다.
ab|räuchern *t.* 충분히 그슬리다.
Abrauch·schale *f.* 증발용 접시.
ab|raufen 《Ⅰ》 *i.* 쥐어 뜯다. 《Ⅱ》 *t.* jm. et. ~ 격투하여 누구에게서 무엇을 빼앗다. 《Ⅲ》 *refl.* sich ~ 〖구어〗 지치도록 싸우다, 격투하다.
ab|rauhen *t.* ① 닦다, 광을 내다. ② (가죽을) 무두질하다, 마무르다.
Abraum [ápraʊm] *m.* -(e)s ①〖비유·방언〗 쓰레기, 폐물. ②〖광산〗 광맥을 덮고 있는 토사; 폐석층.
ab|raumen *t.* ①〖광산·林〗 (토사·나무 부스러기를) 치우다. ② ↑ abräumen.
***ab|räumen** [áprɔʏmən] *t.* ① 치우다, 정리하다, 청소하다: den Tisch ~ 식탁 위를 치우다. ②〖광산〗 (폐석을) 날라 가다.
Abraum≈bagger *m.* 폐석 준설기. **~betrieb** *m.* 폐석 처리 업체. **~förderung** *f.* 폐석 운반. **~gestein** *n.* 폐석. **~halde** *f.* 폐석 더미. **~kippe** *f.* 폐석장. **~salze** *pl.* 〖광물〗 가리염(塩). **~wagen** *m.* 폐석 운반차.
Abräumung [ápr ɔʏmʊŋ] *f.* 청소, 정리.
ab|rauschen *i.* (s.) ① (자동차·오토바이를 타고) 획 가버리다. ② 눈길끄는 동작을 하면서 가버리다.
ab|raupen *t.* (해충을) 잡아 없애다.
Abraxas [abráksas] 《gr.》 *m.* ① 아브락사스 (그노스틱파(派)의 신). ② 주문, 부적.
ab|reagieren [ápreagi:rən] 《lat》 《Ⅰ》 *t.* 진정시키다. 《Ⅱ》 *refl.* sich ~ 진정하다.
Abreaktion *f.* -en 정화 작용; 긴장 이완.
ab|rebeln *t.* (öst.) (포도의 알맹이를) 하나하나 따다.
ab|rechen *t.* 쇠스랑으로 쳐내다〔긁어내다〕.
***ab|rechnen** [ápreçnən] 《Ⅰ》 *t.* ① 공제하다, 빼다. ② 셈하다, 결산하다: 〔비유〕 das kann man an den Fingern ~ 그것은 명백한 사실이다. 《Ⅱ》 *i.* (h.) mit jm. ~ 누구와의 대차 관계를 청산하다; 〔비유〕 누구와 담판하다; 결말짓다, 앙갚음하다.
Abrechner *m.* -s - 청산인(清算人).
Abrechnung [áprɛçnʊŋ] *f.* -en ① 공제, 할인: in ~ bringen〔stellen〕 할인하다; in ~

kommen 공제되다. ② 청산: mit jm. ~ halten a) 누구와의 대차 관계를 청산하다, b) 〖비유〗 담판하다, 앙갚음하다: die Stunde der ~ wird kommen 복수〔앙갚음〕할 날이 올 것이다; auf ~ 일부 지불로.

Abrechnungs≈börse *f.* ↑ ~stelle. **~buch** *n.* 결제 장부. **~haus** *n.* ↑ ~stelle. **~stelle** *f.* 어음 교환소. **~tag** *m.* 결산일. **~termin** *m.* 결산〔청산〕 기간. **~verfahren** *n.* 결산 절차. **~verkehr** *m.* 청산 거래(은행간의 채무 결제), 어음 교환.

Abrechte [áprɛçtə] 《<äbich(t)》 *f.* -n (옷감의) 안쪽.

abrechten *t.* (옷감의) 안쪽을 마무르다.

ab|recken *t.* (쇠붙이를) 두들겨 펴다.

***Abrede** [ápre:də] *f.* -n ① 합의, 협정: mit jm. ~ nehmen〔treffen〕 누구와 협정하다. ② 부정, 부인: et. in ~ stellen 무엇을 부정하다.

ab|reden 《Ⅰ》 *t.* ①〖雅語〗 mit jm. et. ~ 누구와 무엇을 협정〔타협〕하다. ② jm. et. ~ 누구에게 무엇을 하지 않도록 충고하다. 《Ⅱ》〖드물게〗 *refl.* sich ~ 지치도록 말을 많이 하다.

abredig *a.* 부정의, 거절하는.

Abredung *f.* -en 〖드물게〗 합의, 협정, 협약.

ab|regeln *t.* 규제하다.

ab|regen *refl.* sich ~ 〖구어〗 진정〔안심〕하다.

abregieren [abreʒí:rən] 《frz.》 *t.* 생략하다.

ab|regnen 《Ⅰ》 *i.* ① (h.) *imp.* es regnet ab 비가 그친다. ② (s.) 비에 씻기다: die Farbe ist abgeregnet 색칠이 비에 씻겼다. 《Ⅱ》 *refl.* sich ~ ① es regnet sich ab 비가 그친다. ② 비를 내리다: die Wolken regnen sich ab 구름이 비를 쏟는다.

ab|reiben* 《Ⅰ》 *t.* ① 문질러 제거하다: die Schale einer Zitrone ~ 레몬 껍질을 문질러서 까다. ② 문질러 닳게 하다. ③ 문질러 말리다〔깨끗이하다〕: ich habe mir die Hände abgerieben 나는 손을 비벼 말렸다. ④〖구식〗 후려 갈기다; 몹시 나무라다. 《Ⅱ》 *refl.* sich ~ (자기) 몸을 마찰하다; 문질러 해어지다. 《Ⅲ》 **abgerieben** *p.a.* ↑ abgerieben.

Abreibung *f.* -en 마찰, 마모. ②〖구어〗 구타, 질책; eine ~ geben (누구를) 마구 갈기다, (누구에게) 호통치다.

abreichbar *a.* 손이 닿는.

ab|reichen *t.* ① (손이) 닿다, 붙잡다. ② 건네다, 내밀다.

ab|reifen[1] 《<reifen》 *i.* (s.) 충분히 성숙하다.

ab|reifen[2] 《<Reif[2]》 *t.* …의 테를 벗기다.

ab|reihen *t.* (바늘을) 실에서 뽑다, (열쇠를) 꾸러미에서 빼내다.

***Abreise** [ápraɪzə] *f.* -n 출발, 여행을 떠남.

***ab|reisen** *i.* (s.) ① 출발하다, 여행을 떠나다. ② 귀로에 오르다: unser Besuch reist morgen ab 우리 집 손님은 내일 떠난다.

Abreiß·block *m.* 한 장씩 떼어 쓰는 메모지.

ab|reißen 《Ⅰ》 *t.* ① 찢어〔뜯어〕내다: einen Faden ~ 실밥을 뜯다; ein Kalenderblatt ~ 달력을 한 장 뜯어 내다. ②〖구어〗 (의무 기간을) 치르다, 복무하다: 〖구어〗 ein Jahr ~ 1년을 복역하다; seinen Militärdienst ~ 병역을 치르다. ③ (가옥·교량을) 헐다, 파괴하다. ④〖구어〗 (의복을) 입어서 해지게 하다, 찢다. ⑤ 도면을〔약도를〕 그리다. 《Ⅱ》 *i.* (s.) ① 찢어지다, 뜯기다, 끊어지다: meine Geduld reißt ab 나는 더는 참지 못한다. ② 그치다: es reißt gar nicht ab 그것은 끝이 없다. ③ 갑자기 중단되다: die Funkverbindung riß ab 무선 연락이 갑자기 두절되었다. 《Ⅲ》 *refl.* sich ~ ① 떠나다. ② (obd., md.) 고생하다. 《Ⅳ》 **abgerissen** *p.a.* ↑ abgerissen.

Abreißer *m.* -s, - ① 찢는 사람. ② 제도사; 제도기.

Abreiß≈feder *f.* 반동 용수철. **~kalender** *m.* 매일 한 장씩 뜯는 달력.

Abreißung [ápraɪsuŋ] *f.* ↑ abreißen의 명사형.

Abreiß·zettel *m.* 한 장씩 뜯어 쓰는 수첩, 메모 용지.

ab|reiten* 《Ⅰ》 *t.* ① (말을) 마구 몰아 지치게 하다. ② (말을) 훈련〔조련〕하다. ③ 말을 타고 돌아다니다〔순찰하다〕: 〖軍〗 die Front ~ 말을 타고 전선을 순찰하다. ④〖海〗 den Sturm ~ (해상에서 또는 정박하여) 폭풍을 견디다. 《Ⅱ》 *i.* (s.) ① 말을 타고 떠나가다. ②〖사냥〗 (앉아 있던 새가) 날아가다. 《Ⅲ》 *refl.* sich ~ 말을 타서 지치다.

Abreite·platz *m.* 〖스포츠〗 (경마장 가에 있는) 연습용 승마장.

ab|rennen* 《Ⅰ》 *i.* (s.) 달려가〔뛰어가〕 버리다. 《Ⅱ》 *t.* ① 찾아 돌아다니다: die ganze Stadt nach et.[3] ~ 무엇을 찾으려고 온 도시를 돌아다니다. ② 달려가며 쳐 떨어뜨리다: jm. et. ~ 달려가면서 누구에게서 무엇을 빼앗다. ③ 달려서 지치게 하다. 《Ⅲ》 *refl.* sich ~ 달려서 지치다: 〖구어〗 sich[3] fast die Beine ~ 분주히 돌아다녀〔일하여〕 지치다; sich[3] die Hörner ~ 혼나고 정신차리다, 경험을 쌓아 성숙해지다.

Abri [abrí] 《frz.》 *m.* -s, -s (구석기 시대의 인간이 살던) 암굴, 동굴; 〖비유〗 피난처.

ab|richten [áprɪçtən] *t.* ① (짐승을) 길들이다; 훈련시키다: 〖비유〗 jn. zu et.[3] ~ 누구에게 무엇을 가르치다〔훈련시키다〕. ② 정리하다; 반반하게 하다; 정밀하게 재다〔달다〕: 〖海〗 ein Schiff ~ 출범 준비를 하다. ③ (südd.) den Tisch ~ 식탁 위를 치우다.

Abrichter *m.* -s, - 조련사; 교관, 훈련관.

Abricht≈hammer *m.* 〖기계〗 조정(調整) 해머. **~peitsche** *f.* 훈련용 채찍. **~wagen** *m.* 조련용 마차.

Abrichtung *f.* -en 조련, 훈련; 조정(調整).

Abrieb [ápri:p] 《<abreiben》 *m.* -(e)s -e ① 마모, 마손. ② 조각, 파편.

abrieb≈fest *a.* 마모되지 않는, 닳지 않는. **~festigkeit** *f.* 비마모성.

ab|riegeln *t.* 빗장으로 잠그다; 출입을 차단하다; 〖軍〗 군대를 격리시키다: die Unfallstelle ~ 사고 현장의 출입을 차단하다.

Abriegelung *f.* -en ↑ abriegeln의 명사형.

Abrieglung *f.* -en ↑ Abriegelung.

ab|rieseln *i.* (s.) 졸졸 흘러 가다〔내리다〕.

ab|riffeln *t.* ① (삼을) 훑어내다. ②〖구어〗 몹시 꾸짖다.

ab|rinden *t.* (나무·빵의) 껍질을 벗기다.

ab|rindern *i.* (소 등의) 교미기가 끝나다.

abrindig *a.* 껍질이 벗겨진.

ab|ringeln *t.* ↑ abringen.

ab|ringen[1] *t.* 고리〔반지〕를 벗기다; 고수 머리를 펴다.

ab|ringen*[2] 《Ⅰ》 *t.* 빼앗다, 쟁취하다: jm. ein

Geständnis ~ 누구에게 억지로 고백시키다; sich³ die Haut von den Händen ~ (괴로워서) 두 손을 쥐어짜듯이 비벼대다; sich³ eine Entscheidung ~ 가까스로 결심하다. 《Ⅱ》 *refl.* sich ~ 싸워서 지치다: sich im Todeskampf ~ 생사가 달린 싸움으로 지치다.

ab|rinnen* *i.* (s.) 방울져 떨어지다.

***Abriß** [áprɪs] 《<abreißen》 *m.* ..risses, ..risse ① 찢어 떼냄; 파괴, 파기: mit dem ~ des Hauses wird nächste Woche begonnen 그 집의 철거 작업은 다음 주에 시작된다. ② 약도, 설계도, 윤곽. ③ 개요: ein ~ der Literaturgeschichte 문학사 개요. ④ (입장권 등의) 절취 부분.

Abriß≈arbeiten *pl.* 철거 작업. **~firma** *f.* 철거 회사.

Abritt [áprɪt] *m.* -(e)s, -e 말을 타고 떠남; 〖경마〗 스타트.

Abrogation [aprogatsió:n, ab..] 《lat.》 *f.* -en 〖法〗 (법률의) 폐지.

abrogieren [aprogí:rən, ab..] 《lat.》 *t.* 〖法〗 (법률을) 폐지하다; 〖商〗 (주문을) 취소하다.

ab|rohren *t.* einen Teich ~ 연못의 갈대를 베어 내다.

ab|rollen 《Ⅰ》 *i.* (s.) ① 굴러 가다: das Flugzeug rollt zum Start ab 비행기가 출발하기 위해 활주한다. ② 〔비유〕 (시간이) 경과하다; 진행되다. ③ 〖스포츠〗 구르는 동작을 하다; 재주넘기하다. 《Ⅱ》 *t.* ① 굴러 떨어뜨리다, 굴러 가게 하다. ② (짐을) 운반〔발송〕하다. ③ (말려 있는 것을) 펼치다. 《Ⅲ》 *refl.* sich ~ 펼쳐지다, 전개되다.

Abroller *m.* -s, - 〖印〗 롤러.

ab|rosten *i.* (s.) 녹슬어 떨어지다.

ab|rösten *t.* 충분히 굽다.

ab|röten 〔구식〕 《Ⅰ》 *t.* 발갛게 물들이다. 《Ⅱ》 *i.* (h.) 붉은 빛이 사라지다.

ab|rubbeln *t.* 〔방언〕 깨끗하게 닦아내다.

ab|rücken 《Ⅰ》 *t.* 밀쳐 내다, 치우다. 《Ⅱ》 *i.* (s.) ① 물러나다; 〖軍〗 출발하다. ② 거리를 두다, 절교하다: 〔비유〕 von jm. ~ 누구와 절교하다; von et.³ ~ 무엇을 부인하다; 취소하다.

ab|rudern 《Ⅰ》 *i.* ① (s.) 노저어 떠나가다. ② (h.) 〖조정〗 (해당 시즌의) 마지막 조정 경기를 하다. 《Ⅱ》 *t.* 〔드물게〕 (배를) 저어 나아가다. 《Ⅲ》 *refl.* sich ~ 〔드물게〕 노저어 지치다.

Abrudern *n.* -s (해당 시즌의) 마지막 조정 경기.

Abruf [ápru:f] *m.* -(e)s, -e ① 소환. ② (예금의) 인출. ③ 〖商〗 (상품의) 인도 청구: Waren auf ~ kaufen 납품 기일을 지정하여 상품을 구매하다.

abruf·bereit *a.* 소환 준비가 되어 있는.

ab|rufen* 《Ⅰ》 *t.* ① 불러 오다, 소환하다: jn. von seinem Amt ~ 누구를 면직시키다; jm. die Kunden ~ 누구의 단골 손님을 가로채다; er läßt sich ~ 그는 부르면 들리는 거리에 있다; jn. ~ lassen 누구를 부르러 보내다; aus dem Leben abgerufen werden 죽다. ② 큰 소리로 알리다; (비행기의) 착륙을 명하다: den Zug ~ 기차의 출발을 알리다. ③ (obd.) (돈·상품을) 회수하다; (상품의) 인도를 요청하다; (예금을) 인출하다. 《Ⅱ》 *refl.* sich ~ (누구를) 부르다 지치다.

ab|rüffeln *t.* 〔드물게〕 호통치다.

Abrufs·kauf *m.* 주문 구입.

Abrufung [ápru:fuŋ] *f.* -en ↑ abrufen 의 명사형.

Abrufungs·schreiben *n.* 소환장.

ab|rühren *t.* 〖요리〗 충분히 휘저어 섞다.

***ab|runden** 《Ⅰ》 *t.* ① 둥글게 하다. ② 〔비유〕 (수·금액의) 우수리를 잘라 버리다; (문장·악곡을) 마무르다, 완성하다. ③ (옆 토지를 구입하여) 경지를 정리하다. 《Ⅱ》 *refl.* sich ~ 둥글게 되다, 완전해지다, 완성되다. 《Ⅲ》 **abgerundet** *p.a.* ↑ abgerundet.

Abrundung *f.* -en ↑ abrunden 의 명사형.

ab|ründen *t.* ↑ abrunden.

ab|rupfen *t.* 뜯어내다; 〔비유〕 약탈하다.

abrupt [aprʊ́pt, ab..] 《lat.》 *a.* ① 두서없는. ② 급작스런, 뜻밖의.

ab|rüsten 《Ⅰ》 *t.* 발판을 떼어내다: 〖海〗 ein Schiff ~ 장비를 풀어 배를 매어 두다. 《Ⅱ》 *i.* (↔ aufrüsten) 〖軍〗 무장을 해제하다; 군비를 축소〔철폐〕하다.

Abrüstung *f.* -en 무장 해제; 군비 축소.

Abrüstungs≈abkommen *n.* 군축 협정. **~konferenz** *f.* 군축 회의. **~pakt** *m.* 군축 조약. **~verhandlung** *f.* 군축 협상.

ab|rutschen *i.* (s.) ① 미끄러져 가다〔떨어지다〕; 〔비유〕 영락하다; 타락하다: das Auto rutscht auf dem Schnee ab 자동차가 눈길에서 미끄러진다. ② 〖空〗 (옆으로) 미끄러져 내리다: die Maschine rutschte ab 비행기가 옆으로 비스듬히 하강했다. ③ 슬금슬금 가 버리다. ④ 〔비속〕 뒈지다.

ab|rütteln *t.* (흔들어) 떨쳐내다.

Abruzzen [abrʊ́tsən] *pl.* 아브루첸(이탈리아 중부 아페닌 산맥의 일부).

Abruzzischer Apennin *m.* 아브루첸의 아페닌 산맥(아페닌 산맥의 일부).

Abs. ① = Absatz (문장의) 단락. ② = Absender 발송인, 발신인.

ab|säbeln *t.* 서투르게 베다.

ab|sacken[1] *t.* 자루에 (나누어) 담다; 짐을 부리다: 〔속어〕 jm. sein Geld ~ 누구의 돈을 가로채다, 우려내다.

ab|sacken[2] *i.* (s.) 〔구어〕 ① 가라앉다, 침몰하다. ② (비행기가) 갑자기 고도를 잃다. ③ (혈압이) 내려가다, 떨어지다. ④ 악화되다; 타락하다. ⑤ 〔경박〕 (사교 모임에서 뜻하지 않게) 오랫동안 퍼마시다.

ab|säen *t.* ein Feld ~ 밭에 씨앗을 다 뿌리다.

Absage [ápza:gə] *f.* -n ① 취소; 거절(↔ Zusage); 절교, 도전. ② 방송을 끝맺는 말.

Absage·brief *m.* 거절장, 절교장; 도전장.

***ab|sagen** [ápza:gən] 《Ⅰ》 *t.* ① 취소하다, 거절하다: jm. et. ~ 누구에게 무엇의 취소를 통고하다; jm. die Freundschaft ~ 절교를 통고하다; jm. den Frieden ~ 누구에게 적대 관계를 선언하다; dem Lehrer die Stunde ~ lassen 선생님에게 결석을 알리다. ② 방송을 끝맺는 말을 하다. 《Ⅱ》 *i.* (h.) ① 거절을 표명하다, 약속을 취소하다: er hat mir ~ lassen 그는 못 온다고 전해 왔다. ② 단념〔포기〕하다: jm. ~ 누구와 절교하다; et.³ ~ 무엇을 포기〔단념〕하다. 《Ⅲ》 **abgesagt** [ápgəza:kt] *p.a.* ↑ abgesagt.

ab|sägen *t.* 톱으로 썰다; 〔비유〕 제거하다, 면직〔파면〕시키다.

ab|sahnen *t.* 〔방언〕 ① (우유에서) 유지〔크림〕을 빼내다. ② 〔구어〕 값진 것을 빼앗다:

der Staat sahnt Steuern ab 국가가 세금을 짜낸다.

Absalom [ápzalɔm] 《hebr., „Vater des Friedens"》 *m.* 〖聖〗 압살롬, 압살론(다윗왕의 아들).

Absalon *m.* ↑ Absalom.

ab|salzen *t.* 소금에 푹 절이다.

ab|sammeln *t.* 하나씩〔모조리〕 제거하다.

ab|satteln 《I》 *t.* ① ein Pferd ~ 말에서 안장을 내리다. ② (기수를) 밀쳐 떨어뜨리다. 《II》 *i.* (h.) 말에서 내려오다.

***Absatz** [ápzats] *m.* -es, ..sätze ① 앙금, 침전물. ② 중단, 휴지: ohne ~ 단숨에, 내리; in Absätzen 사이를 두고, 띄엄띄엄; einen ~ machen 말을 (잠시) 중단하다. ③ (**a**) (비탈진 곳의) 대지(臺地). (**b**) 층계참. (**c**) 〖植〗 (줄기의) 마디. (**d**) (구두의) 뒷굽, 뒤창: auf dem ~ kehrtmachen 즉시 돌아서다〔돌아가다〕. (**e**) 문단, 단락, 절: einen ~ machen 행을 바꾸다. (**f**) 〖樂〗 악절; 휴지부; 종지부. ④ 〖商〗 판매, 매상; (화폐의) 유통: guten ~ haben 〔finden〕 잘 팔리다. ⑤ 〖商〗 (지급할 때의) 공제. ⑥ 〖動〗 이유(離乳).

Absatz=bottich *m.* 침전조(沈澱槽). **~einzug** *m.* 〖컴〗 들여쓰기. **~erfolg** *m.* 판매 성과. **~fähig** *a.* 잘 팔리는. **~feld** *n.* (상품의) 판로. **~ferkel** *n.* 갓 젖뗀 새끼 돼지. **~flaute** *f.* 판매 부진. **~fleck** *m.* ↑ ~leder. **~förderung** *f.* 판매 촉진. **~formatierung** *f.* 문단 모양 만들기. **~gebiet** *n.* 판로. **~genossenschaft** *f.* 판매 조합. **~gestein** *n.* 〖지질〗 침적암. **~honorar** *n.* (책의) 인세.

absätzig [ápzɛtsɪç] *a.* 단속적인; 〖지질〗 단층의.

Absatz=kick *m.* 〖축구〗 힐 킥. **~kosten** *pl.* 판매비. **~leder** *n.* 구두 뒤축의 가죽. **~markt** *m.* 판매 시장, 판로. **~quelle** *f.* ↑ ~markt. **~trick** *m.* 〖축구〗 힐 트릭. **~weg** *m.* ↑ ~markt. **~schutz** *m.* 〖컴〗 문단 보호. **~stockung** *f.* 판매 부진, 불경기. **~weise** *adv.* 단속적으로, 띄엄띄엄. **~zeichen** *n.* 〖印〗 단락 기호.

ab|säubern *t.* 청소하다; 일소하다.

ab|saufen *i.* (s.) ① 〔구어〕 가라앉다, 침몰하다. ② 〔비속〕 익사하다. ③ (엔진이) 꺼지다, 작동하지 않다. ④ 〖광산〗 수몰되다.

ab|säugeln *t.* 〖원예〗 접붙이다.

ab|saugen(*) 《I》 *t.* (모조리) 빨아내다; 진공청소기로 청소하다; 〖化〗 흡인 여과하다: die Pumpe saugt das Wasser ab 펌프가 물을 끌어올린다. 《II》 *i.* (h.) 다 빨아들이다.

ab|säugen *t.* ① 젖을 떼다, 이유시키다. ② 〖植〗 접붙이다.

Absauge·pumpe *f.* 〖工〗 진공 펌프

Absaugung *f.* 〖化〗 흡인 여과.

ab|sausen *i.* (s.) 〔구어〕 휙 달아나다, (차가) 휙 떠나다.

Abschabe·eisen *n.* (진흙) 긁는〔깎는〕 기구, 강판.

Abschab·eisen *n.* ↑ Abschabeeisen.

ab|schaben 《I》 *t.* ① 긁어〔깎아〕내다. ② (써서) 닳아 해어지게 하다; 〔비유〕 지치게 하다. 《II》 *i.* (s.) 〔비속〕 schab ab! 꺼져(라). 《III》 *refl.* sich ~ 닳아 해어지다. 《IV》 **abgeschabt** *p.a.* ↑ abgeschabt.

Abschabsel [..zəl] *n.* -s, - 깎아낸 조각, 부스러기.

Abschach [ápʃax] *n.* -(e)s 〖체스〗 단수 겸장 (단수로 상대방의 과 여왕을 빼앗는 것).

ab|schachern *t.* jm. et. ~ 누구에게서 무엇의 값을 깎아 사다.

ab|schachteln *t.* 속새〔사포〕로 닦다.

***ab|schaffen** [ápʃafən] 〔약변화〕 《I》 *t.* ① (악습·제도를) 폐지하다: die Todesstrafe ~ 사형 제도를 폐지하다. ② 제거하다, 버리다; 그만두다: die Gänse ~ 거위기르기를 그만두다. ③ 〔구어〕 해고하다, 파면시키다; (군대를) 해산하다: den Koch ~ 요리사를 해고하다. 《II》 〔구어〕 *refl.* sich ~ 일하여 지치다.

Abschaffung *f.* -en ① 폐지, 철폐; 파면, 해고. ② (öst.) 추방, 강제 퇴거. ③ 도살.

ab|schäkern *t.* jm. et. ~ 누구를 꾀어〔달래어〕 무엇을 얻어내다.

ab|schälen 《I》 *t.* 껍질을 벗기다: Eier ~ 알을 까다. 《II》 *i.* (h.) / *refl.* (sich) ~ 껍질이 벗겨지다; 〔비유〕 이탈하다.

ab|schalmen *t.* 〖임업〗 (나무에) 표시를 하다.

Abschäl·schaufel *f.* 잔디를 뜨는 삽.

ab|schalten 《I》 *t.* ① 〖전기〗 (↔ anschalten) 차단하다; 스위치를 끄다: Strom ~ 전기를 차단하다; Licht ~ 불을 끄다. ② (상대로 배를) 밀어내다. 《II》 *i.* (h.) 〔구어〕 딴 생각하다, 집중하지 않다.

Abschalter *m.* -s, - 차단기; 〖전기〗 스위치.

Abschaltung *f.* -en 차단; 스위치 끄기.

Abschälung *f.* -en 〖醫〗 탈피, 박리.

ab|schärfen *t.* 〔드물게〕 ① 날카롭게 하다, 날을 세우다. ② (음식물을) 매콤하게 하다.

ab|scharren *t.* 긁어서〔비벼서〕 떼어내다.

Abscharrsel *n.* -s, - 긁어낸 부스러기.

ab|schatten 《I》 *t.* ① 어둡게 하다, 그림자를 그리다. ② 뉘앙스를 주다. 《II》 *refl.* sich ~ 음영이 있다.

ab|schattieren *t.* 음영을〔뉘앙스를〕 주다.

Abschattierung *f.* -en 음영(처리).

Abschattung *f.* -en ↑ abschatten의 명사형.

abschätzbar *a.* 평가〔추정〕할 수 있는.

***ab|schätzen** *t.* ① 평가〔견적〕하다, 어림잡다, 사정하다. ② 〔드물게〕 경시하다, 얕잡다.

Abschätzer *m.* -s, - 평가하는 사람, 세액 사정관.

abschätzig *a.* 경멸적인; 경멸받을 만한.

Abschätzung *f.* -en 평가; 사정; 경시, 무시.

Abschätzungs=beamte, ~kommissar *m.* 평가 위원, 세액 사정 위원. **~kommission** *f.* 세액 사정 위원회.

ab|schauern *t.* 벽으로 칸막이하다.

ab|schaufeln *t.* 삽으로 파내다.

Abschaum [ápʃaum] *m.* -(e)s ① 떠 있는 찌끼, 거품; 〖광산〗 슬래그, 쇠똥. ② 〔비유〕 허섭스레기: der ~ der Menschheit 인간 말짜.

ab|schäumen *t.* 찌끼를〔거품을〕 걷어내다.

abscheidbar *a.* 분리할 수 있는.

ab|scheiden 《I》 *i.* (s.) 헤어지다, 떠나가다; 〔비유〕 죽다. 《II》 *t.* 분리하다; 〖광산〗 제련하다; 〖化〗 분리하다: die Lösung scheidet Kupfer ab 이 용액은 구리를 분리해낸다. 《III》 *refl.* sich ~ 분리되다, 구별되다; 침거하다; 〖化〗 침전하다: in der Lösung scheidet sich Kupfer ab 이 용액에서는 구리가 분리된다.

《Ⅳ》**abgeschieden** *p.a.* ↑ abgeschieden.
Abscheider *m.* -s, - 〖工〗 분리기; 정련기.
Abscheidung *f.* -en 분리, 이별; 사거(死去), 사별(死別).
ab|scheiteln *t.* (머리숱을) 가르다: das Haar ~ 가리마를 타다.
abschelfen *t./i.* ↑ abschelfern.
ab|schelfern 《Ⅰ》*t.* 비늘〔껍질〕을 벗기다. 《Ⅱ》*i.* (h.) / *refl.* (sich) ~ 비늘이 떨어지다.
ab|scheren(*) 《Ⅰ》*t.* ① (수염·머리털·양털을) 깎다. ② 박박 깎아 버리다. ③ (금속을) 자르다. 《Ⅱ》*i.* (s.) 떨어져 나가다.
*__Abscheu__ [ápʃɔʏ] *m.* -(e)s 〔(드물게) *f.*〕 ① 혐오, 역겨움: ~ vor jm.〔et.³〕 haben, ~ gegen jn.〔et.〕 haben 누구를〔무엇을〕 싫어하다. ② 혐오스러운 사람〔것〕.
ab|scheuern 《Ⅰ》*t.* ① 문질러 깨끗이하다: Stühle ~ 의자를 문질러 닦다. ② 문질러 벗겨지게 하다: ich habe mir die Haut am Arm abgescheuert 나는 팔의 피부가 벗겨졌다. 《Ⅱ》*refl.* sich ~ (피륙 등이) 닳아 해어지다.
abscheu·erregend *a.* 혐오감을 일으키는.
abscheulich [apʃɔ́ʏlɪç] 《Ⅰ》*a.* 혐오스러운, 역겨운; 추악한, 비열한; 〖구어〗 엄청난. 《Ⅱ》*adv.* 꺼림칙하게, 매우 불쾌하게; 〖구어〗 몹시, 지독히: es ist ~ kalt 지독히 춥다.
Abscheulichkeit *f.* -en 혐오; 혐오스러운 행동, 추행.
ab|schichten *t.* ① 층으로 나누다, 구분하다, 칸막이하다. ② 〖法〗 상속분을 나누어 주다.
Abschichtung *f.* -en 〖法〗 분배; 〖지질〗 성층.
ab|schicken *t.* 발송하다; 파견하다.
Abschickung *f.* -en 발송; 파견.
Abschiebe·haft *f.* 국외 추방을 위한 예비 구금.
ab|schieben* 《Ⅰ》*t.* ① 밀쳐내다, 밀어 젖히다; 〖비유〗 et. auf jn. ~ 누구에게 무엇을 떠넘기다; die Schuld〔Verantwortung〕 von sich ~ 죄를〔책임을〕 떠넘기다〔전가하다〕. ② 추방하다. ③ 〖구어〗 밀어내어 영향력을 없애다. 《Ⅱ》*i.* ① (s.) 〖구어〗 (마지 못해) 떠나다: schieb ab! 꺼져(라). ② (h.) (짐승의) 젖니가 빠지다.
Abschiebung *f.* -en 강제 퇴거, 국외 추방.
*__Abschied__ [ápʃi:t] *m.* -(e)s, -e ① 〖고어〗 출발, 퇴거. ② 이별, 작별: zum 〔beim〕 ~ 작별에 즈음하여; ~ nehmen 작별을 고하다; ~ vom Leben 죽음; 〖구어〗 auf französisch ~ nehmen 몰래 떠나다. ③ 해고, 면직: jm. seinen〔den〕 ~ erteilen〔geben〕 누구를 해고〔파면〕하다; seinen〔den〕 ~ nehmen 사직하다; um seinen ~ einkommen 사표를 제출하다; seinen〔den〕 ~ erhalten〔bekommen〕 해고당하다. ④ 〖고어〗 의결; (신성 로마 제국 의회의) 판결.
Abschieds≈abend *m.* 작별의 밤. **~besuch** *m.* 고별 방문. **~brief** *m.* 작별 편지. **~-essen** *n.* ↑ ~feier. **~feier** *f.* 송별회. **~-geleit** *n.* 전송. **~geschenk** *n.* 작별 선물. **~gesuch** *n.* 사직원. **~gruß** *m.* 작별 인사. **~kuß** *m.* 이별의 키스. **~mahl** *n.* 송별연. **~rede** *f.* 고별사. **~schmaus** *m.* 송별연. **~schmerz** *m.* 이별의 고통. **~spiel** *n.* 〖스포츠〗 고별 경기. **~szene** *f.* 작별의 장면. **~stunde** *f.* 작별 시간. **~trunk** *m.* 이별주. **~vorstellung** *f.* 고별 공연. **~wort** *n.* 고별사.
ab|schiefern *t./refl.* 평평한 조각으로 쪼개어지다.
ab|schielen 《Ⅰ》*i.* (h.) 〖학생〗 커닝하다. 《Ⅱ》*t.* jm. et. ~ 누구의 무엇을 슬쩍 엿보다.
ab|schienen *t.* ① 〔드물게〕 (갱도를) 측량하다. ② 수레의 쇠바퀴를 떼어내다; 〖철도〗 레일을 떼어내다. ③ 〖醫〗 …에 부목을 대다〔떼다〕.
ab|schießen* 《Ⅰ》*t.* ① 발사하다, 쏘다; 일제 사격하다: auf jn. 〔nach dem Ziel〕 ~ 누구를〔표적을〕 겨냥하여 쏘다. ② 쏘아 떨어뜨리다: den Vogel ~ (사격 대회에서) 우승하다, 〖비유〗 출중하다. ③ 〖사냥〗 ein Feld ~ 사냥터의 짐승을 모조리 쏘아 버리다. ④ jn. ~ a) 쏘아 죽이다, b) 〖구어〗 누구의 지위를 빼앗다: 〖구어〗 zum ≈ 황당한, 우스꽝스러운. ⑤ (신체의 부분을) 총격으로 떨어져 나가게 하다: man hat ihm im Krieg beide Beine abgeschossen 그는 전쟁에서 총을 맞아 두 다리를 잃었다. 《Ⅱ》*i.* (s.) ① (물·눈물·피가) 솟구치다; (절벽이) 깎아 지르다. ② 퇴색하다: der Stoff ist abgeschossen 천이 퇴색했다. ③ 돌진하다. ④ (h.) 사격을 끝내다.
Abschießung *f.* -en ↑ abschießen 의 명사형.
ab|schiffen 《Ⅰ》*t.* 배로 운반하다. 《Ⅱ》*i.* (s.) 출범하다.
ab|schildern *t.* ① 베끼다. ② 〔雅語〕 (상세하게) 묘사하다, 서술하다.
ab|schilfern *i.* (s.) ↑ abschelfern (Ⅱ).
ab|schinden* 《Ⅰ》*t.* ① (수목·동물의) 껍질을 벗기다. ② jm. et. ~ 누구에게서 무엇을 강제로 빼앗다. ③ 〖비유〗 혹사하다. 《Ⅱ》*refl.* sich ~ 〖구어〗 고생하다, 몸을 혹사하다: sich mit et.³ ~ 무슨 일로 애쓰다〔고생하다〕.
ab|schirmen *t.* ① 막다, 보호하다: seine Augen mit der Hand ~ 눈을 손으로 가리다; jn. vor Gefahren ~ 누구를 위험에서 지키다. ② (빛을) 가리다: eine Lampe mit einem Tuch ~ 수건으로 램프를 가리다.
Abschirmung *f.* -en 차폐, 가림; 보호.
ab|schirren *t.* 마구(馬具)를 벗기다(↔ aufschirren).
ab|schlachten *t.* 도살하다; 학살하다.
Abschlachtung *f.* -en 도살, 학살.
ab|schlaffen 《Ⅰ》*i.* (s.) 지치다. 《Ⅱ》*t.* 지치게 하다.
Abschlag [ápʃla:k] *m.* -(e)s, ..schläge [..ʃlɛ:gə] ① 〖임업〗 벌채; (벌채 때 생기는) 나무 부스러기, 쳐 낸 가지. ② 〖인쇄〗 각인, (활자의) 주형. ③ (nordd.) 칸막이(방). ④ 배수(구). ⑤ 〖商〗 할인, 가격 하락; 분할불: in ~ geraten 하락하다; auf ~ zahlen 할부로 지급하다. ⑥ (추위나 더위의) 약화. ⑦ 〖고어〗 거절. ⑧ 〖구기〗 골킥; 〖골프〗 티샷. ⑨ 예감. ⑩ 〖사냥〗 교미; 교미기. ⑪ (선사 시대의) 석기. ⑫ 〖광산〗 폭파로 생긴 지하 공간.
*__ab|schlagen__ 《Ⅰ》*t.* ① 쳐서 떼어〔잘라〕내다; 벌채하다: den ganzen Wald ~ 숲 전체를 벌채하다; jm. den Kopf ~ 누구의 목을 치다. ② 파괴하다, 철거하다, 헐어 버리다. ③ 배수〔방수〕하다: einen Teich ~ 연못의 물을 빼다; 〖구어〗 sein Wasser ~ 소변보다. ④ 돛대에서 풀다〔내리다〕. ⑤ 〖軍〗 격퇴하다. ⑥ 〖요

리』 휘저어 섞다. ⑦ 타각(打刻)하다; 주조하다; 인쇄하다. ⑧ 분할하다, 칸막이하다. ⑨ 거절하다: jm. et. glatt〔rundweg〕 ~ 누구에게 무엇을 딱 잘라서 거절하다. ⑩『구기』 den Ball ~ 공을 쳐내다; 『골프』 티샷하다; 『축구』 (골키퍼가) 골킥을 하다. ⑪〖드물게〗값을 내리다. 《Ⅱ》 *refl.* sich ~ 강하하다, 침전하다: die Feuchtigkeit hat sich an den Scheiben abgeschlagen 습기가 유리창에 서렸다; sich vom Weg ~ 길에서 벗어나다. 《Ⅲ》 *i.* (s.) ① 〖드물게〗 aus der Art ~ 변질하다. ② 실패하다. ③ **(a)** 값이 떨어지다: die Ware ist〔hat〕 abgeschlagen 상품의 값이 떨어졌다. **(b)** (암소의) 젖이 줄어들다. **(c)** (술의) 김이 빠지다. **(d)** (추위·더위가) 풀리다, 가시다. ④ (북으로) 후퇴 신호를 하다. 《Ⅳ》 **ạbgeschlagen** *p.a.* ↑ abgeschlagen.

abschlägig [áp∫lɛːgɪç] *a.* 거절〔사절〕하는: jn. ~ bescheiden 거절하는 답장을 보내다.

ạbschläglich [..∫lɛːklɪç] 〖고어〗《Ⅰ》 *a.* ① 할부로 지급하는: ~e Zahlung 분할불. ② ↑ abschlägig. 《Ⅱ》 *prp.*[2] ~ meines Honorars 내 사례금의 일부로서.

abschlag.. *pref.* ↑ abschlags...

Ạbschlags≈anleihe *f.* 할부불(割賦拂) 공채. **~dividende** *f.* 가(假)배당, 임시 배당. **~graben** *m.* 『광산』 배수구. **~verteilung** *f.* (파산한 사람의 재산에서의) 일부 가(假)배당, 분할 분배. **~zahlung** *f.* 분할불, 할부. **~zoll** *m.* 할인 관세.

Abschlagung [áp∫laːgʊŋ] *f.* -en ↑ abschlagen 의 명사형.

ạb|schlammen *t.* ↑ abschlämmen.

ạb|schlämmen *t.* ① 진흙을 떨어내다; 『광산』 깨끗이 씻어내다. ②〖드물게〗석회유(石灰乳)를 바르다, 석회유로 덧바름하다. ③〖드물게〗 …에 충분히 끼얹다.

ạb|schlängeln *refl.* sich ~ ① 굽이쳐 흐르다. ② 살그머니 떠나가다.

ạb|schleichen* 《Ⅰ》 *i.* (s.) / *refl.* (sich) ~ 몰래 떠나다. 《Ⅱ》 *t.* jm. et. ~ 〖드물게〗 누구를 속여 무엇을 빼앗다.

ạb|schleifen*[1] 《Ⅰ》 *t.* ① 닦아〔갈아〕 없애다: den Rost ~ 녹을 닦아 없애다; schlechte Gewohnheiten ~ 나쁜 버릇을 없애다. ② 닦아〔갈아〕 광택을 내다: Edelsteine ~ 보석을 닦아 광택을 내다. ③ 갈아서 날카롭게 하다: eine Schere ~ 가위를 갈다. ④ 갈아서 닳게 하다: den Wetzstein ~ 숫돌을 갈아서 마모시키다. 《Ⅱ》 *refl.* sich ~ 매끈매끈해지다, 닳다; 품위 있게 되다, 세련되다: Milchzähne schleifen sich im Laufe der Zeit ab 젖니는 세월이 지나면서 닳는다. 《Ⅲ》 **ạbgeschliffen** *p.a.* ↑ abgeschliffen.

ạb|schleifen[2] *t.* 〖구어·방언〗 ① 끌고〔운반해〕 가다. ② (소매 끝 등을) 해어뜨리다.

Ạbschleifer *m.* -s, - 연마공.

Ạbschleifsel [..səl] *n.* -s, - 갈아낸 부스러기.

ạb|schleimen *t.* 점액을 없애다; (물고기를) 씻다; (설탕물을) 맑게 하다.

Ạabschleißel *n.* -s, - 얇은 조각, 지스러기.

ạb|schleißen 《Ⅰ》 *t.* 문질러〔써서〕 해뜨리다. 《Ⅱ》 *refl.* sich ~ 해어지다.

ạb|schlendern *i.* (s.) 건들거리며 걸어가다.

ạb|schlenken 《Ⅰ》 *t.* 떨어 없애 버리다. 《Ⅱ》 *i.* (s.) 건들거리며 걸어가다.

ạb|schleppen 《Ⅰ》 *t.* ① 끌고 가다: er hat mich in eine Kneipe abgeschleppt 그는 나를 간이 주점으로 끌고 갔다. ② 견인하다: ein Auto ~ 자동차를 견인하다. 《Ⅱ》 *refl.* sich mit 〔an〕 et.[3] ~ 〖구어〗 무엇을 운반하여 지치다.

Ạbschlepp≈betrieb *m.* 차량 견인 회사. **~dienst** *m.* ↑ ~betrieb. **~kosten** *pl.* 차량 견인 비용. **~kran** *m.* 차량 견인 크레인. **~seil** *n.* 차량 견인용 밧줄. **~stange** *f.* (견인차와 끌려 가는 차 사이의 간격 유지를 위한) 차량 견인봉. **~unternehmen** *n.* ↑ ~betrieb. **~unternehmer** *m.* 차량 견인업자. **~wagen** *m.* 견인차.

ạb|schleudern 《Ⅰ》 *t.* (공을) 던져 날리다; (비행기를) 날리다, 발진시키다, (말이 기수를) 흔들어 떨어뜨리다. 《Ⅱ》 *i.* (s.) (실·실감개가) 날아가 버리다.

ạb|schlichten *t.* 매끈하게 하다, 대패질하다.

ạb|schlicken *t.* ein Gewässer ~ 하천을 준설하다.

ab|schließen* [áp∫liːsən] 《Ⅰ》 *t.* ① 자물쇠로 채우다, 잠그다: die Tür ~ 문을 잠그다. ② 폐쇄〔차단·격리〕하다. ③ 완료〔종료〕하다, 끝내다: sein Studium ~ 학업을 마치다; die Bücher ~ 장부를 끝마감하다; eine Rechnung ~ 결산하다; ein Feuerwerk schloß die Veranstaltung ab 불꽃놀이가 그 행사를 끝맺음했다. ④ (계약을) 체결하다: eine Versicherung ~ 보험 계약을 체결하다. 《Ⅱ》 *refl.* sich ~ ① 두문불출하다, 틀어 박히다: sich von der Welt ~ 은퇴하다, 세상을 등지다. ② 끝나다, 완결되다. 《Ⅲ》 *i.* (h.) ① mit et.[3] ~ **(a)** 무엇으로 끝나다: der Roman schließt mit einem Happy-End ab 그 소설은 해피엔드로 끝난다. **(b)** 무엇을 끝내다: mit der Vergangenheit ~ 과거를 청산하다. ② 거래〔관계〕를 끊다: mit jm. ~ 누구와 절교하다〔관계를 끊다〕; mit der Welt ~ 세상을 등지다, 은퇴하다. 《Ⅳ》 **ạbgeschlossen** *p.a.* ↑ abgeschlossen.

ạbschließend *p.a.* 매듭짓는, 확정적인, 최종의.

ạbschließlich *a.* 확정적인, 궁극의.

Ạbschließung *f.* -en ↑ abschließen 의 명사형.

ạb|schlippen 《Ⅰ》 *i.* (s.) (ndd.) 『海』 미끄러져 떨어지다. 《Ⅱ》 *t.* 미끄러뜨리다.

ạb|schlitzen *t.* 찢어내다.

ạb|schlüpfen *i.* (s.) 〖드물게〗 미끄러져 가다; 몰래 물러가다.

ạb|schlürfen *t.* 홀짝홀짝 (다) 들이마시다.

***Ạbschluß** [áp∫lus] *m.* ..schlusses, ..schlüsse ① 폐쇄, 차단. ② 결정, 체결; 협정: der ~ einer Versicherung 보험 계약 체결; mit jm. zum ~ kommen 누구와의 거래가 성립하다. ③ 종결, 종료: et. zum ~ bringen 무엇을 종결하다; zum ~ ein Lied singen 끝으로 노래 한 곡을 부르다; zum ~ kommen〔gelangen〕 종결되다. ④『商』 결산, 청산: ein glänzender ~ 큰 흑자. ⑤ 벽걸이 양탄자의 가장자리.

Ạbschluss 新정서 ⇦ Abschluß.

Ạbschluß≈bilanz *f.* 대차 대조표. **~examen** *n.* (대학의) 졸업 시험. **~feier** *f.* 졸업 축하연. **~kabel** *n.* 방수(防水) 케이블. **~klasse** *f.* 졸업반. **~kund·gebung** *f.* 행사

종료 선언. **~note** *f.* 졸업 성적. **~prüfung** *f.* 졸업 시험. **~rechnung** *f.* 결산. **~ring** *m.* 폐색환(閉塞環). **~sitzung** *f.* 최종 회의. **~stich·tag** *m.* 인도(引渡)일, 교부일. **~tag** *m.* 결산일. **~training** *n.* 〖스포츠〗 최종 훈련. **~wechsel** *m.* 결산 어음. **~zahlung** *f.* (종합) 소득세 연말 정산 차액 지급. **~zensur** *f.* ↑ ~note. **~zeugnis** *n.* 졸업 증서; 졸업〔학년말〕 성적 증명서.

Abschmack [ápʃmak] *m.* -(e)s 〖고어〗 뒷맛.

ab|schmälern *t./refl.* ↑ schmälern.

ab|schmalzen *t.* (öst.) ↑ abschmälzen.

ab|schmälzen *t.* 〖요리〗 Speisen ~ 음식물에 (녹인 버터나 볶은 양파를) 두르다.

ab|schmarotzen *t.* jm. et. ~ 누구에게 아첨하여 무엇을 얻다.

ab|schmatzen *t.* 〔구어〕 소리나게 키스하다.

ab|schmausen 《Ⅰ》 *t.* 다 먹어 치우다. 《Ⅱ》 *i.* (h.) 주연을 끝내다.

ab|schmecken *t.* 시식〔시음〕하다, 맛을 보다: ein Gericht mit Salz und Pfeffer ~ 소금과 후추로 요리의 간을 맞추다; dem Wein das Alter ~ 포도주의 저장 햇수를 맛을 보고 알아내다.

abschmeckend *p.a.* 맛없는; 재미 없는.

abschmeckig *a.* ↑ abschmeckend.

ab|schmeicheln *t.* jm. et. ~ 누구에게 아첨하여 무엇을 얻다.

ab|schmeißen* *t.* 〔구어〕 팽개치다, 떨치다.

Abschmeißer *m.* -s, - 기수를 떨어뜨리는 버릇이 있는 말.

Abschmelz·draht *m.* 〖전기〗 퓨즈.

ab|schmelzen⁽*⁾ 《Ⅰ》 *t.* 〔약변화〕 ① 용해하다. ② 〖제련〗 용해하여 분리하다. 《Ⅱ》 *i.* 〔강변화〕 (s.) 녹다, 녹아 떨어지다〔없어지다〕.

Abschmelz·sicherung *f.* 〖전기〗 안전 퓨즈. **~streifen** *m.* 〖전기〗 퓨즈 연결선.

Abschmelzung *f.* -en 용해; 〖제련〗 용련(鎔鍊).

ab|schmettern *t.* 〔구어〕 ① 단호히 거절하다. ② ein Lied ~ 감정없이 요란하게 노래부르다.

ab|schmieden *t.* (쇠를) 다〔충분히〕 불리다.

ab|schmieren 《Ⅰ》 *t.* ① 〔구어〕 베끼다; 표절하다. ② (차·기계 등에) 기름을 치다. ③ 〔속어〕 때려 눕히다. 《Ⅱ》 *i.* ① (h.) 기름으로 더러워지다. ② (s.) (비행기가) 추락〔급강하〕하다.

Aabschmierer *m.* -s, - 베끼는 사람; 표절자.

Abschmiererei *f.* -en 표절.

Abschmier·fett *n.* 윤활유.

ab|schminken 《Ⅰ》 *t.* (jn.) 화장을 지우다; 〔비유〕 가면을 벗기다. 《Ⅱ》 sich³ et. ~ 〔비유·구어〕 포기하다, 단념하다.

ab|schmirgeln *t.* 사포〔샌드페이퍼〕로 갈아 매끈하게 하다〔없애다〕.

ab|schmücken *t.* 〔구어〕 장식을 제거하다.

ab|schmulen *t.* 〔구어·방언〕 표절하다, 베끼다.

ab|schmunzeln *t.* jm. et. ~ 누구에게 아양을 떨어 무엇을 얻다.

ab|schmutzen 《Ⅰ》. (h./s.) 때가 묻다, 더러워지다. 《Ⅱ》 *t.* 더럽히다, 때를 묻히다.

Abschn. =Abschnitt 장, 절.

ab|schnäbeln *refl.* 〔농담〕 sich (einander) ~ 서로 마냥 입맞추다.

ab|schnallen 《Ⅰ》 *t.* ① et. ~ 무엇의 죔쇠〔단추〕를 풀다; 허리띠에서 (칼 등을) 풀다. ② jn. ~ 누구의 죔쇠를〔버클을〕 풀어주다; *refl.* sich in Auto ~ 차에서 안전 벨트를 풀다. 《Ⅱ》 *i.* 〔구어〕 놀라다; 지쳐 있다.

ab|schnappen 《Ⅰ》 *t.* ① 〖드물게〗 (자물쇠를) 찰칵 잠그다. ② 〔구어〕 마지막 순간에 따라잡다〔붙잡다〕. 《Ⅱ》 *i.* (s.) ① 찰칵 잠기다. ② (용수철이) 갑자기 느슨해지다. ③ 갑자기 중지하다: in der Rede ~ 갑자기 말을 그치다. ④ 〖비속〗 뒈지다, 죽다.

Abschneide≈linie *f.* 절취선. **~maschine** *f.* 절단기.

ab|schneiden [ápʃnaɪdən] 《Ⅰ》 *t.* ① 잘라내다; 절단하다; 〖數〗 …자리 이하를〔우수리를〕 잘라 버리다: jm. den Hals ~ a) 누구의 목을 베다, b) 누구를 파멸시키다; sich³ die Haare ~ lassen 이발하다. ② 차단하다: dem Feind die Zufuhr ~ 적군의 보급로를 차단하다. ③ 고립시키다: die Truppen vom Nachschub ~ 부대가 보급을 받지 못하게 고립시키다. ④ 빼앗다: jm. den Beutel ~ 누구의 지갑을 빼앗다〔소매치기하다〕; jm. die Ehre ~ 누구의 명예를 훼손하다. ⑤ 중단하다, 가로막다: jm. das Wort〔Gespräch〕 ~ 누구의 말을 가로막다. ⑥ (잘라서) 줄이다: den Weg ~ 지름길로 가다; hier schneiden wir ab 여기로 가면 지름길이다. ⑦ 구획하다. ⑧ 잘라 본을 뜨다: Muster ~ 문양의 지형을 뜨다. 《Ⅱ》 *refl.* sich ~ ① 갑자기 그치다〔끊어지다〕. ② sich gegen et. ~ 무엇과 뚜렷이 구분되다. 《Ⅲ》 *i.* (h.) 성과를 얻다: bei der Prüfung gut ~ 시험에서 좋은 성적을 얻다; beim Kampf schlecht 〔gut〕 ~ 싸움에 지다〔이기다〕.

Abschneider *m.* -s, - ① 절단자. ② 절단기. ③ 모루 (구멍에 끼우는) 정. ④ 지름길.

Abschneide·schere *f.* 가위.

Abschneidung *f.* -en 절단, 차단, 중단.

ab|schneien *refl./imp.* es hat sich abgeschneit 눈이 그쳤다.

ab|schnellen 《Ⅰ》 *t.* (퉁겨서) 날려 보내다, 갑자기 쏘다: den Pfeil vom Bogen ~ 화살을 시위에서 날려보내다. 《Ⅱ》 *i.* (s.) 퉁겨 날아가다; 뛰어오르다.

ab|schnippeln *t.* 깎아내다; 잘게 베어내다.

Abschnipperling *m.* -s, -e ↑ Abschnippsel.

ab|schnippern *t.* ↑ abschnippeln.

Aabschnippsel *n.* -s, - 베어낸 조각.

ab|schnippseln *t.* ↑ abschnippeln.

***Abschnitt** [ápʃnɪt] *m.* -(e)s, -e ① 절단. ② 잘라 낸 조각, 단편. ③ 〖수학〗 선분, 활꼴, (원의) 궁형. ④ (책의) 장(章), 절(節), 단락; 부분; (역사·생애의) 시기; 〖연극〗 장(場): ein wichtiger ~ 중요한 부분; der erste ~ des Aufsatzes 논문의 제 1장. ⑤ 〖시학〗 중간 휴지. ⑥ 절단한 부분, 절단면; (서식이나 입장권 등의) 절취하고 남은 부분. ⑦ 화폐의 주조 연월을 박아낸 부분. ⑧ 〖商〗 어음, 유가 증권.

Abschnittling *m.* -s, -e 잘라낸 부스러기, 잔 조각.

Abschnitts≈linie *f.* 절단선, 절취선. **~schein** *m.* 〖商〗 이자권(券). **~weise** *adv.* 단편적으로, 단락을 지어, 장(章)별로. **~zeichen** *n.* 절표, 단락표(§).

Abschnitz *m.* -es, -e ↑ Abschnitzel.

Abschnitzel *n.* -s, - (öst., südd.) 잘라낸〔깎아낸〕 조각, 잔 조각.
abschnitzeln *t.* 잘게 자르다.
ab|schnitzeln *t.* ① 베어〔깎아〕내다. ② (본보기를) 모방해서 깎다.
ab|schnüren *t.* ① 끈으로 꽉 졸라 매다. ② 차단하다. ③ (경계를) 밧줄로 구분하다. ④〖醫〗(묶어서) 지혈하다; (사마귀 등을) 졸라매어 떼내다. ⑤ 끈으로 표시하다〔재다〕.
ab|schnurren 《I》 *t.* ①〔구식〕 jm. et. ~ 누구에게 무엇을 빌리다. ② (경문 등을) 중얼중얼 외다. 《II》 *i.* (s.) 윙하며 작동하다; (화살이) 휙 날아가다; (차가) 삐걱거리며 가다.
Abschnürung *f.* -en ①〖醫〗 지혈. ② 차단. ③〖건축〗 줄에 의한 구획;〖海〗(실물대의) 줄에 의한 선형(船形)의 표시.
ab|schöpfen *t.* (거품·기름을) 떠내다, 걷어내다: 〔비유〕 das Beste〔das Fett, den Rahm〕 ~ 알짜배기를 빼먹다〔차지하다〕.
Abschöpfung *f.* -en ① 수입품 관세. ② (세금 증액에 따른) 구매력 감소.
Abschoß *m.* ..schosses, ..schösse〔고어〕 국외 이주세.
ab|schotten *t.*〖海〗 방수(防水)벽을 대다.
ab|schrägen 《I》 *t.* 비탈지게 하다, 비스듬히 자르다. 《II》 *refl.* sich ~ 비탈지다, 기울다.
Abschrägung *f.* -en 경사, 비탈.
ab|schrammen 《I》 *t.* 찰과상을 입다. 《II》 *i.* (s.)〔구어〕 급히 떠나가다; 죽다, 뒈지다.
ab|schranken *t.* 울타리로 막아 구분짓다, 횡목으로 차단하다.
ab|schrappen *t.* 긁어내다, 깎아 없애다.
Abschrapsel [..səl] *n.* -s, - 긁어〔깎아〕낸 부스러기.
ab|schrauben(*) *t.* (무엇의) 나사를 돌려 빼다〔열다〕(↔ aufschrauben); (무엇의) 나사못을 풀어 떼어내다(↔ anschrauben).
ab|schrecken〔약변화〕*t.* ① 겁을 먹게 하다, 놀라게 하다: sich nicht ~ lassen 끄떡도 하지 않다. ② jn. von et.³ ~ 누구를 위협하여 무엇을 그만두게 하다. ③ jm. et. ~ 누구를 위협하여 무엇을 빼앗다. ④ 급히 냉각시키다; 끓인 다음 찬물을 끼얹다: siedendes Wasser durch kaltes ~ 끓는 물에 찬물을 타다.
abschreckend *p.a.* ① 위협적인; 경고하는: als ~es Beispiel dienen 경고의 본보기가 되다. ②〔구어〕 지독한, 심한: ~ häßlich 몹시 보기 싫은.
Abschreckung *f.* -en ① 위협, 징계. ②〖요리·工〗 급냉.
Abschreckungs=flüssigkeit *f.* 냉각액. **~mittel** *n.* 위협 수단. **~politik** *f.* 위협 정책. **~strafe** *f.*〖法〗 위협형(刑). **~theorie** *f.*〖法〗 위협설(說). **~waffe** *f.*〖軍〗 위협용 무기.
Abschreibe=gebühr *f.*, **~geld** *n.* 필사(筆寫) 수수료. **~maschine** *f.* 등사기.
ab|schreiben [ápʃraɪbən] 《I》 *t.* ① 베끼다; 복사하다; 정서하다. ② 표절하다; 커닝하다. ③〖商〗 공제하다; 감가 상각하다. ④ (jm. et.) 서면으로 취소〔사절〕하다. ⑤ (펜 따위를) 써서 닳게 하다. ⑥〔구어〕 포기하다, 없어진 것으로 생각하다. 《II》 *i.* (h.) jm. ~ 누구에게 거절의 편지를 보내다, 편지로 취소하다. 《III》 *refl.* sich ~ (연필이) 써서 닳다.
Abschreiber *m.* -s - 필경사; 표절자.
Abschreiberei *f.* -en 필경, 베껴쓰기; 표절.
Abschreibung *f.* -en ① 베껴 쓰기, 등사; 표절. ②〖商〗 공제, 감가 상각.
ab|schreien* 《I》 *t.* 큰 소리로 알리다; 고합치다. 《II》 *refl.* sich ~ 고함쳐서 지치다: sich³ die Kehle ~ 고함쳐 목이 쉬다.
ab|schreiten* 《I》 *i.* (s.) 걸어서 가버리다〔내려가다〕: auf- und abschreiten 이리저리 거닐다. 《II》 *t.* ① 보측(步測)하다. ② 사열〔열병〕하다.
ab|schricken *t.*〖海〗(밧줄을) 풀어내다.
Abschrift *f.* -en 사본, 카피:〖法〗 eine beglaubigte ~ 공증 사본; eine ~ von et.³ nehmen 무엇의 사본을 만들다.
abschriftlich 《I》 *a.* 베낀, 사본의. 《II》 *adv.* 사본으로, 등본으로.
ab|schröpfen *t.* ① 빼내다:〖醫〗 jm. das Blut ~ 누구의 몸에서 피를 뽑다. ② 빼앗다, 착취하다: jm. sein Geld ~ 누구의 돈을 갈취하다.
Abschrot [ápʃroːt] *m.* -(e)s, -e ① 부스러기, 조각. ② 모루의 정.
Abschrote *f.* -n ↑ Abschrot ②.
ab|schroten *t.* ① (쇠·바위 따위를) 쪼아내다, 대강 잘라내다. ② (낟알을) 애벌 찧다. ③ (통 따위를) 굴려 떨어뜨리다.
ab|schrubben *t.* ① (솔로) 문질러 깨끗이하다; 문질러 없애다. ②〔구어〕(어떤 구간을) 가다: er schrubbt täglich seine 300 km ab 그는 날마다 300 km를 주파한다.
Abschub *m.* -(e)s, -e ①〔구식〕 소풍, (예정 밖의) 들름길(여행). ②〖軍〗 후송, 철수.
Abschub·station *f.*〖軍〗 후송 정거장.
ab|schuften *refl.* sich ~〔구어〕 수고하다.
ab|schülfern *i.* (h.) / *refl.* (sich) ~ 가죽〔껍질〕이 벗겨지다.
ab|schultern *t.* (총 등을) 어깨에서 내리다.
ab|schuppen 《I》 *t.* …의 비늘을 벗기다〔떼어내다〕, …의 가죽〔껍질〕을 벗기다. 《II》 *i.* (h.) / *refl.* (sich) ~ 비늘이 떨어지다, 비늘처럼 벗겨지다.
Abschuppung *f.* -en〖醫〗 표피 박탈〔탈락〕;〖지질〗 박리(剝離) 작용.
ab|schürfen *t.* ① 긁어서 상처를 내다; sich³ die Haut ~ 피부를 긁어 상처를 내다. ② 찰과상을 내다. ③〖광산〗 시굴(試掘)하다.
Abschürfung *f.* -en 찰과상; 시굴(試掘).
Abschuß [ápʃus] 《< abschießen》 ..schusses, ..schüsse ① 발사, 발포. ② 사살. ③ 낙하, 급류;〖空〗 격추. ④〖사냥〗(허용) 포획량.
Abschuß=basis *f.* 로켓 발사 기지. **~gestell** *n.* 로켓 발사대. **~liste** *f.*〔구어〕 체포〔해고·퇴출〕 명단. **~prämie** *f.* 특정 짐승의 사냥에 대해 주는 상〔상금〕. **~rampe** *f.* (대형) 로켓 발사대. **~silo** *m.* 로켓 발사 벙커. **~vorrichtung** *f.* 로켓 발사대. **~ziffer** *f.* 격추 비행기의 대수.
***abschüssig** [ápʃʏsɪç] *a.* 급경사의, 험준한: er geriet〔kam〕 auf die ~e Bahn 그는 늙었다〔쇠약해졌다·몰락했다〕.
Abschüssigkeit *f.* 급경사, 험준.
ab|schütteln *t.* 흔들어 털어버리다〔깨끗이하다〕, 떨쳐 내다, 뿌리치다: das Joch ~ 속박을 벗어 던지다; Tadel ~ 비난을 묵살하다; jn. (von sich) ~ 누구와의 관계를 끊다.

Abschüttelung *f.* -en ↑ abschütteln 의 명사형.

ab|schütten *t.* ① (액체를) 쏟아내다. ② (용기에서 물을) 따라내다: den Eimer ~ 통에서 물을 따라내다. ③ (끓인 것에서) 물을 따라내다: die Eier ~ 달걀 삶은 물을 따라내다.

ab|schützen *t.* ① (수문을 닫아) 물을 막다; (기계 등을) 정지시키다. ② 흘려 보내다, 방류하다: einen Teich ~ 연못의 물을 방류하다.

Abschützer *m.* -s, - 〖기계〗 제지〔제동〕기.

ab|schwächen 《I》 *t.* ① (기력 따위를) 점차로 약화시키다; 〖비유〗 (주장·표정 따위를) 부드럽게 하다. ② 〖사진〗 감력제(減力劑) 처리를 하다. 《II》 *refl.* sich ~ 약해지다, 쇠하다.

Abschwächer *m.* -s, - 〖工〗 제동기, 브레이크; 〖사진〗 감력제(減力劑) (사진에서 검은 색 농도를 낮추는 시약).

Abschwächung *f.* -en 약화, 쇠약, 감퇴.

ab|schwänzeln *t.* 《I》 jm. et. ~ 감언이설로 누구에게 무엇을 우려내다. 《II》 *i.* (s.) 〖구어〗 꼬리를 치면서 사라지다.

abschwänzen *t./i.* ↑ abschwänzeln.

ab|schwären* *i.* ① (s.) 곪아 터지다. ② (h.) 화농(化膿)이 멎다.

ab|schwärmen 《I》 *i.* ① (s.) (꿀벌이) 떼지어 날아가다. ② (h.) (꿀벌이) 몰려 들기를 그치다. 《II》 *refl.* sich ~ 방탕하여 정력을 소모하다, 방탕한 생활 끝에 지치다.

ab|schwarten *t.* ① (돼지 따위의) 가죽을 벗기다. ② 〖비유〗 두들겨 패다.

ab|schwärzen 《I》 *t.* 검게 물들이다, 검게 하다. 《II》 *i.* (s.) 검은 색이 빠지다: auf et. ~ 검은 색이 들다〔묻다〕.

ab|schwatzen 《I》 *t.* ① 지껄이다, 수다를 떨다. ② jm. et. ~ 말주변으로 누구에게서 무엇을 우려내다. ③ 〖구어〗 jm. ein Ohr ~ 누구의 귀가 멍하도록 지껄여대다. 《II》 *refl.* sich ~ 너무 지껄여서 지치다.

ab|schwätzen *t.* ↑ abschwatzen.

ab|schweben 《I》 *i.* (s.) 떠내려 가다. 《II》 *t.* 〖구어〗 씻어 내다.

ab|schwefeln *t.* 황을 없애다: Steinkohlen ~ 석탄을 태워 코크스를 만들다.

Abschweif [ápʃvaɪf] *m.* -(e)s, -e 〖구식〗 (여행 중 잠시 예정에 없던 곳으로 가는) 소풍.

ab|schweifen 《I》 *i.* (s.) ① (길에서) 벗어나다, 탈선하다. ② (주제·목표 따위에서) 벗어나다. 《II》 *t.* 〖구식〗 ① (생사·면사 따위를 삶아서) 부드럽게 하다. ② 활톱으로 켜다. ③ (세탁물을) 헹구다.

abschweifend *p.a.* 탈선적인, 산만한.

Abschweifung *f.* -en ① 탈선; (연설 따위가) 주제에서 벗어남, 산만. ② 소풍.

ab|schweißen *t.* 〖工〗 (쇠를) 용접하다.

ab|schwelen *t.* 〖化〗 (석탄을) 하소(煆燒)하다.

ab|schwelgen *refl.* sich ~ 폭음 폭식하여 쇠약해지다.

ab|schwellen* *i.* (s.) (↔ anschwellen) ① (음량 따위가) 줄다, 감소되다, 약해지다. ② (조수가) 써다, 빠져 나가다. ③ 〖醫〗 (부기가) 가라앉다.

ab|schwemmen *t.* ① (물이 목재 따위를) 떠내려 보내다, 씻어 흘려 보내다: der Regen schwemmt die Straße 〔den Schmutz von der Straße〕 ab 비가 거리의 오물을 씻어 내린다. ② 세척하다; 헹구다: ein Pferd ~ 말을 씻다.

ab|schwenden *t.* ein Grundstück ~ 어떤 토지의 초목을 불살라 경작지로 만들다.

ab|schwenken 《I》 *t.* ① 〖방언〗 헹구다, 씻어내다. ② 흔들어 털어내다〔청소하다〕: den Hut 〔das Wasser vom Hut〕 ~ 모자의 물기를 털어내다. 《II》 *i.* (s.) / *refl.* (sich) ~ 방향을 바꾸다, 〖軍〗 (한 종대가) 선회하다: rechts 〔links〕 abgeschwenkt! 우〔좌〕로 방향 바꿔 갓!

Abschwenkung *f.* -en 헹굼, 털어냄; 선회.

ab|schwimmen* 《I》 *i.* (s.) 헤엄쳐 가버리다, 떠내려 가다; 〖방언〗 떠나가다, 가버리다. 《II》 *t.* ① seine Zeit ~ 헤엄을 치며 시간을 보내다. ② 〖구어〗 (군살 등을) 수영을 해서 없애다〔빼다〕. 《III》 *refl.* sich ~ 헤엄쳐 지치다.

ab|schwindeln *t.* jm. et. ~ 누구에게서 무엇을 사취하다〔사기쳐 빼앗다〕.

ab|schwinden* *i.* (s.) 쇠퇴〔소멸〕하다.

ab|schwingen* 《I》 *t.* 뿌리치다, 흔들어 떨다, (곡식을) 키로 까부르다. 《II》 *i.* 〖스포츠〗 몸을 틀어 방향을 바꾸다. 《III》 *refl.* sich ~ (훌쩍) 뛰어내리다; 〖스포츠〗 몸을 틀며 뛰어내리다.

ab|schwirren *i.* (s.) ① 윙윙거리며 날아가 버리다. ② 〖구어〗 가버리다, 도망치다; 죽다.

ab|schwitzen 《I》 *t.* ① (병 따위를) 땀을 내어 몰아내다; 〖스포츠〗 (체중을) 땀흘려 줄이다: sein Übergewicht ~ 초과 체중을 땀을 흘려 빼다. ② 〖제혁〗 (가죽의 털을) 태워 없애다. 《II》 *refl.* sich ~ 땀을 흘려 지치다.

ab|schwören* *t.* 〖드물게〗 ① 서약하다. ② 맹세코 부정하다: seine Schuld ~ 맹세코 죄를 부인하다. ③ 맹세코 끊다: seinen Glauben ~ 신앙을 버릴 것을 맹세하다. ④ 서약을 파기하다: jm. Eid und Pflicht ~ 누구에 대한 서약과 의무를 파기하다. 《II》 *i.* (h.) jm. 〔et.³〕 ~ 누구와의 관계를 끊을 것을〔무엇을 포기할 것을〕 맹세하다, 누구를〔무엇을〕 부인〔부정〕하다: dem Kaiser ~ 황제를 배반하다; der Pflicht ~ 의무를 저버리다; dem Alkohol ~ 술을 끊다. 《III》 *refl.* sich von et.³ ~ 무엇과 관계 없음을 맹세하다, 무엇을 단호히 단념하다. 《IV》 **abgeschworen** *p.a.* ↑ abgeschworen.

Abschwörung *f.* -en 서약; 단호한 부인〔거부〕; 포기 선서; 배반.

Abschwung [ápʃvʊŋ] 《<abschwingen》 *m.* -(e)s, ..schwünge ① 〖체조〗 뛰어내리기; 〖골프〗 스윙다운. ② 〖經〗 경기 후퇴.

ab|segeln 《I》 *i.* ① (s.) 출범하다; 〖비유〗 죽다. ② (h.) 〖스포츠〗 시즌 마지막 범주(帆走)를 하다. 《II》 *t.* ① 일정한 구간을〔거리를〕 범주하다. ② 범선 항해 때 …을 잃다: den Mast ~ 범선 항해 때 돛대를 잃다.

ab|segnen *t.* 〖구어·농담〗 승인하다, 변호하다: die Eltern segneten meine Pläne ~ 부모님이 내 계획을 승인하셨다.

absehbar [ápze:ba:r, apzé:..] *a.* 시야에 있는, 분간〔예측〕할 수 있는; 〖비유〗 생각이 미치는: in ~er Zeit 머지 않아, 가까운 장래에.

ab|sehen [ápze:ən] 《I》 *t.* ① 예측하다; 〖비유〗 간파하다, 보고 알아채다: im voraus ~ 예상〔예측〕하다; die Folgen dieser Tat sind nicht abzusehen 이 행위의 결과는 예측을 불허한다; jm. et. ~ a) 누구의 무엇을 보고 배우다, 깨닫다, b) 간파하다: jm. einen Kunstgriff ~ 누구의 요령을 배우다; jm. et. am Gesicht ~ 누구의 표정을 보고 무엇을 알아차리다. ② 노리다, 엿보다: es auf et.〔jn.〕 ~ 무엇을〔누구를〕 노리다, 겨누다; sie hat es auf sein Geld abgesehen 그녀는 그의 돈을 노렸다. 《Ⅱ》 *i.* (h.) ① von et.³〔jm.〕 ~ 무엇에서〔누구에게서〕 눈을 돌리다. ②〖비유〗 von et.³ ~ a) 무엇을 도외시하다, b) 무엇을 포기하다, 단념하다. ③ (von) jm. ~ 누구의 글을 표절하다;〖학생〗 (von jm.) (누구의 답을) 커닝하다. 《Ⅲ》 **ạbgesehen** *p.a.* ↑ abgesehen.

Ạbsehen *n.* -s, - ①〖雅語〗 예측; 간파: ohne ~ 한없이. ② (schweiz.) (총·측량기의) 가늠자. ③〖방언〗 표적, 목적, 의도: sein ~ auf et. haben〔richten〕 무엇을 노리다, 겨누다.

ạbsehlich *a.* ↑ absehbar.

Àbseide [ápzaɪdə] *f.* (고치를 삶아서 늘여 만든) 풀솜.

ạb|seifen *t.* 비누로 씻다; 비누를 씻어내다.

ạb|seigern *t.*〖광산〗 (수직갱을) 측연(測鉛)으로 재다; (갱을) 수직으로 파 내려가다.

Ạbseih·beutel *m.* 여과 주머니.

Ạbseihe·beutel *m.* ↑ Abseihbeutel.

ạb|seihen *t.* 여과하다;〖광산〗 세광(洗鑛)하다.

Ạbseihen *n.* -s 여과;〖광산〗 세광(洗鑛).

Ạbseihung *f.* ↑ Abseihen.

ạb|seilen 《Ⅰ》 *t.* 로프로 내리다:〖등산〗 sich ~ 자일로 내려오다. 《Ⅱ》 *refl.* sich ~ 사라지다, 가버리다, 도망치다.

ạb|sein* *i.* (s.) ① (멀리) 떨어져〔헤어져〕 있다, 부재 중이다: ich will dir nicht ~ 나는 너를 버릴 생각은 없다. ②〖구어〗 지쳐 있다, 맥이 풀려 있다. ③〖法〗 폐지되어있다.

abseit [ápzaɪt] *adv.* ↑ abseits.

Ạbseit *n.* -, -〖축구〗 (öst.) 오프사이드.

Àbseite [ápzaɪtə] *f.* -n ① (지붕 밑의) 경사진 칸막이. ②〖섬유〗 붙여 짠 안감, 직물의 뒷면. ③〖建〗 (예배당의) 측랑(側廊), (좌석 사이의) 통로, 익벽(翼壁).

ạbseite(n) *prp.*² ↑ abseits.

Ạbseiten·stoff *m.* 양면 다 쓸 수 있는 옷감.

Ạbseiter *m.* -s, - ↑ Außenseiter.

ạbseitig *a.* 떨어져 있는; 동떨어진; 부적절한.

***abseits** [ápzaɪts] 《Ⅰ》 *adv.* 떨어져, 멀리;〖축구〗 오프사이드에: weit ~ vom Wege 길에서 멀리 떨어져;〖구기〗 ~ stehen 오프사이드 위치에 있다; sich ~ halten 멀리 물러서 있다, 피해 서 있다. 《Ⅱ》 *prp.*² …에서 떨어져.

Ạbseits *n.* -, -〖구기〗 오프사이드.

Ạbseits⸗falle *f.* 오프사이드 작전. **~stellung** *f.* 오프사이드 위치. **~tor** *n.* 오프사이드 골(오프사이드 위치에서 넣은 무효골).

ạbseit·wärts *adv.*〖구식〗 ↑ abseits.

Absence [apsɑ̃:s] 《frz.》 *f.* -n [..sən]〖醫〗 발작적인 의식 혼미; 방심.

***ab|senden**⁽*⁾ [ápzɛndən] 《Ⅰ》 *t.* ① 발송하다. ② 파견하다. 《Ⅱ》 **ạbgesandt** *p.a.* ↑ abgesandt.

Ạbsender *m.* -s, - 발송인, 발신인.

Ạbsendung *f.* -en 발송, 발신; 파견.

Ạbsendungs⸗ort *m.* 발송지. **~station** *f.* 발송역.

ạb|sengen *t.* (새·돼지 따위의) 털을 살짝 태워 없애다.

ạb|senken 《Ⅰ》 *t.* ① 가라앉히다, 내리다, 침강시키다. ②〖원예〗 휘묻이하다. ③〖광산〗 (수직갱을) 파 내려가다. 《Ⅱ》 *refl.* sich ~ 경사지다, 기울다.

Ạbsenker *m.* -s, - ①〖원예〗 (휘묻이에 쓰이는) 어린 가지. ②〖구어〗 자손, 후손.

Ạbsenkung *f.* -en ① 침강, 경사, ② 휘묻이.

absent [apzɛ́nt] 《lat.》 *a.*〖구식·교양〗 결석한, 부재중의, 부재의.

Absẹnten·liste *f.* 결석자 명부.

absentieren *refl.* sich ~〖구식·농담〗 물러가다, 퇴거하다; 결석하다.

Absentịsmus *m.* -, ..men 부재;〖經〗 부재지주제.

Absẹnz *f.* -en〖구식〗 ①〖교양〗 부재. ② (öst., schweiz.) 결석. ③〖醫〗 ↑ Absence.

ạb|serbeln *i.* (s.) (schweiz.) 시들다, 죽어가다.

ạb|servieren *t.* ① (사용한 그릇을) 치우다. ②〖비유·경박〗 가차 없이 해고하다; …의 영향력을 제거하다. ③〖경박〗 살해〔제거〕하다. ④〖스포츠·구어〗 압승하다.

ạbsetzbar *a.* ① 파면시킬 수 있는. ②〖商〗 (잘) 팔리는. ③ 세액 공제가 되는.

***ab|setzen** [ápzɛtsən] 《Ⅰ》 *t.* ① 옮기다, 치우다. ② **(a)** (차에서) 내리다, 내려놓다: jn. am Bahnhof ~ 누구를 역에서 내려놓다. **(b)** 벗다: die Mütze ~ 모자를 벗다. **(c)** (말이) 흔들어 떨어뜨리다: den Reiter ~ (말이) 기수를 흔들어 떨어뜨리다. **(d)**〖動〗 새끼를 낳다;〖평어〗 몰래 아이를 낳다, 사생아를 낳다. ③ 중단〔중지〕하다: den Becher ~ 술잔을 입에서 떼다; Münzen ~ 화폐의 유통을 정지시키다, 화폐를 회수하다; das Gewehr ~ 사격을 중지하고 총을 어깨에서 내려놓다; setzt ab! 사격 중지! ④〖樂〗 단음(斷音)으로〔staccato를 붙여〕 연주하다. ⑤〖動〗 젖떼다, 이유(離乳)시키다. ⑥ 파면시키다(↔ einsetzen): einen König ~ (왕을) 폐위시키다. ⑦ 제외하다: eine Summe von Budget ~ 예산을 삭감하다. ⑧ (상품을) 팔다. ⑨ 침전시키다. ⑩ 두드러지게 하다, 대조를 이루게 하다. ⑪〖印〗 **(a)** (행을) 바꾸다: eine Zeile ~ 행을 바꾸다. **(b)** 활자로 짜다, 조판을 끝내다. ⑫ mit jm.〔et.³〕 viel abzusetzen haben 누구에게서〔무엇에서〕 괴롭힘을 받다. ⑬ 세액 공제를 하다. ⑭ 취소〔삭제〕하다. ⑮ 그만두다, 중지하다: ein Medikament ~ 약 복용을 중지하다. 《Ⅱ》 *i.* (h.) ① 중단〔중지〕하다: in der Rede ~ 말을 중단하다; ohne abzusetzen 쉬지 않고, 단숨에. ②〖광산〗 (광맥이) 방향을 바꾸다, 바닥이 드러나다. ③ 두드러지다, 대조를 이루다: Schwarz und Weiß setzen sehr gegeneinander ab 흑과 백은 서로 뚜렷한 대조를 이룬다. ④ 앙금이 앉다. 《Ⅲ》 *refl.* sich ~ ① 앙금이 앉다. ② 두드러지다. ③ (광맥이) 방향을 바꾸다, 바닥이 드러나다. ④ sich von jm. ~ 누구와 떨어져 앉다. 《Ⅳ》 *imp.* es setzt etwas ab〖구어〗 무슨 일(매질·처벌 등)이 있다: es wird Hiebe ~ 격투가 벌어질 것이다. 《Ⅴ》 **ạbgesetzt** *p.a.* ↑ abgesetzt.

Ạbsetzen *n.* -s ① ↑ absetzen의 명사형. ② 중지;〖軍〗 사격 중지;〖印〗 식자.

Ạbsetzer *m.* -s - ① (갈탄 노천광의) 준설 장비. ② (공수 부대의) 투하 지휘관.

Ạbsetzling *m.* -s, -e 갓 젖뗀 가축.

Ạbsetz⸗tisch *m.* 사이드 테이블(침대 옆 탁

자). **~wagen** *m.* 지게차(Hubstapler).

Absetzung *f.* -en ① (차에서) 내려줌; 판매; 공제; 중단, 중지; 감가. ②〔드물게〕 면직, (왕의) 폐위; (화폐의) 회수; 침전; 이유(離乳); 〖印〗 식자; 〖醫〗 절단.

ab|sicheln *t.* 큰 낫으로 베다.

ab|sichern 《I》 *t.* ①…에 안전 장치를 하다: einen Tresor elektrisch ~ 금고에 전기 안전 장치를 하다. ②…에 안전 조치를 취하다: eine Baustelle ~ 공사장에 안전 조치를 하다. ③ 〖스포츠〗 (상대방 선수를) 마크하다. 《II》 *refl.* sich ~ 자신의 안전 대책을 강구하다: sich vertraglich ~ 계약상으로 자신의 권익을 확보하다.

***Absicht** [ápzɪçt] 《<absehen》 *f.* -en ① 의도, 의향: mit der ~, et. zu tun 무엇을 할 의도로; ~ auf jn.〔et.〕 haben〔richten〕 누구를〔무엇을〕 얻으려고 하다; mit ~ 고의로; ohne ~ 뜻하지 않게, 무심코; in welcher ~ 어떤 목적으로. ②〔드물게〕 in ~ auf et. 무엇에 관하여.

***absichtlich** *a.* 고의의, 의도적인.

Absichtlichkeit *f.* 고의(적인 언행).

absichtslos *a.* 고의가 아닌, 딴 마음이 없는.

Absichtslosigkeit *f.* 고의 없음; 〔복수〕 고의적이 아닌 행위.

Absichts⸗satz *m.* 〖문법〗 목적문. **~voll** *a.* 고의적인, 계획적인.

ab|sickern *i.* (s.) (물이) 뚝뚝 듣다, 새다.

ab|sieben *t.* 체로 쳐내다.

ab|siedeln *t.* 〖醫〗 전이(轉移)하다, 번지게 하다.

ab|sieden(*) *t.* 〔방언〕 푹 삶다, 달이다, 끓이다.

ab|singen* 《I》 *t.* ① (연습하지 않고) 즉석에서 노래하다: vom Blatt ~ 악보를 보고 즉석에서 노래하다. ② 끝까지 노래하다. ③ 서투르게 노래하다. ④ 노래하듯 (단조롭게) 말하다. 《II》 *refl.* sich ~ 노래 불러 지치다. 《III》〔드물게〕 *i.* (h.) 노래를 끝내다. 《IV》 **abgesungen** *p.a.* ↑ abgesungen.

ab|sinken* *i.* (s.) ① 가라앉다, 침몰하다: bei dem Unwetter sind vier Fischerboote abgesunken 악천후 속에서 어선 네 척이 침몰했다. ② 침강하다: das Ufer sinkt immer mehr ab 해안이 점점 가라앉는다. ③ 약해지다, 가라앉다: das Fieber sinkt ab 열이 떨어진다. ④ 악화되다, 나빠지다: er sinkt in der Schule immer mehr ab 그의 학교 성적은 점점 나빠진다. ⑤ 타락하다.

ab|sintern *i.* (s.) (물이) 뚝뚝 듣다.

Absinth [apzɪ́nt] 《gr.》 *m.* -(e)s, -e ① 압생트주(酒). ②〖植〗 쑥.

Absinthismus [..tɪ́smus] *m.* - 압생트 중독.

ab|sitzen* 《I》 *i.* (s.) ① von jm. ~ 누구에게서 떨어져 앉다. ②…에서 내리다: von einem Pferd ~ 말에서 내리다. ③〖체조〗 앉은 자세로 뛰어내려 땅에 서다. ④ (schweiz.) 앉다: sitzen Sie ab! 앉으세요! 《II》 *t.* ① 앉아서 닳게 하다. ② (일정 시간을) 앉아서 보내다; 〔폄어〕 (시간을) 억지로〔빈둥거리며〕 보내다; (형기를) 복역하다: seine Schulzeit ~ 학교를 빈둥거리며 마치다; seine Strafzeit ~ 형기를 마치다; seine Schuld ~ 빚을 징역살이로 때우다. ③ jm. et. ~ (끈덕지게 눌러앉아) 누구에게서 무엇을 억지로 빼앗다. 《III》 *refl.* sich ~ 오래 앉아서 지치다.

ab|socken *i.* (s.) 〔경박〕 급히 가버리다, 사라지다.

ab|solden *t.* 급료를 지급하고 해고하다.

absolut [apzolúːt] 《lat.》 《I》 *a.* (↔ relativ) 절대적인, 무조건의; 전제〔독재〕의; 순수한; 완전한; 최고의, 최종의: 〖化〗 ~er Alkohol 무수(無水) 알코올; ~e Gewalt 독재권; ~e Höhe 해발; ~e Leere 진공(眞空); ~es Maß 절대 척도, 미터법; ~e Monarchie 전제 군주제; 〖物〗 ~er Nullpunkt 절대 영도(−273.15°C); die ~e Mehrheit 절대 다수. 《II》 *adv.* 절대적으로, 무조건; 도대체, 전혀.

Absolute* *das* -n 〖哲〗 절대, 절대자.

Absolutheit *f.* 절대성, 완전(함).

Absolut⸗alkohol *m.* 무수(無水) 알콜. **~film** *m.* 절대 영화.

Absolution [apzolutsióːn] *f.* -en ①〔드물게〕〖法〗 면소(免訴), 사면, 책임 면제. ②〖가톨릭〗 면죄, 사죄.

Absolutismus *m.* - 〖史·哲〗 절대주의; 절대 왕정; 전제주의, 독재 정치.

Absolutist *m.* -en, -en 절대〔전제〕주의자, 독재자.

absolutistisch *a.* 독재의, 절대주의의.

Absolutorium *n.* -s, ..rien [..riən] ①〖法〗 〔구식〕 무죄 선고 (증명서). ② 수령증. ③ (öst.) (고등 학교의) 졸업 시험; 〔드물게〕 (대학의) 수료 증명서.

Absolvent [..vɛ́nt] *m.* -en, -en 졸업생, 졸업 예정자.

Absolventin *f.* -nen ↑ Absolvent의 여성형.

absolvieren [apzɔlvíːrən] *t.* ① 석방〔방면〕하다. ② 수료〔졸업〕하다; (시험에) 합격하다.

Absolvierung *f.* 졸업, 수료.

absonderbar [ápzɔndərbaːr] *a.* 분리시킬 수 있는.

Absonderheit [apzɔ́n..] *f.* -en ↑ Absonderlichkeit.

absonderlich 《I》 *a.* ① 떨어진, 고독한. ② 독특한; 유별난. ④ 비범〔탁월〕한. 《II》 *adv.* 특히, 각별히; 기묘〔진기〕하게.

Absonderlichkeit *f.* -en 진기; 비범.

Absonderling *m.* -s, -e 〔구식〕 기인, 별난 사람, 괴짜.

***ab|sondern** [ápzɔndərn] 《I》 *t.* ① 분리〔격리〕하다; 분류하다; 〖軍〗 파견하다. ② 분비〔배설〕하다: Schweiß ~ 땀을 분비하다. ③ 격리하다. 《II》 *refl.* sich ~ ① 고립되다; 사람들과의 교제를 피하다. ② 분비되다. 《III》 **abgesondert** *p.a.* ↑ abgesondert.

absondernd *p.a.* 분비하는.

Absonderung *f.* -en ① 분리; 격리; 은퇴, 고독. ② 분비, 배설; 분비물. ③ 추상. ④〖法〗 별제(別除). ⑤〖광산〗 열개(裂開).

Absonderungs⸗dotter *m./n.* 분리한 노른자위. **~drüse** *f.* 분비선. **~flüssigkeit** *f.* 분비액. **~gefäß** *n.* 분비관(管). **~gewebe** *n.* 분비 조직. **~gläubiger** *m.* 〖法〗 별제(別除) 채권자. **~mittel** *n.* 분비 촉진제. **~organ** *n.* 분비 기관. **~recht** *n.* 〖法〗 별제권. **~stoff** *m.* 분비〔배설〕물. **~strich** *m.* 구획선. **~system** *n.* 독방 감금제. **~vermögen** *n.* 구분 능력; 〖醫〗 분비력, 배설력. **~zeichen** *n.* 〖문법〗 분리 기호, 콤마.

absonnig [ápzɔnıç] *a.* 〖원예〗 응달진.

Absọrbens *n.* -s, ..bentien [..bɛ́ntsiən]/..bentia [..bɛ́ntsia] 〖化·物〗 흡수제.

Absorber [apzɔ́rbər] 《lat.》 *m.* -s, - (액체·가스·광선 등의) 흡수기(器); 흡수제.

absorbierbar *a.* 흡수할 수 있는.

absorbieren [apzɔrbí:rən] 《lat.》 *t.* ① 흡수하다. ② (주의·정력을) 빼앗다, 소모하다: sein Beruf hatte alle seine Kräfte absorbiert 직업이 그의 모든 정력을 소모시켰다.

absorbierend *p.a.* 흡수성의: ~es Mittel 흡수제(劑).

Absorbierungs·mittel *n.* 〖醫〗 흡수제.

ạb|sorgen *refl.* sich um et. ~ 무엇 때문에 노심초사하다.

Absorption [apzɔrptsió:n] 《<absorbieren》 *f.* -en ① 흡수; 병합; 〖비유〗소모. ② 요구.

Absorptions≈fähigkeit *f.* 흡수력. **~gewebe** *n.* 〖植〗 흡수 조직. **~kälte·maschine** *f.* 흡수식 냉각기. **~koeffizient** *m.* 〖物〗 흡수 계수. **~kraft** *f.* 흡수력. **~prinzip** *n.* 〖法〗 병합 심리 원칙. **~spektrum** *n.* 〖物〗 흡수 스펙트럼. **~vermögen** *n.* 흡수력. **~vorgang** *m.* 흡수 과정.

absorptiv [..tí:f] 《lat.》 *a.* 흡수성의, 흡수할 수 있는.

ab|spalten(*) [ápʃpaltən] 《Ⅰ》 *i.* (s.) 쪼개지다, 분열되다. 《Ⅱ》 *t.* ① 쪼개다. ② 〖化〗 분리〔분열〕시키다. 《Ⅲ》 *refl.* sich ~ 쪼개지다, 분리하다.

Ạbspaltung *f.* -en 분열, 분리.

ạb|spanen *t.* ① (표면을) 깎아 매끈하게 하다. ② ↑ abspänen.

abspänen [ápʃpɛ:nən] *t.* 〔방언〕 젖을 떼다: ein Ferkel ~ 돼지 새끼를 이유(離乳)시키다.

Ạbspann *m.* -(e)s, -e (영화·텔레비전 프로그램 끝의) 제작진 소개(자막) (Nachspann).

ab|spannen[1] [ápʃpanən] 《mhd.》 *t.* 〖드물게〗 이간질하다, 꼬드기다.

***ạb|spannen**[2] 《Ⅰ》 *t.* ① 긴장을 풀다, (팽팽한 것을) 늦추다: den Bogen ~ 활시위를 풀다; 〖軍〗 den Hahn ~ (총의) 공이치기를 내리다; ein Gezelt ~ 천막을 접다. ② 〖드물게〗 (정신·신체 따위를) 이완시키다. ③ 〖드물게〗 지치게〔힘들게〕 하다: diese Arbeit hat mich sehr abgespannt 이 일로 인하여 나는 몹시 피로했다. ④ (소나 말을) 수레에서 풀다: die Pferde vom Wagen ~ 〔den Wagen ~〕 수레에서 말을 풀어 놓다. ⑤ 〖드물게〗 (뼘으로) 재다. ⑥ 〖기술〗 줄을 팽팽히 매어서 떠받치다. 《Ⅱ》 **abgespannt** *p.a.* ↑ abgespannt.

Ạbspann≈isolator *m.* 〖전기〗 전선〔절연〕 애자(碍子). **~leine** *f.* ↑ ~seil. **~mast** *m.* 〖전기〗 전신주(특히 고압선의 철탑). **~seil** *n.* 〖기술〗 (현수막 등의) 양쪽에서 팽팽하게 당기는 줄. **~transformator** *m.* 〖전기〗 변압기. **~werk** *n.* 〖전기〗 변전소.

Ạbspannung *f.* -en ① ↑ abspannen의 명사형. ② 피로, 권태. ③ 〖기술〗 양쪽에서 팽팽히 당기는 줄.

ạb|sapren *t.* 절약해서 …을 구입〔취득〕하다; 아껴 두다: sich[3] et. am 〔vom〕 Munde ~ 먹을 것을 아끼어 무엇을 남기다.

ạb|specken ① *t.* 〔구어〕 (체중을) 줄이다. ② einen Wal ~ 고래의 비계살을 떼어내다.

ạb|speichern *t.* 〖컴〗 (자료를) 저장하다.

ạb|speisen 《Ⅰ》 *i.* (h.) 다 먹어 치우다; 식사를 마치다. 《Ⅱ》 *t.* ① 다 먹어 치우다. ② jn. ~ **(a)** 누구에게 먹을 것을 주어 돌려보내다. **(b)** 〔구어〕 누구를 쫓아내다, 속이다, 따돌리다: jn. mit leeren Worten ~ 누구를 빈말〔감언이설〕로 쫓아 버리다; ich lasse mich nicht so ~ 나는 그런 술수에는 넘어가지 않는다. ③ 〔구어〕 먹이다, 식사하게 하다.

abspenstig [ápʃpɛnstıç] *a.* ① jm. jn. ~ machen 누구에게 누구를 등지게 하다, 이간질하다; jm. sein Mädchen ~ machen 누구의 딸을 꾀어 내다, 유혹하다. ② jm. 〔et.[3]〕 ~ werden 누구를〔무엇을〕 저버리다, 등지다.

ab|sperren [ápʃpɛrən] 《Ⅰ》 *t.* ① (길을) 막다, 차단하다. ② 감금〔격리〕하다. ③ (거래 따위를) 중지하다. ④ (물·가스 등을) 막다. 《Ⅱ》 *refl.* sich von der Welt ~ 세상을 등지다, 칩거하다, 은둔하다.

Ạbsperr≈dienst *m.* 출입 통제 경비 근무. **~graben** *m.* (동물원의) 차단호(壕). **~hahn** *m.* (수도·가스의) 잠그는 꼭지. **~kette** *f.* 차단 대열. **~klappe** *f.* 〖기계〗 폐색판(閉塞瓣). **~kommando** *n.* (군대·경찰의) 차단 담당반. **~mauer** *f.* 차단벽. **~schieber** *m.* 〖기계〗 차단판(瓣).

Absperrung [ápʃpɛruŋ] *f.* -en ① 폐쇄, 차단; 감금, 격리; 은둔. ② 〖商〗 영업 정지〔금지〕. ③ 차단목, 횡목, 목책.

Ạbsperrungs≈apparat *m.* 〖전신〗 차단 장치. **~befehl** *m.* 〖法〗 격리 명령. **~maßregel** *f.* 〖法〗 격리 조치. **~system** *n.* 〖法〗 독방제(制); 〖商〗 영업 금지제.

Ạbsperr·ventil *n.* 차단 밸브.

ạb|spiegeln 《Ⅰ》 *t.* 비추다, 반영〔반사·조명〕하다. 《Ⅱ》 *refl.* sich ~ 비치다, 반영되다; 자기 모습을 비추다.

Ạbspiegelung *f.* -en ① 반사, 반영. ② 영상, 그림자.

Ạbspiel *n.* -s 〖스포츠〗 패스.

ab|spielen [ápʃpi:lən] 《Ⅰ》 *t.* ① 연습 없이 악보를 보고 연주하다. ② 〖연극〗 (연극·장면·역할을) 연기하다. ③ 연주하여〔틀어서〕 닳게 하다: ein altes abgespieltes Klavier (오래) 써서 낡은 피아노. ④ 끝까지 연주하게 하다. ⑤ jm. et. ~ (도박에서) 누구에게서 무엇을 따다. ⑥ 〖구기〗 패스하다. 《Ⅱ》 *i.* (h.) 연주가 끝나다. 《Ⅲ》 *refl.* sich ~ ① (사건이) 벌어지다, 전개되다: 〔구어〕 da spielt sich (bei mir) nichts ab! 그것은 (내게는) 문제되지 않는다! ② 연주하여 지치다.

ạb|spinnen 《Ⅰ》 *t.* (실을) 자아 풀다, 다 잣다: 〔비유〕 eine Erzählung ~ 이야기를 풀어 놓다. 《Ⅱ》 *i.* (h.) 잣기를 끝내다. 《Ⅲ》 *refl.* sich ~ 〔비유〕 계속해서 나타나다, 전개되다.

ạb|spitzen *t.* ① 뾰족하게〔날카롭게〕 하다. ② 〔고어·비유〕 es auf et. ~ 무엇을 목표로 삼다.

Absplịß [ápʃplıs] 《<spleißen》 *m.* ..splisses, ..splisse ① 〖林〗 나무의 어린 가지. ② 〔방언〕 비축재; 파편.

Ạbsplitterling *m.* -s, -e 파편, 부스러기.

ạb|splittern 《Ⅰ》 *t.* 쪼개다, 토막내다. 《Ⅱ》 *i.* (h.)/*refl.* (sich) ~ 쪼개지다, 토막나다.

Absprache [ápʃpra:xə] *f.* -n 협정, 타협.

ạbsprache·gemäß *a.* 협정에 따른.

ab|sprechen [ápʃprɛçən] 《Ⅰ》 *t.* ① jm. et. ~ a) 누구에게 선고하여 무엇을 빼앗다〔박탈

을 선고하다](↔ zusprechen), b) 누구의 무엇을 부인하다: jm. das Leben ~ a) 〖法〗 사형선고를 내리다, b) 〖醫〗 (환자를) 치유 가망이 없다고 포기하다. ② 협의〔타협〕하다. 《Ⅱ》 *i.* (h.) ① über et.〔jn.〕 ~ 무엇〔누구〕에 관하여 혹평〔비난〕하다. ② 말을 끝내다. ③〘고어〙 dem Irrtum ~ 잘못된 말〔것〕을 철회하다.

ạbsprechend *p.a.* 비난〔혹평〕하는; 독단의; 교만한; 무례한: über jn.〔et.〕 ~ urteilen 누구를〔무엇을〕 혹평하다; in ~em Ton reden 교만한 어조로 말하다.

Ạbsprecher *m.* -s, - 혹평가, 독단가.

Ạbsprecherei *f.* -en 독단, 혹평.

ạbsprecherisch *a.* ↑ absprechend.

ạb|spreizen *t.* ①〖광산〗 버팀목으로 받치다. ② (발 따위를) 옆으로 내밀다.

ạb|sprengen 《Ⅰ》 *t.* ① 파열시키다, 폭파하다. ② (전체에서) 분리시키다: 〖軍〗 eine Truppenabteilung ~ 한 부대에 폭격을 가하여 (주력 부대와) 떼어놓다. ③ Blumen ~ 꽃에 물을 주다. 《Ⅱ》 *i.* (s.) 쏜살같이 달려가다.

__ạb|sprießen__ *i.* (h.) ↑ abstammen.

__ạb|springen__ 《Ⅰ》 *i.* (s.) ① 뛰어내리다(↔ aufspringen): von einem Felsen ~ 바위에서 뛰어내리다. ② 파열하다, 튀어 떨어지다〔끊어지다〕: der Knopf〔die Saite〕 sprang ab 단추가 떨어졌다〔현(弦)이 끊어졌다〕. ③ 되튀다; (총알이) 빗나가다: der Ball sprang von der Torlatte ab 공이 크로스바를 맞고 튀어나왔다. ④ 이탈하다, 벗어나다: 〘비유〙 von einem Thema rasch ~ (이야기가) 갑자기 주제에서 벗어나다; von einer Partei ~ 갑자기 탈당하다; spring nicht ab! 요점을 벗어나지 마라! ⑤〘비유〙 돌출하다, 튀다: gegen et. ~ 무엇과 뚜렷이 대비되다. ⑥〘구어〙 돌아서다, 갑자기 물러나다: vor Unterzeichnung eines Vertrages ~ 서명하기 직전에 갑자기 계약을 포기하다. ⑦ (땅을 박차며) 뛰다, 점프하다: mit dem linken Bein ~ 왼발로 점프하다. 《Ⅱ》 *refl.* sich ~ 껑충껑충 뛰어 지치다.

ạbspringend *p.a.* 동떨어진, 난데없는, 튀는.

ạb|spritzen 《Ⅰ》 *i.* (s.) ① 용솟음쳐 나오다, 내뿜다. ② 튀다, 튀겨 나오다. ③〘경박〙 급히 달아나다〔가버리다〕. 《Ⅱ》 *t.* ① 물을 내뿜어 씻어내다. ② (식물에) 약을 치다. ③ (나치 치하에서) 주사로 살해하다: die Häftlinge sind abgespritzt worden 수감자들은 주사로 살해되었다. ④〖요리〗 양념으로 몇 방울 치다.

Ạbsproß *m.* ..sprosses, ..sprosse ↑ Absprößling.

ạb|sprossen *i.* (s.) ↑ abstammen.

Ạbsprößling *m.* -s, -e 자손, 후예.

Ạbspruch [ápʃprux] 《<absprechen》 *m.* -(e)s, ..sprüche 〖法〗 최후 선고, 판결.

Ạbsprung [ápʃprʊŋ] 《<abspringen》 *m.* -(e)s, ..sprünge ① 뛰어 내림, 점프; 뛰어가 버림; 다이빙, (토끼 따위의) 가로 뛰기. ② (총알 따위의) 부딪쳐 되튐; 도약; 빗나감. ③ (이야기 따위의) 주제를 벗어남, 탈선. ④ 목적 변경, 이탈. ⑤ 대조, 돌출, 두드러짐. ⑥〖林〗 (나무의) 어린 가지.

Ạbsprung=balken *m.* 뜀판, 도약판. **~basis** *f.* 〖軍〗 공격 개시 기지. **~bein** *n.* 〖육상〗 점프할 때 힘을 주는 발. **~bombe** *f.* 〖軍〗 (우주 정거장이나 인공 위성에서 발사되는) 투하 유도탄. **~hafen** *m.* (전투기의) 출격 기지. **~höhe** *f.* 〖軍〗 (낙하산의) 낙하 고도. **~linie** *f.* 〖육상〗 (넓이〔삼단〕뛰기의) 도약 경계선. **~raum** *m.* ↑ ~zone. **~schritt** *m.* 〖육상〗 달려서 점프하기 직전의 걸음. **~tisch** *m.* 〖스키〗 점프대. **~zone** *f.* 〖육상〗 도약 지점(뜀판 전후의 너비 80 cm 되는 공간).

ạb|spulen *t.* ① 얼레에서 실을 풀다. ②〘구어〙 (영화를) 상영하다.

Ạbspuler *m.* -s, - 실을 감는 직공.

ab|spülen [ápʃpy:lən] 《Ⅰ》 *t.* ① 씻어내다, 빨다; 헹구다. ② (물이 기슭을) 씻어내리다. 《Ⅱ》 *i.* (h.) 〘방언〙 설겆이하다.

Ạbspülicht *n.* -s, -e 〘고어〙 구정물.

Ạbspülung *f.* -en 〖지질〗 (물에 의한) 지표면 침식.

Ạbspül·wasser *n.* 개숫물, 헹구는 물, (그릇 닦은 뒤의) 구정물.

ạb|spunden *t.* 〖기술〗 방수벽으로 분리〔차단〕시키다.

ạb|spüren *t.* ①〖사냥〗 (짐승의) 흔적을 쫓다. ② jm.〔et.[3]〕 et. ~ 〘雅語〙 누구에게서〔무엇을 보고〕 무엇을 눈치채다: seiner Stimme konnte man die Unsicherheit ~ 목소리에서 그가 불안해한다는 것을 느낄 수 있었다.

ạb|stählen *t.* ①〖제련〗 (쇠를) 불리다. ② 단련시키다.

Abstamm [ápʃtam] *m.* -(e)s 자손, 후예.

__ạb|stammen__ *i.* (s.) ① von jm. ~ 누구의 혈통을 잇다, …의 후손이다. ② von et.[3] ~ 무엇에서 파생〔유래〕하다.

Ạbstämmling *m.* -s, -e 자손, 후예.

Ạbstammung *f.* ① 혈통, 가문: er ist (von) hoher ~ 그는 귀한 집 태생이다. ② 기원, 어원, 유래.

Ạbstammungs=achse *f.* 〖植〗 주축. **~geschichte** *f.* 계통사(史), 진화사. **~klage** *f.* 〖法〗 친자 확인 소송. **~lehre** *f.* 진화론. **~nachweis** *m.* ①〖계보〗 친자 확인. ② (나치 때) 독일〔아리안〕 혈통 증명. ③〖축산〗 혈통 증명. **~prüfung** *f.* 〖法〗 친자 확인 검사. **~tafel** *f.* 계보, 계통도. **~urkunde** *f.* (종축(種畜) 등의) 혈통 증명서, 족보.

ạb|stampfen 《Ⅰ》 *t.* 빻아〔밟아〕 나누다; 충분히 찧다〔밟다〕; 찧어 망가뜨리다. 《Ⅱ》 *i.* (h.) 다 찧다, 다 밟다. 《Ⅲ》 *refl.* sich ~ 찧다가 지치다, 밟다가 지치다.

__Abstand__ [ápʃtant] 《<abstehen》 *m.* -(e)s, ..stände ① (시간·공간의) 거리, 간격; (대인 관계에서의) 거리, 삼가는 태도; 〖天〗 원일점(遠日點), 근일점: in Abständen 간격을 두고, 때때로; ~ halten 간격을 유지하다. ②〘비유〙 차이, 격차: der ~ der Jahre 연령의 차이; mit ~ 훨씬, 월등하게. ③ 포기, 단념: von einer Klage ~ nehmen 고소를 단념하다. ④ 양도, 할양(割讓). ⑤ 변상금, 해약금.

Ạbständer *m.* -s, - 〖林〗 고목(枯木).

Ạbstand·halter *m.* 자전거의 수평 손잡이.

ạbständig *a.* 썩은, 선 채로 말라 죽은; 품질이 나빠진, 곰팡내 나는; 〘비유〙 시세에 뒤진.

Ạbstands=frist *f.* 해약 기간. **~geld** *n.* 해약금. **~linie** *f.* 〖天〗 근〔원〕일선(近〔遠〕日線). **~punkt** *m.* 〖天〗 근〔원〕일점(近〔遠〕日點). **~summe** *f.* 배상금, 위약금. **~winkel** *m.* 〖天〗 이각(離角).

ạb|stapeln 《Ⅰ》 *t.* 퇴적물을 부리다. 《Ⅱ》 *i.* (s.) 〖海〗 진수하다.

*__ab|statten__ [ápʃtatən] *t.* 행하다, 하다; 베풀다, 주다: jm. einen Besuch ~ 누구를 방문하다; jm. seinen Dank ~ 누구에게 감사하다; eine Schuld ~ 빚을 갚다.

Abstattung *f.* 행함, 베풂.

ab|stauben *t.* ① …의 먼지를 털다. ②〖경박〗부정한 방법으로 갖다, 몰래 손에 넣다. ③〖축구〗운좋게 힘들이지 않고 골을 넣다. ④〖방언〗욕하다, 꾸짖다. 《Ⅱ》*i.* (s.) 먼지처럼〔먼지가 되어서〕 흩날리다.

Abstauber *m.* 운좋게 골을 넣은 선수.

Abstäuber *m.* -s, - 먼지떨이, 총채.

Abstauber·tor *n.*〖축구〗행운골.

ab|stauen *t.* (강물을) 가로막다.

Abstech·eisen *n.*〖광산〗쇠발고무래;〖원예〗모종 삽, (제초용의) 호미.

ab|stechen* [ápʃtɛçən] 《Ⅰ》*t.* ① (무엇의 일부를) 찔러 떼어내다: Erdschollen ~ 땅을 파내다;〖軍〗ein Lager ~ 진지를 구축하기 시작하다. ② 구멍을 뚫어 흘러나오게 하다: Bier aus dem Faß ~ 통의 마개를 뽑아 맥주를 흘러나오게 하다; einen Teich ~ 연못물을 빼내다. ③ (짐승을) 도살하다. ④ jn. ~ (중세의 무술 경기에서) 누구를 창으로 찔러 말에서 떨어뜨리다;〖학생〗(결투에서) 이기다;〖카드〗으뜸패로 잡다. ⑤ (모양 따위를) 조각침(針)으로 찔러서 새기다. ⑥ (총에) 안전 장치를 하다. 《Ⅱ》*i.* ① (h.) gegen et. 〔mit et.³, von et.³, zu et.³〕 ~ 무엇과 뚜렷한 대조를 이루다, 현격한 차이가 나다: zwei Farben, die gegeneinander ~ 서로 대조를 이루는 두 가지 빛깔. ② (s.) **(a)**〖海〗vom Schiff〔Land〕 ~ 보트로 배에서 떨어져 가다〔삿대로 밀어 육지에서 떨어져가다〕. **(b)** 예정한 코스를 벗어나서 여행하다. **(c)** (총에) 안전 장치가 되어 있다. 《Ⅲ》*refl.* sich ~ 뚜렷한 대조를 이루다: eine Farbe sticht sich von einer andern ab 어떤 빛깔이 다른 빛깔과 두드러지게 대조를 이루고 있다.

Abstecher *m.* -, - ① 찌르는 도구〔사람〕; ↑ Abstecheisen. ② (예정 밖의 곳에 들러가는) 들림길, 여행; einen ~ machen 들르다. ③〖연극〗가설 극장에서의 연극.

Abstech≈graben *m.*〖軍〗진지를 구획하는 참호. **~messer** *n.* 도살용 칼. **~pflug** *m.* 쟁기.

Abstechung [ápʃtɛçʊŋ] *f.* -en 차이, 상반, 현저한 대조.

Absteck·eisen *n.* 쇠막대기, 철제의 말뚝.

ab|stecken [ápʃtɛkən] *t.* ① die Jungen ~ 새끼 짐승을 젖떼다. ②〖재봉〗(옷에) 핀을 꽂아 깁는 곳을 표시하다. ③ 말뚝으로 표시하다, 경계를 지우다: ein Gebiet ~ (측량을 위해) 어느 지역을 말뚝으로 표시하다;〖비유〗sich³ das Programm für seine Arbeit ~ 일의 계획을 세우다;〖軍〗eine Schanze ~ 보루 공사를 시작하다.

Absteck≈fähnchen *n.* (지도에 위치를 표시하는) 종이 깃발; 측량기(旗). **~kette** *f.* 측량용 사슬. **~leine** *f.* 측량용 줄. **~linie** *f.* 구획선. **~pfahl** *m.* 구획 말뚝. **~pflock** *m.* ↑ ~pfahl. **~schnur** *f.* ↑ ~leine. **~stab** *m.*, **~stange** *f.* 측량용 푯말.

Absteckung [ápʃtɛkʊŋ] *f.* -en 표지(標識), 푯말; 측량.

__ab|stehen__ 《Ⅰ》*i.* (s.) ① (von et.³〔jm.〕) 떨어져 있다;〖비유〗(정신적·사회적으로) 고립해 있다. ②〖사냥〗나무에서 날아가 버리다. ③ (때로 h.) von et.³ ~ 무엇을 포기〔중지〕하다: er ist〔hat〕 von seinem Recht abgestanden 그는 자신의 권리를 포기했다, 기권했다. ④ (von) jm. ~ 누구를 등지다, 협력을 거절하다. ⑤ (식물·물고기 따위가) 시들다, 죽다: ein abgestandener Fisch 썩은 물고기. ⑥ (오래 묵혀 두어서) 품질이 나빠지다; (특히 음식물의) 맛이 변하다: das Bier ist abgestanden 이 맥주는 김이 빠졌다. 《Ⅱ》*t.* ①〖구식〗et. ~ (…의 보수로) 무엇을 양도하다. ②〖구어〗seine Zeit ~ (당직·보고·근무 따위로) 정해진 시간을 줄곧 서 있다. 《Ⅲ》*refl.* sich ~〔sich³ die Beine ~〕 오래 서 있어서 지치다. 《Ⅳ》 **abgestanden** *p.a.* ↑ abgestanden.

abstehend *p.a.* (거리상) 떨어진: ~e Ohren 쫑긋 세워진 귀, 좌우로 펼쳐진 귀.

Absteher *m.* -s, - ①〖法〗양도자. ②〖곡예〗(머리를 다른 사람의 무릎이나 발 사이에 넣은 채) 몸을 수평으로 하는 자세.

ab|stehlen* *t.* jm. et. ~ 누구에게서 무엇을 훔치다: dem lieben Gott die Tage ~ 빈둥거리며 지내다; sich³ die Zeit ~ 틈을 내다.

ab|steifen *t.* ① 기둥으로 받치다. ② 빳빳하게 하다: Wäsche ~ 세탁물에 풀을 먹이다.

Absteifung *f.* -en ① ↑ absteifen 의 명사형. ② 받침 각목.

Absteige *f.* -n ① (값싼) 임시 숙소, 여인숙. ② 창녀집.

Absteige·haus *n.* ↑ Absteige.

__ab|steigen__ [ápʃtaɪgən] *i.* (s.) ① (↔ aufsteigen) 내리다, 내려가다: vom Wagen ~ 하차하다; ins Tal ~ 골짜기로 내려가다. ② 들르다, 묵다, 머무르다: bei jm. ~ 누구의 집에 머무르다. ③ 몰락하다. ④〖스포츠〗(팀의) 등급이 내려가다: der Verein ist in der vorigen Saison abgestiegen 그 팀은 지난 시즌에 하위 리그로 떨어졌다.

absteigend *p.a.* 하강하는, 내려가는:〖天〗~er Knoten 강교점(降交點);〖法〗~e Linie 비속, 자손; er ist schon auf dem ~en Ast 그는 쇠퇴〔몰락〕하고 있다.

Absteige≈perron *m.*〖철도〗도착 승강장〔플랫폼〕. **~platz** *m.*, **~quartier** *n.*, **~wohnung** *f.* ↑ Absteige ①. **~zimmer** *n.* 대합실.

Absteiger *m.* -s, - 하위 리그로 떨어진 팀.

Absteigung *f.* -en ↑ absteigen 의 명사형.

Abstell·bahnhof *m.*〖철도〗조차역(操車驛), 열차 편성장(場).

abstellbar *a.* 제거할 수 있는; 개선〔시정〕할 수 있는.

*__ab|stellen__ [ápʃtɛlən] *t.* ① 떼어 놓다, 제쳐 놓다; 내려 놓다: den Koffer ~ 가방을 내려 놓다. ② (라디오·전화 등을) 끄다, 끊다, 잠그다; (차량을) 잠시 세워놓다: das Wasser ~ 물을 잠그다; eine Maschine ~ 기계 운전을 멈추다; das Jagen ~ 사냥을 중지하다; das Fahrrad im Hof ~ 자전거를 마당에 세우다. ③ (폐단·악습을) 제거하다, 시정하다. ④ et. auf et. ~ 무엇을 무엇(어떤 목적)에 맞추다: das Programm ist ganz auf den Publikumsgeschmack abgestellt 그 프로그램은 전적으로 시청자〔관객〕의 취향에 맞추어졌다.

Abstell≈gleis *n.*〖철도〗대피선, 측선: jn.

〔et.〕 auf das 〔aufs, auf ein〕 ~ schieben 누구가〔무엇이〕 영향력을 잃게 하다, 누구를 좌천시키다. **~hahn** *m.* (물·가스를) 잠그는 꼭지. **~hebel** *m.* (타자기의) 행간 조절 레버. **~kammer** *f.* (잡동사니를 넣어두는) 광, 다용도실. **~platz** *m.* 임시 주차장. **~raum** *m.* 헛간, 광. **~tisch** *m.* 식기 반납대.

Abstellung [ápʃtɛluŋ] *f.* -en ↑ abstellen 의 명사형.

Ạbstell·vorrichtung *f.* 정지〔차단〕 장치.

Ȧbstẹmius 《lat.》 *m.* -, ..mii 금욕주의자.

ạb|stemmen *t.* 끌로 쪼아내다.

ạb|stempeln *t.* ①…에 스탬프를〔소인을〕 찍다: Briefmarken ~ 우표에 소인을 찍다. ② 낙인찍다, 단정하다: jn. als Feigling ~ 누구를 겁쟁이라고 낙인찍다.

Ạbstempelung *f.* -en 날인; 낙인, 단정.

Ȧbstention [apstɛntsió:n] 《lat.》 *f.* -en 〖法〗 (상속의) 기권; 회피.

ạb|steppen *t.* 꿰매어 잇다, 누비다.

__ạb|sterben__ 《Ⅰ》 *i.* (s.) ① 사멸〔소멸〕하다; 〖植〗 말라 죽다. ② 마비되다, 감각을 잃다. ③ et.³ ~, für〔gegen〕 et. ~ 무엇에 대해 무감각〔둔감〕해지다: der Welt ~ 세상을 등지다, 은둔하다. 《Ⅱ》 **ạbgestorben** *p.a.* ↑ abgestorben.

Ạbsterben *n.* -s 사멸, 소멸.

Ȧbstergens [apstérgɛns] 《lat.》 *n.* -, ..gentien [..gɛ́ntsiən] 〖醫〗 세정제(洗淨劑), 하제(下劑).

ab|stergieren [apstɛrgí:rən] *t.* 세정(洗淨)하다, 하제(下劑)를 쓰다.

Abstersion [..zió:n] *f.* -en 〖醫〗 세정(洗淨), 변통.

ạb|steuern 〔구식〕《Ⅰ》 *t.* 방향을 틀다; (배를) 저어 끌어내다. 《Ⅱ》 *i.* (h./s.) 저어 나가다.

Abstich [ápʃtɪç] 《<abstechen》 *m.* -(e)s, -e ① 찔러냄, 파냄. ②〖제련〗 용광로에서 쏟아 비움. ③ (통 따위의) 마개를 뽑음; 포도주를 찌꺼기에서 분리하기. ④〔고어〕 차이, 대조.

ạb|sticken *t.* (어떤 문양을) 자수(刺繡)로 본뜨다.

__ạb|stieben__(*) *i.* (s.) ① 먼지처럼 흩날리다. ② 〖사냥〗 날아가 버리다.

ạb|stiefeln *i.* (s.) 〔구어〕 힘찬 걸음으로 떠나가 버리다.

Abstieg [ápʃti:k] *m.* -(e)s, -e 하강; 내리막길; 몰락, 쇠퇴; 〖스포츠〗 하위 그룹으로 내려감: unsere Fußballmannschaft ist vom ~ bedroht 우리 축구팀은 하위 그룹으로 내려갈 위험에 처해 있다.

ạbstiegs·gefährdet *a.* 〖스포츠〗 하위 그룹으로 떨어질 위험이 있는.

ab|stillen *t.* 젖을 떼다: ein Kind ~ 아이를 이유(離乳)시키다.

Ạbstimm≈anzeiger *m.*, **~anzeige·röhre** *f.* (라디오의) 동조(同調) 지시 장치(매직아이 따위). **~automatik** *f.* (라디오의) 자동 동조(同調) 장치.

__ab|stimmen__ [ápʃtɪmən] 《Ⅰ》 *i.* (h.) ① (über et.) 투표〔표결〕하다: ~ lassen 표결에 부치다. ② 반대〔부인〕하다. 《Ⅱ》 *t.* ①〖음악〗 Glocken ~ a) 종의 음조를 맞추다, b) 음을 낮추다. ②〖전기〗 동조(同調)하다. ③〖商〗 (장부를) 맞추다.

ạbstimmig *a.* 〔구식〕 조화〔일치〕되지 않는, 음조가 맞지 않는.

Ạbstimm≈knopf *m.* 동조 버튼. **~kondensator** *m.* 동조 콘덴서. **~kreis** *m.* 동조 회로. **~schärfe** *f.* 동조 정확도. **~verstärker** *m.* 동조 보강 장치. **~vorrichtung** *f.* 동조 장치.

__Abstimmung__ [ápʃtɪmuŋ] *f.* -en ① 투표, 표결: eine öffentliche〔geheime, namentliche〕 ~ 공개〔비밀, 기명〕 투표; einen Antrag zur ~ bringen 제안을 투표에 부치다. ② 조정; 〖전기〗 동조.

Ạbstimmungs≈buch *n.* 결의록. **~ergebnis** *n.* 투표 결과. **~gebiete** *pl.* 주민 자치 구역. **~leiter** *m.* 선거 위원장. **~niederlage** *f.* 투표에서의 패배. **~organ** *n.* 의결 기관. **~sieg** *m.* 투표에서의 승리. **~strom·kreis** *m.* 〖전기〗 동조(同調) 회로. **~vorrichtung** *f.* 〖전기〗 동조기(器). **~zeichen** *n.* 표결 기호. **~zettel** *m.* 투표 용지.

abstinent [apstinɛ́nt] 《lat.》 *a.* 금욕의, 절제하는, 삼가는.

Abstinẹnt *m.* -en, -en 금욕주의자, 금주가(家).

Abstinẹntin *f.* -nen ↑ Abstinent 의 여성형.

Abstinẹnz *f.* 금욕, 금주, 절제.

Abstinẹnz≈bewegung *f.* 금주 운동. **~erscheinung** *f.* 〖醫〗 금단 증상.

Abstinẹnzler *m.* -s, - 〔폄어〕 금욕주의자, 금주가(家).

Abstinẹnz≈tag *m.* 〖가톨릭〗 금육재일(日), 금주일. **~theorie** *f.* 〖經〗 제욕설(制慾說) (이윤은 소비 욕구를 절제한 데 대한 보상이라는 이론).

ạb|stinken 《Ⅰ》 *i.* (s.) 〔비속〕 ① 악취를 풍기며 사라지다: stink ab! 꺼져! ② 죽다, 뒈지다. ③ jn. ~ lassen 누구와 절교하다, 누구의 소망을 매몰차게 거절하다. 《Ⅱ》 *t.* 〖연극〗 (배우나 극작품을) 퇴짜놓다.

ạb|stippen *t.* den Teller ~ 접시의 것〔수프·크림〕을 (빵으로) 살짝 찍어 바르다.

ạb|stöbern *t./i.* (s.) 먼지를 떨다.

ạb|stöckeln *t.* 막대기로 쳐서 떨어뜨리다.

ạb|stocken *t.* einen Wald ~ 숲의 나무를 베어서 (높이 1 m 정도의) 그루터기만 남기다.

ạb|stolzieren *i.* (s.) 으스대며 사라지다.

ạb|stopfen *t.* 〖軍〗 사격을 중지시키다.

ạb|stoppeln *t.* 〖農〗 ein Feld ~ 밭에 떨어진 이삭을 주워 모으다.

ạb|stoppen 《Ⅰ》 *t.* ① 멈추게 하다, 정지시키다. ② 스톱 워치로 재다: die Läufer ~ 스톱 워치로 주자(走者)의 시간을 재다. 《Ⅱ》 *i.* (s.) (차가) 멈추다.

Abstoß [ápʃto:s] *m.* -es, ..stöße ① 밀어뜨림, 밀쳐냄. ②〖축구〗 골킥; 〖럭비〗 드롭아웃.

Ạbstoß≈baum *m.* (제혁공의) 받침대. **~bein** *n.* 〖육상〗 (넓이뛰기나 장애물 경기에서 점프할 때) 땅을 차는 발. **~eisen, ~messer** *n.* 제혁공의 삭도(削刀).

__ab|stoßen__ [ápʃto:sən] 《Ⅰ》 *t.* ① 밀쳐내다, 떨어뜨리다: das Boot vom Ufer ~ 보트를 밀어서 물가에서 떠나가게 하다; die Schlange stößt ihre Haut ab 뱀이 허물을 벗는다; Kanten von Steinen ~, Steine ~ 석재의 모서리를 매끈하게 깎다; 〔비유〕 jm. das Herz ~ 누구의 마음을 아프게 하다; sich³ die Hörner ~ a) 뿔을 부딪쳐 분지르다, b) 〔비

유』 혈기를 억제하다. ② jn. ~ 누구의 비위를 상하게 하다. ③ (옷 따위를) 입어 닳게 하다. ④ (빚을) 갚다; (상품을) 값싸게 팔아 넘기다, 처분하다. ⑤ (새끼 양을) 이유(離乳)시키다. ⑥『樂』 eine Note ~ 어떤 악보를 단음적(斷音的)으로 연주하다. ⑦『육상』 (투포환을) 던지다; 『축구』 den Ball ~ 골킥하다. 《Ⅱ》 *i.* (h./s.) (배가) 떠나다. 《Ⅲ》 *refl.* sich ~ ① 닳다, 해어지다. ② 반동을 붙여서 껑충 뛰다.

abstoßend *p.a.* 지긋지긋한, 혐오스러운, 반감을 일으키는; 거부적인; 『物』 반발적인.

Abstoßung *f.* -en 밀쳐내기; 거부, 싫어함; 『物』 반발; 『樂』 스타카토, 단음(斷音).

ab|strafen *t.* 처벌하다, 징벌하다.

Abstrafung *f.* -en 처벌.

abstrahieren [apstrahí:rən] 《lat.》 *t./i.* (h.) ① 추상하다, 개념화하다, 일반화하다. ② von et.³ ~ 무엇을 도외시하다.

Abstrahl [ápʃtra:l] *m.* -(e)s 〖시어·구식〗 반사광(光).

ab|strahlen 《Ⅰ》 *t.* (빛을) 반사하다, 복사(輻射)하다. 《Ⅱ》 *i.* 〖비유〗 영향을 미치다.

Abstrahlung *f.* -en 반사, 복사(輻射).

***abstrakt** [apstrákt] 《lat.》 *a.* 추상적(抽象的)인(↔ konkret), 개념적인; 난해한; 『法』 무인(無因)의: ~e Kunst 추상 예술; das ~e Geschäft〔Klagerecht〕 무인 행위〔추상적 소권(訴權)〕.

Abstraktheilt *f.* 추상성.

Abstraktion [..tsió:n] *f.* -en ① 추상화(化), 개념화; 추상적 개념.

Abstraktum [..tum] *n.* -s, ..ta 추상 개념; 『문법』 추상 명사.

ab|strampeln *refl.* 〖구어〗 sich ~ 안간힘을 쓰다, 몹시 애쓰다.

ab|strängen *t.* (소나 말을) 수레에서 풀다(↔ ansträngen): die Pferde ~ 마구(馬具)를 벗기다, 말을 마차에서 풀다.

ab|strapazieren 《Ⅰ》 *t.* ① 써서 해어뜨리다. ② 혹사시키다, 힘들게 하다: du hast deine Nerven sehr abstrapaziert 너는 신경을 너무 썼다. 《Ⅱ》 *refl.* sich ~ 너무 애쓰다.

Abstrebe·kraft *f.* 『物』 원심력(遠心力).

ab|streben 《Ⅰ》 *i.* (h.) 벗어나려고 애쓰다: von et.³ ~ 무엇에서 벗어나려고 애쓰다. 《Ⅱ》 *t.* 기둥으로 받치다.

Abstreich [ápʃtraiç] *m.* -(e)s, -e ① 평미레. ② 역(逆)경매(값을 차차 내려 부르는 경매법).

Abstreich·eisen *n.* 긁어〔닦아〕내는 도구.

ab|streichen* [ápʃtraiçən] 《Ⅰ》 *i.* ① (s.) **(a)** (맹금(猛禽) 따위가) 스치고 날다 **(b)** (새가) 날아가 버리다. ② (h.) (물고기가) 산란을 끝내다. ③ (h.) 〖구식〗 an et.³ auf- und abstreichen 무엇을 쓰다듬다. 《Ⅱ》 *t.* ① 닦아〔털어〕 내다; (곡식을) 평미레로 고르게 하다. ② 삭감〔삭제〕하다: von einer Summe 100 Mark ~ 어떤 금액에서 100 마르크를 삭감하다. ③ (채찍으로) 후려치다. ④ 샅샅이 뒤지다: ein Feld ~ (사냥꾼이 사냥감 특히 조류를 찾아) 들판을 샅샅이 뒤지다, (맹금이) 들판을 날아다니며 먹이를 찾다. ⑤『軍』 소사(掃射)하다.

Abstreicher *m.* -s, - (신발에 묻은 흙을 터는) 매트; 깎는〔비비는〕 사람; 깎는〔긁어내는〕 기구; 평미레.

Abstreich=holz *n.* 평미레. **~löffel** *m.* 더껑이를 걷는 국자, 물뜨는 국자. **~maß** *n.* 평미레로 밀어서 된 양(量). **~riemen** *m.* 칼을 가는 가죽.

abstreifbar *a.* 벗길 수 있는.

ab|streifen 《Ⅰ》 *t.* ① 벗기다, …의 가죽을 벗기다: Tieren das Fell ~ 〔Tiere ~〕 짐승의 가죽을 벗기다. ② 벗다: Kleider ~ 옷을 벗다; die Schlange streift die Haut ab 뱀이 허물을 벗다. ③ 〖비유〗 잘라내다; 버리다: Vorurteile ~ 선입견을 버리다. ④ eine Gegend nach et.³ ~ 무엇을 찾아 어떤 곳을 샅샅이 뒤지다〔배회하다〕. ⑤ 〖구어〗 털어서 깨끗이하다. ⑥ 『스포츠』 수비를 따돌리다. 《Ⅱ》 *i.* (s.) 길을 헤매다, 옆길로 빗나가다.

Abstreifer *m.* -s, - 〖고어〗 ① ↑ Abstecher. ② (신발에 묻은 흙을 터는) 매트.

ab|streiten* *t.* ① jm. et. ~ 누구에게서 무엇을 소송으로 취득하다. ② jm. et. ~ 누구의 무엇을〔소유·권리를〕 부인하다, 인정하지 않다: er ist ein guter Maler, das kann ihm keiner ~ 그는 훌륭한 화가다. 그것은 그 누구도 인정하지 않을 수 없다; das lasse ich mir nicht ~ 그 점을 양보할 수는 없다.

Abstrich [ápʃtrıç] *m.* -(e)s, -e ① 닦아내기. ② (Abzug) 감액, 할인, 삭제: am Haushaltsplan wurden einige ~e gemacht 예산안 가운데 몇 가지가 삭감되었다. ③ (글자에서) 아래쪽으로 그은 획. ④ 『광산』 쇠똥. ⑤ 『醫』 (검사를 위한) 조직의 채취; 채취한 검사용 조직. ⑥ 『樂』 (현악기의) 활을 아래쪽으로 그음(↔ Aufstrich).

ab|stricken 《Ⅰ》 *t.* ① eine Nadel ~ 한 개의 대바늘의 코가 다 없어질 때까지 뜨다. ② ein Muster ~ 본을 보고 뜨다. 《Ⅱ》 *i.* (h.) 다 뜨다, 다 짜다.

ab|striegeln *t.* ① ein Pferd ~ 말의 털을 빗기다, 솔질하다. ② 〖구어〗 jn. ~ 누구를 때려 눕히다, 학대하다.

Abstrom [ápʃtro:m] *m.* -(e)s, ..ströme 흘러감 ; 『海』 썰물; 『空』 세류(洗流).

ab|strömen 《Ⅰ》 *i.* (s.) ① (가스·물 등이) 흘러가다: abströmender Regen 흘러내리는 빗물. ② (물이) 빠지다, 줄어들다: endlich strömte das Wasser ab 드디어 물이 빠졌다. ③ 〖비유〗 (군중이) 흩어지다, 해산하다. 《Ⅱ》 *t.* (바닷가를) 씻어내리다.

abstrus [apstrú:s] 《lat.》 *a.* 혼란한; 난해한.

ab|stückeln 《Ⅰ》 *t.* 잘게 부수다, 붕괴시키다. 《Ⅱ》 *refl.* sich ~ 붕괴하다.

abstücken *t.* ↑ abstückeln.

ab|studieren *refl.* sich ~ 공부하다 지치다.

***ab|stufen** 《Ⅰ》 *t.* ① 층계를 내다〔달다〕: das Gelände ~ 지형을 계단식으로 만들다. ② …의 등급을 매기다. ③ (색채에) 명암·음영(陰影)을 나타내다, 바림을 하다. 《Ⅱ》 *refl./i.* (s.) (sich) ~ 층계를〔등급을〕 이루다; 명암〔음영〕이 있다.

***Abstufung** *f.* -en 단계, 등급; 명암, 음영, 뉘앙스; 『樂』 전조(轉調).

ab|stumpfen 《Ⅰ》 *t.* ① 끝을 잘라내다; 무디게〔무신경하게〕 하다: eine Schneide ~ 날을 무디게 하다; seine Gefühle ~ 감정을 무디게 하다. ② 약화시키다; (술 따위로) 마비시키다. ③ 『化』 중화하다. 《Ⅱ》 *refl./i.* (s.) 무뎌지다, 무감각해지다. 《Ⅲ》 **abgestumpft** *p.a.* ↑ abgestumpft.

Abstumpfung *f.* 둔화; 약화; 마비.

ạb|stürmen 《Ⅰ》 *t.* jm. et. ~ 누구에게서 무엇을 강탈하다. 《Ⅱ》 *i.* (s.) 재빨리 떠나가 버리다. 《Ⅲ》 *refl.*/*i.* (h.) (sich) ~ (감정이) 가라앉다: es hat (sich) abgestürmt 폭풍이 가라앉았다.

Absturz [ápʃturts] *m.* -es, ..stürze ① 낙하, 추락: zum ~ bringen 추락시키다. ② 낭떠러지. ③〖컴〗 작동 정지.

ab|stürzen [ápʃtʏrtsən] 《Ⅰ》 *t.* 추락시키다, 떨어뜨리다: sich³ den Hals ~ 굴러 떨어져 목을 삐다; eine Schüssel ~ 주발의 뚜껑을 벗기다. 《Ⅱ》 *i.* (s.) ① 추락하다, 떨어지다. ② 가파르다, 낭떠러지를 이루다.

ạb|stutzen 《Ⅰ》 *t.* 짧게 깎다〔베다〕, (끝을) 자르다: einem Vogel die Flügel ~ 새의 날개를 자르다; Haar ~ 이발하다. 《Ⅱ》 **ạbgestutzt** *p.a.* ↑ abgestutzt.

ạb|stützen *t.* 버팀목으로 받치다.

ạb|suchen *t.* ① (과실 따위를) 찾아서 따다; 찾아서 잡아내다: einem Baum Raupen ~ 수목의 모충(毛蟲)을 잡아내다. ② 샅샅이 뒤지다;〖軍〗 수색하다: ein Feld nach Wild ~ 짐승을 잡으러 들판을 샅샅이 뒤지다.

Absud [ápzu:t, apzú:t] 《<absieden》 *m.* -(e)s, -e〖醫〗〔구식〕 달인〔끓인〕 액즙〔약제〕.

ạb|sumieren 《lat.》 *t.* 소비〔소모〕하다.

Ạbsumption *f.* -en 소비, 소모.

absurd [apzʊ́rt] 《lat.》 *a.* 불합리한, 이치에 어긋난; 허무맹랑한: ~es Theater 부조리극.

Absurdität [..ditɛ́:t] *f.* -en 불합리, 부조리; 사리에 맞지 않는 언행.

ạb|süßen *t.*〔드물게〕 달게 하다, 설탕을 치다;〖工〗 (물로) 산(酸)〔염분〕을 씻어내다.

abszedieren [apstsedí:rən] 《lat.》 *i.* (s.)〖醫〗 곪다.

Abszẹß *m.* ..zesses, ..zesse〖醫〗 농양(膿瘍).

Abszẹss 新정서 ⇦ Abszeß.

Abszẹß=haut *f.* 농양막(膿瘍膜). **~wand** *f.* 농벽(膿壁).

abszindieren [apstsɪndí:rən] 《lat.》 *t.* 잘라내다.

Abszịß *m.* ..zisses, ..zisse ((Kreis)abschnitt)〖數〗 호(弧).

Abszịss 新정서 ⇦ Abszịß.

Abszịsse *f.* -n〖數〗 횡(橫)좌표.

Abszịssen·achse *f.* 횡좌표 축, 엑스(x)축, 횡축.

***Abt** *m.* -(e)s, Äbte [ɛ́ptə] 수도원장.

Abt. =Abteilung 과(科), 분과, 부문.

abt.. ↑ abts...

ạb|tafeln *i.* (h.) 식사를 마치다.

ab|takeln [ápta:kəln] 《Ⅰ》 *t.*〖海〗 (배의) 의장(艤裝)을 풀다, 독에 넣다:〔비유〕 jn. ~ 누구를 면직하다. 《Ⅱ》 **ạbgetakelt** *p.a.* ↑ abgetakelt.

Ạbtakelung *f.* -en 의장(艤裝); 면직.

ạb|tanken *t.* (가스·물을) 탱크에서 빼내다.

ạb|tanzen 《Ⅰ》 *t.* ① einen Walzer ~ 왈츠를 추다. ② sich³ die Beine〔Sohlen〕 ~ 다리가 아프도록〔발바닥이 닳도록〕 춤을 추다. 《Ⅱ》 *i.* ① (s.) 가버리다; 죽다. ② (h.) 춤을 끝내다〔그치다〕. 《Ⅲ》 *refl.* sich ~ 실컷〔지치도록〕 춤추다.

Ạbtast·dose *f.* (전축 따위의) 픽업.

ạb|tasten *t.* ① (손으로) 더듬어 찾다, 탐색하다: jn. nach versteckten Waffen ~ 무기를 숨기고 있지 않은지 누구를 몸수색을 하다. ②〖스포츠〗 탐색전을 벌이다. ③ (텔레비전·전송사진을 송신하기 위해) 주사(走査)하다. ④〖醫〗 촉진하다.

Ạbtastung *f.* -en 탐색, 주사.

ạb|tauen 《Ⅰ》 *t.* (얼음·눈 따위를) 녹이다: den Kühlschrank ~ 냉장고에 낀 성애를 제거하다. 《Ⅱ》 *i.* (s.) 녹다: die Fenster sind abgetaut 창문의 결빙이 녹았다.

ạb|taumeln *i.* (s.)〔드물게〕 비틀거리며 떠나다.

Abtausch [áptauʃ] *m.* -(e)s, -e 교환, 교역;〖장기〗 같은 등급의 말끼리 맞바꾸기.

ạb|tauschen *t.* jm. et. ~ 누구와 교환〔교역〕하여 무엇을 얻다.

Ạbtauschung [áp..] *f.* -en 교환, 교역.

Äbtchen [ɛ́ptçən] *n.* -s, -〔↑ Abt 의 축소형〕 소(小)수도원장.

Abtei [aptáɪ] *f.* -en ① 대수도원. ② 대수도원장직. ③ 대수도원령(領).

Abtei·kirche *f.* 대수도원〔승원〕 부속 교회.

***Abteil** [aptáɪl, áptaɪl] *n.* -(e)s, -e ①〖철도〗 칸막이한 열차의 객실: das ~ für Raucher 흡연실. ②〔구어〕 객실의 손님들.

ạbteilbar *a.* 분할할 수 있는.

***ạb|teilen** *t.* ① 구분하다, 분할하다: ein Buch in Kapitel ~ 책을 장(章)으로 구분하다; Haare ~ 가르마를 타다. ②〔구식〕 jn. ~ 누구에게 무엇을 나누어 주어 설득시키다.

abteilich *a.* 대수도원(령(領))의, 대수도원장의.

Abteil·tür *f.*〖철도〗 칸막이 객실의 문.

***Abteilung**[1] [áptaɪlʊŋ] *f.* 나누기, 구분, 분류.

Ạbteilung[2] *f.* -en ① (관청 따위의) 국, 부, 과; 분과, 부서. ②〔드물게〕 (책 등의) 편, 장, 절. ③〔드물게〕〖철도〗 객실. ④〖軍〗 부대, 분대, 대대. ⑤〖動·植〗 유(類). ⑥〔드물게〕 (학문 등의) 분야.

Ạbteilungs=chef *m.* ↑ ~leiter. **~führer** *m.*〖軍〗 분대장. **~kolonne** *f.*〖軍〗 대대 종대(縱隊). **~kommandeur** *m.*〖軍〗 부대장, 포병 대대장. **~leiter** *m.* 국장, 부장, 과장. **~sitzung** *f.* 분과 모임. **~unterricht** *m.* 각 학년 합반 수업. **~vorstand** *m.* 국〔과·부〕의 수뇌부. **~vorsteher** *m.* ↑ ~leiter. **~zeichen** *n.* 분리 기호; 하이픈.

ạb|telefonieren *i.* (h.)〔구어〕 (jm.) (누구에게) 전화로 취소하다.

ạb|telegrafieren 《Ⅰ》 *t.*〔드물게〕 전보를 치다. 《Ⅱ》 *i.* (h.) (jm.) (누구에게) 전보로 취소하다.

ạb|telegraphieren *t.*/*i.* (h.) ↑ abtelegrafieren.

ạb|telephonieren *i.* (h.) ↑ abtelefonieren.

Ạbtestat *n.* -(e)s, -e〔구식〕 (대학의) 수강 확인.

ạb|testieren *t.* 수강 확인을 하다.

ab|teufen [áptɔʏfən] *t.*〖광산〗 einen Schacht ~ 수직갱을 파내려가다.

ạb|tiefen *t.* ↑ abteufen.

ab|tilgen [áptɪlgən] *t.* 없애다, 제거하다: eine Schuld ~ 빚을 다 갚다.

Ạbtin *f.* -nen〔고어〕 ↑ Äbtissin.

ab|tippen [áptɪpən] *t.*〔구어〕 타자기로 찍다.

Äbtissin 《<Abt》 *f.* -nen 수녀원장.

ạ̈btlich *a.* 수도원의, 수도원장의.

ab|toben *i.* (h.) / *refl.* (sich) ~ ① (물결이) 가라앉다. ② 분에 못이겨 지치다.

ab|toffeln [áptɔfəln] 《<Toffel》 *t.* 〖구어·드물게〗 바보 취급하다, 면박하다.

*__ab|tönen__ [áptø:nən] 《Ⅰ》 *t.* ① 색조를 변화시키다; 음영〔명암〕을 나타내다; 〖비유〗 조화시키다. ② 단조롭게 칠하다. 《Ⅱ》 **abgetönt** *p.a.* ↑ abgetönt.

Abtönung *f.* -en 색조의 변화, 뉘앙스.

ab|töten 《Ⅰ》 *t.* ① (신경·세균 따위를) 죽이다. ② 〖비유〗 억제하다: das Fleisch〔Gefühl〕 ~ 육욕〔감정〕을 억제하다. 《Ⅱ》 *refl.* sich ~ 수척해지다.

Abtötung *f.* -en ① ↑ abtöten 의 명사형. ② 금욕; 고행.

ab|traben 《Ⅰ》 *i.* (s.) (말을 타고) 속보로 가다; 질풍처럼 사라지다. 《Ⅱ》 *refl.* sich ~ 너무 달려 지치다.

Abtrag [áptra:k] *m.* -(e)s ① 운반; 〖樂〗 발굴, 개착, 땅고르기. ② (식사의) 뒷수쇄; 먹고 남은 반찬. ③ 지급, 보수, 배상. ④ 〖雅語〗 손해(액): jm. ~ tun 누구에게 손해를 끼치다. ⑤ (schweiz.) (**a**) 불일치, 차이. (**b**) 수익.

__ab|tragen__ [áptra:gən] 《Ⅰ》 *t.* ① 〖드물게〗 부리다, 내리다. ② 옮겨지다, 운반하다: (**a**) (식탁 따위를) 치우다. (**b**) 〖數〗 (선·각·도형을) 전사(轉寫)하다. (**c**) 평평하게 하다: einen Hügel ~ (흙을 파 옮겨) 언덕을 헐다. (**d**) (건물·성벽 따위를) 허물다, 뜯어 내다. (**e**) 〖사냥〗 einen Hund ~ 개로 하여금 추적을 그만두게 하다. (**f**) (jm. et.) 제거하다; 〖醫〗 절제하다. (**g**) Briefe ~ 편지를 송달하다. ③ (부채·이자 따위를) 지급하다, 갚다: Dank ~ 감사하다. ④ 〖방언〗 배상하다. ⑤ (schweiz.) 이익을 가져오다, (돈을) 벌게 하다. ⑥ 〖사냥〗 (매 따위를 손바닥 위에 올려 놓고) 길들이다. ⑦ (옷을) 입어 해뜨리다. 《Ⅱ》 *refl.* sich ~ ① (과목(果木)이) 쇠약해져서 열매를 맺지 못하다. ② 써서 해어지다, 낡아빠지다. 《Ⅲ》 **abgetragen** *p.a.* ↑ abgetragen.

abträglich [áptrɛ:klɪç] *a.* ① 유해〔불리〕한: das ist seinem Ruf ~ 그것은 그의 명성에 해롭다. ② (schweiz.) 이익이〔돈벌이가〕 되는.

Abträglichkeit *f.* 유해, 불리.

Abtrags≠böschung *f.* 〖철도〗 (철도를 깔기 위하여) 깎아낸 비탈진 둑. **~kosten** *pl.* 철거비용.

Abtragung *f.* -en ① 운반, 헐어냄, 뜯어냄. ② 지급, 배상. ③ 〖地〗 삭마(削摩) (풍수로 인한 토지의 등고화(等高化)). ④ (옷 따위의) 손모(損耗).

ab|trainieren *t.* 운동으로 몸무게를 줄이다.

ab|trampeln 《Ⅰ》 *t.* 〖구어〗 밟아 터뜨리다, 짓뭉개다. 《Ⅱ》 *i.* (s.) 쿵쾅거리며 걸어나가다.

Abtransport [áptranspɔrt] *m.* -(e)s, -e 운반, 급송, 수송: ein schneller ~ 신속한 수송.

ab|transportieren *t.* 운반〔급송·수송〕하다.

ab|trauern *refl.* sich ~ 슬픔에 수척해지다.

ab|traufen *i.* (s.) 〖드물게〗 ↑ abtropfen.

abträufeln *i.* (s.) ↑ abtropfen.

Abtreibe≠herd *m.* 정련로(精鍊爐). **~holz** *n.* 정련로용(用) 신탄(薪炭). **~hütte** *f.* 정련소. **~mittel** *n.* 낙태제(劑).

__ab|treiben__ [áptraɪbən] 《Ⅰ》 *t.* ① 쫓아〔몰아〕내다: 〖醫〗 Würmer ~ 기생충을 구제(驅除)하다; ein Revier ~ 사냥터의 짐승을 몰아내다; jn. aus dem Besitz ~ 누구의 소유권을 박탈하다; einen Schwarm ~ 벌통을 두드려 벌떼를 몰아내다. ② (가축을) 높은 초원에서 골짜기로 내리몰다: die Kühe ~ 젖소를 골짜기로 내리몰다. ③ 〖林〗 (숲을) 벌채하다. ④ (**a**) 낙태하다. (**b**) 〖광산〗 (불순물을) 제거하다, 정련(精鍊)하다: Rost von Münzen ~ 동전에 낀 녹을 닦아내다. ⑤ 〖海·空〗 (파도·폭풍 따위가) 배·비행기 따위를 휩쓸어가다. ⑥ 두꺼운 판자를 대어 갱도를 만들다. ⑦ 〖고어〗 (가축을) 몰아서 지치게 하다; 〖비유〗 혹사하다. ⑧ Maschinen ~ 기계를 운전하다. 《Ⅱ》 *i.* (s.) ① 유목〔방목〕하다. ② 뛰어 내려가다. ③ 〖海·空〗 표류하다, 휩쓸려 흘러가다. 《Ⅲ》 **abgetrieben** *p.a.* ↑ abgetrieben.

abtreibend *p.a.* 〖醫〗 유산을 일으키는.

Abtreibe·ofen *m.* 〖광산〗 정광로(精鑛爐).

Abtreiber *m.* -s, - 〖기계〗 정련공(精鍊工).

Abtreibling *m.* -s, -e 벌통에서 쫓겨 나온 벌떼.

Abtreibung *f.* -en ① 몰아냄. ② 구충(驅蟲). ③ 유목; 표류; 〖광산〗 정련. ④ 낙태.

Abtreibungs≠mittel *n.* 낙태제. **~paragraph** *m.* (형법의) 낙태 관련 조항. **~versuch** *m.* 낙태 시도.

abtrennbar *a.* 분리할 수 있는.

ab|trennen [áptrɛnən] 《Ⅰ》 *t.* 분리시키다, 떼어 놓다. 《Ⅱ》 *refl.* sich ~ 분리되다.

abtrennlich *a.* ↑ abtrennbar.

Abtrennung *f.* -en 절단; 분리, 분할.

ab|treppen *t.* 〖드물게〗 계단식으로 만들다: eine Mauer ~ 장벽을 층계형으로 만들다.

abtretbar *a.* 양도〔할양(割讓)〕할 수 있는.

__ab|treten__ [áptre:tən] 《Ⅰ》 *i.* (s.) ① 퇴장하다; 〖비유〗 물러나다; 죽다; 〖軍〗 해산하다: 〖비유〗 vom Schauplatz ~ a) 활동 무대에서 은퇴하다, b) 죽다; jn. ~ lassen 누구를 물러나게 하다; vom Glauben ~ 신앙을 버리다; von einer Partei ~ 탈당하다; von seinem Amt〔Besitz〕 ~ 퇴직하다〔소유권을 포기하다〕. ② 〖고어〗 숙박하다, 들르다: bei jm. 〔in einem Gasthaus〕 ~ 누구의 집〔어떤 여관〕에 숙박하다, 들르다. ③ (h.) (닭 따위가) 교미를 끝내다. 《Ⅱ》 *t.* ① jm. et. ~ 누구에게 무엇을 양도하다. ② (먼지나 눈을) 털어 (신을) 깨끗이하다: den Schmutz von den Füßen ~ 〔die Füße ~〕 발을 굴러 발에 묻은 흙을 털어 버리다. ③ (구두의 밑창·문지방을) 밟아서 닳게 하다. ④ (화단 따위를) 밟아 구분하다. 《Ⅲ》 *refl.* sich ~ ① 퇴장하다. ② 밟아서 닳다. ③ 발에 묻은 오물을 닦다.

Abtreten *n.* -s ① 퇴장; 퇴직. ② 밟아 닳게 함, 밟아 없앰. ③ 투숙. ④ 양도.

Abtreter *m.* -s, - ① 〖法〗 양도자. ② (현관의 구두 흙을 터는) 매트.

Abtretung [áptre:tʊŋ] *f.* -en ① (구두의 더러운 것 따위를) 밟아 털기. ② 〖法〗 양도; (영토의) 할양(割讓). ③ 포기, 퇴위. ④ 철수, 물러감; 〖연극〗 퇴장.

Abtretungs≠akt *m.* 〖法〗 양도 행위. **~gebiet** *n.* 할양(割讓) 지역. **~land** *n.* 할양지. **~recht** *n.* 양도권, 위임권. **~schrift** *f.* ↑ ~urkunde. **~urkunde** *f.* 양도 증서. **~vertrag** *m.* 양도 계약, 할양 조약.

Abtrieb [áptri:p] *m.* -(e)s, -e ① 〖林〗 벌채(구역). ② 〖法〗 우선권, 선매권(先買權). ③

방목(放牧). ④ (schweiz.) (알프스의 목초지에서) 가축을 몰아 내림. ⑤ ↑ Abtrift ②. ⑥ 〖기술〗 말단 동력. ⑦ (öst., südd.) 거품이 일도록 휘저은 재료.

***ab|triefen**(*) *i.* (s.) (물방울이) 뚝뚝 듣다.

Abtrift [áptrɪft] 《ndd.; <treiben》 *f.* -en ① 〖林〗 벌채권; 〖목축〗 방목권(放牧權); 〖法〗 우선권. ② 〖海〗 (바람·조류로) 항로 이탈; 〖空〗 편류(偏流), 편향(偏向). ③ ↑ Abtrieb ④.

ab|trillern *t.* 떨리는 소리로 노래하다.

ab|trinken* 《Ⅰ》 *t.* ① 살짝 들이마시다. ② (기부금 등을) 음주로 탕진하다. ③ (jn.) 술마시기 내기에 이기다. ④ 술로 입막음하다: eine Forderung ~ 요구 사항을 술대접으로 무마하다. ⑤ jm. et. ~ 누구의 무엇을 술로 탕진하다. 《Ⅱ》 *refl.* sich ~ 과음하여 쇠약해지다. 《Ⅲ》 **abgetrunken** *p.a.* ↑ abgetrunken.

ab|trippeln *i.* (s.) 총총걸음으로 가버리다, 경쾌하게 떠나가다.

Abtritt [áptrɪt] *m.* -(e)s, -e ① **(a)** 퇴장, 퇴직; 은퇴; 〔비유〕 죽음: seinen ~ nehmen 은퇴〔퇴장〕하다. **(b)** 〖연극〗 퇴장. ② 포기, 양도, 퇴위, 철회. ③ 〖사냥〗 짐승이 짓밟은 흔적, 수해(獸害). ④ 투숙, 들름. ⑤ 층계참. ⑥ 〔방언〕 변소.

Abtritts≈feger, ~kehrer, ~leerer, ~räumer, ~reiniger *m.* 변소 치는 사람, 청소부.

Abtrocken·tuch *n.* 〔구어〕 마른 행주, 그릇 닦는 수건.

ab|trocknen [ákptrɔknən] 《Ⅰ》 *t.* ① 말리다, 닦아내다: sich³ die Strin ~ 이마의 땀을 닦아내다; sich ~ 몸을 닦다. ② 〖醫〗 (상처를) 닦아 내다. 《Ⅱ》 *i.* (s.) ① 마르다. ② 〖醫〗 딱지가 떨어지다.

ab|trollen *i.* (s.) 총총걸음으로 떠나가다.

ab|trommeln 《Ⅰ》 *t.* ① 북으로 연주하다: auf dem Klavier ~ 피아노를 서투르게 치다. ② (꿀벌을) 몰아내다. ③ 북을 쳐서 신호하다. 《Ⅱ》 *i.* (h.) ① 북치기를 그치다. ② 북을 쳐서 후퇴〔귀대〕를 알리다.

Abtropf≈bank *f.*, **~brett** *n.* (부엌의) 물받이 판, 배수대(排水臺). **~becken** *n.*, **~pfanne** *f.* 여과기, 거르는 냄비.

abtröpfeln *i./t.* ↑ abtropfen.

ab|tropfen 《Ⅰ》 *i.* (s.) ① 뚝뚝 떨어지다〔듣다〕: ~ lassen 물방울이 듣게 해서 수분을 없애다. ② 〖스포츠〗 공이 몸에 닿아 수직으로 떨어지다. 《Ⅱ》 *t.* ① …의 물기를 빼다. ② 흘리다; 증류하다.

Abtropf≈gefäß *n.* 〖化〗 적수기(滴水器), 물받이 판, 배수기(排水器). **~ständer** *m.* ↑ ~bank. **~stein** *m.* 〖광산〗 종유석(鍾乳石).

ab|trotten *i.* (s.) 〔구어〕 터벅터벅 걸어가다.

ab|trotzen *t.* jm. et. ~ 누구에게 달라붙어〔억지를 써서〕 무엇을 얻다.

ab|trudeln *i.* (s.) ① 〖空〗 나선형으로 하강하다. ② 〔구어〕 급히 떠나가다, 도망하다.

ab|trumpfen *t.* jn. ~ ① 누구보다 높은 끗수의 패를 내다. ② 〔구어〕 누구에게 쏘아 붙이다, 누구를 닦아 세우다.

ab|trüdeln *i.* (s.) 종종걸음으로〔아장아장〕 걷다.

***abtrünnig** [áptrʏnɪç] 《<abtrennen》 《Ⅰ》 *a.* 불충한, 배신한, 변절한: seinem Fürsten 〔Glauben, Versprechen〕 ~ werden 군주를 배반하다〔신앙을 등지다, 약속을 어기다〕.

Abtrünnige* *der/die* 배반자.

Abtrünnigkeit *f.* -en 불성실, 변절, 배반, 〖宗〗 배교.

Abts≈hut [áp̣ts..] *m.* 수도원장의 모자. **~stab** *m.* 대수도원장의 홀장(笏杖). **~würde** *f.* 수도원장의 직위.

ab|tummeln 《Ⅰ》 *t.* (말을) 마구 몰아 지치게 하다. 《Ⅱ》 *refl.* sich ~ 뛰어 돌아다녀 지치다.

ab|tun [áptu:n] 《Ⅰ》 *t.* ① 떼내다, 풀어 놓다. ② (옷·장신구 따위를) 벗다, 떼어 놓다. ③ 속단〔매도〕하다: jn. als Taugenichts ~ 누구를 쓸모없는 인간이라고 매도하다. ④ 수확하다: das Feld ~ 〔die Frucht vom Feld ~〕 곡식을 수확하다. ⑤ **(a)** 〔방언〕 처형하다; 도살하다. **(b)** (악습을) 없애다, 버리다: sich³ den Trunk ~ 술을 끊다. ⑥ 끝내다, 처리하다: jn. ~ 누구를 해치우다; et. kurz ~ 무엇을 간단히 처리하다. ⑦ 〖商〗 (물품을) 처분하다, 팔다. 《Ⅱ》 *refl.* sich ~ 떨어지다: sich von jm. 〔et.³〕 ~ 누구를〔무엇을〕 떠나다, 누구에게서 〔무엇에서〕 이탈하다; sich eines Dinges ~ 무엇을 버리다, 무엇에서 이탈하다. 《Ⅲ》 **abgetan** *p.a.* ↑ abgetan.

ab|tünchen *t.* 칠을 끝내다.

ab|tupfen *t.* (수건으로 땀 따위를) 가볍게 두드려 닦아내다, 훔쳐내다.

ab|tuschen *t.* 먹으로 베끼다〔바림하다〕.

ab|turnen *t.* 〖스포츠〗 체조 시즌을 끝내다.

ab|tuten *i.* (h.) 후퇴〔귀대〕의 나팔을 불다; 나팔 불기를 그치다.

ab|tüten *t.* (종이) 봉지에 담다〔넣다〕.

Abt·wahl *f.* 수도원장 선거.

Abu [á:bu] 《ar.》 *m.* 아부(아랍어로 "아버지"의 뜻; 남자 이름 앞에 붙는 고유 명사).

Abu Dhabi 아부다비(아랍에미리트 연방; 아랍에미리트의 수도).

Abulie [abulí:] 《gr.》 *f.* -n [..lí:ən] 〖醫〗 의지 박약.

abundant 《lat.》 *a.* 풍부한, 윤택한, 충만한.

Abundanz [abundánts] *f.* 풍부, 충만.

ab urbe condita [ap ʊ́rbə kɔ́ndita] 《lat.》 (seit Gründung der Stadt) 로마 건도(建都) (기원전 753 년) 후(後) (약어: a.u.c.).

ab|urteilen 《Ⅰ》 *t.* ① jm. et. ~ 누구에게 무엇의 박탈을 선고하다. ② et. 〔jn.〕 ~ 무엇〔누구〕에 대하여 최종 판결을 내리다. 《Ⅱ》 *i.* (h.) über et. 〔jn.〕 ~ a) 무엇〔누구〕에 대하여 최종 판결을 내리다, b) 무엇을〔누구를〕 혹평하다.

Aburteilung *f.* -en ① (유죄) 판결; 박탈〔금지〕 판결. ② 악평, 혹평. ③ 경솔한 평가〔판단〕.

abus [ap|ús, abú:s] *a.* ↑ abusiv.

abusiv [..zí:f] 《lat.》 *a.* 남용하는, 부당한.

Abusus [ap|ú:zus] 《lat.》 *m.* -, - 남용.

ABV 〖구동독〗 = Abschnittsbevollmächtigte 관할 구역 책임 당원.

ab|verdienen *t.* ① 〔드물게〕 jm. et. ~ 일해준 대가로 누구에게서 무엇을 얻다. ② jm. ~ 일하여 누구에게 (빚 등을) 갚다.

Abverkauf *m.* -(e)s, ..käufe (öst.) 몽땅떨이 판매, 재고 정리 세일.

ab|verlangen *t.* jm. et. ~ 누구에게서 무엇을 (대가로) 요구하다.

ab|vermieten *t.* 전대(轉貸)하다.

ab|vieren *t.* (목재 따위를) 네모로 자르다.

Abvierung *f.* -en (목재 따위를) 네모꼴로 만

들기; 사각목(四角木).

ạb|visieren *t.* 관측〔목측(目測)〕하다.

Ạbwaage [ápva:gə] *f.* -n 〖권투〗 (시합 전의) 계체량.

ạb|wachen *refl.* sich ~ 망을 보느라〔잠을 자지 않아서〕 지치다.

ạb|wackeln 《I》 *i.* (s.) 〔구어〕 비틀거리면서 가 버리다. 《II》 *t.* 〔방언〕 호되게 매질하다.

ạb|wägen(*) *t.* ① 저울질하다, (무게를) 달다. ② 〔비유〕 고려하다: das Für und Wider sorgsam ~ 찬반 양론을 신중히 고려하다. ③ 수준기(水準器)로 재다.

ạbwägsam *a.* 〔드물게〕 신중한, 조심스러운.

Ạbwägung *f.* -en 저울질; 심사숙고.

Ạbwägungs⸗instrument *n.* 수준기(水準器). **~kunst** *f.* 수준 측량술.

Ạbwahl *f.* 투표에 의한 해임.

ạb|wählen *t.* ① 투표로 해임하다. ② (김나지움 마지막 2년 동안 일부 선택 과목을) 더 이상 이수하지 않다.

ạb|walken *t.* ① (피륙을) 충분히 다듬어 바래다. ② 〔구어〕 (jn.) 두들겨 패다.

ạb|wallend *p.a.* (머리가) 치렁치렁한.

ạb|wällen *t.* 〖요리〗 서서히 끓이다.

ạb|walzen 《I》 *t.* 롤러로 밀어 평평하게 하다. 《II》 *i.* (s.) 왈츠를 추며 사라지다. 《III》 *refl.* sich ~ 지치도록 왈츠를 추다.

ạb|wälzen *t.* ① (돌을) 굴려 버리다〔떨어뜨리다〕. ② 〔비유〕 떨쳐내다; 전가하다: die Sorgen von sich ~ 근심을 떨쳐 버리다; et. von sich auf jn. ~ 무엇을 누구에게 전가하다.

Ạbwälzung [..tsuŋ] *f.* -en ① ↑ abwälzen의 명사형. ② 〖法〗 (의무 따위의) 이전.

ạb|wamsen *t.* 〔구어〕 때려 눕히다.

ạbwandelbar *a.* 〖문법〗 변화시킬 수 있는.

***ạb|wandeln** 《I》 *i.* (s.) 〔고어〕 정처없이 떠나가다, 방랑길에 오르다. 《II》 *t.* ① 변경하다, 변화시키다: ein Nomen〔Verb〕 ~ 명사〔동사〕를 변화시키다. ② 〔고어〕 et. ~ 보상하다; jn. ~ 누구를 벌주다, 보상시키다.

Ạbwandelung *f.* -en ① 변화, 변경; 〖문법〗 변화. ② 방랑, 유랑.

Ạbwandlung *f.* -en ↑ Abwandelung.

ạb|wandern *i.* (s.) ① 이주〔이전〕하다: die Bevölkerung wandert vom Land in die Städte ab 인구가 시골에서 도시로 이주한다. ② (일자리를) 옮기다, 전직하다: die Arbeitskräfte wandern aus der Landwirtschaft in die Industrie ab 노동력이 농업에서 산업으로 빠져나간다. ③ (자본·외환 등이) 유출되다. ④ 〖스포츠〗 이적하다, (관객이) 떠나가다. ⑤ 〔드물게〕 (걸어서) 떠나다, 여행길을 떠나다. ⑥ (h./s.) 샅샅이 돌아다니다: er wanderte die ganze Stadt ab 그는 온 도시를 샅샅이 돌아다녔다.

Ạbwanderung *f.* -en 출발; (자본·외환 등의) 유출; (국내) 이주; 이동, 전직; 방랑: die ~ vom Land 이농.

ạb|wanken *i.* (s.) 비틀거리며 떠나가다.

Ạbwärme [ápvɛrmə] *f.* 〖工〗 남은 열, 폐열.

ạb|wärmen *t.* 서서히 데우다.

Ạbwärme·verwertung *f.* 폐열 이용.

ạb|warnen *t.* 하지 못하게 경고하다〔말리다〕.

Ạbwart *m.* -(e)s, -e 〔드물게〕 (저택) 관리인.

***ạb|warten** [ápvartən] 《I》 *t.* ① (무엇이 올 것을 또는 끝날 것을) 기다리다, 고대하다: einen günstigen Augenblick ~ 좋은 때를 기다리다; das Unwetter ~ 폭풍우가 멎기를 기다리다; der Erfolg bleibt abzuwarten 결과〔성과〕란 기다려 봐야 알 수 있다; ~ und Tee trinken! 조급히 굴지 말게! ② ein Amt 〔(방언) einem Amt, eines Amtes〕 ~ 어떤 직무를 맡다, 어떤 직무에 종사하다. ③ 〔고어〕 (환자를) 간호하다, (아이·꽃 등을) 돌봐 주다. 《II》 *refl.* sich ~ 건강〔신체〕에 주의를 기울이다.

ạbwartend *p.a.* 기대〔고대〕하는; 주저하는.

Ạbwartin *f.* -nen ↑ Abwart의 여성형.

***abwärts** [ápvɛrts] 《I》 *adv.* ① 아래쪽으로, 내려가서 (↔ aufwärts): den Hügel ~ 〔hügel~〕 언덕을 내려가서; den Strom ~ 〔strom~〕 강을 따라 내려가서, 하류쪽으로; der Weg führt ~ 그 길은 내리막이다. ② 〔비유〕 mit ihm geht es ~ (연령·건강·사업 등에서) 그는 내리막길을 걷고 있다. ③ 한옆에, 떨어져서. ④ 〔비유〕 vom Major (an) ~ 대대장 이하. 《II》 *prp.*² …을 내려가서: ~ des Berges 산을 내려와서, 산 기슭에.

Ạbwärts⸗bewegung *f.* 하강(운동), 하락, 감소. **~|führen** *t.* 나쁜 상태로 이끌다. **~|gehen** *i.* (↔ aufwärtsgehen) 악화되다, 내리막길이 되다: mit unserer Firma geht es immer mehr abwärts 우리 회사 사정이 점점 나빠지고 있다. **~trend** *m.* 하향 추세.

Ạbwartung *f.* -en ① 기다림. ② 돌봄, 간호.

Ạbwasch [ápvaʃ] 《I》 *m.* -(e)s ① 설거지, 식기 세척: 〖경박〗 das ist ein ~ 〔das geht in einem ~〕 그 모든 일을 한번에 해치울 수 있어. ② 씻을 그릇. 《II》 *f.* -en (öst.) 설거지통.

ạbwaschbar *a.* 씻을 수 있는.

Ạbwasch·becken *n.* 설거지통; (부엌의) 개수대.

ạb|waschen* 《I》 *t.* ① (때를) 씻어내다; (책상 등을) 닦다; 설거지하다; 목욕하여 씻어내다; die Ufer ~ (강물이) 기슭(의 흙)을 씻어내다. ② 〔비유〕 설욕하다. 《II》 *refl.* sich ~ 몸을 씻어 정하게 하다; sich das Blut vom Gesicht ~ 얼굴의 피를 닦아내다.

Ạbwaschen *n.* -s ① 〔구어〕 alles in einem ~ erledigen 모든 것을 한꺼번에 해치우다; 〖경박〗 das ist ein ~ 그것은 단번에 해치울 수 있다. ② ↑ Abwaschung.

Ạbwasch⸗faß *n.* 설거지통. **~lappen** *m.* 행주. **~magd** *f.* 부엌 하녀. **~mittel** *n.* 설거지용 세(척)제. **~schüssel** *f.* ↑ ~faß. **~seife** *f.* 빨래 비누. **~tuch** *n.* ↑ ~lappen.

Ạbwaschung *f.* -en 세탁, 세척, 목욕.

Ạbwasch·wasser *n.* 설거지한 구정물, 개숫물, 허드렛물; 설거지물.

Ạbwasser *n.* -s, ..wässer 생활 하수, 구정물; (공장의) 폐수.

Ạbwasser⸗aufbereitung *f.* 하수 정화. **~klär·anlage** *f.* 하수〔폐수〕 처리〔정화〕 시설. **~leitung** *f.* 하수〔폐수〕관.

ạb|wässern *t.* ① …의 물기를 없애다, 물을 빼다. ② (물고기를) 물 속에 집어넣다. ③ 〖化〗 물을 부어 씻다. ④ (비탈지게 하여) 빗물을 배수하다.

Ạbwasser⸗reinigung *f.* 하수〔폐수〕 정화. **~technik** *f.* 하수〔폐수〕 처리 기술. **~verwertung** *f.* 하수〔폐수〕 이용.

***ạb|wechseln** [ápvɛksəln] 《I》 *i.* (h.) 교대하다: mit jm. ~ 누구와 교대하다; mit et.³ ~:

교대로 나타나다; Wälder wechseln mit Wiesen ab 숲이 초지와 교대로 나타난다. 《Ⅱ》 *t.* ① (jn.) 교대하다, 변경시키다. ② 환전하다: jm. Geld ~ 누구에게서 돈을 바꾸다. ③ sich (einander) ~ 서로 교대하다.

abwechselnd *p.a.* 교대〔상호〕의; 변화가 많은; 〖醫〗 간헐적인; 〖數〗 주기적인.

Abwechselung *f.* -en ↑ Abwechslung.

Abwechslung *f.* -en 교대; 변화, 다양; (기분) 전환, 기분풀이: ~ der Jahreszeiten 계절의 변화; zur ~ 기분 전환을 위하여; ~ in et. bringen 무엇에 변화를 일으키게 하다; die ~ lieben 자주 애인을 바꾸다.

abwechslungslos *a.* 변화 없는, 단조로운.

abwechslungs⸗reich, ~voll *a.* 변화가 많은, 다양한. **~weise** *adv.* 교대로.

ab|wedeln *t.* (파리 등을) 날려 보내다, 쫓다.

Abweg [ápve:k] *m.* -(e)s, -e ① 우회로, 옆길. ② 〔비유〕 바른 길에서 벗어남, 사도(邪道): auf ~e führen〔geraten〕 나쁜 길로 이끌다〔에 빠지다〕.

abwegig [ápve:gɪç] *a.* ① 옆길로 빠진. ② 잘못된, 사도(邪道)의; 해로운.

Abwegigkeit *f.* -en 과오, 사도(邪道).

abwegs [ápve:ks] *adv.* 〔고어〕 갈림길에 들어서서, 옳은 길에서 벗어나; 떨어져서.

abwegsam *a.* 〔고어〕 ① 옳은 길에서 벗어난. ② 사도의.

ab|wehen 《Ⅰ》 *t.* 불어 날리다; (파리 등을) 쫓아내다. 《Ⅱ》 *i.* (h.) ① (바람 등이) 잠잠해지다, 자다. ② (바람 등이) 불다: der Wind weht vom Lande ab 바람이 뭍에서 불어 온다.

Abwehr [ápve:*r*] *f.* ① 방어, 방지; 〖검도〗 (공격을) 살짝 받아내어 빗나가게 하기. ② 방어물; 〔비유〕 완화물(物). ③ 거부, 저항: auf ~ stoßen 저항에 부딪치다. ④ 〖軍〗 저항군, 저항 부대, 첩보대, 방첩대; 〖스포츠〗 수비 (행위).

Abwehr⸗aktion *f.* 방어 행위. **~bügel** *m.* 〖철도〗 (기관차의) 배장기(排障器).

***ab|wehren** [ápve:rən] 《Ⅰ》 *t.* ① (공격을) 막다: jn. ~ 누구를 피하다. ② (요구 등을 온건하게) 거절하다. ③ 물리치다, 격퇴하다: den Feind ~ 적을 물리치다. 《Ⅱ》 〔고어〕 *i.* (h.) einem Übel ~ 재난을 방지하다; jm. ~ 누구를 가까이 하지 않다, 피하다.

abwehr⸗fähig *a.* 방어 능력이 있는. **~ferment** *n.* 〖醫〗 항독〔보호〕 효소. **~front** *f.* 〖軍〗 공동 방어 전선. **~geschütz** *n.* 〖軍〗 고사포. **~gesetz** *n.* 국방 법령. **~kampf** *m.* 방어전. **~kanone** *f.* ↑ ~geschütz. **~krieg** *m.* ↑ ~kampf. **~maßnahme** *f.* 방어〔방위〕 조처. **~mittel** *n.* 방어 수단; 〖醫〗 예방약. **~reaktion** *f.* 〖심리〗 거절〔방어〕 반응. **~schlacht** *f.* 방어전. **~spiel** *n.* 〖스포츠〗 수비 위주 플레이. **~spieler** *m.* 〖스포츠〗 수비수. **~stoff** *m.* 〖醫〗 항독소(抗毒素). **~strategie** *f.* 방어〔방위〕 전략. **~streik** *m.* 방어 차원의 파업.

Abwehrung *f.* -en ↑ Abwehr.

abwehrungs.. ↑ abwehr...

Abwehrungs·mittel *n.* 〖軍〗 방어 수단〔기재(器材)〕; 〖醫〗 예방법, 예방제(劑).

Abwehr⸗vorrichtung *f.* 방어 시설. **~waffe** *f.* 방어 무기. **~zauber** *m.* 부적(符籍). **~zoll** *m.* 보호 관세. **~zone** *f.* 〖軍〗 방어〔저항〕 지대.

Abweichen[1] [ápvaɪçən] *n.* -s 〔방언〕 설사.

Abweichen[2] *n.* -s ↑ Abweichung[2].

ab|weichen[1] 《<weich》 《Ⅰ》 *t.* 부드럽게〔축축하게〕 하여 떼다: eine Briefmarke von einem Umschlag ~ 편지 봉투에서 우표를 축축하게 하여 떼다. 《Ⅱ》 *i.* ① (s.) 부드럽게 되어 떨어지다. ② (h.) 〔방언〕 변통(便通)이 잘 되게 하다.

ab|weichen*[2] 《<weichen》 《Ⅰ》 *i.* (s.) ① 이탈하다, 일탈하다, 벗어나다, 빗나가다: von einem Ort ~ 어떤 장소를 떠나다; von der Regel〔Wahrheit〕 ~ 규칙〔진리〕에 어긋나다. ② 다르다, 구별되다: von et.[3]〔jm.〕 ~ 무엇과 다르다〔누구와 의견이 다르다〕; ~de Ansichten 다른 견해들. ③ (자침이) 편차를 나타내다. ④ 〔고어〕 im abgewichenen〔verwichenen〕 Jahre 지난 해에.

abweichend *p.a.* 상이한; 기운; 이상(異常)의, 일탈〔이탈〕한; 〖문법〗 변칙의, 불규칙한.

Abweichler *m.* -s, - (공산주의 진영에서) 당노선 이탈자.

Abweichung[1] [ápvaɪçʊŋ] 《<abweichen[1]》 *f.* -en 〖醫〗 설사.

Abweichung[2] *f.* -en ① 이상(異常); 변칙; 차이(점). ② 빗나감, 이탈; 〖物〗 (자침의) 편차; (광선의) 수차(收差); (탄환의) 편차; (배의) 편류(偏流); 〖軍〗 (명령의) 위반; 〖醫〗 이형(異型), 〖心〗 일탈, 편차; 〖전기〗 수차(收差); 〖문법〗 변칙, 파격.

Abweichungs⸗instrument *n.* 〖物〗 편차계(偏差計). **~kompaß** *m.* 방위각계(方位角計), 자침 편차계. **~kreis** *m.* 〖天〗 적위권(赤緯圈). **~linien** *pl.* (자침의) 등편각선(等偏角線), 복등각선(伏等角線). **~nadel** *f.* 〖物〗 복각계(伏角計). **~winkel** *m.* 〖物〗 편차각, 방위각.

ab|weiden *t.* ① (가축이 목장의) 풀을 전부 뜯어 먹다. ② 목장으로 몰고 가다; 풀을 먹이다.

ab|weifen *t.* ↑ abhaspeln 《Ⅰ》①.

ab|weinen 〔드물게〕 《Ⅰ》 *t.* jm. et. ~ 우는 소리를 하여 누구에게서 무엇을 얻다. 《Ⅱ》 *refl.* ① sich[3] die Augen ~ 울어서 눈이 붓다. ② sich ~ 실컷 울다, 울어 지치다.

Abweis [ápvaɪs] *m.* -es, -e ↑ Abweisung.

ab|weisen [ápvaɪzən] *t.* 물리치다, 거절하다; 〖軍〗 격퇴하다; 〖法〗 기각하다: kurz〔höflich〕 ~ 매정〔정중〕하게 퇴짜 놓다; ich lasse mich nicht ~ 나는 쉽게 물러서지 않을 테다; 〖商〗 Wechsel ~ 어음의 인수를 거절하다; mit seiner Klage abgewiesen werden 소송이 기각되다.

abweisend *p.a.* 거부적인, 거절하는; 붙임성 없는.

Abweiser *m.* -s, - ① 거절하는 사람. ② 〖토목〗 제방; 방충석(防衝石).

Abweisung *f.* -en ① 거절, 거부; 격퇴; 〖法〗 기각; 입국 거부; 〖商〗 (어음의) 인수 거절, 부도. ② 거부적인 태도.

ab|weißen 《Ⅰ》 *t.* 희게 하다, 희게 칠하다. 《Ⅱ》 *i.* (h.) 흰 빛깔이 바래다.

Abweisungs·bescheid *m.* 소송 기각 (결정).

abwelken 《Ⅰ》 *i.* (s.) 시들다, 쇠하다. 《Ⅱ》 *t.* 시들게 하다, 이울게 하다.

ạbwendbar *a.* 피할 수 있는, 예방할 수 있는.
ab|wenden(*) [ápvɛndən] 《I》 *t.* ① 다른 쪽으로 돌리다, 빗나가게 하다, 피하다; 예방하다, 방지하다. ②〔비유〕seine Hand von jm. ~ 누구에게 호의를 보이지 않다; er hat sich von seinen Freunden abgewendet〔abgewandt〕 그는 자기 친구들을 저버렸다; ein Unglück von jm. ~ 누구로 하여금 불행을 피하게 해 주다; das wolle Gott ~! 그런 일이 없기를! 《Ⅱ》 *i.*〖체조〗돌면서 내리다. 《Ⅲ》 *refl.* sich ~ (딴 데로) 몸을 돌리다; sich von jm.〔et.³〕 ~ 누구를〔무엇을〕 저버리다〔돌보지 않다〕. 《Ⅲ》 **ạbgewandt** *p.a.* ↑ abgewandt.
ạbwendig *a.* 다른 곳을 향한, 무엇을 등진, 소원(疏遠)한: jm.(B) jn.(A) ~ machen 누구(A)를 누구(B)에게서 등지게 하다; jm. et. ~ machen 누구에게서 무엇을 빼앗다; jn. et.³ ~ machen 누가 무엇을 싫어하게 만들다.
Ạbwendung *f.* -en 전향, 회피; 예방: zur ~ von Gefahren 위험을 방지하기 위하여.
ạb|werben* *t.* (다른 직장 사람을) 빼오다, 스카우트하다.
Ạbwerber *m.* -s, - 스카우트 담당.
Ạbwerbung *f.* 스카우트 (행위).
ab|werfen* [ápvɛrfən] 《I》 *t.* ① 내동댕이치다, 집어 팽개치다; (옷을) 벗어 던지다; (폭탄·우편물 등을) 투하하다:〔비유〕das Joch der Sklaverei ~ 노예의 멍에를 벗다; die Maske ~ 본색을 드러내다;〖動〗die Haut ~ 허물을 벗다; Junge ~ 새끼를 낳다; der Hirsch wirft (sein Geweih) ab 사슴이 뿔갈이를 한다. ② 쳐서〔동댕이쳐〕 떨어뜨리다; (강풍이 지붕을) 날려 보내다; (교량 등을) 파괴하다:〖카드〗jn. ~ 센 패를 내어 누구를 이기다;〖제련〗die Schlacken ~ 쇠똥을 제거하다. ③ (이익 등을) 가져오다: Zinsen ~ 이자를 낳다; das Geschäft wirft nicht viel ab 이 사업은 별로 이익이 없다; der Baum wirft Früchte ab 이 나무는 과일을 맺는다. ④〖스포츠〗(공으로) 맞히다; 골키퍼가 공을 차다〔던지다〕. 《Ⅱ》 *refl.* sich ~ 너무 던져서 지치다; sich mit jm. ~ 누구와 사이가 나빠지다.
Ạbwerf≈ofen *m.*〖제련〗정련로(精鍊爐). **~zeit** *f.*〖動〗(사슴 등의) 뿔갈이 계절.
ạb|werten *t.* 감가하다;〖經〗평가 절하하다; 깎아 내리다, 경시하다: js. Verdienste〔Leistungen〕 ~ 누구의 공적〔업적〕을 깎아 내리다.
Ạbwertung *f.* -en 감가;〖經〗평가 절하.
***abwesend** [ápve:zənt] *a.* ① (↔ anwesend) 부재 중의, 결석한. ②〔비유〕정신이 팔린〔나간〕, 방심한.
Ạbwesende* *der/die* 부재자, 결석자.
Ạbwesenheit *f.* -en ① 부재, 결석: während js. ~ 누가 없는 사이에; in js. ~ 누가 없는 곳에서, 뒷전에서; ~ des Geistes 방심;〔반어〕durch ~ glänzen 없어서 (더욱) 눈에 띄다. ② (물건이) 없음, 결여. ③〖法〗(법정에) 출두하지 않음, 궐석; (범행 때의) 현장 부재, 알리바이: jn. in ~ verurteilen 궐석 재판하다. ④ 방심.
Ạbwesenheits≈pfleger *m.* 부재자 재산 관리인. **~pflegschaft** *f.* 부재〔실종〕 관리. **~vormund** *m.* ↑ ~pfleger.
ạb|wetten *t.* jm. et. ~ 내기에 이겨 누구에게서 무엇을 얻다.
Ạbwetter *pl.*〖광산〗(갱내의) 탁한 공기.
ạb|wettern 《I》 *t.* ①〖海〗(폭풍·위험 등을) 헤쳐 나오다: einen Sturm ~ 폭풍을 헤쳐 나오다. ②〖軍〗격퇴하다. ③〖광산〗(갱내의) 탁한 공기를 빼다. 《Ⅱ》 *i.*(h.)/*refl.* (sich) ~ 폭풍이 자다.
ạb|wetzen *t.* ① (칼을) 갈아서 닳게 하다, (녹을) 닦아내다; 무디게 하다; (옷 등을) 닳아 해지게 하다: eine abgewetzte Aktentasche 닳아 해진 서류 가방. ② 갈다, 예리하게 하다. ③〔구어〕급히 달아나다.
ạb|wichsen [..ksən] 《I》 *t.* ① (구두·마루 등을 기름으로) 닦다. ②〖연극〗(어떤 배역을) 빈번히 맡다. 《Ⅱ》 *refl.*〔비속〕sich³ einen ~ 자위 행위를 하다.
ạbwickelbar *a.* 풀 수 있는, 열 수 있는.
***ạb|wickeln** 《I》 *t.* ① (감은 것을) 풀다. ②〖數〗전개하다. ③〔비유〕(일을) 단계적으로 처리〔해결〕하다;〖法〗(빚을) 청산하다. ④ (행사를) 조직하다, 개최하다. 《Ⅱ》 *refl.* sich ~ 풀리다; (사건이 특정한 순서나 원칙에 따라) 전개되다, 풀려 나가다.
Ạbwickelung *f.* -en ↑ Abwicklung.
Ạbwicklung *f.* -en 풀기;〖數〗전개, 제곱근 풀이; (사무의) 정리; (거래의) 완료, 청산;〖經〗파산, 부도.
Ạbwickler *m.* -s, -〖法〗청산인.
ạb|wiegeln *t.* ①〔드물게〕(흥분한 무리를) 진정시키다, 진압하다. ②〔폄어〕(흥분을) 가라앉히다. ③ 깎아 내리다, 과소 평가하다, 대수롭지 않게 여기다.
Ạbwieglung *f.* 진정, 가라앉힘.
ạb|wiegen* *t.* ↑ abwägen.
ạb|wimmeln *t.* ①〔방언〕(몰려 있는 것의 일부를) 떼어내다; (포도를) 따다. ②〔구어〕(귀찮은 사람이나 일을) 뿌리치다, 밀어내다, 제명하다, 퇴학시키다.
Abwind [ápvɪnt] *m.* -(e)s, -e〖空〗하강 기류.
Ạbwinde *f.* -n 물레, 실을 감는 틀; 윈치.
ạb|winden* 《I》 *t.* ① (윈치를) 돌려〔감아〕 (짐 등을) 옮기다. ② 풀다: Draht ~ (롤에서) 전선을 풀다. 《Ⅱ》 *refl.* sich ~ 풀리다.
ạb|winkeln *t.* (팔·다리를) 굽히다.
ạb|winken *t./i.*(h.) ① 신호를〔눈짓을·손짓을〕 하여 제지〔거절〕하다, 물러가게 하다. ② (기차 등의) 출발 신호를 하다. ③〖스포츠〗(자동차 경주자에게) 정지 신호를 하다.
Ạbwinker *m.* -s, - (자동차의) 방향 지시표.
ạb|wipfeln *t.*〔드물게〕우듬지를 베어내다.
ạb|wippen *i.*(h.)/*refl.* (sich) ~〖스포츠〗(평행봉에 매달려) 몸을 이리저리 흔들다.
ạb|wirbeln *t.* ①〖음악〗(줄을) 늦추다. ② 북을 (빠른 템포로) 치다. ③ 소용돌이쳐 떨어뜨리다: der Wind wirbelt die Blätter ab 바람이 회오리쳐 나뭇잎을 떨어뜨린다.
ạb|wirken *t.*〔드물게〕①〖사냥〗(잡은 짐승의) 가죽을 벗기다. ② (밀가루 등을) 충분히 반죽하다; 길쌈을 끝내다; 무엇을 본떠서 짜다.
ạb|wirren 《I》 *t.*〔드물게〕(엉킨 것을) 풀다. 《Ⅱ》 *refl.* sich ~ (엉킨 것이) 풀리다.
ạb|wirtschaften 《I》 *t.* 파산시키다. 《Ⅱ》 *i.*(h.)/*refl.* 파산하다.
***ạb|wischen** 《I》 *t.* 닦아내다, 닦아 깨끗이하다: den Staub ~ 먼지를 닦다; dem Verletzten das Blut ~ 부상자의 피를 닦아내다; sich³ die Tränen ~ 눈물을 닦다. 《Ⅱ》〔구어〕

i. (s.) (급히 몰래) 도주하다.
Abwischer *m.* -s, - 닦는 사람; 걸레.
Abwisch≈lappen *m.*, **~tuch** *n.* 걸레, 행주.
ab|wittern 〖드물게〗《I》*t.* et. (an) jm. ~ 누가 무엇을 생각〔의도〕하는지 감지하다. 《II》*i.* (h.) 폭풍이 그치다.
ab|wohnen 《I》*t.* ① eine Wohnung ~ 오래 살아서 집을 낡게 하다. ② ein Darlehen ~ 빌려준 돈을 집세로 상쇄하게 하다. 《II》*i.* (h.) 떨어져 살다.
Abwolle *f.* 죽은 양의 털.
ab|wollen[1] 《<Wolle》*t.* …의 털을 떼어〔깎아〕내다.
ab|wollen*[2] 《<wollen》*i.* (h.) ①〖구어〗떠나가려 하다: er will ab nach Amerika 그는 미국으로 가려 한다. ② der Deckel will nicht ab 뚜껑이 도무지 열리지 않는다.
ab|wracken [ápvrakən] *t.* 〖해운〗낡은 배를 해체하다: 〖비유〗ein abgewrackter Schauspieler 은퇴한 배우.
Abwrack·firma *f.* 해체 처리 회사.
ab|wuchern *t.* jm. et. ~ 고리(高利)로 빌려주어 누구에게서 무엇을 빼앗다.
ab|würdigen 〖드물게〗*t.* ↑ entwürdigen.
Abwurf [ápvurf] *m.* -(e)s, ..würfe ① (폭탄·우편물 등의) 투하; 투하물. ② 폐물, 쓰레기; 〖사냥〗사슴의 빠진 뿔. ③ 한 회사에서 달성한 이익〔이득〕. ④〖핸드볼〗(골키퍼의) 공던지기; 던진 공.
Abwurf≈meldung *f.* (비행기에서) 투하된 메시지. **~sendung** *f.* (비행기에서) 투하된 우편낭. **~vorrichtung** *f.* 투하 장치.
ab|würgen 《I》*t.* ① (목을) 조르다, 교살하다; 참살하다. ②〖비유〗탄압〔압살〕하다: die Opposition ~ 반대당을 탄압하다; 〖구어〗den Motor ~ (기어와 브레이크를 잘못 작동하여) 모터의 시동을 끄다. 《II》*refl.* sich ~ (음식물을 삼키거나 구토할 때) 숨이 막혀 괴로워하다.
ab|würzen *t.* 〖요리·고어〗조미료를 듬뿍 치다.
ab|wüten *i.* (h.) / *refl.* 〖드물게〗(sich) ~ (폭풍이) 잠잠해지다, 가라앉다.
abyssal [abʏsáːl], **abyssisch** [abʏ́sɪʃ] 《gr.》〖지학·海〗*a.* 심해의, 심층의, 심연의.
Abyssus [abʏ́sus] *m.* - 저승, 나락(奈落); 심연, 심해, 심층.
abzahlbar *a.* 분할 지급이 가능한.
abzählbar *a.* 〖數〗셀 수 있는, 가산적(可算的)인: eine ~e Menge 가산(可算) 집합.
ab|zahlen [áptsaːlən] *t.* ① 청산하다, 지급하다, 갚다; 나눠 갚다, 분납하다: wöchentlich ~ 매주 분납하다. ② jn. ~ 누구에게 노임을 지급하다. ③〖비속〗꾸짖다.
ab|zählen [áptsɛːlən] *t.* ① 세다: et. an den Fingern ~ 무엇을 손을 꼽아 세다; 〖구어〗das läßt sich an den Fingern〔Rockknöpfen〕~ 그것은 명백한 사실이다. ② 세어서 빼다, 줄이다, 빼내다: vier von zwanzig ~ 20 에서 4 를 빼다. ③〖스포츠·軍〗(일정수까지) 번호를 계속 세어 그룹을 만들다: zu fünfen ~ 한명 한명 세어 다섯 사람씩 조를 짜다.
Abzähl·reim *m.* (아이들 놀이에서 특정한 역을 결정하기 위해) 수를 세며 헤아리는 운(韻).
Abzahlung *f.* -en 지급, 청산; 분할불: auf ~ kaufen 할부로 사다.
Abzählung *f.* -en 계산; 뺄셈; 계정.
Abzahlungs≈geschäft *n.* 분할불 판매(점). **~kauf** *m.* 할부 구매. **~rate** *f.* 할부금. **~system** *n.* 분할 지급 제도. **~vertrag** *m.* 할부 구입 계약. **~wesen** *n.* ↑ ~system.
ab|zahnen 《I》*t.* 톱니꼴로 만들다. 《II》*i.* (h.) 이가 다 나다.
ab|zanken 《I》*t.* 욕설을 퍼붓다: jm. et. ~ 말다툼하여 누구에게서 무엇을 빼앗다. 《II》*refl.* sich ~ 욕지거리를〔말다툼〕하여 지치다.
ab|zapfen *t.* (마개를 뽑아) 따르다; 〖醫〗jm. Blut ~ 누구의 피를 뽑아내다: 〖구어〗jm. Geld ~ 누구에게서 돈을 뜯어내다.
Abzapfer *m.* -s, - 〖醫〗투관침(套管針), 도뇨관(導尿管).
Abzapfung [..pfuŋ] *f.* -en 〖醫〗천자술(穿刺術), 방혈술(放血術).
ab|zappeln *refl.* 〖구어〗sich ~ 바둥거리다, 몸부림치다.
ab|zäumen *t.* (말의) 재갈을 벗기다.
Abzäumung [..muŋ] *f.* -en 재갈 벗기기.
ab|zäunen *t.* 울타리로 구분하다, 울타리를 치다.
Abzäunung *f.* -en (울타리로) 경계〔구획〕짓기〔표시〕.
ab|zausen *t.* 난폭하게 잡아 뜯어내다.
ab|zehren 《I》*t.* 다 먹어 치우다; 소모시키다, 쇠약하게〔여위게〕 하다. 《II》*i.* (h./s.) / *refl.* (sich) ~ 쇠약해지다. 《III》**abgezehrt** *p.a.* ↑ abgezehrt.
abzehrend *p.a.* 소모성의: eine ~e Krankheit 소모성 질환, 폐결핵.
Abzehrung *f.* 〖고어〗쇠약, 소모; 〖醫〗결핵.
Abzeichen [áptsaɪçən] *n.* -s, - 부호, 기호; 휘장, 배지; 〖動〗얼룩점.
ab|zeichnen [áptsaɪçnən] 《I》*t.* ① 도면을〔설계도를〕 그리다; 모사하다, 사생하다. ② 기호를 그려 넣다. ③ 서명하다: Er zeichnete die Rechnung ab 그는 계산서에 사인했다. 《II》*refl.* sich ~ ① 두드러지게 나타나다: in dem engen Kleid zeichnen sich die Körperformen deutlich ab 착 달라붙는 옷을 입으면 체형이 뚜렷하게 드러난다; sich gegen et. 〔von et.[3]〕 ~ 무엇에 비해 두드러지다, 대조를 이루다. ② 비치다, 반영하다; auf ihrem Gesicht zeichnet sich Entsetzen ab 그녀의 얼굴에는 놀란 기색이 완연하다.
Abzeichnung *f.* ① 모사, 사생; 겨냥도; 윤곽. ② 구획 표시, 식별표. ③ 사인.
ab|zerren *t.* jm. et. ~ 누구에게서 무엇을 떼어내다, 뜯어내다, 잡아 빼앗다.
ab|zetteln *t.* 〖방직〗날실을 빼내다.
Abzieh·apparat *m.* 증류기; 칼날 세우는 기구; 〖印〗교정쇄기.
abziehbar *a.* 떼어〔빼〕낼 수 있는.
Abzieh≈bild *n.* 판박이 그림. **~blase** *f.* ↑ ~apparat. **~bogen** *m.* 〖印〗교정쇄 용지. **~eisen** *n.* (삼을 훑는) 빗.
ab|ziehen [áptsiːən] 《I》*t.* ① 잡아뽑다, 잡아빼다; (모자·옷 등을) 벗다; (가죽·깍지·가면·커버 등을) 벗기다, 까다: den Ring vom Finger ~ 반지를 손가락에서 빼다; die Handschuhe ~ 장갑을 벗다; den Hut vor jm. ~ 모자를 벗으면서 누구에게 인사하다; (die Fäden von den) Bohnen ~ 콩깍지의 심줄을 떼어 내다. ② 제거하다; (열쇠를 열쇠 구멍에서) 빼내다; (연기를) 배출하다: die Saiten

~ 활시위를 벗기다. ③ (주의·시선·생각 등을) 다른 곳으로 쏠리게 하다; jn. von seinem Trübsinn ~ 누구를 기분 전환시키다; 〔비유〕 die Hand von jm. ~ 누구를 저버리다. ④ 빼다, 줄이다; 〖商〗 공제하다, 할인하다: jm. eine Summe am 〔vom〕 Lohn ~ 누구의 임금에서 얼마를 공제하다. ⑤ 불필요한 것을 제거하다; (물든 것을) 삶아서 빼다; (칼을) 갈다; (시계를) 조절하다: ein Brett ~ 널빤지를 대패로 깎다. ⑥ 배수하다; (술 등을) 마개를 뽑아 따르다; (총을) 발사하다; (연못의 물을) 빼다: die Handgranate ~ 수류탄의 안전핀을 뽑다. ⑦ **(a)** 증류〔정제〕하다. **(b)** 〖哲〗 추상하다. **(c)** 〖요리〗 진하게〔걸쭉하게〕 만들다: eine Suppe mit einem Ei ~ 국에 달걀을 풀다. ⑧ 〖광산〗 갱도를 측량하다. ⑨ 〖印〗 인쇄하다; 복사하다; 〖사진〗 인화하다, 뽑다. ⑩ 〖醫〗 외전(外轉)시키다. ⑪ 〔경박〕 (파티·쇼 등을) 밥먹듯이 벌이다. ⑫ (술 등을) 옮겨 담다, 채우다: Wein auf Flaschen ~ 포도주를 병에 담다. 《Ⅱ》 *i.* (s.) ① 물러서다, 떠나다; 〖軍〗 철수하다, 퇴각하다: die Zugvögel ziehen im Herbst ab 철새는 가을에 떠나간다; 〔경박〕 zieh ab! 꺼져!; aus der Wohnung ~ 이사하다; aus dem Dienste ~ 직무에서 물러나다; 〖軍〗 von der Wache ~ (보초가) 교대하여 떠나다, 비번이 되다; mit Schimpf und Schande ~ 창피한 꼴만 당하고 물러서다; unverrichteter Dinge ~ 〔leer ~, mit leeren Händen ~〕 실망하고〔소득 없이〕 떠나가다; 〔구어〕 mit langer Nase ~ 풀이 죽어 물러나다. ② 〖축구〗 갑자기 슛을 하다. 《Ⅲ》 *refl.* sich ~ (마소가) 짐을 끌어 지치다; 〖印〗 (금방 찍어낸 인쇄물의 잉크가 다른 것에) 번지다. 《Ⅳ》 **ạbgezogen** *p.a.* ↑ abgezogen.

ạbziehend *p.a.* 퇴거한; 〖醫〗 외전(外轉)한.

Ạbzieher *m.* -s, - 〖해부〗 외전근(外轉筋); 〖印〗 교정쇄를 미는 사람.

Ạbzieh⸗feile *f.* 연마용 줄. **~flasche** *f.* **~kolben** *m.* 증류기, 레토르트. **~leder** *n.* (면도날 등을 가는) 혁대. **~muskel** *m.* 〖해부〗 외전근(外轉筋). **~presse** *f.* 손으로 미는 인쇄기, 등사판. **~riemen** *m.* ↑ ~leder. **~stein** *m.* 숫돌.

Ạbziehung *f.* -en 떼어 놓기; 철거, 퇴거; 증류; 연마; 감법(減法), 공제.

Ạbzieh·zahl *f.* 감수(減數).

ạb|zielen 《Ⅰ》 *i.* (h.) 겨냥하다, 노리다, 목표로 하다: seine Kritik zielt auf die Regierung ab 그의 비판은 정부를 겨냥하고 있다. 《Ⅱ》 **ạbgezielt** *p.a.* ↑ abgezielt.

ạb|zimmern *t.* 네모지게 하다.

ạb|zirkeln 《Ⅰ》 *t.* 컴퍼스로 정밀하게 재다; 〔비유〕 꼼꼼하게 하다: seine Worte ~ 신중하게 입을 열다〔말하다〕. 《Ⅱ》 **ạbgezirkelt** *p.a.* ↑ abgezirkelt.

Ạbzirkelung *f.* -en 컴퍼스에 의한 정확한 측정.

ạb|zischen *i.* (s.) ① 〔드물게〕 김빠지는 소리가 나다. ② 〔비유·구어〕 급히 시끄럽게 떠나가다, 뺑소니치다: zisch ab! 꺼져!

ạb|zittern *i.* (s.) 〔구어〕 떠나가다.

ạb|zotteln *i.* (s.) 〔구어〕 어슬렁거리며 떠나가다.

Ạbzucht *f.* ..züchte 〔고어〕 하수구; 〖광산〗 통풍 수직갱.

ạb|zuckeln *i.* (s.) 〔구어〕 느릿느릿 떠나가다.

***Ạbzug** [áptsu:k] 《< abziehen》 *m.* -(e)s, ..züge ① 퇴거, 이전; 〖軍〗 후퇴, 철수. ② 유출〔배출〕 장치; 하수구. ③ 〖商〗 판매 상황. ④ 차감, 공제, 할인; 감액; 〔복수〕 (세금 등의) 공제액; ~ am Lohn 감봉; et. in ~ bringen 무엇을 공제하다; nach ~ der Unkosten 잡비를 제하고; ohne ~ 에누리 없는, 정가의. ⑤ 〖印〗 교정쇄; 〖사진〗 인화, 양화. ⑥ 〖軍〗 (총의) 방아쇠; 방아쇠를 당김. ⑦ 못의 가장 깊은 곳. ⑧ 〖카드〗 패를 돌림. ⑨ 깎아냄; 〖제련〗 부재(浮滓). ⑩ 〖원예〗 포도의 휘묻이. ⑪ 〖방직〗 얼레; 실패. ⑫ 증류, 증류주. ⑬ 배기관, 환기 장치.

ạbzüglich [..tsy:klɪç] *prp.*[2] …을 (공)제하고: ~ des Fahrgeldes 운임을 제하고; ~ Rabatt 할인액을 공제하고.

Ạbzugs⸗bogen *m.* 〖印〗 교정쇄. **~bügel** *m.* 〖軍〗 방아쇠. **~dampf** *m.* 배출 증기. **~fähig** *a.* (세금 따위를) 공제할 수 있는. **~feder** *f.* 방아쇠의 용수철. **~frei** *a.* 이주가 자유로운; 세액 공제가 없는. **~freiheit** *f.* 이주의 자유, 이주권. **~gas** *n.* 배기 가스. **~geld** *n.* ↑ ~zoll. **~graben, ~kanal** *m.* 배수구, 하수구〔관〕. **~loch** *n.* 통풍구. **~quelle** *f.* 판로. **~rechnung** *f.* 할인 계산. **~recht** *n.* ↑ ~freiheit. **~rinne** *f.* 배수구, 도랑. **~rohr** *n.*, **~röhre** *f.* 배수관, 배기관(排氣管). **~schacht** *f.* 〖토건〗 배기 수직갱. **~schleuse** *f.* 배수구. **~schmaus** *m.* 송별 연(회). **~vorrichtung** *f.* 배수 장치; 〖軍〗 방아쇠 장치. **~werke** *pl.* 쇠똥, 찌꺼기. **~zeit** *f.* 피고용자와 고용 계약을 변경·연기·갱신하는 시기. **~zoll** *m.* (다른 나라로의) 이주세.

ạb|zupfen *t.* (꽃잎 등을) 뜯어내다, 쥐어 뜯다; (명주실 등의) 엉킨 것을 풀다.

ạb|zwacken *t.* ① 집어 떼어내다〔잘라내다〕. ② 〔비유·구어〕 (돈을) 떼어놓다, 염출하다: vom Haushaltsgeld zehn Mark für Kosmetik ~ 생활비에서 10 마르크를 화장품값으로 떼어놓다; 〔구어〕 jm. et. ~ 누구에게서 무엇을 강제로 빼앗다, 옭아내다; jm. etwas am Lohn ~ 누구의 임금에서 약간 공제하다.

ạb|zwecken *i.* (h.)/*t.* ↑ abzielen.

Ạbzweig [áptsvaɪk] *m.* -(e)s, -e 〔드물게〕 ↑ Abzweigung ②.

Ạbzweig·dose *f.* 〖전기〗 (벽내 배선의) 분기함(分岐函).

Ạbzweige [..gə] *f.* -n (도로의) 갈림길.

ạb|zweigen 《Ⅰ》 *t.* ① (나무의) 가지를 치다. ② 분기(分岐)시키다. ③ 떼어두다. 《Ⅱ》 *refl./i.* (h.) (sich) ~ 분기하다, 나뉘다.

Ạbzweig⸗stelle *f.* 분기점. **~klemme** *f.* 〖전기〗 분기(分岐) 접속자.

Ạbzweigung *f.* -en ① 가지를 쳐 냄. ② 분기; 지류, 지맥; 〖철도〗 지선.

ạb|zwerchen *t.* (목재를) 결과 엇갈리는 방향으로 닦다.

ạb|zwicken *t.* ↑ abzwacken.

ạb|zwingen* *t.* 강요하다, 억지로 빼앗다: sich[3] ein Lächeln ~ 억지로 미소짓다.

ạb|zwirnen *t.* (엉킨 것을) 풀다, (꼬인 것을) 풀다.

Ac 〖化〗 = Aktinium 악티늄.

ac, ac. ↑ a.c. ②.

à c. = à condition 〖經〗 조건부로.

a.c. ① =anni currentis 금년의. ② =a conto 분할불로.
Académie française [akademí frãsɛ́:z] *f.* 프랑스 학술원〔아카데미〕.
Acajou [akaʒú:] *m.* -s, -s [..ʒú:s] ↑ Akajou.
a cappella [a kapɛ́la] 《it.》〖음악〗 반주 없이: ~ singen 반주없이 노래하다.
A-cappella-Chor *m.* 무반주 합창곡.
acc. =accusativus 《lat.》 제 4 격.
acc. c. inf. =accusativus cum infinitivo ↑ Akkusativ.
accel. =accelerando.
accelerando [atʃelerándo] 《it.》 *adv.* 〖음악〗 점점 빠르게.
Accent aigu [aksãtɛgý] 《fr.》 *m.* -(s), -(s) 악상테귀(보기: 프랑스어의 é 에서 ´).
Accent circonflexe [aksãsirkõflɛ́ks] 《frz.》 *m.* -(s), -(s) 악상 시르콩플렉스(보기: 프랑스어의 ô 에서 ˆ).
Accent grave [aksãgrá:v] 《frz.》 *m.* -(s), -(s) 악상그라브(보기: 프랑스어의 è 에서 `).
Accessoires [aksɛsoá:*r*] 《frz.》 *pl.* 액세서리; 〖연극〗 소도구.
Account [əkáunt] 《engl.》〔컴〕 계정.
accrescendo [akrɛʃɛ́ndo] 《it.》〖음악〗 점점 세게 (crescendo.)
Accrochage [akrɔʃá:ʒ] *f.* -n 사설 화랑 소장품 전시회.
Acetat [atsetá:t] *n.* -s, -e ↑ Azetat.
Acetat·seide *f.* 아세테이트견(絹).
Aceton [atsetó:n] *n.* -s 〖화학〗 아세톤.
Acetylen *n.* -s 〖화학〗 아세틸렌.
Acetylen·gas *n.* 아세틸렌 가스.
Acetum [atsé:tʊm] 《lat.》 *n.* -s 〖化〗 식초.
*__ach__ [ax] *int.* ① 아아: ~ Gott! 아 주여(고통·유감의 소리)!; ~, wie schade! 아, 참으로 안 되었구나! ② 아아, 오(놀라움·기쁨의 말): ~, ist das schön! 아, 그것 참 멋있군! ③ 아하, 아(깨달음의 표현): ~ so, jetzt ist das mir klar! 아 그렇군, 이제 분명히 알겠어!
Ach *n.* -s, -s 비탄: mit ~ und Krach 간신히, 겨우; ~ und Weh schreien 비명을 지르다.
Achäer [axɛ́:ə*r*] 《gr.》 *m.* -s, - ① 아카이아 사람(고대 그리스의 한 종족), (호메로스의 용어로는) 그리스 사람.
achäisch [axɛ́:ɪʃ] *a.* 아카이아(사람)의; 그리스(사람)의.
Achäne [axɛ́:nə] 《gr.》 *f.* -n 〖植〗 수과(瘦果) (엉거싯과의 열매).
*__Achat__ [axá:t] 《gr.》 *m.* -(e)s, -e 〖광물〗 마노 (최초의 산지 시칠리아섬의 Achates 강의 이름에서): isländischer ~ 흑요석(黑曜石).
achaten *a.* 마노의, 마노 같은.
achatisieren *n.* 마노빛으로 만들다.
Achat·schnecke *f.* 〖動〗 껍질이 아름다운 큰 달팽이 무리.
Ache[1] [áxə] *f.* -n 〖방언〗 작은 배.
Ache[2] [á(:)xə] *f.* -n ↑ Aa[2], Aach.
Achel [áxəl] *f.* -n 〖植〗 (벼·보리 등의) 까끄라기.
Achel·fahrt *f.* 식사.
acheln 《hebr.》 *t./i.* (h.) 〔속어〕 먹다.
Achene [axé:nə] *f.* -n ↑ Achäne.
Acheron [áxerɔn] 《gr. áchos, „Leid"+ rheîn, „fließen"》 *m.* -(s) 〖그리스신화〗 아케론강; 슬픔의 강(지옥의 강).
acherontisch *a.* 아케론강의; 지옥의; 저승의.
Acheuléen [aʃøleɛ̃:] 《frz.》 *n.* -(s) 아쉴기(期)(의 유물)(구석기 시대의 제 2 기; 그 유물이 발견된 곳인 Saint Acheul 의 이름에서).
Achill [axíl] *m.* ↑ Achilles.
Achilleis [axɪlé:ɪs] *f.* 아킬레스의 노래.
achilleisch *a.* 아킬레스의.
Achilles [axílɛs] *m.* 〖그리스신화〗 아킬레스 (호메로스의 시에 나오는 영웅).
Achilles=ferse *f.* 아킬레스의 발꿈치; 〔비유〕 인간의 약점. **~flechse, ~sehne** *f.* 〖해부〗 아킬레스건.
Achilleus [axílɔʏs] *m.* ↑ Achilles.
Achim [áxɪm] *m.* 아힘(남자 이름).
Achlaut 新정서 ⇦ Ach-Laut.
Ach-Laut [áxlaut] *m.* 독일어에서 모음 a, o, u 다음에 오는 ch 발음([x]) (보기: ach, Loch).
Achloropsie *f.* -n [..síːən] 〖醫〗 청록 색맹.
a. Chr. (n.) =ante Christum (natum) 서력기원전.
Achromasie [akromazí:] 《gr. chrôma, „Farbe"》 *f.* -n [..zí:ən] ↑ Achromatismus.
Achromat [akromá:t] 《gr.》 *m.* -(e)s, -e 〖사진〗 색을 지우는 대물(對物) 렌즈.
Achromatin *n.* -s 〖生〗 (세포핵의) 비염색질(非染色質).
achromatisch *a.* 색이 없는, 색수차(色收差)가 없는, 불염색성(性)의.
Achromatismus *m.* -, ..men 무색소성, 색수차 없음.
Achromatopsie *f.* 〖醫〗 색맹.
Achs=abstand *m.* 두 개의 축 사이의 간격. **~antrieb** *m.* 축구동(軸驅動). **~band, ~blech** *n.* 차축 가드. **~bruch** *m.* 차축 파손. **~büchse** *f.* 〖철도〗 축함(軸函). **~drehung** *f.* (차축을 도는) 회전. **~druck** *m.* 축압(軸壓).
*__Achse__ [áksə] 《indogerm.》 *f.* -n ① 축, 차축: per 〔auf, zur〕 ~ liefern (차편을 통해) 육로로 수송하다; 〔비유·구어〕 auf〔der〕 ~ sein 도중〔여행 중〕이다. ② 〖數·物〗 축, 축선(軸線). ③ 〖政〗 추축, 권력의 중심. ④ 〖植〗 줄기.
*__Achsel__ [áksəl] *f.* -n ① **(a)** 어깨, 겨드랑이: die 〔mit den〕 ~n zucken 어깨를 으쓱 추켜올리다(경멸·의혹·당혹 등을 나타냄); 〔비유〕 jn. über die ~ ansehen 누구를 깔보다; et. auf seine ~(n) nehmen 무엇을 떠맡다, 감당하다; et. auf die leichte ~ nehmen 무슨 일을 대수롭지 않게 다루다; 〔비유·고어〕 auf beiden ~n tragen 양다리를 걸치다. **(b)** 〖재단〗 (옷의) 어깨 부분. ② 〖植〗 엽액(葉腋).
Achsel=band *n.* 〔복수: ..bänder〕〖軍〗 참모견장; (특히 여자 옷의) 어깨 끈. **~bein** *n.* 〖해부〗 견갑골(肩胛骨). **~blick** *m.* 멸시. **~drüse** *f.* 〖해부〗 액와선(腋窩腺). **~gelenk** *n.* 어깨 관절. **~geruch, ~gestank** *m.* 암내, 액취(腋臭). **~griff** *m.* (물에 빠진 사람을 구조할 때) 어깨 밑에 손을 넣어 잡는 법. **~grube** *f.* ↑ ~höhle. **~hemd** *n.* 소매 없는 내의. **~höhle** *f.* 겨드랑이, 액와(腋窩). **~klappe** *f.* 〖軍〗 견장. **~knospe** *f.* 〖植〗 액아(腋芽). **~messung** *f.* 액와 검온법(檢溫

法). **~schnur** *f.* 〖軍〗 어깨에 걸친 장식물. **~schweiß** *m.* 겨드랑이 땀. **≈ständig** *a.* 〖植〗 엽액(葉腋)의, 액생(腋生)의. **~streifen** *m.*, **~stück** *n.* 〖軍〗 견장. **~träger** *m.* 양다리 걸친 사람, 기회주의자. **≈trägerisch** *a.* 양다리 걸친, 표리부동한. **~tuch** *n.* 〖가톨릭〗 신부의 미사복. **~zucken** *n.* 어깨를 으쓱 추켜올림(경멸·당혹의 뜻). **≈zuckend** *a.* 어깨를 으쓱하면서.

achsen [áksən] *t.* 축을 끼우다.

Ạchsen≈abstand *m.* 휠 베이스, 축거(軸距). **~bruch** *m.* 차축이 부러짐, 차축 절손(折損). **~drehung** *f.* 축 회전: 〖醫〗 축념(軸捻): die ~ der Erde 지구의 자전. **~geld** *n.* 마차 삯. **~kreuz** *n.* 〖數〗 좌표계, 좌표축. **~lager** *n.* 〖기계〗 좌철(座鐵), 축받이. **~mächte** *pl.* 〖政〗 추축국(제 2 차 세계 대전 때의 독일·이탈리아·일본). **~nagel** *m.* (차축의) 비녀장. **~neigung** *f.* 〖天〗 황도(黃道)의 경사(각). **~symmetrie** *f.* 〖數〗 축대칭. **~system** *n.* 〖數〗 좌표계. **~zylinder** *m.* 〖醫〗 (신경의) 축색(軸索).

achsial [aksiá:l] *a.* ↑ axial (의 오기(誤記)).

achsig [áksıç] *a.* 축의, 축을 이룬.

..achsig 《<Achse》 *suf.* "…한 축의, 축이 …한"의 뜻(보기: schmal~ 축이 가느다란).

Ạchsigkeit *f.* 〖理〗 (Axialität) 축성(軸性).

Ạchs≈kilometer *m.* 〖철도〗 (일정 시간에 달린) 차축 킬로미터수. **~lager** *n.* ↑ Achsenlager. **~last** *f.* 축압. **~linie** *f.* 축선. **~nagel** *m.* ↑ Achsennagel. **≈recht** *a.* 축의, 축상의. **~schenkel** *m.* 〖印〗 축각(軸脚)(앞의 축 끝부분과 바퀴를 연결하는 곳), 스티어링 너클. **~schenkel·bolzen** *m.* 〖車〗 축각(軸脚) 볼트. **~schere** *f.* 축봉(軸棒). **~stand** *m.* 〖工〗 차바퀴 간격. **~zapfen** *m.* 〖工〗 축경(軸頸).

***acht** [axt] 《I》 *num.* 8, 여덟: wir〔es〕 sind unser ~(e) 우리들은 (모두) 여덟 사람이다; wir sind zu ~(en) 우리 여덟 사람이 한 그룹이다; eine Familie von ~en 8 인 가족; ~ Tage 1 주일; binnen ~ Tagen 1 주일 이내에; in ~ Tagen a) 1 주일 후에, b) 1 주일 내에; heute vor ~ Tagen 지난 주 오늘; heute über ~ Tagen 내주 오늘; alle ~ Tage 매주; mit ~en fahren 여덟 필이 끄는 마차를 몰다; Schlag ~ 8 시. 《II》 *a.* 제 8 의, 8 번째의; am ~en Mai 5 월 8 일에; am ≈en 8 일에; er ist der ~e in der Klasse 그는 반에서 8 등이다.

Acht[1] [axt] *f.* -en ① 8 의 수: eine arabische 〔römische〕 ~ 아라비아〔로마〕 숫자 8. ② **(a)** 8 자형의 것: auf dem Eis eine ~ laufen 8 자형을 그리며 스케이트를 타다. **(b)** 〖교통·구어〗 8 번 노선차; in die ~ steigen 8 번 차를 타다. ③ 수갑; jm. die (stählerne) ~ anlegen 누구에게 수갑을 채우다. ④ 〖動〗 8 자형 무늬가 있는 흰나비의 일종.

***Acht**[2] 《got. aha, „Verstand"》 *f.* 〔관사·부가어가 없을 때는 acht〕 주의, 조심; 배려: aus der ~ 〔außer ≈〕 lassen 주의〔고려〕하지 않다; außer aller ~ lassen 전혀 개의치 않다; et. in ≈ haben〔nehmen〕 무엇에 주의를 기울이다, 조심하다; sich in ≈ nehmen a) 조심〔주의〕하다, b) 섭생하다; sich vor jm.〔et.³〕 in ≈ nehmen 누구〔무슨 일〕에 대하여 주의〔경계〕하다; auf et.〔jn.〕 ≈geben〔≈haben〕 무엇〔누구〕에 주의〔조심〕하다.

***Acht**[3] 《ahd. âhta, „Verfolgung"》 *f.* 〖史〗 법률 보호의 박탈, (고대 게르만·중세법에서) 추방; 〖宗〗 파문; 추방, 배척: jn. in die ~ erklären 〔tun〕, jn. mit der ~ belegen, die ~ über jn. aussprechen, jn. in ~ und Bann tun 누구를 추방〔파문〕하다; in die ~ verfallen 추방당하다.

ạcht≈armig *a.* 팔이 여덟 개 있는. **~bändig** *a.* 여덟 권으로 된.

achtbar [áxtba:*r*] 《<Acht²》 *a.* 존경할 만한.

Ạchtbarkeit *f.* 존경받을 만함, 고귀, 위엄.

Ạcht·brief 《<Acht³》 *m.* 추방〔파문〕장(狀).

***achte** [áxtə] 《mhd. ahte》 *a.* ↑ acht 《II》.

Ạcht≈eck *n.* 8 각형. **~eckig** *a.* 8 각형의.

ạchte·hạlb *a.* 7 개 반.

ạcht·einhạlb *num.* 8 개 반.

Ạchtel *n.* -s, - 8 분의 1; 〖음악〗 8 분 음표.

ạchtel *a.* 8 분의 1 의.

Ạchtel≈finale *n.* 〖스포츠〗 16 강전. **~format** *n.*, **~größe** *f.* (종이·서적 등의) 8 절지형. **~kreis** *m.* 8 분 원(중심 각도가 45° 인 호). **~liter** *n.* 8 분의 1 리터. **~los** *n.* 8 등분 복권. **~note** *f.* 〖음악〗 8 분 음표.

achteln [áxtəln] *t.* 8 로 나누다, 8 등분하다.

Ạchtel≈pause *f.* 〖음악〗 8 분 쉼표. **~takt** *m.* 〖음악〗 8 분의 1 박자. **~zentner** *m.* 1/8 첸트너(중량의 단위).

***achten** [áxtən] 《I》 *t.* ① 평가하다; 존경〔존중〕하다: gering ~ 대수롭지 않게 여기다. ② 〔고어·雅語〕 …라고 생각하다, 여기다: jn. für glücklich〔nichts〕 ~ 누구를 행복한 사람이라고 여기다〔하찮게 여기다〕. ③ 〔2 격이나 4 격 목적어와 함께 부정문으로〕 〖雅語〗 신경쓰다, 염두에 두다: die Gefahr 〔sein Leben〕 nicht ~ 위험에〔자기 목숨에〕 아랑곳하지 않다. 《II》 *i.* (h.) auf et. ~ 〔eines Dinges ~〕 무엇에 주의〔유의〕하다. 《III》 *refl.* 〔드물게〕 sich nach et.³ ~ 무엇에 따르다, 무엇을 기준으로 삼다.

ächten [ɛ́çtən] 《<Acht³》 *t.* 법률의 보호를 박탈하다, 추방하다; 〖宗〗 파문하다; 〔비유〕 배척하다; 비난〔거부〕하다: die Atomwaffen ~ 핵무기를 거부하다.

Ạcht·ender *m.* -s, - 〖動〗 8 가닥의 뿔을 가진 큰 사슴.

Ạchten·krutscher 《<Acht¹》 *m.* 〔구어〕 초등 학교 1 년생, 초학자.

achtens [áxtəns] *adv.* 8 번째로.

ạchtens≈wert, ~würdig *a.* 존경할 만한; 주목할 만한.

Achter [áxtə*r*] *m.* -s, - ① 8 단위로 이루어진 것; 8 페니히짜리 동전; 8 행시; 〖스포츠〗 8 인승 보트; 8 자형으로 돎. ② 〖動〗 8 가닥의 뿔을 가진 사슴. ③ 1/8 의 분량. ④ 〖軍〗 제 8 연대의 병사. ⑤ (천 몇 백 몇 십) 8 년산(產)의 포도주. ⑥ 8(의 수). ⑦ 〖교통〗 8 번 노선 차.

ạchter 《ndd.; <after》 *a.* 〖海〗 고물〔선미〕의; 뒤의.

Ä̤chter [ɛ́çtə*r*] 《<Acht³》 *m.* -s, - ① 〔비유·드물게〕 추방〔파문〕하는 사람. ② (중세에) 추방당한 사람.

ạchter≈aus *adv.* 〖海〗 뒤로, 고물〔선미(船尾)〕로. **≈bahn** 《<acht》 *f.* (놀이 공원의) 8 자형 궤도차, 팔팔 열차. **≈deck** *n.* 〖海〗 뒷갑판. **≈last** *f.* 〖海〗 선미에 실은 짐. **~lastig** *a.* 선

미가 앞보다 물에 깊이 잠기게 한. ≈**las-tigkeit** *f.* 〖海〗 선미가 무거운 상태.
achterlei [áxtərláɪ] *a.* 8 가지의, 8 종의.
achterlich *a.* 고물〔선미(船尾)〕에서(의).
Achter·mannschaft *f.* 8 인조 보트팀.
achtern [áxtərn] 《I》 *a.* 뒤의, 고물〔선미(船尾)〕의. 《II》 *adv.* 뒤로, 고물〔선미〕로.
Achter≈naht *f.* 〖醫〗 8 자형 봉합. **~riemen** *m.* 노가 8 개인 보트. **~schiff** *n.* 〖海〗 고물, 선미. **~sitz** *m.* 배의 뒷자리. **~steven** *m.* 선미재(材). **~tour** *f.* 〖醫〗 8 자형 교차대(帶).
acht≈fach *a.* 8 배의. ≈**fache** *n.* 8 배. **~-fällig** *a.* 추방〔파문〕당한. **~faltig** *a.* 〖드물게〗 8 겹 주름인. **~fältig** *a.* ↑ ~fach. ≈-**flach** *n.*, ≈**flächner** *m.* 〖數〗 8 면체. **~-füßer** *m.* ↑ ~füßler. **~füßig** *a.* 8 족(足)의. ≈**füßler** *m.*, ≈**füßling** *m.* 〖動〗 (다리가 8 개인) 8 족류(낙지). **~|geben***, **~|-haben*** *i.* (h.) auf et.〔jn.〕 ~ 무엇〔누구〕에 주의하다. **~halb** *a.* ↑ achtehalb. **~hun-dert** *num.* 800. **~jährig** *a.* 8 세의, 8 년간의. ≈**jahrige*** *der/die* 8 살된 아이. **~-jährlich** *a.* 8 년마다의. ≈**kampf** *m.* 〖스포츠〗 8 종 경기. ≈**knoten** *m.* 〖海〗 (로프의) 8 자 매듭. **~kantig** *a.* 모서리가 8 개인.
Achtling *m.* ① 8 페니히짜리 옛날 동전. ② 8 쌍둥이 중 하나.
***achtlos** [áxtlo:s] *a.* 부주의한, 신중하지 못한: auf〔für, gegen〕 et. ~ sein 무엇에 대하여 부주의하다.
Achtlosigkeit *f.* 부주의, 사려 없음.
acht≈mal *adv.* 8 번, 8 차례〔배〕(단: acht mal zwei ist sechzehn 8 곱하기 2 는 16). **~malig** *a.* 8 번의, 8 배의. **~männig** *a.* 〖植〗 수(꽃)술이 8 개 있는. ≈**meter** *n.* 〖스포츠〗 (실내 축구 경기의) 페널티 킥. **~monatig** *a.* 8 개월의〔된〕. **~monatlich** *a.* 8 개월마다. ≈**mo-nats·kind** [axtmó:nats..] *n.* 팔삭둥이. ≈-**pfünder** *m.* 〖軍〗 ① 8 파운드(4 kg)의 포(砲). ② 8 파운드 (무게의) 동물〔물건·신생아〕. ≈**punkt·schrift** *f.* 8 포인트 활자. ≈-**ruderer** *m.* 〖海〗 노가 8 개인 보트.
acht|sam [áxtza:m] *a.* 〖雅語〗 주의 깊은, 조심성 있는: auf et. ~ sein 무엇에 대해 주의하다; ein ~es Auge auf jn.〔et.〕 haben 누구를〔무엇을〕 주의 깊게 살피다〔바라보다〕.
Achtsamkeit *f.* 주의, 신중.
acht≈seitig *a.* 〖數〗 8 면의. ≈**erklärung** *f.* 추방〔파문〕 선언. **~silbig** *a.* 8 음절의. ≈-**spänner** *m.* 8 두 마차. **~spännig** *a.* 말 8 필이 끄는. ≈**stek** *m.* ↑ ≈knoten. **~stellig** *a.* 8 자리의. ≈**stich** *m.* ↑ ≈knoten. **~-stöckig** *a.* 8 층의. **~stempelig** *a.* 〖植〗 암(꽃)술이 8 개 있는. ≈**stunden·tag** [axt|-ʃtúndən..] *m.* 1 일 8 시간 노동. **~stündig** *a.* 8 시간의. **~stündlich** *a.* 8 시간마다의. **~-stündner** *m.* (1 일) 8 시간 노동자. **~tägig** *a.* 1 주일간의. **~täglich** *a.* 매주의. ≈-**tags·uhr** *f.* 1 주일에 한 번 태엽을 감는 시계. **~tausend** [áxttáuzənt] *num.* 8000. ≈**tausender** *m.* 해발 8000 미터의 산(봉우리). **~teilig** *a.* 8 부(분으)로 된. ≈**tonner** *m.* 8 톤 화물차. ≈**uhr·vorstellung** *f.* 저녁 8 시 연극 공연〔영화 상영〕. ≈**uhr·zug** *m.* 8 시발 열차. ≈**und·vierziger** [axt|..fír..] *m.* 1848 년의 혁명 운동자〔지지자〕. ≈**und-vierzig·stunden·woche** *f.* 주 48 시간 노동(제).
***Achtung** [áxtuŋ] *f.* ① 주의, 〖軍〗 차려: ~! 주의하라!; ~, Hochspannung! 고압선 주의!; auf jn.〔et.〕 ~ geben〔haben〕 누구에게〔무엇에〕 주의하다. ② 존경, 존중: ~ vor jm.〔für, gegen jn.〕 누구에 대한 존경; jm. ~ einflößen 누구에게 존경심을 일으키게 하다; jm. ~ erweisen 누구에게 경의를 표하다; sich³ ~ erwerben, sich³ ~ zu verschaffen wissen〕 존경을 받다; bei jm. in hoher ~ stehen 누구에게서 많은 존경을 받고 있다; alle ~! 정말 놀라운데!
Ächtung [ɛ́çtuŋ] *f.* -en ① 추방, 파문. ② 법률 보호의 박탈.
achtung≈einflößend, ~gebietend *a.* 위엄 있는, 당당한, 존경심을 불러일으키는.
Achtungs≈applaus *m.* 의례적인 갈채. **~be-zeigung** *f.* 경의의 표명. **~erfolg** *m.* 괜찮은 성과, 무난한 성과.
achtungslos *a.* 무례한, 무엄한.
Achtungs≈stellung *f.* 〖軍〗 (schweiz.) 차렷 자세. **~verletzung** *f.* 〖軍〗 상관 모욕. ≈-**voll** *a.* 경의에 찬; (편지의 끝에서) 경의를 표하며, 공손한. ≈**wert** *a.* 존경할 만한. ≈-**widrig** *a.* 무례한. ≈**würdig** ↑ ≈wert.
acht≈weibig *a.* 〖植〗 암(꽃)술이 8개 있는. **~-winkelig** *a.* 8 각의. ***~zehn** *num.* 18, 열여덟. ≈**zehn·ender** *m.* 〖動〗 뿔에 18 가지가 있는 큰 사슴. **~zehn·jährig** *a.* 18 세의. **~zehnt** *a.* 제 18 의. ≈**zehntel** *n.* 18 분의 1. **~zehntel** *a.* 18 분의 1 의. **~zehntens** *adv.* 18 번째로. **~zeilig** *a.* 8 행으로 된. **~ziffe-rig** *a.* 〖數〗 8 자리의.
***achtzig** [áxtsɪç] *num.* 80, 여든: 〖구어〗 auf ~ sein 매우 화나 있다; auf ~ kommen 매우 화나다; jn. auf ~ bringen 누구를 몹시 화나게 만들다.
Achtzig *f.* -en 80(의 수); 80 대(수 및 연령): Mitte ~ 80 대 중반; der Mensch über〔unter〕 ~ 80 이 넘은〔넘지 않은〕 사람; in die ~ kommen 80 대가 되다; in den ~(en) sein 80 대다; 〖비유·구어〗 ~ fahren 시속 80 km로 달리다.
achtziger [..tsɪgər] *a.* ① 80 년의: ein ~ Jahrgang (어느 세기의) 80 년산(産) 포도주, 80 년에 출생한 사람. ② 80 년대의; in den ~ Jahren des letzten Jahrhunderts 지난 세기 80 년대에.
Achtziger *m.* -s, - ① 80 세〔대〕의 사람, 팔순 노인. ② 제 80 연대 소속의 장병. ③ (천 몇 백) 80년산(産)의 포도주. ④ 〖복수〗 80 년대: Mitte der ~ 80 년대 중반.
Achtzigerin *f.* -nen 80 세〔대〕의 부인.
Achtziger·jahre *pl.* (나이가) 80 대: in den ~n sein (나이가) 80 대다.
achtzigerlei [..laɪ] *a.* 80 종류의.
achtzig≈fach *a.* 80 배의. **~jährig** *a.* 80 년의; 80 세의. **~mal** *adv.* 80 번; 80 배(로).
achtzigst *a.* 제 80 의.
achtzigstel *a.* 80 분의 1 의.
Achtzigstel *n.* -s, - 80 분의 1.
acht≈zollig, ~zöllig *a.* 8 인치 길이의. ≈-**zylinder** *m.* 〖工〗 8 기통 엔진〔차〕. ≈**zy-linder·motor** *m.* 8 기통. **~zylindrig** *a.* 8 기통의.

Achylie [axylíː] ⟪gr.⟫ *f.* -n [..líːən] 〚醫〛 위액 결핍증.

***ächzen** [ɛ́çtsən] ⟪<ach !⟫ *i.* (h.) 신음하다, 비탄하다; (비둘기·부엉이가) 신음하듯 울다; (차바퀴·침대 등이) 삐걱거리다.

Ächzer *m.* -s, - ① 신음하는 사람. ②〔구어〕 신음.

a.c.i. =accusativus cum infinitivo.

Acidität [atsiditɛ́ːt] *f.* 〚化〛 산(성)도.

Acidose [..dóːzə] *f.* -n 〚醫〛 산혈증(酸血症) (혈액 속에 산도가 증가하는 병).

***Acker** [ákər] *m.* -s ①〔복수: Äcker〕 전답, 경작지; 경작지의 토양: den ~ bauen〔bestellen〕 밭을 갈다. ②〔복수: -〕 에이커(경작 면적의 옛 단위).

Acker·arbeit *f.* 경작, 밭일.

ackerbar *a.* 경작할 수 있는.

***Acker=bau** *m.* 경작, 농업: ~ treiben 농사짓다; von ~ und Viehzucht keine Ahnung haben (무엇에 대해) 아무것도 모르다. **~-bau·ausstellung** *f.* 농산물 품평회. **~-bauend** *a.* 농사짓는, 농업의. **~bauer** *m.* ①〔드물게〕 농부, 농민. ②〔복수〕 농경 민족.

Ackerbau=erzeugnisse *pl.* 농산물, 농작물. **~gesellschaft** *f.* 농업 조합. **~kunde, ~lehre** *f.* 농학, 재배학. **~minister** *m.* 농림부 장관. **~ministerium** *n.* 농림부. **~-schule** *f.* 농업 (전문) 학교. **~treibend** *a.* 농사 짓는. **~wesen** *n.* 농업, 농사.

Acker=beet *n.* 이랑. **~bestellung** *f.* 경작. **~boden** *m.* 경작지. **~bohne** *f.* 잠두(蠶豆), 누에콩. **~bürger** *m.* 〔고어〕 (시 경계내에서) 농경을 하는 소도시 주민.

Äckerchen *n.* -s, - ↑ Acker 의 축소형.

Acker·distel *f.* 〚植〛 엉거싯과에 속하는 뿌리가 긴 밭잡초.

Ackerei [akəráɪ] *f.* 경작, 농업.

Ackerer *m.* -s, - 농부; 경작지; 소지주.

Acker=erde *f.*, **~feld** *n.*, **~fläche** *f.* 농토, 경작지, 전답. **~fräse** *f.* 회전식 경운기. **~-furche** *f.* 밭고랑. **~gaul** *m.* 농마(農馬). **~geld** *n.* 지세(地稅), 영농비. **~gesetz** *n.* 농지법. **~gerät** *n.*, **~gerätschaft** *f.*, **~ge-schirr** *n.* 농기구. **~hahnen·fuß** *m.* 젓가락나물속의 잡초. **~hof** *m.* 농장; 농가. **~-kamille** *f.* 〚植〛 카밀레속의 일종. **~-knecht** *m.* (주로 밭일하는) 머슴; 〚욕설〛 농부. **~krume** *f.* ↑ ~land. **~kult** *m.* 풍년제. **~land** *n.* 경작지, 농토. **~lohn** *m.* 경작 노임. **~leute** *pl.* ↑ ~mann. **~mann** *m.* 〔고어〕 농민, 농부. **~männchen** *n.* 〚動〛 할미새. **~mennig** *m.* 〚植〛 짚신나물. **~mohn** *m.* 〚植〛 개양귀비.

ackern [ákərn] *t./i.* (h.) 밭을 갈다, 쟁기질하다; 〔비유·구어〕 수고하다, 힘들여 일하다.

Acker=nahrung *f.* 한 농가(4 인 기준)의 자급 경작 면적. **~rain** *m.* 이랑, 밭고랑. **~-recht** *n.* 경작권, 농지법. **~ritter·sporn** *m.* 밭 잡초의 일종. **~röte** *f.* 〚植〛 꼭두서니. **~-salat** *m.* ↑ Feldsalat. **~schachtel·halm** *m.* 쇠뜨기(밭 잡초의 일종). **~schleife** *f.*, **~schleppe** *f.* 경작지의 흙을 고르는 기계, 트랙터. **~schnecke** *f.* 〚動〛 (농작물에 해를 끼치는) 괄태충의 일종. **~scholle** *f.* (쟁기로 파헤친) 흙덩이. **~senf** *m.* 〚植〛 야생 겨자(잡초의 일종).

Ackers·mann *m.* 〔복수: ..leute/..männer〕 농민.

Acker=unkraut *n.* 밭의 잡초. **~vieh** *n.* 농장 소유의 가축. **~wagen** *m.* 농업용 다목적 차량. **~walze** *f.* 〚農〛 정지(整地)〔파종〕 작업용 롤러. **~werre** *f.* 〚動〛 땅강아지. **~winde** *f.* 〚植〛 서양메꽃. **~wirtschaft** *f.* ↑ ~bau. **~wurz** *f.* 〚植〛 창포. **~zahl** *f.* 〚農〛 (농경 토지 평가의) 등급 수치. **~zins** *m.* 소작료, 지대.

Ackja [ákja] *m.* -(s), -s ① (북극 지방의 보트 모양의) 순록 썰매. ② (산악 구조대의) 구조용 썰매.

à condition [akɔ̃disjɔ̃ː] ⟪frz.⟫ 〚商〛 조건부로(약어: à c.).

a conto [a kɔ́nto] ⟪it.⟫ 〚商〛 외상으로, 할부로(약어: a.c.).

Acquit [akíː] ⟪frz.⟫ *n.* -s, -s 〚商〛 영수증.

Acre [éːkər] ⟪engl.⟫ *m.* -s, -s 에이커(영국의 지적(地籍) 단위; 약 4046.8 제곱미터).

Acrolein [akroleíːn] *n.* -s ↑ Akrolein.

Acryl [akrýːl] *n.* 아크릴.

Acryl·säure [..rýːl..] *f.* 아크릴산.

ACS =Automobil-Club der Schweiz 스위스 자동차 클럽.

Actinium [aktíːnium] *n.* -s 악티늄(기호: Ac).

Action [ǽkʃən] ⟪engl.⟫ *f.* (영화 등의) 액션.

Action=film *m.* 액션 영화. **~malerei** *f.*, **~painting** *n.* 액션 페인팅(1940 년대 말 미국에서 발생한 추상화의 한 형식).

A.D. =Anno Domini ⟪lat., „im Jahre des Herrn"⟫ 서기〔기원 후〕 …년.

a.D. =außer Dienst 퇴직한, 퇴역의.

a.d.[1] =a dato ⟪lat.⟫ 이 날짜부터.

a.d.[2] =(특히 지명에서) an der: Frankfurt a.d. Oder 오데르 강변의 프랑크푸르트.

Ada [áːda] *f.* 아다(여자 이름; Adel 이 붙는 이름; 특히 Adelheid, Adelgunde 의 단축형).

Adabei [áːdabaɪ] *m.* -s, - (öst.) 〔구어〕 어디나 끼어드는 사람, 잘난 체하는 사람.

ad absurdum [at apzʊ́rdum] ⟪lat.⟫ 〔다음 용법으로〕 et.〔jn.〕 ~ führen 무엇〔누구〕의 불합리함을 논증하다.

ADAC [aːdeːǀaːtséː] =Allgemeiner Deutscher Automobil-Club 전독일 자동차 클럽.

ad acta [at ákta] ⟪lat.⟫ 다른 서류와 함께 (약어: a.a.): 〔주로 다음 용법으로〕 et. ~ legen 〔고어〕 무엇을 다른 서류와 함께 치워버리다, 〔비유〕 무엇을 처리된 것으로 간주하다.

adagio [adáːdʒo, adáːzio] ⟪it.⟫ *adv.* 〚음악〛 느리게.

Adagio *n.* -s, -s 느린 곡조.

Adalbert [áːdalbɛrt] *m.* 아달베르트(남자 이름).

Adalin *n.* -s 〚藥〛 아달린(수면제의 이름).

***Adam** [áːdam] ⟪hebr., „Mensch"⟫ *m.* ①〚성경〛 아담(창세기에 나오는 최초의 인간; 인류의 시조): der alte ~ 원죄(原罪); den alten ~ ausziehen (회개하여) 새사람이 되다, 갱생하다; seit ~s Zeiten 아득한 옛날부터, 태고이래로; von ~ und Eva abstammen 매우 오래 되다; eine Geschichte bei ~ und Eva anfangen〔beginnen〕 이야기를 처음부터〔옛날로 소급하여〕 장황하게 늘어놓다. ② 아담(남자 이름): nach ~ Riese 정확하게 말하면(~

Riese는 독일의 수학자).
Adamit [adamí:t] *m.* -en, -en 〖宗〗 아담파(派)(신도)(낙원의 재현을 빌며 나체로 예배드리는 2세기의 한 종파).
adamitisch *a.* ① 아담에서 유래하는. ② 아담파(신도)의; 벌거벗은.
Adams·apfel *m.* ①〖해부·구어〗 목젖. ②〖植〗(a) 파초속(屬). (b) 왕귤나무의 일종. **~feige** *f.* 〖植〗 바나나. **~kind** *n.* 아담의 자손, 인류, 인간. **~kostüm** *n.* 〖구어〗 im ~ 나체로.
Adaptation [adaptatsió:n] 《lat.》 *f.* -en ① 적응, 순응; 조절; 적합. ② 개작, 각색, 번안. ③ (öst.) (건물의) 개조, 전용.
Adapter *m.* -s, - 어댑터, 보조 기구.
adaptieren [adaptí:rən] *t.* ① 적응〔순응〕시키다; 적용시키다. ② 각색〔번안〕하다. ③ (öst.) (건물 등을) 개조하다, 전용하다.
Adaptierung *f.* -en 적응, 순응; 적용, 조절.
Adaption *f.* -en ↑ Adaptation.
adaptiv [..tí:f] *a.* 적응하는, 적응력이 있는; (건물이) 수리 가능한.
adäquat [adɛkvá:t] 《lat.》 *a.* 적합한, 적당한; 타당한.
Adäquatheit *f.* 적합성, 적당.
adäquieren *t.* 동등〔균등〕하게 하다, 조정하다.
a dato [a: dá:to] 《lat.》 (vom Datum ab) 이 날짜로부터(약어: ad.).
ADAV ＝Allgemeiner Deutscher Arbeiterverein 전 독일 노동자 연맹.
ADB[1] ＝Asian Development Bank 〖經〗 아시아 개발 은행.
ADB[2] ＝Allgemeine Deutsche Biographie 전 독일 전기 대감(傳記大鑑)(1900 년까지에 사망한 저명 인사의 전기를 수록한 것; 1875-1912 년에 간행; 총 55 권).
Adca *f.* ＝Allgemeine Deutsche Credit-Anstalt 독일의 은행(1945 년까지).
ad calendas graecas [at kalɛ́ndas grɛ́:kas] 《lat., „bis zu den griechischen Kalenden"》 여지껏 …하지 않은, 전대미문의, 고금에 없는.
ADD ＝Attention Deficit Disorder 〖醫〗 주의 산만증(컴퓨터 사용자에게 나타나는 일종의 직업병).
a.d.D. ＝auf dem Dienstweg 직무상의.
Addel [ádəl] *m.* -s (ndd.) 더러운 물; 똥 오줌물.
addeln *t.* (똥·오줌물 등의) 액체 비료를 주다.
Addend [adɛ́nt] *m.* -en, -en 〖數〗 더해야 할 수, 피가수(被加數).
Addendum [adɛ́ndʊm] 《lat.》 *n.* -s, ..da 추가, 보충; (책의) 부록, 증보.
addieren [adí:rən] 《Ⅰ》 *t.* 〖數〗 (↔ subtrahieren) 더하다, 합계하다. 《Ⅱ》 *refl.* sich ~ 어떤 금액에 달하다, 가산되다.
Addier·maschine *f.* 계산기.
addio 《it.》 *int.* ↑ adieu.
Addis Abeba [ádɪs á:beba] („neue Blume" 의 뜻) 아디스 아바바(에티오피아의 수도).
Addison-Krankheit *f.* 〖醫〗 애디슨 병.
Addition [aditsió:n] *f.* -en 〖數〗 덧셈; 합계; 〖化〗 부가, 첨가.
additional [..tsioná:l] *a.* 부가의, 추가의.
Additions·farbe *f.* 혼색(混色). **~verbindung** *f.* 〖化〗 가성(加性) 화합물, 부가〔첨가〕화합물. **~wort** *n.* 〖문법〗 계사(繫辭).
additiv [adití:f] *a.* 첨가〔추가〕하는; 덧셈의.
Additiv *n.* -s, -e (원하는 화학적 반응을〔효과를〕 얻기 위해 넣는) 첨가물〔제〕.
addizieren [aditsí:rən] 《lat.》 *t.* 판결에 따라 누구에게 무엇을 부여하다〔귀속시키다〕.
Adduktion [adʊktsió:n] 《lat.》 *f.* -en 〖醫〗 내전(內轉).
Adduktor [adʊ́ktɔr, ..to:r] 《lat.》 *m.* -s, -en [..tó:rən] 〖해부〗 내전근(內轉筋), 내선근(內旋筋).
adduzieren [adutsí:rən] *t.* 끌어당기다.
*__ade__ [adé:] 《＜adieu》 *int.* (작별 인사로) 안녕: ~ sagen "안녕"이라고 말하다.
Ade *n.* -s, -s 작별 인사.
Adebar [á:dəba:r], **Adebär** [..bɛ:r] *m.* -s, -e 〖動〗 (ndd.) 황새(Storch).
*__Adel__ [á:dəl] *m.* -s ①〖총칭〗 귀족, 귀족 계급: von ~ sein 귀족 출신이다; den ~ verleihen 작위를 수여하다; ~ verpflichtet 〔noblesse oblige〕 신분이 높아지면 의무도 많아진다. ②〖비유·雅語〗 고귀, 고상, 우아, 품격. ③〖광산〗 광맥이 풍부함.
Adele *f.* 아델레(여자 이름).
Adelheid [á:dəlhaɪt] *f.* 아델하이트(여자 이름).
*__adelig__ *a.* 귀족의, 명문 출생의; 고귀한, 품격이 있는.
Adelige* *der/die* 귀족(의 한 사람).
adeln *t.* 귀족 신분을 부여하다, …에게 작위를 수여하다; 〖비유·雅語〗 고상하게 하다, 세련되게 하다.
Adels·anmaßung *f.* 귀족 칭호의 사칭(詐稱). **~brief** *m.* 작위(爵位) 수여증. **~buch** *n.* 공식 귀족 명감(名鑑). **~diplom** *n.* ↑ ~brief. **~familie** *f.* 귀족 가문. **~genossenschaft** *f.* 귀족 사회. **~geschlecht** *n.* 귀족 혈통〔가문〕. **~herrschaft** *f.* 귀족 정치. **~kalender** *m.* 비공식 귀족 명감. **~krone** *f.* 귀족의 보관(寶冠). **~lexikon** *n.* ↑ ~buch. **~partikel** *f.*, **~prädikat** *n.* 귀족 신분을 지칭하는 단어, 귀족 이름 앞에 붙는 불변화사(보기: von). **~privileg** *n.* 귀족의 특권. **~probe** *f.* 귀족 출신 증명. **~rang** *m.* 귀족 계급. **~register** *n.* ↑ ~buch. **~stand** *m.* 귀족 계급〔신분〕. **~stolz** *a.* 귀족 신분을〔명문 출신임을〕 자랑하는. **~süchtig** *a.* 귀족을 동경하는. **~titel** *m.* 작위. **~verleihung** *f.* 작위 수여.
Adelung *f.* -en ① 작위 수여. ② 고상하게 함, 순화(醇化).
Adenin *n.* -s, -e 〖生·化〗 아데닌.
Adenitis [adení:tɪs] 《gr.》 *f.* ..tiden [..tí:dən] 〖醫〗 선염(腺炎).
adeno.. 《gr. aden, „Drüse"》 *pref.* 〖해부〗 "선(腺)"의 뜻.
adenoid [adenoí:t] *a.* 선상(腺狀)의, 림프선상(狀)의.
Adenom *n.* -s, -e 〖醫〗 선종(腺腫).
Adenoma *n.* -s, -ta 〖醫〗 선종(腺腫).
adenomatös [..nomatø:s] *a.* 〖醫〗 선종상(腺腫狀)의.
Adenotomie *f.* 〖醫〗 인두 편도선 절제(수술).
Adenovirus *n./m.* -, ..ren 〖生〗 아데노바이러스.
Adept 《lat. „adeptus"》 *m.* -en, -en 전문가,

대가; 연금술의 대가.

*__Ader__ [á:dər] *f.* -n ①〖해부〗 혈관, 핏줄; 정맥(Blut∼); 동맥(Schlag∼): goldene ∼ 치(痔)정맥; jm. die ∼ öffnen〔schlagen, lassen〕, jn. zur ∼ lassen 누구의 피를 (정맥에서) 뽑다; sich³ die ∼n öffnen 혈관을 끊어 자살하다. ②〖광산〗 광맥; (땅속의) 수맥. ③〖植〗 잎맥, 엽맥; 나뭇결, 나이테; (돌 특히 대리석의) 줄무늬, 결;〖動〗(곤충의 날개의) 무늬맥. ④〖비유〗소질: für Musik hat er überhaupt keine ∼ 그에게는 음악에 소질이 전혀 없다. ⑤〖전기〗(케이블의) 심선(心線).

Ader·bruch [á:dər..] *m.* 정맥류(瘤).

Äderchen *n.* -s, - 〖↑ Ader 의 축소형〗소혈관, 소정맥.

Ader≈entzündung *f.* 〖醫〗 정맥염. **∼geflecht** *n.*〖해부〗맥락총(叢). **∼geschwulst** *f.* 혈관종(腫). **∼gewächs** *n.* 비종(鼻腫). **∼gewebe** *n.* 맥락 조직. **∼haut** *f.*〖醫〗(눈의) 맥락막(膜). **∼häutchen** *n.*〖해부〗태반(胎盤) 맥락막. **∼holz** *n.* 나뭇결에 평행으로 자른 목재.

aderig, äderig *a.* ① 혈관이 있는, 정맥〔동맥〕의. ② (돌·나무 등에서) 줄무늬가〔결이〕 있는.

Ader≈klemme *f.* ↑ ∼presse. **∼knoten** *m.*〖醫〗 정맥류(瘤). **∼kropf** *m.* 정맥종(腫). **∼laß** *m.* ①〖醫〗사혈(瀉血), 방혈. ②〖비유〗피해, 손실.

Aderlass 新정서 ⇦ Aderlaß.

Aderlaß≈bausche *f.* 사혈용〔방혈용〕 압정포(壓定布). **∼binde** *f.* 사혈용 붕대. **∼eisen** *n.* 사혈용 침(針).

Ader≈lassen *n.* ↑ ∼laß. **∼lasser** *m.*〖醫〗사혈 시술자(施術者); 사혈용 기구.

Aderlaß≈kunst *f.*〖醫〗 사혈〔방혈〕술. **∼lanzette** *f.* 사혈침(瀉血鍼). **∼schnäpper** *m.*〖醫〗 란세트, 바소.

Äderlein *n.* -s, - ↑ Äderchen.

adern [á:dərn] 《I》 *t.* ↑ ädern. 《II》 **geadert** *p.a.* ↑ geadert.

ädern [ɛ́:dərn] 《I》 *t.* (돌·나무 등에) 줄무늬를〔결을〕 그리다, 새기다. 《II》 **geädert** *p.a.* ↑ geädert.

Ader·netz *n.*〖醫〗 정맥망(網).

Adern·kratzer *m.* 상감(象嵌)〔전목(塡木)〕 세공용 대패.

Ader≈öffnung *f.*〖醫〗 동맥 절개술. **∼presse** *f.* 지혈기(止血器), 혈관 압저기(壓抵器). **∼reich** *a.* 혈관이 많은. **∼rippig** *a.*〖植〗 잎맥〔엽맥(葉脈)〕이 있는. **∼schlag** *m.* 맥박.

Aderung, Äderung *f.*〖動·植〗 (잎맥〔엽맥(葉脈)〕의) 맥상(脈相).

Ader≈verkalkung *f.* 혈관 경화. **∼wasser** *n.* 혈청(血清), 장액(漿液).

Adespota [adɛ́spota] 《gr. despótes, „Herr"》 *pl.* 임자 없는 물건; (특히) 저자 불명의 작품.

à deux mains [adømɛ̃] 《frz.》〖음악〗(피아노 연주 때) 두 손으로.

ADGB =Allgemeiner Deutscher Gewerkschaftsbund (제 2 차 세계 대전 전의) 독일 노동 조합 총연맹(↑ DGB.).

Adgo [átgo] *f.* (Allgemeine Deutsche Gebührenordnung für Ärzte) 전 독일 의료 수가(酬價) 규정.

Adhärens [athɛ́:rɛns] 《lat.》 *n.* -, ..renzien [..rɛ́ntsiən] ① 부속〔부착〕물. ②〖化〗 접착제.

adhärent *a.* 잘 달라붙는, 접착성의; 지지하는, 호의를 갖는.

Adhärenz *f.* -en 부착, 접착, 유착(癒着); 애착, 충성.

adhärieren [athɛrí:rən] *i.* (h.) 부착하다, 접착하다; (사람에게) 애착을〔호의를〕 갖다; (당파·의견 등을) 고집하다; 찬성하다.

Adhäsion [..zió:n] *f.* -en 접착(성), 부착(력);〖醫〗 유착;〖物〗(분자의) 응결;〖法〗부대(附帶); (조약·단체 등에의) 가입, 가맹;〖철도〗궤도의 마찰.

Adhäsions≈bahn *f.* 마찰 추진식 철도(보통의 궤도식 철도). **∼fett** *n.*〖工〗(벨트용) 기름, 점착 유지(油脂). **∼klausel** *f.* (국제 조약에서의) 가입 조항. **∼kraft** *f.*〖物〗분자들의 점착력. **∼prozeß** *m.*, **∼verfahren** *n.*〖法〗부대 상소(附帶上訴). **∼verschluß** *m.* (편지 봉투 등의 떼었다 붙였다 할 수 있는) 접착성 봉함.

adhäsiv [athɛzí:f] 《lat.》 *a.* 접착성의, 부착력이 있는.

adhibieren 《lat.》 *t.* 적용하다, 이용하다; (전문가 등에게) 의논하다, 의견을 듣다.

ad hoc [at hɔ́k, ..hó:k] 《lat.》 이것을 위하여, 이 목적으로; 임시로.

Ad-hoc≈-Bildung *f.* 임시 조어. **∼Erklärung** *f.* 즉석 설명. **∼Interpretation** *f.* 즉석 해설.

Adhortation [athɔrtatsió:n] 《lat.》 *f.* -en 권고, 훈계.

adhortativ [athɔrtatí:f] 《lat.》 *a.* 권고적〔훈계적〕인.

Adhortativ *m.* -s, -e〖문법〗 청유형 명령법(보기: laßt uns gehen!).

Adiabate [adiabá:tə] 《gr.》 *f.* -n〖物〗 단열선(斷熱線).

adiabatisch 《gr.》 *a.*〖物〗단열의, 단열적인.

Adiantum [adiántum] 《gr. -lat.》 *n.* -s, ..ten〖植〗공작고사리, 섬공작고사리.

Adiaphora [adiá(:)fora] 《gr.》 *pl.* 사소한 일,〖哲〗선도 아니고 악도 아닌, 윤리적 관점에서 볼 때 중립적인 것〔태도〕.

Adiaphoron *n.* -s, ..ra ↑ Adiaphora.

ADIDAS〖스포츠〗아디다스(스포츠 의류 제조사 및 그 상표).

*__adieu__ [adiǿ:] 《frz.》 *int.* 안녕(작별 인사): jm. ∼ sagen 누구에게 작별을 고하다.

Adieu *n.* -s, -s 작별 인사, 고별.

Ädikula [ɛdí:kula] 《lat.》 *f.* ..lä ①〖건축〗(조각상·관 등을 안치하는) 벽감(壁龕). ② 작은 예배당.

Ädil [ɛdí:l] 《lat.》 *m.* -en/-s, -en (경찰·건축·사원 등을 감독하는) 고대 로마의 감찰관.

ädilisch *a.* ↑ Ädil 의 형용사형.

Ädilität *f.* 고대 로마의 감찰관직.

ad infinitum [at ɪnfiní:tum] 《lat.》 *adv.* 끝없이, 무한히.

Adipositas *f.*〖醫〗 비만증.

ADI-Wert *n.* (농약의) 1 일 허용 한계치.

adj. =Adjektiv(um) 형용사.

Adjazent [atjatsɛ́nt] 《lat.》 *m.* -en, -en〖고어〗이웃 사람.

adjazieren *i.* (h.) 이웃하다, 인접하다.

*__Adjektiv__ [átjɛkti:f, atjɛktí:f] 《lat.》 *n.* -s, -e〖문법〗 형용사.

adjektivisch *a.* 형용사의, 형용사적인.
Adjektivum [..vum] *n.* -s, ..va ↑ Adjektiv.
adjes [adjé:s] *int.* 〖구어〗 ↑ adieu.
Adjudikation [atjudikatsió:n] 《lat.》 *f.* -en 〖法〗 판결, 선고.
adjudizieren *t.* 판정해 주다, 판결로 인정하여 주다.
adjungieren 《lat.》 *t.* 첨가〔첨부〕하다, 부가하다.
Adjunkt [atjʊ́ŋkt] 《lat.》 *m.* -en, -en ① 조수, 보좌관; 부목사. ② (öst.) 사무관보.
adjüs [adjý:s] *int.* ↑ adieu.
Adjustage [atjustá:ʒə] *f.* -n 〖工〗 (압연 공장의 마무리 부서인) 성형(成形) 압출부.
adjustieren [atjustí:rən] 《lat. justus, „recht"》 *t.* ① (계산 등을) 맞추다, 조정하다; (화폐·무게 등을) 검량하다, (계기를) 검정하다. ② (분쟁 등을) 조정하다. ③〖醫〗 (삐거나 부러진 뼈를) 이어 맞추다, 접골하다. ④ (öst.) 장비를 갖추게 하다; 제복을 입히다.
Adjustierung *f.* -en ① 조정, 검량. ②〖醫〗 접골. ③ (öst.) 제복; 분장.
Adjutant [atjutánt] 《lat.》 *m.* -en, -en 〖軍〗 부관; (schweiz.) 중대 배속 상사.
Adjutantur [..tantú:r] *f.* -en 부관의 직(위).
Adjutor [atjú:tɔr, ..to:r] *m.* -s, -en [..tó:rən] 〖고어〗 조수.
Adjutum *n.* -s, ..ten 〖고어〗 보조금, 수당; (öst) 임시 수당.
Adjuvant [..vánt] *m.* -en, -en 보조자, 조수; (특히) 보조 교사.
Adjuvation [..vatsió:n] *f.* 보조, 원조, 지지.
Adlatus [atlá:tus, ad..] 《lat.》 *m.* -, ..ten/..ti 원조자, 조력자, 조수.
***Adler** [á:dlər] 《mhd. adel-ar, „Edelaar"》 *m.* -s, - ① 독수리: kühn wie ein ~ 독수리같이 용맹스러운. ② (독수리 간판이 있는) 여관. ③ 독수리표 휘장〔군기〕. ④ 여러 가지 훈장. ⑤ 옛 독일 제국의 문장(紋章): der preußische ~ 프로이센의 독수리 (문장). ⑥〖天〗 독수리자리. ⑦ (미국의) 10달러 짜리 금화.
Adler⸗auge *n.* 독수리의 눈; 〖비유〗 형안. **～-äugig** *a.* 형안의. **~blick** *m.* 예리한 눈초리〔눈빛〕. **~farn** *m.* 〖植〗 고사리. **~fisch** *m.* 〖動〗 동갈민어의 일종. **~flug** *m.* 독수리의 비상(飛翔). **~holz** *n.* 〖植〗 침향(沈香). **~-horst** *m.* 독수리의 둥지. **~nase** *f.* 매부리코. **~orden** *m.* (옛 프로이센의) 독수리 문양의 훈장. **~rochen** *m.* 〖動〗 가오리의 일종. **~schild** *m.* 독수리(의 문장이 있는) 트로피 (1922 년 이래 독일 문화상(賞)). **~schwung** *m.* 〖스포츠〗 평행봉대에 팔꿈치를 대고 몸을 흔들어 일어서는 동작. **~stein** *m.* 〖지질〗 정동석(晶洞石), 이질 정족(異質晶簇). **~träger** *m.* 독수리 기수(旗手); 창도자.
ad lib. = ad libitum.
ad libitum [at lí:bitum] 《lat.》 *adv.* 자유롭게, 마음대로; 〖음악〗 ~ singen (일정한 템포에 구애받지 않고) 자유롭게 노래하다.
adlig *a.* 귀족의, 명문 출신의; 고귀한, 기품 있는, 고상한.
Adlige* *der/die* 귀족(의 한 사람).
Adlung *f.* -en ↑ Adelung.
ad maiorem dei gloriam [at majó:rɛm dé:i gló:riam] 《lat.》 신의 크나큰 영광을 위해서(예수회의 표어; = A.M.D.G.): et. ~ tun 무슨 일을 무상(無償)으로 행하다.
***Administration** [atministratsió:n] 《lat.》 *f.* -en ① 관리, 관할; 행정. ② (행정) 관청; 관리국. ③〖폄어〗 (옛 동독의) 관료 지시.
Administrations⸗beamte* *der* 행정관. **~befugnis** *f.* 행정권. **~bezirk** *m.* 행정 구역. **~exekution** *f.* 행정 집행. **~gesetz** *n.* 행정 법규. **~jurisdiktion** *f.* 행정 재판권. **~justiz** *f.* 행정 재판. **~maßregel** *f.* 행정 처분. **~organisation** *f.* 행정 조직. **~polizei** *f.* 행정 경찰. **~recht** *n.* 행정법. **～-rechts·pflege** *f.* 행정 재판〔소송〕. **~verfügung** *f.* 행정 처분.
administrativ 《lat.》 *a.* ① 행정〔관리〕의. ②〖폄어〗 관료적인, (옛 동독의) 명령 하달식의.
Administrator [..rá:tɔr, ..to:r] *m.* -s, -en [..tó:rən] ① 관리자, 대리자; 〖컴〗 (시스템) 관리자. ② 행정관. ③〖가톨릭〗 보좌 신부. ④ (유언의) 집행자.
administrieren *t.* ① 관리〔집행·처리〕하다. ②〖폄어〗 (옛 동독에서) 관료적으로 지시하다. ③〖가톨릭〗 das Sakrament ~ 성사(聖事)를 집전하다.
admirabel [atmirá:bəl] 《lat.》 *a.* 찬탄해 마지 않을, 참으로 훌륭한, 뛰어난.
***Admiral** [atmirá:l] 《frz.》 *m.* -s -e ①〖軍〗 제독, 함대 사령관, 해군 대장. ②〖動〗 나비의 일종. ③ 바닐라와 달걀 노른자를 섞어 칵테일한 적포도주.
Admiralität [..ralitɛ́:t] *f.* -en ① 해군 본부, 해군성, 함대 사령부. ②〖총칭〗 해군 장성; 해군 대장의 직(위).
Admiralitäts⸗flagge *f.* 해군 제독의 기(旗). **~gericht** *n.* 해군 재판소. **~inseln** *pl.* (파푸아 뉴기니 동북부에 있는) 애드미럴티 군도. **~karte** *f.* (해군성이 발행한) 해도(海圖). **~rat** *m.* 해군 회의.
Admiralschaft *f.* -en (함대를 지켜야 할) 함장의 의무.
Admirals⸗flagge *f.* (함대) 사령관기(旗). **~offizier** *m.* 해군 사령부 장교. **~rang** *m.* 제독의 계급. **~schiff** *n.* 기함(旗艦).
Admiral·stab *m.* 해군 참모 본부.
admissibel [atmisí:bəl] 《lat.》 *a.* 시인〔허가〕할 수 있는.
Admission [atmisió:n] *f.* -en 허가, 승인, 용인; (로마 제정 시대의) 알현; 〖기계〗 급입(給入), 급기(給氣); 〖印〗 인쇄 허가.
Admissions⸗dampf *m.* 〖기계〗 급기(給氣). **~rohr** *n.* 급입관(給入管).
Admittanz *f.* -en 〖전기〗 어드미턴스.
admittieren 《lat.》 *t.* 허가〔승인〕하다; 알현을 허락하다.
admonieren *t.* 〖고어〗 훈계〔경고〕하다.
Admonition [atmonitsió:n] 《lat.》 *f.* -en 훈계, 경고.
ADN = Allgemeiner Deutscher Nachrichtendienst 전 독일 통신사(옛 동독의 통신사).
Adnex [atnɛ́ks] 《lat.》 *m.* -es, -e ①〖고어〗 부속물, 추가, 부록. ②〖해부〗 (자궁 안의 난소·난관 등의) 부속 기관.
adnominal [atnominá:l] *a.* 〖문법〗 명사에 속하는, 명사의, 명사적; 명사를 수식하는.
ad notam [at nó:tam] 《lat.》 (zur Kenntnis) 알아두기 위해, 기억해두기 위해: et. ~ neh-

men 무엇에 유의하다, 무엇을 명기하다.
Adnotation 《lat.》*f.* -en 주석, 주해; 기재(記載).
Ado [á:do] *m.* 〔↑ Adolf 의 축소형〕 아도(남자 이름).
ad oculos [at ó:kulo:s] 《lat.》 (vor Augen) 눈 앞에, 목전에: jm. et. ~ demonstrieren 누구에게 무엇을 증명해 보여 주다.
Adoleszenz [adolɛstsɛ́nts] 《lat.》*f.* (17-20 세 사이의) 청소년, 미성년자.
Adolf [á:dɔlf] *m.* 아돌프(남자 이름).
Adonai [adoná:i] 《hebr. „mein Herr"》 *m.* - 아도나이(구약 성서 및 유대교에서 쓰는 신에 대한 칭호; ↑ Jahve).
Adonis [adó:nɪs] 《gr.》 《I》 *m.* - ①〖그리스 신화〗 아도니스(Venus 가 총애한 미소년의 이름). ②〔복수: -se〕〖비유〗 미소년; (소녀의) 애인: kein ~ sein 〔nicht gerade ein ~ sein〕 특별히 멋있지는 않다. ③〖天〗 아도니스(소행성). 《II》 *f.* 〔복수〕 ↑ ~blume.
Adonis≈blume *f.* 〖植〗 복수초(福壽草). **~garten** *m.* 아도니스 축제용 식물〔곡물〕을 심은 화분〔온실〕.
adonisch [adó:nɪʃ] *a.* ① (Adonis 같은) 미모의. ②〖문학〗 ~er Vers 아도니스 율격(Daktylus 와 Trochäus 로 이루어져 있음).
adonisieren [adɔnizí:rən] 《lat.》 《I》 *t.* 아름답게 하다; 꾸미다. 《II》 *refl.* sich ~ 꾸미다, 몸치장하다.
Adonis≈käfer *m.* 〖動〗 무당벌레의 일종. **~röschen** *n.* ↑ ~blume
adoptieren [adɔptí:rən] 《lat.》 *t.* 양자〔양녀〕로 삼다; 입양하다; 채용〔채택〕하다.
Adoption [..tsió:n] *f.* -en 양자〔양녀〕로 삼기; 입양; 채용, 채택.
adoptiv [adɔptí:f] *a.* 양자〔양녀〕로 삼은, 입양한; 채용〔채택〕한.
Adoptiv≈eltern *pl.* 양부모. **~kaiser** *m.* (고대 로마에서) 양자로서 제위를 계승한 황제. **~kind** *n.* 양자, 양녀; 입양아. **~mutter** *f.* 양어머니. **~sohn** *m.* 양자. **~tochter** *f.* 양녀. **~vater** *m.* 양아버지. **~verhältnis** *n.* 입양 관계.
adorabel [adorá:bəl] 《lat.》 *a.* 숭배할 가치가 있는.
Adorant *m.* -en, -en 숭배자.
Adoration [..tsió:n] *f.* -en ① 숭배, 흠모. ② 새 교황에게 추기경들이 표하는 경의.
adorieren *t.* 숭배〔흠모〕하다.
adoucieren [adusí:rən] 《frz. doux, „süß"》 *t.* 감미롭게〔부드럽게〕 하다; 진정시키다; 〖제련〗 담금질하다; 〖畫〗 (빛을) 흐리게〔여리게〕 하다.
ad publicandum [at pu:blikándum] 《lat.》 (zur Veröffentlichung) 공고를 위한〔위해 마련된〕.
Adr. = Adresse 주소.
ad referendum [at referɛ́ndum] 《lat.》 (zur Berichterstattung) (정부에) 보고하기 위하여.
ad rem [at rɛ́m] 《lat.》 (zur Sache) 적절하게, 요령 있게.
Adrema = Adressiermaschine 주소 찍는 기기.
adremieren *t.* Briefe ~ 편지 겉봉에 (주소 찍는 기기로) 주소를 인쇄하다.
Adrenalin [adrenalí:n] 《lat.》 *n.* -s 〖藥〗 아드레날린(부신(副腎) 호르몬).
adress.. 新정서 ⇦ adreß...
Adressant [adrɛsánt] 《frz.》 *m.* -en, -en (편지의) 발신인; (어음의) 발행인.
Adressat [adrɛsá:t] *m.* -en, -en 수취인; 〖商〗 (어음의) 지급인; (상품의) 수탁인; (강습소의) 수강생.
Adreß≈buch *n.* 주소록, 인명부. **~büro** *n.* 주소 등록소〔조사소·안내소〕.
***Adresse** [adrɛ́sə] *f.* -n ① (수신인) 주소, 수신처: per〔unter〕 ~ des Herrn A A 씨 주소로〔전교(轉交)〕; das ist an seine ~ gerichtet 그것은 그에 관한 문제다; 〖비유·구어〗 sich an die richtige ~ wenden 제대로 찾아가다; bei jm. an die falsche ~ geraten〔kommen〕 누구를 잘못 찾아가다, 부탁을 해서 거절당하다. ② (문서로 된) 인사말, 청원서, 건의서, 상소문, 감사장, 축하 메시지: eine ~ an den Parteitag richten 당 대회에 메시지를 보내다. ③〖컴〗 (인터넷) 주소, 기억 장소 명칭. ④〖고어〗 숙련, 솜씨.
adressen.. ↑ adreß...
Adressen·verzeichnis *n.* 주소록, 인명록.
adressieren [adrɛsí:rən] 《frz. „adresser"》 《I》 *t.* ① 수신인의 주소 성명을 쓰다. ② 발송하다; 보내다: der Brief ist nicht an mich adressiert 그 편지는 내게 온 것이 아니다; der Spieler adressiert seine Pässe haargenau 그 선수는 아주 정확하게 패스를 보낸다. ③〖비유〗 누구를 대상으로 하다: meine Worte sind an dich adressiert 내 말은 너를 두고 한 것이다. ④ jn. an jn. ~ 누구를 누구에게 소개하다, 추천하다. 《II》 *refl.* 〔고어〕 sich an jn. ~ 누구에게 말을 걸다.
Adressier·maschine *f.* 주소 찍는 인쇄기.
Adreß≈kalender *m.* 주소록, 방명록. **~karte** *f.* 업무용 명함. **~kontor** *n.* ↑ ~büro. **~spediteur** *m.* 〖經〗 택배(宅配) 전문업자. **~zettel** *m.* 꼬리표, 레테르.
adrett [adrɛ́t] 《frz.》 *a.* 깔끔한; 산뜻한.
Adria [á:dria] *f.* ① 아드리아해(海). ② 아드리아(이탈리아 북동부의 도시).
Adrianopel 아드리아노플(터키의 도시; 터키식 이름인 Edirne 의 옛 이름).
adriatisch *a.* 아드리아의; das ∼e Meer 아드리아해(海).
adrig, ädrig *a.* ↑ aderig, äderig.
Adrio [á:drio] *n.* -s, -s (schweiz.) 돼지 창자에 송아지 고기를 넣어 만든 소시지.
ADSL = Asynchronous Digital Subscriber Line 〖컴〗 비선형 디지털 가입자 회선(인터넷 전용선의 일종).
Adsorbat [atzɔrbá:t] *n.* -s, -e 〖化·物〗 흡착물.
Adsorbens [..zɔ́rbɛns] *n.* -, ..benzien [..bɛ́ntsiən]/..bentia [..bɛ́ntsia] 〖化·物〗 흡착제, 흡착매.
Adsorber [..zɔ́rbər] *m.* -s, - ↑ Adsorbens.
adsorbieren [atzɔrbí:rən] 《lat.》 *t.* 〖化·工〗 (↔ desorbieren) (숯 등이 가스·색소 등을) 흡착하다, (음파·광선 등을) 흡수하다.
Adsorption *f.* -en 〖化〗 흡착, 흡수.
Adsorptiv [..tí:f] *n.* -(e)s, -e ↑ Adsorbat.
Adstringens [atstríŋɡɛns] 《lat.》 *n.* -, ..genzien [..ɡɛ́ntsiən]/..gentia [..ɡɛ́ntsia] 〖醫〗 수렴제(收斂劑), 지혈제.

adstringent *a.* 수렴성의.
adstringieren *t.* 수렴〔지혈〕하다: ~de Mittel 지혈제.
Adular [adulá:r] *m.* -s, -e 〖광물〗 빙장석(氷長石)(원산지인 동알프스의 Adula 산의 이름에서).
adult [adúlt] 《lat.》 *a.* 성인이 된.
Adulter [adúltər] 《lat.》 *m.* -s, - 간통자.
Adultera *f.* ..rä 간부(姦婦), 간통한 여자.
A-Dur [á:du:r] *n.* - -n 〖음악〗 가장조.
A-Dur-Tonleiter *f.* 〖음악〗 가장조 음계.
ad us. =ad usum.
ad usum [at ú:zum] 《lat.》 (zum Gebrauch) 〖醫〗 (처방전에서) …용(用).
ad usum Delphini 《lat.》 학생용(프랑스의 황태자 Dauphin 에서).
ad usum proprium 《lat.》 〖醫〗 (의사가) 자기가 사용할 목적으로.
adv. =Adverb(ium) 부사.
ad valorem [at való:rɛm] 《lat.》 물건의 가치에 따라서.
Advalorem·zoll *m.* 종가세(從價稅), 가치관세.
Advantage [ədvá:ntɪdʒ] 《engl.》 *m.* -s, -s 〖테니스〗 어드밴티지(듀스 다음의 1 득점).
Advektion [atvɛktsió:n] *f.* -en 〖기상〗 수평대류(對流) (↔ Konvektion).
Advent [atvɛ́nt] 《lat.; 원뜻 „Ankunft" (Christi)》 *m.* -(e)s, -e 그리스도의 강림; 강림절(크리스마스 전의 4 주간); (위인의) 출현: der erste ~ ist der Beginn des Kirchenjahres 강림절 첫째 주일에 전례(典禮)·역년(曆年)이 시작한다.
Adventist *m.* -en, -en (그리스도의) 재림론자(그리스도교의 일파).
adventiv [..tí:f] *a.* ① 추가된. ② 〖植〗 우발적인, 일정치 않은; 외래의; 〖지리〗 기생(寄生)의: ~er Vulkan 기생 화산.
Adventiv=keim *m.* 〖植〗 부정배(不定胚). **~knospe** *f.* 부정아(芽). **~krater** *m.* 〖지리〗 기생 화구, 측화구(側火口). **~pflanze** *f.* 〖植〗 외래 식물. **~sproß** *m.* 부정묘(苗). **~wurzel** *f.* 부정근(根).
Advent=kalender *m.* (öst.) ↑ Adventskalender. **~kranz** *m.* (öst.) ↑ Adventskranz.
adventlich *a.* 강림절의.
Advents=brauch *m.* 강림절의 풍습. **~gemüse** *n.* 강림절(기간에 심어 연초에 수확하는) 채소. **~kalender** *m.* (강림절 기간에 어린이가 24 개의 창을 매일 하나씩 열어 선물을 찾는) 강림절 달력. **~kranz** *m.* (전나무 가지로 만들어 4 개의 초를 꽂아 놓은) 강림절의 장식 화환. **~lied** *n.* 강림절 성가.
Advent·sonntag *m.* (öst.) ↑ Adventssonntag.
Advents=sonntag *m.* 강림절 기간의 각 일요일. **~spiel** *n.* 강림절 성극. **~stern** *m.* 〖植〗 포인세티아(대극과(大戟科)에 속하는 장식용의 활엽 관목). **~stimmung** *f.* (크리스마스를 고대하는) 강림절의 즐거운 분위기. **~woche** *f.* 강림절 기간의 한 주. **~zeit** *f.* 강림절(의 기간).
Advent·zeit *f.* (öst.) ↑ Adventszeit.
***Adverb** [atvɛ́rp] *n.* -s, -ien [..biən] 부사(약어: adv.)
adverbial *a.* 부사의, 부사적: ~e Bestimmung 〔das ~e〕 부사적 수식어〔규정어〕, 상황어.
Adverbial *n.* -s, -e 부사구, 상황 어구.
Adverbial=bestimmung *f.* 부사적 규정(어), 상황어. **~satz** *m.* 상황어 문장, 부사적 부문장.
adverbiell *a.* ↑ adverbial.
Adverbium *n.* -s, ..bia ↑ Adverb.
ad verbum [at vɛ́rbum] 《lat.》 (Wort für Wort) 한 마디 한 마디, 축어적(逐語的)으로.
Adversaria [atvɛrzá:ria], **Adversarien** [..riən] 《lat. advertere》 *pl.* 비망록, 예비 장부.
adversativ [atvɛrzatí:f, át..ti:f] *a.* 반대의, 대립되는.
Advertising [ǽdvərtaɪzɪŋ] 《engl.》 *n.* -s, -s 광고, 선전.
Advocatus Dei [atvoká:tus dé:i] 《lat. „Anwalt Gottes"》 *m.* 〖가톨릭〗 성자(聖者) 승인 주장자.
Advocatus Diaboli [..diá:boli] 《lat. „Anwalt des Teufels"》 *m.* ① 〖가톨릭〗 성자(聖者) 승인 거부자. ② 〔비유〕 (토론을 활성화시키려고 반대 의견을 내놓는) 논쟁자.
ad vocem [at vó:tsɛm] 《lat.》 *adv.* (bei〔zu〕 dem Worte) 그 말에 따라 (생각해 보니).
***Advokat** [atvoká:t] 《lat. „advocatus"》 *m.* -en, -en 〖法〗 (Rechtsanwalt) 변호사, 법률 고문: die ~en der Freiheit 자유의 대변자들.
Advokaten=gebühren *pl.* 변호사 수임료. **~kniff** *m.* 변호사의 책략〔홍정〕. **~schreiber** *m.* 변호사의 서기. **~stand** *m.* 변호사의 직〔신분〕; 법조계. **~streich** *m.* ↑ ~kniff. **~verein** *m.* 변호사 협회. **~verzeichnis** *n.* 변호사 명부. **~zunft** *f.* 변호사 협회〔조합〕; 법조계.
Advokatur [atvokatú:r] 《lat.》 *f.* -en 변호사 신분〔직(위)〕; 변호사 사무소.
Advokatur·büro *n.* (schweiz.) 변호사 사무소.
Advotkaturs=kanzlei *f.* (öst.) 〖고어〗 ↑ ~büro. **~konzipient** *m.* 변호사 시보.
advozieren 《lat.》 *t.* 변호사로 일하다.
AdW =Akademie der Wissenschaften 학술원.
Adynamie [adynamí:] 《gr. dýnamis, „Kraft"》 *f.* -n [..mí:ən] 〖醫〗 쇠약, 무기력(증).
adynamisch *a.* 쇠약한, 무기력한.
Adyton [á(:)dytɔn] 《gr.》 *n.* -s, ..ta (고대 성당의) 지성전(至誠殿); (일반적으로) 성소.
AE =① Angstrom 옹스트롬. ② 〖天〗 = Astronomische Einheit 천문학 단위(태양과 지구의 평균 거리).
ÅE =Ångstrom 옹스트롬.
AEC =Atomic Energy Commission 원자력 위원회(유엔 산하 기관).
AEG [a:e:gé:] =Allgemeine Elektrizitäts-Gesellschaft 아에게(독일의 전기 제품 회사).
aero.. 《gr., „Luft"》 *pref.* "공기·기체·항공"의 뜻.
aerob [aeró:p] 《gr.》 *a.* 〖植〗 (살기 위해) 산소를 필요로 하는, 호기성(好氣性)의.
Aero=batik *f.* 공중 곡예 비행. **~bic** [aeró:bɪk] *n.* 에어로빅 체조. **~bier** [aeró:biər] *m.*, **~biont** *m.* 호기성 생물(특히 세균류).

~bios *n.* 〖植〗 공중 생물체의 총칭. **~bombe** *f.* 공중 폭탄. **~bus** [aé:robus] *m.* 영업용 헬리콥터, 케이블카. **~chemie** *f.* 기체 화학. **~drom** *n.* 〔고어〕 비행장. **~dynamik** *f.* 기체 동력학, 항공 역학. **~dynamisch** *a.* 기체 역학의. **~flot** *f.* 《russ.》 소련 국영 항공 회사(이름). **~fotografie** *f.* 항공 사진. **~-gramm** *n.* 항공 우편 엽서. **~klinoskop** *n.* 폭풍 경보기. **~klub** [aé:roklup] *m.* 공중스포츠 클럽. **~lith** *m.* 운석(隕石). **~-Lloyd** [á:erolɔʏt] *m.* 항공〔공수(空輸)〕 회사명. **~logie** *f.* 공기학; 고층 기상학. **~mechanik** *f.* ↑ Aerodynamik. **~medizin** *f.* 항공 의학. **~meter** *n..* 기량계, 기체계. **~metrie** *f.* 기체 측정; 기량학. **~mobil** *n.* 항공기. **~naut** *m.* 〔고어〕 비행사. **~nautik** *f.* 〔고어〕 비행술, 항공학. **~nautisch** *a.* 〔고어〕 항공(학)의. **~nomie** *f.* (고도 30 km 이상의) 초고층 대기권 물리학. **~nomie·satellit** *m.* 초고층 대기권 연구용 인공 위성. **~pause** *f.* 대기권과 우주 공간 사이의 점이층(漸移層). **~phagie** *f.* 공기 연하증(空氣嚥下症), 탄기증(呑氣症). **~phobie** *f.* 〖醫〗 혐기증(嫌氣症). **~-phon** *n.* 〖음악〗 취주 악기; 〖空〗 전성관(傳聲管); 공중 청음기. **~phor** *m.* 〖醫〗 환기기(器), 통풍기. **~photographie** *f.* ↑ ~fotographie. **~phyt** *m.* 기생(氣生) 식물. **~plan** *m.* 〔고어〕 비행기. **~salon** [aé:rozalɔ̃:] *m.* 항공 관련 전시회. **~skopie** *f.* 공기 검사법. **~-sol** *n.* 〖化〗 에어로졸; 〖醫〗 연무질(煙霧質)의 흡입제. **~stat** [..stá:t] *m.* (비행선·경기구(輕氣球) 등의) 경항공기. **~statik** [..stá:tɪk] *f.* 기체 정역학(靜力學); 항공술. **~statisch** *a.* 기체 정역학의. **~tel** *n.* 공항 호텔. **~therapie** *f.* 〖醫〗 대기(大氣) 〔공기〕 요법. **~train** [aé:rotrɛ̃:] *m.* (고압 공기 분사식) 부상(浮上) 열차.

AF =Air France 프랑스 항공사.

a.f. =anni futuri 내년의.

AFC =automatic frequency control 주파수 자동 제어.

äfern [ɛ́:fərn] 《ahd.》 *t.* (obd.) 되풀이해서 말하다.

affabel [afá:bəl] 《lat.》 *a.* 붙임성 있는, 사근사근한.

Affabilität [..fablitɛ́:t] 《lat. affor, „anreden"》 *f.* 붙임성 있음, 사근사근함.

*__Affäre__ [afɛ́:rə] 《frz. faire, „tun"》 *f.* -n ① 용건, 용무, 사업. ② 분쟁, 다툼. ③ 난처한 일, (불유쾌한) 사건; 정사(情事), 연애 사건: sich geschickt aus der ~ ziehen 잽싸게 곤경에서 벗어나다.

Äffchen [ɛ́fçən] *n.* -s, - 〖↑ Affe 의 축소형〗 꼬마 원숭이; 〔비유〕 꼬마.

*__Affe__ [áfə] *m.* -n, -n ① 원숭이; 〔비유〕 (분별 없는) 모방자; 멍청이; 멋쟁이; 자식 사랑에 빠진 부모; 풋내기: seinem ~n Zucker geben 자기가 좋아하는 주제에 대해서만 이야기하다, 자기가 좋아하는 것만 하다; einen ~n an jm. gefressen haben 누구를 몹시 좋아하다; ich denke, mich laust der ~ 뜻밖인데, 도깨비에 홀린 듯해; (wie) vom (wilden) ~n gebissen 정신나간, 미친; jn. zum ~n halten 누구를 우롱하다; 〔경박〕 nicht um einen Wald voll〔von〕 ~n (그것은) 문제가 되지 않다; 〔구어·경박〕 dasitzen wie ein ~ auf dem Schleifstein 처량한 모습으로 구부정하게 앉아 있다. ② 〔속어〕 술에 매우 취함: sich³ einen ~n kaufen (술)취하다, 취하도록 마시다; einen ~n haben 취해 있다. ③ 〖軍〗 배낭: den ~n packen 배낭을 꾸리다. ④ 축도기(縮圖器). ⑤ 〖海〗 ↑ Aap ②.

Affekt [afɛ́kt] 《lat. afficere, „angreifen"》 *m.* -(e)s, -e 격정, 흥분; 기호(嗜好), 성향; 정열; 욕정.

Affektation [afɛktatsió:n] 《lat.》 *f.* -en ↑ Affektiertheit.

Affekt=ausbruch *m.* 흥분의 폭발. **~äußerung** *f.* 흥분의 표현. **~betont** *a.* 감정적〔격정적〕인. **~geladen** *a.* 격앙된. **~-handlung** *f.* 〖法〗 흥분 상태에서 저지른 행위.

affektieren 《lat.》 《Ⅰ》 *t.* 꾸미다, 짐짓 …인 체하다, 허세를 부리다; 시치미 떼다. 《Ⅱ》 **affektiert** *p.a.* ↑ affektiert.

affektiert 《Ⅰ》 *p.p.* ↑ affektieren. 《Ⅱ》 *p.a.* 꾸민, …인 체하는, 허세를 부리는.

Affektiertheit *f.* ① 허세. ② 잘난 체하는〔꾸민〕 언동.

Affektion [afɛktsió:n] 《lat. <Affekt》 *f.* -en ① 〖醫〗 병적 흥분 상태, (심신의) 자극; 질환. ② 〔고어〕 애정, 호의, 애착.

affektioniert *a.* 〔고어〕 호의를 가진, 애정이 있는, 애착을 느끼는.

Affektions=preis, ~wert *m.* (수집가 또는 애호가에게 부르는) 엄청나게 비싼 값.

affektiv *a.* 감정적인, 격정적인.

Affektivität *f.* 감정적〔격정적〕 성향.

Affekt=stau *m.* 〖心〗 감정의 응어리. **~stauung** *f.* ↑ ~stau. **~steigerung** *f.* 〖心〗 감정의 고조. **~störung** *f.* 〖心〗 정서 장애.

affektuos, affektuös [afɛktuǿ:s] *a.* 온화한, 감정을 지닌.

Affekt=verdrängung *f.*, **~verlagerung** *f.* 〖心〗 감정의 전이.

affektlos *a.* 냉정〔무정〕한.

affen 《<Affe》 *refl.* sich ~ 잘난 체하다.

äffen [ɛ́fən] 《<Affe》 *t.* ① 흉내내다, 모방하다. ② 조롱하다, 속이다. ③ 〔방언〕 화나게 하다.

Affen=abstammung *f.* (인류의) 원숭이로부터의 진화. **~ähnlich** *a.* 원숭이와 닮은〔비슷한〕. **~arsch** *m.* 〔욕설〕 원숭이 궁둥이: du ~! 더러운 녀석! **~art** *f.* ① 원숭이류. ② 원숭이의 버릇. **~artig** *a.* ① 원숭이(류)의, 원숭이 같은. ② 〔비유〕 재빠른, 약삭빠른. **~blume** *f.* 〖植〗 물꽈리아재비. **~brot-baum** *m.* 〖植〗 바오밥나무. **~fett** *n.* 〔비속〕 마가린. **~fratze** *f.* ↑ ~gesicht. **~geschlecht** *n.* 〖動〗 원숭이류. **~gesicht** *n.* 〔폄어〕 원숭이 얼굴; 원숭이같이 추한 얼굴. **~-griff** *m.* 〖스포츠〗 손가락 모아잡기(다섯 손가락을 모두 한 방향으로 해서 봉을 잡음).

affenhaft *a.* ↑ affenartig.

Affen=hand *f.* 원숭이의 손; 〖醫〗 원숭이 손. **~haus** *n.* 원숭이 우리. **~haut** *f.* 〖방직〗 벨벳 모양의 직물. **~hitze** *f.* 혹서, 무더위. **~-jung** *a.* 새파랗게 젊은. **~käfig, ~kasten** *m.* ① 원숭이 우리. ② 옹색한 숙소. ③ 〔농담〕 수선스러운 집. **~komödie** *f.* 매우 서툰 우스꽝스런 연극; 과장된 무의미한 행동, 바보 같은 짓. **~könig** *m.* 〖動〗 거미원숭이의 일종.

~liebe *f.* 과장된 맹목적인 사랑. **~mäßig** *a.* 원숭이 같은. **~mensch** *m.* 〖動〗 원인(猿人). **~pinscher** *m.* 〖動〗 아펜핀셔(발바리의 일종). **~posse** *f.* ↑ ~komödie. **~schande** *f.* 큰 수치, 대단한 추문. **~schwanz** *m.* 원숭이의 꼬리; 〖비유〗 바보; 어리석은 짓; 군소리. **~spektakel** *n.* 〖구어·비유〗 ① ↑ ~komödie. ② 야단 법석. **~spiel** *n.* 장난, 어리석은 짓. **~stall** *m.* ① 원숭이 우리. ② 〖구어·비유〗 옹색한 숙소(~kasten). **~streich** *m.* ↑ ~spiel. **~tempo** *n.* 〖구어〗 맹렬한 속도. **~theater** *n.* ↑ ~komödie. **~weibchen** *n.* 암원숭이. **~zahn** *m.* 〖비유·경박〗 맹렬한 속도. **~zeck** *m.* 〖구어〗 ↑ ~komödie.

Äffer [ɛ́fər] *m.* -s - 조롱하는 사람; 사기꾼; 〖動〗 의후류(擬猴類).

Afferei, Äfferei *f.* -en 흉내; 우롱, 기만.

Affiche [afíːʃə] 《frz.》 *f.* -n 삐라, 포스터.

Afficheur [..ʃǿːr] *m.* -s, -e 포스터〔삐라〕 붙이는 사람.

affichieren [..ʃíːrən] *t.* 포스터를 붙이다, 삐라를 붙이다; 〖비유〗 자랑거리로 내보이다.

Affidavit [afidáːvɪt] 《lat.》 *n.* -s, -s ① 〖法〗 서약, 선서. ② (외국인 입국자에 대한) 신원 보증; 〖經〗 (국제적 유가 증권 유통에서의) 보증.

affig *a.* 〖구어〗 ① 원숭이 같은. ② 꾸민, 잘난 체하는, 허영심이 많은.

affigieren [afigíːrən] 《lat.》 *t.* ① 〖고어〗 부착시키다, 붙이다, 바르다(affichieren). ② 〖言〗 (접두사·접미사 등을) 붙이다.

Affigkeit *f.* 원숭이 같은 짓.

Affiliation [afiliatsióːn] 《lat. filius, „Sohn"》 *f.* -en ① 〖고어〗 〖法〗 (사생아의) 부자 관계의 확정〔결정〕; 양자로 삼음. ② 채용, 입회, 가입; 〖經〗 자회사; 〖宗〗 프리메이슨 회원의 집회소 교체.

affiliieren [..liíːrən] *t.* ① 〖고어〗 양자로 삼다. ② 채용하다, 가입시키다; 〖經〗 병합하다; 〖宗〗 입단시키다.

affin [afíːn] 《lat.》 *a.* ① 〖드물게〗 유사한. ② 〖數〗 의사(疑似)의: ~e Geometrie 의사 기하학.

Äffin [ɛ́fɪn] *f.* -nen ↑ Affe ① 의 여성형.

Affinage [..ʒə] *f.* -n ↑ Affination.

Affination *f.* 〖化〗 ① 정련. ② (사탕 따위의) 정제.

affinieren [afiníːrən] *t.* 정련〔순화〕하다; 정제하다.

Affinierung *f.* -en ↑ Affination.

Affinität [afinitɛ́ːt] 《lat.》 *f.* -en ① 친족 관계; 〖法〗 인척 관계; 〖哲〗 유사성: zu jm. ~ fühlen 누구에게 친근감을 느끼다. ② 〖化〗 친화력; 〖生〗 친화성. ③ 〖언어학〗 (친족 관계가 아닌 언어 사이의) 유연성(類緣性); 〖기하〗 아핀 변환.

Affirmation [afɪrmatsióːn] 《lat.》 *f.* -en (↔ Negation) 시인, 긍정, (권리의) 주장.

affirmativ *a.* (↔ negativ) 긍정적인, 단정적〔확언적〕인.

Affirmativa [..tíːva] *pl.* 〖문법〗 긍정 형식.

Affirmative [..və] *f.* -n 〖드물게〗 긍정적 의견; 인가; 찬성, 동의.

affirmieren *t.* (↔ negieren) 긍정〔수긍·동의〕하다.

äffisch [ɛ́fɪʃ] *a.* 원숭이 같은; 어리석은.

Affix [afíks] 《lat. „Zufügsel"》 *n.* -es, -e 〖문법〗 접사(Präfix, Infix 및 Suffix 의 총칭).

Affixum *n.* -s, ..xa ↑ Affix.

affizierbar 《lat.》 *a.* 민감한, 감수성이 예민한.

***affizieren** [afitsíːrən] 《lat.》 *t.* ① 자극하다; 영향을 끼치다, 작용하다. ② 〖醫〗 병에 걸리게 하다. ③ 〖문법〗 직접 작용하다: ein affiziertes Objekt 피동 목적어.

Äfflein *n.* -s, - ↑ Äffchen.

Affluenz [afluɛ́nts] 《lat. affluere, „zufließen"》 *f.* -en 충일(充溢); 유입.

Affodill [afodíl] 《gr.》 *m.* -s, -e 〖植〗 수선화류; 〖그리스신화〗 아포딜(Elysium 들판에 피어 시들지 않는다는 꽃).

Affresko [afrɛ́sko] 《it.》 *n.* -s, ..ken 프레스코 벽화(↑ a fresco).

Affrikata [afrikáːta] 《lat. fricare, „reiben"》 *f.* ..ten 〖음성〗 파찰음, 마찰음이 붙은 파열음(보기: pf, tz, tsch).

Affrikate [..káːtə] *f.* -n ↑ Affrikata.

affrizieren *t.* 〖음성〗 (파열음 p, t, k 등을) 파찰음화하다.

Affront [afrɔ̃ː, afrɔ́nt] 《frz.》 *m.* -s, -s 〖교양〗 조롱, 모욕, 비방: eine sachliche Kritik als persönlichen ~ auffassen 객관적 비판을 개인적인 비방으로 이해하다.

affrontieren [afrontíːrən] *t.* 〖고어〗 비방〔모욕〕하다.

affrös [afrǿːs] 《frz. affreux》 *a.* 〖고어〗 역겨운, 추한, 귀찮은.

Afghan [afgáːn] *m.* -(s), -s 아프가니스탄산(産) 수제(手製) 양탄자.

Afghane *m.* -n, -n ① 아프가니스탄 사람. ② 아프가니스탄산(産) 사냥개.

Afghani *m.* -(s), -(s) 아프가니(아프가니스탄의 화폐 단위).

afghanisch *a.* 아프가니스탄(사람)의.

Afghanistan [afgáːnɪstan, ..taːn] 아프가니스탄.

AFL = American Federation of Labor 미국 노동 총연맹.

Aflatoxin *n.* -s, -e 〖생화학〗 사상균(絲狀菌)의 독.

AFN [eíǀɛfǀɛn] = American Forces Network 해외 주둔 미군 방송망.

à fond [a fɔ̃ː] 《frz.》 철저히, 근본적으로.

à fonds perdu [afɔ̃pɛrdýː] 《frz.》 받을 가망 없이, 내버린 돈으로 치고; 손실 계정으로.

AFP = Agence France-Presse 프랑스 통신사.

Afra [áːfra] 《lat., „Afrikanerin"》 *f.* 아프라(여자 이름): Sankt ~ 성아프라(300 년경에 생존했던 Augsburg 의 순교자 이름).

a fresco [a frɛ́sko] 《it.》 방금 바른 석회벽 위에.

Afrika [á(ː)frika] -s 아프리카.

Afrikaander [..káːndər] *m.* -s, - 남아프리카 태생의 백인.

afrikaans *a.* 아프리칸스(어)의, 남아프리카의 공용 네덜란드어의.

Afrikaans [..káːns] *n.* - 아프리칸스, 남아프리카의 공용 네덜란드어.

Afrikana [afrikáːna] *pl.* 〖출판〗 아프리카 관계 도서.

Afrikander *m.* -s, - ↑ Afrikaander.

Afrikaner [..káː..] *m.* -s, - 아프리카인.

Afrikanerin *f.* -nen ↑ Afrikaner 의 여성형.

afrikanisch *a.* 아프리카(인)의.
afrikanisieren *t.* 아프리카화하다.
Afrikanist *m.* -en, -en 아프리카학 전공학자, 아프리카 어문학자.
Afrikanistik *f.* 아프리카(어문)학.
afroalpin [afroalpín] *a.* 아프리카 열대 고산 지역의.
Afroamerikaner *m.* 아프리카계 미국 흑인.
afroamerikanisch *a.* ① 아프리카계 미국 흑인의. ② 아프리카·미국의.
afroasiatisch *a.* 아프리카·아시아의.
Afrolook 新정서 ⇦ Afro-Look.
Afro-Look [áfro|luk] *m.* 아프로 헤어스타일(흑인풍의 머리 모양).
aft [aft] *adv.* ①〖海〗(hinten) 고물〔선미(船尾)〕에. ②〖방언〗↑ after.
***After**[1] [áftər] *m.* -s, - ① 엉덩이; 둔부; 항문. ② 말안장의 뒤판.
After[2] *n./m.* -s, -〖드물게〗① 꿀벌의 똥. ② 찌꺼기, 쓰레기. ③〖광산〗슬래그. ④〖요리〗내장.
after [áftər]《obd.》《I》*adv.* ↑ nachher.《II》*prp.* ↑ hinter.
***after..** *pref.* "부정·사이비·불량·부(副)·후(後)·재차"의 뜻.
After·ahorn *m.*〖植〗큰 단풍 나무의 일종.
After=anwalt *m.* 엉터리 변호사. **~apparat** *m.*〖動〗항문 기관. **~arzt** *m.* 돌팔이 의사. **~aufklärung** *f.* 사이비 문명. **~beredsamkeit** *f.* 입에 발린 소리, 궤변. **~bier** *n.* 약한 맥주. **~bildung** *f.* ① 사이비 교육〔교양〕. ②〖醫〗기형; 종양. **~blatt** *n.*〖植〗턱잎, 탁엽(托葉). **~blech** *n.* 안장의 엉덩받이 뒤의 금속판. **~blutung** *f.* 항문 출혈. **~bürge** *m.*〖法〗부(副)보증인. **~bürgschaft** *f.*〖고어〗부(副)보증. **≈christlich** *a.* 사이비 기독교인의. **~darm** *m.*〖醫〗직장(直場). **~deich** *m.*〖고어〗뒤쪽 뚝; 안쪽 뚝. **~dichter** *m.* 엉터리 시인. **~dolde** *f.*〖植〗취산(聚繖) 꽃차례〔화서(花序)〕. **~drüse** *f.*〖醫〗항문선(腺). **~entzündung** *f.*〖醫〗항문염증. **~erbe** *m.* 부(副)상속인. **~erz** *n.*〖광업〗슬래그. **~fistel** *f.*〖醫〗치루(痔瘻). **~flosse** *f.*〖動〗꼬리지느러미. **~frachtvertrag** *m.*〖法〗재(再)운송 계약. **~flügel** *m.* ①〖動〗(새의) 작은 날개. ② 큰 문에 딸린 쪽문. **~furche**《<After[1]》*f.*〖해부〗항문구(溝). **~füße** *pl.*〖動〗(절지(節肢) 동물의) 추진각(脚). **~gebilde** *n.*〖醫〗이상 형성, 종양. **~geburt** *f.* 후산(後産); 역산(逆産). **~gegend** *f.*〖醫〗항문 주위. **~gelehrsamkeit** *f.*〖고어·폄어〗사이비 학문. **~gelehrte*** *der/die* 사이비 학자. **~gelenk** *n.*〖醫〗신생 관절. **~geräusche** *pl.*〖醫〗이상 잡음. **~gewächs** *n.*〖醫〗종양. **~glaube** *m.* 미신. **~heiligkeit** *f.* 위선. **~heu** *n.*〖農〗두 번째 베기〔베어 말리는 풀〕. **~jucken** *n.*〖醫〗항문 소양(搔痒)〔가려움증〕. **~kegel** *m.*〖數〗원뿔. **~kind** *n.* 유복자; 사생아, 서자. **~klaue** *f.*〖動〗① 퇴화된 발톱. ② 며느리발톱. **~könig** *m.*〖고어〗가짜 임금. **~korn** *n.*〖고어〗여물지 않은 낟알. **~kralle** *f.* ↑ ~klaue. **~kritik** *f.* 사이비〔엉터리〕평론. **~künstler** *m.* 사이비 예술가. **~leder** *n.* ① 엉덩이 부분 가죽. ② 가죽 지스러기. ③ (öst.) 구두 뒤축 가죽. **~lehen** *n.* (중세의) 가신 봉토(家臣封土), 신하의 영지(領地). **~lehre** *f.*〖고어〗사이비 학설. **~logik** *f.* 사이비〔엉터리〕논리. **~made** *f.*〖醫〗요충. **~mehl** *n.* 저급 밀가루. **~miete** *f.* 전차(轉借); 재임대(료). **~mieter** *m.* 전차인, 재임대인, **~milz** *f.*〖醫〗부비장(副脾臟). **~montag** *m.* (obd.) 화요일. **~muse** *f.*〖고어〗사이비 시학, 미숙한 문예. **~mutter** *f.* 계모, 서모; 냉혹한 어머니. **~pacht** *f.*〖고어〗(토지의) 용익 전대차(轉貸借). **≈pachten** *t.* (토지를) 전차(轉借)하다. **~pächter** *m.* 용익 전차인(轉借人), 재(再)소작인. **~pfand** *n.*〖經〗재(再) 담보. **~philosophie** *f.* 사이비 철학. **~raupe** *f.*〖動〗잎벌레과(科) 곤충의 애벌레. **~rede** *f.*〖고어〗험구, 비방; 중상. **≈reden** *i.* (h.)〖고어〗(von) jm. ~ 누구를 비방하다. **~redner** *m.*〖고어〗비방〔험담〕가. **~rüßler** *m.* 바구밋과(科)의 일종. **~sausen** *n.*〖비속〗① 방귀. ② 불안, 공포. **~schließ·muskel** *m.*〖醫〗항문 괄약근. **~schrunde** *f.*〖醫〗항문의 주름 부위의 상처.
Aftershave 新정서 ⇦ After-shave.
After-shave [á:ftər∫éiv]《engl.》*n.* -(s), -s,
After-shave-Lotion《engl.》*f.* 애프터 셰이브 로션.
After=skorpion *m.*〖動〗거미속(屬)의 일종. **~spiegel** *m.* 항문경(鏡). **~spinne** *f.* 좌두충. **~stück** *n.* 안장의 뒷부분. **~unternehmung** *f.*〖法〗하도급. **~vasall** *m.* (중세의) 가신 봉토(家臣封土)의 소유자. **~vermieter** *m.* 전대인(轉貸人). **~vorfall** *m.*〖醫〗탈항(脫肛). **~vortreibung** *f.*〖醫〗↑ ~vorfall. **~weise*** *der/die* 사이비 현인. **~weisheit** *f.* 사이비 지혜. **~welt** *f.* 말세; 화류계. **~wesen** *n.* 열등한 존재, 부실한 인간. **~wissenschaft** *f.* 사이비 학문. **~wurm** *m.* 요충. **~zehe** *f.* ↑ ~klaue. **~zins** *m.*〖고어〗복리(複利). **~zitze**〖動〗부유두(副乳頭). **~zwang** *m.*〖醫〗이급 후중(裏急後重).
Ag =〖化〗Argentum 은(Silber).
AG, A.G. [a:gé:] ① =Aktiengesellschaft 주식 회사. ② =Amtsgericht 지방 법원 지원.
a.G. ① =auf Gegenseitigkeit 상호, 서로. ② =als Gast〖연극〗객원 배우로.
Aga [á:ga]《türk.》*m.* -s, -s (터키의) 추장, 족장, 감독관; 사령관; (현재의) 터키 하급 장교.
Ägadische Inseln *pl.* 에게해 제도.
Ägäis [εgέ:is] *f.* 에게해(海).
ägäisch *a.* 에게의: das ~e Meer 에게해.
agam *a.* 무성 생식(無性生殖)의.
Agame *f.* -n〖動〗(아프리카·인도산(産)) 아가마 도마뱀.
Agamemnon [agamέmnɔn] *m.*〖그리스신화〗아가멤논.
Agamie [agamí:]《gr. „Ehelosigkeit"》*f.* ①〖生〗무성 생식〔번식〕. ② 독신.
Agamist *m.* -en -en 독신자.
Agamogonie *f.* 무성 생식〔번식〕.
Agape [agá:pe]《gr., „Liebesbezeigung"》*f.* -n ① 신의 사랑. ② (고대 기독교에서) 애찬(愛餐), 회식; (후에는) 성찬식. ③ (대가를 요구하지 않는) 헌신적인 사랑.
Agar-Agar [a:gar|á:gar]《mal.》*m./n.* -s〖植〗우뭇가사리.
Agatha [agá:ta]《gr., „die Gute"》*f.* 아가타

(여자 이름).
Agathe [agáːtə] *f.* ↑ Agatha.
Agathodämon 《gr. agathós, „gut"》 *m.* -s, -en [..mónən] 〖그리스신화〗 수호신.
Ägatische Inseln [ɛgáːtɪʃə..] *pl.* ↑ Ägadische Inseln.
Agave [agáːvə] 《gr., „die Prächtige"》 *f.* -n 〖植〗 용설란(龍舌蘭).
AGB = Allgemeine Geschäftsbedingungen 일반 상거래 규정.
..age *suf.* ① "과정"의 뜻(보기: Blam~, Mass~). ② "전체"의 뜻(보기: Karton~, Trikot~).
Agence France-Press [aʒɑ̃ːs frɑ̃s prɛ́s] *f.* 프랑스 통신사(약어: AFP).
Agence Havas [aʒɑ̃ːs avás] 《frz.》 *f.* (파리의) 아바스 통신.
Agenda [agɛ́nda] 《lat.》 *f.* ..den ① 수첩, 메모, 비망록. ② 의사 일정.
Agende [agɛ́ndə] *f.* -n ①〖기독교〗 전례집(典禮集); 예배 순서. ② 메모, 비망록. ③ (öster.) 〔복수〕 처리해야 할 일.
Agens [áːgɛns] 《lat.》 *n.* -, Agenzien [agɛ́ntsiən] ① 원동력. ②〖哲〗 동인(動因). ③〖化〗 시약(試藥); 〖醫〗 병인(病因); 작용 물질〔인자〕. ③〖문법〗 동작의 주체.
Agent [agɛ́nt] 《lat.》 *m.* -en, -en ① 중개인, 대리인, 외판원; 대리점. ② (연예인의) 매니저. ③〖軍〗 정보〔첩보〕 요원, 간첩, 스파이. ④ 비공식 외교관.
Agenten≈austausch *m.* 스파이 교환. **~gebühr** *f.* ↑ ~provision. **~provision** *f.* 중개〔대리〕 수수료. **~ring** *m.* 간첩〔스파이〕망. **~stelle** *f.* 대리점, 출장소. **~tätigkeit** *f.* 간첩〔스파이〕 활동.
Agentia *pl.* ↑ Agens.
Agentie [agɛntsíː] 《lat. -it.》 *f.* -n [..tsíːən] (öst.) 도나우강 기선 회사의 영업소.
agentieren *i.* (h.) (öst.) 대리점을 운영하다.
Agentin *f.* -nen ↑ Agent 의 여성형.
Agent provocateur [aʒɑ̃ː provokatøːr] *f.* 《frz.》 *m.* -(s), -(s) 간첩, 스파이; 선동자, 교사자, 프락치.
Agentschaft [agɛ́ntʃaft] 《lat.》 *f.* -en ↑ Agentur.
Agentur [agɛntúːr] *f.* -en 대리점, 중개소; 대리, 중개; 중개 프로덕션.
Agentur≈bericht *m.*, **~meldung** *f.* 통신사 제공 보도〔기사〕.
Agenzia Stefani [adʒɛ́ntsia stéːfani] *f.* (이탈리아의) 스테파니 통신사.
Agenzien [agɛ́ntsiən] *pl.* ↑ Agens.
Ägerste *f.* -n (schweiz.) 황무지.
Agfa [ágfa] *f.* = Aktiengesellschaft für Anilinfabrikation 아그파(베를린의 화학 공업 회사).
Agfa-color *n.* Agfa 회사의 컬러 필름.
Aggiornamento [adʒɔrnaménto] 《it.》 *n.* -s ① 현대화. ②〖가톨릭〗 (제 2 차 바티칸 회의 이후) 체제·교리 등의 현대화.
Agglomerat [aglomeráːt] 《lat.》 *n.* -(e)s, -e 응집; 퇴적; 더미; 단괴(團塊). ② **(a)**〖지질〗 집괴암(集塊岩). **(b)**〖제련〗 응괴(凝塊).
Agglomeration *f.* -en 응집; 집적; 퇴적; 단괴(團塊) 형성; (대도시로의) 인구 밀집.
agglomerieren 《I》 *t.* 누적〔집적·응집〕하다.
《II》 *refl.* sich ~ 덩어리지다, 집결되다, 누적되다, 쌓여 더미가 되다.
Agglutination [agluːtinatsióːn] 《lat. gluten, „Leim"》 *f.* -en ①〖醫〗 유착, 교착, 응결; 〖化〗 응집 작용; 〖心〗 교착. ②〖언어〗 (어간에 접사를 붙여 단어를 만드는) 교착(법).
agglutinieren *t.* 교착〔응결〕시키다: ~de Sprache 교착어(한국어·일본어·터키어 등).
Agglutinin *n.* -s, -e 〖醫〗 응집소(凝集素).
Aggravation [agravatsióːn] 《lat.》 *f.* ①〔드물게〕 (형벌 등의) 가중. ②〖醫〗 과장증.
aggravieren *i.* (h.) (환자가) 병을 과장하다.
Aggregat [agregáːt] 《lat.》 *n.* -(e)s, -e ① 응집; 집합, 집합체. ②〖工〗 연결 기계; (콘크리트의) 골재, 혼응재(混凝材). ③〖數〗 총계, 집계. ④〖지질〗 집성암(集成岩), 혼성암.
Aggregat·form *f.* 취합 형태.
Aggregation [..tsióːn] 《lat.》 *f.* -en ① 집합, 집적. ②〖化〗 (분자 및 이온의) 응집.
Aggregations·zustand *m.* ↑ Aggregatzustand.
Aggregat·zustand *m.* (고체·액체·기체 등의) 응집〔집합〕 상태.
aggregieren *t.* 응집〔집합〕시키다; (단체 등에) 가입〔편입·합병〕시키다.
Aggression [agrɛsióːn] 《lat.》 *f.* -en ① 공격, 침범, 침략. ②〖心〗 공격; 공격적 태도.
Aggressions≈absichten *pl.* 공격 의도. **~basis** *f.* 〖軍〗 공격 기지. **~handlung** *f.* 공격 행위. **~instinkt** *m.* 공격 본능. **~inversion** *f.* 〖心〗 공격성 도착증. **~krieg** *m.* 침략 전쟁. **~lust** *f.* 공격욕(구). **~politik** *f.* 침략 정책. **~trieb** *m.* 〖心〗 공격 충동.
aggressiv [agrɛsíːf] *a.* ① 공격적인, 호전적인; 도전적인, 시비조의: et. in ~em Ton sagen 무엇을 시비조로 말하다. ② 눈에 띄는, 자극적인: ein ~er Duft 자극적인 향기. ③ 난폭한: ~ fahren 난폭하게 운전하다.
Aggressive [..síːvə] *f.* -n 공세: die ~ greifen 공세를 취하다.
aggressivieren *t.* 도발하다.
Aggressivität *f.* 공격〔호전〕성; 공격적 언동.
Aggressor [agrɛ́sɔr, ..soːr] *m.* -s, -en [..sóːrən] 공격〔침략〕자.
Ägide [ɛgíːdə] 《gr. aigís, „Schütz"》 *f.* 〖그리스신화〗 Jupiter 및 Minerva 의 방패; 〔교양〕 보호, 비호: unter der ~ des Königs 왕의 비호를 받으며.
agieren [agíːrən] 《lat.》 《I》 〔교양〕 *i.* (h.) 행하다, 행동하다: als Verantwortlicher ~ 책임자로 행동하다. 《II》 *t.* 〖연극·고어〗 (어떤 역할을) 맡아하다.
agil [agíːl] *a.* 〔교양〕 민첩한, 잽싼, 익숙한.
Agilität [agilitɛ́ːt] *f.* 〔교양〕 민첩, 노련.
Ägina [ɛgíːna] (그리스의) 에기나만(灣); 에기나(Ägina 만에 있는 섬 및 도시).
Äginete [ɛginéːtə] *m.* -n, -n ① 에기나섬의 주민. ②〔복수〕 에기나섬의 사원에 있는 조각상.
äginetisch [..néːtɪʃ] *a.* 에기나의: ~e Kunst 에기나섬의 예술.
Agio [áːʒio, ..dʒo] 《frz.》 *n.* -s, -s 〖經〗 액면 초과액, 프리미엄; 환금(換金) 차액(↔ Disagio).
Agiotage [..táːʒə] *f.* -n 〖經〗 증권 (투기) 매

매; 증권업.

Agioteur [..tǿ:r] *m.* -s, -e 증권 거래업자, 증권 투기자.

Agio·theorie *f.* 프리미엄설, 시차설(時差說).

agiotieren [aʒiotí:rən] *i.* (h.) 〖經〗 증권 거래〔주식 투기〕를 하다.

Ägir [ɛ́:gɪr] *m.* 〖북구신화〗 에기르(해신(海神)의 이름, Ran의 남편).

Ägis [ɛ́:gɪs] *f.* ↑ Ägide.

Ägis·erschütterer *m.* 〖그리스신화〗 방패를 흔드는 신(제우스를 말함).

Agitation [agitatsió:n] 《lat.》 *f.* -en ① 선동, 교사. ② 정치적 선전 (활동): ~ und Propaganda 선전 선동(↑ Agitprop[1] ①).

Agitations≈anweisung *f.* -en 선전(활동) 지침. **~arbeit** *f.* 선전 활동. **~film** *m.* 선전 영화. **~gruppe** *f.* 선전 그룹. **~kunst** *f.* 선전 예술. **~mittel** *n.* 선전 매체. **~redner** *m.* 선전 연설가. **~tätigkeit** *f.* 선전 활동; 〖醫〗 흥분, 격앙.

agitato [adʒitá:to] 〖음악〗 격렬하게.

Agitator [..tá:tɔr, ..to:r] *m.* -s, -en [..tó:rən] ① 선동자; 정치 선전가, 대중 운동가.

agitatorisch *a.* 선동적인, 교사〔사주〕하는.

agitieren 《lat. agitare》 《Ⅰ》 *i.* (h.) 선동하다, 사주하다: unter der Bevölkerung gegen die Atombombe 〔für einen Kandidaten〕 ~ 원자폭탄에 반대하도록〔어떤 입후보자를 뽑도록〕 주민을 선동하다. 《Ⅱ》 *t.* 〖드물게〗 선동하다. 《Ⅲ》 **agitiert** *p.a.* ↑ agitiert.

agitiert 《Ⅰ》 *p.p.* ↑ agitieren. 《Ⅱ》 *p.a.* 선동된; 〖心〗 흥분된.

Agitprop[1] [agɪtprɔ́p] *f.* ① 선전 선동 (활동). ② 〖연극〗 선전 선동극.

Agitprop[2] *m.* -(s), -s 〔구어〕 선전 선동가.

Agitprop≈gruppe *f.* 〖연극〗 선전 선동 그룹. **~stück** *n.* 〖연극〗 선전 선동용 극본. **~-theater** *n.* 선전 선동극.

Aglaia [aglá:ja] 《gr.》 *f.* ① 〖그리스신화〗 아글라야(우미(優美)의 3 여신 중의 하나). ② 아글라야(여자 이름).

Aglei [aglái] *f.* -en 〖植〗 (obd.) 매발톱꽃속(屬) (Akelei).

Aglobulie *f.* -n [..lí:ən] 〖醫〗 적혈구 감소.

Agnat [agná:t] 《lat.》 *m.* -en, -en 〖法〗 ① (고대 로마의) 부계(父系) 친족. ② (게르만족의 법에서) 부계 남자 친족.

Agnation [..natsió:n] *f.* -en 부계의 친족 관계; 부계 남자 친족 관계.

agnatisch *a.* 부계 친족〔관계〕의; 부계 남자 친족〔관계〕의.

Agnes [ágnɛs] 《gr., „die Keusche"》 *f.* 아그네스(여자 이름).

Agni [ágni] 아그니(인도의 불의 신).

Agnition [agnitsió:n] 《lat.》 *f.* -en 〖法·고어〗 승인.

Agnomen [agnó:mɛn] 《lat.》 *n.* -s, ..mina (고대 로마인의) 넷째 자리 이름; 첨가명(공적 등을 나타내기 위해 본명에 덧붙인 이름).

Agnosie [agnozí:] 《gr. agnosia》 *f.* -n [..zí:ən] 〖哲〗 부지(不知); 〖醫〗 인지 불능(증).

Agnostiker [..nɔ́st..] 《gr.》 *m.* -s, - 〖哲〗 불가지론자(不可知論者).

agnostisch *a.* 〖哲〗 불가지론의.

Agnostizismus *m.* - 〖哲〗 불가지론.

agnostizistisch *a.* ↑ agnostisch.

agnoszieren 《lat.》 *t.* ① 〖고어〗 승인〔인지〕하다. ② 신원을 확인하다: einen Toten ~ 사망자의 신원을 확인하다.

Agnus Dei [ágnus dé:i] 《lat., „Lamm Gottes"》 *n.* - -, - - ① 〖성경〗 하느님의 어린 양(그리스도의 호칭, 요한 1: 29). ② 그리스도의 밀랍상. ③ 〖가톨릭〗 Agnus Dei 라는 말로 시작되는 기도문 및 성가. ④ 그리스도의 상 또는 교황의 이름과 재위 기간을 밀랍에 새긴 작은 메달.

Agogik [agó:gɪk] 《gr.》 *f.* 〖樂·修〗 속도법, 완급법.

agogisch *a.* 속도법의, 완급법의.

à gogo [a gɔgó] 《frz.》 〔구어〕 대량으로; 임의로.

Agon [agó:n] *m.* -s, -e 〔고대 그리스〕 ① 체육 경기; 기예 경연. ② 〖연극〗 (그리스 희극의) 논쟁, 토론

agonal [agoná:l] 《gr.》 *a.* ① 체육 경기의; 기예 경연의; 투쟁적인. ② 〖醫〗 임종의, 사투(死鬪)하는.

*__Agonie__ [agoní:] 《gr.》 *f.* -n [..ní:ən] 〖醫〗 ① (Todeskampf) 단말마, 죽음의 고통. ② 고민.

Agonist [agoníst] *m.* -en, -en ① (고대 그리스) 체육 경기 참가자, 기예 경연 참가자. ② 〖해부〗 주동근(主動筋), 작동근(作動筋).

Agora[1] [agorá:] 《gr. ageírein, „versammeln"》 *f.* -s/..ren 공회장; 시장(Markt).

Agora[2] *f.* ..rot [..rɔ́t] 아고라(이스라엘의 화폐 단위).

Agora·phobie *f.* -n 〖醫·心〗 광장 공포증.

Agraffe [agráfə] 《frz.》 *f.* -n ① 브로치, (옷깃·허리띠 등을) 여미는 죔쇠. ② 〖건축〗 아치〔창틀〕의 꺾쇠형 장식. ③ 〖醫〗 창상구(創傷鉤), 상처 죔쇠.

Agranulozytose *f.* -n 〖醫〗 백혈구 감소.

Agraphie [agrafí:] 《gr. gráphein, „schreiben"》 *f.* -n [..fí:ən] 〖醫〗 실서증(失書症) (실어증의 일종).

agrar.. 《lat. agrarius》 *pref.* "농업의, 농업 관련의"의 뜻.

Agrar≈bank *f.* 농업 은행. **~bevölkerung** *f.* 농업 인구. **~bewegung** *f.* 농업 운동. **~biologie** *f.* 농생물학(〖구동독〗 Agrobiologie). **~erzeugnis** *n.* 농작〔농산〕물. **~-export** *m.* 농산물 수출. **~frage** *f.* 농촌〔농업〕 문제. **~gebiet** *n.* 농업 지역. **~gemeinschaft** *f.* (öst.) 공유지(Allmende). **~genossenschaft** *f.* 농업 협동 조합, 농협. **~geographie** *f.* 농업 지리학. **~geschichte** *f.* 농업사(史). **~gesellschaft** *f.* 농경 사회. **~gesetz** *n.* 농업법. **~gesetzgebung** *f.* 농업 관련 입법.

Agrarier [agrá:riər] 《lat. ager, „Acker"》 *m.* -s, - 대지주; 중농주의자.

agrarisch [agrá:rɪʃ] *a.* 농업의; 토지 균배의: ~e Gesetze (고대 로마의) 토지 분배법.

Agrar≈kommunismus *m.* 농업 공산주의. **~kredit** *m.* 농업 금융. **~krise** *f.* 농업 공황. **~land** *n.* 농업국; 〔드물게〕 농지. **~-not·recht** *n.* 농촌 구제법. **~ökonomie** *f.* 농경제학. **~politik** *f.* 농업 정책, 농정(農政). **≈politisch** *a.* 농업 정책의, 농정의. **~preise** *pl.* 농산물 가격. **~produkt** *n.* 농산물. **~recht** *n.* 농업법. **~reform** *f.* 농제(農制) 개혁. **~sozialismus** *m.* 농업 사회주

의. **~staat** *m.* 농업 국가. **~struktur** *f.* 농업 구조. **~technik** *f.* 농업 기술. **~verfassung** *f.* 농촌 사회 구조. **~wesen** *n.* 농업. **~wirtschaft** *f.* 농업 경제. **~wissenschaft** *f.* 농학(Landwirtschaftswissenschaft). **~zoll** *m.* 농업 보호 관세.

Agrasel [á:gra:zəl], **Agrassel** [á:grasəl] *n.* -s, -n (öst.) 구즈베리(열매).

agreabel [agreá:bəl] 《frz.》 *a.* 알맞은, 쾌적한 (angenehm).

Agreement [əgrí:mənt] 《engl.》 *n.* -s, -s 협약, 협정; 합의.

agreieren [agreí:rən] 《frz. agréer》 *t.* 〖드물게〗 허락〔동의〕하다, 승인하다.

***Agrément** [agremã:] 《frz.》 *n.* -s, -s ①〖法〗 허락, 동의; (파견 대사·공사의 주재국) 승인, 아그레망. ② 유쾌, 쾌적. ③ 장식(품), 장신구류; 〖樂〗 장식음.

ägrieren [ɛgrí:rən] 《lat.》 *f.* 〖고어〗 격분하게 하다.

Agrikultur [agrikultú:r] 《lat.》 *f.* 농업.

Agrikultur≈chemie *f.* 농화학. **~physik** *f.* 농업 물리학.

agro.. 《gr.》 *pref.* "농업의"의 뜻.

Agrobiologie *f.* 〖구동독〗 농생물학.

agrobiologisch *a.* 농생물학의.

Agronom [agronó:m] 《gr.》 *m.* -en, -en 농학자; 농장 경영자; 농업 전문 지도자.

Agronomie [..mí:] *f.* -n [..mí:ən] 농학.

agronomisch *a.* 농학의.

Agro≈stadt *f.* (옛 소련의) 농업 도시. **~stologie** *f.* 초목학. **~technik** *f.* 〖구동독〗 농업 기술〔공학〕. **~technisch** *a.* 농업 공학의.

Agrumen [agrú:mən] 《it.》 *pl.* ① 감귤류 (Apfelsine, Zitrone, Pomeranze, Limone, Mandarine 등의 총칭). ② 이탈리아의 민요집 이름(„Südfrüchte"의 뜻).

Agrumi *pl.* ↑ Agrumen.

Agrypnie [agrʏpní:] 《gr.》 *f.* 〖醫〗 불면증.

AGS =adrenogenitales Syndrom 〖醫〗 부신 성기(性器) 증후군.

Agstein 《gr. achátes, „Achat"》 *m.* -(e), -e (obd.) 호박(琥珀) (Bernstein).

Agtstein *m.* -(e), -e ↑ Agstein.

AG u. Co. =Aktiengesellschaft und Compagnie 〖經〗 주식 회사.

Aguti [agú:ti] 《am. -sp.》 *m./n.* -s, -s 〖動〗 (남아메리카의) 기니피그의 일종(Goldhase).

***Ägypten** [ɛgʏ́ptən] 이집트.

Ägypter *m.* -s, - 이집트인.

ägyptisch *a.* 이집트인〔어〕의: die ~e Augenkrankheit 〖醫〗 전염성 만성 결막염(Trachom): 〖聖〗 ~e Finsternis 캄캄한 혹암(출애굽기 10: 22).

Ägyptologe [..ló:gə] *m.* -n, -n 이집트(고고)학자.

Ägyptologie [..logí:] *f.* 이집트(고고)학.

Ägyptologin *f.* -nen ↑ Ägyptologe의 여성형.

ägyptologisch *a.* 이집트(고고)학의.

A.H. [a:há:] =Alter Herr (학생 조합의) 고참자.

Ah =Amperestunde 암페어시(時).

***ah** [a:] *int.* ①〖놀라움·경탄·안도〗 아: ~, da bist du ja! 아, 네가 정말로 왔구나!. ②〖기쁨·희열〗 아: ~, wie schön ist es hier! 아, 여기는 참으로 아름답구나! ③〖이해·납득〗 아: ~ so! 아, 그렇군요!; ~, so ist das (zu verstehen)! 아, 그런 뜻이군요!

Ah *n.* -s, -s 감탄사 "ah"의 발성: ein lautes ~ ertönte 감탄의 소리가 크게 터져나왔다; unter vielen ~s 환호성 속에서.

äh [ɛ:] *int.* ①〖신음·울음 소리〗 에. ②〖구어〗 (비난·역겨움의 표현) 에이: ~, das ist ja widerlich 에이, 그건 정말 지긋지긋해. ③〖말하는 중간에 넣는 사잇소리〗 에.

aha [ahá:] *int.* 〖구어〗 ①〖갑작스런 이해·납득〗 아하, 그렇군, 정말. ②〖기대의 실현, 예상의 적중 때 내는 소리〗 아하.

Aha-Erlebnis *n.* 〖心〗 아하-체험(의미의 상관 관계가 갑자기 떠올라 이해하게 되는 현상).

A.H.A.H. =Alte Herren (학생 조합의) 고참들(↑ A.H.의 복수).

Ahasver [ahasvé:r] 《hebr.》 《Ⅰ》 ①〖聖〗 아하슈에로스(페르시아의 왕 크세르크세스(Xerxes)). ② 아하스베르(영원히 유랑하는 유대인 (der Ewige Jude), 형장으로 가는 그리스도를 자기 집 앞에서 쉬지 못하게 하고 욕설을 한 죄과로 그리스도의 재림 때까지 지상을 유랑한다는 구두장이). 《Ⅱ》 *m.* -s, -s/-e 〖고어〗 영원한 유랑인.

ahasverisch *a.* 〖고어〗 영원히 유랑하는.

Ahasverus *m.* -, ..ren ↑ Ahasver.

ahd. =althochdeutsch 고고(古高) 독일어의.

ahistorisch *a.* 비역사적인, 역사와 무관한; 역사에 무관심한.

AHK =〖法·史〗 Alliierte Hohe Kommission 연합국 감시단(1949-55년 서독에 존속한 미·영·프랑스 연합 기구).

Ahl≈baum *m.* 〖植〗 인동 덩굴. **~beere** *f.* 〖植〗 가막까치밥나무의 열매.

Ahle [á:lə] *f.* -n ① 송곳, 펀치. ② (식자공용) 핀셋. ③ 리머(Reibahle).

Ahl·kirsche *f.* 〖植〗 ① 귀룽나무, 구룡목(九龍木). ② 인동 덩굴.

Ahm [a:m] 《lat. ama, „Gefäß"》 *n.* -(e)s, -e ① (Ohm) 액량의 단위(약 150 *l*). ② ↑ Ahming. ③〔남성으로도〕 화덕.

ahmen *t.* 〖고어〗 ① (통의) 용적을 재다. ② 〖드물게〗 모방하다(nachahmen).

Ahming *f.* -e/-s ①〖海〗 흘수선(吃水線). ② 〖방언〗 전답의 경계선(Feldmark).

Ahmung *f.* -e/-s 〖드물게〗 ↑ Ahming.

Ahn [a:n] 《ahd. ano, „Großvater"》 *m.* -(e)s/ -en, -en ①〖고어·방언〗 조부, 증조부. ②〖대개 복수〗〖교양〗 선조, 조상: immer von seinen ~en sprechen 말끝마다 조상 자랑을 하다.

ahnbar *a.* 눈치챌 수 있는; 예감할 수 있는.

ahnden[1] [á:ndən] 《mhd. ande, „Unwille"》 *t.* 〖교양〗 복수하다; 벌하다; 비난〔힐책〕하다: et. schwer〔streng〕 ~ 무엇을 엄하게 벌하다.

ahnden[2] *i.* (h.) 〖시어·고어〗 jm. ahndet etwas 누가 무엇을 예감하다; Hindernisse, von denen ihm nichts geahndet hatte 그가 전혀 예측하지 못한 장애물들.

Ahndung *f.* -en ①〖교양〗 복수, 비난; 〖法〗 징벌. ②〖시어·고어〗 예감.

Ahne[1] [á:nə] 《Ⅰ》 *m.* -n, -n ①〖교양〗 조상, 선조. ②〖고어〗 (obd.) 조부, 증조부. 《Ⅱ》 *f.* -n ①〖교양〗 (여자) 조상. ②〖고어〗 (obd.) 조모, 증조모.

Ahne[2] *f.* -n 〖植〗 (꽃의) 포(苞), 삼 부스러기; 왕겨, 여물, 마초.

ähneln [ɛ́:nəln] 《<ähnlichen》《Ⅰ》 *t.* 〖드물게〗 닮게 하다. 《Ⅱ》 *i.* (h.) jm.〔et.[3]〕 ~ 누구를〔무엇을〕 닮다, …와 흡사하다: die Geschwister ~ sich[3]〔einander〕 그 형제 자매는 서로 닮았다.

***ahnen** [á:nən] 《Ⅰ》 *t.* ① 어렴풋이 느끼다, 알아채다; 예감하다: et. ~ lassen 무엇을 짐작하게 하다, 어떤 일의 전조다; der Knabe ließ den Mann ~ 그는 어렸을 때 벌써 큰 인물이 될 조짐을 보였다; 〖구어·경박〗 (ach,) du ahnst es nicht! 이게 무슨 짓인가!(경악의 표현); nichts ~d kam er nach Hause 아무것도 눈치채지 못한 채 그는 집으로 왔다. ② 〖다음 용법으로〗 zu ~ sein 겨우 인식〔식별〕할 수 있다: die Fußgänger waren in der Dunkelheit mehr zu ~ als zu sehen 행인들은 어둠 속에서 어렴풋이 알아볼 수 있을 뿐, 확실하게 볼 수는 없었다. 《Ⅱ》 *i.* (h.) *imp.* 〖교양〗 예감〔예견〕하다: mir ahnt nichts Gutes 어쩐지 예감이 불길하다.

Ahnen≠bild *n.* ① 선조의 영정〔초상〕. ② ↑ ~figur. **~dünkel** *m.* 조상 자랑. **~figur** *f.* (숭배 대상인) 선조의 (조)상((彫)像). **~forschung** *f.* 계보학(Genealogie). **~galerie** *f.* 조상의 유품실. **~grab** *n.* 조상의 무덤〔묘〕. **~gut** *n.* 〖法〗 세습 재산. **~kult** *m.* 조상 숭배. **~kultus** *m.* ↑ ~kult. **~paß** *m.* 가문 확인증. **~probe** *f.* 귀족 가문 증명(Adelsprobe). **~reihe** *f.* ① 조상 대대, 가계. ② 〖축산〗 혈통. **~saal** *m.* 선조 초상화 진열실. **~schaft** *f.* 조상, 혈통, 가문, 가계. **~stolz** *m.* 조상〔혈통〕에 대한 자부심; 조상〔족보〕 자랑. **≈stolz** *a.* 가문에 자부심을 가진. **~tafel** *f.* 〖교양〗 족보. **~verehrung** *f.* ↑ ~kult. **~verlust** *m.* 조상 상실(근친 결혼으로 족보에 한 사람이 여러 번 등장하는 일).

Ahn≠frau *f.* 〖교양〗 시조비(始祖妣). **~herr** *m.* 〖교양〗 시조, 조상. **~herrin** *f.* 〖교양〗 ↑ ~frau.

***ähnlich** [ɛ́:nlıç] *a.* ① 닮은, 비슷한: jm. ~ sein〔sehen〕 누구를 닮았다; sprechend〔täuschend〕 ~ 꼭 같은, 아주 닮은; ~ wie ein Ei dem andern 혼동할 정도로 너무나 닮은; 〖구어·경박〗 das sieht ihm ~ 그것은 그 사람이 하기에 걸맞는 일이다. ② 유사한: und ~es 기타 이와 유사한 것(약어: u.ä.); 〖數〗 서로 닮은: ~e Dreiecke 닮은꼴 삼각형. ③ 〖*prp.*[3] 의 기능〗 ~ dem Dichter 그 시인과 유사하게; einer Venus ~ 비너스처럼.

ähnlichen [ɛ:n..] *t./i.* (h.) 〖고어〗 ↑ ähneln.

Ähnlichkeit *f.* -en 유사, 근사점; 〖數〗 서로 같음: eine ~ mit jm. haben 누구와 유사〔비슷〕하다; zwischen den Brüdern besteht keine ~ 그 형제들 사이에는 비슷한 점이 전혀 없다.

Ähnlichkeits≠assoziation *f.* 〖心〗 유사(類似) 연합. **~schluß** *m.* 유추법. **~verhältnis** *n.* 유비, 근사(近似). **~zeichen** *n.* 〖數〗 닮은꼴의 기호.

***Ahnung** [á:nʊŋ] 《<ahnen》 *f.* -en ① 예감, 예상, 예견: schlimme ~ 불길한 예감, 어쩐지 불안한 마음. ② 〖구어〗 추측: keine ~ von et.[3] haben 무엇을 전혀 알지 못하다; ich habe keine blasse ~ von Mathematik 나는 수학이라고는 전혀 모른다; ach, keine ~! 전혀 모른다, 천만에, 그렇지 않아!(강한 부정); hast du eine ~! 무슨 당치도 않은 생각을 하는 거야!; von Tuten und Blasen〔von Ackerbau und Viehzucht〕 keine ~ haben 어떤 분야에 대해 아무 것도 모르다.

ahnungs·band *a.* ↑ ~voll.

ahnungslos *a.* 아무 것도 모르는, 전혀 예견〔예감〕하지 못한.

Ahnungslosigkeit *f.* 무지, 예견 못함.

Ahnungs≠vermögen *n.* 예감 능력. **≈voll** *a.* 〖교양〗 불안한, 불길한(예감이 드는).

ahoi [ahɔ́y] *int.* 〖海〗 아호(다른 배를 부르는 소리).

***Ahorn** [á:hɔrn] *m.* -es, -e 단풍나무 (재목).

ahornen *a.* 단풍나무 재목의.

Ahr [a:*r*] *f.* 아르강(라인강의 지류).

Ahr·bleichert [á:*r*blaıçə*r*t] *m.* -(e)s 아르강 지역의 적포도주.

Ährchen [ɛ́rçən] *n.* -s, - 〖↑ Ähre 의 축소형〗 작은 이삭; 〖植〗 이삭 꽃차례, 수상 화서(穗狀花序).

***Ähre** [ɛ́:rə] *f.* -n 〖植〗 이삭; 이삭 꽃차례: ~n lesen 이삭을 줍다; in ~n schießen 이삭이 돋아나다, 〖비속〗 혼기를 놓치다.

ähren 〖구식〗《Ⅰ》 *i.* (h.) 이삭을 줍다. 《Ⅱ》 *t.* 쟁기질하다, 갈다: den Acker ~ 땅을 갈다. 《Ⅲ》 *refl.* sich ~ 이삭이 돋아나다. 《Ⅳ》 **geährt** *p.a.* ↑ geährt.

Ähren [ɛ́:rən] *m.* -s, -〔*f.*〕 (md., obd.) 현관.

Ähren≠feld *n.* 이삭이 여문 밭. **~flur** *f.* ↑ ~feld. **≈förmig** *a.* 이삭 모양의. **~heber** *m.* 〖農〗 콤바인의 예취기(刈取機). **~kranz** *m.* (추수제에서 사용하는) 이삭으로 만든 관(冠). **~lese** *f.* 이삭줍기; 〖비유〗 (시·격언 등의) 모음집. **~leser** *m.* 이삭 줍는 사람. **~monat** *m.* 수확의 달, 8월. **≈ständig** *a.* 〖植〗 이삭 모양의〔모양으로 피는〕. **~stein** *m.* 〖광산〗 석면(石綿), (이삭 모양의) 돌솜.

ährig [ɛ́:rıç] *a.* 이삭이 있는.

..ährig *suf.* "…한 이삭의"의 뜻(보기: lang~ 이삭이 긴).

Ahriman [á:riman] *m.* 〖神〗 아리만(페르시아의 악의 신).

Ahura Masdah [áhura mázda] 아후라 마즈다(고대 페르시아의 신, 조로아스터교의 최고신).

AHV =Altes- und Hinterlassenenversicherung (스위스) 양로 유족 보험.

Ai [á:i] *n.* -s, -s 〖動〗 세손가락나무늘보.

ai [ai] *int.* 앗, 아야, 어마, 아이 좋아(고통·기쁨을 나타내는 소리).

Aida [aí:da] *n.* -(s) 〖섬유〗 수예용 바탕천.

AIDA-Formel *f.* 〖광고〗 광고 효과의 4 단계 형식(주의(Attention), 관심(Interest), 욕구(Desire), 구매 행위(Action)).

Aide [ɛ:t] 《frz.》 *m.* -n, -n ① 〖고어〗 조수, 조력자. ② 〖카드놀이〗 상대(자). ③ (schweiz.) 수습 요리사.

Aide-mémoire [ɛ́:tmemoá:*r*] *n.* -, - 〖政〗 각서, 비망록.

Aids, AIDS [ɛidz] 《engl.》 =acquired immune deficiency syndrome 에이즈(후천성 면역 결핍증).

aids≠krank *a.* 에이즈에 걸린. **≈kranke*** *der/die* 에이즈 환자. **≈test** *m.* 에이즈 검사.

Aigrette [ɛgrɛ́tə] 《frz.》 *f.* -n ①〖動〗 백로의 일종. ②(모자의) 깃털 장식. ③(불꽃놀이에서) 다발 모양의 불꽃.

Aiguière [ɛgiɛ́:rə] *f.* -n (프랑스 르네상스 시대의 손잡이·귀때·다리가 있는) 물병, 주전자.

Aikido [aɪkí:do] 《jap.》 *n.* -(s) 합기도.

Ailanthus *m.* -, -〖植〗 가죽나무.

Ailantus *m.* -, - ↑ Ailanthus.

Aimara *pl.* (티티카카호 주변의) 아이마라족.

Ainu [áí:nu] *m.* -(s), -(s) 아이누족.

Air[1] [ɛ:r] 《frz.》 *n.* -(s), -s 풍채, 태도, 모습, 분위기: er war vom ~ des Vielgereisten umgeben 그에게선 여행을 많이 한 사람의 분위기가 풍겼다.

Air[2] *n.* -s, -s〖음악〗 가곡, 아리아, 선율.

Air≈bag [ɛ́:r..] 《engl.》 *m.* 에어백. **~bus** 《engl.》 *m.* 에어버스(영국·프랑스·독일 3국이 개발한 여객기). **~condition** 《engl.》 *n.* 공기 조절, 냉난방. **~conditioner** 《engl.》 *m.* 에어컨(디셔너). **~conditioning** 《engl.》 *n.* 공기 조절, 냉난방.

Airedaleterrier [ɛ́ədeɪltɛriər] 《engl.》 *m.* 에어데일테리어(영국 원산의 개).

Air France [ɛrfrã́:s] *f.* 에어 프랑스(프랑스 항공 회사; 약어: AF).

Air≈fresh [ɛ́:rfreʃ] 《engl.》 *n.* 공기 정화제. **~mail** 《engl.》 *f.* 항공 우편. **~port** 《engl.》 *m.* 공항.

Ais [á:ɪs] *n.* -, -〖음악〗 올림 가음〔가장조〕.

ais *n.* -, - ↑ Ais.

ais-Moll *n.* 올림 가단조.

Aischylos [áisçylɔs] ↑ Äschylus.

Aitel [áɪtəl] *m.* -s, -〖動〗 (südd., öst.) 황어류(담수 잉어의 일종).

Aja [á:ja] 《it.》 *f.* -s (상류 가정의) 여자 가정 교사; 보모: Frau ~ 아야 부인(Goethe 모친의 별명).

Ajatollah *m.* -, -s (Ayatollah) 아야톨라(이슬람 시아파의 최고 성직자 칭호).

Ajax *m.* -, - ①〖그리스신화〗 (Aias) 아약스(트로이 전쟁의 영웅). ②〖체조〗 아약스(3인 또는 5인이 한 조가 되어 벌이는 곡예 무용과 비슷한 운동).

á jour [aʒú:r] 《frz., „zu Tage"》 ①〖商〗 오늘까지의, 기장(記帳)을 마친. ② 투명한, 빛이 새어 들게 된: ~ gefaßt (보석을) 투시되도록 테두리만 장식한. ③〖섬유〗 구멍이 숭숭 뚫린, 망사의. ④〖건축〗 섭새김을 한.

Ajour≈arbeit [aʒú:r..] *f.* 틈새가 나게 한 세공, 투조(透彫) 세공; 테두리 장식; 섭새김. **~fassung** *f.* 테두리 장식. **~gewebe** *n.*〖섬유〗 성기게 짠 직물.

ajourieren *t.* ① (öst.) 듬성듬성하게 짜다. ② 최신 정보를 제공하다.

ajournieren [aʒurní:rən] 《frz.》 *t.* 연기하다, 미루다.

Ajour≈stickerei [aʒú:r..] *f.* 듬성듬성하게 짠 뜨개질. **~ware** *f.*〖섬유〗 ↑ ~gewebe.

ajustieren [aʒʏstí:rən] *t.* ↑ adjustieren.

Ak =Antikörper〖醫〗 항체.

a.K. =außer Konkurrenz 비공인의.

***Akademie** [akademí:] 《gr. akadḗmeia》 *f.* -n [..mí:ən] ① 학술 협회, 학술원, 예술원, 한림원(翰林院), 아카데미: ~ der Wissenschaften〔Künste〕 학술원〔예술원〕. ② 학술 협회 건물. ③ (전문) 대학, 전문 학교. ④ (öst.) 문학회, 음악회.

Akademie≈mitglied *n.* 학술 협회 회원. **~schrift** *f.* 학술 협회의 정기 간행물.

Akademiker [..dé:mɪkər] *m.* -s, - ①〔드물게〕 학술 협회 회원. ② 대학 교육을 받은 자. ③ 전통 고수파의 예술가.

Akademikerin *f.* -nen ↑ Akademiker 의 여성형.

akademisch *a.* ① 대학의: ~er Bürger〔고어〕 대학생;〔총칭〕 ~e Jugend 대학생; ~es Viertel 대학의 15분(대학의 강의를 정시보다 15분 늦게 시작하는 관례); ~es Proletariat 고학력 실업자; ~er Mittelbau (대학의) 비전임 교원; ~er Rat 별정직 대학 교원(공무원의 신분인 대학의 비전임 교원의 칭호); ~e Selbstverwaltung 대학의 자치 행정; ~ gebildet 대학 교육을 받은. ② 학술 협회의. ③〔비유·펌어〕 학술적인, 고지식한, 융통성이 없는, 비현실적인, 이론적인, 관념적인. ④〖畵〗 전통 고수파의, 진부한.

akademisieren *t.* ① 대학〔아카데미〕 체제로 만들다. ②〔펌어〕 현실과 동떨어진 방식으로 다루다. ③ (부서를) 대학 출신으로 충원하다.

Akademist *m.* -en, -en ↑ Akademiker.

Akademismus *m.* -〔펌어〕 아카데미즘.

Akajou [akaʒú:] *m.* -s, -s ① 마호가니. ② 카슈(옻나뭇과).

Akanthit *m.* -s〖광물〗 휘은광(輝銀廣).

Akanthus [akántʊs] 《gr.》 *m.* -, - ①〖植〗 아칸서스(쥐꼬리망춧과). ②〖건축〗 (코린트식 기둥머리의) 아칸서스 잎 모양의 장식.

Akanthus·blatt *n.*〖건축〗 아칸서스 잎 모양의 장식.

Akardie [akardí:] 《gr. kardía, „Herz"》 *f.* ↑ Akardius.

Akardier *m.* -s, - ↑ Akardius.

Akardius *m.* -, ..dien [..dí:ən]〖醫〗 무심증(無心症).

Akaroidharz *n.* (라크·니스의 원료인) 아카로이드 수지(樹脂).

akatalektisch [akatalɛ́ktɪʃ] 《gr.》 *a.*〖문학〗 율격〔운율〕이 생략되지 않고 완전한.

Akatholik [ákatoli:k] 《gr.》 *m.* -en, -en 비가톨릭 교도.

akatholisch *a.* 비가톨릭교(도)의.

Akazie [aká:tsiə] 《lat.》 *f.* -n ①〖植〗 아카시아. ②〔구어〕 뚱딴지. ③〔비유〕 jn. auf die ~ treiben 누구를 절망하게 하다;〔구어·농담〕 es ist, um auf die ~n zu klettern 당치도 않다, 언어 도단이다.

Akelei [a:kəláɪ] 《lat. aquilegia》 *f.* -en ①〖植〗 매발톱속(屬). ②〖醫〗 생인손.

akephal *a.* ① (책의) 앞머리가 없는: ein ~es Buch 시작 부분이 없는 책; ein ~er Vers 첫 음절이 생략된 시행. ②〖醫〗 머리 없이 기형으로 태어난.

akephalisch *a.* ↑ akephal ①.

AKI, Aki *n.* -(s), -(s) = Aktualitätenkino 소품 시사 영화 전용 상영관.

Akinesie 《gr.》 *f.* ①〖醫〗 무동증(無動症), 운동 불능증. ②〖動〗 가사 상태.

akinetisch *a.* 무동증의, 운동 불능(증)의.

Akk. =Akkusativ 4격.

Akkad [ákat] 아카드(고대 바빌로니아의 도시; 창세기 10: 10).

akkadisch *a.* 아카드(인·어)의.

akkaparieren 《frz.》 *t.* 매점〔독점〕하다.
Akklamation [aklamatsió:n] 《lat.》 *f.* -en ① 갈채, 환호, 박수: in lebhafte ~ ausbrechen 박수 갈채로 환호하다. ② 구두(口頭) 동의〔표결〕, 박수 가결: jn. per〔durch〕 ~ wählen 누구를 박수〔구두〕로 선출하다.
akklamieren [..mí:rən] *t.* ① 갈채하다; 찬동하다. ② 환호로 찬성 투표하다.
Akklimatisation [aklimatizatsió:n] 《lat.》 *f.* -en 기후〔환경〕에의 적응〔순응〕.
akklimatisieren [..zí:rən] *t.* 기후〔환경〕에 적응하다: sich ~ 풍토에 적응하다; er hat sich in Rom schnell akklimatisiert 그는 로마에 빨리 적응하였다.
Akklimatisierung *f.* -en ↑ Akklimatisation.
Akkolade [akolá:də] 《frz.》 *f.* -n ① 기사(騎士) 임명식(에서 행해지는 군주의 포옹). ② 〖印〗 중괄호(기호: { }); 〖음악〗 연결 괄호.
akkomodabel [akɔmodá:bəl] 《lat. commodus, „bequem"》 *a.* 적응할 수 있는; 조정할 수 있는; 〔고어〕 적합한, 유용한.
Akkomodation [..tsió:n] *f.* -en ① 〖생리·의학〗 적응, 순응, 적합; (안구의) 원근 조절. ② 〖종교〗 동화; 〖음성학〗 음운동화.
Akkomodations·fähigkeit *f.* 적응〔순응〕 능력; (안구의) 원근 조절 능력.
akkomodieren [..dí:rən] 《Ⅰ》 *t.* 적응〔순응〕 시키다; 〖醫〗 (안구를) 조절하다. 《Ⅱ》 *refl.* sich ~ 적응〔순응〕하다: sich den gegebenen Umständen ~ 주어진 상황에 적응하다; 〖商·고어〗 sich ~ 타협〔합의〕하다.
Akkompagnement [akɔmpanjəmã́:] 《frz.》 *n.* -s, -s 〖음악·고어〗 반주.
akkompagnieren [..njí:rən] *t.* 〖음악·고어〗 반주를 하다: eine Sängerin am Klavier ~ 여가수의 노래에 피아노 반주를 하다.
Akkompagnist *m.* -en, -en 반주자.
***Akkord** [akɔ́rt] 《lat. cordis, „Herz"》 *m.* -(e)s, -e ① 〖음악〗 화음: volle〔dissonante〕 ~ 완전한〔불협〕 화음. ② 〖法〗 협정, 화해: einen ~ abschließen 협정을 체결하다. ③ 〖商〗 도급, 청부; 도급(임)금, 청부(임)금: auf 〔im〕 ~ arbeiten 도급 계약으로 일하다; die ~e herabsetzen 도급(임)금을 깎다. ④ 〔고어〕 조화, 화합.
Akkord⸗arbeit *f.* 도급일, 청부일. **~arbeiter** *m.* 도급〔청부〕 노동자, 도급인.
Akkordeon [..deon] *n.* -s, -s 〖음악〗 손풍금, 아코디온.
Akkordeonist *m.* -en, -en 〖음악〗 아코디온 연주자.
akkordieren [..dí:rən] 《Ⅰ》 *t.* 협정을 맺다: einen Lohnvertrag ~ 임금 협정을 맺다. 《Ⅱ》 *refl.* sich mit jm. ~ 누구와 협정을 맺다, 화해하다. 《Ⅲ》 *i.* (h.) mit jm. (über et.) ~ 누구와 (무엇에 대해) 협정을 맺다〔화해하다〕.
Akkordion [..diɔn] *n.* -s, -s ↑ Akkordeon.
Akkord⸗lohn *m.* 도급(임)금, 청부금. **~-meister·system** *n.* 하도급제. **~zettel** *m.* 도급 전표.
Akkouchement [akuʃəmã́:] 《frz.》 *n.* -s, -s 〔드물게〕 분만, 출산; 조산술(助産術).
Akkoucheur [..ʃǿ:r] *m.* -s, -e 〔드물게〕 산부인과 의사; 산파, 조산원.
Akkoucheuse [..ʃǿ:zə] *f.* -n 〔드물게〕 ↑ Akkoucheur 의 여성형.
akkouchieren [..ʃí:rən] 《frz. coucher, „niederlegen"》 *t.* 〔드물게〕 분만〔출산〕시키다.
akkreditieren [akreditί:rən] 《frz.》 *t.* ① 〖외교〗 신임장을 수여하여 파견하다, (대사 등에게) 전권을 주다: einen Botschafter bei einem Staat ~ 대사를 어떤 나라에 정식으로 파견하다. ② 〖금융〗 신용 한도액을 설정하다: die Bank akkreditierte ihn mit einem Gesamtbetrag von 10000 Mark 이 은행은 그를 위해 총 1 만 마르크의 신용 한도액을 설정했다.
Akkreditierung *f.* -en ↑ akkreditieren 의 명사형.
Akkreditiv [..tí:f] *n.* -s, -e [..ve] 신임장, 위임장; 〖商〗 신용장.
Akkreszenz [akrɛs|tsɛ́nts] 《lat., accrescere, „zunehmen"》 *f.* -en (자산의) 증가, 증대; 〖法〗 추증(追增), 추가 상속분.
akkreszieren *i.* (s.) 〖法·고어〗 증가하다.
Akkretion *f.* -en 증가, 첨가, 생장.
Akkretions·katalog *m.* (도서관의) 신구입 도서 목록.
Akku [áku] *m.* -s, -s =Akkumulator 축전지.
Akkulturation *f.* -en 〖사회〗 ① (타문화 환경에의) 동화, 순응. ② (타문화와의 접촉을 통한) 문화적 동화.
akkulturieren *t.* (타문화 환경에) 동화〔순응〕시키다.
Akkumulat [akumulá:t] 《lat.》 *n.* -(e)s, -e 〖지질〗 집괴암(集塊岩) (Agglomerat).
Akkumulation [..latsió:n] *f.* -en ① 〔교양〕 축적, 집적. ② 〖지질〗 퇴적, 침적. ③ 〖經〗 (자본·생산 수단의) 축적. ④ 〖문체〗 (이미지 강조를 위한) 소개념들의 나열.
Akkumulator [..lá:tɔr, ..to:r] *m.* -s, -en [..tó:rən] ① 〖전기〗 축전지: einen ~ (auf) laden 축전지를 충전하다. ② (일정한 수압을 유지하는) 저수조. ③ 〖컴〗 누산기(累算器).
akkumulieren [..lí:rən] *t.* 축적〔집적〕하다: die Gefahren akkumulierten sich 위험이 가중되었다.
***akkurat** [akurá:t] 《lat.》 *a.* ① 세심한; 단정한: eine ~e Hausfrau 꼼꼼한 가정 주부; ~ gekleidet 차림새가 단정한. ② 정확한, 적확한. ③ 〔구어〕 es ist ~ so 바로 그와 같다. ④ (südd., öst.) 꼭, 바로: als es ~ zwölf schlug, traten alle aus dem Haus 정확히 12 시가 되자 모든 사람이 집에서 나왔다.
Akkuratesse [..tɛ́sə] 《frz.》 *f.* 정확(성), 면밀, 적확, 정밀.
Akkusativ [ákuzati:f] 《lat.》 *m.* -s, -e 〖문법〗 4 격 (목적어).
Akkusativ·objekt *n.* 〖문법〗 4 격 목적어.
Akkusativus *m.* -, ..ve ↑ Akkusativ.
Akme [akmé:] 《gr.》 *f.* 정상, 절정; 극치; 〖醫〗 (병의) 고비, 위기; (오르가즘의) 절정.
Akne [áknə] 《gr.》 *f.* -n 〖醫〗 타박상, 여드름.
A-Kohle =Aktivkohle 활성탄.
Akoluth [akolú:t] 《gr.》 *m.* -s/-en, -en 〖가톨릭〗 시종, 시제(侍祭); 신출내기, 풋내기.
Akolyth [akolý:t] *m.* -s/-en, -en ↑ Akoluth.
Akonit [akoní:t, ..nít] 《gr.》 *n.* -s 〖植〗 ① 미나리아재빗과의 바곳속 식물. ② 〖藥〗 아코닛.

Akonitin *n.* -(e)s ↑ Akonit.
Akonto [akónto] *n.* -s, -s/..ten 〖금융〗 (öst.) 제 1 회 납입(금): ein ~ leisten 초회 납입금을 내다.
Akonto·zahlung [akɔ́nto..] *f.* 할부, 제 1 회 납입.
Akorie[1] *f.* -n 〖醫〗 무동공증(無瞳孔症), 동공이 없는 홍채.
Akorie[2] *f.* 〖醫〗 이상 기갈; 포만감 결여.
Akosmismus [akɔsmísmus] 《gr.》 *m.* - 무(無)우주론, 무세계론(신만이 유일한 실체이고 세계는 독자적으로 존재하지 못한다는).
Akotyledone [akotyledó:nə] 《gr.》 *f.* -n 〖植〗 무자엽(無子葉) 식물, 떡잎이 없는 식물.
AKP =Afrika, Karibik und pazifischer Raum 아프리카·카리브해 연안·태평양 연안(의 개발 도상국들).
AKP-Länder *pl.* ↑ AKP-Staaten.
AKP-Staaten *pl.* 아프리카(Afrika)·카리브해(Karibik) 연안·태평양(Pazifik) 연안의 국가들.
akquirieren [akvirí:rən] 《lat. quaerere, „suchen"》 《I》 *t.* 〔고어〕 획득하다, 구입하다. 《II》 *i.* (h.) 〖經〗 외판원으로 일하다.
Akquisiteur [akvizitǿ:r] *m.* -s, -e 〖經〗 외판원; 광고 모집인.
Akquisiteurin *f.* -nen ↑ Akquisiteur 의 여성형.
Akquisition [..tsió:n] *f.* -en ①〔고어〕 획득, 입수; 획득물. ② (외판원의) 고객 유치.
Akquisitor [..zí:tɔr, ..to:r] *m.* -s, -en [..tó:rən] (öst.) ↑ Akquisiteur.
akquisitorisch *a.* 〖經〗 외판원(판매) 방식의; 고객 유치(방식)의.
Akranier *m.* -s, - 〖動〗 무두류(無頭類), 두색(頭索) 동물.
Akribie [akribí:] *f.* 정밀, 세심, 엄밀; (학술상의) 철저: Gewissenhaftigkeit und ~ des Wissenschaftlers 학자의 양심과 철저성.
akribisch *a.* 정밀한, 엄밀한; 철저한.
Akribometer *n./m.* -s, - 극미계(極微計).
Akridin [akridí:n] *n.* -s 〖化〗 아크리딘.
akritisch *a.* 무비판적인, 비판 정신이 결여된.
akro.. 《gr.》 *pref.* "첨단·최고소(最高所)·최상부"의 뜻.
akroamatisch *a.* 〖哲·교육〗 (발표 및 토론 없이) 듣기만 하는 강의 방식의.
Akrobat [akrobá:t] 《gr., „Zehengänger"》 *m.* -en, -en 줄타기 광대, 곡예사.
Akrobatik *f.* 곡예(술); 〖空〗 곡예 비행.
Akrobatik·läufer *m.* 〖스포츠〗 마루 체조용 매트.
Akrobatin *f.* -nen ↑ Akrobat 의 여성형.
akrobatisch *a.* 곡예의; 곡예사가 행한.
Akrokephalie *f.* -n [..lí:ən] 〖醫〗 탑상 두개(塔狀頭蓋)(Akrozephalie).
Akrolein [akroleí:n] *n.* -s 〖化〗 아크로레인.
Akrolith *m.* -s/-en, -e(n) 〖조각〗 머리·손·발은 대리석으로, 기타 부위는 도금된 나무로 된 조각상.
Akromegalie [akromegalí:] *f.* -n [..lí:ən] 〖醫〗 선단(先端) 거대증, 거단증.
Akromion *n.* -, ..mia/..mien [..miən] 〖해부〗 견봉(肩峯).
Akronym [akroný:m] *n.* -s, -e (첫 글자만 딴) 약어(보기: TÜV=Technischer Überwachungs-Verein).
Akropolis [akró:polis] 《gr. pólis, „Stadt"》 *f.* ..polen [..pó:lən] ① (고대 그리스의 도시들의) 도성, 성채. ② (고대 아테네의) 아크로폴리스.
Akrostichon [akrɔ́stɪçɔn] 《gr. stíchos, „Zeile"》 *n.* -s, ..chen [..çən]/..cha [..ça] 〖시 학〗 아크로스티크(각 행 또는 연의 첫 글자나 첫 단어를 모으면 단어나 문장이 되는 시 형식).
Akroter [akroté:r] *n.* -s, -e ↑ Akroterie.
Akroterie [akroté:riə] *f.* -n [..riən] 〖건축〗 아크로테리아(고대 그리스 신전의 합각머리 장식).
Akroterion [..riɔn] *n.* -s, ..rien [..riən] ↑ Akroterie.
Akroterium *n.* -s, ..rien [..riən] ↑ Akroterie.
Akrozephale *m.* -n, -n 〖醫〗 탑상 두개증 환자.
Akrozephalie *f.* -n [..lí:ən] 〖醫〗 탑상 두개(塔狀頭蓋)(증).
akryl.. ↑ acryl..
Akrylsäure *f.* 〖化〗 아크릴산(Acrylsäure).
äks [ɛ:ks] *int.* 체, 제기랄(경멸·혐오·구역질의 소리): pfui ~! 이런 제기랄!
Akt[1] [akt] *m.* -(e)s, -en (특히 öst; südd.) 서류, 기록물, 문서: suchen Sie mir bitte den ~ „Meyer" heraus! "마이어"란 이름이 붙은 문서를 찾아오시오!; von et.[3] ~ nehmen 〖法〗 어떤 일의 조서를 작성하다, 〔비유〕 무엇에 유의하다.
***Akt**[2] 《lat. agere, „handeln"》 *m.* -(e)s, -e ① 행위, 동작; 의식(儀式); 〖法〗 심리: ein symbolischer ~ 상징적 행위; der ~ der Taufe 세례식. ② 공연, 상연: Zirkus ~ 서커스 공연. ③ 〖연극〗 막: kurze Pause nach dem dritten ~ 3 막이 끝난 후의 짧은 휴식. ④ 나체 모델의 포즈, 나체화: ~ stehen 나체 모델이 되다. ⑤ 성교; 교미. ⑥ 〔방언〕 하수도.
Aktant *m.* -en, -en 〖문법〗 보족어.
Akt≈aufnahme *f.* 나체 촬영. **~bild** *n.* 나체화.
***Akte** [áktə] 《lat. acta》 *f.* -n ① 공문서, 기록. ② 〔대개 복수〕 문서, 서류; 소송 기록, 조서, 증서; 법령; 결의서: et. zu den ~n legen a) 특정 서류를 다른 서류와 합치다, b) 〔비유·구어〕 종결된 것으로 간주하다, 더 이상 문제삼지 않다(약어: z.d.A. ↑ ad acta); in die ~n eintragen 등록하다; jn.〔et.〕 in den ~n führen 누구〔무엇〕에 관한 서류를 수집하다; 〔비유·구어〕 über〔hinter〕 den ~n sitzen 서류더미에 파묻혀 있다; 〔비유〕 (über jn.〔et.〕) die ~n schließen (누구〔무엇〕에 대해) 더 이상 심리하지 않다.
Aktei *f.* -en 서류〔문서〕집, 서류〔문서〕 보관실.
Akten≈bock *m.* 서류꽂이. **~bündel** *n.* 서류 다발〔묶음〕. **~deckel** *m.* 서류철 표지. **~einsicht** *f.* 〖法〗 서류 열람. **~entziehung** *f.* 서류의 불법 반출. **~format** *n.* 서류의 규격. **~fuchs** *m.* 〔구어·폄어〕 서류통(通) (서류처리에 통달한 사람). **~heft** *n.* 서류철. **~hefter** *m.* 서류꽂이. **~heft·maschine** *f.* 스테이플러. **~kammer** *f.* 문서국(局). **~klammer** *f.* 클립, 서류 집게. **~koffer** *m.* 서류용 가방. **~kundig** *a.* 서류〔문서·기록〕

에 근거하여 증명할 수 있는: et. ~ belegen 무엇을 서류로 증명하다. **~lage·entscheidung** *f.* 〖法〗 서류 심사 판결. **~mappe** *f.* 서류 가방, 손가방; 서류 끼우개. **~mäßig** *a.* 기록의, 서류의; 신빙할 수 있는. **~mensch** *m.* 관료적인 사람. **~ordner** *m.* 서류철, 파일. **~regal** *n.* 서류 정리 선반〔서가〕. **~reiter** *m.* ↑ ~mensch. **~schmierer** *m.* 하급 관리. **~schrank** *m.* 서류 보관장. **~schwanz** *m.* 첨지(籤紙). **~stoß** *m.* 문서 더미. **~stück** *n.* (공)문서, (개개의) 서류. **~tasche** *f.* 서류 가방. **~wolf** *m.* 서류 파쇄기. **~zeichen** *n.* 서류 (분류) 기호〔번호〕.

..akter [..aktər] 《<Akt》 *suf.* "…막극"의 뜻 (보기: Ein~ 〖연극〗 단막 희곡).

Akteur [aktǿ:r] 《frz.》 *m.* -s, -e 〔교양〕 ① 주범, 행위자, 가담자. ② 〖영화·연극〗 배우. ③ 〖스포츠〗 (운동) 선수.

Akteurin *f.* -nen ↑ Akteur 의 여성형.

Akt=foto *n.* 나체 사진(Aktphoto). **~gemälde** *n.* 나체화.

***Aktie** [áktsiə] 《ndl.》 *f.* -n 〖商〗 주, 주식: junge〔alte〕 ~ 신〔구〕주(新〔舊〕株); sein Vermögen in ~n anlegen 재산을 주식에 투자하다; eine ~ zu 800 Mark 800 마르크짜리 주식; 〔비유·구어〕 wie stehen die ~n? 어떻게 지내는가?; js. ~n steigen〔fallen〕 누구의 주가가 오르다〔떨어지다〕.

Aktien=abschnitt *m.* 분할 주권. **~ausgabe** *f.* 주식 발행. **~bank** *f.* 주식 은행. **~besitz** *m.* 주식 소유. **~bezugs·recht** *n.* 신주 인수권. **~börse** *f.* 주식〔증권〕 거래소. **~brief** *m.* 주권. **~gesellschaft** *f.* 주식 회사(약어: AG). **~gesetz** *n.* 주식법. **~-händler** *m.* 주식 중매인. **~index** *m.* 주가 지수. **~inhaber** *m.* 주주. **~kapital** *n.* 주식 자본. **~kauf** *m.* 주식 구입. **~-kommandit·gesellschaft** *f.* 주식 합자 회사. **~kurs** *m.* 주가. **~makler** *m.* 주식 중매인. **~markt** *m.* 주식 시장. **~mehrheit** *f.* 주식의 과반수 (소유). **~paket** *n.* (회사에 영향력을 행사할 정도로) 한 개인이 소유한 많은 양의 주식. **~spekulant** *m.* 주식 투기자, 중매인. **~spieler** *m.* ↑ ~spekulant. **~-zeichner** *m.* 주식 인수인〔응모인〕.

..aktig [..aktıç] 《<Akt》 *suf.* "…막의"의 뜻 (보기: ein~ 1 막의).

Aktiniden [aktiní:dən] *pl.* 〖化〗 악티나이드 (원자 번호 90 에서 103 까지의 방사능 원소들).

Aktinie [aktí:niə] 《gr.》 *f.* -n 〖動〗 말미잘류(類) (Seeanemone).

aktinisch *a.* ① 〖物〗 방사능의: eine ~e Quelle 방사능천, 광천. ② 〖醫〗 방사선으로 인한: ~e Krankheiten 방사선 장애〔질병〕.

Aktinium *n.* -s 〖化〗 악티늄(방사능 원소).

Aktinograph *m.* -en, -en 일사량 기록계.

Aktinolith *m.* -s/-en, -e(n) 〖광물〗 (Strahlstein) 양기석(陽起石).

Aktinometer [..nomé:tər] 《gr.》 *n.* -s, - 〖物〗 광량계; 〖사진〗 감광기.

Aktinometrie *f.* 광량 측정(법).

aktinomorph [..mɔ́rf] *a.* 방사형의, 방사상의.

Aktinomykose [..mykó:zə] *f.* -n 〖醫〗 (Strahlenpilzkrankheit) 방선균증〔병〕.

Aktinomyzet *m.* -en, -en 방선균(류).

***Aktion** [aktsió:n] 《lat.》 *f.* -en ① 행동, 행위, 활동: eine gemeinsame ~ starten 집단 행동을 시작하다; in ~ sein 행동〔활동〕 중이다; in ~ treten 행동에 들어가다; et. in ~ zeigen 무엇을 행동으로 보여 주다. ② 몸짓, 연기, 표정; 〔고어〕 연극. ③ 조처, 처리; 〖法〗 민사 소송〔행위〕. ④ 〖軍〗 전투; 〖승마〗 (말의) 걸음걸이. ⑤ 일어난 일, 사건. ⑥ 〖物〗 작용.

aktional *a.* 동작 양태(樣態)의.

Aktionär [aktsionɛ́:r] 《frz. action, „Aktie"》 *m.* -s, -e 주주.

Aktionärin *f.* -nen ↑ Aktionär 의 여성형.

Aktionärs·versammlung *f.* 주주 총회.

aktionell *a.* ↑ aktional.

Aktionismus *m.* - ① 행동주의. ② 〔폄어〕 지나친 활동욕.

Aktionist *m.* -en, -en 행동주의자.

aktionistisch *a.* 행동주의(자)의.

Aktions=art *f.* 〖문법〗 (Aspekt) (동사의) 동작 양태(樣態). **~ausschuß** *m.* 집단 행동 추진 위원회. **~feld** *n.* 전쟁터. **~form** *f.* 〖문법〗 동사의 태(보기: 능동, 수동). **~komitee** *n.* ↑ ~ausschuß. **~preis** *m.* 행동의 대가. **~radius** *m.* ① 행동 반경; 영향력의 범위. ② (비행기·배의) 항속 거리. **~strom** *m.* 〖醫〗 (생체 조직의 활동에 따라 생기는) 활동〔동작〕 전류. **~turbine** *f.* 〖工〗 구동(驅動) 터빈. **~woche** *f.* (특정 목표를 실현하기 위한) 행동 주간.

Aktium [áktsium] 악티움(그리스 서북부 해안의 곶; 옥타비아누스가 안토니우스와 클레오파트라의 연합군을 격파한 곳(B.C. 31)).

***aktiv** [aktí:f, ákti:f] 《lat.》 ① (↔ inaktiv) 활동적인, 활발한, 열성적인: ~e Unterstützung 열성적 지지. ② (↔ passiv) 적극적인, 능동적인: sich ~ an〔bei〕 et.³ beteiligen 무엇에 적극 가담〔참여〕하다; 〖法〗 ~e Bestechung 뇌물 공여; 〖醫〗 ~e Immunisierung 자동 면역; 〖經〗 ~e Handelsbilanz 흑자 무역; 〖心〗 ~e Psychoanalyse (임상 요법가에 의한) 집중적 정신 분석; 〖法〗 ~es Wahlrecht 선거권; ~er Widerstand (무력을 사용하는) 적극적 저항; 〖言〗 ~er Wortschatz 상용 어휘. ③ 효력이 있는; 반응이 강한. ④ 〖문법〗 능동태의. ⑤ 〖軍〗 현역의: ~er Offizier 현역 장교; ~e Dienstzeit 의무 군복무 기간. ⑥ 활동 중인, 정회원의, 소속원의: ~es Mitglied 정회원; ein ~er Sportler 현역으로 활약하는 운동 선수. ⑦ 〖化〗 활성의; 〖醫〗 활동성의: ~e Kohle 활성탄; ~e Tuberkulose 활동성 결핵(증).

Aktiv[1] [ákti:f] *n.* -s, -e [..və] 〖문법〗 능동태: ein Satz im ~ 능동문.

Aktiv[2] *n.* -s, -s 〖구동독〗 열성 활동가 그룹.

Aktiva [aktí:va] *pl.* 〖商〗 (↔ Passiva) 자산, 현재 자산, 대차 대조표의 차변.

Aktivator [aktivá:tɔr, ..to:r] *m.* -s, -en [..tó:rən] ① 〖化〗 활성제. ② 〖醫〗 (혈청 내의) 항체 형성 촉진소. ③ 〖치과〗 턱 교정 장치. ④ 〖物〗 발광 촉진제.

Aktiv=bestand *m.* ① 〖軍〗 현재 보유 (전투) 병력. ② 〖商〗 자산 보유량. **~bürger** *m.* ① (schweiz) (↔ Passivbürger) 〖法〗 (선거권·피선거권 및 시민권을 지닌) 시민, 국민. ② (18 세기말 프랑스에서 납세를 통해) 선거권을 얻은 시민. **~dienst** *m.* 〖軍〗 현역.

Aktiven [..vən] *pl.* ↑ Aktiva.

Aktiv≈forderung *f.* 미회수 대부금 청구권. **~geschäft** *n.* (은행의 능동적) 여신〔대출〕 업무. **~handel** *m.* (국내의 자본과 노동력에 의한) 수출 무역.

aktivieren [aktiví:rən] *t.* ① 실행하다; 활발하게 하다, 촉진시키다: durch dieses Medikament wird der Kreislauf aktiviert 이 약품은 혈액 순환을 촉진시킨다. ②〖化〗 활성화하다: einen Katalysator ~ 촉매를 활성화하다. ③〖經〗 차변에 기입하다(↔ passivieren). ④〖핵물리〗 stabile Atomkerne ~ (미립자를 투사하여) 안정된 원자핵을 방사성 원자핵으로 변화시키다.

Aktivierung *f.* -en ① 실행; 촉진. ②〖化〗 활성화. ③〖經〗 차변 기입. ④〖핵물리〗(미립자 투사에 따른) 원자핵의 방사능 방출.

aktivisch *a.* 〖문법〗 능동(태·형)의: eine Passivkonstruktion ~ übersetzen 수동문을 능동형으로 번역하다.

Aktivismus [..vísmus] *m.* - ① 적극성, 활동성: großen ~ zeigen 대단한 적극성을 보이다. ②〖哲〗 행동〔실천〕주의. ③〖문학〗 행동〔실천〕주의(1915-20 년의 표현주의의 사회주의적 참여 경향).

Aktivist *m.* -en, -en ① 행동가, 행동〔실천〕주의자, 활동가. ②〖구동독〗 모범적인 노동자.

aktivistisch *a.* ① 행동주의의, 행동주의적인. ② 활동적인, 적극적인.

Aktivitas *f.* 학생 조합원.

***Aktivität** *f.* -en ① 적극성, 능동성; 활동력, 활기: schöpferische ~ zeigen 창작 활동을 보이다. ②〔대개 복수〕 행동, 활동; 조처: illegale ~en 불법적 행동; eine Reihe von ~en im wirtschaftlichen Bereich 경제 분야에서의 일련의 조치. ③〖化〗 활성. ④〖핵물리〗 핵분열의 정도: die Einheit der ~ ist das Curie 방사능 측정 단위는 퀴리다. ⑤〖핵물리〗 ↑ Radioaktivität.

Aktivitäts≈gefühl *n.*〖醫〗 활동감. **~gehalt** *n.* 재직 봉급. **~hypertrophie** *f.*〖醫〗 활동성 비대(증).

Aktiv≈kapital *n.*〖經〗 차변(借邊) 자산. **~-kohle** *f.* 활성탄. **~legitimation** *f.*〖法〗 적극적 자격. **~masse** *f.*〖經〗 ↑ ~kapital. **~posten** *m.*〖經〗 차변 항목. **~saldo** *m.*〖經〗 차변 잔액. **~schulden** *pl.* 이부(利附) 공채, 차변.

Aktivum [aktí:vum] *n.* -s, ..va〔구식〕 ↑ Aktiv[1].

Aktiv·vermögen *n.* 현재〔차변〕 자산.

Akt≈materie *f.*〖哲〗 작용 질료(質料). **~-modell** *n.* 누드 모델. **~psychologie** *f.* 작용 심리학.

Aktrice [aktrí:sə] ⟪frz.⟫ *f.* -n〖연극·구식〗 여배우(↔ Akteur).

Akt≈saal *m.*〖畵〗 모델실. **~schluß** *m.*〖연극〗 막의 종료. **~studie** *f.* 누드화 습작.

Aktual·genese [aktuá:l..] *f.*〖心〗 지각 표상(表象).

aktualisieren *t.* ① 현실화하다: eine aktualisierte Fassung eines alten Dramas aufführen 옛 드라마를 현실에 맞게 개작하여 상연하다. ② 사실적으로 묘사하다. ③ (행동으로) 실현하다.

Aktualisierung *f.* -en ① ↑ aktualisieren 의 명사형. ②〖哲〗 실현.

Aktualismus *m.* -〖哲〗 액추얼리즘, 현실설 (실재하는 것은 모두 생명을 가지며, 또한 움직이고 있다고 하는 설).

aktualistisch *a.* 액추얼리즘의.

Aktualität *f.* -en ① 현실성, 현재성, 시사성: ein Thema von besonderer ~ 현재 초미의 관심 테마. ②〔복수〕 최근 사건, 시국 문제: auf ~en neugierig sein 최근 사태에 호기심을 갖다. ③〖哲〗 현실성.

Aktualitäten·kino *n.* 시사성 소품 영화들이 연속 상연되는 영화관(↑ AKI, Aki).

Aktualitäts·theorie *f.* ↑ Aktualismus.

Aktuar [aktuá:r] ⟪lat., „Aktenbewahrer"⟫ *m.* -s, -e ①〔고어〕 법원 서기. ② 법관 시보.

Aktuarius *m.* -, ..rien [..riən] ↑ Aktuar.

***aktuell** [aktuέl] ⟪frz.⟫ *a.* ① 현실의, 실제의; 현재의; 시급한;〖醫〗 활성의:〖物〗 ~e Energie 활동 에너지; ~e Themen 민감한 화제, 시사 문제. ②〖광고〗 최신(식)의, 최신 유행의.

Aktus [áktus] ⟪lat.⟫ *m.* -, -〔고어〕(특히 학교의) 행사, 제전.

Akt≈zeichnen *n.* 나체화 그리기. **~zeichnung** *f.* 나체화 스케치.

Akupressur *f.* -en〖醫〗 지압 요법.

akupunktieren *t.* 침을 놓다, 침술로 치료하다.

Akupunktur [akupuŋtú:r] ⟪lat. acus, „Nadel"⟫ *f.* -en〖醫〗 침술, 침 요법.

Aküsprache 약어(↑ Abkürzungsprache).

Akustik [akústik] ⟪gr. akúein, „hören"⟫ *f.* ①〖物·음성〗 음향학. ② 음향 효과: eine gute 〔schlechte〕 ~ haben (강당·극장 등의) 음향 효과가 좋다〔나쁘다〕. ③ 음향 기기.

Akustikus *m.* -, ..ki〖해부〗 청각 신경.

Akustiker *m.* -s, - ① 음향학자, 음향 전문가. ② 청각형의 인간.

akustisch *a.* ① 음향학의, 음향 효과가 좋은. ②〖醫〗 청각에 관한: ein ~er Typ(us) 청각형(의 인간) (↔ ein visueller Typ) ; ~e Agnosie 무(無)음감증.

***akut** [akú:t] ⟪lat.⟫ *a.* ① 절박한; 시급〔긴급〕한: eine ~e Gefahr 절박한 위험; ein ~es Problem 긴급한 문제. ②〖醫〗 급성의(↔ chronisch) : ~e Krankheiten 급성 질환. ③〖문법〗 악센트가 있는.

Akut *m.* -(e)s, -e〖문법〗 ① 악센트, 강음(↔ Gravis). ② 악센트 기호(보기: á).

Akut·krankenhaus *n.* 급성 환자 치료 병원.

AKW =Atomkraftwerk 원자력〔핵〕 발전소.

AKW-Gegner *m.* 원자력〔핵〕 발전소 (건설) 반대자.

Akyanoblepsie [akyanoblεpsí:] ⟪gr.⟫ *f.*〖醫〗 청색 색맹 (Blaublindheit).

akzedieren [aktsedí:rən] ⟪lat.⟫ *i.* (h.)〔드물게〕 ① 동의〔찬성〕하다. ② 가입〔가맹〕하다.

Akzeleration [aktseleratsió:n] ⟪lat.⟫ *f.* -en ①〔교양〕 가속(도): die ungeheure ~ der technischen Entwicklung 기술 발전의 엄청난 가속도. ②〖인류·醫〗 신체 성숙의 촉진〔조기화〕. ③〖生〗 개체 발전 과정의 가속화. ④ (시계가) 점점 빨리 감. ⑤〖天〗 (달의) 공전 속도 증가.

Akzelerator [..rá:tor, ..to:r] *m.* -s, -en [..tó:rən] ① 가속기. ②〔고어〕 (자동차의) 가속 장치, 액셀러레이터. ③〖經〗 가속 인자. ④〖핵

물리》 소립자 가속기.
akzelerieren 《Ⅰ》 *t.* 가속하다; 촉진하다. 《Ⅱ》 *i.* 가속화되다, 빨라지다.
***Akzent** [aktsɛ́nt] 《lat. accentus》 *m.* -(e)s, -e ① 강세, 악센트: den ~ auf die erste Silbe legen 첫 음절에 악센트를 주다. ② 강음부호. ③〔비유〕(개인·집단·지역의 특수한) 억양, 어조: mit süddeutschem ~ sprechen 남독의 억양으로 말하다. ④〔비유〕강조; 중점, 역점: auf ein Wort besonderen ~ legen 한 단어를 특히 강조하다; (neue) ~e setzen 새로운 지평을 열다.
Akzent≈buchstabe *f.* 강세가 있는 철자. **≈frei** *a.* 억양이 없는.
akzentlos *a.* ↑ akzentfrei.
Akzentuation [..tuatsió:n] *f.* -en ① ↑ Akzentuierung. ②〔비유〕강조. ③〖음성〗정확한 발음.
akzentuieren [..í:rən] 《Ⅰ》 *t.* ① 억양을 정확하게 발음하다: deutlich und akzentuiert sprechen 분명하고 정확하게 말하다. ② 강조하다: dieser Schnitt akzentuiert die Figur 이 마름질은 몸매를 드러나게 한다. ③〖음성〗음을 강조하다. ④〖시학〗~de Dichtung 운율적 강세와 언어적 강세가 일치하는 시(↔ alternierende Dichtung). 《Ⅱ》 *refl.* sich ~ 드러나다, 명백해지다: der Charakter der beiden Brüder akzentuiert sich in der unterschiedlichen Kleidung 이 두 형제의 성격은 갖가지 옷차림새의 차이에서 잘 드러난다.
Akzentuierung *f.* -en ↑ akzentuieren 의 명사형.
Akzent·wechsel *m.* 악센트 교체.
Akzepisse [aktsepísə] 《lat.》 *n.* -, -〔고어〕(Empfangsschein) 영수증; 수령증.
Akzept [aktsɛ́pt] *n.* -(e)s, -e〖商〗(어음의) 인수, 수령; 인수 어음.
akzeptabel *a.* 인수〔영수〕할 수 있는; 수락〔허용〕할 수 있는: die Bedingung ist ~ 그 조건은 수락할 수 있다.
Akzeptabilität *f.* ① 수락〔허용〕가능성. ②〖언어〗허용 가능성, 용인도.
Akzeptant *m.* -en, -en ① (어음) 인수인. ②〔교양〕수취인; 수락자.
Akzeptanz *f.*〖광고〗인수〔수락〕용의.
Akzeptation [..tsió:n] *f.* -en 승낙; (어음) 인수.
Akzept·blanko *n.* ↑ ~kredit.
akzeptieren [aktsɛptí:rən] 《lat.》 *t.* ① 받아들이다, 승낙〔동의〕하다: einen Vorschlag ~ 제안을 받아들이다. ② (어음을) 인수하다.
Akzeptierung *f.* -en 승인, 수락; 동의.
Akzept·kredit *m.*〖商〗어음 담보 대출.
Akzeptor [..tɔr, ..to:*r*] *m.* -s, -en [..tó:rən] ①〖商〗(어음) 인수인(Annehmer). ②〖物〗(반도체의) 전자 수용체(↔ Donator). ③〖化〗(화학 반응 때) 원자 수용체. ④〖인공지능〗정보 수용 시스템. ⑤〖醫〗수용(受應) 물질.
Akzeß [aktsɛ́s] 《lat. accedere, „beitreten"》 *m.* ..zesses, ..zesse ①〔드물게〕(Zutritt) 접근; 가입. ② (öst.) 수습 근무. ③〖醫〗발작.
akzessibel *a.* (zugänglich) 접근할 수 있는, (산 등에) 올라갈 수 있는; 취득할 수 있는.
Akzession [..sió:n] *f.* -en ①〖행정〗(Zugang) 접근; 취득. ②〖국제법〗가입, 가맹: die ~ Griechenlands zur EG 그리스의 유럽 공동체 가입. ③〖음성〗음의 첨가. ④〖法〗첨부; 부가물. ⑤ 계승, 즉위.
Akzessist *m.* -en, -en ①〖法〗(öst.) (Anwärter) (법원·행정 관청의) 시보, 임용 대기자. ② (바로크 시대의) 보조 음악사.
Akzessit [..tsɛ́sɪt] 《lat., accessit, „er ist nahe gekommen"》 *n.* -s, -s〔고어〕① 2 등상, 장려상. ② (서류의) 입수 일자.
Akzessorietät *f.* -en ① 접근; 허용. ②〖法〗(하위법의) 상위법 귀속 원칙.
akzessorisch [..só:rɪʃ] *a.* ① (hinzutretend) 보조의, 부수적인: ~e Nährstoffe 부(副)영양소. ② 종속적인: das ~e Recht 종속적 권리.
Akzessorium [..rium] *n.* -s, ..rien [..riən] 부속〔부가〕물, 보조물;〖法〗부대 요구.
Akzidens [áktsidɛns] 《la., accidere, „vorfallen"》 *n.* -, ..denzien [..dɛ́ntsiən]/..dentia [..dɛ́ntsia] ① 우연, 우발사. ②〖음악〗임시 기호(보기: #, ♭). ③〔복수〕〔드물게〕임시〔부〕수입.
akzidentell [..tɛ́l] 《frz.》 *a.* ① 우연의, 우발적인, 비본질적인. ②〖醫〗우발성의.
akzidentiell [..tsiɛ́l] *a.* ↑ akzidentell.
Akzidenz *f.* -en ① 부업; 부수입; 임시 주문. ②〔대개 복수〕(정식 간행물이 아닌) 임시 간행물; 광고 전단. ③ ↑ Akzidens.
Akzidenz≈druck *m.* ↑ Akzidenz ②.
Akzidenzien *pl.* ↑ Akzidens 의 복수형.
Akzidenz≈schrift *f.*〖印〗(표제어·광고용의 대형) 장식 문자. **~setzer** *m.*〖印〗디스플레이체 전문 식자공.
akzipieren 《lat.》 *t.* 수취〔인수〕하다; 채용하다.
Akzise [aktsí:zə] 《lat.》 *f.* -n ① (19 세기까지의) 간접세, 소비세, 물품세; 관세; 세무서 (~amt). ②〖구동독〗(식료품에 대한) 소비세.
akzise·frei *a.* 간접세 면제의, 면세의.
akzisen·frei *a.* ↑ akzisefrei.
Akzisor [..zɔr, ..zo:*r*] *m.* -s, -en [..zó:rən] 세리(稅吏).
AL =Alternative Liste 대안(代案) 정치 세력의 입후보자 명단.
Al〖化〗=Aluminium 알루미늄.
Al. =Alinea〖印〗줄바꿈; 문단.
a.l. =ad libitum 마음대로.
ä.L.〖족보〗=ältere(r) Linie 오랜 혈통.
à la [a la] 《frz.》 (nach Art und Weise von...) …풍〔류·식〕으로, …에 따라서: ein Roman ~ Thomas Mann 토마스 만식의 장편 소설.
alaaf [alá:f] 《ndd.》 *int.*〔방언〕만세(쾰른시의 카니발에서 지르는 환호성): Kölle ~! (= Hoch Köln!) 쾰른시 만세!
à la baisse [a la bɛ́:s] 《frz.》 (투기할 때) 하락을 예상하고.
Alabaster [alabástə*r*] 《gr.》 *m.* -s, - ①〖광물〗설화석고(雪花石膏) (이집트의 도시 Alabastron 의 이름에서). ② (ndd.) (놀이용) 유색 유리 구슬.
Alabaster≈busen *m.* 눈처럼 흰 가슴〔유방〕. **~glas** *n.* 젖빛 글라스.
alabastern *a.* ① 설화 석고의. ②〖교양〗눈같이 흰: ~e Hände 눈처럼 흰 손.
alabaster·weiß *a.* 눈같이 흰.
à la bonne heure [alabɔnœ́:r] 《frz., „zur

guten Stunde“》 잘 됐어, 좋아.
à la carte [..kárt] 차림표〔식단표〕에서 골라서: ~ essen 메뉴에서 골라 식사하다.
à la hausse [..ó:s] (투기할 때) 값이 오를 것을 예상하고.
à la jardinière [alaʒardinjɛ́:r] 〖요리〗 야채를 곁들인.
Alalie [alalí:] 《gr.》 *f.* 〖醫〗 발화(發話) 불능증, 실어증(失語症).
à la longue [alalɔ̃:g] 〔교양〕 장기적으로는; 결국에 가서는.
à la mode [alamɔ́d] 《frz.》 ① 최신 유행의〔에 따른〕: sich ~ kleiden 최신 유행의 옷을 입다. ② 프랑스식〔풍〕으로.
Alamode=literatur [alamó:də..] *f.* 〖문학〗 알라모데 문학(프랑스 고전주의 양식을 모방한 17 세기 초 독일 궁정 오락 문학). **~zeit** *f.* 〖史〗 알라모데 시대.
alamodisch *a.* ↑ à la mode ①.
Aland [á:lant] *m.* -(e)s, -e 〖動〗 황어.
Alane [alá:nə] *m.* -n -n 알라네족(게르만족 대이동 시대에 코카서스에서 남하한 종족).
Alanin *n.* -s, -e 〖化〗 알라닌(아미노산의 일종).
Alant[1] [alánt] *m.* -(e)s, -e ↑ Aland.
Alant[2] *m.* -(e)s, -e 〖植〗 목향(木香).
Alant·beere *f.* ↑ Albeere.
***Alarm** [alárm] 《it. all' arme, „zu den Waffen!“》 *m.* -(e)s, -e ① (비상) 경보: ~ auslösen〔geben〕 (비상) 경보를 울리다; ~ schlagen 경보를 울리다, 구조 요청을 하다; blinder〔falscher〕 ~ 헛소동, 〖軍〗 오(誤)발령 경보; stiller ~ 정숙경보. ② 〔비유〕 소동; 불안, 공황. ③ 경보 (발령) 상태, 비상 사태: dreistündiger ~ 3 시간의 경보 (발령) 상태; den ~ aufheben 경보를 해제하다.
Alarm=anlage *f.* 경보 장치. **~apparat** *m.* 경보기. **~bereit** *a.* 경보 태세의. **~bereitschaft** *f.* 경보 준비 태세. **~gerät** *n.* 경보기. **~glocke** *f.* 경종(警鐘), 비상벨.
alarmieren [alarmí:rən] 《it.》 *t.* ① jn. ~ 누구에게 경보를 내리다, (구조 요청을 위해) 누구에게 급히 알리다: die Polizei ~ 경찰에 비상 경보를 내리다. ② 〔비유〕 놀라게 하다, 경고하다, 불안하게 하다: ~de Nachrichten 놀라게 하는 뉴스.
Alarm=ruf *m.* 경보 발령, 비상 소집. **~schuß** *m.* 경포(警砲). **~signal** *n.* ① 비상 신호. ② 〔드물게〕 경보기. **~stange** *f.* 〖軍〗 봉화. **~stufe** *f.* 경보 등급: die höchste ~ geben 1 급 경보를 발령하다. **~ventil** *n.* 〖工〗 비상 밸브. **~zeichen** *n.* 경보 신호. **~zustand** *m.* 경보 발령 상태, 비상 사태.
Alas. =Alaska 알래스카.
Alastor [alástɔr] 《gr.》 *m.* 〖그리스신화〗 알라스토(복수의 신).
à la suite [alasɥí:t] 《frz.》 〖軍·고어〗 (im Folge von〔des〕...) …을 수행해서.
Alaun [aláun] 《lat.》 *m.* -(e)s, -e 〖化〗 명반(明礬).
alaun=artig *a.* 명반(明礬)의. **~bad** *n.* 명반욕. **~beize** *f.* 명반 매염제(媒染制).
alaunen[1] [aláunən] *t.* 〖化·고어〗 명반(明礬)으로 처리하다; 명반액에 담그다.
alaunen[2] *a.* 명반(성)의.
Alaun=erde *f.* 반토(礬土). **~gar** *a.* (가죽을) 희게 무두질한. **~gerberei** *f.* 명반 유피(明礬鞣皮). **~haltig** *a.* 명반을 함유한.
alaunig *a.* 〖化〗 명반의; 명반을 함유한.
alaunisieren *t.* 명반으로 가공하다.
Alaun·stein *m.* 명반석(明礬石).
A-Laut *m.* (모음) a 의 음.
Alb[1] [alp] *m.* -(e)s, -en 〖게르만신화〗 (Elf, Alp) 요정, 땅밑에 사는 정령.
Alb[2] *f.* -en ① ↑ Alm ①. ② **(a)** 알프(Jura 산맥의 고산 지대; 보기: die Rauhe ~, die Schwäbische ~). **(b)** 알프(라인강의 지류).
Alba[1] [álba] 《lat.》 *f.* ..ben ↑ Albe ①.
Alba[2] *f.* -s 〖문학〗 (중세 남부 프랑스 음유 시인의) 아침 연가〔이별가〕.
Albaner [albá:nər] *m.* -s, - 알바니아 사람.
Albanerin *f.* -nen ↑ Albaner 의 여성형.
Albanese [..né:zə] *m.* -n, -n ↑ Albaner.
albanesisch *a.* ↑ albanisch.
Albanien 알바니아(발칸의 공화국).
albanisch *a.* 알바니아(어)의.
Albanitiko *m.* - 알바니아 무용.
Albarello [albarɛ́lo] 《it.》 *m.* -s, ..relli (약제사가 쓰는) 약 항아리.
Albatros [álbatrɔs] 《ndl.》 *m.* -(ses), -se 〖動〗 알바트로스(남극 연안에 사는 바다제비의 일종).
Alb·druck *m.* ↑ Alpdruck.
Albe 《lat. albus, „weiß“》 *f.* -n ① 〖가톨릭〗 알바(사제용 흰색의 긴 제의(祭衣)). ② 〖動〗 잉어과의 작은 물고기. ③ 〖植〗 백양.
Albedo [albé:do] *f.* 〖物〗 알베도(입사광의 강도에 대한 반사광의 비율).
Albedo·meter *n.* 알베도 측정기.
Al·beere *f.* 〖植〗 (ndd.) 가막까치밥나무의 열매.
Alben *pl.* ↑ Album 의 복수.
Alber 《lat.》 *f.* -n 백양; (obd.) 백양속(屬).
Alberei *f.* -en 어리석은〔유치한〕 행동〔언동〕: laß doch diese ~en! 이런 멍청한 짓거리는 제발 그만둬!
Alberich 《„Elfenkönig“의 뜻》 *m.* 〖북구신화〗 알베리히(Nibelungen 의 보물을 지키는 난쟁이; Olberich).
***albern**[1] [álbərn] *a.* 〔폄어〕 ① 어리석은; 우둔한; 불합리한; 〔방언〕 야비한: ~es Zeug schwatzen 허튼 소리를 하다. ② 〔구어〕 하찮은: wegen dieser ~en Geschichte mußte er sich verantworten 이 대수롭지 않은 이야기 때문에 그는 책임을 질 수밖에 없었다.
albern[2] *i.* (h.) 멍청한 짓을 하다.
Albernheit *f.* -en 어리석은 행동, 우직, 실책, 우둔, 횡설수설, 잠꼬대, 황당무계.
Albert 《<Adalbert》 *m.* 알베르트(남자 이름).
Albertina 《lat.》 *f.* ① 알베르티나(Königsberg 대학의 별칭; 창립자 Albrecht 공(公)의 이름에서). ② 알베르티나(빈(Wien) 소재 미술관; 창립자 Albert 공(公)의 이름에서).
Albi [albí:] 알비(남부 프랑스의 지명).
Albigenser [..gɛ́nzər] *m.* -s, - ① 알비 사람. ② 〔복수〕 〖宗〗 알비파(派) (12-14 세기 교황에게 반역한 그리스도교의 한 파).
Albinismus [albinísmus] 《<lat. albus.》 *m.* - 〖醫〗 선천성 색소 결핍증, 백색〔백피(白皮)〕증; 〖生〗 백화(白化) 현상.
Albino [albí:no] *m.* -s, -s 〖醫〗 선천성 색소 결핍증〔백피(白皮)증〕 환자; 백변종(白變種)

의 동식물.

albinotisch *a.* 백색증〔백피증〕의.

Albion [álbiɔn] 《klt., „Gebirgsland"》 *n.* -s 〖시어〗 알비온, 영국(England 및 Schottland의 옛 이름): Sohn ~s 영국 사람.

Albit [albí:t, ..bít] 《lat. albus, „weiß"》 *m.* -s, -e 〖광물〗 조장석(曹長石).

Albrecht *m.* 알브레히트(남자 이름).

Alb·traum *m.* ↑ Alptraum.

Album [álbum] 《< lat. albus》 *n.* -s, ..ben ① (고대 로마의 공사용) 알림판. ② 앨범, 스크랩북, 방명록; 사진첩(Foto~). ③ (2 장으로 된) 레코드첩(帖), 음반첩.

Album·blatt *n.* ①〖음악〗 (제명(題名)으로서) 소(小) 기악곡집. ② 앨범의 한 면〔쪽〕.

Albumen [albú:mən] 《lat.》 *n.* -s 〖生〗 (Eiweiß) (알의) 흰자위, 난백(卵白).

Albumin [albumí:n] *n.* -s, -e 〖化〗 알부민.

Albuminat *n.* -(e)s, -e 단백〔알부민〕염(塩).

Albuminimeter *n.* -s, - 단백계(요(尿)중 단백 정량계).

albuminoid *a.* 단백질〔성〕의.

albuminös [albuminǿ:s] 《lat.》 *a.* 단백질이 있는, 단백성의.

Albumin·papier *n.* (사진용의) 난백지(卵白紙).

Albuminurie [..minurí:] *f.* -n [..rí:ən] 〖醫〗 단백뇨(尿)증.

Albumose *f.* -n 〖醫〗 알부모제(펩신 단백 분해물).

Albus [álbus] 《lat.》 *m.* -, -se 알부스(14-19 세기에 서부·남부 독일에서 사용된 6-10 페니히 짜리 은화).

alcäisch [altsɛ́:ɪʃ] *a.* 〖문학〗 고대 그리스 시인 Alcäus 풍의.

Alcantara [alkántara] 《sp.》 *n.* -(s) 〖섬유〗 (정교하게 만든) 인조 가죽.

Alcäus [altsɛ́:us] *m.* 알체우스(고대 그리스 서정시인, B.C. 600 년경).

Alchemie *f.* ↑ Alchimie.

***Alchemille** 《lat.》 *f.* -n 〖植〗 장미과의 일종.

Älchen [ɛ́:lçən] *n.* -s, - ①〔↑ Aal 의 축소형〕 새끼 뱀장어. ② 선충류.

Alchimie [alçimí:] 《frz.》 *f.* ① 연금술. ② 속임수, 사기; 비법, 마술.

alchimisch *a.* 〔고어〕 ↑ alchimistisch.

Alchimist [..míst] *m.* -en, -en 연금술사.

alchimistisch *a.* 연금술의; 오묘한, 현묘한, 불가사의한, 신비스런.

Alcyone [altsyó:ne:] 《gr.》 *f.* ①〖그리스신화〗 알키오네(여왕의 이름; 익사한 남편을 따라 바다에 몸을 던졌으나 물총새로 화신). ②〖天〗 알치오네(묘성단(昴星團) 중 가장 밝은 별).

alcyonisch [..nɪʃ] *a.* 평화로운, 평온한; 쾌활한: ~e Tage a) 동지 전후의 일기가 온화한 2 주일, b) 평온한 시대.

Aldebaran [aldebá:ran, ..bará:n] 《ar.》 *m.* -s 〖天〗 알데바란(황소자리 중의 일등성(星)).

Aldehyd [aldehý:t] 《gr.》 *m.* -s, -e [..də] 〖化〗 알데히드.

Alderman [ɔ́:ldərmən] 《engl.》 *m.* -s, ..men [..mɛn] ①〔옛뜻〕 왕의 대리자. ② (영국과 아일랜드의) 주장관, 총독. ③ (영국의) 시 참사회원, (미국의) 시 의회 의원.

Aldermann [áldərman] *m.* -(e)s, ..männer ↑ Alderman.

ALDI 알디(저가품을 파는 슈퍼마켓 체인).

Aldine [aldí:nə] 《lat.》 *f.* -n ①〖印〗 알두스판(版)(중세 베니스 사람 Aldus Manutius 일가가 발행한 고전의 호화판). ② 알두스체(반고딕체의 일종).

Ale [e:l] *n.* -s 에일(담색의 영국산(產) 맥주).

alea iacta est [á:lea jákta ɛst] 《lat., „der Würfel ist gefallen"》〔교양〕 주사위는 던져졌다(Rubikon 강을 건널 때 Cäsar 가 한 말); 〔비유〕 일은 이미 벌어졌다, 결정은 이미 났다.

Aleatorik [aleatóːrɪk] *f.* 〖음악〗 (1950 년 이후의) 우연성〔불확정성〕 작곡법.

aleatorisch *a.* 우연성〔우발성〕의: ~e Dichtung 우연성 문학(다다이즘에서 발단된 문학 경향); ~er Verträge 〖法〗 사행(射倖) 계약.

Alekto [alɛ́kto] 〖그리스신화〗 알렉토(복수의 여신) (Erinnye).

Alemanne [aləmánə] 《grem.》 *m.* -n, -n 알레만 사람(서남 독일인에 대한 옛 칭호).

Alemannien [..niən] *n.* -s 알레마니엔(알레만 사람이 거주했던 고대 독일의 한 지방).

alemannisch [..nɪʃ] *a.* 알레만인〔어〕의.

Aleppo·kiefer [alɛ́po..] *f.* 〖植〗 알레포소나무(지중해 연안산(產) 소나무의 일종).

alert [alɛ́rt] 《frz.》 *a.* ① 활발한, 민첩한: ein ~er Junge 활발한 소년. ② 건강한, 생기 있는: die Patientin ist wieder ganz ~ 그 여자 환자는 생기를 완전히 되찾았다.

Alessandria [alɛsándria] 《it.》 *n.* -s 알레산드리아(북이탈리아의 도시 및 행정구).

Aleuron [alɔ́yrɔn] 《gr., „Weizenmehl"》 *n.* -s 〖植〗 알류론, 호분(糊粉).

Aleuronat *n.* -s, -e 〖영양〗 알류로네이트.

Aleuten [aleú:tən] *pl.* 알류산 열도.

Alexander [alɛksándər] 《gr., „der Männerverteidigende"》 *m.* ① 알렉산더(남자 이름). ② 알렉산더(마케도니아의 왕, 356-323 B.C.).

Alexander Lucas [alɛksándər lú:kas] *f.* 〖植〗 알렉산더 루카스(배(梨)의 품종).

Alexandra *f.* ① 알렉산드라(여자 이름). ② 〖天〗 알렉산드리아(작은 유성). ③ ↑ Alexandria.

Alexandria [..drí:a] 알렉산드리아(이집트의 도시).

Alexandrien [..driən] ↑ Alexandria.

Alexandriner *m.* -s, - ① 알렉산드리아 시민〔사람·학자〕. ②〖문학〗 알렉산더 율격의 시행(詩行)(6 각 강약격의 시행으로 12 세기 프랑스에서 알렉산더 대왕에 관한 서사시에서 사용된 데서 유래함). ③〖화폐〗 알렉산드리아에서 주조된 은화.

Alexandrinertum [..tu:m] *n.* -s ①〖哲〗 알렉산드리아파(派)의 학문. ② 진부한 학문; 번거로운 형식주의.

alexandrinisch [..nɪʃ] *a.* ① 알렉산드리아시〔풍〕의: 〖哲〗 ~e Schule 알렉산드리아 학파(신플라톤파의 하나). ② 알렉산더 율격의.

Alexandrinismus *m.* - 〖哲〗 알렉산드리아파의 학문.

Alexandrit [..drí:t, ..drít] *m.* -s, -e 〖광물〗 알렉산드라이트, 알렉산더 보석.

Alexie [alɛksí:] 《gr.》 *f.* -en [..ksí:ən] 〖醫〗 독서 불능증, 실독증(失讀症).

Alexin *n.* -s, -e 〖醫〗 알렉신(혈청 중의 항독물질).

Alexis [alɛ́ksis] ⟪gr., „Helfer"⟫ *m.* 알렉시스 (남자 이름).
Alfa [álfa] ⟪ar.⟫ *f.* 〖植〗 아프리카 나래새.
Alfa·gras *n.* 〖植〗 아프리카 피(밧줄·바구니·베·종이 등의 원료).
Alfanz [álfants] ⟪mhd. alevanz, „Schalk(-heit), Betrug"⟫ *m.* -es, -e 〔고어〕 ① 익살, 광대짓; 요술. ② 바보, 멍청이; 어릿광대; 요술쟁이; 사기꾼.
alfanzen [..tsən] *i.* (h.) 〔고어〕 익살부리다; 사기치다.
Alfanzer *m.* -s, - 〔고어〕 ↑ Alfanz.
Alfanzerei [..tsəráɪ] *f.* -en 〔고어〕 ① 익살, 어릿 광대짓. ② 속임수, 사기.
Alfenid [alfení:t, ..nít] ⟪frz.⟫ *n.* -s 〖광물〗 양은(발명자 Alphen 의 이름에서).
al fine [alfí:nə] ⟪it.⟫ 〖음악〗 (다시) 끝까지.
Alfons [álfɔns] ⟪sp.⟫ *m.* 알폰스(남자 이름).
Alfred [álfre:t] ⟪angelsächs.⟫ *m.* 알프레트 (남자 이름).
al fresco [alfrɛ́sko] ⟪it., „auf frischem (Kalk)" a fresco 의 오용⟫ 금방 칠한 회벽 위에: ~ malen (흰벽에) 벽화를 그리다.
Alge [álgə] ⟪lat.⟫ *f.* -n 〖植〗 해초, (바닷)말.
***Algebra** [álgebra] ⟪lat.⟫ *f.* ..bren [..brən] 〖數〗 ① 대수학; 대수학적 구조. ② 〖인공지능〗 ~ der Logik 논리 대수학.
algebraisch *a.* 대수(학)의.
Algebraist *m.* -en, -en 대수학자.
Algenib [algení:p] ⟪ar.⟫ *m.* -s 〖天〗 알게니브 (페가수스〔페르세우스〕 별자리의 감마성).
Algen·säure *f.* ↑ Alginsäure.
Algerien [algé:riən] ⟪ar.⟫ 알제리.
Algerier *m.* -s, - 알제리 주민; 알제리인.
Algerierin *f.* -nen ↑ Algerier 의 여성형.
algerisch *a.* 알제리(인·어)의.
Algesie *f.* -n [..zí:ən] 〖醫〗 통각(痛覺); 감각 과민(증).
Algier [álʒi:*r*] 알제(알제리의 수도).
Algin·säure *f.* 〖生〗 알긴산(酸).
Algol [algó:l] ⟪ar.⟫ *m.* -s 〖天〗 알골(페르세우스 별자리의 베타성).
ALGOL [álgɔl] ⟪engl.⟫ =algo(rithmic)l(anguage) 〖컴〗 알골.
Algologe *m.* -n, -n 조류(藻類)학자, 바닷말 연구가.
Algologie *f.* 조류학.
algologisch *a.* 조류학의.
Algonkin[1] [algɔ́nkɪn] *m.* -(s), -(s) 알곤킨족(캐나다 오타와강 남쪽에 사는 인디언 종족).
Algonkin[2] *n.* -s 알곤킨어(語).
algonkisch *a.* 〖지질〗 알곤키아계(界)의, 원생계(原生界)의.
Algonkium *n.* -s 〖지질〗 알곤키아계(界), 원생계(原生界).
algorithmisch *a.* ① 〖數〗 알고리듬의, 계산법에 의한. ② 형식화한. ③ 〖컴〗 ~e Sprache 알골(↑ ALGOL).
Algorithmus [algorítmus] *m.* -, ..men [..mən] ① 〖數〗 알고리듬. ② 〖컴〗 연산 지시 규칙.
Algrafie [algrafí:] *f.* -n [..fí:ən] ↑ Algraphie.
Algraphie ⟪lat. +gr.⟫ *f.* -n [..fí:ən] ① 〖印〗 알루미늄 평판(平版) 인쇄법. ② 알루미늄 평판으로 인쇄한 판화.

Alhambra[alhámbra] ⟪ar., „die rote (Burg)"⟫ *f.* 알함브라(Granada 의 왕궁).
Alhidade [alhidá:də] ⟪ar., „ein Lineal"⟫ *f.* -n 〖측량〗 앨리데이드 조준의(照準儀).
alias [á:lias] ⟪lat., „anders"⟫ *adv.* ① 별칭은, 일명: Hans Weber ~ Schulze 일명 슐체로 통하는 한스 베버. ② 다르게, 달리.
Alibi [á:libi] ⟪lat.⟫ *n.* -s, -s 〖法〗 현장 부재, 알리바이: sein ~ nachweisen〔beweisen〕 알리바이를 증명하다. ② 〔비유〕 변명, 구실: ein moralisches ~ für et. finden 무엇에 대한 도의적 구실을 찾다.
Alibi⸗beweis *m.* (현장) 부재 증명, 알리바이. **~frau** *f.* 〔폄어〕 정책상 고위직을 안배받은 여자.
Alienation [alienatsió:n] ⟪lat.⟫ *f.* -en ① 양도, 매도. ② 소외(疏外), 소원. ③ 〖醫〗 정신 착란.
alienieren [..ní:rən] ⟪I⟫ *t.* 양도〔매각〕하다. ⟪II⟫ *refl.* sich ~ 소외되다.
Alignement [alɪnjəmã́:] ⟪frz.⟫ *n.* -s, -s [..mã:s] ① 방향선(線)(설정); 〖工〗 (도로·철도의 건설 때) 기준선 설정. ② 〖軍〗 정돈선. ③ 〔방언〕 건축선(線).
alignieren [alɪnjí:rən] *t.* (구간이나 기준선 등을) 측량하다.
Aliment [alimɛ́nt] ⟪lat. alere, „nähren"⟫ *n.* -(e)s, -e 〖法〗 ① (사생아나 이혼한 전처의) 양육비, 부양비. ② 〖醫〗 자양물.
alimentär [..tɛ́:*r*] *a.* 영양의; 식이성의.
Alimentation [..tsió:n] *f.* -en 부양, 부조; 〖醫〗 영양법, 식이법.
alimentations·pflichtig *a.* 부양비〔양육비〕 지급 의무가 있는.
alimentieren [..tí:rən] *t.* jn. ~ (누구의) 부양비〔양육비〕를 지급하다.
a limine [a: lí:mine:] ⟪lat., „von der Schwelle"⟫ 〔교양〕 즉석에서, 검사하지 않고.
Alinea [alí:nea] ⟪lat. a linea, „von vorn"⟫ *n.* -s, -s 〖印〗 행 바꾸기; 문단 나누기 기호(약어: Al.).
alineieren [..neí:rən] *i.* (h.) 행을 갈다, 문단을 바꾸다.
aliphatisch [alifá:tɪʃ] ⟪gr.⟫ *a.* 〖化〗 지방족(脂肪族)의, 지방을 함유한: ~e Verbindungen 지방족 화합물.
aliquant [alikvánt] ⟪lat.⟫ *a.* 〖數〗 나누어 떨어지지 않는.
aliquot [alikvɔ́t] *a.* 나누어 떨어지는.
Aliquote [alikvó:tə] *f.* -n ① 〖數〗 떨어지는 수, 약수(約數). ② 〖음악〗 (**a**) 배음(倍音). (**b**) 오르간의 음전(音栓).
Aliquot⸗flügel *m.* 〖음악〗 공명현(共鳴弦)이 있는 피아노. **~saite** *f.* 〖음악〗 공명현. **~ton** *m.* 〖음악·고어〗 배음(倍音).
Alitalia [alitá:lia] *f.* 이탈리아 국제 항공(사).
Alizarin [alitsarí:n] ⟪ar.⟫ *n.* -s 알리자린(적색 염료).
Alk [alk] ⟪skand.⟫ *m.* -(e)s/-en, -e(n) 〖動〗 바다쇠오리.
Alkahest [alkahɛ́st] *m./n.* -(e)s 알카헤스트, 만물 용화액(溶化液).
Alkaios *m.* 알카이오스(고대 그리스의 서정시인, 620-? B.C.).
alkäisch [alkɛ́:ɪʃ] *a.* 〖문학〗 알카이오스(풍의); 알카이오스 율격의: ~er Vers 알카이오스

행〔시련〕.

Alkalde [alkáldə] 《sp.》 *m.* -n, -n 〖중세〗 (재판관을 겸한 스페인의) 면장, 시장.

***Alkali** [alká:li, álkali] 《ar.》 *n.* -s, -en [alká:liən] 〖化〗 알칼리.

Alkali≈metall *n.* 알칼리성 금속(Lithium, Natrium, Kalium, Rubidium, Francium, Zäsium). **~meter** *n./m.* 알칼리 비중계(比重計). **~metrie** *f.* 알칼리 적정법(滴定法).

alkalin *a.* ① 알칼리 반응을 보이는. ② 알칼리성의.

alkalisch [..lɪʃ] *a.* 알칼리성의.

alkalisieren [..lizí:rən] *t.* 알칼리화하다.

Alkalität *f.* 알칼리성(性)〔도(度)〕.

Alkaloid [..loí:t] *n.* -(e)s, -e [..də] 알칼로이드, 식물 염기(塩基).

Alkalose *f.* -n 〖醫〗 알칼로시스, 알칼리 중독.

Alkanna [alkána] 《sp.》 *f.* 〖植〗 ① 알카나(남유럽산(產) 지칫과(科)), 헤나. ② 알카나 염료(알카나의 뿌리에서 추출되는 홍색 염료).

Alkäus [..kɛ́:ʊs] *m.* ↑ Alcäus.

Alkazar [alká:zar, ..(t)sar] 《ar.-sp.》 *m.* -s, -e (에스파냐의) 궁전, 성(城).

***Alkohol** [álkoho:l, ..hó:l] 《ar.》 *m.* -s, -e ① 〖化〗 알코올: primärer ~ 알코올 원액; absoluter ~ 무수 알코올. ② 주정(酒精), 에틸알코올: ~ destillieren 알코올을 증류하다. ③ 알코올 음료, 술, 주류: nach ~ riechen 술 냄새를 풍기다; dem ~ verfallen sein 술에 빠져 있다; seine Sorgen in〔im〕 ~ ertränken 술로 근심을 달래다; ~ löst die Zunge 술을 마셔 횡설수설한다; sich unter ~ setzen 취하다.

alkohol≈abhängig *a.* 알코올 중독의. **≈abhängige*** *der/die* 알코올 중독자. **~arm** *a.* 알코올 함량이 적은. **≈ausschank** *m.* 선술집, 주점, 바. **≈fahne** *f.* 입에서 풍기는 불쾌한 술 냄새. **~fest** *a.* 술〔알코올 성분〕에 강한. **~frei** *a.* ① 알코올을 함유하지 않은. ② 술을 팔지 않는. **≈gegner** *m.* 술을 싫어하는 사람, 음주 반대론자. **≈gehalt** *m.* 알코올 함유량. **~haltig** *a.* 알코올을 함유한.

Alkoholika [..lika] *pl.* 알코올 음료.

Alkoholiker [..hó:lɪkər] *m.* -s, - 술꾼, 주정뱅이, 알코올 중독자.

alkoholisch *a.* 알코올의, 주정을 함유한.

alkoholisieren [..lizí:rən] *t.* ① 알코올화하다, 알코올 처리하다: Wein ~ 포도주를 정류(精溜)하다. ②〔구어〕 취하게 하다: alkoholisiert sein 취해 있다.

Alkoholisierung *f.* 알코올 처리.

Alkoholismus [..lɪ́smʊs] *m.* - 음주벽; 〖醫〗 알코올 중독.

alkohol·krank *a.* 알코올 중독의.

Alkohol≈kranke* *der/die* 알코올 중독자. **~mißbrauch** *m.* 알코올 남용.

Alkoholometer *n.* 〖化〗 (액체 중의 알코올 함량을 측정하는) 알코올(비중)계.

Alkohol≈pegel *m.* 〔구어〕 혈중 알코올 농도. **~pfennig** *m.* 알코올 함유 음료에서 징수되는 기금(알코올 중독자 치료에 씀). **~schmuggel** *m.* 주류 밀수입〔밀수출〕. **~spiegel** *m.* 혈중 알코올 농도. **≈süchtig** *a.* 알코올 중독의. **~süchtige*** *der/die* 알코올 중독자. **~sünder** *m.* 〔구어〕 음주 운전자. **~test** *m.* 혈중 알코올 농도 측정. **~verbot** *n.* 음주 금지; 주류 제조·판매 금지. **~vergiftung** *f.* 알코올 중독.

Alkor [alkó:r, álko:r] *m.* 알코아(별 이름).

Alkoran [alkorá:n] 《ar.》 *m.* -s, - ↑ Koran.

Alkoven [alkó:vən, álkovən] 《ar.>frz.》 *m.* -s, - 〖건축〗 알코브, 벽물림 칸(침대 따위를 놓기 위해 벽을 움푹 들어가게 만든 부분); 방에 딸린 작은 침실(대개 창문이 없음).

Alkyl [alký:l] 《ar.+gr.》 *n.* -s, -e 〖化〗 알킬기(基).

alkylieren *t.* 알킬화하다.

Alkyone [..kyó:nə] *f.* ↑ Alcyone.

alkyonisch *a.* 평온한, 평화로운: ~e Tage 평온한 나날(특히 동지 전후의).

***all** [al] 《I》 *prn.* 〖어미 변화는 보통 정관사 변화에 준하지만, 정관사·지시 대명사·소유 대명사가 뒤에 함께 오거나, 불가산 명사가 올 경우는 대개 어미 변화하지 않음〗 ① 모든; 모두, 전부: ~es hat seine zwei Seiten 모든 것은 양면성이 있다; ~e beide 둘 다; ~ mein Hab und Gut 나의 모든 재산; ~e, die kommen wollen 오고자 하는 사람들 모두; wir ~e 우리들 모두가; ~er Augen waren auf ihn gerichtet 모든 사람들의 눈이 그를 향해 있었다; wer war ~es da! 거기 있던 사람이 누구였는지 모두 대봐!; ~e Arbeit allein tun 모든 일을 혼자서 하다; ~es, was ich gesehen habe 내가 본 모든 것; ~es Fremde 낯선 모든 것; die Ursache ~en Leides 모든 고통의 원인; er hat ~en Grund dazu 그가 그럴 만한 이유는 얼마든지 있다; es sind ~e gekommen 모두 왔다; 〔비유〕 ~e Welt 모든 사람; das ist ~es a) 그것이 전부다, b) 나는 더 이상 필요한 것이 없다; ist das ~es? a) 더 할 말은 없니?, b) 더 나쁜 일은 없니?, c) 더 필요한 것은 없니?; das ist ~es schön und gut, aber... 그 말도 모두 맞지만, 그러나 …; ~es mögliche tun 가능한 모든 일을 다 해보다; ~e und jeder 모든 사람, 아주 아주 많은 사람; mein ein und ~es 나의 가장 소중한 것; Mädchen für ~es a) 어떤 일이든지 다 하는 하녀, b) 〔비유〕 온갖 일을 도맡아 하는 사람; ~es, was recht ist! 그것은 절대로 안 돼!; ~es andere als... 전혀 …아닌; er ist ~es andere als dumm 그는 절대 어리석지 않다; da hört doch ~es auf! 그런 말은 들어본 적이 없다!; ich wünsche Ihnen ~es Gute 당신의 모든 일이 잘 되기를 기원합니다; was es (nicht) ~es gibt! 없는 것이 없군! ② 〖전치사 및 추상 명사와 결합하여 강조 용법으로〗 ~en Mahnungen zum Trotz 모든 경고에도 불구하고; bei ~(em) seinem Leichtsinn ist er doch ein liebenswerter Kerl 경솔한 면은 있지만 그래도 그는 사랑스런 녀석이다; auf ~e Fälle 무슨 일이 있어도; für ~e Zeiten 언제라도; in ~er Eile 매우 서둘러서; in ~er Frühe 꼭두새벽에; in ~er Ruhe 아주 편안히; was in ~er Welt hast du das getan? 넌 도대체 무슨 일을 저지른 거야?; trotz ~em〔~edem〕 그 모든 것에도 불구하고; unter ~en Umständen 무슨 일이 벌어져도; vor ~en Dingen 무엇보다; zu ~em Unglück 설상가상으로; ~es in ~em 전부 합쳐서, 요컨대; zu ~em fähig sein 무슨 일이든 (처리)할 능력이 있다; vor ~em 무엇보다도; um ~es in der Welt (nicht) 결코 …하지 않는;

bei ~ und jeder Gelegenheit 기회 있을 때마다; ~e für einen und einer für ~e 모두 한 마음으로. ③〔alle+시간 및 양의 명사(대개 복수)로 규칙적인 반복을 표현〕매(每) …마다: ~e Tage 날마다; ~e Augenblicke 매 순간; ~e fünf Meter 5 m 마다; der Bus fährt ~e halbe(n) Stunden 버스는 30 분 간격으로 운행된다; ~e paar Schritte stolperte er 그는 몇 걸음 걷다 넘어지곤 했다. 《Ⅱ》*adv.* 〔구어〕 ① (a) 다 사용하고 없는, 바닥이 난: mein Geld ist ~e 내 돈이 다 떨어졌다; die Kartoffeln werden ~e 감자가 다 떨어져 간다. (b) 기진맥진한, 녹초가 된: 〔경박〕 jn. ~e machen 누구를 (도덕·사회적으로) 파멸시키다, 매장하다; jemand macht's ~e 누가 죽는다. ②〔방언〕전적으로(ganz, sehr); (schon) 이미, 벌써.

All *n.* -s 우주, 삼라만상.

alla[1] 《frz.》 *int.* 자, 어서: ~, gehen wir! 어서 가자!

alla[2] 《it.》 …의 방식으로.

all·abendlich 《Ⅰ》*a.* 저녁마다의, 매일 저녁의. 《Ⅱ》*adv.* 저녁마다, 매일 저녁.

alla breve [ála brέ:və] 《it.》〔음악〕 2 분의 2 박자로.

Alla-breve-Takt *m.* 2 분의 2 박자.

alla marcia [..mártʃa] 《it.》〔음악〕 행진곡풍으로.

alla polacca 《it.》〔음악〕 폴로네즈풍으로.

alla prima 《it.》〔畫〕 (덧칠하지 않고) 단번에 그리는.

alla tedesca 《it.》 독일 춤곡풍으로.

alla turca 《it.》〔음악〕 터키풍으로.

alla zingarese 《it.》〔음악〕 집시풍으로.

Allah [ála] 《ar.》 *m.* -s 알라신(神).

Allasch [álaʃ] 《russ.》 *m.* -es, -e 알라쉬주(酒)(발트해 연안산(産) 화주의 일종).

all·barmherzig *a.* 대자대비한.

All·begriff *m.* 우주〔만유〕 개념.

all=bekannt *a.* 널리 알려진, 저명한. **~beliebt** *a.* 매우 사랑받는〔인기있는〕.

All=besamung *f.* 범종론(汎種論), 우주 생원론(生原論). **~buch** *n.* 국어 사전을 겸한 백과 사전.

all·da *adv.* 〔고어〕바로 그곳에, 그 땅에.

alldem ↑ alledem.

all=deutsch *a.* 전 독일의, 독일주의의. **~-deutschland** *n.* 범(汎)독일 (국가·민족) (↑ Großdeutschland). **~deutschtum** *n.* 범독일주의.

all·dieweil 《Ⅰ》*cj.* 〔고어〕 ↑ weil. 《Ⅱ》*adv.* ↑ inzwischen.

all·dort *adv.* ↑ allda.

alle [álə] ↑ all 《Ⅱ》①.

allebendig *a.* 생기 발랄한.

alledem *adv.* 〔다음 용법으로〕 bei〔trotz〕 ~ 그럼에도 불구하고(↑ all).

***Allee** [alé:] 《frz.》 *f.* -n 가로수 길.

Allegat [alegá:t] 《lat.》 *n.* -(e)s, -e 인용문; 인용한 곳.

Allegation [..tsió:n] *f.* -en 인용, 인증(引證), 인용문.

allegieren [..gí:rən] *t.* 인용하다.

Allegorese [alegoré:zə] *f.* -n 우의적(寓意的) 해석.

Allegorie [alegorí:] 《lat. allegoria》 *f.* -n [..rí:ən] 우의(寓意), 알레고리; 비유담.

allegorisch *a.* 비유적인, 우의적인.

allegorisieren [..rizí:rən] *t.* 비유적으로 표현하다, 우화화하다.

Allegorist *m.* -en, -en 비유가, 우화 작가.

allegretto [alegrέto] 《it.》 *adv.* 〔음악〕 좀 빠르게.

Allegretto *n.* -s, -s/..gretti 좀 빠른 속도의 악곡〔악장〕.

allegro [alé:gro] *adv.* 〔음악〕 알레그로, 빠르게.

Allegro *n.* -s, -s/..gri 쾌속조의 악곡〔악장〕.

Allegro·form *f.* 〔언어〕 말을 빨리 하여 축약된 형태(보기: guten Tag → g'n Tag).

***allein** [aláɪn] 《Ⅰ》*a.* 〔술어적으로만 쓰임〕 홀로, 단독으로, 혼자 힘으로: ~ sein〔stehen〕 홀로 있다, 외롭다; sich ~ fühlen 외롭다고 느끼다; jn. ~ sprechen 누구와 단둘이 이야기하다; einzig und ~ 오로지; von ~(e) 혼자서, 혼자 힘으로. 《Ⅱ》*adv.* 다만, 단지; 〔강조 용법〕 schon ~...〔nur ~...〕 단지 …만(으로도); (schon) ~ der Gedanke, (schon) der Gedanke ~ 단지 그 생각만으로도; das ~ genügt nicht 그것만으로는 부족하다; nicht ~..., sondern (auch)... …뿐만 아니라 …도 또한. 《Ⅲ》*cj.* 〔항상 문장의 첫머리에 놓이며 aber 보다는 뜻이 강함〕 그러나, 그렇지만: ich wollte dem Bettler etwas geben, ~ ich hatte nichts bei mir 나는 그 거지에게 뭔가를 주고 싶었지만 수중에 아무것도 없었다.

Allein=berechtigung *f.* 독점권. **~besitz** *m.* 독점, 단독 소유. **~betrieb** *m.* 전매. **~-eigentum** *n.* 〔法〕 단독 소유 (재산). **~erbe** *m.* 단독 상속자. **~erziehend** *a.* (아이를) 혼자 키우는. **~erziehende*** *der/die* 혼자 아이를 키우는 사람. **~flug** *m.* 단독 비행. **~gang** *m.* 〔스포츠〕 독주, 단독 돌파; 단독 등반; 단독 행위: et. im ~ machen 단독으로 어떤 일을 하다. **~gänger** *m.* 외톨박이, 고독한 사람, 괴짜, 기인(奇人); 무리로부터 이탈한 짐승. **~gesang** *m.* 〔음악〕 독창. **~gespräch** *n.* 혼자말, 독백. **~handel** *m.* 전매, 독점 판매.

Alleinheit *f.* ① 고독, 단독, 고립, 혼자임. ② 유일성, 전일성; 유일자, 하느님.

Alleinheits·lehre *f.* 범신론(汎神論) (Pantheismus).

Allein·herr *m.* ↑ Alleinherrscher.

Allein=herrschaft *f.* 독재권, 독재 정치. **~herrscher** *m.* 독재자, 전제 군주.

alleinig[1] *a.* ① 유일한, 단독의; 독점적인; 독특한. ② (öst.) 독신의, 가족〔친척〕이 없는.

alleinig[2] *a.* 전일(全一)의.

Alleinigkeit *f.* ↑ Alleinheit.

Allein=inhaber *m.* 단독 소유주. **~kind** *n.* 독자(獨子), 외동아들〔딸〕. **~mädchen** *n.* 집안일을 혼자 도맡아 하는 하녀. **~recht** *n.* 〔經〕 독점권, 전매권. **~schuld** *f.* 단독 책임, 혼자만의 죄. **~sein** *n.* 고독, 독거(獨居); 독신. **~seligmachend** *a.* 〔가톨릭〕 유일하게 구원을 주는: die ~e Kirche 가톨릭 교회, 성당. **~spiel** *n.* 독주. **~stehend** *a.* 고립된; 독신의, 미혼의; 친척이 없는. **~stellung** *f.* 〔法〕 특허 보호. **~täter** *m.* 〔法〕 단독범. **~unterhalter** *m.* 원맨 쇼를 하는 연예인. **~-verdiener** *m.* 가족 중 혼자만 벌이를 하는 사

람. ~**verkauf** *m.* 전매, 독점 판매. ~**vertreter** *m.* 독점 판매상, 단독 대리인. ~**vertretung** *f.* 독점 판매, 단독 대표. ~**vertrieb** *m.* 전매.
Allel [alé:l] 《gr.》 *n.* -s, -e 『生』 대립 (유전) 인자.
Allelie [..lí:] *f.* 대립 유전자, 대립 인자.
allelujah [alelú:ja] *int.* ↑ halleluja.
alle·mal [áləmá:l] *adv.* ① 언제나, 항상: das kannst du ~ noch tun 그것을 너는 언제라도 할 수 있다; ein für ~ 단호히, 딱 잘라, 끝으로, 마지막으로; ich sage das ein für ~ 나는 그것을 마지막으로 말해 둔다. ② 〔구어〕 꼭, 반드시; 확실히; 물론; 〔긍정의 대답 ja 를 강조〕 여하튼: ~! 무슨 일이 있어도, 물론이지!
allemalig *a.* 언제나의, 늘 있는.
Allemande [aləmã́:də] 《frz.》 *f.* -n 『음악』 16 세기의 독일 무곡; 고전 조곡(組曲) 중 무곡형식 악장의 일종.
allen≈falls [álənfáls] *adv.* ① 기껏해야: ~ noch eine Stunde 고작해야 한 시간 더. ② 아마도, 어쩌면, 경우에 따라서는: das Mittel könnte ~ helfen 어쩌면 그 수단〔처방〕이 도움이 될지도 모르겠다. ③ 〔구식〕 무슨 일이 있더라도, 어쨌든지. ~**fallsig** [..falzıç] *a.* 아마 발생할지도 모르는: bei ~en Erwartungen 혹시 기대를 하더라도.
allent·halben [álənthálbən] *adv.* 곳곳에, 도처에, 어디에서나.
*__aller..__ *pref.* 〔all 의 복수 2 격 형태로, 주로 최상급의 형용사를 강조〕 "더없이 …한"의 뜻: ~geschicktest 너무나 노련한.
aller≈ärgst *a.* 최악의. ~**art** *a.* 온갖 부류의, 각양각색의. ~**äußerst** *a.* 극단적인, 엄청난.
All·erbarmer *m.* -s 자비로우신 주님(하느님 또는 그리스도를 지칭).
aller≈best *a.* 최선〔최고〕의. ~**christlichst** *a.* 가장 그리스도교적인, 가장 신앙이 깊은: ≈e Majestät 성왕(聖王) 폐하(옛 프랑스 왕들에 대한 존칭).
*__aller≈dings__ *adv.* ① 〔강한 긍정〕 아무렴, 당연히, 물론: bist du denn selbst dort gewesen? — ~! 거기에 직접 갔었단 말이냐? — 그렇고 말고! ② 〔제한적 긍정〕 (zwar) …이긴 하지만: das ist ~ richtig, aber es ist nicht die volle Wahrheit 그것이 옳긴 하지만 완벽한 진실은 아니야. ③ 〔제한·망설임〕 (jedoch, aber) 그러나: ich komme gern, ~ möchte ich eine Bedingung stellen 기꺼이 가긴 하겠지만 한 가지 조건이 있습니다. ~**durchlauchtigst** *a.* 지존(至尊)의, 존엄한(제왕의 존칭): ≈e Majestät 황제 폐하. ~**enden** *adv.* 도처에. ~**erst** *a.* 최초의, 최고(最古)의: (zu) ~ 맨 처음으로. ~**frühestens** *ad.* 아무리 빨라도 〔일러도〕. ~**geringst** *a.* 〔다음 용법으로〕 nicht im ~en 조금도 …않다.
allerg [alέrk] 《gr.》 *a.* ↑ allergisch.
Allergen 《gr.》 *n.* -s, -e 『醫』 알레르겐(알레르기를 일으키는 물질).
Allergie [alεrgí:] *f.* -n [..gí:ən] 『醫』 알레르기, 이상 과민성.
Allergiker *m.* -s, - 알레르기 환자.
allergisch [alέrgıʃ] *a.* 알레르기(성)의; 과민한: ~e Krankheiten 알레르기성 질환; 〔비유〕 auf et. ~ reagieren 무엇에 알레르기적 반응을 보이다.
Allergisierung *f.* -en 알레르기 발생.
allergnädigst *a.* 매우〔더없이〕 자비로운.
Allergologie *f.* 알레르기학.
allergologisch *a.* 알레르기학의.
allergrößt *a.* 최대의.
All·erhalter *m.* 모든 것을 보전하시는 하느님.
*__aller·hand__ [álərhant, alərhánt] *a.* ① 모든 종류의, 여러 가지의: ~Schwierigkeiten 온갖 난관. ② 〔구어〕 꽤 많은, 심한: ~ Geld 큰 돈; das ist (ja) ~ (für'n Groschen)! 그건 너무하다!
Aller≈heiligen *n.*, ~**heiligen·fest** *n.*, ~**heiligen·tag** *m.* 『가톨릭』 모든 성인(聖人)을 기리는 대축일(大祝日); 만성절(萬聖節) (11 월 1 일).
aller≈heiligst *a.* 더 없이 신성한: der ~e Vater 로마 교황; das ~e Sakrament 성체(聖體). ≈**heiligste*** *das* (유대교 성전의) 지성소(至聖所); 『가톨릭』 성체; 『스포츠』 골. ~**höchst** *a.* 지극히 높은, 최고의; 지존(至尊)의; 대단한: auf ~en Befehl 폐하의 명령을 받들어.
aller·katholischst *a.* 가톨릭 신앙이 매우 깊은: ≈e Majestät 성왕(聖王) 폐하(에스파냐 왕에 대한 존칭).
*__allerlei__ [álərlái] *a.* 가지가지의, 형형색색의, 잡다한.
Allerlei *n.* -s, -s 혼합물, 잡동사니, 잡탕: Leipziger ~ (당근, 강낭콩, 완두, 샐러리, 양배추 따위로 만든) 혼합 야채 샐러드.
aller≈letzt *a.* ① 최후의: (zu) ~ 최후에. ② 〔경박〕 아주 나쁜, 추한, 상스러운: jemand 〔etwas〕 ist (ja, wirklich) das ≈e 누구는 〔무엇은〕 정말 나쁜 녀석〔형편없는 것〕이다. ~**liebst** *a.* 매우 사랑스러운〔귀여운〕: der 〔die〕 ≈e 애인; am ~en 즐겨, 기꺼이; 〔반어〕 (das ist) ~! (그것은) 너무 하다!
Aller·manns≈freund *m.* 팔방미인. ~**harnisch** *m.* 『植』 마늘의 일종; 글라디올러스.
aller≈meist *a.* 가장 많은, 대부분의: am ~en 대개. ~**mindestens** *adv.* 적어도, 최소한. ~**nächst** *a.* 가장 가까운. ~**neuest**, ~**neust** *a.* 최신의. ~**nötigst**, ~**notwendigst** *a.* 가장 필요한. ~**orten**, ~**orts** *adv.* 곳곳에, 도처에.
All·erschaffer *m.* 조물주.
Aller≈seelen *n.*, ~**seelen·fest** *n.*, ~**seelen·tag** *m.* 『가톨릭』 만인(萬人) 위령의 날, 만령절(萬靈節) (11 월 2 일).
aller≈seits [álərzáıts] *adv.* ① 각 방면으로, 누구에게나: gute Nacht ~! 모두들 잘 자! ② 모든 면에서, 어느 모로나; 온 사방에서: ~ guten Eindruck machen 어느 모로나 좋은 인상을 주다. ~**spätestens** *ad.* 아무리 늦어도. ~**untertänigst** 《I》 *a.* 더없이 공손한, 황송한. 《II》 *adv.* 황송하옵게도(임금한테 바치는 글의 말미에 쓰는 말). ~**wärts**, ~**wege**, ~**wegen**, ~**wegs** *adv.* 도처에; 언제나; 〔방언〕 어쨌든, 아마.
Allerwelts≈bürger *m.* 세계주의자, 코스모폴리탄. ~**freund** *m.* 만인의 벗, 팔방미인. ~**geschmack** *m.* 평범한 취미. ~**gesicht** *n.* 흔해빠진 얼굴. ~**kerl** *m.* 〔구어〕 무엇이나 잘하는 녀석, 재주꾼, 척척박사. ~**mittel** *n.* 만

병 통치약. **~vetter** *m.* ↑ ~freund. **~wort** *n.* 〖폄어〗 어디에나 들어맞는 말, 뻔한 소리.
aller·wenigst *a.* 가장 적은, 극소수의.
aller=wenigstens *adv.* 적어도. **~wertest** *a.* 가장 소중한. **~werteste*** *der* 〖속어〗 궁둥이: auf den ~n fallen 엉덩방아를 찧다.
alles [áləs] ↑ all.
alle=samt *adv.* 통틀어, 모조리, 함께. **~wege, ~wegen** *adv.* 도처에; 늘. **~weil, ~weile** *adv.* 늘; 그 사이에; 바로 지금. **~zeit** *adv.* 늘.
Alles=(besser)wisser *m.* 무엇이든지 아는 체하는 사람. **~brenner** *m.* (어떤 연료도 태울 수 있는) 만능 난로. **~fresser** *m.* 잡식 동물. **~kleber** *m.* 만능 접착제〔풀〕. **~könner** *m.* 만능 인간.
allez [alé:] 《frz.》 *int.* 전진, 앞으로 가.
all=fällig *a.* (öst:, schweiz.) ① 있을 수 있는. ② 경우에 따라서는. **~farb, ~farbig** *a.* 오색 찬란한; 모든 색을 갖춘.
allfort *adv.* 늘, 언제나.
Allgäu *n.* 알고이(독일의 알프스 지역).
Allgäuer 《I》 *m.* -s, - 알고이 사람. 《II》 *a.* 알고이의: ~ Rind 알고이산(産) 소.
allgäuisch *a.* 알고이(출신)의.
All=gegenwart *f.* (신의) 편재(遍在). **~gegenwärtig** *a.* 편재하는. **~gemach** *adv.* 점차, 차차. **~wege** *ad.* 〖고어〗 어디서나, 도처에.
***allgemein** [algəmáın] *a.* ① **(a)** 일반적인, 전반적인, 모든 것들에 공통된: die ~e politische〔wirtschaftliche〕 Lage 전반적인 정치〔경제〕 상황; ~ gesprochen 일반적으로 말해서; im ~en 대체로; jn. mit ~en Redensarten abspeisen 누구에게 상투적인 말만 늘어놓으며 (자신은) 꽁무니를 빼다. **(b)** 모두에게 공통적인〔해당하는〕: um 11 Uhr war ~er Aufbruch 11시에 다 함께 출발했다; das Museum ist ~ zugänglich 이 박물관은 일반인이 관람할 수 있다. **(c)** 어디에서나, 모두에게서: das hört man ~ 이 말은 어디서나 들을 수 있다; ~e Entrüstung〔Zustimmung〕 모든 사람의 분노〔동의〕; ~ anerkannt sein 어디서나 인정받고 있다; ist mein Sprechen (durch das Mikrophon) ~ verständlich? (마이크로 하는) 내 말이 어디서든 잘 들립니까?; der Abend verlief zur ~en Zufriedenheit 그날 저녁 시간은 모두에게 만족스럽게 진행되었다. ② 총괄적인, 총체적인: ~er Studentenausschuß (대학의) 총학생회(약어: Asta); ~er Krieg 전면전(全面戰); seine ~e Belesenheit ist erstaunlich 그의 박식함은 정말 놀랍다. ③ 총론적인, 공통적인, 기본적인: ~e Literaturwissenschaft 일반 문예학〔문학〕; 〖法〗 ~e Versicherungsbedingungen 보험 업계의 일반 영업 조건; 〖法〗 ~e Weisung (관청의 모든 부서에 내려지는) 일반 지시〔공문〕. ④ 공공의, 보편적인, 강제적인: ~e Ortskrankenkasse (약어: AOK) 지역 의료 보험; ~e Dienstpflicht 공익 근무 의무; ~e Wehrpflicht 국민의 병역 의무; das ~e Wahlrecht 보통 선거권. ⑤ 상세하지 않은, 대략의: Die Auskunft ist nur ~ 그 정보는 막연할 뿐이다; seine Ausführungen blieben viel zu ~ 그의 해설은 지나치게 일반론에 머물렀다.
Allgemeine* *das* 국민, 공중; 〖哲〗 보편: vom Besonderen auf das ~ schließen 특수한 것에서 보편적인 것을 추론하다.
Allgemein=arzt *m.* 일반의(醫). **~befinden** *n.* 〖醫〗 전신(의 건강) 상태. **~begriff** *m.* 보편〔일반〕 개념. **~behandlung** *f.* 〖醫〗 전신 요법. **~besitz** *m.* 공공 재산. **~bildend** *a.* 전인(全人) 교육의. **~bildung** *f.* 전인(全人) 교육; 일반 교양.
Allgemeines Zoll-und Handelsabkommen *n.* 관세 및 무역에 관한 일반 협정(↑ GATT).
allgemein=gültig *a.* 〖哲〗 보편 타당한. **~gültigkeit** *f.* 보편 타당성. **~gut** *n.* 공공 자산; 보편적 상식.
Allgemeinheit *f.* ① 일반(성), 공통(성), 보편(성). ② 국민, 공중(公衆), 대중. ③ 〖복수〗 막연한 말; 피상성, 애매함.
Allgemein=medizin *f.* 일반 의학. **~mediziner** *m.* 일반의(醫). **~platz** *m.* 빈말, 상투어: sich in Allgemeinplätzen ergehen 일반적인 말을 늘어놓다. **~symptom** *n.* 전신 증상(症狀). **~verständlich** *a.* 평이한, 누구나 알 수 있는, 통속적인. **~wissen** *n.* 일반 상식〔지식〕. **~wohl** *n.* 공공 복지, 공익.
All=gewalt *f.* (신의) 전능(全能); (군주의) 지상권(至上權), 전권. **~gewaltig** *a.* 전능한, 전권을 휘두르는.
allgm. =allgemein.
all=gütig *a.* 대자대비의. **~gütige*** *der* 더없이 인자한 신, 하느님. **~heil·mittel** *n.* 만병 통치약.
Allheit *f.* 전체; 총체; 보편성.
all·hier *adv.* 〖고어·시어〗 =hier.
Allianz [aliánts] 《frz.》 *f.* -en ① 동맹, 맹약(盟約), 연합, 제휴: die Heilige ~ 신성 동맹. ② NATO 동맹. ③ 〖구식〗 (명문가끼리의) 결혼.
Allianz·maschine *f.* 〖工〗 다이너모의 일종.
alliebend *a.* 대자대비의, 박애의: ~er Vater Gott 천지 만물을 사랑하시는 하느님 아버지.
Allied Forces [əláid fɔ́:sız] *pl.* (제 2 차 세계 대전의) 연합군.
Alligation [aligatsió:n] 《lat.》 *f.* -en 혼합; 〖제련〗 합금(合金)하기.
Alligations·rechnung *f.* 〖數〗 혼합법.
Alligator [aligá:tɔr, ..to:r] 《sp.》 *m.* -s, -en [..tó:rən] 〖動〗 (아메리카산(産)) 악어.
alligieren [aligí:rən] 《lat.》 *t.* 혼합하다.
***alliieren** [alií:rən] 《frz.》 *refl.* sich 〔mit jm.〕 ~ 〔누구와〕 동맹을 맺다, 제휴하다.
alliiert *p.a.* ① 동맹을 맺은: die ~en Truppen 동맹군(軍). ② 연합국의: die ~en Luftangriffe auf Berlin 연합군의 베를린 공습.
Alliierte* *der/die* 동맹자, 동맹국: die ~n (제 1·2 차 세계 대전의) 연합국.
Alliierten·museum *n.* (1998년 7월 베를린 달렘 지역에 개관한) 역사 박물관.
all·insgesamt *adv.* 모조리, 통틀어, 예외 없이.
Alliteration [alıtəratsió:n] 《lat.》 *f.* -en 〖문학〗 (Stabreim) 두운법(頭韻法) (보기: Leib und Leben; dick und dünn 따위).
alliterieren *i.* (h.) 두운이 맞다: diese Verse ~ nicht 이 시행들이 두운이 맞추어져 있지 않다.

all·jährlich 《I》*a.* 해마다의. 《II》*adv.* 매년.
Allkauf 알카우프(대형 슈퍼마켓 체인 이름).
All·macht *f.* 전능(全能).
all·mächtig *a.* 전능한.
All·mächtige *der* 전능한 존재, 신: ~r! 큰 일났다!
***all·mählich** [almɛ́:lıç] 《I》*a.* 점차적인. 《II》*adv.* 점차로, 차차.
Allmeind [almáınt], **Allmend** [almɛ́nt] *f.* -en (schweiz.), **Allmende** *f.* -n (시·읍·면의) 공용지(公用地), 공유지(산림, 목초지 따위).
Allmende·recht *n.* 공용지 사용〔설정〕권.
all·monatlich 《I》*a.* 매월의. 《II》*adv.* 매달.
all·morgendlich 《I》*a.* 매일 아침의, 아침마다 벌어지는〔되풀이되는〕. 《II》*adv.* 아침마다, 매일 아침.
All·mutter *f.* 만물의 어머니, 자연.
all·nächtlich 《I》*a.* 매일 밤의. 《II》*adv.* 밤마다.
allochthon 《gr.》*a.*〖지질·기상〗다른 지역에서 발생한〔형성된〕: ~e Wettergestaltung 먼 지역의 대기 요인으로 조성된 날씨.
Allod [aló:t] 《lat.》*n.* -(e)s, -e〖중세〗(중세의) 세습 영지(↑ Lehen).
allodial [..diá:l] *a.* ① 세습 영지의. ② 공출 의무가 면제된.
Allodium [..diʊm] *n.* -s, ..dien [..diən] ↑ Allod.
Allogamie [alogamí:] 《gr.》*f.*〖植〗이화 수분(異花受粉).
Allokation *f.*〖經〗(생산력의) 배분, 할당.
Allokution [alokutsión] 《lat.》*f.* -en 교황의 훈시〔고유(告諭)〕.
Allomorph [alomɔ́rf] *n.* -s, -e〖문법〗변이형(變異形)(보기: die Mensch-*en*, die Pferd-*e*; sag-*t*-*e*, red-*et*-*e*).
Allonge [alɔ̃́:ʒə] 《frz.》*f.* -n ① (환·어음의) 부전(附箋). ②〖기계〗(아연 주조를 위한) 수접관(受接管). ③ (책 따위의 권두·권말 또는 표지 이면의) 백지 페이지.
Allonge·perücke *f.* (17·18 세기에 유행한) 길게 늘어뜨린 남성용 가발(假髮).
allons [alɔ̃́:] 《frz.》*int.* 자 갑시다.
Allonym [..ný:m] *n.* -s, -e 가명, 차명(借名).
Allopath [alopá:t] 《gr.》*m.* -en, -en〖醫〗역증 요법(逆症療法) 의사.
Allopathie [..tí:] *f.* 역증 요법.
allopathisch *a.* 역증 요법의.
Allophon [alofó:n] *n.* -s, -e〖문법〗변이음(變異音)(보기: Licht 와 Dach 에서 ch).
Alloplastik *f.* -en〖醫〗이물 성형술; (성형수술용) 소재(素材).
Allotria [aló:tria] 《gr.》*pl.* 사소한 일, 하찮은 일; 어리석은 짓; 행패, 난폭: ~ treiben 법석을 떨다, 행패를 부리다.
Allotropie [alotropí:] 《gr.》*f.* -n〖化〗동소체(同素體).
Allparteien·regierung *f.* 거국(擧國) 정부〔내각〕.
Allrad·antrieb *m.* (자동차의) 전륜 구동(全輪驅動).
Allrounder [ɔ́:lráʊndə], **Allrounderman** 《engl.》*m.* 만능인, 다재다능한 사람.
Allround·sportler *m.* 만능 선수.
all·russisch *a.* 전(全)러시아의.
all=seitig [álzaıtıç] *a.* 모든 방면의, 전반적인: ~e Bildung 전인 교육. **~seitigkeit** *f.* 다방면성, 박식함. **~seits** *adv.* 모든 방면으로〔에서〕, 도처에.
all=sobald, ~sogleich *adv.* 즉시, 곧.
***Allstrom=empfänger** *m.*, **~empfangs·gerät** *n.* 직류 교류 양용(兩用) 수신기.
all·stündlich 《I》*a.* 매시간의. 《II》*adv.* 매시간마다.
All=tag *m.* ① (일요일·명절 이외의) 평일, 일하는 날. ② 일상: dem ~ entfliehen 일상의 단조로움에서 벗어나다. **~tägig** *a.* 매일의. **~täglich** *a.* ① 평일의: ~e Kleidung 평상복. ② [altɛ́:k..] 매일의, 평상시의. ③〖비유〗평범한, 진부한: ein ~er Mensch 평범한 사람. **~täglichkeit** [altɛ́:k..] *f.* 평범, 진부, 다반사. **~tags** *adv.* 날마다; 평일에.
Alltags=anzug *m.* 평상복, 허드레 옷. **~beschäftigung** *f.* 일상적인 일. **~gedanke** *m.* 평범한 생각. **~geschwätz, ~gespräch** *n.* 세상 이야기, 잡담. **~kleid** *n.* ↑ ~anzug. **~kost** *f.* 평범한 요리. **~leben** *n.* 일상 생활. **~mensch** *m.* 범인(凡人). **~sorgen** *pl.* 나날의 근심거리. **~sprache** *f.* 일상어(語). **~witz** *m.* 평범한 익살, 허튼 수작, 싱거운 짓.
all·überall *adv.* 도처에.
alludieren [aludí:rən] 《lat.》*i.*(h.) 변죽을 울리다, 암시하다.
all·um *adv.* 주위에, 도처에.
all·umfassend *a.* 일체를 포괄하는, 보편적인.
All·umfasser *m.* 모든 것을 포용하는 하느님.
Allüre [alý:rə] 《frz. allurer》*f.* -n 걸음걸이; 거동.
Allusion [aluzió:n] 《lat.》*f.* -en 풍자, 암시.
alluvial [aluviá:l] 《lat.》*a.*〖지질〗충적층(沖積層)의.
Alluvion [..vió:n] *f.* -en 충적(지).
Alluvium [..viʊm] *n.* -s 충적층.
All·vater *m.* ① 만물의 아버지, 신. ② 고대 게르만 신화의 최고 신 보단(Wodan).
all·verehrt *a.* 만인에게 존경받는.
all=verständlich *a.* 누구나 알 수 있는, 통속적인. **~weg** *adv.* 여하튼(↑ allewege). **~weil** *adv.* 언제나(↑ alleweile). **~weise** ↑ ~wissend. **~wetter·jäger** *m.* 전천후 전투기. **~wetter·kleidung** *f.* 전천후 의복〔복장〕. **~wissend** *a.* 전지(全知)의: ~er Erzähler 전지적 화자; Doktor ~ 만물 박사(동화 속의 인물). **~wissenheit** *f.* (신의) 전지(全知). **~wisserei** *f.* 아는 체함. **~wo** [alvó:] *adv.* ↑ wo《I》②. **~wöchentlich** 《I》*a.* 매주의. 《II》*adv.* 매주.
all=zeit *adv.* 언제나, 항상. **~zu** *adv.* 너무나, 극도로: ~ früh 너무 일찍; ~ lange 너무 오랫동안.
all·zumal *adv.*〔고어〕①〔시어〕모두 함께. ②〔드물게〕늘, 언제나; 대체로.
all=zusammen, ~zusamt *adv.* 다 함께.
All·zweck=fahrzeug *n.* 다목적 차량. **~tuch** *n.* 다용도 수건.
Alm[1] [alm] *f.* -en ① 알프스 산 위의 목장, 고원 목장. ②〖지리〗강 이름.
Alm[2] *m.* -(e)s 이탄석(泥炭石)의 일종.

Alma Mater [álma má:tər] 《lat.》 *f.* (출신) 대학, 모교.
*__Almanach__ [álmanax] 《ägypt.》 *m.* -s, -e 연감; 달력.
Almandin [almandí:n] 《lat.》 *m.* -s, -e 〖광물〗 철반 석류석(鐵礬石榴石).
almen *t.* (öst.) (고산지에서 가축을) 방목하다.
Almen·rausch [álmənrauʃ] *m.* -es 〖植〗 석남속(石南屬).
Almer *m.* -s, - 알프스의 목자(牧者); 알프스 민요(요들 송).
Älmler *m.* -s,- ↑ Almer.
*__Almosen__ [álmo:zən, almó:zən] 《gr.》 *n.* -s, - ① 자선, 적선, 희사(喜捨), 시물(施物): einem Bettler ein ~ geben 거지에게 동냥을 주다. ② 알량한 보수.
Almosen≈amt [(또는) almó:..] *n.* 자선금 관리소, 빈민 구호소. **~büchse** *f.* 자선함(函), 헌금통. **~empfänger** *m.* (구호품을 받는) 빈민. **~geben** *n.* 희사.
Almosenier [almození:r] 《gr.》 *m.* -s, -s ① (중세 교회·궁정의) 시물(施物) 관리 성직자. ② (프랑스의) 군종, 공공 기관의 신부.
Almosen≈pflege *f.* 구휼(救恤); 구호물자 관리소〔관리직〕. **~pfleger** *m.* 시물 관리인. **~salz** *n.* 빈민에게 무상으로 배급하는 소금. **~sammeln** *n.*, **~sammlung** *f.* 자선금 모금. **~stiftung** *f.* 빈민 구호 기금. **~stock** *m.* 자선함(慈善函).
Alm·rose *f.* ↑ Alpenrose.
Aloe [á:loe] 《gr.》 *f.* -n ① 〖植〗 알로에. ② 알로에의 수액(樹液).
Aloe·holz *n.* 〖植〗 침향(沈香).
alogisch 《gr.》 *a.* 불합리한, 비논리적인.
Alois [á:loi:s] *m.* 알로이스(남자 이름).
Aloisia *f.* 알로이지아(여자 이름).
Alose *f.* -n 〖動〗 청어의 일종.
*__Alp__[1] [alp] *m.* -(e)s, -e ① 요마(妖魔), 악령. ② 가위, 악몽, 번민. ③ 멍청이.
Alp[2] *f.* -en ↑ Alpe.
Alpaka[1] [alpáka] 《sp.》 *n.* -s, -s ① 〖動〗 알파카. ② 알파카의 털〔모직물〕.
Alpaka[2] *n.* -s 양은.
al pari [al pá:ri] 《it.》 〖商〗 (주식의) 액면가로, 평가로.
Alp·druck *m.*, **Alp·drücken** *n.* 가위 눌림, 악몽.
*__Alpe__ [álpə] 《klt.》 *f.* -n ① 고산 지대의 목장. ② 〖복수〗 알프스 산맥.
älpeln [ɛ́lpəln], **alpen** *i.* (h.) (schweiz., öst.) a) 알프스에서 목장을 경영하다〔방목하다〕, b) (가축이) 고원 방목장에 나가 있다.
Alpen≈bahn *f.* 알프스 등산 철도〔리프트〕. **~fahrt** *f.* ↑ Alpfahrt. **~führer** *m.* 알프스 안내인〔안내서〕. **~garten** *m.* 알프스 고산 식물원. **~gerät** *n.* 등산 용구. **~glöckchen** *n.* 〖植〗 앵초과의 여러해살이풀. **~glühen** *n.* 알프스 산정의 저녁〔아침〕놀. **~horn** *n.* ① 알프스 호른(목관 악기의 일종). ② 산정(山頂). **~jäger** *m.* ① 알프스의 사냥꾼. ② 알프스의 산악병(兵). **~kette** *f.* 알프스의 연산(連山)〔연봉(連峰)〕. **~klub** *m.* ↑ ~verein. **~paß** *m.* 알프스의 고갯길〔영(嶺)〕. **~pflanzen** *pl.* 고산 식물. **~rose** *f.* 〖植〗 알프스 들장미, 석남속(石南屬). **~stock** *m.* 등산용 지팡이. **~veilchen** *n.* 〖植〗 시클라멘. **~verein** *m.* 산악회. **~vorland** *n.* 알프스 주변〔인접〕 지역〔지대〕. **~wirtschaft** *f.* (알프스) 고산 지대의 목축(↑ Sennerei). **~zug** *m.* 알프스 횡단 철도.
Alp·fahrt *f.* 알프스산 위의 목장으로 가축을 몰아 올리는 일.
Alp·fuß *m.* ↑ Drudenfuß.
Alpha [álfa] *n.* -(s), -s 그리스 자모의 첫째 자(A, α): 〖비유〗 das ~ und das Omega 처음과 끝.
Alphabet [alfabé:t] 《gr.》 *n.* -(e)s, -e 자모(字母), ABC, 가나다; 초보, 입문.
alphabetisch *a.* 자모의, ABC 순의.
alphabetisieren *t.* ① ABC 순으로 배열하다. ② 문맹자에게 글을 가르치다.
alphanumerisch *a.* 〖컴〗 문자와 숫자를 동시에 사용하는.
Alpha Centauri *n.* 〖天〗 켄타우로스좌(座)의 1 등성(星).
Alpha·strahlen *pl.* 〖物〗 알파선.
Alpha·test *m.* 알파 테스트(소프트웨어 개발자 본인이 테스트한 다음 제 3 자가 하는 테스트).
Alp·horn *n.* 〖음악〗 알프스 호른.
alpin [alpí:n] *a.* ① 알프스산의, 고산성(高山性)의: die ~e Rasse 알프스 종족; die ~e Flora 고산 식물상(相). ② 〖스키〗 알파인 경기의. ③ 고산 등정〔등산〕의: die ~e Ausrüstung 고산 등정용 장비.
Alpinarium *n.* -s, ..rien [..riən] 고산 자연 공원.
Alpini 《it.》 *pl.* (이탈리아의) 산악 부대.
alpinisch 《lat.》 *a.* ↑ alpin.
Alpinismus *m.* - 알프스 등산; 알프스 연구, 산악 취미.
Alpinist *m.* -en, -en 알프스〔산악〕 스포츠인, 알프스 등산〔등반〕가; 알프스 연구가.
Alpinistik *f.* ↑ Alpinismus.
Alpinum *n.* -s, ..na ↑ Alpengarten.
alpisch [álpɪʃ] *a.* 알프스 산맥〔지방〕의: ~e Mundarten 알프스 지방의 사투리.
Älpler [ɛ́lplər] *m.* -s, - 알프스의 주민〔목동〕.
Alp·traum *m.* -(e)s, ..träume 악몽, 뒤숭숭한 꿈.
Älpung *f.* (알프스 고원에서의) 하절기 방목.
Alraun [alráun] 《ahd.》 *m.* -(e)s, -(e), **Alraune** *f.* -n ① 알라우네(인간을 섬기는 작은 요마(妖魔)). ② 〖植〗 (Mandragora) 만드라고라(가짓과(科)의 유독 식물; 일명 Galgenmännlein 이라고도 함).
Alraun≈männchen *n.*, **~wurzel** *f.* 〖植〗 ↑ Alraun ②.
*__als__[1] [als] *cj.* ① …(으)로서: **(a)** 〖명사와 결합〗 ~ Zeuge vor Gericht erscheinen 증인으로 법정에 출두하다; der Kaufmann ~ solcher 상인다운 상인, 진짜 상인; ~ Kind bin ich oft dort gewesen 소년 시절에 나는 자주 거기에 갔었다. **(b)** 〖형용사와 결합〗 die Nachricht erwies sich ~ wahr 그 뉴스는 진실임이 입증되었다. ② 〖구식〗 예컨대, 즉: die größten Dichter, ~ da sind: Goethe, Schiller usw. 가장 위대한 시인, 이를테면 괴테·실러 등; morgen ~ am 1. Mai 내일 즉 5 월 1 일에. ③ **(a)** …보다도: ich bin älter ~ du 나는

너보다 나이가 많다. (**b**) 〖비교의 부문장을 이끌어서〗 eher will ich sterben ~ sie heiraten 그 여자와 결혼하느니 차라리 나는 죽어 버리겠다; er ist jünger, ~ er aussieht 그는 보기보다 젊다. (**c**) 〖형용사·부사끼리를 비교해서〗 sie ist mehr fleißig ~ begabt 그녀는 재능이 있다기보다는 근면한 편이다; mehr aus Mitleid ~ aus Liebe 애정보다는 오히려 동정심에서. (**d**) 〖강조해서〗 wer sonst ~ ich 나 말고 그 누가. ④ 〖동등 비교에서〗 (wie) …와 같이, …처럼: weiß ~ Schnee 눈처럼 흰; er ist so glücklich ~ du 그는 너와 똑같이 행복하다; so gut〔schnell〕 ~ möglich 할 수 있는 한 좋게〔빨리〕; doppelt so groß ~ … …보다 두 배가 큰; **sowohl** die Reichen ~ **auch** die Armen 부자나 가난한 사람이나 (다 같이). ⑤ …외에, 밖에: kein anderer ~ du 다름 아닌〔바로〕 너; nichts ~ leere Redensarten 실없는 말에 지나지 않은 것, 허튼 소리; anders ~ sonst 평소와 달리; er war alles andere ~ zufrieden 그는 조금도 만족하지 않았다. ⑥ …했을 때, …할 때, …하자: (**a**) ~ ich das Haus erreicht hatte, fing es an zu regnen 내가 집에 도착하자 비가 오기 시작했다; ~ ich ihm sagte, ich könne nicht mitkommen, war er sehr enttäuscht 내가 함께 갈 수 없다고 그에게 말하자, 그는 매우 실망했다. (**b**) 〖주문장 속에 kaum 을 수반하여〗 sie hatte sich kaum umgezogen, als der Besuch eintrat 그녀가 옷을 갈아 입자마자, 손님이 들어섰다. (**c**) 〖때를 나타내는 부사나 명사를 한정해서〗 damals, ~ das geschah 그 일이 발생했을 때; vor 10 Jahren, ~ er noch ein Kind war 그가 아직 어린애였던 10 년 전에; sobald, ~ … …하자마자. ⑦ **zu** …, ~ **daß** … …하기에는 너무 …하다: er ist zu jung, ~ daß er dies verstehen könnte 그는 이것을 이해하기엔 너무 어리다, 그는 너무 어려 이것을 이해할 수 없다. ⑧ ~ **ob**〔**wenn**〕… 마치 …와 같이〔…인 듯이〕: er ging, ~ ob〔wenn〕 er lahm wäre 그는 마치 절름발이인 것처럼 걸어갔다; ~ wäre es wirklich wahr 마치 그것이 사실인 양. ⑨ **um so mehr**, ~… …하기 때문에 더욱더 (많이): ich möchte das Konzert hören, um so mehr, ~ ich den Dirigenten persönlich kenne 나는 그 연주회를 듣고 싶다. 지휘자를 개인적으로 알기 때문에 더욱 그렇다.

a̤ls[2] 《alem.》 *adv.* ① 자주, 거듭: er ist ~ dort gewesen 그는 종종 거기에 갔었다. ② 쉴새없이: obwohl ich sehr müde war, hat er ~ weitergeredet 나는 몹시 피곤했는데도 그는 쉬지 않고 이야기했다.

als≠ba̤ld *adv.* 즉시, 즉석에서, 당장에. **~-ba̤ldig** *a.* 즉석의, 당장의. **~da̤nn** *adv.* ① 그런 다음, 그리하여: ~! 그것 봐라 (알겠니)! ② (obd.) 그러면 (also): ~, bis morgen (헤어질 때) 자, 그럼 내일 만나.

Alse [álzə] *f.* -n 〖動〗 청어의 일종(↑ Maifisch, Hering).

al segno [alzénjo] *a.* 〖음악〗 (악절을 반복할 때) 기호가 나타날 때까지만 연주할 것(약어: al s.).

alsfort [alsfɔ́rt] *adv.* 끊임없이.

ALSO = Alternatives freizeitpädagogisches Anti-Gewalt-Sofort-Programm 1997 년에 시행된 청소년 범죄 예방 프로그램.

***also** [álzo] 《I》 *adv.* 〖고어〗 이렇게, 이와 같이: ~ hat Gott die Welt geliebt 하느님은 이렇게 세상을 사랑하셨다. 《II》 *cj.* ① 〖귀결을 표현〗 그러므로, 그래서, 따라서: ich denke, ~ bin ich 나는 생각한다. 그러므로 나는 존재한다. ② 〖앞에 한 말을 달리 표현할 때〗 (das heißt) 그러니까 말하자면, 즉: ich habe ihn nicht gesehen, ~ ist er weggefahren 나는 그를 보지 못했다. 그러니까 그는 떠나고 없는 것이다. ③ 〖별뜻 없이 강조·재촉·요구·외침 따위의 주관적 감정을 표현〗 ~, gute Nacht! 그럼 안녕(히 주무세요)!; ~ los! 자 가자!; welches nimmst du? ≈? 어느 쪽을 택할 거야? 응?; ~ gut, ~ schön! 이제 됐어!; ~ bis gleich! 그럼 곧 다시 만나!; nun ~ 자 이제; na ~ 〔~ doch〕! 거 봐라(내 말대로지)!; ~ in Ordnung, du bekommst die 5 Mark 그래 좋아, 5 마르크를 줄께; ~ bitte! (분노를 나타내어) 아니, 그래서!: er ist ~ doch gekommen 그가 드디어 왔다.

Als-o̤b *n.* 가정(假定): Als-ob-Philosophie 가정의 철학(입증될 수 없는 가치나 관념을 마치 진실인 양 가정하는 철학).

also≠ba̤ld, ~fo̤rt, ~gle̤ich *adv.* 곧, 즉시 (↑ alsbald, sofort, sogleich).

***alt** [alt] 《I》 *a.* ① (나이가) …살인; (만들고 나서) …지난: er ist fünf Jahr(e) ~ 그는 다섯 살이다; für wie ~ halten Sie mich? 제가 몇 살쯤 된 것 같습니까?; ein zwei Jahre ~er Fernseher (산 지) 2 년된 텔레비전; man ist so ~, wie man sich fühlt 사람의 나이는 자신이 느끼기 나름이다. ② 늙은, 나이 먹은, 손위의: ~ wie Methusalem 대단히 연로한; der ~e Goethe 만년의 괴테; jung und ~ 젊은이나 늙은이나; 〖구어〗 ein ~er Hase 노련한 전문가; mein älterer Bruder 나의 형; 〖구어〗 ein ~es Weib 쩨쩨한〔소심한〕 사람; 〖구어〗 ≈er Herr 학생 조합의 선배; 〖구어〗 mein ~er Herr 아버지; 〖구어〗 meine ~e Dame 어머니; eine ~e Jungfer 노처녀; auf meine ~en Tage 나의 만년(晩年)〔노후〕에 이르러; 〖속담〗 jung gewohnt, ~ getan 세 살 적 버릇이 여든까지 간다. ③ 낡은, 헌: ~e Geschichte 진부한〔주지의〕 이야기; et. ~ kaufen 무엇을 중고로 사다; ~e Bücher〔Kleider〕 헌 책〔헌 옷〕; ~en Stils 고풍의, 유행에 뒤진; zum ~en Eisen gehören 쓸모가 없다; 〖광산〗 ≈er Mann 폐갱; immer die ~e Leier〔Platte〕 늘 똑같은 것, 뻔한 것; aus ~ mach neu! 헌것을 (고쳐) 새것으로 만들어라! ④ 오래된, 옛날의; 옛날부터의, 고대의: ein ~er Bekannter 오래 사귄 친구, 옛 친구; das ≈e Testament 구약 성경; seinen ~en Gang gehen 과거의 방식대로 하다; eine ~e Familie 유서깊은 가문; in ~en Tagen〔Zeiten〕 옛날에; ~e Völker 고대 민족; ≈e Geschichte 고대사; die ~en Germanen 고대 게르만인; ~e Sprachen 고대어; die ≈e Welt 고대 세계, (아메리카와 비교하여) 구대륙(유럽·아시아·아프리카); 〖속담〗 ~e Liebe rostet nicht 오랜 우애에는 녹이 슬지 않는다, 첫사랑은 잊기 어렵다. ⑤ 〖좋은 뜻으로〗 노련한, 확실한; 오랜, 오래된, 친숙한: ein ~er Wein 여러 해 묵은〔품질이 좋은〕 포도주; ein ~er Freund 옛〔신뢰할 수 있는〕 친구; ein ~er Seemann 노련한 선원; die ~e Garde

고참병; ein Mann von ~em Schrot und Korn 듬직한 남자; mein ~er Junge! 나의 사랑하는 벗이여!; 〔구어〕 ~es Haus!, ~er Schwede! 야, 자네! ⑥〔모욕적으로〕 케케묵은, 늙다리의, 닳아빠진, 노회한; 〔구어〕 밉살스러운: ein ~er Sünder 노회한 죄인, 능구렁이; ~er Geizhals〔Schwätzer〕 밉살스러운 구두쇠〔수다쟁이〕; eine ~e Schachtel〔Schraube〕 할멈; das ist für den ≗en Fritzen 그것은 공연한 것이다(der ≗e Fritz는 프로이센의 프리드리히 2세(1740-86)의 별명).

Alt¹ [alt] 《it.》 *m.* -(e)s, -e 〖음악〗 ① 알토: (im) ~ singen 알토로 노래하다. ② 알토 가수. ③ 관악기의 비교적 높은 음.

Alt² *n.* -, - 향이 좋은 라인산(産) 맥주.

alt.. *pref.* "전직(前職)의"의 뜻(보기: Altbundespräsident 전직 연방 대통령).

Altai [altá:i] 《mongol.》 *m.* -(s) 알타이 산맥.

altaisch *a.* 알타이 산맥의; 알타이어계의.

Altaistik *f.* 알타이어학.

Alt·ammann *m.* -(e)s, ..männer (schweiz.) 전직 관리〔공무원〕; 전직 시장〔군수〕.

Altan [altá:n] 《lat.》 *m.* -s, -e 발코니.

Altane *f.* -n ↑ Altan.

***Altar** [altá:r, álta:r] 《lat.》 *m.* -s, ..täre ① 〖宗〗 제단(祭壇), 성찬대(聖餐臺): jn. zum ~ führen 누구와 결혼하다. ② 〖天〗 제단좌(남반구에서 관측되는 별자리 이름).

Altar=aufsatz *m.* 제단의 제구〔세간〕; 제단 위의 가리개〔그림 장식〕. **~bekleidung** *f.* 제단의 전면〔측면〕 장식(↑ Antependium). **~bild, ~blatt** *n.* 제단의 장식 그림. **~decke** *f.* 제단의 덮개. **~diener** *m.* 미사 집전 신부를 보좌하는 사람. **~gemälde** *n.* ↑ ~bild. **~himmel** *m.* 제단 위쪽의 높이 솟은 천장. **~sakrament** *n.* 성체(聖體)의 신비, 성찬식(聖餐式). **~stück** *n.* ↑ ~bild.

Altarist *m.* -en, -en ① 〖가톨릭〗 보좌 신부. ② 〔시어〕 성당지기.

Alt·auto-Verordnung *f.* 폐차 규정.

alt=backen *a.* ① (빵 따위가) 구운 지 오래된. ② 〔비유〕 진부한, 고루한: ~e Ansichten 낡아빠진 생각. **≗bau** *m.* 낡은〔오래된〕 건축물. **≗bau·wohnung** *f.* 낡은〔오래된〕 건물의 집〔주택〕. **~bekannt, ~berühmt** *a.* 예로부터 유명한.

Alt-Berlin *n.* 베를린의 구시가(舊市街).

Alt=besitz *m.* 예로부터의 소유물, 제 1 차 세계 대전 이전부터 소유한 주권(株券). **≗bewährt** *a.* 듬직한, 신용할 수 있는. **~bier** *n.* (라인베스트팔렌 지역의) 토속 맥주. **~bücherei** *f.* 헌 책방. **~bundes·kanzler** *m.* 전(前) 연방 수상. **~bundes·präsident** *m.* 전직 연방 대통령. **~bürger·meister** *m.* 전(前) 시장. **≗deutsch** *a.* 고대 독일(인·어)의.

Alte* 《I》 *der/die* 노인, 연장자, 고참자; 〔구어·폄어〕 부모, 조상, 영감; (품질이 좋아진) 오래 묵은 술; (동물의 새끼에 대해서) 어미; 〖海〗 큰 파도: mein ~r 나의 아버지〔남편〕; meine ~ 나의 어머니〔아내〕; unsere ~n 내 조상; die ~n 고대인 (그리스·로마인); er ist〔bleibt〕 immer (noch) der ≗ 그는 여전하다〔변함없다〕; wir bleiben die ≗n! 언제까지나 변함없이 사귑시다!; 〔속담〕 wie die ~n sungen(=sangen), so zwitschern die Jungen 부전자전. 《II》 *das* 오래된 것, 케케묵은 사물: es bleibt beim ≗n 구태의연하다; alles im〔beim〕 ≗n lassen 모두 다 그전대로 내버려두다; am ≗n hängen〔hangen〕 낡은 것에 집하하다, 보수적이다; am ~n rütteln 전통〔인습〕을 뒤흔들다.

alt=ehrwürdig *a.* 오래되고 귀중한. **~eingesessen** *a.* 옛날부터 정착한, 토착의. **≗eisen** *n.* 고철(古鐵).

älteln *i.* (h.) 늙기 시작하다; 늙어 보이다, 늙은 티를 내다: seine ~de Tochter 점점 나이가 드는 그의 딸.

alten *i.* (h./s.) 〔시어〕 ↑ altern.

alt·englisch *a.* 고대 영국의, 고대 영어의.

Alten=bildung *f.* 노인 교육. **~heim** *n.* 양로원. **~heimler** *m.* 양로원 입주자. **~hilfe** *f.* 노인 복지. **~nachmittag** *m.* 노인들을 위한 다과 모임. **~pfleger** *m.* 노인 간호사. **~tages·stätte** *f.* 노인정(亭). **~teil** *n.* 노후 대비 재산(특히 농민이 자신의 노후에 대비하여 남겨두는 몫): sich aufs ~ setzen 은퇴〔퇴직〕하다. **~wohnheim** *n.* 노인 기숙사, 노인 주택.

***Alter** [áltər] *n.* -s, - ① 나이, 연령, 연배, 묵은 햇수: jugendliches〔blühendes, hohes〕 ~ 소년〔청년, 노년〕; ein Herr mittleren ~s 중년의 신사; das kritische〔gefährliche〕 ~ 갱년기; das ~ eines Weins 포도주의 묵은 햇수; im ~ von 15 (Jahren) 15세 때에; er steht in meinem ~ 그는 나와 동갑이다, 같은 연배다; die Tapeten sind vor ~ vergilbt 벽지가 오래되어 누레졌다. ② 시대, 세대: das goldene ~ 황금 시대. ③ 〔2격이 부사화되어; 격식〕 von ≗s (her), seit ≗s 옛날부터; vor ≗s 옛날에. ④ 연공(年功), 근무 연한, 선임(先任): Beförderung nach dem ~ 연공서열순의 승진. ⑤ 고령, 노년: das ~ muß man ehren 노인을 존경해야 한다; 〔속담〕 ~ schützt vor Torheit nicht 나이를 먹어도 바보는 현명해지지 않는다; 60 ist kein ~ 60은 늙은 나이가 아니다. ⑥ 〔집합 명사〕 노인, (어떤) 연배의 사람들: jedes ~, jeder Stand 연령과 신분 여하를 막론하고.

***älter** [έltər] 〔alt의 비교급〕 *a.* ① 손위의, 보다 오래된. ② 〔절대 비교급〕 나이가 들어보이는, 중년의, 나이가 지긋한: eine ~e Dame 중년의 여성.

Ältere* *der/die* 연장자, 형, 누이, 선임자, 고참자(古參者): Alexander Duma der ~ 아버지 뒤마.

Alteration [altəratsió:n] 《lat.》 *f.* -en ① 변경, 개변(改變); 〖醫〗 (병적) 변화, 악화; 〖음악〗 (화음의 반음계적) 변음; 〖지질〗 변질, 변이. ② 비분, 격분, 흥분.

Alter Ego [áltər é:go] 《lat.》 *n.* - - ① 〖心〗 또 다른 자아, 제 2의 자아; 이드(S. Freud 에서 본능 개념). ② 절친한 친구, 믿음직한 대리인(나의 분신). ③ 〖민속〗 분신(민간 신앙에서 사람의 생명이나 영혼을 간직하고 있다고 믿는 동식물).

alt·erfahren *a.* 대단히 노련한.

alterieren [altərí:rən] 《lat.》 《I》 *t.* ① 변경하다: alterierte Akkorde 변화 화음. ② 흥분〔격분〕케 하다. 《II》 *refl.* sich ~ 격분하다.

..alterig 《<Alter》 *suf.* "…나이의"의 뜻(보기: gleich~ 동년배의).

Älter·mutter *f.* 〖고어〗 증조모; 선조 할머니.
altern [áltərn] 《I》 *i.* (s.) 늙다, 노쇠하다; 〖工〗 노화하다. 《II》 *t.* 노쇠케 하다; 〖化〗 숙성(熟成)시키다.
Altern *n.* -s 노쇠, 노화.
ältern *i./t.* ↑ altern.
Alternanz [altɛrnánts] 《lat.》 *f.* -en ① 〖고어〗 ↑ Alternation ①. ② 〖植〗 (과수 재배의) 해갈이. ③ 〖언어〗 ↑ Alternation ③.
Alternat *n.* -(e)s, -e 〖政〗 (국가간 조약 체결 시 1 차로 서명한) 문서의 교환.
Alternation [..tsió:n] *f.* -en ① 〖격식〗 교체. ② 〖문학〗 (강음과 약음의) 교체. ③ 〖언어〗 (같은 형태소 안에서의) 음(音)의 변화, 이형 교체(異型交替) (보기: Feld — Gefilde).
alternativ [altɛrnatí:f] 《frz.》 *a.* ① 양자택일의, 선택적인. ② 대안의: eine ~e Lösung 대안적 해결책; eine ~e Umweltpolitik 대안적인 환경 정책.
Alternativ·bewegung *f.* (정치 투쟁보다는 환경 문제·인간성 회복 문제를 이슈로 삼은) 대안적 (시민) 운동.
Alternative [..tí:və] *f.* -n ① 양자택일: vor der ~ stehen 양자 중 어느 것을 택할까 망설이다. ② 대안(代案): es gibt dazu nur eine ~ 그것에 대한 대안은 단 하나뿐이다.
Alternativ⸗energie *f.* 대체 에너지. **~kultur** *f.* 대안 문화.
alternieren [altɛrní:rən] *i.* (h.) (시간·장소적으로) 번갈아 발생하다, 교체하다, 교대하다, 엇갈리다.
alternierend *p.a.* 교대의, 교체적인, 간헐적인; 양자택일의: 〖음악〗 ~ singen 교대로 노래하다; 〖醫〗 ~es Fieber 간헐열, 말라리아; 〖전기〗 ~er Strom 교류; 〖心〗 ~e Persönlichkeit 이중 인격; 〖數〗 ~e Reihe 교대 급수; 〖문학〗 ~e Verse 교차 시행(詩行); 〖연극〗 die ~e Besetzung (한 역에 대한) 복수 배역〔캐스팅〕; eine ~e Gruppe 교대군(群).
alters [áltərs] *adv.* ↑ Alter ③.
Alters⸗aufbau *m.* 인구의 연령별 구성. **~asyl** *n.* ↑ ~heim. **≈bedingt** *a.* 연령의 제약을 받는. **~beschwerde** *f.* 노인성 장애. **~bestimmung** *f.* (암석·유물·생물의) 연령 측정, 시대〔연대〕 감정. **~blödsinn** *m.* 〖醫〗 노인성 치매. **~fleck** *m.* 검버섯. **~folge** *f.* 연령순, 고참순. **~forschung** *f.* 노화 연구, 노인학. **~frei·betrag** *m.* 노령 면세 소득액. **~fürsorge** *f.* 노인 복지. **~genoß, ~genosse** *m.* 같은 연배〔시대〕의 사람. **≈gerecht** *a.* 나이에 걸맞는. **≈grau** *a.* 백발의. **~grenze** *f.* 연령 제한, 정년. **~gruppe** *f.* 같은 나이〔연령층〕끼리 모인 집단. **~heil·kunde** *f.* 노인 의학. **~heim** *n.* 양로원. **~hoch·druck** *m.* 노인성 고혈압. **~klasse** *f.* (같은) 연령층. **~mundart** *f.* (아이의 성장 단계에 따른) 연령별 어투. **~panik** *f.* 노인성 불안 증세. **~präsident** *m.* (정식 의장 선출 이전의) 최고령 임시 의장. **~pyramide** *f.* 연령 피라미드 (구조). **~rente** *f.* 양로〔노후〕 연금(~pension). **~ruhe·geld** *n.* ↑ ~rente. **≈schwach** *a.* 노쇠한. **~schwäche** *f.* 노쇠. **~sichtigkeit** *f.* 원시, 노안. **~starr·sinn** *m.* 노인의 고집. **~teil·zeit** *f.* 노령 근로 단축제(근로자가 55 세가 되면 노동 시간을 절반으로 단축받고 급여는 70 % 만 받는 제도). **~versicherung** *f.* 양로 보험. **~versorgung** *f.* 노인 복지〔수당〕. **~versorgungsanstalt** *f.* 양로원. **~werk** *n.* 노〔만〕년의 작품. **~zulage** *f.*, **~zuschlag** *m.* 나이에 따른 가산 수당.
***Altertum** [áltərtu:m] *n.* -s, ..tümer ① 고대 (특히 그리스·로마의): das graue ~ 태고. ② 〖복수〗 고대의 유물, 유적, 골동(품).
Altertümelei *f.* -en 옛것을 즐기는 취향, 고대 모방.
altertümeln *i.* (h.) 의고 취미가 있다; 옛 것을 모방하다.
Altertümler *m.* -s, - 옛 것을 좋아하는(모방하는) 사람; 고고학자; 골동품 상인.
altertümlich *a.* 고대의, 고풍의.
Altertümlichkeit *f.* -en 고풍.
Altertums⸗forscher *m.* 고대〔고미술〕 연구가, 고고학자. **~forschung** *f.* 고고학. **~händler** *m.* 골동품 상인. **~kenner** *m.* ↑ Altertumsforscher. **~kunde, ~wissenschaft** *f.* 고고학.
Alterung *f.* 고령화, 노령화; 노화.
Älter·vater *m.* 〖고어〗 증조부; 조상.
***ältest** [ɛ́ltəst] 〖alt 의 최상급〗 *a.* 최연장의, 가장 오랜.
Älteste* *der/die* 최연장자; 장남, 맏형; 장녀, 맏누이; (교회 등의) 장로.
Ältesten⸗rat *m.* ① (원시 부족의) 원로 회의. ② (독일 연방 의회〔하원〕의) 원로 자문 회의 (연방 의회 의장과 23 명의 의원으로 구성됨). **~recht** *n.* 연장자의 권리, 〖방언〗 장자 상속권. **~sitzung** *f.* 장로 회의. **~würde** *f.* (교회 등의) 장로직.
Alt⸗flicker *m.* 수선공(특히 구두·양복 따위). **≈fränkisch** *a.* 고풍의, 유행에 뒤진. **≈gedient** *a.* 오래 근무한; 노련한. **~gedinge** *n.* ↑ Altenteil.
Alt·geige *f.* 〖음악〗 비올라.
Alt⸗gesell, ~geselle *m.* 고참 기능공. **~gewandler** *m.* 헌옷 장수, 넝마 장수. **≈gewohnt** *a.* 오랜 습성의, 습관이 된. **≈gläubig** *a.* 〖宗〗 정교의; 믿음이 오래된. **~gold** *n.* ① 가공된 적이 있는 금; 폐금. ② (화학 처리된) 어두운 금색. **≈griechisch** *a.* 고대 그리스(어·인)의. **~händler** *m.* 고물상.
Althee [alté:ə] 《gr.》 *f.* ① 〖植〗 알테아(↑ Eibisch). ② 알테아(로 만든) 진해제.
Alt⸗-Heidelberg 하이델베르크의 구시가지. **~-Hellas** 고대 그리스. **≈hergebracht, ≈herkömmlich** *a.* 옛날부터 전해져 오는, 유서 깊은. **~herrenmannschaft** [althɛ́rən..] *f.* (32 세 이상의) 은퇴 선수들로 구성된 팀. **~herrenschaft** [althɛ́rən..] *f.* 대학생 조합원 동창회. **~hochdeutsch** *das* 고고 독일어(↑ Deutsch). **≈hochdeutsch** *a.* 고고(古高) 독일어의(750-1050 년의 고지 독어; 약어: ahd).
Altist [altíst] *m.* -en, -en 〖음악〗 알토 가수 (↑ Alt).
Altistin *f.* -nen ↑ Altist 의 여성형.
Altjahr·abend *m.* ↑ Altjahrsabend.
Altjahrs·abend *m.* (schweiz.) 섣달 그믐날 밤, 제야.
Altjahrs·tag, Altjahr·tag *m.* 섣달 그믐날.
alt⸗jüngferlich *a.* 노처녀의 (티를 내는).

∼jungfern·stand *m.* 노처녀 신분. ∼-kanzler *m.* 전직 수상. ∼katholik *m.* 구(舊) 가톨릭 교도(1870 년 교황 무오류설에 반대해 교단 설립). ~katholisch *a.* 구(舊) 가톨릭의. ∼katholizismus *m.* 구(舊) 가톨릭 신앙. ~klug *a.* 조숙한, 건방진. ∼-knecht *m.* 하인의 우두머리. ∼kunst *f.* 골동품, 고대 미술품. ∼lapper *m.* 구두 수선공. ∼last *f.* ① 방치된 쓰레기장. ② 유독성 폐기물〔쓰레기〕. ③〔비유〕오래도록 청산〔해결〕되지 않은 문제.

ältlich *a.* 초로(初老)의, 약간 늙은.

Alt≈lutheraner *m.* 고(古)루터 교도;〔복수〕고루터파(19 세기에 성립). **~material** *n.* 허섭스레기, 폐물. **~meister** *m.* (동업 조합의) 우두머리, 조합장; (학계·예술계의) 원로, 대가. **~metall** *n.* 고금속, 고철. **∼modisch** *a.* 유행에 뒤진, 고풍스런. **~mutter** *f.* (증)조모. **∼nordisch** *a.* 고대 북구(어)의.

Altokumulus [altokú:mulus] 《lat.》 *m.* -, ..li/..lusse 〖기상〗 고적운(高積雲).

Altostratus [..ʃtrá:tus, ..st..] *m.* -, ..ti 고층운(高層雲).

Alt≈papier *n.* 헌 종이, 폐휴지. **~philologe** *m.* 고대〔고전〕 어문학자. **~philologie** *f.* 고대〔고전〕 어문학. **∼philologisch** *a.* 고전 어문학의. **~preußen** *n.* (1815 년 이전의) 구(舊)프로이센. **~reis** *m.* -en, -en (obd.) 구두 수선공; 고물상. **∼römisch** *a.* 고대 로마의.

..altrig *a.* ↑ ..alterig.

Alt-Rom *n.* 고대 로마; 로마의 구시가지.

alt·rosa *a.* (보랏빛이 도는) 짙은 장미 빛깔의.

Altruismus [altruí:smus] 《lat. alter》 *m.* - 이타(利他)주의.

Altruist *m.* -en, -en 이타주의자(↑ Egoist).

altruistisch *a.* 이타주의의, 애타적인.

Alt≈sänger *m.* 〖음악〗 알토 가수(↑ Alt). **~sängerin** *f.* ↑ ~sänger 의 여성형. **∼-schlüssel** *m.* 알토 기호.

Alt≈schrift *f.* 〖印〗 로마 자체(字體). **∼-schulden** *pl.* 구동독 발행 채무. **~silber** *n.* ① 가공된 적이 있는 은; 폐은. ② 화학 약품으로 그을린 은. **~sitz** *m.* ↑ Altenteil. **~sitzer** *m.* ↑ Altenteiler. **~sprachler** *m.* 고대〔고전〕 어학자(~philologe). **∼sprachlich** *a.* 고대어〔고전어〕의. **~stadt** *f.* 구시가지. **~städter** *m.* 구시가지 거주자. **~stadt-sanierung** *f.* 구시가지 재개발. **~stein-zeit** *f.* 구석기 시대. **~stimme** *f.* 〖음악〗 알토(↑ Alt). **~stoff** *m.* 폐품. **~stoff·sammlung** *f.* 폐품 수집. **~teil** *n./m.* ↑ Altenteil. **∼testamentarisch** *a.* ↑ ∼testamentlich. **~testamentler** *m.* 구약 성서 학자. **∼testamentlich** *a.* 구약 성서의; 구약 시대의. **~tier** *n.* 〖動〗 어미 암사슴. **~überliefert** [(또는) alt..lí:fɐrt] *a.* 예로부터 전해 온, 전통의.

Altung *f.* -en 〔*m.* -s, -e〕 〖광산〗 폐갱.

Alt≈vater *m.* 조상, 조부; 가장, 족장. **∼-väterisch** *a.*, **∼väterlich** *a.* ① 조상의; 위엄있는, 근엄한. ② 고풍스런, 낡은. **∼-vertraut** *a.* 오래 전부터 친숙한. **~vordern** *pl.* 조상, 선조. **~ware** *f.* 중고품. **~waren·händler** *m.* 중고상. **~wasser** *n.* (사행(蛇行) 하류가 맞닿아서 생긴) 반월호.

Altweiber≈fabel *f.* ↑ ~märchen. **~geschwätz** *n.* 〔폄어〕 쓸데없는 수다. **~märchen** *n.* 믿거나 말거나 한 얘기; 노인의 넋두리. **~sommer** *m.* ① 초가을의 따스한 날씨. ② 가을철의 고요한 공중에 떠도는 거미줄.

altweibisch *a.* 노파 같은, 잔소리 많은.

alt·weltlich *a.* (아메리카에 대하여 유럽·아시아·아프리카) 구세계의; 시대에 뒤진. **∼-werker** *m.* 모피 수선공.

Alt-Wien *n.* (포도주와 왈츠의) 옛 빈, 빈의 구시가지.

alt·wienerisch *a.* 옛 빈의, 빈 구시가의.

Alu[1] [á:lu] 〔구어〕 =Arbeitslosenunterstützung 실업자 지원.

Alu[2] *n.* -(s) 〔구어〕 =Aluminium 알루미늄.

Alumen [alú:mən] 《lat.》 *n.* -s ↑ Alaun.

Aluminat [aluminá:t] 《lat.》 *n.* -(e)s, -e 〖化〗 알루민산염(酸塩).

Aluminit *m.* -s, - 〖광물〗 반토석(礬土石).

***Aluminium** [alumí:nium] *n.* -s 알루미늄.

Aluminium·druck *m.* 〖印〗 알루미늄판.

Alumnat [alumná:t] 《lat.》 *n.* -(e)s, -e 기숙사식 학교; 기숙사; (오스트리아의) 신학교.

Alumne *m.* -n, -n, **Alumnus** *m.* -, ..nen ↑ Alumnat 의 학생.

Alveolar [alveolá:r] *m.* 치경음(齒莖音).

alveolar 《lat.》 *a.* 〖해부〗 폐포(肺胞)의, 치조(齒槽)의, 해면상(海綿狀)의; 〖언어〗 치경음(齒莖音)의.

Alveole [..veó:lə] 《lat.》 *f.* -n 폐포; 치조(齒槽).

Alwegbahn *f.* 고가(高架) 모노레일〔전철〕.

Alzheimer·krankheit *f.* 알츠하이머병.

***am** [am] 〔an dem 의 결합형〕 ① (**a**) 〔공간적〕 Frankfurt ~ Main 마인강변의 프랑크푸르트; ~ Atlantischen Ozean 대서양 연안에; ~ Ziel sein 목적지에 도달해 있다; ~ Ende 마지막에; 〔구어〕 er ist ~ Ende 그는 녹초가 되어 있다; et. ~ Rande bemerken 무엇을 부언〔부기〕하다; 〖商〗 et. ~ Lager haben 무엇을 재고로 갖고 있다; et. ~ Stück kaufen 무엇을 썰지 않고〔덩이로〕 사다; ~ angeführten Ort 앞에서 밝힌 곳에(약어: a.a.O.). (**b**) 〔시간적〕 ~ 1. Januar 1 월 1 일에; ~ Morgen 아침에. ② 〔부정형 명사와 함께〕 (**a**) 〔지속을 나타내어〕 er ist ~ Schreiben 그는 계속 글을 쓰는 중이다; das Mittag ist ~ Kochen 점심식사를 짓고 있는 중이다. (**b**) 〔숙어적으로〕 er zweifelte ~ Gelingen 그는 성공을 미심쩍어 했다. ③ 〔형용사 최상급과 함께〕 ~ schönsten 가장 아름다운〔아름답게〕; 〔속담〕 wer ~ letzten lacht, lacht ~ besten 최후의 승자가 진정한 승자이다.

Am 〖化〗 =Amerizium 아메리슘.

a.M. =am Main 마인 강변의.

a.m. ① =ante meridiem 오전에. ② =ante mortem 생전에. ③ =anno mundi 천지 창조 이래.

amabile *adv.* 〖음악〗 부드럽게.

Amadeus [amadé:us] 《lat.》 *m.* 아마데우스 (남자 이름).

Amadis·roman *m.* (16-18 세기의) 기사 모험 소설(Amadis 는 그 주인공 이름).

Amaler [á:malər] *pl.* 아말러 왕가(동고트의 왕족 이름).

Amalgam [amalgá:m] 《ar.》 *n.* -s, -e 〖化〗

아말감;〖비유〗융합(물).
Amalgamation [..tsió:n] *f.* -en 아말감화(化);〖비유〗융합.
amalgamieren *t.* (verquicken) 수은과 합금하다, 아말감을 만들다;〖비유〗융합〔합병〕하다.
Amalgamier·werk *n.* 합금 공장.
Amalia [amá:lia] *f.* 아말리아(여자 이름).
Amalie [..liə] *f.* 아말리에(여자 이름).
Amalin·säure *f.* -n 〚化〛 아말린산(酸).
Amalungen *pl.*〖시어〗↑ Amaler.
Amanda [amánda] 《lat.》 *f.* 아만다(여자 이름).
Amandus *m.* 아만두스(남자 이름).
Amanuensis [amanuέnzıs] 《lat. manus, „Hand"》 *m.* -, -ses〖고어〗서기, 조수, 사서(司書), 필경생(筆耕生).
Amarant [amaránt] 《gr. amárantos》 *m.* -s, -e ①〚植〛 줄맨드라미; (전설에 나오는) 시들지 않는 꽃. ② 짙은 자홍색 염료.
Amarante *f.* 아마란테(여자 이름).
amaranten *a.* 짙은 자홍색(紫紅色)의.
Amarant≈farbe *f.* 짙은 자홍색. **~rot** *a.* 짙은 자홍색의.
Amarelle [amarέlə] 《lat. amarus》 *f.* -n 〚植〛 맛이 신 일종의 버찌.
Amaryl [amarý:l] 《gr.》 *m.* -s, -e 담녹색의 인조 사파이어.
Amaryllis [amarýlıs] 《gr.》 *f.* ..ryllen 〚植〛 아마릴리스속(屬).
amassieren〖고어〗[amasí:rən] 《frz.》 *t.* 쌓아 모으다, 축적하다.
Amateur [amatǿ:r] 《frz.》 *m.* -s, -e 예술〔스포츠〕애호가, 아마추어. **~boxer** *m.* 아마추어 권투 선수. **~film** *m.* 아마추어(가 만든) 영화. **~fotograf** *m.* 아마추어 사진사. **~funkstation, ~funkstelle** *f.* 아마추어 방송국〔무전국〕. **~mannschaft** *f.* 아마추어 팀. **~status** *m.*〖스포츠〗아마추어 신분.
Amati [amá:ti] *f.* -s (16-17 세기 이탈리아의 아마티가(家)에서 만든) 아마티 바이올린.
Amaurose [amauró:zə] 《gr. amaurûn》 *f.* 〚醫〛 흑내장(黑內障).
Amause [amáuzə] 《frz.》 *f.* -n 유리로 만든 모조 보석.
Amazonas [amatsó:nas] *m.* - (남아메리카의) 아마존(강).
Amazone [amatsó:nə] 《gr.》 *f.* -n ①〚그리스 신화〛 아마존족(북방계의 호전적인 여인족);〖고어·비유〗여걸, 여장부; 날씬한 미모의 처녀, 여기사(女騎士); 여자 승마 선수; (자동차 경주의) 여자 선수. ②〚動〛 우관(羽冠) 잉꼬속(屬).
amazonenhaft *a.* 아마존 같은, 여장부의.
Amazonen≈fluß *m.* 아마존강. **~hut** *m.* 승마용 여자 모자. **~kleid** *n.* 여자용 승마복. **~strom** *m.* ↑ Amazonas.
Ambassade [ambasá:də, ãbasád] 《frz.》 *f.* -n (Botschaft) ① 대사관, 공사관. ② 대사〔공사〕의 직.
Ambassadeur [..sadǿ:r] 《frz.》 *m.* -s, -e (Botschafter) 대사, 공사; 사절(使節).
Ambe [ámbə] 《lat. ambo》 *f.* -n ①〚복권〛 2개의 (행운) 번호를 짝맞추는 일. ②〚數〛 두 수의 조합.
Amber [ámbər] 《ar.》 *m.* -s, -(n) ↑ Ambra.
Ambiance [ãbiã́s] 《frz.》 *f.* (schweiz.) ↑ Ambiente.
Ambiente [ambiέntə] 《it.》 *n.* - 환경, 분위기.
ambieren [ambí:rən] 《lat. ambire》 *t.* 지망하다, 얻으려 애쓰다.
ambig [ambí:k], **ambigu** [ãbigý:], **ambigue** [..bígwa] *a.* 애매(모호)한.
Ambiguität 《lat.》 *f.* -en 불분명, 애매.
Ambition [..tsió:n] *f.* -en 공명심, 야망.
ambitioniert [..tsioní:rt], **ambitiös** [..tsiǿ:s] *a.* 야심적인.
ambivalent [ambivalέnt] *a.* 반대 감정이 병존하는; 두 개의 상반된 가치를 동시에 소유한.
Ambivalenz [ambivalέnts] *f.* -en 〚心·문학〛(동일한 대상에 대한) 반대 감정의 양립〔병존〕; 두 개의 상반된 가치의 공존.
Ambo[1] (öst.) *m.* -s, -s/..ben 이중 당첨 복권.
Ambo[2] 《gr.》 *m.* -s, -nen (초기 교회의) 설교단.
Ambon *m.* -s, -en [..bó:..] ↑ Ambo².
Amboß [ámbɔs] *m.* ..sses, ..sse 모루;〚醫〛(귀의) 침골(砧骨);〚軍〛(뇌관이 든) 탄피의 밑면;〚음악〛철상(鐵床)(타악기의 일종).
Amboss 新정서 ⇦ Amboß.
Amboß≈bahn *f.* 모루의 윗면(面). **~block** *m.*, **~futter** *n.*, **~klotz** *m.* 모루 받침대. **~schenkel** *m.* 모루의 받침다리. **~stock** *m.* 모루 받침대. **~wolke** *f.* 새털구름.
Ambra [ámbra] *f.* -s 암브라, 용연향(龍涎香).
Ambrosia [ambró:zia] 《gr. ambrósios》 *f.* 〚그리스신화〛 신들의 양식, 불로초;〖비유〗맛있고 귀한 음식.
ambrosianisch *a.* (성)암브로시우스의: der ∼e Lobgesang 암브로시우스의 찬송가(↑ Tedeum).
ambrosisch *a.* 영묘한; 감미로운, 향기로운.
Ambrosius *m.* 암브로시우스(이탈리아 밀라노의 성자, 340-397).
Ambulakrum [ambulá:krum] 《lat. ambulare》 *n.* -s, ..kra / ..kren〚건축〛(교회 성소 둘레의) 복도, 회랑(回廊);〚軍〛(로마의) 연병장.
ambulant [ambulánt] *a.* ① 이동〔편력〕하는, 순회하는: ∼es Gewerbe 이동 판매, 행상. ②〚醫〛외래(外來)의 (↔ stationär) : ∼e Behandlung 외래 진료; ∼ behandelt werden 통원 치료를 받다.
Ambulanz *f.* -en 이동 진료소, 야전 병원; 구급차; 응급실; (병원의) 외래 진료부〔시설〕.
ambulatorisch *a.* ↑ ambulant.
Ambulatorium *n.* -s, ..rien [..riən]〚醫〛외래 진료소.
Ameischen [..çən] *n.* -s, -〖↑ Ameise 의 축소형〗작은 개미.
Ameise [á:maızə] *f.* -n 개미;〖비유〗근면한 사람.
ameiseln *i.* (h.) 부지런하게 일하다; 개미떼처럼 몰려들다.
Ameisen≈äther *m.*〚心〛의산(蟻酸) 에테르. **~bär** *m.*〚動〛개미귀신. **~ei** *n.* 개미알. **~fresser** *m.* ↑ ~bär. **~gäste** *pl.* 개미손님(개미의 집에서 함께 사는 곤충). **~geist** *m.* 의산정(蟻酸精). **~haufen, ~hügel** *m.* 개미둑, 개미탑. **~igel** *m.*〚動〛바늘두더지.

~**jungfer** *f.* 〖動〗 밤잠자리. ~**kribbeln** *n.* 〖醫〗 의주감(蟻走感)(잠이 들 때 개미가 살갗을 기어다니는 듯한 가려움증). ~**laufen** *n.* ↑ ~kribbeln. ~**löwe** *m.* 〖動〗 개미귀신(애명주 잠자리의 애벌레). ~**pflanze** *f.* ① 개미잡이풀. ② 개미를 매체로 씨앗을 퍼뜨리는 식물. ~**säure** *f.* 〖化〗 의산(蟻酸). ~**schauder** *m.* ↑ ~laufen. ~**spiritus** *m.* ↑ ~geist. ~**vogel** *m.* 〖動〗 개미잡이새.

Ameislein *n.* -s, - ↑ Ameischen.

Amelioration [amelioratsió:n] 《frz.》 *f.* -en 토지〔경지〕 개량; 금속의 정제(精製).

ameliorieren *t.* 개량하다.

Amel≈korn [á:məl..] *n.* 밀의 일종. ~**mehl** *n.* 녹말, 전분(澱粉).

Amelungen [á:məluŋən] *pl.* (독일 영웅 전설에 나오는) 아멜룽족(族) (Dietrich von Bern 과 그 부하들).

***amen** [á:mɛn, á:mən] 《hebr.》 *adv.* 아멘(기도의 끝말): ~ sagen 확언하다; zu allem ja und ~ sagen 모든 것에 동의하다.

Amen *n.* -s, - ① 승낙, 시인: das ist so sicher wie das ~ in der Kirche 그 말은 아주 확실하다. ② 결말. ③ ein ~ lang 잠깐, 일순간.

Amendement [amãdəmã́:] 《frz.》 *n.* -s, -s 〖法〗 ① (법안의) 수정 제안〔동의〕; 개정 법안. ② 공소 사실 변경.

amendieren [amɛndí:rən] *t.* 수정〔개량〕하다; 수정안을 제출하다.

Amenorrhö [amenɔrǿ:] 《gr. mḗn, „Monat"》 *f.* -en 〖醫〗 폐경, 무월경.

Amenorrhöe -n ↑ Amenorrhö.

amenorrhoisch *a.* 무월경의, 폐경(閉經)의.

Americium [amerí:tsium] *n.* -s 〖化·物〗 아메리슘(초우라늄 원소의 하나; 기호: Am).

***Amerika** [amé:rika] *n.* 아메리카 대륙(Amerigo Vespucci 의 이름에서); 아메리카 합중국.

Amerika·haus *n.* (외국에 있는) 미문화원.

Amerikaner [amerikáːnər] *m.* -s, - ① 미국 사람; 아메리카 대륙의 주민. ② (설탕을 입힌 원추형의) 과자의 일종.

amerikanisch *a.* 아메리카의, 미국(사람·말)의, 미국 태생의.

amerikanisieren [..kanizí:rən] *t.* 미국화하다.

Amerikanisierung *f.* -en 미국화.

Amerikanismus *m.* -, ..men ① 미국 기질〔정신〕, 미국풍〔식〕. ② 공리〔향락〕적 인생관. ③ 상품의 대량 생산. ④〖언어〗 미국식 영어. ⑤ 미국의 구교(舊敎) 개혁.

Amerikanist *m.* -en, -en 미국학 학자.

Amerikanistik *f.* 미국학(아메리칸 인디언 또는 현대 미국의 언어·문화 연구).

Amerizium [amerí:tsium] *n.* -s ↑ Americium.

a metà [a metá] 《it.》〖商〗 손해반 이익반으로.

Amethyst [ametýst] 《gr.》 *m.* -(e)s, -e 〖광물〗 자수정(紫水晶), 자석영(紫石英)(옛날에는 악취(惡醉)를 방지한다고 믿었음).

Ametrie 《gr.》 *f.* -n 불균형, 부조화.

ametrisch *a.* 균형이 맞지 않은.

Ameublement [amøbləmã́:] 《frz.》 *n.* -s, -s 가구, 실내 장식품; 가구 설비.

Amfi.. ↑ Amphi...

Ami[1] [ámi] *m.* -, -s 남자 친구〔애인〕.

Ami[2] 〔구어〕《I》 *m.* -(s), -(s) (국외 주둔의) 미국 병사. 《II》 *f.* -s 미국 담배.

Amiant [amiánt] 《gr.》 *m.* -(e)s, -e 〖광물〗 고급 석면(石綿), 아미안다스.

Amid [amí:t] *n.* -(e)s, -e 〖化〗 아미드(암모니아 화합물); 수소 원자가 잔유 산(酸)으로 대체된 암모니아.

amikroskopisch *a.* 초현미경적인; 극미(極微)의 (0.003 mm 이하).

Amin [amí:n] *n.* -s, -e 〖化〗 아민.

Amino≈benzol [aminobɛntsó:l] *n.* 아닐린. ~**säure** [amí:no..] *f.* 아미노산.

Amitose [amitó:zə] 《gr.》 *f.* -n 〖生〗 (세포핵의) 무사(無絲) 분열, 직접 세포 분열.

Ammann [áman] 《<Amtmann》 *m.* -s, ..männer (schweiz.) 기관장, 대표; 법관, 군수, 장관.

***Amme** [ámə] 《ahd. amma》 *f.* -n ① 유모; 보모; 산파; 〔방언〕 어머니. ② (어미를 잃은) 다른 동물의 새끼를 기르는 암컷; 무정란을 품은 암컷.

ammeln 《I》 *i.* (h.) 보모로 일하다. 《II》 *t.* (젖·먹이를) 먹이다.

Ammen≈bier *n.* 〔비속〕 알코올 함량이 적은 맥주. ~**generation** *f.* 〖生〗 무성(無性) 세대. ~**lied** *n.* 자장가. ~**märchen** *n.* 옛날 이야기; 허황한 이야기. ~**stube** *f.* 어린이 방, 육아실. ~**vogel** *m.* 보모새(다른 새의 알이나 새끼를 품고 길러주는 새). ~**zeugung** *f.* 〖生〗 무성 생식.

Ammer[1] [ámər] ① *f.* -n 〔*m.* -s, -n〕 〖動〗 멧새류. ② *f.* -n 〖植〗 소맥의 일종(↑ Emmer).

Ammer[2] 《lat.》 *f.* -n ↑ Amarelle.

Ammerling [ɛ́mərlɪŋ] *m.* -s, -e 〖動〗 ↑ Ammer[1] ①.

Ammon[1] [ámɔn] 《ägypt.》 *m.* ① 아몬(이집트의 주신(主神) Amun의 그리스명). ② Zeus 또는 Jupiter 의 첨가명: Jupiter ~.

Ammon[2] [amó:n] *n.* -s, -e ↑ Ammonium.

***Ammoniak** [amoniák, ámo..ak, (öst.) amó:..] 《gr.》 *n.* -s 〖化〗 암모니아.

Ammoniak≈kälte·erzeugung *f.* 암모니아 냉동법. ~**lösung** *f.* 암모니아 수용액. ~**salz** *n.* 암모니아염. ~**soda·prozeß** *m.* 암모니아 소다법(法). ~**wasser** *n.* 암모니아수(水).

Ammonit [amoní:t, ..nít] 《gr.》 *m.* -en, -en 〖生〗 국석류(菊石類), 암몬조개(고생물).

Ammoniter [amoní:tər] *m.* -s, - 〖聖〗 암몬 사람(요르단강의 동쪽에 있는 민족으로 언제나 이스라엘 민족과 반목했음).

***Ammonium** [amó:nium] *n.* -s 〖化〗 암모늄.

Ammons·horn *n.* ↑ Ammonit.

Amnesie [amnezí:] 《gr.》 *f.* -n 〖醫〗 건망증.

Amnestie [amnɛstí:] 《gr., „Vergessen"》 *f.* -n 사면(赦免), 특사(特赦).

amnestieren *t.* 사면하다.

Amnion [ámniɔn] 《gr. amnós》 *n.* -s 〖醫〗 양막(羊膜), 태막(胎膜).

***Amöbe** [amǿ:bə] 《gr.》 *f.* -n 〖動〗 아메바.

amöboid *a.* 아메바(모양)의.

Amok [á:mɔk, amɔ́k] 《mal. amuk》 *n.* -s 살인 광란: ~ laufen 미쳐 날뛰며 마구 살해하다; ~ fahren 미친 듯이 차를 몰다.

Amok≈fahrer *m.* 난폭 운전자. ~**fahrt** *f.* 난

폭 운전. **~lauf** *m.*, **~laufen** *n.* 〖醫〗 발작적 살인 광란(말레이 인종에게 많이 나타남). **~läufer** *m.* 살인 광란자. **~schütze** *m.* 총기 난사 살인자.

a-Moll [á:mɔl] *n.* - 〖음악〗 가 단조(기호: a).

Amom [amó:m] 《gr.》 *n.* -s, -e 〖植〗 생강과(生薑科)의 향신료 식물.

amön [amǿ:n] 《lat.》 *a.* 〔고어〕 우아한, 사랑스러운.

Amor [á:mɔr] 《lat.》 *m.* -s 〖로마신화〗 사랑의 신: von ~s Pfeil getroffen sein〔werden〕 사랑에 빠져 있다〔빠지다〕; ~ fati 운명애, 운명〔필연성〕의 인정〔수긍〕(니체의 조어).

amoralisch 《lat.》 *a.* 부도덕한, 비도덕적인; 도덕과 관계 없는.

Amoralismus [amoralísmus] *m.* - 비〔반〕도덕주의.

Amoralität *f.* 부〔비〕도덕성.

Amorce [amɔ́rs] 《frz.》 *f.* -s [..rs]/-n [..sən] ① 미끼. ② 〔복수〕 (장난감 권총에 쓰는) 화약 종이. ③ 〖軍〗 뇌관.

Amorette [amorɛ́tə] 《it.》 *f.* -n 날개가 달린 사랑의 동신(童神); 〖畫·조각〗 날개 달린 동자상(童子像); 사랑의 불장난.

amoroso [amoró:zo] 《it.》 *adv.* 〖음악〗 애정을 가지고.

amorph [amɔ́rf] 《gr., „Form"》 *a.* 〖化·광물〗 무정형(無定形)의, 비결정질의.

Amorphie 《gr. morphe, „Form"》 *f.* -n 기형(畸形), 부조화, 불균형; 〖理〗 무정형(無定形), 비결정.

amorphisch *a.* ↑ amorph.

amortisabel *a.* 상환할 수 있는.

Amortisation [amɔrtizatsió:n] 《lat.》 *f.* -en ① 〖商〗 (장기 부채의 점차적인) 상환. ② 〖經〗 투자 비용 회수. ③ 〖法〗 (공시 최고 절차를 통한) 증서의 무효 선언. ④ 〖法〗 (회계 결손 보전을 위한) 주식의 회수.

Amortisations⸗fonds [..fɔ̃:] *m.*, **~kasse** *f.* 감채(減債)〔상환〕 기금.

amortisierbar *a.* ↑ amortisabel.

amortisieren [amɔrtizí:rən] *t.* ① 상환하다; 회수하다. ② 무효를 선언하다.

Amour [amú:r] 《frz., „Liebe"》 *f.* -en 연애, 정사(情事).

amourös [amurǿ:s] *a.* 사랑스러운, 매혹적인; 반한, 다정한; 연애의, 정사의: ~es Abenteuer 애정 모험.

Amouretten·gras [amurɛ́tən..] *n.* 〖植〗 방울내풀.

Amp. 〖전기〗 =Ampere 암페어(약어: A).

Ampel [ámpəl] 《<lat. ampulla》 *f.* -n ① 현등(懸燈). ② 교통 신호등. ③ 매어단 화분.

Ampel⸗koalition *f.* 〖政〗 사회 민주당(SPD), 자유 민주당(FDP), 녹색당(Grüne)의 연합(세 당의 상징색이 적색, 황색, 녹색인 데서 유래). **~kreuzung** *f.* 신호등이 있는 교차로. **~pflanze** *f.* 매다는 화분용 화초. **~system** *n.* 교통 신호 체계. **~wald** *m.* 〔구어〕 신호등이 너무 많은 도로.

ampeln *i.* (h.) (ndd.) nach et.³ ~ 무엇을 얻으려 애쓰다.

Ampere [ampɛ́:r] 《frz.》 *n.* -(s), - 〖전기〗 암페어(전류의 측정 단위; 프랑스의 물리학자 Ampère의 이름에서; 기호: A, Amp.).

Ampere⸗kapazität *f.* 〖전기〗 암페어 용량. **~meter** *n./m.* 전류계. **~sekunde** *f.* 암페어 초(秒)(전류량; 기호: As). **~stunde** *f.* 암페어 시(時)(기호: Ah).

Ampex [ámpɛks] *f.* 암펙스 방식의 녹화 테이프.

Ampex·verfahren *n.* (녹화시의) 암펙스 방식(Ampex: 미국의 전자 회사 이름).

Ampfer 《ahd. ampfaro》 *m.* -s 〖植〗 참소리쟁이, 수영.

ampferig *a.* 〔방언〕 시큼한.

amphi.. 《gr.》 *pref.* "쌍방·양쪽·이중의"의 뜻.

Amphibie [..biə] *f.* -n 〖動〗 수륙 양생 동물, 양서류.

Amphibien⸗fahrzeug *n.* 수륙 양용 차량. **~flugzeug** *n.* 수륙 양용 비행기. **~panzer** *m.* 수륙 양용 장갑차.

amphibisch 《gr.》 *a.* 수륙 양생의; 〖軍〗 수륙 양용의; 육해공군의: ein ~er Verband (해군의) 상륙 작전 부대.

Amphibium 《gr.》 *n.* -s, ..bien [..biən] ↑ Amphibie.

Amphibium·flugzeug *n.* 수륙 양용 비행기.

Amphibol [amfibó:l] 《gr.》 *m.* -s, -e 〖광물〗 각섬석(角閃石).

amphibol *a.* ↑ amphibolisch.

Amphibolie [amfibolí:] *f.* -n [..lí:ən] 〖修〗 애매(한 말), 다의성(多意性), 다의적 표현.

amphibolisch *a.* 다의적인, 애매한.

Amphibrach [amfí:brax] 《gr.》 *m.* 〖문학〗 약강약격(格), 단장단격(短長短格).

Amphibrachus, Amphibrachys *m.* -, -/..brachen ↑ Amphibrach.

Amphigonie [amfigoní:] 《gr.》 *f.* 〖生〗 양성(兩性) 생식(↔ Monogonie).

Amphiktyone [amfıktyó:nə] 《gr.》 *m.* -n, -n 암픽티오니아 회의(會議)의 구성원.

Amphiktyonie *f.* -n ① 암픽티오니아(고대 그리스의 공통 수호신을 갖는 폴리스 간의 수호 동맹). ② (정치 이념을 초월한 국제적인) 신앙 결사〔동맹〕.

Amphimacer *m.* -s, - ↑ Amphimazer.

Amphimazer [amfí:matsɛr] 《gr.》 *m.* -s, - 〖문학〗 강약강격(格), 장단장격(長短長格).

Amphimixis [amfimí:ksıs] 《gr.》 *f.* 〖生〗 양성 혼합, (양성 배우자의 합체에 의한) 유성 생식.

Amphiole *f.* 〖醫〗 암피올(주사액용 앰풀 상표).

Amphion [amfí:ɔn] *m.* 〖그리스신화〗 암피온(제우스의 아들로 최고(最古)의 음악가).

Amphitheater [amfí:teatər] 《gr.》 *n.* -s, - ① (고대 로마의) 원형 극장〔경기장〕. ② 스타디움식(式) 관람석. ③ 계단 교실.

amphitheatralisch *a.* 원형 극장형의.

Amphitrite [amfitrí:te] 《gr.》 *f.* 〖그리스신화〗 암피트리테(바다의 여신; 포세이돈의 처).

Amphitryon [amfí:tryɔn] 《gr.》 *m.* -s ① 〖그리스신화〗 암피트리온(아내 알크메네가 남편으로 변신한 제우스와 통정하여 헤라클레스를 낳음). ② 〔비유〕 바람난 여자의 남편.

Amphora [ámfora] 《gr.》 *f.* ..ren 암포라(고대 그리스·로마의 양 손잡이가 달린 단지).

Amphore *f.* -n ↑ Amphora.

amphoter [amfoté:r] 《gr. amphóteros》 *a.* 〖化〗 (산·염기) 양성의.

Amplifikation [amplifikatsió:n] 《lat.》 *f.*

-en ① 확대, 확충; 부연, 상술. ②〖心〗(심리 치료에서) 대화를 통한 꿈의 확장. ③〖전기〗증폭(增幅).

amplifizieren *t.* 확대〔확장〕하다; 부연하다.

Amplitude 《lat., „Weite"》 *f.* -n〖전기·음악·理〗진폭(振幅);〖數〗(복소수의) 편각(偏角).

Ampulle [ampúlə] 《lat.》 *f.* -n ① (고대 로마의) 배가 불룩한 병, 단지;〖가톨릭〗성유(聖油) 또는 성수(聖水) 담는 병. ②〖醫〗(주사액의) 앰풀. ③〖해부〗(직장(直腸)·난관(卵管) 따위의) 팽대부(彭大部).

Amputation [amputatsió:n] 《lat.》 *f.* -en〖醫〗절단(술).

Amputations≈messer *n.*〖醫〗절단용 칼. **~scheibe** *f.* (절단 수술시에 다른 부위를 다치지 않기 위해 사용하는) 안전판, 보호판. **~stumpf** *m.* (신체의) 절단 토막. **~täuschung** *f.*〖醫〗환각 지통(肢痛) (↑ Phantomschmerz). **~versuch** *m.* (실험 동물의) 절단 실험.

amputieren *t.* 절단하다.

Amsel [ámzəl] *f.* -n〖動〗지빠귀.

Amsel≈beere *f.*〖植〗털갈매나무 열매(↑ Kreuzbeere). **~ruf, ~schlag** *m.* 지빠귀 울음 소리.

Amsterdam [amstərdám, ám..dam] *n.* 암스테르담(네덜란드의 수도; Amstel 강의 이름에서).

Amsterdamer 《I》 *m.* -s, - 암스테르담의 시민. 《II》 *a.* 암스테르담의.

***Amt** [amt] *n.* -(e)s, Ämter ① (**a**) 공직, 관직; 직위, 직(職): ein ~ antreten〔bekleiden〕 취임하다;〔격식〕jn. des ~es entsetzen〔jn. von seinem ~ entbinden〕누구를 면직시키다;〔반어〕in ~ und Würden sein 상당한 자리에 앉아 있다; von einem ~ Gebrauch machen 직권(職權)을 사용하다. (**b**) 직무, 직분, 직책, 임무: seines ~es walten 직무를 행하다; von ~s wegen 직무〔직책〕상. ②〔비유〕본분, 사명: tu, was deines ~es ist! 너의 본분을 다하라!; das ist nicht meines ~es 그것은 내가 관여할 바가 아니다. ③ 관할〔행정〕구역. ④ (관공서의) 부(部), 국(局), 부서, 기관; 관청, 회의소, 근무처: Auswärtiges ~ 외무부(약어: AA); Finanz≈ 재무부; Post≈ 우체국; aufs ~ gehen 관청에 (일 보러) 가다. ⑤ 전화국(Fernamt): bitte, ~! 교환국 연결을 부탁합니다!; ~, welche Nummer wünschen Sie? 교환국입니다. 어떤 번호를 연결해 드릴까요?; das Fräulein vom ~ 전화 교환원. ⑥〔방언〕수공업 조합 및 그 집회소. ⑦〖宗〗(**a**) 목사의 직(분). (**b**) das heilige ~ 종교 재판. (**c**)〖가톨릭〗장엄 미사, 대미사: Hoch≈, das hohe ~ 미사 성제(聖祭), 성찬. (**d**) ~ der Schlüssel 교황의 최고 사면권.

Ämtchen *n.* -s, - 말단 관직, 하찮은 직책.

Amtei *f.* -en〔고어〕관청; 재판소.

amten *i.* (h.) 《schweiz.》〔드물게〕↑ amtieren.

Ämter≈häufung *f.* 업무 통합. **~handel, ~schacher** *m.* 매관매직. **~jagd, ~sucht** *f.* 엽관 운동. **~jäger** *m.* 엽관 운동자. **~patronage** *f.*〖政〗정실(情實) 인사.

amt≈frei *a.* 관직이 없는; 비번(非番)의. **≈geld** *n.* (영지를 분여할 때) 세습국(局) 납입금. **~haus** *n.* 관청; 재판소.

amtieren [amtí:rən] *i.* (h.) ① 재직(집무)하다. ② 직무를 대행하다: der ~de Bürgermeister 시장 서리〔대행〕. ③〔비유〕(…의) 역할을 하다: er amtiert gern als Gastgeber 그는 손님 초대를 즐겨한다. ④〖가톨릭〗사제(司祭)하다.

Amt·leute *pl.* ↑ Amtmann.

amtlich *a.* ① 공적인, 관(官)의, 당국의: ~e Beglaubigung 당국에 의한 공증; das ~e Kennzeichen 차량 번호판; ~e Bekanntmachung 공시. ② 공무상의, 직무상의: im ~en Auftrag 공무상으로; er ist hier ~ 그는 공무로 여기 와 있다. ③〔비유〕(**a**) 확실한: ist das schon ~? 그거 정말 확실해? (**b**) 중요한, 진지한: er machte eine ~e Miene 그는 근엄한 표정을 지었다. (**c**) 뽐내는, 관리 티를 내는: mit ~er Miene 근엄한 표정으로.

amtlos *a.* 무직의, 사인(私人)의.

Amt≈mann *m.* 〔복수: ..männer/..leute〕 ① (중세 말의) 영지 주무관(主務官) (재정·사법·경찰을 맡아봄). ② 고급 공무원, 장관, 상사(上司); 군수; 법관. ③ 수공업 조합의 도장(都匠). ④〔방언〕정리(廷吏). **~männin** *f.* ↑ Amtmann 의 부인(Frau ~mann). **~mannschaft** *f.* ↑ Amtmann 의 직(분) 및 관할 구역. **~meister** *m.* 수공업 조합장; 시장(市長).

Amts≈adel *m.*〖史〗관직 가진 귀족. **~alter** *n.* 재직 연한; 선임, 고참. **~anmaßung** *f.* 직권 남용. **~antritt** *m.* 취임. **~anwalt** *m.* 지방 법원 검사, 지청 검사. **~anzeige** *f.* 공고. **~arzt** *m.* ① 공의(公醫), 보건소 의사. ② 보험 가입자의 주치의. **~befugnis** *f.* 직권. **~bericht** *m.* 공보. **~bewerber** *m.* 관직〔공직〕지원자. **~bezirk** *m.* 관할 구역. **~blatt** *n.* 관보(官報). **~bote** *m.* (구(區) 재판소의) 정리(廷吏). **~bruder** *m.* (성직자간의) 동료. **~bürgschaft** *f.* 신원 보증. **~charakter** *m.* 관리의 자격; 관명(官名). **~dauer** *f.* 재직 연한. **~delikt** *n.* 독직. **~deutsch** *n.* 관용 독일어(딱딱하고 무미건조한 독일어) (Beamtendeutsch). **~diener** *m.* (관청의) 사환, 정리(廷吏). **~eid** *m.* 복무 선서. **~eifer** *m.* 직무열. **~einführung** *f.* 취임. **~enthebung, ~entlassung, ~entsetzung** *f.* 면직. **~erschleichung** *f.* 부정 수단에 의한 관직 취득, 매관(買官). **≈fähig** *a.* 공무원 자격이 있는. **~folge** *f.* 후임(後任), 사무 인계; (법원에의) 출두 의무. **~führung** *f.* 공무 집행. **~gebühren** *pl.* 관청의 수수료. **~geheimnis** *n.* 공무상의 비밀(엄수의 의무). **~gehilfe** *m.* (관리의) 사무 보조원; 사법관 시보. **~genoß, ~genosse** *m.* (관청의) 동료. **~gericht** *n.* 지방 법원, 최하급 법원. **~gerichts·rat** *m.* 〔복수: ..räte〕 지방 법원 판사. **~geschäft** *n.* 공무. **~gewalt** *f.* 직권. **≈halber** *adv.* 직무상, 직권으로. **≈handeln** *i.* (öst.) 공무를 집행하다. **~handlung** *f.* 공무 집행, 직무 행위;〖宗〗예배, 의식 집행. **~hauptmann** *m.* (1939 년까지의 Sachsen 왕국의) 지방 장관, 군수, 지사. **~haus** *n.* 관공서. **~hilfe** *f.* (관청간의) 공무 협조. **~kanzlei** *f.* 관청 사무실. **~kappel** *n.* (öst.)〔구어〕① 공무원 모자. ② 옹졸한 관리. **~kleid** *n.*, **~kleidung** *f.* 관복(官服),

법복, 직복(법관·변호사·성직자·교수 등의 가운). **~kreis** *m.* 관할 구역. **~leiter** *m.* (독일 관청의) 지도관(指導官). **~leitung** *f.* 시외 전화선. **~lokal** *n.* 관청; 관할 구역. **~miene** *f.* 거만한 얼굴 표정, 뽐내는 태도. **~mißbrauch** *m.* 직권 남용. **≈müde** *a.* 직무에 지친. **~nachfolge** *f.* 사무 인계, 후임. **~niederlegung** *f.* 사퇴. **~ordnung** *f.* 관제(官制). **~partei** *f.* 직무상의 당사자. **~patronage** *f.* ↑ Ämterpatronage. **~person** *f.* 공무원. **~personal** *n.* 관리, 관청 직원. **~pflege** *f.* 공무 처리. **~pflicht** *f.* 직책, 본분. **≈pflichtig** *a.* 지방 법원 관할 내의. **~reise** *f.* (공무) 출장. **~richter** *m.* 지방 법원 판사. **~sache** *f.* 공무. **≈sässig** *a.* 〖고어〗 지방 법원 관할 구역 내의. **~schimmel** *m.* 기계적인 사무 처리; 관료주의: der ~ wiehert 관료주의가 팽배해 있다. **~schreiber** *m.* 지방 법원 서기, 관청 서기. **~siegel** *n.* 직인, 관인. **~sitz** *m.* 관청 소재지, 임지. **~sprache** *f.* ① 관용어. ② (국제 단체에서 사용되는) 공식 언어. **~stube** *f.* 사무실, 법정. **~stunde** *f.* 집무 시간. **~suspension** *f.* 정직(停職). **~tag** *m.* 개정(開廷)일, 공판일. **~tätigkeit** *f.* 직무 집행, 공무. **~tracht** *f.* ↑ ~kleid. **~träger** *m.* 공무원, 관리. **~unterschlagung** *f.* 공금〔공물〕 횡령. **~übergabe** *f.* 관직 이양(식). **~übernahme** *f.* 관직 인수(식). **~verbrechen** *n.* 독직. **~vergehen** *n.* 공무 과실, (소극적) 배임. **~vermittlung** *f.* 전화국을 통한 전화 접속. **~verrichtung** *f.* 공무 집행. **~verschwiegenheit** *f.* 공무상의 비밀〔기밀〕 엄수(의 의무). **~verständnis** *n.* 〖신학〗 (신구교의 서로 다른) 성직의 기원〔유래〕. **~verwalter** *m.* 사무관, (법의) 집행관. **~verweser** *m.* (고관의) 직무 대행자. **~vogt** *m.* 영지 주무관, 대관(代官); 정리(廷吏). **~vormundschaft** *f.* 〖法〗 관청 (특히 소년원)에 의한 후견〔보호 감호〕. **~vorstand, ~vorsteher** *m.* 관청〔부서〕의 장, 경찰서장, 군(郡) 치안관. **~walter** *m.* 공무 담당자, 공무원 대리. **~wechsel** *m.* 경질(更迭). **~weg** *m.* 직무 규정에 따른 사무 처리: von ~ wegen(=von Amts wegen) 직무상. **≈widrig** *a.* 배임(背任)의. **~wohnung** *f.* 관사, 관저. **~würde** *f.* 관리의 위엄〔품격〕. **~zeit** *f.* ① 재직 기간. ② 임기. **≈zuständig** *a.* 관할 범위〔권한〕 내의.

Ämulation [ɛmulatsió:n] 《lat.》 *f.* -en 경쟁(심); 추종, 사숙(私淑).

Amulett [amulɛ́t] 《>lat. amuletum》 *n.* -(e)s, -e 액막이, 부적(符籍).

Amur [amú:r] *m.* -(s) 아무르강, 흑룡강(黑龍江).

amüsant [amyzánt] 《frz.》 *a.* 즐거운, 재미있는: ein ~er Gesellschafter 유쾌한 사교가.

Amüsement [amyzəmã́:] *n.* -s, -s ① 오락, 심심풀이, 여흥. ② 풋사랑.

Amusie [amuzí:] 《gr. Musa》 *f.* 예술 감각〔심미안〕의 결핍; 음치증.

Amüsier·betrieb *m.* 유흥업(소) (↑ ~lokal).

amüsieren 《I》 *t.* 즐겁게 하다, 흥을 돋우다: der Gedanke amüsierte ihn 그 생각이 그를 즐겁게 했다. 《II》 *refl.* sich ~ 즐겁게 지내다, 즐거워하다: sie haben sich über sein Äußeres amüsiert 사람들이 그의 외모를 보고 재미있어 했다〔놀려댔다〕.

amusisch *a.* 예술적 감각이 없는.

Amüsier≈lokal *n.* 유흥업소. **~nudel** *f.* 〖속어〗 남을 즐겁게 하는 재주가 있는 사람. **~viertel** *n.* 환락가.

Amygdalin [amʏkdalí:n] 《gr.》 *n.* -s, - 〖化〗 아미그달린(살구 따위 씨의 배당체(配糖體)).

Amyl 《gr.》 *n.* -s, - 〖化〗 아밀.

Amyl·azetat 《gr.》 *n.* 〖化〗 아밀 초산염.

Amylen [amylé:n] 《gr.》 *n.* -s, - 〖化〗 아밀렌(에틸렌계 탄화수소의 하나).

Amylon 《gr.》 *n.* -s, - 〖化〗 전분, 녹말.

Amylum [á:mylum] 《lat.》 *n.* -s, - ↑ Amilon.

***an** [an] 〖어떤 것으로의 접근 또는 그 표면·측면으로의 접촉을 뜻함〗 《I》 *prp*³. ① 〖장소를 표시함〗 …옆에, …가에, …에 접하여: am Ofen 난로가에; am Wege 길가에(서); ~ Ort und Stelle 현장에서; am Ufer 강가에서; Frankfurt am Main 마인 강변의 프랑크푸르트(약어: Frankfurt a.M.); Frankfurt an der Oder 오데르 강변의 프랑크푸르트(약어: Frankfurt a.d.O.); ~ der Wand 벽(면)에; sie standen Kopf ~ Kopf 그들은 머리를 맞대고 서 있었다; Schulter ~ Schulter a) 어깨와 어깨를 맞대고, b) 협력해서; das Kind hält sich ~ der Mutter 어린아이가 엄마 곁에 달라붙어 있다, 〖비유〗 의지하고 있다. ② 〖부수(附隨)·휴대〗 das Schönste ~ der Sache 그 일의 장점; ich tu', soviel ~ mir ist 〔liege〕 내 힘이 닿는 데까지는 다하겠다; es ist nicht〔nichts〕 ~ der Meldung 그 보고는 엉터리다; es ist ~ dem 그것은 그렇다; ich weiß nicht, was ~ der Geschichte wahr ist 그 이야기가 어디까지 정말인지 모르겠다; es liegt ~ ihm 그것은 그 사람의 책임이다; ich bin ~ der Reihe 〔die Reihe ist ~ mir〕 내 차례다; 〖격식〗 es ist ~ ihm, zu antworten 그가 대답할 차례다; 〖구식〗 et. ~ sich haben 무엇인가 특별한 점〔면〕이 있다; ~ dem Buche ist nicht viel 이 책은 그리 대단하지 않다; et. ~ sich halten 무엇을 자제하다. ③ 〖종사·재직〗 …에 관계〔종사〕하여, 재직하여: ~ der Arbeit sein 일을 하고 있다; am Leben sein 살아 있다; ~ einer Schrift arbeiten 글을 쓰고 있다; ~ den Freuden der Kinder teilnehmen 아이들과 즐거움을 나누다; Lehrer ~ dieser Schule 이 학교의 교사 (학생일 때는 auf 를 씀). ④ 〖수단·손 붙일 곳〗 am Stock gehen 지팡이를 짚고 걸어가다; jn. am Kleide halten 누구의 옷을 붙잡다; er führte sie ~ der Nase herum 그는 그 여자를 속였다〔농락했다〕. ⑤ 〖인식·판단의 근거〗 jn. ~ der Stimme erkennen 누구를 목소리로 알아내다; ich weiß es ~ mir 나는 경험으로 그것을 안다. ⑥ 〖질병 또는 그 밖의 일반적인 원인〗 ~ der Brust leiden 폐를 앓다; am gelben Fieber sterben 황열병으로 죽다; ~ dem Eigensinne scheitern 고집 때문에 실패하다; sie ist schuld ~ dem Unglück 그녀는 그 불행에 책임이 있다. ⑦ 〖정신 활동의 동기·대상〗 ~ et.³ zweifeln 무엇을 의심하다; sich ~ et.³ freuen 무엇을 즐기다. ⑧ 〖형용사의 최상급과 더불어 정도·방법을 표시〗 am schönsten (다

른 것과 비교하여) 가장 아름답게; der Sturm war am heftigsten gegen Morgen 폭풍은 새벽녘에 가장 거셌다. ⑨〘사물의 내용·관계〙 ~ et.[3] reich 〔arm〕 sein 무엇이 풍부〔부족·빈약〕하다; wir haben ~ ihm einen guten Freund verloren 우리는 그를 잃음으로써 한 사람의 좋은 친구를 잃었다; was er am Geld gewann, verlor er ~ der Seele 그는 물질적인 면에서 얻은 것만큼 정신적인 면에서 잃었다; ~ sich a) 그 자체〔자신〕, b) 〖哲〗 즉자(卽自), 자체: das ist ~ sich wahr 그것은 원래 진실이다; 〖哲〗 Ding ~ sich 물자체(物自體) (Kant의 개념); an und für sich 그것 자체로서, 본래, 〖哲〗 즉대자(卽對自). ⑩〘시간을 표시〙 …에: am Anfang 처음에, 태초에; an seinem Geburtstag 그의 생일에; ~ einem Morgen 어느 날 아침에; am Sonntag 일요일에; am Ende 나중에, 드디어, 결국; er ist am Tode 그는 죽어가고 있다; es ist ~ der Zeit zu handeln 지금이야말로 행동할 때다. 《Ⅱ》 *prp.*[4] ①〘운동의 방향〙 er klopft ~ die Tür 그가 문을 두드린다; hänge das Kleid ~ die Wand! 옷을 벽에 걸어라!; einen Ring ~ den Finger stecken 반지를 손가락에 끼우다; ans Land gehen 상륙하다. ②〘비유적으로, 특히 정신 활동의 방향〙 ein Brief ~ jn. 누구에게 보낸 편지; ~ die Arbeit! 작업 개시!; einen Gruß ~ deine Mutter! 자네 어머님께 안부 전해주게나!; ~ den Tag 〔ans Licht〕 bringen 공개하다, 분명히 밝히다; ~ jn. schreiben 누구에게 (편지를) 쓰다; ich habe eine Bitte〔Frage〕 ~ Sie 당신에게 부탁〔질문〕이 있습니다; er glaubt nicht ~ den Teufel 그는 악마(의 존재)를 믿지 않는다; sich ~ et. erinnern 무엇을 상기하다; er kam ~ den Bettelstab 그는 거지가 되었다; ich legte es ihm ~ das Herz 나는 간절히 그것을 그에게 권했다〔호소했다〕. ③〘bis 와 결합하여 시간적, 공간적으로 미치는 범위를 표시〙 bis ~ ihr Lebensende 그녀가 죽는 날까지; das Wasser reichte ihr bis ~ die Knie 물이 그녀의 무릎까지 차올랐다; bis ~ die Schulter reichen 어깨까지 닿다. 《Ⅲ》 *adv.* ①〘다른 부사 또는 명사와 결합하여〙 (↔ ab) her ~ 이쪽〔이곳〕으로; berg~ 산을 올라가; strom~ 강을 거슬러 올라가; hin~ 위(쪽)으로; oben~ 선두에, 상위에. ②〘개시를 나타냄〙 ab und ~ 때때로, 가끔. ③〘진행·활동〙 가동 중인: das Radio war ~ 라디오가 켜져 있었다; bitte, Licht ~! 불 좀 켜봐!; das Gas ist ~ 가스가 통하고〔들어와〕 있다. ④〘착용〙 입고 있는, 부착한: mit dem Mantel ~ 외투를 입고; ohne et. ~ 몸에 아무것도 걸치지 않고, 나체로; von hier ~ 여기서부터; von jetzt ~ 지금부터. ⑤〖철도〗〘도착을 나타냄〙 Berlin ~: 16[12], 베를린 도착 16 시 12 분. ⑥〘an (die)+수사의 형식으로〙 대략, 약: an (die) 50 Mark 약 50 마르크; an (die) hundert Menschen 약 100 명.

***an..**[1] *pref.* 분리 동사의 전철로서 언제나 악센트를 가지며 "사물에의 접근·접촉, 동작의 개시·지속·강조" 따위의 뜻을 나타냄.

an..[2] *pref.* ① ↑ a... ② ↑ ana...

Ana 《lat.》 *f.* -s 명언집, 일화집.

ana [aná:, á:na] 《gr.》 *adv.* 〖醫〗 (약을 조제할 때) 같은 양으로.

ana.. 《gr.》 *pref.* "위로, 개시, 전개, 또다시, 적합"의 뜻(보기: ~log 유사한).

..ana 《lat.》 *suf.* 고유 명사 뒤에 붙여 "…와 관계 있는 것, …의 어록(語錄), …의 일화집, …의 문헌·문고" 따위를 나타냄. 때로는 어미 ..iana 로 쓸 때도 있음(보기: Goetheana 괴테에 관한 것, 괴테의 유품; Nestroyana 네스트로이 학술지; ↑ Ana).

Anabaptismus [anabaptísmus] 《gr.》 *m.* - 〖宗〗 재세례파(再洗禮派)의 교리, 재세례론.

Anabaptist *m.* -en, -en 재세례파의 교도; 〘복수〙 재세례파.

Anabasis [aná(:)bazıs] 《gr.》 *f.* ① (해안으로부터의) 내륙 진군(Xenophon이 저술한 페르시아의 소아시아 원정(종군)기에서). ② 원정기: ~ Alexanders 알렉산더 원정기.

Anabiose [anabió:zə] 《gr., bíos, „Leben"》 *f.* 〖生〗 (얼어 버렸거나 말라 버린 동식물의) 소생(蘇生).

Anabolikum *n.* -s, ..ka 〖醫〗 근육 강장제.

Anachoret [anaxoré:t, ..ço..] 《gr.》 *m.* -en, -en (초기 그리스도교의) 은자(隱者), 은거 수사(修士).

Anachoretentum *n.* -s (초기 기독교의) 은거 수도 생활.

anachoretisch *a.* 은둔〔칩거〕하는.

Anachronie *f.* 〖문학〗 연대기적 순서를 무시한 줄거리 배열.

Anachronismus [anakronísmus] 《gr. chrónos, „Zeit"》 *m.* -, ..men 연대(年代)의 오기(誤記); 시대 착오, 시대에 뒤짐.

anachronistisch *a.* 시대 착오적인.

Anadyomene [anadyó(:)mene:] 《gr.》 *f.* 〖그리스신화〗 아나디오메네(아프로디테의 별칭).

anaerob [an|aeró:p] 《gr.》 *a.* 〖生〗 혐기성(嫌氣性)의, 산소 없이 살아가는.

Anaerobier *m.* -s, - 〖生〗 혐기성 미생물.

Anabiose *f.* 〖生〗 무산소 생존.

Anagenese *f.* 〖生〗 생물의 진화.

Anaglyphen≈brille *f.* (화면을 3 차원적으로 실감나게 보기 위한) 입체 안경. **~verfahren** *n.* 〖광물 결정학·지리〗 입체 처리.

Anagramm [anagrám] 《gr. anagráphein》 *n.* -s, -e ①〖문학〗 (철자의 순서를 바꾸어 새로 만든) 전철(轉綴) 어구(보기: Kant 를 Tank 로 쓰기). ② 철자〔글자〕 맞추기.

an|ähneln, an|ähnlichen *t.* 닮게 하다, 유사하게 하다, 동화시키다.

Anähnlichung *f.* -en 닮게 하기; 동화시키기; 〖動〗 의태(擬態).

Anakarde [anakárdə] 《gr.》 *f.* -n 〖植〗 옻나무과(하트 모양의 열매를 맺음).

Anakoluth [anakolú:t] 《gr.》 *n./m.* -s, -e 〖문학〗 (문맥이나 문장의 호흡에 어긋나는) 파격(破格) 구문.

anakoluth(isch) *a.* 〖문학〗 파격 구문의.

Anakonda [anakɔ́nda] *f.* -s 〖動〗 아나콘다(남아메리카산(産)의 큰 뱀).

Anakreon [aná:kreɔn] 아나크레온(술과 사랑을 노래한 고대 그리스의 서정 시인).

Anakreontiker *m.* -s, - 아나크레온파의 시인(독일에서는 18 세기); 〘비유〙 향락주의자.

anakreontisch *a.* 아나크레온풍(風)의; 〘비유〙 향락적인.

Anakrusis [anakrú:zıs] 《gr.》 *f.* ..sen 〖문학〗 시행 첫머리에 오는 강세 없는 음절.

anal [anáːl] 《lat. anus, „After“》 *a.* 〖醫〗 항문의.
Analekten [analɛ́ktən] 《lat. analecta》 *pl.* 어록, 선집; 논문선.
Analepsis [analɛ́psɪs] 《gr.》 *f.* 〖醫〗 (Erholung) 회복, 완쾌.
Analeptikum [..tikʊm] 《gr.》 *n.* -s, ..ka 강장제(強壯劑), 흥분〔자극〕제.
analeptisch *a.* 원기를 북돋우는, 흥분〔자극〕시키는.
Anal≠erotik *f.* 〖心〗 (항문 배설에서 쾌감을 느끼는) 유아기의 성적 쾌감. **~fissur** *f.* 〖醫〗 항문 부위의 열상(裂傷).
Analgen [analgéːn] 《gr. álgos, „Schmerz“》 *n.* -s, -e 해열 진통제.
Analgesie *f.* 진통(鎭痛).
***analog** [analóːk] 《gr.》 *a.* ① (…에) 상응하는, 유사한, 유추의: eine ~e Situation 유사한 상황. ②〖전산〗 (↔ digital)아날로그 방식의, 계량형(計量型)의.
Analogat *n.* -(e)s, -e 〖哲〗 유추〔유사〕 관계.
Analogie [analogíː] *f.* -n [..giːən] ① 유사(성), 상사(相似); 〖논리〗 유추: in ~ zu... …와 유사하게; nach ~ von... …을 본보기로 하여. ②〖생물〗 상사 기관(相似器官), 유사성: Kiemen und Lungen sind ~n 아가미와 폐는 상사 기관이다. ③〖法〗 유추 해석. ④〖언어〗 (형태 또는 조어상의) 유추 현상(보기: aben-/**d**/lich → morgen/**d**/lich).
Analogie≠bildung *f.* 〖언어〗 유추 현상, 유사 형태(↑ Analogie ④). **~erzählung** *f.* (비슷한 이야기를 말함으로써 소원을 성취하려는) 주문(呪文). **~schluß** *m.* 〖논리〗 유추법.
analogisch [analóːgɪʃ] 《gr.》 *a.* ↑ analog.
Analogon *n.* -s, ..ga 유사한 경우; 유례(類例); 유사물〔체〕.
Analog·rechner *m.* 〖컴〗 아날로그 계산기.
Analphabet [an|alfabéːt, ánal..] 《gr.》 *m.* -en, -en ① 문맹자, 무학자. ② 문외한.
Analphabetentum *n.* ① 문맹. ② (특정 지역·나라의) 총문맹자수. ③ 무지몽매.
Anal·verkehr *m.* 항문 성교.
Analysand *m.* -en, -en 〖心〗 정신 분석을 받는 환자.
Analysator [..záːtɔr, ..toːr] *m.* -s, -en [..tóːrən] ①〖心〗 정신 분석 의사. ②〖物〗 진동 분석 장치. ③〖광학〗 검광자(檢光子).
***Analyse** [analýːzə] 《gr.》 *f.* -n 〖교양〗 ① 분해, 분석(↔ Synthese). ②〖음악〗 악곡 분석.
Analysen·waage *f.* 〖化〗 (0.01-0.05 mg 의 편차까지 잴 수 있는) 분석용 정밀 저울.
analysieren *t.* 분석〔분해〕하다.
Analysis *f.* ①〖數〗 해석(학). ②〖기하〗 기하학문제를 풀기 위한 예비 조사〔사전 연구〕.
Analyst 《engl.》 *m.* -en, -en 증권 전문가.
Analyt *m.* -s/-en, -e 분석 대상.
Analytik *f.* ①〖논리〗 분석론. ② 분석 화학.
Analytiker *m.* -s, - ①〖化〗 분석자; 〖哲〗 분석론자; 〖數〗 해석학자; 〖心〗 정신 분석의(醫); 〔비유〕 꼬치꼬치 캐기 좋아하는 사람. ②〖컴〗 분석기, 해석기.
analytisch *a.* 분석적〔해석적〕인: ein ~es Urteil 분석적 판단; ~e Statistik 분석 통계학.
Anämie [anɛmíː] 《gr., „Blutlosigkeit“》 *f.* -n [..míːən] 〖醫〗 빈혈: perniziöse ~ 악성 빈혈.
anämisch *a.* 빈혈의.
Anamnese [anamnéːzə] 《gr.》 *f.* -n ①〖哲〗 (특히 플라톤 철학에서 이데아의) 재인식, 상기(想起). ②〖醫〗 병력(病歷).
anamnestisch *a.* 병력(病歷)에 관계되는, 병력으로 인한.
anamnetisch 〖醫〗 ↑ anamnestisch.
anamorph [anamɔ́rf], **anamorphisch** [..ɪʃ] 《gr. morphe, „Form“》 *a.* 일그러진, 기형의.
Anamorphose *f.* 일그러짐; 〖醫〗 형성 이상(異常); 〖畫〗 왜상(歪像)화법; 〖植〗 기형.
Ananas [ánanas] 《-port.》 *f.* -(se) 〖植〗 파인애플.
Ananas≠äther *m.* 파인애플정(精). **~erdbeere** *f.* (알이 큰) 네덜란드 딸기.
Anankasmus [anaŋkásmʊs] *m.* -s, ..men 〖心·醫〗 강박 관념.
Anankast *m.* -en, -en 〖心·醫〗 강박증 환자.
Ananke [anáŋke] 《gr.》 *f.* 〖그리스신화〗 아낭케(운명의 여신 중 하나); 〔비유〕 필연, 운명.
an|ankern *t.* (배를) 정박시키다.
Anapäst [anapɛ́ːst] 《gr.》 *m.* -(e)s, -e 〖문학〗 억억양격(抑抑揚格), 단단장격(短短長格).
anapästisch *a.* ↑ Anapäst 운율의.
Anaphase *f.* 〖生〗 (개체 발생 과정에서) 간접 핵분열의 제 3 단계.
Anapher [anáːfər] 《gr.》 *f.* -n, **Anaphora** *f.* ..rä 〖修〗 두어 첩용(頭語疊用), 첫머리 어구의 반복(보기: *Wer nie* sein Brot mit Tränen aß, — *Wer nie* die kummervollen Nächte...) (↔ Epiphora).
anaphorisch *a.* 〖修〗 첫머리 어구를 반복해서 쓰는.
Anaphylaxie [anafylaksíː] 《gr.》 *f.* -n 〖醫〗 이종(異種) 단백질에 대한 알레르기 반응.
anaphylaktisch *a.* 이종(異種) 단백질에 알레르기 반응을 보이는.
an|arbeiten 《Ⅰ》 *i.* (h.) gegen et.〔jn.〕 ~ 무엇에〔누구에게〕 맞서 싸우다, 저항하다. 《Ⅱ》 *t.* et. an et. ~ 무엇을 무엇에 붙이다. 《Ⅲ》 *refl.* sich ~ 좋지 않은 일이 일어나다.
anarch *a.* 〔드물게〕 ↑ anarchisch.
***Anarchie** [anarçíː] 《gr.》 *f.* -n [..iːən] 무정부(상태); 혼란, 무질서.
anarchisch [anárçɪʃ] *a.* 무정부 상태의, 혼란스러운, 무질서한.
Anarchismus *m.* - 무정부주의.
Anarchist *m.* -en, -en 무정부주의자〔당원〕.
anarchistisch *a.* 무정부주의적인; 무질서한, 혼란스러운; 무법천지의.
Anarcho *m.* -(s), -(s) 〔구어〕 무정부주의자.
Anarcho·syndikalismus *m.* - (20 세기 초 프랑스의) 무정부주의적 노동 조합 운동.
Anarcho-Szene *f.* -n 무정부주의자들의 분위기, 무정부주의 그룹.
an|ärgern *t.* 〔드물게〕 jm. et. ~ 무엇을 할 지경으로 누구를 화나게 하다: du ärgerst mir einen Herzinfarkt an 나는 너 때문에 화가 나서 심장마비가 날 지경이다.
an|arten 《Ⅰ》 *t.* 동화시키다. 《Ⅱ》 *i.* (s.) / *refl.* (sich) et.³ ~ 무엇에 동화하다; jm. ~ 누구의 천성(天性)이 되다. 《Ⅲ》 **angeartet** *p.a.* ↑ angeartet.
anartend *a.* 타고난, 천성이 된.
Anastasis 《gr.》 *f.* 〔교양〕 ① 병상에서 일어

남, 쾌유, 소생. ② 사후(死後)의 부활.

anastatisch *a.* ① 회복시키는. ②『印』 전사(轉寫) 인쇄의: ~er Druck 전사〔철판(凸版)〕 인쇄.

Anästhesie [an|ɛstezí:] 《gr.》 *f.* 『醫』 감각 상실, 무감각증; 마취.

anästhesieren *t.* 마취시키다.

Anästhesiologe *m.* -n, -n 마취학자.

Anästhesiologie *f.* 마취학.

Anästhesist *m.* -en, -en 마취과 전문의.

Anästhetikum *n.* -s, ..ka 마취제.

anästhetisch *a.* 마취의, 무감각의.

Anastigmat [an|astɪgmá:t] 《gr.》 *m.* -en, -en〔*n.* -s, -e〕『사진』 (상의 뒤틀림을 방지하는) 수차 보정(收差補正) 렌즈.

Anastomose [anastomó:zə] 《gr.》 *f.* -n 『해부』 문합술(吻合術); 혈관 및 장기 접합술.

Anastrophe *f.* -n 『문학』 어구 전도(법) (보기: ohne Zweifel → zweifelsohne).

Anathem 《gr.》 *n.* -s, -e, **Anathema** [aná(:)tema] *n.* -s, -s/-ta ①『가톨릭』 파문, 이단 판결. ② (고대 종교에서 신전에 바치는) 제물, 공물.

anathematisieren *t.* 파문하다.

anational [anatsioná:l] *a.* 민족〔국가〕에 의해 좌우되지 않는, 비민족주의적인.

an|atmen *t.* jn.〔et.〕 ~ 누구에게〔무엇에〕 입김을 불다.

Anatolien [anató:liən] 《gr., „Morgenland"》 아나톨리아(소아시아에 속한 땅).

anatolisch *a.* 아나톨리아의.

Anatom [anató:m] *m.* -en, -en 해부학자.

***Anatomie** [anatomí:] *f.* -n [..mí:ən] 해부학; 해부학 교실; 해부학 교과서.

anatomieren *t.* 해부하다.

Anatomiker *m.* -s, - ↑ Anatom.

anatomisch *a.* 신체 구조상의; 해부(학)상의.

Anatomist *m.* -en, -en ↑ Anatom.

Anatozismus 《gr.》 *m.* -, ..men 『商』 복리(법).

an|äugeln *t.* jn. ~ 누구에게 추파를 던지다.

Anaxagoras *m.* 아낙사고라스(그리스의 철학자, 500-428 B.C.).

an|backen(*) 《I》 *t.* 살짝 굽다. 《II》 *i.* (h./s.) 눌어붙다; 달라붙다: der Schnee backt an 눈이 (신발에) 달라붙는다.

an|baggern *t.* 『구어』 이성에게 접근하다, 추근대다.

an|bahnen 《I》 *t.* …을 위해 길을 내다〔트다〕; 시작하다, (시장 따위를) 개척하다. 《II》 *refl.* sich ~ 길이 트이다, 열리다.

Anbahnung *f.* -en 개시, 시작; 준비, 개척.

an|ballen *refl.* sich ~ 엉겨서 덩어리지다; (눈이 구두에) 달라붙다.

an|balzen *t.* (발정기의 새가) 소리 내어 짝을 부르다.

an|bandeln 《I》 *i.* 『스포츠』 (봅슬레이가) 얼음 활주로의 벽에 부딪치다. 《II》 *i./t.* ↑ anbändeln.

an|bändeln 《I》 *i.* (h.) 〔구어〕 mit jm. ~ 누구와 애정 관계를 맺다. 《II》 *t.* mit jm. Streit ~ 누구와 싸움을 시작하다.

Anband(e)lung, Anbänd(e)lung *f.* 싸움질; 연애.

an|bannen *t.* ① jn. ~ 누구를 마력〔매력〕으로 꼼짝 못 하게 하다: wie angebannt stehenbleiben 무엇에 홀린 듯이 꼼짝않고 서 있다. ② jm. et. ~ 누구를 마술로 무엇에 걸리게 하다; jm. eine Krankheit ~ 누구를 마술로 병에 걸리게 하다.

Anbau [ánbau] *m.* -(e)s, -e ① 경작; 재배; 〔비유〕 (새로운 학술 분야의) 개척. ② 증축; 〔복수: -ten〕 증축된 건물, 별채.

Anbau≈beschränkung *f.* (생산 과잉을 막기 위한) 경작 제한. **≈fähig** *a.* 경작〔재배〕 가능한. **~fläche** *f.* 경작지, 경작 면적. **~hobel** *m.* 『광산』 (자동) 채탄기. **~küche** *f.* 주방용 가구 세트로 꾸며진 주방. **~möbel** *n.* 세트로 된 가구, 유니트 가구. **~motor** *m.* 보조 모터. **~plan** *m.* 『구동독』 경작 계획. **~raupe** *f.* 경운기용 캐터필러. **~wand** *f.* 조립식 맞춤 가구로 채워진 벽.

an|bauen 《I》 *t.* ① 경작하다; 재배하다; 〔비유〕 (학문·예술 분야를) 개척하다. ② (…에) 붙여 짓다, 증축하다: eine Garage (an ein Haus) ~ 차고를 (집에) 붙여 짓다; Dominosteine ~ 도미노 말을 늘어놓다; wenn wir anbauen, finden alle Gäste Platz 우리가 테이블을 붙이면, 모든 손님들이 자리를 잡을 수 있다. 《II》 *refl.* sich ~ 어떤 곳에 정주하다: sie haben sich auf dem Land angebaut 그들은 농촌에 정착했다.

Anbauer *m.* -s, - ① 경작자, 재배자; 개척자. ② 이주자.

an|befehlen* *t.* ① jm. et. ~ 누구에게 무엇을 간곡히 권고〔권유〕하다. ② 맡기다: die Kinder waren ihm anbefohlen 아이들이 그의 보호에 맡겨졌다.

Anbeginn [ánbəgin] *m.* -(e)s 『聖·시어』 시초, 발단: seit ~ 〔von ~ (an)〕 처음부터; im ~ 최초에.

an|behagen *t.* 기쁘게 하다.

an|behalten* *t.* (저고리·모자 따위를) 벗지 않다, 계속해서 착용하다.

an·bei *adv.* 『商·官』 이것과 함께, 첨부〔동봉〕하여: ~ folgt ein Muster 견본을 동봉함.

an|beißen* 《I》 *t.* 깨물다, 한입 베어 물다. 《II》 *refl.* sich ~ 물고 늘어지다. 《III》 *i.* (h.) (물고기가) 미끼를 물다; 〔비유〕 (유혹·술책에) 걸려들다: als wir ihm Geld boten, hat er sofort angebissen 우리가 그에게 돈을 제공하자, 그는 선뜻 응했다.

Anbeißen *n.* -s (물고기가 미끼를) 무는 것; 『宗』 단식 후의 첫 식사: 〔구어〕 sie ist zum ~ 그녀는 깨물어 주고 싶도록 귀엽다.

an|belangen *t./imp.* (betreffen) 관계하다: was mich anbelangt 나로서는.

an|bekommen *t.* (옷·신발을) 입을〔신을〕 수 있다: ich bekomme meine Stiefel nicht an 아무리 해도 장화를 신을 수 없다.

an|belfern *t.* 〔드물게〕 ↑ anbellen.

an|bellen 《I》 *i.* (h.) 짖어대다: angebellt kommen 짖으며 오다. 《II》 *t.* ① jn. ~ 누구를 향해 짖다. ② 〔비유〕 야단치다, 호통치다: er bellte alle Menschen rauh an 그는 모든 사람에게 심한 욕설을 퍼부었다.

an|bequemen *t.* 적응시키다: sich den Umständen ~ 환경에 적응〔순응〕하다.

an|beraumen [ánbəraumən] *t.* 확정, 결정: einen Tag〔Termin〕 ~ 날짜를〔기한을〕 정하다; eine Sitzung ~ 회합의 일정을〔일시를〕

정하다.
Anberaumung *f.* -en (시일의) 확정, 결정.
anberegt *a.* 〖法·고어〗 상술(上術)한.
***an|beten** *t.* 숭배하다; 신격화하다: 〖비유〗 das Geld ~ 돈을 우상시하다; der(die) Angebetete 연인, 신적인 존재.
anbetens·wert *a.* 숭배할 만한.
Anbeter *m.* -s, - 숭배자; 애호가.
Anbetracht [ánbətraxt] *m.* -(e)s 〖다음 용법으로만〗 in ~ eines Dinges 무엇을 고려하여; in ~ seines Alters 그의 나이를 감안하여; in ~ dessen, daß... …을 고려하여.
Anbetreff [ánbətrɛf] *m.* -(e)s ↑ Anbetracht.
an|betreffen* *t./imp.* 〖대개 다음 용법으로〗 was jn.(et.) anbetrifft 누구(무엇)에 관해서는, 누구(무엇)으로 말하자면.
anbetreffs *prp.*² (in Anbetreff) …에 관하여.
an|betteln *t.* jn. (um et.) ~ 누구에게 (무엇을) 구걸하다.
***Anbetung** [ánbe:tʊŋ] *f.* -en 숭배; 신격화.
anbetungs=wert, ~würdig *a.* 숭배할 만한, 신성한.
an|biedern *i.* (h.)/*refl.* 〖구어〗 (sich) bei jm. ~ (환심을 사려고) 누구에게 접근하다, 알랑거리다.
Anbiederung *f.* -en 알랑거림.
an|biegen* 《Ⅰ》 *t.* ① 아주 조금만 구부리다. ② 〖商〗 (beifügen) 첨가하다. 《Ⅱ》 **angebogen** *p.a.* ↑ angebogen.
an|bieten 《Ⅰ》 *i.* (h.) ① (경매에서) 첫값을 부르다. ② 〖구어〗 싸움을 걸다. 《Ⅱ》 *t.* jm. et. ~ 누구에게 무엇을 제안(제의)하다; 제공하다; 내놓다: einer Dame seine Hand ~ 어떤 여인에게 청혼하다; 〖비유〗 er bot mir eine Ohrfeige an 그는 뺨을 치겠다고 나를 위협했다; et. zu günstigem Preis ~ 무엇을 싼값에 내놓다; jm. das Du anbieten 누구에게 서로 말을 놓자고 제의하다. 《Ⅲ》 *refl.* sich ~ ① 자청하다: sich jm. zu einem Dienst (als Begleiter) ~ 누구를 돕겠다고(동행하겠다고) 나서다. ② (**a**) 나타나다, (기회 따위가) 생기다: eine Lösung bietet sich an 해결책이 (머릿속에) 떠오른다. (**b**) 적당하다: der Ort bietet sich für das Seminar an 그 장소는 세미나를 하기에 안성맞춤이다. 《Ⅳ》 **angeboten** *p.a.* ↑ angeboten.
Anbieter *m.* -s, - ① 제공자; 〖商〗 공급자. ② (경매에서) 처음 값을 붙이는 사람.
Anbietung *f.* -en ↑ anbieten 의 명사형.
an|bilden 〖고어〗 ① *t.* jm. et. ~ 누구에게 무엇을 가르치다, 익히게 하다, 길들이다: der ihm angebildete Charakter 몸에 밴 그의 성품. ② sich et. ~ 배워서 익히다.
an|binden 《Ⅰ》 *t.* ① 잡아매다, 묶다: ein Boot an einen Pfahl ~ 보트를 말뚝에 매다; ein Buch einem andern ~ 책을 다른 책과 합본하다; sich nicht ~ lassen 구속당하지 않다. 《Ⅱ》 *i.* (h.) 〖구어〗 mit jm. ~ 누구에게 싸움을 걸다. 《Ⅲ》 **angebunden** *p.a.* ↑ angebunden.
Anbiß [ánbis] 《<anbeißen》 *m.* ..bisses, ..bisse ① 물어뜯음. ② 깨문 상처.
an|blaffen *t.* ↑ anbellen 《Ⅱ》.
an|blaken *t.* 기름 연기로 꺼멓게 그을리다, 그을음 투성이가 되게 하다.
an|blasen* *t.* ① jn.(et.) ~ 누구 쪽으로(무엇을 향해) 불다, 불어대다. ② 〖비유·경박〗 야단치다, 혼내다. ③ (바람을 불어) 불을 일으키다(피우다): eine Flamme ~ 불길을 일으키다; 〖비유〗 den Lebensfunken wieder ~ 생명의 불씨를 다시 피우다. ④ (나팔·피리를) 불기 시작하다; (jn.) 나팔을 불어 영접하다. ⑤ 개시의 나팔을 불다: die Jagd ~ 사냥의 시작을 나팔을 불어 알리다. ⑥ 〖畫〗 die Farben ~ 빛깔을 엷게 하다.
an|blatten *t.* 〖건축〗 장부 맞춤하다, 엇턱이음하다.
an|blättern *t.* (책·잡지를) 뒤적이다, 대강 훑어보다.
an|bläuen *t.* 파랗게 물들이다.
an|blecken *t.* 〖구어〗 jn. ~ 누구에게 이빨을 드러내다.
an|bleiben* *i.* (s.) (전등·라디오 따위가) 켜진 채로 있다.
***Anblick** [ánblɪk] *m.* -(e)s, -e ① 바라봄, 주시: beim (auf den) ersten ~ 첫 눈에; in den ~ des Bildes versunken 그림을 보는 데 정신 팔려서. ② 모습, 광경, 구경거리: ein furchtbarer ~ 끔찍한 광경; sein (bloßer) ~ ist mir zuwider 저런 녀석은 꼴도 보기 싫다; 〖구어〗 ein ~ für Götter 진기한(굉장한) 광경, 대단한 구경거리, 우스운 광경.
an|blicken *t.* 바라보다, 주시하다.
an|blinken *t.* 깜박이는 불빛으로 비추다(신호를 보내다): ein entgegenkommendes Auto blinkte mich an 맞은편에서 오던 차가 나에게 깜박깜박 불빛으로 신호를 보냈다.
an|blinzeln *t.* 눈을 깜박거리면서 보다(눈짓하다): er blinzelte mich verschlafen an 그는 잠이 덜 깬 눈을 꿈벅거리며 나를 쳐다보았다; er blinzelte sie verstohlen an 그는 그녀에게 몰래 눈짓하였다.
an|blinzen *t.* 〖방언〗 ↑ anblinzeln.
an|blitzen *t.* 섬광으로 비추다; 쏘는 듯한 눈매로 보다.
an|blöken *t.* jn. ~ 누구에게 무뚝뚝하게 말을 걸다.
an|bohren 《Ⅰ》 *t.* ① 구멍을 뚫다: ein Faß ~ 통의 주둥이를 열어서 술을 내다. ② 시추하다: ein Erdölvorkommen ~ 유전을 시추하다. ③ 조르다; 조심스럽게 요구하다: jn. um Geld (mit Fragen) ~ 누구에게 돈을 빌려 달라고 조르다(집요하게 질문하다). 《Ⅱ》 *i.* (h.) bei jm. ~ 조심스레 누구의 의사를 타진하다.
an|bolzen *t.* 〖工〗 볼트로 죄다.
an|borden *t.* 〖海〗 ein Schiff ~ 배에 오르다.
an|borgen *t.* 빌리다, 꾸다: jn. um Geld ~ 누구에게 돈을 빌리다.
Anbot [ánbo:t] 《<anbieten》 *n.* -(e)s, -e ↑ Angebot.
an|brachen *t.* (모피 따위를) 보수(補修)하다.
an|branden *i.* 부딪쳐 부서지다: die Wellen branden gegen den Felsen an 파도가 바위에서 부딪쳐 부서진다.
an|brassen *t.* 〖海〗 die Rahen ~ 활대를 용골 쪽으로 기울이다
an|braten* *t.* 살짝 굽다.
an|brauchen 《Ⅰ》 *t.* 사용하기 시작하다. 《Ⅱ》 **angebraucht** *p.a.* ↑ angebraucht.
an|bräunen 《Ⅰ》 *t.* 〖요리〗 노릿노릿하게 굽다. 《Ⅱ》 *i.* (s.) 〖구어〗 햇볕에 살짝 타다: du bist

schon angebräunt 너는 벌써 (피부가) 탔다.

***an|brausen** *i.* (s.) 〖angebraust kommen 의 형태로〗 굉음을 내며 돌진해 오다: der Zug kam angebraust 열차가 굉음을 내며 달려왔다.

an|brechen 《Ⅰ》 *t.* 처음으로 손을 대다, 사용하기 시작하다: ein Brot ~ 빵에 칼질을 시작해서 첫 조각을 베어내다; eine Tafel Schokolade ~ 초콜릿을 먹기 시작하다; ein Faß ~ (술)통을 따다; einen Vorrat ~ 저장한 것을 사용하기 시작하다; 〖광산〗 ein Erzlager ~ 광맥을 트다. 《Ⅱ》 *i.* (s.) ① der Tag bricht an 날이 밝기 시작하다; 〖구어〗 ein angebrochener Abend 이미 어두워진 저녁. ② 부분적으로 부수다〔부러뜨리다〕: ein Bein ist nur angebrochen 한쪽 다리가 금이 갔을 뿐이다. ③ 〖방언〗 썩기 시작하다. 《Ⅲ》 **angebrochen** *p.a.* ↑ angebrochen.

an|bremsen *t./i.* 제동을 걸다.

an|brennen* 《Ⅰ》 *i.* (s.) ① 불이 붙기 시작하다. ② 〖요리〗 눌어붙다, 눋다: 〖비유〗 nichts ~ lassen a) 어떤 것도 놓치지 않다, b) 골을 허용하지 않다. 《Ⅱ》 *t.* 불을 붙이다: eine Kerze〔Zigarre〕 ~ 초〔여송연〕에 불을 붙이다. 《Ⅲ》 **angebrannt** *p.a.* ↑ angebrannt.

an|bringen* 《Ⅰ》 *t.* ① 설비하다, 설치하다, 장치하다: ein Beet in einem Garten ~ 정원에 화단을 만들다. ② **(a)** 말하다; 털어놓다: eine Beschwerde ~ 곤란한 사정을 하소연하다; eine Bitte ~ 소원을 말하다; einen Witz ~ 익살을 섞어 말하다; ein Wort für einen Freund ~ 친구를 위해 변호하다. **(b)** 〖방언〗 밀고하다(denunzieren): er hat alles beim Lehrer angebracht 그는 모든 것을 선생님께 일러바쳤다. ③ 〖구어〗 (집으로) 데려오다, 가져오다: die Kinder brachten einen Frosch an 아이들이 개구리 한 마리를(집으로) 가져왔다. ④ 팔다, 처분하다: die Waren ~ 상품을 팔다. ⑤ (jn.) 취직〔출가〕시키다: er bemüht sich, seine Tochter anzubringen 그는 딸을 출가시키려 애쓴다. ⑥ 〖구어〗 (옷·신발 등을) 입을〔신을, 쓸〕 수 있다(↔ ausbringen): ich habe die neuen Schuhe nicht angebracht 나는 이 새 신을 신을 수 없었다. 《Ⅱ》 **angebracht** *p.a.* ↑ angebracht.

Anbringer *m.* -s, - 〖고어〗 밀고자.

Anbringerei *f.* -en 밀고, 비방.

Anbringung *f.* -en ↑ anbringen 의 명사형.

Anbruch [ánbrux] 《<anbrechen》 *m.* -(e)s, ..brüche ① 〖광산〗 개착(開鑿); 개착 때 노출된 광층. ② 나타남, 시작: ~ des Tages 날이 밝아옴, 동이 틈. ③ 〖林〗 썩은 목재; 〖사냥〗 썩기 시작한 짐승 시체. ④ 포장을 뜯은 상품: im ~ verkaufen 낱개로 팔다. ⑤ 갈라짐.

anbrüchig *a.* 썩기 시작한: ~er Zahn 충치.

an|brühen *t.* a) 끓는 물에 담그다, b) 끓는 물을 붓다: Kaffee ~ 커피에 끓는 물을 붓다.

an|brüllen 《Ⅰ》 *t.* 누구를 향하여 짖다; 누구를 호통치다, 꾸짖다. 《Ⅱ》 *i.* 〖구어〗 (어떤 소음보다) 더 큰 소리로 외치다: gegen den Motorenlärm ~ 엔진 소리보다 더 크게 외치다.

an|brummen *t.* ① 누구를 향해 투덜대다, 웅얼웅얼하다. ② 〖구어〗 비난하다.

an|brüten *t.* (알을) 품기 시작하다.

ANC = African National Congress 〖政〗 아프리카 민족 회의.

Anchovis [anʃó:vɪs] *f.* ↑ Anschovis.

Anciennität [ãsiɛnitέ:t] 《frz.》 *f.* -en (Dienstalter) 복무〔재직〕 연한; 연공서열(年功序列).

Anciennitäts·prinzip *n.* 연공서열 제도.

Ancien Regime [ãsiɛ̃: reʒí:m] 《frz.》 *n.* 앙시앵 레짐, 구체제(대혁명(1789) 전의 프랑스 왕정).

..and 《lat.》 *suf.* "특정의 과정을 통과해야 할 것〔사람〕"의 뜻으로, 남성 명사를 만드는 후철(보기: Summ~ 합계해야 할 수, 가수(加數); Doktor~ 박사 과정 재학생).

***Andacht** [ándaxt] *f.* -en ① 경건한 마음. ② 기도, 예배: Morgen≈ 아침 기도; seine ~ verrichten〔halten〕 기도하다. ③ 정신 집중, 일심불란(一心不亂), 삼매(三昧): mit ~ zuhören 열심히 경청하다.

Andächtelei *f.* -en 신앙심이 두터운 체함, 거짓 신앙.

andächteln *i.* (h.) 독실한 신자인 체하다.

andächtig *a.* ① 주의 깊은: ~ zuhören 열심히 경청하다. ② 신앙심이 깊은, 경건한. ③ 엄숙〔장중〕한: eine ~e Stille 엄숙한 고요.

Andächtler *m.* -s, - 믿음이 강한 체하는 사람, 위신자(僞信者).

Andachts≈bild *n.* 성상(聖像), 성화(聖畫). **~buch** *n.* 기도서.

anachtslos *a.* 믿음이 없는, 믿지 않는.

Andachts≈stunden *pl.* 기도 시간. **~übungen** *pl.* 기도, 예배. **≈voll** *a.* ↑ andächtig. **~wonne** *f.* 법열(法悅).

Andalusien [andalú:ziən] 안달루시아(에스파냐 남부 지방).

Andalusier *m.* ① 안달루시아 사람. ② 〖動〗 안달루시아 산(産) 말.

andalusisch *a.* 안달루시아(지방)의.

an|dampfen 《Ⅰ》 *i.* (s.) ① (어느 쪽으로) 김이 올라가다. ② 증기를 내뿜으며 다가오다: die Lok kommt angedampft 기관차가 증기를 내뿜으며 달려온다; 〖비유〗 die Nachbarin dampft an 옆집 아낙네가 화가 나서 식식거리며 달려온다. 《Ⅱ》 *t.* 〖구어〗 jn. ~ 누구쪽으로 구수한 냄새를 풍기다.

andante [andánte] 《it.》 *adv.* 〖음악〗 안단테, 느리게.

Andante 《it.》 *n.* -(s), -s 느린 곡조의 곡.

andantino [andantí:no] 《it.》 *adv.* 〖음악〗 약간 느리게(andante 보다 약간 빠르게).

Andantino 《it.》 *n.* -s, -s/..ni 〖음악〗 약간 느린 곡조(의 곡).

an|dauen *t.* 소화하기 시작하다.

Andauer [ándauər] *f.* 계속, 지속.

andauern *i.* (h.) (오래) 지속되다.

andauernd *p.a.* 지속적인, 장기적인.

Andauung *f.* 〖醫〗 소화의 시작.

Anden [ándən] *pl.* (남아메리카의) 안데스 산맥.

an|denken* *i.* (h.) ① 기억하다. ② 〖거의 명령형으로만〗 denk' mal an! 생각 좀 해보게!

***Andenken** *n.* -s, - ① 회상, 기억: im ~ behalten 마음 속에 간직하다; bei jm. in gutem ~ stehen 누구에게 좋은 인상을 남기다; mein Onkel seligen ~s 돌아가신 내 아저씨. ② 〖복수〗 기념품, 선물: ein Laden, der ~ verkauft 기념품을 파는 상점.

***ander** [ándər] *prn./a.* ① 다른: ein ~es Kleid anziehen 다른 옷을 입다; mit ~en Worten 바꾸어 말하면; entweder das eine oder das ~e 이것 아니면 다른 것; und ~e(s) (약어: u.a.) 기타 등등; das ist etwas ~es 그건 이것과 좀 다른 것이다; das haben ~e auch gesagt 그 말은 이미 다른 사람들이 했다; ich habe ihn eines ~en belehrt 나는 그의 잘못된 생각을 일깨워 주었다; 〖구어〗 ~en Leuten in die Töpfe gucken 호기심에 차 다른 사람의 일에 관심을 갖다; was dem einen recht ist, ist dem ~en billig 누구나 똑같은 권리를 갖고 있다. ②〖일련의 순서 속에서〗 다음의, 제 2 의, 또 하나의: einer schrie lauter als der ~e 한 사람이 딴 사람보다 더 크게 소리를 질렀다; es kam eins zum ~en 하나씩 차례로 왔다; ein ~es Mal 다음 번에; am ~en Tag 다음 날; er erzählte eine Geschichte nach der ~en 그는 늘 새로운 이야기를 해주었다; ein Wort gab das ~e 악담이 오고 갔다, 서로간에 폭언이 이어졌다; immer einer nach dem ~en! 항상 순서대로!; ein Mal um das ~e 한 번 걸러서; zum einen habe ich keine Zeit und zum ~n auch gar keine Lust 한편으로는 내가 시간이 없고, 또 한편으로는 그럴 마음도 전혀 없다; Kaiser Friedrich der ~e 황제 프리드리히 2 세. ③ 〖특징·속성 측면에서〗 상이한, 다른, 딴: ich bin ~er Meinung 내 의견은 다르다; ~n Sinnes werden 생각이 달라지다, 변심하다; sich eines ~n besinnen 생각을 바꾸다; ~e Saiten aufziehen 엄격해지다; in ~en Umständen 임신 중인; ~e Länder, ~e Sitten 나라가 다르면 풍속도 다르다; das ~e Geschlecht 이성(異性); ein ~er Mensch werden 새〔딴〕 사람이 되다. ④〖숙어적〗 der〔das〕 eine oder ~e 그 어떤 사람〔것〕, 몇몇; unter ~em 그 중에서도, 특히(약어: u.a.); nichts ~es als... 오직 …인, 다름 아닌 …인; es blieb ihm nichts ~es übrig, als zu ... 그는 …하는 수밖에 달리 방법이 없었다; alles ~e als ... 전혀 …이 아닌, …의 정반대인.

ạnderbar *a.* 변화〔변경〕시킬 수 있는.

Änderei [ɛndəráɪ] *f.* -en ↑ Änderungsmanie.

ạnderen≈fạlls *adv.* 다른 경우에는, 그렇지 않으면. **~ọrts** *adv.* 다른 곳에서. **~tags** *adv.* 다음 날. **~teils** *adv.* ↑ anderseits.

ạnderer·seits *adv.* 다른 한편으로: einerseits ..., ~ 한편으로는 … 다른 한편으로는.

Ạnder·geschwister·kind *n.* 재종(再從) 형제(육촌).

Ạnderheit *f.* 차이, 다름.

Ạnder·konto *n.* (재산 관리인이 관리하는) 신탁 (예금) 계좌.

ạnderlei *a.* 다른 종류의.

ạnder·mal *adv.* 〖보통 ein 과 함께〗 ein ~ 다른 때〔기회〕에.

ạndermalig *a.* 언젠가 다른 때의.

***ändern** [ɛ́ndərn] 《I》 *t.* 바꾸다, 고치다, 변경하다: das ist nicht zu ~ 그것은 어떻게 달리 할 수가 없다. 《II》 *i.* (h.) / *refl.* (sich) ~ 바뀌다, 달라지다; mit et.³ ~ 무엇을 변경하다〔바꾸다〕.

***anders** [ándərs] 《ander 의 부사적 2 격》 *adv.* ① (a) 다른 방식으로; 달리, 판이하게: ~ werden 바뀌다, 달라지다; erstens kommt es ~ und zweitens als man denkt 일들에 대한 예상은 대개 빗나간다; sich ~ besinnen 생각을 바꾸다; et. ~ deuten 무엇을 다르게 해석하다. (b) 〖als 와 함께〗 ~ als gewöhnlich 보통 때와 달리; er spricht ~ als er denkt 그는 마음에도 없는 말을 한다. (c) nicht ~ als ... …와 다름없이, 꼭 …한 대로; das ist nun einmal nicht ~ 그것은 보는 바와 같이 어떻게 할 수가 없다; ich kann nicht ~ als weinen 나는 울지 않을 수 없다. (d) 보다 좋은, 나은: früher war alles ganz ~ 옛날에는 모든 것이 전혀 달랐어(훨씬 좋았다); das klingt schon ~ 그 말이 훨씬 좋게 들린다. ② (a) 〖부정 대명사나 의문사와 결합하여〗 (sonst) 그 밖에: jemand ~ 누군가 다른 사람; (irgend)wo ~ 어딘가 다른 곳에서; nirgend(wo) ~ 다른 아무데도 아니다; wer könnte das ~ sein als er? 그 사람말고 도대체 누구겠어? (b) 그렇지 않으면: du mußt arbeiten, ~ kommst du nicht weiter 너는 일을 해야 해, 그렇지 않으면 성공할 수 없어. ③〖조건문〗 wenn ~ 만약에 그게 아니라면. ④〖구어〗 mir wird ~ 나는 이상〔불쾌〕한 기분이 든다.

ạnders≈artig *a.* 다른 종류의. **≈artigkeit** *f.* 이질성, 차이. **~denkend** *a.* 생각이 다른, 의견을 달리하는. **≈denkende*** *der/die* 생각이 다른 사람.

ander·seits [ándərzaɪts] *adv.* ↑ andererseits.

Andersen [ándərzən] *m.* Hans Christian ~ 안데르센(덴마크의 동화 작가, 1805-75).

ạnders≈geartet *a.* 다른 부류의. **~gesinnt** *a.* 의견을 달리하는. **~gläubig** *a.* 신앙을 달리하는; 이단의: der〔die〕 ≈e 신앙을 달리하는 자, 이단자. **~herum** *adv.* ①〖구어〗 다른〔반대〕 방향으로〔에·에서〕. ②〖속어〗 동성애의, 동성 연애하는: er ist ~ 그는 동성연애자다. **~lautend** *a.* 다르게 말하는: ~e Berichte 내용이 서로 다른 보고들. **~redend** *a.* 언어를 달리하는. **~rum** *adv.* ↑ ~herum. **≈sein** *n.* 다름, 상이; 이탈; 〖哲〗 타재(他在). **~sprachig** *a.* 다른 언어로 말하는〔씌여진〕. **≈verwendung** *f.* 전용(轉用); 유용(流用). **~wie** *adv.* 어떤 다른 방법으로. **~wo** *adv.* 어떤 다른 곳에서: hier ist es schöner als ~ 여기가 다른 어떤 곳보다 아름답다. **≈wo** *n.* 〖法〗 현장 부재 증명, 알리바이. **~woher** *adv.* 어떤 다른 곳에서: 〖농담〗 ~ nehmen 훔치다. **~wohin** *adv.* 어떤 다른 곳으로: 〖농담〗 ~ geben 잃어버리다.

andert·halb [ándərthálp] 《＜das andere halb》 *num.* 1 과 2 분의 1: ~ Jahre 1 년 반.

ạndert·hạlb·fach *a.* 1 배 반의: die ~e Menge 1.5 배의 양.

ạndert·hạlbig *a.* 1 배 반의.

ạndert·hạlbmal [ándərt..] *adv.* 한 번 반.

***Änderung** [ɛ́ndərʊŋ] *f.* -en 고침, 수정, 변경, 개정; 변화, 갱신: eine ~ treffen 변경하다.

Ạ̈nderungs≈antrag *m.* 개정안, 수정안. **~manie, ~sucht** *f.* 수정벽(癖), 변경벽. **~vorschlag** *m.* 수정 제안.

ạnder≈wạ̈rtig *a.* 다른 장소의, 출처가 다른: ~e Informationen 출처가 다른 정보. **~wạ̈rts** *adv.* 다른 곳에: hier ist es kälter als ~ 여기가 다른 곳보다 춥다. **~weit** *adv.* 다른 방법으로; 다른 점〔관점·측면〕에 있어서: ~ benötigt werden 다른 측면에서 유용해지다〔쓸모 있게 되다〕. **~weitig** *a.* 다른 곳에서〔으로〕; 그 밖의: mit ~en Sachen beschäftigt sein 그 밖의 다른 일들에 종사하고 있다; ~e Verwendung finden 다른 곳에서 용도를 발견하다.

Andesit [andezí:t, ..zít] *m.* -(e)s, -e 〖광물〗 안산암(安山岩).

***an|deuten** 《I》 *t.* ① 암시하다, 시사하다, 변죽을 울리다. ② 대략적으로 말하다〔알리다·나타내다〕; 〖畫〗 윤곽만 그리다. 《II》 *refl.* sich ~ (은근히) 드러나다, 엿보이다: seine Absicht deutet sich an 그의 의도가 엿보인다.

andeutend *p.a.* 암시적인; 시사하는.

Andeutung [ándɔʏtʊŋ] *f.* -en 암시; 풍자; 〖畫〗 스케치; 시사, 전조(前兆).

andeutungs·weise *adv.* 암시적으로, 은근히, 넌지시.

an|dichten *t.* ① jm. et. ~ 어떤 일을 꾸며 누구에게 덮어씌우다: er dichtete mir ungewöhnliche Fähigkeiten an 그는 내가 비범한 능력이 있다고 꾸며댔다. ② et.〔jn.〕 ~ 무엇을〔누구를〕 대상으로 시를 짓다.

an|dicken *t.* (수프 등을) 진하게 만들다.

an|dienen *t.* ① jm. et. ~ 누구에게 무엇을 제공〔제의〕하다. ② 〖商〗 (상품을) 출하하다. ③ (어디를) 향해 항해하다: einen Hafen ~ 어떤 항구를 향해 항해하다.

Andienung *f.* ① 제공, 제의; 출하: die ~ von Waren 상품의 출하. ② (보험 계약자의) 해손(海損) 보상 청구.

Andienungs·pflicht *f.* 〖海〗 법정 기한(15 개월) 안에 해손 보상을 청구할 의무.

andin *a.* 안데스 산맥의.

an|diskutieren *t.* …에 관해 토론하기 시작하다.

an|docken *i.* (우주선이) 도킹하다.

an|donnern 《I》 *i.* (h.) 굉음을 내며 다가오다: der Zug kam angedonnert 열차가 큰소리를 내며 달려왔다. 《II》 *t.* jn. ~ 누구에게 거칠게 호통치다: wie angedonnert dastehen (벼락을 맞은 듯이) 놀라서 멍하니 서 있다.

Andorn [ándɔrn] *m.* -(e)s, -e 〖植〗 (유럽 원산의) 야생 박하.

Andorra [andɔ́ra] 안도라(피레네 산맥 중에 있는 소공화국).

Andorraner *m.* 안도라 사람.

andorranisch *a.* 안도라의.

an|dorren *i.* (s.) 말라붙다.

***Andrang** [ándraŋ] *m.* -(e)s, ..dränge ① 쇄도, 들이닥침, 혼잡, 붐빔: 〖商〗 ~ zu einer Bank (예금 지급을 요구하는) 고객의 은행 문전 쇄도. ② 급격한 유입: ~ des Blutes 충혈.

an|drängen 《I》 *t.* 밀치다, 밀어붙이다: jn. an die Wand ~ 누구를 벽에다 밀어붙이다. 《II》 *i.* (h.) gegen jn.〔et.〕 ~ 누구를〔무엇을〕 향해 몰려들다, 쇄도하다. 《III》 *refl.* sich an jn. ~ 누구에게 몰려가다, 몸을 갖다 대다.

andre [ándrə] *a.* ↑ andere.

Andreas [andré:as] 《gr., „der Mannhafte"》 *m.* ① 〖聖〗 안드레(사도(師徒)의 하나로 베드로의 동생). ② 안드레아스(남자 이름).

Andreas≈fest *n.* ↑ ~tag. **~kreuz** *n.* ① X 형 십자가(성(聖)안드레가 이런 모양의 십자가에 못박혀 순교했다는 전설에서). ② (철도 건널목에 있는) 접근〔통행〕 금지 경고 표시. **~orden** *m.* 제정 러시아의 최고 훈장. **~tag** *m.* 성(聖) Andreas 의 제일(祭日) (11 월 30 일).

an|drechseln *t.* et. an et. ~ 무엇의 표면에 무엇을 선반(旋盤) 세공하다: der Rock sitzt ihm wie angedrechselt 그의 저고리는 몸에 꼭 맞는다.

Andree [ándre:] *m.* -(s) 휴대용 지도책(최초의 편찬자 R. Andree 의 이름에서).

an|drehen *t.* ① 틀어서 작동시키다: das Gas〔Wasser〕 ~ 가스를〔수돗물을〕 틀다; das elektrische Licht ~ 전기불을 켜다. ② 돌려서 고정하다: die Schrauben ~ 나사를 돌려 죄다; 〖구어〗 jm. eine Arbeit ~ 누구에게 하기 싫다는 일을 억지로 떠맡기다; 〖비유〗 jm. eine Nase ~ 누구를 우롱하다. ③ jm. et. ~ 누구에게 무엇을 비싸게 팔다: er hat mir verfaulte Äpfel angedreht 그는 내게 썩은 사과를 비싸게 팔았다. ④ (anstiften) 꾸미다, 획책하다. ⑤ 〖구어〗 시작하다; 실행하다, 성취하다: wie willst du das ~? 너는 그것을 어떻게 성사시킬래? ⑥ 촬영을 개시하다.

Andreh·kurbel *f.* 시동용 크랭크.

andrer·seits *adv.* ↑ anderseits.

an|dreschen* *i.* (h.) 타작을 시작하다.

an|dressieren *t.* 훈련시키다; 훈련을 통해 가르치다〔길들이다〕.

an|dringen* *i.* (s.) auf et. 〔gegen et., zu et.[3]〕 ~ 무엇 쪽으로 몰려들다, 쇄도하다.

andro.. [andro..] 《gr. andrós, „des Mannes"》 *pref.* "남성의·수컷의"의 뜻.

Androgen *n.* -s, -e 〖醫〗 남성 호르몬(↔ Östrogen).

androgyn [androgý:n] 《gr. gynḗ, „Weib"》 *a.* 남녀 양성을 공유한; 자웅 동체(雌雄同體)의; 〖植〗 암수한그루의.

Androgynie 《gr.》 *f.* 남녀 양성 공유; 자웅 동체; 〖植〗 암수한그루.

an|drohen 《I》 *t.* 협박하다: jm. Strafe ~ 누구를 처벌하겠다고 위협하다. 《II》 *i.* (h.) (위험 따위가) 절박하게 닥쳐오다.

Androhung *f.* -en 협박, 위협.

android [androí:t] *a.* 〖醫〗 남성화된.

Androide [androí:də] 《gr.》 *m.* -n, -n 인조인간.

Androloge *m.* -n, -n 〖醫〗 남성과 전문의.

Andrologie *f.* 〖醫〗 남성 전문 의학.

Andromache [andró:maxe:] *f.* 〖그리스신화〗 안드로마케(Hektor 의 처).

Andromeda [andró:meda] *f.* ① 〖그리스신화〗 안드로메다(에티오피아 왕 Kepheus 의 딸로 괴룡(怪龍)의 제물로 바위에 묶여 있는 것을 용사 Perseus 가 구출하여 아내로 맞아들임). ② 〖天〗 안드로메다 별자리. ③ 〔복수: -s〕 〖植〗 각시석남.

Andruck [ándruk] *m.* -(e)s ① (가속할 때 생기는) 반발력; 추진력. ② 〔복수: -e〕 〖印〗 시험 인쇄본, 견본쇄; 시험 인쇄.

an|drucken *t.* 인쇄를 시작하다; 견본쇄를 만들다.

an|drücken 《I》 *t.* ① 눌러대다, 밀어붙이다, 눌러붙이다. ② (스위치를) 눌러 켜다, 작동시키다. 《II》 *refl.* sich ~ 몸을 갖다 대다.

an|dudeln *t.* 〔다음 용법으로〕 sich[3] einen ~ 취하다, 취하도록 마시다.

..andum *suf.* 《lat.》 "수행되어야할 일"의 뜻 (보기: Memor~ 비망록, 메모).

an|dunkeln 《I》 *i.* (h./s.) ① (날이) 어두워지다. ② (먼지 따위로) 거무스름해지다, (낡아

서) 거무칙칙해지다. 《Ⅱ》 *t.* 어두운 색이 되게 하다, 거무스름하게 만들다: angedunkeltes Haar 어두운 색으로 염색한 머리.

an|duseln [ándulzən] *t.* ↑ andudeln.

Äneas [εné:as] *m.* 〖그리스신화〗 에네아스(트로이의 용사).

an|ecken [án|εkən] *i.* (s.) ① (모서리에) 부딪치다: paß auf, daß du mit dem Tablett nicht aneckst! 쟁반 모서리에 부딪치지 않게 조심해! ②〖구어〗 불쾌감을 유발하다: ich bin bei ihm angeeckt 나는 그의 감정을 상하게 했다.

Äneide [εneí:də] *f.* 에네이드(에네아스(Äneas)를 주인공으로 하는 버질(Virgil)의 서사시).

an|eifern *t.* 고무하다, 격려하다.

Aneiferung *f.* 고무, 격려.

***an|eignen** *t.* sich³ et. ~ 무엇을 자신의 소유로 만들다, 획득하다; 습득하다; 횡령하다.

Aneignung *f.* -en 자신의 소유로 함, 획득; 〖法〗 소유권 획득, 선점(先占); 습득; 횡령.

***an·einander** [an|aınándər] *adv.* 서로 잇닿아〔잇닿게〕, 서로.

aneinander≈|binden* *t.* 한데 묶다, 결합시키다. **~|fügen** *t.* 서로 끼워맞추다, 접합하다. **~|geraten*** *i.* (s.) 서로 싸우게 되다. **~|grenzen** *i.* (h.) 서로 경계를 접하다, 서로 이웃하다. **~|hängen*** 《Ⅰ》 *i.* (h.) 서로 맞붙어 있다. 《Ⅱ》 *t.* 서로 맞붙게 하다, 부착시키다. **~hängend** *p.a.* 서로 맞붙어 있는. **~|kommen*** *i.* (s.) ↑ ~geraten. **~prallen** *i.* (s.) 서로 충돌하다. **~|reihen** 《Ⅰ》 *t.* 병렬시키다; (진주 따위를) 꿰어 매다. 《Ⅱ》 *refl.* sich ~ 나란히 늘어서다, (시간적으로) 뒤를 잇다: die schönsten Tage reihten sich aneinander 가장 멋진 날들이 연이어졌다. **~|rücken** *t./i.* (s.) 서로 접근시키다〔하다〕. **~schließen*** 《Ⅰ》 *t.* 연결하다. 《Ⅱ》 *refl.* sich ~ 연합〔제휴〕하다. **~stoß** *m.* 충돌. **~|stoßen*** *i.* ① (s.) 충돌하다. ② *i.* (h.) ↑ ~grenzen. **~|wachsen*** *i.* (s.) 아물다, 유착(癒着)하다.

Äneis [εné:ıs] *f.* ↑ Äneide.

***Anekdote** [anεkdó:tə] 《gr., „Unveröffentlichtes"》 *f.* -n 일화(逸話).

anekdotenhaft *a.* 일화풍의, 일화 같은.

anekdotisch *a.* 일화 형식의〔으로 쓰여진〕.

Anekdoten≈jäger *m.* 일화(거리)를 만들기를 좋아하는 사람. **~liebhaber** *m.* 일화를 좋아하는 사람. **~sammlung** *f.* 일화집.

an|ekeln *t.* ① jn. ~ 누구를 구역질나게 하다: diese Speise ekelt mich an 이 음식이 나는 아주 싫다. ② *imp.* es ekelt mich 〔mir〕 vor seinem Benehmen an 나는 그의 태도가 구역질나게 싫다; sich von et.³ angeekelt fühlen 무엇에 진저리나다.

Anemograph [anemográ:f] 《gr., ánemos, „Wind"》 *m.* -en, -en 자기(自記) 풍속계.

Anemologie *f.* 풍학(風學).

Anemometer *n.* -s, - 풍속계.

Anemone 《gr.》 *f.* -n ①〖植〗 아네모네. ②〖動〗 (See~) 말미잘.

an|empfehlen* *t.* jm. et. ~ 누구에게 무엇을 간곡히 권고〔권유〕하다.

Anempfehlung *f.* -en 권고, 권유.

an|empfinden* *t.* 직접 체험한 것처럼 느끼다: alles, was er schreibt, ist nicht erlebt, sondern anempfunden 그가 글로 쓰는 모든 것은 체험한 것이 아니라, 상상으로 추(追)체험한 것이다.

an|empfunden *p.a.* 감득(感得)된; 직접 체험한 것처럼 느낀.

..aner 《lat.》 *suf.* 인명에 붙여서 그 사람의 숭배자·신봉자를 나타냄; ...ianer 로 쓰기도 함 (보기: Luther~ 루터파의 신자).

Anerbe [án|εrbə] *m.* -n, -n 〖구식〗 농가〔농장〕의 단독 상속인.

an|erben 《Ⅰ》 *t.* (jm. et.) 상속하여 전하다; 물려주다. 《Ⅱ》 *i.* (s.) etwas erbt jm.〔〖고어〗 jn.〕 an 무엇이 누구에게 전해지다. 《Ⅲ》 **angeerbt** *p.a.* ↑ angeerbt.

Anerben≈folge *f.* 〖法〗 단독 상속. **~recht** *n.* (중세 독일의 농지에 인정된) 단독 상속권.

an|erbieten* *refl.* sich ~ 〖구식〗 자청하다, 나서다: er erbot sich an, die Sache zu regeln 그는 이 문제를 조정하겠다고 나섰다.

Anerbieten *n.* -s, - 자청, 제의: ein ~ dankend annehmen 제의를 고맙게 받아들이다.

Anerbietung *f.* -en 〖고어〗 ↑ Anerbieten.

Anergie [anεrgí:] 《gr.》 *f.* ①〖醫〗 의욕 상실증, 불감증. ②〖物〗 (다른 형태의 에너지로 전환되지 않는) 불변화 에너지. ③〖醫〗 항원(抗原)에 대하여 저항력이 강함.

anerkannt 《Ⅰ》 *p.p.* ↑ anerkennen. 《Ⅱ》 *p.a.* 인정받은, 정평이 있는: ein ~er Fachmann 공인된 전문가; eine staatlich ~e Prüfung 국가 검정 고시.

anerkannter·maßen *adv.* 알려진 바와 같이, 자타가 공인하듯이: er ist ~ der beste Fachmann 그가 최고의 전문가라는 사실은 세인이 다 인정하는 바다.

anerkennbar *a.* 인정〔승인〕할 수 있는.

an|erkennen 〖비분리로도 쓰임〗 《Ⅰ》 *t.* ① 인정〔승인〕하다; 높이 평가하다, 존중하다, 칭찬하다; 공인하다: die Mitmenschen ~ 이웃을 존중하다; ~de Worte sprechen 칭송의 말을 하다; die Vaterschaft ~ 친권(親權)을 인정하다. ② einander ~ 상호 승인하다, 외교관계를 수립하다: die beiden Staaten haben einander anerkannt 양국은 외교 관계를 수립했다. 《Ⅱ》 **anerkannt** *p.a.* ↑ anerkannt.

anerkennens·wert *a.* 인정할〔칭찬할〕 만한.

Anerkenntnis[1] *f.* -se 인정, 승인: in ~ der Notlage 긴급 상황임을 인정하고.

Anerkenntnis[2] *n.* -ses, -se ①〖法〗 승인, (민사 소송의) 인낙(認諾). ②〖法·商〗 채무 승인.

Anerkennung *f.* -en ① 승인, 인정, 공인, 동의. ② 가치를 인정함, 존중, 칭찬. ③〖政〗 (어떤 국가의 주권에 대한) 공식 승인(천명).

Anerkennungs≈schreiben *n.* 감사장, 표창장; 승인서. **~urkunde** *f.* (국가가 발급하는) 표창장, 승인서.

an|erleben *t.* sich³ et. ~ 무엇을 자기가 체험한 일처럼 여기다.

Aneroid [aneroí:t] 《gr.》 *n.* -(e)s, -e [..də] 아네로이드 기압계, 무수은 기압계.

Aneroid·barometer *n.* ↑ Aneroid.

an|erschaffen* *t.* jm. et. ~ 〖시어〗 누구에게 무엇을 만들어주다, 부여하다.

anerschaffen *p.a.* 천부의, 타고난.

an|erziehen* *t.* (jm. et.) 가르쳐 익히게 하다.

anerzogen *a.* 배워 익숙하게 된.

an|essen* *t.* 〖구어〗 sich³ einen Bauch ~ 너

무 많이 먹어 배가 나오다.

Aneurie [anɔʏríː] ⟪gr.⟫ *f.* 〖醫〗 신경 쇠약.

Aneurysma [anɔʏrÝsma] ⟪gr.⟫ *n.* -s, ..men/..mata 〖醫〗 혈관 확장증, 동맥류(動脈瘤).

an|fächeln *t.* 부채질하다.

an|fachen *t.* 불을 피우다; 〔비유〕 부추기다, 도발하다.

an|fädeln *t.* 실에 꿰다: 〔비유〕 ein Gespräch ~ 대화를 시작하다.

anfahrbar *a.* (배·차로) 접근〔도착〕할 수 있는.

an|fahren* ⟪I⟫ *i.* ① (s.) (배·차로, 배·차가) 도착하다, 다가오다: bei jm. ~ 누구의 집에 차를 대다; angefahren kommen 타고 오다. ② (s.) (배·차가) 움직이기 시작하다: der Zug fuhr ruckartig an 열차가 덜컥 하고 움직이기 시작했다. ③ (s./h.) (배·차로) 충돌하다, 부딪치다: der Wagen ist an einen Stein angefahren 마차가 돌에 부딪쳤다. ④ 〖광산〗 (a) 입갱하다: er ist zur Überschicht angefahren 그는 특근을 위해 갱에 들어갔다. (b) 광맥을 찾아내다. ⟪II⟫ *t.* ① (배·차로) 운반하다: 〔비유〕 Getränke ~ lassen 마실 것을 많이 가져오게 하다. ② 운전하다가 상처를 입히다: sie hat einen alten Mann angefahren 그녀는 한 노인을 치었다. ③ 특정한 곳으로 향하다: einen Hafen ~ 입항하다. ④ 〔비유〕 호통치다, 야단치다: er hat seinen Untergebenen tüchtig angefahren 그는 부하를 호되게 야단쳤다. ⑤ (기계를) 가동하기 시작하다.

Anfahr·schacht *m.* 〖광산〗 입갱로(入坑路), 하강갱(下降坑).

Anfahrt *f.* -en ① (배·차 따위의) 도착; 운행의 소요 시간. ② 차 대는 곳; 〖海〗 상륙장, 부두; 진입(로): das Krankenhaus hat für die Krankenwagen eine besondere ~ 그 병원은 구급차를 위한 별도의 진입로가 있다. ③ 발차, 출항. ④ 〖광산〗 입갱(入坑).

Anfahrts·weg *m.* 진입로.

Anfall *m.* -(e)s, ..fälle ① 발작, 엄습: Herz~ 심장 발작; Ohnmachts~ 기절; 〔구어〕 einen ~ bekommen〔kriegen〕 이성〔정신〕을 잃다: 〔비유〕 ein ~ von Fleiß 부지런을 떨기 시작함. ② 수확고, 산출(량): Ernte~ 곡물 수확고. ③ 〔고어〕 기습, 습격: ein nächtlicher ~ 야간 기습. ④ 〖法〗 (상속으로 인한) 귀속. ⑤ 〖사냥〗 새가 늘 내려앉는 곳; 사냥감이 모여드는 곳. ⑥ 〖광산〗 지주(支柱). ⑦ 부수적으로 생기는 일: mit dem ~ von viel Arbeit rechnen 많은 일거리가 생길 것을 염두에 두다.

an|fallen ⟪I⟫ *i.* (s.) ① 떨어져 겹치다, 내려쌓이다. ② 〖法〗 jm. ~ 누구에게 귀속되다. ③ 〖사냥〗 (새가) 내려와 앉다. ⟪II⟫ *t.* ① 기습〔습격〕하다; (병·적·걱정 등이) 습격하다, 엄습하다: die Angst fiel mich an 갑자기 불안감이 나를 엄습했다; er hat ihn mit groben Worten angefallen 그는 갑자기 그에게 심한 욕설을 퍼부었다. ② 부수적〔결과적〕으로 생기다, 발생하다: bei der Produktion fallen viele Nebenprodukte an 생산 과정에서 많은 부산물이 생긴다. ③ 〖사냥〗 der Leithund fällt die Fährte an 사냥개가 짐승의 발자국을 찾아내 뒤따라가기 시작한다.

anfallend *p.a.* ① 기습적인. ② 부수적으로 생기는, 손에 들어오는: ~e Menge 수익.

anfällig *a.* ① (병에) 걸리기 쉬운; 저항력이 없는, 면역이 없는: ~ gegen Erkältungen 감기에 걸리기 쉬운. ② 기습적인.

Anfälligkeit *f.* 면역 결핍(증).

Anfalls≈bereitschaft *f.* 발작 성향. **~leiden** *n.* 간질병. **~recht** *n.* 〖法〗 귀속〔상속〕권.

Anfang [ánfaŋ] ⟪<anfangen⟫ *m.* -(e)s, ..fänge 처음, 시작, 최초, 발단; 개시; 착수; 초기; 기원: 〔달 이름과 함께 쓰는 부사구 또는 다음에 2격 명사를 동반하는 부사구에서는 관사가 없음〕 ~ Oktober 시월 초에; ~ dieses Monats 이 달 초에; ~ der neunziger Jahre 90 년대 초; sie ist ~(der) Dreißiger 그녀는 30 대 초반이다; am〔zu, im〕 ~ 처음에; von ~ an 처음〔애초〕부터; der ~ einer Strecke 구간의 시작; den ~ machen 무엇을 (맨먼저) 시작하다; seinen ~ nehmen 시작되다; 〖속담〗 Aller ~ ist schwer 시작이 반이다.

an|fangen [ánfaŋən] ⟪I⟫ *t.* ① 시작〔착수〕하다: ein Geschäft ~ 장사를 시작하다, 가게를 열다; mit jm. einen Prozeß ~ 누구에 대하여 소송을 제기하다, 고소하다; et. verkehrt 〔falsch〕 ~ 어떤 일의 시초를 그르치다; es auf et. ~ 무엇을 목표로 시작하다; eine Geschichte〔ein Verhältnis〕 mit jm. ~ 누구와 애정 관계를 시작하다; 〔zu 를 동반하는 부정형과 함께〕 sie fängt (damit) an, leise zu singen 그녀는 조용히 노래부르기 시작한다. ② 시도하다; (행)하다; 사용하다, 이용하다: was soll ich mit ihm ~? 나는 그를 어떻게 하면 좋을까?; mit ihm ist nichts anzufangen 그는 아무짝에도 쓸모 없는 사람이다, 그와는 아무 일도 할 수 없다. ⟪II⟫ *i.* (h.) ① 말하기 시작하다; 화제로 꺼내다. ② mit et.[3] ~ 무엇을 시작하다; von vorn ~ 처음부터 다시하다; klein 〔mit nichts〕 ~ 소규모로〔무자본으로〕 시작하다. ③ 시작되다: wann hat die Schule wieder angefangen? 언제부터 학교가 개학했느냐? ⟪III⟫ *refl.* sich ~ ① 시작되다: das neue Jahr fing sich mit Schnee an 새해는 눈으로 시작되었다. ② sich leicht ~ 시작〔착수〕하기 쉽다.

Anfänger [ánfɛŋər] *m.* -s, - ① 초보자, 초학자: 〔구어〕 ein blutiger ~ 신출내기. ② 창시자, 발기인, 원조(元祖).

Anfänger·kurs *m.* 초보자 과정.

anfänglich ⟪I⟫ *a.* 최초의; 원래의. ⟪II⟫ *adv.* ↑ anfangs⟪I⟫.

anfangs ⟪I⟫ *adv.* 처음에; 원래: ~ Januar 1 월 초순에. ⟪II⟫ *prp.*[2] …의 처음에, 초(初)에: ~ der dreißiger Jahre 30 년대 초반에.

Anfangs≈buchstabe *m.* 첫 글자. **~drittel** *n.* 〖하키〗 첫 피리어드. **~gehalt** *n.* 초봉. **~geschwindigkeit** *f.* 〖物〗 처음 속도. **~gründe** *pl.* (학문 따위의) 기초, 원리. **~hälfte** *f.* 〖스포츠〗 전반전. **~kurs** *m.* 〖經〗 (증권 시장의) 개장 시세. **~punkt** *m.* 기점(起點); 〖數〗 좌표축의 교점. **~reim** *m.* 〖문학〗 (시행(詩行)의) 두운(頭韻) (↔ Endreim). **~stadium** *n.* 초기 단계. **~unterricht** *m.* (저학년·신입생을 상대로 하는) 기초 수업, 첫 수업. **~zeile** *f.* 표제; 제 1 행.

an|färben *t.* ① (살짝) 물들이다, 착색〔염색〕하다. ② 〖사냥〗 (짐승 따위를) 쏘아서 상처를 입히다.

anfaßbar *a.* 붙잡을〔쥘·만질〕 수 있는.

***ạn|fassen** 《I》*t.* ① (붙)잡다, 쥐다: jn. bei den Haaren ~ 누구의 머리카락을 움켜쥐다. ② 다루다, 취급하다: jn. mit Samthandschuhen ~ 누구를 아주 조심스럽게 다루다; et. 〔jn.〕 grob ~ 무엇을〔누구를〕 거칠게 다루다. ③ 시작〔착수〕하다: eine Arbeit mit Eifer ~ 일을 열성을 가지고 시작하다. ④ (어떤 감정이) 엄습하다, 사로잡다: Mitleid faßt mich an 동정심이 나를 사로잡는다. 《II》*i.* (h.) ① 도와 주다, 거들다, 조력하다: faß doch mal an! 제발 도와줘! ② 뿌리박다. 《III》*refl.* sich ~ 촉감이 …하다: sich weich〔rauh〕 ~ 촉감이 부드럽다〔거칠다〕.

Ạnfasser *m.* -s, - 냄비 집게(뜨거운 냄비를 집을 때 쓰는 장갑 또는 천).

ạn|fauchen *t.* ① (고양이가) …을 향해 야옹거리다. ② 〖비유〗 야단치다, 꾸짖다.

ạn|faulen *i.* (s.) 썩기 시작하다: angefaulte Orangen 썩기 시작한 오렌지.

ạnfechtbar *a.* ① 반박할 여지가 있는. ② 〖法〗 소송거리가 되는.

Ạnfechtbarkeit *f.* 〖法〗 반박의 여지; 소송 가능성.

ạn|fechten *t.* ① et. ~ 무엇에 이의를 제기하다, 논박하다: das Testament 〔ein Urteil〕 ~ 유언〔판결〕에 대하여 이의를 제기하다. ② (**a**) 〖聖〗 시험하다, 유혹하다. (**b**) 불안하게 하다, 괴롭히다: was ficht ihn an? 그 사람 왜 힘들어 하지?; sich et. nicht ~ lassen 무엇에 신경을 쓰지 않다; ich ließ es mich nicht ~ 나는 그것으로 혼란을 일으키지 않았다. (**c**) 엄습하다.

Ạnfechtung *f.* -en ① 이의 제기, 논박, 항의. ② 〖法〗 불복, 취소 청구: ~ des Urteils 판결에 대한 불복. ③ 〖聖〗 유혹, 시련: einer ~ erliegen〔standhalten〕 유혹에 굴복하다〔유혹을 견뎌 내다〕.

Ạnfechtungs≠grund *m.* 〖法〗 항소의 근거. **~klage** *f.* 〖法〗 취소 청구 소송, 항고 소송. **~recht** *n.* 〖法〗 재심 청구권, 항소권.

ạn|feilen *t.* …에 줄질을 시작하다, 줄로 약간 쓸다.

ạn|feilschen *t.* ① jm. et. ~ 누구에게 팔려고 무엇을 내놓다. ② et. ~ 무엇의 값을 흥정하다 〔깎다〕.

an|feinden [ánfaındən] *t.* 적대시하다.

Ạnfeindung *f.* -en 적대(시).

ạn|fertigen *t.* 완성시키다, 제조〔생산〕하다; (문서를) 작성하다.

Ạnfertigung *f.* -en 완성, 제작, 생산, 작성.

ạn|fesseln *t.* 매다; 〖비유〗 속박하다.

ạn|fetten *t.* …에 기름을 바르다.

ạn|feuchten *t.* 조금 물기를 묻히다, 적시다, 축이다: 〖구어〗 (sich³) die Kehle〔Gurgel〕 ~ 목을 축이다, 한잔 마시다.

Ạnfeuchter *m.* -s - (물기를 묻히는 데 쓰는) 해면 또는 붓.

ạn|feuern *t.* ① …에 불을 붙이다: den Ofen ~ 아궁이에 불을 지피다. ② 고무〔격려〕하다: die Mannschaft ~ 팀을 응원하다.

Ạnfeuerung *f.* -en 불을 지핌, 점화; 고무, 격려.

ạn|finden* *refl.* 〖방언〗 sich ~ 다시 나타나다, 발견되다.

ạn|firnissen *t.* …에 니스를 바르다.

ạn|fixen *t.* 누구를 꼬드겨 마약을 맛보게 하다.

ạn|flammen *t.* ① 살짝 태우다, 그슬리다: einen Pfahl ~ (썩지 않도록) 말뚝 끝을 그슬리다. ② 〖비유〗 고무〔격려〕하다.

ạn|flanschen *t.* 〖기술〗 플랜지로 연결하다〔잇다〕.

ạn|flattern *i.* (s.) 나풀거리며 다가오다: einige Vögel kamen angeflattert 새 몇 마리가 훨훨 날아왔다.

ạn|flechten* *t.* an et. ~ 무엇에 엮어〔짜서〕 붙이다.

ạn|flehen *t.* jn. um. et. ~ 누구에게 어떤 일〔것〕을 애원〔간청〕하다.

Ạnflehung *f.* -en 애원, 간청.

ạn|fletschen *t.* ↑ anblecken.

ạn|flicken *t.* ① et. an et. ~ 무엇을 무엇에 대고 꿰매다, 깁다. ② 〖구어〗 jm. et. ~ 누구에게 무엇을 덮어 씌우다, 비방〔험담〕하다: er wollte ihm unbedingt etwas anflicken 그는 그를 무조건 비방하려 했다.

ạn|fliegen* 《I》*i.* (s.) ① 날아오다: drei Vögel kamen angeflogen 새 세 마리가 날아왔다. ② 종자가 바람에 날려가서 나다. ③ 쉽게 습득하다, 익히다: ihm fliegt alles an a) 그는 무엇이든지 쉬 익힌다, b) 모든 일에 쉽게 성공한다; das Fieber ist ihm angeflogen 그는 갑자기 열병에 걸렸다. 《II》*t.* ① 엄습하다: Angst flog ihn an 그는 갑자기 불안감에 사로잡혔다; eine sanfte Röte flog ihre Wangen an 그 여자는 얼굴을 살짝 붉혔다. ② …을 향하여 날아가다〔비행하다〕: den Flughafen ~ 비행장을 향해 날아가다. 《III》**ạngeflogen** *p.a.* ↑ angeflogen.

ạn|fließen* *i.* (s.) 〖대개 angeflossen kommen 의 형태로〗 흘러오다, 흘러 다가오다.

ạn|flößen *t.* ① Holz ~ 재목을 뗏목으로 만들어 띄워 보내다. ② 퇴적시키다: der Fluß flößt Sand an 강물이 모래를 침적시킨다.

Ạnflößung *f.* 뗏목을 띄워 보냄, 유목(流木); 충적(토)(冲積(土)).

ạn|flöten *t.* jn. ~ 누구를 감언이설로 속이다.

ạn|fluchen *t.* ① jn. ~ 누구를 야단치며 저주하다. ② jm. Böses ~ 누구를 저주하다.

Anflug [ánflu:k] 《<anfliegen》 *m.* -(e)s, ..flüge [..fly:gə] ① 날아옴; 날아온 것. ② 〖空〗 (**a**) (목적지까지의) 항로, 비행 거리: einen zu weiten ~ haben 비행 거리가 너무 멀다. (**b**) 착륙 비행: die Maschine ist im ~ 비행기가 착륙 중이다. ③ 〖광물〗 암석에 성기게 달라붙은 광석; 〖林〗 날아온 씨(에서 난 싹); 〖광물〗 결정 초석(結晶硝石); 〖植〗 (과실 따위의) 백분(白粉). ④ 〖비유〗 징후, 흔적, 낌새, …다운 것: ein ~ von Eifersucht 질투의 낌새; ein ~ von Bärtchen auf der Oberlippe 입술 위로 희미하게 나있는 솜털 수염. ⑤ 즉흥적〔일시적〕인 기분: in einem ~ von Mitleid 순간적 동정심에서.

Ạnflug·platz *m.* 〖空〗 착륙장.

Ànfluß [ánflus] 《<anfließen》 *m.* ..flusses, ..flüsse ① 흘러옴, 유입(流入); 증수(增水); 만조(滿潮). ② 떠내려온 것; 충적토.

ạn|fluten *i.* (s.) 흘러 다가오다: das Wasser kam angeflutet 물이 넘실넘실 흘러왔다.

ạn|fordern *t.* 요구〔청구〕하다.

Ạnforderung *f.* -en 요구, 청구; 요구 사항: große ~en an jn. stellen 누구에게 큰〔무리한〕 요구를 하다.

Anfrage [ánfra:gə] *f.* -n 문의, 조회; 질의: eine ~ an jn. richten 누구에게 문의하다; kleine ~ (의회에서 서면상의 답변만 요구하는) 간단한 대정부 질문; große ~ (다수 의원이 서명한) 중요한 대정부 질문.

an|fragen *t./i.* (h.) jn.〔bei jm.〕 nach et.³ 〔um et.〕 ~ 누구에게 무엇에 관해 문의〔조회〕하다.

an|fressen* 《I》 *t.* 갉아먹다; 〖化〗 부식〔침식〕하다: angefressener Zahn 충치; 〔비유〕 von der Zivilisation angefressen 문명에 의해 좀먹은. 《II》 *refl.* 〔비속〕 sich³ ~ 너무먹어 …이 생기다: du hast dir einen Bauch angefressen 너는 너무 많이 먹어 배가 나왔다.

Anfressung *f.* -en 부식, 침식; 〖醫〗 충치.

an|freunden [ánfrɔʏndən] *t./refl.* sich mit jm.〔mit et.³〕 ~ 누구와 친(숙)해지다.

Anfreundung *f.* 친교, 친숙해짐.

an|frieren* 《I》 *i.* (s.) ① 살짝 얼다. ② 얼어붙다: das Tuch ist auf dem Eis angefroren 수건이 얼음에 얼어붙었다. 《II》 *refl.* sich³ et. ~ 몸의 어느 부분이 살짝 얼다: ich habe mir die Hände angefroren 나는 손이 살짝 얼었다.

an|frischen *t.* ①〔구식〕 ↑ auffrischen. ② 〖사냥〗 einen Hund ~ 사냥개를 칭찬하여 기운을 내게 하다.

Anfrisch≈herd, ~ofen *m.* 정련로(精鍊爐).

Anfrischung [ánfrɪʃʊŋ] *f.* -en 새롭게 함, 회복시킴, 원기 보충; 〖제련〗 정련.

an|fugen *t.* 맞붙이다, 접합하다.

an|fügen *t.* (편지에) 동봉하다, 첨부하다.

Anfügung *f.* -en ① 첨부, 동봉: unter ~ der Briefmarken 우표를 동봉하여. ② 첨부물.

an|fühlen 《I》 *t.* ① 만져 보다: einen Stoff ~ (품질 확인을 위해) 천을 만져 보다. ② (jm. et.) 감지(感知)하다: man kann (es) ihm ~, daß er unglücklich ist 그가 불행하다는 것을 느낌으로 알 수 있다. 《II》 *refl.* sich ~ 촉감이 어떠하다: der Stoff fühlt sich hart〔weich〕 an 이 옷감은 촉감이 딱딱하다〔부드럽다〕.

Anfuhr [ánfu:r] 《<anfahren》 *f.* -en ① 운송, 운반, 수송. ② 반입; 반입 화물.

***an|führen** *t.* ① 운반하다. ② (보기·증거·이유 따위를) 제시하다, 열거하다, 언급하다; 거명하다; 인용하다: zum Beweis ~ 증거로 제시하다; am angeführten Ort 앞에서 언급한 곳에서(약어: a.a.O.); jn. als Zeugen ~ 누구를 증인으로 거명하다. ③ 이끌다, 선도(先導)하다; 인솔하다, 지휘하다: den Reigen ~ 윤무(輪舞)를 리드하다; eine Truppe ~ 한 부대를 지휘하다. ④〔고어〕 jn. zu et.³ ~ 누구에게 무엇을 하도록 지도〔안내〕하다. ⑤ (jn.) 속이다, 우롱하다: da hat er dich schön angeführt! 그가 너를 멋지게 속였군!; angeführt! 속았구나!; sich ~ lassen 속다.

Anführer *m.* -s, - ① 지휘자, 리더; 주모자. ② 인솔자, 안내인. ③ 우롱하는 사람.

Anführung *f.* -en ① 인솔, 지휘. ② 언급, 열거, 인용(된 문구).

Anführungs≈strich *m.* ↑ ~zeichen. **~zeichen** *pl.* 인용부호(„ " 또는 » «).

an|füllen 《I》 *t.* et. mit et.³ ~ 무엇을 무엇으로 가득 채우다. 《II》 *refl.* sich ~ 가득 채워지다: sich mit Speise ~ 양껏 먹다.

Anfüllung *f.* -en 꽉 채움; 충전, 충만.

an|funkeln *t.* 번뜩이는 눈초리로 바라보다.

an|funken *t.* 무선 전신으로 호출하다.

an|furchen *t.* einen Acker ~ 밭에 이랑을 만들기 시작하다.

Anfurt [ánfʊrt] *f.* -en〔구식〕 착륙 장소; 착륙, 도착.

an|futtern, an|füttern *t./refl.* 〔구어〕 과식하여 살찌다, 배가 나오다: er hat sich³ ein Bäuchlein angefuttert 그는 과식하여 배가 볼록 나왔다.

***Angabe** [ánga:bə] 《<angeben》 *f.* -n ① 언급, 언명, 진술; 신고; 보고: statistische ~ 통계 제시〔자료〕; ~ des Tages 날짜 표시; nähere ~n 상보(詳報), 명세서; ohne ~ der Gründe 이유를 대지 않고. ② 지시, 명령. ③ 〔구어〕 허풍, 큰소리: ~ ist auch eine Gabe! 허풍 떠는 것도 재주다! ④ 〖테니스〗 (**a**) 서브: wer hat die ~? 누가 서브 넣을 차례냐? (**b**) 서브된 공: die ~ ging ins Aus 서브가 아웃되었다. ⑤ 착수금, 계약금, 첫 납입금.

an|gaffen *t.* 입을 헤벌리고 바라보다.

an|gähnen *t.* ① 하품을 하며 바라보다. ② jn. ~ 누구의 앞에 광활하고 어둡게 펼쳐지다: ein Abgrund gähnt ihn an 그의 앞에 심연(深淵)이 입을 벌리고 있다. ③ jn. ~ 누구를 지루하게 하다: die ganze Gesellschaft gähnte mich an 모든 좌중이 나를 지루하게 만들었다.

Angang [ángaŋ] *m.* -(e)s, ..gänge ①〔방언〕 시초, 시작. ②〖스포츠〗 (기계 체조의) 첫 (연습) 코스. ③〖민속〗 (여행 또는 사냥할 때의) 최초의 마주침〔조우〕(고대 게르만족은 누구와 마주치는가에 따라서 그날 행사의 운수를 점쳤음).

angängig [ángɛŋɪç], **angänglich** [..gɛŋlɪç] *a.* 〖官〗 허용되는; 행할 수 있는, 가능한: das ist nicht ~ 그것은 허용되지 않는다.

angeartet 《I》 *p.p.* ↑ anarten. 《II》 *p.a.* 〔드물게〕 (angeboren) 타고난, 천부의.

an|gebären* *t.* 천성으로 부여하다(↑ angeboren).

Angebäude 《<anbauen》 *n.* 〖건축〗 증축 부분.

angebbar [ánge:pba:r] *a.* 신고〔보고·진술·제시〕할 수 있는.

an|geben 《I》 *t.* ① 신고하다, 보고하다, 진술하다, 제시하다: sein Vermögen ~ 재산을 신고하다; seinen Namen ~ 이름을 대다; 〖商〗 Preise 〔Kurse〕 ~ 값을 부르다〔시세를 매기다〕; auf die angegebene Weise 상술한 방법으로; er gibt an, krank gewesen zu sein a) 그는 아팠다고 말한다, b) 그는 아팠다고 주장한다. ② 결정하다, 지정하다; 표시하다: den Tag ~ 날짜를 정하다; 〖음악〗 den Takt ~ 박자를 정하다; den Ton ~ a) 노래를 선창하다, b) 〔비유〕 주도하다. ③ 고발하다, 고자질하다, 밀고하다. 《II》 *i.* (h.) ①〖카드〗 첫 패를 돌리다, (테니스 따위에서) 서브하다: wer gibt an? 누가 서브할 차례지, 누가 선(先)이지? ②〔구어〕 떠벌리다, 허풍 떨다, 잘난 체하다: gib nicht so an! 허풍떨지 마라! 《III》 *refl.* sich ~ 자기 이름을 대며 나서다: sich für 〔als〕 et. ~ 자기가 무엇이라고 (사)칭하다〔나서다, 호언하다〕.

Angeber *m.* -s, - ①〔구식〕 고소인; 고발자, 밀고자. ②〔드물게〕 (게임에서) 선(先)인 사람; 창시자, 계획자, 발기인: Ton~ 선창자, 주도자, 유행에 앞장 서는 사람. ③ 허풍선이,

떠버리.
Angeberei *f.* -en ①〖구식〗고발, 밀고, 고자질. ② 허풍, 호언장담.
angeberisch *a.* ① 호언장담하는, 허풍떠는. ②〖구식〗밀고〔고자질〕하기 좋아하는.
Angebetete* [ángəbe:tətə] 《<anbeten》 *der/die* 스타, 숭배를 받는 사람; 애인, 연인.
Angebinde [ángəbɪndə] 《<anbinden》 *n.* -s, - ① (끈·띠로 된) 축하 선물(리본, 부적 따위). ② (작은) 선물.
***angeblich** [ánge:plɪç] *a.* ① 명목상의; 자칭하는, 소위: ein ~er Kaufmann 상인이라고 자칭하는 남자;〖商〗der ~e Wert (주식의) 액면 금액; er ist ~ krank 그는 앓고 있다고 한다. ② 추정되는: der ~e Verbrecher 범인이라고 추정되는 사람.
angebogen 《Ⅰ》 *p.p.* ↑ anbiegen. 《Ⅱ》 *p.a.* 동봉한, 첨부한.
***angeboren** [ángəbo:rən] 《<angebären》 *a.* 타고난, 천성〔천부〕의: jm. ~ sein 누구의 천성이다 ; ~e Rechte 천부의 권리.
***Angebot** [ángəbo:t] 《<anbieten》 *n.* -(e)s, -e ① 제의, 제안; 호가(呼價), 팔 값, 입찰: höchstes ~ (경매의) 상한가, 최고 입찰 금액; ein ~ annehmen〔ablehnen〕 제의를 수락〔거부〕하다. ② 팔려고 내놓은 물품, 매물: Sonder≈ 특별 할인 상품. ③〖經〗공급: ~ und Nachfrage regeln die Preise 공급과 수요가 가격을 조절한다. ④〖法〗계약 만료 통보.
Angebots≈abgabe *f.* ↑ ~ausschreibung. **~ausschreibung** *f.* 입찰 공고. **~druck** *m.*〖經〗공급 과잉. **~elastizität** *f.* 공급자가 부르는 가격의 탄력성. **~kalkulation** *f.* 공급 가격의 산출을 위한 견적. **~kartell** *n.* 공급(자) 카르텔. **~kurs** *m.* 판매 시세. **~lücke** *f.* 공급 부족. **~monopol** *n.* 공급 독점. **~preis** *m.* ① 공급자가 요구하는 가격. ②〖구어〗특별 할인 가격. **~überhang** *m.* 공급 과잉(량).
angeboten 《Ⅰ》 *p.p.* ↑ anbieten. 《Ⅱ》 *p.a.* 제공된; 팔려고 내놓은.
angebracht [ángəbraxt] 《Ⅰ》 *p.p.* ↑ anbringen. 《Ⅱ》 *p.a.* 적절한, 타당한, 알맞은: es wäre ~, zu ... …하는 편이 적절하겠다.
angebrachter·maßen *adv.* 적절〔타당〕하게.
angebrannt 《Ⅰ》 *p.p.* ↑ anbrennen. 《Ⅱ》 *p.a.* 눌은, 눌어 붙은: ~ riechen 눌은 냄새가 나다.
angebraucht 《Ⅰ》 *p.p.* ↑ anbrauchen. 《Ⅱ》 이미 사용한: ~e Sache 중고품.
angebrochen 《Ⅰ》 *p.p.* ↑ anbrechen. 《Ⅱ》 *p.a.* ① 뚜껑을 딴, 개봉한. ② 금이 간: ~es Geschirr 금이 간 그릇. ③ 시작된, 초반부의: ~er Tag 동틀 무렵. ④〖방언〗썩기 시작한.
angebunden 《Ⅰ》 *p.p.* ↑ anbinden. 《Ⅱ》 *p.a.*〖다음 용법으로만〗kurz ~ sein 무뚝뚝하다, 말수가 적다.
an|gedeihen *i.*〖다음 용법으로〗jm. et. ~ lassen 누구에게 무엇을 주다; jm. gute Erziehung ~ lassen 누구에게 좋은 교육을 시키다.
Angedenken *n.* -s, - ①〖구식〗기념, 기념품. ②〖雅語〗회상, 기억: seligen ~s a)〖고어〗작고한, 돌아가신, b)〖구어·농담〗옛날의, 과거의.
angedudelt, angeduselt *a.* 약간 취한.
angeerbt 《Ⅰ》 *p.p.* ↑ anerben. 《Ⅱ》 *p.a.* 상속받은, 물려받은.
Angefälle [ángəfɛlə] *n.* -s, - ①〖중세〗봉토(封土) 상속 유예(봉토 상속자가 미성년일 경우 성인이 될 때까지 봉토를 영주에게 반납하는 제도). ②〖건축〗홍예받이.
angeflogen 《Ⅰ》 *p.p.* ↑ anfliegen. 《Ⅱ》 *p.a.* ① ~es Holz 날아온 종자에 의해 자란 나무. ② 힘들이지 않고 습득한〔익힌〕.
angeflossen *p.p.* ↑ anfließen.
angeführt *p.p.* ↑ anführen.
angegangen [ángəgaŋən] 《Ⅰ》 *p.p.* ↑ angehen. 《Ⅱ》 *p.a.* ①〖방언〗(음식이) 상하기 시작한. ②〖다음 용법으로〗~ kommen 느긋하게 걸어오다, 다가오다.
angegossen 《Ⅰ》 *p.p.* ↑ angießen. 《Ⅱ》 *p.a.* 딱맞는, 안성맞춤인: der Anzug sitzt〔paßt〕 wie ~ 옷이 몸에 딱 맞는다.
angegraut 《Ⅰ》 *p.p.* ↑ angrauen. 《Ⅱ》 *p.a.* 희끗해진, 회색의: ~e Haare 희끗한 머리.
angegriffen 《Ⅰ》 *p.p.* ↑ angreifen. 《Ⅱ》 *p.a.* 피로한, 지친, 쇠약해진.
Angegriffenheit *f.* 피로, 쇠약.
Angehänge [ángəhɛŋə], **Angehängsel** *n.* -s, -〖구식〗① (귀고리 같은) 드리운〔매단〕 장식. ② 부적(符籍). ③ 추종자.
angeheiratet 《Ⅰ》 *p.p.* ↑ anheiraten. 《Ⅱ》 *p.a.* 결혼으로 맺어진, 결혼으로 인척이 된: ein ~er Neffe 배우자의 조카.
angeheitert 《Ⅰ》 *p.p.* ↑ anheitern. 《Ⅱ》 *p.a.*〖구어〗기분 좋게 취한.
an|gehen 《Ⅰ》 *i.* (s.) ① (일이) 진행되다: die Arbeit geht sacht an 일이 순조롭게 되어간다. ② 시작되다: die Vorstellung geht bald an 공연이 곧 시작된다. ③ 불타기〔빛을 발하기〕 시작하다: das Licht〔Feuer〕 ~ 등불이 켜지다〔불붙기 시작하다〕. ④〖방언〗썩기 시작하다: die Wurst ist schon angegangen 이 소시지〔순대〕는 벌써 상했다. ⑤ (**a**) (식물이) 뿌리를 내리다: die Ableger sind alle angegangen 꺾꽂이한 가지들이 모두 뿌리를 내렸다. (**b**) (미생물이) 번식하다: Bakterienkulturen gehen an 인공 배양된 박테리아들이 번식하고 있다. ⑥ (*imp.*) (일·처지가) 견딜 만하다: es geht an 그럭저럭 해낼〔견딜〕 수 있다, 그래도 된다〔무방하다〕; das geht nicht an 그것은 안 된다; mit diesem Verlust geht es an 이 정도의 손해는 지장 없다; soweit es angeht 할〔될〕 수 있는 한. ⑦ 맞서 싸우다, 대항 조치를 취하다: gegen 〔wider〕 die Umweltverschmutzung ~ 환경 오염에 대해 조치를 취하다. 《Ⅱ》 *t.* ① 착수하다, 해결하려고 시도하다: eine Arbeit ~ 어떤 일에 착수하다. ② 공격하다: einen Feind ~ 적을 공격하다; der Bär hat den Jäger angegangen 곰이 사냥꾼에게 덤벼들었다. ③ 부탁하다: jn. um Geld ~ 누구에게 돈을 부탁하다. ④ 관계가 있다(betreffen) : jn. ~ 누구와 관계가 있다; es geht mich nichts an 그것은 내게는 전혀 상관이 없다. ⑤〖스포츠〗(**a**) 상대편을 공격하다. (**b**) 경기를 시작하다. (**c**) 위험한 구간에 들어서다. (**d**) 장애물에 접근하다. 《Ⅲ》 **angegangen** *p.a.* ↑ angegangen.
Angehen *n.* -s, - 대항, (장애 따위의)극복; 습격.
angehend *p.a.* ① 발전〔성장〕하고 있는, 훌륭

한 결과를 짐작하게 하는: ein ~er Künstler 전도유망한 예술가. ② 장래의: mein ~er Ehemann 장래의 내 남편.

*an|gehören i.(h.) (et.³) (어떤 집단이나 시대에) 속하다, 소속되다: einer Klasse〔Partei〕 ~ 학급〔정당〕의 일원이다; das sind Sitten, die dem Mittelalter ~ 이것은 중세 고유의 풍속이다.

angehörig a. (jm.〔et.³〕) …에 속하는, …에 소속되는: ein der Partei ~er junger Mann 그 정당 소속의 한 청년(당원).

Angehörige* [ángəhø:rɪgə] *der/die* 친척, 일족; 구성원, 회원.

Angehörigkeit *f.* 소속; 친족 관계.

an|geifern *t.* ①〔드물게〕 침으로 적시다. ②〔비유·구어〕 jn. ~ 누구에게 입에 게거품을 물며 욕하다, 고래고래 소리지르다.

angejahrt [ángəja:rt] *p.a.* 〔구식〕 나이가 꽤 든, 연세가 지긋한.

Angeklagte* [ángəkla:ktə] 《<anklagen》 *der/die* 〖法〗 피고(인).

angekneipt 《I》 *p.p.* ↑ ankneipen. 《II》 *p.a.* 얼근히 취한.

angekommen 《I》 *p.p.* ↑ ankommen. 《II》 *p.a.* ① ~ sein 출석해 있다, 주위 가까운 곳에 있다. ②〔방언〕 썩어 가는.

angekränkelt 《I》 *p.p.* ↑ ankränkeln. 《II》 *p.a.* ① a) 저항력이 약한, 병약한, b) 불건전한:〔비유〕 er war von Selbstsucht und Eitelkeit ~ 그는 이기심과 허영심에 빠져 있었다. ② 모욕당한, 침해당한.

***Angel** [áŋəl] *f.* -n ① 낚싯바늘:〔비유〕 die ~ auswerfen 유혹하다; er geht ihr an die ~ 그는 그녀의 미끼에 걸려든다. ② (Tür≈) 돌쩌귀, 경첩:〔비유〕 zwischen Tür und ~ stecken a) 서두르다, b) 궁지에 빠져 있다. ③ 추축(樞軸);〔비유〕 요점: die ~ der Welt a) 지축, b) 이 세상의 근간;〔비유〕 die Welt aus den ~n heben 세상을 근본적으로 뒤바꾸다〔뒤흔들다〕. ④ (칼·괭이·호미의) 슴베. ⑤ (도둑을 막기 위한) 낚시 모양의 덫. ⑥ (obd.) (Stachel) (벌 따위의) 침(針). ⑦〖영화·TV〗(마이크·조명등을 거는) 굽은 스탠드. ⑧ 낚싯대 모양의 수영 교습용 도구.

an|gelangen *i.*(s.) 도달하다(anlangen).

angelaufen 《I》 *p.p.* ↑ anlaufen. 《II》 *p.a.* (거울이 김에) 흐려진.

Angel≈band *n.* 〔복수: ..bänder〕 경첩의 못박는 부분. **~blei** *n.* 낚시추.

Angeld *n.* -(e)s, -er (obd.) 계약금, 착수금, 선금, 선불; 첫 회 납입금.

***angelegen** 《I》 *p.p.* ↑ anliegen. 《II》 *p.a.* 중요한, 마음에 걸리는: sich³ et. ~ sein lassen 무엇을 중요시하다, 관심을 가지다.

***Angelegenheit** *f.* -en 용건, 업무, 관심사, 문제, (소송) 사건: private ~ 사적인 용무; Minister der inneren 〔auswärtigen〕 ~en 내무〔외무〕 장관.

angelegentlich 〔격식〕《I》 *a.* 절박한, 절실한: eine ~e Bitte 간청. 《II》 *adv.* 절실히, 열렬하게: ~st 〔aufs ~ste〕 열렬히, 간절히.

Angeler [áŋələr] *m.* -s, - ↑ Angler.

angelernt 《I》 *p.p.* ↑ anlernen. 《II》 *p.a.* 속성 교육을 받은, 미숙한; 배워 익힌: sein Benehmen ist nicht natürlich, sondern ~ 그의 태도는 자연스럽지 않고 배워 익힌 티가 난다.

Angel≈fisch *m.* 〖動〗 전자리상어. **~fischer** *m.* 낚시꾼. **~fischerei** *f.* 낚시질. **~gerät, ~zeug** *n.* 낚시 도구. **~haken** *m.* 낚싯바늘.

Angelika [aŋgé:lika] 《lat., „Engelgleiche"》 *f.* ① 앙겔리카(여자 이름). ②〔복수: ..ken/-s〕〖植〗 구리때.

Angel≈köder *m.* 낚싯밥, 미끼. **~leine** *f.* 낚싯줄. **~macht** *f.* 중심 세력.

Angeln [áŋəln] ①〔복수〕 앵글족(게르만 민족의 하나). ② 앙겔른(독일 북부 지방).

angeln [áŋəln] 《I》 *t.* ① 낚다, 낚시하다: Fisch ~ 고기를 낚다. ②〔비유〕 (jn.) (유혹·함정에) 걸려들게 하다, 낚아채다: sich³ einen Goldfisch ~ 부잣집 딸〔아들〕을 낚아 결혼하다. 《II》 *i.*(h.) ① 낚시질하다: ~ gehen 낚시하러 가다. ② 잡으려고 노력하다: auf Barsche ~ 농어를 낚으려 애쓰다;〔비유〕 nach einem Ehemann ~ 신랑감을 구하려고 애쓰다.

an|geloben *t.* ① jm. et. ~ 누구에게 무엇을 서약하다. ② (öst.) jn. ~ 누구에게 서약시키다.

Angelöbnis *n.* -ses, -se ↑ Angelobung.

Angelobung *f.* -en 서약, 선서.

Angelolatrie [aŋgelolatrí:] 《gr. ángelos, „Engel"》 *f.* 〖宗〗 천사 숭배.

Angel≈platz *m.* 낚시터. **~punkt** *m.* 요점, 핵심, 요체;〖天〗 극(極);〖기계〗 축점(軸點), 선회점(旋回點): Dreh- und ~ 핵심. **~rute** *f.* 낚싯대.

Angel·sachse [..zaksə] *m.* -n, -n 앵글로색슨족(게르만 민족 가운데 Angeln, Sachsen, Jüten 의 총칭, 현재의 영국계 인종).

angelsächsisch [..zɛksɪʃ] *a.* 앵글로색슨계의: das ≈e 앵글로색슨 말, 고대 영어.

Angel≈schein *m.* 낚시 허가증. **~schnur** *f.* 낚싯줄. **~stange** *f.* 낚싯대. **~stern** *m.* 〖天〗 북극성.

Angelus [áŋgelus] 《lat., „Engel"》 *m.* -, - ① 천사. ②〖가톨릭〗 삼종 기도.

Angelus·läuten *n.* 삼종 기도의 종소리.

angel≈weit *adv.* die Tür steht (sperr) ~ offen 돌쩌귀가 벌려질 수 있는 최대 한도까지 문이 활짝 열려 있다. **≈wind** *m.* 주요 방향(동·서·남·북)에서의 바람. **≈zapfen** *m.* 돌쩌귀의 축(軸).

angemaßt 《I》 *p.p.* ↑ anmaßen. 《II》 *p.a.* 부당한, 월권의: ~es Recht 월권; ein ~er Dichter 자칭 시인.

***angemessen** [ángəmɛsən] 《I》 *p.p.* ↑ anmessen. 《II》 *p.a.* 알맞은, 적절한; 예의에 맞는, 걸맞는: eine ~e Belohnung〔Strafe〕 적절한 보상〔처벌〕; in ~er Weise 적절하게, 알맞게.

Angemessenheit *f.* 적절, 타당.

***angenehm** *a.* 쾌적한; 편안한; 호감이 가는: ~es Wetter 쾌적한 날씨; ~es Äußeres 호감이 가는 외모; ~er Geschmack 고상한 취향; ~e Kühle 기분좋게 시원함; Sie sind uns stets ~ 언제든지 와 주십시오;〔구어〕 sehr ~! 뵙게 되어 반갑습니다!; ~e Ruhe! 편히 주무세요!; er ist von ~em Wesen 그는 상대방을 편안하게 해주는 사람이다; sich (bei) jm. ~ machen 누구에게 좋은 인상을 주다.

angenommen 《I》 *p.p.* ↑ annehmen. 《II》 *p.a.* 받아들여진, 용인된; 임시의; 가정의: ein

~er Name 가명, 익명; ein ~es Kind 양자.
Angepasstheit 新정서 ⇦ Angepaßtheit.
Angepaßtheit *f.* 적응 상태.
***Anger** [áŋər] *m.* -s, - ① 초원, 풀밭, 목장. ② 짐승 가죽을 벗기는 장소(Schind≈). ③ 묘지(Leichen≈). ④〔방언〕(논밭의) 두둑.
angeraucht 《I》 *p.p.* ↑ anrauchen. 《II》 *p.a.* 〖구식〗 연기에 약간 그슬린.
Anger≈blümchen *n.* 〖植〗 데이지. **~dorf** *n.* 목축을 하는 촌락.
angeregt [ángəre:kt] 《I》 *p.p.* ↑ anregen. 《II》 *p.a.* ① (대화가) 활발한, 활기찬, 흥미로운: sich ~ unterhalten 활발하게 이야기를 나누다. ②〖物〗 여기(勵起)의.
angeregter·maßen *adv.* 활발하게, 활기차게, 흥분해서.
Angeregtheit *f.* -en 흥분, 활기.
Anger≈gras *n.* 〖植〗 포아풀의 일종. **~kraut** *n.* 〖植〗 질경이류(類).
angerissen 《I》 *p.p.* ↑ anreißen. 《II》 *p.a.* ① 살짝 찢어진. ②〔학생〕 술취한.
angesäuselt 《I》 *p.p.* ↑ ansäuseln. 《II》 *p.a.* 거나하게 취한.
angeschissen 《I》 *p.p.* ↑ anscheißen. 《II》 *p.a.* 속은; 억지로 온: ~ kommen 좋지 않은 때에 오다.
angeschlagen 《I》 *p.p.* ↑ anschlagen. 《II》 *p.a.* (물건·건강이) 손상된; 기진맥진한; 풀이 죽은.
angeschlossen 《I》 *p.p.* ↑ anschließen. 《II》 *p.a.* 〖商〗 동봉한, 접속〔접합〕된.
angeschrieben 《I》 *p.p.* ↑ anschreiben. 《II》 *p.a.* bei jm. gut ~ sein〔stehen〕 누구에게 잘 보이다, 호감을 얻다.
Angeschuldigte* [ángəʃuldɪçtə] *der/die* 〖法〗 피고인, 혐의자.
angesehen 《I》 *p.p.* ↑ ansehen. 《II》 *p.a.* 명망〔신망〕 있는, 존경받는: er stammt aus einer ~en Familie 그녀는 명문가 출신이다.
angesessen 《I》 *p.p.* ↑ ansitzen. 《II》 *p.a.* ① 정주(定住)하는. ② (옷이) 몸에 꼭 맞는.
***Angesicht** [ángəzɪçt] *n.* -(e)s, -er/(öst.) -e ① (**a**) (Anblick) 바라봄, 응시, 주시: im ~ des Zieles 목표〔목적지〕를 눈앞에 두고; im ~ des Todes〔Feindes〕 죽음〔적〕을 눈앞에 두고. (**b**) 대면: jn. von ~ kennen 누구와 안면이 있다; von ~ zu ~ 서로 얼굴을 맞대고. ②〔시어〕(Gesicht) 얼굴; 표정: jm. ins ~ sehen 누구의 얼굴을 들여다보다; jn. ins ~ loben 누구를 면전에서 칭찬하다; sein ~ verklärt sich 그의 얼굴 표정이 환해진다;〔비유〕du holdes ~ 아리따운 그대여.
angesichts *prp.*[2] ① …을 바라보며: ~ der Berge 산들을 바라보며. ② …에 직면하여: ~ des Todes 죽음을 눈앞에 두고; ~ allgemeiner Krise 전반적 위기에 직면하여. ③ …을 고려할 때: ~ dieser Tatsache ist es besser, daß... 이러한 사실을 고려할 때 …하는 편이 더 낫다.
angespannt 《I》 *p.p.* ↑ anspannen. 《II》 *p.a.* 긴장된, 팽팽한; 위기의: ~ arbeiten 열성적으로 일하다; ~ lauschen 주의 깊게 듣다; eine ~e Lage 위기 상황.
angestammt *p.a.* 조상 전래의, 유전된, 전통적인; 타고난, 천성의: ~er Besitz 물려받은 재산.
Angestellte* [ángəʃtɛltə] *der/die* (사무직) 직원, 회사원, 샐러리맨, 종업원.
Angestellten·versicherung *f.* (사회 보험의 하나인)근로자 연금 보험.
angestochen 《I》 *p.p.* ↑ anstechen. 《II》 *p.a.* ① 살짝 취한. ② 정신 나간. ③ (벌레에) 물린〔찔린〕 자국이 난.
angestrengt 《I》 *p.p.* ↑ anstrengen. 《II》 *p.a.* 긴장한, 진지한, 힘든; 피곤한.
Angestrengtheit *f.* 노력, 긴장.
angetan 《I》 *p.p.* ↑ antun. 《II》 *p.a.* ① von jm.〔et.[3]〕 ~ sein 누구에게〔무엇에〕 매료되어 있다: ich bin von dem Film sehr ~ 나는 그 영화에 깊이 감명받았다. ② es jm. ~ haben 누구를 매혹하다, 호리다. ③ mit et.[3] ~ sein 무엇을 대비〔준비〕하고 있다. ④ danach〔dazu〕 ~ sein 적절하다: das ist gerade nicht danach ~, unsere Stimmung zu heben 그것은 우리의 기분을 돋우는 데 결코 적절하지 않다.
angetrunken 《I》 *p.p.* ↑ antrinken. 《II》 *p.a.* 약간 취한, 취기가 도는.
angewachsen 《I》 *p.p.* ↑ anwachsen. 《II》 *p.a.* 자라나서 붙은, 유착된.
angewandt 《I》 *p.p.* ↑ anwenden. 《II》 *p.a.* 응용된, 실제에 적용된: ~ Kunst 응용 예술.
Angewende [ángəvɛndə] *n.* -s, - 〖農〗 두둑, (쟁기 방향을 바꿀 때 생기는)밭가의 이랑.
angewiesen 《I》 *p.p.* ↑ anweisen. 《II》 *p.a.* auf jn.〔et.〕 ~ sein 누구에게〔무엇에〕 의존하고 있다.
an|gewinnen* *t.* 〖聖〗 jm. et. ~ 누구에게서 무엇을 취득하다〔빼앗다〕.
an|gewöhnen 《I》 *t.* ① jm. et. ~ 누구에게 어떤 습관을 붙이다; sich[3] et. ~ 어떤 습관이 생기다. ② jn. an et. 〔zu et.[3]〕 ~ 누구로 하여금 무엇에 익숙하게 하다. 《II》 *refl.* sich ~ 익숙해지다.
angewöhnt, angewohnt *p.a.* 습관이 된, 익숙해진.
Angewohnheit *f.* -en 습관, 버릇.
Angewöhnung *f.* -en 습관〔버릇〕이 됨.
angewurzelt 《I》 *p.p.* ↑ anwurzeln. 《II》 *p.a.* 뿌리내린, 근거가〔기반이〕 확실한.
angezeigt 《I》 *p.p.* ↑ anzeigen. 《II》 *p.a.* 적절한, 합당한: et. für ~ halten 무엇을 합당하다고 간주하다.
angezogen 《I》 *p.p.* ↑ anziehen. 《II》 *p.a.* ① 옷을 입은; 새옷이 아닌. ② ~ kommen 다가오다, 접근해 오다;〔구어〕 mit et.[3] ~ kommen 새로운 이야기를 시작하다, 새로운 학설 따위를 제창하다. ③ 마음이 끌린, 매혹된.
an|gießen* *t.* ① (구이에 물·소스를) 약간 끼얹다; (식물에) 물을 주다. ②〖工〗 용접하다: 〔비유〕 wie angegossen sitzen (옷이) 몸에 꼭 맞다. ③ (통 따위의) 주둥이를 열다.
Angina [aŋgí:na] 《lat., „Enge"》 *f.* ..nen 〖醫〗 후두염, 편도선염.
Angina pectoris [..pɛ́ktoris] *f.* 〖醫〗 협심증.
Angio≈gramm *n.* 〖醫〗 혈관 뢴트겐 사진. **~graphie** *f.* (뢴트겐 화면상에 나타난) 혈관 조영도(圖). **~logie** *f.* 혈관학.
Angiom [aŋgió:m] 《gr.》 *n.* -s, -e ↑ Angioma.
Angioma *n.* -s, -ta 〖醫〗 혈관종(腫).

Angiospermen *pl.* 〖植〗 피자(被子) 식물.

Anglaise [ãglɛ́:zə] 《frz., „englisch"》 *f.* -n 영국의 민속춤에서 유래하는 18-19 세기의 사교춤 (대개 2 분의 2 박자).

an|glänzen *t.* 비추다: das Glück glänzt uns an 우리에게 행운의 서광이 비친다.

an|gleichen(*) *t.* 동화〔적응〕시키다, 맞추다: die Gehälter den Lebenshaltungskosten ~ 봉급을 생계비에 맞게 조정하다.

Angleichung *f.* -en 조정, 동화.

an|gleiten(*) *i.* (s.) gegen et. ~ 무엇을 향해 미끄러져 가다, 무엇에 부딪치다.

Angler [áŋlər] *m.* -s, - ① 낚시꾼. ②〖動〗 아귀.

an|gliedern *t.* 합병〔편입〕하다, 가입시키다.

Angliederung *f.* -en 편입, 합병, 부속.

Anglikaner [aŋgliká:nər] 《lat.》 *m.* -s, - 영국 국교도.

anglikanisch *a.* 영국 국교의.

Anglikanismus *m.* - 영국 국교〔고교회(高教會)〕주의; 영국 국교의 교의(教義).

an|glimmen(*) 《Ⅰ》 *i.* (s.) (불이) 붙기〔타기〕 시작하다, 미광(微光)을 발하다. 《Ⅱ》 *t.* (담배에) 불을 붙이다.

anglisieren [aŋglizí:rən] *t.* ① 영국식으로 하다, 영어화하다. ② ein Pferd ~ 말의 꼬리를 짧게 자르다.

Anglist [aŋglíst] *m.* -en, -en 영어 영문학자; 영국통(通).

Anglistik *f.* 영어 영문학.

Anglizismus *m.* -, ..men 영어 특유의 어법; 영어의 영향을 받은 어법.

anglo.. *pref.* "영국의"의 뜻.

Anglo·amerikaner *m.* ① 영국계 미국인. ② 모국어가 영어인 미국인.

Anglo-Amerikaner *m.* 앵글로 색슨계 국민, 영미인; 영국계 미국인.

anglo≈französisch *a.* ① ↑ ~normannisch. ② 영불(英佛) 공통의. **~indisch** *a.* 영국과 인도의; 영령(英領) 인도의. **~inder** *m.* 영국계 인도인. **~kanadier** *m.* 영어를 사용하는〔영국계〕 캐나다인. **~katholik** *m.* 영국 가톨릭파의 교도.

Anglomane [aŋglomá:nə] 《lat.》 *m.* -n, -n 영국 숭배자, 영국광(狂).

Anglomanie *f.* 영국 숭배.

Anglo≈normanne *m.* 중세 후기에 영국으로 이주한 노르만 인. **~normannisch** *a.* 노르만계 영국인의, 앵글로 노르만어(語)의.

anglophil [aŋglofí:l] 《lat.》 *a.* 영국을 좋아하는, 영국에 우호적인.

Anglophilie *f.* 영국 애호.

anglophob *a.* 영국을 혐오하는.

Anglophobie *f.* 영국 혐오.

an|glotzen *t.* 〔경박〕 jn. ~ 누구를 뚫어지게 〔빤히〕 쳐다보다〔응시하다〕.

an|glühen 《Ⅰ》 *i.* (s.) 발갛게 달아오르기〔타오르기〕 시작하다. 《Ⅱ》 *t.* a) 작열시키다, b) (석양 따위가) 붉게 물들이다: die Sonne glühte uns an 태양이 우리를 붉게 비추었다; 〔비유〕 ihre Augen glühten ihn an 그녀는 타오르는 듯한 눈으로 그를 바라보았다.

an|glupschen *t.* (jn.) 의심스러운 눈빛으로 바라보다.

Angora [aŋgó:ra] 앙고라(1930 년까지 Ankara 의 옛 이름; 소아시아의 한 지방).

Angora≈garn, ~haar *n.* 앙고라염소의 털. **~katze** *f.* 앙고라 고양이. **~wolle** *f.* (Mohär) 모헤어(앙고라 산양의 털). **~ziege** *f.* 앙고라염소.

an|grauen 《Ⅰ》 *i.* (s.) ① 회색이 되기 시작하다; (머리카락이) 세기 시작하다. ② 날이 새기 시작하다. 《Ⅱ》 *t.* 공포〔혐오〕를 불러일으키다.

angreifbar *a.* 공격〔침범〕할 수 있는; 〖비유〗 비판〔반박〕의 여지가 있는: ein ~es Urteil 논박의 여지가 있는 판결.

an|greifen 《Ⅰ》 *t.* ① 붙잡다, 쥐다. ② 착수하다; 기획하다: was er auch angreift, es gelingt ihm alles 그는 어떤 일에 손을 대도 모두 성공한다. ③ 횡령하다, 손대다: öffentliche Gelder ~ 공금에 손을 대다. ④ 약화시키다, 피로하게 하다: kleiner Druck greift die Augen an 작은 활자는 눈을 피로하게 한다; er sieht angegriffen aus 그는 피로해 보인다. ⑤ 공격〔습격〕하다; 논박〔반대〕하다: den Gegner ~ 상대편을 공격하다. ⑥ 〖化〗 부식시키다: Säuren greifen Eisen an 산(酸)은 쇠를 부식시킨다. ⑦ 〔비유〕 매료시키다: das Buch greift mich zu sehr an 나는 그 책에 너무나 매료되고 있다. 《Ⅱ》 *refl.* sich ~ ① 분발〔노력〕하다. ② 촉감이 어떠하다: dieser Stoff greift sich weich〔rauh〕 an 이 옷감은 감촉이 부드럽다〔거칠다〕. 《Ⅲ》 *i.* (h.) (selbst) mit ~ (손수) 도와주다, 가세하다. 《Ⅳ》 **angegriffen** *p.a.* ↑ angegriffen.

angreifend *p.a.* 공격적인; 쇠약시키는, 몸에 해로운.

Angreifer *m.* -s, - 공격자, 침해자.

angreiferisch *a.* 공격적인, 호전적인.

angreifisch *a.* 〔고어〕 마음을 들뜨게 하는, 유혹적인; 손버릇이 나쁜.

Angreifung *f.* -en 접촉; 파악; 체포; 쇠약, 피로.

an|grenzen *i.* (h.) an et. ~ 무엇에 인접하다.

angrenzend *p.a.* 인접한; 〖비유〗 거의 …할 지경에 있는.

Angrenzer *m.* -s, - 이웃, 이웃 사람.

Angrenzung *f.* -en 인접, 경계를 접함.

Angriff 《<angreifen》 *m.* -(e)s, -e ① 공격, 습격: ein ~ gegen jn. 누구에 대한 공격; ~ durch Überfall 기습; einen ~ abwehren 공격을 막아내다; zum ~ übergehen 공격으로 전환하다; die beste Verteidigung ist der ~ 공격은 최선의 방어다. ② 침해, 훼손: das war ein ~ auf seine Ehre 그것은 그의 명예 훼손이었다. ③ 개시, 착수: et. in ~ nehmen 무엇에 착수하다. ④ (Griff) 손잡이, 자루. ⑤ 촉감, 감촉.

Angriffs≈art *f.* 공격법. **~bündnis** *n.* 공격 동맹. **~delikt** *n.* 〖法〗 침해 범죄. **~geist** *m.* 공격 정신. **~krieg** *m.* 공격전. **~linie** *f.* 〖스포츠〗 공격선. **~lust** *f.* 호전성. **~lustig** *a.* 공격적〔호전적〕인. **~punkt** *m.* 〖物〗 작용점; 〖軍〗 공격점: günstiger ~ 유리한 지점, 지형적 이점; 〔비유〕 dem Gegner keine ~e bieten 상대에게 약점을 보이지 않다. **~spieler** *m.* 〖스포츠〗 공격 선수. **~waffe** *f.* 공격용 무기. **~weise** *adv.* 공격적으로: ~ verfahren 공세를 취하다.

an|grinsen *t.* jn. ~ 누구를 보고 히죽거리다, 조소하다.

an|groben *t.* ↑ angrobsen.

an|grobsen [..psən] 《<grob》 *t.* 〖드물게〗 (jn.) 누구에게 거칠게 말하다, 호통치다.
an|grunzen *t.* 〖구어〗 jn. ~ 누구에게 (돼지처럼) 퉁명스럽게 말하다.
*****Angst** [aŋst] *f.* Ängste ① 불안, 걱정, 근심: jm. ~ machen (jn. in ~ (ver)setzen) 누구를 불안하게 하다; in ~ geraten 불안감에 빠져 들다; ~ um das Kind 아이에 대한 걱정; aus ~ vor Strafe 벌을 받을까 두려워서; 〖농담〗 mehr ~ als Vaterlandsliebe haben 몹시 겁을 내다, 겁이 매우 많다; ich habe es mit der ~ zu tun bekommen(gekriegt) 나는 갑자기 겁이 났다. ② 통증, 산통(疝痛), 복통: schwere ~ 간질(병). ③ (schweiz.) (일을) 서두름.
angst *a.* 〖서술적으로만〗 불안한, 걱정스런, 무서운: mir ist(wird) ~ vor ihm (um ihn) 나는 그가 무섭다(그의 신변이 걱정된다); ~ und bange sein(machen) 불안하다(불안하게 하다).
Angst≈arsch *m.* 〖비속〗 겁쟁이. **~ausruf** *m.* 공포의 비명. **~beben** *n.* 전율. **~bedrängt** *a.* 겁에 질린. **~beklommen** *a.* 걱정으로 우울해진.
ängsten [ɛŋstən] *t.* 〖격식〗 ↑ ängstigen.
Angster [áŋgstər] 《it.》 *m.* -s, - 플라스크 모양의 컵.
angst·erfüllt *a.* 몹시 불안한, 전전긍긍하는.
Ängsterling *m.* -s, -e 겁쟁이.
angst≈frei *a.* 두려움이 없는, 불안에서 벗어난. **≈geburt** *f.* 공포로 인한 조산(早產). **~gefühl** *n.* 불안(공포)감. **~gegner** *m.* 〖스포츠〗 벅찬 상대, 공포의 맞수. **~geschrei** *n.* 비명. **~hase** *m.* 겁쟁이.
ängstig *a.* 〖고어〗 ↑ ängstlich.
ängstigen [ɛŋstɪgən] 《I》 *t.* 걱정하게(무서워하게) 하다. 《II》 *refl.* sich (um et.) ~ (무엇을) 근심(염려)하다; sich vor et.³ ~ 무엇을 무서워하다.
Ängstigung *f.* -en 불안, 공포, 번민.
Angst≈kauf *m.* (물자 부족을 우려한) 사재기. **~kind** *n.* 애물 덩어리 자식; 외아들; 허약한 아이. **~klausel** *f.* 〖法〗 (어음의) 무담보 배서, 무담보 약관.
*****ängstlich** [ɛŋstlɪç] *a.* ① 걱정되는, 근심스러운, 조바심이 드는: nicht ~ sein 안달할 필요가 없다. ② 겁먹은, 소심한: sei nicht so ~! 그렇게 벌벌 떨지 마라! ③ 지나치게 꼼꼼한, 고지식한.
Ängstlichkeit *f.* 불안, 근심, 염려; 소심, 꼼꼼함, 고지식함.
Angst≈lüge *f.* 〖교육·아동〗 벌이 두려워서 하는 거짓말. **~macher** *m.* 두려움의 대상, 불안의 원인. **~mann** *m.* 〖복수: ..männer〗 〖고어·방언〗 사형 집행인, 형리. **~meier** *m.* ↑ ~hase. **~meierei** *f.* 두려워함, 소심. **~-neurose** *f.* 〖醫〗 불안 신경증. **~parole** *f.* (정치상·경제상의) 불안·공포를 조장하는 발언(구호). **~peter** *m.* 걱정꾸러기, 겁쟁이. **~psychose** *f.* 〖醫〗 (극도의) 정신 불안. **~röhre** *f.* 〖농담〗 실크 해트(Zylinderhut).
Angström·einheit [ɔ́ŋstrø:m.., áŋ..] *f.* 〖物〗 옹스트롬 단위(기호: Å, ÅE, ÅE).
Angst≈ruf *m.* 비명. **~schweiß** *m.* 식은땀. **~traum** *m.* 흉몽, 악몽. **≈voll** *a.* 불안해 견딜 수 없는, 겁에 질린. **~vorstellung** *f.* 불안감을 유발하는 생각(상상). **≈zitternd** *a.* 불안에 떠는, 전전긍긍하는.
an|gucken *t.* 〖구어〗 주시하다, 관찰하다.
angular [aŋgulá:r] 《lat. angulus, „Winkel"》 *a.* (eckig) 모가 난, 모서리가 있는.
an|gurten *t.* (자동차의) 안전 벨트를 매다.
an|gürten *t.* 띠로 매다; (칼 따위를) 차다.
Anguß [ángus] 《<angießen》 *m.* ..gusses, ..güsse ① 〖工〗 거푸집, 금형, 주형. ② 〖印〗 (지형을 만들 때 생기는) 납찌꺼기. ③ (도자기의) 유약; 유약칠.
Anguß·farbe *f.* 유약.
Anh. ① =Anhang 부록, 추가. ② =Anhalt¹.
an|haben* *t.* ① (외투·구두 따위를) 몸에 걸치고 있다, 신고 있다: 〖비유〗 seine Frau hat die Hosen an 그의 집에서는 부인의 입김이 세다. ② 〖부정형으로 흔히 부정(否定)의 어법에 쓰임〗 (jm. et.) 해를 끼치다: ihm ist nichts anzuhaben 아무도 그에게 해를 끼칠 수 없다; sich³ nichts ~ lassen 남이 넘볼(해칠) 기회를 주지 않다.
an|hacken 《I》 *i.* (h.) 들러붙다. 《II》 *t.* (새가 과일 따위를) 쪼다.
an|haften *i.* (h.) ① 달라붙다. ② 부수되다.
an|hägern [ánhɛ:gərn] *t.* 〖고어〗 (물살이 토사를 운반하여) 침전시키다; (바다를) 메우다.
Anhägerung *f.* -en 침전 퇴적층, 모래층.
an|häkeln *t.* ① ↑ anhaken. ② 〖재봉〗 코바늘로 짜붙이다.
an|haken *t.* ① 갈고리로 고정시키다(걸다). ② 체크 표시(√)를 하다, 체크하다.
an|halftern *t.* (말 따위에) 고삐를 매다.
an|halsen *t.* ① jm. et. ~ 누구에게 무엇(짐)을 지우다; 부과하다. ② 〖사냥〗 (개 따위를) 잡아매다: den Hund ~ 개를 개줄에 매다.
*****Anhalt¹** *m.* -(e)s, -e ① 정지; 정류장, 정거장; 기항지. ② 발판, 실마리; 근거, 요점.
Anhalt² 안할트(옛 독일의 주; 현재 Sachsen-Anhalt 주; 약어: Anh.): 〖농담〗 aus ~ sein 구두쇠다, 인색하다.
*****an|halten*** 《I》 *t.* ① 멈추다, 정지시키다: den Wagen ~ 차를 세우다; den Atem ~ 호흡을 멈추다. ② 구금하다; 압류하다. ③ jn. zu et.³ ~ 누구를 격려(독촉)하여 무엇을 하게 하다: jn. zur Arbeit ~ 일을 하도록 독려하다; ein Kind zur Sauberkeit ~ 어린이에게 청결히 하도록 가르치다. ④ 오래 지속하다: 〖음악〗 einen Ton ~ 어떤 음조(音調)를 지속시키다. ⑤ 갖다대다, 대보다: einen Maßstab ans Brett ~ 널빤지에 자를 대다; ich hielt mir den Rock an 나는 치마를 시험삼아 몸에 대보았다. 《II》 *i.* (h.) ① 정지하다, 멈추다; 〖海〗 기항하다; 정체하다: das Fahrzeug hält an 차가 정차한다; beim Lesen ~ 독서를 중지하다; (mitten) in der Arbeit ~ 일을 중단하다; halten Sie an! (차를) 멈추시오! ② 지속되다, 계속되다: der Sturm (die Kälte) hält lange an 폭풍이(추위가) 오래 계속되고 있다. ③ 〖고어〗 (bei jm.) um et. ~ (누구에게) 무엇을 간청하다: um ein Mädchen ~ 처녀에게 구혼하다; um eine Stelle ~ 일자리를 구하다. 《III》 *refl.* ① sich ~ 자제(극기)하다. ② sich an et.³ ~ 무엇에 몸을 의지하다: halte dich am Geländer an! 난간을 꼭 붙잡아라!
Anhalten *n.* -s ① 갖다대어 놓음. ② 중지, 정지, 정차; 유치, 구류; 압류. ③ 계속, 지속. ④

간청, 구혼.

anhaltend *p.a.* 지속되는, 끊임없는, 참을성 많은: ~er Regen 장마; lang ~er Beifall 오래 계속되는 박수.

Anhalter[1] *m.* -s, - ① (태워 달라고) 차를 세우는 사람, 히치하이커: per ~ fahren〔reisen〕 남의 차에 편승하여 가다〔여행하다〕. ② 격려해 주는 사람.

Anhalter[2] 《<Anhalt》《Ⅰ》 *m.* -s, - ↑ Anhalt[2] 지방 사람. 《Ⅱ》 *a.* ↑ Anhalt[2] 지방의.

Anhalte≈stelle *f.* 정류장. **~weg** *m.* 제동 거리. **~zeichen** *n.* 정지 신호.

Anhaltiner [anhaltí:nər] *m.* -s, - ↑ Anhalter[2] 《Ⅰ》.

anhaltinisch, anhaltisch *a.* ↑ Anhalt[2] 지방(출신)의.

anhaltsam *a.* ↑ anhaltend.

Anhalts≈ort *m.* 정류소. **~punkt** *m.* 근거, 논거, 기반: ~ für diese Hypothese 이러한 가설의 근거.

an|hämmern *t.* 망치로 쳐서 부착하다.

anhand [anhánt] *prp.*[2] 〔격식〕 …에 의하여, …을 근거로: ~ des Gutachtens 감정 평가 내용을 근거로.

anhand|nehmen* *t.* 돌봐 주다, 진력하다.

***Anhang** [ánhaŋ] *m.* -(e)s, ..hänge (약어: Anh.) ① 덧붙인 것, 부속물; 부록; 보유(補遺), 추가 (조항), (편지의) 추신; 〖商〗 (환어음의) 부전(附箋); 〖醫〗 부속 기관(器官); 〖음악〗 부가곡(附加曲) (Coda). ② 지지자, 추종자: einen starken ~ haben 막강한 추종 세력을 거느리고 있다. ③〔구어〕 친지, 동료, 연고자: eine Witwe ohne ~ 의지할 사람이 없는 과부.

an|hangen* *i.* (h.) ↑ anhängen[1].

an|hängen[1] *i.* (h.) ① jm.〔et.[3]〕 ~ 누구에게〔무엇에〕 바싹 붙어 있다: 〔비유〕 diese Geschichte hängt ihm immer noch an 이 이야기가 그의 뇌리를 떠나지 않는다. ②〔雅語〕 jm.〔et.[3]〕 ~ 누구에게〔무엇에〕 집착하다: er hing einem Aberglauben an 그는 미신에 집착했다. ③ 수화기를 놓다, 전화를 끊다.

an|hängen[2] 《Ⅰ》 *t.* ① an et. ~ 무엇에 걸다〔매달다〕; 〖원예〗 접지(接枝)하다, 접붙이다: einen Wagen an den Zug ~ 차량을 열차에 연결시키다; ich hänge (den Hörer) an 나는 전화를 끊는다; 〔비유〕 der Katze die Schelle ~ 고양이 목에 방울을 달다. ② 부가하다, 덧붙이다: ein Nachwort ~ 후기를 덧붙이다. ③ jm. et. ~ 누구에게 무엇을 뒤집어씌우다, 전가하다: jm. eine Krankheit ~ 누구에게 병을 옮기다; sie hat ihm allerhand angehängt 그 여자는 그에게 마구 욕을 했다; jm. eine Ware ~ 누구에게 (나쁜) 상품을 속여 팔아 넘기다. 《Ⅱ》 *refl.* sich jm.〔an jn.〕 ~ a) 누구에게 매달리다〔의지하다〕, b) (경주에서) 누구의 뒤를 바싹 뒤쫓다: sich an et. ~ 무엇에 따르다, 관여하다.

anhängend *p.a.* 부수〔수반〕되는; 가지고 태어난; 애착을 가진.

***Anhänger** [ánhɛŋər] *m.* -s, - ① 추종자, 신봉자; 팬, 종자, 제자: ~ einer Theorie〔Bewegung〕 어떤 이론〔운동〕의 신봉자. ② 드리운 장식, 펜던트, 목걸이: sie trägt einen ~ aus Gold 그녀는 금 장신구를 차고 있다. ③ 〖원예〗 접지(接枝). ④ 연결 차량, 트레일러. ⑤ 꼬리표, 짐표, 번호표, 이름표. ⑥〔방언〕 옷의 걸개〔고리〕: der ~ des Anzugs ist abgerissen 양복의 걸개가 뜯어졌다.

Anhängerschaft *f.* -en 추종자〔신봉자〕 집단, 추종 세력; 당파심: ~ eines Politikers 어떤 정치가의 추종 세력.

Anhänge≈schloß *n.* 맹꽁이자물쇠. **~silbe** *f.* 〖문법〗 (Suffix) 후철, 변화 어미. **~wagen** *m.* ↑ Anhänger ④. **~wort** *n.* 〔복수: ..wörter〕, **~wörtchen** *n.* 〖문법〗 (Enklitikon) 전접어(前接語). **~zettel** *m.* ↑ Anhänger ⑤.

anhängig *a.* ①〖法〗 계류〔진행〕 중의: der Prozeß ist ~ 그 소송은 계류 중이다; et. bei Gericht ~ machen 〔eine Klage ~ machen〕 재판을 걸다. ②〔고어〕 jm.〔et.[3]〕 ~ 누구를〔무엇을〕 신봉〔추종〕하는: einer Meinung ~ sein 어떤 견해를 따르다.

anhänglich [ánhɛŋlɪç] *a.* ① 충직한, 의리 있는. ② (…에게) 매달리는, 의존적인: für sein Alter ist das Kind zu ~ 그 아이는 나이에 비해 지나치게 의존적이다.

Anhänglichkeit *f.* 애착, 추종, 충성.

Anhängsel [ánhɛŋzəl] *n.* -s, - (zu et.[3]) ① 첨가물, 부록, 추가. ② 드리운 장식, 펜던트. ③ 식객, 측근, 추종자. ④〔비속〕 동반〔반려〕자, 아내; 자식. ⑤ 약조금, 착수금, 계약금.

anhangs·weise *adv.* ↑ anhangweise.

anhangweise *adv.* 부수적으로, 부록으로.

Anhau [ánhau] 《<anhauen》 *m.* -(e)s, -e 〖林〗 벌채 개시; 벌채지.

Anhauch [ánhaux] *m.* -(e)s ① 입김; 미풍. ② 낌새, 기미: ein ~ des Unheimlichen 무시무시한 것의 낌새.

an|hauchen *t.* ① …에 입김을 불다〔쐬다〕: die Brille ~ 안경에 입김을 불다. ②〔비유·경박〕 (jn.) 꾸짖다, 호통치다. ③〔부사+angehaucht 로〕 …풍의, …한 분위기를 풍기는: romantisch〔komödiantisch〕 angehaucht 낭만적인〔코미디언 같은〕 분위기를 풍기는; er ist vom Tod angehaucht 그에게 죽음의 전조(前兆)가 보인다.

an|hauen* ① *t.* 〖林〗 (나무를) 베기 시작하다; (수목에) 칼〔도끼〕 자국을 내다; 〖광산〗 개발하다. ②〔비유·경박〕 (jn.) 조르다, 추근대다: die Passanten um Geld ~ 행인들에게 돈을 달라고 애걸하다; ein Mädchen ~ 어떤 아가씨에게 추근대다.

an|häufeln *t.* 쌓아올리다: Erde um eine Pflanze ~ 식물에 흙을 덮어 북돋우다.

an|häufen 《Ⅰ》 *t.* 쌓다, 끌어모으다: Geld 〔Waren〕 ~ 돈〔물건〕을 축적하다. 《Ⅱ》 *refl.* sich ~ 모이다, 쌓이다: neue Bücher häufen sich an 신간 서적들이 쌓이고 있다.

Anhäufung *f.* -en ① 퇴적; 축적(물): 〖醫〗 ~ von Blut 충혈. ② 누적, 과중: die ~ von Geschäften 업무의 누적. ③ 빈발, 잦은 반복: die ~ ihrer Herzanfälle macht mir Sorgen 그녀의 잦은 심장 발작이 나는 걱정된다.

an|heben* 《Ⅰ》 *t.* ① 살짝 치켜들다. ②〔비유〕 향상시키다: das Niveau 〔die Preise〕 ~ 수준〔가격〕을 올리다. ③〔雅語〕 시작〔착수〕하다: ein Lied ~ 노래 부르기 시작하다. 《Ⅱ》 *i.* (h.) 〔雅語〕 시작되다: eine neue Ära hebt an 새 시대가 시작된다.

Anhebung *f.* 인상, 제고: ~ der Löhne 임금 인상.

an|hefteln 《Ⅰ》 *t.* 잡아매다, 철하다. 《Ⅱ》 *i.* (h.) mit jm. ~ 누구와 긴밀한 관계를 맺다.
an|heften 《Ⅰ》 *t.* 붙이다, 철하다, 고정시키다. 《Ⅱ》 *refl.* sich jm. 〔an jn.〕 ~ 누구의 곁을 떠나지 않다, 누구를 추종하다.
Anheftung *f.* 접착, 고정.
an|heilen 《Ⅰ》 *i.* (s.) (상처가) 아물다. 《Ⅱ》 *t.* (병을) 고쳐 주다.
Anheilung *f.* 치유.
anheim.. 《<an Heim》 *pref.* "nach Hause"의 뜻에서 "자기의 소유가 된"이라는 뜻을 나타냄.
an|heimeln *t.* 아늑한 느낌이 들게 하다, 고향 생각이 나게 하다: diese Gegend heimelt mich an 이 고장은 내게 마치 고향에 돌아온 것 같은 느낌을 준다.
anheimelnd *p.a.* 자기 집처럼 편안한: ein ~es Zimmer 아늑한 방.
anheim|fallen* *i.* (s.) 〖雅語〗 …의 소유로 되다: dem Staat ~ 국가에 귀속되다; der Vergessenheit ~ 잊혀지다.
anheim|geben* *t.* jm. et.〔jn.〕 ~ 누구에게 무엇을〔누구를〕 맡기다, 넘겨주다: das Kind der Obhut eines Verwandten ~ 아이를 친척의 보호에 맡기다; sich der Führung Gottes ~ 신의 인도에 자신을 맡기다.
anheim|stellen *t.* jm. et. ~ 무엇을 누구의 판단〔결정〕에 맡기다: ich stelle es dir anheim, ob du kommen willst oder nicht 네가 오든 말든 네 판단에 맡기겠다.
Anheirat [ánhaɪra:t] *f.* -en ① 인척 관계, 결연(結緣). ② (obd.) 데릴사위(로 들어감).
an|heiraten 《Ⅰ》 *t.* 〖고어〗 혼인으로 인척 관계를 맺다; (아이·재산 따위를) 혼인으로 얻다. 《Ⅱ》 **angeheiratet** *p.a.* ↑ angeheiratet.
anheischig [ánhaiʃɪç] *a.* 〖雅語〗 sich (zu et.[3]) ~ machen 무엇의 책임을 자청해서 떠맡다〔자임하다〕.
an|heitern 《Ⅰ》 *t.* 명랑〔유쾌〕하게 하다. 《Ⅱ》 **angeheitert** *p.a.* ↑ angeheitert.
an|heizen *t.* ① 가열하기 시작하다, 불을 피우다. ② 북돋우다, 고조시키다, 부추기다: die Stimmung ~ 분위기를 돋우다; den Konsum ~ 소비를 부추기다.
an|helfen* 《Ⅰ》 *i.* (h.) jm. ~ 누구를 돕다〔도와서 무엇을 얻게 하다〕. 《Ⅱ》 *t.* jm. den Rock ~ 누구를 도와 윗옷을 입히다.
Anheliose [anheliό:zə] 《gr.》 *f.* -n 〖醫〗 일광 부족증.
an|henken *t.* 〖고어〗 걸다.
an·her [anhé:r] *adv.* 〖고어〗 이곳으로: bis ~ 여태까지, 지금까지.
an·herig *a.* 〖고어〗 지금까지의, 종래의.
an|herrschen *t.* (jn.) 호통치다, 야단치다.
an|hetzen *t.* ① (짐승을) 몰아대다: die Hunde ~ 개들을 몰아붙이다: 〖비유〗 angehetzt kommen 허겁지겁 달려오다. ② 선동〔사주〕하다: jn. gegen jn. ~ 누구에게 대항하라고 누구를 부추기다.
Anhetzer *m.* -s, - 선동자, 사주자(者).
Anhetzerei, Anhetzung *f.* -en 선동, 사주.
an|heucheln *t.* 〖고어〗 et. ~ 무엇을 가장하다, …인 체하다.
an|heuern 《Ⅰ》 *t.* 〖海〗 고용〔채용〕하다. 《Ⅱ》 *i.* (h.) 고용되다: er heuerte auf einem Schiff nach Übersee an 그는 외항선에 취업했다.
an|heulen *t.* ① jn.〔et.〕 ~ 누구를〔무엇을〕 향해 짖다. ② 〖속어〗 angeheult kommen 짖으며 오다: 〖비유〗 der Rennwagen kommt angeheult 경주용 자동차가 부르릉 소리를 내며 달려온다.
an|hexen *t.* ① 마술로 …에게 (재난 따위를) 씌우다: jm. eine Krankheit ~ 누구를 마술로 병에 걸리게 하다; wie angehext 청천벽력같이. ② 〖재단〗 헤링본 스티치로 꿰매다.
Anhidrose [anhidrό:zə] 《gr. hidrōs, „Schweiß"》 *f.* 〖醫〗 무한증(無汗症), 발한(發汗) 감소.
Anhieb [ánhi:p] *m.* -(e)s, -e 〖검도〗 최초의 일격: 〖구어〗 auf (den ersten) ~ 단숨에, 단번에, 시작하자마자.
an|himmeln *t.* 〖구어〗 우러러보다, 숭배하다.
an·hin *adv.* (schweiz.) ① 다가오는, 바로 다음의: am 1. April ~ 다가오는 만우절에. ② 〖고어〗 bis ~ 지금까지.
an|hochen *t.* 〖농담〗 만세를 불러대다, 환호성을 올리며 맞이하다.
Anhöhe [ánhø:ə] *f.* -n (낮은) 언덕, 구릉.
an|holen *t.* (양손으로 번갈아) 끌어당기다; 〖海〗 (돛·밧줄 따위를) 당겨 올리다, 죄다.
an|hören 《Ⅰ》 *t.* ① et.〔jn.〕 ~ 무엇〔누구의 말〕에 귀 기울이다, 경청하다: den Zeugen geduldig ~ 증인의 진술을 끈기 있게 듣다. ② 듣고 무엇을 알아차리다: man hört dir die Erkältung an 말소리로 네가 감기든 것을 알겠다. ③ (무심코) 듣게 되다, 들리다: ein Gespräch am Nachbartisch (mit) ~ 옆자리에서 오가는 대화를 듣게 되다; ich muß Lärm von nebenan mit ~ 옆의 소음이 내 귀에 들려온다. ④ 조언을 구하다: einen Experten ~ 전문가에게 자문을 받다. 《Ⅱ》 *refl.* sich ~ …처럼 들리다: diese Geschichte hört sich aber sehr unwahrscheinlich an 이 이야기는 정말 믿기지 않는다; es hört sich an, als ob es regnete 마치 비오는 것 같은 소리가 들린다.
Anhörung *f.* -en 경청; 〖法〗 청취, 청문(회).
an|hosen *refl.* (obersächs.) sich ~ (괴상한) 옷차림을 하다; er hat sich aber komisch angehost! 그 친구 옷차림이 우습군!
an|humpeln *i.* (s.) 〖주로 angehumpelt kommen 의 형태로〗 절뚝〔비틀〕거리며 오다.
an|hüpfen *i.* (s.) 〖주로 angehüpft kommen 의 형태로〗 깡충깡충 뛰어오다.
an|husten *t.* jn. ~ 누구를 향해 기침을 하다; 〖구어〗 (거친 어조로) 꾸짖다.
Anhydrid [anhydrí:t] 《gr. hýdōr, „Wasser"》 *n.* -(e)s, -e 〖化〗 무수물(無水物).
Anhydrit [anhydrí:t, ..rɪt] *m.* -(e)s, -e 〖광물〗 무수 석고.
Änigma [ɛní:gma, έ:nigma] 《gr.》 *n.* -s, ..men 수수께끼, 불가사의.
änigmatisch *a.* 수수께끼의, 불가사의한.
***Anilin** [anilí:n] 《ar.》 *n.* -s 〖化〗 아닐린.
Anilin=farbe *f.* 아닐린 염료. **~rot** *n.* 붉은색 아닐린 염료. **~salz** *n.* 염산 아닐린. **~-vergiftung** *f.* 아닐린 중독.
Anima *f.* -s ① 〖哲〗 영혼. ② 〖心〗 아니마(남성의 억압된 여성적 속성) (↔ Animus). ③ 〖화폐〗 (도금된) 금화·은화의 알맹이.
Animal 《engl.》 *n.* -s, ..lia 동물.
animalisch *a.* 동물의, 동물적인, 야수적인;

충동적인: eine ~e Lust 동물적 욕망, 육욕.
animalisieren *t.* ① (식물 섬유를) 동물질(質)로 변화시키다. ② 동물화하다.
Animalismus *m.* - ① 동물 숭배, 토테미즘. ② 육욕주의.
Animalität *f.* 동물성, 야수성.
Animateur [animatø:r] *m.* -s, -e (여행사의) 오락〔레크레이션〕 담당자; 접대원.
Animation [animatsió:n] *f.* -en ①〖영화〗 애니메이션, 만화 영화: partielle ~ (동(動)영상 속의 일부분은 정지해 있는) 부분 애니메이션. ② (휴가 여행 중의) 오락 (시간).
Animatismus *m.* ①〖哲〗 만유 영성론(靈性論) (모든 자연 사물에 영혼이 깃들어 있다고 믿는 신앙). ②〖宗〗 정령 숭배(애니미즘 이전 단계의 원시 신앙).
animato [animá:to] 《it.》 *adv.* 〖음악〗 활기 있게 (lebhaft).
Animator [..má:tɔr, ..to:r] *m.* -s, -en [..tó:rən] 〖영화〗 만화 영화가.
Anime≈gummi *m./n.*, **~harz** [aní:..] *n.* 남아메리카산(産) 방향성(芳香性) 수지(樹脂).
Animier≈dame *f.* 호스티스, 바걸, 여급.
animieren 《lat.》《Ⅰ》 *t.* ① 자극하다, 고무하다, 흥분시키다, 활기를 돋우다: jn. zum Trinken ~ 누구를 술마시도록 권하다. ②〖영화〗 애니메이션화하다, 동영상으로 바꾸다. 《Ⅱ》 **animiert** *p.a.* ↑ animiert.
Animier≈kneipe *f.* ↑ ~lokal. **~lokal** *n.* 호스티스 바. **~mädchen** *n.* ↑ ~dame.
animiert 《Ⅰ》 *p.p.* ↑ animieren. 《Ⅱ》 *p.a.* 활기 찬, 들뜬, 흥분한.
Animismus *m.* - ①〖哲〗 애니미즘, 만유(萬有) 정신론, 물활론(物活論). ②〖心〗 정령설. ③〖醫〗 영혼 불멸설.
Animo [á:nimo] 《lat.》 *n.* -s ① 욕구, 흥미, 마음 내킴: dazu habe ich kein ~ 나는 그럴 마음이 내키지 않는다. ② 취향, 선호, 애호: für Reisen ~ haben 여행을 즐기다.
animos *a.* 격분〔흥분〕한.
Animosität *f.* -en 격분, 적의; 적의에 찬 말.
animoso [animó:zo] 《it.》 *adv.* 〖음악〗 활기 있게 (lebhaft).
Animus 《lat.》 *m.* - ① 정신, 영혼. ②〖心〗 아니무스(여성의 억압된 남성적 속성) (↔ Anima). ③ 의지. ④〖구어〗 예감.
Anion [án|io:n] 《gr.》 *n.* -s, -en [..ó:nən] 〖전기〗 음(陰)이온.
Anis [aní:s] 《lat.》 *m.* -es, -e [..zə] 〖植〗 아니스; 말린 아니스 열매(약용·향미용).
Anis≈bogen *m.* (öst.) 아니스 열매를 넣은 활 모양의 빵. **~scharte** *f.* (öst.) ↑ ~bogen.
Anisett [anizέt] 《frz.》 *m.* -(e)s, -e ↑ Anisette.
Anisette [..zέtə] *m.* -s, -s 아니스주(酒).
Anisöl *n.* 아니스유(약용).
Anisogamie [anizogamí:] 《gr.》 *f.* -n [..mí:ən] 〖生〗 이형 접합(異形接合).
Anisotropie 《gr.》 *f.* 〖광물〗 이방성(異方性).
anisotrop(isch) *a.* 〖광물〗 이방성의.
Anjagd *f.* -en 사냥 시작.
an|jagen 《Ⅰ》 *t.* ① 사냥을 시작하다. ② (말을) 몰아대다. ③ 뒤쫓아가 공격하다: Wölfe jagen einen Hirsch an 늑대들이 숫사슴한테 덤벼든다. 《Ⅱ》 *i.* (s.) 〔주로 angejagt kommen 의 형태로〕 쫓기듯이 달려오다.
an·jetzo, an·jetzt 〖고어〗 *adv.* 지금.
an|jochen *t.* (마소에) 멍에를 지우다.
an|jubeln *t.* jn. ~ 누구에게 환호하다.
an|kämpfen *i.* (h.) gegen jn.〔et.〕 ~ 누구에게〔무엇에〕 맞서 싸우다: gegen Vorurteile ~ 편견에 맞서 싸우다.
Ankara [áŋkara] 앙카라(터키의 수도).
an|karren *t.* 수레로 운반해 오다.
Ankathete *f.* 〖기하〗 직각 삼각형에서 직각을 이루는 한 변(↔ Gegenkathete).
Ankauf [ánkauf] *m.* -(e)s, ..käufe 구입(품); 대량 구입.
an|kaufen 《Ⅰ》 *t.* 사들이다, 구입하다. 《Ⅱ》 *refl.* sich irgendwo ~ 어떤 곳에 땅을 사들여 정착하다.
Ankäufer *m.* -s, - 구매〔구입〕자.
Ankaufs≈etat *m.* 구매 예산. **~recht** *n.* 〖法〗 구매권.
Ankaufung *f.* -en ↑ Ankauf.
Anke[1] [áŋkə] *m.* -n, -n 〖動〗 송어속(屬).
Anke[2] *f.* -n ① (südd.) 목덜미; 목. ②〖工〗 (양철 가공용의) 반구형 형철(型鐵).
Anke[3] *m.* -n 〖방언〗 버터.
an|kegeln *i.* (h.) 독일식 볼링을 시작하다.
ankehrig [ánke:rıç] *a.* (schweiz.) 솜씨 있는, 능숙한.
an|keifen *t.* (jn.) 몹시 꾸짖다, 호통치다.
Anken [áŋkən] *m.* -s (schweiz.) 버터.
anken *i.* (h.) 버터를 바르다(buttern).
***Anker**[1] [áŋkər] *m.* -s, - ① 닻, 앵커: den ~ lichten a) 닻을 올리다, b) 길을 떠나다; ~ auswerfen a) 닻을 내리다, b) 정착하다, 휴식을 취하다; 〖海〗 klar bei ~ ! 닻 올릴 준비 완료 ! ; sich vor ~ legen 정박하다; vor ~ liegen〔treiben〕 정박하고 있다; vor ~ gehen 정박하다; 〖비유〗 er ist endlich vor ~ gegangen 그는 마침내 정착〔결혼〕하였다; 〖비유〗 sein Glaube diente ihm als ~ 신앙이 그에게는 정신적 지주 역할을 하였다. ②〖건축〗 꺾쇠, 닻 모양의 장식, 거멀장. ③〖物·전기〗 발전자(發電子); (자석의) 접극자(接極子). ④ (시계의) 앵커, 평형륜(平衡輪) 제동기.
Anker[2] *m.* -s, - 옛날의 액량(液量) 단위 (Ohm 의 4 분의 1; 약 34-39 *l*).
Anker≈amboß *m.* 닻을 주조하는 모루. **~arm** *m.* 닻가지. **~auge** *n.* 닻(줄을 꿰는) 구멍. **~balken** *m.* 닻을 걸어 놓는 시렁.
an|kerben *t.* …에 금을 새겨 표하다: 〖비유〗 jm. et. ~ 누구에게 어떤 일로 원한을 품다.
Anker≈boje *f.* 닻을 표시하는 부표(浮標). **~bolzen** *m.* 〖전기〗 기초 볼트, 앵커 볼트. **~büchse** *f.* 바퀴살 통, (전구의) 허브. **~draht** *m.* 발전자(發電子) 코일. **~eisen** *n.* 발전자 철심. **~fest** *a.* ① 닻을 내리기에 적합한; 닻으로 붙들어 매어진. ② 든든한, 끄떡없는. **~flott** *n.* ↑ ~boje. **~fliege** *f.*, **~flügel** *m.* 닻혀. **~förmig** *a.* 닻 모양의. **~gebühr** *f.*, **~geld** *n.* 정박료. **~grund** *m.* 닻을 내리는 곳. **~haken** *m.* 닻 갈고리. **~hand** *f.* 닻혀. **~helm** *m.* 닻채. **~hemmung** *f.* (시계의) 앵커, 평형륜 제동기. **~kern** *m.* 발전자 철심. **~kette** *f.* 닻줄. **~klüse** *f.* 닻줄을 꿰는 이물의 구멍. **~kreuz** *n.* 닻의 십자형 부분. **~kugel** *f.* 닻이 달린 소이탄(燒夷彈). **~laterne** *f.*, **~licht** *n.* 정박등(燈). **~loch** *n.* 닻줄을 꿰는 이물의 구멍.

ankerlos *a.* 닻이 없는; 전기자가 없는.
Anker≈mast *m.* 닻을 매는 기둥. **~mauer** *f.* 꺾쇠를 박아 넘어지지 않게 한 벽.
ankern [áŋkərn] 《I》 *i.* (h.) ① 닻을 내리다, 정박하다: das Schiff ankert immer in Kiel 그 배는 늘 킬항에 정박한다; das Schiff ankert hier schon einen Monat 그 배는 이곳에 벌써 한 달째 정박 중이다. ②〖비유〗(**a**) auf et.³ ~ 무엇에 희망을 걸다. (**b**) nach et.³ 〔auf et.〕 ~ 무엇을 얻고자 애쓰다. 《II》 *t.* ① (배를) 정박시키다. ② (배에) 닻을 장비하다. ③〖건축〗꺾쇠로 고정시키다.
Anker≈pfahl *m.* 닻을 매는 말뚝. **~pflug** *m.* ↑ ~fliege. **~platz** *m.* 정박 지점, 닻을 내리는 곳. **~recht** *n.* 정박권. **~ring** *m.* 닻고리. **~rück·wirkung** *f.* 발전자(發電子) 반작용. **~rute** *f.*, **~schaft** *m.* ↑ ~helm. **~schaufel** *f.* 닻혀. **~schlipper** *m.* 닻을 내리는 크레인, 투묘기(機). **~schmiede** *f.* 닻 만드는 공장. **~seil** *n.* 닻줄;〖空〗계류삭. **~spill** *n.* 닻을 올리는 크레인, 양묘기. **~spule** *f.* 발전자 코일. **~stange** *f.* ↑ ~helm. **~stelle** *f.* ↑ ~platz. **~stich** *m.* 닻줄이 닻고리에 매어진 부분. **~stock** *m.* 닻의 가로대, 횡목(横木). **~strom** *m.* 발전자 전류. **~talje** *f.* 닻을 감아 올리는 도르래. **~tau** *n.* ↑ ~seil. **~uhr** *f.* 평형륜 제동기가 달린 시계. **~wache** *f.* 닻 감시 선원. **~wacher, ~wächter** *m.* 닻을 표시하는 부표(浮標). **~welle** *f.* 전기자축(電機子軸). **~winde** *f.* 닻을 감아 올리는 기구, 윈치. **~zoll** *m.* 정박세(碇泊税).
an|ketteln *t.* 〖구어〗작은 사슬로 매다.
an|ketten *t.* 사슬로 매다: 〖비유〗sich an jn. ~ 누구와 결합하다.
an|keuchen *i.* (s.) 〖대개 다음 용법으로〗 angekeucht kommen 헐떡이며 오다.
an|kirren *t.* (새·짐승을) 미끼로 유인하다.
an|kitten *t.* (시멘트로) 접합〔고정〕시키다.
an|kläffen *t.* jn. ~ (개가) 누구에게 짖으며 덤비다; 〖비유〗(사람이) 호통치며 대들다.
anklagbar *a.* 고발해야 할, 비난받을 만한.
***Anklage** [ánkla:gə] 《<anklagen》 *f.* -n ① 고발, 고소; 탄핵: (gegen jn.) ~ heben (누구를) 고발하다; jn. unter ~ stellen 고소하다; unter ~ stehen 고발당하다. ② 공소권자, 검사, 검찰; 기소 당사자, 원고측: hat die ~ noch Fragen an den Zeugen? 검찰측은 증인에게 할 심문이 아직 남아 있습니까?
Anklage≈akt *m.* 공소(公訴), 고발. **~akte** *f.* 공소장. **~bank** *f.* 피고석: jn. auf die ~ bringen 누구를 고소〔고발〕하다. **~behörde** *f.* 검찰 당국. **~erhebung** *f.* 고소, 기소. **~fall** *m.* 고소 사건.
***an|klagen** 《I》 *t.* ① 고발〔고소〕하다, 기소하다: jn. des Mordes ~ 누구를 살인죄로 고발하다; der Angeklagte 피고인. ②〖비유〗jn. (wegen) eines Dinges ~ 누구를 어떤 죄가 있다고 비난〔탄핵〕하다; das Schicksal ~ 운명을 원망하다. ③ jm. et. ~ 누구에게 무엇〔병·재앙〕이 내리기를 바라다. 《II》 *refl.* sich ~ 자수하다
Anklage≈prozeß *m.* 고발 소송. **~punkt** *m.* 고발 사유, 기소 이유.
Ankläger [ánklɛ:gər] *m.* -s, - 고발〔고소〕인, 원고; 탄핵인: 〖法〗öffentlicher ~ 검사, 검찰관.
Anklage≈recht *n.* 고발권, 기소권. **~rede** *f.* 논고, 탄핵 연설. **~schrift** *f.* 공소장. **~verfahren** *n.* 기소 절차. **~vertreter** *m.* 공소권자, 검사. **~vertretung** *f.* 검찰. **~zustand** *m.* 고발〔고소〕 상태: jn. in ~ versetzen 누구를 고발〔고소〕하다.
an|klammern 《I》 *t.* 꺾쇠로 죄다. 《II》 *refl.* 〖비유〗sich an jn. 〔et.〕 ~ 누구에게〔무엇에〕 매달리다〔집착하다〕; sich an eine Hoffnung ~ 어떤 희망에 매달리다.
***Anklang** [ánklaŋ] 《<anklingen》 *m.* -(e)s, ..klänge ① 첫 음(音). ②〖음악〗화음. ③ 유사음; 유사점, 여운: bei ihm findet man viele Anklänge an Heine 그에게는 하이네를 연상케 하는 데가 퍽 많다. ④ 공감, 호응: ~ finden a) 호응을〔지지를〕 얻다, b)〖商〗잘 팔리다: seine Musik fand großen ~ 그의 음악은 대단한 호응을 얻었다.
an|klatschen 《I》 *i.* (h.) 철썩 때리다: die Wogen klatschen gegen den Felsen an 파도가 바위를 철썩 때린다. 《II》 *t.* ① 철썩 던지다〔붙이다〕; 아무렇게나 처바르다: der Maurer klatscht den Putz (an das Haus) an 미장공이 회반죽을 (건물에) 철썩 바른다.
an|kleben 《I》 *t.* (풀로) 붙이다, 접착시키다: Tapeten ~ 벽지를 바르다. 《II》 *i.* (h.) 붙어 있다: der Teig klebt an der Schüssel an 반죽이 그릇에 붙어 있다; die Gewohnheit klebt ihm schon lange an 그 습관은 그에게 이미 오래 전부터 배어 있다. 《III》 *refl.* sich an jn. ~ 누구에게 달라붙(어 떨어지지 않)다.
Ankleber *m.* -s, - (벽보 등을) 붙이는 사람.
an|kleckern *i.* (h.) 〖다음 용법으로〗 angekleckert kommen ① (성가시게) 자꾸 찾아오다. ② 차츰 모여들다.
an|klecksen *t.* ① (글·그림을) 되는 대로 휘갈기다. ② jm. et. ~ 누구를 …라고 욕하다.
Ankleide·kabine *f.* 화장실, 갱의실.
***an|kleiden** 《I》 *t.* (jn.) 옷을 입히다. 《II》 *refl.* sich ~ 옷을 입다: sich anders ~ 옷을 바꿔 입다.
Ankleide≈kabinett *n.* ↑ ~zimmer. **~puppe** *f.* ① 마네킹; 옷차림으로 남의 이목을 끌려는 사람: die Neue im Büro ist eine ~ 그 신입 여사원은 마네킹처럼 눈에 띄는 옷을 입는다. ② (옷을 갈아 입히는) 장난감 인형.
Ankleider *m.* 〖연극〗의상 담당자; 옷 보관소 직원.
Ankleide≈raum *m.* ↑ ~zimmer. **~spiegel** *m.* 화장 거울, 경대. **~zimmer** *n.* 화장실; (배우의) 분장실, 대기실; (관객의) 휴대품 보관소.
Ankleidung *f.* -en 옷입히기; 옷차림.
an|kleistern *t.* 풀로 붙이다: 〖비유〗jm. eine ~ 누구의 따귀를 치다.
an|klemmen *t.* 조이다, 조여 고정하다.
an|kletten *refl.* sich jm. ~ 누구에게 추근대며 달라붙다.
an|klettern *t.* 기어오르다.
an|klimmen* *t.* ↑ anklettern.
an|klingeln 《I》 *i.* (h.) 벨을 울리다. 《II》 *t.* jn. 〔bei jm.〕 ~ 누구에게 전화 걸다, 통화하다.
an|klingen* 《I》 *i.* (h.) ① 울리기〔들리기〕 시작하다; 화음을 내다. ② 암시되다, 낌새를 보이다, 감지되다: in seinen Worten klingt

Resignation an 그의 말은 체념의 분위기를 풍긴다. ③an et. ~ 무엇을 상기〔연상·회상〕시키다: das klingt an ein altes Volkslied an 그것은 옛 민요를 상기시킨다; das Gedicht klingt an Goethe an 그 시는 괴테를 떠올리게 한다. ④〖고어〗mit den Gläsern ~ 잔을 맞부딪치다, 축배를 들다. 《Ⅱ》*t.* (종 따위를) 울리다, 퉁기다.

an|klopfen 《Ⅰ》*i.* (h.) ①an die Tür ~ 문을 두드리다, 노크하다; 〖비유〗überall ~ 백방으로 힘쓰다; 〖聖〗 klopfet an, so wird euch aufgetan 두드리라, 그러면 너희에게 열릴 것이다(마태 7:7); 〖비유〗der Tod klopft schon bei ihm an 그는 벌써 죽을 때가 되었다. ②bei jm. ~ a) 누구를 방문하다, b) 누구에게 문의하다, c) 누구에게 부탁〔청원〕하다: sie hat bei ihm um Geld 〔eine Anstellung〕 angeklopft 그녀는 그에게 돈〔취직〕을 부탁했다. 《Ⅱ》*t.* 두드리다, 두들기다; et. an et. ~ 무엇을 무엇에 두드려〔두들겨〕 붙이다.

Anklopfer *m.* -s, - ①방문객. ②노크용 문고리.

Anklopf·ring *m.* 노크용 문고리.

an|knabbern *t.* ①갉아먹기 시작하다. ②(저금 따위를) 갉아먹다, 축내다: Vorräte ~ 비축 물품에 손대다; zum Anknabbern aussehen 깨물어 주고 싶도록 매력적으로 보이다.

an|knacken *t.* ↑ anknacksen.

an|knacksen *t.* ①살짝 깨뜨리다〔다치다〕: sie hat sich³ den Fuß nur angeknackst 그녀는 발을 살짝 삐었을 뿐이다. ②손상시키다: js. Stolz ~ 누구의 자존심을 손상시키다.

an|knarren *t.* (jn.) 퉁명스럽게 야단치다.

an|knallen *t.* (말에) 채찍질하다: 〖구어〗jn. ~ 누구를 질책하다.

an|kneipen(*)¹ *t.* (손가락·집게로) 집다.

an|kneipen² *i.* (h.) 〖학생〗술집에서 술을 마시다: angekneipt (술에) 거나하게 취한.

an|knicken *t.* (살짝) 꺾다, 찢다.

an|knipsen *t.* (등을) 켜다(↔ausknipsen).

an|knöpfen *t.* 단추를 채우다(↔abknöpfen).

***an|knüpfen** 《Ⅰ》*t.* ①et.³ 〔an et.〕 ~ 무엇에 매다〔묶다〕. ②ein Gespräch〔Beziehungen〕 mit jm. ~ 누구와 대화를 시작하다〔유대를 맺다〕. 《Ⅱ》*i.* (h.) ①an et. ~ 무엇을 화제의 실마리로 삼다. ②mit jm. ~ 누구와 관계〔연고〕를 맺다. 《Ⅲ》*refl.* sich mit jm.〔et.³〕 ~ 누구와〔무엇과〕 결부〔연결〕되다.

Anknüpfung *f.* -en 연결; 유대, 관계.

Anknüpfungs·punkt *m.* 연결점; 실마리, 단서: einen ~ für ein Gespräch suchen 대화의 실마리를 찾다.

an|knurren *t.* jn. ~ (개가) 누구에게 으르렁대며 덤비다; 누구에게 호통치다.

an|kochen *t.* 〖요리〗반숙하다, 살짝 익히다.

an|ködern *t.* ①미끼를 달다. ②(미끼로) 꾀다, 유인하다.

an|kohlen¹ *t.* 살짝 그을리다

an|kohlen² *t.* 〖구어〗놀려먹다, 희롱하다.

an|kommen 《Ⅰ》*i.* (s.) ①도착하다: auf dem Bahnhof ~ 정거장에 도착하다; in der Stadt ~ 도시에 도착하다; 〖비유〗ein Kind 〔Baby〕 kommt bei jm. an 누구에게서 어린애가 태어나다. ②〖구어〗귀찮게〔성가시게〕 굴다: du kommst schon wieder mit derselben Frage an! 자네는 또다시 똑같은 질문을 가지고 왔군! ③〖비유〗받아들여지다: der Film ist gut angekommen 그 영화는 호평이었다; seine Witze kommen bei ihnen nicht an 그의 재담이 그들에게 먹혀들지 않는다; bei jm. gut〔übel〕 ~ 누구한테 환대〔냉대〕를 받다; damit kannst du bei mir nicht ~ 나는 너의 그 수단에는 넘어가지 않는다; 〖반어〗mit meiner Bitte kam ich schön bei ihm an! 그는 내 부탁에 귀도 기울이지 않았다! ④〖구어〗취직하다, 일자리를 얻다: bei einer Firma 〔Behörde〕 ~ 어떤 회사〔관청〕에 취직하다. ⑤감당하다, 맞서다: man kann gegen ihn nicht ~ 아무도 그를 당할 수 없다; gegen die Leistungen meines Kollegen komme ich nicht an 나는 내 동료의 업적에 맞설 수가 없다; komme an! 자 덤벼 봐! ⑥jm. so und so ~ 누구를 이러저러하게 다루다〔대우하다〕. ⑦(감정·기분·병 따위가) 생기다, 일어나다, 엄습하다: was kommt Ihnen〔Sie〕 an? 무슨 일이 일어났습니까?; der Schlaf kommt mir 〔mich〕 an 잠이 쏟아진다; es kommt ihm eine leichte Rührung an 그의 마음 속에 잔잔한 감동이 일어난다; es kommt mir〔mich〕 schwer an, zu... 나는 …하기가 괴롭다〔어렵다〕. ⑧〖구어〗썩기 시작하다. 《Ⅱ》*t.* ①jn. ~ (감정이) 누구를 엄습하다: ein Schrecken kam ihn an 그는 공포에 사로잡혔다; Was kommt dich an? 너 무슨 일이 있니? ②〖jn.＋형용사〗누구에게 …하게 여겨지다: die Entscheidung kam mich hart〔schwer〕 an 그 결정은 내게 가혹한〔어려운〕 것이었다. 《Ⅲ》*imp.* ①(**a**) es auf et.〔jn.〕 ~ 무엇에〔누구에게〕 달려 있다, 좌우되다; es kommt nur auf Sie an 오로지 당신의 마음에 달려 있습니다; es kommt viel darauf an 그것은 매우 중요하다; auf die ein paar Mark soll es mir nicht ~ 내게는 몇 마르크쯤은 문제가 아니다. (**b**) es auf et. ~ lassen 감행〔감수〕하다; auf den Prozeß werde ich es ~ lassen 나는 소송도 불사하겠다. (**c**) es darauf ~ lassen 되어가는 대로 내버려두다, 운수를 하늘에 맡기다. ②et. auf jn. ~ lassen 무엇을 누구에게 일임하다. ③〖사냥〗(사냥감이) 사정거리에 들어오다: Wild läßt den Jäger ~ 사냥감이 사냥꾼의 사정거리에 들어온다. 《Ⅳ》**angekommen** *p.a.* ↑ angekommen.

Ankömmling [ánkœmlɪŋ] *m.* -s, -e 도착자, 신참자, 새로 온 사람; 새 이주민; 갓난아이; 〖植〗 신래종(新來種).

an|können* *i.* (h.) 〖구어〗gegen〔wider〕 jn. 〔et.〕 nicht ~ 누구를〔무엇을〕 당해낼〔감당할〕 수 없다.

an|köpfen *t.* (못·바늘에) 대가리를 달다.

an|kontrahieren *t.* 〖학생〗jn. ~ 누구에게 결투를 청하다〔도전하다〕.

an|koppeln *t.* ①an et. ~ 무엇에 연결시키다: die Güterwagen wurden angekoppelt 화물 차량들이 연결되었다. ②〖사냥〗(개 따위를 줄로) 서로 떨어지지 않게 매다.

an|kören *t.* 〖農〗 종축(種畜)으로 선정〔인가〕하다.

an|körnen *t.* (참새 등을) 낟알을 미끼로 꾀어들이다.

Ankörung *f.* -en 종축(種畜) 증명〔인가〕.

an|kotzen *t.* ①jn.〔et.〕 ~ 토해 내어 누구를〔무엇을〕 더럽히다: 〖비유〗sein Verhalten kotzt mich an 나는 그의 태도가 역겹다. ② 〖비유〗 호되게 꾸짖다, 혼내 주다.

an|krähen *t.* ① (jn.) 큰 소리로 부르다〔말을 걸다〕. ② et. ~ 큰 소리로 무엇을 알리다.

an|krallen 《Ⅰ》 *t.* ① (금수가) 발톱으로 움켜잡다. ② 〖경박·방언〗 jn. um et. ~ 누구에게 무엇을 달라고 졸라대다. 《Ⅱ》 *refl.* sich an et.[3/4] ~ a) 무엇에 발톱으로 달라붙다, b) 간절히 매달리다, 병적으로 집착하다.

an|kränkeln *t.* 《Ⅰ》 병을 옮기다; 〖비유〗 유약〔나약〕하게 하다. 《Ⅱ》 **angekränkelt** *p.a.* ↑ angekränkelt.

Ankratz [ánkrats] *m.* 〖구어·방언〗 ~ haben (이성에게) 인기가 있다: sie hatte den meisten ~ 그녀가 남자들에게 가장 인기가 있었다.

an|kratzen 《Ⅰ》 *t.* jn.〔et.〕 ~ 누구를〔무엇을〕 할퀴어〔긁어서〕 가벼운 상처를 내다: angekratzt sein 건강〔컨디션〕이 좋지 않다; leicht angekratzt sein (얼굴에) 가벼운 주름이 지다, 중년의 나이가 되다. 《Ⅱ》 *refl.* 〖구어〗 sich bei jm. ~ 누구에게 알랑거리다〔아부하다〕; er hat sich beim Chef angekratzt 그는 사장에게 아부했다; 〖경박〗 sich[3] eine〔einen〕 ~ 여자〔남자〕를 꼬여 낚다.

an|krausen *t.* (옷의) 잔주름을 잡다.

an|kreiden *t.* ① 〖고어〗 (외상 값을) 분필로 적어 두다: ~ lassen 외상으로 사다. ② 〖비유〗 jm. et. ~ 누구의 무엇(빚·모욕)을 잊지 않다; ich werde ihm sein Benehmen ~ 나는 그 자의 행실을 잊지 않겠다〔지켜 보겠다〕.

Ankreis [ánkraɪs] *m.* -es, -e 〖기하〗 (삼각형의) 방접원(傍接圓).

an|kreischen(*) *t.* 날카로운 소리로 부르짖다.

an|kreuzen *t.* ① …에 십자 표시를 하다. ② 〖海〗 바람을 맞받으며 항해하다.

an|kriechen* 《Ⅰ》 *i.* (s.) angekrochen kommen 기어오다. 《Ⅱ》 *t.* jn. ~ (벌레가) 누구의 몸에 기어오르다〔기어다니다〕.

an|kriegen *t.* ① (옷·구두 따위를) 힘들여 입다〔신다〕. ② 좇아가다, 붙잡다: jn. ~, et. zu tun 누구에게 부탁하여 무엇을 하게 하다.

an|kümmeln *t.* 〖구어〗 sich[3] einen ~ 기분 좋게 한잔 마시다.

an|künden *t.* ↑ ankündigen.

***an|kündigen** 《Ⅰ》 *t.* (**a**) (jm. et.) 통고〔통지〕하다, 미리 알리다: seinen Besuch ~ 방문을 통보하다. (**b**) 광고하다: ein Konzert in der Zeitung ~ 신문에 연주회를 광고하다. 《Ⅱ》 *refl.* sich ~ (**a**) 출현을 예고하다: sich bei dem Gericht ~ 법정에 출두하겠다고 통보하다. (**b**) …의 조짐이 보이다: die Krankheit kündigt sich durch Kopfschmerzen an 그 병은 두통 증상으로 시작된다.

Ankündiger *m.* -s, - 통보자.

Ankündigung *f.* -en 통고, 고지; 광고; 예고: öffentliche ~ 공고.

Ankündigungs≈kommando *n.* 〖軍〗 예령(豫令). **~schreiben** *n.* 통고〔고지〕서. **~signal** *n.* 송전(送電) 신호. **~wecker** *m.* 신호 벨.

***Ankunft** [ánkunft] 《<ankommen》 *f.* ..künfte ① 도착: js. ~ erwarten 누구의 도착을 고대하다. ② 〖비유〗 탄생: die glückliche ~ eines Sohns 아들의 경사스러운 탄생.

Ankunfts≈bahnsteig *m.* 〖철도〗 도착 승강장. **~halle** *f.* 〖空〗 도착 (승객) 대합실. **~ort** *m.* 도착지. **~tafel** *f.* 도착 시간표. **~zeit** *f.* 도착 시간.

an|kuppeln *t.* ① ↑ ankoppeln. ② 〖경박〗 jm. eine Frau ~ 누구에게 여자를 붙여 주다.

an|kurbeln *t.* ① (엔진의) 시동을 걸다. ② 〖비유〗 가동시키다, 활기를 띠게 하다: die Wirtschaft ~ 경제를 활성화시키다.

Ankurbelung *f.* -en 가동; 촉진, 활성화.

an|kutschieren *i.* (s.) ankutschiert kommen 마차를 몰고 오다.

Ankylose [ankyló:zə] 《gr. ankýlos, „gekrümmt"》 *f.* -n 〖醫〗 관절 경직.

an|lächeln *t.* jn. ~ 누구에게 미소짓다; 〖비유〗 호의를 표시하다: bedeutungsvoll〔freundlich〕 ~ 의미심장〔다정〕하게 미소짓다.

an|lachen 《Ⅰ》 *t.* jn. ~ 누구에게 웃어 보이다; 〖비유〗 호의를 보이다: der Apfel 〔das Glück〕 lacht mich an 사과가 먹음직해 보인다〔행운이 내게 미소 짓는다〕. 《Ⅱ》 *refl.* sich[3] jn. ~ 누구와 친해지다, 친교를 맺다: er hat sich auf dem Ausflug ein Mädchen angelacht 그는 소풍 가서 한 아가씨와 친해졌다.

***Anlage** [ánla:gə] 《<anlegen》 *f.* -n ① (Keim) 맹아, 싹. ② 체질, 기질, 성향: ~ zur Schwindsucht 폐병에 잘 걸리는 체질. ③ 소질, 천분, 재능: ~ zum Zeichnen 제도(製圖)하는 재능. ④ (**a**) 설치, 건설: jn. mit der ~ eines Damms beauftragen 누구에게 댐 건설을 맡기다. (**b**) (공공) 시설; 공원, 녹지: Fabrik≈ 공장 시설; öffentliche ~n 공공 시설; die städtischen ~n 시립 공원. ⑤ 설계, 설계도, 도면; 구조; 〖畫〗 구도; 〖건축〗 윤곽; (소설·악곡 등의) 구상: ~ eines Dramas 연극의 구상〔구조〕. ⑥ 투자, 기초 자본. ⑦ 첨부물, 동봉물, 부록: die Rechnung legen wir Ihnen als ~ bei 계산서를 동봉해 드립니다. ⑧ 〖軍〗 (급경사면의) 경사각. ⑨ 총의 개머리. ⑩ 착의(着衣).

anlage≈bedingt *a.* 선천성의, 체질적인: eine ~e Krankheit 선천성 질환. **≈berater** *m.* 투자 상담가. **≈beratung** *f.* 투자 상담. **≈blatt** *n.* 〖印〗 교정쇄 첨지(添紙). **≈finanz** *f.* 설비 금융. **≈hypothek** *f.* 투자 저당. **≈intensität** *f.* (총 자산 중의) 투자〔설비〕 자본의 비율. **~intensiv** *a.* 설비 자본의 비율이 높은: ein ~es Unternehmen 기초 자본이 튼튼한 기업. **≈kapital** *n.* 설비 자본. **≈kosten** *pl.* 창립〔설비〕 비용. **≈kredit** *m.* 설비 융자. **≈markt** *m.* 투자 시장. **≈papier** *n.* 투자 증권. **≈plan** *m.* 설계. **≈vermögen** *n.* 고정 자산, 기업 재산.

an|lagern 《Ⅰ》 *t.* 축적하다; 〖지질〗 퇴적시키다: der Fluß lagert Schlamm an 강물이 진흙을 퇴적시킨다. 《Ⅱ》 *refl.* sich ~ ① 쌓이다, 누적되다. ② 〖化〗 (**a**) 수용하다: ein Atom kann den Kern eines anderen Elements ~ 원자는 다른 원소의 핵을 받아들일 수 있다. (**b**) sich an et. ~ 무엇과 결합되다: Wasserstoff lagert sich an fette Öle an 수소는 고체 기름과 결합된다.

Anlagerung *f.* -en 퇴적; 결합.

Anlagerungs·verbindung *f.* 〖化〗 화합물.

Anland *n.* -(e)s, -e/..länder 해안〔강변〕 지대〔지역〕.

anlandbar *a.* 상륙〔착륙〕하기에 적합한, 상륙〔착륙〕할 수 있는.

Anlände *f.* -n 상륙〔착륙〕지; 부두, 하역장.
Anlande·brücke *f.* 잔교(棧橋).
an|landen 《I》 *i.* (s.) ① 상륙〔착륙〕하다; 도착하다, 접안하다: das Schiff landet an 배가 입항한다. ② (토사의 퇴적에 따라) 육지가 넓어지다; 새로운 지형이 형성되다: die Insel landet an 섬이 형성되고 있다. 《II》 *t.* (짐을) 하역하다, (사람을) 상륙시키다.
Anlandung *f.* -en ① 상륙, 착륙. ② 충적(토)(冲積(土)). ③ 하역(물).
Anlande=platz *m.*, **~stelle** *f.* 상륙〔착륙〕지. **~zeit** *f.* 입항 시간.
an|langen 《I》 *i.* (s.) 도달〔도착〕하다: auf der Höhe des Ruhms ~ 명성의 정점에 이르다; zu Hause ~ 집에 도착하다. 《II》 *t.* ① 관계되다: was〔soviel〕 mich anlangt 나에 관해서는, 나로서는; was diese Sache anlangt 이 문제로 말하면. ② (obd.) 만지다, 손대다.
an|längen *t.* (고기 수프 따위를) 묽게 하다.
an|lappen *t.* 〔경박·방언〕 꾸짖다, 호통치다.
an|laschen *t.* ①〖철도〗(접합판으로 선로를) 연결하다. ②〖林〗 einen Baum ~ (벌채할 나무의 표시 또는 도표(道標)로서) 나무 껍질에 자국을 내다.
Anlass 新정서 ⇦ Anlaß.
***Anlaß** [ánlas] *m.* ..lasses, ..lässe ① 동기, 계기, 빌미: aus diesem ~ 이런 동기에서; auf〔aus〕 ~ der Regierung 정부의 주창으로; ~ zu et.³ geben 무엇의 빌미를 주다, 무엇을 유발하다; ohne jeden〔allen〕 ~ 아무런 이유 없이, 뜬금없이. ② 기회, 계기: aus ~ von et.³ 무엇을 기회〔계기〕로 하여; et. zum ~ nehmen 무엇을 기회로 포착하다. ③ (schweiz.) 행사, 축연: aus ~ seines 75. Geburtstages 그의 75 회 생일 잔치에 즈음하여. ④ (모터의) 시동, 가동; (경주의) 스타트.
Anlass·apparat *m.* 〖工〗 시동기(始動機).
an|lassen 《I》 *t.* ① 입은 채로 있다: das Kleid ~ 옷을 (벗지 않고) 입은 채로 있다; 〖비유〗 jm. nicht einmal das Hemd ~ 누구의 소유물을 모조리 빼앗다. ② (전등 따위를) 켜놓다: den Fernseher ~ 텔레비전을 켜놓다. ③ 방출〔방류〕하다. ④ Stahl ~ 쇠를 달구다, 풀림질하다. ⑤ (엔진에) 시동을 걸다: den Motor〔Wagen〕 ~ 엔진〔차〕에 시동을 걸다. ⑥ jn. hart〔übel〕 ~ 누구를 몹시 야단치다. ⑦ (개를 을러) 덤벼들게 하다. 《II》 *refl.* sich ~ …하게 여겨지다, …할 조짐이 보이다: die Ernte〔der Schüler〕 läßt sich gut an 수확〔이 학생〕은 유망해 보인다; es läßt sich zum Regnen an 비가 올 것 같다.
Anlassen *n.* -s ①〖제련〗(금속을) 달굼. ②〖기계〗 시동.
Anlasser *m.* -s, - 시동 장치, 스타터, 시동 버튼; (엔진의) 제어기.
Anlaß·hebel *m.* ↑ ~kurbel.
anlassig *a.* 〔방언〕 방랑벽이 심한, 역마살이 있는.
anlässig *a.* 〔방언〕 ① ↑ anlassig. ② 아양을 떠는. ③ 뻔뻔스러운.
Anlaß·kurbel *f.* 〖기계〗 시동 핸들.
anlässlich 新정서 ⇦ anläßlich.
anläßlich [ánlɛslɪç] 《I》 *adv.* 이따금, 때때로. 《II》 *prp.*² …을 계기로, …의 기회에: ~ des Geburtstages 생일에 즈음하여.
Anlaß=motor *m.* 〖기계〗 시동 모터. **~strom** *m.* 시동 전류. **~ventil** *n.* 시동 밸브. **~widerstand** *m.* 시동 저항(기).
an|lasten *t.* ① jm. die Schuld an et.³ ~ 누구에게 무엇의 책임을 지우다. ②〖고어〗 떠넘기다, 부담하게 하다: die Prozeßkosten wurden dem Kläger angelastet 소송 비용은 원고가 부담하게 되었다.
an|latschen *i.* (s.) 〔다음 용법으로〕 angelatscht kommen 다리를 질질 끌며 오다.
Anlauf [ánlauf] *m.* -(e)s, ..läufe ①〖스포츠〗 **(a)** 뛰어나감, 도움닫기: einen schnellen ~ nehmen 도움닫기하다; ohne ~ springen 선 자리에서 도움닫기 없이 도약하다. **(b)** 도움닫기 구간: den ~ verlängern 도움닫기 구간을 늘리다. ② 돌진, 시도: eine Festung im ersten ~ erobern 요새를 일거에〔단숨에〕 점령하다; 〖비유〗 er bestand erst beim zweiten ~ 그는 두 번째 시도에서 비로소 합격했다; einen (neuen) ~ nehmen (새롭게) 시도하다. ③ 시작: auf den ~ des neuen Planes warten 새로운 계획이 시작되기를 기다리다. ④ 범람; 높은 파도, 격랑. ⑤〖건축〗 기둥머리, (용골 따위의) 위로 향한 경사면. ⑥ 달군 쇳빛. ⑦〖기계〗 시동. ⑧ (불시의) 기항(寄港).
an|laufen* 《I》 *t.* ①〖광산〗 손수레로 운반하다. ② einen Hafen ~ 어떤 항구를 향해 운항하다. ③ (달려가서) 부딪치다; 〖비유〗 (jn.) 달려들다, 강요하다. 《II》 *i.* (s.) ① 뛰기 시작하다; 달려나가다; (비행기가) 활주하다: ein neuer Film ist angelaufen 새 영화가 시작되었다. ② 〔다음 용법으로〕 angelaufen kommen 달려 오다: die Kinder kamen angelaufen 아이들이 달려왔다. ③ gegen jn.〔et.〕 ~ a) 누구를〔무엇을〕 향해 달려가다, b) 대항하다: gegen Vorurteile ~ 편견에 맞서 싸우다. ④ 〖비유〗 übel〔schlecht〕 ~ 냉대받다: er ist bei ihr übel〔schlecht〕 angelaufen 그는 그 여자에게서 푸대접을 받았다; jn. blau ~ lassen 누구를 속이다, 우롱하다. ⑤〖海〗 (불시에) 기항하다. ⑥ (뺨 등이) 부어오르다; (빚 따위가) 불어나다, 늘다: Kosten〔Zinsen〕 sind angelaufen 비용이〔이자가〕 불어났다. ⑦〖건축〗 (지붕 따위가) 비스듬히 위쪽을 향하다. ⑧ (입)김이 서리다; (거울 따위가) 흐려지다; 녹슬다: die Brille 〔das Fenster〕 ist angelaufen 안경〔창〕에 김이 서렸다; Stahl blau ~ lassen 강철을 달구다; 〖비유〗 sie ist ganz blau angelaufen 그 여자는 아주 새파랗게 질렸다. ⑨ (기계 따위가) 움직이기 시작하다: der Motor läuft an 엔진이 작동하기 시작한다. ⑩〖사냥〗 ein Wild läuft an 사냥감이 쏘기 좋게 사냥꾼 앞으로 오다.
Anlauf=farbe *f.* 〖제련〗 달군 쇠 빛깔. **~geschwindigkeit** *f.* 시동 속도. **~hafen** *m.* 기항지. **~kosten** *pl.* 〖經〗 초동 비용. **~rad** *n.* 〖空〗 (비행기의) 이착륙용 바퀴. **~sprung** *m.* 〖스포츠〗 도움닫기. **~stelle** *f.* ① 문의처, 상담 기관. ② (간첩 따위의) 접선 장소. **~strecke** *f.* 〖空〗 이륙〔착륙〕 거리. **~strom** *m.* 시동 전류. **~turm** *m.* 〖스키〗 도약대. **~zeit** *f.* ① (모터·영사기 등의) 시동〔기동〕 시간. ② 〖비유〗 적응〔준비〕 기간. ③ (연극·영화의) 개봉 상연 기간, 첫 공연 기간.
Anlaut [ánlaut] *m.* -(e)s, -e 〖문법〗 어두음(語頭音), 초성(낱말이나 음절의 첫 음).
an|lauten *i.* (h.) 〖문법〗 mit einem Vokal ~

모음으로 시작되다.

an|läuten 《Ⅰ》 *i.* (h.) 벨을 울려 안내를 청하다; 초인종을 누르다, 〖비유〗 방문하다: bei jm. ~ a) 누구의 집의 초인종을 울리다, b) 누구의 집에 전화를 걸다. 《Ⅱ》 *t.* ① jn. ~ 누구에게 전화 걸다. ② 〖스포츠〗 ein Spiel ~ 경기의 시작을 알리다.

an|lecken *t.* ① 침을 바르다: eine Briefmarke 〔einen Umschlag〕 ~ 우표〔봉투〕에 침을 바르다. ② 살짝 맛보다〔핥다〕.

Anlege·apparat *m.* 〖印〗 자동 급지(給紙) 장치. **~gebühren** *pl.* 정박료(停泊料). **~kapital** *n.* 시설 투자 자본. **~hafen** *m.* 기항지. **~leiter** *f.* 사닥다리.

***an|legen** 《Ⅰ》 *t.* ① …에 갖다대다, 놓다, 붙이다: (**a**) das Gewehr auf jn. ~ 총으로 누구를 겨누다; legt an! — Feuer! 겨눠! — 쏴! (**b**) eine Leiter an die Wand ~ 사다리를 벽에 걸치다. (**c**) Säugling ~ 젖먹이에게 젖을 먹이다. (**d**) (불을) 지피다: Holz 〔Kohl〕 ~ 장작〔석탄〕을 지피다; Feuer ~ 점화하다; 방화하다. (**e**) (배를) 접안시키다. (**f**) Hand an et. ~ 무슨 일에 착수하다; die letzte Hand an et. ~ 무슨 일을 마무르다, 매듭짓다; mit Hand ~ 힘을 보태 주다; Hand an jn. ~ 누구를 폭행하다, 누구의 목숨을 노리다. (**g**) (개 따위를) 붙잡아 매다: den Hund an die Kette ~ 개를 사슬에 매다; dem Pferd Zaum und Zügel ~ 말에 고삐를 매다; seinen Begierden Zügel ~ 정욕을 억제하다; jm. Fesseln ~ 누구를 속박하다. (**h**) einen Maßstab an et. ~ 무엇을 자로 재다; 〖비유〗 평가하다: zweierlei Maßstab ~ 이중의 기준을 들이대다, 공정하지 못하다. (**i**) (의복·장신구·무기 따위를) 몸에 지니다, 걸치다: jm. Kleider ~ 누구에게 옷을 입히다. (**j**) 〖고어〗 jm. Ehre〔Schande〕 ~ 누구에게 경의를 표하다〔창피 주다〕. ② (**a**) 계획〔설계〕하다; 건설〔가설〕하다; 작성하다; (작품을) 구상하다: eine Zeichnung ~ 제도하다; ein Lager 〔eine Befestigung〕 ~ 진을 치다〔요새를 구축하다〕; der Roman ist breit〔groß〕 angelegt 그 소설은 폭넓게〔원대하게〕 구상되어 있다. (**b**) (음모·폭동 따위를) 모의〔꾀〕하다: ein angelegter Handel 흉정. (**c**) es auf et. ~ 무엇을 목표하다, 노리다: er hat es auf sie angelegt 그가 노린 것은 그 여자였다. (**d**) (소질·재능 등을) 부여하다: der Knabe, den die Natur selbst angelegt hat 날 때부터 재능이 풍부한 소년. ③ (**a**) 출자〔투자〕하다: sein Geld in Ländereien ~ 토지에 투자하다; sein Geld zu 4% ~ 가진 돈을 이윤 4%로 운용하다. (**b**) seine Zeit gut ~ 시간을 유용하게 쓰다. (**c**) Steuer ~ 세금을 부과하다. (**d**) 지출하다: 4 Mark für einen Hut ~ 모자를 사는데 4 마르크를 지출하다; was〔wieviel〕 wollen Sie (für das Bild) ~? (이 그림에) 얼마를 내시겠습니까? ④ 첨부〔동봉〕하다. ⑤ (jn.) …에게 일거리를 주다, …을 부리다: 〖사냥〗 die Treiber ~ 몰이꾼을 동원하다; die Hunde ~ 사냥개로 하여금 냄새를 추적하게 하다. 《Ⅱ》 *i.* (h.) ① (**a**) (배가) 정박하다: ein Schiff legt im Hafen an 배가 항구에서 접안한다. (**b**) 젖 먹이다. (**c**) (총으로) 겨누다. (**d**) (장작·숯 따위를) 지피다. ② *imp.* es legt bei ihm an 그는 살이 찐다. 《Ⅲ》 *refl.* sich ~ ① (…에) 기대다, 헌신〔몰두〕하다. ② 〖방언〗 sich mit jm. ~ 누구와 다투기 시작하다. ③ 〖요리〗 sich an den Topf ~ (죽 따위가) 냄비 바닥에 눌어붙다. ④ 〖雅語〗 (schweiz.) 옷을 입다: Trauer(kleidung) ~ 상복을 입다.

Anlege·platz *m.* 선착장, 부두, 하역장.

Anleger *m.* -s, - ① 〖印〗 삽지공(揷紙工). ② 투자가. ③ (건축용) 수준(水準) 자.

Anlege≠schloß *n.* 맹꽁이자물쇠. **~steg** *m.* 잔교(棧橋). **~stelle** *f.* ↑ ~platz.

Anlegung *f.* -en 투자; 설치; 〖醫〗 첩용.

Anlehen *n.* -s, - ↑ Anleihe.

an|lehnen 《Ⅰ》 *t.* ① 기대다, 의탁하다: den Rücken an die Wand ~ 등을 벽에 기대다; nicht ~! 기대지 마시오! ② 기대어 놓다: die Tür nur ~ 문을 닫는 둥 마는 둥하다. 《Ⅱ》 *refl.* sich an et.〔jn.〕 ~ 무엇에〔누구에게〕 기대다, 〖비유〗 의존하다; der Verfasser lehnt sich stark an die Lehre Kants an 저자는 칸트의 학설에 강하게 의존하고 있다.

Anlehnung *f.* -en ① 기댐. ② 의존, 의지: in 〔unter〕 ~ an et. 무엇에 의존〔의거〕하여; die ~ an Gotik ist unverkennbar 고딕 양식을 모범으로 삼은 흔적이 역력하다.

anlehnungs·bedürftig *a.* 지원이 필요한.

an|lehren *t.* jm. et. 〔jn. zu et.[3]〕 ~ 누구에게 무엇을 가르치다.

an|leiern *t.* (흥을) 돋우다, 기분좋게 하다.

***Anleihe** *f.* -n ① 차입(금), 차관, 융자, 대부: öffentliche ~ 공채; eine staatliche ~ 국채; eine ~ machen〔aufnehmen〕 차입하다, 융자받다. ② 차용, 표절: er hat bei Wagner ~ gemacht 그는 바그너의 작품을 표절했다.

Anleihe≠ablösung *f.* 차입금〔공채〕 상환. **~kapital** *n.* 차입 자본. **~markt** *m.* 사채 시장.

an|leihen* *t.* 〖고어〗 von〔bei〕 jm. Geld ~ 누구에게서 돈을 빌리다.

Anleihe≠papier *n.* 공채 증서, 채권. **~prospekt** *m.* 공채 모집서. **~schein** *m.* ↑ ~papier. **~tilgung** *f.* 차입금〔공채〕 상환.

an|leimen *t.* ① (아교로) 접착시키다: 〖구어〗 wie angeleimt sitzen 꼼짝도 않고 앉아 있다. ② 속이다.

an|leinen *t.* (개를) 밧줄에 매다.

***an|leiten** *t.* ① (덩굴 식물을) 받침대를 타고 기어오르게 하다. ② (jn.) 지도〔안내〕하다: ein Kind zur Ordnung ~ 아이에게 질서 교육을 시키다.

Anleiter *m.* -s, - 지도자, 안내인; 안내서.

Anleitung *f.* -en ① 지도, 안내: ~ bekommen〔geben〕 지도받다〔지도하다〕; unter seiner ~ 그의 지도〔안내〕를 받아. ② 입문〔안내〕서: die ~ für die Bedienung der Waschmaschine 세탁기 사용 설명서. ③ 〖음악〗 서곡, 서주(序奏).

an|lenken *t.* 〖기계〗 크랭크로 연결시키다.

Anlern·beruf *m.* 단기 양성의 직업.

an|lernen 《Ⅰ》 *t.* ① 속성 교육하다: sich[3] et. ~ 무엇을 (속성으로) 배우다. ② ↑ anlehren. 《Ⅱ》 **angelernt** *p.a.* ↑ angelernt.

Anlernling [ánlɛrnlɪŋ] *m.* -s, -e 수습생, 연수생.

Anlern≠werk·stätte *f.* 직업 훈련소. **~zeit** *f.* 수습〔연수〕 기간.

an|lesen *t.* ① jm. et. ~ 누구의 무엇을 알아채

다, 깨닫다. ②ein Buch ~ 어떤 책을 (처음의) 몇 페이지만 읽다. ③sich³ et. ~ 독서로 무엇을 습득하다; sich Kenntnisse〔Wissen〕 ~ 독서로 지식을 얻다; in seinen Werken findet sich viel Angelesenes 그의 저서에는 다른 사람의 글에서 따온 것이 많다.

an|leuchten *t.* 비추다, 조명하다.

an|liefern *t.* 공급〔인도〕하다: jn. mit et.³ ~ 누구에게 무엇을 공급〔인도〕하다.

Anlieferung *f.* -en 공급, 인도.

an|liegen *i.* ① (h.) (**a**) 인접〔밀착〕하다: die Hose liegt knapp an 바지가 몸에 꼭 맞는다. (**b**) 〖사냥〗 매복하고 기다리다. (**c**) 〖海〗 (어느 방향으로) 진로를 잡다: ein genau gesteuerter Kurs liegt an 정확한 항로가 유지되고 있다. ②〖雅語〗 etwas liegt jm. an 무엇이 누구의 관심사다〔중대한 일이다〕; mir liegt es sehr an, ihr zu helfen 그녀를 도와 주는 일이 내겐 급선무다. ③할 일이 있다: was liegt heute noch an? 오늘 아직도 해야 할 일이 무엇이냐? ④〖고어〗 (h./s.) jm. um et. ~ 누구에게 무엇을 간청하다, 조르다; jm. mit Beschwerden ~ 항의를 해 누구를 성가시게 하다. ⑤〖商〗 (beiliegen) 첨부되어〔동봉되어〕 있다.

Anliegen *n.* -s, - ① 관심사; 소원, 간청: ein ~ vorbringen 간청하다; ich habe ein ~ an Sie 당신한테 부탁이 하나 있습니다. ②인접.

anliegend *p.a.* ① 인접한; (옷이) 몸에 꼭 맞는: ein ~es Kleid 몸에 꼭 맞는 옷. ②동봉〔첨부〕한: ~ schicken 동봉하여 발송하다.

Anlieger *m.* -s, - ① 이웃 사람. ②〖法〗 도로변 부동산 소유자.

Anlieger≈beiträge *pl.* 도로변 주민이 부담하는 교통로 유지비. **~siedlung** *f.* (인근) 지역 단지(團地); (인접지 할당에 의한) 영세농의 자작농으로의 확대. **~staat** *m.* 인접국, 연안 국가. **~verkehr** *m.* 인근 주민에게만 허용되는 차량 통행.

an|lieken *i.* 밧줄을 돛에 묶다.

an|linsen *t.* 훔쳐보다, 엿보다.

an|lispeln *t.* jn. ~ 누구에게 속삭이다, (바람이) 누구한테 산들산들 불어대다.

an|loben *t.* ① ↑ anpreisen. ② ↑ angeloben.

an|locken *t.* 꾀다, 유혹하다: das Licht lockte die Mücken an 불빛 때문에 모기가 꼬여들었다.

Anlocker *m.* -s, - 유혹자; 미끼.

Anlockung *f.* -en 유혹, 자극.

Anlockungs·mittel *n.* 유혹 수단, 미끼.

an|loten *t.* 〖海〗 측연(測鉛)으로 재다.

an|löten *t.* 납땜하다.

an|ludern *t.* 미끼〔썩은 고기〕로 꾀어들이다.

an|lüften *t.* (비행선을) 상승시키다; 살짝 추어올리다.

an|lügen* *t.* ①jn. ~ a) 누구에게 거짓말하다, b) 누구를 비방하다. ②jm. et. ~ 누구에게 어떤 사실을 뒤집어씌우다〔날조하다〕.

an|lüstern *t.* ① 갈망하다. ② 욕망을 불러일으키다.

an|luven *i.* (h.) 〖海〗 (배의) 이물을 바람받이 쪽으로 돌리다.

Anm. = Anmerkung 주, 주석(註釋).

Anmache *f.* 유혹, 자극(↑ anmachen ④).

anmachelig *a.* 유혹적인, 자극적인.

an|machen 《I》 *t.* ① 부착하다, 고정시키다, 설치하다: Bilder ~ 그림을 매달다; einen Zettel an der Tür ~ 메모 쪽지를 문에 붙이다. ② 뒤섞다, 섞어 넣다: Speisen ~ 음식물에 첨가 재료를 섞어 넣다; einen Teig mit Zucker ~ 가루 반죽에 설탕을 섞다; Mörtel ~ 회반죽을 휘저어 만들다. ③ (불을) 피우다; (등불을) 켜다; 스위치를 켜다. ④jn. ~ (**a**) 손대다, 접촉하다: dort kannst du tolle Frauen ~ 거기에 가면 멋진 여성들을 만날 수 있다. (**b**) 시비걸다: der Kerl wollte mich ~ 그 녀석이 나한테 시비를 걸려고 했다. (**c**) 자극하다, 마음을 끌다: das Konzert macht mich an 그 연주회가 마음에 든다. ⑤〖방언〗 jn. zu et.³ ~ 무엇을 하도록 누구를 자극하다, 교사하다. 《II》 *refl.* sich an jn. ~ 누구에게 추근대다.

an|mahnen *t.* ① (et.) 재촉〔독촉〕하다: eine Ratenzahlung ~ 할부금 납부를 독촉하다. ② jn. zu et.³ ~ 누구를 타일러 무엇을 하게 하다.

Anmahnung *f.* -en 독촉; 훈계, 경고.

an|malen 《I》 *t.* ① 색칠하다: die Lippen rot ~ 입술을 빨갛게 칠하다; das Gesicht ~ 얼굴에 화장하다. ② 그려 넣다: ein Tier an die Tafel ~ 칠판에 동물을 그려넣다. 《II》 *refl.* sich ~ 화장하다.

Anmarsch [ánmarʃ] *m.* -es, ..märsche ① 진군, 행진, 진격: im 〔auf dem〕 ~ sein 행진 중이다. ②〖구어〗 출근길: sie hat einen langen ~ 그녀는 출근길이 멀다.

an|marschieren *i.* (s.) 진군하다: anmarschiert kommen 진군해 오다.

Anmarsch·weg *m.* (목적지까지의) 거리.

an|maschen *t.* 〖사냥〗 die Netze ~ 그물을 설치하다.

an|maßen [ánma:sən] 《I》 *refl.* ① sich³ et. ~ 무엇을 주제넘게 차지하다, 부당하게 제 것인 체하다: du kannst dir dieses Recht 〔dich dieses Rechts〕 nicht ~ 네게 감히 이런 권리가 있다고 생각해서는 안 된다; ich maße mir kein Urteil an 나는 감히 비판할 처지가 못된다. ② sich³ ~, et. zu tun 감히〔주제넘게〕 무엇을 하다; er maßte sich an, diesen Gipfel ersteigen zu wollen 그는 감히 이 산봉우리에 오르려 했다. 《II》 **angemaßt** *p.a.* ↑ angemaßt.

anmaßend *p.a.* 건방진, 외람된, 불손한: von ~em Wesen sein 주제넘은 인간이다.

anmaßlich *a.* ↑ anmaßend.

Anmaßung *f.* -en 불손, 월권, 자만; 찬탈.

anmaßungs·voll *a.* ↑ anmaßend.

an|mästen *t.* (가축을) 비육하다; 〖속어〗 살찌게 하다: sich³ einen Bauch ~ 많이 먹어 배가 나오다.

an|mauern *t.* (무엇에) 붙여서 벽을 만들다; (무엇을) 벽에 붙이다: wie angemauert stehen 꼼짝 않고 서 있다.

an|maulen *t.* 〖구어〗 jn. ~ 누구에게 퉁명스럽게 말하다, 야단치다.

an|meckern *t.* ① 염소가 무엇을 쳐다 보며 울다. ②〖비유〗 잔소리하다.

Anmelde≈formular *f.* 신고〔등록〕 서식. **~frist** *n.* 신고〔출원〕 기한. **~gebühr** *f.* 등기료, 등록 수수료.

an|melden 《I》 *t.* ① 알리다, 고지(告知)하다: seinen Besuch telefonisch ~ 방문을 전화로 알리다; sich ~ lassen (비서에게) 면담을 신

청하다. ② 신고〔신청〕하다: seinen Wohnsitz ~ 주소지 이전〔전입〕 신고를 하다; ein Patent beim Patentamt ~ 특허청에 특허를 출원하다; wir haben unser Kind zur Schule angemeldet 우리는 우리 아이의 입학 등록을 했다. ③ 표명하다, 제기하다: Ansprüche ~ 요구 사항을 청원하다; Zweifel〔Bedenken, Einwände〕 의심을〔우려를, 이의를〕 표명하다. 《Ⅱ》 *refl.* sich ~ 예약하다, 등록〔접수〕하다: sich zu einem Kursus ~ 강좌에 등록하다; sich beim Arzt ~ 진료 접수〔예약〕하다.

Anmelde≈pflicht *f.* 신고〔등록〕 의무. **≈-pflichtig** *a.* 신고〔등록〕할 의무가 있는.

Anmelder *m.* -s, - 신고〔등록〕인; 〖학생〗 고자질하는 학생.

Anmelde≈schein *m.* 등록〔신고〕증. **~stelle** *f.* 등기소, 신고소, 접수처. **~system** *n.* (특허의) 등록〔출원〕 제도. **~termin** *m.* ↑ ~frist. **~verfahren** *n.* 등록〔출원〕 절차.

Anmeldung *f.* -en ① 통보, 고지: ohne vorherige ~ 사전 통보도 없이. ② 신고, 등록: die ~ eines Gewerbes 영업 신고. ③ 〖구어〗 접수처, 등록 창구: zuerst müssen Sie in die ~ gehen 우선 접수처에 가야 합니다.

anmeldungs.. ↑ anmelde...

an|mengen *t.* 〖방언〗 혼합하다, 섞어 만들다: aus Mehl und anderen Zutaten einen Teig ~ 밀가루와 기타 재료를 섞어 반죽을 만들다.

an|merken *t.* ① jm. et. ~ 누구의 (태도를 보고) 무엇을 알아채다〔깨닫다〕: er läßt sich³ nichts ~ 그는 조금도 내색하지 않는다. ② 적어 두다, 표시하다: (sich³) die Adresse ~ 주소를 메모하다; ich merke dich an 네 이름을 기록〔기억〕해 둔다; einen Tag im Kalender rot ~ 달력의 어떤 날짜를 빨간 색으로 표시하다. ③ 덧붙여 말하다, 주석을 달다: dazu möchte ich noch folgendes ~ 거기에 대해 또 다음 것을 참고로 말씀드리겠습니다.

anmerkens≈wert, ~würdig *a.* 주목할 만한, 현저한.

Anmerker *m.* -s, - 주목하는 사람; 주해자.

***Anmerkung** [ánmɛrkʊŋ] *f.* -en 관찰, 주의; 주해, 주석(약어: Anm.); 짧은 논평: zu einem Buch 〔über jn.〕 ~en machen 서적에 주석을 붙이다〔누구를 평하다〕; mit ~en versehen a) 주석을 붙이다, b) 주석이 붙은.

anmerkungs≈wert, ~würdig *a.* ↑ anmerkenswert.

an|messen *t.* ① jm. et. ~ (의복 따위를) 맞추다, 치수를 재다: sie ließ sich ein neues Kleid ~ 그녀는 새 옷을 맞추었다. ② et. et.³ ~ 무엇을 무엇에 맞추다.

an|mieten *t.* (집·방 따위를) 빌리다, 세들다.

Anmietung *f.* 임차, 세들기.

an|mischen *t.* ↑ anmengen.

an|mogeln *t.* 속이다, 사기치다.

an|montieren *t.* 설치〔조립〕하다.

an|motzen *t.* 〖구어〗 야단치다, 꾸짖다.

an|munden *t.* ① jn. ~ 누구의 입맛〔구미〕에 맞다. ② 〖스포츠〗 (몸을 들어 올려 평행봉에) 입을 대다.

an|muntern *t.* 고무〔격려〕하다.

an|murmeln *t.* jn. ~ 누구에게 중얼거리다.

an|murren *t./i.* (h.) (gegen) jn. ~ 누구에게 불평하다〔투덜거리다〕.

an|mustern 《Ⅰ》 *t.* 〖海〗 (선원을) 모집하다. 《Ⅱ》 *i.* (h.) 선원이 되다, 해군에 입대하다.

Anmusterung *f.* -en 선원 모집〔응모〕.

***Anmut** [ánmu:t] *f.* ① 우아, 전아(典雅), 기품; 쾌적; (경치 등의) 아름다움: mit ~ 우아하게; ~ des Stils 문체의 우아함. ② 매력, 애교: sie ist voller natürlicher ~ 그녀한테는 자연스런 애교가 넘쳐흐른다.

an|muten *t.* ① jn. ~ 누구에게 어떤 느낌을 불러 일으키다: das Zimmer mutet mich heimatlich〔fremd〕 an 그 방은 나한테 아늑한〔낯선〕 느낌을 준다. ② 〖고어〗 (schweiz.) jm. et. ~ (부당하게) 누구에게 무엇을 기대〔요구〕하다: das kann man uns doch nicht ~ 우리한테 설마 그런 요구를 해오지는 못하겠지.

anmutig *a.* 우아한; 애교 있는, 품위 있는.

Anmutigkeit *f.* -en ↑ Anmut.

anmut·reich *a.* ↑ anmut(s)voll.

anmut(s)los *a.* 운치가 없는, 품위가 없는.

anmut(s)·voll *a.* 매우 우아한, 품위 있는, 기품이 넘치는; 쾌적한.

Anmutung *f.* -en ① 부당한 요구. ② 기분, 느낌.

Anna [aná:] *m.* -(s), -(s) 옛 인도의 화폐(16분의 1 Rupie).

an|nadeln *t.* (öst.) 바늘로 깁다〔꿰매다〕.

an|nageln *t.* 못질하여 고정하다: 〖비유〗 wie angenagelt dasitzen 꼼짝 않고 앉아 있다.

an|nagen *t.* 갉아먹다, 축내다.

an|nahen *i.* (s.) 접근하다.

an|nähen *t.* an et. ~ 무엇에 꿰매 붙이다.

an|nähern 《Ⅰ》 *t.* 접근시키다, 가까이 오게 하다. 《Ⅱ》 *refl.* sich ~ 다가가다, (정신적으로) 접근하다: sich einem Grenzwert ~ 한계치에 근접하다; er versuchte, sich ihr anzunähern 그는 그녀와 친해지려고 애썼다. 《Ⅲ》 *i.* (s.) 다가오다, 가까이 오다.

annähernd *p.a.* 대략, 대충, 거의: ~ tausend Menschen 약 천 명의 인원; ~ richtig raten 얼추 알아맞히다; mit ~er Sicherheit 거의 확신을 가지고.

Annäherung *f.* -en ① 접근. ② 친근, 화친: zwischen den beiden eine ~ zustande bringen 두 사람을 화해시키다, 중재하다. ③ 어림, 근사(치); 〖數〗 근사값, 근사법.

Annäherungs≈formation *f.* 〖軍〗 근접 대형. **~graben** *m.* 〖軍〗 공격로(路), 교통호. **~-kraft** *f.* 〖物〗 구심력. **~licht** *n.* 착륙 지역 표시등. **~linien** *pl.* 〖軍〗 근접선; 〖數〗 점근선(漸近線). **~politik** *f.* 친선〔선린〕 정책. **~versuch** *m.* 접근〔화해〕의 시도, 조정: ~e machen 접근을 시도하다. **~weg** *m.* 공격로, 접근로. **≈weise** *adv.* 접근하여; 대략, 대체로. **~wert** *m.* 근사치.

***Annahme** [ánna:mə] 《< annehmen》 *f.* -n ① (**a**) 수령, 수취: die ~ eines Geschenkes 선물을 받음; die ~ eines Pakets verweigern 소포의 수령을 거부하다. (**b**) 승인, 수용, 동의, 수락, 통과: die einstimmige ~ 만장 일치의 승인; 〖法〗 vorbehaltlose ~ 무조건 승인; die ~ des Gesetzesvorschlages 법안의 통과. (**c**) 획득, 취득: die ~ eines neuen Namens 다른 이름의 취득. (**d**) 받아들임, 채용, 입학 허가: die ~ eines Bewerbers 지원자의 채용; 〖구식〗 ~ an Kindes Statt 입양. (**e**) 〖스포츠〗 (볼의) 리시브. ② 접수〔수납〕 창구: Brief≈ 우편물 접수 창구. ③ 가정, 전제, 추측: in

〔unter〕 der ~, daß... …라는 가정 아래.
Annahme≈beamte* *der* 접수 공무원〔직원〕. **~berechtigung** *f.* 채용〔입학〕 자격. **~buch** *n.* 인수장(帳), 영수 장부. **~erklärung** *f.* 수령증; 〖法〗 어음 인수증. **~frist** *f.* 접수 기한. **~stelle** *f.* 〖우편〗 접수 창구. **~stempel** *m.* 〖우편〗 수령인(印). **~untersuchung** *f.* 〖軍〗 지원병 신체 검사. **~vermerk** *m.* 인수 확인 기재. **~verweigerung** *f.* 인수 거부; 수취 거절. **~verzug** *m.* 〖法〗 수령 지체.
Annalen [anáːlən] 《lat. annus, „Jahr"》 *pl.* (Jahrbücher) 연감(年鑑), 연보, 연대기.
Annalist *m.* -en, -en 연감〔연보·연대기〕 편찬자.
Annalistik *f.* ①〖史〗 연대기의 편찬. ② 연대기의 연구.
Annam [ánam] 《chin.》 안남(安南).
Annamit [anamíːt] *m.* -en, -en 안남인.
annamitisch *a.* 안남(태생)의.
an|nasen *t.* 〔구어〕 호통치다, 꾸짖다.
an|nässen *t.* 살짝 축이다, 축축하게 하다.
Annaten [anáːtən] 《lat. annus, „Jahr"》 *pl.* 〖가톨릭〗 연공(年貢) (중세에 신임 성직자가 주교에게 바치던 연례 헌금).
annehmbar [ánneːmbaːr] *a.* ① 견딜 만한: sein Befinden ist ~ 그의 형편은 그럭저럭 지낼 만하다. ② 통행할 수 있는: ein ~er Weg 통행 가능한 길. ③ 쓸모 있는, 타당한: ein ~er Vorschlag 수락할 만한 제안. ④ 만족스러운, 괜찮은: eine ~e Leistung 괜찮은 성과.
Annehmbarkeit *f.* 수락〔수용〕 가능(성).
an|nehmen* 《I》 *t.* ① 받아들이다, 수취〔수령〕하다: ein Geschenk ~ 선물을 받다; eine Einladung ~ 초대에 응하다; eine Speise ~ 음식을 먹다; ein Manuskript〔Theaterstück〕 ~ 원고를〔연극작품을〕 (출판〔공연〕하기 위해) 넘겨받다; einen anderen Namen〔Titel〕 ~ 새 이름〔제목〕을 택하다; eine Gewohnheit ~ 어떤 습관을 들이다; eine Meinung ~ 어떤 의견을 받아들이다; Vernunft ~ 이성적으로 되다; einen Wechsel ~ 어음을 인수하다; einen Reisescheck ~ 여행자 수표를 환전해 주다; 〖스포츠〗 den Ball ~ 공을 받다; eine Herausforderung ~ 도전에 응하다; ein Gesetz ~ 법안을 통과시키다. ② (원하는 사람을) 받아들이다: Besucher ~ 방문객을 맞아들이다; Bewerber für eine Stellung ~ 어떤 직책의 지원자를 받아들이다〔채용하다〕; ein Kind ~ 아이를 입양하다. ③ 〖사냥〗 das Wild nimmt den Jäger〔Hund〕 an 들짐승이 사냥꾼을〔개를〕 공격한다; der Hund nimmt die Fährte an 개가 들짐승의 발자국을 발견해 추적한다; das Wild nimmt Futter an 들짐승이 먹이를 먹는다. ④〔비유〕 jn. (hart) ~ 누구에게 거칠게 대하다. ⑤ (어떤 특성을) 띠다, 갖게 되다: Form〔Gestalt〕 ~ 형태를〔형상을〕 띠게 되다; der Stoff nimmt die Farbe gut an 이 소재는 염료를 잘 빨아들인다. ⑥ 가정〔추측·추정〕하다: man nimmt allgemein an, daß ... 사람들은 대체로 …라고 믿는다; et. als wahr ~ 무엇을 진실이라고 가정하다; angenommen, daß... 가령 …라고 가정할 때; 〔비유〕 das kannst du ~! 그것은 확실하다! 《II》 *refl.* ① sich js. 〔eines Dinges〕 ~ 누구를〔무엇을〕 떠맡다, 돌봐 주다; er nimmt sich seines Bruders an 그는 아우를 보살핀다. ② 〔고어·방언〕 sich³ et. ~ 무엇을 진지하게 받아들이다: nimm dir das an! 그 문제를 진지하게 받아들여라! 《III》 **angenommen** *p.a.* ↑ angenommen.
Annehmer *m.* -s, - 수납인; 채용〔보호〕자; 〖商〗 어음 인수인.
annehmlich *a.* ↑ annehmbar.
Annehmlichkeit *f.* -en 쾌적, 안락; 매력: ~en des Lebens 생활의 안락.
Annehmung *f.* -en 수락, 인수; 채용, 응접.
an|neigen 《I》 *t.* 기울이다. 《II》 *refl.* sich ~ 기울다.
annektieren [anɛktíːrən] 《lat.》 *t.* 강탈하다; 횡령하다; 합병〔강점〕하다: einen Staat ~ 어떤 국가를 합병하다.
Annektierung *f.* -en 합병, 병합.
Annelide [anəlíːdə] 《gr., „Ring"》 *f.* -n 〖動〗 환충류(環蟲類), 환형(環形) 동물.
Annex [anɛ́ks] 《lat.》 *m.* -es, -e ① 부속물, 첨가물; 부칙. ② 별채, 부속 건물.
Annex·bau *m.* 〔복수: -ten〕 부속 건물, 별관.
Annexion *f.* -en 합병, 강점: ~ von Staatsgebiet 영토 합병.
Annexionismus *m.* - 합병 정책; 합병론.
Annexionist *m.* -en, -en 합병론자.
Annexions·politik *f.* 합병 정책.
an|nicken *t.* jn. ~ 누구에게 (동의하여) 고개를 끄덕이다.
anni currentis [áni: kurɛ́ntɪs] 《lat.》 (des laufenden Jahres) 금년에, 금년의(약어: a.c.)
an|niesen *t.* jn. ~ 누구의 얼굴에 대고 재채기하다; 〔비유〕 호통치다.
an|nieten *t.* 핀으로 고정시키다, 리벳을 박다.
anni futuri [áni: futúːri:] 《lat.》 (des kommenden Jahres) 내년에, 내년의(약어: a.f.).
Annihilation [anihilatsióːn] 《lat. nihil, „nichts"》 *f.* -en ① 파기; 무효〔취소〕 선언. ② 〖物〗 소멸.
annihilieren *t.* 파기〔취소〕하다.
anni praeteriti [áni: prɛtéːriti:] 《lat.》 (des vorigen〔letzten〕 Jahres) 지난 해에, 지난 해의(약어: a.p.).
an|nisten *refl.* sich an et.³ ~ 무엇에 둥지를 틀다, 보금자리를 마련하다.
Anniversar [anivɛrzáːr] *m.* -s, -e ↑ Anniversarium.
Anniversarium [anivɛrzáːrium] 《lat.》 *n.* -s, ..rien [..riən] ① 기념일. ② 〖가톨릭〗 연례 기념식, 망자기일(亡者忌日) 미사.
***anno** [áno] 《lat.》 *adv.* (im Jahr) …년에: dieses Haus wurde ~ 1890 gebaut 이 집은 1890 년에 지어졌다; ~ dazumal 옛날에, 지난 그 시절에: 〔구어〕 ~ Tobak 아주 옛날에, 호랑이 담배 피우던 시절에; von ~ Tobak her 태곳적부터.
annoch [annɔ́x] *adv.* 〔고어〕 아직도.
Anno Domini [áno dóːmini] 《lat. dominus, „Herr"》 서기 …년의(약어: A.D.).
Annonce [anɔ̃ːsə] 《frz.》 *f.* -n (신문의) 광고.
Annoncen≈blatt *n.* 광고지(紙). **~büro** *n.* ↑ ~expedition. **~expedition** *f.* 광고 대리점. **~sammler** *m.* 광고모집자. **~vorhang** *m.* 광고 현수막. **~wesen** *n.* 광고업.
Annonceuse [anɔ̃sǿːzə] *f.* -n (레스토랑의)

주문받는 여종업원.
annoncieren [anõsí:rən] «frz.» *t./i.* (h.) 광고하다: eine Stelle ~ 구인 광고를 내다; in einer Zeitung ~ 신문에 광고하다.
Annotata [anotá:ta] «lat.» *pl.* 주석, 주해.
Annotation [anotatsió:n] «lat.» *f.* -en ① 주석, 주해. ②〖구동독〗신간 도서 목록.
annotieren *t.* 주해를〔주석을〕 달다: annotierte Bibliographie 주석이 곁들여진 참고 문헌 목록.
Annuale «lat. annus, „Jahr"» *n.* -, -n〖가톨릭〗연례 미사; 주기(周忌).
Annuarium [anuá:rium] *n.* -s, ..rien [..riən] 연감, 연보, 달력.
annuell [..ɛ́l] *a.* ①〖植〗1 년생의. ② 해마다의, 매년의.
Annuität *f.* -en ①〖經〗(장기 부채의) 연차(年次) 상환액. ② 연봉(年俸).
annullierbar «lat.» *a.* 파기〔취소〕할 수 있는.
annullieren [anulí:rən] «lat.» *t.* 파기〔취소〕하다, 무효를 선언하다.
Annullierung *f.* -en 취소, 파기, 무효 선언.
Annunziation [anuntsiatsió:n] «lat.» *f.* -en ① 고지, 포고. ②〖宗〗(성모) 수태 고지(절)(受胎告知(節)).
Anode [anó:də] *f.* -n〖전기〗 양극(陽極)(↔ Kathode).
an|öden [án|ø:dən] *t.* 〔구어〕 jn. mit et.³ ~ 누구를 무슨 일로 지루하게 하다, 괴롭히다.
Anoden≈abfall *m.*〖전기〗양극(陽極) 전압 강하. **~batterie** *f.* 양극 전지. **~spannung** *f.* 양극 전압. **~strahlen** *pl.* 양극선(線).
anodisch *a.*〖전기〗양극의.
an|öhren *t.* 손잡이를 붙이다, 손잡이〔자루〕로 고정시키다.
an|ölen 《Ⅰ》 *t.* ① 기름을 바르다. ② 속이다. 《Ⅱ》 *refl.* sich³ einen ~ 술에 취하다.
anomal [anomá:l, ánoma:l] «gr.» *a.* 이상한, 비정상적인, 변칙의, 변태의.
Anomalie *f.* -n [..lí:ən] 이상(異常), 파격, 변칙;〖生〗(신체의) 결함, 이상;〖天〗근점(近點) 거리.
Anomalon *n.* -s, ..la〖문법〗불규칙 동사.
Anomie [anomí:] «gr.» *f.* -n [..mí:ən]〖사회〗가치 혼돈 상태, 아노미.
anonym [anonýːm] «gr.» *a.* 익명의, 저자 불명의.
anonymisieren *t.* 익명화하다.
Anonymität *f.* 익명(성), 저자 불명.
Anonymus [anó:nymus] *m.* -, ..mi/..men 익명의 필자, 무명씨.
Anopheles [anó:felɛs] «gr.» *f.* -n〖動〗 말라리아모기.
Anopie [an|opí:, anop..] «gr.» *f.* -n [..pí:ən]〖醫〗사시(斜視), 시각 장애자.
Anopsie *f.* -n [..zí:ən] ↑ Anopie.
Anorak [ánorak] «eskimo.» *m.* -s, -s 아노락(스키·등산용의 모자가 달린 방한용 외투).
an|ordnen *t.* ① 정리〔정돈〕하다, 배열〔배치〕하다. ② 명령〔지시〕하다.
Anordner *m.* -s, - 정리자; 명령자, 지시자.
***Anordnung** *f.* -en 정리, 정돈, 배열, 배치; 명령, 지시; 규정, 법령: ~en treffen〔erlassen〕 명령을〔지시를〕 내리다.
Anorexie [anorɛksí:] «gr.» *f.*〖醫〗식욕 부진(증).
Anorganiker *m.* -s, - 무기 화학자.
anorganisch «gr.» *a.* ① 무기(無機)의: ~e Chemie 무기 화학. ② 무생물의. ③ 무질서한, (자연) 법칙에 따르지 않는: das ~e Wachstum 변칙적인 성장.
anormal «gr. -lat.» *a.* ↑ anomal.
Anorthit [anɔrtí:t, ..tít] «gr.» *m.* -(e)s〖광물〗회장석(灰長石).
Anoxämie [anɔksɛmí:] «gr.» *f.*〖醫〗무산소 혈증(血症)(혈액 속의 산소 결핍증).
Anpaarung [ánpa:ruŋ] *f.* -en〖축산〗 교배(交配), 짝짓기.
***an|packen** *t.* ① (a) 움켜잡다: jn. an der Gurgel ~ 누구의 멱살을 움켜잡다. (b) 덤벼들다: pack an! 덤벼, 물어!(개에게 하는 말) ②〔구어〕(a) 착수〔시작〕하다: ich weiß noch nicht, wie ich die Sache ~ soll 나는 그 일을 어떻게 손대야 할지 아직 모르겠다. (b) 다루다, 대하다: jn. streng ~ 누구를 엄하게 다루다. (c) (함께) 거들다, 협력하다: packen wir alle mit an! 우리 모두 함께 거들자! (d)〔구어〕(일을) 다루다, 처리하다: eine Sache richtig anzupacken verstehen 어떤 일을 제대로 처리할 줄 알다.
an|paddeln *i.* (s.) ① angepaddelt kommen 노를 저어 다가오다. ②〖스포츠〗(카누 등에서 노를 함께 저어 봄으로써) 시즌을 개막하다.
Anpaddeln *n.* (카누 등의) 시즌 개막.
an|pappen *t./i.* (s.) ①〔구어〕(임시 변통으로) 붙이다, 접착시키다. ②〖방언〗(착) 달라붙다: der Schnee ist an den Schuhen angepappt 신발에 눈이 달라붙었다.
***an|passen** 《Ⅰ》 *t.* 맞추다, 적응시키다; 적합하게 하다: et.³ et. ~ 무엇을 무엇에 맞추다. 《Ⅱ》 *refl.* ① 적응하다, 순응하다: man muß sich den Sitten des Landes ~ 사람은 그 나라의 풍속을 따라야만 한다. ② (옷의 치수가) 맞다: das Kleid paßt sich der Figur an 그 원피스가 몸에 꼭 맞는다. ③ sich jm. ~ 누구에게 (보조를) 맞추다, 서로 협조하다. 《Ⅲ》 *i.* (h.) 맞다, 적합하다: der Schuh paßt mir an 그 신발이 내게 잘 맞는다.
Anpassung *f.* -en 적응, 순응, 조절.
anpassungs≈fähig *a.* 적응력이 있는. **≈fähigkeit** *f.* 적응 능력. **≈hilfe** *f.*〖經〗적응 보조비. **≈mensch** *m.* 기회〔편의〕주의자. **≈prozeß** *m.* 적응 과정. **≈schwierigkeit** *f.* 적응 장애. **~vermögen** *n.* ↑ ≈fähigkeit.
an|pasten *t.* 반죽하다.
an|patschen *t.* (짐승이) 앞발로 두드리다〔긁다〕, 발버둥치다.
an|peilen *t.* ①〖海·空〗목표점으로 삼다, 방향을 정하다. ② (방향 탐지기나 나침반으로) 위치를 찾아내다.
an|peitschen *t.* (말 등을) 채찍질하여 달리게 하다; (무엇을 하도록) 무자비하게 몰아대다.
Anpfahl [ánpfa:l] *m.* -(e)s, ..pfähle〖광산〗지주(支柱).
an|pfählen *t.* 말뚝에 잡아매다, 말뚝으로 받치다.
an|pfeifen* *t./i.* (h.) ①〔구어〕(jn.) 호되게 꾸짖다: der Chef hat ihn angepfiffen 사장이 그를 (호되게) 꾸짖었다. ②〖스포츠〗호각을 불어 경기 시작을 알리다(↔ abpfeifen): der Schiedsrichter pfeift die zweite Halbzeit an 심판이 후반전 시작 호각을 분다; angepfiffen

kommen (기차가) 기적을 울리며 오다.
Anpfiff *m.* -(e)s, -e ①〔구어〕질책, 꾸지람. ②〔스포츠〕경기 시작을 알리는 호각 (소리).
an|pflanzen *t.* ① (**a**) 심다, 재배하다: Apfelbäume ~ 사과나무를 심다; Mais 〔Kaffee〕 ~ 옥수수〔커피〕를 재배하다. (**b**) 〔드물게〕ein Beet ~ 화단에 식수하다. ② sich irgendwo ~ 어떤 곳에 정착하여 살다.
Anpflanzung *f.* -en 식목, 경작, 재배; 경작지, 재배지; 소공원; 식민(지).
an|pflaumen *t.* 〔구어·농담〕놀리다, 조롱하다, 야유하다.
Anpflaumerei *f.* 〔구어〕놀림, 조롱, 야유.
an|pflocken *t.* 작은 말뚝〔나무못〕으로 고정시키다〔잡아매다〕.
an|pflöcken *t.* 〔드물게〕 ↑ anpflocken.
an|pflügen 《I》 *t.* 쟁기질로 손상시키다. 《II》 *i.* (h.) 땅〔밭〕을 갈기 시작하다.
an|pfropfen *t.* ①〔원예〕접목〔접지〕하다. ②〔工〕(목재를) 접합(接合)하다.
an|pichen *t.* 역청(瀝青)을 바르다, 역청으로 붙이다: wie angepicht dasitzen 꼼짝하지 않고 있다.
an|picken *t.* (부리로) 쪼다, 쪼아먹다.
an|pinkeln *t.* 〔경박〕…에 오줌을 누다, 오줌 눠서 더럽히다〔적시다〕.
anpinnen *t.* (nordd.) 핀으로 고정시키다.
an|pinseln *t.* 〔구어〕(색)칠하다; 〔폄어〕(화장품을) 처바르다: ich mag keine Frauen, die sich ~ 나는 분칠한 여자들을 좋아하지 않는다.
an|pirschen *refl.* 〔사냥〕 sich (an das Wild) ~ (짐승에게) 살금살금 다가가다.
an|pissen *t.* 〔속어〕 ↑ anpinkeln.
an|placken *t.* (광고 등을) 붙이다; 〔비유〕폭로하다.
an|plappern *t.* 〔구어〕 jn. ~ 누구에게 실없는 말을 하다.
an|plärren *t.* 〔구어〕 jn. ~ 누구에게 고함치며 대들다.
an|plätschern *i.* (h.) (빗물이) 튀어오르다.
an|plätzen *t.* 〔林〕 einen Baum ~ (길·벌채의 표시로) 나무 껍질을 깎아 표시를 하다.
an|pöbeln *t.* 〔구어〕모욕〔야유〕하다, 무례하게 굴다.
Anpöb(e)lung *f.* -en 〔구어〕야유, 모욕적인 말, 야비한 언동.
an|pochen *i.* (h.) 〔방언〕 ↑ anklopfen 《I》.
an|poltern *i.* (h.) 〔대개 다음 용법으로만〕 angepoltert kommen 요란한 소리를 내며 다가오다.
an|posaunen *t.* 나팔을 불어 알리다; 〔비유〕 말을 퍼뜨리다, 선전하다.
Anprall *m.* -es, -e 부딪침, 충돌.
an|prallen *i.* (s.) (an et.) (세게) 부딪치다, 충돌하다.
an|prangern *t.* (죄인을) 대중 앞에 구경〔웃음〕거리로 만들다; 〔비유〕(공개적으로) 지탄〔비난·탄핵〕하다.
Anprangerung *f.* -en 지탄, 비난, 탄핵.
an|preien *t.* 〔海〕 (다른 배를 향해) 큰 소리로 부르다.
an|preisen* *t.* 칭찬〔천거〕하다; 선전하다.
Anpreisung *f.* -en 칭찬, 천거; 선전.
an|prellen *t.* 〔드물게〕 ↑ anprallen.
an|pressen *t.* (무엇에 대고) 세게 누르다, 꽉 조르다, 단단히 죄다.
Anprobe [ánpro:bə] *f.* -n ① (가봉(假縫)한 옷을) 입어보기, 신어보기: zur ~ gehen 가봉한 옷을 입어보러 가다. ② (가봉한 옷을) 입어 보는 방.
an|proben, an|probieren *t.* (잘 맞는가) 입어〔신어〕 보다; 가봉해서 입혀 보다.
an|prosten *t.* jn. ~ 누구를 위해 축배를 들다.
an|pudern *t.* 분을〔가루를〕 뿌리다.
an|pummeln *t.* 〔구어·방언〕두텁고 따뜻하게 옷을 입히다: die hat sich aber angepummelt 저 여자는 옷을 참 두텁게도 껴입었구나.
an|pumpen *t.* 〔구어〕 jn. (um Geld) ~ 누구에게서 (돈을) 꾸다.
an|pusten 《I》 *t.* 〔방언〕(세게) 입김을 불다; 호통치다. 《II》 *i.* (s.) 헐떡이며 오다.
Anputz [ánputs] *m.* -es 〔방언〕성장(盛裝), 치장; 분식(粉飾); 나들이옷.
an|putzen *t.* 성장시키다, 요란하게 치장시키다: sich ~ 성장하다, 요란〔화려〕하게 차려입다; 〔비유〕den Christbaum ~ 크리스마스 트리를 요란하게 장식하다.
an|quälen *refl.* sich ~ 억지로 기쁜 척하다.
an|qualmen *t.* 〔구어〕 jn. ~ 누구에게 담배 연기를 뿜어대다.
anquasseln *t.* 〔경박〕 스스럼없이 상대하다〔말을 건네다〕: sie quasselt jeden an, den sie trifft 그녀는 만나는 사람 누구에게나 스스럼없이 말을 건넨다.
an|quatschen *t.* 〔경박〕 jn. ~ 누구에게 거리낌없이〔넉살 좋게〕 말을 걸다, 집적대다.
an|quetschen *t.* ↑ anpressen.
an|quicken *t.* 수은과 혼합하다, 아말감을 만들다.
an|radeln *i.* (s.) 〔대개 다음 용법으로만〕〔구어〕 angeradelt kommen 자전거를 타고 다가오다.
an|rainen *i.* (h.) 경계를 접하다, 인접하다.
Anrainer *m.* -s, - ① 이웃 (사람). ② (obd.) ↑ Anlieger.
Anrainer≈grundstück *n.* 인접해 있는 토지. **~land** *n.* ↑ Nachbarland. **~staat** *m.* (obd.) ↑ Anliegerstaat. **~verkehr** *m.* (obd.) ↑ Anliegerverkehr.
Anrand *m.* -(e)s (obd.) 힘찬 도약〔도움닫기〕.
an|ranken *t./refl.* 〔드물게〕 (sich) ~ (식물이) 덩굴로 감겨 자라다.
an|ranzen *t.* 〔경박〕호통치다, 질책하다, 호되게 꾸짖다.
Anranzer *m.* -s, - 〔구어〕호통, 호된 꾸지람〔질책〕.
an|rasen *i.* (s.) 〔구어〕 질주해오다, 쏜살같이 달려오다: 〔대개 다음 용법으로〕 angerast kommen 맹렬한 기세로 달려오다.
an|raspeln *t.* (거친 줄로) 가볍게 줄질하다.
an|rasseln 《I》 *i.* (s.) 〔대개 다음 용법으로만〕〔구어〕 덜커덩덜커덩〔딸랑딸랑〕 소리내며 오다: angerasselt kommen 덜커덩거리며 달려오다. 《II》 *t.* 〔구어〕심하게 야단치다〔혼내다〕.
an|raten* *t.* jm. et. ~ 누구에게 무엇을 권하다, 충고하다, 추천하다.
Anraten *n.* -s 권고, 추천: auf ~ des Arztes 의사의 권고에 따라.
Anratung *f.* -en ↑ Anraten.
an|rauchen *t.* ① …에 (담배) 연기를 내뿜다.

② (담배를) 피우기 시작하다, 다 피우지 않다: er warf die angerauchte Zigarette weg 그는 피우다만 담배를 내던졌다.

an|räuchern *t.* 살짝 그을리다, 훈제하다.

Anräucherung *f.* -en 훈제.

Anraum *m.* -s (südd.) 무서리(Rauhreif).

an|raunzen *t.* 〔경박〕(südd.) ↑ anranzen.

Anraunzer *m.* -s, - 〔경박〕(südd.) ↑ Anranzer.

an|rauschen *i.* (s.) (바람·물 등이) 살랑살랑〔솨솨, 졸졸〕 소리내며 다가오다: 〔다음 용법으로〕 angerauscht kommen (남들의 시선을 끌며) 요란하게 다가오다, 살랑살랑〔솨솨, 졸졸〕 소리내며 오다.

anrechenbar [ánrɛçənba:r] *a.* ↑ anrechnungsfähig.

an|rechnen *t.* ① 계산하다, 계산(서)에 올리다, 청구하다: die kleinen Beträge rechne ich (Ihnen) nicht an 자잘한 금액들은 계산에서 빼드리겠습니다. ② jm. et. ~ 누구의 무엇을 평가하다, (공로·죄과 등을) 누구에게 돌리다: jm. seine Verdienste hoch ~ 누구의 공적을 높이 평가하다; sich³ et. als〔zur〕 Ehre ~ 무엇을 자신의 명예로 생각하다; rechne ihm sein Versehen nicht an! 그의 과실에 대한 책임을 묻지 마라! ③ (값을) 쳐주다: das alte Auto auf das neue ~ 새 자동차 값에 중고 자동차 값을 쳐서 (그만큼) 빼주다.

Anrechnung *f.* -en 계산; 평가, 참작: unter ~ der Transportkosten 운송 비용을 계산하여; et. in ~ bringen 무엇을 계산에 넣다.

anrechnungsfähig *a.* 계산에 넣을 수 있는.

Anrecht [ánrɛçt] *n.* -(e)s, -s ① 요구(권): ein ~ auf et. haben 무엇에 대한 요구권을 가지다. ② (연극·음악회의) 정기 회원권: ein ~ für die Oper haben 오페라 회원권을 가지다.

Anrechtler *m.* -s, - (연극) 정기 회원.

Anrechts≈karte *f.* (연극) 정기 회원권〔증〕. **~schein** *m.* 권리 증서; 〔經〕 권리주.

***Anrede** *f.* -n ① 호칭: ~ mit Sie, Sie 라는 호칭. ② 〔드물게〕 말을 겂: bei dieser ~ erschrak er 이렇게 말을 걸었더니 그는 깜짝 놀랐다. ③ (schweiz.) 연설, 인사의 말, 식사(式辭); (교황의) 유시(諭示): eine ~ halten 연설을 하다.

Anrede≈fall *m.* 〔문법〕 호격. **~fürwort** *n.* 〔문법〕 호격 인칭 대명사.

***an|reden** 《I》 *t.* ① (**a**) jn. ~ 누구에게 말을 걸다. (**b**) jn. mit „du" ~ 누구를 du 로 호칭하다. ② 〔방언〕 jn. um et. ~ 누구에게 무엇을 달라고 청하다. 《II》 *i.* (h.) (…에 맞서) 큰소리로 말하다: gegen den Lärm ~ 소음에 질세라 큰소리로 말하다; gegen et. ~ 무엇에 맞서 (말로) 자신의 의견을 관철시키려고 하다.

***an|regen** 《I》 *t.* ① (**a**) (jn.) 자극〔고무〕하다. (**b**) jn. zu et.³ ~누구를 격려〔촉구〕하여 무엇을 시키다. (**c**) et. ~ 무엇에 대해 관심을〔흥미를〕 불러일으키다, 무엇을 제기〔제안〕하다: eine Frage ~ 문제를 제기하다. ② 각성시키다, 정신〔기운〕나게 하다. ③ 〔物〕 여기(勵起)하다. 《II》 **angeregt** *p.a.* ↑ angeregt.

anregend *p.a.* 자극〔고무〕하는, 흥미로운.

Anreger *m.* -s, - 자극〔고무〕하는 사람; 제안자, 제창자.

Anregung *f.* -en 자극, 고무; 촉진, 활성화; 제안, 발의; 〔物〕 여기(勵起): auf seine ~ (hin) 그의 발의로; in ~ bringen 제기하다.

Anregungs≈mittel *n.* 흥분〔자극·각성〕제. **~spannung** *f.* 〔전기〕 여기 전위(勵起電位).

an|reiben* *t.* ① (물감을 물 등과 함께) 문질러 섞다, 혼합하다. ② 문질러 붙이다. ③ 〔방언〕 (성냥을) 그어 불을 붙이다.

an|reichern *t.* ① 쌓다, 축적하다. ② 첨가하다, 풍부하게 하다: Margarine mit Vitaminen ~ 마가린에 비타민을 첨가하다.

Anreicherung *f.* -en 축적; 첨가.

an|reihen 《I》 *t.* 한 줄로 늘어 세우다; (진주 등을) 실로 꿰다. 《II》 *refl.* 〔雅語〕 sich ~ 줄서다, (열에) 끼다.

anreihend *p.a.* 〔언어〕 병렬적인(kopulativ).

Anreihung *f.* -en 병렬, 연속; (사건 등의) 속발(續發).

Anreim[1] [ánraɪm] *m.* -(e)s, -e 〔문학〕 두운(頭韻).

Anreim[2] *m.* -(e)s ↑ Anraum.

Anreise *f.* -n (목적지까지의) 여행; 도착.

an|reisen *i.* (s.) (목적지로) 가다, 여행하다; (여행 후 목적지에) 도착하다.

Anreise·tag *m.* 도착일.

an|reißen* 《I》 *t.* ① 조금 찢다, 찢어 열다; 〔구어〕 (포장을 찢어) 사용하기 시작하다; 〔비유〕 (저금한 것에) 손을 대다, 축내다. ② (가공할 재료에) 줄〔선〕을 긋다. ③ 〔구어〕 호객하다, (손님을) 끌어들이다. ④ (기계의) 시동을 걸다. ⑤ 〔林〕 (나무에) (수액 채취를 위해) 새김눈을 내다, 금을 그어 표시하다. ⑥ 〔방언〕 (성냥을) 긋다. ⑦ 화제로 삼다, (어떤 문제를) 다루다. 《II》 **angerissen** *p.a.* ↑ angerissen.

Anreißer *m.* -s, - ① 〔기술〕 괘선공(罫線工); ② 〔구어〕 호객꾼; 호객용 상품.

Anreißerei *f.* -en 〔구어〕 호객 행위, 과대 선전, 강매.

anreißerisch *a.* 〔구어〕 시선을 끌기 위한, (손님을 끌기 위한) 과대 광고의, 호객의.

an|reiten* 《I》 *i.* (s.) ① angeritten kommen 말을 타고 오다. ② (gegen et.) (무엇을) 말을 타고 공격하다. ③ 말타고 달리다. ④ 선두에 서서 말을 달리다. ⑤ (h.) 〔승마〕 (시즌 처음으로) 말을 타다. 《II》 *t.* 〔승마〕 ① (장애물에) 말을 달려 다가가다. ② (말을) 조련하다. ③ 말을 타고 공격하다.

Anreiz [ánraɪts] *m.* -es, -e 자극, 충동, 격려, 매력.

an|reizen *t.* 자극〔충동·격려〕하다, 부추기다.

anreizend *p.a.* 자극적인, 도발적인.

Anreizung *f.* -en 자극, 충동, 부추김.

Anrempelei *f.* -en 〔경박〕 반복적인 (성가신) 부딪침, 툭툭 침; 모욕, 욕설.

an|rempeln *t.* 〔경박〕 (의도적으로) 거칠게 부딪치다, 툭 치다; 모욕〔비난〕하다, 시비걸다.

Anremp(e)lung *f.* -en ↑ anrempeln 의 명사형.

an|rennen* 《I》 *i.* (s.) ① 〔대개 다음 용법으로〕 angerannt kommen 달려오다. ② 〔구어〕 an〔gegen〕 et. ~ 달려가다 무엇에 세게 부딪치다. ③ gegen jn.〔et.〕 누구를〔무엇을〕 향해 돌격〔돌진〕하다. ④ 이기려고 노력하다: gegen die Konkurrenz ~ 경쟁에서 이기려고 노력하다. ⑤ bei jm. übel ~ 누구에게 냉대받다. 《II》 *refl.* 〔구어〕 sich³ et. ~ (신체의 일부분을) 부딪치다: ich habe mir den Ellbogen an der Fensterecke angerannt 나는 창문 모서리

에 팔꿈치를 부딪쳤다.

Ạnrichte *f.* -n 음식을 차려 놓는 탁자; 조리실; 찬장.

Ạnrichte·kunst *f.* 〖요리〗 음식 차리는 법.

ạn|richten *t./i.* (h.) ① **(a)** (음식을) 차리다: es ist angerichtet 식사 준비가 되었다. **(b)** 〖요리〗 첨가하여 (음식을) 조리하다. ② (대개 나쁜 일을) 저지르다, 야기하다: Unfug ~ 행패를 부리다; Schaden ~ 해를 끼치다; 〔반어〕 da hast du ja (et)was Schönes angerichtet! 너 사고 한번 멋지게 쳤구나! ③〔고어〕 기초를 닦다, 창립하다. ④〖工〗 정비하다, 준비〔마련〕하다. ⑤ 조준하다, 겨냥하다: jn. zu et.³ ~ 누구를 부추겨서 무엇을 하게 하다.

Ạnrichte·tisch *m.* (schweiz.) 음식을 차려 놓는 탁자.

ạn|riechen* *t.* 〔드물게〕 ① (…의 냄새를) 맡다. ② 냄새로 알아차리다, …에(게)서 어떤 냄새를 맡다: den Alkohol riecht man ihm schon von weitem an 멀리서도 그에게서는 술냄새가 난다. ③ 알아채다, 낌새채다.

ạn|ringeln *t.* 고리로 고정시키다.

Ạnriß *m.* ..risses, ..risse ① 약간 찢어짐, 갈라진 틈, 가는 균열. ②〖工〗 괘선(罫線)긋기, 괘선. ③〖조정〗 노를 힘껏 당김.

Anritt [ánrɪt] 《<anreiten》 *m.* -(e)s, -e 〔고어〕 말 타고 접근함; 마상(馬上)〔기마〕 공격; 〔드물게〕 (말의) 시승(試乘).

ạn|ritzen *t.* 살짝 할퀴다, 생채기를 내다.

ạn|roden *t.* 개간〔개척〕하다.

Ạnrodung *f.* -en 개간.

ạn|rollen 《Ⅰ》 *i.* (s.) ① 구르기〔움직이기〕 시작하다, 출발하다: angerollt kommen 굴러오다; der Zug rollt an 기차가 움직이기 시작한다. ② gegen et. ~ 무엇을 향해 돌진하다; 〖空〗 활주하다. 《Ⅱ》 *t.* 굴려 나르다〔운반하다〕: er hat die Fässer angerollt 그는 통들을 굴려서 운반해 왔다.

ạn|rosten *i.* (s.) 녹슬기 시작하다, 약간 녹슬다.

anrüchig [ánrʏçɪç] *a.* 악명 높은, 평판이 나쁜; (약간) 외설적인, 추잡한.

Ạnrüchigkeit *f.* 악평, 오명; 상스러움, 외설.

ạn|rücken 《Ⅰ》 *t.* (책상 등을) 벽에 밀어붙이다. 《Ⅱ》 *i.* ① (h.) die Uhr rückt an 시계가 지금 막 치기 시작한다. ② (s.) 접근하다, 가까이 오다: die ~den Truppen 접근하는 부대.

ạn|rucken 《Ⅰ》 *i.* (s.) (차가) 갑자기 출발하다. 《Ⅱ》 *t.* 〔드물게〕 갑자기 잡아당기다: die Leine ein paarmal kurz ~ 끈을 몇 차례 살짝 잡아당기다.

ạn|rudern *i.* (s./h.) ① 노를 저어 접근하다: angerudert kommen 노를 저어 오다. ②〖조정〗 (그 해의) 조정 경기를 개시하다.

Anrudern *n.* -s (그 해의) 조정 경기의 개시.

*__Ạnruf__ [ánru:f] *m.* -(e)s, -e ① 부름; 〖軍〗 수하(誰何). ② 전화 (통화): einen ~ bekommen 전화를 받다.

Ạnruf·beantworter *m.* (전화) 자동 응답기.

__ạn|rufen__ 《Ⅰ》 *t.* ① 부르다, 수하(誰何)하다. ②〔雅語〕 탄원〔간청〕하다: jn. um Hilfe ~ 누구의 도움을 구하다. ③ 전화를 걸다, 전화하다: ruf mich doch morgen nachmittag an! 내일 오후에 전화해 다오! 《Ⅱ》 *i.* (h.) ① bei einem Gericht ~ 재판소에 소송을 다시 제기하다. ② (bei jm.) (누구에게) 들르다. ③ 전화하다: zu Hause ~ 집으로 전화하다; von zu Hause ~ 집에서 전화하다; im Büro ~ 사무실에 전화하다.

Ạnrufer *m.* -s, - 전화를 거는 사람; 〖法〗 항소자(抗訴者).

Ạnrufung *f.* -en 간청, 탄원; 〖法〗 항소; 〖軍〗 수하(誰何).

Ạnruf·zeichen *n.* (통신의) 호출 신호.

ạn|rühmen *t.* ↑ anpreisen.

ạn|rühren *t.* ① 건드리다, 손대다; 사용하다; 〔비유〕 …에 대해 언급하다; (명성 등을) 손상시키다: keinen Alkohol mehr ~ 알코올을 더 이상 입에 대지 않다. ② 섞다, 섞어서 휘젓다: die Soße mit Mehl ~ 소스에 밀가루를 섞어 젓다; Zement mit Wasser ~ 시멘트에 물을 섞다. ③〔雅語〕 감동시키다, 심금을 울리다: das Lied rührte sie zutiefst an 그 노래는 그녀의 영혼 깊숙이까지 감동시켰다. ④ 야기하다, 불러일으키다.

ans [ans] ＝an das: sich ~ Werk machen 일에 착수하다(단: sich an das Werk machen 어떤 특정한 일에 착수하다).

ạn|säbeln *t.* 〔구어〕 서투르게 자르다.

ạn|sacken 《Ⅰ》 *refl.* sich ~ 뱃속에 처넣다. 《Ⅱ》 *t.* 〔구어〕 (schweiz.) 꾸짖다, 야단치다; (무엇을 운반하려고) 움켜잡다.

ạn|säen *t.* Getreide ~ 곡물의 씨앗을 뿌리다; ein Feld ~ 밭에 씨를 뿌리다.

Ansage [ánza:gə] *f.* -n ① 고지, 통고; 〖방송〗 (프로의) 예고; 안내 방송. ②〖스포츠〗 작전 지시; 구술(口述); (궁정 등의) 초대.

Ạnsage·dienst *m.* 전화 자동 응답 시스템.

*__ạn|sagen__ 《Ⅰ》 *t.* ① 알리다: die Zeit ~ 시간을 알리다. ② 미리 알리다, 예고〔통고·통지〕하다: er hat seinen Besuch für heute angesagt 그는 오늘 방문하겠다고 통지하였다; 〔비유〕 jm. den Kampf ~ 누구에게 도전하다. ③ 받아쓰도록 구술하다. ④〖카드〗 (가진 패를) 말하다, 내놓다. ⑤ die Uhr sagt an 시계가 치고 있다. 《Ⅱ》 *refl.* sich ~ 방문을 알리다.

*__Ạnsager__ *m.* -s, - 알리는 사람; 〖방송〗 아나운서, 사회자.

Ạnsagerin *f.* -nen ↑ Ansager 의 여성형.

ạn|sägen *t.* 톱으로 켜기 시작하다.

Ạnsage·verfahren *n.* (과세품의) 신고 절차.

Ạnsagung *f.* -en 통지, 통고, 예고; 방송.

ạn|samen *refl.* sich ~ (식물이) 자생하다.

*__ạn|sammeln__ 《Ⅰ》 *t.* 모으다, 축적하다. 《Ⅱ》 *refl.* sich ~ 모이다, 쌓이다, 축적되다.

Ạnsammlung *f.* -en 수집; 축적, 집적; 군집, 밀집, 붐빔; 결당(結黨); 〖物〗 응결: ~ von Eis 빙산.

Ạnsamung *f.* -en 자생; 〖林〗 씨앗이 날아와서 자란 어린 나무.

ansässig [ánzɛsɪç] 《<ansitzen》 *a.* 〔준고어〕 오래도록 거주하는, 상주(常住)하는, 정주(定住)하는: ~ werden 〔sich ~ machen〕 정주하다; irgendwo ~ sein 어디에 (오래) 살다〔거주하다〕; der ~e 〔ein ~er〕 상주〔정주〕자.

Ạnsässigkeit *f.* 상주, 정주.

*__Ansatz__ [ánzats] 《<ansetzen》 *m.* -es, ..sätze ① 부착〔부가〕물, 이음쇠; (관악기 등의) 주둥이, 물부리; 〖醫〗 골단(骨端). ② 침전(물), 퇴적(물), (접시·냄비 등의) 때, 광상(鑛床). ③ 부과, 조세. ④ 예금, 위탁물. ⑤〖商〗 계산

(서), 책정 금액: et. in ~ bringen 무엇을 계산(서)에 올리다, 책정하다; außer ~ bleiben 계산되지 않다. ⑥ 항목, 조항. ⑦〖음악〗 취주〔가창〕법: einen guten ~ haben (악기를) 잘 불다〔켜다〕, 창법이 좋다. ⑧ 시초, 발단, 단초, 단서; 발병; (경기의) 도움닫기: einen ~ zum Sprung nehmen 도약하기 위해 도움닫기 하다; er nahm einen ~ zum Reden 그는 이야기를 꺼냈다. ⑨〖植〗 싹, 눈. ⑩〖비유〗 징후, 조짐, 낌새; 소질, 성향: er hat ~ zum Fettwerden 그는 살찔 체질이다.

Ansatz≠berichtigung *f.* 계산 항목의 수정. **~eisen** *n.* 부속 철구(鐵具). **~größe** *f.*〖數〗 미분량(量). **~preis** *m.* 과세액. **~punkt** *m.* 출발점, 시작점. **~rechnung** *f.* 미분학. **~rohr** *n.* 발성 기관으로서의 구강(口腔); 연결 파이프. **~stelle** *f.* ↑ ~punkt. **~störung** *f.*〖醫〗 유아의 영양 장애. **~stück** *n.* 이음쇠, 연결관; (취주 악기의) 주둥이; (접는 테이블의) 내림판(板). **~weise** *adv.* 단초적으로.

an|säuern 《I》 *t.* 시게 하다, 산성화하다; (반죽)에 효모를 넣다. 《II》 *i.* 시어지기〔상하기〕 시작하다.

an|saufen *refl.*〔비속〕 sich³ Mut ~ 술을 마셔 용기를 얻다; sich³ einen ~ (작정하고서) 술을 퍼마시다, 취해 버리다.

Ansaug·druck *m.*〖車〗 (실린더 안에서의) 가스 압축.

an|saugen(*) 《I》 *i.* (h.) 빨기 시작하다, 빨아들이다: Wasser mit einer Pumpe ~ 펌프로 물을 빨아올리다. 《II》 *refl.* sich ~ (거머리 등이) 흡착하다, 달라붙다.

Ansäung 《<ansäen》 *f.* -en 파종(播種).

an|säuseln *t.*〔구어〕《I》 ① jn. ~ 누구를 호되게 꾸짖다. ② sich³ einen ~ 얼큰하게 취하다. 《II》 **angesäuselt** *p.a.* ↑ angesäuselt.

an|sausen *i.* (s.)〔대개 다음 용법으로〕〔구어·비유〕 angesaust kommen 왁자지껄하며 (몰려)오다.

an|schaben *t.* 깎기 시작하다.

Anschaffe [ánʃafə] *f.* ① (bayr.) 명령, 지시. ②〔방언〕 돈벌이, 일자리. ③〔구어〕 매춘. ④〔구어〕 파트너 구하기. ⑤〔구어〕 도둑질.

***an|schaffen**(*) 《I》〔약변화〕 ① 공급하다, 조달〔마련〕해 주다. ② (sich³) et. ~ 무엇을 사들이다, 구입〔장만〕하다; (sich³) neue Möbel ~ 새 가구를 들여놓다;〔구어〕 sie hat sich³ einen (Liebhaber) angeschafft 그녀는 애인을 하나 사귀었다; sich³ ein Kind ~ 아이를 갖다. ③ (öst.) 지시〔명령〕하다; (südd.) 주문하다. 《II》 *i.* (h.) ①〔방언〕 돈을 벌다. ②〔구어〕 (돈을 벌기 위해) 매춘을 하다; 훔치다.

Anschaffer *m.* -s, -〔경박〕 도둑.

Anschaffung *f.* -en ① 조달, 공급; 구입, 장만: ~ machen 사들이다. ②〖經〗 (유가 증권 등의) 유상(有償) 매입.

Anschaffungs≠kosten *pl.* (상품) 구입비. **~preis**, **~wert** *m.* 구입가.

an|schäften *t.* ① …에 자루를 붙이다; (장화에) 목을 붙이다. ②〖植〗 접목하여 개량하다, 접붙이다.

an|schälen *t.* 껍질을 벗기기 시작하다.

an|schalmen *t.* ↑ anlaschen.

an|schalten *t.* (스위치를 넣어) 가동시키다; (스위치를) 켜다.

an|scharen *refl.* sich ~ (광맥이) 모이다.

an|scharren *t.* 긁기 시작하다; (모래를 벽 등에) 긁어모으다.

Anschau *f.* -en ↑ Anschauen.

***an|schauen** 《I》 *t.* ① 바라보다, 응시하다: sie schaute sich im Spiegel an 그녀는 거울을 들여다보았다. ②〖哲〗 관조〔직관〕하다. 《II》 *refl.* sich³ et. ~ a) 살펴보다, 관찰하다, b) 잘 보다; 구경하다; 시찰하다: ich habe mir die Stadt angeschaut 나는 그 도시를 구경하였다.

Anschauen *n.* -s 응시; 관조, 직관.

anschauend *p.a.* 직관적인.

an|schaufeln *t.* 삽으로 뜨다.

anschaulich [ánʃaulɪç] *a.* 뚜렷한, 생생한, 구상적인; 직관적〔관조적〕인: ein ~es Beispiel 생생한 예.

Anschaulichkeit *f.* 명백, 명료, 구체성; 직관〔관조〕성.

***Anschauung** [ánʃauʊŋ] *f.* -en ① 바라봄, 응시, 관찰. ②〖哲〗 직관, 관조, 명상. ③ 의견, 견해, 관(觀): Welt≈ 세계관; ich kann seine ~ nicht teilen 나는 그와 견해를 같이할 수 없다. ④ 관념, 표상(表象).

Anschauungs≠begriff *m.* 직관 개념. **~bild**〖교육〗 *n.* 시청각 교재;〖心〗 직관상(像). **~erkenntnis** *f.* 직관 인식. **~form** *f.* 직관 형식. **~kraft** *f.*〖哲·드물게〗 ↑ Vorstellungskraft. **~material**, **~mittel** *n.* 실물(實物)〔시각〕 학습 재료. **~methode** *f.* 직관 방법. **~objekt** *n.*〖哲〗 직관〔관조〕 대상. **~unterricht** *m.* 시청각 수업. **~urteil** *n.* 직관 판단. **~vermögen** *n.* 직관(능)력. **~weise** *f.* 사고 방식, 견해.

***Anschein** [ánʃaɪn] *m.* -(e)s, -e 외관, 외모, 겉모습: er gibt sich³ den ~, als ob er reich wäre 그는 마치 부자인 체한다; es hat 〔erweckt〕 den ~, als ob... 마치 …인 듯이 여겨진다〔보인다〕; nach dem ~ zu urteilen 〔dem ~ nach〕 ist er Ausländer 외모로 보아 그는 외국 사람이다; allem ~ nach 어느 모로 보나; 짐작컨대, 아마도.

an|scheinen* 《I》 *t.* 비추다. 《II》 *i.* (h.) (jm.) …처럼 보이다, 여겨지다.

***anscheinend** 《I》 *p.a.* 외관상의, 있을 법한. 《II》 *adv.* 겉보기에는, 분명히: ~ ist er zufrieden 그는 분명히 만족스러운 모양이다.

anscheinlich *a./adv.*〔고어〕 ↑ anscheinend.

an|scheißen*〔비속〕《I》 *t.* ① 속이다. ② 욕설을 퍼붓다, 꾸짖다. ③〔비유〕 angeschissen kommen 좋지 않은 때에 찾아오다, 성가시다;〖軍〗 scheiß die Wand an! 나 좀 가만 놔둬, 난 아무래도 상관없어! 《II》 **angeschissen** *p.a.* ↑ angeschissen.

an|schellen *i.* (h.) 방울〔초인종〕을 울리다.

Anschere [ánʃeːrə] *f.* -n〖방직〗 날실.

anscheren(*) *t.* ①〔약변화〕 깎기〔자르기〕 시작하다. ②〔강변화〕〖방직〗 die Kette ~ 날실을 베틀에 걸다;〖海〗 ein Tau ~ 밧줄을 매어 끌어당기다.

an|schesen *i.* (s.) 〔대개 다음 용법으로〕 angeschest kommen 급히 (다가)오다.

an|schichten *t.* 층지게 하다, 포개어 쌓다.

an|schicken 《I》 *t.* 정돈〔준비〕하다. 《II》 *refl.*〔雅語〕 sich ~ 시작〔착수〕하다, 막 …하려고 하다: sich zum Gehen ~ 막 가려던 참이다.

anschickig *a.* (obd.) 노련한, 빈틈없는, 실

수 없는.

an|schieben* 《I》 *t.* 밀다, 밀어 움직이게 하다, 밀어서 붙이다: den Karren ~ 수레를 밀다; das Sofa an die Wand ~ 소파를 벽에 밀어붙이다. 《II》 *i.* ① (h.) 〖하키〗 (경기를 시작하도록) 퍽을 밀어넣다. ② (s.) 〖구어〗 angeschoben kommen 느릿느릿 다가오다.

Anschieber *m.* -s, - ① 〖하키〗 퍽을 밀어넣는 사람. ② ↑ Anschiebestück.

Anschiebe≈stück *n.* 미닫이식 책상의 판면(板面). **~tisch** *m.* (판면이 나왔다 들어갔다 하는) 미닫이식 책상.

Anschiebsel [ánʃi:psəl] *n.* -s, - 부속〔부가〕물, 증보, 추가; 연장 부분.

an|schielen *t.* 곁눈질하다, 슬쩍 훔쳐보다.

an|schienen *t.* 〖工〗 쇠테를 끼우다; 〖醫〗 부목(副木)을 대다.

an|schießen* [ánʃi:sən] 《I》 *i.* ① (h.) 사격을 시작하다. ② (s.) 〖구어·비유〗 돌진해오다: angeschossen kommen 쏜살같이 달려오다. ③ (s.) 〖化〗 die Kristalle schießen an die Wand des Gefäßes an 그 용기의 측면에 결정이 생긴다. ④ (s.) Nebel schießt an 안개가 피어오르다. ⑤ (s.) (ndd.) (an et.) 인접하다: seine Felder schießen an die Meinigen an 그의 밭은 내 밭과 인접해 있다. 《II》 *t.* ① 시험 사격하다. ② 〖축구〗 (…을 향해) 공을 차다: den Torpfosten ~ 골대를 향해 공을 차다, 슛을 하여 골대를 맞추다. ③ 총을 쏘아 (경기 등의) 시작을 알리다; 축포를 쏘아 (귀빈을) 맞이하다. ④ (짐승 등을) 쏘아 상처를 입히다; 〖구어〗 비방하다, 중상 모략하다.

Anschieß≈faß *n.* 〖化〗 결정통(結晶桶). **~pinsel** *m.* 도금용 브러시.

an|schiffen *t.* ① (화물을) 배로 나르다. ② 〖비속〗 오줌을 싸서 더럽히다.

an|schiften *t.* 〖工〗 (다른 목재를 붙여) 연장시키다.

an|schimmeln *i.* (s.) 곰팡이가 피기〔슬기〕 시작하다.

an|schimmern *t.* 희미한 빛으로 비추다.

an|schirren *t.* (말 등에) 마구(馬具)를 달다.

Anschiß *m.* ..schisses, ..schisse 〖비속〗 심한 꾸지람〔야단〕, 지독한 욕설.

***Anschlag** [ánʃla:k] 《< anschlagen》 *m.* -(e)s, ..schläge ① 침, 때림: ~ der Wellen 파도침. ② 개가 짧게 짖는 소리. ③ 〖음악〗 (피아노의) 터치, 탄주법. ④ 벽보, 포스터, 광고〔게시〕문: Theater≈ 극장 포스터; ein Haus ist im ~ 어떤 집이 경매 광고에 나와 있다. ⑤ 〖軍·사냥〗 사격 자세: im ~ sein〔liegen〕 조준하다, 겨누고 있다. ⑥ 공격, 습격: einen ~ auf〔gegen〕 jn. machen 누구를 습격하다; Mord≈ 살해. ⑦ 〖商〗 견적, 어림셈: Baukosten≈ 건축비 견적; et. in ~ bringen 무엇을 계산에 넣다, 고려하다; in ~ kommen 계산에 들어가다, 고려되다. ⑧ 〖제도〗 (T 자 머리 부분의) 가로대; 〖工〗 (한계점으로서의) 정지 장치; (전화기 다이얼의) 손가락 정지 장치. ⑨ (뜨개질의) 첫 줄. ⑩ 〖스포츠〗 서브; 〖수영〗 터치; (숨바꼭질에서 술래가 찾았다는 표시로 특정 지점을) 탁 치기.

Anschlag·brett *n.* 게시판.

an|schlagen* [ánʃla:gən] 《I》 *t.* ① (판자를) 쳐서 붙이다; (포스터 등을) 붙이다, 게시하다: das Programm am schwarzen Brett ~ 프로그램을 게시판에 붙이다; ein Haus ~ 집을 매각하려고 내놓다. ② 〖軍〗 (총 쏠) 자세를 취하다, 겨누다: das Gewehr auf jn. ~ 누구에게 총을 겨누다. ③ 부딪쳐 손상시키다〔깨뜨리다〕. ④ (öst.) (포도주통 등의) 마개를 따다〔열다〕. ⑤ 〖권투〗 (상대방을) 그로기 상태로 몰아넣다. ⑥ (종 등을) 쳐서 소리를 울리다; (악기를) 치다, 켜다, 타다; (시계가 시간을) 치다; (자판을) 두드리다; (웃음소리 등을) 내다; (새 화제를) 꺼내다: die Turmuhr schlägt neun an 탑 시계가 9시를 친다; 〖비유〗 einen andern Ton ~ 음조를 바꾸다, 〖비유〗 태도를 바꾸다; 〖비유〗 den Ton ~ 자기 멋대로 지시를 하다; einen hohen〔stolzen〕 Ton ~ 호언장담하다. ⑦ 〖林〗 einen Baum ~ (벌채를 위해) 나무에 표시 자국을 내다. ⑧ 〖구기〗 (공을) 서브 넣다. ⑨ 〖재봉〗 가봉하다. ⑩ 〖雅語〗 견적을 내다, 평가하다: ich schlage seine Leistung sehr hoch an 나는 그의 업적을 매우 높게 평가한다. ⑪ 뜨개질을 시작하다: einen Strumpf ~ 양말을 뜨기 시작하다. ⑫ 〖海〗 (돛 등을) 고정시키다. ⑬ (편물의) 코를 만들다. 《II》 *i.* ① (s.) an〔gegen〕 et. ~ 무엇에 (세게) 부딪치다; mit der Faust an die Tür ~ 주먹으로 문을 치다. ② (h.) 〖수영〗 (결승점에서) 터치하다. ③ (h.) (종 따위가) 울리기 시작하다. ④ (h.) 개가 짖다. ⑤ (h.) (식물이) 뿌리를 내리다. ⑥ **(a)** (h./s.) 효과가 있다, 잘 듣다〔되다〕: die Arznei hat gut angeschlagen 그 약은 잘 들었다; bei ihm schlägt alles an 그는 모든 일이 잘 되고 있다. **(b)** 살찌게 하는 효과가 있다: Kuchen schlägt an 케이크를 먹으면 살찐다. ⑦ (h.) 〖軍〗 auf jn. ~ (총 등으로) 누구를 겨누다. 《III》 **angeschlagen** *p.a.* ↑ angeschlagen.

Anschläger *m.* -s, - ① 〖광산〗 (갱 내에) 필요한 신호를 보내는 광부. ② (문과 창문에) 쇠장식을 박아 넣는 장인(匠人). ③ (피아노의) 작은 해머.

Anschlag(e)·rad *n.* (시계의) 시간을 알리는 톱니바퀴.

Anschlag≈faden *m.* 가봉용 실, 시침실. **~höhe** *f.* 〖軍〗 발사〔조준〕 고도.

anschlägig [ánʃlɛ:gɪç] *a.* (nordd.) 창의성이 있는, 독창적인; 영리한, 약삭빠른; 이익이 되는, 효과가 있는.

Anschlag≈säule *f.* 광고탑. **~schiene** *f.* 〖철도〗 전철(轉轍) 레일. **~stellung** *f.* 사격 자세. **~stift** *m.* 〖기계〗 완충기, 스톱핀. **~wesen** *n.* 광고 업무. **~winkel** *m.* 직각자, L 형자. **~zettel** *m.* 포스터, 광고 전단.

an|schlämmen *t.* (물결이 진흙을) 해안으로 밀어올리다, 충적(沖積)하다.

an|schleichen* 《I》 *i.* (s.) 살금살금〔몰래〕 접근하다: 〖구어·비유〗 angeschlichen kommen 형편이 좋지 않을 때 오다; 몰래 다가오다. 《II》 *t.* …을 목표로 삼아 몰래 접근하다.

an|schleifen*[1] *t.* ① 《< schleifen[2]》 (칼 등이 잘 들도록) 살짝 갈다. ② 갈아서 끝을 뾰족하게 하다: dem Messer eine Spitze ~ 칼을 갈아 날이 서게 하다.

an|schleifen[2] *t.* 《< Schleife[3]》 ① 〖구어〗 질질 끌어 가져오다: der kleine Junge schleifte ein großes Stofftier an 꼬마 아이가 커다란 동물 인형을 낑낑대며 끌고 왔다. ② 썰매로 나르다.

an|schlendern *i.* (s.) 〖대개 다음 용법으로〗 angeschlendert kommen 어슬렁어슬렁〔느릿느릿〕 다가오다.
an|schleppen *t.* ① 힘들여 가져오다〔운반해 오다〕: 〖비유〗 er bringt immer wieder neue Freunde angeschleppt 그는 번번이 새 친구들을 억지로 데려온다. ② (차의 시동이 걸리도록 차를) 약간 끌다.
an|schleudern *t.* 집어던지다.
an|schlichten *t.* 〖工〗 매끈하게 다듬다.
Anschlick [ánʃlɪk] *m.* -(e)s 충적토, 토사의 퇴적.
an|schlicken *t.* ↑ anschlämmen.
an|schließen [ánʃliːsən] 《I》 *t.* ① 잡아매다〔묶다〕, 잡아매어 자물쇠를 채우다: einen Hund an eine Kette ~ 개를 사슬에 잡아매다; das Fahrrad ~ 자전거를 (울타리 등에) 매다. ② 덧붙이다, 첨가〔추가〕하다. ③ (기계 등을) 접속〔연결〕시키다: eine Lampe ~ 전등을 달다〔전원에 연결하다〕; einen Schlauch (an die Wasserleitung) ~ 호스를 (수도관에) 연결시키다. ④ 병합하다, 부속시키다: das Institut ist der Universität 〔an die Universität〕 angeschlossen 그 연구소는 대학교 부설 기관이 되었다. 《II》 *refl.* sich ~ ① 가입하다, 한패가 되다: sich einer Gesellschaft ~ 어떤 모임〔단체〕에 가입하다. ② 동조〔찬성〕하다: in dieser Frage kann ich mich Ihnen 〔Ihrer Meinung〕 nicht ~ 이 문제에서는 저는 당신에게〔당신의 의견에〕 찬성할 수 없습니다. ③ (**a**) (행사 등이) 계속해서 이어지다, 이어서 열리다: dem offiziellen Teil des Abends schloß sich ein geselliges Beisammensein an 저녁의 공식 행사가 끝나고 흥겨운 모임이 이어졌다. (**b**) 인접해〔이웃하고〕 있다: an das Haus schließen (sich) Stallungen an 건물에 축사가 붙어 있다. ④ sich an jn. ~ 누구와 친해지다, 친구가 되다: sich schnell〔leicht〕 ~ 급속히〔쉽게〕 가까워지다. 《III》 *i.* (h.) 알맞다, 적합하다; (옷이) 몸에 맞다: das Kleid schließt eng an 이 옷은 꼭 맞는다. 《IV》 **angeschlossen** *p.a.* ↑ angeschlossen.
anschließend 《I》 *p.a.* 알맞은, 적합한, 꼭 맞는. 《II》 *adv.* 그것에 이어, 그러고 나서.
an|schlingen 《I》 *t.* 밧줄로 잡아매다. 《II》 *refl.* sich ~ (덩굴이) 서로 엉키다; 〖비유〗 sich an jn. ~ 누구에게 매달리다.
an|schlitzen *t.* 살짝 째다.
***Anschluß** [ánʃlus] 《< anschließen》 *m.* ..schlusses, ..schlüsse ① (**a**) 연결, 접속: die Wohnung hat noch keinen elektrischen ~ 이 집은 아직 전기가 들어오지 않는다; 〖비유〗 im ~ an Goethe 괴테를 모범삼아. (**b**) (통화의) 연결; (전화의) 가설; 〖컴〗 접속. ② (교통편의) 연결; 연결 차편: erreichen wir den ~ nach Berlin noch? 우리가 아직 베를린행 연결 열차를 탈 수 있을까요? ③ 합병, 병합: der ~ Österreichs 오스트리아 합병(나치의 표현). ④ 접촉, 교제; 〖商〗 거래처: ~ finden 알게 되다, 관계를 맺다; 〖구어〗 den ~ verpassen 배우자를 찾지 못하다, 승진하지 못하다, 시류에 뒤쳐지다. ⑤ 연관, 관련: im ~ an et. 무엇과 관련하여, 무엇에 뒤이어. ⑥ 〖스포츠〗 ↑ Anschlußtreffer.
Anschluss 新정서 ⇦ Auschluß.
Anschluß⸗bahn *f.* 〖철도〗 접속선, 지선(支線). **~batterie** *f.* 부속 포대(砲臺). **~berufung** *f.* 〖法〗 부대(附帶) 항소. **~beschwerde** *f.* 〖法〗 부대 항고. **~bewegung** *f.* 독일·오스트리아의 합병 운동. **~dose** *f.* 전기 콘센트. **~fertig** *a.* 전원에 연결해 즉시 쓸 수 있는. **~gleis** *n.* 〖철도〗 연결〔환승〕 선로. **~inhaber** *m.* 전화 가입자. **~kabel** *n.* 연결 케이블. **~konkurs** *m.* 〖經·法〗 (협상 결렬에 따른) 파산 절차. **~linie** *f.* 연결〔접속〕 노선. **~pfändung** *f.* 〖法〗 부대(附帶) 압류. **~punkt** *m.* 접속〔접합〕점. **~revision** *f.* 〖法〗 부대 상고(上告). **~rohr** *n.* 연결〔접속〕관. **~stelle** *f.* 고속 도로의 교차〔접속〕점. **~strecke** *f.* 접속 구간. **~stück** *n.* (기계의) 연결 부분. **~tor** *n.* ↑ ~treffer. **~stutzen** *m.* 연결〔접속〕 파이프. **~treffer** *m.* 〖스포츠〗 상대방과의 점수를 한 점 차로 줄이는 득점〔골〕. **~zug** *m.* 연결〔접속〕 열차.
an|schmachten *t.* 애타는 마음으로 바라보다〔사모하다〕.
Anschmack [ánʃmak] *m.* -(e) (obd.) 시식물(試式物); 〖비유〗 소량(少量): er ist ein ~ von beiden 그는 양쪽을 조금씩 갖추고 있다.
an|schmauchen *t.* 〖구어〗 (담배를) 피우기 시작하다, 불을 붙이다.
an|schmecken *t.* einer Speise et. ~ 어떤 음식을 맛보고서 무엇(재료 등)을 알아내다.
an|schmeicheln 《I》 *t.* 〖드물게〗 (jn.) 아양떨다, 알랑거리다. 《II》 *refl.* sich (bei) jm. ~ 누구의 비위를 맞추다, 환심을 사다.
an|schmeißen* 《I》 *t.* 〖구어〗 가동시키다, 시동을 걸다. 《II》 *refl.* 〖경박〗 sich jm. ~ 누구에게 알랑거리다, 아첨하다.
an|schmelzen(*) 《I》 *t.* 〖약변화〗 녹이기 시작하다. 《II》 *i.* (s.) 〖강변화〗 녹기 시작하다.
an|schmieden *t.* ① (쇠를) 불려서 ‥에 붙이다. ② (죄인·노예 등을) 쇠사슬로 묶다.
an|schmiegen 《I》 *t.* 갖다대다, 밀착시키다; 꼭 맞게 하다. 《II》 *refl.* 달라붙다, 몸을 갖다 대다: das Kleid schmiegt sich eng dem 〔an den〕 Körper an 옷이 몸에 착 달라붙는다; sich (an jn.) ~ (누구에게) 몸을 밀착시키다〔달라붙다〕; 누구의 뜻에 따르다; 〖비유〗 sich jm. ~ 누구에게 빌붙다.
anschmiegend *p.a.*, **anschmiegsam** *a.* 유순한, 잘 따르는; 적응력이 뛰어난.
Anschmiegsamkeit *f.* ↑ anschmiegsam 의 명사형.
an|schmieren 〖구어〗 《I》 *t.* ① (기름·물감을) 바르다, 칠하다; (발라서) 더럽히다. ② 〖폄어〗 날림으로 그리다〔색칠하다〕. ③ 〖폄어·비유〗 속이다, 사기치다: der hat dich schön angeschmiert! 그 자가 너를 멋지게 속여먹었구나!; jm. et. ~ 누구에게 무엇을 속여서 팔아넘기다. 《II》 *refl.* ① sich ~ (저도 모르는 사이에 무엇을 묻혀) 더럽히다; 〖폄어·비유〗 야하게 화장하다. ② sich bei jm. ~ 누구에게 아첨하다, 알랑대다.
an|schmitzen *t.* jm. et. 〔jn. mit et.[3]〕 ~ 누구를 무엇으로 더럽히다, 중상하다.
an|schmoren *t.* 〖요리〗 살짝 삶다〔데치다〕.
an|schmunzeln *t.* 〖구어〗 싱긋이 웃으며 바라보다; 억지 미소를 짓다.
anschmutzen *t.* 조금 더럽히다.
an|schnallen 《I》 *t.* 죔쇠〔벨트〕로 죄다〔묶다〕. 《II》 *refl.* sich (im Auto) ~ (자동차에

서) 안전 벨트를 착용하다.
Anschnall·gurt *m.* 안전 벨트. **~pflicht** *f.* 안전 벨트 착용 의무.
an|schnarchen *t.* 〖드물게〗 ↑ anschnauzen.
an|schnauben *t.* ① jn. ~ (짐승이 아는 체하는 표시로) 누구를 향해 숨을 씩씩거리다. ② ↑ anschnauzen.
an|schnaufen *i.* (s.) 〖다음 용법으로만〗 angeschnauft kommen 숨을 헐떡이며〔씩씩거리며〕 다가오다.
an|schnauzen *t.* 호되게 꾸짖다, 호통치다.
Anschnauzer *m.* -s, - 〖구어〗 힐책, 잔소리, 꾸지람: (von jm.) einen tüchtigen ~ kriegen〔bekommen, beziehen〕 (누구에게서) 호된 꾸중을 듣다.
an|schneiden* *t.* ① 가장자리를 베다, 첫 조각을 자르다; (요리하기 위해) …에 칼을 대다〔칼질을 시작하다〕, 칼집을 내다. ② 〖비유〗 (질문·주제를) 끄집어내다, 제기하다. ③ 〖구기〗 den Ball ~ 공에 회전〔스핀〕을 주다, 공을 깎아 치다. ④ 〖스키〗 ein Tor ~ 깃대에 바짝 붙어 기문(旗門)을 통과하다. ⑤ 〖모터스포츠〗 eine Kurve ~ 커브를 안쪽으로 돌다. ⑥ 〖고고〗 (발굴 작업 때 무엇을) 찾아내다. ⑦ 〖측량〗 einen Punkt ~ 조준선을 어떤 점에 맞추다. ⑧ 〖재봉〗 (한 부분을 다른 부분과) 잘라 잇다: angeschnittene Ärmel 잘라 이은 소매. ⑨ 〖사냥〗 (죽은 동물에) 달라붙어 뜯어먹다.
an|schnellen 《Ⅰ》 *t.* 왈칵 움직이다〔밀치다·당기다〕. 《Ⅱ》 *i.* (s.) ↑ anprallen.
Anschnitt [ánʃnɪt] 《<anschneiden》 *m.* -(e)s, -e ① (빵의) 잘라낸 첫 조각: 〖비유〗 im ~ verkaufen 소매하다. ② 절단면, 잘라낸〔낼〕 자리. ③ (부적·부신 따위의) 새겨진 금.
an|schnitze(l)n *t.* 새겨〔파〕 넣다, 칼금〔칼자국〕을 집어 넣다.
an|schnorren *t.* 〖구어·폄어〗 치근대며 조르다: die Mutter um Geld ~ 엄마에게 돈 달라고 조르다.
an|schnüffeln *t.* 〖드물게〗 킁킁거리며 냄새 맡다, 정탐하다.
an|schnüren *t.* 끈으로 매다〔묶다〕.
an|schnurren 《Ⅰ》 *t.* (jn.) (고양이가 사람에게) 가르릉거리다. 《Ⅱ》 *i.* (s.) 〖다음 용법으로만〗〖구어〗 angeschnurrt kommen 가르릉가르릉〔윙윙〕거리며 다가오다.
an|schobern *t.* 〖農〗 (건초를) 쌓아올리다.
an|schonen *t.* 〖林〗 (벌채한 지역에) 다시 나무를 심다.
an|schoppen [ánʃɔpən] *t./refl.* 〖醫〗 den Leib〔sich〕 ~ 충혈〔울혈(鬱血)〕되다.
Anschoppung *f.* -en 〖醫〗 충혈, 울혈.
Anschove 《sp.》 *f.* -n ↑ Anschovis.
Anschovis [anʃóːvɪs, ánʃoːvɪs] *f.* 〖식품〗 (양념을 하고) 설탕과 식초에 절인 정어리.
Anschovis·paste *f.* 정어리 생선 파스타.
an|schrammen 《Ⅰ》 *t.* 살짝 할퀴다, 긁다. 《Ⅱ》 *i.* (s.) 〖다음 용법으로만〗〖드물게〗 angeschrammt kommen 빠르게 다가오다.
an|schrauben⁽*⁾ *t.* 나사로 죄다〔고정시키다〕 (↔ abschrauben).
Anschreibe·bogen *m.* 〖스포츠〗 (공식 기록원의) 경기 기록부.
an|schreiben* 《Ⅰ》 *t.* ① (게시판·칠판 등에) 쓰다. ② (외상을 장부에) 기록〔기입〕하다: 〖구어〗 ~ lassen 외상으로 사다. ③ 〖官〗 jn. ~ 누구에게 서한을〔편지를〕 쓰다. ④ (펜 등을) 쓰기 시작하다; (필기 도구가) 써지다. ⑤ (schweiz.) (서류 등에) 표제를 달다〔기입하다〕. 《Ⅱ》 **angeschrieben** *p.a.* ↑ angeschrieben.
Anschreiben *n.* -s, - 기입, 기재, 기록; 〖官〗 서한, 편지.
Anschreiber *m.* -s, - 〖스포츠〗 (경기의) 공식 기록원.
Anschreibe·tafel *f.* 외상 기록판; 득점 게시판, 채점판; 비망록.
an|schreien* *t.* ① jn. ~ 누구에게 고함〔호통〕치다. ② 큰소리로 알리다〔부탁하다〕.
***Anschrift** [ánʃrɪft] 《<anschreiben》 *f.* -en (수신인의) 주소.
Anschriften·änderung *f.* 주소 변경. **~buch** *n.* 주소록. **~verzeichnis** *n.* 주소(목)록.
Anschrot [ánʃroːt] *n.* -(e)s, -e, **Anschrote** *f.* -n 〖방직〗 식서(飾緖).
an|schroten *t.* 〖방직〗 식서를 붙이다; (통을) 굴려 오다.
Anschub [ánʃuːp] 《<anschieben》 *m.* -(e)s, ..schübe [..bə] ① ↑ anschieben의 명사형. ② den ~ haben 볼링 경기를 시작하다.
an|schuhen [ánʃuːən] *t.* ① Stiefel ~ 장화에 앞가죽을 새로 붙이다; Pfähle ~ 기둥머리에 철판을 씌우다〔입히다〕. ② 〖드물게〗 jn. ~ 누구에게 구두를 마련해 주다.
***an|schuldigen** [ánʃʊldɪgən] *t.* 〖法〗 jn. (wegen) eines Verbrechens ~ 누구를 어떤 죄로 고발하다: er ist des Mordes angeschuldigt ~ 그는 살인죄로 고소되었다.
Anschuldigung *f.* -en ① 〖法〗 고소, 고발: falsche ~ 무고(죄); eine ~ gegen jn. erheben〔schleudern〕 누구를 고발하다. ② (공개적) 비난, 탄핵.
an|schüren *t.* ① (불을 휘저어) 일으키다. ② 〖비유〗 (욕정 등을) 돋우다, 자극하다.
Anschürer *m.* -s, - 선동자.
Anschuß [ánʃʊs] 《<anschießen》 *m.* ..sses, ..schüsse ① 제 1 발, 첫발, 사격 개시; (새로 만든 총의) 시험 사격: den ~ haben 가장 먼저 사격하다. ② 〖사냥〗 (**a**) 사격했을 때 짐승이 있던 곳. (**b**) (짐승의) 총알을 맞은 자리; 총상(銃傷): den ~ verbrechen 짐승이 총알 맞은 자리를 (나뭇가지를 꺾어) 표시하다. ③ 〖化〗 결정(結晶). ④ (짐승 등의) 돌진; 세찬 물결, 분류.
Anschutt [ánʃʊt], **Anschütt** [ánʃʏt] *m.* -(e)s, -e 충적토(冲積土).
an|schütten *t.* ① Erde〔Sand〕 ~ 흙을〔모래를〕 붓다〔쌓다〕. ② et. mit Erde ~ 흙으로 무엇을 쌓다, 쌓아올리다, 성토(盛土)하다. ③ (곡물 등을) 저장하다, 쌓다. ④ Land ~ 모래톱을 형성하다.
Anschüttung *f.* -en 성토(盛土), 쌓아올림.
an|schwängern *t.* ① 수태〔결실〕시키다. ② 포화(飽和)시키다.
an|schwanken *i.* (s.) 〖대개 다음 용법으로〗 angeschwankt kommen 비틀거리며 오다.
an|schwänzeln *i.* (s.) 〖대개 다음 용법으로〗 angeschwänzelt kommen (개가) 꼬리를 치며 오다.
an|schwänzen *t.* 〖양조〗 (물을 부어) 향료를 여과시키다.

an|schwären(*) *i.* (h.) 곪기 시작하다.

an|schwärmen 《I》 *i.* (s.) ① (벌 등이) 떼지어오다: angeschwärmt kommen 떼지어 몰려오다. ② (벌레 등이) 무리를 짓기 시작하다. 《II》 *t.* 〖구어〗 jn. ~ 누구를 열렬히 숭배하다, 누구에게 열광하다.

an|schwärzen *t.* ① 살짝 검게 (칠)하다, 검댕〔얼룩〕을 묻히다. ② 〖구어·비유〗 jn. (bei jm.) ~ 누구를 (누구에게) 중상〔모략·비방〕하다; 무고(誣告)하다.

Anschwärzerei *f.* -en ↑ Anschwärzung.

Anschwärzung *f.* -en 중상, 모략, 비방; 〖經〗 (경쟁 기업을 음해하기 위한) 악성 루머의 유포.

an|schwatzen *t.* 〖구어〗 (jm. et.) 감언이설로 떠맡기다, 강매하다.

an|schweben *i.* (s.) 천천히 날아서 다가오다: angeschwebt kommen 사뿐히 날아오다, 둥실둥실 떠오다.

Anschwebe·geschwindigkeit *f.* 착륙에 가장 알맞은 속도.

an|schwefeln *t.* 황으로 그을리다, 황화(黃化)시키다.

Anschweif [ánʃvaɪf] *m.* -(e)s, -e 〖방직〗 날줄, 경사(經絲); (피륙의) 식서(飾緖).

an|schweifen *t.* 날실〔날줄〕을 걸다.

an|schweigen *t.* jn. ~ 누구를 침묵으로 대하다, 누구와 말을 하지 않다.

an|schweißen *t.* ① 〖工〗 용접하다. ② 〖사냥〗 총을 쏘아 상처를 입히다.

Anschweiß·stelle *f.* 용접한 자리.

an|schwellen(*) 《I》 *i.* (s.) 〖강변화〗 부(풀)어오르다, 붓다; (물이) 불어나다, 많아지다; (소리가) 커지다; 〖비유〗 증가〔증대〕하다: seine Füße schwollen an 그의 양 발이 부어올랐다; der Fluß schwillt an 강물이 불어나고 있다; die Arbeit schwillt immer mehr an 일이 점점 더 많아지다. 《II》 *t.* 〖약변화〗 부풀리다, 팽창시키다; 부어오르게 하다; (물가를) 끌어올리다; 〖비유〗 증가〔증대〕시키다: der Wind schwellt die Segel an 바람에 돛들이 팽팽하게 부푼다.

Anschwellung *f.* -en 팽창, 증대; 증수, 범람; 〖醫〗 부은 자리, 부기, 혹, 종기, 종양(腫瘍); 〖經〗 통화 팽창.

an|schwemmen *t.* ① 뗏목으로 실어나르다. ② (물결이) 해안〔강변〕으로 떠밀다, 해안에 충적(冲積)하다: der Fluß hat hier Land angeschwemmt 하천이 이곳에 모래톱을〔충적지를〕 만들었다.

Anschwemmung *f.* -en 물결에 떠밀어 보냄; 충적토.

an|schwimmen* *i.* (s.) ① et. ~ 무엇을 향해 헤엄쳐 가다. ② angeschwommen kommen 헤엄쳐 오다. ③ gegen den Strom ~ 물흐름을 거슬러 헤엄치다; 〖비유〗 추세〔시류·대세〕에 역행하다.

an|schwindeln *t.* 〖구어〗 (jn.) 속이다; (jm. et.) 속여서 팔아넘기다.

an|schwingen* *i.* (h.) 〖스포츠〗 (탄력을 얻기 위해) 몸을 흔들기 시작하다: am Reck ~ 철봉에 매달려 몸을 흔들다.

an|schwirren *i.* (s.) (새·곤충 등이) 붕〔윙〕하고 날아오다: 〖구어·비유〗 angeschwirrt kommen 불쑥 찾아오다.

an|schwitzen *t.* 〖요리〗 뜨거운 기름에 노르스름하게 굽다.

Anschwung *m.* -(e)s, ..schwünge 몸 흔들기 동작, 도약〔투척〕을 위한 예비 동작.

an|segeln 《I》 *i.* ① (s.) 요트를 몰고서 다가오다: 〖구어·농담〗 angesegelt kommen 날렵하게〔활공하여〕 다가오다. ② (h.) 요트 경기의 시즌을 개막하다. 《II》 *t.* ① (무엇을 향해) 요트를 몰다. ② einen Hafen ~ 입항하다.

Ansegeln *n.* -s (요트 경기의) 시즌 개막.

an|sehen [ánze:ən] 《I》 *t.* ① (**a**) (바라)보다, 응시〔주시〕하다; (연극·그림 등을) 구경〔관람〕하다: jn. groß〔starr〕 ~ 누구를 깜짝 놀라〔멍하니〕 바라보다; jn. über die Achsel 〔Schulter〕 ~ 누구를 멸시하다; et. mit dem Rücken ~ müssen 무엇을 부득이 저버리다; et. (mit) ~ 무엇을 방관하다; das kann ich nicht mehr ~ 더 이상 보고만 있을 수 없다. (**b**) 〖3격 재귀 대명사와 함께〗 (주의 깊게) 보다, 구경하다, 관찰〔감상〕하다: sich³ einen Patienten ~ 환자를 들여다보다〔진찰하다〕; sich³ eine Kirche〔Stadt〕 ~ 교회〔도시〕를 구경하다; sich³ den Film ~ 영화를 관람하다. (**c**) 여기다, 간주하다, 오인하다: jn. für einen anderen ~ 〔et. für etwas anderes ~〕 누구를〔무엇을〕 어떤 다른 사람〔것〕으로 오인하다; ich sah dich für deinen Bruder an 나는 자네를 자네 아우로 오인했네; et. (A) als〔für〕 et. (B) ~ 무엇(A)을 무엇(B)으로 간주하다; wofür siehst du mich an? 너는 나를 뭘로 생각하느냐?; 〖구어〗 jn. nicht für voll ~ 누구를 대수롭지 않게 여기다. (**d**) 판단〔평가〕하다, 보다, 여기다; 관찰하다: et. anders 〔mit anderen Augen〕 ~ 무엇을 달리 보다〔평가하다〕; wie man es auch ansieht 사람들이 어떻게 보든 관계없이; die Sache richtig angesehen 사태를 공정하게 관찰하자면. (**e**) 고려하다, 염두에 두다: der Tod sieht kein Alter und keinen Stand an 죽음은 나이와 신분을 가리지 않는다; die Person〔Kosten〕 nicht ~ 인품〔비용〕을 문제삼지 않다; keine Mühe ~ 수고를 아끼지 않다; er sieht das Geld nicht an 그는 돈을 대수롭게 여기지 않는다; 〖구어〗 das sehe sich einer an! 그것 믿어지지 않는데! (**f**) 〖구식〗 jn. für〔um〕 eine Schuld ~ (채권자가) 누구에 대해 빌린 돈을 갚아달라는 기색을 보이다; jn. für etwas Begangenes ~ 누구를 그가 저지른 일로 처벌하다; jn. mit Gefängnis ~ 누구를 투옥하다. (**g**) jm. et. ~ 누구를 보고 무엇을 알아차리다; man sieht dir den Koreaner 〔keine Not〕 an 너를 보면 한국 사람이라는 것을 알 수 있다〔자네는 곤란을 겪고 있는 기색이 보이지 않는다〕. (**h**) 〖구식〗 jm. et. ~ 누구에게 무엇을 눈짓으로 전하다〔알리다〕. (**i**) es auf et.〔jn.〕 ~ 무엇을〔누구를〕 목표로 삼다, 노리다; es ist darauf angesehen 노리는 것은 (바로) 그것이다. (**j**) et.〔jn.〕 auf et. ~ 무엇이〔누가〕 어떤 일에 적합한지 않은지 고려〔음미〕하다. (**k**) 〖sein+anzusehen 의 형태로〗 …하게 보이다: das ist lustig anzusehen 그것은 재미있어 보인다. ② 〖구식〗 etwas sieht jm. soundso an 무엇이 누구에게 이러저러하게 보이다, 생각되다. 《II》 *i.* (h.) sieh mal〔einer〕 an!, 〖구어〗 sieh (mal einer) an! 설마 이럴 줄이야! 《III》 *refl.* sich ~ …로 보이다, …한 모습이다: es sieht sich an, als wenn... 그것은 마치 …같이 보인다.

《Ⅳ》**angesehen** *p.a.* ↑ angesehen.

***Ansehen** *n.* -s ① 보는 것, 응시, 주시; 구경, 관람: das ~ hat man umsonst 보는 것은 공짜다; vom bloßen ~ wird man nicht satt 보는 것만으로는 족하지 않다; jn. nur von 〔vom〕 ~ kennen 누구를 얼굴만 알고 있다. ② 외관, 외모, 모습: allem ~ nach 외관상으로는; ein anderes ~ gewinnen 모습이 달라지다, 일변하다; sich³ ein ~ geben 뽐내다, 거드름부리다, 점잔빼다. ③ 존경, 명망, 명성: ~ genießen 명성을 누리다; in ~ stehen 존경받고 있다; sich³ ~ verschaffen 명성을 얻다, 존경받다. ④ 고려, 배려: ohne ~ der Person 신분의 구별 없이, 공평하게.

ansehnlich [ánze:nlıç] *a.* 남의 눈을 끄는, 두드러진; 풍채가 당당한; 거액의, (금액이) 상당한; 신망〔위신〕이 있는, 저명한: ein ~es Gebäude〔Vermögen〕 웅장한 건물〔거액의 재산〕.

Ansehnlichkeit *f.* ↑ ansehnlich 의 명사형.

ansehens·wert *a.* 볼 만한, 구경할 만한.

Ansehung *f.* 〖격식〗 고려, 참작: in ~ seiner Verdienste 그의 공적을 고려하여; in ~ dessen, daß... …한 점을 고려하여.

an|seilen *t.* 〖등산〗 밧줄〔자일〕로 동여매다.

Anseil·knoten *m.* 밧줄〔자일〕의 매듭.

Anseite [ánzaıtə] *f.* 인접하는 쪽, 접촉면.

an|sengen *t.* 살짝 태우다, 그슬리다: beim Bügeln habe ich (mir) die Bluse angesengt 다림질하다 블라우스를 좀 태웠다.

an|setzbar [ánzεts..] *a.* 갖다 맞출 수 있는, 부착시킬 수 있는.

Ansetz·blatt *n.* 면지(面紙) (책 앞뒤의 겉장과 본문 사이의 백지).

***an|setzen** [ánzεtsən] 《Ⅰ》 *t.* ① (덧)붙이다, 달다, 부착시키다: Knöpfe an ein Kleid ~ 원피스에 단추를 달다. ② (갖다)대다, 붙이다, 가지고 가다: 〖종종 an et. 를 생략함〗 den Becher (an den Mund) ~ 술잔을 입에 대다; den Topf (ans Feuer) ~ 냄비를 불 위에 올려놓다; die Feder (ans Papier) ~ 펜을 종이에 대다, 쓰기 시작하다; die Flöte ~ 피리를 입에 대다〔불기 시작하다〕; das Messer ~ 칼을 대다, 베기 시작하다. ③ (es) auf et. ~ 무엇을 기도(企圖)하다. ④ Kolonisten ~ 식민하다; Bruthennen ~ 씨암탉에게 알을 품게 하다. ⑤ (잉크 등을) 조제하다; (술 등을) 양조하다. ⑥ 〖제련〗 das Erz ~ 광석에 용해제(溶解劑)를 배합하다. ⑦ (누구를) 관직에 앉히다, 임명하다; 〖방언〗 (저축한 것에) 손을 대다, 쓰기 시작하다. ⑧ 〖海〗 (밧줄 등을) 팽팽하게 잡아당기다. ⑨ die Ladung ~ 총에 탄약을 장전하다. ⑩ (기간·날짜를) 정하다, 잡다: den Termin〔Hochzeitstag〕 ~ 약속〔결혼〕 날짜를 정하다; die Premiere ist für den 16. Januar angesetzt 개봉〔초연〕 날짜는 1월 16일로 잡혀 있다. ⑪ (청구해야 할 금액을) 적어내다. ⑫ 〖數〗 (방정식·문제 등을) 만들다: eine Gleichung ~ 방정식을 만들다. ⑬ 책정〔산출〕하다; 과세(課稅)하다: den Preis zu hoch ~ 값을 너무 비싸게 매기다. ⑭ 붙이다, 생기게 하다; (식물이 꽃·꽃봉오리·열매 등을) 피우다, 맺다: 〖구어〗 Fett ~ 뚱뚱해지다, 살찌다; das Eisen setzt Rost an 쇠에 녹이 슨다. ⑮ (도미노 게임에서) (**a**) 패를 놓기 시작하다. (**b**) (어떤 패에 대해) 적당한 패를 내놓다. ⑯ (**a**) 투입하다, 맡기다, 위임하다: fünf Mitarbeiter auf das neue Projekt ~ 새로운 프로젝트에 5명의 직원을 투입하다; einen Detektiv auf jn. ~ 누구를 뒤쫓도록 탐정을 고용하다. (**b**) 〖스포츠〗 jn. auf jn. ~ 누구를 누구의 전담 수비수로 붙이다, 누구에게 누구의 전담 수비를 맡기다. ⑰ (반죽 등을) 이기다, 섞다, 젓다: den Teig ~ 반죽을 만들다. ⑱ 〖방언〗 화덕〔불〕 위에 올려놓다. ⑲ angesetzt kommen 성큼성큼 뛰어오다. 《Ⅱ》 *i.* (h.) ① (**a**) (zu et.³) …하려고 하다, (무엇을 할) 태세: zur Landung ~ 착륙할 준비를 하다; zum Sprechen ~ 말하려고 하다. (**b**) 해보다, 시도하다: er setzt noch einmal an, aber die Ausdauer fehlt 그는 다시 한 번 해보지만 끈기가 부족하다. (**c**) (mit et.³) 시작하다: mit der Kritik ~ 비판하기 시작하다. (**d**) 시작되다: hier muß die Kritik ~ 여기에서(부터) 비판이 시작되어야 한다. ② (꽃봉오리·꽃 등이) 피어나다, 생기다; (열매가) 열리다; (동물이) 살이 오르다, 살찌다: der Obstbaum 〔das Tier〕 hat gut angesetzt 과일 나무에 열매가 많이 열렸다〔이 짐승은 매우 살쪘다〕. 《Ⅲ》 *refl.* sich ~ ① 끼다, 슬다, 눌어〔달라〕붙다; 〖化〗 침전하다: der Rost〔Staub〕 setzt sich auf〔an〕 et. an 무엇에 녹이 슬다〔먼지가 끼다〕; der Reis hat sich angesetzt 밥이 눌어붙었다. ② 생장하다; (식물의) 새싹이 나오다. ③ 〖사냥〗 (auf et.) 목을 지키며 기다리다. ④ 〖방언〗 앉아서 차례를 기다리다.

Ansetzer *m.* -s, - ① (특히 게임에서) 선, 선수(先手). ② 〖軍〗 탄약 장전구. ③ 〖工〗 박아 넣는 볼트.

Ansetz=kolben *m.* 〖軍〗 (총구멍 청소용의) 꽂을대. **~pappe** *f.* 두꺼운 판지. **~punkt** *m.* 결합〔부착〕점. **~stück** *n.* (피리 등의) 입대는 곳, 주둥이.

Ansetzung [ánzεtsuŋ] *f.* -en ① 갖다 대기, 접합, 첨가, 부착. ② (날짜·시간의) 결정. ③ 평가, 견적, 책정, 산출. ④ (잉크 등의) 조제, (술 등의) 양조. ⑤ 〖植〗 발아(發芽), 결실; 〖醫〗 육아(肉芽) 발생. ⑥ 도움닫기.

Ansetzungs=ort, ~rand, ~teil *m.* 〖해부〗 (근육 등의) 부착부(附着部).

Anseuchung *f.* -en 전염, 감염.

***Ansicht** [ánzıçt] 《<ansehen》 *f.* -en ① 의견, 견해: meiner ~ nach 내 견해로는; über et. anderer ~ sein 무엇에 관하여 의견을 달리하다; mit seiner ~ zurückhalten 자기의 주장을 누르다〔삼가다〕. ② 열람, 일별(一瞥): zur ~ schicken (상품을 고객에게) 견본으로 보내다. ③ 풍경, 경치. ④ (풍경을 그린) 그림, 사진. ⑤ 고려: in ~ eines Dinges 어떤 일에 관하여, 무엇을 고려하여.

ansichtig *a.* 〖다음 용법으로만〗〖雅語〗 js. 〔einer Sache〕 ~ werden, 〖드물게〗 jn.〔et.〕 ~ werden 누구를〔무엇을〕 보다, 알아차리다.

Ansichts=ebene *f.* 〖工〗 투상(投象) 평면. **~(post)karte** *f.* 그림 엽서. **~sache** *f.* 〖다음 용법으로만〗 das〔etwas〕 ist ~ 그것〔무엇〕은 견해상의 문제다, 그것〔무엇〕에 대해서는 다양한 견해가 있을 수 있다. **~seite** *f.* (건물의) 전면, 앞부분. **~sendung** *f.* 견본 발송. **~skizze** *f.* 〖軍〗 간취도(看取圖); 풍경 소묘.

Ansiedelei [anzi:dəlái] *f.* -en 작은 마을, 소규모의 주거 지역.

an|siedeln 《I》 *t.* ① 이주〔정착〕시키다. ② (소속·시대 등을) …에 포함시키다, …으로 분류하다: diese Funde sind in der Bronzezeit anzusiedeln 이 유물들은 청동기 시대에 속한다. 《II》 *refl.* sich ~ 이주〔정착〕하다; (식물이) 뿌리를 내리다.
Ansiedelung *f.* -en ↑ Ansiedlung.
Ansiedler *m.* -s, - 정착민, 이주민.
Ansiedlerin *f.* -nen ↑ Ansiedler 의 여성형.
Ansiedlung *f.* -en 정착, 이주; 주거 지역, 부락; 식민지.
Ansiedlungs≈genehmigung *f.* 이주 허가. **~kommission** *f.* 이주민 정착 사업 위원회 (1886-1924 년 독일인 이주민의 정착을 돕기 위해 서프로이센과 포젠 지역에 설치된 관청).
an|siegeln *t.* 봉랍(封蠟)으로 봉함하다.
an|singen* 《I》 *t.* 노래를 불러 맞이〔환영·찬미〕하다. 《II》 *i.* (h.) ① (배우기 위해 먼저 노래를) 불러 보다. ② (…에 지지 않으려고)(더 크게) 노래하다: gegen jn.〔et.〕 ~ 누구〔무엇〕보다 더 큰소리로 노래를 부르다. ③ 노래하기 시작하다.
an|sinnen* *t.* 〖준고어·雅語〗 jm. et. ~ 누구에게 무엇을 무리〔부당〕하게 요구하다.
Ansinnen *n.* -s, - 〖雅語〗 무리〔부당〕한 요구: ein ~ an jn. stellen 누구에게 무리한 요구를 하다.
an|sintern *i.* (s.) 종유석(鍾乳石)을 형성하다.
Ansitz [ánzɪts] *m.* -es, -e (öst.) (특히 귀족들의) 주거지, 저택; 〖사냥〗 매복처.
an|sitzen* 《I》 *i.* (s.) ① 붙어 있다. ② (옷이) 꼭 맞다. ③ 〖사냥〗 (짐승을) 목을 지켜 기다리다. 《II》 **angesessen** *p.a.* ↑ angesessen.
an|socken *i.* (s.) 〖대개 다음 용법으로〗〖경박〗 angesockt kommen 바쁘게〔서둘러〕 오다.
ansohlen *t.* ① (양말에) 새로 발바닥을 짜다. ② 〖구어·비유〗 속이다.
ansonst 《I》 *adv.* 〖고어〗 그밖에. 《II》 *cj.* (öst., schweiz.) 그렇지 않으면.
ansonsten [anzɔ́nstən] *adv.* ① (obd.) 그밖에. ② 그렇지 않으면, 다른 경우에는.
an|spalten(*) *t.* 조금 쪼개다, 틈새를 내다.
Anspann [ánʃpan] *m.* -(e)s, -e 〖고어〗 ↑ Gespann, Spanndienst.
an|spannen 《I》 *t.* ① (활시위·고삐 등을) 팽팽하게 잡아당기다. ② 〖비유〗 (심신을) 긴장시키다: alle Kräfte ~ 전력을 기울이다. ③ den Wagen ~, die Pferde (an den Wagen) ~ 말을 수레에 매다; 〖목적어 없이〗 ~ lassen 마차를 준비시키다. ④ (jn.) 혹사시키다. ⑤ das Wasser ~ 물을 끌어대다; den Teich ~ 못에 물을 끌어대다. 《II》 **angespannt** *p.a.* ↑ angespannt.
Anspanner, Anspänner *m.* -s, - 마바리꾼; 작은 농장의 소유주.
Anspannung *f.* -en 수레에 말을 매는 일; 긴장, 노력: 〖經〗 eine ~ des Geldmarktes 금융시장 경색.
ansparen *t.* 절약하여 모으다, 저축하다.
an|speien* *t.* …에게 침을 뱉다; 〖비유〗 모독하다, 타기하다, 경멸하다.
anspeiens·wert *a.* 경멸〔타기〕할 만한.
an|speilern *t.* 꼬챙이에 꿰다.
an|spicken *t.* 〖비유〗 mit et.[3] ~ 무엇으로 채우다.
Anspiel [ánʃpiːl] *n.* -(e)s, -e ① 〖스포츠·카드·체스〗 경기〔게임〕 개시, 선공(先攻). ② 〖스포츠〗 패스; 킥오프; 서브.
anspielbar *a.* 〖스포츠〗 패스받을 준비가 된, 수비가 붙지 않은.
***an|spielen** 《I》 *t.* ① 〖음악〗 (곡의 첫부분을) 시험삼아 연주해 보다. ② 〖음악〗 (악기를) 시주(試奏)하다. ③ 〖카드〗 (게임의 시작을 위해) 첫 카드로 내놓다: er hat Herz angespielt 그는 선을 잡아 맨 처음에 하트를 내놓았다. ④ 〖스포츠〗 jn. ~ 누구에게 패스하다. 《II》 *i.* (h.) ① 〖스포츠·카드〗 경기를〔게임을〕 시작하다, 선공하다, 선을 잡다: wer spielt an? 누가 선이지? ② 〖비유〗 auf jn.〔et.〕 ~ 누구를〔무엇을〕 넌지시 암시하다, 슬쩍 언급하다; er spielte in seiner Rede auf mich an 그의 말은 암암리에 나를 두고 한 말이다.
Anspieler *m.* -s, - 〖카드〗 선(을 잡은 사람).
Anspielung *f.* -en 암시, 시사: mit ~ auf et. 무엇을 넌지시 암시하여〔빗대어〕, (고사 성어 등을) 인용하여.
an|spießen *t.* (창으로) 꿰찌르다; 〖요리〗 꼬챙이에 꿰다.
an|spinnen 《I》 *t.* ① (실을) 뽑기 시작하다. ② einen Faden an den anderen ~ 실을 뽑아 다른 실에 연결시키다. ③ 〖비유〗 (관계를) 맺다; (이야기를) 시작하다; (음모를) 꾸미다. 《II》 *refl.* sich ~ 모충(毛蟲)이 고치를 만들다; 〖비유〗 (서서히) 시작되다, (모르는 사이에) 생기다: ein Gespräch 〔eine Freundschaft〕 spinnt sich an 대화가〔우정이〕 시작된다.
an|spitzen *t.* ① (연필 등을) 뾰족하게 하다〔깎다〕. ② 〖구어·비유〗 jn. ~ 누구를 독려하다, 다그치다.
Anspitzer *m.* -s, - 끝을 뾰족하게 만드는 기구, 연필깎이.
an|splissen *t.* 〖海〗 das Ankertau ~ (매듭을 만들지 않고) 닻줄을 연결시키다.
Ansporn [ánʃpɔrn] *m.* -(e)s, -e 〖비유〗 (zu et.[3] 〔für et.〕) 자극, 고무, 격려.
an|spornen *t.* (말에) 박차를 가하다; 〖비유〗 (zu et.[3]) 자극〔격려〕하다: jn. zu höheren Leistungen ~ 성적을 향상시키도록 누구를 격려하다.
Ansporner *m.* -s, - 자극〔격려〕하는 사람, 모범이 되는 사람.
Anspornung *f.* -en ↑ Ansporn.
***Ansprache** [ánʃpraːxə] *f.* -n ① 인사말, (간단한) 식사(式辭): an die Versammlung eine ~ halten 청중에게 인사말을 하다. ② (südd., öst.) 대화, 접촉, 교제: keine ~ haben〔finden〕 말상대가 없다. ③ 〖軍·사냥〗 특징을 지적하는 설명〔묘사〕: die ~ des Ziels 목표물에 대한 설명. ④ 〖雅語·드물게〗 호칭, 칭호; 말을 걸기. ⑤ 〖악기〗 음색. ⑥ 〖고어〗 요구.
ansprechbar [ánʃprɛçbaːr] *a.* 〖대체로 부정어와 함께〗 ① 말을 걸 수 있는: wenn er Zeitung liest, ist er grundsätzlich nicht ~ 그가 신문을 읽을 때면, 원칙적으로 그에게 말을 걸 수가 없다. ② (남의 말에) 반응할 능력이 있는: der Patient ist immer noch nicht ~ 그 환자는 누가 무슨 말을 걸어도 여전히 대꾸하지 못한다.
an|sprechen 《I》 *t.* ① (jn.) 말을 걸다; 부르다: jn. höflich ~ 누구에게 정중하게 말을 걸다; jn. mit Du ~ 누구를 Du 로 부르다, 누구

에게 말을 놓다. ② 〖준고어·雅語〗 (jn. um et.) 청하다, 부탁하다: er sprach mich um Geld an 그는 내게 돈을 청했다. ③ jn. auf et. ~ 무엇에 대해 누구의 의견을 부탁하다; ich sprach ihn auf den gestrigen Vorfall an 나는 그에게 어제의 사건에 대한 의견을 부탁했다. ④ 지칭〔간주〕하다: jn. als Nachfolger ~ 누구를 후계자로 지칭하다. ⑤ (어떤 목적 집단을 향해) 호소하다: ich möchte mit meinem Buch besonders die Studenten ~ 나는 내 책을 통해 특히 대학생들을 겨냥하고자 한다. ⑥ 거론〔언급〕하다. ⑦ (**a**) 〖사냥〗 ein Wild ~ 어떤 짐승의 습성·성별 등을 알아내다. (**b**) 〖軍〗 et. ~ 무엇의 정확한 위치를 알아내다. ⑧ etwas spricht jn. an 무엇이 누구의 마음을 감동시키다〔사로잡다〕; diese Musik spricht mich sehr an 이 음악은 내게 매우 감동적이다. ⑨ 〖골프〗 den Ball ~ 자세를 정확히 취하고 공 앞에 골프채를 갖다대다. ⑩ 〖고어〗 요구〔주장〕하다; 〖法〗 고소하다. 《Ⅱ》 *i.* (h.) ① (**a**) 잘 듣다, 효과가 있다: das Mittel hat (bei ihm) hervorragend angesprochen 이 약은 (그에게) 탁월한 효과를 보였다. (**b**) auf et. ~ 무엇에 반응하다, 반응을 보이다: der Apparat spricht auf die leichteste Berührung an 이 기계는 살짝만 건드려도 반응을 보인다. ② (악기가) 소리를 내다, 울리다: die Flöte spricht leicht an 이 플루트는 소리가 잘 난다.

ansprechend [ánʃprɛçənt] *p.a.* 마음을 끄는, 마음에 드는, 매력적인.

Ansprecher *m.* -s, - (schweiz.) 청원자.

Ansprech≈partner *m.* 대화 상대자, 접촉 대상자, 담당자. **~zeit** *f.* 〖車〗 브레이크 작동 시간(브레이크 작동에 걸리는 시간).

an|sprengen 《Ⅰ》 *t.* ① jn. ~ 누구를 향해 말을 달리다. ② (물을) 뿌리다, 붓기 시작하다. 《Ⅱ》 *i.* (s.) ① auf jn. ~ 누구를 향해 말을 달리다. ② angesprengt kommen 말을 타고 달려오다.

an|springen* 《Ⅰ》 *i.* (s.) ① 〖구어〗 angesprungen kommen 껑충껑충 뛰어오다. ② (유리 등이) 조금 깨지다, 금이 가다. ③ 시동이 걸리다, 돌기 시작하다: der Motor springt nicht an 모터가 시동이 안 걸린다. ④ gegen et. ~ 무엇을 향해 뛰어오르다, 덮치다. ⑤ 점프하여 출발하다. ⑥ 〖구어〗 (기다렸다는 듯이 제안 등에) 응하다, 찬동하다, 달려들다: auf ein Angebot sofort ~ 제안에 즉각 응하다. 《Ⅱ》 *t.* ① (껑충 뛰어서) 달려들다, 뛰어오르다: der Hund sprang den Einbrecher an 개가 침입자를 향해 달려들었다. ② 〖雅語·비유〗 (감정이) 덮치다, 사로잡다: die Angst sprang sie an 그녀는 불안에 사로잡혔다.

an|spritzen 《Ⅰ》 *t.* (물 등을) 뿌리다, 튀기다: sich mit Parfüm ~ 몸에 향수를 뿌리다. 《Ⅱ》 *i.* (s.) angespritzt kommen 빠르게 다가오다.

Anspritzung [..ʃprɪtsʊŋ] *f.* -en 물뿌리기, 살포; (흙탕물의) 튐.

***Anspruch** [ánʃprux] 《＜ansprechen》 *m.* -(e)s, ..sprüche ① 〖드물게〗 jn. über et. 〔wegen eines Dinges〕 in ~ nehmen 무슨 일로 누구를 고소〔비난〕하다, 누구에게 답변을 요구하다. ② (**a**) 권리의 요구〔주장〕, 권리, 청구권: auf et. ~ machen〔erheben〕 무엇을 요구하다; einen ~ auf et. haben 무엇에 대한 권리가〔청구권이〕 있다. (**b**) 주장, 요구: ein Mann von vielen Ansprüchen 말이〔요구가〕 많은 남자; er ist ohne alle Ansprüche 그는 욕심이 없는〔겸허한〕 사람이다; (keine) Ansprüche stellen 욕심이 많다〔없다〕, 까다롭다〔까다롭지 않다〕. (**c**) in ~ nehmen (시간·정력 등을) 빼앗다, 요구하다: er nimmt mich stark in ~ 그는 나를 몹시 귀찮게 군다; ich bin augenblicklich sehr in ~ genommen 나는 지금 몹시 바쁘다; darf ich Ihre Güte noch einmal in ~ nehmen? 또 한번 폐를 끼쳐도 되겠습니까? ③ 〖드물게〗 말을 걸기.

ansprụchs≈frei *a.* 욕심이 없는, 까다롭지 않은, 소박한, 수수한. **≈konkurrenz** *f.* 〖法〗 청구권의 경합.

ansprụchslos *a.* ↑ anspruchsfrei.

Ansprụchslosigkeit *f.* 욕심이〔요구가〕 없음, 겸허.

Ansprụchs≈verjährung *f.* 〖法〗 청구권의 시효. **~voll** *a.* 요구하는 바가 많은, 욕심 많은, 까다로운; 수준 높은, 품위 있는: ein ~es Publikum〔Buch〕 수준 높은 관객〔책〕; ~ gekleidet sein 품위 있는 옷차림을 하다.

ạn|sprudeln 《Ⅰ》 *i.* (s.) 솟구쳐〔뿜어〕 나오다. 《Ⅱ》 *t.* 뿜어대다, 내뿜다.

ạn|sprühen 《Ⅰ》 *i.* (s./h.) 비산(飛散)하다, 흩날리다. 《Ⅱ》 *t.* 표면에 물을 뿌리다.

Ansprung [ánʃprʊŋ] 《＜anspringen》 *m.* -(e)s, ..sprünge ① 뛰어오르기, 도약; 덤벼듦. ② 〖스포츠〗 (기구 따위에) 뛰어오르기 동작. ③ 〖醫·고어〗 소농포진(小農疱疹), 딱지.

ạn|spucken *t.* (anspeien) 침을 탁 뱉다; 〖비유〗 경멸하다.

ạn|spulen *t.* (실을) 감기 시작하다.

ạn|spülen *t.* (물결이) 해안〔강변〕으로 밀어올리다, 밀어올려 쌓아 놓다: die Flut spülte eine Leiche an 조수에 떠밀려 시체 한 구가 해안에 밀려왔다.

Ạnspülung *f.* -en (물결의) 밀어올림; 충적토(沖積土).

ạn|spüren *t.* 〖雅語〗 jm. et. ~ 누구에게서 무엇을 감지하다, 알아차리다.

ạn|stacheln *t.* 자극〔격려〕하다, 고무하다: das Lob stachelte ihn zu neuen Taten an 칭찬에 고무되어 그는 새로운 일을 해내었다.

Ạnstach(e)lung *f.* -en 자극, 격려, 고무.

ạn|stählen *t.* 〖工〗 강철을 붙이다〔입히다〕.

***Ạnstalt** [ánʃtalt] *f.* -en ① 〖복수〗 준비, 채비: ~en zu et.³ machen〔treffen〕 어떤 일의 채비를 하다; er machte ~en zu gehen 그는 막 가려고 했다; keine ~en zu et.³ machen 무엇을 하려 들지 않다. ② (학교·병원·요양소 등의) (공공) 시설, 기관; 기업, 협회, 연구소: Besserungs≈ 감화원; Erziehungs≈ 교육 기관; Irren≈ 정신 병원; Verlags≈ 출판사; 〖종종 간략형〗 er ist in einer ~ 그는 요양원에 있다.

Ạnstalts≈arzt *m.* (정신병·전염병 등의 치료를 위한) 공공 의료 기관의 의사. **~erziehung** *f.* 공공 시설의 교육. **~geistliche*** *der* (요양소·감화원 등의) 공공 시설에 소속된 목사. **~kleidung** *f.* 공공 기관에서 입는 제복. **~leiter** *m.* 원장, 소장, 협회장. **~zögling** *m.* (공공 교육 시설의) 생도.

ạn|stampfen 《Ⅰ》 *t.* 짓밟다, 밟아서 다지다. 《Ⅱ》 *i.* (s.) 〖대개 다음 용법으로〗 angestampft kommen 발을 쿵쿵 구르며 오다.

***Anstand** [ánʃtant] 《< anstehen》 *m.* -(e)s, ..stände ① 예의, 예절, 품위 있는 몸가짐, 단정한 태도: mit ~ 품위 있게, 예의 바르게. ② 〖사냥〗 매복처: auf dem ~ sein〔stehen〕 목을 지키고 있다. ③ (**a**) 〖雅語〗 주저; 이의; 거부감: ~ nehmen 주저하다; er nahm an ihrem merkwürdigen Verhalten keinen ~ 그는 그녀의 이상스러운 행동에 거부감을 느끼지 않았다. (**b**) 〔고어〕 휴전. ④ (südd., öst.) 어려움, 애로 (사항): Anstände mit jm. bekommen 〔haben〕 누구와 옥신각신하다; keine Anstände haben 예의가〔버릇이〕 없다. ⑤ 〖광산〗 노출 광물. ⑥ 〔고어〕 아직 갚지〔받지〕 못한 돈.

***ạnständig** *a.* ① 〔고어〕 호감이 가는, 마음에 드는. ② (**a**) 알맞은, 적당한, 어울리는: 〔드물게〕 jm. 〔für jn., js.〕 ~ sein 누구에게 적합하다, 어울리다. (**b**) 행실이 바른, 품위 있는, 단정한. ③ 〔구어〕 상당한, 꽤 많은: es schneit (ganz) ~ 눈이 제법 많이 내리고 있다. ④ 〔비교급·최상급 없이〕 매우 강한, 충분한: jm. ~ die Meinung sagen 누구에게 충분히 의견을 말하다.

ạnständiger·weise *adv.* 예의 바르게, 단정하게, 분별있게.

Ạnständigkeit *f.* -en 예의 바름, 단정: 〔반어〕 ~en sagen 음탕한 말을 하다.

Ạnstands≈besuch *m.* 예방(禮訪). **~brief** *m.* 〖經〗 지급 유예. **~dame** *f.* 〔고어〕 샤프롱. **~formen** *pl.* 예법. **~gefühl** *n.* 예의심, 예절 감각. **~halber** *adv.* 예의상, 체면 치레로. **~happen** *m.* 〔구어〕 (체면상 남겨놓는 빵·고기 등의) 마지막 한 조각. **~lehrer** *m.* 예의 범절을 가르치는 교사.

ạnstandslos *a.* 망설이지〔지체하지〕 않는, 과감한.

Ạnstands≈ort *m.* 〔고어〕 변소, 화장실. **~regeln** *pl.* 예법. **~rock** *m.* (19 세기 말의 솜 넣은) 페티코트. **~rolle** *f.* 〖연극〗 (18 세기의 연극에서) 지체 높은 신분의 배역. **~-übungen** *pl.* 예절 연습. **~unterricht** *m.* 예절〔예법〕 수업. **~verletzung** *f.* 무례, 실례. **~visite** *f.* ↑ ~besuch. **~voll** *a.* 예의 바른. **~wauwau** *m.* 〔구어·농담〕 ↑ ~dame. **~widrig** *a.* 무례한, 버릇 없는.

ạn|stängeln, an|stangen *t.* 〔드물게〕 (식물들에) 버팀목을 대다.

ạn|stänkern *t.* 〔경박·폄어〕 거칠고 모욕적인 말을 퍼붓다, 폭언하다.

ạn|stapeln 《I》 *t.* (목재 등을) 쌓아올리다. 《II》 *refl.* sich ~ 쌓이다.

ạn|stapfen *i.* (s.) 〔대개 다음 용법으로〕 〔구어〕 angestapft kommen 터벅터벅〔터덜터덜〕 걸어오다.

ạn|starren *t.* 응시하다, 노려보다.

***anstatt** [anʃtát] 《I》 *prp.*² …대신: ~ meiner 〔des Freundes〕 나〔친구〕 대신; er traf den Baum ~ der Zielscheibe 그는 과녁 대신 나무를 맞추었다. 《II》 *cj.* …하는 대신(에), …하지 않고: ~ daß er arbeitete 〔~ zu arbeiten〕, trieb er sich draußen herum 그는 일은 하지 않고 바깥으로 나돌아다녔다.

ạn|stauben *i.* (s.) 먼지가 약간 끼다〔묻다〕; 먼지처럼 달라붙다.

ạn|stauen 《I》 *t.* (둑으로) 막다. 《II》 *refl.* sich ~ 고이다, 모이다, 쌓이다; 〔비유〕 jahrelang angestauter Zorn 여러 해 동안 쌓인 분노.

ạn|staunen *t.* 놀라서〔멍하니〕 바라보다.

ạnstaunens·wert, ~würdig *a.* 놀랄〔경탄할〕 만한.

Ạnstauung *f.* -en 저수, 축적; (물줄기의) 차단.

ạn|stechen* 《I》 *t.* ① (**a**) 찌르다, 찔러서 손상시키다: Autoreifen ~ 자동차 타이어에 펑크를 내다; ein angestochener Apfel 벌레 먹은 사과. (**b**) (잘 익었는지) 찔러보다. (**c**) 〔준고어〕 angestochen kommen (지나가는 사람들을 툭툭 치면서) 활개치며 걸어오다. ② (**a**) (통·깡통 등을) 따다: das Bier ist frisch angestochen 이 맥주는 방금 통에서 나온 것이다. (**b**) 〔비유〕 jn. ~ 누구의 속을 떠보다. ③ 〔드물게〕 jn. ~ 누구의 관능을 자극하다; sticht Sie das Mädchen an? 그 소녀에게 마음이 끌립니까? ④ 〔드물게·비유〕 (auf) jn. ~ 누구에게 따끔한〔싫은〕 소리를 하다, 누구를 자극하여 성나게 하다. ⑤ angestochen sein a) 조금 취해 있다; b) 제정신이 아니다. ⑥ (berl.) den Ofen ~ 화로〔난로〕에 불을 지피다 (anstecken 과 혼동한 오용(誤用)). ⑦ 〖고고〗 (발굴하기 위해) 파내다, 발굴하다. 《II》 **ạngestochen** *p.a.* ↑ angestochen.

Ạnsteck≈ärmel *m.* (가봉할 때) 임시로 붙인 소매. **~bohrer** *m.* 〖工〗 구멍 뚫는 기구, 통을 따는 기구, 송곳; 〖軍〗 (총·대포의) 구멍을 닦는 도구.

***ạn|stecken** 《I》 *t.* ① (**a**) (바늘·못·핀 등으로) 달다, 붙이다, 꽂다: eine Brosche ~ 브로치를 달다; eine Blume ~ 꽃을 꽂다. (**b**) (반지를) 끼다. ② (**a**) (담배·등·초 등에) 불을 붙이다. (**b**) (nordd., md.) (집 등에) 방화하다. ③ 전염〔감염〕시키다, 옮기다: jn. mit seiner Krankheit 〔seinen Ideen〕 ~ 누구에게 병〔사상〕을 옮기다; 〔비유〕 er hat uns alle mit seiner Fröhlichkeit angesteckt 그는 우리 모두를 즐겁게 하였다. ④ 〖방언〗 (통 등을) 따다 (anstechen 의 대용). 《II》 *i.* (h.) / *refl.* (sich) ~ 전염되다, 옮다: Gähnen steckt (sich) an 하품은 전염된다.

ạnsteckend *p.a.* 전염성의: eine ~e Krankheit 전염병.

Ạnstecker *m.* -s, - 〖방직〗 핀을 꽂는 사람; 점등부(點燈夫); 소속 표시 배지.

Ạnsteck·nadel *f.* 옷핀, 장식 핀, 브로치; 소속 표시 배지.

Ạnsteckung *f.* -en 전염, 감염: sich vor ~ hüten 전염〔감염〕되지 않도록 조심하다.

ạnsteckungs≈fähig *a.* 〔격식〕 ↑ ansteckend. **~gefahr** *f.* 전염〔감염〕의 위험. **~-herd** *m.* 전염〔감염〕원(源). **~möglichkeit** *f.* 전염〔감염〕 가능성. **~quelle** *f.* ↑ ~herd. **~stoff** *m.* 전염〔감염〕물, 전염 병독.

ạn|stehen *i.* (h./s.) ① (**a**) 접해〔붙어〕 있다: das Bett steht an der Wand an 침대가 벽에 붙어 있다. (**b**) ~d 인접한; 절박한, 가까운 장래의. (**c**) 〖사냥〗 der Jäger steht an 사냥꾼이 잠복하고 있다. (**d**) 〖광산〗 (광물이) 노출되어 있다. (**e**) 〖官〗 기재되어〔정해져〕 있다: der Termin steht auf Sonntag an 약속이 일요일로 정해져 있다. ② 줄서다, (줄서서) 차례를 기다리다: man muß nach Theaterkarten lange ~ 연극표를 사려면 오래 줄서야 한다. ③ 취직하다: er ist angestanden 그는 취직하였다. ④ (…에) 가입하다: mit jm. ~ 누구와 한패가

되다. ⑤〔雅語〕jm. ~ 누구에게 어울리다; dieser Rock steht Ihnen gut an 이 치마는 당신에게 잘 어울립니다; es steht mir nicht an zu entscheiden... …의 결정은 내가 할 일이 아니다. ⑥〔격식〕처리가 지연되다, (일이) 처리되기를 기다리다: diese Arbeit steht schon lange an 이 일은 이미 오래 전부터 처리되지 않고 있다; anstehende Probleme 현안 문제들; et. ~ lassen 무엇을 미루다, 연기하다. ⑦〔雅語〕nicht ~, et. zu tun 주저하지 않고 무엇을 하다. ⑧ (öst.) auf jn.〔et.〕~ 누구〔무엇〕에 의지하다. ⑨〔지질〕(광맥 등이) 노출되어 있다, 돌출해 있다.

an|steifen 《I》 *t.* (세탁물에) 풀을 먹이다; 〔광산〕지주를 세우다. 《II》 *refl.* 〔비유〕 sich ~ 저항하다.

an|steigen *i.* (s.) ① (지면·길 등이) 오르막이 지다: eine stark ~de Straße 심하게 오르막이 진 도로. ② (강물이) 붇다, 수위가 높아지다; (온도가) 올라가다; (인원수가) 늘다, 증가하다; (값이) 오르다; (명성이) 높아지다: der Fremdenverkehr ist in den letzten Jahren auf das Vierfache angestiegen 관광객 수가 최근 몇 년간 네 배로 증가하였다.

anstelle *prp.*² …대신에: ~ des Vaters 아버지 대신에; ~ von Worten 말 대신에.

***an|stellen** 《I》 *t.* ① 기대어 (세워) 놓다: einen Leiter an die Hauswand ~ 사다리를 외벽에 기대어놓다. ② **(a)** 채용〔고용〕하다: er ist bei der Firma X fest angestellt 그는 X 회사에 정식으로 채용되었다. **(b)** 〔구어〕(누구에게 어떤 일을) 맡기다, 시키다: ich habe sie sofort zum Abtrocknen angestellt 나는 그녀에게 즉시 닦으라고 시켰다. ③ **(a)** 시도하다, (행)하다: alles mögliche ~ 가능한 모든 일을 다 해보다. **(b)** 〔기능 동사〕(행)하다: Betrachtungen〔Überlegungen, Ermittlungen〕 ~ 관찰〔숙고·수사〕하다. **(c)** (나쁜 일을) 꾸미다, 저지르다: was habt ihr da wieder angestellt? 너희들 또 무슨 일을 저질렀느냐? **(d)** 〔구어〕was soll ich nur mit dir ~? 내가 너와 무슨 일을 하겠니? (너는 아무짝에도 쓸모없다). ④ (↔ abstellen) 켜다, 틀다, 작동시키다: das Radio〔das Gas〕 ~ 라디오〔가스〕를 켜다〔틀다〕. 《II》 *refl.* sich ~ ① 줄서다: sich nach Theaterkarten ~ 연극표를 사려고 줄서다. ② **(a)** 행동〔처신〕하다: sich geschickt〔dumm〕 ~ 재치 있게〔서투르게〕 처신하다. **(b)** 가장하다, …인 체하다: sich wie ein Verrückter ~ 미친 사람처럼 행동하다; er stellte sich an, als ob er nichts davon wüßte 그는 그것을 전혀 모르는 체하였다.

Anstellerei [..ʃtɛlərái] *f.* -en 〔구어〕① 얌전〔새침〕 떨기, 꾸며낸〔과장된〕 행동; 죽는 시늉. ② 짜증나는 빈번한 줄서기.

anstellig [..ʃtɛlɪç] *a.* 능란한, 재치〔솜씨〕 있는, 교묘한.

Anstelligkeit *f.* 재치, 능수 능란.

Anstellung *f.* -en 채용, 임용, 고용; 일자리: eine neue ~ suchen 새로운 일자리를 구하다.

Anstellungs≈bedingung *f.* 채용〔임용〕 조건. **~berechtigt** *a.* 임용 권한〔자격〕이 있는. **~betrug** *m.* 〔法〕 위장 취업. **~fähig** *a.* 채용〔임용〕될 자격이 있는. **~prüfung** *f.* 임용〔채용〕 시험. **~urkunde** *f.* 사령〔임명〕장. **~verhältnis** *n.* ↑ Arbeitsverhältnis. **~vertrag** *m.* 고용 계약.

Anstell·winkel *m.* 〔空〕 (날개의) 영각(迎角).

an|stemmen 《I》 *t.* (떠받치면서) 들어올리다. 《II》 *refl.* sich ~ 버티다: sich mit den Schultern gegen die Tür ~ 어깨를 문에 대고 버티다, 〔비유〕…에 저항하다.

an|steppen *t.* (옷감의 가장자리를) 마주 대고 꿰매다, 감치다.

an|steuern *t.* …쪽으로 방향을 잡다; …을 향해 (걸어)가다; 이야기를 해나가다: eine Insel ~ 어떤 섬을 향해 나아가다.

Ansteu(e)rung *f.* -en 키를 돌리기; 접근.

Ansteu(e)rungs≈marke *f.*, **~zeichen** *n.* 입항 표지.

Anstich [ánʃtɪç] 《<anstechen》 *m.* -(e)s, -e ① 찌르기; (맥주통의) 개봉, 마개 열기: frischer ~ (vom Faß) (통에서) 방금 따른 맥주. ② (과일의) 벌레 먹은 부분. ③ (검(劍) 등의) 최초의 일격; (삽 등의) 최초의 삽질.

an|sticheln *t./i.* 〔구어〕① (et.) 꿰매서 붙이다〔고정시키다〕, 바느질하기 시작하다. ② jn. (zu et.³) ~ (어떤 일을 하도록) 누구를 사주하다, 부추기다; 〔비유〕 풍자하다, 조롱하다; (괴롭혀) 싫어지게 하다.

Anstich≈faß *n.* 마개〔주둥이〕 달린 통. **~geld** *m.* 술 소매세.

an|sticken *t.* 수놓아 붙이다; 수놓기〔자수를〕 시작하다.

an|stiefeln 《I》 *t.* 장화를 신기다. 《II》〔속어〕 *i.* (s.) (바삐) 다가오다: angestiefelt kommen 급히 걸어오다.

Anstieg [ánʃti:k] 《<ansteigen》 *m.* -(e)s, -e ① 상승: der plötzliche ~ der Temperatur 기온의 갑작스러운 상승. ② 올라가기: einen beschwerlichen ~ hinter sich haben 힘든 고비를 넘어서다. ③ 오르막길, 언덕; 정상으로 가는 길: der Berg hat drei ~e 그 산엔 정상으로 가는 길이 셋 있다.

an|stieren *t.* 계속해서 응시하다; 멍하니〔얼빠진 표정으로〕 쳐다보다.

an|stiften¹ 《<Stift¹》 *t.* 못〔징〕을 박다.

***an|stiften**² 《<Stift²》 *t.* ① (나쁜 일을) 일으키다, 야기하다, 꾸미다: Unheil ~ 재앙을 일으키다. ② jn. zu et.³ ~ 누구에게 어떤 일을 하도록 부추기다, 사주하다: sie hat ihn zum Mord angestiftet 그녀는 그에게 살인을 사주했다.

Anstiften *n.* -s ↑ Anstiftung.

Anstifter *m.* -s, - 장본인, 주모자, 원흉; 선동〔교사〕자.

Anstifterin *f.* -nen ↑ Anstifter 의 여성형.

Anstiftung *f.* -en 책략; 선동, 사주, 〔法〕 교사.

an|stimmen *t./i.* (h.) ① (악기를) 연주하다; 조율하다. ② (노래·연주를) 시작하다: das Orchester stimmte einen Marsch an 오케스트라가 행진곡을 연주하기 시작했다. ③〔비유〕 (한탄을) 큰소리로 늘어놓기 시작하다; (울음 등을) 갑자기 터뜨리다: 〔비유〕 ein Klagelied über jn.〔et.〕 ~ 누구〔무엇〕에 관해서 푸념을 늘어놓다; immer wieder das alte Lied ~ 같은 이야기를 계속 되풀이하다; 〔비유·구어〕 ein Loblied auf jn.〔et.〕 ~ 누구〔무엇〕에 대해서 찬사를 늘어놓다. ④ (den Grundton) ~ 기본음을 내다.

Anstimmung *f.* -en ① (연주·노래 등의) 시작; 조율, 발성. ② (한탄·푸념 등을) 늘어놓기. ③ (울음을) 갑자기 터뜨림.
an|stinken 〖구어·비속〗《Ⅰ》*i.* gegen et.〔jn.〕 ~ 무엇〔누구〕에 대해서 저항하다: gegen den kannst du nicht ~ 그런 작자에 대해선 자네가 어쩔 도리가 없어. 《Ⅱ》*t.* etwas stinkt jn. an 무엇이 누구를 몹시 화나게 만들다.
an|stöhnen *t.* (jn.) (…에게) 우는 소리를 하다, 하소연하다.
an|stolpern *i.* (s.) 〖구어〗 비틀거리며 접근하다: angestolpert kommen 비틀거리며 오다.
an|stopfen *t.* 가득 채우다.
Anstoß [ánʃto:s] *m.* -es, ..stöße ① (맞)부딪침, 충격; 〖축구〗 킥오프: dem Pendel einen ~ geben 추를 건드려 가게 하다. ② 〖비유〗 계기, 자극, 동인(動因): den ersten ~ zu et.³ geben 무엇의 첫 계기를 부여하다. ③ 습격, 돌격; 〖醫〗 발작; 〖宗〗 유혹. ④ 장애, 방해; 지체: ohne ~ 막힘 없이, 유창하게. ⑤ 〖교양〗 불쾌, 분노, 반대: bei jm. ~ erregen〔geben〕 누구에게 불쾌감을 유발하다; an et.³ ~ nehmen 〔keinen ~ nehmen〕 어떤 것을 못마땅해하다, 인정하지 않다〔동의하다, 수긍하다〕; sein Benehmen ist ein Stein des ~es für alle 그의 행실이 모든 사람들에게 불쾌감을 일으킨 원인이다. ⑥ 마주치는 곳; (대들보 등의) 접합부; (의류의) 솔기. ⑦ 〖방언〗 경계.
an|stoßen* 《Ⅰ》*t.* ① 찌르다, 툭 밀다, 차다; jn. mit dem Fuß〔Ellenbogen〕 ~ (어떤 신호를 보내기 위해) 누구를 발로 툭 차다〔팔꿈치로 툭 건드리다〕; jn. zu et.³ ~ 누구에게 무엇을 하도록 자극하다. ② (술잔을) 맞부딪치다: die Gläser auf js. Wohl ~ 누구의 건강을 위해 건배하다. ③ (판자 등을) 접합하다; 꿰매 감치다. ④ 〖구식〗 jn. ~ (불안 따위가) 누구를 엄습하다. ⑤ 〖광산〗 불을 붙이다. ⑥ den Teig ~ 반죽에 효모를 넣다. ⑦ 〖사냥〗 die Jagd ~ 사냥의 개시를 나팔로 알리다. ⑧ 〖축구〗 킥오프하다. 《Ⅱ》*i.* (h.) ① 잔을 부딪치며 무엇을 기원하다: auf gutes Gelingen〔auf js. Wohl〕 ~ 누구의 성공〔건강〕을 기원하며 건배하다. ② mit der Zunge ~ 치음을 내다. ③ bei et.³ ~ 무엇을 하는 데 정체하다. ④ gegen〔wider〕 et. ~ 무엇과 위배되다, 반하다. ⑤ an et. ~ 무엇과 인접〔접경〕하다. 《Ⅲ》*i.* (s.) ① an〔gegen〕 et. ~ 어떤 것에 부딪치다; mit et.³ (an et.) ~ 무엇으로 (무엇에) 부딪치다: mit dem Kopf an et. ~ 무엇에 머리를 부딪치다; angestoßenes Obst 손상된 과일. ② bei jm. ~ 누구의 불쾌감을 자아내다. ③ an et. ~ 어떤 것에 접경하다, 인접하다. 《Ⅳ》*refl.* ① sich ~ an jn.〔et.〕 누구〔무엇〕에 (몸을) 부딪치다. ② sich³ einen Körperteil (an et.) ~ 몸의 일부를 (무엇에) 부딪치다: ich habe mir den Kopf angestoßen 나는 머리를 부딪쳤다. 《Ⅴ》 **angestoßen** *p.a.* ↑ angestoßen.
anstoßend *p.a.* (an et.) …에 인접하는.
Anstößer *m.* -s, - (schweiz.) 이웃 사람.
Anstoß=erreger *m.* 불쾌감을 유발하는 사람〔것〕. **~fläche** *f.* 〖工〗 방지면(面).
anstößig *a.* 예의에 어긋나는; 상스러운, 불쾌감을 유발하는: er benahm sich ~ 그는 예의에 어긋나게 행동했다.
Anstößigkeit *f.* -en ① 예의에 벗어남, 미풍양속의 침해. ② 상스러운 언동, 저속.
Anstoß=naht *f.* 감침질. **~schwelle** *f.* 〖철도〗 이음 침목(枕木).
an|strahlen *t.* ① 비추다, 조명하다. ② 〖비유〗 jn. ~ 누구를 환하게 웃으며 바라보다: sie strahlte mich an wie ein Kind 그녀는 아이처럼 환하게 웃으며 나를 바라보았다.
Anstrahlung *f.* (광선의) 조명.
an|stranden *i.* 〖海〗 좌초하다.
an|strängen *t.* (말·소·나귀 등을) 수레에 매다, 마구를 달다.
Anstrebe·kraft *f.* 〖物〗 구심력.
an|streben 《Ⅰ》*i.* (h.) ① hoch ~ 우뚝 솟아 있다. ② gegen〔wider〕 et. ~ 무엇에 맞서 싸우다, 저항하다. 《Ⅱ》*t.* 얻고자 애쓰다, 추구하다.
anstrebens·wert *a.* 추구할 만한.
an|streichen* 《Ⅰ》*t.* ① 칠하다: Farbe (an et.) ~ (무엇에) 색칠하다; et. mit roter Farbe〔rot〕 ~ 무엇을 붉게 칠하다; 〖비유〗 jm. den Rücken blau ~ 누구의 등을 때려 멍들게 하다. ② 문지르다; (성냥을) 긋다, 점화하다: Ohnmächtige mit Balsam ~ 실신한 사람들을 향유로 문지르다. ③ eine Stelle im Buch ~ 책의 어떤 부분에 줄을 긋다. ④ 보복하다: das werde ich dir ~ 너의 그런 행동〔태도〕에 대해 앙갚음을 하겠다. ⑤ …에 가볍게 스치다. ⑥ 〖음악〗 eine Saite ~ 활로 한 소절을 시험삼아 연주해 보다. ⑦ 〖사냥〗 (총을) 의탁 조준하다, 흔들리지 않도록 받쳐놓다. 《Ⅱ》*i.* (h.) ① an et. ~ 무엇의 표면을 스치다, 무엇에 살짝 스치다〔닿다〕. ② 〖사냥〗 (날짐승이) 날아서 접근하다. 《Ⅲ》*refl.* sich an jm. ~ (닿을 정도로) 누구 곁으로 바짝 다가서다; 〖비유〗 sich bei jm. ~ 누구에게 빌붙다.
Anstreicher *m.* -s, - 페인트공, 칠장이; 〖농담〗 화가.
Anstreicherei *f.* -en 칠하기.
Anstreich·pinsel *m.* 페인트 칠하는 붓.
an|streifen 《Ⅰ》*i.* (h.) (an et.) 가볍게 스치다. 《Ⅱ》*t.* ① 살짝 스치다: das Auto hat ihn nur angestreift 그 자동차는 그를 단지 살짝 스쳤을 뿐이다. ② 〖구어〗 (öst.) (jn.) 모욕하다, 싸움을 걸다. ③ 재빨리 입다〔끼다·걸치다〕: sich³ einen Ring ~ 재빨리 반지를 끼다.
***an|strengen** [ánʃtrɛŋən] 《Ⅰ》*t.* ① (전력을) 다하다, 힘껏 발휘하다; (눈을) 부릅뜨다, (목청을) 돋우다: alle Kräfte ~ 전력을 다하다; sein Gehör ~ 귀를 한 곳에 집중하다. ② 긴장시키다; 피곤하게 하다: das Gehen strengte ihn noch an 그는 걷는 것을 여전히 힘들어했다. ③ einen Prozeß〔eine Klage〕 gegen jn. ~ 누구를 상대로 소송을〔고소를〕 시작하다. 《Ⅱ》*refl.* sich ~ 노력하다: du mußt dich mehr ~ 너는 더 노력하지 않으면 안 된다. 《Ⅲ》 **angestrengt** *p.a.* ↑ angestrengt.
anstrengend *p.a.* 힘드는, 전심 전력을 요구하는, 몹시 피곤하게 하는: das ist mir zu ~ ! 그것은 나에겐 너무 힘들다 !
Anstrengung [..ʃtrɛŋʊŋ] *f.* -en 긴장, 노력, 애씀; 힘드는 일: mit ~ 애써서; ~en machen〔unternehmen〕 노력하다, 애쓰다.
an|streuen *t.* (et.) (흩)뿌리다.
Anstrich [ánʃtrɪç] 《<anstreichen》 *m.* -(e)s, -e ① 칠하기; 도료(塗料); 칠한 빛: das Haus hat einen weißen ~ 그 집은 흰색으로 칠해져 있다. ② 〖비유〗 외관; 인상, 느낌: der Ver-

anstaltung einen künstlerischen ~ geben 그 행사에 예술적 분위기를 연출하다; sich³ einen vornehmen ~ geben 자기를 고상하게 꾸미다. ③ 빛깔, 색칠한 정도. ④〖음악〗(바이올린에서) 활의 사용법. ⑤〖사냥〗(이슬 맞은 풀 위의) 짐승 자국.

an|stricken *t.* ① (실로) 떠서 덧대다: einen Rand an einen Pullover ~ 뜨개질을 해서 스웨터에 가장자리를 덧대다. ② 뜨개질을 해서 길이를 늘이다; Strümpfe ~ 뜨개질을 해서 양말의 길이를 늘이다. ③ 밧줄로 동여매다.

an|strömen 《I》 *i.* (s.) 쇄도하다, 밀려오다; (인파가) 밀려들다: 〔구어〕 angeströmt kommen 쏟아져 들어오다, 물밀듯이 밀려오다. 《II》 *t.* 흘러 스치다〔닿다〕: Land ~ (토사가 쌓여) 모래톱을 이루다.

an|stückeln *t.* ↑ anstücken.

an|stücken *t.* ① (헝겊을) 대다, 잇대다, 대고 깁다. ② (헝겊을) 덧붙여 길게 하다.

Anstücksel [..səl] *n.* -s, - 이어대는 헝겊.

Ansturm [ánʃturm] *m.* -(e)s, ..stürme ① (auf jn.) (…에의) 돌진, 습격. ② (고객의) 쇄도; 밀려드는 수요: dem ~ nicht gewachsen sein 쇄도하는 수요를 감당하지 못하다.

an|stürmen 《I》 *i.* (s.) ①〔구어〕 쏜살같이 달려오다, 부랴부랴 뛰어가다: sie stürmten an, als sei der Teufel hinter ihnen her 그들은 뒤에서 악마라도 쫓아오듯이 급히 내달았다. ② 돌진〔돌격〕하다: gegen〔wider, auf〕 et.〔jn.〕 ~ 무엇을〔누구를〕 향해 진격〔돌진〕하다; 〔비유〕 …와 싸우다, …에 반항하다. 《II》 *t.* 〔드물게〕 공격하다.

Anstürmer *m.* -s, - 습격자.

Ansturz [ánʃturts] *m.* -es, ..stürze 부딪침, 충돌; 추락.

an|stürzen 《I》 *i.* (s.) ① (파도가 바위를) 세차게 때리다. ② 서둘러〔바삐〕 오다: 〔구어〕 er kam aufgeregt angestürzt 그는 흥분해서 쏜살같이 달려 왔다. 《II》 *t.* 던지다, (겨냥하여) 내던지다.

an|stutzen *t.* ① (기가 막혀) 멍하니 바라보다. ② 조금 절감하다.

an|stützen *t.* 버티다, 기대게 하다: sich bei jm. ~ 누구에게 기대다.

an|suchen *i.* (h.) / *t.* 〔격식〕 (öst.) bei jm. um et. ~ 누구에게 무엇을 청원하다.

Ansuchen *n.* -s, - 〔격식〕 (öst.) 간원, 청원: auf js. ~ 누구의 청원에 따라; ein ~ stellen 청원서를 내다, 청원하다

Ansucher *m.* -s, - 청원자.

Ansuchung *f.* -en ↑ Ansuchen.

Ansuch(ungs)·schreiben *n.* 청원서, 청구서.

Ansud [ánzu:t] 《< ansieden》 *m.* -(e)s, -e (염직물의) 삶기; 조금 끓인 액체.

an|summen[1] 《I》 *i.* 윙윙 거리며 오다. 《II》 *t.* ① 윙윙〔붕붕〕거리며 누구에게 다가오다: die Bienen summten mich an 벌들이 붕붕거리며 내게로 몰려왔다. ② (누구의 귀에 대고) 소곤거리다, 귓속말하다: jn. mit einer Melodie ~ 누구에게 어떤 멜로디를 흥얼거리다.

an|summen[2] 《< Summe》 *refl.* sich ~ 어떤 액수에까지 이르다; (금액이) 불어나다〔늘다〕.

an|süßen *t.* 약간 달게 하다.

*__ant..__ 《gr. anti》 *pref.* "대(對)·반(反)"의 뜻.

Antagonismus [antagonísmus] 《gr. -lat.》 *m.* -, ..men 〖哲·사회〗 분규, (화해가 불가능한) 대립, 반대, 적대: ~ der Klassen 계급간 대립; die Antagonismen innerhalb einer Gesellschaft 어떤 한 사회내에서의 대립 관계; 〖해부〗 길항(拮抗) 작용.

Antagonist *m.* -en, -en 대립 세력, 반대자, 적수; 〖해부·醫〗 길항질〔체·군〕.

antagonistisch *a.* ① 상호 대립적인, 적대적인, 대립에 기반을 둔: ~e Klassen 적대적 계급; ~ geformte Gesellschaft 대립적으로 형성된 사회. ②〖哲〗 ~e Widersprüche 적대적 모순.

antaillieren [..taji:rən] *t.* 〖재봉〗 (의복을) 허리 부분이 약간 들어가게 만들다.

an|takeln *t.* 〖海〗 (배에) 삭구(索具)를 달다; 〔비유〕 성장(盛裝)시키다.

Antalgikum *n.* -s, ..ka 〖藥〗 진통제.

antalgisch *a.* 진통의.

Antananarivo 안타나나리보(마다가스카르의 수도).

an|tanzen 《I》 *i.* ① (h.) (첫번째 쌍으로) 춤추기 시작하다. ② 춤추면서 다가오다. ③ 불쑥 (귀찮게) 나타나다: 〔경박〕 bei jm. ~ 누구에게 들르다; wann soll ich bei dir ~? 언제쯤 너의 집에 들르면 될까?; 〔폄어〕 er kommt dauernd angetanzt 그는 툭하면 나타난다(시도 때도 없이 온다).

an|tappen 〔구어〕 《I》 *i.* (h./s.) (an et.) (서툴게) 더듬어 만지다: 〔경박〕 angetappt kommen 더듬으며 다가오다. 《II》 *t.* 더듬거리면서 붙잡다.

Antares [antá:rɛs, ántarɛs] *m.* - 안타레스 (전갈자리 중에서 가장 밝은 별).

Antarktika *f.* 남극 대륙.

Antarktis [antárktɪs] 《gr.; ↑ Arktis》 *f.* 남극 주변의 지역.

antarktisch *a.* 남극(지방)의, 남극에 속하는, 남극에서 유래하는.

Antast *m.* -es, -e 침해, 훼손.

an|tasten *t.* ① (a) 〔비유〕 조심스레 만지다, 건드리다: den Verletzten hat keiner angetastet 아무도 그 부상자에게 손을 대지 않았다. (b) (문제 등을) 가볍게 언급하다: ein Thema nur ~ 어떤 주제를 슬쩍 건드리기만 하다. ② 공격하다, (권리를) 침해하다, (명예를) 훼손하다. ③ (식사·저축 등에) 손을 대다; 사용〔소모〕하다: er hat sein Essen noch nicht angetastet 그는 아직 음식에 손도 대지 않았다.

Antastung *f.* -en ↑ Antast.

an|tauchen (öst.) 《I》 *t.* (자동차 등을) 밀고 가다. 《II》 *refl.* sich ~ 좀더 열심히 하다.

an|tauen 《I》 *i.* (s.) (얼음 등이) 녹기 시작하다. 《II》 *t.* 잠시 녹이다: Tiefkühlkost vor der Zubereitung etwas ~ 냉동 식품을 조리하기 전에 어느 정도 녹이다.

an|taumeln *i.* (s.) 비틀거리며 다가가다: an 〔gegen〕 et. ~ 비틀거리며 무엇에 부딪치다; angetaumelt kommen 비틀거리며 오다.

Antäus [antɛ́:us] *m.* 〖그리스신화〗 안테우스 (바다의 신〔거인〕).

an|täuschen *i.* 〖스포츠〗 페인트 모션을 쓰다.

antäushaft *a.* 이기기 어려운, 천하무적의.

Ante [ántə] *f.* -n 〖건축〗 ① (그리스·로마 사원의) 돌출 기둥. ②〔복수로만〕 ↑ Anten.

ante.. 《lat., „vor, vorher, voran"》 *pref.* "앞·

먼저"의 뜻.
ante Christum (natum) [ántə krístum (ná:tum)] 《lat.》 (vor Christi (Geburt)) 그리스도 출생 전, 기원전(약어: a. Chr. (n.)).
antedatieren [antedatí:rən] 《lat.》 *t.* 〖고어〗 ① 실제보다 앞선 날짜로 하다. ② 실제보다 늦은 날짜로 하다.
antediluvianisch [antediluviá:nɪʃ] *a.* 〖지질〗 홍적세(洪積世)에 속하는.
Anteflexion [anteflɛksió:n] 《lat.》 *f.* -en 〖醫〗 자궁 전굴(前屈).
***Anteil** [ántaɪl] *m.* -(e)s, -e ① 몫, 배당; 지분; 〖經〗 (어떤 회사의 자본에 대한) 소유 지분(持分): ~ an et.³ haben 무엇(사업 등)에 관계하고 있다; unser ~ an dem Erbe 우리의 상속 지분. ② 관심, 흥미, 동정심; 관여: ~ an jm.〔et.³〕 nehmen〔zeigen, bekunden〕 누구에게〔무엇에〕 관심을 갖다〔보이다, 나타내다〕; (tätigen) ~ an et.³ nehmen 무엇에 (적극적으로) 참여하다.
anteilig *a.* 몫에 따른.
Anteil(s)≈berechtigte* *der/die* 지분(持分) 보유자. **~effekten** *pl.* 지분 증권. **~eigner** *m.* 〖經〗 지분 소유자. **~haber** *m.* 〖고어〗 관여자; 지분 소유주, 주주.
anteil(s)los *a.* 〖고어·교양〗 관심 없는.
anteil(s)≈mäßig *a.* 지분〔몫〕에 따른. **≈-nahme** *f.* ① 참여, 가담: die Beisetzung fand unter starker ~ der Bevölkerung statt 장례식은 주민들이 많이 참여한 가운데 거행되었다. ② (정신적인) 참여, 공감: seine ~ an ihrem Kummer ist groß 그녀의 고통에 대해 그의 동정심이 크다. ③ 〖비유〗 관심: et. mit steigernder ~ verfolgen 무엇을 점점 더 깊은 관심을 갖고 살펴보다. **≈schein** *m.* 〖經〗 지분(持分) 증서, 주권(株券). **≈verschreibung** *f.* 가주권(假株券). **~voll** *a.* 지대한 관심을 가진, 동정심이 많은. **≈wirtschaft** *f.* 돈 또는 곡물로 소작료를 내는 제도.
an|telefonieren *t./i.* (h.) jn. 〔bei jm.〕 ~ 누구에게 전화를 걸다.
ante meridiem [ántə: merí:diɛm] 《lat., „vor Mittag"》 오전에(약어: a.m.).
ante mortem [ántə mɔ́rtɛm] 《lat., „vor dem Tod)〖醫〗 죽기 전에.
antemundan 《lat. mundus, „Welt"》 *a.* 전(前)세계의.
Anten *pl.* (그리스의) 세로벽 두 개로 된 신상(神像) 안치소의 현관.
***Antenne** [antɛ́nə] 《lat.》 *f.* -n ① 〖海〗 돛대살. ② 〖動〗 더듬이. ③ 〖전기〗 안테나. ④ 〖비유〗 촉각: keine ~ für et. haben 무엇에 대한 감각이 전혀 없다. ⑤ 〖배구〗 (네트 접촉 여부를 식별하기 위해) 네트 끝에 꽂아 놓은 대.
Antennen≈anlage *f.* 안테나 시설. **~dämpfung** *f.* 〖전기〗 안테나 감폭(減幅). **~draht** *m.* 〖전기〗 안테나선. **~kreis** *m.* 공중에 가설한 회로. **~mast** *m.* 안테나 기둥. **~segel** *n.* 〖海〗 큰 삼각 돛. **~wald** *m.* 〖비유·구어〗 안테나 숲(지붕 위로 숱하게 솟아오른 안테나들).
Antentempel *m.* -s, - 〖건축〗 (옛 그리스의) 세로벽 두 개로 된 신상 안치소의 현관이 딸린 사원.
Antepänultima [antepɛnúltima] 《lat.》 *f.* ..mä/..men 〖언어〗 한 단어의 끝에서 세 번째 음절.
Antependium [antepɛ́ndium] 《lat. pendere, „hängen"》 *n.* -s, ..dien [..diən] 〖기독교〗 ① 제단 장식(앞 부분과 양 옆에 상징적인 그림이 있음). ② 제단 앞에 드리운 휘장.
ante portas [ántə pɔ́rta:s] 《lat., „vor den Toren"》 〖교양〗 오고 있는 중, 행군 중.
Anteriden [anterí:dən] 《gr.》 *pl.* 〖건축〗 지주(支柱) (Strebepfeiler).
Antezedens [antetsé:dɛns] 《lat.》 *n.* -, ..denzien [..dɛ́ntsiən] ① 근거, 원인; 전사(前事). ② 〖논리〗 전제. ③ 〖복수로만〗 〖고어〗 지나온 생애, 전력. ④ 〖문법〗 선행사.
antezedent *a.* ① 〖지형〗 (노년기 산맥에서) 기존의 강에 의해 골짜기가 형성된. ② 〖지구물리〗 강의 침식 작용에 따른.
Antezedenz *f.* ① 〖지구물리〗 강에 의한 침식 작용. ② 〖지형〗 (노년기 산지에서) 기존의 강에 의한 계곡 형성.
antezedieren *i.* 〖고어〗 (어떤 사실에) 선행하다.
Antezessor [antetsɛ́sɔr, ..so:r] *m.* -s, -en [..só:rən] 선배, 선임자.
Anthelium 《gr.》 -s, ..lien [..liən] 〖天〗 햇무리.
Anthelminthikum *n.* -s, ..ka 〖藥〗 구충제, 기생충약.
Anthem [ǽθəm] 《engl.》 *n.* -s, -s 〖樂〗 (영어) 찬송가.
Anthemion [anté:miɔn] 《gr. ánthos, „Blume"》 *n.* -s, ..mien [..miən] 〖건축〗 (종려잎이나 연꽃 등의 무늬가 있는) 고대 그리스의 프리즈 장식.
Anthemis *f.* 〖植〗 안테미스(노란꽃이 피는 국화과의 식물).
Anthere *f.* -n 〖植〗 꽃가루주머니(Staubbeutel).
Antheridium [..rí:dium] *n.* -s, ..dien [..diən] 〖植〗 정자낭(精子囊).
Anthologie [antologí:] *f.* -n [..gí:ən] 명작선(집), 시가선(詩歌選).
Anthologion *n.* -s, ..gia/..gien [..giən] 〖그리스정교〗 축제일용 기도서.
anthologisch *a.* 〖印〗 선별한; 선집의.
Anthologium *n.* -s, ..gia/..gien [..giən] 〖그리스정교〗 ↑ Anthologion.
Anthozyan [antotsyá:n] *n.* -s, -e 〖생화학〗 안토시안(식물 세포에 들어 있는 빨강·보라 또는 파랑의 색소; 꽃·잎을 채색함).
Anthozoon *n.* -s, ..zoen 〖動〗 산호충.
Anthracen [antratsé:n] *n.* -s, -e ↑ Anthrazen.
Anthrachinon [..çi..] *n.* -s ① 〖化〗 안트라키논(콜타르에서 안트라센을 얻기 위한 중간 산물). ② 〖藥〗 하제(下劑)의 성분.
Anthrakose *f.* -n 〖醫〗 탄분증(炭粉症), 탄분 침착(沈着) (인체 조직, 특히 폐에 탄분이 침착되는 증상).
Anthrax *m.* - 〖醫〗 정(疔); 비탈저(脾脫疽) (소·돼지·말·양 등에 의해 사람에게 전염되는 치명적인 급성 전염병).
Anthrazen [antratsé:n] 《gr.》 *n.* -s, -e 〖化〗 안트라센(콜타르의 분별 증류에서 얻어지는 향기 있는 탄화수소; 여러 색소들의 기본 원료).
Anthrazit *m.* -(e)s, -e 무연탄.
anthrazit≈farben, ~farbig *a.* 흑회색의.
***anthropo..** 《gr. ánthrōpos, „Mensch"》 *pref.*

"인간·인류"의 뜻.
anthropogen *a.* 인간에 의한.
Anthropogenie *f.* 인류 발달론〔발생학〕.
Anthropogeographie *f.* 인문 지리학.
Anthropogonie *f.* (종교적 관점에서의) 인류 생성론, 창조론.
anthropoid [..í:t] *a.* 유인원의.
Anthropoid *m.* -en, -en 〖動〗 유인원(Menschenaffe).
Anthropolith *m.* -en, -en 인체 화석.
Anthropologe *m.* -n, -n 인류학자, (대학의) 인류학과 학생.
Anthropologie *f.* 인류학: 〖哲〗 philosophische ~ 철학적 인간학(인간의 존재와 본질을 주요 문제로 다루는 철학의 한 분야).
Anthropologin *f.* -nen ↑ Anthropologe 의 여성형.
anthropologisch *a.* 인류학적인, 인류학의.
Anthropometrie [..metrí:] *f.* 인체 측정(학).
anthropomorph *a.* 인간 형상의, (신이) 인간화된, 신인(神人) 동형 동성설(同性說)의.
anthropomorphisch *a.* 인간 형상의.
anthropomorphisieren *t.* 의인화하다, (신 등에) 인성(人性)을 부여하다.
Anthropomorphismus *m.* -, ..men 신인 동형 동성설, 의인화, 인간화.
Anthropomorphose *f.* -n 인간화, (신 등에게) 인성(人性) 부여.
Anthropopathismus *m.* -, ..men 신에의 인간 감정 이입(移入).
Anthropophage [..fá:gə] *m.* -n, -n 식인종.
Anthropophagie *f.* 인육을 즐겨 먹기; 〖醫〗 식인증(症).
anthropophob *a.* 사람들과의 접촉을 꺼리는.
Anthropophobie *f.* ① 사람과의 접촉을 꺼림; 사교성의 결여. ② 〖醫〗 대인 공포증.
Anthroposoph *m.* -en, -en 인지학(人智學)의 신봉자〔주장자〕.
Anthroposophie [..zofí:] *f.* 〖哲〗 인지학(초감각적인 세계에 대한 인간의 관계에 대해 R. Steiner 가 정립한 이론).
anthroposophisch *a.* 인지학적(人智學的)인, 인지학에 근거하는.
anthropozentrisch *a.* 인간 중심의.
Anthurie [...iə] *f.* -n 〖植〗 앤수리엄, 홍학꽃.
anti.. 《gr., „gegen"》 *pref.* "반대·적대"의 뜻.
Antialkoholiker *m.* -s, - 금주론자.
antiamerikanisch *a.* 반미(주의)적인.
Antiapartheid·bewegung *f.* 인종 차별 철폐 운동.
antiautoritär *a.* ① 권위(주의)를 거부하는, 반권위적인. ② 〖교육〗 강요하지 않는. ③ 〖政〗 ~e Bewegung 반권위주의 운동(주로 1960 년대 말의 학생 운동).
antibakteriell 《gr.》 *a.* 〖醫〗 항균성의.
Antibarbarus [..bárbarus] 《gr.》 *m.* -, ..ri 〘고어〙 표준어 안내서(책명).
Anti·baby·pille, Anti-Baby-Pille [..bé:bi..] *f.* 〖藥·구어〗 경구〔먹는〕 피임약.
Antibiotikum [antibió:tikʊm] 《gr. -lat.》 *n.* -s, ..ka 〖醫〗 항생 물질, 항생제.
antibiotisch *a.* 〖生〗 항생의.
Antibolschewismus *m.* - 반볼셰비즘.
Antichambre [ãtiʃã:br, an..] 《frz.》 *n.* -s, -s 대기실, 부속실.
antichambrieren [..ʃam..] *i.* (h.) ① 〘고어〙 대기실에서 기다리다. ② 탄원〔하소연〕하다; 〘비유·폄어〙 빌붙다, 비굴하게 굴다.
Antichrese [antikré:zə] 《gr.》 *f.* 〖法〗 (채권자가 질물(質物)의 수익을 받는 것이 계약상으로 정당화되는) 수익질(受益質).
Antichrist *m.* ① -en, -en 반기독교인, 기독교 반대자. ② -(s) 적그리스도, 악마.
antichristlich *a.* 반기독교적인; 기독교 교리에 위배되는.
Antichthone [antiçtó:nə] 《gr. chthon, „Erde"》 *m.* -n, -n 〖지리〗 ↑ Antipode.
an|ticken *t.* 살짝 만지다, 톡하고 치다.
antidemokratisch *a.* 민주주의를 거부하는, 반민주주의적인.
Antidepressivum *n.* -s, ..va 〖藥〗 우울증 치료제.
Antidiabetikum *n.* -s, ..ka 〖藥〗 당뇨병 치료제.
Antidot 《gr.》 *n.* -(e)s, -e, **Antidoton** [antí:dotɔn] *n.* -s, ..ta 〖醫〗 해독제.
Antidumping·gesetz [antidámpɪŋ..] *n.* 〖法〗 덤핑〔투매〕 금지법.
an|tiefen *i.* (h.) 수심(水深)을 재다.
Antifaschismus *m.* - 반파쇼 운동, 반파시즘.
Antifaschist *m.* -en, -en 반파쇼주의자.
antifaschistisch *a.* 반(反)파시즘의.
Antifebrin [antifebrí:n] 《gr. -lat.》 *n.* -s, -e 〖藥〗 안티페브린(부작용 때문에 현재는 사용되지 않는 해열제).
Antifouling [ǽntɪfaulɪŋ] 《engl.》 *n.* -s (배 밑에 바르는) 오염〔부식〕 방지용 도료.
Antigen [antigé:n] 《gr.》 *n.* -s, -e 〖생화학〗 안티겐, 항원(抗原).
Antigone [antí:gone:] *f.* 〖그리스신화〗 안티고네(테베왕 오이디푸스의 딸).
Antigua und Barbuda 앤티가 바부다(카리브해에 있는 섬나라; 영연방에서 독립).
Antiheld *m.* -en, -en 〖문학〗 수동적〔소극적〕 주인공.
Antihormon *n.* -s, -e 〖생화학〗 항호르몬.
antiimperialistisch *a.* 반(反)제국주의의.
***antik** [antí:k] 《frz., antique》 *a.* ① 고대의, 그리스·로마 시대의: 〖문학〗 ~er Vers 고대 시행(음절의 장·단 관계를 중시함). ② 오래된, 고풍스러운, 지난 시대에서 유래하는.
Antikaglien [antikáljən] 《it., anticaglia》 *pl.* 고대의 소규모 예술품(특히 음각된 아류 보석이나 도구들).
Antike [antí:kə] *f.* ① 고대, 그리스·로마 시대; 고대의 사상〔문화·예술〕. ② 〘복수: -n〙 고대의 예술품.
Antiken⸗händler *m.* 골동품상. **~handlung** *f.*, **~laden** *m.* 골동품점. **~sammlung** *f.* 고미술품〔골동품〕 수집.
antikisch [antí:kɪʃ] 《lat. antiquus》 *a.* 고대(특히 그리스·로마)풍의.
antikisieren [antikizí:rən] *i.* (h.) 고대 양식〔문학·예술〕을 모방하다.
antiklerikal 《gr. -lat.》 *a.* 반교권주의적인.
Antiklimax 《gr.》 *f.* -e 〖修〗 점강법(漸降法).
Antiklerikalismus *m.* - 반교권주의.
antiklinal 《gr. -lat.》 *a.* 〖지질〗 배사(背斜) 구조의.
Antiklinale [antikliná:lə] 《gr. -lat.》 *f.* -n 〖지질〗 배사 습곡(背斜褶曲).

Antiklopf=brenn·stoff *m.* 〖工〗 앤티노크성 연료. **~mittel** *n.* 〖기술〗 앤티노크제, 내폭제(耐爆劑).
Antikomintern·pakt *m.* -(e)s 〖史〗 반공 협정(1936 년 히틀러가 일본과 체결; 1937 년에는 이탈리아가, 1939 년에는 에스파냐가 참가함).
Antikommunismus *m.* -s 반공(주의).
antikommunistisch *a.* 반공(주의)의.
antikonzeptionell *a.* 〖醫〗 피임의: ~es Mittel 피임약.
Antikörper *m.* -s, - 〖醫〗 항체.
Antikritik *f.* -en (어떤 비판·비평에 대한) 재반박, 재반론, 재변명.
Antillen [antílən] *pl.* 앤틸리스 제도(서인도 제도의 2 개의 섬 무리).
***Antilope** [antilóːpə] *f.* -n 〖動〗 영양.
Antimachiavellismus [antimakiavɛlísmus] 《gr. +it.》 *m.* - 반마키아벨리론(N. Machiavelli 의 군주론에 반대한 Friedrich 대왕의 저서에서).
Antimakassar [antimakásar] *m.* -s, -e 베갯잇.
Antimaterie *f.* -n 〔구어〕 반(反)물질(이론상으로는 해명이 되지만 실제상으로는 존재하지 않는 물질).
antimetaphysisch 《gr.》 *a.* 반(反)형이상학적인.
Antimilitarismus *m.* - ① 반군국주의. ② 〖구동독〗 제국주의의 전쟁 정책에 반대하는 운동.
Antimilitarist *m.* -en, -en 반군국주의자.
antimilitaristisch *a.* 반군국주의적인, 반군국주의의.
Antimon [antimóːn] *n.* -s 〖化〗 안티몬(기호: Sb).
antimonarchisch *a.* 군주제에 반대하는.
Antimonat *n.* -(e)s, -e 〖化〗 안티몬산(酸).
Antimon=blei *n.* 〖化〗 안티몬연(鉛); 경연(硬鉛). **~blende** *f.* 적색황화안티몬. **~blüte** *f.* 안티몬화(華). **~butter** *f.* 삼염화안티몬. **~glanz** *m.* 휘(輝)안티몬광(鑛), 휘안광(輝安鑛).
Antimonit *m.* -s, -e 〖광물〗 휘안티몬광.
Antimon=oxyd *n.* 〖化〗 산화 안티몬. **~säure** *f.* 안티몬산(酸). **~spiegel** *m.* 안티몬 거울.
Antineuralgikum *n.* -s, ..ka 〖藥〗 신경통 치료제.
Antinomie [antinomíː] 《gr. nómos, „Gesetz"》 *f.* -n [..míːən] 〖哲〗 이율 배반, 모순.
Antiparallelogramm 《gr.》 *n.* -s, -e 〖數〗 등변 사다리꼴.
Antipathie [antipatíː] 《gr. páthos, „Gemütsbewegung"》 *f.* -n [..tíːən] 혐오, 반감.
antipathisch *a.* 싫은, 반감을 느끼는.
Antipersonen·mine *f.* -n 〖軍〗 대인 지뢰.
Antiphon 《gr., „Gegengesang"》 《I》 *f.* -en 〖가톨릭〗 (좌우 합창대가 교대로 부르는) 교창(交唱). 《II》 *n.* -s, -e 제음기(制音器), 약음기, 소음(消音) 장치.
Antiphonale *n.* -s, ..lien [..liən] 〖음악〗 ↑ Antiphonar.
Antiphonar *n.* -s, ..rien [..riən] 〖음악〗 교창(交唱) 성가곡집.
Antiphonie *f.* -n [..níːən] 교창.
Antipode [..póːdə] *m.* -n, -n ① 〖지리〗 대척자(對蹠者). ② 〔비유〕 정반대의 사람: wir sind in allem ~n 우리는 모든 면에서 상극이다.
antipodisch *a.* ① 대척을 이루는. ② 정반대의.
an|tippen 《I》 *t.* ① 살짝 건드리다〔두드리다〕: jn. an der Schulter ~ 누구의 어깨를 가볍게 치다. ② 〔비유〕 조심스럽게 언급하다: im Gespräch eine schwierige Frage ~ 대화 도중 곤란한 문제를 조심스레 건드리다. ③ 조심스레 문의하다: du mußt ihn mal antippen 너는 그에게 한번 넌지시 물어 봐야 한다. 《II》 *i.* (h.) 〔구어〕 슬쩍 물어 보다: bei jm. sacht ~ 누구에게 살짝 물어 보다.
Antiprostitutions·bewegung *f.* 폐창(廢娼) 운동.
Antipyretikum [antipyréːtikum] 《gr.》 *n.* -s, ..ka 해열제.
Antipyrin *n.* -s 안티피린(해열제).
Antiqua [antíːkva] 《lat.》 *f.* 〖印〗 로마〔라틴〕 문자체.
Antiquar [..kváːr] *m.* -s, -e 골동상(商), 고서점 주인.
Antiquariat [..kvariáːt] *n.* -(e)s, -e 고서점, 골동품점.
Antiquariats·buch·handlung *f.* 고서점, 헌책방.
antiquarisch *a.* 헌, 중고품의, 오래된.
Antiqua·schrift *f.* ↑ Antiqua.
antiquieren 《I》 *i.* 〔교양〕 낡다; 쇠퇴하다. 《II》 *t.* 폐기하다; 낡았다고 생각〔언명〕하다. 《III》 **antiquiert** *p.a.* ↑ antiquiert.
antiquiert 《I》 *p.p.* ↑ antiquieren. 《II》 *p.a.* 낡은, 고풍의, 시대에 뒤진: diese Ansicht ist antiquiert 이런 견해는 시대에 뒤진 것이다.
Antiquiertheit *f.* ① 낡음, 시대에 뒤짐. ② 낡은〔구식의〕 행태. ③ 옛날 관습; 구식 표현.
Antiquität [..kvitɛ́ːt] *f.* -en 고대 미술품; (고대의) 유물, 골동품.
Antiquitäten=handel *m.* 고미술품〔골동품〕 매매. **~händler** *m.* 골동품상. **~sammler** *m.* 골동품 수집가.
Antirakete *f.* -n 〖軍〗 ↑ Antiraketenrakete.
Antiraketen·rakete *f.* 〖軍〗 미사일 요격 미사일.
Antisemit [antizemíːt] *m.* -en, -en 반유대주의자.
antisemitisch *a.* 유대인을 박해〔차별〕하는.
Antisemitismus *m.* - (↔ Philosemitismus) 유대인 배척주의, 유대인에 대한 적대감.
Antisepsis [antizɛ́psɪs] 《gr.》, **Antiseptik** *f.* 〖醫〗 살균 소독; 방부법(防腐法).
Antiseptikum *n.* -s, ..ka 살균 소독제; 방부제.
antiseptisch *a.* 살균성〔방부성〕의.
Antiserum *n.* -s, ..ren/..ra 〖藥〗 항혈청.
antisozial *a.* 반사회적인.
Antispasmodikum *n.* -s, ..ka 〖藥〗 경련 치료제.
antispastisch [antispástɪʃ] 《gr.》 *a.* 〖醫〗 발작을 진정시키는, 진경성(鎭痙性)의.
antistatisch *a.* 〖物〗 정전기 방지의.
Antistes [antístɛs] 《lat.》 *m.* -, ..sties ① 〖고대〗 사제의 칭호. ② 가톨릭의 주교 수도원장에 붙히는 칭호. ③ (schweiz.) 〔옛뜻〕 개혁파 교회의 목사에 대한 칭호.

Antistrophe [antistró:fə] 《gr.》 *f.* -n ①〖고대그리스 비극〗(합창단끼리 주고받는) 응답 가장(歌章). ②〖문학〗 핀다로스적 송가(頌歌)에서의 두 번째 연. ③ (Epiphora)〖修〗 결구 반복;〖修〗 (상대방의 말의) 역용(逆用)(논법); 역(逆)반복. ④〖음악〗 대조〔응답〕 악절.

Antiteilchen *n.* -s, -〖핵물리〗 반입자(反粒子).

Antithese [antité:zə] 《gr.》 *f.* -n ① 정반대. ②〖修〗 대구(對句), 대조. ③〖哲〗 반립(反立), 반대 명제.

antithetisch *a.* ① 반대의; 반대 명제의. ②〖修〗 대(對)개념들로 이루어진.

Antithetik *f.*〖哲〗 모순론.

Antitoxikon [antitɔ́ksikɔn] 《gr.》 *n.* -s〖醫〗 항독〔해독〕제.

Antitoxin [..tɔksí:n] *n.* -(e)s, -e 혈청에 들어 있는 항체.

Antitranspirant *n.* -s, -e/-s (땀을 억제하는) 악취 제거제, 악취 제거 스프레이.

Antiwagnerianer *m.* -s, -〖음악〗 반바그너파의 사람, 바그너 음악의 반대자.

antizipando [antitsipándo] 《lat. -it.》 *adv.* 〔고어〕 미리, 사전에;〖商〗 선금으로.

Antizipation [..patsió:n] *f.* -en 선취(先取), 예견, 예상;〖음악〗 선취음.

antizipieren *t.* 선취하다, 예측하다;〖商〗 기일 전에 지급하다.

antizyklisch *a.* ① 비주기적인; (순환이) 불규칙한. ②〖經〗 현재 경기 순환을 억제하는: ~e Finanzpolitik 현 경기 순환을 억제하는 재정 정책.

Antizyklone 《gr.》 *f.* -n〖기상〗 고기압권.

Antizymotikum [antitsymó:tikum] 《gr.》 *n.* -s, ..ka〖化〗 항(抗)발효제, 항비등제.

*__Antlitz__ [ántlɪts] *n.* -es, -e〔시어〕 얼굴, 용모.

an|toben *i.* ① gegen jn.〔et.〕 ~ 누구에게〔무엇에〕 격렬히 저항하다. ② angetobt kommen 떠들어대며 오다.

Anton [ánto:n] *m.* 안톤(남자 이름).

an|tönen 《Ⅰ》 *i.* (h./s.)〔교양〕 (곡이) 울리기 시작하다. 《Ⅱ》 *t.* (schweiz.) 암시하다.

Antonius⸗feuer *n.*〖중세〗 안토니우스열(전염병; 성안토니우스에게 기도해서 나았다는 믿음에서 유래함). **~kreuz** *n.* T 자형 십자가.

Antonomasie [antonomazí:] 《gr. ónoma, „Name"》 *f.* -n [..zí:ən]〖修〗 환칭(換稱)(보기: Goethe 에 대해서 "독일 문학의 제왕"이라고 하는 것).

Antonym [antoný:m] 《gr.》 *n.* -s, -e (↔ Synonym) 반의어, 반대말.

antonym *a.* 반의어의.

an|törnen *t./refl.* ① jn. ~ 누구에게 마약 맛을 들여놓다. ② sich ~ 마약을 복용하여 환각 상태로 빠지다. ③〔청소년〕 jn. ~ 누구를 흥분〔도취·열광〕시키다.

an|traben *i.* (s.) ① (말이) 속보로 달리기 시작하다. ② 속보로 다가오다. ③〔다음 용법으로〕〔비유〕 angetrabt kommen (말이) 빠른〔종종〕 걸음으로 다가오다; ~ müssen 상관에게 호출당하다.

*__Antrag__ [ántra:k] 《< antragen》 *m.* -(e)s, ..träge ① 제의, 제안, 동의; (Gesetzes⸗) 법안: einen ~ auf et. stellen 무엇을 제의하다; der ~ ging〔fiel〕 durch 법안이 통과〔부결〕되었다. ② 신청, 청혼: einem Mädchen einen ~ machen 처녀에게 구혼하다. ③〖法〗 고소.

__an|tragen__ 《Ⅰ》 *t.* ①〔고어〕 (의복 등을) 입고 있다. ② 날라오다. ③〖雅語〗 제의하다, 제안하다: jm. seine Hilfe ~ 누구에게 도와 주겠다고 제안하다; er trug ihr seine Hand an 그는 그 여자에게 청혼하였다. ④〔방언〕 jn. ~ 누구를 고발〔밀고〕하다. ⑤〖사냥〗 eine Kugel ~ 총을 쏘다. 《Ⅱ》 *i.* (h.)〔구식〕 bei jm. auf et. ~ 누구에게 무엇을 제안〔신청〕하다. 《Ⅲ》 *refl.* sich jm. ~ 누구에게 도와주겠다고 제의하다.

Antrags⸗delikt *n.*〖法〗 친고죄(親告罪). **~formular** *n.* 신청서, 신청서의 양식. **~gemäß** *a.* 신청〔제의·제안〕에 따른. **~steller** *m.* 제안〔신청〕자; 친고자, 고소인. **~verbrechen, ~vergehen** *n.* ↑ ~delikt.

an|trainieren 《Ⅰ》 *t.* 훈련시키다. 《Ⅱ》 *refl.* sich ~ (훈련을 통해) 습득하다: sich Zurückhaltung ~ 겸양〔신중함〕을 몸에 익히다.

an|trauen *t.*〔교양〕 ① 결혼시키다: er wurde ihr〔zur Ehe〕 angetraut 그는 그녀와 혼약을 맺었다. ② (jm. et.) 맡기다(anvertrauen).

an|träufen *t.* (물방울을) 똑똑 떨어뜨리다.

an|treffen* *t.* ① (뜻밖에) 만나다, 마주치다: er ist nur selten anzutreffen 그는 정말 만나기 힘든 사람이다. ② 관련되다: was mich antrifft 나에 관해서는, 나로서는.

an|treiben* 《Ⅰ》 *t.* ① 떠밀어가다: die Wellen trieben ihn ans Ufer an 파도가 그를 해안으로 떠밀어갔다. ② (못을) 쳐서 박다; (테 등을) 끼우다. ③ (말을) 몰아대다; (사람을) 채근〔닦달〕하다, 재촉〔독촉〕하다; (기계를) 작동하다, 움직이다; sie trieb ihn zur Eile an 그녀는 그에게 서두르라고 독촉했다; früher hat der Wind die Mühle angetrieben 전에는 바람이 물레방아를 작동시켰다. ④〖제련〗 das Werk ~ (정련로(爐)로) 광괴(鑛塊)를 용해시키다. ⑤ 발아(發芽)시키다. 《Ⅱ》 *i.* ① (s.) 표착(漂着)하다. ② (h.) 발아하다, 싹트다. ③〖사냥〗 몰이 사냥을 시작하다.

Antreiber *m.* -s, -〔폄어〕 닦달하는 사람, 독촉자, 강제 노동 감독관: Sklaven⸗ 노예를 부리는 사람.

Antreibung [..traibuŋ] *f.* -en 몰아대기, 독촉, 닦달.

__an|treten__ 《Ⅰ》 *i.* (s.) ① 나타나다, 출근〔출두〕하다; 정렬하다:〖軍〗 angetreten! 모엿! ② (발을) 내디디다, 발진하다. ③ (bei jm.) 들르다, 방문하다. ④〖사냥〗 (새가) 홰에 앉다. ⑤〖양조〗 die Würze tritt an 크림 모양의 거품이 생기다. ⑥ (어느 장소로) 걸어나오다; 도착〔출두〕하다; 시작하다, 개시하다; (어떤 지위에) 취임하다: zum Marsch〔Tanz〕 ~ 행진〔무도〕에 끼다; er tritt heute an 그는 오늘부터 근무한다. ⑦ (육상·자전거 경기 막판에) 속도를 높이다, 스퍼트하다; gegen jn.〔et.〕 ~ 누구와〔어떤 팀과〕 시합하다. ⑧〖언어학〗 덧붙다: die Endung tritt an den Stamm an 어미가 어간에 붙는다. 《Ⅱ》 *t.* ① 밟아 다지다; (밟아서) 시동을 걸다. ②〔구식·雅語〕 jn. ~ 누구에게 다가가다; jn. um et. ~ 누구에게 무엇을 청구하다. ③ 시작하다; (어떤 일을) 떠맡다; …에 취임하다: eine Stelle〔Erbschaft〕 ~ 취직〔상속〕하다;〔교양〕 seine letzte Reise ~ 마지막 길을 떠나다, 죽다. ④〖雅語〗 덮치다,

엄습하다: unverhofft trat ihn der Tod an 뜻밖에 죽음이 그를 덮쳤다.

Antretung [..tre:tuŋ] *f.* -en ↑ Antritt.

***Antrieb** [ántri:p] 《<antreiben》 *m.* -(e)s, -e [..bə] ①〖기술〗 동력; 동력 장치. ②〖비유〗 자극, 동인; 충동; 성벽: aus freiem[eigenem] ~ 자발적으로; einen neuen ~ erhalten[geben] 새로운 자극을 받다[주다]. ③〖드물게〗 붐빔, 돌진.

Antrieb(s)≈kraft *f.* 〖기술〗 원동[구동]력. **~scheibe** *f.* 〖기계〗 원조차(原調車). **~seil** *n.* 〖기술〗 주동(主動) 로프. **~vorrichtung** *f.* 〖기술〗 운전 장치. **~welle** *f.* 〖기술〗 주동[운전]축(軸).

an|trinken* 《Ⅰ》 *i.* (h.) 첫모금을 마시다. 《Ⅱ》 *t.* ① 조금 마시다: den Becher ~ 잔에 입을 대다. ② sich³ einen (Rausch) ~ 술에 취하다: sich³ einen Mut ~ 술로 용기를 내다. 《Ⅲ》 **angetrunken** *p.a.* ↑ angetrunken.

***Antritt** [ántrɪt] 《<antreten》 *m.* -(e)s, -e ① 취임, 취직; 개시, 시작, 첫출발. ② 넘겨받음, 인수: ~ einer Erbschaft 유산 상속. ③ (말의) 고르지 못한 걸음걸이. ④ (자전거·육상 경주에서) 갑작스러운 가속, 스퍼트. ⑤ 계단의 첫 단; (제단 등의) 계단; 작은 사다리; (의자의) 발판, 발걸이; (인쇄기의) 발판. ⑥〖사냥〗 (새가 앉는) 덫의 홰; 문턱, 문지방.

Antritts≈audienz *f.* 첫 알현. **~besuch** *m.* 취임(인사) 방문. **~predigt** *f.* 첫 설교. **~rede** *f.* 취임사. **~rolle** *f.* 〖연극〗 데뷔역, 첫 무대의 역. **~schmaus** *m.* 취임 피로연(宴).

an|trocknen *i.* (s.) ① 말라붙다. ② 약간 마르다: bei dem feuchten Wetter ist die Wäsche nur angetrocknet 축축한 날씨여서 빨래가 마르다 말았다.

an|trommeln *t.* 〔시어〕 북을 쳐서 알리다; 북을 치기 시작하다; (an et.) 둥둥 두드리다.

Antrunk [ántruŋk] 《<antrinken》 *m.* -(e)s 마시기 시작함, 첫 잔; 개장[개업·개통]식.

an|tun 《Ⅰ》 *t.* ① (jm. et.) (경의·애정 등을) 보이다; (모욕·폭력 따위를) 가하다: sich³ Zwang ~ 자제[극기]하다; 〖반어〗 bitte tun Sie sich keinen Zwang an! 편하신 대로 하십시오!; 〔구어·은어〕 sich³ (et)was ~ 자살하다; dem Sinne eines Wortes Gewalt ~ 어떤 말을 곡해하다. ②〔방언〕 (옷을) 입다, (신발을) 신다. ③〖海〗 einen Hafen ~ 항구로 전진하다. ④ 매혹하다, 사로잡다: sie hat es mir angetan 그녀는 나를 사로잡았다. 《Ⅱ》 **angetan** *p.a.* ↑ angetan.

antunlich *a.* 〔방언〕 붙임성 있는; 감동적인.

an|tupfen *t.* 살짝 건드리다, 톡톡 치다.

an|turnen¹ *i.* ①〖스포츠〗 시즌이 시작되다(↔ abturnen). ②〔대개 다음 용법으로〕〔구어〕 angeturnt kommen 법석을 떨며 오다.

an|turnen² [ántœrnən] *t.* ① (마약으로) 환각 상태에 빠뜨리다. ② 황홀경에 빠지게 하다.

an|tuschen *t.* 먹으로 칠하다[그리다].

Antw. =Antwort 회답.

Antwerpen [antvérpən] 안트베르펜(벨기에의 주 및 도시).

***Antwort** [ántvɔrt] *f.* -en ① 대답, 회답, 답변; 회신: auf ~ warten 회답을 기다리다; eine ~ auf et. geben 무엇에 대답하다; zur ~ geben 대답하다; jm. die ~ schuldig bleiben 누구에게 답장을 쓰지 못하고 있다; (über et.) Rede und ~ stehen (무엇에 관해) 답변[해명]하다; um ~ wird gebeten 회답[회신] 바람(약어: u.A.w.g.); 〖속담〗 wie die Frage, so die ~ 가는 말이 고와야 오는 말이 곱다; keine ~ ist auch eine ~ 침묵도 답변이다. ②〔비유〕 반응: jm. die ~ in den Mund legen 누구에게 대답할 말을 가르쳐 주다. ③〖컴〗 (전자 우편에서) 회신.

***antworten** [ántvɔrtən] *i.* (h.)/*t.* ① (jm. (et.)) 대답하다, 회신[회답]하다: auf eine Frage ~ 물음에 대답하다; kurz ~ a) 간단히 대답하다, b) 잘라 거절하다. ②〖비유〗 반응하다: auf den Einsatz der Polizei antworteten die Demonstranten mit Steinwürfen 경찰 투입에 시위자들은 투석으로 응수했다. ③ 어울리다, 상응하다.

antwortlich *prp.*² 〖商·고어·격식〗 (무엇에 대한) 답변[회답]으로: ~ Ihres Schreibens 귀하의 글에 대한 회답으로.

Antwort≈karte *f.* 회신 엽서. **~schein** *m.* 〖우편〗 der internationale ~ 국제 답신 우표. **~schreiben** *n.* 〔격식〕 회신, 회답. **~schrift** *f.* 〖法〗 답변서.

An- und Abfuhr *f.* (화물의) 반입 반출.

an und für sich 그 자체, 원래.

Anundfürsich·sein *n.* 〖哲〗 즉자대자(卽自對自) 존재, 절대적 실재(實在).

Anurie *f.* -n [..rí:ən] 〖醫〗 요폐(尿閉), 무뇨(無尿).

Anus [á:nus] 《lat.》 *m.* -, - 〖해부〗 항문: anus praeternaturalis 인공 항문.

an|versuchen *t.* (옷을) 입어 보다.

***an|vertrauen** 《Ⅰ》 *t.* ① (jm. et.) (믿고) 맡기다, 위탁하다: kann ich dir das Geld ~? 이 돈을 너에게 맡겨도 될까? ② (비밀을) 털어놓다; 고백하다: jm. ein Geheimnis ~ 누구에게 비밀을 털어놓다. 《Ⅱ》 *refl.* sich jm. ~ 누구에게 속마음을 토로하다.

an|verwandeln *t.* 〔드물게·교양〕 sich³ et. ~ 무엇을 제것으로 만들다: sich³ das Gedankengut eines Dichters ~ 어떤 시인의 사상을 제 것으로 만들다.

anverwandt *a.* 〔교양〕 친척의, 혈연의: jm. ~ sein 누구와 친척이다.

Anverwandte* *der/die* 친척, 인척.

an|vettern 《Ⅰ》〔드물게〕 *t.* (jn.) 사촌[친척] 취급을 하다. 《Ⅱ》 *refl.* sich ~ 비위 맞추다, 아첨하다.

an|visieren 《lat.》 *t.* ① 조준하다, 겨누다. ② 목표로 삼다; 추구하다; 주시하다: als Urlaubsort hatten wir Korsika anvisiert 우리는 휴가지로 코르시카를 염두에 두었다.

Anw. =Anweisung 지시.

Anwachs [ánvaks] *m.* -es ↑ Anwachsung.

an|wachsen* 《Ⅰ》 *i.* (s.) ① 자라면서 아물다: der angenähte Finger ist wieder fest angewachsen 꿰맨 손가락이 다시 단단하게 아물었다. ② (식물이) 뿌리를 내리다. ③〖비유〗 증가[증대]하다: die Bevölkerung ist um das Doppelte angewachsen 인구가 두 배 증가했다. 《Ⅱ》 **angewachsen** *p.a.* ↑ angewachsen.

Anwachsung *f.* ① 증가, 증대; 팽창. ②〖法〗 (다른 상속권자의 탈락에 따른) 상속 지분 증가. ③ 성장[증가]하는 것; 어린 나무; 청소년.

an|wackeln *i.* (s.) 〔대개 다음 용법으로〕〔구

어] angewackelt kommen 뒤뚱거리며 오다.
an|wählen *t.* 전화 걸다: von dieser Telefonzelle aus kann man das Ausland direkt ~ 이 전화 박스에서는 외국으로 직접 통화할 수 있다.
Anwalt [ánvalt] *m.* -(e)s, -e/..wälte ① 변호사: sich einen ~ nehmen 변호사를 선임하다. ② 옹호자, 대변자, 지지자: er ist ein guter ~ für unsere Sache 그는 우리 일을 위해 잘 싸워 줄 수 있는 사람이다.
Anwältin *f.* -nen ↑ Anwalt 의 여성형.
anwaltlich *a.* 변호사의, 변호사에 의한.
Anwaltschaft *f.* -en 변호사의 직[신분]; 변호사회[단]; 변호 업무.
Anwalts·kammer *f.* 〖法〗 변호사회.
an|walzen 《I》 *t.* 롤러로 땅을 고르다. 《II》 *i.* (s.) ① 왈츠를 추기 시작하다. ②〖대개 다음 용법으로〗〖구어·경박〗 angewalzt kommen 굼뜬 걸음으로 오다.
an|wälzen *t.*〖고어〗 굴리다, 굴려 움직이다.
Anwand [ánvant] *f.* ..wände〖고어〗(obd.) 논둑, 밭둑.
an|wandeln 《I》 *i.* (s.) 천천히 걸어오다: angewandelt kommen 천천히 걸어오다. 《II》 *t.* (병·감정·욕구 등이) 엄습하다: Furcht wandelte mich an 공포가 나를 엄습했다.
***Anwand(e)lung** *f.* -en 엄습; 일시적인 기분, 변덕.
Anwänder *m.* -s, -〖고어〗① 이웃 논[밭]의 주인. ② 논[밭]의 경계.
an|wandern *i.* (s.)〖대개 다음 용법으로〗 angewandert kommen 유유히 걸어오다.
an|wanken *i.* (s.)〖대개 다음 용법으로〗〖구어〗 angewankt kommen 휘청이며[비틀거리며] 오다.
an|wärmen *t.* 살짝 데우다, 가열하기 시작하다: die Suppe etwas ~ 수프를 약간 데우다; sich die Füße ~ 발을 따뜻하게 하다.
Anwärme·ventil *n.* 〖기계〗 발열판(瓣).
an|warten *i.* (h.)〖구식〗 auf et. ~ 무엇의 계승권[상속권]을 기대하다.
Anwärter *m.* -s, - 〖法〗 계승[상속] 기대자; 유망주, 후보자: der sicherste ~ für die Goldmedaille 가장 확실한 금메달 유망주.
anwärts [ánvɛrts] *adv.*〖고어〗 위쪽으로.
Anwartschaft *f.* -en ① 계승권; (어떤 직위에 오르게 될) 가망[전망]: die ~ auf et. haben 무엇을 이어받을 가망이[권리가] 있다. ② 〖法〗 권리 획득 직전 단계.
anwartschaftlich *a.* ① 권리가 있는, 자격이 있는. ② (어떤 권리를 얻을) 대기 상태인.
Anwäsche *f.* 〖광산〗 맨 처음의 세광(洗鑛).
an|waschen* *t.* ① 씻어내기 시작하다: der Fluß wäscht das Ufer an 강물이 강기슭의 흙을 씻어내기 시작한다. ② …에게 물 등을 뿌리다: 〖방언〗 einen Ohnmächtigen ~ 기절한 사람에게 물을[향유를] 뿌리다. ③ (세탁물 등을) 물에 담그다. ④〖畫〗 먹물로 그리다.
an|wässern *t.*〖고어〗 적시다; 물을 붓다, 관개하다.
an|weben *t.* 짜서 합치다.
an|wedeln *t.* ① jn. ~ (개가) 누구에게 꼬리를 치다. ② 부채질하다.
an|wehen 《I》 *t.* ① **(a)** …에 불어대다: ein Luftzug wehte sie an 바람이 그녀에게 불어왔다. **(b)** *imp.* es weht mich heimatlich an 나는 마치 고향에 온 느낌이다. ②〖비유〗 엄습하다: eine düstere Ahnung wehte sie an 어떤 음울한 예감이 그녀를 엄습했다. ③ (바람이 불어 어떤 것을) 쌓이게 하다: der Wind hat Blätter angeweht 바람이 불어와 낙엽이 쌓였다. ④ (jm. et.) 바람이 불어 달라붙게 하다; 〖비유〗 전염시키다. 《II》 *i.* (s.) ① 바람에 날려 쌓이다: hier wehen immer viele Blätter an 이 곳에는 항상 많은 나뭇잎들이 바람에 날려 쌓인다. ②〖사물이 주어〗 jm. ~ 누구에게 (날아와서) 붙다, 전염되다.
an|weichen *t.* 부드럽게 하다, 물에 담가 불리다.
anweisbar *a.* 지정[지시]할 수 있는.
Anweise·bank *f.* 예금 은행.
an|weisen 《I》 *t.* ① 시키다, 위임[지시]하다: man hat mich angewiesen, Ihnen zu helfen 저는 당신을 도와드리라는 지시를 받았습니다. ② 지도하다, 가르치다: jn. bei einer neuen Arbeit ~ 누구에게 새 일을 하는 법을 가르치다. ③ 지정[할당]하다: man hat mir dieses Zimmer angewiesen 나는 이 방을 배정받았다. ④ 송금하다: einen Betrag durch die Bank ~ 어떤 금액을 은행을 통해 송금하다. ⑤ Hopfen ~ 홉을 버팀목에 매다[얽히게 하다]. 《II》 **angewiesen** *p.a.* ↑ angewiesen.
Anweiser *m.* -s, - 지시[지도]자; 주선인, 안내인.
an|weißen *t.* 희게 칠하다, 흰 색으로 바르다.
***Anweisung** *f.* -en ① 명령, 지시; 조언, 지침: ich habe strenge ~, niemanden einzulassen 저는 아무도 들여보내지 말라는 엄한 지시를 받았습니다; Gebrauchs≈ 사용법. ② (좌석 등의) 지정, 지시; 〖軍〗 구서(區署); (라디오 주파수 등의) 할당. ③ 〖商〗 지급 위탁; 위탁증권; 환어음, 자기앞 수표: Post≈ 우편환(換). ④ 〖광산〗 das Erz hat gute ~ 이 광석은 유망하다.
Anweisungs≈buch *n.* 수표장. **~schein, ~zettel** *m.* 수표, 환어음.
Anwelle [ánvɛlə] *f.* -n 〖工〗 축(軸)받이.
anwendbar [ánvɛntba:*r*] *a.* (auf et.) 응용[적용]할 수 있는: für et.[zu et.³] ~ 무엇에 사용할 수 있는.
Anwendbarkeit *f.* 응용[적용] 가능성.
an|wenden [ánvɛndən] 《I》 *t.* ① 사용[이용]하다: et. falsch ~ 어떤 것을 잘못 사용하다; Vorsicht ~ 조심[주의]하다. ② 적용[응용]하다: kann man die Regel auch in diesem Fall ~? 그 규칙을 이러한 경우에도 적용할 수 있을까?; ein Schema auf einen Einzelfall ~ 어떤 도식을 개별적인 경우에 적용시키다. 《II》 **angewandt** *p.a.* ↑ angewandt.
Anwendung *f.* -en ① 사용; 적용, 응용: et. zur[in] ~ bringen 무엇을 사용하다; auf et. ~ finden, bei et.³ [für et.] zur ~ kommen 무엇에 사용[이용]되다; die ~ der Theorie auf die Praxis 이론의 실제 적용. ②〖醫〗 (약의) 복용, 사용.
Anwendungs·programm *n.* 〖컴〗 응용 프로그램.
an|werben* 《I》 *i.* (h.) um ein Mädchen (zur Ehe) ~ 어느 처녀에게 구혼하다. 《II》 *t.* ① jn. zur [für die] Reise ~ 누구를 여행 가자고 꾀다; jn. zum[als] Mitglied ~ 누구에게 회원이 되라고 권하다. ② (병사·직원 등을)

모집하다: sich für et. ~ lassen 응모하다; der Angeworbene 응모자, 신병.

Anwerber *m.* -s, - 모집자.

Anwerbung *f.* -en 모집, 모병.

an|werfen* 《I》 *i.* (h.) ①〖구기〗 공을 던져 경기를 시작하다. ② 이의를 제기하다. 《II》 *t.* ① 내던지다; et. gegen et. ~ 무엇을 무엇을 향해 던지다. ② 던져서 붙이다: Kalk an die Wand 〔die Wand mit Kalk〕 ~ 벽에 회를 바르다. ③ (기계를) 작동시키다, 시동을 걸다; 〖海〗 닻을 내리다. ④〖속어〗(옷옷 등을) 걸치다.

Anwert *m.* -(e)s (öst.) 〖다음의 용법으로〗 ~ finden〔haben〕 가치를 인정받다.

Anwesen [ánve:zən] *n.* -s, - ①〖구식〗 ↑ Anwesenheit. ② 체재〔체류〕지, 주소. ③ 토지가 딸린 집.

***anwesend** [ánve:zənt] *a.* 출석〔참석〕한(↔ abwesend): beim Feste ~ sein 축연에 참석하고 있다;〖농담〗 Verzeihung, ich war eben nicht ganz ~ 미안해요, 잠깐 딴 생각을 했어요.

Anwesende* *der/die* 출석자, 참석한 사람.

Anwesenheit *f.* (bei et.[3]) 현재 와 있음, 출석, 참석: die ~ feststellen 출석을 확인하다; in〔bei〕 ~ aller Mitglieder 모든 회원이 참석한 가운데.

Anwesenheits·liste *f.* 참석자 명단, 방명록: sich in die ~ eintragen 방명록에 서명하다.

an|wettern 《I》 *t.* 〖드물게〗 호통치다. 《II》 *i.* (s.) auf jn. ~ 누구를 향해 쇄도하다.

an|wetzen *t.* ①〖대개 다음 용법으로〗〖구어〗 angewetzt kommen 서둘러〔바삐〕 오다. ② 갈기 시작하다: eine Spitze an dem Messer ~ 칼을 갈아 뾰족하게 하다.

an|widern *t.* 혐오감을 느끼게 하다, 구역질나게 하다: der Mann widerte mich an 그 남자는 역겨웠다.

an|wiehern *t.* (말이 …을 향하여) 히힝 소리내며 울다.

an|wimmern *t.* jn. ~ 누구를 보며 흐느끼다.

an|winkeln *t.* 구부리다: ein Rohr 〔den Arm〕 ~ 관을〔팔을〕 구부리다.

an|winken *t.* ① jn. ~ 누구에게 눈짓하다. ② 〖海〗 ein Schiff ~ 배의 돛을 늦추다.

an|winseln *t.* (누구를 쳐다보며) 낑낑거리다, (누구에게) 징징대다.

an|wirken 《I》 *t.* 짜서 잇대다. 《II》 *i.* (h.) gegen et. ~ 무엇에 저항하다.

an|wischen *t.* (깨끗이) 훔치다〔닦다〕.

an|wohnen *i.* (h.) 〖고어〗 ① jm. 〔et.[3]〕 ~ 누구〔무엇〕 옆에 살다. ② 참석 중이다: er wohnt der Sitzung an 그는 회의에 참석 중이다.

Anwohner *m.* -s, - 이웃 사람〔주민〕.

Anwohnerschaft *f.* -en ① 이웃 관계. ② 이웃 주민 전체.

Anwuchs [ánvu:ks, ..vuks] *m.* -es, ..wüchse ① **(a)** 〖드물게〗 성장. **(b)** 뿌리내리기. ② 성장한 것. ③〖산림〗 어린 나무 숲.

an|wünschen *t.* 〖고어〗 ① 바라다, 기원하다: jm. gute Besserung ~ 누구에게 쾌유를 빌다. ② jn. ~ 누구에게 축하의 뜻을 표하다.

Anwurf [ánvurf] 《<anwerfen》 *m.* -(e)s, ..würfe ① (경기 시작 때 또는 골인 후의) 첫번째 공 던짐; 〖商〗 제 1 회의 지급〔납입〕; 〖工〗 (기계 등의) 시동. ② 던짐: ~ von Samen 파종. ③ 던져서 붙여진 것; 〖건축〗 초벌 회반죽, 초벌 칠; 〖지질〗 충적토; 〖방직〗 직물의 (휘감친) 가장자리. ④ 비방, 비난; 모욕: heftige Anwürfe gegen jn. richten 누구를 격렬하게 비난하다.

an|würfeln *i.* (h.) (주사위를) 맨 처음 던지다.

an|wurzeln 《I》 *i.* ① (식물이) 뿌리를 내리다; 성 장 하 다. ②〖구 어〗 wie angewurzelt dastehen 〔stehen (bleiben)〕 마치 붙박힌 듯이 서있다, 전혀 요지부동이다. 《II》 *t.* 심다. 《III》

angewurzelt *p.a.* ↑ angewurzelt.

***Anzahl** [ántsa:l] *f.* ① (특정한) 수량, 수효: die ~ der Teilnehmer steht noch nicht fest 참석자들의 수는 아직 확실하지 않다; die große ~ der Gäste kam erst viel später 많은 수의 손님들이 훨씬 늦게서야 왔다. ② 약간의 수: eine ~ Kinder spielte(n) dort 몇몇 어린이가 저기에서 놀고 있었다.

an|zahlen *t.* ① (할부금 중) 첫회분을 지급하다: die Waschmaschine ~ 세탁기의 첫 할부금을 지급하다. ② 선금으로 치르다: wieviel muß ich ~? 선금으로 얼마를 내면 될까요?

Anzahlung *f.* -en ① 할부금〔선금·계약금〕 지급. ② 첫회 할부금.

Anzahlungs·summe *f.* ① 할부금. ② 선금.

an|zählen *i.* (h.) 세기 시작하다; 카운트다운하다.

an|zapfen *t.* ① (안의 것을 꺼내기 위해) 구멍을 내다, 칼자국을 내다: ein Faß ~ 통의 주둥이를 따다; Bäume ~ (수액 채취를 위해) 나무에 칼자국을 내다. ②〖비유〗 jn. ~ a) 누구에게 돈을 우려내다, b) 누구에게서 (비밀 등을) 캐내다. ③〖비유·구어〗 (전화를) 몰래 엿듣다, 도청하다. ④〖농담〗 jn. ~ 누구의 피를 뽑다.

Anzapfung *f.* ① 마개따기; 수액 채취. ② 빈정거림. ③ 전화 도청. ④ 염치 없이 요구하기. ⑤〖지리〗 (침식으로 인한) 두 강물의 접합.

an|zaubern *t.* (jm. et.) 마법으로 붙이다〔주다〕: die Hexe zauberte ihm eine große Nase an 마녀는 마법을 걸어 그에게 큰 코를 붙였다.

an|zäumen *t.* (말에) 재갈을 물리다, 고삐를 매다.

an|zechen *refl.* 〖구어〗 sich ~ (약간 취하도록) 마시다: sich fröhlich ~ 기분 좋게 취하다.

Anzeichen [ántsaɪçən] *n.* -s, - (für et.) (무엇의) 징조; 기미, 표시; 〖醫〗 징후.

an|zeichnen *t.* 그리다, 표시하다.

***Anzeige** [ántsaɪgə] *f.* -n ① 통고, 신고; 공고, 고시, 게시; (신문 등의) 광고; (책의) 소개 비평: eine amtliche ~ 관청 공시 사항; eine ~ aufgeben 공 고〔광 고〕를 내 다; von et.[3] ~ machen 무슨 일을 통고하다. ② 고소, 고발: (bei der Polizei) ~ gegen jn. erstatten 누구를 (경찰에) 고발하다; jn. zur ~ bringen 누구를 고소〔고발〕하다. ③ 계기(計器); (계기에 나타난) 수치. ④〖醫〗 징후. ⑤〖구식〗 소식.

***an|zeigen** [ántsaɪgən] 《I》 *t.* ① (경찰에) 통고〔신고〕하다; 공고〔고시〕하다, 알리다; (신문에) 광고하다; (책을) 소개 비평하다: den Wert ~ 가격을 신고하다; jn. bei Gericht ~ 누구를 고발〔고소〕하다; 〖속어〗 jn. ~ 누구의 일을 밀고하다. ② 가리키다, 예고〔암시〕하다,

조짐을 보이다: das Wetterglas zeigt schönes Wetter an 청우계는 날이 맑을 것을 예고하고 있다. 《Ⅱ》 *refl.* sich ~ ① (자기의 성명·도착 등을) 신고하다, 출두하다. ② 조짐이 나타나다, 예상케 하다. ③ sich jm. ~ 유령이 되어 누구 앞에 나타나다, 누구의 꿈속에 나타나다. 《Ⅲ》 **angezeigt** *p.a.* ↑ angezeigt.

Anzeigen≠amt *n.* 정보국, 안내소, 등기소. **~annahme** *f.* 광고 취급소. **~beweis** *m.* 〖法〗 정황 증거. **~blatt** *n.* 광고면, 광고 신문. **~brief** *m.* 통문(通文), 회람문. **~büro** *n.* 광고 대리점.

anzeigend *p.a.* 지시하는: 〖문법〗 ~es Fürwort 지시 대명사.

Anzeige≠pflicht *f.* 신고〔고지〕 의무. **~pflichtig** *a.* 신고〔고지〕의 의무가 있는.

Anzeiger *m.* -s, - ① 계기(計器). ② 계기판의 바늘. ③〖드물게〗 알리는 사람; 고소인; 신고인. ④ 광고〔홍보〕 신문.

Anzeige≠tafel *f.* 〖스포츠〗 전광판. **~teil** *m.* 광고란.

anzeps [ántsεps] 《lat., „doppelköpfig"》 *a.* 〖문학〗 장단(長短) 양쪽에 다 쓰이는.

Anzettel *m.* -s, - (직물에서) 날실.

an|zetteln *t.* ①〖고어〗 날실을 베틀에 걸다. ②〖비유〗 나쁜 일을〔음모를〕 꾸미다.

Anzettler *m.* -s, - (나쁜 일의) 주모자.

Anzett(e)lung *f.* -en 획책, 모의.

an|ziehbar *a.* 끌어당길〔붙일〕 수 있는.

an|ziehen 《Ⅰ》 *t.* ① (몸에) 걸치다; (의류를) 입다; …에게 옷을 입히다; (장갑을) 끼다; (신을) 신다: sich zum Ausgehen ~ 외출복을 입다; ein Kind ~ 어린이에게 옷을 입혀 주다; 〖고어〗 den bunten Rock ~ 군인이 되다; 〖聖·비유〗 einen neuen Menschen ~ 참회하고 새 생활을 시작하다. ② 끌다, 잡아당기다: das Glockenseil 〔die Glocke〕 ~ 종을 울리다; den Wagen ~ (말이) 수레를 끌다. ③ 잡아당기다, 죄다: die Saiten ~ 현(絃)을 팽팽하게 당기다; eine Schraube ~ 나사를 죄다; die Steuerschraube ~ 세금을 올리다. ④ (강렬한 맛이 입술을) 움츠러들게 하다, 죄다: Wein, der die Lippe anzieht 혀 끝을 쏘는 듯한 강렬한 포도주. ⑤ 무엇 쪽으로 끌다〔당기다〕: die Tür ist nur angezogen 문이 헐렁하게 닫혀 있다〔꽉 잠겨져 있지 않다〕; jn. zu et.³ ~ 누구를 무엇에 끌어넣다. ⑥〖비유〗 매혹하다, (마음을) 끌다, 사로잡다: die Buchmesse hat wieder zahlreiche Besucher angezogen 도서 박람회는 다시 무수한 방문객을 끌어들였다; der Magnet zieht das Eisen an 자석에 쇠가 달라붙는다. ⑦ 흡수하다, 들이마시다: Salz zieht Feuchtigkeit〔Wasser〕 an 소금은 습기〔물기〕를 빨아들인다; einen Geruch ~ 냄새를 흡수하다; den Atem ~ 숨을 죽이다. ⑧ 양육하다, 재배하다; 기르다. ⑨ 인용하다. ⑩〖사냥〗 (개가) 탐색하다. ⑪ 속력을 높이다. 《Ⅱ》 *i.* (h.) ① (말이) 수레를 끌기 시작하다. ② 습기를 빨아들이다. ③〖장기〗 첫 수를 두다. ④ 효과가 나타나다: der Nagel 〔die Schraube〕 zieht an 못이〔나사가〕 죄어진다; der Leim 〔Mörtel〕 zieht an 아교가〔모르탈이〕 굳어서 붙는다; die Prügel ziehen an 매가 몸에 사무친다; der Tee zieht zu stark an 차(茶)가 너무 진하다; es 〔das Wetter〕 zieht an 날씨가 추워진다. ⑤ (물가가) 앙등하다. ⑥ (차의) 가속성이 좋다, 속력을 내다. 《Ⅲ》 *i.* (s.) ① 다가오다. ② 이주하다. ③ 취직〔취임〕하다, 일을〔봉사를〕 시작하다. ④ (음식물에 습기·냄새 등이) 배다. ⑤〖사냥〗 (사냥개가) 사냥감의 냄새를 살금살금 추적하다. 《Ⅳ》 *refl.* ① sich ~ 옷을 입다. ② sich³ et. ~ 무엇을 통절히 느끼다. 《Ⅴ》 **angezogen** *p.a.* ↑ angezogen.

anziehend *p.a.* 끌어당기는, 흥미로운, 마음을 끄는; 감칠맛 나는; 〖商〗 (물가가) 등귀하는; 〖해부〗 der ~e Muskel 내전근(內轉筋).

Anzieher *m.* -s, - ① 옷을 입히는 사람. ②〖해부〗 내전근(內轉筋). ③ 구둣주걱; 단춧구멍.

Anzieh·muskel *m.* 〖해부〗 내전근(內轉筋).

Anziehung *f.* -en 끌(어당기)기, 인용; 〖비유〗 매혹, 유혹.

Anziehungs≠kraft *f.* 〖物〗 중력, 인력; 〖비유〗 매력. **~muskel** *m.* 〖해부〗 내전근(內轉筋). **~punkt** *m.* 〖物〗 중심(重心).

an|zielen *t.* 목표로 삼다, 겨냥하다.

an|zischeln *t.* 〖구어·드물게〗 jn. ~ 누구에게 쉿소리로 말을 걸다.

an|zischen 《Ⅰ》 *t.* ① (동물이) 쇡쇡 소리를 내며 노려보다: die Schlange zischte mich wütend an 뱀이 나를 노려보며 사납게 쇡쇡 소리를 냈다. ②〖구어〗 (사람이) 씩씩거리며 화내다, 날카로운 소리를 내다. ③ "쉬잇"하고 말하다, 속삭이다. 《Ⅱ》 *i.* 〖대개 다음 용법으로〗 〖구어〗 angezischt kommen 쏜살같이 오다. 《Ⅲ》 *refl.* 〖경박〗 sich einen ~ 혀가 꼬부라지다〔취하다〕.

an|zotteln *i.* (s.) 〖대개 다음 용법으로〗〖구어〗 angezottelt kommen 느릿느릿 걸어오다.

Anzucht *f.* ① 재배, 사육; 어린 나무〔짐승〕. ②〖광산〗 하수구.

Anzucht·garten *m.* 묘목원, 묘상(苗床), 식물원.

an|züchten *t.* 양육〔재배·사육〕하다.

an|zuckern *t.* …에 설탕을 뿌리다〔치다〕.

***Anzug** 《<anziehen》 *m.* -(e)s, ..züge ① 신사복, 양복; (한 벌의) 옷, 의복: sich einen ~ vom Schneider machen lassen 양복을 한 벌 맞추다. ② 옷 입는 방식, 옷차림, 복장: dieser Rock mit dem Pullover zusammen ist ein hübscher ~ 이 치마에 그 스웨터를 받쳐 입으면 옷차림이 괜찮습니다. ③ 접근, 전진: im ~(e) sein a) 접근 중이다, b) 〖비유〗 점점 더해 가고 있다. ④ 이주; 취직; 〖방언〗 운동. ⑤ (장기의) 선수(先手), 초수. ⑥〖스포츠〗 선수층: zweiter ~ 2 진, 2 군. ⑦〖비유·경박〗 jn. aus dem ~ stoßen 누구를 두들겨 패다; aus dem ~ fallen 살이 많이 빠지다(매우 날씬하다); aus dem ~ kippen a) 바닥에 쓰러지다, b) 몹시 놀라다. ⑧ (schweiz.) (**a**) (침대의) 커버. (**b**) (의회에서의) 제안.

Anzug·art *f.* -en 〖軍〗 군복.

anzüglich *a.* ① 비꼬는, 빈정거리는. ② 애매한; 외설적인. ③〖고어〗 매력 있는.

Anzüglichkeit *f.* -en ① 비꼬는〔빈정대는〕 어투, 암시하는 어조. ② 비꼼, 빈정대는 언행: bitte laß diese ~ en! 이 비꼬는 짓거리는 제발 그만해!

Anzugs≠geld *n.* 이주세, 정주세(定住稅). **~kosten** *pl.* 의복비; 이전〔이사〕 비용. **~kraft** *f.* (자동차나 기계 등의) 가속〔력〕. **~stoff** *m.* 옷감, 천, 직물. **~tag** *m.* 취직일.

Anzugs·vermögen *n.* (차의) 가속 (능)력.
an|zünden *t.* ① 점화〔점등·방화(放火)〕하다. ②〘비유·고어〙 jm. ein Licht ~ 누구를 깨우치다〔계몽하다〕.
Anzünder *m.* -s, - ①〘드물게〙 (가스등(燈)의) 점등부(夫). ② 점등하기 위한 장대; 점화기(器).
Anzündung *f.* -en 점화, 점등, 방화.
an|zupfen *t.* jn. ~ 누구의 소매를 잡아끌어 신호하다.
an|zürnen *t.* jn. ~ 누구에게 성내며 고함치다.
an|zwängen *t.* 〘고어〙 jm. et. ~ 누구에게 무엇을 강요하다.
an|zwecken *t.* 〘방언〙 (압정으로) 고정시키다, 붙이다.
an|zweifeln *t.* 의심하다, 의구심을 품다.
Anzweifelung *f.* -en ↑ Anzweiflung.
Anzweiflung *f.* -en 의심, 회의, 의혹.
an|zwingen* *t.* (jm. et.) 강제〔강요〕하다.
an|zwinkern *t.* jn. ~ 누구를 보며 윙크〔눈짓〕하다.
an|zwitschern *t./refl.* ① sich ~ (새들이) 서로 지저귀다. ②〘구어·비유〙 sich einen ~ 얼큰하게 취하다. ③〘대개 다음 용법으로〙〘경박〙 angezwitschert kommen 어슬렁대며 나타나다.
an|zwirnen *t.* (실을) 꽈 넣다; 꽈서 합치다; 〘비유〙 야기(惹起)하다.
AO = Abgabenordnung 조세 법규.
a.O. = an der Oder 오데르 강변의.
a.o. = außerordentlich (↑ a.o. Prof.)
AOK = Allgemeine Ortskrankenkasse 일반 지역 의료 보험 조합.
AOL = American Online 〘컴〙 미국의 세계 최대의 온라인 취급 업체.
Äolien [ɛóːliən] 에올리아(소아시아 서북 해안의 지명).
Äolier *m.* -s, - 에올리아의 주민.
äolisch *a.* ①〘지형〙 바람으로 생긴, 풍성(風成)의. ② (고대 그리스의 지방이었던) 에올리아에 관계되는, 에올리아에서 유래하는. ③ 고대 그리스의 음 체계에 따른.
Äolos [ɛ́ːolɔs] *m.* ↑ Äolus.
Äols·harfe [ɛ́ːɔls..] *f.* 바람을 넣어 울리게 된 일종의 하프.
Äolus [ɛ́ːolus] *m.* 〘그리스신화〙 에올루스(바람의 신).
Äon [ɛ́ːɔn] ⟪gr.⟫ *m.* -s, -en 무한한 시간, 영겁, 영원.
äonen·lang [ɛóːnən..] *a.* 무한히 긴, 영원〔영구〕한.
a.o. Prof. = außerordentlicher Professor 비정규 교수.
Aorist [aoríst] ⟪gr.⟫ *m.* -es, -e 〘문법〙 부정과거(인도 유럽어의 동사 형태로서 일회적이며 완결된 행위를 나타냄).
Aorta [aɔ́rta] *f.* ..ten 〘해부〙 대동맥.
Aorten≈bogen *m.* 〘해부〙 대동맥궁(弓). **~klappe** *f.* 〘醫〙 대동맥판(瓣). **~klappen·insuffizienz** *f.* 〘醫〙 대동맥판 폐쇄 부전증(不全症).
AP [éi píː] ⟪engl.⟫ = Associated Press 미국 연합 통신사.
a.p. ⟪lat.⟫ = anni praeteriti 작년의.
Apache [apáxə] ⟪indian, „Feind"⟫ *m.* -n, -n ① 아파치족(미국의 인디언족). ② (대도시 특히 19 세기 말 파리의) 깡패, 악당, 불량배.
Apachen·tanz *m.* 추잡스러운 근대 무용의 일종.
Apagoge [apagóːgə, ..gogéː] ⟪gr. apágein, „wegführen"⟫ *f.* 〘哲〙 간접 증명.
apagogisch *a.* 간접 증명에 따른: ~er Beweis 간접 논증.
Apanage [apanáːʒə] ⟪frz.⟫ *f.* -n 왕족을 위한 경비, 연금; (정기적인 고액의) 금전 지원: eine jährliche steuerfreie ~ 비과세 왕실 세비(歲費).
apanagieren [..ʒiːrən] *t.* 식읍을〔영지를〕 주다; 연금을 교부하다.
apart *a.* ① 독특한, 매력적인: ein ~es Kleid 눈에 띄는 드레스〔원피스〕. ② 남다른, 별난, 비범한: sie hatte etwas ≈es 그녀는 뭔가 남다른 데가 있었다. ③〘印〙 낱권의, 낱권으로.
Apart·bestellung *f.* 〘印〙 (전집 등의) 낱권 주문.
Aparte[1] [apártə] *n.* -n 독특, 남다름, 별남.
Aparte[2] [apártə, aparté:] *n.* -(s), -s 〘연극〙 방백(傍白).
Apartheid [apáːrthait] *f.* (남아프리카 공화국의) 인종 차별.
Apartheid·politik *f.* 〘政〙 (남아프리카 공화국의) 인종 차별 정책.
Apartment [əpártmənt] *n.* -s, -s ↑ Appartement.
Apartment·haus *n.* 소형 임대 아파트〔연립 주택〕.
Apathie [apatíː] ⟪gr. páthos, „Gemütsbewegung"⟫ *f.* ① 무관심, 냉담. ②〘醫·心〙 (사고나 쇼크 등의 후유증으로 나타나는) 무감각〔무감정〕 상태. ③ 무디어진 감정, 둔감. ④〘哲〙 (스토아학파의) 아파테이아(격정 등에 흔들리지 않는 초연한 마음의 경지).
apathisch *a.* ① 무관심한, 아무래도 상관없는. ② 무디어진, 둔감한.
Apatit [apatíːt, ..tít] ⟪gr.⟫ *m.* -(e)s, -e 〘광물〙 인회석.
Apatosaurus *m.* -, ..rier 〘고생물〙 뇌룡(雷龍) (백악기에 속하는 초식성 거대 동물).
APEC [éipek] = Asia Pacific Economic Cooperation 〘政〙 아시아 태평양 경제 협력체.
Apennin [apɛníːn] *m.* -s, -en (이탈리아의) 아페닌 산맥.
Apepsie [apɛpsíː] ⟪gr. pépsis, „Verdauung"⟫ *f.* 〘醫〙 소화 기능 상실; 소화 불량.
apeptisch *a.* 소화 기능이 좋지 않은; 소화 불량의.
aper [áːpər] ⟪lat., „offen"⟫ *a.* (obd.) 눈이 쌓여 있지 않은, 눈이 내리지 않은.
Aperçu [apɛrsýː] ⟪frz.⟫ *n.* -s, -s ① 기지가 번뜩이는〔재기 넘치는〕 말. ② 개관; 개요. ③ (행간 또는 난외의) 어구 주해, 방주(旁註).
Aperitif [aperitíːf] ⟪frz.⟫ *m.* -s, -s/-e [..və] (식사 전에 마시는) 식욕 촉진용 술.
apern ⟪<aper⟫ *i.* (h.) (obd.) 눈이 녹다.
Apertur [apɛrtúːr] ⟪lat.⟫ *f.* -en 〘광학〙 (대물 렌즈의) 조리개가 열린 정도; (대물 렌즈의) 구경, 직경.
Apex [áːpɛks] ⟪lat.⟫ *m.* -, Apizes ①〘天〙 (천체 운동의) 향점, 목표점: ~ der Erdbewegung 지구 운동의 향점(주어진 시간 안에 지구가 움직여서 다다르게 될 천구에서의 위치).

②〖기술〗 운동 물체의 지향점. ③〖문법〗 강음 부호(보기: á); 장음 부호(보기: ā). ④ 원뿔꼴을 한 목사의 모자.

***Apfel** [ápfəl] *m.* -s, Äpfel ①〖植〗 사과, 능금: in den sauren ~ beißen müssen 싫은 일을 마지못해 하다, 울며 겨자먹기로 하다; jn. mit faulen Äpfeln werfen 누구를 모욕하다, 매도하다; 〖속담〗 der ~ fällt nicht weit vom Stamme 콩 심은 데 콩나고, 팥 심은 데 팥난다; 〖비유·구어〗 für einen Apfel und ein Ei 대가를 제대로 못 받고, 헐값으로; so voll sein, daß kein ~ zur Erde fallen kann 입추의 여지도 없이 가득 차다; Äpfel und Birnen zusammenzählen 〔Äpfel mit Birnen addieren〕 물과 기름을 섞다. ② 사과 모양의 것. ③ 사과나무: die Äpfel tragen dieses Jahr gut 금년에는 (사과나무에) 사과가 많이 열렸다. ④ 〖민속〗 다산의 상징. ⑤ 말의 얼룩.

Apfel⸗baum *m.* 사과나무. **~blüten·stecher, ~bohrer** *m.* 〖動〗 사과나무하늘소.

Äpfel·brater *m.* 유약한 사람.

Apfel·brei *m.* 조린 사과즙(사과를 으깨어 설탕에 조린 소스).

Äpfelchen [ɛ́pfəlçən] *n.* -s, - 〖↑ Apfel 의 축소형〗 작은 사과.

Apfel⸗falbe* *der/die* 밤색에 얼룩이 있는 말. **~förmig** *a.* 사과 모양의. **~frau** *f.* 사과 파는 여자. **~fuchs** *m.* 사과 모양의 반점이 있는 다갈색의 말. **~gehäuse** *n.* 사과의 과심(果心). **~gelee** [-ʒə-] *n.* 사과 젤리. **~grau** *a.* (말이) 회색 얼룩이 있는. **~grün** *a.* 엷은 연둣빛의, 담녹색의.

Äpfel·hexe *f.* 달걀 흰자위의 거품이 든 사과의 설탕 조림.

apfelig *a.* (말(馬)이) 둥근 얼룩이 있는.

Apfel⸗kinn *n.* 둥근 턱. **~kraut** *n.* 〖방언〗 (빵에 발라 먹는) 사과잼. **~kreuz** *n.* 네 끝에 구슬이 각각 달린 십자가. **~kuchen** *m.* 사과가 든 케이크. **~most** *m.* (증류가 제대로 되지 않은) 사과주〔술〕. **~mus** *n.* 설탕에 조린 사과즙(사과를 죽처럼 만든 것).

äpfeln *i.* (말이) 똥누다.

Apfel⸗pastete *f.* 사과 파이. **~quitte** *f.* 〖植〗 유럽 모과〔마르멜로〕의 일종. **~saft** *m.* 사과주스, 사과즙. **~säure** *f.* 〖化〗 사과산(酸). **~schimmel** *m.* 회색의 띠무늬나 반점이 있는 백마. **~schnitz** *m.* 베어낸 사과 조각.

Apfelsine [apfəlzí:nə] 《ndl. appelsien, „Apfel aus China"》 *f.* -n 〖植〗 오렌지.

Apfelsinen·schale *f.* 오렌지 껍질.

Apfel⸗stecher *m.* 사과의 과심(果心)을 빼내는 기구. **~strudel** *m.* 사과 파이. **~torte** *f.* 사과가 든 케이크. **~trank, ~wein** *m.* 사과술. **~wickler** *m.* 〖動〗 사과벌레, 코들링 나방의 일종.

Aphärese [afɛré:zə], **Aphäresis** 《gr.》 *f.* ..sen ①〖문법〗 두음(頭音) 생략(보기: 's ist <es ist). ②〖醫〗 지체(肢體) 절단.

Aphasie [afazí:] 《gr.》 *f.* -n [..zí:ən] ①〖醫〗 실어증. ②〖哲〗 (확실히 알지 못하는 대상에 대한) 진술 거부.

Aphel [afé:l] 《gr.》 *n.* -s, -e 〖天〗 (Sonnenferne) 원일점(遠日點) (↔ Perihel).

Aphelandra *f.* ..dren 〖植〗 아칸서스의 일종.

Aphelium [afé:lium] 《gr. lat.》 *n.* -s, ..lien [..liən] ↑ Aphel.

Aphongetriebe *n.* -s, - 〖기술〗 저소음 변속기.

Aphonie 《gr.》 *f.* 〖醫〗 무발음증(無發音症), 실성증(失聲症).

***Aphorismus** [aforísmus] 《gr.》 *m.* -s, ..men 격언, 잠언(箴言), 경구.

Aphoristiker *m.* 〖문학〗 잠언〔경구·격언〕의 저자.

aphoristisch *a.* 격언적〔잠언적·경구적〕인; 표현이 함축적인, 간결한.

Aphrodisiakum [afrodizí:akum] 《gr.》 *n.* -s, ..ka 〖醫〗 성욕 증강제.

aphrodisisch *a.* ① Aphrodite 의; 사랑에 관한. ② 성욕을 촉진하는: ~e Mittel 성욕 촉진제.

aphroditisch *a.* ① ↑ aphrodisisch. ② 아프로디테의. ③ 사랑과 관련된.

Aphrodite [afrodí:tə] 《gr., „die Schaumgeborene"》 *f.* 〖그리스신화〗 아프로디테(사랑과 미의 여신)(〖로마신화〗 Venus).

Aphthe [áftə] 《gr.》 *f.* -n 〖醫〗 아프타(특히 입술이나 점막에 생기는 종기), 부패성 구강염(口腔炎), 아구창(牙口瘡).

Aphthen·seuche *f.* 구제역(口蹄疫).

apikal [apiká:l] 《<Apex》 *a.* ① (천체 운동에서) 지향점이 되는, 지향점과 관련된. ② 첨단〔선두〕에 위치한: 〖植〗 ~es Wachstum (식물의) 위쪽을 향한 성장; 〖음성〗 ~er Laut 혀끝소리, 설단음(舌端音).

Apis [á:pɪs] 《ägypt.》 *m.* - (고대 이집트 사람이 숭상하던) 성스러운 소(Apis-Stier).

Apizes ↑ Apex 의 복수형.

apl. =außerplanmäßig 임시의, 예정밖의.

Aplanat [aplaná:t] 《gr. -lat.》 *m.* -s, -e 〖광학〗 무수차(無收差) 렌즈.

aplanatisch *a.* 〖광학〗 무수차의.

Aplomb [aplɔ̃:] 《frz.》 *m.* -s ①〖교양〗 (걸음걸이·태도 따위가) 침착, 당당함: mit einem gewissen ~ auftreten 어느 정도 자신 있는 걸음걸이로 등장하다. ② 대담, 당돌: et. mit ~ durchsetzen 어떤 것을 대담하게 관철시키다. ③ 강조. ④〖발레〗 아플롱, 균형.

APO, Apo =außerparlamentarische Opposition (독일에서 1960년대 말에 형성된) 원외 야당 (운동).

apo.. 《gr.》 *pref.* „fern, von, weg; wieder, zurück"의 뜻(모음 및 h 앞에서는 ap..로 바뀜).

Apochromat *m.* -en, -en〔*n.* -s, -e〕 〖광학〗 수차(收差) 조절 렌즈.

apochromatisch *a.* 수차(收差) 조절 렌즈의.

apodiktisch [apodíktɪʃ] 《gr.》 *a.* ①〖논리〗 증명에 따른, 자명한: ein ~es Urteil 자명한〔증명에 따른〕 판단. ②〖교양〗 반론을〔이의를〕 허용하지 않는: et. ~ behaupten 어떤 것을 반론의 여지가 없게 주장하다.

Apodosis [apó(:)dozɪs] 《gr.》 *f.* ..dosen [..dó:zən] 반환; 반려; 〖문법〗 (조건문에서 뒤에 오는) 귀결문.

Apogäum [apogɛ́:um] 《gr.》 *n.* -s, ..gäen 〖天〗 원지점(遠地點).

Apokalypse [apokalýpsə] 《lat., apocalysis》 *f.* -n ①〖宗〗 (세계 종말에 대한) 선지자들의 예언서, 〖聖〗 요한 계시록. ②〖예술〗 세계의 몰락에 대한 묘사. ③〖교양〗 몰락, 파멸, 재앙.

apokalyptisch *a.* ① 묵시록의〔에 따른〕: die Apokalyptischen Reiter (요한 계시록에서) 계시록의 기사들(흑사병·전쟁·기근·죽음을 상징). ②〖교양〗 액운〔재앙〕을 가져오는; 혼란스러운, 암담한.

Apokope [apó:kope] ⟪gr., „Abschneidung"⟫ *f.* -n 〖문법〗 어미 생략, 어미음 소실(보기: dem Tag < dem Tage).

apokopieren *t.* 어미를 생략하다.

Apokryph [apokrý:f] ⟪gr. apókryphos, „verborgen"⟫ *n.* -s, -en ① (고대의) (비밀리에 유포된) 신비주의적 성서. ② 성서 외전(外典), 경전 외(經典外) 성서. ③ 저자가 불분명한 저서, 나중에 내용이 추가된 위작(僞作).

apokryph *a.* ① 성서 외전에 따른: ~e Schriften 성서 외전. ② 거짓의; 공인받지 못한; 후에 내용이 추가된.

apokryphisch *a.* ↑ apokryph.

apolitisch [apolí:tɪʃ, á:poli:..] ⟪gr.⟫ *a.* 비정치적인, 정치에 무관심한.

Apoll *m.* -, -s 아름다운 청년, 미남.

Apollinaris [apɔliná:rɪs] *m.* 아폴리나리스 성자(聖者); 아폴리나리스샘.

apollinisch [apɔlí:nɪʃ] *a.* ① (그리스신화의) 아폴로의, 아폴로적인. ②〖哲〗 조화로운, 균형 잡힌.

Apollo [apɔ́lo] *m.* -s, -s ① 미남 청년, 미소년. ②〖動〗 나비의 일종. ③ 아폴로 신(神).

Apollo·falter *m.* 〖動〗 나비의 일종.

Apollo-Raum·fahrzeug *n.* 아폴로 우주선.

Apolog [apoló:k] ⟪gr.⟫ *m.* -s, -e [..gə] 〖문학〗 교훈적인 이야기, 우화.

Apologet [..gé:t] *m.* -en, -en ①〖교양〗 옹호자: er wurde zum ~en des Adels 그는 귀족의 옹호자가 되었다. ②〖문학〗 (2 세기경 그리스 문인들 중에서) 기독교 옹호자.

Apologetik *f.* 변호, 변명, (기독교의) 호교(護教).

apologetisch *a.* 〖교양〗 옹호〔변호〕하는; 방어〔정당화〕하는.

*__Apologie__ [apologí:] *f.* -n [..gí:ən] (특히 종교적인 논쟁에서) 옹호, 변호; 옹호문, 지지문, 변론.

Apophthegma [apoftέgma] ⟪gr.⟫ *n.* -s, ..men/-ta 핵심을 찌르는 표현; 경구; 잠언(箴言), 격언.

Apophyse [apofý:zə] ⟪gr.⟫ *f.* -n ①〖해부〗 골돌기(骨突起) (Knochenfortsatz). ②〖지질〗 광상(鑛床)의 지맥. ③〖植〗 (솔방울 등의) 포낭 경화〔융기〕.

Apoplektiker [apoplέktɪkər] ⟪gr.⟫ *m.* -s, - 뇌졸중에 걸리기 쉬운 체질의 사람.

apoplektisch *a.* 뇌졸중의.

Apoplexie *f.* -n [..sí:ən] 뇌졸중, 중풍.

Aporie [aporí:] ⟪lat., aporia⟫ *f.* -n [..rí:ən] ①〖哲〗 아포리아, (명제의) 해결 불가능. ②〖교양〗 난처, 당혹.

Apostasie [apɔstazí:] ⟪gr.⟫ *f.* -n [..zí:ən] 〖宗〗 ① (신앙에서의) 일탈, 배교(背教). ② (맹세를 깨고) 수도원·수녀원에서의 탈퇴.

Apostat *m.* -en, -en 배교자.

*__Apostel__ [apɔ́stəl] ⟪gr., „Sendbote"⟫ *m.* -s, - ① (그리스도의) 사도(使徒). ②〖비유·반어〗 (어떤 이념의) 열렬한 투사.

Apostel≈amt *n.* 사도의 직. **~brief** *m.* (신약 성서 중의) 사도 서간(使徒書簡). **~geschichte** *f.* 사도 행전(行傳).

a posteriori [a: pɔsterió:ri] ⟪lat., „aus dem Späteren"⟫ 〖哲〗 경험에 의하여, 후천적으로 (↔ a priori).

Aposteriori *n.* -, - 경험적 진술.

aposteriorisch *a.* 경험에 따른, 후천적인: ~ e Erkenntnisse 경험적 인식.

Apostilb [apɔstílp] ⟪gr.⟫ *n.* -s, - 〖物·고어〗 아포스틸브(휘도(輝度)의 단위; 약어: asb; 1 asb = 10^{-4}Stilb).

Apostolat [apɔstolá:t] ⟪gr. -lat.⟫ *n.* -(e)s, -e 〖宗〗 ① 사도의 직; 〖가톨릭〗 신부〔주교〕의 직. ②〖가톨릭〗 교회의 사명.

Apostolikum *n.* -s 〖聖〗 사도 신경(信經).

apostolisch *a.* ① 사도의, 사도의 가르침에 따른: das ≈e Glaubensbekenntnis 사도 신경. ②〖가톨릭〗 교황의: 〖가톨릭〗 ≈er Stuhl (로마 교회의) 주교직; ≈er Delegat 교황청 대사. ③〖史〗 der ≈e König 헝가리왕, (후에는) 오스트리아 황제.

Apostrof, Apostroph [apɔstró:f] ⟪gr.⟫ *m.* -s, -e 〖언어·기호〗 생략 부호(').

Apostrophe [apɔ́strofe, apɔstró:fə] *f.* -n ①〖修〗 돈호법(頓呼法). ②〖비유〗 질책.

apostrophieren *t.* 〖문법〗 ① 생략 부호를 달다. ②〖修〗 (중도에서) 갑자기〔엄숙하게〕 말을 걸다〔부르다〕. ③ 부르다, 간주하다: et. als Irrtum ~ 어떤 것을 오류라고 간주하다.

*__Apotheke__ [apoté:kə] ⟪gr.⟫ *f.* -n ① 약방, 약국. ② 약상자, 약품 선반.

Apotheken≈helferin *f.* 약국 여종업원; 수습 여약사. **≈pflichtig** *a.* 약국에서만 판매하는.

*__Apotheker__ *m.* -s, 약사.

Apothekerin *f.* -nen ↑ Apotheker 의 여성형.

Apotheker≈buch *n.* 약전(藥典), 약국방(藥局方). **~gewicht** *n.* 약의 중량 단위(보기: Gran, Lot, Unze).

apothekern *i.* (h.) 〖구어〗 약사로 활동하다; 약국을 경영하다.

Apotheker≈ordnung *f.* 약전(藥典). **~preis** *m.* 〖비유·농담〗 터없이 비싼 가격. **~schwamm** *m.* 목욕에 쓰는 해면. **~waage** *f.* 정밀 천칭.

Apotheose [apoteó:zə] ⟪gr.⟫ *f.* -n 〖교양〗 ① 신격화; 숭배, 찬양; 〖예술〗 신격화의 표현(물). ②〖연극〗 찬미〔찬양〕하는 마지막 장면.

apotheosieren *t.* 신격화하다, 숭배〔찬미〕하다.

a potiori [a: potsió:ri] ⟪lat., „vom Stärkeren her"⟫ 〖구식〗 주로, 대부분.

apotropäisch [apotropέ:ɪʃ] ⟪gr.⟫ *a.* 〖민속〗 재앙〔액운〕을 방지하는.

*__Apparat__ [apará:t] ⟪lat. apparare, „zubereiten"⟫ *m.* -(e)s, -e ① 기계, 기구, 장치; 〖구어〗 전화·라디오·텔레비전·면도기·사진기 등의 약칭: wer ist am Apparat? (전화받는 분이) 누구십니까? ②〖비유〗 조직, 기구: Verwaltungs≈ 행정 조직. ③〖해부〗 기관: Verdauungs≈ 소화 기관. ④〖대개 단수〗〖문학〗 (특정 주제에 대한) 참고 도서, 연구 자료; 텍스트의 이본(異本)과 수정본의 모음; (임무 수행을 위한) 인력과 보조 수단. ⑤〖구어〗 별난 모양으로 이목을 끄는 것〔사람〕.

apparativ *a.* 기계〔기구〕(제작)에 관한; 기계〔기구〕를 사용하는.

Apparatschik [aparátʃɪk] 《russ.》 *m.* -s, -s 〖폄어〗(구 동구권 국가에서 헌신적으로 충성하는) 교조적인 당간부〔관료〕.

Apparatur *f.* -en 기계 장치 전체; 한 세트의 기계〔장비〕.

Apparition [aparitsió:n] 《lat.》 *f.* -en 〖天〗(천체의) 출현.

Appartement [apartəmã́:] 《frz.》 *n.* -s, -s [..mã́:s] ① (호텔의) 특실. ② 원룸 아파트.

Appartement·haus *n.* 원룸 아파트로 이루어진 공동 주택.

appassionato [apasioná:to] 《it.》 *adv.* 〖樂〗 열정적으로.

Appeasement [apí:zmənt] 《engl.》 *n.* -s 〖政〗 유화 정책.

Appell [apɛ́l] 《frz.》 *m.* -s, -e ① (a) 호소, 요구: ein ~ an die Vernunft 이성에의 호소. (b) 〖法·구식〗 상소, 항소. ② 〖軍〗 점호, 소집, 집합: zum ~ blasen 점호 나팔을 불다. ③ 〖사냥〗(개의) 순종: (guten) ~ haben (개가) 말을 잘 듣다. ④ 〖펜싱〗 앞발구르기.

appellabel *a.* 〖法·구식〗 항소할 수 있는.

Appellant *m.* -en, -en 〖法·구식〗 상소〔항소〕인.

Appellat *m.* -en, -en 〖法·구식〗 피항소인.

Appellation *f.* -en 〖法·구식〗 (schweiz.) 항소.

Appellations≈gericht *n.*, **~hof** *m.* 〖法·구식〗(schweiz.) 항소 법원.

Appellativ [apɛlatí:f] 《lat.》 *n.* -s, -e [..və], **Appellativum** *n.* -s, ..va 〖문법〗(Gattungsname) 종속〔보통〕 명사.

appellieren 《lat. appellāre》 *i.* (h.) ① 호소하다: an die Wähler ~ 유권자들에게 호소하다; 〔비유〕 an js. Vernunft ~ 누구의 이성에 호소하다. ② 〖法·구식〗 항소하다.

Appell·platz *m.* 〖軍〗 점호 장소.

Appendektomie *f.* -n [..mí:ən] 〖醫〗 맹장 수술.

Appendix 《lat.》 *m.* -(es), -e/..dizes ① (책의) 부록; 부속물. ② 〔여성 명사로도〕 ..dizes 〖해부〗(맹장의) 충수(蟲垂); 돌기. ③ 〖드물게〗 풍선 주둥이.

Appendizitis [..ditsí:tɪs] *f.* ..tiden [..tí:dən] 〖醫〗 맹장염, 충수염.

Appertinens [apɛ́rtinɛns] 《lat.》 *n.* -, ..nenzien [..nɛ́ntsiən] 〔구식〕 부속물.

Appertinenz *f.* -en (제작 연월일 따위가 새겨진) 화폐 뒷면의 하부.

Apperzeption [apɛrtsɛptsió:n] 《lat.》 *f.* -en 〖哲〗 통각(統覺).

apperzipieren *i.* (h.) 통각하다, 분명히 깨닫다.

Appetenz *f.* -en 〖心〗 욕구, 충동.

Appetenz·verhalten *n.* ① 욕구 충족을 위한 행동. ② 고등 생물체의 본능적 행동.

***Appetit** [apetí:t] 《lat., „Begierde"》 *m.* -(e)s, -e ① 식욕, 입맛, 밥맛: ~ auf et. 〔nach et.[3]〕 haben 무엇을 먹고 싶다; guten ~! 많이 드십시오!(식사 전의 인사말); den ~ wecken〔verderben〕 식욕을 돋우다〔잃게 하다〕; 〔속담〕 der ~ kommt beim 〔mit dem〕 Essen 일단 먹어 보아야 식욕도 난다(일단 일을 시작하면 의욕도 생기는 법). ② 〔비유·구어〕 욕망, 갈망: ~ auf eine Frau 여자에 대한 욕망; jm. den ~ an et.[3] verderben 누구에게 …할 마음을 싹 가시게 하다.

appetit≈anregend *a.* 식욕을 촉진시키는; 먹음직스러운; 정갈한: ein ~es Arzneimittel 식욕 촉진제. **~happen** *m.* 맛있는 작은 빵. **~hemmer** *m.* ↑ ~zügler.

appetitlich *a.* ① 식욕을 돋우는, 맛있어 보이는. ② 〔비유·구어〕 산뜻한, 깜찍한, 매력적인: ein ~es Mädchen 깜찍하게 생긴 소녀.

appetitlos *a.* 식욕이 없는.

Appetitlosigkeit *f.* 입맛 없음, 식욕 부진.

Appetit·zügler *m.* 식욕 억제제.

applanieren [aplaní:rən] 《lat.》 *t.* 평평히 하다, 고르다; 〔비유〕(싸움을) 조정하다.

applaudieren [aplaudí:rən] 《lat.》 *i.* (h.)/*t.* ① jm. ~ 누구에게 박수 갈채를 보내다. ② 〔구식〕 et. ~ 무엇을 박수 갈채로 맞이하다.

Applaus *m.* -es, -e 박수 갈채.

Applet 〖컴〗 애플렛(자바 프로그램의 일종).

applikabel [apliká:bəl] 《lat. applicare, „anwenden"》 *a.* 〔교양〕 응용〔적용〕할 수 있는.

Applikant *m.* -en, -en 〔구식〕 지원자, 후보자; 청원자.

Applikation [..tsió:n] *f.* -en ① 〔구식〕 지원, 응모; 청원서; 근면, 열성. ② 〔교양〕 응용, 적용, 사용. ③ 〖醫〗(약의) 투여, 투약. ④ 〖재봉〗 아플리케. ⑤ 〖가톨릭〗 특별 미사.

Applikations≈raum *m.* 〖醫〗 방사선치료실. **~stickerei** *f.* ↑ Applikation ④.

Applikatur *f.* -en 〔구식〕 응용, 적용, 사용; 〖음악〗 운지법(運指法).

Appliqué [aplikéː] 《frz.》 *n.* -s, -s [..kéːs] 양은류의 합금.

applizieren *t.* ① 〔교양〕 응용〔적용·사용〕하다. ② Farben ~ 채색하다. ③ 〖醫〗(약을) 투여하다. ④ 〔교양〕 설치〔부착〕하다. ⑤ 〖재단〗(장식물을) 달다; 아플리케로 꿰매다.

Appoggiatur [apɔdʒatú:r] *f.* -en 〖음악〗 앞꾸밈음, 전타음(前打音).

Appoint [apoɛ̃́:] 《frz.》 *m.* -s, -s [..poɛ̃́:] 계좌 결산; 채무 보상 어음; 잔돈, 소액 지폐.

apport [apɔ́rt] 《frz. apporte》 *int.* 찾아라; 물어와, 가져와(개에 대한 명령어).

Apport *m.* -s, -e ① 〖經·고어〗 현물 출자. ② 〖사냥〗 개가 물어서 가져옴. ③ 〖심령〗(염력(念力)에 따른) 위치 이동, (없던 물건의) 출현.

apportieren *t.* 〖사냥〗(개가) 물어 오다.

***Apposition** [apozitsió:n] 《lat.》 *f.* -en ① 〖문법〗 동격. ② 〖生〗 세포 성장.

appositionell *a.* 동격의, 동격으로 쓰인.

apprehendieren [aprehɛndí:rən] 《lat., „ergreifen"》 *t.* 파악〔이해〕하다; 걱정하다.

Apprehension *f.* -en ① 파악, 이해. ② 걱정, 우려.

apprehensiv *a.* 걱정하는, 겁 많은; 쉽게 감정이 상하는, 민감한.

Appret [apré:t] 《fr.》 *n./m.* -s, -s 〖섬유〗(직물의) 마무리 재료〔감〕.

Appreteur [..tǿ:r] *m.* -s, -e 〖섬유〗 마무리공(工).

appretieren *t.* (직물을) 마무리하다, 광택을 내다.

Appretur *f.* -en (직물의) 마무리, 광택내기; (직물의) 광택; 광택제; 마무리 작업장.

Approach [apróutʃ] 《engl.》 *m.* -(e)s, -s ① (문제에 대한) 학문적 접근 (방식). ② 광고 문구의 첫 부분. ③ 〖비행〗(착륙 때의 활주로) 접

근, 진입.
Approbation [aprobatsió:n] ⟪lat., „Billigung"⟫ *f.* -en ① (국가의) 승인, 인가, 허가; (의사·약사의 개업을 위한) 면허. ②〖가톨릭〗사제나 수도회의 승인; (성당의) 인쇄 허가.
approbieren *t.* ①〔고어〕승인〔인가·허가〕하다. ② (의사·약사에게) 개업 면허를 주다: ein approbierter Arzt 면허가 있는 의사.
Approche [aprɔ́ʃə] ⟪frz.⟫ *f.* -n〖軍·구식〗참호, 교통호.
approchieren *i.* (s.) (적에게) 접근하다; 참호를 파다.
Appropriation [apropriatió:n] ⟪lat.⟫ *f.* -en 점유, 전유(專有).
approvisionieren [aprovizioní:rən] ⟪frz.⟫ *t.*〔고어〕(öst.) 식량을 보급〔공급〕하다.
Approvisionierung *f.* 식량 보급〔공급〕.
Approximation [aprɔksimatsió:n] ⟪lat.⟫ *f.* -en ①〔교양〕접근. ②〖數〗근사값.
approximativ [..tí:f] *a.* 근사의, 대략의.
Appunto [apúnto] ⟪it.⟫ *m.* -, ..ti ↑ Appoint.
Apr. =April 4 월.
Après nous le dèluge [aprɛnuldelý:ʒ] ⟪frz., „nach uns die Sintflut !"⟫〔속담〕나중 일이야 내 알 바가 아니다, 나중에 산수갑산을 갈지라도.
Après-Ski [aprɛʃí:] ⟪frz.⟫ *n.* -s, -s ① (스키를 탄 후에 입는) 산뜻한 디자인의 방한복. ② (스키를 탄 후에 갖는 저녁 시간의) 여흥, 환담.
***Aprikose** [aprikó:zə] ⟪ar. -frz.⟫ *f.* -en〖植〗살구(나무).
Aprikosen≈baum *m.* 살구나무. **≈farben, ≈farbig** *a.* 살구색의. **~marmelade** *f.* 살구잼.
***April** [apríl] ⟪lat., „Eröffner"⟫ *m.* -(s), -e 4 월: jn. in den ~ schicken 누구를 만우절 바보로 만들다; der erste ~ 만우절; ~, ~! 만우절 바보! (만우절에 속은 사람에게 조롱하며 외치는 소리).
April≈glück *n.* 잠깐 동안의 행복. **~narr** *m.* 만우절 바보(만우절에 속은 사람). **~scherz** *m.* 만우절 장난. **~thesen** *pl.*〔복수〕4 월 강령(1917 년 4 월 17 일 레닌에 의해 선포된 볼셰비키당의 행동 지침). **~wetter** *n.* (중부 유럽의) 변덕스러운 4 월 날씨.
a prima vista [a prí:ma vísta] ⟪it.⟫ ① 사전 지식 없이, 준비 없이. ②〖음악〗악보에 대한 사전 연습이나 지식 없이.
a priori [a: prió:ri] ⟪lat., „vom Früheren"⟫ ①〖哲〗(↔ a posteriori) 선험적으로. ②〔교양〕애초부터, 근본적으로, 증명〔증거〕없이.
Apriori *n.* -, - 선험적 인식〔개념〕.
apriorisch *a.* 선험적인, 선천적인.
Apriorismus *m.* -, ..men〖哲〗선험주의(경험에 따르지 않은 인식을 가정하는 설).
apropos [apropó:] ⟪frz.⟫ *adv.* 말이 나온 김에 하는 말인데, 덧붙여 말하자면.
Apside [apsí:də] ⟪gr.⟫ *f.* -n ①〖天〗근일점 및 원일점. ② ↑ Apsis.
Apsis *f.* ..siden [..sí:dən] ①〖건축〗(성당의) 반원형의 벽감(壁龕). ② (짐을 보관하기 위한) 천막의 반원형 구석 부분.
Apterygoten *pl.*〖動〗날개 없는 곤충류.
aptieren [aptí:rən] ⟪lat.⟫ *t.* 다른 용도를 위해 스탬프를 고치다;〔구식〕정돈하다.
Aqua destillata [á:kva dɛstılá:ta] ⟪lat. aqua, „Wasser"⟫ *n.*〖化〗증류수.
Aquädukt [akvɛdúkt] ⟪lat.⟫ *m.* -(e)s, -e (고대 로마의) 고가(高架) 수로.
Aqua·kultur *f.* (해산물의) 양식(법); 양식〔양어〕장.
äqual [ɛkvá:l] ⟪lat.⟫ *a.* 같은, 일치하는; 동년배〔동연대〕의.
Aquamanile *n.* -s, -n〖가톨릭〗성직자가 미사 집전 중에 손을 씻는 그릇.
Aquamarin [akvamarí:n] ⟪lat.⟫ *m.* -s, -e 녹옥석(綠玉石).
Aquanaut *m.* -en, -en 해저 탐험가〔연구가〕.
Aquaplaning ⟪engl.⟫ *n.* -(s) (노면의 수막 형성으로 인한 자동차의) 미끄러짐 현상.
Aquarell ⟪it.⟫ *n.* -s, -e〖미술〗수채화: ~ malen 수채화를 그리다.
Aquarell·farbe *f.* 수채화 물감.
aquarellieren *t./i.* (h.) 수채화를 그리다.
Aquarellist *m.* -en, -en 수채화가.
Aquarell≈maler *m.* ↑ Aquarellist. **~malerei** *f.* 수채화(기법).
Aquarianer *m.* -s, - ↑ Aquarienliebhaber.
Aquarien≈fisch *m.* 수족관(용) 물고기. **~glas** *n.* 어항, 소형 수족관. **~lieb·haber** *m.* 수족관 생물 애호가.
Aquarist *m.* -en, -en 수족관 전문가.
Aquarium ⟪lat.⟫ *n.* -s, ..rien [..riən] ① 수조, 수족관. ② (동물원의) 수족관 건물.
Aquatel *n.* -s, -s 선상〔선박〕호텔.
Aquatinta [akvatínta] ⟪it.⟫ *f.* ..ten 동판 부식법의 일종.
aquatisch ⟪lat.⟫ *a.* ① 물 속에 사는, 수서(水棲)〔수생〕의. ②〖지질〗담수에서 생성된.
Äquator [ɛkvá:tɔr, ..to:r] ⟪lat.⟫ *m.* -s, -en [..tó:rən] ① 적도. ②〖數〗대원(大圓).
äquatorial [ɛkvatoriá:l] *a.* 적도의, 적도 근처에 있는.
Äquatorial-guinea 적도 기니(아프리카 서부의 기니만(灣)에 면한 공화국).
Äquator·taufe *f.*〖海〗적도제(祭) (적도를 처음 통과하는 사람을 물 속에 집어 넣는 선원의 관습).
Aquavit [akvaví:t] ⟪lat. aqua vitae⟫ *m.* -s, -e (카룸 열매 향이 나는) 화주의 일종.
äqui.. ⟪lat. aequus, „gleich"⟫ *pref.* "동등한·같은"의 뜻.
äquidistant *a.*〖數〗동일 간격의, 등거리의.
äquilibrieren [ɛkvilibrí:rən] ⟪lat. libra, „Waage"⟫ *t.* 균형을 맞추다〔이루게 하다〕.
Äquilibrismus *m.* -〖哲〗균형설.
Äquilibrist *m.* -en, -en〔교양〕(줄타기) 곡예사.
Äquilibristik *f.* (줄타기) 곡예.
äquilibristisch *a.* ① (줄타기) 곡예의. ② 균형설의.
Äquilibrium [..lí:brium] *n.* -s, ..brien [..briən]〔교양〕평형, 균형.
äquinoktial [ɛkvinɔktsiá:l] ⟪lat.⟫ *a.*〖天·지리〗밤낮의 길이가 같은, 춘분〔추분〕의.
Äquinoktial≈gegenden *pl.* 열대 지방. **~kreis** *m.*〖天·지리〗적도 지역. **~punkt** *m.*〖天〗춘분〔추분〕점(↑ Frühlingspunkt, Herbstpunkt). **~sturm** *m.*〖기상〗(춘분·추분 때에 부는) 피안(彼岸) 폭풍우.
Äquinoktium [ɛkvinɔ́ktsium] ⟪lat., „Nacht-

gleiche“》 *n.* -s, ..tien [..tsiən] 〖天〗 밤낮의 길이가 같은 때, 춘추분(Tagundnachtgleiche).

äquipollent *a.* 〖언어·哲〗 표현은 다르나 의미가 같은.

Äquität [ɛkvitɛ́:t] 《lat.》 *f.* 〔구식〕 공정(성).

äquivalent [ɛkvivalɛ́nt] *a.* (gleichwertig) 등가(等價)의, 등량(等量)의, 대등의: 〖數〗 ~e Mengen 대등 집합.

Äquivalent *n.* -(e)s, -e ① 등가물, 대등한 것; 대등한 보상〔배상〕. ②〖物·化〗 등량(等量). ③〖언어〗 동의어.

Äquivalenz *f.* -en ①〔교양〕 등가, 대등; 〖法〗 보상. ②〖논리학〗 두 가지 진술의 의미가 같음. ③〖수학〗 두 집합의 대등.

äquivok [ɛkvivó:k] *a.* ①〖언어·哲〗 두〔여러〕 가지 뜻을 지닌, 소리는 같으나 의미가 다른. ②〔교양〕 다의적인, 애매한, 모호한.

Ar[1] [a:*r*] 《frz.》 *n.* -s, -e 아르(땅 면적을 측정하는 단위) (1 Ar=100 m²; 기호: *a*).

Ar[2] 〖化〗 =Argon 아르곤.

***Ära** [ɛ́:ra] 《lat.》 *f.* Ären ① 시대, 시기; 재위〔재임〕 기간, 연호: die ~ Adenauer 아데나워 시대. ②〖지질〗 **(a)** 대(代) (지질 시대의 구분 단위). **(b)** 습곡(褶曲) 시대.

Araber [á:rabə*r*] 《hebr.》 *m.* -s, - ① 아라비아 사람. ② 아라비아말(馬).

Arabeske [arabɛ́skə] 《frz.》 *f.* -n ①〖건축·미술〗 아라베스크, 당초문(唐草紋). ②〖음악〗 아라베스크(장식음이 많고 경쾌한 악곡). ③〖발레〗 아라베스크 자세(한 쪽 다리를 수평으로 뒤로 뻗고 양 팔로 균형을 잡고 서는 동작).

***Arabien** [ará:biən] 《hebr. äreb, „Wüste“》 아라비아, 아랍.

arabisch *a.* 아라비아(어·인)의.

Arabische* *das* -n 아라비아어.

Arabische Liga 〖政〗 아랍 연맹(1945 년 3 월 창설된 지역 협력 기구).

Arabist *m.* -en, -en 아라비아 (어문)학자.

Arabistik *f.* 아라비아 어문학.

Arachniden [araxní:dən], **Arachnoiden** [araxnoí:dən] 《gr.》 *pl.* 〖動〗 거미류(Spinnentier).

Aragonien [aragó:niən] 아라곤(에스파냐의 북동부 지방).

Aragonier *m.* -s, - 아라곤 사람.

aragonisch *a.* 아라곤의.

Aragonit [..goní:t, ..nít] *m.* -s 〖광물〗 산석(霰石).

Aralie [ará:liə] *f.* -n 〖植〗 땃두릅속(屬).

Aral·see [á:ral..] *m.* 아랄해.

Aramäa [aramɛ́:a] 《aram., „Hochland“》 아람(시리아의 옛 이름).

Aramäer [aramɛ́:ə*r*] *m.* -s, - 아람인(서북 셈족의 유목민).

Aramäisch *n.* -(s) 〔무관사로〕, **Aramäische*** *das* -n 아람어.

aramäisch *a.* 아람(인·어)의.

Arancini [arantʃí:ni], **Aranzini** [..tsí:ni] 《it.》 *pl.* (특히 오스트리아에서) 설탕이나 초콜릿을 입힌 오렌지 껍질 조림.

Aräometer [arɛomé:tə*r*] 《gr.》 *n.* -s, - 〖物〗 부칭(浮秤)(액체의 밀도나 비중을 재는 저울; ↑ Senkwaage).

Ärar [ɛrá:*r*] 《lat.》 *n.* -(e)s, - 〔드물게·구식〕 (öst.) 국고, 국유 재산.

ärarial [ɛrariá:l], **ärarisch** [ɛrá:rɪʃ] *a.* 국고의, 국유 재산의.

Ärarium *n.* -s, ..rien [..riən] ↑ Ärar.

Araukaner *m.* -s, - 아라우칸 인디언족(칠레와 서부 아르헨티나에 거주).

Araukaria [arauká:ria], **Araukarie** [..riə] 《lat.》 *f.* ..rien [..riən] 〖植〗 삼나무(속) (남아메리카·오스트레일리아 등지에 서식).

Arazzo [arátso] *m.* -s, ..zi [..tsi] 《it.》 플랑드르의 벽걸이 양탄자(이탈리아 화가들에 의해 도안됨).

***Arbeit** [árbaɪt] *f.* -en ① (육체적·정신적) 노동, 일, 작업, 연구: an〔bei〕 der ~ sein 일하는 중이다; an die ~ gehen 〔sich an die ~ machen〕 작업〔일〕을 시작하다; in ~ sein a) (사람·기계 따위가) 일하고 있다, b) (물품이) 만들어지고 있다; et. in ~ haben〔nehmen〕 무엇을 제작 중이다; die ~ einstellen〔niederlegen〕 파업하다; 〔구어〕 vor ~ nicht aus den Augen sehen können 일거리가 너무 많아 눈코 뜰 새가 없다; der ~ aus dem Wege gehen 일하기를 싫어하다; 〔농담〕 er hat die ~ nicht erfunden 그는 애써 일하려 하지 않는다; 〔속담〕 ~ macht das Leben süß 일을 해야 살 맛이 난다; ganze〔gründliche〕 ~ leisten〔tun, machen〕 일을 철저하게 해내다; nur halbe ~ machen 일을 흐지부지하다. ② 노고, 수고, 애쓰기: das kostet viel Arbeit 그 일은 힘이 많이 든다. ③ 직업, 생업, 일자리: ~ finden 일자리를 얻다; ohne ~ sein 실직 중이다; 〔구어〕 zur 〔auf die〕 ~ gehen 일하러 가다, 출근하다; jn. in ~ nehmen 누구를 고용하다; (bei jm.) in ~ sein〔stehen〕 (누구에게) 고용되어 있다; 〔교양〕 von seiner Hände ~ leben (육체 노동을 하여) 스스로 생계를 꾸려 나가다. ④ (노동·연구의 결과물로서) 성과(물), (제)작품, 저작, 논문: seine ~en auf diesem Gebiet erregten Aufsehen 이 분야에서 그의 작품들은 많은 주목을 받았다; Goldschmiede∸ 금세공(품); Doktor∸ 박사 학위 논문. ⑤ 시험, 과제물, 보고서: Mathematik∸ 수학 시험. ⑥ 솜씨, 만듦새, 조형(물), 형성(물); eine saubere ~ (마무리가) 깔끔한 작품. ⑦〖스포츠〗 훈련, 조련. ⑧〖物〗 작용.

***arbeiten** [árbaɪtən] 《Ⅰ》 *i.* (h.) ① 일하다, 노동하다, 연구하다, 공부하다: bei der Post 〔im Verlag〕 ~ 우체국〔출판사〕에서 일하다; an et.³ ~ 무슨 일에 열중〔종사〕하다; an sich selbst ~ 자기 수양을 하다; jm. in die Hände ~ 누구의 일을 거들다; 〖商〗 mit einem Geschäft 〔einer Firma〕 ~ 어떤 상점과〔회사와〕 거래하다; gegen die Regierung ~ 반정부 활동을 하다; über Goethe ~ 괴테에 대해 연구하다. ② 움직이다, 작동하다; 활동하다; 발효하다; (목재가) 변형되다; (돈이) 이자를 낳다: der Magen arbeitet nicht richtig 위가 제 기능을 발휘하지 못하다; sein Geld ~ lassen 돈을 잘 굴리다. ③〖스포츠〗 훈련하다. 《Ⅱ》 *t.* ① **(a)** 만들다, 제작〔가공〕하다: bei welchem Schneider lassen Sie (Ihre Kleider) ~? 어떤 양복점에서 옷을 맞춰 입고 있습니까? ; das Wörterbuch ist gut gearbeitet 이 사전은 잘 만들어졌다. **(b)** (말·개를) 훈련시키다, 조련하다. ②〔결과를 나타내는 말과 함께〕 ein Pferd tot ~ 말을 너무 부려 지쳐 죽게 하다; sich³ Schweiß auf die Stirn ~ 일하여

이마에 땀을 흘리다. 《Ⅲ》 *refl.* ① 일하여 …하게 되다: sich krank〔tot〕 ~ 너무 일하여 병이 들다〔죽다〕. ② (목표를 향해) 애써 나아가다: sich durch den Schnee ~ 눈을 헤치고 힘겹게 앞으로 나아가다; sich nach oben ~ 출세를 위하여 노력하다. 《Ⅳ》 *imp.* 일하기가 …하다: es arbeitet sich schlecht bei dieser Hitze 이런 더위에는 일하기가 어렵다.

***Arbeiter** *m.* -s, - 노동자, 근로자, 피고용인; 연구자: ein gelernter ~ 숙련공.

Arbeiter=abteilung *f.* 〖史〗 근로 봉사대(군 복무에 부적격 판정을 받은 병역 의무자들로 구성되어 군사용 작업에 투입됨; 1914 년까지 존속). **~ameise** *f.* 〖動〗 일개미. **~aristokratie** *f.* 노동 귀족. **~ausschuß** *m.* 노동 위원회. **~aussperrung** *f.* (파업 중인) 근로자 축출, 공장 폐쇄. **~ausstand** *m.* 동맹 파업. **~bevölkerung** *f.* (주로 노동자로 구성된) 주민. **~bewegung** *f.* 노동 운동. **~biene** *f.* 〖動〗 일벌. **~bund** *m.* 노동자 동맹. **~denkmal** *n.* 〔구어·농담〕 농땡이(일은 하지 않고 작업대에 기대어 노는 자). **~dichter** *m.* 노동(자) 작가〔시인〕. **~dichtung** *f.* 노동 문학. **~fest·spiele** *pl.* 〖구동독〗 (연례의) 노동자 연극 축제. **~frage** *f.* 노동 문제. **~führer** *m.* 노동자 지도자, 노조 간부. **~gewerkschaft** *f.* 노동 조합.

Arbeiterin *f.* -nen ① 여성 노동자〔근로자〕. ② 〖動〗 (생식 기능이 없는) 암벌, 암개미.

Arbeiter=jugend *f.* 노동 청년(단). **~kind** *n.* 노동자 가정의 자녀. **~klasse** *f.* 노동자 계급. **~kolonie** *f.* (실직 노동자 및 그 가족을 위한) 노동자 수용촌. **~partei** *f.* 노동당. **~priester** *m.* 노동자(로 일하는) 가톨릭 사제, 노동 사제.

Arbeiterschaft *f.* 〔총칭〕 전체 노동자.

Arbeiter=schutz *m.* (법적인) 노동자 보호. **~sekretär** *m.* 〔구식〕 (법률 문제의 상담을 위한) 노동 조합 사무국장. **~stand** *m.* 노동자 계층〔계급〕.

Arbeiter-und-Bauern=-Fakultät *f.* 〖구동독〗 (약어: ABF) (노동자·농민 출신의 학생을 위한) 대학 진학 자격 과정, 노농학부. **~-Inspektion** *f.* 〖구동독〗 회계 감사국. **~-Macht** *f.* (마르크스-레닌주의 이념에 따른) 노동자·농민 국가 권력, 노농 국가.

Arbeiter-und-Soldaten-Rat *m.* 〖史〗 노동자·군인 혁명 위원회(독일에서는 1918-19 년에, 러시아에서는 1917-18 년에 혁명의 수행과 생산의 조직화를 위해 노동자·군인의 대표로 구성).

Arbeiter=unfall·versicherung *f.* 노동 재해 보험. **~verein** *m.* 노동자 협회. **~versammlung** *f.* 노동자 집회. **~vertretung** *f.* 노동자 대표〔단〕, 노동 조합 대표. **~verwaltung** *f.* 노무 관리. **~veteran** *m.* 〖구동독〗 유공(有功) 원로 노동자. **~viertel** *n.* 노동자 거주 지역. **~wohlfahrts·einrichtung** *f.* 노동자 복지 시설. **~wohnung** *f.* 노동자 주택. **~zug** *m.* (주로 노동자들이 이용하는) 통근 열차.

Arbeit=geber *m.* 고용주, 경영자. **~geberverband** *m.* 경영자 협회. **~nehmer** *m.* 피용자, 근로자, 종업원.

arbeitsam *a.* 근면한, 부지런한.

Arbeitsamkeit *f.* 근면.

Arbeits=ameise *f.* 〖動〗 일개미. **~amt** *n.* (관청의) 노동 관련 부서. **~analyse** *f.* 〖經〗 작업 분석. **~angebot** *n.* 일자리 제공〔공고〕. **~anstalt** *f.* 〔구식〕 강제 노동 시설, 갱생원. **~anweisung** *f.* 작업 지침. **~anzug** *m.* 작업복. **~ausfall** *m.* 노동〔작업〕 중지. **~bedingung** *f.* 노동 조건, 작업 환경. **~befreiung** *f.* (짧은 기간의) 휴가, 직무 면제. **~beschaffung** *f.* (실업자 해소를 위한) 일자리 공급, 고용 창출.

Arbeitsbeschaffungs=maßnahme *f.* 〖經〗 고용 창출 조치. **~programm** *n.* 고용 창출 계획.

Arbeits=besuch *m.* 실무 방문. **~beutel** *m.* 〔구식〕 수공예품 및 도구 보관용 주머니. **~biene** *f.* 일벌; 〔비유〕 일꾼. **~börse** *f.* 직업 소개소. **~brigade** *f.* 〖구동독〗 (생산성 제고를 위해 조직된) 작업반. **~buch** *n.* 〖史〗 (노동자의 노동 상황에 관한) 노동 수첩. **~dienst** *m.* (국가를 위한) 근로 봉사 (기구). **~dienst·pflicht** *f.* (나치 때의) 근로 봉사의 의무. **~direktor** *m.* (광산·철강 업체의) 노무 담당 부장. **~einheit** *f.* ① 〔구동독〕 작업량 단위(약칭: AE). ② 〖物〗 일의 단위. **~einstellung** *f.* ① 동맹 파업, 작업 중지. ② 작업 태도. **~erlaubnis** *f.* (외국인 취업자에 대한) 노동〔취업〕 허가. **~essen** *n.* (정치인·경제인의) 협의〔협상〕 회식. **~fähig** *a.* 노동 능력이 있는, 일할 수 있는. **~fähigkeit** *f.* 노동 능력. **~feld** *n.* 활동 범위, 노동 분야. **~frieden** *m.* 산업 평화(노사간의 갈등 해소 상태). **~front** *f.* (나치 때의) 노동 전선. **~gang** *m.* 공정(工程), 작업 단계〔진행〕. **~gemeinschaft** *f.* ① 공동 연구 모임, 스터디 그룹. ② 〖經〗 (프로젝트 수행을 위한) 사업 공동체. **~genehmigung** *f.* ↑ ~erlaubnis. **~gerät** *n.* 작업 도구(전체). **~gericht** *n.* 노동 재판소. **~haus** *n.* ↑ ~anstalt. **~hygiene** *f.* 노동 위생(직업병 예방을 위한 위생 조처). **~intensiv** *a.* 〖經〗 노동 집약적. **~kamerad** *m.* (직장) 동료. **~kampf** *m.* 노사 분규, 노동 쟁의. **~karte** *f.* ① (미성년 노동자의) 취업 허가증. ② (작업 지침을 적은) 작업표. **~kittel** *m.* 작업복 (덧옷), 가운. **~klima** *n.* 작업 분위기〔환경〕. **~knick** *m.* 작업 능력의 쇠퇴〔저하〕. **~kollege** *m.* (직장) 동료. **~kommando** *n.* (긴급) 특수 작업반. **~korb** *m.* 〔구식〕 (여성의) 바느질〔뜨개질〕 바구니. **~kraft** *f.* 작업 능력; 노동력, 일꾼. **~kräften·lenkung** *f.* 〖구동독〗 직업 교육을 통한 계획적인 노동력 분배 조정. **~kreis** *m.* 작업 공동체〔연구회〕. **~lager** *n.* 강제 노동 수용소. **~leistung** *f.* 작업 성과〔능률〕; 〖기술〗 출력. **~lohn** *m.* 노임.

arbeitslos *a.* ① 실업〔실직〕의, 무직의. ② ~es Einkommen 불로 소득.

Arbeitslosen=fürsorge *f.* 〔구식〕 ↑ ~hilfe. **~geld** *n.* 실업 보험금. **~hilfe** *f.* 실업 구제〔기관〕. **~quote** *f.* 실업률. **~unterstützung** *f.* 〔구식〕 ↑ ~geld. **~versicherung** *f.* 실업 보험.

Arbeitslosigkeit *f.* 실업.

Arbeits=mann *m.* 〔복수: ..männer/..leute〕 〔구식〕 ↑ Arbeiter. **~markt** *m.* 〖經〗 노동 시장. **~maschine** *f.* ① 작업 기계(↔ Kraftmaschine). ② 〔비유〕 기계처럼 일하는 사람.

~mensch *m.* 일밖에 모르는 사람. **~ministerium** *n.* 노동부. **~moral** *f.* 노동 윤리, 직업 의식. **~nachweis** *m.* ① 일자리 소개. ② (관청의) 직업 소개과〔소〕. **~nieder·legung** *f.* 파업. **~norm** *f.* 작업〔노동〕 기준량, 노르마. **~ordnung** *f.* ① 일의 질서. ② 일의 분담 제도. ③ 작업 규칙〔규정〕. **~papier** *n.* ① 연구〔사업〕 계획서. ②〖복수〗 고용 증명서; 노동 관계 서류. **~pferd** *n.* 역마(役馬); 〖비유〗 말처럼 지칠 줄 모르고 일하는 사람. **~platz** *m.* ① 일터, 작업장. ② 근무처, 직장. ③ 일자리, 직책, 직위. **~raum** *m.* 작업실, 연구실, 실험실. **~recht** *n.* 노동법. **~sache** *f.* ①〖복수〗 작업〔연구〕 도구; 작업복. ②〖法〗 노동법 관련 소송 사건. **~scheu** *a.* 노동을〔일하기〕 싫어하는, 게으른. **~schicht** *f.* 교대조 작업반. **~schule** *f.* ① (↔ Lernschule) 실습〔실기〕 학교. ②〖구식〗 실업〔기술〕 학교. **~schutz** *m.* 노동자 보호, 산업 재해 방지. **~schutz·brille** *f.* (용접공의) 시력 보호 안경. **~sperre** *f.* 공장 폐쇄. **~sprache** *f.* (번역자·통역자의) 담당 언어. **~speicher** *m.* 정보 기억 장치(RAM). **~stätte** *f.* 〖교양〗 ↑ ~platz ①②. **~stelle** *f.* ① ↑ ~platz ②③. ② (연구소의) 소규모 부서, 특수 분과. **~strom** *m.* ① (↔ Ruhestrom) (기계 작동 때만 흐르는) 입력 전류. ② (기계를 작동시키는) 동력 전류. **~stube** *f.* 작업실, 공부방. **~tag** *m.* 일하는 날, 작업〔근무〕일, 평일. **~teilung** *f.* 분업. **~titel** *m.* (책·작품 따위의) 가〔임시〕 제목. **~treffen** *n.* 〖政〗 (협의차 갖는) 비공식 회합.

Arbeit·suchende* *der/die* 구직자.

arbeits≈unfähig *a.* 일할 수 없는, 노동 능력이 없는. **≈unfähigkeit** *f.* 노동〔작업〕 불능. **≈unfall** *m.* 노동 재해. **≈unterricht** *m.* 실습 교육. **≈verhältnis** *n.* ① 고용〔노사〕 관계: in einem ~ stehen 취직해 있다. ②〖복수로만〗 작업〔노동〕 조건〔환경〕. **≈vermittlung** *f.* 직업 소개. **≈vertrag** *m.* 노동〔고용〕 계약. **≈vorlage** *f.* 작업 모델. **≈wagen** *m.* 도로〔철도〕 공사용 차량. **≈weise** *f.* ① 작업 방법. ② (기계의) 작동 방법. **~willig** *a.* (↔ ~scheu) 일하고자 하는, 일하기 좋아하는. **≈wissenschaft** *f.* 노동학. **≈zeit** *f.* ① 노동〔근무〕 시간. ② 작업 소요 시간. **≈zeit·konto** *n.* 근로 시간 통장(초과한 노동 시간을 휴가로 대체하는 제도). **≈zeug** *n.* ① 작업복. ② 작업 도구. **≈zimmer** *n.* 작업실; 공부방, 연구실, 서재.

Arbitrage [arbitrá:ʒə] 《frz.》 *f.* -n ①〖法〗 중재 재판. ②〖商〗 재정(裁定), 차액 취득 거래.

arbiträr [arbitrɛ́:r] *a.* ① 임의의, 자의적인: eine ~e Entscheidung 자의적인 결정. ② 재정(裁定)의.

Arbitration *f.* 중재, 조정.

arbitrieren 《lat. arbitrāri, „entscheiden"》 *t.* ① 중재로 결정하다; 시세차를 노려 거래하다. ②〖스포츠〗 (schweiz.) 심판으로서 경기를 이끌다. ③〖고어〗 평가하다.

Arbitrium [arbí:trium] *n.* -s, ..ria 중재 판결〔판정〕.

ARBÖ =Auto-, Motor- und Radfahrerbund Österreichs 오스트리아 자동차·오토바이·자전거 연맹.

Arboretum [arboré:tum] 《lat. arbor, „Baum"》 *n.* -s, ..ten 수목원.

Arbuse [arbú:zə] 《pers. -russ.》 *f.* -n 〖植〗 〔드물게〕 수박.

arc [árkus] =Arkus 호(弧).

Arc de Triomphe *m.* (파리의) 개선문.

Archaikum [arçá:ikum] 《lat. <gr. archaîos, „alt"》 *n.* -s 〖지질〗 시생대.

archaisch [arçá:ɪʃ] *a.* ① 고대의, 태고의, 원시 시대의. ②〖心〗 초기의, 미발달의. ③ (고대 그리스 초기의 예술 양식인) 아르카이크(풍)의. ④〖교양〗 낡은, 진부한, 고풍스러운.

archäisch [arçɛ́:ɪʃ] *a.* 시생대의.

archaisieren *i.* 〖언어·예술〗 고풍스러운 표현을 사용하다, 의고체(擬古體)를 쓰다, 옛 표현을 모방하다: ~d schreiben 의고체로 글을 쓰다.

Archaismus *m.* -, ..men 고어, 고문체, 의고적 표현; 의고주의.

archaistisch *a.* 고풍스러운, 의고적인, 의고주의의.

Archäolog [arçɛoló:k] *m.* -en, -en ↑ Archäologe.

Archäologe [arçɛoló:gə] *m.* -n, -n 고고학자.

***Archäologie** [..logí:] *f.* 고고학.

archäologisch *a.* 고고학의.

Archäopteryx [arçɛɔ́pterʏks] 《gr., „Urvogel"》 *f./m.* -, -e/..teryges [..té:ryge:s] (고생물의 일종) 시조새.

***Arche** [árçə] 《lat. „Kasten"》 *f.* -n ① **(a)** 상자 모양의 배, 방주(方舟): die ~ Noah(s) 〔Noä〕 노아의 방주. **(b)** 피난처: dieses Zimmer ist die letzte ~ 이 방은 마지막 피난처다. **(c)** 고풍스런 큰 차. ② 궤, 상자; 〖工〗 (하천 공사용) 방축, 댐; 〖樂〗 오르간의 풍낭(風囊); 〖動〗 방주 조개.

Arche≈typ [arçetý:p] 《gr., „Urform"》 *m.*, **~typus** *m.* ①〖哲·교양〗 원형, 전형. ② 가장 오래된 필사본〔인쇄본〕; 예술품이나 문헌의 원본. ③〖心〗 (C.G. Jung 의 심리학에서 인격의 기초를 형성하는) 원형. ④〖생물〗 원래의 형태, 원형. **≈typisch** 원형의, 원본의; 모범적〔전형적〕인.

archi.. 《gr., „der Erste, Oberste"》 *pref.* "제일의·주된"의 뜻.

Archi≈bischof *m.* 〖가톨릭〗 대주교(Erzbischof). **~diakon** *m.* ①〖가톨릭〗 (5-16 세기) 부주교. ②〖개신교〗 **(a)** (도시 교회의) 부목사. **(b)** 대집사(명예 칭호). **~diakonat** *n.* ① 부주교직, 부목사직, 대집사직. ② 부주교〔부목사·대집사〕의 방〔집〕. ③ 교구(教區). **~diakonus** *m.* ↑ ~diakon. **~mandrit** *m.* (그리스 정교의) 수도원장; 대수도사(고위 성직자에 대한 명예 칭호).

Archimedes [arçimé:dɛs] *m.* 아르키메데스 (그리스의 수학자, 285-212 B.C.).

archimedisch *a.* 아르키메데스(식)의: 〖物〗 ≈es Prinzip 아르키메데스의 원리.

Archipel [arçipé:l] 《gr.》 *m.* -s, -e 다도해(多島海); 군도(群島).

***Architekt** [arçitɛ́kt] 《gr., „Baumeister"》 *m.* -en, -en ① 건축 (기)사, 건축가. ②〖비유〗 (이념·계획 따위의) 창시자, 고안자.

Architektonik [..tɛktó:nɪk] *f.* -en 건축학, 건축술; 건축〔구성〕 양식; 구성, 구조.

architektonisch *a.* 건축의, 건축학〔술〕의;

구성적인, 구조상의.
Architektur [..tɛktúːr] *f.* -en 건축, 건축학, 건축술; 건축 양식; (어떤 민족·시대·양식의) 건축물 전체.
Architrav [arçitráːf] 《gr. +lat.》 *m.* -s, -e [..və] 〖건축〗 (고대 건축의) 평방(平枋).
***Archiv** [arçíːf] 《lat. archivum》 *n.* -s, -e [..və] ① 문서실, 기록 보관소. ② 기록집. ③ 문서실〔기록 보관소〕 건물. ④ (학술지의 제명으로) 논총.
Archivalien [..váːliən] *pl.* (문서실의) 문서, 기록.
archivalisch *a.* 문서(실)의.
Archivar *m.* -s, -e 문서관, 문서실 직원〔실장〕; 기록 수집가.
Archiv·bild *n.* 보관소〔문서실〕의 사진〔그림〕.
archivieren *t.* (문서·기록을) 문서실에 수용〔보관〕하다.
Archivolte [arçivɔ́ltə] 《it.》 *f.* -n 〖건축〗 ① 장식 홍예 창도리. ② (로마네스크식·고딕식 정문의) 조형 아치.
Archon [árçoːn] *m.* -s, -ten [..çɔ́ntən], **Archont** [..çɔ́nt] *m.* -en, -en 《gr., „Herrscher"》 (고대 아테네의) 집정관.
Arcus *m.* -, - ↑ Arkus.
ARD =Arbeitsgemeinschaft der öffentlich-rechtlichen Rundfunkanstalten der Bundesrepublik Deutschland 〖방송〗 독일 연방 공화국 공영 방송국 연합체, 제 1 텔레비전.
Ardabil [ardabíːl], **Ardebil** [arde..] *m.* -(s), -s 아르데빌 양탄자(이란의 도시 이름에서).
Ardennen [ardɛ́nən] *pl.* 아르덴 산맥(프랑스에서 벨기에에 걸쳐 있음).
Ardenner Wald *m.* -(e)s Ardennen의 옛 표기.
Ardey [árdaɪ] *m.* -s 자우어란트(Sauerland)의 산악 지역.
Are [áːrə] *f.* -n (schweiz.) ↑ Ar.
Area [áːrea] 《lat.》 *f.* -s/Areen [aréːən, áːreən] ① 〔고어〕 평면, 평지; 투기장. ② 〖해부〗 한정된 부위.
Areal [areáːl] *n.* -s, -e 지면, 면적; 한정된 지역; (동식물 따위의) 분포 지역.
Areka [aréːka] 《mal.》 *f.* -s 〖植〗 빈랑(檳榔)나무.
Areka·nuß *f.* 빈랑나무의 열매(Betelnuß).
~palme *f.* ↑ Areka.
Arena [aréːna] 《lat., „Sand"》 *f.* ..nen ① 〔옛뜻〕 (고대 로마의 Amphitheater 안의) 원형 투기장. ② (관중석이 있는) 운동 경기장, 스타디움. ③ 투우장; (서커스의) 원형 연기장. ④ 〔구식〕 (öst.) 여름의 야외 무대.
Areopag [areopáːk] 《gr., „Areshügel"》 *m.* -s (고대 아테네의 아레오파고스 언덕에 있었던) 아레오파고스 법정; 〔비유〕 최고 법정.
Areopagit [..pagíːt] *m.* -en, -en 아레오파고스 법정의 재판관.
Ares [áːrɛs] 《gr.》 *m.* 〖그리스신화〗 군신(軍神) (로마 신화의 Mars).
***arg** [ark] (ärger, ärgst) *a.* ① 나쁜, 못된, 비열한, 악의 있는, 사악한: jm. einen ~en Blick zuwerfen 누구에게 악의에 찬 시선을 던지다; ~e Gedanken haben 못된 생각을 품고 있다; 〖성경〗 der ≈e 악마; ≈es denken〔sinnen〕 나쁜 짓을 꾀하다; von jm. ≈es denken 누구를 나쁘게 생각하다; im ~en liegen 혼란스런〔나쁜〕 상태다; das Ärgste befürchten 최악의 경우를 두려워하다; ohne ≈es sein 악의가 없다; et. zum ≈en deuten 어떤 일을 나쁘게 해석하다; 〔방언〕 es ist mir ~, daß … …이 내게는 유감이다. ② (**a**) 대단한, 지독한, 심한: ein ~es Versehen 큰 잘못; ~es Pech haben 지독하게도 재수 없다; der Riß wird immer ärger 서로의 사이가 점점 벌어진다〔악화된다〕. (**b**) 〖부사적〗〔구어〕 (obd.) 매우, 몹시, 대단히: das ist ~ teuer 이것 되게 비싸다; er ist noch ~ jung 그는 아직 무척 젊다; dem muß es nicht ~ eilig sein 그것은 너무 서두르지 않아도 된다〔별로 급할 것 없다〕. ③ 기분 나쁜, 불쾌한.
Arg *m./n.* -s 〔雅語·고어〕 악, 악의: ohne〔sonder〕 (alles) ~ 악의 없는; kein ~ finden〔haben〕 악의를 느끼지〔갖지〕 않다; es ist kein ~ an〔in〕 ihm 그에게는 악의가 없다.
Argand·brenner [..gã:..] *m.* 〖工〗 아르강식 가스 램프(스위스의 화학자 A. Argand의 이름에서).
Arge* *der* 〖성경〗 악마.
Argentan [argɛntáːn] 《lat. argentum, „Silber"》 *n.* -s 〖化〗 양은(Neusilber).
Argentinien [argɛntíːniən] 아르헨티나.
Argentinier *m.* -s, - 아르헨티나인.
argentinisch *a.* 아르헨티나의: die ≈e Republik 아르헨티나 공화국.
Argentit [argɛntíːt] 《lat.》 *m.* -s 〖광물〗 휘은광(Akanthit).
Argentum [argɛ́ntum] *n.* -s 〖化〗 은(기호: Ag).
***Ärger** [ɛ́rgər] 《<arg》 *m.* -s, 화, 분노, 짜증; 성냄, 골냄; 화나는 일, 불쾌한 일, 귀찮은 일: ~ an jm. auslassen 누구에게 분노를 터뜨리다; seinem ~ Luft machen 분노를 터뜨리다; ich habe mit ihm ~ gehabt 나는 그와 불쾌한 일이 있었다; schwarz 〔grün und gelb〕 vor ~ werden 화가 나서 서슬이 시퍼래지다.
***ärgerlich** *a.* ① 화가 난, 골난, 짜증을 내는: auf〔über〕 jn. ~ sein 누구에게 화를 내다; über et.〔wegen eines Dinges〕 ~ sein 무슨 일 때문에 화를 내다. ② 화가 나는, 짜증스러운, 불쾌한: ein ~er Vorfall 짜증나는 사건.
Ärgerlichkeit *f.* -en ① 짜증, 지긋지긋함, 불쾌. ② 불쾌한 일, 화날 일: solche ~en waren nicht vorausschaubar 그런 불쾌한 일이 있을 줄은 예상하지 못했다.
***ärgern** [ɛ́rgərn] 《원뜻 „ärger machen"》 《I》 *t.* 화나게〔짜증나게〕 하다, 불쾌하게 하다, 분통터지게 만들다: jn. krank ~ 누구를 병이 나도록 화나게 만들다; es ärgert mich (darüber), daß… …때문에 나는 화가 난다; ihn ärgert die Fliege an der Wand 사소한 일이라도 그는 화를 낸다. 《II》 *refl.* sich ~ 화나다, 짜증나다: ich habe mich sehr darüber geärgert 그것에 대해 나는 몹시 화를 냈다; sich schwarz 〔grün und blau, gelb und grün〕 ~ 화가 나서 얼굴이 붉으락푸르락하다.
Ärgernis *n.* -ses, -se ① 짜증스러운 일, 불쾌한 일; 화나는 일, 분격할 일: die ~se des Alltags 매일매일의 짜증스러운 일들. ② 감정 상함, 분노: öffentliches ~ erregen 공분(公

憤)을 불러일으키다: an jm.〔et.³〕 ~ nehmen 누구〔무엇〕에 대해서 분개하다.
arg≈gesinnt, ~herzig *a.* 악의 있는.
Argheit *f.* 악의.
Arg≈list *f.* 〖雅語〗 간계, 교활, 술책. **~listig** *a.* 간사〔교활·음흉〕한. **~listigkeit** *f.* ① 간사, 교활, 음흉. ② 간사〔교활·음흉〕한 행동.
arglos *a.* 악의 없는; 순진한, 아무것도 모르는: sie folgte ihm ~ 그녀는 순진하게 그를 따랐다.
Arglosigkeit *f.* 악의 없음, 순진.
Argo [árgo] 《gr.》 *f.* ①〖그리스신화〗 아르고선(금양모피(金羊毛皮)를 찾아 Kolchis국으로 항해한 배). ②〖天〗 아르고자리.
Argon [árgɔn, argó:n] 《gr.》 *n.* -s 〖化〗 아르곤(기호: Ar).
Argonaut [argonáut] *m.* -en, -en ①〖그리스신화〗 아르고선(Argo)에 승선했던 영웅. ②〖動〗 조개낙지(Papierboot).
Argonnen [argɔ́nən] *pl.* (프랑스 동북부에 있는) 아르곤 산맥.
Argonner Wald *m.* -(e)s Argonnen의 옛 표기.
Argot [argó:] 《fr.》 *m./n.* -s, -s ①〔원뜻〕(프랑스의) 부랑자 언어. ② 프랑스의 속어. ③ (특정한 사회 집단·계층의) 특수어, 은어.
***Argument** [argumɛ́nt] 《lat. arguere, „anzeigen"》 *n.* -(e)s, -e ① 주장의 근거, 논거, 논증: ~ gegen et. 무엇에 대한 반론. ②〖數〗 (함수의) 독립 변수. ③〖언어〗 빈 자리를 채우는 문장 성분.
Argumentation [..mɛntatsió:n] *f.* -en 논증, 추론, 입증.
argumentativ [..tatí:f] *a.* 〔교양〕 논거〔논증〕(상)의, 논거〔논증〕에 따른.
argumentieren [..tí:rən] *i.* (h.) 논거를 대다, 논증〔추론〕하다: gegen et. ~ 무엇에 대해 반론을 펴다.
Argus [árgus] 《gr.》 *m.* - ①〖그리스신화〗 아르고스(백 개의 눈을 가진 거인). ②〔복수: -se〕〔교양〕 날카롭게 주시〔감시〕하는 사람.
Argus≈augen *pl.* 날카롭게 주시〔감시〕하는 눈, 형안(炯眼). **~äugig** *a.* 형안의, 날카로운 눈의.
Arg≈wille *m.* 〔고어〕 악의. **~willig** *a.* 악의가 있는. ***~wohn** *m.* 〖雅語〗 의심, 불신: gegen jn. ~ hegen 누구에 대하여 의심을 품다. **~wohnen, ~wöhnen** *i.* (h.)/*t.* 의심〔불신〕하다, 두려워하다. **~wöhnisch** *a.* 〖雅語〗 의심〔불신〕하는.
a.Rh. =am Rhein 라인 강변의.
Ariadne [ariádne:, ..tne:] *f.* 〖그리스신화〗 아리아드네(Minos 왕의 딸).
Ariadne·faden *m.* 아리아드네의 실(Ariadne가 영웅 Theseus를 미궁에서 구출할 때 사용한 실); 〔비유〕 해결의 실마리.
Ariane *f.* 〖우주여행〗 아리안(유럽 우주 기구(ESA)가 개발한 위성 추진 로켓).
Arianer [ariá:nər] 《<Arius》 *m* -s, - 아리우스 교도.
arianisch *a.* 아리우스교의.
Arianismus *m.* - 〖宗〗 아리우스교(고대 기독교의 일파; 그리스도의 신성(神性)을 부인함).
Aribert [á:ribɛrt] *m.* 아리베르트(남자 이름).
arid [arí:t] 《lat.》 *a.* 〖지리〗 건조한, 메마른.
Aridität [aridité:t] *f.* 건조, 메마름.
Arie [á:riə] 《it. aria, „Luft, Wind"》 *f.* -n 아리아, 영창(詠唱).
Ariel [á:riɛl] 《hebr.》 *m.* -s 예루살렘의 옛 이름; 〖天〗 천왕성의 제 1 위성.
Arier [á:riər] 《skt. arya, „Edler"》 *m.* -s, - ①〖인류·언어〗 아리아족, 인도·유럽 어족. ② (나치의 인종 이론에 따른) 아리아인, 비유대 백색 인종, 순수 게르만족.
..arier *suf.* "소속자"의 뜻(보기: Trinit~ 삼위 일체론자).
Aries [á:riɛs] 《lat.》 *m.* - 〖天〗 백양궁(白羊宮).
Ariette [ariɛ́tə] *f.* -n 아리에타, 소영창(小詠唱), 소(小)아리아.
Arion [arí:ɔn] 《gr.》 ① *m.* 아리온(고대 그리스의 가수). ② *m.* -s, -s 〖動〗 아리온속(屬)의 괄태충.
arioso [arió:zo] 《it.》 *adv.* 〖樂〗 가요풍으로, 멜로디의 뉘앙스가 풍부하게.
Arioso *n.* -s, -s/..si 〖樂〗 영서창(詠敍唱); 아리아풍의 작은 독창곡〔기악곡〕.
arisch [á:rɪʃ] 《<Arier》 *a.* ①〖인종·언어〗 인도·유럽 어족의. ② (Arier) 아리아 혈통의, 비유대계의.
arisieren *t.* (나치에 의해) 아리아화(化)하다.
Aristokrat [arɪstokrá:t] 《gr. áristos, „der Beste"; krateîn, „herrschen"》 *m.* -en, -en ① 귀족 정치주의자, 귀족. ② 귀족적인 사람, 품위〔기품〕 있는 사람.
***Aristokratie** [..kratí:] *f.* -n [..tí:ən] ① 귀족 정치; 귀족 국가〔사회〕. ② 귀족층, 상류층, 귀족 계급: die ~ des Geldes〔Geistes〕 (재력〔교양〕이 풍부한) 소수 지배 계층. ③ 품위, 기품, 고귀(함).
aristokratisch *a.* 귀족 정치〔국가〕의; 귀족의; 고귀한, 품위〔기품〕 있는.
Aristokratismus *m.* - 귀족 정치주의.
Aristophanes [arɪstó:fanɛs] *m.* 아리스토파네스(그리스의 희극 작가, 445-385 B.C.).
Aristophanisch [..fá:nɪʃ] *a.* 아리스토파네스의.
aristophanisch *a.* 아리스토파네스풍〔류〕의; 신랄히 조롱하는.
Aristoteles [arɪstó:telɛs] *m.* 아리스토텔레스(그리스의 철학자, 384-322 B.C.).
Aristoteliker [..té:lɪkər] *m.* -s, - 아리스토텔레스 철학의 신봉자, 아리스토텔레스 학파.
aristotelisch *a.* ① 아리스토텔레스 학파〔철학〕의. ② 아리스토텔레스의.
***Arithmetik** [arɪtmé:tɪk] 《gr. arithmós, „Zahl"》 *f.* -en ① 산술, 산수. ② 산수책, 산수 교과서.
Arithmetiker [..mé:tɪkər] *m.* -s, - 산수학자, 산수 교사.
arithmetisch *a.* 산술〔산수〕의: 〖數·理〗 ~-es Mittel 산술 평균, 평균값.
Arithmogriph [..mogrí:f] *m.* -en, -en 숫자 수수께끼〔게임〕.
Arithmometer *n./m.* -s, - 계산기.
Arius [arí:us] *m.* 아리우스(그리스의 Alexandria의 수도승으로 아리우스교의 창시자, 256?-336; ↑ Arianer).
Arkade [arká:də] 《lat. arcus, „Bogen"》 *f.* -n ①〖건축〗 아치, 홍예문. ② 홍예 복도, 아케이드. ③ (필기체 소문자의) 아치형 곡선.

Arkadien [arkáːdiən] ① 아르카디아(그리스 Peloponnes 반도의 한 지방). ②〖비유·교양·시어〗행복의 나라〔땅〕, 목가적 이상향.
Arkadier *m.* -s, - ① 아르카디아 사람; 목가적 이상향에 사는 사람. ②〖문학〗전원(田園) 문학 (작품)의 등장 인물.
arkadisch *a.* 아르카디아의; 〖비유〗전원적〔목가적〕인, 소박한, 평화로운; 이상적인, 모범적인, 완전무결한: ~e Dichtung 전원〔목가〕문학.
Arkanum [arkáːnʊm] 《lat. arcanus, „geheim"》 *n.* -s, ..na 비밀; 비약(祕藥), 묘약.
Arkebusade [arkbyzáːd] 《frz. harquebuse, „Hakenbüchse"》 *f.* -n 화승총 사격; 총살.
Arkebuse [arkebúːzə] 《sp. -frz.》 *f.* -n (15-16세기의) 화승총.
Arkebusier [arkebuzíːr] *m.* -s, -e 화승총 병사.
arkebusieren *t.* 화승총으로 사격하다; 총살하다.
Arktik 《engl.》 북극해.
Arktiker 《gr.》 *m* -s, - 북극 지방의 주민.
Arktis [árktɪs] 《gr. árktos, „Bär"》 *f.* 북극 지방.
arktisch *a.* 북극(지방)의; 〖비유〗몹시 추운, 혹한의: 〖비유〗 ~e Kälte 혹한.
Arktischer Rat 〖政〗 북극 회의(1996년 결성된 북극 인접 국가들의 협력 기구).
*__arm__ [arm] (ärmer, ärmst) *a.* ① 불쌍한, 가련한, 불행한: du ~es Kind! 이 불쌍한 녀석아!; 〖옛뜻〗 ~er Sünder a) 사형수, b) 〖오늘날〗미결수; 〖구어〗 ~ dran sein 유감이다, 안됐다. ② 가난한, 빈곤한: besser ~ und gesund als reich und krank 부자면서 병든 것보다 가난하면서 건강한 것이 더 낫다; ~ wie eine Kirchenmaus 〔wie Hiob〕 교회의 쥐〔욥〕처럼 몹시 가난한; ~ und reich 가난하건 부유하건; 〖구어·농담〗 ich bin um 10 Mark ärmer geworden a) 10마르크를 써 버렸다, b) 10마르크를 사기당했다. ③ 결핍된, 부족한, 모자라는: ~ an Vitaminen 비타민이 부족한; 〖고어〗 ~ an Mut 〔~ des Muts〕 용기가 모자라는; 〖성경〗 ~ am Geist 마음이 가난한(마태 5:3); ~ am Beutel 주머니가 가벼운; um jn.〔et.〕 ärmer werden 누구를〔무엇을〕 잃다. ④ 빈약한, 시시한: die ärmsten Späße 아주 시시한 농담.
*__Arm__ *m.* -(e)s, -e ① 팔: jn. am ~ führen 누구의 팔을 잡고 인도하다; sich³ den ~ brechen (자신의) 팔을 부러뜨리다; ein Kind auf dem 〔im〕 ~ haben 아이를 안고 있다; ~ in ~ mit jm. 누구와 팔을 끼고, 〖비유〗 서로 협력하여; jm. in den ~ fallen 제지〔방해〕하다; jn. in die ~e nehmen〔schließen〕 누구를 껴안다, 포옹하다; sich jm.〔et.³〕 in die ~e werfen 누구에게〔무엇에〕 헌신〔전념·열중〕하다. ②〖비유〗 (a) einen langen ~ haben 큰 영향력을 가지고 있다; die ~e frei haben 구속받지 않다; mit verschränkten ~en zusehen 수수방관하다; 〖구어〗 jm. in die ~e laufen 누구를 우연히 만나다; jm. (mit et.³) unter die ~e greifen 누구를 (무엇으로) 돕다; jm. 〔et.³〕 in die ~e treiben (손해지만) 누구와 관계하게〔무슨 일에 종사하게〕 만들다; die Beine unter die ~e nehmen 쏜살같이 도망가다; jn. auf den ~ nehmen 누구를 놀리다; jn. aus den ~en der Verzweiflung retten 누구를 절망에서 구하다. (b) 노동력; 노동자; 보조원: der beste ~ 최우수 노동자. (c) 힘, 권능, 권한, 권력: der ~ des Gesetzes 법의 힘. ③ 팔 모양의 것; (강의) 지류; (산의) 지맥; (십자가·천칭 따위의) 횡목, 가로대; (샹들리에·닻 따위의) 가지; (톱·가위 따위의) 자루; (동물의) 앞발; (게·새우 따위의) 집게발; (두족류(頭足類)·해파리 등의) 다리, 촉수; 〖物〗 지렛대; 〖工〗 (수레바퀴의) 살. ④〖구어〗 소매: eine Bluse mit langem ~ 소매가 긴 블라우스. ⑤〖은어〗 (a) 궁둥이. (b) 〖욕설〗 얼간이, 바보.
Armada [armáːda] 《sp.》 *f.* ..den/-s 함대, (특히 16세기 에스파냐의) 무적 함대.
Armadill [armadɪ́l] *m./n.* -s, -e 〖動〗 아르마딜로(남아메리카산(產)).
Armagnac [armanjákl] *m.* -s, -s (프랑스의) 아르마냐산(產) 브랜디.
arm≈ähnlich *a.* 팔 모양의. **~amputiert** *a.* 팔이 절단된.
Armatur [armatúːr] 《lat.》 *f.* -en ① (기계류의) 부속 설비, 부속품, 조작〔개폐〕 장치. ②〖구식〗무장. ③ (욕실 따위에 있는) 개폐 장치, 수도 꼭지.
Armaturen·brett *n.* (자동차 등의) 계기판.
Armatur·kammer *f.* 〖軍〗 무기고.
Arm≈band *n.* 〖복수: ..bänder〗 팔찌. **~band·uhr** *f.* 손목 시계. **~bein** *n.* 〖해부〗 상완골(上腕骨). **~berge** *f.* (갑옷의) 팔가리개. **~beuge** *f.* ① 팔오금. ②〖체조〗 팔굽히기. **~binde** *f.* ① 삼각건(巾)(부상당한 팔을 어깨에 걸어매는 붕대). ② 완장. **~blatt** *n.* (겨드랑이의) 땀받이. **~bruch** *m.* 팔의 골절.
Armbrust 《lat.》 *f.* ..brüste 석궁(石弓).
Armbruster *m.* -s, - ① 석궁 제작자. ② 석궁 사수.
Ärmchen *n.* -s, - 〖↑ Arm의 축소형〗 작은 팔(모양의 것).
arm·dick *a.* 팔만큼 굵은, 팔뚝 굵기의.
Arme* *der/die* 가난〔불쌍〕한 사람; ich ~r! 가련한 나; ~ und Reiche 부자도 빈자도.
*__Armee__ [arméː] 《fr. armer, „bewaffnen"》 *f.* -n [..méːən] ① (a) 군대(육·해·공군의 총칭): in die ~ eintreten 군대에 입대하다; 〖비유〗 zur großen ~ abberufen〔versammelt〕 werden 죽다. (b) 군단. ②〖비유〗다수, 대군.
Armee≈artillerie *f.* 〖軍〗 포병. **~befehl** *m.* 군의 명령. **~bericht** *m.* 전황 보고. **~flugzeug** *n.* 군 비행기. **~gebiet** *n.* 군관구(軍管區). **~korps** *n.* 군단(약어: AK). **~lieferant** *m.* 군납업자. **~oberkommando** *n.* 군 사령부. **~train** *m.* 군 보급부대. **~verordnungs·blatt** *n.* 군사 관보(官報).
*__Ärmel__ [ɛ́rməl] *m.* -s, - 소매: jn. am ~ zupfen (슬며시 주의를 주기 위해) 누구의 소매를 잡아당기다; 〖비유·구어〗 sich³ die ~ hochkrempeln 소매를 걷어부치다, 열심히 일하다; 〖비유·구어〗 sich³ et. aus dem ~ schütteln 무엇을 손쉽게 해치우다; 〖은어〗 leck mich am ~! 날 좀 제발 내버려 둬!
Ärmel≈aufschlag *m.* (소매의) 접은 부분, 커프스; 〖軍〗 수장(袖章). **~halter** *m.* 소매대님, (소매용) 가터. **~kanal** *m.* 도버〔영불〕 해협. **~loch** *n.* 소매통.

ärmellos *a.* 소매 없는.
Ärmel=meer *n.* ~kanal. **~patte** *f.* ↑ ~aufschlag. **~puffe** *f.* 불룩한 옷소매. **~schoner** *m.* 소매용 토시〔덮개〕.
armen 《I》 *i.* (s.) 가난하게 되다. 《II》 *t.* 〖고어〗 가난하게 만들다.
Armen=anstalt *f.* 빈민 구호〔숙박〕 시설. **~anwalt** *m.* 〖法〗 (빈민 구호법에 따른) 관선 무료 변호사. **~arzt** *m.* 〖고어〗 무료 진료소 의사. **~becken** *n.* 자선 냄비. **~behörde** *f.* 빈민 구제국. **~büchse** *f.* 자선함. **~fürsorge** *f.* 빈민 구제. **~geld** *n.* ① 구빈세(稅). ② 빈민 의연금. **~gesetz** *n.* 빈민 구호법. **~haus** *n.* 〖고어〗 빈민 구호〔숙박〕 시설.
Armenien [arméːniən] 아르메니아(소아시아의 공화국).
Armenier *m.* -s, - 아르메니아 사람.
armenisch *a.* 아르메니아의.
Armen=kasse *f.* ① 〖옛뜻〗 빈민 구제 기금. ② 〖비유·구어〗 et. aus der ~ kriegen 실컷 두들겨 맞다. **~pflege** *f.* 〖고어〗 빈민 구제. **~pfleger** *m.* 〖고어〗 빈민 구호 위원. **~recht** *n.* 〖法〗 빈민 무료 소송 청구권; 빈민 구호법. **~steuer** *f.* ↑ ~pflege. **~vater** *m.* 빈민 구호 위원. **~viertel** *n.* 빈민굴〔촌〕. **~wesen** *n.* 빈민 구호 시설.
Arme·sünder 《der „arme Sünder" 에서》 〔앞부분이 형용사적 어미 변화를 함〕 *m.* Armensünders, Armensünder 〖고어〗 사형수.
Armesünder=gesicht *n.* 죄의식을 느끼는 얼굴. **~glocke** *f.* 사형 집행 종. **~zelle** *f.* 사형수 감방.
Arm=feile *f.* 〖工〗 손잡이가 긴 줄. **~flor** *m.* 완상장(腕喪章). **~füßler** *m.* 〖動〗 완족류(腕足類). **~geige** *f.* 〖음악·고어〗 비올라(↑ Bratsche). **~grube, ~höhle** *f.* 겨드랑이.
armieren [armíːrən] 《lat., „bewaffnen"》 *t.* ① 〖軍〗 무장시키다. ② 〖건축〗 (철근 따위로) 보강하다: armierter Beton 철근 콘크리트. ③ (설비·부속품·장치 등을) 설치하다.
Armierung *f.* -en 무장; (철근) 보강.
Armierungs=eisen *n.* 보강 철근. **~soldat** *m.* 〖軍〗 공병.
..armig *suf.* "팔이 …한"의 뜻(보기: lang~ 팔이 긴; ein drei~er Leuchter 가지가〔팔이〕 셋인 촛대).
Armillar·sphäre [armıláːr..] 《lat. +gr.》 *f.* 〖天〗 아르밀라르 천구(天球) (고대 천구의(儀)의 일종).
Armin [armíːn] *m.* 아르민(남자 이름) (↑ Arminius).
Arminius 《lat., „der Mächtige"?》 *m.* ① 아르미니우스(남자 이름). ② 헤르만(서기 9 년에 로마군을 격파한 게르만의 영웅).
Arm=kissen *n.* 사방침(四方枕). **~korb** *m.* (팔에 걸치는) 손바구니. **~lampe** *f.* 가지 달린 (전)등. **~lang** *a.* 팔 길이만한. **~lehne** *f.* (의자의) 팔걸이. **~leuchter** *m.* ① 가지 달린 촛대〔샹들리에〕. ② 〖욕설〗 돌대가리, 멍텅구리.
ärmlich [ɛ́rmlıç] *a.* ① 초라〔옹색〕한; 빈약〔부족〕한: ein ~es Zimmer 옹색한 방; ~ gekleidet 초라한 옷차림의; seine Kenntnisse in Französisch waren recht ~ 그의 프랑스어 실력은 정말 보잘것없었다. ② 〖드물게〗 가련한, 처량한.
Ärmlichkeit [ɛ́rm..] *f.* 초라함, 옹색, 빈약.
Ärmling[1] [ɛ́rmlıŋ] 《<Arm》 *m.* -s, -e 소매 덮개.
Ärmling[2] 《<arm》 *m.* -s, -e 가난뱅이.
Arm·loch *n.* ① ↑ Ärmelloch. ② ↑ Arschloch.
Armorial [armoriáːl] 《lat.》 *n.* -s, -e (Wappenbuch) 문장집(紋章集), 문본(紋本).
Armorika [armóːrika] 아르모리카(고대 프랑스 북서부의 한 지방; 지금의 Bretagne 에 해당함).
armorikanisch *a.* 아르모리카(지방)의.
Arm=polster *n.* (의자의) 쿠션이 든 팔걸이. **~reif** *m.*, **~reifen** *m.*, **~ring** *m.* 팔찌. **~säule** *f.* 도로 푯말, 도표(道標). **~schiene** *f.* ① ↑ ~berge. ② 〖醫〗 (접골용) 부목(副木). **~schild** *m.* (손에 드는) 방패.
arms=dick *a.* ↑ armdick. **~dicke** *f.* 팔의 굵기.
armselig [ármzeːlıç] 《<mhd. armsal, „Elend"》 *a.* ① 몹시 가난한, 초라한, 빈궁한: ein ~er Anzug 남루한 양복. ② 〖흔히 폄어로〗 보잘것없는, 하찮은, 빈약〔궁색〕한, 부족한, 불충분한: ~e Ausflüchte 궁색한 핑계.
Armseligkeit *f.* -en ① 극빈, 빈궁, 초라한 행색. ② 〖복수〗 보잘것없는 것들.
Arm=sessel *m.* 팔걸이가 있는 안락 의자. **~spange** *f.* 팔찌. **~stuhl** *m.* ↑ ~sessel. **~sünder** *m.* ↑ Armesünder. **~sünderglocke** ↑ Armesünderglocke.
***Armut** [ármuːt] 《<arm》 *f.* ① 가난, 빈곤; 부족, 결핍: ~ an Blut 빈혈; 〖속담〗 ~ schändet nicht, aber sie drückt 가난은 수치는 아니나 괴로운 것; in ~ leben 가난하게 살다. ② 〖구식〗 가난한 사람들, 빈민: an der ~ will jedermann die Schuhe wischen 가난한 자는 뭇사람의 천대를 받는다.
Armuts=schein *m.*, **~zeugnis** *n.* ① 빈민 무료소송 청구권 증명서; 영세민〔생활 보호 대상자〕 증명서. ② 〖비유〗 정신적 빈곤〔무능〕의 증거: sich[3] ein ~ ausstellen〔geben〕 스스로 지적 능력이 부족함을 드러내다; das ist ein ~ für ihn 그것은 그의 무능을 입증한다.
Arm=voll *m.* -, - 한 아름: 2 ~ Holz 2 아름의 목재. **~weise** *adv.* 한 아름씩. **~zeug** *n.* ↑ ~berge.
Arndt [arnt] Ernst Moritz ~ 아른트(독일의 시인, 1769-1860).
Arnika [árnika] 《lat.》 *f.* -s ① 〖植〗 아르니카(국화과의 약용 식물). ② 〖藥〗 아르니카 진액〔추출물〕.
Arnika·tinktur *f.* 아르니카팅크.
Arnim [árnim] Achim von ~ 아르님(독일의 시인, 1781-1831).
Arno [árno] *m.* -s 《I》 〖↑ Arnold 의 애칭형〗 아르노(남자 이름). 《II》 아르노강(중부 이탈리아에 위치).
Arom [aróːm] 《gr. árōma, „Gewürz"》 *n.* -s, -e, **Aroma** *n.* -s, ..men/-s 향기, 방향(芳香); 양념, 조미료, 향료.
aromatisch [aromáːtıʃ] *a.* 방향이 있는, 냄새가 좋은, 맛 좋은, 향긋한.
aromatisieren *t.* 방향을 내게 하다, 향기나게 하다.
Aron 《gr.》 *m.* -s, -s, **Arons·stab** *m.*,

Aron(s)wurzel *f.* 〖植〗 천남성과(天南星科) 식물의 일종.
Arpeggiatur [arpɛdʒatúːr] *f.* -en 〖음악〗 일련의 분산(分散) 화음.
arpeggieren [..dʒíːrən] 《it. arpa, „Harfe"》 *t.* 〖음악〗 분산 화음으로 연주하다.
Arpeggiato [..dʒáː..], **arpeggio** [..pέdʒo] *adv.* 〖음악〗 분산 화음으로.
Arpeggio *n.* -s, -s/..peggien [..dʒiən] 〖음악〗 분산 화음.
Arrak [árak] 《frz.》 *m.* -s, -e/-s 아락술(쌀이나 당밀로 만드는 인도의 화주).
Arrangement [arɑ̃ʒəmɑ́ː] 《frz.》 *n.* -s, -s ① 〔교양〕 배열, 정리, 준비. ② 예술적으로 정리〔배열〕된 것. ③〔교양〕 조정, 화해. ④〖음악〗 편곡, 개작. ⑤ (주식 거래의) 완료, 청산.
Arrangeur [arɑ̃ʒǿːr] *m.* -s, -e ①〖교양〗 준비자, 정리자. ②〖음악〗 편곡자.
arrangieren [arɑ̃ʒíːrən] 《Ⅰ》 *t.* ① 준비〔배열·정리〕하다: könntest du wohl mal ein Treffen zwischen uns ~? 네가 좀 우리들 사이의 만남을 주선해 줄 수 있겠니? ② 예술적으로 정리〔배열〕하다. ③ 편곡〔개작〕하다: ein Lied für Chor ~ 노래를 합창곡으로 편곡하다. 《Ⅱ》 *refl.* sich ~ 화해〔합의〕하다; 〖商〗 sich mit seinen Gläubigern ~ 채권자들과 합의를 보다.
Arrangier·probe *f.* 〖연극〗 배치 연습.
Arrende 《lat.》 *f.* -n 토지〔가옥〕 임대차.
***Arrest** [arέst] 《lat.》 *m.* -(e)s, -e ①〖法〗 (가)압류: ~ auf et. legen 〔et. mit ~ belegen〕 무엇을 압류하다. ② 구류, 구금, 금고; 방과 후 학교에 남는 벌: 〖軍〗 gelinder 〔mittlerer, strenger〕 ~ 경(중(中), 중(重)) 금고. ③ 구류〔구금〕 장소.
Arrestant [arɛstánt] *m.* -en, -en 〔구식〕 피구금자; 압류 신청자.
Arrestat *m.* -en, -en 〔구식〕 체포〔구금〕된 사람.
Arrestation *f.* -en 체포, 구금.
Arrestatorium *n.* -s, ..rien [..riən] 압류 명령.
Arrest≈bruch *m.* 압류 봉인(封印)의 파기. **~gebäude, ~haus** *n.* 〖軍〗 영창. **~legung** *f.* (가)압류. **~lokal** *n.* 〔구식〕 구류소, 유치장. **~schlag** *m.* ↑ ~legung. **~strafe** *f.* 금고형. **~stube** *f.*, **~zelle** *f.*, **~zimmer** *n.* 구금실, 감방.
arretieren [aretíːrən] 《lat. -frz.》 *t.* ① 〔구식〕 체포〔구금〕하다. ② 〖工〗 제동〔제어〕하다.
Arretierung *f.* -en ① 〔구식〕 체포, 구금; 제동, 제어. ② 제동〔제어〕 장치.
Arretier·vorrichtung *f.* -en ↑ Arretierung ②.
Arrhythmie [arʏtmíː] 《gr.》 *f.* -n [..míːən] ① 불규칙성, 불규칙한 운동〔율동〕. ② 〖醫〗 부정맥(不整脈).
Arrieregarde [ariέːr|gardə] 《frz.》 *f.* -n 〖軍〗 후위(後衛) (Nachhut).
Arrival [əráɪvəl] 《engl.》 *n.* -s, -s (비행기의) 도착.
arrivieren [arivíːrən] 《frz. arriver》 《Ⅰ》 *i.* (s.) 출세〔성공〕하다: er arrivierte nun über Nacht zum nationalen Märtyrer 이제 그는 하룻밤 사이에 민족의 순교자로 부상했다. 《Ⅱ》 **arriviert** *p.a.* ↑ arriviert.
arriviert 《Ⅰ》 *p.p.* ↑ arrivieren. 《Ⅱ》 *p.a.* ① 출세〔성공〕한. ② 〔폄어〕 벼락 출세한.
Arrivierte* *der/die* 성공한〔명성을 얻은〕 사람; 〔폄어〕 벼락 출세한 사람.
arrogant [arogánt] 《frz.》 *a.* 불손한, 오만한, 건방진.
Arroganz *f.* 〔폄어〕 불손, 오만, 건방짐.
arrondieren [arɔdíːrən, arõn..] 《frz. rond, „rund"》 둥글게 하다; (경지를) 통합하여 정리하다.
Arrondierung *f.* -en 둥글게 하기; 〖農〗 경지 정리.
Arrondissement [arõdisəmɑ́ː] *n.* -s, -s ① 군(郡) (프랑스의 행정 구역). ② 구(區) (프랑스 대도시의 행정 구역).
Arrowroot [έroruːt] 《engl., „Pfeilwurzel"》 *n.* -s ① 마란타. ② 마란타의 뿌리와 덩이줄기에서 얻는 녹말 가루.
***Arsch** [arʃ] *m.* -(e)s, Ärsche [έrʃə] ① 〔비속〕 궁둥이: leck mich am ~! 날 좀 제발 내버려 둬!; 〔비유〕 am ~ der Welt 세상 끝에, 아주 먼 곳에; in den ~ gehen 실패하다; im ~ sein 망가지다, 파괴되다; Quecksilber〔Hummeln〕 im ~ haben 안절부절못하다, 침착하지 못하다; den ~ offen haben 제정신이 아니다, 돌다; jm den ~ lecken 누구 앞에서 설설 기다; jm. in den ~ kriechen 누구에게 굽신거리다; den ~ zukneifen 〔einen kalten ~ kriegen〕 죽다; einen kalten ~ haben 죽은 상태다; jn. am ~ haben 누구를 별로 좋지 않은 일에 끌어들이다; sich³ et. am ~ abfingern können 무엇을 상상할 수 있다, 가능하다고 생각하다; jm. den ~ aufreißen 누구를 지독히 들볶다〔훈련시키다〕; jm. geht der ~ mit Grundeis 누가 몹시 겁을 내고 있다. ② 〔욕설〕 얼간이, 멍청이: du ~! 이 얼간아! ③ 〖건축〗 기둥의 땅 속에 묻힌 부분.
Arsch≈backe *f.* 〔비속〕 엉덩이. **~geige** *f.* 〔비속〕 욕, 욕지거리.
Arschin [arʃíːn] *m.* -s, -(en) 옛 러시아의 길이 측정 단위(약 71 cm).
Arsch≈kriecher *m.* 〔비속·폄어〕 아첨꾼. **~lecker** *m.* ↑ ~kriecher. **~leder** *n.* 〖광업〗 바지 엉덩이판에 대는 가죽.
ärschlings [έ(ː)rʃlɪŋs] *adv.* 〔비속〕 엉덩이부터 먼저, 궁둥이 쪽으로.
Arsch≈loch *n.* 〔비속〕 항문: 〔욕설〕 du ~! 이 더러운 놈아! **~pauker** *m.* 〔비속·학생〕 선생, 꼰대. **~wisch** *m.* 〔비속·폄어〕 ("밑씻개"로나 쓰일) 형편 없는 글〔작품〕.
Arse [árzə] *f.* -n ↑ Arsis.
Arsen [arzéːn] 《gr.》 *n.* -s 〖化〗 비소(砒素) (기호: As).
Arsenal [arzenáːl] 《it.》 *n.* -s, -e ① 병기창, 무기고. ② 수집(품), 축적(물).
Arsen≈blende 《<Arsen》 *f.* 〖化〗 황화비소. **~blüte** *f.* ↑ Arsenit. **~chlorid** *m.* 염화비소.
arsenig [arzéːnɪç] 《gr.》 *a.* 비소를 함유한: ~e Säure 아비산(亞砒酸).
Arsenik *n.* -s 〖化〗 비석(砒石), 3산화비소.
Arsenikalien *pl.* 〖藥〗 비소제(劑).
arsenikalisch *a.* ↑ arsenig.
Arsenik≈blume, ~blüte *f.* ↑ Arsenblüte. **~butter** *f.* ↑ Arsenchlorid. **~essen** *n.* 비소 복용. **≈haltig** *a.* ↑ arsenig. **≈sauer** *a.*

〖化〗 비산(砒酸)의. **~säure** *f.* 〖化〗 비산. **~spiegel** *m.* 〖化〗 비소경(鏡).

Arsenit [arzeníːt, ..nít] 《gr.》 *n.* -(e)s 〖化〗 아비산염(亞砒酸塩).

Arsen=kies *m.* 〖광물〗 독사(毒砂), 황비(黃砒) 철광. **~säure** *f.* 〖化〗 비산(砒酸). **~vergiftung** *f.* 〖醫〗 비소 중독.

Arsis [árzɪs] 《gr. aírein, „heben"》 *f.* ..sen ① (↔ Thesis) (고대 시학에서) 약음부. ②〖음악〗 상박(上拍).

***Art**[1] [aːrt] *f.* -en ① 본성, 성질, 특성, 기질: von deutscher ~ 독일적인, 독일풍의; es liegt nicht in meiner ~ (es entspricht nicht meiner ~) 그것은 내 성미에 맞지 않는다; diese Dinge sind von der ~, daß... 이 물건들은 …와 같은 성질의 것이다. ② 방법, 방식, 양식, 풍(風), 유(流): die ~ und Weise 방법, 방식; Spaghetti nach Mailänder ~ 밀라노식 스파게티; auf diese ~ (in dieser ~) 이런 식으로; auf keinerlei ~ 아무리 해도 …되지 않다; die beste(einfachste) ~, et. zu tun 무엇을 하는 최선의(가장 간단한) 방법; er hat mich der ~ (=derart) beleidigt 그는 나를 이렇게(이런 식으로) 모욕했다. ③ (바른) 행실, 태도: das ist keine ~! 그건 돼먹지 못했다!; 〖구어〗 daß es (nur so) eine ~ hat 더 좋을 수 없을 만큼, 훌륭하게. ④ **(a)** 종류, 부류: Gemüse aller Art(en) 온갖 종류의 채소; er gehört zu der ~ von Menschen, die... 그는 …한 부류의 사람들에 속한다; aus der ~ schlagen 나머지 가족들과 다르다, 변종이다; in js. ~ schlagen 누구를 닮다; 〖속담〗 ~ läßt nicht von ~ 그 아버지에 그 아들. **(b)** 비슷한 것: eine ~ Professor 일종의 교수, 교수 비슷한 사람. ⑤〖動·植〗 종(種) (속(屬) (Gattung)의 하위). ⑥〖고어〗 태생, 내력, 혈통. ⑦ 양태 부사.

Art[2] 《ahd. art, „Ackerung"》 *f.* -en 〖고어〗 경작(지).

Art. =Artikel 조, 조항.

Artamane [artamáːnə] *m.* -n, -n (Weimar 공화국 시대의) 농업 지원 청년.

Artamanenschaft *f.* -en 농촌 청년 동맹(금주 운동 따위를 전개함).

Art=angabe *f.* 〖언어〗 양태 부사어. **~begriff** *m.* 〖논리〗 종(種)개념(↔ Gattungsbegriff). **~charakter** *m.* 종의 특성.

Art déco [ardekó] 《frz.》 *m./n.* - - 아르데코(1920-40 년에 있었던 디자인 운동).

Artdirector 新정서 ⇦ Art-Director.

Art-Director [aːtdiréktə] 《engl.》 *m.* -(s), -s (광고 회사의 레이아웃 담당) 예술 부장.

ARTE 〖방송〗 독일·프랑스의 합작 문화 전문 방송.

Artefakt [artefákt] 《lat.》 *n.* -(e)s, -e ① 인공물, 예술품, 공예품. ②〖고고〗 선사 시대의 도구(유물). ③〖醫〗 인위적 신체 상해, 자해 행위. ④〖전자〗 방해 신호.

art·eigen *a.* 종(種) 고유(특유)의, 동종의.

Artel [artɛ́l] 《russ., „Gemeinschaft"》 *n.* -s, -s ① (제정 러시아의) 노동자 협동 조합. ② (구소련의) 농업 생산 협동 조합.

Artemis [ártemɪs] *f.* 〖그리스신화〗 아르테미스(사냥의 여신; ↑ Diana).

arten[1] [áːrtən] 《<Art[1]》《I》 *i.* (s.) 비슷해지다, 닮아가다: nach jm. ~ 누구를 닮다. 《II》 *t.* (어떤 성질을) 부여하다: die Natur hat die Rose so geartet, daß sie Stacheln hat 자연은 장미를 가시가 있도록 만들었다. 《III》 **geartet** *p.a.* ↑ geartet.

arten[2] 《<Art[2]》 *t.* 〖고어〗 경작하다, 갈다.

arten=reich *a.* 〖生〗 종(種)이(종류가) 다양한, 다종의. **~reichtum** *m.* 〖生〗 종(種)의 다양함, 다종. **~schutz** *m.* 종(種)의 보호.

art·erhaltend *a.* 〖生〗 종(種)을 보존하는.

***Arterie** [artéːriə] 《gr.》 *f.* -n 〖해부〗 (↔ Vene) 동맥.

arteriell [..riɛ́l] *a.* 동맥의.

Arterien=geräusch *n.* 〖醫〗 동맥 잡음. **~kammer** *f.* 심실(心室). **~klemme** *f.* 동맥 겸자(鉗子). **~verkalkung** *f.* 동맥 경화.

Arteriitis *f.* ..tiden [..tíːdən] 〖醫〗 동맥염.

Arteriosklerose [arteːrio|skleróːzə] *f.* -n 〖醫〗 동맥 경화증.

arteriosklerotisch *a.* 동맥 경화의(로 야기된).

artesisch [artéːzɪʃ] *a.* 아르투아(Artois, 프랑스의 서북 지방)의: ~er Brunnen a) 아르투아식 우물, b) 천연 분수.

art=fremd *a.* 이종(異種)의, 이질적인: ~es Eiweiß 이종 단백질. **~genosse** *m.* 동종의 생물, 동성질자(同性質者).

arthaft *a.* 종(족)의 특질을 지니고 있는.

Arthralgie [artralgíː] 《gr. árthron, „Gelenk"》 *f.* -n [..gíːən] 〖醫〗 관절(신경)통.

Arthritiker *m.* -s, - 〖醫〗 관절염 환자.

Arthritis *f.* ..tiden [..tíːdən] 〖醫〗 통풍(痛風), 관절염.

Arthropoden *pl.* 〖動〗 절지 동물.

Arthrose *f.* -n 〖醫〗 (퇴화로 인한) 관절통.

Arthur [ártur] *m.* ↑ Artur.

artifiziell [artifitsiɛ́l] 《lat. -frz.》 *a.* 인공적(인위적)인; 부자연스러운.

***artig** [áːrtɪç] 《<Art[1]》 *a.* ① 점잖은, 얌전한: sei ~! 얌전히 있어! ②〖雅語·구식〗 정중(공손)한: er ist ihr gegenüber sehr ~ 그는 그녀에게 매우 정중하다. ③〖구식〗 귀여운, 애교있는, 사랑스러운.

..artig *suf.* "…의 성질을 지닌"의 뜻(보기: eigen~ 특수한; groß~ 대규모의).

Artigkeit *f.* -en 얌전함, 점잖음; 정중, 공손; 공손한 말투, 듣기 좋은 말, 아첨.

***Artikel** [artíːkəl, ..tíkəl] 《lat. articulus, „kleines Gelenk, Glied"》 *m.* -s, - ① **(a)** 조항, 항목: ~ 1 der Verfassung 헌법 제 1 조. **(b)** 교리, 강령. ② 짧은 논문, 논설; 기사: Zeitungs~ 신문 기사. ③〖商〗 상품, 물품, 품목: ein billiger ~ 값싼 품목; einen ~ führen 상품을 비치하다. ④〖문법〗 관사: bestimmter(unbestimmter) ~ 정(부정)관사.

artikular [artikuláːr] *a.* 〖生·醫〗 관절의.

Artikulate *m.* -n, -n 〖動〗 환형 동물.

Artikulation *f.* -en ①〖醫〗 분리, 관절 접합; 상하치(上下齒)의 교합(咬合). ② (음절을 끊어서 내는) 명료한 발음, 분절음(分節音); 〖언어〗 조음(調音). ③〖음악〗 모음과 자음의 발음; 음의 분리, 연결과 강조. ④ (말로 하는) 표현: die ~ der Gedanken 생각을 (말로) 표현함.

Artikulations·störung *f.* 조음 장애.

artikulatorisch *a.* 조음(상)의, 조음에 관한.

artikulieren *t.* 《I》 ① (음절·단어를) 분명히

말하다, 음절로 나누어 명확히 발음하다. ② (생각·느낌을) 말로 표현하다. 《Ⅱ》 *refl.* sich ~ (생각·입장을) 명확히 드러내다〔보이다〕: er kann sich schlecht ~ 그는 자기 표현이 서투르다.

***Artillerie** [artɪlərí:, ártɪləri] 《frz.》 *f.* -n [..rí:ən, ..ri:ən] 〖軍〗 중화기, 대포; 포병대: motorisierte〔schwere〕 ~ 기갑〔중〕포병대.

Artillerie≈feuer *n.* 집중 포격. **~flieger** *m.*, **~flugzeug** *n.* (탄착(彈着) 관측용) 포병 비행기. **~-und Ingenieur·schule** *f.* 포병·공병 학교. **~wagen** *m.* 탄약차. **~-werk·stätte** *f.* 포병 공창(工廠). **~wesen** *n.* 포술(砲術).

Artillerist [artɪlərɪ́st] 《frz.》 *m.* -en, -en 포병.

artilleristisch *a.* 포병〔포술〕의.

Artischocke [artiʃɔ́kə] 《ar. -it.》 *f.* -n 〖植〗 엉겅퀴, 엉거시.

Artist [artɪ́st] 《frz. <lat. ars, „Kunst“》 *m.* -en, -en ① (곡마단 따위의) 곡예사. ②〖드물게〗 탁월한 예술가.

Artisten·fakultät *f.* 중세 대학의 7학예과 (문법·수사·논리·산술·기하·음악·천문).

Artistik *f.* ① 곡예. ② 능숙한〔숙련된〕 몸의 움직임; 뛰어난 기교.

artistisch *a.* ① 곡예의. ② 숙련된, 능숙한; 기교가 뛰어난.

Artistschaft *f.* -en 곡예사 집단.

Art·kennzeichen *n.* ↑ ~charakter.

Art nouveau [arnuvó] *f.* - - 아르누보(↑ Jugendstil 에 대한 프랑스·영국에서의 명칭).

Artothek [artoté:k] 《lat. +gr.》 *f.* -en (미술품을 빌려주는) 대여 화랑〔미술관〕.

Artung [á:ɾtʊŋ] *f.* -en 〖드물게〗 본질, 특성, 성질.

Art·unterschied *m.* ①〖生〗 종(種)의 차이. ② 본질적 차이.

Artur [ártur] 《klt., „Bär“》 *m.* 아르투어(남자 이름).

Artus *m.* 아서왕(중세 영국의 전설적 왕으로 기사도의 전형).

Artus·sage *f.* 아서왕 전설.

art≈verwandt *a.* 종(種)이 유사한, 유사종의; 같은 혈통의; 유사한 성질의. **~wort** *n.* 〖문법〗 형용사(Adjektiv).

Arve [árvə] *f.* -n 〖植〗 서양잣나무.

***Arznei** [a:ɾtsnáɪ] *f.* -en 약, 약제, 약품: jm. ~ geben 누구에게 투약하다; eine ~ einnehmen〔nehmen〕 약을 복용하다; eine ~ verschreiben〔verordnen〕 약을 처방하다; 〖비유·구어〗 etwas ist für jn. eine bittere ~ 무엇은 누구에게 씁쓸한 교훈〔경험〕이다.

Arznei≈bereitung *f.* 조제(調劑). **~buch** *n.* 약전(藥典), 약국방(藥局方). **~exantheme** *pl.* 〖醫〗 (약의 부작용으로 인한) 약진(藥疹). **~fläschchen** *n.* ↑ ~glas. **~festigkeit** *f.* 약물에 대한 내성(耐性). **~formel** *f.* 처방. **~geschäft** *n.* 약국. **~glas** *n.* 약병. **~-kräuter** *pl.* 약초. **~kunde, ~kunst** *f.* ↑ ~lehre. **~lehre** *f.* (제)약학(Pharmazie).

arzneilich *a.* 약(물)의, 약에 관한.

Arznei≈mittel *n.* 약, 약제, 의약품. **~mittel·lehre** *f.* (Pharmakologie) 약리〔약물〕학. **~pflanze** *f.* 약용 식물. **~taxe** *f.* 공정 약값. **~trank** *m.* 물약. **~ware** *f.* 약품. **~wesen** *m.* 약물; 약제(藥劑) 제도. **~wissenschaft** *f.* 약학; 조제학. **~zettel** *m.* 약명전(藥名箋), 약이름표.

***Arzt** [a:ɾtst] *m.* -es, Ärzte [ɛ́:ɾtstə] 의사: ein praktischer ~ (전문의가 아닌) 일반 의사; einen ~ holen lassen 〔nach einem ~ schicken〕 의사를 부르러 사람을 보내다; einen ~ konsultieren 의사의 진찰을 받다; zum ~ gehen 병원에 가다.

Ärzte·kammer [ɛ́:ɾtstə..] *f.* 의사회.

Ärzteschaft [ɛ́:ɾtstə..] *f.* (전체) 의사 집단.

Arzt≈finger *m.* 약손가락, 약지. **~gebühr** *f.* 진찰료〔비〕. **~helferin** *f.* 의사 여보조원, 진료 조수.

Ärztin *f.* -nen ↑ Arzt 의 여성형.

ärztlich *a.* 의사의; 의술〔의료〕의: ein ~es Attest 의사의 진단서.

Arzt≈rechnung *f.* (의사의) 진료 계산서. **~roman** *m.* 의사 소설(의사와 환자 또는 간호사간의 사건이 중심을 이룸).

As[1] [as] *n.* Asses, Asse ①〖카드〗 에이스; (주사위의) 1. ②〖구어·비유〗 1류 선수, 1인자: ein ~ im Boxen 복싱의 1인자; 〖경박〗 ein ~ auf der Baßgeige 약삭 빠른 놈. ③〖테니스〗 서브 에이스; 〖골프〗 홀인원. ④〖광고〗 인기 품목.

As[2] *m.* Asses, Asse 아스(고대 로마의 화폐〔무게〕 단위).

As[3] *n.* -, -〖음악〗 내림가(장조).

As[4] =Arsen 비소(砒素).

as *n.* -, - 내림가(단조).

a.S. ① =an der Saale 잘레 강변의. ② =auf Sicht 일람(一覽)으로.

A-Saite *f.* -n (현악기의) A〔가장조〕 현.

Asa *f.*, **Asa foetida** [á:za fø:tida] *f.* - -, **Asant** [azánt] *m.* -s 〖藥〗 수액(樹液)으로 만든 약(진통제·구충제).

asb =Apostilb 아포스틸브(휘도(輝度)의 단위).

Asbest [asbɛ́st] 《gr.》 *m.* -(e)s, -e 〖광물〗 석면.

asbest·artig *a.* 석면성의, 불연성의.

Asbestose *f.* -n 〖醫〗 석면 폐증(진폐증의 일종).

Asbest·platte *f.* 보온용 받침, 보온판.

Ascenseur [asɑ̃sø:ɾ] 《frz.》 *m.* -s, -e 〖工〗 승강기.

Asch [aʃ] *m.* -es, Äsche [ɛ́ʃə] ①〖식물·고어〗 서양물푸레나무(Esche). ② (md.) (원래는 물푸레나무로 만든) 대접, 사발.

Aschanti[1] [aʃánti] *m* -, - 아샨티족(서아프리카 황금 해안의 흑인).

Aschanti[2] *f.* (öst.) 땅콩.

Aschanti·nuß *f.* ↑ Aschanti[2].

asch≈artig *a.* 재 모양의. **~becher** *m.* ↑ Aschenbecher. **~bleich** *a.* 회백색의, 몹시 창백한. **~blond** *a.* 잿빛을 띤 금발의.

***Asche** [áʃə] *f.* -n ① 재; 〖化〗 회분(灰分): vulkanische ~ 화산재; 〖비유〗 aus der ~ erstehen 부흥하다; et. in ~ verwandeln 〔et. zu ~ verbrennen〕 무엇을 태우다; et. in (Schutt und) ~ legen 무엇을 잿더미로 만들다; 〖농담〗 sich[3] ~ aufs Haupt streuen 후회하다; 〖聖〗 in Sack und ~ gehen (베옷을 입고 재를 뒤집어 쓰며) 참회하다(마태 11: 21). ②〖구어〗 (잔)돈: blanke ~ 은화; ~ abladen 지급하다, 돈을 내다. ③〖시어〗 유골.

③ 먼지.

Äsche [ɛ́ʃə] *f.* -n 〖動〗 연어속의 민물고기.

Asche·gehalt *m.* 〖工〗 회분(灰分) 함유량.

Aschen≈bahn *f.* 석탄재를 깐 경주로. **~becher** *m.* 재떨이. **~behälter** *m.* (난로 밑의) 재받이. **~brenner** *m.* 〚고어〛 (유리·비누 공장을 위한) 목탄 제조 판매자. **~brödel** *n.* ↑ ~puttel. **~fall** *m.* 재가 떨어짐. **~fall·tür** *f.* 〖工〗 재받이문. **~farbig** *a.* 회색의. **~grube** *f.* 재〔쓰레기〕 구덩이. **~kasten** *m.* 재받이 상자. **~kegel** *m.* 〖지질〗 화구(火丘). **~klappe** *f.* 재받이문. **~kraut** *n.* 〖植〗 시네라리아. **~krug** *m.* 유골 단지. **~kuchen** *m.* 재에 구운 케이크. **~loch** *n.* 잿구덩이. **~pflanze** *f.* ↑ ~kraut. **~puttel** *n.* (Grimm 동화의) 재투성이 아저씨; 〚비유〛 부엌데기, 천덕꾸러기 여자. **~salz** *n.* 탄산칼륨 (Pottasche). **~tuch** *n.* ↑ Äschertuch. **~urne** *f.* ↑ ~krug. **~wurz** *f.* ↑ Eberwurz. **~zieher** *m.* 〖광물〗 전기석(石) (Turmalin).

Ascher [áʃər] *m.* -s, - ↑ Aschenbecher.

Äscher [ɛ́ʃər] *m.* -s, - ① 광택용 잿물〔유약〕; 〖제혁〗 무두질용 잿물(석회와 회의 혼합액). ② 잿물통, 잿물구덩이.

Ascher·mittwoch *m.* 〖가톨릭〗 재의 수요일 (사순절 첫 날; 참회 의식으로 재를 이마에 바름).

äschern *t.* 광택용 잿물〔유약〕을 바르다; 재를 뿌리다〔바르다〕; 잿물에 담가 무두질하다.

Äscher·tuch *n.* 잿물 내리는 헝겊.

asch≈fahl *a.* ↑ ~bleich. **~farbe** *f.* 잿빛, 회색. **~farben, ~farbig, ~grau** *a.* 잿빛의, 회색의: 〚구어〛 das geht ja ins Aschgraue 그것은 끝〔한〕이 없구나; bis ins Aschgraue 싫증이 날 때까지, 굉장히 오랫동안.

aschicht, aschig *a.* 재로 된, 재 같은; 잿빛 금발의.

Aschkenasi 《hebr.》 *m.* -, -m (↔ Sephardi) 아슈케나지(동·중부 유럽의 유대인).

aschkenasisch *a.* 동유럽 유대인의.

Asch≈kraut *n.* ↑ Aschenkraut. **~kuchen** *m.* (md.) 재에서 구운 (사발 모양의) 케이크.

Aschlauch [áʃlaux] 《lat.》 *m.* 〖植〗 파의 일종 (Schalotte).

Äschling *m.* -s, -e ↑ Äsche.

Aschram 《skt.》 *m.* -s, -s 명상을 하기 위한 인도의 수도원.

äschyleisch [ɛʃyléːɪʃ, ɛsçy..] *a.* 아이스킬로스풍의.

Äschylus [ɛ́ːʃylus, ɛ́ːsçy..] *m.* 아이스킬로스 (고대 그리스의 비극 작가, 525-456 B.C.).

Ascorbin·säure *f.* ↑ Askorbinsäure.

As-Dur [ásduːr] *n.* - 〖음악〗 내림 가장조.

Ase [áːzə] *m.* -n, -n 〖북구신화〗 아제(신족(神族)의 하나).

ASEAN [éːsiɛn] 《engl.》 = Association of South East Asian Nations 〖政〗 동남 아시아 국가 연합.

ASEAN-Staaten *pl.* ASEAN 소속 국가들.

äsen [ɛ́ːzən] 《Aas》 *i.* (h.) / *t.* 〖사냥〗 (초식 동물이) 먹다.

Asepsis [azɛ́psɪs] 《gr.》 *f.* 〖醫〗 무균(無菌).

Aseptik *f.* 〖醫〗 방균〔방부·소독〕법.

aseptisch *a.* ① 무균〔방부〕의. ② 전염되지 않는.

Aseptol *n.* -s 방부 소독제.

Äser[1] [ɛ́ːzər] *m.* -s, - 〖사냥〗 (초식 동물의) 입, 주둥이.

Äser[2] *pl.* ↑ Aas.

Aserbaidschan, Aserbeidschan 아제르바이잔(카스피해 연안의 국가).

Aserbaidschaner, Aserbeidschaner *m.* -s, - 아제르바이잔 사람.

aserbaidschanisch, aserbeidschanisch *a.* 아제르바이잔(사람)의.

asexual, asexuell [(또는) a(ː)zɛksuɛ́l] 《gr.》 *a.* ① 성(性)에 대해 무감각한, 불감증의. ② 성의 구별이 없는, 무성의.

Asgard [áːsgart] *m.* -(e)s, -e 〖북구신화〗 아제 신족(神族)이 사는 하늘의 궁전(↑ Ase).

Asiat [aziáːt] *m.* -en, -en 아시아인.

asiatisch *a.* 아시아의.

***Asien** [áːziən] 아시아.

Asien·krise *f.* 〖經〗 (1997-98 년 동남 아시아 국가에서 발생한) 아시아의 경제 위기.

Askanier [askáːniər] *m.* -s, - 아스카니어 (옛 독일의 왕족).

Askari [askáːri] 《ar., „Soldat"》 *m.* -s, -s 동아프리카 구독일 식민지의 현지인 군인.

Askaris [áskarɪs] 《gr.》 *f.* ..riden [..ríːdən] 회충(Spulwurm).

***Askese** [askéːzə] 《gr., „Übung"》 *f.* 금욕, 고행.

Asket [askéːt] *m.* -en, -en 금욕자, 고행자.

Asketik *f.* ↑ Aszetik.

Asketiker *m.* -s, - ↑ Aszetiker.

asketisch *a.* 금욕의, 고행의; 금욕하는, 고행하는, 고행자와 같은.

Askeptismus [askeptísmus] *m.* 금욕주의.

Asklepiadazee [asklepiadatséː] 《<Asklepios》 *f.* -n 〖植〗 당면(唐棉) (박주가릿과).

Asklepiades 아스클레피아데스(그리스의 의사로 B.C. 100 년경에 죽음).

Asklepios [askléːpiɔs] 《gr.》 *m.* 〖그리스신화〗 아스클레피오스(의술의 신으로 Apollo와 Koronis 의 아들).

Askorbin·säure *f.* 〖化〗 아스코르빈산(야채나 과일 따위에 있는 비타민 C).

Äskulap [ɛskuláːp] 《gr. -lat.》 ① *m.* ↑ Asklepios 의 라틴어 이름. ② *m.* -s, -e 〚비유〛 의사.

Äskulap≈natter *f.* 〖動〗 독 없는 뱀의 일종. **~schlange** *f.* ↑ Äskulap 지팡이의 뱀. **~stab** *m.* 뱀이 감겨 있는 ↑ Äskulap 지팡이 (의학의 상징).

Asmodi [asmóːdi] 《aram., „Zerstörer"》 *m.* -s (구약 성서와 유대인 민간 신앙에 나오는) 부부에게 화를 입히는 악귀.

as-Moll [ásmɔl] *n.* - 〖음악〗 내림 가단조.

Asmus [ásmus] *m.* ↑ Erasmus 의 단축형.

asomatisch [azomáːtɪʃ] 《gr. sõma, „Körper"》 *a.* 형체가 없는.

Äsop [ɛzóːp], **Äsopos, Äsopus** 이솝(고대 그리스의 우화 작가).

äsopisch *a.* 이솝(풍)의; 〚구식〛 재치 있는, 재기 넘치는.

Asowsche Meer [áːsɔf.., asɔf..] *n.* 아조프해(흑해의 일부).

asozial [azotsiáːl, á(ː)zotsiaːl] *a.* ① 비사회적〔비사교적〕인. ② 반사회적인, 사회에 해가 되는: ein ~es Verhalten 반사회적인 행동.

Asozialität *f.* 비사교〔반사회〕성.

Asparagin [asparagí:n] 《gr. -lat.》 *n.* -s 〖化〗 아스파라긴(아스파라거스에서 추출한 유기 화합물).
Asparagus *m.* -, - ① 아스파라거스(Spargel). ② 장식용 아스파라거스의 총칭.
Aspasia [aspá:zia], **Aspasie** 《gr., „die Willkommene"》 *f.* ① 여성 이름. ② 아스파시아(고대 그리스의 여성으로 Perikles 의 애인).
Aspe [áspə] *f.* -n 사시나무(Espe).
***Aspekt** [aspɛ́kt] 《lat. aspectus》 *m.* -(e)s, -e ① 시각, 관점, 견해: unter diesem ~ betrachtet 이런 관점에서 고찰해 보면. ② 〖天〗 성위(星位). ③ 〖문법〗 (특히 슬라브 언어들에서 동사의) 체(體), 동작 양태.
Aspergill [aspɛrgíl] 《lat.》 *n.* -s, -e 〖가톨릭〗 ① 성수를 뿌려주는 종려나뭇잎. ② 관수기(灌水器) (Weihwasserwedel).
Aspersion [..zió:n] 《lat.》 *f.* -en 〖가톨릭〗 관수, 성수 뿌리기.
aspermatisch 《gr.》 *a.* 〖醫〗 정액 결핍의.
Aspermatismus *m.* - 정액 결핍증, 사정 불능.
***Asphalt** [asfált, ásfalt] 《gr.》 *m.* -(e)s, -e 아스팔트.
Asphalt·beton [..tɔ̃:, ..to:n] *m.* 아스팔트 콘크리트.
asphaltieren *t.* (길에) 아스팔트를 깔다.
asphaltisch *a.* 아스팔트의.
Asphalt-lack *m.* 부식 방지용 도료(기름을 섞어 녹인 아스팔트 용액). **~literatur** *f.* 아스팔트 문학(대도시 문화를 배경으로 삭막한 인간 정서를 다룬). **~pappe** *f.* 아스팔트 판지(板紙). **~pflaster** *n.* 아스팔트 포장(도로). **~presse** *f.* 통속 신문. **~schicht** *f.* (도로의) 아스팔트층. **~straße** *f.* 아스팔트 포장 도로.
Asphodill [asfodíl] *m.* -s, -e 〖植〗 ↑ Affodill.
asphyktisch [asfʏ́ktɪʃ] 《gr.》 *a.* 〖醫〗 질식의, 가사성(假死性)의.
Asphyxie [..ksí:] *f.* -n [..sí:ən] 〖醫〗 질식, 가사.
Aspik [aspí:k] 《frz.》 *m.*/(öst.) *n.* -s, -e 〖요리〗 고기〔생선〕 젤리.
Aspirant [aspiránt] 《frz.》 *m.* -en, -en ① 지원자, 임용 후보자. ② 〖구동독〗 대학의 신진〔소장〕 학자, 교수 임용 후보자.
Aspirantur *f.* -en 〖구동독〗 신진 학자 양성 특별 과정.
Aspirata *f.* ..ten/..tä 〖언어〗 기식음(氣息音) (h 따위), 대기(帶氣) 폐쇄음(ph, th, kh 따위).
Aspirateur [..tǿ:r] 《frz.》 *m.* -s, -e (제분소에서 곡물 정화를 위한) 흡진기(吸塵機).
Aspiration [..tsió:n] *f.* -en ① 〔교양〕 (a) 노력, 추구: ~en auf〔nach〕 et.[3] haben 무엇을 얻고자 노력하다. (b) 희망, 야심; 야심찬 계획. ② 〖醫〗 흡인. ③ 〖언어〗 기식음 발성.
Aspirator [..rá:tɔr, ..to:r] *m.* -s, -en [..tó:rən] 〖化〗 흡기기(吸氣器); 〖醫〗 흡출기(吸出器).
aspiratorisch *a.* 흡인에 관계된; 기식음을 동반한.
aspirieren *t.* 《I》 *t.* ① 〔고어〕 얻고자 노력하다, 추구하다; 기대〔열망〕하다. ② 〖醫〗 흡인하다. ③ 〖언어〗 기식음을 섞어 발음하다. 《II》 *i.* (öst.) (auf et.) (무엇에) 지망〔지원〕하다, (무엇을 얻고자) 노력하다.
Aspirin [aspirí:n] *n.* -s 〖藥〗 아스피린.
Aspis·viper *f.* 〖動〗 살무사의 일종.
aß [a:s] ↑ essen 의 과거형.
Ass 新정서 ⇦ As[1].
Ass. =Assesor 시보; Assistent 보좌관.
assai [asái] 《it.》 *adv.* 〖음악〗 매우, 충분히: allegro ~ 매우 빠르게.
assanieren [asaní:rən] 《lat. sanus, „gesund"》 *t.* (öst.) (위생 상태를) 개선하다, 청결하게 하다; (위생적으로) 개량하다.
Assanierung *f.* -en (öst.) 주택 개량, 재개발.
Assassine [asasí:nə] 《ar. -it.》 *m.* -n, -n ① 〔고어〕 암살자, 자객. ② 마호멧교의 한 종파(중세 기독교도를 살해하기도 함).
äße [ɛ́:sə] ↑ essen 의 접속법 Ⅱ 식.
Assekurant [asekuránt] 《lat. -it.》 *m.* -en, -en 〔고어〕 보험업자.
Assekuranz *f.* -en 〔고어〕 보험(회사).
Assekurat *m.* -en, -en 〔고어〕 피보험자.
assekurieren *t.* 〔고어〕 보증하다; 보험에 들다: sein Leben ~ 자신의 생명을 보험에 들다.
Assel [ásəl] *f.* -n 〖動〗 쥐며느리; 지네.
Assemblee [asɑ̃blé:] 《frz.》 *f.* -n 집회, 모임: ~ nationale (현재의) 프랑스 국회.
Assembler [əsɛ́mblə] 《engl.》 *m.* -s, - 어셈블러 언어(컴퓨터 프로그램용 언어).
Assembling [əsɛ́mblɪŋ] 《engl.》 *n.* -s, -s 〖經〗 기업 합병.
Assensus *m.* -, - 찬성, 동의.
assentieren 《I》 *i.* (h.) 동의하다. 《II》 *t.* 〖軍〗 (öst.) 징병 검사하다.
Assertion [asɛrtsió:n] *f.* -en 주장, 단언.
assertorisch *a.* 단언적〔단정적〕인: 〖哲〗 ~es Urteil 정언 판단.
Asservat [asɛrvá:t] *n.* -(e)s, -e ① 〖法〗 증거물. ② 보관물.
Asservaten·kammer *f.* 증거물 보관 장소.
Asservation *f.* -en 보관, 저장.
asservieren *t.* 〔구식〕 보관〔저장〕하다.
Assessor [asɛ́sɔr, ..so:r] *m.* -s, -en [..só:rən] 시보(試補); (고위 관직) 임용 후보자.
Asssesorin *f.* -nen 〔↑ Assessor 의 여성형〕 여자 시보.
assessoral, assessorisch *a.* 시보의.
Assibilation [asibilatsió:n] *f.* -en 〖음성〗 ① 폐쇄음의 마찰음화(보기: 고트어의 ik 가 신고독일어의 ich 로 변하는 현상). ② 폐쇄음의 파찰음화(보기: t 음이 ts 음으로 변하는 현상).
assibilieren *t.* 〖음성〗 마찰음으로 발음하다.
Assibilierung *f.* -en ↑ Assibilation.
Assiduität [asiduitɛ́:t] *f.* 〔구식〕 지속적인 추구, 고집스런 노력.
Assiette [asiɛ́tə] 《frz.》 *f.* -n ① 〔구식〕 (평평한) 접시; (öst.) 전채(前菜) (Vorspeise). ② 기분, 컨디션: eine gute ~ haben 컨디션이 좋다. ③ 위치, 상태.
Assignant [asɪgnánt] 《lat. assignare, „anweisen"》 *m.* -en, -en 〖商·구식〗 어음 발행인.
Assignat [..gná:t] *m.* -en, -en 〖商·구식〗 어음 지급인.
Assignatar *m.* -s, -e 〖商·구식〗 어음 수취인.
Assignate *f.* -n 〔고어〕 환어음; (프랑스 혁명 당시의) 애시냐 지폐.

Assignation [..tsió:n] *f.* -en 〖고어〗 어음 발행.
assignieren *t.* 〖고어〗 (어음을) 발행하다.
Assimilation ⟪lat. similis, „ähnlich"⟫ *f.* -en ① 동화, 적응: die ~ an bestehende Verhältnisse 기존 환경에의 적응. ②〚生〛 동화 작용. ③〚사회〛 (소수 민족의 어떤 민족에의) 동화. ④〚心〛 (특정 관념의 기존 관념으로의) 동화, 융합. ⑤〚음성〛 (음이나 소리의) 동화(보기: 중고 독일어의 Zimber 가 Zimmer 로 되는 현상). ⑥〚지질〛 (암반이나 마그마의) 혼융.
assimilatorisch *a.* 동화의; 동화에 의한.
assimilierbar *a.* 동화할 수 있는.
assimilieren ⟪I⟫ *t.* ① 적응시키다, 동화시키다: er hat sich schnell in der neuen Umgebung assimiliert 그는 새로운 환경에 빨리 적응했다. ②〚생화학〛 동화 작용을 하다: grüne Pflanzen ~ Kohlensäure 녹색 식물은 탄소 동화 작용을 한다. ⟪II⟫ *refl.* sich³ et. ~ 무엇을 합병하다〔자기 것으로 만들다〕.
Assimilierung *f.* -en ↑ Assimilation.
Assise [así:zə] *f.* -n ①〖복수〗 (프랑스·스위스의) 배심 재판소. ② 배심 재판 회의.
Assisi [así:zi] 아시시(이탈리아의 도시 이름): Franz von ~ 아시시의 프란시스(이탈리아의 성인(聖人), 본명은 지오바니(Giovanni), 1182-1226).
Assistent [asɪstɛ́nt] *m.* -en, -en (의사·학자 등의) 조수, 보좌관; 조교.
Assistentin *f.* 〖↑ Assistent 의 여성형〗 여자 조수〔조교〕.
Assistenz *f.* -en ① 도움, 원조: jm. ~ leisten 누구에게 도움을 주다. ② 입회.
Assistenz·arzt *m.* (병원에 고용된) 면허의(醫), 대진 의사, 외과 수술 조수.
Assistenz·professor *m.* 조교수.
Assistenz·trainer *m.* 보조 트레이너.
assistieren *i.* (h.) (jm.) 돕다, 보좌하다.
Associated Press *f.* - - 연합 통신(미국 AP 통신사).
Associé [asosié:] *m.* -s, -e 〚商·구식〛 동업자, 조합원.
Assonanz [asonánts] *f.* -en 유사음(類似音); 〚문학〛 모음 압운(押韻); 〚음악〛 화음.
assonieren *i.* (h.) ① (단어가) 비슷한 소리를 내다. ②〚문학〛 (모음이) 운이 맞다; 〚음악〛 화음을 내다.
assortieren [asɔrtí:rən] ⟪I⟫ *t.* ① (물건을 분류·정리하여) 고루 갖추다: ein gut assortiertes Lager 상품이 고루 갖춰진 창고. ② (상품을) 분류하다. ⟪II⟫ *refl.* 〚商〛 sich mit et.³ ~ (판매를 위해) 무엇을 사들이다.
Assortiment *n.* -(e)s, -e ① 비축 물품, 재고품. ② 품목.
Assoziation [asotsiatsió:n] ⟪lat. socius, „Genosse"⟫ *f.* -en 연합; 조합, 결사; 회사; 〚心〛 관념 연합, 연상; 〚化〛 (분자의) 결합; (개념의) 연결; 〚植〛 (식물의) 군락; 〚天〛 성단; 〚고고학〛 발굴물끼리의 (시간적) 연관성의 산정.
Assoziations⸗firma *f.* 〚商〛 합명 회사. **~probe** *f.* 〚醫〛 연상 시험법. **~recht** *n.* 〚法〛 결사권. **~zentrum** *n.* 〚醫〛 (대뇌 피질의) 연합〔종합〕 중추.
assoziativ *a.* ① 결합하는, 연결하는. ② 연상적인.
assoziieren [asotsií:rən] ⟪I⟫ *t.* 연상시키다; 연결시키다: ihr Name assoziiert in ihm schöne Erinnerungen 그녀의 이름은 그 남자의 마음에 아름다운 생각들을 떠올려 준다. ⟪II⟫ *refl.* sich ~ ① (기업이) 합병되다; 결합되다; 제휴하다; (동맹에) 가입〔가맹〕하다. ② 연상되다.
Assoziierung *f.* -en ① 연상; 연결. ② 제휴; 결합; 가입〔가맹〕.
ASSR =Autonome Sozialistische Sowjetrepublik 자치 소비에트 사회주의 공화국.
assumieren ⟪lat., „annehmen"⟫ *t.* 용인하다; 인정하다.
Assumptionist [asʊmptsionɪ́st] *m.* -en, -en (1840 년 결성된 프랑스의) 마리아 승천 교단 신도.
Assumtion [asʊmtsió:n] *f.* -en ①〚가톨릭〛 마리아의 승천. ② 마리아의 승천도(圖).
Assyrer *m.* -s, - ↑ Assyrier.
Assyrien *n.* -s 앗시리아(고대의 왕국).
Assyrier *m.* -s, - 앗시리아 사람.
Assyriologie [..gí:] *f.* 앗시리아-바빌론학(學).
assyrisch *a.* 앗시리아의: die ~e Schrift 앗시리아의 설형(楔形) 문자.
a. St. =alten Stils 구력(舊曆)의, 율리우스력의.
***Ast** [ast] *m.* -(e)s, Äste [ɛ́stə] ① (줄기에서 뻗은) 큰 가지(Zweig보다 굵음): den ~ absägen, auf dem man sitzt 자기 무덤을 파다. ② (신경·혈관의) 분지(分枝). ③〖경박〗 (굽은) 등; 돌기, 혹: einen ~ haben 곱추이다; sich³ einen ~ lachen 자지러지게 웃다, 포복절도하다. ④ 나무 마디, 옹이. ⑤ (schweiz.) 노고: 〖구어·비유〗 einen ~ haben 졸리다, 피곤하다; 〖비유·농담〗 einen ~ durchsägen 큰 소리로 코를 골다. ⑥〖비유〗 생활의 터전; 삶의 근거. ⑦〚數〛 (포물선의) 커브, 곡선.
AStA [ásta] *m.* -(s), -(s) 대학 총학생회(Allgemeiner Studentenausschuß).
Astarte [astárte:] *f.* 〚신화〛 아스타르테(고대 페니키아의 풍작과 사랑의 여신).
Astasie ⟪gr. astasía, „Unbeständigkeit"⟫ *f.* ..sien 〚醫〛 정위 불능(定位不能) (운동·심리 장애로 인해 바로 서 있기 어려운 상태).
Astat [astá:t], **Astatin** [astatí:n] *n.* -s 아스타틴(방사성 원소 이름; 기호: At).
astatisch [astá:tɪʃ] ⟪gr.⟫ *a.* 정위 불능의; 〚理〛 전기장이나 자기장의 영향을 받지 않는.
Asteismus *m.* -, ..men 도회풍, 우미(優美); 기지(機智); 완곡한 표현.
Ästchen [ɛ́stçən] *n.* -s, - 〖↑ Ast 의 축소형〗 잔가지.
ästeln *refl./i.* (h.) (sich) ~ 가지를 뻗다.
asten [ástən] ⟪I⟫ *i.* ① (s.) 숨을 헐떡이며 달리다. ② (h.) 몹시 애를 쓰다. ⟪II⟫ *t.* 힘들여 나르다: einen Koffer in den 4. Stock ~ 트렁크를 5층으로 운반하다. ⟪III⟫ *refl.* 〖드물게〗 sich ~ 가지를 뻗다; 세분화되다.
ästen [ɛ́stən] 〖구식〗 ⟪I⟫ *i.* (h.) 가지를 뻗다: ein Baum ästet 나무가 가지를 뻗는다. ⟪II⟫ *refl.* sich ~ 가지를 뻗다. ⟪III⟫ **geästet** *p.a.* ↑ geästet.
Aster [ástər] ⟪gr. aster, „Stern"⟫ *f.* -n 〚植〛 과꽃, 탱알.
Astereometrie *f.* 천체 (위치) 측정법.

asterisch *a.* 별 모양의.
Asteriskus [asterískus] *m.* -, ..ken 〖印〗 별표(*).
Asteroid *m.* -en/-(e)s, -en 〖天〗 소유성(小遊星); 〖動〗 불가사리.
ast·frei *a.* 옹이가 없는.
Ast·gabel *f.* 분지(分枝).
Asthenie [astení:] 《gr., „Kraftlosigkeit"》 *f.* ..nien 〖醫〗 무기력(증).
Astheniker *m.* -s, - 〖醫〗 허약자.
asthenisch *a.* 〖醫〗 무력한, 허약 체질의.
Asthenopie *f.* 〖醫〗 (피로 등으로 인한) 집중력 약화 증세, 안정 피로(眼精疲勞).
Ästhet [ɛsté:t] 《gr. aisthetés》 *m.* -en, -en 유미〔탐미〕주의자.
***Ästhetik** [ɛsté:tɪk] *f.* ① 미학. ② 미(美), 아름다움. ③ 미적 감각.
Ästhetiker *m.* -s, - 미학자.
ästhetisch *a.* ① 미(학)적인, 미학의: 〖교육〗 ~e Erziehung 미적 교육. ② 아름다운, 기호에 맞는. ③ (체격이) 멋진, 풍채가 좋은.
ästhetisieren *t./i.* (h.) (일방적으로) 미학적 관점에서 평가하다; (일방적으로) 미학의 법칙에 따라서 형상화하다.
Ästhetizismus *m.* - 〖哲〗 유미〔탐미〕주의.
Asthma [ástma] *n.* -s 〖醫〗 천식.
Asthmatiker *m.* -s, - 천식 환자.
asthmatisch *a.* 천식(성)의.
Ast·holz *n.* 벤 가지, 땔나무; 〖林〗 큰 가지로 만든 재목.
Asti [ásti] 《I》 아스티(이탈리아의 도시). 《II》 *m.* -(s), - 아스티산(産) 포도주.
astig [ástɪç] *a.* ↑ ästig ②.
ästig *a.* ① 〔드물게〕 가지가 무성한. ② 옹이가 많은, 마디가 많은.
astigmatisch [astɪgmá:tɪʃ] *a.* 〖醫〗 난시의; 〖物〗 렌즈의 사상(寫像)에 결함이 있는.
Astigmatismus *m.* - 〖醫〗 난시; 〖物〗 렌즈의 사상 결함.
ästimieren [ɛstimí:rən] *t.* 〔구식〕 평가〔존중〕하다.
Astispumante *m.* - (북부 이탈리아의 피몬트 지방에서 나는) 적포도주.
Ast≈knorren [ástknorən], **~knorz** [..knorts] *m.* 나무 마디.
Ästling [ɛ́stlɪŋ] *m.* -s, -e ① 어린 가지. ② (겨우 나뭇가지 사이를 날 수 있는) 어린 새.
Ast·loch *n.* (목재의) 옹이 구멍.
astlos *a.* 옹이가 없는.
Ast·moos *n.* 〖植〗 히프넘(이끼류).
Astrachan [ástraxa:n] 《I》 아스트라칸(카스피해 연안의 도시). 《II》 *m.* -s, -s ① 아스트라칸산(産) 새끼 양의 모피. ② 〖방직〗 ①의 모피를 모방한 천의 일종.
Astrachan·kavier *m.* 아스트라칸산(産) 캐비어.
Astragal *m.* -s, -e 〖건축〗 옥연(玉緣) (건물 기둥의 몸통과 머리 사이에 두른 구슬선 또는 반원통형의 띠 장식).
Astragalus *m.* -, -li ↑ Astragal.
astral [astrá:l] *a.* 별의, 성좌(星座)의, 별 같은.
Astral≈geist *m.* -(e)s, -er (고대 동양의) 별의 정령(精靈). **~körper** *m.* ① 〖심령〗 현세의 육체에 살고 있는 정령, 영체(靈體). ② 〔반어〕 (아름다운) 인간의 육체. **~lampe** *f.* 무영등(無影燈) (밑에 그림자가 비치지 않는 램프). **~leib** *m.* ↑ ~körper. **~licht** *n.* 〖天〗 은하수의 별빛. **~religion** *f.* (천체를 숭배하는) 천체 종교. **~mythologie** *f.* 천체 신화.
Astralon *n.* -s 아스트랄론(투명 합성 수지).
ast·reich *a.* 별이 많은.
ast·rein *a.* ① (나무에) 옹이가 없는, 마디가 없는. ② 〔구어·비유〕 (도덕적으로) 흠잡을 데 없는. ③ 〔구어·비유〕 진짜의.
astro.. 《gr. ástron, „Gestirn"》 *pref.* "천체·우주·별"의 뜻.
Astrograph *m.* ① 천체 촬영 망원경. ② 천체 제도기.
Astrographie *f.* -n 천체 기술학.
Astrolabium [astrolá:bium] *n.* -s, ..bien 〖天〗 천체 관측기.
Astrolatrie *f.* 〖宗〗 성신(星辰) 숭배.
Astrologe [..ló:gə] *m.* -n, -n 점성술사.
Astrologie [..logí:] *f.* ..gien 점성술(術).
Astrologin *f.* -nen ↑ Astrologe의 여성형.
astrologisch *a.* 점성술의; 점성술에 의한; 점성술에 관한.
Astrometer *m.* ↑ Astrophotometer.
Astronaut *m.* -en, -en 우주 비행사.
Astronautik *f.* 우주 비행(학).
Astronautin *f.* -nen ↑ Astronaut의 여성형.
astronautisch *a.* 우주 비행(학)의.
Astronom *m.* -en, -en 천문학자; 천문학도.
Astronomie [..nomí:] *f.* 천문학.
Astronomin *f.* -nen ↑ Astronom의 여성형.
astronomisch *a.* ① 천문(학)의; 천문학과 관련된: ~e Uhr a) 천문학용 정밀 시계, b) 천체 시계(시간 외에도 성좌, 유성의 운행 등을 보여 줌); ~e Einheit 천문 단위(지구와 태양의 평균 거리; 약어: AE). ② 〔비유〕 엄청나게 큰, 상상을 초월하는: ~e Zahlen 천문학적 숫자.
astrophisch *a.* 시연(詩聯)으로 나뉘지 않은.
Astrophotographie *f.* 천체 사진.
Astrophotometer *n.* 천체 광도계.
Astrophysik *f.* 천체 물리학.
Astroskop *n.* -s, -e 천체 망원경.
ast·ständig *a.* 〖植〗 가지 모양의, 가지가 많은.
Ästuar [ɛstuá:r] *n.* -s, ..rien, **Ästuarium** [ɛstuá:rium] *n.* -s, ..rien ① 깔때기 모양의 하구(河口), 하구만(河口灣). ② (로마 시대의) 증기 목욕, 한증.
Ästung [ɛ́stuŋ] *f.* -en 〖林〗 가지치기, 전지(剪枝).
Ast≈verhau *m.* 〖軍〗 수지 녹채(樹枝鹿砦) (가지 붙은 나무를 길에 눕혀 적을 막는 장애물). **~werk** *n.* ① 〔총칭〕 (한 나무의) 가지(전체). ② 〖건축〗 잎이 없고 옹이진 가지들을 본떠 만든 장식(고딕 건축에서 자주 나타남). **~wurzel** *f.* ↑ ~knorren.
ASU = Abgassonderuntersuchung 배기 가스 특별 조사.
Äsung [ɛ́:zuŋ] *f.* -en 〖農〗 목장; 〖사냥〗 (들짐승의) 먹이풀, 목초.
***Asyl** [azý:l] 《lat. asylum》 *n.* -s, -e ① 피난소; 수용소, 양육원, 보호원. ② (정치·종교적 이유로 박해받는 자에 대한) 보호, 비호; 망명: politisches ~ 정치적 망명; um ~ bitten 망명을〔보호를〕 요청하다.
Asylant *m.* -en, -en 망명 희망자.

Asyl·antrag *m.* 망명 신청.
Asyl·bewerber *m.* ↑ Asylant.
Asylierung *f.* 수용소에의 수용.
Asyl·recht *n.* 〖法〗 (망명 신청자에 대한) 비호권; 망명자의 피보호권.
Asylwerber *m.* -s,- (öst.) 망명 희망자.
Asymmetrie [azʏmetríː] *f.* -n (↔ Symmetrie) 불균형; 〖數〗 비대칭.
asymmetrisch *a.* 균형이 맞지 않은, 비대칭의.
Asymptote [azʏmptóːtə] *f.* -n 〖數〗 (쌍곡선의) 점근선(漸近線); 〔비유〕 영원한 노력.
asymptotisch *a.* 점근(선)적인.
asynchron [azʏnkróːn] *a.* (↔ synchron) 비동시성의; 〖전기〗 비동기(非同期)의.
asyndetisch 《gr.》 *a.* (↔ polysyndetisch) 연결이 없이 나열되는; 〖문법〗 접속사를 생략한.
Asyndeton [azÝndetɔn] *n.* -s, ..ta (↔ Polysyndeton) 〖문법〗 접속사 없는 (단어나 문장의) 나열 (보기: Alles rennt, rettet, flüchtet).
Aszendent [astsɛndɛ́nt] 《lat. ascendere, „hinaufsteigen"》 *m.* -en, -en (↔ Deszendent) ① 조상; 〖法〗 존속친(尊屬親). ② 〖天〗 (떠오르는) 천체; (지평선상에) 천체가 떠오르는 점. ③ 〖점성술〗 출생시 동쪽 지평에 나타나는 황도 십이궁 표시.
Aszendenz *f.* (↔ Deszendenz) 직계 선조(의 계보), 가계; 〖天〗 천체의 떠오름.
aszendieren *i.* ① (s.) 오르다: ein Gestirn aszendiert 별이 떠오른다. ② (h./s.) 승진하다.
aszendierend *p.a.* 〖醫〗 상행성의.
Aszension *f.* -en 상승; 〖宗·구식〗 그리스도의 승천; 〖天〗 (천체의) 떠오름.
Aszese [astséːzə] *f.* 금욕, 고행 (↑ Askese).
Aszet *m.* -en, -en 금욕〔고행〕자(↑ Asket).
Aszetik *f.* - 〖가톨릭〗 (실천 신학의 한 분과로서) 금욕에 관한 교리.
Aszites *f.* 〖醫〗 복수(腹水).
at = Atmosphäre 기압.
..at 《lat.》 *suf.* ① ...ieren 으로 끝나는 동사의 어간에 붙어서 그 동작이나 결과를 뜻하는 명사를 만듦(보기: das Diktat 받아쓰기). ② 특정한 기능이 행해지는 장소를 나타냄(보기: das Dekanat 학장실). ③ 특정한 기능을 담당하는 집단을 표시(보기: Kommissariat 위원). ④ 원소나 원자단 어간에 붙어서 "…산염"을 뜻함(보기: Phosphat 인산염).
At = Astat 아스타틴.
AT = Altes Testament 구약 성서.
ata[1] 〔구식〕 = absolute Atmosphäre 절대 기압.
ata[2] 〔다음 용법으로〕〔아동〕 ~ gehen 집 밖으로 나가다, 산책 가다.
ataktisch *a.* 불규칙의, 고르지 못한; 〖醫〗 실조성(失調性)의.
Ataman [atamáːn] *m.* -s, -e (코사크족의) 지도자.
ATAPI 〖컴〗 CD-ROM을 컴퓨터에 연결하기 위해 정해진 표준.
Ataraxie [ataraksíː] 《gr.》 *f.* 〖哲〗 평온한 마음, 흔들리지 않는 마음, 아타락시아.
Atavismus [atavÍsmus] *m.* -, ..men ① 〖生〗 격세 유전. ② 〔비유〕 저급한 행동의 재발.
atavistisch *a.* 격세 유전의; 〔비유·폄어〕 과거의 저급한 행동을 반복하는.
Ataxie [ataksíː] 《gr.》 *f.* ..xien 〖醫〗 운동 장애, 운동 실조(증).
Ate [áːteː] *f.* 〖그리스신화〗 아테(도덕적 판단을 잃어버린 광기의 여신).
Atebrin [atebríːn] *n.* -s 말라리아 치료약.
atektonisch *a.* ① 〖지질〗 비구조적인. ② 〖문학〗 ~es Kunstwerk 장르의 규칙에 따른 완결된 구조를 갖추지 않은 예술 작품.
Atelier [atəliéː] 《frz.》 *n.* -s, -s 예술가의 작업실, 아틀리에; 촬영장; (여성용) 유행 패션 가게.
Atelier=aufnahme *f.* 스튜디오 촬영. **~fenster** *n.* (지붕의) 돌출창. **~fest** *n.* 예술인 잔치. **~zigeuner** *m.* 모델을 직업으로 삼는 집시.
***Atem** [áːtəm] *m.* -s 숨, 호흡, 기식(氣息); 〔비유〕 목소리; 생명; 숨결: ~ holen 〔schöpfen〕 숨을 들이쉬다, 〔비유〕 한숨 돌리다; außer ~ kommen〔geraten〕 숨이 차다, 헐떡거리다; in einem 〔im selben〕 ~ 단숨에, 동시에; 〔비유〕 jn. in ~ (er)halten 〔setzen〕 누구를 잠시도 가만두지 않다; wieder zu ~ kommen 숨을 돌리다, 회복하다; den ~ anhalten 숨을 죽이다; den ~ ausstoßen 숨을 내쉬다; 〔비유〕 den letzten ~ aushauchen 숨을 거두다; 〔雅語〕 einen kurzen ~ haben 숨을 할딱이다, 천식기가 있다; jm. den ~ benehmen〔versetzen〕 누구를 깜짝 놀라게 하다; auch nur um eines ~s Schwere 사소한 곤란 때문에도; nach ~ ringen 힘들게 숨을 들이쉬다; 〔비유〕 jm. den ~ verschlagen 누구의 말문을 막다.
atembar *a.* 〔드물게〕 들이 마실 수 있는, 호흡하기에 적당한.
Atem=beklemmung *f.* ↑ ~beschwerde. **~beraubend** *a.* 숨막히는, 몹시 흥분시키는. **~beschleunigung** *f.* 〖醫〗 숨가쁨. **~beschwerden** *pl.* 〖醫〗 호흡 장애〔곤란〕. **~frequenz** *f.* 〖醫〗 호흡 횟수. **~führung** *f.* (바른) 호흡법. **~gerät** *n.* 인공 호흡 장치. **~geräusch** *n.* 〖醫〗 숨소리. **~gymnastik** *f.* 숨쉬기 운동. **~holen** *n.* 호흡. **~lähmung** *f.* 〖醫〗 호흡 장애. **~loch** *n.* 〖動〗 (곤충의) 기문(氣門).
atemlos *a.* ① 숨가쁜, 숨찬. ② 〔비유〕 빠른, 중단 없는. ③ 숨이 멎을 듯한; 매우 흥분된.
Atemlosigkeit *f.* 숨가쁜〔숨이 멎은〕 상태.
Atem=not *f.* 호흡 곤란. **~pause** *f.* 숨쉬는 사이의 휴지(休止); 〔비유〕 숨돌릴 틈, 짧은 휴식. **~raubend** *a.* ↑ ~beraubend.
a tempo [a tɛ́mpo] 《it.》 *adv.* ① 〖음악〗 본래의 속도로. ② 〔구어〕 즉시, 즉각: lauf, aber ~! 달려라 어서!
Atem=schutz·gerät *n.* (소방관의) 호흡 보호 마스크; 방독면. **~stillstand** *m.* 〖醫〗 호흡 정지. **~technik** *f.* (노래·연설 등을 할 때의) 올바른 호흡법. **~übung** *f.* ↑ ~gymnastik. **~weg** *m.* 기도(氣道). **~wurzel** *f.* 〖植〗 기근(氣根). **~zentrum** *n.* 호흡 중추. **~zug** *m.* 호흡: in einem ~ 단숨에; bis zum letzten ~ 마지막 숨을 거둘 때까지.
Äternat 《lat.》 *n.* -(e)s 영속; 영원, 무궁.
Äthan [ɛtáːn] 《gr.》 *n.* -s 〖化〗 에탄.
Athanasia [atanáːzia] *f.* 아타나시아(여자 이름).

athanasianisch *a.* 〖宗〗 아타나시우스에서 유래하는: ∼es Glaubensbekenntnis 아타나시우스 신앙 고백(하느님과 그리스도가 본질상 동일하다는 신앙 고백).
Athanasie *f.* 〖宗〗 불사, 불멸.
Athanasianum *n.* -s 〖기독교〗 아타나시우스의 신앙 고백.
athanasisch *a.* ↑ athanasianisch.
Athanasius *m.* ① 아타나시우스(남자 이름). ② 콘스탄티누스 제왕 시대의 알렉산드리아의 사교(司教).
Äthanol *n.* -s 〖化〗 에탄올.
Atheismus [ateísmus] 《gr. theós, „Gott"》 *m.* - ① 신의 존재 여부는 인간의 이성으로는 규명할 수 없다는 세계관. ② 무신론.
Atheist *m.* -en, -en 무신론자.
atheistisch *a.* 무신론의.
athematisch *a.* ① 〖음악〗 주제가 없는, 주제를 사용하지 않은. ② 〖언어학〗 간모음이 없는.
Athen [até:n] 아테네(그리스의 수도).
Athenäum [atenɛ́:um] *n.* -s, ..näen ① 여신 아테네의 신전. ② 하드리아누스 황제가 아테네의 이름을 따서 로마에 세운 고등 교육 시설; (일반적으로:) 고등 교육 기관; 학자의 단체; (낭만주의 시대의) 고급 문예 잡지의 이름.
Athene [até:ne:] *f.* 〖그리스신화〗 아테네 여신(별명: 팔라스; 로마 신화: 미네르바).
Athener 《Ⅰ》 *m.* -s, - 아테네 사람. 《Ⅱ》 *a.* 아테네의.
Athenienser *m.* -s, - ↑ Athener.
atheniensisch, athenisch *a.* 아테네의.
***Äther** [ɛ́:tər] 《gr., „Himmelsluft"》 *m.* -s ① 〖雅語〗 하늘, 창공. ② 〖化〗 에테르; 〖醫〗 에테르(마취제의 일종). ③ 〖物〗 에테르(전자파의 매질이라고 여겨지는 가상 물질). ④ 〖哲〗 (모든 사물에 작용하고 사물 생성의 근원이 된다고 믿었던) 근원 소재; 정기(精氣).
Äther·krieg *m.* 전파전(戰).
ätherisch [eté:..] *a.* ① 정기의; 천공의; 영적인, 맑은; 향기로운. ② 〖化〗 휘발성의; 에테르를 함유한; 〖物〗 불가량(不可量)의: 〖化〗 ∼es Öl 정유(精油), 방향유. ③ (입김처럼) 부드러운; 영묘한.
ätherisieren 《Ⅰ》 *t.* ① 에테르로 마취시키다. ② 에테르를 넣어 발아를 촉진시키다. ③ 에테르화하다. 《Ⅱ》 *i.* 에테르를 사용하다.
Ätherleib *m.* ↑ Astralleib.
atherman [atɛrmá:n] 《gr.》 *a.* 〖物〗 불투열(不透熱)의; 열을 통과시키지 않은.
Äther·wellen *pl.* 〖理〗 에테르파(동).
Ätherwellen·musik *f.* 무선 전파 음악.
Äthiopien [ɛtió:piən] 《gr., „Südland"》 에티오피아.
Äthiopier *m.* -s, - 에티오피아 사람.
äthiopisch *a.* 에티오피아의.
Athlet [atlé:t] *m.* -en, -en ① 근육질의 건장한 사람. ② 〖스포츠〗 경기자, 운동 선수.
Athletik [atlé:tɪk] *f.* ① 경기술, 경기 이론. ② 운동 경기: Leicht∼ 육상 경기. ③ 신체 운동의 총칭.
Athletiker *m.* -s, - 기골이 장대한 사람.
Athletin *f.* -nen 여자 운동 선수.
athletisch *a.* ① 건장한; 운동 선수 타입의: ein ∼er Körperbau 건장한 체격. ② (운동을 통해 신체가) 잘 단련된. ③ (운동) 경기의: ∼e Übungen 경기 연습.

At-home [æt|hó:m] 《engl., „zu Hause"》 *n.* -, -s 면회일, 방문의 날.
Äthyl [ɛtý:l] 《<Äther》 *n.* -s, -e 〖化〗 에틸기(基).
Äthyl·alkohol *m.* 〖化〗 에틸 알코올.
Äthylen [ɛtylé:n] *n.* -s 〖化〗 에틸렌.
Ätiologie [ɛtiologí:] 《gr. aitía, „Ursache"》 *f.* 〖醫〗 병인학(病因學); 병인.
ätiologisch *a.* 원인〔병인〕의, 원인을 규명해 주는: 〖문학〗 ∼e Sagen (어떤 이름이나 관습, 동식물 등의) 기원을 알려 주는 전설.
***Atlant** [atlánt] 《<Atlas[1]》 *m.* -en, -en 〖건축〗 아틀란트(대들보를 받쳐 주는 남자 형상의 기둥).
Atlantik [atlántɪk] *m.* -s 대서양.
Atlantik≈Charta *f.* 대서양 헌장(1941). **∼pakt** *m.* (Nordatlantikpakt) 북대서양 조약 (기구) (1949) (약어: NATO).
Atlantis *n.* - ① 아틀란티스(대서양에 있다고 믿어온 전설의 섬). ② 아틀란티스(플라톤이 묘사한 전설상의 섬의 옛 이름).
atlantisch *a.* ① 대서양의. ② 북대서양 조약 기구의.
***Atlas**[1] [átlas] 《Ⅰ》 *m.* - ① 〖그리스신화〗 아틀라스(하늘을 떠받치고 있는 거신(巨神)). ② (아프리카의) 아틀라스 산맥. 《Ⅱ》 *m.* -/..lasses, ..lanten/..lasse ① 지도책; 도해집. ② 〖天〗 플레야덴 성단의 별. ③ 〖해부〗 제 1 경추(頸椎), 환추(環椎). ④ 〖건축〗 ↑ Atlant.
Atlas[2] *m.* -/..lasses, ..lasse 〖직물〗 (Satin) 공단, 수자(繻子).
Atlas≈band ① *n.* 〔복수: ..bänder〕 공단 리본. ② *m.* 〔복수: ..bände〕 (대개 사전의 마지막 권으로 지도로만 구성된) 지도책. **∼bindung** *f.* 〖섬유〗 수자직(繻子織) 짜는 법. **∼brokat** *m.* 돋을무늬의 공단.
Atlas·format *n.* ↑ Atlas[1] 《Ⅱ》 ①의 크기의 책, (책의) 최대판.
Atlas≈holz *n.* 광택재. **∼papier** *n.* 광택지(紙).
atlassen [átlasən] 《<Atlas[2]》 *a.* 공단으로 만든, 공단과 같은 광택이 나는.
Atm. =Atmosphäre 기압.
***atmen** [á:tmən] 《<Atem》 《Ⅰ》 *i.* (h.) 숨쉬다, 호흡하다: tief ∼ 심호흡하다; durch die Nase ∼ 코로 숨쉬다; alles ∼de 모든 생물; 〖비유〗 frei ∼ (können) 자유롭다, 억압받지 않다. 《Ⅱ》 *t.* ① 들이마시다: 〖비유〗 frische Luft ∼ 신선한 공기를 들이마시다; ich atmete Frühling 나는 봄기운을 느꼈다. ② 〖雅語〗 넘쳐나다, 발산하다: dieser Ort atmet Frieden und Stille 이 곳은 평화와 고요가 넘친다. ③ sich satt ∼ 마음껏 숨을 들이마시다; es atmet sich leicht dort 그곳에서는 호흡이 편하다. ④ 〖제련〗 가열하여 말리다(abätmen).
atmig [á:tmɪç] *a.* 헐떡거리고 있는.
..atmig *suf.* "숨이 …한"의 뜻(보기: kurz∼ 숨이 가쁜).
Atmometer [atmomé:tər] *n./m.* 증발량계(蒸發量計).
***Atmosphäre** [atmɔsfɛ́:rə] *f.* -n ① (행성이나 별의) 가스(층); (지구의) 대기(층). ② 〖物〗 기압(압력의 단위): technische ∼ 기술상의 기압(1 평방 센티미터에 1 킬로파운드의 압력이 가해졌을 때의 압력; 약어: at); physi-

kalische ~ 물리적 기압(해수면에 가해지는 평균 기압에 상응하는 압력; 약어: atm). ③ 분위기, 환경: eine ~ des Friedens 평화로운 분위기; eine gespannte ~ 긴장된 분위기.

Atmosphären·druck *m.* 〖복수: ..drücke〗 기압으로 표시된 압력.

Atmosphären·überdruck *m.* 과기압(약어: atü).

Atmosphärilien *pl.* 대기의 여러 가지 성분.

atmosphärisch *a.* ① 대기(층)의; 기압에 의한. ② 분위기를 만드는, 분위기 있는: die ~e Verwandtschaft zwischen zwei Landschaften 두 지역 사이의 분위기상의 유사성. ③ 〖비유〗 섬세한, 미묘한: ein ~er Unterschied in der Bedeutung 의미의 미묘한 차이.

AT-Motor =Austauschmotor 교환 모터.

Atmung [á:tmuŋ] *f.* -en 〖드물게 복수〗 호흡: künstliche ~ 인공 호흡.

atmungs≈aktiv *a.* 〖광고〗 통기성의, 공기가 잘 통하는. **≈beschwerde** *f.* ↑ Atembeschwerde. **≈geräusch** *n.* 〖醫〗 ↑ Atemgeräusch. **≈organe** *pl.* 〖醫〗 호흡기. **≈typus** *m.* 〖섬유〗 호흡형. **≈werlzeige** *pl.* ↑ ~organe.

Ätna [ɛ́tna] 에뜨나(이탈리아 시칠리아섬의 활화산).

Atoll [atɔ́l] 《mal.》 *n.* -s, -e, **Atolle** *f.* -n 환상 산호도(環狀珊瑚島), 환초(環礁).

***Atom** [ató:m] 《gr. átomos》 *n.* -s, -e 〖物·化〗 원자; 〖哲〗 원자; 〖經〗 단위 물질; 〖비유〗 미량(微量): nicht ein ~ blieb davon erhalten 그것은 티끌만큼도 남아 있지 않았다.

Atom·angriff *m.* 핵공격, 핵무기에 의한 공격.

atomar [atomá:*r*] *a.* 원자의; 원자에 관한: 〖경박〗 ~er Habenichts 원자 무기를 보유하지 않은 나라.

Atom≈batterie *f.* 〖物〗 (Reaktor) 원자로. **≈betrieben** *a.* 원자력에 의해 가동되는, 원자력 추진의. **~bombe** *f.* 원자 폭탄. **~bomben·versuch** *m.* 원폭 실험. **~brenner** *m.* ↑ ~batterie. **~energie** *f.* 원자력, 핵에너지. **~gewicht** *n.* 〖化〗 원자량. **~gitter** *n.* 〖物〗 원자 격자. **~hülle** *f.* 원자각(殼).

Atomigkeit *f.* -en 〖化〗 원자가(價).

atomisch *a.* 원자의; 극미(極微)의; 분할할 수 없는.

Atomiseur *m.* -s, -e 분무기.

atomisieren *t.* ① 파괴하다, 가루로 만들다; (액체를) 분무하다. ② 〖비유·雅語〗 (어떤 문제나 이념을 전체적으로 보지 못하고) 단편적으로 다루다〔관찰하다〕; 〖폄어〗 (전체를 보지 못하고) 작은 부분에 구애받다.

Atomismus *m.* - 〖物·化·哲〗 원자론.

Atomist *m.* -en, -en 원자론자.

Atomistik *f.* ↑ Atomismus.

atomistisch *a.* ① 원자론(原子論)의. ② 〖교양〗 낱낱이 뜯어보는, 분석적인: eine ~e Betrachtungsweise 분석적 고찰 방식.

Atomizität *f.* -en 〖化〗 원자가(價).

Atom≈kern *m.* 〖핵물리〗 원자핵. **~kraft** *f.* 원자력. **~kraft·kontrolle** *f.* 핵확산 억제. **~kraft·werk** *n.* 원자력 발전소. **~krieg** *m.* 핵 전쟁. **~lehre** *f.* 원자론〔설〕. **~meiler** *m.* ↑ ~batterie. **~macht** *f.* 〖政〗 핵 보유국. **~mine** *m.* 〖軍〗 핵 지뢰. **~modell** *n.* (Rutherford 나 Bohr 의) 원자 모형. **~müll** *m.* 핵 폐기물. **~nummer** *f.* 원자 번호. **~ofen** *m.* ↑ ~batterie. **~physik** *f.* 핵물리학. **~rakete** *f.* ① 원자력 추진 로켓. ② 〖軍〗 핵 미사일. **~reaktor** *m.* 원자로. **~rüstung** *f.* ① 핵무장. ② (한 국가의) 핵무기 전체. **~säule** *f.* ↑ ~batterie. **~spreng·kopf** *m.* 핵탄두. **~stopp** *m.* 핵실험 중지〔금지〕. **~strom** *m.* 원자력 발전에 의한 전류〔전기〕. **~test** *m.* 핵 실험. **~test·stopp·abkommen** *n.* 핵실험 금지 조약. **~theorie** *f.* ↑ ~lehre. **~transport** *m.* 〖환경〗 (재처리를 위한) 핵폐기물의 수송.

Atom-U-Boot *n.* 핵잠수함. **~uhr** *f.* 원자 시계(분자·원자의 진동을 이용한 초정밀 시계). **~umwandlung** *f.* (자연적 · 인공적) 원자의 변환. **~verhältnis** *n.* 원자가. **~waffe** *f.* 핵무기. **≈waffen·frei** *a.* 핵무기로 무장하지 않은. **~waffen·sperr·vertrag** *m.* 핵확산 방지 조약. **~wärme** *f.* 원자열(물질의 1g 원자의 온도를 1℃ 올리는 데 필요한 열량). **~wesen** *n.* ↑ Atomizität. **~wirtschaft** *f.* 원자력 경제(원자력의 획득·이용에 관한 시설 및 운영). **~wissenschaft** *f.* 원자학(원자력·핵분열 등의 연구). **~zeitalter** *n.* 원자력 시대. **~zerfall** *m.* 원자 붕괴. **~zertrümmerung** *f.* 〖핵물리·구식〗 ↑ ~umwandlung.

atonal [atoná:l, á(:)tona:l] *a.* 〖음악〗 (↔ tonal) 무조(無調)의, 12 음계의.

Atonalist *m.* -en, -en 무조 음악가.

Atonalität *f.* 〖음악〗 무조(성); (작곡의) 무조 양식, 무조주의.

Atonie [atoní:] *f.* ..nien 〖醫〗 이완증(弛緩症).

atonisch *a.* 〖醫〗 이완된, 긴장이 풀린.

Atonon *n.* -s, ..na 〖문법〗 강세가 없는 낱말(보기: können Sie 대신 können S 를 쓰는 경우의 S).

Atout [atú:] *n./m.* -s, -s 〖카드〗 으뜸패.

à tout prix [atuprí(:)] 《frz., „um jeden Preis"》 〖교양〗 꼭, 반드시.

atoxisch [atɔ́ksıʃ] *a.* 독이 없는, 무독성의.

Atresie [atrezí:] *f.* 〖醫〗 (선천적인) 폐쇄증.

Atreus 〖그리스신화〗 아트레우스(아가멤논의 아버지; 미케네의 왕).

Atrium [á:trium] *n.* -s, Atrien (고대 로마 주택의 중앙 공간으로서의) 정원, 안마당; (초기 기독교 교회의 열주(列柱)로 둘러싸인) 안마당; 〖해부〗 (심장의) 전실, 심전방(心前房).

Atriumhaus *n.* 〖건축〗 안마당이 있는 주거 시설.

Atrophie [atrofí:] 《gr.》 *f.* 〖醫〗 (영양 장애로 인한 기관·세포 따위의) 위축 증세.

atrophisch *a.* 위축성〔위축증〕의.

Atropin [atropí:n] 《gr.》 *n.* -s 〖化·藥〗 아트로핀.

Atropos [á(:)trɔpɔs] 《gr.》 *f.* 〖그리스신화〗 아트로포스(생명줄을 끊는 여신).

Atrozität [atrotsitɛ́:t] 《lat.》 *f.* -en 〖구 식〗 (Grausamkeit) 잔인(성), 잔학 행위.

ätsch [ɛ:tʃ] *int.* 〖아동〗 쌤통이다.

ätschen 《I》 *t.* (ätsch하고 소리지르며) 조롱하다. 《II》 *i.* 〖사냥〗 Bekassinen ~ 도요새처럼 겁주는 소리를 내어 동물을 쫓아내다.

attacca [atáka] 〖음악〗 (악절 사이를) 끊지 않고, 연결하여.

Attaché [ataʃé:] ⟪frz.⟫ *m.* -s, -s ① 외교관 시보; (대사·공사의) 수행원. ② (특수 분야에 종사하는) 전문 외교관.
Attachement [ataʃmã:)] *n.* -s, -s 〔구식〕① 애착, 집착. ② (특별한 목적을 띠고 파견된) 특수 부대.
attachieren [..ʃí:rən] 〔구식〕⟪Ⅰ⟫ *t.* (jn.) 위탁하다, 배속하다; (파견하여) 어울리게 하다: jn. einem anderen ~ 누구를 다른 사람에게 배속하다〔붙이다〕. ⟪Ⅱ⟫ *refl.* sich an jn. ~ 누구와 어울리다, 누구와 애정〔우정〕으로 결합되다.
Attacke [atákə] *f.* -n ① 기마 공격: zur ~ blasen 공격 나팔을 불다. ② 공격: 〔비유〕 신랄한 비판: eine ~ auf die Meinungsfreiheit 언론 자유에 대한 비판. ③〖발레〗 춤 동작의 강도, 힘; (재즈 음의) 폭발적인 연주. ④〖醫〗 발작.
attackieren *t.* ① 공격하다. ② (병·불행이) 닥치다, 엄습하다. ③ 혹평하다, 심하게 나무라다: die Opposition attackiert die Regierung 야권은 정부를 맹렬히 비판한다. ④ (말에) 박차를 가하다.
attent [atɛ́nt, atã́:] *a.* 주의깊은; 의무에 충실한; 신뢰할 수 있는.
Attentat [atɛntá:t] *n.* -(e)s, -e 암살, 저격: ein ~ auf jn. begehen 누구를 암살하다; 〔농담〕 ein ~ auf jn. vorhaben 누구에게 특별한 부탁이 있다.
Attentäter [átəntɛ:tər] *m.* -s, - 암살범, 저격범.
Attention [atãsiɔ̃́:] ⟪frz.⟫ *f.* 주의.
Attention *int.* (Achtung) 주의하라.
Attentismus *m.* - ①〖政〗 관망적인 자세. ②〖증권〗 관망세.
Attest [atɛ́st] ⟪lat.⟫, **Attestat** [atɛstá:t] *n.* -(e)s, -e ① (의사의) 진단서. ②〔구식〕 증명서; 감정서.
Attestation *f.* -en〖구동독〗 (교사·기사 등에 대한) 자격 인증.
attestieren *t.* ① 증명〔감정〕하다. ②〖구동독〗 증명서를 교부하다: jn. als Lehrer ~ 누구의 교원 자격을 인증하다.
Ätti [ɛ́ti] *m.* -s 〔방언〕 아버지.
Attich [átɪç] ⟪gr.⟫ *m.* -s〖植〗 넓은잎딱총나무의 일종.
Attika [átika] ⟪Ⅰ⟫ 아티카(그리스 중부의 반도로 아테네가 그 중심). ⟪Ⅱ⟫ *f.* ..ken〖건축〗 (아티카풍의) 고미 다락방; (돌림띠와 지붕사이의) 낮은 2층(벽면에 부조 장식이 있음).
Attika·wohnung *f.* (schweiz.) 옥상 가옥.
Attila [átila] ⟪got., „Väterchen"⟫ ⟪Ⅰ⟫ 아틸라 (5세기 무렵 흉노의 임금, 전설에서는 Etzel). ⟪Ⅱ⟫ *f.* -s (헝가리인의) 짧은 끈이 달린 상의; 표기병(驃騎兵)의 군복.
attisch [átɪʃ] ⟪<Attika⟫ *a.* ① 아티카〔아테네〕풍의. ② 기지〔재치〕 있는: 〔비유·교양〕 ~es Salz 멋진 위트.
Attitude [atitý:d] *f.* -s ↑ Attitüde ④.
Attitüde [atitý:də] ⟪lat. -it. -frz.⟫ *f.* -n (Haltung) ①〔교양〕 (의식적으로 취한) 포즈, 자세, 태도. ②〔교양〕 (내적) 마음가짐. ③〖心〗 (특정한 상황에 대처하는) 심리적 성향. ④〖발레〗 (발을 수평되게 뒤로 들어올리고 하퇴부를 90° 각도로 꺾은) 수평 자세.
Attizismus [atitsísmʊs] ⟪gr. -lat.⟫ *m.* - ① (간결하고 우아한) 아티카풍의 문체, 아티카의 어풍(語風). ②〖修〗 아티카 모방주의(B.C. 1 C. -A.D. 2 C.의 문예운동).
Attizist *m.* -en, -en 아티카풍의 작가.
attizistisch *a.* 아티카풍의; 아티카 모방의.
Atto.. *pref.* 단위명 앞에 붙여 "10^{-18}"의 뜻(보기: ~farad = 10^{-18} 패러데이).
attrahieren [atrahí:rən] ⟪lat.⟫ *t.* 끌다, 끌어당기다.
Attraktion [atraktsió:n] *f.* -en ① (잡아)끎, 매력: ~ ausüben 매력을 풍기다; eine eigentümliche ~ geht von ihr aus 그녀는 독특한 매력이 있다. ② 인기 거리; 인기인, 인기상품.
attraktiv [..tí:f] *a.* 끌어당기는, 매력적인.
Attraktivität *f.* 매력, 끄는 힘.
Attrappe [atrápə] ⟪germ. -frz.⟫ *f.* -n ① 올가미, 덫. ② 모조품; (속이 빈) 진열용 포장(품). ③ 꾸민 겉모습, 허위: seine vorgegebene Toleranz war lediglich ~ 그가 보여준 관용은 단지 꾸며낸 겉모습에 불과했다.
attrappieren *t.* 〔구식〕 ① 체포하다. ② 교활하게 속이다.
attribuieren *t.* ① (어떤 상징을) 부여하다: der Justitia ist die Waage attribuiert 정의의 여신 유스티치아의 상징은 저울이다. ②〔비유〕 귀속시키다: einem Maler ein Bild ~ 어떤 그림을 어느 화가의 것으로 간주하다. ③〖언어〗 (어떤 수식을) 붙이다: einem Substantiv ein Adjektiv ~ 명사를 형용사로 수식하다.
***Attribut** [atribú:t] ⟪lat., „Zugefügtes"⟫ *n.* -(e)s, -e 속성(屬性), 성질, 자질, 표식, 상징 (보기: Apollo 의 칠현금, Neptun의 삼지창); 〖컴〗 파일의 속성(파일의 크기나 형식); 〖문법〗 부가어, 수식어.
attributiv *a.* 〖문법〗 부가어적인.
Attributsatz *m.* 수식 역할을 하는 부문장.
atü [atý:] = Atmosphärenüberdruck 과기압.
atypisch ⟪gr.⟫ *a.* 〖醫〗 이형(異型)의, 비전형적인, 변칙적인.
Atz [ats] ⟪♧ essen⟫ *m.* -es 〔고어〕 ↑ Atzung.
Ätz·alkalium *n.* 〖化〗 가성(苛性)알칼리.
ätzbar [ɛ́tsba:r] ⟪<ätzen²⟫ *a.* 부식(腐蝕)시킬 수 있는.
Ätz≈beize *f.* 〖工〗 탈색(제). **~bild** *n.* (부식) 동판화. **~druck** *m.* 〔복수: -e〕 ① 부각(腐刻)법〔화〕, 에칭. ②〖염색〗 발염(拔染).
Atzel [átsəl] *f.* -n ①〖動〗 까치(Elster). ② (흑발에 가루를 뿌린) 가발(假髮).
atzen 〔구식〕⟪Ⅰ⟫ *t.* 먹이를 주다: der Adler atzt seine Jungen 독수리가 새끼에게 먹이를 준다. ⟪Ⅱ⟫ *refl.* sich ~ 먹이를 먹다.
***ätzen** [ɛ́tsən] *t.* ① 부식시키다: Salzsäure ätzt Löcher in Zinn 염산은 주석을 부식시켜 구멍을 낸다. ②〖醫〗 (화학제를 써서) 소작(燒灼)하다: eine Wucherung auf der Haut ~ 피부의 종창을 소작하다. ③ 부식시켜 도안을 만들다: ein Bild auf die Kupferplatte ~ 부식시켜 동판에 그림을 만들다.
ätzend *p.a.* 지독한, 심한; 톡 쏘는 듯한: ~er Spott ergoß sich über ihn 심한 야유가 그에게 쏟아졌다.
Ätzer [ɛ́tsər] *m.* -s, - 〖工〗 에칭 제작자.
Ätz≈flüssigkeit *f.* 부식 용액. **~grund** *m.* 부식 동판의 초벌 칠(그 위에 그림을 새김).

~kali *n.* 〖化〗 가성칼리. **~kalk** *m.* 〖化〗 소석회(消石灰). **~kunst, ~manier** *f.* 에칭 기술, 부식 동판술. **~mittel** *n.* 〖醫·化〗 부식제. **~nadel** *f.* ↑ ~stift. **~natron** *n.* 〖化〗 가성소다. **~reagens** *n.* ↑ ~mittel. **~stift** *m.* 〖醫〗 부식간(腐蝕杆), 에칭용 조각칼. **~stoff** *m.* ↑ ~mittel. **~sublimat** *n.* 〖化·醫〗 (부식) 승홍(昇汞).

Ạtzung *f.* -en 모이〔먹이〕를 주는 일.

Ạ̈tzung *f.* -en ① 부식; 인쇄용 부식 동판, 에칭. ②〖醫〗 소작(법) (燒灼(法)), 부식법. ③ 부식(腐蝕) 사진 제판(술).

Ạ̈tz≈verfahren *n.* 부식 처리법. **~wasser** *n.* 금속 부식제(劑), 에칭 용수. **~zeichnung** *f.* 부식 동판화, 에칭.

au [au] *int.* ① (고통의 표현) 아야 ② (놀라움의 표현) 야아: ~ ja! 야아, 그래!

Au[1] [au] *f.* -en ↑ Aue.

Au[2] 〖化〗 =Aurum 금.

AUA =Austrian Airlines 오스트리아 항공(사).

aua [áʊa] *int.* 〔아동·구어〕 아야.

Aubade [obá:də] 《frz.》 *f.* -n 〖음악〗 (↔ Serenade) 오바드, 조별가(연인들의 아침 작별가).

aubergine [obɛrʒí:n] *a.* 가지색의.

Aubergine [..ə] *f.* -n ①〖植〗 가지. ② (가지색으로 된 중국의) 도기.

a.u.c =ab urbe condita (B.C. 753 년의) 로마 건도를 기원으로, 로마 건도 후.

***auch** [aux] *adv./cj.* ① …도, …또한, 역시: ich kenne ihn, ~ seinen Bruder 나는 그 사람도 그의 동생도 알고 있다; ich ~, ~ ich 나도; ich ~ nicht 나도 …않는다; sowohl gestern als〔wie〕 ~ heute 어제도 오늘도; nicht nur〔bloß, allein〕..., sondern ~ … 뿐만 아니라 …도. ② 마저, 조차: ~ du, mein Brutus? 브루투스 너마저도?; ~ der Kleinste 삼척동자(어린애)라도; ~ nicht einer 한 사람도 없다; ohne ~ nur zu fragen 묻지도 않고. ③〔양보의 종속절에서〕 ~ wenn... (설령) …라고 하더라도; wenn ~ 〔ob ~, wenn ~ schon, wenn ~ gleich〕 a) (설령) …라고 하더라도, b) (사실) …이긴 하지만; ob er ~ studiert hat, so weiß er doch nichts 그는 대학을 나왔다 해도 아무것도 모른다; was er ~ (immer) sagen mag 그가 무슨 말을 할지라도; wer es ~ sei 그것이 누구이건; wie dem ~ sei 그야 어떻든; so klug er ~ ist 그가 비록 아무리 영리하더라도; und wenn ~! 그래도 괜찮아! ④ (사실 또) …이긴 하지만: er ist gelehrt, daran hat ~ niemand gezweifelt 그는 배운 사람이다, 그건 누구도 의심하지 않는다. ⑤〔의문이나 분노의 감정을 표현〕 정말, 도대체, 그대로: ist es ~ wahr? 그것이 정말로 사실일까?; darf ich's ~ glauben? (정말) 그것을 믿어도 좋을까?; du versprichst es, wenn ich mich aber ~ nur darauf verlassen kann 약속한다구? 그 말을 믿을 수 있다면 얼마나 좋을까; wozu (denn) ~ 도대체 무엇 때문에. ⑥ 사실은, 실제로: das hat auch niemand behauptet 사실 그것을 주장한 사람은 아무도 없었다; du siehst krank aus — ich bin es ~ 몸이 아픈 것 같구나 — 실제로 아파; er wird getadelt, aber er hat ~ sehr viel Schuld 그는 야단을 맞고 있다, 사실 그에게 잘못이 많기는 하다.

au contraire [o kɔ̃trɛ́:r] 《frz., „im Gegenteil"》〔교양〕 이와 반대로.

au courant [o kurɑ̃́:] 《frz.》〔교양〕 (현상·사물에) 정통한.

AUDI 〖車〗 Volkswagen 계열의 자동차 회사.

***Audienz** [audiɛ́nts] 《lat. audīre, „hören"》 *f.* -en ① 공식 회견, 알현, 접견. ②〖法〗 공판, 심리(審理).

Audiẹnz≈saal *m.*, **~zimmer** *n.* 접견실(室).

Audimạx *n.* - Auditorium maximum의 약칭.

Audion [áudiɔn] *n.* -s, -s/..onen 〖전기공학〗 검파 증폭기, 오디온.

Audiphon [audifó:n] *m.* -s, -e 보청기.

Auditeur [auditø̃:r] *m.* -s, -e 방청인; 배석판사; (특히:) 〖軍〗 (군법 회의의) 재판관, 법무관.

auditịv *a.* ① 청각의: ~e Medien 청각 매체. ② 청각이 뛰어난.

Auditor *m.* -s, ..toren [..tó:rən] ① 고대 로마의 법관. ② (schweiz., öst.) ↑ Auditeur.

Auditọrium *n.* -s, ..rien ①〔구식〕 강당. ②〖雅語〗 청중.

Auditọrium mạximum *n.* - - (대학의) 대강당.

Audio·visio̱n *f.* 시청각 기기 또는 그와 관련된 기술.

audio·visuẹll *a.* 시청각(교육)의.

Aue [áuə] *f.* -n ① 저지대 초지(草地). ② (풀이 무성한) 강 안의 섬. ③ 강.

Auenwald *m.* (강변의) 얕은 지대의 수풀.

Auer [áuər] *m.* -s, -n ① 들소. ②〔드물게〕 대뇌조(大雷鳥)의 일종.

Auer≈hahn *m.* 큰 뇌조의 수컷. **~henne** *f.* 큰 뇌조의 암컷. **~huhn** *n.* 큰 뇌조.

Auer≈licht *n.* 아우어등(燈) (Auer가 발명한 가스 백열등). **~metall** *n.* 〖理〗 아우어 합금 (발화 합금의 일종).

Auer·ochse *m.* (멸종한) 들소의 일종.

Auf *m.* -s, -en (südd.) 수리부엉이 (Uhu).

***auf** [auf] 《본래는 부사》〔정지를 나타낼 때는 3격, 장소의 이동을 나타낼 때는 4격을 지배〕 (I) *prp.*[3] ① …(위)에(서): das Buch liegt ~ dem Tisch 책이 책상 위에 있다; ~ dem Bahnhof 〔dem Berge, der Insel, dem Lande, der Straße〕 역〔산상, 섬, 시골, 거리〕에서; ~ dem Rücken 〔der Seite〕 liegen 반듯이〔모로〕 누워 있다. ②〔해당 장소에 당연히 따르는 용무도 합쳐 나타냄〕 ~ dem Feld arbeiten 들에서 일하다; ~ der Universität sein 대학에 재학 중이다; ~ dem Ball 〔der Hochzeit〕 sein 무도회〔결혼식〕에 참석하고 있다. ③〔용무·활동에 종사하고 있음을 나타냄〕 ~ der Fahrt 〔Flucht, Jagd, Suche, Wache〕 여행〔도망, 사냥, 수색, 경비 근무〕 중; ~ frischer Tat 범행 현장에서. ④〔비유적 용법〕 ~ der Stelle 즉석에서, 당장; ~ dem Weg 도중에서; ~ indirektem Weg 간접적으로; ~ js. Seite stehen 누구의 편을 들다; ~ der Harfe 〔dem Klavier〕 spielen 하프를 타다〔피아노를 치다〕; ein Meister ~ der Flöte 피리의 명인; taub ~ einem Ohr 한쪽 귀가 먹은; ein Stein liegt mir ~ dem Herzen 나는 마음에 걸리는 것이 있다; die Sache beruht ~ Ihnen 그 일

은 당신의 마음에 달려 있습니다; das hat nichts ~ sich 그것은 대수로운 일이 아니다; er besteht immer ~ seiner Meinung 그는 늘 자기 의견을 고집한다. 《Ⅱ》 *prp.*[4] ①〔방향성을 나타내어〕…(위)로, …(위)에: er legt das Buch ~ den Tisch 그는 책을 책상 위에 놓는다; ~ den Baum klettern 나무에 오르다; ~ die Knie fallen 무릎을 꿇고 앉다; er geht auf sein Zimmer 〔die Toilette〕 그는 자기 방으로〔화장실에〕 간다. ②〔《Ⅰ》②에 따르는 용법〕 ~ den Ball 〔das Feld, die Hochzeit, den Markt〕 gehen 무도회〔들, 결혼식, 시장〕에 가다; ~s Eis gehen 얼음지치러 가다. ③〔어떤 용무를 위하여의 뜻으로〕 sich ~ die Flucht 〔die Jagd〕 begeben 도망하다〔사냥하러 가다〕; ~ Reisen gehen 여행을 떠나다. ④〔비유적 용법〕 sein Vertrauen 〔seine Hoffnung〕 ~ et. setzen 무엇을 신용〔기대〕하다; sich ~ die Beine machen 도망가다, 출발하다; ~ die Welt kommen 태어나다; ~ einen Einfall kommen 어떤 착상이 떠오르다; ~ die Probe setzen 시험하다; jm. ~ den Kopf sagen 누구를 면전에서 책망하다; er achtet〔hält〕 ~ Ordnung 그는 질서를 중히 여긴다; es kommt ~ dich an 그것은 네게 달려 있다. ⑤〔동작·정신 작용의 방향·목표〕 ~ et. los 무엇을 목표로; sich ~ et. stürzen〔verstehen, freuen〕 무엇에 덤벼들다〔정통하다, …을 학수고대하다〕; ~ et. gefaßt sein 무엇을 각오하고 있다; ~ jn. neidisch sein 누구를 시기하다; das ist ~ mich abgesehen 그것은 나를 겨냥한 것이다; das Wort endet ~ „z" 그 말은 z로 끝난다. ⑥〔의도·욕구의 대상〕 ~ et. neugierig〔erpicht〕 sein 무엇을 알고 싶어하다〔열망하다〕; ein Ringen ~ Sein und Nichtsein 사생 결단의 싸움; Anspruch ~ et. haben 무엇을 요구할 권리가 있다; Vorbestellungen ~ die Theaterplätze 연극 관람석의 예약; ~ Abenteuer ausgehen 모험 여행을 떠나다; ~ die Universität gehen 대학에 진학하다; das Erz ~ Silber prüfen 은의 유무를 알기 위해 광석을 검사하다; ~ js. Gesundheit trinken 누구의 건강을 축복하며 마시다; ~ Wiedersehen! 안녕, 또 만납시다!; ~ Probe 시험적으로; ~s neue 새로, 다시. ⑦〔행위·감정의 기초〕 er baut ~ mich 그는 나를 신뢰하고 있다; ~ et. rechnen 무엇을 기대하다; ~ das hin 그것을 기대하〔믿〕고, 그것에 의하여; ~ eigene Faust tun 혼자 힘으로 하다; er verläßt sich ~ seine Kräfte 그는 자기의 힘을 믿고 있다; sie bildet sich[3] was ~ ihre Schönheit ein 그 여자는 자기의 미모를 뽐낸다; ~ et. stolz sein 무엇을 자랑스럽게 여기다; ~ meine Ehre 나의 명예를 걸고. ⑧〔때를 나타냄〕 (**a**) 〔예정의 기간〕 ein Haus ~ drei Jahre vermieten (앞으로) 3년 기한으로 집을 세주다; ~ ewig 영구히; ~ morgen! 내일 만나! (**b**) 〔예정된 시각〕 es wird Regen geben ~ die Nacht 오늘 밤에는 비가 올 것 같다; er bat mich ~ den Abend zum Essen 그는 나를 만찬에 초대했다; ~ jeden Fall 여하튼, 어떠한 경우에도; drei Viertel ~ fünf 4시 45분; es geht ~ neun 9시가 돼간다. ⑨〔시간적 접속〕 (**a**) 〔직후〕〔속담〕 ~ Regen folgt Sonnenschein 고생 끝에 낙이 온다; ~ den ersten Blick 첫눈에; ~ die Dauer 〔die Länge〕 지속적으로. (**b**) 〔응낙〕 ~ js. Befehl 〔Wunsch, Antrag〕 누구의 명령〔희망, 신청〕에 따라서; ~ Veranlassung von …을 계기로. (**c**) 〔반복〕 Tropfen ~ Tropfen 방울방울, 한방울 한방울; Schlag ~ Schlag a) 일격(一擊) 일격, b) 연달아, 계속해서. ⑩〔한계·정도〕 ~ die Minute 1분도 안 틀리고, 정각에; ~ den Tod verwundet sein 치명상을 입고 있다; ~ ein Haar wissen 자세히 알고 있다; jm. ~s Haar gleichen 누구와 꼭 닮았다; es kostet ~ 100 Taler 그것은 100 탈러나 한다; alle ein bis ~ einen 한 사람 빼놓고 모두; bis ~ Haut naß werden (비에 몸이) 흠뻑 젖다; bis ~ weiteres 우선, 당분간. ⑪〔양식·방법〕 ~ diese Art〔Weise〕 이런 방법으로; ~ deutsch 독어로; ~s freundlichste 매우 친절히; ~s äußerste 극도로, 대단히; ~ Abschlag 분할불(分割拂)로. ⑫〔분배〕 fünf Mark ~ den Kopf 1인당 5마르크; fünf ~s Hundert 5퍼센트; ~ viermal verteilen 4회분으로 나누다; ~ einmal a) 한번에, b) 돌연, 갑자기. 《Ⅲ》 *adv.* ① 위로, 위쪽으로, 윗면으로: ~ und ab 위아래로, 이리저리로; das ~ und Ab der Preise 물가의 등락(騰落); ~ und davon (laufen, gehen) 흔적도 없이 사라지다; ~ und nieder a) 상하로, b) 완전히; von klein 〔Jugend〕 ~ 어려서부터; berg~ 산 위로. ② 열려 있는: die Tür ist 〔geht〕 ~ 문이 열려 있다〔열린다〕. ③ (잠자리에서) 일어나 있는: noch ~ 아직 자지 않고; 〔비유〕 er ist wohl ~ 그는 기력이 왕성하다. 《Ⅳ》 *int.* ~! 앞으로!; Augen ~! 조심해!; ~ geht's! 출발! 《Ⅴ》 *cj.* (damit) ~ daß... …하기 위해서.

***auf..** *pref.* 〔동사의 분리 전철로 항상 강세가 있음〕 ① "위로, 위쪽으로"의 뜻(보기: aufblicken 위를 바라보다). ② "열린, 열어놓은"의 뜻(보기: aufbrechen 억지로 열다). ③ "종결, 완료"의 뜻(보기: aufessen 다 먹어 치우다). ④ "돌연, 급작스러움"의 뜻(보기: aufflammen 확 타오르다).

auf|addieren *t.* 가산〔합산〕하다.

auf|ächzen *i.* (h.) 갑자기 큰 소리로 신음〔탄식〕하다.

auf|ackern *t.* (밭을) 갈아 젖히다; 쟁기로 파헤치다, (돌을) 파내다; (동판의 표면을) 칼로 긁어내다.

au fait [o fɛ:] 《frz., „bei der Sache"》〔교양〕 정통한: jn. ~ setzen 누구를 계몽하다.

auf|arbeiten 《Ⅰ》 *i.* (h.) 일을 끝마치다. 《Ⅱ》 *t.* ① (밀린 일을) 다 해치우다, 만회하다. ② (문제 등을) 철저하게 규명하다. ③ 수리하여 새 것으로 하다, 새로 단장하다: alte Möbelstücke ~ 낡은 가구를 새로 단장하다. 《Ⅲ》 *refl.* sich ~ ① 노력하여 입신출세하다. ② 일을 너무 많이 해서 기진맥진하다; sich[3] die Hände ~ a) 일하다가 손을 다치다, b) 일을 해서 손이 거칠어지다. ③ 힘겹게 일어나다.

Aufarbeitung *f.* -en ↑ aufarbeiten의 명사형.

Aufartung *f.* -en (동물 등의) 품종 개량.

auf|ästen *t.* 전지(剪枝)하다: einen Baum ~ 나무의 (불필요한) 가지를 쳐내다.

auf|atmen *i.* (h.) 심호흡하다; 〔비유〕 안도의 한숨을 쉬다.

auf|ätzen *t.* ① 다 먹어 버리다. ② 살찌게 기

르다: ein aufgeätzter Edelmann 살찐 귀족. ③〖醫〗부식(腐蝕) 절개하다. ④〖工〗eine Kupferplatte ~ 동판에 부각(腐刻)하다.

auf|backen* 《I》 *t.* ① (과자를) 다시 구워 바삭바삭하게 만들다; (음식을) 데우다. ② (밀가루 따위를) 빵 굽는 데 다 써 버리다. ③ (과자에 건포도 따위를) 구워서 붙이다. 《II》 *i.* (s.) 굽는 동안에 달라붙다.

auf|bähen *t.* ① ↑ aufbacken. ②〖醫〗durch warmen Umschlag ~ 더운 팩찜질로 따뜻하게 하다.

auf|bahren *t.* (시신을) 관대(棺臺)에 안치하다(↔ abbahren).

Aufbahrung *f.* -en 시신 안치.

auf|ballen *t.* 쌓아 올리다.

auf|bammeln *t.* ① 목매달아 죽이다. ② 대롱대롱 매달아 놓다.

auf|bänken *t.* ①〖海〗둑을 쌓아 (흐름을) 막다. ② (기관(汽罐)의 불을) 줄이다. ③ (돌을) 절단기 위에 올려놓다.

auf|bansen *t.* 〖農〗(ndd.) (곡식을) 광에 쌓아 올리다.

***Aufbau** [áufbau] *m.* -(e)s, -ten ① 건축, 건설, 건립: der ~ einer Fabrik 공장의 건축. ② 건설, 수립: den wirtschaftlichen ~ beschleunigen 경제 건설을 가속화하다. ③ 구성, 구조: der ~ eines Dramas 드라마의 구조. ④〖工〗차체. ⑤ 상부 구조(물); 〖건축〗증축, 상옥(上屋); 〖海〗갑판 위의 구조물.

Aufbau·arbeit *f.* 건설 작업.

Aufbau·darlehen *n.* 건설〔재건〕융자금.

***auf|bauen** 《I》 *t.* ① (돌·목재 따위를) 건축에 다 써 버리다. ② 건립하다, 짓다, 세우다: 〖비유〗auf et.³ aufgebaut sein 무엇에 기인(基因)하다. ③〖비유〗(기업·국가를) 구축〔건설〕하다: einen neuen Staat ~ 새로운 국가를 건설하다; ein Unternehmen ~ 기업을 설립하다. ④ 촉진시키다. ⑤ (물품을 기호에 맞게) 배열하다, 구성하다: ein Drama ~ 희곡을 짜임새 있게 구성하다. ⑥ 육성하다, 양성하다: Spieler ~ 선수를 (체계적으로) 육성하다. ⑦〖化〗(유기 화합물을) 합성하다. ⑧ 무엇에 근거를 두다: seine Darstellung der Epoche baut auf ganz neuen Quellen auf 그 시대에 대한 그의 묘사는 아주 새로운 자료에 근거를 두고 있다. 《II》 *refl.* ①〖구어〗우뚝 서다; 〖軍〗차렷 자세로 서 있다. ② 형성되다, 생성되다: Gewitterwolken bauen sich auf 먹구름이 생성된다.

Aufbaugesetz *n.* 도시 및 자치 단체 재건법 (1948-50 년 공포).

Aufbaukost *f.* 〖영양〗(체력 증진용) 영양식.

auf|baumeln *t.* 〖구어〗① 목매달아 죽이다. ② 대롱대롱 매달아 놓다.

auf|baumen *i.* (h.) 〖사냥〗(짐승이) 나무에 뛰어오르다; (새가) 나무에 앉다.

auf|bäumen 《I》 *t.* 〖방직〗축(軸)에 감다. 《II》 *i.* (h.) ↑ aufbaumen. 《III》 *refl.* sich ~ (말이) 뒷다리로 일어서다: 〖비유〗sich gegen 〔wider〕 et. ~ 무엇에 반항하다.

Aufbäumen *n.* -s 〖空〗실속(失速).

auf|bauschen 《I》 *t.* (돛 따위를) 팽창하게 하다; 〖비유〗과장하다. 《II》 *refl.* sich ~ 팽창하다, 부풀다.

Aufbau·schule *f.* 속성 과정 김나지움(6-7 학년 기초 과정을 마친 후 아비투어(Abitur)를 하기 위해 진학하는 학교).

Aufbau·spieler *m.* 게임 메이커, 공격을 주도하는 선수.

auf|befinden* *refl.* sich ~ 일어나 있다, 자지 않고 있다.

auf|begehren *i.* (h.) 〖雅語〗① 벌컥 화를 내다. ② 반항〔거역〕하다: gegen sein Schicksal ~ 운명에 저항하다. ③ (병자가) 일어나고 싶어하다.

auf|behalten* *t.* ①〖구어〗(모자를) 머리에 쓰고 있다. ②〖구어〗(눈을) 뜨고 있다. ③ 보관하다; (붙)잡아 두다: er hat mir 〔für mich〕 einen Platz ~ 그는 나에게 자리를 잡아 주었다.

Aufbehaltung *f.* -en 〖구식〗↑ Aufbewahrung.

auf|beißen* *t.* ① (호두를) 깨물어 까다. ② (신체의 일부를) 물어 상처를 내다: ich habe mir die Zunge aufgebissen 나는 혀를 깨물었다.

auf|beizen *t.* ①〖醫〗↑ aufbähen ②. ② (오래된 가구를) 부식제로 새로 단장하다. ③ Verzierungen (auf et.) ~ 장식을(무엇에) 부식제로 점착하다.

auf|bekommen* *t.* ① (문을) 열 수 있다: ich bekomme das Schloß nicht auf 나는 자물쇠를 열 수 없다. ② (모자를) 제대로 쓰다: ich bekomme den Hut nicht auf, er ist zu eng 나는 모자가 너무 꽉 끼어서 제대로 쓸 수 없다. ③ 다 먹을 수 있다: ich bekomme die Suppe schon noch auf 나는 수프를 또 먹을 수 있다. ④ Schläge ~ 매를 맞다. ⑤〖학생〗숙제를 받다.

auf|bereiten *t.* 〖광산〗① 선광(選鑛)하다: naß ~ 세광하다. ② (사용할 수 있게) 준비해 놓다. ③ 해명하다; 해독하다: alte Texte ~ 고문서를 해독하다. ④ (통계 처리하여) 평가하다: Zahlenwerte ~ 수치를 통계 처리하여 평가하다.

Aufbereitung *f.* -en 선광; 해독.

Aufbereitungs·anstalt *f.* 선광장(場).

auf|bersten* 《I》 *i.* (s.) 〖雅語〗파열하다, 터지다. 《II》 **aufgeborsten** *p.a.* ↑ aufgeborsten.

Aufberstung *f.* -en 파열, 열개(裂開).

auf|bessern *t.* ① 개선하다: das Gehalt 〔die Renten〕 ~ 봉급〔연금〕을 인상하다. ②〖구어〗jn. ~ 누구의 급료를 인상하다.

Auf|besserung *f.* -en 개선; 급료 인상.

auf|betten *t.* ① (잠자리에서) 일으켜 세우다. ② jn. ~ 누구에게 잠자리를 마련해 주다. ③ einen Toten ~ 시신을 안치하다.

Aufbettung *f.* (잠자리에서) 일으켜 세우기; 잠자리를 마련해 주기; (시신의) 안치.

auf|bewahren *t.* 보존〔보관〕하다, 맡기다: et. für die Nachwelt ~ 무엇을 후세를 위해 보존하다; Gepäck auf dem Bahnhof ~ lassen 짐을 역에 맡기다.

Aufbewahrung *f.* -en ① 보관, 보존; 〖心〗파주(把住). ② 보관소.

Aufbewahrungs·gebühr *f.* 보관료. **~ort, ~platz** *m.*, **~stelle** *f.* 보관소; 〖철도〗수하물 맡기는 곳.

auf|biegen* *t.* ① 위로 굽히다. ② 굽혀서 열다, 펴다: den Deckel der Büchse ~ 깡통 뚜껑을 열다.

auf|bieten* [áufbi:tən] *t.* ① 모집하다, 소집하다: ein Heer ~ 군대를 소집하다. ② 모으다, 경주하다, 들이다: alle Kräfte ~ 전력투구하다; seinen Verstand ~ 지혜를 짜내다. ③ 여러 사람에게 알리다: ein Brautpaar ~ (목사가 설교단에서) 약혼을 알리다. ④ (경매에서) 출발 가격을 부르다: der Schrank wurde mit 1000 DM aufgeboten 그 장롱은 1000 마르크를 첫 가격으로 경매에 붙여졌다. ⑤ (jn.〔jm.〕) 꾸짖다, 욕하다.

Aufbietung *f.* -en 투입, 경주(傾注); mit ~ aller Kräfte 전력을 다하여; 〖軍〗 소집, 징집; (약혼의) 공고.

auf|binden* [áufbindən] 《I》 *t.* ① (매듭을) 풀다. ② 높이 매달다: 〔비유〕 sich³ ein Joch ~ 스스로 굴레를 짊어지다. ③ 〔구어〕 jm. Fabeln ~ 누구에게 꾸민 이야기를 믿게 하다: er hat ihr eine Lüge aufgebunden 그는 그 여자에게 거짓을 믿게 했다. ④ (덩굴·머리를) 묶어 올리다. ⑤ (곡식의 단을) 묶어 합치다; 제본하다. 《II》 *i.* (h.) 관계를 끊다. 《III》 *refl.* sich³ et. ~ (불쾌한) 어떤 일을 떠맡다.

auf|blähen [áufblɛ:ən] 《I》 *t.* ① 부풀리다; (바람이 돛을) 팽팽하게 하다: der Verwaltungsapparat ist bereits zu sehr aufgebläht 행정 기구는 이미 지나치게 비대해져 있다. ② 〖經〗 (통화를) 팽창시키다. ③ 우쭐하게 하다. 《II》 *refl.* sich ~ ① (배가) 부르다. ② 〔비유·폄어〕 건방지게 굴다, 거드름 피우다.

Aufblähung *f.* -en 부풀림; 통화 팽창; 〖醫〗 팽대(膨大); (배가) 더부룩함; 〔비유〕 거만.

aufblasbar *a.* 불 수 있는.

auf|blasen* [áufbla:zən] 《I》 *t.* ① 불어서 부풀리다; 〔비유〕 과장하다: der Wind bläst die Segel auf 바람이 돛을 부풀린다. ② (바람이 문을) 불어 열다. ③ 취주하다; einen Walzer ~ 왈츠곡을 취주하다. ④ **(a)** (깃털 따위를) 불어 올리다. **(b)** (불을) 불어 일으키다; 〔비유〕 불을 붙이다, 도발하다. **(c)** 악기를 불어 잠을 깨우다. 《II》 *refl.* sich ~ 부풀다; 〔비유〕 허세를 부리다. 《III》 *i.* (h.) zum Tanz ~ 댄스곡을 취주하다. 《IV》 **aufgeblasen** *p.a.* ↑ aufgeblasen.

auf|blatten *t.* 〖건축〗 엇턱〔엇걸이〕 이음하다 (anblatten).

auf|blättern 《I》 *t.* (책을) 펴다, (책장을) 넘기다, (책을) 뒤적이다. 《II》 *i.* (s.)/*refl.* sich ~ (꽃이) 피다: 〔雅語〕 die Rosen blättern (sich) auf 장미가 핀다.

auf|bleiben* *i.* (s.) ① (자지 않고) 깨어〔일어나〕 있다. ② (문이) 열려 있다.

auf|blenden 《I》 *t.* (등을) 켜다; (빛을) 비추다. 《II》 *i.* (h.) ① 〖사진〗 조리개를 열다. ② 〖영화〗 서서히 밝아지다, 페이드인하다; 촬영을 시작하다; (필름이) 돌아가기 시작하다.

Aufblick [áufblɪk] *m.* -(e)s, -e 〔雅語〕 쳐다봄, 우러러봄, 앙망; 섬광; 〖化〗 치명(熾明).

auf|blicken *i.* ① (h.) 올려다보다: zum Himmel ~ 하늘을 쳐다보다〔우러러보다〕. ② 〔비유〕 zu jm. ~ 누구를 우러러보다, 모범으로 삼다. ③ (h./s.) 〔구식〕 섬광을 발하다, 반짝 빛나다; (불꽃이) 타오르다; 〖化〗 (금속 덩어리가) 반짝 빛나다.

auf|blinken *i.* (h.) ① 반짝거리다: ein Stern nach dem andern blinkte auf 별들이 차례차례 반짝거렸다. ② (신호를 위해 빛을) 단속적으로 비추다.

auf|blitzen *i.* (h./s.) ① 반짝 빛나다; (불꽃이) 활활 타오르다. ② 〔비유〕 (생각이) 떠오르다: der Gedanke blitzte (in) ihm auf 문득 그 생각이 그의 머리에 떠올랐다.

auf|blocken *i.* (h.) (맹조(猛鳥)가 바위나 나무 위에) 내려앉다.

auf|blöcken *t.* (구두를) 구둣골에 넣어서 넓히다.

auf|blühen [áufbly:ən] *i.* (s.) ① 꽃피다, 개화(開花)하다; 〔비유〕 번영〔번창〕하다. ② 건강하고 쾌활해지다, 활짝 피어나다.

Aufblühen *n.* -s 개화; 번영〔번창〕: im ~ sein 활짝 피어 있다.

aufblühend *p.a.* eine ~e Schönheit 활짝 피어나는 미인; eine ~e Industrie 번성하는 산업.

auf|bocken *t.* (자동차를) 정비대 위에 올려놓다.

auf|bohnen, auf|bohnern *t.* (마루 따위를) 닦다, 윤을 내다.

auf|bohren *t.* 구멍을 뚫다.

auf|bojen *t.* 〖海〗 부표(浮標)를 띄우다.

auf|borgen *t.* 빌어 모으다.

auf|brassen *t.* 〖海〗 ein Schiff ~ 아딧줄로 배의 활대를 돌려 배와 직각이 되게 하다.

auf|braten* *t.* (고기를) 다시 구워 바삭바삭하게 만들다.

auf|brauchen *t.* 다 써 버리다, 소비하다.

auf|brauen *t.* ① 불어 일으키다(brauen). ② 양조(釀造)를 다 끝내다.

auf|brausen *i.* (h./s.) ① 끓어오르다, 거품이 일다; 발효하다; (바람이) 윙윙 소리 내다; (바다가) 놀치다, 거칠어지다. ② 〔비유〕 갑자기 흥분하다, 벌컥 화를 내다: leicht ~ 곧잘 성내다.

aufbrausend *p.a.* 성 잘 내는, 성미 급한.

auf|brechen [áufbrɛçən] 《I》 *t.* ① (자물쇠·문을) 부숴 열다; (편지를) 뜯다; (도로를) 파헤치다; (밭을) 갈아 엎다; (맥주를) 냉각기로 휘젓다; 〖사냥〗 Wild ~ 짐승의 배를 갈라 열다. ② 〔드물게〕 die Wache ~ 보초 근무를 마치다. 《II》 *i.* (s.) ① (꽃봉오리가) 피다; (피부·종기가) 갈라지다, 터지다; (냇물이) 둑을 무너뜨리다. ② 출발하다, 떠나다: zur Reise ~ 여행을 떠나다; 〖軍〗 aus dem Lager ~ 숙영지를 떠나다; es ist Zeit zum Aufbrechen 출발할 시간이다. ③ (모순 따위가) 분명히 나타나다.

auf|breiten *t.* ① 넓히다, 늘이다. ② 〖광산〗 선광(選鑛)하다.

auf|brennen* [áufbrɛnən] 《I》 *i.* (s.) ① (큰 불꽃을 내며) 타오르다; 〔비유〕 (in Wut) ~ 벌컥 성을 내다. ② (해가) 타는 듯이 쬐다. ③ (분노·증오 따위의 감정이) 타오르다: Zorn brannten in ihm auf 그의 마음속에서 분노가 불타올랐다. 《II》 *t.* ① 타오르게 하다. ② (연료를) 다 태우다. ③ 〖醫〗 (종기를) 태워서 절개하다. ④ (녹슨 금속을) 다시 굽다, 정련하다. ⑤ **(a)** jm. eine Kugel ~ 누구를 저격하다; 〔구어〕 jm. eins ~ 누구에게 한 방 쏘다, (회초리로) 한대 갈기다. **(b)** jm. ein Mal ~ 누구에게 낙인을 찍다; auf et. ein Zeichen ~ 무엇에 낙인을 찍다. **(c)** 〔비유〕 jm. eine Strafe ~ 누구를 처벌하다. **(d)** (에나멜·법랑을) 구워 입히다. ⑥ (사료를) 끓이다, 더운 물에 담

그다. ⑦ (포도주 통을) 황(黃)으로 그을리다.

Aufbrief [áufbri:f] *m.* -(e)s, -e (선박의 적재 능력·성능에 대한) 선체 증명서.

auf|bringen [áufbriŋən] 《I》 *t.* ① (문을) 열 수 있다: ich bringe die Tür nicht auf 나는 문을 열 수 없다. ②〖방직〗(실을) 실패에 감다; (곡식을 지붕밑 골방에) 올려 넣다; (활에 화살을) 메기다; (돛을) 올리다. ③ (짐승을) 몰아대다; (돈을) 조달하다; (용기를) 내다; (세금을) 징수하다; (군대를) 징집하다; (배를) 나포하다; (도둑을) 사로잡다; (증거를) 대다. ④〔비유〕자극하다, 화나게 만들다: der geringste Anlaß bringt ihn auf 그는 지극히 사소한 일에도 화를 낸다. ⑤ (공사를) 일으키다, 건축하다; (병자를) 침상에서 일으키다, 치료하다; (사업을) 진흥〔번영〕시키다. ⑥〔구식〕(묘목(苗木)·어린애를) 키우다, 양육하다. ⑦ (소문을) 퍼뜨리다, 끄집어내다; (신조어를) 만들다, 퍼뜨리다. ⑧ jm. et. ~ 누구에게 어떤 일이 있다는 소문을 퍼뜨리다. ⑨ et. auf et. ~ 무엇을 무엇 위에 바르다, 덧칠하다. 《II》 **aufgebracht** *p.a.* ↑ aufgebracht.

Aufbringer *m.* -s, -〖海〗나포선.

Aufbringung *f.* (금액의) 조달; (적선의) 나포.

auf|brisen *i.* (h.) (바람이) 불기 시작하다; (바람이) 세게 불다.

auf|bröckeln 《I》 *i.* (s.) 잘게 부숴지다. 《II》 *t.* 잘게 부수다.

auf|brocken *t.* 조각으로 나누다.

auf|brodeln *i.* (s.) 부글부글 끓어오르다.

Aufbruch [áufbrux] 《<aufbrechen》 *m.* -(e)s, ..brüche ① 출발;〔비유〕각성, 궐기: die dritte Welt ist im ~ 제 3 세계가 부상하고 있다. ②〖사냥〗짐승의 내장. ③ (지면·도로의) 파헤쳐진〔갈라진〕곳. ④〖광산〗밑에서 위로 채광하는 갱.

Aufbruchs·stimmung *f.* 출발 직전의 (설레이는) 분위기.

auf|brücken *t./i.* (h.) 다리를 놓다, 중개〔중재〕하다.

auf|brühen *t.* …에 끓는 물을 붓다: Tee ~ 끓는 물을 부어 차를 만들다.

auf|brüllen *i.* (h.) 포효하다, 울부짖다.

auf|brummen 《I》 *i.* (h.) ① (갑자기) 웅웅거리다. ②〖海〗좌초하다, 가라앉다. ③ (s.)〔구어〕충돌하다: er ist mir auf den Wagen aufgebrummt 그는 내 자동차에 부딪쳤다. 《II》 *t.* ① 으르렁거리다:〔학생〕jm. eins ~ 누구에게 고함치다. ②〔구어〕부과하다:〔농담〕ihm wurden 2 Wochen Gefängnis aufgebrummt 그는 2 주간의 금고에 처해졌다.

auf|buckeln *t.* ① 등에 짊어지다. ②〔비유〕짐지우다, 부과하다.

auf|buden *i.* (h.) 오두막집을 세우다, 노점을 내다.

Aufbügel·muster *n.* (다림질 판박이용) 자수문양.

auf|bügeln *t.* ① (옷을) 다림질하여 새것 같이 하다. ② (자수 문양을) 다림질하여 다른 천에 찍다.

auf|bumsen〔구어·경박〕《I》 *t.* 쿵 소리를 내며 내려놓다. 《II》 *i.* (s.) 쿵 소리를 내며 넘어지다.

Aufbund [áufbunt] 《<aufbinden》 *m.* -(e)s 머리카락을 땋아 틀어 올리기; 속발(束髮).

auf|bündeln *t.* (묶음을) 풀다.

auf|bürden *t.* 부과하다, (짐을) 지우다: dem Volke schwere Steuern ~ 국민에게 세금을 무겁게 물리다.

Aufbürdung *f.* -en 부과, 부담.

auf|bürsten 《I》 *t.* (머리카락·모피 등을) 위로 빗어올리다. 《II》 *refl.* sich³ die Hände ~ 솔질을 너무하여 손에 상처를 입다.

auf|damen *t.* (서양 장기에서 어떤 말을) 여왕(女王)이 되는 위치에 두다.

auf|dämmen *t.* ① (강을) 둑으로 막다. ② 둑을 쌓아 높이다: ein Gelände ~ 어떤 지대를 둑을 쌓아 높이다.

auf|dämmern *i.* (h./s.)〔雅語〕① 날이 새다, 밝아오다: der Morgen dämmert auf 날이 새다, 먼동이 트다;〔비유〕von Träumen ~ 꿈에서 어렴풋이 깨다. ②〔비유〕뚜렷해지다, 이해되다: dämmert dir der Sinn der Sache auf? 문제의 핵심을 이해하겠니?

auf|dampfen 《I》 *i.* (s.) 증발하다, 연기가 되어 올라가다. 《II》 *t.* 증착(蒸着)시키다.

auf|dämpfen *t.* 젖은 천을 대고 〔증기〕다림질하다.

auf|dauern *i.* (h.) 일어나 있다, 자지 않고 있다.

auf|decken 《I》 *t.* ① (덮개를) 씌우다: das Tischtuch 〔den Tisch〕 ~ 책상〔식탁〕보를 씌우다. ② (덮개를) 벗기다, 노출시키다;〔비유〕(부정을) 적발하다, (비밀을) 폭로하다; (계획을) 밝히다;〖카드〗(손에 든 패를) 까 보이다. ③ (식탁을) 차리다. 《II》 *refl.* sich ~ 드러나다; 이불을 걷어차다: das Kind hat sich im Schlaf aufgedeckt 아이가 자면서 이불을 차버렸다. 《III》 *i.*〔구어〕식탁을 차리다: soll ich schon ~? 벌써 식탁을 차리라구요?

Aufdeckung *f.* -en 폭로, 적발, 발각.

auf|deichen *t.* (둑을) 쌓(아 올리)다.

auf|dingen(*) *t.*〔드물게〕고용하다: als Lehrling ~ 도제(徒弟)로 받아들이다, 제자로 삼다.

auf|docken *t.* ① (곡식 따위를) 다발로 묶어 세우다. ②〖사냥〗(개의 가죽끈을) 둘둘 말다.

auf|donnern 《I》 *refl.* sich ~〔폄어〕(지나치게) 치장하다, 멋을 내다: du donnerst dich immer fürchterlich auf 그는 언제 보아도 지나치게 멋을 내는구나. 《II》 **aufgedonnert** *p.a.* ↑ aufgedonnert.

auf|doppeln *t.* ①〖軍〗(대열을) 배가(倍加)하다. ② (구두에) 가죽창을 대다.

auf|dörren *t.* 건조시키다, 말리다.

auf|drängeln *t./refl.*〔구어〕↑ aufdrängen 《I》③, 《II》①.

auf|drängen [áufdrɛŋən] 《I》 *t.* ① (문 따위를) 밀어 열다. ② 밀어 올리다. ③ 강요하다, 조르다: er drängt mir seine Ansichten auf 그는 나에게 자기 의견을 강요한다. 《II》 *refl.* sich jm. ~ ① 누구에게 끈질기게 달라붙다, 치근대다. ② (예감·의혹 따위가 끈질기게) 누구의 마음에 떠오르다: der Gedanke drängt sich mir auf 〔es drängt sich mir der Gedanke auf〕 그 생각이 자꾸만 나의 뇌리를 파고든다.

aufdrängerisch *a.* 추근대는, 귀찮은.

Aufdrängling *m.* -s, -e 추근대는 사람, 뻔뻔스러운 사람.

auf|drehen 《I》 *t.* ① **(a)** 돌려 열다 (↔ zudrehen): den Leitungshahn ~ 수도꼭지를 틀다.

(**b**) (밧줄의 가닥을) 돌려 풀다, 꼬인 것을 풀다. ② (나사를) 돌려서 헐겁게 하다〔빼다〕. ③ (시계의) 태엽을 감다. ④ 강매(强賣)하다. ⑤ (라디오 따위의) 볼륨을 높이다. ⑥ (스위치를) 켜다, 작동시키다: Licht ~ 전등을 켜다. 《Ⅱ》 *i.* (h./s.) ① 〖구어〗 급히 서둘다; 빨리 달리다; 〖스포츠〗 피치를 올리다. ② 〖구어〗 기분이 좋아지다: er war mächtig aufgedreht 그는 매우 기분이 좋았다. ③ 〖海〗 바람이나 조류에 거슬러 항해하다. ④ (h.) (südd., öst.) 화를 내다, 큰 소리로 욕설을 퍼붓다. 《Ⅲ》 *refl.* sich das Haar ~ 머리를 (돌돌) 말다〔말아올리다〕.

auf|dreschen* *t.* (곡식을 도리깨로) 타작하다, 두드리다: 〔비유〕 jm. eins ~ 누구를 한 대 때리다.

auf|drieseln *t.* ↑ aufdröseln.

auf|dringen* 《Ⅰ》 *i.* (s.) 솟구치다. 《Ⅱ》 *t.* 〖구식〗 ↑ aufdrängen 《Ⅰ》③. 《Ⅲ》 *refl.* 〖구식〗 ↑ aufdrängen 《Ⅱ》①.

aufdringlich *a.* 추근대는, 귀찮은, 볼썽사나운.

Aufdringlichkeit *f.* -en ① 추근거림, 귀찮게 졸라댐. ② 치근대는 언행.

Aufdringling *m.* -s, -e 치근대는 사람.

auf|dröhnen *i.* (h./s.) ① (갑자기) 굉음을 울리다. ② 요란한 소리를 내기 시작하다: heftiges Klatschen dröhnte auf 요란한 박수 소리가 울렸다.

auf|dröseln [áufdrø:zəln] *t.* 〖구어〗 ① (꼬인 것을) 바로잡다; (밧줄·편물의 가닥을) 풀다. ② 〖비유〗 분석하다, 해석하다.

Aufdruck [áufdruk] *m.* -(e)s, -e ① (편지지, 엽서 따위에 인쇄한) 짧은 문구(회사명, 주소, 가격 등을 표시). ② 〖物〗 (액체가 용기의 상부에 가하는) 상향 압력.

auf|drucken *t.* ① 인쇄하다. ② (도장을) 찍다; 날염하다.

auf|drücken 《Ⅰ》 *t.* ① 눌러 깨뜨리다; (여드름을) 눌러짜다; (문을) 밀어 열다. ② (도장을) 눌러 찍다; 눌러 붙이다: ein Pflaster auf die Wunde ~ 상처에 고약을 붙이다; 〖구어〗 jm. einen ~ 누구에게 키스하다. ③ 찍어 누르다: er drückt zu sehr auf 그는 펜을 너무 눌러 쓴다. 《Ⅱ》 *refl.* sich[3] et. ~ 무엇을 꼭 눌러 쓰다: er drückte sich noch im Zimmer den Hut auf 그는 방에서도 모자를 꼭 눌러썼다.

Aufdrückung *f.* -en 눌러 붙이기, 날인; (문 따위를) 밀어 열기; (펜 따위를) 눌러 쓰기.

auf|ducken *i.* (s.) / *refl.* (sich) ~ (물속에 있던 사람이) 갑자기 떠오르다〔나타나다〕.

auf|dunsen 〖구식〗 《Ⅰ》 *t.* 부풀게 하다. 《Ⅱ》 *i.* (s.) / *refl.* (sich) ~ 부풀다, 부어 오르다. 《Ⅲ》 **aufgedunsen** *p.a.* ↑ aufgedunsen.

auf|dunsten 《Ⅰ》 *i.* (s.) 증발하다; 발산하다. 《Ⅱ》 *t.* (음식물을) 찌다.

auf|duven [áufdu:vən] *i.* (h.) 바람받이로 뱃머리를 돌리다.

auf|eggen *t.* 〖農〗 써레질하다.

***auf|einander** [auf|aınándər] *adv.* ① 서로서로: ~ achten 서로를 존중하다. ② 차곡차곡 포개어: die Zeitungen lagen alle gut sotiert ~ 신문들이 모두 잘 분류되어 차곡차곡 쌓여 있다.

aufeinander|beißen *t.* (이를) 악물다.

Aufeinander⸗folge *f.* 연속, 계속: in rascher ~ 연달아서. **~|folgen** *i.* (s.) 잇달아 뒤를 잇다. **~folgend** *p.a.* 연속하는. **~häufen** *t.* 포개어 쌓다. **~legen** *t.* 포개어 놓다. **~liegen** *i.* (h./s.) 겹쳐 있다. **~platzen** *i.* (s) 〖비유〗 (의견이) 충돌하다. **~|prallen** *i.* (s.) 서로 충돌하다. **~|pressen** *t.* (하나를 다른 것 위에 놓고) 누르다. **~|schlagen** *t./i.* (서로) 부딪다, 충돌하다. **~|sitzen** *i.* 끼어 앉다, 바짝 붙어 앉다. **~|stapeln** *t.* 쌓아 올리다. **~stoß** *m.* 충돌; 알력. **~|stoßen*** *i.* (h.) 충돌하다. **~|treffen** *i.* (s.) 만나다, 조우하다. **~treiben** *n.* (배의) 충돌. **~|türmen** *t.* 차곡차곡 쌓아 올리다.

auf|eisen 《Ⅰ》 *t.* …의 얼음을 깨뜨리다, …에서 얼음을 제거하다. 《Ⅱ》 *i.* (s.) / *refl.* (sich) ~ 얼음이 녹다.

auf|entern *i.* (s.) 〖海〗 (돛의) 활대에 기어 오르다.

***Aufenthalt** [áufɛnthalt] *m.* -(e)s, -e ① 〖구식〗 지탱하는 것; 주식(住食): bei vollem ~ leben 생활이 궁색하지 않다. ② 체재 (기간), 체류 (일수); 〖철도〗 정차(시간); 〖海〗 정박; (일시적인) 중단: bei meinem ~ 〔während meines ~s〕 in Berlin 내가 베를린에 체류했을 때. ③ 체재〔거류〕지, 거처; 〖사냥〗 (야수의) 소굴: 〖雅語〗 in einem Hotel ~ nehmen 호텔에 숙소를 잡다. ④ 장해, 고장, 지체, 지연: ohne ~ 지체 없이.

Aufenthalter *m.* -s, - 일시적 체류자.

Aufenthalts⸗beschränkung *f.* 체재 기간 제한. **~bewilligung** *f.* 체류 허가. **~dauer** *f.* 체재 기간; 〖철도〗 정차 시간. **~erlaubnis** *f.* 체류 허가. **~genehmigung** *f.* ↑ ~erlaubnis. **~karte** *f.* 체류 허가증. **~ort** *m.* 체재지, 체류지. **~raum** *m.* 휴게실, 라운지. **~zeit** *f.* ↑ ~dauer.

auf|erbauen *t.* 건설〔구축〕하다; 〖비유〗 계발〔교화〕하다.

auf|erlegen [áuf|ɛrle:gən] *t.* 〖雅語〗 (부담·의무·벌을) 부과하다: jm. eine Geldbuße ~ 누구에게 벌금을 부과하다.

Auferlegung *f.* -en 부과.

auf|erstehen* [áuf|ɛrʃté:(ə)n] *i.* (s.) ① 소생〔부활〕하다: Christus ist auferstanden 그리스도께서 부활하셨다. ② 〖구어〗 건강을 회복하다.

***Auferstehung** [áuf|ɛrʃté:uŋ, ..ʃté:uŋ] *f.* -en 소생, 부활: die ~ Christi 그리스도의 부활.

Auferstehungs⸗feier *f.* 〖가톨릭〗 부활제. **~feld** *n.* 〖시어〗 묘지. **~fest** *n.* (Ostern) 부활절. **~freude** *f.* 부활의 환희. **~mann** *m.* 시체 발굴자. **~pflanze** *f.* 〖植〗 멕시코 바위손(시들어도 물을 주면 다시 살아남). **~tag** *m.* 부활의 날. **~wonne** *f.* ↑ ~freude.

auf|erwachen *i.* (s.) 깨어나다, 소생〔부활〕하다.

auf|erwachsen* *i.* (s.) 성장하다, 자라다 (aufwachsen 보다 뜻이 강함).

auf|erwecken *t.* 〖聖〗 (죽음에서) 깨우다, 소생〔부활〕시키다; (aufreizen) 자극하다.

Auferweckung *f.* -en 소생시킴.

auf|erziehen* *t.* 〖雅語〗 육성〔양육〕하다.

Auferziehung *f.* -en 양육.

auf|essen* *t.* 남김없이 먹다, 먹어 비우다.

auf|fächern *t.* ① 부채꼴로 펼치다. ② 〖비유〗 작은 부분으로 나누다.

Auffächerung *f.* -en 부채꼴로 펼침; 작은 부분으로 세분함.
auf|fädeln, auf|fädmen *t.* 〔구식〕 (진주 따위를) 실에 꿰다.
Auffädlung *f.* -en 실에 꿺.
auf|fahren [áuffa:rən] 《Ⅰ》 *i.* (s.) ① **(a)** 오르다, 올라가다; 〖宗〗 (gen Himmel) ~ a) 승천하다, b) 〖광산〗 갱에서 나오다. **(b)** 갑자기 일어서다, (놀라) 뛰어오르다; (먼지가) 일다: aus dem Schlaf ~ 잠에서 깨어 벌떡 일어나다. **(c)** (두창(痘瘡)이) 부어 오르다; (술기운이) 머리에 오르다; (생각이) 떠오르다. **(d)** (바람이) 갑자기 격해지다. ② 〔비유〕 버럭 화를 내다: er fährt leicht auf 그는 성미가 급하다. ③ 위풍당당하게 입성〔입궐〕하다. ④ (차가 특정 장소에) 다다르다, 접근하다; 등장하다, 모습을 나타내다: der Wagen fuhr vor der Stadthalle auf 차가 시청 앞에 당도했다; die Zeugen fuhren auf 증인들이 (천천히) 등장했다. ⑤ (창·문이) 갑자기 활짝 열리다. ⑥ (s./h.) (배·차가〔로〕) 들이받다, 추돌하다; 〖海〗 좌초하다: das Schiff ist auf eine Sandbank aufgefahren 배가 모래톱에 좌초했다. 《Ⅱ》 *t.* ① 운반하여 나란히 놓다: Geschütz ~ 대포를 사격 대형으로 포진하다; 〔비유〕 grobes 〔schwerstes〕 Geschütz ~ 유력한 증거를 제시하다; 〔구어〕 viel ~ lassen 산해진미를 식탁에 올리다〔대접하다〕. ② Kies〔Erde〕 ~ 자갈〔흙〕을 깔다〔덮다〕. ③ den Weg ~ (빈번한 통행으로) 길을 훼손하다; 〖광산〗 einen Stollen ~ 갱도(坑道)를 파서 뚫다.
auffahrend *p.a.* 성미가 급한, 성을 잘 내는.
auffahrig *a.* 〔드물게〕 ↑ auffahrend.
Auffahrt *f.* -en ① 상승, (탈것을 타고) 오르기; 〖宗〗 승천; 〖광산〗 출갱(出坑). ② **(a)** (현관 앞 따위에) 차를 댐. **(b)** 차 대는 곳, 진입로; 비탈길. **(c)** (의장 차량의) 행렬; 입국(入國). ③ 〔방언〕 역참(驛站).
Auffahr·unfall *m.* (차의) 추돌 사고.
auf|fallen [áuffalən] 《Ⅰ》 *i.* (s.) ① 위에 떨어지다; 〖사냥〗 (새가 급히) 나무에 내리다; (개가) 냄새를 맡고 사냥감을 따라가다. ② 〔비유〕 주목을 끌다, 눈에 띄다: es fällt mir auf, daß... …한 사실이 나의 관심을 끈다; er ist in der Schule nicht sonderlich aufgefallen 그는 학교에서 별 주목을 받지 못했다; die Ähnlichkeit zwischen beiden ist uns gleich aufgefallen 두 사람의 닮은 점이 우리 눈에 금방 띄었다. ③ (↔ zufallen) 떨어져서 쪼개지다〔펴지다〕. 《Ⅱ》 *t.* sich³ den Kopf ~ 떨어져서〔넘어져서〕 머리를 다치다.
auffallend *p.a.* 눈에 띄는, 이목을 끄는: eine ~e Erscheinung 인상적인 외모; ein ~ schönes Mädchen 눈에 띄게 아름다운 소녀.
auffällig *a.* ① ↑ auffallend. ② 의심스러운.
Auffälligkeit *f.* -en 이목을 끎, 눈에 띔.
auf|falten 《Ⅰ》 *t.* ① 펼쳐 열다. ② (무엇의) 주름을 펴다. 《Ⅱ》 *refl.* sich ~ ① 펴지다, 열리다: der Fallschirm hat sich nicht aufgefaltet 낙하산이 펴지지 않았다. ② 〖지질〗 습곡(褶曲)을 형성하다.
auffangbar *a.* 붙잡을 수 있는.
auf|fangen* [áuffaŋən] *t.* ① (운동·낙하중인 것을) 붙잡다: einen Ball ~ 공을 붙잡다. ② (용기에) 받아 넣다, 모으다: Regentropfen (in einer Schüssel) ~ 빗방울을 (그릇에) 받아 모으다. ③ (난민을) 일시적으로 수용하다; (도둑을) 체포하다. ④ 청취하다; 도청하다, (뉴스를) 수집하다: einige Worte aus einem Gespräch ~ 대화 속의 몇마디를 우연히 듣게 되다. ⑤ 〖空〗 (기체(機體)를 바로잡아) 추락을 막다. ⑥ 〖海〗 (바람을) 받다; (닻을) 올리다. ⑦ 억제하다, 완화하다; 저지하다: Preissteigerungen ~ 물가상승을 억제하다. ⑧ 〖수공〗 (뜨개질할 때 빠뜨린 코를 바늘에) 꿰다.
Auffänger *m.* -s, - 액체를 받아 모으는 용기.
Auffang=glas *n.* 〖物〗 대물렌즈 (Objektiv). **~lager** *n.* (난민·이민 등의) 임시 수용소. **~schale** *f.* 받침 접시. **~stange** *f.* 〖전기〗 피뢰간(避雷桿); (전구의) 점광경(點光莖), 전광경(電光莖). **~stelle** *f.* ↑ ~lager. **~vorrichtung** *t.* 물받이 시설.
auf|färben *t.* 새로 염색하다, 색칠하여 새로 단장하다.
auf|fasern *t.* (실 따위를) 풀다, 뜯다.
***auf|fassen** *t.* ① 집어 올리다. ② (신중히) 쥐다, 꽉 붙잡다; 받아 모으다; (진주를) 실에 꿰다; 〖수공〗 (빠뜨린 코를) 바늘에 꿰다. ③ 〔비유〕 파악하다, 알다, 이해하다; 해석하다: gut 〔richtig〕 ~ 잘〔옳게〕 이해하다; sie hat seine Frage als Beleidigung aufgefaßt 그녀는 그 남자의 질문을 모욕으로 받아들였다.
Auffassung [áuffasuŋ] *f.* -en ① 견해, 의견, 소견: meiner ~ nach 내 견해로는; ich habe davon eine andere ~ als Sie 나는 그것에 관해 당신과는 다른 의견을 가지고 있다. ② 해석, 이해. ③ 〔드물게〕 이해력.
Auffassungs=art *f.* 보는 방법, 견해, 설(說). **~gabe** *f.* 이해력. **~kraft** *f.* ↑ ~gabe. **~sache** *f.* 〔다음 용법으로〕 das ist ~ 그것에 대해서는 (보는 사람에 따라) 견해가 서로 다를 수 있다. **~vermögen** *n.* 이해력. **~weise** *f.* ↑ ~art.
Auffavorit [áuffavori:t] 《frz.》 *m.* -en, -en 〖경마〗 인기마.
auf|fegen *t.* ① (쓰레기를) 쓸어 모으다. ② 〔시어〕 (바람이) 몹시 불어 허공으로 날려올리다: ein Windstoß fegte alle Blätter auf 돌풍이 불어 낙엽을 죄다 공중으로 쓸어 올렸다.
auf|feilen *t.* 줄로 (다시) 갈다, 줄질하여 열다.
auf|feuchten *t.* 다시 축이다〔적시다〕.
auf|fiedeln *t./i.* (h.) eins〔ein Stück〕 ~ 바이올린으로 한 곡 켜다.
auffindbar *a.* 찾아낼〔발견할〕 수 있는.
auf|finden* *t.* 찾아내다, 발견하다.
Auffinder *m.* -s, - 발견자.
Auffindung *f.* -en 발견.
auf|firnissen *t.* …에 니스를 다시 칠하다.
auf|fischen *t.* ① (물에서) 건져 올리다. ② 〔비유·경박〕 찾아내다, 발견하다; 구하다, 얻다: wo hast du denn den aufgefischt? 도대체 그 사람을 어디서 낚았니?
auf|flackern *i.* (s.) ① 확〔깜박깜박〕 타오르다. ② 〔비유〕 잠시 되살아나다, 재발하다: eine Epidemie flackerte noch einmal auf 전염병이 다시 발생했다.
auf|flammen *i.* (s.) ① 타오르다; 폭발하다. ② (감정이) 격해지다: mit plötzlich ~dem Zorn 불끈 화를 내며.
Aufflammung *f.* -en (불)타오름; 폭발.
auf|flattern *i.* (s.) ① 날개치며〔훨훨〕 날아오

르다. ② (종이·빨래가) 바람에 날리다.

auf|flechten* *t.* ① (머리를) 땋아 올리다: das Mädchen ~ 소녀의 머리를 땋다. ② (땋은 머리·엮은 밧줄을) 풀다: sich³ die Haare ~ 머리를 풀다. ③ (머리를) 다 땋다. ④ 땋아 붙이다.

auf|flicken *t.* ① (헝겊을) 대다, 기워붙이다. ②〔비유〕jm. et. ~ 누구에게 무엇을 뒤집어씌우다.

auf|fliegen* *i.* (s.) ① 날아오르다; (새가) 날아가다: den Falken ~ lassen 매를 날려보내다. ②〔구어〕폭발하다: das Haus ist aufgeflogen 집이 폭발하여 허공으로 날아갔다; im Feuer ~ 소실(燒失)되다, 타 없어지다. ③〔비유〕(in Rauch) ~ (연기로) 사라지다, (단체가) 해체되다, (계획이) 무산되다. ④ (문이) 확 열리다. ⑤ (불법 행위가) 발각되다, 들통나다: der Rauschgiftschmuggel flog auf 마약 밀수가 발각되었다.

auf|flimmern *i.* (s.) (빛이) 발광하다, (별이) 반짝이다.

Aufflug [áufflu:k] 《<auffliegen》 *m.* -(e)s, ..flüge [..fly:gə] 날아오름;〔비유〕고양, 비약, 약진.

Aufforderer *m.* -s, - 권유자, 독촉자; 도전자.

***auf|fordern** [áuffɔrdərn] *t.* ① 요구〔요청〕하다, 촉구하다: jn. ~, mitzuwirken 누구에게 협조를 요청하다; eine Festung zur Übergabe ~ 요새를 넘겨줄 것을 요구하다. ② 청하다, 권하다: jn. zum Sitzen ~ 앉기를 권하다; eine Dame zum Tanz ~ 어떤 부인에게 춤을 추자고 청하다.

Aufforderung *f.* -en ① 요구, 요청; 〖法〗 최고(장): auf wiederholte ~ (hin) 반복되는 요청에 따라; einer ~ Folge leisten 요구에 응하다. ② 초대, 권유.

Aufforderungs=satz *m.* 요구문. **~schreiben** *n.* 초청장; 〖法〗 최고장.

auf|fördern *t.* (염수를) 퍼 올리다; 〖광산〗 파 올리다.

auf|formen *t.* (모자 따위를) 형태를 새로 만들다.

auf|forsten *t.* 〖林〗 (나무를) 새로 심다.

Aufforstung *f.* -en 〖林〗 재조림.

auf|fressen* *t.* ① 다 먹어 치우다;〔비유〕(**a**)〔구어〕끔찍이 사랑하다. (**b**) (누구에게) 몹시 화를 내다: wenn wir das nicht rechtzeitig erledigen, frißt er uns auf 우리가 그것을 제때에 해치우지 않으면 그는 우리에게 몹시 화를 낸다. ② 부식(腐蝕)하다, 단근질하다. ③〔비유〕녹초로 만들다; 빈털터리로 만들다: die Arbeit fraß ihn auf 일이 그의 심신을 소모시켰다.

auf|frieren* 《I》 *i.* (s.) ① 녹다, 해빙되다: der See friert auf 호수가 녹는다. ② 〖農〗 (뿌리가 땅의 서리로 인해) 땅에서 뜨다: das ganze Getreide ist aufgefroren 곡식 전체의 뿌리가 서릿발 때문에 땅에서 들떴다. 《II》 *t.* 녹이다.

auf|frischen [áuffrıʃən] 《I》 *t.* ① (낡은 것을) 새롭게 단장하다; 〖畫〗 새로 수리하여 단장하다;〔비유〕(비축물을) 보강하다;〔비유〕(추억을) 새롭게 하다; (어학 지식을) 되살리다; (옷을) 고쳐 짓다: das Blut ~ (교배(交配)로) 혈통을 개량하다. ② sich ~ 원기를 회복하다. 《II》 *i.* (h.) (바람이) 세게 일다(↔abflauen).

Auffrischung [áuffrıʃʊŋ] *f.* -en ① 갱신, 재생: zur ~ meiner Sprachkenntnisse 내 어학 지식을 되살리기 위해서. ② 수리, 개량, 새 단장. ③ 원기 회복: zur ~ eine Kur machen 원기 회복을 위해 요양하다.

auf|fugen, auf|fügen *t.* (적당한 형태로) 끼워 고정시키다: die Felgen auf die Speichen ~ 수레 바퀴테를 (바퀴의) 살에 끼우다.

aufführbar *a.* 〖연극〗 상연할 수 있는; 〖음악〗 연주할 수 있는.

Aufführbarkeit *f.* 상연할 수 있음.

***auf|führen** [áuffy:rən] 《I》 *t.* ①〔雅語〕쌓아 올리다, (건물을) 세우다: eine Mauer ~ 담장을 쌓다. ② (흙을) 돋우다. ③ 높은 곳으로 인도〔운반〕하다; 〖軍〗 (위병을) 당번을 서게 하다; (보초병·대포를) 배치하다. ④ 제시하다; (증인을) 내세우다; (증명을 위해 어떤 구절을) 갖다대다; (포로를) 끌고 다니다. ⑤ 데리고 가서 소개하다; Gesandte zur Audienz ~ 사절을 안내하여 알현시키다; (schweiz.) jn. in sein Amt ~ 누구를 관직에 임명하다. ⑥ 〖연극〗 상연〔공연〕하다; 〖영화〗 상영하다; 〖음악〗 연주하다. ⑦ (이름·보기·이유 따위를) 대다, 들다, 거론하다, 싣다: dein Name ist in der Liste nicht aufgeführt 너의 이름이 명단에 실려 있지 않다. 《II》 *refl.* sich ~ 처신〔행동〕하다: sich gut ~ 행실이 바르다.

Aufführung [áuffy:rʊŋ] *f.* -en ① 건축, 축조. ② (예·이유를) 갖다대기, 인증; 〖商〗 (장부에의) 기입. ③ 상연, 공연, 상영: eine ~ vorbereiten 공연을 준비하다;〔격식〕zur ~ gelangen 공연되다;〔격식〕zur ~ bringen 상연하다. ④ 행동거지, 행실.

Aufführungs=praxis *f.* 〖음악〗 가창법, 연주법. **~recht** *n.* 〖연극〗 상연권, 공연권. **~reif** *a.* 상연할 수 있을 만큼 좋은. **~zeugnis** *n.* 품행 증명서.

auf|füllen 《I》 *t.* ① 가득 채우다, (포도주를) 병에 담다: Suppe ~ 수프를 접시에 붓다; die Kanne (mit Wasser) ~ 주전자에 (물을) 채우다. ② 새로 채우다, 보충해 넣다. ③ 〖건축〗 흙을 쌓다, 매립하다. ④ 〖요리〗 (물 등을) 음식에 붓다. 《II》 *refl.* 〖기상〗 sich ~ (저기압이) 약해지다.

Auffüller *m.* -s, - 〖전기〗 보전기(補電器).

Auffüllung *f.* -en 채움, 보충; (Damm) 제방, 둑.

auf|funkeln *i.* (h.) 불꽃을 발하다, 반짝반짝 빛나다.

auf|furchen *t.* (어디에) 이랑을 내다, 도랑을 파다, (밭을) 갈다.

auf|fußen *i.* 〖사냥〗 (날짐승이 땅이나 나무에) 내려앉다.

auf|futtern *t.* 〖工〗 덧대다: Holz ~ (바닥에) 나무를 깔다.

auf|füttern *t.* ① 사육〔양육〕하다; 잘 먹여 건강하게 만들다. ② (사료를) 다 써버리다.

Auffütterung *f.* -en 사육; 〖醫〗 (소아의) 인공 영양법.

***Aufgabe** [áufga:bə] 《<aufgeben》 *f.* -n ① (용광로의) 장전(裝塡); 투광구(投鑛口). ② 의뢰, 위탁; (우편물의) 발송, 탁송; (전보의) 발신: die ~ einer Anzeige 광고의 의뢰; die ~ eines Briefes 편지의 발신. ③ 〖스포츠〗 서

브: die ~ ausführen 서브를 넣다. ④ 중단, 중도 하차; 단념, 포기; 〖스포츠〗 기권: die ~ eines Rechtes 권리의 포기; die ~ eines Amtes 사직; die ~ eines Geschäfts 폐업. ⑤ 과업, 과제; 임무, 사명; 〖商〗 주문: einer ~ gewachsen sein 임무를 감당할 역량이 있다; es sich³ zur ~ machen, et. zu tun 무엇하는 것을 자기의 책무로〔사명으로〕 삼다; laut ~ 명(命)에 따라. ⑥ 과제, 숙제: seine ~n machen 숙제를 하다; keine ~n aufhaben 숙제가 없다.

Aufgabe≈amt *n.* 〖우편〗 발신국(發信局). **~bescheinigung** *f.* 〖우편〗 ↑ ~schein.

auf|gabeln *t.* ① (건초를) 쇠스랑으로 긁어모으다. ②〖비유·俗〗 (뉴스를) 찾아내다; (jn.) 우연히 만나다; 우연히 알게 되다.

Aufgaben≈bereich *m.* 임무〔직무〕 범위. **~buch, ~heft** *n.* 연습장, 연습 문제집. **~sammlung** *f.* 문제집. **~stellung** *f.* 출제.

Aufgabe≈ort *m.* 〖우편〗 (서신·전보의) 발신지. **~schein** *m.* 〖우편〗 접수증. **~spiel** *n.* 〖테니스〗 서비스 게임. **~stelle** *f.* 발송역. **~stempel** *m.* 〖우편〗 소인(消印). **~tag** *m.* 발송일. **~vorrichtung** *f.* 〖工〗 급송(給送) 장치, (용광로의) 급광(給鑛) 장치.

auf|gagen [áufgɛgən] *t.* 〖영화·연극〗 개그를〔익살을〕 삽입하다: ein Theaterstück ~ 연극 작품에 익살을 집어넣다.

Aufgalopp [áufgalɔp] *m.* -s, -s/-e (Probegalopp) ①〖승마〗 (경주에 앞서 관객과 심판 앞에서 행하는) 연습 갤럽. ②〖스포츠·비유〗 연습 경기, 예선전.

***Aufgang** [áufgaŋ] 《< aufgehen》 *m.* -(e)s, ..gänge ① (해·달이) 떠오름, 출현: auf den ~ der Sonne warten 해돋이를 기다리다. ②〖비유〗 성장; 승진: in ~ bringen 성장시키다. ③ 올라가는 입구, 계단; 〖드물게〗 오르막길. ④ 엶, 풂; 〖사냥〗 (보호 기간 이후의) 재개(再開): ~ des Eises 해빙. ⑤〖구식〗 비용. ⑥〖스포츠〗 (기계 체조의) 첫부분. ⑦〖주로 단수〗 개화, 발아: der ~ der Blüte 개화.

Aufgangs·punkt *m.* 〖天〗 떠오르는 지점: ~ der Sonne 해가 뜨는 지점.

auf|gären⁽*⁾ *i.* (s./h.) 발효하여 끓다, 끓어오르다; 〖드물게·비유〗 격앙하다: Wein ~ lassen 포도주를 발효시키다.

auf|gattern *t.* 〖구어〗 ↑ aufgabeln ②.

auf|geben *t.* ① 건네다, 교부하다; (편지·소포를 탁송하기 위해) 우체국에 맡기다; (전보를) 치다: eine Annonce ~ (신문에) 광고를 내다. ② 포기하다, 단념하다: ein Recht ~ 권리를 포기하다; den Geist 〔die Seele〕 ~ 죽다; sein Amt ~ 사직하다; sein Geschäft ~ 폐업하다; einen Kranken 〔ein Schiff〕 ~ 환자〔배〕를 포기하다; 〖軍〗 eine Stellung ~ 진지를 버리다. ③ **(a)** (문제를) 내다, (과제를) 부과하다: ein Rätsel ~ 수수께끼를 내다; eine Arbeit ~ 일을 맡기다. **(b)** 지시〔명령〕하다. ④ (원료를) 공급하다: am Hochofen die Beschickung ~ 용광로에 광석을 장전(裝塡)하다. ⑤〖방언〗 (음식을) 접시에 담아 두다. ⑥〖구기〗 (공을) 서브하다. ⑦〖스포츠〗 (경기를) 포기하다, 기권하다. ⑧〖商〗 (치수·무게를) 알려 주다: Gewichte ~ 무게를 알려 주다.

Aufgeber *m.* -s, - 인도인(引渡人), 제출인, 발송인; (수수께끼의) 출제자; 〖스포츠〗 서브권을 가진 선수.

Aufgebe·trichter *m.* (용광로의) 장전(裝塡) 깔때기.

aufgebläht 《Ⅰ》 *p.p.* ↑ aufblähen. 《Ⅱ》 *p.a.* 건방진, 우쭐대는.

aufgeblasen 《Ⅰ》 *p.p.* ↑ aufblasen. 《Ⅱ》 *p.a.* 교만한, 우쭐해진.

Aufgeblasenheit *f.* -en 교만, 거드름.

aufgeborsten 《Ⅰ》 *p.p.* ↑ aufbersten. 《Ⅱ》 *p.a.* 터진, 파열한.

Aufgebot [áufgəbo:t] 《< aufbieten》 *n.* -(e)s, -e ① **(a)** (인력·물자의) 투입. **(b)** 〖비유〗 (힘·노력의) 경주, 투입: mit〔unter〕 ~ aller Kräfte 전력을 다하여. ②〖雅語〗 투입된 인원〔물자〕. ③ 결혼 예고. ④〖法〗 공시 최고. ⑤〖軍〗 **(a)** 〖구식〗 징집. **(b)** (schweiz.) 소집령. ⑥〖스포츠〗 팀, 선수단.

Aufgebots·schein *m.* 결혼 예고 증명서.

aufgebracht 《Ⅰ》 *p.p.* ↑ aufbringen. 《Ⅱ》 *p.a.* 분개한.

aufgedonnert 《Ⅰ》 *p.p.* ↑ aufdonnern. 《Ⅱ》 *p.a.* 화려하게 치장한.

aufgedreht 《Ⅰ》 *p.p.* ↑ aufdrehen. 《Ⅱ》 *p.a.* 기분 좋은.

aufgedunsen 《< aufdunsen》 《Ⅰ》 *p.p.* ↑ aufdunsen. 《Ⅱ》 *p.a.* 부풀어오른; 〖비유〗 거만한, 자부심이 강한.

aufgegangen 《Ⅰ》 *p.p.* ↑ aufgehen. 《Ⅱ》 *p.a.* 올라온, 나타난.

auf|gehen [áufge:(ə)n] 《Ⅰ》 *i.* (s.) ① 올라가다; (길이) 비탈지다: auf- und abgehen 오르내리다, 이리저리 걷다(단: auf- und davongehen 도망가다). ② **(a)** (반죽·빵 따위가) 부풀다; 〖광산〗 (갱내의 물이) 분출하다: 〖드물게〗 wie ein Pfannkuchen ~ 뚱뚱해지다. **(b)** 〖비유〗 번영하다(gedeihen). ③ (연기·안개가) 일다; (불이) 타오르다; (바람이) 일다. ④ 나타나다, 눈에 띄다; (씨가) 싹트다; (↔ untergehen) (해가) 지평선에 나타나다, 떠오르다; 〖비유〗 출현하다; jm. ~ (예감·인식 등이) 누구의 머리에 떠오르다, 생기다: mir geht ein Licht 〔ein Taglicht, ein Seifensieder〕 auf 나는 이제야 알겠다〔깨달았다〕; 〖비유〗 die Pocken gehen auf 천연두 예방 접종이 양성 반응을 나타낸다. ⑤ **(a)** (↔ zugehen) (문·창이) 열리다; (매듭·옷·머리가) 풀리다, 느슨해지다; (솔기가) 터지다; (상처·종기가) 터지다; (편지가) 개봉되다; (밧줄이) 꼬인 것이 풀리다; (얼음이) 깨지다; (항행·수렵이) 개시되다; (자리가) 비다; (꽃이) 피다: das Wetter geht auf 날씨가 개다; bei ihrem Lachen ging ihm das Herz auf 그녀의 웃음소리를 들으면 그는 기분이 환하게 밝아졌다. **(b)** 〖비유〗 명료해지다: mir sind die Augen aufgegangen 나는 진상을 알게 되었다; es ist ihm aufgegangen, daß... 그는 …한 사실을 깨달았다. ⑥ **(a)** 사라지다, 소멸하다; 〖數〗 나누어 떨어지다: 3 geht nicht in 10 auf 10은 3으로 나누어 떨어지지 않는다; 〖비유〗 die Rechnung geht auf 일이 계획대로 되고 있다; gegeneinander ~ lassen 상쇄하다; mit et.³ ~ 무엇과 상쇄되다; in Rauch 〔im Rauch〕 ~ 연기로 화하다; in Feuer 〔Flammen〕 ~ 소실(燒失)되다; in et.³ ~ a) 무엇에 동화되다, b) 몰두하다; in jm. ~ 누구에게 헌신하다. **(b)**

소비되다: viel Geld ~ lassen 거금을 낭비하다; er läßt gern viel ~ 그는 아낄 줄 모른다. ⑦ (새 가) 날아오르다. 《Ⅱ》 *refl.* sich³ die Füße ~ 걸어서 발이 부르트다.

aufgehend *p.a.*〖건축〗지하실에서 지붕쪽으로 향하는.

auf|geien *t.*〖海〗ein Segel ~ 돛을 활대에 매달다.

auf|geigen *t./i.* (h.) 〖드물게〗 바이올린으로 연주하다 (auffiedeln).

aufgeklärt 《Ⅰ》 *p.p.* ↑ aufklären. 《Ⅱ》 *p.a.* 계몽된.

Aufgeklärtheit *f.* 개화(開化), 문명.

aufgeknöpft 《Ⅰ》 *p.p.* ↑ aufknöpfen. 《Ⅱ》 *p.a.* 〖구어〗 숨김없는, 개방적인.

aufgekratzt 《Ⅰ》 *p.a.* ↑ aufkratzen. 《Ⅱ》 *p.a.* 〖구어〗 기분 좋은.

Aufgekratztheit *f.* 기분 좋음, 고무됨.

Aufgeld [áufgɛlt] *n.* -(e)s, -er ①〖商〗 환전 수수료; 웃돈, 할증금. ② 계약금, 착수금.

aufgelegt 《Ⅰ》 *p.p.* ↑ auflegen. 《Ⅱ》 *p.a.* ① 〖양태를 나타내는 어구와 함께〗 …한 기분의: gut ~ sein 기분이 좋다. ② zu et.³ ~ sein 무엇을 하고 싶은 기분이다: ich bin heute nicht (dazu) ~, ihn zu besuchen 나는 오늘 그를 방문할 기분이 아니다. ③〖부가어적으로〗 명백한, 분명한: das war ein ~er Schwindel 그것은 명백한 사기였다.

aufgeräumt 《Ⅰ》 *p.p.* ↑ aufräumen. 《Ⅱ》 *p.a.* 기분 좋은, 즐거운.

Aufgeräumtheit *f.* 기분 좋음, 쾌활.

aufgeregt 《Ⅰ》 *p.p.* ↑ aufregen. 《Ⅱ》 *p.a.* 흥분한, 격앙된.

Aufgeregtheit *f.* 흥분, 격앙.

Aufgesang [áufgəzaŋ] *m.* -(e)s, ..sänge〖문학〗 (↔ Abgesang) (중세 직장(職匠) 가요의) 전절(前節), (찬미가의) 서곡.

aufgeschlossen 《Ⅰ》 *p.p.* ↑ aufschließen. 《Ⅱ》 *p.a.* 감수성 있는, 마음이 열려 있는.

Aufgeschlossenheit *f.* -en 감수성. 개방성.

aufgeschmissen 《Ⅰ》 ↑ aufschmeißen ③. 《Ⅱ》 *p.a.* 〖경박〗 곤경에 처한, 진퇴유곡에 빠진.

aufgeschnitten 《Ⅰ》 *p.p.* ↑ aufschneiden. 《Ⅱ》 *p.a.* 절개한.

aufgeschossen 《Ⅰ》 *p.p.* ↑ aufschießen. 《Ⅱ》 *p.a.* 무럭무럭 자란〔생장한〕.

aufgeschwemmt 《Ⅰ》 *p.p.* ↑ aufschwemmen. 《Ⅱ》 *p.a.* 퇴적되어 높아진.

aufgesessen 《Ⅰ》 *p.p.* ↑ aufsitzen. 《Ⅱ》 *p.a.* 적대적인.

aufgetakelt 《Ⅰ》 *p.p.* ↑ auftakeln. 《Ⅱ》 *p.a.* 잔뜩 치장한.

auf|gewältigen *t.*〖광산〗 einen Schacht ~ 수직갱의 물〔무너진 흙〕을 제거하다.

aufgewärmt 《Ⅰ》 *p.p.* ↑ aufwärmen. 《Ⅱ》 *p.a.* 다시 데운.

aufgeweckt 《Ⅰ》 *p.p.* ↑ aufwecken. 《Ⅱ》 *p.a.* 활발한, 민첩한.

Aufgewecktheit *f.* 활발, 총명, 눈치 빠름.

aufgeworfen 《Ⅰ》 *p.p.* ↑ aufwerfen. 《Ⅱ》 *p.a.* 위로 젖혀진.

auf|gießen* *t.* ① (물을) 붓다, 끼얹다: Öl ~ (램프에) 기름을 따르다; Suppe ~ 수프에 물을 붓다; Kaffee ~ 커피에 끓는 물을 붓다. ② (쇠붙이를) 녹여 붙이다.

Aufgießer *m.* -s, -〖광산〗 급수기(給水器).

Aufgieß·löffel *m.*〖광산〗 급수작(給水杓).

auf|glänzen *i.* (s.) 빛을 발하다, 빛나다.

auf|glätten *t.* 광을 내다; 반반하게 고르다: 〖비유〗 die Stirn ~ 찌푸린 상을 펴다.

auf|gleisen *t.*〖工〗 (차량을) 레일 위에 올려놓다.

Aufgleisung *f.* -en 레일 위에 올려놓기.

auf|gleiten* *i.* (s.)〖기상〗 (기단의 전면이) 상승하다.

auf|gliedern *t.* ① (개개의 구성 단위로) 나누다: ein Wort in Silben ~ 단어를 음절로 분해하다. ② 분류하다: literarische Kunstwerke nach Stilmerkmalen ~ 문학작품을 문체적 특징에 따라 분류하다.

auf|glimmen(*) *i.* (s.) 〖雅語〗 미광(微光)을 발하며 타(오르)다.

auf|glühen *i.* (s.) ① ↑ auflodern. ② ↑ aufglimmen.

auf|graben* *t.* ① 갈다, 갈아엎다: Erde um einen Baum ~ 나무 주위의 흙을 갈아엎다. ② 파헤치다, 발굴하다: ein Grab ~ 무덤을 파헤치다. ③〖시어〗 새겨 넣다: einem Gegenstand et. ~ 어떤 대상에 무엇을 새겨 넣다. ④ (더러워진 도장 따위를) 청소하다.

auf|greifen* 《Ⅰ》 *t.* ①〖드물게〗 (떨어진 것을) 집어 올리다. ② (생각·주제 따위에) 관심을〔흥미를〕 갖고 다루다, 끄집어내다: die Zeitungen griffen den Fall auf 신문들은 이 사건을 관심을 갖고 다루었다. ③ (이야기의 실마리를) 다시 이어가다: einen Streit wieder ~ 말다툼을 다시 시작하다. ④ 체포하다, 붙잡다: einen Dieb ~ 도둑을 체포하다. 《Ⅱ》 *i.* 〖사냥〗 (개가) 짐승의 발자국을 냄새맡고 좇아가다.

aufgrund *prp.*² …을 근거〔토대〕로.

auf|grünen 《Ⅰ》 *i.* (s.) 파랗게 싹트다: 〖비유〗 eine Hoffnung grünt auf 희망이 움튼다. 《Ⅱ》 *t.* 녹지를 조성하다: eine Stadt ~ 도시에 녹지를 조성하다.

auf|grunzen *i.* (h.) 갑자기 꿀꿀대다.

auf|gucken *i.* (h.) 〖구어〗 쳐다보다, 위를 올려다보다.

auf|gurten *t.* ein Pferd ~ 말의 배띠를 풀다.

auf|gürten *t.* ①〖구식〗 einem Pferd den Sattel ~ 말에 안장을 매다. ② 띠로 단단히 매다: sich ~ 옷을 추키다. ③ den Gurt ~ 띠를 풀다.

Aufguß [áufgus] 《<aufgießen》 *m.* ..gusses, ..güsse ① (끓는 물로) 우려낸 물: ~ von Tee 달인 차. ②〖폄어〗 모조품: dieses Bild ist ein schlechter ~ von Dürer 이 그림은 뒤러를 본뜬 형편없는 모조품이다. ③〖藥〗 침제, 달인 액체.

Aufguß≈beutel *m.* 1회용 차 봉지. **~tierchen** *pl.*〖動〗 (Infusorien) 적충류(滴蟲類), 섬모충.

auf|haben* 《Ⅰ》 *t.* ①〖구어〗 (모자를) 쓰고 있다, (안경을) 끼고 있다. ②〖구어〗 (문을) 열어 두다; (눈을) 뜨고 있다; (입을) 벌리고 있다. ③〖방언〗 (식사를) 다 먹어 치우다. ④ (짐을) 다 쌓아올리고 있다. ⑤ (의무를) 지고 있다; (과제를) 받고 있다: 〖학생〗 viel ~ 숙제가 많다. ⑤ (힘들게) 열다. 《Ⅱ》 *i.* (h.) ①〖구어〗 (가게·관공서가) 열려 있다, 영업〔근무〕하다. ②〖사냥〗 뿔이 달려 있다.

auf|hacken *t.* ① (가래 따위로) 파헤치다; (곡괭이 따위로) 쪼개다, (새가 부리로) 쪼아 열다: das Straßenpflaster ~ 도로 포장을 파헤치다. ② das Holz ~ 목재 패기를 끝내다.

auf|häkeln *t.* 〖구어〗 ① ↑ aufhaken. ② (실을) 뜨는 데 다 써버리다.

auf|haken 《I》 *t.* ① (↔ zuhaken) 훅을 끌러 벗기다〔열다〕: das Kleid ~ 훅을 풀어 옷을 벗다. ② 갈고리로 끌어올리다. ③ (문의) 빗장을 벗기다, 열다. 《II》 *i.* (h.) 〖사냥〗 (맹금이 나무나 바위 따위에) 내려앉다.

auf|halsen *t.* 〖구어·폄어〗 (짐·부담을) 지우다; 누구에게 무엇을 (억지로) 떠맡기다: jm. viel Arbeit〔Verantwortung〕 ~ 누구에게 많은 일〔책임〕을 떠맡기다.

Aufhalt [áufhalt] *m.* -(e)s, -e ① 〖구식〗 (Aufenthalt) 체재, 체류. ② 정지, 중단: ohne ~ tanzen 쉬지 않고 춤추다. ③ 〖승마〗 말을 멈추기. ④ 〖음악〗 계류법(繫留法).

auf|halten [áufhaltən] 《I》 *t.* ① 막다, 저지하다; 잡아 두다, 억류하다; 〖음악〗 계류(繫留)하다: Tränen ~ 눈물을 참다; die Katastrophe nicht ~ können 참사를 막지 못하다. ② 열어 두다; (장소를) 잡아 두다, 비워 놓다: 〖비유〗 Augen und Ohren ~ (긴장하여) 눈과 귀를 열어 두다, 신경을 곤두세우다. ③ 떠받들고 있다, (떨어지지 않도록) 받치다. ④ 〖비유〗 손을 벌리다, 구걸하다. 《II》 *refl.* ① sich ~ 체류〔체재〕하다: sich zu Hause ~ 집에 머무르다. ② sich bei et.³ ~ a) 무엇에 오래 관계하다, b) 무엇을 상론(詳論)하다; sich bei Kleinigkeiten ~ 사소한 일에 구애받다. ③ sich über jn.〔et.〕 ~ 누구를〔무엇을〕 비난〔악평·조소〕하다. ④ sich mit et.³ ~ 무엇에 시간을 허비하다. 《III》 *i.* (h.) (nordd.) 〖구어〗 그만두다, 중지하다: halt auf mit dem Blödsinn! 바보같은 짓 그만둬!

Aufhalter *m.* -s, - ① (말의) 껑거리끈. ② 〖전기〗 단속기(斷續器), 단류기(斷流器).

Aufhaltung *f.* -en 〖드물게〗 ① 체류. ② 정체, 지연.

Aufhalt≈riemen *m.* (말의) 껑거리끈. **~ring** *m.* (껑거리끈을 연결하는) 마구의 연결(쇠)고리.

auf|hämmern *t.* ① 망치로 때려 열다. ② 망치로 때려붙이다.

Aufhänge≈band *n.* 〖복수: ..bänder〗 〖해부〗 제인대(提靭帶). **~boden** *m.* (세탁소 따위의) 건조실. **~muskel** *m.* 〖해부〗 제근(提筋), 거근(擧筋).

auf|hangen* *t.* ↑ aufhängen.

auf|hängen *t.* ① **(a)** 걸다, 매달다: ein Bild ~ 그림을 걸다. **(b)** (수화기를) 올려놓다, 걸다. ② 교살(絞殺)하다, 교수형에 처하다: sich ~ a) 목매달아 죽다, b) 〖구어〗 외투를 옷걸이에 걸다. ③ (거짓 따위를) 곧이듣게 하다: jm. ein Märchen ~ 누구에게 황당한 이야기를 하다. ④ (달갑지 않은 일을) 떠넘기다; jm. eine Arbeit ~ 누구에게 일을 떠맡기다. ⑤ et. an et.³ ~ 무엇을 무엇에 연관지어 전개하다: die Story an dem Vatermord ~ 부친 살해와 연관지어 스토리를 전개해 나가다.

Aufhänge≈punkt *m.* (저울 접시의) 현수점(懸垂點).

Aufhänger *m.* -s, - ① (걸기 위해 옷 따위에 붙어 있는) 걸이, 걸개, 후크. ② 〖비유〗 (신문기사 첫머리의) 매력적인 도입부; (신문의) 기삿거리.

Aufhänge≈satz *m.* 〖전기〗 가공등기(架空燈器). **~stöpsel** *m.* 〖工〗 부착전(附着栓). **~vorrichtung** *f.* (차바퀴의) 현가(懸架) 장치.

Aufhängung *f.* -en 현가(懸架)〔부착〕 방식.

auf|harken *t.* 써레로 긁어 올리다〔모으다〕.

auf|härten *t.* ① 다시 굳히다〔벼리다〕; (쇠를) 담금질하다. ② 〖海〗 (밧줄을) 단단히 꼬다.

auf|haschen *t.* 움켜쥐다, 잡아채다.

auf|haspeln 《I》 *t.* ① (실을) 감아 올리다. ② 다 감다. 《II》 *refl.* sich ~ 비틀거리며 일어나다, 회복하다.

auf|hauen* 《I》 *i.* (h.) ① (…의 위를) 치다, 때리다: auf den Tisch ~ 테이블을 쾅 때리다. ② 〖비유〗 과장하다. ③ (…에) 쾅 부딪치다: er haute mit seinem Kopf hart auf den Asphalt auf 그는 머리를 아스팔트에 쾅 부딪쳤다. ④ 호사스럽게 생활하다. ⑤ 〖광산〗 파올라가다. 《II》 *t.* ① (호두 껍질 따위를) 깨뜨려 열다, (얼음 따위를) 가르다. ② Holz ~ 목재 자르기를 끝내다. ③ (줄의) 이를 세우다. ④ 구멍을 뚫다: 〖工〗 Löcher ~ (쇠 따위에) 끌로 구멍을 뚫다. ⑤ 〖건축〗 ein Haus ~ 목재로 즉시 집을 세우다. 《III》 *refl.* sich ~ 부딪쳐 부상을 입다.

Aufhauer *m.* -s, - 〖工〗 볼트 끌.

auf|häufeln *t.* 조그맣게 쌓아올리다; 〖農〗 (흙을) 돋우다.

auf|häufen 《I》 *t.* 쌓아올리다; 〖비유〗 (돈 따위를) 모으다, 축적하다. 《II》 *refl.* sich ~ 쌓이다: Zeitungen〔Abfälle〕 häufen sich auf 신문이〔쓰레기가〕 쌓인다.

Aufhäufer *m.* -s, - 쌓는 사람; 축재자.

Aufhäufung *f.* -en ① 누적, 축적. ② 퇴적.

Aufhebe≈binde *f.* 〖醫〗 현수대(懸垂帶), 탈장대(脫腸帶). **~muskel** *m.* 〖해부〗 거근(擧筋).

auf|heben 《I》 *t.* ① **(a)** 들어올리다; (바닥에서) 주워〔집어〕 올리다: den Kopf ~ 고개를 들다; die Hand (zum Schwur) ~ (맹세의 표시로) 손을 들다; 〖비유〗 den Handschuh ~ 결투에 응하다. **(b)** 〖구식·雅語〗 sich ~ 몸을 일으키다, 일어서다. ② 〖農〗 곡창에 넣어 두다. ③ (갱도(坑道)를) 치우다, 깨끗하게 하다. ④ 보관하다, 간직〔간수〕하다: Briefe zur Erinnerung ~ 기념하기 위해 편지를 보관하다; sie hebt alles auf 그녀는 아무것도 버리지 않는다; gut〔schlecht〕 aufgehoben sein a) 좋은〔소홀한〕 대접을 받다, b) 소중〔소홀〕히 간직되다; können Sie mir das Buch bis morgen ~? 이 책을 (팔지 말고) 내일까지 보관해 주실 수 있습니까?; et. vor jm. ~ 무엇을 누구에게 넘겨주지 않고 보관하다; 〖반어〗 der ist besorgt und aufgehoben 그 사람과는 절교다. ⑤ 〖구식〗 체포하다: der Dieb wurde aufgehoben 도둑이 체포되었다. ⑥ **(a)** 중지하다, (공식적으로) 끝마치다: die Tafel 〔den Tisch〕 ~ 회식을 마치다; 〖軍〗 eine Belagerung ~ 포위망을 풀다; eine Sitzung ~ 회의를 끝내다. **(b)** 무효로 하다, 취소〔폐지〕하다, 파기〔폐기〕하다; 〖哲〗 지양(止揚)하다: aufgeschoben ist nicht aufgehoben (약속 따위가) 연기됐다고 해서 취소된 것은 아니다. **(c)**

상쇄하다: der Verlust hebt den Gewinn auf 손해가 이익을 상쇄한다. ⑦ jm. den Lohn ~ (벌금으로) 누구의 급료를 감하다. ⑧〖數〗약분하다. ⑨〔구식〕소리 지르다; (세금을) 징수하다. 《Ⅱ》 *i.* (h.) ① 절교하다, 관계를 끊다. ② 비기다, 대등해지다: so heben wir gegeneinander auf 이리하여 우리는 서로 비겼다.

Aufheben *n.* -s ① 위로 올리기: 〖가톨릭〗 ~ der Hostie 성체의 봉거(奉擧); beim ~ der Tafel 회식이 끝났을 때. ②〖數〗약분. ③ (싸움을 시작하기 전 무기를 들고 환호성을 자아낸다는 뜻에서) 관심의 자극; 야단법석, 떠들썩함: ein großes ~ 〔viel ~s〕 von et.³ 〔um et.〕 machen 무엇을 과장하여 말하다, 자랑하다, 법석을 떨다; 〔雅語〕 ohne (jedes〔großes, alles〕) ~ 야단법석을 떨지 않고; viel ~s um nichts 공연한 야단법석.

Aufhebung *f.* -en ① 들어올리기. ②〔구식〕체포; 〖軍〗 포획. ③〔雅語〕(공식적인) 종결: die ~ einer Sitzung 폐회. ④ 폐지, 파기; 〖哲〗 지양; 〖法〗 die ~ einer Klage 소송의 취하.

Aufhebungs=befehl *m.* 취소 명령. **~gericht** *n.* 대법원. **~vertrag** *m.* 〖法〗 채무 관계 정리 계약. **~zeichen** *n.* 〖음악〗 제자리표.

auf|hefteln *t.* ↑ aufhaken.

auf|heften *t.* ① (임시로) 압정 따위로 고정시키다, (임시로) 꿰매 붙이다. ② (옷 따위를) 들어올려 가봉하다. ③〔비유〕곧이듣게 하다. ④ (시침실을) 풀다, 뜯어내다.

auf|heißen *t.* ↑ aufhissen.

auf|heitern 《Ⅰ》 *t.* 기분을 풀어 주다, 유쾌하게 하다: er hatte Mühe, sie aufzuheitern 그는 그녀의 기분을 풀어 주려고 애썼다. 《Ⅱ》 *refl.* sich ~ (날씨가) 개다, 밝아지다: sein Gesicht heitert sich auf 그의 얼굴이 밝아진다; mit aufgeheiterten Zügen 명랑한 표정을 지으며; das Wetter heitert (sich) auf 날씨가 갠다.

Aufheiterung *f.* -en 기분 전환, 날씨가 갬.

auf|heizen *t.* ①〖工〗가열하다. ②〔비유〕(분위기를) 달구다, (불신을) 키우다, 심화시키다.

auf|helfen* 《Ⅰ》 *i.* (h.) ① 부축하여 일으키다: einem Kranken ~ 환자를 부축하여 일어나게 하다. ② 도와서 역경에서 벗어나게 하다: dem ist nicht mehr aufzuhelfen 그 녀석은 더 이상 도와 줄 수 없다. 《Ⅱ》 *t.* 〔구식〕 ① 부축하여 일으키다. ② jm. die Last ~ 누가 짐지는 것을 돕다. 《Ⅲ》 *refl.* sich³ ~ 간신히 일어나다, 역경을 헤쳐 나가다.

Aufhelfer *m.* -s, - 〔구식〕(침상에서 일어날 때) 붙잡는 줄 또는 삼각형 막대.

auf|hellen 《Ⅰ》 *t.* 밝게 하다; (액체를) 맑게 하다; (기분을) 즐겁게 하다; 〔비유〕(의문 따위를) 해명하다, 밝히다: die Motive eines Verbrechens ~ 범행 동기를 밝히다. 《Ⅱ》 *refl.* sich ~ 밝아지다; (액체가) 맑아지다; (하늘이) 개다; (안색이) 환해지다; 〔비유〕(문제점이) 분명해지다, (비밀이) 밝혀지다.

Aufheller *m.* -s, - 〖사진〗 보조 조명, 반사판(板); 〖방직〗 표백제, (머리) 염색제.

Aufhellung *f.* -en 밝게 함; 밝아짐.

auf|henken *t.* 〔구식〕 교살하다, 교수형으로 죽이다.

auf|hetzen *t.* ① (짐승을) 몰아대다. ②〔비유〕 부추기다, 사주하다, 교사〔선동〕하다: der Redner hetzte die Zuhörer zu Gewalttaten auf 연사는 폭력을 사용하라고 청중을 선동했다.

Aufhetzer *m.* -s, - 사주〔선동〕자.

Aufhetzerei, Aufhetzung *f.* -en 사주, 선동.

auf|heulen *i.* (h.) ① 요란한 소리를 내다. ② 울부짖기 시작하다.

Aufhilfe [áufhılfə] 《<aufhelfen》 *f.* -n 부축하여 일으키기.

auf|hissen *t.* 〖海〗 (돛을) 끌어올리다; (기를) 게양하다.

auf|hocken 《Ⅰ》 *i.* (s.) ① (schweiz.) 올라타다: auf den Wagen ~ (마)차를 타다. ②〖체조〗 기구에 뛰어올라 웅크린 자세를 취하다. 《Ⅱ》 *t.* ① 지고 운반하다. ②〖農〗 Garben ~ 곡물의 단을 쌓아올리다, 볏단을 쌓다.

auf|höhen [..hø:ən] *t.* 〔雅語〕 ① 높이다, (땅을) 돋우다. ②〖畫〗 (선명한 색채로) 두드러지게 나타내다. ③〔비유〕 돋보이게 하다: sein Aussehen mit Make-up ~ 화장으로 외모를 돋보이게 하다.

auf|holen 《Ⅰ》 *t.* ① ↑ aufhissen. ② 만회하다, 회복하다; 〔방언〕 되찾다: den Verlust ~ 손해를 만회하다. ③〖海〗 (배를) 물가로 끌어올리다; (돛을) 높이 매달다. 《Ⅱ》 *i.* (h.) ① 간격을 좁히다, 차이를 줄이다. ②〖海〗 (바람이) 거세지다. ③ (환율·가격이) 올라가다, 시세가 나아지다.

Aufholer *m.* -s, - 〖海〗 아딧줄.

auf|horchen *i.* (h.) ① 귀를 기울이다, 경청하다. ② (어떤 소식을 듣고) 깜짝 놀라다, 우려하다.

***auf|hören** [áufhø:rən] *i.* (h.) ①〔드물게〕 ↑ aufhorchen ①. ② **(a)** 끝나다, 그치다: der Regen hört gleich auf 비가 곧 멎을 것이다; an dieser Stelle hört der Weg auf 여기서 길이 끊긴다; 〔구어〕 das muß ~! 이렇게 계속될 순 없어!; 〔구어〕 da hört (sich) doch alles 〔verschiedenes〕 auf! 그건 말이 안 된다, 그건 일찍이 들어보지 못한 일이다!; in Geldsachen hört die Gemütlichkeit auf 돈엔 인정도 없다. **(b)** 중지하다, 끝내다: mit einer Arbeit ~ 어떤 일을 끝내다; ~ zu lachen 웃음을 멈추다; hör auf! 그만둬!

Aufhören *n.* -s 중지, 종료: ohne ~ 끊임없이, 간단없이.

auf|hucken *t.* ① (짐을) 등에 지다. ② (누구에게 무엇을) 지우다, 부과하다; 위탁하다.

auf|hüllen *t.* 〔구식〕 ① 폭로하다(↑ enthüllen). ② (옷을) 벗기다.

auf|hüpfen *i.* (s.) 뛰어오르다.

auf|husten *i.* (h.) 몹시 기침하다.

Auf|hütte [áufhʏtə] *f.* -n (알프스의) 여름 산막(山幕) (Almhütte); 해조(害鳥) 감시막(幕).

auf|jagen 《Ⅰ》 *i.* (s.) 위로 돌진하다. 《Ⅱ》 *t.* ① 〖사냥〗 (짐승을) 몰아대다; 몰아내다. ② 찾아내다, 발견하다. ③ ein Schiff ~ 어떤 배를 따라잡다, 쫓아가 잡다. ④〔비유·구어〕(휴식을) 방해하다: jn. aus dem Schlaf ~ 누구의 잠을 깨우다.

auf|jammern *i.* (h.) 통곡하다, 비탄하다.

auf|jauchzen *i.* (h.) 환성을 올리다.

auf|jaulen *i.* (개가) 낑낑거리다; (바람이) 쌩쌩 소리를 내다.

auf|jochen *t.* jm. et. ~ 누구에게 무엇을 부과하다.

auf|jubeln *i.* (h.) 환호성을 지르다.

auf|juchzen *i.* (h.) 환성을 지르다.

auf|kaden 《ndd. Kade, „Deich"》 *t.* (모래주머니 따위를 쌓아서 제방·둑 따위를) 높이다, 보강하다.

Aufkadung *f.* -en (홍수를 막기 위한) 제방 위의 비상 설비.

auf|kämmen *t.* ① (머리를) 빗어 올리다; 머리 모양을 고쳐 빗다: eine Perücke ~ 빗질하여 가발을 손질하다. ②〖工〗(톱니바퀴에) 새 톱니를 끼우다. ③〖건축〗(직각으로 교차하는 목재의) 이(齒)를 맞추다.

auf|kanten *t.* ① 모로 세우다. ②〖스키〗(속도를 줄이기 위해) 체중을 발바닥에서 옆으로 옮겨 싣다.

auf|kappen *t.* (매 따위에) 굴레를 씌우다.

auf|karren *t.* (수레로 날라) 흙으로 돋우다.

auf|katten, auf|katzen *t.*〖海〗den Anker ~ 발묘(拔錨)하다, 닻을 거두어 올리다.

Aufkauf [áufkauf] *m.* -(e)s, ..käufe 사재기, 매점(買占).

auf|kaufen *t.* 사재다, 매점하다: in Erwartung von Mißernten Getreide ~ 흉작을 예상하고 곡물을 사 모으다.

Aufkäufer *m.* -s, - 사재는 사람, 매점인.

Aufkauf·handel *m.* 매점상.

auf|kehren *t.* ① 쓸어 모으다; 쓸어 버리다. ② (금속판을) 위로 휘게 하다.

Aufkehricht [..ke:rıçt] *m./n.* -(e)s, -e 쓰레기;〖광산〗버력.

auf|keimen *i.* (s.) 싹트다;〔비유〕발생하다: der Weizen ist schon aufgekeimt 벌써 밀의 싹이 텄다; ein Verdacht 〔eine Hoffnung〕 keimt auf 의심〔희망〕이 싹튼다.

Aufkeimung *f.* -en 싹틈, 발아, 새싹; 발생.

Aufkimmung [áufkımuŋ] 《<Kimme》 *f.* -en 뱃바닥 만곡부(灣曲部)의 경사.

auf|kippen 《I》 *t.* 기울여 열다. 《II》 *i.* (s.) ① 넘어져 모서리가 (무엇에) 부딪치다. ②〔학생〕 실패하다, 좌절하다.

auf|kitten *t.* 시멘트〔퍼티〕로 붙이다.

auf|klaffen *i.* (h.) (상처 따위가) 갈라지다, 찢어지다, 균열이 생기다.

auf|klaftern *t.* (재목을) 평(坪)으로 쌓아올리다〔쌓아올려서 계량하다〕.

Aufklang [áufklaŋ] *m.* -(e)s, ..klänge 시작, 개시;〖문학〗초성(初聲);〔비유〕(축제 따위의) 서막, 개막.

aufklappbar *a.* 접을 수 있는.

auf|klappen 《I》 *t.* ① 위로 젖히다; 돌려서 열다: einen Hutrand ~ 모자의 챙을 위로 젖히다; ein Buch ~ 책을 펼치다. ② (나이프 따위를) 찰칵 소리내며 펴다. 《II》 *i.* (s.) (문 따위가) 열리다.

auf|klaren 《I》 *i.* (h.) (날씨가) 개다. 《II》 *t.* 〖海〗① 치우다, 정돈하다. ② (밧줄을) 감아 올리다.

***auf|klären** 《I》 *t.* ① **(a)** 밝히다, 해명하다, (진상을) 규명하다: einen Irrtum ~ 오류를 밝히다. **(b)** 깨우쳐 주다, 깨닫게 하다, 계몽하다: er klärte mich über den wahren Sachverhalt auf 그는 사태의 진상에 대해 알려 주었다. **(c)** (누구에게) 성교육을 시키다: es ist die Aufgabe der Schule, die Kinder aufzuklären 아이들에게 성교육을 시키는 것은 학교의 임무다. ② (액체를) 맑게 하다. ③〖軍〗정찰하다: eine Gefechtslage ~ 전황을 정찰하다. ④〖구동독〗선전〔선동〕하다. 《II》 *refl.* sich ~ ① **(a)** es 〔das Wetter〕 klärt sich auf 날씨가 갠다. **(b)** (안색이) 환해지다. ② 밝혀지다: die Sache hat sich aufgeklärt 사건의 진상이 밝혀졌다. ③ 계몽되다; (오해가) 풀리다. 《III》 **aufgeklärt** *p.a.* ↑ aufgeklärt.

Aufklärer *m.* -s, - ① (특히 18 세기의) 계몽주의자. ②〖軍〗정찰병; 정찰기. ③〖구동독〗정치 선전원.

Aufklärerei *f.* -en 오성(悟性) 편중, 속류 계몽주의, 사이비 개화.

aufklärerisch *a.* ① 계몽주의적인, 계몽 사상을 지닌: ein ~er Schriftsteller 계몽 작가. ② 계몽적〔계도적〕인: die ~e Funktion von Literatur 문학의 계몽 기능.

Aufkläricht [..klɛ:rıçt] *m./n.* -(e)s 거짓 계몽, 거짓 문명; 오성(悟性) 편중.

***Aufklärung** [áufklɛ:ruŋ] *f.* -en ① 진상 규명, 해명, 설명: sich³ ~ über et. verschaffen 무엇의 진상을 파악하다. ② 계몽, 교화; 성교육. ③ 계몽주의. ④〖구동독〗선전, 선동, 정치 교육. ⑤〖軍〗정찰.

Aufklärungs≈abteilung *f.* 〖軍〗수색대. **~arbeit** *f.* 계몽 작업. **~bataillon** *n.*〖軍〗정찰 대대. **~dienst** *m.*〖軍〗수색 근무. **~buch** *n.* 성교육서. **~film** *m.* 성교육 영화. **~flugzeug** *n.*〖空〗정찰기. **~kampagne** *f.* 계몽 운동〔캠페인〕. **~kampf·flieger** *m.* 〖空〗정찰 전투기. **~literatur** *f.* ① 계몽 책자. ② 계몽주의 문학. **~lokal** *n.*〖구동독〗정치 교육장. **~mittel** *pl.* 정찰 부대. **~sucht** *f.* 개화〔문명〕광(狂), 계몽벽(癖). **~zeit** *f.*, **~zeit·alter** *n.* (18 세기의) 계몽주의 시대.

auf|klatschen *i.* (s.) 철썩 소리를 내며 떨어지다.

auf|klauben *t.* ①〔방언〕주워 모으다;〔비유〕적발하다. ② (매듭 따위를) 손가락 끝으로 풀다.

Aufklebe≈adresse *f.*〖우편〗주소 기재용 스티커. **~etikett** *n.* (상표 따위 같은) 글자가 인쇄된 스티커.

auf|kleben 《I》 *t.* 붙이다: eine Briefmarke ~ 우표를 붙이다. 《II》 *i.* (h.) 착 달라붙다.

Aufkleber *m.* -s, - 스티커.

auf|klecksen *t.*〔구어〕(페인트·회를) 바르다.

auf|kleistern *t.*〔구어〕풀로 붙이다.

auf|klettern, auf|klimmen* *i.* (s.) 기어오르다.

auf|klingen *i.* (s.) (화음 따위가) 울리기 시작하다.

auf|klinken *t.* eine Tür ~ 문의 손잡이를 돌려서〔눌러서〕 열다.

auf|klopfen 《I》 *i.* (h.) 두드리다;〖음악〗(악장(樂長)이) 보면대를 두드려 시작을 알리다. 《II》 *t.* ① (껍데기를) 두드려 깨다. ② (방석을) 두드려서 고르게 하다. ③ 두드려 일으키다. ④ 두드려 고정시키다.

auf|klotzen *t.* ① 겹겹이 쌓아올리다. ②〖건축〗(굄목·받침 나무로) 버티다. ③〖印〗블록을 설정하다.

auf|kluften *i.* (h.) 갈라져〔쪼개져〕 있다.

auf|knabbern *t.*〔구어〕① 갉아서 구멍을 내

다; (금고를) 부수다. ② 잘게 씹어 먹어 치우다.

auf|knacken *t.* 깨물어〔찢어〕 쪼개다; 〔구어〕 (금고를) 부수어 열다; 〔비유〕(어려운 문제를) 풀다.

auf|knallen 〔구어〕 《I》 *t.* ① 쏘아 맞추다: jm. eins ~ 누구를 저격하다, 채찍질하다. ② 큰소리를 내며 (누구를) 일으키다. ③ 꽝 소리가 나게 내던지다. ④〔학생〕(벌로) 부과하다. ⑤〔드물게〕꽝 소리를 내며 열다. 《II》 *i.* (s.) ① 폭발하다. ② (심하게) 부딪치다, 들이받다: auf die Tischkante ~ 책상 모서리에 부딪치다.

auf|knebeln *t.* ① 막대기로 죄다, 재갈을 물리다. ② 재갈〔탕개목〕을 벗기다.

auf|kneipen *t.* 집게 따위로 집어서 열다.

auf|knien 《I》 *i.* (h.) (무엇 위에) 무릎을 꿇고 올라가 앉아 있다. 《II》 *refl.* sich ~ 무릎 꿇고 앉다.

auf|knipsen *t.* 〔구어〕(바지 멜빵·똑딱단추 따위를) 똑 소리를 내며 벗기다〔끄르다〕.

auf|knöpfen 《I》 *t.* ① (의복 따위의) 단추를 끄르다: den Beutel ~ 지갑을 열어 돈을 꺼내다; 〔구어〕die Ohren ~ 귀를 기울이다; 〔비유·구식〕sich ~ 흉금을 터놓고〔숨김없이〕 말하다. ② (단추를 끼워) 달다: einen Kragen auf das Hemd ~ 셔츠에 칼라를 달다. 《II》 **aufgeknöpft** *p.a.* ↑ aufgeknöpft.

auf|knospen *i.* (s.) 피어나다; (소녀가) 꽃다운 나이가 되다.

auf|knoten *t.* ① (매듭 따위를 풀어) 열다: ein Aktenbündel ~ 서류 묶음을 (풀어) 펼치다. ② Haare ~ 머리를 빗어 틀어올리다.

auf|knüpfen 《I》 *t.* ① (매듭 따위를) 풀다. ② 목매달아 죽이다, 교살하다. 《II》 *refl.* sich ~ 목매달아 죽다.

Aufknüpfung *f.* -en (매듭을) 풀기; (목을) 매달기.

auf|kochen 《I》 *i.* (s./h.) 끓어오르다; 〔비유〕 격앙하다. 《II》 *t.* ① 끓이다. ② 다시 끓이다. ③ 데우다, 덥히다. ④〔비유〕(오래된 사건 따위를) 새로 들추어내다. ⑤ (südd., öst.) (잔치 따위에) 음식을 풍부하게 장만하다.

auf|kommen *i.* (s.) ① 일어나다; 〖醫〗 회복하다; 〔드물게〕 일어서다: von seinen Wunden ~ 상처가 낫다; aus dem Staube seiner Geburt ~ 미천하게 태어나서 출세하다. ② 자라나다; 〔비유〕번영하다, 영달〔성공〕하다. ③ 발생하다, 일어나다; 유행하기 시작하다; 세력을 얻다, 대두되다: Zweifel ~ lassen 의혹을 낳게 하다, 의혹을 일으키는 원인이 되다; Gefühle nicht in sich ~ lassen 감정을 억누르다; seinen Gegner nicht ~ lassen 적을 제압하다; niemand neben〔gegen〕 sich ~ lassen 한 사람의 경쟁 상대도 허용치 않다; gegen jn. nicht ~ können 누구에게 대항하지 못하다. ④ (a) für et. ~ 무엇을 보증하다, …의 책임을 지다: (jm.) für den Schaden ~ (누구의) 손해를 배상하다. (b) für jn. ~ 누구를 편들다. ⑤ (돈이) 생기다, 모이다: bei der Sammlung ist eine beträchtliche Summe aufgekommen 모금에서 상당액의 금액이 모아졌다; Geld kommt für et. auf 무슨 일을 위해서 돈이 모이다. ⑥ 천천히 열리다; (종기가) 터지다; (자리가) 비다; (쇄빙(碎氷) 후에 항해가) 개시되다. ⑦〖海〗(다른 배를) 쫓아가다; 따라잡다; 〖스포츠〗 (주자(走者)가) 선두에 나오다: die Mannschaft der Bundesrepublik kam auf und gewann das Spiel sehr überzeugend 독일 팀이 (상대팀을) 따라잡고 시합에 완승을 거두었다. ⑧〖海〗(배가) 접근해 오다, 모습을 드러내다. ⑨ (점프 후) 착지하다; (땅에) 떨어지다: mit beiden Beinen ~ 두 발로 착지하다.

Aufkommen *n.* -s, - ①〖經〗 조세 수입, 세수(稅收). ②〖구동독〗 공출(供出). ③ 치유, 건강 회복.

Aufkömmling *m.* -s, -e 〔드물게〕 (Emporkömmling) 출세한 사람.

auf|können* *i.* (h.) 〔구어〕 일어날 수 있다.

auf|köpfen *t.* (못·핀 따위에) 대가리를 만들다(anköpfen).

auf|koppeln *t.* ① ↑ abkoppeln. ② ↑ ankoppeln.

auf|korken *t.* (병 따위의) 코르크 마개를 빼다.

auf|krachen *i.* (s.) 〔구어〕 ① 꽝 소리를 내며 열리다. ② (꿰맨 것이) 터지다. ③ 꽝 소리를 내며 떨어지다.

auf|kramen *t.* 정돈〔정리〕하다.

auf|krampen *t.* eine Tür ~ 문고리를 벗기다.

auf|kratzen 《I》 *t.* ① 긁어 상처를 내다; (이름을) 새기다: sich die Haut ~ 긁어서 살갗에 상처를 내다. ② (모포 따위에) 보풀을 일으키다; 빗어 올리다; 〔비유〕(추억을) 되살리다: 〔속어〕 sich ~ 맵시 내다. ③〔비유〕 기분 좋게 만들다, 유쾌하게 하다: der Wein hat die Gäste wieder ein bißchen aufgekratzt 포도주가 재차 손님들의 흥을 좀 돋우었다. ④ (강한 술이 목을) 헐게 하다. 《II》 **aufgekratzt** *p.a.* ↑ aufgekratzt.

auf|kräuseln, auf|krausen *t.* die Haare 〔sich〕 ~ 머리를 감아 올리다, 컬하다.

auf|kreischen 《I》 *i.* (h.) 소리지르다. 《II》 *t.* (누구를) 소리를 질러 일어나게 하다.

auf|krempeln *t.* ① (옷소매 따위를) 걷어 올리다. ②〔구식〕(양털을) 빗어 올리다; 다 빗다.

auf|krempen *t.* 접어 올리다, 단을 접다: einen Hut ~ 모자의 차양을 위로 젖히다.

auf|kreuzen *i.* ① (h./s.) 바람을 안고 항해하다. ② (s.) 예고없이 방문하다, 불쑥 나타나다.

auf|kriechen* *i.* (s.) 기어오르다.

auf|kriegen *t.* 〔구어〕 ↑ aufbekommen.

auf|krimpen *i.* (h.) 〖海〗 (바람이) 해를 향해 불다.

auf|krümmen 《I》 *t.* 위로 구부리다. 《II》 *refl.* sich ~ 위로 구부러지다.

auf|künden *t.* (schweiz.) 〔드물게〕 ↑ aufkündigen.

auf|kündigen *t.* (무엇의) 해약을 통보하다; (자본의) 회수를 예고하다; (계약을) 취소하다, 해제하다: jm. die Wohnung ~ 누구에게 가옥 임대차 계약의 해약을 알리다; jm. den Dienst ~ a) 누구에게 해고를 통고하다, b) 누구에게 사임〔사직〕을 알리다; 〔비유〕jm. die Freundschaft ~ 누구와 절교하다; den Gehorsam ~ 복종을 거부하다.

Aufkündigung *f.* -en 해약, 해고, (계약) 취소; (자본의) 회수 예고: ohne ~ 예고 없이.

Aufkündigungs≈brief *m.* 통고장. **~frist**

f., **~termin** *m.* 예고〔고지〕 기간.

Aufkunft [áufkʊnft] 《<aufkommen》 *f.* 〖고어〗 ①〖醫〗 회복, 치유. ②〔복수: ..künfte〕 수입, 소득.

auf|kupfern *t.* 〖印〗 (오목판〔요판(凹版)〕 인쇄 실린더에) 동판을 입히다.

auf|kurbeln *t.* ① 손잡이를 돌려 열다. ②〖재봉〗 (재봉틀로) 퀘매 붙이다.

auf|küssen *t.* 〖시어〗 ① 입맞추어 깨우다; (어린애를) 입맞추어 달래다. ② 키스하여 빨아내다〔닦아내다〕.

Aufl. =Auflage (책의) 판(版).

auf|lachen *i.* (h.) 폭소를 터뜨리다.

Auflade≈gebühr *f.*, **~lohn** *m.* 적화료(積貨料).

auf|laden* [áufla:dən] *t.* ① 싣다: Frachtgüter auf den Wagen ~ 마차에 짐을 싣다. ② (의무·책임 따위를) 지우다: sich³ alle Verantwortung ~ 모든 책임을 지다; jm. eine Tracht Prügel ~ 누구를 호되게 때리다. ③〖전기〗 (축전지 따위에) 충전(充電)하다.

Auflade·platz *m.* 적화장(積貨場).

Auflader *m.* -s, - 하역 인부.

***Auflage** [áufla:gə] 《<auflegen》 *f.* -n ① (세금·무거운 짐·책임·죄 등을) 지우는 일; 〖法〗 부담; 세(稅), 부과금. ② (기부 따위에 붙는) 의무, 조건: mit einer ~ 조건을 걸고; jm. eine ~ erteilen 누구에게 의무를 부과하다. ③ 조합의 집회; 조합비. ④〖印〗 **(a)** 인쇄될 종이(수(數)). **(b)** 판(版):eine neue ~ veranstalten 개정판〔신판〕을 찍다. **(c)** (책·신문 따위의) 발행 부수. ⑤ 시렁, 대(臺); 〖工〗 선반(旋盤) 정지 장치; 〖軍〗 총가; (스키의) 깔판. ⑥〖林〗 (나무의) 해마다의 생장. ⑦〖요리〗 곁들인 음식. ⑧〖구동독〗 (특정 기간 동안의) 계획 목표량. ⑨〖經〗 생산량, 생산고. ⑩ 덮개, 커버; (금속의) 피복: eine ~ aus Gold 금도금.

Auflage(n)·höhe *f.* (도서의) 발행 부수.

auflagen·stark *a.* 발행 부수가 많은.

Auflager *n.* -s, - 〖건축〗 지주, 토대, 밑바탕.

auf|lagern *t.* ① (상품을) 저장하다. ② 차곡차곡 쌓다; 〖지질〗 층을 이루게 하다.

Auflager·system *n.* 가교(架橋)의 공가식(拱架式).

Auflagerung *f.* -en 저장; 〖지질〗 성층(成層), 층(層) 형성.

auflandig [áuflandıç] *a.* 〖海〗 육지로 향한 (↔ ablandig).

Auflandung *f.* -en ① 침적, 퇴적, (범람에 의한) 지표면의 상승. ② 토사가 쌓임 (Anschwemmung).

auf|langen 〔드물게〕 《I》 *t.* 집어올려 주다. 《II》 *i.* (h.) 위로 손을 뻗다.

Auflanger *m.* -s, - ① ↑ Handlanger. ②〖海〗 중간 늑재(肋材).

auf|lassen* *t.* ①〔구어〕 (문 따위를) 열어 놓다. ②〔구어〕 (모자를) 쓰고 있다. ③〔구어〕 잠을 자지 못하게 하다. ④〖法〗 (재산을) 양도하다: ein Grundstück ~ 토지를 양도하다. ⑤ **(a)** 〖광산〗 폐광하다. **(b)** 폐업하다. ⑥ (애드벌룬 따위를) 하늘로 띄워 올리다.

auflässig *a.* 〖광산〗 폐갱(廢坑)의, 폐광된.

Auflassung *f.* -en ① 폐광; 폐업; 폐교; 〖法〗 부동산 소유권 양도. ② die ~ geben (잔치 때 주인이) 시작을 알리다, 개회를 선언하다.

auf|lasten *t.* 〔드물게〕 짐을 부과하다〔지우다〕.

Auflauerer *m.* -s, - 도청자, 스파이.

auf|lauern *i.* (h.) ①〔드물게〕 엿듣다, 귀를 기울이다. ② jm. ~ 누구를 잠복하고 기다리다.

Auflauerung *f.* -en 잠복, 매복.

Auflauf [áuflauf] *m.* -(e)s, ..läufe ① (공공장소에의) 사람의 운집, 운집한 군중〔무리〕; (폭도의) 봉기, 소요. ② (부채 따위의) 총액. ③ 팽창; 〖요리〗 수플레, 구워서 부풀린 과자 (푸딩·슈크림 종류). ④〖건축〗 판교(板橋); 〖광산〗 (지평층(地平層)의) 갱도(坑道).

Auflauf·bremse *f.* 〖車〗 (트레일러용) 자동 브레이크.

auf|laufen* 《I》 *t.* ①〖광산〗 손수레로 나르다; 〖제련〗 (광석을) 용광로에 장전(裝塡)하다. ② sich³ die Füße ~〔sich ~〕 뛰어서 발이 (퉁퉁) 붓다. ③ (문 따위를) 뛰어가서 부딪쳐 열다. 《II》 *i.* (s.) ① 부딪치다, 충돌하다: auf den Vordermann ~ 앞서가던 사람과 부딪치다. ②〖海〗 좌초하다. ③ (돈 따위가) 늘다, 쌓이다: aufgelaufene Zinsen 불어난 이자. ④ (물이) 불어나다: ~des Wasser 만조. ⑤〔방언〕 (팔·다리가) 붓다. ⑥〖農〗 싹이 트다. ⑦ (솔기가) 터지다. ⑧〖軍〗 **(a)** 대열을 지어 행진하다. **(b)** 〖스포츠〗 (앞 선수에) 따라붙다.

Auflaufer *m.* -s, - ↑ Aufläufer ②.

Aufläufer *m.* -s, - ① 석탄 운반부; 〖제련〗 화부(火夫). ②〖海〗 소년 (수습) 선원. ③〖요리〗 ↑ Auflauf ③.

Auflauf·form *f.* 〖요리〗 수플레 구이틀.

auf|lauschen *i.* (h.) 귀를 기울이다, 엿듣다.

Auflauscher *m.* -s, - 간첩.

auf|leben 《I》 *i.* (s.) ① 생기를 얻다, 소생하다: der Kranke lebte durch den Besuch wieder auf 그 환자는 면회객 덕분에 생기를 얻었다. ②〔비유〕 (중지된 일들이) 다시 시작되다: der Kampf lebte wieder auf 싸움이 다시 시작되었다; Erinnerungen ~ lassen 기억을 되살리다. 《II》 *t.* 〔드물게〕 (그림을) 새로 고쳐 그리다: Lichter ~ 배광(配光)하다.

auf|lecken *t.* (남김없이) 핥아먹다.

Auflege≈bogen *m.* 방명록 용지. **~brettchen** *n.* 〖工〗 (염색물을) 펴서 말리는 널판. **~matratze** *f.* 침대의 매트.

auf|legen 《I》 *t.* ① **(a)** 위에 올려놓다〔덮다, 깔다〕: eine neue Tischdecke ~ 새 식탁보를 깔다; eine Schallplatte ~ 음반을 올려놓다; ein Pflaster ~ 반창고를 붙이다; jm. die Hand ~ (축복을 기원하며) 손을 누구의 머리 위에 얹다, 안수하다; 〔비유〕 Fett ~ (가축이) 살찌다; viel Holz ~ 나무가 우거지다. **(b)** 전화를 끊다. ②〔비유〕 (auferlegen) (세금·부담·짐 따위를) 지우다, 과하다. ③ 간행하다, 출판하다, (다시) 출간하다: ein Buch wieder 〔neu〕 ~ 재판을 찍다. ④ 진열하다, 열람하도록 내놓다; (채권을) 발행하다: die Bank 〔Pharo〕 ~ 도박을〔도박의 물주를〕 하다. ⑤〖海〗 (배의 운항을) 일시 중지시키다. ⑥ jn. zu et.³ ~ 누구를 무엇에 마음이 쏠리게 하다. ⑦ (수중의 패〔카드〕를) 보이다. ⑧ (대량으로) 생산해 내다. ⑨〔방언〕 다투다, 싸우다. 《II》 *refl.* sich ~ ① 팔꿈치를 괴다. ② (말이) 재갈을 심하게 끌어당기다. ③ 다투다, 싸움을 걸다: sich mit jm. ~ 누구와 싸우다. 《III》 **aufgelegt** *p.a.* ↑ aufgelegt.

Aufleger *m.* -s, - ① 부과자(賦課者), 처벌자. ②〖제련〗화부(火夫);〔방언〕(Auflader) 짐꾼. ③ 이탄(泥炭) 삽. ④ 트레일러. ⑤ (침대의) 매트.
Auflegung *f.* -en ↑ auflegen 의 명사형.
***auf|lehnen** 《I》 *t.* 기대다, 버티다: die Arme ~ 팔을 괴다. 《II》 *refl.* sich ~ ① auf et. ~ 무엇에 기대다, 버티다. ②〔비유〕반항하다, 반발하다: sich gegen die bestehende Ordnung ~ 기존 질서에 반항하다.
Auflehnung [áufle:nuŋ] *f.* -en 반항, 반발.
auf|leimen *t.* ① 아교로 붙이다. ② (유화(油畫)의) 캔버스를 새로 갈아붙이다.
auf|lesen* *t.* ① 줍다, 주워 모으다: Steine ~ 돌을 주워 모으다. ② 모르는 사이에〔우연히〕 얻다: eine Krankheit ~ 병에 감염되다; ein Kind ~ 뜻밖에 임신하다. ③〔구어·폄어〕(사람·개 따위를) 주워 오다.
Aufleser *m.* -s, - (떨어진 이삭 따위를) 줍는 사람.
auf|leuchten *i.* (h./s.) ① 빛나다, 번쩍거리다: ein Blitz leuchtete auf 번개가 번쩍였다. ② 번쩍거리기 시작하다.
Auflicht *n.* -(e)s〖광학·사진〗조명, 라이트.
auf|lichten 《I》 *t.*〔雅語〕① (조명으로) 밝게 하다, 밝히다. ②〔비유〕(어떤 일을) 밝히다: Zusammenhänge ~ 연관 관계를 밝히다. ③ (숲을) 간벌하다, 솎아내다. 《II》 *refl.* sich ~ 밝아지다, 밝혀지다.
Auflichtung *f.* -en〔雅語〕밝힘, 밝혀 냄; 간벌(間伐), 솎아내기.
Auflieferer *m.* -s, - 발송자, 탁송자.
auf|liefern *t.* ① (화물을) 발송〔탁송〕하다, (편지를) 붙이다. ② (주문품을) 배달하다.
Auflieferung *f.* -en〖經〗탁송.
auf|liegen* 《I》 *i.* (h.) ① 놓여 있다, 얹혀 있다: etwas liegt auf dem Boden auf 무엇이 바닥에 놓여 있다. ②〔구식〕부담〔짐〕이 되다: die Verantwortung liegt ihr schwer auf 그 책임은 그녀에게 큰 부담이다. ③〖海〗운행 중단 상태다, 휴항 중이다. ④ 진열되어 있다, 열람하도록 비치되어 있다. ⑤ 빈둥빈둥 놀고 있다: bei jm. ~ 누구 집에서 기식(寄食)하고 있다. 《II》 *t.* den Rücken〔sich〕 ~ 욕창(褥瘡)이 나다.
Aufliege·zeit *f.*〖海〗휴항(休航) 기간.
auf|listen *t.* ① 속여서 떠맡기다. ② 목록에 수록하다.
Auflistung *f.* -en ① 목록 작성. ② 목록.
auf|locken *t.* (머리털을) 곱슬곱슬하게 하다.
auf|lockern *t.* ① 풀어서 늦추다; (흙을) 부드럽게 부수다; (잠자리를) 포근하게 하다: sich ~ 긴장을 풀다. ② 변화를 주다, 다채롭게 꾸미다: einen Vortrag durch Scherze ~ 농담을 섞어 강연에 변화를 주다.
Auflockerung *f.* -en ① ↑ auflockern 의 명사형. ②〖醫〗조직 연화(軟化); 이완.
auf|lodern *i.* (s.) ① 타오르다. ②〔비유〕(화·분노 따위가) 폭발하다.
auf|löffeln *t.* 숟가락으로 떠먹다.
auflohen *i.* (s.)〔雅語〕↑ auflodern.
auf|lösbar [áuflø:sba:r] *a.* ①〖化〗가용성의, 용해되는. ② 풀 수 있는. ③ 취소〔파기〕할 수 있는: ein ~er Vertrag 취소할 수 있는 계약.
Auflösbarkeit *f.* ① ↑ auflösbar 의 명사형. ②〖化〗가용성(可溶性).
***auf|lösen** 《I》 *t.* ① (엉킨 것·매듭을) 풀다;〔비유〕(수수께끼를) 풀다, 해결하다. ② 늦추다; (손발을) 쉬게 하다. ③ (a)〖化〗녹이다, 용해하다. (b)〖음악〗불협화음에서 협화음으로 이행시키다. (c)〖數〗(방정식을) 풀다. ④ (법규 따위를) 폐지하다; (의회·모임·군대를) 해산하다; (회사·상점을) 폐업하다; (계약을) 취소하다. ⑤ 양도하다(auflassen). ⑥〖사진〗해상(解像)하다. 《II》 *refl.* sich ~ ① 풀어지다. ② 녹다, 용해되다;〔비유〕어떤 상태로 변하다: sich im Wasser ~ 물에 녹다; sich in nichts ~ 무로 돌아가다; sich in Tränen ~ 쉬지 않고 격렬하게 울다;〔비유〕sich in Wohlgefallen ~ 좋은 결말을 맺다;〔비유·농담〕sich in Luft ~ 사라지다. ③〔비유〕해체되다; 해산되다. ④ (안개가) 걷히다.
auflösend *p.a.* 용해력이 있는: ~e Mittel 용제(溶劑).
auflöslich *a.* ↑ auflösbar.
Auflösung [..lø:zuŋ] *f.* -en ① 풀기, 해결;〖化〗용해;〖數〗풀이. ② 폐지, 해소, 해산, 해체;〖음악〗임시 기호의 취소. ③ 풀이, 해답; 용액. ④〖광학·사진〗해상;〖컴〗(모니터의) 해상도. ⑤〖문학〗희곡의 결말 부분.
Auflösungs≈dekret *n.* 해산 명령. **~erscheinung** *f.* 붕괴〔해체〕현상. **≈fähig** *a.* 용해할 수 있는. **~mittel** *n.*〖醫〗용제(溶劑). **~prozeß** *m.* 붕괴〔해체〕과정. **~vermögen** *n.*〖광학〗해상력. **~wissenschaft** *f.* 분석학. **~wort** *n.* (수수께끼의) 해답. **~zeichen** *n.*〖문법〗분음부(分音符) (보기: ë, ï);〖음악〗제자리표.
auf|löten *t.* 납땜하다.
auflüpfig *a.* (schweiz.) 반항적인, 선동적인.
auflüpfisch *a.* (schweiz.) ↑ auflüpig.
auf|lutschen *t.*〔구어〕(사탕·알약 따위를) 빨아서 다 먹다.
auf|luven *t.*〖海〗뱃머리를 바람부는 방향으로 돌리다.
auf'm [áufəm] auf dem, auf einem 의 축약형.
***auf|machen** [áufmaxən] 《I》 *t.* ① (a) (↔ zumachen) 열다; (옷·매듭 따위를) 풀다; (병의) 마개를 따다:〔비유〕die Ohren ~ 경청하다. (b) 개업하다: ein Geschäft ~ 개업하다, 장사를 시작하다;〔비유·속어〕mach keinen Laden auf! 소란〔법석〕떨지 마라! ② 장식〔장정〕하다: ein Buch hübsch ~ 책을 예쁘게 장정하다. ③ (불을) 피우다:〖海〗Dampf ~ 기관(汽罐)에 불을 때다. ④〔방언〕einen Tanz〔eins〕 ~ 무도곡을 연주하다. ⑤〔방언〕소비〔낭비〕하다. ⑥ 기재〔기입〕하다; (계산서를) 만들다. ⑦ 고착시키다. ⑧〔구어〕(신문에서) 눈길을 끄는 제목을 달다. ⑨〔방언〕(포스터·현수막을) 붙이다, 내걸다. ⑩〔스키〕도약을 시작하다. 《II》 *refl.* sich ~ ① 일어나다; (바람이) 일다; 출발하다: sich auf und davon machen 도망하다. ② 착수하다; (출발 따위의) 준비를 하다. 《III》 *i.* (h.) ①〔구어〕문을 열다, 개점하다: Geschäfte machen auf 가게가 문을 연다. ②〔구어〕(누구에게) 문을 열어 주다, 입장시키다: er hat mir nicht aufgemacht 그는 내게 문을 열어 주지 않았다.
Aufmacher *m.* -s, - (신문) 머릿기사, 시선을 끄는 제목.

Aufmacher≈foto *n.* 눈에 잘 뜨이는 장소에 걸어둔 사진. **~seite** *f.* 시선을 끄는 제목이[머릿기사가] 있는 면. **~story** *f.* 사진을 곁들여 눈길을 끌게 만든 신문 기사.

Aufmachung *f.* -en ① 장식, 치장, 포장; (신문 등의) 표제면의 기사: sie erschien in eleganter ~ 그녀는 우아한 차림으로 나타났다; die Blätter berichten darüber in großer ~ 신문들은 그것에 대해 대서 특필했다. ②〖海〗 해손 정산(海損精算).

auf|mahlen* *t.* 다 빻다; 다 갈다.

auf|mahnen *t.* 〖고어〗소환하다: eine Festung ~ 항복을 권고하다.

auf|malen *t.* ① 위에 그리다: Blumen auf das T-Shirt ~ T셔츠에 꽃을 그리다. ② 고쳐 그리다[칠하다]. ③ (채료를) 다 쓰다. ④〖구어〗글씨를 (그리듯이) 서투르게 쓰다.

Aufmarsch [áufmarʃ] *m.* -es, ..märsche ①〖軍〗 집결. ② 행진, 퍼레이드.

Aufmarsch·gelände *n.* 전개 진지.

auf|marschieren *i.* (s.) 〖軍〗 (전투 대형으로) 집결하다; 전진[행진]하다: links marschiert auf! 줄줄이 좌로 가!; 〖비유〗~ lassen 낱낱이 열거하다.

Aufmarsch·linie *f.* 전개선.

Aufmaß [áufma:s] *n.* -es, -e ① 저울눈을 넘게 달기, 증량(增量), 덤. ②〖건축〗측량; 측량된 치수.

auf|mauern *t.* 〖드물게〗벽을 높이 쌓다: ein Haus ~ 집의 벽을 쌓아올리다.

auf|meißeln *t.* 끌로 열다.

auf|merken 《I》 *t.* 표기하다, 적어 놓다. 《II》 *i.* (h.) 〖雅語〗 ① 조심하다, 정신을 바짝 차리다. ② 주목하다: 〖다음 용법으로〗 etwas läßt jn. ~ 무엇이 누구를 못믿게 하다.

Aufmerker *m.* -s, - 기재자; 주목자; 경청자; 엿듣는 사람.

***aufmerksam** [áufmɛrkza:m] *a.* ① 주의 깊은, 세심한: jn. auf et. ~ machen 누구에게 무엇에 대한 주의를 환기시키다; auf jn.[et.] ~ werden 누구에게[무엇에] 주목하다. ② 친절[정중]한, 사려 깊은.

***Aufmerksamkeit** *f.* ① 주의, 관심, 집중력: ~ für et. zeigen 무엇에 관심을 나타내다; die ~ der Zuhörer läßt nach 청중의 집중력이 떨어진다. ② 친절, 배려; 친절한 언행. ③ 작은 선물.

auf|messen* *t.* 〖드물게〗 ①〖건축〗 측량하다. ② (곡식을) 계량하다. ③ 몸에 맞추다, 치수를 재다; (죄 따위를) 돌리다: die Rolle ist ihr wie aufgemessen 배역이 그녀에게 (자로 잰 듯이) 잘 어울린다; jm. Schläge ~ 누구를 때리다.

auf|mischen *t.* 〖방언〗 (포도주 따위를) 섞다, 휘젓다; (카드를) 다시 섞다.

auf|möbeln *t.* 〖구어〗 ① 새로 단장하다, 수리하다. ② 기분 전환시키다, 원기를 북돋아 주다.

auf|montieren *t.* ① 장착하다, 조립하다. ② (무엇) 위에 붙이다.

auf|motzen 《I》 *i.* (h.) 〖구어〗 항의하다. 《II》 *t.* 새로 수선하다, 개량하다, 손을 보다. 《III》 *refl.* 〖구어〗 sich ~ 돋보이게 화장하다, 치장하다.

auf|mucken *i.* (h.) ① 항의하다, 항변하다: gegen jn. ~ 누구에게 항변하다. ② 반항하여 상처를 입다.

***auf|muntern** [..muntərn] *t.* ① 일으키다, 깨우다. ② 기분 전환시키다, 활기를 주다: sich ~ 기운 내다, 명랑해지다. ③ 고무[격려]하다: jn. zum Weitermachen ~ 누가 계속하도록 격려하다. ④〖비유〗(양복지 따위를) 고쳐 손질하다, 수선하다.

Aufmunterung *f.* -en ① 기분좋게 하기; 고무, 격려. ② 격려의 말[몸짓].

auf|münzen 〖고어〗 *t.* ① (초상을) 타각(打刻)하다; (금을) 화폐 주조에 다 써 버리다. ②〖구식〗 jm.[et.[3]] et. ~ 누구에게[무엇에] 무엇을(무늬 따위를) 찍다[각인하다].

aufmüpfig [áufmʏpfɪç] *a.* 〖구어〗 반항적인, 도전적인.

Aufmüpfigkeit *f.* -en 반항심; 반항적[도전적]인 태도.

auf|müssen* *i.* (h.) 〖드물게〗 일어나지 않으면 안 되다; (문 따위가) 열리지 않으면 안 되다.

auf|mutzen *t.* 〖방언〗 ① 개량하다, 개선하다. ② 비난하다: jm. einen Fehler ~ 누구의 잘못을 비난하다.

auf'n [áufən] auf den, auf einen 의 축약형.

auf|nageln *t.* 못으로 고정시키다.

auf|nagen *t.* 깨물어 열다; 다 씹다.

Aufnäh·arbeit *f.* ① 〖드물게〗 기워 붙이기. ② 기워 붙인 무늬, 아플리케.

auf|nähen *t.* ① 기워 붙이다. ② (실을) 깁는 데 다 써버리다. ③ sich[3] die Finger ~ 깁다가 손가락을 다치다.

Aufnäher *m.* -s, - (옷의) 아플리케(해 놓은 것), (옷의 집어넣은) 단.

***Aufnahme** [áufna:mə] 《<aufnehmen》 *f.* -n ① 흡수, 섭취: die ~ von Flüssigkeiten 액체의 흡수; die ~ der Nahrung 영양 섭취. ② 시작, 개시: die ~ der Arbeit 일의 시작; sich um die ~ von Beziehungen bemühen 관계를 맺으려 노력하다. ③ 수용(受容); 수록, 등재; 수용; 접수(실), 대합실: die ~ eines Wortes in eine Sprache 한 언어 속에 어떤 단어의 채용. ④ 입회[입학·입대·임용·귀화](의 허가), 가입: die ~ in einen Verein beantragen 어떤 단체에 가입을 신청하다. ⑤ 영접, 접대: eine gute ~ finden 후한 대접을 받다; jm. eine freundliche ~ bereiten 누구를 환대하다. ⑥ 〖구식〗 해석, 이해. ⑦ (돈·자본의) 차입(借入), 조달: die ~ einer Anleihe 융자[차관]의 차입. ⑧ (조서·목록의) 작성; 측량: 〖商〗 die ~ des Warenlagers 재고 조사. ⑨ 〖사진·영화〗 촬영; 녹화; (레코드의) 녹음; (전보 따위의) 수신: eine ~ machen[stellen] 사진을 찍다. ⑩ (↔ Abnahme) 번영, 성공: in ~ kommen 유행[번창]하다; in ~ bringen 번창하게 하다. ⑪ 반응, 호응: (eine) begeisterte ~ finden 열렬한 호응을 얻다.

Aufnahme≈apparat *m.* 사진기; 촬영기; 녹음기. **~bedingungen** *pl.* 입회[가입·입학] 조건. **≈bereit** *a.* 받아들일 준비가 되어 있는. **~bereitschaft** *f.* 수용 태세, 받아들일 용의. **≈fähig** *a.* 수용 능력이 있는; 〖商〗 소화할 수 있는. **~fähigkeit** *f.* ① 수용 능력. ② 〖商〗 소화력(이 있음). **~gebühr** *f.* 입회비, 가입비. **~gerät** *n.* ↑ ~apparat. **~leiter** *m.* 촬영 감독. **~prüfung** *f.* 채용[입학] 시험. **~raum** *m.* (라디오의) 방송실. **~schein** *m.* 입회[입

학〕 허가증. **~schiff** *n.* 〖海〗 (연안) 측량선. **~stellung** *f.* 〖軍〗 재집결 진지. **~technik** *f.* 〖사진·영화〗 촬영 기술; 〖음악〗 녹음 기술. **~vermögen** *n.* ① 이해력, 감수성. ② ↑ ~fähigkeit. **~würdig** *a.* 채용〔수용〕 가치가 있는, 입회〔입학〕 자격이 있는.

auf|nähren *t.* 〖구식〗 (아이를) 양육하다; (동물을) 사육하다.

auf|nehmen [áufne:mən] 《I》 *t.* ① **(a)** 집어〔주워〕 올리다, 들어 올리다; (옷을) 추키다; (총을) 메다; (감자 따위를) 파내다: den Rucksack ~ 배낭을 메다; die Mutter nahm das Kind auf 어머니가 아이를 안아들었다; den Schmutz in der Stube 〔die Stube〕 ~ 방을 청소하다. **(b)** 〖구기〗 (공을) 잡다. **(c)** (nordd.) (걸레로) 훔치다, 닦(아내)다. ② (도전 따위를) 받아들이다: den (hingeworfenen) Fehdehandschuh ~ 도전에 응하다; es mit jm. ~ 누구와 겨루다〔비견하다〕; er kann es mit jedem ~ 그는 누구에게도 지지 않는다; den Kampf mit jm. ~ 누구와 싸우다, 경쟁하다. ③ 시작하다, 개시하다: den (fallengelassenen) Faden (wieder) ~ 다시 계속해서 깁다〔짜다〕; 〖비유〗 den Faden der Erzählung wieder ~ 이야기의 실마리를 다시 잇다; die Arbeit wieder ~ 일을 다시 시작하다; so nahm ein Tag den andern auf 하루하루가 그렇게 이어졌다; 〖광산〗 eine alte Zeche wieder ~ 구광산을 다시 채굴하다; 〖사냥〗 die Spur ~ 흔적을 발견하고 쫓아가다. ④ **(a)** 받아들이다: das Wort ist in unsere Sprache aufgenommen 이 말은 우리 국어에 수용되었다. **(b)** 수용하다: der Saal kann 80 Kinder ~ 이 홀은 80 명의 아이들을 수용할 수 있다. **(c)** 흡수〔섭취〕하다: Nahrung ~ 영양을 섭취하다. ⑤ **(a)** 가입〔입학〕시키다: er ließ sich in den Klub ~ 그는 그 클럽에 입회했다. **(b)** (öst.) 고용〔채용〕하다. **(c)** 수록하다: einen Artikel in die Zeitung ~ 어떤 기사를 신문에 게재하다. ⑥ 맞이하다, 묵게 하다; 영접하다, 대우〔대접〕하다: jn. bei sich³ 〔in seinem Haus〕 ~ 누구를 자기 집에 묵게 하다. ⑦ **(a)** 알다, 이해하다: et. für〔als, im〕 Ernst ~ 무엇을 곧이듣다; (jm.) et. übel ~ (누구의) 무엇을 악의로 해석하다; (jm.) et. hoch ~ (누구의) 무엇을 높이 사다; 〖목적어 없이〗 das Kind nimmt leicht auf 어린아이는 이해가 빠르다. **(b)** 받아들이다, 반응하다: einen Vorschlag freundlich ~ 어떤 제안에 호의적인 반응을 보이다. ⑧ (돈을) 차용하다; (채권을) 발행하다: (Geld auf) eine Pfandverschreibung ~ 저당 잡혀 돈을 장만하다. ⑨ **(a)** 기록하다, (서류를) 작성하다: der Polizist nahm seine Personalien auf 경찰관은 그의 인적 사항을 기록했다; ein Gelände ~ (지도 제작을 위해) 지형을 측량하다. **(b)** 촬영하다: mehrere Bilder ~ 여러 장의 사진을 촬영하다. **(c)** 녹음하다, 취입하다: ein Gespräch auf Band ~ 대화를 테이프에 녹음하다. ⑩ 〖승마〗 (말의) 주의를 집중시키게 하다. ⑪ 〖수공〗 (코를) 추가로 바늘에 끼다. 《II》 *refl.* sich ~ 일어서다; 〖사냥〗 날아가다. 《III》 *i.* (h.) ① (↔ abnehmen) 늘다, 번영하다: der ~de Mond 상현(上弦)달. ② (짐승이) 새끼를 배다. ③ (짐승이) 풀을 뜯다.

aufnehmens=wert, ~würdig *a.* ↑ aufnahmewürdig.

Aufnehmer *m.* -s, - (nordd.) (Scheuertuch) 걸레; 〖방언〗 쓰레받기.

äufnen [ɔ́ʏfnən] 《⊕ auf》 (schweiz.) 《I》 *i.* (h.) 오르다. 《II》 *t.* (돈·자본 따위를) 늘리다, 증식시키다.

Äufnung *f.* (schweiz.) 증대, 증식.

Auf|nesteln *t.* ① 끈을〔단추를〕 풀다. ② 끈으로 졸라매다, 교살하다.

auf|neuen *t.* 최신식으로 하다.

auf|nieten *t.* 압정〔대갈못〕으로 고정시키다.

auf|norden *t.* ① 아리안족화〔북방 민족화〕하다: eine Rasse ~ (나치스 용어로 유대인 말살 등의 조치를 통해) 아리안족화〔북방 민족화〕하다. ② (sich) die Haare ~ (북방 민족처럼 보이려고) 금발로 물들이다. ③ 〖비유〗 (첨가물을 섞어) 무엇의 질을 높이다: Malzkaffee mit Bohnenkaffee ~ 원두 커피를 첨가하여 대용 커피의 질을 높이다.

auf|notieren *t.* 기입하다, 기록해 두다.

auf|nötigen *t.* 강요〔강제〕하다: jm. Zurückhaltung ~ 누구에게 자중할 것을 요구하다.

auf|oktroyieren *t.* 강요〔강제〕하다: anderen seine Meinung ~ 타인에게 자기 의견을 (믿도록) 강요하다.

auf|opfern [áuf|ɔpfərn] 《I》 *t.* 〖雅語〗 희생하다, (제물로) 바치다. 《II》 *refl.* sich für jn. 〔et.〕 ~ 누구를〔무엇을〕 위해 희생하다.

aufopfernd *p.a.* 헌신적인: ~e Hingabe〔Liebe〕 헌신〔헌신적인 사랑〕.

Aufopferung *f.* -en 헌신, 희생(적 행위): für jn. mit ~ sorgen 누구를 헌신적으로 돌보다.

aufopferungs·voll *a.* 희생적인, 헌신적인.

auf|packen 《I》 *t.* ① (무엇에) 짐을 꾸려 싣다; 〖비유〗 짐지우다, 부담시키다: sich jm. ~ 누구에게 의지하다, 매달리다. ② (짐을) 풀다 (auspacken). ③ 꽉 쥐어 올리다. 《II》 *i.* (h.) 출발하다; (군대가) 진군 준비를 하다.

auf|palmen *refl.* sich ~ 〖海〗 양손으로 번갈아 줄을 끌어당기며 올라가다.

auf|päppeln 《<Pappe》 *t.* ① 세심하게 양육하다, 신경을 써서 기르다. ② (누구를) 잘 먹이고 보살펴 회복시키다.

auf|pappen *t.* ① 〖드물게〗 다 먹어 버리다. ② 〖방언〗 풀로 붙이다.

***auf|passen** 《I》 *i.* (h.) ① **(a)** 주의하다, 조심하다: auf die Verkehrszeichen ~ 교통 신호에 유의하다; aufgepaßt! 주의, 조심!; paß (mal) auf! 잘 봐〔들어〕, 정신차려! **(b)** 돌보다: auf die Kinder ~ 아이들을 돌보다; im Urlaub passen Müllers auf unser Haus auf 휴가 때 뮐러씨네가 우리 집을 돌봐 준다. ② 〖방언〗 (누구의) 동정을 살피다. 《II》 *t.* (잘 맞는지 보기 위해 모자 따위를) 써보다.

Aufpasser *m.* -s, - ① 감시인, (학교의) 규율부 학생. ② 스파이 (Spion).

Aufpasserei *f.* -en 감시, 염탐.

auf|patschen *i.* (s.) 〖구어〗 철썩 소리를 내며 바닥에 떨어지다.

auf|pauken *i.* (h.) auf et. ~ 무엇을 난타〔강타〕하다.

auf|pausen *t.* 받치고 베끼다, (도안 따위를) 모사하다.

auf|peitschen *t.* ① (말 따위를) 채찍질하여 일으키다. ② 〖비유〗 바람〔물결〕을 일으키다:

das Meer ~ (폭풍우가) 바다를 출렁이게 하다. ③〔비유〕(흥분제 따위를 써서) 자극하다, 흥분시키다.
auf|pelzen *t.* (öst.) 부과하다, 떠맡기다.
auf|peppen *t.* 활기 있게 만들다: ein Theaterstück ~ 연극에 활기를 불어넣다.
auf|pfählen *t.* 말뚝에 붙들어매다.
auf|pfeifen* 〔드물게〕《I》*i.* (h.) zum Tanz ~ 피리로 춤곡을 연주하다. 《II》*t.* 피리를 불어서 깨우다: 『海』(승무원을) 피리를 불어 집합시키다.
auf|pflanzen 《I》*t.* (기 따위를) 세우다, 게양하다, 올리다; 『軍』(총검을) 꽂다; (포를) 배열하다. 《II》*refl.* 〔구어〕sich vor jm. ~ 누구 앞에 떡 버티고 서다.
auf|pflöcken *t.* (무엇에) 나무못을 때려 박다.
auf|pflügen *t.* ①쟁기로 갈아 엎다. ②〔비유〕(배가 파도를) 가르다.
auf|pfropfen *t.* ①접목하다, 접붙이다. ②〔비유〕(낯선 문화 따위를) 이식하다.
auf|pichen *t.* 역청(瀝青)으로 붙이다.
auf|picken *t.* ① **(a)** 쪼아 올리다, (닭이 먹이를) 쪼아먹다. **(b)** 쪼아 열다. ②주워 올리다. ③『건축』(쪼아먹은 듯이 표면을) 거칠게 하다. ④〔비유〕(우연히) 주워 듣다, 발견하다. ⑤ (öst.)〔구어〕(플래카드 따위를) 부착하다.
auf|piken *t.* (포크 따위로) 찌르다.
auf|plätten *t.* 다림질하다(aufbügeln).
auf|platzen *i.* (s.) (상처·솔기 따위가) 터지다, 파열하다; 『植』(꽃봉오리가) 벌어지다.
auf|plumpsen *i.* (s.) 〔구어〕 쾅하고 떨어지다.
auf|plustern 《I》*t.* ① (깃털을) 곤두세우다: der Hahn plustert ihr Gefieder auf 수탉이 깃털을 곤두세운다. ②〔비유·구어·폄어〕ein Ereignis ~ 어떤 사건을 과장하다. 《II》*refl.* 〔비유〕sich ~ 뽐내다.
auf|pochen 《I》*i.* (h.) ① (심장이) 두근거리다. ② auf den Tisch ~ 탁자를 두들기다. ③〔구식〕완강한 태도를 보이다. 《II》*t.* 〔드물게〕(문을) 두들겨 열다.
auf|polieren *t.* ① (가구 따위를) 닦아 광을 내다. ②〔비유〕세련되게 하다: sein Image ~ 이미지를 개선하다.
auf|polstern *t.* (의자 따위에) 쿠션을 새로 끼워 넣다.
auf|poppen *t.* 대중성을 띠게 만들다, 대중 예술풍으로 만들다.
auf|prägen *t.* ①각인(刻印)하다; (도장 따위를) 찍다: sein Wappen ~ 문장을 찍다. ② jm.〔et.³〕einen Stempel ~ 누구에게〔무엇에〕 결정적인 영향을 미치다.
Aufprall *m.* -(e)s, -e 충돌.
auf|prallen *i.* (s.) ①충돌하다, 부딪치다. ② (무엇 위에) 쾅하고 떨어지다.
auf|prasseln *i.* ① (s.) (비나 우박 따위가) 후두득 소리를 내며 쏟아져 내리다. ② (h./s.) (불이) 딱딱 소리내며 타오르다. ③〔드물게〕딱딱 소리내며 열리다.
Aufpreis [áufpraɪs] *m.* -es, -e [..zə] 추가요금, 웃돈, 프리미엄: gegen einen ~ 웃돈을 내고.
auf|pressen *t.* ①다시 누르다. ②밀어 열다. ③ (무늬 따위를) 눌러 박다. ④〔비유〕강요〔강제〕하다.
auf|proben *t.* ↑ aufprobieren.
auf|probieren *t.* (모자·안경을) 시험삼아 써 보다.
auf|protzen 《I》*t./i.* (h.) ① (대포를) 앞차에 연결하다. ②출발 준비를 하다. 《II》*i.* (s.) 격분하다.
auf|prügeln *t.* 때려서 일어나게 하다.
auf|pudern *t.* 〔구식〕die Haare ~ 새로 분가루를 뿌려 머리를 빗다.
auf|puffen 《I》*t.* 〔구식〕(머리칼·소매 따위를) 부풀어오르게 하다: 〔비유〕aufgepuffte Reden und Worte 호언장담. 《II》*i.* (s.) (화약이) 칙하고 타오르다.
auf|pullen [..pulən] 『승마』《I》*t.* (말을) 빨리 달리게 하다. 《II》*i.* (h.) 빨리 달리다.
auf|pulvern 《I》*t.* 〔구어〕(누구에게) 기운을〔용기를〕 내게 하다. 《II》*refl.* sich ~ 기운을 내다.
auf|pumpen 《I》*t.* ① **(a)** (타이어 따위에) 펌프로 공기를 넣다. **(b)** 펌프로 빨아올리다. ②돈을 여기저기서 꾸어 모으다. 《II》*refl.* sich ~ ①허세를 부리다, 뽐내다. ②격분하다.
auf|purren *t.* 〔구어·비유〕① ein Loch ~ 구멍의 막힌 곳을 뚫다. ② das Feuer ~ 불을 쑤석거려 돋우다.
auf|pusten 《I》*t.* 〔방언〕훅 불어서 부풀어 올리다. 《II》*refl.* 〔비유·폄어·경박〕sich ~ 허풍떨다, 뻐기다.
auf|putschen *t.* ①〔방언〕자극〔선동〕하다. ② (약물 따위로) 자극하다, 흥분시키다.
Aufputsch·mittel *n.* 흥분제, 각성제.
Aufputz [áufputs] *m.* -es, -e ①치장, 성장(盛裝); 〔비유〕맵시. ②장식품, 장신구; 의상; 〔비유〕몸치장, 차림: den ~ ablegen 탈의(脫衣)하다.
auf|putzen *t.* ①지나치게 치장하다: sich ~ 지나치게 눈에 띄게 차려입다. ② (방을) 깨끗이 청소〔정돈〕하다. ③ (헌 모자 따위를) 손질하다; (구두 따위를) 닦다; 〔비유〕수정하다, 마무르다. ④〔구어·폄어〕잘 보이게 꾸미다, 돋보이게 하다. ⑤〔구어〕Speisen ~ 음식을 다 먹어 치우다.
auf|quälen *t.* 〔드물게〕강요〔강제〕하다; 몹시 괴롭히다.
auf|qualmen 《I》*i.* (s.) (연기가) 자욱이 올라오다. 《II》*t.* (담배를) 다〔남김없이〕 피우다.
auf|quellen⁽*⁾ *i.* (s.) ①부풀어오르다, (얼굴이) 붓다: der Teig quillt auf 반죽이 부풀어 오른다. ②『雅語』솟아오르다: Rauch quoll aus den Hütten auf 오두막집들에서 연기가 솟아올랐다; 〔비유〕Sehnsucht quoll in ihr auf 그녀의 마음 속에 그리움이 솟아났다.
auf|quetschen *t.* 눌러 부수어서 열다.
auf|quirlen *t.* 휘젓다, 교반하다.
auf|raffen [áufrafən] 《I》*t.* 잡아채다, 긁어모으다: Geld vom Fußboden ~ 바닥에 떨어져 있는 돈을 잽싸게 줍다. 《II》*refl.* sich ~ ① (힘들여 벌떡) 몸을 일으키다: sich wieder ~ 회복하다, 다시 정신을 차리다. ②〔비유〕sich zu et.³ ~ 무엇을 하기로 어렵게 결정을 내리다
auf|ragen *i.* (h.) 솟아오르다.
auf|rahmen *t.* 『工』틀에 끼워 펴다.
auf|ranken *i.* (s.) / *refl.* 『雅語』(sich) ~ (덩굴이) 뻗어 오르다.

auf|rappeln *refl.* sich ~ 〖구어〗① 벌떡 일어서다. ② 다시 기운을 회복하다, 건강해지다. ③〖비유〗어렵게 결단을 내리다.
auf|rasseln 〖드물게〗《I》*i.* (s.) (문이) 덜커덕거리며 열리다. 《II》*t.* 덜걱덜걱 소리내어 잠을 깨우다.
auf|rauchen 《I》*i.* (s.) 연기가 되어 올라가다; 타 없어지다. 《II》*t.* (담배를) 끝까지 피우다; 피워 없애다.
auf|räufeln *t.* 〖방언〗(뜨개질한 것을) 풀다.
auf|rauhen *t.* 〖工〗(표면을) 거칠게 하다; (양털을) 빗다: Tuch ~ 천의 보풀이 일게 하다.
***auf|räumen** [áufrɔʏmən] 《I》*t.* ① 치우다, 제거하다, 걷어치우다, 청소하다; 〖軍〗(싸움터를) 소탕하다; 〖軍〗(총구·포문을) 청소하다: 〖商〗sein Lager ~ 재고품을 처리하다. ② 정리하다: das Zimmer ~ 방을 치우다. 《II》*i.* (h.) ①〖구어〗mit et.³ ~ 무엇을 제거하다, 없애다, 끝장을 내다; 〖商〗팔아 치우다; mit den Vorurteilen ~ 편견을 없애다. ②〖비유〗희생자를 내다: die Krankheiten haben im Heer〔unter den Truppen〕sehr aufgeräumt 질병으로 군대에〔병력 가운데〕많은 희생자가 생겼다; die Gäste haben in unseren Vorräten gewaltig aufgeräumt 손님들이 우리의 비축 식량을 마구 축냈다. 《III》**aufgeräumt** *p.a.* ↑ aufgeräumt.
Aufräumer *m.* -s, - 청소부; 〖印〗해판자(解版者); 〖工〗확대추(擴大錐).
Aufräumung *f.* -en 제거, 청소, 정리; 〖軍〗소탕.
Aufräumungs·arbeiten *pl.* 청소〔정돈〕작업.
auf|rauschen *i.* (s.) ① 푸드득 소리를 내며 날아오르다. ② (h./s.) 솨솨 소리를 내기 시작하다.
auf|räuspern *t.* den Schleim〔sich〕~ 기침을 하여 가래를 뱉다.
auf|rechen *t.* ↑ aufharken.
auf|rechnen *t.* (h.) ① 계상하다, 계산서에 첨가하다: jm. eine Summe ~ 누구의 계산서에 어떤 금액을 써넣다. ② et. gegen et.〔mit et.³〕~ 무엇을 무엇으로 상쇄하다, 차감(差減) 계산하다; 〖法〗배상〔보상〕하다. ③ 비난하다: seine Tat wurde ihm als Pflichtversäumnis aufgerechnet 그의 행위는 의무 소홀이라고 비난받았다.
Aufrechnung *f.* -en 상쇄, 차감 계정; 〖法〗배상, 보상.
***aufrecht** [áufrɛçt] *a.* ① 곧추 선, 똑바른, 수직의: ~ gehen 똑바로 걷다; ~ sitzen 정좌하다; ein ~er Gang 직립 보행; sich nicht mehr ~ halten können (피곤하여) 더 이상 똑바로 서 있지 못하다. ②〖비유〗(aufrichtig) 솔직한, 강직한, 청렴한: ein ~er Charakter 대쪽 같은 성격.
aufrecht|erhalten* *t.* 견지〔고집〕하다; 유지하다: eine Behauptung ~ 어떤 주장을 고집하다; eine Ordnung ~ 질서를 유지하다.
Aufrecht·erhaltung *f.* 견지, 고집; 유지.
auf|recken *t.* 위로 펴다〔뻗치다〕: sich ~ 몸을 펴다; die Ohren ~ (동물이) 귀를 쫑긋 세우다.
auf|reden *t.* ↑ aufschwatzen.
***auf|regen** 《I》*t.* ① 흥분시키다, 자극하다: die Nachricht regte sie sehr auf 그 소식은 그녀를 몹시 흥분시켰다; regen sie sich nicht auf! 흥분하지 마세요! ②〖雅語〗(감정·사고를) 불러일으키다. 《II》*refl.* sich ~ ① 흥분하다. ② sich über jn.〔et.〕~ 누구에게〔무엇에〕분개하다: das ganze Dorf regt sich über sie auf 온 동네 사람이 그녀에 대해 분개했다. 《III》**aufgeregt** *p.a.* ↑ aufgeregt.
aufregend *p.a.* 자극적〔선동적〕인, 긴장감 있는.
Aufregung [áufre:gʊŋ] *f.* -en ① 흥분, 격앙: in ~ geraten 흥분하다; in ~ bringen〔versetzen〕흥분시키다; in ~ sein 흥분하고 있다. ② 소란, 소동, 혼란: nach dieser Nachricht entstand eine große ~ 이 보도가 있은 후에 큰 소동이 벌어졌다; kein Grund zur ~! 소란 떨 이유가 없다!
Aufregungs·mittel *n.* 〖藥〗자극제, 흥분제.
auf|reiben* [áufraɪbən] 《I》*t.* ① 마구 문지르다; 〖醫〗도찰(塗擦)하다; (방을) 문질러 닦다, 왁스로 닦다. ② (피부를) 문질러서 상처를 내다: sich³ die Backen ~ 양 뺨을 문질러 생채기를 내다. ③ (안료 따위를) 닳게 하다, 마모시키다. ④ (**a**) 힘을 소모시키다, 녹초로 만들다. (**b**) 파괴하다, 섬멸하다: die Truppen des Feindes völlig ~ 적군을 완전 섬멸하다. ⑤〖工〗(구멍을) 확대하다. 《II》*i.* (h.) auf et. ~ 무엇을 문지르다, 마찰하다.
aufreibend *p.a.* 기진맥진하게 하는, 소모성의: eine ~e Tätigkeit 소모적인 행위; eine ~e Krankheit 소모성 질환.
Aufreiber *m.* -s, -〖工〗확대추(擴大錐), 나사송곳.
Aufreibung *f.* -en 문질러 닦음〔닳게 함〕; 파괴, 섬멸; (힘의) 소모.
auf|reihen 《I》*t.* ① (진주 따위를) 실에 꿰다; (서류를) 철하다; (책을) 나란히 세워 놓다. ② 열거〔나열〕하다. 《II》*refl.* sich ~ 한 줄로 서다.
auf|reißen [áufraɪsən] 《I》*t.* ① (**a**) 열어젖히다, 개봉하다: einen Briefumschlag ~ 편지 봉투를 뜯다; die Augen weit ~ 눈을 크게 뜨다; jm. das Maul ~ 억지로 누구의 입을 열다; 〖비유〗eine alte Wunde wieder ~ 구악을 들추어내다. (**b**) (추위·서리로) (피부가) 트다, 갈라지다; 찢어 상처를 내다. (**c**) (도로 따위를) 파헤치다; 〖農〗개간하다. ② 끌어올리다, 끄집어내다. ③〖工〗빗어 올리다, 보풀을 세우다. ④ (**a**) 스케치하다, 약도를 그리다; 〖건축〗설계하다. (**b**) (주제·문제에 관해) 약술〔개관〕하다. ⑤〖경박〗찾아내다, 발견하다, 구하다: eine tolle Kneipe ~ 멋진 술집을 한 집 찾아내다. ⑥〖경박〗얻다, 낚다, 꾀다: ein Mädchen ~ 여자를 낚다. ⑦〖스포츠〗(수비를) 뚫다, 돌파하다. 《II》*refl.* sich ~ ① 갑자기 열리다, 찢어지다. ② 우뚝 서다. 《III》*i.* (s.) 찢어지다, 쪼개지다, 부서지다, (실밥이) 풀리다; (상처가) 벌어지다.
Aufreißer *m.* -s, - ①〖스포츠〗(레슬링) 엎드린 선수를 일으키는 클린치 동작. ② (상대방을 따돌리는) 돌파 전문 선수.
auf|reiten* 《I》*i.* (s.) ① 말타고 도열하다. ② auf jn. ~ 함께 말을 탄 사람에게 가까이 다가붙다. 《II》*t.* ein Pferd ~ 말을 타다 말에 생채기를 내다. 《II》*refl.* sich ~ 말을 타다 상처를 입다〔까지다〕.
auf|reizen *t.* ① 부추기다, 선동하다: jn. zum

Widerstand ~ 누구를 부추기어 저항하게 하다. ② 자극하다: seine Phantastik ~ 그의 상상력을 자극하다; eine ~de Farbe 자극적인 빛깔.

Aufreizer *m.* -s, - 고무자, 선동자.

Aufreizung *f.* 선동, 고무; 자극.

auf|rennen* 〔구어〕《I》 *i.* (s.) ① 달려 올라가다. ②〖海〗 좌초하다. 《II》 *t.* ① (문을) 뛰어가 밀쳐 열다. ② sich³ die Füße ~ 뛰어서 발이 까지다.

auf|ribbeln *t.* (뜨개질한 것을) 풀다(aufräufeln).

Aufrichte *f.* -n (schweiz.) 상량식.

Aufrichte=moment *n.*〖海〗 (Metazentrum) (배의) 경심(傾心), 외심점(外心點). **~muskel** *m.*〖해부〗 발기근(勃起筋).

***auf|richten** [áufrıçtən] 《I》 *t.* ① 똑바로 일으키다〔세우다〕; (머리·눈을) 쳐들다. ②〖비유〗 위로〔격려〕하다: js. Mut wieder ~ 누구의 용기를 북돋우다, 고무하다. ③ 세우다, 쌓다;〖비유〗 건설하다, 창립〔설립〕하다; (조약 따위를) 체결하다: ein Denkmal ~ 기념비를 세우다; eine Mauer ~ 담장을 쌓다; eine Straßensperre ~ 바리케이드를 설치하다. ④ (südd.) (가구 따위를) 새로 수리하다, 재생시키다: eine Monarchie wieder ~ 왕조를 부활시키다. 《II》 *refl.* sich ~ 일어나다, (기울어졌던 배가) 똑바로 서다: sich wieder ~ 회복되다; sich an et.³ ~ 무엇 덕분으로 기운을 다시 얻다, 위안을 얻다.

Aufrichter *m.* -s, - 일으키는 사람, 창립〔건설〕자;〖해부〗 발기근(勃起筋);〖건축〗 비계의 똑바른 기둥.

***aufrichtig** *a.* ① 솔직〔정직·성실〕한, 똑바른, 숨김 없는: zu jm. 〔gegen jn.〕 ~ sein 누구에게 솔직하다; ~ seine Meinung sagen 자기 의견을 숨김없이 말하다; Ihr ~ ergebener... 경구(敬具) (편지 끝에 쓰는 말). ②〖商〗 진짜의, 진정한.

Aufrichtigkeit *f.* 정직, 솔직, 성실; 진짜.

Aufrichtung *f.* 곧추 세우기, 일으키기; 격려, 고무; 축조; 건설, 설립.

auf|riegeln *t.* ① (문의) 빗장을 열다. ② Querbalken ~ 대들보를 얹어 튼튼히 하다.

auf|riggen *t.*〖海〗 ↑ auftakeln.

auf|ringeln 《I》 *t.* ① (머리털을) 지져서 말아 올리다, 돌돌 말다. ② (둘둘 만 털을) 풀어서 펴다. 《II》 *refl.* sich ~ ① 연기가 소용돌이를 그리며 올라가다; (뱀이) 똬리를 풀다. ② 곱슬곱슬함이 풀리다. 《III》 *i.* (h.) Rauch ringelt auf 연기가 빙빙 돌아 올라간다.

Aufriß [áufrıs] 《<aufreißen》 *m.* ..risses, ..risse ① 약도, 윤곽도, 스케치;〖건축〗 (↔ Grundriß) 정면도, 투시도, 직립 평면도, 외면(外面)도;〖數〗 작도: perspektivischer ~ 원근(遠近)도. ② 약술, 개관.

Aufriß·zirkel *m.*〖工〗 제도용 양각기(兩脚器).

Aufritt [áufrıt] 《<aufreiten》 *m.* -(e)s, -e ① 기마 행진. ② (승마로 인한) 살의 쓸림.

auf|ritzen *t.* 찢어서 열다: sich³ die Haut ~ 피부를 긁어서 상처를 내다.

auf|rollen [áufrɔlən] 《I》 *i.* (s.) 말려 오르다; (막이) 열리다; 파도가 일다. 《II》 *t.* ① 돌돌 감다, 말아 올리다: die Haaren in Locken ~ 〔sich ~〕 머리를 곱슬곱슬하게 파마하다;〖植〗 sich ~d 회선상(回旋狀)의. ② (만 것을) 펼치다, 풀다. ③〔비유〕 (문제를) 철저히 다루다, (화제 따위를) 꺼내다. ④ (미닫이문 따위를) 열다. ⑤〖스포츠〗 (상대팀의 수비를) 측면에서 돌파하다;〖軍〗 측면 공격하여 점령하다.

Aufroller *m.* -s, -〖工〗 양모(羊毛) 권양기(卷揚機); 철사 압연기(壓延機).

Aufrollung *f.* -en 개막; 파도치기; 말아〔감아〕 올리기; (만 것을) 풀기; (이야깃거리를) 꺼내기.

auf|rücken 《I》 *i.* (s.) ① 위로 나아가다, 오르다: in eine höhere Stelle〔Klasse〕 ~ 승진〔진급〕하다. ② (앞·옆으로) 간격을 좁히다. 《II》 *t.* 〔구식〕 ① 위쪽으로 나아가게 하다, 올리다; 승진시키다. ② (들여다보는 구멍을) 밀어(올려서) 열다. ③ 비난하다.

Aufrückung *f.* 상승, 승진, 진급.

Aufruf [áufru:f] *m.* -(e)s, -e ① 호명. ② 촉구; 호소: einen ~ erlassen 호소문을 발표하다. ③〖經〗 (지폐의) 회수;〖컴〗 작동 명령.

auf|rufen* *t.* ① 호명하다. ② 촉구하다: einen Zeugen zur Aussage ~ 증인에게 진술을 촉구하다. ③ 일깨우다, 호소하다: js. Gewissen ~ 누구의 양심에 호소하다. ④〖經〗 (지폐를) 회수하다. ⑤〖컴〗 작동시키다: ein Programm ~ 어떤 프로그램을 작동시키다.

Aufrufung *f.* ↑ aufrufen 의 명사형.

auf|ruhen *i.* (h.) 〔雅語〕 안치되어〔받쳐져〕 있다.

***Aufruhr** [áufru:r] *m.* -(e)s, -e ① 반란, 봉기: einen ~ stiften〔unterdrücken〕 폭동을 일으키다〔진압하다〕. ② 혼란, 혼돈: die Menschenmenge geriet in ~ 군중이 혼란에 빠졌다; in ~ bringen〔versetzen〕 혼란에 빠뜨리다. ③ 격동, 흥분: ~ der Gefühle 감정의 격앙.

Aufruhr·akte *f.* ↑ ~gesetz.

auf|rühren [áufry:rən] *t.* ① (침전물 따위를) 휘저어 오르게 하다. ②〔비유〕 (지난 일을) 들추어내다, 되살리다: Erinnerungen ~ 기억을 되살리다. ③〔雅語〕 감정을 혼란시키다, 흥분시키다. ④〔드물게〕 선동하다.

Aufrührer *m.* -s, - 선동자; 폭도, 반도.

aufrührerisch *a.* 반란을〔소요를〕 일으키는; 선동적인: ~ werden 폭동을 일으키다, 모반하다.

Aufruhr=gesetz *n.*〖法〗 폭동 진압법. **~stifter** *m.* 반란 주동자.

auf|runden *t.*〖數〗 반올림하다.

Aufrundung *f.* -en 반올림.

auf|rüsten 《I》 *t.* ① (무엇의) 비계를 짜다〔구축하다〕; (집 따위를) 짓다. ② (공간을) 장식하다. ③ 무장하다: ein Land atomar ~ 나라를 핵으로 무장하다. 《II》 *i.* (h.) (↔ abrüsten) 군비를 갖추다, 군비를 확장하다.

Aufrüstung [áufrʏstʊŋ] *f.* -en ① 비계, 비계 구축. ② 군비 확장(↔ Abrüstung).

auf|rütteln *t.* ① 흔들어 깨우다; (약을) 흔들다. ②〔비유〕 일깨우다, 환기시키다: die öffentliche Meinung ~ 여론을 환기시키다.

Aufrüttelung *f.* -en 흔들어 깨움; 환기.

aufs [aufs] 〔auf das 의 축약형〕 ~ neue 새로이, 다시; ~ beste 아주 좋게〔잘〕; ~ Geratewohl 되는〔닥치는〕 대로.

auf|sacken *t.* ① 자루에 담다. ②〔구어〕 짐지우다. ③ (ndd.) (병 따위에) 걸리다.

Aufsage *f.* -n 〖雅語·드물게〗 해지 통고 (Aufkündigung).

auf|sagen *t.* ① (시 따위를) 암송하다, 음송(吟誦)하다. ②〖雅語〗(aufkündigen) 해지를 통보하다, 절교를 선언하다: jm. die Freundschaft ~ 누구에게 절교를 선언하다; jm. (den Dienst) ~ a) 누구에게 해고를 통보하다, b) 누구에게 사임하겠다고 통보하다. ③〖고어〗↑ abbestellen.

auf|sägen *t.* 톱으로 켜다〔자르다〕; (재목을) 다 자르다.

Aufsagung *f.* -en ① 암송, 음송. ② 해약 통지, 절교 선언(↑ Aufkündigung).

auf|salzen *t.* ①〖드물게〗소금을 더 치다. ② (schweiz.)〖경박〗jm. et. ~ 누구에게 무엇을 부과하다.

auf|sammeln 《I》 *t.* 주워 모으다; 포개어 쌓다, 축적하다;〖구어〗(취객·걸인 등을) 붙잡아 가다. 《II》 *refl.* sich ~ 모이다, 쌓이다.

auf|sanden *i.* (h.) 모래가 쌓이다.

Aufsandung [áufzandʊŋ] 《<aufsenden》 *f.* -en 충적; 충적지;〖法〗소유권의 위양(委讓).

aufsässig [áufzɛsɪç] 《<aufsitzen》 *a.* 불손한, 반항적인, 다루기 어려운: ein ~es Kind 반항아; jm. ~ sein 누구에게 적대적이다.

Aufsässigkeit *f.* ① 적대감, 반항심. ②〖복수: -en〗적의 있는 언행, 반항적 태도.

auf|satteln *t.* ①〖구식〗(말에) 안장을 얹다;〖軍〗장안(裝鞍)하다. ② (노새에 짐을) 지우다;〖구어〗강요하다. ③〖광산〗(수해(水害) 방지를 위해) 수직갱의 목조(木組)를 높이다. ④〖車〗(트레일러를) 연결하다.

***Aufsatz** [áufzats] 《<aufsetzen》 *m.* -es, ..sätze ①〖구식〗↑ Aufsetzen. ② 얹는 것, 위에 놓는 것;〖음악〗두피(頭被); (Supraporte) 문 위의 그림〔조각〕; (선반의) 머리 장식; (분수(噴水)의) 정관(頂管); (피리의) 주둥이, 입 대는 곳; (풍금의) 리드 파이프의 공명체;〖軍〗(소총의) 조준기, 망원 조준기; (Tafel≈) (식탁 중앙에 놓인) 장식대(臺); (높은 다리가 붙은) 과자〔과일〕 그릇; (Kopf≈) (여성의) 머리 장식. ③ **(a)** (nordd.) 식탁에 놓인 음식: der erste ~ 최초의 한 접시. **(b)** 한 벌의 접시류. ④ (Schul≈) 작문; 논문; (신문의) 논설; 각서: einen polemischen ~ schreiben 논쟁적인〔논박하는〕 글을 쓰다; ein feuilletonistischer ~ (신문) 문예란에 실린 글. ⑤〖구식〗규칙; 과세; 매복; 적의(敵意). ⑥ (말의) 목과 허리 사이의 부분, (말의) 체격. ⑦ (골프의) 티.

Aufsatz≈brett *n.* (독일식 볼링의) 투척대(臺). **~diktat** *n.* 자유 필기. **~höhe** *f.*〖軍〗조준각(照準角).

aufsätzig *a.* ↑ aufsässig.

Aufsatz≈stange *f.*〖軍〗조척간(照尺桿). **~thema** *n.* 작문의 주제. **~winkel** *m.*〖軍〗고각(高角).

auf|säubern *t.* (채굴된 광석을) 처리하다, 일소(一掃)하다.

auf|saufen* *t.*〖비속〗(술 따위를) 남김없이 마시다.

auf|saugen(*) *t.* ① 빨아올리다. ② **(a)** 빨아들이다, 흡수하다: Feuchtigkeit ~ 습기를 흡수하다. **(b)**〖비유〗수용하다, 받아들이다: einen Wissensstoff in sich ~ 지식을 받아들이다. ③〖드물게〗빨아 열다. ④ sich³ die Lippen ~ 입술을 빨아 상처를 내다. ⑤ (힘을) 소모하다, 빼앗다.

auf|säugen *t.* 젖을 먹여 키우다.

Aufsaugung *f.* 흡수;〖지질〗침식 작용.

auf|schaben *t.* 깎아 내다〔열다〕, 남김없이 깎다; (현악기를) 켜서 울리다: die Haut ~ 면도하다가 상처를 내다.

auf|schalten *i.* (h.) / *refl.* (sich) ~ 통화 중에 연결하다.

Aufschaltung *f.* -en 통화 중 연결.

auf|schanzen *t.* (무엇을) 쌓아올려 보루〔참호〕로 만들다.

auf|schärfen *t.* ① 다시 갈다; (절구·톱의) 날을 세우다. ②〖사냥〗(짐승의) 가죽을 발기다. ③ (피부를) 긁어 생채기를 내다.

auf|scharren *t.* 긁어〔후벼〕내다; 파헤치다; 긁어서 상처를 내다.

auf|schauen *i.* (h.) ① 쳐다보다: von seinem Buch ~ 책에서 눈을 들다. ② 주시〔주의〕하다: aufgeschaut! 조심! ③ zu jm. ~〖비유·구어〗누구를 우러러보다, 모범으로 삼다: die Jugend schaute zu ihm auf 젊은이들은 그를 우러러 보았다.

auf|schaufeln *t.* ① 삽으로 퍼 올리다; 퇴적하다. ② 파헤치다.

auf|schäumen *i.* (s.) 거품이 일다; 끓어오르다;〖비유〗(사람이) 분노하다.

auf|scheinen *i.* (s.) ①〖雅語〗(빛이) 비추다. ② 나타나다: in dieser Liste scheint sein Name nicht auf 이 목록에는 그의 이름이 나와 있지 않다.

auf|schellen *t.* 방울을 울려서 깨우다.

auf|schenken *t.* ① (aufgeben) (공을) 던져 올리다, 서브 넣다. ② (선술집에서 술을) 다 팔아 치우다.

auf|scheren(*) *t.* ①〖방직〗↑ aufschweifen ②. ②〖海〗(밧줄을) 감아 올리다.

auf|scheuchen *t.* ①〖사냥〗겁을 주어 몰아대다, 쫓아버리다. ②〖비유〗깨우다, 벗어나게 하다.

auf|scheuern *t.* ① 문질러 닦다, 문질러서 깨끗하게 하다: das Küchengeschirr ~ 설거지하다. ② 찰과상을 입히다: sich³ die Haut ~ 피부에 찰과상을 입다; *refl.* sich ~ 찰과상을 입다.

auf|schichten *t.* 《I》 쌓아올리다, 포개어 쌓다;〖지질〗층을 이루게 하다. 《II》 *refl.* sich ~ 누적되다, 첩첩이 쌓이다.

Aufschichter *m.* -s, - 쌓아올리는 사람; 벽돌 쌓는 인부.

Aufschichtung *f.* -en 퇴적, 누적;〖지리〗성층(成層).

auf|schicken *t.* ① Seufzer gen Himmel ~ 하늘을 향해 긴 탄식을 늘어놓다. ②〖방언〗길게 한숨을 쉬다.

aufschiebbar *a.* 연기할〔미룰〕 수 있는.

auf|schieben *t.* ① (↔ zuschieben) 밀어 열다; (문빗장을) 빼다, 벗기다. ② 연기〔유예〕하다: auf morgen ~ 내일로 미루다; es läßt sich nicht ~ 지체할 수 없다; auf den St. Nimmermehrstag ~ 무기한 연기하다;〖속담〗aufgeschoben ist nicht aufgehoben 연기가 취소를 뜻하지는 않는다.

Aufschiebling *m.* -s, -e〖건축〗평고대.

Aufschiebung *f.* -en 밀어 열기; 연기, 유예: ~ von Tag zu Tag 천연(遷延), 연체(延滯).

auf|schienen *t.* 철대(鐵帶)로 죄어〔매어〕 붙이다.

auf|schießen* 《I》 *t.* ① (문 따위를) 충격을 가하여 강제로 열다. ② (금수(禽獸)를) 쏘아 몰아대다. ③〖海〗(밧줄을) 감아 올리다; (범선을) 맞바람을 이용하여 멈추게 하다. 《II》 *i.* (s.) ① (공포심 따위가) 갑자기 일다; (새가) 날아가다; (물 따위가) 분출하다; (화염이) 솟구치다. ② (초목이) 싹트다, 갑자기 생장하다, 무럭무럭 자라다: in die Blüte ~ 개화(開花)하다; er ist wie ein Pilz in einer Nacht aufgeschossen 그는 벼락 출세한 사람이다. ③ 돌진하다: auf die Beute ~ 포획물에 달려들다. ④〔드물게〕(생각이) 갑자기 떠오르다, 번쩍이다. 《III》 **aufgeschossen** *p.a.* ↑ aufgeschossen.

auf|schirren *t.* 〔구식〕(말에) 마구를 매다.

***Aufschlag** *m.* -(e)s, ..schläge ① (a)〖테니스〗서브; (책을) 폄; 설치: ~ eines Lagers 진을 침, 설영(設營); den ~ haben 서브권을 갖다. (b) 떨어져 부딪침;〖軍〗(탄환의) 되튐, 탄착(彈着). ② (a)〖카드〗카드를 젖힘; 젖힌 카드. (b) 쳐 맞힘;〖醫〗고약 바르기. ③〖음악〗상박, 약성부(弱聲部). ④ (옷 소매나 바지의) 접어 젖힌 부분; (Ärmel~) 커프스;〖軍〗소매의 휘장; (Krempe) (모자의) 차양. ⑤〖방직〗(Kette) 날실. ⑥〖林〗자생 묘목; 떨어지는 씨; 싹이 틈. ⑦〖사냥〗덫의 일종. ⑧ (a) 가격 인상: einen ~ von 20 % erheben 가격을 20% 인상하다. (b) 경매. (c) 추가액, 할증금; 부가세. (d) 과량(過量). (e)〔방언〕(Aufwand) (연회 따위의) 비용; 교제.

auf|schlagen [áufʃla:gən] 《I》 *t.* ① (↔ herunterschlagen) (공을) 쳐 올리다; 서브 넣다. ② 접어 젖히다; 천을 위로 젖히다; (소매를) 걷어올리다. ③ (샘을) 파서 용솟음쳐 나오게 하다; (적을) 패주시키다. ④ (상품의) 값을 올리다. ⑤ 세우다, 짓다; (천막을) 치다; (잠자리를) 깔다; (주소를) 정하다: die Bettdecke ~ 이불을 깔다; einen Waschmarkt ~ 우물가에서 잡담을 늘어놓다. ⑥ (a) 쳐서 열다; (알을) 깨뜨리다; (통의) 마개를 빼다; (호두 따위 견과를) 쳐서 깨뜨리다: ein Ei (am Tellerrand) ~ 달걀을 (접시 가장자리에 부딪쳐서) 깨다; eine Ader ~ 사혈(瀉血)하다. (b) (맞거나 넘어져서) 다치다: sich³ das Schienbein ~ 정강이뼈를 부러뜨리다. (c) 눈을 뜨다(↔ zuschlagen). (d) (책을) 펴다, 책장을 넘기다, 펴서 읽다; (사전을) 찾다. (e)〖카드〗(카드를) 펴 내밀다, 보이다. ⑦〖海〗(밧줄을) 감다, (밧줄의) 가닥을 풀다. ⑧ (편자를) 쳐서 박다; (구두를) 구둣골에 끼우다. ⑨ 뜨개질의 코를 바늘에 꿰다:〔비유〕ein Gelächter ~ 폭소를 터뜨리다; einen Tanz ~ 무곡(舞曲)을 쳐서 울리다; Lärm ~ 경보(警報)를 울리다, 소란을 피우다; bittre Klagen ~ 괴로운 탄식을 내뱉다; Feuer ~ (부싯돌로) 불을 지피다, 언쟁을 일으키다. 《II》 *i.* ① (s.) 급속히 오르다, 뛰어오르다; (씨가) 싹트다;〔雅語〕(불꽃이) 솟구치다; (웃음이) 터지다. ② (a) auf et. ~ (s.) 떨어져서 무엇에 부딪치다; (h.) 떨어져 부딪쳐 소리를 내다. (b) (h.) (고의로) 쳐서 맞추다: mit dem Hammer ~ 망치를 내려치다; (auf Tonwerkzeuge) ~ 악기를 치다. ③ (h.) 서브를 넣다. ④ (s.) (문이) 힘차게 열리다. ⑤ (h.) 값을 올리다: die Händler haben mit dem Preis aufgeschlagen 상인들이 값을 올렸다. ⑥ (h./s.) 값이 오르다: die Preise haben wieder aufgeschlagen 물가가 다시 올랐다.

Aufschläger *m.* -s, -〖구기〗서브 넣는 선수; 징세관(官).

Aufschlag=fehler *m.*〖스포츠〗서브 미스. **~feld** *n.*〖스포츠〗서비스 코트. **~fenster** *n.* (끈을 잡아당겨서 여닫는) 회전창, 들창. **~karte** *f.*〖카드〗펼쳐진 카드패. **~linie** *f.*〖구기〗서브라인. **~steuer** *f.* 부가세. **~wasser** *n.* (수차(水車)의) 동수(動水), 발전수력. **~zünder** *m.*〖軍〗착발 신관(信管)(↔ Zeitzünder).

auf|schlämmen *t.* ① 퇴적시켜 (진흙층을) 쌓다. ② 앙금을 가라앉히다.

Aufschlämmung *f.* -en 퇴적; 침전.

auf|schleifen*[1] 《<schleifen[2]》 *t.* ① Figuren auf Glas ~ 유리를 갈아서 그림 무늬를 내다. ② sich³ die Finger ~ 문지르다 손가락에 상처를 입다.

auf|schleifen[2] 《<schleifen[3]》 *t.* ① 썰매로 끌어올리다. ② 매듭을 짓다. ③ 매듭을 풀다.

Aufschleppe *f.* -n ① 선박 인양 장치. ② (포경선의 잡은 고래를) 끌어올리는 장치.

auf|schleppen *t.*〖海〗(배를) 육지로 끌어올리다.

Aufschlepp·helling *f.*〖海〗끌어올리는 선가(船架), 선대(船臺).

auf|schließen [áufʃli:sən] 《I》 *t.* ① (a) (자물쇠를 따고) 열다. (b)〔비유〕열어 보이다, 해명하다: den Schülern den Sinn des Gedichtes ~ 학생들에게 시의 의미를 해설해 주다; jm. sein Herz ~ 누구에게 속마음을 털어놓다. ② (a)〖광산〗개굴(開掘)하다; (유전을) 개발하다; (광석을) 분쇄하여 선광(選鑛)하다. (b)〖化〗(불용성(不溶性) 물질을) 가용성(可溶性)으로 하다, (용매로) 녹이다; (소화액이) 소화시키다. ③〔목적어 없이〕〖軍〗(die Glieder) ~ 대열을 집결시키다; die Truppenabteilungen schlossen auf 각 부대가 집결했다. 《II》 *i.* (h.) ①〖스포츠〗선두 선수(팀)에 다가가다. ② 대열의 간격을 좁히다. 《III》 *refl.* sich ~ 열리다: sich jm. ~ 누구에게 흉금을 털어놓다; eine neue Welt schloß sich ihm auf 그에게 새로운 시대가 열렸다. 《IV》 **aufgeschlossen** *p.a.* ↑ aufgeschlossen.

Aufschließer *m.* -s, - 문지기; 열쇠 관리인;〖연극〗관람석 담당 직원.

Aufschließung *f.* ↑ aufschließen의 명사형.

auf|schlingen* *t.* ① 매달아 올리다. ② (매듭 따위를) 풀다. ③ 꿀꺽 삼켜 버리다(aufschlucken).

auf|schlitzen *t.* 베어 쪼개다, 찢어 젖히다;〖요리〗(연어 따위에) 진집을 내다.

auf|schluchzen *i.* (h.) (갑자기 큰 소리로) 흐느껴 울다.

auf|schlucken *t.* ①〔드물게〕삼켜 버리다. ② (색채·소음 따위를) 흡수하다.

auf|schlürfen *t.* 홀짝홀짝〔짤끔짤끔〕다 마시다.

***Aufschluß** [áufʃlus] 《<aufschließen》 *m.* ..schlüsses, ..schlüsse ① 해명, 설명; 개방: ~ über et. geben〔gewähren〕무엇에 대해 설명하다; ~ über et. erhalten 무엇을 깨닫다;

sich ~ über et. verschaffen 무엇을 조사하다. ②『지리』(지층 조사를 위한) 개착(開鑿). ③『광업』(지하 자원의) 개발. ④『지질』노두(露頭). ⑤『化』용해. ⑥감방문의 개방.
auf|schlüsseln *t.* ①분류하다, 나누다: et. nach Berufszweigen ~ 무엇을 직업 분야별로 분류하다. ②(암호를) 해독하다.
Aufschlüsselung *f.* 분류; (암호의) 해독.
aufschluß·reich *a.* 계발적인, 유익한, 시사하는 바가 많은.
auf|schmauchen *t.* ↑ aufrauchen.
auf|schmausen *t.* ↑ aufessen.
auf|schmeicheln 《I》*t.* ①알랑거리며 떠맡기다. ②애무하여 눈뜨게 하다. 《II》*refl.* sich (bei) jm. ~ 교묘하게 누구의 환심을 사다.
auf|schmeißen* 《I》*t.* ①(문을) 밀어서 열다(aufwerfen). ②(노름에서) 이기다. ③업신여기다, 웃음거리로 만들다. 《II》**aufgeschmissen** *p.a.* ↑ aufgeschmissen.
auf|schmelzen^(*) 《I》*t.* ①『工』녹여서 붙이다. ②녹이다, 융해시키다. ③(유리관을) 녹여서 열다(↔zuschmelzen). 《II》*i.* (s.) 〖강변화〗녹다, 융해하다; 녹아서 열리다.
auf|schmieden *t.* 용접해서 붙이다, 단접(鍛接)하다.
auf|schmieren *t.* 〖구어〗①마구 칠하다; 처바르다: Brot ~ 빵에 버터를 바르다. ②남김없이 다 바르다.
auf|schminken *t.* ①〖드물게〗(치장하여) 더 나아 보이게 하다. ②jm. eine Maske ~ 누구의 얼굴에 분장하다.
auf|schmücken 《I》*t.* 장식하다. 《II》*refl.* sich ~ 몸치장〔옷치장〕을 하다.
auf|schnallen *t.* ①죔쇠로 고정시키다(aufbinden): dem Pferd den Sattel ~ 말에 안장을 고정시키다. ②(구두 따위의) 죔쇠를 풀다.
auf|schnappen 《I》*i.* ①(h.) 뛰어오르다, 튀어오르다. ②(s.) (문이) 확 열리다. ③(h.)〖구어〗↑ aufatmen. 《II》*t.* ①덥석 입에 물다. ②〖구어〗우연히 듣다. ③(문을) 왈칵 열다.
auf|schneiden* [áufʃnaɪdən] 《I》*t.* ①잘라내다;『醫』절개〔해부〕하다: ein Buch ~ 책의 접지된 부분을 잘라서 분리하다. ②얇은 조각으로 썰다: Brot〔Wurst〕~ 빵을〔소시지를〕얇게 썰다. ③새겨 넣다(aufkerben). 《II》*i.* (h.) (prahlen) 허풍치다, 큰소리치다, 과장하다: mit dem großen Messer ~ 허풍떨다; das heißt aufgeschnitten 그것은 허풍이지.
Aufschneider *m.* -s, - 〖구어·펌어〗허풍선이, 사기꾼.
Aufschneiderei *f.* -en 〖구어·펌어〗과장, 허풍.
aufschneiderisch *a.* 〖구어·펌어〗허풍떠는, 뽐내는.
auf|schnellen 《I》*t.* 퉁겨 올리다. 《II》*i.* (s.)/*refl.* (sich) ~ ①튀어오르다. ②〖드물게〗(문이) 갑자기 열리다.
Aufschnitt [áufʃnɪt] *m.* -(e)s ①절개(切開). ②(썰어낸) 조각; 칼금, 틈; 벤 상처: kalter ~ 냉육(冷肉)(햄 따위의 얇게 썬 조각). ③『음악』(파이프 오르간의 순관(脣管)) 주둥이. ④(schweiz.) 허풍.
auf|schnitzeln *t.* ①조각하다. ②다 새겨 버리다.
auf|schnobern, auf|schnüffeln *t.* 냄새를 맡아내다, (개가) 냄새를 맡고 추적하다.
auf|schnulzen *t.* 〖펌어〗ein Lied ~ 어떤 노래를 애상적인 창법으로 부르다.
auf|schnupfen *t.* ①코로 들이마시다. ②den Tabak ~ 코담배를 들이마시다.
auf|schnüren 《I》*t.* ①끈으로 잡아매다; 〖드물게〗교수형에 처하다: den Schlafsack auf den Rucksack ~ 침낭을 배낭에 잡아매다. ②…의 끈을 풀다: jn. 〔jm. die Schnürbrust〕~ 누구의 코르셋을 풀다. 《II》*refl.* sich ~ (코르셋의) 끈이 느슨해지다, 풀리다.
auf|schobern, auf|schocken *t.*『農』(마른 풀 따위를) 원뿔 모양으로 쌓아올리다.
auf|schöpfen *t.* ①퍼내다, 떠내다. ②〖방언〗Speisen ~ 음식을 접시에 옮겨 담다.
Aufschößling [áufʃœslɪŋ] *m.* -s, -e ①묘목, 어린 가지; 풋내기, 애송이. ②(Emporkömmling) 갑자기 출세한 사람, 벼락 부자.
auf|schottern *t.*『지질』퇴적시키다.
auf|schrammen *t.* 찰과상을 입히다: sich[3] beide Knie ~ 양무릎에 찰과상을 입다.
auf|schrauben^(*) *t.* ①(↔abschrauben) 나사로 죄다〔고정시키다〕: ein Schild auf eine Wand ~ 벽에 간판을 (나사를 죄어) 부착하다. ②잭으로 들어 올리다; 〖비유〗칭찬하다. ③(↔zuschrauben) 돌려〔틀어서〕 열다.
auf|schrecken^(*) 《I》*i.* (s.) 〖강변화〗(놀라서) 벌떡 일어서다. 《II》*t.* 〖약변화〗놀라 일어서게 하다: jn. aus dem Schlaf ~ 놀라게 하여 누구의 잠을 깨우다.
Aufschrei *m.* -(e)s, -e 고함, 절규, 비명; 함성.
__auf|schreiben__ *t.* ①적어 두다, 기입〔기록〕하다: seine Erlebnisse ~ 체험을 기록하다; 〖구어〗jn. ~ 누구의 이름과 주소를 적어 두다. ②(필기용품을) 다 써 버리다. ③ein Rezept ~ 처방(전)을 쓰다. ④(südd., öst) 외상으로 적어 놓다.
auf|schreien* 《I》*i.* (h.) ①고함치다; 비명을 지르다; 환호성을 지르다. ②(차가) 끼익 소리를 내다. 《II》*t.* 소리쳐 깨우다.
Aufschrift [áufʃrɪft] 《<aufschreiben》*f.* -en 무엇 위에 쓴 글; (Adresse) (편지 겉봉의) 주소 성명; (Etikett) 부전지(附箋紙), 레테르; (논문 따위의) 표제; 명(銘) (Inschrift): ~ auf einem Grab 비명(碑銘).
auf|schroten *t.* ①(곡식을) 갈아 부수다. ②(끌로) 뚫다, 넓히다. ③(통을) 굴려 올리다;『海』(밧줄로) 끌어올리다.
Aufschroter *m.* -s, -『工』확공기(擴孔器), 정공찬(整孔鑽).
auf|schrumpfen *t.*『工』(가열하여) 팽창시켜 끼우다.
Aufschub [áufʃu:p] *m.* -(e)s, ..schübe [..bə] ①연기, 유예;『醫』천연(遷延): 〖雅語〗um ~ bitten 연기를 청하다; 〖雅語〗die Sache duldet〔leidet〕keinen ~ 그 일은 한시도 지체할 수 없다; ohne ~ 즉각, 지체없이. ②『法』(사형의) 집행 연기.
Aufschubs·befehl *m.*『法』(형의 집행) 유예 명령. **~brief** *m.* (집행) 유예령.
auf|schultern *t.* 어깨에 짊어지다; 짐 지우다, 부과하다.
auf|schüren *t.* ↑ anschüren.
auf|schürfen *t.* (피부를) 스쳐서 상처 내다: sich die Haut ~ 피부가 벗겨지다.
Aufschürz·band *n.* 〖복수: ..bänder〗↑

Aufschürzer ①.

auf|schürzen *t.* ① 걷어〔접어〕올리다: den Rock ~ 〔sich ~〕 치마〔스커트〕를 추켜올리다. ②〖海〗(돛을) 펴다, 올리다. ③ (접어 올린 것을) 풀다.

Aufschürzer *m.* -s, - ① 옷자락을 추키는 끈 (허리 부분을 접어서 묶음). ② 치맛자락을 들어 주는 사람, 시종(侍從).

Aufschürz≈band *n.* ↑ Aufschürzer ①. **~falte** *f.*, **~knoten** *m.* (옷을 장차 늘릴 수 있게) 접어 넣고 꿰맨 부분.

Aufschürzung [áufʃʏrtsʊŋ] *f.* -en 접어〔걷어〕 올림; (매듭 따위를) 푸는 일.

auf|schüsseln *t.* 접시에 담다; 식탁에 내놓다 (auftischen).

auf|schütteln *t.* 흔들어 올리다; (새털 이불을) 흔들어 부풀게 하다; 흔들어 깨우다.

auf|schütten [áufʃʏtən] *t.* ① 부어 넣다〔쏟다〕; (화약을) 총에 장전(裝塡)하다: Kohle in den Ofen ~ 석탄을 난로에 넣다; Korn ~ 낟알을 맷돌에 부어 넣다. ② 광에 넣다: Getreide ~ 곡식을 저장하다. ③ (aufwerfen) (흙·모래로) 쌓다, 돋우다: einen Damm ~ 제방을 쌓다; eine Straße ~ 흙을 쌓아 도로를 돋우다.

Aufschütter *m.* -s, - (맷돌 따위의) 부어 넣는 사람; 〖工〗(화로의) 장전공(裝塡工).

Aufschütt·faß *n.* (염색용) 침전조(沈澱槽).

Aufschüttung *f.* -en 부어 넣음; 저장; 퇴적; 돋우어 올림, 흙을 쌓아올림; 토목 공사; 〖軍〗 축제(築堤); 돋우어 높아진 것(댐·성벽 따위).

auf|schützen *t.* ① (물방아의) 수문을 열다. ② 수문을 닫아 물을 막다.

auf|schwänzen [áufʃvɛntsən] 〖드물게〗《Ⅰ》 *t.* ①〖요리〗(물고기를) 입에 꼬리를 물려 식탁에 내놓다. ② ein Pferd ~ 말의 꼬리를 묶어 올리다. ③〖商〗매점(買占)하여 값을 올리다. ④ 선동하다. 《Ⅱ》 *refl.* sich ~ (공작이) 꼬리를 펼치다.

auf|schwatzen, auf|schwätzen *t.* 감언이설로 팔아 넘기다; (거짓말을) 곧이듣게 하다.

auf|schweben *i.* (s.) 떠오르다, 위로 솟다, 훨훨 날아오르다.

auf|schweifen *t.* 〖드물게〗 ① ein Pferd ~ 말 꼬리를 묶어 올리다. ② (실을) 날실로 틀에 걸다.

auf|schweißen *t.* ① 용접하다. ② 용접기로 뚫다.

auf|schwellen(*) 《Ⅰ》 *i.* (s.) 〖강변화〗 ① 부풀어 오르다; 〖醫〗 붓다; 물이 차다, (냇물 따위가)불어나다; 〖비유〗 증대하다, 불어나다. ② 소리가 커지다. 《Ⅱ》 *t.* 〖약변화〗 부풀게〔붓게〕하다; (돛을) 팽팽히 하다. 《Ⅲ》〖드물게〗 sich ~ 불어나다.

Aufschwellung *f.* -en 팽창, 증대; 〖醫〗 종창.

auf|schwemmen 《Ⅰ》 (물 따위를 가해) 부풀리다, 붓게 하다; 살찌게 하다. 《Ⅱ》 *i.* (h.) 병적으로 비대하게 만들다, 부어오르게 하다: ein aufgeschwemmtes Gesicht (병적으로) 부어오른 얼굴.

Aufschwemmung *f.* 부풀림; 부어오름.

auf|schwimmen *i.* (s.) ① 〖드물게〗 수영해 부상(浮上)하다. ② (배가) 진수되다. ③ 물에 잠긴 도로 위를 활주하다.

auf|schwindeln *t.* 〖구어〗 jm. et. ~ 누구에게 무엇을 속여 팔아넘기다.

auf|schwingen* 《Ⅰ》 *t.* (곤봉·칼 따위를) 휘두르다, 치켜 올리다: den Geist ~ 의기를 높이다. 《Ⅱ》 *i.* (s.) ① 뛰어오르다, 비약하다. ② (문이) 확 열리다. 《Ⅲ》 *refl.* sich ~ ① 높이 오르다, 비상(飛上)하다. ② sich zu et.[3] ~ **(a)** 〔비유·구어〕 기운을 내어서 무엇을 하다: sich zu einem Entschluß ~ 과감하게 결심을 내리다. **(b)** 약진〔향상〕하다, 출세〔성공〕하다: sich zum besten Schüler in der Klasse ~ 분발하여 반에서 최우수 학생이 되다.

auf|schwören* *t.* 〖구식〗 ① 선서하다: jm. (den Huldigungseid) ~ 누구에게 충성을 맹세하다. ② 〖드물게〗 ↑ heraufbeschwören.

***Aufschwung** [áufʃvʊŋ] 《<aufschwingen》 *m.* -(e)s, ..schwünge ① 〖스포츠〗 뛰어오르기, 도약. ② 〖비유〗 비상(飛翔), 비약; 약진, 발전: einen ~ nehmen 비약적으로 발전하다; in ~ bringen 약진시키다. ③ 〖經〗 호황. ④ 〖비유·雅語〗 (정신적인) 고양(高揚).

auf|segeln *i.* (s.) 〖드물게〗 ① 강을 거슬러 항해하다. ② 좌초하다.

auf|sehen [áufze:ən] *i.* (h.) ① **(a)** 쳐다 보다, 올려다보다: vom Buch ~ 책에서 눈을 떼다. **(b)** 존경하다, 우러러보다: zu jm. ~ 누구를 우러러보다. ② 주목〔주의〕하다; 감시하다.

***Aufsehen** *n.* -s ① 쳐다봄, 올려다봄. ② 주목, 주의, 이목; 경탄; 평판, 인기: ärgerliches ~ 추문, 스캔들; ~ erregen〔machen〕 세인의 주목을 끌다, 센세이션을 일으키다; ~ vermeiden 남의 시선을 피하다.

aufsehen·erregend *a.* 세인의 주목을 끄는, 센세이셔널한.

Aufseher *m.* -s, - 감시인, 감독(관), 단속자, 관리〔지배〕인; 보호자, 후견인; 반장.

Aufseherin *f.* -nen ↑ Aufseher 의 여성형.

Aufseherschaft *f.* -en 감독〔감시·관리〕(의 직).

auf|seilen 《Ⅰ》 *t.* 로프〔자일〕로 끌어올리다. 《Ⅱ》 *refl.* sich ~ 로프〔자일〕로 오르다.

auf|sein* *i.* (s.) 〖구어〗 ① 일어나〔자지 않고· 깨어〕 있다: die Kinder sind noch auf 아이들이 아직도 자지 않고 있다. ② 열려 있다.

Aufsendung *f.* -en 소유권의 이양(Aufsandung).

aufsetzbar *a.* 위에 놓을〔씌울·실을〕 수 있는, 끼울 수 있는.

***auf|setzen** [áufzɛtsən] 《Ⅰ》 *t.* ① **(a)** (위에) 놓다, 씌우다, 끼우다; (발을) 땅에 대다, 내디디다; (모자를) 쓰다; 〖軍〗 (방독면을) 쓰다; (안경을) 쓰다; (타격 따위를) 가하다: 〖비유〗 jm. eine Brille ~ 누구를 속이다; den Hut ~ 모자를 쓰다; (Hörner) ~ (사슴이) 뿔을 기르다; 〖비유〗 einem Ehemann Hörner ~ (아내가) 부정을 저지르다; (den Kopf) ~ 구유를 물어 뜯다(말의 나쁜 버릇); 〖비유〗 seinen Dickkopf ~ 고집을 부리다, 억지를 쓰다; 〖비유〗 ein Lächeln ~ 의식적으로 미소 짓다; 〖비유〗 ich kann ihm keinen anderen Kopf ~ 그의 외고집에는 어찌할 수 없다. **(b)** 올려놓다, 올리다: 〖요리〗 Kartoffeln〔Wasser〕 ~ (요리하기 위해) 감자를〔물을〕 불에 얹다. **(c)** 〖건축〗 증축하다; 〖비유〗 das setzt allem die Krone auf 화룡점정격(畵龍點睛格)이다, 그것으로 완성되었다; der Frechheit die Krone ~ 뻔뻔함의 극치를 이루다. **(d)** 〖도박〗 걸다:

〖비유〗. für et. Blut und Leib 〔Leib und Leben, den letzten Blutstropfen〕 ~ 무엇에 생명을 걸다. (**e**) 〖海〗 (배를) 육지에 끌어다놓다; 〖제련〗 (광석을) 용광로에 넣다; (다른 색을) 겹쳐 바르다; (주머니 따위를) 기워 붙이다: aufgeseztes Braun 흑색에 적색을 더해 생긴 갈색; 〖畫〗 Lichter ~ (화면에) 밝은 색을 덧칠하다. (**f**) 〖軍〗 (탄약을) 장전하다. (**g**) 〖임업〗 Quirle ~ 어린 싹을 트게 하다. (**h**) 세우다: Kegel ~ 볼링 핀을 세우다. ② 적다, 기초하다, 작성하다; (축제 따위를) 정하다: den Text für eine Rede ~ 연설문을 작성하다. ③ (돌·나무 따위를) 쌓아올리다; 조립하다; (말의 목 따위를) 일으키다: 〖印〗 Buchstaben ~ 식자하다; jm. die Haare ~〔jn. ~〕 누구의 머리카락을 묶어올리다. ④ (공을) 튀어오르게 하다; (럭비에서 찰 공을) 땅에 놓다; (비행기를) 착륙시키다. 《Ⅱ》 *refl.* sich ~ ① (말·차에) 타다; (몸을) 일으키다: sich auf die Hinterfüße ~ (개 따위가) 뒷발로 서다. ② 머리를 묶다〔땋다〕. ③ 〖비유〗 sich gegen jn. ~ 〔sich jm. ~〕 누구에게 반항하다. 《Ⅲ》 *i.* (h.) ① (말 따위에) 타다. ② 튀어오르다. ③ (사슴 따위의) 뿔이 돋다. ④ 〖광산〗 (점심 뒤에) 휴식하다. ⑤ (위에) 닿다; (비행기가) 착륙하다. ⑥ der Bulle setzt auf 수소가 올라타 교미하다. ⑦ 똑바로 앉다. ⑧ (암반층 따위가) 새로 나타나다. ⑨ (배가) 좌초하다. ⑩ 〖스포츠〗 볼을 바운드하다.

Aufsetzer *m.* -s, - ① 싣는〔세우는〕 사람. ② (문서 따위의) 초안자. ③ 〖축구·핸드볼〗 튀어 오르는 공. ④ 구유를 물어 뜯는 말.

Aufsetzerin *f.* -nen 머리 땋는 사람.

Aufsetz·stunde *f.* 〖광산〗 낮의 휴식 시간(1 시에서 2 시까지).

Aufsetzung *f.* -en ↑ aufsetzen 의 명사형.

Aufsetz·zügel *m.* 〖승마〗 굴레에 달린 고삐.

auf|seufzen *i.* (h.) (짧고 크게) 탄식하다.

***Aufsicht** [áufzɪçt] 《<aufsehen》 *f.* -en ① 감독, 감시: die ~ über jn. haben〔führen〕 누구를 감독하다; unter js. ~ stehen 누구의 감독을〔지배를〕 받다; von ~s wegen 감독상(上). ② 〖구어〗 감시인(직). ③ 조감(鳥瞰), 위에서 내려다봄.

Aufsichter *m.* -s, - 〖구동독〗 철도 감독.

aufsicht·führend *a.* 감독〔감시〕하는. **~-führende*** *der/die* 감독, 감시자.

Aufsichts·beamte* *der* 감독관. **~behörde** *f.* 감독 관청; (주식 회사의) 감사부. **~-dame** *f.*, **~herr** *m.* 매장 감시인.

aufsichtlos *a.* ↑ aufsichtslos.

aufsichtslos *a.* 감독이 없는.

Aufsichts·pflicht *f.* (청소년 등에 대한) 감독의 의무. **~rat** *m.* 〔복수: ..räte〕 ① 감독〔감사〕 위원회. ② 〖商〗 감사부. **~rats·vorsitzende*** *der/die* 감사 위원장.

auf|siedeln *t.* ein Gebiet ~ 어떤 지역에 사람을 이주시켜 살게 하다.

auf|sieden(*) *t./i.* (s./h.) ① (물이) 끓어오르다, (물을) 끓이다. ② (은을) 끓여 하얗게 빛나게 하다.

auf|siegeln *t.* ① 봉인하다. ② 개봉하다.

auf|singen* 《Ⅰ》 *t.* ① 노래 불러 깨우다. ② 암송하다. 《Ⅱ》 *i.* (h.) ① 위를 보며 노래부르다. ② 〖海〗 (조업 중에) 박자에 맞춰 노래하다.

Aufsitz [áufzɪts] *m.* -es 승마.

auf|sitzen* [áufzitsən] 《Ⅰ》 *i.* (h./s.) ① (h.) 일어나 앉아 있다: im Bett ~ 침대에 일어나 앉아 있다. ② (h.) (aufbleiben) 자지 않고 앉아 있다. ③ (s.) 앉다; (말·오토바이 따위에) 올라타다; (새가) 앉다; 속다, 속아 넘어가다: 〖승마〗 ~ ! 〔aufgesessen !〕 승마 ! ; 〖구어〗 jn. auf et.³ ~ lassen 누구를 무엇에 태우다; 〖비유·구어〗 jn. ~ lassen a) 누구를 속이다, b) 누구를 기다려 지치게 하다, c) 누구를 궁지에 빠뜨리다; jm. ~ a) 누구의 속임수에 넘어가다, b) 누구에게 반항하다, c) 누구를 성가시게 하다. ④ (**a**) (h.) 얹혀〔실려〕 있다, 고착〔고정〕되어 있다: auf der Leimrute ~ (새가) 끈끈한 홰에 꽉 달라붙다. (**b**) 〖海〗 좌초되어 있다; 〖비유〗 곤경에 처해 있다: 〖軍〗 Ziel ~ lassen 과녁의 하단을 겨누다; 〖植〗 ~de Blüten 자루 없는 꽃. ⑤ (h.) 교미하다. 《Ⅱ》 **aufgesessen** *p.a.* ↑ aufgesessen.

Aufsitzer *m.* -s, - (öst.) 기만, 사기; 실패.

Aufsitz·geld *n.* 승마 교사의 보수〔사례〕. **~stange** *f.* (새의) 홰.

auf|sollen* *i.* (h.) 〖구어〗 일어나지〔일어나 있지〕 않으면 안 되다.

auf|sorren *t.* 〖海〗 (해먹을) 밧줄로 매달다.

auf|spähen *t.* (엿보아) 탐지하다, 찾아내다.

auf|spalten 《Ⅰ》 *t.* 쪼개다, 찢다, 분할하다. 《Ⅱ》 *i.* (s.) / *refl.* (sich) ~ 쪼개지다, 찢어지다: die Patei hat sich in Gruppen aufgespalten 그 정당은 여러 파벌로 분열되었다.

Aufspaltung *f.* -en 분할, 분열.

auf|spannen [áufʃpanən] *t.* ① (부채·우산 따위를) 펴다, 펼치다; (물을) 질러 막다: 〖비유〗 andere Saiten ~ 가락을〔태도를〕 바꾸다; gelindere Saiten ~ 가락을〔태도를〕 낮추다; 〖海〗 alle Segel ~ 돛을 전부 펴다, 〖비유〗 전력을 다하다; das Gewehr 〔den Hahn des Gewehrs〕 ~ 총의 공이치기를 세우다. ② 〖제본〗 안을 받치다〔대다〕. ③ (팽팽하게) 당겨 고정하다: et. auf et.³ ~ 무엇을 무엇에 (펴서) 고정시키다.

Aufspann·vorrichtung *f.* 〖工〗 신장(伸張) 장치; 고정 장치.

auf|sparen *t.* ① sich³ et. ~ 남겨 두다, 저축하다: einen Notpfennig ~ 비상금을 남겨놓다. ② 뒤로 돌리다, 연기하다.

Aufsparung *f.* ↑ aufsparen 의 명사형.

auf|speichern 《Ⅰ》 *t.* ① (상품·곡물 등을) 창고에 보관하다, 저장하다. ② 〖비유〗 et. in sich ~ 비축하다, 쌓다. 《Ⅱ》 *refl.* sich ~ 쌓이다: eine Menge Groll hatte sich in ihm aufgespeichert 상당한 원한이 그에게 쌓였다.

Aufspeicherung *f.* -en ↑ aufspeichern 의 명사형.

Aufspeicherungs·vermögen *n.* 저장 용량.

auf|speisen *t.* 다 먹어치우다(aufessen).

auf|sperren *t.* ① (창·문 따위를) 활짝 열다: den Mund 〔das Maul〕 ~ 입을 딱 벌리다, 하품하다; (vor Verwunderung) Mund und Nase ~ (놀라서) 벌린 입을 다물지 못하다; sperr doch die Augen auf ! 주의하라 ! ; 〖구어·비유〗 die Ohren ~ 귀를 쫑긋하다. ② (자물쇠 따위를) 열다.

auf|spielen 《Ⅰ》 *t./i.* (h.) ① 연주하다: zum Tanz ~ 춤곡을 연주하다; 〖비유〗 wart', dir werde ich ~ ! 이 자식 두고 보자 ! ; wem's

Glück aufspielt, der hat gut tanzen 운이 좋은 사람은 만사에 성공한다. ② 〔구식〕 (배우가) 연기하다: großartig ~ 대단한 체하다. ③ 『스포츠』 경기하다. 《Ⅱ》 *refl.* sich ~ …인 체하다; 뽐내다: sich als Helden ~ 영웅인 체하다.

auf|spießen *t.* ① (뾰족한 것으로) 찌르다; 찔러서 잡다〔집어올리다〕; (핀 따위로) 찔러 고정시키다. ② 『구어·비유』 비판〔탄핵〕하다.

auf|spindeln *t.* (실을) 북에 감다.

auf|spinnen* 《Ⅰ》 *t.* 실을 뽑아내는 데 모두 사용하다. 《Ⅱ》 *refl.* sich³ die Finger ~ 길쌈하다가 손가락을 다치다.

auf|splittern 《Ⅰ》 *t.* (작은 부분으로) 나누다, 분할하다, 분열시키다: eine Partei in vielen Gruppen ~ 당을 여러 파로 분열시키다. 《Ⅱ》 *i.* (s.) 나눠다, 분열되다.

Aufsplitterung *f.* -en 분열, 분할.

auf|sprayen *t.* 〔구어〕 et. (auf et.) ~ 무엇을 (무엇에 대고) 분사(噴射)하다.

auf|spreizen 《Ⅰ》 *t.* 펼치다, 펴서 늘이다; 열어 제치다(aufsperren). 《Ⅱ》 *refl.* sich ~ 수족을 펴다; 〔비유〕 어깨를 으쓱대며 걷다, 뽐내다.

auf|sprengen *t.* ① 부수어 열다; 폭파하다: eine Kluft ~ 폭파하여 틈을 만들다; den Tresor ~ 금고를 부수어 열다. ② 『사냥』 몰아내다. ③ Wasser (auf et.) ~ (무엇에) 물을 뿌리다.

auf|sprießen* *i.* (s.) 싹트다; 자라나다.

auf|springen *i.* (s.) ① 뛰어오르다, 튀어오르다, 펄쩍 날다: vor Freude ~ 기뻐 날뛰다; er sprang auf den Zug auf 그는 기차에 뛰어올랐다. ② (문 따위가) 갑자기〔홱〕 열리다. ③ 찢어지다, 균열이 생기다, (살이) 터지다; 『植』 (꽃봉오리가) 벌어지기 시작하다. ④ (감정이) 복받치다. ⑤ (바람이) 갑자기 일다.

auf|spriten 《<Sprit》 *t.* 〔구어〕 Wein ~ 포도주에 알코올을 섞다.

auf|spritzen 《Ⅰ》 *i.* (s.) ① 분출하다, 세차게 솟아나오다. ② (흙탕물이) 튀다; (파도가) 물보라를 일으키다. ③ 〔구어·농담〕 벌떡 일어나다. 《Ⅱ》 *t.* ① 분출시키다. ② 『醫』 (종기를) 주사로 터뜨리다. ③ (튜브를 짜서 크림을) 바르다; (분무기로) 뿌리다, 뿜어서 칠하다.

auf|sprossen *i.* (s.) ↑ aufsprießen.

Aufsprößling *m.* -s, - ① 어린 가지. ② 젊은이; 벼락 출세한 사람.

auf|sprudeln *i.* (s.) 용솟음치다; 〔비유〕 갑자기 활기를 띠다.

auf|sprühen 《Ⅰ》 *i.* (s.) (분수 따위가) 솟아오르다, (불꽃이) 튀어오르다. 《Ⅱ》 *t.* 뿌려서 칠하다.

Aufsprung [áufʃprʊŋ] 《<aufspringen》 *m.* -(e)s, ..sprünge ① 도약, 점프; 『스포츠』 도약대의 점프. ② 『체조』 착지(着地).

auf|spulen *t.* (실을) 얼레에 감다.

auf|spülen *t.* ① (물이 토사(土沙)를) 충적(沖積)하다. ② (둑을 진흙이나 모래 따위로) 돋우다, 보강하다. ③ (식기를) 깨끗이 씻다.

auf|spunden, auf|spünden *t.* ein Faß ~ 통의 마개를 뽑다.

auf|spüren *t.* (추적하여) 찾아내다, 알아내다; 〔비유〕 발견하다: neue Talente ~ 새로운 재능을 발견하다.

Aufsprürung *f.* -en ↑ aufspüren 의 명사형.

auf|stacheln *t.* ① 찔러서 올리다. ② (소 따위를) 막대기로 찔러서 일으키다; 〔비유〕 자극〔격려·선동〕하다.

Aufstachelung *f.* -en ↑ aufstacheln 의 명사형.

auf|stampfen 《Ⅰ》 *i.* (h.) 발을 구르다; (말이) 땅을 긁다: vor Zorn ~ 화가 나서 발을 구르다. 《Ⅱ》 *t.* 〔구식〕 ① 밟아 다지다; 『공학』 (바늘에) 대가리를 붙이다. ② 밟아서 열다.

***Aufstand** [áufʃtant] 《<aufstehen》 *m.* -(e)s, ..stände ① 〔구식〕 일어섬: das Signal zum ~ geben 일어서라는 신호를 보내다. ② (군중의) 봉기, 반란; 반도(叛徒), 폭도: einen ~ erregen 폭동을 일으키다. ③ 『광산·드물게』 채광의 상황 보고. ④ 『건축·드물게』 주각(柱脚).

auf|ständern *t.* 받침대 위에 올려놓다; 받침대로 지탱하다.

aufständig *a.* 〔구식〕 ↑ aufständisch.

aufständisch *a.* 반란〔폭동〕을 일으킨.

Aufständische* *der/die* 폭동 가담자, 폭도.

Aufstands·versuch *m.* 폭동 기도.

auf|stapeln *t.* (↔abstapeln) 쌓아올리다, 퇴적하다; 저장하다.

Aufstapelung *f.* -en ↑ aufstapeln 의 명사형.

auf|starren *i.* (h.) ① 위를 응시하다. ② 곧게 서다, 치솟다, 솟아 있다: das ~de Haar 곤두선 머리칼.

Aufstau [áufʃtau] *m.* -s ① 퇴적물. ② 하천을 막아 수면을 높이기; 쌓아올리기. ③ 『공학』 기류의 인공적 차단.

auf|stäuben 《<Staub》 《Ⅰ》 *t.* ① 먼지처럼 흩날리게 하다. ② (가루 따위를 무엇 위에) 흩뿌리다. 《Ⅱ》 *i.* (h./s.) 먼지처럼 흩날리다, 먼지가 되어 날아가다; 『사냥』 (자고새 따위가) 날아가다.

auf|stäube(r)n *t.* ↑ aufstöbern.

auf|stauen 《Ⅰ》 *t.* ① 쌓아 포개다; 『海』 (짐을) 선창에 쌓아놓다: 〔비유〕 Groll in sich ~ (가슴에) 원한을 쌓다. ② (stauchen) (물을) 둑으로 막다. 《Ⅱ》 *refl.* sich ~ (강물이) 괴다, (토사가) 퇴적하다, 쌓이다.

Aufstauung *f.* -en ↑ aufstauen 의 명사형.

auf|stechen* [áufʃtɛçən] 《Ⅰ》 *t.* ① 찔러서 열다; (종기 따위를) 찔러 터뜨리다; 〔비유〕 심하게 나무라다; 지적하다: Fehler ~ 잘못을 지적하다. ② (닳은 동판 따위를) 다시 새기다. ③ 찔러 꽂다, 꿰매다. ④ 찔러 잡다〔쥐다〕, 찔러〔찍어〕 올리다. ⑤ **(a)** (흙을) 파헤치다; (곡식을) 뒤섞다. **(b)** 『사냥』 (짐승을) 숨은 곳에서 몰아내다. ⑥ 『海』 늦추다; zwei Taue ~ 두 가닥의 밧줄을 이어매다. ⑦ 〔경박〕 jm. et. ~ 누구에게 무엇을 설명하다. 《Ⅱ》 *i.* (h.) 〔드물게〕 bei dem Wind ~ (뱃머리를) 바람이 불어오는 쪽으로 돌리다.

auf|stecken^(*) [áufʃtɛkən] *t.* ① 위쪽에 꽂다; (옷을) 걷어올려 안전핀으로 꽂다; (머리 장식을) 꽂다: sich³ das Haar ~ 머리를 빗어 틀어올리다. ② (기 따위를) 꽂다; (칼을 총에) 꽂다; 〔방언〕 부착하다, 달다: eine Flagge ~ 깃발을 꽂다; (Futter) ~ 시렁에 건초를 얹다. ③ **(a)** 〔비유〕 jm. ein Licht ~ 누구에게 진상을 밝혀주다: sich³ ein Ziel ~ 목적을 정하다. **(b)** 의식적으로 나타내다: ein anderes Gesicht ~ 딴 표정을 짓다; eine Amtsmiene ~ 벼슬아치 티를 내다. ④ 〔구어〕 (aufgeben) 그

만두다, 중지〔포기〕하다: das Rauchen ~ 담배를 끊다. ⑤ (gewinnen) 벌다, 얻다: es ist bei dem Verkauf nicht viel aufzustecken 팔아도 많이 남지는 못한다.

Aufstecker *m.* -s, - ① 핀으로 꽂는 사람. ② 〖승마〗(중도 포기하는) 무기력한 말.

Aufsteck≈kamm *m.* 빗핀. **~kleid** *n.* 걷어 올리는 끈이 달린 옷. **~nadel** *f.* 안전핀.

auf|stehen [áufʃteːən] *i.* ① (h./s.) (**a**) (문 따위가) 열려 있다: das Fenster steht auf 창문이 열려 있다. (**b**) 무엇의 위에 서 있다. (**c**) 솟아 있다, 똑바로 서 있다. ② (s.) (**a**) 일어서다; 〖海〗(기운 배가) 곧추서다: (aus dem Bett) ~ (잠자리에서) 일어나다; früh ~ 일찍 일어나다; 〔비유〕 mit dem linken Fuß 〔Bein〕 zuerst aufgestanden sein 기분이 아주 나쁘다, 시무룩하다; da mußt du (schon) früher ~ 이제 너는 서둘러야 한다, 정신을 바짝 차려야 한다; vom Tisch〔Essen〕 ~ (식사 후에) 식탁에서 일어서다; von einer Krankheit nicht mehr ~ 죽다; vom Tod 〔aus dem Grab〕 ~ 소생하다, 부활하다; in der Straßenbahn vor alten Leuten ~ 전차에서 노인에게 자리를 양보하다. (**b**) 나타나다 (erscheinen): ein Prophet ist aufgestanden 예언자가 출현했다. (**c**) 〖사냥〗(새가) 날아가다; (물고기가) 얼음의 갈라진 틈으로 모이다, 수면에 떠오르다. (**d**) (바람이) 일다; (해가) 떠오르다; (꽃이) 피다; (생각이) 떠오르다. ③ (s.) 봉기하다, 들고 일어나다: gegen〔wider〕 jn. ~ 누구에게 대항하여 봉기하다.

auf|steifen 《Ⅰ》 *t.* ① (모자의 차양 따위를) 빳빳하게 세우다: mit Stärke ~ 풀을 먹이다. ② 풀칠을 다시하다. 《Ⅱ》 *refl.* sich gegen jn. ~ 〔구식〕 누구에 대해 빳빳한 자세를 취하다.

auf|steigen [áufʃtaɪɡən] 《Ⅰ》 *i.* (s.) ① (↔ absteigen) 오르다, (해가) 떠오르다, 올라가다; (길이) 오르막지다; (새가) 날아오르다; 치솟다; 〔비유〕 지위가 높아지다: (aufs Pferd) ~ (말에) 올라타다; (auf〔in〕 den Wagen) ~ 차에 타다; auf den Berg ~ 등산하다; jn. ~ lassen 누구를 승차시키다; am Himmel ~ 하늘에 뜨다; 〖空〗 von et.³ ~ 무엇에서 이륙하다, 날아 올라가다; zu hohen Würden ~ 높은 지위에 오르다; Auf- und Absteigen (지형의) 기복, (인생의) 부침. ② (entstehen) 일어나다, (뇌우 따위가) 발생하다; 〔비유〕(희망·의혹 따위가) 생기다, 떠오르다: eine Röte stieg in ihrem Gesicht auf 그 여자의 얼굴은 벌개졌다. ③ 〔방언〕 일어서다 (aufstehen): vom Tisch ~ 식탁에서 자리를 뜨다. ④ 〖스포츠〗(상위 리그에) 진출하다.

aufsteigend *p.a.* 상승하는; (길이) 오르막진, 치받이가 되어 있는; 〖醫〗 상행성(上行性)의: 〖天〗 ~er Knoten 승교점(昇交點); Verwandte der ~en Linie 직계 존속; die ~en Tränen 복받치는 눈물; 〔비유〕 sich auf dem ~en Ast befinden 앞으로 나아가다.

Aufsteiger *m.* -s, - ① 〔구어〕 신분 상승자, 출세한 사람. ② 상위 리그 진출팀.

Aufsteigung *f.* -en ① ↑ aufsteigen 의 명사형. ② 〖天〗 die gerade ~ 적경(赤經) (Rektaszension).

***auf|stellen** [áufʃtɛlən] 《Ⅰ》 *t.* ① 세우다, (올려) 놓다; 진열하다; (창고에) 저장하다; 설치하다; 퇴적하다; 조립하다; 작동시키다; 〖軍〗 (천막·진을) 치다; (초병을) 배치하다; (군대를) 편성하다; (차를) 세우다: Truppen zum Gefecht ~ 군대를 전투 대형으로 배치하다; eine Batterie ~ 포사격의 대형을 취하다. ② 〔비유〕 (**a**) (학설 따위를) 세우다; (원칙을) 정하다; (조건 따위를) 제시하다; (예를) 들다; (후보를) 내세우다; (계획을) 면밀하게 세우다: jn. zum Vorbild ~ 누구를 모범으로 삼다; eine Behauptung ~ 주장하다; jn. als Kandidaten ~ 누구를 후보로 내우다. (**b**) 〖商〗(계산서를) 작성하다; (세율을) 정하다. ③ 〖사냥〗(덫을) 놓다: Netze ~ 그물을 치다. ④ et. mit jm. ~ 누구를 상대로 무엇을 꾸미다; es läßt sich nichts mit ihm ~ 그는 어찌할 수 없는 녀석이다; der Mensch, mit dem man ~ kann, was man will 남의 말을 잘 듣는 사람, 호인. ⑤ (잠자리를) 펴다. ⑥ Wasser ~ 물을 (불에) 올려놓다. ⑦ (기록을) 내다〔세우다〕. ⑧ 《nordd.》 저지르다. ⑨ (옷깃·머리털을) 세우다. ⑩ (귀를) 쫑긋하다. 《Ⅱ》 *i.* (h.) 〔비유〕 nach et.³ ~ 무엇을 입수하려 하다, 찾아 구하다. 《Ⅲ》 *refl.* sich ~ ① 정렬하다: sich hintereinander ~ 종대로 정렬하다. ② 서다: sich am Eingang ~ 입구에 서다. ③ (머리털이) 곧추서다.

Aufsteller *m.* -s, - 세우는 사람, 설립〔설치·건설〕자; (기계의) 장치자, 조립자.

Aufstell≈gleis *n.* 〖鐵〗 측선(側線), (정거장의) 입환선(入換線). **~spiegel** *m.* 체경(體鏡) (Toilettenspiegel).

Aufstellung [áufʃtɛlʊŋ] *f.* -en ① 세움; 놓음; 설치, 설립, 건설; 퇴적; 〖工〗 장치, 조립; (상품의) 진열, 저장; 〖軍〗 정렬, 배치, 배열, 편성, (전투) 대형(隊形): ~ in Linie 횡대(橫隊) 대형; ~ nehmen 진을 치다, 자리를 잡다. ② 〔비유〕 진술, 주장; 제출, 신청; 추천, 지명; 〖商〗 비용 계산. ③ (일람)표 (Tabelle).

Aufstellungs≈kosten *pl.* 설치비, 장치비. **~lehre** *f.* 〖軍〗 진을 치는 법, 전술. **~platz** *m.* ~ der Droschken 역마차의 정류장.

auf|stemmen [áufʃtɛmən] 《Ⅰ》 *t.* ① 받치다, 버티다: den Arm auf den Tisch ~ 탁자 위에 팔을 괴다. ② (물을) 둑으로 막다. ③ 쇠 지레로 비틀어 열다. ④ den Fuß (gegen et.) ~ 발로 (무엇을) 받치다. 《Ⅱ》 *refl.* sich ~ 몸을 버티고 일어서다: sich mit den Armen ~ 몸을 팔로 받치다, 버티다; 〔비유〕 sich gegen jn. ~ 누구에게 반항〔저항〕하다.

auf|stempeln *t.* (…에) 스탬프를 찍다.

auf|steppen *t.* 꿰매어 합치다, 누비다.

auf|sticken *t.* ① et. auf et. ~ 무엇에 무슨 수(繡)를 놓다. ② 〖化〗(강철을 500-550℃ 로 가열하여) 질화(窒化) 처리하다.

auf|stieben(*) *i.* (s.) (먼지 따위가) 흩날리다, 먼지처럼 날아오르다, 떠오르다; 〖사냥〗(새가) 푸드득 날아가다.

***Aufstieg** [áufʃtiːk] 《<aufsteigen》 *m.* -(e)s, -e [..ɡə] ① 상승; 등정; 〖空〗 오르기, 이륙; 〔비유〕 향상, 발전; 승진, 진급; ~ und Abstieg 승강, 오르내리기. ② 오르막 길, 올라가는 어귀.

Aufstiegs≈klasse *f.* (Begabtenklasse) (학력) 우수반. **~möglichkeit** *f.* 출세 기회, 승진 가능성. **~platz** *m.* 〖空〗(비행선의) 이륙장. **~spiel** *n.* 〖스포츠〗 승급 시합.

auf|stöbern *t.* 〖사냥〗(짐승을 숨은 곳에서)

몰아내다;〔비유〕찾아내다, 탐색해내다.

auf|stocken *t.* ①〖건축〗증축하다: ein Haus ~ 집을 증축하다. ②자본을 늘리다, 증액하다: ein Bankkonto um 10000 DM ~ 은행 계좌를 10000 마르크 증액하다.

Aufstockung *f.* -en ↑ aufstocken의 명사형.

auf|stöhnen *i.*(h.) 끙끙 신음하다.

auf|stöpseln [..ʃtœpsəln] *t.* 마개를 뽑아 열다: eine Flasche ~ 마개를 뽑아 병을 열다.

auf|stören *t.* ①(불 따위를) 헤치다, 돋우다. ②〖사냥〗몰아대다. ③놀라게 하다, 방해하다: jn. aus dem Schlaf ~ 누구의 잠을 방해하다.

Aufstoß [áufʃto:s] *m.* -es, ..stöße ①〔구식〕도발적 사건; 방해: ~ bekommen 방해를 받다, 놀라다. ②〖사냥〗(맹금 사냥용) 미끼, 먹이.

auf|stoßen* [áufʃto:sən] 《I》 *t.* ①밀쳐 열다, 열다. ②부딪쳐 다치다: sich³ die Hand ~ 부딪쳐 손에 상처를 입다. ③(**a**) 밀어〔쳐〕올리다: der Maulwurf stößt (Erdhaufen) auf 두더지가 흙덩이를 밀어올린다. (**b**) (짐승을) 몰아대다(aufjagen). ④부딪치다: das Glas 〔mit dem Glas〕 auf den Tisch ~ 컵을 탁자 위에 탁 놓다. ⑤〖사냥〗(새 따위를) 몰아대다. 《II》 *i.* ①(h.) mit et.³ ~ 무엇을 부딪치다: er ist mit dem Kopf auf den Boden aufgestoßen 그는 머리를 (땅)바닥에 부딪쳤다. ②(s.) (술 따위가) 끓어오르다, 발효하다. ③(**a**) (s.) 트림이 나다, (먹은 음식이) 치밀어오르다. (**b**) (h.)/*imp.* es stößt mir (sauer) auf a) 나는 (신)트림이 난다, b)〔비유〕나는 몹시 화가 난다. ④(s.) (vorkommen) 일어나다, 생기다; 만나다; (생각이) 떠오르다: mir ist so etwas noch nie aufgestoßen 지금까지 나는 그런 일에 부닥쳐 본 적은 없다; mir stößt ein Bedenken auf 내 마음에는 의구심이 인다. ⑤(s./h.) 부딪치다; (맹금(猛禽)이 먹이에) 덤벼들다. ⑥〔방언〕(어린애가 배가 고파) 보채다. ⑦(무엇에 걸려) 좌초〔난파〕하다: das Schiff ist aufgestoßen 배가 좌초했다.

Aufstoßen *n.* -s 밀어 열기〔올림〕; 충돌; (술 등의) 시어짐;〖醫〗트림, 체증, 속쓰림; 해후.

Aufstoßer *m.* -s, - 트림하는 사람, 트림.

aufstößig *a.* ①시큼해진, 김빠진. ②(식욕이 없어) 병을 앓는. ③반항적인, 다루기 힘든.

auf|strahlen *i.*(h./s.) ①빛나다; (해가) 빛을 발하며 떠오르다; 빛나기 시작하다. ②얼굴이 환하게 밝아지다.

auf|sträuben 《I》 *t.* (머리카락 따위를) 곤두세우다. 《II》 *refl.* sich ~ 곤두서다.

auf|streben *i.*(h.) ①(**a**) (치솟아) 오르려고 노력하다. (**b**) (건물·기둥 따위가) 우뚝 솟다: die ~den gotischen Kirchen 높이 치솟은 고딕식 교회들. ②발전을 추구하다, 향상하려고 노력하다. ③(zu et.³) (무엇을) 얻으려고 노력하다.

aufstrebend *p.a.* 발전을 추구하는.

auf|strecken *t.* 위로 뻗다.

Aufstreich [áufʃtraɪç] *m.* -(e)s, -e〔드물게〕① ↑ Aufstrich. ②(südd.) 경매.

auf|streichen* 《I》 *t.* ①(머리카락 따위를) 매만져 올리다. ②(소매 따위를) 걷어 올리다. ③(버터·물감 따위를) 바르다. ④쓰다듬다: jm. eins ~ 누구를 한 대 때리다. ⑤(바이올린으로) 연주하다. 《II》 *i.* ①(s.) ↑ aufstreifen《II》. ②(h.) zum Tanz ~ (바이올린으로) 무도곡을 켜다. ③(경매에서 테이블을 두드리며) 값을 올리다. ④〖사냥〗(맹금(猛禽) 따위가) 땅에서 날아오르다.

auf|streifen 《I》 *t.* ①(소매를) 걷어 올리다. ②스쳐 벗기다: sich³ et. ~ 스쳐서 무엇(신체의 일부분)이 벗겨지다. 《II》 *i.*(s./h.) 바닥을 스치다.

auf|streuen *t.* 뿌리다: Salz auf die Straße ~ 소금을 길에 뿌리다.

Aufstreuung *f.* -en ① ↑ aufstreuen의 명사형. ②뿌려진 물질.

Aufstrich [áufʃtrɪç] *m.* -(e)s, -e ①(버터·잼 따위의) 위에 바르는 것; (도료의) 피막. ②경매. ③(↔ Abstrich)〖음악〗(현악기의) 활을 켜올림. ④(글자의) 위로 삐친 획.

auf|stricken *t.* ①다 떠서 실을 없애다, 짜 올라가다. ②eine Masche ~ 편물의 코를 뜨다. ③뜬 것을 풀다.

auf|striegeln 《I》 *t.* (말의 털을) 빗기다; (수염을 브러시 따위로) 쓰다듬어 올리다. 《II》 *refl.* sich ~ 모양을 내다.

Aufstrom [áufʃtro:m] *n.* -(e)s, ..ströme (물·공기의) 상승 흐름;〖空〗상승 기류.

auf|strömen *i.*(s.) 거슬러 올라가다.

auf|stufen 《I》 *t.* ①승격시키다, 승급시키다. ②계단 모양으로 쌓아올리다. 《II》 *i.*(s.)/*refl.* (sich) ~ 점점 높아지다.

Aufstufung *f.* -en ① ↑ aufstufen의 명사형. ②〔드물게〕쌓아올린 물건. ③〖修〗점층법.

auf|stuhlen *i.* 의자를 뒤집어 (상 위에) 올려놓다.

auf|stülpen *t.* ①(소매통을) 접어 젖히다: aufgestülpte Nase 들창코; die Lippen ~ 입술을 뾰로통하게 하다. ②(모자 따위를) 아무렇게나 씌우다.

auf|stürmen 《I》 *i.*(s.) 돌진하여 올라가다; 끓어오르다. 《II》 *t.* ①흥분시키다. ②(문 따위를) 밀쳐 열다.

auf|stürzen 《I》 *t.*〔구식〕↑ aufstülpen ②. 《II》 *i.*(s.) ①auf et. ~ 어디에 풀썩 쓰러지다. ②홱 열리다. ③(흥분하여) 벌떡 일어나다.

auf|stutzen 《I》 *i.*(h.) 움찔하여 쳐다보다. 《II》 *t.* ①(수염 따위를) 다듬어 올리다. ②손질하다;〔비유〕꾸미다. ③〔드물게〕↑ aufstülpen ①. 《III》 *refl.* sich ~ 치장하다.

auf|stützen 《I》 *t.* ①받치다, 버티다: den Arm auf den Tisch ~ 팔을 테이블에 괴다. ②떠받치다, (지주로) 받치다: den Ast mit Pfählen ~ 가지를 버팀 막대로 받치다. ③붙잡아 일으켜 세우다. 《II》 *refl.* sich ~ ①받치다: sich mit den Armen auf et. ~ 무엇에 양팔을 짚고 몸을 받치다. ②손을 짚고 일어서다.

Aufstutzer [áufʃtutsər] *m.* -s, - 손질하는 사람, 수리인.

auf|suchen *t.* ①방문하다: seine Freunde ~ 친구를 방문하다; eine Toilette ~ 화장실에 가다. ②찾(아내)다: das Wild ~ 사냥감을 찾다. ②〔드물게〕줍다.

Aufsucher *m.* -s, - 탐색〔조사〕자.

auf|summen[1] *t.*〔드물게〕↑ aufsummieren.

auf|summen[2] 《I》 *i.*(s.) 윙윙거리며 날아오르다. 《II》 *t.* 윙윙거려 잠을 깨우다.

auf|summieren 《I》 *t.* 합산하다. 《II》 *refl.* sich ~ 일정한 액수에 이르다.

auf|sumsen *i.*(s.)/*t.* ↑ aufsummen².

auf|süßen *t.* (설탕을 넣어) 단 맛을 내다.
auf|tabellieren *t.* 일람표를 만들다.
auf|tafeln *t.* 〖雅語〗 ① jm. et. ~ 누구에게 무엇을 대접하다. ② 잘 대접하다. ③ (천을) 접어 개다.
auf|takeln [áufta:kəln] 《I》 *t.* (배에) 삭구(索具)를 장비하다, (배를) 의장(艤裝)하다. 《II》 *refl.* sich ~ 치장하다. 《III》 **aufgetakelt** *p.a.* ↑ aufgetakelt.
Auftakelung *f.* -en ↑ auftakeln의 명사형.
Auftakt [áuftakt] *m.* -(e)s, -e ①〖음악〗 상박(上拍) (지휘자가 곡 중 악센트 없는 부분을 표시하기 위하여 지휘봉 또는 손을 올리는 일); 곡의 최초의 불완전 박자; 〖문학〗 강세 없는 첫 음절. ②〖비유〗 발단, 서막, 서곡; (행사의) 시작, 개막.
auf|taljen [..taljən] *t.* 〖海〗 (도르래로) 감아 올리다.
auf|tanken 《I》 *i.* (h.) ① 연료를 가득 채우다. ② 새로 힘을 축적하다. 《II》 *t.* (차량에) 연료를 공급하다, 연료통을 가득 채우다.
auf|tanzen 《I》 *i.* (s.) 춤추듯이 솟아오르다. 《II》 *t.* sich die Füße ~ 춤을 너무 추어 발에 상처가 나다.
auf|tauchen *i.* (s.) ① (물 위로) 떠오르다; (머리에) 떠오르다: der Wal taucht regelmäßig auf 고래는 규칙적으로 물 위로 떠오른다. ② (돌연) 나타나다: nach langer Zeit tauchte er wieder auf 오랫만에 그가 다시 나타났다.
auf|tauen 《I》 *i.* (s.) ① (얼음 따위가) 녹다, 해동하다. ②〖비유〗 (어색한 감정 따위가) 풀리다, 스러지다. ③ (s./h.) 〖비속〗 고함치다, 욕질하다. 《II》 *t.* 녹이다; (감정 따위를) 누그러뜨리다; 풀다: 〖비유〗 eingefrorene Guthaben ~ 동결한 저축을 (다시 찾아 쓸 수 있도록) 풀다.
auf|teen *i.* (h.) 〖골프〗 (공을 때리도록) 티 위에 올려놓다.
auf|teilen *t.* ① (남김 없이) 분배하다: den Kuchen ~ 케이크를 나누다. ② 분할〔분류〕하다: die Teilnehmer in mehrere Gruppen ~ 참가자를 여러 집단으로 나누다〔분류하다〕.
Aufteilung *f.* -en ↑ aufteilen의 명사형.
auf|tiefen *t.* 〖工〗 (동판 따위에) 무늬를 돋을새김〔양각(陽刻)〕으로 넣다.
Auftief·hammer *m.* 돋을새김용 망치.
auf|tippen 《I》 *i.* (h.) ① (손가락으로) 가볍게 치다. ② (공이) 튀어오르다. 《II》 *t.* (손가락으로) 가볍게 쳐서 (잠을) 깨우다.
auf|tischen *t.* ① 식탁에 내놓다, 대접하다. ②〖비유〗 (이야기 따위를) 들려 주다.
auf|toppen *t.* 〖海〗 (활대 따위를) 수직으로 세우다.
***Auftrag** [áuftra:k] *m.* -(e)s, ..träge ① **(a)** 지시, 명령; 위탁; 〖商〗 주문: im ~ von jm. 누구의 위임〔명령〕으로; et. in ~ geben 무엇을 주문하다. **(b)** 〖단수〗 의무, 과제, 사명. ② 〖토목〗 성토(盛土). ③〖工〗 착색; 칠한 빛깔. ④ 음식을 식탁에 올림; 식탁에 오른 요리. ⑤ 〖방직〗 날실(↔Eintrag).
Auftrag≈brett *n.* 쟁반. **~bürste** *f.* (구두) 솔.
auf|tragen [áuftra:gən] 《I》 *t.* ①〖드물게〗 날라 올리다. ② **(a)** (음식 따위를) 식탁에 올리다. **(b)** (도형 따위를) 종이에 그리다. **(c)** 바르다, 칠하다: (die Farben) stark〔dick〕 ~ (색을) 진하게 (덧)칠하다; 〖비유〗 과장하다. **(d)** 〖數〗 (수직선을) 긋다. **(e)** (흙을) 쌓아 올리다. **(f)** (모자 따위를) 쓰다. ③ jm. et. ~ 누구에게 무엇을 짐지우다; 위임〔위탁〕하다: er hat mir Grüße an dich aufgetragen 그 사람이 네게 안부를 전해 달라고 내게 부탁했다. ④ (의복을) 입어 해지게 하다. 《II》 *i.* (h.) ① (의복 따위가) 뚱뚱해 보이다. ②〖연극〗 과장된 연기를 하다.
Auftrager *m.* -s, -〖드물게〗 ① 사환, 보이. ②〖商〗 ↑ Auftraggeber.
Auftrage·walze *f.* 〖印〗 롤러.
Auftrag≈geber *m.* 위임자; 〖商〗 주문자. **~handel** *m.* 〖商〗 위탁 판매, 대리업. **~nehmer** *m.* 수임〔수탁〕자; 〖商〗 지정 대리인.
Auftrags≈ausführung *f.* 위임〔명령〕의 이행. **~besorger** *m.* 〖商〗 대리업자. **~bestätigung** *f.* (주로 문서에 의한) 주문 확인. **~buch** *n.* 주문장(부). **≈gemaß** *a.* 주문에 따른. **~lage** *f.* (기업·국가의) 주문〔수주〕 사정. **~polster** *n.* 〖經〗 수주(受注) 준비 재고(품). **≈weise** *adv.* 위탁 방식으로.
Auftragung [áuftra:gʊŋ] *f.* -en ① ↑ auftragen의 명사형. ②〖건축〗 (설계도를) 그리기; 〖건축·印·畫〗 (회칠·잉크·빛깔을) 칠하기: 〖비유〗 starke ~ 과장.
auf|trampen *i.* (h.)/*t.* ↑ auftrampeln.
auf|trampeln 《I》 *i.* (h.) 땅을 쿵쿵 밟다. 《II》 *t.* (땅을) 밟아 다지다.
auf|trappeln *i.* (h.)/*t.* ↑ auftrampeln.
auf|traufen *i.* (h.)/*f.* ↑ aufträufeln.
auf|träufen *i.* (h.)/*t.* ↑ aufträufeln.
auf|träufeln 《I》 *i.* (s.) 방울져 떨어지다, 듣다. 《II》 *t.* 방울방울 떨어지게 하다.
auf|treffen* 《I》 *i.* (s.) 부딪치다: er traf bei seinem Sturz auf eine scharfe Kante auf 그는 넘어지면서 날카로운 모서리에 부딪쳤다. 《II》 *t.* 〖드물게〗 jn. ~ 일어나 있는 누구를 만나다.
Auftreff≈punkt *m.* 〖軍〗 탄착점. **~winkel** *m.* 〖理〗 투사각(投射角).
auf|treiben [áuftraɪbən] 《I》 *t.* ① (밀어서) 위로 움직이다, 내몰다. ② (테 따위를) 두들겨 부착하다. ③ (문 따위를) 부숴〔밀쳐〕 열다; 〖광산〗 (갱도를) 파 올라가다. ④〖農〗 (밭을) 갈다. ⑤ 부풀게 하다. ⑥ (식물을) 싹트게 하다. ⑦ (먼지를) 일으키다: der Wind trieb Staub auf 바람이 먼지를 일으켰다. ⑧ (가축을) 풀밭으로 몰다; (특히 사냥감을) 몰아대다; 탐구하다, (힘들여) 찾아내다: Geld ~ 돈을 조달하다; Volk ~ 군인을 모집하다. ⑨〖經〗 팔려고 시장에 내놓다. ⑩ 방해하다, 괴롭히다. 《II》 *i.* (s.) ① (씨가) 싹트다. ② 부풀다. ③ (배가) 앞바다로 흘러 내려가다; 좌초하다.
Auftreibung *f.* -en ① ↑ auftreiben의 명사형. ②〖醫〗 팽만, 종창; 〖조각〗 돋을새김, 부조(浮彫); 양각(陽刻).
auf|trennen *t.* (바느질〔뜨개질〕의 코를) 뜯다, 풀다: einen Pullover ~ 스웨터를 풀다.
auf|treten [áuftre:tən] 《I》 *i.* (s.) ① **(a)** 땅을 밟다. **(b)** 걸음을 걷다: leise ~ 조용히 걷다. ②〖비유〗 행동하다, 처치하다: vorsichtig ~ 신중히 행동하다. ③ **(a)** 걸어 나오다; 나타나다, 출현하다; 〖연극〗 (auf der Bühne) ~ (무대에) 등장하다; zum ersten Mal ~ 데뷔하다, 첫 출연하다. **(b)** (학설 따위를) 제기하

며 등장하다, (어떤 입장을) 취하다: für〔gegen〕 jn. ~ 누구의 편을 들다〔반대편에 서다〕; als Kläger gegen jn. ~ 누구를 고소하다; mit Ansprüchen auf et. ~ 무엇을 요구하다. (**c**) (병 따위가) 발생하다; (소문이) 나다; (구리 따위가) 산출되다; 『醫』 verheerend ~ (전염병이) 창궐하다. 《Ⅱ》 *t.* ① 발로 차서 열다: eine Tür ~ 문을 발로 차서 열다. ② 밟아 다지다; 『방직』 밟아 움직이게 하다: Staubwolken ~ 발길로 차서 먼지를 일으키다. ③ (**a**) (호두를) 밟아 까다. (**b**) sich³ die Füße ~ 잘못 밟아서 발을 다치다.

Auftreten *n.* -s ① (Benehmen) 행동, 태도; 풍채. ② (Erscheinen) 출현; 『연극』 등장: erstes ~ 첫 무대, 데뷔; 『醫』 (병의) 발생.

Auftrieb [áuftri:p] 《<auftreiben》 *m.* -(e)s, -e ① 몰아 올림; 『物』 부력; 『空』 양력; 『海』 부(양)력. ② 〔비유〕 격려, 자극; (경제의) 호황, 활력: die Wirtschaft erhielt neuen ~ 경제는 새로운 활력을 얻었다. ③ (알프스) 목장으로 가축을 몰아댐; 팔려고 내놓은 가축(의 마리수). ④ 부유; 『動』 부유 생물(Plankton).

Auftriebs·kraft *f.* 부력(浮力), 양력.

auf|trinken* *t.* 다 마셔버리다.

***Auftritt** [áuftrɪt] 《<auftreten》 *m.* -(e)s, -e ① 땅을 밟음; 걸음걸이, 걷는 모양. ② 출현; 『연극』 등장. ③ 장(場) (Szene); 〔비유〕 장면, 광경. ④ 소동, 사건; 말다툼: einen ~ mit jm. haben 누구와 언쟁하다. ⑤ 발판; 올라가는 계단; 『軍』 (사격용) 발판.

auf|trocknen 《Ⅰ》 *i.* (s./h.) 바짝 마르다; (암소의) 젖이 마르다. 《Ⅱ》 *t.* (흘린 액체를) 깨끗이 닦다, 말리다; (눈물을) 닦다.

auf|trommeln 《Ⅰ》 *i.* (h.) 북을 쳐 울리다. 《Ⅱ》 *t.* 북을 쳐서 깨우다; 〔비유〕 격려하다.

auf|tröpfeln *i.* (h.)/*t.* ↑ aufträufeln.

auf|tropfen *i.* (h.)/*t.* ↑ aufträufeln.

Auftropf·stein *m.* 『광물』 석순(石筍).

auf|trumpfen *i.* (h.) ① 『카드』 으뜸패를 내다. ② jm. 〔gegen jn.〕 ~ 누구에게 위압적인 태도를 취하다. ③ 〔구어·비유〕 mit et.³ ~ 무엇으로 우위를 과시하다.

auf|tuchen *t.* 『海』 (돛을) 접다.

auftuerisch *a.* 허세부리는(großtuerisch).

auf|tun [áuftu:n] 《Ⅰ》 *t.* ① 열다: den Mund ~ 입을 열다, 말하다; einen Laden ~ 개점하다; seine milde Hand ~ 적선을 베풀다; sein Innerstes ~ 속마음을 털어 놓다. ② 위에 얹다; (모자를) 쓰다; (안경을) 쓰다; (음식을) 식탁에 올리다, 접시에 담다; 〔비유〕 jm. Schande ~ (=antun) 누구에게 치욕을 안겨주다. ③ 『사냥』 몰아대다. ④ 〔비유·구어〕 jn. 〔et.〕 ~ 누구를〔무엇을〕 찾아내다: ich habe ein preiswertes Lokal aufgetan 나는 싼 술집을 하나 발견했다. 《Ⅱ》 *refl.* sich ~ ① 열리다; (직(職)이) 비다; (하늘이) 개다. ② (**a**) 나타나다; (전망이) 트이다: 〔비유〕 bessere Aussichten tun sich auf 앞길에 희망이 보인다; da tut sich etwas〔viel〕 auf 크게 기대되다. (**b**) (회사 등이) 창립되다. ③ 〔방언〕 뽐내다 (prahlen). ④ Schalenwild tut sich auf (사슴이) 몸을 일으킨다.

auf|tupfen *t.* ① (손가락으로) 살짝 닦아내다. ② Punkte ~ 점을 찍다.

auf|türmen 《Ⅰ》 *t.* 쌓다, 쌓아올리다. 《Ⅱ》 *refl.* sich ~ 우뚝 솟다; 쌓이다.

Auf und Ab [áuf|ʊnt|áp] *n.* - - - ① 오르내림; 왕래. ② 기복, 부침.

auf|wachen *i.* (s.) ① (erwachen) 눈뜨다, 깨어나다. ② (기억 따위가) 생생해지다.

Aufwachs [áufvaks] *m.* -es ↑ Aufwuchs.

auf|wachsen* *i.* (s.) ① 자라다, 성장하다. ② 〔비유·구어〕 떠오르다, (모습을) 나타내다.

auf|wagen *refl.* sich ~ 억지로 일어나려고 하다.

auf|wägen *t.* ↑ aufwiegen.

auf|wallen [áufvalən] 《Ⅰ》 *i.* (s./h.) ① 끓어오르다, 비등하다: ~d 비등성의; die Suppe kurz ~ lassen 수프를 잠깐 끓이다. ② 〔비유〕 (연기가) 피어 오르다; 거칠게 물결치다. ③ (감정이) 격화되다, 흥분하다. 《Ⅱ》 *t.* (먼지를) 일으키다; (감정을) 격화시키다.

auf|wällen *t.* 『요리』 천천히 삶다, 반숙하다.

Aufwallung *f.* -en ↑ aufwallen 의 명사형.

auf|wältigen [..vɛltɪgən] *t.* 『광산』 갱도를 복구하다.

auf|walzen *t.* ① 롤러에 감다. ② 『印』 Farbe ~ 롤러로 (잉크를) 칠하다.

auf|wälzen *t.* ① 굴려 올리다. ② (무엇의 위에) 굴려서 얹다; 〔비유〕 (일을) 부과하다; (책임 따위를) 전가하다.

***Aufwand** [áufvant] 《<aufwenden》 *m.* -(e)s ① 소모, 소비; 비용, 경비: ohne großen ~ an Fleiß 그다지 애쓰지 않고. ② 낭비, 사치: viel〔großen〕 ~ machen〔treiben〕 사치〔호사〕하다.

aufwändig 新정서 ⇦ aufwendig.

Aufwands≈entschädigung *f.* 지출 경비(보상); 수당. **~gesetz** *n.* 사치 금지법. **~steuer** *f.* 『經』 특별 소비세; 사치세.

***auf|wärmen** 《Ⅰ》 *t.* ① (음식을) 데우다; 〔비유〕 (해묵은 이야기를) 다시 꺼내다. ② 따뜻하게 하여 회복시키다, 워밍업을 하다; 격려하다. 《Ⅱ》 *refl.* sich ~ 몸을 녹이다; 몸을 풀다, 워밍업하다: ich will mich ein wenig ~ 나는 몸을 좀 풀겠다. 《Ⅲ》 **aufgewärmt** *p.a.* ↑ aufgewärmt.

Aufwärmung *f.* -en ① ↑ aufwärmen 의 명사형. ② (몸을 녹이는) 따뜻한 음식.

aufwart.. ↑ aufwarte...

Aufwarte≈bursche *m.* 임시 사환. **~frau** *f.* ① ↑ Aufwärterin. ② 파출부. **~geld** *n.*, **~lohn** *m.* 사환 급료, 팁. **~mädchen** *n.* 여사환, 하녀.

***auf|warten** [áufvartən] *i.* (h.) ① (**a**) jm. ~ 시중들다, 접대하다: bei Tisch ~ 식사 시중을 들다; von Edelknaben aufgewartet 동자(童子)의 시중을 받고. (**b**) (식탁에) 차리다, 대접하다: dem Gast mit einer Tasse Kaffee und Kuchen ~ 손님에게 커피 한 잔과 케이크를 대접하다. ② (개가) 뒷발로 서다. ③ jm. ~ 찾아 뵙다, 예방하다. ④ jm. mit et.³ ~ 누구에게 무엇을 바치다, 내놓다: mit einem Geschenk ~ 선물을 드리다; womit kann ich (Ihnen) ~? a) 무엇을 드릴까요? b) 무슨 용무입니까?; aufzuwarten! a) 예, 알았습니다, b) (Sie sind der Wirt? 따위의 물음에 대해서) 예, 그렇습니다.

Aufwärter *m.* -s, - 사환, 웨이터.

Aufwärter·dienst *m.* 사환의 일〔직무〕.

Aufwärterin *f.* -nen ↑ Aufwärfer 의 여성형.

***aufwärts** [áufvɛrts] 《I》 *adv.* 위쪽으로, 위로 올라가서: den Berg ~ 〔berg ~〕 산을 올라가서; 〖비유〗 es geht ~ (형편이) 점점 나아지다. 《II》 *prp.*² 〖구식〗 …을 올라가서: ~ des Berges 산 위로.
aufwartsam *a.* 충실한, 근면한, 착실한.
Aufwärts≠bewegung *f.* 상승 운동; 〖經〗 (시세의) 상승. **~entwicklung** *f.* 상승, 증대. **~haken** *m.* 〖권투〗 어퍼컷, 올려치기. **~kehrung** *f.* 〖醫〗 (눈꺼풀을) 위로 뒤집기.
Aufwartung [áufvartuŋ] *f.* -en ① 〖구식〗 시중, 서비스; (여관 등의) 대우: jn. zur ~ haben 누구의 시중을 받다. ② 〖구식〗 예방, 방문: jm. seine ~ machen a) 누구를 찾아뵙다, b) 누구의 비위를 맞추다. ③ 〖방언〗 하녀, 가정부, 파출부.
Aufwasch [áufvaʃ] *m.* -(e)s ① 설거지거리. ② 설거지: 〖비유·구어〗 das geht in einem ~ 그것은 한꺼번에 해치울 수 있다.
auf|waschen* 《I》 *t.* ① (식기를) 씻다; (마루를) 닦다. ② (비누 따위를) 세탁에 다 소비하다. 《II》 *refl.* sich³ die Hände ~ 빨래를 하여 손이 거칠어지다.
Aufwaschen *n.* -s 〖속담〗 das ist ein ~ 〔das geht in einem ~, das machen wir in einem ~〕 그것은 한꺼번에 해치울 수 있다.
Aufwäscherin *f.* -nen 가정부, 부엌데기.
Aufwasch≠becken *n.* 개숫물통, 싱크대. **~faß** *n.* 개수통. **~frau** *f.* (접시닦이) 하녀. **~kübel** *m.* 개수통. **~küche** *f.* (부엌의) 설거지하는 곳. **~lappen** *m.* 행주. **~magd** *f.* (접시닦이) 하녀. **~ort** *m.* (부엌의) 설거지하는 곳. **~platz** *m.* 설거지하는 곳. **~tisch** *m.* 설거지대(臺). **~tuch** *n.* 행주. **~wasser** *n.* 개숫물.
auf|weben⁽*⁾ *t.* ① 짜 올리다. ② (실을) 짜는 데 다 써버리다. ③ (피륙을) 풀다.
Aufwechsel [áufvɛksəl] *m.* -s 〖商〗 액면 초과액, 프레미엄; 환금(換金) 차액〔수수료〕.
auf|wecken [áufvɛkən] 《I》 *t.* ① 깨우다, 눈뜨게 하다, 일으키다: vom Tod ~ 소생시키다. ② 〖비유〗 격려하다, (흥미를) 불러일으키다. 《II》 **aufgeweckt** *p.a.* ↑ aufgeweckt.
Aufwecker *m.* -s, - 깨우는 사람; 자명종.
Aufweckung *f.* -en ↑ aufwecken 의 명사형.
auf|wehen 《I》 *i.* (s.) ① (먼지 따위가) 휘날려 올라가다; ~ und niederwehen 바람에 날려 올라갔다 내려갔다 하다. ② (문 따위가) 바람에 열리다. 《II》 *t.* ① (먼지 따위를) 휘몰아 올리다. ② 〖雅語〗 (바람이 문을) 열어젖히다. ③ (눈 따위를) 휘몰아쳐 쌓다. ④ (불 따위를) 불어일으키다. ⑤ (바람이 돛을) 팽팽하게 하다. ⑥ 바람이 불어 덮개를 벗기다.
auf|weichen 《I》 *t.* ① (녹여·축여) 부드럽게 하다; 완화시키다. ② 축이다, 적시다; (종기 따위를) 부드럽게 축여 터뜨리다: aufgeweicht 진창이 된. ③ 서서히 무너뜨리다, 약화시키다: ein Bündnis ~ 동맹을 서서히 와해시키다. 《II》 *i.* (s.) 무르게 되다, 젖다, 눅눅해지다; 녹아 부드러워지다; (길이) 질척거리다: 〖醫〗 ~des Mittel 완화제.
Aufweichung *f.* -en ↑ aufweichen 의 명사형.
auf|weifen *t.* 물레에 감다.
auf|weinen 《I》 *i.* (h.) 울음보를 터뜨리다, 큰 소리로 울다. 《II》 *t.* 울음 소리로 잠을 깨우다.
Aufweis *m.* -es, -e 제시; 명시, 지적.
aufweisbar *a.* 제시〔지적〕할 수 있는.
auf|weisen* *t.* ① 내보이다, 제시하다: er hat nichts aufzuweisen 그는 내세울 것이 아무 것도 없다. ② 지적하다: die Bedeutung von et.³ ~ 무엇의 중요성을 지적하다.
Aufweisung *f.* -en ↑ aufweisen 의 명사형.
auf|weißen *t.* 새로 흰색 칠을 하다.
auf|weiten *t.* (장갑 따위를) 펴다, 넓히다; (눈을) 크게 뜨다.
auf|wenden⁽*⁾ *t.* ① 〖드물게〗 위로 향하게 하다. ② (돈·노력 따위를) 들이다, 지출하다, 소모하다: viel Geld auf die Arbeit 〔für die Reise〕 ~ 작업〔여행〕에 큰 돈을 들이다.
aufwendig *a.* 많은 돈이 드는, 사치스러운.
Aufwendung *f.* -en ① 소비, 낭비. ② 〖복수〗 비용, 지출.
auf|werfen* [áufvɛrfən] 《I》 *t.* ① **(a)** (도랑 따위를) 파다. **(b)** (먼지 따위를) 일으키다. **(c)** (거품 따위를) 일게 하다. **(d)** 〖광산〗 ~de Gänge 위쪽으로 빠져 나간 광맥. **(e)** (뽐내듯 머리를) 위로 젖히다, (입을) 삐죽 내밀다. **(f)** (둑 따위를) 쌓다. **(g)** (세력 따위를) 넓히다, 높이다: ein Reich ~ 제국을 융성케 하다; 〖비유〗 viel Staub ~ 주목을 끌다. **(h)** (무엇의 위에) 던지다: Holzscheite auf das Feuer im Kamin ~ 난롯불에 장작개비를 던져 넣다. ② (↔ zuwerfen) **(a)** (문 따위를) 홱 열다, 힘껏 밀쳐 열다. **(b)** die Tür mit Steinen ~ 문을 돌로 부숴 열다. ③ **(a)** (카드 따위를) 내던지다, 내놓다. **(b)** (기(旗) 따위를) 펼치다, 내걸다. **(c)** 〖비유〗 (의문 따위를) 제기하다, 던지다. **(d)** jn. zum〔als〕 Hauptmann ~ 누구를 대장으로 추대하다. 《II》 *refl.* sich ~ ① 건방지게 굴다, 우쭐대다: sich gegen〔wider〕 jn. ~ 누구에게 반항하다. ② 주제넘게 …인 체하다: sich zum〔als〕 Anführer ~ 지도자로 자처하다. ③ (널빤지 따위가) 굽다, 휘다. 《III》 〖사냥〗 머리를 쫑긋 내밀다. 《IV》 **aufgeworfen** *p.a.* ↑ aufgeworfen.
Aufwerf·hammer *m.* 〖工〗 용수철 망치.
auf|werten *t./i.* (h.) (화폐 따위의) 가치를 올리다; 재평가하다: eine Währung ~ 화폐를 평가 절상하다.
Aufwertung *f.* -en (화폐 따위의) 평가 절상.
auf|wichsen [..vɪksən] *t.* ① (구두약 따위로) 윤을 내다; 〖비속〗 대충 닦다. ② (포마드를 발라 수염을) 말아 올리다.
auf|wickeln *t.* 《I》 ① 감아 올리다; (실 따위를) 감다: Haare ~ 머리를 말아 곱슬곱슬하게 하다〔클립에 말다〕. ② 감아 붙이다. ③ (감긴 것을) 풀다: 〖비유〗 einen Knoten ~ 분쟁을 해결하다. 《II》 *refl.* sich ~ 풀리다, 해결되다.
Aufwickelung *f.* -en ↑ aufwickeln 의 명사형.
Aufwiegelei [aufvi:gəláı] *f.* -en 선동, 사주, 교사.
***auf|wiegeln** *t.* 선동하다(↔ abwiegeln).
Aufwiegelung *f.* -en ↑ aufwiegeln 의 명사형.
auf|wiegen* *t.* ① **(a)** …와 같은 중량〔값〕을 지니다: etwas (A) wiegt et. (B) auf 무엇(A)과 무엇(B)은 무게가〔값이〕 같다. **(b)** (손실 따위를) 메우다, 보상하다; (금액 따위를) 상쇄하다. ② et. mit et.³ ~ 무엇을 무엇과 균형

잡히게 하다〔무엇으로 보상하다〕: das ist nicht mit Gold aufzuwiegen 그것은 돈으로 살 수 없다(아주 귀하다).
Aufwiegler [áufviːglər, ..viːk..] *m.* -s, - 선동〔교사〕자.
aufwieglerisch *a.* 선동적인.
auf|wiehern *i.* (h.) ① (말이) 울기 시작하다. ② (사람이) 껄껄 웃다.
Aufwind [áufvɪnt] *m.* -(e)s, -e [..də] 〖空〗 상승 기류; 〖비유〗 활력, 고무.
auf|winden* 《I》 *t.* ① et. auf et. ~ 무엇을 무엇에 감다. ② (닻 따위를) 감아 올리다. 《II》 *refl.* sich ~ ① 감기다. ② (덩굴 따위가) 휘감아 올라가다.
auf|wirbeln 《I》 *i.* (s.) (먼지 따위가) 회오리쳐 올라가다; (종달새 따위가) 날아오르다. 《II》 *t.* ① (먼지 따위를) 소용돌이쳐 올리다: 〖비유〗 (viel) Staub ~ 이목을 끌다. ② (창문 따위를) 나사〔쥠쇠〕를 돌려서 열다.
auf|wirken *t.* ① (실을) 다 짜다. ② (가루를) 반죽하여 형태를 만들다. ③ 〖사냥〗 (짐승 따위를) 가죽을 벗겨 조각내다. ④ (짠 것을) 풀다.
auf|wirren *t.* (엉킨 것을) 풀다; 〖비유〗 (분규를) 해결하다.
auf|wischen *t.* ① (물기를) 닦아내다. ② 걸레질하다.
Aufwischer *m.* -s, - ① 청소부. ② 걸레.
Aufwisch≈lappen *m.*, **~tuch** *n.* 걸레.
auf|wogen *i.* (s.) 파도가 크게 일다.
auf|wölben 《I》 *t.* (무엇에) 둥근 천장을 붙이다. 《II》 *refl.* sich ~ 아치 모양이 되다.
auf|wölken *i.* (s.) ① 구름처럼 날아오르다. ② 구름 속으로 높이 올라가다.
auf|wollen* *i.* (h.) 일어나려〔열리려〕 하다: meine Beine wollen nicht mehr auf 다리가 말을 듣지 않는다; die Schublade will nicht auf 서랍이 열리지 않는다.
Aufwuchs [áufvuːks] 《<aufwachsen》 *m.* -es, ..wüchse (식물의) 성장; 〖林〗 어린 나무숲; 〖비유〗 자녀, 자손, 젊은이.
auf|wühlen 《I》 *t.* ① (흙 따위를) 파 올리다, 파 뒤집다; (감자 따위를) 캐다; (불 따위를) 세차게 일으키다. ③ 선동〔교란〕하다; 흥분시키다.
aufwühlend *p.a.* ~er Schmerz 에는 듯한 고통; ~e Musik 선정적인 음악.
Aufwurf [áufvurf] 《<aufwerfen》 *m.* -(e)s, ..würfe ① (흙 따위를) 파 올림; 축제(築堤); 제방. ② (südd.) 경매.
auf|zahlen *t.* 추가로 지급하다.
auf|zählen [áuftsɛːlən] *t.* ① 세어 가다; (공과(功過) 등을) 열거하다; 호명하다. ② Geld ~ 돈을 세면서 주다; jm. Prügel ~ 횟수를 세면서 누구를 매질하다.
Aufzahlung *f.* -en 추가 지급.
Aufzählung *f.* -en ① ↑ aufzählen 의 명사형. ② 〖논리·心〗 열거법.
auf|zaubern *t.* ① 마법으로 열다. ② 마법을 써서 불러내다.
auf|zäumen *t.* ① 고삐를 매다; 〖비유〗 das Pferd 〔den Gaul〕 beim Schwanz ~ 본말을 전도하다. ② 〖요리〗 Geflügel ~ 새 고기에 크림 따위를 발라 요리하다.
auf|zehren [áuftseːrən] 《I》 *t.* (저장한 것을) 남김 없이 먹어 없애다; (정력 따위를) 소모하다. 《II》 *refl.* sich ~ 쇠약해지다, 기진맥진하다, 지칠대로 지치다.
Aufzehrung *f.* -en ↑ aufzehren 의 명사형.
auf|zeichnen [áuftsaɪçnən] *t.* ① (약도 따위를) 그리다, 스케치하다. ② 기재〔기록〕하다. ③ 〖방송〗 녹화〔녹음〕하다.
Aufzeichnung *f.* -en ① 제도; (애벌) 그림, 스케치. ② 기재; 기록; 녹음, 녹화. ③ 녹화 방송. ④ 〖복수〗 기록, 문서.
Aufzeichnungs·buch *n.* 수첩, 비망록.
auf|zeigen 《I》 *t.* ① 나타내다, 보이다, 제시하다. ② (öst.) jn. ~ 누구를 신고〔고발〕하다. 《II》 *i.* (h.) 손을 들어 신호를 보내다.
auf|zerren *t.* ① 찢어발기다, 잡아 찢다; 힘을 써서 확 열다. ② 잡아당겨 일으키다.
Aufzieh·brücke *f.* 도개교(跳開橋); 가동교(可動橋).
auf|ziehen [áuftsiːən] 《I》 *t.* ① **(a)** (눈썹·발 따위를) 올리다. **(b)** (외투 따위를) 끌어올리다, 추키다. **(c)** (닻·돛 따위를) 올리다; (수문 따위를) 열다; (풀 따위를) 뽑다; (우물물을) 퍼올리다; (햇빛이 안개 따위를) 걷다: 〖비유〗 alle Segel ~ 전력을 다하다. **(d)** eine Dame zum Tanz ~ 어떤 여자에게 춤추기를 청하다. ② 저울에 달다. ③ (문 따위를) 당겨 열다; (마개를) 뽑다; (넥타이를) 풀다: 〖비유〗 jm. die Augen ~ 누구를 깨우치다. ④ 감다; 〖軍〗 (총의 공이치기를) 일으켜 세우다: die Feder einer Uhr ~ 〔die Uhr ~〕 시계의 태엽을 감다; er redet wie aufgezogen 그는 쉬지 않고 말을 한다; sie ist heute aufgezogen 그녀는 오늘 긴장〔흥분〕해 있다. ⑤ et. auf et. ~ 무엇에 무엇을 붙이다; (피륙·현(絃) 따위를) 팽팽하게 펴다〔치다·걸다〕: Lichtbild auf Papier ~ 사진을 종이에 붙이다; 〖비유〗 gelindere〔andere〕 Saiten ~ 부드러운〔전과 다른〕 태도를 보이다; eine andere Miene ~ 얼굴 표정을 달리하다. ⑥ (모자 따위를) 쓰다; (인형 따위에) 옷을 입히다. ⑦ den Atem ~ 숨을 들이쉬다. ⑧ 육성하다; 양육하다; 사육〔재배〕하다. ⑨ **(a)** (판결 따위를) 지연시키다. **(b)** jn. ~ 누구를 기다리게 하다; 꼬득이다; 조롱하다. ⑩ (계획 따위를) 정비〔실행〕하다; 개최〔조직〕하다. ⑪ 〖醫〗 (주사기로) 빨아들이다. ⑫ (바닥을) 걸레로 닦다. ⑬ 〖구어〗 편곡〔각색〕하다: ein Theaterstück als Posse ~ 희곡 작품을 익살극으로 각색하다. 《II》 *i.* (s.) ① 〖다음 용법으로〗 ~ und davonziehen 떠나가다; 〖4 격과 함께〗 die Straße ~ und abziehen 거리를 이리저리 거닐다. ② 대열을 지어 행진하다. ③ 〖軍〗 위병 근무를 하다: ~de Wache 근무 중인 위병. ④ 다가오다, 나타나다: prächtig ~ 〔aufgezogen kommen〕 화려한 차림으로 나타나다; mit et.³ ~ 〔aufgezogen kommen〕 무엇을 가지고 나타나다, 무엇을 제출하다. ⑤ 나타나다; 발생하다, (폭풍이) 일다: die Sterne ziehen am Himmel auf 별이 하늘에 나타난다. 《III》 *refl.* sich ~ ① (문이) 열리다; (넥타이가) 풀리다. ② (폭풍이) 일다.
Aufzieher *m.* -s, - 끌어〔감아〕올리는 사람; 태엽을 감는 사람; 조롱하는 사람.
Aufzieherei *f.* -en 조롱.
Aufzieh≈fenster *n.* 벼락닫이. **~loch** *n.* (시계의) 태엽 구멍. **~muskel** *m.* 〖해부〗 내전근(內轉筋).
Aufzins [áuftsɪns] *m.* -es, -e(n) 〖商〗 (Auf-

geld) 할증금; 웃돈, 프리미엄; 환차액.

Aufzögling [áuftsøːklɪŋ] ⟪<aufziehen⟫ *m.* -s, -e 제자, 문하생.

Aufzucht [..tsuxt] *f.* ① 사육; 재배; 양육. ② 재배 식물, 사육 동물.

auf|züchten *t.* 사육하다; 재배하다.

auf|zucken *i.* ① (h./s.) 펄쩍 뛰다; 경련하며 일어서다. ② (h./s.) (불꽃이) 번쩍거리다; 〖비유〗(생각이) 뇌리를 스치다. ③ (h.) (통증 때문에) 욱신거리다; 깜짝 놀라다.

***Aufzug** [áuftsuːk] ⟪<aufziehen⟫ *m.* -(e)s, ..züge [..gə] ① (**a**) 행진, 행렬; 〖軍〗 위병 근무. (**b**) 행진곡; 짧은 취주곡. (**c**) 〖폄어〗 옷차림, 행색: in einem schlechten ~ 초라한 차림으로. ② 막을 올림; 〖연극〗 개막; 막, 단(段). ③ 승강기, 엘리베이터; 기중기. ④ 저울대. ⑤ 〖건축〗 정면도. ⑥ 〖방직〗 날실(을 끼움). ⑦ (등(藤)의자의) 초벌짜기. ⑧ 지연. ⑨ 〖사냥〗 (특히 꿩새끼 따위) 사육 동물; 사육. ⑩ 〖체조〗 턱걸이.

Aufzug·führer *m.* 승강기 운전원.

aufzug.. *pref.* ↑ aufzugs...

Aufzugs=feder *f.* (시계의) 태엽. **~klappe** *f.* 도개교의 교판(橋板). **~schacht** *m.* 승강기 통로. **~vorrichtung** *f.* 승강 장치.

Aufzunehmende* *der/die* 채용〔입학〕 예정자.

auf|züngeln *i.* (s.) ① (불꽃 따위가) 타오르다. ② (소요 따위가) 확산되다, 퍼지다.

auf|zupfen *t.* ① 잡아 뽑다, 쥐어뜯다. ② 잡아 찢다. ③ (얽힌 것을) 풀다.

auf|zwängen *t.* ① jm. et. ~ 누구에게 무엇을 (억지로) 떠맡기다. ② 억지로 밀어올리다. ③ (문 따위를) 억지로 열다.

auf|zwecken *t.* (대갈) 못으로 고정시키다.

auf|zwicken *t.* ① ↑ aufzwecken. ② 못뽑이로 빼다.

auf|zwingen* ⟪Ⅰ⟫ *t.* ① 강요하다. ② (음식 따위를) 억지로 먹이다. ⟪Ⅱ⟫ *refl.* ① 〖사물이 주어〗 sich jm. ~ (생각 따위가) 누구를 떠나지 않다; 〖사람이 주어〗 sich jm. ~ 자기 생각을 누구에게 강요하다. ② sich ~ 무리해서 일어나다.

auf|zwirbeln *t.* (콧수염을) 말아올리다.

Aug. =August 8 월.

Aug·apfel [áuk..] *m.* 안구; 눈동자; 〖비유〗 총아; 소중한 것: jn.〔et.〕 wie seinen ~ hüten 누구〔무엇〕을 소중히 보호하다.

***Auge** [áugə] *n.* -s, -n ① (**a**) 눈, 안구: blaues ~ a) 파란 눈, 벽안(碧眼) (순수함을 상징), b) 시퍼렇게 멍든 눈; künstliches〔falsches〕 ~ 의안(義眼): 〖雅語〗 geistiges〔inneres〕 ~ 마음의 눈. (**b**) 시력; 〖비유〗 통찰, 눈치보기, 주의: schwache〔schlechte〕 ~n haben 시력이 나쁘다; kurzsichtige ~n 근시안; böses ~ 사악한 눈. (**c**) 보는 사람; 감시(자): 〖농담〗 das ~ des Gesetzes 법의 수호자, 경찰관; das ~ der Vernunft 이성의 눈. ② 눈, 눈빛, 눈물. (**a**) das ~ bricht (임종때) 눈이 흐려지다; die ~n gehen ihm über a) 그의 두 눈에 눈물이 흐른다, b) 그의 눈이 휘둥그래졌다; die ~n gingen ihm endlich auf 드디어 그는 진상을 깨닫게 되었다; 〖구어·농담〗 meine ~n waren größer als der Magen 나는 음식을 너무 많이 접시에 담았다; vier ~n sehen mehr als zwei 하나보다 는 둘이 보는 것이 더 낫다; da blieb kein ~ trocken a) 울지 않는 사람이 없었다, b) 모두 웃다가 눈물이 날 지경이었다; 〖속담〗 das ~ des Herrn macht das Vieh fett 일이 잘 되려면 세심한 배려가 필요하다. (**b**) 〖동사의 목적어로〗 jm. die ~n öffnen 누구를 깨우치다; 〖구어〗 (große) ~n machen 〔die ~n (weit) aufreißen〕 놀라 눈을 크게 뜨다; ~n auf (gemacht)! 조심해!; jm. (schöne) ~n 〔Äugelchen〕 machen 누구에게 추파를 던지다; 〖경박〗 ~n wie ein gestochenes Kalb machen 멍하니 바라보다; ganz〔nur, lauter〕 ~ sein 정신 없이 바라보다; die ~n offen halten 주시하고 있다; die ~n überall haben (조심스럽게) 여기저기 관찰하다; jm. die ~n auswischen 누구의 눈을 닦다, 〖비유〗 속이다; das ~ beleidigen 눈에 거슬리다; kein ~ zutun 한잠도 못 자다; ein ~ voll Schlaf nehmen 잠깐 눈을 붙이다, 선잠 자다; 〖구어〗 ein ~ auf das Mädchen werfen 소녀에게 눈독들이다〔반하다〕; schwere〔verschlafene〕 ~n haben〔bekommen〕 피곤하다〔피곤해지다〕; 〖비유·구어〗 die ~n in die Hand nehmen müssen (어둠 속에서 식별하려면) 잘 살펴보아야 하다; 〖軍〗 ~n rechts! 우로 봐!; seinen (eigenen) ~n nicht trauen (뜻밖이어서) 자신의 눈을 믿지 못하다; die ~n schließen〔zumachen〕 눈을 감다, 죽다. (**c**) 〖전치사와 함께〗 jm. et. **an** den ~n absehen 누구의 눈(빛)을 보고 무엇을 알아차리다; ein ~ **auf** et. haben 무엇에 주목하고 있다; die ~n auf et. richten〔heften〕 시선을 무엇에 돌리다〔고정시키다〕; auf einem ~ blind sein 한쪽 눈이 보이지 않다; 〖구어〗 das paßt wie die Faust aufs ~ 그것은 전혀 걸맞지 않다〔예상 밖이다〕; das Geschlecht 〔die Familie〕 steht〔ruht〕 auf zwei ~n 그 집에는 대를 이를 남자가 한 사람밖에 없다; eine Sache auf zwei ~n stellen 어떤 일을 한 사람에게 떠넘기다; **aus** den ~n verlieren 시야에서 사라지다, 소식이 두절되다; nicht aus den ~n lassen 눈을 떼지 않다, 응시하다; et. aus den ~n setzen 무엇을 고려하지 않다; 〖속담〗 aus den ~n, aus dem Sinn 안 보면 잊혀진다; geh mir aus den ~n! 내 눈앞에서 사라져!; er ist seinem Vater wie aus den ~n geschnitten 그는 아버지를 꼭 닮았다; sich die ~n aus dem Kopf weinen 몹시 울다; **bei** et.³ ein ~ zudrücken 무엇을 관대히 보아넘기다; ein ~ **für** et. haben 무엇에 대한 안목을 가지고 있다; seine ~n **gegen** et. verschließen 무엇을 싫어하다〔꺼리다〕; **in** die〔den〕 ~n beißen (연기 따위가) 눈을 자극하다; ~ in ~ 마주 보고; 〖비유〗 et. im ~ haben 무엇을 의도〔추구〕하다; in meinen ~n 내가 보기에는; ins ~ fassen 주시하다; jm. ins ~ fallen〔springen〕 누구의 눈에 뜨이다, 주의를 끌다; einem Mädchen zu tief ins ~ sehen 어떤 소녀한테 반하다; der Gefahr ins ~ sehen 위험을 직시하다; jm. Sand in die ~n streuen 누구의 눈을 속이다; er kann mir nicht in die ~n sehen (양심의 가책 때문에) 그는 나를 똑바로 쳐다보지 못한다; **mit** bloßem ~ 육안으로; jn.〔et.〕 mit anderen ~n (an)sehen 누구를〔무엇을〕 다른 관점에서 보다; 〖구어〗 mit einem blauen ~ davonkommen 봉변을 면하다; du schläfst mit offenen ~n 너는 얼이 빠진 것 같다; jn.〔et.〕 mit den ~n verfolgen 누구를〔무엇을〕 예의주시하다; jn.〔et.〕 mit den ~n verschlingen 누구를〔무엇을〕 탐욕스런 눈으로 쳐다보다; 『聖』 ~ **um** ~, Zahn um Zahn 눈에는 눈, 이에는 이(출애굽기 21: 24); jm. **unter** die ~n kommen〔treten〕 누구 앞으로 (떳떳하게) 나오다; unter vier ~n 단둘이서, 은밀히; er ist unter meinen ~n aufgewachsen 그는 내 보호를 받고 자랐다; die ~n **von** et.³ abwenden 무엇에서 눈을 떼다; es fiel mir wie Schuppen von den ~n 나는 미몽에서 깨어났다〔각성했다〕; sich eine Tatsache **vor** ~n halten 어떤 사실을 유념하다; vor aller ~n 모든 사람이 보는 가운데; vor〔unter〕 meinen ~n 내 앞에서; jm. et. vor ~n bringen 누구에게 무엇을 보여 주다〔제시하다〕; das liegt vor ~n 그것은 명백하다; mir wurde schwarz vor den ~n 나는 눈앞이 캄캄해졌다(현기증이 났다); komm mir nicht vor die ~n! 다시는 내 눈 앞에 나타나지 마라!; es schwimmt mir vor den ~n 나는 현기증이 난다; jm. et. vor ~n führen 누구에게 무엇에 주목하게 만들다. ③ 싹, 눈, 봉오리. ④ (공작 따위의 둥근) 무늬; (게임·주사위의) 점(수); (빵의) 구멍; (수프 위에 뜬) 기름 방울; (알의) 노른자위: 〔구어·농담〕 in dieser Suppe schauen mehr ~n hinein als heraus 이 수프는 멀겋다. ⑤ (보석 따위의) 광채, 윤; 둥근 창: das ~ des Tages〔Himmels〕 태양; die ~n des Hauses 집의 창, 등불; die ~n der Landschaft 호소(湖沼). ⑥ (닻 따위의) 구멍, 바늘귀; (문의) 내다보는 구멍. ⑦ (뜨개질의) 코; (끈의) 고리, 매듭, 귀.

Äugelchen [ɔ́ʏɡəlçən] *n.* -s, - 〖↑ Auge 의 축소형〗 작은 눈: jm. ~ machen 누구에게 추파를 던지다.

Äugelei [ɔʏɡəlái] *f.* -en 추파 던지기.

Äugeler *m.* -s, - 추파 던지는 사람; 추종자; (둥근 무늬가 있는) 나비.

äugeln [ɔ́ʏɡəln] 《<Auge》 《Ⅰ》 *i.* (h.) ① 바라보다; (날짐승이) 살펴보다, 주시하다. ② mit jm. ~ 누구에게 눈짓을 보내다, 추파를 던지다. ③ (빛 따위가) 새어나오다. 《Ⅱ》 *t.* ① (사랑을) 눈빛으로 나타내다. ② 『원예』 접목하다, 접붙이다.

äugen [ɔ́ʏɡən] 《Ⅰ》 *i.* (h.) 주시하다, 노려보다. 《Ⅱ》 **geäugt** *p.a.* ↑ geäugt,

Augen≈abstand *m.* 두 눈동자 사이의 간격. **~achat** *m.* 『광물』 묘청석(猫睛石). **~achse** *f.* 『해부』 안축(眼軸). **~ader** *f.* 안(眼)정맥. **~arterie** *f.* 안(眼)동맥. **~arzt** *m.* 안과 의사. **~aufschlag** *m.* 눈을 치켜뜨기. **~-ausdruck** *m.* 눈의 표정. **~ausrottung** *f.* 안구 적출(摘出). **~auswischerei** *f.* 〔구어〕 눈속임, 사기, 속임수. **~bad** *n.* 세안(洗眼). **~bank** *f.* 안구 은행. **~becken** *n.* 안와(眼窩). **~beschreibung** *f.* 안과학. **~besichtigung** *f.* 검안. **~binde** *f.* 안대(眼帶). **~binde·haut** *f.* 안구 결막. **~blende** *f.* (말의) 눈가리개.

***Augen·blick** [áuɡənblɪk, auɡənblɪ́k] *m.* ① 〔드물게〕 얼핏 봄, 흘끗 봄, 일순: der Zauber dieses ~s 첫눈에 끌리는 매혹. ② 순간, 찰나: im ~ 즉시; 지금, 당장; für den ~ 지금, 현재; einen ~ 잠깐만 (기다리십시오); alle ~e 번번히, 늘; er kann jeden ~ kommen 그는 지금이라도 올지 모른다; lichte ~e haben (병중에) 일시적으로 정신이 들다, 〔비유〕 영감이 떠오르다. ③ 기회, 시기: den günstigen ~ erhaschen 좋은 기회를 잡다.

augenblicklich *a.* ① 일순간의, 순간적인. ② 당장의, 즉각적인: auf ~e Hilfe hoffen 즉각적인 도움을 기대하다. ③ 지금의, 현재의: er ist ~ nicht da 그는 지금 없다. ④ 일시적인, 임기응변의.

augenblicks *adv.* ① 즉각, 조속히; 순식간에. ② 현재, 당분간.

Augenblicks≈aufnahme *f.* 『사진』 스냅 촬영. **~bild** *n.* 『사진』 스냅 사진. **~erfolg** *m.* 일시적인 성공, 3일 천하. **~fotografie** *f.* 스냅 사진(술). **~idee** *f.* 순간적인 착상. **~sache** *f.* 일시적인 일. **~verbrechen** *n.* 『法』 우발적인 범죄. **~zündung** *f.* 『軍』 순간 점화, 순발 신관(瞬發信管).

Augen≈bogen *m.* 『해부』 (눈의) 홍채(虹彩). **~bolzen** *m.* 『工』 테 달린 볼트. **~braue** *f.* 눈썹. **~brauen·stift** *m.* 눈썹 그리개. **~butter** *f.* 눈곱. **~deckel** *m.* 눈꺼풀. **~diagnose** *f.* 눈 진단(법). **~diagnostiker** *m.* 눈 진단 전문가, 눈진단(법) 시술 의원. **~diener** *m.* 아첨꾼, 간신. **~dienerei** *f.* 아첨, 아부. **~dienst** *m.* ① ↑ ~dienerei. ② 『植』 (현삼과의) 약용 좁쌀풀(~trost). **~drücken** *n.* 압박성 안통(眼痛). **~drüse** *f.* 눈물샘. **~entwicklung** *f.* 『動』 안(眼)발생. **~entzündung** *f.* 안(구)염. **≈fällig** *a.* 눈에 뜨이는, 명백한, 현저한. **~fälligkeit** *f.* 현저, 명백. **~fältchen** *n.* 눈가의 잔주름. **~falter** *m.* 『動』 굴뚝나빗과의 나비. **~farbe** *f.* 눈의 빛깔. **~fehler** *m.* 눈의 결함. **~feld** *n.* 시계(視界), 시야. **~fistel** *f.* 『醫』 누관(淚管). **~fleck** *m.* 『動』 안점(眼點) (하등 동물의 감광(感光) 기관). **~flimmern** *n.* 광시증(光視症). **~fluß** *m.* 『醫』 유체(流涕). **≈-förmig** *a.* 눈 모양의. **~funkeln** *n.* ↑ ~flimmern. **~gefäße** *pl.* 안구 혈관. **~-geschwulst** *f.* 안(眼)종양. **~geschwür** *n.* 안궤양. **~gewölk** *n.* 각막 편운(角膜片雲). **~gift** *n.* 눈에 해로운 것; 작은 글자. **~glas** *n.* 〔복수: ..gläser〕 안경; 『기계』 (현미경 따위의) 대안(對眼) 렌즈. **~grube** *f.* 안와(眼窩). **~gymnastik** *f.* 눈운동, 눈체조. **~haut** *f.* 안막.

Augenheil≈anstalt *f.* 안과 병원. **~kunde** *f.* 안과학.

Augen≈höhe *f.* 〔다음 용법으로〕 in ~ 눈높이로. **~höhle** *f.* 눈구멍, 안와(眼窩). **~-kammer** *f.* 안방(眼房). **~klappe** *f.* ① 안대. ② (말의) 눈가리개. **~klinik** *f.* 안과 임상 강의; 안과 병원. **≈krank** *a.* 눈병의. **~krankheit** *f.* 눈병. **~leder** *n.* (말의) 눈가리개. **~lehre** *f.* 안과학. **~leiden** *n.* 눈병. **~licht** *n.* 시력; das ~ verlieren 시력을 잃다. **~lid** *n.* 눈꺼풀. **~lid·haare** *pl.* 속눈썹. **~linse** *f.* (눈의) 수정체. **~loch** *n.* 동공.

augenlos *a.* 눈이 없는; 눈이 먼.

Augen≈lust *f.* 눈요기. **~-make-up** *n.* 눈화장. **~maß** *n.* 눈대중, 목측 (능력): 〔비유〕 Politiker mit ~ 사태 파악이 정확한 정치가. **~mensch** *m.* 〔구어〕 시각이 발달한 인간. **~merk** *n.* 목표; 착안점; 주목, 관심: sein

~ auf jn.〔et.〕 richten〔lenken〕, jm. 〔einer Sache〕 sein ~ zuwenden 누구에게〔무엇에〕 관심을 돌리다〔주목하다〕. **~messer** *m.* 시력 측정기. **~mittel** *n.* 안약. **~muskel** *m.* 안근(眼筋). **~nebel** *m.* ↑ ~gewölk. **~nerv** *m.* 시신경, 시속(視束). **~nichts** *n.* (안(과) 용) 아연화. **~operation** *f.* 안과 수술. **~optiker** *m.* 안경사, 광학기 전문가. **~paar** *n.* 양쪽 눈. **~pflege** *f.* 눈 관리, 눈 화장: 〖구어·농담〗 ~ machen 잠자다. **~prothese** *f.* 의안(義眼). **~pulver** *n.* 가루 안약; 깨알 같은 글씨. **~punkt** *m.* 시점(視點); 대안점; 목표; 〖動〗 배반(胚盤); 〖연극〗 (최고의) 관람 지점. **~rand** *m.* ① 눈 가장자리. ②〖복수〗(과로 따위로 생긴) 눈 언저리의 시커먼 부분. **~reiz·stoff** *m.* 최루 가스. **~ring** *m.* ↑ ~rand ②. **~röte** *f.* 〖醫〗 안염(眼炎). **~salbe** *f.* 안(眼)연고. **~schatten** *m.* ↑ ~rand ②.

***Augen·schein** [áugənʃaɪn] *m.* -(e)s ① 목격, 직접 봄; 외관: wie der ~ lehrt〔zeigt〕 보아서 알 수 있듯이; nach dem ~ 겉으로 보기에. ② 검증, 검열: jn.〔et.〕 in ~ nehmen 누구를 검증하다, 면밀히 관찰하다; sich durch ~ überzeugen 직접 보아 확인하다.

augenscheinlich [áugənʃain.., augənʃáɪn..] *a.* ① 외관상의, 겉으로 나타나는. ② 명백〔확실〕한.

Augenscheinlichkeit [áugənʃain.., augənʃáɪn..] *f.* 명백.

Augenscheins·einnahme *f.* 〖法〗 현장 검증.

Augen≈schirm *m.* 아이셰이드(햇빛을 가리는 모자챙). **~schleim** *m.*, **~schmalz** *n.* 눈곱. **~schmaus** *m.* 눈요기감. **~schmerz** *m.* 안통(眼痛). **~schnupfen** *m.* 카타르성 결막염. **~schützer** *m.* 보안경; (경마의) 차(遮)안대. **~schwäche** *f.* 〖醫〗 ① 약시. ② 눈의 피로. **~spalte** *f.* 안열(眼裂). **~spiegel** *m.* 검안경; 〖방언〗 안경; 눈요기; 나비의 일종. **~spiel** *n.* 추파; 눈요기; 눈의 활동; 〖연극〗 눈연기. **~sprache** *f.* (은밀히) 눈으로 하는 말, 눈신호. **~sproß** *m.*, **~sprosse** *f.* 사슴뿔의 맨 아랫가지. **~star** *m.* 〖醫〗 백내장. **~stechen** *n.* 안자통(眼刺痛). **~stein** *m.* 묘안석(猫眼石); 〖化〗 호반(皓礬); 〖醫〗 누선(淚腺) 결석. **~stern** *m.* 눈동자, 동공; 보배. **~summe** *f.* (주사위·카드놀이의) 점수의 합계. **~täuschung** *f.* 환시(幻視), 착시(錯視). **~tierchen** *pl.* 〖動〗 편모충류. **~triefen** *n.* 진무른 눈. **~tripper** *m.* 〖醫〗 임질성 결막염. **~tropfen** *m.* (점)안약. **~trost** *m.* 눈요깃거리; 〖植〗 (현삼과의) 약용 좁쌀풀; 〖비유·시어〗 보배, 유일한 낙. **~übel** *m.* 눈병. **~verdreher** *m.* 위선자, 새침데기. **~vorfall** *m.* 안구 돌출. **~wasser** *n.* 눈 세척액; 눈물. **~weh** *n.* 안통(眼痛). **~weide** *f.* 눈요기. **~weiß** *n.* 공막(鞏膜). **~weite** *f.* 동공 사이의 거리; 시력 거리. **~wimper** *f.* 속눈썹. **~wink** *m.* 눈짓; 순간. **~winkel** *m.* 눈초리; 〖해부〗 안각. **~wischerei** *f.* 사기, 속임수. **~wonne** *f.* ↑ ~weide. **~wurz** *f.* 〖구식〗 ↑ ~wurzel. **~wurzel** *f.* 〖植〗 쥐오줌풀. **~zahl** *f.* (주사위의) 점수. **~zahn** *m.* 송곳니. **~zeuge** *m.* 목격자. **~zeugen·bericht** *m.* 목격자의 보고〔제보〕. **~zeugnis** *n.* 실증. **~zirkel** *m.* 홍채(虹彩). **~zittern, ~zucken** *n.* 안구 진탕(震盪). **~zwinkern** *n.* 눈깜박임. **≈zwinkernd** *p.a.* 눈을 깜박이는.

Augias [augíːas] *m.* 〖그리스신화〗 아우기아스(Elis 의 왕).

Augias·stall *m.* 아우기아스의 외양간; 〖비유〗 불결한 장소(30 년간 청소하지 않은 불결한 외양간, Herkules 가 단 하루 만에 청소했다고 함); 혼돈, 무질서: den ~ ausmisten 〔reinigen〕 질서를 회복하다, 악폐를 쇄신하다.

augicht [áugɪçt], **äugicht** [ɔ́ʏ..] *a.* 〖구식〗 ↑ augig.

augig [áugɪç] *a.* 눈의, 눈이 있는; 눈 모양의 반점이 있는; 〖드물게〗 기공이 있는.

..äugig 《<Auge》 *suf.* "…눈의"의 뜻(보기: ein~ 애꾸눈의; blau~ 파란눈의).

Augit [augíːt, ..gɪ́t] 《gr.》 *m.* -s, -e 〖광물〗 휘석(輝石).

Äuglein [ɔ́ʏglaɪn, ɔ́ʏk..] *n.* -s, - 〖↑ Auge의 축소형〗 작은 눈, 귀여운 눈(Äugelchen).

Augling, Äugling *m.* -s, -e 나비의 일종.

Augment [augmɛ́nt] 《lat.》 *n.* -(e)s, -e ① 증가, 증대. ② 〖문법〗 전철(Vorsilbe). ③ 〖醫〗 체온 상승기; 급성 질환 증가기.

Augmentation [..mɛntatsióːn] *f.* -en ① 증대, 부가(물). ② 〖문법〗 ↑ Augment ②. ③ 〖음악〗 증가법(음표(音標)의 길이를 원래 음의 2 분의 1만큼 늘이는 연주법 또는 발성법).

Augmentativ *n.* -s, -e 〖문법〗 (접두어·접미어를 붙여 "증대"의 뜻을 나타내는) 확대사(辭) (보기: Unmenge 의 Un).

Augmentativ·suffix *n.* 〖문법〗 확대형 접미어(보기: Violone(=große Viola)에서 -one).

Augmentativum *n.* -s, ..va ↑ Augmentativ.

augmentieren *t.* ① 증가〔증대〕시키다. ② 〖문법〗 확대형 어사를 붙이다(↑ Augmentativ).

au gratin [o gratɛ̃] 《frz.》 *adv.* 〖요리〗 빵가루를 써워 구운.

Augsburg [áuksbʊrk] 아우크스부르크(바이에른의 중심 도시).

Augsburger 《Ⅰ》 *m.* -s 아우크스부르크의 주민. 《Ⅱ》 *a.* 아우크스부르크의.

augsburgisch *a.* 아우크스부르크풍(風)의: 〖宗〗 ≈e Konfession 아우크스부르크의 신앙고백.

Aug≈spliß *m.* 〖海〗 삭안(索眼)(로프의 끝을 고리 모양으로 묶은 매듭). **~sproß** *m.*, **~sprosse** *f.* ↑ Augensprosse.

Aug·stein [áuk..] *m.* ↑ Ag(t)stein.

Augur [áugʊr] 《lat.》 *m.* -s / -en [..gúːrən], -en 새점(占)치는 사람, 예언자, 점쟁이.

Auguren≈lächeln [augúːrən..] *n.* 〖雅語·펌어〗 (내막을 아는 사람끼리 주고받는) 의미심장한 미소.

augurieren *t.* 새점(占)치다; 예언하다.

Augurium *n.* -s, ..rien [..riən] 새점; 예언.

***August**[1] [augʊ́st] 《lat; <Augustus》 *m.* -/ -(e)s, -e 8 월.

August[2] [áugʊ́st] *m.* 아우구스트(남자 이름): 〖속어〗 der dumme ~ (서커스의) 어릿광대, 익살꾼; den dummen ~ spielen 어릿광대 노릇을 하다; was ist denn das für ein ~? 그 자가 대체 누구냐?

Augustana [augʊstáːna] 《lat.》 *f.* 〖宗〗 (Augsburgische Konfession) 아우크스부르크 신앙 고백.

augusteisch [augustéːɪʃ] *a.* ① 로마 황제 Augustus 시대의. ② 문예가 꽃피는〔흥성한〕: 〖교양〗 das ~e Zeitalter 학문과 예술의 전성기.
Augustiner *m.* -s, - 〖가톨릭〗 아우구스티누스파의 수도사.
Augustinismus *m.* - 〖哲·신학〗 아우구스티누스(학)파의 사상〔신앙〕.
Augustinus [augustíːnus] 아우구스티누스 (성자, 기독교 신학을 확립함, 354-430).
Augustus [augʊ́stus] ① 아우구스투스(최초의 로마 황제 Octavianus 의 존칭, 63 B.C.-14 A.D.). ② 카를 대제 이후 12 세기까지 독일의 왕 또는 황제 이름에 붙은 별호(別號).
Auktion [auktsióːn] 《lat.》 *f.* -en 경매: auf einer ~ kaufen 경매에서 사다; et. in einer ~ versteigern 무엇을 경매에 붙이다.
Auktionator [..áːtɔr, ..toːr] *m.* -s, -en [..tóːrən] 경매인.
auktionieren *t.* 경매에 붙이다.
Auktions≈ausrufer *m.* 경매한다고 외치고 다니는 사람. **~kommissar** *m.* 경매인. **~liste** *f.* 경매 목록. **~lokal** *n.* 경매장.
auktorial *a.* 〖문학〗 (소설 시점이) 전지적(全知的)인: ~er Erzähler 전지적 화자(話者); ~e Erzählsituation 전지적 서술 상황.
Aukuba [aukúːba] 《japan.》 *f.* ..ben 〖植〗 식나무.
Aula [áula] 《lat.》 *f.* ..len/-s ① 강당, 대형 강의실. ② (그리스·로마 건축의) 앞뜰, 정원. ③ (로마 시대의) 궁전.
Aulos [áulɔs] 《gr.》 *m.* -, ..loi 아울로스(고대 그리스의 관악기).
au naturel [o natyrɛ́l] 《frz.》 *adv.* 〖요리〗 (조미료를 넣지 않은) 자연 그대로; 생〔날것〕으로.
au pair [o pɛ́ːr] 《frz.》 *adv.* 보수 없이 숙식과 용돈만 제공받고: ~ arbeiten 숙식만 제공받고 일하다.
Aupair·mädchen 新정서 ⇦ Au-pair-Mädchen.
Au-pair-Mädchen [opɛ́ːr..] *n.* (외국에서 현지 언어를 배우기 위해 숙식만 제공받고 일하는) 가사 보조 여학생.
Aupair·stelle 新정서 ⇦ Au-pair-Stelle.
Au-pair-Stelle [opɛ́ːr..] *f.* ↑ Au-pair-Mädchen의 일자리.
au porteur [o pɔrtǿːr] 《frz.》 *adv.* 〖商〗 (유가 증권의) 소지자에게 지급하는, 무기명의.
Aura [áura] 《lat., „Hauch"》 *f.* ① 영기(靈氣), 신비로운 기운, 아우라: von der ~ umgeben 신비한 기운에 둘러싸인. ② 〖醫〗 전조(前兆), 전구(前驅); 증상, 증후.
Auramin 《lat.》 *n.* 〖化〗 아우라민(염색 또는 투베르쿨린 반응 시약에 쓰이는 색소).
Aurat 《lat.》 *n.* -(e)s, -e 〖化〗 금산염(金酸塩).
Aurelia *f.* 아우렐리아(여자 이름).
Aurelie ↑ Aurelia.
Auren·kraut [áurən..] 《lat.》 *n.* 〖植〗 국화과의 약초의 일종.
Aureole [aureóːlə] 《lat.》 *f.* -n ① (성인(聖人)·성상(聖像)의) 후광(後光). ② 〖天〗 (해·달의) 무리, 광륜(光輪). ③ 〖광산〗 (메탄 가스가 있을 때 광원(鑛員)의 안전등에 생기는) 청색 경보 광운(光雲).
Aureomycin, **Aureomyzin** [aureomytsíːn] 《lat. +gr.》 *m.* -s 〖藥〗 오레오마이신.
Aurignacien [orɪnjasiɛ̃́ː] 《frz.》 *n.* -(s) 〖고고〗 오리냐크 시대(후기 구석기 시대의 하나; 유적이 발굴된 남프랑스의 Aurignac에서).
Aurignac≈mensch [orɪnják..] *m.* 오리냐크인(人). **~rasse** *f.* 오리냐크 인종.
Aurikel [auríːkəl] 《lat.》 *f.* -n 〖植〗 앵초속.
aurikular [aurikuláːr] *a.* 〖醫〗 귀의, 청각의.
Aurin [auríːn] 《lat.》 *m.* -s 〖化〗 아우린(황색 염료의 이름).
Auripigment [auripɪgmɛ́nt] 《lat.》 *n.* -(e)s, -e 〖광물〗 웅황(雄黃), 석황(石黃).
Aurora [auróːra] 《lat.》 *f.* ① 〖로마신화〗 새벽〔여명〕의 여신(〖그리스신화〗 Eos). ② 〖시어〗 서광, 여명. ③ 극광, 오로라. ④ 〖복수: -s〗 〖動〗 ↑ Aurorafalter.
Aurora·falter *m.* 〖動〗 갈고리나비(의 일종).
Aurum [áurʊm] 《lat.》 *n.* -(s) 금(Gold).
a.u.s. =actum ut supra [áktum ut zúːpra] 《lat.》 위와 같음(verhandelt wie oben).
***aus** [aus] 《I》 *prp.*[3] ① 〖어떤 장소에서 밖으로 나오는 의미〗 ~ dem Haus gehen 집 밖으로 나가다; Wasser springt ~ der Erde 물이 땅속에서 솟아나온다; man geht ihm ~ dem Weg 사람들은 그를 피해 간다; ~ der Mode sein 유행에 뒤져 있다; ~ der Fassung sein 당황하다, 허둥대다; ~ der Acht lassen 등한히 하다, 돌보지 않다; 〖속담〗 ~ den Augen, ~ dem Sinn 안 보면 잊혀진다; der Hochmut spricht ~ ihm 그의 말에서 교만함이 풍긴다; geh mir ~ den Augen! 내 눈앞에서 사라져라!; ~ den Augen verlieren 시야에서 놓치다. ② 〖출처·기원〗 er ist ~ der Schweiz 그는 스위스 태생이다; das Bild stammt ~ dem vorigen Jahrhundert 그 그림은 지난 세기에 그려진 것이다; sie stammte ~ dem Volk 그 여자는 평민 출신이다; eine Stelle ~ diesem Buch 이 책의 어떤 대목; ~ guter Familie 훌륭한 가문 출신의. ③ 〖인식·추론의 근거〗 ich weiß es ~ Erfahrung 나는 그것을 경험으로 알고 있다; ~ dem Auge schließt man aufs Herz 눈을 보면 (사람의) 마음을 안다. ④ 〖재료〗 ein Herz ~ Stein 목석 같은 인간, 냉혈한, 강심장; ~ et.[3] bestehen 무엇으로 구성되어 있다; was wird ~ ihm werden? 그는 (장차) 무엇이 될까?; ich mache mir nichts dar~ 나는 그런 것에 개의치 않는다; sie sind ~ demselben Holz geschnitten 그들은 똑같은 질의 인간들이다. ⑤ 〖동기〗 ~ Liebe〔Haß〕 애정〔증오심〕에서; ~ welchem Grund? 어떤 이유로?; er tat es ~ freien Stücken 그는 자발적으로 그것을 했다. ⑥ 〖원인〗 ~ Mangel an Gelegenheit 기회가 없어서; ~ Unwissenheit 무지한 탓으로. ⑦ 〖때〗 ein Märchen ~ alten Zeiten 옛날부터 전해 오는 이야기; der Dichter ~ dem 18. Jahrhundert 18 세기의 시인. ⑧ 〖수단·방법〗 ~ einem Glas trinken 잔으로 마시다; ~ Leibeskräften schreien 있는 힘을 다해 소리치다; ~ dem Kopf wissen 외고 있다; ~ der Note eine Tugend machen 전화위복의 계기로 삼다; ~ sich heraus 자발적으로; ~ vollem Hals lachen 큰소리로 껄껄 웃다; ~ freier Hand zeichnen 내키는〔붓 가는〕 대로 그리다; ~ erster Hand kaufen 생산자에게서〔직접〕 사다. 《II》 *adv.* ① 〖방향〗 **(a)** 〖밖으로;

…부터〗 von hier ~ 여기서부터; von Haus ~ 처음부터; 원래; von Grund ~ 근본적으로, 철두철미; von Natur ~ 원래, 본디; 〖구어〗 von mir ~ a) 동의한, b) 나로서는; er geht bei mir ~ und ein 그는 나와 내왕하고 있다 〔우리 집에 출입이 잦다〕; er wußte weder 〔nicht〕 ~ noch ein 그는 어찌할 바를 몰랐다. (**b**) 〖목표〗 auf et. ~ sein 무엇을 노리다: er ist nur darauf ~, Geld zu verdienen 그는 돈벌 궁리만 한다. (**c**) 〖합성어로서〗 jahr~, jahrein 해마다, 세세연년; tag~, tagein 날이면 날마다, 매일같이. ② 〖소멸·완료〗 ~! 작업 끝!, 휴식!; Licht ~! 불을 꺼라!; die Flasche ist ~ 병이 다 비었다; mit mir ist es ~ 나는 끝장이다〔글렀다〕; mit meiner Geduld ist ~ 나는 인내심의 한계에 이르렀다; der Krieg 〔das Theater〕 ist ~ 전쟁〔연극〕이 끝났다. ③ 〖동사를 생략한 경우〗 er ist schon ~ (=ausgegangen) 그는 벌써 가 버렸다; ich habe das Buch ~ (=ausgelesen) 나는 이 책을 다 읽었다.

Aus *n.* - 〖스포츠〗 ① 라인의 바깥, 장외: der Ball rollte ins ~ 공이 장외로 굴러 나갔다. ② (경기의) 종료, 마감. ③ 퇴장, 탈락; (야구에서) 실격.

***aus..** *pref.* ① 분리 동사의 전철로 악센트를 가짐. "밖으로·밖에"의 뜻에서 전화되어 "활동 또는 상태의 종료·완성·중지; 제외·연장·발현·선택" 따위를 의미함. ② 명사의 전철로서 위와 같은 뜻을 나타냄.

aus|ackern [áus|akərn] *t.* (감자 따위를) 밭에서 캐내다.

aus|agieren *t.* 〖心〗 행동을 통해 (감정을) 해소하다.

aus|antworten *t.* 〖法·雅語·드물게〗 인도하다, 넘겨주다: sich jm. ~ 누구의 보호〔후견·인도〕를 받다.

aus|apern (südd., öst., schweiz.) 《I》 *i.* (s.) 눈이 녹아(눈 밑의 것이) 드러나다. 《II》 *t.* (눈에 덮인 것을) 드러내다: der Frühling hat die Wiesen ausgeapert 봄이 되자 눈에 덮여 있던 초원이 드러났다.

Ausaperung *f.* -en 눈치우기, 제설(除雪).

***aus|arbeiten** [áusarbaɪtən] 《I》 *i.* (h.) 일을 끝내다. 《II》 *t.* ① (**a**) 작성하다: einen Vortrag〔Plan〕 ~ 강연 원고〔계획서〕를 작성하다; et. in allen Einzelheiten 〔im Detail〕 ~ 무엇을 자세하게 작성하다. (**b**) 개선하다, 완벽하게 하다; 퇴고(推敲)하다. ② (개를) 길들이다; (말을) 훈련시키다. ③ 본뜨다, 꼴을 만들다; 새기다, 홈을 파다. 《III》 *refl.* sich ~ ① 착실히 일하다. ② 몸을 단련하다: ausgearbeitete Hände 일에 단련된 손.

Ausarbeitung *f.* -en 마무리, 완성; 퇴고; 길들임.

***aus|arten** [áus|a:rtən] 《I》 *i.* (s.) ① 변질되다, 악화되다: seine Schwermut droht in Wahnsinn auszuarten 그는 우울증이 악화되어 당장 발광할 것 같다. ② 버릇 없이 굴다, 절도를 잃다: in seiner Betrunkenheit artet er immer aus 그는 술이 취하면 늘 절도를 잃는다. ③ 〖生〗 퇴화하다. 《II》 **ausgeartet** *a.* ↑ ausgeartet.

Ausartung *f.* -en 변질, 악화; 타락; 〖生〗 퇴화, 변종.

aus|ästeln *t.* ① (나무의) 가지를 치다. ② sich ~ 분지(分枝)하다.

aus|ästen *t.* ↑ ausästeln.

aus|atmen [áus|a:tmən] 《I》 *i.* (h.) ① 숨을 내쉬다: nach frischer Luft ~ 신선한 공기를 들이마시려 하다. ② 〖雅語·드물게〗 숨이 끊어지다, 죽다: als ich kam, hatte er schon ausgeatmet 내가 왔을 때 그는 이미 숨을 거두었다. 《II》 *t.* (숨을) 내뿜다, 발산하다: Luft ein- und ~ 공기를 호흡하다; 〖비유〗 den Geist ~ 숨을 거두다. 《III》 *refl.* sich ~ 쉬다, 숨돌리다.

Ausatmung *f.* -en 숨을 내쉬기, 날숨; 호흡 정지, 사망.

aus|ätschen *t.* 〖방언〗 놀리다, 조롱하다.

aus|ätzen *t.* 부식제로 제거하다.

aus|backen(*) 《I》 *t.* (빵을) 충분히 굽다, 다 굽다. 《II》 *i.* ① (h.) 다 구워지다: 〖비유〗 ausgebacken haben 한푼도 남아 있지 않다. ② (s.) (빵이) 충분히 구워지다. 《III》 **ausgebacken** *p.a.* ↑ ausgebacken.

aus|baden 《I》 *i.* (h.) 목욕을 마치다, 마지막에 목욕하다. 《II》 *t.* (맨 나중에 목욕한 사람이 뒤처리를 한다는 뜻에서) 뒤치다꺼리를 하다, 책임지다: er muß jetzt diesen Fehler ~ 그는 이제 이 실수의 뒤치다꺼리를 해야 한다.

aus|baggern *t.* ① (항구·운하를) 준설하다. ② (구덩이를) 굴착기로 파다. ③ (자갈·흙을) 파내다.

aus|baken *t.* 〖海〗 …에 부표(浮標)를 달다, 부표로 항로를 표시하다.

aus|balancieren [..balãsi:rən] *t.* 균형을 잡다〔맞추다〕, 평형을 이루게 하다; 〖비유〗 조정하다: unterschiedliche Meinungen 〔Interessen〕 ~ 상이한 견해〔이해 관계〕를 조정하다.

aus|baldowern [..baldo:vərn] (*p.p.* ausbaldowert) *t.* 〖방언·경박〗 (냄새를) 맡아 내다, 낌새를 채다.

aus|balgen, aus|bälgen *t.* (짐승의) 가죽을 벗기다; 박제로 만들다.

Ausbalger *m.* -s, - 박제공.

Ausball *m.* -(e)s, ..bälle 〖구기〗 아웃볼.

aus|ballen *t.* 보따리를〔고리짝을·짐을〕 풀다.

aus|ballotieren [áusbaloti:rən] *t.* 〖드물게〗 흑백의 공을 던져 표결〔결정〕하다.

Ausbau [áusbau] 《<ausbauen》 *m.* -(e)s, -ten ① 해체, 제거: der ~ eines Motors 엔진의 해체. ② (**a**) (건물의) 증축; (관계의) 확대; (제도 따위의) 확충; 〖광산〗 갱도. (**b**) 개축: der ~ des Gebäudes zu einer Bibliothek 건물을 도서관으로 개축하기. ③ 외딴집, 독립 농가. ④ 〖방언〗 돌출부, 돌출창(窓). ⑤ (포도주의) 숙성.

aus|bauchen 《I》 *t.* 불룩하게 하다. 《II》 *refl.* sich ~ 불룩하게 되다: ausgebaucht 궁형(弓形)의.

Ausbauchung *f.* -en 불룩함, 융기(隆起).

aus|bauen *t.* ① 해체하다, 제거하다: den Motor (aus dem Auto) ~ (자동차에서) 엔진을 떼어내다. ② (**a**) 확장〔확대〕하다: den Hafen ~ 항구를 확장하다. (**b**) 개축하다: ein Gebäude zur Bibliothek ~ 어떤 건물을 도서관으로 개축하다. ③ 확장〔발전〕시키다: eine Abhandlung zur Doktorarbeit ~ 어떤 논문을 박사 학위 논문으로 발전시키다. ④ 〖광산〗 einen Grubenbau ~ 갱도를 완공하다. ⑤ (포도주를) 숙성시키다.

Ausbau≈gebiet *n.* 재개발 지구. **~geschwindigkeit** *f.* 〖교통〗 구간 안전 속도. **~gewerbe** *f.* 수리 보수업. **~maschine** *f.* 굴착기.

aus|bauschen *t.* 부풀리다.

Ausbau·wohnung *f.* 개축〔증축〕된 주거 공간.

aus|bedingen(*) *t.* 〔雅語〕 약정하다, (권리를) 요구하다: sich³ das Recht ~, et. zu tun 무엇을 할 권리를 요구하다.

Ausbedingung *f.* -en 계약, 약정; 요구.

aus|beichten *t.* ① 참회〔고백〕하다: der Kranke hat alle Sünde ausgebeichtet 그 환자는 모든 죄를 털어놓았다. ② 참회를 마치다, 끝까지 고백하다.

aus|beineln *t.* (öst.) ① (고기에서) 뼈를 발라내다. ② 〔농담〕 해체하다: das Getriebe ~ 기어 장치를 분해하다.

aus|beinen *t.* 〔방언〕 ↑ ausbeineln ①.

aus|beißen* 《Ⅰ》 *t.* ① 물어뜯다: sich³ einen Zahn ~ (잘못) 물어 이를 부러뜨리다; 〖비유〗 an dieser Arbeit habe ich mir die Zähne ausgebissen 나는 이 일에 끈질기게 매달렸으나 뜻대로 되지 않았다. ② 〔구식·방언〕 몰아내다, 배척하다. 《Ⅱ》 *i.* (h.) (광맥·지층이) 노출되다, 드러나다.

aus|beizen *t.* (부식제·소염제로) 소거〔소독〕하다: eine Wunde ~ 상처를 소독하다.

aus|bekommen *t.* 〔구어〕 ① (옷·신발을) 벗을 수 있다: ich habe die Schuhe nicht ~ 나는 신발을 벗을 수 없었다. ② (음식을) 다 먹을 수 있다: ich kann die Schüssel nicht ~ 나는 접시를 다 비울 수 없다. ③ 다 읽을 수 있다, 독파하다: ich habe den Roman in einem Tag ~ 나는 그 소설을 하루만에 읽어 치웠다.

aus|bersten* *i.* (s.) 〖드물게〗 (웃음을) 터뜨리다, 폭소하다.

Ausbesserer *m.* -s, - 수선자, 수선공.

Ausbesserin *f.* -nen ↑ Ausbesserer 의 여성형.

***aus|bessern** *t.* ① 수선〔수리〕하다: ein Dach ~ 지붕을 수선하다. ② 복원〔복구〕하다: ein altes Gemälde ~ 옛 그림을 복원하다. ③ 정정〔첨삭〕하다.

Ausbesserung *f.* -en 수선, 복구, 정정.

ausbesserungs≈bedürftig *a.* 수선을 요하는. **≈kosten** *pl.* 수선비. **≈werk** *n.* 정비소: ~ der Deutschen Bundesbahn 독일 철도 정비창.

aus|beten *i.* (h.) 기도를 마치다.

aus|betten *t.* ① 잠자리에서 내쫓다: Gäste ~ 손님을 집 밖에서 자게 하다. ② einen Kranken ~ (침대 정돈을 위해) 환자를 침대에서 나오게 하다. ③ (시체를) 파내다, 개장(改葬)하다.

aus|beugen *i.* (s.) ↑ ausbiegen 《Ⅱ》.

aus|beulen *t.* ① (옷을) 입어서 불거지게 하다: eine ausgebeulte Hose (엉덩이나 무릎이) 불거진 바지. ② sich ~ 불거지다. ③ 불거진 자리를 펴다.

***Ausbeute** [áusbɔytə] 《<ausbeuten》 *f.* -n ① 전리〔노획〕품. ② 이득, 수익, 결실, 수확(물): ~ an Erzen 광석 산출량; die wissenschaftliche ~ dieser Arbeit ist bescheiden 이 논문의 학문적 성과는 보잘것없다. ③ 〖스포츠〗 성적, 승률.

Ausbeute≈grube, ~zeche *f.* 수익성 있는 광산.

aus|beuteln *t.* ① (가루를) 체로 쳐내다. ② (누구에게서) 돈을 우려내다: die Gauner haben ihn tüchtig ausgebeutelt 사기꾼들이 그의 돈을 톡톡히 우려먹었다; 〖비유〗 er ist ganz ausgebeutelt 그는 빈털터리다; sich ~ 돈을 다 쓰다. ③ (öst.) (먼지를) 털어 내다. ④ 〖비유〗 (비밀을) 캐내다, 염탐하다: sie hat ihn ordentlich ausgebeutelt 그녀는 그의 비밀〔속마음〕을 제대로 캐냈다.

***aus|beuten** [áusbɔytən] *t.* ① 착취하다, 악용하다: die besetzten Gebiete ~ 점령 지역을 노략질하다. ② 채굴〔개발〕하다: ein Bergwerk ~ 광산을 개발하다. ③ 표절하다.

Ausbeuter *m.* -s, - 〖폄어〗 착취〔혹사〕자.

ausbeuterisch *a.* 착취하는.

Ausbeutertum *n.* -s 착취.

Ausbeutung *f.* -en ① 착취, 혹사. ② 채굴, 개발.

Ausbeutungs≈feld *n.* 광구(鑛區). **~kosten** *pl.* 채굴〔개발〕비. **~system** *n.* 노동 착취 제도.

aus|bezahlen *t.* ① (급여를) 지급하다: die Tagelöhner ~ 일용 노동자에게 일당을 지급하다. ② 현금으로 분배하다: einen Erben ~ 유산 상속자에게 현금으로 분배하다.

aus|biegen* 《Ⅰ》 *t.* (굽혀서) 펴다, 늘이다: einen Draht ~ 철사줄을 구부려 늘이다. 《Ⅱ》 *i.* 〖방언〗 피하다: seitlich ~ 옆으로 비키다; bieg(e) dem Wagen aus! 차를 피하라!

aus|bieten* [áusbi:tən] 《Ⅰ》 *t.* ① (상품을) 팔려고 내놓다. ② (**a**) jn. ~ (경매에서) 높은 값을 매겨 누구에게 이기다. (**b**) (소작인에게) 해약을 예고하다. 《Ⅱ》 *i.* (h.) ① (**a**) 싸움을 걸다. (**b**) 명령하여 가게 하다, 쫓아내다. ② (경매에서) 첫값을 부르다.

Ausbieter *m.* -s, - 팔려고 내놓는 사람; 경매자.

Ausbietung *f.* -en 가격 제시; 상품 진열; 외치며 팔기.

***aus|bilden** [áusbɪldən] 《Ⅰ》 *t.* ① 교육하다, 양성하다, 키워내다: Nachwuchs ~ 후진을 양성하다. ② 수련〔도야〕하다: Fähigkeiten ~ 능력을 갈고 닦다. 《Ⅱ》 *refl.* sich ~ ① 발생하다, 형성되다: im 19. Jh. bildete sich der historische Roman aus 19 세기에 역사 소설이 형성되었다. ② 교육받다, 수양하다: sich in Gesang ~ 노래를 공부하다; sich als〔zum〕 Schauspieler ~ 배우 수련을 쌓다. 《Ⅲ》 **ausgebildet** *p.a.* ↑ ausgebildet.

Ausbildende* *der/die* ① 교육자, 양성자, 교사. ② 〖法〗 (Lehrherr) 직업 훈련생을 고용한 기업주.

Ausbildung [áusbɪldʊŋ] *f.* -en ① 양성, 육성, 직업 교육. ② 수련, 도야, 수업. ③ 형성, 완성.

Ausbildungs≈beihilfe *f.* 〖法〗 (주로 정규 대학생에게 주는) 직업 교육 지원〔보조〕금. **~beruf** *m.* 〖法〗 (전문 직업 교육 과정을 이수해야 하는) 전문 기능직. **~förderung** *f.* 육영 사업, 장학 사업, 직업 훈련 촉진책. **~förderungs·gesetz** *n.* 〖法〗 직업 훈련 촉진법. **~munition** *f.* 〖軍〗 훈련용 탄약. **~offizier** *m.* 〖軍〗 훈련〔교육〕 담당 장교. **~personal** *n.* 교육〔훈련〕 요원. **~stätte** *f.*

(직업) 훈련소, 교육장.

aus|binden* *t.* ①〖印〗(조판된 활자를) 실로 묶다. ②〖건축〗조립하다, 짜맞추다.

Ausbiß [áusbıs] 《<ausbeißen》 *m.* ..bisses, ..bisse〖광산〗(광맥의) 노출 부위.

aus|bitten* [áusbitən] *t.* ①…의 해방〔석방〕을 요청하다. ②〖구식〗초대하다: jn. zum Essen ~ 누구를 식사에 초대하다. ③청해서 얻다, 간청〔부탁〕하다: ich bitte mir die Ehre eines Besuchs aus 저를 방문해 주시면 영광이겠습니다; das bitte ich mir aus a) 그것을 부디〔꼭〕 부탁하고 싶네, b)〖반어〗그것은 제발 그만두게나.

Ausblase·dampf *m.*〖工〗폐기(廢氣). **~·hahn** *m.*〖工〗기통 배수(氣筒排水) 코크.

aus|blasen* [áusbla:zən] 《I》 *t.* ①불어서 없애다: den Dotter aus dem Ei ~〔das Ei ~〕노른자를 불어내다; Staub aus der Uhr ~ 시계의 먼지를 불어내다. ②(유리 기구를) 불어서 만들다. ③(등불을) 불어 끄다:〖비유〗jm. das Lebenslicht ~ 누구를 죽이다: den Hochofen ~ 용광로의 불을 끄다. ④나팔을 불어 알리다;〖비유〗포고하다, 알리다. ⑤(피리를) 길들여 좋은 음을 내다. ⑥(피리를) 불기를 마치다. ⑦(숨을) 내뿜다: Rauch ~ 담배 연기를 내뿜다. 《II》 *i.* (h.) ①(용광로의) 불이 꺼지다. ②(피리를) 다 불다. ③(바람이) 불기를 그치다: der Wind hat ausgeblasen 바람이 잠잠해졌다. ④(화약이) 씩 소리내다, 불을 내뿜다.

Ausbläser *m.* -s, -〖軍〗불발탄.

Ausblase·ventil *n.*〖工〗방사판(放射瓣).

aus|blättern *t.* ①(책의) 페이지를 다 넘기다〔다 뒤적거리다〕. ②잎을 다 따다.

aus|bleiben [áusblaıbən] *i.* (s.) ①밖에 머무르다, 외출〔부재〕 중이다: er blieb die ganze Nacht aus 그는 밤새도록 돌아오지 않았다. ②생기지〔일어나지·오지〕 않다: der Erfolg wird nicht ~ 틀림없이 성공하겠지; das Geld bleibt ihm aus 그에게 돈이 생기지 않는다. ③지체하다, 머뭇거리다: bleib(e) nicht zu lange aus! 너무 오래 미적거리지 마라!; mit der Zahlung ~ 지급이 지체되고 있다. ④멈추다, 중단되다: der Atem〔das Wort〕bleibt aus 숨〔말〕이 막히다. ⑤〖印〗빠지다, 탈락하다;〖法〗궐석하다. ⑥(식물이) 자라지 않다.

Ausbleiben *n.* -s 부재, 외출; 지체; 중단;〖法〗궐석.

aus|bleichen(*) [áusblaıçən] 《I》 *i.* (s.) 색이 바래다. 《II》〔약변화〕①*t.* 퇴색시키다; 표백하다; (기억을) 희미하게 하다, 사라지게 하다. ②*i.* (h.) 다 바래다〔표백되다〕.

aus|bleien *t.*〔드물게〕…에 납을 채우다〔때우다〕.

aus|blenden 《I》 *t.* ①〖방송·영화〗(소리나 영상을) 서서히 꺼지게 하다, 페이드아웃시키다: die Begleitmusik ~ 배경 음악을 서서히 낮추다. ②〖컴〗(윈도를) 화면에서 감추다. 《II》 sich ~ 방송이 끝나다.

***Ausblick** [áusblık] *m.* -(e)s, -e ①조망(眺望), 전망: ein Zimmer mit ~ aufs Meer 바다가 내다보이는 방. ②〖비유〗예상, 전망: ein kurzer ~ auf die bevorstehende Entwicklung 임박한 사태 발전에 대한 짤막한 전망.

aus|blicken *i.* (h.) ①내다 보다, 기대하다. ②〖雅語〗조망〔전망〕하다.

aus|blitzen *i./imp.* 번개가 그치다: es hat ausgeblitzt 번개가 그쳤다.

aus|blühen *i.* (h./s.) ①만개하다, 활짝 피다. ②시들기 시작하다; 한창때가 지나다. ③〖化〗풍화하다; (토지나 벽의 표면에 염분 따위가) 스며나오다, 백화(白華)가 생기다.

Ausblühung *f.* 만개, 만발.

aus|bluten 《I》 *i.* (s./h.) ①출혈이 그치다: die Wunde hat ausgeblutet 상처의 출혈이 멎었다. ②(a) 피를 다 흘려 버리다:〖비유〗~ lassen (노여움 따위를) 피와 더불어 흘려 버리다. (b)〖비유〗빈털터리가 되다: er ist völlig ausgeblutet 그는 완전히 무일푼이 되었다. 《II》 *t.* das Leben ~ 출혈로 죽다. 《III》 **ausgeblutet** *p.a.* ↑ ausgeblutet.

aus|bogen *t.*〖재단〗활꼴로 잘라〔베어〕 내다.

aus|bohren *t.* ①구멍을 뚫다〔내다〕;〖비유〗(술잔을) 단숨에 비우다. ②(병마개를) 후벼 빼내다; (소금을) 제염(製塩) 냄비에서 꺼내다: einen Zahn ~ 이빨의 썩은 부위를 파내다.

Ausbohrer *m.* -s, - 제염 냄비에서 소금을 꺼내는 사람.

aus|bojen *t.* (항로 따위를) 부표(浮標)로 표시하다.

aus|bomben [áusbɔmbən] 《I》 *t.* 폭격으로 날려버리다: die Stadt wurde völlig ausgebombt 그 도시는 폭격으로 완전히 파괴되었다; seine Familie ist im Krieg ausgebombt worden 그의 가족은 전쟁 중에 폭격으로 가산을 날렸다. 《II》 **ausgebombt** *p.* ↑ ausgebombt.

Ausbombung *f.* -en (폭격에 따른) 소실.

aus|booten *t.* ①작은 배로 상륙〔양륙〕시키다. ②(짐을) 배에서 내리다;〖비유·구어〗해고하다, 몰아내다: er hat seinen Rivalen ausgebootet 그는 경쟁자를 몰아내었다.

Ausbootung *f.* 상륙, 하역; 해고, 축출.

aus|borgen *t.*〖구어〗①빌리다: sie hat (sich³) das Geld von ihm ausgeborgt 그녀는 그 돈을 그에게서 빌렸다. ②빌려 주다: kannst du deinem Bruder nicht mal das Spielzeug ~? 동생한테 그 장난감을 좀 빌려 줄 수 없겠니?

aus|bracken *t.*〔드물게〕(쓸모없는 것을) 솎아 내다, (병든 가축을) 도태시키다.

aus|braten* 《I》 *i.* ①(s.) (고기가 구워져서) 기름이 빠지다, 탈지되다: aus dem Fisch ist viel Fett ausgebraten 생선이 구워져서 많은 기름이 빠져 나왔다. ②(h.) 충분히 구워지다. 《II》 *t.* ①(고기를 구워) 기름을 빼내다. ②충분히 굽다.

aus|brauchen *t.*〖경박〗다 써버리다: er hat alle Ersparnisse ausgebraucht 그는 저축한 돈을 모조리 꺼내 썼다.

aus|brauen *t.* ①양조(釀造)를 끝내다. ②술을 빚어 내다;〖비유〗(화(禍) 따위를) 빚어 내다, 야기하다.

aus|brausen〔드물게〕《I》 *i.* (h./s.) / *refl.* (sich) ~ 발효가 끝나다;〖비유〗(분노가) 가라앉다. 《II》 *t.* 법석을 떨며 일을 끝마치다; (영역을) 벗어나다; 잊다.

aus|brechen [áusbrɛçən] 《I》 *i.* (s.) ①부서져 떨어지다. ②부수고 나오다, 탈출하다; 돌파하다: der Löwe ist aus dem Käfig ausgebrochen 사자가 우리를 부수고 나왔다; ein Gefangener ist (aus dem Gefängnis) ausgebrochen 죄수 한 명이 탈옥했다. ③ (사고·전쟁이) 돌발하다, 발발하다: ein Streik ist ausgebrochen 파업이 돌발했다. ④ (어떤 감정을) 갑자기 터뜨리다: in ein lautes Lachen ~ 웃음을 터뜨리다; in Tränen ~ 울음보를 터뜨리다. ⑤ 탈피하다, 벗어나다: aus der Monotonie des Alltags ~ 일상의 단조로움에서 탈피하다. ⑥ 이탈하다, 탈퇴하다: das Pferd bricht vor dem Hindernis aus 말이 장애물 앞에서 트랙을 이탈한다; aus einem Klub ~ 클럽에서 탈퇴하다. 《Ⅱ》 *t.* ① 부수어〔잡아·비틀어〕 떼다; (돌 따위를) 잘라 내다: einen Baum ~ 나뭇가지를 쳐내다; Äpfel ~ a) 사과를 솎아 내다, b) 〖방언〗 사과를 수확하다; die Bienen ~ 꿀벌통에서 벌집을 긁어 내다; sich³ einen Zahn ~ 이빨을 부러뜨리다. ② (음식물을) 토해 내다, 구토하다.

Ausbrecher *m.* -s, - 〖구어〗 탈옥자.

***aus|breiten** [áusbraɪtən] 《Ⅰ》 *t.* ① 늘어놓다, 전시〔진열〕하다: Ware zum Verkauf ~ 상품을 팔려고 진열하다; Wäsche zum Trocknen ~ 빨래를 말리기 위해 널다. ② 펴다, 펼쳐 놓다: ein Tischtuch ~ 식탁보를 펴다. ③ 〖비유〗 (이야기를) 늘어 놓다, 펼치다: sie breitete ihre ganze Lebensgeschichte vor mir aus 그녀는 내 앞에서 살아온 내력을 모두 털어놓았다. ④ 확장시키다, 부연하다. ⑤ 퍼뜨리다, 확산시키다. 《Ⅱ》 *refl.* sich ~ ① 널브러지다, 드러눕다: sich auf dem Sofa ~ 소파에 드러눕다. ② 퍼지다, 확산되다, 확장되다: ein Gerücht 〔eine Nachricht〕 ~ 소문〔소식〕이 퍼지다; der Fleck 〔das Feuer〕 hat sich ausgebreitet 얼룩이〔화재가〕 번졌다. ③ 펼쳐지다: jenseits des Gebirges breitet sich die Ebene aus 산악 저쪽에 평지가 펼쳐져 있다. ④ 〖폄어〗 sich über ein Thema ~ 어떤 주제에 관해 장황하게 늘어놓다. 《Ⅲ》 **ausgebreitet** *p.a.* ↑ ausgebreitet.

Ausbreiter *m.* -s, - 전파〔선전〕자; (비밀의) 누설자.

Ausbreitung *f.* 확장, 확산; 보급; 만연(蔓延), 전파.

Ausbreitungs≈bezirk *m.* 전파〔확산〕 구역. **~fähig** *a.* 유포〔전파〕할 수 있는, 보급력 있는; 확산성의.

aus|brennen* [áusbrɛnən] 《Ⅰ》 *t.* ① 태워 없애다; 지지다: ein Wespennest ~ 벌집을 불태워 없애다; eine Warze〔Wunde〕 ~ 사마귀〔상처〕를 지지다. ② 〖사냥〗 불을〔연기를〕 피워 몰아 내다: einen Fuchsbau ~ 여우굴에 불을 피워 여우를 몰아내다. ③ (질그릇을) 충분히 구워 내다. ④ (벽돌 따위를) 구워내다. ⑤ 〖비유〗 메마르게 하다; 소진시키다, 녹초가 되게 하다: die Sonne brannte den Boden aus 태양이 너무 뜨거워 땅이 완전히 메말랐다; eine ausgebrannte Kehle 완전히 쉰〔잠긴〕 목청. ⑥ 〖섬유〗 ein Gewebe ~ 직물을 가열해 무늬가 생기게 하다. 《Ⅱ》 *i.* (s.) ① 다 타다: das Haus ist ganz ausgebrannt 집이 완전히 다 탔다; ausgebrannter Vulkan 사화산(死火山). ② (재산을) 화재로 모조리 잃다: sie sind im Krieg ausgebrannt 그들은 전쟁 중에 가산이 모두 소실되었다. ③ 〖비유〗 기력이 소진되다: nach schweren Schicksalsschlägen ist er ganz ausgebrannt 심각한 운명의 타격을 입고 그는 완전히 기력이 소진됐다. 《Ⅲ》 **ausgebrannt** *p.a.* ↑ ausgebrannt.

aus|bringen* [áusbrɪŋən] *t.* ① (보트를) 물위에 내려놓다; (광석을) 채굴하다; (금속을) 정제하다; (얼룩을) 빼다; (장갑을) 벗다; (병아리를) 부화하다; 〖農〗 (씨·거름을) 뿌리다. ② auf js. Gesundheit ~〔ein Hoch auf jn. ~〕 누구의 건강을 위하여 축배를 들다; den Wein (aus dem Becher) ~〔den Becher ~〕 포도주를 다 마시다, 잔을 비우다. ③ (소식을) 널리 알리다, 퍼뜨리다: ein Geheimnis ~ 비밀을 누설하다. ④ 〖고어〗 (bei jm.) (누구에게서) (명령·허가 따위를) 받다. ⑤ 〖印〗 자간을 넓혀 행을 늘리다: den Satz ~ 문장의 자간 또는 행간을 넓히다; eine Zeile ~ 1 행을 (다음으로) 보내다. ⑥ (옷을) 벗을 수 있다: ich bringe die Stiefel allein nicht mehr aus 나는 혼자서는 장화를 도저히 벗지 못하겠다.

Ausbringer *m.* -s, - 축배의 인사말을 하는 사람, (소문을) 퍼뜨리는 사람.

aus|bröckeln *i.* ① 부서져 내리다; 붕괴되다: die Mauer bröckelt aus 담장이 무너져 내린다. ② 산산조각으로 해체되다.

***Ausbruch** [áusbrʊx] 《< ausbrechen》 *m.* -(e)s, ..brüche [..brʏçə] ① (**a**) (사건의) 돌발, 발발; 발생: der ~ des Krieges 전쟁의 발발; der ~ einer Seuche 전염병의 발생. (**b**) (분노·화산 따위의) 폭발: der ~ des Zorns 분노의 폭발; zum ~ kommen 폭발하다. (**c**) 탈출, 탈주: ~ aus einem Gefängnis 탈옥. (**d**) 이탈, 탈퇴: der ~ aus der bürgerlichen Gesellschaft 시민 사회에서의 이탈. ② (**a**) 〖醫〗 발진. (**b**) 〖양조〗 순량(純良) 포도주; 가장 좋은 기름.

Ausbruchs≈beben *n.* 화산 지진. **~herd** *m.* 용암이 분출하는 장소. **~versuch** *m.* 탈출〔이탈·돌파〕 시도.

aus|brühen *t.* 〖드물게〗 (식기를) 끓는 물로 씻다.

aus|brüllen 《Ⅰ》 *i.* 〖구어·보통 현재 완료〗 (울부)짖기를 그치다: hoffentlich hast du bald ausgebrüllt! 제발 그만 울부짖었으면 좋겠다! 《Ⅱ》 *refl.* sich ~ 실컷 울다〔(울부)짖다〕.

aus|brüten 《Ⅰ》 *t.* ① 부화하다, 품다: Eier ~ 알을 부화하다. ② (병의) 징후를(조금씩) 보이다: ich brüte eine Grippe aus 나는 독감 증세가 있다. ③ 궁리〔숙고〕해내다, 도모하다: seltsame Gedanken ~ 기이한 생각을 해내다. 《Ⅱ》 *i.* 부화가 끝나다.

Ausbrütung *f.* -en 부화.

aus|buchen *t.* ① 〖商〗 삭제〔말소〕하다: verjährte Forderungen ~ 시효가 지난 청구권을 말소하다. ② 매진하다: alle Plätze sind schon ausgebucht 모든 좌석이 벌써 매진되었다. ③ 〖비유〗 ausgebucht sein 약속이 꽉 차 있다: bis Ende der Woche bin ich völlig ausgebucht 나는 주말까지 빈틈없이 약속이 잡혀 있다.

aus|buchten 《Ⅰ》 *i.* 만(灣)처럼 굽어지다, 불룩하게 나오다: ausgebuchtete Seitenwände 불룩하게 나온 측벽. 《Ⅱ》 *t.* 굴곡이 지게 하다, 바깥으로 굽어지게 하다.

Ausbuchtung *f.* -en ① 만곡, (해안의) 굴곡. ② 〖醫〗 팽출부(膨出部) (↔ Einbuchtung).

aus|buddeln *t.* ↑ ausgraben.

aus|bügeln 《I》 *t.* ① (**a**) 다리다: den Anzug ~ 양복을 다리다. (**b**) (주름을) 다리미로 펴다. ② 충분히 다리다. ③ 정상화하다, 만회하다: die Angelegenheit muß unbedingt wieder ausgebügelt werden 그 일은 반드시 다시 정상화되어야 한다; 〖비유〗 einen Fehler ~ 잘못을 만회하다, 오류를 교정하다. 《II》 *i.* 다리미질을 끝내다.

aus|buhen *t.* 〖구어〗 야유하다.

***Ausbund** [áusbʊnt] 《<ausbinden》 *m.* -(e)s, ..bünde [..bʏndə] (öst.: -e) ① 견본, 견본품. ② 전형, 모범, 화신: ein ~ von Bosheit 〔Tugend〕 악〔미덕〕의 화신.

ausbündig *a.* 〖구식〗 모범적인, 빼어난, 뛰어난; 엄청난, 최악의.

Ausbürger [áusbʏrgər] *m.* -s, - 〖고어〗 시외 거주민(시외에 살면서 시민권을 가진 사람).

aus|bürgern *t.* 시민권〔국적〕을 박탈하다.

Ausbürgerung *f.* -en 〖法〗 시민권〔국적〕 박탈.

aus|bürsten *t.* ① 솔질하다; 솔질하여 털어 내다. ② (머리를) 솔로 빗다.

aus|büßen 〖구식〗 《I》 *t.* ① 고치다〔손질하다〕. ② 갚다, 뒤치다꺼리하다. 《II》 *i.* 속죄를 끝내다.

aus|buttern 《I》 *t.* Fett ~ (우유에서) 버터를 〔유지방을〕 만들어 내다. 《II》 *i.* 버터 만들기를 끝내다: 〖비유〗 er hat ausgebuttert 그(의 명성·지혜)도 이젠 다 되었다〔마지막이다〕.

aus|büxen *i.* (s.) 〖구어〗 달아나다, 도망치다.

aus|checken *i.* (호텔에서) 퇴실하다, 체크아웃하다.

Auschwitz [áuʃvɪts] 아우슈비츠(히틀러 때에 유대인 강제 수용소가 있었던 곳).

aus|dämmen *t.* ① 〖工〗 die Formen ~ 주형(鑄型)을 수선하다. ② 둑으로 막다.

aus|dampfen 《I》 *i.* ① (s.) 증발하다. ② (h.) 증발이 그치다. 《II》 *t.* (습기·증기를) 발산하다: 〖비유〗 (한숨을) 내(쉬)다.

aus|dämpfen *t.* (습기를) 발산하다; (재목을) 수증기로 적시다; (불을) 덮어 끄다; (여우·벌 따위를) 연기로 몰아내다.

***Ausdauer** [áusdauər] *f.* 지구력, 인내, 끈기; 지속성, 내구력: keine ~ haben 인내심이 없다; große ~ beweisen〔zeigen〕 대단한 인내심을 보여 주다; mit ~ arbeiten 끈기 있게 일하다.

***aus|dauern** 《I》 *i.* 꾹 참다; 지속되다; 〖植〗 다년생이다. 《II》 *t.* 인내하다.

ausdauernd *p.a.* 끈기〔지구력〕 있는; 〖植〗 다년생의: ~e Pflanzen 다년생 식물.

ausdehnbar *a.* 넓힐〔뻗칠·늘일〕 수 있는, 팽창성의, 신축성 있는, 유연한; 〖비유〗 응용〔융통〕할 수 있는.

Ausdehnbarkeit *f.* -en 신축성, 유연성; 융통성.

***aus|dehnen** [áusde:nən] 《I》 *t.* ① 늘이다, 펴다, 넓히다, 뻗다: seinen Einfluß ~ 영향력을 확대하다; Vorschriften auf einen größeren Personenkreis ~ 규정의 적용 범위를 더 많은 사람들에게까지 넓히다. ② (기간을) 연장하다; 연기하다: eine Frist ~ 기한을 연장하다. 《II》 *refl.* sich ~ 늘어나다, 연장〔확장〕되다; 팽창하다: die Sitzung dehnte sich bis nach Mitternacht aus 회의는 한밤중까지 끌었다; die Stadt dehnt sich immer weiter aus 그 도시는 갈수록 팽창한다. 《III》 **ausgedehnt** *p.a.* ↑ ausgedehnt.

Ausdehnung [áusde:nʊŋ] *f.* -en ① 확장, 팽창, 신장(伸張): die ~ einer Epidemie 전염병의 확산; die ~ der Macht 권력의 확장. ② 연장: die ~ der Besuchszeit 방문 시간의 연장. ③ 넓이, 범위, 크기, 규모; 〖數〗 차원: ein Werk von großer ~ 대작.

Ausdehnungs≈koeffizient *m.* 팽창 계수. **~kraft** *f.*, **~vermögen** *n.* 팽창력, 확대력.

aus|deichen *t.* (땅을) 보호 구역에서 해제〔제외〕하다.

ausdenkbar *a.* 생각해낼〔상상할〕 수 있는.

aus|denken *t.* ① 생각〔고안〕해 내다: sich[3] einen Scherz ~ 어떤 농담을 생각해 내다. ② 숙고하다, 곰곰이〔빈틈없이〕 생각하다. ③ 상상하다: die Folgen sind nicht auszudenken 결과는 예측할 수 없다.

aus|deuten *t.* 설명〔해석〕하다; (꿈을) 해몽하다: et. übel ~ 무엇을 곡해하다; jm. et. als Hochmut ~ 무엇을 누구의 거만한 소행으로 돌리다.

Ausdeutung *f.* -en 설명, 해석, 판단.

aus|dichten[1] 《<dichten[2]》 《I》 *i.* 〖드물게〗 시 짓기를 끝내다. 《II》 *t.* 생각해 내다, 안출하다.

aus|dichten[2] 《<dicht》 *t.* 〖海·고어〗 (구멍·틈새를) 틀어막다.

aus|dielen *t.* 바닥에 널빤지를〔무늬목을〕 깔다, 마루청을 깔다.

aus|dienen 《I》 *i.* 〖완료형으로만 쓰임〗 ① 퇴임〔퇴역〕하다: ein ausgedienter Soldat 퇴역 군인. ② 〖구어〗 (낡아서) 못쓰게 되다: der Mantel hat nun ausgedient 그 외투는 이제 낡아서 못 입게 되었다. 《II》 **ausgedient** *p.a.* ↑ ausgedient.

aus|differenzieren *t.* ① 세분하다, 자세히 구분하다. ② sich ~ 세분〔분화〕되다: in der Industriegesellschaft differenziert sich eine Vielzahl von Berufen aus 산업 사회에서는 다수의 직업이 분화된다.

Ausding [áusdɪŋ] *n.* -(e)s, -e 〖구식〗 ↑ Ausgedinge.

aus|dingen(*) 《I》 *i.* 거래를 끝내다. 《II》 *t.* ↑ ausbedingen.

aus|diskutieren *t.* (어떤 문제를) 토론하여 완전히 해결하다.

aus|docken *t.* (배를) 선거(船渠)〔독〕에서 내보내다.

aus|donnern *i.* 천둥 소리가 그치다; 〖비유〗 호통치기를 그치다.

aus|dorren *i.* (s.) ↑ ausdörren 《I》.

aus|dörren 《I》 *i.* (s.) 바짝 마르다: ein ausgedörrter Mund 바짝 마른 입. 《II》 *t.* 바짝 말리다: der Erdboden ist durch die Hitze völlig ausgedörrt 지면이 더위에 완전히 말라버렸다.

aus|drängen *t.* 〖구식〗 ↑ verdrängen.

aus|drechseln [áusdrɛksəln] 〖드물게〗 《I》 *t.* 녹로(轆轤)로 돌려 만들어내다; 〖비유〗 공들여 만들어 내다, 조탁(彫琢)하다: ausgedrechselte Reden 잘 다듬어진 연설. 《II》 *i.* (h.) 녹로를 그만 돌리다.

aus|drehen 《I》 *t.* ① (전등·가스를) 스위치를 돌려서 끄다. ② jm. et. ~ 누구에게서 무엇을 잡아〔억지로〕 빼앗다. ③ ↑ ausdrechseln. ④ (오랜 사용으로 닳아서) 나사〔스위치〕를 못쓰

게 만들다: die Schraube ist〔hat sich〕ausgedreht 나사가 (닳아) 못쓰게 되었다. ⑤ ein Auto ~ 자동차의 속도를 최고로 내다. ⑥〖방언〗(빨래를) 짜다; (관절을) 비틀다. 《Ⅱ》 *refl.* sich ~ ① 나사가 못쓰게 되다(↑《Ⅰ》④). ② 핑계 대고 빠지다, 빠져 도망치다.

Ausdreh·stahl *m.*〖기계〗외날〔한쪽날〕바이트.

aus|dreschen* 《Ⅰ》 *t.* ① (곡물을) 도리깨로 다 타작하다, 타작하여 얻다. ② (jn.) 호되게 때리다. 《Ⅱ》 *i.* (h.) 타작을 끝내다. 《Ⅲ》 **ausgedroschen** *p.a.* ↑ ausgedroschen.

aus|drieseln *t.*〔방언〕(꼬인 실을) 풀다,〔비유〕원상 회복하다.

***Ausdruck** [áusdrʊk] 《<ausdrücken》 *m.* -(e)s, ..drücke ① 표현, 표출, 표시: seinem Dank ~ geben〔seinen Dank zum ~ bringen〕감사의 뜻을 나타내다; etwas kommt in et.³ zum ~ 무엇이 무엇 속에 표현되다, 무엇에서 분명히 나타나다. ② (**a**) 말, 어구; 어법, 말씨: ein bildlicher ~ 비유적 어구; ein gemeiner〔gehobener〕~ 천한〔고상한〕말; über allen ~ 이루 형언키 어려운. (**b**)〔복수〕저속한 말, 욕설:〖雅語〗Ausdrücke im Mund führen 언사가 저속하다. ③ (얼굴) 표정, 안색: mit viel ~ singen 표정을 넣어 노래하다. ④ 인쇄, 프린트. ⑤〖數〗수식(數式);〖컴〗기호.

ausdrückbar *a.* 표현할〔나타낼〕수 있는.

aus|drucken [áusdrʊkən] 《Ⅰ》 *t.* ① 인쇄를 끝내다. ② (말·도형을) 생략하지 않고 완전히 인쇄하다. ③ (활자를) 인쇄하여 닳게 하다. ④ (목록에) 싣다, 올리다. ⑤〔고어〕↑ ausdrücken. 《Ⅱ》 *i.* (h.) 인쇄를 마치다.

***aus|drücken** [áusdrʏkən] 《Ⅰ》 *t.* ① (물기·즙을) 짜내다: eine Zitrone ~ 레몬의 즙을 짜내다; einen Schwamm ~ 스펀지의 물기를 짜내다. ② (불을) 눌러 끄다: eine Zigarette ~ 담배를 비벼 끄다;〔비유〕jm. das Lebenslicht ~ 누구를 죽이다. ③ 표현하다, 나타내다: et. in〔mit〕Worten〔Gesten〕~ 무엇을 말로〔몸짓으로〕표현하다; einen Sachverhalt in Zahlen〔Prozenten〕~ 어떤 사태를 수치〔백분율〕로 나타내다; jm. sein Mitgefühl ~ 누구에게 공감을 표하다; seine Miene drückt Verlegenheit aus 그의 표정에서 당혹감이 드러난다. ④ 눌러 찍어내다: einen Stempel ~ 도장을 찍다. 《Ⅱ》 *refl.* sich ~ ① 자기의 심중을 표현하다: sich deutlich〔klar〕~ 자기 의사를 분명하게 말하다; sich fließend〔geläufig〕~ 유창하게 말하다; wenn ich mich so ~ darf 이런 말을 써도 무방하다면. ② 드러나다, 나타나다: in seiner Haltung drückte sich seine Arroganz aus 그의 태도에 오만함이 드러났다.

ausdrückend *p.a.* 표현하는.

ausdrücklich [áusdrʏklɪç, ausdrʏ́k..] 《Ⅰ》 *a.* 명시적인, 명확〔엄연·단호〕한: ~er Befehl 엄명. 《Ⅱ》 *adv.* 명확히, 엄연히; 고의로: auf et. ~ verzichten 무엇을 고의로 포기하다.

Ausdrucks=art *f.* 표현법, 어법, 말씨. **~-bewegung** *f.*〖心〗심리를 드러내는 몸짓이나 동작. **~form** *f.* 표현 형식. **~fülle** *f.* 표정〔표현〕이 풍부함. **~gymnastik** *f.* (율동을 통한) 표현 체조. **~kultur** *f.* 표정 연습; (문장의) 표현 공부. **~kunde** *f.* ①〖心〗표현 심리학. ② 관상학(Physiognomik). **~kunst** *f.* ①〖미술〗표현주의. ②〖연극〗무언극, 팬터마임. **~-leer** *a.* ↑ ausdruckslos.

ausdruckslos *a.* 무표정한.

Ausdruckslosigkeit *f.* 무표정, 무식.

Ausdrucks=mittel *n.* 표현 수단. **~voll** *a.* ① 표정이 풍부한; (말·눈빛이) 의미심장한. ② (예술적) 감정이 풍부한: ~ singen〔spielen〕감정이 풍부하게 노래부르다〔연주하다〕. **~weise** *f.* ↑ ~art.

Ausdrückung *f.* -en 날인(捺印); 압사(壓寫); 표현, 표출.

Ausdrusch [áusdrʊʃ] 《<ausdreschen》 *m.* -es, -e ① 타작. ② 타작한 곡물; 타작에 의한 수확량.

aus|duften 《Ⅰ》 *t.* ① (향기를) 발산하다. ②〔드물게〕(향기로) 가득 채우다. 《Ⅱ》 *i.* (h.) ① 향기가 풍기다. ② 향기가 없어지다.

aus|dulden〔구식〕《Ⅰ》 *t.* 견뎌 내다. 《Ⅱ》 *i.* ① 더 이상 참지 못하다. ②〔대개 완료형〕(고생 끝에) 죽다: er hat ausgeduldet 그는 오랜 고생 끝에 숨을 거두었다.

aus|dünnen *t.*〖農〗(촘촘히 자란 작물을) 솎아 내다, (나무를) 가지치기 하다.

ausdunstbar, ausdünstbar *a.* 증발성의, 발산할 수 있는.

aus|dunsten, aus|dünsten 《Ⅰ》 *i.* (s.) 증발〔발산〕하다. 《Ⅱ》 *t.* 증발〔발산〕시키다.

Ausdunstung, Ausdünstung *f.* -en 증발, 발산; 발한; 발산물, 증기, 호기(呼氣).

Ausdünstungs·messer *m.* 증발계(計).

aus|ecken *t.* 모나게 자르다, 모를 내다.

aus|eggen 《Ⅰ》 *t.*〖農〗써레로 걸러 내다〔고르다〕. 《Ⅱ》 *i.* 써레질을 끝내다.

***auseinander** [aus|aɪnándər] *adv.* 서로 나누어져, 분리되어, (서로) 갈라져, 떨어져, 따로 따로: ~ setzen 떼어〔갈라〕놓다(↑ ~setzen); dieses Wort schreibt man ~ 이 단어는 떼어 쓴다;〔구어〕wir sind schon lange ~ 우리는 결별한 지 오래다; sie sind zehn Jahre ~ 그들은 열 살 차이이다; die Verlobung ist ~ 약혼이 취소되었다.

auseinander=|bekommen *t.* 떼어놓다, 갈라놓다. **~|biegen** *t.* 휘어서〔구부려〕떼어놓다. **~|brechen*** 《Ⅰ》 *t.* (둘로) 쪼개다〔찢다〕, 가르다, 꺾다; 부수다. 《Ⅱ》 *i.* (s.) 갈라지다, 꺾어지다; 부서지다: der Tisch ist auseinandergebrochen 책상이 부서졌다;〔비유〕eine Koalition bricht auseinander 연합〔합당〕이 와해된다. **~|breiten** *t.* 넓히다, 펴다. **~|bringen*** *t.* 분리시키다; 이간질하다. **~|dividieren** *t.* 쪼개다, 분할하다. **~|drehen** *t.* 꼬인 것을 풀다. **~|entwickeln** *t.* (사이가) 멀어지다, 소원해지다: wir haben uns im Lauf der Jahre auseinanderentwickelt 우리는 해가 감에 따라 관계가 소원해졌다. **~-entwicklung** *f.* 소원해짐. **~|fahren*** *i.* (s.) 떨어져 나가다; 이산(離散)하다. **~|fallen*** *i.* (s.) 붕괴하다, 와해하다, 산산이 부서지다. **~|falten** 《Ⅰ》 *t.* (접힌 것을) 펴다: eine Zeitung ~ 신문을 펴다. 《Ⅱ》 *refl.* 나뉘다, 분류되다: die Biologie faltet sich in die verschiedensten Teilgebiete auseinander 생물학은 다양한 분야로 나뉜다. **~|fliegen** *i.* (s.) 흩날리다, 흩어지다. **~|flitzen** *i.*〔구어〕사방으로 달아나다〔흩어지다〕. **~|gehen*** *i.* ① 헤어지다, 갈라지다: im Zorn ~ 화가 나서

헤어지다; Wege gehen auseinander 길이 (사방으로) 갈라진다; unsere Meinungen gehen stark auseinander 우리는 의견이 심하게 엇갈린다. ② 부서지다; 결렬되다: ein Spielzeug geht auseinander 장난감이 부서진다; die Verlobung ist auseinandergegangen 약혼이 무산되었다. ③〔구어〕 살찌다: sie ist in den letzten Jahren arg auseinandergegangen 그녀는 최근 몇 년 사이에 지독하게 살이 쪘다. **≈gehen** *n.* 분리, 흩어짐; 분기(分岐); 상위(相違); 해체; 해산.

auseinander≈|halten* *t.* 구별〔식별〕하다. **~|hauen*** *t.* 조각조각 자르다, 잘게 썰다. **~|jagen** *t.* 쫓아 버리다; 〖사냥〗 몰아 내다; 쐐기로 쪼개다. **~|klaffen** *i.* ① (틈·간격이) 벌어지다: die Erde klafft auseinander 땅이 갈라진다. ② (의견이) 벌어지다, 갈라지다. **~|klamüsern** *t.* 〔구어〕 (얽힌 것을) 힘들게 정돈〔정리〕하다: jm. et. ~ 누구에게 무엇을 해명하다. **~|kommen*** *i.* (s.) 서로 헤어지다, 뿔뿔이 흩어지다, 동행자를 놓치다: (mit jm.) ~ (누구와) 사이가 틀어지다. **~|laufen*** *i.* (s.) ① 분리되다, 뿔뿔이 헤어지다, 산회하다. ② (녹아서) 번지다, 퍼지다: das Eis ist auseinandergelaufen 얼음이 녹아서 사방으로 번졌다. **~|leben** *refl.* sich (mit jm.) ~ (누구와) 소원해지다, 멀어지다. **~|legen** *t.* ① 따로따로 떼어놓다; (기계를) 분해하다; (집을) 헐다. ② (접힌 것을) 펴다; (상품을) 진열하다. ③〔비유〕 설명하다. **≈legung** *f.* ① 분리, 분해, 해체. ② 펼쳐놓기, 진열. ③ 설명, 해명. **~|liegen*** *i.* (h.) 떨어져 놓여 있다. **~|machen** *t.* ① 떼어놓다, 펼치다. ② (엉킨 것을) 풀다; 〔비유〕 해명하다. **~|nehmen*** *t.* ① (기계를) 분해하다. ② 철저히 심문〔조사〕하다; 호되게 꾸짖다. ③〖스포츠〗 완승을 거두다, 완파하다. **~|posamentieren** *t.* 〔구어·방언〕 ① 힘들여〔상세히〕 설명하다. ② 힘들여 정리〔수습〕하다. **~|reißen*** *t.* ① 잡아 찢다, 끊다. ② 갈라 떼어놓다: die Streitenden ~ 다투는 사람들을 서로 떼어놓다. ③ 박살내다. **~|rollen** 《I》 *t.* (만 것을) 펴다, 풀다. 《II》 *i.* (s.) (말린 것이) 펴지다, 풀리다. **~|rücken** 《I》 *t.* 밀어 떼어놓다. 《II》 *i.* (s.) 서로 떨어지다. **~|scharren** *t.* 흩뿌리다, 헤집어 흐트러뜨리다. **~|schlagen*** *t.* ① 때려부수다. ② 열어젖히다.

***auseinander≈setzen** 《I》 *t.* ① 설명〔해명〕하다: er hat ihr seine Pläne auseinandergesetzt 그는 그녀에게 자기 계획을 설명했다. ②〖法〗 (소유 관계를) 정리하다(단: auseinander setzen 떼어놓다). 《II》 *refl.* ① sich mit et.[3] ~ 무엇과 대결〔씨름〕하다: sich mit einem Problem ~ 어떤 문제와 씨름하다. ② sich mit jm. ~ 누구와 대결하다, 담판을 벌이다: sich mit dem Gegner ~ 적수와 대결하다. ③〖法〗 (재산의 배분에) 합의하다: die Erben müssen sich ~ 상속자들은 재산 배분에 합의해야만 한다. **≈setzung** *f.* ① **(a)** 토론, 논쟁, 언쟁: scharfe ~en 격한 논쟁, 격론; es kam häufig zu heftigen ~en zwischen den Eheleuten 그들 부부간에는 종종 격렬한 말다툼이 일어났다. **(b)** 싸움, 충돌: es kam zu einer militärischen ~ 무력 충돌이 일어났다. ② 설명; 논술; 분석. ③ 협정, 협조, 화해. ④〖法〗 (재산 따위의) 분할, 정리. ⑤〖商〗 청산.

auseinander≈|spalten(*) *t.* 가르다, 찢다. **~|sperren** *t.* 가르다, 쪼개다, (죄수를) 분리하여 가두다. **~|spreizen** *t.* (가랑이를) 벌리다. **~|sprengen** *t.* 폭파하다; 〖사냥〗 (짐승을) 이리저리 휘몰아 대다; (적을) 쫓아 버리다. **~|springen** *i.* (s.) 산산조각이 나다, 박살나다. **~|spritzen** *i.* (s.) 〔구어〕 잽싸게 흩어지다, 분산하다. **~|stehen*** *i.* (h.) 떨어져 있다. **~|stellen** *t.* 따로따로 세우다, 나누어 놓다: sich ~ 서로 떨어지다. **~|stieben**(*) *i.* (h./s.) 사방으로 흩어져 달아나다. **~|streben** *i.* ① 사방으로 흩어지다: nach dem Ende des Vortrags sind sie alle auseinendergestrebt 강연이 끝나자 그들 모두는 뿔뿔이 흩어졌다. ② 헤어지다, 결별하다. ③〔비유〕 (의견이) 갈리다. **~|strömen** *i.* (s.) (물줄기가) 갈라져 흐르다; (인파가) 사방으로 흩어지다. **~|teilen** *t.* 나누다. **~|treiben*** *t.* 쫓아 흩어 버리다; 〖사냥〗 몰아 내다. **~|treten*** 《I》 *i.* (s.) 〔雅語·드물게〕 서로 물러서다, 비켜 서다. 《II》 *t.* 〔드물게〕 밟아서 부스러뜨리다. **~|tun*** *t.* 분해〔해체〕하다, 분리하다. **~|wehen** *t.* (바람이 구름 따위를) 불어서 흩어지게 하다. **~|werfen*** *t.* 던져서 흩어지게 하다, 돌을 던져 부수다. **~|wickeln** *t.* (꼬인 것을) 풀다. **~|wirren** *t.* (얽힌 것을) 풀다. **~|ziehen*** 《I》 *t.* ① 떼어〔갈라〕 놓다: balgende Kinder ~ 엉겨 붙어 싸우는 아이들을 떼어 놓다. ② (잡아 당겨) 늘이다, 펴다: das Gummiband ~ 고무줄을 늘이다; sich ~ 늘어나다, 펴지다. 《II》 *i.* (s.) 분산하다, 헤어지다: das Paar zieht jetzt auseinander 그 부부는 이제 별거에 들어간다.

Auseisen [áus|aɪzən] *n.* -s, - 〖工〗 용광로의 덮개를 열 때 사용하는 철제 도구.

aus|eisen *t.* ① 얼음을 제거하다; 얼음에서 끄집어 내다. ②〔비유〕 곤경에서 구출하다.

aus|eitern *i.* ① (h.) 화농(化膿)이 그치다; 충분히 곪다. ② (s.) 곪아서 흘러나오다.

aus|erkiesen* 〔雅語·구식〕 《I》 뽑아〔골라〕 내다. 《II》 **auserkoren** *p.a.* ↑ auserkoren.

auserkoren 《I》 *p.p.* ↑ auserkiesen. 《II》 *p.a.* 선발된, 뽑아낸, 발탁된.

aus|erküren *t.* 〔雅語·구식〕 ↑ auserkiesen.

aus|erlesen* [áus|ɛrle:zən] *t.* 〔雅語·드물게〕 골라내다, 뽑아내다, 발탁하다: jn. zu einer schwierigen Aufgabe ~ 누구를 발탁하여 힘든 과제를 맡기다.

auserlesen 《I》 *p.p.* ↑ auserlesen. 《II》 *p.a.* 〔雅語〕 선발된, 정선된; 훌륭한, 고급의: ~e Speisen 고급 음식.

Auserlesenheit *f.* 정선, 탁월.

aus|ersehen* [áus|ɛrze:ən] *t.* 〔雅語〕 선정하다; 뽑아 내다: jn. zum〔als〕 Führer ~ 누구를 지도자로 뽑다; sich[3] et. ~ 무엇을 골라잡다, 골라내다; er ist zu Größerem ~ 그는 큰 일을 할 운명이다.

aus|ersinnen* *t.* 〔구식〕 고안해 내다, 계획하다, 꾸미다.

aus|erwählen [áus|ɛrvɛ:lən] 《I》 *t.* 〔雅語〕 선출하다, 뽑아 내다: jn. zum Freund ~ 누구를 친구로 (선)택하다. 《II》 **auserwählt** *p.a.* ↑ auserwählt.

auserwählt 《I》 *p.p.* ↑ auserwählen. 《II》 *p.a.* 선출된; 운명에 따라 정해진: 〖宗〗 das ~e

Volk 선택받은 민족(이스라엘 민족) ; meine ∼e 나의 애인, 약혼녀.

Auserwählte* *der/die* ①〔교양〕 선택받은 사람. ②〔농담〕 약혼자, 애인.

Auserwählung *f.* 선택(받음).

aus|erzählen *t.* 이야기를 끝내다: (sich) ∼ 남김없이 다 이야기하다; laß mich bitte erst ∼! 우선 내 이야기를 다 들어봐라!

aus|essen* 《Ⅰ》*t.* (음식을) 다 먹어 버리다; (접시 따위를) 먹어서 비우다: 〔비유〕 eine Prügelsuppe ∼ 마구 얻어맞다. 《Ⅱ》*i.* ① 식사를 끝내다, 다 먹다. ② 외식하다, 손님으로 가서 식사하다.

aus|fachen *t.* ① einen Schrank ∼ 벽장에 칸막이를 하다, 서랍을 달다. ② 칸막이 벽을 세우다.

aus|fächern 《Ⅰ》*t.* 칸막이를 하다, 서랍을 달다. 《Ⅱ》*i./refl.* (sich) ∼ 부채꼴로 흩어지다, 갈라지다.

aus|fädeln 《Ⅰ》*t.* ① den Nadel ∼ 바늘귀에서 실을 뽑다〔빼내다〕. ② (천을) 풀다. 《Ⅱ》*refl.* sich ∼ (실이) 바늘귀에서 빠지다; (천이) 풀리다.

aus|fädmen *t./refl.* ↑ ausfädeln.

Ausfahr·bahn *f.* 비행기를 격납고에서 끌어내는 레일.

aus|fahren* [áusfa:rən] 《Ⅰ》*i.* (s.) ① 차를 타고 나가다; 드라이브하다. ② 출발〔발차〕하다; 출항하다; 떠나가다. ③〖광산〗 (갱부가) 갱도에서 나오다, 올라오다;〖사냥〗 (여우 따위가) 굴에서 나오다. ④ (악마·혼이 사람에게서) 물러가다. ⑤ (장소·방에서) 뛰어나오다; (불·바람이) 거세게 일다; (화살이) 빨리 날아가다; (사람이) 분격하다. ⑥ **(a)** (꽃이) 피다: ein Baum fährt in Blüten aus 나무에 꽃이 핀다. **(b)** (종기가) 생기다. ⑦ 떨어져 나가다, 빠져 달아나다: das Messer fuhr ihm aus 칼이 그의 손에서 미끄러져 떨어졌다; mit dem Fuß ∼ 미끄러져 넘어지다. ⑧ (h.) 타고 가는 것을 그만두다: 〔비유〕 er hat ausgefahren 그는 마부를 그만두었다. 《Ⅱ》*t.* ① 탈것에 태워 보내다, 드라이브에 데리고 가다: einen Kranken im Rollstuhl ∼ 환자를 휠체어에 태워 데리고 나가다. ② 차를 달려 길〔바퀴 자국〕을 내다: ausgefahrene Wege 바퀴 자국이 난 길; 〔비유〕 er bewegt sich in ausgefahrenen Gleisen 그는 구태의연한 모습을 보인다; 〔비유〕 ausgefahrene Gleise verlassen 구태를 벗어던지다, 새〔독창적인〕 길을 걷다. ③ (상품을) 배달〔운송〕하다; 수출하다. ④ (곡물을) 탈곡차(脫穀車)로 타작하다. ⑤ eine Trosse ∼ 배의 밧줄 끝을 보트로 끌어서 딴데로 옮기다. ⑥ (코스를) 완주하다. ⑦ (경기를) 개최하다. ⑧ (차를) 전속력으로 몰다. ⑨〖사냥〗 (들짐승의) 내장을 꺼내다.

ausfahrend *p.a.* ① 격하기 쉬운, 성마른; 심술궂은. ②〖醫〗 발작적인(ausgefahren). ③ 〔고어〕 파렴치한, 무례한.

Ausfahr≈gleis *n.*〖철도〗 역에서 빠져 나가는 선로. **∼schacht** *m.*〖광산〗 배기갱(排氣坑), 환기갱, 상승(上昇)갱.

Ausfahr(s)·signal *n.* 발차 신호.

***Ausfahrt** *f.* -en ① 발차, 출항(出港); 발차〔출항〕 허가: der Zug hat noch keine ∼ 열차의 출발 신호가 아직 떨어지지 않았다. ② 드라이브; 소풍. ③ (주차장·차고의) 출구. ④ (고속 도로에서) 빠져 나가는 길(↔ Einfahrt). ⑤〖광산〗 출갱(出坑).

Ausfahrt(s)≈erlaubnis *f.* 발차 허가. **∼schild** *n.* 출구 표시판. **∼straße** *f.* 다른 곳으로 빠지는 도로, 출구.

Ausfall [áusfal] *m.* -(e)s, ..fälle ① 탈락, 빠짐: Haar∼ 탈모. ② (학교의) 휴업; (강연의) 취소, 휴강; (무게의) 부족;〖商〗 결손. ③〖펜싱〗 찌르기;〖체조〗 다리를 앞이나 옆으로 뻗는 동작. ④ 무례한 언동, 비방: einen ∼ machen 비방하다. ⑤〖軍〗 병력 손실. ⑥〔구식〕 결과, 결말.

Ausfall≈bein *n.*〖펜싱〗 검을 든 손과 함께 앞으로 내딛는 다리(↔ Standbein). **∼bürgschaft** *f.*〖法〗 (채권자의 권리 행사가 불가능한 경우에 대비한) 배상 보증.

aus|fallen [áusfalən] 《Ⅰ》*i.* (s.) ① (이·머리칼·철자가) 탈락하다, 빠지다. ② 휴교〔휴강〕하게 되다; (강연 따위가) 취소되다: ∼ lassen 휴강〔취소〕시키다; die Schule fällt heute aus 오늘은 수업이 없다. ③ (기계가) 멎다, 정지되다. ④ 떨어져 밖으로 나오다; (병아리가) 부화하다. ⑤〖軍·구식〗 (요새에서) 출격하다;〖펜싱〗 찌르다; 〔비유〕 gegen jn. ∼ (누구를) 공격〔비방〕하다. ⑥ (수확·성적·선거가) 어떤 결과가 되다, 어떤 상태를 나타내다: gut〔schlecht〕 ∼ 결과가 좋다〔나쁘다〕; die Wahl ist zu seinen Gunsten ausgefallen 선거결과가 그에게 유리하게 되었다; die Entscheidung ist für mich 〔wider ihn〕 ausgefallen 결정은 내게 이로웠다〔그에게 불리하였다〕. ⑦〖化〗 침전되다. 《Ⅱ》*t.* sich³ einen Zahn 〔den Arm〕 ∼ 넘어져서 이가 부러지다〔팔을 삐다〕. 《Ⅲ》 **ausgefallen** *p.a.* ↑ ausgefallen.

ausfallend *p.a.* 파렴치한, 무례한: gegen jn. ∼ werden 누구를 욕하다, 비방하다; in seinen Äußerungen ∼ sein 무례한 말을 내뱉다.

aus|fällen *t.* ①〖化〗 침전(沈澱)시키다. ② (schweiz.) (벌을) 내리다: eine Strafe ∼ 처벌하다.

Ausfall·gatter *n.* 〔고어〕 ↑ ∼pforte.

ausfällig *a.* ↑ ausfallend.

Ausfälligkeit *f.* -en 욕, 욕설.

Ausfall≈muster *n.*〖商〗 상품 견본. **∼pforte** *f.*〖軍·고어〗 출격구, 비상구. **∼probe** *f.* ↑ ∼muster. **∼schwung** *m.*〖스키〗 텔레마크.

Ausfall(s)≈erscheinung *f.*〖醫〗 결손〔탈락〕 증상. **∼garantie** *f.* (물품의) 공급 보증.

ausfall·sicher *a.*〖工〗 (기계의) 일부가 고장나도 전체의 작동에 지장이 없는.

Ausfall≈stellung *f.*〖펜싱〗 찌르기 자세. **∼straße** *f.* 시외로 빠지는 간선 도로. **∼tag** *m.* 〔구어〕 휴무일. **∼(s)tor** *n.* ↑ ∼pforte. **∼wahrscheinlichkeit** *f.*〖工〗 고장률. **∼winkel** *m.*〖物〗 반사각. **∼zeit** *f.*〖보험〗 (연금 보험에서) 보험료 납부 의무가 면제되는 기간.

ausfaltbar *a.* 펼칠 수 있는.

aus|falten 〔드물게·雅語〕 《Ⅰ》*t.* 펴다, 열다; 주름을 펴다. 《Ⅱ》*refl.* sich ∼ 전개되다, 발전하다.

aus|fangen *t.* einen Teich ∼ 못의 고기를 다 잡다.

aus|färben *t.* 《Ⅰ》*t.* 완전히 염색하다. 《Ⅱ》*i.*

(s.) 색이 빠지다.

aus|fasern *i.* (옷감의) 천이 풀어지다.

aus|faulen *i.* (s.) (나무가) 썩어서 속이 비다, (이가) 썩어서 빠지다; 〖醫〗(뼈가) 부패하다.

aus|fechten* 《I》 *t.* 끝까지 싸우다; 싸워서 해결하다. 《II》 *i.* 싸움〔논쟁〕을 끝내다.

aus|federn *t.* ① (스프링으로) 충격을 완화시키다. ② 스프링 장치를 하다.

aus|fegen *t.* ① 쓸어내다, 청소하다: die Stube ~ 방을 청소하다. ② 나뭇가지를 치다.

Ausfeger *m.* -s, - 〖방언〗 ① 청소부. ② 비. ③ 마지막 무도(舞蹈).

Ausfegsel [..ksəl] *n.* -s, - 〖방언〗 쓰레기.

aus|feilen *t.* ① (구멍을) 줄로 쓸어 파다. ② (녹을) 줄로 쓸어 없애다. ③〖비유〗손질하다; (글을) 퇴고하다: ein ausgefeilter Plan 잘 짜여진 계획.

aus|fenstern *t.* 〖고어〗 호통치다, 꾸짖다.

***aus|fertigen** *t.* ① (여권·증명서를) 발행하다, 교부하다. ② (법안에) 서명하다; (서류를) 작성하다.

Ausfertiger *m.* -s, - 발행자, 교부자; 서명자; 작성자.

Ausfertigung *f.* -en 작성; 작성된 문서; 〖法〗(문서의) 정본(正本): in doppelter ~ 부본(副本)을 첨부하여.

Ausfertigungs·gebühren *pl.* 문서 수수료, 인지대.

aus|fetten *t.* ① (양털을) 탈지(脫脂)〔세탁〕하다. ②〖방언〗(빵틀 안에) 기름을 칠하다.

aus|feuern 《I》 *t.* ① 충분히 데우다, 따뜻이 하다. ② (통을) 황으로 그을리다. 《II》 *i.* ① 사격을 그치다. ②〖방언〗(말이) 마구 날뛰다.

aus|filtern *t.* 필터로 걸러내다, 여과하다.

aus|filzen *t.* ① (안장에) 털을 채워 넣다: Schuh ~ 털로 구두 안을 대다. ②〖구식·방언〗호되게 꾸짖다.

ausfindbar *a.* 발견할 수 있는.

aus|finden* 《I》 *t.* ① 발견하다, 찾아내다; 〖비유〗진상을 알다. ② jn. ~ 누구의 마음을 간파하다. 《II》 *refl.* sich in et.³ ~ 무엇에 정통하다, 무엇을 훤히 알다.

ausfindig *a.* 〖다음 용법으로만〗 ~ machen (힘들게) 찾아내다.

aus|firnissen [..fɪrnɪsən] *t.* 안쪽에 니스를 바르다.

aus|fischen 《I》 *t.* ① (고기를) 낚다. ② den Teich ~ 못의 고기를 다 잡다. 《II》 *i.* 〖구어〗 고기잡이를 끝내다.

aus|fitten *t.* 〖海〗(배에) 항해 장비를 설비하다.

aus|flackern *i.* 깜박거리며 타다 꺼지다.

aus|flaggen *t.* 〖海〗(배에) 깃발을 달다, 깃발로 장식하다.

aus|flammen 《I》 *i.* (h.) 다 타다. 《II》 *t.* ① 〖軍〗(포강(砲腔) 안의 이물질을) 말끔히 불태우다. ② (요새를) 태워 없애다.

aus|flattern *i.* ① (s.) 날개치며 날아가다. ② (h.) 날개치기를 그치다.

aus|flechten* *t.* 〖구식〗 ① (땋은〔엮은〕 것을) 풀다: Haare ~ 땋은 머리를 풀다. ②〖방언〗 엮어 짠 것으로 채우다, 짜넣다. ③〖비유〗sich aus et.³ ~ 무엇에서 애써 빠져 나오다, 무엇을 뿌리치다.

Ausfleisch·eisen *n.* 살을 도려 내는 도구.

aus|fleischen *t.* (가죽의) 살을 긁어내다.

aus|flennen 《I》 *i.* 〖구어〗 울음을 그치다. 《II》 *refl.* sich ~ 실컷 울어 마음을 달래다.

aus|flicken *t.* 〖구어〗 깁다, 수선〔수리〕하다.

aus|fliegen *i.* (s.) ① (새가) 보금자리를 뜨다; 〖비유〗(사회로) 나가다. ② 도주하다. ③ 소풍〔산책〕 가다.

aus|fließen* *i.* (술이) 넘쳐흐르다; (그릇이) 새다.

aus|flippen *i.* (s). ① 마약의 환각 상태에 빠지다, 마약에 중독되다. ② 사회에 등을 돌리다, 현실을 도피하다. ③〖경박〗 **(a)** 과민 반응하다: bei jeder Kleinigkeit ~ 사소한 일에 과민 반응을 보이다. **(b)** 기뻐서 어쩔 줄 모르다.

aus|flocken *t.* 〖化〗 용액에서 콜로이드를 추출하다.

aus|fluchen 《I》 *i.* 저주를〔욕설을〕 그치다. 《II》 sich ~ 실컷 욕하다.

***Ausflucht** [áusfluxt] *f.* ..flüchte ① 도망갈 길, 빠져 나갈 구멍; 돌파구, 출구: aus dieser Situation gibt es keine ~ 이 상황에서 벗어날 돌파구가 없다. ②〖비유〗 핑계, 구실: Ausflüchte machen〔suchen〕 핑계를〔구실을〕 대다. ③ 소풍. ④ (꿀벌집의) 드나드는 구멍.

***Ausflug** [áusflu:k] 《<ausfliegen》 *m.* -(e)s, ..flüge ① (새·벌이) 보금자리를 뜸; 〖비유〗(사회에의) 첫출발. ② 소풍, 하이킹, 근거리 여행. ③ (새집·벌집의) 구멍, 출구. ④〖사냥〗 쫓긴 짐승의 도피처.

Ausflügler *m.* -s, - 소풍 가는 사람, 행락객.

Ausflügling *m.* -s, -e 풋내기, 신출내기.

Ausflugs≈ort *m.* 유원지. **~schiff** *n.* 유람선. **~verkehr** *m.* 행락객 왕래〔교통〕. **~ziel** *n.* 소풍의 행선지.

Ausfluß [áusflus] 《<ausfließen》 *m.* ..flusses, ..flüsse ① 흘러나옴, 유출; 〖物〗 방류; 〖工〗 유출량(流出量). ② 배수구(排水口), 수문, 강어귀. ③ 유출물; 〖醫〗 대하(帶下), 분비물, 농. ④〖비유〗(연구의) 결과, 성과; (기쁨·노여움·은총의) 발로.

Ausfluß≈geschwindigkeit *f.* 〖工〗 유출 속도. **~öffnung** *f.* 유출구(口). **~rohr** *n.*, **~röhre** *f.* 유출관, 배수관.

Ausflut [áusflu:t] *f.* 흘러나옴, 유출, 넘쳐흐름.

aus|fluten *i.* (s.) 흘러나오다, 방출되다.

aus|folgen 《I》 *i.* (s.) 〖고어〗 jm. ~ 누구를 따라〔호위하고〕 나오다. 《II》 *t.* (öst.) 교부하다, 넘겨주다, 인도하다.

Ausfolgung *f.* 교부, 인도.

Ausforderer [áusfɔrdərər] *m.* -s, - 도전자.

aus|fordern *t.* 〖구식〗 도전하다.

Ausforderung *f.* -en 도전.

aus|fördern 《I》 *t.* (광석을) 채굴하다.

aus|formen *t.* ① (작품을) 완성하다, 다듬다. ② 어떤 모양으로 만들다: Teig zu Klößen ~ 반죽을 빚어 경단을 만들다. 《II》 *refl.* sich ~ 완성되다, 일정한 형태를 갖추다.

Ausformung *f.* 완성, 조탁.

aus|formulieren *t.* (생각·사상을) 다듬어 표현하다.

aus|forschen *t.* ① **(a)** 캐묻다, 탐문〔탐지〕하다: js. Gesinnung ~ 누구의 의향을 타진하다. **(b)** (öst.) 심문하다. ② 빠짐없이〔샅샅이〕 탐색하다.

Ausforscher *m.* -s, - 심문자, 탐색자.

Ausforschung *f.* -en 심문; 탐색; 탐구.

Ausfracht [áusfraxt] *f.* -en 외국행 화물.
aus|fragen 《I》*i.* 심문〔질문〕을 끝내다. 《II》*t.* ① 캐묻다, 탐문하다: jn. über seine Familie ~ 누구에게 가족 관계를 캐묻다. ② 심문하다.
Ausfrager *m.* -s, - 질문〔심문〕자; 인터뷰〔방문〕 기자.
Ausfragerei *f.* -en 성가신〔귀찮은〕 질문; 〖구어〗 넘겨짚기.
aus|fransen 《I》*t.* (끝·가닥을 풀어서) 술로 만들다, 술로 장식하다. 《II》*i./refl.* (sich) ~ (가닥이) 풀리다.
aus|fräsen *t.* 〖工〗 ① (원뿔형으로) 구멍의 주둥이를 넓히다. ② (울퉁불퉁한 것을) 프레이즈반(盤)으로 제거하다.
aus|fressen* [áusfrɛsən] 《I》*t.* ① 다 먹어 치우다, (접시 따위를) 먹어서 깨끗이 비우다. ② 〖완료형으로만 쓰임〗〖구어〗 (뒤가 켕기는 짓을) 저지르다: was hast du denn aufgefressen? 너 대체 무슨 일을 저질렀느냐? ③ et. ~ müssen 무엇의 뒤치다꺼리를 해야 하다; das mußt du ganz allein ~ 그 일은 순전히 너 혼자 뒷감당을 해야 한다. ④ (좀이) 파먹다; (산(酸)이) 부식시키다; (바위를) 침식하다; (토지를) 소모〔황폐〕케 하다. ⑤ (누구를) 추방하다. ⑥ das Pferd hat die Bohne〔sich〕 ausgefressen (늙어서) 말의 이가 빠졌다. 《II》*i.* 먹기를 끝내다. 《III》*refl.* sich ~ ① 배불리 먹다. ② ↑《I》⑥.
aus|frieren* 《I》*i.* ① (s.) 완전히 동결하다. ② (s.) (농작물이) 냉해를 입다, 얼어 죽다. ③ (h.) 꽁꽁 얼다: es hat ausgefroren 꽁꽁 얼어 버렸다. 《II》*t.* 〖工〗 (혼합물을) 동결 분리시키다. 《III》*refl.* sich ~ 얼다.
aus|frischen *t.* (염분을 빼기 위하여 생선을 물 또는 우유에) 담그다.
aus|fugen *t.* (벽의) 틈새나 이음매를 메워 바르다.
***Ausfuhr** [áusfu:*r*] 《<ausführen》*f.* -en 〖經〗 ① 수출(품): die ~ von Rohstoffen 원료 수출. ② 수출고, 수출량: die ~ steigern 수출고를 늘리다.
Ausfuhr≈abgabe *f.* 수출세. **~artikel** *m.* 〖經〗 수출품.
ausführbar *a.* ① 실행〔수행·성취〕할 수 있는: ~e Datei 실행 가능 파일. ② 수출할 수 있는.
Ausführbarkeit *f.* 실행 가능성.
Ausfuhr·bewilligung *f.* 〖經〗 수출 허가.
***aus|führen** [áusfy:rən] *t.* ① 실행〔수행〕하다, 집행하다: einen Befehl ~ 명령을 수행하다; ein Programm ~ 프로그램을 실행시키다; die ~de Gewalt 행정부. ② 데리고 나가다: jn. zu einem Spaziergang ~ 누구를 산책에 데리고 나가다. ③ 〖비속〗 jm. et. ~ 누구에게서 무엇을 훔쳐 내다. ④ 수출하다. ⑤ 〖醫〗 배설〔설사〕하다: Unreinigkeiten aus dem Graben ~〔den Graben ~〕 도랑(의 오물)을 쳐내다. ⑥ 완성하다: ein Bild in Öl ~ 그림을 유화로 완성하다. ⑦ (a) (특정한 동작을) 취하다, 행하다: bestimmte Tanzschritte ~ 일정한 댄스 스텝을 밟다. (b) 〖축구·아이스하키〗 einen Freistoß ~ 프리 킥을 하다. ⑧ 상술(詳述)하다: weiter〔näher〕 ~ 부연하다.
Ausführer *m.* -s, - 〖經〗 수출업자.
Ausfuhr≈erlaubnis *f.* 수출 허가. **~geschäft** *n.* 수출업. **~handel** *m.* 수출 무역. **~haus** *n.* 수출 기업. **~land** *n.* 수출 대상국.
***ausführlich** [áusfy:*r*lıç, ausfý:*r*..] *a.* 상세한, 자세한: ein ~er Bericht 상세한 보고; ein Thema ~ behandeln 어떤 주제를 자세히 다루다.
Ausführlichkeit *f.* 상세함.
Ausfuhr≈prämie *f.* 수출 장려금. **~schein** *m.* 수출 허가증. **~steuer** *f.* 수출세. **~tarif** *m.* (국유 철도의) 수출 화물 (할인) 운임률〔운임표〕.
***Ausführung** [áusfy:ruŋ] *f.* -en ① 데리고 나감. ② 수출. ③ 배설, 분비; 설사. ④ (a) 실행, 수행, 완성; 〖연극〗 상연; (계약의) 이행; 〖法〗 집행, 실시: zur ~ gelangen〔kommen〕 실현되다; zur ~ bringen 실행〔이행〕하다. (b) (일의) 솜씨, 결과. ⑤ (a) (특정한 동작을) 취〔행〕하기: die exakte ~ der Tanzschritte ist wichtig 댄스 스텝을 정확히 밟는 것이 중요하다. (b) 〖스포츠〗 볼을 차기. ⑥ 상론(詳論), 상술(詳術); 부연.
Ausführungs≈anzeige *f.* 집행 통지. **~bestimmung** *f.* 〖法〗 시행 세칙. **~gang** *m.* 〖해부〗 배설관. **~gesetz** *n.* 시행령. **~mittel** *n.* 〖藥〗 하제(下劑). **~rohr** *n.*, **~röhre** *f.* 〖기계·工〗 방출관; 배기관(排氣管). **~verordnung** *f.* ↑ ~bestimmung. **~weg** *m.* ↑ ~gang.
Ausfuhr≈verbot *n.* 수출 금지. **~vergütung** *f.* ↑ ~prämie. **~waren** *pl.* 수출품. **~wechsel** *m.* 수출환(換). **~zoll** *m.* 수출세.
ausfüllbar *a.* 충전(充塡)할 수 있는.
***aus|füllen** [áusfʏlən] *t.* ① (빈 곳에) 기입하다; 가득 채우다, 충전하다; (틈을) 메우다: ein Formular ~ 서식에 기입하다; seine Zeit gut ~ 시간을 선용하다; ein Gedanke füllt ihn aus 그는 어떤 생각에 빠져 있다. ② (직분을) 다하다: er füllt seinen Platz gut aus 그는 자기 직책을 훌륭히 해내고 있다. ③ 만족시키다, 흡족케 하다: die Arbeit füllte ihn nicht aus 그는 그 일에 흡족해하지 않았다.
Ausfüllung *f.* ① 충전, 채워 넣기. ② 기입, 기재. ③ 충족, 만족.
Ausfüllungs≈masse *f.* 충전물(充塡物); 〖醫〗 (치아용) 충전제(充塡劑). **~partikel** *f.*, **~wort** *n.* 〖복수: ..wörter〗〖문법〗 허사(虛辭).
aus|füttern[1], **aus|futtern**[1] 《<Futter[1]》《I》*t.* ① 살찌우다, 잘 먹이다. ② 사료〔먹이〕를 공급하다, 기르다. ③ (구유를) 비우다. 《II》*refl.* sich ~ 충분히 먹다.
aus|füttern[2], **aus|futtern**[2] 《<Futter[2]》*t.* ① 안감을 대다: den Rock ~ 상의에 안을 대다. ② 〖건축〗 틈새를 메우다.
Ausfütterung *f.* -en 안대기; 안감.
Ausg. =Ausgabe (책의) 판(版).
***Ausgabe** [áusga:bə] 《<ausgeben》*f.* -en ① (편지의) 교부, 배달; (주권·지폐·환(換)의) 발행; (수하물의) 취급; (차표의) 매출, 매표; 분배. ② 지출, 비용, 세출: ~ und Einnahme 출납; ordentliche〔außerordentliche〕 ~ 경상〔임시〕비; in ~ stellen 지출분으로 기장(記帳)하다. ③ 교부 장소; 〖철도〗 수화물 취급소. ④ (서적의) 판(版), 간행; (신문의) 호수: die neueste ~ 최신판; ~ letzter Hand (저자가 발행한) 최종판, 결정본; Gesamt~ 전집;

Abend≈ 석간; Regional≈ 지방판; 〖비유〗 er ist eine Miniatur≈ seines Vaters 그는 자기 아버지의 축소판이다. ⑤ (명령의) 통지, 송달. ⑥〖컴〗 출력. ⑦ 방영, 방송.

Ausgabe≈budget *n.* 지출 예산(안). **~büro** *n.* 매표소. **~gerät** *n.* 〖컴〗 출력 장치.

Ausgaben·buch *n.* 금전 지출부.

Ausgabe≈posten *m.* 지출 항목. **~rechnung** *f.* 지출 계산서. **~schalter** *m.* 〖철도〗 교부 창구. **~stelle** *f.* 발행처, 교부 장소; (도서 등의) 대출 창구; 〖철도〗 수하물 취급소; 〖軍〗 보급소. **~termin** *m.* 교부 기한. **~-verzeichnis** *n.* 지출 명세서.

***Ausgang** [áusgaŋ] 《<ausgehen》 *m.* -(e)s, ..gänge ① **(a)** 외출: einen ~ machen 외출하다. **(b)** (피고용자의) 외출 권리〔허가〕, 외출일: er hat sonntags ~ 그는 일요일에 외출이 허가된다. ② 수출(세); 반출(물), 출하(량). ③ 출구; 하구(河口), 항구; 〖전기〗 인출구: am ~ eines Dorfes 마을 어귀에서. ④〖宗〗 예배 끝에 연주되는 파이프 오르간의 악곡. ⑤ 말기, 끝무렵: am ~ des 19. Jahrhunderts 19 세기가 끝나던 무렵에. ⑥ 결과, 결말: einen guten ~ nehmen 좋은 결과를 얻다; Krankheit mit tödlichem ~ 치명적 결과를 가져오는 병. ⑦ (극의) 종말, 대단원; 결어: der ~ eines Romans 소설의 결말; 〖印〗 ein Wort am ~ brechen 행 끝의 마지막 낱말 하나를 꺾어 행가름 하다. ⑧ 시작, 출발점: sie kehrten an den ~ ihres Gesprächs zurück 그들은 대화의 출발점으로 되돌아왔다; seinen ~ von et.³ nehmen 무엇에서 시작〔출발〕하다.

ausgangs 《I》 *adv.* 어귀에, 변두리에: ~ von Hamburg hatten wir eine Panne 함부르크 외곽에서 우리 차가 고장났다. 《II》 *prp.*² ① …의 어귀에, 끝에: ~ eines Waldes 숲의 어귀에서. ② 끝무렵에, 말(엽)에: ein Mann ~ der Vierziger 40 대 말의 남자.

Ausgangs≈basis *f.* 출발점, 전진 기지, 발전 기반. **~beschränkung** *f.* 〖軍〗 외출 제한. **~buch** *n.* 〖商〗 일일 출납부. **~deklaration** *f.* 수출 신고서〔허가증〕. **~hafen** *m.* 수출항, 반출〔승선〕항. **~handel** *m.* 수출 무역. **~kolumne** *f.* 〖印〗 여백이 있는 마지막 페이지. **~pforte** *f.* 출구, 문. **~punkt** *m.* 출발점, 기점. **~rohr** *n.*, **~röhre** *f.* 〖기계〗 배출관, 배수관. **~sperre** *f.* 〖軍〗 외출 금지. **~sprache** *f.* 〖언어〗 (역어에 대한) 원어. **~stellung** *f.* ①〖스포츠〗 출발 자세. ②〖軍〗 공격 기지. **~stoff** *m.* 원(재)료. **~tor** *n.*, **~tür** *f.* 출구, 문. **~waren** *pl.* 수출품〔화물〕. **~zeile** *f.* 〖印〗 마지막 행. **~zettel** *m.* ↑ ~deklaration. **~zoll** *m.* 수출세.

aus|garen *t.* 정제(精製)하다.

aus|gären⁽*⁾ 《I》 *i.* 발효가 끝나다, 충분히 발효하다: der Wein ist〔hat〕 ausgegoren 포도주가 충분히 숙성되었다. 《II》 *t.* ① 충분히 발효시키다. ② (술 지게미를) 발효시켜 없애다. 《III》 **ausgegoren** *p.a.* ↑ ausgegoren.

aus|gasen 《I》 *t.* 가스 소독을 하다. 《II》 *i.* 〖광산〗 (석탄에서) 가스가 빠져 나가다.

aus|gäten *t.* ↑ ausjäten.

aus|gattern 〖드물게〗 *t.* 탐지하다, 엿보다.

ausgebacken 《I》 *p.p.* ↑ ausbacken. 《II》 *p.a.* (빵이) 잘 구워진: halb ~ 미숙한.

aus|geben [áusge:bən] 《I》 *t.* ① (돈을) 내다, 지급하다; 한턱내다: gib mal einen aus! 한잔 내라!; 〖구어〗 eine Runde ~ 술을 한 바퀴 돌리다. ② (편지를) 교부하다, 배달하다; 나누어 주다, 분배하다; (채권·차표·환을) 발행하다; (암호·명령을) 송달하다, 고지하다. ③ (서적을) 출판〔발행〕하다. ④〖컴〗 출력하다. ⑤ (딸을) 시집 보내다. ⑥ (자식을) 수양아들〔딸〕로 보내다. ⑦ 분비〔배설〕하다. ⑧ 이득〔이익〕을 내다, 수익〔수확〕을 올리다: das Getreide hat viel ausgegeben 곡물은 수확이 많았다. ⑨ 거짓으로 주장하다, 사칭하다: jn. für reich 〔einen Baron〕 ~ 누구를 부호라고 〔남작이라고〕 거짓으로 소개하다; fremdes Gedankengut als eigenes ~ 남의 사상을 제 것인 양 내세우다. 《II》 *i.* (h.) ① 돈을 내다: ~ und nichts einnehmen 지출뿐이고 수입은 전혀 없다; 〖격언〗 wer ausgibt, muß auch wieder einnehmen 주는 대로 받으리라. ② 이득〔수익〕이 되다. ③ (카드를) 다 나누어 주다. ④ (사냥개가) 짖다; (피리가) 울리다. 《III》 *refl.* sich ~ ① 자처〔행세〕하다: sich für〔als〕 einen Kenner ~ 전문가로 자처하다. ②〖구어〗 (돈·힘을) 다 쓰다, 다 내다: er hat sich schon ausgegeben 그는 이미 기진맥진하였다.

Ausgeber *m.* -s, - ① 교부자, 지급인; 발행인. ② 가사(家事) 관리인, 집사.

Ausgebeutete* *der/die* 피착취자, 착취당하는 사람.

ausgeblutet 《I》 *p.p.* ↑ ausbluten. 《II》 *p.a.* 피를 다 쏟은〔흘린〕; 〖비유〗 남김없이 착취당한, 수탈당한.

ausgebomt 《I》 *p.p.* ↑ ausbomben. 《II》 *p.a.* 폭격을 당한.

Ausgebombte* *der/die* 폭격 피해자, 피폭자.

Ausgebot [áusgəbo:t] 《<ausbieten》 *n.* -(e)s, -e (상품의) 제공, 공급; (경매에서) 최초로 붙이는 값.

ausgebrannt 《I》 *p.p.* ↑ ausbrennen. 《II》 *p.a.* (심신이) 완전히 탈진한, 기진맥진한.

ausgebreitet 《I》 *p.p.* ↑ ausbreiten. 《II》 *p.a.* 광범위한, 넓게 퍼진; 널리 알려진.

ausgebufft *a.* ① 닳고 닳은, 세련된; 약삭빠른. ② 나태한; 소극적인.

Ausgeburt [áusgəbu:rt] *f.* -en ① (나쁜 의미의) 산물, 소산: die ~ der Hölle 악마; die ~ einer krankhaften Phantasie 망상. ② 〖醫〗 유산(流産).

ausgedient 《I》 *p.a.* ↑ ausdienen. 《II》 *p.a.* 퇴역한, 퇴직한; 낡은, 노후한.

Ausgedinge [áusgədɪŋ(ə)] 《<ausdingen》 *n.* -s, - 〖방언〗 (농부의) 노후를 위한 별도 재산〔농지〕: sich aufs ~ zurückziehen 은거〔은퇴〕하다.

Ausgedinger *m.* -s, - (농부로) 은퇴한 노인.

ausgedorrt *p.p.* ↑ ausdorren.

ausgedroschen *p.p.* ↑ ausdreschen.

ausgefallen 《I》 *p.p.* ↑ ausfallen. 《II》 *p.a.* 이상한, 진기한; 유행〔시대〕에 뒤떨어진.

ausgefeimt *a.* (abgefeimt) 노회한, 교활한.

ausgefranst *p.p.* ↑ ausfransen.

ausgefuchst *a.* 〖구어〗 교활한, 약삭빠른.

ausgeglichen 《I》 *p.p.* ↑ ausgleichen. 《II》 *p.a.* ① 원만한, 침착한, 균형이 잡힌: ein ~er Charakter 원만한 성격. ② 한결같은, 변덕스럽지 않은: ein ~es Klima 사철이 고른 기후.

③ 우열이 가려지지 않은, 무승부의: die erste Runde war ~ 1회전은 무승부였다.

Ausgeglichenheit *f.* 균형, 조화; 원만.

ausgegoren 《Ⅰ》*p.p.* ↑ ausgären. 《Ⅱ》*p.a.* ① 무르익은, 숙성한. ② 심사숙고한.

Ausgeh·anzug *m.* 외출복, 산책용 옷.

__aus|gehen__ [áusge:ən] 《Ⅰ》*i.* (s.) ① (**a**) 나가다, 외출하다. (**b**) bei jm. aus- und eingehen 누구의 집에 드나들다. (**c**) frei〔ledig, los〕 ~ 무사히 벗어나다, 자유의 몸으로 돌아가다; leer ~ 빈손으로 돌아가다, 얻은 바가 없다. (**d**) (배가) 출범하다. (**e**) 수출되다. ②〔구어〕 (옷·구두가) 벗겨지다. ③ (불이) 꺼지다; (해가) 지다; (색이) 바래다; (화제가) 떨어지다; (식물이) 시들다; (힘이) 쇠하다; (숨이) 끊어지다: das Geld ging mir aus 나는 돈이 떨어졌다; ihr gehen die Haare aus 그녀는 머리가 빠진다; der Quelle ist das Wasser ausgegangen 샘물이 다 말랐다; dem Krämer ging die Ware aus 그 소매상은 상품이 동났다〔품절되었다〕. ④ 끝나다; 어떤 결과에 이르다: heute geht die Schule später aus 오늘은 수업이 늦게 끝난다; die Oper geht tragisch aus 그 오페라는 비극으로 끝난다; gut〔schlecht〕 ~ 좋은〔나쁜〕 결과가 되다. ⑤〖광산〗 (광맥이) 드러나다, 노출되다. ⑥ 분비되다, 흘러나오다: der Angstschweiß geht ihm aus 그는 겁이 나서 식은땀을 흘린다. ⑦ (문서가) 공표되다: einen Befehl ~ lassen 명령을 내리다; et. im Druck ~ lassen 무엇을 출판하다. ⑧〔방언〕 걸음으로 재다, 보측(步測)하다. ⑨〔전치사와 함께〕 sein Name geht **auf** dem〔den〕 Buchstaben ck aus 그의 이름은 철자 ck로 끝난다; auf Abenteuer〔Gewinn〕 ~ 모험〔벌이〕하러 나서다; auf seinen Vorteil ~ 자기 이득을 노리다〔좇다〕; **aus** einer Schule ~ 어느 유파〔학파〕에서 유래하다, 나오다; **in** die Welt ~ 세상에 나가다; etwas geht in eine Spitze aus 무엇의 끝이 뾰족하다; **nach** Abenteuern ~ 모험하러 떠나다; ein Fluch geht **über** jn. aus 저주가 누구에게 내리다; **von** einem Ort ~ (길 따위가) 어느 지점에서 시작되다; von Annahmen〔einem Grundsatz〕 ~ 가정〔원칙〕에 근거를 두고 있다; von ihm geht menschliche Wärme aus 그에게서는 따뜻한 인간미가 우러나온다; das Gerücht 〔die Einladung〕 geht **von** ihm aus 소문은〔초대는〕 그가 낸〔한〕 것이다; **zum** Tor ~ 정문을 지나서 나가다. ⑩ *i.* (h.) (반죽이) 부풀기를 그치다; 발효하여 충분히 부풀다. 《Ⅱ》*t.* ① (구두를) 신어 넓히다〔닳게 하다〕. ② (마당·구역을) 걸음으로 재다. ③ (사냥거리를) 걸어서 찾다; einen Gang ~ a) 광맥을 찾다, b) 배달 나가다. 《Ⅲ》*refl.* sich ~ 실컷 걸어다니다: es geht sich aus (öst.) 그런대로 충분하다.

ausgehend *p.a.* ① 밖으로 나가는, 반출되는: ~e Waren 수출품. ② 끝나가는, 말엽의: das ~e Mittelalter 중세 말기; der ~e Winter 저물어 가는 겨울.

Ausgeh=tag *m.* (하인·군인의) 외출일. **~uniform** *f.*〖軍〗외출복. **~verbot** *n.* 외출 금지. **~zentrum** *n.* 놀이 공원, 위락 단지.

aus|geigen 《Ⅰ》*t.* (곡을) 바이올린으로 켜기를 끝내다. 《Ⅱ》*i.* (h.) 바이올린 연주를 마치다.

aus|geizen *t.*〖農〗(담배 따위의) 어린 순을 잘라 내다; (포도의) 가지를 솎아 잘라 내다.

ausgekocht 《Ⅰ》*p.p.* ↑ auskochen. 《Ⅱ》*p.a.* ① 삶아진; 바짝 조려서 찌꺼기가 된. ②〔비유〕 교활한, 노회한.

__ausgelassen__ 《Ⅰ》*p.p.* ↑ auslassen. 《Ⅱ》*p.a.* 분방한, 제멋대로 구는; 신이 나는.

Ausgelassenheit *f.* 방종, 방자, 분방; 기뻐 어쩔 줄 모름.

ausgeleiert 《Ⅰ》*p.p.* ↑ ausleiern. 《Ⅱ》*p.a.* 마모된, 써서 낡은.

ausgelernt 《Ⅰ》*p.p.* ↑ auslernen. 《Ⅱ》*p.a.* 수업을 마친, 훈련을 거친; 노련한: auf〔in〕 et.[3] ~ sein 무엇에 숙달해 있다.

Ausgelernte* *der/die* 공부를 마친 사람.

__ausgemacht__ 《Ⅰ》*p.p.* ↑ ausmachen. 《Ⅱ》*p.a.* ① 결정된, 확실한. ② 완전한, 틀림없는: ein ~er Gauner 세상이 다 아는 사기꾼.

ausgemergelt 《Ⅰ》*p.p.* ↑ ausmergeln. 《Ⅱ》*p.a.* 수척해진, 쇠약해진.

ausgemugelt *p.a.* (öst.)〖스키〗(코스가) 아주 많이 타서 울퉁불퉁해진.

aus|genießen* *t.* 충분히〔실컷〕 즐기다〔맛보다〕, 마음껏 향락하다.

ausgenommen [áusgənɔmən] 《Ⅰ》*p.p.* ↑ ausnehmen. 《Ⅱ》*p.a.* ① (물고기 따위의) 배알을 끄집어낸. ② 공허한, 빈: ich bin wie ~ 나는 기진맥진해 있다〔골치가 아프다, 시장하다〕. 《Ⅲ》*prp.*[4]〔자주 명사뒤에 옴〕 …을 제외하고: keinen ~〔niemand ~〕 한 사람도 빠짐없이; alle haben ihre Fehler, ~ dich ~ 누구나 결점은 있지만 너만은 예외다. 《Ⅳ》*cj.* …을 제외하고; …하지 않으면: er hat es keinem gesagt, ~ dir 그는 너 외에는 아무에게도 말하지 않았다; an allen Tagen, ~ am Freitag 금요일을 제외하고 매일; ich gehe mit, ~ (daß) es regnet 비가 오지 않으면 함께 가겠다. 《Ⅴ》*adv.*〔드물게〕 오직, 다만.

ausgepicht 《Ⅰ》*p.p.* ↑ auspichen. 《Ⅱ》① *p.a.* 약삭빠른. ②〔구어·익살〕 세련된, 민감한.

ausgeprägt 《Ⅰ》*p.p.* ↑ ausprägen. 《Ⅱ》*p.a.* 뚜렷한, 현저한, 특색 있는.

Ausgeprägtheit *f.* 두드러짐, 뚜렷함.

ausgepumpt 《Ⅰ》*p.p.* ↑ auspumpen. 《Ⅱ》*p.a.* 남김없이 퍼낸; 지쳐버린.

ausgerechnet 《Ⅰ》*p.p.* ↑ ausrechnen. 《Ⅱ》*p.a.* ①〔부사적〕 하필이면, 공교롭게: ~ mir muß das passieren! 하필이면 내게 그런 일이 일어나다니! ② (schweiz.) ein ~er Mensch 계산적〔타산적〕인 사람.

ausgeschamt *a.*〔방언〕 뻔뻔스러운, 부끄러움을 모르는.

ausgeschämt *a.*〔방언〕 ↑ ausgeschamt.

ausgeschieden 《Ⅰ》*p.p.* ↑ ausscheiden. 《Ⅱ》*p.a.* 퇴직한, 물러난.

ausgeschlafen 《Ⅰ》*p.p.* ↑ ausschlafen. 《Ⅱ》*p.a.*〔비유·구어〕 영리한, 총명한.

ausgeschlossen 《Ⅰ》*p.p.* ↑ ausschließen. 《Ⅱ》*p.a.* 불가능한, 생각할 수 없는: ~! ich mache das nicht 어림없다! 나는 그 짓 안한다; das halte ich für ~ 나는 그것이 불가능하다고 생각한다.

ausgeschnitten 《Ⅰ》*p.p.* ↑ ausschneiden. 《Ⅱ》*p.a.* (옷의) 가슴이 깊이 패인.

ausgeschweift 《Ⅰ》*p.p.* ↑ ausschweifen. 《Ⅱ》*p.a.* ① (주제에서) 동떨어진, 장황한. ② 방종한, 방탕한.

ausgesorgt *a.*〔다음 용법으로만〕〔구어〕 ~

haben 생계에 걱정이 없다: mit dieser Stellung hat er (für sein Leben) ~ 이 자리로 그는 (평생 동안) 생계가 보장되었다.
ausgespielt *a.* 〔다음 용법으로만〕 ~ haben 역할이 끝나다, 영향력〔힘〕을 잃다: dieser Politiker hat ~ 이 정치가는 끝장났다.
ausgesprochen 《I》 *p.p.* ↑ aussprechen. 《II》 *p.a.* ① 뚜렷한, 특별한: eine ~e Vorliebe für et. haben 무엇을 뚜렷이 선호하다. ② 〔부사적〕 〔구어〕 매우, 대단히: ein ~ freundlicher Mann 대단히 친절한 남자.
ausgesprochener·maßen *adv.* 분명히, 틀림없이: sie gehörten ~ zum radikalen Flügel 그들은 분명히 과격파에 속했다.
ausgestalten *t.* ① 기획하다, 계획을 세워 준비하다; 형성하다, 꾸미다: ein Fest ~ 축제를 준비하다. ② 발전시키다, 확대하다: seine Überlegungen zu einem System ~ 생각을 하나의 체계로 발전시키다.
Ausgestaltung *f.* -en ① 기획, 꾸밈. ② 형태, 형식.
ausgesteuert 《I》 *p.p.* ↑ aussteuern. 《II》 *p.a.* 보험금 지급이 끝난.
Ausgesteuerte* *der/die* 사회〔실업·의료〕보험금 수령 만료자.
ausgestirnt *a.* 〔시어〕 별이 총총한.
Ausgestochene* *das* 〔방언〕 ① (여러 가지 모양의) 납작한 쿠키, 비스킷. ② (특히 크리스마스철의) 과자.
ausgestorben 《I》 *p.p.* ↑ aussterben. 《II》 *p.a.* 사멸한; 대가 끊긴; 황량한: abends ist die Stadt völlig ~ 저녁에는 그 도시에 인적이 전혀 없다.
ausgesucht 《I》 *p.p.* ↑ aussuchen. 《II》 *p.a.* ① 〔구어〕 정선된, 특선된, 우수한: ~er Wein 특선 포도주. ② 특별한, 대단한: ~ höflich 아주 공손하게. ③ 골라내고 남은: die Lager waren schon sehr ~ 저장된 물건 중에는 벌써 신통한 것이 없었다.
ausgetragen 《I》 *p.p.* ↑ austragen. 《II》 *p.a.* 성숙한.
ausgewachsen 《I》 *p.p.* ↑ auswachsen. 《II》 *p.a.* ① 다 자란: ein ~er Stier 다 자란 황소. ② 〔비유·구어〕 완전한, 완벽한: ein ~er Blödsinn 완전한 바보짓. ③ 〔구어〕 기형으로 자란, 곱사등의.
ausgewählt 《I》 *p.p.* ↑ auswählen. 《II》 *p.a.* 정선된, 발췌된: ~e Werke 선집.
Ausgewanderte* *der/die* (외국으로 나간) 이주민.
Ausgewiesene* *der/die* 추방된 사람.
ausgewogen 《I》 *p.p.* ↑ auswägen. 《II》 *p.a.* 정선된, 뛰어난; 균형 잡힌, 조화를 이룬: ihre Bewegungen waren anmutig und ~ 그녀의 동작들은 우아하고 균형 잡혀 있었다.
Ausgewogenheit *f.* 균형, 조화.
ausgewöhnen *t.* 친숙한 환경을 떠날 준비를 시키다.
ausgezeichnet 《I》 *p.p.* ↑ auszeichnen. 《II》 *p.a.* 뛰어난, 우수한, 탁월한: das hast du ~ gemacht 너는 그것을 아주 잘 했다; ~ kochen 요리를 아주 잘 하다.
ausgiebig [áusgiːbɪç] 《<ausgeben》 《I》 *a.* ① 〔구어〕 풍부한: eine ~e Mahlzeit 풍성한 식사. ② 〔고어〕 다산〔다작〕의, (토지가) 비옥한. 《II》 *adv.* 많이, 풍부하게.
Ausgiebigkeit *f.* 풍부, 수익이 많음.
aus|gießen* [áusgiːsən] *t.* ① 쏟아내다; (병·통 따위를) 쏟아 비우다; 붓다: ein Glas ~ 잔을 비우다; er goß das Bier (aus der Flasche) in ein Glas aus 그는 맥주를 (병에서 따라) 잔에 부었다; 〔비유〕 sein Herz ~ 마음(속)을 털어놓다; die Schale des Zornes über jn. ~ 누구에게 화풀이를 하다. ② (불을) 물을 부어 끄다. ③ (**a**) 부어 메우다: Fugen mit Blei ~ 이음매에 납을 부어 넣다. (**b**) 주조하다.
Ausgießer *m.* -s, - 물 따르는 구멍〔주둥이〕, (주전자의) 부리, (항아리의) 귀때 (↑ Ausguß ③).
Ausgießung *f.* -en ① 쏟음, 부어 냄, 유출; 소화(消火); 〔비유〕 토로; 『工』 주조. ② 『宗』 ~ des Heiligen Geistes 성령(聖靈) 충만.
aus|gipsen *t.* 석고로 채우다: die Löcher in der Wand ~ 벽의 구멍들을 석고로 메우다.
aus|glätten *t.* 매끄럽게 하다; (주름을) 펴다.
Ausgleich [áusglaɪç] *m.* -(e)s, -e ① 균일화, 평준화, 같게〔고르게〕 하기, 평균, 평형; 조정, 화해, 타협; 보상. ② 『금융』 (Kontoausgleich) 계좌 결산〔청산〕. ③ 『구기』 동점, 『테니스』 듀스 ④ 『승마』 핸디캡 경마(Ausgleichrennen).
ausgleichbar *a.* 조정〔화해·타협〕할 수 있는.
aus|gleichen 《I》 *t.* ① 같게〔고르게〕 하다. ② 〔비유〕 (곤란을) 없애다; (분쟁 따위를) 조정하다. ③ 『商』 지급〔계산·청산〕하다: eine Rechnung ~ 계산을 치르다; Schulden ~ 부채를 청산하다. ④ 배상〔보상〕하다; 균형을 잡다; 『기계』 조정〔보정(補整)〕하다: einen Verlust ~ 손실을 메우다; Einnahmen und Ausgaben ~ 수지 균형을 맞추다. ⑤ 『스포츠』 동점을 이루다. 《II》 *refl.* sich ~ (차이가) 해소되다, 없어지다; 평준화되다. 《III》 **ausgeglichen** *p.a.* ↑ ausgeglichen.
Ausgleicher *m.* -s, - ① 조정자. ② 『기계』 조정기(器). ③ 『전기』 균압선(均壓線), 정류기. ④ 『스포츠』 핸디캡 레이스(↑ Ausgleichsrennen)를 위해 부과되는 무게를 결정하는 사람. ⑤ 『요트』 핸디캡 레이스에 참가한 요트.
Ausgleichs·abgabe *f.* 『經』 ① (제 2 차 세계대전) 피해 보상을 위한 부담금. ② (일정수의 중증장애인을 고용하지 않은 기업에 부과되는) 중증장애인 복지 부담금. ③ (유럽 연합의) 농산물 품종 개량을 위한 부담금. **~amt** *n.* 『經』 전쟁 피해 보상 관청; 부담금 조정 관청. **~fonds** *m.* 『經』 부담 조정 기금. **~getriebe** *n.* 『工』 차동(差動) 기어 장치. **~gymnastik** *f.* (직업상 신체의 일부분만을 사용하는 것을 보완해 주는) 자세 교정 체조. **~rennen** *n.* (승마·조정 경기의) 핸디캡 레이스. **~rente** *f.* 『法』 (수입에 따라 지급되는) 전쟁 희생자 연금. **~sport** *m.* (직업상 신체의 일부분만을 사용하는 것을 보완해 주는) 자세 교정 운동. **~tor** *n.* 『스포츠』 동점 골. **~treffer** *m.* 『스포츠』 ↑ ~tor. **~turnen** *n.* 『스포츠』 ↑ ~gymnastik. **~verfahren** *n.* 『法』 지급 유예 절차; 화의(和議) 절차. **~vorrichtung** *f.* 보정기(補整器). **~wechsel** *m.* 채무 보상 어음, 환어음. **~zoll** *m.* 『經』 상쇄 관세.
Ausgleichung [áusglaɪçʊŋ] *f.* -en ① 같게〔고르게〕 하기, 조정(調整), 평균, 균등, 평형. ② 조정(調停), 화해, 타협. ③ 『商』 대차 대조,

결산, 지급. ④ 배상, 보상.

Ausgleichungs=batterie *f.* 〖전기〗 보상 전지(電池). **~betrag** *m.* 〖商〗 결산액. **~haus** *n.* 〖經〗 어음 교환소. **~pendel** *n.* 〖기계〗 보정 진자(振子). **~pflicht** *f.* 〖法〗 결제 의무. **~rechnung** *f.* ① 견적, 어림계산. ②〖物〗 (오차의) 보정 계산. **~versuch** *m.* 조정〔타협〕 시도. **~zölle** *pl.* 상쇄 관세.

aus|gleiten(*) *i.* (s.) ① 미끄러지다. ② jm. ~ 누구의 손에서 미끄러져 떨어지다. ③ 미끄러져 가다가 정지하다.

aus|gliedern *t.* 분리하다, 떼어내다, 제외하다: bei der Besprechung wurden zunächst die speziellen Probleme ausgegliedert 그 협상에서는 특수한 문제들이 일단 배제되었다.

Ausgliederung *f.* -en 분리, 분해, 제외; (통일체 가운데의) 이분자(異分子).

aus|glimmen(*) *i.* 〔雅語〕 ① (s.) (불·빛 따위가) 꺼져 가다. ② (h.) 꺼지다.

aus|glitschen *i.* (s.) 〔구어〕 미끄러지다.

aus|glühen 《Ⅰ》 *i.* ① (h.) 작열이 끝나다, 식다. ② (s.) 작열하면서 천천히 꺼지다. ③ (s.) 내부가 완전히 타다. 《Ⅱ》 *t.* ① (금속 따위를) 달구었다가 서서히 식히다; (유리를) 고열에 달구어 불순물을 제거하다. ②〖醫〗 불에 달구어 소독하다. ③〔雅語〕 바싹 말리다. ④ (고마움 따위를) 열렬히 토로하다.

Ausglühung *f.* -en ① 작열이 끝남, 꺼짐. ②〖工〗 고열에 달굼. ③〖醫〗 불에 의한 소독.

aus|graben* *t.* ① 파내다, 발굴하다; 캐다; 〖사냥〗 (여우 따위를) 굴에서 몰아내다. ②〔비유〕 (잊혀진 것을) 새로이 끄집어내다, 부활시키다. ③ 파서 우묵하게 하다; (우물 따위를) 파다; (도장 따위를) 새기다.

Ausgräber *m.* -s, - 발굴자, 굴착자.

Ausgrabung *f.* -en ① 발굴; 굴착; 발굴물. ② 조각.

Ausgrabungs·stätte *f.* 〔교양〕 발굴지, 발굴장소.

aus|gräten *t.* 뼈를 추려내다: einen Fisch ~ 생선의 뼈를 바르다.

aus|greifen* 《Ⅰ》 *i.* (h.) ① 먼 이야기까지 거슬러 올라가다; (팔 다리를) 크게 휘두르다. ② (말이) 성큼성큼 걷다; 광범위하게 영향을 미치다: 〔비유〕 weit ~de Werke〔Politik〕 방대한 저작〔원대한 정책〕. 《Ⅱ》 *t.* ① 손으로 집어내다, 골라내다. ② 손으로 건드리다: 〔구어〕 ein Frauenzimmer ~ 여자에게 장난치다. ③ (손잡이 따위를) 써서 닳게 하다.

aus|grenzen *t.* 제외시키다, 떼어 내다.

Ausgriff *m.* -(e)s, -e (말의) 큰 걸음; 다른〔새〕분야에의 진출.

aus|grübeln 《Ⅰ》 *t.* 생각해내다, 안출하다. 《Ⅱ》 *i.* (h.) 이 생각 저 생각하는 것을 드디어 멈추다.

aus|gründen *t.* ①〖經〗 (계열사를) 분리 독립시키다. ②〔시어〕 깊이 파고들다. ③〔비유〕 (ergründen) 탐구〔규명〕하다.

Ausgründung *f.* -en ① 자회사 설립. ②〖經〗 자회사.

aus|grünen *i.* ① (h.) 초록빛을 잃다; 새싹이 나기를 그치다. ② (s.) 싹트다, 초록빛이 되다.

Ausguck [áusguk] *m.* -(e)s, -e ①〔구어〕 조망, 망: ~ halten 망보다. ② 망보는 사람. ③ (마스크 꼭대기의) 망대, 망루.

aus|gucken 《Ⅰ》 *i.* (h.) 〖海〗 망보다; 감시하다: nach jm. ~ 누구를 감시하다. 《Ⅱ》 *t.* 선발하다, 정하다. 《Ⅲ》 *t.* sich³ (fast) die Augen nach jm.〔et.³〕 ~ 누구를〔무엇을〕 눈이 빠지도록 기다리다〔응시하다〕.

Ausgucker *m.* -s, - 〖海〗 망보는 사람.

Ausguß [áusgus] 《<ausgießen》 *m.* ..gusses, ..güsse ① 부어냄, 유출; 주조(鑄造). ② 쏟아져〔흘러〕 나오는 것; 〖醫〗 응고물; 〖제련〗 주괴(鑄塊). ③ 붓는 구멍; 마시는 구멍; (물이) 흘러나가는 구멍; (펌프의) 주둥이; 하수구: ein verstopfter ~ 막힌 하수구. ④ 개수대. ⑤〔비유〕 ~ von Gefühlen 감정의 발로.

Ausguß=löffel *m.* 주조용(鑄造用) 국자. **~pfännchen** *n.* 주형(鑄型). **~rinne** *f.* ↑ ~rohr. **~rohr** *n.* 배수관. **~röhre** *f.* ↑ ~rohr.

aus|haaren 《Ⅰ》 *i.* (h./s.) 털이 빠지다. 《Ⅱ》 *t.* (무엇의) 털을 뽑다.

aus|haben* 〔구어〕《Ⅰ》 *t.* ① (옷을) 벗고 있다; 비우다; 다 읽다: er hat den Rock〔das Glas, das Buch〕 schon aus 그는 이미 윗옷을 벗고 있다〔잔을 비웠다, 책을 다 읽었다〕. ②〔방언〕 넉넉하다. 《Ⅱ》 *i.* (h.) 일과〔업무〕가 끝나다: wann hast du heute aus? 오늘 업무는〔수업은〕 언제 끝나니?

aus|hacken *t.* ① (눈알 따위를) 후벼내다; 부리로 쪼아내다. ② (괭이로) 파내다: Kartoffeln ~ 감자를 캐내다. ③ (무엇을) 들쭉날쭉하게 하다, 톱니 모양을 내다. ④ (öst.) (도살한 짐승을) 자르다, 고기를 베어내다. ⑤ (목재를) 대강 다듬다.

aus|hageln *imp.* 〔대개 완료형〕 우박이 멈추다: es hat ausgehagelt 우박이 그쳤다.

aus|haken 《Ⅰ》 *t.* ① das Fenster ~ 창의 고리를 벗기다. ②〖사냥〗 (야생 조류의) 내장을 꺼내다. 《Ⅱ》 *i.* (h.) 〔비유·구어〕 (무엇이) 제 기능〔작동〕을 못 하다; hier hakt mein Gedächtnis aus 여기서 나는 더 이상 기억할 수 없다; da hakt es bei mir aus 나는 그것을 이해할 수 없다; 〔비유〕 jetzt hakt's aber aus 이젠 더 참을 수 없다. 《Ⅲ》 *refl.* sich ~ 고리가 벗겨지다.

aus|halftern *t.* 《Ⅰ》 (말의) 굴레를 벗기다. 《Ⅱ》 *refl.* sich ~ (말이) 굴레를 벗다.

aus|hallen *i.* (h./s.) 울림이 그치다, 소리가 희미해지다.

Aushalten *n.* -s ↑ Aushaltung: es ist nicht zum ~ 참을 수 없다.

aus|halten [áushaltən] 《Ⅰ》 *t.* ① 지속〔유지〕하다: 〖음악〗 einen Ton〔eine Note〕 ~ 어떤 음을 길게 뽑다. ② 견뎌내다, 배겨내다, 참다: die Prüfung ~ 시험에 합격하다; den Vergleich nicht ~ 비교가 되지 않다; seine Zeit ~ 기한〔복역〕을 마치다; es vor Kälte nicht ~ können 추위를 견뎌낼 수 없다; ich kann es nicht mehr ~ 나는 더 이상 참을 수 없다; es ist mit ihm nicht auszuhalten 저 녀석은 참을 수 없는 놈이다. ③ (누구를) 냉정히 하여 초조하게 하다. ④〔폄어〕 부양하다: eine Geliebte ~ 애인의 생활비를 대다. ⑤〖광산·林〗 (sondern) 나누다; 선별하다. ⑥〖음악〗 (음을) 악보에 표시된 박자만큼 끌다. ⑦〖林〗 (목재를) 일정 길이로 잘라 나누어 놓다. 《Ⅱ》 *i.* (h.) 견뎌내다, 배겨내다; (색 따위가) 오래 가다: gegen et. ~ 무엇에 굴하지 않다; im Glauben ~ 신앙이 견실하다. 《Ⅲ》 *refl.* sich³ et. ~ 〖방언〗 무엇을 조건으로 보류하다.

Aushaltung *f.* -en 지속, 참음, 견딤, 인내; 〖음악〗 연음(延音).

Aushalte·zeichen *n.* 〖음악〗 (Fermate) 페르마타, 늘임표, 연음〔연장〕 기호.

aus|hämmern *t.* ① (망치질하여) 펴다, 늘이다. ② 망치로 두드려 (금속 제품을) 만들다.

aus|handeln *t.* 타결을 보다, 합의하다: einen Kompromiß ~ 타협안에 합의하다.

aus|händigen *t.* 넘겨주다, 인도하다: jm. Geld ~ 누구에게 돈을 넘겨주다.

Aushändigung *f.* -en 수교, 인도.

Aushang [áushaŋ] *m.* -(e)s, ..hänge ① (상품의) 진열; 진열품. ② 게시(문), 포스터: einen ~ machen 게시하다.

Aushänge·bogen *m.* 〖印〗 견본쇄(刷).

aus|hangen* 〖고어〗 (schweiz.) ↑ aushängen[1].

aus|hängen*[1] *i.* (h.) 내걸리다, 게시되다; 진열되다: die Kandidaten hingen am Rathaus aus 후보들(의 이름 또는 사진)이 시청에 게시되었다.

aus|hängen[2] 《I》 *t.* ① 내걸다, 게시하다; 진열하다: man hat alle Kandidaten vor der Wahl ausgehängt 선거 전에 모든 후보들(의 이름 또는 사진)을 게시했다. ② (갈고리 따위에서) 떼다: eine Tür ~ 문의 경첩을 떼다. ③ 〖구어〗 sich[3] et. ~ 무엇〔관절〕이 빠지다, 삐다; ich habe mir den linken Arm ausgehängt 나는 왼팔이 빠졌다. 《II》 *refl.* sich ① ~ (옷을 걸어 놓아) 구김살이 펴지다; das Kleid hängt sich wieder aus 그 옷은 걸어두면 주름살이 다시 펴진다. ② 〖구어〗 팔짱을 풀다: plötzlich hängte sie sich bei ihm aus 그녀는 갑자기 그와 끼었던 팔짱을 풀었다. ③ (고정 장치에서) 빠지다, 풀어지다.

Aushänger *m.* -s, - ↑ Aushängebogen.

Aushänge≈schild *n.* 간판; 〖비유〗 얼굴(마담), 외관, 가면(假面). **~zettel** *m.* 삐라, 포스터.

aus|hären *t.* 〖드물게〗 (무엇의) 털을 없애다.

aus|harren *i.* (h.) 〖교양〗 참고 견디다, 견디어 내다.

aus|härten 〖기술〗 《I》 *t.* 경도(硬度)를 높이다, 단단하게 하다. 《II》 *i.* (s.) 경도가 높아지다; (아교 따위가) 굳다.

aus|haspen *t.* eine Tür ~ (경첩을 벗겨) 문을 떼다.

Aushau [áushau] *m.* -(e)s, ① 〖林〗 개간; 간벌(間伐); 삼림 속의 빈터; 간벌한 재목. ② 〖광산〗 (Abbau) 채굴, 채광, 채광장.

Aushauch [áushaux] *m.* -(e)s, -e 〖雅語〗 날숨, 입김; (꽃의) 향기.

aus|hauchen *t.* 〖雅語〗 ① **(a)** (숨을) 내쉬다: die frische Luft tief einatmen und wieder ~ 신선한 공기를 깊이 마시고 다시 내쉬다. **(b)** 낮은 소리로 말하다. ② 〖비유〗 sein Leben 〔seinen Geist〕 ~ 죽다. ③ (향기를) 발산하다: die Rosen hauchten einen süßen Duft aus 장미는 달콤한 향기를 발산했다.

Aushauchung *f.* -en (숨을) 내쉼; 숨이 끊어짐; 발산.

aus|hauen* [áushauən] *t.* ① 베어내다, 도려내다, 파다. ② 〖원예〗 (가지를) 쳐내다; (나무를) 깎아 다듬다; 〖林〗 (삼림을) 간벌(間伐)하다: Alleen im Wald ~ 숲에 길을 내다. ③ 〖조각〗 조각하다, 조형하다: eine Figur in Marmor ~ 대리석에 어떤 모양을 새기다. ④ 〖광산〗 (다) 채굴하다. ⑤ 〖방언〗 (팔기 위하여) (고기를) 썰다; (잡은 짐승의) 각을 뜨다. ⑥ (obd.) 채찍질〔매질〕하다; 마구 때리다. ⑦ 〖카드〗 (누구의 패를) 으뜸패로 쳐서 모두 따다. ⑧ 〖고어〗 거세하다(verschneiden).

aus|hausen *i.* (h.) (schweiz.) 가산〔재산〕을 탕진하다.

Aushäuser *m.* -s, - 낭비자, 살림에 서툰〔살림을 못 하는〕 사람.

aushäusig *a.* 〖구어〗 ① 집을 비우는: er ist viel ~ 그는 자주 집에 없다. ② 집 밖의; 가정 외의.

Aushäusigkeit *f.* 집에 없음, 외출.

aus|häuten 《I》 *t.* 껍질을 벗기다. 《II》 *refl.* sich ~ 탈피하다.

aus|heben [áushe:bən] 《I》 *t.* ① 끄집어내다, 벗기다; (나무·돌을) 뽑아내다, 빼내다; (흙을) 파내다; (도랑 따위를) 파다; (문짝·창을) 경첩에서 떼어내다: ein Nest ~ 새둥지에서 알 따위를 꺼내다; ein Räubernest ~ 도둑의 소굴을 습격하다: sich[3] die Schulter ~ 어깨가 빠지다, 어깨를 삐다; 〖구어〗 jm. den Magen ~ 누구의 위에서 내용물을 채취하다; den Guß ~ 주물(鑄物)을 주형(鑄型)에서 들어내다; einen Briefkasten ~ (öst.) 우체통의 우편물을 수거하다; 〖印〗 einen Schriftsatz ~ (인쇄기에서) 활자를 뽑아 내다. ② (술 따위를) 사이펀으로 뽑아 내다. ③ 선출하다, 골라내다; 〖레슬링〗 쳐들다; 〖구식〗 징집하다: der Ausgehob(e)ne 신병. 《II》 *refl.* sich ~ 뛰어나다, 탁월하다. 《III》 *i.* (h.) ① 시작하다(anheben). ② (시계가) 울리고 있다.

Ausheber *m.* -, - ① (시계의) 극치륜(棘齒輪); 사이펀; 〖원예〗 스쿱. ② 〖軍〗 징병관. ③ 〖레슬링〗 (상대방을 들어올릴 때 잡는) 손잡이.

aus|hebern *t.* ① einen Behälter ~ (사이펀으로) 통에서 액체를 뽑아내다. ② 〖醫〗 den Magen ~ 위액을 채취하다.

Ausheberung *f.* -en 액체를 뽑아냄; 〖醫〗 (위액) 채취.

Aushebung *f.* -en 끄집어냄, 벗김, 빼냄; 〖軍〗 징병: die ~ des Diebesnestes 도둑 소굴 소탕; (öst.) die ~ des Briefkastens 우편물 수거.

Aushebungs·bezirk *m.* 〖軍〗 징병구.

aus|hecken *t.* 〖구어·폄어〗 (나쁜 짓을) 꾀하다; (계획을) 세우다; (음모를) 꾸미다; (소문을) 날조하다: einen teuflischen Plan ~ 흉악한 계획을 꾸미다.

aus|heilen 《I》 *t.* 완치하다: eine Wunde ~ 상처를 완치하다; er hat sich im Sanatorium ausgeheilt 그는 요양소에서 병을 완치했다. 《II》 *i.* (s.) 완치되다: die Krankheit ist ausgeheilt 그 병은 완치되었다.

Ausheilung *f.* -en 완치.

ausheimisch [áushaımıʃ] *a.* 〖구식〗 ① 외국의; 이국적인. ② 여행을 떠난(verreist).

aus|heitern 《I》 *t.* 맑게〔쾌활하게〕 하다. 《II》 *refl.* sich ~ 명랑해지다.

aus|heizen *t.* (방을) 충분히 덥히다, 뜨겁게 하다.

aus|helfen* 《I》 *i.* (h.) ① jm. ~ 누구를 곤경에서 구하다, 누구를 돕다. ② 거들다, 임시로 돕다: sie arbeitet nicht mehr, hilft aber gelegentlich noch bei uns aus 그녀는 더 이상 (여기서) 일하지는 않지만, 이따금씩 우리 일을 거들어준다. 《Ⅱ》*t.* jm. den Rock ~ 누가 옷 벗는 것을 도와 주다.

Aushelfer *m.* -s, - 조력자; 임시 조수.

aus|hemmen *t.* 〔드물게〕 장애물을 치우다: ein Wagenrad ~ 수레의 바퀴굄을 치우다.

aus|heulen 《Ⅰ》*i.* (h.) 짖기를 그치다; 울음을 멈추다: die Sirene hat ausgeheult 사이렌이 멈추었다. 《Ⅱ》*refl.* 〔구어〕 sich ~ 실컷 울다: das Kind hat sich bei der Mutter ausgeheult 그 애는 엄마에게 가서 실컷 울었다.

Aushieb [áushi:p] *m.* -(e)s, -e ①〖林〗↑ Auszugshieb. ②〖펜싱〗 찌르기. ③〖광산〗 시금(試金).

Aushilfe [áushɪlfə] 《<aushelfen》 *f.* -n ① 도움, 보조; 일시적 보충, 임시 변통; 대리(인), 대역(代役); 임시 고용: ~ mit Geld 돈의 융통; zur ~ 임시 변통으로, 임시로, 임시 방편으로. ② (임시) 보조원, 도우미.

Aushilfe=kellner *m.* 임시 웨이터. **~mädchen** *n.* 요리·가사 담당 하녀. **~mast** *m.* 〖海〗 응급 돛대. **~schau·spieler** *m.* ↑ Aushilfsschauspieler.

aushilflich *adv.* 임시로, 임시 방편으로.

Aushilfling *m.* -s, -e 임시 보조원; 대리인.

Aushilfs=arbeit *f.* 임시로 하는 일거리. **~kraft** *f.* (임시) 보조원, 임시 고용인, 도우미; 대리인, 보결. **~lehrer** *m.* 임시 교사; 조교. **~schau·spieler** *m.* (대역을 하는) 하급 배우. **~stellung** *f.* 임시직. **~weise** *adv.* 임시로, 임시 방편으로.

aus|hobeln *t.* 대패로 밀어내다.

aus|hoffen *i.* (h.) 희망을 버리다, 단념하다.

aus|höhlen *t.* ① (속을) 비게 하다, 후벼〔도려〕내다, 우묵하게 하다, 파내다. ② 내적으로 약화시키다: die Krankheit hat ihn stark ausgehöhlt 병으로 그는 몸이 매우 축났다.

Aushöhlung *f.* -en ① 속을 비우기, 우묵하게 하기: 〔비유〕 die ~ des Gesetzesbegriffs 법 개념의 손상. ② 공동(空洞), 우묵한 데, 구멍; 홈.

aus|höhnen *t.* 〔드물게〕 (verhöhnen) 비웃다, 조소하다.

aus|hökern *t.* 〔구식〕 팔다, 돈으로 바꾸다, 행상하다.

***aus|holen** 《Ⅰ》*i.* (h.) ① **(a)** (팔다리를) 휘두르다, (치려고) 쳐들다: mit der Hand zum Schlag ~ 치려고 손을 쳐들다; zum Sprung ~ 물러나 뛸 자세를 취하다; er holte aus und versetzte seinem Gegner einen Schlag 그는 팔을 쳐들어 상대방에게 일격을 가했다. **(b)** 성큼성큼 걸어가다: die Pferde holten aus 말들이 성큼성큼 걸어갔다. ② 소급하여 이야기하다: weit ~ (이전의 일부터) 자상히 이야기하다. 《Ⅱ》*t.* ①〔방언〕 jn. über et. ~ 누구의 무엇(비밀 따위)을 떠보다, 알아내다. ②〖海〗 (돛을) 밧줄로 고정하다.

Ausholer *m.* -s, - ① 탐방자. ②〖海〗 돛대의 활줄.

aus|holzen *t.* 벌채하다; 간벌(間伐)하다.

aus|horchen *t.* ① (jn.) (누구에게서) 비밀을 알아내다〔캐내다〕: sie hat ihn über seine Familie ausgehorcht 그녀는 그에게서 그의 가족에 대해서 알아냈다. ②〖醫〗 진찰하다.

Aushorcher *m.* -s, - 탐방자.

aus|hören *t.* ① 끝까지 듣다. ② ↑ aushorchen ①.

aus|horsten *t.* 〖사냥〗 junge Greifvögel ~ 맹금의 새끼를 길들이기 위해서 둥지에서 꺼내다.

Aushub [áushu:p] 《<ausheben》 *m.* -(e)s, ..hübe ① 선택, 선발; 정화(精華). ②〖軍·고어〗 징모; 〔집합적〕 신병. ③ 흙을 파냄; 파낸 흙.

Aushülfe [áushʏlfə] *f.* -n ↑ Aushilfe ②.

aus|hülsen *t.* 껍질을 까다, 깍지를 벗기다: Erbsen ~ 완두콩을 까다.

aus|hungern *t.* ① 굶주려 지치게 하다: die Bewohner einer belagerten Stadt ~ 포위된 도시의 주민을 굶겨서 지치게 하다. ②〖크리켓〗 공을 빈 본루로 던지거나 가져오다.

Aushungerung *f.* 기아(飢餓), 아사(餓死); 군량(軍糧) 공격.

aus|hunzen *t.* 〔구식〕 호통치다, 욕하다.

aus|husten 《Ⅰ》*t.* 기침하여 뱉다: Schleim ~ 기침하여 가래를 뱉다. 《Ⅱ》*i.* (h.) / *refl.* (sich) ~ 기침을 그치다; 실컷 기침하다.

aus|ixen *t.* ①〔구어〕 (타자를 잘못 친 곳을) × 자로 지우다. ②〔방언〕 (austüfteln) 생각〔고안〕해내다.

aus|jagen 《Ⅰ》*t.* 〔고어〕 몰아내다, 내쫓다. 《Ⅱ》*i.* (h.) 사냥을 끝내다.

aus|jammern 《Ⅰ》*i.* (h.) 한탄하기를 그치다: hast du endlich ausgejammert? 너 드디어 한탄할 것 다했니? 《Ⅱ》*t.* 한탄 속에 보내다: sein Leben ~ 눈물 속에 한평생을 보내다. 《Ⅲ》*refl.* sich ~ 하소연하여 기분을 풀다.

aus|jäten *t.* (잡초를) 뽑다; (토지를) 제초하다: die Blumenbeete ~ 화단에서 김매다.

aus|jauchzen 《Ⅰ》*t.* 〔시어〕 환호성을 치며 알리다. 《Ⅲ》*refl.* sich ~ 마음껏 환호하다.

aus|jochen *t.* (소의) 멍에를 벗기다; 〔비유〕 속박을 제거하다.

aus|jubeln 《Ⅰ》*i.* (h.) 환호를 그치다. 《Ⅱ》*t.* 환호하며 (감정을) 표현하다.

aus|kalkulieren *t.* 정확히 계산하다.

aus|kälten 〔구식·방언〕《Ⅰ》*t.* 충분히 식히다. 《Ⅱ》*i.* (s.) 완전히 식다.

aus|kämmen *t.* ① 빗어 없애다; 빗질하다: ein Kind ~ 아이의 머리를 빗다; ausgekämmte Haare a) 잘 빗은 머리, b) 빗어서 빠진 털. ② 샅샅이 뒤지다: die Polizei hat den Wald nach dem geflohenen Verbrecher ausgekämmt 경찰은 도망친 범인을 찾아서 숲을 샅샅이 뒤졌다. ③〔비유〕 (신병 따위를) 선발하다, 차출하다.

aus|kämpfen 《Ⅰ》*i.* (h.) 〔완료의 형태로만〕 〔雅語·은폐〕 죽다: er hat ausgekämpft 그는 (모진 고생 끝에) 죽었다. 《Ⅱ》*t.* 끝까지 싸우다, 싸워서 이겨내다: einen Kampf mit sich[3] ~ 자신과의 싸움을 이겨내다. ②〔비유〕 정력적으로 관철시키다, 끝까지 밀어붙이다.

aus|kauen 《Ⅰ》*i.* (h.) (음식물 따위를) 다 씹다; 충분히 씹다. 《Ⅱ》*t.* 충분히 씹다: eine Frucht ~ 과실을 씹어서 그 즙을 빨다.

Auskauf [áuskauf] *m.* -(e)s, ..käufe ① 매점(買占). ② (전당 잡힌 것 따위를) 되사기, 되찾기.

aus|kaufen *t.* ① 매점하다; 〔비유〕 (기회를) 충분히 이용하다: js. Laden ~ 누구의 점포의 물건을 모조리 사다. ② jn. ~ a) 누구보다 먼저 사들이다, b) 누구보다 더 비싼 값을 붙여

사들이다. ③ 되사다.
aus|kegeln *t.* ① 내기를 걸고 독일식 볼링을 하다. ②〖구어〗(ausrenken) (팔·발을) 삐다, 탈구(脫臼)시키다: ich habe mir den Arm ausgekegelt 나는 팔이 삐었다.
Auskehle [áuske:lə] *f.* -n 〚건축〛 홈, 요선(凹線).
aus|kehlen *t.* 〚건축〛 홈을 파다: Säulen ~ 기둥에 홈을 파다.
Auskehlung *f.* -en 홈 파기; 홈.
Auskehr [áuske:*r*] *f.* 〖비유〗(쓸데없는 인원의) 정리.
aus|kehren[1] *t.* ① (먼지를) 쓸어내다. ② (방을) 청소하다.
aus|kehren[2] 《Ⅰ》 *t.* 〖구식〗 eine Summe (an jn.) ~ (누구에게) 얼마의 액수를 지급하다. 《Ⅱ》 *i.* (s./h.) 바깥으로 향하다; 〖방언〗 성내다; 〖방언〗 드라이브하다.
Auskehricht [áuske:rıçt] *n./m.* -(e)s, -e 〖구식〗(쓸어 모은) 쓰레기(↑ Kehricht).
aus|keilen 《Ⅰ》 *t.* ① 쐐기로 죄다. ②〖구식〗(누구를) 때려눕히다. 《Ⅱ》 *i.* (s.) ① (말이) 걷어차다. ②〚광산〛(광맥이) 쐐기 모양으로 뾰족하게 뻗다.
Auskeilung *f.* -en 〚광산〛 광맥이 쐐기 모양으로 끝남〔끝난 곳〕.
aus|keimen 《Ⅰ》 *i.* ① (s.) 싹트다. ② (h.) 완전히 싹이 나다. 《Ⅱ》 *t.* 싹을 따내다(entkeimen).
Auskeimung *f.* -en 발아(發芽), 싹트기; 싹 제거.
aus|keltern 《Ⅰ》 *i.* (h.) (과일 즙을) 다 짜다. 《Ⅱ》 *t.* (무엇의) 즙을 짜다: Weintrauben ~ 포도즙을 짜다.
aus|kennen* 《Ⅰ》 *t.* 식별하다. 《Ⅱ》 *refl.* sich in et.[3] 〔an einem Ort〕 ~ 어떤 일〔곳〕을 환히 알고 있다; sich nicht mehr ~ 어찌할 바를 모르고 있다; kennst du dich hier aus? 너는 이 곳을〔이곳 지리를〕 잘 아니?
aus|kerben *t.* (톱니 모양의) 눈금을 새겨넣다: einen Stock ~ 막대기에 눈금을 새기다.
Auskerbung *f.* -en ① 눈금 새겨넣기. ② (톱니 모양의) 새긴 금.
aus|kernen *t.* ①〖방언〗(콩과 식물의) 껍질을 벗기다: Erbsen ~ 완두콩의 깍지를 까다. ② 씨를 발라내다: Kirschen ~ 버찌의 씨를 발라내다. ③〚광산〛 선광(選鑛)하다.
aus|kesseln *t.* 냄비 모양으로 만들다.
aus|kiesen(*) *t.* ①〖시어〗골라내다. ② 자갈을 채취하다: eine Grube ~ 구덩이에서 자갈을 채취하다.
aus|kippen *t.* ① (액체 따위를) 따라 버리다. ② (통 따위를) 쏟아 비우다: eine Vase mit Wasser ~ 물이 든 꽃병을 쏟아 비우다.
aus|kitten *t.* (무엇을) 시멘트로 메우다.
ausklagbar *a.* 〚法〛 소송을 일으킬 수 있는.
aus|klagen 《Ⅰ》 *t.* ① 소송을 제기하다: eine Schuld 〔einen Wechsel〕 ~ 대금(貸金) 청구〔어음 지급 요구〕의 소송을 제기하다. ② 고소하다, 퇴거를 요구하다: jn. aus seiner Wohnung ~ 누구에게 퇴거를 요구하는 소송을 제기하다. ③〖雅語〗 하소연하다: sein Leid ~ 고통을 하소연하다. 《Ⅱ》 *i.* (h.) 하소연〔소송〕을 그만두다. 《Ⅲ》 *refl.* sich ~ 하소연하다; 푸념하여 속〔기분〕을 풀다.
Ausklagung *f.* -en 고소, 소송; 하소연, 푸념.
aus|klammern *t.* ①〚數〛 괄호 밖으로 내보내다(보기: ab+ac=a(b+c)). ②〖비유〗제외〔배제〕하다: das Unwesentliche ~ 중요하지 않은 것을 제외하다. ③〚언어〛(문장의 한 성분이나 부문장을) 문장 경계 뒤로 보내다.
aus|klamüsern *t.* 〖구어〗고안해내다, 찾아내다: eine neue Methode ~ 새로운 방법을 생각해내다.
Ausklang [áusklaŋ] 《<ausklingen》 *m.* -(e)s, ..klänge (악곡의) 종결부, 마지막 음; 〖비유〗종결(Schluß).
ausklappbar *a.* 펼 수 있는: ein ~er Tisch 펼 수 있는 책상.
aus|klappen *t.* 펴다(↔ einklappen).
aus|klarieren [..klari:rən] 《lat.》 *t.* 〚海〛(선박의) 출항〔입항〕 절차를 마치다: ein Schiff 〔die Ladung〕 ~ 선박〔화물〕의 출항세를 내다.
aus|klatschen 《Ⅰ》 *t.* ① (무엇을) 수다스럽게 이야기하다: ein Geheimnis ~ 비밀을 퍼뜨리다. ②〖드물게〗손뼉을 쳐서 …에 대한 반감을 표시하다: einen Schauspieler ~ 손뼉을 쳐서 배우에 대한 반감을 표시하다. ③〖구어〗(jn.) 마구 때리다. 《Ⅱ》 *i.* (h.) 지껄이기를 그치다. 《Ⅲ》 *refl.* sich ~ 실컷 지껄이다.
aus|klauben *t.* 〖방언〗et. ~ 어떤 것에서 추려내다〔골라내다〕.
aus|kleben *t.* ① 바르다: einen Kasten mit Papier ~ 상자를 종이로 바르다. ② (구멍 따위를) 발라 막다.
***aus|kleiden** 《Ⅰ》 *t.* ① …의 옷을 벗기다: einen Verletzten ~ 부상자의 옷을 벗기다. ② 바르다: ein Zimmer mit Tapeten ~ 방을 도배하다. 《Ⅱ》 *refl.* sich ~ 옷을 벗다.
Auskleide·zimmer *n.* 탈의실.
Auskleidung *f.* -en ① (a) 탈의, 옷벗기기. (b) 내장(內藏). ② 내장재(材), 안감. ③〚軍〛(제대 때의) 군장 반납.
aus|kleistern *t.* 〖구어〗 ↑ auskleben.
aus|klengen [..klɛŋən] (♧ klingen) *t.* 〚林〛(klengen) (침엽수의) 열매를 털어내다, (솔방울 따위에서) 씨를 빼내다: Nadelholzzapfen ~ 침엽수의 열매에서 씨를 빼내다.
aus|klingeln 〖고어〗《Ⅰ》 *i.* (h.) 종〔벨〕의 울림이 그치다. 《Ⅱ》 *t.* 종을 쳐서 알리다.
aus|klingen(*) *i.* 〖교양〗① (h./s.) 울리기를 그치다; 어떤 음으로 끝나다: als das letzte Lied ausgeklungen war, gingen sie nach Hause 마지막 노래가 끝나자 그들은 집으로 갔다. ② (s.) 〖비유〗(축제 따위가 …로〔…하며〕) 끝나다: die Feier klang aus in einem gemeinsamen Lied 그 축제는 노래 한 곡을 같이 부르면서 끝났다.
aus|klinken 《Ⅰ》 *t.* ① (걸쇠를) 풀다, 풀어서 떨어뜨리다: das Schleppseil ~ 견인 밧줄을 풀다; Bomben aus dem Flugzeug ~ 비행기에서 폭탄을 투하하다. ②〚印〛 eine Druckplatte ~ 인쇄판에서 어느 한 부분을 빼내다. 《Ⅱ》① *refl.* sich ~ 풀어지다: das Seil klinkt sich automatisch aus 밧줄이 자동으로 풀린다. ② 이탈하다, 빠져나가다.
aus|klopfen *t.* ① (옷 따위를) 털어 깨끗이하다: einen Teppich ~ 양탄자를 털다. ② (먼지 따위를) 털어내다: Staub ~ 먼지를 털다. ③〖농담〗누구를 가볍게 때리다〔치다〕: 〖비

유〗jm. den Rock ~ 누구를 두들기다.
Ausklopfer *m.* -s, - 총채; 먼지 터는 기구〔사람〕.
aus|klügeln [..kly:gəln] *t.* 면밀하게 생각해 내다: einen Plan ~ 계획을 면밀하게 세우다.
Ausklügelung *f.* -en 면밀하게 생각해 냄.
Ausklüglung *f.* -en ↑ Ausklügelung.
aus|kneifen* *i.* (s.) ① 〖구어〗 몰래 달아나다: jm. ~ 누구에게서 달아나다. ② 〖비유〗 (의무 따위를) 피하다: vor einer Auseinandersetzung ~ 논쟁을 피하다.
aus|kneten *t.* 충분히 반죽하다.
aus|knipsen *t.* 〖구어〗 (스위치를) 찰칵 끄다 (↔ anknipsen): den Ventilator ~ 환풍기를 끄다.
aus|knobeln *t.* ① 주사위로 결정하다: wir wollen ~, wer der nächste sein soll 우리는 누가 다음 차례인지를 주사위를 던져 결정하려고 한다. ② 〖비유·구어〗 면밀하게 생각해내다, (문제 따위를) 풀다, 해결하다: die Angelegenheit hat er ganz allein ausgeknobelt 이 사건은 그 혼자서 해결했다.
aus|knocken *t.* ① 〖권투〗 케이오로 이기다. ② 〖비유·구어〗 능가하다: er hat seinen Konkurenten ausgeknockt 그는 그의 경쟁자를 물리쳤다.
ausknöpfbar *a.* (단추를 풀어) 뗄 수 있는(↔ einknöpfbar): das Futter des Mantels ist ~ 이 외투의 라이너는 뗄 수 있다.
aus|knöpfen *t.* 단추를 풀어 떼어내다(↔ einknöpfen).
aus|knurren *i.* (h.) 으르렁거림〔투덜거림〕을 그치다.
aus|kochen 《Ⅰ》 *i.* ① (h.) (**a**) 끓기를 그치다, 다 끓다; 〖비유〗 (노여움이) 식다, 가시다. (**b**) 요리를 끝내다. (**c**) 푹 삶아지다. ② (s.) 끓어 넘치다: die Suppe ist aus dem Topf ausgekocht 수프가 냄비에서 끓어 넘쳤다. ③ (öst.) 밥을 해주다: sie kocht für die gesamte Mannschaft aus 그녀는 그 팀 전체에게 밥을 해준다. ④ 〖광산〗 (폭약이) 불발하다. 《Ⅱ》 *t.* ① 푹 삶다, 오랫동안 끓이다: die Brühe aus dem Fleisch ~ 고기를 삶아 국물을 우려내다. ② (**a**) (빨래를) 삶다: einen neuen Topf ~ 새 냄비를 끓여서 깨끗이하다. (**b**) 〖醫〗 끓는 물에 소독하다. ③ 〖구어·폄어〗 (못된 짓을) 꾸미다, 계획하다: die zwei kochen immer wieder neue Gemeinheiten aus 그 두 사람은 끊임없이 비열한 짓을 새로 꾸며낸다. ④ 〖구어〗 (어떤 일을) 숙고하여 해결하다. ⑤ 〖제련〗 (강철을 저온으로) 가열하다. 《Ⅲ》 **ausgekocht** *p.a.* ↑ ausgekocht.
aus|koffern *t.* 〖건축〗 ① (도로나 철도 건설을 위해 땅을) 파내다. ② (특히 교량 밑의 침식을 막기 위해 강가 쪽을) 포장하다.
Auskofferung *f.* -en 〖건축〗 파냄; 포장.
aus|kolken *t.* 〖지질〗 (물살이 바닥을) 패이게 하다: fließendes Wasser kolkt ein Flußbett aus 흐르는 물이 강바닥을 패이게 한다.
Auskolkung *f.* -en 〖지질〗 ① 패임. ② 물살로 패인 바닥〔골〕.
aus|kommen [áuskɔmən] *i.* (s.) ① (**a**) (herauskommen) 나오다; 외출하다. (**b**) (난파선 따위에서) 빠져 나오다. ② (알이) 부화하다. ③ (südd., öst.) 발생하다, 일어나다(↑ ausbrechen): ein Brand kommt aus 불이 나다. ④ 〖드물게〗 알려지다, (비밀이) 새다; (소문이) 퍼지다. ⑤ 다 되다; (통이) 텅 비게 되다; (불이) 꺼지다; (오점이) 떨어지다: das Feuer kommt aus 불이 꺼지다. ⑥ 꾸려나가다, 그럭저럭 살아가다: mit seinem Gehalt ~ 봉급으로 그럭저럭 살아가다; bequem 〔behaglich〕 ~ 즐겁게 살고 있다. ⑦ (누구와) 사이좋게 지내다: es läßt sich schwer mit ihm ~ 그는 사귀기 어려운 사람이다. ⑧ jm. ~ 누가 잘 되다. ⑨ 〖방언〗 ihm kommt nichts aus 그는 인색하다〔구두쇠다〕.
Auskommen *n.* -s ① 외출, 나감: das Aus- und Einkommen 출입. ② 부화(孵化). ③ 생계, 살림: sein gutes 〔ein knappes〕 ~ haben 여유 있는〔빡빡한〕 살림을 해나가다. ④ 사귐, 친목, 친화: es ist kein ~ mit ihm 그는 사귀기 어려운 사람이다.
auskömmlich [áuskœmlıç] *a.* ① 넉넉한, 충분한: ein ~es Amt 상당한 수입이 있는 직책. ② 사귐성〔붙임성〕 있는.
aus|koppeln *t.* ① (**a**) 〖사냥〗 (개를) 풀어놓다. (**b**) 〖전기〗 연결자를 떼다. ② (엘피(LP) 음반에 수록된 곡을) 독집으로 내다.
aus|körnen *t.* 〖農〗 (무엇의) 알맹이를 빼내다: Getreide ~ 곡식 껍질을 벗기다.
aus|kosten *t.* 〖雅語〗 ① 실컷 맛보다, 끝까지 즐기다: er hat seine Ferien bis zum letzten Tag ausgekostet 그는 마지막 날까지 방학을 실컷 즐겼다. ② 〖드물게〗 맛보고 고르다.
aus|kotzen 〖비속〗 《Ⅰ》 *t.* 토하다. 《Ⅱ》 *refl.* sich ~ 심하게 토하다: 〖비유·구어〗 sich (bei jm.) ~ (누구에게) 속마음을 털어놓다.
aus|kragen 《Ⅰ》 *t.* 〖건축〗 까치발로 받치다, 돌출시키다. 《Ⅱ》 *i.* (s.) 〖건축〗 돌출되어 있다; 버팀 장치가 붙어 있다.
Auskragung *f.* -en ① 돌출. ② 〖건축〗 돌출부, 까치발.
aus|krähen 《Ⅰ》 *t.* (**a**) 〖시어〗 (닭이) 울어서 알리다: der Hahn kräht den Tag aus 닭이 울어서 날이 밝았음을 알린다. (**b**) 〖비유〗 이야기하다, 이야기를 퍼뜨리다. 《Ⅱ》 *i.* (h.) 울기를 그치다.
aus|kramen *t.* ① 끄집어내 비우다; 치우다: eine Kiste mit Spielzeug ~ 장난감이 든 상자를 비우다. ② 끄집어내다; 누설하다, 털어놓다: seine Sachen aus Schubladen ~ 서랍에서 물건을 꺼내다; Geheimnisse ~ 비밀을 누설하다〔털어놓다〕. ③ (상품을) 진열하다; 〖비유〗 (거짓말 따위를) 늘어놓다; (학식을) 자랑〔과시〕하다.
aus|kratzen 《Ⅰ》 *t.* ① 긁어내다, 깎아 없애다, 말살하다: den Rest aus der Schüssel ~ 대접의 찌꺼기를 긁어내다. ② 긁어서 깨끗이 하다. ③ 〖제련〗 den Hochofen ~ 용광로 속의 것을 긁어내다. ④ 〖醫〗 소파(搔爬) 수술을 하다(ausschaben): sie wurde ausgekratzt 그녀는 소파 수술을 받았다. 《Ⅱ》 *i.* (s.) 〖구어〗 급히 달아나다.
Auskratzung *f.* -en 〖醫〗 ↑ Ausschabung.
aus|krempeln *t.* (양털을) 충분히 빗다.
aus|kriechen* 《Ⅰ》 *i.* (s.) 알에서 (부화되어) 나오다. 《Ⅱ》 *t.* 샅샅이 찾다: alle Winkel ~ 구석구석을 샅샅이 찾다.
aus|kriegen 《Ⅰ》 *t.* 〖구어〗 ① 벗을 수 있다, (반지 따위를) 뺄 수 있다: ein Glas ~ 잔을 비우다; ich kriege die Stiefel nicht aus 내 장

화가 잘 벗겨지지 않는다. ② 집어내다. 《Ⅱ》 *i.* (h.) 전쟁을 그치다.

aus|kristallisieren *i.* (h.) 결정체를 얻다, 결정이 되어 나오다: das Salz kristallisiert aus 소금이 결정체로 된다.

Auskristallisierung *f.* -en ① 결정화(結晶化). ② 결정체.

aus|kugeln *t.* ① 공을 던져서 표결하다. ② sich³ den Arm ~ 팔을 삐다: bei dem Sturz hat er sich den Arm ausgekugelt 그는 넘어져 팔을 삐었다. ③〚체조〛(매달린 상태에서 역방향으로) 공중 회전을 하다.

aus|kühlen 《Ⅰ》 *t.* 완전히 식히다. 《Ⅱ》 *i.* (s.)/*refl.* (sich) ~ 완전히 식다.

Auskühlung *f.* -en 냉각.

Auskultant [auskʊltánt] 《lat., „Zuhörer"》 *m.* -en, -en〚法〛①〔구식〕방청자. ② (표결권이 없는) 참관인. ③ (öst.) 배석 판사, 판사 시보.

Auskultation [..kʊltatsió:n] *f.* -en〚醫〛청진(聽診).

Auskultator [..tá:tɔr, ..to:r] 《lat.》 *m.* -s, -en [..tó:rən]〚法·구식〛판사 시보.

auskultatorisch *a.*〚醫〛청진상(聽診上)의, 청진에 의한.

aus|kultieren 《Ⅰ》 *i.* (h.) 방청하다(zuhören). 《Ⅱ》 *t.*〚醫〛청진하다.

aus|künden *t.* 알리다, 공고하다.

aus|kundschaften *t.* ① 답사하다; 정찰하다. ② 탐색하여 알아내다, (소재를) 찾아내다: die Polizei hat bald ausgekundschaftet, wo er wohnt 경찰은 그가 어디에 살고 있는지를 곧 알아냈다.

Auskundschafter *m.* -s, -〔드물게〕(Kundschafter) 정보원, 밀정; 답사자; 정찰자.

Auskundschaftung *f.* -en 답사; 정찰.

***Auskunft** [áuskʊnft] 《<auskommen》 *f.* ..künfte ① 교시, 알림, 정보; 안내: über et. ~ erteilen〔einholen〕무엇에 관한 정보를 주다〔수집하다〕. ② 안내소. ③〔구식·방언〕방책, 빠져 나갈 길.

Auskunftei [..táɪ] *f.* -en 흥신소, (신용) 정보 회사.

Auskunfts≈beamte* *der* (특히 역의) 안내원. **~büro** *n.* (역 따위의) 안내소, 흥신소. **~dienst** *m.* (특히 전화국의) 안내 업무. **~mittel** *n.*〔구식〕방책, 방편, 빠져 나갈 길. **~pflicht** *f.*〚法〛정보 제공 의무; 신고의 의무. **~stelle** *f.* (특히 역의) 안내 창구.

aus|künsteln *t.* 머리를 짜서 생각해내다; 날조하다.

aus|kuppeln 《Ⅰ》 *i.* (h.) (클러치를 밟아) 기어를 빼다〔풀다〕. 《Ⅱ》 *t.*〚工〛차단하다, 기어를 떼다, 연결〔연동〕을 끊다.

aus|kurieren [..kuri:rən] *t.* 완치시키다.

aus|lachen 《Ⅰ》 *i.* (h.) 웃음을 그치다. 《Ⅱ》 *refl.* sich ~ 마음껏〔실컷〕웃다. 《Ⅲ》 *t.* 조소하다, 놀려대다: laß dich nicht ~! 헛소리 그만 해라!

auslachens≈wert, ~würdig *a.* 가소로운.

Auslad *m.* -s 하역.

aus|laden*[1] 《Ⅰ》 *t.* ① **(a)** 하역하다: Holz ~ 목재를 하역하다;〔비유〕Truppen ~ 군대를 상륙시키다. **(b)** 짐을 내리다: das Schiff ~ 배의 짐을 부리다. ② **(a)**〚軍〛탄환을 빼다: ein Gewehr ~ 총의 탄환을 뽑아내다. **(b)**〚전기〛방전하다. ③〚건축〛돌출하게 하다. ④〚畫〛두드러지게 하다: Teile eines Bildes ~ 그림의 일부를 두드러지게 하다. 《Ⅱ》 *i.* (s.) ①〚건축〛돌출해 있다. ②〚畫〛두드러져 있다.

aus|laden[2] *t.*〔구어〕초대를 취소하다(↔ einladen): wir mußten die Gäste leider wieder ~ 우리는 손님 초대를 유감스럽게도 다시 취소해야만 했다.

ausladend *p.a.* ① 돌출해 있는. ② 폭이 넓게 지어진〔만들어진〕: ein ~er Kahn 폭이 넓은 보트. ③ 장황한, (문체가) 짜임새가 없는: ein ~er Stil 장황한 문체.

Auslade≈ort *m.* ↑ ~platz. **~platz** *m.* 하역장;〚海〛양륙장(揚陸場), 부두.

Auslader *m.* -s, - ①〚海〛하역 인부. ②〚物〛방전기(放電器).

Auslade≈stelle *f.* ↑ ~platz. **~zeug** *n.* 탄환추출기(Kugelzieher).

Ausladung[1] [áusla:dʊŋ] *f.* -en ① 하역. ②〚건축〛돌출부.

Ausladung[2] *f.*〔구어〕초대의 취소.

Auslage [áusla:gə] 《<auslegen》 *f.* -n ① (Ausgabe) 비용, 경비: jm. seine Auslagen erstatten 누구에게 경비를 지급하다. ② 진열품, 진열창; (명부 따위의) 전시, 진열: die ~ des Juweliers 보석 가게의 진열품들; ich möchte das Hemd aus Ihrer ~ haben 나는 진열장에 진열해 놓으신 셔츠를 사고 싶습니다. ③〚스포츠〛경기 시작 자세, 기본 자세. ④〚사냥〛뿔 사이의 폭. ⑤〚기계〛기중기의 최대 도달 거리.

Auslage≈kästchen *n.* 진열 케이스〔상자〕. **~nota, ~rechnung** *f.*〚商〛지급액.

aus|lagern 《Ⅰ》 *i.* (s.)〔구식〕(저장의 결과) 품질이 좋아지다(↑ ablagern 《Ⅱ》). 《Ⅱ》 *t.* ① (귀중품 따위를) 안전한 곳으로 옮기다. ② (팔기 위해) 창고에서 꺼내다, 출고하다.

Auslagerung *f.* -en 안전한 곳으로 옮김; 출고, 팔려고 내놓음.

***Ausland** [áuslant] *n.* -(e)s ① 외국(↔ Inland): ins ~ gehen 외국에 가다. ②〚총칭〛외국인: Handel mit dem ~ 외국과의 무역.

***Ausländer** [..lɛndər] *m.* -s, - 외국인.

Ausländer·beauftragte* *der/die* 외국인 담당자〔담당관〕.

Ausländerei [..ráɪ] *f.* -en 외국 모방〔숭배〕.

ausländer·feindlich *a.* 외국인에게 적대적인.

Ausländerin *f.* -nen ↑ Ausländer 의 여성형.

ausländisch *a.* 외국의; 이국풍의; 외국산의:〚經〛~er Wert (화폐의) 대외 가치.

Auslands≈absatz *m.*〚商〛상품의 해외 판매. **~anleihe** *f.*〚經〛외채. **~aufenthalt** *m.* 해외 체류. **~beziehungen** *pl.* 대외 관계. **~-deutsch** *a.* 재외 독일(인)의. **~deutsche*** *der/die* 재외 독일인. **~deutschtum** *n.*〚총칭〛재외 독일인. **~geschäft** *n.* 무역, 교역. **~gespräch** *n.* 국제 통화. **~handel** *m.* 대외 무역. **~korrespondent** *m.* 해외 특파원. **~kunde** *f.* 외국학. **~paß** *m.* 여권, 패스포트. **~reise** *f.* 해외 여행. **~schutz·brief** *m.* 자동차 클럽이 외국 여행하는 회원에게 발행하는 보증서. **~sendung** *f.* ① 국제 방송. ② 국제 우편(물). **~sucht** *f.* ↑ Ausländerei. **~tournee** *f.* 외국 순회 공연. **~vertretung**

f. ①〖經〗 외국 출장소〔대리점〕. ②〖政〗 재외 공관. **~wechsel** *m.* 외국환.

aus|langen *i.*(h.) ① 손을 뻗다. ② 족하다: mit et.³ ~ 무엇으로 때우다, 대용하다; das Geld langt nicht aus 돈이 충분하지 않다; (ost.) sein Auslangen finden〔haben〕 생계를 꾸려 가다.

aus|lärmen *t./refl.* sich ~ 마음껏 떠들다.

Auslaß [áuslas] *m.* ..lasses, ..lässe ① 하수구, 방수구, 배기구. ② (obd.) 출구, 문.

aus|lassen 《Ⅰ》 *t.* ① 밖으로 내놓다, 내보내다; (증기·물을) 방출하다; (가축을) 우리 밖으로 내보내다, 풀어놓다; 가만히〔내버려〕 두다: Wasser ~ 물을 흘려 보내다; den Hund von der Leine ~ 개를 풀어 놓다;〖방언〗 laß mich aus! 나를 내버려두시오! ②〖비유〗 (감정을) 드러내다; (의견 따위를) 말하다: seinen Zorn an jm.〔jn.〕 ~ 누구에게 화를 내다. ③ 생략하다, 빠뜨리다;〖印〗 탈락 어구를 만들다: ein Wort im Satz ~ 문장에서 한 단어를 생략하다; eine Gelegenheit ~ 기회를 놓치다; einen Kunden ~ (순서에서) 손님 한 사람을 건너뛰다. ④〖요리〗 (버터 따위를) 녹이다. ⑤〖재단〗 (시접을) 내다; (의복의) 품〔기장〕을 늘이다. ⑥〖제련〗 den Ofen ~ 용광로의 화력을 낮추다. ⑦〖구어〗 (전등 따위를) 켜지 않다. 《Ⅱ》 *refl.*〖비유〗 sich über et. ~ 무엇에 관하여 의견을 말하다; sich gegen jn. ~ 누구에게 마음속을 밝히다. 《Ⅲ》 **ausgelassen** *p.a.* ↑ ausgelassen.

Auslaß≈rohr *n.*, **~röhre** *f.*〖기계〗 방수관(防水管), 배기관(排氣管).

Auslassung [áuslasuŋ] *f.* -en ① 생략, 빠뜨림. ② 밖에 내놓음, 방출. ③〖복수〗〖폄어·비유〗 장광설, 언급; 말, 이야기.

Auslassungs≈punkte *pl.* 생략 부호(···) (Gedankenpunkt). **~satz** *m.*〖문법〗 생략된 문장. **~zeichen** *n.*〖문법〗 생략 부호(');〖印〗 탈자(脫字) 기호(∧).

Auslaß·ventil *n.*〖기계〗 배기 밸브.

aus|lasten *t.* ① (화물차 따위에) 적재 한도까지 싣다; 한계 용량까지 이용하다, 최대한 가동하다: ein Fahrzeug ~ 차에 적재 한도까지 짐을 싣다; die Kapazität einer Maschine ~ 기계를 최대한 가동하다. ② (일·활동이) 최대한의 능력〔힘〕을 요구하다: der Haushalt lastete sie nicht aus 그녀는 집안일을 하고도 여력이 있었다.

Auslastung *f.* -en 최대한의 적재; 완전 가동; 최대 능력의 요구.

aus|latschen 《Ⅰ》 *i.*(s.)〖폄어〗 무례하게 행동하다;〖비속〗 간통하다. 《Ⅱ》 *t.* (신발을) 오래 신어서 늘어나게〔해지게〕 하다.

Auslauf [áuslauf] *m.* -(e)s, ..läufe ① **(a)** 유출; 누출. **(b)** 배출구; 하구(河口). ② 출발;〖海〗 출범. ③ 분기된 것(산의 지맥 따위);〖건축〗 돌출부. ④ 놀이〔여유〕 공간. ⑤ 운동 물체가 정지하는 데 필요한 구간(↔ Anlauf);〖전기〗 타주(惰走);〖空〗 착륙 활주;〖비유〗 종료, 결말. ⑥〖광산〗 광차에 가득함.

Auslauf·bahn *f.*〖스키〗 스키의 점프〔활강〕 코스에서 정지하는 데 사용하는 구간, 아우트런, 착지 후의 활강로.

aus|laufen* [áuslaufən] 《Ⅰ》 *i.*(s.) ① 달리기 시작하다; 출발하다;〖海〗 출범하다. ② 외출하다; 심부름 가다. ③ (내용물이) 넘치다; (그릇이) 새다. ④ 사방으로 뻗다〔뻗어나가다〕; (광선이) 방사하다. ⑤〖비유〗 끝나다: in et. ~ 무엇으로 끝나다;〖비유〗 auf et. ~ 결국은 무엇이 되다. ⑥〖건축〗 돌출하다. ⑦〖印〗 (예정보다 또는 이전 판(版)보다) 자리를 더 차지하다. ⑧ **(a)** 서서히 정지하다: der Motor läuft aus 모터가 서서히 정지한다. **(b)**〖스포츠〗 결승점을 지나 달리는 속도를 서서히 늦추다. ⑨ (빛깔이) 빠지다, (물감이) 번지다. 《Ⅱ》 *t.* ① (코스 따위를) 완주하다: eine Bahn ~ 어떤 주로(走路)를 주파하다. ② (sich³) die Schuhe ~ 구두를 오래 신어 늘어나게 하다. ③〖광산〗 광차로 실어내다. 《Ⅲ》 *refl.* sich ~ ① 지치도록 달리다; 마음껏 달리다; 달리기하여 몸을 단련하다. ② (수레바퀴가) 마멸하다; (통마개가) 헐거워지다.

Auslaufer *m.* -s, - ① 심부름꾼. ②〖광산〗 운반부(夫).

Ausläufer *m.* -s, - ① (schweiz.) ↑ Auslaufer. ② (산맥·광맥의) 지맥;〖철도〗 지선;〖기상〗 (고·저기압의) 돌출부;〖비유〗 분파, 지류;〖비유〗 후예. ③〖植〗 옆으로 난 가지〔순〕; 황벽나무; (고구마 따위의) 땅 위로 뻗는 줄기, 포복경(匍匐莖);〖動〗 돌기.

Auslauf≈hafen *m.* 출범항. **~hahn** *m.* 수도꼭지, 마개. **~modell** *n.* 단종〔구형〕 모델. **~platz** *m.* (경주의) 출발점.

aus|laugen *t.* ① 양잿물로 씻어내다: schmutzige Wäsche ~ 더러운 빨래를 양잿물로 빨다. ② (특정 성분을) 뽑아내다, 녹이다: Sickerwasser laugt Kalkstein aus 땅속으로 스며드는 물이 석회석을 녹인다. ③〖비유〗 지치게 하다.

Auslaugung *f.* -en 잿물 빼기;〖지질〗 (수용성 물질의) 분해.

Auslaut [áuslaut] *m.* -(e)s, -e〖문법〗 (단어나 음절의) 말음(末音)(↔ Anlaut).

aus|lauten *i.*(h.) 어떤 음으로 끝나다: auf einen Konsonanten ~ 자음으로 끝나다; ein auslautender Konsonant (단어의) 끝자음.

aus|läuten 《Ⅰ》 *i.*(h.) 종소리가 서서히 그치다. 《Ⅱ》 *t.* ①〖고어〗 종을 울려서 알리다: eine Nachricht ~ 종을 쳐서 소식을 전하다. ② 종을 쳐서 끝났음을 알리다: die Messe ~ 종을 쳐서 미사가 끝났음을 알리다. ③ (jn.) 종을 울려서 (누구에게) 경의를 표하다: einen Toten ~ 죽은 사람을 위하여 조종(弔鐘)을 울리다.

aus|leben 《Ⅰ》 *t.* ①〖雅語〗 (재능 따위를) 마음껏 펼치다, 발휘하다: er hat seine Begabung ausgelebt 그는 자신의 재능을 충분히 펼쳤다. ② (어떤 시일을) 다 살다: er hat seine Zeit ausgelebt 그는 천수(天壽)를 다했다. 《Ⅱ》 *i.*(h.) 삶을 마치다, 죽다. 《Ⅲ》 *refl.* sich ~ ① (특히 성적으로) 인생을 최대한 즐기다; 생활력을 소진하다. ②〖雅語〗 형상화되다, 형체를 얻다: seine Phantasie lebt sich in seinen Bildern aus 그의 그림들 속에 그의 상상력이 충분히 표현되어 있다.

aus|lecken[1] *t.* 핥아 내다, 핥아 비우다: die Schüssel ~ 대접을 핥아서 비우다.

aus|lecken[2] *i.*(s.)〖고어〗 새다.

aus|ledern *t.* ① 안에 가죽을 대다. ②〖비유〗 마구 때리다(durchprügeln).

aus|leeren [..le:rən] 《Ⅰ》 *t.* (내용물을) 비우다:〖醫〗 seinen Magen ~ 대변 보다;〖비유〗 sein Herz ~ 마음속을 털어놓다. 《Ⅱ》 *refl.*

sich ~〔비속〕 대변 보다.
Ausleerung *f.* -en 비우기;〖醫〗 배설, 통변(通便); 배설물.
Ausleerungs·mittel *n.*〖藥〗 하제(下劑), 설사약.
Auslege·bank *f.*〔복수: ..bänke〕① (보트의) 노젓는 자리(↑ Ducht ①). ②〖印〗↑ Auslegetisch ②.
***aus|legen** [áusle:gən]《I》*t.* ① **(a)** 펴놓다, 늘어〔벌여〕놓다;〖商〗 진열하다: elektrische Leitungen ~ 전선을 깔다; Fallen ~ 덫을 놓다; Zeitschriften ~ 잡지를 진열하다. **(b)** (씨를) 뿌리다, 파종하다, 심다: Kartoffeln ~ 감자를 심다. ②〔비유〕설명〔해석〕하다: jm. et. als Stolz ~ 누구의 무엇을 거만으로 해석하다; et. gut〔übel, falsch〕~ 무엇을 선의로 해석〔곡해·오해〕하다. ③ (돈을) 꾸어주다: Geld auf Zinsen ~ 이자를 받고 돈을 빌려주다. ④ **(a)** 깔다, 바르다: ein Zimmer mit Teppichen ~ 방에 양탄자를 깔다. **(b)** 박아넣다, 상감(象嵌)하다: eine Tischplatte mit Elfenbein ~ 탁자판을 상아로 상감하다. ⑤〖軍〗(포신을) 포가(砲架)에서 내리다. ⑥ (기계를) 설비〔조립〕하다: die Maschine ist für die Produktion von 2000 Stück pro Tag ausgelegt 이 기계는 하루에 2000 개를 생산할 수 있도록 설비되어 있다.《II》*i.* (h.)〔방언〕살찌다.《III》*refl.* sich ~ 몸을 내밀다, 앞으로 굽히다;〖펜싱〗 방어 자세를 취하다.
Ausleger *m.* -s, - ① 해설자, 해석자. ② **(a)**〖海〗(항외(港外)) 감시선, 순찰선. **(b)**〖수상스포츠〗 노 받침대; (뒤집히지 않도록 보트 옆에 붙인) 부재(浮材). ③ (기중기의) 지레.
Ausleger=boot *n.*〖스포츠〗(노 받침대가 붙어 있는) 조정 경기용 보트. **~brücke** *f.* 캔틸레버식〔외팔보식〕 다리, 공가교(控架橋).
Auslegerei *f.* -en 오해, 곡해; 억지쓰기.
Auslege=tisch *m.* ① 상품 진열대. ②〖印〗 인쇄지를 펼치는 대(臺). **~ware** *f.* 바닥에 까는 물건(양탄자 따위).
Auslegung *f.* -en ① 펼치기; 진열. ② 설명, 해석, 주해. ③ 박아 넣음, 상감.
Auslegungs=kunde *f.* 훈고학(訓詁學), 석의학(釋義學);〖哲〗 해석학. **~weise** *adv.* 해석에 따라서, 훈고적(訓詁的)으로.
aus|leiden* *t./i.* (h.)〔雅語〕①〔드물게〕견뎌내다. ②〔완료형〕ausgelitten haben 죽다.
aus|leiern《I》*i.* ① (s.) 마모되다, 닳다. ② (h.)〔고어〕연주를 끝내다.《II》*t.* ① 마모시키다; 느슨해지게 하다. ② (나사를) 지나치게 죄다.《III》**ausgeleiert** *p.a.* ↑ ausgeleiert.
Ausleih·bibliothek *f.* 대출 도서관(↔ Präsenzbibliothek).
Ausleihe [áuslaiə] *f.* -n ① 대출. ② (도서관의) 대출 창구.
aus|leihen*《I》*t.* ① 대출하다, 빌려 주다, 임대하다: Geld auf Zinsen ~ 이자를 받고 돈을 빌려 주다. ② 빌리다, 꾸다: ich habe ein Buch bei〔von〕seinem Freund ausgeliehen 나는 그의 친구에게서 책을 한 권 빌렸다.《II》*refl.* sich³ et. von jm. ~ 누구에게서 무엇을 빌리다: er hat sich das Geld von seinem Freund ausgeliehen 그는 친구에게서 돈을 빌렸다.
Ausleiher *m.* -s, -〔드물게〕(Verleiher) 빌려주는 사람, 임대인.
Ausleihung *f.* -en 대출, 대부, 임대.
aus|lernen《I》*i.* (h.) 수업(修業)을 마치다; (도제가) 수업 기한을 마치다; 졸업하다: man lernt nie aus 배움에는 끝이 없다.《II》*t.* ① (시술 따위를) 다 배우다. ② (누구를) 충분히 습득시키다.《III》**ausgelernt** *p.a.* ↑ ausgelernt.
***Auslese** [áusle:zə] *f.* -n ① 선발, 선택:〖生〗 natürliche ~ 자연 도태. ② 엘리트; 최상품. ③ 특급 포도주. ④ 걸작 선집.
aus|lesen《I》*t.* ① 선택〔선발〕하다, 품별하다: die besten Schüler ~ 최우수 학생들을 선발하다. ② 다 읽다, 통독하다: ein Buch in einem Zug ~ 어떤 책을 단숨에 독파하다.《II》*i.* (h.) 읽기를 끝내다.
Ausleser *m.* -s, - 선택자; 품별하는 사람.
aus|leuchten《I》*t.* ① 구석구석까지 불을 비추다: er leuchtete mit der Taschenlampe jeden Winkel des Kellers aus 그는 손전등으로 지하실 구석구석을 비추었다. ②〖비유〗(진상 따위를) 밝히다: die Hintergründe eines Vorgangs ~ 사건의 배후를 밝혀내다. ③ jn.〔jm.〕~ a) (길을 비추어) 누구를 안내하다, b) 누구를 쫓아버리다.《II》*refl.* sich ~ 빛이 없어지다.《III》*i.* (h.) 빛을 내기를 그치다.
aus|lichten *t.*〖林〗 간벌(間伐)하다;〖원예〗 가지치기를 하다, (나무를) 깎아 다듬다: Obstbäume ~ 과수의 가지치기를 하다.
Auslieferer [áusli:fərər] *m.* -s, - 공급자, 인도인(引渡人), (서점 따위의) 발송계.
aus|liefern *t.* (물품 따위를) 인도하다, 넘기다, 공급하다, (누구의) 손에 맡기다: einen geflohenen Verbrecher ~ 도주한 범인을 인계하다; die Stadt dem Feind ~ 도시를 적에게 넘기다; Bücher ~ 책을 인도하다;〔비유〕jm. ganz und gar ausgeliefert sein 완전히 누구의 손아귀에 들어가 있다.
Auslieferung *f.* -en (물품 따위의) 인도, 배달, 공급.
Auslieferungs=begehren *n.* 인도 요구. **~buch** *n.*〖商〗 발송〔배달〕 장부. **~provision** *f.* 인도 수수료. **~schein** *m.* 인도증. **~vertrag** *m.*〖法〗 범인 인도 조약; 포로 교환 조약.
aus|liegen* *i.* (h.) ① 진열〔전시〕되어 있다; 비치되어 있다: Waren liegen im Schaufenster aus 상품들이 쇼 윈도에 전시되어 있다. ②〖펜싱〗 방어 자세를 취하고 있다. ③〖海〗(순찰선이) 항구 밖에 있다, 감시하고 있다. ④ (sich) ~ ↑ abliegen《I》②. ⑤ (덫 따위가) 놓여 있다.
Auslieger *m.* -s, - ①〖지질〗 외좌층(外座層) (층계를 이루는 지형의 마지막을 이루는 산). ②〖海〗(항외) 감시선, 순찰선.
Auslinie *f.* -n〖구기〗 사이드라인, 옆줄.
aus|loben *t.* ①〔구식〕칭찬을 그치다. ②〔구식〕극찬하다. ③〖法〗 현상금을 걸다: für die Aufklärung eines Verbrechens einen Geldbetrag ~ 어떤 범죄의 해결에 현상금을 걸다.
Auslobung *f.* -en〖法〗 현상금 걸기.
aus|lochen *t.*〖건축〗(무엇에) 장붓구멍을 파다, 구멍을 뚫다.
aus|locken¹《<Locke》*t.* (머리카락 따위를) 펴다: das Haar ~ 곱슬머리를〔털을〕 펴다.
aus|locken²《<locken²》*t.*〔구식〕jm. ein Geheimnis ~ 누구에게서 비밀을 교묘하게 알

아내다.

aus|löffeln *t.* ① 숟가락으로 떠내어 비우다: eine Schüssel ~ 숟가락으로 떠내어 사발을 비우다. ② 숟가락으로 떠서 다 먹어 치우다: die Suppe ~ 수프를 숟가락으로 떠서 다 먹다; 〖속담〗 was man sich eingebrockt hat, muß man auch ~ 자기가 한 일은 스스로 책임져야 한다.

aus|logieren [..loʒi:rən] *t.* 〖구식〗 퇴거시키다(ausquartieren).

aus|lohnen *t.* (누구에게) 품삯을 치르다; (auslöhnen) (해고 때) 임금을 지급하다: die Arbeiter ~ 해고되는 노동자들에게 임금을 정산해 주다.

Auslohnung *f.* -en ↑ Auslöhnung.

Auslöhnung *f.* -en (해고 때의) 임금 지급〔정산〕.

auslosbar *a.* 추첨으로 정할 수 있는.

auslösbar *a.* (저당 잡힌 물건 따위를) 되찾을 수 있는.

auslöschbar *a.* 지울〔끌〕 수 있는; 말소할 수 있는.

__aus|löschen__⁽⁾ [áuslœʃən] 《I》 *t.* 〖약변화〗 ① (불 따위를) 끄다: die Fackel ~ 횃불을 끄다; das Licht ~ 전등을 끄다. ② 지우다, 말소하다; 〖비유〗 (기억을) 지워 버리다; (부채를) 상각하다; 죽이다: Spuren ~ 흔적을 없애다; die Erinnerung an ihn ~ 그에 대한 기억을 지워버리다; ein Menschenleben ~ 사람을 죽이다. 《II》 *i.* (s.) 〖강변화〗〖雅語·구식〗 지워지다, 꺼지다; 없어지다.

Auslöscher *m.* -s, - 지우는〔끄는〕 사람; 소화기, 소등기.

auslöschlich *a.* ↑ auslöschbar.

Auslöschung *f.* -en (불 따위를) 끄기, 소멸; 말소, 삭제; 근절; (부채의) 상각; 〖理〗 소광(消光); 감광(減光).

Auslöse·knopf *m.* 작동 단추〔버튼〕.

aus|losen *t.* 추첨으로 결정하다, 추첨하다: ausgelost 제비에 뽑힌.

*__aus|lösen__ *t.* ① 작동시키다; 〖비유〗 (감정 따위를) 불러일으키다, 환기하다, 발생시키다: den Kameraverschluß ~ 사진기의 셔터를 누르다; aus dem Gewehr löste sich ein Schuß aus 총에서 총알 한 방이 발사되었다; großen Beifall ~ 많은 박수가 터져 나오게 하다. ② (저당물 따위를) 되찾다; (어음을) 회수하다; (포로를) 교환하다; (우체국에서 소포 따위를) 찾다. ③ 〖방언〗 벗겨내다, 떼어내다: die Knochen aus dem Fleisch ~ 고기에서 뼈를 발라내다.

Auslöser *m.* -s, - ① 〖기계〗 작동기, (사진기의) 셔터. ② 〖心〗 (본능 따위의) 유발 인자.

Auslosung *f.* -en 추첨(으로 결정하기).

Auslösung [áuslø:zʊŋ] *f.* -en ① 작동; 분리; (감정 따위의) 유발; 〖理〗 (에너지의) 발현. ② (돈을 치르고) 되찾기, 회수. ③ (인질의) 몸값. ④ 출장비; 원격지 거주 수당.

Auslösungs·vertrag *m.* 〖軍〗 포로 교환 조약〔협정〕.

aus|loten *t.* ① 수심을 재다: das Fahrwasser ~ 수로의 깊이를 재다. **(a)** 〖비유〗 숙고하다: bevor wir eine Entscheidung treffen, wollen wir das Problem erst gründlich ~ 결정하기 전에 우리는 우선 이 문제에 대해 꼼꼼하게 생각해보자. **(b)** 〖비유〗 (심리나 성격을) 이해하려고〔알려고〕 노력하다. ② 수직으로 세우다: Wände ~ 벽을 수직으로 쌓다.

aus|lotsen *t.* 〖海〗 (항구 밖으로) 수로 안내를 하다; 〖비유〗 위험을 피하게 하다.

Auslucht *f.* -en 〖건축〗 ① 건물의 돌출부〔돌출창〕. ② (교회 건물의) 측면 계랑(繫樑) 위의 합각머리.

aus|lüften 《I》 *t.* 신선한 공기를 쐬게 하다, 환기시키다: einen Raum ~ 방을 환기시키다. 《II》 *i.* (h./s.) 신선한 공기를 쐬다. 《III》 *refl.* sich ~ 산책하다, 바람 쐬다.

Auslug [áuslu:k] *m.* -(e)s, -e 〖구식〗 (Ausguck) 망보기, 전망; 전망대, 망대.

aus|lugen *i.* (h.) 망보다, 전망하다.

aus|lutschen *t.* 〖구어〗 ① (즙을) 빨아 마시다: den Saft aus einer Orange ~ 오렌지즙을 빨아 마시다. ② (무엇의) 즙을 빨아내다.

*__aus|machen__ [áusmaxən] 《I》 *t.* ① (불 따위를) 끄다: das Radio ~ 라디오를 끄다; die Zigarette ~ 담뱃불을 끄다. ② (다툼 따위를) 결말짓다, 해결하다: mit jm. et. auszumachen haben 누구와 매듭을 지어야 할 일이 있다. ③ 결정〔약정·협정·약속〕하다: einen Termin ~ 약속 날짜를 정하다. ④ 유증(遺贈)하다. ⑤ 찾아〔알아〕내다: ein Schiff am Horizont ~ 수평선에서 배 한 척을 찾아〔식별해〕 내다. ⑥ 〖고어〗 장식하다(zieren). ⑦ 꾸짖다, 욕설하다. ⑧ 총계가 …이다: die Rechnung macht 4 Mark aus 계산은 4 마르크가 된다. ⑨ 문제가 되다, 중요하다: das macht nichts aus 그것은 대수롭지 않다; würde es Ihnen etwas ~, wenn...? 만약 …하면 당신에게 폐가 될까요? ⑩ **(a)** (무엇의 본질을) 이루다, 형성하다: Kinder machen den größten Teil der Besucher aus 방문객의 대부분은 어린이들이다. **(b)** 인상을 주다, 작용하다: die neuen Möbel machen viel aus 새 가구들로 (방의) 인상〔느낌〕이 크게 바뀌었다. ⑪ **(a)** 〖방언〗 캐(내)다: Kartoffeln ~ 감자를 캐다. **(b)** 떼어내다; (얼룩을) 빼다; (주름을) 펴다. 《II》 *refl.* sich ~ 〖비속〗 똥〔오줌〕을 싸다: hier hat sich jemand ausgemacht 누군가 여기에 똥〔오줌〕을 누었다. 《III》 **ausgemacht** *p.a.* ↑ ausgemacht.

Ausmachung *f.* -en 들어냄, 제거; 종료, 성취; 조정, 결정; 협정, 약정; 〖드물게〗 유증, 유산; 질책, 욕설; (의복의) 가장자리 장식.

aus|mahlen* (mahlte aus, ausgemahlen) *t.* (곡물을) 곱게 빻다, 충분히 갈다.

Ausmahlung *f.* 곱게 빻기.

aus|malen *t.* ① (그림을) 그려 넣다: eine Kirche ~ 교회에 그림을 그려 넣다〔장식하다〕. ② (무엇에) 채색하다; 페인트칠하다: das Kind hat ein Feld des Malbuchs blau ausgemalt 아이는 색칠 그림책 안의 한 칸을 파란색으로 칠했다; ein Zimmer ~ 방에 칠을 하다. ③ 〖비유〗 선명〔상세〕히 묘사하다: die Strapazen der langen Reise ~ 긴 여행의 어려움을 상세히 묘사하다; sich³ et. ~ 무엇을 마음 속에 그리다, 상상하다.

Ausmalung *f.* -en 채색; 〖비유〗 상세한 묘사; 상상.

aus|manövrieren *t.* 〖구어〗 술수로 경쟁자를 따돌리다.

aus|marchen *t.* (schweiz.) (권리의) 한계를 정하다.

Ausmarchung *f.* -en (schweiz.) (권리의) 한계 규정.

aus|mären *refl.* sich ~ ①〘방언〙빈둥거리기를 멈추다: mär dich endlich aus! 그만 좀 빈둥거려라! ② 게으름피우다, 빈둥거리며 일하다. ③ 끝없이 이야기하다.

Ausmärker [áusmɛrkər] *m.* -s, - 〖法〗 (고대·중세 초기의) 촌락 공동체에 소속되지 않은 사람; 자치 단체에 소속되지 않은 사람.

Ausmarsch [áusmarʃ] *m.* -es, ..märsche ① 야외 행군〔행진〕. ② 출발, 출정(出征); 철수.

aus|marschieren *i.* (s.) 행진을 시작하다, 출발하다; 행군하여 나가다, 철수하다.

Ausmaß [áusma:s] *n.* -es, -e 크기, 외연(外延), 넓이; 범위, 정도: in großem ~(e) 대규모로, 많이.

aus|mästen *t.* (가축을) 충분히 살찌게 하다.

aus|mauern *t.* 안쪽을 벽으로〔시멘트로, 벽돌로〕 둘러싸다; (구멍을) 막다.

Ausmauerung *f.* -en 내벽 쌓기; 안쪽의 옹벽; (터널의) 복공(覆工).

Ausmaurung *f.* -en ↑ Ausmauerung.

aus|mausern *i.* (h.) 깃털갈이를 마치다.

aus|meißeln *t.* 끌로 깎아내다〔파내다〕; 새기다, 조각하다.

aus|melken^(*) 《Ⅰ》 *t.* 완전히 짜(내)다; (우유를) 짜다: die Kuh ~ 소의 젖을 다 짜다; der Kuh die Milch ~ 소의 우유를 짜다. 《Ⅱ》 *i.* 우유 짜기를 마치다.

aus|mergeln 《Ⅰ》 *t.* 여위게〔쇠약하게〕 하다: Krankheit hat sie völlig ausgemergelt 병으로 그녀는 완전히 쇠약해졌다. 《Ⅱ》 *i.* (s.) 수척〔쇠약〕하다. 《Ⅲ》 **ausgemergelt** *p.a.* ↑ ausgemergelt.

Ausmergelung *f.* 쇠약, 야윔, 수척해짐.

Ausmerze [áusmɛrtsə] *f.* ① 사육에 부적합한 짐승. ②〖生〗 (가축 따위의) 도태(淘汰).

aus|merzen [áusmɛrtsən] *t.* ① (사육에 부적합한 것으로) 가려내다, 솎아내다. ② 박멸하다, 근절시키다; 지우다, 삭제〔폐지〕하다: Schädlinge ~ 해충을 박멸하다; er hat sie aus seinem Gedächtnis ausgemerzt 그는 그녀를 기억에서 지워 버렸다.

Ausmerzung *f.* -en ① 사육 부적합 판정. ② 박멸, 근절, 삭제.

ausmeßbar *a.* 측량할〔잴〕 수 있는.

aus|messen* *t.* ① 재다, 달다; 측량하다: ein Faß ~ 통의 용적을 재다. ② 달아서〔재어서〕 분배〔판매〕하다; 〖商〗 소매하다.

Ausmesser *m.* -s, - 측정자; 측량사.

Ausmessung *f.* -en ① 계량, 측정; 측량; 〖數〗 측정법, 구적법(求積法). ② 용적, 연장, 크기.

aus|mieten[1] *t.* ①〘드물게〙 jn. ~ 누구(세입자)를 내쫓다; 집에서 쫓아내다. ② (schweiz.) ein Zimmer ~ 방을 (때때로) 세놓다.

aus|mieten[2] *t.* 〖農〗 (감자 따위를) 움에서 꺼내다.

aus|misten *t.* ① (마구간을) 청소하다: 〘비유·雅語〙 den Augiasstall ~ 악폐를 쇄신하다 (↑ Augiasstall). ②〘비 속〙 jn. im Spiel ~ 도박으로 누구의 돈을 우려내다. ③〘비유〙 쓸데없는 것을 버려 정돈하다: einen Schrank ~ 쓸데없는 옷을 버려 장을 정돈하다; 〘속어〙 eine Schrift ~ 책의 심한 오류를 정정하다.

aus|mitteln 〘고어〙 *t.* (ermitteln) 수사하다, 찾아내다.

Ausmittelung *f.* -en 〘드물게〙 (Ermittlung) 수사, 조사.

ausmittig [áusmɪtɪç] *a.* 〖工〗 (exzentrisch) 편심(偏心)의, 중심점에서 벗어난.

aus|möblieren [áusmøbli:rən] *t.* ein Zimmer〔Haus〕 ~ 방〔집〕에 필요한 가구를 모두 갖추다.

aus|montieren *t.* 떼어내다: den Motor (aus dem Auto) ~ (자동차에서) 모터를 떼어내다.

aus|mugeln *t.* (öst.) (잦은 통행으로 길을) 몹시 훼손시키다.

aus|münden *i.* (h./s.) in et. ~ 무엇으로 통하다〔끝나다〕: auf zwei Straßen ~ 두 도로로 통하다.

Ausmündung *f.* -en 합류, 출구; 하구.

aus|münzen *t.* (금·은을) 화폐로 주조하다; 〘비유〙 이용하다(verwerten).

Ausmünzung *f.* -en 화폐의 주조.

aus|müssen* *i.* (h.) 〘구어〙 밖으로 나가지 않으면 안 되다: die Stiefel müssen aus 구두를 벗지 않으면 안 된다.

aus|mustern *t.* ① 골라내다, 폐기하다: ausgemusterte Pferde 폐마; 〖商〗 ausgemusterte Waren 불합격품. ②〖軍〗 징병 검사에서 불합격시키다; 의병 제대시키다. ③〖섬유〗 (무늬를) 만들다.

Ausmusterung *f.* -en 선별, 폐기; 〖軍〗 병역 면제.

aus|nähen *t.* et. mit et.[3] ~ 무엇에 무엇으로 수를 놓다: eine Bluse mit Blumen ~ 블라우스에 꽃무늬를 수놓다.

***Ausnahme** [áusna:mə] 《<ausnehmen》 *f.* -n 제외; 예외, 이례(異例): mit ~ von et.[3] 무엇을 제외하고; mit jm.〔et.[3]〕 eine ~ machen 누구를〔무엇을〕 예외로 하다, 제외하다; keine Regel ohne ~ 예외 없는 규칙은 없다.

Ausnahme=athlet *m.* 예외적인 경기자, 특수한 선수. **~bestimmung** *f.* 예외 규정. **~erscheinung** *f.* 예외적 현상. **~fall** *m.* 예외적 경우, 특례. **~gericht** *n.* 〖法〗 특별〔비상〕 재판소. **~gesetz** *n.* 예외 법규. **~tarif** *m.* 〖商〗 특별 (할인) 요금(표). **~zustand** *m.* 비상 사태.

Ausnahms·fall *m.* (öst.) ↑ Ausnahmefall.

ausnahmslos *a.* 예외가 없는.

ausnahms·weise *adv.* 예외(적으)로.

Ausnähung *f.* -en 자수(刺繡).

aus|naschen *t.* 슬금슬금 집어먹어 (그릇을) 비우다.

aus|nehmen [áusne:mən] 《Ⅰ》 *t.* ① (무엇의 내용물을) 들어내다, 뽑아내다: ein Nest ~ 둥지에서 알·새끼 따위를 꺼내다; einen Fisch 〔eine Gans〕 ~ 생선〔거위〕의 내장을 꺼내다. ②〖軍〗 징집하다. ③ (상품을) 골라 사다(특히 외상으로). ④〖펜싱〗 (공격을) 받아넘기다. ⑤ (öst.) 분간하다; 식별하다: bei diesem Nebel kann man die entgegenkommenden Autos kaum ~ 이렇게 안개가 끼면 반대편에서 오는 자동차를 분간하기 어렵다. ⑥ 제외하다, 예외로 하다. ⑦〘구어〙 **(a)** (질문을 교묘하게 하여 정보를) 빼내다. **(b)** (돈을) 갈취하다. 《Ⅱ》 *refl.* sich ~ ① 예외가 되다, 예외다. ② (어떻게) 작용하다, 두드러지게〔눈에 띄게〕 되다: sich gut〔schlecht〕 ~ 좋게〔나쁘게〕 보

이다. 《Ⅲ》 **ausgenommen** *p.a.* ↑ ausgenommen.
ausnehmend *p.a.* 〔雅語〕비상한, 각별한: der Hut steht dir ~ gut 그 모자는 네게 특히 잘 어울린다.
Ausnehmer *m.* -s, - (öst.) 농사를 그만두고 은퇴한 노인.
Ausnehmung *f.* -en ① 들어내기, 뽑아내기; 분간, 분별. ②〔드물게〕제외, 예외.
aus|nippen *t.* 찔끔찔끔 다 마시다.
aus|nüchtern 《Ⅰ》 *i.* (s.) (술에서) 깨어나다: wir reden morgen weiter, wenn du ausgenüchtert bist 네가 술에서 깨면 내일 계속 이야기하자. 《Ⅱ》 *t.* (술에서) 깨게 하다: vielleicht kann mich eine Dusche etwas ~ 혹시 샤워를 하면 내가 술에서 좀 깰 수 있을지도 모른다. 《Ⅲ》 *refl.* sich ~ (술에서) 깨어나다: der Betrunkene sollte (sich) in einer Zelle ~ 그 주정뱅이는 술이 깰 때까지 보호실에 있어야만 했다.
Ausnüchterung *f.* 술에서 깨어남.
Ausnüchterungs·zelle *f.* (경찰서의) 만취자 보호실.
aus|nutzen *t.* (철저하게) 이용하다; 착취하다: eine Gelegenheit ~ 기회를 이용하다; die Zeit gut ~ 시간을 잘 이용하다; er nutzt sie gewissenlos aus 그는 그녀를 비양심적으로 착취한다.
aus|nützen *t.* ↑ ausnutzen.
Ausnutzung *f.* -en 이용, 착취.
Ausnützung *f.* -en ↑ Ausnutzung.
aus|öden *t.* 황폐하게 하다.
aus|ösen *t.* 〖海〗 (ndd.) (뱃바닥에) 물을 퍼내다: ein Boot ~ 보트 바닥에 괸 물을 퍼내다.
aus|packen 《Ⅰ》 *t.* ① 포장을 풀고 꺼내다: seine Sachen aus dem Koffer ~ 트렁크에서 짐을 꺼내다. ② (무엇의) 포장을 풀다; (내용물을 꺼내어) 비우다: ein Packet ~ 소포를 풀다; einen Koffer ~ 트렁크에 든 것을 모두 꺼내다. ③〔비유〕(돈을) 마지못해 내놓다; 이야기를 털어놓게 하다(↑ auskramen ②). ④ (비밀을) 누설〔실토〕하다: ein Geheimnis ~ 비밀을 누설하다. 《Ⅱ》 *i.* 〔비유·구어〕① 실토하다, 속을 털어놓다: er hat (bei mir) einmal richtig ausgepackt 그는 전에 한 번 (내게) 속마음을 솔직하게 털어놓은 적이 있다. ② 불만〔노여움〕을 터뜨리다.
Auspacker *m.* -s, - 짐을 푸는 사람.
aus|parieren *t.* 〖펜싱〗 (공격을) 받아 넘기다.
aus|parken *t./i.* (주차 중인 차 사이에서 차를) 빼내다; 빠져 나오다.
aus|pauken *t.* ①〔경박〕(싸움을) 끝까지 하다. ② (소식 따위를) 큰 소리로 알리다.
aus|peilen *t.* 〖海〗 (수심 따위를) 측정하다: den Grund 〔die Richtung〕 ~ 수심〔방향〕을 측정하다.
aus|peitschen *t.* ① 채찍질하다; 마구 때리다. ② jm. et. ~ 채찍질하여 누구에게서 무엇을 없애다.
Auspeitschung *f.* -en 채찍질.
aus|pendeln 《Ⅰ》 *i.* (s.) ① 이리저리 흔들리다가 멈추다. ② 다른 도시로 통근하다. 《Ⅱ》 *t.* 〖권투〗 (펀치를) 상체를 흔들어 피하다.
Auspendler *m.* -s, - 다른 도시로 출근〔퇴근〕하는 사람.
aus|pennen *i./refl.* 〔구어〕 (sich) ~ 충분히 자다(ausschlafen).
aus|pfählen *t.* ①〖광산〗 말뚝을 박아 에워싸다〔받치다〕. ② (말뚝으로) 담을 둘러싸다.
aus|pfänden *t.* 〖法〗 재산을 압류하다: einen Schuldner ~ 채무자의 재산을 압류하다.
Auspfänder *m.* -s, - 압류인.
Auspfändung *f.* -en (재산) 압류.
aus|pfarren *t.* 〔구식〕교구에서 추방하다, 다른 교구로 옮기다.
Aus|pfarrung *f.* -en (교구에서의) 추방.
aus|pfeifen* *t.* ① 휘파람을 불어 조소〔야유〕하다. ② (어떤 곡을) 내내 휘파람으로 불다.
aus|pferchen *t.* (양을) 우리에서 내놓다.
aus|pflanzen *t.* ① (식물을 옥외로) 옮겨 심다, 이식하다. ②〖醫〗 (기관이나 조직을 이식시키려고) 떼어내다.
aus|pflastern *t.* 돌〔포석〕을 깔아 메우다, 포장하다.
aus|pflücken *t.* 따내다, 뜯어내다.
aus|pflügen *t.* 쟁기로 파서 헤치다, 갈아 젖히다.
aus|pfützen [..pfʏtsən] *t.* 〖광산〗 das Wasser 〔die Grube〕 ~ 갱내(坑內)에 괸 물을 퍼내다.
aus|pichen 《Ⅰ》 *t.* Fässer ~ 통의 안쪽에 역청(瀝靑)을 칠하다. 《Ⅱ》 **ausgepicht** *p.a.* ↑ ausgepicht.
aus|picken *t.* 쪼아 먹다.
aus|pinseln *t.* 안쪽을 붓으로 칠하다.
Auspizium [auspíːtsium] 《lat., „Vogelschau"》 *n.* -s, ..zien [..tsiən] ① (고대 로마에서 새가 나는 모습을 보고 앞일을 예언했던) 새점(鳥卜). ② 전망, 희망. ③ 지휘; 비호: unter js. Auspizien 누구의 보호 아래.
aus|plappern *t./i.* (h.) 〔구어〕(비밀 따위를) 떠벌이다, 누설하다.
aus|plätten *t.* 다리미질을 하다; (주름을) (다리미질하여) 주름을 펴다.
aus|platzen *i.* (s.) ① (꿰맨 자리 따위가) 터지다, 찢어지다. ②〔비유〕in Gelächter ~ 웃음을 터뜨리다, 폭소하다.
Ausplauderer *m.* -s, - 비밀 누설자, 주책없이 지껄여대는 사람.
aus|plaudern 《Ⅰ》 *t.* (비밀 따위를) 함부로 지껄이다, 입을 놀리다. 《Ⅱ》 *refl.* sich ~ 마음껏 회포를 풀다.
aus|plauschen *t.* (öst.) ↑ ausplaudern.
aus|plündern *t.* ① 다 약탈하다, 남김없이 빼앗다: der Wanderer wurde (völlig) ausgeplündert 그 나그네는 가진 것을 모두 빼앗겼다. ② (어떤 지역을) 약탈하다: eine Stadt ~ 한 도시를 약탈하다; 〔비유〕 die Speisekammer ~ 음식물 저장실 안에 있는 것을 다 먹어치우다.
Ausplünderung *f.* -en 약탈, 탈취.
aus|pochen 《Ⅰ》 *t.* ①〖사냥〗(속이 빈 나무 속에 있는 짐승을) 두드려서 몰아내다. ②〔구식〕 끝까지 싸우다. ③ (휘파람 소리 따위로) 조롱하다, 야유를 보내다. 《Ⅱ》 *i.* 두드리기를 멈추다: 〔시어〕 js. Herz hat ausgepocht 누가 죽었다.
aus|polieren *t.* 반들거리게 닦다, 윤을 내다.
aus|polstern *t.* (무엇에) 속을 넣다: et. mit Watte ~ 무엇에 솜을 넣다; 〔비유·구어〕 gut ausgepolstert sein 매우 뚱뚱하다.
Auspolsterung *f.* -en ① 속 채워 넣기. ② 속

에 채워 넣는 물건; 쿠션; 〖비유·농담〗 체지방(体脂肪).

aus|posaunen (*p.p.* ausposaunt) *t.* ①〖옛 뜻〗 나팔을 불어 알리다. ②〖비유〗 (소문을) 떠들썩하게 퍼뜨리다.

aus|powern [..po:vərn] 《<power》 *t.* 빈곤에 빠뜨리다, 착취하다: 〖비유〗 ein ausgepowerter Acker 황폐화된 논밭.

Auspowerung *f.* -en 빈곤화; 착취.

ausprägbar *a.* (화폐로) 주조할 수 있는.

aus|prägen 《Ⅰ》 *t.* ① (화폐를) 주조하다; (금·은 따위를) 화폐로 주조하다. ② (도장 따위를) 새기다; 〖비유〗 명백하게 나타내다. 《Ⅱ》 *refl.* sich ~ 뚜렷이 나타나다, 두드러지다: seine Charakterzüge haben sich immer mehr ausgeprägt 그의 성격적 특성이 점점 더 뚜렷해졌다; Angst und Leid prägen sich in seinem Gesicht aus 두려움과 고뇌가 그의 얼굴에 분명히 나타난다. 《Ⅲ》 **ausgeprägt** *p.a.* ↑ ausgeprägt.

Ausprägung *f.* -en 화폐 주조; (뚜렷한) 각인(刻印).

aus|prahlen *i.*(h.)/*t.* 큰소리 치다, 잘난 체 떠들다.

aus|preisen *t.* ① 크게 칭찬하다. ②〖商〗 가격표를 붙이다.

aus|pressen *t.* ① (즙 따위를) 짜(내)다. ②〖비유·폄어〗 착취하다: jm. Geld ~ 누구에게서 돈을 짜내다; jn. ~ 누구에게 집요하게〔꼬치꼬치〕 캐묻다.

aus|proben *t.* ①〖구식〗 음미하다: den Wein ~ 포도주를 음미하다. ②〖드물게〗 (erproben) 시험〔실험〕해보다.

aus|probieren *t.* 시험〔음미〕하다: das muß ich erst einmal ~ 나는 그것을 우선 시험〔음미〕해봐야겠다.

aus|prüfen *t.* 〖구식〗 시험삼아 해보다.

aus|prügeln *t.* 호되게 때리다; 호되게 때려서 쫓아내다, 몰아내다.

Auspuff [áuspuf] *m.* -(e)s, -e (가스의) 배출, 누출; 배출구, 배기 장치.

aus|puffen *t.*/*i.*(s.) 배출〔누출〕하다.

Auspuff-gas *n.* 배기 가스. **~klappe** *f.* 배기 밸브, 배기판(排氣瓣). **~leitung** *f.* 〖기계〗 배기관. **~maschine** *f.* 응기기(凝氣器) 없는 증기 기관. **~rohr** *n.* 배기관(管). **~-schall·dämpfer** *m.* 배기 소음기(消音器). **~topf** *m.* 소음기.

aus|pumpen 《Ⅰ》 *t.* ① 펌프로 퍼내다: 펌프질해서 비우다. ②〖비유〗 기진맥진하게 하다: 〖비유·구어〗 jn. ~ 누구를 철저하게 심문하다. ③〖醫〗 den Magen ~ 위액을 (카테터로) 채취하다, 위를 세척하다. 《Ⅱ》 **ausgepumpt** *p.a.* ↑ ausgepumpt.

aus|punkten *t.* ①〖권투〗 판정으로 이기다. ②〖비유·구어〗 능가하다: du hast mich ausgepunktet 네가 나를 능가했다.

aus|punktieren *t.* ① 점선으로 표시하다. ②〖고어〗 흙점(占)을 치다.

aus|puppen *refl.* sich ~ 본성을〔정체를〕 드러내다.

aus|pusten *t.* 〖방언〗 ① 불어서 끄다(ausblasen): eine Kerze ~ 촛불을 불어 끄다. ② 불어서 비우다: ein rohes Ei ~ 달걀을 불어서 속이 비게 하다. ③ 불어 내뱉다: Luft ~ 숨을 내쉬다.

Ausputz [áusputs] *m.* -es, -e ① 장식; 장식품; 〖요리〗 배합 고명. ② (닦을 때 떨어지는) 부스러기.

aus|putzen 《Ⅰ》 *t.* ①〖구식〗 가지를 치다. ② (나무를) 가지를 쳐서 손질하다. ③ (통 따위를) 청소하다, 닦다. ④ 머무르다. ⑤〖구식〗 꾸미다. ⑥ 깨끗이 먹어 치우다: eine Schüssel ~ 주발의 음식을 깨끗이 먹어 치우다. ⑦〖비유·구어〗 호되게 꾸짖다. ⑧〖비유·구어〗 jn. ~ 누구를 착취하다, 철저히 이용하다. 《Ⅱ》 *i.* (축구에서) 수비로 뛰다. 《Ⅲ》 *refl.* sich ~ 몸단장하다, 맵시 내다.

Ausputzer *m.* -s, - ① 청소부; 의상 담당자. ② 전정(剪定) 가위, 전지(剪枝)칼; 청소 도구, 윤 내는 솔. ③ 질책: jm. einen ~ geben 누구를 호되게 꾸짖다. ④ 남을 이용하는 사람. ⑤〖축구〗 스위퍼, 수비수.

aus|quartieren *t.* (누구를) 다른 숙소로 옮기다, 숙소에서 (임시로) 내보내다.

aus|quatschen 〖경박〗 《Ⅰ》 *t.* 지껄이다, 누설하다. 《Ⅱ》 *refl.* sich ~ 마음 속을 털어놓다.

aus|quetschen *t.* ① (즙 따위를) 짜내다: Orangen ~ 오렌지에서 즙을 짜내다. ②〖비유·구어〗 질문 공세를 펴다: jn. wie eine Zitrone ~ 누구에게 쥐어짜듯 집요하게 질문하다.

aus|radeln *t.* ↑ ausrädeln.

aus|rädeln *t.* ① (반죽을) 작은 톱니바퀴 칼로 잘라내다. ② (재단본을 가지고) 본뜨다.

aus|radieren *t.* ① 지우개로 지우다: 〖비유·구어〗 et. aus dem Gedächtnis ~ 무엇을 기억에서 지우다. ②〖비유〗 파괴하다, 죽이다, 절멸시키다.

aus|rahmen *t.* 틀에서 떼어내다, (무엇의) 틀을 벗기다.

aus|rändeln, aus|randen, aus|ränden, aus|rändern *t.* (무엇의) 가장자리에 톱니 자국을 내다.

aus|rangieren [..rã͡ʒi:rən, ..raŋʒi:..] *t.* (ausmustern) ① (못 쓰게 된 것을) 폐기 처분하다. ②〖비유〗 도태시키다. ③ (나이 때문에) 제대시키다; 면직하다.

ausrangiert 《Ⅰ》 *p.p.* ↑ ausrangieren. 《Ⅱ》 *p.a.* 면직된, 퇴직의.

Ausrangierung *f.* -en 폐기, 도태.

aus|ranken *i.*(s.) (덩굴 식물이) 뻗어 나가다.

aus|rasen *i.*(h.)/*refl.* 〖구식·시어〗 (sich) ~ ① 광란을 그치다, 잠잠해지다; (바람이) 자다. ② 몸부림쳐 후련해지다.

aus|rasieren *t.* ① (면도해서) 털을 제거하다: jm. den Nacken ~ 누구의 목에 있는 털을 깎다. ② (면도하여) (수염 모양 따위를) 고치다.

aus|rasten *i.* ① (s.) 〖기계〗 느슨해지다, 이완되다. ②〖구어〗 자제력을 잃다: bei ihm rastet es aus 그는 자제력을 잃는다. ③ (öst.) (sich) ~ 휴식하다.

aus|rauben *t.* 남김없이 약탈하다.

aus|räubern *t.* ① ↑ ausrauben. ②〖비유·구어〗 모든 것을 빼앗다; 모두 먹어 치우다: den Kühlschrank ~ 냉장고 속의 음식을 모두 먹어 치우다.

aus|rauchen 《Ⅰ》 *i.*(h.) ① 연기가 그치다; 향기를 잃다, 증발하다. ② 담배를 다 피우다. 《Ⅱ》 *t.* ① (파이프를) 다 빨다. ② ↑ ausräuchern ②.

aus|räuchern *t.* ① (통 따위를) 연기로 채우다, 그을리다; (고기 따위를) 훈제(燻製)로 만들다. ② 연기를 피워서 몰아내다: den Dachsbau ~ 연기를 피워 오소리를 굴 밖으로 몰아내다.

aus|raufen 《I》 *t.* 〔구식〕 뽑(아내)다, 쥐어 뜯다: Gras ~ 풀을 뽑다. 《II》 *refl.* sich ~ 드잡이하다.

aus|rauhen *t.* (담요 따위의) 티를 뜯고 손질하다.

***aus|räumen** *t.* ① 비우다; 〔비유·구어〕 약탈하다: ein Zimmer ~ 방을 비우다; den Magen ~ 위를 비우다; einen Abort ~ (유산 후에) 자궁을 깨끗이하다; ein Dieb räumte den Tresor aus 도둑이 금고를 털었다. ② 꺼내다, 치우다: alle Sachen aus dem Schrank ~ 장에서 모든 물건을 꺼내다. ③ 〔비유〕 (방해물을) 제거하다: Mißverständnisse ~ 오해를 없애다.

Ausräumer *m.* -s, - 청소부, 준설 인부; 〖工〗 리머(구멍 뚫는 기구), 확공기(擴孔器); 〖軍〗 꽂을대.

Ausräumung *f.* -en 치우기, 청소, 제거.

aus|raupen *t.* (무엇의) 송충이를〔유충을〕 없애다.

aus|räuspern 《I》 *t.* (가래 따위를) 뱉다, 기침하여 내뱉다. 《II》 *refl.* sich ~ 헛기침하다.

aus|rechen *t.* 갈퀴로 긁어내다〔청소하다〕.

aus|rechnen 《I》 *t.* 계산해내다; 해결하다, 풀다: die Höhe genau ~ 높이를 정확히 계산해내다; eine Aufgabe ~ 문제를 풀다. 《II》 *refl.* 〔비유〕 sich³ et. ~ 숙고하여 계산해내다; 〔구어〕 기대〔예상〕하다: du kannst dir deine Chancen ~ 잘 따져보면 너는 절호의 기회를 잡을 수 있을 것이다. 《III》 **ausgerechnet** *adv.* ↑ ausgerechnet.

Ausrechner *m.* -s, - 계산하는 사람.

Ausrechnung *f.* -en 산출, 계산; 계산 결과.

aus|recken 《I》 *t.* (팔다리 따위를) 뻗다, 펴다; (쇠 따위를 두들겨) 늘이다, 펴다. 《II》 *refl.* sich ~ 늘여지다, 펴지다; 몸을 펴다. 《III》 〔대개 완료형〕 〖사냥〗 뿔이 완전히 자라다: der Hirsch hat ausgereckt 그 사슴의 뿔은 완전히 자랐다.

***Ausrede** [áusre:də] *f.* -n 핑계, 구실, 변명: faule ~n 뻔한 거짓말.

aus|reden 《I》 *i.* (h.) ① 말을 끝내다: jn. nicht ~ lassen 누구의 말을 가로막다. ② frei ~ 터놓고 말하다. 《II》 *t.* ① 말을 끝맺다. ② 진술하다. ③ 〔방언〕 (et. mit jm.) 치밀하게 담합하다. ④ 설득하다, 말리다: das lasse ich mir nicht ~ 남이 뭐라 하든 나는 그것을 그만두지 않는다. 《III》 *refl.* sich ~ ① 마음껏〔속마음을〕 이야기하다. ② 화제가 떨어지다. ③ 〔구식·방언〕 발뺌〔변명〕하다: sich mit et.³ ~ 무엇을 핑계로 대다; sich auf das schlechte Wetter ~ 악천후를 핑계로 대다.

aus|reeden [..re:dən] *t.* 〖海〗 (배를) 의장(艤裝)하다.

Ausreedung *f.* -en 의장.

aus|regnen 《I》 *i.* (h.)/*imp./refl.* (sich) ~ 비가 그치다. 《II》 *t.* (길 따위를) 비로 패게 하다, 비로 씻어내다.

aus|reiben* *t.* ① 문질러 없애다; (옷 따위를) 비벼서 깨끗이하다: den Schlaf aus den Augen ~ 눈을 비벼서 졸음을 쫓다. ② (무엇의) 내부를 문질러 깨끗이하다. ③ (öst.) 문질러 닦다. ④ 〔비유·구어〕 jn. trocken ~ 누구를 실컷 두들겨 패다.

Ausreib·tuch *n.* (öst.) 걸레.

***aus|reichen** *i.* (h.) ① 넉넉하다, 족하다: wird das Geld ~? 돈이 충분할까요? ② 〔구어〕 꾸려나가다: die Tochter reichte mit dem Taschengeld nicht aus 딸은 그 용돈으로 생활할 수가 없었다.

ausreichend *p.a.* 충분한: ~ für et. 무엇을 하기에 충분한.

aus|reifen 《I》 *i.* (s.) ① 무르익다: die Pfirsiche sind noch nicht ausgereift 그 복숭아는 아직 익지 않았다. **(a)** (포도주 따위가) 숙성하다. **(b)** 〔비유〕 (사람이) 성숙하다. ② 〔비유〕 (프로젝트 따위가) 완성 단계에 들어서다. 《II》 *t.* 성숙시키다.

Ausreifung *f.* 성숙, 숙성.

Ausreise [áusraizə] *f.* -n 출국, 출발; 외국 여행; 출국 허가; 〖海〗 출범, 출항.

Ausreise·erlaubnis *f.* 출국 허가.

aus|reisen *i.* (s.) 해외 여행을 떠나다, 출국하다.

aus|reißen [áusraisən] 《I》 *t.* 뽑아〔뜯어〕 내다: Unkraut ~ 잡초를 뽑다; 〔비유〕 sich³ kein Bein ~ 일을 건성으로 하다. 《II》 *i.* (s.) ① (솔기 따위가) 뜯어지다; (둑이) 무너지다: 〔비유〕 meine Geduld reißt aus 나는 더 이상 참을 수 없다, 인내심의 한계에 다다랐다. ② 〔구어〕 도망치다; (말이) 달아나다; 〖軍〗 탈영하다: ihr Mann ist ihr ausgerissen 그녀의 남편은 그녀에게서 도망갔다. ③ 〖스포츠〗 (갑자기 속력을 내서) 앞지르다.

Ausreißer *m.* -s, - ① 뽑아〔뜯어〕내는 사람. ② (특히 미성년자의) 가출인; 도망자; 〖軍〗 탈영병; 유탄(流彈). ③ 〖理·비유〗 다른 것과 현저한 차이를 보이는 측정값. ④ 〖스포츠〗 (역주하여) 다른 경주자를 앞지르는 경주자.

Ausreißerei *f.* -en 가출; 도망, 탈영; 탈영벽(癖).

aus|reiten* 《I》 *i.* (s.) 말을 타고 외출하다〔멀리 가다〕. 《II》 *t.* ① 말을 타고 야외로 나가다. ② (말을) 충분히 훈련시키다. ③ (토지·거리를) 말을 타고 통과〔측량〕하다. ④ 〖경마〗 **(a)** 경주를 하다: ein Rennen ~ 경마 시합을 하다. **(b)** (말의 힘을) 최고로 내게 하다: ein Pferd voll ~ (경마에서) 말이 최고 속력을 내게 하다.

Ausreiter *m.* -s, - 승마자; 〔고어〕 기마 경관; 〔방언〕 (지방의) 감독관.

aus|reizen *t.* ① 〖카드〗 가장 높은 수까지 유혹하여 올리다. ② 〔비유〕 철저하게 토론하다.

aus|renken *t.* 탈구(脫臼)시키다, 삐게 하다: sich³ den Fuß ~ 발을 삐다; sich³ den Hals ~ (잘 보려고) 목이 빠지도록 내밀다.

Ausrenkung *f.* -en 탈구, 접질림.

aus|rennen* 《I》 *i.* (s.) ① 달리기를 그치다〔끝내다〕. ② 떠나다, 도망치다. 《II》 *t.* 가로질러 달리다: eine Bahn ~ 어떤 주로(走路)를 주파하다. 《III》 *refl.* ① sich ~ 마음껏 달리다. ② 부딪쳐서 뚫고 나가다: sich³ ein Auge ~ 부딪쳐서 한 쪽 눈이 찔리다.

aus|reuten *t.* 〔구식〕 (südd.) 뿌리째〔송두리째〕 뽑다; 〔비유〕 근절하다.

***aus|richten** [áusrıçtən] *t.* ① 똑바로 하다; 정돈〔정렬〕하다; 〖印〗 줄맞추다: eine Truppe

~ 부대를 정렬시키다; einen Zeiger auf einen Punkt ~ 바늘을 눈금에 맞추다. ②〖광산〗(광맥을) 발견하다; 광상(鑛床)을 개발하다;〖사냥〗(짐승을) 찾아내다. ③ (bestellen) (위탁을) 이행하다; (안부를) 전하다: jm. einen Gruß (von jm.) ~ 누구에게 (누구의) 안부를 전하다. ④ (직무 따위를) 수행〔실행·이행〕하다(ausführen). ⑤ 달성하다(erlangen): bei jm. viel ~ können 누구에 대해서 영향력이 있다; mit Geld kannst du alles bei ihm ~ 너는 돈으로 그를 어떻게든지 할 수 있다. ⑥ 거행〔개최〕하다: ein Fest ~ 축제를 개최하다. ⑦〖방언〗꾸짖다; 비방〔중상〕하다. ⑧〖工〗분해하다: Maschinenteile ~ 기계를 해체하다. ⑨ (schweiz.) 지급하다: einen Betrag ~ 일정 금액을 지급하다; einen Preis ~ 상금을 내걸다. ⑩ 겨냥하다, 노리다; (이념 따위를) 지향하다: et. auf〔nach, an〕jm.〔et.³〕~ 무엇의 방향을 누구에게로〔무엇에〕맞추다.

Ausrichter *m.* -s, - (스포츠 행사의) 주최자; 정돈자; 사자(使者), 전달자; 실행자;〖法〗유언 집행자;〖광산〗(광맥의) 발견자.

ausrichtig, ausrichtsam *a.* 민첩한, 재치 있는.

Ausrichtung *f.* -en ① 정돈;〖印〗줄맞춤, 정렬. ②〖광산〗(광맥의) 발견; 전달. ③ 수행, 실행, 달성. ④ 거행; 개최;〖고어〗(특히 혼례·세례의) 축연.

aus|riechen *t.* ① (냄새를) 맡아내다. ② (방을) 향기로 가득 채우다.

aus|riefen *t.*〖건축〗홈을 파다.

aus|riffeln *t.* ↑ ausriefen.

aus|ringen* 《I》*t.* ①〖방언〗(빨래 따위를) 짜다: das Wasser aus der Wäsche ~ 세탁물을 짜다. ② 탈구(脫臼)시키다(ausrenken). ③ (entringen) 찢어 떼다, 뜯다. ④ (분쟁을) 격투로 해결하다. ⑤ seine Glieder ~ 씨름으로 몸을 단련시키다. 《II》*i.* (h.) 씨름을〔고투를〕끝내다:〖비유〗er hat ausgerungen 그는 투병 끝에 죽었다.

aus|rinnen* *i.* (s.) (액체가) 새다; (통이) 다 새서 텅 비다.

aus|rippen *t.* (잎의 줄기를) 떼어내다: Tabaksblätter ~ 담배 잎의 줄기를 떼다.

Ausritt [áusrɪt] 《<ausreiten》*m.* -(e)s, -e 말을 타고 하는 외출〔소풍〕; 말을 타고 나가기.

aus|röcheln 《I》*t.* (목을 그르렁거리며) 뱉다, 토하다: Blut ~ 각혈하다; das Leben ~ 숨을 거두다. 《II》*i.* (h.) (죽을 때) 가래 끓는 소리가 멎다; 죽다.

aus|roden *t.* ① (나무를) 뿌리째 뽑다. ② (숲을) 개간하다.

Ausrodung *f.* -en 개간.

aus|rollen 《I》*i.* (s.) 구르기를 서서히 그치다; (천둥이) 그치다;〖空〗착륙 활주(滑走)를 하다: ein Flugzeug ~ lassen 비행기를 착륙시키다. 《II》*t.* ① (반죽 따위를) 굴려서 펴다〔늘이다〕. ② (감긴 것을) 풀어내다.

ausrottbar *a.* 뿌리 뽑을 수 있는; 근절할 수 있는.

aus|rotten *t.* 뿌리째 뽑다;〖비유〗근절하다, 절멸시키다: ein Übel ~ 악을 근절하다.

Ausrottung *f.* -en 근절, 박멸, 절멸.

Ausrottungs·krieg *m.* 섬멸전.

aus|rücken 《I》*t.* 떼어내다, 풀어내다:〖기계〗ein Rad ~ 톱니바퀴를 풀다; eine Maschine ~ 기계의 작동을 중지시키다;〖印〗eine Zeile ~ (빈 칸 없이) 행(行)갈이하다. 《II》*i.* (s.)〖軍〗출동하다;〖구어〗도망하다.

Ausrück·vorrichtung *f.*〖기계〗연동 해제 레버.

Ausruf [áusru:f] *m.* -(e)s, -e ① 외침, 부르는 소리. ②〖드물게〗(외쳐서 하는) 광고, 공고; 선언. ③〖방언〗경매.

aus|rufen 《I》*i.* (h.) 외치다; 소리를 지르다. 《II》*t.* ① (상품을) 사라고 외치다. ② (누구를) 부르다, 큰소리로 알리다, 안내 방송하다; 공고〔선언〕하다: eine Zugverspätung ~ 열차의 연착을 (방송으로) 알리다; et. ~ lassen 무엇을 소리쳐 알리게 하다; jn. als〔zum〕König ~ 누구를 국왕으로 선포하다. ③ (…라고) 외치다: „nein!" rief er aus 그는 "아니오"라고 외쳤다.

Ausrufer *m.* -s, - 보도원; 선포자, 가두 선전원; 호객 상인; 경매인.

Ausrufe·satz *m.*〖문법〗감탄문. **~wort** *n.*〖문법〗감탄사(Interjektion). **~zeichen** *n.*〖문법〗느낌표, 감탄부(!).

Ausrufung [áusru:fʊŋ] *f.* -en ↑ Ausruf.

Ausrufungs·wort *n.*〖복수: ..wörter〗〖문법〗감탄사. **~zeichen** *n.*〖문법·구식〗(öst., schweiz.) ↑ Ausrufezeichen.

Ausruf·zeichen *n.* (schweiz.) ↑ Ausrufezeichen.

aus|ruhen 《I》*t.* (정신·육체를) 쉬게 하다. 《II》*i.* (h.) / *refl.* (sich) ~ 쉬다, 휴식〔휴양〕하다: du mußt (dich) ein wenig ~ 너 좀 쉬어야겠다.

Ausruher *m.* -s, -〖방언〗층계참.

aus|rühren *t.* 휘저어서 침전시키다.

aus|runden *t.* ① 둥그렇게 파내다〔도려내다〕. ② 둥글게 부풀리다. ③〖비유·드물게〗마무리하다, 완성하다.

aus|ründen *t.* ↑ ausrunden.

aus|rupfen *t.* 뽑아내다, 잡아뜯다.

***aus|rüsten** [áusrʏstən] 《I》*t.* ① 설치〔장치〕하다; 채비를 갖춰 주다; 무장시키다; (배를) 의장(艤裝)하다; (배에) 선원을 배치하다: das Heer mit Atomwaffen ~ 군대를 핵무기로 무장시키다;〖비유〗der Himmel hat ihn mit glänzenden Gaben ausgerüstet 신은 그에게 훌륭한 재능을 부여했다. ②〖방직〗(직물을 화학적으로) 뒤처리〔정제〕하다. 《II》*refl.* sich für et.〔zu et.³〕~ 무슨 일의 채비를 하다.

Ausrüstung *f.* -en ① 설치, 장치; 준비, 채비, 조달, 무장; 의장(艤裝). ② 장비, 준비물. ③〖방직〗(직물의) 뒤처리, 직물 가공.

Ausrüstungs·gegenstände *pl.* (여장을 위한) 장비, 준비품.

aus|rutschen *i.* (s.) ① 미끄러지다: auf dem Eis ~ 얼음 위에서 미끄러지다. ②〖비유·구어〗실수하다. ③ (손에서) 미끄러져 나가다.

Ausrutscher *m.* -s, - ① 미끄러짐. ②〖비유〗과실, 실수. ③〖스포츠〗(우승 후보의) 의외의 패배.

Aussaat [áusza:t] 《<aussäen》*f.* -en ① 씨뿌리기, 파종. ② 파종한 씨; 씨앗, 종자.

aus|säckeln *t.* ↑ aussacken.

aus|sacken *t.* 자루에서 꺼내다〔비우다〕:〖비유〗jn. ~ 누구의 돈을 우려내다.

aus|säen *t.* (씨를) 뿌리다; 〖비유〗 유발하다; 〖비유〗 전파시키다: 〖비유〗 Haß und Zwietracht ~ 미움과 불화의 씨를 뿌리다.

aussagbar [áusza:k..] *a.* 공언〔언명·진술〕할 수 있는.

*__Aussage__ [áusza:gə] *f.* -n ① 진술, 언명, 공언; 〖法〗 증언, 공술: eine ~ über et. machen 무엇에 대해 진술하다. ②〖비유·雅語〗(예술 작품의) 표현력. ③ 확인, 판단, 의견, 관점. ④ 〖문법〗 진술; 술어(Prädikat).

Aussagekraft *f.* 표현력, 설득력, 신빙성, 진술의 힘.

*__aus|sagen__ 《I》 *t.* ① 말을 끝내다〔마치다〕. ② 다 말해 버리다: es ist nicht auszusagen 그것은 말로 다 표현하지 못한다. ③〖法〗 증언〔공술〕하다. ④ 말하다, 진술하다, 공언〔언명〕하다. ⑤ (예술적으로) 표출하다, 표현력을 지니다. 《II》 *i.* (h.) 〖法〗 공술〔증언〕하다: gegen jn. ~ 누구에게 불리한 진술을 하다.

aus|sägen *t.* 톱으로 잘라내다; 톱질하여 만들다.

Aussager *m.* -s, - 진술자, 증인.

Aussage≈satz *m.* 〖문법〗 서술문, 평서문. **~weise** *f.* 〖문법〗 (Modus) (동사의) 화법. **~wert** *m.* 진술 가치. **~wort** *n.* 〖복수: ..wörter〗 〖문법〗 술어.

aus|salzen *t.* 〖化〗 (비누를) 염석(塩析)하다.

Aussatz [áuszats] 《<aussetzen》 *m.* -es ① 〖당구〗 초구(初球) 치기. ②〖복수: ..sätze〗 (도박 따위에서) 거는 돈〔물건〕. ③〖醫〗 나병(癩病) (Lepra): 〖비유〗 ~ der Menschheit 건달패. ④〖印〗 인쇄가 고름.

aussätzig [..zɛtsɪç] *a.* 〖醫〗 나병의(leprös).

Aussätzige* *der/die* -n, -n 나병 환자.

Aussätzigen·haus *n.* 나병 요양소.

aus|säuern *t.* 〖化〗 탈산(脫酸)하다.

aus|saufen* 《I》 *t.* 남김없이 마시다; 마셔서 비우다. 《II》 *i.* (h.) 마시기를 그치다.

aus|saugen* [áuszaugən] *t.* ① 빨아내다, 다 빨아 버리다: das Gift aus der Wunde ~ 상처에서 독을 빨아내다. ② 빨아서 비우다〔없애다〕: eine Wunde ~ 상처에서 독을 빨아내다. ③〖비유〗 (jn.) 착취하다; 기식(寄食)하다: Menschen ~ 국민의 고혈을 짜내다.

aus|säugen 《I》 *t.* 충분히 수유(授乳)하다. 《II》 *i.* (h.) 수유를 그치다.

Aussauger *m.* -s, - 〖비유〗 착취자, 흡혈귀.

Aussaugerei *f.* -en 착취, 주구(誅求).

Aussaugung *f.* -en ① 빨아내기, 남김없이 빨기. ②〖비유〗 착취, 주구(誅求).

Aussäung [áuszɛːʊŋ] *f.* -en 씨뿌리기, 파종.

aus|schaben *t.* ① 깎아 도려내다〔없애다〕. ② 깎아내어 속을 비게 하다. ③ 안쪽을 깎아내어 깨끗이하다; 〖醫〗 die Gebärmutter ~ 소파(搔爬) 수술하다; 〖구어〗 die Frau ~ 그 여자를 소파 수술하다.

Ausschabung *f.* -en 〖醫〗 소파(搔爬), 박제.

aus|schachten *t.* ①〖광산〗 (수직갱을 만들기 위해) 파다, 굴착하다: den Boden bis zu einem Meter Tiefe ~ 땅을 1미터 깊이까지 파내다. ② 땅을 파내어 만들다: einen Keller ~ 땅을 파서 지하실을 만들다.

Ausschachtung *f.* -en ① 굴착. ② (굴착으로 생긴) 구렁, 구멍, 굴.

aus|schaffen *t.* ①〖드물게〗 완성〔완수〕하다. ②〖구식〗 쫓아내다. ③〖구어〗 모두 먹을〔마실〕 수 있다.

aus|schäften *t.* 〖海〗 ein Schiff ~ 배에 포문(砲門)을 장비하다.

aus|schalen *t.* ① (굴 따위를) 껍질에서 떼내다, 까다, 벗기다. ②〖건축·토목〗 거푸집을 떼어내다; 널빤지를 대다. ③ (물이 강둑 따위를 침식하여) 씻어 패게 하다.

aus|schälen 《I》 *t.* ①〖드물게〗 껍질을 벗기다: Nüsse ~ 호두 껍질을 벗기다. ② (고기를) 발라〔베어〕내다. ③〖醫〗 (조직 따위에서) 떼어〔베어〕내다, 적출하다: Niere ~ 신장을 떼어내다. ④〖구식〗 껍질〔가죽〕을 벗기다: 〖구어〗 jn. ~ 누구의 물건을 약탈하다〔털다〕. 《II》 *refl.* 〖농담〗 sich ~ 옷을〔외투를〕 벗다.

aus|schallen[(*)] *i.* (h./s.) ↑ aushallen.

aus|schalmen *t.* 〖林〗 (벌채를 위해 도끼로 나무 줄기에) 표시하다.

aus|schalten *t.* ① (전류를) 차단하다, (스위치를) 끄다; (전화를) 끊다. ②〖비유〗 배제〔제외·축출〕하다: 〖軍〗 einen Feind ~ 적을 무력화하다; 〖스포츠〗 einen Gegenspieler im Wettkampf ~ 경기에서 상대방을 제압하다.

Ausschalter *m.* -s, - 차단〔개폐〕기, 스위치.

Ausschaltung *f.* -en ① 제외. ②〖전기〗 (회로의) 차단.

Ausschalung [áusʃa:lʊŋ] *f.* -en ① 껍질까기. ② 거푸집 떼내기. ③ 널빤지대기.

aus|schämen *refl.* sich³ die Augen ~ 몹시 부끄러워하다.

Ausschank [áusʃaŋk] 《<ausschenken》 *m.* -(e)s, ..schänke ① 주류의 소매. ② 목로 주점, 술집. ③ (술집의) 탁자.

aus|scharren 《I》 *t.* ① 파헤쳐 꺼내다. ② 파서 만들다: Loch ~ 구멍을 파다. ③〖구식〗 발로 바닥을 문질러 (연설자나 교수에게) 불만을 표시하다. 《II》 *i.* (h.) mit dem Fuß ~ 한쪽 발을 뒤로 뻗어서 인사하다(옛날의 인사 방식).

aus|scharten 《<Scharte》 *t.* 톱니 자국을 내다: das Leder ~ 가죽에 톱니 자국을 내다.

aus|schattieren *t.* (무엇에) 음영(陰影)을 붙이다.

Ausschau [áusʃau] *f.* 〖다음 용법으로만〗 nach jm.〔et.³〕 ~ halten 누구를〔무엇을〕 고대하며 바라보다.

aus|schauen *i.* (h.) ① **(a)** 〖雅語〗 고대하며 내다보다, 기대하다: nach einem freien Taxi ~ 빈 택시가 오기를 기다리며 내다보다. **(b)** 〖비유·방언〗 찾다, 얻으려고 시도하다: nach einer neuen Arbeit ~ 새 일자리를 얻으려고 하다. ②〖방언〗 (aussehen) 어떤 모양을 하고 있다, 어떤 상태이다: 〖구어〗 wie schaut's aus? (일이) 어떻게 되고 있지요, 어떻게 지내십니까?

aus|schaufeln *t.* ① (삽으로) 파내다: Erde aus dem Graben ~ 구덩이에서 흙을 파내다. ② 삽질해서 만들다: ein Grab ~ (삽으로) 무덤을 파다.

aus|schäumen 《I》 *i.* ① (h.) 거품이 일기를 그치다; 〖비유〗 화가 가라앉다. ② (s.) 거품이 일어 넘치다. 《II》 *t.* ①〖요리〗 거품을 다 걷어내다. ②〖비유〗 Gift und Galle ~ 노발대발하다. 《III》 *refl.* sich ~ 거품이 생길 대로 생기다.

Ausscheid *m.* -(e)s, -e 〖구동독〗 예선 경기.

__aus|scheiden__ [áusʃaɪdən] 《I》 *t.* ① 분리하다; 제거〔배제〕하다; 〖生〗 분비〔배설〕하다. ② (schweiz.) 구분하다. 《II》 *refl.* sich ~ 떨어지

다, 헤어지다; 〖生〗 분비〔배설〕되다. 《Ⅲ》 *i.* (s.) ① 떨어져 나가다, 물러나다: aus einer Gesellschaft〔Stellung〕 ~ 탈퇴〔퇴직〕하다; ein ausgeschied(e)ner Beamter 퇴직 공무원. ② bei et.[3] ~ 무엇에 관여〔참여〕하지 않다; 〔비유〕 문제 밖이다. ③ 〖스포츠〗 중도에 탈락〔포기〕하다: nach der zweiten Runde aus dem Rennen ~ 두 바퀴 돈 뒤에 경주를 포기하다.

Ausscheidung *f.* -en ① 분리; 제거, 배제; (경기의) 참가 포기, 불참, 은퇴. ② 분비물, 배설물. ③ 〖스포츠〗 예선 경기. ④ 〖제련〗 결정(체) 추출.

Ausscheidungs·kampf *m.* 〖스포츠〗 예선 경기. **~organ** *n.* 〖生〗 분비〔배설〕 기관. **~-rennen** *n.* 예선 경주. **~runde** *f.* 〖스포츠〗 토너먼트: die letzte ~ 결승전. **~spiel** *n.* 준결승. **~stoff** *m.* 분비물, 배설물.

aus|scheinen* *i.* (h.) 빛나기를 그치다.

aus|scheißen 〔비속〕 《Ⅰ》 *i./refl.* (sich) ~ ① 똥을 다 누다, 장을 완전히 비게 하다. ② 〔비유·비속〕 bei jm. ausgeschissen haben 누구의 신뢰를 잃다. 《Ⅱ》 *t.* 배설하다. 《Ⅲ》 *refl.* sich ~ 거칠게 말하다: 〔비유·비속〕 er hat sich bei seinem Kameraden einmal ausgeschissen 그는 친구에게 욕설을 퍼부었다.

aus|schellen *t.* 〔구식·방언〕 종을 쳐서 알리다.

aus|schelten* *t.* (schelten) 꾸짖다, 욕하다.

aus|schenken *t.* ① (술 따위를) 팔다. ② 〔구어〕 (큰 그릇에서) 따라내다, 덜어내다.

aus|scheren[(*)1] *t.* ① (털을) 잘라내다: den Nacken ~ 목덜미의 머리카락을 깎아내다; das Tuch ~ 나사(羅紗)의 털자르기를 끝내다. ② 〖海〗 (도르래에서) (밧줄을) 벗겨내다.

aus|scheren[2] *i.* (s.) ① 이탈하다: das Fahrzeug scherte plötzlich nach links aus 그 차가 갑자기 왼쪽으로 차선을 이탈했다. ② 〔비유〕 제 갈 길을 가다. ③ (배에서) 밧줄〔닻줄〕을 끌어내다.

aus|scheuern 《Ⅰ》 *t.* 문질러 닦다: ein Zimmer ~ 방(바닥)을 문질러 닦다〔씻다〕. 《Ⅱ》 *refl.* sich ~ 닳아 빠지다.

aus|schicken *t.* 심부름 보내다; 파견하다; 〖軍〗 특파하다: ihn nach jm. ~ 누구를 부르러 그를 보내다; jn. nach Brot ~ 빵을 구해 오라고 누구를 보내다.

aus|schieben* *t.* 〔드물게〕 ① 밀어내다, 내밀다; (빵을) 가마에서 꺼내다. ② 밀어서 열다〔벌리다〕: einen Tisch ~ 책상 서랍의 평판(平版)을 빼내다. ③ (무엇을) 내기로 걸고 독일식 볼링을 하다(↑ auskegeln ①).

Ausschieber *m.* -s, - ① 밀어내는 사람. ② (책상의) 서랍 평판(平版).

aus|schießen* [áusʃi:sən] 《Ⅰ》 *t.* ① (**a**) 발사하다, 쏘다. (**b**) 사격으로 파괴하다: jm. ein Auge ~ 누구의 한쪽 눈을 쏘아 실명케 하다. (**c**) 〖사냥〗 사격으로 절멸시키다; 어떤 지역의 짐승을 쏘아서 멸절시키다〔수를 줄이다〕: Elefanten ~ 코끼리를 절멸시키다; einen Wald ~ 숲속의 짐승을 다 쏘아 버리다. (**d**) (총을) 몇 번 쏘아 길들이다. (**e**) (자주 쏘아서 총신 따위를) 닳게 하다. (**f**) 〖사격〗 einen Preis ~ 상을 걸고 사격 대회를 개최하다; den besten Schützen ~ 최고의 사수를 선발하다. (**g**) (탄환을) 모두 쏘아 버리다. ② (광선을) 발하다, 방사하다; (눈빛을) 번득이다. ③ (꽃·잎 따위를) 내다: (산맥이 지맥(支脈)을) 내뻗다. ④ (**a**) 솎아내다, 도태시키다. (**b**) 골라내다, 선발하다. ⑤ (빵을) 화덕에서 꺼내다. ⑥ 〖印〗 정판(整版)하다. ⑦ 〖海〗 (바닥짐을) 부리다. ⑧ 해자(垓字)를〔도랑을〕 파다. 《Ⅱ》 *i.* (s.) ① (피가) 내뿜다; (불꽃이) 튀다. ② 발아(發芽)하다; (이가) 돋아나다. ③ 〖건축〗 돌출하다. ④ 〖海〗 (바람이) 갑자기 오른쪽으로 불다〔방향을 바꾸다〕. ⑤ (südd./öst.) 퇴색하다.

Ausschießerin *f.* -nen (제지 공장의) 가려내는 여공.

Ausschießung *f.* -en 발사; 현상(懸賞) 사격; 〖印〗 정판(整版); 〖海〗 바닥짐 부리기.

aus|schiffen 《Ⅰ》 *i.* (s.) 출범〔출항〕하다. 《Ⅱ》 *t.* 상륙시키다, 양륙하다. 《Ⅲ》 *refl.* sich ~ ① 상륙하다. ② 〔속어〕 오줌을 누다.

Ausschiffung *f.* -en 상륙, 양륙.

aus|schildern *t.* ① (**a**) 교통 표지판을 설치하다. (**b**) (어떤 구간의 진행을) 표지판으로 표시하다. ② 〖軍〗 einen Gefechtsstand ~ 전투 사령부 내의 각 부서를 식별할 수 있게 하다.

Ausschilderung *f.* -en (교통) 표지판 설치.

aus|schimpfen 《Ⅰ》 *t.* 욕설을 퍼붓다, 몹시 꾸짖다. 《Ⅱ》 *i.* (h.) 실컷 욕하다, 욕을 그치다.

Ausschimpferei *f.* -en 욕지거리, 심한 꾸짖음, 매도(罵倒).

aus|schinden* *t.* 〔구식〕 ① (짐승의) 가죽을 벗기다. ② 〔비유〕 착취하다, 고혈을 짜내다. ③ 폭리를 취하다.

aus|schirren *t.* 마구(馬具)를 벗기다; 〖工〗 연동(聯動) 장치를 떼다.

aus|schlachten *t.* ① 골라내어 도살하다. ② (돼지 따위를) 잘게 자르다; 〔비유〕 (토지를) 분양하다; 최대한 이용하다(ausbeuten). ③ (도살한 짐승의) 내장을 꺼내다. ④ 〖印〗 해판(解版)하다. ⑤ 〔비유·구어〕 (아직 사용할 수 있는 부품을) 떼어내다: alte Autos ~ 낡은 자동차에서 쓸 만한 부품을 떼어내다.

Ausschlachter *m.* -s, - ① 고깃간. ② 토지 분양자. ③ 저자와 출판자간의 중개인.

aus|schlacken *t.* 〖제련〗 (무엇의) 슬래그를 제거〔분리〕하다.

aus|schlafen* 《Ⅰ》 *i.* (h./s.) / *refl.* (sich) ~ 충분히〔푹〕 자다. 《Ⅱ》 *t.* 〔구어〕 잠을 자서 없애다, 사라지게 하다: einen Rausch ~ 한잠 자서 취기를 떨쳐내다. 《Ⅲ》 **ausgeschlafen** *p.a.* ↑ ausgeschlafen.

Ausschlag [áusʃla:k] *m.* -(e)s, ..schläge ① 제일격(擊); 〖구기〗 초구(初球), 서브. ② 새싹, 어린 가지. ③ 〖醫〗 발진(發疹), 뾰루지. ④ (천칭의) 기욺, 진동; 〖理〗 (자침의) 편차; 진자(振子)의 진폭; 〖商〗 (Gutgewicht) 덤. ⑤ 〔비유〕 결정; 결과: ihre Aussage gab den ~ zu seinen Gunsten 그녀의 증언으로 그가 결정적으로 유리해졌다.

Ausschlag·eisen *n.* 천공기(穿孔器), 펀치.

aus|schlagen [áusʃla:gən] 《Ⅰ》 *t.* ① 때리다: jn. wacker ~ 누구를 호되게 때리다. ② 때려서 쫓아내다; 〖구기〗 서브하다; 〖펜싱〗 (상대의 공격을) 받아넘기다. ③ (불 따위를) 쳐서 끄다. ④ (**a**) (금속을) 망치로 두드려 펴다. (**b**) (팔 따위를) 뻗다. (**c**) 펼치다: die ausgerungene Wäsche ~ 물을 짜낸 빨래를 펼치다. ⑤ 〖제혁〗 (짐승 가죽을) 석회액(石灰液) 통에서 꺼내다. ⑥ 〔구식〕 깨서 내용물을 꺼내다: den

Dotter ~ 알을 깨서 노른자를 꺼내다; 〖광산〗 das Erz aus dem tauben Gestein ~ 암석을 부수어 광석을 추리다. ⑦ 쳐내다, 쳐서 제거하다: Bäume ~ 나무를 잘라내다〔넘기다〕; 〔비유〕 das schlägt dem Faß den Boden aus 그것으로 문제의 핵심을 파헤쳤다. ⑧ (bekleiden) 덮다, 둘러치다: ein Zimmer mit Tapeten ~ 방에 벽지를 바르다. ⑨ (선물 따위를) 거절하다: eine Einladung ~ 초대를 거절하다. ⑩ 〔구식〕 울려서〔쳐서〕 알리다: die Stunden ~ (종을 쳐서〔울려서〕) 시간을 알리다; 〔구어〕 eine ausgeschlagene Stunde 꽉찬 한 시간. ⑪ 생기게 하다: Flammen ~ (불이) 불꽃을 올리다; Blätter ~ (식물이) 잎을 내다; Feuchtigkeit ~ (벽이) 습기를 내배다. ⑫ 〔방언〕 두드려 열다. 《Ⅱ》 *refl.* sich ~ 실컷 때리다. 《Ⅲ》 *i.* (h.) ① 치기 시작하다; 〖구기〗 초구를 치다, 서브하다. ② 치기를 그치다: die Uhr hat ausgeschlagen 시계의 종소리가 멎었다; 〔비유〕 sein schwaches Herz hat ausgeschlagen 그는 죽었다. ③ (**a**) mit der Hand ~ 손을 휘두르다. (**b**) (말이) 차다. ④ (s./h.) (천칭이) 한쪽으로 기울다. ⑤ (s.) (불이) 타오르다; 〖植〗 발아(發芽)하다; 〖醫〗 발진하다: in lichten Flammen ~ 훨훨 타오르다. ⑥ (s.) (**a**) 〔드물게〕 (곰팡이 따위가) 생기다: an den Wänden schlägt die Feuchtigkeit aus 벽에 습기가 배어 나온다. (**b**) 〖化〗 (초석(硝石) 따위가) 풍해(風解)되다. ⑦ (s.) 〔비유〕 어떤 결과로 끝나다(verlaufen): gut ~ 좋은 결과를 얻다; es schlug zu seinem Nutzen aus 그것은 결국 그의 이익이 되었다.

Ausschläger *m.* -s, - ① 초구(初球)를 치는〔서브하는〕 사람; 〖광산〗 선광부(選鑛夫). ② 차는 버릇이 있는 말.

Ausschlag=fieber *n.* 발진티푸스. **~gebend** *a.* 결정적인: diese Erfahrung war von ~er Bedeutung 이런 경험이 결정적으로 중요했다.

Ausschlagung [áusʃla:gʊŋ] *f.* -en 〖法〗 유산 상속 거부; 제일격(擊); 초구(初球) 치기, 서브 넣기; 거절; (종이) 때를 알리기; (천칭의) 기욺; 〖植〗 발아(發芽); 〖醫〗 발진; (벽에) 습기가 배어 나옴; 〖化〗 풍해.

Ausschlag=wald *m.* 〖林〗 (벌채 후의) 왜림(矮林), 묘목림. **~winkel** *m.* 편향각.

aus|schlämmen *t.* (운하 등을) 준설하다; (무엇의) 진흙을 쳐내다, 씻어 없애다.

aus|schlecken *t.* (접시 따위를) 핥다.

aus|schleifen*[1] 《＜schleifen[2]》 《Ⅰ》 *t.* ① 충분히 갈다; 갈아서 오목하게 하다. ② 씻어내다 (auswaschen): das Wasser schleift den Felsen aus 물살에 바위가 씻긴다. ③ 연마하다, 갈다; eine Klinge ~ 칼날을 매끄럽게 갈다. 《Ⅱ》 *i.* (h.) 갈기를 그치다.

aus|schleifen[2] *t.* 썰매로 실어내다.

aus|schleimen 《Ⅰ》 *t.* (물고기 따위의) 점액(粘液)을 제거하다. 《Ⅱ》 *refl.* sich ~ ① 〔경박〕 장황하게 이야기를 늘어놓다. ② 〔비속〕 사정(射精)하다.

aus|schlenkern *t./i.* (h.) /*refl.* sich ~ (다리 따위를) 흔들거리다, 흔들어서 삐게 하다: sich[3] die Beine ~ 다리를 흔들다, 흔들어서 다리가 접질리다.

aus|schleppen *t.* 끌어내다, 끌어가 버리다.

aus|schleudern 《Ⅰ》 *t.* ① 내던지다, 태질치다: Laven ~ 용암을 분출하다. ② (빨래를) 완전 탈수하다. 《Ⅱ》 *i.* 탈수를 끝내다.

aus|schlichten *t.* (금속을) 두드려서 평평하게 하다; (무두질한 가죽을) 정제(精製)하다.

aus|schließen [áusʃli:sən] 《Ⅰ》 *t.* ① 내쫓다, 쫓아내다. ② 제외하다; 쫓아내다; 제명하다; 파문하다; 〖스포츠〗 실격(失格)시키다: er wurde aus der Partei ausgeschlossen 그는 당에서 제명되었다; jn. eine Zeit ~ 누구를 정학 처분하다. ③ (죄수를) 쇠사슬에서 풀어 주다. ④ 〖印〗 eine Zeile ~ (공목(空木) 따위를 넣어) 활자의 행(行)을 정돈하다. ⑤ (가능성 따위를) 배제하다: das eine schließt das andere nicht aus 전자와 후자가 다 가능하다; die zwei Sachen schließen sich aus 이 두 가지는 상호 모순 관계다. 《Ⅱ》 *refl.* sich von et.[3] ~ 무엇에 관여〔참가〕하지 않다, 무엇에서 탈퇴하다. 《Ⅲ》 **ausgeschlossen** *p.a.* ↑ ausgeschlossen.

ausschließend *p.a.* ↑ ausschließlich.

***ausschließlich** [áusʃli:slɪç, ausʃlí:..] 《Ⅰ》 *a.* 배타적〔독점적〕인, 전유(專有)의: ~es Recht 독점권. 《Ⅱ》 *adv.* ① 오로지, 오직, 독점적으로. 《Ⅲ》 *prp.*[2] 〔복수에서는 3격 지배도 가능, 드물게 4격 지배〕 (↔einschließlich) (…을) 제외하고, 계산에 넣지 않고: wir sehen uns täglich ~ des Sonntags 우리는 일요일을 제외하고 매일 만난다.

Ausschließlichkeit *f.* 배타, 전유, 독점.

Ausschließung *f.* -en ① 제외, 배척, 배제, 탈퇴. ② 〖法〗 제척(除斥).

Ausschließungs=frist *f.* 〖法〗 제척(除斥) 기간. **~weise** *adv.* 배타적〔독점적〕으로, 오로지, 오직.

aus|schlipfen *i.* (s.) (schweiz.) 미끄러지다.

aus|schluchzen *t./refl.* et.〔sich〕 ~ 흐느끼며 울어서 해소하다: Worte ~ 흐느끼며 말하다; in Tränen sein Leid ~ 실컷 울어서 자기의 고통을 해소하다.

aus|schlummern *i./refl.* (sich) ~ 충분히 자다; 충분히〔실컷〕 졸다; 졸음에서 깨어나다.

Ausschlupf [áusʃlʊpf] *m.* -(e)s, ..schlüpfe/-e 빠져 나갈 구멍, 도피구(↔Einschlupf); 숨는 장소: einen ~ finden 빠져 나갈 구멍을 찾다.

aus|schlüpfen *i.* (s.) (알이나 번데기에서) 빠져나오다; 미끄러져 나오다.

aus|schlürfen *t.* 홀짝홀짝 다 마셔 버리다.

Ausschluss 新정서 ⇦ Ausschluß.

Ausschluß [áusʃlʊs] 《＜ausschließen》 *m.* ..sses, ..schlüsse ① 제외; 제명; 추방; 면직; 배제; 〖스포츠〗 실격시킴; 〖法〗 제척(除斥); 〖宗〗 파문: ~ aus der Partei 정당에서의 제명; ~ vom Schulbuch 퇴학〔제적〕 처분; mit ~ von et.[3] 〔eines Dinges〕 무엇을 제외하고; unter〔ohne〕 ~ der Öffentlichkeit 비공개리〔공개리〕에. ② 〖印〗 (Spatium) 스페이스(자간·행간을 띄우는 나무〔납〕 조각), 공목(空木).

Ausschluß=fach *n.* 〖印〗 공목(空木) 상자. **~frist** *f.* 〖法〗 제척(除斥) 기한. **~kasten** *m.* ↑ ~fach.

aus|schmähen *t.* 〔드물게〕 비방〔욕〕하다(↑ ausschelten 《Ⅱ》).

aus|schmälen *t.* ↑ ausschmähen.

aus|schmauchen 《Ⅰ》 *t.* 〔구어〕 (담배 한 대

를) 다 피우다; (방 등을) 그을리다. 《Ⅱ》 *i.* (h.) 〔드물게〕 연기 내기를 그치다; 담배를 끊다.

aus|schmausen 《Ⅰ》 *t.* ①〔구어〕(맛있게 먹어) 다 먹어 치우다: alle Schüsseln ~ 음식을 다 먹어 치우다. ② 향연(饗宴)으로 탕진하다. 《Ⅱ》 *i.* (h.) 잔치를 끝내다.

aus|schmelzen(*) 《Ⅰ》 *t.* 〔약변화〕 녹이다, 정제(精製)하다; 〖제련〗 (광석을) 녹여서 분리하다: Butter ~ 버터를 녹이다; Gold ~ 광석을 녹여 금을 분리해내다. 《Ⅱ》 *i.* 〔보통 강변화〕 ① (s.) 녹아 흘러나오다. ② (h.) 녹기를 그치다.

aus|schmettern 《Ⅰ》 *t.* (곡을) 나팔로 불다. 《Ⅱ》 *i.* (h.) (나팔이) 울리기를 그치다.

aus|schmieden 《Ⅰ》 *t.* ① (금속을) 충분히 불리다; 불려 펴다. ② (노예 등을) 쇠사슬에서 풀어 주다. 《Ⅱ》 *i.* (h.) 불리기를 끝내다.

aus|schmieren *t.* ① (이은 자리·안쪽 등을) 완전히 칠하다: eine Backform mit Fett ~ 빵 굽는 틀에 기름을 바르다. ② (글씨를) 흘려 쓰다. ③〔구어·비유〕 속이다; 표절하다. ④〔구어〕 누설〔폭로〕하다. ⑤〔방언〕 꾸짖다, 의견을 말하다. ⑥ (글자 따위를) 칠해서 지우다: ein Wort ~ 낱말 하나를 칠해서 없애다.

Ausschmierer *m.* -s, - 기만자; 표절자.

Ausschmiererei [..ráɪ] *f.* -en 기만 행위; 표절(물).

aus|schmollen *i.* (h.) / *refl.* (sich) ~ 찌푸린 얼굴을 펴다.

aus|schmoren 《Ⅰ》 *t.* 뭉근한 불에 삶다〔익히다〕. 《Ⅱ》 *i.* (h./s.) 뭉근한 불에 삶아지다〔삶아서 풀어지다〕.

aus|schmücken 《Ⅰ》 *t.* ① 곱게 꾸미다, 장식하다: das Wohnzimmer weihnachtlich ~ 거실을 크리스마스 분위기로 장식하다. ②〔비유〕 미화〔윤색〕하다: die Wahrheit ein bißchen zu seinen eigenen Gunsten ~ 자신에게 이롭게 진실을 약간 윤색하다. 《Ⅱ》 *refl.* sich ~ 예쁘게 치장하다.

Ausschmücker *m.* -s, - (실내) 장식가.

Ausschmückung *f.* -en ① 장식; 의장(衣裝); (이야기의) 미화, 윤색. ② 장식물, 장식된 물건〔말〕: einen trocknen Bericht durch ~en lebendiger machen 무미건조한 기사를 더 실감나도록 윤색하다.

aus|schnallen *t.* 죔쇠를 풀다: die Schlittschuhe ~ 스케이트의 죔쇠를 풀다.

aus|schnappen *i.* (s.) ① 철거덕하고 벗겨지다; 급히 뛰어나가다: die Tür ist ausgeschnappt 문이 철거덕하고 열렸다. ②〔구어·농담〕 더 이상 화내지 않다.

aus|schnarchen *i.* (h.) 코골기를 그치다.

aus|schnauben(*) 《Ⅰ》 *t.* 〔고어〕 코로 내뿜다: der Drache schnaubte Feuer aus 그 용은 코로 불을 내뿜었다; (nordd.) (sich³) die Nase ~ 코를(남김없이) 풀다. 《Ⅱ》 *i.* ①〔드물게·雅語〕 콧김을 내뿜다. ②〔고어〕 한숨 돌리다, 쉬다: das Pferd ~ lassen 말을 한숨 돌리게 하다.

aus|schnaufen 《südd., öst.》 《Ⅰ》 *i.* / *refl.* (sich) ~ 한숨 돌리다, 잠시 쉬다: laß mich mal erst ein bißchen ~! 잠시 한숨 돌리게 좀 해줘! 《Ⅱ》 *t.* 〔비유〕 (어떤 기간을) 푹 쉬다: ein paar Tage ~ 며칠간 푹 쉬다.

Ausschneide⸗bild *n.* -(e)s, -er 절지(切紙) 세공 그림, (놀이용) 오리기용 종이그림. **~kunst** *f.* 절단 세공; 실루엣 오려내기; 〖工〗 (톱에 의한) 곡선식 재단술. **~messer** *n.* 〖제혁〗 (가죽에 붙은 살을) 베어내는 칼; 말굽 깎는 칼.

aus|schneiden* [áusʃnaɪdən] 《Ⅰ》 *t.* ① 잘라내다; 삭제하다; 〖醫〗 절단〔적출〕하다; 〖원예〗 가지를 치다: ein Inserat aus der Zeitung ~ 신문에서 광고를 오려 내다; Bäume ~ 나뭇가지를 쳐내다. ②〖재봉〗 옷의 목덜미〔가슴·어깨〕를 깊이 파서 재단하다: sie ging tief ausgeschnitten zum Ball 그 여자는 가슴이 깊이 팬 옷을 입고 무도회에 갔다; 〔비유〕 Sie sind recht dazu ausgeschnitten 당신은 그 배역에 꼭 맞는다. ③ (옷감 등을) 잘라 팔다. ④ (그림이나 모양을) 오려내다: Sterne aus dem Buntpapier ~ 색종이로 별 모양을 오리다. ⑤〖컴〗 (문서의 일부를) 잘라〔오려〕 두다: ~ und einfügen 오려 붙이다. 《Ⅱ》 **ausgeschnitten** *p.a.* ↑ ausgeschnitten.

Ausschneider *m.* -s, - 자르는 사람.

Ausschneidung *f.* -en ① 자르기, 절단, 재단. ②〖醫〗 제거〔절단〕 수술.

aus|schneien 《Ⅰ》 *i.* (h.) / *imp.* 〔대개 완료형으로〕 es hat ausgeschneit 눈이 멎었다. 《Ⅱ》 *refl.* 〔구어〕 es schneit sich aus 폭설이〔눈이 펑펑〕 내린다.

aus|schneiteln *t.* 〖원예〗 Bäume ~ 나뭇가지를 쳐내다, 전지하다.

aus|schneuzen *t.* / *refl.* ① 코를 깨끗이 풀다: (sich³) die Nase ~ 코를 풀다; sich ~ 코를 깨끗이 풀다. ②〔고어〕 (양초의 심지를) 자르다: das Licht ~ 심지를 잘라 촛불을 끄다.

Ausschnitt [áusʃnɪt] *m.* -(e)s, -e ① 잘라〔도려〕 내기; 잘라 낸 틈; 〖건축〗 칸(間); (열쇠의) 돌기, 홈; (여성복의) 팬 목〔가슴〕; 〖원예〗 가지치기: eine Bluse mit rundem〔spitzem〕 ~ 가슴 부분이 둥글게〔V 자형으로〕 깊게 파인 블라우스. ② (잘라낸) 부분, 절편, (신문 등의) 오려 낸 것; 〖商〗 잘라 팔기; 〖數〗 부채꼴, 선형(扇形); 〔비유〕 (전체의) 단면; 발췌: das Buch in ~en lesen 책을 발췌해서 읽다.

Ausschnitt⸗handel *m.* (옷감 등의) 소매(小賣), 자풀이. **~händler** *m.* (옷감) 소매 상인. **~handlung** *f.* ↑ ~handel. **~laden** *m.* 소매점. **~stickerei** *f.* 리슐리외〔백지(白地)〕 자수(Richelieustickerei). **~waren** *pl.* 소매 상품; 옷감.

aus|schnitzeln *t.* (모양을) 곱게 도려내다〔조각하다〕.

aus|schnitzen *t.* (나무 등에) 양각(陽刻)하다: ein Herz auf der Tür ~ 문에 하트 모양을 양각하다.

aus|schnüffeln 《Ⅰ》 *i.* 〔구어·농담〕 냄새를 맡다. 《Ⅱ》 *t.* ①〔폄어〕 (냄새를 맡아) 알아〔찾아〕내다. ②〔구어〕 (누구의) 비밀을 캐〔알아〕내다: ihn ~ 그에게서 넌지시 들어 알아내다.

aus|schnupfen 《Ⅰ》 *t.* 냄새를 다 맡다: eine Tabaksdose ~ 코담뱃갑 속의 담배 냄새를 다 맡다. 《Ⅱ》 *refl.* sich ~ 코를 풀다.

aus|schnüren 《Ⅰ》 *t.* 〔드물게〕 끈을 풀다. 《Ⅱ》 *refl.* sich ~ 코르셋을 벗다.

aus|schöpfen *t.* ① (다) 퍼내다, (우물을) 퍼서 비우다. ② 모든 가능성을 이용하다: diese Interpretation hat das Werk noch nicht voll ausgeschöpft 이 해설은 그 작품을 아직 완전히 분석해내지 못했다; alle Möglichkeiten ~ 가능한 모든 수단을 다 동원하다.

Ausschöpfer *m.* -s, - ① 퍼내는 사람. ② 국자, 퍼내는 기구.

Ausschöpf≈kelle *f.* ↑ ~löffel. **~löffel** *m.* ↑ Ausschöpfer ②.

Ausschöpfung *f.* 퍼내기; 모든 가능성의 이용.

aus|schoppen *t.* 〖구어〗 (obd.) …의 속을 채우다.

Ausschößling [áusʃœslɪŋ] *m.* 〖드물게〗 어린 가지, 새싹.

aus|schoten [áusʃo:tən] 《<Schote³》 *t.* 〖방언〗 (콩의) 깍지를 까다.

aus|schrägen *t.* 〖건축〗 비탈지게 하다, 모를 깎아내다, 물매를 내다.

aus|schrapen *t.* (ndd.) 깎아내다, 긁어내다, 문질러 없애다.

aus|schrappen *t.* ↑ ausschrapen.

aus|schrauben[(*)] 《Ⅰ》 *t.* 나사를 풀어 빼다. 《Ⅱ》 *refl.* sich ~ 나사가 느슨해지다.

aus|schreiben* [áusʃraɪbən] 《Ⅰ》 *t.* ① 생략〔단축〕하지 않고 쓰다; (숫자를) 문자로 표시하다; (약호·속기 등을) 완전한 철자로 쓰다: der Betrag muß ausgeschrieben werden 금액은 문자로 써야만 한다. ② **(a)** (문서의 일부를) 발췌해 베끼다: die Rollen aus einem Stück ~ 대본에서 배역의 대사를 베끼다〔뽑아서 쓰다〕; Zitate (aus einem literarischen Werk) ~ 인용문을 (문학 작품에서) 뽑아 쓰다. **(b)** 표절하다: ein Buch 〔einen Schriftsteller〕 ~ 어떤 책에서〔작가에게서〕 표절하다. ③ (신청서 등을) 작성하다; 발행하다, 써 주다: (jm.) ein Rezept ~ (누구에게) 처방전을 써 주다; jm. eine Vollmacht ~ 누구에게 전권 위임장을 써 주다; eine Rechnung ~ (대장에서 뽑아) 계산서를 작성하다; einen Wechsel ~ 어음을 발행하다. ④ 〖드물게〗 제명〔해고〕하다. ⑤ seine Handschrift ~ 글씨의 틀이 잡히다, 달필이 되다: eine ausgeschriebene Hand(schrift) 달필. ⑥ 문서로 공고하다; (의회 등을) 소집하다; 〖經〗 (파산 결정 등을) 공시하다; (세금을) 부과하다; (결원 등을) 공모하다; (신문에) 광고를 내다; 통지하다: eine Belohnung ~ 상금을 공시하다; in der Zeitung Stellen 〔eine Wohnung〕 ~ 신문에 구인〔전세〕 광고를 내다. 《Ⅱ》 *i.* (h.) 쓰기를 끝내다. 《Ⅲ》 *refl.* sich ~ ① 달필이 되다(↑《Ⅰ》⑤). ② (문필가가) 창작력을 소모하다. ③ sich selbst ~ 같은 것을 되풀이해 쓰다(↑《Ⅰ》② (b)).

Ausschreiber *m.* -s, - 베끼는 사람, 표절자.

Ausschreiberei *f.* -en 베낌, 표절.

Ausschreibung *f.* -en ① 베낌. ② 표절. ③ 공고, 고시; (의회 등의) 소집; (신문) 광고; 공모; 통지; (세금의) 부과; 〖軍〗 징발: die ~ von Steuern 세금 확정 통보; die ~ von Wahlen 선거의 공시.

aus|schreien* 《Ⅰ》 *t.* ① 큰 소리로 외치다: eine Nachricht ~ 뉴스를 큰 소리로 외치다. ② 외치며 팔다: Zeitungen ~ 신문을 사라고 외치다. ③ 〖폄어〗 소문내다: jn. als〔für〕 et. ~ 누구가 어떠하다고 떠벌리다. ④ seine Stimme ~ a) 목청을 가다듬다, b) 외쳐 목이 쉬다. 《Ⅱ》 *i.* (h.) 〔대개 완료형으로〕 외치기를 그치다: hast du bald ausgeschrien? 이제 소리 다 질렀냐? 《Ⅲ》 *refl.* sich ~ ① 마음껏〔실컷〕 소리치다: sich³ den Hals 〔die Lunge, die Kehle〕 ~ 목청이 터져라 소리를 지르다. ② 소리쳐서 지치다.

Ausschreier *m.* -s, - 〖폄어〗 (Ausrufer) 외치는 사람, 가두 선전원; 소리치며 파는 사람.

aus|schreiten* 〖雅語〗 《Ⅰ》 *i.* (s.) ① 성큼성큼 걷다, 활보하다. ② 정도를 벗어나다, 일탈하다. 《Ⅱ》 *t.* 〖드물게〗 보측(步測)하다; 검토하다: den Weg ~ 길을 보폭으로 재다; alle Möglichkeiten ~ 모든 가능성을 검토하다.

Ausschreitung *f.* -en ① 불법〔폭력〕 행위, 난동: ~en gegen jn. begehen 누구에게 폭행을 가하다. ② 〖雅語·고어〗 방종, 탈선, 일탈.

aus|schröpfen *t.* 피를 뽑다, 사혈(瀉血)하다; (돈을) 착취하다.

aus|schroten *t.* ① 〖고어〗 구멍을 파(내)다. ② **(a)** 빻다. **(b)** (öst.) (고기를) 잘게 썰다. ③ 〖고어〗 (술통을) 굴려 내다; (맥주를) 통으로 팔다. ④ 〖비유〗 (사건을) 언론에 이용하다.

aus|schuhen [..ʃu:ən] *i.* (소·말 등이) 부제증(腐蹄症)으로 발굽을 잃어버리다.

Ausschuhen [áusʃu:ən] *n.* -s (소·말의) 발굽 상실, 발굽의 각질 탈락.

aus|schulen 《Ⅰ》 *i.* (h.) ① 학업을 마치다. ② 자퇴하다. 《Ⅱ》 *t.* ① 퇴학〔자퇴〕시키다; (öst.) 전학시키다. ② (schweiz.) 단단히 꾸짖다. ③ (schweiz.) 수료하다.

Ausschulung *f.* -en 졸업; 퇴학, 자퇴, 전학.

aus|schüppen *t.* 삽으로〔국자로〕 퍼내다.

aus|schüren *t.* 〖제련〗 슬래그〔광재〕를 제거하다.

aus|schürfen *t.* 〖광산〗 채굴하다; 개착(開鑿)하다.

Ausschuss 新정서 ⇦ Ausschuß.

***Ausschuß** [áusʃʊs] 《<ausschießen》 *m.* ..sses, ..schüsse ① (관통상에서) 총알의 출구. ② 사격장. ③ 〖건축〗 돌출부. ④ 〖植〗 어린 가지. ⑤ 선출; 위원회; 〖고어〗 의용군: ein ständiger〔vorbereitender〕 ~ 상임〔준비〕 위원회; einen ~ wählen〔bilden〕 위원회를 선출〔구성〕하다; ein ~ konstituiert sich 〔tritt zusammen〕 위원회가 구성된다〔열린다〕. ⑥ 〖經〗 (상품의) 투매품, 불량품.

Ausschuß≈bogen *m.* 〖印〗 (südd.) 파지. **~mitglied** *n.* 위원. **~papier** *n.* 휴지; 종이 묶음의 바깥쪽의 두 장. **~quote** *f.* 〖經〗 불량품 생산 비율. **~sitzung** *f.* 위원회(의 회의). **~ware** *f.* 불량품, 투매품. **~wolle** *f.* 양털 찌꺼기.

aus|schütteln *t.* ① 털다: ein Decke ~ 이불을 털다. ② 털어 내다, 털어 없애다: den Staub aus den Kleidern ~ 옷의 먼지를 털어 내다; den Sand aus den Schuhen ~ 신발의 모래를 털어내다. ③ 〖化〗 (용제(溶劑)를 넣고 흔들어 불용) 물질을 추출하다.

aus|schütten [áusʃʏtən] 《Ⅰ》 *t.* ① **(a)** (용기의 내용물을) 쏟아내다: Getreide (aus einem Sack) ~ (자루에서) 곡물을 쏟아내다; Wasser (aus der Vase) ~ (꽃병에서) 물을 쏟아내다; 〖속담〗 das Kind mit dem Bade ~ 목욕물을 버리다가 아이마저 버리다, 교각살우(矯角殺牛). **(b)** 비우다: einen Mülleimer ~ 쓰레기통을 비우다. ② (불만·고민 등을) 털어놓다: jm. seine Sorgen 〔sein Herz〕 ~ 누구에게 자기의 근심〔속마음〕을 털어놓다. ③ 〖드물게〗 (연못 따위를) 메우다. ④ 〖商〗 (이익을) 분배하다; (배당을) 지급하다; Prämien ~ 특

별 수당을 지급하다: Geschenke über jn. ~ 누구에게 선물을 듬뿍 안겨 주다, 선물 공세를 퍼붓다. 《Ⅱ》 *refl.* sich ~ ① 마음속을 털어놓다. ②〔비유〕 sich vor Lachen ~ 포복절도하다.

Ausschüttung *f.* -en ① 따르기, 쏟기. ② (이익의) 분배; (배당의) 지급. ③ (방사성) 낙진(落塵): eine radioaktive ~ 방사성 낙진.

aus|schwären* *i.* ① (s.) 곪아서 나오다. ② (h.) 곪기를 그치다.

aus|schwärmen *i.* ① (s.) (꿀벌 등이) 떼 지어 날아 나가다; 분봉(分蜂)하다; 〔비유〕 몰려 나가다: die Touristen schwärmten aus 여행객들이 우르르 떼지어 나갔다. ②〖軍·고어〗 산개하다. ③ (h.) (벌이) 분봉을 끝내다; 〔비유〕 방탕한 생활을 그만두다.

aus|schwatzen 《Ⅰ》 *t.* (비밀을) 지껄여 누설하다. 《Ⅱ》 *i.* (h.) 지껄이기를 끝내다. 《Ⅲ》 *refl.* sich ~ 실컷 지껄이다.

aus|schwätzen *t./i.* (h.)/*refl.* 〖방언〗 ↑ ausschwatzen.

aus|schwefeln *t.* ① (통의 내부를) 황으로 그을려 소독하다. ② (벌레를) 황의 증기로 쫓아내다.

Ausschwefelung *f.* -en 황 소독.

Ausschweif [áusʃvaɪf] *m.* -(e)s, -e ① (의자 등의) 활 모양의 가장자리. ② (연설 등이) 주제에서 벗어남.

aus|schweifen 《Ⅰ》 *t.*〖목공〗 (가장자리를) 활 모양으로 둥글게 만들다. 《Ⅱ》 *i.* ① (h.)〖목공·드물게〗 바깥쪽으로 휘다. ② (s.) 〔비유〕 (연설 등에서) 주제에서 벗어나다; 상궤를 벗어나다; 방종〔방탕〕하다. 《Ⅲ》 **ausgeschweift** *p.a.* ↑ ausgeschweift.

ausschweifend *p.a.* 상궤를 벗어난, 무절제한; 방탕한: eine ~e Phantasie besitzen 멋대로 상상하다; ein ~es Leben führen 방탕한 생활을 하다.

Ausschweifung *f.* -en 활 모양의 곡선; 상궤를 벗어남; 탈선; 극단; 〖醫〗 부절제(不節制), 과도한 성생활; 방탕.

aus|schweigen* *refl.* sich (über et.) ~ (무엇에 관하여) 끝까지 침묵을 지키다.

aus|schweißen 《Ⅰ》 *t.* ①〖工〗 (쇠를) 불려 펴다, 단련〔단접(鍛接)〕하다. ② (벽의 틈을) 칠하여〔발라서〕 메우다. 《Ⅱ》 *i.* (h.)〖사냥〗 피흘려 죽다.

aus|schwelgen 《Ⅰ》 *t.* 즐기다, 만끽하다. 《Ⅱ》 *i.* (h.) 탐닉〔방탕〕 생활을 그만두다.

aus|schwemmen *t.* ① 씻어내다: Schmutz aus einer Wunde ~ 상처의 오물을 씻어내다. ② (물의 흐름으로) 패이다. ③ 헹구어 씻다.

Ausschwemmung *f.* -en ① 씻어내기, 세척. ② 물에 패인 곳.

aus|schwenken 《Ⅰ》 *t.* ① 헹구어 씻다; 헹구어 비우다; (먼지를) 흔들어 털어내다: einen Topf mit heißem Wasser ~ 냄비를 뜨거운 물로 씻어 헹구다; 〔비유·구어〕 sich die Kehle ~ 술을 한잔 마시다; eine Fußmatte ~ 신발 매트의 먼지를 털어내다. ② 바깥 방향으로 회전시키다: den Arm des Drehkrans ~ 회전 기중기의 팔을 바깥 방향으로 돌리다; ein Boot ~ 보트를 물 위로 내리다. 《Ⅱ》 *i.* (s.) ①〖기계〗 (축 등이) 빠지다. ②〖軍〗 선회하다.

aus|schwingen* 《Ⅰ》 *t.* ① (팔·다리를) 흔들어 펴다. ②〖海〗 (보트를) 물 위로 내리다. ③ 흔들어 깨끗이하다; (삼·곡식을) 체로 쳐서 골라내다. 《Ⅱ》 *i.* ① (h.) (진동추·줄·종 등이) 진동하다. ②〖기계체조〗 몸이 이리저리 흔들리다;〖스키〗 몸을 흔들어 방향을 바꾸다. ③ 진동을 점차 멈추다;〖雅語〗 (음향·멜로디가) 점차 줄어들다. ④〖비유·雅語〗 (s.) 활 모양으로 뻗어 있다: eine weit ausschwingende Kurve 넓게 뻗은 커브. ⑤〖스포츠〗 (스위스식 레슬링에서) 결승전을 치루다. ⑥ (s.)〖사냥〗 (새가 나무에서) 날아가다.

Ausschwinget *m.* -s〖스포츠〗 (schweiz.) (스위스식 레슬링에서의) 결승전.

aus|schwitzen 《Ⅰ》 *i.* ① (h.) 발한(發汗)이 멎다. ② (s.) 땀이 나오다; (나뭇진 따위가) 배어 나오다. 《Ⅱ》 *t.* ① (땀 등을) 내보내다, 분비하다. ② 땀을 흘려 (병 등을) 낫게 하다〔몰아내다〕: eine Erkältung ~ 땀을 내서 감기를 쫓아내다. ③〖요리〗 가열하여 수분을 없애다, 볶다. ④〔비속〕 잊다.

Ausschwitzung *f.* -en ①〖醫〗 발한; 발한 치료. ② (장액의) 삼출물(物). ③ 스며 나옴.

aus|segeln 《Ⅰ》 *i.* (s.) ① 출항〔출범〕하다. ② (조류를) 거슬러 올라가다, 역항하다. 《Ⅱ》 *t.* ① (곶·다른 선박을) 무사히 피해〔돌아〕 나가다. ② 끝까지 항해하다. ③〖요트〗 추월하다; (상을) 획득하다; 보트의 돛을 모두 이용하다.

aus|segnen *t.* ① …에게 축복을 기원하다: 〔구식〕 eine Wöchnerin ~ 산모에게 축복을 하다; einen Verstorbenen ~ (발인하기 전에) 고인의 명복을 빌다. ② 축성(祝聖)〔봉헌〕하다: ein neues Krankenhaus ~ 새 병원을 축성하다.

Aussegnung *f.* -en 축복 기원; 축성(祝聖), 봉헌.

aus|sehen [áusze:ən] *i.* (h.) ① 내다보다, 살피다: zum Fenster ~ 창 밖을 내다보다; nach jm.〔et.³〕 ~ 누구를〔무엇을〕 살피다. ② (…한) 모습이다: schön〔häßlich〕 ~ 아름다운〔추한〕 모습이다; wie siehst du denn aus? 네 꼴이 그게 뭐니?; 〔경박〕 sie sieht verboten aus 그녀의 모습은 괴상하다. ③ …처럼 보이다: er sieht jünger〔älter〕 aus 그는 더 젊어〔나이들어〕 보인다; 〔구어〕 er sieht aus, als ob er kein Wässerchen trüben könnte 그는 벌레 한 마리도 죽이지 못할 사람 같다; wie sieht es geschäftlich aus? 사업은 어떻습니까? ④ …와 비슷하다, 닮다: er sieht (genau) aus wie sein Vater 그는 아버지를 (꼭) 닮았다; 〔비유〕 er sieht aus wie der Tod 그의 얼굴은 사색이다. ⑤〔구어〕 (gut) zu et.³ ~ 무엇에 어울리다, 제격이다. ⑥ …일 것 같다: es sieht nach Regen aus 비가 올 것 같다; es sieht ganz danach aus, als ob unsere Gäste nicht mehr kämen 손님이 더 이상 오지 않을 것 같다; 〔구어〕 sehe ich danach aus? 사람들이 내 말을 믿어 줄까?; nach nichts ~ 특별한 인상을 주지 못하다. ⑦〔구어〕 so siehst du (gerade) aus! 너는 그렇게 생각하는 것 같은데 (실은 그렇지 않아)! ⑧ nach jm.〔et.³〕 ~ 누구를〔무엇을〕 고대하다; sich die Augen nach jm. ~ 누구를 눈빠지게 기다리다.

***Aussehen** *n.* -s 외모, 외양, 외관, 모습: ein Mann von gesundem ~ 건강하게 보이는 남자; ein krankes ~ haben 병든 기색을 보이다; jn. nach seinem ~ beurteilen 누구를 겉모습으로 판단하다.

aussehend *p.a.* ① gut ~ 건강〔훌륭〕해 보이

는. ② weit ~ 원대한.

aus|seigern 《I》 *t.* ①〖광산〗 추(錘)로 갱의 깊이를 측량하다. ②〖제련〗 (광석을) 녹여(광물을) 분리해내다. 《II》 *i.* (s.) ↑ 《I》 ②.

aus|seihen [..zaɪən] *t.* 걸러내다, 여과하다.

aus|seimen *t.* (벌꿀을) 정제(精製)하다; 〔구어〕 (벌꿀을) 벌집에서 흘려 내다.

aus|sein* *i.* (s.) 〔구어〕 ① 끝나다: der Krieg 〔die Schule〕 ist aus 전쟁〔수업〕이 끝났다; zwischen ihnen ist es aus 그들의 관계가 끝났다. ② (불·난로·스위치가) 꺼져 있다: die Kerze ist aus 촛불이 꺼져 있다; das Radio ist aus 라디오가 꺼져 있다. ③ 뒤쫓다, 추구하다: der Löwe ist auf Beute aus 사자가 먹이감을 쫓는다; auf seinen Vorteil ~ 자기의 이익을 추구하다. ④ es ist aus mit jm.〔et.³〕 누가〔무엇이〕 끝장나다; mit ihm ist es aus 그는 파멸이다〔죽었다〕. ⑤ 외출 중이다. ⑥ 〖스포츠〗 (볼이) 경기장 밖으로 나가다; 〖야구〗 아웃당하다.

***außen** [áusən] 《<aus》 *adv.* (↔ innen) ① 밖에, 바깥에, 외부에: nach ~ (hin) 밖으로; von ~ (her) 밖에서; das Fenster ist nach ~ zu öffnen 이 창문은 밖으로 열린다; einen Zettel ~ an die Tür heften 쪽지를 문밖에 붙이다; 〖스포츠〗 ~ laufen 바깥쪽 트랙에서 달리다; 〔속담〕 ~ hui und innen pfui 빛 좋은 개살구; 〔비유〕 (nur) auf die Wirkung nach ~ (hin) bedacht sein 외적인 효과만을 생각하다. ② 〔고어〕 (öst.) (draußen) 문 밖에, 집 밖에.

Außen[1] *m.* -s, - 〖구기〗 좌우 윙.

Außen[2] *n.* 외측, 외부.

außen.. *pref.* ① "바깥쪽의·외부의"의 뜻. ② "외국의·대외적인"의 뜻.

Außen≈abteilung *f.* 〖軍〗 분견대, 전초(前硝). **~antenne** *f.* 옥외 안테나. **~arbeiten** *pl.* 옥외 작업. **~aufnahme** *f.* 〖영화〗 로케이션, 야외 촬영. **~backen·bremse** *f.* 〖工〗 바깥쪽 블록 브레이크. **~bahn** *f.* 〖스포츠〗 바깥쪽 트랙. **~bahnhof** *m.* 〖철도〗 시외 정거장. **~beleuchtung** *f.* 옥외 조명. **~bezirk** *m.* 외곽 지역; 〔복수〕 교외. **~border** *m.* 〔구어〕 ① ↑ ~bordmotor. ② 선외 모터 장착 보트. **~bordmotor** *m.* 〖海〗 선외(船外) 모터, (모터보트의) 외부 장착 발동기. **≈bords** *adv.* 배〔뱃전〕 밖에. **~böschung** *f.* 〖축성〗 성곽의 외벽. **~deich** *m.* ① (바다 쪽의) 바깥 제방. ② 제방 앞의 녹지대.

aus|senden(*) [áuszɛndən] *t.* ① (사절을) 파견하다; (명령 등을) 내다, 발령하다: die Regierung sandte〔sendete〕 einen Kundschafter aus 정부는 밀사를 파견했다. ② 〔약변화〕 (광선 등을) 내보내다; 발신〔발산·방송〕하다: das Gerät sendete elektromagnetische Wellen aus 이 기기는 전자파를 발산했다.

Außen≈dienst *m.* 외근; (외교관의) 외지 근무; 〖軍〗 영외 근무; 외판 근무. **~dienstler** *m.* 외근자, 외판원. **≈dienstlich** *a.* 외근의; 외지 근무의. **~ding** *n.* ① 바깥 것, 외계의 사물. ② 〔고어〕 하찮은 것.

Aussendling [áuszɛntlɪŋ] 《<aussenden》 *m.* -s, -e 사자(使者), 밀사.

Außen·dock *n.* 〖海〗 습선거(濕船渠), 계선(繫船) 독.

Aussendung *f.* ① 파견; 방사. ② (öst.) **(a)** 공고; 회람장. **(b)** 〔드물게〕 우편물, 소포; 우편 발송.

Außen≈fahr·gast *m.* (승합 마차의) 2 층석 승객. **~fläche** *f.* 외〔바깥〕 측면. **~gebäude** *n.* 별채, 별관. **~graben** *m.* 〖軍〗 외호(外濠). **~hafen** *m.* 〖海〗 외항. **~handel** *m.* 해외 무역. **~handels·politik** *f.* 무역〔통상〕 정책. **~haut** *f.* 〖醫〗 표피; (배·비행선·기구 등의) 외피, 외판(外板); 장갑(裝甲). **~institut** *n.* (농과 대학 등의) 실습지〔실습장〕. **~klüver** *m.* 〖海〗 (돛대 맨 앞의) 삼각돛. **~kurve** *f.* 바깥쪽 선로의 커브. **≈liegend** *a.* 외부〔바깥〕에 있는. **~linie** *f.* 윤곽; 〖軍〗 최후 방어선; 〖스포츠〗 경기장의 바깥 경계선, 사이드라인. **~mauer** *f.* 외벽. **~minister** *m.* 외무부 장관. **~ministerium** *n.* 외무부. **~politik** *f.* 외교 정책. **≈politisch** *a.* 외교(정책)상의. **~posten** *m.* 〖軍〗 외부 초소, 전초(前哨). **~rist** *m.* 〖축구〗 발등의 바깥쪽. **~schlag** *m.* 〖農〗 멀리 떨어진 밭〔과수원〕, (경계선 밖의) 바깥 밭. **~seite** *f.* 외측, 외면; 〔비유〕 겉표정. **~seiter** *m.* ① (경마) 승산이 적은 말; 〖스포츠〗 승산이 적은 선수〔팀〕. ② 〔비유〕 문외한; 아웃사이더, 국외자; 외톨박이. **~seiterin** *f.* ↑ ~seiter 의 여성형. **~spiegel** *m.* (자동차의) 사이드 미러, 바깥 측면경. **~spieler** *m.* 〖축구〗 바깥쪽의 선수(윙 및 사이드하프). **~stände** *pl.* 〖商〗 미회수금, 채권. **≈stehend** *a.* 밖에 있는; 〔비유〕 국외(局外)의. **~stehende*** *der/die* 비가입자, 국외자, 제 3 자. **~stelle** *f.* 출장소, 지소(支所). **~stürmer** *m.* 〖축구〗 포워드윙. **~temperatur** *f.* 외부 온도, 옥외 기온. **~treppe** *f.* 옥외의 계단. **~tür** *f.* 외부 문, 옥외로 통하는 문. **~verteidiger** *m.* 〖축구〗 측면 수비수. **~wall** *m.* 〖軍〗 성의 외벽. **~wand** *f.* ↑ ~mauer. **~welt** *f.* 감각계; 외부 세계, 외계. **~werk** *n.* 〖軍〗 성의 외벽, 외보(外堡). **~wert** *m.* 〖經〗 대외 가치. **~winkel** *m.* 〖數〗 외각. **~wirtschaft** *f.* 대외〔국제〕 경제, 대외 무역.

***außer** [áusər] 《<aus》 〔3 격(드물게 2 격) 지배 전치사; 운동의 방향을 나타낼 때는 드물게 4 격을 지배하기도 함; außerhalb 와는 달리 장소와 관계 없이 비유의 뜻으로도 쓰임〕 《I》 *prp.*³ ① …의 밖에, 외부에: ~ Bett sein 병상을 떠나 있다, 일어나 있다; ~ Haus(e) 〔Hauses〕 sein 외출해 있다; ~ (dem) Haus(e) essen〔schlafen〕 외식〔외박〕하다; ~Schußweite sein 사정거리 밖에 있다; ~ Sicht sein 시야 밖에 있다. ② 〔비유〕 ~ der Zeit 철 지난, 시기 부적절한; ~ Betrieb sein 가동〔운전〕 중단 상태이다, 폐기 처리되어 있다; ~ Dienst 비번(非番)의, 퇴직한(약어: a.D.); 〖스포츠〗 ~ Konkurrenz 비공인의, 찬조 출연의(약어: a.K.); ~ Gefahr sein 위험에서 벗어나 있다; ~ Kraft sein 효력을 상실하다; et. ~ Kraft setzen 무엇의 효력을 정지시키다; jn. ~ der Reihe bedienen 누구를 편애하다; das steht ~ Frage〔(allem) Zweifel〕 그것은 의심할 여지가 없다; er ist ~ sich³ (vor Wut) 그는 (격분한 나머지) 제정신이 아니다; ~ Atem sein 숨이 막히다〔가쁘다〕; jn.〔et.〕 ~ acht lassen 누구를〔무엇을〕 무시하다, 고려하지 않다. ③ 제외한: ich esse alles gern ~ Fisch 나는 생선만 빼놓고 모두 잘 먹는다.

④〖noch, auch 가 첨가되는 경우가 많음〗…이 외에도, …뿐만 아니라: ~ den beiden Jungen haben sie noch ein kleines Mädchen 그들에게는 남자 아이 둘 외에도 어린 딸이 하나 더 있다. 《Ⅱ》*prp.*[4] 밖으로, 외부로: 〖비유〗(vor Freude) ~ sich〔Fassung〕 geraten (기뻐서) 제정신〔자제력〕을 잃다; et. ~ jeden Zusammenhang stellen 무엇을 모든 연관 관계에서 떼어놓다; jn. außerstand〔~ allen Stand〕 setzen, etwas zu tun 누가 무엇을 할 수 없게 하다; et. ~ (jeden) Zweifel stellen 무엇을 전혀 의심하지 않다; Geld ~ Kurs setzen 화폐의 유통을 정지시키다. 《Ⅲ》*prp.*[2]〖다음 용법으로〗 ~ Landes gehen〔flüchten〕 해외로 가다〔도피하다〕; ~ Landes leben 해외에서 살다. 《Ⅳ》*cj.* ①〖daß, wenn 과 결합하여〗…인 경우를 제외하고는, …경우만 아니라면: der Urlaub war sehr schön, ~ daß ich mich erkältet habe 내가 감기에 걸린 것만 제외하면 휴가는 참 좋았다; ich komme, ~ wenn es regnet 비만 오지 않으면 가겠다. ②〖daß 나 wenn 이 생략되어〗 하지 않는다면: niemand wird dir helfen, ~ du hilfst dir selbst 네가 네 자신을 돕지 않는다면, 아무도 너를 돕지 않을 것이다.

außer.. *pref.* "외부의, 이외의, …에 속하지 않는"의 뜻.

*__äußer__ [ɔ́ʏsər] *a.* 〖부가적으로만 쓰이며 비교급은 없음; 최상급은 부사로도 쓰임. ↑ äußerst〗 밖〔외부〕의; 외면적인; 외국의: eine ~e Verletzung 외상(外傷); ~e Schulden 외채; ~es Ansehen 외모; ~er Schein 외양.

Außer·acht·lassen *n.* -s ↑ Außerachtlassung.

Außer·acht·lassung *f.* -en 무시, 등한시.

außer=amtlich *a.* 공무 외의, 비공식의, 사사로운. **~beruflich** *a.* 직업〔본직〕 외의.

*__außerdem__ [áusərdem, ausərdé:m] 《Ⅰ》 *adv.* 그 밖에, 이외에, 뿐만 아니라; 〖드물게〗 그렇지 않으면: ich habe keine Zeit und ~ auch keine Lust mitzukommen 같이 갈 시간이 없을 뿐만 아니라 그럴 마음도 없다. 《Ⅱ》 *cj.* ~ daß… …을 제외하면, …일 뿐만 아니라.

außer·dienstlich *a.* 직무〔근무〕 외의; 비번(非番)의.

Äußere* *das* 외모, 외관; 외사(外事), 외무: viel auf sein ~s geben〔halten〕 겉모양을〔외모를〕 중시하다; jn. nach dem ~n 〔dem ~n nach〕 beurteilen 누구를 외모로 판단하다; der Minister des ~n 외무부 장관.

außer=ehelich *a.* 정식 결혼에 의하지 않는, 혼외의: ~e Beziehung 혼외 관계; ein ~es Kind 사생아, 서출자. **~etatmäßig** *a.* 예산 이외에. **~europäisch** *a.* 유럽 외의. **~fahrplanmäßig** *a.* (열차 등의) 정규 시간 외의, 임시〔비정규〕의. **~gerichtlich** *a.* 재판 외의. **~gesetzlich** *a.* 법률 밖의, 초(超)법적인. **~gewöhnlich** *a.* ① 이상한: ein ~es Erlebnis 이상한 체험. ② 비범한, 특출한: eine ~ Leistung 비범한 업적.

*__außer·halb__ [áusərhalp] 《Ⅰ》 *prp.*[2] 〖드물게 3격 지배〗 (무엇의) 밖에: ~ des Dorfes 마을 밖에; ~ der Arbeitszeit 근무 시간 외에. 《Ⅱ》 *adv.* 밖에, 외부에: von ~ 교외〔외국〕에서; nach ~ 교외〔국외〕로; sich ~ halten 관여하지 않다, 중립을 지키다; ~ wohnen 교외에서 살다.

außer=irdisch *a.* 지구 밖의, 외계의: eine ~e Station 우주 정거장. **~kirchlich** *a.* 교회〔정교〕 이외의, 교회 규칙〔기구〕 밖의. **~-kraft·setzung** *f.* (법률 등의) 효력 정지(↔ Inkraftsetzung). **~kurs·setzung** *f.* 〖經〗 (주권·채권 등의) 일시적 유통 정지.

*__äußerlich__ [ɔ́ʏsərlɪç] *a.* 〖부가적·서술적·부사적으로〗 (↔ innerlich) 외부적인, 외면의; 피상적인; 천박한: er ist ~ ruhig, aber dieser ~en Ruhe entspricht sein Inneres nicht 그는 겉으로는 침착하지만 내심은 그렇지 않다; ~es Heilmittel 외용약; ~er Wert 명목〔액면〕 가치; ~e Zeremonie 형식적 의식.

Äußerlichkeit *f.* -en 피상; 본질적이 아닌 것; 외관, 외형; 형식.

äußerln *i.* 〖다음 용법으로만〗〖구어〗 (öst.) (einen Hund) ~ 산책에 개를 데리고 나가다.

außer·mittig *a.* 〖工·理〗 편심(偏心)의 (exzentrisch).

*__äußern__ [ɔ́ʏsərn] 《Ⅰ》 *t.* 나타내다, 발표하다; 진술하다: seinen Wunsch ~ 자기의 소망을 진술하다; seine Dankbarkeit durch et. ~ 무엇으로 감사의 마음을 표시하다. 《Ⅱ》 *refl.* ① sich ~ 의견〔입장〕을 말하다: sich freimütig ~ 솔직히 의견을 말하다; sich über jn.〔et.〕 ~ 누구〔무엇〕에 대해 의견을 말하다; sich zu et.[3] ~ 무엇에 대해 의견을 말하다. ② sich durch〔in〕 et. ~, sich als et. ~ 무슨 형태로 나타나다; seine Liebe äußerte sich als Mitleid 그의 애정은 동정심의 형태로 나타났다; ihre Nervosität äußerte sich im Zittern ihrer Hände 그녀의 신경 과민은 손의 떨림으로 나타났다.

*__außer=ordentlich__ [áusər..] 《Ⅰ》 *a.* ① 정상이 아닌, 이상한: ein ~es Ereignis 이상한 사건. ② 비범한, 탁월한, 발군의: ein ~er Mensch 비범한 사람; eine ~e Leistung 탁월한 업적. ③ 특별한, 이례적인; 임시의, 비정규적인: ~er Professor 원외(員外) 교수, 조교수(약어: ao.〔a.o.〕 Prof.); ~e Ausgaben 특별〔예산 외〕 지출; ~er und bevollmächtigter Botschafter 특명 전권 대사. 《Ⅱ》 *adv.* 대단히, 심히: ~ wichtig sein 대단히 중요하다; Das tut mir ~ leid 심히 유감이다. **~ordentlichkeit** *f.* 비정상; 범; 임시; 특별. **~-orts** *adv.* 어떤 지역 밖에, 교외에. **~parlamentarisch** *a.* 의회 밖의, 원외(院外)의: ~e Opposition 원외 야당(약어: Apo). **~planmäßig** *a.* ① 임시의, 예정 밖의, 추가의: ~er Professor 원외(員外)〔임시〕 교수(약어: apl.(Prof.)). ② ↑ ~fahrplanmäßig. **~-schulisch** *a.* 학교 밖의. **~sich·sein** *n.* 몰아, 황홀; 도취. **~sinnlich** *a.* 초감각적인.

*__äußerst__ [ɔ́ʏsərst] 〖äußer 의 최상급〗 《Ⅰ》 *a.* 맨 밖의, 가장 먼; 극단〔극도〕의, 최후의; 최악의: im ~en Norden 극북(極北)에; eine ~e Abneigung 극도의 혐오; der ~e Preis 최저 가격; von ~er Wichtigkeit 가장 중요한; im ~en (Not)fall 최악의 경우에는; das ~e versuchen 전력을 다하다; aufs ~e gefaßt 최악의 경우를 각오하고; jn. aufs ~e bringen 누구를 궁지에 몰아넣다; wenn es zum ~en kommt 최악의 사태에 이르면; bis zum ~en schreiten〔gehen〕 최후〔비상〕 수단까지 취하다; das ~e tun 최선을 다하다; 〖드물게〗 der

∼e 과격주의자. 《Ⅱ》*adv.* 〔오늘날에는 형용사·부사를 수식할 때 쓰이며, 동사에 대해서는 흔히 aufs ∼e 또는 auf das ∼e 를 씀〕대단히, 극히, 심히: ∼ glücklich 지극히 행복한; sich aufs ∼e betrüben 매우 슬퍼하다.

außer·stand [ausər∫tánt] *adv.* ↑ außerstande.

außer·stande [..∫tándə] *adv.* 〔특정한 동사와 결합하여〕…할 능력이 없는, …할 입장이 못되는: ∼ sein, etwas zu tun 무엇을 할 능력이 없다; sich ∼ fühlen, etwas zu tun 무엇을 할 수 없다고 생각하다; jn. ∼ setzen, etwas zu tun 누가 무엇을 할 수 없게 하다.

äußersten·falls *adv.* 최악의 경우에는, 궁지에 이르면.

außer·tourlich *a.* (öst.) 순번 외의, 추가의: ein ∼er Bus 특별 운행 버스.

***Äußerung** [ɔ́ʏsərʊŋ] *f.* -en ① 표현, 표시: eine ∼ seiner Liebe〔Unzufriedenheit〕 사랑〔불만〕의 표현. ② 발언, 언사; (의견의) 표명: eine unvorsichtige ∼ 신중치 못한 발언.

außer≈weltlich *a.* 지구〔현세〕밖의; 속세를 떠난. **∼wesentlich** *a.* 본질에 속하지 않는, 부차적인. **∼zeitlich** *a.* 때 아닌; 시기나 형편에 맞지 않는.

***aus|setzen** [áuszɛtsən] 《Ⅰ》*t.* ① (**a**) 밖에 내놓다: 〖가톨릭〗 das Allerheiligste ∼ 성체(聖體)를 현시(顯示)하다; ein Boot ∼ (배에서) 보트를 수면으로 내리다; Mannschaft ∼ 승무원을 상륙〔하선(下船)〕시키다; Wachen ∼ 보초를 세우다; Leichen ∼ 시신을 (제단 위에) 내놓다; 〖당구〗 den Ball ∼ 초구(初球)를 내놓다; et. zum Verkauf ∼ 무엇을 팔려고 진열하다; 〖商〗 Waren ∼ 상품의 포장을 준비하다. (**b**) 버리다: ein (neugeborenes) Kind ∼ (갓난) 아이를 버리다. (**c**) (동식물을 자연으로) 방출하다, 풀어 주다: Fische ∼ 물고기를 방류하다; Pflanzen ∼ (온실의) 식물을 밖으로 이식하다. (**d**) 펼치다: die Segel ∼ 돛을 펼치다. ② (위험·공격 등에) 내맡기다: sich〔jn.〕 der Gefahr ∼ 자신을〔누구를〕 위험에 내맡기다; zu sehr den Blicken der anderen ausgesetzt sein 다른 사람들의 시야에 지나치게 노출되다. ③〔특정한 동사와 zu 부정법으로 결합하여〕 비난하다, 트집잡다: etwas〔nichts〕 an jm. auszusetzen haben〔finden〕 누구를 비난하다〔비난하지 않다〕; es ist〔gibt〕 nichts an dieser Arbeit auszusetzen 이 일에선 비난할 만한 게 없다. ④ 약속하다: für jn. ein Vermächtnis ∼ 누구에게 재산을 유증(遺贈)하다; auf seinen Kopf sind 10000 DM ausgesetzt 그의 목엔 1만 마르크의 현상금이 걸려 있다. ⑤ 중지하다; 연기하다; 〖法〗 (소송·형집행을) 정지하다: den Unterricht 〔eine Sitzung〕 (für eine Viertelstunde) ∼ 수업을〔회의를〕 (15 분간) 중지하다; eine Strafe auf Bewährung ∼ 형집행을 유예하다. ⑥ (**a**) et. mit et.³ ∼ 무엇의 내부에 무엇을 바르다〔칠하다〕. (**b**) 〖印〗 조판을 마치다; (생략된 문자를) 모두 조판하다. 《Ⅱ》*i.* (h.) ① (어느 점에서) 출발하다. ② 중지하다: mit der Bestrahlung eine Weile ∼ 방사선 치료를 잠시 중지하다; ohne auszusetzen 중단없이; 〖醫〗 ∼der Puls 결체맥(結滯脈). ③〖印〗 die Presse setzt schlecht aus 인쇄가 잘 나오지 않다. ④〖광산〗 (광맥이) 노출하다. ⑤ (일시적으로) 정지하다: der Motor〔Puls〕 setzte einige Sekunden aus 모터가〔맥박이〕 몇 초간 멈췄다. ⑥ (카드·주사위 놀이) 판에서 빠지다, 쉬다.

Aussetzling *m.* -s, -e 기아(棄兒); 유배자.

Aussetzung *f.* -en ① 진열; 〖宗〗 (성체) 현시(顯示). ② (동물의) 방류〔방출〕, (식물의) 이식(移植). ③ (아이의) 유기(遺棄); 〖法〗 유기죄. ④ (소송·형집행) 정지; 〖醫〗 결체(結滯). ⑤ 비난.

***Aussicht** [áuszɪçt] 《<aussehen》*f.* -en ① 조망, 전망; 전망: die ∼ vom Berggipfel 산봉우리에서 본 전망; die ∼ auf den Garten 〔über den See〕 정원〔호수〕의 조망. ②〖비유〗 희망, 가망: ∼ auf gute Ernte haben 풍작의 가망이 있다; eine frohe ∼ in die Zukunft 장래에 대한 즐거운 희망; et. in ∼ haben〔nehmen〕 무엇을 기대〔예정〕하고 있다; et. in ∼ stellen 무엇을 약속하다; in ∼ stehen 기대되다; es ist keine ∼ dazu vorhanden, daß... …할 가능성은 없다.

aussichtslos *a.* 희망 없는, 절망적인.

Aussichtslosigkeit *f.* 가망 없음, 절망.

Aussichts≈punkt *m.* 전망이 좋은 곳. **≈reich** *a.* 유망한, 크게 기대되는. **∼turm** *m.* 전망탑, 망루. **≈voll** *a.* ↑ ≈reich. **∼wagen** *m.* (창이 넓은) 전망차, 관광용 2층 버스〔전차〕. **∼warte** *f.* ↑ ∼turm.

aus|sickern *i.* ① (s.) (액체가) 새어 나오다. ② (h.) (물이) 방울방울 떨어지기를 그치다.

aus|sieben *t.* 체질하여 가려내다; 〖비유〗 골라내다: aus sieben Bewerbern drei ∼ 7명의 응모자 중 3명을 뽑다.

Aus|siebsel *n.* -s, - 체 찌꺼기.

aus|siedeln *t.* 이주〔소개(疏開)〕시키다.

Aus|siedelung *f.* -en ↑ Aussiedlung.

aus|sieden* 《Ⅰ》*i.* ① (h.) 끓기를 그치다; 〖비유〗 (분노 등이) 가라앉다. ② (s.) 끓어 넘치다. 《Ⅱ》*t.* ① (음식을) 끓여 내다. ② (실 등을) 삶아서 깨끗하게 하다. ③ 충분히 끓이다.

Aussiedler *m.* -s, - 이주자, 강제 이주자; (특히 동유럽에서 역이주한 독일 혈통의) 이주민; 마을 밖 농가의 거주자.

Aussiedler·hof *m.* -(e)s, ..höfe 마을 밖 농가.

Aussiedlung *f.* -en (강제) 이주〔소개〕.

aus|singen* 《Ⅰ》*i.* (h.) 노래하기를 그치다. 《Ⅱ》*t.* ① 노래를 마치다: ein Lied ∼ 노래 한 곡을 다 부르다. ② 노래하다, 노래로 표현하다: den Lenz ∼ (종달새가) 노래하여 봄을 알리다; seine Freude ∼ 자기의 기쁨을 노래로 표현하다. ③ seine Stimme ∼ 노래하여 목청을 가다듬다, 노래 불러 목이 쉬다. 《Ⅲ》*refl.* sich ∼ ① 마음껏 노래하다. ② 노래하여 목이 쉬다.

aus|sinnen* *t.* 〔雅語〕 (계획·책략 등을) 고안〔생각〕해 내다.

aus|sitzen* 《Ⅰ》*i.* (h.) ①〖商〗 mit Waren ∼ 노점을 벌이다. ② 복역을 마치다; (닭 등이) 알품기를 끝내다. ③ (s.) 〔고어〕 시외에 거주하다: ausgesessener Bürger 시외 거주 시민(↑ Ausbürger). ④ 말 안장에 앉아 적응하다. 《Ⅱ》*t.* ①〔구어〕 seine Zeit ∼ (앉아서) 시간을 (억지로) 보내다; eine Strafe ∼ 형(刑)을 살다. ②〔구어〕 (알을) 부화하다. ③ (의자 등을) 오래 앉아서 꺼지게 하다; (바지 등을) 오래 앉아 불룩 튀어나오게 하다.

aussöhnbar *a.* 화해시킬 수 있는; 속죄할 수 있는.
aus|söhnen 《I》 *t.* 화해시키다: jn. mit jm. ～ 〔〖시어〗 jn. jm. ～〕 누구를 누구와 화해시키다; sich mit jm. ～ 누구와 화해하다; die streitenden Brüder miteinander ～ 싸우는 형제를 서로 화해시키다; sich mit seinem Gegner ～ 적수와 화해하다. 《II》〖雅語〗 sich mit et.³ ～ 무엇에 만족〔순응〕하다: sich mit seinem Schicksal ～ 운명에 순응하다.
Aussöhner *m.* -s, - 조정자.
Aussöhnung *f.* -en 화해, 조정.
aus|sondern *t.* ① 분리하다; 제거하다. ②〖醫〗 분비〔배설〕하다. ③〖化〗 석출(析出)하다. ④ 골라내다, 선별하다.
Aussonderung *f.* -en 분리; 제거; 선별; 〖法〗 (파산법의) 별제(別除).
aus|sorgen *i.* (h.) 〔다음 용법으로만〕 ausgesorgt haben (경제적으로) 더 이상 걱정할 필요가 없게 되다: wer diese Stellung bekommt, hat (für sein Leben) ausgesorgt 이 지위를 얻는 사람은 (생활에 대해) 더 이상 염려할 필요가 없다; für jn. ausgesorgt haben 누구에 대해서 염려할〔뒷바라지할〕 필요가 없어졌다; 〔비유〕 er hat ausgesorgt 그는 우환을 벗었다, 죽었다.
aus|sortieren *t.* 선별하다, 추려 내다.
aus|spähen 《I》 *i.* (h.) nach et.³〔jm.〕 ～ 무엇을〔누구를〕 엿보다, 망보다; nach Hilfe ～ 도움을 구해 나서다. 《II》 *t.* 탐사〔정찰〕하다, 탐지하다: 〔구어〕 jn. ～ 누구를 염탐하다.
Ausspäher *m.* -s, - 망꾼; 간첩, 첩자.
Ausspähung *f.* -en 탐색, 탐사, 정찰; 염탐.
Ausspann [áusʃpan] *m.* -(e)s, -e ① 말의 교체. ②〔고어〕 마구간이 있는 여인숙. ③〔드물게〕 주막, 술집.
Ausspanne *f.* -n ↑ Ausspann.
aus|spannen 《I》 *t.* ① (팽팽하게) 펼치다; 잡아늘이다; 넓히다: ein Netz 〔einen Schirm〕 ～ 그물〔우산〕을 펼치다; eine Leine ～ 줄을 팽팽히 잡아 늘이다, 켕기다. ② (쳐 놓은 것·죈 것을) 풀다: die Pferde ～ 말을 (마차에서) 끄르다. ③ 뽑아 내다: einen Bogen (aus der Schreibmaschine) ～ (타자기에서) 종이를 뽑다. ④〔구어〕 이간질하여 떼어놓다: er hat mir meine Freundin ausgespannt 그는 이간질해서 내게서 내 여자 친구를 떼어놓았다. ⑤〔비유·구어〕 (간계·억지를 써서) 빼앗다, 얻어내다. 《II》 *i.* (h.) ① 휴양하다, 쉬다: von der Arbeit ～ 일에서 벗어나 쉬다. ② (말을 마차에서 풀어놓고) 여인숙에 묵다.
Ausspannung *f.* -en 휴양, 휴식.
aus|sparen 《I》 *t.* ①〔고어〕 쓰지 않고 간수해 두다. ② 아껴서 (유효하게) 사용하다. ③ (장소를) 비워 두다; (바닥을) 보이게 하다: Malgrund ～ 그림의 바탕색을 칠하지 않고 그대로 두다. ④ **(a)** (잠시) 제쳐놓다: die Frage nach den Ursachen wollen wir zunächst noch ～ 원인에 대한 문제는 우선 제쳐놓자. **(b)** 〖軍〗 …을 우회하다. 《II》 *i.* (h.) 저축하다.
Aussparung *f.* -en ① 아껴쓰기; 비워 두기. ② 공백, 여백.
aus|spaßen *i.* (h.) 농담을 그치다.
aus|spazieren 〔드물게〕 *i.* ① (s.) 산책을 하러 나가다. ② (h.) 산책을 마치다.
aus|speien* 《I》 *i.* (h.) ① (경멸하여) 침을 뱉다. ② 토하기를 마치다. 《II》 *t.* 〖雅語〗 ① 뱉어내다; 구토하다. ② 분출하다, 뿜어내다: der Vulkan speit Lava aus 화산이 용암을 분출한다. ③〔드물게〕 (불에) 침을 뱉어 끄다.
aus|speisen 《I》 *i.* (h.) 먹기를 끝마치다. 《II》 *t.* 먹을 것을 베풀다: die Armen ～ 빈민에게 먹을것을 베풀다.
aus|spelzen *t.* 〖農〗 (곡물의) 껍데기〔꼬투리〕를 까다.
aus|spenden *t.* 기부하다, 나눠주다.
Ausspender *m.* -s, - 기부자.
Ausspendung *f.* -en 기부.
***aus|sperren** *t.* ① 넓히다: 〖印〗 Zeilen ～ 행간을 띄우다. ② 들어오지 못하게 문을 걸다, 차단하다: sie sperrte ihn nach dem Streit aus 싸우고 나서 그녀는 그가 못 들어오게 문을 걸어 버렸다. ③〖經〗 Arbeiter ～ (직장을 폐쇄하여 파업 중인) 노동자를 로크아웃하다.
Aussperrung *f.* -en 문걸기; (특히) 직장 폐쇄, 로크아웃.
aus|spicken *t.* (다른 고기에) 돼지의 기름을 삽입〔혼입〕하다: 〔비유〕 mit Zitaten ausgespickt 인용문으로 꾸며진.
aus|spielen [áusʃpi:lən] 《I》 *t.* ①〖카드〗 (패를) 내다: ein As ～ 에이스 카드를 내다; 〔비유〕 den letzten Trumpf ～ 최후의 으뜸패를 내다, 최후의 수단을 쓰다; 〔비유〕 seine Erfahrung ～ 자기 경험을 마음껏 활용하다. ② 반목시켜서 어부지리를 얻다: sie hat den Freund gegen den Bruder ausgespielt 그녀는 자신의 이익을 위해 남자 친구와 오빠를 반목시켰다. ③ **(a)** (상금 등을) 상으로 걸다: einen Pokal ～ 트로피를 상으로 걸다. **(b)** 시합하다: die Weltmeisterschaft wird in jedem zweiten Jahr ausgespielt 세계 선수권 대회는 2년마다 개최된다. ④ (배역·장면을) 세부적으로 충실히 묘사〔연기〕하다: der Schauspieler spielte die tragische Rolle voll aus 그 배우는 비극적인 배역을 완벽하게 연기해냈다. ⑤〖스포츠〗 (상대 선수를) 제치다: den Verteidiger geschickt ～ 수비수를 능숙하게 제치다. ⑥〔드물게〕 사용하여 길들이다〔손상시키게 하다〕. 《II》 *i.* (s.) ①〖카드〗 첫 번으로 패를 내다: wer spielt aus? 누구부터 시작하지? ②〔대개 과거 분사〕 seine Rolle ausgespielt haben 제 역할을 끝냈다, 〔비유〕 더 이상 할 말이 없다, 이제는 끝장이다. 《III》 *refl.* 〔비유〕 sich ausgespielt haben 더 이상 내놓을 패가 없다.
Ausspiel·geschäft *n.* 도박업.
Ausspielung *f.* -en 도박; 복권 추첨.
aus|spinnen* 《I》 *t.* ① (직물을) 다 잣다: 〔비유〕 sein Lebensfaden ist ausgesponnen 그의 생명이 다했다, 그는 죽었다. ② (실을) 자아내다; 〔비유〕 (연설 등을) 질질 끌다; (궁리하여) 생각해 내다, 안출하다. ③ 마셔서 비우다; 다 마셔 버리다. 《II》 *i.* (h.) 잣기를 끝내다.
aus|spintisieren *t.* 〔구어〕 (궁리하여) 생각해내다.
aus|spionieren *t.* ① 염탐해〔찾아〕내다, 탐지하다: jn.〔js. Versteck〕 ～ 누구〔누구의 은신처〕를 찾아내다. ② jn. ～ 누구를 염탐하다.
aus|spötteln *t.* ↑ ausspotten.
aus|spotten *t.* (öst., schweiz.) 조롱하다.
***Aussprache** [áusʃpra:xə] 《< aussprechen》 *f.* -en ① 발음: undeutliche ～ 불명확한 발음;

〖구어·농담〗 er hat eine feuchte ~ 그는 침을 튀기며 말한다. ② 토론, 토의; 〖政〗 의견 교환: zur ~ kommen 논의되다; eine ~ mit jm. haben 누구와 토론하다; et. zur ~ stellen 무엇을 토의에 부치다.

Aussprache=angabe *f.* ↑ ~bezeichnung. **~bezeichnung** *f.* 발음 기호. **~wörterbuch** *n.* 발음 사전.

aussprechbar *a.* 발음할 수 있는.

aus|sprechen [áusʃprɛçən] 《I》 *t.* ① 발음하다: et. deutlich〔falsch〕 ~ 무엇을 분명하게〔틀리게〕 발음하다. ② 말하다, 진술〔표명〕하다: seine Ansicht〔Meinung〕 ~ 의견을 말하다; 〖法〗 ein Urteil ~ 판결을 선고하다; jm. seinen Dank 〔sein Bedauern〕 ~ 누구에게 감사〔유감〕의 뜻을 표하다. 《II》 *i.* (h.) 말을 마치다, 끝까지 말하다. 《III》 *refl.* sich ~ ① 발음되다(↑ 《I》①). ② 마음속〔의견〕을 이야기하다; 입장을 표명하다: sich über jn.〔et.〕 ~ 누구〔무엇〕에 대해서 자기의 생각을 말하다; sich für〔gegen〕 et. ~ 무엇에 대해 찬성을〔반대를〕 표명하다; sich mit jm. ~ 누구와 이야기를 나누다. ③ 나타나다, 표현되다: in seinem Gesicht sprach sich heftige Erregung aus 그의 얼굴에는 격한 흥분이 나타나 있었다. 《IV》 **ausgesprochen** *p.a.* ↑ ausgesprochen.

aussprechlich *a.* ↑ aussprechbar.

aus|spreiten *t.* ↑ ausspreizen.

aus|spreizen *t.* (다리·날개 등을) 펴다.

aus|sprengen *t.* ① 폭파하다; 폭파하여 제거하다. ② 〖드물게〗 (말을) 빨리 달리게 하다. ③ (물을) 뿌리다. ④ 〖비유〗 (소문 등을) 퍼뜨리다.

aus|springen* 《I》 *i.* ① (h.) 도약을 그치다; (샘이) 분출을 멈추다. ② (s.) 뛰어나가다; 탈주하다; 이탈하다: ein ausgesprungenes Messer 이가〔날이〕 빠진 칼; ein ausgesprungener Mönch 배교한 수도승. ③ (s.) 돌출하다: 〖軍·數〗 ~der Winkel 철각(凸角). ④ (s.) (스커트의 주름이) 펴지다, 벌려지다. 《II》 *t.* ① 〖스키〗 (점프하여) 뛰어넘다. ② sich³ die Hüfte ~ 뛰어 허리를 삐다. 《III》 *refl.* sich ~ 마음껏 뛰(어오르)다; 뛰어서 몸을 풀다.

aus|spritzen 《I》 *t.* ① 분출하다, 내뿜다: Gift ~ 독을 내뿜다; Samen ~ 사정(射精)하다. ② (용기 안의 액체를) 비우다: ein Glas ~ 글라스의 물을 비우다; eine Spritze ~ 주사를 다 놓다. ③ 씻다, 세척하다; 〖醫〗 관장(灌腸)하다: die Nase ~ 코를 세척하다. ④ das Feuer ~ (호스로) 물을 뿌려 불을 끄다. 《II》 *i.* ① (s.) 분출하다. ② (h.) 〖드물게〗 분출을 그치다.

Ausspritzung *f.* -en ① 분출; 소화(消火). ② 〖醫〗 관장, 씻어내기; 주입; 주사(액). ③ 사정(射精).

aus|sprossen *i.* (s.) 싹트다.

***Ausspruch** [áusʃprux] 《<aussprechen》 *m.* -(e)s, ..sprüche [..ʃprʏçə] ① 발언, 의견 진술〔표명〕. ② 잠언(箴言); 명언: Aussprüche großer Männer 위인들의 명언집. ③ 〖法〗 선고, 판결; 판정: 〖구어〗 das ist kein ~ 그것은 문제가 안 된다.

aus|sprudeln 《I》 *t.* (물을) 내뿜다; 〖비유〗 (욕설 등을) 퍼붓다. 《II》 *i.* ① (s.) 뿜어 나오다. ② (h.) 내뿜기를 그치다.

aus|sprühen 《I》 *t.* (불꽃·물방울 등을) 비산(飛散)시키다, 튀기다: Funken ~ 불꽃을 튀기다. 《II》 *i.* ① (s.) (불꽃·물방울이) 튀다. ② (h.) 분화(噴火)를〔비산을〕 그치다.

Aussprung [áusʃprʊŋ] *m.* -(e)s, ..sprünge 〖드물게〗 뛰어 나가기; 돌출(부).

Aussprungs·winkel *m.* 〖物〗 반사각.

aus|spucken 《I》 *i.* (h.) 침을 뱉다: vor jm. ~ 누구 앞에 침을 뱉다. 《II》 *t.* ① 뱉어 내다: 〖컴〗 Daten ~ 데이터를 출력하다; 〖구어〗 Geld ~ 돈을 내다; 〖구어〗 spuck's aus! 속마음을 털어놔! ② 〖구어〗 구토하다.

aus|spuken *i.* (h.)/*imp.* (유령이) 나오지 않게 되다: 〖비유〗 hat es bei ihm 〔in seinem Kopf〕 ausgespukt? 그의 광기는 가라앉았는가?

aus|spülen *t.* ① (그릇 등을) 씻다, 세척하다: ein Glas ~ 유리잔을 씻다; sich den Mund 입가심을 하다. ② 씻어내다: die Speisereste ~ 음식 찌꺼기를 씻어내다. ③ (파도가) 씻어 패이게 하다; (파도가 부유물을) 밀어올리다, 흘려내리다; 〖지질〗 침식하다.

Ausspülicht *n./m.* -(e)s 구정물.

Ausspülung *f.* -en ① 세척: 〖醫〗 eine ~ machen 세척하다. ② 〖지질〗 침식(지대).

aus|spüren *t.* 〖고어〗 탐색해내다, 탐지하다.

Ausspürer *m.* -s, - 탐색자; 간첩.

aus|staffieren [áusʃtafi:rən] 《I》 *t.* 장식하다; 분장시키다: jn. festlich ~ 누구를 화려하게 치장시키다; sie wurde als Hexen ausstaffiert 그녀는 마녀로 분장하였다; ein Zimmer mit neuen Möbeln ~ 방을 새 가구로 꾸미다; 〖海〗 ein Schiff ~ 배를 의장(艤裝)하다. 《II》 *refl.* sich ~ 몸치장하다.

Ausstaffierer *m.* -s, - 장식가; 분장사; 장신구 상인.

Ausstaffierung *f.* -en 몸치장; 장신구; 장식, 의장(艤裝).

aus|staken [..ʃta:kən] *t.* 〖건축〗 외(椳)를 엮다〔치다〕.

aus|stampfen *t.* (불 등을) 밟아 끄다, 밟아 부수다; (낟알을) 빻다.

***Ausstand** [áusʃtant] *m.* -(e)s, ..stände ① 〖고어〗 미회수금. ② (südd., öst.) 퇴직; 졸업: zum ~ einen Umtrunk veranstalten 퇴직 피로연을 베풀다. ③ 스트라이크, (동맹) 파업: in den ~ treten 파업을 시작하다; im ~ sein 파업 중이다.

ausständig *a.* ① 미회수의. ② (동맹) 파업 중의: die ∼en (동맹) 파업자들.

Ausständler *m.* -s, - (동맹) 파업자.

Ausstands=ausschuß *m.* 파업 위원회. **~bewegung** *f.* 파업 운동. **~führer** *m.* 파업 지도자. **~kasse** *f.* 파업 기금.

aus|stanzen *t.* (프레스나 천공기로) 어떤 형태를 만들어〔찍어〕 내다.

***aus|statten** [áusʃtatən] *t.* ① jn. ~ 누구에게 필요한 것을 갖추어 주다, 마련해 주다: sein Kind ~ 자식에게 자활 자금을 주다; seine Tochter ~ 딸에게 혼수를〔지참금을〕 장만해 주다. ② 부여하다, 공급하다: die Natur hat ihn mit reichen Gaben ausgestattet 그는 풍부한 재능을 타고났다; jn. mit Vollmacht ~ 누구에게 전권을 주다; sich mit et.³ ~ 무엇을 갖추다. ③ (책을) 장정하다: ein gut ausgestattetes Buch 장정이 잘된 책. ④ 설치〔배치〕하다: ein Zimmer mit Möbeln ~ 방에 가

구를 들여놓다; ein Krankenhaus mit Ärzten ~ 병원에 의사를 배치하다.

Ausstattung [áusʃtatuŋ] *f.* -en ① 혼수, 지참금, 자립 자금. ② 장비; 설비; 장식, 장정. ③〖연극〗무대 장치, 세트.

Ausstattungs≈film *m.* 스펙터클 영화. **~gegenstand** *m.* 비품, 장구;〖연극〗소도구. **~kosten** *pl.* 설비 비용, 무대 장치 비용. **~schutz** *m.*〖法〗(등록) 의장 보호. **~stück** *n.*〖연극〗무대 장치가 화려한 극;〖영화〗호화판. **~versicherung** *f.* 혼비(婚費) 보험. **~weise** *adv.* 혼수(婚需)로서.

aus|stauben *t.* ↑ ausstäuben《I》①.

aus|stäuben《I》*t.* ① et. ~ 무엇의 먼지를 털다. ② (사냥할 짐승을) 몰아내다; 찾아내다. 《II》*i.* (s.) 먼지처럼 흩날리다.

ausstäubern *t.* ↑ ausstäuben《I》.

aus|stechen*《I》*t.* ① 찔러서〔파서·도려서〕꺼내다: Austern aus der Schale ~ 굴을 까다; Wein aus einem Faße ~ (사이펀으로) 포도주를 통에서 퍼내다; Pflanzen ~ 식물을 (뿌리째) 파내다. ② 찔러서 파괴시키다: jm. ein Auge ~ 누구의 눈을 찔러 실명케 하다. ③ (반죽에서) 모양을 찍어〔새겨〕내다: Sterne aus dem Teig ~ 반죽을 별 모양으로 찍어내다. ④ 파다; 양각하다, 부조하다: Gräben ~ 도랑을 파다;〔구어〕ein Glas ~ 컵을 마셔 비우다. ⑤〔드물게〕(기일을) 골라 정하다. ⑥ (기사의 시합에서 상대방을) 찔러 말에서 떨어뜨리다;〔비유〕밀어제치다: den Nebenbuhler ~ 연적(戀敵)을 물리치다. ⑦〔드물게〕(술병의 마개를) 따다: eine Flasche Wein ~ 포도주 한 병을 따다; ein Faß ~ 통에 구멍을 내어 내용물을 꺼내다. ⑧〖아이스하키〗(퍽을) 재빨리 가로채다.

aus|stecken *t.* ①〔고어〕(간판·깃발을) 내걸다, 게양하다. ② 장식하다, 꾸미다: das Haus mit Rosen ~ 집을 장미로 장식하다. ③〖스포츠〗(어떤 표시의) 깃대를 꽂다:〖스키〗eine Slalomstrecke ~ 깃대를 꽂아 회전 코스를 표시하다. ④ (콩 등을) 뿌리다, 심다. ⑤ 플러그를 뽑다: ist das Bügeleisen ausgesteckt? 다리미의 플러그가 뽑혀 있니? ⑥〖海·드물게〗(닻줄을) 늘어뜨리다.

aus|stehen* [áusʃte:ən]《I》*i.* ① **(a)** (s.) (öst., südd.) 퇴직〔졸업〕하다: er ist schon letztes Jahr ausgestanden 그는 작년에 이미 퇴직했다. **(b)**〔드물게〕(배에서) 내리다; 동맹 파업하다. ② (h.) (상품이) 진열되어 있다. ③ (h.) 아직 오지 않다: die Antwort〔Entscheidung〕steht noch aus 회답이 아직 오지 않고 있다〔결정이 아직 내려지지 않고 있다〕; ~de Gelder 미회수금; einige Stimmen standen noch aus 아직 개표되지 않은 표가 몇 표 있었다. 《II》*t.* 견디다, 인내하다; 이겨 내다: einen Sturm ~ 폭풍에 견디다; die Predigt ~ 설교를 끝까지 듣다; seine Zeit ~ 고용 연한을 마치다; manches auszustehen haben 많은 고난을 참아내지 않으면 안 되다; et.〔jn.〕nicht ~ können 무엇을〔누구를〕좋아하지 않다; das ist endlich ausgestanden 그것은 드디어 끝났다〔지나갔다〕; bei jm. nichts auszustehen haben 누구 밑에서는 고생할 거리가 없다.

aus|steifen *t.* (안쪽에 물건을 넣어서) 견고하게 하다, 보강하다: ein Kleid ~ 옷에 심을 넣다; einen Brunnen ~ 우물 안벽에 버팀목을 박아 넣다.

Aussteifung *f.* 보강.

aus|steigen* *i.* ① (s.) (차·배에서) 내리다: aus dem Auto〔Schiff〕~ 차〔배〕에서 내리다; alles ~! 모두 하차〔하선〕해 주세요!; beim ~ bitte beeilen! (비행기의 추락, 배의 침몰 때) 탈출을 서두르시오! ② (함께 하던 일에서) 손떼다, 탈퇴하다; (경기에서) 기권하다; (배역을) 그만두다: aus dem Geschäft ~ 거래에서 손떼다;〖스포츠〗den Gegenspieler ~ lassen 상대 선수를 제치다. ③〖사냥〗(비버 등이) 뭍으로 오르다.

Aussteiger *m.* -s, -〔구어〕(사회·직업에서) 물러난 사람, 탈락자, 탈퇴자: tatsächlich produziert die Gesellschaft immer mehr ~ 사실상 사회의 탈락자가 점점 늘어나고 있다.

aus|steinen *t.* ① (무엇의) 돌을 제거하다: einen Acker ~ 밭의 돌을 제거하다. ② (과일의) 씨를 제거하다: Pflaumen ~ 살구의 씨를 빼내다.

***aus|stellen** [áusʃtɛlən] *t.* ① 밖에 내놓다〔세우다〕; (보초 등을) 세우다: es wurden Wachen ausgestellt 감시인이 세워졌다. ② (그림·상품 등을) 출품하다, 전시〔진열〕하다: im Schaufenster einen Mantel ~ 진열장에 외투를 진열하다; et. auf einer Messe ~ 무엇을 박람회에 전시하다;〔목적어 없이〕wo stellt der Künstler aus? 그 예술가의 전시회는 어디에서 열립니까? ③ (무엇에) 노출시키다: et. dem Hohn ~ 무엇을 비웃음거리로 만들다; jn.〔sich〕der Gefahr ~ 누구를〔자신을〕위험에 노출시키다. ④ 비난하다: ich habe etwas an dir auszustellen 너에게 따질 것이 있어. ⑤ (증서 등을) 발급〔교부〕하다; (어음 등을) 발행하다: jm. ein Attest ~ 누구에게 건강 진단서를 발급하다. ⑥〔구어〕스위치를 끄다: den Motor ~ 모터의 스위치를 끄다. ⑦ (창문 등을) 밖으로 밀어 열다. ⑧〖재봉〗옷자락을 퍼지게 재단하다. ⑨〔드물게〕jn. gehörig ~ 누구에게 직업 교육을 하다. ⑩〔고어〕연기하다.

Aussteller *m.* -s, - 출품자; (문서의) 발행자, 발급자, (어음의) 발행인.

Ausstell·fenster *n.* (특히 자동차의) 밖으로 밀어 여는 창문.

***Ausstellung** [áusʃtɛluŋ] *f.* -en ① (보초병의) 배치. ② (그림·상품 등의) 출품, 진열; 박람회, 전람회: Gemälde~ 회화 전시회; Gewerbe~ 산업 박람회; in eine ~ gehen 박람회에 가다; eine ~ veranstalten 박람회를 개최하다. ③ (증서의) 발급, 교부, (어음의) 발행. ④〔복수〕〔고어〕항의, 비난, 문책: an jm.〔et.[3]〕~en machen 누구를〔무엇을〕비난하다.

Ausstellungs≈fläche *f.* 전시 면적; 전시장. **~gebäude** *n.* 박람〔전람〕회장. **~gegenstand** *m.* 출품물, 진열품. **~gelände** *n.* 전시장용 부지. **~halle** *f.* 전람회장, 전시장. **~katalog** *m.* 전시품 목록. **~lokal** *n.* ↑ ~saal. **~raum** *m.* 전람실, 진열실. **~saal** *m.* 진열실. **~stand** *m.* 전시대. **~stück** *n.* (비판매) 진열품〔전시품〕:〔비유〕das ist kein ~ 그것은 다른 사람에게 내보일 만한 것이 못된다. **~tag** *m.* 어음 발행 일자. **~zimmer** *n.* ↑ ~raum.

aus|stemmen《I》*t.* 끌로 쪼아내다, 파내다.

《II》*i.* (h.) 〖스키〗 스키의 앞쪽을 팔(八)자 모양으로 모아 붙이다.

aus|steppen *t.* 꿰매(어 맞추)다.

Aussterbe·etat [..eta:] *m.* 사멸 상태: 〖다음 용법으로〗〖구어〗 auf dem ~ stehen〔sein〕 사양길에 있다, 쓸모 없게 되다; jn. auf den ~ setzen 누구를 배제하다; auf den ~ kommen 〔gesetzt werden〕 폐지될 운명에 놓이다, (관직 등이) 충원되지 않고 없어지다.

aus|sterben 《I》*i.* (s.) (가계(家系) 등이) 사멸〔절멸〕되다, 대가 끊기다; (풍습·방언 등이) 잊혀지다, 사라지다. 《II》 **ausgestorben** *p.a.* ↑ ausgestorben.

Aussterben *n.* -s 사멸, 절멸; (가계 등의) 단절.

***Aussteuer** [áusʃtɔʏər] *f.* -n 혼수; 지참금: eine ~ für die Tochter anschaffen 딸의 혼숫감을 장만하다.

***aus|steuern**[1] 《I》*t.* ① jn. ~ 누구에게 혼수를 마련해 주다, 지참금을 주다: er konnte seine Tochter reich ~ 그는 딸에게 혼수를 풍족하게 장만해 줄 수 있었다. ② jn. ~ 누구에게 보험금의 지급을 끝내다: er ist ausgesteuert 그의 보험금 지급은 종료된 상태다. 《II》 **ausgesteuert** *p.a.* ↑ ausgesteuert.

aus|steuern[2] 《I》*t.* 〖드물게〗 (배를) 출항시키다. 《II》*i.* (s.) 출항하다.

aus|steuern[3] *t.* ① (차량·선박 등을) 잘 몰다 〔조종하다〕. ② (기계 등을) 잘 조절하다; 〖전기〗 변조(變調)하다, 조절하다: einen Lautsprecher ~ 스피커를 잘 조절하다.

Aussteuerung *f.* -en 혼수 장만; 보험금 청구권의 소멸; 〖전기〗 조절, 변조.

Ausstich [áusʃtıç] 《<ausstechen》 *m.* -(e)s, -e (schweiz.) ① 최우량품; 최상품 포도주. ② 〖스포츠〗 결승전: zum ~ antreten 결승전에 진출하다.

Ausstich·ware *f.* 최상품.

aus|sticken 《I》*t.* 수놓다; 꿰매다: ein Muster ~ 본에 따라 수놓다. 《II》*i.* (h.) 수놓기를 마치다.

aus|stieben* *i.* (s.) 〖드물게〗 (불꽃 등이) 흩날리다; 〖사냥〗 (새들이) 나무에서 날아가다.

Ausstieg [áusʃti:k] *m.* -s, -e [..gə] ① 하차, 하선. ② 하차용 출구: ~ an Autobussen 버스의 출구; bitte den hinteren ~ benutzen 뒤쪽의 출구를 이용하시오. ③ 〖사냥〗 (비버 등의) 보금자리의 출구.

Ausstieg·luke *f.* (배 등의) 출구.

aus|stöbern *t.* 〖사냥〗 몰아내다; 〖비유〗 찾아내다; 먼지를 털다.

aus|stochern 《I》*t.* 후벼 파내다, 구멍을 뚫다. 《II》*refl.* sich³ die Zähne ~ 이쑤시개로 이를 쑤시다.

aus|stocken *t.* 그루터기를 파내 버리다.

aus|stopfen *t.* …의 속을 채우다; (동물을) 박제하다: die nassen Schuhe mit Zeitungspapier ~ 젖은 신발에 신문지를 쑤셔 넣다; im Museum standen ausgestopfte Adler 박물관에는 박제한 독수리들이 있었다.

Ausstopfung *f.* -en 충전(充塡); 박제.

Ausstoß [áusʃto:s] *m.* -es, ..stöße ① 〖펜싱〗 찌르기. ② (술통 등의) 마개 따기. ③ 내뿜음; 어뢰의 발사; (~rohr) 어뢰 발사관. ④ 〖經〗 단위 시간 생산량, 생산 실적〔능력〕.

aus|stoßen 《I》*t.* ① (찔러서) 손상시키다; (도살한 가축의 가죽을) 벗기다: jm. ein Auge ~ 누구의 눈을 찔러 부상을 입히다〔실명케 하다〕. ② (증기나 연기 등을) 뿜어내다, 내뿜다, 분출하다; 〖軍〗 (어뢰를) 발사하다; (액체를) 사출〔배설·분비〕하다, 토하다: der Vulkan stößt Rauchwolken aus 화산이 연기를 내뿜는다. ③ (소리를) 내지르다, 내뱉다: einen Fluch gegen jn. ~ 누구를 향해 저주의 소리를 내뱉다. ④ 추방〔제명·파문〕하다: jn. aus der Kirche ~ 누구를 파문하다. ⑤ 생산하다: der Betrieb stößt monatlich 1000 Autos aus 그 공장은 매월 1천대의 자동차를 생산한다. ⑥ (술통 등의) 마개를 따다. ⑦ (문자나 단어 등을) 탈락시키다. ⑧ 〖드물게〗 (절구공이로) 찧어서 만들어 내다〔형성하다〕. 《II》*i.* ① (s.) (거품이 되어) 분출하다. ② (h.) 〖펜싱〗 찌르기를 하다; 〖수영〗 크게 스트로크하다. ③ (h.) 찌르기를 끝내다.

Ausstoßung *f.* -en ① 찌르기; 내뿜음. ② 배척, 제외, 추방. ③ 발성; 트림; 사정(射精). ④ 〖문법〗 (자모 등의) 탈락.

aus|strahlen 《I》*t.* ① (열·빛 등을) 발산〔방사〕하다: Licht〔Wärme〕 ~ 빛〔열〕을 발산하다; ihr Gesicht strahlt Ruhe 〔eisige Kälte〕 aus 그녀의 얼굴에서는 평온함이〔얼음 같은 냉기가〕 발산된다. ② 〖방송〗 방송〔방영〕하다: Nachrichten (über Mittelwelle) ~ 뉴스를 (중파로) 방송하다. ③ (공간을) 샅샅이 비추다, 조명하다. 《II》*i.* (s.) ① (열·빛 등이) 발하고 있다, 방사〔발산〕되다; 번져 가다: vom Ofen strahlt Wärme aus 난로에서 열이 발산된다. ② (도로 등이) 방사상으로 나 있다. ③ 영향을 끼치다: auf jn.〔et.〕 ~ 누구에게〔무엇에〕 영향을 미치다.

Ausstrahlung *f.* -en ① 방사(放射), 복사(輻射), 발광(發光). ② 방송, 방영. ③ 영향(력), 광휘: von ihr geht eine ~ aus 그녀는 대단한 영향력을 행사한다.

aus|strecken 《I》*t.* ① (팔·다리를) 쭉 펴다 〔뻗다〕: die Arme nach jm.〔et.³〕 ~ 누구에게 〔무엇에〕 손을 내밀다; 〖비유〗 die Hand nach jm.〔et.³〕 ~ 누구를〔무엇을〕 갈망하다; 〖비유·구어〗 die Fühler nach jm.〔et.³〕 ~ 누구〔무엇〕에 촉각을 곤두세우다, 조심스럽게 탐색하다. ② 늘이다: Eisen zu Draht ~ 철을 늘여서 철사로 하다. 《II》*refl.* sich ~ 사지를 쭉〔큰 대자로〕 뻗다.

Ausstrecker *m.* -s, - ↑ Ausstreckmuskel.

Ausstreck·muskel *m.* 〖해부〗 신근(伸筋).

Ausstreckung *f.* -en 신장, 확장.

aus|streichen* [áusʃtraıçən] 《I》*t.* ① (선을 그어) 지우다, 삭제하다: mehrere Sätze ~ 여러 문장을 지우다; 〖구어〗 et. aus dem Gedächtnis ~ 무엇을 완전히 잊다; eine Fährte ~ (짐승의) 발자국을 지우다. ② (주름·구김을 쓸어서) 펴다. ③ 얇게 펴서 바르다: Bakterien auf einen Nährboden ~ 박테리아를 배양판에 바르다. ④ 칠하다, 바르다: die Backform mit Butter ~ 빵굽는 틀에 버터를 바르다; Risse in der Wand mit Zement ~ 벽의 틈새를 시멘트로 메우다. ⑤ 채색하다; 〖비유〗 매우 칭찬하다. ⑥ 때려 내쫓다, 채찍질하다. ⑦ den Fuß ~ 한 쪽 발을 뒤로 빼며 절하다. 《II》*i.* ① (s.) (짐승이) 둥지를 떠나다; 배회〔방황〕하다: einen Hund ~ lassen 개를 배회하게 하다; Federwild ~ lassen 야생 조류를 (사정·

거리에 이를 때까지) 날게 하다. ② (s.) 〖광산〗 (광맥이) 노출되다. ③ (h.) 〖수영〗 물을 헤치고 나아가다. ④ (h.) mit dem Fuß ~ 한 쪽 발을 뒤로 빼며 절하다.

aus|streifeln *t.* ↑ ausstreifen 《Ⅱ》①.

aus|streifen 《Ⅰ》 *i.* (s.) 소요〔배회〕하다. 《Ⅱ》 *t.* ① (콩 등의) 깍지를 까다. ② 〔구어〕 (옷을) 벗다.

aus|streiten* 《Ⅰ》 *t.* 〔드물게〕 끝까지 싸우다: einen Streit ~ 결판 날 때까지 싸우다. 《Ⅱ》 *i.* (h.) 〔대개 완료형으로〕 싸움을 그치다: der Streit ist ausgestritten 싸움이 끝났다.

aus|streuen *t.* (씨 등을) 뿌리다; 살포하다; 〖비유〗 (소문 등을) 퍼뜨리다: den Weg mit Blumen ~ 길에 꽃을 뿌리다.

Ausstreuer *m.* -s, - 살포자; 유포자.

Ausstreuung *f.* -en 살포; 유포, 전파; 〖복수〗 헛소문.

Ausstrich [áusʃtrɪç] 《<ausstreichen》 *m.* -(e)s, -e ① 말살, 삭제. ② 〖광산〗 (광맥의) 노출. ③ 사석(砂錫) (SnO_2). ④ 〖현미경〗 프레파라트, 도말(塗抹) 표본.

aus|strömen 《Ⅰ》 *i.* (s.) 누출되다; (빛·열 따위가) 방출되다; 무리지어 쏟아져 나오다: an dieser Stelle ist das Wasser ausgeströmt 이 지점에서 물이 샌다; die Menschen strömten aus der Kirche aus 교회에서 사람들이 떼지어 쏟아져 나왔다; von ihm strömte Zufriedenheit aus 그에게선 만족감이 흘러나왔다. 《Ⅱ》 *t.* 유출〔발산〕시키다; 〖비유〗 드러나게 하다: einen Duft ~ 향기를 발산하다; ihr Zimmer strömte Behaglichkeit aus 그녀의 방은 쾌적한 분위기를 풍겼다.

Ausströmung *f.* -en 유출, 누출; 방사, 발산; 〖理〗 분산(噴散).

Ausströmungs≈rohr *n.* 〖工〗 송출관; 배기관. **~winkel** *m.* 방사각(放射角).

aus|stückeln *t.* (목재를) 잘게 켜서 자르다.

aus|studieren 〔드물게〕 《Ⅰ》 *t.* ① 철저히 연구하다. ② 숙고〔궁리〕하다: sich³ eine Ausrede ~ 구실을 짜내다. 《Ⅱ》 *i.* (h.) 연구를 마치다; 대학을 졸업하다: er wird 30 Jahre alt, bis er ausstudiert hat 그가 학업을 끝마칠 때면 서른 살이 된다. 《Ⅲ》 **ausstudiert** *p.a.* ↑ ausstudiert.

ausstudiert 《Ⅰ》 *p.p.* ↑ ausstudieren. 《Ⅱ》 *p.a.* 깊이 연구한; 노련한.

aus|stülpen *t.* 바깥쪽으로 꺾어 접다〔뒤집다〕; 위로 젖히다.

Ausstülpung *f.* 바깥쪽으로 뒤집기.

aus|stürmen 《Ⅰ》 *i.* (s.) 돌진하다. 《Ⅱ》 *i.* (h.)/*refl.* (sich) ~ 폭풍이 자다. 《Ⅲ》 *t.* (격정·노여움 등을) 터뜨리다.

aus|stürzen *t.* 〔드물게〕 ① 기울여 속을 비우다: den Kübel ~ 통을 기울여 속을 비우다. ② (잔을) 들이켜 비우다. ③ sich³ den Arm ~ 넘어져서 팔을 삐다.

aus|stützen *t.* 안쪽에 지주를 세우다.

aus|suchen 《Ⅰ》 *t.* ① 골라내다, 선발하다: er suchte für seine Frau einen schönen Ring aus 그는 부인을 위해 예쁜 반지 하나를 골랐다; ich muß mir ein Kleid ~ 나는 옷을 한 벌 골라야겠다; das beste unter allen ~ 전체에서 가장 좋은 것을 고르다. ② 〔구어〕 수색하다, 샅샅이 뒤지다: die ganze Wohnung (nach et.³) ~ (무엇을 찾아) 집안 구석구석을 뒤지다. 《Ⅱ》 **ausgesucht** *p.a.* ↑ ausgesucht.

Aussuchung *f.* -en 선발; 선출; 수색.

aus|summen *i.* (h.) 윙윙거리기를 그치다.

aus|süßen 《Ⅰ》 *t.* 단맛을 더하다; 〖化〗 염분〔산분(酸分)·불순물〕을 씻어내다. 《Ⅱ》 *i.* (바닷물·짠물 등이) 민물〔단물〕로 되다.

Aust [aust] 《<August》 *m.* -es, -e (ndd.) 수확, 수확기; 〖動〗 하루살이(의 무리).

aus|täfeln *t.* 〖건축〗 안쪽에 판자벽을 대다.

Austage *pl.* (alem.) 늦봄, 춘궁기("저장물이 다 떨어지는 때"의 뜻).

aus|tändeln *i.* (h.) 시시덕거리기를 그치다.

aus|tanzen 《Ⅰ》 *t.* 끝까지 춤추다: sie war zu müde, um den Walzer auszutanzen 그녀는 왈츠를 끝까지 추기에는 너무 지쳤다. 《Ⅱ》 *i.* (h.) 춤을 그만 추다. 《Ⅲ》 *refl.* sich ~ 마음껏 춤추다.

aus|tapezieren *t.* 벽지로 도배하다.

aus|tarieren *t.* ① 균형을 잡다, 평형으로 만들다: eine Waage ~ 저울의 균형을 잡다; 〖비유〗 Rechte und Pflichten ~ 권리와 의무를 조화시키다. ② (öst.) (상품의) 포장 중량을 빼고 달다.

aus|tasten *t.* ① 손으로 더듬어 찾아내다; 〖醫〗 촉진(觸診)하다. ② 〖전기〗 스위치를 눌러 전기를 차단하다.

***Austausch** [áus|tauʃ] *m.* -es ① 교환; 교체: et. im ~ (für〔gegen〕 et.) geben〔erhalten〕 무엇을 (무엇으로) 교환해 주다〔받다〕; ein ~ von Meinungen 의견 교환; Gefangenen≈ 포로 교환; Kultur≈ 문화 교류; ein ~ der defekten Teile 결함 부품의 교체〔교환〕. ② 교역.

austauschbar *a.* 교환할 수 있는.

Austauschbarkeit *f.* 교환 가능성.

Austausch≈bau *m.* 〖工〗 조립식 제조〔건축〕. **~dienst** *m.* 교환 사무〔업무〕, 교류 기관: Deutscher Akademischer ~ 독일 학술 교류처(약어: DAAD).

***aus|tauschen** 《Ⅰ》 *t.* ① (서로) 교환하다: Blicke〔Meinungen〕 ~ 눈빛〔의견〕을 주고받다; et. mit jm. ~ 누구와 무엇을 교환하다. ② 교체하다: einen Motor ~ 모터를 교체하다; ein Wort gegen ein anderes ~ 단어를 다른 단어로 교체하다. ③ 〔완료형으로〕〖비유〗 완전히 달라지다〔변하다〕: er war plötzlich (wie) ausgetauscht 그는 갑자기 전혀 딴사람이 되었다. ④ 교역하다. 《Ⅱ》 *refl.* sich über et. ~ 무엇에 관해 의견을 교환하다.

Austausch≈gefangene* *der/die* 교환 포로. **~gewebe** *n.* 안팎의 구별이 없는 직물. **~motor** *m.* 교환〔대체〕 엔진. **~professor** *m.* 교환 교수. **~schüler** *m.* 교환 학생. **~stoff** *m.* 대체〔인공〕 재료, 대용품. **~student** *m.* 교환 학생.

Austauschung *f.* ↑ Austausch.

Austausch≈ware *f.* 교환품, 대체품. **≈weise** *a.* 교환 방식으로. **~wert** *m.* 〖動〗 (염색체의) 교차율(交叉率).

***aus|teilen** 《Ⅰ》 *t.* ① 분배하다, 나누어 주다: Geschenke an die Kinder ~ 어린이들에게 선물을 나누어 주다; Lebensmittel unter die Flüchtlinge ~ 난민에게 식료품을 나누어 주다; die Karten ~ 카드를 도르다〔나누어 주다〕. ② (명령을) 내리다; (타격을) 가하다: den Segen ~ 축복을 내리다; eine Ohrfeige

빰을 때리다; Spitzen ～ 비꼬아 말하다. ③ (성찬식·성사(聖事)를) 베풀다: das Abendmahl〔die Sakramente〕 ～ 성찬식을〔성사를〕 베풀다. ④〖목적어 없이〗bei Tisch ～ 음식을 접시에 나누어 주다; 〖비유〗mit vollen Händen ～ 관대하다, 손이 크다. 《Ⅱ》*i.* (h.) 〖비유〗 흠잡다, 비꼬다: er teilt gern aus 그는 헐뜯기를 잘한다.

Austeiler *m.* -s, - 분배자, 시여자.

Austeilung *f.* -en 분배, 시여.

austen [áustən] 《<August》 *t.* 〖방언〗수확하다.

Austenit [austení:t, ..nít] *m.* -s, -e 〖化〗 오스테나이트(감마철과 탄소의 고용체(固溶體)).

***Auster** [áustər] *f.* -n 〖動〗 굴; 〖방언〗가래.

Austerity [ɔ́stɛrɪtɪ] 《engl.》 *f.* 긴축 경제 정책, 에너지 감축 정책.

Austern≈bank *f.* 굴의 군집지, 굴 양식장. **～bett** *n.* 굴 양식장. **～brecher** *m.* 굴 까는 나이프. **～dieb** *m.* 〖動〗 검은머리물떼새. **～fang** *m.* 굴 채취. **～fischer** *m.* ① 굴 채취자. ②〖動〗 검은머리물떼새. **～fischerei** *f.* 굴 채취. **～kultur** *f.* 굴 양식(養殖). **～park** *m.* 굴 양식장. **～sammler** *m.* 〖動〗 검은머리물떼새. **～schale** *f.* 굴 껍질. **～zucht** *f.* ↑ ～kultur.

aus|testen *t.* ① 철저히 검사하다. ②〖드물게〗 (시험을 통해) 선발하다.

aus|tiefen *t.* ① 파 내려가다, 깊게 하다. ② 깊이를 재다.

Austiefung *f.* -en 깊게 파기; 홈, 움푹한 곳, 구덩이.

aus|tilgen *t.* 소멸시키다, 말살하다; 근절〔박멸〕하다; (부채를) 상환하다; (죄 등을) 갚다, 속죄하다; (문자 등을) 지우다, 말소하다; (기억·생각을) 지워 버리다: Ungeziefer ～ 해충을 박멸하다; das kann ich nicht einfach aus meiner Erinnerung ～ 나는 그 일을 기억에서 간단히 지워 버릴 수 없다.

aus|toben 《Ⅰ》 *t.* (감정을) 마음껏 분출하다: seinen Zorn an jm. ～ 누구에게 울분을 풀다. 《Ⅱ》 *refl.* sich ～ ① 마음껏 놀다; 남아도는 정력을 발산시키다: auf dem Spielplatz können sich die Kinder ～ 놀이터에서 어린이들은 실컷 뛰어놀 수 있다; 〖비유·구어〗sich vor der Ehe ～ 결혼 전에 방탕하게 놀다. ② **(a)** (폭풍·병 등이) 맹위를 떨치다, 광분하다: draußen tobt sich ein Sturm aus 밖에는 폭풍이 맹위를 떨치고 있다. **(b)** 점차 잠잠해지다: das Gewitter hat sich (endlich) ausgetobt 비바람이 (마침내) 가라앉았다. ③ (노여움을 터뜨려) 시름을 풀다.

aus|tollen *refl.* sich ～ 실컷 즐겁게 뛰어놀다; 마음껏 떠들며 놀다.

aus|tönen 《Ⅰ》 *i.* (h.) (종소리 등의) 울림이 멎다: allmählich tönten die Glockenschläge aus 종소리가 점차 멎었다. 《Ⅱ》 *t.* 〖시어·고어〗 큰 소리로 말하다〔표현하다〕: seine Klage vor aller Welt ～ 온 세상에 자기의 괴로움을 호소하다.

aus|tonnen *t.* ① (암초·수로 등을) 부표로 표시하다. ② 통에서 꺼내다: Heringe ～ 청어를 통에서 꺼내다.

aus|tosen *i.* 〖대개 완료형으로〗〖드물게〗 (폭풍 등이) 잠잠해지다.

aus|traben *i.* (말이) 점차 완보로 걷다: ein Pferd ～ lassen 말이 완보로 걷게 하다.

Austrag [áus|tra:k] 《mhd.; <austragen》 *m.* -(e)s, ..träge ① (분쟁 등의) 해결; 조정, 중재; 중재 재판: gerichtlicher ～ 법적 중재; einen Streit zum ～ bringen 싸움을 중재하다; zum ～ kommen〔gelangen〕 (분쟁 등이) 해결되다. ② (스포츠 경기의) 실시, 개최. ③ (südd., öst.) (특히 농민의) 은퇴 후 노후를 위한 재산 보유분: im ～ leben 은퇴하여 생활하다. ④ (신문 등의) 배달.

Austrägal≈gericht [aus|trɛgá:l..] *n.* 중재 법원〔재판소〕. **～instanz** *f.* 중재 재판소. **～richter** *m.* 중재 재판관.

aus|tragen [áus|tra:gən] 《Ⅰ》 *t.* ① **(a)** (우편·신문·상품 등을) 배달하다; (아이 등을) 데리고 나가다. **(b)** 〖고어〗 (집 밖으로 옮겨) 매장하다. **(c)** 집어〔훔쳐〕 내다. **(d)** 퍼내다: die Mistgrube〔den Mist aus der Mistgrube〕～ 똥통을 퍼내다. ② **(a)** (비밀 등을) 들춰내다, 퍼뜨리다. **(b)** 비방하다. **(c)** 〖드물게〗칭찬하다. ③ **(a)** (옷을) 낡을 때까지 입다. **(b)** (태아를) 만삭까지 품고 있다; (시상(詩想) 등을) 무르익을 때까지 간직하다: sie hat das Kind nicht ausgetragen 그녀는 조산(早産)하였다; ein ausgetragenes Kind 성숙아(成熟兒). **(c)** 〖비유〗 (어려움 따위를) 참고 견디다, 참아내다. ④ (분쟁을) 해결하다; 조정〔중재〕하다; 〖스포츠〗 승부를 판가름하다; (경기를) 개최하다: Meinungsverschiedenheiten ～ 의견 차이를 조정하다; et. vor Gericht ～ 재판으로 무엇의 흑백을 가리다. ⑤〖수량을 나타내는 말과 함께〗어느 액수에 미치다: es wird viel ～ 그것은 상당한 액수가 될 것입니다. ⑥ (기록을) 지우다, 말소하다: sich aus der Anwesenheitsliste ～ 참석자 명단에서 자기 이름을 지우다. 《Ⅱ》 *i.* (h.) 〖과거 분사로〗 (나무가) 더 이상 열매를 맺지 않다. 《Ⅲ》 *refl.* sich ～ ① (나무가) 열매를 많이 맺어 약해지다. ② (öst.) sich[3] et. ～ (조건으로) 무엇을 요구하다. 《Ⅳ》 **ausgetragen** *p.a.* ↑ ausgetragen.

Austräger *m.* -s, - ① 운반인, 배달원. ② 소문 등을 퍼뜨리는 사람; 잔소리꾼; 비방자.

Austrägerei *f.* -en 요설(饒舌); 비방.

Austrage≈rohr *n.* ↑ ～röhre. **～röhre** *f.* 방수관(放水管). **～zeit** *f.* 〖우편〗 배달 시각.

Austrägler [áus|trɛ:klər] *m* -s, - (südd., öst.) (특히 농부의 경우) 은퇴 생활자.

austräglich *a.* 충분한; 수익이 있는.

Austrags≈gericht *n.* 중재 법원. **～instanz** *f.* 중재 법원(Austrägalgericht).

Austragung [áus|tra:gʊŋ] *f.* -en ① 반출; 배달. ② 잔소리; 비방. ③ 해결; 조정; 중재(재판): zur ～ kommen 화해하다. ④ (경기의) 실시, 개최: die ～ einer Meisterschaft 선수권 대회의 개최. ⑤ 노후 대비 재산. ⑥ (나무가) 열매를 많이 맺어 약해짐.

Austragungs≈modus *m.* -, ..di 〖스포츠〗 경기 방식, 시합 방법. **～ort** *m.* 〖스포츠〗 (경기의) 개최지, 시합 장소.

austrainiert [..trɛ..] *a.* (제대로 훈련을 받아) 기량〔컨디션〕이 최상인.

austral [austrá:l] 《lat., „südlich"》 〖고어〗 *a.* 남반구의.

Austral·asien 오세아니아, 대양주(大洋洲).

australid [australí:t] *a.* 오스트레일리아 원

주민의.
Australide *m.* -n, -n 오스트레일리아 원주민.
***Australien** 오스트레일리아, 호주.
Australier *m.* -s, - 오스트레일리아인.
australisch *a.* 오스트레일리아의.
Austral·licht *n.* 남극광.
australoid [australoí:t] *a.* 오스트레일리아 원주민과 비슷한〔닮은〕.
Australoide *m.* -n, -n 오스트랄로이드(오스트레일리아 원주민과 비슷한 인종적 특징을 지닌 종족).
Austral≈neger *m.* 오스트레일리아 흑인. **~schein** *m.* ↑ ~licht.
aus|trampeln *t.* ① (불을) 발로 밟아 끄다; (길 등을) 발로 밟아 다지다. ② (누구를) 발을 굴러 물러가게 하다.
Austrasien [austrá:ziən] 아우스트라시아 (옛 프랑크 왕국의 일부로, 오늘날의 프랑스 북동부·벨기에·독일 북서부를 포함함).
aus|trauern *i.* (h.) 탈상(脫喪)하다.
aus|träufeln 《I》 *i.* (s.) (물이) 방울방울 떨어지다. 《II》 *t.* 방울방울 떨어뜨리다.
aus|träumen 《I》 *i.* (h.) 꿈을 다 꾸다: 〔비유〕 es hat das Jahr nun ausgeträumt 겨울잠에서 깨어나 새봄이 찾아왔다. 《II》 *t.* einen Traum ~ 꿈을 다 꾸다; 〔비유〕 환상에서 깨어 나다. 《III》 *refl.* sich³ et. ~ 무엇을 몽상하다.
aus|treiben 《I》 *t.* ① (가축을) 목초지로 내몰다(↔ eintreiben). ② **(a)** 〖雅語〗 추방하다; 쫓아내다: die Bevölkerung aus einem Gebiet ~ 주민을 어느 지역에서 쫓아내다; jn. aus dem Besitz ~ 누구의 소유권을 박탈하다; den Teufel ~ 악마를 (주문을 외워) 내쫓다. **(b)** (악습 등을) 버리게 하다, 고쳐 주다: jm. den Hochmut ~ 누구의 교만을 꺾어 버리다; jm. die Furcht ~ 누구에게서 공포심을 없애 주다. ③ **(a)** 분비하다, 발산하다: Schweiß ~des Mittel 발한제(發汗劑). **(b)** 〖醫〗 분만하다: die Leibesfrucht ~ 아이를 낳다. ④ 〖化〗 Gase ~ (액체를 가열하여) 기체를 나가게 하다; 〖工〗 (흡수된) 기체를 빼내다. ⑤ (öst.) Teig ~ 반죽을 밀어서 펴다. ⑥ 〖印〗 zwei Zeilen ~ (철자나 단어 사이의 간격을 넓혀) 2 행으로 늘이다. ⑦ (합석 등에 무늬를) 두드려서 내다. 《II》 *i.* ① (h.) **(a)** 가축을 몰다: der Hirt treibt aus 목자가 가축을 몬다. **(b)** 〖광산〗 (das Feuer) ~ 불을 끄다. ② (s.) (꽃망울·싹 등이) 나오다: 〔비유〕 der Schweiß treibt ihm aus 그는 땀을 흘린다.
Austreibung *f.* -en 내쫓음, 추방; 소유권 박탈; 마귀 쫓음; 〖醫〗 분만.
aus|trennen *t.* (안의 것을) 떼어 내다: das Futter aus dem Mantel ~ 코트에서 안감을 떼어 내다.
aus|treten 《I》 *i.* (s.) ① **(a)** 걸어나가다; (대열 등에서) 벗어나다, 이탈하다. **(b)** 〔구어〕 용변 보러 가다: (aus dem Zimmer) ~ 화장실에 가다. **(c)** 빗나가다, 치우치다. **(d)** 퇴장하다, 탈퇴하다: aus einer Partei ~ 탈당하다. **(e)** 〔고어〕 도주〔도망〕하다. ② **(a)** (군대 등이) 나아가다. **(b)** (피·땀 등이) 철철 흘러나오다; 〔고어〕 범람하다: das Blut trat ihm zu den Ohren aus 그의 귀에서 피가 나왔다. **(c)** 〖사냥〗 (짐승이 먹이를 찾으러) 나오다. 《II》 *t.* ① (발로 밟아) 짜내다, 까다: die Körner aus den Ähren ~ 이삭을 밟아서 낟알을 까다; die Trauben 〔den Saft aus den Trauben〕 ~ 포도를 짓밟아서 즙을 짜다. ② (층계 등을) 밟아 닳게 하다; (양말·신 등을) 신어 늘이다, 해지게 하다; (길을) 밟아서 만들다: ausgetretene Schuhe 다 해진 구두; 〔비유〕 er hat die Kinderschuhe ausgetreten 그는 이제 아이가 아니다; 〔비유〕 ausgetretene Pfade〔Wege〕 gehen 구습을 좇다〔따르다〕; (sich) den Fuß ~ 평발이 되다. ③ 〔비유〕 jm. die Schuhe ~ 누구를 내쫓고 대신 들어앉다. ④ (불 등을) 밟아 끄다: eine Zigarette ~ 담뱃불을 밟아 끄다.
Austretung *f.* -en 걸어나가기; 탈퇴; 범람.
Austria [áustria] 오스트리아(Österreich 의 라틴어식 이름).
Austriazismus *m.* -, ..men 오스트리아식 어법〔말투〕.
aus|tricksen [áustriksən] *t.* (책략을 써서) 물리치다; 〖스포츠〗 트릭을 써서 (상대 선수를) 제치다.
Austrien [áustriən] ↑ Austrasien.
aus|trillern 〔구어〕 《I》 *t.* (노래를) 바이브레이션으로 끝내다. 《II》 *i.* (h.) 바이브레이션 음을 그치다; 호루라기 소리를 그치다.
aus|trinken* *t.* 다 마셔버리다; (잔을) 들이켜 비우다: eine Flasche Bier in einem Zuge ~ 맥주 한 병을 단숨에 다 들이키다; der Tee ist schon ausgetrunken 차를 벌써 다 마셔 버렸다.
Austritt [áus|trɪt] 《< austreten》 *m.* -(e)s, -e ① 탈퇴, 퇴장. ② 〖醫〗 (내)출혈; (물의) 범람; (가스) 누출; 〖天〗 (일식·월식 후에 천체의) 재출현, 출상(出象). ③ 층계의 맨 윗단. ④ 출구; 현관. ⑤ 〖건축〗 (작은) 발코니. ⑥ 화장실.
Austritts≈erklärung *f.* 탈퇴〔탈당〕 선언. **~punkt** *m.* 〖天〗 출현점(出現點). **~pupille** *f.* 〖광학〗 출사동(出射瞳).
austro·asiatisch *a.* ~e Sprachen 오스트로아시아 어족(語族) (아시아 남동부 및 벵골만 주변의 언어).
aus|trocknen 《I》 *t.* (바싹) 말리다, 건조시키다; (소택지 등을) 말라버리게 하다: die Gläser innen gut ~ 컵 안의 물기를 잘 닦다. 《II》 *i.* (s.) 마르다; (샘 등이) 고갈되다; 〔농담〕 (목이) 타다: der Bach trocknet aus 시냇물이 고갈된다; meine Kehle ist ausgetrocknet 내 목이 바짝 말랐다.
Austrocknung *f.* 건조; 고갈.
Austro≈faschismus *m.* 오스트리아 파시즘. **~marxismus** *m.* 오스트리아 마르크스주의.
aus|trommeln 《I》 *t.* ① (북을 쳐서) 알리다; 〔비유〕 퍼뜨리고 다니다. ② (광대·연설자 등을) 발을 굴러 물러나게 하다. 《II》 *i.* (h.) 북치기를 끝내다.
aus|trompeten 《I》 *t.* 〔구어·경박〕 나팔을 불어 알리다; 〔비유〕 퍼뜨리며 돌아다니다. 《II》 *i.* (h.) 나팔을 다 불다.
aus|tröpfeln *i.* (s.) (액체가) 똑똑 떨어지다, 방울방울 스며 나오다.
aus|tropfen *i.* ① (s.) (물방울이) 똑똑 떨어지다; 스며 나오다. ② (h.) (물방울이) 떨어지기를 멈추다.
aus|trudeln 《I》 *i.* 회전을 그치다: ein Kreisel trudelt aus 팽이가 돌기를 그치다; 〔구어〕

et. ~ lassen 무엇을 천천히 끝나게〔멈추게〕 놔두다. 《Ⅱ》 *t.* 〔방언〕 주사위로 정하다.

aus|tüfteln *t.* 〔구어〕 궁리하다, 생각해 내다.

Austüft(e)lung *f.* 궁리, 숙고.

aus|tun* 《Ⅰ》 *t.* ①〔방언〕 벗다: das Kleid〔die Schuhe〕 ~ 옷〔신발〕을 벗다. ② 끄다: das Feuer〔die Lampe〕 ~ 불〔등〕을 끄다. ③ (빚 등의 기록을) 지우다, 말소하다; (얼룩 등을) 제거하다; (방에서) 밖으로 내다. ④ (**a**) (아이 등을) 다른 곳에 맡기다, (고용살이로) 내보내다. (**b**)〔고어〕 배척〔제외〕하다. ⑤〔고어〕 빌려 주다; (밭을) 임대하다. ⑥ (음식을) 접시에 담다. 《Ⅱ》 *refl.* sich ~ ① 옷을 벗다. ② 진력하다. ③ sich über et. ~ 무엇에 대해 의견을 말하다. ④ sich ~ können 마음대로 할 수 있다.

aus|tunken *t.* ① (액체 음식물을) 빵조각으로 빨아들이다〔빨아들여 없애다〕: die Soße mit Brot ~ 소스를 빵에 적셔 닦아내다. ② (그릇을) 빵으로 닦아 비우다. ③〔비유·구어〕 et. ~ müssen 무엇의 뒤치닥거리를 해야 하다, 결과에 대한 책임을 져야 하다.

aus|tupfen *t.* 가볍게 두드려 말리다〔닦다〕.

aus|tuschen *t.* 먹으로 칠하다〔그리다〕.

***aus|üben** [áus|y:bən] *t.* ① 실행〔실시〕하다; (직무를) 수행〔집행〕하다; (의무를) 다하다: eine Fähigkeit praktisch ~ 능력을 실제로 발휘하다; ein Verbrechen ~ 범행하다; Rache an jm. ~ 누구에게 복수하다. ② (권리·권력 따위를) 행(사)하다: die Macht〔Herrschaft〕 über jn. ~ 누구를 지배하다, 누구에게 권력을 휘두르다; sein Stimmrecht ~ 투표권을 행사하다, 투표하다. ③ (영향을) 미치다; (자극 등을) 주다: Druck auf jn. ~ 누구에게 압력을 가하다; großen Reiz auf jn. ~ 누구에게 큰 자극을 주다; eine starke Wirkung auf jn.〔et.〕 ~ 누구에게〔무엇에〕 큰 영향을 미치다. ④ (정신을) 단련하다.

ausübend *p.a.* 실제의; 집행하는: ein ~er Arzt 개업의(사); ein ~er Künstler 직업 예술가; die ~e Gewalt 행정권.

Ausübung *f.* -en 실행, 실시; 집행, 행사: et. in ~ bringen 무슨 일을 실시하다.

aus|ufern *i.* (s.) ① (물이) 둑을 넘다, 범람하다. ②〔비유〕 끝없이 이어지다; 상궤에서 벗어나다: die Diskussion droht auszuufern 토론이 끝없이 계속될 우려가 있다.

Ausverkauf [áusfɛrkauf] *m.* -(e)s, ..käufe 재고 정리 염가 대매출: et. im ~ kaufen 무엇을 재고 정리 바겐 세일 때 구입하다.

aus|verkaufen 《Ⅰ》 *t.* 다〔남김없이〕 팔다; 떨이로 팔다. 《Ⅱ》 **ausverkauft** *p.a.* ↑ ausverkauft.

ausverkauft 《Ⅰ》 *p.p.* ↑ ausverkaufen. 《Ⅱ》 *p.a.* 매진된, 만원인:〔연극〕 das Haus ist ~ 그 극장은 입장표가 매진되었다; vor ~em Hause spielen 만원인〔꽉 들어찬〕 관중 앞에서 연극을 하다.

ausverschämt *a.* 〔방언·구어〕 (unverschämt) 뻔뻔스러운, 철면피의: eine ~e Lüge 뻔뻔스러운 거짓말.

aus|vieren *t.* 〔건축〕 네모지게 하다.

aus|wachsen* [áusvaksən] 《Ⅰ》 *i.* (s.) ① 완전히 자라다〔발육하다〕: ein ausgewachsener Hund 다 자란 개. ② (곡물이) 이삭에서〔저장 중에〕 싹이 나다. ③ (척추가) 점점 구부러지다; (특히) 곱사등이가 되다. ④〔구어〕 참을 수 없게 되다: das ist ja zum ~! (지루해서) 그건 정말 못 참겠는걸!; ich bin vor Langweile fast ausgewachsen 나는 지루해서 어찌할 바를 모를 지경이다. ⑤ (상처가) 아물다, 살이 붙다. 《Ⅱ》 *t.* 〔드물게〕 성장해서 (의복 등이) 맞지 않게 되다: das Kind hat das Kleid ausgewachsen 그 아이는 커버려서 그 옷이 맞지 않았다. 《Ⅲ》 *refl.* (sich) ① 성장〔발전〕하다;〔폄어〕 확대〔변질〕되다: sich zu einem schönen Mädchen ~ 아리따운 소녀로 성장하다; sich zu einem Krieg ~ 전쟁으로 확대되다. ②〔드물게〕 성장하면서 정상으로 되다: die Mißbildung in der Zahnstellung wird sich noch ~ 잘못된 치열은 자라면서 정상으로 될 것이다. 《Ⅳ》 **ausgewachsen** *p.a.* ↑ ausgewachsen.

aus|wagen *refl.* sich ~ 감히 나가다〔떠나가다〕.

aus|wägen 《Ⅰ》 *t.* ①〔物·化〕 무게를 정확히 측정하다; (도량형기를) 검정(檢定)하다: eine Lösung ~ 용액의 무게를 측정하다; Gewichte ~ 추의 무게를 검정하다. ②〔理〕 균형을 잡다. 《Ⅱ》 **ausgewogen** *p.a.* ↑ ausgewogen.

***Auswahl** [áusva:l] *f.* -en ① 선택, 선발;〔生〕 도태(淘汰): eine ~ treffen 선택하다; et. zur ~ stellen 선택하도록 무엇을 내놓다〔제시하다〕; die ~ haben 선택의 여지가 있다; ohne ~ 선택의 여지없이. ② 품목: eine gute〔große〕 ~ an〔von〕 et.[3] haben 무엇의 품목이 많다. ③ 정선〔우수〕품; 정수; 선집;〔스포츠〕 선발팀: eine repräsentative ~ aus Schillers Werken 실러의 대표작 선집; in der ~ mitspielen 선발팀에서 뛰다; eine ~ von js. Werken 누구의 작품 선집.

***aus|wählen** 《Ⅰ》 *t.* 선발하다, 고르다, 정선하다: unter mehreren Bewerbern einen ~ 여러 응시자 중에서 한 명을 고르다; ich habe mir den günstigsten Augenblick ausgewählt 나는 가장 유리한 때를 골랐다; Geschenke für jn. ~ 누구에게 줄 선물을 고르다. 《Ⅱ》 **ausgewählt** *p.a.* ↑ ausgewählt.

Auswahl≠mannschaft *f.* 〔스포츠〕 선발팀. **~möglichkeit** *f.* 선택 가능성. **~sendung** *f.* (선택용) 상품 견본 송부(送付). **~spieler** *m.* 선발 선수.

Auswählung *f.* -en ↑ Auswahl.

Auswahl·wette *f.* 〔복권〕 (일정 수의 경기를 선정하여 벌이는) 축구 복권 내기.

aus|walken *t.* (öst.) (반죽을 밀방망이로) 밀어 펴다.

aus|wallen *f.* (schweiz.) ↑ auswalken.

aus|walzen 《Ⅰ》 *t.* ① (곡식을) 롤러에 걸어서 겨를 벗기다. ② (금속을) 롤러에 걸어서 늘이다, 압연(壓延)하다; (반죽을) 밀어 펴다. ③〔비유·구어〕 (이야기를) 장황하게 늘이다: das Ereignis wurde in der Zeitung breit ausgewalzt 그 사건은 신문에 장황하게 보도되었다. 《Ⅱ》 *i.* (h.) 왈츠를 다 추다. 《Ⅲ》 *refl.* sich ~ 마음껏 왈츠를 추다.

Auswanderer *m.* -s, - 이민자, 해외 이주자; 망명자.

Auswanderer·schiff *n.* 해외 이주자를 태운 배, 이민선.

aus|wandern 《Ⅰ》 *i.* ① (s.) (해외로) 이주하다, 이민 가다. ② (s.) (철새가) 이동하다. ③

(s.) 궤도에서 벗어나다. ④ (h.) 여행을 마치다. 《Ⅱ》 *t.* 편력하다: ein Land ~ 어느 나라를 편력하다.

Auswanderung *f.* -en 이민, 해외 이주; (철새의) 이동.

Auswanderungs≠fieber *n.* 이민 열기. **~gesetz** *n.* 이민법. **~welle** *f.* 이민〔이주〕의 물결.

aus|wärmen 《Ⅰ》 *t.* 충분히 데우다〔달구다〕; 난방하다; 〖工〗 뜨임〔템퍼링〕하다. 《Ⅱ》 *refl.* sich ~ 충분히 몸을 덥히다.

***auswärtig** [áusvɛrtɪç] *a.* ① 밖의; 다른 고장의, 외지〔타지〕의; 외국의. ② 외지〔타지〕에서 온; 외국에서 온: ein ~er Schüler 외지에서 온 학생. ③〖政〗 외교상의, 대외적인: ≈es Amt 외무부(약어: A.A.); Bundesminister für ≈es 독일 외무 장관; die ~e Politik 대외〔외교〕 정책.

***auswärts** *adv.* ① (집) 밖에서: ~ essen 〔schlafen〕 외식〔외박〕하다. ② 타지에서: ~ studieren 타지에서 대학을 다니다; von ~ kommen 타지에서 오다; jn. nach ~ schicken 누구를 타지로 보내다; 〔구어·농담〕 ~ reden〔sprechen〕 외국 말〔타지 말〕을 하다; 〖스포츠〗 ~ spielen 원정 경기를 하다. ③ 바깥쪽으로: die Tür ist ~ zu öffnen 이 문은 바깥쪽으로 열린다; die Füße ~ setzen 팔자 걸음을 걷다. ④〖스케이트·스키〗 바깥 날로.

auswärts.. *pref.* "바깥(쪽)으로"의 뜻.

Auswärts≠drehung *f.*〖醫〗 외전(外轉), 외전 작용. **~schielen** *n.*〖醫〗 외사시(外斜視). **~setzen** *n.* ~ der Füße 팔자걸음 걷기. **~spiel** *n.* 원정 경기(↔ Heimspiel). **~wendung** *f.*〖哲〗 외향;〖醫〗 외번(外飜). **~zieher** *m.*〖해부〗 외전근(外轉筋).

aus|waschen* 《Ⅰ》 *t.* ① (오물 등을) 씻어내다: den Schmutz aus dem Kleid ~ 옷의 때를 씻어내다. ② 빨아서 바래다, 퇴색시키다. ③ 세척하다: Gläser 〔eine Wunde〕 ~ 잔을 〔상처를〕 씻다. ④ (물살이 언덕의 흙 등을) 씻어 내리다, 침식하다. ⑤〖化〗 여과하다. ⑥〔농담〕 야단치다. ⑦ 지껄여 대다; (누구를) 소문거리로 하다. 《Ⅱ》 *i.* (h.) 다 씻다. 《Ⅲ》 *refl.* sich ~ 씻겨 내려가다; (빨아서 색이) 바래다.

Auswaschung *f.* ① 물로 씻기, 세척. ② 침식; 물에 패인 곳.

aus|wässern *t.* (소금기 등을 빼기 위해) 물에 담그다: Heringe ~ 청어를 물에 담그어 소금기를 빼다.

Auswässerungs·linie *f.*〖海〗 만재 흘수선(滿載吃水線).

aus|wattieren *t.* (무엇의) 안에 솜을 넣다: eine Jacke ~ 저고리에 안솜을 넣다.

Auswechsel·bank *f.* ..bänke〖스포츠〗 교체〔후보〕 선수용 벤치.

auswechselbar *a.* 교환〔교체〕 가능한.

Auswechsel·blatt *n.*〖印〗 개정판 페이지.

aus|wechseln 《Ⅰ》 *t.* 교환〔교체〕하다, 바꾸다: et. gegen et. ~ 무엇을 무엇과 교환하다; zwei Dinge miteinander ~ 두 개를 서로 교환하다; eine Glühbirne ~ 백열 전구를 갈아 끼우다; 〔비유〕 er ist wie ausgewechselt 그는 전혀 딴사람이 되었다. 《Ⅱ》 *i.*〖사냥〗 (짐승이) 서식지를 바꾸다.

Auswechs(e)lung *f.* -en 교환; 교체; 교대.

Auswechs(e)lungs≠kasse *f.* 환전(換錢) 창구. **~stelle** *f.* 환전소. **~vertrag** *m.* 포로 교환 조약.

Ausweg [áusve:k] *m.* -(e)s, -e ① 출구: keinen ~ finden 출구를 찾지 못하다. ②〔비유〕 해결책; 방책: einen ~ suchen 해결책을 모색하다; einen (rettenden) ~ finden (구조) 방책을 찾다; keinen ~ wissen〔sehen〕 어찌할 바를 모르다, 묘책이 없다; jm. den (letzten) ~ abschneiden〔verbauen〕 누구의 (최후) 탈주로를 차단하다; es gibt keinen anderen ~ (als et.) (무엇 외에는) 달리 뾰족한 수가 없다.

ausweglos *a.* 벗어날 길이 없는, 절망적인.

Ausweglosigkeit *f.* 절망적인 상태.

aus|wehen 《Ⅰ》 *i.* ① (h.)〖海〗 바람에 나부끼다. ② (바람이) 멎다. ③ (s.) (등불이) 바람 때문에 꺼지다. 《Ⅱ》 *t.* ① (바람이 촛불 등을) 끄다. ② (바람이 깃발 등을) 나부끼게 하다. ③ (바람이 흙먼지 등을) 흩날리다.

ausweichbar *a.* 피할 수 있는.

Ausweiche *f.* -n〖철도〗 대피선(線);〖전기〗 대피 측선(側線); (도로·갱도의) 대피소.

Ausweich(e)≠geleise *n.* ↑ ~gleis. **~gleis** *n.*〖철도〗 대피선(線). **~hebel** *m.* 전환 레버.

aus|weichen[1] [áusvaɪçən] 《Ⅰ》 *t.* 물에 담가 부드럽게 하다. 《Ⅱ》 *i.* (s.) 물에 담겨 부드러워지다.

aus|weichen[2] *i.* (s.) ① jm.〔et.[3]〕 ~ 누구를〔무엇을〕 피하다, 비키다: dem Auto 〔einer Gefahr〕 ~ 자동차를〔위험을〕 피하다; rechts 〔seitlich〕 ~ 오른쪽〔옆〕으로 피하다〔비키다〕; (schweiz.) jn.〔et.〕 ~ 누구를〔무엇을〕 피하다. ② auf et. ~ (어쩔 수 없이) 무엇을 선택하다: von der Autobahn auf die Bundesstraße ~ 고속 도로에서 국도로 갈아타다; auf andere Verkehrsmittel ~ 다른 교통 수단을 이용하다. ③ 방향을 벗어나다: (a) die Wand weicht aus 벽이 곧지 않다. (b)〖철도〗 전철(轉轍)하다, 대피선으로 들어가다. (c)〖음악〗 (일시적으로) 조바꿈을 하다.

ausweichend *p.a.* 회피하는, 발뺌하는: ~ antworten 책임 회피의 대답을 하다; eine ~e Antwort geben 핑계를 대다, 대답을 얼버무리다.

Ausweich(e)≠manöver *n.* -s, - ① 장애물 회피 핸들 조작. ②〔비유〕 책임 회피성 발언〔묘책〕, 핑계. **~möglichkeit** *f.* 회피〔도피〕 가능성. **~platz** *m.* 대피소;〖철도〗 전철점(轉轍點). **~schiene** *f.* 대피선(線). **~stelle** *f.* ↑ ~platz.

Ausweichung [áusvaɪçʊŋ] *f.* -en ① 피함, 대피, 회피. ②〖음악〗 (일시적인) 조바꿈;〖醫〗 편의(偏倚), 전위(轉位);〖天〗 이각(離角);〖理〗 편향(偏向).

Ausweich≠ziel *n.*〖軍〗 이차(二次) 목표. **~zunge** *f.*〖철도〗 전철기(轉轍器)의 첨단.

aus|weiden *t.* ① (짐승 등의) 내장을 끄집어내다. ② 목장의 풀을 다 먹어 버리다.

aus|weihen *t.* ① 최후의 서품을 수여하다: einen Geistlichen ~ 성직자에게 최후의 서품을 내리다. ② 감사 예배를 드리다: eine Wöchnerin ~ 산모를 위해 산후 감사 예배를 올려 주다.

aus|weinen 《Ⅰ》 *t.* ① (슬픔·시름 등을) 울어서 달래다〔해소하다〕: seinen Schmerz ~ 울어 슬픔을 달래다; seinen Dank ~ 눈물로 고

마음을 표하다. ② Tränen ~ 눈물이 마르도록 울다. 《Ⅱ》 *i.* (h.) 끝까지 울다: jn. ~ lassen 누구를 실컷 울게 내버려두다. 《Ⅲ》 *refl.* sich ~ ① 실컷 울다: sie hat sich aus vollem Herzen ausgeweint 그녀는 속이 후련하도록 실컷 울었다. ② sich die Augen (nach jm.) ~ (누가 그리워서) 하염없이 눈물을 흘리다.

***Ausweis** [áusvaɪs] *m.* -es, -e ① (신분·자격 등의) 증명서; (통행·입장 등의) 허가증, 면허증; 여권; 〖복수〗 신임장: Personal≈ 신분 증명서; Studenten≈ 학생증; einen ~ ausstellen〔beantragen, vorzeigen〕 증명서를 발급〔신청·제시〕하다. ② 증명, 명시: nach ~ des Berichts 〔der Statistik〕 보고〔통계〕에 따르면. ③ 사업〔업무〕 보고(서): der monatliche ~ (은행 등의) 월정 보고서. ④ (öst.) 학업〔성적〕 증명서.

ausweisen 《Ⅰ》 *t.* ① 추방하다, 쫓아내다, 퇴거시키다: jn. aus dem Lande ~ 누구를 국외로 추방하다; jn. aus der Schule ~ 누구를 퇴학시키다. ② (계산·장부로) 증명하다; 명시하다: wie die Statistik ausweist 통계가 증명하듯이; sein Talent ~ 자기의 재능을 보여 주다. ③ 〖건축〗 (어떤 시설의 설치를) 지정하다. 《Ⅱ》 *refl.* sich ~ ① 신분〔사실〕을 증명하다: sich durch Vorlegen des Passes ~ 여권을 제시하여 신분을 증명하다; sich als Besitzer eines Wagens ~ 자동차의 소유주임을 증명하다. ② 입증하다: sich als ein hervorragender Arzt ~ 자신이 탁월한 의사임을 입증하다; (schweiz.) sich über Kenntnisse ~ 박식함을 실증하다.

Ausweis≈karte *f.* 증명서, 신분증. **~kontrolle** *f.* (경찰의) 증명서〔신분증〕 검사.

ausweislich *prp.*[2] 〖고어〗 …에 따르면: ~ (=nach Ausweis) der Akten 서류에 따르면.

Ausweis·papier *n.* -(e)s, -e 증명 서류.

aus|weißen *t.* 희게 칠하다.

Ausweisung *f.* -en ① (국외) 추방, 쫓아냄. ② 〖건축〗 건설 부지 확정.

Ausweisungs·befehl *m.* 추방령.

aus|weiten 《Ⅰ》 *t.* ① (장갑·신발 등을) 늘이다; (구멍 등을) 넓히다. ② 〖비유〗 확대〔확장〕하다: den Teilnehmerkreis ~ 참석자의 범위를 확대하다. 《Ⅱ》 *refl.* sich ~ ① 늘어나다; 넓어지다: das Gummiband weitet sich zu schnell aus 그 고무 밴드는 너무 빨리 늘어난다. ② sich (zu et.[3]) ~ (무엇으로) 확대〔발전〕되다.

Ausweite·stock *m.* (장갑의) 신장구(伸張具).

Ausweitung *f.* -en 늘임, 신장; 확대.

aus|wellen *t.* (반죽을) 밀어 펴다.

***auswendig** [áusvɛndɪç] 《Ⅰ》 *a.* (öst.) 〖고어〗 (↔ inwendig) 외향의, 바깥쪽의. 《Ⅱ》 *adv.* 암기하여, 기억하여: et. ~ lernen 무엇을 암기하다; ein Gedicht ~ wissen〔können〕 어떤 시를 외우고〔외울 수〕 있다; et. ~ hersagen 무엇을 암송하다; jn.〔et.〕 inwendig und ~ kennen 누구를〔무엇을〕 속속들이 알다; 〖구어·비유〗 das weiß ich schon ~! 그것은 하도 들어서 싫증날 지경이야!

Auswendig·lernen *n.* -s 암기.

aus|werden* *i.* (s.) 〖구어〗 (승부가) 끝나다.

aus|werfen* [áusvɛrfən] 《Ⅰ》 *t.* ① (내)던지다: die Angel〔das Netz〕 ~ 낚시를〔그물을〕 던지다; den Anker ~ 닻을 내리다; 〖비유〗 einen Köder nach jm. ~ 누구에게 미끼를 던지다, 누구를 유혹하다. ② 〖醫〗 (가래·피 등을) 내뱉다, 각혈하다. ③ (대량으로) 내뿜다, 분출하다; 밖으로 내놓다: Lava〔Funken〕 ~ 용암〔불꽃〕을 내뿜다; die Brandung hat viele Muscheln ans Ufer ausgeworfen 파도가 조개를 물가로 많이 밀어 내놓았다. ④ (돌 등을) 던져 부상을 입히다: jm. ein Auge ~ 돌을 던져 누구의 한쪽 눈에 상처를 입히다. ⑤ (삽질하여) 파내다; (짐승의 내장 등을) 꺼내다: Erde ~ 흙을 파내다; einen Graben ~ 도랑을 파다; einem Tier die Hoden ~ 어느 짐승을 거세하다; ein Tier 〔einem Tier die Eingeweide〕 ~ 어느 짐승의 내장을 꺼내다. ⑥ (옷을) 벗어 내던지다. ⑦ 골라 버리다. ⑧ 〖商〗 (항목 등을) 별도로〔별행잡아〕 기재하다; 별기(別記)하다: eine Summe rechts ~ 합산금액을 우측란에 기입하다. ⑨ 지출(액)을 확정〔결정〕하다, (금액을) 지출하다: jm. ein Gehalt ~ 누구에게 줄 봉급을 확정하다; jm. eine Summe für et. ~ 무엇에 대해서 누구에게 어떤 금액의 지급을 약속하다. ⑩ (단위 시간에) 생산하다: täglich〔pro Tag〕 2000 Flaschen ~ 하루에 병을 2천 개 생산하다. ⑪ 〖드물게〗 Feuer ~ 물건을 던져 불을 끄다. ⑫ 〖컴〗 (드라이브에서 디스켓 등을) 빼내다. 《Ⅱ》 *i.* (h.) ① 〖醫〗 (가래를) 뱉다, 각혈하다: der Kranke wirft stark aus 환자는 심히 가래를 뱉는다〔각혈한다〕. ② 〖놀이〗 주사위를 첫번째로 던지다. ③ 〖놀이〗 주사위를 던져 승부를〔순번을〕 결정하다. ④ 〖고어〗 (짐승이) 새끼를 낳지 않게 되다. ⑤ 〖고어〗 (말이 걸을 때) 발을 바깥쪽으로 흔들다.

Auswerfer *m.* -s, - ① 〖工〗 (기계의) 사출기, 배출 장치. ② 〖軍〗 탄피 제거 장치.

aus|werkeln *t.* (öst.) (오래 써서) 헐거워지게 하다.

aus|werten *t.* ① (**a**) 평가하다; 활용하다: eine Statistik ~ 어떤 통계 자료를 평가 활용하다. (**b**) 정리하다: ich habe die eingegangenen Briefe ausgewertet 나는 받은 편지들을 정리하였다. ② (사진 측량시) 사진들을 조합〔합성〕하다.

Auswertung *f.* -en 평가; 활용; 〖사진〗 조합.

aus|wettern 《Ⅰ》 *t.* 〖비유〗 (분노 등을) 격렬하게 큰 소리로 표출하다. 《Ⅱ》 *refl.* sich ~ (폭풍·흥분 등이) 잦아들다, 가시다.

aus|wetzen *t.* ① 갈아 없애다: eine Scharte ~ a) 칼의 이 빠진 곳을 갈아서 없애다, b) 잘못을 다시 바로 잡다. ② 〖비유〗 (결점 등을) 만회하다: einen Fehler〔Mißerfolg〕 ~ 과실을〔실패를〕 만회하다.

aus|wichsen [..vɪksən] 《Ⅰ》 *t.* ① 안쪽에 왁스〔초〕를 칠하다. ② 〖비유〗 호되게 때리다. 《Ⅱ》 *i.* (s.) 〖구어·방언〗 내빼다, 도망치다: aus Angst vor Strafe ist der Kleine ausgewichst 벌 받을 게 두려워 그 꼬마는 줄행랑쳤다.

aus|wickeln 《Ⅰ》 *t.* (↔ einwickeln) ① (감은 것을) 풀다; (포장을) 벗기다: ein Geschenk ~ 선물 포장을 벗기다. ② 기저귀를 벗기다: ein Kind ~ 아이의 기저귀를 벗기다. ③ 〖비유〗 (곤란에서) 벗어나게 하다, 해결하다. 《Ⅱ》 *refl.* sich ~ (곤란에서) 벗어나다.

aus|wiegen* *t.* ① 무게를 정확하게 달다. ②

달아서 나누다: die Butter zu〔in〕 Portionen ~ 버터를 달아서 여러 몫으로 나누다.
aus|winden* *t.* ①〖방언〗(빨래를) 짜다: zum ~ naß 짤 만큼 젖은. ②〖고어〗억지로 빼앗다. ③기중기로 감아 올리다.
aus|wintern 《I》 *t.* ① 겨울의 한기〔눈·서리〕에 내맡겨 두다: Kinder ~ 아이를 겨울 추위에 견디게 단련시키다. ② 겨울을 나게 하다: sich ~ 추위에 단련되다, 겨울을 나다. 《II》 *i.* ① (s.) (곡물·종자 등이) 냉해를 입다. ② (물고기가) 얼음 아래서 질식해 죽다. ③ *imp.* es hat ausgewintert 겨울이 지나갔다.
Auswinterung *f.* 겨울 나기; 한해(寒害)(로 말라죽음).
aus|wipfeln *t.* 우듬지를 쳐내다.
aus|wirken [áusvirkən] 《I》 *t.* ① (반죽하여) 만들어내다: den Teig ~ 반죽을 만들어내다; den Huf ~ 굽을 깎다; et. mit Blumen ~ 무엇에 꽃무늬를 짜 넣다; 〖사냥〗 Wild ~ 짐승의 가죽을 벗기다, 짐승의 내장을 꺼내다. ②〖고어〗 구하여 얻다; 마련해주다: et. bei jm. ~ 누구에게 원하여 무엇을 얻다; 〖雅語〗 jm. et. ~ 누구에게 무엇을 마련해 주다. 《II》 *i.* (h.) ① 효과를 나타내다: eine Arznei ~ lassen 약효가 나게 하다. ② 일을 끝마치다, 움직임을 그치다. 《III》 *refl.* sich ~ 작용하다, 영향을 미치다: der Streik wirkte sich verhängnisvoll auf die Wirtschaft aus 그 파업은 경제에 치명적인 영향을 미쳤다.
Auswirkung *f.* -en 결과; 효과; 영향, 작용; 성취; 성과; 주효(奏效).
aus|wirren *t.* (얽힌 것을) 풀다.
aus|wischen 《I》 *i.* (s.) ①〖구어〗 빠져 나가다, 도망치다: jm. ~ 누구에게서 빠져 나가다. ② 꺼지다, 말살되다. 《II》 *t.* ① **(a)** 닦아내다, 훔치다: den Staub aus dem Regal ~ 책꽂이의 먼지를 닦아내다. **(b)** (무엇의) 안을 닦다, 훔치다: Tassen ~ 잔을 닦다; sich³ die Augen ~ 눈물을 훔치다. ②〖비유〗 (문자·생각 등을) 지워 버리다. ③〖비유〗jm. eine ~ 누구의 뺨을 때리다; 〖비유〗jm. eins ~ 누구에게 한방 먹이다, 따끔한 맛을 보여 주다; jn. ~ (결투에서) 누구를 때려눕히다.
aus|wittern 《I》 *i.* (s.) ①〖지질〗 풍화하다; 〖건축〗 (벽의 색칠 등이) 벗겨지다. ② (h.) es hat ausgewittert 폭풍이 그쳤다. 《II》 *t.* ① (사냥감 따위를) 냄새로 찾아내다, 탐지하다. ② (재목·찰흙을) 건조시키다. ③ 풍화시키다.
Auswitterung *f.* -en 풍화, 풍해; 침출(浸出), 건조.
aus|wölben *t.* 밖으로 둥글게 만들다, 아치형으로 만들다.
Auswölbung *f.* -en 〖건축〗 둥근 지붕〔천장〕, 돔, 궁륭(穹窿).
aus|wollen* *i.* (h.) 〖구어〗 밖으로 나가려고 생각하다, 나가고〔외출하고〕 싶어하다.
aus|wringen* [..vrɪŋən] *t.* 〖방언〗 (빨래 등을) 쥐어짜다: Wäsche ~ 세탁물을 짜다.
Auswuchs [áusvu:ks, ..vʊks] 《<auswachsen》 *m.* -es, ..wüchse ① 비정상적 성장〔발육〕. ②〖醫〗 종양, 결절(結節), 혹; 곱사등의 혹; 나무의 혹: er hat einen ~ an der Stirn 그의 이마엔 혹이 하나 있다. ③〖비유〗 과대, 과도, 지나침; 불구, 기형; 폐해: Auswüchse der Phantasie 과대 망상; die Auswüchse der Bürokratie 관료주의의 폐해.
aus|wuchten *t.* (회전하는 기계 부품의) 균형을 잡다: die Räder ~ lassen 바퀴의 균형을 잡게 하다.
Auswuchtung *f.* 균형 잡기.
aus|wühlen 《I》 *t.* ① 파내다, 파헤치다. ② (장롱 등을) 뒤지다, 헤집어 찾다. ③ (모래 등을) 파서 뒤집다. 《II》 *i.* 파내기를 그치다.
Auswurf [áusvʊrf] 《<auswerfen》 *m.* -(e)s, ..würfe ① 내던지기; 〖놀이〗 주사위 던지기. ②〖비유·폄어〗 찌꺼기; 폐물: der ~ der Menschheit 인간 쓰레기. ③〖지질〗 (화산의) 분출, 폭발; 분출물, 용암. ④〖醫〗 구토, 객혈; 객담; 배설물. ⑤〖고어〗 경비의 예산. ⑥〖海〗 (난파 때) 화물의 투기(投棄); 표착물; 해조(海藻).
aus|würfeln 《I》 *t.* 주사위로 결정하다〔내기하다〕: es wurde ausgewürfelt, wer spülen sollte 설거지할 사람이 주사위로 결정되었다. 《II》 *i.* (h.) 주사위 내기를 끝내다.
Auswürfling [áusvʏrflɪŋ] 《<auswerfen》 *m.* -s, -e 〖지질〗 화산분출물, 용암; 〖비유〗 인간 쓰레기, 무뢰한.
Auswurf(s)≠masse *f.* -n 〖지질〗 화산 분출물. **~steine** *pl.* 용암. **~stoffe** *pl.* 배설물. **~stücke** *pl.* ↑ ~steine. **~ware** *f.* 찌꺼기, 폐물.
aus|wurzeln 《I》 *t.* …의 뿌리를 뽑다. 《II》 *i.* (s.) 송두리째 뽑히다.
aus|wüten 《I》 *i.* (h.) 실컷 날뛰다〔광란하다〕; 실컷 날뛰다가 가라앉다. 《II》 *refl.* sich ~ 실컷 날뛰다가 가라앉다(austoben).
aus|zacken *t.* 들쭉날쭉하게 만들다, 톱니 모양으로 자르다: ausgezackt 톱니 모양의.
Auszackung *f.* -en 들쭉날쭉한 날(붙임).
auszahlbar *a.* 지급할 수 있는; …의 지급 방식으로: ~ in fünf Monatsraten 5개월 분할 지급 방식으로.
auszahlen 《I》 *t.* ① 지급하다: den Arbeitern ihren Lohn ~ 노동자들에게 급료를 지급하다; et. ausgezahlt bekommen 무엇을 지급받다. ② **(a)** 임금을〔급료를〕 전액 지급하다〔지급하고 해고하다〕: die Arbeiter ~ 노동자들에게 임금을 지급하다〔지급하여 해고하다〕. **(b)**〖비유〗 (누구를) 혼내다. 《II》 *refl.* 〖비유·구어〗 sich ~ 채산이 맞다, 할 만한 가치가 있다: diese Arbeit hat sich ausgezahlt 이 일은 한 보람이 있었다.
aus|zählen *t.* ① 수를 정확히 세다; 집계하다: die abgegebenen Stimmen nach der Wahl ~ 투표 후 표를 집계하다; das Haus ~ (의회에서) 의원수를 조사하다. ②〖권투〗 열까지 세어 케이오패를 선언하다. ③〖방언〗 (수를 세어) 정하다: jeden zehnten Mann ~ 열 번째 남자마다 골라내다. ④ (카드 점수를) 세기 시작하다. ⑤ 하나씩 늘어놓다; 낱개로 팔다.
Auszahler *m.* -s, - 지급인; 출납계.
Auszahlung *f.* -en ① 지급: die ~ der Arbeiter 노동자의 임금 지급; zur ~ kommen〔gelangen〕 지급되다. ② **(a)** (은행의) 환어음, 은행환: eine telegrafische ~ 전신 은행환. **(b)** 외국환: die ~ London 영국 돈〔파운드화〕.
Auszählung *f.* 수 세기, 집계; 〖권투〗 카운트 아웃 선언.
aus|zähne(l)n *t.* 들쭉날쭉하게 만들다.
aus|zahnen 《I》 *i.* (h.) 이가 다〔완전히〕 나다.

《Ⅱ》*t.* 들쭉날쭉한 날을 붙이다.
aus|zanken 《Ⅰ》*t.* 꾸짖다, 욕하다. 《Ⅱ》*i.* (h.) 꾸짖기를 그치다.
aus|zapfen *t.* ① 마개를 뽑고 따르다: das Faß 〔den Wein aus dem Faß〕 ~ 술통의 마개를 뽑고 술을 따르다. ② (술을 따라) 권하다. ③ (술집에서 술을) 따라 팔다.
aus|zappeln *i.* (h.) 바둥거리기를 그만두다.
aus|zausen *t.* 잡아 흔들다〔뜯다〕: jm. die Haare ~ 누구의 머리를 잡아 뜯다; jn. ~ 누구를 잡아 휘두르다.
aus|zechen 《Ⅰ》*i.* (h.) 술을 다 마시다. 《Ⅱ》*t.* (술잔을) 다 마셔 비우다.
aus|zehren 《Ⅰ》*t.* ① 다 먹어 버리다. ② (토지를) 메마르게 하다. ③ 소모시키다; 피로〔쇠약〕케 하다: ein ausgezehrtes Gesicht 핼쑥하게 야윈 얼굴. 《Ⅱ》*i.* (s.)/*refl.* (sich) ~ 쇠약해지다, 야위다.
Auszehrung *f.* -en ①〖醫·고어〗폐결핵, 소모성 질환: an der ~ sterben 폐병으로 죽다. ② 쇠약, 소모.
***aus|zeichnen** [áus|tsaɪçnən] 《Ⅰ》*t.* ① 그림을 다 그리다. ② 표시하다, 가격표를 붙이다: Bäume ~ 벨 나무에 표시를 하다; Waren ~ 상품에 가격표를 붙이다. ③ (**a**) 눈에 띄게〔표나게〕 하다: Mut zeichnet ihn aus 그의 용기가 돋보인다. (**b**) 우대하다; 표창하다: jn. mit einem Orden ~ 누구에게 훈장을 수여하다. ④〖印〗(강조하기 위해) 글자〔문단〕의 모양을 지정하다: ein Wort durch Kursivschrift ~ 어떤 단어를 이탤릭체로 지정하다. 《Ⅱ》*refl.* sich ~ 두드러지다, 뛰어나다, 출중하다: er zeichnet sich vor〔unter〕 andern in Mathematik aus 그는 수학에서 두각을 나타낸다; sich als Politiker ~ 정치가로서 뛰어나다. 《Ⅲ》**ausgezeichnet** *p.a.* ↑ ausgezeichnet.
Auszeichnung *f.* -en ① 탁월, 우수: eine Prüfung mit ~ bestehen 우수한 성적으로 시험에 붙다. ② 정찰표, 가격표. ③ 칭찬, 표창; 우대; 영예; (훈장 등의) 수여: einige Soldaten zur ~ vorschlagen 몇몇 군인들을 상을 받도록 추천하다. ④ 훈장, 공로 기장: eine hohe ~ erringen 높은 훈장을 타다. ⑤〖印〗(강조하기 위한) 글자〔문단〕 모양의 지정.
Auszeichnungs≈pflicht *f.* 가격 표시의 의무. **~schrift** *f.*〖印〗강조체 활자, 두드러진 활자체. **≈wert** *a.* ↑ ≈würdig. **≈würdig** *a.* 특기할; 표창〔우대〕할 만한.
Auszeit *f.*〖스포츠〗작전 타임.
aus|zerren *t.*〖구어〗거칠게 끌어내다, 세게 잡아당기다.
ausziehbar *a.* 끌어낼〔벗을〕 수 있는;〖物〗빼낼〔잡아늘일〕 수 있는.
aus|ziehen 《Ⅰ》*t.* ① (옷·신 등을) 벗다:〖軍〗die Uniform ~ 퇴역〔제대〕하다; die Kinderschuhe ~ 어른이 되다; den alten Adam 〔Menschen〕 ~ 새사람이 되다, 개과천선하다. ② (**a**) (누구의) 옷을 벗기다: jn. ganz 〔bis aufs Hemd〕 ~ 누구를 발가벗기다,〖비유〗가진 것을 모두 빼앗다. (**b**) (누구의 무엇을) 벗기다: einem Kranken das geschwitzte Hemd ~ 환자의 땀에 젖은 속옷을 벗기다. ③ (**a**) 뽑다: einen Nagel mit der Zange ~ 못을 집게로 뽑다. (**b**)〖化〗(성분 등을) 추출하다. (**c**) 발췌하다: eine Schrift〔einen Schriftsteller〕 ~ 어느 글에서〔작가의 것을〕 발췌하다; eine Rechnung ~ 대장에서 발췌하여 계산서를 작성하다. (**d**)〖數〗값을 구하다: die Kubikwurzel ~ 세제곱근을 구하다. (**e**) (색·성분 등을) 뽑아내다, 잃게 하다: die Sonne zieht die Farbe (aus den Gardinen) aus 햇빛 때문에 (커튼) 색이 바래다; den Acker ~ 밭을 메마르게〔척박하게〕 하다. ④ 뽑아 늘이다; 빼다: (Metall zu) Draht ~ (금속으로) 철사를 만들다; ein Gummiband ~ 고무줄을 늘이다; ein Fernrohr ~ 망원경을 길게 빼다. ⑤ (총열에) 강선(腔綫)을 파다. ⑥ 단숨에 마셔 버리다. ⑦ (**a**) (선 등을) (따라) 그리다. (**b**) (선등을) 다긋다; (이랑 등을) 다 갈다. ⑧〖사냥〗(짐승의 가죽을) 벗기다. 《Ⅱ》*i.* ① (h.) 장기의 말을 선수(先手)로 두기 시작하다. ② (s.) (**a**) 이사 가다; (군대가) 철수하다; (짐승이) 밖으로 나오다: aus der Wohnung ~ 이사하다. (**b**) 출발하다, 나서다: auf Abenteuer ~ 모험을 떠나다; zur Jagd ~ 사냥하러 나가다; zum Kampf ~ 출정하다. (**c**) (향기·색등이) 빠져나가다, 사라지다. 《Ⅲ》*refl.* sich ~ ① (옷·신 등을) 벗다;〖비유〗발가벗다, 재산을 잃다. ② 늘어나다, 펴지다.
Ausziehen *n.* -s ① 뽑아 내기;〖化〗추출;〖軍〗탄피 제거; 탈의; 발췌. ②〖數〗개평〔개립〕법; 이 뽑기. ③ 이사;〖軍〗출정.
Auszieher *m.* -s, - 옷 벗기는 사람;〖軍〗탄피 제거기; 추출기.
Auszieh≈gleis *n.*〖철도〗전철(轉轍) 레일. **~maschine** *f.* 말뚝 뽑는 기계. **~rohr** *n.*〖工〗인출식(引出式) 관(管). **~tisch** *m.* 인출식 책상. **~tusche** *f.* 먹, 제도용 검은 잉크.
Ausziehung *f.* -en ↑ Ausziehen.
aus|zieren *t.* 장식하다.
aus|zimmern *t.* …안에 나무 뼈대를 대다.
aus|zinnen *t.* …의 안을 주석으로 입히다.
aus|zirkeln *t.* (컴퍼스로) 정확하게 재다:〖비유〗genau ausgezirkelte Antworten 잘 생각해 낸 답변.
aus|zischen 《Ⅰ》*t.* 쉬 소리를 내며 야유하다, 물러가게 하다. 《Ⅱ》*i.* ① (s.) (차량이) 쉬 소리를 내며 꺼지다. ② (h.) 쉬 소리 내기를 그치다.
aus|zittern *i.* (h.) ①〖시어·고어〗진동〔전율〕이 그치다. ② (음이) 떨리면서 그치다.
Auszubildende* *der/die* (직업) 훈련생, 실습생, 수습생(약어: Azubi).
aus|zucken *i.* (h.) 경련이 그치다.
***Auszug** [áus|tsu:k] 《< ausziehen》 *m.* -(e)s, ..züge ① 끌어내기. ② (옷장의) 서랍; (탁자의) 넣었다 뺐다 하는 판(板). ③ 발췌, 초록; 요약, 개요;〖음악〗발췌곡, 편곡;〖商〗계정표; 계좌 대조표: einen ~ aus einem Buch machen 어느 책에서 발췌하다; Rede im ~ wiedergeben 요약해서 다시 말하다; die Bank schickt die Auszüge 은행이 (예금) 계정표를 보내다. ④ 추출물;〖비유〗정수(精髓); 우량품: ~ aus Heilkräutern 약초의 추출물. ⑤ 당첨. ⑥〖방언〗은퇴자의 재산 보유분. ⑦〖軍〗출정; 철수; (schweiz.) 상비군: der ~ der Kinder Israels aus Ägypten 이스라엘 민족의 출애굽; ~ aus einem besetzten Gebiet 점령 지역에서의 철수. ⑧ 퇴거, 퇴실, 이주; 퇴장: der ~ der Opposition aus dem Parlament 야당의 의회 퇴장; ~ aus der Wohnung 퇴거. ⑨ (schweiz.) 제 1병역 의무 연령

층(20-32 세). ⑩ (카메라·망원경 등이) 뺄 수 있는.

Auszüg(l)er [..tsy:gər, ..tsy:klər] *m.* -s, - ① 은퇴자, 퇴직〔퇴역〕자. ② (schweiz.) (20-32 세 사이의) 제 1 병역 의무자.

auszüglich *a.* 발췌〔요약〕한, 간결한.

Auszug(s)≈bauer *m.* (öst.) 은퇴한 농민. **~blatt** *n.* ↑ ~brett. **~brett** *n.* (책상의) 접이식 판. **~entwicklung** *f.* 반복 발생. **~fernrohr** *n.* 항행 망원경. **~fest** *n.* 〖宗〗 유월절(踰越節). **~hieb** *m.* 〖林〗 간벌. **~mehl** *n.* 최상품 밀가루. **~platte** *f.* ↑ ~brett.

auszugs·weise *adv.* 발췌〔요약〕하여, 간결히.

aus|zupfen *t.* ① (털을) 뽑아내다: jm. graue Haare ~ 누구의 센 머리카락을 뽑아내다; Unkraut ~ 잡초를 뽑다. ② (피륙을) 풀다.

aus|zürnen *i.* (h.) 분노가 가라앉다, 평온해지다.

aus|zwängen *t.* 강탈하다.

Aut [aut] *n.* -s, -e ↑ Auto.

aut.. [aut..] *pref.* ↑ auto...

aut ...aut [aut..aut] 《lat.》 *cj.* 〖고어〗 (entweder ...oder...) …이나〔하거나〕 …이나〔하거나〕, …든가 …든가.

autark [autárk] *a.* ① (경제적으로) 자급자족하는, 자립적인: ~e Wirtschaft 자립 경제. ② (정신적으로) 자주적인, 자립적인.

Autarkie [autarkí:] 《gr. arkeîn, „genügen"》 *f.* ① 자주 경제, 자급 자족 경제(주의). ② 자주 독립; 자립, 자족.

autarkisch *a.* ↑ autark.

auteln [áutəln] *i.* (s.) 〖고어〗 (schweiz.) (취미로) 차를 몰다.

Authentie [autɛntí:] 《gr.》 *f.* -n [..tí:ən] ↑ Authentizität.

authentifizieren *t.* 인증하다, 진실임〔확실함〕을 증명하다.

authentisch [autέntɪʃ] 《gr.》 *a.* ① 진짜의, 확실한, 진정한, 믿을 만한: ~en Berichten zufolge 신뢰할 만한 소식에 의하면. ② 〖음악〗 정격(正格)의.

authentisieren *t.* 확증〔인증〕하다.

Authentizität *f.* 참됨, 진정(성), 신빙성.

Autismus *m.* 〖醫·교육〗 자폐증(自閉症).

autistisch *a.* 〖醫〗 자폐증의, 자폐적인: ein ~es Kind 자폐아.

Autler [áutlər] 《<Auto》 *m.* -s, - 〖고어〗 (schweiz.) 자동차 운전 애호가.

Auto[1] [áuto] *n.* -s, -s ① 〖↑ Automobil 의 단축형〗 자동차: ein ~ tanken 자동차에 기름을 넣다; ~ fahren können 자동차 운전을 할 수 있다; mit dem ~ fahren 자동차로 가다; 〖구어〗 wie ein ~ gucken 아주 놀라 바라보다. ② 〖↑ Autotypie 의 단축형〗 자동차 유형.

Auto[2] 《lat. actus, „Akt, Handlung"》 *n.* -s, - 단막 종교극(12·13 세기에 에스파냐와 포르투갈에서 성행했고, 18 세기까지 전해짐).

auto.. 《gr. autós, „selbst"》 *pref.* 〖모음 앞에서는 aut..〗 "스스로"의 뜻.

Auto·atlas *m.* 자동차 운전자용 도로 지도.

Auto·bahn *f.* 고속 도로, 아우토반.

autobahn·artig *a.* 고속 도로와 비슷한.

Autobahn≈auffahrt *f.* 고속 도로 진입로. **~ausfahrt** *f.* 고속 도로 출구. **~drei·eck** *n.* 고속 도로 분기점〔합류점〕. **~einfahrt** *f.* 고속 도로 진입로. **~gebühr** *f.* 고속 도로 통행료. **~kreuz** *n.* 고속 도로 인터체인지. **~maut** *f.* (öst.) 고속 도로 통행료. **~raststätte** *f.* 고속 도로 휴게소. **~vignette** *f.* 고속 도로 통행료(지급) 스티커. **~zubringer** *m.* 고속 도로 연결 도로.

***Autobiographie** 《gr.》 *f.* -n [..fí:ən] 자서전.

autobiographisch *a.* 자서전의.

Auto·bombe *f.* 차량 폭탄; 자폭용 차량 폭탄.

Auto·boot [áutobo:t] *n.* 모터보트.

Auto·bus *m.* ..ses, ..se 〖↑ Automobilomnibus 의 단축형〗 버스.

Auto·car [..ka:r] *m.* -s, -s (schweiz.) 관광버스.

Autochrom [..kró:m] 《gr.》 *n.* -s, -e 〖印〗 컬러 사진판술.

autochthon [autɔxtó:n] 《gr. chthōn, „Erde"》 *a.* ① 토착의, 자생의(↔ allochton). ② 〖醫〗 자발성의.

Autochthone* *der/die* 원주민, 토박이.

Auto·coat [..ko:t] 《engl.》 *m.* 자동차 운전자용 반코트.

Auto-Cross 《engl.》 *n.* 〖스포츠〗 자동차 크로스컨트리 레이스.

Autodafé [autodafé:] 《port., „Glaubensakt"》 *n.* -s, -s ① 아우토다페(종교 재판 판결의 선고 및 처형). ② (금서의) 소각, 분서.

Autodidakt [autodidákt] 《gr.》 *m.* -en, -en 독학자.

Autodidaktentum *n.* -(e)s 독학; 독학자 기질.

autodidaktisch *a.* 독학의.

Auto·drom *n.* -s, -e ① (자동차 경주 및 시험 주행의) 트랙, 서킷. ② (öst.) 스쿠터 전용로.

autodynamisch 《gr.》 *a.* 자동의, 자력의.

Auto≈erotik *f.* 〖醫〗 (병적인) 자위(행위). **~erotisch** *a.* 자위 행위를 즐기는.

Auto≈fähre *f.* 차량운반선, 카페리. **~fahren** *n.* 자동차 운전. **~fahrer** *m.* 자동차 운전자. **~fahrerin** *f.* ↑ ~fahrer 의 여성형. **~fahrt** *f.* 자동차 주행〔여행〕, 드라이브. **~falle** *f.* 〖구어〗 ① (갱단이 자동차를 정지시키기 위해 설치한) 장애물. ② (자동차의) 과속 비밀 단속.

Auto·fokus *m.* (카메라의) 자동 초점 방식.

auto≈frei *a.* 자동차 통행 금지의. **~fried·hof** *m.* 〖구어〗 폐차장.

Autogamie [autogamí:] 《gr.》 *f.* -n [..mí:ən] 〖植〗 자화 수정〔수분〕; 〖動〗 자가 생식.

Auto≈garage [..gara:ʒə] *f.* 자동차 차고. **~gas** *n.* 자동차 연료용 가스.

autogen [autogé:n] 《gr.》 ① 자생의, 자력의: 〖工〗 ~es Schweißen und Schneiden 가스〔아세틸렌〕 용접 및 절단. ② 〖醫〗 자발성의: ~es Training (정신 요법의) 자발성 훈련.

Autogiro [autoʒí:ro] 《gr.》 *n.* -s, -s 〖空〗 오토자이로.

Autognosie [autognozí:] 《gr.》 *f.* 자기 성찰〔인식〕; 자가 진단.

Autogonie 《gr.》 *f.* 자가 생식, 자생(自生).

Autogramm [autográm] 《gr. autos gramma, „Selbstschrift"》 *n.* -s, -e (유명 인사의) 자필〔친필〕 서명.

Autogramm·jäger *m.* 〖폄어〗 (유명 인사의) 자필 서명 수집광.

Autograph [autográ:f] 《gr.》 ① *n.* -s, -(e)n

자필, 친필; 육필 원고; (자기 저서나 사진에 쓰는) 친필 사인. ② *m.* -en, -en 〖印〗 육필 석판 인쇄, 원지 석판술.

Autographie [..grafí:] *f.* -n 〖印〗 육필 석판 인쇄(술).

autographieren *t.* ① 자필로 쓰다. ② 육필로 석판 인쇄하다.

autographisch *a.* ① 자필〔친필〕의; 자동 기록식의. ②〖印〗 육필 석판 인쇄에 의한.

Autogravüre [..gravý:rə] 《gr. -frz.》 *f.* -n 〖印〗 오토그라비아(사진판 조각법의 일종).

Autogyro [autoʒí:ro] *n.* -s, -s ↑ Autogiro.

Auto·heber *m.* 〖기계〗 (자동차용) 잭.

Auto=heizung *f.* -en 자동 난방 (장치). **~hilfe** *f.* (자동차 사고나 고장 때) 운전자 구호(소). **~hof** *m.* 원거리 수송 트럭용 주차장. **~hupe** *f.* 자동차의 경적.

Autohypnose 《gr.》 *f.* -n 〖醫〗 자기 최면(술).

Auto·industrie *f.* 자동차 산업.

Autointoxikation [..tsió:n] *f.* -en 〖醫〗 자가 중독(증).

Auto=karte *f.* 자동차 운전자용 도로 지도. **~kino** *n.* 드라이브인 극장(자동차를 탄 채 관람하는 야외 극장).

Autoklav [autoklá:f] 《gr. -lat.》 *m.* -s, -en [..vən] 압력솥; 고압 증기 소독〔멸균〕기.

Auto=knacker *m.* (자동차 문을 따거나 부수고 훔치는) 자동차 도둑. **~kolonne** *f.* ↑ ~korso. **~korso** *m.* (정체된) 자동차 행렬.

Autokrat [autokrá:t] 《gr.》 *m.* -en, -en ① (Diktator) 독재〔전제〕 군주, 독재자. ②〖비유〗독선적인 사람.

Autokratie [..kratí:] *f.* -n [..tí:ən] 독재〔전제〕 정치; 독재권, 전횡.

autokratisch *a.* 독재적인, 전제 정치의.

Autokratismus *m.* -, ..men 독재〔전제〕주의.

Autokritik 《gr.》 *f.* -en 자기 비판〔비평〕.

Auto·lyse *f.* -n 〖生〗 (효소 작용에 의한) 자기 분해, 자기 소화.

Auto=marder *m.* ↑ Autoknacker. **~marke** *f.* 자동차 회사의 상표; 차종.

***Automat** [automá:t] 《gr.》 *m.* -en, -en ① 자동 기계〔장치〕: Halb〔Voll〕∸ 반〔전〕자동 장치; ein ~ für die Verpackung von Zigaretten 담배 자동 포장기. ② 자동 판매기: Fahrkarten∸ 차표 자판기; Geld∸ 현금 자동 인출기; Zigaretten∸ 담배 자판기; Zigaretten aus dem ~en holen 자동 판매기에서 담배를 사다; Geld in einen ~en (hinein)werfen 자동 판매기에 돈을 집어 넣다. ③〖컴〗 자동 입출력 시스템. ④〔펌어〕 기계적인 인간. ⑤〔고어〕 자동 인형, 로봇.

Automaten=knacker *m.* 자동 판매 도둑. **~restaurant** *n.* 셀프서비스식 자동 판매기 간이 식당.

Automatik *f.* ① 자동 조절 이론. ② 자동 조절〔제어〕 장치; 자동 변속기. ③ 자동 조절〔운동〕. ④〖컴〗 자동 입출력 시스템 이론.

Automatik·getriebe *n.* 자동 변속기.

Automation *f.* 자동화, 오토메이션, 자동 조작.

automatisch *a.* 자동적인, 자동식의.

automatisieren *t.* 자동화하다.

Automatisierung *f.* -en 자동화.

Automatismus *m.* -, ..men 〖醫·生〗 자동성, 자동 작용; 〖工〗 자동 장치; 〖心〗 자동증.

Auto=mechaniker *m.* 자동차 정비사. **~minute** *f.* 자동차로 1분 (걸리는) 거리: das Dorf liegt 10 ~n entfernt 그 동네는 차로 10분 거리에 있다.

***Automobil** 《gr. autós+lat. mobilis》 *n.* -s, -e 자동차(단축형: Auto).

Automobil=ausstellung *f.* 자동차 전시회. **~bau** *m.* 자동차 제작. **~brief** *m.* 자동차 등록증. **~droschke** *f.* 택시. **~fahr·rad** *n.* 오토바이. **~falle** *f.* 자동차 과속 비밀 단속. **~industrie** *f.* 자동차 산업.

Automobilismus *m.* 〔고어〕 자동차 교통.

Automobilist *m.* -en, -en (öst., schweiz.) 자동차 운전자.

Automobil=klub *m.* 자동차 (운전자) 클럽. **~korps** [..ko:r] *n.* ↑ ~klub. **~lenker** *m.* 자동차 운전자. **~omnibus** *m.* 버스.

automorph [automɔ́rf] 《gr. morphē, „Gestalt"》 *a.* 〖광물〗 자기 동형(同形)의, (결정 구조가) 이질 동상(異質同像)의.

autonom [autonó:m] 《gr. nómos, „Gesetz"》 *a.* (↔ heteronom) ① 자주적인, 자치적인, 독립적인: ein ~er Staat 독립 국가. ② 자율적인; 자발적인: 〖生〗 ~es Nervensystem 자율 신경계.

Autonome* *der/die* 자율적 인간; 독불장군.

***Autonomie** [..nomí:] 《gr. nómos, „Gesetz"》 *f.* -n ① 독립, 자주; 자치권, 자치제: die ~ dieses Landes ist gefährdet 이 나라의 자립〔독립〕이 위태롭다. ② (의지·행위 등의) 자주성; 자율성; 자유 의지.

autonomisch *a.* 자치권에 의한, 자치제의.

Autonomist *m.* -en, -en 자치주의자; 자치제 신봉자.

Auto=nummer *f.* 자동차 번호. **~öl** *n.* 자동차용 기름.

Auto·omnibus *m.* 버스(약어: Autobus, Bus).

Auto·pilot *m.* 〖空·軍〗 (비행기·로켓 등의) 자동 조종〔항법〕 장치.

Autoplastik [autoplástɪk] *f.* -en 〖醫〗 자가 이식 (성형술), 동체(同體) 형성술.

Autopsie [autɔpsí:] *f.* -n ① 목격; 〖法〗 현장 검증; 〖醫〗 환자 관찰. ②〖醫〗 (Leichenschau) 검시; 부검(剖檢), 사체 해부.

***Autor** [áutor] 《lat. auctor, „Urheber"》 *m.* -s, ..toren 저자, 집필자, 원작자.

Auto·radio *n.* 자동차의 오디오.

Auto·recycling *n.* 〖車〗 자동차 재활용(폐차 부품의 재활용).

Auto·referat *n.* -(e)s, -e (신문 등의) 특보.

Auto·reifen *m.* 자동차 타이어.

Auto·reise·zug *m.* 자동차 수송 여행 열차 (Car Sleeper).

Autoren=exemplar *n.* 저자 증정본. **~gruppe** *f.* 작가 단체. **~kollektiv** *n.* 〖구동독〗 공동 집필자. **~korrektur** *f.* ↑ Autorkorrektur. **~lesung** *f.* (작가의) 자작 낭독회.

Auto=rennen *n.* 자동차 경주. **~reparatur** *f.* 자동차 수리.

Auto·reverse [ɔ́:torivə:rs] *m.* 오토리버스.

Autorin *f.* -nen 여성 작가〔저자〕.

Autorisation [autorizatsió:n] 《lat.》 *f.* -en

권한 부여, 전권 위임; 인가.
autorisieren 《I》 *t.* ① 권한〔전권〕을 위임〔부여〕하다: sie hat einen Verleger zur Veröffentlichung ihrer Werke autorisiert 그녀는 한 출판업자에게 그녀의 작품을 출판할 권리를 주었다. ② 허가〔인가〕하다. 《II》 **autorisiert** *p.a.* ↑ autorisiert.
autorisiert 《I》 *p.p.* ↑ autorisieren. 《II》 *p.a.* 권한을 위임받은, 인가받은: eine autorisierte Übersetzung 저작권 인가 번역(본).
autoritär *a.* ① 권위(주의)적인: eine ~e Erziehung 권위주의적 교육. ② 독재적인; 전횡을 휘두르는, 제멋대로의: ein ~es Regime 독재 정권. ③〖구식〗권위가 있는: ein ~er Herrscher 권위가 있는 통치자.
***Autorität** *f.* -en ① 권위, 위신; 신빙성, 전거(典據); 당국, 관헌: js. ~ untergraben 누구의 권위를 깎아 내리다; sich³ ~ verschaffen 권위를 얻다; seine ~ wahren 자기 권위를 유지하다. ② 대가, 권위자: er ist eine ~ auf seinem Gebiet 그는 자기 분야의 권위자이다.
autoritativ *a.* ① 권위 있는, 권세를 부리는. ② 결정적인.
autoritäts·gläubig *a.* 권위에 맹종하는.
Autor·korrektur *f.* 〖印〗 저자〔집필자〕의 교정〔수정〕.
Auto·rotation *f.* -en 〖기계〗 자전(自轉).
Autor⸗recht *n.* 저작권. **~referat** *n.* 저자 자신의 저작물 요약 **~rückruf** *m.* 〖車〗 (결함발견시의) 출고 자동차 회수, 리콜제.
Autorschaft *f.* -en 저작자임(신분·직업·자격 등): js. ~ anzweifeln 누구의 저작인지를 의심하다.
Auto⸗schlange *f.* 자동차 행렬. **~schlosser** *m.* 자동차 정비공〔수리공〕. **~schlüssel** *m.* 자동차 열쇠. **~service** *m./n.* 자동차 관련 서비스. **~skooter** [..sku:..] *m.* 스쿠터.
Autoskopie [autoskopí:, autɔsk..] 《gr.》 *f.* ..pien 〖醫〗 후두 내시경 검사법.
Auto⸗stop(p) *m.* -s (무임 편승을 위한) 자동차 세우기, 히치하이크: mit〔per〕 ~ fahren 지나가는 차에 무임 편승하다. **~strich** *m.* 〖구어〗(자동차 운전자 상대의) 노상 매춘(지역).
Autosuggestion [..tió:n] 《gr. +lat.》 *f.* -en 〖醫·心〗 자기 암시〔최면〕.
Auto·telefon *n.* -(e)s, -e 자동차 무선 전화.
Autotherapie 《gr.》 *f.* ..pien 〖醫〗 자연 치유, 자가(自家) 요법.
Autotomie [autotomí:] 《gr.》 *f.* -n [..mí:ən] ①〖動〗 (도마뱀 꼬리 등의) 자절(自切), 자기 절단. ②〖心〗 자해 행위.
Autotoxin [autotɔksí:n] *n.* -s, -e 〖醫〗 자가 독소(Eigengift).
auto·troph *a.* 〖植〗 자가〔무기(無機)〕 영양의.
Auto⸗typie [autotypí:] 《gr.》 *f.* 〖印〗 오토타이프(단색 사진판의 일종); 오토타이프 사진. **~unfall** *m.* 자동차 사고.
Autovakzine 《gr. +lat.》 *f.* -n 〖醫〗 자가(自家) 백신.
Auto⸗verkehr *m.* 자동차 교통. **~verleih** *m.* 자동차 임대. **~werk·statt** *f.* 자동차 수리소〔정비소〕, 카 센터.
Auto·zoom [..zú:m] *m.* -s, -s 자동 초점 조절 장치.
autsch [autʃ] *int.* 〖순간적인 고통의 표현〗 아야, 아이구 아퍼.
auwaih [auváɪ] *int.* ↑ autsch.
Auwald *m.* 강가의 활엽수 숲.
auweh [auvé:] *int.* 〖고통·탄식의 표현〗 아야, 아아.
auwei(a) *int.* 〖의외·놀람의 표현〗 아뿔싸, 아차.
auxiliar [auksiliá:r] 《lat. auxilium, „Hilfe"》 *a.* 〖구식〗 보조의, 보조적인.
Auxiliar⸗bücher *pl.* 보조 장부. **~kraft** *f.* 조력. **~truppe** *f.* 지원군, 보조 부대. **~verb** *n.* 〖문법〗 조동사.
Auxin [auksí:n] *n.* -s, -e 〖植〗 옥신(식물의 성장 호르몬).
Auxometer 《gr.》 *n.* -s, - (렌즈의) 확대도 측정계.
av. =a vista 〖商〗 일람하여.
Aval [avá(:)l] 《frz.》 *m./n.* -s, -e 〖商〗 어음 보증.
avalieren *t.* (어음을) 보증하다.
Avalon [ávalɔn], **Avalun** [..lʊn] *n.* -s 사자(死者)의 섬(켈트의 전설에서 Artus 왕과 그 부하가 죽은 뒤에 옮겨졌다는 낙토(樂土)).
Avance [avã:sə] 《frz.》 *f.* -n ①〖商〗 선불, 가불. ②〖고어〗이득, 이윤; 우위, 리드: et. mit ~ verkaufen 무엇을 이윤을 남겨 팔다. ③〖건축〗 돌출부. ④ 환영, 환대, 호의: jm. ~n machen 누구에게 호의를 보이다. ⑤ 시계의 속도를 조정해서 빠르게 하기(기호: A.).
Avancement [avãsəmã:] 《frz.》 *n.* -s, -s 승진, 진급; 전진.
avancieren [avãsí:rən] 《frz.》 《I》 *i.* (s.) ① 승진하다, 진급하다: er avancierte zum Major 그는 소령으로 진급하였다. ② 진출〔상승〕하다: er ist zum besten Spieler der Mannschaft avanciert 그는 그 팀의 최우수 선수로 올라섰다. ③〖고어〗 전진하다. 《II》 *t.* ① 선불하다. ② 전진하게 하다.
Avancierte* [..sí:rtə] *der* 〖軍〗 하사관.
Avantage [avãtá:ʒə] 《frz.》 *f.* -n 이익, 유리; 우세, 우월; 〖스포츠〗 어드밴티지.
Avantageur [..ʒø:r] 《frz.》 *m.* -s, -e 〖軍·고어〗 (1899 년까지) 사관 후보생.
Avantgarde [avã:gardə] 《frz.》 *f.* -n ①〖軍·고어〗 전위(前衛) (부대). ② 전위 예술, 아방가르드. ③ 선구자〔개척자〕 그룹.
Avantgardismus *m.* 전위주의.
Avantgardist [..gardɪst] *m.* -en, -en 전위 예술가.
avantgardistisch *a.* 전위주의의, 전위적인.
avanti [avánti] 《it.》 *int.* (vorwärts) 앞으로!
Avanturin [avanturí:n] 《lat.》 ↑ Aventurin.
AvD =Automobilclub von Deutschland 독일 자동차 애호가 협회.
Ave [á:ve] ① (인사말) 안녕. ② ↑ Ave-Maria 의 단축형.
Avec [avέk], **Aveck** 《frz., „mit"》 *m.* -s 〖구어·고어〗 활력, 활기, 도약: mit (einem) ~ a) 단번에, 가볍게, 솜씨 좋게, b) (부부) 동반으로, 둘이서 짝을 지어.
Ave-Maria [á:ve marí:a] *n.* -(s), -(s) 〖가톨릭〗 성모 마리아에게 드리는 기도.
Ave-Maria-Läuten [(또는) ..lɔ́ʏ..] *n.* 성모 마리아를 위한 기도의 시각을 알리는 종소리.

Aventin [avɛntí:n] *m.* -s 아벤틴(고대 로마의 일곱 언덕 중의 하나).
Aventiure [avɛntý:rə] 《mhd.》 *f.* -n 〖고어〗 ① (중세 기사 서사시 등의) 모험(담), 파란만장한 사건. ② Frau ~ 시의 여신. ③ (중세 서사시의) 장, 절.
Aventüre [avɛntý:rə] *f.* ↑ Aventiure.
Aventurier [avãtyrié:] 《frz.》 *m.* -s, -s 〖고어〗 모험가; 투기꾼; 대사기꾼; 탕아.
Aventurin [avɛnturí:n] 《frz.》 *m.* -s 〖광물〗 사금석(砂金石).
Aventurin·glas *n.* (구리 가루를 뿌려 꾸민, 사금석과 비슷한) 황금빛 유리.
Avenue [avəný:] 《frz.》 *f.* -n (도시의) 가로수 길; (번화한) 대로.
a verbo [a vérbo] 《lat.》 〖문법〗 ~ sagen 동사 변화의 3 기본형을 말하다.
Averbo *n.* -s, -s 동사 변화의 3 기본형(보기: kommen, kam, gekommen).
Avers [avérs] 《frz., „zugekehr"》 *m.* -es, -e ① 주화〔메달〕의 앞면. ② 〖고어〗 타협, 화해.
Aversal·summe *f.* 화해 위로금, 보상금.
Aversion [avɛrzió:n] 《lat.》 *f.* -en 혐오, 반감, 반기, 반발: gegen jn.〔et.〕 eine ~ haben 누구〔무엇〕에 대해 반감을 품고 있다.
Aversional=quantum *n.* ↑ Aversalsumme. **~summe** *f.* ↑ Aversalsumme.
aversionieren [avɛrzioní:rən] 《lat.》 *t.* 〖고어〗 jn. ~ 누구와 화해〔타협〕하다, (금전으로) 누구에게 보상하다.
Aversionierung *f.* -en 타협, 화해.
Aversum *n.* -s, ..sa ↑ Aversalsumme.
avertieren [avɛrtí:rən] 《lat. -frz.》 *t.* jn. (von et.[3]) ~ a) 누구에게 (무엇을) 통지〔통보〕하다, b) 누구에게 (무엇을) 암시해 주다, 넌지시 알려 주다.
Avertissement [avertɪsəmã:] *n.* -s, -s 고지, 통보; 암시.
Avesta [avésta] *n.* ↑ Zendawesta.
AVG =Angestelltenversicherungsgesetz 사무직 근로자 연금 보험법.
Aviarium [aviá:rium] *n.* -s, ..rien (동물원 등의) 큰 새집, (대규모) 조류 사육장.
Aviatik [aviá:tik] 《lat. avis, „Vogel"》 *f.* 〖고어〗 항공〔비행〕(술); 항공학.
Aviatiker *m.* -s, - 〖고어〗 항공 기술자; 비행사.
Avidität [aviditɛ́:t] 《lat.》 *f.* -en (Gier) 갈망, 탐욕.
Avignon [avɪnjɔ̃, ávɪnjɔŋ] 아비뇽(프랑스 남부 론 강변의 도시).
Avis [aví:s, aví:] 《frz.》 *m./n.* -es [..zəs]/-, -e [..zə]/- ① (상품 발송 등의) 통지, 통보; 안내(장): laut ~ 통지한 대로. ② 〖금융〗 (채무자에 대한) 어음 발행 통지(서).
Avis·brief *m.* 통지서.
avisieren [..zí:rən] *t.* ① (납품·도착 등을) 통지하다. ② 〖고어〗 jn. von et.[3] ~ 누구에게 무엇을 보고하다.
Aviso[1] [aví:zo] 《frz.》 *n.* -s, -s ① (öst.) 통지, 통보; 안내(장). ② 〖문학·고어〗 신문.
Aviso[2] *m.* -s, -s 〖고어〗 소형 쾌속정.
Avis·schiff *n.* ↑ Aviso[2].
a vista [a vísta] 《it.》 *adv.* ① 〖商〗 (auf Sicht) 일람(一覽)하여. ② 〖음악〗 악보를 보고 (부르세요〔연주하세요〕).
Avista·wechsel *m.* 일람불 어음, 일람 출급 어음.
Avitaminose [avitaminó:zə] 《lat.》 *f.* -n 〖醫〗 (각기병·야맹증 등의) 비타민 결핍증.
avivieren [avɪví:rən] 《frz.》 *t.* 〖방직〗 (실·섬유를) 매끄럽게 가공하다.
Avocado [avoká:do] *f.* -s ① 〖植〗 아보카도 나무. ② 아보카도 열매.
Avocato *f.* -s ↑ Avocado.
Avokado *f.* -s ↑ Avocado.
Avokation [avokatsió:n] 《lat.》 *f.* -en 소환 (↑ Vokation).
Avokatorium *n.* -s, ..rien [..riən] 소환장.
avozieren *t.* 소환하다.
Avus [á:vus] *f.* =Automobil-Verkehrs-und Übungsstraße (베를린 근교의) 자동차 교통 및 연습로.
AWACS [ávaks, (engl.) éɪwæks] =Airborne early warning and control system 공중 조기 경보 시스템; 공중 조기 경보기.
Aware [avá:rə] *m.* -n, -n 아바르족(族)(훈족에 속하는 몽고 유목민의 한 종족).
awarisch *a.* 아바르족의.
Awesta [avésta] 《pers., „Grundtext"》 *n.* - 아베스타(조로아스터 교도의 경전).
awestisch *a.* 아베스타의.
Axe [áksə] *f.* -n 〖방언〗 ↑ Achse.
Axel[1] [áksəl] *m.* 악셀(남자 이름).
Axel[2] *m.* -s, - 〖↑ Axel-Paulsen-Sprung 의 단축형〗 〖피겨·롤러스케이트〗 악셀 점프.
Axel-Paulsen-Sprung *m.* -(e)s, ..sprünge 〖피겨·롤러 스케이트〗 악셀 파울젠 점프.
axial [aksiá:l] 《lat. axis, „Achse"》 *a.* 축(軸)의, 축방향의; 축대칭의: 〖化〗 ~ Bindung 축결합; ~e Belastung 축하중.
Axialität *f.* 축성(軸性).
Axial·verschiebung *f.* 축방향 이동.
axillar [aksɪlá:r] 《lat. axilla, „Achsel"》 *a.* 〖해부〗 겨드랑이의; 〖植〗 엽액(葉腋)의.
Axillar·knospe *f.* 액아(腋芽).
Axinit [aksiní:t, ..nít] 《gr.》 *m.* -(e)s, -e 〖광물〗 액시나이트, 부석(斧石).
Axiologie [aksiologí:] 《gr. áxios, „wert"》 *f.* 〖哲〗 (*Wertlehre*) 가치론.
***Axiom** [aksió:m] 《gr. axíōma》 *n.* -s, -e ① 자명한 이치; 원리, 원칙. ② 〖數·논리〗 공리.
Axiomatik *f.* -en ① 공리론, 공리주의. ② 공리적 방법.
axiomatisch *a.* ① 공리의. ② 자명한.
axiomatisieren *t.* ① 공리화(化)하다. ② 공리적으로 확인〔확정〕하다.
Axiometer [aksiomé:tər] 《gr.》 *n.* -s, - 〖海〗 항위(航位) 표시기.
Axminster·teppich [aksmínstər..] *m.* 액스민스터 카펫(황마(黃麻) 바탕에 양털을 사용한 카펫).
Axolotl [aksolɔ́təl] *m* -s, - 〖動〗 아홀로틀 (멕시코산(産) 도롱뇽의 일종).
Axon [ákson] *n.* -s, -en 〖醫〗 (신경 세포의) 축색(軸索) 돌기.
Axonometrie [aksonometrí:] 《gr. áxon, „Achse"+métoron, „Maß"》 *f.* -n [..rí:ən] ① 〖醫〗 난시축(亂視軸) 검사법; 원통축 측정법. ② 〖기하〗 축측(軸測) 투영법.
***Axt** [akst] *f.* Äxte 도끼: die ~ schleifen 〔schärfen〕 도끼날을 갈다; 〖비유〗 die ~ an

die Wurzel(n) legen 악을 발본색원하다, 일대 개혁을 단행하다; 〖비유·구어〗 sich wie eine ~ im Wald benehmen 제멋대로〔거칠게〕 행동하다; die ~ im Haus erspart den Zimmermann (성능 좋은) 도끼〔도구〕가 집에 있으면 목수가 필요 없다(쉴러의 "발렌슈타인" 3막 1장); 〖비유〗 die ~ an den Baum legen 일에 착수하다.

Äxtchen [ɛ́kst|çən] *n.* -s, - 〖↑ Axt 의 축소형〗 작은 도끼.

Ạxt≈helm *m.* 도끼 자루. **~hieb** *m.* 도끼의 일격. **~stiel** *m.* 도끼 자루.

Ayatọllah *m.* -s, -s 〖이슬람교〗 아야톨라(이란 회교 시아파 지도자의 칭호).

a. Z. =auf Zeit 〖商〗 신용〔외상〕으로.

AZ, Az. =Aktenzeichen 서류 (분류) 기호.

Azalee [atsalé:ə] 《gr. azaléa》 *f.* -n, **Azalie** [atsá:liə] *f.* -n 〖植〗 진달래, 철쭉.

Azarol·apfel [atsaró:l..] *m.* 〖植〗 아자롤 열매(지중해 지방 원산의 서양모과나무 열매).

Azephale [atsefá:lə] 《gr. -lat.》 *m.* -n, -n ① 〖醫·生〗 무두 기형(無頭畸型). ② 머리 없는 연체 동물의 일종.

Azephalie [..falí:] *f.* 〖醫〗 무두증(無頭症).

Azerazee [atseratsé:ə] 《lat.》 *f.* -n 〖植〗 단풍나무의 일종.

Azetat [atsetá:t] 《lat.》 *n.* -(e)s, -e 〖化〗 아세트산염.

Azetometer *n.* -s, - 아세트산 비중계.

Azeton [..tó:n] *n.* -s 〖化〗 아세톤.

Azetylen [..tylé:n] *n.* -s 〖化〗 아세틸렌.

Azetylen≈blase·rohr *n.* 〖工〗 아세틸렌 취관(吹管). **~brenner** *m.* 아세틸렌 버너. **~gas** *n.* 아세틸렌 가스.

Azetyl≈säure [atsetý:l..] *f.* 아세트산. **~zellulose** *f.* 아세틸셀룰로오스, 아세트산 섬유소(인조 견사·안전 필름 등에 사용).

Azid [atsí:t] 《lat.》 *n.* -(e)s, -e 〖化〗 아지드 화합물(질소수소산염).

Azidimeter *n.* -s, - 산도계(酸度計), 위액 산도 측정기.

Azidimetrie *f.* 산적정법(酸適定法).

Azidität *f.* 산(성)도, 신맛; 위산 과다.

Azidose, Azidosis 《lat. +gr.》 *f.* 〖醫〗 산혈증(酸血症), 산독증(酸毒症).

Azimut [atsimú:t] 《ar.》 *m./n.* -(e)s, -e 〖天〗 방위(각).

Azimutal≈kreis [atsimutá:l..] *m.* 〖天〗 방위환(方位環). **~winkel** *m.* 방위각.

azo.. 《gr.》 *pref.* "질소"의 뜻.

Azo≈benzol [á(:)tsobɛntso:l] 《gr.》 *n.* -s, -e 〖化〗 아조벤젠. **~farb·stoff** *m.* 아조 염료.

Azoikum [atsó:ikum] 《gr.》 *n.* -s 〖지질〗 무생대(無生代); 무생물층(層).

azoisch *a.* ① 무생대의; 생물이 존재하기 이전의. ② 유기체 생명의 흔적이 없는.

Azoospermie *f.* 〖醫〗 무정자증(無精子症).

Azoren *pl.* 아조레스 제도(대서양 중부에 있는 포르투갈령의 화산 제도).

Azot [atsó:t] 《gr.》 *n.* -(e)s 〖化〗 질소.

azotisch *a.* 질소의, 질소를 함유하는.

Azotometer *n.* -s 질소 계측기.

Azteke [atsté:kə] *m.* -n, -n 아즈텍족(族) (멕시코 원주민).

Azteken·reich *n.* 아즈텍 제국(14-16 세기에 멕시코 중앙 고원 지대를 지배한 나라).

aztekisch *a.* 아즈텍 사람〔어〕의.

Azubi *m.* -s, -s 〔*f.* -s〕 (Auszubildende) 수습공, 인턴 사원.

Azulejos [asulɛ́xəs] *pl.* 에스파냐산(產) 청색 벽 타일.

Azur [atsú:*r*] 《frz.》 *m.* -s ① (Himmelsblau) 하늘색, 청람색. ② 푸른 하늘. ③ 〖광물〗 유리, 청금석(青金石).

azur·blau *a.* 하늘색의, 청람색의.

Azuree·linien [atsuré:..] *pl.* (수표·영수증의) 청색선; (수표 등의 위조 방지용) 청색선.

azuriert *a.* (금액 기재용) 청색선이 있는.

Azurit [..rí:t, ..rít] *m.* -(e)s, -e 〖광물〗 남동광(藍銅鑛).

azurn [atsú:*r*n] *a.* ↑ azurblau.

Azygie [atsygí:] 《gr.》 *f.* 〖動·植〗 짝이 없음.

azygisch *a.* 짝이 없는.

azyklisch [atsý:klɪʃ, átsyk..] 《gr. zýklos, „Kreis"》 *a.* ① 비순환적인, 무주기의; 〖化〗 비환식의: ~e Verbindung 비환식 화합물. ② 〖植〗 (꽃잎이) 나사 모양의. ③ 〖醫〗 비주기적인: ~e Menstruation 월경 불순.

Azyma [á(:)..] 《gr.》 *pl.* ↑ Azymon.

Azymit *m.* -en, -en 효모를 넣지 않은 빵을 먹는 사람(그리스 정교도가 서유럽 기독교도를 부르는 별명).

Azymon [á(:)tsymɔn] 《gr.》 *n.* -s, ..ma ① 효모를 넣지 않은 빵. ② 〖복수〗 유대인의 유월절에 대한 별칭.

Azzurri [atsúri] *pl.* 이탈리아 운동 선수팀.

B

B

B, b [be:] *n.* -, - ① 독일어 자모의 둘째 자. ②〖음악〗내림 나; 기본 단음계의 제 2 음; 기본 장음계의 제 7 음(대문자 B-Dur 는 장조, 소문자 b-Dur 는 단조).

B ①〖化〗=Bor 붕소(硼素). ②〖商〗(시세표의 약어) =Brief 팔 것(해당 증권을 시세표 가격대로 내놓았다는 뜻). ③ =Bel 벨. ④ = Bundesstraße 국도. ⑤ =Bachelor 학사. ⑥ =Beatus, Beata (가톨릭의) 성자.

b. =bei(m).

Ba [be:|á:, bá:rium]〖化〗=Barium 바륨.

ba *int.* (분노·경멸·혐오의 뜻으로) 흥, 체, 바보.

bä [bɛ:] *int.* 매애, 음매(양이 우는 소리).

BA [be:|á:, bí:éɪ] =British Airways 영국 항공사.

Baal [ba:l] 《hebr., „Herr"》 *m.* -s 바알 신(셈족의 태양신).

Baalbek 발벡(레바논의 도시).

Baals≈diener *m.* 〔고어〕 악마의 하수인. **~dienst** *m.* 바알신 숭배. **~pfaffe** *m.* ① 바알 신의 승려. ②〔비유〕 거짓 신자.

Baas [ba:s] *m.* -es [..zəs], -e [..zə] 주인, 상관; 우두머리, 보스.

Baath-partei *f.* 바트당(아랍의 정당 이름).

BAB =Bundesautobahn 연방 고속 도로.

baba [babá], **bäbä** [bɛbɛ́] 〔아동〕 에비, 지지: das ist ~! 지지야!

Baba [bá:ba:] *f.* 〔아동〕 ① 할머니. ② 카스텔라의 일종. ③ 잠자리: in die ~ gehen 자다.

Babbelei [babəláɪ] *f.* -en 〔구어〕 ① 옹알거림. ② 허튼 소리.

babbeln [bábəln] *i.* (h.) / *t.* 〔구어〕 ① (아기가) 옹알거리다. ② 허튼 소리하다.

Babbitt [bɛ́bit] 《engl.》 *m.* -s, - 〔폄어〕 보통〔평범한〕 사람; (수완 좋은) 속물.

Babbser *m.* -s, -〖軍·고어〗 민간인, 비전투원.

Bäbe [bɛ́:bə] *f.* -n 카스텔라의 일종.

***Babel** [bá:bəl] 《hebr.》 ① 바벨. ②〔비유〕 죄악의 땅; 혼란: Turm zu ~ 바벨 탑(언어 혼란의 상징, 창세기 11:1-9). ③ (여러 언어가 쓰이는) 국제 도시.

Bab el Mandeb [bá:p ɛl mándɛp] 《ar., „Tor der Trauer"》 바브엘만데브(홍해의 해협).

Babine [babí:nə] 《russ.》 *f.* -n 러시아에서 나는 흑갈색의 고양이 가죽.

Babismus *m.* 이슬람 종파의 교리.

Babuin [babuí:n] *m.* -s, -e〖動〗 비비(狒狒) (동아프리카 원숭이의 일종).

Babusche [babúʃə] *f.* -n 〔방언〕 (터키풍의) 슬리퍼, 실내화.

Baby [bé:bi:, béɪ..] 《engl.》 *n.* -s, -s 어린〔갓난〕아이.

Baby·jahr *n.*〖구동독〗 육아 휴가.

Babylon [bá:bylɔn] 바빌론(바빌로니아의 수도).

Babylonien 바빌로니아(고대의 왕국).

Babylonier *m.* -s, - 바빌로니아 사람.

babylonisch [..nɪʃ] *a.* 바빌로니아(풍)의: ~e Sprachverwirrung 〔~es Sprachengewirr〕 언어의 혼란(창세기 11:1-9); ≗e Gefangeschaft a) (유대인의) 바빌론 유수(幽囚), b) 교황들의 아비뇽 체재(1309-77); ~er Turm 바벨탑.

Babylonismus [..nísmus] *m.* ..men 대혼란, 난맥상.

Baby≈nahrung *f.* 유아식. **≗sitten** *i.* (h.) (남의) 아이를 봐주다. **~sitter** *m.* (부모의 외출 중) 애 보는 사람. **~speck** *m.* -s ① (젖먹이의) 통통한 체형. ② 아동의 비만 체질.

Bacchanal [baxaná:l, öst.: baka..] 《lat.》 *n.* -s, -e/-lien 주신(酒神) 바커스제(祭);〔비유〕 술잔치, 야단스런 잔치.

bacchanalisch [..lɪʃ] *a.* 바커스(제)의; 방종한.

Bacchant [baxánt] *m.* -en, -en ① 바커스를 섬기는 사제(司祭) 또는 광신자; 방자한 술꾼. ② (중세의) 떠돌이 학생.

Bacchantin [..tɪn] *f.* -nen 바커스를 섬기는 무당; 여자 술꾼.

bacchantisch [..tɪʃ] *a.* 술취한; 미친 듯이 떠드는.

Baccheus [..xé:ʊs] *m.* -, ..cheen [..xé:ən] ↑ Bacchius.

Bacchius [baxí:ʊs] *m.* -s, ..chien [..xí:ən]〖문학〗(운각(韻脚)의) 양억억격(揚抑抑格).

bacchisch [báxɪʃ] *a.* 바커스의.

Bacchus [báxʊs, (öst.) ..kʊs] 《gr.》 *m.*〖로마신화〗 바커스 신(그리스신화의 Dionysos): 〔은어〕 (dem) ~ huldigen 술 마시다.

Bacchus≈bruder *m.* 〔구어〕 술꾼. **~fest** *n.* 바커스제(祭) (Bacchanal).

***Bach**[1] [bax] *m.* -(e)s, Bäche [bɛ́çə] ① 시내, 개울, 도랑: murmelnder ~ 졸졸 흐르는 시냇물: 〔아동〕 (einen) ~ 〔(ein) Bächlein〕 machen 오줌을 누다; Bäche von Tränen 쏟아지는 눈물. ② (선원·조종사의 은어) 바다, 호수.

Bach[2] [bax] *m.* Johann Sebastian ~ 바흐 (독일의 작곡가, 1685-1750).

bachab [báxap] *adv.* (schweiz.) ① 개천이 흘러 내려가는 쪽으로: das Boot fuhr ~ 보트가 개천을 따라 내려갔다. ② 헛되게, 무산되어: ~ gehen 무효로 되다, 수포로 돌아가다; ~ schicken 포기〔거절〕하다.

Bach≈amsel *f.*〖動〗 물까마귀. **~blüten** *f.*〖醫〗(치료제로 쓰이는) 꽃 추출물. **~bunge** *f.*〖植〗 냉초.

Bache [báxə] *f.* -n〖사냥〗 멧돼지의 암컷.

Bächelchen [bɛ́çəlçən] *n.* -s, - ↑ Bächlein.

Bachelor [bǽtʃələr] 《engl.》 *m.* -(s), -s 학사(學士).

Bacher [báxər] *m.* -s, - (두 살 난) 멧돼지의 수컷.
Bach≈fahrt *f.* 계곡, 협곡. **~forelle** *f.* 〖動〗 송어의 일종(연어속(屬)). **~furche** *f.* ↑ ~fahrt. **~hol(un)der** *m.* 불두화나무. **~krebs** *m.* 〖動〗 가재. **~kresse** *f.* 〖植〗 화란 갓냉이.
Bächlein [bέçlain] *n.* -s, - 〖↑ Bach[1] 의 축소형〗 개울, 도랑, 실개천.
Bach≈mücke *f.* 〖動〗 꾸정모기. **~stelze** *f.* 〖動〗 할미새. **~weide** *f.* 〖植〗 냇버들.
Back [bak] 《ndd.》 *f.* -en〔*n.* -(e)s, -e〕〖海〗 ① 식사용의 움푹한 나무 바리. ② 달아맨 식탁. ③ 식탁의 동료. ④ 뱃머리 쪽 갑판의 올라간 부분.
back [bak] 《ndd.》 *adv.* 〖海〗 뒤쪽으로, 뒤에.
Back [bεk, bæk] 《engl.》 *m.* -s, -s 〖스포츠〗 후위 선수, 수비수.
Back≈apfel 《<backen[1]》 *m.* 삶은〔구운〕 사과. **~aroma** *n.* 빵 굽는 향료. **~birne** *f.* 찐〔구운〕 배. **~blech** *n.* 빵 굽는 철판.
Back·bord [bákbɔrt] 《<back》 *n.*/(öst.) *m.* 〖海〗 (뒤에서 보아) 왼쪽 뱃전.
backbord(s) [..t(s)] *adv.* (선박·항공기에서) 왼쪽으로, 왼쪽에, 좌현으로(↔steuerbord(s)).
backbrassen [bákbrasən] *t.* 〖海〗 die Segel ~ 활대를 돌리다; (활대를 돌려서) 돛의 안팎을 바꾸다.
Bäckchen [bέkçən] *n.* -s, - 〖↑ Backe 의 축소형〗 작은 빵, 귀여운 빵.
***Backe**[1] [bákə] *f.* -n (nordd.) ①〖고어〗 턱(뼈). ② 뺨, 볼: mit vollen Backen 뺨을 불룩이 하고, 한입 가득; rote ~ haben 발그레한 빰을 하다: 〖비유〗 die Backen voll nehmen 호언 장담하다; über beide ~n strahlen 아주 행복해 보이다, 기뻐 어쩔 줄 모르다; 〖방언·구어〗 au ~! 어머나, 이런, 저런! ③ 〖工〗 측면, 옆벽; 〖복수〗 (바이스의) 턱; (스키의) 바켄; 〖軍〗 (총의) 개머리판 측면: ein Lehnstuhl mit großen ~n 팔걸이가 큰 안락 의자; 〖海〗 Backen des Mastes 장견(檣肩) (돛대 꼭대기의 옆으로 나온 부분).
Backe[2] *f.* -n 〖구어〗 엉덩이, 궁둥이.
***Backen** [bákən] *m.* -s, - (südd.) ↑ Backe[1].
***backen**(*)[1] [bákən] (backte/buk, gebacken) 《I》 *t.* ① (빵·과자를) 굽다; (기름에) 튀기다: Kuchen ~ 쿠키를 굽다: in der Pfanne ~ 냄비에 튀기다; braun ~ (살코기를) 갈색으로 굽다. ② 〖비유〗 만들다: frisch gebackene Eheleute 갓 결혼한 부부. ③ (**a**) (과실을) 말리다. (**b**) (강철을) 삼탄법(滲炭法)으로 만들다; (벽돌을) 굽다. 《II》 *i.* ① (h.) (빵을) 굽다, 구워지다. ② 〖약변화〗 (s./h.) 달라붙다; 응고하다: der Schnee backt an den Schuhsohlen 눈이 구두창에 달라붙는다; 〖비유〗 ~ bleiben 유급하다. ③ 〖海〗 식사하다: ~ und banken! 식사! 《III》 **gebacken** *p.a.* ↑ gebacken.
backen[2] 《engl.》 *i.* (h.) 〖경마〗 말에 돈을 걸다.
..backen *a. suf.* "구운"의 뜻(보기: haus~ 집에서 구운).
Backen≈bart *m.* 구레나룻. **~bein** *n.* 광대뼈, 악골. **~brecher** *m.* 쇄석기(碎石機). **~bremse** *f.* 블록 브레이크. **~futter** *n.* 〖工〗 조척(선반 따위의 물림쇠). **~grübchen** *n.* 보조개. **~hörnchen** *n.* 〖動〗 다람쥐의 일종. **~knochen** *m.* 광대뼈. **~schlag, ~streich** *m.* 뺨을 치기. **~stück** *n.* (말에 씌우는 굴레의) 빰끈〔띠〕. **~tasche** *f.* 〖動〗 (다람쥐의) 볼주머니. **~zahn** *m.* 어금니.
***Bäcker** [bέkər] 《<backen[1]》 *m.* -s, - 빵 굽는 사람, 빵집 주인.
Bäcker≈beine *pl.* 외반슬(X-Beine). **~brot** *n.* 빵집의 빵, 파는 빵. **~bursche** *m.* (südd.) 빵집 종업원, 제빵 수습공. **~dutzend** *n.* 빵 한 다스(13개).
***Bäckerei** [bεkəráı] *f.* -en ① 빵 제조업; 빵집, 빵 가게. ② 쿠키, 비스킷.
Bäcker≈geselle *m.* 제빵공. **~gewerbe** *n.* ↑ ~handwerk. **~handwerk** *n.* 빵 제조업. **~junge** *m.* ↑ ~bursche. **~(s)·frau** *f.* 빵집 여주인. **~kratze** *f.* (가루의 자극으로 생기는) 피부 발진. **~laden** *m.* 빵 가게. **~zunft** *f.* 제빵업자 동업 조합.
Back·feige *f.* ↑ ~pfeife.
Back≈fisch 《<backen[1]》 *m.* ① 튀긴〔튀김용〕 생선. ② 〖농담〗 계집애. **~form** *f.* 빵 굽는 틀.
Backgammon [bεkgέmən] 《engl.》 *n.* -(e)s 주사위 놀이의 일종.
Back·genosse 《<Back》 *m.* 〖海〗 한솥밥을 먹는 동료.
Background [bέkgraunt, bǽkgraund] 《engl.》 *m.* -s - 배경; 경력; 배경 음악〔사진〕.
Backgroud·musik *f.* 배경 음악.
Back≈hähnchen 《backen[1]》 *n.* 통닭 구이. **~haus** *n.* 빵 굽는 집.
Back·hand [bέkhεnt, bǽkhænd] 《engl.》 *m.* -(s), -s 〖테니스·탁구〗 백핸드.
Backhendl [..hεndəl] *n.* -s, -n (öst.) 치킨, 통닭구이.
Backhendl·station *f.* (öst.) 치킨점.
backig [bákıç] *a.* 〖방언〗 찐득찐득한, 차진.
..backig, ..bäckig *a. suf.* "…한 빰의"의 뜻(보기: dick~ 볼이 통통한).
Back·kohle 《<backen》 *f.* 역청탄(炭).
Back·mannschaft 《<Back》 *f.* 〖海〗 회식자 일동.
Back≈mulde 《<backen[1]》 *f.* ↑ ~trog. **~obst** *n.* 말린 과실: ich danke für ~! 나는 사절하겠다! **~ofen** *m.* 빵 굽는 오븐. **~pfanne** *f.* 프라이 팬.
Back·pfeife 《<Backe》 *f.* 〖구어〗 빰때리기.
back·pfeifen *t.* 〖방언〗 따귀를 때리다.
Backpfeifen·gesicht *n.* 〖구어〗 (빰이라도 때려주고 싶은) 얄미운 얼굴.
Back≈pflaume 《<backen[1]》 *f.* 말린 자두. **~pulver** *n.* 베이킹 파우더. **~rädchen** *n.* 빵 반죽을 자르는 기구. **~rezept** *n.* (과자·케이크의) 요리법. **~rohr, röhre** *f.* ↑ ~ofen. **~schaft** *f.* 〖海〗 식탁 동료: ~ machen (배에서) 식사 당번을 하다. **~schafter** *m.* 식사 담당 선원. **~scheibe** *f.*, **~schieber** *m.* 빵 굽는 판.
Backschisch [bákʃıʃ] 《türk., „Geschenk"》 *n.*/*m.* -(es), -e 술값, 팁.
Back·schüssel 《<backen[1]》 *f.* 반죽 그릇.
backsen [báksən] *t.* 〖海〗 ein Geschütz ~ 대포를 이동시키다.
Backs·gast 《<Back》 *m.* -(e)s, -en 〖海〗 뱃머리 갑판원.
bäckst [bεkst] ↑ backen[1] 의 2인칭 단수 현재형.

Back·stag 《<Back》 *n.* 〖海〗 (돛대의) 버팀 밧줄, (전주·안테나의) 버팀줄.
Backs·wind *m.* 배의 뒤쪽에 부딪치는 바람, 순풍.
Back≈stein 《<backen¹》 *m.* 벽돌. **~steinbau** *m.* -(e)s, -ten 벽돌 건축물. **~stube** *f.* 빵 굽는 곳.
bäckt [bɛkt] ↑ backen¹ 의 3 인칭 단수 현재형.
Back≈trog 《<backen¹》 *m.* 반죽 통. **~ware** *f.* 제과류. **~werk** *n.* ↑ ~ware.
back·winds *adv.* 〖海〗 순풍을 타고.
Back·zahn 《<Backe》 *m.* 어금니.
Bacon [béikən] 《engl.》 *m.* -s 〖요리〗 베이컨.
Bacon·schwein *n.* 훈제용 돼지고기.
*__Bad__ [ba:t] *n.* -(e)s, Bäder [bɛ́:dər] ① 목욕, 입욕; 미역; ein ~ nehmen 목욕하다. ② (**a**) 목욕물: jm. ein ~ bereiten〔richten〕 누가 목욕할 수 있도록 준비하다; ein ~ einlaufen lassen 목욕물을 받다; 〖비유〗 das Kind mit dem ~e ausschütten 교각살우(矯角殺牛), 불필요한 것과 더불어 소중한 것까지 버리다; das ~ austragen müssen 남의 뒤치다꺼리를 맡게 되다. (**b**) 〖化〗 담금액: ein ~ zum Entwickeln eines Films 필름 현상을 위한 용액. ③ 욕실, 목욕탕: Wohnung mit Küche und ~ 부엌과 욕실이 딸린 방. ④ 온천장, 수영장, 해수욕장: ins ~ reisen 온천장〔해수욕장〕에 가다.
Bade≈anstalt *f.* 수영장. **~anzug** *m.* 수영복. **~arzt** *m.* 온천장 의사. **~betrieb** *m.* 수영장〔해수욕장〕 영업. **~frau** *f.* 목욕탕의 여종업원. **~gast** *m.* 온천객, 목욕객. **~gelegenheit** *f.* 목욕〔수영〕할 기회. **~haube** *f.* ↑ ~kappe. **~hose** *f.* 수영 팬티. **~kabine** *f.* 수영장의 탈의실. **~kappe** *f.* 수영 모자; (여성용) 목욕 모자. **~kostüm** *n.* ↑ ~anzug. **~kur** *f.* 온천 요양, 탕치(湯治). **~laken** *n./m.* ↑ ~tuch. **~liste** *f.* 욕객 명부. **≈lustig** *a.* 수영을 좋아하는. **~mantel** *m.* 수영복 위에 걸치는 망토, 목욕 가운. **~matte** *f.* (욕실의) 매트, 바닥 깔개. **~meister** *m.* 수영장 관리인. **~mütze** *f.* 수영 모자.
*__baden__ [bá:dən] 《Ⅰ》 *t.* 목욕시키다. 《Ⅱ》 *i./refl.* (sich) ~ 목욕하다, 미역감다: warm〔kalt〕 ~ 온수욕〔냉수욕〕하다; ~ gehen a) 목욕탕에 가다, 수영하러 가다, b) 사업에 실패하다, 망하다; in der Sonne〔Luft〕 ~ 일광욕〔공기욕〕하다; in Tränen gebadet 눈물에 젖어서; in Schweiß gebadet 땀에 흠뻑 젖어; in Selbstgefälligkeit ~ 자만심에 빠지다.
Baden¹ *n.* -s 목욕, 입욕; 해수욕.
Baden² 바덴(바덴 뷔르템베르크주의 서부 지역; 남독일의 옛 대공국 이름; 스위스 및 오스트리아의 온천장 이름).
Baden-Baden [bá:dənbá:dən] 바덴바덴(독일의 도시).
Badende* [bá:dəndə] *der/die* 목욕하는 사람, 온천〔광천〕 요양객.
Badener, Badenser 《Ⅰ》 *m.* -s, - 바덴 사람. 《Ⅱ》 *a.* 바덴의.
badensisch [bá:dənzɪʃ] *a.* ↑ badisch.
Baden-Württemberg [bá:dənvʏ́rtəmbɛrk] 바덴 뷔르템베르크(독일의 주).
baden-württembergisch [..bɛrgɪʃ] *a.* 바덴 뷔르템베르크의.
Bade≈ofen *m.* 목욕물 데우는 난로. **~ordnung** *f.* 온천장 이용 수칙. **~ort** *m.* 온천장; 해수욕장. **~platz** *m.* (해수)욕장.
Bader [bá:dər] 《<baden》 *m.* -s, - 〔고어〕 목욕탕 주인〔관리인〕; (옛날의) 이발사 겸 의사.
Bade≈reise *f.* 온천장〔해수욕장〕 여행. **~sachen** *pl.* 목욕〔수영〕용품. **~saison** *f.* 해수욕철. **~salz** *f.* 욕탕의 방향제. **~schuh** *m.* 목욕〔수영〕 신발. **~schwamm** *m.* 목욕용 해면. **~stelle** *f.* ↑ ~platz. **~strand** *m.* 해수욕장의 백사장. **~stube** *f.* 목욕실, 목욕탕. **~thermometer** *m.* 목욕물의 온도계. **~trikot** *m.* 수영복. **~tuch** *n.* 목욕 수건. **~utensilien** *pl.* ↑ ~sachen. **~verbot** *n.* 수영〔목욕〕 금지. **~wanne** *f.* 욕조; 〔농담〕 조그만 배. **≈warm** *a.* (목욕·수영하기 좋게) 미지근한. **~wärter** *m.* ↑ ~meister. **~wetter** *n.* 수영하기 좋은 날씨. **~zeit** *f.* 목욕 시간; 수영〔해수욕〕장의 개방 시간; 온천〔해수욕〕 시즌. **~zelle** *f.* 욕실; 탈의실. **~zimmer** *n.* 욕실.
Badgastein *n.* 바트가슈타인(오스트리아의 휴양지).
Badge [bædʒ] *m.* -s, -s 배지, 휘장.
Badian [bá:dian, badiá:n] 《pers.》 *m.* -s, -e 〖植〗 대회향(大茴香).
badisch [bá:dɪʃ] 《<Baden²》 *a.* 바덴(풍)의.
Baedeker [bɛ́:dəkər, ..dɛkər] *m.* -s, - 여행 안내서의 이름(창시자 K. Baedeker 에 따라).
bäen [bɛ́:ən] *i.* (h.) (양이) 매애 하고 울다.
Bafel [bá:fəl] 《it.》 *m.* -s, - ① 〔방언〕 불량품, 싸구려 물건. ② 〖비유〗 수다, 잡담.
bafeln *i.* (h.) (obd.) 수다떨다, 잡담하다.
baff [baf] *a.* 〔구어〕 깜짝 놀란, 어리둥절한.
baff *int.* 멍멍; 팡, 팡(총소리).
Bäffchen [bɛ́fçən] *n.* ↑ Beffchen.
bäffen [bɛ́fən] *i.* (h.) (개가) 짖다.
Baffin(s)bai [bǽfɪn(s)bai, bá..] *f.* 배핀만(灣)(북극해에 있음).
BAföG, Bafög [bá:føk] *n.* -(s) (Bundesausbildungsförderungsgesetz) 연방 장학법(에 근거한 장학금).
Bagage [..gá:ʒə] 《frz.》 *f.* -n ① 수하물; 〖軍〗 행장(行裝). ② 불량배, 부랑자.
Bagage·karren *m.* ↑ ~wagen. **~wagen** *m.* 수하물 수송차.
Bagasse [bagásə] 《sp.》 *f.* -n 사탕수수를 짠 찌꺼기(연료로 씀).
Bagatell≈delikt [bagatɛ́l..] *n.* ↑ ~sache. **~fall** *m.* ↑ ~delikt.
Bagatelle [bagatɛ́lə] 《frz.》 *f.* -n ① 시시한〔하찮은〕 것: für eine ~ kaufen 헐값으로 사다. ② 〖음악〗 평이한 소곡. ③ 〖法〗 간이 소송.
Bagatell·gericht *n.* 하급 법원.
bagatellisieren [bagatɛlizí:rən] *t.* 경시하다, 하찮게 여기다.
Bagatell≈klage *f.* 사소한 소송. **≈mäßig** *adv.* 하찮은 일로, 하찮게. **~prozeß** *m.*, **~sache** *f.* ↑ ~klage. **~schaden** *m.* 사소한 손해. **~schulden** *pl.* 소액의 부채.
Bagdad [bákdat, bakdá:t] 바그다드.
Bagdader [..dər] 《Ⅰ》 *m.* -s, - 바그다드 사람. 《Ⅱ》 *a.* 바그다드의.
Bäge [bɛ́:gə] *f.* 〔속어〕 매질, 구타.
bägern [bɛ́:gərn] *t.* 괴롭히다, 못살게 굴다.
Bagger [bágər] 《ndl.》 *m.* -s, - ① 굴삭기; 준

설된 진흙. ②〖배구〗언더 토스. ③굴삭 인부.
Baggerer [bágərər] *m.* -s, - 굴삭기 기사.
Bagger≈führer *m.* 굴삭기 기사. **~maschine** *f.* 굴삭기.
baggern [bágərn] *t.* ①(굴삭기로) 파올리다. ②〖배구〗(볼을) 건어올리다.
Bagger≈netz *n.* (물 밑의 것을 끌어올리는) 준설망. **~prahm** *m.*, **~schiff** *n.* 준설선. **~schlag** *m.* 〖배구〗 언더 토스.
Bagno [bánjo] 《it.》 *n./m.* -s, -s/..gni ①(옛 Konstantinopel 의 목욕장 내에 있던) 갤리선 노예 옥사. ②(옛 이탈리아·프랑스의) 중죄인 감옥.
Baguette [bagέt] 《frz.》 *f.* -n 바게트빵.
bah [ba:] *int.* ↑ ba, pah.
bäh [bɛ:] *int.* ↑ bä.
Bahai [bahaí:] *m.* -, -(s) 바하이 교도.
Bahaismus [..ísmus] *m.* 바하이교.
Bahamaer, Bahamer [..maər, ..mər] *m.* -s 바하마인.
Bahama·inseln *pl.* 바하마 군도.
bahamaisch, bahamisch [..maɪʃ, ..mɪʃ] *a.* 바하마의.
Bahamas [bahá:mas] *pl.* 바하마 군도.
Bäh(e)≈lappen *m.* 찜질용 헝겊. **~mittel** *n.* 찜질 도구.
bähen[1] [bέ:ən] *t.* ①불에 쬐어 부드럽게 하다; (식물을) 속성 재배하다. ②〖醫〗 찜질 하다.
bähen[2] [bέ:ən] *i.*(h.) (양이) 울다.
***Bahn** [ba:n] *f.* -en ①길, 통로; 궤도: ~ brechen 길을 열다, 〔비유〕개척하다; sich³ ~ brechen 활로를 개척하다, 관철하다; reine ~ machen 모든 장애를 제거하다; auf der ~ sein 진행 중이다; auf der rechten ~ sein 바른 길에 있다, 정도를 걷다; et. auf die ~ bringen a) 무엇을 화제로 삼다, b) 무엇을 진행〔야기〕시키다; auf die schiefe ~ geraten〔kommen〕 탈선하다, 그릇된 길에 빠지다; sich auf schiefer ~ befinden (상황이) 기울다, 어긋나다, (정신이) 비뚤어져 있다; jn. aus der ~ bringen〔werfen, schleudern〕 누구를 상도에서 벗어나게 하다; freie ~ haben 모든 난관을 극복하여 자유롭다; jn. in die richtigen ~en lenken 누구를 올바른 길로 이끌다; jm. die ~ ebnen 누구를 위하여 난관을 제거하다; sich in neuen ~en bewegen 과거와 전혀 다르게 행동하다, 전혀 새로운 수단을 사용하다. ②빙상로; 썰매길; 독일식 볼링장; 마술(馬術) 연습장; 마장, 경마장; 〖육상〗 트랙, 코스; 〔비유〕인생 행로, 경력, 이력. ③철도; 전차; auf〔mit〕 der ~ fahren 기차로 여행하다; per ~ schicken 철도편으로 보내다. ④〖天〗(천체의) 궤도; 〖物〗 탄도. ⑤(모루·쇠망치의) 활면(滑面), 사용면. ⑥(직물 등의) 일정한 폭: das Kleid hat vier ~(en) 이 옷은 네 폭이다.
bahn≈amtlich *a.* 철도 당국의〔에 의한〕. **~anlage** *f.* 철도 (시설). **~anschluß** *m.* ①철도가 닿음. ②기차의 연결. **~arbeiter** *m.* 철도 노동자. **~aufseher** *m.* 선로 감독. **~bau** *m.* 철도 공사. **~beamte*** *der* 철도 직원. **~beförderung** *f.* 철도 운송. **~betrieb** *m.* 철도 경영. **~brechend** *a.* 획기적인, 신천지를 개척하는. **~brecher** *m.* 개척자, 선구자, 창시자. **~brücke** *f.* 철교. **~bus** *m.* 국영 버스. **~damm** *m.* 철둑. **~eigen** *a.* 철도에 속하는.
bahnen [bá:nən] *t.* 길을 내다〔닦다〕; 〔비유〕 장애를〔곤란을〕 제거하다: sich³ einen Weg durchs Gedränge ~ 군중을 헤치고 나가다; sich³ den Weg ~ 출세하다.
bahnen·weise *adv.* 〖商〗(직물 거래에서) 폭으로(↑ Bahn ⑥).
Bahn≈fahrt *f.* 기차 여행. **~frei** *a.* 〖商〗 기차 운임 무료의, 운송료 없이. **~geleise** *n.* ↑ ~gleis. **~gleis** *n.* 선로. **~häuschen** *n.* 선로 건널목지기의 작은 집.
***Bahn≈hof** [bá:nho:f] *m.* 정거장, 기차역: in den ~ einfahren 역 구내로 진입하다; jn. vom ~ abholen 누구를 역에서 마중하다; (immer) nur ~ verstehen 전혀 이해하지 못하다, 이해하려 하지 않다, 전혀 관심 밖이다(1차 대전중 군인들 관심사가 제대·귀향 뿐인데서 유래). **~buffet** *n.* (schweiz.) 역 구내 식당.
Bahnhofs≈buch·handlung *f.* 역 구내 서점. **~buffet** *n.* 역 구내 식당. **~direktor** *m.* 역장. **~halle** *f.* 역의 홀. **~mission** *f.* (여행자들을 위한) 역전 선교 봉사단. **~vorstand** *m.*, **~vorsteher** *m.* 역장. **~wirtschaft** *f.* 역 구내 식당.
..bahnig *suf.* "…폭의"의 뜻(보기: breit~ 폭이 넓은; zwei~ 두 폭의).
Bahn≈körper *m.* 철도 노반(路盤), 철로. **~kreuzung** *f.* 철도의 교차. **~lagernd** *a.* 〖商〗 역 유치(留置)의 (화물). **~linie** *f.* 철도 구간〔노선〕. **~meister** *m.* 선로 감독. **~meister·wagen** *m.* 보선용 손수레, 트롤리. **~netz** *n.* 철도망. **~polizei** *f.* 철도 경찰. **~post** *f.* 철도 우편; 열차 내 우편물 취급소. **~räumer** *m.* (기관차 앞에 붙인) 배장기(排障器). **~schranke** *f.* (건널목) 차단기. **~schutz** *m.* 보선(保線). **~schwelle** *f.* 침목(枕木). **~station** *f.* 역. **~steig** *m.* 승강장, 플랫폼.
Bahnsteig≈kante *f.* 승강장 모서리. **~karte** *f.* 입장권. **~sperre** *f.* 개찰구. **~wagen** *m.* 플랫폼 차〔수레〕.
Bahn≈strecke *f.* 선로 구간. **~übergang** *m.* (철도의) 건널목.
Bahnung [bá:nʊŋ] *f.* -en 길내기, 소통; 편리화; 〖醫〗 개로(開路).
Bahn≈wärter *m.* 건널목지기. **~zeit** *f.* 철도 시각, 표준시. **~zug** *m.* 열차.
Bahöl [bahǿ:l] *m.* -s (öst.) 〔구어〕 야단법석, 소동.
Bahrein [baráɪn, bax..] *n.* -s 바레인.
Bahreiner [..nər] *m.* -s 바레인 사람.
bahreinisch [..nɪʃ] *a.* 바레인(사람)의.
Bahre [bá:rə] 《..bar, „tragend"》 *f.* -n 들것; 관대(棺臺): von der Wiege bis zur ~ 요람에서 무덤까지.
Bahr≈gericht [bá:r..] *n.* 중세 신명(神明) 재판의 하나(살인자가 관에 근접하면 그 시체에서 다시 피가 나온다는 신앙에서). **~tuch** *n.* 관포(棺布), 구의(柩衣).
Baht [ba:t] *m.* -, -s 바트(태국의 화폐 단위).
Bähung [bέ:ʊŋ] 《<bähen[1]》 *f.* -en ①〖醫〗 찜질 (요법). ②찜질 도구.
***Bai** [bai] *f.* -en 만(灣), 후미.
Baier [báɪər] *m.* -n, -n 〖언어〗 바이에른 사투리를 쓰는 사람.
Baikal [báɪkal, baikál] *m.* -(s) 바이칼호.
Baikal·see *m.* 바이칼호.

B

Baikonur (russ.) 바이코누르(아랄해 북동쪽의 로켓 발사 기지).
Bairiki 바이리키(키리바티의 수도).
bairisch [báırıʃ] 《<Bayern》 *a.* 바이에른 방언의.
Bai·salz *n.* 바다 소금.
Baiser [bɛzé:] 《frz.》 *m./n.* -s, -s 슈크림.
Baisse [bɛ́:sə] 《frz.》 *f.* -n 〖商〗 증권 시세〔물가〕의 급격한 하락; 불황, 불경기: auf die ~ spekulieren 시세 하락을 예견하여 투기하다.
Baissier [bɛsié:] *m.* -s, -〖商〗 시세 하락을 예견하고 파는 사람.
Bajadere [bajadé:rə] 《port.》 *f.* -n 인도 사원의 무희.
Bajazzo [bajátso] 《it.》 *m.* -s, - ① (이탈리아 민중극의) 어릿광대. ② 바야조(레온카발로(Leoncavallo)의 오페라 제목).
Bajonett [bajonɛ́t] 《frz.》 *n.* -(e)s, -e 〖軍〗 총검: das ~ aufpflanzen 총검을 꽂다; mit gefälltem ~ 차려총 자세로. **~angriff** *m.* 총검 돌격. **~fassung** *f.* 플러그 소켓. **~fechten** *n.* 총검술.
bajonettieren [bajonɛtí:rən] *t./i.* (h.) 총에 총검을 꽂다; 총검으로 싸우다〔찌르다〕.
Bajonett·verschluß *m.* 〖工〗 나선식 장착.
Bajuware [bajuvá:rə] *m.* -n, -n 〔고어〕 바이에른 사람.
bajuwarisch [..rıʃ] *a.* 〔고어〕 바이에른의.
Bakchos [bákçɔs] *m.* ↑ Bacchus.
Bake [bá:kə] 《ndd.》 *f.* -n ①〖海〗 항로 표시. ②〖空〗 활주로 표시등. ③〖교통〗 (a) 건널목 예고 표시. (b) 고속도로 출구로 표시. (c) 좁은 길〔장애물〕 예고 표시. ④〖측량〗 표시 기둥.
Bakel [bá:kəl] 《lat.》 *m.* -s, -〔고어〕 막대기; (교사의) 회초리.
Bakelit [bakəlí:t, ..lít] *n.* -s, -e 합성 수지.
Bakelite *n.* -s, - ↑ Bakelit.
baken *t./i.* (h.) 〖海〗 (ndd.) 항로 표지를 설치하다: einen Weg ~ 길에 예고판을 설치하다.
Baken≠boje *f.* 〖海〗 부표(浮標). **~geld** *n.* 항로 표지 유지세. **~tonne** *f.* ↑ ~boje.
Bakkalaureat [bakalaureá:t] 《lat.》 *n.* -s, -e (프랑스·영국·미국의) 학사 학위; (프랑스의) 대학 입학 자격시험.
Bakkalaureus [..láureus] *m.* -s, ..rei ① 학사: Baccalaureus Artum 문학사. ②〖史〗 (기사 서임 또는 사제 서품을 앞둔) 젊은 귀족.
Bakkarat [bákara(t), bakará] 《frz.》 *n.* -s 카드놀이의 일종.
Bakken [bákən] *m.* -(s) 〖스키〗 점프대.
Bakonyer [bakó:niər] 《ung.》 *m.* -s, - 살찐 돼지.
Bakschisch [bákʃıʃ] 《pers.》 *n.* -s, -e ① 팁. ② 뇌물.
Bakteriämie [bakteriɛmí:] 《gr.》 *f.* -n 〖醫〗 패혈증.
***Bakterie** [bakté:riə] 《gr.》 *f.* -n 박테리아.
bakteriell [..teriɛ́l] *a.* 세균(성)의.
Bakterien≠filter *m.* 세균 여과기. **~träger** *m.* 보균자. **≈beständig** *a.* 항균성의.
Bakteriologe [..ló:gə] *m.* -n, -n 세균학자.
Bakteriologie [..gí:] *f.* 세균학.
bakteriologisch [..ló:gıʃ] *a.* 세균학의.
Bakteriophage [..fá:gə] 《gr.》 *m.* -n, -n 〖生〗 박테리오파지(박테리아를 파괴하는 바이러스 모양의 미생물).
Bakteriose [..rió:zə] *f.* -n 〖植〗 세균성 병.
Bakterium [bakté:riʊm] *n.* -s, ..rien 박테리아.
bakterizid [..teritsí:t] *a.* 살균성의.
Bakterizid *n.* -(e)s, -e [..də] 살균제.
Baku [bá:ku:, bakú:] 바쿠(아제르바이잔 공화국의 수도).
Bakulometrie 《gr.》 *f.* 막대기 측량.
Balalaika [balaláıka] 《russ.》 *f.* -s 발랄라이카(러시아 민속 악기로 3현금(絃琴)).
Bä·lamm *n.* 〔아동〕 어린 양, 아기 양.
Balance [balã́:s(ə), ..láŋsə] 《frz.》 *f.* -n ① 균형, 평형, 침착성: die ~ halten〔verlieren〕 균형을 유지하다〔잃다〕; jn. aus der ~ bringen 누구의 침착성을 잃게 하다, 화나게 하다. ②〖商〗 (대차의) 잔액; 〖海〗 적하 송장(積荷送狀). ③〔방언〕 (옷의) 가장자리 장식.
Balancé [balãsé:] 《frz.》 *n.* -s, -s [..sé:s] (발레의) 평형 스텝, 밸런스.
Balance·akt *m.* (줄타기와 같은) 균형을 유지하는 동작(행위).
Balancier [balãsié:, balaŋsié:] *m.* -s, - 저울대; (증기 기관의) 평형봉; (시계의) 평형 바퀴.
balancieren [..sí:rən, ..laŋ..] 《I》 *i.* (h.) 균형을 유지하다: der Etat balanciert 예산이 (수입·지출의) 균형을 이룬다. 《II》 *t.* 균형을 잡다, 균형을 이루게 하다: einen Ball (auf einem Finger) ~ (손가락 위에서) 공의 균형을 잡다.
Balancier-(dampf)maschine *f.* 평형봉이 달린 증기 기관, 빔 기관. **~presse** *f.* (종이·가죽을 자르는) 압천기(壓穿器). **~stange** *f.* (줄타기에 쓰이는) 평형봉.
Balata [bála:ta, balá:ta] *f.* 밸러터 고무.
Balatum [bálatʊm] *n.* -s (밸러터 고무를 입힌) 바닥 깔개.
Balbier [balbí:r] *m.* -s, -e 〔방언〕 이발사.
balbieren [..rən] *t.* 〔방언〕 이발〔면도〕하다: 〔구어〕 jn. über den Löffel ~ 누구를 속이다.
Balboa [balbó:a] *m.* -(s), -(s) 발보아(파나마의 화폐 단위; 에스파냐의 탐험가 이름에서).
***bald** [balt] *adv.* ① 곧, 금방: ich komme ~ wieder 곧 다시오겠다; möglichst〔tunlichst〕 ~, so ~ als〔wie〕 möglich 가능한 한 빨리; ~ darauf〔danach〕 그 후 금방. ② 쉽게, 쉽사리: ~ gesagt, schwer getan 그것은 말하기는 쉽지만 행하기는 어렵다; das ist nicht so ~ getan 그것은 그렇게 쉽사리 되지 않는다. ③ 거의, 하마터면: ich wäre ~ gestorben 나는 거의 죽을 뻔했다; ich hätte ~ etwas gesagt 나는 하마터면 심한〔무례한〕 말을 할 뻔했다. ④ 빨리: (all)zu ~ 재빨리, 신속하게; wie ~ die Zeit hingeht! 세월이 참 빠르기도 하구나! ⑤ ~ ..., ~ ... 또는 … 또는 …, 때로는 … 때로는 …; ~ dies, ~ das 혹은 이것 혹은 저것; ~ lachte, ~ weinte sie vor Freude 그녀는 기쁜 나머지 울다가 웃다가 했다.
Baldachin [báldaxi:n] 《it.》 *m.* -s, -e ① (옥좌·침대 장식용) 용개(龍蓋), 천개(天蓋). ② (행렬시 성체나 주교 위에 드리우는) 이동식 천개. ③〖건축〗 (a) 제단 장식용 천개. (b) 입상·설교단 위의 차양.
baldachinartig *a.* 천개 모양의.
balde [báldə] *adv.* ↑ bald.

Bälde [bɛ́ldə] *f.* in ~ 금방, 머지않아.
Balder [báldər] *m.* ↑ Baldr.
baldig [báldɪɡ] *a.* 〖부가어로만〗 머지 않은, 눈앞의, 금방 있을: auf ~es Wiedersehen! 곧 다시 뵙겠습니다!
baldigst [báldɪçst] 〖최상급〗 *adv.* 될 수 있는 대로 빨리.
bald·möglichst [báltmǿːklɪçst] *adv.* 될 수 있는 대로 빨리.
Baldower [baldóːvər] 《hebr.》 *m.* -s, - 〖은어〗 사기꾼; 훔칠 기회를 엿보는 놈, 도적.
baldowern [baldóːvərn] *t.* 〖은어〗 (훔칠 기회를) 엿보다, 정탐하다.
Baldr [báldər] *m.* (고대 게르만 신화의) 빛[봄]의 신.
Baldrian [báldriaːn] 《lat.》 *m.* -s, -e ① 〚植〛 쥐오줌풀. ② 쥐오줌풀 추출물[액].
Baldrian≠tee *m.* 쥐오줌풀 차. **~tinktur** *f.* 쥐오줌풀 기름으로 만든 약제. **~tropfen** *pl.* (쥐오줌풀 기름과 알코올로 만든) 안정제. **~wurzel** *f.* 쥐오줌풀 뿌리.
bald·tunlichst [bálttúːnlɪçst] *adv.* ↑ baldmöglichst.
Baldur [báldur] *m.* ↑ Baldr.
Balearen [baleáːrən] *pl.* 발레레안 군도.
Balester [balɛ́stər] 《it.》 *m.* -s, - 석궁(石弓).
*__Balg__[1] [balk] *m.* -(e)s, Bälge ① (a) (콩의) 꼬투리, 깍지; (벼과 식물의) 이삭; 〚生〛 포낭(胞囊); 〚醫〛 낭포, (혀의) 소포(小胞). (b) (동물의) 가죽, 모피, 껍데기; (뱀의) 허물: einem Tier den ~ abziehen 동물의 가죽을 벗기다. (c) 〖구어〗 (사람의) 피부, 배, 몸: jm. den ~ streicheln 누구에게 아첨하다; jm. auf den ~ rücken 누구에게 바짝 다가가다; jn. den ~ abziehen 누구를 이용해[속여]먹다. ② (a) 풀무; (오르간의) 송풍기. (b) (사진기의) 주름상자. (c) 〚철도〛 (주름상자처럼 생긴) 차량 연결 부분. ③ 박제 동물; (인형의) 몸통.
Balg[2] *n./m.* -(e)s, Bälge/Bälger 〖구어〗 말썽꾸러기, 장난꾸러기; 말괄량이; 창녀.
Balg·deckel *m.* 풀무의 뚜껑. **~drüse** *f.* 〚해부〛 낭상선(囊狀腺); 혀의 소포.
Balge [bálɡə] 《frz.》 *f.* -n ① (밀물로 인해 생기는) 얕은 웅덩이, 수로. ② (ndd.) 통, 대야. ③ 배수거(渠). ④ 작은[얕은] 만(灣).
Balgen [bálɡən] *m.* -s, - ↑ Balg[1] ② (b).
balgen 《Balg[1]》《Ⅰ》 *t.* ① 부풀게 하다. ② (짐승의) 가죽을 벗기다. ③ 〖방언〗 꾸짖다, 욕하다. 《Ⅱ》 *refl.* sich ~ ① 탈피하다. ② (mit jm.) 드잡이하다, (맞잡고) 싸우다: die Kinder balgten sich (um das Spielzeug) 아이들은 (장난감을 가지려고) 서로 붙잡고 싸웠다.
Balgen·kamera *f.* 주름상자가 달린 카메라.
Balger *m.* -s, - 맞잡고 싸우는 사람, 싸움꾼.
Balgerei [balɡəráɪ] *f.* -en 싸움, 드잡이, 격투.
Bälge·treter [bɛ́lɡə..] *m.* ① (오르간의) 송풍 페달 밟는 사람. ② 조수, 시다.
Balg≠frucht *f.* 〚植〛 영과(穎果), 대과(袋果). **~beschwulst** *f.* 〚醫〛 포낭 종양(包囊腫瘍). **~haare** *pl.* 짐승털. **~kapsel** *f.* 〚植〛 골돌(蓇葖). **~treter** *m.* ↑ Bälgetreter.
balhornisieren [balhɔrnizíːrən] *t.* 개량하려다 도리어 개악하다(16 세기의 인쇄업자 Balhorn 의 고사에서).
Bali [báːli] 발리섬.
Balinese [balinéːzə] *m.* -n, -n 발리섬 사람.
balinesisch [..zɪʃ] *a.* 발리섬의.
Balje [báljə] *f.* -n ↑ Balge.
Balkan [bálka(ː)n, balkáːn] 《türk., „Gebirge"》 *m.* 발칸 산맥; 발칸 반도.
balkanisch *a.* 발칸 산맥의, 발칸 반도의.
balkanisieren [bəlkanizíːrən] *t.* 발칸 반도화하다(소국으로 분열시켜 분쟁을 일으키다).
Balkanisierung [..ruŋ] *f.* 발칸 반도화.
Balkan·krieg [bálka(ː)n..] *m.* 발칸 전쟁.
Balkanologe [balkanolóːɡə] *m.* -n, -n 발칸 어문학자.
Balkanologie [..loɡíː] *f.* 발칸 어문학.
Balkan·staaten *pl.* 발칸의 여러 나라.
Bälkchen [bɛ́lkçən] *n.* -s, - 〖↑ Balken 의 축소형〗 ① 작은 들보[도리]. ② 〚해부〛 소량(小梁).
*__Balken__ [bálkən] *m.* -s, - ① 〚건축〛 각목; 들보; 도리: ein tragender ~ 대들보; 〖속담〗 das Wasser hat keine ~ 물에 다리 없느니라 (군자는 위험한 곳에 가지 않는다); 〖구어〗 er lügt, daß die ~ biegen 그는 터무니없는 거짓말을 한다. ② (쟁기의) 성에; (천칭의) 저울대; 평균대. ③ (문장(紋章)을 장식하는) 가운데 띠: roter ~ im weißen Feld 흰 바탕에 붉은 띠. ④ 〚해부〛 ~ des Gehirns 뇌량(腦梁). ⑤ 〚農〛 쟁기질한 가느다란 골. ⑥ 〚음악〛 여러 음표를 결합하는 선; 기러기발. ⑦ 고미다락.
bälken 《Ⅰ》 *t.* 대들보를 올리다. 《Ⅱ》 *i.* (h.) 〚農〛 이랑과 이랑 사이에 골을 만들다.
Balken≠anker *m.* 〚건축〛 (대들보를 연결하는) 꺾쇠, 거멀못. **~brücke** *f.* 항교(桁橋). **~decke** *f.* 각재(角材)로 짠 평평한 천장. **~eisen** *n.* 〚광물〛 운철(隕鐵)의 성분(Kamazit). **~gerüst** *n.* 비계. **~holz** *n.* 각재, 통나무, 목재. **~kantig** *a.* 네모 반듯한 모양의. **~keller** *m.* Balkendecke 가 있는 지하실. **~konstruktion** *f.* 건물의 뼈대. **~kopf** *m.* (돌출한) 보뺄목; 보뺄목의 장식. **~lage** *f.* 들보의 짜맞춤. **~schröter** *m.* 〚動〛 하늘가재. **~stein** *m.* 〚건축〛 소용돌이 모양의 까치발. **~überschrift** *f.* 신문의 큰 표제. **~waage** *f.* 천칭. **~werk** *n.* 들보 짜임새, 들보 구조물.
*__Balkon__ [balkɔ́ŋ, ..kɔ̃ː] *m.* -s, -e/-s [..kɔ̃ːs] ① 〚건축〛 발코니, 노대. ② (극장의) 2 층 관람석. ③ 〖속어〗 풍만한 젖가슴: die hat aber einen tollen ~ 그 여자 젖가슴은 끝내준다.
Balkon≠fenster *n.* 발코니의 창. **~loge** *f.* (극장의) 2 층 특별석. **~möbel** *n.* 발코니용 가구. **~pflanze** *f.* 발코니용 식물. **~säule** *f.* ↑ ~träger. **~träger** *m.* 발코니를 떠받치는 기둥. **~zimmer** *n.* 발코니가 있는 방.
*__Ball__[1] [bal] *m.* -(e)s, Bälle ① 공, 볼: ~ spielen 공놀이를 하다; am ~ bleiben [spielen] 자신에게 이익이 되는 일을 계속 추구하다; jm. die Bälle zuwerfen[zuspielen] 대화에서 누구를 교묘하게 옹호하다. ② 당구공: einen ~ machen 공을 포켓에 쳐 넣다. ③ 공 모양의 것(눈송이·총알·둥근 과일, 열매·천체 따위). ④ 〚구기〛 점수, 득점.
*__Ball__[2] [bal] 《frz.》 *m.* -(e)s, Bälle 무도회: auf den ~ [zu ~] gehen 무도회에 가다; einen ~ geben 무도회를 열다.

B

Ball³ 《<bellen》 *m.* -(e)s, Bälle 〖사냥〗 사냥개가 짖는 소리.

Ball≈abend *m.* 무도회 저녁(파티). **~abgabe** *f.* 〖스포츠〗 볼 패스.

***Ballade** [balá:də] 《engl.》 *f.* -n ①〖문학〗 담시(譚詩), 발라드. ②〖음악〗 발라드곡.

balladenhaft *a.* 담시풍의.

Balladen·stoff *m.* 담시의 소재.

balladesk [baladέsk] *a.* 담시풍의.

Ballad-opera, Ballad Opera [bǽləd ɔpərə] 《engl.》 *f.* 영국의 민속 뮤지컬.

Ball·annahme *f.* -n 〖스포츠〗 공 받기.

Ball·anzug *m.* (남자용) 무도복.

Ballas(rubin) [bálas(..)] *m.* 홍보석의 일종.

***Ballast** [bálast, balást] 《ndd.》 *m.* -es, -e 〖海〗 바닥짐(배의 안정을 위하여 밑바닥에 싣는 모래·돌 따위); 〔비유〕 필요 없는 짐; (신문·잡지의) 여백을 채울 기사: jn. als ~ empfinden 누구를 거추장스럽게 여기다.

ballasten [bálastən] *t.* ein Schiff ~ 배에 바닥짐을 싣다.

Ballast≈ladung *f.* 바닥짐. **~schiff** *n.* 바닥짐 운반용 종선(從船). **~stoffe** *pl.* 〖醫〗 섬유질(음식물의 소화가 잘 안되는 물질). **~widerstand** *f.* 〖전기〗 고정 저항.

Ballawatsch [bálavatʃ] *m.* -(e)s, -e (öst.) ① 뒤죽박죽, 혼란; 바보 짓. ② 실패자.

Ball·behandlung *f.* 〖스포츠〗 공 다루기.

***Bällchen** [bέlçən] *n.* -s, - ①〖↑ Ball¹ 의 축소형〗 작은 공; 작은 무도회. ②〖↑ Ballen 의 축소형〗〖商〗 (포장한) 작은 짐짝, 작은 상자.

Bällchen·atlas *m.* (하등품의) 공단(貢緞).

Ballei [balái] 《lat.》 *f.* -en 기사단의 영지.

Ball·eisen *n.* 〖工〗 (날이 비스듬한) 끌, 정.

***ballen** [bálən] 《I》 *t.* ① 구형(球形)으로 만들다, 둥글게 하다: die (Hand zur) Faust ~ 주먹을 쥐다; Schnee ~ 눈을 둥글게 뭉치다. 《II》 *refl.* sich ~ 구형(球形)으로 되다, 둥글게 되다〔뭉치다〕: der Schnee ballt sich 눈이 둥글게 뭉쳐진다. 《III》 *i.* (h.) 공놀이하다. 《IV》 **geballt** *p.a.* ↑ geballt.

***Ballen** *m.* -s, - ① 공, 볼. ② (손·발가락의) 엄지가락 뿌리의 불룩한 부분; 〖해부〗 무지구(拇指球); (동물의) 발꿈치, 곳방울: auf den ~ gehen 발 끝으로 걷다. ③〖검도〗 (검술용 칼끝의 가죽으로 된) 구(球), (둥글게 뭉쳐진) 가죽 뭉치. ④〖商〗 **(a)** 짐꾸러미: ein ~ Baumwolle 솜 한 꾸러미. **(b)** (종이·피륙의) 상품 수량의 단위(보기: ein ~ Papier =10 Ries); (피륙의) 두루마리. ⑤ 대패의 손잡이; 〖印·고어〗 인주 방망이. ⑥〖醫〗 중족골 안쪽의 경화.

Ballen≈binder *m.* 짐꾸리는 사람. **~blume** *f.* 〖건축〗 화구(花球) 장식(주로 영국의 고딕 건축에서 사용됨). **~degen** *m.* 끝에 가죽 뭉치가 달린 시합용 칼. **~eisen** *n.* ↑ Balleisen. **~gicht** *f.* 〖醫〗 손바닥〔발바닥〕의 통풍(痛風). **~gut** *m.* 포장 화물. **~kreuz** *n.* 〖紋〗 네 끝이 둥근 십자가. **~stück** *n.* 소의 허벅다리살. **~waren** *pl.* 포장된 화물. **~weise** *adv.* (짐을) 포장하여, 봇짐을 꾸려서.

Baller [bálər] 《<ballen》 *m.* -s, - 공놀이하는 사람, 구기 선수.

Baller·büchse 《<ballern¹》 *f.* (장난감) 총.

Ballerei *f.* 〔구어〕 총을 마구 쏨, 난사.

Ballerina [balərí:na, bale..] 《it.》 *f.* ..nen 발레리나, 여성 무용수, 무희.

Ballerine [balərí:nə] *f.* -n ↑ Ballerina.

Ballermann *m.* -(e)s, -er 〔구어〕 연발권총.

ballern¹ [bálərn] *i.* (h.) 〔구어〕 ① 떠들다, 소란을 피우다. ② 마구 쏘아대다, (총포가) 쾅하고 울리다. ③ 세게 던지다.

ballern² *i.* (h.) ①〔구어〕 공놀이하다. ②〖축구〗 (공을) 아무렇게나 차다, 마구 슛하다.

bällern *i.* (h.) ↑ ballern¹.

Balleron *m.* -s, -s (schweiz.) 굵은 소시지.

ballestern [balέstərn] *i.* (h.) (öst.) 〔경박〕 공놀이하다.

***Ballett** [balέt] 《frz.》 *n.* -(e)s, -e 발레; 발레단; 발레곡: ein klassisches ~ 고전 발레; das ~ ist gerade auf Tournee 그 발레단은 지금 순회 공연 중이다.

Ballettänzer *m.* -s, - 발레 무용가.

Ballettänzerin *f.* -nen 발레리나.

Balletteuse [balɛtǿ:zə] 《frz.》 *f.* -n ↑ Ballettänzerin.

Ballett≈koprs [..ko:r] *n.* (주역 발레리나를 제외한) 발레단. **~kunst** *f.* 발레 예술. **~meister** *m.* 발레의 대가〔주역〕, 발레 감독. **~musik** *f.* 발레 음악. **~röckchen** *n.* 발레용 짧는 스커트. **~tänzer** *m.* ↑ Ballettänzer. **~theater** *n.* 발레극, 무용극. **~truppe** *f.* 발레단.

Ball·fest *n.* 무도회.

ball·förmig *a.* 구형의, 공 모양의.

Ball≈führung *f.* 볼 드리블링, 공몰이. **~gast** *m.* 무도회의 손님. **~geber** *m.* 무도회 주최자. **~gefühl** *n.* 볼 (다루는) 감각. **~haus** *n.* ① 무도장. ② (옛날 궁정 등의) 실내 구기장.

Ballhaus·platz *m.* ① 발하우스 광장(Wien의 도심에 있는 광장 이름). ② 오스트리아의 외무부(발하우스 광장에 있음).

Ball≈hof *m.* 테니스 코트. **~holz** *n.* ① (크리켓의) 배트. ② ↑ ~netz.

ballhornisieren *t.* ↑ balhornisieren.

ballig [báliç] *a.* 공 모양의: 〖工〗 ~ drehen 선반(旋盤)으로 깎아 공 모양으로 만들다.

Balliste [balístə] 《lat.; gr. báallein, „werfen"》 *f.* -n (고대 로마의) 투석기, 노포(弩砲).

Ballistik [balístɪk] *f.* 〖軍〗 탄도학(彈道學).

Ballistiker [..tikər] *m.* 탄도학자.

ballistisch *a.* 탄도(학)의: ~e Kurve 탄도 곡선; ~es Pendel 탄동(彈動) 진자(총알 속도 측정 장치); ~er Flugkörper 탄도 비행체.

Ball≈junge *m.* (테니스의) 볼 보이. **~kelle** *f.* ↑ ~holz. **~kind** *n.* ↑ ~junge.

Ball≈kleid *n.* 무도복. **~königin** *f.* 무도회의 여왕. **~mäßig** *a.* 무용 준비를 한, 무용에 적당한. **~mutter** *f.* 무도회에서 상류층 처녀를 돌보는 부인(샤프롱). **~nacht** *f.* 무도회의 밤.

Ball·netz *n.* ①〖테니스〗 네트. ② (볼을 담는) 그물 자루. ③ 기구에 씌우는 망.

Ballokal 《<Ball²》 *n.* -(e)s, -e 무도장, 댄스홀.

***Ballon** [balɔ̃ŋ, ..lɔ̃:, ..ló:n] 《frz.》 *m.* -s, -e [..ló:nə]/-s [..lɔ̃:s] ① 기구(氣球); 풍선. ② 바구니에 넣은 큰 병(산류(酸類)를 담음). ③〖농담〗 (큰) 머리, (붉은) 얼굴: solch einen ~ bekommen 부끄러워〔화나서〕 얼굴이 빨개지

다. ④ (바람으로 부풀어오르는) 요트 앞쪽의 돛.
Ballon d'essai [balɔ̃: dɛsɛ́:] ⟪frz.⟫ *m.* ① 풍향 시험용 기구. ②〔비유〕 염탐, 타진.
Ballonett [balonɛ́t] ⟪frz.⟫ *n.* -(e)s, -e (기구·비행선의) 바람주머니.
Ballon≈fahrer *m.* 기구(氣球) 조종사. **~fahrt** *f.* 기구 비행. **~führer** *m.* 기구 조종사. **~halle** *f.* (기구의) 격납고. **~hülle** *f.* (기구의) 바람주머니. **~klüver** *m.* 〖海〗 (바람이 약할 때 사용하는) 3 각형의 대형 엷은 돛. **~mütze** *f.* (정육점의) 높고 둥근 모자. **~netz** *n.* 바람주머니를 감싸는 망. **~reifen** *m.* (자동차의) 벌룬타이어, 저압(低壓) 타이어. **~sperre** *f.* 기구에 의한 공중 봉쇄〔차단〕. **~stoff** *m.* 바람주머니의 재료.
Ballot[1] [baló:] ⟪frz.⟫ *n.* -s, -s 〖商〗 작은 짐짝.
Ballot[2] [bǽlət] ⟪engl.⟫ *n.* -s, -s (영·미의) 비밀〔무기명〕 투표.
Ballotade [..tá:də] *f.* -n 〖경마〗 도약.
Ballotage [balotá:ʒə] ⟪engl.⟫ *f.* (흑·백의) 공에 의한 비밀 투표.
ballotieren *i.* (h.) / *t.* (흑·백의) 공으로 투표하다: jn. hinaus ~ 누구에게 반대 투표를 하다.
Ball·rose *f.* 〖植〗 (Schneeball) 까마귀밥나무.
Ball·saal *m.* 무도장, 댄스 홀.
Ball≈schläger *m.* ↑ ~spieler. **~schlegel** *m.* (크리켓의) 배트.
Ball·schuhe *pl.* 무용화, 무도화(舞蹈靴).
ball·sicher *a.* 볼〔공〕을 능숙하게 다루는.
Ball≈spiel *n.* ① 공놀이. ② 구기(球技). **~spielen** *n.* ↑ ~spiel ①. **~spieler** *m.* 구기 선수. **~technik** *f.* 볼 다루는 기술. **~technisch** *a.* 볼 다루는 기술(상)의.
Ball·toilette [..toalɛtə] *f.* 무도회 드레스, 무도복.
Ballung [bálʊŋ] ⟪<ballen⟫ *f.* -en ① 공 모양으로 만들기〔되기〕; 공 모양의 것. ② 밀집. ③ 압축, 다지기.
Ballungs·gebiet *n.* 인구 밀집 지역.
Ball·wechsel *m.* 〖스포츠〗 공의 교환.
Ballyhoo [bǽlɪhu:, ..hú] ⟪engl.⟫ *n.* -/-s 떠들썩한 선전〔호객 행위〕.
Balme [bálmə] *f.* -n 〖지질〗 암굴.
Balmung [bálmʊŋ] *m.* -s (독일 영웅 전설에서) 지크프리트(Siegfried)의 칼.
Balneographie [balneografí:] ⟪lat.⟫ *f.* -n 광천지(鑛泉誌) (Bäderbeschreibung).
Balneologie *f.* 광천학(學).
Balneotherapie *f.* 광천(욕) 요법.
Bal paré [bál paré:] ⟪frz.⟫ *m.* -(s), -(s) 화려한 무도회.
Balsa[1] [bálza] *f.* -s (남아메리카 인디언의) 갈대 뗏목.
Balsa[2] ⟪sp.⟫ *n.* -s 〖植〗 발사나무.
Balsa·holz [bálza..] *n.* ↑ Balsa[2].
***Balsam** [bálza(:)m] *m.* -s, -e ① 향유(香油), 발삼(수지(樹脂)와 정유(精油)의 혼합물). ② **(a)** 진통제. **(b)**〔비유〕 위안, 위안거리: ~ für mein verwundetes Herz 나의 상처받은 마음의 위안거리.
Balsam≈apfel *m.* 〖植〗 여주. **~baum** *m.* 발삼나무. **~büchse** *f.* 향유합(香油盒). **~duft** *m.* 발삼 향기.
balsamieren [balzamí:rən] *t.* …에 향유를 바르다; (시체에) 방부 처리를 하다: sich[3] das Haar mit duftenden Ölen ~ 자신의 머리에 향유를 바르다.
Balsamierung *f.* -en (시체의) 방부 보존.
balsamig *a.* ↑ balsamisch.
Balsamine [..mí:nə] *f.* -n 〖植〗 봉선화.
balsamisch *a.* ① 발삼〔향유〕 성분을 함유한. ② 향기로운; 상쾌한, 진통 효과가 있는.
Balsam≈kraut *n.* 〖植〗 연복초, 발삼국화. **~pappel** *f.* 〖植〗 백양. **~strauch** *m.* 〖植〗 미르라(감람과). **~tanne** *f.* 〖植〗 발삼전나무.
Balte [báltə] *m.* -n, -n ① 발트해 연안의 (독일계) 주민. ② 발트해 출신의 사람.
Balten·land *n.* 발트 제국(諸國) 중의 한 나라.
Baltikum [báltikʊm] 발트해 연안 제국 (Estland, Lettland, Litauen 등).
Baltimore [báltimo:r] 볼티모어(미국의 도시).
baltisch *a.* 발트해(연안)의: das ≈e Meer 발트해; die ~en Sprachen 발트 어족.
Baluba *m.* -(s), -(s) 자이레의 반투족 사람.
Baluster [balʊ́stər] ⟪frz.⟫ *m.* -s, - 〖건축〗 난간 기둥.
Baluster·säule *f.* 〖건축〗 난간 기둥.
Balustrade [balustrá:də] *f.* -n 난간.
balustrieren *t.* …에 난간을 붙이다.
Balz [balts] *f.* -en (새나 고양이의) 교미; 교미기(期); 교미 장소: auf die ~ gehen 교미기의 새들을 사냥하러 가다.
Balzac [balzák] Honoré de ~ 발자크(프랑스의 소설가, 1799-1850).
balzen [báltsən] *i.* (h.) ① (새가) 짝을 부르다; 교미하다; (고양이가) 홀레하다. ②〖방언〗 뛰어오르다, 뒹굴다.
Balz≈ruf *m.* (새가) 짝을 부르는 소리. **~zeit** *f.* 교미기.
bam [bam] *int.* 땡땡(종소리): bim, ~, bum! 딩동댕!
BAM =Baikal-Amur-Magistrale 시베리아 철도.
Bamako *n.* -s 바마코(말리의 수도).
Bamberg 밤베르크(Bayern 주의 도시).
Bamberger [..gər] ⟪I⟫ *m.* -s, - 밤베르크 사람. ⟪II⟫ *a.* 밤베르크의.
bambergisch [..gɪʃ] *a.* 밤베르크의.
Bambi [bámbi] *n.* -s, - ①〔아동〕 어린 노루. ②〖영화〗 밤비 상(독일의 영화상).
Bambino [bambí:no] ⟪it.⟫ *n.* -s, ..ni ① 아기. ② 아기 예수의 상(像).
Bambule [bambú:lə] *f.* -n 〔다음 용법으로〕 ~ machen 죄수들이 폭동을 일으키다.
Bambus [bámbus] ⟪mal.⟫ *m.* -(ses), -se 〖植〗 대나무; 대의 줄기.
Bambuse [bambú:zə] ⟪afrik.⟫ *m.* -n, -n 〖海〗 흑인 하인; 허드렛일을 하는 선원〔배 목수〕.
Bambus≈hütte *f.* 대나무 오두막. **~kultur** *f.* 말레이 인도네시아 문화. **~rohr** *n.* 〖植〗 대나무 줄기. **~stab** *m.* 대나무 막대기. **~stock** *m.* 대나무 지팡이. **~waren** *pl.* 죽(竹)세공품. **~zucker** *m.* 죽고(竹膏), 죽황(竹黃).
Bamigoreng ⟪malai.⟫ *n.* -(s), -s (인도네시아의) 국수 요리.
Bamme, Bämme *f.* -n 버터 따위를 바른 빵 조각.
Bammel[1] [báməl] *m.* -s 〔구어〕 불안, 공포: vor jm. 〔et.[3]〕 ~ haben 누구를〔무엇을〕 두려

워하다.
Bammel[2] *f.* -n, **Bammelage** [..lá:ʒə] *f.* -n, **Bammelei** *f.* -en 술, 레이스 (장식).
bammelig *a.* 흔들거리는, 불안해하는.
bammeln[1] [báməln] 《의성어》 *i.* (h.) 〖구어〗 ① 흔들거리다: an der Decke ~ 천장에 매달려 흔들거리다. ② (종이) 울리다.
bammeln[2] *i.* (h) 불안해하다, 두려워하다: vor der Prüfung ~ 시험을 겁내다.
bämmeln *i.* (h.) 물수제비뜨다.
Bamperletsch [bámpərlɛtʃ] *m.* -(en), -(en) 〖구어〗 어린 아이.
Bams [bams] *m.* -, -e ①〖방언〗 안락 의자. ② (bayr., öst.) 어린아이.
bamsen [bámzən] *t.* 〖구어〗 (klopfen) 두드리다, 툭툭 치다.
Ban[1] [ba:n] 《sl., „Herr"》 *m.* -s, -e 반 (Kroatien 의 태수(1918 년까지; (12 세기 이래) 헝가리 남부 변경 지방의 총독).
Ban[2] *m.* -(s), Bani 바니 (루마니아의 화폐 단위).
*__banal__ [baná:l] 《frz.》 *a.* 평범〔진부·천박〕한: eine ~e Frage 시시한 질문.
banalisieren [banalizí:rən] *t.* 평범한 것으로 깎아내리다, 통속화하다.
Banalität [..tέ:t] *f.* -en 평범, 진부(한 말): seine Rede war eine Anhäufung von ~en 그의 연설은 진부하기 짝이 없었다.
Bananas·feige [baná:nas..] *f.* 〖植〗 바나나.
*__Banane__ [baná:nə] 《afrik. -port.》 *f.* -n 〖植〗 ① 바나나 (나무). ②〖비유·농담〗 헬리콥터.
Bananen≈baum *m.* 〖植〗 바나나나무. **~-faser** *f.* 마닐라삼. **~flanke** *f.* 바나나 킥. **~fresser** *m.* 〖動〗 (아프리카산(產)) 뻐꾸기의 일종. **~republik** *f.* 〖폄어〗 (바나나 수출로 생활하는) 라틴 아메리카의 소국. **~split** *n.* -s,-s 아이스크림과 크림을 얹은 바나나. **~stecker** *m.* 접촉전(栓), 콘택트 플러그.
Banat [baná:t] 《Ⅰ》 *n.* -(e)s, -e Ban[1] ② 의 관할 구역. 《Ⅱ》 바나트 (남동 유럽의 Karpathen 산맥과 Thieß 강 사이의 지방).
Banater *m.* -s 바나트 주민, 바나트(지역)의.
Banause [banáuzə] 《gr., „Handwerker"》 *m.* -n, -n 속물, 예술의 문외한.
Banausentum *n.* -(e)s 속물 근성, 무교양.
banausisch *a.* 속물 근성의, 저속한.
band [bant] ↑ binden 의 과거형.
*__Band__[1] [bant] 《<binden》 《Ⅰ》 *n.* -(e)s, Bänder [bέndər] ① 끈, 띠, 리본; 녹음 테이프: et. auf ~ aufnehmen 무엇을 테이프에 녹음하다. ② 붕대; 〖해부〗 인대. ③〖건축〗 경첩; 계재(繫材). ④ 노끈. ⑤〖工〗 바퀴, 고리; 테: laufendes ~ 컨베이어; 〖비유〗 am laufenden ~ 끊임없이, 중단없이; außer Rand und ~ 정상 궤도를 벗어난, 탈선한. ⑥ 암벽의 선반같이 내민 부분. ⑦〖전기〗 제한된 주파수대. ⑧〖광물〗 줄무늬. ⑨ 필름. 《Ⅱ》 *n.* -(e)s, -e ① 결속, 유대; 인연: ~e der Liebe 사랑의 결속; die ~e des Blutes 혈연. ② 질곡, 굴레, 속박: in Ketten und ~en 속박되어서; jn. in ~e schlagen 누구를 속박하다; in ~en liegen 속박당해 있다.
*__Band__[2] *m.* -(e)s, Bände [bέndə] ① 제본, 장정(裝幀); (책의) 표지. ② (책의) 권, 책(약어: Bd., *pl.* Bde.): darüber könnte man Bände erzählen〔schreiben〕 그것에 관해서는 할〔쓸〕 말이 너무 많다; 〖비유〗 das spricht Bände! 그것으로 모든 것이 명백하다!
Band[3] [bænd] 《engl.》 *f.* -s [..dz] 밴드, 악단, 악대.
Band·achat *m.* 〖광물〗 호마노(縞瑪瑙).
Bandage [bandá:ʒ(ə)] 《frz.》 *f.* -n ① 붕대: jm. eine ~ anlegen 누구에게 붕대를 감다. ② (기차의) 바퀴.
bandagieren [..ʒí:rən] *t.* ① …에 붕대를 감다: den Fuß ~ 발에 붕대를 감다. ② (기차에) 바퀴를 달다.
Bandagist [..ʒíst] *m.* -en -en 붕대 만드는 사람.
Bandana·druck *m.* 염색 기술의 일종(붉은 바탕에 밝은 무늬를 내는 기술).
Bandar Seri Begawan *n.* 반다르 세리 베가반(브루나이의 수도).
band≈ähnlich 《<Band[1]》 *a.* 끈〔띠〕 모양의. **~arbeit** *f.* 컨베이어 시스템 작업, 일관 작업. **~assel** *f.* 〖動〗 노래기의 일종. **~aufnahme** *f.* 테이프 녹음. **~bohrer** *m.* 〖건축〗 계재(繫材)에 구멍을 뚫는 연장〔송곳〕. **~-breite** *f.* ① 띠〔테이프〕의 폭. ②〖통신〗 주파수의 대역폭(帶域幅); 서로 다른 여러 가지의 주파수의 폭. ③〖經〗 환시세의 변동폭. ④ (활동·행동의) 여지, 폭. **~bremse** *f.* 밴드 브레이크.
Bändchen [bέntçən] *n.* -s, -/Bänderchen ↑ Band[1] 《Ⅰ》 및 Band[2] 의 축소형.
*__Bande__[1] [bándə] 《frz.》 *f.* -n ① 패거리, 일당: eine berüchtigte ~ 악명 높은 일당. ②〖法〗 범죄 단체, 폭력 조직. ③〖구어·농담〗 패거리, (아이들·젊은이의) 집단: ihr seid ja eine ~! 너희들은 그러니까 한패들이구나! ④〖폄어〗 유랑 극단. ⑤〖軍·고어〗 (빨치산의) 전투조, 소부대.
Bande[2] *f.* -n ① 당구대의 쿠션. ② (경마장·스키장의) 펜스, 울타리. ③〖物〗 (분자 스펙트럼에서) 인접 계열의 분자군(群). ④〖방직〗 (작업 실수로 인한) 줄무늬.
bände [bέndə] ↑ binden 의 접속법 Ⅱ 식.
Bandeau [bãdó:] 《frz.》 *m.* -s, -s ① 머리띠(리본). ② (지게문·창문의) 평평한 틀.
Band·eisen *n.* 쇠테(두리).
Bändel [bέndəl] *n./m.* -s, - (schweiz.) 띠, 끈: 〖비유〗 jn. am ~ haben a) 누구를 숭배자로〔애인으로〕 거느리다, b) 누구를 마음대로 조종하다; jn. am ~ herumführen 누구를 우롱하다; das Kind hing mir den ganzen Tag am ~ 그 아이는 종일 나를 졸졸 따라다녔다.
Bandelier [bandəlí:r] 《frz.》 *n.* -s, -e 〖고어〗 (어깨에 걸치는) 탄띠; 멜빵.
bandeln *i.* (h.) (südd., öst.) ① 붙이다, 접착하다; 엮다, 묶다: Felle ~ 가죽을 이어 붙이다. ② (tändeln) 희롱하다.
bändeln *i.* (h.) ↑ bandeln.
Banden≈bekämpfung *f.* 범죄 조직 소탕. **~bildung** *f.* 범죄 단체 결성. **~chef** [..ʃɛf] *m.* (범죄 조직의) 수괴, 두목. **~frei** *a.* 〖고어〗 고삐 풀린, 자유로운. **~führer** *m.* ↑ ~chef. **~krieg** *m.* 범죄 조직끼리의 무력 충돌. **~spektrum** *n.* 〖理〗 띠 스펙트럼. **~-werbung** *f.* (경기장 등의) 벽〔플래카드〕 광고.
Bänder *m.* -s, - 〖방언〗 통장이 (Faßbinder).
bände·reich *a.* (책의) 권수가 많은.

Banderilla [bandəríl̩ja, ..de..] 《sp.》 *f.* -s (작은 기를 단) 투우용의 창.
Banderillero [..rıljé:ro] *m.* -s, -s (창 가진) 투우사.
Bänder·lehre *f.* 〖해부〗 인대학(靭帶學).
bändern [bέndərn] 《<Band[1]》 *t.* ① Stoff ~ 옷감에 띠〔리본〕 무늬를 넣다. ② 띠 모양으로 만들다.
Banderole [bandəró:lə] 《frz.》 *f.* -n ①〖畫·조각〗 제사(題詞)를 적은 리본. ② 창끝에 매다는 기다란 깃발. ③ 납세필 띠(담배갑 따위에 붙이는 일종의 수입 인지).
Banderolen·steuer *f.* (띠 모양의 인지로 표시하는) 물품세; 담배세.
banderolieren [..rolí:rən] *t.* 무엇에 납세필 띠를 붙이다, 물품세를 매기다: Tabakwaren ~ 담배에 납세필 띠를 붙이다.
Bänder≈riß *m.* 〖醫〗 인대 파열. **~tanz** *m.* 기둥의 띠를 꼬았다 풀었다 하는 민속춤. **~ton** *m.* 〖지질〗 띠무늬가 있는 점토(粘土).
Bänderung [bέndəruŋ] *f.* -en (동식물·암석의) 띠 모양의 무늬.
Bänder·zerrung *f.* 〖醫〗 인대의 늘어남.
Bände·zahl *f.* 권수, 책수.
Band≈fabrik *f.* 리본 공장. **~feder** *f.* 나선형 용수철. **~filter** *m.* (라디오의) 대역(帶域) 여파기(濾波器). **~flechte** *f.* 〖植〗 소나무겨우살잇과에 속하는 이끼. **~förderer** *m.* 〖工〗 벨트 컨베이어, 피대(皮帶) 장치. **~generator** *m.* 고압 발전기. **~geschwindigkeit** *f.* 테이프〔필름〕의 회전 속도. **~gras** *n.* 〖植〗 리본초(草). **~haken** *m.* 테두르는 도구; 경첩의 고리. **~holz** *n.* 테로 쓰는 나무(버들가지 따위).
bandieren [bandí:rən] *t.* ↑ bändern.
..bändig 《<Band[2]》 *a. suf.* "…권〔책〕의"의 뜻 (보기: drei~ 3 권의).
bändig 《<Band[1]》 *a.* 〖고어〗 ① 묶인; 길들여진, 온순한; 고분고분한. ② 제정신의.
***bändigen** [bέndıgən] *t.* ① (짐승·사람을) 길들이다: ich weiß nicht, wie ich das wilde Kind ~ soll 그 거친 아이를 어떻게 길들여야 할지 난 모르겠다. ② 지배〔통제〕하다; (격정을) 억제하다: er konnte seine Wut nicht ~ 그는 분노를 억제할 수 없었다.
Bändiger *m.* -s, - 길들이는 사람; 조련사.
Bändigung *f.* -en 길들이기; 제어; 억제.
Bandit [bandí:t, ..dít] 《it.》 *m.* -en, -en ① 산적, 노상 강도, 화적. ② 청부 살인자, 자객(刺客). ③ 부랑자; 〖비유·농담〗 악당: diese Jungen sind richtige ~en 이 소년들은 정말 악동들이다.
Banditen≈führer *m.* 산적 두목. **~mord** *m.* 청부 살인. **~unwesen** *n.* 노략질, 약탈.
Band≈jaspis *m.* 〖광물〗 줄 벽옥(碧玉). **~keramik** *f.* 〖고고〗 (신석기 시대의) 띠무늬 토기 (문화). **~krämer** *m.* 황아장수.
Band·leader [bέntli:dər, bǽndli:də] *m.* -s, - 〖음악〗 (재즈 악단의) 리드 연주자.
Bändlein *n.* -s, - ↑ Bändchen.
Band≈macher 《<Band[1]》 *m.* 리본〔레이스〕 만드는 사람. **~maß** *n.* 두루마리자, 줄자. **~messer[1]** *m.* 통장이. **~messer[2]** *n.* (통의) 테를 깎는 작은 칼. **~mühle** *f.* 리본 짜는 틀 (~stuhl). **~nagel** *m.* 〖건축〗 계재(繫材)를 잇는 못. **~nudel** *f.* 띠 모양의 국수.
Bandola [bandó:la] 《sp.》 *f.* ..len 〖음악〗 반돌라(만돌린형의 악기).
Bandoneon [bandó:neɔn] *n.* -s, -s 손풍금의 일종(발명자 H. Band 에 따라).
Bandoneonist *m.* -en, -en 손풍금 연주가.
Bandonion [..niɔn] *n.* -s, -s ↑ Bandoneon.
Bandonium [..nium] *n.* -s, -s/..nien ↑ Bandoneon.
Band≈pott 《<Band[1]》 *m.* 매달아 놓고 쓰는 솥. **~reif** *m.* 테(두리). **~rolle** *f.* ↑ Banderole. **~säge** *f.* 띠톱. **~scheibe** *f.* 〖해부〗 추간판(椎間板). **~scheiben·schaden** *m.* 〖醫〗 추간판 장애. **~schleife** *f.* ① 매듭 리본. ② 〖工〗 (벨트 연마기의) 윤삭(輪索).
Bändsel [bέntsəl] *n./m.* -s, - 〖海〗 가느다란 줄.
Band≈stuhl *m.* 리본 짜는 베틀. **~tresse** *f.* (제복의) 장식끈. **~weber** *m.* 리본 짜는 직공. **~weide** *f.* 〖植〗 고리버들. **≈weise** *adv.* 책으로 만들어서. **~wirker** *m.* ↑ ~weber. **~wurm** *m.* 〖動〗 촌충; 〖비유〗 기다란 것: ein wahrer ~ von einem Satz 장황한 문장; zu Mittag gab es ~würmer 점심은 국수였다. **~wurm·befall** *m.* 촌충 감염.
Bangale [baŋgá:lə] *m.* -n, -n 방글라데시인.
bangalisch *a.* 방글라데시(인)의.
Bangalo 《ind.》 *m.* -s, -s 〖건축〗 방갈로.
Bang·büx [báŋbyks] *f.* -n ↑ Bangbüxe.
Bang·buxe *f.* -n ↑ Bangbüxe.
Bangbüxe [..byksə] *f.* (ndd.) 겁쟁이, 비겁자.
***bange** [báŋə] (banger/bänger, bangst/bängst) *a.* 불안한, 겁먹은, 걱정되는: eine ~ Ahnung 불안한 예감; mir ist〔wird〕 angst und ~ 나는 불안해 못 견디겠다; es ist mir ~ um〔für〕 ihn 나는 그의 일이 걱정이다; es ist mir ~ vor ihm 나는 그가 무섭다; jn.〔jm.〕 ~ machen a) 누구를 불안하게 하다, b) 누구를 위협하다; Bangemachen gilt nicht! 위협은 통하지 않는다!
Bange [báŋə] *f.* 걱정, 불안, 겁: ~ haben 불안하다; nur keine ~! 아무〔조금도〕 걱정 마라!
Bangemacher *m.* -s, - 겁주는 사람, 불안을 조장하는 사람.
***bangen** [báŋən] 《I》 *imp.* es bangt mir 〔mich〕 um〔für〕 jn. 〔vor et.[3]〕 나는 누구의 일이 걱정이다〔무엇이 무섭다〕. 《II》 *i.* (h.) / *refl.* ich bange (mich) 나는 걱정이다, 두렵다; 〖고어〗 (sich) nach et.[3] ~ 무엇을 동경하다. 《III》 *t.* 걱정을 끼치다, 두렵게 하다.
Bangert [báŋərt] *m.* -(e)s, -e (westd.) 과수원.
Bangigkeit [báŋıç..] *f.* -en 걱정, 불안.
Bangka 방카(순다 열도의 한 섬).
Bangkok [báŋkɔk] 방콕(태국의 수도).
Bang·krankheit *f.* 〖醫〗 (덴마크의 수의사 B. Bang 에 따라) 방씨병.
Bangladesch [baŋgladέʃ] *n.* 방글라데시.
Bangladescher *m.* 방글라데시인.
bangladesch *a.* 방글라데시(인)의.
bänglich [bέŋlıç] *a.* 걱정되는, 불안한.
Bangnis [báŋnıs] *f.* -se 〔*n.* -ses, -se〕 걱정, 공포, 불안.
Bangui [bãgi] 방기(중앙 아프리카 공화국의 수도).

Bani *pl.* 바니(루마니아의 화폐 단위)(↑ Ban²).

Baniane [baníaːnə] *f.* -n 〖植〗 벵골보리수, 반얀수(樹).

Banjo [bánjo, béndʒo, bándʒo] *m.* -s, -s 밴조 (북아메리카 흑인의 기타 모양의 현악기).

***Bank¹** [baŋk] *f.* Bänke [béŋkə] ① 벤치, 긴 의자, 걸상; 좌석; 발 놓는 판: 〔비유〕 et. auf die lange ~ schieben 무엇을 연기하다; durch die ~ 예외없이; ein von der ~ gefallenes Kind 사생아, 서자. ② 작업대; 대패질대; 선반(旋盤) (Dreh~). ③ (빵집·정육점의) 판매대: zur ~ hauen (살코기를) 팔기 위하여 베다; 〔비유〕 jn. zur ~ hauen 누구를 마구 비방〔중상〕하다. ④ 〖軍〗 포좌(砲座). ⑤ 모래톱; 암초: ein Boot läuft auf eine ~ los 보트가 암초에 좌초한다. ⑥ (구름·안개의) 층적(層積); 〖광산〗 (암석·석탄의) 층: eine Wolken~ nähert sich 구름층이 다가온다. ⑦ 환전대(臺), 환전상(商). ⑧ 〖레슬링〗 패시브 자세. ⑨ (복권·경마의) 기대치, 복권.

***Bank²** *f.* -en ① 은행: Geld auf der ~ (liegen) haben 은행에 예금이 있다; Geld in die ~ legen 은행에 예금하다; bei der ~ sein 은행원이다; Geld von der ~ holen 은행에서 돈을 찾다; Geld auf der ~ einzahlen 은행에 예금하다; ein Konto bei einer ~ eröffnen 어떤 은행에 계좌를 개설하다. ② 도박대(臺); 판돈: die ~ halten 도박의 물주가 되다; die ~ sprengen 도박의 물주를 거덜내다. ③ 〔합성어로〕 Blut~ 혈액 은행; Daten~ 자료 은행; Organ~ 장기(臟器) 은행.

Bank≈abschluß *m.* 은행의 대차 대조표. **~aktie** *f.* 은행주(株). **~akzept** *n.* 어음 인수. **~angestellte*** *der/die* 은행원. **~-anteil** *m.* 은행주(株). **~anweisung** *f.* 은행 어음, 수표. **~aufsicht** *f.* (국가의) 은행 감독. **~ausweis** *m.* (통화와 금융 시장에 관한) 발권 은행의 공식 보고서. **~automat** *m.* 현금 자동 지급기. **~beamte*** *der* 은행원. **~bein** *n.* ① 벤치의 다리. ② 〔농담〕 사생아, 서자. **~bohrer** *m.* 벤치 다리에 구멍 뚫는 연장. **~bruch** 〔고어〕 *m.* 파산. **~brüchig** *a.* 파산한, 거덜난. **~buch** *n.* 은행 통장. **~-buch·haltung** *f.* 은행 부기.

Bänkchen *n.* -s, - 〔↑ Bank¹ 의 축소형〕 작은 벤치.

Bank≈direktor *m.* 은행장. **~diskont** *m.* 은행 할인; 은행 이율. **~diskonto** *m.* ↑ ~diskont. **~eisen** *n.* ① (걸상 따위를 벽에 고정시키는) 거멀못. ② 대패질대의 볼트.

Bänkel [béŋkəl] *n.* -s, - ① 작은 걸상〔벤치〕. ② 유랑 가수의 노래.

Bänkel≈kind *n.* 사생아. **~krämer** *m.* 소매상인. **~lied** *n.* ↑ ~sang. **~sang** *m.* 장터 가객의 노래. **~sänger** *m.* ① (장터에서 노래 부르는) 유랑 가인. ② 통속 가수; 엉터리 시인. **~sängerisch** *a.* 장터 가수식의, 뜨내기 예술가 티가 나는.

banken [báŋkən] 《< Bank¹》 *i.* (h.) 〖海〗 (배가) 좌초하다.

Banker [béŋkər] 《engl.》 *m.* 〔구어〕 은행가; 은행 전문가.

Bänker *m.* -s, - ↑ Bankmeister.

bankerott [baŋkərɔ́t] *a.* ↑ bankrott.

Bankerott *m.* ↑ Bankrott.

Bankert [báŋkərt] 《< Bank¹》 *m.* -s, -e ① 사생아, 서자. ② 후레자식, 버릇없는 아이.

Bankett¹ [baŋkɛ́t] 《it.》 *n.* -(e)s, -e 잔치, 연회, 향연.

Bankett² 《frz.》 *f.* -n ① 〖건축〗 밑돌, 초석. ② (참호의) 발판. ③ (둑의) 모서리. ④ (차도보다 높인) 보도.

Bankette [..tə] *f.* -n ↑ Bankett.

bankettieren [baŋkɛtíːrən] 《< Bankett¹》 *i.* (h.) 잔치〔연회〕를 베풀다.

Bank≈fach *n.* -s ① 은행〔금융〕 업. ② (은행의) 귀중품 금고. **~fach·mann** *m.* 은행 전문가. **~fähig¹** 《< Bank¹》 *a.* 〔고어〕 판매 가능한: ~es Fleisch 판매 가능한 고기. **~-fähig²** 《< Bank²》 *a.* 은행에서 통용되는〔인수하는〕: ~er Wechsel 은행 (지불) 어음. **~-feier·tag** *m.* 은행 휴무일. **~geheimnis** *n.* (고객과의 거래에서) 은행이 지켜야 할 비밀. **~geld** *n.* 은행 통화. **~geschäft** *n.* ① 은행 거래〔업무〕. ② 은행. **~gewerbe** *n.* -s 금융업. **~gut·haben** *n.* 예금 잔고. **~haken** *m.* ↑ ~eisen ②. **~halter** *m.* 도박의 물주, 도박장의 주인. **~hammer** *m.* 거멀못 망치. **~haus** *n.* ① 은행 건물. ② (은행 상호 앞에 붙는) …은행: das ~ A hat eine neue Zweigstelle eröffnet A 은행은 새 지점을 개설했다. **~herr** *m.* ① 은행 경영주. ② ↑ ~halter. **~hobel** *m.* (통 짜는 데 쓰는) 대가 붙은 큰 대패. **~horn** *n.* (열쇠공이 쓰는) 쌍(雙)뿔 모루.

Bankier [baŋkiéː] 《frz.》 *m.* -s, -s ① 은행가, 금융업자. ② (기업의) 은행 업무 담당 이사. ③ 〔고어〕 ↑ Bankhalter.

Bank≈kauf·frau *f.* 여성 은행원, 여행원. **~kauf·mann** *m.* 은행원. **~konto** *n.* 은행 (예금) 계좌. **~lehne** *f.* 벤치의 등받이. **~leit·zahl** *f.* 은행 코드번호(약어: BLZ). **~-mäßig** *a.* 은행에서 통용되는. **~meister** *m.* 판매대에서 장사하는 사람(특히 빵장수). **~messer** *n.* 살코기 베는 칼. **~note** *f.* 은행권, (은행) 지폐. **~noten·fälscher** *m.* -s 위폐범, 금융 위조범.

Banko [báŋko] 《it.》 *n.* -s, -s 〔고어〕 은행 통화.

Bank≈ordnung *f.* 은행 조례, 은행 법령. **~politik** *f.* 금융 정책. **~prokura** *f.* 은행 업무 대리권. **~rate** *f.* 은행 이율. **~räuber** *m.* 은행 강도.

***bankrott** [baŋkrɔ́t] *a.* ① 파산한, 거덜난, 망한: ~ gehen 파산하다, 망하다. ② 〔비유〕 (품성·인격이) 망가진.

***Bankrott** *m.* -(e)s, -e 파산, 도산; 파탄: ~ machen 파산하다; geistiger〔politischer〕 ~ 정신적〔정치적〕 파탄; jn. vor dem ~ bewahren 누구를 파산으로부터 지켜주다; betrügerischer ~ 위장 파산.

Bankrott·erklärung *f.* 파산 선언〔선고〕.

Bankrotteur [baŋkrɔtǿːr] 《frz.》 *m.* -s, -e 파산자, 파탄자.

bankrottieren [..tíːrən] *i.* (h.) 〔고어〕 파산하다, 망하다.

Bankrottierer *m.* -s, - ↑ Bankrotteur.

Bank≈scheck *m.* 은행 수표. **~schein** *m.* ↑ ~note. **~währung** *f.* ↑ ~geld. **~wechsel** *m.* 은행 어음. **~wesen** *n.* 은행(업), 은행 사무. **~zettel** *m.* ↑ ~note.

***Bann** [ban] *m.* -(e)s, -e ① 명령; 금지령; (군대의) 소집령: den ~ brechen (파문당한 자가 지켜야 할) 서약을 어기다. ② 재판권; 재판관할 구역; 영지, 영역. ③ 전매권: Wein≈ 포도주 전매권. ④ 파문; 추방: jn. mit dem ~ belegen 〔jn. in den ~ tun〕 누구를 파문〔추방〕하다. ⑤ 강제, 속박; 마력(魔力), 매력: 〖비유〗 den ~ brechen 강박 관념을 극복하다; die Zuhörer standen noch ganz im ~ der Musik 청중들은 아직도 음악의 마력에 완전히 사로잡혀 있었다; jn. im ~ halten 누구를 사로잡고 있다; jn. in (seinen) ~ schlagen 누구를 사로잡다, 꼼짝 못하게 만들다; unter dem ~ von jm.〔et.³〕 stehen 누구〔무엇〕에 사로잡혀〔얽매여〕 있다. ⑥ (히틀러 청년단의) 분대.

Bann≈brief *m.* 〖史〗 파문장. **~bruch** *m.* ① 〖法〗 관세법 위반. ② 〖史〗 추방령 위반. **~bulle** *f.* 교황의 파문장.

***bannen** [bánən] *t.* ① 마법〔주문〕으로 사로잡다: Geister ~ 주문으로 혼령을 불러내다. ② 사로잡다, 호리다: ans Bett gebannt sein 와병(臥病) 중이다; er bannte die Zuhörer mit seiner Stimme 그는 목소리로 청중을 사로잡았다. ③ 파문〔추방〕하다: einen Ketzer ~ 이단자를 파문하다. ④ (악귀를) 마법으로 몰아내다; (불안·공포를) 떨치다, 물리치다; (곤궁을) 없애다: eine Gefahr ~ 위험을 물리치다; die Not war gebannt 궁핍이 해결되었다. ⑤ 〖방언〗 (köln.) 걸식하다. ⑥ 〖비유〗 고정하다, 담다: ein Bild auf den Film ~ 영상을 필름에 담다; eine Stimme auf das Tonband ~ 목소리를 녹음 테이프에 녹음하다.

Banner[1] [bánər] *m.* -s, - 악령을 몰아내는 사람, 조복자(調伏者); 혼령을 불러내는 사람.

***Banner**[2] *n.* -s, - 깃발; 〖비유〗 기치: unter einem ~ stehen 하나의 기치 아래에 모여 있다.

Banner≈herr *m.* (방기를 들고 출정할 자격이 있는) 방기(方旗) 기사(騎士). **~träger** *m.* ① 기수(旗手). ② 〖비유〗 기수, 선구자.

Bann≈fluch *m.* 파문의 저주: den ~ gegen den König schleudern 왕에게 파문의 저주를 내리다. **~forst** *m.* ① (중세의) 금렵림. ② ↑ ~wald ①. **~friede** *m.* 울타리. **~gut** *n.* 금수품(禁輸品); (국제법의) 전시(戰時) 금제품(禁製品). **~herr** *m.* 사법권〔독점 경영권〕이 있는 영주.

bannig [bánıç] *adv.* (nordd.) 엄청나게, 매우.

Bann≈kreis *m.* ① 재판 관구; 〖비유〗 세력권, 영향권: jn. in seinen ~ ziehen 누구를 자신의 세력권으로 끌어들이다. ② ↑ ~meile. **~meile** *f.* ① ↑ ~recht 가 미치는 구역. ② 시위 금지 구역. **~mühle** *f.* 지정 제분소. **~recht** *n.* 〖史〗 ① 영주가 독점적으로 경영하는 제분소·양조장 따위를 영민(領民)에게 강제적으로 이용하게 하는 강권. ② (19 세기까지의) 도시가 그 주변 지역을 경제적으로 독점하는 권리. **~spruch** *m.* ① 〖고어〗 부적, 액막이. ② 파문. **~strahl** *m.* 파문: den ~ schleudern 파문을 선고하다. **~vogt** *m.* ↑ ~wart. **~wald** *m.* ① (산사태를 막기 위한) 보호림. ② ↑ ~forst ①. **~ware** *f.* ① 밀수품. ② 전시(戰時) 금제품(禁製品). **~wart** *m.* (schweiz.) 전답 감시인. **~wasser** *n.* 고기잡이 금지 구역.

Banschaft *f.* ↑ Ban[1] 의 통치 구역.

Banse [bánzə] *f.* -n (md., ndd.) 광; 곡간; 헛간; 창고.

bansen [bánzən] *t.* (곡류·석탄을) 쌓아올리다; 저장하다.

Bantam[1] [bántam] 반탐(자바의 항구 도시).

Bantam[2] *n.* -s, -s ↑ Bantamhuhn.

Bantam≈gewicht *n.* (권투의) 밴텀급 (선수). **~gewichtler** *m.* 밴텀급 선수. **~huhn** *n.* 〖動〗 당닭.

Bantu [bántu:] *pl.* ① (아프리카의) 반투족. ② 반투어.

Banus [bá:nus] *m.* -, - ↑ Ban[1].

Baobab [bá(:)obap] 《äthiop.》 *m.* -s, -s 〖植〗 바오밥나무.

Baphomet 《arab.》 *m.* -(e)s 신전 기사단이 섬기는 우상.

baptieren *t.* ① 〖고어〗 세례를 주다. ② 〖工〗 염색하다, 담그다.

***Baptismus** [baptísmus] *m.* - 세례, 침례.

Baptist *m.* -en, -en 침례교도.

Baptisten·gemeinde *f.* 침례교단〔교구〕.

Baptisterium [..tısté:rium] *n.* -s, ..rien ① 침례교. ② 세례반(盤). ③ (로마의) 욕조.

baptistisch [..tístıʃ] *a.* 침례교의, 세례의.

Bar[1] [ba:r] 《engl.》 *f.* -s ① 술집, 바(의 판매대). ② (영국 법정의) 방청석을 막는 난간.

Bar[2] *m.* -(e)s, -e 중세의 장인 가수(Meistersinger)가 부르던 여러 절로 된 노래.

Bar[3] *n.* -s, -s 바(압력·기압의 단위).

***bar** [ba:r] *a.* ① 벌거벗은, 드러난, 노출된: mit ~em Haupt 모자를 쓰지 않고; mit ~en Füßen tanzen 맨발로 춤추다. ② 〖2 격 또는 von〔an〕 과 더불어〗 …이 빠진〔없는〕: aller Ehre(n) ~ 명예를 모두 잃은; alles Rates ~ 속수무책인; ~ aller Hoffnung 아무런 희망 없이; ~ jeden Schamgefühls 아무런 수치심도 없이. ③ 뚜렷한, 명백한, 순전한: ~er Unsinn 명백한 난센스. ④ 현금의: ~(es) Geld 현금; ~ bezahlen 현금으로 지급하다; nur gegen ~ verkaufen 현금으로만 판매하다; in ~ 〔~em Geld〕 현금으로; ~e 50 Mark 〔50 Mark (in) ~〕 현금 50마르크; 〖비유〗 et. für ~e Münze 〔für ~, für ~en Ernst〕 nehmen 무엇을 곧이곧대로 받아들이다, 액면 그대로 믿다; sie hat den Scherz für ~e Münze genommen 그녀는 농담을 진담으로 받아들였다.

***..bar** *suf.* 〖형용사의 후철〗 ① "…을 갖는, 지니고 있는"의 뜻(보기 : frucht~). ② 〖능동 또는 수동〗 "…가능한"의 뜻(보기: trag~).

***Bär**[1] [bɛ:r] *m.* -en, -en ① 〖動〗 곰: 〖구어〗 wie ein ~ 곰처럼 미련한〔거친〕; 〖天〗 der Große ~ 큰곰자리; der Kleine ~ 작은곰자리; 〖비유〗 jm. einen ~en aufbinden 누구에게 사기치다, 누구를 우롱하다; sich³ einen ~en aufbinden lassen 허황된 말을 믿다, 우롱당하다; 〖비유〗 bei jm. einen ~en anbinden 누구한테서 돈을 꾸다. ② 〖動〗 부나비(의 유충). ③ (obd.) 종돈(種豚), 씨돼지.

Bär[2] *m.* -s, -en 〖工〗 말뚝박는 해머, 달구.

Barabbas *m.* 바라바(성서에 나오는 인물).

Baraber [bará:bər] *m.* -s 〖구어〗 (öst.) 건설 노동자, 공사장 인부.

barabern [..bərn] *i.* (h.) ① 막노동하다. ②

B

힘들게 일하다.

***Baracke** [barákə] 《frz.》 *f.* -n ① 바라크, 가건물, 임시 막사. ② 임시 수용소; 야전 병원. ③〖政〗(1974 년까지 존속한) 사민당 임시 사무소.

Baracken·lager *n.* ① (바라크로 된) 임시 수용소. ②〖軍〗병영지.

Barackler [baráklər] *m.* -s 바라크 거주자.

baradauz *int.* ↑ bardauz.

Baranke [baráŋkə] 《poln.》 *f.* -n ① 작은 양의 모피. ②〖軍·고어〗표기병(驃騎兵)의 재킷 가장자리에 붙인 양피.

Baranken·fell *n.* ↑ Baranke.

Baratt [barát] 《it.》 *m.* -(e)s〖商〗물물 교환, 교역.

Baratterie [baratərí:] *f.* ..rien〖海〗선주 또는 하주에 대한 불법 행위〔사기·횡령〕.

Baratt·handel *m.* ↑ Baratt.

barattieren *i.* (h.) 물물 교환을 하다.

Bar·auslage [bá:r..] *f.* 현금 지출.

Barbakane [barbaká:nə] 《pers.》 *m.* -, -n 〔*f.* -n〕〔고어〕(성의) 방호벽; 망루.

***Barbar** [barbá:r] 《gr.》 *m.* -en, -en ① 비(非)그리스〔비로마〕 사람, 이방인. ②〔비유〕 미개인, 야만인; 문외한.

Barbara [bárbara] *f.* 바르바라(여자 이름).

Barbara·zweig *m.* -(e)s, -e 바르바라 축제일의 벚나무 가지.

***Barbarei** [barbaráı] 《gr.》 *f.* ① 야만, 잔인; 야만적〔잔인한〕 행위: der Sieg der Menschlichkeit über die ~ 야만에 대한 인간성의 승리. ②〔고어〕 바르바리 지방(Berberei).

Barbareske 《frz.》 *m.* -n, -n〔고어〕 바르바리(Berberei)의 주민(Berber).

Barbaresken·staaten *pl.* 바르바리 제국(諸國)(Marokko, Algerien, Tunis, Tripolis).

***barbarisch** [barbá:rıʃ] 《gr.》 *a.* ① 야만적인, 잔인한; 미개한, 교양 없는. ②〖문법〗어법에 어긋나는. ③ 외국의, 비(非)그리스의. ④〔경박〕 엄청난, 대단한:〔구어〕 es ist ~ kalt 굉장히 춥다.

Barbarismus [..barísmus] *m.* -, ..men ① 야만성, 잔인성. ②〖문법〗파격, 비문(非文).

Barbarossa [barbarɔ́sa] 《it., „Rotbart"》 바바로사(황제 Friedrich Ⅰ세의 별명).

Bärbchen [bɛ́rpçən] *n.* ↑ Barbara 의 애칭.

Barbe [bárbə] 《frz.》 *f.* -n ①〖動〗돌잉어속(屬). ② (여성 모자의) 레이스.

Barbecue [bá:bıkju:] 《engl.》 *n.* -(s), -s ① 바베큐〔옥외〕 파티. ② 바베큐용 석쇠. ③ 바베큐 구이 고기.

bär·beißig [bɛ́:rbaısıç] *a.* 거친, 난폭한, 무지막지한; 호전적인.

Bärbeißigkeit *f.* -en 거칢, 난폭.

Barben·kraut *n.*〖植〗나도냉이.

Bar·bestand *m.* 현금 잔고. **~betrag** *m.* 현금 총액.

***Barbier** [barbí:r] 《frz.》 *m.* -s, -e 이발사.

Barbier·becken *n.* 이발용 대야.

barbieren [..bí:rən] *t.*〔고어〕 면도하다: sich ~ lassen 수염을 깎게 하다;〔비유〕 jn. über den Löffel ~ 누구를 속이다.

Barbierer *m.* -s, - ↑ Barbier.

Barbier·gehilfe *m.* 이발사의 조수. **~messer** *n.* 면도칼. **~riemen** *m.* 가죽숫돌. **~stube** *f.* 이발소. **~zeichen** *n.* 이발소 간판. **~zeug** *n.* 면도〔이발〕 도구.

Barbiton [bárbitɔn] 《gr.》 *n.* -s, -s 고대 그리스의 현악기.

Barbiturat *n.* -s, -e ①〖化〗바르비투르산염. ②〖藥〗수면제, 신경 안정제.

Barbitur·säure *f.*〖化〗바르비투르산.

barbusig [bá:rbu:zıç] *a.* 젖가슴을 드러낸.

Barcelona [bartseló:na, ..θɛlɔ́na] 바르셀로나(에스파냐의 도시).

Barch [barç] *m.* -(e)s, Bärche (ndd.) 거세한 수퇘지.

barchen [bárçən] *a.* Barchent 제(製)의.

Bärchen [bɛ́rçən] *n.* -s, - ① 작은 곰, 아기 곰. ②〔비유〕 애인.

Barchent [bárçənt] 《ar. -lat》 *m.* -(e)s, -e 능직(綾織) 무명의 일종.

Barches [bárxəs] 《hebr.》 *m.* -, - 유월절(逾越節)에 쓰는 과자.

Bar Code [bar ko:d] 《engl.》 *m.* -, -s 바코드.

Bar·dame *f.* 바의 여종업원.

bardauz [bardáuts] *int.* 쿵, 쾅.

Barde[1] [bárdə] 《kit.》 *m.* -n, -n ① (9-15 세기의) 켈트족의 음유 시인. ②〔반어〕 시인. ③ (현실 비판적인) 방랑 시인. ④ ↑ Skalde.

Barde[2] [bárdə] *f.* -n ① 손도끼(Barte). ②〖요리〗엷게 벤 베이컨 조각(Speckscheibe).

Barden·dichtung *f.* (1770 년경 독일의) 애국 문학.

bardieren [bardí:rən] *t.* ① 얇은 베이컨 조각으로 싸다. ② (물고기의) 비늘을 떼다.

Bar·deckung *f.*〖經〗정화(正貨) 준비.

Bardiet [bardí:t] 《lat.》 *n.* -(e)s, -e ① (고대 게르만 족이 전투 때 지르는) 함성. ② 고대 게르만의 음창 시가(吟唱詩歌)풍의 종교적 애국 가요(로 구성된 드라마).

bardisch [bárdıʃ] *a.* 음유 시인(풍)의.

Bardit *n.* -(e)s, -e ↑ Bardiet ②.

Barditus *m.* -, - ↑ Bardiet 의 라틴어형.

Bar·eis *n.* 눈에 덮이지 않은 얼음.

Barème [barɛ́:m(ə)] 《frz.》 *m.* -, -n ① (철도의) 요금표. ② (프랑스의) 산수 교과서.

Baren [bá:rən] *m.* -s, - ↑ Barn[1].

Bären·beißer *m.* 곰 사냥용 개. **~dienst** *m.* 뜻하지〔달갑지〕 않은 도움〔시중〕. **~dill** *m.* ↑ Bärwurz. **~dreck** *m.* ① 곰의 똥. ② (südd.) (막대기 모양의) 감초 과자. **~fang** *m.* ① 곰 사냥; 곰 잡는 덫: auf ~ ausziehen 곰 사냥을 가다. ② 벌꿀술. **~fell** *n.* 곰 가죽. **~führer** *m.* ①〔구식〕 곰 재주를 보여 주는 자. ②〔구어·농담〕 관광 안내인. **~fuß** *m.* ① 곰의 발. ② (갑주(甲胄) 입은 기사의) 쇠구두. ③ (15 세기 말부터 16 세기 전반에 유행한) 가죽 단화. **~gesundheit** *f.* 강건함. **~grube** *f.* 들짐승을 잡기 위한 함정.

bärenhaft [bɛ́:rənhaft] *a.* ① 곰 같은, (곰처럼) 강한, 거대한, 난폭한; 대단한: einen ~en Zorn haben 대단히 화가 나다; ein Mann von ~er Gestalt 체격이 우람한 남자. ② (곰처럼) 서투른.

Bären·haut *f.* 곰 가죽:〔비유〕 auf der ~ liegen 게으름 피우다, 빈둥빈둥 지내다. **~häuter** *m.* -s, - ① (동화에 나오는) 곰 가죽을 입은 사람. ②〔방언〕 게으름뱅이. **~hetze** *f.* ↑ ~jagd. **~hunger** *m.* 심한 허기. **~hüter** *m.* ① 곰을 지키는 사람. ②〖天〗목자(牧者)자리. **~jagd** *f.* ① 쇠사슬에 맨 곰

에게 개가 대들도록 부추기는 놀이. ② 곰사냥. **~kälte** *f.* 혹한. **~klau** *m./f.* 〖植〗 어수리, 아칸서스(Akanthus). **~kult** *m.* 〖민속〗 곰 숭배. **~lauch** *m.* 〖植〗 야생 마늘. **~marder** *m.* 곰 담비. **~mäßig** *a.* ↑ bärenhaft. **~mütze** *f.* 곰가죽 모자. **~natur** *f.* 〔구어〕 강한 저항력, 건강한 체질: eine ~ haben 〔sein〕 건강이 아주 좋다, 저항력이 강하다. **~raupe** *f.* 〖動〗 부나비의 유충, 풀쐐기. **~ruhig** *a.* 〔구어〕 느긋한, 태평한. **~schote** *f.* 〖植〗 트라간트고무나무. **~spinner** *m.* 〖動〗 부나비. **~stark** *a.* ① 막강한, 기운 센. ② 〔아동〕 끝내주는, 대단한: eine ~e Musikgruppe 끝내주는 음악 그룹. **~tatze** *f.* 〖植〗 싸리버섯. **~tierchen** *n.* 〖動〗 완보류(緩步類). **~traube** *f.* 〖植〗 (월귤나무와 비슷한) 에리카. **~trauben·blätter·tee** *m.* 에리카 잎차. **~treiber** *m.* ↑ ~führer. **~wurz** *f.* ↑ Bärwurz. **~zucker** *m.* 감초 과자. **~zwinger** *m.* 곰 우리.

Barents·see [bá:rəntsze:] *f.* 바렌츠해(북극해의 일부).

Barett [barέt] 《lat.》 *n.* -(e)s, -e ① 챙없는 납작 모자. ② (법관·성직자들의) 각모(角帽).

Bar≈frankierung *f.* ↑ ~freimachung. **~freimachung** *f.* (우편) 요금 별납. **~frost** *m.* 눈이 오기 전의 혹한. **~fuß** *adv.* 맨발로. **~fuß·arzt** *m.* (전문의가 아닌) 시골 의사. **~füßer** *m.* ① 맨발로 다니는 사람. ② (Franziskaner) 성(聖) 프란체스코파의 수도사. **~füßer·mönch** *m.* ↑ ~füßer. **~fußig** *a.* 맨발의. **~füßler** *m.* 맨발로 다니는 사람.

barg [bark] ↑ bergen 의 과거형.

bärge [bέrgə] ↑ bergen 의 접속법 Ⅱ 식.

Bar≈geld *n.* 현금.

bar·geldlos *a.* 현금이 없는, 환·어음 교환에 의한: ~(Zahlungs)verkehr 대체(對替)·어음에 의한 거래.

Bar≈geschäft *n.* 현금 거래〔매매〕. **~haupt, ~häuptig** *a.* 모자를 쓰지 않은, 맨머리의.

Bar·hocker *m.* (술집의) 높은 의자.

Baribal [bá:ribal] 《indian.》 *m.* -s, -s 〖動〗 북아메리카산(產)의 검은곰.

bärig [bέ:rıç] *a.* ① 〔방언〕 곰처럼 기운 센. ② (südd., öst.) 대단한, 엄청난: das ist ~! 그건 대단하다!; ~ kalt 엄청나게 추운.

Barile [barí:lə] 《lat.-it.》 *n.* -, ..li (옛날의) 액량(液量) 단위.

Bärin [bέ:rın] 《Bär》 *f.* -nen 암곰.

barisch [bá:rıʃ] *a.* 〖기상〗 기압의, 기압에 관계되는.

Bariton [bá(:)ritɔn] *m.* -s, -e 〖음악〗 ① 바리톤. ② 성악곡의 바리톤 독창 부분. ③ 바리톤 가수.

Barium [bá:rium] *n.* -s 〖化〗 바륨(기호: Ba).

Bark [bark] 《engl.》 *f.* -en 돛대 셋 달린 범선.

Barkarole [barkaró:lə] *f.* -n ① 곤돌라 뱃사공의 뱃노래. ② 곤돌라, 보트.

Barkasse[1] [barkásə] *f.* -n ① (ndl.) 장정(長艇) (가장 큰 함재(艦載) 보트). ② 소형 모터보트.

Bar≈kasse[2] *f.* (소규모 거래를 위한) 현금 출납소. **~kauf** *m.* ↑ Bargeschäft.

Barke [bárkə] 《frz.》 *f.* -n 〔고어〕 마스트 없는 작은 배.

Bar·keeper [bá:rki:pər] 《engl.》 *m.* -s, -s ① 바의 주인. ② 바텐더.

Barlach [bárlax] 바를라흐(독일의 조각가·그래픽 디자이너 겸 시인).

Bärlapp [bέ:rlap] *m.* -(e)s, -e 〖植〗 석송(石松).

Bar·lauf [bá:rlauf] 《mhd. barre, „Stange"》 *m.* -(e)s 술래잡기 놀이의 일종.

Bar·mann *m.* -(e)s, ⸚er ↑ Barkeeper ②.

Bärme [bέrmə] *f.* ① (ndd.) 효모(Hefe). ② (맥주의) 거품.

barmen [bármən] *i.* (h.) ① (ostd.) 탄식하다, 슬퍼하다. ② 동정심을 유발하다.

***barmherzig** [barmhέrtsıç] *a.* ① 자비로운, 가엾게 여기는: 〖가톨릭〗 ~e Brüder〔Schwestern〕 병자 간호 수사〔수녀〕; ~er Himmel 〔Gott〕! 아니 저런! ② 〔고어〕 가엾은.

Barmherzigkeit [..kaıt] *f.* 자비, 자선(심).

Bar·mixer *m.* -s 바텐더.

Bär·mutter *f.* (Gebärmutter) 자궁.

Barn[1] [barn] *m.* -(e)s, -e 〔방언〕 여물통.

Barn[2] 《engl.》 *n.* -s 〖핵물리〗 반(원자핵 충돌시의 운동 범위를 측정하는 단위; 기호: b; 1 b=10^{-24}cm^2).

Barnabas [bárnabas] 《hebr., „Sohn des Trostes"》 *m.* 〖聖〗 바나바(사도 바울의 수행자).

Barnabit [barnabí:t] *m.* -en, -en 바나바 교단의 성직자.

barock [barɔ́k] *a.* ① 찌그러진, 기이한, 괴상한; 과장된: eine ~e Idee 이상한 생각; eine ~e Ausdrucksweise 과장된 표현 방식. ② 바로크 양식의.

***Barock** *n./m.* -(s) ① 바로크(17-18 세기의 예술 양식). ② 바로크 시대.

Barock≈bau *m.* 바로크식 건축물. **~dichtung** *f.* 바로크 문학.

barockisieren *t.* 바로크풍으로 짓다〔쓰다〕.

Barock≈kirche *f.* 바로크식 교회. **~kunst** *f.* 바로크 예술. **~perle** *f.* ① 찌그러진 진주. ② 바람을 불어넣은 유리 주물. **~stil** *m.* 바로크 양식. **~theater** *n.* ① 〖건축〗 바로크 시대의 건축물. ② 〖연극〗 바로크 시대의 극장〔연극〕. **~zeit** *f.* 바로크 시대.

Barogramm [barográm] *n.* -s, -e 〖기상〗 기압계로 측정한 기압 기록.

Barograph [..grá:f] *m.* -en, -en 〖物〗 (Luftdruckmesser) 자기(自記) 기압계.

***Barometer** [baromé:tər] 《gr.》 *n./m.* -s, - 기압계, 청우계: das ~ steht auf Sturm a) 기압계는 폭풍우를 가리키고 있다, b) 〔비유〕 일촉즉발의 긴장 상태이다, 예사롭지 않은 분위기다.

Barometer·stand *m.* 기압 상태.

Barometrie [..metrí:] *f.* 기압 측정.

barometrisch [..mé:trıʃ] *a.* 기압(계)의: ~es Maximum〔Minimum〕 고기압〔저기압〕.

Barometrograph *m.* -en, -en ↑ Barograph.

***Baron** [baró:n] *m.* -s, -e ① 남작. ② 〔비유〕 실세, 실력자: Kohlen~ 석탄업계의 실력자.

Baronat [baroná:t] *n.* -(e)s, -e ① 남작의 작위. ② 남작의 영지.

Baroness ↑ Baroneß.

Baroneß, Baronesse [baronέsə] 《frz.》 *f.* -n 남작 부인; 남작의 딸, 남작 집안의 규수.

Baronet [bárɔnɛt, bɛ́..] *m.* -s, -s (영국의) 준(准)남작.
Baronie [baroní:] 《frz.》 *f.* -n [..ní:ən] 남작의 영지 또는 지위.
Baronin [baró:nɪn] *f.* -nen 남작 부인.
baronisieren [baronizí:rən] 《I》 *t.* jn. ~ 누구에게 남작의 작위를 수여하다. 《II》 *i.* (h.) 남작처럼 (호의호식하며) 살다; 〔폄어〕 무위도식하다: er baronisiert den ganzen Tag 그는 종일 무위도식한다.
Baroskop [barɔskó:p] 《gr.》 *n.* -s, -e 기압계, 바로미터.
Barothermograph [barotɛrmogá:f] 《gr.》 *m.* -en, -en 〖工〗 자기(自記) 온도 기록계, 자동 온습도 기록계.
Bar·preis *m.* 현찰 가격.
Barrage [bará:ʒə] 《frz. barrer, „sperren"》 *f.* -n ① (수류(水流)·통행 따위의) 차단. ② 둑, 제방; (통행 차단용) 횡목(橫木), 울타리.
Barrakuda [barakú:da] 《sp.》 *m.* -s, -s 〖動〗 꼬치고기의 일종.
Barras [báras] *m.* - (südd.) ① 군용 빵. ② 군, 군인: zum ~ gehen 입대하다.
***Barre** [bárə] 《frz.》 *f.* -n ① 〖지질〗 (하구에 쌓인) 모래 언덕. ② 〔고어〕 **(a)** 횡목(橫木), 문빗장. **(b)** (금속의) 막대기. **(c)** 법정을 일반석과 구분하는 난간.
Barreau [baró:] 《frz.》 *n.* -s, -s 변호사 신분〔직〕; 변호사석〔단〕(席〔團〕).
Barrel [bɛ́rəl, bárəl] 《engl.》 *n.* -s, -s 배럴 (영국의 액량(液量) 단위).
Barren[1] [bárən] 《gr.》 *m.* -s, - ① (막대기 형태의) 귀금속: Gold~ 금괴. ② 〖스포츠〗 평행봉: an ~ turnen 평행봉 체조를 하다.
Barren[2] *m.* -s, - (südd., öst.) 여물통.
Barren·gold *n.* 봉금(棒金), 금괴.
Barriere [barié:rə, ..rié:rə] 《frz.》 *f.* -n ① 울타리, 목책(木柵). ② (통행 차단용) 횡목(橫木). ③ 장애물: ~n abbauen 장애물을 제거하다. ④ 〖心〗 장애.
***Barrikade** [barikáːdə] 《frz.》 *f.* -n 바리케이드: auf die ~n gehen〔steigen〕 격렬하게 항의〔시위〕하다; dafür würde ich auf die ~n gehen 그것을 위해서라면 나는 일전을 불사하겠다.
barrikadieren [..kadí:rən] *t.* 〔드물게〕 바리케이드로 막다.
Barrister [bɛ́rɪstər, bǽrɪstər] 《engl.》 *m.* -s, - (영국 고등 법원의) 변호사.
Bars *m.* -es, -e (ndd.) ↑ Barsch.
Barsch [ba:rʃ] 《germ.》 *m.* -es, -e/Bärsche 〖動〗 농어 종류.
***barsch** [barʃ] *a.* ① 거친, 무뚝뚝한: jm. ~ ins Wort fallen 누구의 말을 거칠게 가로막다. ② (맛이) 자극적인, 톡 쏘는, 알알한.
Barschaft [bá:rʃaft] *f.* -en 현금, 소지 금액: meine ~ besteht noch aus drei Mark 나는 현금이 아직 3 마르크밖에 없다.
Bar·scheck *m.* 〖商〗 현금 지급의 어음.
Barschheit [bárʃhait] *f.* -en ① 거칢, 무뚝뚝함, 조야(粗野). ② 자극적인〔톡 쏘는〕 맛. ③ 거친 언행〔취향〕.
Bar·sendung *f.* 현금 송부(送付).
Barsoi [barzɔ́ʏ] 《russ., „der Schnelle"》 *m.* -s, -s 러시아 원산의 사냥개의 일종.
Bar·sortiment [bá:r..] *n.* 서적 중개업.
barst [barst] ↑ bersten 의 과거형.
bärste [bɛ́rstə] ↑ bersten 의 접속법 Ⅱ 식.
***Bart** [ba:rt] *m.* -(e)s, Bärte ① (아래턱·코밑·뺨의) 수염: einen ~ bekommen 수염이 나다; einen starken ~ haben 수염이 텁수룩하다; 〔비유〕 jm. einen ~ (von Stroh) machen 누구를 속이다; in den ~ brummen 〔murmeln〕 중얼〔투덜〕거리다; (sich[3]) in den ~ hinein lachen 슬며시 웃다, 좋아서 미소짓다; sich[3] einen ~ machen〔malen〕 음식을 입가에 묻히다; bei seinem ~ schwören 엄숙히 서약하다; bei meinem ~e! 기필코!; jm. et. in den ~ werfen〔sagen〕 누구에게 무엇을 거리낌없이 말하다; etwas hat einen ~ 어떤 일이 진부하다; eine Geschichte 〔ein Witz〕 mit ~ 진부한 이야기〔위트〕; sich um des Kaisers ~ streiten 사소한 일로 서로 다투다; jm. um den ~ gehen 누구에게 아첨하다; der ~ ist ab! 그 일은 끝났다, 이젠 끝장이다!; jm. den ~ anhängen 누구에게 책임을 지우다; sich den ~ reiben (심사숙고하면서) 수염을 쓰다듬다, sich den ~ streichen 수염을 쓰다듬으며 만족감을 표시하다. ② (고양이의) 수염; (염소의) 아래턱 수염; (수탉의 부리 밑) 볏; (물고기의) 수염, 촉수; (굴·조개의) 아가미. ③ 수염처럼 생긴 것. **(a)** 〖植〗 까끄라기. **(b)** 열쇠의 걸림쇠: der ~ ist abgebrochen 열쇠의 걸림쇠가 부러졌다. **(c)** 타다 남은 초의 심지. **(d)** 혜성의 꼬리. **(e)** 주물의 이은 자리. **(f)** (분봉(分蜂) 때) 벌통에 달라붙은 꿀벌의 떼. **(g)** (서적의) 톱니꼴의 가장자리. ④ 〔방언〕 턱: sich am ~ kratzen 턱이 긁히다. ⑤ 〔드물게〕 케케묵은 일.
Bart≈affe *m.* 〖動〗 수염 원숭이. **~becken** *n.* 면도용 대야. **~aufwickel·maschine** *f.* 〔비유〕 ("길게 자란 수염을 감아올리는 기구"라는 뜻에서) 진부한 것을 처치하는 수단〔방책〕. **~bürste** *f.* 면도 솔.
Bärtchen [bɛ́:rtçən] *n.* -s, - 〔↑ Bart 의 축소형〕 짧은 수염.
Barte[1] [bártə] 《<Bart》 *f.* -n 〔고어〕 (폭이 넓은) 손도끼, (무기로서의) 도끼.
Barte[2] *f.* -n 고래 수염.
Bartel [bártəl] 《<Bart》 *f.* -n 〖動〗 (물고기의) 촉수.
Bärtel 《<Bart》 *m.* -s, -n 삼밥, 삼(麻)부스러기.
Bar·tender [bá:rtɛndər] 《engl.》 *m.* -s, - 술집 종업원, 바텐더.
Barten·wal [bártən..] *m.* 〖動〗 수염 고래.
Barterl [bártərl] *n.* -s, -(n) (bayr., öst.) (갓난애의) 턱받이.
Bart≈faden *m.* ↑ Bartel. **~finne** *f.* ↑ ~flechte ①. **~fisch** *m.* 돌잉어속. **~flechte** *f.* ① 〖醫〗 모창(毛瘡). ② 〖植〗 소나무겨우살이. **~geier** *m.* 〖動〗 수염수리. **~gerste** *f.* 〖植〗 보리의 일종. **~gras** *n.* 〖植〗 쇠풀. **~grundel** *f.* 〖動〗 미꾸라지. **~haar** *n.* 구레나룻의 털, 염모. **~hafer** *m.* 〖植〗 야생 귀리.
Barthel *m.* -s, - 쇠지렛대: 〔구어〕 er weiß, wo ~ (den) Most holt 그는 모든 술책을 훤히 간파하고 있다, 빈틈없다.
Bartholomäus·nacht *f.* 〖史〗 (1572 년 8 월 24 일 파리에서의) 성(聖)바돌로매제(祭)의 밤 (의 신교도 살육).
Bär·tierchen *n.* 〖動〗 완보류(緩步類).

bärtig [bɛ́:rtıç] *a.* ① 수염이 있는, 면도하지 않은. ②〖植〗까끄라기가 있는.

Bart≈kratzer *m.*〖구어〗이발사. **~lappen** *m.* (닭·칠면조 부리 밑의) 볏.

Bärtlein [bɛ́:rtlaın] *n.* -s, - ↑ Bärtchen.

Bartling [bá:rtlıŋ] *m.* -s, - 대마의 암그루.

Bärtling *m.* -s, -e ① 수염을 기른 사람. ② 수도원의 반속 수사(半俗修士). ③〖植〗삼껍질.

bartlos *a.* ① 수염이 없는. ②〖植〗까끄라기가 없는.

Bart≈meise *f.*〖動〗수염새. **~moss** *n.* ↑ ~flechte ②. **~nelke** *f.*〖植〗아메리카패랭이꽃. **~putzer, ~scherer** *m.*〖구어〗↑ Barbier. **~seife** *f.* 면도 비누. **~stoppel** *f.* 짧은 수염; 수염 자국. **~stern** *m.* 혜성. **~streicher** *m.*〖고어〗아첨꾼. **~träger** *m.* 수염을 기른 사람. **~wichse** *f.* 수염에 바르는 기름. **~wisch** *m.* (wien.) ↑ Borstenwisch.

Barutsche [barútʃə] 《it.》 *f.* -n〖고어〗2륜 마차.

Bar≈verlust *m.*〖드물게〗현금 손실. **~vermögen** *n.* 현금 자산. **~wert** *m.*〖經〗① (부채의) 상환액. ② 초기 자본. ③ 현행가(價).

Bär·wurz *f.*〖植〗산형(繖形)과 식물의 일종.

Barymetrie [barymetrí:] *f.* -n [..rí:ən] 기압 측정.

Baryon [bá:ryən] *n.* -s, -en [..yó:nən]〖핵물리〗중립자(重粒子).

Bary·sphäre [barʏ..] *f.*〖지질〗지구의 중심부.

Baryt [barý(:)t] *m.* -(e)s, -e〖광물〗중정석(重晶石);〖化〗산화바륨, 중토(重土).

Baryton [bá(:)rytɔn] *n.* -s, -e ① 17-18 세기에 사용된 현악기의 일종. ② 테너 호른과 튜바 사이의 음역(音域)을 가진 호른의 일종.

Barytonon [barý(:)tonɔn] *n.* -s, ..tona〖언어〗마지막 음절에 강세가 없는 말.

Baryt·wasser [barý:t..] *n.*〖化〗중토수(重土水).

baryzentrisch [..tsɛ́ntrıʃ] *a.* 중심(重心)의.

Baryzentrum *n.* -s, ..tra/..tren 중심(重心).

Bar·zahlung *f.* 현금 지급.

Bas [ba:s] 《ndd.》 *m.* -es, -e 우두머리, 보스.

basal [bazá:l] 《<Basis》 *a.* ① 기초의, 기저(基底)의, 기저에 자리잡은. ②〖醫〗(인체·기관의) 가장 아래쪽에 위치한. ③〖지질〗기저 지층의.

Basal≈konglomerat *n.* 기저 역암(礫岩). **~temperatur** *f.*〖醫〗기초 체온.

Basalt [bazált] *m.* -(e)s, -e〖광물〗현무암.

basalten [bazáltən] *a.* 현무암(제)의.

basaltisch *a.* 현무암으로 이루어진, 현무암질의.

Basalt≈jaspis *m.* 현무 벽옥(碧玉). **~tuff** *m.* 현무암을 함유하고 있는 응회암.

Basament 《it.》 *n.* -(e)s, -e 기초(Basis).

Basane [bazá:nə] 《it.》 *f.* -n (제본용의) 양피, 송아지의 다룸가죽.

Basanit [bazaní:t, ..nít] 《gr.》 *m.* -(e)s, -e〖광물〗바산암(岩).

***Basar** [bazá:r] 《pers.》 *m.* -s, -e ① (근동 여러 나라의) 시장. ② 자선 시장; 바자(회). ③〖구동독〗구판장, 상가, 백화점.

Bäschen [bɛ́:sçən] *n.* -s, - ↑ Base¹ 의 축소형.

Baschkire [baʃkí:rə] *m.* -n, -n 바슈키르족.

Baschkirien [..kí:riən] 바슈키르 공화국.

Baschlik [báʃlık] 《türk.》 *m.* -s, -s (Wollkapuze) 양모 두건.

***Base**¹ [bá:zə] 《ahd. basa, „Vaterschwester"》 *f.* -n ①〖고어〗질녀, 종자매. ② (schweiz.) 아주머니; 숙모, 백모. ③〖고어〗이웃 여자. ④ 수다쟁이 여자.

Base² 《gr.》 *f.* -n〖化〗염기(塩基);〖藥〗주약(主藥).

Base³ [beıs] 《engl.》 *f.* -s [béızız] ①〖軍〗기지(基地). ②〖야구〗베이스, 누.

Baseball [bé:sbo:l, bá:zəbal, béısbɔ:l] 《engl.》 *m.* -s 야구.

Basedowsche Krankheit [bá:zədo:ʃə..] *f.*〖醫〗바제도병.

Basel [bá:zəl] 바젤(스위스의 도시·주).

Baseler [..lər] 《I》 *m.* -s, - 바젤의 주민. 《II》 *a.* 바젤의.

baselig *a.*〖방언〗잘 잊어버리는.

Basement [bé:smənt] 《engl.》 *n.* -s, -s (상가·백화점의) 지하 매장.

basenhaft *a.* 아주머니 같은, 수다스러운.

Basenschaft [bá:zənʃaft] *f.* -en ① 종자매〔백모·숙모〕관계. ② 종자매들 또는 백모〔숙모〕들. ③ 수다(스러움).

***basieren** [bazí:rən] 《<Basis》 《I》 *t.*〖드물게〗et.(A) auf et.(B) ~ A 의 근거를 B 에 두다, B 를 A 의 근거로 삼다: er basiert seine Pläne auf meine Vorschläge 그의 계획은 내 제안에 근거한 것이다. 《II》 *i.*(h.) auf et.³ ~ 무엇을 바탕으로 하고 있다, 무엇에 근거를 두다: die Handlung des Romans basiert auf wirklichem Geschehen 그 소설의 줄거리는 실제 사건에 바탕을 두고 있다.

Basilianer [baziliá:nər] 《gr.》 *m.* -s, - 바실리우스(Basilius) 교단의 수도사.

Basilie [bazí:liə] 《gr.》 *f.* -n ↑ Basilikum.

Basilien·kraut *n.* ↑ Basilikum.

Basilika [bazí:lika] 《gr., „Königshalle"》 *f.* ..ken ① (고대 그리스·로마의) 공회당; 초기 기독교의 교회당. ②〖건축〗바실리카 양식.

basilikal [bazilikáːl] *a.* 바실리카풍(風)의.

Basilikum [bazí:likum] *n.* -s, -s/..ken〖植〗나륵(羅勒).

Basilisk [bazilísk] 《gr.》 -en, -en ① (사람을 노려봄으로써 죽인다는) 전설의 뱀. ②〖動〗(라틴 아메리카의 나무에 사는) 바질리스크 도마뱀.

Basilisken≈blick *m.* (사람을 흘겨서 죽인다는) 바질리스크(독사)의 눈길, 매서운 눈빛. **~ei** *n.* 바질리스크의 알:〖비유〗~er ausbrüten 흉계를 꾸미다.

Basilius [bazí:lius, bazilí:us] 《gr.》〖史〗바실리우스 대사교(大司教).

***Basis** [bá:zıs] 《gr.》 *f.* Basen ① 기초, 기반, 토대: jm. die ~ entziehen 누구의 기반을 박탈하다; die ~ für et. bilden 무엇의 기반을 조성하다, 토대를 이루다. ②〖化〗염기(塩基). ③〖건축〗주춧돌, 기둥받침. ④〖數〗밑변, 밑면; 기수; (대수의) 저수, 밑수. ⑤〖문법〗어근(語根); (복합어의) 기본어. ⑥〖藥〗주약(主藥). ⑦〖軍〗(해외) 주둔 기지. ⑧ (경제적) 토대; (정당의) 지지 기반, 기층, 일반 대중:〖구동독〗ein Mann an der ~ 기층민에 속하는 사람. ⑨〖植〗밑동, 뿌리 부위.

B

Basis⸗aktion *f.* 〖政〗 일반 대중〔지지 기반〕을 겨냥한 정치적 행동. **~arbeit** *f.* 〖政〗 일반 대중〔지지 기반〕을 겨냥한 정치 활동. **~band-netz** *n.* 〖통신〗 기준 대역망(帶域網).
basisch [bá:zɪʃ] *a.* 〖化〗 염기성의.
Basis⸗demokratie *f.* 풀뿌리 민주주의. **~-gruppe** *f.* (학생 운동의) 기층 (민중) 운동 집단. **~kurs** *m.* 〖증권〗 기본 시세.
Basizität [bazitsitɛ́:t] *f.* 〖化〗 염기도.
Baske [báskə] 《sp.》 *m.* -n, -n 바스크인.
Basken 《sp.》 *m. pl.* 바스크족(피레네 산맥에 사는 종족).
Basken·mütze *f.* 베레모, 챙 없는 모자.
Basket·ball [bá:skətbal] 《engl.》 *m.* -(e)s 농구.
baskisch [báskɪʃ] 《<Baske》 *a.* 바스크족의.
Basküle [baskʏ́:lə] 《frz.》 *f.* -n ① ↑ ~verschluß. ② (말이 뛰어오를 때의) 말잔등의 불룩한 능선.
Basküle·verschluß *m.* (손잡이 조작으로 빗장이 상하로 움직이는) 창(窓) 자물쇠의 일종.
Bäslein [bɛ́slaɪn] *n.* -s, - 〖↑ Base[1] 의 축소형〗 ① 나이 어린 질녀. ② 젊은 숙모.
Basler [bá:zlər] 《Ⅰ》 *m.* -s, - 바젤의 주민. 《Ⅱ》 *a.* 바젤의.
Bas·relief [bá..] 《frz.》 *n.* 얕은 부조(浮彫) 얕은 돋을새김.
Bass *m.* -es, Bässe ↑ Baß.
bass *ad.* ↑ baß.
***Baß** [bas] 《it. basso, „tief"》 *m.* Basses, Bässe ①〖음악〗 저음(低音), 베이스, 저음부: ~flöte 베이스 플루트; ein Duett für ~ und Sopran 베이스와 소프라노를 위한 이중창〔이중주〕. ② 저음〔베이스〕 가수. ③ 저음 악기, 콘트라베이스.
baß [bas] *adv.* 〖고어〗 ① 매우, 심하게: sich ~ wundern 깜짝 놀라다. ② (alem.) (besser) 더 낫게, 더 잘.
Bassa 《türk.》 *m.* -s/Bassen, -s/Bassen 〖고어〗 (Pascha) 터키 고관〔귀족〕의 칭호.
Baß⸗anhebung *f.* (라디오의) 저주파 증폭. **~bariton** *m.* 〖음악〗 베이스 바리톤. **~bläser** *m.* 저음 관악기의 취주자.
Basse [básə] *m.* -n, -n 〖動〗 멧돼지 수컷.
Basselisse [baslís, báslɪs] 《frz.》 *f.* -n 〖직조〗 바슬리스 양탄자.
Basselisse·stuhl *m.* 바슬리스 직조기.
Basset [basé: basɛ́:] 《frz.》 *m.* -s, -s [..sé:s, ..sɛ́:s] 〖動〗 바세개(프랑스산 사냥개의 일종).
Bassett [basɛ́t] 《it.》 *m.* -(e)s, -e 〖음악〗 3 현의 작은 콘트라베이스.
Bassett·horn *n.* 바세트 호른(테너 클라리넷).
Baß·geige *f.* 〖음악·고어〗 콘트라베이스.
Bassin [basɛ́ŋ, basɛ̃́:] 《frz.》 *n.* -s, -s [..sɛ̃́:s] 물통, 인공 저수조, 연못: Schwimm~ 수영장.
Baß·instrument *n.* 저음〔베이스〕 악기.
Bassist [basíst] 《<Baß》 *m.* -en, -en 〖음악〗 ① 저음〔베이스〕 가수. ② 콘트라베이스 연주자.
Baß·note *f.* 〖음악〗 저음 음표(音標).
Basso [báso] 《it.》 *m.* -, Bassi 〖음악〗 베이스: ~ continuo 통주 저음(通奏低音); ~ ostinato 집요 저음.
Basson [basɔ̃́:] 《frz.》 *m.* -s, -s [..sɔ̃́:s] 〖음악〗 파곳(Fagott).
Baß⸗pfeife *f.* 〖음악〗 ↑ Basson. **~saite** *f.* 저음현(絃). **~sänger** *m.* ↑ Baß ②. **~schlüssel** *m.* 저음부 기호. **~stimme** *f.* 저음, 베이스. **~tuba** *f.* 중 베이스.
Baß·straße [bás..] *f.* 배스 해협(오스트레일리아와 테즈메니아 섬 사이).
Baß·tölpel *m.* 〖動〗 갈매기의 일종.
Bast [bast] *m.* -(e)s, -e ①〖植〗 속껍질, 인피(靭皮). ②〖사냥〗 (새로 자라는 뿔 주위의 연한) 모피(毛皮). ③ 손의 가죽.
basta [básta] 《it.》 *int.* (genug) 됐다, 이제 그만 해: und damit ~! 그것으로 충분하다!
Bastard [bástart] 《frz.》 *m.* -(e)s [..ts, ..dəs], -e [..də] ①〖生〗 잡종, 튀기. ②〖고어〗 사생아, 서자. ③〖욕설〗 후레자식, 잡놈, 잡것: du ~! 이 나쁜놈아, 이 새끼!
Bastarda *f.* 15 세기의 고딕체.
bastard⸗artig *a.* 잡종〔혼혈〕의. **~faden** *m.* (서출(庶出)을 표시하는) 방패의 사선(斜線). **~fenster** *n.* 가로의 폭이 넓은 창(문).
bastardieren *t.* 〖生〗 잡종 교배시키다.
Bastardierung *f.* -en 혼성〔잡종〕 교배.
bastardisieren *i.* ①〖生〗 (다양한 종(種)이) 뒤섞이다. ②〖化〗 (다양한 에너지의 전자들이) 융합되다.
Bastardisierung *f.* -en ①〖生〗 혼성〔잡종〕 교배. ②〖化〗 (전자의) 융합.
Bastard⸗pflanze *f.* 잡종 식물. **~schrift** *f.* ① (두 가지 글씨체를 혼합한) 혼성 서체. ② 15 세기의 고딕체. ③ 귀갑(龜甲) 문자와 라틴 문자의 중간 활자체. **~wechsel** *m.* 〖商〗 융통어음. **~schrift** *f.* 변격(變格) 활자.
Bast·decke *f.* ↑ ~matte.
Baste [bástə] 《sp.》 *f.* -n 〖카드〗 두 번째로 강한 패.
Bastei [bastáɪ] 《it.》 *f.* -en ① ↑ Bastion. ② 기암군(奇岩群) (엘베강 상류의 절경).
Bastel⸗arbeit *f.* -en ① (취미로 하는) 공작, 손세공. ② 수제품. **~ecke** *f.* ① (백화점의) 수제품 코너. ② 수제품 작업실; (아이들의) 공작 놀이 공간. ③ (신문의) 공작 안내란.
Bastelei [bastəláɪ] *f.* -en ① 잔손질〔손일〕거리. ② 지겹고 짜증나는 잔손질〔손일〕.
basteln [bástəln] 《Ⅰ》 *i.* ① (취미로 수제품을) 만들다, 공작하다. ② an et.[3] ~ 무엇을 수리〔수선〕하다. ③〖고어〗 뜨개질하다. 《Ⅱ》 *t.* 손으로 만들다.
bästeln [bɛ́stəln] *i/t.* ↑ basteln.
basten [bástən] 《<Bast》 *a.* 속껍질로 만든.
bast⸗farben *a.* 속껍질 같은 담황색(淡黃色)의. **~hut** *m.* 속껍질로 만든 모자.
bastig [bástɪç] *a.* 속껍질로 된〔만든〕.
Bastille [bastí:jə, bastíljə] 《frz.》 *f.* -n ①〖드물게〗 감옥, 요새. ②〖史〗 (1789 년 프랑스 혁명 때 파괴된) 파리의 바스티유 감옥.
Bastion [bastió:n] 《frz.》 *f.* -en 〖軍〗 방호벽, 보루.
bastionieren *t.* 〖고어〗 …에 방호벽을 설치하다.
Bastler [bástlər] 《<basteln》 *m.* -s, - 공작을 잘〔즐겨〕 하는 사람, 물건을 만드는 취미를 가진 사람.
Bästling [bɛ́stlɪŋ] *m*, -s, -e 〖植〗 대마의 암그루.
Bast·matte *f.* 인피(靭皮)로 만든 돛자리.

Bastonade [bastoná:də] 《frz.》 *f.* -n (터키의) 발바닥을 매질하는 형벌.
Bast≈seide *f.* 누에실. **~seil** *n.* 인피(靭皮)로 만든 줄.
bat [ba:t] ↑ bitten 의 과거형.
BAT = Bundesangestelltentarif (독일) 연방 공무원 급여표.
Bat. = Bataillon 〖軍〗 대대(大隊).
Bataille [batá:jə, batáljə] 《frz.》 *f.* -n 싸움, 전투.
Bataillon [bataljó:n] *n.* -s, -e ① 〖軍〗 대대. ② 〔비유〕 무리, 떼: ein ~ von Journalisten 한 무리의 기자들.
Bataillons≈adjutant *m.* 〖軍〗 대대 부관. **~chef** [..ʃɛf], **~führer, ~kommandeur** *m.* 대대장.
Batate [batá:tə] 《sp.》 *f.* -n 〖植〗 고구마.
Bataver [bá:tavər] *m.* -s, - 〖史〗 바타비아인 (라인강 하구에 살았던 게르만족).
Batavia [batá:via] ① 바타비아(Bataver 의 거주지역), 네덜란드. ② 바타비아(인도네시아의 수도 자카르타의 옛 이름).
batavisch *a.* 라인강 하구의, 네덜란드의.
bäte [bɛ́:tə] ↑ bitten 의 접속법 2 식.
Batengel [batɛ́ŋəl] *m.* -s, - 〖植〗 개곽향.
Bath·metall [bá:θ..] *n.* 놋쇠의 일종.
Batholith [batolí:t, ..lɪt] 《gr.》 *m.* -s/-en, -(e)n 〖지질〗 서반(序盤) (형태가 불규칙한 화성암의 큰 덩어리).
Bathometer [batomé:tər], **Bathymeter** *n.* (해저의) 수심 측정기.
Bathseba [bát|seba, ..ze..] 《hebr.》 *f.* 〖聖〗 밧세바(사무엘 하: 11 장, 열왕기 상: 1 장).
bathy.. 《gr. bathys, „tief"》 *pref.* "깊은 (곳)"의 뜻.
bathyal [batyá:l] *a.* (해저 200-800 m 사이의) 심해의, 깊은 바다의.
Bathybius [batý:biʊs] 《gr. bathýs, „tief"》 *m.* - 깊은 바다 밑의 아교질.
Bathygraphie *f.* 심해(深海) 해양학.
bathygraphisch *a.* 심해 해양학의.
Bathyscaphe [..ská:f] *m./n.* -(s), - [..fə], **Bathyskaph** *m.* -en, -en 심해 잠수정, 심해 탐사정.
Bathysonde *f.* -n (바닷물의 상태를 측정하는) 해수(海水) 측정기.
Bathysphäre *f.* -n 〖지질〗 ① 최저 해역. ② 〖지질〗 마그마층.
Batik [bá:tɪk] 《mal.》 *f.* -en 〔*m.* -s, -en〕 ① (밀랍을 사용한) 바틱 날염법. ② 〔복수〕 바틱 날염천.
Batik·druck *m.* ↑ Batik ①.
batiken *t.* 바틱 날염 방식으로 염색하다.
Bäting [bɛ́:tɪŋ] *m.* -(e)s, -e 〔*f.* -e〕 〖海〗 계주(繫柱).
Batist [batíst] 《frz.》 *m.* -es, -e 고급 삼베.
batisten *a.* 고급 삼베로 만든.
batonieren *i.* 〖펜싱〗 목검으로 연습하다.
Batrachier [..ráxiər] 《gr.》 *m.* *pl.* 〖動〗 개구리 종류.
Batrachomyomachie [..xomyomaxí:] *f.* 개구리와 쥐의 싸움(Illias 를 희화한 그리스 광시(狂詩) 제목).
Batt(r). = Batterie 〖軍〗 포병 중대.
batten *t.* (h.) (westd.) 쓸모 있다.
***Batterie** [batərí:] 《frz.》 *f.* -n [..rí:ən] ① 〖軍〗 포병(중)대; 포열(砲列). ② 〔비유〕 죽 늘어선 물건들: eine ~ Flaschen 죽 늘어선 많은 병(甁); abgekämpfte ~n 죽 늘어선 빈 병. ③ 축전지, 배터리: die ~ ist erschöpft 전지가 다 나갔다; eine neue ~ einsetzen 배터리를 새로 갈다. ④ 도구〔기기〕 세트. ⑤ (악단의) 타악기. ⑥ 〖발레〗 양 다리를 뻗은 채 교차하며 부딪치는 도약 동작.
Batterie≈chef *m.* 〖軍〗 포병 중대장. **~element** *n.* 〖전기〗 (낱개의) 전지. **~empfänger** *m.* 〖전기〗 전지식 수신기. **~führer** *m.* ↑ ~chef. **~gefechts·stand** *m.* 〖軍〗 포병대 지휘소. **~gerät** *n.* 전자식 기기. **~geschütz** *n.* 〖軍〗 포대용 화포(火砲). **~kessel** *m.* 〖工〗 여러 개의 실린더로 구성된 보일러. **~strom** *m.* 전지 전류. **~zündung** *f.* 축전지식 점화.
Battuta [batú:ta] 《it.》 *f.* ..ten ① 〖음악〗 박절(拍節), 박자 치기. ② 〖펜싱〗 상대방의 칼을 치기.
Batz *m.* -es (bayr.) 진흙, 진창; 오물.
Bätze [bɛ́tsə] *f.* -n ① 암캐; 이리〔맹수〕의 암컷. ② 〔속어〕 창녀, 탕녀.
batzen [bátsən] 《Ⅰ》 *t.* ① 〔방언〕 (의복을) 깁다, 수선하다; 잡아 뜯다. ② (jn.) 호통치다, 야단치다. 《Ⅱ》 *refl.* sich ~ 엉겨 붙다.
Batzen *m.* -s, - ① 덩어리: ein ~ Lehm 진흙 덩어리; 〔구어〕 ein (schöner) ~ Geld 거액의 돈. ② **(a)** 바첸(옛 은화의 이름; 독일: 1 Batzen = 4 Kreuzer, 스위스: 10 Rappen). **(b)** 돈, 많은 돈: 〔비유〕 das wird einen schönen ~ Geld kosten 그것은 돈이 많이 들 것이다.
Batzen≈stück *n.* ① 옛 은화; 푼돈. ② (기사 갑옷의) 퇴갑(腿甲). **~ware** *f.* 싸구려, 값싼 물건.
batzig [bátsɪç] 《<Batz》 *a.* 진흙투성이의; 끈적〔질척〕한.
***Bau**[1] [bau] 《<bauen》 *m.* -(e)s, -e/-ten ① **(a)** 건축, 건설, 공사: der ~ einer Straße 〔eines Schiffes〕 도로 공사〔선박 건조〕; im 〔in〕 ~ sein 건축〔공사〕 중이다. **(b)** 건축물, 건물: ein solider 〔stattlicher〕 ~ 견고〔웅장〕한 건축물. **(c)** 〔복수〕〖영화〗 무대 장치, 세트. ② 건축 양식; 구조, 조직; 몸매, 체격: von schlankem ~ 몸매가 날씬한; der ~ einer Maschine 기계의 구조; der ~ eines Dramas 드라마의 구성; einer vom ~ 전문가, 소식통. ③ 〖農〗 경작, 재배; 〖광산〗 채굴.
Bau[2] *m.* -(e)s, -e ① 〖사냥〗 (여우·너구리의) 굴, 집: 〔구어〕 nicht aus dem ~ kommen 두문불출하다. ② 광산〔채굴〕 시설. ③ 〖軍·구어〗 영창, 군 교도소: drei Tage ~ 3 일간의 영창. ④ 〔방언〕 거름, 퇴비.
bau *int.* ~ ~! 멍멍!; 따당! (총소리).
Bau≈abnahme *f.* 〖法〗 준공 검사. **~abschnitt** *m.* 〖토목〗 공사 분기(동안의 공정). **~abteilung** *f.* (관청의) 건축과. **~akademie** *f.* 건축 전문 학교. **~amt** *n.* 토목·건축의 감독 관청, 건설부〔국〕. **~anschlag** *m.* 건축비 견적. **~arbeiten** *pl.* 건축 공사. **~arbeiter** *m.* 건설 노동자. **~art** *f.* 건축 양식. **~aufseher** *m.* 토목〔건축〕 감독. **~aufsicht** *f.* 〖法〗 ① 건축 감독 (부서). ② 〖軍〗 (군함 건조 때의) 공사 감독. **~(aufsichts)·behörde** *f.* ↑ ~amt. **~betrieb** *m.* ↑ ~firma. **~bewilligung** *f.* 건축 허가. **~biologie** *f.* 건축 생태학(건축 소재를 손상시키는 생물에

관한 연구 분야). **~block** *m.* 건축〔공사〕 구역. **~bude** *f.* 공사장의 막사.

***Bauch** [baux] *m.* -(e)s, Bäuche ① **(a)** 배, 복부: einen ~ bekommen 배가 나오다; sich³ den ~ vor Lachen halten 배를 움켜잡고 웃다; auf dem ~ liegen 배를 바닥에 대고 엎드리다; vor jm. auf dem ~ kriechen 〔liegen〕 누구에게 굽신대다; jm. ein Loch in den ~ fragen 누구에게 꼬치꼬치 캐묻다; einen schlauen ~ haben 교활하다, 약다. **(b)** 위(胃): dem ~ dienen 〔sich³ den ~ pflegen〕 식욕을 채우다; der ~ ist sein Gott 그는 식도락가다; sich³ den ~ vollschlagen 배가 터지게 먹다; ein fauler ~ 게으름뱅이. **(c)** 자궁. ② 배 모양의 것: ~ eines Schiffs 선복(船腹); (통·바이올린의) 불룩한 부분 (중동).

Bauch≈atmung *f.* 복식(腹式) 호흡. **~band** *n.* 통의 허리테. **~binde** *f.* ① 복대(腹帶), 허리띠. ② (책·담배의) 두름띠. **~decke** *f.* 〖해부〗 복벽. **~diener** *m.* 미식가, 대식가.

Bäuche [bɔ́ʏçə] *f.* -n ↑ Beuche.

Bäuchelchen [bɔ́ʏçlçən] *n.* -s, - ↑ Bauch 의 축소형.

bauchen[1] [báuxən] 《I》 *t.* ① 부풀리다, 볼록하게 하다. ② 〖토목〗 (길 가운데를) 높이다, 돋우다. 《II》 *refl.* sich ~ 부풀다, 볼록해지다; die Segel bauchten sich im Wind 돛이 바람을 받아 부풀었다. 《III》 **gebaucht** *p.a.* ↑ gebaucht.

bauchen[2] [báuxən] *t.* ↑ beuchen.

Bauch≈fell *n.* 〖해부〗 복막. **~fell·entzündung** *f.* 〖醫〗 복막염. **~finne** *f.* ↑ ~flosse. **~flosse** *f.* 〖動〗 배지느러미. **~flosser** *m.* 〖動〗 배지느러미가 달린 물고기류. **~fluß** *m.* 〖醫〗 설사. **~füßer** *m.* ↑ ~füßler. **~füßler** *m.* 〖動〗 복족류(腹足類). **~grimmen** *n.* 〖醫〗 복통, 산통(疝痛). **~gurt** *m.* (말의) 뱃대끈. **~höhle** *f.* 〖해부〗 복강(腹腔). **~höhlen-schwangerschaft** *f.* 복강 임신(자궁외 임신의 일종).

bauchig [báuxɪç] *a.* 배가 나온, (배가) 불룩한: ein ~er Krug 배가 볼록한 항아리.

..bäuchig *suf.* "배 모양이 …한"의 뜻(보기: dick~ 배가 불룩한, 올챙이 배의).

Bauch≈knecht *m.* 〖고어〗 육욕의 노예. **~-kneifen, ~kneipen** *n.* ↑ ~grimmen. **~-knopf** *m.*, **~knöpfchen** *n.* 〖아동〗 배꼽. **~laden** *m.* (행상의) 배걸이 좌판. **~landung** *f.* (비행기의) 동체 착륙.

Bäuchlein *n.* -s, - ↑ Bauch 의 축소형.

Bäuchling *m.* -s, -e 미식가, 대식가.

bäuchlings *adv.* ① (↔ rücklings) 엎드려서, 배를 깔고. ② 배를 내밀고.

Bauch≈mark *n.* 〖해부〗 복수(腹髓) 신경. **~-nabel** *m.* 배꼽. **~pilz** *m.* 〖植〗 배버섯족(族) (갓이 퍼지지 않고 볼록한 버섯류). **~pinseln** 《I》 *t.* 〖속어〗 아부하다. 《II》 **gebauchpinselt** *p.a.* ↑ gebauchpinselt. **~redekunst** *f.* 복화술(腹話術). **≈reden** (*p.p.* gebauchredet) *i.* 복화술로 이야기하다. **~-redner** *m.* 복화술사. **~riemen** *m.* ↑ ~gurt. **~schmerz** *m.* 복통. **~schnecke** *f.* 〖動〗 꼬마씨우렁이속(屬). **~schnitt** *m.* 〖醫〗 개복술(開腹術). **~speichel·drüse** *f.* 〖해부〗 췌장. **~stich** *m.* 〖醫〗 천복술(穿腹術). **~stück** *n.* ① 〖요리〗 복부의 고기. ② (선박의) 늑근재(肋根材) (맨 밑의 늑재). **~tanz** *m.* 배꼽춤, 벨리 댄스. **≈tanzen** *i.* 배꼽춤을 추다. **~tier** *n.* 〖動〗 연체 동물.

Bauchung [báuxʊŋ] *f.* -en 불룩하게 하기; 부풂.

Bauch≈wand *f.* 〖해부〗 복벽(腹壁). **~-wasser·sucht** *f.* 〖醫〗 복수증(腹水症). **~-weh** *n.* 복통. **~wind** *m.* 〖구식〗 방귀 (Darmwind). **~wurm** *m.* 기생충.

Baud [baut, bo:t] *n.* -(s), - 〖전신〗 보(송신 속도의 단위; 약어: Bd).

Baude [báudə] *f.* -en (schles.) ① 고산지의 농가, 오두막집. ② 산장. ③ ↑ Bude.

Bau≈denkmal *n.* 건축 문화재, 기념비적 건축물. **~direktor** *m.* 토목〔건축〕 감독. **~-dispens** *m.* 〖法〗 건축 특별 인가. **~element** *n.* 건축 부품〔자재〕.

***bauen** [báuən] 《I》 *t.* ① (집을) 세우다, 짓다, 건축〔건설〕하다: Straßen ~ 도로를 건설하다; eine Maschine 〔ein Schiff〕 ~ 기계〔배〕를 제작〔건조〕하다; (sein Haus) auf Sand ~ 모래 위에 집을 짓다, 사상누각을 쌓다. ② 경작〔재배〕하다; (벌꿀 따위를) 채집하다: Gemüse ~ 채소를 재배하다; seinen Acker ~ 밭을 경작하다. ③ 〖광산〗 채굴하다: Silber ~ 은을 파내다; auf Silber ~ 은을 찾으려고 파다. ④ (schweiz.) 거름을 주다. ⑤ (의복을) 마르다; 만들다: sich³ einen Anzug ~ lassen 옷을 짓게 하다; eine Geige ~ 바이올린을 만들다; einen neuen Autotyp ~ 신형 자동차를 만들다. ⑥ 〖구어〗 (일을) 치르다; 마무리하다: sein Examen ~ 시험을 치르다; den Doktor ~ 학위를 하다. ⑦ 〖구어〗 저지르다: einen Unfall ~ 사고를 치다; Mist ~ 엉뚱한 짓을 저지르다. ⑧ 종사〔관여〕하다: die See ~ 어업〔항해〕에 종사하다; die Messe ~ (노점상이) 대목장에 나가다. 《II》 *i.* ① 자기 집을 짓다: er hat schon vor Jahren gebaut 그는 벌써 여러 해 전에 자기 집을 지었다. ② an et.³ ~ a) 무엇을 짓고 있다, b) 무엇에 공헌하다. ③ auf jn.〔et.〕 ~ 누구에게〔무엇에〕 의지〔의뢰〕하다: ich baue auf dich 나는 너를 믿는다; auf js. Wort ~ 누구의 말을 신뢰하다. 《III》 **gebaut** *p.a.* ↑ gebaut.

Bau·entwurf *m.* 건축 설계도.

Bauer[1] [báuər] (ahd.) *n.* -s, - 새장.

***Bauer**[2] *m.* -n, -n ① 농부; 자작농; 재배〔경작〕자. ② 시골 사람, 촌부: 〖폄어〗 ein richtiger ~ 촌뜨기, 교양이 없는 사람. ③ 〖카드〗 잭(가장 낮은 패); (장기의) 졸.

..bauer (<bauen) *suf.* "경작자·건조〔제작〕자"의 뜻(보기: Acker~ 농부; Schiff(s)~ 조선(造船) 기사; Orgel~ 오르간 제작자).

Bäuerchen [bɔ́ʏərçən] *n.* -s, - ① ↑ Bäuerlein. ② 〖아동〗 ein ~ machen 트림하다.

Bau·erde *f.* (Ackererde) 경작토.

Bauer·fron *f.* 〖史〗 농민〔농노〕의 부역(의무).

Bäuerin *f.* -nen 여자 농사꾼; 농부의 아내, 시골 아낙네.

bäuerisch *a.* ↑ bäurisch.

Bau·erlaubnis *f.* 건축 허가.

Bäuerlein *n.* -s, - 〖↑ Bauer 의 축소형〗 (초라한) 시골 사람, 농민.

bäuerlich *a.* 농민〔농촌〕의, 시골풍의: die ~e Kunst 농민 예술; ein Zimmer ~ einrichten 방을 시골풍으로 꾸미다.

Bauer·meister *m.* 촌장(村長).
Bauern≈adel *m.* 시골 귀족, 지주. **~aufstand** *m.* 농민 봉기. **~befreiung** *f.* 농민 해방. **~brot** *n.* ① 농민이 직접 구운 빵. ② 시골식의 거친 빵〔음식〕. **~bund** *m.* 농민 동맹. **~bursche** *m.* 농촌 젊은이, 시골 총각. **~dichtung** *f.* (중세의) 농민 문학. **~dirne** *f.* 시골 처녀, 촌색시. **~fang** *m.* 〖다음 용법으로만〗 auf ~ ausgehen 〖구어〗 얄팍한 술수로 속이려 들다. **~fänger** *m.* (순진한 사람을 우려먹는 비열한) 사기꾼. **~fängerei** *f.* 사기. **~flegel** *m.* 투박한 시골 사람. **~frau** *f.* 농부의 아내. **~freund** *m.* 농민의 벗〔지지자〕. **~frühstück** *n.* 농촌의 아침 식사(대개 구운 감자와 달걀·소시지). **~fußball** *m.* 〖폄어〗 동네 축구. **~gut** *n.* ① (↔ Rittergut) 농민 소유지. ② 농장, 농지. **~haus** *n.* 농가. **~hochschule** *f.* (농촌 젊은이를 위한) 농민 대학. **~hof** *m.* 농장, 농지. **~junge** *m.* 농촌 청소년: 〖비유〗 es regnet ~n(s) 비가 억수로 퍼붓다. **~kaff** *n.* 〖구어〗 촌구석, 깡촌. **~karpfen** *m.* 〖방언〗 붕어. **~krieg** *m.* (1524-25 년 독일의) 농민 전쟁. **~legen** *n.* (영주·지주에 의한) 농지 몰수. **~leier** *f.* 손잡이를 돌려서 연주하는 현악기. **~lied** *n.* 농민 가요. **~mädchen** *n.* ↑ ~dirne. **~regel** *f.* (농민의 경험·미신에 의한) 날씨 점치는 방법. **~rose** *f.* 〖植〗 작약. **~same** *f.* ↑ ~volk. **~schädel** *m.* ① 넓고 억세어 보이는 두개골. ② 고집쟁이. ③ 고집 불통, 완고.
Bauernschaft *f.* -en ① 〖집합적〗 농민, 마을의 농민 전체. ② ↑ Bauerntum.
Bauern≈schenke *f.* 시골 주막. **~schlau** *a.* 의뭉스러운, 약삭빠른. **~schläue** *f.* 의뭉스러움, 약삭빠름. **~schwager** *m.* 의형제. **~schwägerin** *f.* ↑ ~schwager 의 여성형. **~senf** *m.* ↑ Ackersenf. **~sohn** *m.* 농민의 아들〔후예〕. **~stand** *m.* 농민 신분〔계급〕. **~sterben** *n.* 농촌 인구의 격감, 농촌 몰락. **~stolz** *m.* ① 농민의 자부심. ② 못난 자랑. **~stube** *f.* ① 농가의 방. ② 시골풍의 주방〔식당〕. **~theater** *n.* ① (중세의) 농민극. ② 농민 극단. ③ (알프스의) 민속극(단). **~tochter** *f.* 농민의 딸. **~tracht** *f.* 농민 복장.
Bauerntum *n.* -(e)s ① 농민티, 농민 기질〔근성〕. ② 농민 신분〔계급〕.
Bauern≈universität *f.* 〖구동독〗 농과 대학. **~verstand** *m.* ↑ ~schläue. **~volk** *n.* 농민. **~wesen** *n.* ↑ Bauerntum ①. **~wetzel** *m.* 〖醫〗 (Mumps) 유행성 이하선염(耳下腺炎). **~wirtschaft** *f.* ① 농업. ② 농지, 농장.
bauers.. ↑ bauern...
Bauersame *f.* -n (schweiz.) ↑ Bauernvolk.
Bauerschaft *f.* ↑ Bauernschaft ①.
Bauers≈frau *f.* 여자 농사꾼, 촌부(村婦). **~leute** *pl.* 농민, 농부; 농사꾼 일가족. **~mann** *m.* 〖시어〗 농부.
Bau≈fach *n.* 건축업; 건축학. **~fällig** *a.* 붕괴 위험이 있는. **~fälligkeit** *f.* 붕괴 위험성. **~feld** *n.* 〖광산〗 채굴장, 막장. **~firma** *f.* 건축〔건설〕 회사. **~fläche** *f.* 〖法〗 건축 부지: Wohn~ 택지; Gewerbe~ 상업용 부지. **~flucht** *f.* ① (가로의) 가옥의 열(列). ② 건축 한계선〔기준선〕. **~flucht·linie** *f.* ↑ ~flucht ②. **~form** *f.* ① 건축 양식. ② 〖工〗 구조 형태. ③ 〖문학〗 구성 형식, 구조. **~führer** *m.* 토목〔건축〕 감독. **~gefangene*** *der/die* 사역 죄수. **~gelände** *n.* 건축 부지. **~genehmigung** *f.* 건축 허가. **~genossenschaft** *f.* 건축〔주택〕 조합. **~gerüst** *n.* (건축용의) 비계〔발판〕. **~gewerbe** *n.* 건축업. **~gewerk·schule** *f.* 건축 학교. **~grube** *f.* 〖토목〗 건물 기초 공사를 위한 구덩이. **~grund** *m.* 건축 지반〔부지〕. **~grund·stück** *n.* 건축 용지〔부지〕.
bauhaft *a.* ① 경작에 적당한; 채굴할 수 있는. ② ↑ baulich ②.
Bau≈hand·werker *m.* 건축 직공. **~haus** *n.* 〖예술〗 바우하우스(1919 년 바이마르에 창립된 건축 공예 학교). **~herr** *m.* ① 건축주; 건축업자. ② 건축 감독관. **~hof** *m.* 건축 자재저장소. **~holz** *n.* 건축용 목재. **~hütte** *f.* ① 건축 공사장의 가건물〔막사〕. ② (중세의) 건축 장인(匠人) 조합. **~industrie** *f.* 건축업. **~ingenieur** *m.* 건축〔토목〕 기사. **~inspektor** *m.* ↑ ~aufseher. **~jahr** *n.* ① 준공〔제작·출고〕 연도. ② 건축〔공사〕 연차(年次). ③ 〖구어〗 출생 연도; 나이: welches ~ bist du denn? 자네 출생 연도가 도대체 언제지?; er ist auch schon ein älteres ~ 그 사람도 벌써 나이가 제법 되었다. **~kasten** *m.* (어린이 놀이용) 쌓아올리기 블록. **~kasten·system** *n.* 〖工〗 블록 조립 방식. **~klotz** *m.* (어린이 놀이용) 쌓아올리기 블록 조각: 〖비유〗 ~klötze (r) staunen 깜짝 놀라다. **~kommission** *f.* 건축 감독 위원회. **~konjunktur** *f.* 건축 경기(景氣). **~kosten** *pl.* 건축비. **~kostenzuschuß** *m.* 건축 보조금. **~kunst** *f.* 건축술. **~künstler** *m.* 건축가. **~land** *n.* 건축 부지; 경지. **~last** *f.* ① 〖法〗 (소방 시설비·수리비의) 건물주 부담 의무. ② 〖宗〗 (교구민의) 교회당 유지비의 부담 의무. **~lebung** *f.* 〖방언〗 ↑ Besthaupt. **~leiter** *m.* 건축 공사 감독, 현장 책임자. **~leute** *pl.* 건축 공사 인부.
baulich [báulıç] *a.* ① 건축에 관한. ② (건물이) 거주할 수 있는, 수리가 잘된.
Baulichkeit *f.* -en ① 건축물(Gebäude). ② (가옥의) 수리 상태.
Bau≈los *n.* 건축 도급〔하청〕 지분(持分). **~löwe** *m.* 〖구어〗 부동산 투기꾼(특히 집장수). **~lücke** *f.* 미건축 부지. **~lust** *f.* 〖經〗 건축열, 건축 투자 의욕. **~lustig** *a.* 건축 취미가 있는.
***Baum** [baum] *m.* -(e)s, Bäume [bɔ́ymə] ① 나무, 수목: einen ~ fällen 벌목하다; einen ~ pflanzen 나무를 심다; kräftig wie ein ~ 힘이 매우 센; 〖비유〗 zwischen ~ und Borke sitzen 진퇴유곡이다; ein ~ der Reisenden 바나나 나무(나그네의 나무); 〖聖〗 der ~ der Erkenntnis 선악을 알게 하는 나무(창세기 2 : 9); vom ~ der Erkenntnis essen a) 성(性)에 눈뜨다, b) 선·악의 분별이 생기다, c) (경험을 통해) 지혜로워지다; ~ des Lebens 생명의 나무(창세기 2 : 9); Bäume ausreißen (können) 능력이〔기개가〕 대단하다; er wird keine Bäume ausreißen 그는 큰 일은 못할 것이다; 〖속담〗 es ist dafür gesorgt, daß die Bäume nicht in den Himmel wachsen 모든 일에는 한도가 있다; das ist, um auf die Bäume zu klettern! 그것은 어림없는 일이다〔당치도 않다〕, 절망적이다!; das klettert 〔steigt〕 auf die Bäume! 그것은 전대미문의

일이다 ! ; den Wald vor (lauter) Bäumen nicht sehen 나무에 가려 숲을 보지 못하다. ② 크리스마스 트리: den ~ anzünden〔schmücken〕 크리스마스 트리를 점화〔장식〕하다. ③ (문의) 빗장, 횡목(橫木); (항구의) 방재(防材); (수레의) 채, (쟁기의) 성에; (기계의) 축; 〖海〗(돛자락을 펴는) 활죽. ④〔농담〕(나무 토막처럼) 대사 없이 줄곧 서 있기만 하는 배우.

Baum≠abdruck *m.* (바위·돌에 찍혀 있는) 수목의 흔적. **~allee** *f.* 가로수가 있는 도로.

Bau≠mann *m.*〔복수: ..leute/..männer〕① 농경자; **(a)** (ndd.) 자작농(Vollbauer). **(b)** (obd.) 머슴의 우두머리. ② 건축 인부. **~markt** *m.* ① 건축 자재 시장. ②〖經〗건축〔건설〕시장. **~maschine** *f.* 건축 장비. **~material** *n.* 건축 자재.

baum≠artig *a.* 나무 모양의. **≈ast** *m.* 나뭇가지. **≈axt** *f.* 벌목용 도끼. **≈bart** *m.* ↑ Bartflechte ②. **≈blüte** *f.* ① 수목의 꽃. ② 수목의 개화기.

Bäumchen [bɔ́ʏmçən] *n.* -s, -〖↑ Baum 의 축소형〗 작은〔어린〕 나무:〔격언〕 das ~ biegt sich, doch der Baum nicht mehr 어린 나무 때는 휘어져도 큰 나무가 되면 휘어지지 않는다(어릴 때 교육이 중요하다).

Baumé·grad [bomé:..] *m.* 〖化〗 보메도(度) (액체의 밀도를 나타내는 단위; 약어: Bé).

Bau·meister *m.* 건축사; 건축 도급업자.

Baumel [báuməl] *f.* -n ①〔구어〕술, 레이스 (장식): Ohr≈ 귀걸이. ② 그네.

baumeln [báuməln] *i.* (h.) ① (흔들거리며) 매달려 있다: an einem Ast baumelt ein Affe 나뭇가지에 원숭이가 건들거리며 매달려 있다. ② 흔들거리다: mit den Armen ~ 팔을 휘젓다;〔비유〕er wird ~ müssen 그는 교수형에 처해질 것이다; am Galgen〔Strick〕 ~ 교수형을 당하다.

baumen [báumən] ① *i.* (h.) 〖사냥〗 나무에 날아오르다〔기어오르다〕. ②〔드물게〕↑ bäumen.

bäumen [bɔ́ʏmən] 《<Baum》《I》 *t.* 〖農〗 (수레 위의 짐을) 나무 막대기로 고정시키다; 〖방직〗 (날실을) 베틀의 축에 감다. 《II》 *i.* (h.) / *refl.* (sich) ~ (말이) 뒷발로 서다:〔비유〕 sich gegen et. ~ 무엇에 저항하다, 거역하다.

Baum≠falke *m.* 〖動〗 새호리기. **~falle** *f.* 〖사냥〗 들보가 떨어지게 설치한 덫. **~farn** *m.* 〖植〗 큰 고사리의 일종. **~feld·wirtschaft** *f.* 〖林〗 간작(間作) 임업. **~frevel** *m.* 수목 훼손, 도벌. **~gang** *m.* 가로수가 있는 통로. **~garten** *m.* 과수원; 수목원. **~gärtner** *m.* 수목 재배자, 수목원 관리자. **~geländer** *n.* 나무 담장. **~grenze** *f.* 〖林〗 (고산지·극지대의) 수목 생육 한계선. **~hacker** *m.* 〖動〗 동고비. **~haken** *m.*〔구어〕매부리코. **~harz** *n.* 수지(樹脂). **≈hoch** *a.* 나무같이 높은, 우뚝 솟은. **~kahn** *m.* 통나무 배. **≈kantig** *a.* (나무 껍질이 남아 있을 정도로) 대충 깎은. **~kenner** *m.* 수목학자. **~kitt** *m.* 〖원예〗 접목(법). **~krone** *f.* 수관(樹冠), 나무 꼭대기. **~kuchen** *m.* 나무〔뾰족한〕 모양의 과자. **~kultur** *f.* ↑ ~zucht. **~kult** *m.* 〖민속〗 수목 숭배. **~kunde** *f.* 수목학. **≈lang** *a.* 나무처럼 키가 큰: ein ~er Kerl 키다리. **~läufer** *m.* 〖動〗 나무발바리; 딱따구리. **~laus** *f.* 〖動〗 진딧물의 일종. **~leiter** *f.* 괨목이 있는 사다리(원예용).

baumlos *a.* 나무가 없는〔자라지 않는〕.

Baum≠marder *m.* 〖動〗 담비의 일종. **~messer** 《I》 *n.* 가지치기용 칼. 《II》 *m.* 수목 측정기(器). **~nymphe** *f.* 나무의 요정. **~öl** *n.* 올리브 기름. **~pfahl** *m.* 어린 나무를 버티는 말뚝. **~pieper** *m.* 〖動〗 나무 종다리. **~pflanzung** *f.* 식수, 나무 심기. **≈reich** *a.* 나무가 많은〔무성한〕. **~rinde** *f.* 나무 껍질. **~rutsche** *f.* (벌목한 나무를 계곡으로 나르기 위한) 목재 운반로. **~saft** *m.* 수액(樹液). **~säge** *f.* 가지 치기용 톱. **~sarg** *m.* 목관(木棺). **~schere** *f.* 가지 치는 가위. **~schlag** *m.* ①〖건축〗 나뭇잎 모양 장식. ②〔고어〕나뭇잎의 형태. ③ 벌채 구역. **~schnitt** *m.* 나뭇가지 치기(의 방식). **~schoner** *m.* (방한용으로) 나무 줄기를 감싸는 덮개. **~schröter** *m.* 〖動〗 사슴벌레. **~schule** *f.* 〖林〗 수목원. **~stamm** *m.* 나무 줄기. **≈stark** *a.* 매우 강한, 튼튼한. **≈still** *a.* (움직이지 않고) 고요한. **~stock** *m.* ↑ ~stumpf. **~strunk** *m.* (벌목한 나무의) 그루터기. **~stück** *n.* 식목(원), 과수(원). **~stumpf** *m.* 그루터기. **~wachs** *n.* 접목(接木)에 쓰이는 밀랍. **~weißling** *m.* 〖動〗 흰나비과의 일종.

*__Baum≠wolle__ [báumvɔlə] *f.* 솜; 목화; 면직, 목면. **≈wollen** *a.* 무명〔면직〕으로 만든.

Baumwoll≠garn *n.* 무명실. **~industrie** *f.* 면직〔면방〕 산업. **~pflanze** *f.* ↑ ~staude. **~pflanzung** *f.* 목화 재배. **~samen·öl** *m.* 목화씨 기름. **~samt** *m.* 무명 비로드, 골덴. **~sammet** *m.* ↑ ~samt. **~spinnerei** *f.* 면사 방적; 방적 공장. **~staude** *f.* 〖植〗 목화. **~ware** *f.* 면(綿)제품. **~zeug** *n.* 면포(綿布).

Baum≠zucht *f.* 수목 재배. **~züchter** *m.* 수목 재배자.

Baunzerl [báuntsərl] *n.* -s, -n (öst.) 밀크빵.

Bau≠ordnung *f.* 건축 법규. **~plan** *m.* ① 건축 설계(도). ②〖生〗(동식물의) 계통, 체계. ③〖지질〗 tektonischer ~ 지각 구조. **~platz** *m.* 건축 부지〔공사장〕. **~polizei** *f.*〔고어〕건축〔토목〕 감독국. **~rat** *m.* 건축〔토목〕 감독관. **~recht** *n.* 건축권. **≈reif** *a.* 건축 예정의; 착공 준비가 완료된.

Bäurin [bɔ́ʏrin] *f.* -nen ↑ Bäuerin.

bäurisch [bɔ́ʏrɪʃ] *a.* ① 농부 같은, 농민의; 시골의: 〖건축〗 ein ~es Werk 거친 돌로〔자연석으로〕 지은 건축물(Rustika). ② 투박한, 촌스러운; 조야한, 버릇 없는: ~ Sitten 조야한 풍속.

Bau≠riß *m.* 건축 설계(도) (↑ ~plan ①). **~sand** *m.* 모르타르〔회반죽〕에 쓰는 모래. **~satz** *m.* 조립 부품.

baus.. *pref.* ↑ paus...

*__Bausch__ [bauʃ] *m.* -es, -e/Bäusche [bɔ́ʏʃə] ① 불룩한 것: **(a)** (안장의) 무릎이 닿는 부분의 불룩한 곳. **(b)** (머리에 대는) 망건 모양의 쿠션. **(c)** 〖植〗 수관(樹冠); 산형(繖形) 꽃차례〔화서(花序)〕. ② 압박 붕대, 지혈면(綿). ③ (짚·종이의) 다발, 묶음:〔비유〕 in ~ und Bogen 일괄하여, 통틀어. ④ 밖으로의 만곡(灣曲)(Bogen).

Bau·schaffende* *der/die* 〖구동독〗 건축 일꾼〔인부〕.

Bauschal·summe *f.* ↑ Pauschalsumme.
Bausch·ärmel *m.* 불룩한 옷소매.
Bäuschchen [bɔ́ʏʃçən] *n.* -s, - 《↑ Bausch의 축소형》 조그만 솜베개〔쿠션〕; (종이 따위의) 조그만 묶음.
Bausche [bau̯ʃə] *f.* -n 《방언》 (지혈용의) 압박 붕대; 지혈면(綿).
Bäuschel [bɔ́ʏʃəl] *m./n.* -s, - 《광산》 큰 쇠망치.
bauschen [báuʃən] 《<Bausch》《I》 *i./refl.* (sich) ~ 불룩해지다, 부풀어오르다. 《II》 *t.* 불룩하게 하다, 부풀어오르게 하다: der Wind bauscht die Segel 바람에 돛이 부푼다.
Bauschen *m.* -s, - 바우셴(16-18 세기에 Aachen 에서 발행한 동전).
bauschig *a.* 불룩한, 부풀어오른.
Bausch·kauf *m.* (물건 개수를 세지 않는) 일괄 구매.
Bäuschlein *n.* -s, - ↑ Bäuschchen.
Bau·schlosser *m.* 건축 철물공.
Bausch·quantum ↑ Pauschquantum.
Bau·schule *f.* 건축 학교.
Bause [báuzə] *f.* -n ↑ Paus[1].
bausen[1] [báuzən] *t.* (먹지를 대고) 베끼다.
bausen[2] *i.* (h.) (술을) 진탕 마시다.
Bau≈sohle *f.* 《광산》 수평갱. **≈sparen** *i.* 건축 예금 조합에 가입하다. **~sparer** *m.* 건축 예금 조합 가입자. **~spar·kasse** *f.* 건축 예금 조합. **~stätte** *f.* ↑ ~stelle. **~stein** *m.* ① 건축용 석재; (장난감) 모자이크. ② 《비유》 구성 요소; 기반, 초석: ~e einer Theorie 어떤 이론의 토대. **~stelle** *f.* 건축 공사장. **~stil** *m.* 건축 양식. **~stoff** *m.* ① 건축 재료. ② 《生》 필수 영양소. **~stoff·wechsel** *m.* 《生》 신진 대사.
Bauta·stein [báuta..] *m.* (고대 북유럽의) 고인돌, 거석.
Baute [báutə] *f.* -n 건축물; 《영화》 세트.
Bau≈technik *f.* 건축 기술. **~teil** *m./n.* 건축물의 부분; 부품. **~tischler** *m.* 목수, 소목장이. **~träger** *m.* 건축 시공 업체. **~typ** *m.* (기계의) 모델, 형(型). **~unternehmen** *n.* ① 건축〔건설〕 회사. ② (대규모의) 건축 계획. **~unternehmer** *m.* 건축업자. **≈verständig** *a.* 건축에 통달한. **~vertrag** *m.* 《法》 건축 계약. **~volumen** *n.* 건축 면적. **~vorhaben** *n.* 건축 계획. **~weise** *f.* ① 건축 방식〔양식〕. ② 《광산》 채굴 방식. **~werk** *n.* 건축물〔작품〕: ein gotisches ~ 고딕식 건축물. **~werker** *m.* 건축공, 건축〔건설〕 노동자. **~wesen** *n.* 건축, 토목(에 관한 일). **~wich** *m.* 《法》 인접 건물과의 간격. **~würdig** *a.* 《광산》 채산성이 있는.
Bauxerl [báuksərl] *n.* -s, -(n) (öst.) 귀여운 꼬마 아이.
Bauxit [bauksí:t, ..ksít] *m.* -(e)s, -e 《광물》 보크사이트.
bauz [bauts] *int.* 《의성어·농담》 쿵, 탕(특히 아이가 넘어질 때 짐짓 놀라는 소리).
Bau·zaun *m.* 건축 공사장 둘레의 울타리.
bauzen *i.* (h.) 《속어》 ① (개가) 멍멍 짖다. ② 탕하고 들이받다, 돌진하다.
Bau·zug *m.* 공사용 운반 열차; 갱차.
Bavaria [bavá:ria] 《lat.》 *f.* ① ↑ Bayern. ② Bayern 을 상징하는 여인상(München 소재).
baxen [báksən] *i./refl.* ↑ boxen.

Bayer [báɪər] *m.* -n, -n 바이에른 사람.
Bayerin *f.* -nen 바이에른 여성.
bayerisch *a.* 바이에른(방언)의 (bairisch).
Bayerland *n.* ↑ Bayern.
***Bayern** [báɪərn] 바이에른(남부 독일의 주).
Bayreuth [baɪrɔ́ʏt] 바이로이트(바이에른 주의 도시; Wagner 극장이 있음).
bayrisch *a.* ↑ bayerisch.
Bayrisch·kraut *n.* 바이에른 양배추 스튜.
Bayrum [bé:rəm, báɪrum] 《engl.》 *m.* -s 베이럼(두발용 향수).
Bazar [bazá:r] *m.* -s, -e ↑ Basar.
Bazi [bá:tsi] *m.* -s, -s 《폄어》 ① (südd., öst.) 백수건달. ② 《폄어》 바이에른놈.
bazillär [batsɪlέ:r] 《lat.》 *a.* 간상균(桿狀菌)의.
Bazille [batsílə] *f.* -n ↑ Bazillus.
Bazillen·träger *m.* 보균자.
***Bazillus** [batsílus] 《lat., „Stäbchen"》 *m.* -, ..llen 간상균(桿狀菌); 세균, 박테리아.
bb 《음악》 이어지는 음을 한 음 낮추어서.
BBC [bí:bi:sí:] 《engl.》 =Britisch Broadcasting Corporation 영국 방송 협회.
BBk =Deutsche Bundesbank 독일 연방 은행.
bbl =Barrel 배럴.
B.c. 《음악》 =Basso continuo 기본 저음.
BCG =Bazillus Calmette-Guérin 칼메트 게랑균(菌), 비시지(결핵 예방제).
BCG-Schutz·impfung *f.* 비시지 예방 접종.
Bch. =Buch 권, 편.
Bd. =Band 《복수: Bde.》 권, 책.
BDA ① =Bund Deutscher Architekten 독일 건축가 협회. ② =Bundesvereinigung der Deutschen Arbeitgeberverbände 독일 경영자 총연합회.
Bde. =Bände *pl.* 권, 책.
Bdellium [bdέlium] 《gr.》 *n.* -s 고무 수지(樹脂)의 일종.
BDI =Bundesverband der Deutschen Industrie 독일 산업 연맹.
BDJ =Bund Deutscher Jugend (구서독의) 독일 청년 동맹.
BDM =Bund Deutscher Mädel (히틀러 때의) 독일 여성 청년단.
BDPh =Bund Deutscher Philatelisten 독일 우표 수집가 협회.
BDÜ =Bundesverband der Dolmetscher und Übersetzer 독일 번역가 협회.
B-Dur [bé:..] *n.* - 《음악》 내림 나 장조.
Be =Beryllium 《化》 베릴륨.
Bé =Baumégrad 《化》 보메도(度).
***be..** *pref.* 《비분리 동사의 전철》 ① 기본어의 뜻을 강조하는 용법(보기: beachten). ② 타동사와 결합하거나, 자동사를 타동사로 바꾸는 용법(보기: belegen, beantworten). ③ 자동사의 성질을 유지하면서 상태 불변의 뜻을 보강하는 용법(보기: bestehen). ④ 명사를 동사화시킬 때의 전철(보기: beseelen) (과거 분사형으로만 쓰이는 경우: bejahrt). ⑤ 형용사·부사를 동사화시킬 때의 전철(보기: befähigen).
beabsichtigen [bəlápzɪçtɪgən] *t.* 의도하다, 꾀하다, …할 생각이다: ich beabsichtigte, nach Rom zu fahren 나는 로마로 갈 생각이었다; was ~ Sie damit? 그래서 어쩌자는 것이죠?

beachten *t.* 주의하다, 주목하다: einen Ratschlag ~ 충고를 유념하다; er beachtet sie nicht 그는 그녀를 거들떠보지도 않는다.
beachtens·wert *a.* 주목할 만한, 주의를 요하는.
beachtlich *a.* 주목할 만한, 상당한.
Beachtung *f.* -en 주의, 고려: ~ finden 주목받다: jm.〔et.[3]〕 ~ schenken 누구에게〔무엇에〕 주의를 기울이다; seine Leistung verdient ~ 그의 성과는 주목할 만하다.
beackern *t.* ① (토지를) 갈다, 경작하다. ②〖비유〗 철저히 검토하다: ein Thema ~ 어떤 주제를 철저히 다루다. ③〖비유〗(상대방을) 집요하게 물고늘어지다.
Beam·antenne [bí:m..] *f.* (라디오용) 빔 안테나.
beampeln [bə|ámpəln] *t.* 신호등을 설치하다.
__Beamte__ [bə|ámtə] *der* ① 공무원, 관료, 관리: Staats~ 국가 공무원. ② (고위직의) 특명 수행자.
beamten 《I》 *t.* 공직에 임용하다. 《II》 **beamtet** *p.a.* ↑ beamtet.
beamtet 《I》 *p.p.* ↑ beamten. 《II》 *p.a.* 공직에 있는: der〔die〕 ~e 공무원, 관리.
Beamten≈abbau *m.* 공무원 감원〔정리 해고〕. **~anwärter** *m.* 공무원 임용 대기자. **~beleidigung** *f.* 〖法〗 공무원 모독(죄). **~dasein** *n.* 〖반어〗 생계가 보장된 편안한 생활. **~deutsch** *n.* 〖대개 폄어〗 관청 독일어. **~ethos** *n.* 공직자 윤리. **~gesetz** *n.* 공무원법. **~gewerkschaft** *f.* 공무원 노동 조합. **~herrschaft** *f.* 관료 정치. **~miene** *f.* 〖폄어〗 (관료 티가 나는) 딱딱하고 근엄한 표정.
Beamtenschaft *f.* ↑ Beamtentum.
Beamten≈seele *f.* 〖폄어〗 자기 일밖에 모르는 편협한 사람, 관료주의에 젖은 사람. **~silo** *n.* 〖구어〗 (위압적인) 관공서 건물. **~staat** *m.* 〖政〗 관료 국가. **~stand** *m.* 관료층, 공무원의 신분.
Beamtentum *n.* -(e)s ① 관료층, 공무원 신분. ② 관료주의, 관료 근성.
Beamten≈verhältnis *n.* (상급자에 대한) 공무원의 법적인 관계. **~welt** *f.* 관계(官界). **~wirtschaft** *f.*, **~zopf** *m.* 관료적 형식주의, 관료주의.
Beamtin *f.* -nen 여자 공무원.
beängstigen [bəέŋstigən] *t.* 불안하게 하다, 걱정시키다.
beängstigend *p.a.* 불안한, 걱정스러운, 겁나는: er sieht ~ bleich aus 그는 걱정스러울 정도로 창백해 보인다; 〖익살〗 der Junge ist ja ~ groß 그 청년은 정말 겁나게 키가 크다.
Beängstigung *f.* -en 불안, 근심(거리).
beanlagen [bə|ánla:gən] 《<Anlage》《I》 *t.* …에 재능을 부여하다. 《II》 **beanlagt** *p.a.* ↑ beanlagt.
beanlagt 《I》 *p.p.* ↑ beanlagen. 《II》 *p.a.* 재능〔천분〕이 있는.
beanschriften [bə|ánʃrɪftən] *t.* 〖官·격식〗 (편지에) 주소·성명을 기재하다.
Beanschriftung *f.* -en 주소(의 기재).
*__beanspruchen__ [bə|ánspru..] 《<Anspruch》 *t.* ① 요구〔청구〕하다: sein Erbe ~ 자기 몫의 유산(상속)을 요구하다. ② 필요로 하다: viel Zeit〔Raum〕 ~ 많은 시간〔공간〕을 필요로 하다. ③ 무리한 요구를 하다, 부담을 주다: er wird von seiner Familie stark beansprucht 그는 식구들로 인해 심한 부담을 받고 있다. ④ 하중(荷重)을 주다: die Maschine ist zu stark beansprucht 그 기계는 너무 심한 하중을 받고 있다.
Beanspruchung *f.* -en ① 요구, 청구, 필요. ② 부담: die übermäßige ~ der Nerven 신경의 과도한 부담. ③〖기계〗 하중, 부하(負荷); 내력(內力), 응력(應力): zulässige ~ 허용 하중.
beanstanden [bə|ánʃtandən] 《<Anstand》 *t.* …에 이의를 제기하다, 항의하다: eine Rechnung ~ 계산서에 이의를 제기하다.
beanständen *t.* (öst.) ↑ beanstanden.
Beanstandung *f.* -en 이의, 항의, (상품의) 클레임.
beantragen [bə|ántra:gən] *t.* ① 신청〔청원〕하다: einen Paß〔Sonderurlaub〕 ~ 여권을〔특별 휴가를〕 신청하다. ②〖法〗 청구하다: eine polizeiliche Untersuchung ~ 경찰 수사를 청구하다. ③ 제안〔제의〕하다: eine Änderung der Tagesordnung ~ 일정 변경을 제의하다.
Beantragung *f.* 신청, 청구; 제안, 제의.
*__beantworten__ *t.* ① (대)답하다: einen Brief〔eine Frage〕 ~ 편지〔질문〕에 답하다. ② 반응〔응수〕하다.
Beantwortung *f.* -en ① 회답, 대답: 〖격식〗 in ~ Ihres Schreibens 귀하의 서신에 답하여. ②〖음악〗 푸가〔둔주곡〕에서 주제의 반복.
Beantwortungs·schreiben *n.* 답장, 답신.
bearbeitbar *a.* 다룰 수 있는, 취급〔가공〕할 수 있는.
*__bearbeiten__ [bə|árbaɪtən] *t.* ① 가공〔처리〕하다, 세공을 하다: Rohstoffe ~ 원료를 가공하다. ② (토지를) 갈다, 경작하다. ③ (어떤 주제를) 다루다, 논하다. ④ 개작〔번안〕하다; 개정〔편찬〕하다; 〖음악〗 편곡하다: eine neu bearbeitete Auflage 개정판. ⑤〖비유〗 설득〔권유〕하다: er hat mich so bearbeitet, daß ich nicht nein sagen konnte 그는 내가 반대할 수 없도록 나를 설득하였다. ⑥〖익살〗 마구 갈기다: jn. mit Fäusten ~ 누구를 주먹으로 마구 패다; ein Musikinstrument ~ 어떤 악기를 마구 다루다(난타하다).
Bearbeiter *m.* -s, - 가공자; 취급자; 개작〔번안〕자, 개정자.
Bearbeitung *f.* -en ① 가공; 경작; (테마의) 취급: in ~ 제작〔가공〕 중인; die Akte ist in ~ 그 서류는 작성 중이다. ② 개작, 번안, 개정; 〖음악〗 편곡: eine ~ einer Sage 어떤 설화의 개작; eine Sinfonie in der ~ für Klavier 피아노를 위해 편곡된 심포니.
Bearbeitungs≈gebühr *f.* (관청 서류의) 처리비, 수수료. **~kosten** *pl.* 가공 비용. **~vermerk** *m.* 처리 확인 표시. **~zeit** *f.* 처리〔가공〕 기간.
beargwohnen *t.* ↑ beargwöhnen.
beargwöhnen *t.* 의심하다, 혐의를 두다.
Beargwöhnung *f.* -en 의심, 의혹, 혐의.
Beat [bi:t] 《engl.》 *m.* -s, -s ①〖음악〗 비트, (박자의) 강음(強音). ② 비트 음악. ③〖발레〗 나란히 늘어서서 발을 마주치는 동작.
Beata [beá:ta, ..tə] 《lat., „die Glückliche"》 *f.* ① 베아타(여자 이름). ②〖가톨릭〗 (여성) 복자(福者): ~ Maria Virgo 영복(永福)의 성

마리아.

Beat≈band [bí:t..] «engl.» *f.* -s 비트 음악 연주단. **~fan** «engl.» *m.* 비트 음악 애호가. **~-generation** [..dʒenərɛ́ıːʃən] «engl.» *f.* 비트 음악 세대.

Beatifikation [beatifikatsió:n] *f.* -en 〖가톨릭〗 (Seligsprechung) 선복(宣福), 축복; (죽은 사람이 영복을 받았음을 보여주는) 선복식.

beatifizieren *t.* 〖가톨릭〗 선복〔축복〕하다.

beaten [bí:tən] (♧ Beat) *i.* 비트 음악을 연주하다; 비트 음악에 맞추어 춤추다.

beati possidentes [beá:ti: pɔsidɛ́ntɛs] «lat.» 소유하는 자는 행복하도다.

Beatle [bí:təl] «engl.» *m.* -s, -s ① 비틀스 (Beatles) 그룹 숭배자. ② (비틀스를 흉내낸) 장발족.

Beatle·mähne *f.* 〔평어〕 장발의 머리 스타일.

beatmen *t.* 〖醫〗 인공 호흡을 시키다.

Beatmung *f.* -en 인공 호흡.

Beatmungs·gerät *n.* 인공 호흡기. **~störung** *f.* 호흡 장애.

Beatnik [bí:tnık] «engl.» *m.* -s, -s ① 비트 음악 세대. ② 비트족(기성의 규범을 거부하는 사람).

Beatpad [bí:tpɛt] «engl.» *m.* -s, -s 환각제 판매소.

Beatrice [(frz.) beatrí:sə, (it.)..tʃe] «it., „die Beglückende"» *f.* 베아트리체(여자 이름).

Beatus [beá:tus] «lat., „der Glückliche"» *m.* ① 베아투스(남자 이름). ② 〖가톨릭〗 복자; 성인; 천국의 영복을 받은 사람.

Beau [bo:] «frz.» *m.* -s, -s 멋쟁이, 한량; 미남.

beauflagen [bəláufla:gən] *t.* 〖구동독〗 임무〔작업 목표〕를 부과하다: die beauflagte Produktionssteigerung 할당된 생산 향상.

Beaufort·skala [bó:fərt.., bofɔ́:r..] *f.* 〖기상〗 보포트 풍력 등급(12 등급이 있음).

beaufschlagen «<Aufschlag» *t.* 〖工〗 (터빈의 날개를) 움직이다.

Beaufschlagung *f.* -en 터빈 가동.

beaufsichtigen *t.* 감독〔감시〕하다.

Beaufsichtiger *m.* -s, - 〔드물게〕 감독관, 감시자.

Beaufsichtigung *f.* -en 감독, 감시.

beauftragen (beauftragte, beauftragt) «<Auftrag» 《I》 *t.* jn. mit. et.³ ~ 누구에게 무엇을 위임〔부탁〕하다: ich habe ihn beauftragt, Bücher abzuholen 나는 그에게 책을 갖다 달라고 부탁했다. 《II》 **beauftragt** *p.a.* ↑ beauftragt.

beauftragt 《I》 *p.p.* ↑ beauftragen. 《II》 *p.a.* 위임받은: ~er Richter 수임(受任) 판사.

Beauftragte* *der/die* 수임자, 대리인.

beaugapfeln [bəláukapfəln] *t.* 〔구어·익살〕 빤히 쳐다보다, 훑어보다.

beäugeln *t.* 〔익살〕 말똥말똥 쳐다보다, 빤히 훑어보다; 곁눈질하다, 추파를 던지다.

beaugen *t.* ↑ beäugen.

beäugen 《I》 *t.* (의혹·호기심 때문에) 주시하다, 빤히 훑어보다. 《II》 **beäugt** *p.a.* ↑ beäugt.

beaugen·scheinigen [bəláugənʃaınıgən] *t.* 〔격식·익살〕 (자기 눈으로 직접) 검사하다, 검증하다.

beäugt 《I》 *p.p.* ↑ beäugen. 《II》 *p.a.* 눈이 달린〔있는〕.

Beauté [boté:] «frz.» *f.* -s 미; 미인.

bebaken *t.* 〖海〗 항로 표지를 설치하다.

bebändern *t.* 리본〔띠장식〕으로 장식하다.

bebartet [bəbá:rtət] *a.* 〔雅語〕 수염이 있는 〔자란〕, 수염을 기른.

bebauen *t.* ① (토지를) 갈다, 경작〔재배〕하다: ein nie bebautes Land 처녀지; einen Garten mit Gemüse ~ 정원에 채소를 재배하다. ② 건축하다: ein Grundstück ~ 어느 터에 건축하다.

Bebauer *m.* -s, - 경작자; 건축자.

Bebauung *f.* -en 경작; 건축(물).

Bebauungs≈dichte *f.* (부지의) 건폐율. **~-genehmigung** *f.* 〖法〗 건축 인허가. **~-plan** *m.* 〖法〗 (토지의) 개발〔건축〕 계획.

bebbern [bɛ́bərn] *i.* 〔방언〕 ↑ beben.

Bébé [bebé:] «frz.» *n.* -s, -s (schweiz.) 갓난아이, 젖먹이; 인형.

***beben** [bé:bən] *i.* ① (몹시) 떨다, 전율하다, 진동하다: vor Furcht ~ 겁이 나서 떨다. ② 두려워하다, 무서워하다; 걱정되다: um jn. ~ 누구의 일이 몹시 걱정되다.

Beben *n.* -s, - 떨림, 전율, 진동; 〖음악〗 떨림음, 전음(顫音): Erd≈ 지진.

Beber *m.* -s, - ↑ Bebezug.

Beber·esche *f.* 〖植〗 사시나무.

bebern *i.* (h.) 〔방언〕 ↑ beben.

Bebe≈schwanz *m.* 〖動〗 할미새. **~zug** *m.* 〖음악〗 (풍금의) 떨림음을 내는 음전(音栓).

bebildern *t.* 그림으로 장식하다, 삽화를 넣다.

Bebilderung *f.* -en 그림 장식, 삽화.

bebinden* *t.* et. mit et.³ ~ 무엇에 무엇을 감다.

beblättern *refl.* sich ~ 잎이 나다〔자라다〕: beblätterte Zweige 잎이 달린 가지들.

beblechen *t.* …에 양철(판)을 대다; 〔고어〕 양철로 만든 공무원 기장을 달다.

bebleien *t.* 납으로 봉하다.

beblüht *a.* 〔시어〕 꽃이 만발한.

beblümen 《I》 *t.* 꽃(모양)으로 장식하다. 《II》 **beblümt** *p.a.* ↑ beblümt.

beblümt 《I》 *p.p.* ↑ beblümen. 《II》 *p.a.* ① 꽃무늬가 있는: ein grell ~es Kleid 울긋불긋한 꽃무늬가 있는 옷. ② 꽃이 만발한.

bebohlen *t.* …에 두꺼운 널빤지를 깔다.

Bebop [bí:bɔp] «engl.» *m.* -(s), -s ① 〖음악〗 비밥(1940 년대부터 북아메리카에서 발전한 예술풍 재즈). ② 비밥 재즈풍의 유행춤.

beborten *t.* …에 가장자리 장식을 붙이다.

bebrämen *t.* …에 가장자리 장식을 달다.

bebrillt [bəbrílt] *a.* 안경을 쓴.

bebrüten *t.* ① (알을) 품다, 부화하다. ② (따뜻하게 하여) 숙성시키다, 배양하다. ③ 〔구어〕 숙고〔고심〕하다: seine Situation ~ 자신이 처한 상황을 숙고하다.

Bebung [bé:buŋ] *f.* -en 〖음악〗 (음의) 떨림; 떨림 주법(奏法).

bebunkern *t.* (배에) 연료 탱크를 채우다.

bebuscht [bəbúʃt] *p.a.* 관목으로 덮인, 덤불이 우거진.

bebußen *t.* 〖法〗 jn. ~ 누구에게 벌금형을 부과하다.

Béchamel·soße [beʃamél..] «frz.» *f.* 베샤멜 소스(맛이 진한 흰색 소스의 일종).

*__Becher__ [bέçər] *m.* -s, - ① 잔, 술잔: ein ~ Milch〔Wein〕 우유〔포도주〕 한 잔; den ~ füllen〔leeren〕 잔을 채우다〔비우다〕; 〖비유〗 den ~ des Leidens bis zur Neige leeren 고뇌의 잔을 남김없이 비우다〔마시다〕; 〖시어〗 den ~ nehmen〔trinken〕 독배(毒杯)를 들다, 자살하다; 〖구어〗 zu tief in den ~ angeschaut haben 거나하게 취한. ② 잔 모양의 물건; (목관 악기의) 나팔; (식물의) 배엽(杯葉); 주사위 통; (도토리의) 깍정이; 분화구; 〖天〗 컵좌(座). ③ 곡량(穀量)의 단위.

Becher·blume *f.* ↑ ~kraut.

Becherchen *n.* -s, - 〖↑ Becher 의 축소형〗 작은 잔.

Becher≈druse *f.* 〖광물〗 석영. **~flechte** *f.* 〖植〗 이끼의 일종. **≈förmig** *a.* 컵 모양의. **~frucht** *f.* 〖植〗 각두과(殼斗果). **~früchtler** *pl.* 〖植〗 각두과(科). **~glas** *m.* ① 종 모양의 유리잔. ② 〖化〗 비커. **~held** *m.* 〖반어〗 술꾼, 호주가. **~klang** *m.* 축배를 마주칠 때 나는 소리. **~kraut** *n.* 〖植〗 오이풀.

Becherling *m.* -s, -e 〖植〗 ↑ Becherpilz.

bechern [bέçərn] *i.* 〖구어〗 진탕 마시다.

Becher≈pilz *m.* 〖植〗 잔버섯. **~spiel** *n.* 잔을 가지고 하는 마술. **~stiefel** *m.* (17 세기에 유행한) 통이 넓은 남성용 장화. **~traube** *f.* 잔 만드는 틀. **~werk** *n.* 〖工〗 양동이가 달린 컨베이어.

Beck *m.* -en, -en (obd.) ↑ Bäcker.

*__Becken__ [bέkən] *n.* -s, - ① 양푼, 대야. ② 큰 물통, 저수조, 풀; 저수지; 내항(內港); 〖지질〗 분지. ③ 〖해부〗 골반. ④ 〖음악〗 심벌즈.

Becken≈bein *n.* 〖해부〗 골반뼈, 무명골(無名骨). **~bruch** *m.* 〖醫〗 골반 골절. **≈förmig** *a.* 대야 모양의. **~gürtel** *m.* 〖해부〗 골반대. **~höhle** *f.* 골반강(腔). **~knochen** *m.* ↑ ~bein. **~messer** *m.* 골반계(計). **~organ** *n.* 골반 기관(생식·소화 기관). **~schlag** *m.* 〖음악〗 심벌즈치기. **~schläger** *m.* ① 〖고어〗 함석장이. ② 〖음악〗 심벌즈 연주자.

Beckmesser [bέkmɛsər] *m.* -s, - (옹졸한) 트집쟁이, 불평꾼 (R. Wagner 의 오페라에 나오는 인물 Sixtus Beckmesser 에서).

Beckmesserei *f.* -en 흠잡기, 트집, 불평.

beckmessern (*p.p.* gebeckmessert) *t.* 흠잡다, 트집잡다, 불평하다.

Becquerel [bɛkərέl] Antoine Henri ~ 베크렐 (프랑스의 물리학자, 1852-1908).

Becquerel-Strahlen *pl.* 〖物〗 베크렐선.

bedachen 《I》 *t.* …에 지붕을 이다〔덮다〕. 《II》 **bedacht** *p.a.* ↑ bedacht.

bedacht [bədáxt] 《I》 *p.p.* ↑ bedenken. 《II》 *p.a.* 사려 깊은, 신중한: auf et. ~ sein 무엇을 염두에 두다, 무엇에 마음쓰다.

Bedacht *m.* -(e)s 심사, 숙고; 조심, 신중: mit ~ 신중히; ohne ~ 경솔하게, 아무 생각 없이; voll ~ 아주 신중히; auf et. ~ nehmen 무엇에 유의하다, …을 고려하다.

Bedachte* *der/die* 〖法〗 유증(遺贈) 대상자.

bedächtig [bədέçtɪç] *a.* ① 사려, 깊은, 분별 있는, 신중한. ② 의젓한, 유유한.

Bedächtigkeit *f.* 사려 분별, 신중; 의젓함.

bedächtlich *a.* ↑ bedächtig ①.

bedachtlos *a.* 분별〔지각〕 없는, 경솔한.

bedachtsam *a.* 사려 깊은, 용의주도한.

Bedachtsamkeit *f.* -en 심사숙고, 조심성.

Bedachung *f.* -en ① 지붕이기〔덮기〕. ② 지붕: Stroh≈ 초가 지붕; Ziegel≈ 기와 지붕.

bedampfen *t.* ① (물체의 표면을) 증기 분사식으로 도금하다. ② Konserven ~ 통조림 속의 공기를 증기 분사식으로 빼내다.

*__bedanken__ 《I》 *t.* (süddt., öst.) ① **(a)** jn. ~ 누구에게 감사하다. **(b)** et. ~ 무엇에 감사하다. ② 〖대개 수동적〗 sei bedankt! 고맙소! 《II》 *refl.* sich ~ ① sich bei jm. für et. ~ 누구에게 무엇에 대하여 감사의 뜻을 표하다. ② 〖반어〗 사절〔거절〕하다: dafür bedanke ich mich bestens! 그것은 제발 사절하겠네!

bedarf ↑ bedürfen 의 1·3 인칭 단수 현재형.

*__Bedarf__ [bədárf] 《<bedürfen》 *m.* -(e)s ① 필요, 부족, 결핍; 수요: ~ an Lebensmittln 식료품 수요; den ~ decken 수요를 감당해내다; 〖비유〗 mein ~ ist gedeckt a) 나는 필요한 것을 가질 만큼 가졌다, b) 나는 이제 질렸다; ~ an et.[3] haben 무엇이 필요하다; bei ~ 필요할 때는; nach ~ 수요에 응하여, 필요에 따라; 〖구어〗 kein ~! 관심 없어! ② 필수품.

Bedarfs≈artikel *m.* 〖經〗 필수품(목). **~deckung** *f.* 〖經〗 수요(품) 충족. **~deckungsschein** *m.* 수요품 충족표(나치스 때 결혼 대비제(貸費制)에서 현금 대신 교부됨). **~deckungs·wirtschaft** *f.* 〖經〗 수요 충족 경제. **~erkennung** *f.* 〖經〗 수요 조사. **~ermittlung** *f.* ↑ ~erkennung. **~fall** *m.* 〖격식〗 im ~ 필요할 때는. **≈gerecht** *a.* 수요〔필요〕에 상응하는. **~gut** *n.* 일용품, 소비재. **~halte·stelle** *f.* (손님이 있을 때만 정차하는) 임시 정류장. **~spitze** *f.* 성수기(盛需期). **~träger** *m.* 수요자. **~verkehr** *m.* 임시 교통편. **~verwaltung** *f.* 〖法〗 (인적·물적 자원의) 조달 부서. **~weckung** *f.* 수요 창출. **~zuweisung** *f.* 〖法〗 (자치 단체에 대한 주 정부의) 자원 배분.

bedauerlich [bədáuərlɪç] *a.* 유감스러운, 애석한.

bedauerlicher·weise *adv.* 유감스럽게도, 애석하게도.

*__bedauern__ [bədáuərn] *t.* jn. ~ 누구를 불쌍히 여기다, 동정하다; et. ~ …을 유감으로 생각하다: bedaure sehr! 안됐습니다만, 유감스럽습니다만! (은근한 거절).

Bedauern *n.* -s ① 연민, 동정: jm. sein ~ ausdrücken 누구에게 연민의 정을 표하다. ② 유감, 아쉬움: zu meinem (größten) ~ (너무나) 유감스럽게도.

bedauerns≈wert *a.* ① 가엾은, 불쌍한: ein ~es Geschöpf 불쌍한 인간. ② 유감스러운: es ist sehr ~, daß das geschehen mußte 그런 일이 벌어져야만 했다니 대단히 유감스럽군요. **~würdig** *a.* ↑ ~wert.

Bede [bé:də] 《ndd. „Bitte"》 *f.* -n (중세의) 조세(租稅) (처음에는 자발적 공물(貢物)).

*__bedecken__ [bədέkən] 《I》 *t.* ① 덮다, 덮어씌우다: Schnee bedeckt die Erde 눈이 땅을 덮다; den Tisch mit einem Tuch ~ 식탁에 보를 씌우다; Wolken ~ den Himmel 구름이 하늘을 덮는다〔가린다〕; jn. mit Küssen ~ 누구에게 키스를 퍼붓다. ② 비호〔엄호〕하다: 〖軍〗 das Gepäck ~ 보급품 꾸러미를 호송하다. ③ 은폐하다, 감추다. ④ …와 교미하다. ⑤ 덮치다, 달려들다: 〖사냥〗 die Hunde ~ den Keiler 사냥개가 멧돼지한테 달려든다. ⑥

(öst.) 보충〔상쇄〕하다: ein Defizit ~ 결손을 보충하다. ⑦ 감당하다, 충족시키다: der Begriff bedeckt dieses Phänomenon nicht 그 개념은 이 현상을 제대로 설명해 내지 못한다. 《Ⅱ》 *refl.* sich ~ a) 덮어쓰다, 덮이다, b) 〔고어〕 모자 쓰다; bitte, ~ Sie sich (doch)! 부디 모자를 쓰시오! ; 〔비유〕 sich mit Ruhm ~ 명성을 떨치다; sich mit Schande ~ 치욕을 당하다. 《Ⅲ》 **bedeckt** *p.a.* ↑ bedeckt.

Bedecker *m.* -s, - 종마(種馬), 종돈(種豚), 종우(種牛).

bedeckt 《Ⅰ》 *p.p.* ↑ bedecken. 《Ⅱ》 *p.a.* ① 덮인, 가려진: ~er Himmel 구름낀 하늘; mit ~em Haupt 모자를 쓰고; 〖軍〗 ~es Gelände (숲·가옥에 의한) 은폐지. ② 목쉰, 목이 잠긴.

Bedecktsamer *m.* -s, - 〖植〗 속씨 식물.

bedecktsamig *a.* 〖植〗 속씨 식물의: ~e Pflanzen 피자 식물.

Bedeckung *f.* -en ① 덮기; 〖天〗 (일식·월식 등의) 엄폐 현상. ② 덮개, 씌우개; 피복. ③ 비호, 엄호; 호위(병). ④ 날씨가 흐려짐. ⑤ (결손의) 보충, 벌충.

Bedeckungs≈schiff *n.* 호위선(船). **~truppe** *f.* 호위〔호송〕 부대.

bedeichen *t.* 제방을 쌓아서 보호하다.

***bedenken** [bədɛ́ŋkən] 《Ⅰ》 *t.* ① 숙고〔고려·유념〕하다: ich gebe es Ihnen zu ~ 한번 생각해 보셔요; die Folgen ~ 결과를 염두에 두다. ② 배려하다: jn. mit et.³ ~ 누구를 위하여 무엇을 갖추어 주다; jn. in seinem Testamente mit et.³ ~ 누구에게 무엇을 유언으로 증여하다; vom Glücke gut bedacht 행운을 점지받은. 《Ⅱ》 *refl.* sich ~ ① 생각〔고려〕하다: sich eines andern 〔eines Bessern〕 ~ 다시 생각하다. ② 주저하다, 꽁무니빼다. ③ 몸을 사리다.

***Bedenken** *n.* -s, - ① 숙고, 고려: nach langem ~ 오랜 숙고 끝에. ② 의구심, 주저: ohne ~ 주저없이; ~ haben 〔hegen, tragen〕 의심을 품다, 주저하다; zu ~ Anlaß geben 의혹의 빌미를 주다.

bedenkenlos *a.* ① 거침〔거리낌〕없는: ~ zustimmen 주저없이 동의하다. ② 경솔한.

Bedenkenlosigkeit *f.* -en 거침없음; 경솔.

bedenkens·wert *a.* 재고할 여지가 있는.

***bedenklich** *a.* ① 〔드물게〕 깊이 생각한, 신중한. ② 미심쩍은, 걱정스러운, 예사롭지 않은: einen ~en Eindruck machen 미심쩍은 인상〔느낌〕을 주다; ein ~es Gesicht machen 근심어린 표정을 짓다; auf et. ~es Licht werfen 무엇에 악영향을 끼치다; das Wetter sieht ~ aus 날씨가 심상치 않다.

Bedenklichkeit *f.* -en ① 수상쩍은 일, 예사롭지 않은 일; (병세의) 중태. ② 의혹, 주저.

bedenksam *a.* 주의 깊은, 신중한.

Bedenk·zeit *f.* 생각할 겨를, 유예 기간.

bedeppert [bədɛ́pərt] *a.* 〔구어〕 ① 어쩔 줄 모르는, 당황한: ein ~es Gesicht 당황한 표정. ② 의기소침한, 기죽은, 주눅든.

***bedeuten** [bədɔ́ʏtən] *t.* ① **(a)** 뜻하다, 의미하다: zwei Wörter, die dasselbe ~ 같은 뜻을 나타내는 두 낱말; Perlen ~ Tränen 진주는 눈물을 나타낸다; Leben bedeutet Kämpfen 인생은 투쟁이다; was soll das ~? 그것은 대체 무슨 뜻이냐? **(b)** 중요하다: das hat nichts zu ~ 그것은 대수롭지 않다; die Kinder ~ ihr alles 그녀에겐 아이가 전부다. **(c)** 예시하다, …의 징조다: dies Zeichen bedeutet gutes Wetter 이것은 좋은 날씨의 징조다. ② 〔고어〕 암시하다, 알리다; 명령하다; 타이르다: laß dich doch ~! 내 충고를 받아들여라! ; ich bedeutete ihn〔ihm〕 zu schweigen 나는 그에게 입을 다물도록 명했다.

Bedeuten *n.* -s 〔다음 용법으로만〕 mit dem ~, daß... …라는 조건〔전제〕 아래.

***bedeutend** 《Ⅰ》 *p.a.* ① 의미 있는, 의미심장한: ein ~es Ereignis 의미심장한 사건. ② 중요〔중대〕한; 현저〔대단〕한: ein ~es Kapital 거액의 자본; um ein ~es 매우, 현저히. ③ 유명한, 영향력 있는: eine ~e Persönlichkeit 유력 인사; ein ~er Gelehrter 저명 학자. 《Ⅱ》 *adv.* 매우, 현저히, 몹시, 훨씬: er hat sich ~ verbessert 그는 훨씬 나아졌다.

bedeutsam *a.* 의미심장한, 뜻깊은; 중요한: er lächelte ihr ~ zu 그는 그녀에게 뜻깊은 미소를 보냈다.

Bedeutsamkeit *f.* 의미심장, 함축〔중요〕성.

***Bedeutung** [bədɔ́ʏtuŋ] *f.* -en ① 의미, 의의: in der wahren ~ des Wortes 그 말의 참된 의미에서; die wörtliche ~ 단어적 의미; ein Ereignis von historischer ~ 역사적 의의가 있는 사건; mit ~ 의미 있는 듯이, 고의로. ② 중요성, 비중, 가치: von〔ohne〕 ~ sein 중요하다〔중요하지 않다〕; ein Mann von ~ 유력 인사; et.³ ~ beimessen 무엇에 비중을 두다; an ~ gewinnen〔verlieren〕 중요성을 얻다〔잃다〕; es ist nichts von ~ 그것은 전혀 중요하지 않다. ③ 전조. ④ 〔드물게〕 지시, 명령.

Bedeutungs≈entlehnung *f.* 〖언어〗 의미 차용. **~erweiterung** *f.* 〖언어〗 의미 확장〔확대〕. **~feld** *n.* 〖언어〗 (어떤 말의) 의미 영역. **≈gleich** *a.* 같은 뜻의, 의미가 일치하는. **~-lehre** *f.* 〖언어〗 의미론.

bedeutungslos *a.* 무의미한, 중요치 않은.

Bedeutungslosigkeit *f.* 무의미; 중요치 않은 일.

Bedeutungs≈merkmal *n.* 〖언어〗 의미소(素). **~reich** *a.* ① 의미심장한, 중요한. ② 뜻이 풍부한, 다의적(多義的)인. **≈schwer** *a.* ↑ ≈voll. **≈voll** *a.* 의미심장한; 중요한; 이미 아는, 주지의. **~wandel** *m.* 〖언어〗 의미 변화〔변천〕. **~wörter·buch** *n.* 의미〔어의〕 사전.

bedielen *t.* …에 마루널을 깔다.

***bedienen** [bədíːnən] 《Ⅰ》 *t.* ① 모시다, 시중들다, 접대하다: einen Kranken ~ 환자를 돌보다, 간호하다; Gäste ~ 손님을 접대하다; in jenem Geschäft wird man gut bedient 저 가게는 서비스가 좋다; 〔반어〕 sonst wollt' ich dich anders ~ 그렇지 않으면 그냥 두지 않을 테야; die Tafel ~ 식사 시중을 들다; die Messe ~ 미사를 드리다. ② (기계를) 조작하다; 〔구식〕 (관직·지위를) 차지하다. ③ (카드·패를) 내(놓)다: du mußt Trumpf ~! 너는 으뜸패를 내야 한다! ④ (공을) 패스하다: einen Spieler ~ 어떤 선수에게 (공을 정확히) 패스하다. ⑤ 〖經〗 이자를 지급하다. 《Ⅱ》 *i.* (h.) ① 시중들다, 모시다: bei Tische ~ 식사 시중을 들다. ② ↑ 《Ⅰ》 ③. 《Ⅲ》 *refl.* sich ~ ① sich eines Dinges ~ 무엇을 이용〔사용〕하다. ② 음식을 직접 덜어먹다: ~ Sie sich! 마음대로 드

시오 ! 《Ⅳ》 **bedient** *p.a.* ↑ bedient.
bediensten *t.* jn. ~ 누구에게 직책을 주다, 누구를 고용하다.
bedienstet *p.a.* bei jm. ~ sein 누구를 섬기고 있다, 누구에게 고용되어 있다; der[die] ~e a) 사환, 종업원, b) 〖드물게〗공무원, 직원.
bedient 《Ⅰ》 *p.p.* ↑ bedienen. 《Ⅱ》 *p.a.* 〖비유·구어〗 ich bin bedient! 됐어, 그만하면 충분해!; 〖드물게〗 jm. ~ sein 누구를 모시고 있다; mit et.³ gut[schlecht] ~ sein 무엇에 만족할 수 있다[없다].
Bediente [bədí:ntə] *der/die* 〖고어〗 하인, 사환, 종.
bedientenhaft *a.* 노예 근성의, 비굴한.
Bedienten≠kleidung *f.*, **~rock** *m.* (사환의) 근무복, 정복, 제복. **~seele** *f.* 노예 근성; (비굴한) 추종자. **~sitz** *m.* (마차 뒤쪽의) 하인 자리. **~volk** *n.* 〖폄어〗 하인들, 아랫것들. **~zimmer** *n.* 하인 방.
***Bedienung** [bədí:nuŋ] *f.* -en ① **(a)** 섬김, 모심; 간호; 접대, 서비스: Selbst~ 셀프서비스. **(b)** 봉사료, 서비스료: ~ einbegriffen [inbegriffen] 봉사료 포함; zur freien ~! 무료로 가져 가세요! ② (기계의) 조작, 사용. ③ 사환, 종; 종업원. ④〖드물게〗관직. ⑤〖軍〗화기 조작반.
Bedienungs≠anleitung *f.* 사용 설명서. **~aufschlag** *m.* ↑ ~geld. **~fehler** *m.* 취급 부주의. **~geld** *n.* 봉사료, 팁. **~mannschaft** *f.* 〖軍〗 화기 조작반. **~vorschrift** *f.* 사용 설명서. **~zuschlag** *m.* ↑ ~geld.
Beding *m./n.* -(e)s 〖고어〗 mit dem ~, daß... …의 조건으로.
bedingen*[1] [bədíŋən] 《Ⅰ》 *refl.* sich³ et. ~ 무엇을 약정하다; der bedungene Lohn (계약을 통해) 정해진 임금. 《Ⅱ》 *t.* 의무지우다.
***bedingen**[2] 《Ⅰ》 *t.* ① 초래[야기]하다. ② 전제로 하다, 요구하다: eine solche Tätigkeit bedingt Einfühlungsvermögen 그와 같은 활동은 감정 이입 능력을 전제로 한다. 《Ⅱ》 *refl.* sich ~ 서로 영향을 미치다, 서로 의존하다. 《Ⅲ》 **bedingt** *p.a.* ↑ bedingt.
bedingt [bedíŋt] 《Ⅰ》 *p.p.* ↑ bedingen². 《Ⅱ》 *p.a.* 제약받는, 제한된, 조건부의: ein ~es Lob 조건부의 칭찬; 〖商〗 ~e Annahme [~es Akzept] 조건부 인수; 〖法〗 ~er Straferlaß [~e Strafaussetzung] 집행 유예.
Bedingt·gut *n.* 위탁 판매품.
Bedingtheit *f.* ① 제한, 제약. ② 구속, 강제성. ③ 의존(성), 전제.
Bedingt·sendung *f.* 〖商〗 위탁 상품의 발송.
***Bedingung** [bədíŋuŋ] *f.* -en ① 약정; 제한. ② 조건, 요건, 전제: die ~en anerkennen [einhalten] 조건을 인정[엄수]하다; günstige [harte] ~en stellen 유리[가혹]한 조건을 제시하다; laß dich auf diese ~en nicht ein! 이런 조건에는 응하지 마라!; unter der ~, daß... …을 조건으로; unter jeder ~ 어떤 조건에서나, 기어이; unter keiner ~ 어떤 조건이라도 …하지 않다, 결코 …하지 않다; zur ~ machen 조건으로 하다. ③ 상황, 사정, 상태: unter diesen ~en könnte ich nicht leben 이런 상황에서는 나는 살아갈 수 없을지도 몰라. ④〖法〗 조건, 약정.
Bedingungs·form *f.* 〖문법〗 조건법.
bedingungslos *a./adv.* 무조건의[으로].
Bedingungs·satz *m.* 〖문법〗 조건문. **~weise** *adv.* 조건부로.
bedornen [bədɔ́rnən] *t.* 가시를 붙이다.
***bedrängen** 《Ⅰ》 *t.* ① 압박하다; 괴롭히다; 강요하다: einen Spieler ~ (상대방) 선수를 압박하다; von Hunger[Sorgen] bedrängt werden 굶주림[근심]에 시달리다; jn. mit Fragen ~ 누구에게 질문 공세를 펴다. ② (지점·도시 등을) 공격[습격]하다. 《Ⅱ》 **bedrängt** *p.a.* ↑ bedrängt.
bedrängt 《Ⅰ》 *p.p.* ↑ bedrängen. 《Ⅱ》 *p.a.* 시달리는, 어려움에 처한, 곤궁한: sich in ~en Umständen befinden 힘든 상황에 처해 있다.
Bedränger *m.* -s, - 심하게 공격해 오는 적; 압제자; 뒤꽁무니를 졸졸 따라다니는 사람.
Bedrängnis [..drɛ́ŋnɪs] *f.* -se, **Bedrängung** *f.* -en 곤궁; 곤경: in ~ geraten 곤경에 빠지다.
bedräuen *t.* 〖시어〗 ↑ bedrohen.
bedrecken [bədrɛ́kən] *t.* 〖드물게〗 더럽히다.
bedripst *a.* 〖방언〗 울적한, 의기소침한.
***bedrohen** *t.* ① 위협[협박]하다: jn. mit dem Messer ~ 누구를 칼로 위협하다. ② 위태롭게 하다: sein Leben ist bedroht 그의 목숨이 위태롭다.
bedrohlich [bədró:lɪç] *a.* ① 위협적인, 협박하는: ~e Worte 위협적인 말. ② 매우 위험한, 절박한: das Unwetter rückt in ~e Nähe 악천후가 임박하고 있다.
Bedrohlichkeit *f.* -en ① 위태로운 상태. ② 〖드물게〗 위협.
Bedrohung *f.* -en 위협, 위험; 위기.
bedrucken *t.* 인쇄[염색]하다: eine Tischdecke mit einem Muster ~ 식탁보에 어떤 무늬를 찍다.
bedrücken *t.* 압박하다, 괴롭히다, 짓누르다: sie machte einen bedrückten Eindruck 그녀는 침울한 인상을 풍겼다.
Bedrücker *m.* -s, - 압제자.
Bedrücktheit *f.* 압박감, 우울.
Bedrückung *f.* -en 압제, 압박.
Beduine [beduí:nə] 《ar.》 *m.* -n -n 베두인 사람(아라비아 사막의 유목민).
bedungen ↑ bedingen¹의 과거 분사.
bedünken (bedünkte, bedünkt; (고어) bedeuchte/bedäuchte, bedeucht) *imp.* 〖다음 용법으로〗 es bedünkt mich, daß... 나로서는 …라고 생각된다.
Bedünken *n.* -s 〖고어〗 의견, 생각: meines ~s [nach meinem ~] 내 생각으로는.
***bedürfen** [bədʏrfən] *i.*(h.)/*t.* 〖구어〗 필요로 하다: ich bedarf eines Dinges [드물게: et.] 나는 무엇을 필요로 한다; es bedurfte nur eines Wortes 단 한마디면 족했다.
***Bedürfnis** [..dʏrfnɪs] *n.* -ses, -se ① 필요, 욕구: materielle[geistige] ~se 물질적[정신적] 욕구들; nach et.³ ein ~ fühlen 무엇에 대한 욕구를 느끼다; es ist mir ein angenehmes ~ 기꺼이 그렇게 하겠습니다; einem ~ abhelfen 욕구를 해소하다. ② 〖구어〗 배설, 용변: ein[sein] ~ verrichten 대소변을 보다. ③ 생필품; 〖經〗 욕망, 수요: elementare ~se 기본 생필품.
Bedürfnis≠anstalt *f.* 공중 변소. **~befriedigung** *f.* 욕구 충족.
bedürfnislos *a.* ① 욕구[필요]를 느끼지 못하

는. ② 욕심이 없는; 겸손한.
Bedürfnislosigkeit *f.* 무욕(無欲), 겸손.
bedürftig [bədʏrftɪç] *a.* ① 필요로 하는: eines Dinges 〔《드물게》 et.〕 ~ sein 무엇을 필요로 하다; des Trostes ~ sein 위안을 필요로 하다. ② 곤궁한, 가난한.
Bedürftigkeit *f.* ① 필요. ② 곤궁; 부족.
beduseln 《Ⅰ》 *t.* 〔구어·농담〕 (술에) 취하게 하다. 《Ⅱ》 *refl.* sich ~ (약간) 취하다. 《Ⅲ》 **beduselt** *p.a.* ↑ beduselt.
beduselt 《Ⅰ》 *p.p.* ↑ beduseln. 《Ⅱ》 *p.a.* 취한, (정신이) 멍한.
bedutzen *t.* 〔드물게〕 어리둥절케 하다.
bedw. =bedingungsweise 조건부로.
Beef·eater [bí:f..] 《engl.》 *m.* -s, -s 〔속어〕 영국 왕실의 근위병.
Beefsteak [bí:fste:k] 《engl.》 *n.* -s, -s 비프스테이크: deutsches ~ 햄버그 스테이크.
Beeftea [bí:fti:] 《engl.》 *m.* -s, -s 쇠고기 수프.
beehren 《Ⅰ》 *t.* ① (**a**) jn. ~ 누구에게 경의를 표하다. (**b**) et. ~ 무엇을 영광스럽게 하다: ~ Sie unser Haus (mit Ihrer Gegenwart) 왕림하여 주시면 영광이겠습니다. ② 〖商〗 (어음을) 인수하여 지급하다. 《Ⅱ》 *refl.* 〔zu 부정법과 함께〕 sich ~ 삼가 하다: ich beehre mich, Ihnen mitzuteilen (특히 서신·광고 문구에서 형식을 갖추어) 삼가 알려 드립니다.
beeiden [bəláɪdən] *t.* 선서〔서약〕하다.
beeidigen [bəláɪdɪgən] *t.* ① ↑ beeiden. ② 〔고어〕 선서하게 하다: einen Zeugen ~ 증인에게 선서하게 하다.
Beeidigung *f.* -en 선서(함), 맹세(함).
beeifern *refl.* sich ~ 열심히 노력〔진력〕하다.
Beeiferung *f.* -en 노력, 열성, 진력.
***beeilen** 《Ⅰ》 *t.* 서두르다: seine Schritte ~ 걸음을 재촉하다. 《Ⅱ》 *refl.* sich ~ 서두르다: beeile dich! 서둘러라!; sich ~, et. zu tun 〔sich mit et.[3] ~〕 a) 무엇을 (하는 것을) 서두르다, b) 어떤 일에 열성을 다하다; sie beeilte sich, ihre Fehler wiedergutzumachen 그녀는 자신의 잘못을 만회하는 데 열성을 다했다.
Beeilung *f.* 서두름: ~! 서둘러라!
beeindrucken *t.* jn. ~ 누구에게 깊은 인상을 주다.
beeinflußbar *a.* 영향받기 쉬운.
Beeinflußbarkeit *f.* 영향받기 쉬움.
beeinflussen *t.* jn. ~ 누구에게 영향을〔감화를〕 주다.
Beeinflussung *f.* -en 영향, 감화.
beeinträchtigen [bəláɪntrɛçtɪgən] 《<Eintrag》 *t.* ① (권리·이익을) 침해〔제약〕하다: jn. in seiner Freiheit ~ 누구의 자유를 침해하다. ② (가치·효과를) 약화〔손상〕시키다.
Beeinträchtigung *f.* -en 피해; 침해.
Beeinträchtigungs·wahn *m.* 피해 망상.
beeisen[1] 《<Eis》 *t.* 얼음으로 덮다.
beeisen[2] 《<Eisen》 *t.* 〔구식〕 et. ~ 무엇에 쇠를 씌우다, (말에) 편자를 박다.
beelenden *t.* 감동시키다; 슬프게 하다: er beelendet mich 나는 그를 불쌍히 여긴다.
Beelzebub [beɛ́ltsəbu:p, bé:ltsə..] 《hebr., Baal-Sebub „Fliegenherr"》 *m.* - (Fliegengott) 바알세불, 악마왕: 〖聖〗 den Teufel durch〔mit〕 ~ austreiben 귀신의 왕의 힘을 빌어 귀신을 쫓아내다(마태 7:24).

beenden *t.* 끝내다, 마치다.
beendigen *t.* ↑ beenden.
Beendigung *f.* -en 종결, 종료; 결말: nach ~ des Unterrichts 수업 종료 후에.
beengen *t.* 비좁게 하다, 압박하다; 제한하다: die Kleider beengt mich 나는 옷이 끼여 갑갑하다; die Familie wohnt sehr beengt 그 가족은 매우 비좁게 산다.
Beengtheit *f.* 비좁음; 편협; 제한(됨).
Beengung *f.* -en 비좁음, 갑갑함; 압박; 제한.
beerben *t.* ① jn. ~ 누구의 유산을 상속하다. ② 〔고어〕 (**a**) et. ~ 무엇을 상속받다. (**b**) et. auf jn. ~ 무엇을 누구에게 상속하다.
beer·blau *a.* (월귤처럼) 적청색(赤靑色)의.
Beerbung *f.* 유산 상속.
beerden *t.* (식물에) 흙을 덮어주다.
beerdigen *t.* 매장하다, 장례를 치르다.
Beerdigung *f.* -en 매장, 장례식: 〔비유〕 auf der falschen ~ sein a) 자리를 잘못 찾아왔다, b) 잘못된 생각을 하고 있다.
Beerdigungs=anstalt *f.* 장의사. **~feier** *f.* 장례식. **~gesellschaft** *f.* 조문객. **~institut, ~kontor** *n.* ↑ ~anstalt. **~kasse** *f.* 장례 보험 회사. **~kosten** *pl.* 장례비. **~schein** *m.* 매장 인가증.
***Beere** [bé:rə] *f.* -n 〖植〗 장과(漿果) (딸기·포도 따위).
beeren *t.* ① (schweiz.) 반죽하다, 이기다. ② 〖사냥·고어〗 장과(漿果)를 따다.
Beeren=auslese *f.* ① (잘 익어 발효 직전의) 포도 특선품. ② (특상품의 포도로 만든) 고급 포도주. **~förmig** *a.* 장과(漿果)〔딸기〕 모양의. **~fressend** *a.* 장과를 (주로) 먹는. **~frucht** *f.* 장과. **~obst** *n.* 장과류 과일. **~tang** *m.* 〖植〗 모자반. **~tragend** *a.* 장과가 여는. **~wein** *m.* ↑ Beerwein.
Beer=grün *n.* 〖植〗 덩굴일일초류(類). **~melde** *f.* 〖植〗 명아주속의 일종. **~most** *m.* ↑ ~wein ①. **~wein** *m.* ① 처음 짠 포도즙. ② 포도 찌꺼기로 만든 술.
Beest [be:st] *n.* -es, -er (ndd.) 짐승, 가축.
***Beet** [be:t] *n.* -(e)s, -e 못자리; 화단; 온상; 밭이랑.
beet 《frz.》 *a.* 생기 없는; 〖카드〗 완패한.
Beete [bé:tə] *f.* -n 〖植〗 사탕무.
Beet·einfassung *f.* 화단의 가장자리.
Beethoven [bé:tho:vən, ..fən] Ludwig van ~ 베토벤(독일 작곡가, 1770-1827).
Beet·kohl *m.* 〖植〗 근대(명아줏과).
befähigen [bəfɛ́:ɪgən] 《Ⅰ》 *t.* jn. ~ 누구에게 능력〔자격〕을 주다. 《Ⅱ》 *refl.* sich zu et.[3] ~ 어떤 자격을 얻다. 《Ⅲ》 **befähigt** *p.a.* ↑ befähigt.
befähigt 《Ⅰ》 *p.p.* ↑ befähigen. 《Ⅱ》 *p.a.* 능력〔자격〕 있는: ein ~er Mensch 유능한 사람; für et. ~ sein 무슨 일에 재능이 있다.
Befähigung *f.* -en 능력, 자격; 재능; 숙련.
Befähigungs=nachweis *m.* (의사·운전사 등의) 자격 증명서. **~zeugnis** *n.* ↑ ~nachweis.
befahl ↑ befehlen 의 과거형.
befähle ↑ befehlen 의 접속법 Ⅱ 식.
befahrbar *a.* 통행〔운항〕할 수 있는.
Befahrbarkeit *f.* (통행할 수 있는) 도로 상태.

befahren*[1] 《I》 *t.* ① (타고) 가다, 달리다; 〖海〗 항해하다: 〖광산〗 eine Grube ~ 광갱(鑛坑)에 내려가다. ② 타고 가면서 (어떤 지역에 무엇을) 뿌리다: einen Weg mit Sand ~ 길에 모래를 뿌리며 가다; einen Acker mit Mist ~ 밭에 비료를 주며 가다. 《Ⅱ》 **befahren** *p.a.* ↑ befahren[2].

befahren[2] 《I》 *p.p.* ↑ befahren[1]. 《Ⅱ》 *p.a.* ① sehr ~e Straße 차량 통행이 빈번한 도로. ② 〖海〗 (항해에) 경험 있는: ~es Volk 항해에 노련한 민족. ③ (**a**) 〖사냥〗 ein ~er Bau (들짐승이) 서식하는 굴. (**b**) 〖광산〗 채광 중인 갱.

befahren[3] 《I》 *t.* 〖고어〗 두려워하다: zu ~ haben 겁내는 일이 있다. 《Ⅱ》 *refl.* sich et.[3] ~ 무엇을 두려워하다.

Befahrung *f.* -en 타고 감, 운행; 〖海〗 항해; 〖광산〗 광갱(鑛坑)으로 내려감.

befalbeln *t.* 〖재봉〗 주름으로 장식하다.

Befall [bəfál] *m.* -(e)s, ..fälle (병균·약제에 의한) 피해, 감염; 병충해.

befallen* *t.* (병·불행이) 덮치다, 엄습하다: von einer Krankheit ~ werden 병에 걸리다; Furcht befällt ihn 두려움이 그를 엄습한다.

***befangen**[1] 《I》 *t.* 〖드물게〗 가두다, 포위하다; 붙잡다, 사로잡다; 제한하다: die Furcht befing ihren Blick 그녀의 시선은 두려움에 사로잡혔다. 《Ⅱ》 *refl.* 〖드물게〗 sich mit et.[3] 〔jm.〕 ~ 무엇과〔누구와〕 관련을 맺다. 《Ⅲ》 **befangen** *p.a.* ↑ befangen[2].

befangen[2] 《I》 *p.p.* ↑ befangen[1]. 《Ⅱ》 *p.a.* ① 사로잡힌; 편파적인: ein ~er Kritiker 편파적인 비평가; in et.[3] ~ sein 무엇에 사로잡혀 있다, (음모·분쟁에) 말려들어 있다, (사업에) 매여 있다. ② 당황한, 어쩔 줄 모르는; 소심한: einen ~en Eindruck 당황한 인상.

Befangenheit *f.* ① 편견을 품고 있음; 편파성, 불공정. ② 당황, 난처; 수줍음, 소심함.

***befassen** 《I》 *t.* ① 위임하다: einen Beamten mit einer Angelegenheit ~ 관리에게 어떤 사안의 처리를 위임하다. ② 만지다; 취급하다, 다루다. ③ 〖고어〗 포괄〔포함〕하다; 파악하다. 《Ⅱ》 *refl.* sich mit jm.〔et.[3]〕 ~ 누구와〔무엇과〕 관련을 맺다, 무엇에 종사하다, 누구를〔무엇을〕 다루다.

befehden [bəfé:dən] 《I》 *t.* 〖시어〗 공격하다, 싸우다. 《Ⅱ》 *refl.* sich〔einander〕 ~ 서로 다투다, 반목하다.

Befehdung *f.* -en 공격, 적대, 반목.

***Befehl** [bəfé:l] 《<befehlen》 *m.* -(e)s, -e ① (**a**) 지시, 명령: auf js. ~ 누구의 명령에 따라; einen ~ ausführen 명령을 수행하다; bis auf weiteren ~ 다음 명령이 있을 때까지; ~ ist ~ 명령엔 복종해야 한다; 〖구어〗 dein Wunsch ist〔sei〕 mir ~ 네가 원하는 것이면 난 뭐든 다 한다. (**b**) 〖정중한 표현〗 ich stehe (Ihnen) zu ~ 언제든지 분부만 내리십시오; was steht zu (Ihrem) ~? 무슨 볼일이십니까?; 〖軍〗 zu ~! 알겠습니다〔분부대로 하지요〕! ② 명령권, 지휘권: den ~ führen 명령권을 가지다; unter js. ~ stehen 누구의 지휘를 받다. ③ 〖방언〗 추천, 천거. ④ 〖컴〗 지시, 명령.

befehlen [bəfé:lən] (befahl, befohlen) 《I》 *t.* ① 〖고어〗 (jm. et.) 맡기다, 의탁하다: seine Seele Gott ~ 영혼을 신에게 맡기다; Gott befohlen! 안녕히!; 〖聖〗 befiehl dem Herrn deine Wege! 너의 길을 여호와께 맡기라! (시편 37:5). ② (**a**) 명령하다: von Ihnen lasse ich mir nichts ~ 당신의 지시는 받지 않겠다; wie Sie ~! 분부대로 따르겠습니다!; was ~ Sie? 무슨 분부이십니까? (**b**) jn. ~ 누구에게 오라고〔가라고〕 명령하다; seine Pferde ~ 말을 수레에 매도록 명령하다. (**c**) 〖jn. 〔et.〕+장소를 나타내는 부가어〗 (누구를〔무엇을〕) 어디로 가라고 명하다. 《Ⅱ》 *i.* (h.) über et. ~ 무엇에 대해 명령권을 갖다; über eine große Heerschar ~ 대군을 지휘하다.

befehlend *p.a.* 명령조의, 오만한: in ~em Ton sprechen 명령조로 말하다.

befehlerisch *a.* ↑ befehlend.

befehligen [..lɪgən] *t.* 〖軍〗 지휘〔명령〕하다.

Befehls≈ausgabe *f.* 〖軍〗 명령 하달. **~befugnis** *f.* 명령〔지휘〕권. **~bereich** *m.* 명령이 유효한 범위, 지휘 구역. **~empfänger** *m.* 명령을 받는 사람. **~form** *f.* 〖문법〗 명령형. **~geber** *m.* 명령자. **~gemäß** *a.* 명령에 따른. **~gewalt** *f.* 명령〔지휘〕권. **~haber** *m.* 〖軍〗 사령관, 지휘관. **~haberisch** *a.* 사령관 같은, 명령조의; 지배욕이 강한. **~notstand** *m.* 긴급〔비상〕 사태. **~satz** *m.* 〖문법〗 명령문. **~stab** *m.* 〖철도〗 발차 신호봉. **~stelle** *f.* 사령부. **~ton** *m.* 명령조의 어투. **~verweigerung** *f.* 명령 불복종. **~weise** *adv.* 명령으로.

befeilen *t.* 줄로 갈다, 줄질하다.

befeinden *t.* 적대하다; 맞서 싸우다.

Befeindung *f.* 적대; 맞서 싸움.

***befestigen** 《I》 *t.* ① 고정하다, 부착시키다, 붙잡아 매다: ein Schild an der Tür ~ 문에 문패를 달다; et. mit Klebstoff ~ 무엇을 접착제〔풀〕로 붙이다. ② 〖軍〗 (도시·진지에) 방어 시설을 견고하게 하다, 성을 쌓다: eine Grenze ~ 국경 수비〔경계〕를 강화하다. ③ 〖비유〗 굳게 하다, 강화하다; (평화·명예를) 확립하다: das Vertrauen zu jm. ~ 누구에 대한 신의를 다지다; jn. im Glauben ~ 누구의 신앙을 굳게 하다. 《Ⅱ》 *refl.* sich ~ 확립〔안정〕되다: 〖商〗 die Kurse haben sich befestigt 시세가 안정되었다.

Befestigung *f.* -en ① 고정, 부착. ② 〖軍〗 축성, 진지. ③ 〖비유〗 강화, 확립.

Befestigungs≈anlage *f.* 〖軍〗 방어 시설. **~arbeiten** *f.* ↑ ~bau. **~bau** *m.* 〖軍〗 축성 작업; 방어 시설. **~kunst** *f.* 축성 기술. **~linie** *f.* 방어선. **~werk** *n.* ↑ ~anlage.

befeuchten *t.* ① 적시다, 축이다. ② (농토에) 물을 대다, 관개하다.

Befeuchtung *f.* -en (물로) 적심.

befeuern *t.* ① (난로를) 덥히다, 뜨겁게 하다. ② (바닷길에) 등댓불을 설치하다, (항로에) 길 표시등을 설치하다. ③ 〖구어〗 자극〔고무〕하다: jn. durch Lob ~ 누구를 칭찬으로 고무하다. ④ 사격하다: 〖비유〗 jn. mit Schneebällen ~ 누구에게 눈뭉치를 마구 던지다.

Befeuerung *f.* -en 〖海·空〗 표지등의 설치.

Beffchen [béfçən] 《lat., „Mantel"》 *n.* -s, - (성직자·법관) 가운의 목깃.

befiedern 《I》 *t.* et. ~ 무엇에 깃을 달다: einen Pfeil ~ 화살에 깃털을 달다. 《Ⅱ》 *refl.* sich ~ 날개가 나다. 《Ⅲ》 **befiedert** *p.a.* ↑ befiedert.

befiedert 《I》 *p.p.* ↑ befiedern. 《Ⅱ》 *p.a.* ① 날

개가 달린. ②〖시어〗 신속한.
befiehl [bəfíːl] ↑ befehlen 의 과거형.
befiehlt ↑ befehlen 의 3 인칭 단수 현재형.
befinden [bəfíndən] 《Ⅰ》 *t.* ①〖고어〗발견하다. ② 간주하다, 여기다: jn.〔et.〕 für gut ~ 누구를〔무엇을〕 좋게 생각하다. 《Ⅱ》 *refl.* sich ~ ① (어느 장소에) 있다: ich befinde mich in der Stadt 나는 시내에 (머물고) 있다. ② …한 상태이다; …하게 느끼다: sich wohl 〔unpäßlich〕 ~ 건강하다〔몸이 안 좋다〕; wie ~ Sie sich? 어떻게 지내십니까, 안녕하십니까?; der Kranke befindet sich auf dem Wege der Besserung 그 환자는 병세가 호전되어 가는 중이다. 《Ⅲ》 *i.* (h.) über jn.〔et.〕 ~ 누구〔무엇〕에 관해 판단하다, 결정을 내리다.
Befinden *n.* -s ① 의견, 평가: menem ~ nach 내 생각에는. ② 건강 상태, 안부: sich nach js. ~ erkundigen 누구의 안부를 묻다.
befindlich [bafíntlıç] *a.* 〖격식〗 ① (어떤 곳에) 있는: die in unserer Bibliothek ~en Bücher 우리 도서관에 있는 책들. ② (어떤 상태에) 처해 있는: das in Kraft ~e Gesetz 발효 중인 법률.
Befindlichkeit *f.* 심적 상태; 규정성, 운명.
befingern *t.* ① (손가락으로) 건드리다; 〖음악〗 (악곡에) 운지보(運指譜)를 붙이다. ②〖구어〗 (검사하기 위해) 만져보다.
befischen *t.* (정기적으로) 고기를 낚다.
Befischung *f.* -en 고기잡이, 낚시.
beflaggen *t.* 기(旗)로 장식하다; 기를 달다.
Beflaggung *f.* -en ① 깃발 달기. ② 깃발.
beflechten* *t.* 엮어서 싸다: Stühle mit Rohr ~ 의자를 짚으로 엮어 싸다.
beflecken 《Ⅰ》 *t.* ① **(a)** 더럽히다, 얼룩지게 하다: mit Blut ~ 피로 더럽히다. **(b)** (명예·영혼을) 더럽히다, (이름을) 욕되게 하다. ② die Schuhe ~ 구두의 뒤축에 가죽을 붙이다. 《Ⅱ》 *refl.* sich ~ ① 자기(몸·옷 따위)를 더럽히다. ② sich selbst ~ 수음(手淫)하다.
Befleckung *f.* -en 더럽히기.
beflegeln *t.* (öst.) 거칠게 욕하다.
befleißen* [bəfláısən] (befliß, beflissen) 《Ⅰ》 ↑ befleißigen. 《Ⅱ》 **beflissen** *p.a.* ↑ beflissen.
befleißigen *refl.* sich eines Dinges ~ 어떤 일에 전력을 기울이다; sich der Medizin ~ 의학 연구에 몰두하다; sich der Kürze ~ 간결하게 말하려고 노력하다.
befliegen* 《Ⅰ》 *t.* ① (어느 구간을) 비행하다; 날아서 닿다: eine Strecke ~ 어떤 구간을 정기적으로 비행하다. ② (벌이) 날아서 수분(授粉)시키다. 《Ⅱ》 **beflogen** *p.a.* ↑ beflogen.
befließen* *t.* (강물이 어느 지역을) 스치고 지나가다.
befliß ↑ befleißen 의 과거형.
beflissen 《Ⅰ》 *p.p.* ↑ befleißen. 《Ⅱ》 *p.a.* ① 열심히 노력하는: eines Dinges ~ sein 어떤 일에 전력을 기울이다; ein der Medizin ~er 의학도; er ist um Lob ~ 그는 칭찬을 받고자 애쓰고 있다. ② 의도적인.
Beflissenheit *f.* -en 근면, 열심.
beflissentlich *adv.* ① 열심히, 끈기 있게. ② 고의로.
beflittern *t.* 금은박으로 꾸미다, 반짝이는 물건을 붙이다.
beflogen 《Ⅰ》 *p.p.* ↑ befliegen. 《Ⅱ》 *p.a.* 〖사냥〗 (새 새끼가) 날개가 난〔돋은〕; 〖林〗 침엽수의 싹으로 덮인.
befloren *t.* ① (모자를) 사(紗)로 덮다; (기에) 상장(喪章)을 붙이다. ② 꽃장식을 달다.
beflügeln *t.* ① …에 날개를 달다. ② 독촉〔재촉〕하다. ③ 고무〔자극〕하다: die Hoffnung beflügelte ihn 그는 (날아갈 듯이) 희망에 부풀어 있다.
beflügelt 《Ⅰ》 *p.p.* ↑ beflügeln. 《Ⅱ》 *p.a.* ① 날개 달린. ② 나는 듯한, 신속한: ~en Schrittes 나는 듯한 걸음으로. ③ (날아갈 듯) 고무된.
befluten *t.* ①〖海〗 침수시키다. ②〖시어〗 홍수로 휩쓸다.
Beflutung *f.* -en 침수.
beföhle [bəfǿːlə] ↑ befehlen 의 접속법 Ⅱ 식.
befohlen [bəfóːlən] *p.p.* ↑ befehlen.
befolgen *t.* (규칙을) 지키다; (명령에) 따르다, 복종하다.
Befolgung *f.* -en 명령, 준수, 복종.
beförderbar *a.* 운송〔수송〕할 수 있는.
Beförderer *m.* -s, - ① 운송 시설, 운송인. ②〖드물게〗후원자(Förderer): ein bedeutender ~ der Künste 저명한 예술 후원가.
Beförderin *f.* -nen ↑ Beförderer 의 여성형.
beförderlich *a.* ① 촉진〔원조〕하는, 도움이 되는, 쓸모 있는. ② (schweiz.) 신속한.
befördern [bəfœrdərn] *t.* ① 나아가게 하다; 승진시키다. ② 재촉하다; (사무를) 신속하게 해치우다. ③ 촉진하다; (예술 따위를) 후원〔장려〕하다; (범죄를) 조장하다. ④ 송부(送付)하다, 보내다: durch die 〔mit der〕 Post ~ 우편으로 보내다; 〖비유〗 jn. an die (frische) Luft 〔ins Freie〕 ~ 누구를 내쫓다; jn. aus dem Amt ~ 누구를 해직하다. ⑤ 운송〔수송〕하다: die Fahrgäste mit (dem) Bus ~ 승객을 버스로 실어 나르다.
Beförderung *f.* -en ① 운송, 수송. ② 승진, 진급. ③ 촉진, 장려; 조장.
Beförderungs≈bedingung *f.* ① 승진〔진급〕 조건. ②〖法〗 운송 조건. **~gebühren** *pl.* ↑ ~kosten. **~gesuch** *n.* 승진 신청〔청원〕. **~kosten** *pl.* 운송료, 운임. **~liste** *f.* 승진 대상자 명부. **~mittel** *n.* ① 운송 수단〔도구〕. ②〖醫〗 촉진제. ③〖物〗 매질(媒質), 매체. **~recht** *n.* 승진 결정권. **~steuer** *f.* 운송세. **~tarif** *m.* 운임료, 운송 요금표.
beforsten [bəfɔ́rstən] *t.* ① (토지에) 조림하다. ② (산림을) 경영하다.
Beforstung *f.* -en 조림.
befrachten [bəfráxtən] *t.* ① (배·차에) 짐을 싣다. ② 가득 채우다: 〖비유〗 ein mit Vorurteilen befrachteter Mensch 편견에 가득 찬 인간. ③ (배를) 용선(傭船)하다.
Befrachter *m.* -s, - ① 화물주(인), 짐을 보내는 사람. ② 용선자, 선적업자.
Befrachtung *f.* -en 짐 싣기; 〖海〗 용선(傭船); 적화(積貨), 선화(船貨), 뱃짐.
befrackt [bəfrákt] *a.* 연미복을 입은.
befragen 《Ⅰ》 *t.* ① jn. ~ 누구에게 문의하다, 자문을 구하다, 의견을 묻다: jn. über seine Vergangenheit ~ 누구의 과거를 묻다. ② (책·사전을) 참조하다, 찾아보다: 〖비유〗 die Karten ~ 카드점(占)을 치다. 《Ⅱ》 *refl.* sich bei〔mit〕 jm. nach et.³ 〔um et., über et.〕 ~ 무엇에 관하여 누구에게 상의하다.

Befragung *f.* -en 질문, 심문, 조회, 상담.
befransen *t.* (장식) 술을 달다, 술로 장식하다: befranst *p.a.* 술이 달린.
***befreien** [bəfráıən] 《I》 *t.* ① 자유롭게 해주다; 석방하다, 해방시키다: Gefangene ~ 포로들을 풀어 주다; jn.〔et.〕 von et.³ ~ 누구〔무엇〕을 무엇에서 해방시키다; die Stadt vom Tyrannen ~ 도시를 압제자에게서 구하다. ② 면제해 주다: jn. vom Militärdienst ~ 누구를 병역에서 면제해 주다. ③ 제거하다, 없애다: das Beet von Unkraut ~ 화단의 잡초를 없애다. 《Ⅱ》 *refl.* sich ~ 극복하다, 벗어나다: sich von Vorurteilen ~ 편견에서 벗어나다.
Befreier *m.* -s, - 해방자, 구출자.
Befreiung *f.* -en ① 자유롭게 함, 해방; 구제, 구출, 면제, 해제. ②〖化·전기〗유리(遊離).
Befreiungs=anspruch *m.* 〖法〗 (의무·규제의) 면제 요구. **~bewegung** *f.* 해방〔독립〕 운동. **~griff** *m.* 〖스포츠〗 상대방의 공격에서 빠져나오기 위한 동작. **~krieg** *m.* 〖史〗 해방 전쟁(나폴레옹 1세에 대항하여 프로이센·러시아가 벌인 전쟁; 1813-15). **~schlag** *m.* 〖스포츠〗 자기 문전에서 공을 멀리 차내기, 클리어링 킥.
***befremden** [bəfrɛ́mdən] *t.* ① 낯선〔서먹한·의아한〕 느낌을 주다, 놀라게〔당혹케〕 하다. ② 불쾌한 느낌을 주다.
Befremden *n.* -s 당혹; 불쾌, 의아.
befremdend *p.a.* 의아한; 서먹한.
befremdlich *a.* ↑ befremdend.
Befremdnis *f.* -se ↑ Befremden.
Befremdung *f.* -en ↑ Befremden.
***befreunden** [bəfrɔ́yndən] 《I》 *t.* 친하게 하다: jn. mit jm. ~ 누구를 누구와 친하게 하다. 《Ⅱ》 *refl.* sich mit jm. ~ 누구와 친구가 되다, 친(숙)해지다; es bleibt abzuwarten, ob sie sich miteinander ~ 그들이 과연 서로 친해질지는 두고 봐야 안다; sich mit einem Gedanken ~ 어떤 생각에 친숙〔익숙〕해지다. 《Ⅲ》 **befreundet** *p.a.* ↑ befreundet.
befreundet 《I》 *p.p.* ↑ befreunden. 《Ⅱ》 *p.a.* 사귄, 친한; 동맹한; 〖방언〗친척의: ~e Staaten 우방국; dick ~ 우의가 두터운; ein ~er a) 벗, 친구, b) 〖방언〗친척.
Befreundung *f.* -en ① 친분, 사귐; 동맹. ② 〖고어〗친척〔인척〕 관계: mit jm. in ~ stehen 누구와 친척지간이다.
befrieden [bəfríːdən] *t.* ① 평화롭게 하다, 평화를 가져다 주다: das nach Jahren von Unruhen endlich befriedete Land 여러 해 소요를 겪은 끝에 마침내 평화를 되찾은 나라. ② (어느 지역에) 울타리를 두르다, 경계짓다. ③ 〖시어〗 진정시키다, 달래다: js. Herz〔Sinn〕 ~ 누구의 마음을 달래 주다〔생각을 진정시키다〕.
***befriedigen** 《I》 *t.* ① **(a)** (나라를) 평화롭게 하다; (분쟁을) 평정하다. **(b)** (마음을) 진정시키다, 달래다. ② (채권자에게 채무를) 갚다, 변제하다. ③ (굶주림·호기심·성적 욕구를) 만족〔충족〕시키다. 《Ⅱ》 *refl.* sich (selbst) ~ ① 자위하다. ② sich mit jm, ~ 누구와 화해하다. 《Ⅲ》 **befriedigt** *p.a.* ↑ befriedigt.
befriedigend *p.a.* 만족시키는, 충분한.
befriedigt 《I》 *p.p.* ↑ befriedigen. 《Ⅱ》 *p.a.* 만족한; (욕구가) 충족된.
Befriedigung *f.* -en ① 충족, 만족(시킴). ② 지급, 변제.
Befriedung *f.* ① 평화를 가져다줌, 평화롭게 함; (시위·소요의) 평정. ② 울타리를 침.
befrieren* 《I》 *i.* (s.) ① 〖고어〗 얼음으로 덮이다. ② 완전히 얼어붙다. 《Ⅱ》 **befroren** *p.a.* ↑ befroren.
befristen 《I》 *t.* (어떤 일에) 기한을 정하다. 《Ⅱ》 **befristet** *p.a.* ↑ befristet.
befristet 《I》 *p.p.* ↑ befristen. 《Ⅱ》 *p.a.* 기한부의, 한시적인: ~e Einlage 정기 예금.
Befristung *f.* -en 기한; 기한 설정.
befroren 《I》 *p.p.* ↑ befrieren. 《Ⅱ》 *p.a.* 얼어붙은, 꽁꽁 언.
***befruchten** [bəfrʊ́xtən] *t.* ① 열매를 맺게 하다, 수정(受精)〔수태〕시키다; (토지를) 기름지게 하다. ② 〖비유〗 자극〔고무〕하다.
befruchtend *p.a.* 결실을 맺게 하는, 유익한.
Befruchter *m.* -s, - ① (벌 따위) 수정 매개체. ② 〖고어〗 비료.
Befruchtung *f.* -en ① 결실. ② 자극, 고무: eine ~ der Phantasie 상상력의 자극. ③ 〖醫〗 수태; 수정(受精): künstliche ~ 인공 수정.
Befruchtungs=organ *n.* 〖生〗 생식기. **~röhre** *f.* 〖植〗 암술.
befugen 《I》 *t.* jn. zu et.³ ~ 누구에게 무슨 권한〔자격〕을 주다. 《Ⅱ》 **befugt** *p.a.* ↑ befugt.
***Befugnis** [bəfúːknıs] *f.* -se 권한, 자격: jm. ~se einräumen 누구에게 권한을 부여하다; seine ~se überschreiten 월권하다.
befugt 《I》 *p.p.* ↑ befugen. 《Ⅱ》 *p.a.* 자격이〔권리가〕 있는: zu et.³ ~ sein 무슨 일을 할 자격이 있다.
befühlen *t.* 만져보다; (맥을) 짚어 보다.
befummeln *t.* ① (검사·호기심으로) 만져보다. ② 애무하다. ③ (일을) 해치우다, 처리하다.
Befund [bəfʊ́nt] 《<befinden》 *m.* -(e)s, -e [..də] ① 상태, 실상; 조사〔검사〕 결과: den ~ abwarten 조사 결과를 기다리다. ② 판단, 감정(鑑定); 〖醫〗 소견: ohne ~ 〖醫〗 소견 없음 (검사 결과 이상 없음); nach ärztlichem ~ 의사의 진찰 소견에 따라〔따르면〕.
Befund=buch *n.* 재산〔상품〕 목록; 〖商〗 재고 목록. **~schein, ~zettel** *m.* 검사 증명서; (의사의) 소견서.
befürchten *t.* 겁내다, 우려하다: das Schlimmste ~ 최악의 사태를 우려하다.
Befürchtung *f.* -en 두려움, 우려; 의구.
befürsorgen [bəfýːrzɔrgən] *t.* 돌보다, 보호하다.
befürworten *t.* 두둔〔옹호·변호〕하다.
Befürwortung *f.* -en 변호, 옹호, 두둔.
Beg [beːk] 《türk.》 *m.* -s, -s ↑ Bei.
begaben [bəgáːbən] 《I》 *t.* 〖드물게〗 jn. mit et.³ ~ 누구에게 무엇을 부여하다; jn. zu et.³ 〔für et.〕 ~ 누구에게 무슨 재능을 주다. 《Ⅱ》 **begabt** *p.a.* ↑ begabt.
begabt [..gáːpt] 《I》 *p.p.* ↑ begaben. 《Ⅱ》 *p.a.* ① mit et.³ ~ 무엇을 받은〔갖춘〕. ② 재능 있는: zu et.³ 〔für et.〕 ~ 무엇에 소질이 있는.
Begabten=auslese *f.* 영재 선발. **~förderung** *f.* 영재 육성. **~klasse** *f.* 영재반.
Begabung [bəgáːbʊŋ] *f.* -en ① (타고난) 재능, 소질. ② 재능 있는 사람.
Begabungs=diagnose *f.* 재능 검사. **~forschung** *f.* 재능 탐구. **~reserve** *f.* 잠재

적인 재능 보유자(층). **~test** *m.* 재능 검사.
begaffen *t.* (놀라서) 멍하니 바라보다.
begangen 《I》*p.p.* ↑ begehen. 《II》*p.a.* ① (사람들이) 다니는, 통행하는: ein häufig ~er Weg 통행이 빈번한 길. ② 저질러진, 저지른.
Begangenschaft *f.* -en 〖드물게〗① 소행, 범죄. ② 재판 관할구.
Begängnis [bəgɛ́ŋnɪs] *n.* -ses, -se ① 장례 의식. ②〖방언〗왕래, 소통.
begann ↑ beginnen 의 과거형.
begänne ↑ beginnen 의 접속법 II식.
Begard [begá(:)rt] *m.* -en, -en (12 세기 네덜란드의 반속(半俗)) 베긴파(派) 수도사.
begasen [bəgá:zən] *t.* (해충 박멸을 위해) 가스를 살포하다.
Begasung *f.* 가스 살포.
begatten 《<Gatte》《I》*t.* 〖드물게〗교접〔교미〕하다, 성교하다. 《II》*refl.* sich ~ 교접〔교미〕하다, 짝짓다, 〖비유〗결합하다.
Begattung *f.* -en 교미, 짝짓기; 성교.
Begattungs≈akt *m.* 교접, 교미. **~organ** *n.* 생식기. **~trieb** *m.* 생식욕, 성욕, 발정. **~-zeit** *f.* 교미기(期); 〚植〛 수정기(受精期).
begaukeln *t.* 〖시어〗요술로 홀리다; 속이다.
begaunern *t.* 〖폄어〗속이다, 사기치다.
begebbar [bəgé:pba:*r*] *a.* (어음을) 양도〔유통〕할 수 있는.
begeben [bəgé:bən] 《I》*t.* ① 보내다, 인도(引渡)하다: 〚聖〛 den Leib zum Opfer ~ 육체를 제물로 바치다. ② (어음을) 발행〔양도·유통〕하다; 판매하다: eine Ware zu einem Preise ~ 어떤 상품을 얼마에 팔아 넘기다; etwas ist zu ~ 무엇이 팔 물건이다; 〖고어〗 ein Mädchen ~ 소녀를 시집 보내다. 《II》*refl.* sich ~ (어디로) 가다: sich nach einem Ort ~ 어떤 곳에 가다; sich zu jm. ~ 누구에게 가다; sich an die Arbeit 〔ans Werk〕 ~ 일에 착수하다; sich auf den Weg 〔die Reise〕 ~ 길〔여행〕을 떠나다; sich fort ~ 떠나다; sich heim ~ 귀가〔귀국〕하다; sich ins Bad ~ 욕실에 들어가다; sich in Gefahr ~ 위험을 무릅쓰다; sich in den Ehestand ~ 결혼하다; sich zu einem Regiment ~ 어떤 연대에 들어가다; sich zur Ruhe ~ 잠자리에 눕다. ② *imp.* es begibt sich, daß... …한 일이 일어나다, …하게 되다. ③〖雅語〗sich eines Dinges ~ 어떤 일을 포기〔단념·중지〕하다; ich begebe mich dieses Vorteils 나는 이 이득을 포기한다; (nordd.) es begibt sich 죽다. ④ (ost.) 진정하다, (마음이) 가라앉다.
Begebenheit *f.* -en 사건: der Erzählung liegt eine wahre ~ zugrunde 그 이야기는 실화를 바탕으로 하고 있다.
Begeber *m.* -s, - 〚商〛 배서〔이서〕인; 양도인.
Begebnis [bəgé:pnɪs] *n.* -ses, -se ↑ Begebenheit.
Begebung *f.* -en ① 단념, 포기. ② 〚商〛 (어음·채권의) 발행, 양도, 교부.
begegnen [bəgé:gnən] *i.* (s./h.) ① jm. ~ 누구를 만나다, 마주치다; sich³〔uns〕 ~ 서로 마주치다〔일치하다〕; wir sind uns〔einander〕 unterwegs begegnet 우리는 도중에 서로 마주쳤다; 〖비유〗 der kann mir (mal) im Mondschein ~ 그 사람은 코빼기도 보기 힘들다. ② 일치하다: mit jm. in einer Ansicht ~ 누구와 견해를 같이하다; unsere Wünsche ~ sich 우리의 소망은 일치한다. ③ 발견하다; 접하다: dieses Wort begegnet (uns) 〔wir ~ diesem Wort〕 bei Goethe 우리는 이 말을 괴테의 작품에서 접할 수 있다. ④ 일어나다, 발생하다: das Unglück begegnete ihm 불행이 그에게 닥쳤다; was ist Ihnen begegnet? 어떻게 된 일입니까?; es begegnet, daß.. …한 일이 일어나다〔발생하다〕. ⑤ 대하다, 행동하다: jm. grob〔freundlich〕 ~ 누구에게 무례하게〔친절히〕 대하다; jm. mit Achtung〔Rücksicht〕 ~ 누구를 공손〔신중〕히 대하다; seit wann begegnet der Tod dir fürchterlich? 너는 언제부터 죽음이 무서워졌느냐? ⑥ (h.) 대처〔대응〕하다: jm. ~ 누구에게 응수〔대항〕하다; einer Krankheit ~ 질병에 대처하다; einem Übel〔Angriff〕 ~ 악〔공격〕에 대항하다.
Begegnis [bəgé:knis] *n.* -ses, -se 〖고어〗 만남, 조우; 일어난 일, 사건.
Begegnung [bəgé:gnuŋ] *f.* -en ① 만남, 마주침: eine flüchtige ~ 스쳐가는 만남. ② 응대, 응수. ③ 회전(會戰); 시합.
begehbar *a.* (도로가) 통행〔보행〕 가능한.
begehen [bəgé:ən] 《I》*t.* ① (장소·길을) 가다, 다니다, 통행하다. ② (**a**) (토지를) 걸음으로 재다, 보측(步測)하다. (**b**) 걸어서 순찰하다. ③〖구식〗장례식을 치르다, (의식을) 올리다: den Geburtstag festlich ~ 생일 잔치를 벌이다. ④ 범하다, 저지르다: eine Dummheit ~ 바보짓을 하다; einen Fehler ~ 잘못을 저지르다; Selbstmord ~ 자살하다. ⑤ 교미시키다. 《II》〖드물게〗*refl.* sich ~ ① (범죄가) 행해지다. ② 행동하다, 태도를 취하다: sich mit jm. ~ 누구와 화합하다, 친하게 지내다. ③ 교미하다. 《III》**begangen** *p.a.* ↑ begangen.
Begehr [bəgé:*r*] *m./n.* -s 〖드물게〗 욕구; 열망; 요구; 〚商〛 수요: auf ~ 수요에 응하여; was ist Ihr ~? 무엇을 원하십니까?
begehren [bəgé:rən] 《I》*t.* ① 열망〔희구〕하다, 원하다: et. von jm. 〔an jn.〕 ~ 누구에게서 무엇을 바라다; ein Mädchen zur Frau ~ 어떤 아가씨를 아내로 삼고 싶어하다. ② (성적으로) 탐하다. ③ 간청〔요구〕하다. 《II》*i.* (h.) 〖고어〗 eines Dinges ~ 〔nach et.³ ~〕 무엇을 갈망하다.
Begehren *n.* -s 열망, 욕구, 요구, 수요.
begehrens≈wert *a.* 갖고 싶은, 탐낼 만한. **~-würdig** *a.* ↑ ~wert.
begehrlich *a.* 간절히 바라는; 탐욕스런; 인색한: mit ~en Blicken 탐욕스런 눈길로.
Begehrlichkeit *f.* -en 열망, 탐욕.
Begehrung *f.* -en 갈망, 욕구.
begehrungslos *a.* 욕망〔욕심〕을 모르는.
Begehung [bəgé:uŋ] 《<begehen》*f.* -en ① (축전·의식의) 거행; (죄과를) 범함, 범행. ② 보측(步測); 순찰, 순회.
begeifern *t.* (침을 뱉어) 더럽히다; 모욕하다, 비방〔중상〕하다.
Begeiferung *f.* -en 더럽힘; 비방, 모욕.
begeißelt *a.* 〚生〛 편모(鞭毛)가 달린.
begeistern [bəgáɪstə*r*n] 《I》*t.* 감격〔열광〕시키다, 고무하다: er ist für nichts zu ~ 그는 어떤 일에도 감격할 줄 모른다. 《II》*refl.* sich für et. ~ 무엇에 감격〔열광〕하다. 《III》**begeistert** *p.a.* ↑ begeistert.

begeistert 《I》 *p.p.* ↑ begeistern. 《II》 *p.a.* 감격한, 고무된; 영감을 받은: ~e Zurufe 열광적인 환호; ein ~er Verehrer 열광적인 숭배자; von et.³ ~ sein 무엇으로 신이 나 있다.
***Begeisterung** *f.* -en ① 감격, 열광; 황홀, 무아지경(無我之境). ② 열성, 열정: voller ~ ans Werk gehen 열정적으로 일에 매달리다.
begeisterungs≈fähig *a.* 감격〔열광〕할 줄 아는. **≈sturm** *m.* 폭풍 같은 열광. **≈taumel** *m.* 열광의 도가니. **~voll** *a.* 감격에 찬.
Begharde [bəgá(:)rdə] *m.* -n, -n ↑ Begard.
Beghine [bəgí:nə] *f.* -n ↑ Begine.
begichten [bəgíçtən] *t.* 〖제련〗 (용광로에) 광석을 넣다.
Begichtung *f.* -en 〖제련〗 광석 투입.
Begier [bəgí:r] *f.* ↑ Begierde.
***Begierde** [bəgí:rdə] *f.* -n 욕망, 욕구, 탐욕: er brennt vor ~, dich zu sehen 그는 너를 보고 싶어 안달이다.
***begierig** [..rıç] *a.* 열망〔욕구〕하는; 탐내는: nach Ehren ~ sein 명예에 굶주려 있다; ich bin ~ zu wissen〔erfahren〕, daß... 나는 …을 알고 싶어 못 견디겠다.
begierlich *a.* 〖고어〗 ↑ begehrlich.
begießen* *t.* ① 붓다, 끼얹다, 뿌리다; 젖게 하다: Blumen ~ 꽃에 물을 주다; jm. das Kleid mit et.³ ~ 누구의 옷에 무엇을 끼얹다; jn. mit Wasser ~ a) 누구에게 물을 뿌리다, b) 섬뜩하게 하다; 〖비유〗 wie ein begossener Pudel dastehen 부끄러워〔당황해〕하다. ② 〖구어〗 (술을 마시며) 축하하다: das Geschäft ~ 거래를 축하하여 마시다; das muß begossen werden 그것은 한바탕 마시고 축하할 일이다; 〖구어〗 sich³ die Nase ~ 진탕 퍼마시다.
Begießung *f.* -en (물을) 붓기, 뿌리기.
Begine [begí:nə] 《gr.》 *f.* -n ① 베긴파의 수녀. ② 〖복수〗 여자 베긴파(12 세기 네덜란드의 반속(半俗) 수도회) (↑ Begard).
***Beginn** [bəgín] *m.* -(e)s 시작; 발단: zu〔bei, am〕 ~ a) 처음에, b) 태초에; gleich zu ~ 시작하자마자; von ~ an 처음부터.
beginnen [bəgínən] (begann, begonnen) 《I》 *t.* 시작하다, 착수하다; 기획하다, 행하다: es beginnt zu schneien 눈이 오기 시작한다; was wollen Sie ~? 무엇을 할 작정이십니까?; mit dem Computer kann ich nichts ~ 나는 컴퓨터를 전혀 사용할 줄 모른다; mit dir kann man heute wirklich nichts ~ 오늘은 정말 너하고는 아무 일도 되지 않는다. 《II》 *i.* (h./s.) 시작하다, 시작되다: der Krieg〔das Jahr〕 beginnt 전쟁이 시작된다〔해가 바뀐다〕; mit et.³ ~ 무엇을 시작하다; von vorn〔neuem〕 ~ 처음부터 다시 시작하다; wer beginnt? 누가 (먼저) 시작하지?
Beginnen *n.* -s 시작; 착수.
begipsen [..psən] *t.* 석고를〔회반죽을〕 바르다.
begittert *p.a.* 《<Gitter》 격자(格子)를 두른.
beglänzen *t.* ① 비추다: von der Sonne beglänzter See 햇빛에 반짝이는 호수. ② 〖비유〗 빛나게〔영광되게〕 하다.
beglasen [bəglá:ʒən] *t.* ① 유리를 끼우다. ② 오짓물〔유약〕을 바르다.
beglauben *t.* ↑ beglaubigen.
beglaubigen [bəgláubıgən] *t.* ① 증명〔인증·공증〕하다: beglaubigte Abschrift 공증 사본. ② einen Botschfter ~ 신임장을 주어 대사를 파견하다.
Begläubiger *m.* -s, - 증명인; 공증인.
Beglaubigung *f.* -en ① (자격) 증명; 공증. ② 신임장.
Beglaubigungs≈brief *m.* ↑ ~schreiben. **~eid** *m.* 인증 선서. **~papiere** *pl.* ↑ ~schreiben. **~schein** *m.* 증(명)서. **~schreiben** *n.* (외교관의) 신임장.
Beglaubung *f.* -en ↑ Beglaubigung.
begleichen* *t.* ① (빚을) 갚다; (다툼을) 조정하다. ② 〖방언〗 만족〔충족〕시키다.
Begleichung *f.* -en 지급, 청산.
Begleit≈adresse *f.* ↑ ~schein. **~brief** *m.* ↑ ~schein.
***begleiten** [bəgláıtən] *t.* ① 동행하다, 바래다주다: jn. nach Hause ~ 누구를 집까지 바래다주다. ② 안내〔수행〕하다. ③ 수반〔동반〕하다, 따라다니다: das Glück begleitete ihn während der ganzen Reise 여행 내내 행운이 그를 따랐다. ④ 〖음악〗 반주하다: jn. beim Gesang auf dem Klavier ~ 누구의 노래에 피아노로 반주하다. ⑤ 첨가하다, 덧붙이다: seine Worte mit lebhaften Gesten ~ 격렬한 몸짓을 섞어 말하다.
begleitend *p.a.* 동반하는, 부수적인.
Begleiter *m.* -s, - ① 동반자, 반려, 동행인. ② 안내자, 호위병, 수행원. ③ 〖음악〗 반주자. ④ 〖天〗 (동)반성((同)伴星).
Begleiterin *f.* -nen 동반녀; 여자 반주자.
Begleiterschaft *f.* -en 〖집합적〗 수행원.
Begleit≈erscheinung *f.* 부수 현상. **~fahrzeug** *n.* 호위〔호송〕 차량. **~flugzeug** *n.* 호위(전투)기. **~instrument** *n.* 반주 악기. **~mannschaft** *f.* 호송〔호위〕병. **~musik** *f.* 반주〔배경〕 음악. **~papier** *n.* (화물) 송장(送狀), 운송 면장. **~person** *f.* 경호원, 수행원, 동행인. **~phänomen** *n.* 부수 현상. **~schein** *m.* 송장, 운송 허가장. **~schiff** *n.* 호위함(艦). **~schreiben** *n.* ↑ ~brief. **~stimme** *f.* 〖음악〗 반주음; 반주부(部). **~symptom** *n.* 〖醫〗 수반 증세. **~text** *m.* (그림에 첨가한) 설명문. **~umstand** *m.* 주변 사정〔상황〕.
Begleitung [bəgláıtuŋ] *f.* -en ① 동반, 수반, 동행; 호위, 호송. ② 수행원, 동행인, 동반자, 호위병. ③ 〖음악〗 반주; 반주음.
Begleitungs≈schiff *n.* 호위선. **≈weise** *adv.* 동반해서, 부수적으로.
Begleit≈wort *n.* ① 서문, 발문(跋文); (물건을 송부할 때의) 첨부문. ② 〖문법〗 부가적 형용사. **~zettel** *m.* ↑ ~schein.
Begler·beg [bέ:glərbe:k] 《türk.》 *m.* -s 터키의 옛 총독, 태수(太守).
beglotzen *t.* 〖폄어〗 (눈을 휘둥그렇게 뜨고) 멍하니 보다, 응시하다.
beglücken [bəglýkən] 《I》 *t.* ① 행복하게〔기쁘게〕 하다: womit kann ich dich ~? 어떻게 하면 너를 기쁘게 해줄 수 있겠니? ② 〖구어〗 jn. (mit dem Besuch) ~ 누구를 방문하다. ③ 〖구식〗 편하게 만들다, 쉽게 하게 하다: den Betrug ~ 쉽게 속게 하다. 《II》 **beglückt** *p.a.* ↑ beglückt.
Beglücker *m.* -s, - 행복하게 해주는 사람, 은인.
beglückt 《I》 *p.p.* ↑ beglücken. 《II》 *p.a.* 행

복한, 기쁜: über et. ~ sein 무엇을 기뻐하다.
Beglückung *f.* -en 행복(하게 함), 기쁨.
beglückwünschen (*p.p.* beglückwünscht) 《I》*t.* 축하해주다: jn. zu seiner Promotion ~ 누구의 진급을 축하하다. 《II》*refl.* sich ~ 자축하다.
Beglückwünschung *f.* -en 축하; 축사.
begnaden [bəgnáːdən] 《I》*t.* 은총을 내리다: jn. mit et.³ ~ 누구에게 무엇으로 은혜를 베풀다〔재능을 부여하다〕: das Schicksal hatte ihn mit einer herrlichen Stimme begnadet 그는 멋진 목소리를 타고 났다. 《II》**begnadet** *p.a.* ↑ begnadet.
begnadet 《I》*p.p.* ↑ begnaden. 《II》*p.a.* 은총을 받은, 재능을 타고난; ein (gott)begnadeter Dichter 타고난 시인.
begnadigen [..gnáːdigən] *t.* ① 사면하다. ② ↑ begnaden.
Begnadigte* *der/die* 사면수(赦免囚).
Begnadigung *f.* -en 사면, 특사; 은혜, 은총.
Begnadigungs≈gesuch *n.* 사면〔특사〕 신청〔청원〕. **~recht** *n.* 사면〔특사〕권.
Begnadung [bəgnáːduŋ] *f.* -en 은혜를 베풂〔입음〕, 은총을 내림〔입음〕.
begnügen [bəgnýːgən] 《I》*refl.* sich ~ ① sich an 〔mit〕 et.³ ~ 무엇에 만족하다. ② sich mit et.³ ~ 무엇으로 제한하다, 그치다: ich begnüge mich, nur wenige Hinweise zu geben 나는 몇 가지 암시만 주는 것으로 그치겠다. 《II》*t.* 〔구식〕 만족시키다; 납득시키다.
begnügsam [bəgnýːkzaːm] *a.* 〔고어〕 만족할 줄 아는, 욕심이 적은, 겸손한.
Begonie [begóːniə] *f.* -n 〖植〗 베고니아, 추해당(秋海棠).
begonne *p.p.* ↑ beginnen.
begonnen *p.p.* ↑ beginnen.
begönnern [bəgœ́nərn] *t.* ① 깔보다, 얕잡아보다. ② 후원〔장려〕하다.
begöschen [bəgǿːʃən] *t.* (nordd.) 달래다, (말로) 진정시키다.
begossen *p.p.* ↑ begießen.
begr. =begraben 묻힌, 안장(安葬)된.
begraben *t.* ① 파묻다, 매장하다; (희망 따위를) 묻다, 포기하다; 〔비유〕 숨기다, 감추다: jn. in aller Stille ~ 누구를 암매장하다; diese Hoffnung habe ich längst ~ 나는 이 희망을 오래 전에 포기했다; 〔구어〕 du kannst dich ~ lassen 너는 아무짝에도 쓸모없다; 〔구어〕 an diesem Ort möchte ich nicht ~ sein 무슨 일이 있어도 나는 이곳에서 살고 싶지 않다; 〔비유〕 sich ~ 은퇴하다; 〖스포츠〗 den Ball ~ 공을 몸으로 덮쳐 막다. ② (다툼·분쟁을) 중지하다, 청산하다: eine Feindschaft ~ 적대 관계를 청산하다.
begraben 《I》*p.p.* ↑ begraben. 《II》*p.a.* ① 매장된, 안장된, 고이 잠든: 〔비유〕 in den Wellen ~ 익사한. ② 숨긴; 포기한: ~e Hoffnungen 포기한 희망.
***Begräbnis** [bəgrɛ́ːpnɪs] *n.* -ses, -se ① 매장; 장례(식). ② 무덤. ③ 〔비유〕 포기.
Begräbnis≈feier *f.* 장례식. **~feierlichkeit** *f.* 장례(식). **~grüfte** *pl.* 납골당(納骨堂). **~kasse** *f.* 장례 보험. **~kosten** *pl.* 장례 비용. **~lied** *n.* 만가(挽歌). **~platz** *m.* ↑ ~stätte. **~stätte** *f.* (매)장지, 묘지. **~tag** *m.* 장례일. **~unternehmen** *n.* 장의사(葬儀社).
~versicherung *f.* 장의 보험.
begradigen [bəgráːgɪgən] *t.* 〖工〗 (길 따위를) 똑바르게 하다, 일직선으로 하다.
Begradigung *f.* -en 직선화하기.
begrannt *a.* 까끄라기가 있는, 까실까실한.
begrapschen *t.* 〔방언〕 잡다, 만져보다.
begrasen 《I》*t.* ① 풀로 덮다, 풀을 심다; (토지를) 목장으로 만들다. ② 풀을 다 뜯어먹다. ③ (가축을) 살찌게 하다. ④〖사냥〗 풀을 헤쳐 (발자국을) 찾다. 《II》*refl.* sich ~ ① 풀로 덮이다. ② 풀을 먹고 살찌다. 《III》**begrast** *p.a.* ↑ begrast.
begrast 《I》*p.p.* ↑ begrasen. 《II》*p.a.* 풀이 자란〔무성한〕, 풀로 뒤덮인.
begrauen 《I》*i.* (s.) 백발이 되다. 《II》**begraut** *p.a.* ↑ begraut.
begraut 《I》*p.p.* ↑ begrauen. 《II》*p.a.* 백발의.
begreifbar *a.* 이해〔파악〕할 수 있는.
Begreifbarkeit *f.* 이해〔파악〕 가능함.
begreifen [bəgráɪfən] 《I》*t.* ①〔고어〕 잡다, 쥐다. ②〔방언〕 붙잡다: auf frischer Tat ~ 현장에서 체포하다. ③ 포괄〔포함〕하다: die Frage begreift die Antwort in sich 그 질문에는 해답이 내포되어 있다. ④ 이해〔파악·납득〕하다, 깨닫다: das ist leicht zu ~ 그것은 쉽게 이해할 수 있다. 《II》*i.* (h.) 이해하다, 깨우치다: das Kind begreift schwer 이 아이는 이해가 더디다. 《III》*refl.* sich ~ ①〔방언〕 sich an et.³ ~ 무엇에 들러붙다. ②〔드물게〕 진정〔자제〕하다. ③ 이해〔파악〕되다: das begreift sich leicht 그것은 이해하기 쉽다. 《IV》**begriffen** *p.a.* ↑ begriffen.
begreiflich *a.* 이해〔파악·납득〕할 수 있는; 명백한: jm. et. ~ machen 누구에게 무엇을 납득시키다, 설명하다.
begreiflicher·weise *adv.* 알 수 있게; 당연히; 물론.
Begreiflichkeit *f.* ↑ Begreifbarkeit.
Begreifung *f.* -en ① 붙잡기, 만지기. ② 이해(력), 파악; 개념 (작용).
begrenzbar *a.* 한계를 지을 수 있는.
***begrenzen** 《I》*t.* ① 구획하다, 경계를 정하다, 테두리를 두르다: den Garten durch eine Hecke ~ 정원에 산 나무 울타리를 둘러 경계를 긋다. ② 한정〔국한〕하다; 제한하다: die Redezeit auf fünf Minuten ~ 발언 시간을 5분으로 제한하다. 《II》**begrenzt** *p.a.* ↑ begrenzt.
begrenzt 《I》*p.p.* ↑ begrenzen. 《II》*p.a.* 경계가 정해진, 한계가 있는, 제한된, 한정된; 좁은: einen ~en Horizont haben 시야가〔식견이〕 좁다; 〖軍〗 ~er Angriff 제한적 공격.
Begrenzer *m.* -s, - 〖전기〗 리미터(engl. limiter), 제한기(진폭 제한 회로).
Begrenztheit *f.* -en 제한, 한정; 편협.
Begrenzung *f.* -en ① 경계 (설정), (토지의) 구획. ② 국한, 제한.
***Begriff** [bəgrɪ́f] 《<begreifen》 *m.* -(e)s, -e ① 개념, 관념: ein klarer ~ 명확한 개념; sich³ einen ~ von et.³ machen 무엇을 이해하다; ich habe einige ~e davon 나는 그것을 어느 정도 이해한다; für meine ~e 〔nach meinen ~en〕 내 견해로는. ②〔구식〕 총괄(개념). ③ 이해(력): 〔구어〕 er ist schwer 〔schwach〕 von ~(en) 그는 이해력이 약하다;

das geht über meine ~e 나는 그것을 이해할 수 없다; 〔반어〕 du wirst ja einen schönen ~ von meiner Ordnungsliebe bekommen 너는 내가 질서를 중시한다는 것을 똑똑히 깨우치게 될 거다. ④〔구어〕 예상, 상상: ist dir das ein ~? 너는 그것을 아니?; 〔비유〕 der Name „Dior" ist ein ~ "디오르"라는 이름은 유명 상표다; 〔비유〕 ein ~ für Qualität 품질의 대명사; über alle ~e 상상을 초월하는. ⑤ im ~ sein〔stehen〕, et. zu tun 이제 막 무엇을 하려고 하다; ich war im ~ zu gehen 나는 막 떠나려던 참이었다.

begriffen 《I》 *p.p.* ↑ begreifen. 《II》 *p.a.* 〔다음 용법으로〕 in et.³ ~ sein a) 무엇에 종사하고 있다, b) 막 무엇을 하려던 중이다; auf der Reise sein ~ 여행 중이다; im Bau ~ sein 건축 중이다; in〔über〕 der Arbeit ~ sein 작업 중이다; die Pflanzen sind im Wachstum ~ 식물들이 이제 막 자라고 있다.

begrifflich *a.* ① 개념의, 개념적인. ② 관념적〔추상적〕인: 〖문법〗 ~es Hauptwort 추상 명사.

Begriffs≈apparat *m.* 개념군(群). **~bestimmung** *f.* 개념 정의. **~bildung** *f.* 개념 형성. **~fach** *n.* ↑ ~form. **~fähig** *a.* 개념을 만들 수 있는. **~feld** *n.* 〖언어〗 개념장(場). **~form** *f.* 〖哲〗 범주; 개념 형식. **~inhalt** *m.* 〖논리〗 내포(內包); 개념 내용. **~gemäß** *a.* 개념에 부합되는. **~lehre** *f.* 개념론. **~mäßig** *a.* ↑ begrifflich. **~name** *m.* ↑ ~wort. **~paar** *n.* 개념쌍. **~schrift** *f.* ① 표의 문자. ② (개념을 나타내는) 기호. **~stutzig** *a.* 〔폄어〕 이해력이 모자라는. **~stützig** *a.* (öst.) ↑ ~stutzig. **~täuschung** *f.* 개념 착각. **~umfang** *m.* 개념 범위. **~vermögen** *n.* 이해〔사고〕력. **~verwechslung** *f.* 개념의 혼동. **~verwirrung** *f.* 개념의 혼란. **~wort** *n.* 개념어; 추상 명사. **~zeichen** *n.* 표의 문자〔기호〕. **~zergliederung** *f.* 개념 분석.

***begründen** [bəgrʏ́ndən] 《I》 *t.* ① (건물의) 기초를 세우다, 토대를 다지다. ② 〔비유〕 창립〔설립〕하다; (사업을) 시작하다, 일으키다; 확실한 지위에 앉히다: eine neue Lehre ~ 새로운 학설의 토대를 확립하다. ③ (명제를) 논증하다; (주장을) 뒷받침하다, 근거를 대다: eine Behauptung ~ 어떤 주장의 근거를 밝히다; seine Abwesenheit ~ 결석한 이유를 밝히다. 《II》 *refl.* sich aus〔in〕 et.³ ~ 이유〔근거〕가 무엇에 있다, 무엇으로 설명되다; seine Arroganz begründet sich nur in seinem Reichtum 그가 거만한 이유는 오로지 그가 부자라는 데 있다. 《III》 **begründet** *p.a.* ↑ begründet.

begründend *p.a.* 이유〔근거〕가 되는.

Begründer *m.* -s, - 설립〔창시〕자.

begründet 《I》 *p.p.* ↑ begründen. 《II》 *p.a.* 근거〔이유〕 있는, 입증된: in et.³ ~ sein 〔liegen〕 무엇에 근거를 두고 있다; auf Tatsachen ~ 사실에 근거하는; ~e Hoffnung 근거 있는 희망.

Begründung *f.* -en ① 설립, 확립, 창시. ② 근거 (제시), 논증: eine ~ anführen〔angeben〕 근거를 대다; ohne (jede) ~ (아무런) 근거도 없이, 뜬금없이.

Begründungs≈angabe *f.* 〖문법〗 이유를 나타내는 보충어. **~satz** *m.* 이유를 나타내는 문장. **~weise** *f.* 근거를 제시하는 방식〔방법〕.

begrünen 《I》 *t.* (토지에) 초목을 심어 푸르게 하다. 《II》 *refl./i.* (s.) (sich) ~ (나무 따위가) 푸르러지다, 신록이 되다.

Begrünung *f.* -en ① 신록이 됨. ② 초목 심기, 녹화 사업.

begrunzen [bəgrʊ́ntsən] *t.* ① 〔구어〕 조소하다. ② 인사하다. ③ 숙고〔비판〕하다.

***begrüßen** *t.* …에게 인사하다; 마지하다, 환영하다: wir ~ ihn 〔seinen Plan〕 우리는 그를〔그의 계획을〕 환영한다. ③ (schweiz.) 자문을 구하다: bevor die Sache entschieden wird, muß Herr Schwarz begrüßt werden 이 일을 결정하기 전에 슈바르츠씨의 의향을 타진해야 한다.

begrüßens·wert *a.* 환영할 만한, 반가운, 만족스러운.

Begrüßung *f.* -en 환영 인사; 환영.

Begrüßungs≈ansprache *f.* 환영사. **~formel** *f.* (의례적인) 환영사. **~rede** *f.* 환영사. **~schluck** *m.* 〔구어〕 환영(의 표시로 마시는) 술. **~schuß** *m.* 예포. **~trunk** *m.* 환영 주〔주연〕.

begucken *t.* 〔구어〕 엿보다, 주시하다.

Beguine [begíːn] 《frz.》 *m.* -s, - 베긴춤(라틴 아메리카에서 유래하는 4/4 박자의 사교춤).

Begum [béːgʊm] 《hindustan.》 *f.* -en 인도 왕비〔귀부인〕의 칭호.

***begünstigen** [bəgʏ́nstɪgən] 《I》 *t.* ① 총애〔선호〕하다. ② 장려하다: die Flucht eines Verbrechers ~ 범인의 도주를 방조하다. 《II》 **begünstigt** *p.a.* ↑ begünstigt.

Begünstiger *m.* -s, - 후원자, 방조자.

begünstigt 《I》 *p.p.* ↑ begünstigen. 《II》 *p.a.* 총애를〔혜택을〕 받은: Steuer~ 세금 혜택을 받는; der〔die〕 ~e a) 수혜자, b) 신탁 수익자, c) (보험금 따위의) 수혜자.

Begünstigung *f.* -en ① 총애, 애호, 후원. ② 혜택: steuerliche ~en 세금 혜택. ③ 〖法〗 범죄 비호.

begürten *t.* 띠를 두르다, 띠로 갑다.

***begutachten** [bəgúːt|axtən] *t.* ① 평가〔감정〕하다; 추천서〔평가서〕를 써 주다. ② 〔구어〕 꼼꼼히 따지다.

Begutachter *m.* -s, - 감정인, 평가자.

Begutachtung *f.* -en ① 감정, 평가. ② 감정〔평가〕 결과; 감정〔평가〕서.

begüten *t.* 〖시어·고어〗 달래다, 진정시키다.

begütern [bəgýːtərn] 《I》 *t.* 재산을 주다. 《II》 **begütert** *p.a.* ↑ begütert.

begütert 《I》 *p.p.* begütern. 《II》 *p.a.* ① 부동산을 소유하고 있는; 부유한: ~en Schichten entstammen 부유층 출신이다. ② 〔고어〕 영지(領地)를 소유한, 지주 계층에 속하는.

begütigen [bəgýːtɪgən] *t.* 달래다, 위로하다; (분노 따위를) 가라앉히다.

Begütigung *f.* -en 달램, 위로, 진정.

behaaren 《I》 *refl.* sich ~ 털이 나다. 《II》 **behaart** *p.a.* ↑ behaart.

behaart 《I》 *p.p.* ↑ behaaren. 《II》 ↑ *p.a.* 털이 많은; 털이 난.

Behaarung *f.* -en 발모(發毛), 털(이 남).

behaben [baháːbən] (du behabst dich, er behabt sich; behab(e) dich!; *p.p.* behabt; 과거형은 사용하지 않음) *refl.* sich~ 〔고어〕 ①

행동하다: wie kann man sich so ~? 어떻게 그런 행동을 할 수 있을까? ② (schweiz.) (불평을) 호소하다; 관계하다.

Behaben *n.* -s 《고어》 거동, 행실, 태도.

behäbig [bəhέ:bɪç] *a.* ① 살찐, 비대한. ② 풍족한: ein ~es Leben führen 풍족한 생활을 하다. ③ 덩치 큰, 큼지막한: ein ~er Sessel 큼지막한 안락 의자. ④ 굼뜬, 느릿느릿한: in ~er Ruhe 느긋하게. ⑤ (schweiz.) 부유한, 유복한.

Behäbigkeit *f.* ① 비만. ② 풍족. ③ 느긋함.

behacken *t.* ① (부리로) 쪼다; 잘게 썰다: Holz ~ 나무를 패다. ② (흙을) 파헤치다, 일구다: 〖農〗 Erde ~ 땅을 갈다. ③ 《구어》 속이다, 후리다: du hast mich aber schön behackt! 자네한테 보기 좋게 당했군!

behaften 《Ⅰ》 *i.* (h.) 《고어》 들러붙다. 《Ⅱ》 *t.* ① (짐을) 지우다; (병 따위를) 옮기다. ② (schweiz.) 책임지우다: 〖法〗 jn. für et. ~ 누구에게 어떤 일의 책임을 지우다; jn. bei einer Äußerung ~ 누구의 발언을 물고 늘어지다. 《Ⅲ》 **behaftet** *p.a.* ↑ behaftet.

behaftet 《Ⅰ》 *p.p.* ↑ behaften. 《Ⅱ》 *p.a.* mit et.[3] ~ sein a) 무엇에 붙들려 있다, b) (병·빚에) 시달리다: mit einer Krankheit ~ 질병으로 고생하는.

behagen [bəhá:gən] 《Ⅰ》 *i.* (h.) jm. ~ 누구의 마음에 들다. 《Ⅱ》 *refl.* 《고어》 sich ~ 편안한 기분을 느끼다; sie schien sich während des Besuches wohl zu ~ 그녀는 방문중에 기분이 편안해 보였다.

***Behagen** *n.* -s 쾌적, 즐거움, 편안: mit ~ 쾌적하게; voller ~ 아주 편안하게; ~ an〔in〕 et.[3] finden 무엇을 즐거움으로 삼다.

***behaglich** [bəhá:klɪç] *a.* 쾌적한, 편안한, 기분 좋은: es sich ~ machen (몸이나 마음을) 편히 가지다.

Behaglichkeit *f.* -en ① 안락, 편안, 쾌적. ② 《드물게》 쾌적한 시설(물).

Behagnis *f.* 《고어》 ↑ Behagen.

behaltbar *a.* 유지〔간직〕할 수 있는.

***behalten**[1] [bəháltən] 《Ⅰ》 *t.* ① 소지〔보유〕하다, 지니다: den Hut auf dem Kopf ~ 모자를 늘 쓰고 다니다. ② 간직하다, 두다: et. bei sich[3] 〔für sich〕 ~ a) 무엇을 (홀로) 간직하다, b) 《비유》 (비밀을) 가슴에 묻어 두다; 《드물게》 das konnten Sie auch für sich ~ 그런 일은 당신 혼자 알아서 (처리)할 수도 있었을 텐데요; im Sinne〔Kopfe〕 ~ 염두에 두다; im Gedächtnis ~ (잊지 않고) 기억해 두다; wohl zu ~! 명심하라! ③ 유지〔지속〕하다: eine Stellung ~ 어떤 직위를 유지하다; er hat sein jugendliches Aussehen ~ 그는 젊었을 때의 모습을 간직하고 있었다; et. übrig ~ 무엇을 남겨 두다; jn. lieb ~ 누구를 변함없이 사랑하다; die Fassung ~ 침착함〔자제력〕을 유지하다, 분노를 억제하다; die Oberhand ~ 우세를 유지하다; recht ~ a) 어디까지나 옳다, b) 소송에 이기다. ④ 억누르다, 참다: ich behielt die Tränen 나는 눈물을 꾹 참았다. ⑤ 후유증을 얻다, (지병으로) 시달리다: er hat von der Angina einen Herzschaden ~ 그는 후두염 때문에 심장 장애가 생겼다. 《Ⅱ》 **behalten** *p.a.* ↑ behalten[2].

behalten[2] 《Ⅰ》 *p.p.* ↑ behalten[1]. 《Ⅱ》 *p.a.* 간직한; 무사한, 보존된: ~e Reise 무사히 끝난 여행; ~es Schiff 무사히 입항한 선박.

Behälter [bəhέltər] *m.* -s, - ① 저장〔보관〕 용기; 보관함, 상자. ② 컨테이너.

Behälter≈miete *f.* 컨테이너 임대료. **~schiff** *n.* 컨테이너 운반선. **~verkehr** *m.* 컨테이너 운송. **~wagen** *m.* 유조차(油槽車).

behältlich *a.* 이해〔기억〕하기 쉬운.

***Behältnis** *n.* -ses, -se ↑ Behälter ①.

behaltsam *a.* 오래가는; 기억력이 좋은.

Behaltsamkeit *f.* -en 지속성; 좋은 기억력.

behammern *t.* ↑ behämmern.

behämmern 《Ⅰ》 *t.* 망치로 치다〔쳐서 만들다〕. 《Ⅱ》 **behämmert** *p.a.* ↑ behämmert.

behämmert 《Ⅰ》 *p.p.* ↑ behämmern. 《Ⅱ》 *p.a.* 《경박》 정신이 멍한, 제정신이 아닌; 미친.

behänd ↑ behend.

behände ↑ behende.

***behandeln** [bəhándəln] *t.* ① 대우〔취급〕하다: jn. ungerecht 〔als Freund〕 ~ 누구를 부당하게〔친구로〕 대우하다; eine Maschine ~ 기계를 다루다; Pferde ~ 말을 부리다. ② 가공〔처리〕하다: das Holz mit einer Beize ~ 목재를 착색 처리하다; Lebensmittel zur Konservierung chemisch ~ 식료품을 보존하기 위해 화학 처리하다. ③ (주제를) 다루다, 논하다. ④ (환자·병을) 치료하다, 처치하다: eine Wunde mit Salbe ~ 상처에 연고를 바르다. ⑤ 거래〔흥정〕하다.

behändig *a.* ↑ behendig.

behändigen [bəhέndɪgən] *t.* ① 건네주다, 넘겨주다. ② (schweiz.) 손대다, 훔치다: einer der Räuber behändigte die Kasse 도둑 중 한 명이 금고에 손을 대었다.

Behändigung *f.* -en ① 인도, 교부, 넘겨줌. ② 절도, 횡령.

Behandler *m.* -s, 다루는 사람, 처리자.

Behandlung *f.* -en ① 취급, 다루기, 대우: die ~ der Gefangenen 포로에 대한 처우. ② 치료, 처치: eine ~ mit Strahlen 방사선 치료. ③ 처리; 가공: die chemische ~ von Lebensmitteln 식료품의 화학 처리. ④ 〖商〗 거래, 흥정. ⑤ (주제 따위를) 다루기.

Behandlungs≈art *f.* 다루는 방법, 처리〔치료〕법. **~kosten** *pl.* 치료비. **~pflicht** *f.* 치료 의무. **~raum** *m.* 진료〔치료〕실. **~weise** *f.* ↑ ~art.

behandschuhen 《Ⅰ》 *t.* 장갑을 끼게 하다〔끼우다〕. 《Ⅱ》 **behandschuht** *p.a.* ↑ behandschuht.

behandschuht 《Ⅰ》 *p.p.* ↑ behandschuhen. 《Ⅱ》 *p.a.* 장갑을 낀.

Behang [bəháŋ] *m.* -(e)s, ..hänge ① 매달린 것, 현수물(懸垂物); 걸어놓은 장식물, 술, 벽걸이 양탄자: ~ des Weihnachtsbaum 크리스마스 트리에 매단 장식. ② (사냥개의) 늘어진 귀. ③ 낮게 깔린 구름(층).

behangen[*1] 《Ⅰ》 *i.* (h.) 《방언》 ~ bleiben 걸려〔매달려〕 있다. 《Ⅱ》 *t.* 《드물게》 ↑ behängen. 《Ⅲ》 **behangen** *p.a.* ↑ behangen[2].

behangen[2] 《Ⅰ》 *p.p.* ↑ behangen[1]. 《Ⅱ》 *p.a.* 매달린; 늘어진 귀를 하고 있는: ein über und über mit Äpfeln ~er Baum 사과가 주렁주렁 달린 (사과)나무.

behängen[(*)] 《Ⅰ》 *t.* ① et. ~ 무엇에 걸다, 매달다, 드리우다: eine Wand mit Bildern ~ 벽에 그림을 걸다. ② (사냥개를) 개줄에 매다.

《Ⅱ》 *refl.* sich mit et.³ ~ 무엇을 걸(치)다, (매)달다: sich mit Schmuck ~ 장신구로 몸을 꾸미다; sich mit Lästigem ~ 귀찮은 일을 걸머지다; sich mit schlechten Leuten ~ 나쁜 사람들을 달고 다니다. 《Ⅲ》 **behängt** *p.a.* ↑ behängt.

behängt 《Ⅰ》 *p.p.* ↑ behängen. 《Ⅱ》 *p.a.* 걸려 있는, 달아 놓은: grün ~e Wand 초록색 벽걸이로 장식한 벽; mit et.³ ~ sein 무엇이 걸려 있다.

beharken 《Ⅰ》 *t.* ① 갈퀴로 고르다. ② 끈질기게 시비를 걸다. 《Ⅱ》 *refl.* sich ~ 집중 사격을 하다.

beharnischen *t.* 갑옷을 입히다.

***beharren** [bəhárən] 《Ⅰ》 *i.* (h.) ① 고집〔고수〕하다, 굽히지 않다: auf〔bei, in〕 et.³ ~ 무엇을 고집하다; steif auf seinem Sinne ~ 고집 부리다; bei seiner Meinung ~ 자기 의견을 굽히지 않다. ② (어떤 상태·장소에) 머물러 있다; 지속하다: bei seinem Irrtum ~ 계속 오류에 빠져 있다. 《Ⅱ》 *t.* 〖드물게〗 견디다; 주장하다.

Beharren *n.* -s 고집, 고수, 끈기.

***beharrlich** *a.* 고집하는; 끈질긴, 완강한: ~er Eigensinn 고집 불통; bei et.³ ~ bleiben 무엇을 고집하다.

Beharrlichkeit *f.* -en 끈기; 고집: ~ führt zum Ziel 끈기가 있어야 성공한다.

Beharrung *f.* -en ① 끈기, 고집. ②〖物〗 관성, 타성.

Beharrungs⸗mut *m.* 집요, 인내심, 뚝심. **~vermögen** *n.* ① 인내력, 지구력. ②〖物〗 관성. **~zustand** *m.* 불변의 상태, 지구성(持久性); (기계의) 저항.

behauben 《Ⅰ》 *t.* jn. ~ 누구에게 모자를〔두건을〕 씌우다. 《Ⅱ》 **behaubt** *p.a.* ↑ behaubt.

behaubt 《Ⅰ》 *p.p.* ↑ behauben. 《Ⅱ》 *p.a.* 두건을 쓴; 볏이 있는.

behauchen 《Ⅰ》 *t.* ① (무엇에) 입김을 불어 넣다. ②〖음성〗 기음(氣音)을 넣어 발음하다. 《Ⅱ》 **behaucht** *p.a.* ↑ behaucht.

behaucht 《Ⅰ》 *p.p.* ↑ behauchen. 《Ⅱ》 *p.a.*〖음성〗 기음(氣音)을 동반한: ~er Laut 대기음(帶氣音).

Behauchung 《Ⅰ》*f.* 입김을 불어넣기; 기음(氣音)을 넣어 발음하기.

behauen*¹ 《Ⅰ》 *t.* ① (망치·도끼·정 따위로) 다듬다, 잘라 만들다: einen Baum ~ 〔einem Baum die Äste ~〕 나무의 가지를 치다. ②〖광물〗 (광석을) 부수어 광물 함량을 조사하다. 《Ⅱ》 **behauen** *p.a.* ↑ behauen².

behauen² 《Ⅰ》 *p.p.* ↑ behauen. 《Ⅱ》 *p.a.* 다듬어진: roh ~e Natursteine 거칠게 다듬은 자연석;〖학생〗 in et.³ ~ sein 무엇에 정통하다.

behäufeln *t.* (식물에) 흙을 북돋우다.

***behaupten** [bəháuptən] 《Ⅰ》 *t.* ① 유지〔견지〕하다, 고수하다: seine Stellung ~ 자신의 위치를 지키다. ② 주장하다, 우기다: et. hartnäckig 〔mit Recht〕 ~ 무엇을 집요〔정당〕하게 주장하다. 《Ⅱ》 *refl.* sich ~ ① 자기 지위를 유지하다, 자기 의견을〔권리를〕 주장하다: sich tapfer ~ 당당하게 소신을 주장하다. ②〖商〗 시세가 유지되다: behauptet bleiben 보합세를 유지하다. ③〖스포츠〗 우위를 점하다.

Behauptung *f.* -en ① 유지, 고수; 관철. ② 주장. ③〖數〗 (증명이 필요한) 정리, 명제.

Behauptungs·wille *m.* 관철 의지.

behausen 《<Haus》 《Ⅰ》 *t.* ① jn. ~ 누구에게 숙소를 제공하다, 묵게 하다. ②〖고어〗 거주하다; 거처를 잡다: eine Wohnung ~ 어떤 집에 살다. 《Ⅱ》 *refl.* sich ~ 정주〔거주〕하다. 《Ⅲ》 **behaust** *p.a.* ↑ behausen.

behaust 《Ⅰ》 *p.p.* ↑ behausen. 《Ⅱ》 *p.a.* 거처가 일정한, 정착한.

Behaust·sein *n.* 거주; 정착.

Behausung *f.* -en 집, 숙소.

behäuten 《<Haut》 *t.* 껍질로 덮다, 껍질을 입히다: die Wunde behäutet sich wieder 상처에 새 살이 돋아난다.

Behauung 《<behauen》 *f.* -en 자르기, 베기; 새김.

Behaviorismus [bihevjərísmus] 《engl. behavio(u)rism》 *m.* -〖心〗 행동〔행태〕주의.

behavioristisch *a.* 행동〔행태〕주의의, 행동주의에 입각한.

beheben* 《Ⅰ》 *t.* ① (öst.) (예금을) 찾다, 인출하다: Geld ~ 〔abheben〕 예금을 인출하다. ② (결함을) 제거하다; (장애를) 극복하다: Schwierigkeiten ~ 난관을 극복하다. ③ (우편물을) 찾아오다. 《Ⅱ》 **behoben** *p.a.* ↑ behoben.

Behebung *f.* -en 제거, 극복; (예금의) 인출; (우편물을) 찾아옴.

Behebungs⸗frist *f.* (öst.) 유치 우편물 인수 기한. **~quittung** *f.* (우편물) 인수증; (예금) 인출 영수증.

beheimaten [bəháıma:tən] 《Ⅰ》 *t.* ① (난민 등을) 거주시키다; (동물을) 서식시키다. ② jn. ~ 누구의 출신지를 밝히다: jn. in einer Gegend ~ 누구를 어떤 지역 출신으로 간주하다. 《Ⅱ》 **beheimatet** *p.a.* ↑ beheimatet.

beheimatet 《Ⅰ》 *p.p.* ↑ beheimaten. 《Ⅱ》 *p.a.* in einem Ort ~ a) 어떤 곳에 거주하는, b) 어떤 고장 출신의.

Beheimatung *f.* 출생지, 산지.

beheizbar [bəháıtsba:r] *a.* 난방이 되는, 가열할 수 있는.

beheizen *t.* 난방하다; 가열하다.

Beheizung *f.* 난방.

Beheizungs⸗anlage *f.* 난방 시설. **~zeit** *f.* 난방 시간〔기간〕.

Behelf [bəhέlf] *m.* -(e)s, -e ①〖구식〗 도움, 지원. ② 임시 변통, 미봉책; 임시 대용품. ③〖法〗 보충 증거. ④ 구실, 핑계: sich einen ~ machen 핑계를 대다. ⑤〖法〗 이의.

behelfen 《Ⅰ》 *refl.* sich ~ ① 임시 변통하다: sich mit et.³ ~ 무엇으로 꾸려 나가다, 변통하다. ② 무엇 없이 지내다, 그럭저럭 해나가다: er mußte sich ohne sein Auto ~ 그는 자동차 없이 지내야 했다; sich zu ~ wissen 타개해 나갈 줄 알다. 《Ⅱ》 **beholfen** *p.a.* ↑ beholfen.

Behelfs⸗brücke *f.* 가교(假橋), 보조〔임시〕교량. **~glied** *n.* 의지(義肢), 인공 수족. **~heim** *n.* 임시 숙소, 바라크. **≈mäßig** *a.* 일시적〔잠정적〕인; 응급의. **~maß·nahme** *f.* 임시〔응급〕조치. **~unterkunft** *f.* 임시 수용소. **~weg** *m.* ① 임시 통로. ② 임시 변통, 미봉책. **≈weise** *a.* 임시로, 잠정적으로.

behelligen [bəhέlıgən] *t.* 괴롭히다, 성가시게 하다: jn. mit et.³ ~ 누구를 무엇으로 괴롭히다, 누구에게 무엇을 끈덕지게 조르다; darf ich sie mit einer Bitte ~? 한 가지 부탁을 드려도 될까요?

Behelligung *f.* -en 방해, 부담을 줌, 괴롭힘.

behelmen 《I》 *t.* jn. ~ 누구에게 투구를 씌우다. 《II》 **behelmt** *p.a.* ↑ behelmt.

behelmt 《I》 *p.p.* ↑ behelmen. 《II》 *p.a.* ① 투구를 쓴. ②〖植〗 투구 모양의.

behemdet *a.* 〔드물게〕 셔츠를 입은.

Behemoth [bé:həmo:t, be:..mó:t] 《hebr.》 *m.* -(e)s, -s/-e 〖聖〗 거수(巨獸), 하마.

behend [bəhɛ́nt] *a.* ↑ behende.

behende [bəhɛ́ndə] *a.* 날쌘; 기민한, 능숙한.

behendig *a.* ↑ behende.

Behendigkeit *f.* -en 민첩, 신속, 기민.

Behen≈nuß [bé:ən..] *f.* 〖植〗 서양고추냉이의 열매. **~öl** *n.* 벤유(油), Behennuß 의 기름.

beherbergen *t.* ① 숙소를 제공하다, 숙박시키다: ich beherbergte den Gast einige Tage 나는 그 손님을 며칠 동안 재워 주었다. ②〔교양〕(희망·생각·감정을) 품다, 간직하다: eine Hoffnung ~ 희망을 품다. ③〔교양〕(무엇을 할) 장소를 제공하다: das ehemalige Schloß beherbergt jetzt ein Museum 옛 성채에 지금은 박물관이 들어서 있다.

Beherbergung *f.* -en 숙소 제공, 재워 주기.

beherrschbar *a.* 지배〔제어〕할 수 있는.

Beherrschbarkeit *f.* 지배〔제어〕할 수 있음.

*__beherrschen__ 《I》 *t.* ① 지배〔통치〕하다, 군림하다: ein Land ~ 한 나라를 다스리다. ② (외국어 따위를) 능숙하게 구사하다, 통달하다: drei Sprachen ~ 세 언어를 능숙하게 구사하다. ③ (감정을) 억제하다: seinen Zorn ~ 분노를 억누르다. ④ 내려다보다, 우뚝 솟다: die Burg beherrscht das Tal 성이 계곡에 우뚝 솟아 있다. ⑤ (기계·악기를) 잘 다루다. ⑥〖스포츠〗 제압하다: den Gegner ~ 상대방을 제압하다. 《II》 *refl.* sich ~ 자제〔극기〕하다: ich kann mich ~! 나는 결코 그런 짓은 안해! 《III》 **beherrscht** *p.a.* ↑ beherrscht.

Beherrscher *m.* -s, - 〔雅語〕 지배〔통치〕자.

beherrscht 《I》 *p.p.* ↑ beherrschen. 《II》 *p.a.* 억제〔자제〕한; 평정을 잃지 않은: mit beherrschter Stimme 감정을 억제한 소리로; ~ sprechen 차분하게 말하다.

Beherrschte* *der/die* 피지배자.

Beherrschtheit *f.* 자제, 침착; 온건.

*__Beherrschung__ *f.* -en ① 지배, 통치. ② 자제(심), 극기. ③ 조작 능력: die ~ des Instruments 악기의 능숙한 조작. ④ 통달, 숙달, 정통: die ~ moderner Maltechnik 현대 회화 기법의 통달.

beherzigen [bəhɛ́rtsɪgən] *t.* 명심하다, 고려하다.

beherzigens·wert *a.* 명심〔유의〕해야 할.

Beherzigung *f.* -en 명심, 유의, 고려: zur ~! 명심할 것!

beherzt *p.a.* 용감〔대담〕한: jn. ~ machen 누구를 대담하게 만들다.

Beherztheit *f.* 용감, 대담, 과감.

behexen *t.* ① 마법을 걸다. ②〔비유〕 매혹하다, 사로잡다.

Behexung [bəhɛ́ksʊŋ] *f.* -en 마법을 걺; 매혹시킴, 사로잡음.

*__behilflich__ *a.* 유익한, 쓸모 있는: jm. bei der Arbeit ~ sein 누구의 일을 돕다; jm. zu et.[3] ~ sein 누구를 도와서 무엇을 얻게 하다.

*__behindern__ 《I》 *t.* ① 방해하다. ②〖스포츠〗 (진로를) 방해〔태클〕하다: jn. im 〔am, beim〕 Laufen ~ 누가 달리는 것을 방해하다. 《III》 **behindert** *p.a.* ↑ behindert.

behindert 《I》 *p.p.* ↑ behindern. 《II》 *p.a.* (신체적·정신적으로) 장애가 있는: ein körperlich ~es Kind 신체 장애 아동; sprachlich ~ 언어 장애가 있는.

__Behinderte__ *der/die* (심신) 장애자〔인〕.

Behinderten≈sitz *m.* 장애인석. **~sport** *m.* 장애인 스포츠.

Behinderung *f.* -en ① 방해, 훼방; 방해물. ② (신체적·정신적) 장애.

Behinderungs·fall *m.* im ~e 지장이 있을 경우에는.

Behm·lot [bé:m..] *n.* 음향 측심기(測深器) (독일의 물리학자 A. Behm 이 발명).

behobeln *t.* ① 대패질하다. ②〔비유〕(문장을) 다듬다, 퇴고하다.

behoben 《I》 *p.p.* ↑ beheben. 《II》 *p.a.* (장애·결함이) 제거된, 극복된: ~e Schwierigkeiten 극복된 난관.

beholfen 《I》 *p.p.* ↑ behelfen. 《II》 *p.a.* 〔드물게〕 도움이 되는; 능란한, 변통에 능한.

beholzen 《I》 *t.* ① den Ofen ~ 난로에 장작을 지피다. ②〖林〗 den Wald ~ a) 조림〔영림(營林)〕하다, b) 삼림의 나무를 벌채하다. 《II》 *refl.* sich ~ ① 가지가 뻗어나다; 숲이 되다. ② 나무로 덮이다. 《III》 **beholtzt** *p.a.* ↑ beholtzt.

beholzt 《I》 *p.p.* ↑ beholzen. 《II》 *p.a.* 숲이 우거진, 나무가 무성한.

Beholzung *f.* -en 조림, 영림.

Behör [bəhǿ:r] 《<behören》 *f.* -en〔*n./m.* -(e)s, -e〕 ① 적당한 것. ② 부속물.

behorchen *t.* ① 엿듣다; 정탐하다. ②〖醫〗 청진(聽診)하다.

*__Behörde__ [bəhǿ:rdə] *f.* -n 관청, 당국; 법원: staatliche〔städtische〕 ~ 국가〔시〕 관청.

behördlich *a.* 관청의, 당국의.

behördlicher·seits *adv.* 당국측에서, 관청측에서.

Behörden≈deutsch *n.* 〔폄어〕 관청식 독일어. **~schrift·verkehr** *m.* 관청과의 (격식이 까다로운) 서신 교환. **~sprache** *f.* ↑ ~deutsch.

behören *t.* 〔구식〕 ① 귀속되다. ② 세심하게 들어서 조사하다, 청문하다.

behosen 《I》 *t.* 바지를 입히다. 《II》 *refl.* sich ~ 바지를 입다. 《III》 **behost** *p.a.* ↑ behost.

behost 《I》 *p.p.* ↑ behosen. 《II》 *p.a.* ① 바지를 입은: schwarz ~ 검은 바지를 입은. ②〖사냥〗 (새의) 다리에 깃털이 난.

Behuf [bəhú:f] 〔고어〕 *m.* -(e)s, -e 이익; 필요; 목적: zu diesem ~ 이 목적을 위하여; zum ~ der Armen 빈민을 위하여.

behufs 〔고어〕 *prp.*[2] ~ eines Dinges 무슨 목적으로, 무엇을 위해; ~ seiner 그를 위해.

behuft [bəhú:ft] *a.* 〖動〗 발굽이 있는.

behülflich *a.* 〔고어〕 유익한, 도움이 되는.

behumsen *t.* ↑ behumpsen.

behumpsen *t.* (슬쩍) 속이다.

*__behüten__ [bəhý:tən] 《I》 *t.* ① 돌보다, 지키다, 보호하다: jn. sorgsam ~ 누구를 세심하게 돌보다; Wiesen ~ 가축을 목장에 풀어놓고 지키다; ein Geheimnis ~ 비밀을 지키다; jn.

vor Schaden〔Gefahr〕 ~ 누가 해를 입지 않도록〔위험에서〕 보호하다; 〖고어·雅語〗 behüt' dich Gott! 안녕히!(작별 인사); 〖구어〗(Gott) behüte (mich davor)! 절대로 안 돼! 《II》 *refl.* 〖방언〗 sich ~ 작별하다.

Behüter *m.* -e, - ① 수호〔보호〕자. ② 당직자. ③ 망보는 사람, 파수꾼.

behutsam [bəhú:tza:m] *a.* 주의 깊은, 신중한, 조심스러운.

Behutsamkeit *f.* 주의, 신중.

Behütung *f.* -en 보호, 돌봄, 비호.

Bei [baɪ] 《türk.》 *m.* -s, -s/-e ① (터키의) 지사. ② 바이(터키의 남성에 대한 칭호; Pascha 와 Efendi 의 중간; 이름 뒤에도 붙임; 보기: Ali-Bei).

***bei** [baɪ] 《I》 *prp.*[3] ①〖공간적 근접〗 **(a)** er stand ~ mir 그는 내 곁에 서 있었다; Potsdam ~ Berlin 베를린 근교의 포츠담; Schlacht ~ Leipzig 라이프치히 (부근)의 전투; ~ der Hand 손이 닿는 곳에. **(b)** er wohnt ~ mir 그는 내 집에서 살고 있다; das bekommen Sie ~ Schmidt 그것은 슈미트 상점에서 구할 수 있습니다; er arbeitet ~ der Firma X. 그는 X 회사에서 일한다; er ist ~ der Bahn〔Post〕 그는 철도청〔우체국〕에 근무한다; Botschafter beim Vatikan 바티칸 교황청 대사; er hört ~ Professor S. 그는 S 교수의 강의를 듣고 있다; ich habe kein Geld ~ mir 내 수중에는 돈이 없다; er ist ~ Tisch(e) 그는 식사 중이다. **(c)** ~ Gott ist kein Ding unmöglich 신에게는 불가능한 것이 없다; das steht ~ Gott 그것은 하느님(의 뜻)에 달렸다; ~ sich[3] 마음 속으로; et. ~ sich[3] sagen 혼자말을 지껄이다; ~ sich[3] sein 제정신이다; ~ uns zu Hause 우리 집에서는; das Wort kommt ~ Goethe nicht vor 이 말은 괴테(의 작품)에는 나오지 않는다; ~ diesem Geschäft kommt nichts heraus 이 사업에는 아무 이득도 없다; sie war auch ~ den Demonstranten 그녀도 시위대에 끼어 있었다. ② **(a)**〖접촉 수단〗 jn. ~ der Hand fassen〔führen〕 누구의 손을 잡다〔손을 잡고 인도하다〕. **(b)**〖(a)의 추상적 용법〗 jn. ~m Namen nennen 누구의 이름을 부르다; die Gelegenheit ~m Schopfe fassen 좋은 기회를 얼른 포착하다. ③〖소유·상태〗 ~ Geld〔Kasse〕 sein 돈이 있다; ~ Kräften sein 기력이 있다; nicht ~ Verstand sein 제정신이 아니다; ~ Appetit sein 식욕이 있다; ~ (guter) Laune sein 기분이 좋다; ~ der Arbeit sein 일하고 있다; er ist noch ~ Leben 그는 아직 살아 있다; es bleibt ~m alten 그것은 옛날 그대로다; 〖비유〗 ~ Wasser und Brot sitzen 징역형을 살다. ④〖상황〗 ~ offenem Fenster schlafen 창문을 열어놓은 채 자다; wir reisten ~ Regen ab 우리는 비가 오는 가운데 출발하였다. ⑤〖때·시간·시점〗 …할 때; ~m Essen 식사할 때; ~ Antritt seiner Reise 여행을 출발할 때; ~ Tag und Nacht 밤낮으로, 자나 깨나; ~ Tagesanbruch 먼동이 틀 무렵; ~ Lebzeiten meiner Eltern 나의 부모님 생전에; ~ einer Hochzeit lernte ich ihn kennen 어느 결혼식에서 나는 그를 알게 되었다. ⑥〖이유·원인·조건〗 ~ seiner Begabung ist solch ein Schnitzer verwunderlich 그처럼 이런 실수를 하다니 재능 있는 사람이 이상하다; ~ näherer Betrachtung 좀더 자세히 관찰해 보면; ~ diesem Stande der Dinge mußte er seine Absicht aufgeben 이런 사정 때문에 그는 그의 의도를 포기해야만 했다; ~ schlechtem Wetter werde ich nicht ausgehen 날씨가 나쁘면 외출하지 않겠다. ⑦〖"…에도 불구하고"의 뜻; 보통 all 또는 최상급과 함께 씀〗 ~ all seiner Vorsicht ist er doch betrogen worden 그는 아주 조심했음에도 불구하고 속았다; ~ all(e)dem 〔~ allem dem, ~ dem allem, ~ dem allen〕 그럼에도 불구하고; 〖구어〗 ~m besten Willen nicht 아무리 노력해도 안 된다. ⑧〖맹세할 때의 증인〗 ich schwöre ~ Gott 〔~ meiner Ehre〕 나는 하느님 앞에서 〔내 명예를 걸고〕 맹세한다; ~m Himmel, es ist wahr 맹세코 그것은 진실이다. ⑨〖명령·금지에 따르는 벌〗 Betreten ~ Strafe verboten! 진입하면 처벌받음!; ~ Leibe nicht! 목숨이 아깝거든 그만두어라! ⑩〖방법〗 ~ Paaren 〔Paar ~ Paar〕 두 사람씩, 둘씩, 쌍쌍이; ~ Hunderten (몇) 백씩. ⑪〖정도〗 ~ weitem 훨씬, 대단히; er ist ~ weitem nicht zufrieden 그는 결코 만족하지 않는다. ⑫〖4 격 지배〗〖방언〗 komm mal ~ mich! 나한테 좀 오너라! 《II》 *adv.* ①〖대개 다른 부사와 함께〗〖구어〗 dicht ~ 바로 곁에; das ist nichts ~ 지장은 없습니다. ②〖대강의 수〗 ~ tausend Mann 천여 명. ③〖dabei, wobei 따위가 da ...bei, wo ...bei 따위로 분리되어〗 hier hat sie ~ gelacht 이 대목에서 그녀는 웃었다.

***bei..** *pref.* ①〖분리 동사의 전철; 늘 강세가 있음〗 **(a)** "근접·접근"의 뜻(보기: ~wohnen 참석〔동거〕하다). **(b)** "부가·부수"의 뜻(보기: ~fügen 첨부하다). ②〖명사의 전철〗 "부가·부수"의 뜻(보기: ~blatt 부록).

..bei *suf.* 전치사·부사 따위에 붙어 "접근·부가"의 뜻(보기: hier~ 이때; an~ 덧붙여, 첨가하여; neben~ 곁에, 부수적으로).

bei·an [baián] *adv.* 곁〔옆〕에.

Beianker *m.* -s, - 〖海〗 버금 닻, 작은 닻.

Beiarbeiter *m.* -s, - 〖고어〗 동업자, 조수.

bei|behalten* [báɪbəhaltən] *t.* 유지하다, 놓지 않다, 버리지 않다: eine Gewohnheit ~ 어떤 습관을 버리지 않다.

Beibehaltung *f.* -en 간직함, 유지.

bei|biegen* *t.* ① (불쾌한 일을 조심스럽게) 알리다, 말하다: er versuchte seinen Eltern den blauen Brief beizubiegen 그는 부모님께 유급 통지서에 관해 (조심스럽게) 말씀드리려고 노력했다. ② (참을성 있게) 설명하다, 납득시키다. ③ 구부려서 (무엇에) 가까이 갖다대다. ④〖구식〗 (편지를) 동봉하다.

bei|binden* 《I》 *t.* 철하여 붙이다〔합치다〕. (책에 부록을) 함께 철하다. 《II》 **beigebunden** *p.a.* ↑ beigebunden.

Beiblatt *n.* -(e)s, ..blätter (신문 등의) 부록.

bei|bleiben* *i.* (nordd.) ① 그대로 계속되다〔하다〕: wenn das so beibleibt, gibt es bald Probleme 일이 이렇게 계속되면 곧 문제들이 생긴다; Wir müssen ~, sonst schaffen wir die Arbeit nicht 우리는 그대로 계속해야지, 그렇지 않으면 일을 해내지 못할 것이다. ② (앞 사람과) 보조를 맞추다: geh nicht so langsam, sieh zu, daß du beibleibst! 그렇게 천천히 걷지 마라, 앞 사람과 떨어지지 않도록 조심해라!

Beiboot *n.* -(e)s, -e 작은 보트, 구명정.
Beibreche *f.* -n 『광산』 부수 광석.
bei|bringen* *t.* ① 가르치다, 깨우치다: jm. Benehmen〔Fertigkeit, Kenntnis〕 ~ 누구에게 행실〔솜씨·지식〕을 가르치다. ②〔구어〕 (조심스럽게) 알리다, 전하다: wie kann ich ihm die Nachricht? 그에게 그 소식을 어떻게 전하지? ③ (피해를) 입히다: jm. eine Niederlage ~ 누구에게 패배를 안겨주다; jm. eine Wunde ~ 누구에게 상처를 입히다. ④ 제출하다; 조달하다; (증거를) 대다, (증인을) 세우다: ein ärztliches Attest ~ 의사의 진단서를 제출하다; Geld ~ 돈을 조달하다; Beweise ~ 증거를 대다.
Beibringung *f.* -en ① 피해를 입힘. ② 제출, 제시.
Beibuch *n.* -(e)s, ..bücher 〔고어〕 ① 부본, 부(副)장부. ② 임금 수첩.
Beichaise [bάɪʃɛːzə] 《frz.》 *f.* -n 부속 차량.
Beicht *f.* -en (südd.) ↑ Beichte.
***Beichte** [bάɪçtə] *f.* -n 『가톨릭』 고해, 참회, 고백: ~ ablegen 고해〔참회〕하다; jm. die ~ abnehmen 누구의 고해〔참회〕를 듣다; ~ hören〔sitzen〕 (성직자가) 고해를 듣다.
beichten *t./i.* (h.) 고해〔참회·고백〕하다.
Beicht⸗formel *f.* 『가톨릭』 ① (성직자가 고해자에게 알리는) 죄의 목록. ② 고해의 법식. **~gänger** *m.* 고해〔참회〕자. **~geheimnis** *n.* 고해〔참회〕의 비밀. **~geld** *n.* 고해〔참회〕 헌금. **~groschen** *m.* ↑ ~geld. **~|hören** *i.* (h.) (öst.) 고해를 듣다.
Beichtiger [bάɪçtɪgər] *m.* -s, - 『가톨릭』 ① 고해를 듣는 성직자. ② 고해자. ③ 『가톨릭』 증성자(證聖者) (순교에는 이르지 못했지만 박해를 견디고 신앙을 지킨 성자).
Beicht·kind *n.* 『가톨릭』 고해자.
Beichtling *m.* -s, -e ↑ Beichtkind.
Beicht⸗opfer *n.*, **~pfennig** *m.* ↑ ~geld. **~schein** *m.* 고해〔참회〕증. **~siegel** *n.* ↑ ~geheimnis. **~sohn** *m.* (남자) 고해〔참회〕자. **~spiegel** *m.* 성찰 기략(省察機略) (고해성사(聖事) 준비를 위한 성찰서). **~stuhl** *m.* 고해소(所), 고해석(席). **~tochter** *f.* (여성) 고해〔참회〕자. **~vater** *m.* 고해 신부. **~zettel** *m.* ↑ ~schein.
beid⸗armig [bάɪt..] *a.* 두 팔의, 두 팔을 사용한. **~äugig** *a.* 『광학』 양안(兩眼)의, 양안을 사용한. **~beinig** *a.* 두 다리의, 두 다리를 사용한.
***beide** [bάɪdə] *num.* ①〔형용사적〕 양쪽의, 쌍방의: auf ~n Seiten 양쪽에서; das Schicksal ~r armen Kinder 두 가련한 애들의 운명. ②〔명사적〕 양쪽, 양자: wir ~(n) 우리 두 사람; wir ~n jungen Leute 우리 젊은 두 사람; jeder von ~n 두 사람 다; ~(s) nicht, keiner〔keines〕 von ~n 둘 다 …않다; all ~ 〔alles ~s〕 둘 다; die(se) ~n 〔dieses ~s〕 이 양자; die Brüder sind ~ Bäcker 형제 둘 다 빵 장수다; unser beider Glück 우리들 두 사람의 행복; ~ Vater und Sohn 부자 둘 다; ~s ist wichtig 양쪽이 다 중요하다; von ~r Vergangenheit ist nichts bekannt 두 사람의 과거에 관해서는 아무것도 알려져 있지 않다; 〔비유〕 mit ~n Beinen〔Füßen〕 auf der Erde stehen 삶을 올바로 꾸리다, 현실 감각을 갖고 있다.
beide·mal *adv.* 두 번 다〔모두〕.
beident⸗halben *adv.* 양쪽에서. **~wegen** *adv.* 두 가지 이유에서.
beider·hand [bάɪdər..] *adv.* 좌우〔양쪽〕에.
beiderlei *a.* 두 가지〔종류〕의.
beider⸗seitig *a.* 양쪽의; 쌍방의. **~seits** *adv.* 양쪽에; 쌍방에서.
Beider·wand *f./n.* 삼〔무명실〕과 털을 섞어 짠 피륙.
beides [bάɪdəs] *prn.* ↑ beide ②.
beid⸗füßig *a.* 두 발의: 『스포츠』 ~ sein〔spielen〕 두 발을 똑같이 잘 쓰다. **~geschlechtig** *a.* ① 남녀 양성을 지닌. ② 『문법』 통성(通性)의. **~händer** *m.* ① 양손잡이. ② (양손으로 쓰는) 큰 칼. **~händig** *a.* ① 양손잡이의. ② 양손으로. **~leber** *m.* 『動』 양서류. **~lebig** *a.* 양서류의. **~recht** *a.* 『방직』 안팎이 없는. **~recht** *n.* 안팎이 없는 피륙.
bei|drehen 《I》 *i.* (h.) ① 『海』 배의 속력을 늦추다. ② 『海』 (감속하기 위해) 뱃머리를 바람에 맞선 쪽으로 돌리다. ③ 〔비유〕 태도를 완화하다〔누그러뜨리다〕, 양보하다. 《II》 *t.* ein Segel ~ 돛의 방향을 반대로 하다.
bei|drucken *t.* (본문에 주(註)를) 덧붙여 인쇄하다.
bei|drücken *t.* (도장을) 옆에 찍다.
beid⸗schattig *a.* 열대에 사는. **~seitig** *a.* ↑ beiderseitig.
***bei·einander** *adv.* 나란히, 함께.
beieinander⸗|haben *t.* ① 모아 두다, 수집해 놓다. ② (생각·감각을) 모으다, 집중시키다: 〔구어〕 nicht alle ~ 〔sie nicht richtig ~〕 분명하게 깨닫지 못하다. **~|hocken** *i.* (h.) 〔구어〕 다닥다닥 붙어 쪼그리고 앉다, 비좁게 둘러앉다. **~|sein** *i.* 〔구어〕 ① 함께 모여 있다. ② 정리〔정돈〕되어 있다. ③ (obd.) gut ~ 건강〔건장〕하다; er ist mit seinen 80 Jahren noch gut beieinander 그는 80 세인데도 아직 건장하다. ④ nicht ganz〔richtig〕 ~ 제정신이 아니다. **~|sitzen** *i.* (h.) 함께 나란히 앉아 있다. **~|stehen** *i.* (h.) 함께 나란히 서 있다.
Beier *m.* -s, - 〔방언〕 ① 곰(Bär); 수퇘지(Eber). ② ↑ Quecke.
Beierbe *m.* -n, -n 『法』 공동 상속인.
beiern [bάɪərn] *i.* (h.) (nordd., schweiz.) (종에 달린 줄을 흔들어) 종을 치다.
Beiessen *n.* -s 『요리』 ↑ Beilage.
beif. =beifolgend 동봉한, 첨부한.
Beifahrer *m.* -s, - (자동차 조수석의) 동승자; (자동차 경주 대회나 화물차의) 조수.
Beifahrer·sitz *m.* 조수석.
***Beifall** [bάɪfal] *m.* -(e)s ① 박수, 갈채: ein Sturm des ~s brach los 우레와 같은 박수 갈채가 터져나왔다. ② 찬성, 동의: ~ finden〔ernten, haben〕 동의를 얻다, 갈채를 받다; jm. ~ zollen〔klatschen〕 누구에게 동의하다〔갈채를 보내다〕.
bei|fallen* *i.* (s.) 〔고어〕 jm. ~ a) 누구의 의견에 찬성〔동의〕하다, b) (무엇이) 누구의 머리에 떠오르다, 생각나다: der Name des Dichters wollte ihr nicht ~ 그녀는 그 시인의 이름이 도무지 생각나지 않았다.
beifall·heischend *a.* 〔교양〕 박수 갈채를 기대하는〔바라는〕.
beifällig [bάɪfɛlɪç] *a.* ① 찬성〔동의〕하는, 호의적인: sich ~ äußern 찬성의 뜻을 표하다;

et. ~ aufnehmen 무엇을 동의하여 받아들이다. ②〔고어〕 부수적〔부차적〕인.
Beifall·klatschen *n.* 박수 갈채.
Beifalls≈äußerung *f.* ↑ ~bezeigung. **~bezeigung** *f.* 찬성〔동의〕의 표시. **~donner** *m.* 우레와 같은 박수. **≈freudig** *a.* 박수를 잘 쳐주는. **~gejohle** *n.* 갈채섞인 환호(성). **~gemurmel** *n.* 찬성의 조짐을 보이는 웅성거림. **~geschrei** *n.* 찬성의 외침(소리). **~getöse** *n.* 요란한 갈채. **~jubel** *m.* 찬성의 환호성. **~klatschen** *n.* ↑ Beifallklatschen. **~kundgebung** *f.* ↑ ~bezeigung. **~orkan** *m.* 열렬한 갈채. **~ruf** *m.* 찬성을 표하는 외침. **~sturm** *m.* 폭풍 같은 갈채.
Beifang *m.* -(e)s, ..fänge ①〖漁〗 함께 잡혀 나오는 물고기. ② (südd., öst.) 밭이랑.
Beifilm *m.* -s, -e〖영화〗 본영화 상영 전의 짧은 영화(광고·예고편 따위).
bei|folgen *i.* 뒤따르다; 동봉되다.
beifolgend *a.* 〔고어〕 동봉한(약어: beif.): ~ sende ich das Manuskript 원고를 동봉해 보냅니다.
Beiform *f.* -en〖문법〗 분사.
Beifracht *f.* -en〖海〗 선원의 무임 수화물.
*__bei|fügen__ *t.* ① 동봉〔첨부〕하다: das beigefügte Gutachten 동봉한 평가서. ② 덧붙이다.
Beifügung *f.* -en ① 부가, 첨가. ② 동봉물, 부록. ③〖문법〗 부가어(Attribut).
Beifügungs·satz *m.*〖문법〗 부가문.
Beifuß *m.* -es, ..füße ①〖植〗 쑥. ②〖海〗 활대를 돛대에 다는 삭구(索具).
Beifutter *n.* -s, -〖農〗 첨가 고급 사료.
beifüttern *t.*〖農〗 고급 사료를 첨가해 주다.
Beifütterung *f.* 고급 (첨가) 사료 먹이기.
Beigabe *f.* -n ① 첨가, 부가. ② 첨가물; 덤; 부식, 반찬. ③〖고고〗 부장품(副葬品).
Beige[1] [bɛ́:ʒə, be:ʃ] *f.* -s 베이지색 모직물.
Beige[2] *n.* - 베이지색: ganz in ~ gekleidet 완전히 베이지색으로 차려 입은.
Beige[3] [báɪgə] *f.* -n (obd.) 퇴적물, 더미: eine ~ Wäsche 한무더기의 빨랫감.
beige [bɛ́:ʒə] 《frz.》 *a.* 베이지색의.
beigeb. ↑ beigebunden.
bei|geben* *t.* ①〔雅語〕 덧붙여 주다: dem Reiseführer eine Landkarte ~ 여행 안내서에 지도를 덧붙이다. ② (조수를) 붙여 주다: den Bergsteigern einen Bergführer ~ 등산객들에게 등산 안내인을 붙여 주다. ③〔구어·비유〕 klein ~ a)〖카드〗 약한 패를 내다, b) 주장을 굽히다, 양보하다.
beigebunden 《I》 *p.p.* ↑ beibinden. 《II》 *p.a.* 함께 제본된〔묶여진〕.
beige·farben *a.* 베이지색의.
beigeheilt *p.a.* 완쾌된, 다 나은.
beigen [báɪgən] *t.* (obd.) 쌓아올리다.
Beigeordnete* [báɪgəǀɔrdnətə] *der/die* ① 보조자, 부관. ② (시의회의) 의원.
Beigericht *n.* -(e)s, -e (주요리에) 곁들여 내놓는 요리.
beigeschlossen 《I》 *p.p.* ↑ beischließen. 《II》 *p.a.* 동봉〔첨부〕된.
Beigeschmack *m.* -(e)s ① 부수적인 맛, 뒷맛. ②〔비유〕 불쾌한 여운, 좋지 않은 뒤끝: ein Lob ohne jeden ~ 딴 뜻이 없는 칭찬.
bei|gesellen 〔雅語〕《I》 *t.* ① 어울리게 하다, 동반시키다: jm. einen Gehilfen ~ 누구에게 조수를 붙여 주다; es ist schwierig, Katzen und Hunde einander beizugesellen 고양이와 개를 서로 어울리게 하기란 어렵다. ② 첨가〔추가〕하다, 덧붙이다. 《II》 *refl.* sich jm. ~ 누구와 어울리다, 합류하다, 행동을 같이하다.
Beigesellung *f.* -en 어울림, 합류, 동반.
beigestellt 《I》 *p.p.* ↑ beistellen. 《II》 *p.a.* 〖商〗 (제작자에게) 제공〔공급〕된: ~es Material (가공용으로) 공급〔제공〕된 자재.
bei|gießen* *t.* 부어서 보태다〔첨가하다〕.
Beignet [bɛnjé:] 《frz.》 *m.* -s, -s〖요리〗 과일을 넣어 튀긴 과자.
Beiguß [báɪgus] *m.* ..gusses, ..güsse 소스.
Beigut *n.* -(e)s, ..güter ① 부속 소유지. ②〖海〗 ↑ Beilast.
beihanden *a.* 〔고어〕 수중에 있는, 현존하는.
Beiheft *n.* -(e)s, -e (잡지 등의) 별책, 부록.
bei|heften *t.* 함께 철하다〔제본하다〕.
Beiheftung *f.* -en 별첨.
bei|helfen* *i.* (h.) 〔구식〕 (jm.) 돕다, 조력하다.
bei·her [baɪhé:r] *adv.* 〔고어〕 ① 나란히; 병행하여: er war Amtmann und spielte ~ in einem Orchestra 그는 공무원이면서 오케스트라에서도 연주했다. ②〖官〗 관련해서.
Beihilfe *f.* -n ① (적은 액수의) 경제적 도움, 보조금, 장학금. ②〔고어〕 보조, 원조, 지원. ③〖法〗 종범(從犯).
beihilfe·fähig *a.* 〔격식〕 보조금을 받을 자격이 있는.
Beihirsch *m.* -(e)s, -e (발정기 때 힘센 수컷에게 밀려나 무리의 근처를 배회하는) 약골의 수사슴(↔ Platzhirsch).
bei|holen *t.*〖海〗 die Segel ~ 돛을 내리다.
Beijagd *f.* -en ① 부수적 사냥(↔ Hauptjagd). ② 공동 사냥.
Beijagen *n.* -s, - ↑ Beijagd.
Beijing 베이징, 북경(Peking).
Beikirche *f.* -n 부속 예배당.
Beiklang *m.* -(e)s, ..klänge ① (거슬리는) 부수음. ②〔비유〕 함축된 의미, 부수적인 뜻.
bei|kleben *t.* (인쇄물에) 함께 붙이다.
Beikoch *m.* -(e)s, ..köche 보조 요리사.
bei|kommen* *i.* (s.) (jm.〔et.[3]〕) ①〔구어〕 근접하다, (붙)잡다: man wollte den Ratten durch Gift ~ 사람들은 쥐들을 약을 놓아 잡고자 했다. ② 도달하다, 미치다: das Regal hängt so hoch, daß ich ihm nicht beikomme 선반이 너무 높아서 내 손이 닿지 않는다. ③ 따라잡다, 필적하다: sie kommt dir an Schönheit nicht bei 아름다움에서 그녀는 너에게 못 미친다〔상대가 안 된다〕. ④ 극복〔해결〕하다: ich weiß nicht, wie ich der Sache ~ soll 나는 이 일을 어떻게 해결해야 할지 모르겠다. ⑤〔雅語〕 떠오르다, 생각나다: wie könnte dir ein Zweifel ~? 어떻게 의심을 할 수가 있지? ⑥ 수반하다: ~d 동봉한.
Beikost *f.* ① (유아의) 보충식. ② ↑ Beigericht.
*__Beil__ [baɪl] *n.* -(e)s, -e ① 손도끼. ②〖史〗 손도끼 모양의 무기.
beil. =beiliegend 덧붙인, 첨부〔동봉〕한.
Beilade *f.* -n (큰 상자 안의) 작은 상자.
bei|laden *t.* ① 추가로〔곁들여〕 싣다. ②〖法〗 제 3 자로 소환하다.
Beiladung [báɪla:duŋ] *f.* -en ① 추가 적재

(화물). ②〖法〗 제 3 자 소환(장).

***Beilage** [báɪla:gə] *f.* -n ① 동봉, 첨부; (신문·잡지의) 부록. ② 주요리에 곁들여 나오는 음식, 반찬. ③ (öst.) (편지에 동봉한) 별첨지.

Beilager [báɪla:gər] 《<beiliegen》 *n.* -s, - ①〖史〗 (중세의 결혼식 행사로) 증인 앞에서 신방에 드는 의식. ② 결혼식. ③〔雅語·고어〕 동침, 성교.

Beilast *f.* -en ↑ Beifracht.

Beiläufer *m.* -s, -〔고어〕① 심부름꾼, 전령. ②〖天〗 위성.

***beiläufig** [báɪlɔʏfɪç] 《Ⅰ》 *a.* 부수적인, 임시의. 《Ⅱ》 *adv.* ① 관련하여, 덧붙여서: ~ gesagt 말이 난 김에 하는 말이지만. ② (öst.) 대략: ~ 10 Schilling 약 10 실링.

Beiläufigkeit *f.* ① 부차적인 것, 사소한 것. ② 무감동, 무관심. ③ 부수〔동반〕 현상.

Beil·brief *m.* ①〖海〗 조선(造船) 계약서; 선박 등기증. ② (schweiz.) 토지 차용증.

Beile *f.* -n〔고어〕(schweiz.) (술통의 함량 측정용) 나무자(尺).

***bei|legen** 《Ⅰ》 *t.* ① 덧붙이다, 첨가〔첨부·동봉〕하다: einem Brief ein Foto ~ 편지에 사진 한 장을 동봉하다. ②〔고어〕(사람을) 붙여〔딸려〕 주다: jm.〔sich³〕 ein Frauenzimmer ~ 어떤 여자를 누구에게 짝지어 주다〔아내로 삼다〕. ③ **(a)** (명칭·직함을) 붙이다, 부여하다: sich³ einen Künstlernamen ~ 예명을 쓰다. **(b)** (의미·가치를) 부여하다, 두다. **(c)** (죄를) 씌우다. ④〔드물게〕 매장하다. ⑤ (이견(異見)을) 해소〔해결〕하다: eine Meinungsverschiedenheit ~ 견해 차이를 좋게 해결하다. ⑥〔고어〕 제쳐놓다, 저장해 두다. ⑦〔드물게〕(문을) 반쯤 열어놓다. 《Ⅱ》 *i.* (h.) ①〖海〗 돛을 걷다, 접안하다. ②〔드물게〕 노력하다. ③〔고어〕 조력하다.

Beileger *m.* -s, - 조정자.

Beilegung *f.* -en 첨부, 동봉; 부여; 조정, 중재.

bei·leibe [..láɪbə] *adv.*〔늘 부정어와 함께〕 결코, 절대로 (…아니다): das darfst du ~ nicht tun! 결코 그것을 해서는 안 된다.

Beileid *n.* -(e)s 조의(弔意), 애도: jm. sein ~ bezeigen 누구에게 조의를 표하다.

Beileids≠besuch *m.* 조문(弔問), 문상. **~-bezeigung** *f.* 조의 표명. **~brief** *m.* 조문 편지. **~karte** *f.* 조문 엽서. **~schreiben** *n.* ↑ ~brief. **~telegramm** *n.* 조전(弔電).

Beil·eisen *n.* 도끼 머리; 도끼를 만드는 쇠.

beilen [báɪlən] *t.*〔고어〕① 손도끼로 깎다. ② 도끼로 처형하다. ③ (schweiz.; südd.) (통에 든 술의) 주량을 재다.

Beiler *m.* -s, -〔고어〕(südd.) 술통의 함량 검사원.

beil≠fertig *a.*〖海〗(배가) 건조 완료된, 목공작업까지 끝난. **~förmig** *a.* 도끼 모양의. **≈-hieb** *m.* 도끼질.

bei|liegen* *i.* ①〔고어〕 jm. ~ 누구와 동침하다. ② 덧붙여져〔동봉되어〕 있다: die Rechnung liegt der Sendung bei 계산서는 소포 안에 들어 있다. ③〖海〗 **(a)** 최저 속도로 항해하다. **(b)** 정박 중이다.

beiliegend *p.a.*〔격식〕① 동봉〔첨부〕한(약어: beil.). ②〖海〗 정박 중인.

Beilieger *m.* -s, - ①〔고어〕 동침자, 정부(情夫). ②〖海〗 정박 중인 배.

Beilke *f.* -n ↑ Beilkespiel.

Beilke≠spiel *n.* 원반치기(갑판 같은 데서 하는 유희; 일종의 당구). **~tafel** *f.* ↑ ~spiel.

Beil≠kraut *n.*〖植〗 꿀풀. **~picke** *f.* 도끼 날이 달린 곡괭이. **~stein** *m.*〖광물〗 사문석(蛇紋石); 연옥(軟玉). **~stiel** *m.* 손도끼의 자루.

Beiluft *f.* 새어나가는 공기; 곁바람: die Zigarre hat ~ 이 여송연은 공기가 샌다.

***beim** [baɪm] =bei dem.

bei|machen *refl.* sich ~ ① (nordd.) 착수하다, 일을 시작하다. ② (südd.) (이곳으로) 오다, 가까이 오다.

Beimann *m.* -(e)s, ..männer (schweiz.) 조수, 보조원.

bei|mengen *t.* 섞다, 혼합하다: das Backpulver muß man dem Mehl ~ 이 베이킹 파우더를 밀가루에 섞어야 한다.

Beimengung *f.* -en 혼합(물).

bei|messen* *t.* ① (가치·의미를) 두다, 부여하다: einer Angelegenheit besondere〔große〕 Bedeutung ~ 어떤 일에 특별한〔큰〕 의미를 부여하다. ② (책임·죄를) 돌리다: jm. die Schuld an et. ~ 무엇에 대한 책임을 누구에게 돌리다.

Beimessung *f.* -en ↑ beimessen 의 명사형.

bei|mischen *t.* 섞어 넣다, 혼합하다:〔비유〕 seiner Liebe war Haß beigemischt 그의 사랑에는 증오가 섞여 있었다.

Beimischung *f.* -en 혼합(물): ihr Lächeln hatte eine ~ von Melancholie 그녀의 미소에는 우수가 섞여 있었다.

beimpfen *t.* 접종하다.

***Bein** [baɪn] *n.* -(e)s, -e ①〔고어〕 뼈: Fleisch und ~ 살과 뼈, 육체; durch Mark und ~ gehen 골수에 사무치다; es friert Stein und ~ 모든 것이 꽁꽁 얼어 있다; Stein und ~ schwören 굳게 맹세하다; nichts als Haut und ~ 피골이 상접한; Elfen≈ 상아. ② **(a)** 다리, 정강이: kurze〔krumme〕 ~e haben 다리가 짧다〔휘다〕; ein künstliches ~ 의족; mit gekreuzten ~en dasitzen 책상다리를 하고서 앉아 있다;〔비유〕 ~e haben 민첩하다; der Hund hebt das ~ 개가 (다리를 들고) 오줌을 눈다; Lügen haben kurze ~e 거짓말은 오래 못 간다; jm. ~e machen 누구를 내쫓다, 재촉하다; jm. ein ~ stellen〔unterschlagen〕 a) 다리를 걸어서 누구를 넘어뜨리다, b) 누구를 속이다, 함정에 빠뜨리다;〔방언〕 kein ~ war zu sehen 아무도 보이지 않았다; kein ~! 절대로 안 돼!; etwas hat ~ gekriegt〔bekommen〕 무엇이 (감쪽같이) 없어졌다, 사라졌다;〖축구〗 ein langes ~ machen 상대의 공을 빼앗기 위해 다리를 뻗다;〖축구〗 ein ~ stehen lassen 공을 몰고 있는 상대를 다리를 걸어 넘어뜨리다;〖축구〗 (nur) ein linkes〔rechtes〕 ~ haben 왼발〔오른발〕로만 슛을 할 수 있다; sich³ die ~e abstehen〔in den Leib stehen〕 오래 기다려야만 하다; sich³ kein ~ ausreißen 과도하게 힘쓰지 않다; sich³ die ~e vertreten (오래 앉아 있다가) 이리저리 걸어보다. **(b)**〔전치사와 함께〕 et. **am** ~ haben 무엇을 부채로 안고 있다; jm. (mit et.³) am ~ hängen (무엇으로) 누구에게 부담〔짐〕이 되다; jm. et. ans ~ binden〔hängen〕 누구에게 무엇의 부담〔책임〕을 지우

다; et. **ans** ~ binden 무엇의 손실〔지출〕을 각오하다; **auf** den ~en sein 일어나〔활동하고〕 있다; er ist wieder auf den ~en 〔auf die ~e gekommen〕 그는 회복되었다〔기반을 잡았다〕; auf die ~e bringen〔stellen〕 a) 일으켜 세우다, b) 동원하다, c) 성사〔활동〕시키다; immer wieder auf die ~e fallen 어려운 고비마다 잘 빠져나오다; jm. auf die ~e helfen a) 부축하여 일으키다, b) (위기를 극복하도록) 돕다; sich auf die ~e machen 출발하다, 떠나다; etwas geht **in** die ~e a) (술 기운이) 다리를 무겁게 하다, b) (음악이) 다리를 움직이게〔춤추게〕 하다; **mit** einem ~ im Grabe stehen 죽음에 직면해 있다; mit einem ~ im Gefängnis stehen a) 범죄에 가까운 일을 저지르다, b) 체포될 위기에 처해 있다; mit den ~en schielen 비틀거리며 걷다; 〖방언〗 ein Schaf〔Kalb〕 mit fünf ~en 불가능한〔있을 수 없는〕 것; **über** die eigenen ~e stolpern 몹시 서투르다; die ~e **unter** js. Tisch strecken 누구의 도움으로 먹고 살다, 누구에게 얹혀 살다; die ~e unter den Tisch strecken 아무 일도 하지 않다; die ~e unter die Arme 〔in die Hand〕 nehmen 쏜살같이 도망가다; **von** Kindes ~en an 어렸을 때부터; von einem ~ aufs andere treten 초조해 하다, 초조하게 기다리다; jm. Prügel 〔Knüppel〕 **zwischen** die ~e werfen 누구를 방해하다. ③ 다리 모양의 것, (책상 따위의) 다리. ④ (md.) 발; kalte ~e haben 발이 시리다. ⑤〖구어〗 바짓가랑이: das linke ~ der Hose ist kurz 이 바지는 왼쪽 가랑이가 짧다.

Bein·ader *f.* 〖醫〗 다리 정맥.

bei·nah [báına:] *adv.* ↑ beinahe.

beinahe [baınáːə, báına:ə] *adv.* 거의: ich wäre ~ umgekommen 나는 하마터면 죽을 뻔 했다.

Beinahe·zusammenstoß *m.* (특히 비행기의) 가까스로 면한 충돌 사고.

Beiname *m.* -ns, -n 이명(異名), 별명.

bein≈amputiert *a.* 다리가 절단된. **≈amputierte*** *der/die* 다리가 잘린 사람. **≈arbeit** *f.* ①〖스포츠〗 다리 동작. ② 동물뼈로 만든 세공품. **≈arbeiter** *m.* 동물뼈 세공인. **≈asche** *f.* 뼛가루. **≈brech** *m.* ①〖植〗 금홍화(金紅花). ②〖광물〗 이회석(泥灰石)의 일종. **≈brecher** *m.* 〖動〗 흰꼬리수리. **≈bruch** *m.* 〔고어〕 다리 골절: 〔비유〕 das ist (doch) kein ~! 그 정도면 심한 편은 아니다, 괜찮다!; 〖구어〗 Hals- und ~! 기운 내세요, 행운을 빌어요! **~brüchig** *a.* 다리가 부러진.

Beinchen *n.* -s, - 〖↑ Bein 의 축소형〗 작은 뼈; 작은 다리〔발〕.

Bein≈drechsler *m.* ↑ ~arbeiter. **≈dürr** *a.* 말라서 뼈만 남은.

beineln [báınəln] *i.* (s.) (schweiz.) 종종걸음으로 걷다.

beinern [báınərn] *a.* ① 뼈의; 뼈 모양의; 앙상한. ② 상아로 만든, 상아 같은.

bein≈farben *a.* 〔雅語〕 상앗빛의. **≈fäule** *f.* 〖醫〗 골저(骨疽), 카리에스. **≈fäulnis** *f.* ↑ ≈fäule. **≈fessel** *f.* ① 족쇄. ②〖레슬링〗 다리로 감아 조이기. **≈fleisch** *m.* 〖요리〗 (특히 öst.) 뼈에 붙어 있던 (삶은) 쇠고기. **≈fraß** *m.* ↑ ~fäule. **≈gerippe** *n.* 뼈대, 골격, 해골. **≈gerüst** *n.* ↑ ≈gerippe. **≈geschwulst** *f.* 다리 종양; 〖醫〗 골종(骨腫), 골아종(骨芽腫). **~geschwür** *n.* 〖醫〗 종아리 농종(膿腫). **≈glas** *n.* (골회(骨灰)를 섞은) 젖빛 유리.

beinhalten [bəǀínhaltən] (beinhaltete, beinhaltet) *t.* 포함〔내포·의미〕하다.

Bein≈harnisch *m.* (갑옷의) 정강이 받이. **~hart** *a.* (öst., südd.) (뼈처럼) 단단한. **~haus** *n.* 납골당. **~haut** *f.* 〖醫〗 골막(骨膜). **~hautentzündung** *f.* 〖醫〗 골막염. **~heil** *n.* ↑ ~well ①. **~höhle** *f.* 〖醫〗 골수강(骨髓腔). **~holz** *n.* ① 뼈처럼 단단한 목재. ②〖植〗 쥐똥나무의 일종.

beinicht [báınıçt] *a.* 뼈 같은, 뼈처럼 단단한.

beinig [báınıç] *a.* ①〔방언〕 튼튼한; 다릿심 좋은. ② 뼈 있는: ~es Fleisch 뼈에 붙은 살코기.

..beinig *suf.* "다리가 …인"의 뜻(보기: lang~ 다리가 긴; vier~ 네 발 달린).

Bein≈kehle *f.* 〖해부〗 오금. **~kleid** *n.* 〔고어·雅語·농담〕 바지. **~kleider·stoff** *m.* 바짓감. **~knochen** *m.* 다리뼈. **~kreisen** *n.* 〖체조〗 다리로 원 그리기. **~lade** *f.* 〖醫〗 다리 부목(副木). **~leiden** *n.* 〔雅語〕 다리의 (지)병.

Beinling [báınlıŋ] *m.* -s, -e ① (스타킹·바지의) 다리 부분, 가랑이. ② 짐승의 다리에서 벗겨낸 질긴 가죽.

beinlos *a.* 뼈 없는; 다리 없는.

Bein≈muskel *m.* ↑ ~muskulatur. **~muskulatur** *f.* 〖해부〗 다리 근육. **~prothese** *f.* 의족. **~raum** *m.* 〖광고〗 (자동차의) 다리를 뻗을 수 있는 공간. **~ring** *m.* ① 장식용 발목고리. ② (식별을 위해 새의 다리에 채우는) 알루미늄 고리. **~röhre, ~rüstung** *f.* ↑ ~harnisch. **~säge** *f.* 〖醫〗 뼈(를 자르는) 톱. **~schaden** *m.* 〔雅語〕 뼈〔다리〕 부상. **~schelle** *f.* 족쇄. **~schere** *f.* ①〖호신술〗 양다리로 상대방을 감아 조이기(금하고 있음). ②〖스포츠〗 (다리로) 상대방의 다리를 감아 조이기. **~scherzel** *n.* (öst.) (대개 삶은) 쇠고기의 종류. **~schiene** *f.* ① ↑ ~lade. ② ↑ ~harnisch. ③〖하키·야구〗 (문지기·포수의) 다리 보호대. **~schlag** *m.* ①〖수영〗 다리 동작. ②〖체조〗 (한 다리로 선 상태에서) 다른 다리를 쭉 뻗어 앞뒤로 흔드는 연습 동작; (눕거나 엎드린 자세에서) 쭉 뻗은 두 다리를 번갈아 교차시키는 연습 동작. **~schoner** *m.* ↑ ~schiene ③. **~schützer** *m.* ↑ ~schiene ③. **~schwarz** *n.* 골탄(骨炭) (구두약 등의 안료). **~spange** *f.* ① ↑ ~ring. ② ↑ ~fessel ②. **~stellen** *n.* ① 다리 내뻗기. ②〖아이스하키〗 다리 걸기 반칙. **~stellung** *f.* 〖스포츠〗 다리 자세. **~stumpf** *m.* 절단된 다리의 남은 부분. **≈versehrt** *a.* 다리를 다친. **~well** *m.* ①〖植〗 컴프리〔유리 지치〕속(屬). ② 컴프리〔유리 지치〕 뿌리. **~werk** *n.* (nordd.) 양다리. **~wickel** *m.* 종아리싸개(해열용 물주머니). **~wurz** *f.* ↑ ~well. **~zeug** *n.* (갑옷의) 다리를 덮는 부분.

bei|ordnen [báiǀɔrdnən, ..tn..] *t.* ① 덧붙이다, 부속시키다: dem Minister waren Fachleute als Berater beigeordnet 그 장관에겐 전문가들이 자문 위원으로 배속되었다. ②〖문법〗 병렬시키다. ③〖法〗 국선 변호인으로 선임하다.

beiordnend *p.a.* 〖문법〗 병렬적인.
Beiordnung *f.* -en ↑ beiordnen 의 명사형.
Beipack *m.* -(e)s, -e ① 추가〔동봉〕 화물. ②〖전신〗(다선 케이블의) 주변선.
bei|packen *t.* (다른 것과) 함께 싸다.
Beipack·zettel *m.* (소포의) 내용물 명세서, (포장 상품의) 사용 설명서.
Beipferd *n.* -(e)s -e 〔고어〕 ① 쌍두 마차의 오른쪽 말. ② 삼두 마차의 세 번째 말.
***bei|pflichten** *i.* (h.) (jm.) 찬성〔동의〕하다.
Beipflichtung *f.* -en 찬성, 동의.
Beiprogramm *n.* -s, -e 〖영화〗 부속 프로(본 영화에 앞서 상영되는 문화 영화·광고 등).
Beiprogramm·streifen *m.* 부속 프로의 필름.
Beiram [báɪram] 《türk., „Fest"》 *m.* -s/- 이슬람 축제(터키의 부활절).
Beiram·fest *n.* ↑ Beiram.
***Beirat** *m.* -(e)s, ..räte ① 고문단, 자문 기구〔위원회〕. ②〔고어〕 조언자, 고문.
Beiratschaft *f.* -en 〖法〗 (schweiz.) 보호 조치가 필요한 사람의 행위 제한.
Beiried *n.* -(e)s, - 〔*f.*〕 (öst.) 소의 갈빗살, 홍두깨살.
beirren [bəˈírən] *t.* 현혹시키다, 혼란케 하다: er läßt sich nicht ~ 그의 마음가짐은 흔들리지 않는다.
Beirut [baɪrúːt] 베이루트.
Beiruter *m.* -s, - 베이루트 사람.
***beisammen** [baɪzámən] *adv.* 《상태의 동사하고만 씀, 반면에 zusammen 은 운동의 동사에서도 쓰임》 함께: er hat seinen Verstand 〔seine fünf Sinne〕 nicht recht ~ 그는 머리가 좀 이상하다;〔구어〕 ich bin heute nicht ganz ~ 나는 오늘 몸이 좋지 못하다.
beisammen≠|bleiben *i.* (s.) 함께 머물러 있다, 흩어지지 않다. **~|haben** *t.* 모아 가지고 있다; (정신력 등을) 집중하다. **~|halten** *t.* 한데 모으다, 흩어지지 않게 하다. **~|hocken** *i.* (h.) (겁이 나서) 바짝 붙어 쪼그리고 앉아 있다; 한데 모여 앉아 있다. **~|leben** *i.* (h.) 함께 살다, 동거하다. **~sein** *n.* 모여〔함께〕 있음; 모임, 집회. **~|sitzen*** *i.* (h.) 동석하다. **~|stehen*** *i.* (h.) 함께 서 있다. **~|wohnen** *i.* (h.) ↑ ~leben.
Beisaß [báɪzasə] *m.* ..sassen, ..sassen ① (중세 때) 시민권이 없거나 제한된 주민. ② 배석판사. ③ 소농(小農).
Beisasse *m.* -n, -n ↑ Beisaß.
Beisatz [báɪzats] 《<beisetzen》 *m.* -es, ..sätze ① 부가물, 혼합물. ②〔비유〕 낌새; 미량(微量). ③〖문법〗 동격.
bei|schaffen *t.* ①〔방언〕 장만〔구입〕하다, 조달하다. ②〔드물게〕 제거하다, 없애다.
bei|schießen* *t.* 〔구어〕 기부하다, 희사하다: kannst du auch etwas ~? 너도 돈을 좀 내겠니?
Beischiff *n.* -(e)s, -e 〖海〗 작은 배, 부속선.
***Beischlaf** *m.* -(e)s 〖法·雅語〗 동침, 성교.
bei|schlafen* *i.* (h.) 〔고어〕 동침〔성교〕하다.
Beischläfer *m.* -s, - 〔드물게〕 동침하는 남자.
Beischläferin *f.* -nen 〔드물게〕 동침하는 여자.
Beischlag *m.* -(e)s, ..schläge ①〖건축〗 현관 앞의 테라스. ② 위조 화폐, 악화(惡貨);〖비유〗 허드레 물건. ③〖農〗 공유지 이외의 사유 농장. ④〖제련〗 (광석에 섞는) 혼합물.
bei|schlagen* 《I》 *t.* 〔고어〕 ↑ beilegen. 《II》 *i.* (h.) 개와 함께 사냥감을 쫓다.
bei|schließen* *t.* (öst.) 동봉하다, 덧붙이다.
Beischluß *m.* ..schlusses, ..schlüsse ① (öst.) 동봉; 첨부물. ②〖印〗 부록.
bei|schreiben* *t.* 〔격식〕 덧붙여 쓰다, 추가로 써넣다, 부기(附記)하다.
Beischreiben *n.* -s, - 덧붙여 쓰기; 추신.
Beischrift *f.* -en 추신, 추가로 쓴 것.
Beisegel *n.* -s, - 〖海〗 버금돛, 곁돛.
bei|sein *i.* (s.) (nordd.) 막 …하려 하다: ich bin gerade beigewesen wegzugehen 나는 막 떠나려던 참이었다.
Beisein *n.* -s, - 동석, 입회: im ~ der Kinder 아이들이 있는 자리에서.
***beiseite** [baɪzáɪtə] *adv.* ① 옆에, 곁에, 떨어져: Spaß ~! 농담은 그만두게! ②〔동사와 함께〕 ~ bringen a) 옆으로 치우다, 제쳐놓다, b) 훔치다, 착복하다, c) 죽이다; ~ lassen 고려〔언급〕하지 않다, 무시하다; ~ legen a) (돈을) 떼어놓다, 저축하다, b) (시작한 일을) 그만두다; jn. ~ nehmen 누구와 따로〔단독으로〕 면담하다;〔은어〕 jn. ~ schaffen 제거〔살해〕하다; ~ schieben 옆으로 밀어놓다, 배제하다; ~ setzen 제쳐놓다, 무시하다;〖연극〗 ~ sprechen 방백(傍白)하다; ~ stehen 참여하지 않다, 방관하다; ~ stellen 남겨 두다; ~ treten 옆으로 물러서다, 피하다.
Beiseite *n.* -s 〖연극〗 방백(傍白).
Beiseite≠lassung *f.* 무시, 언급 회피. **~schaffung** *f.* 제거, 살해; 은닉, 은폐. **~setzung** *f.* 무시, 경시.
beiseits *adv.* ① (obd.) ↑ beiseite. ②〔고어〕 떨어져서, 비켜서. ③〔고어〕 몰래, 은밀히.
Beisel [báɪzəl] *n.* -s, -(n) (öst.) 술집.
bei|senden* *t.* 함께 보내다.
bei|setzen *t.* ①〔고어〕 덧붙이다. ② (요리를) 불에 얹다. ③〖海〗 Segel ~ 추가로 돛을 펴다. ④〔雅語〕 매장하다, 장례를 치르다.
Beisetzung *f.* -en 〔雅語〕 매장, 장례(식).
Beisetzungs·feierlichkeit *f.* 〔雅語〕 장례식.
beisichtig *a.* 〔방언〕 근시의; 근시안적인.
Beisitz *m.* -es, -e ①〖法〗 배석(陪席). ② 동승자석, 운전석 옆자리, 조수석.
bei|sitzen* *i.* (h.) 〖法〗 배석하다.
Beisitzer *m.* -s, - ① 배석 판사, 배석자. ② 이사회〔위원회〕의 임원.
Beisitzer·amt *n.* 배석 판사의 직.
Beisl *n.* -s, -(n) ↑ Beisel.
***Beispiel** [báɪʃpiːl] *n.* -(e)s, -e 보기, 예, 선례; 모범, 본보기: zum ~ (약어: z.B.) 예를 들면; ein ~ anführen 예를 들다; sich³ jn. zum ~e 〔sich³ ein ~ an jm.〕 nehmen 누구를 본보기로 삼다; ein gutes ~ geben 〔mit gutem ~ vorangehen〕 모범을 보이다; das ist ohne ~ 그것은 전례〔유례〕가 없는 일이다.
Beispiel≠fall *m.* 사례, 실례. **~gebend** *a.* 모범적인, 모범이 되는.
beispielhaft *a.* 모범적인, 실례의.
Beispielhaftigkeit *f.* 모범(성).
beispiel·halber *a.* ↑ beispielshalber.
beispiellos *a.* 전례〔유례〕 없는.
Beispiellosigkeit *f.* 전례〔유례〕 없음.

Beispiel≈material *n.* 예시 자료. **~reihe** *f.* 일련의 예〔보기〕들. **~sammlung** *f.* 사례〔예문〕 수집. **~satz** *m.* ↑ Beispielssatz.

Beispiels≈fall *m.* ↑ Beispielfall. **≈halber** *adv.* 예로서, 예를 들어. **~satz** *m.* 예문. **~-weise** *adv.* 예를 들자면. **~wirkung** *f.* 모범적인 영향〔효과〕.

bei|springen* *i.* (s.) 〖雅語〗 jm. ~ a) 누구를 구하려고 달려가다, b) 누구에게 조력하다.

Beiß·beere [báɪs..] *f.* 〖방언〗 피망.

Beißel [báɪsəl] *m.* -s, - 〖방언〗 ↑ Meißel.

beißen* [báɪsən] (biß, gebissen) 《Ⅰ》 *i.* (h.) ① 물다, 깨물다, 씹다; (벌레가) 쏘다; 찌르다: 〖비유〗 ein toter Hund beißt nicht mehr 죽은 개는 물지 않는다; **an** die Angel ~ (물고기가) 낚시를 물다; sie hat sich beim Essen auf die Zunge gebissen 그녀는 식사를 하다가 혀를 깨물었다; 〖비유〗 **in** den sauren Apfel ~ 싫은 일을 울며 겨자먹기로 하다; 〖비유〗 ins Gras ~ 죽다; nichts zu ~ (und zu brechen) haben 먹을 것이 없다; **nach** jm.〔et.³〕 ~ (개가) 누구에게〔무엇에〕 덤벼들다, 달려들어 물다; **um** sich ~ 닥치는 대로 달려들어 물다. ② (양념이) 톡 쏘다, 맵다; (통증 부위가) 쿡쿡 쑤시다; 〖비유〗 (풍자가) 신랄하다: der Rauch beißt in die Augen 연기가 눈에 들어와 맵다; der Pfeffer beißt auf der Zunge 후추가 혀를 쏜다. 《Ⅱ》 *t.* ① (개·뱀이) 물다; (벌레가) 물다, 쏘다; 씹다, 삼키다: der Hund biß ihn〔ihm〕 in das Bein 개가 그의 다리를 물었다; 〖비유〗 seine Wut 〔sein Lachen〕 in sich ~ 분노를〔웃음을〕 꾹 참다; die Zähne aufeinander ~ 이를 악물다〔악물고 참다〕. ② 〖비유〗 자극하다, 괴롭히다: die Augen ~ mich 나는 눈이 따끔거린다; seine Sünden ~ ihn 그는 죄책감으로 괴로워한다; es beißt mich 나는 몸이 따끔〔욱신〕거린다. 《Ⅲ》 *refl.* sich³ auf die Lippen ~ 입술을 깨물(고 꾹 참)다; sich〔aufeinander〕 ~ 서로 물다; 〖비유〗 sich mit jm. um et. ~ 누구와 무슨 일로 서로 으르렁거리다; die Farben ~ sich 빛깔들이 서로 어울리지 않는다.

Beißen *n.* -s 물기, 씹기, 쏘기, 자극하기.

beißend *p.a.* 무는, 쏘는, 찌르는 듯한, 자극성 있는, 신랄한: ~e Bemerkung 따끔한 말, 쏘아붙이는 말; ~e Kälte 살을 에는 듯한 추위; ~er Hohn〔Witz〕 신랄한 비웃음〔풍자〕.

Beißer *m.* -s, - ① 무는 동물; 싸움꾼. ② 〖농담〗 이빨. ③ ↑ Beißker. ④ (öst.) 쇠지렛대.

Beißerchen *n.* -s, - 〖구어〗 (아이들의) 젖니.

Beißerei *f.* -en 서로 물어뜯는 싸움.

beiß·fest *a.* 물어도〔씹어도〕 부서지지 않는.

Beißger *m.* ↑ Beißker.

beißig *a.* 〖구식〗 ↑ bissig.

Beißker [báɪskər] 《sl.》 *m.* -s, - 〖動〗 줄미꾸라지.

Beiß≈kohl *m.* 〖植·방언〗 근대 (Mangold). **~-korb** *m.* (개의) 주둥이 망태. **~ordnung** *f.* (Hackordnung) (조류, 특히 닭의) 서열, 위계 질서. **~ring** *m.* (아기에게 물려주는) 고무〔플라스틱〕 젖꼭지. **~rübe** *f.* 〖방언〗 근대. **≈sicher** *a.* 물지 못하게 하는. **~werk-zeuge** *pl.* 〖動〗 저작〔씹는〕 기관. **~wü-tend, ≈wütig** *a.* 잘 무는, 무는 습성이 있는. **~zahn** *m.* 앞니. **~zange** *f.* ① 못뽑이, 집게, 핀셋. ② 〖욕설〗 싸움닭(같은 여자).

***Beistand** [báɪʃtant] *m.* -(e)s, ..stände ① 〖雅語〗 조력, 원조: jm. ~ leisten 누구를 원조하다. ② 조력〔원조〕자; 〖法〗 보좌인, 소송 보조인, 법률 고문. ③ 〖고어〗 (öst.) 결혼 증인. ④ (결투의) 입회인.

beiständig *a.* 〖다음 용법으로만〗 〖고어〗 jm. ~ sein 누구를 돕다.

Beistandschaft *f.* -en 〖法〗 후견, 보호.

Beistands≈gelder *pl.* 원조〔지원〕금. **~-kredit** *m.* 〖經〗 대기 차관(借款) (Stand-by-Kredit). **~pakt** *m.* 〖政〗 상호 군사 원조 조약. **~pflicht** *f.* 〖행정〗 (관공서·조합이) 세무서의 세무 활동에 협조해야 할 의무. **~ver-trag** *m.* ↑ ~pakt.

bei|stechen* *i.* (h.) 〖고어〗 (동판화에 글을) 추가로 새겨 넣다.

bei|stecken *t.* ① 덧붙이다, 동봉하다. ② (jm. et.) (슬며시) 찔러 넣어 주다.

bei|stehen *i.* (h.) ① jm. ~ 누구의 편을 들다, 조력하다: einer Frau in ihrer schweren Stunde ~ 어떤 여성의 분만을 도와 주다. ② 〖海〗 alle Segel ~ lassen 돛을 모두 달다.

Beisteher *m.* -s, - 원조〔조력〕자.

bei|stellen 《Ⅰ》 *t.* ① (öst.) 지원하다, 제공하다: jm. eine Wohnung ~ 누구에게 주택을 제공하다. ② 〖철도〗 (국제간 교통 협약에 따라 열차를) 제공하다. ③ 〖방언〗 (빈자리를) 채워 넣다, 보충하다. 《Ⅱ》 **beigestellt** *p.a.* ↑ beigestellt.

Beistell·möbel *n.* 다목적 소형 가구.

Beistellung *f.* -en 제공, 지원; 보충.

Beisteuer *f.* -n 〖방언〗 기부금, 의연금.

bei|steuern *t./i.* (h.) 기부〔출연(出捐)〕하다.

***bei|stimmen** *i.* (h.) 찬성〔동의〕하다.

Beistimmung *f.* -en 찬성, 동의.

Beistrich *m.* -(e)s, -e 〖문법〗 쉼표.

Beitel [báɪtəl] *m.* -s, - (ndd.) 끌.

***Beitrag** [báɪtra:k] *m.* -(e)s, ..träge ① 기여, 공로. ② (신문·잡지의) 기고(문), 논문: einer Zeitung Beiträge einschicken〔liefern〕 신문에 글을 투고하다. ③ 회비, 기부금: Jahres≈ 연회비; Beiträge kassieren〔einziehen〕 회비를 걷다.

bei|tragen *t./i.* 기여〔공헌〕하다, 한몫 하다, 거들다; etwas zum Gelingen des Abends ~ 저녁 모임이 성공적으로 개최되도록 일조하다.

Beiträger *m.* -s, - 기고자.

Beitrags≈anteil *m.* 출자액, 분담금. **~-bemessungs·grenze** *f.* (사회 보험에서) 보험료 산정의 기준이 되는 소득 상한선. **~-einzug** *m.* 회비의 징수. **≈frei** *a.* 보험료 납부 의무가 없는. **~gruppe** *f.* 보험료에 따라 구분되는 사회 집단. **~höchst·grenze** *f.* 법적으로 허용된 최고 보험 요율. **~klasse** *f.* 보험료 등급.

beitragslos *a.* 회비〔보험료〕 납부 의무가 없는.

Beitrags≈marke *f.* 〖보험·옛뜻〗 보험료 납부 인지(印紙). **~pflicht** *f.* 회비〔보험료〕 납부 의무. **≈pflichtig** *a.* 회비〔보험료〕 납부 의무가 있는. **~rück·erstattung** *f.* 보험료 환급. **~rückstand** *m.* 보험료 체납. **~satz** *m.* 보험 요율. **~schlüssel** *m.* 보험료 산정 체계. **~system** *n.* ↑ ~schlüssel. **~tabelle** *f.* 보험료 등급 도표. **~zahlung** *f.* 회비〔보험료〕 납부.

bei|treiben *t.* ①〖法〗 강제로 징수하다. ②〖고어〗 징발하다.
Beitreibung *f.* -en 강제 징수; 징발.
bei|treten* *i.* ① 가입하다, 참여하다: der Gewerkschaft ~ 노조에 가입하다. ②〖고어〗 찬성하다. ③〖法〗 참고인으로 출두하다.
Beitritt *m.* -(e)s, -e ① 가입, 가맹. 입회. ②〖사냥〗 사슴 발자국.
Beitritts≈absicht *f.* 가입〔참가〕 의사. **~antrag** *m.* 가입〔참가〕 신청. **~erklärung** *f.* 가입〔참가〕 의사 표명. **~gebühr** *f.* 가입비. **~gesuch** *n.* 가입〔입회〕 청원. **~willig** *a.* 가입을〔참가를〕 원하는.
bei|tun *t.* 〖고어〗 ① 첨부하다, 덧붙이다. ② (분쟁을) 해소하다. ③ (집어 넣어) 가두다.
Beitun *n.* -s 〖고어〗 ① 첨부. ② (분쟁의) 해소. ③ 원조, 협력: ohne sein ~ 그의 도움 없이.
Beiwache *f.* -n ↑ Biwak.
Beiwacht *f.* -en ↑ Biwak.
Beiwagen *m.* -s, - ① 사이드카. ② 자체 동력이 없는 차량(↔ Triebwagen).
Beiwagen≈fahrer *m.* 사이드카에 탄 사람. **~maschine** *f.* 사이드카가 달린 대형 오토바이. **~schiff** *n.* 사이드카의 차체.
Beiwart *m.* -(e)s, -e ↑ Beisitzer.
Beiweg *m.* -(e)s, -e 옆길, 샛길.
beiwege *a.* 〖다음 용법으로〗〖고어〗 ~ sein a) 참석하다, b) 집에 있다: gut ~ sein 건강하게〔잘〕 지내다.
Beiwerk *n.* -(e)s, -e 부속물, 딸린 것.
Beiwert *m.* -(e)s, -e 〖數〗 계수(係數).
Beiwesen *n.* -s 〖고어〗 ① ↑ Anwesenheit. ② ↑ Beiwerk.
bei|wirken *i.* (h.) 협력〔지원〕하다.
Beiwirkung *f.* -en 협력, 지원.
bei|wohnen *i.* (h.) ①〖雅語〗 참석하다: einer Feier ~ 축하연에 참석하다. ②〖고어〗 jm. ~ 누구와 동침하다. ③ (본질로서) 내재하다; ihm wohnt Toleranz bei 너그러움은 그의 천성이다.
Beiwohnung *f.* -en ① 참석. ②〖고어〗 동침.
Beiwort *n.* -(e)s, ..wörter 〖문법〗 형용사.
beiwörtlich *a.* 형용사적인.
Beiz [baɪts] *f.* -en (schweiz.) 선술집, 식당.
Beizahl *f.* -en 계수(係數), 율(率).
bei|zählen *t.* 계산에 넣다, 가산하다.
Beiz·apparat *m.* 〖農〗 종자와 농약을 섞는 기구.
Beizäumung *f.* -en 〖승마〗 고삐를 당겨 말의 머리를 바로잡는 일.
Beiz≈brühe *f.* -n 〖工·農〗 부식액(腐飾液), 착색(着色)액, 소독액, 무두질 용액. **~bütte** *f.* 부식액을 담는 용기〔통〕.
Beize[1] [báɪtsə] 《<beizen》 *f.* -n ① (금속의) 부식제; (목재의) 착색제; (직물의) 매염제; 〖農〗 농약, 살균 소독제; (가죽의) 무두질 용액; 〖印〗 생선 통조림 등에 쓰이는 소스, 마리네이드. ② 매(를 이용한) 사냥.
Beize[2] *f.* -n 〖방언〗 ↑ Beiz.
Bei·zeichen *n.* -s, - ①〖고어〗 수식〔부가〕어. ② (분가의) 가계(家系) 표시. ③〖사냥〗 (불확실한) 짐승의 발자국〔흔적〕. ④〖음악〗 임시 기호. ⑤ 화폐의 부차적 문양〔기호〕.
bei·zeiten [baɪtsáɪtən] *adv.* 늦지 않게, 제때에.

***beizen** [báɪtsən] *t.* ① (금속·목재·직물·가죽을) 부식〔채색·매염·무두질〕 처리하다, (종자·상처를) 소독하다, (고기·생선을) 마리네이드에 절이다, (연초의) 쓴맛을 제거하다. ② 따갑게 하다: der Rauch beizte uns die Augen 연기가 우리의 눈을 따갑게 했다. ③ (매로) 사냥하다, 잡게 하다: den Reiher mit dem Falken ~ 매로 왜가리를 잡다.
Beizer[1] *m.* -s, - 목재 가공 기술자.
Beizer[2] *m.* -s, - 〖방언〗 선술집 주인.
Beiz≈falke *m.* 사냥매. **~gerät** *n.* 〖農〗 (곡물의) 소독 기구. **~hund** *m.* (매 사냥용) 사냥개.
bei|ziehen* *t.* (südd., öst., schweiz.) ① jn. ~ 누구에게 도움을 구하다. ② 참조하다.
Beiziehung *f.* -en ① 도움 요청. ② 참조.
Beiz·jagd *f.* -en 매(를 이용한) 사냥.
Beizker [báɪtskər] *m.* -s, - ↑ Beißker.
Beiz≈kraft *f.* 부식력. **~kufe** *f.* 무두질 용액을 담는 통〔탱크〕. **~mittel** *n.* 부식제, 착색제, 매염제, 소독제. **~pulver** *n.* 분말 착색제〔소독제〕. **~trommel** *f.* 〖農〗 종자와 소독제를 섞어 주는 둥근 통 모양의 기계.
bei·zu *adv.* 나란히, 병행하여.
Beizung [báɪtsʊŋ] *f.* -en ① beizen (가죽·목재·금속 등의) 표면 처리, 무두질, 채색, 부식.
Beiz≈vogel *m.* 〖사냥〗 ① (사냥용) 매. ② 매 사냥의 미끼새. **~wasser** *n.* ↑ ~mittel.
bejagen *t.* ①〖사냥〗 사냥하다. ②〖장소를 목적어로〗 ein Revier ~ 어떤 사냥 지역에서 사냥하다.
Bejagung *f.* 사냥, 수렵.
***bejahen** [bəjá:ən] 《I》 *t.* (↔ verneinen) (어떤 질문에) 예라고 대답하다, 긍정〔시인〕하다.
bejahend *p.a.* 긍정적인, 긍정하는.
bejahenden·falls *adv.* 〖격식〗 긍정〔동의〕할 경우에.
bejähren *refl.* sich ~ 1주년이 되다.
bejahrt [bəjá:rt] *a.* 〖雅語〗 늙은, 고령의.
Bejahrtheit *f.* 고령.
Bejahung [bəjá:ʊŋ] *f.* -en 긍정, 동의, 시인.
Bejahungs≈fall *m.* 〖다음 용법으로〗 im. ~ 긍정〔동의〕하는 경우에. **~satz** *m.* 〖문법〗 긍정문; 〖논리〗 긍정 명제. **~weise** *adv.* 긍정적으로. **~wort** *n.* 〖문법〗 긍정어; 승낙(의 말).
bejammern *t.* 통탄하다, 비통해하다: sein eigenes Los ~ 자신의 운명을 한탄하다.
bejammerns≈wert *a.* 슬퍼할, 통탄할, 가련한. **~würdig** *a.* ↑ ~wert.
bejauchzen *t.* 열광〔환호〕하다.
bejubeln *t.* 환호하다, 환호하며 맞이하다.
bekacken *t./refl.* 〖비속〗 똥칠하다, 똥으로〔오물로〕 더럽히다.
bekaien *t.* 〖海〗 den Besan ~ 뒷돛의 방향을 돌리다.
Bekaier *m.* -s, - 〖海〗 (돛의) 내림〔밧〕줄.
bekakeln *t.* (nordd.) 논의〔검토〕하다.
bekalken *t.* 〖工〗 석회를 바르다〔뿌리다〕.
bekalmen [bəkálmən] 《<Kalme》 *t.* 〖海〗 ein Schiff ~ (돛으로 바람을 막아) 어떤 배를 진행하지 못하게 방해하다.
***bekämpfen** *t.* …와 싸우다, …을 극복〔퇴치〕하려고 노력하다: einen politischen Gegner ~ 정적과 싸우다; Vorurteile ~ 편견을 몰아내기 위해 싸우다.

Bekämpfung *f.* -en 싸움, 투쟁, 극복, 퇴치.
Bekämpfungs≈maßnahme *f.* 극복〔퇴치〕 조처, 방지 대책. **~mittel** *n.* 제거〔박멸〕제, 극복〔퇴치〕 수단.
*__bekannt__ [bəkánt] 《Ⅰ》*p.p.* ↑ bekennen. 《Ⅱ》 *a.* ① 알려진; 이름난, 유명한: das ist mir ~ 나는 그것을 알고 있다, 그것은 새로운 것이 아니다; er ist dafür ~, daß er geizig ist 그는 인색하기로 유명하다. ② 잘 아는, 익숙한, 친숙한: mit et.³ ~ sein〔werden〕 무엇을 잘 알고 있다〔알게 되다〕; mit jm. ~ sein 누구와 아는 사이다; sich mit jm. ~ machen 누구와 알게 되다; jn. mit et.³〔jm.〕 ~ machen 누구에게 무엇을 설명하다〔누구를 소개하다〕. ③ 〔방언〕 고백〔자백〕한.
__Bekannte__ [bəkántə] *der/die* 아는 사람; 〔은어〕 친구, 애인.
Bekannten·kreis *m.* 서로 잘 아는 사람들.
bekannter·maßen *adv.* 〔격식〕 알다시피.
Bekannt≈gabe [bəkántga:bə] *f.* (널리) 알림, 공개, 공표. **~geben*** *t.* 널리 알리다, 공개〔공표〕하다.
Bekanntheit *f.* -en 앎; 친숙; 지식.
Bekanntheits·grad *m.* 알려진 정도, 지명도.
bekanntlich *adv.* 알다시피.
*__bekannt|machen__ *t.* 알리다, 공고〔공지〕하다: das neue Gesetz wird nächste Woche bekanntgemacht 새 법률은 다음 주에 공고된다.
Bekanntmachung *f.* -en 알림, 공고, 게시.
Bekanntschaft [bəkántʃaft] *f.* -en 알게 됨, 알고 있음, 면식; 아는 사람(들): js. 〔mit jm.〕 ~ machen 누구와 알게 되다, 관계를 맺다; mit jm. ~ haben 누구와 알고 있다; 〔비유〕 mit dem Erdboden ~ machen 넘어지다.
*__bekannt|werden__ *i.* 공개되다, 알려지다(단, bekannt werden은 "아는 사이가 되다"는 뜻).
bekanten *t.* 각이 지게 하다, 모서리를 내다.
Bekantung *f.* -en 각〔모서리〕 세우기.
bekappen 《Ⅰ》 *t.* ① (나무의) 끝을 쳐서 다듬다. ② 〖사냥〗 (사냥 매에) 눈가리개〔모자〕를 씌우다. ③ 〖건축〗 (담장에) 갓을 씌우다. 《Ⅱ》 **bekappt** *p.a.* ↑ bekappt.
bekappt 《Ⅰ》 *p.p.* ↑ bekappen. 《Ⅱ》 *p.a.* ① 모자를〔모자 모양의 것을〕 쓴. ② 〖植〗 고깔 모양의.
Bekasse 《frz.》 *f.* -n 〖動〗 누른도요(새).
Bekassine [bekasí:nə] 《frz.》 *f.* -n 도요새.
bekaufen *refl.* sich ~ ① 〔드물게〕 구입하다. ② 〔방언〕 (물건을) 잘못 사고 나서 화를 내다.
bekehr.. ↑ bekehrungs...
bekehrbar *a.* 개종〔전향〕시킬 수 있는.
*__bekehren__ 《Ⅰ》 *t.* 개종〔전향〕시키다, 교화하다: sie bekehrte ihn zu einer anderen Weltanschauung 그녀는 그의 세계관을 바꾸어 놓았다. 《Ⅱ》 *refl.* sich ~ 개종〔전향〕하다: sich zum Christentum ~ 기독교로 개종하다.
Bekehrer *m.* -s, - 전도〔포교〕자; 선교사.
Bekehrte* *der/die* 개종자, 전향자.
*__Bekehrung__ *f.* -en ① 개종, 전향. ② 전도, 교화.
Bekehrungs≈anstalt *f.* 선교회; 포교원. **~bote** *m.* 선교사. **~eifer** *m.* 전도〔포교〕열. **~gesellschaft** *f.* (특히 천주교의) 선교회. **~reise** *f.* 선교 여행. **~wesen** *n.* 전도 사업. **~wut** *f.* 광적인 전도열〔포교열〕.
bekelcht [bəkɛ́lçt] *a.* 〖植〗 꽃받침이 있는.
__bekennen__ [bəkɛ́nən] 《Ⅰ》 *t./i.* (h.) ① (신앙을) 고백하다. ② (죄·잘못을) 고백〔자백〕하다, 인정하다. ③ Farbe ~ a) 〖카드〗 같은 짝의 패를 내다, b) 〔비유〕 빛깔을 드러내다, 본심을 말하다. ④ 〖商〗 (수령하였음을) 증명〔인정〕하다. 《Ⅱ》 *refl.* ① sich zu et.³〔jm.〕 ~ 무엇을〔누구를〕 신봉하다; keiner seiner Freunde bekannte sich zu ihm 그의 친구들 중 아무도 그를 편들어 주지 않았다. ② sich (als 〔für〕) schuldig ~ 유죄임을 자백하다; sich als Verfasser des Buches ~ 자신이 그 책의 저자임을 밝히다. 《Ⅲ》 **bekannt** *p.a.* ↑ bekannt.
Bekennende Kirche *f.* 〖宗〗 고백 교회(1933년 발족; 독일 신교의 친나치즘적 성향에 반대하는 교회 내부의 저항 및 개혁 운동).
Bekenner *m.* -s, -s (신앙) 고백자, 신봉자.
Bekenner≈brief *m.* ↑ ~schreiben. **~geist** *m.* (자신의 믿음을 떳떳이 밝힐 수 있는) 고백 정신. **~mut** *m.* 자신의 믿음을 드러낼 수 있는 용기. **~schreiben** *n.* 자신이 테러범〔암살범〕임을 알리는 글〔공개장〕.
*__Bekenntnis__ *n.* -ses, -se ① 신앙 고백; 교리, 신조; 종파. ② 고백; 신봉: ein ~ zur Demokratie ablegen 민주주의를 신봉한다고 고백하다. ③ 〔대개 복수〕 참회(록), 고백(록).
Bekenntnis≈buch *n.* ↑ ~schrift. **~feier** *f.* 〖宗〗 성찬식. **~freiheit** *f.* 신앙의 자유. **~-kirche** *f.* ↑ Bekennende Kirche.
bekenntnislos *a.* 종파〔교단〕에 속해 있지 않은.
bekenntnis≈mäßig *a.* 〔격식〕 (신앙) 고백식의, 종파〔교단〕에 의한. **~schrift** *f.* 신앙 고백서; 교리서. **~schule** *f.* 교단 (설립) 학교, 미션 스쿨. **~treu** *a.* 신앙〔믿음〕에 충실한.
bekichern [bəkíçərn] *t.* 낄낄 웃다.
bekieken *t.* (nordd.) 주시하다, 자세히 관찰하다: 〔비유〕 sich inwendig ~ 잠자다.
bekiesen *t.* …에 자갈을 깔다.
*__beklagen__ 《Ⅰ》 *t.* ① 한탄하다, 슬퍼하다, 애도하다: ein Unglück ~ 불행을 한탄하다; Menschenleben sind zu ~ 안타깝게도 사망자들이 있었다. ② 〔고어〕 고소하다: 〖法〗 beklagt (민사 소송에) 고소된. 《Ⅱ》 *refl.* sich (bei jm.) über et. 〔wegen et.²〕 ~ (누구에게) 무엇에 대해 불평〔하소연〕하다.
beklagens≈wert *a.* 한탄스러운, 애석한, 불쌍한. **~würdig** *a.* ↑ ~wert.
Beklagte* *der/die* (↔ Kläger) (민사) 피고.
beklatschen *t.* ① …에(게) 박수 갈채를 보내다: der Sänger wurde eifrig beklatscht 그 가수는 열렬한 박수 갈채를 받았다. ② 〔구어〕 …에 관해 험담하다, 흉을 보다.
beklauben *t.* (손가락으로) 집다, 만지작거리다.
beklauen *t.* 〔구어〕 jn. ~ 누구의 물건을 훔치다.
bekleben 《Ⅰ》 *t.* …에 붙이다, 부착하다: eine Wand mit et.³ ~ 벽에 무엇을 붙이다. 《Ⅱ》 〔고어〕 *i.* (s.) 밀착하다, 들러붙다.
Beklebung *f.* 붙이는 일, 부착.
Beklebe·zettel *m.* 붙이는 쪽지, 스티커.
bekleckern 《Ⅰ》 *t./refl.* (nordd., md.) 〔구어〕

더럽히다, 오물을 묻히다: sich nicht mit Ruhm ~ 칠칠맞게 행동하다. 《Ⅱ》**beklẹckert** *p.a.* ↑ bekleckert.

beklẹckert 《Ⅰ》*p.p.* ↑ bekleckern. 《Ⅱ》*p.a.* 〔방언〕 잘난 체하는.

beklẹcksen *t.* 흘려서 더럽히다, 얼룩지게 하다: sie hat ihr neues Kleid mit Tinte bekleckst 그녀는 잉크가 튀어서 새 옷을 더럽혔다; 〔비유〕 eine bekleckste Weste haben 나쁜〔떳떳치 못한〕 짓을 저질렀다.

bekleiben 《Ⅰ》*t.* ↑ bekleben 《Ⅰ》. 《Ⅱ》*i.* ① ↑ bekleben 《Ⅱ》. ② (식물이) 뿌리를 내리다; 〔비유〕 뿌리박다, 기반을 넓히다.

***bekleiden** [bəkláɪdən] *t.* ① 옷을 입히다; 덮다, 싸다: die Wände mit Tapeten ~ 벽에 벽지를 바르다; ein Schiff ~ 배에 판자를 대다. ②〔비유·雅語〕 jn. mit einem Amt ~ 누구를 어떤 관직에 임명하다; einen hohen Rang ~ 높은 지위를 차지하다.

Bekleidung *f.* -en ① 의복, 피복; 옷차림. ② 포장재; 벽지; 표면처리. ③ 임명.

Bekleidungs≈amt *n.* 〖軍〗 피복 보급 담당관(직). **~gegenstand** *m.* 의류, 의복. **~gewerbe** *n.* 〔총칭〕 의류 산업. **~industrie** *f.* 의류 제조업. **~kammer** *f.* 피복 보관실〔창고〕. **~künstler** *m.* 〔농담〕 재단사. **~mauer** *f.* 〖건축〗 옹벽. **~vorschrift** *f.* 복장 규정.

bekleistern *t.* ① 풀을 바르다, 풀칠하다. ② 〔폄어〕 덕지덕지 발라 놓다: mit Reklamme ~ 광고로 도배를 해놓다. ③ 지저분하게 이것저것 묻혀놓다.

beklemmen [bəklέmən] *t.* 죄다, 압박하다; 〔비유〕 괴롭히다: jm. das Herz ~ 누구의 가슴을 죄다.

beklẹmmend *p.a.* 갑갑한, 숨막히는: ~e Luft 답답한 공기.

beklẹmmt *p.a.* ↑ beklommen ①.

Beklẹmmnis *f.* -se 답답함, 갑갑함, 압박감.

Beklẹmmung *f.* -en 가슴이 조여드는 느낌, 압박〔중압〕감, 불안.

beklommen [bəklɔ́mən] 《<beklimmen》 *p.a.* ① 가슴이 답답한, 불안한. ② (공기가) 꽉 막힌, 후덥지근한.

Beklọmmenheit *f.* 답답함, 불안.

beklọ̈nen *t.* 〔구어〕 (nordd.) et. ~ 무엇에 대해 편안하게 이야기하다.

beklọpfen *t.* 두드려 보면서 검사하다; 〖醫〗 타진하다.

Beklọpfen *n.* -s 두드려 검사하기; 〖醫〗 타진.

bekloppt [bəklɔ́pt] *a.* 〔구어〕 생각이 모자라는, 멍청한.

beklọtzen *t.* (길을) 목연와(木煉瓦)로 포장(鋪裝)하다; 통나무로 누르다.

Beklọtzung *f.* -en 목연와(木煉瓦) 포장.

beklụ̈geln *t.* 똑똑한 체하고 비난〔비평〕하다.

beklụnkern *t./refl.* 〔구어〕 sein Kleid〔sich〕 ~ 옷〔몸〕을 진흙으로 더럽히다.

beknạbbern *t.* 갉작갉작 갉아먹다.

beknackt [bəknákt] *a.* 〔경박〕 ① 어리석은, 우둔한. ② 불쾌한, 짜증나는.

beknạppern *t.* ↑ beknabbern.

bekneipen 《Ⅰ》*t./refl.* 〔방언〕 sich ~ 한 잔 하다. 《Ⅱ》**bekneipt** *p.a.* ↑ bekneipt.

bekneipt 《Ⅰ》*p.p.* ↑ bekneipen. 《Ⅱ》*p.a.* 한 잔 걸친, 얼큰한.

beknien *t.* 〔구어〕 jn. ~ 누구에게 끈질기게 조르다〔애원하다〕.

bekniffen [bəknɪ́fən] *a.* 〔방언〕 당황한, 놀란, 당혹스러운.

beknụrren *t.* jn. ~ (개가) 누구를 향하여 으르렁거리다.

bekọchen *t.* 〔구어〕 …에게 밥을 해 주다.

bekö̱dern *t.* …에 미끼를 달다: eine Angel ~ 낚시에 미끼를 꿰다.

bekohlen *t.* ① ein Revier (im Walde) ~ (숲 속의) 어떤 지역에서 숯을 굽다. ②〖광산〗 eine Grube ~ 탄갱에 갱부를 들여보내다. ③ (배·기차에) 석탄을 공급하다: einen Ofen ~ 난로에 석탄을 넣다. ④〔구어〕 속이다, 기만하다: du sollst deine Eltern nicht ständig ~ 부모님을 계속 그렇게 속여서는 안 돼.

Bekohlung *f.* -en ↑ bekohlen 의 명사형.

Bekohlungs·anlage *f.* 석탄 공급 장치.

bekommen [bəkɔ́mən] 《Ⅰ》*t.* ① 얻다, 받다; 획득하다: einen Brief ~ 편지를 받다; Besuch ~ 방문을 받다; die Erlaubnis ~, et. zu tun 무엇을 해도 된다는 허락을 얻다; 〔비유〕 einen Korb ~ (여자한테) 퇴짜를 맞다; eine Tracht Prügel ~ 흠씬 두들겨 맞다; ein Jahr Gefängnis ~ 일년 징역형을 받다; den Zug ~ 기차를 놓치지 않고 타다; Einsicht in et. ~ 무엇을 통찰하다〔깨닫다〕; Wind von et.³ ~ 무엇의 낌새를 채다; et. fertig ~ 어떤 일을 끝마치다; et. geschenkt〔geliehen〕 ~ 무엇을 선사받다〔빌리다〕; et. satt ~ 무엇에 물리다; zu essen ~ 먹을 것을 얻다; et. zu sehen 〔zu Gesicht〕 ~ 무엇을 발견하다, 무엇이 눈에 띄다; et. in seine Gewalt ~ 무엇을 장악하다; ich bekam ihn nicht zu sehen 나는 그를 만나보지 못했다; 〔구어〕 du bekommst was! 너 그러다 (나한테) 맞는다!; was ~ Sie bitte? 뭘 드릴까요, 뭘 드시겠습니까?; was ~ Sie? 얼마를 내야 하나요? (가게에서); ~ Sie schon? 주문하셨어요? (점원의 물음). ②〔"변화"의 뜻〕 얻다, 나다, 생기다: ein Kind ~ 애가 생기다, 임신하다; ein Kind ~ haben 아이를 낳았다; Zähne ~ 이가 나다; einen Bauch ~ 배가 나오다, 살이 찌다; Hunger ~ 배가 고파지다; Angst ~ 불안해지다; Lust ~, et. zu tun 무엇을 하고 싶은 마음이 생기다; Farbe ~ (점점) 화색이 돌다; eine Krankheit ~ 병을 얻다, 병이 나다; die Mauer bekommt Risse 담장에 금이 갔다; wir ~ heute noch Regen 오늘 중으로 비가 올 것 같다; es mit der Angst zu tun ~ 불안해지다; es mit jm. zu tun ~ 누구와 좋지 않은 관계를 갖게 되다; benimm dich anständig, sonst bekommst du es mit mir zu tun! 얌전히 굴어, 안 그러면 재미 없을 줄 알아! 《Ⅱ》*i.* (s.) 효력이 있다, 작용하다: etwas bekommt jm. gut〔schlecht〕 무엇이 누구의 건강에 좋다〔나쁘다〕; das Essen ist mir nicht ~ 그 식사는 내게 잘 맞지 않았다; die Ruhe wird ihm gut ~ 그에게는 안정이 도움이 될 것이다; wohl bekomm's a) 많이 드세요, 모두의 건강을 위하여(축배의 말), b) 〔반어〕 어디 두고 보자; sein Vorwitz ist ihm schlecht ~ 그의 주제넘음은 신상에 해로웠다. 《Ⅲ》*refl.* sich ~ ① (애인끼리) 사랑을 성취하다, 결혼하다. ②〔드물게〕 회복하다.

bekömmlich [bəkœ́mlɪç] *a.* 몸에 좋은, 소

화가 잘 되는: fette Speisen sind schwer ~ 기름기 많은 음식은 소화가 잘 안 된다.

Bekömmlichkeit *f.* 몸에 좋음, 소화가 잘 됨.

bekomplimentieren 《frz.》 *t.* 〖구어〗 jn. ~ 누구에게 겉치레로 인사하다, 의례적인 인사말을 건네다.

beköstigen *t.* (jn.) (규칙적으로) 식사를 제공하다, 급식하다: sich selbst ~ 자취하다.

Beköstigung *f.* -en 급식, 급양(給養).

bekotzen *t.* 〖비속〗 토해서 더럽히다.

bekräftigen *t.* ① 분명히 확인하다, 힘주어 다짐하다. ② 지원하다, 뒷받침하다: js. Plan ~ 누구의 계획에 힘을 실어 주다.

Bekräftigung *f.* -en 단언, 확언; 뒷받침, 지원.

bekrallt [bəkrált] 《<Kralle》 *a.* 발톱이 달린.

bekränzen *t.* 화환으로 장식하다, …에게 화환을 걸어 주다.

Bekränzung *f.* -en ↑ bekränzen 의 명사형.

bekratzen *t.* 〖드물게〗 긁다, 할퀴다.

bekreisen *t.* ① 〖구식〗 둘러싸다. ② (숲 따위를) 사냥하며 돌아다니다.

bekreuzen 《Ⅰ》 *t.* ① 〖고어〗 십자표(X 표)를 하다. ② 〖가톨릭〗 jn. ~ 누구에게 성호를 그어 축복하다. ③ 〖軍〗 십자 포화를 퍼붓다. 《Ⅱ》 *refl.* sich ~ 〖드물게〗 ↑ bekreuzigen.

bekreuzigen *refl.* sich ~ 〖가톨릭〗 성호를 긋다: sie bekreuzigte sich beim Eintreten in die Kirche 그녀는 교회에 들어갈 때 성호를 그었다; 〖비유〗 sich vor jm.〔et.[3]〕 ~ 누구〔무엇〕에 대해 혐오감〔두려움〕을 갖다.

bekriechen* *t.* 〖드물게〗 ① et. ~ 무엇의 위를 기어다니다. ② (감정이) 생기다, 들다: ihn bekroch ein Gefühl der Angst 그는 슬슬 불안해지기 시작했다.

bekriegen *t.* 공격하다, …와 전쟁을 벌이다: sich〔einander〕 ~ 교전하다.

Bekrittelei *f.* -en 질책, 흠잡기.

bekritteln *t.* 흠잡다, 헐뜯다.

Bekrittelung *f.* -en 질책, 비난, 트집.

Bekrittler *m.* -s, - 흠〔트집〕 잡는 사람.

bekritzeln *t.* 마구 갈겨쓰다, 낙서하다: die Wände ~ 벽에 낙서하다.

bekrönen *t.* 〖교양〗 ① (관·화환 등으로) 장식하다, 관을 씌우다: der Sieger wurde mit einem Lorbeerkranz bekrönt 승리자에게 월계관이 씌워졌다. ② 〖비유〗 화려하게 마무리짓다, 대미를 장식하다, 절정〔최고봉〕을 이루다: der Nobelpreis bekrönte sein Lebenswerk 노벨상은 그의 필생의 역작을 화려하게 장식해 주었다.

Bekrönung *f.* -en ① 관 씌우기, 대관(戴冠). ② 절정, 화려한 마무리. ③ 〖건축〗 건물의 꼭대기 장식.

bekrusten 《Ⅰ》 *t.* 〖드물게〗 껍질을 씌우다. 《Ⅱ》 *refl.* sich ~ 껍질이〔딱지가〕 생기다.

bekucken *t.* (nordd.) ↑ begucken.

***bekümmern** 《Ⅰ》 *t.* ① 슬프게 하다, 걱정시키다: dein Leichtsinn bekümmert mich 네 경솔함이 나는 걱정스럽다. ② 〖부정문·의문문에서〗 es bekümmert mich nicht 그것은 나와 상관없다; was bekümmert's dich? 그게 너와 무슨 상관이냐? 《Ⅱ》 *refl.* ① sich über et. ~ 무엇을 슬퍼하다, 우려하다. ② sich um et. ~ 무엇을 돌보다, 무엇에 마음쓰다: bitte bekümmere dich ein wenig um die Kinder! 제발 아이들한테 신경 좀 써요! 《Ⅲ》 **bekümmert** *p.a.* ↑ bekümmert.

Bekümmernis *f.* -se 〖雅語·구식〗 비애, 근심, 걱정.

Bekümmertheit *f.* 근심, 걱정.

bekümmert 《Ⅰ》 *p.p.* ↑ bekümmern. 《Ⅱ》 *p.a.* 슬픈, 우울한, 걱정하는.

Bekümmerung *f.* 근심, 걱정.

bekunden [bəkúndən] 《Ⅰ》 *t.* 〖교양〗 ① 알리다, 표명하다: hierin bekundet er seine Unwissenheit 이 점에서 그는 자기의 무지를 드러내고 있다; jm. sein Beileid ~ 누구에게 조의를 표하다. ② 〖法〗 et. vor Gericht ~ 무엇을 법정에서 증언하다. 《Ⅱ》 *refl.* sich ~ 드러나다, 밝혀지다: sein Verdacht bekundete sich schon am nächsten Tag 그의 혐의는 벌써 다음날 드러났다.

Bekundung *f.* -en 진술, 증언, 표명.

Bel[1] [bel] *n.* -s, - 〖통신·고어〗 벨(전기 통신의 전력 단위; 발명자 A.G. Bell 의 이름에서; 기호: B, b).

Bel[2] *m.* -s ↑ Baal.

belächeln *t.* …에 대하여 미소짓다, 가볍게 비웃다: die neueste Mode ~ 최신 유행에 코웃음치다.

belachen *t.* …에 대하여 웃다, 비웃다: der Witz wurde schallend belacht 그 재담은 요란한 웃음을 불러일으켰다.

belachens≈wert *a.* 우스운; 비웃을 만한, 어리석은. **~würdig** *a.* ↑ ~wert.

beladen*[1] 《Ⅰ》 *t.* ① (↔ entladen ①) …에 짐을 싣다: einen Wagen mit Kohle〔Holz〕 ~ 차에 석탄을〔나무를〕 싣다; 〖비유〗 jn. mit et.[3] ~ 누구에게 어떤 부담〔책임〕을 지우다. ② 가득 쌓다, 뒤덮다: 〖폄어〗 mit Schmuck ~ sein 장신구를 주렁주렁 달고 있다. 《Ⅱ》 *refl.* sich mit et.[3] ~ 무슨 짐〔부담·책임〕을 지다. 《Ⅲ》 **beladen** *p.a.* ↑ beladen[2].

beladen[2] 《Ⅰ》 *p.p.* ↑ beladen[1]. 《Ⅱ》 *p.a.* 짐〔부담〕을 진: kommt alle zu mir, die ihr mühselig und ~ seid 지치고 짐진 자들아 다 내게로 오라(마태 11 : 28); mit Sorgen ~ 수심이 가득한.

Beladung *f.* -en 짐싣기, 적재, 적화(積貨).

Belag [bəlá:k] 《<belegen[1]》 *m.* -(e)s, ..läge [..lɛ́:gə] ① **(a)** (표면에 끼는) 얇은 층. **(b)** 〖醫〗 백태(白苔), 설태(舌苔); 거울에 서린 입김: einen ~ auf der Zunge haben 혀에 백태가 끼어 있다. ② (표면을) 덮는 재료; 빵〔케이크〕에 얹는 재료(햄·치즈 등): Fußboden~ 바닥재. ③ 증빙 자료(↑ Beleg 의 오기(誤記)).

Belagerer *m.* -s, - 〖軍〗 포위군.

***belagern** *t.* ① 〖軍〗 포위하다: eine Stadt ~ 도시를 포위하다. ② 〖구어〗 둘러싸다, 진을 치다: die Schauspielerin ~ 여배우를 에워싸다; 〖비유〗 jn. mit et.[3] ~ 누구를 무엇으로 괴롭히다.

Belagerung *f.* -en 〖軍〗 포위 (공격): ~ aufheben〔aushalten〕 포위를 풀다〔고수하다〕.

Belagerungs≈arbeiten *pl.* 〖軍〗 공성(攻城) 작업. **~armee** *f.* 포위〔공성〕군. **~artillerie** *f.* 공성 포병. **~batterie** *f.* 공성 포대. **~geschütz** *n.* 공성포. **~gesetz** *n.* 〖法·고어〗 계엄령. **~heer** *n.* 포위〔공성〕군. **~kranz**

m., **~krone** *f.* 고대 로마에서 성을 지켜낸 장수에게 내리는 영관(榮冠). **~kunst** *f.* 공성술, 포위 공격술. **~maschine** *f.* (고대의) 공성 무기. **~münze** *f.* (포위된 곳에서 임시로 발행하는) 긴급 화폐. **~park** *m.* 공성병기창. **~truppe** *f.* 〖軍〗 포위 공격 부대. **~werke** *pl.* 공성 보루. **~zustand** *m.* 포위 상태; 〖法〗 계엄 상태.

Belami [bɛlamí:] 《frz.》 *m.* -(s), -s 여자들에게 인기 있는 남자.

Bel-Ami *m.* -(s), -(s) ↑ Belami.

belämmern *t.* ↑ belemmern.

belämmert *a.* ↑ belemmert.

***Belang** [bəláŋ] *m.* -(e)s, -e ① 중요성, 의의: 〖다음 용법으로만〗 von ~ 중요한; von keinem ~ 〔ohne ~〕 중요하지 않은; nichts von ~ 의미 없는 것, 하찮은 것. ②〖복수로만〗 이해(利害), 관심사: wirtschaftliche ~e 경제적 관심사. ③〖격식〗 관점: in diesem ~ 이런 관점에서.

belangbar *a.* 〖法〗 고소〔기소〕할 수 있는.

belangen *t.* ① 고소〔기소〕하다: jn. wegen Diebstahls ~ 누구를 절도죄로 고소하다. ②〖다음 용법으로〗 was jn.〔et.〕 belangt 누구〔무엇〕에 관해서는〔있어서는〕: was mich belangt 나로 말하자면. ③ *imp.* (schweiz.) 기대하게 하다: mich belangt nach dem Tag 나는 낮이 기다려진다.

belanglos *a.* 중요치 않은, 사소한.

Belanglosigkeit *f.* -en 무의미, 중요치 않음; 하찮은 것.

belang≈reich *a.* ↑ ~voll. **≈sendung** *f.* (öst.) (어떤 단체의) 이익 대변 방송.

Belangung [bəláŋʊŋ] *f.* -en 고소, 기소.

belang·voll *a.* 중요한, 의미 있는.

belappen [bəlápən] *t.* 〖사냥〗 einen Wald ~ (사냥감이 밖으로 달아나지 못하게) 숲의 주위에 몰이 헝겊을 걸다.

Belarus 벨로루시(백러시아의 다른 이름).

Belarusse *m.* -n, -n 백러시아 사람.

belarussisch *a.* 백러시아(어)의.

belassen* *t.* ① 그대로 두다: wir wollen es dabei ~ 그쯤 해두기로 하자; jn. in seiner Stellung ~ 누구를 유임시키다. ②〖교양〗 맡기다, 위임하다: das möchte ich deiner eigenen Entscheidung ~ 그건 네 자신의 결정에 맡기겠다.

Belassung *f.* ① 현상 방치, 보류. ② (직위의) 유임. ③ (결정권의) 위임.

belastbar *a.* ① 짐을 실을 수 있는, 하중을 견딜 수 있는: der Fahrstuhl ist bis zu 400 kg ~ 그 승강기는 400 kg 까지 실을 수 있다. ②〖비유〗 책임을 감당할 수 있는.

Belastbarkeit *f.* 하중, 적재력; 감당 능력.

***belasten** [bəlástən] *t.* ① 짐을 싣다, 하중을 가하다: eine Brücke 〔einen Fahrstuhl〕 zu sehr ~ 다리〔승강기〕에 너무 큰 하중을 가하다. ②〖비유〗 부담을 주다, 책임을 지우다; 괴롭히다; 해를 끼치다: jn. mit zu viel Verantwortung ~ 누구에게 너무 큰 책임을 지우다; jn. zu sehr ~ 누구에게 몹시 부담을 주다; ein Haus mit Hypotheken ~ 집을 저당잡히다; mit Schulden belastet 빚을 진; Luft mit Schadstoffen ~ 대기를 유해 물질로 오염시키다; erblich belastet sein 유전적으로 결함이 있다. ③〖商〗 jn. einen Betrag 〔jn. mit einem Betrag〕 ~ 얼마의 금액을 누구의 차변에 기입하다. ④〖法〗 (↔ entlasten) 불리하게 하다, 유죄로 보이게 하다: den Angeklagten durch eine Aussage ~ 어떤 진술로 피고를 불리한 입장에 처하게 하다.

belastend *p.a.* 부담을 주는, 해가 되는: 〖法〗 ~e Aussagen 불리한 진술.

***belästigen** [bəlɛ́stɪgən] 《I》 *t.* 괴롭히다, 귀찮게〔성가시게〕 하다, 치근대다: jn. mit Fragen ~ 누구에게 귀찮게 질문하다; bitte ~ Sie mich nicht länger! 더 이상 나를 귀찮게 하지 말아요!

belästigend *p.a.* 귀찮은, 성가신.

Belästigung *f.* -en 괴롭히기, 방해, 치근거림; 귀찮은 것: jn. als ~ empfinden 누구를 귀찮은 존재로 느끼다.

Belastung *f.* -en ① 짐싣기, 적재; 적재량, 적재 능력; 〖工〗 하중(荷重), 부하(負荷): die zulässige ~ eines Fahrstuhls 승강기의 허용하중(치). ② 부담, 짐: finanzielle ~ 재정적 부담. ③〖商〗 부채(↔ Gutschrift). ④ (피고에게) 불리한 진술〔증언〕.

Belastungs≈anzeige *f.* 〖금융〗 (은행에서 발부하는) 대월액(貸越額) 통보. **~-EKG** *n.* 〖醫〗 부하(負荷) 심전도. **≈fähig** *a.* 하중을〔부하를〕 견딜 수 있는. **~fähigkeit** *f.* 〖工〗 적재력; 〖전기〗 (도체(導體)의) 안전 전류. **~faktor** *m.* 〖전기〗 부하율. **~grenze** *f.* 적재〔부하〕 한계, 최대 허용 하중. **~indiz** *n.* 〖法〗 불리한 정황〔방증(傍證)〕. **~kurve** *f.* 〖工〗 하중 곡선. **~material** *n.* 〖法〗 피고에게 불리한 자료. **~moment** *n.* 〖法〗 유죄 요인〔사실〕. **~probe** *f.* 〖工〗 하중〔부하〕 시험. **~raum** *m.* 〖海〗 선창. **~spitze** *f.* 최고 하중; (전력의) 최대 사용 시간. **~zeuge** *m.* 〖法〗 피고에게 불리한 사실을 진술하는 증인(↔ Entlassungszeuge).

belatten *t.* 〖건축〗 …에 격자〔솔대·욋가지〕를 대다.

belauben [bəláubən] 《I》 *t.* ① 잎으로 덮다. ② 잎을 따다. 《II》 *refl.* sich ~ 잎으로 덮히다. 《III》 **belaubt** *p.a.* ↑ belaubt.

belaubt 《I》 *p.p.* ↑ belauben. 《II》 *p.a.* 잎이 무성한.

Belaubung *f.* -en ① 잎이 남〔무성함〕. ② (집합적 의미의) 잎.

Belauerer *m.* -s, - 숨어서 (기회를) 엿보는〔기다리는〕 사람; 매복병, 잠복 감시자.

belauern *t.* 숨어서 (기회를) 엿보다, 몰래 지켜보다〔감시하다〕: einen Verbrecher ~ 숨어서 범인을 감시하다.

Belauerung *f.* -en ↑ belauern 의 명사형.

Belauf *m.* -(e)s ①〖고어〗 액수, 총계: im ~ von ... …의 액수로. ②〖林〗 관할 산림 구역.

belaufen* 《I》 *t.* 〖구어〗 (어떤 지역을) 돌아다니다; 순찰〔수색〕하다: ein wenig ~er Weg 인적이 드문 길; Geschäfte ~ 상점들을 돌아다니다. 《II》 *refl.* sich ~ ① sich auf et. ~ (수가) 얼마에 달하다: die Zahl der Teilnehmer beläuft sich auf 200 참석자의 수가 200 명에 이른다. ② 짝짓다, 교미하다. 《III》 *i.* (s.) 김이 서리다: der Spiegel beläuft vom Hauch 거울이 입김으로 흐려진다.

belauschen *t.* ① 엿듣다: jn. durch das offene Fenster ~ 열린 창문을 통해 누구의 말을 엿듣다. ② 몰래 관찰하다: die Tierwelt mit der Kamera ~ 동물의 세계를 몰래 카메라에 담다. ③ …에 귀기울이다, 경청하다: sein Innerstes ~ 자신의 내면의 소리에 귀기울이다.

Bélcanto [bəlkánto] *m.* -s ↑ Belkanto.

Belche [bɛ́lçə] *f.* -n (südd., schweiz.) 큰 물닭.

Belchen[1] [bɛ́lçən] *n.* -s, - ↑ Belche.

Belchen[2] *m.* -s (독일 남부 Schwarzwald 와 Vogesen 의) 구릉, 언덕, 산.

***beleben** [bəlé:bən] 《I》 *t.* ① 생기를 주다, 활기를 띠게 하다, 살리다, 촉진〔고무〕하다: ein Zimmer durch Bilder ~ 그림들로 방의 분위기를 살리다; alte Sitten ~ 옛 풍속을 되살리다; den Markt ~ 시장을 활성화하다. ② (어디에) 살다: vielfältig gestaltete Lebewesen ~ das Meer 바다에는 각양각색의 생물들이 살고 있다. 《II》 *refl.* sich ~ 생기〔활기〕를 띠다, 소생하다; 붐비다, 북적거리다: seine Gesichtszüge ~ sich 그의 표정에 생기가 돈다. 《III》 **belebt** *p.a.* ↑ belebt.

Beleber *m.* -s, - 흥을 돋우는 사람; 부흥자.

***belebt** [bəlé:pt] 《I》 *p.p.* ↑ beleben. 《II》 *p.a.* ① 생명이 있는, 살아 있는, 생기 있는, 활기찬: ~e Unterhaltung 활발한 대화. ② 붐비는, 번화한: eine ~e Straße 번화가.

Belebtheit *f.* 생기, 활기, 번화, 북적댐.

Belebt·schlamm *m.* 〖생태〗 (정화용 단세포 생물들이 사는) 활성 오니(汚泥).

Belebtschlamm=becken *n.* 활성 오니조(槽). **~verfahren** *n.* 활성 오니(를 이용한) 폐수 정화 방식.

Belebung *f.* -en 활성화, 소생, 고무(鼓舞), 진흥; 〖心〗 영활(靈活).

Belebungs=becken *n.* 〖생태〗 폐수 정화조. **~mittel** *n.* 〖醫〗 흥분제, 청심제. **~versuch** *m.* ① 진흥〔부흥〕책. ② 〖醫〗 (의식 잃은 사람을 살리려는) 소생 시술.

belecken *t.* 핥다, 침을 묻히다: eine Briefmarke ~ 우표에 침을 묻히다; die Katze beleckt sich 고양이가 자기 몸을 핥는다; 〖구어〗 von der Kultur beleckt 문화의 세례를 받은, 세련된.

beledern *t.* 가죽을 대다, 가죽으로 덮다.

Belederung *f.* -en 가죽 씌우기〔대기〕.

Beleg [bəlé:k] 《<belegen[1]》 *m.* -(e)s, -e ① (a) 증빙 서류〔자료〕, 영수증. (b) 증거, 전거; 예증; 선례, 예문: zum ~(e) für ... …에 대한 전거로, 예증으로; einen ~ für ein Zitat angeben 인용문의 출처〔전거〕를 밝히다. (c) ↑ Belegexemplar 의 단축어. ② ↑ Belag(의 오용).

Beleg·arzt *m.* 외래 의사(개업의로서 종합 병원에서도 진료하는 의사).

belegbar *a.* ① 덮을 수 있는. ② (전거에 의하여) 증명할 수 있는. ③ 〖法〗 mit Beschlag ~ 압류할 수 있는.

Beleg·bogen *m.* (대학의) 수강 신청서.

***belegen**[1] [bəlé:gən] 《I》 *t.* ① 덮다, 깔다, 얹다: den Boden mit Fliesen ~ 바닥에 타일을 깔다; ein Brot mit Käse ~ 빵에 치즈를 얹다; seine Zunge ist belegt 그의 혀에 설태가 끼어 있다; 〖비유〗 eine Stadt mit Bomben ~ 도시를 폭격하다; et. mit einem Namen ~ 무엇에 이름을 붙여주다. ② (a) (자리·방을) 차지하다, 확보〔예약〕하다; (강의를) 수강 신청하다: einen Platz ~ (물건을 올려놓아) 자리를 맡아두다; einen Rang ~ 어떤 지위를 차지하다; 〖구어〗 wir sind belegt 우리 호텔의 방이 꽉 찼습니다; ich belegte einen Anfängerkurs in Englisch 나는 영어 초급 코스를 신청했다; er belegte in der Gesamtwertung den achten Rang 그는 종합 성적에서 8 위를 차지했다. (b) 〖軍〗 숙영시키다: eine Stadt mit Truppen ~ 도시에 군대를 숙영〔주둔〕시키다. ③ (문서 등으로) 증명〔입증〕하다: Ausgaben (durch Quittungen) ~ 지출을 (영수증으로) 증명하다; dieses Wort ist bei Schiller belegt 이 단어는 실러의 작품에 나온다. ④ (불쾌한 것을) 부과하다: jn. mit einer Geldstrafe ~ 누구에게 벌금형을 부과하다; jn. mit Schimpfworten ~ 누구에게 욕설을 퍼붓다; jn. mit dem Bann ~ 누구에게 파문 선고를 내리다. ⑤ 〖海〗 (배를) 밧줄로 매어 육지에 고정시키다; (밧줄을) 계선주(繫船柱)에 매다〔묶다〕. ⑥ 〖사냥〗 (암컷과) 짝짓기〔교미〕시키다, 수컷과 붙여 주다. 《II》 **belegt** *p.a.* ↑ belegt.

belegen[2] *a.* 〖고어〗 위치한: die Stadt ist an einem Fluß ~ 그 도시는 강가에 있다.

Beleger [bəlé:gər] *m.* -s, - ① 덮는 사람; (거울의) 은박을 붙이는 직공. ② 종마(種馬).

Beleg=exemplar *n.* 〖印〗 보존용 판본〔별쇄본〕; 저자용 증정본. **~frist** *f.* (대학의) 수강 신청 기간. **~holz** *n.* 〖海〗 밧줄을 묶어둘 수 있는 말뚝. **~knochen** *m.* 〖醫〗 피복골(被覆骨). **~leser** *m.* 〖전산〗 문자 판독 장치. **~material** *n.* 증거물, 입증 자료. **~muster** *n.* (판매자가 발송 상품의 종류와 품질에 대한 증거로 남겨 두는) 보관용 견본. **~obst** *n.* (케이크나 푸딩) 위에 얹는 설탕에 절인 과일. **~poller** *m.* 〖海〗 배를 묶어 두는 말뚝〔기둥〕. **~probe** *f.* ↑ ~muster.

Belegschaft *f.* -en ① (한 기업체의) 전 종업원〔직원〕. ② (한 방〔공간〕의) 거주자 일동.

Belegschafts=aktie *f.* 〖經〗 우리 사주(社株), 종업원 지분 주식. **~handel** *m.* 종업원〔직원〕 상대 판매. **~mitglied** *n.* 〖經〗 종업원, 직원. **~stärke** *f.* 종업원수.

Beleg=schein *m.* 증서. **~stelle** *f.* 인용문의 출처. **~station** *f.* 담당 의사가 없는 종합 병원의 부서, 외래 의사(Belegarzt)가 전담하는 종합 병원의 부서. **~stück** *n.* ↑ ~exemplar.

belegt 《I》 *p.p.* ↑ belegen[1]. 《II》 *p.a.* 씌운, 끼운: ~e Brötchen 햄·치즈 따위를 끼워 넣은 빵; ~e Zunge 설태가 낀 혀; ~e Stimme 쉰〔잠긴〕 목소리.

Belegung *f.* -en ① (세금·죄의) 부과. ② (방·좌석의) 예약; 〖軍〗 숙사(宿舍) 배정. ③ 〖工〗 거울에 석박(錫箔)을 입히는 일. ④ (사실·주장의) 증명.

Belegungs=dichte *f.* 〖건축〗 (건물의) 연 건평〔공간〕의 거주 인구 밀도. **~stärke** *f.* 〖軍〗 (한 막사·내무반의) 현재〔최대〕 수용 인원.

belehnen [bəlé:nən] 《Lehn》 *t.* ① 〖고어〗 영지〔봉토〕를 수여하다: jn. mit et.[3] ~ 누구에게 무엇을 봉토로 주다; jn. mit einem Amt ~ 누구에게 어떤 관직을 수여하다, 누구를 어떤 관직에 봉하다; der Belehnte 봉토 수령자, 신하. ② (schweiz.) ↑ beleihen ②.

Belehner *m.* -s, - 봉토 수여자〔군주〕.

Belehnung *f.* -en 봉토 수여.

Belehnungs·urkunde *f.* ↑ Lehnsbrief.
belehrbar *a.* 배울 능력이 있는, 교화 가능한.
***belehren** [bəlé:rən] 《I》 *t.* 가르치다, 지도하다; 바로잡아 주다, 깨우치게 하다: er hat mich belehrt, wie ich mich zu verhalten habe 그는 내가 어떻게 행동해야 하는지를 가르쳐 주었다; jn. über et. ~ 무엇에 관하여 누구를 일깨워 주다; er ist nicht zu ~ 그는 깨우쳐 주기 힘든 사람이다; jn. eines Besseren [anderen] ~ 누구의 잘못을 바로잡다. 《II》 *refl.* sich ~ 식견을 넓히다; sich gern ~ lassen 기꺼이 남의 말[가르침]을 듣다.
belehrend *p.a.* ① 교육적[교훈적]인. ②〔폄어〕 선생투의, 훈계조[설교조]의: er hat immer so einen ~en Ton an sich 그에게는 그런 설교조의 어투가 늘 몸에 배어 있다.
Belehrung *f.* -en ① 가르침, 교훈: ~ annehmen 충고를 받아들이다. ②〔폄어〕 훈계, 설교; 잔소리: deine ~en kannst du dir sparen! 설교 좀 작작해!
Belehrungs·sucht *f.*〔폄어〕 잔소리[훈계]하지 않고는 못견디는 버릇.
beleiben 《I》 *t.* ① 살찌우다. ②(상상을) 구체적으로 표현하다, (작품에) 살을 입히다. 《II》 **beleibt** *p.a.* ↑ beleibt.
beleibt [bəláɪpt] 《I》 *p.p.* ↑ beleiben. 《II》 *p.a.* 살찐, 배가 나온, 뚱뚱한.
Beleibtheit *f.* 비만.
beleibzüchtigen *t.*〔드물게〕 …에게 종신 연금을 주다.
***beleidigen** [bəláɪdɪgən] 《I》 *t.* 모욕하다, 감정을 상하게 하다;〔비유〕 거슬리다, 불쾌감을 주다: sich beleidigt fühlen 모욕감을 느끼다; das Ohr ~ 귀에 거슬리다. 《II》 **beleidigt** *p.a.* ↑ beleidigt.
beleidigend *p.a.* 모욕적인; 거슬리는: ~e Worte sprechen 모욕적인 말을 하다.
Beleidiger *m.* -s, - 모욕하는 사람.
beleidigt 《I》 *p.p.* ↑ beleidigen. 《II》 *p.a.* 모욕당한, 모욕감을 느끼는; 감정이 상한: er ist leicht ~ 그는 쉽게 감정이 상한다, 모욕감을 잘 느끼는 사람이다;〔구어〕 die ~e Leberwurst spielen 괜히 골을 내다.
***Beleidigung** *f.* -en 모욕, 모욕적인 말, 명예훼손: eine Geldstrafe wegen ~ erhalten 명예훼손죄로 벌금형을 받다.
Beleidigungs=klage *f.* 명예 훼손에 대한 고소. **~prozeß** *m.* 명예 훼손 소송.
beleihbar *a.* 담보 대부를 받을 수 있는, 담보 가치가 있는.
beleihen* *t.* ①〔고어〕 ↑ belehnen ①. ② 담보로 잡고 돈을 빌려 주다: der Schmuck wurde mit 10000 DM beliehen 그 패물들을 담보로 1만 마르크를 대부받았다.
Beleihung *f.* -en 담보 대부.
Beleihungs=grenze *f.*〔經〕 담보 대부 한도액. **~wert** *m.* 담보가.
beleisten *t.*〔건축〕 …에 부연[머름·소란·쇠시리·선반]을 붙이다.
beleitern *t.*〔광산〕 …에 사다리를 놓다.
belemmern [bəlɛ́mərn] 《ndd.》 《I》 *t.*〔구어〕 귀찮게 하다, 괴롭히다; 속이다: ich muß dich leider noch einmal ~ 안됐지만 널 다시 귀찮게 해야겠다; wenn das schiefgeht, dann bist du belemmert! 그게 잘못되면 넌 속은거야! 《II》 **belemmert** *p.a.* ↑ belemmert.

belemmert 《I》 *p.p.* ↑ belemmern. 《II》 *p.a.* ① 당혹스러운, 난처한: ein ~es Gesicht machen 당황한 표정을 짓다. ② 싫은, 역겨운, 지겨운: ein ~es Wetter 짜증나는 날씨; das ist aber ~! 그건 딱 질색이야!
Belemnit [belɛmní:t, ..nít] 《gr.》 *m.* -en, -en〔지질〕(지금은 멸종된) 원시 오징어류의 화석.
belesen*[1] [bəlé:zən] *t.* (콩 등을) 가려 나누다.
belesen[2] *a.* 다독한, 박식한: in et.[3] ~ sein 무엇에 정통하다.
Belesenheit *f.* 다독, 박식.
Belesprit [bɛlɛsprí:] 《frz., „Schöngeist"》 *m.* -s, -s〔고어〕 문예(애호)가.
Beletage [bɛletá:ʒe] 《frz.》 *f.* -n〔고어〕(건물의) 제 2층.
***beleuchten** [bəlɔ́ʏçtən] *t.* ① 비추다, 조명하다: einen Saal festlich ~ 홀을 화려하게 조명하다. ②〔비유〕 조사하다, 관찰하다: das müssen wir etwas näher ~ 우리는 그것을 좀 더 자세히 고찰해 보아야 한다.
Beleuchter *m.* -s, - (무대의) 조명 담당자.
Beleuchter·brücke *f.*〔연극〕(무대의 천장 부근에 조명등을 설치하기 위한) 조명용 가교.
***Beleuchtung** *f.* -en ① 조명, 채광;〔畫〕 명암처리;〔사진〕 빛의 밝기: Innen≈ 실내 조명; die ~ der Straßen 거리 조명. ② 조사, 관찰: die ~ des Themas aus dieser Sicht 주제에 대한 이런 관점에서의 고찰.
Beleuchtungs=anlage *f.* 조명 시설. **~apparat** *m.* 조명 기구. **~brücke** *f.* ↑ Beleuchterbrücke. **~effekt** *m.* 조명 효과. **~einrichtung** *f.* 조명 장치. **~ingenieur** *m.* 조명 기사. **~körper** *m.* 전등, 램프. **~korporation** *f.* (schweiz.) (가로등 따위의) 조명 시설 관리반. **~materialien** *pl.* 조명 재료. **~messer** *m.*〔사진〕 광도계, 조도계. **~spiegel** *m.* 반사경. **~stärke** *f.*〔理〕 조도(照度). **~technik** *f.* 조명 기술. **~vorrichtung** *f.* 조명 기구[장치].
beleumden *t.*〔고어〕 ↑ beleumunden.
beleumdet *a.* …평판을 듣는: gut[schlecht] ~ sein 평이 좋다[나쁘다].
beleumunden 《I》 *t.*〔드물게〕 jn. ~ 누구를 평하다. 《II》 **beleumundet** *p.a.* ↑ beleumundet.
beleumundet 《I》 *p.p.* ↑ beleumunden. 《II》 *p.a.* ↑ beleumdet.
belfern [bɛ́lfərn] *i.*(h.)〔구어〕①(개가) 컹컹 짖어대다. ②〔비유〕 요란한 소리를 내다. ③ 고함치다, 욕지거리하다.
Belfried [bɛ́lfri:t] *m.* -(e)s, -e [..də] ↑ Bergfried.
Belga [bɛ́lga] *m.* -(s), -s/(단위) - 벨가(1926년 이래의 벨기에의 화폐 단위).
Belge [bɛ́lgə] *m.* -n, -n (고대 벨기에의) 벨게인.
Belgien [bɛ́lgiən] 벨기에.
Belgier *m.* -s, - 벨기에 사람.
Belgierin *f.* -nen ↑ Belgier 의 여성형.
belgisch *a.* 벨기에(사람)의.
Belgrad [bɛ́lgra:t] 베오그라드.
Belial [bé:lial] 《hebr., „Verderber"》 *m.* -(s)〔聖〕 악마(고린도 후서 6:15).
Belials·kind *n.*〔聖〕 악마의 자식, 죄인.
Beliar [..ar] *m.* -(s) ↑ Belial.
belichten *t.* ①〔사진〕 노출하다: lang[kurz]

~ 길게〔짧게〕 노출하다. ② 별에 쬐다.
Belichtung *f.* -en 〖사진〗 노출.
Belichtungs≈dauer *f.* 〖사진〗 노출 시간. **~messer** *m.* 노출계. **~tabelle** *f.* (사진기의 옆에 붙어 있는) 노광표. **~zeit** *f.* 노출 시간.
beliebäugeln *t.* jn. ~ 누구에게 추파를 보내다.
***belieben** [bəlí:bən] 《I》 *t.* 좋아하다, 원하다: 〔반어〕 Sie ~ (wohl nur) zu scherzen 농담하길 좋아하시는군요(진심이 아니겠지요); ~ Sie einzutreten! 어서 들어오십시오! ; ~ Sie Bier oder Kaffee? 맥주와 커피 중 어느 것을 드시겠습니까? ; was ~ die Herrschaften sonst noch? 신사 여러분, 이 밖에 또 무엇을 원하십니까? 《II》 *i.* (h.) ① 마음에 들다: beliebt es Ihnen, einen Spaziergang zu machen? 산책을 하지 않으시겠어요? ② ganz wie (es) Ihnen beliebt 좋도록 하십시오; wenn es (Ihnen) beliebt 좋으시다면; schreiben Sie, wann es Ihnen beliebt 편하신 때에 (아무 때라도) 편지 주세요; was beliebt? 뭘 드릴까요? ; wie beliebt? 뭐라고 하셨죠? 《III》 **beliebt** *p.a.* ↑ beliebt.
Belieben *n.* -s 뜻, 의향, 소망; 취향: nach ~ 뜻대로, 원하는 대로; es steht ganz in deinem ~ 그것은 순전히 네 뜻에 달렸다; ~ an et.³ haben〔finden〕 무엇을 좋아하다.
***beliebig** [bəlí:bıç] *a.* ① 임의의; 임의로: eine ~e Linie (〔구어〕 x-~e Linie) 임의의 선; jeder ~e 임의의 사람, 누구라도. ② 원하는 대로, 마음대로: du kannst hier ~ spazierengehen 여기 아무데나 네 마음대로 산책하렴.
***beliebt** 《I》 *p.p.* ↑ belieben. 《II》 *p.a.* 호평받는, 인기 있는; 자주 이용〔언급〕되는: ein ~er Lehrer 인기 있는 교사; eine ~e Ausrede 흔히 이용되는 핑계; sich bei jm. ~ machen 누구의 호감을 사다, 누구에게 잘 보이다.
Beliebtheit *f.* 호평, 인기: sich großer ~ erfreuen 큰 인기를 누리다, 대호평을 받다.
Beliebt·sein *n.* ↑ Beliebtheit.
beliefern *t.* jn. mit et.³ ~ 누구에게 무엇을 공급〔지급〕하다.
Belieferung *f.* -en 공급, 지급.
belisten *t.* 〔고어〕 속이다.
Belize [bɛlí:se] *n.* -s 벨리즈(중앙 아메리카의 나라).
Belizer *m.* -s, - 벨리즈 사람.
belizisch *a.* 벨리즈의.
Belkanto [bɛlkánto] 《it., „schöner Gesang"》 *m.* -s 〖음악〗 벨칸토 창법.
Belladonna [bɛladɔ́na] 《it., „schöne Frau"》 *f.* ..donnen 〖藥〗 벨라돈나.
Belle-Alliance [bɛl|aljɑ̃́:s] 《frz.》 벨알리앙스 (워털루의 여인숙 이름): die Schlacht bei ~ 워털루의 전투(일병 "벨알리앙스의 전투").
Belle Époque [bɛlepɔ́k] 《frz.》 *f.* 황금 시대 (제 1 차 세계 대전 이전 프랑스의 번영 시대).
Bellefleur [bɛlflǿ:r] 《frz.》 *f.* -s 사과의 일종.
***bellen** [bɛ́lən] *i.* (h.) ① (개·늑대가) 짖다: 〔속담〕 ~de Hunde beißen nicht 짖는 개는 물지 않는다. ② 〔구어〕 심하게 기침하다: ~der Husten 요란한 기침 (소리). ③ 〔비유〕 거칠고 큰 소리로 말하다〔부르다〕; 요란한 소리를 내다: das ~ der Geschütze 쾅쾅 터지는 대포 소리.
Beller *m.* -s, - 잘 짖는 개; 떠드는 사람.
Belletage [bɛletá:ʒə] 《frz.》 *f.* -n ↑ Beletage.
Belletrist [bɛletríst] 《frz. belles lettres, „schöne Literatur"》 *m.* -en, -en ① 통속〔대중〕 작가. ② 〔고어〕 순수 문예 작가.
Belletristerei *f.* -en 통속적인 글 쓰기; 문인 행세.
Belletristik *f.* -en ① 일반 대중 문학, 오락물. ② 〔고어〕 순수 문학.
belletristisch *a.* 대중 문학적인, 통속 소설류의.
Bellevue[1] [bɛlvý:] 《frz. belle vue, „schöne Aussicht"》 *f.* -n 〔고어〕 전망 좋은 곳; 전망대, 누각.
Bellevue[2] *n.* -(s), -s (대개 전망 좋은 곳에 위치한) 성〔호텔·음식점〕의 이름.
Bell·hammel [bɛ́lhaməl] 《<ndl. „Glocke"》 *m.* -s, - 목에 방울을 달고 양떼를 이끄는 숫양; 장본인.
Bellizist *m.* -en, -en 주전론자(↔ Pazifist).
Bello 벨로(개 이름).
Bellona [bɛló:na] 《lat. bellum, „Krieg"》 *f.* 〖로마신화〗 벨로나(전쟁의 여신).
Belmopan 벨모판(Belize 의 수도).
beloben *t.* ↑ belobigen.
belobhudeln *t.* 〔폄어〕 …에게 알랑방귀 뀌다, 아첨하다.
belobigen *t.* 찬양하다, 기리다, 표창하다.
Belobigung *f.* -en 칭송, 찬사, 표창.
Belobigungs≈schreiben *n.* 칭송〔표창〕의 글. **~urkunde** *f.* 표창장.
Belobung *f.* -en ↑ Belobigung.
***belohnen** [bəló:nən] 《I》 *t.* (↔ bestrafen) 보답하다, 사례하다; 〔반어〕 갚다, 벌주다: jn. reichlich ~ 누구에게 후하게 보답하다; jn. für seine Hilfe ~ 누구의 도움에 보답하다; js. Güte mit Undank ~ 누구의 은혜를 원수로 갚다; den Dieb mit einer Strafe ~ 도둑에게 어떤 벌을 주다. 《II》 *refl.* sich ~ 보람이 있다, 할 만하다: das Gute belohnt sich 선행은 보답을 받는다; es belohnt (sich) nicht die 〔der〕 Mühe 애쓴 보람이 없다.
belohnens·wert *a.* 보답할 만한, 보람 있는.
Belohner *m.* -s, - 보수를 주는 사람.
***Belohnung** *f.* -en 보답, 사례; 보수, 사례금〔품〕: eine hohe ~ für et. aussetzen 무엇에 대해 높은 상금을 내걸다; einen verlorenen Gegenstand gegen ~ abgeben 사례비를 받고 분실물을 내주다.
belorbeeren *t.* jn. ~ 누구에게 월계관을 씌우다.
belorussisch *a.* ↑ belarussisch.
Bel-Paese [bɛlpaé:zə] 《it.》 *m.* 벨파에세 치즈.
Belsazar [bɛlzá:tsar], **Belschazzar** [..ʃá:..] *m.* 〖聖〗 벨사살(바빌로니아 최후의 왕; 구약 다니엘 5장).
Belt [bɛlt] *m.* -(e)s, - 벨트 해협.
beluchsen [bəlúksən] *t.* ① 〔구어〕 예의 주시하다, 노리다. ② 〔드물게〕 훔치다.
beludern *refl.* sich ~ 〖사냥〗 (짐승이) 배가 부르다.
belüften *t.* (규칙적으로) 환기〔통풍〕시키다: ein gut belüfteter Raum 환기가 잘 되는 방.
Belüftung *f.* 환기, 통풍.

Beluga[1] *f.* -s 〖動〗 ① 흰고래. ② (russ.) 철갑상어.
Beluga[2] *m.* -s 철갑상어알, 캐비아.
belugen* *t.* 주시하다, 노려보다.
belügen *t.* 속이다, 기만하다: von hinten und vorne ~ 앞뒤로 속여먹다.
belugsen *t.* ↑ beluchsen.
***belustigen** [bəlʊ́stɪgən] 《Ⅰ》 *t.* 기쁘게〔흥겹게〕 하다, 웃기다: er belustigte die ganze Gesellschaft mit seinen Witzen 그는 재담으로 온 좌중의 흥을 돋우었다. 《Ⅱ》 *refl.* sich an et. 〔mit et.³, über et.〕 ~ 무엇을 재미있어 하다; sich über jn. ~ 누구를 놀리다.
belustigend *p.a.* 재미있는, 흥겨운.
Belustigung *f.* -en 즐거움, 재미, 흥; 오락.
Belustigungs·ort *m.* 오락장, 유원지.
Belutsche [belú:tʃə] *m.* -n, -n 발루치스탄 사람(서파키스탄의 이란 종족).
belutschisch *a.* 발루치스탄(사람)의.
Belutschistan *n.* -s 발루치스탄.
Belvedere [bɛlvedé:rə] 《it. bel vedere „schöne Aussicht"》 *n.* -(s), -s ①〔고어〕 전망 좋은 곳; 전망대. ② 전망이 좋은 성(城)들의 이름.
belzen 《pelzen 의 별형》 *t.* 〔드물게〕 ① (짐승의) 털가죽을 벗기다. ② 〖원예〗 접목하다.
Belz·nickel *m.* -s, - (westmd.) 산타 클로스.
Bem. =Bemerkung 소견.
Bema 《gr.》 *n.* -s, -ta ① (그리스 정교 회당의 격자로 분리된) 성직자들의 자리. ② (예배당 중앙에서 떨어진) 성가대석. ③ (고대 그리스 연극에서) 연단, 강단.
bemachen 《Ⅰ》 *t.* 〔구어〕 더럽히다, 똥칠을 하다. 《Ⅱ》 *refl.* sich ~ 〔비속〕 법석을 떨다.
bemächtigen [bəmɛ́çtɪgən] *refl.* ① sich eines Dinges ~ 무엇을 힘으로 차지하다, 빼앗다; sich einer Stadt ~ 어떤 도시를 점령하다; sich des Kindes ~ 아이를 납치하다. ② sich ~ 〔비유〕 엄습하다, 마음을 사로잡다: Furcht bemächtigte sich seiner 공포가 그를 엄습하였다.
Bemächtigung *f.* -en 점령, 장악.
bemakeln [bəmá:kəln] *t.* 〔드물게〕 ① 더럽히다, 얼룩을 묻히다. ② 욕하다, 매도하다.
bemäkeln *t.* 〔구어〕 타박하다, 흠잡다.
Bemäkelung *f.* -en 타박, 흠잡기.
Bemäkler *m.* -s, - 타박쟁이, 불평꾼.
bemalen *t.* 《Ⅰ》 색칠하다, 그림으로 장식하다: er bemalte die Teller mit Blümchen 그는 접시에 예쁜 꽃들을 그려넣었다. 《Ⅱ》 *refl.* sich ~ 〔농담·폄어〕 요란하게 화장하다.
Bemalung *f.* -en ① 채색, 색칠; 그림. ② 〔구어·농담·폄어〕 요란한 화장.
bemängeln [bəmɛ́ŋəln] *t.* 결함을 들추어내다, 비난하다, 잘못을 지적하다: et. an〔bei〕 jm. ~ 누구의 무엇을 비난하다.
Bemängelung *f.* -en 비난, 책망.
Bemängler *m.* -s, - 비난〔책망〕하는 사람.
bemannen [bəmánən] 《Ⅰ》 *t.* …에 사람을 배치하다: ein Schiff〔Flugzeug〕 ~ 배〔비행기〕에 승무원을 태우다. 《Ⅱ》 *refl.* 〔구어·농담〕 sich ~ (여자가) 남자와 사귀다〔외출하다〕; 결혼하다. 《Ⅲ》 **bemannt** *p.a.* ↑ bemannt.
bemannt 《Ⅰ》 *p.p.* ↑ bemannen. 《Ⅱ》 *p.a.* ① 승무원이 있는, 사람이 탄: ein ~es Raumschiff 유인 우주선. ② 〔구어·농담〕 (여자가) 결혼한; 남자를 동반한: sie kam ~ zum Fest 그녀는 남자를 데리고 축제에 나타났다.
Bemannung *f.* -en ① 사람 배치. ② 승무원.
bemänteln [bəmɛ́ntəln] *t.* (잘못을) 호도하다, 은폐〔미화〕하다: er versuchte, seine wahren Absichten zu ~ 그는 진짜 속셈을 감추려고 했다.
Bemäntelung *f.* -en 호도, 은폐.
bemaßen *t.* (지도·그림에) 축척을 기입하다.
Bemaßung *f.* -en 축척 기입.
bemasten *t.* 〖海〗 (배에) 돛대를 달다.
Bemastung *f.* -en 돛대 달기; 돛대.
bemausen *t.* 〔구어·농담〕 jn. ~ 누구에게서 슬쩍 훔치다, 속여 빼앗다.
Bembel *m.* -s, - ① 〔방언〕 작은 종, 종의 추. ② (md.) 사과주 항아리.
bemehlen *t.* 〖요리〗 …에 밀가루를 묻히다.
Bemehlung *f.* -en 〖요리〗 밀가루 묻히기; 밀가루층.
bemeiern 《Ⅰ》 *t.* ① 〖史〗 (토지·농장을) 소작하게 하다: jn. ~ 누구에게 소작지를 빌려 주다. ② 〔구어〕 jn. ~ 누구를 속이다, 골탕 먹이다. 《Ⅱ》 *refl.* sich ~ 〔구어〕 오산〔착각〕하다. 《Ⅲ》 **bemeiert** *p.a.* ↑ bemeiert.
bemeiert 《Ⅰ》 *p.p.* ↑ bemeiern. 《Ⅱ》 *p.a.* 불쾌한, 기분 나쁜.
bemeißeln *t.* 정으로 쪼다〔세공하다〕.
bemeistern [bəmáɪstərn] 《Ⅰ》 *t.* 지배하다: seinen Zorn ~ 자신의 분노를 다스리다. 《Ⅱ》 *refl.* ① sich ~ 자신의 감정을 억제하다, 자제하다. ② sich js. ~ (감정 등이) 누구를 엄습하다, 사로잡다: Angst bemeisterte sich seiner 그는 불안에 사로잡혔다.
bemeldet *p.a.* 〔고어〕 앞에서 언급한.
bemeldeter·maßen *adv.* 〔고어〕 앞에서 말한 바와 같이.
bemengen *refl.* 〔드물게〕 sich mit et.³ ~ 무엇에 관계하다, 관련되다.
bemerkbar *a.* 알아볼〔인지할〕 수 있는: sich ~ machen a) (소리·몸짓 등으로) 자신의 존재를 알리다, 남의 시선을 끌다, 주의를 환기시키다, b) 나타나다, 영향을 미치다.
Bemerkbarkeit *f.* ↑ bemerkbar 의 명사형.
***bemerken** *t.* ① **(a)** 알아차리다, 깨닫다, 인지하다: einen Schaden rechtzeitig ~ 손실을 제때에 알아차리다. **(b)** 〔드물게〕 주의하다, 관심을 갖다: er bemerkt mich schon seit Wochen nicht 그는 벌써 몇 주일째 내게 관심이 없다. ② (짤막하게) 말〔언급〕하다, 표명하다: Haben Sie noch etwas dazu zu ~? 거기에 대해서 더 하실 말씀이 있습니까?; nebenbei bemerkt 말이 나온 김에 하는 얘긴데.
Bemerken *n.* 〔다음 용법으로만〕〔격식·구식〕 mit dem ~ (어떤) 언급〔평〕과 함께: er tat den Einwand mit dem ~ ab, er sei unwichtig 그는 반대 의견에 대해 그건 중요치 않아라는 짤막한 말로 무시해 버렸다.
bemerkens·wert *a.* ① 주목할 만한, 상당한: ein ~er junger Mann 괄목할 만한 젊은이. ② 몹시, 대단히. **~würdig** *a.* ↑ ~wert.
bemerklich *a.* ↑ bemerkbar.
***Bemerkung** *f.* -en ① 짤막한 발언〔평〕, 소견: eine kritische ~ 비판적인 발언; eine ~ über et. machen 무엇에 대해 소견을 진술하다. ② 메모, 각서. ③ 〔고어〕 인지, 관찰.
bemessen* 《Ⅰ》 *t.* (기준에 맞게) 나누어 주다,

할당하다: zu knapp ~ 너무 빠듯하게 나눠 주다; die Strafe nach dem Vergehen ~ 죄에 따라 형량을 부과하다. 《Ⅱ》 *refl.* 〔격식〕 sich nach et.³ ~ 무엇에 따라 산정〔책정〕되다; die Steuern ~ sich nach dem Einkommen 세금은 소득에 따라 산정된다.

Bemessung *f.* -en 할당; 산출, 책정.

bemitleiden *t.* 불쌍히 여기다, 동정하다.

bemitleidens·wert *a.* 동정할 만한, 측은한. **~würdig** *a.* ↑ ~wert.

Bemitleidung *f.* -en 동정(하기).

bemittelt *a.* 〔고어〕 유복〔부유〕한: aus ~er Familie stammen 부유한 집안 출신이다.

Bemmchen [bɛ́mçən] *n.* -s, - ↑ Bemme.

Bemme [bɛ́mə] 《sl.》 *f.* -n (sächs.) 버터 따위를 바른 빵조각.

bemogeln *t.* 〔농담〕 슬쩍 속이다, (게임에서) 속여넘기다.

bemoosen [bəmóːzən] 《Ⅰ》 *refl.* sich ~ 이끼 끼다, 이끼로 덮이다. 《Ⅱ》 **bemoost** *p.a.* ↑ bemoost.

bemoost 《Ⅰ》 *p.p.* ↑ bemoosen. 《Ⅱ》 *p.a.* ① 이끼 낀, 오래된: 〔구어·농담〕 ein ~es Haupt 만년 학생, 나이 많은 남자. ② 〔방언〕 부유한.

bemörteln [bəmœ́rtəln] *t.* …에 회반죽을 바르다.

***bemühen** [bəmýːən] 《Ⅰ》 *t.* 수고〔폐〕를 끼치다, 부탁하다: jn. wegen eines Dinges 〔mit et.³, in et.³〕 ~ 누구에게 어떤 일로 수고를 끼치다. 《Ⅱ》 *refl.* sich ~ ① 수고〔노력〕하다, 애쓰다: er bemühte sich 〔er war bemüht〕, seinen Zorn zu unterdrücken 그는 자신의 분노를 억누르고자 애썼다; sich um et. ~ 무엇을 얻으려고 노력하다; sich um jn. ~ a) 누구의 환심을 사고자 애쓰다, 누구와 친해지고자 하다, b) 누구를 돌보다, 걱정하다; sich für jn. ~ 누구를 위하여 힘을 다하다. ② 〔교양〕 (어디로) 가다, 왕림하다: ~ Sie sich bitte herein! 어서 들어오십시오!; bemühe dich gefälligst zu mir! 수고스럽지만 우리 집까지 와 주게나!

bemühend *a.* ① 노력하는, 애쓰는, 열심인: du hättest ~er sein können 너는 더 노력할 수 있었을 텐데. ② (schweiz.) (어떤 일이) 힘든, 버거운, 괴로운.

Bemühen *n.* -s 노력, 노고: trotz heißen ~s 안간힘을 다했음에도 불구하고.

Bemühung [bəmýːuŋ] *f.* -en ① 수고, 노력: trotz aller ~en 온갖 노력에도 불구하고. ② 〔복수〕 직무 수행, 서비스(특히 계산서상의 기재 항목으로): ärztliche ~en 의사의 진료.

bemüßigen [bəmýːsɪgən] *t.* 〔대개 과거 분사로〕 강제〔재촉〕하다: jn., et. zu tun 누구로 하여금 무엇을 하지 않을 수 없게 강요하다; sich bemüßigt fühlen〔finden, sehen〕, et. zu tun 무엇을 하지 않고는 못 배기다, 무엇을 해야 할 의무〔필요〕를 느끼다.

bemustern *t.* 〖商〗 …에 견본을 덧붙이다: jn. ~ 누구에게 견본을 보내다: bemustertes Angebot 견본품 증정 세일.

Bemusterung *f.* -en 견본 첨부.

bemuttern *t.* 어머니같이 돌보아 주다, 어머니 노릇을 하다: sie bemutterte ihre jüngeren Geschwister 그녀는 자기 동생들을 어머니처럼 돌보아 주었다.

Bemutterung *f.* -en ↑ bemuttern 의 명사형.

bemützt [bəmýtst] *a.* 모자를 쓴.

Ben [bɛn] 《hebr.》 아들, 손주(히브리·아랍어 이름 앞에 붙는 말): ~ Gurion 벤 구리온.

benachbaren 《Ⅰ》 *refl.* sich (mit) jm. ~ 누구와 이웃이 되다. 《Ⅱ》 **benachbart** *p.a.* ↑ benachbart.

benachbart 《Ⅰ》 *p.p.* ↑ benachbaren. 《Ⅱ》 *p.a.* 이웃의, 인접한: die ~e Stadt 인근 도시; 〔비유〕 ~e Wissenschaftsgebiete 인접 학문 분야.

benachrichtigen *t.* 알리다, 보고하다: du mußt sofort den Arzt ~ 너는 즉시 의사에게 알려야 한다; jn. von et. ~ 누구에게 무엇을 알리다〔보고하다〕.

Benachrichtiger *m.* -s, - 보고자.

Benachrichtigung *f.* -en 알림, 보고, 통지.

Benachrichtigungs·schreiben *n.* 통지서.

benachteiligen *t.* jn. ~ 누구에게 불이익을〔손해를〕 끼치다, 누구를 차별 대우하다: er fühlte sich benachteiligt 그는 불이익을 당하는 느낌이었다.

Benachteiligte* *der/die* 불이익을 당한 사람, 손해 본 사람.

Benachteiligung *f.* -en 불이익, 손해, 차별 대우; 결점, 핸디캡.

benageln *t.* ① …에 못을 박다; et. mit et.³ ~ 무엇에 무엇을 못으로 박아 붙이다: eine Wand mit Brettern ~ 벽에 널빤지를 못으로 박아 붙이다. ② 손톱〔발톱〕을 기르다.

Benagelung *f.* -en 못질; 못 박힘.

benagen 《Ⅰ》 *t.* 갉아먹다, 갉죽갉죽 쏠다. 《Ⅱ》 **benagt** *p.a.* ↑ benagt.

benagt 《Ⅰ》 *p.p.* ↑ benagen. 《Ⅱ》 *p.a.* 〖植〗 가지런하지 않은〔들쭉날쭉한〕 이 모양의.

Benaglung *f.* -en ↑ Benagelung.

benähen *t.* ① 꿰매어〔기워〕 붙이다: den Kragen mit einer Spitze ~ 옷깃에 레이스를 달다. ② 〔구어〕 jn. ~ 누구의 옷을 만들다: eine Puppe ~ 인형에게 옷을 해 입히다.

benamen *t.* 〔고어〕 명명하다, 이름 붙이다.

benamsen *t.* 〔구어·농담〕 jn.〔et.〕 ~ 누구에게〔무엇에〕 별명을 붙여 주다.

benannt 《Ⅰ》 *p.p.* ↑ benennen. 《Ⅱ》 *p.a.* 거명된, 지정된: an dem ~en Tag 지정된 날에.

benarben 《Ⅰ》 *t.* 흉터를 내다. 《Ⅱ》 *refl./i.* (sich) ~ ① 흉터가 생기다. ② 〖農〗 (휴경지가) 풀〔부식토〕에 덮이다. 《Ⅲ》 **benarbt** *p.a.* ↑ benarbt.

benarbt 《Ⅰ》 *p.p.* ↑ benarben. 《Ⅱ》 *p.a.* ① 흉터가 있는. ② 부식토에 덮인.

Benarbung *f.* -en 흉터.

benaschen *t.* 살짝 맛보다, 손가락 끝으로 조금 집어먹다, 몰래 훔쳐먹다.

benässen *t.* 〔드물게〕 적시다, 촉촉하게 하다: das Kind hat das Bett benäßt 아이가 잠자리에 오줌을 쌌다.

Bendel *m./n.* -s, - 〔방언〕 ↑ Bändel.

Bene [béːnə] *n.* -s 〔다음 용법으로〕 sich ein ~ antun 호사하다, 즐기다; jm. ein großes ~ tun 누구에게 큰 호의를 베풀다.

bene 《lat.》 *adv.* 〔다음 용법으로〕 sich ~ tun 호사하다, 즐기다.

benebeln [bənéːbəln] 《Ⅰ》 *t.* ① 안개로 감싸다. ② (시야·정신을) 흐리게 하다, 몽롱하게 하다: der Wein hatte ihm die Sinne benebelt 포도주가 그의 감각을 흐리게 했다. ③ (술에)

취하게 하다. 《Ⅱ》 *refl.* sich ~ ① 안개 끼다, (연기에) 뿌옇게 가려지다: die Flußniederungen ~ sich am Abend 저녁이 되자 강 골짜기가 안개에 감싸인다. ② 판단력이 흐려지다: er benebelt sich mit seinem Erfolg 그는 자신의 성공에 도취해 판단력이 흐려지고 있다. 《Ⅲ》 **benebelt** *p.a.* ↑ benebelt.

benebelt 《Ⅰ》 *p.p.* ↑ benebeln. 《Ⅱ》 *p.a.* 〖구어〗 술취한, 도취한, 몽롱한.

Benebelung *f.* -en (시야·정신이) 흐려짐; 술취함; 도취.

Beneblung *f.* -en ↑ Benebelung.

benebst *prp.*[3] 〖고어〗 누구와 함께 (nebst).

benedeien [benedáɪən] (*p.p.* gebenedeit) 《Ⅰ》 *t.* 〖聖·고어〗 (segnen) 축복하다; 찬미하다: die Gebenedeite unter den Frauen 여인들 중에 축복받은 자(성모 마리아를 가리킴). 《Ⅱ》 **gebenedeit** *p.a.* ↑ gebenedeit.

Benedeiung *f.* -en ↑ benedeien 의 명사형.

Benedictus[1] [benedíktus] 베네딕투스(남자 이름).

Benedictus[2] *n.* -, - (가톨릭 미사와 루터 교회 성찬식에서의) 사가랴 송가(누가 1 : 68).

Benedikt [bé:nedɪkt] *m.* 베네딕트(Benedictus[1]).

Benedikta [benedíkta] 베네딕타(여자 이름).

Benedikten≈kraut *n.* 〖植〗 뱀무속의 일종. **~rose** *f.* 〖植〗 모란속의 일종. **~wurz** *f.* ↑ ~kraut.

Benediktiner [benedɪktí:nər] *m.* -s, - ① 〖가톨릭〗 베네딕트 교단의 수도사. ② (프랑스 노르망디 지방의) 베네딕트주(酒).

Benediktiner≈abtei *f.* 베네딕트파 수도원. **~kloster** *n.* 베네딕트파 수도원. **~mönch** *m.* 베네딕트파 수도사. **~nonne** *f.* 베네딕트파 수녀. **~orden** *m.* 베네딕트 교단. **~schnaps** *m.* ↑ Benediktiner ②.

Benediktion [benedɪktsió:n] 《lat., „Segen"》 *f.* -en 축복, 축성(祝聖).

Benediktus [..tus] 《Ⅰ》 *n.* ↑ Benedictus[2]. 《Ⅱ》 *m.* ↑ Benedictus[1].

benedizieren *t.* 축복〔축성(祝聖)〕하다.

Benefiz [benefí:ts] 《lat., „Wohltat"》 *n.* -es, -e 〖고어〗 ① 자선, 후원. ② 세습 봉토(封土). ③ **(a)** 기념 공연. **(b)** 자선 공연.

Benefiziant [..tsiánt] *m.* -en, -en ① 자선가. ② 자선 공연 수혜자.

Benefiziar [..fitsiá:r] *m.* -s, -e ↑ Benefiziat.

Benefiziat *m.* -en, -en 은혜를 받는 사람; 녹(祿)을 받는 성직자.

Benefizium [..fí:tsium] *n.* -s, ..zien [..tsiən] ① ↑ Benefiz ②. ② 녹을 받는 성직.

Benefiz≈konzert *n.* 자선 음악회. **~spiel** *n.* 〖스포츠〗 자선 경기. **~vorstellung** *f.* ① 기념 공연. ② 자선 공연.

benehmen* [bəné:mən] 《Ⅰ》 *t.* ① 〖雅語〗 jm. et. ~ 누구에게서 무엇을 빼앗다, 탈취하다; jm. den Mut 〔alle Hoffnung〕 ~ 누구에게서 용기를〔모든 희망을〕 빼앗다; jm. seinen Irrtum〔Zweifel〕 ~ 누구의 잘못을 바로잡다 〔의혹을 풀다〕; der Schreck benahm mir den Atem 나는 질겁하여 숨이 막혔다. ② 〖드물게〗 jn. ~ 누구의 정신을 빼앗다, 혼미케 하다. 《Ⅱ》 *refl.* sich ~ ① 행동〔처신〕하다: sich anständig〔schlecht〕 ~ 점잖게〔나쁘게〕 행동하다; er hat sich unmöglich benommen 그는 있을 수 없는 행동을 했다; benimm dich! 의젓하게 굴어라!; er weiß sich zu ~ 그는 예절을 알고 있다. ② sich mit jm. ~ 누구와 서로 합의하다, 협조하다. 《Ⅲ》 **benommen** *p.a.* ↑ benommen.

Benehmen *n.* -s ① 행동거지, 처신, 거동: das ist kein (gutes) ~ 그것은 예절에 어긋난다. ② sich mit jm. ins ~ setzen 누구와 협조〔합의〕하다.

Benehme *f.* 행동거지, 처신: jn. in die ~ nehmen 누구에게 예의를 가르치다.

*__beneiden__ [bənáɪdən] *t.* jn. um et. ~ 〔jm. et. ~〕 누구의 무엇을 부러워하다, 시샘하다; der arme Kerl ist nicht zu ~ 그 불쌍한 녀석을 부러워할 것 없다; ich beneide ihn nicht um sein Schicksal 나는 그의 운명이 부럽지 않다.

beneidens≈wert *a.* 부러워할 만한. **~würdig** *a.* ↑ ~wert.

Benelux [benelúks, bé:..] = Belgien, Niederlande〔Nederland〕, Luxemburg a) 베네룩스 3 국(Beneluxstaaten), b) 베네룩스 3 국간의 관세 협정.

Benelux·staat *m.* 벨기에·네덜란드·룩셈부르크 중의 한 나라.

benennbar *a.* 이름을 댈 만한.

benennen* [bənénən] 《Ⅰ》 *t.* ① 명명하다, 이름짓다: die Mutter benannte die Tochter nach ihrer Freundin 그 어머니는 자기 친구의 이름을 따서 딸의 이름을 지었다; 〖비유〗 et. mit〔bei〕 rechten Namen ~ 무엇을 사실 그대로〔숨김없이〕 말하다. ② 이름을 대다, 지명하다: jn. als Kandidaten ~ 누구를 후보로 지명하다; können Sie einen Zeugen ~? 목격자를 한 명 대실 수 있겠습니까? 《Ⅱ》 **benannt** *p.a.* ↑ benennen.

Benennung *f.* -en 명명; 이름, 명칭: 〖數〗 Brüche auf gleiche ~ bringen 분수를 통분하다.

benetzen [bənétsən] *t.* 〖雅語〗 적시다, 축이다: mit Tränen benetzt 눈물에 젖은; sich[3] die Lippen ~ 입술을 축이다.

Benetzung *f.* -en ↑ benetzen 의 명사형.

benevolent [bənevolént] 《lat., „wohlwollend"》 *a.* 호의적인, 자비로운.

Benevolenz *f.* 호의, 자비(심).

Bengale [bɛŋgá:lə] *m.* -n, -n ① 벵골 사람. ② 방글라데시인.

Bengalen 벵골(인도의 주).

Bengalese *m.* -n, -n 벵골 사람.

Bengali [bɛŋgá:li] *n.* -(s) 벵골어.

Bengaline *f.* 벵골 비단(교직물의 일종).

bengalisch *a.* 벵골의: ~es Feuer 〔~e Flamme〕 벵골 꽃불(신호용).

*__Bengel__ [béŋəl] *m.* -s, - ① 〖고어·방언〗 나무토막, 곤봉, (빨랫)방망이; (종의) 추; (타래박의) 자루; (야채의) 굵은 줄기: den ~ zu hoch〔weit〕 werfen 무리한 요구를 하다. ② 〖비유〗 개구쟁이, 사내 녀석: ein ungezogener ~ 버릇없는 녀석. ③ 〖고어〗 (쇠사슬 끝에 별 모양의 철구를 단) 중세의 무기.

Bengelei [bɛŋəláɪ] *f.* -en 버릇없음, 개구쟁이짓.

bengelhaft *a.* 거친, 버릇없는.

bengeln *t.* 〖방언〗 ① 곤봉으로 때리다. ② (막

대기를) 내던지다. ③ 버릇없는 놈이라 부르다.
benicken *t.* 수긍[긍정]하다: js. Worte ~ 누구의 말에 수긍하다.
beniesen [bəníːzən] *t.* 〔구어·미신〕 js. Worte ~ 재채기를 하여 (바로 앞에서 한) 누구의 말의 진실을 보증하다.
Benignität [benɪgnitɛ́ːt] 《lat.》 *f.* -en ①〔고어〕 호의, 친절. ②〖醫〗 양성(良性).
Benimm [bənɪ́m] *m.* -s 〔구어〕 언행, 행동; 예의 범절, 몸가짐: keinen ~ haben 예의가 없다.
Benin 베냉(아프리카 기니만에 면한 공화국).
Beniner *m.* 베냉 사람.
Beninisch *a.* 베냉(사람)의.
benippen *t.* 〔구어〕 찔끔찔끔 마시다.
Benjamin [bɛ́njamin] 《hebr.》 ① *m.* (**a**) 벤야민(남자 이름). (**b**) 〖聖〗 벤야민(야곱의 막내아들, 요셉의 동생; 창세기 35: 24). ② *m.* -s, -e (**a**) 막내(아들). (**b**) (멋을 부린) 남자용 짧은 외투.
Benne [bɛ́nə] *f.* -n (schweiz.) ① 작은 짐수레, 손수레; (짐 싣는) 상자, 광주리. ②〔구어〕 고물 자동차.
Benno *m.* 베노(남자 이름).
benommen [bənɔ́mən] 《I》 *p.p.* ↑ benehmen. 《II》 *p.a.* 몽롱한, 혼미한; 넋이 빠진: vom Alkoholgenuß ~ sein 음주로 정신이 혼미하다; er ist von dem Unfall noch ~ 그는 그 사고 때문에 아직도 넋이 빠져 있다.
Benommenheit *f.* (의식의) 마비, 혼미; 몽롱; 〖醫〗 혼수(昏睡).
benoten [bənóːtən] *t.* jn.[et.] ~ 누구를[무엇을] 평가[채점]하다: einen Aufsatz ~ 논문에 점수를 매기다.
benötigen [bənǿːtɪgən] 《I》 *t.* 필요로 하다: wir ~ weitere Mitarbeiter 우리는 직원이 더 필요하다. 《II》 **benötigt** *p.a.* ↑ benötigt.
benötigt [..çt] 《I》 *p.p.* ↑ benötigen. 《II》 *p.a.* 필요한, 요구되는: et. ~ sein 무엇이 필요하다.
Benotung *f.* -en 평가, 채점; 평점, 점수.
benschen [bɛ́nʃən] 《jüd.》 *t.* 축복하다.
Benthos [bɛ́ntɔs] 《gr.》 *n.* - 〖生〗 저생(底生) 생물(↔ Plankton).
benummern [bənʊ́mərn] *t.* …에 번호를 붙이다.
Benummerung *f.* -en ↑ benummern의 명사형.
benutzbar *a.* 이용할 수 있는, 쓸모 있는.
Benutzbarkeit *f.* 이용 가능성, 유용성.
benutzen [bənʊ́tsən] *t.* ① 이용하다, 사용하다: ein Werkzeug ~ 연장을 사용하다; js. Rat ~ 누구의 충고를 활용하다. ② (시간·기회를) 활용하다. ③ jn. ~ 누구를 이용하다: er hat ihn nur für seine Karriere benutzt 그는 그 사람을 자기의 출세를 위해서만 이용했다.
benützen [bənʏ́tsən] *t.* ↑ benutzen.
Benutzer *m.* -s. - 사용자, 이용자.
Benützer *m.* -s, - ↑ Benutzer.
Benutzer=kennung *f.* 사용자 부호. **~kreis** *m.* (전체) 이용자, 사용자 범위. **~name** *m.* 사용자명. **~oberfläche** *f.* 사용자 표시 화면. **~profil** *n.* 〖컴〗 사용자 프로필.
Benutzung *f.* -en 이용, 사용: mit[unter] ~ von et.[3] 무엇을 이용해서, …의 도움을 받아.
Benützung *f.* -en ↑ Benutzung.
Benutzungs=gebühr *f.* 사용료. **~ordnung** *f.* 사용[이용] 규정.
Benz[1] [bɛnts] *m.* ① 벤츠(남자 이름). ② 벤츠 자동차.
Benz[2] *m.* -es, -e 어중이, 상놈: Hans[Heinz] oder ~ a) 어떤 작자, b) 누구나; Butz und ~ 어중이떠중이, 누구나 다.
Benz·aldehyd [bɛ́nts..] *m.* -s, -e 〖化〗 벤즈알데히드(염료·향료의 원료).
benzen [bɛ́ntsən] (südd., öst.) *t.* ① 간곡하게 [끈질기게] 부탁하다. ②〔드물게〕 트집잡다; 불평하다, 꾸짖다.
Benzin [bɛntsíːn] *n.* -s, -e 〖化〗 벤진(가솔린·휘발유 따위).
Benzin=abscheider *m.* 벤진 분리기(폐수에서 벤진을 분리·제거하는 장치). **~behälter** *m.* 가솔린 탱크. **~dunst** *m.* 가솔린 증기. **~einspritzung** *f.* 가솔린 분사.
Benziner *m.* -s, - 〔구어〕 가솔린 엔진 자동차.
Benzin=feuer·zeug *n.* 휘발유 라이터. **~geruch** *m.* 휘발유 냄새. **~gestank** *m.* 휘발유 악취. **~gewinnung** *f.* 휘발유 채취. **~hahn** *m.* (자동차의) 휘발유 공급관: 〔비유〕 den ~ zudrehen 원유 공급을 제한[중단]하다. **~kanister** *m.* 휘발유 통. **~kutsche** *f.* 〔구어〕 자동차. **~kutscher** *m.* 〔구어〕 자동차 운전자. **~lampe** *f.* (광원의) 가솔린 램프. **~leitung** *f.* (자동차의) 가솔린 (공급) 파이프. **~motor** *m.* 가솔린 엔진. **~preis** *m.* 휘발유 가격. **~preis·erhöhung** *f.* 휘발유 가격 인상. **~pumpe** 가솔린 펌프. **~steuer** *f.* 휘발유세. **~reservoir** *n.* ↑ ~behälter. **~tank** *m.* 가솔린 탱크. **~uhr** *f.* 가솔린 계량기. **~verbrauch** *m.* 휘발유 소비(량). **~zufuhr** *f.* (자동차의) 연료 공급.
Benzoe [bɛ́ntsoe] *f.* ↑ ~harz.
Benzoe=baum *m.* 〖植〗 안식향(安息香)(나무). **~harz** *n.* 안식향(의 수지(樹脂)). **~säure** *f.* 〖化〗 안식향산(酸).
Benzoin [bɛntsoíːn] 《frz.》 《I》 *m.* -s, -e 〖植〗 안식향(나무). 《II》 *n.* -s 〖化〗 안식향.
Benzol [bɛntsóːl] *n.* -s, -e 〖化〗 벤젠.
Benzpyren [bɛntspyréːn] *n.* -s 〖化〗 벤조피렌.
Benzyl [bɛntsýːl] *n.* -s 〖化〗 벤질기.
Benzyl·alkohol *m.* 〖化〗 벤질 알코올.
beobachtbar *a.* 관찰할[알아챌] 수 있는.
***beobachten** [bə|óːbaxtən] 《I》 *t.* ① 관찰하다, 주시하다: einen Vorgang ~ 사건 경과를 주시하다. ② 인지하다, 확인하다, 알아채다: nichts Häßliches an jm. ~ können 누구에게서 어떤 미운 점도 찾을 수 없다. ③ 주의하다, 감시하다; (법률·규칙을) 준수하다: Stillschweigen ~ 침묵을 지키다; bitte ~ Sie genau meine Anweisungen 제 지시에 꼭 따르십시오. ④ (제례·의식을) 거행하다; 집행하다. 《II》 *i.* (h.) 관찰을 행하다: scharf ~ 날카롭게 관찰하다.
Beobachter *m.* -s, - 관찰자, 관측자; 〖空〗 정찰자; 감시인.
Beobachter·status *m.* 관찰자 신분.
Beobachtung *f.* -en ① 관찰, 주시: ~en anstellen 관찰하다. ② 인지[확인] 내용. ③ 준수, 엄수.
Beobachtungs=ballon *m.* 〖軍〗 관측 기구

(氣球). **~bogen** *m.* (특수 학교의) 아동 관찰 기록부. **~fehler** *m.* 〖理〗 관측 오차; 〖心〗 관찰 오차. **~flieger** *m.* ↑ ~flugzeug. **~flugzeug** *n.* 〖軍〗 정찰기. **~gabe** *f.* 관찰력. **~heer, ~korps** [..ko:*r*] *n.* 〖軍〗 감시군. **~material** *n.* 관찰 자료. **~posten** *m.* 〖軍〗 감시 초소. **~stand** *m.* ↑ ~station. **~station** *f.* 〖醫〗 관측 병동; 관측소. **~warte** *f.* 망루.

Beograd [bέograt] 베그그라드(Belgrad 의 세르비아식(式) 이름).

beohrt [bə|ó:rt] *a.* 〘다음 용법으로〙〘구식〙 fein〔zart〕 ~ 귀가 밝은.

beölen [bə|ǿ:lən] *t.* 기름을 바르다.

beordern [bə|ɔ́rdə*r*n] *t.* 지령〔명령〕하다; 주문하다: jn. zu sich ~ 오게 하다, 부르다; er wurde beordert, den Fall zu untersuchen 그는 그 사건을 조사하라는 명령을 받았다; 〖商〗 Waren ~ 상품을 주문하다.

Beorderung *f.* -en 명령; 주문.

Beowulf [bé:ovʊlf] 베어울프(고대 영국의 전설적 영웅).

bepacken [bəpákən] *t.* et.〔jn.〕 mit et.³ ~ 무엇에〔누구에게〕 어떤 짐을 싣다〔지우다〕.

Bepackung *f.* -en 짐싣기.

bepanzern *t.* …에 철갑을 입히다: bepanzerter Kreuzer 장갑 순양함.

bepelzen 《I》 *t.* 모피로 덮다, 모피를 입히다: 〘비유〙 dick mit Schnee bepelzt 눈이 수북이 쌓인, 눈을 잔뜩 뒤집어쓴. 《II》 *refl.* sich ~ 〘농담〙 (비싼) 모피옷을 걸치고 다니다.

beperlen *t.* 진주로 장식하다, 진주를 박다: 〘비유〙 vom Tau beperlte Gräser 영롱한 이슬이 맺힌 풀잎.

bepfählen *t.* ① 말뚝을 박다, 울타리로 두르다. ② 〘고어〙 구획하다, 구분하다: Begriffe ~ 개념들을 서로 구분하다.

bepflanzen *t.* (식물을) 심다: den Acker mit Obstbäumen ~ 밭에 과수를 심다.

Bepflanzung *f.* -en ① 심기, 식수(植樹). ② 〘총칭〙(어떤 장소의) 식물.

bepflastern *t.* ① (도로를) 포장하다. ② (상처에) 반창고를 붙이다. ③ 사격을 퍼붓다.

Bepflasterung *f.* ↑ bepflastern 의 명사형.

bepflügen *t.* (쟁기로) 갈다, 파다.

bepicken *t.* 쪼아먹다, 부리로 쪼아대다.

bepinkeln *t.* 〘구어〙 무엇에 오줌을 싸다.

bepinseln 《I》 *t.* ① 붓칠하다. 바르다. ② 〘구어〙 서투르게〔되는 대로〕 그리다. 《II》 *refl.* sich³/⁴ ~ 〘폄어〙 진하게 화장하다.

Bepinselung *f.* -en ↑ bepinseln 의 명사형.

bepissen 《I》 *t.* 〘속어〙 (어디에) 오줌을 싸다. 《II》 *refl.* sich ~ 〘비속〙 너무 우스워 오줌을 쌀 지경이다.

beplanken *t.* 판자로 덮다, 판자를 대다.

Beplankung *f.* -en ① ↑ beplanken 의 명사형. ② (선박·비행기의) 바깥판; (배의) 갑판에 댄 판자.

beplatten *t.* 무엇에 석판〔금속판〕을 대다〔깔다〕: der mit Steinen beplattete Weg 보도 블록을 깐 길.

beplaudern *t.* et. ~ 무엇에 관해 지껄이다.

bepolstern *t.* (의자 따위에) 속을 채우다.

bepudern *t.* 무엇에 가루를 뿌리다, 분을 바르다: 〘구어〙 ich möchte meine Nase ~ (여인이 화장실에 가려고 일어서며) 좀 실례하겠습니다; dem Baby den Po ~ 아기 엉덩이에 분을 바르다; der Winter hat die Landschaft weiß bepudert 겨울이 되자 경치가 하얀 설경으로 바뀌었다.

Bepuderung *f.* ↑ bepudern 의 명사형.

bepurpern *t.* 심홍색으로 물들이다: jn. ~ 누구에게 자주색 옷을 입히다.

bequartieren *t.* 〖軍〗 Soldaten ~ 병사를 숙영시키다.

bequasseln [bəkvásəln] *t.* ① 무엇에 대해 장황하게 이야기하다. ② 누구를 설득하다.

bequatschen [bəkvátʃən] *t.* ↑ bequasseln.

***bequem** [bəkvé:m] *a.* ① 쾌적한, 편안한: ~e Schuhe 편안한 신발; ein ~er Gast 대하기 편한 손님; ein ~es Leben führen 편안한 생활을 하다; den ~sten Weg gehen 가장 편한〔쉬운〕 길을 가다; machen Sie es sich³ ~ 자, 편히 앉으십시오; wenn es Ihnen ~ ist 그게 편하시다면; ~ wohnen 살기 좋은 집에 살다; 〖軍〗 stehen Sie (doch) ~! 편히 쉬어! ② 게으른; 나태한: er wird im Alter etwas ~ 그는 나이가 들면서 다소 나태해진다; dazu ist er viel zu ~ 그는 그런 일을 하기엔 너무 게으르다. ③ 쉬운, 간단한: ein Werkzeug ~ zur Hand haben 어떤 공구를 쉽게 다루다.

bequemen [bəkvé:mən] *refl.* sich ~ ① 마지못해 결정하다〔승낙하다〕: sich ~, et zu tun 마지못해 무엇을 하기로 하다. ② 〘고어〙 무엇에 순응〔적응〕하다, 따르다: langsam bequemten die Augen sich dem Dunkel 서서히 눈이 어둠에 익숙해졌다; sich nach den Umständen ~ 상황에 순응하다. ③ 편히 쉬다, 편한 곳을 찾아가다: sich auf dem Fußboden ~ 마루 위에서 편안히 쉬다; sich möglichst schnell nach Hause ~ 될 수 있는 대로 서둘러 집으로 가다.

bequemlich *a.* 〘고어〙 느긋한, 굼뜬, 느릿느릿한; 간단한; 편안한.

Bequemlichkeit *f.* -en ① 쾌적, 안락; 편리; 〘드물게〙 경쾌, 자유자재: zu〔nach〕 Ihrer ~ 당신 형편〔마음〕대로. ② 편리〔쾌적〕한 것〔설비〕; 〘드물게〙 변소: mit allen ~en ausgestattet 온갖 편의 시설이 갖춰진. ③ 게으름, 나태.

Bequemling *m.* -s, -e 〘고어〙 게으름뱅이.

Bequemung *f.* 〘고어〙 순응, 감수(甘受).

berändeln *t.* ↑ beranden.

beranden *t.* 무엇에 테를 두르다: Münzen ~ 동전의 둘레에 깔쭉이를 새겨넣다.

berändern *t.* ↑ beranden.

beranken [bəráŋkən] *t.* 덩굴로 감다: vom Wein berankte Wand 포도 덩굴로 덮인 벽.

Berankung *f.* -en ↑ beranken 의 명사형.

Berapp *m.* -(e)s 〖건축〗 (벽의) 애벌 새벽질.

berappen[1] *t.* 〖건축〗 (벽을) 애벌 새벽질하다; 〖林〗 (재목을) 대강 다듬다.

berappen[2] *t.* 〘경박〙 지급하다.

berasen [bərá:zən] 〘고어〙《I》 *t.* 잔디로 덮다. 《II》 *refl.* sich ~ 잔디로 덮이다: schwach beraster Boden 잔디가 듬성한 바닥.

beraspeln *t.* ① …에 애벌 줄질을 하다. ② (음식물에 다른 재료를) 강판으로 갈아 뿌리다.

beraten [bərá:tən] 《I》 *t.* ① 조언〔충고〕하다: sich von jm. ~ lassen 누구의 조언을 받아들이다; damit bist du gut ~ 이로써 너는 좋은 충고를 받은 셈이다. ② 상의〔협의〕하다,

숙고하다: wir haben den neuen Plan ~ 우리는 새로운 계획에 관해 협의하였다. 《Ⅱ》 *i.* (h.) über et. ~ 무엇에 관하여 상의하다, 숙고하다. 《Ⅲ》 *refl.* sich ~ ① 상의〔협의〕하다, 숙고하다: sich mit jm. über et. 〔wegen eines Dinges〕 ~ 누구와 무엇에 관하여 상의〔협의〕하다.

beratend *p.a.* 상의하는; 자문하는: ~e Versammlung 심의회; ~e Stimme 심의권.

Berater *m.* -s, - 조언자, 고문; 상담자: Rechts~ 법률 고문; Ehe~ 결혼 상담역.

Beraterin *f.* -nen ↑ Berater의 여성형.

Berater=stab *m.* 고문단. **~vertrag** *m.* 〖經〗 자문〔상담〕 계약.

beratschlagen 《Ⅰ》 *t.* 상의〔협의〕하다. 《Ⅱ》 *i.* (h.) / *refl.* (sich) mit jm. ~ 누구와 상의〔협의〕하다.

Beratschlagung *f.* -en 협의, 상의.

Beratung [bərá:tuŋ] *f.* -en ① 조언, 상담: Berufs~ 직업 상담; Steuer~ 조세 상담; die ~ ist kostenlos 그 상담은 무료다. ② 상의, 협의; 회의: ein Plan ist in ~ 어떤 안이 심의중이다; eine ~ halten 회의를 개최하다, 협의회를 열다. ③ ↑ Beratungsstelle.

Beratungs=ausschuß *m.* 자문 위원회. **~dienst** *m.* (고객) 상담실. **~gespräch** *n.* 상담. **~kosten** *pl.* 상담료. **~punkt** *m.* 상담〔협의〕 사항. **~saal** *m.* 회의실, 협의실. **~stelle** *f.* 상담실, 상담소. **~stimme** *f.* 심의권. **~vertrag** *m.* 〖經〗 ↑ Beratervertrag. **~zeit** *f.* 상담 시간. **~zimmer** *n.* 상담실; 회의실.

***berauben** [bəráubən] 《Ⅰ》 *t.* jn. (eines Dinges) ~ 누구에게서 (무엇을) 빼앗다, 약탈〔박탈〕하다: jn. der Ehre〔Freiheit〕 ~ 누구의 명예〔자유〕를 박탈하다; aller Hilfe beraubt 의지할 데 없는; der Schreck beraubte ihn der Sprache 그는 겁이 나서 말도 못 하였다; eine Kasse ~ 금고의 돈을 약탈하다; wenn ich Sie nicht beraube 〔ich möchte Sie nicht ~〕 받아도 괜찮으시다면(무엇을 받을 때 하는 겸손한 말). 《Ⅱ》 *refl.* sich eines Dinges ~ 무엇을 버리다, 단념하다; bitte, ~ Sie sich nicht! 받아도 괜찮으시다면요! (무엇을 받을 때 하는 겸손한 말).

Berauber *m.* -s, - 약탈자, 횡령자.

Beraubung *f.* -en 약탈, 박탈; 횡령.

berauchen [bəráuxən] *t.* 연기로 그을리다: gelb berauchte Gardinen 누렇게 그을린 커튼.

beräuchern [bərɔ́ʏçərn] *t.* ① 그을리다, 향(香)을 피워 (옷 따위에) 냄새가 배어들게 하다. ② 〔비유〕 누구에게 아첨하다.

beraufen *t.* (책을 제본할 때 책의 윗 측면을) 줄로 쓸어 거칠게 만들다.

Berauhwehrung *f.* -en 제방 공사.

beraumen *t.* (날짜·기한을) 정하다.

***berauschen** [bərául∫ən] *t.* 《Ⅰ》 ① 취하게 하다: der Wein hatte ihn berauscht 그는 포도주에 흠뻑 취했다. ② 〔비유〕 감격〔도취〕시키다: ich war von der Musik ganz berauscht 나는 음악에 완전히 매료되었다. 《Ⅱ》 *refl.* sich (an et.[3]) ~ (무엇에) 도취〔심취·감격〕하다: sich an einem Anblick ~ 어떤 광경에 감격하다. 《Ⅲ》 **berauscht** *p.a.* ↑ berauscht.

berauschend *p.a.* 취하게 하는, 감격적인: ~e Getränke 주류(酒類); ~e Mittel 환각제; ~e Düfte 도취케 하는 방향(芳香); ~ schön 황홀할 만큼 아름다운; nicht ~ 신통치 않은, 그렇고 그런.

berauscht 《Ⅰ》 *p.p.* ↑ berauschen. 《Ⅱ》 *p.a.* 취한, 도취한: von Freude ~ 기쁨에 취한.

Berauschtheit *f.* 도취〔흥분〕 상태.

Berauschung *f.* -en 명정(酩酊); 도취, 열광, 흥분.

Berber [bέrbər] 《<Barbar》 《Ⅰ》 *m.* -s, - 바르바리 사람. 《Ⅱ》 *a.* 바르바리의.

Berberei [bɛrbəráɪ] *f.* 바르바리 지방(아프리카의 북부).

Berberis [bέrbərɪs] 《ar.》 *f.* ↑ Berberitze.

berberisch *a.* 바르바리의; 바르바리 출신의.

Berberitze [bɛrbərítsə] *f.* -n 〖植〗 매자나뭇과의 관목.

Berber=pferd *n.* 바르바리(지방에서 나는) 말. **~teppich** *m.* 바르바리산(産) 양탄자.

Berbes·beere *f.* ↑ Berberitze.

Berceau [bɛrsó:] 《frz.》 *n.* -s, -s 요람; 〖건축〗 홍예(虹蜺), 홍예 복도, 홍예 천정의 정자.

Berceuse [..sǿ:zə] 《frz.》 *f.* -n 베르세즈(가곡풍의 6/8 박자 피아노곡).

berechen *t.* 〖農〗 (갈퀴·써레·고무래로) 긁어서 고르다.

berechenbar *a.* ① 계산〔산정〕할 수 있는. ② 예측 가능한.

Berechenbarkeit *f.* 산정〔예측〕 가능.

***berechnen** [bərέçnən] 《Ⅰ》 *t.* ① 계산〔산출·산정〕하다, 견적하다; 평가하다: Kosten ~ a) 비용을 계산하다, b) 득실을 따지다; Worte ~ 신중히 말하다; einen Plan ~ 어떤 계획을 준비하다; alles auf et. ~ 무엇을 노리고 모든 것을 준비하다. ② 〖商〗 **(a)** (외국 화폐를 자기 나라 화폐로) 환산하다. **(b)** 계산서에 적다, 청구하다: wir ~ es Ihnen mit 20 Mark 〔wir ~ Ihnen 20 Mark dafür〕 20 마르크 청구합니다; zum Selbstkostenpreis ~ 원가만 청구하다. 《Ⅱ》 *refl.* 〖商〗 sich mit jm. ~ 누구와의 대차(貸借)를 청산하다. 《Ⅲ》 **berechnet** *p.a.* ↑ berechnet.

berechnend *p.a.* ① 계산〔산정〕하는. ② 타산적〔이기적〕인, 냉정히 생각하는.

Berechner *m.* -s, - 계산〔산정〕하는 사람.

berechnet 《Ⅰ》 *p.p.* ↑ berechnen. 《Ⅱ》 *p.a.* ① 계산된, 미리 꾸며진: auf et. ~ sein 무엇을 계산하고 있다; alles, was er tut, ist nur auf Wirkung ~ 그가 하는 모든 것은 효과만을 노리는 것이다; bei ihr ist alles ~ 그 여자가 하는 일은 모두 계산된 것이다. ② 타산적인, 계산에 밝은: ~er Mann 타산적인 남자.

Berechnung *f.* -en ① 계산, 산정: ~en anstellen 계산하다. ② 고려, 예상, 예측: nach menschlicher ~ 인간적인 측면에서 고려하면; es liegt außerhalb aller ~ 그것은 전혀 예측을 불허한다. ③ 타산, 속셈, 노림수: aus ~ (heraus) handeln 타산적으로 행동하다.

***berechtigen** [bərέçtɪgən] 《Ⅰ》 *t.*/*i.* (h.) jn. zu et.[3] ~ 〔jn. ~, etwas zu tun〕 누구에게 무엇을 할 권리를〔자격을〕 주다: ich bin nicht berechtigt, sie hereinzulassen 저는 당신을 들여보낼 권한이 없습니다; was berechtigt Sie zu der Meinung, daß...? 어떻게 당신은 …한 의견을 갖게 되셨습니까?; er berechtigt zu großen Erwartungen 그에게는 큰 기대를 걸

만하다. 《Ⅱ》 **berechtigt** *p.a.* ↑ berechtigt.

berechtigt [..çt] 《Ⅰ》 *p.p.* ↑ berechtigen. 《Ⅱ》 *p.a.* 권리가〔자격이〕 있는, 정당한: ein ~er Einwand〔Vorwurf〕 정당한 항의〔비난〕.

Berechtigte* *der/die* 유권자, 유자격자, 〖法〗 권리자.

berechtigter·weise *adv.* 정당하게.

Berechtigung *f.* -en 권리, 권한, 자격, 정당성; (관청의) 허가, 인가: ausschließliche ~ 특권; mit voller ~ 전권으로; das Gerücht hat keine ~ 그 소문은 근거가 없다.

Berechtigungs⸗grund *m.* 〖法〗 권리 발생 사유〔근거〕, 자격 요건. **~gut·schein** *m.* 이용권, 사용권. **~schein** *m.* 자격증, 면허증. **~-wesen** *n.* 〖교육·폄어〗 자격 만능 제도, 자격 신봉주의. **~zeugnis** *n.* ↑ ~schein.

bereden [bəré:dən] 《Ⅰ》 *t.* ① 의논〔협의〕하다: et. mit jm. ~ 누구와 무엇에 관하여 협의하다. ② 〔구어〕 비난〔비방〕하다, 험담하다: js. Verhalten ~ 누구의 태도를 비방하다; alles und jeden ~ 닥치는 대로 싸잡아 비난하다; jn. ~ 누구의 뒷공론〔험담〕을 하다; alles, was ein anderer tut, ~ 남이 하는 일을 모두 나쁘게 말하다. ③ jn. eines Dinges ~ 〔jm. et. ~〕 누구에게 무엇을 믿게 하다, 그럴싸하게 말하다; sich ~ lassen 속다. ④ jn. zu et.³ ~ 누구에게 무엇을 (하도록) 설득하다. 《Ⅱ》 *refl.* sich ~ 협의〔의논〕하다: sich mit jm. über et. ~ 누구와 무엇에 관하여 의논하다.

beredsam [bəré:tza:m] *a.* ↑ beredt.

Beredsamkeit *f.* 능변, 달변, 웅변, 웅변술.

***beredt** [bəré:t] 《mhd. beredet》 *a.* ① 언변 좋은, 달변의. ② 말이 많은, 수다스런. ③ 웅변의, 의미심장한: ein ~es Schweigen 의미심장한 침묵.

Beredtheit *f.* ↑ Beredsamkeit.

Beredung [bəré:dʊŋ] *f.* -en ① 협의, 협정. ② 설득(의 말).

bereedern [bəré:dərn] 《Ⅰ》 *t.* (해운 회사가 선박 따위를) 소유하다: ein Schiff ~ 배 한 척을 소유하다. 《Ⅱ》 **bereedert** *p.a.* ↑ bereedert.

bereedert 《Ⅰ》 *p.p.* ↑ bereedern. 《Ⅱ》 *p.a.* 선박〔해운〕 회사의 소유인.

beregnen *t.* (잔디·화단에) 물을 뿌리다; 〖비유〗 jn. mit Blumen ~ 누구에게 꽃을 흩뿌리다.

Beregnung *f.* -en ↑ beregnen 의 명사형.

Beregnungs·anlage *f.* 살수 시설.

beregt [bəré:kt] *a.* 〔고어·격식〕 앞에서 언급한.

***Bereich** [bəráɪç] *m.*/(드물게) *n.* -(e)s, -e ① 구역, 지역; 범위: in südlichen ~en 남쪽 지역에서; Küsten⁓ 해안 지대; 〖物〗 Wellen⁓ 파장. ② (관할) 영역, 분야: im ~ der Kunst 〔Technik〕 예술〔기술〕 분야에서; 〖軍〗 ~ der Geschütze 대포의 사정(射程)〔착탄〕 거리; außer meinem ~ 내 영역을〔전문 분야를〕 벗어나는; diese Aufgabe fällt nicht in meinen ~ 이 과제는 내 분야에 해당되지 않는다; der Krieg liegt im ~ der Möglichkeiten 전쟁이 일어날 가능성이 있다.

bereichern [bəráɪçərn] 《Ⅰ》 *t.* 풍부하게 하다, 확충하다: das neue Erlebnis hat ihn bereichert 새로운 체험으로 인해 그는 성숙해졌다. 《Ⅱ》 *refl.* sich ~ (부당하게) 이득을 보다, 부유〔풍부〕해지다.

Bereicherung *f.* -en ① 풍부하게 하기, 확충. ② 이득, 이익. ③ 치부(致富), 부당 이득.

Bereicherungs⸗absicht *f.* 치부 의도. **~-verbrechen** *n.* 〖法〗 부당 이득죄.

bereifen¹ [bəráɪfən] 《<Reifen》 *t.* (통 따위에) 테를 두르다, (차량에) 타이어를 달다.

bereifen² 《<Reif》 《Ⅰ》 *t.* …에 서리를 내리다; 〖비유〗 회색이 되게 하다. 《Ⅱ》 *i.* 서리에 덮이다. 《Ⅲ》 **bereift** *p.a.* ↑ bereift.

bereift 《Ⅰ》 *p.p.* ↑ bereifen². 《Ⅱ》 *p.a.* ① 서리가 앉은. ② 회백색의. ③ 〖植〗 백분(白粉)에 덮인.

Bereifung *f.* -en 《<bereifen¹》 테, 타이어.

bereinigen [bəráɪnɪgən] *t.* ① 깨끗이하다, 정화하다; (문서·서적의 내용을) 수정하다. ② (사건·문제를) 해결하다; (곤란을) 제거하다: eine Rechnung ~ 정산하다; Mißverständnis ~ 오해를 일소하다.

Bereinigung *f.*-en ① 정화; 청소. ② 해결; 제거: ~ eines Konflikts 갈등의 해소.

bereisen 《Ⅰ》 *t.* ① (어떤 곳을) 여행〔편력〕하다. ② (여행을 통해) 견문을 쌓다: er will die Welt ~ 그는 여행을 통해 세상을 두루 알고자 한다. 《Ⅱ》 **bereist** *p.a.* ↑ bereist.

bereist 《Ⅰ》 *p.p.* ↑ bereisen. 《Ⅱ》 *p.a.* (널리) 여행한; 견문이 넓은; ein ~er Mann a) 대여행가, b) 견문이 넓은 사람.

Bereisung *f.* -en 여행, 편력; 시찰.

***bereit** [bəráɪt] *a.* 준비가 된, 채비를 갖춘; 용의가 있는, 각오가 되어 있는: wir sind zur Abfahrt ~ 우리는 떠날 준비가 되어 있다; ich hatte gerade kein Kleingeld ~ 나는 하필이면 잔돈을 챙겨놓지 못했다; sich zu et.³ ~ erklären〔finden〕 무엇을 할 용의가 있음을 밝히다; wärest du ~, mir zu helfen? 나를 도와줄 용의가 있니?; sich zu et.³ ~ machen 무엇의 준비를 하다; et. ~ halten 무엇을 준비하다; Polizei und Feuerwehr halten sich ~ 경찰과 소방대가 출동 준비가 되어 있다.

***bereiten**¹ [bəráɪtən] 《Ⅰ》 *t.* ① 채비〔준비〕하다; 마련하다: das Essen ~ 식사를 준비하다. ② 〖비유〗 야기하다: das Spiel bereitet mir großes Vergnügen 그 놀이가 나는 아주 재미있다; jm. Kummer ~ 누구에게 슬픔을 안겨주다. ③ 〔드물게〕 준비해 주다: jn. zu et.³ 〔auf et., für et.〕 ~ 누구에게 무엇을 할 준비〔채비〕를 시키다. 《Ⅱ》 *refl.* sich zu et.³ 〔auf et., für et.〕 ~ 무엇을 할 채비〔준비〕를 하다; 〔드물게〕 etwas bereitet sich 어떤 일이 이루어지다, 준비가 되다.

bereiten*² 《<reiten》 《Ⅰ》 *t.* ① (어떤 곳을) 말을 타고 여행〔순시〕하다. ② (말을) 훈련시키다, 조련하다. 《Ⅱ》 **beritten** *p.a.* ↑ beritten.

Bereiter *m.* -s, - ① (<bereiten¹) 제조자; 준비자: 〖비유〗 개척자, 선구자. ② (<bereiten²) **(a)** 기마 순찰(관). **(b)** 말조련사, 조마사; 곡마사.

bereit⸗halten 《Ⅰ》 *t.* 준비해 놓고 있다. 《Ⅱ》 *refl.* sich ~ 태세를 갖추고 있다. **~legen** *t.* 채비〔준비〕해 놓다. **~liegen** *i.* 준비되어 있다. **~machen** *t.* 마련하다, 준비를 끝내다.

***bereits** [bəráɪts] *adv.* ① 이미, 벌써. ② (südd., schweiz.) 거의: ein ~ neues Kostüm zu verkaufen 거의 새옷을 판매함.

Bereitschaft [bəráɪt|ʃaft] *f.* -en ① 채비〔준비〕되어 있음: zu et. in ~ sein〔liegen, stehen〕 무엇의 준비가 되어 있다; et. in ~ haben 무엇을 준비하고 있다. ② 기꺼이함: sie ging mit großer ~ auf meinen Vorschlag ein 그녀는 내 제안을 아주 흔쾌히 받아들였다. ③ (비상) 대기〔당직〕 근무. ④ (군대·경찰의) 비상 대기조, 기동대.

Bereitschafts≈arzt *m.* 당직 의사. **~dienst** *m.* (긴급 사태 대비) 대기 근무. **~polizei** *f.* 기동 경찰.

bereit|stehen* *i.* (h.) 준비〔채비〕되어 있다. **~|stellen** *t.* 준비〔채비〕하다: das Bataillon stellt sich zum Angriff bereit 그 대대는 공격할 태세를 갖추고 있다. **≈stellug** *f.* -en ① 준비, 채비. ②〖軍〗 기동대.

Bereitung [bəráɪtuŋ] *f.* -en 《고어》 채비, 준비; 제조.

Bereitungs·art *f.* 제조법.

bereit·willig *a.* 기꺼이 응낙하는; 남의 일을 잘 돌봐주는. **≈willigkeit** *f.* 기꺼이 응낙하는 태도; 남의 일을 잘 돌봐줌.

berennen* *t.* 공격하다: 〖스포츠〗 das Tor ~ 집요하게 문전을 공략하다.

Berennung *f.* -en 공격.

berenten [bərɛ́ntən] *t.* …에게 연금을 주다.

Béret [bérɛ] *n.* -s, -s (schweiz.) 베레모.

bereuen [bərɔ́ʏən] *t.* 후회하다.

bereuens≈wert, ~würdig *a.* 후회할 만한, 후회해야 할.

Bereuung *f.* -en 후회.

***Berg** [bɛrk] *m.* -(e)s, -e (↔ Ebene, Tal) ① 산, 산악; 〔비유〕 물마루: auf dem ~e 산 위에(서); 〔비유〕 wie der Ochs am ~e dastehen 어리벙벙하다, 어찌할 바를 모르다; mit et.[3] hinter dem ~e halten 무엇을 비밀에 부치다; 〔비유〕 hinter dem ~e wohnen auch Leute 어디 가도 능력 있는 사람은 있다; 〔비유〕 über den ~ sein (병 따위가) 고비를 넘기다, 곤란을 극복하다; jm. über den ~ helfen 누가 힘든 고비를 넘기도록 도와 주다; über ~ und Tal 〔über alle ~e〕 sein 멀리 달아나 버리다; zu ~e fahren a) 산(의 목장)에 가다, b) 흐르는 물을 거슬러가다; mir stehen die Haare zu ~e (공포·분노 때문에) 내 머리털이 곤두선다; der Glaube kann ~e versetzen 믿음이 깊으면 산이라도 옮길 수 있다; goldene ~e versprechen 지킬 수 없는 일을 약속하다. ② 〔복수〕 산맥, 산악 (지역): 〔비유〕 die ~e haben ihn behalten 그는 산악 지대에서 불의의 사고로 죽었다. ③ 〔비유〕 산더미: ~e von Obst 산더미처럼 쌓인 과일; ~e von Arbeit 산더미 같은 일. ④ 〖史〗 der ~ 산악당(자코뱅당을 이름). ⑤ 〔복수〕〖광산〗 폐석. ⑥ 〔방언〕 **(a)** (산비탈의) 포도밭. **(b)** 고산 목장.

berg·ab [bɛrk|áp] *adv.* 산 아래로; 산기슭에: 〔비유〕 es geht mit ihm ~ 그는 (건강·재산 따위가) 쇠(衰)해 가고 있다.

Berg≈abhang *m.* 산비탈, 산허리. **~absatz** *m.* 산중턱에 수평으로 돌출한 부분. **~-absturz** *m.* (산의) 낭떠러지. **≈abwärts** [bɛrk|ápvɛrts] *adv.* ↑ bergab. **~ader** *f.* 〖광산〗 광맥. **~ahorn** *m.* 〖植〗 산단풍나무. **~akademie** *f.* 광산 (전문) 대학. **~akademiker** *m.* 광산 (전문) 대학 졸업자; 광산 기사. **~alaun** *m.* 〖광물〗 명반석(明礬石).

Bergamaska [bɛrgamáska] *f.* ..ken ① (16-18 세기의) 북부 이탈리아 농민의 민속 춤곡. ② (19 세기의) 베르가모 무용(6/8 박자).

Bergamaske [bɛrgamáskə] 《it.》 *m.* -n, -n 베르가모(Bergamo) 사람.

bergamaskisch *a.* 베르가모(출신)의.

Bergamo 베르가모(북이탈리아의 도시).

Bergamott·baum *m.* 〖植〗 감귤류의 일종.

Bergamotte [bɛrgamɔ́tə] 《türk. -it. -frz.》 *f.* -n ① 베르가모트(배(梨)의 일종). ② 베르가모트(남부 유럽, 서부 인도산(産) 감귤).

Bergamott≈öl *n.* 베르가모트 향유. **~zitrone** *f.* ↑ Bergamotte ②.

Berg≈amsel *f.* 〖動〗 지빠귀의 일종. **~amt** *n.* 광산 감독국. **≈an** [bɛrk|án] *adv.* 산 위로. **~arbeit** *f.* 〖광산〗 광산 노동, 채광(업). **~-arbeiter** *m.* 〖광산〗 광산 노동자, 광원. **≈-auf** [bɛrk|áuf] *adv.* 산 위로: 〔비유〕 es geht wieder ~ (건강·경기 따위가) 호전되다. **≈-aufwärts** [bɛrk|áuf..] *adv.* 산 위로. **~-bahn** *f.* 〖철도〗 산악 철도. **~bau** *m.* ① 채광(업), 광(산)업. ② 광산학. **~bau·berechtigung** *f.* 광산 채굴권. **~bauer** *m.* 산촌 농민.

Bergbau≈gebiet *n.* 광구(鑛區). **~kunde** *f.* 광산학, 채광학. **~kundige*** *der/die* 광산학자.

berg≈baulich *a.* 광산의, 광업의. **≈beamte*** *der* 광산 감독국 관리. **≈behörde** *f.* ↑ ~amt. **≈beschreibung** *f.* 산악지(誌). **≈-besteigung** *f.* 등산. **≈bewohner** *m.* 산골 사람, 산악 주민. **≈blau** *n.* ① 암감청(岩紺青), 군청(群青) (청색 안료). ② 〖광물〗 남동광(藍銅鑛). **≈bock** *m.* 〖動〗 산양의 일종. **≈-braun** *n.* 광물성 갈색 안료. **≈dorf** *n.* 산촌, 광산 부락. **≈durchstich** *m.* 터널, 굴.

Berge≈geld [bɛ́rgə..] *n.* 〖海〗 (배 또는 짐의) 해난 구조금. **~gut** *n.* 〖海〗 해난 구조 물품. **~hafen** *m.* 대피항. **~halde** *f.* 〖광산〗 폐석더미. **≈hoch** *a.* 산같이 높은, 산더미 같은.

Berg·eisen *n.* 〖광산〗 갱부용 곡괭이.

Bergelchen *n.* -s, - 작은 산.

Berge·lohn *m.* ↑ ~geld.

bergen [bɛ́rgən] (barg, geborgen) 《I》 *t.* ① 구조하다, 구호〔비호〕하다, 안전하게 하다; (수확 따위를) 수납하다: alle Passagiere des gesunkenen Schiffes konnten lebend geborgen werden 침몰된 배의 승객이 모두 무사히 구출될 수 있었다; 〖海〗 gestrandete Güter ~ 난파선의 화물을 양륙하다; hier bist du geborgen 여기 있으면 너는 안전하다; sich geborgen fühlen 편안함〔안전함〕을 느끼다; 〖海〗 die Segel ~ 돛을 걷다. ② 〔시어〕 숨기다, 감추다, 간직하다; 포함하다: der Wald birgt ein Geheimnis 그 숲에는 어떤 비밀이 있다; sich vor Freude nicht ~ können 기뻐서 어쩔 줄 모르다. 《II》 *refl.* sich ~ 피하다, 숨다. 《III》 **geborgen** *p.a.* ↑ geborgen.

Berg·enge *f.* 두메, 깊은 산골; 좁은 골짜기.

Berger *m.* -s, - 《I》 《<bergen》 구조자; 〖海〗 해난 구조자. 《II》 ↑ Bergbewohner.

Bergère [bɛrʒɛ́:rə] 《frz.》 *f.* -n 《고어》 (낮고 넓은) 안락 의자.

Berge·recht *n.* 〖海〗 해난 구조금 청구권.

Berg·erz *n.* 〖광산〗 조광(粗鑛), 원광(原鑛).

bẹrge·schwer *a.* (산더미같이) 굉장히 무거운〔부담스러운〕: die Schuld lastete ~ auf ihm 부채가 그에게 엄청난 부담이 되었다.
Bẹrges≈fuß *m.* 산기슭. **~gipfel** *m.* 산꼭대기. **~halde** *f.* 〖시어〗 ↑ Berghalde. **~hang** *m.* 산비탈, 산허리. **~höhe** *f.* 〖시어〗 ↑ Berghöhe. **~last** *f.* 엄청난 부담. **~wand** *f.* 산의 절벽.
bẹrge≈tief *a.* 산 높이만큼 깊은〔낮은〕. **~weise** *adv.* 산더미처럼 많이.
Bẹrg≈fach *n.* 광산학; 광산업. **~fahrer** *m.* 〖광산〗 광산 감독관. **~fahrt** *f.* ① 등산, 산악 여행. ② 역류 항행(↔ Talfahrt). **~fall** *m.* 산사태; 〖광산〗 갱의 붕괴. **~farbe** *f.* 광물 안료, 오커. **≈fein** *a.* 구리 성분이 적은. **≈fertig** *a.* 〖고어〗 ↑ ≈süchtig. **~fest** *n.* 〖구어〗 (군복무 따위에서 복무 기간의 절반을 넘기면서 벌이는) 중간 축제. **~feste** *f.* ① 갱도에서 기둥 따위로 쓰는 단단한 암석. ② 〖고어〗 산지 요새. **~festung** *f.* ↑ ~feste ②. **~fett** *n.* 지랍(地蠟). **~feuer** *n.* 봉화, 산정의 신호불. **~fex** *m.* 〖구어〗 등산광. **~fieber** *n.* 고산열, 고산지 어지럼증. **~fink** *m.* 방울새의 일종. **~flachs** *m.* ① 〖광물〗 석면. ② 〖植〗 아마의 일종. **~fleisch** *n.* 〖광물〗 석면의 일종. **≈frei** *a.* 채굴이 허용된. **~freiheit** *f.* ① 채굴권. ② 광산 도시의 특권. **~fried** *m.* 망대(望臺), 종루(鐘樓), 관청의 탑. **~führer** *m.* 산행〔등반〕 안내자. **~gang** *m.* 〖광산〗 광맥. **~gebäude** *n.* 〖광산〗 (특히 지하의) 광산 건조물. **~gebrauch** *m.* 광산 지역의 풍습. **~gefälle** *pl.* 광산의 수익. **~gegend** *f.* 산지, 산악 지대. **~gegen·schreiber** *m.* 〖광산〗 광산 감사관. **~gehen** *n.* 〖스포츠〗 산지 보행 경기. **~geist** *m.* 산의 정령〔요정〕. **~gelb** *n.* 〖광물〗 황토. **~genoß** *m.* 〖광산〗 동료 광원. **~geschütz** *n.* 〖軍〗 산포(山砲). **~geselle** *m.* 〖광산〗 수습 광원. **~gesetz** *n.* 〖法〗 광업법. **~gewächs** *n.* ① 산지 식물. ② 〖광산〗 광물, 광석. **~gewerkschaft** *f.* 광원 (노동) 조합. **~gezeug** *n.* 〖광산〗 채굴 도구. **~gipfel** *m.* 산꼭대기. **~gold** *n.* 산금(山金)(↔ Waschgold). **~grat** *m.* 산등성이. **~grün** *n.* ① 암록청(岩綠靑). ② 〖광물〗 공작석. **~gruß** *m.* 광원〔산사람〕들의 인사. **~gürter** *m.* 산맥. **~gut** *n.* 광물. **~halde** *f.* ① 산의 비탈, 산허리. ② 〖광산〗 광석 찌꺼기 더미. **~hang** ↑ Bergeshang. **~harz** *n.* 〖광물〗 아스팔트. **~haue** *f.* 〖광산〗 광원용 곡괭이. **~hauptmann** *m.* 광산 감독국장. **~haus** *n.* ① 산장. ② 〖광산〗 광원용 도구 창고. ③ 광산 사무소, 광원 집합소. **~herr** *m.* 〖광산〗 광산주. **≈hinab** [bɛrk|hɪnáp] *adv.* 산 아래로. **≈hinan** [bɛrk|hɪnán], **≈hinauf** [bɛrk|hináʊf] *adv.* 산 위로. **≈hinunter** [bɛrk|hinʊ́ntər] *adv.* 산 아래로. **≈hoch** ↑ bergehoch. **~höhe** *f.* ① 산의 높이. ② 산꼭대기. ③ 산 같은 높이. ④ 산. **~hoheit** *f.* 〖광산〗 (국가의) 광산 감독권. **~höhle** *f.* 산의 동굴. **~holz** *n.* 〖광물〗 산목(山木). **~horn** *n.* 뿔 모양의 험준한 산꼭대기. **~hotel** *n.* 산악 호텔. **~hund** *m.* ① 알프스 목장의 망보는 개. ② 〖광산〗 광석을 운반하는 작은 수레. **~hütte** *f.* 산막(山幕), 산장.
bergicht [bɛ́rgɪçt] *a.* ↑ bergig.
bergig [bɛ́rgɪç] *a.* 산이 많은: ~es Gelände 산악 지대.
Bẹrg·ingenieur *m.* 광산 기사.
Bergin·verfahren [bɛrgí:n..] *n.* 베르기우스 석탄 액화법.
bergisch [bɛ́rgɪʃ] *a.* ≈es Land 서부 독일의 지명(옛 Berg 공작령의 일부).
Bẹrg≈joch *n.* 산등. **~junge** *m.* 소년 광원. **~kamm** *m.* 산등, (톱니꼴의) 산꼭대기. **~kappe** *f.* 〖광산〗 광원의 모자. **~katze** *f.* ① 살쾡이. ② 〖광산〗 연(鉛)중독. **~kegel** *m.* 원뿔꼴의 산. **~kessel** *m.* 분지. **~kette** *f.* 산맥. **~kiefer** *f.* 고산 소나무. **~kiesel** *m.* 〖광물〗 암규석(暗硅石). **~kluft** *f.* 산협, 협곡. **~knappe** *m.* 〖광산〗 갱부, 광원. **~knappschaft** *f.* 갱부〔광원〕의 신분〔조합·집단〕. **~koppe** *f.* ↑ ~kuppe. **~korb** *m.* 〖광산〗 광석 운반용 바구니. **~kork** *m.* 〖광물〗 산코르크. **~krank** *a.* 산악병〔고산병〕이 든. **~krankheit** *f.* ① 〖醫〗 산악〔고산〕병. ② 〖광산〗 갱부 십이지장충병; 납중독. **~kraxler** *m.* 〖구어〗 바위타기 명수, 암벽 등반가. **~kristall** *m.* 〖광물〗 수정. **~kübel** *m.* 〖광산〗 광석 따위를 끌어올리는 통. **~kunde** *f.* ↑ ~baukunde. **~kupfer** *n.* 〖광물〗 자연동(銅). **~kuppe** *f.* 원뿔꼴의 산꼭대기. **~land** *n.* 두메, 산악 지대. **≈läufig** *a.* 〖광산〗 광원 풍습의, 산간 지대에서 통용되는. **~leder** *n.* ① 〖광물〗 석유피(石鞣皮). ② 〖광산〗 광원의 엉덩이에 대는 가죽. **~lehne** *f.* (완만한) 산비탈, 산허리.
Bẹrglein *n.* -s, - 작은 산.
Bẹrgler *m.* -s, - ↑ Bergbewohner.
Bẹrg≈leute *pl.* ↑ ~mann ① ③. **~losung** *f.* 〖광산〗 흙모래 따위를 버리는 갱 안의 빈터. **~luft** *f.* 산의 맑은 공기. **~mann** *m.* ① ↑ ~bewohner. ② 산신령. ③ 〖광산〗 갱부; 광원. ④ 오소리 사냥에 쓰는 사냥개. **~männchen** *n.* ↑ ~mann ②. **≈männisch** *a.* 광원〔갱부〕의; 광원 특유의. **~männin** *f.* ↑ ~mann ② 의 여성형.
Bẹrgmanns≈gruß *m.* 광원〔산사람〕의 인사. **~sprache** *f.* 광원의 통용 언어, 광원 (전문) 용어.
Bergmaṣka *f.* ..ken ↑ Bergamaska.
Bẹrg≈massiv *n.* 산맥의 중심부, 산괴(山塊). **~mehl** *n.* 〖광물〗 규조토(珪藻土). **~meister** *m.* 광산 감독관; 〖드물게〗 포도밭 감독관. **~melisse** *f.* 〖植〗 층층이꽃. **~messer** *m.* 〖측량〗 측사기(測斜器). **~milch** *f.* 〖광물〗 석유(石油). **~mönch** *m.* (승려 모습으로 광산에 떠도는) 유령. **~nachfahrer** *m.* ↑ ~fahrer. **~naphtha** *n./f.* 〖광물〗 ↑ ~öl. **~not** *f.* 산지 조난. **~nymphe** *f.* 〖신화〗 산의 요정. **~öl** *n.* 〖광물〗 (산에서 나는) 석유. **~ordnung** *f.* 〖광산〗 광업법〔조례〕. **~parte** *f.* 〖광산〗 (장식을 넣은) 광원용 손도끼. **~partei** *f.* 〖史〗 산악당(黨) (Berg ④). **~partie** *f.* ① 산맥의 특색 있는 부분. ② (가벼운) 산행. **~paß** *m.* 산길. **~pech** *n.* 〖광물〗 아스팔트. **~pfad** *m.* 산길. **~plateau** *n.* 고원 지대. **~predigt** *f.* 〖聖〗 산상 수훈(垂訓) (마태 5 : 7). **~probierer** *m.* ↑ ~wardein. **~pumpe** *f.* 〖工〗 광산용 (배수) 펌프. **~rat** *m.* 광산 감독국〔관〕. **~recht** *n.* ① 광업법. ② 광업권, 채굴권. **≈rechtlich** *a.* 광업법에 따른. **~regal** *n.* 〖法〗 ① (19 세기 중반까지) 봉건 군주

의 광산 지배권. ② (1865 년 이후) 국가의 광산 감독권. **~reich** *a.* 산이 많은. **~reigen** *m.* ↑ ~reihen. **~reihe** *f.* ↑ ~kette. **~reihen** *pl.* 〖음악〗 (하르츠 산맥 및 튀링겐 지방) 광원의 무도(가). **~reise** *f.* 산악 여행. **~rennen** *n.* (자동차의) 산악 경기. **~rettungs·dienst** *m.* 산악 구조대.

Berg≈revier *n.* 〖광산〗 광구. **~rot** *n.* 〖광물〗 광물성 적색 안료. **~rötel** *m.* ↑ ~rot. **~rücken** *m.* 산등성이. **~rüster** *f.* 〖植〗 떡느릅나무. **~rute** *f.* (민간 신앙에서의) 광맥〔수맥〕 탐사 막대기. **~rutsch** *m.* 산사태. **~sachen** *pl.* 광산에서 필요한 물건들. **~salz** *n.* 암염(岩塩). **~sattel** *m.* ↑ ~rücken. **~schaden** *m.* 광산 개발로 인한 피해. **~schlitten** *m.* 산 썰매. **~schloß** *n.* 산 위의 성. **~schlucht** *f.* 협곡. **~schreiber** *m.* 광산의 서기. **~schuh** *m.* 등산화. **~schule** *f.* 광산 학교. **~schüler** *m.* 광산 학교 학생. **≈schüssig** *a.* 광물 함량이 적은. **~schwaden** *m.* 〖광산〗 갱 안의 질식 가스. **~schwefel** *m.* 〖광물〗 자연황. **≈schwer** *a.* (산같이) 아주 무거운. **~see** *m.* 산간 호수. **~segen** *m.* 〖광산〗 광산물, 광산의 수익. **~seide** *f.* 〖광물〗 석면. **~seife** *f.* 〖광물〗 흑색 점토. **~seil** *n.* ① (등산용) 밧줄. ② 〖광산〗 갱 안에서 무거운 짐을 나르는 줄. **~seits** *adv.* 산쪽으로. **~ski** *m.* 산능선을 따라 타는 스키. **~spitze** *f.* 산꼭대기. **~sport** *m.* 등산. **~station** *f.* 산간역. **~stadt** *f.* 산중〔광산〕 도시. **~steigen** *n.* 등산. **~steiger** *m.* ① 등산가. ② 〖광산〗 갱부장. ③ 산악용 자동차. **≈steigerisch** *a.* 등반〔등산〕의. **~stiefel** *m.* ↑ ~schuh. **~stock** *m.* ① 등산 지팡이. ② 산괴(山塊). **~straße** *f.* 산악 도로. **~sträßer** *m.* Odenwald 기슭에서 나오는 포도주. **~strom** *m.* 산골짜기물. **~stufe** *f.* 〖광산〗 암석이 섞인 광석. **~sturz** *m.* ↑ ~rutsch. **~stütze** *f.* 바퀴 버팀목. **~sucht** *f.* 〖고어〗 광원병, 규폐증(硅肺症). **≈süchtig** *a.* 광원병을 앓는. **~teer** *m.* ① 광물성 타르. ② 아스팔트. **~tod** *m.* 산악 사고사. **~tour** *f.* 등반〔산악〕 여행. **~tracht** *f.* 산사람〔광원〕의 복장. **~trift** *f.* 고산지 목장. **≈über** [bɛrk|ý:bər] *adv.* 산을 넘어. **≈üblich** *a.* ↑ ~läufig. **~ulme** *f.* 〖植〗 산느릅나무.

Berg-und-Tal-Bahn *f.* (놀이 공원의) 곡예 열차.

Berg-und-Tal-Wind *m.* (산악 지방의) 낮의 따뜻한 골짜기 바람과 밤의 찬 산바람.

Bergung [bɛ́rgʊŋ] *f.* -en 〖海〗 해난 구조.

Bergungs≈aktion *f.* 구조 활동. **~dampfer** *m.* 해난 구조선. **~korps** [..ko:r] *n.* (화재) 구조대. **~mannschaft** *f.* 구조대.

berg·unter [bɛrk|ʊ́ntər] *adv.* 산 아래로.

Berg≈versatz *m.* 〖광산〗 (밑에서 위로의) 채광, 채탄; 채광 후 폐석으로 메우기. **≈verständig** *a.* 광산일을 잘 아는. **~verwalter** *m.* 광산 관리자. **~verwaltung** *f.* 광산 관리. **~volk** *n.* ① 산지 주민. ② 갱부. ③ 산의 정령(精靈). **~waage** *f.* 〖측량〗 측사기(測斜器). **~wachs** *n.* 〖광물〗 지랍(地蠟), 광물성 납. **~wacht** *f.* 산악 구조대. **~wald** *m.* 산림 (지대). **~wand** *f.* ① 산의 절벽. ② 〖광산〗 광물을 포함하지 않은 갱벽(坑壁). **~wanderer** *m.* 등산가. **~wanderung** *f.* 산행. **~wardein** *m.* 〖광산〗 광산 분석 시험관. **≈wärts** *adv.* 산 위로, 산 쪽으로. **~wasser** *n.* ① 산수(山水), 계류. ② 〖광산〗 갱 안의 물. **~weide** *f.* ① 고산지 목장. ② 〖植〗 버들의 일종. **~welt** *f.* 산간 지방. **~werk** *n.* 광산; 채광장. **~werker** *m.* 광산 종업원, 광원.

Bergwerks≈aktie [..tsiə] *f.* 광업주(株). **~arbeiten** *pl.* 광산 작업; 시굴(試掘). **~bahn** *f.* 갱내 철도. **~betrieb** *m.* 광산 경영. **~gesellschaft** *f.* 광업 회사. **~kunde** *f.* 광산학. **~produkte** *pl.* 광산물. **~unternehmer** *m.* 광산 기업가. **~verlag** *m.* 광산 회사.

Berg≈wesen *n.* ① 광업(에 관한 일체의 사항). ② 산에 사는 사람. **~wiese** *f.* 산지 초원〔목장〕. **~wissenschaft** *f.* ↑ ~baukunde. **~wohlverleih** *m.* 〖植〗 아르니카(약초). **~wolle** *f.* 〖植〗 아마의 일종. **~wurzel** *f.* ① 산기슭. ② 광산에서 자란 사나이; 산사람. **~zehnte** *m.* 광산 십일조(租). **~zinne** *f.* 가파른 바위의 꼭대기. **~zinnober** *n.* 〖광물〗 진사(辰砂). **~zug** *m.* 산맥.

Beriberi [be:ribé:ri] *f.* 〖醫〗 각기병.

***Bericht** [bərɪ́çt] *m.* -(e)s, -e ① 보고, 보고서, 보도, 통지: ~ erstatten〔abstatten〕 보고하다; ~ empfangen 보고를 받다; einen ~ verfassen 보고서를 작성하다; laut〔nach〕 ~ vom 10.1. 1 월 10 일자 보고〔보도〕에 따르면. ② 〖문학〗 보고문.

***berichten** [bərɪ́çtən] 《I》 *t.* ① 보고〔통지〕하다: falsch berichtet sein 잘못 알고 있다. ② 〖가톨릭·방언〗 jn. ~ 누구에게 최후의 성찬을 주다. ③ 말하다: es wird in der Bibel berichtet 성서에서 말하고 있다. 《II》 *i.* (h.) ① jm. über et. 〔von et.[3]〕 ~ 누구에게 무엇에 관해 보고하다. ② (schweiz.) miteinder ~ 이야기를 주고받다.

Berichter *m.* -s, - 보고자, 보도자.

Bericht≈erstatter *m.* 보고자; 보도자, 통신원. **~erstattung** *f.* 보고, 통신. **~geber** *m.* ↑ ~erstatter. **~haus** *n.* (schweiz.) ① 신문사 사옥. ② 안내실.

***berichtigen** [bərɪ́çtɪgən] *t.* ① (잘못을) 고치다, 바로잡다; 정정〔수정·교정〕하다. ② (사무를) 정리하다. ③ (차금을) 결제〔지급〕하다.

Berichtiger *m.* -s, - 교정(담당)자; 〖印〗 교정계.

Berichtigung *f.* -en 정정, 수정, 교정.

Berichts·heft *n.* (직업 실습생의) 주간 작업 보고 노트.

beriechen* [bərí:çən] *t.* 냄새 맡다: sich〔einander〕 ~ 서로 냄새를 맡다, 〖비유·농담〗 서로 조심스럽게 관찰〔탐색〕하다.

berief [bərí:f] ↑ berufen 의 과거형.

beriefeln *t.* 도랑〔홈〕을 파다〔새기다〕.

beriegeln *t.* 무엇에 빗장을 달다.

beriemen *t.* 무엇에 가죽끈을 달다.

berieseln *t.* ① 물을 뿌리다; 관수〔관개〕하다. ② 〖폄어〗 은연중에〔지속적으로〕 영향을 미치다: sich mit〔von〕 et.[3] ~ lassen 건성으로 …하다; er läßt sich stundenlang mit Radiomusik ~ 그는 몇 시간 동안이나 라디오 음악을 건성으로 듣고 있다.

Berieselung *f.* -en ① 물뿌리기, 관개. ② 〖醫〗 관주법(灌注法).

Berieselungs·anlage *f.* ①〖農〗관개 설비. ②〖광산〗관수 설비.
berindet *p.a.* 〔드물게〕 껍질로 덮인, 수피(樹皮)가 있는.
Bering [bərɪ́ŋ] *m.* -(e)s, -e 주위, 주변; 근교: im ~(e) der Stadt 도시 근교에.
beringen [bərɪ́ŋən] 《I》 *t.* …에 고리〔반지·팔찌〕를 끼우다: Vögel ~ 새의 다리에 고리를 끼우다. 《II》 **beringt** *p.a.* ↑ beringt.
Bering≈meer [béːrɪŋ..] *n.* 베링해. **~straße** *f.* 베링 해협.
beringt 《I》 *p.p.* ↑ beringen. 《II》 *p.a.* 반지〔고리〕를 끼운: ~er Finger 반지를 낀 손가락.
Beringung [bərɪ́ŋʊŋ] *f.* -en ↑ beringen 의 명사형.
berippt [bərɪ́pt] *a.* 〖植〗잎맥이 있는.
Berippung *f.* -en 〖植〗맥서(脈序).
Beritt [bərɪ́t] *m.* -(e)s, -e 〖軍·고어〗 ①(기마) 순찰 구역. ② (소규모의) 기병대. ③ 산림구.
beritten [bərɪ́tən] 《I》 *p.p.* ↑ bereiten². 《II》 *p.a.* 말을 탄, 기마의: ein ~er Schutzmann 기마 경관.
Berkan [bɛrkáːn] 《ar.; ♧ Barchent》 *m.* -s, -e 염소털과 양털의 두꺼운 피륙.
Berkelium [bɛrkéːliʊm] *n.* -s 〖化〗베르켈륨 (기호: Bk).
berlicke-berlocke [bɛrlɪ́kə-bɛrlɔ́kə] 《frz.》 *adv.* 허둥지둥, 허겁지겁.
***Berlin** [bɛrlíːn] 《sl.》 베를린(독일의 수도).
Berlinale [bɛrlináːlə] *f.* -n 베를린 영화제.
Berline [bɛrlíːnə] *f.* -n 〔고어〕 (베를린에서 발명된) 4 인승 유람 마차.
Berliner[1] *m.* -s, - ① 베를린 사람. ② 베를린 도넛 (Berliner Pfannkuchen 의 약칭).
Berliner[2] *a.* 베를린의: ~ Blau 베를린청(靑), 감청(紺靑)색(안료); 〖史〗 ~ Mauer 베를린 장벽.
Berliner·Weiß 〖化〗 백연(白鉛), 연백(鉛白).
berlinerisch *a.* ↑ berlinisch.
berlinern *i.* (h.) 베를린 사투리로 말하다.
Berlin·hilfe *f.* (통일 전 서독 국민에 의한) 베를린 원조.
berlinisch *a.* 베를린(풍)의; 베를린 방언의.
Berlitz·schule [bɛ́rlɪts..] *f.* (해당 외국어만으로 가르치는) 베를리츠(식) 외국어 학교.
Berlocke [bɛrlɔ́kə] 《frz.》 *f.* -n (시곗줄 따위에 다는) 장식물.
Berme [bɛ́rmə] 《ndl. -frz.》 *f.* -n ①〖토목〗 비탈에 만든 층층대; 제방 안팎의 둔덕; 〖軍〗 (보루의) 벼랑길. ②〔방언〕 효모.
Bermuda≈dreieck [bɛrmúːda..] *n.* 버뮤다 삼각 지대. **~hose** *f.* ↑ Bermudashorts. **~-inseln** *pl.* 〔관사와 함께〕버뮤다 군도.
Bermudas *pl.* ↑ Bermudashorts.
Bermuda·shorts *pl.* (무릎까지 내려오는 꼭 끼는) 버뮤다 반바지; 버뮤다 수영복.
Bern [bɛrn] 베른(스위스의 수도 및 주 이름).
Bernd [bɛrnt] 베른트(남자 이름).
Berner [bɛ́rnər] 《I》 *m.* -s, - 베른 사람. 《II》 *a.* 베른의: ~ Alpen〔(das) ~ Oberland〕 아르강과 론강 사이의 고산 (서알프스) 지대.
bernerisch *a.* 베른(풍)의.
Bernhard [bɛ́rnhart] *m.* ① 베른하르트(남자 이름). ②〖지리〗 Sankt ~ 성(聖)베른하르트산(山)(알프스에 있음).
Bernhardiner [..díːnər] 《I》 *m.* -s, - ①〖가톨릭〗 성(聖)베른하르트파의 수도사. ② 베른하르트산(産) 개. 《II》 *a.* 성(聖)베른하르트(파)의.
Bernhardiner≈hund *m.* ↑ Bernhardiner 《I》②. **~kloster** *n.* 〖가톨릭〗 성(聖)베른하르트파 수도원. **~krebs** *m.* 〖動〗 소라게. **~orden** *m.* 성(聖)베른하르트 교단.
bernhardinisch *a.* 성(聖)베른하르트파의.
Bernhards·krebs *m.* 〖動〗 소라게.
Bernikel·gans [bɛrníːkəlgans] *f.* 〖動〗 (뺨이 흰)기러기의 일종.
Bernina [bɛrníːna] *f.* 베르니나(알프스 산맥 중의 산악 지대; 스위스와 이탈리아의 국경).
bernisch *a.* 베른(풍)의.
***Bernstein** [bɛ́rnʃtaɪn] 《ndd.》 *m.* -(e)s, -e 〖광물〗 호박(琥珀): schwarzer ~ 흑옥(黑玉).
Bernstein≈arbeit *f.* 호박 세공. **~arbeiter** *m.* 호박 세공인. **~arm·band** *n.* 호박 팔찌. **~artig** *a.* 호박 모양의. **~drechsler, ~-dreher** *m.* ↑ ~arbeiter.
bernsteine(r)n *a.* 호박으로 만든.
Bernstein≈fang *m.* 호박 채집. **~farbe** *f.* 호박색. **~farben** *a.* ↑ ~gelb. **~firnis** *m.* 〖工〗 호박칠. **~fischerei** *f.* ↑ ~fang. **~-gelb** *a.* 호박색의. **~harz** *n.* 〖化〗 호박 수지(樹脂). **~kette** *f.* 호박 목걸이. **~korallen** *pl.* 호박 구슬 목걸이. **~lack** *m.* ↑ ~firnis. **~öl** *n.* 〖化·醫〗 호박유(油). **~perle** *f.* 호박 구슬. **~sauer** *a.* 〖化〗 호박산(酸)의. **~-säure** *f.* 〖化〗 호박산(酸). **~spitze** *f.* 호박으로 만든 담배 파이프 물부리.
berohren [bəróːrən] *t.* (초벽하기 위하여 벽에) 갈대를 대다.
Berolina [beroliːna] 《lat.》 *f.* 베롤리나(베를린을 상징하는 여성상); 풍만하고 체격이 좋은 여자.
berosten *i.* 녹슬다.
Bersagliere [bɛrsaljéːrə] 《it.》 *m.* -(s), ..ri 〖軍〗 이탈리아의 저격병.
Bersch [bɛrʃ, beːrʃ] *m.* -es, -e 농어 종류.
Berschling [bɛ́rʃlɪŋ] *m.* -s, -e ↑ Bersch.
Berserk [bɛrzɛ́rk] *m.* -s, -er ↑ Berserker.
Berserker [(또는) bɛ́rzɛr..] 《anord. „Bärenkleid"》 *m.* -s, - ①〖북구신화〗 곰의 껍질을 쓰고 싸우는 사나운 용사. ②〔비유〕 사나운〔난폭한〕 사람.
berserkerhaft *a.* 사나운, 난폭한.
berserkern *i.* (h.) 사납게 굴다, 미쳐 날뛰다.
Berserker·wut *f.* 광란, 격노.
Bersich [bɛ́rzɪç, béːrzɪç] *m.* -(e)s, -e ↑ Bersch.
bersten [bɛ́rstən] (barst/(고어) borst/(드물게) berstete, geborsten) *i.* 쪼개지다, 금이 가다; 파열하다: beim Erdbeben barsten die Wände 지진이 일어났을 때 벽에 금이 갔다; der Saal war zum Bersten voll 그 강당은 미어터지도록 꽉찼다; ich bin zum Bersten voll〔satt〕 나는 (많이 먹어서) 배가 터질 것 같다; vor Wut ~ 노발대발하다; vor Lachen ~ (wollen) 포복절도하다.
Berst·schutz *m.* 원자로 폭발 보호벽.
Berta [bɛ́rta] *f.* ① 베르타(여자 이름). ②〖軍〗 dicke ~ 42 센티 포(砲).

Berte [bέrtə] *f.* ↑ Berta.
Bertelsmann 〖산업〗 세계 굴지의 복합 매체 기업.
Bert(h)old [bέrt(h)ɔlt] *m.* 베르톨트(남자 이름).
Bertillon [bɛrtiljɔ̃] *m.* -s Alphons ~ 베르티용(프랑스의 법의학자, 1853-1914).
Bertillonage [bɛrtijoná:ʒə] *f.* 베르티용식 (신체 특징을 이용한) 범인 감식법.
Bertillonsch [bɛrtijɔ̃:ʃ] *a.* das ~e System ↑ Bertillonage.
Bertram[1] [bέrtram] *m.* 베르트람(남자 이름).
Bertram[2] *m.* -s, -e 〖植〗 ① 톱풀의 일종. ② 금송화.
berüchtigt [bərʏ́çtɪçt] *a.* 악명 높은, 평판이 좋지 않은: er ist für seine [wegen seiner] Grausamkeit ~ 그는 포악하기로 악명 높다.
berücken [bərʏ́kən] *t.* ①〖사냥·고어〗 (물고기·새를) 그물로 잡다. ②〖비유〗엄습[기습]하다; 속이다; 매혹하다, 정신을 호리다: ihre Anmut berückte ihn 그녀의 우아함이 그의 마음을 사로잡았다; sich ~ lassen 술책에 빠지다.
berückend *p.a.* 매혹적인.
***berücksichtigen** [bərʏ́kzɪçtɪgən] *t.* ① 고려하다, 참작하다: die besonderen Umstände ~ 특수한 상황을 고려하다; js. Gesundheitszustand ~ 누구의 건강 상태를 고려하다; man muß dabei ~, daß... 그 경우에는 …을 참작해야 한다. ②〖농담〗무엇에 등을 돌리다.
Berücksichtigung *f.* -en 고려, 참작: in ~, daß... …함[임]을 참작해서; unter ~ der Umstände 사정을 고려하여.
Berücksichtigungs·fall *m.* 고려 사항: im ~ (사정을) 참작하면.
Berückung [bərʏ́kuŋ] *f.* -en 농락; 매혹.
berudern *t.* ①〖드물게〗(노를 저어) 항행하다, 노저어 가다. ② (보트 따위에) 노를 달다.
***Beruf** [bərú:f] 《<berufen》 *m.* -(e)s, -e ① 사명, 소명, 천직: seinen ~ verfehlen 소임을 그르치다; den ~ zum Künstler (in sich[3]) fühlen 예술가가 될 소명을 느끼다. ② 직업, 직종, 직무: sich auf einen ~ vorbereiten 어떤 직업을 준비하다; im ~ stehen 직장 생활을 하고 있다; in der Ausübung seines ~es sterben [in seinem ~ sterben] 순직하다; einen ~ ergreifen 어떤 직업을 잡다; keinen festen ~ haben 일정한 직업이 없다; einem ~ nachgehen [obliegen] 어떤 직업에 종사하다. ③〖고어〗소환, 소집, (신의) 부름.
berufen[1] [bərú:fən] 《I》 *t.* ①〖고어〗 소환하다, 소집하다: den Kongreß ~ 회의를 소집하다. ② 임명하다, 초빙하다, 누구에게 어떤 천직[사명]을 주다: jn. zum Nachfolger des Verstorbenen ~ 누구를 고인의 후계자로 임명[지명]하다; jn. auf einen Lehrstuhl ~ 누구를 교수에 임명하다; einen Spieler ~ 어떤 선수를 선발팀에 받아들이다. ③ 어떤 일을 너무 떠벌려 그르치다: ich will es nicht ~, aber bisher hat die Sache immer geklappt 나는 그것을 미리 떠벌려 그르치고 싶지 않은데, 지금까지 그 일은 늘 잘 되어 왔다. ④ (nordd.) jn.[et.] ~ 누구를[무엇을] 꾸짖다, 나무라다; sie hat die Kinder ~, als sie nicht essen wollten 아이들이 밥을 안 먹으려고 하자 그녀는 아이들을 꾸짖었다. ⑤ (유령을) 불러내다, (불행을) 불러들이다. ⑥ (öst.) gegen ein Urteil ~ 판결에 불복하다, 항소하다. 《II》 *refl.* sich ~ ① sich auf jn.[et.] ~ 누구를[무엇을] 증인으로[증거로] 끌어대다; auf wen willst du dich denn dabei ~? 너는 도대체 누구를 거기에 증인으로 끌어내려고 하느냐?; sich auf sein Recht [seine Unschuld] ~ 자신의 권리[무죄]를 주장하다. ②〖法·고어〗 이의를 제기하다: sich auf ein höheres Gericht ~ 상급 재판소에 항소[상고]하다.
berufen[2] *p.a.* ① 적임[적격]의, 천부적인: zu et.[3] ~ a) 무엇이 천직인, 무엇에 적임인, b) 무엇의 자격이 있는; ein ~er Kritiker 천부적인 비평가; er fühlt sich zum Missionar ~ 그는 선교사가 되어야 겠다는 소명감을 갖고 있다; ich fühle mich nicht dazu ~, hier einzugreifen 나는 이 문제에 관여할 자격이 있다고 생각하지 않는다; viele sind ~, aber wenige sind auserwählt 부르심을 받은 자는 많으나, 택하심을 받은 자는 적다(마태 22:14). ② 평판 있는; 유명한.
Beruf·kraut *n.* 〖植〗 개망초의 일종.
beruflich *a.* 직업상의: ~ tätig sein 직장 생활을 하고 있다.
Berufs⸗anfänger *m.* 직업[사회] 초년생. **~arbeit** *f.* 업무, 직무. **~art** *f.* 직업의 종류. **~aufbau·schule** *f.* 직업 교육 학교. **~auffassung** *f.* 직업관. **~aussichten** *pl.* 취업 전망. **~ausbildung** *f.* 직업 교육. **~beamte** *m.* 직업 공무원. **~beamtentum** *n.* 직업 공무원 제도. **≈bedingt** *a.* 직업으로 인한, 직업과 관계가 있는. **≈begleitend** *a.* 직업[직무]에 수반되는. **~berater** *m.* 직업[취업] 상담원. **~beratung** *f.* (노동청에서 주관하는) 직업 상담. **~bezeichnung** *f.* (공식적인) 직업명: seine ~ ist: Facharzt für innere Krankheiten 그의 직업명은 내과 전문의이다. **≈bezogen** *a.* 직업에 관련된. **~bildend** *a.* 직업 교육을 하는. **~bildung** *f.* 직업 교육. **~bildungs·werk** *n.* (장애인을 위한) 직업 교육 기관. **~boxen** *n.* 프로 권투. **~boxer** *m.* 프로 권투 선수. **~buch** *n.* 근무[업무] 수첩. **~chance** *f.* 취업 전망[기회]. **~eifer** *m.* 직업에 대한 열성. **≈erfahren** *a.* 직업[실무] 경험이 있는. **~erfahrung** *f.* 직업[실무] 경험. **~erziehung** *f.* 직업 교육. **~ethos** *n.* 직업 윤리. **~fach** *n.* 직종. **~fach·schule** *f.* 직업[실업] 전문학교. **~fahrer** *m.* ① 직업 운전수. ② (자동차 회사의) 시험 운전 기사. ③ (자동차·자전거 경주의) 직업 선수. **~feuer·wehr** *f.* 직업 소방대.
Berufs⸗findung *f.* ↑ ~wahl. **~förderung** *f.* 직업 교육 지원 조치. **~fortbildung** *f.* 직업 심화[보충] 교육. **~fotograf** *m.* 직업 사진사. **~freiheit** *f.* 직업 선택의 자유. **≈fremd** *a.* 전문이 아닌, 문외한의. **≈freudig** *a.* 자신의 직업을 즐기는. **~freudigkeit** *f.* 직업의 낙. **~fußball** *m.* 프로 축구. **~fußballer** *m.* 프로 축구 선수. **~geheimnis** *n.* ① (의사·변호사 등의) 직무상의 비밀. ② 장사의 비결. **≈gemäß** *a.* 직업상의. **~genosse** *m.* 동업자, 동료. **~genossenschaft** *f.* 동업 (보험) 조합. **~gericht** *n.* 직업 재판소. **~geschäft** *n.* 직업; 직무.

~**geschicklichkeit** *f.* 직업적 숙련. ~**gliederung** *f.* 직업 조직. ~**gruppe** *f.* 〖經〗 직종. ~**heer** *n.* 〖軍〗 정규군. ~**klasse** *f.* 직종. ~**klatscher** *m.* 〖연극〗 직업적 박수꾼, 박수 부대. ~**kleidung** *f.* 작업복. ~**kollege** *m.* 직업〔직장〕 동료. ~**krankheit** *f.* 〖法〗 직업병. ~**kraut** *n.* 개망초의 일종. ~**kunde** *f.* 직업학. ~**lauf·bahn** *f.* 직업 경력. ~**leben** *n.* 직업 활동〔생활〕. ~**lenkung** *f.* 〖구동독〗 직업〔취업〕 지도.

berufslos *a.* 무직의, 실직인.

berufs=mäßig *a.* 직업상의, 직업적인. ~**offizier** *m.* 직업 장교. ~**organisation** *f.* 직능 조직. ~**pädagogik** *f.* 직업 교육학. ~**pädagogisch** *a.* 직업 교육학의. ~**pflicht** *f.* 직무상〔직업상〕 의무. ~**praktikum** *n.* 직업 실습. ~**psychologie** *f.* 직업 심리학. ~**reise** *f.* 출장 여행. ~**revolutionär** *m.* 〖폄어〗 직업 혁명가. ~**risiko** *n.* 직업상 위험. ~**schule** *f.* 직업 학교.

Berufsschul=pflicht *f.* 직업 학교 취학 의무. ~**wesen** *n.* 직업 학교 제도.

Berufs=soldat *m.* 직업 군인. ~**spieler,** ~**sportler** *m.* 〖스포츠〗 프로 선수. ~**sprache** *f.* 특정 직종의 전문어. ~**stand** *m.* 직능 계층. ~**ständisch** *a.* 직능 계급의. ~**statistik** *f.* 직업 통계. ~**tätig** *a.* 직업 활동을 하는. ~**tätige*** *der/die* 직장인, 직업인. ~**tätigkeit** *f.* 직업 활동. ~**tracht** *f.* 작업복, 제복. ~**treue** *f.* 직업〔직무〕에 대한 충실성. ~**unfähigkeit** *f.* (질병·사고로 인한) 직업 수행 불능. ~**verband** *m.* 직업 조합. ~**verbot** *n.* 〖法〗 취업 금지. ~**verbrecher** *m.* 상습범. ~**verein** *m.* ↑ ~verband. ~**verkehr** *f.* 출퇴근 시간의 교통 혼잡. ~**vertretung** *f.* 직능 대표. ~**vormundschaft** *f.* 직업 후견. ~**wahl** *f.* 직업 선택. ~**wechsel** *m.* 전업, 전직. ~**widrig** *a.* 직무에 위배되는.

Berufung [bərú:fuŋ] *f.* -en ① 초빙, 임명: ~ auf einen Posten 어떤 직위에의 임명; eine ~ (an eine Universität) erhalten (대학 교수에) 초빙되다. ② 소명(召命) 의식: die ~ zum Arzt in sich fühlen 의사로서의 소명을 느끼다. ③ 증거로서〔증인으로서〕 끌어 대는 일, 원용(援用): unter〔mit〕 ~ auf et. 무엇을 인증(引證)으로 내세워. ④ 〖法〗 항소, 상고: ~ einlegen 상소하다. ⑤ 〖고어〗 소환, 소집. ⑥ 〖스포츠〗 선발팀에 받아들임. ⑦ (nordd.) 질책, 꾸중.

Berufungs=antrag *m.* 〖法〗 항소〔상고〕 신청. ~**beklagte*** *der/die* 피항소〔피상고〕인. ~**frist** *f.* 항소〔상고〕 기한. ~**gericht** *n.* 항소〔상고〕 법원. ~**instanz** *f.* 항소 법원. ~**klage** *f.* 항소, 상고. ~**kläger** *m.* 항소〔상고〕인. ~**liste** *f.* 초빙 대상자 추천 명부. ~**recht** *n.* ① 항소〔상고〕권. ② 임명권. ~**schreiben** *n.* 임용 사령(장). ~**schrift** *f.* 항소〔상고〕장.

***beruhen** [bərú:ən] *i.* (h.) ① (auf et.³) 근거〔기인·의거〕하다: auf einem Irrtum ~ 오류에 기인하다; auf Wahrheit ~ 진실에 의거하다; die Abneigung beruht auf Gegenseitigkeit 싫어하기는 피차 마찬가지다; et. auf sich³ ~ lassen 무엇을 내버려〔방치해〕 두다. ② 〖드물게〗 in〔bei〕 et.³ ~ 무엇을 고집하다.

***beruhigen** [bərú:ɪgən] 《I》 *t.* 진정〔안심〕시키다, 달래다: ich habe das Kind nur mit Mühe ~ können 나는 그 아이를 가까스로 달랠 수 있었다; seien Sie ganz beruhigt! 아무 염려 마십시오! 《II》 *refl.* sich ~ ① 진정되다, 안심하다: ~ Sie sich! 걱정하지 마십시오!; sich bei et.³ ~ 무엇으로 만족하다. ② (분노·파도가) 진정하다, 가라앉다, (고통이) 누그러지다: nun beruhige dich doch endlich! 이제 제발 진정해라!

beruhigend *p.a.* 진정〔안심〕시키는, 위안이 되는: ~e Worte sprechen 위로의 말을 하다; 〖醫〗 ~es Mittel 진정제.

Beruhigung *f.* -en 진정(하기), 안심, 위안: es ist mir eine ~ zu wissen, daß... 저는 …하다는 것을 알고 안심합니다.

Beruhigungs=grund *m.* 안심할 이유. ~**mittel** *n.* 〖醫〗 진정제. ~**spritze** *f.* 〖醫〗 진정제 주사. ~**tropfen** *pl.* 〖醫〗 진정제.

berühmen [bərý:mən] 《I》 〖고어〗 *t.* 칭찬〔칭송〕하다. 《II》 *refl.* sich eines Dinges 〔mit et.³〕 ~ 무엇을 자랑하다. 《III》 **berühmt** *p.a.* ↑ berühmt.

***berühmt** [bərý:mt] 《I》 *p.p.* ↑ berühmen. 《II》 *p.a.* 유명한, 이름난: diese Schauspielerin ist in aller Welt ~ 이 여배우는 세계적으로 유명하다; mit einem Schlag 〔über Nacht〕 ~ werden 단번에〔하룻밤 사이에〕 유명해지다; ~-berüchtigt 유명한 동시에 악명 높은; dein Aufsatz ist nicht ~ 네 논문은 별것 아니다.

Berühmtheit *f.* ① 유명, 저명: ~ erlangen 유명하게 되다, 명성을 얻다. ② 유명 인사, 명사: er ist in den letzten Jahren eine ~ geworden 그는 지난 몇 년 사이에 유명 인사가 되었다.

***berühren** [bərý:rən] 《I》 *t.* ① 스치다, 손을 대다, 건드리다, 접촉하다; 〖기하〗 (직선이 원 따위에) 접하다; (배가 항구에) 기항하다, (어떤 곳을) 경유하다: die hier ausgestellten Bilder bitte nicht ~! 여기 전시된 그림들에 손대지 마시오!; die Gerade berührt den Kreis 직선이 원에 접해 있다; wir haben Berlin nur berührt 우리는 베를린을 살짝 경유하기만 했다. ② (가볍게) 언급하다, 다루다. ③ 누구의 마음을 움직이다, 감동시키다: es berührt mich schmerzlich〔wohltuend〕 그것은 나의 마음을 아프게〔기쁘게〕 한다. ④ 관계〔상관〕되다: dein Vorschlag berührt meine eigenen Interessen〔Gedanken〕 네 제안은 나 자신의 관심사와〔생각과〕 상통한다. 《II》 *refl.* sich ~ (관심·생각이) 맞닿다, 통하다: das berührt sich mit meinem Gedanken 그것은 내 생각과 일맥 상통한다.

***Berührung** [bərý:ruŋ] *f.* -en ① 접촉; 관계: Ansteckung durch ~ 신체 접촉으로 인한 감염; mit jm. in ~ kommen 누구와 접촉〔교제〕하다. ② 언급: er wollte einer ~ dieser heiklen Angelegenheit ausweichen 그는 이 미묘한 사안에 대한 언급을 피하려고 했다.

Berührungs=angst *f.* 〖心〗 접촉 공포증. ~**assoziation** *f.* 〖心〗 접촉 연상. ~**ebene** *f.* 〖數〗 접평면(接平面). ~**elektrizität** *f.* 〖物〗 접촉 전기. ~**empfindlichkeit** *f.* 〖醫·生〗 접촉 감지 능력. ~**fläche** *f.* 〖工〗 접촉면. ~**gerade** *f.* 〖數〗 접선. ~**linie** *f.* 〖數〗 접선.

berührungslos *a.* 〖物·기술〗 무접촉의.

Berührungs=mine *f.* 〖軍〗 촉발 지뢰. **~punkt** *m.* 〖數〗 접점; 〔비유〕 (사상·감정의) 공통점. **~spannung** *f.* 〖전기〗 접촉 전위(電位). **~verbindung** *f.* 〖心〗 접촉 결합. **~winkel** *m.* 접촉각.
berupfen *t.* (짐승의) 털을 뽑다.
berüscht [bərý:ʃt] *a.* (가장자리에) 주름이 있는〔잡힌〕.
berußen [bərú:sən] 《Ⅰ》 *t.* 그을음으로 더럽히다, 그을리다. 《Ⅱ》 **berußt** *p.a.* ↑ berußt.
berußt 《Ⅰ》 *p.p.* ↑ berußen. 《Ⅱ》 *p.a.* 그을린.
berüsten [bərÝstən] *t.* 〖건축〗 (무엇에) 발판을 만들다.
Beryll [berÝl] 《gr.》 *m.* -s, -e 〖광물〗 녹주석, 녹주옥.
Beryllium [berÝlium] *n.* -s 〖化〗 베릴륨(기호: Be).
bes. ＝besonders 특히.
besabbeln [bəzábəln] *t.* ↑ besabbern.
besabbern 《Ⅰ》 *t.* 침〔음식물〕을 뱉어 더럽히다: jn. ~ a) 누구에게 침을 뱉다, b) 누구를 욕하다. 《Ⅱ》 sich ~ 침을 흘리다.
besacken 《Ⅰ》 *t.* (짐승에) 짐을〔보따리를〕 싣다. 《Ⅱ》 *refl.* sich ~ 배터지게 먹다; 자기 주머니를 가득 채우다.
besäen [bəzɛ́:ən] *t.* 씨뿌리다, 파종하다: einen Acker mit Korn ~ 밭에 곡식을 파종하다; der mit Sternen besäte Himmel 별이 총총한 하늘.
besagen 《Ⅰ》 *t.* 무엇을 말하다; 의미하다: das will nichts〔viel〕 ~ 그것은 아무 의미도 없다〔중요한 의미가 있다〕. 《Ⅱ》 **besagt** *p.a.* ↑ besagt.
besagt [..kt] 《Ⅰ》 *p.p.* ↑ besagen. 《Ⅱ》 *p.a.* 앞서 말한, 이미 아는: in dem ~en Ort 앞서 말한 장소에서; um auf den ~en Hammel zurückzukommen 〖구어〗 본론으로 돌아가서.
besagter·maßen *adv.* 이미 말한 바와 같이, 알다시피.
besaiten [bəzáɪtən] 《Ⅰ》 *t.* 〖악기〗 (현악기에) 줄을 매다: eine Geige ~ 바이올린에 줄을 매다. 《Ⅱ》 **besaitet** *p.a.* ↑ besaitet.
besaitet 《Ⅰ》 *p.p.* ↑ besaiten. 《Ⅱ》 *p.a.* (악기에) 줄이 매어진; 재능을 타고난: 〖비유〗 zart〔fein〕 ~ 민감한, 감각이 섬세한.
besalben [bezálbən] *t.* 〖드물게〗 ① (어디에) 연고〔향유〕를 바르다. ② 〖구어〗 속이다, 눈가림하다.
besamen [bəzá:mən] 《Ⅰ》 *t.* 씨뿌리다; 수정(受精)시키다: künstlich ~ 인공 수정시키다. 《Ⅱ》 *refl.* sich ~ 번식하다, 수정하다.
besämen [bəzɛ́:mən] *t.* ↑ besamen.
besammeln (schweiz.) 《Ⅰ》 *t.* 모으다, 집합시키다. 《Ⅱ》 *refl.* sich ~ 모이다.
Besammlung *f.* -en 집합, 집결.
Besamung *f.* -en 파종(播種); (인공) 수정.
Besamungs=station *f.* 인공 수정소. **~tier·arzt** *m.* 인공 수정 전문 수의사. **~zentrale** *f.* ↑ ~station.
Besan [bezá:n] 《lat.》 *m.* -s, -e 〖海〗 고물〔선미〕(세로살)돛.
Besan·baum *m.* 고물돛〔선미돛〕을 펴는 살.
besanden *t.* …에 모래를 뿌리다.
besänftigen [bəzɛ́nftɪgən] 《Ⅰ》 *t.* 완화〔진정〕시키다, 달래다: einen Wütenden ~ 격분한 사람을 진정시키다. 《Ⅱ》 *refl.* sich ~ 가라앉다, 진정되다; der Sturm begann sich zu ~ 폭풍우가 잠잠해지기 시작했다.
Besänftigung *f.* -en 완화, 진정.
Besänftigungs·mittel *n.* 〖醫〗 진정제, 완화제.
Besan=gaffel [bezá:n..] *f.* 〖海〗 고물 돛대 세로살. **~mars** *m./f.* 고물 장루(檣樓). **~mast** *m.* 고물 돛대. **~schote** *f.* 〖海〗 고물 돛 아래자락줄. **~segel** *n.* ↑ Besan. **~stag** *n.* 고물 돛대 버팀줄.
Besatz [bəzáts] 《＜besetzen》 *m.* -es, ..sätze [..sɛ́tsə] ① 옷에 단 레이스·가장자리 따위의 장식. ② (고산 목장의) 가축 총수; (양어장의) 물고기 총수; 〖사냥〗 (어떤 구역의) 사냥감의 총수. ③ (신발) 측면의 가죽. ④ (자물쇠의) 안전 장치. ⑤ 〖工〗 폭약통의 안전 장치.
Besatz·band *n.* 〔복수: ..bänder〕 가장자리 장식 리본, 단의 장식끈.
Besatzer *m.* -s, - 점령군 병사, 점령자.
Besatz=fell *n.* 옷 장식용 모피. **~fisch** *m.* (양어장의) 어린 물고기. **~schnur** *f.* 옷의 장식 끈. **~streifen** *m.* 옷 가장자리의 장식띠. **~teich** *m.* 양어지(池).
Besatzung [bəzátsuŋ] 《＜besetzen》 *f.* -en ① 〖軍〗 (a) 수비대. (b) 점령군. ② 〖海·空〗 승무원. ③ 열쇠의 갈고리.
Besatzungs=armee *f.* 점령군. **~gebiet** *n.* 점령 지역. **~kind** *n.* (점령군 병사와 현지 여자 사이에서 태어난) 점령군 자녀. **~kosten** *pl.* 주둔 비용. **~macht** *f.* 〖軍〗 점령국. **~recht** *n.* 〖法〗 ① 점령〔주둔〕권. ② 점령국의 포고령. **~soldat** *m.* 점령군 병사. **~statut** *n.* 점령 조례. **~truppen** *pl.* 〖軍〗 점령〔진주〕군. **~zeit** *f.* 점령 기간. **~zone** *f.* 점령 지대.
besauen [bəzáuən] *t.* 더럽히다.
besaufen* [bəzáufən] 《Ⅰ》 *refl.* 〖구어〗 sich ~ 곤드레만드레 취하다. 《Ⅱ》 **besoffen** *p.a.* ↑ besoffen.
Besäufnis[1] [bəzɔ́Yfnɪs] *f.* -se 만취 (상태).
Besäufnis[2] *n.* -ses, -se 술판, 술잔치.
besäumen [bəzɔ́Ymən] 《Ⅰ》 *t.* ① 나무를 모나게〔각지게〕 다듬다. ② 〖재봉〗 가장자리를 감치다. ③ 〖고어〗 무엇의 가장자리〔테두리〕를 장식하다: Pappeln ~ den Weg 포플러 나무가 길가에 늘어서 있다. 《Ⅱ》 **besäumt** *p.a.* ↑ besäumt.
besäumt [bəzɔ́Ymt] 《Ⅰ》 *p.p.* ↑ besäumen. 《Ⅱ》 *p.a.* 〖건축〗 모난, 각진.
Besäung 《＜besäen》 *f.* -en 파종, 씨뿌리기.
besäuseln *refl.* 〖구어〗 sich ~ 살짝〔가볍게〕 취하다.
***beschädigen** [bəʃɛ́:dɪgən] 《Ⅰ》 *t.* ① 손상시키다, 훼손하다. ② 상해를 입히다. 《Ⅱ》 *refl.* sich ~ 부상당하다, 상처를 입다. 《Ⅲ》 **beschädigt** *p.a.* ↑ beschädigt.
Beschädiger *m.* -es, - 〖法〗 훼손자, 가해자.
beschädigt [..çt] 《Ⅰ》 *p.p.* ↑ beschädigen. 《Ⅱ》 *p.a.* 손상된, 상해를 입은: 〖商〗 ~e Ware 흠 있는 물건; 〖法〗 der ~e 피해자.
Beschädigung *f.* -en 손상, 부상, 훼손; 〖海〗 해손(海損).
beschaffbar *a.* 구할〔조달할〕 수 있는.
beschaffen[1] [bəʃáfən] 〖약변화〗 *t.* 얻다, 가져오다, 공급〔조달〕하다: schwer zu ~ 입수〔조달〕하기 어려운; jm. et. ~ 누구에게 무엇을 공급〔조달〕하다.

beschaffen[2] *a.* …의 성질〔성향〕이 있는, …한 상태의: das ist soundso ~ 그것은 이러이러한 성질〔특성〕을 지녔다; ich bin nun einmal so ~ 나는 어차피 그런 사람이다; so ist die Welt ~ 세상이란 그런 것이다; wie ist es damit ~? 그것은 어떻게 되어 있습니까?; wie ist es mit deiner Gesundheit ~? 네 건강은 어떠냐?

***Beschaffenheit** *f.* -en 성질, 소질, 상태: Boden~ 토질; Körper~ 체질; ~ eines Materials 어떤 재료의 속성; von eigentümlicher ~ 독특한 성질〔속성〕을 지닌; (je) nach ~ der Umständen 사정 여하에 따라.

Beschaffenheits·wort *n.* 〘고어〙 형용사.

Beschaffung [bəʃáfuŋ] *f.* -en 조달, 공급.

Beschaffungs=amt *n.* 조달청. **~kosten** *pl.* 공급〔조달〕 비용. **~kriminalität** *f.* 마약 및 마약 구매비 조달을 위한 범죄 행위.

beschäften *t.* (총기·도구의) 자루〔대〕를 달다.

***beschäftigen** [bəʃɛ́ftɪgən] 《Ⅰ》 *t.* ① 일을 시키다, 고용하다: das Unternehmen beschäftigt 500 Arbeiter 이 사업장에는 500명의 노동자가 고용되어 있다; bei einer Firma beschäftigt sein 어떤 회사에서 일하다. ② 일거리를 주다, 몰두시키다: die Phantasie ~ 상상력을 발휘하다, 상상하다; der Roman beschäftigt mich 나는 이 소설에 몰두하고 있다; die Kinder ~ 아이들에게 소일거리를 주다. 《Ⅱ》 *refl.* ① sich mit et. ~ 무엇에 종사〔몰두〕하다: er beschäftigt sich mit Dante 그는 단테 연구에 몰두하고 있다. ② 돌보다: die Eltern ~ sich wenig mit den Kindern 그 부모들은 아이들을 별로 돌보지 않는다. 《Ⅲ》 **beschäftigt** *p.a.* ↑ beschäftigt.

***beschäftigt** [..çt] 《Ⅰ》 *p.p.* ↑ beschäftigen. 《Ⅱ》 *p.a.* ①〔서술적〕 일에 종사하고 있는; 바쁜: sehr〔viel〕 ~ sein 무척 바쁘다; mit et.[3] ~ sein a) 무엇으로 바쁘다, b) …에 종사하고 있다. ②〔부가적〕 바쁜, 근면한.

Beschäftigte* *der/die* 피고용인, 종업원.

***Beschäftigung** [bəʃɛ́ftɪguŋ] *f.* -en ① 고용: die ~ von Kindern in Fabriken ist nicht erlaubt 공장에서의 아동 고용은 허용되지 않는다. ② 종사, 관여: die ~ mit der englischen Sprache 영어 공부〔연구〕; nach eingehender ~ mit dieser Frage 이 문제를 자세히 검토한 후에. ③ 일, 용무: keine ~ haben〔ohne ~ sein〕 빈둥빈둥 놀고 지내다, 무직이다. ④〘교육〙 (치료를 목적으로 한) 아이들 돌보기.

Beschäftigungs=art *f.* 고용 방식, 취업 방법. **~grad** *m.* 〘經〙 ① 취업률, 고용률. ② (특정 사업장·생산 부문의) 가동률. **~index** *m.* 〘經〙 고용 지표. **~lähmung** *f.* 〘醫〙 직업성 마비.

beschäftigungslos *a.* 일〔직업〕이 없는, 실직한.

Beschäftigungslosigkeit *f.* 실직, 실업.

Beschäftigungs=nachweis *m.* 취업 증명. **~neurose** *f.* 〘醫〙 직업적 신경증. **~pflicht** *f.* 〘法〙 고용 의무. **~politik** *f.* 고용 정책. **~stand** *m.* ↑ ~grad ①. **~therapie** *f.* ① 작업 요법(작업을 통한 치유법). ②〔폄어〕 아무 성과 없는 일, 시간때우는 일. **~trieb** *m.* 활동 욕구, 일하고 싶은 욕구.

Beschäl·anstalt [bəʃɛ́:l..] *f.* 종마장(種馬場).

beschalen [bəʃá:lən] *t.* …에 널빤지를 대다: ein Messer ~ 나이프의 자루에 (금속·뿔 따위의) 판을 대다.

beschälen[1] [bəʃɛ́:lən] 《<Schale》 *t.* 껍질을 벗기다: Kartoffeln ~ 감자 껍질을 벗기다.

beschälen[2] 《mhd.》 *t.* 교미하다: der Hengst beschält die Stute 수말이 암말과 짝짓기〔교미〕하다.

Beschäler *m.* -s, - 종마(種馬).

Beschäl·geld *n.* 종마의 교배료.

beschallen(*) *t.* ① …에 울려 퍼지다: der Lautsprecher beschallt den Saal 확성기 소리가 홀에 울려 퍼진다. ② (물질·원료 따위를) 초음파 처리〔검사〕하다. ③〘醫〙 초음파 치료하다: einen Patienten ~ 환자를 초음파 치료하다.

Beschallung *f.* -en ↑ beschallen의 명사형.

Beschäl·seuche *f.* 동물의 성병.

Beschälung *f.* -en (동물의) 짝짓기, 교미.

Beschäl·zeit *f.* 종마의 짝짓기 기간〔교미기〕.

***beschämen** [bəʃɛ́:mən] 《Ⅰ》 *t.* 부끄럽게 하다, 창피 주다; 〘비유〙 훨씬 능가하다, 무색케 하다: Ihre Güte beschämte mich 호의를 베풀어 주시니 몸둘 바를 모르겠습니다. 《Ⅱ》 **beschämt** *p.a.* ↑ beschämt.

beschämend *p.a.* 부끄럽게 하는: dein Verhalten ist ~ 네 태도는 모욕적이다; ein ~es Gefühl der Niederlage 패배의 굴욕감.

beschämender·weise *adv.* 부끄럽게도, 창피하게도.

beschämt 《Ⅰ》 *p.p.* ↑ beschämen. 《Ⅱ》 *p.a.* 부끄럽게 여기는, 창피한.

Beschämung *f.* -en 창피 줌, 수치.

beschatten [bəʃátən] 《Ⅰ》 *t.* ① 그늘로 가리다, 그늘지게 하다; 〘비유〙 비호하다: ein großer Hut beschattete ihr Gesicht 커다란 모자가 (햇볕에서) 그녀의 얼굴을 가려 주었다. ② 암운을 드리우다, 침해하다: unsere Freude wurde durch dieses traurige Ereignis beschattet 우리의 기쁨은 이 슬픈 사건으로 인해 가려지고 말았다. ③ 덮어 숨기다; …을 능가하다; 〘畫〙 음영(陰影)을 나타내다. ④ (몰래) 감시하다: jn. von Detektiven ~ lassen 탐정에게 누구를 감시하게 하다. ⑤〘구기〙 상대 선수를 밀착 방어하다. 《Ⅱ》 **beschattet** *p.a.* ↑ beschattet.

Beschatter *m.* -s, - 감시인.

beschattet 《Ⅰ》 *p.p.* beschatten. 《Ⅱ》 *p.a.* (길 따위가) 그늘진, 그늘에 가려진.

Beschattung *f.* -en 그늘; 감시.

beschatzen *t.* 〘고어〙 과세(課稅)하다.

Beschau [bəʃáu] *f.* -en ① 주시, 관찰; (관청에서 실시하는) 육류·물품 등의 검사. ②〘宗·哲〙 정관(靜觀), 명상. ③〔방언〕 맞선.

***beschauen** [bəʃáuən] 《Ⅰ》 *t.* 주시〔관찰〕하다, 검사하다. 《Ⅱ》 *t./i.* 명상에 잠기다: sich innerlich ~ 내성(內省)하다; ein ~des Leben 명상적 생활.

beschauens·wert *a.* 주목할 만한.

Beschauer *m.* -s, - ① 관찰자, (미술품의) 감상자. ② (세관·도축장의) 검사원: 〘法〙 Leichen~ 검시원(檢屍員).

beschaulich *a.* ① 관조적인, 명상적인. ② 평온한, 한가로운: ein ~es Leben führen 평온한 삶을 영위하다.

Beschaulichkeit *f.* -en 정관〔관조〕 상태; 평온.

beschäumen 《I》*t.* 거품으로 덮다. 《II》 **beschäumt** *p.a.* ↑ beschäumt.

beschäumt 《I》*p.p.* beschäumen. 《II》*p.a.* 거품으로 덮힌, 거품이 낀.

beschau·pflichtig *a.* (육류·물품 따위가) 검사받을 의무가 있는.

Beschauung [bəʃáuʊŋ] *f.* -en ① 관찰, 주목. ② 검사. ③ 정관(靜觀), 관조, 명상.

Beschau·zeichen *n.* 검사필 표시.

***Bescheid** [bəʃáɪt] 《<bescheiden》*m.* -(e)s, -e ① 결정, 확답; 〖法〗 판결, 회답: bis auf weiteren ~ 추후 통지가 있을 때까지; der endgültige ~ 최종 결정; ~ erwarten〔erhalten〕 회답을 기다리다〔받다〕. ② 정보, 소식, 통보: jm. ~ geben 누구에게 통보하다; jm. ~ sagen a) 누구에게 보고하다, 결정 사항을 알리다, b) 〔구어〕 누구에게 거침없이 말하다; bitte sagen sie mir ~, wann ich aussteigen muß 제가 언제 내려야 할는지 말씀해 주십시오; 〔구어〕 jm. ~ stoßen 누구에게 딱 부러지게 말하다; in einem Fach 〔an einem Ort〕 ~ wissen 어떤 분야〔지역〕에 밝다; mit allem ~ wissen 모든 것에 통달하고 있다; danke, ich weiß ~! 감사합니다, 잘 알겠습니다!; damit du ~ weißt! 제대로〔똑바로〕 알아 두라구! (위협·다짐의 말). ③ jm. ~ tun 누구에게 지지 않고 대꾸〔응수〕하다, 답배(答盃)하다.

bescheiden*[1] [bəʃáɪdən] 《I》*t.* ①〖雅語〗 누구의 몫으로 (정해) 주다, 할당하다: ihm war wenig Glück beschieden 그는 박복하게 살았다. ② 누구에게 회답〔통지〕하다: jn. abschlägig ~ 누구에게 거절의 회답을 하다; jn. an einen Ort ~ 누구를 어느 장소에 호출하다; jn. vor Gericht ~ 누구를 법정에 소환하다. ③ (청원 따위에 대해) 결정을 내리다: der Antrag wurde positiv beschieden 그 신청 건에 대해서는 긍정적인 결정이 내려졌다. 《II》 *refl.* sich ~ 분수를 알다〔지키다〕: sich mit et.[3] ~ 무엇에 만족하다; ich will mich meiner Ansicht ~ 나는 의견 표명을 보류하겠다.

***bescheiden**[2] *a.* ① 겸손한; 중용을 지키는: ein ~er Mensch 겸손한 사람. ② 검소한; (보수 등이) 얼마 안 되는, 근소한: ein ~es Gehalt 보잘것없는 급료; wie geht's dir? — ~! 어떻게 지내니? — 그럭저럭 지내! ③〔은어〕 형편없는, 한심한: das Arbeitsklima bei uns ist ~ 우리 회사의 작업 환경은 형편없다.

Bescheidenheit *f.* -en 겸손; 검소.

bescheidentlich *a.* 〔구식〕 ↑ bescheiden[2].

Bescheider *m.* -s, - (정미소의) 고참 직공 (Mühlen~).

Bescheidung *f.* -en 만족.

bescheinen*[1] [bəʃáɪnən] *t.* 비추다.

bescheinen[2] *t.* 〔약변화〕 ↑ bescheinigen.

bescheinigen [bəʃáɪnɪgən] 《<Schein》*t.* (무엇을) 서류로 증명하다.

Bescheiniger *m.* -s, - 증명자, 증명서 발급자.

Bescheinigung [bəʃáɪnɪgʊŋ] *f.* -en 증명; 증서: eine ~ ausstellen 증서를 발급하다.

bescheißen* 《I》*t.* 〔비속〕 ① 똥오줌으로 더럽히다. ② 속이다. 《II》 **beschissen** *p.a.* ↑ beschissen.

beschissen 《I》*p.p.* ↑ bescheißen. 《II》*p.a.* 〔속어〕 ① 똥오줌으로 더렵혀진, 너저분한. ② 대단히 불쾌한, 형편이 아주 좋지 않은: mir geht es zur zeit ~ 나는 지금 형편이 말이 아니다. ③ 속은, 기만당한.

beschelten* 《I》*t.* 비난하다, 트집을 잡다. 《II》 **bescholten** *p.a.* ↑ bescholten.

beschenken [bəʃɛ́ŋkən] *t.* 선사〔선물〕하다: jn. mit Blumen ~ 누구에게 꽃을 선사하다.

Beschenkte* *der/die* 〖法〗 수증자(受贈者), 선사 받는 사람.

Beschenkung *f.* -en 증여(贈與); 선사, 선물.

bescheren[(*)1] [bəʃéːrən] *t.* (머리털·수염 따위를) 깎다.

bescheren[2] *t.* 〔약변화〕 jm. et. 〔jn. mit et.[3]〕 ~ 누구에게 무엇을 주다, 선물하다: wir ~ (die Kinder) erst morgens am 25. Dezember 우리는 (아이들에게) 12월 25일 아침에서야 선물을 준다; mir wurde ein großes Glück beschert 내게 큰 행운이 터졌다.

Bescherung *f.* -en 수여, 증여; (특히 크리스마스) 선물: 〔반어〕 das ist (ja) eine schöne 〔nette, reizende〕 ~! 아니 이럴 수가!; da haben wir die ~ 이거 난처한데.

beschichten [bəʃíçtən] *t.* 무엇에 덧입히다 〔덧칠하다〕.

beschicken [bəʃíkən] 《I》*t.* ① (전시회에) 출품하다: eine Messe mit Mustern ~ 박람회에 견본품을 출품하다. ② (회의에) 대표를 파견하다: eine Versammlung ~ 집회에 대표를 파견하다; die Tagung wurde international beschickt 그 학술 대회에는 여러 나라의 대표들이 파견되었다. ③〔고어〕 맡아서 처리하다, 돌보다: sein Haus ~ 집안일을 돌보다; nach seinem Tod hatte sie den Hof allein zu ~ 그가 죽고 나자 그녀는 농장을 혼자 돌보아야 했다. ④〔드물게〕 jn. ~ 누구를 부르러 보내다, 누구에게 사자(使者)를 보내다. ⑤〖제련〗 einen Hochofen mit Erzen ~ 용광로에 광석을 채워 넣다. 《II》 *refl.* 〔드물게〕 sich zu et.[3] ~ 무엇의 준비를 하다.

beschickern [bəʃíkərn] 《I》 *refl.* 〔구어〕 sich ~ 기분좋게〔얼큰하게〕 취하다: heute abend möchte ich mich mal etwas ~ 오늘 저녁 나는 한 번 기분좋게 취하고 싶다. 《II》 **beschickert** *p.a.* ↑ beschickert.

beschickert 《I》*p.p.* ↑ beschickern. 《II》 *p.a.* 〔구어〕 기분좋게 취한.

Beschickung *f.* -en ① 출품; 파견; 처리. ② 〖제련〗 (용광로의) 장전, 채워진 광석. ③〖제련〗 용제(熔劑) 혼합.

Beschickungs≈boden *m.* 〖제련〗 용제(熔劑) 혼합소. **~regel** *f.* 〖數〗 혼합법.

beschielen *t.* (신중·탐색·의혹의 뜻으로) 흘긋 보다.

beschienen[1] [bəʃíːnən] *p.p.* ↑ bescheinen[1].

beschienen[2] 《<Schiene》*t.* 〖工〗 ein Rad ~ 바퀴에 쇠테를 대다; 〖철도〗 레일을 깔다; 〖醫〗 부목(副木)을 대다.

Beschienung *f.* -en 〔고어〕 증명(서).

beschießen* [bəʃíːsən] 《I》*t.* ① 사격〔포격〕하다: eine Stadt ~ 어떤 도시를 포격하다; 〖사냥〗 ein Revier ~ 어떤 구역에서 총을 쏘며 사냥하다; 〔비유〕 jn. mit Vorwürfen〔Fragen〕 ~ 누구에게 비난〔질문〕을 퍼붓다. ② 〖物〗 조사(照射)〔방사〕하다: Atomkerne mit Neutronen ~ 원자핵에 중성자를 조사하다.

③ Wände mit Stoff ~ 벽을 벽지〔직물〕로 덮다. 《Ⅱ》 *i.* (s.) ① (부착물로) 덮이다. ② 《alem.》 충분하다, 넉넉하다. 《Ⅲ》 *refl.* sich ~ 사격 연습을 하다. 《Ⅳ》 **beschossen** *p.a.* ↑ beschossen.

Beschießung *f.* -en 사격, 포격.

beschiffbar *a.* 항해할 수 있는.

beschiffen [bəʃífən] *t.* ① 항해하다: das Meer ~ 바다를 항해하다. ②〖비속〗jn.〔et.〕 ~ 누구에게〔무엇에〕 오줌을 갈겨 더럽히다.

Beschiffung *f.* -en 항해.

beschilden *t.* 〖드물게〗 jn.〔et.〕 ~ 누구를〔무엇을〕 방패로 보호하다: ein beschildeter Krieger 방패를 든 전사.

beschildern [bəʃíldərn] *t.* (교통) 표지를〔간판을〕 세우다.

Beschilderung *f.* -en ① (교통) 표지 설치. ② (교통) 표지판, 간판.

beschilfen 《Ⅰ》 *t.* 갈대로 덮다. 《Ⅱ》 **beschilft** *p.a.* ↑ beschilft.

beschilft 《Ⅰ》 *p.p.* ↑ beschilfen. 《Ⅱ》 *p.a.* 갈대가 자라 있는, 갈대가 우거진.

beschimmelt [bəʃíməlt] *p.a.* 곰팡이로 덮인.

beschimpfen [bəʃímfən] *t.* 욕하다, 비방〔모욕〕하다: jn. als einen Lügner ~ 누구를 거짓말쟁이라고 욕하다.

beschimpfend *p.a.* 모욕적인, 무례한; 비방하는.

Beschimpfer *m.* -s, - 모욕자; 비방자.

Beschimpfung *f.* -en 모욕; 비방, 욕설.

beschindeln *t.* 판자로 지붕을 이다.

beschinden* *t.* (짐승의) 가죽을 벗기다.

beschirmen [bəʃírmən] 《Ⅰ》 *t.* ① 덮다; 〖비유〗 비호하다; 방어하다: jn. vor allen Gefahren ~ 누구를 온갖 위험에서 지켜 주다. ② 우산을 씌우다, 우산 모양의 것을 씌우다: eine blau beschirmte Lampe 파란색 갓을 씌운 전등; die Augen mit der Hand ~ (눈이 부시지 않게) 손으로 눈에 그늘이 지게 하다. 《Ⅱ》 **beschirmt** *p.a.* ↑ beschirmt.

Beschirmer *m.* -s, - 비호자, 시중꾼.

beschirmt 《Ⅰ》 *p.p.* ↑ beschirmen. 《Ⅱ》 *p.a.* 〔농담〕 우산을 가진: ich bin heute nicht ~ 나는 오늘 우산이 없다.

Beschirmung *f.* -en 비호, 옹호; 방어.

Beschiß [bəʃís] 《<bescheißen》 *m.* ..schisses, ..schisse 〖속어〗 사기, 속임수.

beschissen 《Ⅰ》 *p.p.* ↑ bescheißen. 《Ⅱ》 *p.a.* 〔경박〕 고약한, 재수 없는, 불쾌한: ich befand mich in einer ~en Situation 나는 고약한 상황에 처했다.

beschlabbern 《Ⅰ》 *t.* 감언이설로 설득하다. 《Ⅱ》 *refl.* sich ~ 음식물을 흘려 더럽히다.

Beschlächt [bəʃléçt] 《<schlagen》 *n.* -(e)s, -e 방파제용 판자벽.

beschlafen* [bəʃláːfən] *t.* ① ein Lager ~ 침대에서 자다. ②〖구어〗 eine Frau ~ 어떤 여자와 동침하다. ③〖구어〗 et. ~ 무엇을 자면서 생각하다; 무엇의 결정을 다음 날로 미루다.

***Beschlag** [bəʃláːk] *m.* -(e)s, ..schläge [..ʃlɛ́ːgə] ① (보강·장식을 위하여 박은) 쇠장식; 쇠테, 띠고리; 말편자. ② (유리의 표면에 서린) 증기, 김, 물기; 〖化〗 피막; 녹; 곰팡이; 〖植〗 백분(白粉). ③ (쇠장식·말편자를) 두들겨 박기. ④〖사냥〗 (짐승의) 교미, 짝짓기. ⑤ 압류; 억류: et. in ~ nehmen 〔et. mit ~ belegen, ~ auf et. legen〕 a) 〖法〗 무엇을 압류하다, b) 〖비유〗 무엇을 독점하다; js. Zeit mit ~ belegen 누구의 시간을 빼앗다; mein Auto ist von meinen Freunden ständig in ~ genommen 내 자동차는 늘 내 친구들이 차지하고 있다.

Beschlag·bock *m.* 말편자공의 작업대(臺).

Beschläg [bəʃlɛ́ːk] *n.* -s, -e (schweiz.) ↑ Beschlag ①.

beschlagen*[1] [bəʃláːgən] 《Ⅰ》 *t.* ① (쇠장식 등을) 두들겨 박다: einen Pferdhuf 〔ein Pferd〕 ~ 말에 편자를 박다; mit Nägeln ~e Schuhe 못〔징〕을 박은 구두. ②〖사냥〗 교미하다. ③〖고어〗 압류하다; 억류〔구류〕하다. ④ 〖林〗 Bäume〔Steine〕 ~ 나무〔석재〕를 대강 다듬다. ⑤〖海〗 Segel ~ 돛을 부착하다〔달다〕. ⑥ (증기·김 등으로) 덮다: der Dampf hat das Fenster beschlagen 수증기가 유리창에 서렸다. ⑦ jn. ~ 누구와 관계가 있다(betreffen): der Vorwurf beschlägt uns alle 그 질책은 우리 모두에게 해당된다. 《Ⅱ》 *i.* (s.)/ *refl.* (sich) ~ 피막이 생기다: Glas〔Metall〕 beschlägt leicht 유리〔금속〕에는 김이 잘 서린다; das Eisen ist mit Rost ~ 이 쇠는 녹이 슬었다; 〖化〗 풍화하다. 《Ⅲ》 **beschlagen** *p.a.* ↑ beschlagen[2].

beschlagen[2] 《Ⅰ》 *p.p.* ↑ beschlagen[1]. 《Ⅱ》 *p.a.* ① 쇠장식을 박아 넣은, (말에) 편자를 박은: scharf ~es Pferd 미끄러지지 않는 편자를 박은 말. ② in〔auf〕 einem Gebiete (gut) ~ sein 어떤 분야에 능통하다. ③ (들짐승이) 새끼를 밴.

Beschlagenheit *f.* 능통, 정통.

Beschlag≈hammer *m.* 편자 (박는) 망치. **~kunst** *f.* 편자 박는 기술. **~legung** *f.* ↑ ~nahme. **~nahme** *f.* 〖法〗 압류, 억류, 압수; 〖軍〗 징발. **≈nahmen** (*p.p.* beschlagnahmt) *t.* ①〖法〗 압류하다: die Schmuggelware ~ 밀수품을 압류하다. ②〖軍〗 징발하다. ③ 누구를 잡고 놓아주지 않다: das Kind beschlagnahmte die Mutter den ganzen Tag 그 아이는 하루 종일 엄마를 붙잡고 놓아주지 않았다. **~nahmung** *f.* ↑ ~nahme. **~nehmer** *m.* 압류인. **~schmied** *m.* 편자공(工).

Beschlags≈befehl *m.* 〖法〗 압류 명령. **~verwalter** *m.* 압류인, 집달관. **~verwaltung** *f.* 압류. **~verweser** *m.* ↑ ~verwalter.

Beschlagung [bəʃláːgʊŋ] *f.* -en 편자 박기, 쇠테 끼우기; 〖化〗 풍화(↑ beschlagen[1] 《Ⅱ》).

Beschlag≈zange *f.* 편자 박는 데 쓰는 집게. **~zeug** *n.* 편자 박는 도구.

beschlauchen [bəʃláuxən] *refl.* 〖구어·농담〗 sich ~ 취하도록 마시다.

beschleichen* [bəʃláiçən] *t.* ① 살그머니 다가가다: Wild ~ 들짐승에게 몰래 다가가다. ②〖비유〗 (늙음·감정 등이) 살그머니 덮치다: Furcht〔Sorge〕 beschleicht ihn 그는 (자신도 모르게) 두려움〔근심〕에 싸인다.

Beschleichung *f.* -en ↑ beschleichen 의 명사형.

***beschleunigen** [bəʃlɔ́ynɪgən] 《<schleunig》 《Ⅰ》 *t.* ① 가속화시키다, 점점 빠르게 하다: er beschleunigte seine Schritte 그는 발걸음을 점점 빨리했다; 〖物〗 Elektronen ~ 전자의 운동을 가속화시키다. ② 촉진하다, 서두

르다: er wollte die Hochzeit ~ 그는 결혼식을 앞당기려 했다. 《Ⅱ》 *i.* 가속되다, 가속도가 붙다: das Auto beschleunigt leicht 이 자동차는 가속(변속)하기 쉽다. 《Ⅲ》 **beschleunigt** [..çt] *p.a.* ↑ beschleunigt.

beschleunigend *p.a.* 가속적인, 촉진시키는.

Beschleuniger *m.* -s, - ①〖物〗가속기. ②〖化〗촉진제.

beschleunigt [..çt] 《Ⅰ》 *p.p.* ↑ beschleunigen. 《Ⅱ》 *p.a.* 신속한:〖物〗~e Bewegung 가속 운동.

***Beschleunigung** *f.* -en ① 가속, 촉진;〖物〗가속도. ② 변속 성능: das Auto hat eine gute ~ 그 차는 변속 성능이 좋다.

Beschleunigungs≈anlage *f.*〖物〗가속기, 가속 장치. **~vemögen** *n.*〖기계〗가속(변속) 성능. **~wert** *m.*〖기계〗가속(변속)치.

beschleusen [bəʃlɔ́ʏzən] *t.* 수문을 설치하다.

beschließen [bəʃlí:sən] 《Ⅰ》 *t.* ① 끝내다, 종결하다: seine Tage in Frieden ~ 편안하게 일생을 마치다. ② 결정하다, 결의하다, 결심하다: wir haben beschlossen, noch heute abzureisen 우리는 오늘 중으로 여행을 떠나기로 결정했다. ③ 포함(포괄)하다. ④ (westd.) 넣고 쇠를 채우다; 관리하다. 《Ⅱ》 *i.* 결의하다: über ein Gesetz ~ 어떤 법안을 결의하다. 《Ⅲ》 **beschlossen** *p.a.* ↑ beschlossen.

Beschließer *m.* -s, -〔구식〕 관리인, 집사.

Beschließerin *f.* -nen ↑ Beschließer 의 여성형.

Beschließung *f.* -en ↑ Beschluß ②.

beschlossen [bəʃlɔ́sən] 《Ⅰ》 *p.p.* ↑ beschließen. 《Ⅱ》 *p.a.* ① 결정(결의)된: es ist ~e Sache 그것은 이미 결정된 일이다. ② 내포(포함)된: in et.³ ~ sein(liegen) 무엇에 포함되어 있다; in seinen Worten lag die ganze Tragik seines Lebens ~ 그의 말 속에는 그의 인생의 모든 비극성이 함축되어 있었다.

beschlossener·maßen *adv.* 결의한 대로.

***Beschluß** [bəʃlʊ́s] *m.* ..schlusses, ..schlüsse [..ʃlʏ́sə] ① 종결, 마무리: zum ~ 끝마무리로, 최후에; den ~ machen 끝내다. ② 결심; 결정; 결의;〖法〗판결: einen ~ fassen 결의하다; einen Antrag zum ~ erheben 신청안을 (예심에서 통과시켜) 최종 결의에 부치다. ③ 보관: et. in(unter) ~ nehmen 무엇을 보관하다.

beschluß≈fähig *a.* 의결 정족수가 채워진: eine ~e Vollversammlung 의결 정족수가 찬 총회. **~fähigkeit** *f.* 의결 정족수. **~fassung** *f.* 의결, 결정. **~organ** *n.* 의결 기관. **~recht** *n.* 결정(의결)권. **~reif** *a.* 결정할 때가 된; (의회에서) 논의를 끝낸.

beschmaddern *t.* ↑ beschmieren.

beschmähen *t.*〔드물게〕 ↑ beschimpfen.

beschmausen 《Ⅰ》 *t.* ① jn. ~ 누구를 향응하다. ② et. ~ 무엇을 위해 축연을 베풀다. 《Ⅱ》 *refl.* sich ~ 포식하다.

beschmeißen⁽*⁾ [bəʃmáɪsən] *t.* ① jn. ~ 누구에게 무엇을 던지다. ② jn. mit Dreck ~ 누구를 중상 모략(비방)하다.

beschmieren [bəʃmí:rən] *t.* ① 서투르게(대충) 바르다: Brot mit Butter ~ 빵에 버터를 바르다. ② 마구(잔뜩) 바르다(쓰다), 더럽히다: Papier ~ 종이에 저질 내용의 글을 잔뜩 쓰다; Wände(Mauern) ~ 벽(담장)에 구호를 잔뜩 갈겨쓰다.

beschmitzen [bəʃmítsən] *t.* ↑ beschmutzen.

beschmort [bəʃmó:rt] *a.*〔구어〕 술취한.

beschmunzeln [bəʃmʊ́ntsəln] *t.* 싱긋 웃어 보이며 수긍(동의)하다.

beschmutzen *t.* ① 더럽히다. ② 모독하다.

Beschmutzung *f.* -en 더럽힘; 모독, 모욕.

beschnarchen [bəʃnárçən] *t.*〔경박〕 ① 코를 벌름대며 냄새 맡다. ② 무엇을 자세히 보다, 철저하게 조사하다. ③ 밤새워 숙고하다.

beschnauben *t.* (말이) 코를 벌름대며 냄새 맡다.

beschnaubern *t.* ↑ beschnauben.

beschnaufen *t.* ↑ beschnauben.

Beschneide≈bank *f.* 〔복수: ..bänke〕〔제본〕 재단대(裁斷臺). **~brett** *n.*〖印〗행간 목편(木片). **~hobel** *m.*, **~messer** *n.* 재단기의 칼. **~maschine** *f.* 재단기.

beschneiden* [bəʃnáɪdən] *t.* ① 군더더기를 베어내다: Bäume ~ 나무를 가지치기하다;〔비유〕 jm. die Flügel ~ 누구의 세력을 꺾다. ②〔비유〕 제약(속박)하다: jm. die Freiheit ~ 누구의 자유를 제약하다. ③ den Wein ~ 술에 무엇을 섞다. ④〖宗〗 jn. (js. Vorhaut) ~〔유대교·회교〕 누구에게 할례를 베풀다; die Beschnittenen 할례받은 사람들.

Beschneide·presse *f.* 압착 절단기.

Beschneider *m.* -s, - ① 자르는 사람. ②〖宗〗할례를 베푸는 사람. ③ 절단기.

Beschneide·werkzeug *n.* ↑ Beschneidemaschine.

Beschneidung *f.* -en ① 베어내기. ②〖宗〗할례. ③〔비유〕 (자유·권리의) 제약.

beschneien 《Ⅰ》 *t.* (인공) 눈으로 덮다. 《Ⅱ》 **beschneit** *p.a.* ↑ beschneit.

beschneit 《Ⅰ》 *p.p.* ↑ beschneien. 《Ⅱ》 *p.a.* 눈으로 덮인, 눈이 쌓인.

beschneiteln *t.* 베다: Bäume ~ 나무를 가지치기하다.

Beschneiung *f.* -en ↑ beschneien 의 명사형.

beschnellen *t.* 야바위치다, 속이다.

beschnipfeln *t.* ↑ beschnitzeln.

beschnippeln *t.* ↑ beschnitzeln.

beschnipsen *t.* ↑ beschnitzeln.

beschnitzeln [bəʃnítsəln] *t.* (가위로) 베어내다, 싹둑 자르다.

beschnitzen *t.* 무엇을 깎아서 다듬다.

beschnobern *t.* ↑ beschnuppern.

beschnopern *t.* ↑ beschnuppern.

beschnüffeln *t.* ① 킁킁대며 냄새 맡다. ② (남의 일을) 캐다; 염탐(정탐)하다: viele Staatsbürger fühlen sich durch den Geheimdienst beschnüffelt 많은 시민들은 자신들이 비밀 정보 기관에 의해 염탐되고 있다고 느낀다.

beschnuppern *t.* ① ↑ beschnüffeln ①. ② 신중히 관찰하다, 탐색하다: einen neuen Mitarbeiter erst einmal ~ 새 동료를 우선 조심스레 관찰하다.

beschnüren 《Ⅰ》 *t.* …에 끈을 감을 감아 붙이다, 끈으로 장식하다. 《Ⅱ》 **beschnürt** *p.a.* ↑ beschnürt.

beschnürt 《Ⅰ》 *p.p.* ↑ beschnüren. 《Ⅱ》 *p.a.* 끈으로 장식한, 끈장식이 달린.

bescholten [bəʃɔ́ltən] 《Ⅰ》 *p.p.* ↑ beschelten.

《Ⅱ》*p.a.* 악평이 난.
Bescholtenheit *f.* -en 〖드물게〗 오명(汚名), 오욕(汚辱), 악평.
beschönigen [bəʃǿ:nigən] *t.* (결함을) 말로 얼버무리다, 변명하다, 미화하다:〖수사〗~-der Ausdruck 미화법; er beschönigt seine Schwächen 그는 자신의 약점을 얼버무린다.
Beschönigung *f.* -en 변명; 미화.
beschossen 《Ⅰ》*p.p.* ↑ beschießen. 《Ⅱ》*p.a.* 〖드물게〗 ~ sein 총기〔무기〕를 갖고 있다.
beschottern *t.* Wege ~ 길에 조약돌을 깔다.
Beschotterung *f.* -en ① 자갈깔기. ② (도로의) 자갈 포장.
beschranken 《Ⅰ》*t.* 〖철도〗 einen gefährlichen Übergang ~ 위험한 건널목에 차단기를 설치하다. 《Ⅱ》**beschrankt** *p.a.* ↑ beschrankt.
*__beschränken__ [bəʃrέŋkən] 《Ⅰ》*t.* 제한하다, 국한하다, 한정하다: den Export ~ 수출을 제한하다; jn. in seinen Rechten ~ 누구의 권리를 제한하다; sie muß ihre Rede auf 30 Minuten ~ 그녀는 연설을 30 분으로 제한해야 한다. 《Ⅱ》*refl.* sich auf et. ~ a) 무엇에 국한되다, b) 요구를〔일을〕 무엇으로 제한하다; die Maßnahme beschränkt sich auf die Rentner 그 조치는 연금 생활자들에게만 해당된다; sich mit et.[3] ~ 무엇으로 만족하다. 《Ⅲ》**beschränkt** *p.a.* ↑ beschränkt.
beschrankt 《Ⅰ》*p.p.* ↑ beschranken. 《Ⅱ》*p.a.* 〖철도〗 차단기가 설치된.
*__beschränkt__ [bəʃrέŋkt] 《Ⅰ》*p.p.* ↑ beschränken. 《Ⅱ》*p.a.* ① 좁은, 협소한, 비좁은: unser Platz ist ~ 우리 자리는 비좁다. ② (시간이) 얼마 남지 않은, 제한된: meine Zeit ist ~ a) 내가 쓸 수 있는 시간은 제한되어 있다, b) 내가 살 날도 멀지 않다. ③ 옹색한, 형편이 쪼들리는: in ~en Verhältnissen leben 쪼들리는 생활을 하다. ④ 편협한, 옹졸한: ein ~er Kopf 옹졸한 인간; er hat einen ~en geisten Horizont 그는 생각의 폭이 좁다. ⑤ 제한된, 한정된: Gesellschaft mit ~er Haftung 유한 책임 회사(약어: GmbH).
Beschränktheit *f.* 제한; 협소; 옹색; 편협.
Beschränkung [bəʃrέŋkuŋ] *f.* -en 제한, 한정, 제약, 구속, 억제.
beschreibbar *a.* 기술〔서술〕할 수 있는: diese Vorgänge sind kaum ~ 이 과정들은 기술하기가 거의 불가능하다.
__beschreiben__ [bəʃráɪbən] *t.* ① 기술〔서술〕하다, 묘사하다: sein Glück war nicht zu ~ 그의 행복은 이루 말로 다할 수 없었다; er hat den Täter genau beschrieben 그는 범인을 자세히 묘사했다. ② (휘어진 모양을) 그리다, 나타내다: das Flugzeug beschreibt einen Kreis 비행기가 원을 그리(며 비행하)고 있다. ③ 글씨를 쓰다, 글씨를 써서 채우다: die Tafel ~ 칠판에 글씨를 쓰다; ein unbeschriebenes Blatt 백지.
beschreibend *p.a.* 기술적(記述的)인: ~e Wissenschaft 기술적 과학.
Beschreiber *m.* -s, - 기술〔서술〕자, 묘사하는 사람.
*__Beschreibung__ [bəʃráɪbuŋ] *f.* -en 기술, 서술, 묘사; 그리기: über alle ~en schön 이루 형언할 수 없을 만큼 아름다운; jeder ~ spotten 필설로 다할 수 없을 만큼 심하다; eine ~ für den Gebrauch 사용 설명서; der Film ist die ~ seiner Kindheit 그 영화는 그의 유년 시절에 대한 묘사다.
Beschreibungs·gabe *f.* 서술〔묘사〕의 재능.
__beschreien__ [bəʃráɪən] *t.* ① die vier Wände ~ 첫 울음소리를 울리다. ② …를 큰소리로 욕하다, 비방하다. ③ ↑ berufen[1] 《Ⅰ》①③; beschrei es nur nicht! 그런 것 너무 떠들어대지〔발설하지〕 마라!
beschreiten* *t.* ① einen Weg ~ 어떤 길을 걷다; 〖비유〗 den Rechtsweg ~ 소송하다; 〖학문·예술〗 neue Wege ~ 새로운 방법을〔분야를〕 개척하다. ② ein Roß ~ 말을 타다; das Ehebett ~ 부부의 인연을 맺다.
Beschrieb [bəʃrí:p] *m.* -s, -e (schweiz.) 묘사, 설명.
beschriebener·maßen *adv.* 이미 말한〔서술한〕 바와 같이.
beschriften *t.* (무엇에 제명(題銘)·번호 등을) 써넣다: ein Heft mit seinem Namen ~ 노트에 자기 이름을 쓰다.
Beschriftung *f.* -en 제명(題銘), 설명 문구.
beschroten [bəʃró:tən] *t.* 베어 짧게 하다, 가지런히 베다, 가장자리를 베어내다.
Beschub *m.* -s (도박판의) 사기, 속임수.
beschuhen [bəʃú:ən] 《Ⅰ》*t.* ① …에게 신을 신기다. ② 〖기술〗 금속으로 끝부분을 씌우다: einen Pfahl ~ 말뚝의 끝부분을 금속으로 씌우다. 《Ⅱ》*refl.* sich ~ 신을 신다.
Beschuhung *f.* -en ① 신〔구두〕 신기기. ② 신은 신〔구두〕.
*__beschuldigen__ [bəʃúldɪgən] *t.* ① …에게 죄를〔책임을〕 씌우다: jn. des Diebstahls ~ 누구에게 절도죄를 씌우다. ② 〖法〗 고소〔고발〕하다.
Beschuldiger *m.* -s, - 고발〔고소〕자.
Beschuldigte* [..çtə] *der/die* 피의〔용의〕자, 형사 피고인.
Beschuldigung *f.* -en 고발, 고소, 탄핵.
beschulen [bəʃú:lən] *t.* …에 학교를 짓다〔설립하다〕.
Beschulung *f.*-en 학교 설립.
Beschulungs·vertrag *m.* 학교 설립 계약.
beschummeln [bəʃúməln] *t.* 〖구어〗 (도박에서) 속이다.
Beschupp *m.* -s ↑ Beschub.
beschuppen 《Ⅰ》*t.* ① 비늘로 덮다. ② 〖은어〗 속이다. 《Ⅲ》**beschuppt** *p.a.* ↑ beschuppt.
beschuppt 《Ⅰ》*p.p.* ↑ beschuppen. 《Ⅱ》*p.a.* ① 비늘이 있는. ② 〖구어〗 사기당한.
beschupsen [bəʃúpsən] *t.* 〖농담〗 속이다. ② 잘못 연주하다.
beschürfen *t.* 〖광산〗 (광맥을) 발견하다, 정통으로 파다.
beschürzen 《Ⅰ》*t.* 〖드물게〗 …에게 앞치마를 둘러주다. 《Ⅱ》**beschürzt** *p.a.* ↑ beschürzt.
beschürzt [bəʃÝrtst] 《Ⅰ》*p.p.* ↑ beschürzen. 《Ⅱ》*p.a.* 앞치마를 걸친: 〖비유〗 leicht ~ 실오라기만 걸친, 옷을 입는 둥 마는 둥한.
Beschuß [bəʃús] 《<beschießen》 *m.* ..schusses, ..schüsse ① 사격, 포격: 〖비유〗 unter ~ stehen 비판〔비난〕 공세를 받다; jn. unter ~ nehmen 누구를 신랄하게 비판하다. ② (총·포의) 화력 시험. ③ 〖物〗 조사(照射): Kernspaltung durch ~ mit Neutronen 중성자 조

사에 의한 핵분열.

Beschuß=anstalt *f.* 시험 사격장, 화력 시험장. **~probe** *f.* 화기 성능 시험.

beschütten *t.* et.〔jn.〕 mit et.³ ~ a) 무엇에〔누구에게〕 무엇을 뿌리다〔붓다〕, b)〘비유〙 풍족하게 주다.

Beschütt·kanne *f.* 관수기(灌水器).

***beschützen** [bəʃʏtsən] *t.* 보호하다, 지켜 주다, 방어〔방위〕하다: jn. vor einer Gefahr ~ 누구를 위험에 빠지지 않도록 보호하다; ~de Werkstätte 장애자 취로 사업장.

Beschützer *m.* -s, - ① 보호자, 방어자; 반려자, 동반자. ② 예술 후원자. ③〘은어〙 포주, 뚜쟁이.

Beschützung *f.* -en 보호, 방어, 방위.

beschwängern [bəʃvɛ́ŋərn] *t.* 〘고어〙 임신〔수태〕시키다.

beschwänzen 《I》 *t.* 꼬리를 붙이다. 《II》 **beschwänzt** *p.a.* ↑ beschwänzt.

beschwänzt 《I》 *p.p.* ↑ beschwänzen. 《II》 *p.a.* 꼬리가 달린.

beschwatzen [bəʃvátsən] *t.* 〘구어〙 ① 설득하다, 구슬리다: jn. zu et.³ ~ 누구에게 무엇하라고 설득하다; schließlich habe ich mich doch ~ lassen 마침내 나는 설득당했다. ② et. ~ 무엇에 대해 이야기하다, 잡담하다.

beschwätzen [bəʃvɛ́tsən] *t.* ↑ beschwatzen.

beschweifen [bəʃváɪfən] *t.* ↑ beschwänzen.

beschweift *p.a.* ↑ beschwänzt.

beschweigen* *t.* 〘드물게〙 ①…에 대해 침묵〔함구〕하다; 묵살하다. ② (감정을) 가라앉히다.

beschweißen 《I》 *t.* 땀으로 적시다;〘사냥〙 피로 더럽히다. 《II》 **beschweißt** *p.a.* ↑ beschweißt.

beschweißt 《I》 *p.p.* ↑ beschweißen. 《II》 *p.a.* 땀에 젖은; 피로 더러워진, 피범벅의.

Beschwer [bəʃvé:r] *n.* -(e)s 〔*f.*〕 〘구식〙 ① ↑ Beschwerde ①. ②〘法〙 불복, 이의(異議).

***Beschwerde** [bəʃvé:rdə] *f.* -n ① 무거운 짐, 노고, 고난, 고통, 고충; (특히) 조세(租稅); 불쾌한〔성가신〕 일: jm. ~(n) machen 누구에게 폐를 끼치다. ② 불만; 불평;〘法〙 (법원·관청의 결정에 대한) 항고, 소원(訴願): ~ einlegen〔einreichen〕 이의 신청을 하다; jm. Grund zur ~ geben 누구에게 불평의 빌미를 제공하다; bei jm. über et. ~ führen 무엇에 대하여 누구에게 불평을 호소하다. ③〘복수〙 육체적 고통: wo haben Sie ~n? 어디가 불편하십니까?

Beschwerde=buch *n.* (고객을 위해 마련된) 불만 신고부. **~frei** *a.* 통증 없는. **~frist** *f.* 〘法〙 항고 시한; 이의(異議) 신청 기한. **~führende*** *der/die* ↑ ~führer. **~führer** *m.* 〘法〙 항고인, 이의 신청자. **~instanz** *f.* 〘法〙 항고 법원. **~punkt** *m.* 〘法〙 불복 사항. **~recht** *n.* 〘法〙 항고권. **~schrift** *f.* 〘法〙 항고장(狀), 이의〔민원〕 신청서. **~weg** *m.* 항고〔이의 신청〕의 통로〔방도〕.

***beschweren** [bəʃvé:rən] 《<schwer》 《I》 *t.* (↔ erleichtern) 무거운 짐을 지우다, 괴롭히다; 어렵게〔힘들게〕 하다: Briefe 〔lose Papiere〕 ~ 편지〔철하지 않은 서류〕에 서진(書鎭)을 얹다; Käse beschwert den Magen 치즈는 위장에 부담을 준다; jm. das Herz 〔das Gewissen〕 ~ 누구의 마음〔양심〕을 괴롭히다; jn. mit Sorgen ~ 누구에게 걱정을 끼치다. 《II》 *refl.* ① sich mit et.³ ~ 무엇으로 괴로워하다〔수고하다〕. ② sich bei jm. über et.〔jn.〕 ~ 무엇〔누구〕에 관하여 누구에게 불평〔고충〕을 말하다.

Beschwerer *m.* -s, - ① 항고자. ② 서진(書鎭).

beschwerlich *a.* 성가신, 번거로운; 까다로운, 힘드는, 괴로운: ein ~er Weg (걷기) 힘든 길; jm. ~ fallen 누구에게 폐를 끼치다.

Beschwerlichkeit *f.* -en 부담, 수고, 고충.

Beschwernis *f.* -se 〘雅語〙 ↑ Beschwerde.

Beschwerte* *der/die* 〘法〙 (유언에 따라) 유산을 넘겨줄 의무가 있는 사람(↔ Bedachte).

Beschwerung *f.* -en ① 무거운 짐〔부담〕을 지우는 일. ② 짐; 부담; 서진(書鎭).

beschwichten *t.* ↑ beschwichtigen.

***beschwichtigen** [bəʃvíçtɪgən] *t.* 잠잠하게 하다, 가라앉히다, 달래다.

Beschwichtigung *f.* -en 진정, 가라앉힘.

Beschwichtigungs=geld *n.* 입막음 돈. **~politik** *f.* 유화 정책.

beschwimmen* *t.* (무엇 속으로) 헤엄쳐 가다.

beschwindeln [bəʃvíndəln] *t.* 〘구어〙 야바위치다, 속이다: jn. um et. ~ 누구를 속여서 무엇을 빼앗다.

Beschwindlung *f.* -en 야바위, 사기.

beschwingen⁽*⁾ [bəʃvíŋən] 《I》 *t.* ①〘약변화〙 날개를 붙이다;〘비유〙 고무하다, 활기를 불어넣다: die freudige Nachricht beschwingte mich 기쁜 소식을 듣고 나는 활력을 얻었다. ②〘드물게〙〘강변화〙 뛰어〔날쌔게〕 올라타다. 《II》 *refl.* sich ~ 서두르다, 날아가다. 《III》 **beschwingt** *p.a.* ↑ beschwingt.

beschwingt [bəʃvíŋt] 《I》 *p.p.* ↑ beschwingen. 《II》 *p.a.* ① 날개 달린. ② 활기찬, 고무된; 기뻐서 서두르는; 가볍고 경쾌한, 명랑한: eine ~e Melodie 경쾌한 선율.

Beschwingtheit *f.* 경쾌, 활기.

beschwipsen [bəʃvípsən] 《I》 *refl.* 〘구어〙 sich ~ 약간 취하다, 한 잔 하다. 《II》 **beschwipst** *p.a.* ↑ beschwipst.

beschwipst 《I》 *p.p.* ↑ beschwipsen. 《II》 *p.a.* 〘구어〙 살짝 취한.

Beschwipste* *der/die* 거나하게 취한 사람.

beschwitzen *t.* 땀에 젖게 하다.

beschwören [bəʃvǿ:rən] *t.* ① 맹세하다, 서약하다: seine Aussagen ~ 자신의 진술이 진실함을 맹세〔선서〕하다. ② 애원〔간청〕하다: ich beschwöre dich, mich nicht zu verlassen 제발 나를 떠나지 말아 다오. ③ (요술로) 마음대로 조종하다: Dämonen ~ a) 악마를 마법으로 불러내다, b) 악마를 마법으로 내쫓다; den Sturm ~ 마법으로 폭풍우를 물리치다. ④ (기억을) 되살리다, 불러내다: die Kindheit ~ 어린 시절의 기억을 되살리다.

Beschwörer *m.* -s, - 마법사, 무속인(巫俗人).

Beschwörung *f.* -en ① 서약, 선서; 서언. ② 악마를〔혼령을〕 불러내기. ③ 주문(呪文). ④ 간청, 애원: gegen js. ~en taub bleiben 누구의 하소연을 못 들은 체하다.

Beschwörungs=buch *n.* 주술서(呪術書). **~formel** *f.* 주문(呪文). **~kunst** *f.* 주술, 강신술.

beseelen [bəzé:lən] 《Ⅰ》 *t.* 혼을〔생기를〕 불어넣다; 고무하다: jn. mit Mut〔Liebe〕 ~ 누구에게 용기를〔애정을〕 불어넣다; von Freude beseelt 기쁨에 들떠. 《Ⅱ》 **beseelt** *p.a.* ↑ beseelt.

beseelt 《Ⅰ》 *p.p.* ↑ beseelen. 《Ⅱ》 *p.a.* 혼〔생명〕이 있는, 생기가 있는.

Beseelung *f.* -en 혼을〔생기를〕 불어넣음.

besegeln *t.* ① (바다를) 범선으로 항해하다. ② 돛을 달고 뒤따르다. ③ (무엇에) 돛을 달다.

Besegelung *f.* -en 돛을 닮.

besegnen *t.* 축복해 주다.

besehen [bəzé:ən] *t.* 《Ⅰ》 ① 주시하다, 눈여겨보다: et. bei Lichte ~ 무엇을 엄밀히 조사〔검사〕하다; 〘구어〙 et. nicht ~ können 무엇을 참을 수 없다. ② 〘구어〙 얻다, 받다: Prügel ~ 막대기로 얻어맞다; Strafe ~ 벌 받다. ③ 〘과거 분사로〙 bei Licht(e) 〔aus der Nähe, genau, recht〕 ~ 엄밀하게 보면. 《Ⅱ》 *refl.* sich ~ (거울로) 자기의 모습을 바라보다; sich im Spiegel ~ 거울을 보다; 〘비유〙 sich von innen ~ 잠자다.

besehens≠wert *a.* ↑ ~würdig. **~würdig** *a.* 주목할 만한.

beseibeln [bəzáıbəln] *t.* 〘방언·농담〙 ① 침을 묻히다, 침으로 더럽히다. ② 〘비유〙 모독하다.

beseibern *t.* ↑ beseibeln.

beseichen *t.* 〘속어〙 오줌으로 더럽히다.

beseilen *t.* 무엇에 밧줄을 달다; 〘海〙 삭구(索具)를 장비하다.

***beseitigen** [bəzáıtıgən] *t.* ① 없애다, 치우다: Abfälle ~ 쓰레기를 치우다. ② 〘비유〙 (장애·난관을) 제거하다; (일을) 해치우다; (빚을) 갚다; 청산하다: Mißverständnisse ~ 오해를 불식하다. ③ (관리를) 해직〔면직〕하다. ④ 살해하다.

Beseitigung *f.* -en 제거, 폐지; 살해.

beseligen [bəzé:lıgən] 《Ⅰ》 *t.* 행복하게 하다: beselige sie mit deiner Liebe! 네 사랑으로 그 여자를 행복하게 해주어라! 《Ⅱ》 **beseligt** *p.a.* ↑ beseligt.

beseligend *p.a.* 행복하게 하는: die ~e Lehre 사람에게 행복을 주는 가르침.

beseligt [..çt] 《Ⅰ》 *p.p.* ↑ beseligen. 《Ⅱ》 *p.a.* 행복한, 복된, 매우 기쁜.

Beseligung *f.* -en 행복하게 함; 지복(至福), 천복(天福).

Besemer [bé:zəmər] 《türk.》 *m.* -s, - 북독일과 스칸디나비아 지방에서 사용되는 휴대용 저울의 일종.

Besemer·waage *f.* ↑ Besemer.

***Besen** [bé:zən] *m.* -s, - ① 비, 빗자루: 〘비유〙 mit eisernem ~ auskehren 가차없이 처리하다, 단호하게 조치하다; jn. auf den ~ laden 누구를 속이다, 놀리다; 〘속담〙 neue ~ kehren gut 새 비는 잘 쓸린다(새 일꾼은 일을 잘 한다); 〘구어〙 unter dem ~ getraut sein 결혼하지 않고 부부처럼 살다; 〘비유〙 ich fresse einen ~, wenn das stimmt 그게 사실이면 내 손을 지지겠다. ② 〘구어〙 하녀; 처녀; 〘폄어〙 싸우기 좋아하는 여자, 암컷. ③ 〘구어〙 사내, 녀석. ④ 〘속어〙 음경, 자지. ⑤ 〘악기〙 (드럼의) 브러시.

Besen·binder *m.* 비 제작공, 빗자루 장수.

besenden^(*) *t.* 파견하다; 발송하다.

besen·dürr *a.* 빗자루같이 여윈, 말라빠진.

Besen≠ginster *m.* 〘植〙 금작화. **~heide** *f.* 〘植〙 월귤나무. **~kammer** *f.* 청소 용구 창고〔광·헛간〕. **~kraut** *n.* ① 쑥의 일종. ② ↑ ~ginster. **~macher** *m.* ↑ ~binder. **~pfriem** *m.* ↑ ~ginster. **≈rein** *a.* 비로 쓸어낸, 말끔히 청소한. **~reisig** *n.* (특히 자작나무의) 비 만드는 작은 가지. **~schrank** *m.* 청소 용구 보관용 (벽)장. **~stiel** *m.* 빗자루의 대(부분): steif wie ein ~ 뻣뻣한, 융통성 없는. **~strauch** *m.* ↑ ~ginster. **~winde** *f.* 〘植〙 메꽃과(科)의 일종. **~wirtschaft** *f.* 〘방언〙 새 포도주를 제공하는 음식점.

besengt [bəzɛ́ŋt] *p.a.* 〘비유·농담〙 생각이 편협한.

Beserl≠baum *m.* (öst.) 자작나무. **~park** *m.* (öst.) 〘구어〙 작은 공원.

***besessen** [bəzɛ́sən] 《Ⅰ》 *p.p.* ↑ besitzen. 《Ⅱ》 *p.a.* ① 신들린, (무엇에) 미친, 홀린: vom Teufel ~ 악령에 홀린. ② 사로잡힌, 매료된: von einer Idee ~ 어떤 생각에 사로잡힌. ③ 광적〔열정적〕인: ein ~er Roulettespieler 룰렛 게임에 미친 사람; sie war von ihrer Arbeit ~ 그녀는 일에 미쳐 있었다.

Besessene* *der/die* 신들린〔미친〕 사람.

Besessenheit *f.* 신들린 상태, 광란.

***besetzen** [bəzɛ́tsən] 《Ⅰ》 *t.* ① et. (A) mit et.³ (B) ~ 무엇(B)을 무엇(A)에 올려놓다; den Tisch mit Speisen ~ 식탁에 음식물을 차리다; das Kleid mit Spitzen ~ 의복에 레이스를 달다. ② 차지하다, (군대가) 점령하다, (시위대가) 점거하다: ein Land mit Ansiedlern ~ 어떤 나라에 식민하다; eine Stadt mit Soldaten ~ 어떤 도시에 병력을 배치하다. ③ (지위·빈자리를) 채우다: ein Amt mit jm. ~ 어떤 관직에 누구를 임용하다; 〘연극〙 das Schauspiel mit Künstlern ~ 연극의 배역을 정하다; die Rollen waren gut besetzt 배역 선정이 잘 되었다. ④ (좌석을) 차지하다: der Zug ist voll besetzt 기차는 만원이다; die Leitung ist besetzt 통화 중이다. ⑤ 〘사냥·漁〙 (일정한 구역에) 동물들이 살도록 돌보다: einen Teich mit Fischbrut ~ 연못에 치어를 서식하도록 풀어놓다. 《Ⅱ》 **besetzt** *p.a.* ↑ besetzt.

besetzt 《Ⅰ》 *p.p.* ↑ besetzen. 《Ⅱ》 *p.a.* ① (자리가) 채워진, 메워진: (Leitung) ~! (전화의) 통화 중!; ist der Platz ~? 이 자리에 임자가 있습니까?; das Theater war gut ~ 극장은 대만원이었다; all meine Zeit ist ~ 나는 대단히 바쁘다. ② 점령된, 차지한: 〘軍〙 ~ halten (어떤 지역을) 확보하다; ~e Gebiete 점령 지역.

Besetzt·zeichen *n.* 통화 중(中) 신호.

Besetzung [bəzɛ́tsuŋ] *f.* -en ① (의복에) 가장자리 장식을 달기. ② 임용, 보직(補職); 배역. ③ 점령, 점거. ④ 사육, 양육.

Besetzungs≠gebiet *n.* (schweiz.) 점령 지역. **~liste** *f.* (연극·영화의) 배역 명단. **~macht** *f.* (schweiz.) 점령국. **~schwierigkeit** *f.* 〘연극·영화〙 배역 선정의 어려움. **~statut** *n.* (schweiz.) 점령 조례. **~truppen** *pl.* (schweiz.) 점령군.

beseufzen [bəzɔ́yftsən] *t.* …에 관해 탄식하다.

besichtigen [bəzíçtıgən] *t.* 관람〔구경〕하다, 시찰하다, 검열〔검사〕하다: eine Stadt ~ 어

면 도시를 둘러보다; eine Schule ~ 견학하다; Leichnam ~ 검시(檢屍)하다.

Besichtiger *m.* -s, - 시찰자, 참관인; 검사관, 감정자.

Besichtigung [bəzíçtɪɡʊŋ] *f.* -en 관람, 구경; 시찰, 참관; 검사, 검열; 검시.

Besichtigungs=gebühren *pl.* 검사료. **~reise** *f.* 관광 여행. **~tour** *f.* ↑ ~reise. **~zeit** *f.* (박물관 등의) 개관 시간.

besieben *t.* 체로 치다.

besiedeln [bəzí:dəln] *t.* ① 정주〔입주〕하다: sie besiedelten ein Gebiet in Kanada 그들은 캐나다의 한 지역에 정주하였다; das neue Land mit Flüchtlingen ~ 새 나라에 난민을 이주시키다. ② 서식하다: Disteln besiedeln ganz Korea 엉겅퀴는 한국 전 지역에 서식한다.

Besiedlung *f.* -en 거주, 이주; 서식.

Besiedlungs=dichte *f.* 인구〔서식〕 밀도. **~plan** *m.* 이주 계획. **~politik** *f.* 이주〔식민〕 정책.

besiegbar [bəzí:kba:r] *a.* 정복〔극복〕할 수 있는.

besiegeln [bəzí:ɡəln] *t.* ① 봉인(封印)하다. ② 날인하다; 〖비유〗 확증하다: et. mit einem Kuß〔Handschlag〕 ~ 무엇을 키스〔악수〕로 확약하다. ③ 종결〔확정〕짓다: das wird ihr Los ~ 그것은 그녀의 운명을 결정할 것이다.

Besiegelung *f.* -en 봉인, 확인, 증명; 확정.

besiegen [bəzí:ɡən] *t.* 정복〔극복〕하다, 무찌르다, 이겨내다: Schwierigkeiten〔Furcht〕~ 난관〔두려움〕을 극복하다; sich selbst ~ ist der schönste Sieg 자신을 이기는 것이 가장 훌륭한 승리다.

Besieger *m.* -s, - 승리자, 정복자.

Besiegte* [..ktə] *der/die* 피정복〔패배〕자.

Besiegung *f.* -en 정복, 극복.

Besigue [..zí:ɡ, ..zí:k] 《frz.》 *f.*, **Besik** *n.* -s 카드놀이의 일종.

Besing [bé:zɪŋ] 《ndd.》 *m.* -s, -e 야생딸기.

besingen* [bəzíŋən] *t.* ① 찬미하다: eine Heldentat ~ 영웅적인 행위를 노래로 예찬하다; den Verstorbenen ~ 고인을 기리는 추모가를 부르다, 재(齋)를 올리다. ② (음반·레코드에) 노래를 취입하다: schicken Sie Ihre besungenen Bänder an das Studio! 당신의 노래를 녹음한 테이프들을 스튜디오로 보내 주시오!

besingens=wert *a.* 시가로 읊을 만한; 노래로 만들〔기릴〕 만한. **~würdig** *a.* ↑ ~wert.

besinnen [bəzínən] 《I》 *refl.* ① sich ~ 정신을 가다듬다, 정신 차리다: sich seiner 〔auf sich selbst〕 ~ 제정신을 차리다, 자각하다. ② 〔雅語〕 sich eines Dinges ~ 무엇을 기억하다: wenn ich mich recht besinne 내 기억이 틀림이 없다면. ③ sich eines Dinges ~ 〔auf et. ~〕 무엇을 생각〔기억〕해내다, 의식하다, 자각하다: sich anders ~ 생각을 바꾸다; sich eines Bessern ~ 더 좋은 생각이 떠오르다. ④ sich ~ 숙고하다: ohne sich zu ~ 깊이 생각지 않고; er besinnt sich beim Schachspiel auf jeden Zug 그는 체스에서 한 수 한 수 둘 때마다 오래 생각한다. 《II》 **besonnen** *p.a.* ↑ besonnen.

Besinnen *n.* -s 각성, 자각; 상기(想起); 숙고: ohne viel ~ 별로 생각하지 않고, 즉흥적으로.

besinnlich *a.* 숙고하는; 사려 깊은.

Besinnlichkeit *f.* -en 자각, 심사숙고.

***Besinnung** [bəzínʊŋ] *f.* -en (자)의식, 제정신; 숙고; 사려, 분별: die ~ verlieren a) 실신하다, b) 허둥지둥하다; ohne ~ 의식 불명의; (wieder) zur ~ kommen 의식〔이성〕을 되찾다; jn. zur ~ bringen a) 누구에게 의식〔이성〕을 찾게 해주다; bei ~ sein〔bleiben〕 의식〔이성〕을 잃지 않고 있다.

Besinnungs=aufsatz *m.* 사고력을 키우기 위한 작문, 논술문. **~kraft** *f.* 기억〔회상〕력.

besinnungslos *a.* ① 의식을 잃은, 의식 불명의. ② 제정신이 아닌, 극도로 흥분한.

Besinnungslosigkeit *f.* 의식 불명; 무분별.

***Besitz** [bəzíts] 《<besitzen》 *m.* -es, -e ① 소유; 〖法〗 점유: et. in ~ nehmen 〔von et.[3] ~ ergreifen〕 무엇을 점유하다; 〔雅語〕 von jm. ~ ergreifen 누구를 독차지하다; der Gedanke, ihre verschollene Schwester zu suchen, hatte von ihr ~ ergriffen 실종된 여동생을 찾으려는 생각이 그녀를 사로잡았다; et. im 〔in〕 ~ haben, im ~ eines Dinges sein 무엇을 소유하고 있다; er ist im vollen ~ seiner Kräfte 그는 최상의 컨디션을 유지하고 있다; ich bin im ~ Ihres Schreibens 귀하의 편지를 잘 받아 보았습니다; in js. ~ übergehen 누구의 소유로 넘어가다; jn. aus dem ~ bringen〔treiben〕 누구의 소유권을 빼앗다; 〖비유〗 er ist nicht im ~ seiner fünf Sinne 그는 의식이 혼미한 상태다. ② (Besitztum) 소유물, 점유물, 재산, 토지, 부동산.

Besitz=abgabe *f.* (1923 년 이후의) 특별 농지세. **~anspruch** *m.* 소유권 요구. **~anzeigend** *a.* 〖문법〗 소유 관계를 나타내는: ~es Fürwort 소유 대명사. **~bürger** *m.* 〖대개 경멸적〗 유산 계급에 속하는 시민. **~bürgertum** *n.* 유산 시민 계급. **~diener** *m.* 〖法〗 대리 관리인. **~einkommen** *n.* (자본이나 토지에 의한) 자산 소득(↔ Arbeitseinkommen).

besitzen [bəzítsən] 《I》 *t.* ① 소유하다, 〖法〗 점유하다, 가지다: ein Haus ~ 가옥을 소유하다; Kraft〔Verstand〕 ~ 힘〔분별〕이 있다; js. Liebe〔Vertrauen〕 ~ 누구의 사랑을〔신뢰를〕 받고 있다; er wollte dieses Mädchen ~ 그는 이 아가씨를 애인〔부인〕으로 삼으려 했다. ② 사로잡다, 홀리다: der Teufel 〔Geiz(teufel)〕 besitzt ihn 그는 악마〔탐욕〕에 홀려 있다. 《II》 **besessen** [bəzɛ́sən] *p.a.* ↑ besessen.

besitzend *p.a.* 가지고〔소유하고〕 있는: die ~e Klasse 유산 계급; die ∼en 유산자들.

Besitz=entsetzung *f.* ↑ ~entziehung. **~entziehung** *f.* 〖法〗 횡령; 소유(권) 박탈.

Besitzer [bəzítsər] *m.* -s, - 소유자; 지주; 〖法〗 점유자.

Besitz=ergreifer *m.* 〖法〗 점유 획득자. **~ergreifung** *f.* 입수, 취득; 〖法〗 점유 획득.

Besitzer=stolz *m.* 소유자의 긍지〔자만심〕. **~wechsel** *m.* 소유자 변경.

Besitz=fall *m.* 〖문법〗 소유격, 2 격. **~gier** *f.* 소유욕. **~klasse** *f.* 유산 계급.

besitzlos *a.* 무산의: die ∼en 무산자.

Besitzlosigkeit *f.* 빈털터리, 무산, 무소유.

Besitz=nahme *f.* ↑ ~ergreifung. **~neh-**

mer *m.* ↑ ~ergreifer. **~nehmung** *f.* ↑ ~ergreifung. **~recht** *n.* 〖法〗 점유권. **~-schutz** *m.* 재산 보호. **~stand** *m.* 재산, 자산 (내용). **~steuer** *f.* 재산세. **~störung** *f.* 〖法〗 점유 방해, 재산(권) 침해. **~stück** *n.* (개개의) 소유 재산. **~titel** *m.* 문서로 확인된 점유권; 소유권 증서.

Besitztum [bəzítstu:m] *n.* -(e)s, ..tümer 소유물, 재산; 토지.

Besitzung *f.* -en ① 소유; 재산; 토지. ②〖복수〗〖政〗 속령, 영지.

Besitz=urkunde *f.* ↑ ~titel. **~verhältnisse** *pl.* 소유 상태〔관계〕. **~verteilung** *f.* 재산 분할〔분배〕. **~wechsel** *m.* ① 소유권 이전. ②〔구어·농담〕 절도, 도둑질, 횡령.

besocken [bəzɔ́kən] *t.* ① die Füße ~ 양말을 신다. ② Strümpfe ~ 긴 양말의 해진 바닥을 깁다.

besoden [bəzó:dən] *t.* 잔디를 심다.

besoffen [bəzɔ́fən] 《I》 *p.p.* ↑ besaufen. 《II》 *p.a.* 〔속어〕 흠뻑 취한, 만취한; 제정신이 아닌.

Besoffenheit *f.* 만취.

besohlen [bəzó:lən] *t.* (구두·양말 등에) 창을 대다〔깔다〕.

Besohlung *f.* ① 구두창 대기. ② 구두창.

besolden [bəzɔ́ldən] 《I》 *t.* 봉급을 지급하다: Beamte nach dem Dienstalter ~ 관리에게 근무 연한에 따라 봉급을 지급하다. 《II》 **besoldet** *p.a.* ↑ besoldet.

besoldet 《I》 *p.p.* ↑ besolden. 《II》 *p.a.* 유급의, 봉급을 받는: die ~e Klasse 봉급 생활자 계층.

Besoldung *f.* -en ①〔드물게〕 급료 지급. ② 노임, 봉급, 보수.

Besoldungs=anpassung *f.* 급료〔보수〕 조정. **~gruppe** *f.* 호봉. **~ordnung** *f.* 급료 규정. **~recht** *n.* 급료 관계법. **~stufe** *f.* 호봉. **~tarif** *m.* 급료 산정표.

besömmern [bəzœ́mərn] *t.* 〖農〗 ein Feld ~ 밭에 여름 작물을 파종하다, 밭을 여름에만 경작하다.

*__besonder__ [bəzɔ́ndər] *a.* 〔부가적으로만〕(↔ allgemein) ① 특수한, 특유의, 개별적인; 특별한, 각별한: das Allgemeine und das ∼e 보편(적인 것)과 특수(한 것); ~e Eigentümlichkeiten 특질, 개성; ~e Maßnahme 특별 조처; die ~ste Gnade 아주 특별한 은총; im ~en 특히, 무엇보다도. ② 이상〔비범·특이·기이〕한: der ~ste Mensch von der Welt 세상에 드문 아주 특이한 사람; an ihm ist nichts ∼es 그에게는 이렇다할 특징이 없다.

Besonderheit *f.* -en 특이, 특색; 특수성.

*__besonders__ [bəzɔ́ndərs] 《I》 *adv.* ① 특히; 따로따로: ich will jedem ~ antworten 나는 개개인에게 따로따로 대답하겠다. ② 매우, 굉장히 (좋은): ~ gut 매우 좋은; wie geht es dir? — nicht ~ 어떻게 지내니? — 그저 그렇게 지내. ③ 분명〔명확〕히: ich möchte ~ betonen 저는 분명히 강조하고 싶습니다. 《II》 *a.* 〔서술적으로만〕 별난, 기이한: er ist heute so ~ 그는 오늘 아주 이상하다.

besonnen[1] [bəzɔ́nən] 《I》 *p.p.* ↑ besinnen. 《II》 *p.a.* 사려 깊은, 신중한, 분별 있는.

besonnen[2] 《<Sonne》 《I》 *t.* 햇볕에 쬐다. 《II》 *refl.* sich ~ lassen 일광욕을 하다. 《III》 **besonnt** *p.a.* ↑ besonnt.

Besonnenheit *f.* 신중, 냉정, 생각이 깊음.

besonnt 《I》 *p.p.* ↑ besonnen[2]. 《II》 *p.a.* ① 양지바른. ②〔비유〕 혜택받은, 행복한; 명랑한, 쾌활한.

Besonntheit *f.* 양지바름; 혜택받음.

Besonnung *f.* -en 햇볕에 쬐기, 일광욕.

*__besorgen__ [bəzɔ́rgən] 《I》 *t.* ① 처리하다, 해결하다: einen Auftrag ~ 맡은 일을 다하다; was du heute ~ kannst, das verschiebe nicht auf morgen 오늘 할 수 있는 일을 내일까지 미루지 마라. ② 배려하다, 돌보다, 보살피다: das Hauswesen ~ 가사를 돌보다; Kinder ~ 아이들을 돌보다; Briefe ~ 편지를 우송하다, (인편에) 보내 주다; 〔반어〕 es jm. ~ a) 누구에게 보복하다, b) 누구에게 단호하게 의견을 말하다. ③ 마련하다, 구입하다, 조달하다: er hat mir die Pässe 〔ein Zimmer〕 besorgt 그는 내게 여권〔방〕을 주선해 주었다. ④〔구어〕 훔치다, 몰래 가져오다: ich habe mir im Betrieb ein paar Werkzeuge besorgt 나는 공장에서 연장 몇 개를 몰래 가져왔다. ⑤〔daß-절을 목적어로〕 두려워하다, 걱정하다: ich besorge, daß er einen Unfall gehabt hat 나는 그가 사고를 당하지나 않았는지 걱정된다. ⑥ 〖스포츠〗 ein Tor ~ 골을 넣다: der Mittelstürmer besorgte den Anschlußtreffer 센터 포워드가 1 점차로 따라붙는 골을 넣었다. ⑦ 〖출판〗 eine Ausgabe ~ 신판을 발행하다. 《II》 *i.* (h.) 염려〔우려〕하다: man besorgte für sein Leben 사람들은 그의 생명을 염려하였다. 《III》 *refl.* sich eines Dinges ~ 무엇을 두려워하다. 《IV》 **besorgt** *p.a.* ↑ besorgt.

Besorger *m.* -s, - 관리〔처리〕자, 취급자, 돌보는 사람; 공급자.

besorglich [bəzɔ́rklıç] *a.* ① 걱정〔염려〕하는; (천성적으로) 걱정이 많은, 주의 깊은. ② 걱정〔염려〕되는.

besorgt [..kt] 《I》 *p.p.* ↑ besorgen. 《II》 *p.a.* 염려〔걱정〕하는; 배려하는, 보살펴 주는: ~e Miene 근심스런 표정; eine sehr ~e Mutter 자식 걱정 많이 하는 어머니; für〔um〕 jn.〔et.〕 ~ sein 누구〔무엇〕 때문에 걱정하고 있다.

Besorglichkeit *f.* -en 보살핌, 배려; 걱정, 근심.

Besorgnis [bəzɔ́rknıs] *f.* -se 걱정, 근심.

besorgnis-erregend *a.* 걱정〔염려〕스러운.

Besorgtheit *f.* ↑ Besorgnis.

Besorgung *f.* -en ① 돌봄, 주선, 관리. ② 조달, 구입: wir gehen in die Stadt, ~en zu machen 우리들은 시내에 장보러 간다.

bespähen [bəʃpέ:ən] *t.* 감시〔정탐〕하다.

bespannen [bəʃpánən] *t.* ① et. mit et.[3] ~ 무엇에 무엇을 매다〔펼쳐 붙이다〕: ein Instrument mit Saiten ~ 악기에 현(絃)을 매다; Wände mit Stoff ~ 벽에 벽지를 바르다; et. mit den Fingern ~ 무엇을 손가락으로 재다; einen Wagen mit Pferden ~ 수레에 말을 매다. ② (못에) 물고기를 놓아주다.

Bespannung *f.* -en ① 팽팽히 하기, 펼쳐 덮기. ② 말을 수레에 매기; 〔구식〕 (마차에) 매는 짐승. ③〖空〗 (비행선의) 외피. ④ (라켓의) 망.

bespeien* [bəʃpáıən] 《I》 *t.* 침을 뱉다, 더럽히다. 《II》 *refl.* sich ~ 토하여 자기 몸을 더럽히다.

bespicken [bəʃpíkən] *t.* ① 베이컨을 끼워 넣다. ② 꽂다; 〖비유·구어〗 …으로 가득 채우다: seine Uniform war mit Abzeichen bespickt 그의 제복에는 훈장이 잔뜩 달려 있었다.

bespiegeln [bəʃpí:gəln] 《I》 *t.* ① 거울에 비추다. ② 조명하다; 재현〔묘사〕하다: et. aus kritischer Distanz ~ 무엇을 비판적인 거리를 두고 묘사하다. 《II》 *refl.* sich ~ a) 자신의 모습을 거울로 보다, b) 자신의 장점〔공적〕을 자랑하며 떠들어대다.

Bespiegelung *f.* ① 거울에 비추어 보기. ② 조명; 재현, 묘사.

Bespieglung *f.* -en ↑ Bespiegelung.

bespielbar [bəʃpí:lba:r] *a.* ① 취입〔녹음〕할 수 있는. ② 〖스포츠〗 경기할 수 있는: trotz der Regenfälle war der Fußballplatz ~ 우천에도 불구하고 그 축구장에서는 경기를 할 수 있었다.

bespielen [bəʃpí:lən] *t.* ① 취입〔녹음〕하다: die meisten meiner Tonbänder sind mit klassischer Musik bespielt 내가 가진 테이프의 대부분은 고전 음악으로 녹음되어 있다. ② einen Ort ~ 어떤 곳에서 공연〔경기〕하다.

bespiken [bəʃpáikən] *t.* (신에) 스파이크를 박다.

bespinnen* *t.* 〖고어〗 실을 자아 덮다〔싸다〕: besponnene Saiten (명주실 등으로) 피복(被覆)한 현(絃).

Bespinn·maschine *f.* 〖工〗 철사 피복기(被覆機).

bespitzeln [bəʃpítsəln] *t.* 염탐〔미행·감시〕하다: ich weigere mich, meine Kollegen zu ~ 나는 내 동료들을 염탐하는 것을 거부한다.

Bespitzelung *f.* -en 염탐, 미행.

bespitzen [bəʃpítsən] 〖드물게〗 《I》 *t.* 뾰족하게 하다. 《II》 *refl.* 〖방언〗 sich ~ 조금 취하다: bespitzt 약간 취한.

Bespitzung *f.* -en ↑ bespitzen 의 명사형.

Bespo [béspo] ＝Berufs- und Sport-Kleidung 유니폼.

bespornen [bəʃpɔ́rnən] *t.* 〖고어〗 박차(拍車)를 달다: bespornt a) 박차가 달린, b) 며느리발톱이 있는.

bespötteln [bəʃpœ́təln] *t.* 가볍게 조롱하다.

Bespöttelung *f.* -en 조롱.

bespotten [bəʃpɔ́tən] *t.* 조롱하다, 비웃다.

besprechen* [bəʃpréçən] 《I》 *t.* ① 협의하다, 논의하다: eine Frage ~ 어떤 문제를 논의하다. ② 비평〔논평〕하다: die Ereignisse der Woche ~ (방송에서) 한 주일 동안의 사건을 논평하다; ein neuerschienenes Buch ~ 신간 서적에 관해 논평하다, 서평을 쓰다. ③ 녹음〔취입〕하다: eine Schallplatte ~ 레코드에 취입하다. ④ (재앙을) 주문(呪文)으로 쫓아내다; 푸닥거리하다: einen Kranken ~ 환자에게 주문을 걸어 치료를 시도하다; eine Krankheit ~ 푸닥거리로 병을 다스리다. 《II》 *refl.* sich mit jm. über et. ~ 누구와 무엇에 대하여 상담〔의논〕하다.

Besprecher [bəʃpréçər] *m.* -s, - ① 안수(按手) 기도사. ② (특히 신간 서적의) 비평가, 논평자. ③ (레코드·음반의) 취입자.

Besprechung *f.* -en ① 논의, 협의, 상담; 협정. ② 안수 기도, 주문. ③ 논평; 비평.

Besprechungs=exemplar *n.* 〖출판〗 (언론 매체에 제공하는 출판사측의) 서평용 증정본. **~formel** *f.* (재앙을 쫓는) 주문.

besprengen [bəʃpréŋən] *t.* ① et. (mit Wasser) ~ 무엇에 물을 뿌리다: einem Ohnmächtigen das Gesicht (mit Wasser) ~ 기절한 사람의 얼굴에 물을 끼얹다. ② ↑ besprenkeln.

Besprengung *f.* -en (물을) 뿌리기.

besprenkeln [bəʃpréŋkəln] *t.* 반점을 붙이다, 얼룩지게 하다.

besprenzen *t.* ↑ besprengen ①.

bespringen* *t.* 〖구어〗 ① …에 뛰어오르다; (수컷이) 암컷과 교미하다: der Stier bespringt die Kuh 수소가 암소와 교미하다. ② (무엇을 향하여) 뛰어가다: ein Wild ~ 사냥감을 향해 쏠 수 있는 거리까지 뛰어가다.

bespritzen *t.* ① 물을 튀겨 적시다. ② 물을 튀겨 더럽히다: das Tischtuch mit Suppe ~ 테이블보에 수프를 튀겨 더럽히다.

Bespritzung *f.* -en ↑ bespritzen 의 명사형.

besprudeln *t.* ↑ bespritzen.

besprühen *t.* ↑ bespritzen.

bespucken *t.* 침을 뱉다〔뱉어 더럽히다〕.

Besprühung *f.* -en 뿌림, 튀김.

bespülen [bəʃpý:lən] *t.* ① (파도가 해안을) 씻다. ② 적시다; 헹구다; 〖醫〗 세척하다.

bespunden, bespünden *t.* 〖드물게〗 (병에) 마개를 하다.

bespuren *t.* (무엇에) 궤적을 남기다: einen (Stumm)film ~ 무성 영화에 사운드 트랙을 넣다.

Bessarabien [bɛsará:biən] 베사라비아 지방 (구소련의 흑해 북서부).

Bessemer=apparat [bésəmər..] *m.* 〖工〗 베세머 장치(영국의 기사 H. Bessemer 의 이름에서). **~birne** *f.* 베세머식 전로(轉爐).

bessemern [bésəmərn] *t.* Stahl ~ 강철을 베세머의 방법으로 만들다.

Bessemer=prozeß *m.* ↑ ~verfahren. **~verfahren** *n.* 베세머식 제강법. **~stahl** *m.* 베세머강(鋼).

***besser** [bésər] *a./adv.* ① 보다 좋은〔좋게〕: es geht ihr ~, es geht ~ mit ihr 그 여자는 형편이 좋아진다; immer ~ 점점 더 좋은〔나은〕; je. mehr, desto 〔um so〕 ~ 많을수록 좋다, 다다익선; ~ als nichts 없는 것보다 낫다; er hat es ~ als ich 그는 나보다 더 잘 지낸다; jn. ~ stellen 누구의 대우를〔임금을〕 낫게 해주다; ~ spät als nie 아주 오지 않는 것보다는 늦게라도 오는 편이 낫다; mein ~es Ich 내 양심; ~ ist ~! 조심하는 게 좋을걸!; in ~en Kreisen verkehren 상류 사회에서 교제하다; er hat den ~en Teil gewählt 그는 올바른 결정을 내렸다; er ist nur ein ~er Knecht 그는 머슴이나 다름없다; 〖구어·농담〗 ~e Hälfte 아내; ein ~er Herr 〔ein ~es Mädchen〕 점잖은 신사〔양갓집 소녀〕; alles ~ wissen wollen 무엇이든 다 아는 체하다; du gingst ~ 너는 가는 편이 좋을 것이다; das wäre noch ~! 그렇게 된다면야 더 좋긴 하지! (그렇게는 안 될 것이다); es ist ~ 〔das ~e〕, daß... …하는 것이 더 좋다. ② 〖속어〗 ~ laufen 더 한층 빨리 달리다; komm ~ her! 더 이쪽으로 다가와라!

Bessere* [bésərə] *das* 보다 나은〔좋은〕 것: 〖속담〗 das ~ ist der Feind des Guten 교각살우(矯角殺牛); ich habe ~s zu tun 나는 그

런 (하찮은) 일에 발목잡혀 있을 수 없다; eine Wendung zum ~n nehmen 나은 쪽으로 방향을 전환하다; sich eines ~n besinnen 고쳐 생각하다; jn. eines ~n belehren 누구에게 잘못을 깨우쳐 주다; er ist doch etwas ~s 그는 상당히 괜찮은〔유능한〕 남자다.

bẹsser|gehen *i.* (s.) (건강·형편이) 나아지다.

Bẹsser·gestellte* *der/die* 생활 형편이 좋아진 사람.

Bẹsserling *m.* -s, -e 회복기에 든 환자.

***bessern** [bɛ́sərn] 《I》 *t.* 개선〔개량〕하다, 정정〔수정〕하다; 개심시키다. 《Ⅱ》 *i.* (h.) an einem Buch ~ 책을 정정하다. 《Ⅲ》 *refl.* sich ~ 개선〔개량〕되다; 향상하다; (병이) 호전되다; 행실을 고치다; 〖商〗 (시세가) 오르다: die Kurse ~ sich 경기가 호전되고 있다; es bessert sich mit et.³〔jm.〕 무엇이〔누가〕 나아지다.

bẹsser|stellen *t.* (지위·급여를) 올리다.

Besserung [bɛ́sərʊŋ] *f.* -en 개선, 개량; 개심; (병세·경기의) 호전: gute ~! 쾌유를 빕니다.

Bẹsserungs≈anstalt *f.* 〔구어〕 감화〔교화〕원. **≈fähig** *a.* 개선〔교정〕할 수 있는. **~-maßnahmen** *pl.* 〖法〗 범법자 감화〔선도〕 조치. **~verwahrung** *f.* 감화 시설에의 수용. **~mittel** *n.* ① 교정 수단〔방법〕. ② 조정제(調整劑). **~trieb** *m.* 향상욕(慾).

Bẹsser≈wessi *m.* 〔펌어〕 (특히 동독인들이 보기에) 오만한 서독인. **~wissen** *n.* ↑ ~-wisserei. **~wisser** *m.* ① 아는 체하는 사람. ② 훈계를 늘어놓는 사람, 남을 가르치려 드는 사람. **~wisserei** *f.* 유식한 체하기. **≈-wisserisch** *a.* 〔구어·펌어〕 유식한 체하는: sein ~es Gerede fällt jedem auf die Nerven 그의 아는 체하는 말은 모든 사람의 신경에 거슬린다.

Beßre* [bɛ́srə] *das* ↑ Bessere.

Beßrung [bɛ́srʊŋ] *f.* ↑ Besserung.

***best** [bɛst] *a./adv.* 가장 좋은〔좋게〕: mein ~er Freund 나의 친우; der erste 〔nächste〕 ~e 우선 닥치는 대로 선별한 (당분간의) 최우수자; er kennt es **am** ~en 그가 그것을 가장 잘 안다; es ist am ~en 〔das ~e〕, daß... …하는 편이 가장 낫다; **aufs** 〔auf das〕 ~e 최상으로, 최선을 다해; er ist auf dem ~en Weg, ein Säufer zu werden 그는 술고래가 되기에 딱 알맞은 상황이다; das Beste aus et.³ machen 무엇으로 최선을 꾀하다; **beim** ~en Willen 아무리 노력해도; ich halte es **für** das ~e, du schweigst 네가 침묵을 지키는 것이 가장 좋다고 생각한다; **in** den ~en Familien 최상류 가정에서; im ~en Fall 아주 잘 되면; eine Frau in den ~en Jahren 〔im ~en Alter〕 한창 나이의 여인; jn. im ~en Schlaf stören 누구의 곤한 잠을 방해하다; im ~en Tanzen〔Reden〕 한창 무용〔연설〕하는 중에; ich verstehe **mit** dem ~en Willen nicht, daß... 나는 …을 아무리 해도 알 수 없다; **nach** ~em 〔meinem ~en〕 Wissen 내가 아는 한도에서는; die Lehre **von** der ~en Welt 낙천주의; **zum** ~en ↑ aufs ~e; et. zum ~en geben 무엇을 한턱내다, 향응〔대접〕하다; 오락거리로 제공〔이야기〕하다; geben sie uns ein Lied zum ~en! 노래 한 곡 들려 주십시오!; jn. zum ~en haben〔halten〕 누구를 우롱하다, 놀리다; et. zum ~en kehren〔lenken, wenden〕 a) 무엇을 이용〔선용〕하다, b) 무엇을 선의로 해석하다; ~kundig 가장 정통한.

Best *n.* -(e)s, -e (südd., öst.) (경기·시합의) 1등상; 상금, 내기돈.

bestählen [bəʃtɛ́:lən] 《I》 *t.* …에 강철을 입히다. 《Ⅱ》 **bestählt** *p.a.* ↑ bestählt.

bestählt 《I》 *p.p.* ↑ bestählen. 《Ⅱ》 *p.a.* ① 강철〔철판〕을 입힌. ② 〔시어〕 철갑으로 무장한, 끄떡없는.

bestallen [bəʃtálən] *t.* 임명〔임용〕하다.

Bestạllung *f.* -en ① 임명; 관직 발령; 친권자〔후견인〕 지명. ② 임명장. ③ (의사의) 인가, 면허. ④ 〔고어〕 봉급(Gehalt).

Bestạllungs≈brief *m.* ↑ ~urkunde. **~-recht** *n.* 임명권. **~urkunde** *f.* 허가장, 임용장, (전매) 특허증.

***Bestand** [bəʃtánt] 《<bestehen》 *m.* -(e)s, ..stände [..stɛ́ndə] ① 존립, 존속; 영속, 내구(耐久), 불변: ~ haben 〔von ~ sein〕 계속 유지되다, 변하지 않다; soll eine Beziehung ~ haben, so muß man sich gegenseitig respektieren 관계가 계속 유지되려면 서로 존중해야 한다. ② 현존하는 것; 〖商〗 재고(품), 잔고; 예비품; 〖軍〗 현재 인원; 〖林〗 한 구역의 입목(立木)수; 사냥 구역의 짐승 총수, (목장의) 가축 총수: Kassen≈ 현금 잔고; Waren≈ 상품 재고; der ~ an Büchern 서적 재고; der eiserne ~ 〖經〗 고정 재고, 〖軍〗 비상 휴대 식량, 〖연극〗 장기(長技). ③ (südd., öst.) 임(대)차, 소작: ein Gut in ~ geben 토지를 소작주다.

Bestạnd·buch *n.* 〖商〗 재고〔재산〕 목록; 〖軍〗 현재 인원 명부.

bestanden [bəʃtándən] 《I》 *p.p.* ↑ bestehen. 《Ⅱ》 *p.a.* ① (수목이) 자라난, 우거진: der Garten war mit Bäumen ~ 정원에는 나무가 자라나 있었다; ein dünn ~er Wald 수목이 적은 숲. ② 늙은, 나이든, 고령의.

Bestandes·vertrag [bəʃtándəs..] *m.* (öst.) 임대차 계약.

bestạnd≈fähig *a.* 영속하는, 오래가는. **~fest** *a.* ↑ ~fähig. **≈geld** *n.* ① 임대료, 소작료. ② (수중의) 현금 잔고.

***beständig** [bəʃtɛ́ndɪç] 《I》 *a.* ① 영속적〔지속적〕인, 끊임없는: in ~er Angst leben 끊임없는 불안 속에 살아가다. ② 한결같은, 변함없는, 끈기 있는, 고정적인; 〖化〗 안정적인: ein ~er Mensch 한결같은 사람; er ist ~ in seinem Fleiß 그는 변함없이 근면하다. ③ 저항력〔내구성〕 있는: wetter~ 비바람〔혹한·혹서〕에 견디는; der Stoff ist ~ gegen Wasser 그 직물은 물빨래를 해도 끄떡없다. 《Ⅱ》 *adv.* 항상, 끊임없이: er klagt ~ über Kopfschmerzen 그는 계속해서 두통을 호소한다.

Bestạ̈ndigkeit *f.* ① 영속, 지속. ② 불변, 내구성; 끈기.

Bestạnd·konten *pl.* 〖商〗 재산 계정.

bestạndlos *a.* 오래가지 않는, 변하기 쉬운, 불안정한.

Bestạnds≈aufnahme *f.* ① 〖商〗 재고(품) 조사. ② 결산, 정리, 평가. **~jubiläum** *n.* (öst.) 창립 기념일. **~liste** *f.* 재고 목록. **~masse** *f.* ① (인구 조사에서 특정일의) 총인구. ② 〖林〗 임목(林木) 총수. **~meldung** *f.* 재고 통지. **~vetrag** *m.* ↑ Bestandesver-

trag. **~verzeichnis** *n.* ↑ Bestandbuch.
Bestand·teil *m.* ① (구성) 요소; 부품: die ~e einer Maschine 어떤 기계의 부품. ②〖化〗성분; 원소.
Best·arbeiter *m.* 〖구동독〗노동 영웅.
bestärken [bəʃtέrkən] 《I》 *t.* ① (다른 사람의 태도·의견을) 지지하다, 확언하다: jn. in seiner Meinung ~ 누구의 의견을 지지하다. ② 강화하다. 《II》 *refl.* sich ~ 강해지다, 증대되다: die Gewißheit bestärkte sich in ihm 그에게 확신이 커졌다.
Bestärkung *f.* -en ↑ bestärken의 명사형.
***bestätigen** [bəʃtέ:tɪgən] 《<stetig》 《I》 *t.* ① …에 대해 진실임을 입증하다, 확인하다: eine Nachricht amtlich〔offiziell〕 ~ 보도를 공식적으로 확인하다. ② …에 대해 유효를 선언〔확인〕하다; 승인〔재가〕하다: einen Vertrag ~ 조약을 비준하다. ③〖商〗통지하다: das Eintreffen der Ware ~ 상품의 도착을 통지하다. ④ (관직·직위를) 공식적으로 인정하다: jn. in seinem Amt 〔als Vorsitzenden〕 ~ 누구를 어떤 관직에〔의장으로〕임용하는 것을 재가하다. ⑤〖사냥〗(짐승의 서식처나 수효를) 확인하다. 《II》 *refl.* sich ~ (소문·보고가) 진실임이 판명〔입증〕되다.
Bestätiger [bəʃtέ:tɪgər] *m.* -s, - 확증자.
Bestätigung [bəʃtέ:tɪgʊŋ] *f.* -en ① 증명, 확증, (법령의) 재가, 인가, (조약의) 비준: zur ~ von et.[3] 무엇을 확증하기 위하여, 무엇의 확증으로서; die Befürchtungen fanden ihre ~ 그 우려가 사실임이 판명되었다. ② 확인서, 증명서.
Bestätigungs≈recht *n.* 인가권, 비준권. **~urkunde** *f.* 인가장. **~urteil** *n.* 확인 판결. **~schreiben** *n.* 확인서, 증명서. **~vorbehalt** *m.* 비준 유보.
bestatten [bəʃtátən] *t.* 매장하다, 묻다: er wurde in seiner Heimat bestattet 그는 그의 고향에 묻혔다.
bestätten [bəʃtέtən] *t.* ①〖고어〗↑ bestätigen. ② (südd.) (화물을) 발송〔운송〕하다.
Bestatter *m.* -s, - 장의사.
Bestätter *m.* -s, - ↑ Bestätterer.
Bestätterei [bəʃtεtəráɪ] *f.* -en (südd.) 운송업.
Bestätterer *m.* -s, - (südd.) 운송업자.
Bestätterung *f.* -en (화물의) 운송, 송달.
Bestattung [bəʃtátʊŋ] *f.* -en 매장, 장례식.
Bestattungs≈feier *f.* 장례식. **~gottesdienst** *m.* 영결 예배. **~institut** *n.* 장의사. **~kosten** *pl.* 장례비. **~unternehmen** *n.* 장의사.
bestauben [bəʃtáʊbən] 《I》 *t.* 먼지투성이가 되게 하다. 《II》 *refl.* sich ~ 먼지투성이가 되다. 《III》 **bestaubt** *p.a.* ↑ bestaubt.
bestäuben [bəʃtɔ́ʏbən] 《I》 *t.* ①〖植〗(mit Pollen) ~ 수분(受粉)시키다, 인공 수정하다. ② 가루를 뿌리다. ③〖방언〗술취하게 하다. 《II》 **bestäubt** *p.a.* ↑ bestäubt.
bestaubt 《I》 *p.p.* ↑ bestauben. 《II》 *p.a.* 먼지투성이의: ~e Kleider 먼지투성이의 옷.
bestäubt [bəʃtɔ́ʏpt] 《I》 *p.p.* ↑ bestäuben. 《II》 *p.a.* ① 가루가 묻은, 가루를 뒤집어쓴. ②〖植〗백분에 덮인; 수분〔수정〕한.
Bestaubung *f.* -en 먼지투성이가 되게 함.
Bestäubung *f.* -en〖植〗수분(受粉).
bestauden *refl.* sich ~ 자라서 관목이 되다; 움돋다, 가지를 뻗다.
bestaunen [bəʃtáʊnən] *t.* 놀라서 (눈을 크게 뜨고) 보다.
best≈ausgerüstet *a.* 최고의 장비를 갖춘. **~bekannt** *a.* 잘 알려진. **~beleumdet** *a.* 호평이 나 있는. **~beleumundet** *a.* ↑ ~beleumdet. **~bezahlt** *p.a.* 최고의 보수를 받는. **~bietend** *a.* 최고의 값을 부른〔매긴〕. **~bieter** *m.*〖商〗최고값을 부른 사람.
Beste* [bέstə] 《I》 *der/die* 가장 우수한〔친애하는〕사람; 친우, 애인;〖방언〗조부, 조모: der〔die〕 ~e in der Klasse 학급의 수석. 《II》 *das* 가장 뛰어난 것; 최선; 복리: **fürs** allgemeine ~ 공공의 이익을〔복지를〕위하여; ein Glas **vom** ~n 한 잔의 고급 포도주; ich tue mein ~s 나는 최선을 다한다; das ~ vergessen 핵심〔요점〕을 잊다; **zum** ~n der Armen 빈민(의 이익)을 위하여.
***beste, Beste** ↑ best.
bestechbar [bəʃtέçba:r] *a.* ↑ bestechlich.
bestechen [bəʃtέçən] *t.* ① 뇌물을 주다, 매수하다: einen Richter ~ 판사를 매수하다; er ließ sich leicht ~ 그는 쉽게 매수할 수 있었다; jn. mit〔durch〕 Freundlichkeit ~ 친절히 굴어서 누구의 환심을 사다. ② (마음을) 사로잡다, 매료시키다: sie besticht durch ihr gutes Aussehen 그녀는 반듯한 외모로 사람의 마음을 사로잡는다. ③〖방언〗(집·벽에) 회칠을 하다.
bestechend *p.a.* 사람의 마음을 사로잡는: ein ~es Lächeln 사람의 마음을 사로잡는 미소.
Bestecher *m.* -s, - ①〖드물게〗뇌물 제공자, 매수자. ② 단추 다는 직공.
bestechlich *a.* 쉽게 매수당하는.
Bestechlichkeit *f.* ↑ bestechlich의 명사형.
Bestech·stich *m.* 오늬 무늬의 바느질〔꿰매기〕, 헤링본 스티치.
Bestechung [bəʃtέçʊŋ] *f.* -en 뇌물 제공, 매수: aktive ~ 뇌물 공여죄; passive ~ 수뢰죄.
Bestechungs≈fall *m.* 뇌물 수수 사건. **~geld** *n.* 매수금, 뇌물. **~skandal** *m.* 뇌물 수수 스캔들. **~summe** *f.* 매수금〔뇌물〕액수. **~versuch** *m.* 매수 시도.
Besteck [bəʃtέk] *n.* -(e)s, -e ① 한 벌의 식사 용구(나이프·포크·스푼). ② (수술용) 의료 기구 세트. ③〖구식〗(식사 용구나 의료 기구 세트를 보관·운반하는) 함, 통. ④〖방언·폄어〗어리석은 사람〔여자〕. ⑤〖海〗선박의 해상 위치: das ~ nehmen 해도에 선박의 해상 위치를 기록하다.
bestecken [bəʃtέkən] 《I》 *t.* ① …에 꽂다, 삽입하다: ein Grab mit Tannenzweigen ~ 무덤에 전나무 가지를 꽂다. ② Reben ~ 포도덩굴을 말뚝으로 버티다. ③ (바늘로 겨냥도 등을) 콕콕 찔러 그리다. 《II》 *i.* (h.)〖드물게〗꽂혀〔부착되어〕있다.
Besteck≈fabrik *f.* 식사 용구 제조 공장. **~kasten** *m.* 수저통. **~schub·lade** *f.* 식사 용구 보관 서랍. **~tasche** *f.* 수저 주머니.
Besteder [bəʃté:dər] (ndd.) *m.* -s, -〖海〗조선(造船) 발주자.
Besteg [bəʃté:k] *m.* -(e)s, -e〖광물〗두 광맥 사이의 점토층.
bestehen* [bəʃté:ən] 《I》 *i.* ① (h.) 있다, 존

속〔존재〕하다: die Firma besteht seit 10 Jahren 그 회사는 10년째 존속하고 있다; 〖속담〗 Schönheit vergeht, Tugend besteht 미는 사라져도 덕은 불멸이다; darüber besteht kein Zweifel 그것에 관해서는 의문의 여지가 없다; alles, was besteht 일체의 현존하는 것; bei dieser Konkurrenz kann der kleine Laden kaum ~ 이러한 경쟁에서 조그만 가게는 거의 존속할 수 없다; zu Recht ~ 옳다, 권리가 있다; mit et.³ ~ 무엇과 공존〔양립〕하다, 무엇을 인내하다; bei dem Gehalt ~ 그 수입으로 살다, 견디어 나가다. ② (h.) auf et.³/⁴ ~ 무엇을 고집〔주장〕하다; er besteht auf seinem〔sein〕 Recht 그는 자신의 권리를 고집한다; ich bestehe auf seine Entfernung 나는 끝까지 그의 퇴거를 요구한다. ③ (h.) aus et.³ ~ 무엇으로 구성되어 있다; Messing besteht aus Zinn und Kupfer 놋쇠는 주석과 구리로 이루어져 있다. ④ (h.) 견디다, 극복하다: im Kampf ~ 능히 항전하다; vor jm ~ 누구의 의심〔비판〕을 견디다. ⑤ (h.) in et.³ ~ 무엇이 그 본질〔실체〕이다, 무엇에 (본질이) 있다; sein Vermögen besteht in Grundstücken 그의 재산은 토지다; die Tugend besteht im Handeln 미덕의 핵심은 행동에 있다; Charakterstärke besteht nicht im Eigensinn 성격이 강하다는 것이 고집이 세다는것은 아니다. ⑥〖드물게〗 재촉〔요구〕하다: auf diese Summe bestehe ich! 이 액수를 나는 (강력히) 요구합니다! ⑦ (s.) 〖고어〗 호르기를 멈추다, (액체가) 응고하다, 얼다. ⑧ (h.) 〖드물게〗 고백하다(gestehen). 《Ⅱ》 *t.* ① 합격하다, 이겨내다: die Prüfung ~ 시험에 합격하다; den Angriff ~ 공격에 견디다. ②〖드물게〗 ein Fahrzeug ~ 승차하다. ③〖드물게〗 고백하다. 《Ⅲ》 **bestanden** [bəʃtándən] *p.a.* ↑ bestanden.

Bestehen *n.* -s ① 존속, 존재, 생존. ② 극복하기: ~ einer Prüfung 시험 합격. ③ 고집, 고수: das ~ auf seinem Willen 자기 의지의 고수.

bestehen|bleiben* *i.* (s.) 계속〔지속〕되다.

bestehend *p.a.* 현존의〔하는〕, 기존의, 현행의: 〖商〗 ~e Preise 시가(時價); die ~en Gesetze 현행법; für sich ~ 독자적으로 존재하는, 독립의; lange ~ 긴 세월의.

bestehen|lassen *t.* 보존〔유지〕하다.

bestehlen* [bəʃtéːlən] *t.* jn. um et. ~ 누구에게서 무엇을 훔치다; einen Schriftsteller 〔ein Buch〕 ~ 어떤 저자에게서〔저서에서〕 표절하다.

besteigen *t.* ① 오르다, 타다: einen Berg ~ 산에 오르다; ein Pferd ~ 말에 올라타다; den Thron ~ 즉위하다; den Pegasus ~ 시작(詩作)하다. ② (짐승이) 교미하다. ③ 승차하다, 올라타다.

Besteiger *m.* -s, - 오르는 사람.

Besteigung *f.* 오름, 승차, 즉위: Berg~ 등산.

bestellbar *a.* ① 주문할 수 있는. ② 경작할 수 있는.

Bestell≈bezirk *m.* 배달 구역. **~block** *m.* 〖商〗 주문 장부. **~datum** *n.* 주문 날짜. **~-eingang** *m.* 〖商〗 ① 주문 입하. ② 주문 물품의 도착. **~buch** *n.* 〖商〗 주문 장부.

***bestellen** [bəʃtélən] *t.* ① 주문〔예약〕하다: eine Flasche Wein ~ 포도주 한 병을 주문하다; 〖商〗 bestellte Ware 맞춤 상품; Zimmer im Gasthaus ~ 호텔에 방을 예약하다; 〖비유〗 sie hat sich³ ein Kind bestellt 그녀는 임신 중이다; 〖구어〗 et. zu ~ haben (중요한) 용무가〔할 말이〕 있다. ② 약속하다, 시간을〔장소를〕 정하다: jn. zu sich³ ~ 누구와 자기 집에서 만나기로 약속하다. ③ es ist soundso bestellt um et. 〔mit et.³〕 무엇이 이러이러한 상태다; es ist gut um ihn bestellt 그는 잘 해 가고 있다. ④ 정리〔손질〕하다: (**a**) den Acker ~ 밭을 경작하다. (**b**) sein Haus ~ (사망에 대비하여) 자신의 가산을 정리하다. ⑤ (부탁 등을) 이행하다: kann ich etwas ~? (상인이 손님에게) 무엇을 드릴까요?; Briefe ~ 편지를 전하여 주다; bestelle ihm schöne Grüße von mir! 그에게 안부를 전해 다오! ⑥ 오게 하다, 호출하다: jn. in ein Gasthaus ~ 누구를 여관에 오게 하다; 〖구어〗 er stand da wie bestellt und nicht abgeholt 그는 꾸어다 놓은 자루처럼 멍하니 서 있었다. ⑦ 임명〔선출〕하다: jn. zum Vormund ~ 누구를 후견인으로 위임하다. ⑧〖드물게〗 차리다: den Tisch mit Milch und Brot ~ 식탁에 우유와 빵을 차리다; ein Zimmer mit Möbeln ~ 방에 가구를 들여놓다.

Besteller *m.* -s, - 주문자; (편지의) 배달인; 경작자; 〖法〗 설정자; 임용자, 고용주.

Bestell≈gang *m.* 〖우편〗 배달; 심부름. **~-gebühr** *f.* 배달료; 심부름 삯. **~geld** *n.* ↑ ~gebühr. **~karte** *f.* 주문용 엽서.

Bestellliste *f.* 〖商〗 주문표.

Bestell·kontor *n.* 〖商〗 주문 접수처, 주문 상품 인수소.

Bestell·liste *f.* 新정서 ⇦ Bestelliste.

Bestell-Liste *f.* 新정서 ⇦ Bestelliste.

Bestell≈nummer *f.* ① (상품의) 주문 번호. ② (도서의) 대출 번호. **~schein** *m.* ① (관청의) 주문 전표. ② (서적의) 주문 카드. ③ (도서관의) 대출 카드.

***Bestellung** [bəʃtéluŋ] *f.* -en ① 주문, 예약: eine ~ aufgeben〔annehmen〕 주문하다〔주문 받다〕; schriftliche〔telefonische〕 ~ 서면〔전화〕 주문; laut ~ vom 10.1. 1월 10일자 주문에 의거하여. ② 주문품: die heute eingetroffene ~ 오늘 도착한 주문 상품. ③ 임명, 위임: ~ zum Richter 판사 임명; ~ eines Vormundes 후견인 위임. ④ 배달, 전달: ~ von Briefen 편지 배달. ⑤ 전언(傳言), 소식: eine ~ überbringen 소식을 전하다. ⑥ 경작. ⑦ 약속; 진료 예약.

Bestellungs≈brief *m.* 주문장; 임명장. **~-buch** *n.* ↑ Bestellbuch.

Bestell≈zeit *f.* ① 〖우편〗 배달 시각. ② 〖農〗 경작 시기. **~zettel** *m.* (특히 서적의) 주문표, 주문 카드.

bestempeln *t.* 스탬프를 찍다.

besten·falls *adv.* 기껏해야, 잘해야.

bestens [béstəns] *adv.* 될 수 있는 대로 좋게, 아주 좋게; 충심으로; 〖商〗 가장 유리하게: ich werde es ~ besorgen 나는 최대한 힘쓰겠다; ich danke ~ 대단히 감사합니다; 〖반어〗 danke ~! 고맙기도 해라! (사절하겠다는 뜻).

besteppen *t.* (옷감을) 누비다, 감치다.

besternen [bəʃtérnən] 《Ⅰ》 *t.* (예문에서 문장에) 별표를 붙이다. 《Ⅱ》 **besternt** *p.a.* ↑ besternt.

besternt [bəʃtɛ́rnt] 《Ⅰ》*p.p.* ↑ besternen. 《Ⅱ》*p.a.* ① 별이 반짝이는: der ~e Himmel 별이 빛나는 하늘. ② 훈장으로 빛나는. ③ 별표를 붙인.

***besteuern** [bəʃtɔ́ʏərn] *t.* ① 과세하다, 세금을 부과하다: Genußmittel werden sehr hoch besteuert 향락품에는 아주 높은 세금이 부과된다. ②『海』ein Schiff ~ 배의 키를 잡다, 배를 조종하다.

Besteuerung *f.* -en ① 과세, 세금 부과. ②『海』키잡기, 조타(操舵)(술).

Bęst≈form *f.*『스포츠』최상의 컨디션. **≈gehaßt** *a.*『반어』가장 미움 받는. **≈gekleidet** *a.* 옷을 가장 잘 입은. **≈gelegen** *a.* 가장 좋은 위치에 있는. **≈gemeint** *a.*『구어』가장 호의적인. **≈gepflegt** *a.*『구어』가장 잘 길들인, 가장 좋은 상태의: das ~e Auto 가장 좋은 상태의 자동차. **~gut** *n.* ① (담배의) 특등품. ② (중세의) 소작지 상속세 (대개는 가장 좋은 가축). **~haupt** *n.* ↑ ~gut ②.

bestialisch [bɛstiá:lɪʃ] 《lat.》《Ⅰ》*a.* ①『펌어』짐승 같은; 잔혹한: ~e Foltermethode 잔혹한 고문 방식. ②『구어』참을 수 없는, 견디기 어려운. 《Ⅱ》*adv.*『구어』매우, 지독하게.

Bestialität [bɛstialitɛ́:t] *f.* -en 야수성, 잔인(한 행위).

Bestiarium [bɛstiá:rium] *n.* -s, ..rien [..riən] (중세의 교훈적인) 동물 우화집.

bestịcheln *t.* 조롱하다.

besticken [bəʃtɪ́kən] *t.* ① …에 수(繡)를 놓다: eine Tasche mit Perlen ~ 가방에 구슬자수를 놓다. ② (제방 표면을 철사로) 보호〔보강〕하다.

Bestịck·höhe *f.* 제방 보강의 높이.

Bestịckung *f.* -en ① 수 장식. ② 제방 보강.

Bestie [bɛ́stiə] 《lat.》*f.* -n 야수, 짐승; 짐승 같은 인간.

bestieben(*) [bəʃtí:bən] *t.*『고어』먼지투성이가 되게 하다.

bestiefelt [bəʃtí:fəlt] *a.* 장화를 신은.

bestielen [bəʃtí:lən] 《Ⅰ》*t.* …에 자루를 달다. 《Ⅱ》**bestielt** *p.a.* ↑ bestielt.

bestielt 《Ⅰ》*p.p.* ↑ bestielen. 《Ⅱ》*p.a.* 자루가 달린;『植』꽃자루〔잎자루〕가 있는.

bestịften *t.*『양봉』(여왕벌이 벌집에) 알을 낳다.

bestịmmbar *a.* 결정〔규정·정의·산정〕할 수 있는.

Bestịmmbarkeit *f.* ↑ bestimmbar 의 명사형.

***bestimmen** [bəʃtɪ́mən] 《<Stimme》《Ⅰ》*t.* ① 정하다, 결정〔확정·규정〕하다: einen Termin ~ 시간 약속을 정하다; einen Begriff ~ 개념을 정의하다; eine Pflanze ~ 어떤 식물을 분류하다. ② 명하다, 지정〔선정〕하다; 예정하다(zudenken): jn. zu seinem Nachfolger ~ 누구를 자신의 후계자로 정하다; jm. 〔für jn.〕 et. ~ 무엇을 누구에게 주기로 결정하다; ihm war eine große Zukunft bestimmt 그에겐 위대한 장래가 보장되어 있었다. 《Ⅱ》*refl.* sich ~ ① 결심하다: sich zu et.³ 〔für et.〕 ~ 무엇을 선택하다. ② 영향을 받다: die Investitionen bestimmen sich nach der Konjunkturlage 투자는 경기 상황의 영향을 받는다. 《Ⅲ》**bestịmmt** *p.a.* ↑ bestimmt.

bestịmmend *p.a.* 결정〔규정〕하는, 결정적인: ~en Einfluß ausüben 결정적인 영향력을 행사하다:『哲』~e Urteilskraft 규정적 판단력; das ≈e 결정적인 것〔요인·요소〕.

***bestimmt** [bəʃtɪ́mt] 《Ⅰ》*p.p.* ↑ bestimmen. 《Ⅱ》*p.a.* ① 정해진, 일정한, 특정의: zu et.³ ~ sein (섭리·자연에 의하여) 무엇으로〔무엇을 하기로〕 정해져 있다. ② 일정한; 확정적인; 단호한: eine ~e Person〔Größe〕 특정한 사람〔일정한 크기〕;『문법』~er Artikel 정관사;『海』~ nach Hamburg 함부르크행의; ~e Antwort 확답; ~er Befehl 엄명. 《Ⅲ》*adv.* 확실히, 단호하게, 결정적으로: ~ ablehnen 딱 잘라 거절하다; er kommt ~ nicht 그는 결코 오지 않는다; ganz ~! 틀림없다!

Bestịmmtheit *f.* -en 단호; 확실성, 명확: mit ~ sagen 확언〔단언〕하다.

***Bestimmung** [bəʃtɪ́muŋ] *f.* -en ① 결정, 규정, 정의: Begriffs≈ 개념 정의; Pflanzen≈ 식물 분류. ② 운명, 숙명, 사명, 천직: seiner ~ getreu 자신의 사명〔직분〕에 충실하게. ③ 예정된 목적〔용도〕; 목적지; 지정, 임명; 한정;『醫』진단;『化』정량;『物』측정. ④ 법규, 규정: den ~en gemäß 규정대로.

Bestịmmungs≈bahnhof *m.* 행선지 역, 도착역. **≈gemäß** *adv.* 규정대로. **~grund** *m.* 동기. **~hafen** *m.* 행선항(港), 도착항. **~mensur** *f.*『학생·고어』대학생 조합의 신입생끼리 훈련 목적으로 행하던 결투. **~ort** *m.* 목적지, 보낼 곳. **~recht** *n.* 결정권. **~wort** *n.*『복수: ..wörter』『문법』규정사(보기: "Lampenschirm" 에서 "Lampe").

bęst·informiert *a.* 가장 잘 아는, 정보통인: aus ~en Kreisen verlautet, daß... 가장 정통한 소식통에 따르면 …라고 한다.

bestirnt [bəʃtɪ́rnt] *a.* ↑ besternt《Ⅱ》.

Bęst≈leistung *f.*『스포츠』최고 기록. **~mann** *m.*『복수: ..männer』『海』연안 선박의 부선장, 작은 배의 선원 대표. **~marke** *f.*『스포츠』기록: die ~ steigern 기록을 올리다. **≈möglich** *a.* 될 수 있는 대로 좋은〔최선의〕.

bestöbern [bəʃtǿ:bərn] *t.* ① (눈보라로) 덮다. ② 킁킁거리며 냄새를 맡다.

bestochen [bəʃtɔ́xən] *p.p.* ↑ bestechen.

bestọchern *t.* (이를) 후비다.

bestocken [bəʃtɔ́kən] 《Ⅰ》*t.* ① 나무를 심다. ② (목초지를) 목장으로 이용하다. 《Ⅱ》*refl.* sich ~ 줄기가 나다, 움가지가 트다.

Bestọckung *f.* -en ①『農』분얼(分蘖), 움가지가 틈. ② 수림(樹林).

bestọ̈pseln [..ps..]『드물게』*t.* 마개를 하다.

bestoßen* [bəʃtó:sən] *t.* ① 찔러서 못쓰게 만들다. ② 모서리를 다듬다〔대패질하다〕. ③『印』Druckbogen ~ (흐트러진) 인쇄지의 가장자리를 바닥에 쳐서 정리하다; 판을 정리하다.

Bestoß≈feile *f.*『工』(눈이 거친) 줄. **~hobel** *m.* 초벌 대패. **~nagel** *m.* 대패질할 물건을 고정시키는 못. **~zeug** *n.*『印』공목(空木).

bestrafen [bəʃtrá:fən] *t.* 처벌하다: mit Worten ~ 꾸짖다; jn. für et. 〔um et., wegen eines Dinges〕 mit et.³ ~ 누구를 무엇 때문에 무슨 벌에 처하다; jede Sünde bestraft sich 모든 죄에는 응보가 따른다.

bestrafens·wert *a.* 벌받을 만한.

Bestrafung *f.* -en 처벌; 징계.

bestrahlen [bəʃtrá:lən] *t.* ① 비추다, 광선을 투사하다. ②〖醫〗방사선을 쬐어 치료하다.
Bestrahlung *f.* -en ① 조명, 조사(照射). ② 방사선 치료.
Bestrahlungs≠dosis *f.* 〖醫〗방사선 투사량. **~feld** *n.* 방사선 투사 부위. **~lampe** *f.* 광선 치료용 등(燈), 적외선등. **~raum** *m.* 방사선 치료실. **~technik** *f.* 방사선 치료 기술. **~zeit** *f.* 방사선 치료 기간.
***bestreben** [bəʃtré:bən] *refl.* sich ~, et. zu tun 무엇을 하려고 노력하다; 〔과거 분사+sein의 형태로〕 er ist bestrebt, seine Kunden zufriedenzustellen 그는 고객을 만족시키려고 애를 쓴다.
Bestreben *n.* -s 노력; 지향; 계획, 기도: es ist sein heißes ~, et. zu tun 그는 무엇을 하는 데 급급하다.
bestrebsam *a.* 노력하는, 열심인.
Bestrebung *f.* -en ↑ Bestreben.
bestreichen* [bəʃtráıçən] *t.* ① 바르다, 칠하다: die Wand mit Farbe ~ 벽에 도료를 칠하다. ② 스치다, 어루만지다, 문지르다: 〖海〗 eine Küste ~ 해안을 따라 항행하다. ③〖軍〗 융단 폭격을 가하다, 집중 사격하다.
Bestreichung *f.* -en ① 바르기, 칠하기. ② 스치기. ③〖軍〗집중 사격.
bestreifen 《I》 *t.* ① 선〔줄〕을 내다〔붙이다〕, 줄무늬를 내다〔붙이다〕. ② 가볍게 닿다〔스치다〕. 《II》 **bestreift** *p.a.* ↑ bestreift.
bestreift 《I》 *p.p.* ↑ bestreifen. 《II》 *p.a.* 줄〔선〕이 있는, 줄무늬가 있는.
bestreiken *t.* 파업하게 하다.
Bestreikung *f.* -en 파업.
bestreitbar *a.* ① 다툴 만한, 논란의 여지가 있는. ② 자금을 조달할 수 있는, 재정적으로 감당할 수 있는.
bestreiten [bəʃtráıtən] *t.* ①〔시어〕싸움 걸다, 대항하다. ② 논박하다, 이론을 제기하다: eine Behauptung ~ 어떤 주장을 반박하다. ③ 지급〔지출〕하다, (비용이나 진행을) 도맡다: die Kosten von et.³ ~ 무엇의 비용을 부담하다; den Unterhalt einer Familie ~ 한 가족의 부양을 책임지다; 〔비유〕 bei ihm wirst du die Unterhaltung allein ~ müssen 그 사람을 만나면 너 혼자서 화제를 도맡아야 할 게다. ④ (게임·시합에) 참가〔출전〕하다.
Bestreiter *m.* -s, - ① 전사, 투쟁자. ② 논쟁자.
Bestreitung *f.* -en ① 논쟁. ② 지급, 지출.
best·renommiert *a.* 평판이 아주 좋은.
bestreuen [bəʃtrɔ́ʏən] *t.* (무엇에) 뿌리다: mit Sand ~ 모래를 뿌리다.
Bestreuung *f.* -en (흩)뿌리기.
bestricken [bəʃtríkən] ①〔농담〕 jn. ~ 누구를 위해 많이 뜨개질하다, 누구에게 직접 뜨개질한 옷을 입히다〕: ein Kind mit Handschuhen ~ 장갑을 직접 짜서 아이에게 끼우다. ② 끈으로 묶다. ③ 매혹하다, 사로잡다.
bestrickend *p.a.* 매혹적인.
Bestrickung *f.* -en ① 새끼〔줄〕로 매기. ② 매혹.
beströmen [bəʃtrǿ:mən] *t.* (물이 무엇을) 씻다, 흘러넘치다; (눈물이 뺨에) 흐르다.
bestrumpft [bəʃtrʊ́mpft] *a.* 스타킹〔양말〕을 신은.
Best·seller [bɛ́stzɛlər, ..sɛlər] 《engl.》 *m.* -s, - 베스트 셀러.
Bestseller≠autor *m.* 베스트 셀러 작가. **~liste** *f.* 베스트 셀러 목록.
best·situiert *a.* (öst.) (경제적) 형편이 아주 좋은, 매우 유복한.
bestücken *t.* ① (무엇에 장비를) 갖추다; (품목을) 갖추어 놓다. ②〖海〗 (배에) 무장하다; (로켓에 탄두를) 장착하다.
Bestückung *f.* -en ① (장치의) 부품. ②〖海〗무장, 장비. ③ (장비·품목 등을) 갖추어놓음.
bestuhlen [bəʃtú:lən] *t.* (장소에) 의자를 설비하다.
Bestuhlung [bəʃtú:lʊŋ] *f.* -en (교회·극장의) 의자 설비; 좌석(전체).
bestürmen [bəʃtʏ́rmən] *t.* ①〔스포츠〕공격하다, 몰아붙이다. ②〔비유〕괴롭히다, 귀찮게 하다: jn. mit Fragen ~ 누구를 질문으로 귀찮게 하다.
Bestürmer *m.* -s, - 습격자, 공격수.
Bestürmung *f.* -en ① 공격, 쇄도. ② 귀찮게 졸라대기.
bestürzen [bəʃtʏ́rtsən] 《I》 *t.* ① 당황케 하다, 깜짝 놀라게 하다. ② Ofen ~ 난로에 석탄을 쏟아 붓다. 《II》 **bestürzt** *p.a.* ↑ bestürzt.
***bestürzt** [bəʃtʏ́rtst] 《I》 *p.p.* ↑ bestürzen. 《II》 *p.a.* über et. ~ 당황한; 깜짝 놀란, 아연해진; 몹시 부끄러워하는.
Bestürztheit *f.* ↑ Bestürzung.
Bestürzung *f.* 당황; 경악, 아연 실색; 수치.
bestußt [bəʃtúst] *a.* 〔구어〕둔한, 어리석은.
Best≠wert *m.* 최고가, 최선, 최적 조건. **~zeit** *f.* 〖스포츠〗최고 기록, 최단 시간. **~zustand** *m.* (특히 중고품의) 최상의 (보존) 상태.
Besuch [bəzú:x] *m.* -(e)s, -e ① 방문; 문안; 〖醫〗왕진: (bei) jm. einen ~ machen〔abstatten〕 누구를 방문하다; bei jm. zu〔auf〕 ~ sein 누구를 방문하고 있다; js. ~ erwidern 누구의 방문에 대한 답례로 누구를 방문하다. ② 방문객, 손님, 내객: ~ haben 〔bekommen〕 손님이 있다; ~ empfangen 〔annehmen〕 손님을 맞이하다; auf〔zu〕 ~ gehen 방문하다. ③ (목적을 가지고) 찾아감; 참례; 출석; 구경: ~ eines Theaters 연극 관람. ④ 방문객〔참가자〕 수. ⑤〖사냥〗 auf ~ gehen 짐승의 발자취를 따라가 찾아내다.
***besuchen** [bəzú:xən] *t.* 《I》 ① 방문하다; 문안가다; (의사가) 왕진하다. ② (음악회·극장에) 감상〔관람〕하러 가다, 다니다; (모임·강좌에) 참석하다: das Theater war schlecht besucht 그 극장은 관람자가 적었다; die Schule ~ 학교에 다니다. 《II》 **besucht** *p.a.* ↑ besucht.
Besucher *m.* -s, - 방문객, 문안객, (모임의) 참가자; 유람〔관람〕자; 〖商〗 손님, 고객: ~ der Kirche 예배자; ständiger ~ 고정 고객.
Besucher≠frequenz *f.* 입장객 수. **~fülle** *f.* 많은 입장객. **~rat** *m.* 〖구동독〗 (공연 등에 대해 조언해 주는) 관객의 모임. **~ring** *m.* (회원제) 감상〔관람〕 동아리〔서클〕. **~schar** *f.* 무리를 지은 입장객. **~strom** *m.* 관객의 쇄도. **~zahl** *f.* 방문객 수.
Besuchs≠austausch *m.* 교환 방문(특히 유학생 교환). **~erlaubnis** *f.* 방문〔면회〕 허가, 참관〔출석〕 허가. **~karte** *f.* (방문용) 명함. **~ritze** *f.* 〔구어·농담〕 부부 침대 사이의 공간.

~**tag** *m.* 방문하는 날, 면회일. ~**weise** *adv.* 방문차. ~**zeit** *f.* 면회(허용) 시간. ~**zimmer** *n.* 응접실, 객실.

besucht 《I》 *p.p.* ↑ besuchen. 《II》 *p.a.* 찾아오는 사람이〔참석자가〕 많은: ~er Ort 유람지, 번화한 곳.

besudeln [bəzúːdəln] 《I》 *t.* ① 더럽히다, 칠하여 지저분하게 하다. ②〔비유〕 모독하다. 《II》 *refl.* sich ~ 더럽혀지다.

Besudelung *f.* -en 더럽힘, 모독.

bet [beːt] 《frz. bête》 *a.* 〖다음 용법으로〗〖카드〗 ~ sein〔werden, gehen〕 지다, 패하다.

Beta[1] [béːta] *n.* -(s),-s 그리스 자모의 둘째자 (*B, β*).

Beta[2] *f.* 〖植〗 명아주속(Bete[1], Mangold 등).

betäfeln [bətɛ́ːfəln] 《I》 *t.* (벽에) 판자를 대다. 《II》 **betäfelt** *p.a.* ↑ betäfelt.

betäfelt 《I》 *p.p.* ↑ betäfeln. 《II》 *p.a.* 판벽을 댄.

betagt [bətáːkt] *a.* ① 나이 많은, 연로한. ②〖商〗 (어음이) 만기가 된.

Betagtheit *f.* 나이가 많음, 고령.

betakeln [bətáːkəln] *t.* ①〖海〗 (배에) 삭구(索具)를 설비(設備)하다, 의장(艤裝)하다. ② (wien.) 꾸짖다; 속이다.

Betakelung *f.* -en 의장(艤裝), 삭구.

betanken [bətáŋkən] *t.* 급유하다.

Betanker *m.* -s, - 연료 보급 비행기〔선박〕.

Betankung *f.* -en 연료 보급, 급유.

betanzen *t.* 〔구어·농담〕 eine Frau ~ 어떤 여자와 상당한 시간 동안 춤을 추다.

betasten *t.* ① 만지다, 건드리다. ②〖醫〗 촉진(觸診)하다. ③〔비유〕 (문제를) 다루다.

Beta≈strahlen *pl.* 〖理〗 베타선. ~**strahler** *m.* 베타선을 방출하는 방사성 동위 원소. ~**strahlung** *f.* 베타선 방출.

Betastung [bətástuŋ] *f.* -en 손으로 만짐; 〖醫〗 촉진.

Beta·teilchen *n.* 베타선 입자(약어: ß-Teilchen).

Beta·teilchen·test *m.* 〖컴〗 베타 검사.

betätigen [bətɛ́ːtɪgən] 《I》 *t.* ① 가동〔운전〕하다: die Bremse ~ 브레이크를 걸다. ② (행동으로 속마음을) 나타내다, 실증하다: seine Dankbarkeit ~ 감사의 뜻을 행동으로 표시하다. 《II》 *refl.* sich ~ ① 분명해지다. ② 활동〔일〕하다: sich politisch ~ 정치적 활동을 하다; sich an〔bei〕 et.[3] ~ 무엇에 관여하다, 종사하다.

Betätigung *f.* -en 실행, 실증; 활동; 관여.

Betätigungs·feld *n.* 활동 영역〔분야〕.

Betatron [beːtatróːn, ..rɔn] 《gr.》 *n.* -s, -e 〖理〗 베타트론(전자 가속 장치).

betatschen [bətátʃən] *t.* 〔구어·평어〕 거리낌없이〔무례하게〕 만지다; 집적대다.

betäuben [bətɔ́ʏbən] 《I》 *t.* ① 귀를 먹게 하다. ② 마비시키다; 〖醫〗 마취시키다: Zähne ~ 이를 마취하다. ③ 실신시키다, 의식을 잃게 하다: ein ~der Duft von Blüten 환각적인 강렬한 꽃향기; ~der Lärm 참을 수 없이 시끄러운 소음; 〔비유〕 (고통을) 덜하게 하다; (감정을) 진정시키다. 《II》 *refl.* sich ~ 감각이 무디게 되다; 기분이 헛갈리다. 《III》 **betäubt** *p.a.* ↑ betäubt.

betäubend *p.a.* 마취성의.

betäubt [bətɔ́ʏpt] 《I》 *p.p.* ↑ betäuben. 《II》 *p.a.* ① 마비된, 무감각한. ② 아연한: sie war vor Schreck ganz wie ~ 그녀는 깜짝 놀라서 완전히 넋이 나간 것 같았다.

Betäubung [bətɔ́ʏbuŋ] *f.* -en ① 귀먹게 하기. ② 마비; 〖醫〗 마취.

Betäubungs≈mittel *n.* 〖醫〗 마취제. ~**zustand** *m.* 혼수〔실신〕 상태.

betauen 《I》 *t.* ① 이슬로 축이다〔젖게 하다〕. ②〔드물게〕 녹이다. 《II》 *i.* (s.) 이슬에 젖다. 《III》 **betaut** *p.a.* ↑ betaut.

betaumeln *t.* 비틀거리게〔현기증나게〕 하다.

Beta·umwandlung *f.* ↑ ~zerfall.

betaut 《I》 *p.p.* ↑ betauen. 《II》 *p.a.* 이슬에 젖은, 이슬이 맺힌.

Beta≈version *f.* 〖컴〗 베타 버전. ~**zerfall** *m.* 〖理〗 베타 붕괴.

Bet≈bank *f.* 〖가톨릭〗 (기도할 때 꿇어앉는) 긴 의자. ~**bruder** *m.* 〔구어·폄어〕 (Frömmler) 기도쟁이, 신앙심이 있는 체하는 사람. ~**buch** *n.* 기도서.

Bete[1] [béːtə] 《lat. -ndd.》 *f.* -n 〖植〗 사탕무.

Bete[2] [béːtə, bɛːt] 《frz.》 *f.* -n 〔*n.* -s, -(n)〕 (내기 도박에) 건 돈〔물건〕.

bête [bɛːt] 《frz.》 *a.* ↑ bet.

beteeren *t.* 〔드물게〕 무엇에 타르를 바르다.

Beteigeuze [betaɪgɔ́ʏtsə] 《ar.》 *m.* 〖天〗 오리온 별자리의 알파(*α*)성.

beteilen [bətáɪlən] 《I》 *t.* (öst.) jn. mit et.[3] ~ 누구에게 무엇을 주다, 배당하다. 《II》 *refl.* sich mit〔bei〕 et.[3] ~ 무엇에 관여하다.

***beteiligen** [bətáɪlɪgən] 《I》 *t.* jn. an〔bei〕 et.[3] ~ 누구를 어떤 분배〔이익〕에 관여시키다: Arbeiter am Gewinn ~ 노동자들을 이익 배당에 참여시키다. 《II》 *refl.* sich an〔bei〕 et.[3] ~ 무엇에 참가〔관여〕하다; 협력하다, 무엇을 함께 하다; sich an einem Preisausschreiben ~ 현상 공모에 참가하다. 《III》 **beteiligt** *p.a.* ↑ beteiligt.

beteiligt [..çt] 《I》 *p.p.* ↑ beteiligen. 《II》 *p.a.* an〔bei〕 et.[3] ~ sein a) 무엇에 관여〔가담〕하고 있다, b) 무엇에 연루되어 있다; mit wieviel Prozent ist er an dem Geschäft ~? 그는 몇 퍼센트의 지분으로 이 사업에 참여하고 있느냐?; ~e Seiten 관계되는 각 방면.

Beteiligte* [..çtə] *der/die* 관계〔관여〕자, 협력〔참가〕자; 〖商〗 주주, 사원.

Beteiligung [bətáɪlɪguŋ] *f.* -en ① 관여, 관계, 참가; 〖商〗 지분(持分). ② 참가〔출석〕자.

Beteiligungs≈gemeinschaft *f.* 〖商〗 지분(持分) 연합. ~**gesellschaft** *f.* 〖商〗 지주 회사.

Beteilung *f.* -en (öst.) 분배.

Betel[1] [béːtəl] 《ind.》 *m.* -s 빈랑나무의 열매로 만든 기호품.

Betel[2] *m.* -s, - (ndd.) 끌(Beitel).

Betel≈kauen *n.* 빈랑나무 잎을 씹기. ~**kauer** *m.* 빈랑나무 잎을 습관적으로 씹는 사람. ~**nuß** *f.* 빈랑나무의 열매. ~**palme** *f.* 빈랑 나무. ~**pfeffer** *m.* 빈랑나무(의 잎); 빈랑나무의 잎으로 만든 후추.

***beten** [béːtən] (⊕ bitten) 《I》 *i.* (h.) 빌다, 기도하다: um Regen ~ 비를 기원하다; vor〔nach〕 Tisch ~ 식전〔식후〕에 기도를 하다; 〔속담〕 Not lehrt ~ 궁하면 빌게 마련이다. 《II》 *t.* ① 기도문을 외다, 낭송하다: das Vaterunser ~ 주기도문을 외다; den Rosenkranz ~ 묵주의 기도를 올리다. ② jn. gesund ~ 누구의 건강을 기원하다.

betẹppert *a.* 어찌할 바를 모르는, 당혹한.

Beter *m.* -s, - 기도하는 사람.

beteuern [bətɔ́yərn] 《<teuer》 *t.* 단언〔확언〕하다; 맹세하다: seine Unschuld ~ 자신의 결백함을 맹세하다.

Beteuerung *f.* -en 단언, 확언; 선서.

Beteuerungs·formel *f.* 선서 양식.

betexten [bətɛ́kstən] *t.* 무엇에 설명을 넣다, (노래에) 가사를 붙이다.

Bet≈fahrt *f.* 순례. **~gang** *m.* 〖宗〗 기원〔기도〕행렬. **~glocke** *f.* 기도를 알리는 종. **~halle** *f.* 예배당.

Bethanien [bətá:niən] 《hebr.》 베다니아(팔레스타인의 옛 마을).

Bet·haus *n.* ① 〔드물게〕 신전, 사원. ② 회당, 예배당.

Bethel [bé:tɛl] 《hebr., „Gotteshaus"》 ① 베델(예루살렘 부근의 지명; 지금의 Betin). ② 베델 요양소(빌레펠트(Bielefeld)에 있는 정신 질환자 요양원).

Bethesda [betɛ́sda] 《hebr.》 *m.* -(s) 베데스다(예루살렘 부근의 못(요한 5 : 2)).

Bethlehem [bé:tlehɛm, bɛ́t..] 베들레헴(팔레스타인의 도시; 그리스도의 출생지).

Bethlehemit *m.* -en, -en 베들레헴파의 종교 기사단.

bethlehemitisch *a.* 베들레헴의.

Beting [bé:tɪŋ] 《ndd.》 *m.* -s, -e 〔*f.* -e〕 〖海〗 계주(繫柱); (정박할 때) 닻줄을 매는 기둥.

Betise [betí:zə] 《frz.》 *f.* -n 어리석음.

betiteln [bətí:təln, ..tít..] 《Ⅰ》 *t.* ① (책의) 제목을〔표제를〕 붙이다. ② 누구를 칭호로 부르다: sie ~ ihn (mit) Graf 그들은 그를 백작이라고 부른다. ③ 〔구어〕 욕하다. 《Ⅱ》 *refl.* sich ~ 자칭하다; (책에 어떤) 표제가 붙어 있다.

Betitelung *f.* -en ① 명칭 부여. ② 칭호, 명칭.

Bet≈kissen *n.* (기도용) 방석. **~koralle** *f.* 〔드물게〕 묵주의 재료로 사용되는 산호. **~nacht** *f.* (메서디스트 교파의) 섣달 그믐날 밤, 제야(除夜).

betölpeln [bətœ́lpəln] *t.* 속이다, 기만하다.

Betölpelung *f.* -en 기만, 우롱.

*__Beton__ [betɔ́ŋ, betɔ̃́, ..tó:n] 《frz.》 *m.* -s, -s 콘크리트: armierter ~ 철근 콘크리트; fetter ~ (시멘트를 많이 함유한) 된 콘크리트.

Beton≈abwehr *f.* 〔은어〕 철통 수비. **~bau** *m.* 콘크리트 건축(물). **~bauer** *m.* 콘크리트 건축 기사. **~block** *m.* 콘크리트 블록. **~-fußball** *m.* 〔은어〕 철통 같은 수비 축구.

*__betonen__ [bətó:nən] 《Ⅰ》 *t.* ① 〖문법〗 무엇에 강세〔악센트〕를 두다. ② 〔비유〕 강조하다. 《Ⅱ》 **betont** *p.a.* ↑ betont.

Beton≈fundament *n.* 콘크리트 기초〔토대〕. **~guß** *m.* 콘크리트 주조(물).

Betonie [betó:niə] 《lat.》 *f.* -n 〖植〗 꿀풀과의 초본.

betonieren [betoní:rən] *t.* ① 콘크리트로 건축하다. ② 확고하게 하다. ③ 〖스포츠·은어〗 수비를 강화하다.

Betonierung *f.* -en 콘크리트 건축; 공고화.

Beton≈klotz *m.* ① 콘크리트 토막. ② 〔폄어〕 흉한 콘크리트 건축물. **~kopf** *m.* 〔폄어〕 고집 불통, 완고한 사람. **~misch·maschine** *f.* 콘크리트 혼합기, 레미콘.

betonnen [bətɔ́nən] *t.* 〖海〗 무엇에 부표를 달다, 부표로 표시하다.

Betonnung *f.* -en 부표 (설치).

Beton≈piste *f.* 〖스포츠〗 (오토바이 경주용의) 콘크리트로 된 구간. **~stein** *m.* 콘크리트 벽돌.

betont 《Ⅰ》 *p.p.* ↑ betonen. 《Ⅱ》 *p.a.* ① 강세〔악센트〕가 있는. ② 강조된, 대단한.

betonter·maßen *adv.* 강조하여, 분명하게; 고의로, 의식적으로.

Beton≈träger *m.* 콘크리트 버팀대. **~werk** *n.* 콘크리트 구조물〔건물〕. **~wüste** *f.* 〔구어·폄어〕 콘크리트 건물이 들어찬 황량한 도시.

Betonung [bətó:nʊŋ] *f.* -en ① 〖문법〗 강음, 악센트(붙이기). ② 〔비유〕 강조; 역설.

betören [bətø̃:rən] 《<Tor¹》 *t.* 현혹하다, 유혹하다; 매혹시키다.

Betörer [bətø̃:rər] *m.* -s, - (특히 여성을) 현혹〔우롱〕하는 사람.

Betörtheit *f.* 우매; 현혹; 혼미.

Betörung *f.* -en ① 우매, 현혹. ② 기만, 사기, 우롱.

Bet≈platz *m.* ↑ ~haus. **~pult** *n.* 기도용 탁자.

Betr. = Betreff.

betr. = betreffend, betreffs.

Betracht [bətráxt] *m.* -(e)s 고찰, 고려: außer ~ bleiben〔lassen〕 무시되다〔무시하다〕; in ~ kommen 고려〔참작〕되다, 문제되다; in ~ kommend 문제되고 있는; et. in ~ ziehen〔nehmen〕 무엇을 고려하다; in ~ eines Dinges a) 무엇을 고려하여, b) 무엇에 관하여; in ~, daß... …을 고려하여; in diesem ~(e) 〔구식〕 이 점에서.

*__betrachten__ [bətráxtən] *t.* ① 눈여겨보다, 관찰하다; 음미하다: sich im Spiegel ~ 거울을 들여다보다. ② 숙고하다. ③ et. (A) als et. (B) ~ 무엇(A)을 무엇(B)이라고 여기다, 간주하다: ich betrachte mich als Schuldigen 나는 죄를 자인한다. ④ 살펴보다, 평가〔판단〕하다: die Sache läßte sich auch von einem anderen Standpunkt aus ~ 그 일은 다른 관점에서도 살펴볼〔판단할〕 수 있다.

betrachtens·wert *a.* 관찰〔고찰〕할 가치가 있는, 고려할 만한.

Betrachter *m.* -s, - 관찰자, 구경꾼.

Betrachterin *f.* -nen ↑ Betrachter 의 여성형.

*__beträchtlich__ [bətrɛ́çt..] *a.* 현저한, 적잖은; 매우: um ein ~es 현저히, 매우.

betrachtsam *a.* 사색을 즐기는, 명상적인.

Betrachtung [bətráxtʊŋ] *f.* -en 관찰, 고찰, 숙고: ~en über et. anstellen〔machen〕 무엇에 관하여 고찰〔숙고〕하다; bei genauer ~ 더 자세하게 살펴보면; 〔드물게〕 in ~ eines Dinges 무엇을 고려하여〔하면〕.

Betrachtungs≈fenster *n.* (텔레비전) 화면. **~weise** *f.* 관찰 방법. **~winkel** *m.* 관찰 각도.

*__Betrag__ [bətrá:k] *m.* -(e)s, ..träge 액수, 금액: eine Quittung über den bezahlten ~ ausstellen 지급 금액에 대한 영수증을 내주다.

betragen* [bətrá:gən] 《Ⅰ》 *i.* (h.) 어떤 금액〔수치〕에 달하다: die Gebühr beträgt 400 DM 요금이 총 400 마르크다. 《Ⅱ》 *refl.* sich ~

행동하다: sich schlecht ~ 행실이 나쁘다.
Betragen *n.* -s 행동, 거동; 행실.
Betragens·note *f.* 품행 성적.
betrampeln *t.* 〖구어〗 발을 굴러 소리를 내며 걷다.
betränen 《Ⅰ》 *t.* ① (무엇 때문에) 슬퍼서 울다. ② 눈물로 적시다. 《Ⅱ》 **beträntt** *p.a.* ↑ beträntt.
beträntt [bətrɛ́:nt] 《Ⅰ》 *p.p.* ↑ betränen. 《Ⅱ》 *p.a.* 눈물에 젖은.
betrauen [bətráuən] *t.* (믿고) 맡기다, 위임하다: jn. mit einer Arbeit ~ 누구에게 어떤 일을 맡기다; jn. mit einem Amt ~ 누구를 어떤 관직에 임명하다.
betrauern [bətráuərn] *t.* jn. ~ 누구를 애도하다.
beträufeln [bətrɔ́ʏfəln] *t.* 무엇에 뚝뚝 떨어뜨리다, 붓다.
Betraute* *der/die* 친우; 〖商〗 대리인, 수임자; 〖法〗 수탁자.
Betrauung *f.* -en 위탁, 위촉.
betreff [bətrɛ́f] *prp.*[2] 〖官〗 …에 관한, …에 관련하여.
Betreff 《<betreffen》 *m.* -(e)s, -e (약어: Betr.) 〖官〗 in ~ (in ≗) eines Dinges 무엇에 관하여; in diesem ~ 이 점에 관해서는.
betreffen [bətrɛ́fən] 《Ⅰ》 *t.* ① 〖구식〗 jn. bei et.[3] ~ 누가 무엇을 하는 현장을 적발하다; jn. über der (auf frischer) Tat ~ 누구를 현행범으로 붙들다. ② (불행 등이) 닥치다: ihn hat ein schmerzlicher Verlust betroffen 그는 뼈아픈 손실을 입었다. ③ jn.(et.) ~ 누구(무엇)에 관계되다; was mich betrifft 나로서는, 나와 관련해 말하자면; es betrifft nur die paar Groschen 그것은 다만 푼돈의 문제다. ④ 상심시키다, 충격을 주다. 《Ⅱ》 **betroffen** *p.a.* ↑ betroffen.
betreffend *p.a.* 관계되는, 문제되어 있는; 해당되는(약어: betr.): Gesetz, ~ (über) die Altersversorgung 연금에 관한 법률; den Bahnbau ~ 철도 공사에 관하여; die ~e Behörde 해당 관청; der(die) ≗e 당사자, 관계자, 문제의 사람.
Betreffende* *der/die* 관계자, 당사자.
Betreffnis *n.* -ses, -se (schweiz.) 배당, 몫, 분배액.
betreffs [bətrɛ́fs] *prp.*[2] …에 관하여(약어: betr.): ~ des Bahnbaues 철도 공사에 관하여.
betreiben* [bətráɪbən] *t.* ① (기계 등을) 가동하다: die Strecke wird elektrisch betrieben 이 구간은 전동차가 운행되고 있다. ② 가속화(촉진)시키다. ③ 경영하다; 종사하다; 행하다: ein Geschäft ~ 어떤 사업에 종사하다; Ackerbau ~ 농업을 하다. ④ …에 방목하다: eine Wiese mit Schafen ~ 목장에 양을 방목하다. ⑤ (schweiz.) Geld ~ 돈을 징수하다.
Betreiben *n.* -s 추진; 재촉, 독촉: auf sein ~ (hin) 그의 재촉으로(교사(教唆)로).
Betreiber *m.* -s, - 종사자, 경영자, (공장 등을 운영하는) 회사.
Betreibung *f.* -en 종사, 경영; 촉진, 재촉.
betreßt [bətrɛ́st] *a.* 레이스가 달린.
betreten*[1] [bətré:tən] 《Ⅰ》 *t.* ① 무엇에 발을 들여놓다; 밟다; 들어서다: ein Haus ~ 집에 들어가다; die Kanzel ~ 설교단에 오르다; das Ufer (die Küste) ~ 상륙하다. ② 〖구식〗 (öst.) (불행 등이) 닥치다; (범인 등을 현장에서) 붙잡다. ③ der Hahn betritt die Henne 수탉이 암탉과 교미하다. 《Ⅱ》 **betreten** *p.a.* ↑ betreten[2].
betreten[2] 《Ⅰ》 *p.p.* ↑ betreten[1]. 《Ⅱ》 *p.a.* ① 밟은; 다져진: ein ~er Weg 왕래가 빈번한 길. ② 당황한, 놀란; 치욕스러운: ein ~es Gesicht machen 당황한 표정을 짓다.
Betreten *n.* -s 발을 들여놓기: das ~ des Rasens ist verboten 잔디밭에 들어가지 마시오.
Betretenheit *f.* 당황, 난처; 수치.
Betretung *f.* -en ↑ Betreten.
Betretungs·fall *m.* 〖구식〗 (öst.) im ~e (auf den ~) 현행범인 경우에는.
betreuen [bətrɔ́ʏən] *t.* ① 돌보다: einen Säugling (den Haushalt) ~ 젖먹이를(집안일을) 돌보다. ② 담당하다, (학생을) 지도하다.
Betreuer *m.* -s, - ① 보살펴 주는 사람, 보호자; 담당자; 지도하는 사람. ② 코치, 트레이너. ③ (여객) 안내원, 조수.
Betreuerin *f.* -nen ↑ Betreuer 의 여성형.
Betreuung *f.* -en 돌봄, 보호, 담당, (학생) 지도: ~ für einen Kranken gesucht 간병인 구함.
Betreuungs·stelle *f.* 복지 센터; 보호소; 안내계.
Betrieb [bətrí:p] 《<betreiben》 *m.* -(e)s, -e ① 경영, 영업, 기업; 사업장, 공장; 운전, 작업, 운행: öffentlicher ~ 공공 사업; elektrischer ~ a) 전력(電力) 운전, b) 전기 공장; in ~ sein 가동 중이다; außer(in) ~ setzen 운전(작업)을 중단(개시)하다; 〖구어〗 den ~ aufhalten 조업을 저지하다. ② 〖구어〗 활발한 움직임, 왕래, 혼잡; 활기참: heute ist starker ~ 오늘은 왕래가 많다, 매우 북적(흥청)거린다; in dem Lokal ist jeden Abend viel ~ 그 술집은 매일 저녁 성업 중이다. ③ 권유, 사주: er hat es auf meinen ~ getan 그는 내 권고로 그것을 하였다. ④ 방목, 목양(牧養). ⑤ 〖폄어〗 상황, 처지: ich habe den ~ hier gründlich satt! 나는 이곳 상황에 완전히 질려 버렸어!
betrieb·erschwerend *a.* 경영(가동)을 곤란하게 하는.
betrieblich *a.* 경영(일)의.
betriebsam *a.* 활동적인, 근면한; 〖폄어〗 부지런을 떠는.
Betriebs·akademie *f.* 〖구동독〗 직장 부설 학교, 직업 훈련원.
Betriebsamkeit *f.* 활동, 근면.
Betriebs≈angehörige* *der/die* (기업의) 종업원, 사원. **~anlage** *f.* 업무(공장) 설비(시설). **~art** *f.* 업종. **~anleitung** *f.* 사용 설명서. **~anweisung** *f.* 사용 설명서. **~arzt** *m.* 회사(공장) 전속 의사. **~ausflug** *m.* 사내 야유회. **~ausschuß** *m.* 〖法〗 경영 위원회. **~bahnhof** *m.* 차량 기지, 조차장(操車場). **~begehung** *f.* 〖구동독〗 기업 시찰. **~berater** *m.* 경영 고문. **≗bereit** *a.* 조업(가동) 준비가 끝난. **~besichtigung** *f.* 기업 시찰. **≗blind** *a.* 직장(업무)의 타성에 젖은. **~blindheit** *f.* 직장(업무)의 타성에 젖음.

~**büro** *n.* 관리 사무소. ~**direktor** *m.* 지배인, 감독; 〖철도〗 운수 과장. ~**eigen** *a.* 기업 직영〔소유〕의. ~**einstellung** *f.* 영업 정지, 조업 중단. ~**erlaubnis** *f.* 영업〔조업〕 허가. ~**fähig** *a.* 작업〔운전〕 가능한. ~**ferien** *pl.* 회사〔사내〕 전체 휴가(기간). ~**fertig** *a.* ↑ ~fähig. ~**fest** *n.* 기업〔사내〕 축제. ~**fremd** *a.* 타기업의, 기업 외의. ~**führer** *m.* 업무 주임; 지배인. ~**geheimnis** *n.* 업무상의 비밀. ~**gemeinschaft** *f.* 경영 협동(체); 영업 조합.

Betriebsgewerkschafts≈leitung *f.* 〖구동독〗 기업내 노동 조합 지도부. ~**organisation** *f.* 〖구동독〗 기업 노조 조직.

Betriebs≈größe *f.* 경영〔영업〕 규모. ~**ingenieur** *m.* 주임 기사. ~**inhaber** *m.* 기업주. ~**intern** *a.* 기업 내부의, 기업간의. ~**jahr** *n.* 영업〔사업〕 연도. ~**kampf·gruppe** *f.* 〖구동독〗 직장 예비군. ~**kapital** *n.* 경영 자본, 운전 자금. ~**klima** *n.* 작업 환경, 사내 분위기. ~**koeffizient** *m.* 영업 비율. ~**kosten** *pl.* 경영 비용, 관리비. ~**kraft** *f.* 동력, 공률(工率). ~**kranken·kasse** *f.* 직원 건강 보험. ~**kredit** *m.* 경영 신용. ~**küche** *f.* 구내 식당; 직원 급식 조리실. ~**länge** *f.* 〖철도〗 간선. ~**lehre** *f.* 경영학. ~**leiter** *m.* 지배인, 감독. ~**leitung** *f.* ① 기업 경영. ② 기업 수뇌부, 경영진. ~**material** *n.* 영업〔작업〕 자재; 〖철도〗 차량. ~**mittel** *n.* 생산 설비; 〖컴〗 운영 수단. ~**nudel** *f.* 〔구어〕 분위기를 잘 만드는 사람. ~**obmann** *m.* 〔복수: ..männer/..leute〕 (중소 기업의) 근로자 대표. ~**ordnung** *f.* (기업의) 내규. ~**organisation** *f.* 기업 조직. ~**personal** *n.* 직원, 종업원. ~**prüfung** *f.* 〖法〗 기업 회계 감사. ~**rat** *m.* 〔복수: ..räte〕 경영 참여 근로자 대표 협의회.

Betriebsrats≈mitglied *n.* 경영 참여 근로자 대표 협의회 구성원. ~**vorsitzende*** *der/die* 경영 참여 근로자 대표 협의회 의장.

Betriebs≈ruhe *f.* ① 휴무. ② 정상 조업〔경영〕. ~**schluß** *m.* 업무 종료, 작업 마감. ~**schutz** *m.* 산업 재해 보호. ~**sicher** *a.* 운전〔가동〕에 이상이 없는. ~**spannung** *f.* 〖전기〗 사용 전압. ~**statistik** *f.* 경영 통계. ~**stätte** *f.* 〖法〗 사업〔작업〕장. ~**steuer** *f.* 영업세. ~**stockung** *f.* 조업〔운전〕 중단. ~**stoff** *m.* ① (기계·설비 등의) 가동용 연료. ② 생산용 원료. ~**störung** *f.* 운전〔영업〕 장애. ~**system** *n.* 〖컴〗 운영 체제, 오퍼레이팅 시스템. ~**system·erweiterung** *f.* 〖컴〗 운영 체계 확장. ~**treue** *f.* 기업에 대한 장기간의 충성. ~**unfall** *m.* ① 산업 재해. ② 〔농담〕 원하지 않은 임신. ~**versammlung** *f.* 사원 총회. ~**vorschriften** *pl.* 운영 규정. ~**welle** *f.* 〖工〗 운전〔주동〕축. ~**wirtschaft** *f.* 경영학. ~**wirtschafts·lehre** *f.* 경영학. ~**wissenschaft** *f.* 경영학. ~**zeit** *f.* 영업 시간. ~**zelle** *f.* ① (좌익 조직의) 직장 세포〔침투 조직원〕. ② (구동독 집권당의) 직장내 당원.

betrinken* [bətrɪ́ŋkən] *refl.* sich ~ 취하도록 마시다.

betroddeln *t.* 무엇에 술을 달다.

betroddelt *p.a.* 술이 달린.

***betroffen** [bətrɔ́fən] 《I》 *p.p.* ↑ betreffen. 《II》 *p.a.* 경악〔당혹〕한.

Betroffene* *der/die* 당사자, 해당자.

Betroffenheit *f.* 경악, 당황, 당혹.

betrog [bətró:k] ↑ betrügen 의 과거형.

betrogen *p.p.* ↑ betrügen.

betröpfeln [bətrœ́pfəln] *t.* (물방울을) 조금씩 떨어뜨리다.

betropfen *t.* 무엇 위에 뚝뚝 떨어뜨리다.

***betrüben** [bətrý:bən] 《I》 *t.* ① 혼탁하게 하다. ② 슬프게〔우울하게〕 하다. 《II》 *refl.* 〔구식〕 sich über et. ~ 무엇을 슬퍼〔탄식〕하다. 《III》 **betrübt** *p.a.* ↑ betrübt.

betrüblich [bətrý:plɪç] *a.* 슬픈, 우울하게 하는.

betrüblicher·weise *adv.* 유감스럽게도, 슬프게도.

Betrübnis [bətrý:pnɪs] *f.* -se ① 비애, 우수, 낙담. ② 슬픈 일.

betrübt [..pt] 《I》 *p.p.* ↑ betrüben. 《II》 *p.a.* ① 슬퍼하는. ② 슬퍼할, 슬픈, 상심한.

Betrübtheit *f.* 비애, 비탄.

***Betrug** [bətrú:k] *m.* -(e)s, ..trüge [..trý:gə] 속임, 기만, 사기: an jm. einen ~ begehen 누구를 속이다; mit ~ umgehen 속임수를 쓰다, 사기치다; ein frommer ~ 선의의 거짓말; ~ der Sinne 환상, 착각.

betrügen [bətrý:gən] 《I》 *t.* 속이다, 기만하다, 배반하다: jn. um et. ~ 누구를 속여 무엇을 빼앗다〔가로채다〕; in seinen Hoffnungen betrogen 환멸의, 실망한. 《II》 *refl.* sich (selbst) ~ 자신을 속이다; 〔비유〕 sich ~ 착각하다, 실망하다.

Betrüger *m.* -s, - ① 사기꾼, 거짓말쟁이. ② (병의) 밑바닥이 올라온 부분.

Betrügerei [bətry:gəráɪ] *f.* -en 사기, 기만.

Betrügerin *f.* -nen ↑ Betrüger 의 여성형.

betrügerisch *a.* 사기의, 정직하지 못한; 겉과 속이 다른, 믿을 수 없는.

betrüglich [bətrý:klɪç] *a.* ① 사기의, 정직하지 못한. ② 허망한, 현혹적인.

Betrugs≈manöver *n.* 사기 행각. ~**verfahren** *n.* 〔구어〕 사기 소송.

betrunken [bətrʊ́ŋkən] 《<betrinken》 *p.a.* 술취한: schwer ~ 곤드레만드레 취한.

Betrunkene* *der/die* 술취한 사람, 주정뱅이.

Betrunkenheit *f.* 취한 상태, 명정(酩酊).

Bet≈saal *m.* 예배당, 기도실. ~**säule** *f.* (행인의 기도를 위해 십자가 또는 성상(聖像)을 안치한) 기도주(柱) (Bildstock). ~**schemel** *m.* 기도대(기도할 때 무릎을 꿇어 올려놓는 판). ~**schwester** *f.* 〔폄어〕 극성맞은 여자 신도. ~**stuhl** *m.* 기도대. ~**stunde** *f.* 예배〔기도〕 시간.

***Bett** [bɛt] *n.* -(e)s, -en ① (**a**) 잠자리, 침대; 〔복수〕 침구류(類), 이부자리: das ~ machen〔bereiten, richten〕 잠자리를 펴다; ein ~ überziehen 시트를 깔다; die ~en sonnen 이부자리를 햇볕에 쬐다; das ~ hüten〔**ans** ~ gefesselt sein〕 병석에 누워 있다; **aus**〔**außer**〕 dem ~ sein (환자가) 병상에서 물러나 있다; aus dem ~ steigen 침대를 떠나다; 〔구어〕 das ~ an〔bei〕 fünf Zipfeln (an)packen〔fassen〕 wollen 필요 이상의 일을 하려 들다; **im** ~ liegen 자고 있다; ins ~ gehen 잠자리에 들다; sich ins ~ legen 〔sich zu ~ legen〕(피곤해서) 푹 쓰러져 자다;〖구어〗 mit jm. ins ~ gehen 누구와 동침하다; zu ~ bringen〔gehen〕 재우다〔자러 가다〕; zu ~ liegen〔bleiben, sein〕 a) 자고 있다, b) 병으로 누워 있다. **(b)**〖비유〗무덤: **auf** dem ~ der Ehre sterben 명예롭게 전사하다; mit dem linken〔verkehrten〕 Fuß **aus** dem ~ steigen 자리에서 일어나면서부터 기분이 나쁘다. ② 부부의 잠자리; 결혼: das ~ beschreiten 결혼식을 마치다; Kinder aus erstem ~ 첫 배우자와의 사이에서 난 애들; Trennung〔Scheidung〕 von Tisch und ~ 부부의 별거〔이혼〕; das ~ entehren 간통하다. ③〖사냥〗짐승의 굴. ④ 하상(河床). ⑤〖광산〗탄층. ⑥〖工〗(선반(旋盤) 등의) 대(臺), 상(床). ⑦ 묘상(苗床). ⑧〖植〗화탁(花托). ⑨ (타작 1 회분의) 곡식 더미.

Bet·tag *m.* 기도일.

Bett≈anzug *m.* (schweiz.) 침대 커버. **~bank** *f.* ↑ ~couch. **~behang** *m.* 침대(주위에 드리운) 커튼. **~bezug** *m.* 침대 커버. **~couch** *f.* 소파 겸용 침대. **~decke** *f.* 침대 커버; 이불. **~drell** *m.*〔드물게〕침대잇.

Bette [bέtə] *n.* -s, -n〖사냥〗짐승의 굴.

Bettel [bέtəl]《<betteln》*m.* -s ① 구걸, 동냥. ② 허섭스레기; 하찮은 일, 자질구레한 일:〔구어〕jm. den (ganzen) ~ vor die Füße werfen〔schmeißen〕화가 나서 누구의 일을 하지 않겠다고 내동댕이치다〔그만두다〕; das ist der ganze ~ 일은 그것뿐이다.

bettel≈arm *a.* 거지처럼 가난한, 적빈(赤貧)한. **~brief** *m.* 구걸 편지. **~brot** *n.* 적선받은〔해주는〕빵. **~bruder** *m.*〔폄어〕거지, 걸인; 탁발 수도사. **~bube** *m.* ↑ ~junge.

Bettelei [bεtəláɪ] *f.* -en ① 구걸, 동냥질. ② 애걸. ③ 쓸데없는 것.

Bettel≈essen *n.* 보잘것없는 식사. **~frau** *f.* ↑ Bettlerin. **~geld** *n.* 걸인에게 주는 돈, 아주 적은 돈.

bettelhaft *a.*〔구식〕가련한, 비참한.

Bettel≈handwerk *n.* 동냥질. **~herberge** *f.* 거지 숙소; 싸구려 여인숙. **~hoch·zeit** *f.*〔비유〕초라한 결혼식.

bettelisch *a.* ↑ bettelhaft.

Bettel≈junge *m.*, **~knabe** *m.* 거지 아이. **~könig** *m.* ① 거지 왕; 작은 나라의 왕. ② 거지를 단속하는 경찰. **~kram** *m.* 쓸데없는 것, 하찮은 일. **~leute** *pl.* 거지들. **~mann** *m.*〔복수: ..leute〕거지, 빈민. **~mönch** *m.*〖가톨릭〗탁발(托拔) 수도승. **~musikant** *m.* 거리의 악사.

***betteln** [bέtəln]《⊕ bitten》《I》*i.* (h.)/*t.* 구걸하다, 걸식하다, 거지 생활을 하다; 조르다, 떼를 쓰다: ~ gehen 걸식하고 다니다; um et. ~ a) 무엇을 구걸하다, b) 무엇을 (달라고) 애걸하다;〔속담〕Kunst geht nicht ~ 재주만 있으면 어디 가도 먹고 산다; die Kunst geht ~ 예술은 돈과 인연이 멀다. 《II》*refl.* sich durch das Land ~ 이곳저곳에서 얻어먹고 다니다.

Bettel≈orden *m.*〖가톨릭〗탁발(托拔) 수도회, 도미니크 교단. **~pack** *n.* 거지떼. **~putz** *m.* (의복의) 싸구려 장식(품). **~sack** *m.* ① 동냥 자루. ②〔폄어〕끈질기게 구걸〔애걸〕하는 사람. **~staat** *m.* ↑ ~putz. **~stab** *m.* ① 거지의 지팡이. ②〔비유〕거지 신세: jn. an den ~ bringen 누구를 영락시키다; an den ~ kommen 빌어먹게 되다. **~stand** *m.* 거지 신세. **~stolz** *m.* (주제를 모르는) 빈자(貧者)의 오기. **~suppe** *f.*〔구식〕거지에게 주는 수프;〔폄어〕묽은 수프; 내용이 빈약한 것. **~tanz** *m.* 싸움 소동; 서로 맞붙어 싸움질하기. **~vogt** *m.* 거지 단속하는 순경. **~volk** *n.* 거지떼;〔폄어〕천민. **~weib** *n.*〔구식〕↑ Bettlerin.

betten [bέtən]《<Bett》《I》〔구식〕*i.* (s.) 잠자리를 펴다: sich³ ~ 자기의 자리를 깔다. 《II》*t.* ① jn. ~ 자리에 누이다, 재우다; 안정시키다: jn. zur letzten Ruhe ~ 고인을 안장하다;〔비유〕auf Rosen gebettet sein 행복에 젖어 있다; in Grün gebettet sein (별장 등이) 푸른 초목에 싸여 있다. ② (잠자리를) 펴다, 준비하다. 《III》*refl.* sich ~ 자리에 들다, 자다: sich zusammen ~ 동침하다; sich reich ~ 결혼을 잘 하다;〔속담〕wie man sich bettet, so schläft〔liegt〕man 인과응보.

Betten≈bau *m.* 침대 제작. **~machen** *n.* 잠자리 정돈. **~mangel** *m.* (병원·호텔의) 침대 부족, 병실〔객실〕부족.

Betteppich *m.* 침대 옆의 양탄자.

Bett≈feder *f.* ① 깃털 이불용 날개털. ② 침대의 스프링. **~flasche** *f.* (몸을 덥히기 위해 자리 속에 두는) 온수병. **~frau** *f.* 침대 담당 하녀; 싸구려 여인숙의 안주인:〔비유〕bei der grünen ~ schlafen 노숙하다. **~geher** *m.* (öst.) 숙박자. **~genosse** *m.* ① 함께 자는 사람, 동숙자. ② 동침하는 (남자) 애인. **~genossin** *f.* ↑ ~genosse의 여성형. **~gerät** *n.* 침구류, 이부자리. **~geschichte** *f.* ①〔구어〕연애 관계. ② 연애 이야기. **~gestell** *n.* 침대틀. **~hase** *m.*, **~häschen** *n.*〔농담〕정부(情婦), 첩. **~himmel** *m.* 침대 위의 휘장. **~hupferl** *n.* (특히 süddt.) (아이들에게) 취침 전에 주는 과자.

Betti [béti] *f.* 베티(↑ Elisabeth의 애칭).

Bettina [bεtí:na] *f.*〔↑ Elisabeth의 축소형〕베티나.

Bett≈jacke *f.* 침실용 윗도리. **~kammer** *f.* 침실. **~kante** *f.* 침대 모서리. **~kasten** *m.* 침대 밑 서랍. **~kissen** *n.* 베개. **~lade** *f.* (obd.) ↑ ~gestell. **~lägerig** *a.* 몸져 누워 있는. **~lägerigkeit** *f.* 병들어 누워 있음; 병약. **~laken** *n.* 침대보. **~lektüre** *f.* 취침 전 읽을 거리.

***Bettler** [bέtlər]《<betteln》*m.* -s, - 거지, 동냥아치;〔폄어〕가난뱅이.

Bettlerei [bεtləráɪ] *f.* -en ↑ Bettelei.

Bettlerin *f.* -nen ↑ Bettler의 여성형.

bettlerhaft *a.* 거지 같은, 거지 행색의, 구걸〔애걸〕하는.

bettlerisch *a.* ↑ bettlerhaft.

Bettler≈leier *f.* (바이올린 모양의) 옛 현악기. **~mantel** *m.* ① 거지의 외투. ②〖植〗톱풀.

Bettlerschaft *f.*〔드물게〕거지 패거리.

Bettler≈sprache *f.* 거지의 은어. **~stolz** *m.* ↑ Bettelstolz. **~tum** *n.* 거지 신세. **~zinken** *m.* (문간에 붙이는) 거지끼리의 암호.

Bett≈linnen *n.* 린네르〔아마포〕의 시트. **~nässen** *n.*〖醫〗야뇨증. **~nässer** *m.* 야뇨증 환자. **~pfanne** *f.* (환자용) 변기. **~pfosten** *m.* 침대의 다리. **~pfühl** *m.*〔구식〕침대 쿠션. **~pulle** *f.*〔방언〕장침(長枕). **~rand** *m.* ↑ ~kante. **~reif** *a.*〔구어〕(잠

자리에 들어야 할 만큼) 피곤한, 고단한. **~rost** *m.* 〖방언〗 스프링 매트리스. **~ruhe** *f.* 침대에 누워 취하는 안정, 휴식. **~sack** *m.* 〖드물게〗(짚으로 만든) 침대요. **~schirm** *m.* 베갯머리 병풍. **~schoner** *m.* 〖농담〗 밤에 잠자지 않는〔환락을 즐기는〕 사람. **~schrank** *m.* 접는 침대. **~schüssel** *f.* 환자용 변기. **~schwere** *f.* (술에 취해) 곯아떨어지기 직전의 상태: die nötige ~ haben 곤드레만드레 취해 있다. **~sponde, ~statt, ~stätt, ~stelle** *f.* ↑ ~gestell. **~stollen** *m.* ↑ ~pfosten. **~stroh** *n.* ① 침대요 속에 넣는 짚. ②〖植〗 갈퀴덩굴. **~stuhl** *m.* (환자용의) 침대 의자. **~szene** *f.*〖영화〗 베드 신. **~truhe** *f.* 깃털 이불용 장(롱).

Bett·tuch 新정서 ⇦ Bettuch[1].

Bett-Tuch 新정서 ⇦ Bettuch[1].

Bett·überzug *m.* 침대 커버.

Bettuch[1] *n.* -(e), ..ttücher 시트.

Bet·tuch[2], **Bet-Tuch** *n.* 〖복수: ..tücher, ..Tücher〗 (유대인의) 기도할 때 쓰는 보.

Bett≈umhang *m.* ↑ ~vorhang. **~umrandung** *f.* 침대 주위에 까는 양탄자.

Bettung *f.* -en ① 잠자리 펴기, 침대에 눕히기. ② 잠자리; 가(架), 받침대;〖철도〗 도상(道床):〖軍〗 ~ von Geschützen 포상(砲床).

Bett≈vorhang *m.* 침대의 휘장. **~vorlage** *f.*, **~vorleger** *m.* ① 침대 곁에 까는 융단. ②〖농담〗 털이 긴 개. ③〖농담〗 더부룩한 긴 수염. **~wanze** *f.* 빈대. **~wärmer** *m.* ① ↑ ~flasche. ②〖농담〗 ↑ ~genoß. **~wäsche** *f.* 〖총칭〗(침대) 시트·커버류. **~zeug** *n.* 침구류. **~zieche** *f.* 침대 커버. **~zipfel** *m.* 이불의 단: 〖구어〗 nach dem ~ schnappen 하품하다.

betuch *a.* 〖은어〗 ① 믿을 수 있는. ② 조용한, 신중한.

betuchen [bətúːxən] *t.* 피륙으로 덮다.

betucht [bətúːxt] 《hebr.》 *a.* ①〖은어〗 조용한, 신중한. ②〖구어〗 유복한.

betulich [bətúːlɪç] *a.* ① 할 수 있는, 가능한. ② 성가실 정도로 상냥한, 싹싹한. ③ 활동적인, 부지런한.

Betulichkeit *f.* ↑ betulich 의 명사형.

betümpeln [bətʏ́mpəln] *refl.* 〖속어〗 sich~ 얼근히 취하다.

betun* [bətúːn] 《Ⅰ》 *t.* (행)하다. 《Ⅱ》 *refl.* sich ~ ①〖구어〗 성가실 정도로 친절하게 굴다: sich mit jm. 〔gegen jn.〕 ~ 정답게 누구를 돌봐 주다, 교제하다. ② 빼기다: betu(e) dich nur nicht so! 그렇게 빼기지 마라!

betünchen *t.* 석회로 칠하다, 흰 칠을 하다.

betüpfeln [bətʏ́pfəln] *t.* (피륙에) 얼룩무늬를 넣다.

betupfen [bətʊ́pfən] *t.* ① 가볍게 건드리다, 살짝 적시다. ② 점무늬를 찍다. ③〖방언〗 속이다.

betuppen *t.* 〖구어·방언〗 속이다.

beturbant [bətʊ́rbant] 《<Turban》 *a.* (이슬람교도가) 터번을 쓴.

betürmen 《Ⅰ》 *t.* 무엇에 탑을 올리다. 《Ⅱ》 **betürmt** *p.a.* ↑ betürmt.

betürmt 《Ⅰ》 *p.p.* ↑ betürmen. 《Ⅱ》 *p.a.* 탑이 있는.

betusam *a.* 〖드물게〗 성가실 정도로 상냥한, 친절한.

betütern [bətʏ́ːtərn] 《Ⅰ》 *t.* (berl., nordd.) 누구에게 과도하게 마음을 쓰다. 《Ⅱ》 *refl.* sich ~ 얼큰하게 취하다. 《Ⅲ》 **betütert** *p.a.* ↑ betütert.

betütert 《Ⅰ》 *p.p.* ↑ betütern. 《Ⅱ》 *p.a.* ① 거나하게 취한. ② 제 정신이 아닌, 정신나간.

Bet·woche *f.* 〖宗〗 예수 승천절의 주간(부활절 후의 제 5 일요일과 제 6 일요일 사이).

Betz [bɛts] *m.* -es, -e ①〖드물게〗 곰. ②〖구식〗 개. ③〖아동·구식〗 양.

Betze [bɛ́tsə] *f.* -n ①〖구식〗 암캐. ② 여우의 암컷. ③ 창녀.

Betzel [bɛ́tsəl] *m.* -s, -〖방언〗(헤센주의 민속 의상에서 여성이 쓰는) 두건.

Beuche [bɔ́ʏçə] *f.* -n (양)잿물.

beuchen [bɔ́ʏçən] *t.* (양)잿물로 삶아 빨다.

Beuch·faß *n.* (양)잿물통.

beugbar [bɔ́ʏk..] *a.* ① 구부려지는. ② 온순한, 고분고분한. ③〖언어〗 활용〔변화〕되는.

Beuge [bɔ́ʏgə] *f.* -n ① 굴곡, 만곡(灣曲): aus der Krümme in die ~ kommen 갈수록 태산이다. ②〖해부〗 팔·다리의 오금. ③〖체조〗 몸통 구부리기. ④〖工〗 테를 휘는 기계.

Beuge≈fall *m.* 〖문법〗 격. **~haft** *f.* 〖法〗 강제 구금. **~mann** *m.* 〖농담〗 ① 절, 인사. ② 하인. **~muskel** *m.* 〖해부〗 ↑ Beuger.

Beugel [bɔ́ʏgəl] *n.* -s, - (뿔 모양의) 빵과자의 일종.

***beugen** [bɔ́ʏgən] 《Ⅰ》 *t.* ① 구부리다, 휘다, 숙이다; 〖비유〗 굴복시키다; 굴욕을 주다: den Nacken〔sich〕 vor jm. ~ 누구에게 굴복하다; jm. den Nacken~ 누구를 굴복시키다; das Recht ~ 법을 자의적으로 잘못 해석하다. ②〖物〗(빛·전파·음파 등을) 굴절시키다. ③〖문법〗 변화시키다, 활용하다. 《Ⅱ》 *refl.* sich~ ① 굽히다, 몸을 구부리다. ②〖비유〗 굴복하다: sich dem Schicksal ~ 운명에 굴복하다. 《Ⅲ》〖드물게〗 *i.* (s.) 굽다: um die Ecke ~ 모퉁이를 돌다; 〖비유〗 vom Recht ~ 정도(正道)를 벗어나다. 《Ⅳ》 **gebeugt** [..bɔ́ʏkt] *p.a.* ↑ gebeugt.

Beuger *m.* -s, - 〖해부〗 굴근(屈筋)(↔ Strecker).

beugsam [bɔ́ʏkzaːm] *a.* 〖구식〗 유연한, 타협적인, 순종하는.

Beugung [bɔ́ʏgʊŋ] *f.* -en ① 굴곡, 만곡. ②〖物〗 굴절. ③〖문법〗 변화, 활용. ④〖法〗 자의적(恣意的) 법률 해석.

Beugungs≈endung *f.* 〖문법〗 활용 어미. **~fähig** *a.* 〖문법〗 변화〔활용〕시킬 수 있는. **~-s** *n.* 〖언어〗 단수 2 격 및 복수 어미 s (보기: des Vaters, die Autos). **~silbe** *f.* 변화〔활용〕 음절.

***Beule** [bɔ́ʏlə] *f.* -n ① 혹, 종기, 부스럼, 종양; (자동차 등의) 외부의 충격으로 움푹 들어간 것: jm. eine ~ schlagen 누구를 때려서 혹이 나게 하다. ②〖工〗 돋을새김 세공(細工).

beulen [bɔ́ʏlən] (h.) 주름지다.

Beulen·pest *f.* 〖醫〗 선(腺)페스트.

beulicht *a.* ↑ beulig.

beulig *a.* 혹투성이의; 돋을새김 장식이 있는.

Beunde [bɔ́ʏndə] *f.* -n (schweiz.) (울타리로) 둘러싸인 토지.

***beunruhigen** [bə|ʊ́nruːɪgən] 《Ⅰ》 *t.* ① 불안하게 하다, 걱정시키다. ②〖軍〗 교란시키다. 《Ⅱ》 *refl.* sich über et. ~ 무엇에 대해 불안해 하다, 염려하다.

beunruhigend *p.a.* 불안한, 걱정되는.
Beunruhigung *f.* -en ① 불안하게 함, 괴롭힘. ② 불안, 동요, 우려; 번민, 흥분.
Beunte [bɔ́ʏntə] *f.* -n ↑ Beunde.
beurbaren *t.* 땅을 개간하다.
beurgrunzen [bə|ú:ɾgrʊntsən] *t.* ①〖학생〗인사하다. ②〖농담〗자세히 검토하다.
beurkunden [bə|ú:ɾkʊndən] *t.* ① (문서로) 증명하다, 공증하다, 등기〔등록〕하다. ②〖고어〗입증〔표명〕하다.
Beurkundung *f.* -en (문서에 따른) 증명, 공증, 등기, 등록: die ~ des Personenstandes 인적 사항 공증.
beurlauben [bə|ú:ɾlaubən] 《I》 *t.* 누구에게 휴가를 주다; (일시적으로) 면직시키다. 《II》 *refl.* sich ~ 휴가를 얻다;〖구식〗작별하다, 은퇴하다. 《III》 **beurlaubt** *p.a.* ↑ beurlaubt.
beurlaubt [..pt] 《I》 *p.p.* ↑ beurlauben. 《II》 *p.a.* 휴가를 얻은: der ∻e 휴가자, 휴가병.
Beurlaubten·stand *m.*〖집합적〗예비〔대기〕조.
Beurlaubung *f.* -en 휴가를 줌; 일시 해고, 대기 발령.
***beurteilen** [bə|ʊ́rtaɪlən] *t.* ① 판단〔판정〕하다; 평가하다: jn. nach seiner Kleidung ~ (옷)차림새로 누구를 판단하다. ② 비판하다; 비평〔논평〕하다.
Beurteiler *m.* -s, - 판단자; 비판자; 논평가.
Beurteilung *f.* -en 판단, 판정; 평가; 비판, 비평; 판정〔소견·비판〕서.
Beurteilungs≈gabe, ~kraft *f.*, **~vermögen** *n.* 판단력; 비판력; 비평(적) 재능. **~maß·stab** *m.* 판단 기준.
Beuschel[1] [bɔ́ʏʃəl] *n.* -s, - (südd.) ① (짐승의) 내장. ② (특히 심장과 허파의) 내장 요리.
Beuschel[2] *m.* -s, -〖광산〗큰 쇠망치.
beut [bɔʏt]〖고어·시어〗=bietet; biete(↑ bieten).
Beute[1] [bɔ́ʏtə] *f.* -n ① (빵 재료를) 반죽하는 통(Backtrog). ② 야생 꿀벌통.
***Beute**[2] 《mndd.》 *f.* -n ① 노획물, 전리품;〖海〗나포물; 포획물; 약탈물: auf ~ ausgehen 약탈하러 가다; ~ machen 약탈하다. ② 희생(물), 제물: et.³ zur ~ fallen 무엇의 희생이〔먹이가〕되다; den Flammen zur ~ werden 불타서 재가 되다. ③〖사냥〗사냥개에게 주는 사냥감의 일부; 포상.
beute≈beladen *a.* 노획물을 실은. **∻deutsche** *m.* (특히 동유럽권 출신으로 나치 때) 독일 국적을 취득했으나 독일어가 서투른 사람. **∻germane** *m.*〖폄어〗↑ ∻deutsche. **∻gier** *f.* 약탈욕. **~gierig** *a.* 약탈하기 좋아하는. **∻gut** *n.* 약탈품, 노획물. **∻kunst** *f.* (적국에 의해) 약탈된 예술품.
Beutel[1] [bɔ́ʏtəl] *m.* -s, - ①〖工〗끌. ② 나무공이.
***Beutel**[2] *m.* -s, - ① 작은 자루; 담배 쌈지 (Tabaks∻). ②〖구어〗(Geld∻) 돈주머니, 지갑: den ~ ziehen〔aufmachen〕 돈을 내다; den ~ zuhalten〔festhalten〕 돈을 내놓지 않다(지급하지 않다); tief in den ~ greifen 많은 돈을 내다; sich nach seinem ~ richten 수입에 따라 지출을 정하다; in seinen (eigenen) ~ lügen a) 사기해서 돈을 벌다, b) 부자인 체하다; das geht an den ~ 그것은 돈이 (많이) 든다. ③ 터키의 화폐 단위(500 피아스터). ④〖動〗(캥거루 등의) 육아낭(育兒囊). ⑤〖속어〗음낭(陰囊). ⑥ (의복의) 주름. ⑦〖당구〗포켓;〖工〗체. ⑧〖방언〗얼간이, 귀찮은 사람.
Beutel≈bär *m.*〖動〗코알라. **~dachs** *m.*〖動〗주머니오소리, 페라메레스. **∻faul** *a.* 인색한. **∻förmig** *a.* (돈)주머니 모양의. **~hase** *m.* 캥거루. **~herr** *m.* 출납원.
beutelig *a.* 주머니 모양의; (옷이) 헐렁헐렁한; 바느질 자리가 있는; 주름살이 있는.
Beutel≈kasten *m.* 체 상자. **~krebs** *m.*〖動〗(야자 열매를 먹는) 야자게. **~knochen** *pl.*〖動〗주머니뼈. **~marder** *m.*〖動〗주머니담비. **~meise** *f.*〖動〗박새의 일종.
beuteln [bɔ́ʏtəln] 《<Beutel²》 《I》 *i.* (h.) / *refl.* (sich) ~ 부풀다, 주름 잡히다. 《II》 *t.* (südd., öst.) ①〖구식〗흔들다, (가루를) 체질하다. ②〖방언〗jn. ~ 누구의 돈을 우려먹다.
Beutel≈ratte *f.*〖動〗주머니쥐. **~schneider** *m.* 소매치기. **~sieb** *n.* ↑ ~tuch. **~stand** *m.*〖고어·방언〗광대 모자. **~star** *m.* (남아메리카산(産)) 주머니 모양의 둥우리를 짓는 찌르레깃과의 새. **~strahler** *m.*〖動〗바다능금강(綱)의 동물. **~tier** *n.*〖動〗유대류(有袋類). **~tuch** *n.*〖고어〗쳇불, 체의 포.
beute≈lüstern *a.* (특히 맹금이) 약탈하기 좋아하는. **~lustig** *a.* ↑ ~lüstern.
Beutel≈weh *n.*〖구어〗주머니 사정이 좋지 않음: das ~ haben 돈에 쪼들리다. **~wolf** *m.*〖動〗태즈메이니아 이리, 주머니이리.
beuten[1] [bɔ́ʏtən] 《<Beute¹》 *t./i.* (h.) 야생벌을 양봉하다.
beuten[2] 《<Beute²》〖드물게〗*t./i.* (h.) 약탈하다.
Beuten·honig *m.* 야생벌을 양봉해 얻은 꿀.
Beute≈recht *n.* (전란 중의) 노획권. **∻schwer** *a.* 약탈물로 짐이 무거운. **∻süchtig** *a.* ↑ ∻gierig. **~zug** *m.* 약탈 행각.
Beut·heie *f.* 통장이의 방망이.
Beutler *m.* -s, - ① 주머니 만드는 사람. ②〖動〗유대류(有袋類).
Beutner [bɔ́ʏtnəɾ] *m.* -s, - 야생벌치는 사람.
Beutnerei *f.* 야생벌치기.
beutst [bɔ́ʏtst]〖고어·시어〗=bietest(↑ bieten).
Bevatron [bəvatró:n] *n.* -s〖物〗베바트론 (일종의 거대한 소립자(素粒子) 가속 장치).
bevettern [bəfɛ́təɾn] *t.*〖구식〗누구를 성가실 정도로 친근하게 대하다.
bevogten [bəfó:ktən] *t.* (schweiz.) ① 지배〔통치〕하다. ② 뒤를 돌봐주다, 후견인 역할을 하다; 감독하다.
bevölkern [bəfœ́lkəɾn] 《I》 *t.* 사람을 살게 하다, 식민하다;〖비유〗모여서 활기띠게 하다: der Spielplatz ist von Kindern bevölkert 그 놀이터는 아이들로 붐빈다. 《II》 *refl.* sich ~ 사람이 모여 살다, 인구가 늘어나다; 사람들로 붐비다. 《III》 **bevölkert** *p.a.* ↑ bevölkert.
bevölkert 《I》 *p.p.* ↑ bevölkern. 《II》 *p.a.* 주민이 있는: stark〔schwach〕 ~ 인구가 조밀한〔희박한〕.
***Bevölkerung** [bəfœ́lkəɾʊŋ] *f.* -en 식민; (전)주민; 인구.
Bevölkerungs≈abnahme *f.* 인구 감소. **~abwanderung** *f.* 주민 이주. **~anteil** *m.* (어느 집단의) 전체 주민 대비 비율. **~be-**

wegung *f.* 인구 이동. **~dichte** *f.* 인구 밀도. **~druck** *m.* 과잉 인구로 인한 (정치적·경제적) 압박. **~explosion** *f.* 인구 폭발. **~gruppe** *f.* 주민 집단. **~lehre** *f.* 인구론. **~politik** *f.* 인구 정책. **~reich** *a.* 인구가 많은. **~schicht** *f.* (같은 신분에 속하는) 주민 계층. **~schwund** *m.* 인구 감소. **~statistik** *f.* 인구 통계. **~überschuß** *m.* 인구 과잉〔과밀〕. **~verschiebung** *f.* 인구 이동. **~wissenschaft** *f.* 인구학. **~zahl** *f.* 인구. **~ziffer** *f.* 인구수. **~zunahme** *f.* 인구 증가.

bevollkommnen *t.* 〖드물게〗 완전하게 하다.

bevollmächtigen [bəfɔ́lmɛçtɪgən] 《I》 *t.* jn. zu et.³ ~ 누구에게 무엇의 전권을 맡기다; jn. zum Abschluß eines Vertrages ~ 누구에게 계약 체결의 전권을 위임하다. 《II》 **bevollmächtigt** *p.a.* ↑ bevollmächtigt.

Bevollmächtiger *m.* -s, - 전권 위임자, 수권자(授權者).

bevollmächtigt [..çt] 《I》 *p.p.* ↑ bevollmächtigen. 《II》 *p.a.* 전권을 위임받은; 〖法〗 대리 위임권을 가지고 있는.

Bevollmächtigte* *der/die* 전권 사절; 공사, 대사; 대표자, 대리인; 〖음악〗 의뢰인.

Bevollmächtigung *f.* -en ① 전권 위임, 대리권 수여. ② 전권.

bevor [bəfó:*r*] *cj.* …하기 전에, …하기에 앞서서: (Tür) nicht öffnen, ~ der Wagen hält 차가 멈추기 전에는 문을 열지 마시오.

bevormunden [bəfó:*r*mʊndən] *t.* ① jn. ~ 누구의 후견인이 되다. ② 뒤를 돌봐 주다; 감독하다: ich lasse mich von niemandem ~ 나는 누구의 감독도 받지 않겠다.

Bevormundung *f.* -en 후견, 감독.

bevorraten [bəfó:*r*ra:tən] *t.* jn.〔et.〕 ~ 누구에게〔무엇에〕 저장품〔비축품〕을 갖추게 하다.

Bevorratung *f.* -en 저장(품), 비축(품).

bevorrechtigen [bəfó:*r*rɛçtɪgən] *t.* 선호하다; 특권을 주다: bevorrechtigte Stände 특권층.

Bevorrechtigung *f.* -en 특권 부여; 특권, 특허.

bevorschussen [bəfó:*r*ʃʊsən] *t.* 선불하다, 선대(先貸)〔입체〕하다.

bevor|stehen* *i.* (h.) jm. ~ 누구의 면전에 서 있다; 임박하다: wer weiß, was uns alles noch bevorsteht! 우리에게 어떤 일이 닥칠지 누가 알랴!; die ~de Jahreszeit 다음 계절.

bevorteilen [bəfɔ́r..] *t.* ① 〖고어〗 속여먹다. ② 이롭게 하다(↔ benachteiligen).

Bevorteilung *f.* -en ① 이롭게 함; 우대. ② 속임.

bevorworten [bəfó:*r*vɔrtən] *t.* ein Buch ~ 책의 서문을 쓰다.

bevorzugen [bəfó:*r*tsu:gən] 《I》 *t.* 우대하다; 선호하다: einen Freund vor anderen ~ 어떤 친구를 다른 친구들보다 좋아하다; vor jm. bevorzugt sein 누구보다 우대〔총애〕받고 있다. 《III》 **bevorzugt** [..kt] *p.a.* ↑ bevorzugt.

bevorzugt [..kt] 《I》 *p.p.* ↑ bevorzugen. 《II》 *p.a.* 우대받는; 유리한: ~e Lage eines Ortes 어떤 곳의 유리한 입지; eine ~e Stellung einnehmen 유리한 위치를 차지하다.

Bevorzugung *f.* -en 우선; 우대; 특별 대우, 총애; 선호.

bewachen [bəváxən] *t.* ① 감시하다, 지키다. ② 〖스포츠〗 밀착 방어하다. ③ 보호〔감독〕하다, 지켜 주다.

Bewacher *m.* -s, - 감시인, 관리인.

bewachsen* [..ksən] 《I》 *t.* (수목이) 번성해서 뒤덮다: mit et.³ ~ sein 무엇으로 뒤덮여 있다. 《II》 *i.* (s.)/*refl.* (sich) ~ (우거진 초목 등으로) 뒤덮이다.

Bewachung *f.* -en ① 파수, 감시. ② 경비대(隊).

*__bewaffnen__ [bəváfnən] *t.* 《I》 ① 무장시키다. ② 〖농담〗 장비를 갖추다: sein Auge ~ 안경〔망원경·확대경〕을 사용하다. 《II》 *refl.* sich ~ 무장하다. 《III》 **bewaffnet** *p.a.* ↑ bewaffnet.

bewaffnet 《I》 *p.p.* ↑ bewaffnen. 《II》 *p.a.* 무장한: mit ~er Hand〔Faust〕 무장을 하고, 무력으로; ~e Neutralität 무장 중립.

Bewaffnete* *der/die* 무장한 사람.

Bewaffnung *f.* -en 무장, 군비; 무기.

Bewahr·anstalt *f.* 〖고어〗 탁아소; 〖드물게〗 고아원.

*__bewahren__ [bəvá:rən] 《<wahren》 《I》 *t.* ① 보존하다, 유지하다: eine Lehre im Herzen ~ 어떤 가르침을 명심하다. ② 보호하다: vor et.³ ~ 무엇을 방지하다; sich vor et.³ ~ 무엇으로부터 몸을 지키다; Gott bewahre mich davor! 그런 일을 당하지 않도록 해주옵소서!; (Gott) bewahre! 절대 아니야, 말도 안돼! ③ 〖교양〗 보관하다, 맡다. 《II》 *refl.* sich³ et. ~ 무엇을 유지하다: dieser Volksstamm hat sich seine Bräuche bewahrt 이 종족은 자신의 관습을 유지해 왔다; sich³ keusch ~ 순결을 지키다.

*__bewähren__ [bəvɛ́:rən] 《<wahr》 《I》 *t.* 〖구식〗 증명〔입증〕하다. 《II》 *refl.* sich ~ (믿음직함〔적합함〕을) 입증해보이다: sich als ein Held〔einen Helden〕 ~ 자기가 정말 영웅임을 보여주다. 《III》 **bewährt** *p.a.* ↑ bewährt.

Bewahrer *m.* -s, - ① 감독〔감시〕자. ② 〖교양〗 수호자, 보호자.

bewahrheiten [bəvá:*r*haɪtən] 《I》 *t.* 참됨을 증명하다. 《II》 *refl.* sich ~ 참됨이 분명해지다, 입증되다.

Bewahrheitung *f.* -en 참됨의 증명: 〖法〗 zur ~ dessen 그것을 증명하기 위하여.

bewahrsam *a.* 〖드물게〗 주의 깊은, 신중한.

bewährt [bəvɛ́:*r*t] 《I》 *p.p.* ↑ bewähren. 《II》 *p.a.* 입증된, 정평난: ein ~er Freund 진실한 친구.

Bewährtheit *f.* 〖드물게〗 확실성; 시험필(畢).

Bewahrung *f.* -en ① 수호. ② 유지, 보관.

Bewährung *f.* -en ① 증명, 검증. ② 집행 유예.

Bewährungs≈auflage *f.* 〖法〗 집행 유예 조건. **~bataillon** *n.* 〖法〗 죄수 부대. **~frist** *f.* 〖法〗 집행 유예 기간. **~helfer** *m.* 〖法〗 보호 감찰관. **~hilfe** *f.* 〖法〗 보호 관찰. **~probe** *f.* (자신을) 입증(할) 시험. **~zeit** *f.* 집행 유예 기간.

bewalden [bəváldən] 《I》 *t.* 삼림을 조성하다. 《II》 *refl.* sich ~ 숲으로 덮여지다.

bewaldrappen [bəváltrapən] *t.* ↑ bewaldrechten.

bewaldrechten [..rɛçtən] *t.* (벌목한 나무를) 대충 다듬다.

Bewaldung *f.* -en ① 조림, 식림. ② 삼림 (지역); 수목의 무성.
***bewältigen** [bəvɛ́ltɪɡən] *t.* ① (정신적으로) 극복하다: 〔비유〕 die Vergangenheit ~ 과거를 극복하다. ② 성취하다, 해치우다: die Portion kann ich nicht allein ~ 나는 그 분량을 혼자 다 먹을 수 없다.
Bewältigung *f.* -en 극복; 성취.
bewandeln *t.* 〔시어〕 거닐다, 소요하다.
bewandern 《I》 *t.* 〔드물게〕 두루 돌아다니다. 《II》 **bewandert** *p.a.* ↑ bewandert.
bewandert 《I》 *p.p.* ↑ bewandern. 《II》 *p.a.* ① 많이 여행한. ② 〔비유〕 조예 깊은; 노련한: in et.³ ~ 어떤 일에 정통한.
Bewandertheit *f.* 정통, 통달.
bewandt [bəvánt] 《<bewenden》 *p.a.* 〔다음 용법으로〕 bei〔unter〕 so ~en Umständen 〔Dingen〕 그런 상태에서는; es ist um die Sache 〔mit der Sache〕 so ~ 그러한 사정이다.
Bewandtnis *f.* -se 〔고어〕 사정, 정황: damit hat es folgende ~ 그 사정은 다음과 같다.
bewangen [bəváŋən] *t.* 〖海〗 (마스트 등에) 부목(副木)을 대어 튼튼하게 하다.
bewässerbar *a.* 관개할 수 있는.
bewässern [bəvɛ́sərn] *t.* 물을 대다, 관개하다.
Bewässerung *f.* -en 관개, 관수(灌水).
Bewässerungs≈anlage *f.* 관개 시설. **~graben** *m.* 관개용 수로. **~kanal** *m.* 관개용 운하, 용수로(用水路). **~system** *n.* 관개 시설 체계.
bewegbar [bəvé:k..] *a.* 움직일 수 있는.
Bewegbarkeit *f.* 가동성(可動性).
***bewegen**(*) [bəvé:ɡən] 《I》 〔약변화〕 *t.* ① 움직이다: Pferde ~ 말을 타다. ② 자극하다; (바다를) 파도치게 하다; 〔고어〕 (민중을) 선동하다: bewegte See 파도치는 바다; bewegte Zeiten 격동의 시대. ③ 마음을 움직이다, 감동시키다: zum Mitleid ~ 동정심을 불러일으키다. ④ 〔교양〕 고려하다: et. im Herzen ~ 무엇을 숙고하다. 《II》 〔약변화〕 *refl.* sich ~ ① 움직이다; 행동 거지를 보이다, 교류하다; (가치가) 변하다: sich im Kreise um et. ~ 무엇의 주위를 돌다; sich in feinen Kreisen ~ 상류 사회와 교류하다. ② sich ~ lassen a) 감동하다, b) 양보〔승복〕하다. 《III》 〔강변화〕 (bewog, bewogen) *t.* (마음을) 움직이다: jn. zu et.³ ~ 누구를 권해서 무엇을 시키다, 결심시키다; sich bewogen finden 〔fühlen〕, so zu handeln 그렇게 할 마음이 생기다; dazu war er auf keine Weise zu ~ 그 일에 그는 결코 응하지 않았다. 《IV》 **bewegt** [..kt] *p.a.* ↑ bewegt.
bewegend *p.a.* ① 움직이는: ~e Kraft 동력. ② 마음을 움직이는, 감동적인.
Beweger *m.* ① 움직이는 사람, 운전자: 〔비유〕 der ~ der Welt 신(神). ② 사람의 마음을 움직이는 사람. ③ 〖工〗 모터, 동력. ④ 운동근(筋).
Beweg≈grund *m.* 동기, 동인(動因). **~kraft** *f.* 원동력; 〖工〗 동력.
***beweglich** [bəvé:klɪç] *a.* ① **(a)** 움직일 수 있는, 움직이기 쉬운: ~e Feste (부활절 등) 매년 날짜가 다른 축제일; 〖法〗 ~e Güter 〔Habe〕 동산(動産) (↔Grundstücke). **(b)** 〔비유〕 생동감 있는, 유연한: eine ~e Zunge 능변, 요설(饒舌). ② 흥분하기 쉬운. ③ 유동적인. ④ 사람의 마음을 움직이는, 감동적인; 비장한. ⑤ 〔고어〕 사람의 의지를 결정하는: ~e Ursachen 유인(誘因), 동기.
Beweglichkeit *f.* ① 가동성, 유동성; 〔비유〕 활발, 민첩; 재능. ② 사람의 마음을 움직임, 감동; 비장(悲壯).
bewegt [..kt] 《I》 *p.p.* ↑ bewegen. 《II》 *p.a.* ① 동요하는, 요동치는. ② 불안정한, 파란 많은: ein ~es Leben 파란만장한 생애; mit ~er Stimme (감정 때문에) 떨리는 목소리로.
Bewegtheit *f.* 동요, 불안; 격동; 감동.
***Bewegung** [bəvé:ɡʊŋ] *f.* -en ① 운동, 이동: in ~ sein 움직이고〔활동하고〕 있다; in ~ setzen〔bringen〕 움직이게 하다, 가동시키다; 〔비유〕 alle Hebel in ~ setzen 있는 힘을 다하다; sich³ ~ machen 운동하다, 산책하다. ② 격동; 불안, 동요: sich seine (innere) ~ nicht anmerken lassen 자신의 (내적) 동요를 눈치채지 못하게 하다. ③ 감동. ④ (정신적·정치적·사회적) 운동, 경향: Arbeiter≈ 노동 운동; Widerstands≈ 저항 운동.
Bewegungs≈ablauf *m.* 운동의 경과. **~achse** *f.* 회전축. **~apparat** *m.* 〖해부〗 운동기관. **~bad** *n.* 운동 요법용 목욕탕. **~behandlung** *f.* 운동 요법. **~bild** *n.* 활동 사진, 영화. **~drang** *m.* 운동 충동〔욕구〕. **~empfindung** *f.* 운동 감각, 근육 운동 지각. **~energie** *f.* 〖物〗 운동 에너지. **~fähig** *a.* 움직일 수 있는. **~fähigkeit** *f.* 운동 능력, 가동성. **~freiheit** *f.* 활동의 자유; 〔비유〕 행동의 자유. **~größe** *f.* 〖物〗 운동량. **~kraft** *f.* 동력, 원동력. **~krieg** *m.* 이동전(↔Stellungskrieg). **~lehre** *f.* 〖생물〗 운동학; 〖기계〗 역학.
bewegungslos *a.* 움직이지 않는, 부동(不動)의.
Bewegungslosigkeit *f.* 부동(성).
Bewegungs≈mangel *m.* 운동 부족. **~nerv** *m.* 〖醫〗 운동 신경. **~spiel** *n.* 실외 게임. **~störung** *f.* 〖醫〗 운동 장애. **~studie** *f.* ① (작업할 때의) 운동 과정 연구. ② 동작 연구. **~therapie** *f.* 운동 요법. **~torpedo** *m.* 자동 수뢰(水雷). **~unfähig** *a.* 운동 능력이 없는. **~vermögen** *n.* ① 운동 능력. ② 〔드물게〕 동산(動産).
bewehen *t.* (바람이) 불어서 덮다: der Wind hat die Wege mit Blüten beweht 바람이 불어 길이 꽃들로 덮혔다.
bewehren [bəvé:rən] 《<Wehr》 *t.* 〔구식〕 무장시키다; 보호〔보강〕하다.
Bewehrung *f.* -en ① 무장; 보강. ② 〖工〗 (콘크리트 건축의) 철근; (전선(電線)의) 피복(被覆). ③ (문장(紋章)에 그려진) 동물의 발톱 및 발톱 모양의 것. ④ 울타리.
beweiben [bəváɪbən] 《I》 *t.* 〔농담〕 누구에게 아내를 맞게 하다. 《II》 *refl.* sich ~ 아내를 맞다.
beweiden [bəváɪdən] *t.* eine Gegend ~ 어떤 지역에 방목시켜 목초를 먹게 하다.
beweihrauchen [bəváɪ..] *t.* ↑ beweihräuchern.
beweihräuchern [..rɔʏçərn] *t.* ① 향을 피우다. ② 〔폄어〕 과찬하다.
Beweihräucherung *f.* -en ↑ beweihräu-

chern 의 명사형.
beweinen[1] [bəváɪnən] 《<Wein》《Ⅰ》*t.* 술에 취하게 하다. 《Ⅱ》*refl.* sich ~ 만취하다.
beweinen[2] *t.* 그리워 울다, 애도하다.
beweinens≈wert *a.* 슬퍼할 만한; 애도할 만한. **~würdig** *a.* ↑ ~wert.
bewein|kaufen *t.* 〖방언〗 함께 포도주를 마심으로써 물품이 매매되었음을 확정하다.
Beweinung *f.* -en 슬퍼함: die ~ Christi 그리스도를 애도함.
*__Beweis__ [bəváɪs] *m.* -es, -e [..zə] ① 증명, 논증; 증거: ein sprechender〔schlagender〕 ~ 확증; 〖官〗 einen ~ führen〔antreten, liefern〕 증명하다; 〖法〗 einen ~ erheben a) 증거 조사를 하다, b) 증거를 수집하다; 〖官〗 et. unter ~ stellen 무엇을 인증하다. ② 표시, 표명: dieses Versagen ist ein ~ von Unfähigkeit 이 실패가 무능하다는 표시다.
Beweis≈antrag *m.* 〖法〗 증거 신청. **~antritt** *m.* 〖法〗 증거 제시. **~art** *f.* 증명 방식. **~aufnahme** *f.* 〖法〗 ① 증거 수집. ② 증거 조사.
beweisbar *a.* 증명할 수 있는.
Beweisbarkeit *f.* -en 증명 가능성, 입증력.
__beweisen__ [bəváɪzən] 《Ⅰ》*t.* ① 증명하다, 입증〔논증〕하다, 증거를 대다: js. Unschuld〔Schuld〕 ~ 누구의 결백을〔죄를〕 입증하다. ② 표시〔표명〕하다, 실증하다: jm. seine Achtung ~ 누구에게 경의를 표하다. 《Ⅱ》*refl.* sich ~ 자신이 …함을 보여주다; sich mutig ~ 자기의 용감성을 보여주다; sich dankbar gegen jn. ~ 누구에게 고마움을 표하다.
Beweis≈erhebung *f.* 증거 조사; 증거 수집. **~frist** *f.* 증거 제출 기한. **~führer** *m.* 입증〔증명〕자. **~führung** *f.* 입증, 논증, 증명. **~gang** *m.* 증명 과정. **~gegenstand** *m.* 〖法〗 증거물, 입증 대상. **~grund** *m.* 논거, 이유. **~kette** *f.* 일련의 증거. **~kraft** *f.* 증명〔증거〕력. **~kräftig** *a.* 증명력이 있는. **~last** *f.* ① 입증 책임. ② 증거 불충분.
beweislich *a.* ↑ beweisbar.
Beweis≈mittel *m.* 증명 수단; 증거. **~not** *f.* 입증 곤란. **~satz** *m.* 〖法〗 증명 사항. **~schrift** *f.* 증거 서류. **~sicherung** *f.* 〖法〗 증거 보전.
beweißen *t.* 희게 (칠)하다.
Beweis≈stelle *f.* 인증문(引證文). **~strategie** *f.* 증명 전략. **~termin** *m.* 〖法〗 증거 조사 기일. **~stück** *n.* 증거.
Beweistum *m./n.* -(e)s, ..tümer ↑ Beweisstück.
Beweis≈verfahren *n.* 〖法〗 입증 절차. **~würdigung** *f.* 〖法〗 증거에 대한 판단. **~zeuge** *m.* 〖法〗 증인.
bewenden* [bəvɛ́ndən] *i.* (s.) (더 나아가지 않고) 뒤로 돌다: 〖현재는 다음 용법으로만〗 es bei〔mit〕 et.[3] ~ lassen 무엇으로 끝을 맺다〔만족하다〕.
Bewenden *n.* -s ① es hat dabei 〔damit〕 sein ~ 그것으로 그만이다〔끝났다〕, 그만하면 됐다. ② 〖고어〗 ↑ Bewandtnis.
Bewerb *m.* -(e)s, -e 〖스포츠〗 (öst.) 경쟁, 경연.
Bewerbchen [bəvɛ́rpçən] *n.* -s 〖방언〗 sich[3] ein ~ machen 기회를 모색하다.
__bewerben__ [bəvɛ́rbən] 《Ⅰ》*t.* ① 얻으려고 노력하다. ② (schweiz.) 경영〔관리〕하다. 《Ⅱ》*refl.* sich um et. ~ 무엇을 얻으려고 애쓰다, 응모하다: sich um ein Mädchen ~ 어떤 처녀에게 구혼하다.
Bewerber *m.* -s, - ① 지망〔지원〕자, 후보자. ② 구혼자. ③ (Mit~) 경쟁자.
Bewerbung *f.* -en ① 지망, 지원, 신청. ② 구혼. ③ 경쟁. ④ 지원서, 신청서.
Bewerbungs≈bogen *m.* 지원서, 신청서. **~formular** *n.* 신청서 양식. **~schreiben** *n.* 서면 신청, 원서. **~unterlagen** *pl.* 신청 서류.
bewerfen* [bəvɛ́rfən] *t.* 집어던지다, 내던지다: jn. mit et.[3] ~ 누구에게 무엇을 던지다; 〖비유〗 jn. mit Schmutz ~ 누구를 헐뜯다; die Wand mit Mörtel ~ 벽에 회반죽을 바르다.
Bewerfung *f.* -en ① 집어던짐. ② (진흙 등을) 바름.
bewerkstelligen [bəvɛ́rkʃtɛlɪgən] *t.* 실행하다; 성취하다.
Bewerkstelligung *f.* -en 실행; 실현, 성취.
bewerktätigen [bəvɛ́rktɛːtɪgən] *t.* ↑ bewerkstelligen.
bewertbar *a.* 평가할 수 있는.
bewerten [bəvéːrtən] *t.* 평가하다; 〖경제〗 가격을 정하다: man soll Menschen nicht nach ihrem Äußeren ~ 사람을 외모로 평가해서는 안 된다.
Bewertung *f.* -en 평가; 평점, 성적; 가격 산정; 감정서.
Bewertungs≈konto *n.* 〖經〗 가치 수정(修正) 계정. **~maßstab** *m.* 평가 기준. **~unterlage** *f.* 평가용 구비 서류. **~vorschrift** *f.* 평가 규정.
bewettern [bəvɛ́tərn] *t.* 〖광산〗 신선한 공기를 주입하다, 통풍시키다.
Bewetterung [bəvɛ́tərʊŋ] *f.* -en 〖광산〗 (갱내의) 통풍 (장치).
bewickeln [bəvíkəln] *t.* 말다, 감다, 싸다.
Bewickelung *f.* -en ① 말기, 감기. ② 〖전기〗 피복.
bewiehern [bəvíːərn] *t.* 〖구어〗 (무엇에 대해) 크게 웃다.
bewiesener·maßen *adv.* 증명되었듯이.
*__bewilligen__ [bəvílɪgən] *t.* 공식적으로 동의〔승인〕하다; 가결하다: eine Bitte ~ 청원을 들어주다.
Bewilligung *f.* -en 동의; 허가; 가결.
Bewilligungs·recht *n.* 가결권.
bewillkommen *t.* ↑ bewillkommnen.
bewillkommnen [bəvílkɔmnən] (*p.p.* bewillkommnet) *t.* 〖교양〗 환영〔환대〕하다.
Bewillkommnung *f.* -en 환영, 환대.
bewimpeln [bəvímpəln] *t.* 깃발을 달다.
Bewimpelung *f.* -en ① 기로 장식하기. ② 기장식.
bewimpert [bəvímpərt] *a.* 〖植〗 솜털의, 섬모(纖毛)가 있는; 속눈썹이 있는.
bewinden* *t.* ↑ bewickeln.
bewirkbar *a.* 실행〔실현〕할 수 있는.
bewirken [bəvírkən] *t.* 야기하다, 생기게 하다: ~des Zeitwort 사역 동사.
Bewirkung *f.* 〖드물게〗 초래, 야기; 실현.
*__bewirten__ [bəvírtən] *t.* ① (손님을) 대접하다. ② (schweiz.) ↑ bewirtschaften.

Bewirter *m.* -s, - 주인.
bewirtschaften [bəvírt|ʃaftən] *t.* ① (농장·식당 등을) 경영하다. ② 경작하다. ③ (외환·물품 등을) 관리〔통제〕하다.
Bewirtschafter *m.* -s, - 경영자, 지배인.
Bewirtschaftung *f.* -en 경영, 관리; 경작; 통제.
Bewirtung *f.* -en 대접, 접대; 〖드물게〗 접대용 음식.
Bewirtungs·kosten *pl.* (세금 공제 가능한) 접대비.
bewitzeln [bəvítsəln] *t.* 조롱하다, 놀림감으로 만들다.
Bewitzelung *f.* -en 조롱, 야유.
bewohnbar *a.* 살〔거주할〕 수 있는.
Bewohnbarkeit *f.* ↑ bewohnbar 의 명사형.
***bewohnen** [bəvó:nən] *t.* 살다, 거주하다: eine Stadt ~ 어떤 도시에 살다.
Bewohner *m.* -s, - ① 주민, 거주민. ② 서식동물. ③ 〖농담〗 해충.
Bewohnerschaft *f.* -en 주민 전체.
Bewohnung *f.* -en ① 거주. ② 주거, 주택.
bewölken [bəvœlkən] *refl.* sich ~ 구름이 끼다: 〖비유〗 seine Stirn bewölkt sich 그의 이마가 찌푸려져 있다.
bewölkt *a.* 구름이 낀.
Bewölkung *f.* -en ① 구름이 낌. ② 구름이 낀 상태.
Bewölkungs≈auflockerung *f.* 구름이 흩어짐. **~zunahme** *f.* 구름이 늘어남.
bewollen *refl.* sich ~ (양이) 털이 나다.
bewuchern [bəvú:xərn] *t.* ① 〖구식〗 고리(高利)를 뜯다. ② (식물이) 무성하게 자라다.
Bewuchs [bəvú:ks] *m.* -es 우거진 식물.
Bewund(e)rer *m.* -s, - 찬미〔숭배〕자.
Bewunderin *f.* -nen ↑ Bewunderer 의 여성형.
***bewundern** [bəvúndərn] *t.* 경탄〔찬탄〕하다.
bewunderns≈wert *a.* 경탄할 만한, 훌륭한. **~würdig** *a.* ↑ ~wert.
***Bewunderung** [bəvúndəruŋ] *f.* -en 경탄, 존경, 예찬.
bewunderungs≈wert *a.* ↑ bewundernswert. **~würdig** *a.* ↑ bewundernswert.
Bewundrerin *f.* -nen ↑ Bewunderin.
Bewurf 《<bewerfen》 *m.* -(e)s, ..würfe 〖건축〗 모르타르, 회반죽.
bewurzeln [bəvúrtsəln] 《I》 *i.* (s.) / *refl.* (sich) ~ 뿌리를 내리다. 《II》 *t.* 휘묻이하다.
***bewußt** [bəvúst] *a.* ① 알고 있는, 의식하는: sich[3/4] eines Dinges 〔(드물게) et.〕 ~ sein 무엇을 알고〔의식하고〕 있다. ② 의도적인, 고의의: ~e Lügen 고의적인 거짓말. ③ 언급한, 알려진: soviel mir ~ (ist) 내가 알고 있는 한.
Bewußt *m.* -es 〖고어〗 ohne ~ tun 부지중에 행하다.
Bewusst 新정서 ⇦ Bewußt.
buwusst 新정서 ⇦ bewußt.
Bewußtheit *f.* ① 의식하고 있음; 〖哲〗 의식성. ② 〖복수: -en〗 의식적〔의도적〕인 언행.
bewußtlos *a.* 무의식적인; 본능적인; 의식 불명의: ~ werden 의식을 잃다.
Bewußtlosigkeit *f.* ① 무의식 상태; 실신: 〖구어〗 et. bis zur ~ tun 정신없이 어떤 일을 하다. ② (정치적) 의식〔각성〕의 결여.
bewußt|machen *t.* (jm. et.) 의식〔자각〕케 하다.
Bewußtmachung *f.* -en 의식〔자각〕케 함.
***Bewußt·sein** [bəvústzaɪn] *n.* -s ① 의식: wieder zum ~ kommen a) 제정신을 차리다, b) 의식을 되찾다; bei vollem ~ a) 충분히 의식하여, b) 〖醫〗 마취하지 않고. ② 지각, 통찰, 자각: jm. et. zum ~ bringen 누구에게 무엇을 깨닫게 하다; etwas kommt jm. zum ~ 무엇이 누구에게 분명해지다, 누가 무엇을 단다. ③ 의도, 고의: mit vollem ~ 의도적으로.
Bewußtseins≈bildung *f.* 의식 형성. **~einengung** *f.* 〖心〗 의식 위축. **~entwicklung** *f.* 의식 발달. **~erweiterung** *f.* 의식 확장. **~inhalt** *m.* 의식 내용. **~lage** *f.* 의식〔자각〕 상태. **~lenkung** *f.* 의식 조절〔통제〕. **~schwelle** *f.* 〖心〗 의식과 무의식의 경계. **~spaltung** *f.* 〖醫〗 정신 분열. **~störung** *f.* 의식 장애. **~zustand** *m.* 의식〔자각〕 상태.
Bey [baɪ] *m.* -s, -e/-s ↑ Bei.
Bez. ① =Bezirk 구역, 지방(Bz. 로도 줄임). ② =Bezeichnung 표시, 기호.
bez. ① =bezahlt 지급필(畢) (시세표에서는 bez 또는 bz 로 씀). ② =bezüglich …에 관하여.
bezackt [bətsákt] *a.* 톱니 모양의.
bezahlbar *a.* 지급할 수 있는.
***bezahlen** [bətsá:lən] 《I》 *t.* ① jm. et. ~ 누구에게 무엇을 지급하다; (빚을) 갚다: jn. mit Geld ~ 누구에게 돈을 지급하다; jn. für et. ~ 누구에게 무엇의 값을 치르다; et. teuer ~ a) 무엇을 비싸게 사다, b) 〖비유〗 혼나다; die Zeche ~ müssen 비용을 부담하다, 뒤처리를 맡다; das macht sich bezahlt 〔das bezahlt sich〕 그것은 수지 맞는다, 벌이가 된다. ② (임금을) 지급하다; 갚다; 속죄〔보상〕하다: 〖구어〗 er läuft, als ob er's bezahlt bekäme 그는 돈이라도 생기는 듯이 무섭게 달린다; 〖비유〗 ein Gelübde ~ 맹세를 지키다; Böses mit Gutem ~ 악을 선으로 갚다; jn. mit gleicher Münze ~ 누구에게 같은 값으로 보복하다; seine Sünden ~ 속죄하다; der Natur seinen Tribut ~ 죽다. 《II》 **bezahlt** *p.a.* ↑ bezahlt.
bezahlt 《I》 *p.p.* ↑ bezahlen. 《II》 *p.a.* 지급한; 유급(有給)의; 매수된: gut ~e Arbeit 보수가 좋은 일.
Bezahler *m.* -s, - 지급인.
Bezahl·fernsehen *n.* ↑ Pay-TV.
***Bezahlung** *f.* -en ① 지급, 반환: nur gegen bare ~ 현찰로만, 외상 사절. ② 사례, 보수; 봉급. ③ 〖비유〗 갚음, 보답; 속전(贖錢).
bezähmbar *a.* 길들일 수 있는, 고분고분한.
bezähmen[1] [bətsɛ́:mən] *t.* 〖방언〗 jn. ~ lassen 누구의 뜻에 맡기다.
bezähmen[2] 《I》 *t.* ① 〖고어〗 길들이다. ② 제어하다, 다스리다. 《II》 *refl.* sich 〔seine Leidenschaften〕 ~ 자제하다〔정열을 억제하다〕.
Bezähmer *m.* -s, - 〖드물게〗 길들이는 사람.
Bezähmung *f.* -en ① 길들임. ② 제어, 억제.
bezahnen 《I》 *t.* 이(齒)를 붙이다. 《II》 **bezahnt** *p.a.* ↑ bezahnt.
bezähnen *t.* ↑ bezahnen.
bezahnt 《I》 *p.p.* ↑ bezahnen. 《II》 *p.a.* 이가 있는, 톱니 모양의.

bezastert *a.* 〖경박〗 부유한, 돈 많은.
Bezauberer *m.* -s, - 마술사, 요술쟁이.
Bezauberin *f.* -nen ↑ Bezauberer 의 여성형.
***bezaubern** [bətsáubərn] *t.* ① 누구에게 마법을 걸다. ② 매혹하다.
bezaubernd *p.a.* 매력적〔매혹적〕인: ihr ~es Lächeln 그녀의 매혹적인 미소.
Bezauberung *f.* -en 매혹; 마력.
bezäunen [bətsɔ́ynən] *t.* 〖고어〗 울타리로 둘러싸다.
bezechen [bətsέçən] *t.* sich ~ 취하다.
Bezechtheit *f.* 술취함.
***bezeichnen** [bətsáıçnən] 《Ⅰ》 *t.* ① 표시하다: et. mit Punkten ~ 무엇을 점을 찍어 표시하다. ② 자세히 설명〔묘사〕하다, 특징지우다: diese Tat bezeichnet ihn 이 행위가 그 사람을 말해 준다. ③ 누구를〔무엇을〕 무엇이라고 부르다: jn. als Betrüger ~ 누구를 사기꾼이라고 부르다. ④ 지칭하다, 가리키다: das Wort „Pony" bezeichnet ein kleines Pferd "Pony" 라는 단어는 조그만 말을 가리킨다. ⑤ 〖드물게〗 eine Wand ~ 벽 전면에 그림을 그리다. 《Ⅱ》 *refl.* sich ~ 보이다, 나타나다.
bezeichnend *p.a.* 의미 있는; 특색 있는, 독특한: dieser Ausspruch ist für ihn ~ 이 언사는 그 사람답다; 〖폄어〗 das ist mal wieder ~ 또 그 모양이군.
bezeichnender·weise *adv.* 현저하게, 눈에 띄게.
Bezeichnung [bətsáıçnʊŋ] *f.* -en 표시; 표, 기호; 명칭.
Bezeichnungs·lehre *f.* 〖언어〗 명칭론.
bezeigen [bətsáıgən] 《Ⅰ》 *t.* 표명하다: jm. seine Achtung ~ 누구에게 경의를 표하다. 《Ⅱ》 *refl.* sich ~ 행위로〔거동으로〕 나타내다: sich tapfer ~ 용감한 모습을 보이다.
Bezeigen *n.* -s ① 표시, 표명. ② 〖고어〗 ↑ Benehmen.
Bezeigung *f.* -en ↑ Bezeigen ①.
bezeihen* *t.* ↑ zeihen, bezichtigen.
bezeptern *t.* …에게 왕홀(王笏)을 주다; 왕위에 오르게 하다.
Bezette [bəzέt] 《frz.》 *f.* -n 연지를 바르는 헝겊, 붉은 분첩.
bezetteln [bətsέtəln] *t.* 레테르〔딱지〕를 붙이다.
bezeugen [bətsɔ́ygən] 《Ⅰ》 *t.* ① 증언하다, 증거를 대다. ② 증명〔입증〕하다. 《Ⅱ》 *refl.* sich jm. ~ 누구의 증인이 되다. ③ ↑ bezeigen.
Bezeugung *f.* -en ① 증명, 증언; 확인. ② ↑ Bezeigung.
Bezicht *m.* -(e)s, -e 꾸중, 책망.
bezichtigen [bətsíçtıgən] *t.* 꾸짖다, 책망하다: jn. eines Dinges ~ 누구에게 무슨 죄를 돌리다, 누구를 무슨 일로 책망하다.
beziehbar [bətsí:ba:r] *a.* ① 입주할 수 있는. ② 〖商〗 입수〔구〕할 수 있는. ③ auf et. ~ 무엇에 연관시킬 수 있는.
beziehen [bətsí:ən] 《Ⅰ》 *t.* ① **(a)** 들어가다: ein Haus ~ 어느 집으로 이사하다; 〖구식〗 die Universität ~ 대학에 입학하다. **(b)** 어떤 위치에 처하다: 〖軍〗 ein Lager ~ 설영(設營)하다; einen Posten ~ 초병(哨兵)으로 나가다; (die) Wache ~ 파수보다. **(c)** 〖드물게〗 (경계 등을) 시찰하러 가다, 답사하다. ② (bedecken) 깔다, (줄을) 매다: ein Bett ~ 침대에 시트를 깔다; die Geige (mit Saiten) ~ 바이올린에 현(絃)을 메우다. ③ 〖고어〗 속이다, 기만하다. ④ 〖商〗 jn. ~ 누구 앞으로 어음을 발행하다. ⑤ 무엇을 (규칙적으로) 받다: eine Rente ~ 연금을 받다; eine Zeitschrift ~ 잡지를 구독하다: 〖구어〗 eine Ohrfeige ~ 빰을 맞다. ⑥ et. auf et. ~ 무엇을 무엇에 관련시키다, 적용하다; dieses Sprichwort kann man auf die gegenwärtige Lage ~ 이 격언은 현재 상황에 적용할 수 있다. ⑦ (schweiz.) (세금을) 징수하다. 《Ⅱ》 *refl.* sich ~ ① (하늘이) 흐리다, 구름이 끼다: das Gesicht bezieht sich mit Röte 얼굴이 빨개지다. ② **(a)** sich auf et. ~ 무엇에〔누구에게〕 해당하다; seine Äußerung bezog sich nicht auf dich 그의 말은 너를 두고 한〔너를 빗댄〕 말이 아니다. **(b)** sich auf jn. ~ 누구를〔무엇을〕 끌어대다.
beziehentlich [bətsí:əntlıç] *prp.*² 〖官〗 무엇과 관련해서.
Bezieher *m.* -s, - ① 〖商〗 어음 발행인. ② (Abonnent) 구독자.
beziehlich *a.* ↑ bezüglich.
***Beziehung** [bətsí:ʊŋ] *f.* -en ① 이주; 입학; 구입; 영수, 취득. ② 관계, 연관; 교제: auf et. ~ haben 무엇과 관련되다; et. (A) in ~ zu et.³ (B) setzen 무엇(A)을 무엇(B)에 관련시키다; in ~ mit〔zu〕 jm. stehen 누구와 관계〔교제〕가 있다; freundschaftliche ~en anknüpfen 친교를 맺다; die ~en mit einem Land abbrechen 어느 나라와 단교하다; zu jm. in ~ treten 누구와 교제〔거래〕를 시작하다; in dieser ~ 이 점에서; in ~ auf et. 무엇에 관하여; in keiner ~ 결코 …아니다.
Beziehungs≈begriff *m.* 관계 개념. **~für·wort** *n.* 〖문법〗 (Relativpronomen) 관계 대명사. **~kauf** *m.* (친분 관계를 이용한) 불법 구입. **~kiste** *f.* 남녀 관계로 인해 생기는 복잡한 일〔사건〕.
beziehungslos *a.* 관계 없는.
Beziehungslosigkeit *f.* 관련 없음, 무관.
beziehungs≈reich *a.* 관련이 많은. **≈satz** *m.* 〖문법〗 (Relativsatz) 관계문. **~voll** *a.* 암시적인, 관련되는 것이 많은. **≈wahn** *m.* 〖心〗 (피해) 망상증. **~weise** *cj.* (약어: bzw.) ① 또는, 내지는: ich bin mit ihm bekannt bzw. befreundet 나는 그와 아는 사이 또는 친구 사이라고 할 수 있다. ② 보다 정확히 말하자면. ③ 그리고. **≈wort** *n.* 〖문법〗 선행사.
bezielen [betsí:lən] *t.* 〖교양·드물게〗 무엇을 목표로 하다; 무엇을 의도하다.
beziffern [bətsífərn] 《Ⅰ》 *t.* ① 무엇에 번호를 붙이다: die Seiten eines Buches ~ 책에 페이지를 붙이다. ② (수·액수를) 추정하다. 《Ⅱ》 *i.* (h.) / *refl.* (sich) soundso hoch ~ 액수가 …에 이르다; der Schaden beziffert sich auf 50000 Mark 손해가 5만 마르크에 달한다.
Bezifferung *f.* -en ① 숫자를 붙임. ② 숫자, 번호.
bezimmern *t.* 목재로 세공하다.
bezinnen 《<Zinne》 *t.* …에 성가퀴를〔총 쏘는 구멍을〕 만들다.
***Bezirk** [bətsírk] *m.* -(e)s, -e ① 범위, 구역. ② 행정 구역의 단위; 선거구(Wahl≈); 〖軍〗 징병구. ③ 〖구동독·구어〗 광역시, 군, 구(구서독의 주보다 작은 행정 구역). ④ 〖비유〗 영역,

분야: das Buch stammt aus dem ~ der religiösen Literatur 그 책은 종교 문학의 영역에 속한다.

bezirken *t.* 구획하다, 구역을 정하다.

bezirklich *a.* (행정) 구역의.

Bezirks≈amt *n.* ① 지방청, 지방 사무소. ② 베를린의 구청. ③〖軍〗징병구 사령부. **~arzt** *m.* 구역〔도〕 의사. **~ausschuß** *m.* 지방 위원회. **~behörde** *f.* 도청, 지방청. **~ebene** *f.* 행정 구역 단위. **~gericht** *n.* (오스트리아·구동독·스위스의) 지방 법원〔재판소〕. **~hauptmann** *m.* 〖복수: ..leute〗(오스트리아의) 구청장. **~hauptmannschaft** *f.* (오스트리아의) 구청. **~kabinett** *n.* 〖구동독〗 지방 내각〔정부〕. **~karte** *f.* ① (일정 구역에 유효한) 기차표, 구역 차표. ② 구역 지도. **~klasse** *f.* 〖스포츠〗 지역 리그. **~kommandeur** *m.* 〖軍〗 방위 지구 사령관. **~kommando** *n.* 방위 지구 사령부. **~landwirtschafts·rat** *m.* 〖구동독〗 주(州) 농업 협의회. **~redakteur** *m.* 〖구동독〗 주(州) 신문 편집자. **~regierung** *f.* (라인란트팔츠주의) 도청(道廳). **~richter** *m.* 지방 재판소 판사. **~schul·rat** *m.* 행정 구역 장학관〔교육 위원회〕. **~spital** *n.* (schweiz.) 주립〔구역〕 중앙 병원. **~stadt** *f.* 주도(州都). **~statt·halter** *m.* (schweiz.) 주지사, 시장, 군수, 면장. **~tag** *m.* 주〔지방〕 의회. **~versammlung** *f.* 지방 의회. **~vorsteher** *m.* 지방 군수〔행정 기관장〕. **≈weise** *adv.* 각 구(역)별로.

bezirzen [bətsírtsən] *t.* 〖구어·농담〗 매혹하다, 홀리다.

Bezoar [betsoá:r] 《pers. badzahr, „Gegengift"》 *m.* -s, -e 우황(牛黃), 장석(腸石) (반추 동물 창자 속의 결석).

Bezoar≈mittel *n.* 해독제. **~stein** *m.* ↑ Bezoar. **~ziege** *f.* (서아시아의) 야생 염소.

Bezogene* [bətsó:gənə] 《<beziehen》 *der/die* (어음·수표의) 지급인(↔ Bezieher).

Bezogenheit *f.* 연관성.

bezollen *t.* die Waren ~ 상품에 관세를 부과하다.

bezopft *a.* 머리를 땋은.

bezüchtigen [bətsýçtɪgən] *t.* ↑ bezichtigen.

bezuckern [bətsúkərn] *t.* 설탕을 뿌리다.

***Bezug** [bətsú:k] 《<beziehen》 *m.* -(e)s, ..züge [..tsý:gə] ① (Beziehen) 구입, 주문; 구독. ② (Beziehung) 관계, 관련: in ≈〔~〕 auf et., mit ~ auf et. 무엇과 관련하여; auf et. ~ haben 무엇과 관련되다, 무엇과 관계가 있다; auf et. ~ nehmen 무엇을 참조하다. ③ (Überzug) 덮개, 커버, 시트. ④ (현악기 활의) 현, 줄. ⑤〖복수〗 수입, 소득, 봉급.

Bezüger [bətsý:gər] *m.* -s, - (schweiz.) ① 구매자, 정기 구독자. ② (세금) 징수인.

bezüglich [bətsý:klɪç] 《I》 *a.* 관계 있는: auf et. ~ 무엇과 관계있는; die darauf ~en Einzelheiten 그것과 관련된 개별 사항들; 〖문법〗 ~es Fürwort 관계 대명사. 《II》 *prp.*² 〖官〗 ~ eines Dinges 무엇과 연관하여; ~ Ihrer Anfrage 당신께서 조회하신 건(件)에 관해서.

Bezugnahme [bətsú:kna:mə] *f.* -n 참조, 참고: mit〔unter〕 ~ auf et. 무엇을 참조해서〔참고삼아〕.

Bezugs≈anweisung *f.* 〖商〗 하물 인도 지시서. **~bedingung** *f.* 〖商〗 구입 조건; 인도 조건. **≈berechtigt** *a.* 구매 자격이 있는. **~bereitschaft** *f.* (schweiz.) 즉시 입주 가능. **~genossenschaft** *f.* 구매 조합. **~ort, ~platz** *m.* 구입지. **~person** *f.* 〖心〗 (사고와 행동의 지침이 되는) 관련 인물. **~preis** *m.* 구입 가격; 구독료. **~quelle** *f.* 구입〔주문〕처. **~recht** *n.* (Vorkaufsrecht) 선매권(先賣權), 신주 인수권. **~satz** *m.* 〖문법〗 관계문. **~schein** *m.* ① 배급표, 구입권. ②〖商〗 (이자·배당에 관한) 갱신 증서. **~spesen** *pl.* 구입비. **~system** *n.* ①〖數〗 좌표 체계. ②〖心〗 규범 체계; 〖사회〗 기본 체계.

bezuschussen [bətsú:ʃusən] 《<Zuschuß》 *t.* 보조금을 지급하다: ein Projekt ~ 어떤 계획에 보조금을 지급하다.

Bezuschussung *f.* -en 보조금 지급.

bzw. =beziehungsweise 내지는, 또는.

bezwecken¹ [bətsvɛ́kən] 《<Zweck》 *t.* ① 목적으로 하다; 겨냥하다, 꾀하다: was will er damit ~? 그는 그것으로 무엇을 하려고 하느냐? ② 성취하다: nichts ~ 실패하다; viel ~ 많은 성과를 거두다.

bezwecken² 《<Zwecke》 *t.* 나무못을 박다: Schuhe ~ 구두에 나무못을 박다.

bezweifelbar *a.* 의심스러운: eine ~e Aussage 미심쩍은 발언.

bezweifeln [bətsváɪfəln] *t.* 의심하다, 문제시하다: das möchte ich stark ~ 그것은 심히 의심스럽다.

Bezweifelung *f.* 의심.

bezwingbar *a.* 제어〔극복〕할 수 있는.

bezwingen¹ [bətsvíŋən] 《<Zwinge》 *t.* 무엇에 쇠테를 두르다: bezwingt 쇠테 두른.

bezwingen² 《<zwingen》 *t.* 제압하다, 정복하다; (감정을) 억누르다, 제어〔극복〕하다; (음식을) 먹어 버리다: einen Berg ~ 산을 정복〔등반〕하다; eine Festung ~ 요새를 정복하다; Tiere ~ 동물을 길들이다; eine Schwierigkeit ~ 어려움을 이겨내다; den Torwart ~ 한 골 넣다; sich ~ 자제〔극기〕하다, 체념하다.

bezwingend *a.* 자제〔억제〕하는.

Bezwinger *m.* -s, - 정복자, 극복자; 억제자; 전제 군주.

bezwinglich *a.* ↑ bezwingbar.

Bezwingung *f.* -en 제압, 정복; 극복, 억제.

Bf. ① =Brief 편지; 유가 증권. ② =Bahnhof 역.

BfA. =Bundesversicherungsanstalt für Angestellte 연방 직장인 보험 기구.

bfn. =brutto für netto 포장까지 포함한 가격으로.

bfr. =belgischer Franc 벨기에 프랑.

Bg. =Bogen 전지(全紙).

BGB. =Bürgerliches Gesetzbuch 민법(전).

BGBl =Bundesgesetzblatt 연방 법령 관보.

BGH =Bundesgerichtshof 연방 재판소.

BGS =Bundesgrenzschutz 국경 경비대.

BH¹ (öst.) =Bezirkshauptmannschaft 군청; Bundesheer 국군.

BH² =Büstenhalter 브래지어.

Bhagvan, Bhagwan *m.* -s, -s 힌두교의 교사(의 존칭).

Bharat *n.* -s 인도 공화국의 공식명.

BHE = Bund der Heimatvertriebenen und

Entrechteten 실향민 동맹(독일 연합 정당 이름).
Bhf. ↑ Bf. ②.
Bhutan [búːtan] *n.* 부탄(히말라야의 왕국).
Bhutaner [butáːnər] *m.* 부탄 사람.
bhutanisch *a.* 부탄의.
Bi 〖化〗 = Bismutum 비스무트(Wismut).
bi.. 《< lat. duo, „zwei"》 *pref.* "둘·양(兩)·쌍(雙)·복(複)·중(重)"의 뜻.
Biafra *n.* -s 비아프라(나이지리아의 일부).
Bialystok [bialístɔk] *n.* 비알리스톡(폴란드의 도시).
Bianka [biáŋka] 《it., „die Weiße"》 *f.* 비앙카(여자 이름).
Bias [báɪəs, bíːas] *n.* -, - 잘못된 여론 조사법.
Biathlet *m.* -en, -en 바이애슬론 선수.
Biathlon [bíːatlɔn] *n.* -s, -s 〖스포츠〗 바이애슬론.
bibamus [bibáːmus] 《lat.》 *int.* 마시세(trinken wir!).
BIBB = Bundesinstitut für Berufsbildung 〖행정〗 연방 직업 교육원.
Bibber·hahn *m.* 〖動〗 ↑ Truthahn.
bibbern [bíbərn] *i.*(h.) 〖구어〗 몸을 떨다(zittern).
*__Bibel__ [bíːbəl] 《lat. biblia》 *f.* -n ① 성경, 성서; 〖비유〗 가장 귀중한 책: die ~ auslegen 성서를 해석하다; das Buch war ihm zur ~ geworden 그 책은 그에게 경전이〔금과옥조가〕 되었다. ② 〖학생〗 ↑ Kommersbuch.
Bibel≈anstalt *f.* ↑ ~gesellschaft. **~archäologie** *f.* 성서 고고학. **~ausdruck** *m.* 성경의 어법. **~ausleger** *m.* 성서의 해석자, 성서학자(Exeget). **~auslegung** *f.* 성서 해석. **~christen** *pl.* 성서주의파(감리교의 일파). **~druck** *m.* 성서 인쇄.
Bibeleskäs, Bibeleskäse *m.* -s 응유 치즈.
bibel≈fest *a.* 성경에 정통한. **~forscher** 〖고어〗 여호와의 증인 교도. **~gesellschaft** *f.* 성서 공회(성서를 각국어로 번역·출판·보급하는 기독교의 기관). **~gläubig** *a.* 성경을 믿는. **~husar** *m.* 〖폄어〗 성서광. **~kenner** *m.* 성경에 통달한 사람. **~konkordanz** *f.* 성서 색인. **~kreis** *m.* 성경 연구회. **~kunde** *f.* 성서학. **~lese** *f.* 성서 읽기. **~mäßig** *a.* 성경의〔에 따른〕. **~regal** *n.* (16-18 세기의 접으면 성경처럼 보이는) 소형 풍금. **~sprache** *f.* 성경 용어〔어법〕. **~sprachlich** *a.* 성서 용어의. **~spruch** *m.* 성경 문구〔구절〕. **~stelle** *f.* 성경 구절. **~stunde** *f.* 성경 낭독 및 예배 시간. **~text** *m.* 성경 원본〔본문〕.
Bibeltum *n.* -(e)s 성서 지상주의〔신봉〕.
Bibel≈übersetzung *f.* 성서 번역. **~vers** *m.* 성경 구절. **~werk** *n.* 주석 성경. **~woche** *f.* 성서 주간. **~wort** *n.* 성경 구절(↑ ~stelle, ~spruch).
*__Biber__ [bíːbər] 《⊕ Bär》 《I》 *m.* -s, - ① 〖動〗 비버, 해리(海狸); 해리〔비버〕의 모피. ② 〖구어·농담〗 털보(Vollbart). 《II》 *m./n.* -s (비버 모피처럼) 양면이 거친 면직물.
Biber≈bau *m.*, **~burg** *f.* 해리의 집. **~baum** *m.* 〖植〗 목련속(Magnolia). **~bettuch** *n.* (거친 플란넬로 만든) 침대보. **~eisen** *n.*, **~falle** *f.* 해리〔비버〕를 잡는 덫. **~fell** *n.* 해리〔비버〕 모피. **~geil** *n.* 해리향(海狸香), 카스토레움(진정제). **~hödlein** *n.* 〖植〗 미나리아재비속(屬)(Feigwurz). **~hut** *n.* 해리〔비버〕 모피로 만든 모자. **~klee** *m.* 〖植〗 조름나물.
Bibernelle [biːbərnɛ́lə] 《lat.》 *f.* -n 〖植〗 ↑ Pimpernell.
Biber≈pelz *m.* 해리 모피. **~ratte** *f.* 〖動〗 누트리아(Nutria)(미국의 사향쥐). **~schwanz** *m.* 해리 꼬리; 〖工〗 손으로 켜는 톱; 평기와.
Bibi[1] [bíːbi] 《< Biber》 *m.* -s, -s 〔농담〕 ① 중산 모자. ② (주로 유대인이 쓰는) 두건, 모자.
Bibi[2] *f.* -s (아프리카 토인의) 여자.
Bibliognosie 《gr. biblíon, „Buch"》 *f.* 서지(書誌)학, 도서학.
Bibliograf 新정서 ⇦ Bibliograph.
Bibliografie 新정서 ⇦ Bibliographie.
bibliografieren 新정서 ⇦ bibliographieren.
bibliografisch 新정서 ⇦ bibliographisch.
Bibliograph [bibliográːf] *m.* -en, -en 문헌 목록 편집자, 서지 학자.
Bibliographie [..grafíː] *f.* -n [..fíːən] 〖출판〗 ① 〖옛뜻〗 도서학. ② 서지학. ③ 도서〔문헌〕 목록.
bibliographieren [..grafíːrən] *t.* ① 참고 문헌을 찾아보다. ② 참고 문헌 목록을 작성하다.
bibliographisch [..gráːfɪʃ] *a.* 서지학상의: ~e Angaben 참고 문헌(제시).
Bibliolatrie [..latríː] *f.* 〖출판〗 서적(특히 성경)에 대한 지나친 신봉, 성서 숭배.
Bibliologie [..logíː] *f.* 도서학, 서지학.
Bibliomane [..máːnə] *m.* -n, -n 서적 수집광, 장서광.
Bibliomanie [..maníː] *f.* 서적 수집벽, 장서벽(癖).
bibliomanisch [..máːnɪʃ] *a.* 서적 수집벽의.
Bibliomantie [..mantíː] *f.* 성경 점(占)치기(폈을 때 나온 구절에 따름).
Bibliophage [..fáːgə] *m.* -n, -n 독서광, 책벌레.
bibliophil *a.* 책을 사랑하는.
Bibliophile* [..fíːlə] *der/die* 애서가, 장서가.
Bibliophilie [..filíː] *f.* 서적 애호, 애서.
Bibliophobe* [..fóːbə] *der/die* 책을 싫어하는 사람.
Bibliosophie [..sofíː] *f.* 〖출판〗 서적 수집학.
*__Bibliothek__ [biːbliotéːk] 《lat. bibliotheca》 *f.* -en ① 도서관: bei einer ~ angestellt sein 도서관에 근무하다. ② (a) 도서, 장서: eine ~ von 30000 Bänden 3만 권의 장서. (b) 〖구식〗 총서: die ~ deutscher Klassiker 독일 고전 작가 총서.
Bibliothekar [..tekáːr] *m.* -s, -e 사서(司書).
Bibliothekarin *f.* -nen ↑ Bibliothekar 의 여성형.
bibliothekarisch *a.* 도서관〔사서〕의.
Bibliothekographie *f.* 도서관학.
Bibliotheks≈assessor *m.* 사서 시보. **~beamte** *m.* 사서 공무원. **~dienst** *m.* 도서관 근무. **~direktor** *m.* 도서관장. **~gebäude** *n.* 도서관 (건물). **~geschichte** *f.* 도서관사(史). **~helfer** *m.* 사서 보조. **~katalog** *m.* 도서 목록. **~kunde** *f.* 도서관

학. **~lehre** *f.* ① 도서관학(이론). ② 사서 양성 이론. **~rat** *m.* 사서 주임. **~referendar** *m.* 수습 사서. **~saal** *m.* 도서관의 열람실. **~schule** *f.* 사서 양성 학교. **~signatur** *f.* 도서 분류 번호. **~verwaltung** *f.* 도서 행정. **~wesen** *n.* 도서관 제도. **~wissenschaft** *f.* 도서관학. **~zeichen** *n.* 장서표(表) (Exlibris).

Bibliotherapie [..terapí:] *f.* ①〖心〗 독서 치료법. ②〖출판〗 서적 보수.

biblisch [bí:blɪʃ] *a.* 성서의, 성서적인: ~e Gleichnisse 성서적 비유; ein ~es Alter 고령.

Biblistik *f.* 성서학(Bibelkunde).

Biblizismus *m.* 성서(지상)주의.

Biblizist *m.* -en, -en 성서 신봉자, 성서(지상)주의자.

bichrom [bí:kro:m, bikró:m] *a.* 2 가지 색의.

Bichromie [bikromí:] *f.* 이중색.

Bichromat [bikromá:t] 《gr.》 *n.* -(e)s, -e〖化〗 중(重)크롬산염(Dichromat).

Bick·beere [bíkbe:rə] *f.* (nordd.) ↑ Heidelbeere.

Bickel [bíkəl] *m.* -s, - ① 곡괭이(Pickel). ② 관절의 돌기(Knöchel); 공기의 일종(소녀들의 장난감) (Marmel).

biderb [bidέrp] *a.* 〔고어·雅語〕 ↑ bieder.

Biderbigkeit *f.* 〔구식〕 우직, 성실성.

Bidet [bidé:] 《frz.》 *n.* -s, -s ① 비데,〖醫〗 질(膣) 세척기. ② 좌욕(坐浴), 뒷물.

Bidon [bidɔ̃:] *n.* -s, -s (schweiz.) ① 마개 있는 양철〔플라스틱〕통. ② 휘발유통.

Bidonville [bidɔ̃víl] *n.* -s, -s (북아프리카 대도시의) 빈민가.

Biduum [bí:duʊm] 《lat.》 *n.* -s, ..duen 이틀의 유예 기간.

***bieder** [bí:dər] *a.* ① 정직한, 성실한; 〔반어〕 (roh) 거친, 무뚝뚝한. ② 우직한, 고루한.

Biederheit, Biederkeit *f.* 정직성, 우직.

bieder=herzig *a.* 〔구식〕 정직한, 성실한. **≈leute** *pl.* 〔드물게〕 정직한 사람들. **≈maier** ↑ Biedermeier. **≈mann** *m.* 〔복수: ..männer〕 ① 정직〔건실〕한 사람. ②〔폄어〕 속물. **~männisch** *a.* 우직〔충직〕한 사람의. **≈manns·gesicht** *n.* 〔폄어〕 속물의 얼굴. **≈manns·miene** *f.* 〔폄어〕 우직한 표정.

Biedermeier [bí:dərmaɪər] *n.* -(s) ① 비더마이어(L. Eichrodt 의 작중 인물; 우직한 소시민의 표상). ② 비더마이어 시대(1815-48 사이의 독일의 예술 사조). ③ 비더마이어 양식.

Biedermeier·einrichtung *f.* 비더마이어풍의 (가구) 설비.

biedermeierlich *a.* 비더마이어의.

Biedermeier=möbel *n.* 비더마이어 가구. **~mode** *f.* 비더마이어 시대의 복식. **~stil** *m.* ↑ Biedermeier ③. **~zeit** *f.* ↑ Biedermeier ②. **~zimmer** *n.* 비더마이어식의 방.

Bieder·sinn *m.* (Biederkeit) 정직, 성실; 우직.

biegbar [bí:kba:r] *a.* ① 구부릴 수 있는, 휘기 쉬운. ②〖문법·구식〗 어미 변화하는.

Biege [bí:gə] *f.* -n 굴곡, 만곡(灣曲); 관절; 테를 구부리는 기계.

Biege=fall *m.* ↑ Biegungsfall. **~festigkeit** *f.* ↑ Biegungsfestigkeit. **~maschine** *f.*〖工〗 금속을 구부리는 기계. **~muskel** *m.*〖해부〗 굴근(屈筋).

biegen [bí:gən] (bog, gebogen) 《Ⅰ》 *i.* (s.) ① 구부러지다: um die Ecke ~ 모퉁이를 돌다. ② 휘다, 굽다;〖비유〗 besser ~ als brechen 휘는 것이 부러짐보다 낫다; mag es ~ oder brechen 〔auf Biegen oder Brechen〕 무슨 일이 있어도; 〔구어〕 es geht auf ≈ oder Brechen 이판사판이다. 《Ⅱ》 *t./refl.* (sich) ~ ① 굽히다, 휘다: die Bäume ~ sich im Wind 바람에 나무들이 휜다;〖비유〗 sich schmiegen und ~ 굽실거리다; sich vor Lachen ~ 포복절도하다; er lügt, daß sich die Balken ~ 그는 뻔뻔스러운 거짓말을 한다. ②〖문법·구식〗 변화시키다(deklinieren). 《Ⅲ》 **gebogen** ↑ gebogen.

Biege=probe *f.*〖工〗 탄성 시험. **~vorrichtung** *f.*〖工〗 구부리는 장치.

Biegling *m.* -s, -e 포도의 취목, 휘묻이(取木).

biegsam [bí:kza:m] *a.* 휘기 쉬운; 나긋나긋한; (lenksam) 부리기 쉬운, 유순한.

Biegsamkeit *f.* ① 유연(성); 유순. ②〖物〗 탄성.

Biegung [bí:gʊŋ] *f.* -en ① 굽힘, 구부러지기, 휨;〖物〗 굴요(屈撓); 만곡부(灣曲部), 길모퉁이. ②〖문법·구식〗 (Flexion) 활용, 변화.

Biegungs=fall *m.*〖문법〗 종격(從格) (명사·대명사의 주격 및 호격 이외의 격). **~festigkeit** *f.*〖物〗 굴요(屈撓) 강도. **~moment** *n.*〖工〗 굴절 모멘트〔운동량〕.

Biel [bi:l] 빌(스위스의 도시).

Biel·brief 〔고어〕 *m.* ↑ Beilbrief.

Biele *f.* -n (md.) 갓난아기.

Bielefeld [bí:ləfεlt] *n.* 빌레펠트(독일 도시).

Bielefelder [..fεldər] *m.* 빌레펠트 사람.

Bieler See (스위스의) 빌러 호수.

Bien [bi:n] *m.* -s 벌떼, 군봉(群蜂).

Bienchen [bí:nçən] *n.* -s, - 〔↑ Biene 의 축소형〕 새끼벌; 작은 벌.

***Biene** [bí:nə] *f.* -n ①〖動〗 (꿀)벌; 〖비유〗 근면한 사람;〖天〗 봉좌(蜂座)): emsig〔fleißig〕 wie eine ~ 꿀벌처럼 부지런한; ~n züchten 〔schneiden〕 양봉하다〔벌집에서 꿀〔밀〕을 꺼내다〕. ②〔경박·고어〕 소녀: eine flotte〔hübsche〕 ~ 발랄한〔예쁜〕 소녀.

Bienen=ameise *f.*〖動〗 꿀벌 개미. **~bau** *m.* ↑ ~zucht. **~baum** *m.*〖植〗 단풍. **~beute** *f.* ↑ ~stock ①. **~blume** *f.* 꿀이 많은 꽃; 봉란(蜂蘭). **~brot** *n.* 벌빵(새끼벌의 먹이). **~brut** *f.* 꿀벌의 애벌레〔유충(幼蟲)〕. **~fleiß** *m.* 지칠 줄 모르는 근면함〔부지런함〕. **≈fleißig** *a.* 한시도 쉬지 않고 부지런한. **~fresser** *m.*〖動〗 벌잡이새. **~garten** *m.* 양봉원(養蜂園). **~gift** *n.* 밀독(密毒) (류머티즘 치료제).

bienenhaft *a.* 〔드물게〕 꿀벌 같은.

Bienen=harz *n.* 봉랍(蜂蠟), 밀랍. **~haube** *f.* 양봉가의 보호 마스크. **~haus** *n.* 양봉장; (꿀)벌통. **~honig** *m.* 벌꿀. **~käfer** *m.*〖動〗 벌에 기생하는 갑충. **~kappe** *f.* ↑ ~haube. **~königin** *f.* 여왕벌. **~korb** *n.* 짚으로 엮은 (꿀)벌통. **~kraut** *n.*〖植〗 백리향(白里香) (Thymian). **~laus** *f.* 날개 없는 작은 파리의 일종(꿀벌의 기생충). **~linie** *f.* (Luftlinie) 최단 거리. **~mann** *m.* 〔복수: ..männer〕 ↑ ~züchter. **~männchen** *n.* 수벌(Drohne).

~meister *m.* ↑ ~züchter. **~motte** *f.* 〖動〗 벌꿀나방(애벌레는 벌집을 뜯어먹음). **~-mutter** *f.* ① ↑ ~königin. ② 여자 양봉가. **~räuber** *n.* 〖動〗 땅벌. **~saug** *m./n.* 〖植〗 ↑ Biensaug. **~schwarm** *m.* 벌떼. **~-schwärmer** *m.* (날개가 투명한) 벌 모양의 나비. **~sprache** *f.* 꿀벌의 언어. **~stand** *m.* 양봉장; 꿀벌통. **~stich** *m.* ① 벌에 쏘임. ② 버터나 설탕을 바른 과자의 일종. **~stock** *m.* 벌집. **~vater** *m.* ↑ ~züchter. **~volk** *n.* 꿀벌떼. **~wachs** *n.* 밀랍. **~wachs·kerze** *f.* 밀랍(으로 만든) 초. **~wolf** *m.* (꿀벌을 해치는) 말벌. **~zucht** *f.* 양봉. **~züchter** *m.* 양봉가(Imker).

Biener *m.* -s, - 〖드물게〗 양봉가(Zeidler).

Bienlein *n.* -s, - 〖雅語〗 ↑ Bienchen.

biennal [biɛnáːl] 《lat. annus, „Jahr"》 *a.* 2년간의; 매 2년마다의.

Biennale *f.* -n (전시회·영화제 따위의) 2년마다 개최되는 행사.

bienn [biɛ́n], **biennis** *a.* 〖植〗 2년생의.

Biennium [biɛ́nium] *n.* -s, ..nien [..niən] 2년간.

Biensaug [bíːnzauk] *m./n.* -(e)s, -e [..gə] (*f.* -e) 〖植〗 광대수염속(屬).

*__Bier__ [biːr] 《lat. bibere》 *n.* -(e)s, -e 맥주: helles〔dunkles〕 ~ 보통〔흑〕 맥주; ~ vom Faß 생맥주; ~ auf Flaschen gezogen 병맥주; beim ~ (im Gasthaus) sitzen (술집에서) 맥주를 마시다; zum ~ 〔zu ~e〕 gehen 맥주 마시러 가다; 〖비유〗 et. wie sauer〔saures〕 ~ ausbieten 무엇을 헐값으로 팔아넘기다; et. wie sauer〔saures〕 ~ anpreisen 인기 없는 것을 칭찬하며 추천하다; 〖구어·비유〗 das ist nicht mein ~ 그것은 내 일이 아니다.

Bier≈abend *m.* 저녁의 맥주 파티. **~amsel** *f.* 〖動〗 꾀꼬리(Pirol). **~arsch** *m.* 〖비속〗 커다란 엉덩이. **~bank** *f.* 〖구식〗 맥주집의 의자. **~bank·politiker** *m.* 술집에서 술김에 정치를 논하는 사람. **~bann** *m.* 〖옛뜻〗 (어떤 구역내의) 맥주 전매권. **~baß** *m.* 〖구어·농담〗 저음(음정이 낮은 쉰 목소리). **~bauch** *m.* 〖구어·농담〗 맥주〔장고〕 배. **~brauer** *m.* 맥주 양조자. **~brauerei** *f.* 맥주 양조업〔장〕. **~bruder** *m.* 애주가; 술 친구, 술집 단골. **~deckel** *m.* 맥주컵의 (종이) 받침. **~dose** *f.* 맥주 캔. **~druck·apparat** *m.* ↑ ~-pumpe. **~eifer** *m.* 〖구어·반어〗 지나친 열의〔열성〕. **~eifrig** *a.* 〖구어·반어〗 지나치게 열성인. **~ernst** *a.* 〖구어〗 지나치게 진지한. **~ernst** *m.* 지나친 진지함. **~essig** *m.* 맥주초. **~fahrer** *m.* 맥주 운반인. **~faß** *n.* ① 맥주통. ② 〖구어·농담〗 뚱뚱한 사람. **~fiedler** *m.* 〖구식〗 술집의 바이올린 연주자. **~flasche** *f.* 맥주병. **~garten** *m.* 야외 맥주집. **~geld** *n.* ① 맥주세(稅). ② 〖구식〗 팁. **~glas** *n.* 맥주잔. **~halle** *f.* 맥주홀. **~haus** *n.* 〖드물게〗 맥주집, 비어 홀. **~hefe** *f.* 맥주 효모. **~held** *m.* 술고래. **~herz** *n.* 〖醫〗 맥주 심장(맥주 과음으로 인한 심장 비대증). **~hold, holer** *m.* 〖動〗 꾀꼬리(Pirol). **~idee** *f.* 〖구어·폄어〗 어리석은 생각〔착상〕. **~kalt·schale** *f.* 〖요리〗 맥주를 넣은 냉수프. **~kanne** *f.* 맥주 조끼. **~kasten** *m.* 맥주 상자. **~keller** *m.* 맥주를 저장한 지하실; (südd.) 맥주집. **~kneipe** *f.* 작은 맥주집. **~komment** *m.* 〖학생〗 (학생 사이의) 주도(酒道). **~krug** *m.* ① 맥주 잔. ② 맥주집. **~kutscher** *m.* 맥주 운반인. **~lachs** *m.* (맥주내기) 스카트 놀이. **~leiche** *f.* 〖구어·농담〗 고주망태가 된 사람. **~musik** *f.* (맥주집의) 서투른 음악. **~palast** *m.* 큰 맥주 홀. **~probe** *f.* ① 맥주 시음〔심사〕. ② 맥주 심사용 비중계; 맥주 심사 위원회. **~-pumpe** *f.* 맥주를 자아올리는 펌프. **~re-de** *f.* (술자리에서의) 농담, 만담. **~reise** *f.* 〖구어·농담〗 맥주집 순례(여러 번 집을 옮겨가며 맥주마시기). **~ruhe** *f.* 〖구어·농담〗 태연자약: er hat eine ~ 그는 태연자약하다. **~schank** *m.* 맥주 판매 허가; 맥주집. **~-schenk** *m.* 맥주집 주인(Krüger). **~-schenke** *f.* 맥주집. **~schinken** *m.* 햄의 일종. **~seidel** *n.* ↑ ~krug. **~selig** *a.* 〖농담〗 얼근히 취한. **~sieder** *m.* (맥주 양조장에서) 맥아즙을 가열하는 사람. **~steuer** *f.* 맥주세. **~stimme** *f.* ↑ ~baß. **~stube** *f.* 작은 맥주집. **~suppe** *f.* 맥주·설탕·달걀 등을 넣어 끓인 수프. **~tonne** *f.* 〖드물게〗 ↑ ~faß. **~verlag** *m.* 맥주 도매상. **~verleger** *m.* 맥주 도매 상인. **~verruf, ~verschiß** *m.* 〖학생〗 (술 친구 중에 넣어 주지 않는) 따돌리기. **~waage** *f.* 맥주 심사용 비중계. **~wagen** *m.* 맥주 운반차. **~wärmer** *m.* 맥주 가열기. **~wirt** *m.* 〖드물게〗 맥주집 주인. **~wirt-schaft** *f.* 맥주집(~haus). **~wisch** *m.* ↑ ~zeiger. **~wurst** *f.* 소시지의 일종. **~würze** *f.* (발효 전의) 맥아즙(麥芽汁). **~zapfer** *m.* ↑ ~wirt. **~zeichen** *n.*, **~-zeiger** *m.* 술집 간판. **~zeitung** *f.* 〖학생〗 (맥주 파티에서 읽는) 익살 신문. **~zelt** *n.* 천막 맥주집. **~zipfel** *m.* 〖학생〗 (학생 단체에 가입한 학생들이 차는) 작은 장식기장. **~zwang** *m.* 〖구식〗 ① 맥주집에서 맥주를 주문해야 할 의무. ② ↑ ~bann.

Biese[1] [bíːzə] *f.* -n ① (군모·군복 바지 따위의) 레이스. ② (옷의) 장식 주름. ③ 구두의 장식 바느질.

Biese[2] 《원뜻 „Wirbelwind, Sturm"》 *f.* -n 〖기상·고어〗 ↑ Bise.

biesen [bíːzən] *i.* (h.) (쇠파리에게 쏘인 소처럼) 미친 듯이 날뛰다.

Bies·fliege [bíːs..] *f.* (Bremse) 〖動〗 등에.

Biest[1] [biːst] 《lat. bestia》 *n.* -(e)s, -er 〖비속·방언〗 ① 가축, (특히) 소. ② 성가신〔끔찍한〕 짐승: nehmen Sie das ~ an die Leine! 저 짐승을 고삐에 매시오! ③ 저주의 대상: das ~ funktioniert nicht mehr 이 망할 것이 더 이상 작동하지 않는군. ④ 〖속어·욕설〗 야비한 인간: so ein elendes ~! 이런 야비한 인간 같으니라구!

Biest[2] [biːst] *m.* -(e)s 〖수의〗 ↑ ~milch.

biesten [bíːstən] *t.* 첫 젖을 짜다: eine Kuh ~ 암소의 첫 젖을 짜다.

biester [bíːstər] 《ndd.》 *a.* (trübe) 음울한, 우울한; 헤매는(irre).

Biesterei [biːstəráɪ] *f.* 〖구어·폄어〗 ① 비열한 행위. ② 힘든 일, 고역.

biestern [bíːstərn] *i.* ① (s.) 헤매다. ② (h.) 떠들어대다. ③ (h.) 〖사냥〗 짐승이 우는 소리를 내다. ④ (h.) 악착같이 일하다.

biester·frei *a.* 헤매는(umherirrend).

biestig [bíːstɪç] *a.* 〖구어·폄어〗 ① 비열한. ② 대단한, 엄청난: eine ~e Kälte 매서운 추위.

Biest·milch *f.* (출산한 암소의) 초유(初乳).
Bies·wurm [bí:s..] *m.* 〖動〗 등에의 유충.
Biet [bi:t] *n.* -s, -e (schweiz.) 지역: Basel∼ 바젤 지역.
Biete [bí:tə] *f.* -n 용기(容器) (Gefäß).
bieten* [bí:tən] (bot, geboten) 《ⓢ Bote, Büttel》 *t.* ① (**a**) 제공하다, 내어 놓다: jm. Geld 〔eine Belohnung〕 ∼ 누구에게 돈〔사례금〕을 내어놓다; jm. die Gelegenheit ∼, et. zu tun 누구에게 무엇을 할 기회를 제공하다; unseren Augen bot sich ein herrlicher Anblick 우리 눈앞에 멋진 광경이 펼쳐졌다. (**b**) 〖商〗 feil∼ 팔려고 내어 놓다; auf et. ∼ (경매에서) 무엇에 값을 붙이다; bis jetzt hat noch niemand auf das Bild geboten 아직까지도 그 그림을 사려는 사람이 없다; was bietest du (mir) dafür? 너는 얼마나 내놓겠느냐? ② 〔雅語〕 건네다, 내밀다: jm. einen guten Morgen ∼ 누구에게 아침 인사를 하다; jm. nicht〔kaum〕 das Wasser ∼ 누구에게는 도저히 필적할 수가 없다; jm. die Stirn 〔die Spitze〕 ∼ 누구에게 저항〔적대〕하다; es jm. ∼ a) 누구에게 적대하다, b) 누구와 다투다; jm. Trotz ∼ 누구에게 반항〔도전〕하다, 누구를 멸시하다; 〖장기〗 Schach ∼ 장군을 부르다; 〔비유〕 공격하다; jm. ein Paroli ∼ 누구에게 앙갚음하다. ③ 보여 주다(zeigen): ein Bild ∼ 사진을 보여 주다; eine Blöße ∼ 약점을 드러내다. ④ 부당한 요구를 하다(zumuten): das läßt er sich³ nicht ∼ 그는 그런 일에 응하지 않는다; ich lasse mir nichts ∼ 나는 아무것도 용서하지 않겠다; das kann man sich nicht ∼ lassen 그것은 참을 수 없다. ⑤ 〔고어〕 jn. zu Gaste ∼ 누구를 초대하다.
Bieter *m.* -s, - 경매자, 입찰자: der höchste ∼ 낙찰자.
Bifang *m.* -(e)s, ..fänge ↑ Beifang.
bifilar [bifilá:r] 《lat. filum, „Faden"》 *a.* 〖工〗 2 줄의, 2 줄 실의, 2 줄의 실로 매단.
Bifilar·wicklung *f.* 〖전기〗 2 줄 감기.
Bifokal·brille *f.* 이중 초점 안경. **∼glas** *n.* (근시·원시 양용의) 이중 초점 렌즈.
biform [bifɔ́rm] 《lat.》 *a.* 두 형태를 가진.
Bifröst 《altnord. bifa, „beben"; röst, „Strecke"》 *m.* -s 무지개 다리(북유럽 신화에 나오는 하늘과 땅을 연결하는 전설의 다리).
Bifurkation [bifurkatsió:n] 《lat. furca, „Gabel"》 *f.* -en 분기(分岐), 분지(分枝).
Biga¹ [bí:ga] 《lat. jugum》 *f.* ..gen (고대 로마의) 쌍두 마차.
Biga² -(s) (schweiz.) = Bundesamt für Industrie, Gewerbe und Arbeit 상공·노동부.
Bigamie [bigamí:] 《gr. gamos, „Ehe"》 *f.* -n [..mí:ən] 중혼(重婚).
bigamisch [bigá:mɪʃ] *a.* 중혼의.
Bigamist *m.* -en, -en 중혼자.
bigamistisch *a.* ① ↑ bigamisch. ② 중혼으로 사는: ein ∼es Paar 중혼 부부.
Big Band [bíg bǽnd] *f.* - -(s) 《engl.》 빅 밴드, 대형 재즈 오케스트라.
Big Ben 《engl.》 *m.* 빅벤(런던 국회 의사당의 시계탑).
Big Business [bíg bíznɪs] 《engl.》 *n.* - - ① 대기업. ② 대기업계(界). ③ 큰 거래.
bigenerisch [bɪgené:rɪʃ] 《lat.》 *a.* 자웅 동체의, 남녀추니의, 반음양의.
Bignonie [bɪgnó:niə] 《frz.》 *f.* -n 〖植〗 비구니아속(능소화과).
bigott [bigɔ́t] 《frz.》 *a.* ① 〔교양·폄어〕 편협한 신앙심을 가진, 맹신(盲信)의. ② 믿음이 깊은 체하는.
Bigotterie [bigɔtərí:] *f.* -n [..rí:ən] 편협한 신앙심; 위선, 거짓믿음.
Bijou [biʒú:, biʒú] 《frz.》 *m./n.* -s, -s (schweiz.) (Kleinod) 보석; 장신구.
Bijouterie [biʒutərí:] *f.* -n [..rí:ən] ① 보석류. ② (schweiz.) 보석상.
Bijouterie·waren *pl.* ↑ Bijouterie ①.
Bijoutier [biʒutié:] *m.* -s, -s 보석 상인.
Bikarbonat [bí:karbona:t, bikarboná:t] 《lat.》 *n.* -(e)s, -e 〖化·구식〗 중탄산염.
Bikini [bikí:ni] *m.* -s, -s 비키니 수영복.
bikonkav [bikɔnká:f, bí:kɔnka:f] 《lat.》 *a.* 〖광학〗 양쪽이 오목한: ∼e Linsen 오목 렌즈.
bikonvex [..vɛ́ks] 《lat.》 *a.* 〖광학〗 양쪽이 볼록한: ∼e Linsen 볼록 렌즈.
bikotyledonisch [..tyledó:nɪʃ] 《lat. -gr.》 *a.* 〖植〗 쌍떡잎의.
bilabial [bilabiá:l] 《lat.》 *a.* 〖植〗 양순형(兩脣形)의; 〖언어〗 두 입술로 발음되는, 양순음의 (보기: b, p.)
Bilabial *m.* -s, -e, **Bilabial·laut** *m.* 양순음(兩脣音).
Bilander [biländər] *m.* -s, - 쌍돛대의 배.
***Bilanz** [bilánts] 《it. bilancia》 *f.* -en 〖商〗 결산, 청산; 대차 대조표; 〔비유〕 성과, 수확: die ∼ aufstellen〔prüfen〕 대차 대조표를 만들다〔검토하다〕; aus et.³ (die) ∼ ziehen 무엇을 총결산〔총평〕하다.
Bilanz·buch·halter *m.* 회계사.
bilanzieren [bilantsí:rən] 《Ⅰ》 *i.* (h.) (은행의) (입·출금이) 균형을 이루다. 《Ⅱ》 *t.* ① 〖經〗 결산하다: ein Quartal ∼ 분기 결산을 하다. ② 〔비유〕 무엇의 결과를 개관〔총괄〕하다: der Projektleiter bilanziert den gegenwärtigen Forschungsstand 그 프로젝트 책임자가 현재까지의 연구 결과를 총결산한다.
Bilanzierung *f.* 〖經〗 평균, 상쇄, 결산.
Bilanz·konto *m.* 결산, 잔고 계정. **∼prüfer** *m.* 회계 감사관. **∼prüfung** *f.* 회계 감사. **∼rechnung** *f.* ↑ ∼konto. **∼sicher** *a.* 결산이 확실한. **∼summe** *f.* 결산 총액. **∼tabelle** *f.* 원장(元帳), 대조표. **∼verschleierung** *f.* 〖經〗 장부 허위 기재, 계수 조작.
bilateral [bí:latera:l, bilaterá:l] 《lat. latus, „Seite"》 *a.* ① 양측〔양변〕의, 쌍방의. ② 〖動〗 좌우 대칭의.
Bilateralismus [bilateralɪ́smus] *m.* -, ..men 〖政〗 (조약의) 쌍무성(性).
Bilboquest [bilbokɛ́:] 《frz.》 *n.* -s, -s 빌보케(놀이), 죽방울; 오뚝이.
Bilch [bɪlç] *m.* -(e)s, -e, **Bilch·maus** *f.* 〖動〗 ↑ Schlafmaus.
***Bild** [bɪlt] *n.* -(e)s, -er [..dər] ① 그림, 조상(彫像), 화상(畫像), 초상; 소묘; (Licht∼) 사진; 삽화, 도표, 도식; (화투 따위의) 그림패; 화폐의 화면; 〖印〗 활자의 면, 자면(字面): ein ∼ in Öl 유화; ein ∼ von Dürer 뒤러의 그림; ein ∼ aufnehmen 사진을 찍다; 〖연극〗 ein lebendes ∼ (순간적으로 정지된) 장면 묘사. ② 비유; 상징: in ∼ sprechen 비유적으로 말하다; die Lilie ist das ∼ der Unschuld

백합은 순결의 상징이다. ③ 화신(化身), 형상: er ist ganz das ~ seines Vaters 그는 아버지를 꼭 닮았다. ④ 광경, 장면: ein ~ des Jammers 가여운 광경; ein ~ für (die) Götter 유쾌한〔우스꽝스러운〕 광경. ⑤ 이미지, 표상, 관념, 생각: ein falsches ~ von et.³ haben 무엇에 대해 잘못된 생각을 가지고 있다; sein ~ ist mir gut im Gedächtnis geblieben 그의 이미지는 내 기억 속에 좋게 남아 있다; ein ~ von et.³ entwerfen 무엇을 묘사하다; über et. im ~e sein 무엇에 관해 잘 알고 있다; jn. ins ~ setzen 누구에게 정확한 정보를 주다; ich kann mir kein rechtes ~ von dieser Sache machen 나는 이 일을 아무래도 잘 알 수 없다. ⑥〖연극·영화〗 장면. ⑦〖數〗 대칭상.

Bild≈arbeit *f.* 조각. **~archiv** *n.* 사진 자료 보관소. **~aufnahme** *f.* 사진 촬영. **~ausschnitt** *m.* 오려낸 사진. **~band** *n.* 화보;〖영화〗 필름.

bildbar *a.* ↑ bildsam.

Bild≈beilage *f.* 사진〔화보〕 부록. **~bericht** *n.* 사진 보도; 기록 영화. **~bericht·erstatter** *m.* 사진 기자. **~beschreibung** *f.* 그림 설명. **~brief** *m.* 전송 사진. **~brief·sender** *m.* 사진 전송기.

Bildchen *n.* -s, -/Bilderchen 〘↑ Bild 의 축소형〙 소상(小像), 소품.

Bild·ebene *f.* ↑ ~fläche.

***bilden** [bíldən] 《<Bild》《I》 *t.* ① 형성하다, …의 모양을 이루다: die Kinder bildeten einen Kreis 아이들이 원을 그렸다〔이루었다〕; aus zehn Buchstaben ein Wort ~ 10 개의 알파벳으로 한 단어를 이루다. ② (무엇을) 이루다, 구성하다: der Fluß bildet die Grenze 강이 경계를 이룬다; den Höhepunkt ~ 절정을 이루다; eine Regierung 〔einen Ausschuß〕 ~ 정부〔위원회〕를 구성하다. ③ 교육시키다, 계발〔도야〕하다: Reisen bildet js. Charakter ~ 여행하면 인격 형성에 도움이 된다. 《II》 *refl.* sich ~ ① 생기다, 형성되다: Nebel〔Staub〕 bildet sich 안개〔먼지〕가 생긴다; sich³ ein Urteil ~ 판단하다; Geschwüre haben sich gebildet 종양이 생겼다. ② 교양을 쌓다, 수양하다: sich nach jm. ~ 누구를 모범〔표본〕으로 삼아 수양하다. 《III》 **gebildet** *p.a.* ↑ gebildet.

bildend 《I》 *p.a.* ① 형성적〔조형적〕인: ~e Künste 조형 예술; 미술. ② 교양을 위한: ~e Bücher 교양 서적. 《II》 **gebildet** ↑ gebildet.

Bilder 〔고어〕 *m.* -s, - ↑ Bildner.

Bilder≈anbeter *m.* 우상 숭배자. **~anbetung** *f.* 우상 숭배. **~atlas** *m.* 도감, 화보집. **~beschreibung** *f.* ① 도상학(圖像學), 성상(聖像) 연구. ② 도설(圖說), 도해법. **~bibel** *f.* 그림 성경. **~blende** *f.* 벽감(壁龕) (Nische). **~bogen** *m.* 일련의 그림들이 인쇄된 종이. ***~buch** *n.* 그림책. **~buch·ehe** *f.* 이상적인 결혼.

Bilderchen *pl.* ↑ Bildchen.

Bilder≈chronik *f.* 사진과 도면들로 이루어진 연대기. **~deutung** *f.* 도상학(圖像學), 화상 따위의 설명. **~dienst** *m.* ① 영상 자료실. ② ↑ ~anbetung. **~fibel** *f.* 그림이 있는 초급 독본. **~folge** *f.* 일련의 영상. **~freund** *m.* 애화가(愛畫家). **~funk** *m.* 팩시밀리 전송. **~galerie** *f.* 화랑; 미술관. **~geschichte** *f.* 그림 이야기. **~händler** *m.* 화상(畫商). **~handschrift** *f.* ① 채색 사본. ② (인디언의) 그림 상형 문자. **~kenner** *m.* 그림 전문가, 회화 감식자. **~landung** *f.* 연착륙. **~mann** *m.* 〘구어〙 ↑ ~händler. **~mappe** *f.* 화첩.

bildern [bíldərn] *i.* (h.) ① 책 속의 그림을 찾아보다. ② 비유적으로 말하다.

Bilder≈rahmen *m.* 그림〔사진〕틀, 액자. **~rätsel** *n.* ① 알아맞추기 그림(Rebus). ② 숨은 그림 찾기. **~reich** *a.* 삽화가 많은; 비유가 많은; 화려한: ~e Sprache 비유적인 언어. **~reichtum** *m.* 삽화가 많음; 비유가 많음. **~saal** *m.* 〘구식〙 ↑ ~galerie. **~sammlung** *f.* 그림 수집. **~schmuck** *m.* 그림 장식. **~schrift** *f.* 그림〔상형〕 문자(Hieroglyphen). **~sprache** *f.* 비유적인 언어; 화려한 말, 미사여구. **~sturm** *m.*, **~stürmerei** *f.*, **~stürmertum** *n.* 우상 파괴(적인 행동) (Ikonoklasmus). **~stürmer** *m.* 우상 파괴주의자(Ikonoklast). **~theater** *n.* 영화 극장. **~tor** *m.* 멋진 슛. **~werk** *n.* ① 그림이 든 출판물; 그림책. ② ↑ Bildwerk. **~wetter** *n.* 이상적인 날씨.

Bild≈erzählung *f.* 그림 이야기. **~fläche** *f.* 화면, 스크린: auf der ~ erscheinen a) 갑자기 등장하다, b) 화제에 오르다; von der ~ verschwinden 갑자기 사라지다. **~former** *m.* 소상(塑像) 제작자. **~frequenz** *f.* 영상 주파수. **~funk** *m.* 무선 사진 전송. **~gestaltung** *f.* 그림〔사진〕의 구도. **~gewebe** *n.* 무늬가 있는 직물. **~gießer** *m.* 주조가(鑄造家). **~gießerei** *f.* 주조술; 주조소. **~gräber** *m.* 돌조각가, 석공.

bildhaft [bílthaft] *a.* ① 그림〔사진〕 같은, 비유적인, 구상적인. ② 명료한.

Bildhaftigkeit *f.* 비유적임, 구상적임.

bildhauen [bílthauən] (bildhaute, gebildhaut) *t./i.* (h.) 소상(塑像)을 만들다, 조각하다.

***Bild·hauer** *m.* ① 조각가, 조소가(彫塑家). ②〖天〗 조각실자리.

Bild·hauer·arbeit *f.* 조각(품).

Bildhauerei [bılthauəráı] *f.* ① ↑ Bildhauerkunst. ② (schweiz.) 조각(품).

bildhauerisch *a.* 조각의.

Bild·hauer·kunst *f.* 조각술.

bildhauern *t./i.* (h.) 〘구어〙 조각가로 활동하다.

bild·hübsch *a.* 그림처럼〔아주〕 예쁜.

Bild≈inhalt *m.* 그림 내용. **~karte** *f.* 그림 엽서; 모형〔기복(起伏)〕 지도;〖카드〗 그림패 (↔ Gesteinkarte). **~kamera** *f.*〖영화〗 촬영기. **~konserve** *f.* 〘구어〙 (텔레비전의) 영상 보관 자료. **~kraft** *f.* 조형력, 구상력;〖生〗 성형력. **~kräftig** *a.* 구체적인. **~kunst** *f.* 조형 예술. **~künstler** *m.* 조형 예술가.

Bildlein *n.* -s, - ↑ Bildchen.

***bildlich** [bíltlıç] *adv.* 그림으로 나타낸; 구상적인; 비유적인, 상징적인: ~ darstellen 구상적〔비유적·상징적〕으로 표현하다; et. ~ und schriftlich erklären 무엇을 그림과 글로 설명하다.

Bildling *m.* -s, -e (Zögling) 생도, 제자.

Bild≈macher *m.* ↑ ~former. **~marmor** *m.* 무늬가 든 대리석. **~mäßig** *a.* 그림에 관

한. **~meß·kunst** *f.* 사진 측량술. **~mischer** *m.* 비디오 믹서.
Bildner [bíldnər] *m.* -s, - ①〖구식〗창조자; 형성자; 교육자. ② 조형 예술가; 조각가.
Bildnerei [bıldnəráı] *f.* -en ① 창조. ② 조각술; 조형 예술품.
bildnerisch [bíldnərıʃ] *a.* 조각의.
***Bildnis** [bíltnıs] *n.* -ses, -se ① 모상(模像) (Abbildung). ②〖雅語〗초상(Porträt). ③〖고어〗비유(↑ Gleichnis).
Bildnis·malerei *f.* 초상화(법).
Bild≈offizier *m.*〖軍〗사진계 장교. **~platte** *f.* 비디오디스크(테이프). **~reportage** *f.* 사진 보도. **~reporter** *m.* 사진 기자. **~röhre** *f.*〖전자〗브라운관.
bildsam [bíltza:m] *a.*〖雅語〗모양을 만들기 쉬운; 유연한; (신어 따위를) 구성할 수 있는;〖비유〗(bildungsfähig) 교화〔도야〕할 수 있는, 교육에 적당한: Ton ist ein ~es Material 점토는 조형하기 쉬운 재료다; Kinder sind in der Regel noch ~er als Erwachsene 아이들은 대체로 어른보다 교육하기 쉽다.
Bildsamkeit *f.* 조형〔교육〕하기 쉬움.
Bild≈säule *f.* 상(像), 입상(立像), 조상(彫像). **~schärfe** *f.* (사진 또는 영상의) 선명도. **~schirm** *m.* ①〖TV〗스크린, (컴퓨터의) 모니터 화면. ②〖구어〗텔레비전 수상기: sie hocken jeden Abend vor dem ~ 그들은 저녁마다 텔레비전 앞에 앉는다.
Bildschirm≈schoner *m.* 화면 보호기. **~-text** *m.* 비디오 텍스트, 영상 정보 자료. **~zeitung** *f.* 영상 정보 신문.
Bild≈schnitzer *m.* 나무 조각가. **~schnitzerei** *f.* ① 목각(木刻). ② 목각 공방. ③ 목각 작품. **≈schön** *a.* 그림처럼 (매우) 아름다운. **~seite** *f.* ① (화폐의) 표면. ② (책·잡지 등의) 사진〔그림〕이 있는 면. **~sendung** *f.* ↑ ~-übertragung. **~stein** *m.*〖광물〗곱돌, 납석. **~stelle** *f.* 영상 자료 보관소. **~stock** *m.* ① 기둥에 걸려 있는 그리스도의 십자가상. ②〖印〗스테레오판. **~streifen** *m.*〖영화〗필름 (Film). **~sucher** *m.*〖사진〗파인더. **~-synchron** *a.* 동시 녹음의: ~e Tonaufnahmen 동시 녹음. **~tafel** *f.* 화보. **~telefon** *n.* 화상 전화. **~telegramm** *n.* 전송 사진. **~telegraf** *m.* 사진 전송기. **~telegrafie** *f.* 사진 전송술. **~teppich** *m.* (벽걸이) 그림 양탄자. **~ton-Kamera** *f.* 동시 녹음 카메라. **~übertragung** *f.* ① 사진 전송. ② 중계 방송.
***Bildung** [bíldʊŋ] *f.* -en ① 형성, 생성, 조성, 구성: die ~ eines Ausschusses 〔einer Regierung〕 위원회〔정부〕의 구성; ~ von Nebel 〔Schaum〕 안개〔거품〕의 형성. ② (Gestalt) 형태, 형상: innere ~ (내부) 조직. ③ 교양, 교육, 도야, 학식: eine akademische ~ besitzen 대학 교육을 받았다; das zu wissen gehört zur allgemeinen ~ 그것을 아는 것은 일반 교양에 속한다.
Bildungs≈anstalt *f.* 교육 시설. **~bestreben** *n.* 지식〔교양〕욕. **~bürgertum** *n.* 교양 시민 계급. **~chance** *f.* 교육 기회: Ungleichheit der ~n 교육 기회의 불평등. **~erlebnis** *n.* 교양 체험(↔ Urerlebnis). **≈fähig** *a.* 교화할 수 있는, 교육에 적당한. **~fehler** *m.* ① 불구. ② 교육상의 결함. **≈feindlich** *a.* 교육에 적대적인. **~gang** *m.* 교육 과정. **~gewebe** *n.*〖生〗성형 조직. **~grad** *m.* 교육〔교양〕정도. **~gut** *n.* 교양(으로 얻은 정신적) 재산;〖복수〗도야재(陶冶財). **~höhe** *f.* 교양 정도. **~hunger** *m.* 지식〔교양〕욕, 향상심. **~kraft** *f.* 형성력.
bildungslos *a.* 교양이 없는, 무식한;〖植〗무정형(無定形)의.
Bildungs≈lücke *f.* 교양의 부족. **~möglichkeit** *f.* 교육 가능성. **~not·stand** *m.* 교육 제도의 위기. **~philister** *m.*〖폄어〗(Nietzsche가 말한) 속물적 지식인. **~plan** *m.* 교육안(案). **~privileg** *n.* 교육 특권. **~reise** *f.* 교양〔교육〕 여행. **~roman** *m.* 교양 소설. **~silbe** *f.*〖문법〗파생어를 만드는 철(綴)(전철·후철). **≈sprachlich** *a.* 교양어의. **~-stufe** *f.* ↑ ~grad. **~trieb** *m.* 지식욕;〖生〗형성력. **~urlaub** *m.* (직업 보충 교육) 연수 휴가. **~weg** *m.* 교육 과정. **~wesen** *n.* 교육 제도.
Bild≈vorlage *f.* (인쇄용) 그림 원본. **~wand** *f.* ① 영사막. ② (그리스 정교회의) 성화벽(聖畫壁). **~weberei** *f.* 무늬가 있는 천. **~-werbung** *f.* (플래카드·영화의) 시각 광고. **~werfer** *m.* 영사기, 환등기. **~werk** *n.* 조형 예술품, 조각품. **~wirker** *m.* 모양 직공. **~wörter·buch** *n.* 그림 사전. **~zuschrift** *f.* 사진이 든 답신.
Bileam [bí:leam] 《hebr.》 *m.*〖聖〗발람(메소포타미아의 예언자; 민수기 23 : 5).
Bilge [bílgə, bílʃ, (engl.) bıldʒ] *f.* -n〖海〗뱃바닥.
Bilge·wasser *n.* 뱃바닥에 괴는 물.
Bilharziose [bılhartsió:zə] *f.* 기생충병의 일종(독일의 A. Bilharz 의 이름에서).
bilingual [bilıŋguá:l, bí:lıŋgua:l] *a.* 2 개의 언어를 말하는, 2 개 국어의.
Bilingualismus [bilıŋgualísmus, bí:lıŋgualıs..] *m.* 2 언어 사용 (능력), 2 중 언어주의.
bilinguisch [bilíŋguıʃ, bí:lıŋ..] 《lat.》 *a.* (zweisprachig) 2 개 국어의, 2 중 언어의.
Bilirubin [bilirubí:n] *n.* -s 빌리루빈(헤모글로빈이 분해될 때 생기는 적황색 담즙 색소).
Bill [bil] 《engl.》 *f.* -s 법(률)안, 의안.
Billard [bíljart, (frz., öst.) bijá:r] 《frz.》 *n.* -s, -e/-s ① 당구대. ② 당구.
Billard≈ball *m.* 당구공. **~beutel** *m.*〖당구〗포켓.
billardieren [bıljardí:rən, (öst.) bijar..] *t.* 반칙으로 당구를 치다.
Billard≈kellner *m.* 당구장의 채점원. **~-kugel** *f.* 당구공. **~loch** *n.* ↑ ~beutel. **~-markör** *m.* ↑ ~kellner. **~queue** *n.* 큐, 당구봉. **~saal** *m.* 당구장. **~stock** *m.* ↑ ~-queue. **~tisch** *m.* 당구대. **~zimmer** *n.* ↑ ~saal.
Billbergia, Billbergie [bılbέrgiə] *f.* ..gien [..giən] 빌베르기아, (파인애플과의) 관상 식물.
Bille [bílə] 《♧ Beil》 *f.* -n ① 고물(배 뒤의 둥그런 부분). ② (양날의) 돌쪼는 연장, 정, (맷돌을 쪼는) 도끼.
billen [bílən] *t.* 돌을 쪼다.
Billet [bıljέt, bílεt] (schweiz.) ↑ Billett.
billet.. ↑ billett...
Billetdoux [bijεdú(:)] 《frz.》 *n.* -, - 연애 편

지, 연문(戀文).

Billeteur [biljεtǿ:r] *m.* -s, -e ① (öst.) (극장 따위의) 좌석 안내인. ② (schweiz.) 차장, 차표 매표인.

Billeteurin *f.* -nen ↑ Billeteur ① 의 여성형.

Billeteuse [biljεtǿzə] *f.* -n ↑ Billeteur ② 의 여성형.

billetieren *t.* ↑ billettieren.

Billett [bɪljέt, (frz.) bijέ] *n.* -s, -s/-e ① 쪽지 편지; (öst) 봉함 엽서; 베껴 둔 문서, 카드. ② (schweiz.) 입장권, 표, 승차권: ein ~ lösen 차표를 끊다.

Billett·ausgabe *f.* 매표; 차표 파는 곳, 매표구.

Billetteur [bɪljεtǿ:r] 《frz.》 *m.* -s, -e ↑ Billeteur.

Billetteurin *f.* -nen ↑ Billeteurin.

Billetteuse [bɪljεtǿ:zə] *f.* -n ↑ Billeteuse.

billettieren [bɪljεtí:rən] *t.* (무엇에) 메모지를 붙이다; (상품에) 가격표를 붙이다.

Billett·schalter [bɪljέt..] *m.* 매표구〔소〕.

Billiarde [bɪliárdə] 《frz.》 *f.* -n 천조(千兆) (tausend Billionen).

***billig** [bílɪç] 《ahd. billich》 *a.* ① (gerecht) 정당한, 지당한, 합당한: ~e Forderung 정당한 요구; das ist nicht mehr als ~ 그것은 당연하다; 〖속담〗 was dem einen recht ist, ist dem andern ~ 두 개의 도리(道理)란 있을 수 없다. ② (↔ teuer) 싼, 저렴한, 염가의: ~er Jakob 싸구려 장사; um ein ~es kaufen 싸게 사다; ~ und schlecht 싼 것이 비지떡; das ≈ste ist immer das Teuerste 싼 것이 결국 비싸게 먹힌다. ③ 싸구려 같은; 진부한: ein ~es Kleid 싸구려 옷; eine ~e Ausrede 흔해 빠진 핑계.

Billig≈angebot *n.* 염가 세일 (품목). **~-denkend** *a.* 공평한 생각을 가진, 합리적인.

***billigen** [bílɪgən] *t.* 시인하다, 인가〔동의〕하다; 칭찬하다: ich kann deinen Entschluß nicht ~ 나는 네 결정에 동의할 수 없다.

billigens·wert *a.* 동의〔시인〕할 만한.

Billiger *m.* -s, - 동의자.

billiger≈maßen, ~weise *adv.* 정당하게, 공정히, 당연히.

Billigkeit [bílɪçkaɪt] *f.* ① 정의, 공정, 공평, 정당, 지당; 〖法〗 형평: nach Recht und ~ 〔der ~ gemäß〕 공평〔공명정대〕하게. ② 저렴, 염가. ③ 하찮음, 빈약.

Billigkeits≈gefühl *n.* 정의감, 공정한 생각: das bloße ~ sagte uns, daß diese Entscheidung richtig war 단순한 정의감으로 볼 때 이 결정은 옳았다. **~gericht** *n.* 〖法〗 형평 재판소. **~grund** *m.* 〔다음 용법으로만〕 aus Billigkeitsgründen 공정함을 중히 여겨. **~-recht** *n.* 형평법. **~sinn** *m.* ↑ gefühl.

Billigung [bílɪgʊŋ] 《frz.》 *f.* -en 시인, 인가, 동의, 찬성.

Billion [bɪlió:n] 《frz.》 *f.* -en 1 조; (프랑스·아메리카·러시아에서) 10 억.

billionstel *a.* 1 조분의 1 의.

Billionstel *n.* 1 조분의 1.

Billon [bɪljɔ̃:] 《frz.》 *m./n.* -s [..jɔ̃:s] 별가치가 없는 주화〔금·은의 합금〕; 악화(惡貨); (schweiz.) 보조 화폐.

Billonage [bɪljoná:ʒə, bijo..] *f.* 악화에 의한 부정 거래.

billonieren [bɪljoní:rən, bijɔ..] *i.* (h.) 악화로 부정 거래하다.

Bilse [bílzə] *f.* -n, **Bilsen·kraut** *n.* 〖植〗 사리풀(가짓과의 독초) (Tollkraut).

Bilwis, Bilwiß *m.* -es, -e 〔방언〕 마녀.

Bilwiss 新정서 ⇦ Bilwiß.

bim [bɪm] *int.* (맑은 종소리의 의성어) 땡.

Bimbam[1] [bímbám] *n.* -s, -s (종소리의 의성어) 땡땡.

Bimbam[2] *m.* 〔다음 용법으로만〕 (ach du) heiliger ~! 아니, 저런! (놀라움의 표시).

bimbambum *int.* 땡땡땡(종소리).

bimanisch [bimá:nɪʃ] 《lat. manus, „Hand"》 *a.* 두 손을 가진, 양손의.

bimaxilar *a.* 턱의, 턱에 관련되는.

Bimester [biméstər] 《lat. mensis, „Monat"》 *n.* -s, - 2 개월간.

Bimetall [bí:metal, bimetál] 《lat. +gr.》 *n.* -s, -e 〖工·전기〗 2 중 금속판(팽창률이 다른 금속 2 종의 합판), 바이메탈.

Bimetallismus [bimetalísmus] *m.* - 〖經〗 (금은) 양화(兩貨) 본위제 (Doppelwährung).

Bimmel [bíməl] *f.* -n 〔구어〕 작은 종, 벨.

Bimmel·bahn *f.* 〔구어〕 협궤 철도.

Bimmelei [bɪməláɪ] *f.* -en 〔구어〕 성가시게 울려대는 종소리.

bimmeln [bíməln] 〔구어〕 《I》 *i.* (h.) 찌릉찌릉 울리다: es bimmelt 벨이 울린다. 《II》 *t.* (벨을) 울리다.

***Bims** [bɪms] 《lat.》 *m.* -es, -e ① 〔구식〕 ↑ Bimsstein. ② 〔복수〕 구타: ~e bekommen 얻어맞다; 〖구어〗 돈(Geld); 잡동사니, 허섭스레기.

bimsen [bímzən] *t.* ① 속돌로 문지르다, 갈다. ② 〔구어〕 때리다, 구타하다. ③ (신병을) 매섭게 훈련시키다. ④ 〔구어〕 열심히 배우다.

Bims≈seife *f.* 속돌 비누. **~stein** *m.* 속돌, 경석(輕石), 부석(浮石). **~pulver** *n.* 지림분(止淋粉).

***bin** [bɪn] ↑ sein 의 1 인칭 단수 현재형.

binar [biná:r], **binarisch** *a.* ↑ binär.

Binarismus *m.* 〖언어학〗 이가론, 이분론.

binär [binέ:r] 《lat. bini, „je zwei"》 *a.* (zweiteilig) 2 성분의, 이중(重)의, 2 원(元)의.

Binar·kies *m.* 〖광물〗 백철광(Markasit).

Bind≈band *n.* ↑ Bindeband. **~baum** *m.* 건초를 수레에 싣고 죄는 막대기(Heubaum).

Bindchen [bíntçən] *n.* -s, - 〖↑ Binde 의 축소형〗 작은〔예쁜〕 끈; 깃을 장식하는 끈.

***Binde** [bíndə] *f.* -n ① 끈, 띠; (Arm≈) 완장; 머리띠(Stirn≈); 〖醫〗 건막(腱膜) (Sehnen≈). ② 붕대(Verband); 안대(Augen≈): ein verletztes Glied mit einer ~ umwickeln 붕대로 상처 부위를 싸다; 〔비유·雅語〕 jm. die ~ von den Augen nehmen 누구를 깨닫게 하다; 〔비유·雅語〕 die ~ fiel ihm von den Augen 그는 문득 깨달았다. ③ (Hals≈) (넥타이 따위의) 목에 두르는 장식물: 〔구어·비유〕 einen〔eins〕 hinter die ~ gießen 한 잔 들이켜다; 〔비유〕 jm. eine ~ um die Augen legen 사실을 알려 주지 않다. ④ 〔구어〕 생리대(Damen≈): eine ~ tragen 생리대를 착용하다. ⑤ 〖음악〗 이음줄, 타이.

Binde≈balken *m.* 〖건축〗 도리, 들보. **~-band** *n.* 〔구식〕 매는 끈; 모자의 리본. **~-**

bogen *m.* 〖음악〗 이음줄, 타이. **~draht** *m.* 〖工〗 바인드선(線). **~gewebe** *n.* 〖醫〗 결체(結締) 조직.

Bindegewebs≈entzündung *f.* 급성 결체 조직염. **~faser** *f.* 결체 조직내의 힘줄. **~massage** *f.* 피하 결체 조직 마사지.

Binde≈glied *n.* ① 연결 부분, 고리. ②〔비유〕 매개물, 중개자. **~haut** *f.* 〖醫〗 (눈의) 결막. **~mittel** *n.* 접합〔결합〕제(시멘트 따위); 응집소(凝集素); 전색제(展色劑).

binden [bíndən] (band, gebunden) 《I》 *t.* ① 묶다, 매다, 연결하다: jm. die Hände ~ 누구의 손을 묶다〔자유를 속박하다〕; eine Krawatte ~ 넥타이를 매다; eine Schnur um ein Paket ~ 소포를 끈으로 묶다; jm. et. auf die Nase ~ a) 누구에게 무엇을 알리다〔발설하다〕, b) 누구를 우롱하다, 속이다; jm. et. auf die Seele 〔aufs Gewissen〕 ~ 누구에게 무엇을 엄명하다〔명심시키다〕. ② 엮어〔묶어〕 만들다: einen Kranz aus Blumen ~ 꽃으로 화환을 엮다; et. in Garben ~ 무엇을 다발짓다; 〔비유〕 sich³ selbst eine Rute ~ 벌을 자초하다. ③〖문법〗 (말을) 연속해 발음하다, 연음〔리에종〕하다(특히 불어); 〖음악〗 (schleifen) 이어서 연주하다, 타이의 기호를 붙이다. ④〖요리〗 eine Soße mit Mehl ~ 소스를 밀가루로 되직하게 만들다; 〔목적어 없이〕 der Mörtel bindet 모르타르가 잘 붙는다. ⑤〖비유〗 속박〔구속〕하다; 누구에게 의무를 지우다(verpflichten). 《II》 *refl.* ① sich ~ (=sich verdicken) (진흙 따위가) 교착(膠着)하다; 〖요리〗 응고하다. ② sich an et. ~ 무엇을 자기의 의무로 삼다; ich lasse mich durch nichts ~ 나는 어떤 구속도 받지 않겠다. 《III》 **gebunden** [gəbúndən] *p.a.* ↑ gebunden.

bindend *p.a.* ① 접착성의, 응고성의: schnell ~er Zement 빨리 굳는 시멘트; 〔비유〕 ~e Kraft 결속력(있는 사람). ② 구속력 있는, 이행의 의무가 있는: eine ~e Abmachung 구속력 있는 협정. ③ (추론 따위가) 적확한 (bündig).

Binder *m.* -s, ① 매는〔묶는〕 사람; 제본공 (Buch≈), 통장이(Faß≈). ②〖건축〗 ↑ Bindestein. ③〖건축〗 (~balken) 도리, 들보. ④ 넥타이(Schlips). ⑤〖農〗 바인더(베어서 단으로 묶는 기계). ⑥〖工〗 (안료의) 전색제(展色劑).

Binder·barte *f.* 통장이의 자귀.

Binderei [bɪndəráɪ] *f.* -en 제본소, 화환 가게.

Binder·lohn *m.* 통장이의 임금; 제본료(料).

bindern [bíndərn] *i.* (h.) ↑ buch~.

Binde≈s *n.* 〖문법〗 결합소 s. **~satz** *m.* 〖문법〗 접속문. **~sohle** *f.* 짚신, 샌들. **~stein** *m.* 〖건축〗 섬돌, 길잇돌. **~strich** *m.* 이음표, 하이픈(= 또는 -). **~strich-Amerikaner** *m.* 외국계 미국인(영국계 이외의 미국인으로 미국에 동화되지 않은 사람; 보기: Deutsch-Amerikaner 처럼 이음표를 넣어서 적기 때문에 이 말이 생겼음). **~wort** *n.* 〖문법〗 접속사(Konjunktion). **~zeichen** *n.* ↑ ~strich.

Bind≈faden *m.* 매는 끈〔실〕, 묶는 새끼, 가는 밧줄; 〔복수〕 〖軍·구어〗 국수(Fadennudeln): 〔비유〕 es regnet Bindfäden 비가 억수로 퍼붓는다. **~jungen** *pl.* 〖軍·구어〗 (Husaren) 경기병(輕騎兵)(군복의 장식 끈에서 나온 말). **~regen** *m.* 〔구어·농담〕 장대비.

bindig *a.* ① (토양 따위가) 점성인, 끈기 있는: ~er Boden 점토(지)(粘土(地)). ②〔고어〕 ↑ verpflichtend, verbindlich.

Bindigkeit *f.* ① 점성. ②〖化〗 결합(가).

Bindling *m.* -s, -e 〖植〗 메꽃속.

Bind·riemen *m.* ① 지갑의 끈: es geht 〔kommt〕 an den ~ a) 현금을 지급하지 않으면 안 된다, b) 위기를 당하게 된다. ② (Riemen) 끈, 가죽끈.

Bindung [bínduŋ] *f.* -en ① 맴, 묶음; 결합, 접합; 〖문법〗 리에종; 〖음악〗 활주(滑奏); 제본; 매는〔묶는〕 법; 〖펜싱〗 (상대편의) 칼을 받아서 물리침; 〖스키〗 안전 바인딩; (등산용 아이젠의) 가죽끈; 결부, 연결; 점착(粘着), 고착; 〖化〗 (원자의) 결합; (직물의) 짜임. ② 속박, 의무, 애착.

bindungs.. ↑ binde..

Binge [bíŋə] *f.* -n 〖광산〗 (폐광이 붕괴하여 생긴) 깔때기 모양의 구덩이.

Bingel·kraut [bíŋəl..] 《♧ Bunge》 *n.* 〖植〗 산쪽풀.

bingeln 《< Bengel》 *i.* (h.) 〔방언〕 (läuten) (종이) 울리다.

Bingen [bíŋən] 빙겐(라인강 중류의 도시).

Binger 《I》 *m.* -s, - 빙겐 사람. 《II》 *a.* 빙겐의.

Bingo [bíŋgo] *n.* 빙고(영국의 도박).

Binion [binió:n] 《lat.》 *f.* -en 2 수의 조합(↑ Ambe).

Binkel, Binkl [bíŋkəl] *m.* -s, -(n) (bayr., öst.) 단, 다발.

***binnen** [bínən] 《< be(=bei)-innen》 《I》 *prp.*[3/2] ① 이내에(innerhalb): ~ einem Monat 〔eines Monats〕 1 개월 이내에; ~ zweier Tage 이틀 내에; ~ kurzem 머지 않아서; 〔드물게〕 ~ dem Dorf 마을 안에; ~ Bords 배 안에. ② …의 사이에(zwischen): ~ heute〔hier〕 und Ostern 오늘과 부활절 사이에. 《II》 *adv.* ~ laufen 입항하다; et. ~ haben a) 무엇을 다 먹어 치우다, b) 〔비유〕 이해하고 있다.

Binnen≈achter·steven *m.* 〖海〗 내부 선미골 (船尾骨). **~afrika** *m.* 중앙〔내지〕 아프리카, 아프리카 오지. **≈bords** *adv.* 배 안에서(im Schiff). **~brief** *m.* 〔구어·농담〕 독촉장. **~deich** *m.* 안쪽의 둑〔제방〕. **≈deutsch** *a.* 독일 내의. **~dock** *n.* 내선거(內船渠). **~eis** *n.* 〖지질〗 내륙빙. **~fischerei** *f.* 담수(淡水) 어업. **~gewässer** *n.* 내륙의 수역(호수·하천 따위). **~hafen** *m.* 내항, 하천〔운하〕의 항구. **~handel** *m.* 국내 상업, 내지 교역. **~klima** *n.* 대륙성 기후. **~land** *n.* 〔복수: ..länder〕 내지, 내륙. **≈ländisch** *a.* 내지의, 내륙의. **~lander** *m.* 〖海〗 쌍돛대의 배(Bilander). **~länder** 《I》 *m.* 내국인, 내지인. 《II》 〔복수〕 ↑ ~land. **≈lands** *adv.* (im ~land) 국내에서. **≈laufen*** *i.* (h./s.) 입항하다. **~markt** *m.* 국내〔내수〕 시장. **~meer** *n.* 내(륙)해. **~reim** *m.* 〖문학〗 한 시행 안의 압운(押韻), 행내운. **~schiffahrt** *f.* 내륙 항행〔수운(水運)〕. **~schiffer** *m.* 선장, 선원. **~see** 《I》 *m.* 호수(Landsee). 《II》 *f.* ↑ Bodden. **~sohle** *f.* (구두의) 안창. **~spalt** *m.* 〔방언〕 소 넓적다리의 안쪽 고기. **~staat** *m.* (↔ Küstenstaat) 내륙 국가. **~stadt** *f.* (바다가

먼) 내륙 도시. **~tief** *n.* 〖방언〗 제방 안의 배수로. **~verkehr** *m.* 국내 교통. **~wanderung** *f.* 국내 이주. **~wasser·straße** *f.* 내륙 수로. **~zoll** *m.* 국내 관세.
Binokel [binóːkəl, ..nɔ́k..] 《frz.》 ① *n.* -s, - 코안경, 쌍안경, 망원경, 현미경. ② *m./n.* -s 비노클(스위스식 카드놀이).
binokular [binokuláːr] *a.* 양안(兩眼)(용)의.
Binom [binóːm] 《lat. nomen, „Name"》 *n.* -s, -e 〖數〗 2 항식(二項式).
Binomial≈koeffizient [binomiáːl..] *m.* 〖數〗 2 항 계수. **~satz** *m.* 2 항 정리.
binomisch [binóːmɪʃ] *a.* 〖數〗 2 항(식)의: ~er Lehrsatz 2 항 정리(Binomialsatz); ~e Reihe 2 항 수열; ~es Integral 2 항 적분.
*__Binse__ [bɪ́nzə] *f.* -n 〖植〗 골풀, 등심초(燈心草), 갈대류: aus ~n Körbe flechten 갈대로 바구니를 짜다; 〖비유〗 in die ~n gehen 수포〔실패〕로 돌아가다.
binsen [bɪ́nzən] *a.* 갈대로 만든〔엮은〕.
binsen≈artig *a.* 골풀 같은, 갈대속(屬)의. **~decke** *f.* 골풀 지붕. **~gras** *n.* ↑ Binse.
binsenhaft *a.* ↑ binsenartig.
Binsen≈korb *m.* 골풀 바구니. **~lager** *n.* 골풀 침상, 돗자리. **~licht** *n.* 등심초(燈心草) 양초, 희미한 등불. **~matte** *f.* 갈대 자리. **~seide** *f.* 〖植〗 황새풀속(Wollgras). **~stuhl** *m.* 돗자리를 깐 의자. **~wahrheit, ~weisheit** *f.* 자명한 이치, 평범한 진리, 진부한 말.
Binsicht [bɪnzɪ́çt] 〖구식〗 *n.* -(e)s, -e 골풀의 덤불(Binsendickicht).
binsicht [bɪ́nzɪçt], **binsig** [bɪ́nzɪç] *a.* ① ↑ binsenartig. ② 골풀이 무성한.
bio.. 《gr. bíos, „Leben"》 *pref.* "생(生)의·생활의·생명의"의 뜻(보기: Biochemie 생화학).
Bioabfall *m.* 〖생태학〗 (퇴비로 쓸 수 있는) 발효〔음식물〕 쓰레기.
bioaktiv *a.* 생물학적 활동이 활발한.
Bioarithmetik 《gr.》 *f.* 평균 수명 측정, 생물 통계학.
Bioastronautik *f.* 우주 생리〔생물〕학(우주에서의 생존 가능성을 연구하는 분야).
Biochemie 《gr.》 *f.* ① 생화학. ② 무기염(無機塩) 요법.
Biochemiker *m.* -s, - 생화학자.
biochemisch *a.* 생화학의.
Biodynamik 《gr.》 *f.* 생활 역학, 생물 기능학.
biodynamisch *a.* ① 생활 역학의. ② 유기 비료만 준.
Bioethik-Konvention *f.* 〖政〗 인권과 생명의학에 관한 조약(유전 공학 기술·태아 연구·장기 이식에 관한 기준).
Biogas *n.* -es, -e 거름 분해 때 생기는 가스.
biogen [biogéːn] *a.* 〖生〗 생물 발생의.
Biogenese [biogenéːzə] 《gr.》 *f.* 생명의 기원〔발생〕; 생원설(生原說).
biogenetisch *a.* 생명 발생의; 발생론의: ~es Grundgesetz 발생 반복 원칙.
Biogeographie [biogeografíː, bíːogeografiː] 《gr.》 *f.* 생물 지리학.
Biogeozönose *f.* 생태계.
Biograf 新정서 ⇦ Biograph.
Biografie 新정서 ⇦ Biographie.
Biografik 新정서 ⇦ Biographik.
Biograph [biográːf] 《gr.》 *m.* -en, -en 전기 작가.
*__Biographie__ [..grafíː] *f.* -n [..fíːən] ① 전기. ② 이력.
Biographik *f.* (역사 기술의 한 분야로) 전기 작성법.
biographisch *a.* 전기의, 전기〔열전(列傳)〕체(體)의: ~e Daten 전기 자료.
Biokatalysator [..záːtɔr, ..toːr] *m.* -s, -en [..tóːrən] 생화학 효소.
Bioklimatologie 《gr.》 *f.* 〖생태학〗 생물 기상학.
Biokost *f.* 건강〔자연〕 식품.
Bioladen *m.* -s, ..läden 건강〔자연〕 식품점.
Biolog, Biologe [bioló:k, ..lóːgə] 《gr.》 *m.* ..gen, ..gen ① 생물학자. ② 생물학 전공 학생.
*__Biologie__ [..logíː] *f.* ① 생물학. ② 생물학적 특성: die ~ eines Tieres studieren 어떤 동물의 생물학적 특성을 연구하다.
Biologie·unterricht *m.* 생물학 수업.
biologisch *a.* 생물학의, 생물학적인, 생물의: 〖生〗 ~e Uhr 생물학적 시계(인간의 수명을 결정하는 유전자가 존재하며, 유전적 요인에 따라 수명이 결정된다는 가설); 〖軍〗 ~e Waffe 생물학〔세균〕 무기.
biologisch-dynamisch *a.* 유기 농법의: ~e Landwirtschaft 유기농.
Biolumineszenz *f.* -en 〖生〗 생물 발광 형상.
Biolyse *f.* -n 〖化〗 (살아 있는 유기체에 따른) 생체 분해.
biolytisch *a.* 생체 분해의.
Biomagnetismus *m.* - 동물 자기(磁氣), 생물 자력(磁力).
Biomasse *f.* (일정 지역의) 유기 물질의 총량.
Biometrik, Biometrie [biometríː] 《gr.》 *f.* (Sterblichkeitsberechnung) 수명 측정, 생물 측정학〔계측법〕.
Biomotor [..móːtɔr, ..toːr, ..motóːr] *m.* -s, -en [..tóːrən] 〖의〗 인공 호흡기.
Bionomie [..nomíː] 《gr.》 *f.* 〖生〗 생태학, 생물 법칙학.
Biophänomenologie 《gr.》 *f.* 생물 현상학.
Biophysik 《gr.》 *f.* ① 생(물) 물리학. ② (자외선 치료 등의) 응용 물리학.
biophysikalisch *a.* 생물 물리학의.
Biopsie *f.* -n [..síːən] 〖醫〗 조직〔생체〕 검사.
Bioskop [bioskóːp] 《gr.》 *n.* -s, -e (초기의) 영사기.
Bioskopie [..skopíː] *f.* 〖醫〗 생활 반응 검사, 생사(生死) 검사법.
Biosophie [biozofíː] 《gr.》 *f.* 처세 능력(Lebensweisheit).
Biosphäre [biosfɛ́ːrə] *f.* -n 생물(생활)권(圈)(생물이 생존할 수 있는 범위).
biosphärisch *a.* 생물권의.
Biotechnik *f.* 생물 공학.
Biotechnologie *f.* 〖工〗 생물 공학, 바이오테크놀러지.
Biotin [biotíːn] *n.* -s 비오틴, 비타민 H.
biotisch [bióːtɪʃ] 《gr.》 *a.* 생물〔생명〕에 관한: ~es Potential 번식력.
Biotit *m.* -s, -e 〖광물〗 흑운모(黑雲母) (광물의 일종; 프랑스 물리학자 Biot 의 이름에서).
Biotomie [biotomíː] 《gr.》 *f.* 생체 해부.

Biotonne *f.* 음식물 쓰레기통.
Biotop *m./n.* -s, -e 서식 구역〔공간〕.
biotop≈eigen *a.* 서식 공간에 속하는. **~fremd** *a.* 서식 공간에 속하지 않는.
Biotyp *m.* -s, -en (Erbstamm) 순계(純系) (자가 생식을 통해 대대로 같은 유전 형질을 유지해 온 생물의 개체군).
Biotypus *m.* -, ..pen ↑ Biotyp.
Biozönose *f.* -n 군집, 군취(群聚).
biozönotisch *a.* 군집의.
bipartieren [bipartí:rən] 《lat.》 *t.* (halbieren) 반분하다; 2 분하다.
Bipede [bipé:də] 《lat.》 *m.* -n, -n 이족(二足) 동물(Zweifüßler).
bipedisch *a.* 양족(兩足)의.
Biplan [bí:pla:n] 《lat.》 *m.* -(e)s, -e 복엽(複葉) 비행기(Zweidecker).
bipolar [bipolá:r, bí:pola:r] 《lat.》 *a.* 양극의, 분극되어 있는.
Bipolarität [bipolaritɛ́:t] *f.* 양〔분〕극성(性).
Biquadrat [bí:kvadra:t, bikvadrá:t] 《lat.》 *n.* -(e)s, -e 〖數〗 4 제곱.
biquadratisch [bikvadrá:tɪʃ, bí:kvadra..] *a.* 4 제곱의: ~e Gleichung 4 차 방정식.
Biquet [bikéː, ..kɛ́:] 《frz.》 *m.* -s, -s 금화·은화를 다는 저울.
Birchermus [bírçər..] *n.* -es, -e, **Bircher·müsli** *n.* -s 다이어트용 곡물 요리(스위스 의사 Bircher-Benner 의 이름에서).
Birdie [bǿ:rdi, bə́:di] 《engl.》 *n.* -s, -s (골프의) 버디.
Bireme [biré:mə] 《lat.》 *f.* -n 2 단(段) 노가 정착된 고대의 전함(Zweiruderer).
Birett [bɪrɛ́t] 《gr. -lat.》 *n.* -(e)s, -e 〖가톨릭〗 비레트(성직자용 사각 모자).
birg [bɪrk] ↑ bergen 의 명령형.
birgst [bírkst] ↑ bergen 의 2 인칭 단수 현재형.
birgt [bírkt] ↑ bergen 의 3 인칭 단수 현재형.
***Birke** [bírkə] *f.* -n ①〖植〗 자작나무; 〖드물게〗 자작나무 가지. ② 오월주(柱) (Maienbaum).
birken *a.* 자작나무의〔로 만든〕.
Birken≈baum *m.* 자작나무. **~besen** *m.* 자작나무 가지로 만든 비. **~gretchen, ~hänschen** *n.* 〔구어〕 ↑ ~rute. **~holz** *n.* 자작나무 목재. **~meier** *m.* 〔방언〕 자작나무 껍질로 만든 술잔. **~öl** *n.* 자작나무 기름. **~pilz** *m.* 〖植〗 자작나무 버섯(식용 버섯의 일종) (Kapuzinerpilz). **~reis** *n.* 자작나무의 잔가지. **~rinde** *f.* 자작나무 껍질. **~rute** *f.* 자작나무 회초리. **~saft** *m.* 자작나무의 수액(樹液). **~tochter** *f.* 〔구어〕 ↑ ~rute. **~wald** *m.* 자작나무 숲. **~wasser** *n.* 자작나무 수액으로 만든 샴푸용 향수. **~wein** *m.* 자작나무 술.
Birk≈fuchs *m.* 〖사냥〗 목·배 및 꼬리 끝이 흰 여우. **~häher** *m.* 파랑새(Blauracke). **~hahn** *m.* 흑뇌조의 수컷. **~henne** *f.* 흑뇌조의 암컷. **~huhn** *n.* 흑뇌조속의 새.
Birkicht [bírkɪçt] *n.* -(e)s, -e (Birkenwäldchen) 소규모의 자작나무 숲.
Birkling *m.* -s, -e 〖植〗 ↑ Birkenpilz.
Birk·wild *n.* 〖사냥〗 ↑ Birkhuhn.
Birma [bírma] 미얀마.
Birmane [bɪrmá:nə] *m.* -n, -n 미얀마 사람.
birmanisch *a.* 미얀마(어)의.
Birn·baum *m.* 〖植〗 배나무.
Birne [bírnə] 《lat. pirum.》 *f.* -n ① 배, 배나무; 〔구어〕 머리(Kopf): 〖경박〗 eine welche ~ haben 머리가 둔하다; jm. eins auf〔vor〕 die ~ geben 누구의 머리를 한 대 때리다. ② 백열 전구(Glüh~); 〖제련〗 (Bessemer~) 전로(轉爐) (도가니의 일종); 〖음악〗 클라리넷 주둥이에 끼우는 술잔 모양의 마우스.
birnen.. ↑ birn...
Birn≈essig *m.* 이산(梨酸). **~förmig** *a.* 배 모양의. **~kraut** *m.* ①〖植〗 노루발풀(Wintergrün). ② 배조림. **~moos** *n.* 〖植〗 백태속(白苔屬)의 이끼. **~most** *m.* ↑ ~wein. **~sauger** *m.* 배나무 진드기. **~stab** *m.* 〖건축〗 (고딕식의 단면도에서 배 모양을 한) 막대형 건물 부분. **~wein** *m.* 배로 만든 술.
Birsch [bɪrʃ], **Birsche** *f.* (Spürjagd) (사냥개를 데리고 하는) 사냥, 몰이 사냥.
birschen [bírʃən] 《altfrz. berser》 *t./i.* (h.) 사냥개를 데리고 사냥하다.
Birsch·jäger *m.* 저격 사냥꾼.
birst [bɪrst] ↑ bersten 의 2 인칭 단수 현재형.
Birutsche [birútʃə] 《it.》 *f.* -n 2 륜 마차 (Barutsche).
***bis**[1] [bɪs] 《Ⅰ》 *adv./prp.* …까지 ① *prp.*[4] (**a**) 〔지명·시간을 나타내는 명사·수사 앞에〕 ~ Berlin 베를린까지; ~ Ostern 부활절까지; zwei ~ drei Tage 2-3 일. (**b**) 〔부사 앞에〕 ~ dahin 그곳〔그때〕까지; ~ wann 〔~ wie lange〕? 언제까지?; ~ dato〔heute〕 오늘까지; ~ bald〔dann, gleich, nachher, später〕! 곧〔그럼, 바로, 나중에, 후에〕 다시 봐! (헤어질 때의 인사); von morgens ~ abends 아침부터 저녁까지. ② *adv.* 〔전치사와 함께〕 ~ **an** den Tod 죽을 때까지; ~ **auf** ..., (**a**) …에 이르기까지, …을 포함해서: das Stadion war ~ auf den letzten Platz ausverkauft 경기장은 완전 매진되었다. (**b**) 무엇을 제외하고: alle ~ auf einen 최후의 한 사람을 제외하고 모두; ~ auf weiteres 당분간, 차후 통지가 있을 때까지; ~ aufs Blut peinigen 죽도록 괴롭히다; ~ aufs höchste 극도로; ~ **gegen** Mittag 정오까지; ~ tief **in** die Nacht 밤늦게까지; ~ **ins** kleinste〔letzte〕 아주 상세〔자세〕하게; ~ **nach** Berlin 베를린까지; ~ nach Weihnachten 크리스마스 후까지; ich wartete ~ **über** 8 Tage 나는 일주일 이상이나 기다렸다; 〔비유〕 ~ über die Ohren verliebt sein 홀딱 반했다; ~ **um** 6 Uhr 정각 6 시까지; **von** Berlin ~ München 베를린에서 뮌헨까지; ~ **vor** Ostern 부활절 전까지; ~ vor die Tür 문 앞까지; ~ **zum** Ende der Straße 길의 끝까지; ~ zu Tränen gerührt 눈물을 흘릴 정도로 감격해서; 〔~ zu 는 4 격을 취할 수 있음〕 die Maschine liefert ~ zu 10 gut lesbare(n) Durchschläge(n) 이 타자기로 뚜렷하게 읽을 수 있는 사본을 10 장까지 뜰 수 있다. 《Ⅱ》 *cj.* ① …까지: ich bleibe hier, ~ 〔(고어) ~ daß〕 er kommt 나는 그가 올 때까지 여기에 있겠다; 〔구식〕 ~ daß der Tod uns scheidet 죽음이 우리를 갈라놓을 때까지. ②〔수사 앞에 쓰여〕〔고어〕 acht- ~ neunmal 8 내지 9 회(8-9 mal). ③〔고어〕 (solange) …의 동안. ④〔구어〕 (öst.) …하자마자: darüber kann ich erst Auskunft geben, ~ der

Chef zurück ist 사장이 돌아와야 나는 그것에 대한 정보를 줄 수 있다.
bis[2] *a.* 〖음악〗 ① (악보상의 지시) 또 한번, 반복하여. ② 앙코르.
Bisam [bíːzam] 《hebr. besem, „Wohlgeruch"》 *m.* -s, -e ① 사향(麝香) (Moschus). ② 사향쥐의 모피.
bisam≈artig *a.* 사향쥐 모피 같은. **≈duft** *m.* 사향의 향(香). **≈ente** *f.* 〖動〗 (남아메리카산(產)의 식용) 사향오리. **≈geruch** *m.* ↑ ≈duft.
bisamicht, bisamig *a.* ↑ bisamartig.
Bisam≈katze *f.* 〖動〗 사향고양이. **~kraut** *n.* 〖植〗 연복초(連福草). **~kugel** *f.* 사향구(麝香球). **~melone** *f.* 〖植〗 사향참외, 머스크멜론. **~ochs** *m.* 〖動〗 사향소. **~ratte** *f.* 〖動〗 아메리카산(產) 사향쥐속. **~rose** *f.* 〖植〗 사향장미. **~rüßler** *m.* 〖動〗 사향쥐의 일종. **~schwein** *n.* (미국산(產)) 사향멧돼지. **~spitzmaus** *f.* ↑ ~rüßler. **~tier** *n.*, **~ziege** *f.* 사향노루.
bis·an *adv.* (schweiz.) ↑ bisher.
bisch [bɪʃ] *int.* 〖구어〗 쉬(pst).
bischen[1] [bíʃən] 《I》 *i.* (h.) (pisten) "쉬"라고 〔떠들지 말라고〕 하다. 《II》 *t.* (md.) (아이를) 달래다, 떠들지 못하게 하다: 〖방언〗 ein Kind ~ 아이를 안고 달래다〔어르다〕.
bischen[2] ↑ bißchen.
***Bischof** [bíʃɔf, ..ʃoːf] 《gr. episkopos》 *m.* -s, ..schöfe [..ʃøːfə, ..ʃœfə] ① 〖가톨릭·그리스정교〗 주교; (신교의) 감독. ② 비숍(붉은 포도주에 설탕·향료를 섞은 음료).
bischöflich [bíʃœflɪç, bíʃøːf..] *a.* 주교〔감독〕의: die ~e Kirche 성공회.
Bischofs≈amt *n.* 주교의 직. **~hut** *m.* ① 주교 모자; 〖비유〗 주교의 지위. ② 〖植〗 삼지구엽초(三枝九葉草). **~konferenz** *f.* 주교 회의. **≈lila** *a.* 진보라색의. **~mantel** *m.* (대주교의) 법의(法衣). **~mütze** *f.* ① 주교관(冠) (Mitra). ② 〖植〗 주교관 모양의 선인장의 일종; 관상용 호박. ③ (적도 바다의) 달팽이의 일종. ④ 〖軍〗 승모 보루(僧帽堡壘). **~ornat** *m.* 주교의 예복, 사제 복식(服飾). **~sitz** *m.* ① 주교 거주지. ② 주교좌(座). **~stab** *m.* 주교의 석장(錫杖), 목장(牧杖). **~stuhl** *m.* 주교좌(座); 주교직(職). **~würde** *f.* ↑ ~amt.
Bischoftum *n.* -(e)s, ..tümer 〖드물게〗 ↑ Bistum.
Bise [bíːzə] *f.* -n (schweiz.) 북동풍.
Bisektion 《lat.》 *f.* -en (Zweiteilung) 양분, 반분.
Bisektrix [bizέktrɪks] *f.* ..trizes [..tríːtseːs] 2등분선(線).
bisextil [bizɛkstíːl] 《lat.》 *a.* 윤년의.
Bisexualität [bizɛksualitέːt, bíːzɛksualitɛːt] *f.* ① 〖生〗 양성, 자웅 동체. ② 〖醫·心〗 양성애(愛).
bisexuell [bizɛksuέl, bíːzɛksuɛl] 《lat.》 *a.* (zweigeschlechtig) 자웅 양성의; 양성애(愛)의.
***bis·her** [bɪshéːr] *adv.* 지금까지, 종래: wie ~ 종래와 같이.
bisherig [..héːrɪç] *a.* 지금까지의, 재래의: im ~en 위에, 상술한 곳에; das ≈e 상술한 것, 지금까지의 사정.
Biskaya [bɪskáːja] *f.* ① 비스케이(에스파냐 북부 지방). ② ↑ Biskayischer Meerbusen.
Biskayischer Meerbusen *m.* 비스케이만(灣).
Biskotte [bɪskɔ́tə] 《it.》 *f.* -n 부드럽게 구운 빵, 러스크.
Biskuit [bɪskvíːt, ..kvít; ..ku..] 《frz.》 *n.* -(e)s, -s/-e ① 비스킷. ② 질그릇(Porzellan).
Biskuit≈porzellan [bɪskvíːt..] *n.* (유약을 바르지 않은) 질그릇, 토기. **~teig** *m.* 비스킷용 반죽.
bis·lang [bɪsláŋ] *adv.* 여태까지, 지금까지.
Bismarck [bísmark] Otto von ~ 비스마르크(독일 제국의 재상, 1815-98).
Bismarck≈archipel *m.* 비스마르크 군도(남양 군도의 하나). **~hering** *m.* 〖요리〗 (뼈를 발라내고) 바리에이르 소스에 담근 청어.
bismarckisch, bismarcksch *a.* 비스마르크의〔적인〕.
Bismutit [bɪsmutíːt, ..tít] *m.* -s, -e, **Bismutum** [bɪsmúːtʊm] *n.* -s 〖광물〗 (Wismut) 비스무트, 창연(蒼鉛).
Bison [bíːzɔn] 《lat.》 *m.* -s, -s 〖動〗 아메리카 들소(Büffel).
***Biß** [bɪs] 《<beißen》 *m.* Bisses, Bisse ① (Beißen) 묾, 찌름, 쏨: sich vor dem ~ des Hundes schützen 개에게 물리지 않도록 조심하다. ② 〔~stelle, ~wunde〕 물린 상처, 자상(刺傷); 자통(刺通): 〖비유〗 Gewissensbisse 양심의 가책; er hat einen ~ am Bein 그는 다리에 물린 상처가 있다. ③ (치아의) 맞물림. ④ 〖스포츠〗 싸울 태세.
biß [bɪs] ↑ beißen 의 과거형.
Biss 新정서 ⇦ Biß.
biss.. 新정서 ⇦ biß...
Bißchen[1] [bísçən] *n.* -s, - 〖↑ Biß 의 축소형〗 작은 물린 상처.
Bißchen[2] *n.* -s, - 〖↑ Bissen 의 축소형〗 한 입〔조각〕의 음식.
***bißchen** [bísçən] 《I》 *a.* 소량의, 약간의: ein ~ 약간의; ein klein(es) ~ 아주 조금; ein ~ Geld 소액의 돈; kein ~ 조금도 …이 아니다; es ist kein ~ Wurst mehr da 더 이상 소시지가 하나도 없다; (ach) du liebes ~! 아니 저런, 에그머니나! 《II》 *adv.* ein (klein) ~ 조금; ein ~ höher 좀더 높이; auch nicht ein ~ 조금도 없다; 〖구어〗 das ist ein ~ zu stark! 그것은 좀 지나치다!
Bissel, bissel [bísəl], **bisserl** [bísərl] 〖방언〗 ↑ Bißchen[2], bißchen.
***Bissen** [bísən] 《<beißen》 *m.* -s, - ① 한 입의 양; 소량: keinen ~ anrühren 음식을 건드리지도 않다; ihm blieb vor Schreck der ~ im Hals stecken 놀라서 먹은 것이 그의 목에 걸렸다. ② 음식물(Essen); 간식(Imbiß): ein ~ Brot 한 조각의 빵; ein fetter ~ 성찬(盛饌), 가효(佳肴), 〖비유〗 달가운 일, (좋은) 수익; jm. keinen ~ gönnen 누구에게 인색하게 굴다; harte ~ herunterwürgen 불쾌한 일을 참다; ein saurer ~ 고생해서 번 돈.
bissen·weise *adv.* 한 입씩, 조금씩.
Bißgurn, Bisgurn [bísgʊrn] *f.* (bayr., öst.) 싸움〔잔소리〕 잘하는 여자.
bissig [bísɪç] *a.* 무는 버릇이 있는; 〖비유〗 신랄한, 비꼬는.
Bissigkeit *f.* ↑ bissig 의 명사형.
Biß·wunde *f.* 물린 상처.

bist [bɪst] ↑ sein의 2인칭 단수 현재형.
bisten [bɪ́stən] *int.* 꾸꾸 꾸꾸(들꿩이 암컷을 유혹하는 소리).
Bister [bíːstər] 《frz.》 *m./n.* -s 비스터(짙은 갈색의 안료).
bister *a.* 〖구식〗 (↑ biester) 음울〔우울〕한.
Bistouri [bɪstúːri] 《frz.》 *m./n.* -s, -s 〖醫〗 접는 메스, 외과용 작은 칼.
Bistro, Bistrot *n.* -s, -s 작은 술집(주인).
Bistum [bɪ́stuːm] 《<Bischof》 *n.* -s, ..tümer 주교의 관구, 주교구.
bisweilen [bɪsváɪlən] *adv.* (zuweilen) 때때로, 이따금, 때로는.
Biswind *m.* -(e)s, -e 〖기상〗 (schweiz.) ↑ Bise.
bisyllabisch [bizʏláːbɪʃ, bíːzʏlaːbɪʃ] 《lat. + gr.》 *a.* (zweisilbig) 2음절의, 2철(二綴)의.
Bit *n.* -(s), -s ① 양자택일. ② 2진 숫자. ③ (기억량을 표시하는) 정보 단위.
Biterolf [bíːtərɔlf] *m.* 비터롤프(고대 독일 전설상의 영웅).
Bithynien *n.* -s 비티니아(소아시아의 고대 국가).
Bithynier *m.* -s, - 비티니아 주민.
bithynisch *a.* 비티니아의.
bitonal [bitonáːl] *a.* 〖음악〗 복조(複調)의.
Bittag [bɪ́taːk] *m.* -(e)s, -e 〖宗〗 기원일.
Bitt·brief *m.* 청원서, 탄원서.
***Bitte** [bɪ́tə] 《<bitten》 *f.* -n 청(請), 부탁, 당부: eine ~ an jn. richten〔stellen, tun〕 누구에게 부탁하다; jm. seine ~ gewähren 누구의 부탁을 들어주다; js. ~ zurückweisen 누구의 청을 거절하다; auf seine dringende ~ hin bin ich gekommen 그의 간절한 부탁으로 내가 왔다; ich habe eine ~ an Sie 당신에게 부탁이 있습니다; die sieben ~n des Vaterunsers 〔im Vaterunser〕 주의 기도의 일곱 가지 소원(마태 6:9-13 참조); 〖농담〗 in die siebente ~ gehören 표독스러운 계집이다(주기도의 제7 소원: "악에서 구해 주옵소서" 참조).
bitte *adv.* ① (부탁·요구에 덧붙여) 부디, 좀: hören Sie ~! 얘기 좀 들어보세요!; würden Sie mir ~ helfen? 저 좀 도와 주시겠습니까? ② (상대의 감사에 답하여) 천만의 말씀을: vielen Dank! — ~! 대단히 감사합니다! —천만에요! ③ (질문에 긍정적으로 답하여) 네, 부탁합니다: Wünschen Sie noch ein Glas Bier? — (ja) ~ 맥주 한 잔 하시겠습니까? —네, 좋습니다. ④ (되물을 경우에) 네?: (Wie) ~? 네?, 뭐라고 하셨죠? ⑤ (자기 만족을 표현해서) Na ~! 그것 봐, 내가 뭐랬어!
bitten [bɪ́tən] *t.* ① 부탁〔청〕하다: um Verzeihung 〔Hilfe〕 ~ 용서를〔도움을〕 구하다; 〖雅語〗 ums Wort ~ 발언을 청하다; darf ich Sie um Ihren Namen ~? 실례지만 존함이 무엇입니까?; ~ und betteln 애원하다; 〖구어〗 ich bitte dich um alles in der Welt 당치도 않은 소리; (aber) ich bitte Sie 〔ich muß doch (sehr) ~〕! (놀람과 항의의 표시로) 그건 곤란합니다!; wenn ich ~ darf 미안합니다만; darum möchte ich doch sehr gebeten haben! 그것쯤은 당연히 해줘야지, 그건 네 의무야; 〖2개의 4격을 취하는 경우는 다음 용법에서만〗 das eine bitte ich dich, verlaß uns nicht 우리를 저버리지 말아 다오, 이것만은 내가 너에게 부탁한다; 〖聖〗 bittet, so wird euch gegeben! 구하라 그러면 너희에게 주실 것이다! (마태 7:7). ② (…로) 오라고 부탁하다: jn. zu sich ~ 누구를 자기에게 와달라고 부탁하다; ich lasse ~! (방문객에게) 들어오세요!; jn. zur Kasse ~ 누구에게 돈을 치르라고 요구하다. ③ (einladen) 초대하다, 권하다: jn. zu Gast ~ 누구를 손님으로 초대하다; dürfen wir Sie für morgen zum Essen ~? 우리가 당신을 내일 식사에 초대해도 될까요?; jn. zu Tisch ~ 누구에게 식사를 권하다.
Bitten *n.* -s 부탁하기: durch vieles ~ 여러 차례 부탁해서; nach vielem 〔auf vieles〕 ~ 누차의 부탁에 따라.
bittend *p.a.* ~ 애원하는 듯한.
Bitter *m.* -s, - 부탁〔청〕하는 사람; 초대자.
***bitter** [bɪ́tər] 《㊀ beißen》 *a.* ① 쓴(↔ süß): ~es Bier 쓴 맥주. ② 〖비유〗 혹독한, 쓰라린, 처절한: ~er Ernst 진정, 본심; ~e Worte 고언(苦言); ~er Feind 불구대천의 원수; ~e Tränen weinen 몹시 슬피 울다; ~e Not leiden 심한 고통을 겪다; jm. ~e Wahrheiten sagen 툭 터놓고 말하다, 노골적으로 말하다; jm. ~e Vorwürfe machen 누구를 심하게 비난하다; ein ~er Tropfen im Becher der Freude 아무리 기쁠지라도 약간의 고통은 있다. ③ 〖부사적 강조어〗 아주, 대단히: ~ arm sein 무척 가난하다; es ist ~ kalt 대단히 춥다; eine Tat ~ bereuen 어떤 일을 무척 후회하다. ④ 화난, 언짢은: ~ werden 통분을 느끼다; einen ∼n gegen jn. haben 누구를 좋지 않게 생각하다. ⑤ 〖구어〗 das ist nicht ~ 그것은 나쁘지 않다; nicht das ~ste 결코 아니다(nicht das geringste).
Bitter 《Ⅰ》 *n.* -s 쓴맛(이 있는 것). 《Ⅱ》 *m.* -s, - ↑ Bittere 《Ⅱ》.
Bittere* [bɪ́tərə] 《Ⅰ》 *das* ..ttern 쓴 것; 쓴맛; 괴로움. 《Ⅱ》 *der* ..ttern, ..ttern 쓴(맛나는) 화주(火酒).
Bitter∻apfel *m.* 〖植〗 (Koloquinte) 콜로신트(박과 식물). **~bier** *n.* 쓴(맛 나는) 맥주. **∼-böse** *a.* 격분해 있는; 극악의. **~erde** *f.* 〖化〗 마그네시아, 고토(苦土). **∼ernst** *a.* 심각한; 중대한: mach doch nicht so ein ~es Gesicht 좀 그렇게 심각한 표정을 짓지 마라. **∼feind** *a.* 몹시 미워하는. **~gurke** *f.* 〖植〗 ↑ ~apfel. **~holz** *n.*, **~holz·baum** *m.* 〖植〗 (Quassia) 쿠아시아(열대산(產) 소태나뭇과; 약용).
Bitterich [bɪ́tərɪç] *m.* -(e)s, -e ↑ Bitterkraut.
Bitter∻kalk *m.* 〖광물〗 백운석(白雲石). **∼-kalt** *a.* 혹한의.
Bitterkeit [bɪ́tərkait] *f.* -en ① 쓴맛. ② 〖비유〗 괴로움; 노여움; 통렬, 신랄; 〖복수〗 고언(苦言).
Bitter∻klee *m.* 〖植〗 졸음나물. **~klee·salz** *n.* 〖化〗 수산(蓚酸). **~kraut** *n.* 〖植〗 쇠서나물, 모련채(毛蓮菜). **~kresse** *f.* 〖植〗 냉이의 일종.
bitterlich [bɪ́tərlɪç] 《Ⅰ》 *a.* 쓴맛이 있는, 씁쓸한: er weinte ~e Tränen 그는 몹시〔슬피〕 울었다. 《Ⅱ》 *adv.* ~ weinen 몹시〔슬피〕 울다.
Bitterling [..lɪŋ] *m.* -s, -e ① ↑ Bitterwasser. ② 〖動〗 쓴맛이 나는 잉어과의 민물고기; 〖植〗 유럽산(產) 용담과의 식물.

Bitter≈mandel·öl *n.* ① 고편도유(苦扁桃油). ② 벤츠알데히드. **~mittel** *n.* 고미약(苦味藥), 쓴맛 나는 약.

Bitternis *f.* -se ① 쓴맛. ② 괴로운 감정, 고뇌: die ~ seines Schicksals 그의 운명의 쓰라림.

Bitter≈salz *n.* 〖化〗 고미산(苦味酸), 황산마그네슘. **~säure** *f.* 비크린산. **~schwamm** *m.* 〖植〗 쓴 독버섯의 일종. **~spat** *m.* 〖광물〗 백운석(白雲石). **~stoff** *m.* 고미소(苦味素). **~süß** *a.* 달콤씁쓸한; 〔비유〕 울고 웃는 (표정), 고통스럽고도 아름다운: ein ~es Erlebnis 달콤하고도 쓰라린 체험. **~süß** *n.* 〖植〗 배풍등류(독초). **~wasser** *n.* 고미천(苦味泉)(황산염 이온을 함유), 광천수. **~wein** *m.* 베르무트(Wermut). **~wurz, ~wurzel** *f.* 〖植〗 겐티아나(용담과(龍膽科)의 식물).

Bitteschön *n.* -s 괜찮아〔천만에〕라는 말: er sagte ein höfliches ~ 그는 정중하게 "괜찮습니다"라고 말했다.

Bitt≈fahrt *f.* 순례(↑ Wallfahrt). **~gang** *m.* ① 부탁하러 가기. ② 〔가톨릭〕 기원 행렬(풍작을 비는 봄 행사). **~gebet** *n.* 〖宗〗 청원 기도. **~gesuch** *n.* ↑ ~schreiben.

bittlich, bittsam *a./adv.* 〔드물게〕 ↑ bittend, bittweise.

Bitt≈schreiben *n.*, **~schrift** *f.* 청원서, 탄원서. **~steller** *m.* 청원자, 탄원자. **~tag** *m.* ↑ Bittag. **~weise** *adv.* 간청〔청원〕하여. **~woche** *f.* 〖宗〗 (그리스도 승천의 대축일전) 기도 주간(Gebetswoche).

Bitumen [bitú:mən, ..mɛn] 《lat.》 *n.* -s, -/..mina 〖광물〗 (Erdpech) 역청(瀝青), 피치.

bitumig *a.* 역청을 함유한.

bituminieren [bitumini:rən] *t.* 역청을 바르다.

bituminös [..minǿ:s] *a.* 역청〔피치〕 모양의, 역청을 함유한: ~e Schiefer 역청을 함유한 점판암.

Bitze [bítsə] *f.* -n (südwestd.) ① 과수원. ② 잔디가 깔린 뜰.

bitzeln [bítsəln] 《ahd. biz, „Beißen, Biß"》 *i.* (h.) ① (obd.) (prickeln) 따끔따끔 찌르다, 아릿아릿하다. ② an et.³ ~ 무엇을 일부 잘라내다.

Bitzel·wasser [bítsəl..] *n.* (südwestd.) (탄산 함유) 청량 음료.

Biwak [bí:vak] 《frz. bivouac》 *n.* -s, -e/-s 〖軍〗 야영지.

biwakieren [bivakí:rən] *i.* (h.) 야영하다.

Biwak·rüstung [bí:vak..] *f.* 야영 장비.

bivalent [bi(:)valέnt, bí:valɛnt] *a.* 양가의, 2가의.

BIZ =Bank für Internationalen Zahlungsausgleich 국제 결제 은행(1930 년 스위스의 바젤에 설립).

Bizarde [bitsá:rdə] *f.* -n 튤립(파랭이꽃의 변종).

bizarr [bitsár] 《frz.》 *a.* ① 기이한, 기괴한: ~e Felsen 기암괴석. ② 괴상한, 괴짜의, 엉뚱한: ~e Ideen 엉뚱한 생각; eine ~e Persönlichkeit 괴짜.

Bizarrerie [bitsarərí:] *f.* -n [..rí:ən] ① 기괴, 기이(奇異). ② 엉뚱한 생각, 변덕스러움.

bizentrisch [bitsέntrɪʃ] 《lat.》 *a.* 중심이 2개인.

Bizeps [bí:tsɛps] 《lat.》 *m.* -(es), -e 〖해부〗 이두 박근.

Bizet [bizé:, (frz.) bizέ] Georges ~ 비제(프랑스 작곡가, 1838-75).

Bizykel [bí:tsʏkəl, bitsý:..] *n.* -s, - 〔방언〕 자전거.

bizyklisch [bitsý:klɪʃ, ..tsʏ́k..] 《lat.-gr.》 *a.* 〖化〗 쌍환(雙環)의(zweiringig): eine ~e Verbindung 쌍환식〔복환식〕 화합물.

Björnson [bjœ́rnsɔn] Björnstjerne ~ 비외른손(노르웨이의 시인, 1832-1910).

BK =Berkelium 베르켈륨.

BKA =Bundeskriminalamt 〖행정〗 연방 치안청.

Bl. =Blatt (종이의) 장, 매(枚).

Blabla [blablá:] *n.* -(s) 〔구어〕 (내용 없는) 잡담: es war alles nur ~ 죄다 잡담뿐이었다; er redet lauter ~ 그는 잡담만 한다.

blach [blax] 《⊕ flach》 *a.* 〔구식〕 평탄한: ein ~es Gelände 평탄한 지형.

Blache [..xə] *f.* -n ① ↑ Blachfeld. ② ↑ Blahe. ③ 〔시어〕 전쟁터.

Blacher *m.* -s, - (눈오기 전의) 혹한.

Blach≈feld *n.* 평원, 평야; 〔시어〕 싸움터. **~frost** *m.* ↑ Blacher.

Black box 《engl.》 *f.* 블랙박스.

Black·fisch [blák..] *m.* 〖動〗 오징어(Tintenfisch).

blaff [blaf] *int.* 멍멍(개 짖는 소리); 펑, 빵, 탕(총소리).

Blaff *m.* -(e)s, -e 개 짖는 소리.

blaffen, bläffen [blέfən] *i.* (h.) (개가) 짖다.

Blaffer, Bläffer *m.* -s, - 〔방언〕 짖는 개.

Blag [bla:k] *n.* -s, -en [blá:gən] 〔경박〕 장난꾸러기, 개구쟁이.

Blage [..gə] *f.* -n 〔경박〕 말괄량이.

blagieren [blagí:rən] 《ndl.》 〔구식〕 *i.* (h.) ① 허풍떨다. ② 농담〔거짓말〕하다.

Blague [blá:gə] 《frz.》 *f.* -n, 〔구식〕 허풍, 허튼 소리.

Blagueur [..gǿ:r] *m.* -s, -e (schweiz.) 허풍선이.

Bläh·bauch *m.* -(e)s, ..bäuche 올챙이 배.

Blahe [blá:ə] *f.* -n (südd.) 성긴 삼베, 즈크; (차의) 포장.

Blähe *f.* -n ↑ Blähung.

blähen [blέ:ən] 《⊕ blasen》 《Ⅰ》 *t.* 부풀게 하다, 팽창시키다: der Wind bläht die Segel 〔Vorhänge〕 바람에 돛〔커튼〕이 불룩해진다. 《Ⅱ》 *i.* (h.) 〖醫〗 (위나 장에) 가스가 차게 하다: ~de Speisen 가스가 차게 하는 음식. 《Ⅲ》 *refl.* sich ~ 부풀다, 팽창하다; 〔비유〕 뽐내다, 거만떨다.

blähhaft *a.* 가스가 차게 하는.

Bläh·hals *m.* 〖醫〗 맥관성 갑상선종.

blähig *a.* ↑ blähhaft.

Bläh≈laut *m.* 〖문법〗 유성 자음. **~sucht** *f.* 〖醫〗 풍기증(風氣症), 고장(鼓腸).

Blähung [blέ:ʊŋ] *f.* -en ① (돛 등의) 부풀리기, 부풀기. ② 〖醫〗 풍기(風氣), (위·장에) 가스가 참: ~en haben 가스가 차다.

Blähungs·mittel *n.* 가스 제거제, 구풍약.

Blak [bla:k] *m.* -s 〔구식〕 ① 솟아오르는 검은 연기, 그을음이 많은 불꽃. ② 〔구어〕 허풍.

blaken [blá:kən] 《ndd., „qualmen"》 *i.* (h.) 연기를 내며 타다; 그을음을 내다.

bläken [blɛ́:kən] *i.* (h.) ①〔농담·폄어〕(아이들이) 소리지르다, (동물이) 으르렁대다. ② (혀 등을) 내밀다.

Blaker [blá:kər] *m.* -s, - 반사 벽램프.

blakerig, blakig *a.* 그은; (음식 등이) 탄내 나는.

blamabel [blamá:bəl] 《frz.》 *a.* 비난받을〔할〕만한, 남부끄러운: eine blamable Angelegenheit 창피스러운 일.

Blamage [blamá:ʒə] 《frz.》 *f.* -n 수치, 치욕, 부끄러움: sich³ eine ~ zuziehen 창피를 당하다.

blamieren 《frz. blâmer》《I》 *t.* 모욕하다, 웃음거리로 만들다. 《II》 *refl.* sich ~ 창피당하다.

blanchieren [blãʃí:rən] 《frz.》 *t.* 표백하다; (육류를) 데치다: Geflügel ~ 조류를 데치다.

Blancmanger [blãmãʒé:] *n.* -s, -s (콘스타치·우유·설탕 등을 섞어 만든) 흰 푸딩.

bland [blant] 《lat.》 *a.*〖醫〗자극성이 없는 (음식물); (병 등이) 서서히 진행되는.

***blank** [blaŋk] 《germ.; ♧ Biltz, blinken》 *a.* ① 빛나는, 번쩍이는: ~es Metall 반짝이는 금속; ~ machen 닦다, 광택을 내다; mit ~en Talern bezahlen 현금으로 지급하다; ~e Waffen (창·칼 등) 베고 찌르는 무기. ② 매끈매끈한; 살찐, 윤기 있는: das ~e Holz 매끈한 목재. ③ 발가벗은, (신체의 일부분이) 드러난;〔방언〕모자도 외투도 입지 않은, 온전한, 순전한: mit ~em Hintern 엉덩이를 드러내고; auf der ~en Erde sitzen 맨바닥에 앉다; das ~e Ja und Nein 예스와 노로 일관하는 대답; eine ~e Lüge 새빨간 거짓말; ~er Unsinn 순 엉터리; das ist die ~e Wahrheit 그것은 명백한 진실이다;〔구어〕ich bin völlig ~ 나는 돈이 한 푼도 없다;〖카드〗eine Farbe ~ haben 한 가지 색의 패만 가지고 있다. ④ 평탄한, 탁 트인: (nordwd.)〔시어〕der ~e Hans (폭풍우가 일 때의) 북해. ⑤ 청정한, 더럽혀지지 않은: er hielt auf seinen ~en Schild 그는 자기의 명예를 중히 여겼다. ⑥ 순백의: die ~e Haut 백설 같은 피부; ~er Wein 백포도주. ⑦ ~ stehen a) 적대하고 있다, b) 진열되어 있다, c)〔방언〕(갓난아이의) 대부(代父)다.

Blänke [blɛ́ŋkə] *f.* -n ① 숲 속의 평평한 빈터. ② 광택이 남. ③〖海〗서광, 구름층 사이로 하늘이 보이는 부분. ④ 늪 가운데의 물이 괸 곳; 강의 얼지 않은 부분.

Blank·eis *n.* -es 눈이 덮이지 않은 빙하.

blanken, blänken *t.* 희게 하다, 닦다:〔방언〕Schule ~ 학교를 빼먹다.

blänkern 《I》 *i.* (h.) 빛나다, 번쩍이다. 《II》 *t.* 번쩍거리는 금속의 미끼로 낚시질하다.

Blankett [blaŋkɛ́t] 《germ. -rom.; ♧ blank》 *n.* -(e)s, -e ① 백지;〖商〗백지 어음, 백지 수표. ② 전권 위임(장), 백지 위임.

Blank≈leder *n.* 광택 나는 가죽. **~machen** *n.* 닦기.

blanko [bláŋko] 《it.》 *adv.*〖商〗in ~ 백지로, 무기입으로: in ~ trassieren 백지로 (어음을) 끊다; in ~ verkaufen 공매도하다.

Blanko *n.* -s, -s 백지 서식 용지, (공란에 써넣는) 기입 용지.

Blanko≈akzept *n.*〖商〗백지 어음의 수령. **~formular** *n.* 백지 서식 용지. **~geschäft** *n.* 공거래. **~giro** [..ʒi:..], **~indossament** *n.* 백지〔무기명식〕배서(背書). **~kredit** *m.* 백지 신용. **~scheck** *m.* 백지 수표;〔비유〕무제한의 신임: jm. einen ~ geben 누구를 전적으로 신임하다. **~unterschrift** *f.* (기재 사항 미필인 채의) 서명. **~verkauf** *m.* (현물 없이 파는) 공매도. **~vollmacht** *f.* ↑ Blankett ②. **~wechsel** *m.* 백지 어음.

blank·poliert *a.* 반짝거리게 닦은.

Blankscheit [bláŋkʃaɪt] 《gr. planchette》 *n.* -(e)s, -e 코르셋용 고래뼈 또는 쇠붙이.

Blank·vers [bláŋkfɛrs] 《engl.》 *m.*〖문학〗5각(五脚) 약강격의 무운시.

blank|ziehen *t.* (무기를) 빼어들다, 뽑다.

blaren, blarren *i.* (h.) (ndd.) ① 울다. ② (어안이 벙벙해서) 입을 벌리고 보다.

Blas·balg [blá:s..] *m.* ↑ Blasebalg.

Bläschen [blɛ́:sçən] *n.* -s, -〔↑ Blase 의 축소형〕작은 물거품〔기포〕; 작은 수포(水泡).

Bläschen≈ausschlag *m.* ①〖醫〗작은 수포, 포진. ②〖수의〗(소나 말의) 양성 성병. ③〖植〗포과(泡果). **~flechte** *f.* ↑ ~ausschlag ②.

***Blase** [blá:zə] 《ahd., „Harnblase"》 *f.* -n ① 거품; 기포(Luft∼);〔비유〕과장; 허풍: ~ werfen 거품이 일다; etwas zieht ~n 무엇의 결과가 좋지 않다. ② 방광(Harn∼);〔드물게〕(오줌통으로 만든) 주머니; 종이 주머니, 담배 케이스;〖植〗포자낭;〖動〗(물고기의) 부레. ③〖醫〗수포(水泡): eine ~ aufstechen 물집을 터뜨리다; sich ~n (an den Füßen) laufen 걸어서 (발에) 물집이 생기다. ④ 증류관(Destilier∼);〔방언〕탕관. ⑤ 한패, 일당.

Blase≈balg *m.* 풀무;〖악기〗(풍금의) 송풍기, 풍구. **~balken** *m.* 선수 엄각판(船首掩角板), 제수판(制水板), 방파판(防波板). **~instrument** *n.* ↑ Blasinstrument. **~loch** *n.* (피리의) 취구(吹口); (고래의) 분수공(孔). **~maschine** *f.*〖광산〗폭파기; 송풍 기관.

blasen [blá:zən] (blies, geblasen) 《♧ blähen》《I》 *i.* (h.) ① (세차게) 불다: der Wind 〔es〕 bläst 바람이 강하게 불다. ② (관악기를) 불다, 취주하다: auf der Flöte ~ 피리를 불다; ins Horn ~ 호른을 불다;〖軍〗zum Aufbruch ~ 진군 나팔을 불다;〔비유〕mit jm. ins gleiche Horn ~ 누구와 결탁하다. 《II》 *t.* ① 불다; (손을) 불어 녹이다; 불어서 식히다:〔비유〕jm. et. in die Ohren ~ 누구에게 알랑거리다; jm. Staub in die Augen ~ 누구를 입담으로 속이다;〔구어〕ich werde ihm eins ~ 그 녀석의 소원은 들어주지 않겠다; was dich nicht brennt, das blase nicht! 상관없는 일에 손대지 마라! ② 불다: die Flöte ~ 피리를 불다;〔비유〕Trübsal ~ 슬퍼하다; jm. den Marsch ~ 누구를 꾸짖다, 누구에게 직언하다. ③〖工〗(유리 그릇을) 불어서 만들다; (쇠를) 풀무질해서 녹이다.

blasen≈ähnlich, ~artig *a.* 거품〔수포·물집〕모양의, 작은 주머니 모양의.

Blasen≈ausschlag *m.*〖醫〗물집, 수포진. **~bildung** *f.* 수포 형성. **~bruch** *m.* 방광 헤르니아, 양막 파열. **~entzündung** *f.* 방광염. **~farn** *m.*〖植〗한들고사리. **~fuß** *m.*〖動〗(벼의) 삽주벌레. **~füßer** *m.*〖動〗총시목(總翅目) 곤충. **~galle** *f.*〖醫〗담낭담즙. **~gallengang** *m.* 담낭관. **~grieß** *m.*〖醫〗요석, 결석, 신사(腎砂). **~grün** *n.* 녹색 식

물액 안료. **~käfer** *m.* 〖動〗 당가뢰. **~kammer** *f.* 〖핵물리〗 이온화 현상 관찰 기구. **~karzinom** *n.* 〖醫〗 ↑ ~krebs. **~katarrh** *m.* ↑ ~entzündung. **~katheter** *m.* 〖醫〗·(방광에 끼는) 배뇨관. **~kirsche** *f.* 〖植〗 꽈리속. **~krampf** *m.* 방광 경련. **~kraut** *n.* 통발속의 식물. **~krebs** *m.* 〖醫〗 방광암. **~kupfer** *n.* 〖광물〗 조동(粗銅). **~lähmung** *f.* 〖醫〗 방광 마비. **~leiden** *n.* 방광 질환. **~mole** *f.* 〖醫〗 포상기태. **~nuß** *f.* 〖植〗 고추나무(속). **~papillom** *n.* 〖醫〗 양성 방광 종양. **~pflaster** *n.* 발포 고약. **~räumer** *m.* 방광시(膀胱匙). **~ruptur** *f.* 〖醫〗 방광 파열. **~schlag·ader** *f.* 방광 동맥. **~schnitt** *m.* 방광 절개. **~schnur** *f.* 요림력(尿淋瀝). **~spiegel** *m.* 방광경. **~spiegelung** *f.* 방광 내시경 검사. **~sprung** *m.* 〖醫〗 파수(破水). **~spülung** *f.* 〖醫〗 방광 세척. **~stein** *m.* 방광 결석. **~steuer** *f.* ↑ ~zins. **~strauch** *m.* 〖植〗 방광두(豆). **~tang** *m.* 〖植〗 바다 마름의 일종. **~tee** *m.* 방광 질환에 좋은 차. **~wurm** *m.* 낭충. **~wurm·krankheit** *f.* 낭충증. **≈ziehend** *a.* 발포성의. **~zieher** *m.* ↑ ~käfer. **~zins** *m.* 화주세(火酒稅).

Blase·ofen *m.* 〖工〗 (유리 제조용) 송풍로.

Blaser [blá:zər] *m.* -s, - 〖구어〗 (챙이 넓고 납작한) 운동 모자.

Bläser [blɛ́:zər] *m.* -s, - ① 부는 사람; 〖음악〗 취주자; 유리 부는 직공(Glas≈). ② 〖工〗 송풍기; 〖광산〗 (갱내 고압 가스로 인한) 암석의 균열; 〖광물〗 전기석; 자석; 〖動〗 비둘기의 일종.

Bläser·chor *m.* ↑ Blaskapelle.

Blaserei *f.* -n 〖구어〗 마구 불어댐.

Blase≈rohr *n.* ① 취통(吹筒), (장난감) 꼬마총. ② 〖化·工〗 취관(吹管). ③ (풀무의) 바람구멍. ④ ↑ Blasrohr ②. **~werk** *n.* (풍금의) 송풍기, 풀무.

blasicht *a.* ↑ blasig.

blasiert [blazí:rt] 《frz. blaser》 *a.* 〖펌어〗 거만한, 잘난 체하는.

Blasiertheit *f.* -en 거만한 태도〔행동·말〕.

blasig [blá:zıç] *a.* 거품 모양의, 기포가 많은; 〖工〗 벌집 모양의.

Blas·instrument *n.* 〖악기〗 취주 악기, 관악기.

Blasius [blá:ziυs] 《lat.》 *m.* 블라지우스(14 인의 구난(救難) 성인 중 하나): 〖구어〗 Herr ~ 바람(의 신).

Blas≈kapelle *f.* 취주 악단. **~kopf** *m.* (불을 피우는) 풀무. **~musik** *f.* 취주악.

Blason [blazɔ̃:] 《frz.》 *m.* -s, -s 문장(紋章).

blasonieren *t.* 문장을 그리다.

Blasonierung *f.* 문장을 그림.

Blas·orchester *n.* 관악 오케스트라.

Blasphemie [blasfemí:] 《gr.》 *f.* -n [..mí:ən] 신성 모독, 독신(瀆神).

blasphemieren *i.* (h.) 신성을 모독하다.

blasphemisch *a.* 신성 모독의, 독신의.

blasphemistisch *a.* ↑ blasphemisch.

Blas·rohr *n.* ① ↑ Blaserohr. ② (기관차의) 배기관(排氣管).

***blaß** [blas] (blasser/blässer, blassest/blässest) *a.* ① 창백한, 핼쑥한, 핏기 없는: ~ aussehen 창백해 보이다. ② 담색의, 희미한: 〖비유〗 keine blasse Ahnung〔Idee〕 von et.[3] haben 무엇을 전혀 모르다; eine blasse Erinnerung 희미한 기억. ③ 노골적인: die blasse Neid 노골적인 질투.

blass, blass.. 新정서 ⇦ blaß, blaß...

bläss.. 新정서 ⇦ bläß..

Bläß·bock *m.* 〖動〗 남아프리카의 작은 영양.

blaß·blau *a.* 연한 청색의.

Blässe [blɛ́sə] *f.* ① 〖雅語〗 창백, 핏기없음. ② 〖비유〗 지루함, 따분함. ③ 〖복수: -n〗 백반(白斑)(이 있는 짐승).

blässeln *i.* (h.) 허약〔병약〕하다.

blassen *i.* (h.) 〖드물게〗 창백하다〔해지다〕.

Bläß·gans *f.* 〖動〗 기러기.

blaß·gelb *a.* 담황색의.

Blaß≈gesicht *n.* ① 〖구어〗 창백한〔핏기없는〕 사람. ② 〖비유〗 (인디언이 본) 유럽 사람. **≈gesichtig** *a.* 안색이 창백한. **~grün** *a.* 담녹색의.

Bläß·huhn *n.* 〖動〗 큰물닭속(屬).

bläßlich [blɛ́slıç] *a.* ① 약간 창백한. ② 〖비유〗 생생하지 못한, 특색 없는.

Bläßling *m.* -s, -e ① ↑ Bläßhuhn. ② 창백한 사람.

blaß≈rosa *a.* 연분홍색의. **~rot** *a.* 담홍색의. **≈schnabel** *m.* 〖구어〗 창백한 아이.

Blast [blast] 《<blasen》 *m.* -es, Bläste (bayr.) ① 〖고어〗 열풍(烈風). ② 미풍. ③ ↑ Blähung. ④ 수포(水疱).

bläst [blɛ:st] blasen 의 2·3 인칭 단수 현재형.

Blastem [blasté:m] 《gr.》 *n.* -s, -e 〖生〗 배종질(胚種質).

Blastogenese [blastogené:zə] *f.* 〖生〗 출아(出芽) 번식(무성 번식의 일종).

Blastom [blastó:m] *n.* -s, -e 〖醫〗 배아 세포종(腫).

Blastula [blástula] 《lat.》 *f.* 〖生〗 포배(胞胚).

***Blatt** [blat] 《♧ blühen》 *n.* -(e)s, Blätter ① 〖植〗 잎; 꽃잎(Blumen≈); 꽃받침: ein grünes ~ 푸른 잎; die Blätter fallen 잎이 떨어진다; Blätter bekommen 잎을 내다; 〖비유〗 kein ~ vor den Mund nehmen〔vornehmen〕 노골적으로〔터놓고〕 말하다. ② **(a)** (한 장의) 종이(Papier≈): 〖印〗 4 절지; 책의 1 장(2 쪽); drei ~ Papier 종이 세 장. **(b)** (인쇄한) 종이 조각; 편지; 〖음악〗 악보: fliegendes ~ 삐라, 광고 전단; vom ~ spielen〔singen〕 (처음 보는) 악보를 보고 척척 연주〔노래〕하다. **(c)** 〖비유〗 ein neues ~ (im Buch des Lebens) beginnen 새생활을 시작하다; das steht auf einem anderen ~ 그것은 별개의 문제다; ein unbeschriebenes ~ sein a) 미숙하다, b) 다크호스다; 〖비유〗 das ~ hat sich gewendet 상황이 일변했다. ③ 신문: Tage≈ 일간지; Wochen≈ 주간지; öffentliche Blätter 정기 간행물(신문·잡지); im ~ stehen 신문에 나다; Fliegende Blätter 플리겐데 블레터(유머 풍자 잡지; 1844-1940). ④ 판화; 카드, 패: Holz≈ 목판(화); Kupfer≈ 동판(화); 〖카드〗 ein gutes ~ 좋은 패. ⑤ 얇은 판, 박(箔); (톱 등의) 날: Säge≈ 톱날; (구두의) 등가죽; 〖海〗 노의 칼날처럼 생긴 부분; 〖건축〗 합결(合缺); 〖악기〗 (취주 악기의) 혀; 〖광물〗 엽층(葉層); 〖商〗 (직물의) 폭; 〖해부〗 (Schulter≈) 견갑골, 어깨뼈.

Blatt≈achsel *f.* 〖植〗 엽액(葉腋). **≈ähnlich**

a. 잎 모양의.
Blattang [bláttaŋ] *m.* -(e)s 〖植〗 다시마.
Blatt·ansatz *m.* 〖植〗 탁엽(托葉). **∼artig** *a.* ↑ ∼ähnlich. **∼auge** *n.* 잎눈. **∼bewegung** *f.* 〖植〗 잎운동. **∼bildung** *f.* 잎의 형성. **∼-bildungs·apparat** *m.* 잎형성 기관. **∼-blume** *f.* 〖植〗 여우구슬. **∼breite** *f.* (직물의) 폭.
Blättchen [blɛ́tçən] *n.* -s, Blätterchen 〖↑ Blatt 의 축소형〗 ① 작은 잎. ② 〖해부〗 ∼ des Gehirns 뇌막. ③ 엷은판, 박편; 〖광물〗 소엽층(小葉層); 금박(Gold∼). ④ (인쇄한) 종이 조각; 〖구어〗 지방 신문, 싸구려 잡지; 담배 마는 종이.
Blättchen=elektroskop *n.* 〖物〗 박검전기(箔檢電器). **∼pulver** *n.* 〖軍〗 평방립(平方粒) 화약.
blatten [blátən] 《Ⅰ》 *t.* 잎을 따다; 〖방언〗 얇게 썰다. 《Ⅱ》 *i.* (h.) 〖사냥〗 (너도밤나뭇잎 피리로 암사슴 소리를 내어) 수사슴을 유인하다.
Blatt·entwicklung *f.* 잎의 발생.
Blatter[1] [blátər] *m.* -s, - 호적(呼笛).
***Blatter**[2] (《仏 blähen》) *f.* -n ① 〖복수〗 두창, 천연두, 피진(皮疹). ② (schweiz.) 물집, 농포.
Blätter·abfall [blɛ́tər..] *m.* 낙엽.
Blätterchen ① *n.* -s, - ↑ Blatter² 의 축소형. ② 〖복수〗 ↑ Blättchen.
Blätter=dach *n.* 〖雅語〗 ↑ ∼schmuck. **∼erz** *n.* 〖광물〗 엽상(葉狀) 은광. **∼fall** *m.* 낙엽이 떨어짐. **∼fülle** *f.* 다엽, 무성한 잎. **∼gebäck** *n.*, **∼gebackenes*** *das* 〖요리〗 파이. **∼gold** *n.* 금박. **∼grün** *n.* 〖植〗 엽록소.
blatterig [blátərıç] 《<Blatter》 *a.* 얼굴이 얽은.
blätterig [blɛ́tərıç] 《<Blatt》 *a.* ① 잎이 있는〔많은〕: vier∼ 4 엽(葉)의. ② 〖광물〗 박판(薄板) 모양의, 박편(薄片)으로 이루어진.
Blätter=knospe *f.* 잎눈. **∼kohle** *f.* ① 규조암. ② 석판 모양의 석탄. **∼kondensator** *m.* 〖전기〗 평판(平板) 축전기.
blätterlos *a.* ↑ blattlos.
Blätter·lymphe *f.* 우두종(牛痘種), 두균(痘菌).
Blätter=magen *m.* 〖動〗 겹주름위(胃) (반추동물의 제 3 위). **∼magnet** *m.* 박엽(薄葉) 자석. **∼meldung** *f.* 신문 보도.
Blattern [blátərn] *pl.* ↑ Blatter².
blattern 《<Blatter》 *i.* (h.) 두창에 걸리다〔걸려 있다〕.
blättern [blɛ́tərn] 《<Blatt》 《Ⅰ》 *t.* (카드·지폐를) 펼쳐 놓다: Geldscheine auf den Tisch ∼ 지폐를 책상에 펼쳐 놓다. 《Ⅱ》 *i.* (h.) ① 책장을 넘기다, 대강 읽다: in einem Buch ∼ 책을 대충 읽다. ② 여러 층으로 갈라지다, 겹겹이 벗겨지다: die Farbe blättert 페인트가 벗겨져 떨어진다.
Blatter=narbe *f.* 얽은 자국. **∼narbig** *a.* 얽은 자국이 있는.
Blattern=epidemie *f.* 유행성 천연두. **∼gift** *n.* 두독(痘毒). **∼impfung** *f.* 〖드물게〗 종두. **∼krank** *a.* 두창에 걸린.
Blätter=pastete *f.* 퍼프페이스트〔가루 반죽〕로 만든 파이. **∼pilz** *m.* 〖植〗 들싸리버섯. **∼-reich** *a.* ↑ blattreich. **∼schimmel** *m.* 〖植〗 (줄기가 마르는) 백증(白症). **∼schlag** *m.* 잎의 종류. **∼schmuck** *m.* 〖雅語〗 잎사귀 모양의 장식. **∼schwamm** *m.* ↑ ∼pilz. **∼stand** *m.* 발엽(發葉) 상태; 〖총칭〗 잎. **∼stein** *m.* 〖광물〗 구과(球顆) 현무암, 곰보석. **∼tabak** *m.* 잎담배. **∼teig** *m.* 퍼프페이스트. **∼ton** *m.* 〖地〗 석판상(石板狀)의 점토. **∼tragend** *a.* 잎이 있는. **∼treibend** *a.* 발엽성(發葉性)의. **∼trieb** *m.* ↑ Blatttrieb. **∼wald** *m.* 〖총칭·농담〗 신문, 잡지: es rauscht im ∼ 신문·잡지에서 대서특필하다. **∼weise** *adv.* ↑ Blattweise. **∼werk** *n.* ① 〖집합적〗 잎. ② 〖건축〗 잎 모양의 장식. **∼zahn** *m.* 인상치(鱗狀齒).
Blatt=faser *f.* 잎으로 만든 질긴 섬유. **∼feder** *f.* 〖工〗 판(板) 용수철〔스프링〕. **∼federchen** *n.* 유아(幼芽). **∼fleckenkrankheit** *f.* 〖植〗 엽고병(葉枯病). **∼floh** *m.* 잎벼룩. **∼form** *f.* 잎 모양: der Fächer hat eine ∼ 그 부채는 잎 모양이다. **∼förmig** *a.* 잎 모양의. **∼füßer** *m.* ↑ ∼fußkrebs. **∼fuß·krebs** *m.* 〖動〗 엽각류(葉脚類). **∼gemüse** *n.* 엽채류(葉菜類). **∼gewächs** *n.* 관엽 식물. **∼gewürz** *n.* 잎에서 얻은 향신료. **∼gold** *n.* 금박. **∼grün** *n.* 〖植〗 엽록소. **∼grund** *m.* 〖植〗 엽각(葉脚). **∼halter** *m.* 〖印〗 (타자기의) 종이누르개. **∼häutchen** *n.* 〖植〗 소설(小舌), 엽설(葉舌). **∼heuschrecke** *f.* 〖動〗 대벌렛과의 곤충. **∼horn** *n.*, **∼hörner, ∼horn·käfer** *m.* 〖動〗 (잎을 먹고 사는) 풍뎅잇과의 곤충. **∼-hüter** *m.* 〖印〗 (옛날 책의 매 쪽마다 오른쪽 아래 모퉁이에 인쇄한) 다음 쪽의 첫말. **∼käfer** *m.* 〖動〗 잎벌레. **∼kaktus** *m.* 〖植〗 잎선인장. **∼kapitell** *n.* 〖건축〗 잎 모양으로 장식된 주두(柱頭). **∼keim** *m.* 잎눈. **∼-keimer** *m.* 쌍떡잎류. **∼kiemen** *pl.* 〖動〗 판새(瓣鰓). **∼knospe** *f.* 잎눈, 엽아(葉芽). **∼kupfer** *n.* 판동(板銅), 엽동(葉銅). **∼-lahm** *a.* 견갑골이 탈구한. **∼laus** *f.* 〖動〗 진딧물.
Blättlein *n.* -s, - ↑ Blättchen.
Blättler *m.* -s, - 〖드물게〗 신문 기자.
blattlos *a.* (꽃)잎이 없는.
Blatt=lose *f.* 〖植〗 펑의비름. **∼metall** *n.* 판금(板金); 금속박. **∼nase** *f.* 〖動〗 흡혈 박쥐. **∼nerv** *m.* 잎맥. **∼pflanze** *f.* 관엽 식물. **∼ranke** *f.* 관엽 식물의 덩굴손: die Säule war von ∼n eingehüllt 그 기둥은 덩굴손으로 에워싸여 있었다. **∼reich** *a.* 잎이 많은.
blattrig *a.* ↑ blatterig.
blättrig *a.* ↑ blätterig.
Blatt=rippe *f.* 잎맥. **∼roller** *m.* 〖動〗 엽권충(葉卷蟲). **∼rosette** *f.* 〖植〗 근생엽(根生葉). **∼säge** *f.* 옆면이 넓은 톱. **∼salat** *m.* 〖植〗 상추. **∼sauger** *m.* 〖動〗 ↑ ∼floh. **∼-scheide** *f.* 〖植〗 대(莖)의 껍질. **∼schmetterling** *m.* 〖動〗 낙엽나비. **∼schuß** *m.* 〖사냥〗 견갑(肩胛)을 쏘기. **∼seite** ① 엽면(葉面). ② 페이지. **∼silber** *n.* 은박. **∼spreite** *f.* 〖植〗 엽편(葉片), 엽신(葉身). **∼ständig** *a.* 잎 위에 생기는. **∼stellung** *f.* 〖植〗 잎차례. **∼stengel, ∼stiel** *m.* 잎자루. **∼stück** *n.* 〖건축〗 부형(敷桁). **∼tang** *m.* ↑ Blattang. **∼trieb** *m.* 잎의 눈: die ersten ∼e 새순. **∼vergoldung** *f.* 금박 도금. **∼ver-silberung** *f.* 은박 도금. **∼weise** *adv.* 한 장씩. **∼weiser, ∼wender** *m.* ↑ ∼zeichen. **∼werk** *n.* 〖드물게〗 ↑ Blätterwerk.

~wespe *f.* 〖動〗 잎벌과의 곤충. **~wickler** *m.* 〖動〗 ↑ ~roller. **~winkel** *m.* 〖植〗 엽액(葉腋). **~zeichen** *n.* 서표(書標). **~zeit** *f.* 〖사냥〗 노루의 교미기. **~zinn** *n.* 석박(錫箔).

***blau** [blau] *a.* ① 푸른, 하늘색의: der ~e Himmel 푸른 하늘; 〖구어〗 ~er Anton 푸른 작업복; dunkel~ 암청색의; Eisen ~ anlaufen lassen 철을 청색을 띠게 하다; ~ färben a) 푸르게 물들이다, b) 〖구어〗 거짓말하다; ~ pfeifen 마법을 쓰다; es wird mir grün und ~ vor den Augen 나는 현기증이 난다; das ≈e Band (des Ozeans) 북대서양 초고속 여객선의 표시; ~es Blut 귀족, 명문; die ≈e Blume 푸른꽃(독일 낭만주의의 동경의 상징); ~e Bohne 〔~es Korn〕 소총탄; ein ~er Brief a) (관리·장교의) 면직 사령, 해고 통지서, b) (학업 부진 학생의 부모에게 보내는) 경고 서한; einen ~en Brief bekommen 면직〔해고〕되다; 〖경박〗 ~er Dunst 담배 연기; jm. ~en Dunst〔Dampf, Nebel〕 vormachen 거짓말을 하다, 누구의 눈을 속이다; 〖軍·구어〗 ~er Heinrich 거칠게 간 보리죽; die ~en Jung(en)s 수병〔선원〕들; 〖구어〗 ~er Lappen 백 마르크 지폐; das ≈e Kreuz 청십자(금주회(禁酒會)의 이름 및 마크); die ~e Ferne 아득히 먼 저쪽; ~e Märchen 터무니없는 말, 황당무계한 말; ~er Montag a) 성회일(聖灰日)의 전(前)월요일, b) 쉬는 월요일; ~〔~en Montag〕 machen 일을 쉬다; 〖海〗 ~er Peter 출범기; ≈er Reiter 청기사(파); du wirst noch dein ~es Wunder erleben! 너는 아연실색할 것이다!: ~e Zone 일정 시간만 주차가 허용되는 시구역; ~er Zwirn 화주(火酒); 〖구어〗(na,) so ~! 사람을 바보 취급하지 마라! ② 멍든: ein ~es Auge 멍든 눈; ~er Fleck 멍든 자리, 멍; jn. braun und ~ schlagen 멍들도록 때리다; mit einem ~en Auge davonkommen 큰 손해 없이 난관에서 벗어나다. ③ 〖구어·농담〗 만취한.

Blau *n.* -s 청색, 하늘색(동경·성실의 상징으로도 쓰임): das ~ des Himmels 하늘의 푸른색, 창공; in ~ (gekleidet) 푸른 옷을 입고.

blau≈aderig, ~adrig *a.* 푸른 정맥이 있는.

Blau≈alge *f.* 〖植〗 파래. **~amsel** *f.* 〖動〗 바다지빠귀의 일종. **≈äugig** *a.* ① 푸른 눈의, 벽안의. ② 〖비유〗 순진한. **~bart** *m.* ① 푸른 수염의 남자: Ritter ~ (부인을 살해한 잔인무도한) 푸른 수염의 기사. ② 부인 살해자. ③ 〖動〗 섭조개속. **~basalt** *m.* 푸른 현무암. **~beere** *f.* 〖植〗 월귤나무속(屬)의 일종. **≈-blind** *a.* 청(青)색맹의. **~blindheit** *f.* 청색맹. **~blut** *n.* 〖반어〗 귀족(혈통의 사람). **≈-blütig** *a.* 〖반어〗 고귀한, 귀족 출신의. **~buch** *n.* 〖출판〗 푸른 표지의 책, 청서(青書)(영국의 의회·정부 보고서). **≈bunt** *a.* 검은 반점의, 얼룩이 있는. **~drossel** *f.* ↑ ~amsel. **~druck** *m.* 〔복수: -e〕〖工〗 푸른 바탕에 흰색 무늬의 날염; 청사진. **~druck-papier** *n.* ↑ ~papier.

Blaue* 《I》 *n.* -n ① 〖고어〗 청색. ② 〖비유〗 지향〔정처〕 없음, 허무맹랑, 막연: das ~ vom Himmel herunterreden〔herunterschwatzen, herunterlügen〕 새빨간 거짓말을 하다; das ~e vom Himmel versprechen 지킬 수 없는 약속을 하다; für jn. das ~ vom Himmel holen 누구를 위하여 정성껏 일하다; ins ~ (hinein) a) 허공으로〔에 대고〕, b) 되는 대로; ins ~hineinreden〔hineinschwatzen〕 되는 대로 지껄이다; Fahrt ins ~ 정처 없는 여행. 《II》 *m.* -n, -n 〖고어〗 경관, 순경.

Bläue [blɔ́ʏə] *f.* ① 푸름; 청색. ② ↑ Blaufäule.

Blaueisen≈erde *f.* 청색 인산철, 남철토(藍鐵土). **~erz** *n.* 남철광(鑛).

Blauel [bláuəl], **Bläuel** [blɔ́ʏəl] *m.* -s ① 옥색의 빨래풀. ② 〖방언〗 ↑ Bleuel.

bläueln *t.* ① (빨래를) 푸르게 하다. ② ↑ bleueln.

blauen [bláuən] 《I》 *i.* (h.) 〖雅語〗 푸르다; 푸르게 되다: 〖문학〗 soweit der Himmel blauet 땅끝까지, 하늘 아래. 《II》 *t.* ↑ bläuen ①.

bläuen [blɔ́ʏən] *t.* ① 푸르게 만들다〔물들이다〕. ② 〖비유〗 (푸른 멍이 들도록) 때리다.

Blau≈fahrer *m.* (schweiz.) 음주 운전자. **~fahrerin** *f.* ↑ ~fahrer의 여성형. **~farbe** *f.* 청색; 청색 염료. **~farben·glas** *n.* 청색 유리. **~farben·werk** *n.* 청색 염색 공장. **~-färber** *m.* 청색 염색장이; 〖비유〗 거짓말쟁이. **~färbung** *f.* 청색 (염색). **~fäule** *f.* 곰팡이 때문에 나무가 푸른색으로 썩음. **~-felche** *f.*, **~felchen** *m.* 〖動〗 연어의 일종. **~feuer** *n.* 〖海〗 청염광(青炎光), 푸른색 불꽃(수로 안내인 호출 신호). **~fisch** *m.* 〖動〗 고등어과의 물고기. **~fuchs** *m.* 〖動〗 북극여우(의 모피). **~fuß** *m.* 〖動〗 송골매의 일종.

Blau·gas *n.* 블라우가스(가스 연료의 일종).

blau≈grau *a.* 청회색의. **~grün** *a.* 청록색의. **≈grund** *m.* 금강석을 함유한 토지. **≈-gummi·baum** *m.* 〖植〗 유칼리나무. **≈hai** *m.* 〖動〗 청새리상어. **≈helm** *m.* 유엔 평화유지군. **≈helm·einsatz** *m.* 유엔군의 투입. **≈hemd** *n.* ① 자유 독일 청년단원의 푸른 제복. ② 〖구어〗 자유 독일 청년단원. **≈holz** *n.*, **≈holz·baum** *m.* 〖植〗 로그우드(콩과의 작은 교목). **≈jacke** *f.* 〖구어〗 선원, 마도로스. **≈-kabis** *m.* (obd.) ↑ Rotkohl. **≈kehlchen** *n.* 〖動〗 울새의 일종. **~kraut** *n.* ↑ Rotkohl. **≈kreuz** *n.* ① 청십자(금주회원 마크). ② (맹독 가스 봄베에 붙이는) 청십자 (표시). **≈-kreuzer, ≈kreuzler** *m.* 청십자 운동가, 금주 신봉자. **~kreuzlerisch** *a.* 〖폄어〗 금주를 신봉하는. **~kreuz·verein** *m.* 금주 신봉 단체. **≈küpe** *f.* (염색집의) 염색통. **≈-kuppe** *f.* 청색의 대갈못.

bläulich [blɔ́ʏlɪç] *a.* 푸른 빛의, 푸르스름한.

bläulich·grün *a.* 푸르스름한 녹색의.

Blau·licht *n.* ① 〖복수: -er〗 (앰뷸런스·경찰차의) 청색 경고 회전등; 〖海〗 수로 안내 호출 신호. ② 〖理〗 청색광.

bläulich·weiß *a.* 푸르스름한 흰색의.

Blauling [bláulɪŋ], **Bläuling** [blɔ́ʏlɪŋ] *m.* -s, -e 〖動〗 부전나빗과.

blau|machen *i.* (h.) 〖구어〗 게으름부리다, 땡땡이 치다(단: et. blau machen 무엇을 퍼렇게 하다).

Blau≈mann *m.* 푸른 작업복. **~meise** *f.* 곤줄매기류(類). **~öl** *n.* 〖化〗 순(純) 아닐린. **~-papier** *n.* 청색 복사지. **~pause** *f.* 청사진. **~racke** *f.* 〖動〗 (유럽산(產)) 파랑새. **~rock** *m.* 남색 옷을 입은 사람, (특히) 사병, 순경. **≈rot** *a.* 청적색(青赤色)의(단: blau-rot 청적 두 가지 색의). **~säure** *f.* 〖化〗 청산(青酸).

~schecke *f.* (검푸른 점이 있는) 얼룩말. **~schimmel** *m.* 곰팡이로 인한 담배 병충해의 일종. **~schwarz** *a.* 검푸른, 감청색의. **~spat** *m.* 〖광물〗 천청석. **~specht** *m.* 〖動〗 동고비속의 일종. **~stern** *m.* 〖植〗 무릇류. **~stich** *m.* (컬러 사진의) 푸르스름한 색조. **~stichig** *a.* 푸르스름한 색조를 띤. **~strumpf** *m.* ① 교양이 있는〔문학 취미를 가진〕 여자, 블루스타킹파. ②〔고어〕 정리(廷吏); 중상자, 밀고자. **~strumpfig** *a.* 학문〔문학〕을 좋아하는. **~sucht** *f.* 〖醫〗 티아노제, 위황병(萎黃病). **~süchtig** *a.* 위황증의. **~vogel** *m.* ↑ ~amsel, ~specht. **~wal** *m.* 〖動〗 (등이 푸른) 큰고래속. **~zwecke** *f.* 푸른 색의 작은 대갈못.

Blazer [blé:zər] *m.* -s, - ① 푸른 클럽 유니폼 재킷. ② (남성·여성용) 스포티한 단색의 재킷.

***Blech** [blɛç] 《⇔ bleichen》 *n.* -(e)s, -e ① (양철·함석·아연판 등의) 얇은 금속판: schwarzes ~ 철판; eine Kiste aus ~ machen 함석(으로) 상자를 만들다. ② (오븐의) 빵굽는 판 (Back~). ③〖악기〗 (오케스트라의) 금관 악기부. ④〔구어·비유〕 허튼 소리, 쓸데없는 말. ⑤〔폄어〕 훈장.

Blech≈abfall *m.* 함석 부스러기. **~arbeit** *f.* 양철 세공. **~behälter** *m.* 함석 용기. **~bläser** *m.* 금관 악기 연주자. **~blas·instrument** *n.* 금관 악기. **~beschlag** *m.* 양철 덮개. **~büchse** *f.* 함석 깡통, 캔. **~dach** *n.* 함석 지붕.

blechen[1] [blɛ́çən] 《< Blech, „Geld"》 *t./i.* (h.) 〔구어〕 (돈을) 치르다.

blechen[2] *a.* 〔고어〕 ↑ blechern.

blechern [blɛ́çərn] *a.* ① 양철로 만든. ②〔비유〕 금속〔쇳〕소리가 나는, 공허하게 울리는.

Blech≈fabrik *f.* 양철 공장. **~gefäß** *n.* 양철 그릇. **~geschirr** *n.* ① 양철 그릇. ② 양철 식기류. **~geschmack** *m.* 금속맛: die Milch hat einen ~ angenommen. 그 우유에서 금속맛이 났다. **~hammer** *m.* ① 양철 세공 망치. ② ↑ ~fabrik. **~haube** *f.* (옛날의) 철모. **~instrument** *n.* 〖음악〗 ↑ ~blasinstrument. **~kanne** *f.* 함석 주전자. **~kappe** *f.* ↑ ~haube. **~karosse** *f.* 〔농담〕 자동차. **~kübel** *m.* 함석 대야. **~kuchen** *m.* 핫케이크. **~lawine** *f.* 〔구어〕 (생활 공간에 대한 위협 요소로서의) 자동차의 폭발적 증가. **~lehre** *f.* 〖工〗 금속 게이지. **~löffel** *m.* 함석 숟가락. **~maß** *n.* ↑ Blechlehre. **~meister** *m.* 함석 공장 주인. **~münze** *f.* 금박 주화. **~musik** *f.* 취주악.

Blechner *m.* (südd.) -s, - 함석공, 양철공.

Blech≈platte *f.* 양철〔함석〕판. **~salat** *m.* 〔구어〕 대형 자동차 사고. **~schachtel** *f.* 양철갑. **~schaden** *m.* 차체 손상: bei dem Unfall gab es nur ~ 사고로 차체만 손상되었다. **~schere** *f.* 〖工〗 함석 (자르는) 가위. **~schläger, ~schmied, ~schuster** *m.* 함석공. **~stimme** *f.* 〔구어〕 쇳소리. **~trommel** *f.* (장난감) 양철북. **~walz·werk** *n.* 〖工〗 판금 공장. **~waren** *pl.* 함석 제품.

blecken [blɛ́kən] 《I》 *t.* 보여 주다: die Zähne 〔mit den Zähnen〕 ~ 이를 드러내 보이다. 《II》 *i.* (h.) 〔드물게·雅語〕 반짝이며 보이다〔드러나다〕: Feuerzungen ~ aus dem Tor 불꽃이 성문 밖으로 번쩍 비친다.

Bleek [ble:k] 《ndd.》 *n.* -(e)s, -e ↑ Fläche, Ebene.

Blei[1] [blaɪ] *m.* -(e)s, -e 〖動〗 잉어속의 일종.

***Blei**[2] 《⇔ blau》 *n.* -(e)s, -e ① 납, 연(鉛) (기호: Pb): 〔비유〕 es liegt mir wie ~ in den Gliedern 나는 (피곤해서) 손발이 납처럼 무겁다; die Füße waren ihm schwer wie ~. 그는 발이 납처럼 무거웠다; 〔구어〕 ~ im Munde haben 입이 무겁다, 말을 더듬거리다. ② 탄환; 측연(測鉛) (Richt~); 추(Senk~): Pulver und ~ 탄약; mit Pulver und ~ hinrichten 총살형에 처하다; 〔비유〕 im ~ sein 정돈되어 있다. ③〔드물게·구어〕 ↑ Bleistift.

Blei≈abgang *m.* 납찌꺼기, 연재(鉛滓). **~ader** *f.* 납 광맥. **~arbeit** *f.* ① 납을 용제(溶劑)로 하는 은의 정련. ② 납제품. **~arbeiter** *m.* 연관공(鉛管工). **~asche** *f.* 산화납. **~baum** *m.* 〖化〗 납덩이.

Bleibe [bláɪbə] *f.* 〔구어〕 숙소, 피난처: keine ~ haben 숙소가 없다; jm. eine ~ anbieten 누구에게 숙소를 제공하다.

Blei·bedachung *f.* ↑ Bleidach.

bleiben [bláɪbən] (blieb, geblieben/(고어) blieben) *i.* (s.) ① 머무르다, 남다: bei den Kindern ~ 아이들 곁에 머무르다; eine Weile ~ 잠시 머무르다; 〔비유〕 zurück ~ 뒤지다, (발육 등이) 늦다; das bleibt unter uns 그것은 비밀이다, 우리끼리의 이야기다. ② (어떤 상태가) 지속되다: fest ~ 확고부동이다; gelassen ~ 태연하다; gesund ~ 변함 없이 건강하다; seinen Grundsätzen treu ~ 자신의 원칙에 충실하다; das Tor bleibt verschlossen 문이 닫혀 있다; bleibe bedeckt! 모자를 쓴 채로 있어라!; ich bin und bleibe dein Freund 나는 언제까지나 네 친구다. ③ 남다: was ist ihm jetzt von all seinem Reichtum geblieben? 그의 전재산 가운데 지금은 무엇이 남아 있는가?; es bleibt mir nichts anderes übrig, als ... …하지 않을 수 없다. ④ 죽다, 전사하다: auf dem Schlachtfeld ~ 전사하다; er blieb bei Verdun 그는 베르됭에서 죽었다. ⑤ 불변하다, 불멸이다: der Herr bleibt aber ewiglich 그래도 주는 영원하시다. ⑥ (aus~) er bleibt lange 그는 좀처럼 돌아오지 않는다, 오래 기다리게 한다; wo ~ Sie denn? 왜 오지 않으십니까? ⑦〔전치사와 함께: 어떤 상태 및 경과를 나타냄〕 **am** Leben ~ 생존해 있다; ~ Sie am Apparat! (전화 통화 때) 끊지 말고 기다리세요!; **auf** dem Wege ~ 계속하여 나아가다(방침을 바꾸지 않다); das muß **aus** dem Spiel ~ 그것을 끄집어내서는 안 된다(문제가 다르다); bei der Wahrheit ~ 진리를 고수하다; bei seiner Meinung ~ 그의 의견을 고집하다; bei einer Tätigkeit ~ 어떤 행동을 멈추지 않다; bei der Stange〔Sache〕 ~ 본제에서 벗어나지 않다; dabei kann es nicht ~ 이대로는 미진하다〔안 된다〕; es bleibt dabei! 그것으로 좋다, 그렇게 결정하자!; es bleibt bei (leeren) Versprechungen 그 약속은 성사되지 않는다; es bleibt bei unserer Abrede 우리 협정을 변경하지 말 것; es bleibt alles beim alten 모두가 옛 그대로다; **für** sich ~ 혼자 살고 있다, 교제를 피하다; es ist mir im Gedächtnis 〔in Erinnerung〕 geblieben 나는 그것을 잊지 않았

다; **in** Ruhe ~ 정지하고 있다; **ohne** Wirkung ~ 효과가 없다; **unter** js. Schutze ~ 누구의 비호를 받고 있다; **von** jm.〔et.³〕 ~ 누구를〔무엇을〕 피하다, 무엇을 모면하고 있다; bleib mir vom Leibe! 귀찮다, 옆에 오지 마라!; **zu** Hause ~ 집에 있다. ⑧〖zu 부정형과 함께〗das bleibt abzuwarten 그 일은 기다려 보아야 한다. ⑨〖자동사의 부정형과 함께〗hangen〔hängen〕 ~ 걸려 있다; er blieb mit dem Rock am Nagel hangen 그의 상의가 못에 걸렸다; liegen ~ 누워〔자고〕 있다; sitzen ~ a) 앉은 채로 있다, b) (처녀가) 결혼하지 않고 있다, c) (학생이) 낙제하다, d) (댄서가) 춤상대가 없다; stecken ~ a) 박혀 있다, b) (연설 중에) 말이 막히다; stehen ~ a) 선 채로 있다, b) 멈추어 서다, (시계가) 서다; wo sind wir (beim Lesen) stehen geblieben? 요전에 어디까지 읽었지요? ⑩ et. ~ lassen ↑ bleibenlassen.

Bleiben *n.* -s 머무름, 체류, 체재: 〖雅語〗 hier ist meines ~s nicht länger〔hier ist kein ~ für mich〕 나는 여기에 더 이상 머무를 수 없다.

Bleiben·ausweis *m.* 유스 호스텔 숙박증.

bleibend *p.a.* 영속적〔지속적〕인, 불변의: ein ~er Ausschuß 상임 위원(회); eine ~e Farbe 불변색; ein ~er Eindruck 잊혀지지 않는 인상; eine ~e Stätte 정주지; von ~em Wert 불변의 가치가 있는; keine ~e Stätte haben 영주할 땅이 없다.

bleiben|lassen* *t.* 내버려두다, 그만두다, 중지하다: er hat es ~ 그는 그것을 그만두었다; laß das ~! 그것은 그만둬!

Blei=bergwerk *n.* 납 광산. **~blatt, ~blech** *n.* 연판(鉛板).

***bleich** [blaɪç] 《ahd. bleih, „glänzend"》 *a.* ① 창백한, 핏기 없는: ein ~es Gesicht 창백한 얼굴; ~es Grausen 핏기를 잃게 하는 공포. ②〖雅語〗 퇴색한; 희미한: das ~e Licht des Mondes 희미한 달빛.

Bleich·anstalt *f.* 표백소(漂白所).

Bleichart [bláɪçart] *m.* -s, -e ↑ Bleichert.

Bleiche [bláɪçə] *f.* -n ① 창백, 혈색이 나쁨. ② 표백. ③〖옛뜻〗 표백소.

bleichen(*) [bláɪçən] (bleichte/blich, gebleicht/geblichen) 《Ⅰ》 *i.* (h./s.) ①〖雅語〗 퇴색하다; 바래다: von der Sonne geblichene Dächer 햇빛에 바랜 지붕. ②〖드물게〗 죽다. 《Ⅱ》〖약변화〗 *t.* 표백하다; 퇴색시키다: das Haar ~ 머리카락을 탈색하다; einen Mohren ~ 헛수고하다.

Bleicher *m.* -s, - ① 표백공(工). ② ↑ Bleichert.

Bleich·erde *f.* 표백토(산성 백토).

Bleichert [bláɪçərt] *m.* -s, -e 연한 적포도주; 묽은 적포도주.

Bleich=flüssigkeit *f.* 표백액. **~gesicht** *n.* ①〖구어〗 창백한 얼굴(의 사람), (인디언쪽에서 본) 백인(↔ Rothaut).

Bleichheit *f.* 창백.

Bleich=holländer *m.* 〖工〗 제지 원료 표백 기계. **~kalk** *m.* 표백분(염화 석회). **~lauge** *f.* 표백액.

Bleichling [bláɪçlɪŋ] *m.* -s, -e 창백한 남자; 겁쟁이, 소심한 사람.

Blei·chlorid [..klo..] *n.* 〖化〗 염화납.

Bleich=mittel *n.* 표백제. **~platz** *m.* 표백장. **~pulver** *n.* 표백분. **≈rot** *a.* 담홍색의. **~sand** *m.* 〖지질〗 청회색의 모래층. **~soda** *f./n.* 표백 소다. **~sucht** *f.* 〖醫〗 빈혈, 위황병; 〖植〗 황화〔퇴색〕 현상. **≈süchtig** *a.* 빈혈의, 위황병의. **~wasser** *n.* 표백액.

Blei=dach *n.* 연판 지붕: Bleidächer zu Venedig 베네치아의 감옥 이름.

Bleide [bláɪdə] *f.* -n (중세의) 투석기.

Blei·draht *m.* 연사(鉛絲).

Bleie [bláɪə] *f.* -n 〖動〗 ↑ Blei[1].

bleien[1] [bláɪən] *t.* ① 납을 붙이다, 납으로 봉인하다. ② 측추(測錘)로 측정하다. ③〖드물게·雅語〗 납처럼 무겁게 내리누르다.

bleien[2] *a.* 〖고어〗 ↑ bleiern.

bleiern [bláɪərn] *a.* ① 납으로 만든: ~e Kugeln 납총탄; 〖농담〗 wie eine ~e Ente schwimmen 수영을 전혀 못 하다. ②〖비유〗 납같이 무거운, 둔중한 ~e Müdigkeit 온몸을 짓누르는 피로; ~er Schlaf 깊은 잠.

Blei=erz *n.* 연광(鉛鑛). **~essig** *m.* 〖化〗 아세트산납(액). **~farbe** *f.* 납빛. **≈farben, ≈farbig** *a.* 납빛의. **~fassung** *f.* 납으로 된 틀〔테〕. **~feder** *f.* 〖구식〗 ↑ ~stift. **~folie** *f.* 연박(鉛箔). **~frei** *a.* 무연(無鉛)의. **~fuß** *m.* 〖다음 용법으로〗 mit ~ fahren 전속력으로 달리다. **~gang** *m.* 납광맥. **~gehalt** *m.* 납성분, 납함유량. **~gelb** *n.* 〖化〗 황금빛 일산화납. **~gewicht** *n.* 납 낚싯봉: die Füße waren ihm so schwer wie ~e 그는 발이 천근같이 무거웠다; 〖海〗 측연(測鉛); 〖비유〗 (근심의) 무거운 짐. **~gießen** *n.* ① 납붓기 (녹인 납을 물에 부어 굳은 모양으로 점치는 섣달 그믐날 밤의 풍습). ② ↑ ~guß. **~gießer** *m.* 납주물공. **~gießerei** *f.* ↑ ~hütte. **~glanz** *m.* 방연광(方鉛鑛). **~glas** *n.* 납〔플린트〕 유리; 〖광물〗 황산납광(鑛). **~glätte** *f.* 〖化〗 일산화납. **≈grau** *a.* 은회색의. **~grube** *f.* 연갱(鉛坑). **~guß** *n.* 납 주조.

bleihaft *a.* 납을 함유하는, 납 모양의.

blei·haltig *a.* 납을 함유하는.

Bleihe [bláɪə] *f.* -n ↑ Blei[1].

Blei=herd *m.* 정연로(精鉛爐). **~holz** *n.* 〖植〗 팥꽃나뭇과의 나무. **~hütte** *f.* 납제련소.

bleiig, bleiisch *a.* ↑ bleihaft.

Blei=jodid *n.* 〖化〗 요오드화납. **~kalk** *m.* ↑ ~oxyd. **~kammer** *f.* ① 베네치아의 옥사, 옥고(獄苦)의 상징. ②〖工〗 (황산 제조용) 연실(鉛室). **~kammer·verfahren** *n.* 〖제련〗 연실 황산 제조법. **~kern** *m.* 〖軍〗 연심(鉛心). **~krankheit** *f.* ↑ ~vergiftung. **~klumpen** *m.* 납덩이. **~kolik** *f.* 〖醫〗 납중독 산통(疝痛). **~könig** *m.* 〖제련〗 연피. **~kristall** *n.* 크리스털 유리. **~kugel** *f.* 납탄(彈). **~lasur** *f.* 청연광(青鉛鑛). **~legierung** *f.* 납 합금. **~lot** *n.* 측연, 측추(測錘). **~lötung** *f.* 납땜. **~männchen** *n.* 오뚝이. **~mantel** *m.* 〖軍〗 (탄환의) 연피(鉛被); 〖전기〗 연피(鉛被). **~maß** *n.* ↑ ~lot. **~mulde** *f.* ↑ ~klumpen. **~mulm** *m.* 방연광(方鉛鑛). **~oxyd** *n.* 산화연: rotes ~ 연단(鉛丹). **~papier** *n.* 아세트산납지(紙). **~pflaster** *n.* 납으로 된 경고(硬膏). **~platte** *f.* 연판. **≈recht** *a.* 수직의. **~rohr** *n.*, **~röhre** *f.* 납관(管). **~rot** *n.* 연단. **~salbe** *f.* 납 연고. **~salz** *n.* 〖化〗 납염(塩).

~schaum *m.* ↑ ~asche. **~schlacke** *f.* ↑ ~abgang. **~schnur** *f.* 연추(사)(鉛錘(絲)). **~schürze** *f.* (방사선 차폐용) 납 앞치마. **~schweif** *m.* 휘연광(輝鉛鑛). **~schwer** *a.* 〔비유〕 납처럼 무거운: die Lider waren mir ~ vor Müdigkeit 피곤해서 눈꺼풀이 천근 만근이었다. **~siegel** *n.* 납 봉인(封印). **~soldat** *m.* 〔구어〕 납으로 만든 (장난감) 병사. **~steg** *m.* 〖印〗 행간연(行間鉛). **~stift** *m.* 연필. **~stift·absatz** *m.* 하이힐의 굽. **~stift·mine** *f.* 연필심. **~stift·notiz** *f.* 연필 메모. **~stift·hülse** *f.* 필통, 연필 뚜껑. **~stift·spitzer** *m.* 연필깎이. **~stift·stummel** *m.* 몽당 연필. **~stift·verlängerer** *m.* 몽당 연필 깍지. **~stift·zeichnung** *f.* 연필 그림. **~sulfid** *n.* 〖化〗 황화납. **~tafel** *f.* 연판(鉛版). **~vergiftung** *f.* 〖醫〗 납중독. **~verschluß** *m.* 납봉함. **~waage** *f.* 수준기(器). **~wasser** *n.* 묽은 아세트산납액; 〖醫〗 아세트산납 용액. **~weiß** *n.* 〖化〗 백연(白鉛), 연백. **~weiß·salbe** *f.* 〖醫〗 연백 연고. **~wolle** *f.* (충전용의) 연모(鉛毛). **~wurf** *m.* 〖海〗 측심추(測深錘). **~wurz** *f.* 〖植〗 갯질경잇과의 일종. **~zeichen** *n.* ↑ ~siegel. **~zucker** *m.* 〖化〗 아세트산납.

Blend·anstrich *m.* 〖軍〗 위장: mit ~ versehen 위장하다.

Blend≠arkade *f.* 〖건축〗 장식용 아케이드. **~boden** *m.* ↑ Blindboden. **~bogen** *m.* 아치 모양의 외벽 장식.

Blende [bléndə] *f.* -n ① 블라인드, 차양: eine ~ herunterklappen 블라인드를 내리다. ②〖理〗 조리개: die ~ einstellen 조리개를 맞추다. ③〖軍〗 맹장(盲障); 병풍, 가리개. ④〖건축〗 맹창(盲窓), 가짜문; 벽감(壁龕). ⑤〖海〗 현창 뚜껑. ⑥〖광산〗 차안등(遮眼燈), 감등(龕燈). ⑦〖광물〗 섬(閃)아연광. ⑧ (모자의) 앞 차양; (말의) 눈가리개; (양복 상의의) 비단 장식깃. ⑨〖植〗 메밀.

blende≠haltig *a.* 섬아연광을 함유하고 있는. **~haut** *f.* 홍채막(虹彩膜).

***blenden** [bléndən] 《<blind》《Ⅰ》 *t.* ① 눈부시게 하다: das helle Licht blendet mich 〔meine Augen〕 밝은 빛 때문에 눈이 부신다. ②〔비유〕 현혹시키다, 매혹하다: er war von ihrer Schönheit geblendet 그는 그녀의 아름다움에 매혹되었다. ③ 눈멀게 하다, 눈을 빼버리다: auf beiden Augen geblendet sein 두 눈이 멀어 있다. ④〖軍〗 위장하다, 차단벽을 만들다. ⑤ (모피류를) 어두운 색으로 염색하다. 《Ⅱ》 *i.* (h.) ① 반사되다: die Sonne blendet auf dem Schnee 태양빛이 눈에 반사된다. ② 비추다: mit einer Taschenlampe in den Keller ~ 손전등으로 지하실을 비추다.

Blenden·automatik *f.* 〖사진·영화〗 조리개 자동 조절 장치.

blendend *p.a.* 〔구어〕 눈부신, 탁월한, 훌륭한: ein ~er Redner 탁월한 연설가; sich ~ amüsieren 크게 재미보다.

Blenden≠einstellung *f.* 〖사진·영화〗 조리개 조정. **~öffnung** *f.* 조리개 구멍. **~skala** *f.* 〖사진·영화〗 노출 눈금. **~wahl** *f.* 〖사진·영화〗 노출 도수의 선택. **~zahl** *f.* 〖사진·영화〗 노출 도수.

Blender *m.* -s, - 현혹자, 기만자, 사기꾼; 사람(의 눈)을 속이는 것.

Blend≠fenster *n.* 〖건축〗 맹창(盲窓)(장식용 창). **~frei** *a.* 눈부시게 하지 않는; 반사되지 않는. **~giebel** *m.* 〖건축〗 위장 박공. **~glas** *n.* 차광 유리〔안경〕.

blendieren *t.* 〖건축〗 ↑ blenden ④.

Blend≠laterne *f.* 감등(龕燈), 차안등(遮眼燈); 〖軍〗 은현등(隱顯燈). **~leder** *n.* (말의) 눈가리개.

Blendling[1] [bléntlıŋ] *m.* -s, -e 〔고어〕 ① ↑ Blender. ② 속기 쉬운 사람.

Blendling[2] 《ahd. blantan》 *m.* -s, -e 〖生〗 잡종.

Blendnis *n.* 〔구식〕 ↑ Blendwerk.

Blend≠nische *f.* 벽감(壁龕). **~rahmen** *m.* 〖畫〗 캔버스 틀; 〖건축〗 창틀. **~scheibe** *f.* 〖理〗 격판(隔板). **~schirm** *m.* 차광판. **~schutz** *m.* 현광(眩光) 방지 장치. **~schutzgitter** *n.*, **~schutz·zaun** *m.* 〖교통〗 현광 방지 철책. **~stein** *m.* (벽의) 장식 타일.

Blendung [bléndʊŋ] *f.* -en ① 눈 멀게 하기, 눈부시게 하기; 〖전기〗 현휘(眩輝); 〔비유〕 현혹, 기만. ②〖理〗 격판(隔板); 〖軍〗 맹장(盲障), 차탄벽(遮彈壁).

blendungs·frei *a.* ↑ blendfrei.

Blend≠werk *n.* ①〔雅語〕 현혹, 기만, 속임수. ②〖軍〗 차폐물; 〖物〗 신기루. **~zeug** *n.* 〖사냥〗 ↑ Lappen. **~ziegel** *m.* 〖건축〗 장식 타일.

Blennorrhöe [blɛnɔrǿ:] 《gr.》 *f.* -n [..ən] 〖醫〗 점액루(粘液漏); 농루안(膿漏眼).

Bless.. ↑ Bleß...

Bleß·bock *m.* ↑ Bläßbock.

Blesse [blέsə] 《⊕ blaß》 *f.* -n 이마의 흰 점 (이 있는 소·말).

Bleß≠gans *f.* ↑ Bläßgans. **~huhn** *n.* ↑ Bläßhuhn.

blessieren [blɛsí:rən] 《frz.》 *t.* 〔구식〕 상처를 입히다: ein Blessierter 부상자.

Blessur [blɛsú:*r*] *f.* -en 〔구식〕 부상, 상처.

Blette *f.* -n 〔방언〕 (다뉴브강의) 평저선.

Bletz [blɛts] *m.* -es, -e ① (obd.) **(a)** (옷·구두의) 바대. **(b)** (부스럼) 딱지, 비듬. ②〖광산〗 쇠로 만든 쐐기.

bleu [blø:] 《germ. -frz.》 *a.* 푸른; 담청색의.

Bleu *n.* -s, -(s) 담청색, 하늘색.

Bleuel [blɔ́yəl] *m.* -s, - 빨래 방망이.

bleueln *t.* (빨래를) 방망이로 두드리다.

Bleuel·stange *f.* 〔구식〕 (세탁물을) 휘젓는 막대기; 〖工〗 (증기 기관의) 조종간.

bleuen [blɔ́yən] *t.* 〔구어〕 (퍼런 멍이 들도록) 때리다.

bleu·farben, ~farbig *a.* ↑ bleu.

blich [blıç] ↑ bleichen 의 과거형.

***Blick** [blık] 《ahd. blic, „Blitz"》 *m.* -(e)s, -e ① 봄, 일견, 일별; 눈길, 시선: mit einem ~ eine Sachlage erfassen 사태를 한눈에 파악하다; auf den ersten ~ 첫눈에; ein flüchtiger ~ genügt, um festzustellen …을 확인하는 데는 한번 훑어보는 것으로 족하다; den ~ abwenden 시선을 돌리다; einen ~ in ein Buch tun 책을 대충 훑어보다; einen ~ auf jn〔et.〕 werfen 누구를〔무엇을〕 힐끗 보다; den ~ auf jn〔et.〕 lenken 누구를〔무엇을〕 주목하다; mit den ~en an jn. hängen 누구를 응시하다. ② 눈의 표정, 눈초리: ein scharfer ~ 날카로운 눈초리; jn. mit ~en durchbohren 누구를 뚫어지게 바라보다. ③ 광경, 조망; 시야: das Flugzeug entschwand unseren ~en 비행기가 우리 시야에서 사라졌다; ein Zimmer mit ~ aufs Meer 바다가 보이는 방; vom Fernsehturm hat man einen ~ über die ganze Stadt 방송탑에서는 전 시가지가 내려다 보인다. ④〖비유〗동의의 표시: jm einen ~ zuwerfen 누구에게 동의의 눈길을 보내다. ⑤ 지각력, 판단력: einen ~ für et. haben 무엇을 볼 줄 알다; et.³〔jm.〕 keinen ~ schenken 무엇을〔누구를〕 무시하다. ⑥〖고어〗(Augen-∼) 순간, 찰나.

Blicke [blɪ́kə] *f.* -n〖動〗잉어의 일종.

***blicken** [blɪ́kən] 《I》 *i.* (h.) ① 보다, 시선을 보내다: zur Seite〔zu Boden〕 ~ 옆〔바닥〕을 보다: soweit das Auge blickt 눈에 보이는 한, 눈에 보이는 것 모두; in die Zukunft ~ 미래를 내다보다; das läßt tief ~ 그것은 시사하는 바가 많다, 의미심장하다. ② 어떤 눈초리를 하다: sanft〔scharf〕 ~ 눈매가 부드럽다〔매섭다〕. ③ 보이다: das Haus blickt durch die Bäume 집이 나무 사이로 보인다; die Sonne blickt durch die Wolken 구름 사이로 햇빛이 비친다; 〖구어〗 sich ~ lassen 모습을 나타내다, 출현하다; laß dich nicht wieder vor mir ~! 내 앞에 두 번 다시 나타나지 마라! 《II》 *t.* 눈매에 나타내다: sein Auge blickt Hohn 그의 눈매는 비웃음을 띠고 있다.

Blick≠fang *m.* (광고나 진열장 등) 주의를 끄는 것. **~feld** *n.* 시야: 〖비유〗 et.〔jn.〕 ins ~ rücken 무엇에〔누구에게〕 주목하게 하다. **~feuer** *n.* (등대의) 섬광〔회광(回光)〕 신호; 〖軍〗(총포의) 불발. **~gold** *n.* (소량의 은이 든) 정련금(精鍊金). **~kontakt** *m.* (서로) 눈이 마주침, 시선을 맞춤: ~ mit jm aufnehmen 누구와 눈을 맞추다.

blicklos *a.* 멍한 눈으로: ~ schauen 멍한 눈으로 바라보다.

Blick≠punkt *m.* ① 시점. ②〖비유〗관점, 입장: vom ~ des Freundes aus gesehen 친구의 입장에서 보면. **~richtung** *f.* ① 시선 방향. ②〖비유〗사고 방향. **~silber** *n.* 순은(純銀). **~spiel** *n.* 〖드물게〗(의미심장한) 시선의 교환. **~wechsel** *m.* 눈길을 주고받음, 시선 교환. **~winkel** *m.* ① 시각. ②〖비유〗관점, 입장: unter diesem ~ 이러한 관점에서는; aus dem ~ des Freundes 그 친구의 입장에서는.

blieb [bli:p] ↑ bleiben 의 과거형.

blies [bli:s] ↑ blasen 의 과거형.

***blind** [blɪnt] *a.* ① 눈이 보이지 않는, 눈먼; 〖비유〗안목〔통찰력〕이 없는, 맹목적인: auf einem Auge ~ 애꾸눈의; 〖醫〗 ~er Fleck 맹점; ~ für〔gegen〕 et. 무엇을 보는 안목이 없는; sich ~ weinen 눈이 퉁퉁 붇도록 울다; ~er Gehorsam〔Glaube〕 맹종〔맹신〕; ~es Glück 요행; eine ~e Menge 어리석은 대중; ~er Eifer 맹목적인 열성; 〖속담〗 Liebe macht ~ 사랑은 사람을 눈멀게 한다; er war ~ vor Eifersucht〔Zorn〕 그는 질투〔분노〕로 이성을 잃었다; ~ urteilen …에 망단(妄斷)을 내리다; ~ schreiben 자판을 보지 않고 타자기를 치다; 〖工〗 ~ fliegen 계기(計器) 비행을 하다; 〖스포츠〗 sich ~ verstehen 서로 호흡이 잘 맞는다; er ist mit sehenden Augen ~ 그는 눈뜬 장님이다. ② 보이지 않게 하는: eine ~e Kappe 얼굴까지 가리는 모자; die ~e Nacht 암야; im ∼en tappen 암중모색하다; ins ∼e hinein 맹목적으로. ③ 흐린, 투명하지 않은: ~es Glas 젖빛 유리; ~er Wein 혼탁한 포도주. ④ 눈에 보이지 않는, 숨은: eine ~e Klippe 암초; ein ~er Passagier 무임 승객, 밀항자. ⑤ 막힌: ein ~er Darm 맹장; eine ~e Gasse 막다른 골목. ⑥ 겉모양만 낸, 허위의, 가짜의, 텅 빈, 내용 없는: 〖건축〗 ein ~es Fenster 맹창(盲窓) (장식용 창); 〖商〗 ~er Kauf 공매수; 〖軍〗 ~es Gefecht 모의전투; ~er Lärm 헛소동; ~e Patronen 공포탄; eine ~e Schleife (쉽게 풀리는) 올가미 모양의 매듭; das ~e Nachsehen haben 아무런 소득이 없다: ~ laden 공포탄을 장전하다; 〖植〗 ~ blühen (열매를 맺지 못하고) 헛꽃이 되다. ⑦ 과잉의, 남는: 〖海〗 der ~e Mann 조타원의 조수; ~e Reben 포도의 취목(取木). ⑧〖농담〗눈이 없는: ~e Suppe 기름 방울이 뜨지 않는 수프; eine ~e Wand (문·창이 없는) 맹벽(盲壁).

Blinde* [blɪ́ndə] *der/die* ① 장님; 〖비유〗안목 없는 사람, 어리석은 사람: 〖비유〗 das sieht ein ~r 그것은 뻔한〔명백한〕 일이다; er redet davon wie der ~ von der Farbe 그는 알지도 못하면서 지껄인다; 〖속담〗 bei〔unter〕 den ~n ist der Einäugige König 장님 나라에서는 애꾸눈이 왕이다. ②〖軍〗위병(僞兵), 〖고어〗(다른 사람) 대신 점호받는 군인; 〖카드〗 휘스트(4 인조 카드 놀이)의 빈자리: Whist mit dem ~n spielen 휘스트를 세 사람이 하다.

Blind≠boden *m.* 이중 바닥 중의 아랫바닥. **~darm** *m.* 〖해부〗 맹장. **~darm·entzündung** *f.* 맹장염. **~darm·operation** *f.* 맹장수술. **~druck** *m.* 〖印〗(인쇄 잉크를 쓰지 않는) 부쇄(浮刷).

Blinde·kuh *f.* 술래잡기: 〖다음 용법으로만〗 ~ spielen 술래잡기하다.

Blinden≠anstalt *f.* 맹인 보육원〔학교〕. **~bücherei** *f.* 점자책 도서관. **~druck** *m.* 점자 인쇄(물). **~fürsorge** *f.* 맹인 구제. **~heim** *n.* ↑ ~anstalt. **~hund** *m.* 맹도견(盲導犬). **~lehrer** *m.* 맹인을 가르치는 교사. **~schrift** *f.* 점자. **~schule** *f.* 맹인 학교. **~sport** *m.* 맹인 스포츠. **~stock** *m.* 맹인용 지팡이.

blind|fliegen* *i.* (s.) 계기 비행하다.

Blind≠fliegen *n.*, **~flug** *m.* 계기 비행. **~gänger** *m.* ①〖軍〗불발탄. ②〖비유〗쓸모없는〔기대에 어긋난〕 사람. **∼geboren** *p.a.* 선천적으로 눈이 먼. **~geborene*** *der/die* 선천성 맹인. **∼gläubig** *a.* 맹신적인.

Blindheit [blɪ́nthaɪt] *f.* -en 눈멂; 〖비유〗무분별, 맹목, 몽매: seine ~ war angeboren 그는 태어날 때부터 눈이 멀었다; er ist (wie) mit ~ geschlagen 그는 사태를 인식할 만한 안목이 없다.

Blind·holz *n.* 합판의 양면 사이에 넣는 판; (잘라낸) 포도나무의 작은 가지.

blindieren *t.* ↑ blendieren.

Blind·leistung *f.* 〖전기〗 무효 전력.

Blindling [blɪ́ntlɪŋ] *m.* -s, -e ① 장님. ②〖비유〗무지몽매한 사람. ③〖醫〗멍울, 절(癤).

blindlings *adv.* ① 둘러보지 않고, 조심성 없이. ②〖비유〗무분별하게, 맹목적으로: jm. ~ gehorchen 누구를 맹종하다; et. ~ tun 무엇

을 무분별하게 행하다.

Blind≈maus *f.* 〖動〗 스파라스(두더지의 일종). **~rahmen** *m.* ↑ Blendrahmen. **~rebe** *f.* 포도의 취목(取木). **~sack** *m.* 〖해부〗 맹낭(盲囊): **~schacht** *m.* 〖광산〗 수직갱. **~-schleiche** *f.* 〖動〗 발 없는 도마뱀; 〖비유〗 음흉한 사람.

blind|schreiben* *i.* (h.) 자판을 보지 않고 타자 치다.

Blind≈schreib·verfahren *n.* 자판을 보지 않고 치는 타자법. **~schuß** *m.* 공포 사격. **~spiel** *n.* 판 없이 두는 체스 게임. **≈spielen** 판 없이 체스를 두다. **~spieler** *m.* 판 없이 체스를 두는 사람. **~start** *m.* 〖空〗 계기 이륙. **~strom** *m.* 무효 전류. **≈voll** *a.* 만취한. **~wider·stand** *m.* 〖전기〗 (증폭) 저항, 리액턴스. **≈wütend** *a.* ↑ ~wütig. **≈wütig** *a.* 격노한, 진노한. **~wütigkeit** *f.* 격노, 진노.

blink [blıŋk] 《<blinken》 *a.* 〔다음 용법으로만〕 ~ und blank 번쩍번쩍 빛나는.

Blink *m.* -(e), -e 〔구식〕 ① (눈을) 깜박거림. ② 섬광; 빙원(氷原)의 반사광(Eis≈). ③ 〖海〗 ↑ ~feuer.

***blinken** [blíŋkən] 《<blank》 *i.* (h.) ① 번쩍이다; 빛나다: ihre Augen ~ vor Freude 기쁜 나머지 그녀의 눈이 초롱초롱 빛난다. ② ↑ blinzeln. ③ 〖교통〗 방향 지시등을 켜다; 〖海〗 회광(回光) 신호를 하다.

Blinker *m.* -s, - ① 방향 지시등, 깜박이등. ② (낚시의) 금속 미끼.

Blinkerei *f.* 깜박거림.

blinkern *i.* (h.) 〖구어〗 ↑ blinken.

Blink≈feuer *n.* (등대의) 명멸 신호등. **~-gerät** *n.* 〖軍〗 명멸 신호기. **~lampe** *f.* 섬광등, (신호용) 명멸등; 회중 전등. **~leuchte** *f.* (자동차의) 방향 표시등, 깜박이등. **~licht** *n.* ① 점멸(신호)등. ② ↑ ~lampe. **~licht-anlage** *f.* (건널목의) 점멸 신호기. **~signal** *n.* 점멸 신호. **~stelle** *f.* 회광(回光) 통신소. **~zeichen** *n.* ↑ ~signal.

Blinzler *m.* -s, - 눈을 깜박거리는 사람, 근시안인 사람.

blinzeln [blíntsəln] 〔고어〕 *i.* (h.) 눈을 깜빡이다, 눈짓하다.

blinzen 〔고어〕 *i.* (h.) ↑ blinzeln.

Blinzer *m.* -s, - ↑ Blinzler.

blinzern *i.* (h.) 〔드물게〕 ↑ blinzeln.

Blinz·haut *f.* 〖해부〗 순막(瞬膜).

Blister [blístər] *m.* -s, - 투명 플라스틱 포장.

***Blitz** [blıts] 《<blitzen; Blick》 *m.* -es, -e ① 번개, 섬광, 전광: der ~ schlägt ein 벼락치다; wie vom ~ getroffen 깜짝 놀라서, 망연히; 〔구어〕 wie der ~ 〔wie ein geölter ~〕 번개처럼; wie ein ~ aus heiterem Himmel 청천벽력 같은; ~ des Zorns 노발대발; ~e des Geistes 재기 발랄. ② **(a)** 〔구식〕 potz ~ 〔der ~ schlage drein〕! 야, 저런, 제기, 이 망할놈의 것! (감탄·의아·저주의 말). **(b)** 〔합성하여〕 ~dinger 이 새끼들; ~bube 재빠른〔약삭 빠른〕 녀석; ≈einfach 극히 간단한; ≈-vergnügt 크게 만족한. ③ 〔구어〕 플래시.

Blitz≈ableiter *m.* 피뢰침. **~aktion** *f.* 전격작전. **~angriff** *m.* 기습 공격. **≈artig** *a.* 번개 같은, 매우 빠른: eine ~e Entscheidung 전격적인 결정. **≈blank** *a.* 〔구어〕 매우 깨끗한, 반들반들한. **≈blau** *a.* ① 감청색의, 새파란. ② 〔구어〕 만취한. **≈dumm** *a.* 〔구어〕 지독히 멍청한.

***blitzen** [blítsən] 《I》 *i.* (h.) ① 번개치다: es blitzt und donnert 천둥 번개치다; 〔비유·농담〕 bei dir blitzt es 너의 속치마가 보인다; 〔비유〕 es ist mir ein Gedanke durch die Seele geblitzt 내 머릿속에 어떤 생각이 번쩍 떠올랐다; 〔비유〕 er ist davon geblitzt 그는 번개처럼 도망쳤다. ② 번쩍이다, 빛나다: ein Licht blitzte durch die Bäume 나무 사이로 불빛이 하나 비쳤다; das Haus blitzt vor Sauberkeit 그 집은 깨끗한 나머지 번쩍거린다. ③ 보이게 되다, 드러나다: in seinen Augen blitzte Witz 그의 눈에서 재기가 엿보였다〔번득였다〕. ④ 〔구어〕 플래시로 사진을 찍다. ⑤ 스트리킹하다. ⑥ auf〔gegen〕 et. ~ 무엇을 저주하다. 《II》 *t.* jn. zu Boden ~ 누구를 번개같이 쳐눕히다, 〔비유〕 누구를 번개 같은 눈초리로 압도하다〔굴복시키다〕; die Augen blind ~ 강렬한 빛으로 시력을 빼앗다; jn. ~ 누구를 플래시로 사진찍다.

Blitzer *m.* -s, - 〔방언〕 ↑ Blitz, Blick.

blitzern *i.* (h.) ↑ blitzen 《I》 ①.

Blitzes≈eile, ~schnelle *f.* 〔구어〕 번개처럼 빠른 속도: in〔mit〕 ~ die Wohnung aufräumen 번개처럼 방을 청소하다.

Blitz≈feuer *n.* ① 〔드물게〕 ↑ Blinkfeuer. ② 〔드물게〕 전기. **~funk** *m.* 우편 무선 전신. **~gerät** *n.* 〖사진〗 플래시 장치. **≈gescheit** *a.* 아주 영리한. **≈geschwind** *a.* ↑ ≈-schnell. **~gespräch** *n.* 특급 장거리 통화.

blitzig *a.* 번개 같은; 〔비유〕 성을 잘 내는.

Blitz≈junge *m.* 〔구어〕 ↑ ~kerl. **~karriere** *f.* 〔구어〕 벼락 출세. **~katarrh** *m.* 〖醫〗 유행성 감기. **~kerl** *m.* 〔구어〕 재치 있는〔똑똑한〕 놈. **~krieg** *m.* 〖軍〗 전격전. **~lampe** *f.* 플래시. **~licht** *n.* (야간 촬영용) 플래시. **~-licht·aufnahme** *f.* 플래시를 이용한 촬영. **~mädel** *n.* ① (나치의) 여자 통신 보조원. ② 〔구식〕 잽싼 처녀. **~merker** *m.* ① 〔구어·농담〕 이해가 빠른 사람. ② 〔반어〕 이해가 더딘 사람. **~pfeil** *m.* 〖전기〗 위험표시 화살표. **~-pulver** *n.* 번개 효과용, 플래쉬용 가루약. **≈-rasch** *a.* (schweiz.) ↑ ~schnell. **~röhre** *f.* 〖광물〗 풀그라이트, 전통(電筒); 〖전기〗 전광관. **≈sauber** *a.* ① 〔구어〕 아주 깨끗한. ② (südd.) 〔비유〕 젊고 순수한. **~schach** *n.* 시간 제한 체스 게임. **~schaden** *m.* 벼락 피해. **~schlag** *m.* 번갯불, 낙뢰. **~schleuderer** *m.* 뇌신(雷神). **≈schnell** *a.* 번개처럼 빠른: eine ~e Antwort 신속한 대답. **~schutz-anlage** *f.* ↑ ~ableiter. **~sieg** *m.* 〔구어〕 전격적 승리. **~stoff** *m.* 〔드물게〕 전기. **~-strahl** *m.* 전광, 번개: wie ein ~ aus heiterem Himmel 청천벽력같이. **~telegramm** *n.* 특급 전보. **~umfrage** *f.* 긴급 여론 조사. **≈wenig** *a.* 아주 적은. **~würfel** *m.* 〖사진〗 주사위형 플래시. **~zeichen** *n.* 점멸 신호. **~zug** *m.* 〖철도〗 초특급 열차.

Blizzard [blízərt] *m.* -s, -s (북아메리카의) 심한 눈보라.

Bloch [blɔx] *m./n.* -(e)s, -e/Blöcher [blœçər] (obd.) ↑ Holzblock.

blochen *t.* (schweiz.) (마루 등을) 밀랍으로 〔왁스로〕 닦다.

Blocher [blɔ́xər] *m.* -s, - (schweiz.) 마루 청

소용 솔빗자루.

***Block** [blɔk] ⟪ndd.; ♧ Bloch⟫ *m.* -(e)s, Blöcke [blœ́kə]/-s ① **(a)** 통나무, (돌·금속) 덩어리: über Stock und ~ jagen 험한 길을 뛰다. **(b)** 도마; 단두대; 차꼬(Fuß≈): auf den ~ bringen 단두대로 보내다; in den ~ legen 차꼬를 채우다. ②〖복수: Blöcke〗 네모난 토지;〖건축〗구획, 블록; 한 구획 가옥군(Häuser≈). ③ 집단;〖政·經〗블록; 카르텔: in ~ 일괄해서; im ~ verkaufen 도매로 팔다; der ~ der osteuropäischen Staaten 동구권. ④〖복수: -s〗(뜯어 쓸 수 있는) 종이철: ein ~ Briefpapier 편지지 한 묶음. ⑤〖海·工〗 활차, 도르래. ⑥〖비유〗무뚝뚝한 사람. ⑦〖건축〗(벽돌의) 플레미시 쌓기. ⑧〖철도〗폐쇄 신호 (체계). ⑨〖카드〗공동으로 거는 돈. ⑩〖농구〗수비〔방어〕벽. ⑪〖우표〗시트. ⑫ (나치스) 당조직의 최소 단위, 반(班). ⑬〖醫〗↑ Herzblock.

Blockade [blɔká:də] *f.* -n ①〖海·軍〗봉쇄: Berliner ~ 베를린 봉쇄; See≈ 해상 봉쇄; die ~ durchbrechen〔aufheben〕봉쇄를 깨뜨리다〔해제하다〕; die ~ über ein Land verhängen 어떤 국가에 대하여 봉쇄 조치를 취하다. ②〖印〗(뒤집어 놓는) 전도 활자, 복자(覆字). ③〖醫〗신경 제거.

Blockade≈brecher *m.* 봉쇄 돌파선(船)〔돌파자(者)〕. **~geschwader** *n.* 봉쇄 함대.

Block≈bau *m.*〖복수: -ten〗통나무 건물. **~bildung** *f.* 블록 형성. **~blei** *n.* 납덩이, 연괴(鉛塊). **~buch** *n.*〖출판〗목판본. **~buchstabe** *m.* 인쇄체 문자.

Blöckchen [blœ́kçən] *n.* -s, -〖↑ Block 의 축소형〗작은 통나무, 작은 덩어리.

Block≈diagramm *n.*〖지리〗(토지의) 기복 단면도, 입체식 지도. **~druck** *m.*〖복수: -e〗목판 인쇄. **~eis** *n.* 얼음 덩어리, 빙괴(氷塊). **~eisen** *n.* 쇳덩어리;〖海〗밸러스트용 선철(銑鐵).

blocken[1] [blɔ́kən] *t.* ①〖철도〗(선로를) 폐쇄하다. ② ↑ blöcken.

blocken[2] *i.* (h.)〖사냥〗(맹금(猛禽)이 바위나 나무 위에) 앉다.

blöcken [blœ́kən] *t.*〖드물게〗① (구두·모자 등을) 골에 메우다. ② 감옥에 넣다.

Blocker *m.* -s, - (südd.) 마루 청소용 브러시.

Block≈flöte *f.* 피리; 블록플루트(16 세기에 사용된 아귀가 부리꼴인 플루트의 일종). **≈förmig** *a.* 덩어리 모양의. **≈frei** *a.* 어느 진영에도 속하지 않은, 비동맹의: ~e Staaten *pl.*〖政〗비동맹국. **~haus** *n.* 작은 통나무집;〖軍〗토치카, 감옥. **~holz** *n.* 통나무 목재. **~hütte** *f.* 작은 통나무집.

***blockieren** [blɔkí:rən] ⟪frz. bloquer⟫ ⟪I⟫ *t.* ① 봉쇄하다, 폐쇄하다, 차단하다: eine Stadt ~ 도시를 봉쇄하다; den Zugang ~ 접근로를 폐쇄하다; die Versorgung ~ 공급을 차단하다. ②〖印〗뒤집어 식자하다, 복자(覆字)로 하다. ③〖당구〗(공을) 포켓에 쳐서 넣다. ⟪II⟫ *i.* (h.) 작동하지 않다, 고장나다, 갑자기 멈추다: die Ölpumpe blockiert 오일 펌프가 고장이다.

Blockierung *f.* -en ① 봉쇄, 폐쇄. ②〖心〗순간적인 의식의 장애.

blockig [blɔ́kıç] *a.* 통나무 모양의〔같은〕.

Block≈karren *m.* 목재차; 소형 짐수레. **~kondensator** *m.*〖전기〗블록 축전기〔콘덴서〕. **~lafette** *f.*〖軍〗구포가. **~malz** *n.* (기침날 때 먹는) 네모 사탕. **~mehrheit** *f.* 정당간 제휴에 의해 확보된 다수 의석. **~lehm** *m.*〖지질〗저쇄석(底碎石). **~nagel** *m.* 나무못. **~partei** *f.* (특히 구동독의) 연합 정당. **~politik** *f.* 연합 정당들의 정책. **~rolle** *f.*〖工〗도르래, 활차. **~säge** *f.* (두 사람이 당기는) 큰 톱.

Blocks·berg [blɔ́ksbɛrk] *m.* 블록스베르크 (Brocken 산의 다른 이름; 전설에서는 마녀의 무도장).

Block≈schiff *n.* 뗏목;〖海〗폐선. **~schlitten** *m.* 통나무 썰매. **~schokolade** *f.* 덩어리 초콜릿. **~schrift** *f.*〖印〗인쇄체. **~signal** *n.*〖철도〗폐쇄 신호. **~(signal)system** *n.*〖철도〗폐쇄 신호 체계. **~station, ~stelle** *f.*〖철도〗폐쇄 신호소. **~strecke** *f.*〖철도〗폐쇄 구간. **~stück** *n.* 덩어리; 납덩이, 연괴(鉛塊);〖구어〗큰 화폐. **~stunde** *f.* 두 시간 연속 수업.

Blockung [blɔ́kʊŋ] *f.* -en 봉쇄, 폐쇄.

Block≈wagen *m.* ↑ ~karren. **~wart** *m.*〖政〗(나치스의) 최하위 조직의 감독. **~werk** *n.*〖철도〗구간 안전 검사소. **~zinn** *m.* 주석 덩어리. **~zucker** *m.* 포도당.

blöd [blø:t] *a.* ① ↑ blöde. ② (schweiz.) 양념하지 않은, 싱거운. ③ (schweiz.) (의복 등이) 해진.

Blöd≈auge [blǿt..] *n.* 약시; 근시안인 사람;〖動〗연충(蠕蟲). **≈äugig** *a.* 약시〔근시〕의.

***blöde** [blǿ:də] ⟪ahd. blodi, „schwach"⟫ *a.* ① **(a)**〖醫〗저능의, 정신 박약의: ein ~s Kind 저능아. **(b)**〖구어〗어리석은, 둔한. ②〖폄어〗따분한, 무의미한: ein ~s Buch 지루한 책. ③〖구어〗불쾌한, 화나는: eine ~e Angelegenheit 화나는 일. ④〖구식〗(↔ dreist) 수줍은, 부끄럼타는. ⑤〖고어〗약시의.

Blöde *f.* -n ①〖고어〗↑ Blödigkeit. ②〖방언〗해진 곳.

Blödel [blǿ:dəl] *m.* -s, -〖폄어〗바보, 저능아, 백치.

Blödelei *f.* -en 어리석은 짓을 함.

blödeln *i.* (h.) 어리석은 말〔짓〕을 하다.

Blöd·hammel *m.*〖비속〗바보, 머저리.

Blödheit *f.* ① 우둔, 저능. ② ↑ Blödigkeit.

Blödian [blǿ:dian] *m.* -(e)s, -e 바보.

Blödigkeit *f.* -en〖고어〗겁, 수줍음.

Blödist *m.* -en, -en 바보, 멍청이.

Blödling *m.* -s, -e 바보, 저능아.

Blödmann *m.* -es, ..männer 바보, 멍청이.

blöd·sichtig *a.* 약시의, 근시의.

Blödsichtigkeit *f.* 약시.

Blöd·sinn *m.* ①〖醫〗저능, 정신 박약. ② 어리석은 짓, 허튼 짓〔소리〕, 난센스: so ein ~! 그런 어리석은 일이!; mach keinen solchen ~! 그런 어리석은 짓 마라!;〖구어〗blühender ~ 횡설수설, 터무니 없음.

blödsinnig ⟪I⟫ *a.* ①〖醫〗저능한, 백치의: der ≈e 백치. ②〖구어〗어리석은. ⟪II⟫ *adv.*〖구어〗몹시: sich ~ freuen 몹시 기뻐하다.

Blödsinnigkeit *f.* ↑ Blödsinn.

Blohm *m.* -(e)s, -e〖사냥〗교미장(交尾場).

blöken [blǿ:kən] *i.* (h.)〖의성어〗(소·양이) 울다; (사람이) 소리지르다.

***blond** [blɔnt] ⟪frz.⟫ *a.* ① 금발의: ~es Mädchen 금발의 처녀; 〚哲〛 die ~e Bestie 금모수(金毛獸)(니체의 조어: 군주 도덕 수립자로서의 게르만 민족). ② 연한 황금색의: ~es Bier 담황색 맥주.

Blọndchen *n.* -s, - 금발 소녀; 〔드물게〕 금발의 남자 아이.

Blọnde*[1] [blɔ́ndə] ① *die/der* 금발인 사람(보통은 여자(Blondine)): eine hübsche ~ 금발 미인. ② *das/die* 〔농담〕 보통 맥주, 베를린의 담황색 맥주.

Blonde[2] [blɔ́ndə, blɔ̃:d] *f.* -n (황금색의) 비단〔실크〕 레이스.

blọnd≈gelockt *a.* 금발 곱슬머리의. **~haar** *n.* 〔雅語〕 금발. **~haarig** *a.* 금발의.

Blọndheit *f.* 블론드임, 금발.

blondi̱eren *t.* 금발로 물들이다.

Blondi̱erung *f.* -en 금발로 물들임.

Blondi̱erungs·mittel *n.* 금발 염색제.

Blondin [blɔndɛ̃:] 《frz.》 *m.* -s, -s 〔구식〕 금발의 남자.

Blondine [blɔndí:nə] *f.* -n 금발의 여자.

Blọnd≈kopf *m.* ① 금발 머리. ② 〔구어〕 금발의 소녀〔소녀〕. **≈lockig** *a.* ↑ ~gelockt. **~schopf** *m.* 〔구어〕 ↑ ~kopf.

***bloß** [blo:s] (♧ blöde) 《I》 *a.* ① 나체의, 벌거벗은, 드러난, 내놓은: nackt und ~ 전라(全裸)의; sich ~ machen 알몸을 드러내다; mit ~en Händen〔Fäusten〕 맨손〔맨주먹〕으로; mit dem ~en Auge 육안으로; mit ~em Kopf 모자를 쓰지 않고; ~es Schwert 뽑은 칼; die ~e Haut 맨살; mit ~em Halse gehen〔sich ~ tragen〕 어깨나 가슴 등을 드러낸 옷을 입고 있다; ~ sein한 푼도 없다; alles Mutes ~ 의기소침한; von aller Hilfe ~ 고립무원(孤立無援)의; der ≈e 벌거벗은 궁둥이. ② 그것만의, 단순한, 순전한: ~e Worte 빈말; im ~en Hemde 내복 차림으로; auf der ~en Erde schlafen 맨 땅에서 자다; die ~e Darstellung der Tatsachen 사실 그대로의 진술; der ~e Gedanke macht mein Blut erstarren 생각만 해도 몸서리친다. 《II》 *adv.* ① 단지, 다만: ~ Ihnen zu gefallen 단지 당신의 마음에 들고자 해서; 〔속담〕 ~ der Anblick erfreut, nicht der Genuß 빛 좋은 개살구다; nicht ~ A, sondern auch B A 뿐만 아니라 또한 B 도. ② 제발, 좀, 자: komm ~ mal hierher! 이리 좀 와! ③ 도대체: was hat er ~? 도대체 그는 어떻게 됐단 말이야?

blo̱ß|decken *t.* 덮개를 벗기다: das Kind hat sich bloßgedeckt 아이가 이불을 차 버렸다.

Blö̱ße [blǿ:sə] *f.* -n ① 알몸, 벌거숭이: seine ~ bedecken 그의 알몸을 가리다. ② 〚펜싱〛 무방비 부분, 헛점, 틈; 〔비유〕 약점: dem Gegner eine ~ bieten 적에게 틈을 보이다; ich möchte mir keine ~ geben 나는 약점을 보이고 싶지 않다. ③ 〚林〛 (숲속의) 공지. ④ 〚제혁〛 털만 뽑고 무두질하지 않은 가죽.

blö̱ßen *t.* 노출시키다.

blo̱ßerdings 〔고어〕 *adv.* 단지, 다만.

blo̱ß≈füßig *a.* 〔고어〕 맨발의. **~|geben*** *refl.* sich ~ 몸을 드러내다; 틈을 보이다. **~gestellt** 《I》 *p.p.* ↑ ~stellen. 《II》 *p.a.* 노출된, 무방비의. **~|legen** *t.* 노출시키다, (지붕 등을) 벗기다; 폭로하다, 들추어내다. **~|liegen*** *i.*(h.) 노출되어 있다: ich habe die ganze Nacht bloßgelegen, weil du mir die Decke weggezogen hast 네가 내 이불을 빼앗아가는 바람에 밤새 맨몸으로 잤다; 〔비유〕 es liegt bloß am Tage 그것은 명백한 일이다.

blo̱ß|stellen 《I》 *t.* 웃음거리로 만들다: jn. in aller Öffentlichkeit ~ 누구를 공공연하게 웃음거리로 만들다; damit hast du dich bloßgestellt 그래서 너는 웃음거리가 되었다. 《II》 **bloßgestellt** *p.a.* ↑ bloßgestellt.

Blo̱ßstellung *f.* 폭로, 적발; 조롱, 조소.

blo̱ß|strampeln *refl.* sich ~ 이불을 걷어차다: gib acht, daß sich die Kleine nicht bloßstrampelt! 아이가 이불을 걷어차지 않도록 유의해라!

Blow-up [blóu|ʌp] 《engl.》 *n.* -s, -s 〚사진·TV〛 (화면의) 확대.

Blubber [blʊ́bər] *m.* -s (ndd.) 질이 낮은 맥주.

blubbern [blʊ́bərn] *i.*(h.) ① (화가 나서) 중얼거리다; 훌쩍훌쩍 울다. ② 부글부글 끓어오르다; 졸졸 흘러나오다.

Blụbber·wasser *n.* 〔구어·농담〕 광천수, 탄산 음료.

Blücher [blʏ́çər] Gebhart Leberecht von ~ 블뤼허(프로이센의 육군 원수, 1742-1819): 〔구어〕 er geht drauf wie ~ 그는 일을 과단성 있게 처리해 나간다.

Blue Box [blú: bɔ́ks] 《engl.》 *f.* 〚印〛 블루 스크린(특수 촬영 방식의 일종).

Bluejeans, Blue jeans [blú:dʒins] 《engl.》 *pl.* 청바지.

Blue Movie [bú: mú:vi] 《engl.》 *m./n.* 〚印〛 포르노〔에로틱한〕 영화.

Blues [blu:s] 《engl.》 *m.* -, - ① 블루스 음악(북아메리카의 흑인 민요). ② 블루스(4 분의 4 박자의 사교춤).

Blüette [blyɛ́tə] 《frz., „Feuerfünkchen"》 *f.* -n (익살과 기지가 넘치는) 소규모의 풍자극.

Bluff [bluf] *m.* -s, -s 〔폄어〕 허풍, 허세.

bluffen [blʊ́fən] *t./i.*(h.) 허풍을 치다, 허세를 부리다.

***blühen** [blý:ən] (♧ Blume, Blüte) *i.*(h.) ① (꽃이) 피다, 만개하다: die Rosen ~ 장미꽃이 핀다. ② 〔비유〕 번창하다, 번영하다: das Geschäft blüht 사업이 번창한다; 〔구어〕 jetzt blüht sein Weizen 이제 그의 운이 트이기 시작한다; ihr ~ vier Söhne 그 여자에게는 네 명의 원기 왕성한 아들이 있다. ③ (불쾌한 일이) 일어나다, 닥치다: das kann mir auch noch ~ 내게도 같은 일이 닥쳐올지도 모른다; 〔구어〕 mir blüht noch eine Prüfung 내게는 또 하나의 시련이 남아 있다. ④ 〚광산〛 (광맥이) 나타나다; 〚化〛 풍화(風化)하다. ⑤ (schweiz.) es blüht 구름이 퍼진다.

blü̱hend *p.a.* ① 〔비유〕 생기발랄한, 한창인: sie sieht ~ aus 그녀는 생기발랄해 보인다; im ~en Alter von 18 Jahren 방년 18 세의; ~e Gesundheit 원기 왕성한 건강. ② 과장된, 터무니없는: ~e Phantasie 대단한 상상력; ~er Stil 화려한 문체.

Blühet [blý:ət] *m.* -s (schweiz.) 개화기.

blü̱h≈weiß *a.* 꽃같이 흰, 설백(雪白)의. **~willig** *a.* 꽃이 잘 피는, 꽃이 막 피려고 하는.

Blümchen [blý:mçən] *n.* -s, - 〚↑ Blume 의 축소형〛 작은 꽃, (가축 등의) 이마의 흰 얼룩,

(말의) 이마의 긴 털; 〚사냥〛 (토끼 등의) 짧은 꼬리; 〚軍〛 휘장, 견장(레이스를 엮어 꽃 모양으로 만든 것); 〔속어〕 처녀의 순결.

Blümchen·kaffee *m.* 〔농담〕 (찻잔 속의 꽃무늬가 비칠 정도의) 묽은 커피.

***Blume** [blú:mə] ⟪⇨ blühen, Blüte⟫ *f.* -n ① 꽃, 화초: ~n streuen (결혼식에서) 꽃을 뿌리다; 〔비유〕 jm. den Weg mit ~n bestreuen 〔jm. ~n auf den Weg streuen〕 누구를 즐겁게 해주다. ② (말 등의) 이마의 흰 얼룩; (늑대 등의) 꼬리의 끝; (토끼 등의) 짧은 꼬리. ③ (포도주의) 방향(芳香); (맥주의) 거품: jm. die ~ bringen 누구의 건강을 위해 맥주(의 첫 한모금)을 마시다; 〔구어·반어〕 vielen Dank für die ~n 충고해 주셔서 감사합니다. ④ 〚化〛 …화(華): Schwefel≈ 황화; Zink≈ 아연화(華). ⑤ 부드러운 털; 토끼털; (양의) 모피. ⑥ 〔비유〕 정화(精華); 정수, 정예: ~ aller Frauen 여자 중의 여자. ⑦ 미사여구: durch die ~ sagen 완곡하게 말하다. ⑧ 처녀의 순결; 〔드물게〕 월경. ⑨ 〚요리〛 (소의) 등허리살.

blumen *t.* ↑ blümen.

Blümelei *f.* -en 〔드물게〕 꽃을 뿌림; 말을 수식함, 미사여구.

blümeln *i.* (h.) ① (꿀벌이) 꿀을 모으다. ② 미사여구를 쓰다: eine ~de Schreibart 화려한 필치.

blümen [blý:mən] ⟪I⟫ *t.* 꽃으로 장식하다, 꽃 모양으로 꾸미다. ⟪II⟫ **geblümt** *p.a.* ↑ geblümt.

Blumen≈ampel *f.* 매다는 화분. **~arrangement** *n.* 꽃장식. **~asch** *m.* (ostmd.) ↑ ~topf. **~au, ~aue** *f.* 꽃피는 목장. **~auge** *n.* 〚植〛 꽃눈, 꽃봉오리. **~ausstellung** *f.* 화초 전시회. **~bau** *m.* 화초 재배. **~becher** *m.* 〚植〛 꽃받침. **~beet** *n.* 화단. **~binde** *f.* 꽃무늬; 〚건축〛 현화(懸華) 장식. **~binder** *m.* 꽃꽂이 전문가, 화환 제조자. **~binderei** *f.* 화환 제조업. **~binse** *f.* 〚植〛 꽃골풀속의 식물. **~blatt** *n.* 꽃잎. **~boden** *m.* 〚植〛 꽃받침. **~brett** *n.* 창가의 화분대. **~bukett** *n.* 〔구식〕 ↑ ~strauß. **~büschel** *m.* 꽃송이; 〚植〛 산방(繖房) 꽃차례〔화서〕. **~decke** *f.* 〚植〛 화피(花被). **~draht** *m.* (잘 휘는) 꽃다발용 철사. **~duft** *m.* 꽃향기. **~erde** *f.* (화초용) 배양토. **~fabrik** *f.* 조화(造花) 공장. **~feld** *n.* 꽃핀 들판. **~fest** *n.* 꽃축제. **~fliege** *f.* 꽃등에. **~flor** *m.* 〔雅語〕 ↑ ~fülle. **~flur** *f.* 〚문학〛 꽃피는 벌판. **~frau** *f.* 꽃 파는 여자. **~freund** *m.* 화초 애호가. **~fülle** *f.* 만발한〔수많은〕 꽃. **~garten** *m.* 화원. **~gärtner** *m.* 원예사, 정원사. **~gehänge** *n.* ↑ ~gewinde. **~geschäft** *n.* 꽃가게. **~geschmückt** *a.* 꽃으로 장식된. **~gestell** *n.* 화분 받침, 화분대. **~gewächs** *n.* 화초. **~gewinde** *n.* 〔雅語〕 화환, 꽃장식. **~göttin** *f.* 꽃의 여신. **~griffel** *m.* 〚植〛 화주(花柱), 암술. **~gruß** *m.* 인사로 전하는 꽃.

blumenhaft [blú:mənhaft] *a.* 꽃 같은.

Blumen≈händler *m.* 꽃장수. **~honig** *m.* 꽃의 꿀. **~hülle** *f.* 〚植〛 꽃뚜껑, 화피(花被); (산형화(繖形花)의) 총포(總苞). **~käfer** *m.* 〚動〛 꽃무지아과(亞科)의 곤충. **~kalender** *m.* 꽃그림 달력〔엽서〕. **~kasten** *m.* 사각형 화분. **~kelch** *m.* 〚植〛 꽃받침. **~kenner** *m.* 화초 전문가. **~kind** *n.* ① 히피(족). ② 화동(花童). **~kohl** *m.* 〚植〛 콜리플라워, 꽃양배추. **~kohl·gewächs** *n.* 〚醫〛 꽃양배추 같은 암종양. **~königin** *f.* ① 꽃의 여왕(보기: 장미). ② ↑ ~göttin. **~korb** *m.* 꽃바구니; 〚건축〛 초엽(蕉葉). **~korso** *m.* 꽃수레 행렬. **~kranz** *m.* 화환, 화관. **~krone** *f.* 〚植〛 화관. **~kübel** *m.* 꽃통, 화분. **~lese** *f.* 꽃의 채집; 〔비유〕 명시선(名詩選), 사화집(詞華集). **~liebhaber** *m.* ↑ ~freund.

blumenlos *a.* 〔드물게〕 꽃이 없는.

Blumen≈mädchen *n.* 꽃 파는 소녀. **~maler** *m.* 꽃 전문 화가. **~markt** *m.* 꽃시장. **~mehl** *n.* 〚植〛 화분(花粉), 꽃가루. **~monat** *m.* 꽃피는 달, 5월. **~muster** *n.* 꽃무늬. **~narr** *m.* 지나친 화초 애호가. **~pfad** *m.* 꽃길; 〔비유〕 환락의 길. **~polyp** *m.* 〚動〛 화형충류(花形蟲類)의 동물. **~pracht** *f.* 만발한 꽃. **~qualle** *f.* 〚動〛 꽃해파리목(目)의 동물. **~rabatte** *f.* 작은 꽃밭. **~ranke** *f.* 꽃덩굴. **≈reich** *a.* 〔雅語〕 꽃이 많은; 〔비유〕 화려한. **~reich** *n.* 꽃의 나라〔세계〕. **~reichtum** *n.* 〔雅語〕 꽃이 풍부함, 눈부시게 화려함. **~rohr** *n.* 〚植〛 칸나. **~sauger** *m.* 〚動〛 밀식조(蜜食鳥)과의 새. **~scheide** *f.* 〚植〛 불염포(佛焰苞). **~scherbe** *f.*, **~scherben** *m.* 화분. **~schere** *f.* 화초용 가위. **~schirm** *m.* 〚植〛 산형(繖形) 꽃차례〔화서〕. **~schmuck** *m.* 꽃장식; 〚건축〛 꽃무늬 조각. **~schnur** *f.* ↑ ~gewinde. **~schrift** *f.* ↑ ~sprache. **~sonntag** *m.* 〔드물게〕 부활절 직전의 일요일. **~spiele** ⟪frz. jeux floraux 의 독어역⟫ *pl.* 꽃놀이(노래 경연; 우승자에게는 금·은제 꽃이 주어졌음).

Blumen≈sprache *f.* 꽃말, 화사(花詞). **~stab** *m.* 화초 받침 막대. **~stand** *m.* 〚植〛 꽃차례, 꽃파는 노점; 화서(花序). **~ständer** *m.* 화분대. **~staub** *m.* 〚植〛 ↑ ~mehl. **~stengel, ~stiel** *m.* 〚植〛 꽃자루. **≈stielständig** *a.* 〚植〛 꽃자루의〔가 있는〕. **~stock** *m.* ① 분재. ② ↑ ~stab. **~strauß** *m.* 꽃다발. **~stück** *n.* ① 화단(花壇). ② 꽃그림. ③ (소의) 등심 고기. **~tee** *m.* 좋은 차(茶). **~tiere** *pl.* 〚動〛 화충류, 산호충류. **~tisch** *m.* 화분 받침. **~topf** *m.* ① 화분. ② 화분 꽃: 〔구어〕 damit kannst du keinen ~ gewinnen 그것으로는 아무것도 달성할 수 없다. **≈tragend** *a.* 꽃이 있는; 꽃을 단. **~uhr** *f.* 꽃시계. **~vase** *f.* 꽃병. **~verkäuferin** *f.* 꽃 파는 여자. **~werk** *n.* 〚건축〛 꽃장식; 조화. **~zeit** *f.* 〔드물게〕 꽃철. **~zieher** *m.* 화초 재배자. **~zierat** *f.* ↑ ~schmuck. **~zucht** *f.* 화초 재배. **~zwiebel** *f.* 화초 구근, 알뿌리.

blümerant [blymərάnt] ⟪frz.⟫ *a.* 현기증나는: mir ist ~ (zumute) 현기증이 난다.

blumicht [blú:mıçt] *a.* 〔고어〕 ↑ blumig.

blumieren *t.* 〚工〛 …에 꽃무늬를 붙이다.

blumig [blú:mıç], **blümig** *a.* ① 꽃이 만발한. ② 향기가 진한. ③ 〔비유〕 (문체가) 화려한, 미사여구의.

Blumist [blumíst] *m.* -en, -en 화초 애호가〔재배가〕.

Blumistik *f.* 화초 재배(술), 원예.

Blümlein [blý:mlaın] *n.* -s, - 〔雅語〕 ↑ Blümchen.

Blunder·büchse [blʊ́ndər..] 《ndl.》 *f.* 〖軍〗 (옛날의) 나팔총.

Blunze [blʊ́ntsə] *f.* -n, **Blunzen** [blʊ́ntsən] *f.* 〖방언〗 선지 순대.

Blüschen [blýːsçən] *n.* -s, - 〖↑ Bluse 의 축소형〗 조그만〔귀여운〕 블라우스.

***Bluse** [blúːzə] 《frz.》 *f.* -n ① 블라우스: eine ~ zum Rock tragen 스커트에 블라우스를 입다. ② (노동자의) 윗옷, 작업복; 〖軍〗 (야전용) 재킷; (수병의) 상의.

Blüse [blýːzə] 《dän.》 *f.* -n (ndd.) 〖海〗 불빛 신호; 등댓불.

blusen·artig *a.* 블라우스 모양의.

blusig *a.* 블라우스 형의.

Blüslein *n.* -s, - 〖↑ Bluse 의 축소형〗 Blüschen.

Blusen·mann [blúːzən..] 《＜Bluse》 *m.* 〖복수: ..männer〗 노동자; (19 세기 프랑스의) 혁명적 노동자.

Blust [blust, bluːst] *m.* -(e)s (obd.) 꽃(핌), 개화: im ~ sein〔stehen〕 꽃이 피어 있다.

***Blut** [bluːt] *n.* -(e)s ① 피, 혈액; 생명: ein Tropfen ~ 피 한 방울; das ~ stillen 지혈하다; jm. ~ ablassen〔abzapfen〕 누구에게서 (나쁜) 피를 뽑아내다, 누구에게 사혈(瀉血) 요법을 쓰다; ~ spenden 헌혈하다; ~ übertragen 수혈하다; ein Gesicht wie Milch und ~ 홍안, 혈색이 좋은 얼굴; ~ spucken〔husten〕 피를 토하다, 각혈하다; im Kampf wurde viel ~ vergossen 전투에서 많은 사람이 죽었다; wir wollen kein unnötiges ~ vergießen 우리는 불필요한 살인을 원치 않는다; er liegt in seinem ~ 그는 피투성이가 되어 쓰러져 있다; jm. das ~ 〔jn. bis aufs ~〕 aussaugen 누구의 고혈을 짜내다; jn. bis aufs ~ quälen 〔peinigen〕 누구를 죽도록〔심히〕 괴롭히다; ~ geleckt haben a) (사냥개·짐승 따위가) 피에 맛들이다, b) 〖비유〗 (어떤 일에) 재미를 붙이다, 맛들이다; sein ~ fürs Vaterland vergießen 조국을 위하여 목숨을 바치다; dieser Boden ist mit ~ getränkt 이곳에서 누군가가〔많은 사람이〕 살해되었다; 〖비유〗 an seinen Händen klebt ~ 그는 손에 피를 묻혔다, 누군가를 살해했다; 〖시어〗 eine Schande mit ~ abwaschen 피로써 치욕을 씻어내다; 〖시어〗 sein ~ schreit nach Rache 그의 죽음은 피〔복수〕를 부르고야 말 것이다; 〖雅語〗 im ~ waten 대학살극을 벌이다; 〖雅語〗 et. in (js.) ~ ersticken 무엇을 무자비하게 탄압하다; 〖雅語〗 nach ~ lechzen〔dürsten〕 복수심에 불타다; 〖시어〗 et. mit seinem ~ besiegeln 무엇을 위해 죽다; 〖비유〗 in Fleisch und ~ übergehen 피가 되고 살이 되다, 제 2 의 천성이 되다; Gut und ~ einsetzen 〔opfern〕 생명과 재산을 바치다. ② 〖비유〗 기질, 기분, 마음 상태: kaltes ~ bewahren 냉정함을 잃지 않다, 자제하다; mit kaltem ~ 냉정하게; (nur) ruhig ~! 좀 진정해라!; js. ~ zu Kochen bringen 누구의 피를 끓게 하다, 격앙시키다; böses ~ schaffen 적개심을 불러일으키다, 격분시키다; er hat heißes 〔feuriges〕 ~ 그는 다혈질이다; ~ sehen 흥분한 나머지 눈이 안 보이다〔뒤집히다〕; ~ schwitzen 극도로 불안해 하다, 극도의 흥분 상태다; das ~ erstarrte in meinen Adern 나는 숨이 멎을 정도로 경악했다. ③ 〖비유〗 혈통, 핏줄, 가문: die Bande des ~es 혈연; aus〔von〕 adligem ~ 귀족 태생의; blaues ~ in den Adern haben 명문〔귀족〕 출신이다; ~ und Boden 피와 땅(민족과 국토의 결합을 강조하는 나치스의 이데올로기); reines ~ 순종(純種) (Voll ~); mein eigen Fleisch und ~ 내 혈육〔친자식〕; das ~ verleugnet sich nicht 핏줄은 속일 수 없다; die Musik liegt ihm im ~ 그는 음악에 천부적 재능이 있다; 〖속담〗 ~ ist dicker als Wasser 피는 물보다 진하다; Menschen unseres ~es 우리 동포들. ④ 〖시어〗 사람, 인간: ein junges ~ 젊은이, 청년; ein unschludiges ~ 죄 없는 자; sie ist ein lustiges ~ 그녀는 명랑한 여자다. ⑤ 핏빛, 선홍색: Koralle ersten ~es 최고급 홍(紅) 산호; das ~ der Abendsonne 핏빛 노을.

blut.. *pref.* 형용사와 결합하여 강조어로 쓰임 (보기: ~jung 새파랗게 젊은).

Blut≈abgang *m.* 출혈. **~achat** *m.* 〖광물〗 홍마노(紅瑪瑙). **~acker** *m.* ① 〖聖〗 피밭(마태 27:8). ② 유혈의 들판, 아수라장. **~ader** *f.* 정맥(Vene). **~albern** *a.* 너무나 멍청한. **~alge** *f.* 〖植〗 붉은 말, 홍조(紅藻). **~alkohol** *m.* 혈중 알코올 (농도). **~andrang** *m.* 충혈. **~anschoppung** *f.* 울혈(鬱血). **~arm** *a.* ① 빈혈의(anämisch). ② 〖구어〗 허약한, 곧 쓰러질 듯한. ③ 〖드물게〗 찢어지게 가난한. **~armut** *f.* 빈혈 (Anämie). **~auffrischung** *f.* (가축의) 품종개량. **~auflösung** *f.* 적혈구 용해. **~auge** *n.* 충혈된 눈; 〖植〗 꼬리고사리. **~austritt** *m.* 일혈(溢血). **~auswurf** *m.* 혈담(血痰). **~bad** *n.* 살육, 학살. **~bahn** *f.* 혈맥, 혈관. **~bank** *f.* 〖醫〗 혈액 은행. **~bann** *m.* 〖고어〗 형사 재판권; 생살 여탈권. **~baum** *m.* 〖植〗 ① (↑ Blauholz) 로그우드(콩과의 작은 교목). ② 용혈수(龍血樹). **~bedeckt, ~befleckt** *a.* 피로 물든〔얼룩진〕, 피투성이가 된. **~behälter** *m.* ↑ ~gefäß. **~beschmiert** *a.* 피범벅의. **~bespritzt** *a.* 피가 튄 자국이 있는, 피투성이가 된. **~beule** *f.* 혈종(血腫). **~bewegung** *f.* 혈액 순환, 피의 흐름. **~bild** *n.* 〖醫〗 ① 혈액 검사. ② (혈액 검사로 밝혀진) 혈액의 상태. **~bildend** *a.* 〖生〗 조혈(造血)의, 조혈 작용을 하는. **~bildner** *m.* 〖生〗 단백질. **~bildung** *f.* 〖生〗 혈액 생성, 조혈. **~blase** *f.* 혈종(血腫), 혈류(血瘤). **~brechen** *n.* 토혈(吐血). **~bruch** *m.* 음낭 혈종(陰囊血腫), 혈류(血瘤). **~buche** *f.* 〖植〗 (유럽의) 잎이 빨간 너도밤나무. **~bühne** *f.* 〖시어〗 단두대. **~bürge** *m.* 볼모, 인질.

Blütchen [blýːtçən] *n.* -s, - 〖↑ Blüte 의 축소형〗 작은 꽃; 〖醫〗 소구진(小丘疹).

Blut≈druck *m.* 혈압. **~druck·senkend** *a.* 혈압을 떨어뜨리는: ~e Mittel 혈압 강하제. **~drüse** *f.* 〖해부〗 맥관선(脈管腺); 내분비선(內分泌腺). **~durst** *m.* 피에 굶주림, 살기, 살의. **~dürstig** *a.* 피에 굶주린, 살기등등한, 잔인한.

***Blüte** [blýːtə] *f.* -n ① (대개 나무에 피는) 꽃 (↑ Blume): ~n treiben 꽃봉오리를 맺다; 〖비유〗 er sucht aus jeder ~ Honig zu saugen 그는 자기 이익만을 챙기는 데 급급하다; 〖비유〗 etwas treibt seltsame ~n 무엇이 기묘한 형태를 띠다; seine Beredsamkeit treibt üppige ~n 그는 화려한 말솜씨를 구사한다.

②개화, 만발, 성화기(盛花期); 〖비유〗 전성기, 절정, 한창때: die Bäume standen in (voller) ~ 나무들에 꽃이 만발했다; ihr Vater starb in der ~ seiner Jahre 그 여자의 아버지는 한창 젊은 나이에 죽었다; eine neue ~ der Malerei 회화의 새로운 전성기. ③정수, 정화(精華): die ~ der Ritterschaft 기사도의 꽃. ④〖비유〗결실, 산물: ~n der modernen Zivilisation 근대 문명의 산물. ⑤〖구식〗 실언; 무심코 나온 말〔익살〕. ⑥〖구어·비유〗 위조 지폐. ⑦〖醫〗 발진, 여드름. ⑧〖化〗…화(華): Schwefel⸗ 황화.

Blut⸗egel *m.* 〖動〗 거머리; 〖비유〗흡혈귀. **~einspritzung** *f.* 혈액주사. **~empfänger** *m.* 〖醫〗 수혈을 받는 사람.

***bluten** [blú:tən] 《I》 *i.* (h.) ① 피가 나다, 출혈하다: an der Hand ~ 손에 피가 나다; aus der Nase ~ 코피가 나다; 〖비유〗 mir blutet das Herz 나는 가슴이 찢어질 듯이 아프다; ~den Herzens 〔mit ~dem Gefühl〕 피를 토하는 심정으로. ② (나무가) 수액을 분비하다; (콘크리트가) 표면으로 물기를 내보내다. ③〖구어〗 막대한 손해를 보다, 대가를 치르다: er muß tüchtig ~ 그는 틀림없이 많은 돈을 손해볼 것이다; er soll mir dafür schon ~! 그놈에게 이 앙갚음을 하겠다! ④ 피를 흘리다, 죽다: fürs Vaterland ~ 조국을 위하여 목숨을 바치다; büßend ~ 죽음으로 속죄하다. ⑤〖학생〗 맥주를 따르다가 흘리다. 《II》 *t.* ①〖결과를 나타내어〗 das Bett voll ~ 침대를 피투성이로 만들다; sich tot 〔zu Tode〕 ~ 출혈로 죽다. ②〖고어〗 (피·눈물을) 흘리다.

..blüten *suf.* "…꽃 빛깔의"의 뜻(보기: pfirsich~ 복숭아(꽃) 색의).

Blüten⸗ähre *f.* 〖植〗 수상(穗狀) 꽃차례〔화서〕. **~alter** *n.* 청춘(시절), 한창나이. **~atem** *m.* 〖비유〗 꽃향기. **~auge** *n.* ↑ ~knospe. **~blatt** *n.* 꽃잎. **~boden** *m.* 〖植〗 꽃턱, 화탁(花托). **~decke** *f.* 〖植〗 꽃덮이, 화피(花被). **~dolde** *f.* 〖植〗 산형(繖形) 꽃차례〔화서〕. **~duft** *m.* 꽃향기. **~honig** *m.* 꽃의 꿀, 화밀(花蜜). **~hülle** *f.* 〖植〗 꽃뚜껑, 화개(花蓋); 총포(總苞). **⸗jung** *a.* 꽃처럼 젊은. **~kätzchen** *n.* 〖植〗 유제(葇荑) 꽃차례〔화서〕. **~kelch** *m.* 〖植〗 꽃받침. **~knospe** *f.* 〖植〗 꽃봉오리. **~kolben** *m.* 〖植〗 육수화(肉穗花). **~köpfchen** *n.* 〖植〗 두상화(頭狀花). **~krone** *f.* 화관(花冠). **~lese** *f.* 명시선(名詩選), 사화집(詞華集).

blütenlos *a.* 꽃이 없는, 꽃이 피지 않는: ~e Pflanze 민꽃〔은화(隱花)〕 식물.

Blüten⸗öl *n.* (꽃에서 채취한) 향유. **~pflanze** *f.* 종자〔현화(顯花)〕 식물. **~regen** *m.* 〖시어〗 비처럼 쏟아져내리는꽃무리, 꽃비. **⸗reich** *a.* 꽃이 많은. **~scheibe** *f.* 〖植〗 화반(花盤). **~schnee** *m.* 눈처럼 떨어지는 꽃무리. **~stand** *m.* 〖植〗 꽃차례, 화서(花序). **⸗ständig** *a.* 〖植〗 꽃차례의〔가 있는〕. **~staub** *m.* 〖植〗 꽃가루, 화분(花粉). **~stecher** *m.* 〖動〗 꽃바구미속. **~stengel, ~stiel** *m.* 〖植〗 꽃자루, 화경(花梗). **⸗stiel·ständig** *a.* 꽃자루의〔가 있는〕. **~tage** *pl.* 꽃다운〔아름다운〕 시절: ~ des Lebens 청춘.

Blut⸗entleerung *f.* ↑ ~entziehung. **~entnahme** *f.* 〖醫〗 혈액 채취, 채혈.

blüten⸗tragend *a.* 꽃이 있는. **⸗traube** *f.* 〖植〗 총상(總狀) 꽃차례〔화서〕.

Blut·entziehung *f.* 〖醫〗 (나쁜) 피를 빼냄, 사혈(瀉血).

blüten⸗weiß *a.* 새하얀. **⸗zweig** *m.* 꽃이 달린 가지, 꽃가지.

Bluter [blú:tər] *m.* -s, - 혈우병 환자, 출혈성 환자.

Blut⸗ergießung *f.*, **~erguß** *m.* 내출혈, 혈액 침출(浸出), 일혈(溢血).

Bluter·krankheit *f.* 〖醫〗 혈우병.

blut⸗erzeugend *a.* ↑ ~bildend. **⸗erzeugung** *f.* ↑ ⸗bildung.

Blüte·zeit *f.* ① 꽃이 피는 시기, 꽃철. ②〖비유〗 전성기, 한창때.

Blut⸗fahne *f.* ① (중세 때 봉토와 함께 수여되는) 붉은 기(생살 여탈권의 수여를 상징함). ② (나치스의) 철십자기. **~farbe** *f.* 핏빛, 적홍색. **~farb·stoff** *m.* 혈색소(Hämoglobin). **~faser·stoff** *n.* 혈액 섬유소(Fibrin). **~fehde** *f.* (인명 살상이 따르는) 피를 튀기는〔치열한〕 파벌 싸움. **~feind** *m.* 불구대천의 적, 철천지원수. **~fink** *m.* 〖動〗 되새속의 일종. **~flagge** *f.* 〖海〗 붉은 기. **~fleck** *m.* 핏자국: 〖醫〗 혈반(血斑), 자반(紫斑). **~flecken·krankheit** *f.* 혈반〔자반〕병. **~fluß** *m.* 출혈; 월경. **⸗fremd** *a.* 아주 낯선, 생판 모르는. **~fülle** *f.* 충혈, 다혈증(多血症). **~gefäß** *n.* 〖해부〗 혈관(Ader). **~geld** *n.* ①〖게르만법〗 (Wergeld) 살인 배상금(상대 부족에게 살인죄값으로 치르는 돈). ② (청부 살인에 대한) 살인 사례금. ③ (중세 때의) 살인범에 대한 현상금. **~gericht** *n.* (중세 때 생사를 결정짓는) 피의 재판. **~gerinnsel** *n.* 응혈(凝血); 혈전(血栓). **~gerinnung** *f.* 〖醫〗 혈액 응고. **~gerüst** *n.* 〖雅語〗 단두대(~bühne). **~geschwür** *n.* 〖구식〗 종기, 부스럼. **~gier** *f.* 살의, 살인욕(~durst). **⸗gierig** *a.* 피에 굶주린(durstig). **~gruppe** *f.* 혈액형. **~gruppenbestimmung** *f.* 혈액형 검사. **~gruppen·untersuchung** *f.* (친자 확인을 위한) 혈액형 검사. **~harnen** *n.* 〖醫〗 혈뇨증(血尿症). **~herrschaft** *f.* 폭정, 공포 정치. **~hoch·druck** *m.* 〖醫〗 고혈압. **~hochzeit** *f.* (Bartholomäusnacht) 성(聖) 바돌로매 제(祭)의 밤(의 신교도 살육). **~holz** *n.* 〖植〗 (Kampescheholz) 로그우드(콩과의 작은 교목). **~hund** *m.* 블러드하운드(후각이 예민한 영국산(産) 사냥개); 〖비유〗 잔학한 인간; 폭군. **~husten** *m.* 〖醫〗 각혈.

Blüte⸗gras *n.* 〖植〗 바랭이의 일종. **~hirse** *f.* ↑ ~gras.

Blüthner [blý:tnər] *m.* -s, - 〖음악〗 블뤼트너 악기 제작소에서 만든 피아노.

***blutig** [blú:tıç] *a.* ① 피가 나는, 피투성이의; 핏빛의, 새빨간: ~ machen 피투성이로 만들다; sich 〔sich[3] die Hände〕 ~ machen 살인을 범하다; ~ beißen 물어서 피를 내다; ~es Fleisch 채 익지 않은 고기. ② 피비린내(가) 나는, 유혈의; 피에 굶주린, 잔학한: ein ~er Kampf 혈투, 혈전; ~es Handwerk 유혈극, 참사; ~e Taten 잔혹한 행위. ③〖강조〗 굉장한, 대단한, 지독한: es ist mein ~er Ernst 그것은 나의 깊은 진심이다; ein ~er Anfänger〔Laie〕 완전 초보자, 진짜 문외한; keinen ~en Heller haben 단 한 푼도 없다; ~e

Tränen weinen 피눈물을 흘리다.
..blütig *suf.* ①《<Blut》"…한 피의"의 뜻(보기: heiß~ 열혈의; kalt~ 냉혈의). ②《<Blüte》"…한 꽃을 가진"의 뜻(보기: weiß~ 흰 꽃의).
Blut·igel *m.*〖動〗거머리(↑ Blutegel).
blutig·rot *a.* ↑ blutrot.
Blut≈jaspis *m.*〖광물〗혈옥수(血玉髓), 혈석(血石). **≈jung** [blúːt-júŋ] *a.* 새파랗게 젊은. **~kasten** *m.*〖사냥〗심장. **~klumpen** *m.* ↑ ~kuchen. **~konserve** *f.*〖醫〗저장 혈액. **~koralle** *f.* 적(赤)산호. **~körperchen** *n.*〖生〗혈구(血球): rote〔weiße〕~ 적혈구〔백혈구〕. **~kraut** *n.* 지혈풀. **~krebs** *m.*〖醫〗백혈병(Leukämie). **~kreis·lauf** *m.*〖生〗혈액순환. **~kuchen** *m.*〖生〗혈병(血餠), 피떡. **~kügelchen** *n.*〖生〗↑ ~körperchen. **~lassen** *n.* 사혈(瀉血). **~lache** *f.* 피바다. **~lauf** *m.* ① ↑ ~fluß. ② ↑ ~kreislauf. **~laugen·salz** *n.*〖化〗혈로염(血滷塩): gelbes ~ 페로시안화칼륨, 황혈염(黃血塩); rotes ~ 페리시안화칼륨, 적혈염. **~laus** *f.*〖動〗사과나무진딧물. **≈leer** *a.* ① 빈혈의. ② 재미〔생동감〕없는, 시시한. **~leere, ~leerheit** *f.* 빈혈. **~lehre** *f.* 혈액학.
..blütler《<Blüte》*suf.* "…한 형태의 꽃을 가진 식물"의 뜻(보기: Lippen~ 순형화(脣形花) 식물).
Blut≈linie *f.* 혈통. **~lohn** *m.* ↑ ~geld.
blutlos *a.* ↑ blutleer.
Blut≈mal *n.*〔고어〕모반(母斑), 붉은 반점;〖醫〗혈반(血斑), 상흔(傷痕). **~mangel** *m.* (출혈로 인한) 빈혈. **~mäßig** *a.* (↑ blutsmäßig) 혈족의, 혈통상의. **~mensch** *m.* 잔인한 사람. **~orange** *f.* 과육이 붉은 오렌지. **~pfropf** *m.* 혈전(血栓). **~plasma** *n.*〖生·醫〗혈장(血漿). **~plättchen** *n.*〖生·醫〗혈소판(血小板)(Thrombozyt). **~probe** *f.* (알코올 함량 측정 등을 위한) 혈액 검사. **~rache** *f.* (살인자 가족을 살해하는) 피의 복수. **~rächer** *m.* 피의 복수를 하는 사람. **~rausch** *m.*〖法〗살의(殺意). **~regen** *m.* 붉은 비, 흙비(사막의 홍진 따위가 대기 중으로 올라갔다가 다시 내려오는 것). **≈reich** *a.* 피가 많은, 다혈(多血)의. **≈reinigend** *a.*〖醫〗피를 맑게 하는, 정혈(淨血) 작용이 있는. **~reinigungs·mittel** *n.* 정혈제(劑). **~richter** *m.* 사형 집행인(Henker). **~rinne** *f.* (칼이나 창의) 홈, 균열. **≈rot** [blúːtróːt] *a.* 혈홍색(血紅色)의, 새빨간. **~rot** *n.*〖生〗혈색소, 헤모글로빈. **~ruhr** *f.*〖醫〗이질, 적리(赤痢), 혈리(血痢). **≈rünstig** *a.* ① 피비린내 나는, 끔찍한: eine ~e Geschichte 피비린내 나는 이야기. ② 피에 굶주린, 잔인한: ein ~er Mensch 잔인한 인간. **≈sauer** *a.* 몹시 쓰라린, 뼈아픈: es sich³ ~ werden lassen 갖은 고초를 다 겪다. **~sauger** *m.* ① 흡혈 동물(거머리·흡혈박쥐 따위). ② 흡혈귀(Vampir). ③〔구어·폄어〕착취자, 고리 대금업자. **~saugerei** *f.* 착취, 가렴주구(苛斂誅求).
Bluts≈bruder *m.* (피로써 맹세한) 맹우(盟友). **~brüderschaft** *f.* 혈맹 (관계), 혈맹의 우정.
Blut≈schande *f.* ① 근친 상간. ② (나치 시대의) 인종적 불명예, 민족 보호법 위반(특히 유대인과 아리아인의 결합을 지칭). **~schänder** *m.* 근친 상간자. **≈schänderisch** *a.* 근친 상간의. **≈scheu** *a.* 피를 무서워하는. **~schlag·(fluß)** *m.*〖醫〗졸중(卒中). **≈schlecht** [blúːtʃlɛ́çt] *a.* 지극히 나쁜. **~schuld** *f.*〔시어〕살인죄: ~ auf sich laden 살인죄를 범하다. **~schwamm** *m.*〖植〗간장버섯(들살이버섯의 일종);〖醫〗혈관종(血管腫). **~schwär** *m.*, **~schwäre** *f.*, **~schwären** *m.* 종기(↑ Furunkel). **~schweiß** *m.*〖聖〗피 같은 땀, 피땀(누가 22:44). **≈selten** *a.* 극히 드문. **~senkung** *f.*〖醫〗혈침(血沈), 적혈구 강하 (속도); 혈침 검사. **~serum** *n.*〖醫〗혈청.
bluts≈fremd *a.* 종족이〔피가〕다른. **≈freund** *m.* ↑ ~bruder. **≈freundschaft** *f.* ↑ ~brüderschaft. **≈gemeinschaft** *f.* 혈연공동체. **~mäßig** *a.* 혈연의: ~e Verwandtschaft 혈족 (관계).
Blut≈spat *m.*〖수의〗비절 내종(飛節內腫). **~speien** *n.*〖醫〗~husten. **~spende** *f.* 헌혈. **~spender** *m.* 헌혈자. **~spucken** *n.*〖醫〗↑ ~husten. **~spur** *f.* 혈흔, 핏자국. **~stätte** *f.*〔시어〕살해 장소. **~stauung** *f.*〖醫〗울혈. **~stein** *m.*〖광물〗적철광, 혈석(血石). **≈stillend** *a.* 지혈의: ~e Mittel 지혈제. **~stillung** *f.* 지혈. **~stockung** *f.*〖醫〗↑ ~stauung. **~strieme** *f.* 띠 모양의 피멍 자국. **~strom** *m.* ① (체내에서의) 피의 흐름. ② 심한 출혈.
Bluts≈tröpfchen *n.* ① 작은 핏방울. ②〖植〗붉은 복수초(福壽草). ③〖動〗붉은 반점이 있는 청색 나비. **~tropfen** *m.* 핏방울.
Blut≈stuhl *m.*〖醫〗피똥, 혈변(血便). **~sturz** *m.* 심한 토혈〔객혈〕.
bluts≈verwandt *a.* 근친의, 혈족의: der ≈e 근친, 육친. **≈verwandtschaft** *f.* 혈연, 혈족 관계.
blutt [blut] *a.* (schweiz.) ① 벌거벗은, 알몸의: die ~e Haut 맨 살. ② 단 하나의, 유일한: keinen ~en Franken haben 단 한 푼도 없다.
Blut≈tat *f.*〔雅語〕살인. **~taufe** *f.*〖가톨릭〗피의 세례, 아직 영세받지 못한 사람의 순교: seine ~ empfangen 피의 세례를 받다, 첫 전투에 참가하다. **~tausch** *m.*, **~transfusion** *f.*〖醫〗↑ ~übertragung. **≈triefend** *a.* 피가 (뚝뚝) 떨어지는. **~überfüllung** *f.* 충혈. **≈überströmt** *a.* 피투성이의. **~übertragung** *f.*〖醫〗수혈. **~umlauf** *m.* ↑ ~kreislauf.
Blutung [blúːtʊŋ] *f.* -en ① 출혈, 유혈. ②〔대개 복수〕월경(Menstruation).
blut·unterlaufen *a.* 피멍든, 충혈된.
Blut≈unterlaufung *f.*〖醫〗피하 일혈(皮下溢血), 충혈. **~untersuchung** *f.* 혈액 검사. **~urteil** *n.*〔고어·시어〕사형 선고. **~vergießen** *n.* 유혈; (많은 인명의) 살육, 학살: unnötiges ~ vermeiden 불필요한 살육을 피하다. **~vergiftung** *f.*〖醫〗패혈증(敗血症), 농독증(膿毒症). **~verlust** *m.* 실혈(失血), 출혈. **≈verschmiert** *a.* 피 묻은, 피투성이의. **≈voll** *a.* 생생한, 활기찬. **≈warm** *a.* 피가 따뜻한, 온혈의. **~wärme** *f.* 혈온(血溫)(37.5℃). **~wäsche** *f.*〖醫〗(인공 신장에 의한) 혈액 투석(透析); 혈액 교환. **~wasser**

n. ↑ ~serum. **~wasser·gefäße** *pl.* 림프관. **~wässerig** *a.* 혈청 같은. **~weiderich** *m.* 〖植〗 부처꽃과의 식물. **~welle** *f.* ①〖醫〗 맥박을 기록한 곡선, 맥파(脈波). ② 홍조(紅潮): eine zarte ~ flog ihr über das Gesicht 그녀는 살짝 얼굴을 붉혔다. **~wenig** *a.* 〔구어〕 극히 적은. **~wolle** *f.* 가죽이 붙은 양털. **~-wurst** *f.* 피를 넣은 소시지〔순대〕. **~wurz** *f.* 〖植〗 (Tormentill) 양지꽃속의 뿌리(장출혈 치료용 약). **~zeuge** *m.* 순교자(Märtyrer). **~zoll** *m.* 인명의 희생: seinen ~ entrichten 목숨을 잃다〔바치다〕. **~zucker** *m.* 〖醫〗 혈당. **~zucker·spiegel** *m.* 혈당 농도, 혈당치. **~zufuhr** *f.* 혈액 공급. **~zwang** *m.* 〖醫〗 적리(赤痢), 이질.

BLZ =Bankleitzahl 은행 코드 번호.

b-Moll [bé:mɔl] *n.* - 〖음악〗 내림 나 단조.

b-Moll-Tonleiter *f.* 내림 나 단조 음계.

BmUJF =Bundesministerium für Umwelt, Jugend und Familie 〖행정〗 오스트리아 연방 환경·청소년·가족부.

BMW =Bayerische Motorenwerke AG 바이에른 자동차 주식 회사; BMW 사제 자동차.

BMWV =Bundesministerium für Wissenschaft und Verkehr 〖행정〗 오스트리아 연방 과학·교통부.

BND =Bundesnachrichtendienst (독일) 연방 정보부.

Bö [bø:] 《ndl.》 *f.* -en 〖海〗 돌풍.

Boa [bó:a] 《lat.》 *f.* -s ①〖動〗 보아, 왕뱀. ② 여성용 털 목도리.

Boardinghouse [bó:ʳdɪŋhaus, bɔ́:dɪŋ..] 《engl.》 *n.* -, -s 하숙집.

Bob [bɔb] 《engl.》 *m.* -s, -s 〔↑ Bobsleigh 의 축약형〕 봅슬레이.

Bob·bahn *f.* 봅슬레이 코스〔활주로〕.

Bobbel [bɔ́bəl] 《ndd.》 *f.* -n 수포(水泡).

bobbelig *a.* 유유(悠悠)한.

bobbeln *i.* (h.) 거품을 일으키다.

bobben [bɔ́bən] *i.* (h.) (봅슬레이를 탈 때) 상체를 앞으로 흔들어 속력을 내다.

Bobby [bɔ́bi] 《engl.》 *m.* -s,빈-s/..bies (영국의) 경찰관(영국의 경찰 제도를 개혁한 R. Bobby Peel 경의 이름에서).

Bober [bó:bəʳ] *m.* -s, - 〖海〗 부표(浮標).

Boberell(e) [bobərέl(ə)] 《lat.》 *f.* ..rellen 〖植·방언〗 꽈리.

Bobine [bobí:nə] 《frz.》 *f.* -n ① 실패, 실감개. ②〖광산〗 윈치. ③〖제지〗 (담배 종이 등의 제조를 위한) 두루마리 종이 띠〔테이프〕.

Bobinet [bobinέt] 《engl.》 *m.* -s, - 6 각형의 그물눈 모양으로 짠 레이스.

Bob·sleigh [bɔ́psle:, bɔ́b..] 《engl.》 *m.* -s, -s 봅슬레이(경주용의 2-4 인승 썰매).

Bobtail [bɔ́bteɪl] 《engl.》 *m.* 〖動〗 영국산(産) 목양견(牧羊犬).

Boccaccio [bɔkátʃo] Giovanni ~ 보카치오 (Dekameron 의 저자, 1313-75).

Boccia [bɔ́tʃa] 《it.》 *n.* -(s), -s 〔*f.* -s〕 보치아 (이탈리아의 잔디밭 공굴리기 놀이).

Boche [bɔʃ] 《frz.》 *m.* -, -s 〔욕설〕 독일놈(1차 대전 때 독일인에 대한 프랑스인의 욕).

***Bock**[1] [bɔk] *m.* -(e)s, Böcke [bœ́kə] ① (염소·양·노루 등의) 수컷, (특히) 숫염소: Hirsch~ 수사슴; 〔구어〕 den ~ zum Gärtner machen〔setzen〕 고양이에게 생선 가게를 지키게 하다; 〔구어〕 den ~ melken 불가능한 일을 행하다; 〔구어〕 das Kind stößt der ~ a) 그 아이는 고집이 세다, b) 그 아이는 울면서 떼를 쓴다; 〔구어·비유〕 die Böcke von den Schafen scheiden〔trennen〕 선한 자와 악한 자를 구별하다(마태 25:32); 〔구어〕 einen ~ schießen 실수하다; 〔경박〕 et. aus ~ tun 무엇을 그저 재미삼아 하다; 〔경박〕 einen ~ auf et. haben 무엇을 하고 싶다; ich habe keinen ~ darauf, jetzt fernzusehen 나는 지금 텔리비전을 보고 싶지 않다. ②〔비속〕 사내, 놈, 자식: ein geiler ~ 바람둥이; ein sturer ~ 고집불통; hol's der ~! 제기랄, 빌어먹을! ③ 도마(跳馬), 뜀틀: über den ~ springen 도마를 뛰어넘다; den ~ machen (다른 사람이 뛰어넘을 수 있도록) 상체를 숙이다. ④ 작업대, 받침대, 선반: Säge~ 톱질 모탕; Feuer~ 장작 선반. ⑤ (등받이가 없는) 높은 의자; 마부석(Kutsch~). ⑥ (중세 때의) 성벽 파쇄기(Sturm~). ⑦ (엄지손가락·발가락을 나사로 조여 으깨는) 고문 도구. ⑧〖動〗 하늘소(~käfer). ⑨ (동물의) 고약한 냄새. ⑩ 〔방언〕 건초 창고〔헛간〕.

Bock[2] *m.* -s, - ↑ Bockbier 의 약칭.

bock·beinig *a.* 〔구어〕 고집센, 완고한, 반항적인.

Bock·bier *n.* 독한 맥주(맥주로 유명한 니더작센주의 도시 Einbeck 에서 유래).

Bock·brücke *f.* 기둥이 있는 다리, 구각교(構脚橋).

Böckchen [bœ́kçən] *n.* -s, - 〔↑ Bock 의 축소형〕 작은 숫염소·숫양·수노루.

Bock·decke *f.* (공식 마차의) 마부석의 덮개.

bockeln [bɔ́kəln] 〔드물게〕 ↑ böckeln.

böckeln [bœ..] *i.* (h.) 염소의 냄새가〔맛이〕 나다.

bocken [bɔ́kən] 《I》 *i.* (h.) ① (염소·양 등의 암컷이) 수컷을 찾다, 발정하다, 암내내다. ② **(a)** (말·나귀 등이) 버티고 서서 가지 않으려고 하다: 〔비유·구어〕 der Motor bockt 엔진이 작동하지 않는다. **(b)** (망아지 등이) 우스꽝스러운 동작으로 길길이 뛰다. ③〔구어〕(아이가) 반항하다, 고집부리다. ④ (배가) 뒷질하다, (수레가) 덜컹거리다. 《II》〔방언〕 *refl.* sich ~ 지루해하다: wir haben uns bei der Filmvorführung gebockt 영화를 보는 동안 우리는 지루했다.

bockenzen [bɔ́kεntsən] *i.* (h.) 〔드물게〕 ↑ böckeln.

Bockerl [bɔ́kəʳl] *n.* -s, -n (öst.) 솔방울 (Kiefernzapfen).

Bock≈fell *n.* 염소 가죽. **~flöte** *f.* 〖음악〗 리코더(Blockflöte). **~geruch** *m.* 염소의 냄새; 악취. **~gestell** *n.* (마차의) 차대(車臺); 〖軍〗 나무 다발 만드는 데 쓰는 받침대. **~holm** *m.* (다리 놓는 데 쓰는) 관재(冠財).

bockig [bɔ́kɪç] *a.* ① 염소 같은, 염소 냄새가 나는. ②〔비유〕 고집 센, 완고한, 무뚝뚝한: ein ~es Kind 반항적인 아이; eine ~e Antwort 퉁명스런 대답. ③〔방언〕 지루한: ein ~er Vortrag 지루한 강연. ④〖軍〗 (비행기가) 상승 또는 하강 기류로 흔들리는.

böckig [bœ..], **bockisch, böckisch** *a.* ↑ bockig.

Bockigkeit *f.* 완고, 무뚝뚝함.

Bock≈käfer *m* 〖動〗 하늘소. **~kasten** *m.* 마

차의 짐 싣는 곳. **~kissen** *n.* 마부석의 쿠션. **~kran** *m.* 〖工〗 고가(高架) 이동 기중기. **~lamm** *n.* 새끼양의 수컷(생후 1 년내의). **~leder** *n.* ①〘드물게〙 염소 가죽(Ziegenleder). ② (비싼 염소 가죽 대신 책 표지용으로 쓰이는) 양 가죽. **≈ledern** *a.* 〘드물게〙 ① 양 가죽으로 만든. ② ↑ bockig.

Böcklein *n.* -s, - ↑ Böckchen.

Bock·leiter *f.* (접는) 양각(兩脚) 사다리.

Böcklin [bœkli:n] Arnold ~ 뵈클린(스위스의 화가, 1827-1901).

Bock≈mist *m.* 어리석은〔허튼〕 소리〔짓〕, 난센스. **~mühle** *f.* (독일식) 받침대 있는 풍차. **~pfeife** *f.* 〖음악〗 백파이프(Dudelsack).

Bocks≈bart *m.* ① 염소의 수염. ②〖植〗 선모(仙茅). **~beutel**[1] *m.* ① 염소의 음낭(陰囊). ② 배가 불룩한 프랑켄 포도주 병. ③ 프랑켄산(産)의 고급 포도주. **~beutel**[2] *m.* 《ndd. boksbüdel, „Buchbeutel"》 낡은 관습, 구식. **~beutelei** *f.* 구태의연, 구폐(舊弊). **~-distel** *f.*, **~dorn** *m.* 〖植〗 구기자나무.

böckseln [bœksəln] *i.* (h.) (포도주가) 황화수소〔곯은 달걀〕의 맛이 나다.

Böckser [bœksər] *m.* -s (잘못 만든) 새 포도주에서 나는 썩은 냄새와 맛.

Bocks≈fuß *m* 염소발(반인반수(半人半獸)인 Satyr 의 특징 중 하나). **~geile** *f.*, **~geilen** *m.* 〖植〗 난초과 식물의 하나. **~geruch** *m.* ↑ Bockgeruch. **~horn** *n.* 염소뿔: 〘구어〙 jn. ins ~ jagen 누구를 겁주다; sich ins ~ jagen lassen 〘구어〙 놀라다, 겁먹다. **~-hörndl** *n.* (öst.) 〖植〗 구주콩(Johannisbrot). **~horn·klee** *m.* 〖植〗 호로파(葫蘆巴) (치즈의 양념으로 쓰임). **~horn·kraut** *n.* 〖植〗 ↑ ~hornklee.

Bock≈springen *n.* 등넘기(다른 사람이 굽히고 있는 등을 뛰어넘는 놀이); 뜀틀넘기. **~-sprung** *m.* ① (망아지 등의) 우스꽝스러운 도약(↑ bocken 《I》②). ②〖스포츠〗 뜀틀넘기; 등넘기. ③ (클러치에서 성급히 발을 뗄 때 생기는) 자동차의 급격한 움직임. **≈steif** *a.* 몹시 뻣뻣한, 딱딱한; 고집이 센. **~verstellung** *f.* 〖건축〗 콘크리트용 틀. **~wagen** *m.* (짐칸에 판자 둘레가 있는) 짐차. **~-wurst** *f.* (데쳐 먹는) 작고 통통한 소시지.

Bodden [bɔ́dən] 《ndd.》 *m.* -s, - ① (바다로 통로가 좁게 난) 얕은 만. ②〘방언〙 ↑ Boden. ③〘방언〙 ↑ Bottich.

Bodega [bodé:ga] 《gr.》 *f.* -s 주점, 술집; (에스파냐의) 포도주 창고.

***Boden** [bó:dən] *m.* -s, Böden [bǿ:dən] ① 땅, 대지, 지면, 지반, 지표; 〘비유〙 기반, 토대: auf deutschem ~ 독일 땅에서; die am ~ liegenden Pflanzen 지면에 붙어 사는 식물; auf Gottes ~ 이 세상에서; jn. unter den ~ bringen 누구를 매장하다; zu ~ fallen〔sinken〕 쓰러지다, 무너지다; zu ~ gehen a) 〖권투〗 다운되다, b) 침몰하다, c) 파멸하다; jn. zu ~ drücken 누구를 제압하다; jn. zu ~ schlagen 누구를 타도하다; jn. zu ~ trinken (술마시기 경쟁에서) 누구를 쓰러뜨리다; die Augen zu ~ schlagen 눈을 내리깔다; zu ~ mit ihm! 그를 타도하라!; den ~ für et. (vor)bereiten 무엇을 위해 사전 준비를 하다; (festen) ~ fassen〔gewinnen〕 기반을 잡다; festen ~ unter den Füßen haben 〔auf festem ~ sein〕 a) 뭍〔육지〕에 오르다, b) 〘비유〙 (경제적) 기반이 탄탄하다, 근거가 확실하다; den ~ unter den Füßen verlieren 생존 기반〔설 땅〕을 잃다, 확실성을〔근거를〕 상실하다; jm. den ~ unter den Füßen wegziehen 누구의 생존 기반을 빼앗다; jm. ~ abgewinnen 누구를 능가하다; der ~ brannte ihm unter den Füßen 〔der ~ wurde ihm zu heiß〕 그의 지위〔처지〕가 위태로워졌다; et. dem ~ gleich machen 무엇을 파괴하다; et. aus dem ~ stampfen 무엇을 무에서 만들어내다; wie aus dem ~ gestampft〔gewachsen〕 땅에서 솟은 듯이, 갑자기; sich auf schwankenden ~ begeben 불확실한 일을 시도하다. ② 토지, 경작지, 토양: fruchtbarer ~ 옥토; jungfräulicher ~ 처녀지, 미개척지; der heimische 〔fremde〕 ~ 고향〔타향〕; 〘비유〙 seine Vorschläge fielen auf fruchtbaren ~ 그의 제안은 받아들여졌다〔호응을 얻었다〕; 〘농담〙 auf deutschen ~ kommen 많이 걸어서 구둣바닥이 해어지다; in〔aus〕 Grund und ~ 전적으로, 철저히; 〘합성어를 이루어 강조어로〙〘방언〙 ≈lustig 크게 기뻐하는. ③ (바다·배·통·그릇 등의) 바닥; (의자의) 앉는 부분; (Resonanz≈) (현악기의) 울림판, 공명판; 마룻바닥(Fuß≈); 〘방언〙 무대: Meeres≈ 해저(海底); Flaschen≈ 병의 바닥; 〘비유〙 eine Moral mit doppeltem ~ 표리부동한 도덕, 이중 윤리; auf dem ~ seines Beutels kommen 한푼도 가지고 있지 않다; dem Faß den ~ ausschlagen a) 통의 바닥을 쳐서 빠지게 하다, b) 〘비유〙 도를 넘어서다, 더 이상 감당할 수 없다. ④ (Grundlage) 기초, 근거; 〖植〗 (Frucht≈) 꽃턱, 화탁(花托): auf dem ~ der Tatsachen 사실에 입각하여; einer Behauptung den ~ entziehen 어떤 주장의 근거를 뒤집다; 〘속담〙 Handwerk hat einen goldnen ~ 기술이 재산이다, 손재주 있는 자 굶어 죽지 않는다. ⑤ 다락방(Dach≈): Wäsche≈ (지붕 밑의) 세탁물 건조실; 〘방언〙 Korn auf dem ~ haben 유복하다. ⑥ (südd.) (집의) 층 (Stockwerk). ⑦〖스포츠〗 = Bodenturnen 맨손 체조.

Boden≈abwehr *f.* 〖軍〗 지대공(地對空) 방위. **~analyse** *f.* 〖지질〗 토양〔토질〕 분석. **~art** *f.* 〖지질〗 토질, 지질. **~bakterie** *f.* 〖生〗 토양 박테리아. **~ball** *m.* 〖축구〗 땅볼. **~-bearbeitung** *f.* ① 경작. ② ↑ ~verbesserung. **~belag** *m.* 바닥재(타일 따위). **~-beschaffenheit** *f.* ① 토질, 지질. ②〖스포츠〗 (경기장의) 바닥 상태. **~besitz** *m.* 토지 소유. **≈blütig** *a.* 〖植〗 탁(상)화(托(上)花)의. **~-Boden-Rakete** *f.* 〖軍〗 지대지(地對地) 미사일. **~bohrer** *m.* 〖軍〗 활 모양의 송곳. **≈bös** *a.* (südd.) 아주 나쁜. **~druck** *m.* (용기의) 바닥 압력; (자동차의) 지면압(地面壓). **~eis** *n.* 저빙(底氷). **≈eng** *a.* (↔ ≈-weit) 폐각(閉脚)의(말의 발이 지면에 거의 붙는 자세). **~erhebung** *f.* 지표면의 융기. **~erosion** *f.* 〖지질〗 지표면의 침식. **~ertrag** *m.* 토지 수익: 〖經〗 das Gesetz des abnehmenden ~s 수확〔수익〕 체감의 법칙. **~fenster** *n.* 〖건축〗 천창(天窓), 지붕 창. **~fläche** *f.* ① 대지〔경작〕 면적. ② 바닥면. **~freiheit** *f.* (자동차의) 최저 지상고(地上高) (자동차의 바닥과 지면 사이의 간격). **~frost** *m.* 지면

결빙. **~geschoß** *n.* (Dachgeschoß) 맨 위층, 다락층. **∻gut** *a.* (südd.) 극히 좋은. **~haftung** *f.* (타이어의) 접지성(接地性). **~haltung** *f.* 방사(放飼). **∻hold** *a.* (식물이) 특정한 토양에서 잘 자라는. **~kammer** *f.* 다락방; 〖軍〗 탄저실(彈底室). **~kampf** *m.* ① 지상전(↔ Luftkampf). ②〖스포츠〗(레슬링·유도 등에서) 바닥에 눕거나 엎어져서 하는 싸움 자세. **~kredit** *m.* 〖經〗 토지 담보 대출 (Realkredit). **~kredit·institut** *n.* 토지 담보 대출 기관(토지 은행·부동산 은행 따위). **~kultur** *f.* 농업. **~kunde** *f.* 〖지질〗 토양학. **~leger** *m.* 바닥 까는 기술자, 타일공. **~loch** *n.* ↑ ~fenster.

***bodenlos** *a.* ① 바닥이 없는; 깊이를 알 수 없는: ~e Tiefe a) 심연, b) 지옥. ② 형언할 수 없는, 어디서도 못 들어본: ~ dumm 어리석기 짝이 없는.

Boden≈-Luft-Rakete *f.* 〖軍〗 지대공(地對空) 미사일. **~luke** *f.* 채광창(Dachluke), 천창(天窓). **~müdigkeit** *f.* 〖農〗 (연작에 따른) 토지 피폐. **~nebel** *m.* 지표면 안개. **~organisation** *f.* 〖空〗 지상 근무 편성; 지상 항공 관제 기구〔시설〕. **~personal** *n.* 〖空〗 지상 근무 요원. **~raum** *m.* 다락방. **~reform** *f.* 토지 개혁. **~reformer** *m.* 토지 개혁가. **~rente** *f.* 〖經〗 지대(地代) (Grundrente). **~satz** *m.* ① 침전〔침적〕물. ② 〔비유·폄어〕(사회의) 최하층, 하층민, 천민. **~schätze** *pl.* 지하 자원. **~schätzung** *f.* 〖經〗 토지 감정. **~schichtung** *f.* 〖지질〗 지층. **~schutz·gesetz** *n.* 〖생태학〗 토양 보호법.

Boden·see [bóːdənzeː] *m.* 보덴제(독일과 스위스 경계에 있는 호수).

Boden≈senkung *f.* 〖지질〗 지(표)면의 침하〔함몰〕; 요지(凹地). **~spekulation** *f.* 땅〔토지〕 투기. **∻ständig** *a.* ① 토착〔향토〕의, 그 지방 특유의. ②〖植〗 꽃턱〔화탁(花托)〕이 있는. **~station** *f.* 〖우주〗 지상국, 지상 기지. **~stein** *m.* (용광로의) 바닥돌; (맷돌의) 아랫돌. **∻stet** *a.* 〖植〗 특정한 땅에서만 자라는. **~streit·kräfte** *pl.* 〖軍〗 지상군 병력. **~stube** *f.* ↑ ~kammer. **~stück** *n.* (통의) 밑바닥에 쓰는 재목; 〖軍〗 (포의) 후신(後身). **~temperatur** *f.* 〖기상〗 지표면 온도. **~treppe** *f.* 다락방으로 통하는 계단. **~truppen** *pl.* 〖軍〗 지상군. **~tür** *f.* 다락방문. **~turnen** *n.* 〖스포츠〗 맨손 체조. **~vase** *f.* 바닥에 세우는 큰 꽃병. **~ventil** *n.* 〖工〗 저판(底瓣). **~verbesserung** *f.* 〖農〗 토지 개량. **~verhältnisse** *pl.* 토질, 토양 상태; 〖스포츠〗 주로(走路) 상황. **~verstaatlichung** *f.* 토지 국유화. **~welle** *f.* ①〖전기〗 지상파(地上波). ② 지표면의 굴곡. **~wischer** *m.* (schweiz.) (자루 달린) 밀걸레. **~wohnung** *f.* 지붕 밑 주거지. **~zins** *m.* 지대(地代).

Bodhisattwa [bodizátva] *m.* -, -s 〖불교〗 보살.

bodigen [bóːdɪgən] *t.* (schweiz.) ① 쓰러뜨리다, 제압하다. ② 해내다, 성취하다.

bodmen, bödmen [bóːdmən, bǿːd..] *t.* ① (통 따위에) 바닥을 대다; (방에) 마루를 깔다. ② (선박을) 저당잡히다.

Bodmer [bóːdmər] *m.* Johann Jakob ~ 보드머(스위스의 시인, 1698-1783).

Bodmerei [boːdməráɪ] 《<bodmen ②》 *f.* -en 선박 저당 계약.

Bodmerei≈brief *m.* 선박 저당 계약서. **~geber** *m.* 선박 저당 채권자.

Bodybuilder [bɔ́dibɪldər] 《engl.》 *m.* -s, - 보디빌더.

Bodybuilding [bɔ́dibɪldɪŋ] 《engl.》 *n.* -(s) 보디빌딩.

Bodycheck [bɔ́ditʃɛk] 《engl.》 *m.* -s, -s 보디 첵(아이스하키에서 통용되는 몸싸움).

Bodyguard 《engl.》 *m.* 보디가드, 경호원.

Bodystocking [bɔ́distɔkɪŋ] 《engl.》 *m.* -(s), -s (발레용) 전신 타이츠, 레오타드.

Bodysuit [bɔ́disjuːt] 《engl.》 *m.* -(s), -s (체조 선수용) 전신 타이츠.

Böe [bǿː] *f.* -n 돌풍(↑ Bö).

Boer [buːr] 《ndl.》 ↑ Bur.

Boethius [boéːtiʊs] *m.* 보에티우스(로마의 철학자·정치가, 480-525).

Bofel [bóːfəl] *m.* 흠 있는 물건(↑ Bafel).

Bofist [bóːfɪst, bofíst] *m.* -(e)s, -e 〖植〗 (Bovist) 말불버섯, 먼지버섯.

bog [boːk] ↑ biegen 의 과거형.

böge [bǿːgə] ↑ biegen 의 접속법 Ⅱ식.

Bögelchen [bǿːgəlçən] *n.* -s, - 〔↑ Bogen 의 축소형〕 작은 활.

***Bogen** [bóːgən] 《<biegen》 *m.* -s, -/(südd.; öst.) Bögen [bǿːgən] ① 곡선, 만곡, 궁형(弓形); (하천의) 굽이; 〖數〗 호(弧); 〖음악〗 연결부호(붙임줄·이음줄 등); 우회로(Umweg); 무지개(Regen∻): einen ~ machen a) (강·길 따위가) 구부러지다, b) 우회하다, 길을 돌아가다; ~ fahren 커브를 돌다, 곡선을 그리며 나아가다; einen ~ zeichnen〔beschreiben〕 호를 그리다; 〔비유〕 einen großen ~ um jn. machen 〔jm. in einem weiten ~ ausweichen〕 누구를 피하다〔멀리하다〕; 〔구어〕 im großen ~ 〔große ~〕 spucken 뽐내다, 으스대다; er hat den ~ heraus 그는 재주〔재치〕가 있다; 〔구어〕 in hohem ~ hinausfliegen〔hinausgeworfen werden〕 쫓겨나다; in Bausch und ~ 통틀어, 일괄해서(↑ Bausch). ②〖건축〗 아치, 홍예(虹霓), 궁륭(穹窿), 둥근 천장: gedrückter ~ 타원 아치; fliegender ~ 플라잉 버트리스 벽, 아치의 부벽(扶壁). ③ (a) 활(시위): den ~ führen 활을 쏘다; den ~ spannen 활을 당기다; 〔비유〕 den ~ hoch spannen 큰 뜻을 품다; 〔비유〕 den ~ überspannen 도가 지나치다, 분에 넘치는 일을 하다. (b) (현악기의) 활: den ~ ansetzen 〔führen〕 활을 대다〔켜다〕. ④〔시어〕 눈썹. ⑤ 〖工〗 (안장의) 전궁(前穹); (안경의) 코걸이; 〖전기〗 아크 방전, 전호(電弧). ⑥ (한 장의) 종이; 〔구어〕 설문지(Frage∻); 〖印〗 전지(全紙) (Druck∻): ein ~ Briefpapier 한 장의 편지지; ein Druckwerk aus 30 ~ 전지 30장 분량의 인쇄물.

Bogen≈anleger *m.* 〖印〗 자동 급지(給紙) 장치. **∻artig** *a.* ↑ ∻förmig. **~bezeichnung** *f.* 〖印〗 전지 번호. **∻bildend** *a.* 〖전기〗 호광(弧光)을 내는. **~bohrer** *m.* 활 모양의 송곳. **~brücke** *f.* 아치형 다리, 홍예교(虹霓橋). **~dach** *n.* 아치형 지붕. **~decke** *f.* 둥근 천장. **~feld** *n.* 〖건축〗 (Tympanon) 팀파눔(고대 신전의 삼각 박공벽). **~fenster** *n.* 〖건축〗 아치형 창문. **~fibel** *f.* 활 모양의 브

로치. **~form** *f.* 활 모양; 〖건축〗 아치형, 궁륭형(穹窿形). **~förmig** *a.* 활 모양의, 아치형의. **~führung** *f.* 〖음악〗 운궁법(運弓法). **~gang** *m.* 〖건축〗 아케이드, 홍예 복도; 〖복수〗〖해부〗 세반고리관. **~gerüst** *n.* 〖건축〗 공가(拱架). **~gewölbe** *n.* 〖건축〗 반원궁륭(半圓穹窿), 둥근 천장. **~größe** *f.* 〖印〗 전지 크기: ein Buch in ~ 일절판의 책.

bogenhaft *a.* ↑ bogig.

Bogen≈halle *f.* 〖건축〗 공랑(拱廊), 아케이드. **~instrument** *n.* 〖음악〗 궁현(弓弦) 악기. **~lampe** *f.* 호광등(弧光燈), 아크등. **~laube** *f.* 원형 천장이 있는 정자. **~licht** *n.* 호광(弧光), 호광등. **~linie** *f.* 곡선, 호선(弧線). **~macher** *m.* 활 만드는 사람. **~maß** *n.* 〖數〗 호도(弧度), 라디안(각도의 단위). **~minute** *f.* 〖數〗 (각도 단위의) 분(60 분의 1 도). **~pfeiler** *m.* 〖건축〗 홍예(虹霓)를 받치는 기둥, 아치의 받침 기둥. **~rund** *a.* ↑ ~förmig. **~säge** *f.* 활 모양의 톱. **~schießen** *n.* 궁술. **~schluß** *m.* (Schlußstein) 〖건축〗 장구 무사(武砂), 종석(宗石). **~schreiber** *m.* 서생, 시시한 문인. **~schuß** *m.* 활쏘기, 양궁, (활의) 사정(射程); (축구·농구 등의) 롱슛; 〖軍〗 고각(高角) 사격, 곡사(曲射). **~schütze** *m.* 궁수, 궁사, 양궁 선수. **~sehne** *f.* 활시위; 〖數〗 현(弦). **~seite** *f.* 〖印〗 반절판(半折判)의 한 페이지. **~sekunde** *f.* 〖數〗 (각도 단위의) 초(3600 분의 1 도). **~spanner** *m.* 활을 당기는 사람; (활을 당기기 위한) 요곡기(撓曲器). **~spektrum** *n.* 〖理〗 호광(弧光) 스펙트럼. **~sprung** *m.* (말의) 등약(騰躍), 쿠르베트. **~stellung** *f.* (활 모양의) 만곡; 〖건축〗 아치 구조〔공사〕. **~strich** *m.* 〖음악〗 ↑ ~führung. **~träger** *m.* 〖건축〗 홍예 대들보. **~tür** *f.* 아치문. **~weise** *adv.* ① 전지 한 장씩: ich kaufe meine Briefmarken immer ~ 나는 우표를 언제나 전지 한 장씩 산다. ② 〖건축〗 아치형〔궁륭형〕으로. **~weite** *f.* 〖건축〗 아치의 폭. **~werk** *n.* ↑ ~stellung. **~zahl** *f.* ↑ ~zeichen. **~zeichen** *n.* 〖印〗 전지 번호; (책 한 권의) 전지수(數). **~ziffer** *f.* ↑ ~zeichen. **~zirkel** *m.* 궁형 컴퍼스, 작은 양각기(兩脚器). **~züge** *pl.* (총의) 강선.

bogig [bó:gıç], **bögig** [bǿ:..] *a.* 〖드물게〗 활 모양의, 곡선의.

Bogner [bó:gnər] 《＜Bogen》 *m.* -s, - ① 〖옛뜻〗 조궁장(造弓匠), 활 만드는 사람; 궁수, 사수. ② (schweiz.) 소상인(小商人).

Bogotá [bogotá] 보고타(콜롬비아의 수도).

Boheme [bɔɛ́:m, bohɛ́:m, ..hɛ́:..] 《frz.》 *f.* (예술가·학생의) 자유 분방한 생활; 보헤미안 기질의 사람들 무리.

Bohemer·weib 《frz. bohémien, „Zigeuner"》 *n.* 집시 여자.

Bohemien [bɔemiɛ̃́:] 《frz.》 *m.* -s, -s [..ɛ̃́:s] 보헤미안.

***Bohle** [bó:lə] 《♧ Balken》 *f.* -n ① 두꺼운 널빤지. ② (ndd.) 경매. ③ (schweiz.) 언덕.

bohlen [bó:lən] *t.* 두꺼운 널빤지를 대다.

Bohlen≈belag *m.* (바닥재로서의) 널빤지; 널마루, 널빤지 바닥. **~bogen** *m.* 〖건축〗 아치형의 도리. **~wand** *f.* 두꺼운 널빤지 벽. **~weg** *m.* (진땅·습한 땅에 깐) 널빤지 길.

Bohl·werk *n.* 두꺼운 널빤지를 붙인 제방, 두꺼운 널빤지의 방파제.

böhmakeln *i.* (h.) (öst.) 체코식 독일어로 말하다; 말을 더듬다.

Böhme [bǿ:mə] *m.* -n, -n 보헤미아〔뵈멘〕 사람.

Böhmen [bǿ:mən] 보헤미아, 뵈멘(체코의 한 지방).

Böhmer 《I》 *m.* -s, - 〖動〗 억새, 연작(連雀). 《II》 *a.* 보헤미아(사람)의.

Böhmerwald *m.* 뵈머발드, 보헤미아림(林)(보헤미아와 바이에른를 가르는 산맥).

Böhmin *f.* -nen ↑ Böhme 의 여성형.

böhmisch [bǿ:mıʃ] *a.* ① 보헤미아〔뵈멘〕의: ~e Brüder 뵈멘 형제단(후스파가 조직한 신교도단). ② 집시의, 집시 같은. ③ 〖구어·폄어〗 이해할 수 없는, 기이한: das sind für mich ~e Dörfer 그것은 내게는 도무지 알 수 없는 일이다(뵈멘 마을의 체코어 이름처럼); das kommt mir ~ vor 그것은 내게 기이하게 여겨진다; (öst.) ~ einkaufen 훔치다.

Bohn≈axt *f.* 〖工〗 다듬는 도끼. **~bürste** *f.* 연마용 브러시.

Böhnchen [bǿ:nçən] *n.* -s, - 〖↑ Bohne 의 축소형〗 작은 콩.

***Bohne** [bó:nə] *f.* -n ① **(a)** 콩, 콩알; 콩과 식물: Stangen~ 강낭콩; die ~n einweichen 콩을 물에 담가 불리다. **(b)** 〖비유〗 keine ~ wert sein 전혀 가치가 없다; keine ~ davon verstehen 그것을 전혀 이해하지 못하다; nicht die ~! 절대로 아니야〔안돼〕!; ich mache mir nicht die ~ draus 나는 그것을 전혀 문제삼지 않는다; ~n in den Ohren haben 청력이 나쁘다. ② 콩 모양의 물건; 알사탕; (커피·코코아의) 열매, 원두; (말 앞니의) 반점(斑點); (염소·토끼 따위의) 똥: Kaffee~ 커피 원두; blaue ~ 총알, 탄환; blaue ~n essen 사살되다. ③ 〖의상〗 (브라운슈바이크의 전통 의상에 다는) 타원형의 은단추.

bohnen [bó:nən] *t.* ↑ bohnern.

Bohnen≈baum *m.* (유럽 원산의) 콩과의 낙엽 교목의 하나. **~blüte** *f.* 콩꽃. **~erz** *n.* 〖광물〗 ↑ Bohnerz. **~fest** *n.* 〖방언〗 (1 월 6 일 전야에 케이크에 콩을 박아 굽는 관습에서) 공현축일(↑ Heilige Drei Könige). **~hülse** *f.* 콩깍지. **~kaffee** *m.* 원두; 원두〔배전두〕 커피. **~kraut** *n.* 〖植〗 (유럽산(産)) 꿀풀과의 식물(샐러드·콩요리 따위의 양념). **~kuchen** *m.* 공현축일(1 월 6 일)에 먹는 콩이 든 과자. **~lied** *n.* 콩 노래(중세 때 악습·부조리 등을 풍자하던 속요(俗謠)의 일종): 〖비유〗 jm. das ~ singen 누구에게 절교〔해고〕를 선언하다; 〖비유〗 das geht übers ~ 그것은 너무 심하다. **~mehl** *n.* 콩가루. **~salat** *m.* 콩 샐러드. **~spritze** *f.* 〖軍·비속〗 기관총. **~stange** *f.* 콩 덩굴을 올리는 막대기; 〖비유·구어·농담〗 꺽다리, 키다리. **~strauch** *m.* ↑ ~baum. **~stroh** *n.* 콩대: 〖비유〗 grob wie ~ 몹시 거친, 우악스러운; 〖비유〗 dumm wie ~ sein 어리석다, 미련하다; 〖비유〗 ~ im Kopf haben 머리 속에 든 게 없다, 매우 어리석다. **~suppe** *f.* 콩을 넣은 수프.

Bohner [bó:nər] *m.* -s, - ① 마루 닦는 사람. ② 마루 닦는 솔.

Bohner·masse *f.* 마루 광택제.

bohnern [bó:nərn] *t.* (마루 따위를) 왁스로 닦다.

Bohner·wachs *n.* 마루 닦는 왁스.

Bohn·erz *n.* 〖광물〗 입철광(粒鐵鑛).
Böhn·hase [bǿːn..] *m.* (ndd.) 서투른 일꾼 (↑ Bönhase ②).
Bohn·lappen *m.* 마루 걸레.
Böhnlein *n.* -s, - 〖↑ Bohne 의 축소형〗 ↑ Böhnchen.
Bohnung 《< bohnen》 *f.* -en (마루 따위를) 왁스로 닦기.
Bohn=wachs *n.* ↑ Bohnerwachs. **~zeug** *n.* 마루 닦는 기구.
Bohr [boːr] *m./n.* -(e)s, -e 〖드물게〗 천공기 (↑ Bohrer ②).
Bohr=arbeit *f.* 천공(穿孔)〔드릴〕 작업; 〖광산〗 보링. **~bank** *f.* 〖복수: ..bänke〗 천공대(臺), 보르 선반(旋盤). **~brunnen** *m.* 천공 작업으로 생긴 우물. **~eisen** *n.* 천공기〔송곳·나사송곳〕의 촉.
*__bohren__ [bóːrən] 《I》 *t.* ① (구멍) 뚫다, 파다: ein Loch ins Brett ~ 판자에 구멍을 내다; einen Tunnel ~ 터널을 뚫다; einen Brunnen ~ 우물을 파다. ② 꿰뚫다, 찌르다: jm. den Degen durch〔in〕 den Leib ~ 누구의 몸에 비수를 꽂다; ein Schiff in den Grund ~ 배를 격침시키다. ③〖비유〗 er mag keine harten Bretter ~〔er bohrt gern, wo das Brett am dünnsten ist〕 그는 힘든 일을 하지 않는다. 《II》 *refl.* sich ~ 뚫고〔파고〕 들어가다: das Wasser bohrte sich durch die Felsen 물이 바위에 구멍을 냈다; der Pfeil bohrte sich in den Körper des Tieres 화살이 그 짐승의 몸을 관통했다. 《III》 *i.* (h.) ① 시추〔시굴〕하다: nach Kohle ~ 석탄을 시굴하다; nach Öl ~ 석유를 시추하다. ② 파다, 후비다, 쑤시다: im Ohr ~ 귀를 우비다; in der Nase ~ 콧구멍을 후비다. ③ (뚫어지게) 바라보다: ihre Augen bohrten auf ihm 그녀는 그를 뚫어지게 쳐다보았다. ④ 괴롭히다: in ihr bohrte die Angst 그녀는 불안에 시달렸다; die Sachen ~ mir im Kopf 이 일들이 내 마음에 걸린다; ihre Worte bohrten sich ihm tief in die Seele 그녀의 말은 그의 마음에 사무쳤다. ⑤〖구어〗 조르다; 캐묻다, 파고들다: bei〔an〕 jm. ~ 누구를 졸라대다, 누구에게 자꾸 묻다; sie bohrte so lange, bis die Mutter nachgab 그녀는 어머니가 양보할 때까지 졸라댔다.
bohrend *p.a.* 천공성(穿孔性)의; 통렬한; 집요한: ein ~er Schmerz 찌르는 듯한 아픔; ~e Fragen 집요한 질문; ein ~er Blick traf sie 그녀를 뚫어지게 바라보는 시선이 있었다.
Bohrer [bóːrər] *m.* -s, - ① 구멍 뚫는 사람, 보링공(工). ② 천공기, 드릴, 송곳; (Erd≈) 굴착기, 착암기; 나선추(錐) (Schnecken≈); 포강(砲腔) (Kanonen≈). ③ 구멍 뚫는 동물, 천공충; 선식충(船食蟲) (Bohrmuschel).
Bohr=fliege *f.* 〖動〗 (Fruchtfliege) 광대파리 (긴 산란관으로 구멍을 뚫고 알을 낳음). **~futter** *n.* 〖기술〗 드릴잭. **~gerät** *n.* 천공기, 구멍 뚫는 공구. **~hammer** *m.* 〖광산〗 충격식 착암기, 해머 드릴. **~insel** *f.* 해저 굴착용 인공섬. **~käfer** *m.* 〖動〗 나무좀벌레, 나무 뚫는 갑충. **~knarre** *f.* 〖기계〗 암석 천공기(穿孔機). **~kurbel** *f.* (손잡이가 구부러진) 곰배팔이 송곳. **~loch** *n.* 송곳 구멍, 천개공(穿開孔); 폭약 장전 구멍, 발파공. **~löffel** *m.* 보링 부스러기를 건져내는 기구. **~maschine** *f.* 천공기, 드릴, 보링 기계; 〖광산〗 착암기. **~mehl** *n.* 끌밥, 천공밥, 구멍 뚫은 부스러기. **~muschel** *f.* 〖動〗 폴라스과의 조개(해안의 바위에 구멍을 뚫고 삶). **~pflug** *m.* 조파기(條播機)(이랑을 지어 씨를 뿌리고 덮는 기계). **~schuß** *m.* 척사(擲射), 감사(瞰射). **~späne** *pl.* ↑ ~mehl. **~stange** *f.* 구멍 뚫는 막대기. **~turm** *m.* 천공탑(塔), (유전의) 보링탑.
Bohrung [bóːrʊŋ] *f.* -en ① 천공, 보링, 파내기. ②〖軍〗 (대포·소총의) 구멍; 구경(口徑).
Bohr=werkzeug *n.* 천공기, 보링 공구. **~winde** *f.* ↑ ~kurbel. **~wurm** *m.* ①〖動〗 ↑ Schiffsbohrwurm. ②〖비유·농담〗 조르는 사람, 캐묻는 사람.
Boi [bɔy, bɔi] 《frz.》 *m.* -(e)s, -s (양모·면으로 만든) 플란넬.
boien [bɔ́iən] *a.* Boi 로 만든.
böig [bǿːɪç] 《< Bö》 *a.* 돌풍이 부는〔심한〕, 돌풍 같은.
Boiler [bɔ́ʏlər] 《engl.》 *m.* -s, - (Warmwasserspeicher) 보일러, 기관(汽罐).
boisieren [boazíːrən] 《frz. bois, „Holz"》 *t.* 〖고어〗(täfeln) …에 판자를 붙이다〔대다〕.
Bojar [bojáːr] 《sl.》 *m.* -en, -en (옛 러시아의 영주로서 궁중 회의에 참석하는) 대귀족; (루마니아의) 지주 귀족.
*__Boje__ [bóːjə] 《lat. boja》 *f.* -n ①〖海〗 부표(浮標): die ~ wacht 부표가 떠 있다. ②〖방언〗 요람(Wiege).
bojen [bóːjən] *t.* …에 부표를 달다.
Bojen=geschirr *n.* 부표 용구. **~leine** *f.*, **~reep, ~seil** *n.* 부표를 달아매는 줄.
Bojer *m.* -s, - 부표 설치용 배; 단장선(單檣船).
boken *t.* Flachs ~ 아마(亞麻)를 몽둥이로 두들기다.
Bökling *m.* -s, -e 〖방언〗 ↑ Bückling.
Bokmal [búːkmoːl] *n.* -(s) 《노르웨이어로 Buchsprache 의 뜻》 덴마크어의 영향을 받은 노르웨이 문어(文語).
Bol [boːl] *m.* -s ↑ Bolus ①.
Bola [bóːla] 《sp., „Kugel"》 *f.* -s (가죽끈 양쪽에 쇳덩어리나 돌덩이를 매단) 남아메리카 토인의 투척 무기.
Bolar·erde [boláːr..] *f.* ↑ Bolus ①.
Bolch [bɔlç] *m.* -(e)s, -e 〖動·방언〗 (유럽산(産)의) 대구(Kabeljau).
..bold 《mhd. balt., „kühn"》 *suf.* ① 남자 이름의 어미(보기: Die~, Hum~). ② "습관적으로 …하는 사람, …에 일가견이 있는 사람"의 뜻(보기: Rauf~ 폭력배, 깡패; Trunken~ 술고래, 주정뱅이; Witz~ 익살꾼). ③〖드물게〗 "남자"의 뜻(보기: trunkener Bold, kleine Bolde 등).
Bolder·wagen (ndd.) *m.* (특히 포장이 있는) 털털이 마차.
Boleine [bóːlaɪnə] *f.* -n 〖海〗 (돛의 양쪽 끝에 달아 놓은) 버팀 밧줄.
Bolero [boléːro] 《sp.》 *m.* -s, -s ① 볼레로(에스파냐의 민속춤 및 그 춤곡). ②〖의상〗 볼레로(단추가 없는 여성용의 짧은 윗옷).
Bolero·jäckchen *n.* ↑ Bolero ②.
Bolid [bolíːt] *m.* -s/-en, -(e)n ①〖天〗 대유성(大流星). ② 경주용 자동차.
Bolide [bolíːdə] *m.* -n, -n ↑ Bolid ②.
Bolivar [bolíːvar] *m.* -(s), -(s) 볼리바르(베

네주엘라의 화폐 단위; 약어: B).
Bolivia [bolí:via] 볼리비아(남아메리카의 공화국 이름).
Bolivianer [bolivi̯á:nər] *m.* -s, - 볼리비아 사람.
bolivianisch *a.* 볼리비아(사람)의.
Boliviano *m.* -(s), -(s) 볼리비아노(볼리비아의 화폐 단위).
Bolivier *m.* -s, - ↑ Bolivianer.
bolivisch *a.* ↑ bolivianisch.
Bölk [bœlk] *m.* -(e)s, -e (소·양의) 울음; 트림.
bölken [bœ́lkən] *i.* (h.) (nordd., westd.) ① (소·양이) 울다; 〔구어〕 (어린애가) 울부짖다. ②〔경박〕 트림하다.
Bolle [bɔ́lə] 《⇩ Ball》 *f.* -n (ndd.) ① 양파. ② 꽃봉오리. ③〔은어〕감자; 삭과(朔果). ④〔농담〕양말에 난 구멍. ⑤ (대형) 회중 시계. ⑥ 주먹코. ⑦ 놈, 녀석: eine nette ~ 귀여운 놈. ⑧〔다음 용법으로〕 ~n haben 두려워하다, 걱정하다; sich wie ~ (auf dem Bock〔Milchwagen〕) amüsieren 한껏 즐기다.
Boll·eisen 《ndd. bol, „hohl"》 *n.* 부서지기 쉬운 쇠.
Bollen [bɔ́lən] *m.* -s, - 식물의 결절.
Bollen·gewächs *m.* 알줄기〔구경(球莖)〕 식물.
Boller *m.* -s, - ↑ Böller.
Böller [bœ́lər] 《mhd. boln, „schleudern"》 *m.* -s, - ①〔고어〕 투석기(投石機). ② 총, 엽총; (축포·예포용) 소구포(小臼砲). ③〖海〗 쌍계주(雙繫柱), 계선주(繫船柱), 전삭기(纏索機). ④ 폭죽, 폭음탄; 폭죽〔불꽃놀이〕 전문가. ⑤〔방언〕 호두까개. ⑥ 배가 나온 통.
bollern [bɔ́lərn] *i.* (s.) ① **(a)** 〔방언〕 쿵하고 떨어지다〔부딪치다〕; 쾅쾅 치다〔두드리다〕: er ist mit dem Kopf an den Pfosten gebollert 그는 머리를 기둥에 쿵하고 부딪쳤다; mit der Faust auf den Tisch ~ 주먹으로 탁자를 내리치다. **(b)** 쾅〔펑·딱〕 소리가 나다: in der Ferne hörte man das ≈ des Feuerwerks 멀리서 폭죽 터지는 소리가 들렸다. ②〔방언〕 떠들썩하다(bullern). ③〖스포츠〗 무작정 슛하다.
böllern [bœ́lərn] *i.* (h.) ① 소구포(小臼砲)를 발사하다, 예포〔축포〕를 쏘다. ② ↑ bollern ②.
Böller·schuß *m.* 예포, 축포.
Boller·wagen *m.* (ndd.) 덜커덩거리는 소형 손수레.
Bollette [bɔlɛ́tə] 《it.》 *f.* -n (öst.) 관세 납입 증명(서), 납세필증.
bollicht, bollig [bɔ́lɪç] *a.* 〔방언〕 ①《< Bolle》 알줄기〔구경(球莖)〕 모양의, 둥근. ② 부어오른, 볼록한: 깨지기 쉬운.
Boll·werk [bɔ́l..] *n.* ① 방벽, 방호물, 요새; 〖海〗 (Kai) 부두, 선창, 방파제. ②〔雅語〕 보루, 아성: ein ~ des Friedens 평화의 보루. **≈werken** *t.* 요새화하다, 축성(築城)하다. **~werks·wehr** *f.* 〖軍〗 요새 방어.
Bologna [bolɔ́nja] 볼로냐(이탈리아의 도시).
Bolognese [..lɔnjé:zə] *m.* -n, -n 볼로냐 사람.
Bologneser [..njé:zər] 《I》 *m.* -s, - ① 볼로냐 시민. ②〖動〗 볼로냐개. 《II》 *a.* 볼로냐(산(産))의.
bolognesisch [..njé:zɪʃ] *a.* 볼로냐(산(産))의.
Bolometer [bolomé:tər] 《gr.》 *n.* 〖理〗 볼로미터(복사열을 측정하는 저항 한란계).
Bolschewik [bɔlʃevík] 《russ., „Mehrheit"》 *m.* -en, -i/(폄어) -en (↔ Menschewik) ① 볼셰비키(1903-17 년 기간의 러시아 사회 민주당의 다수파). ② 구소련 공산당원; 〔폄어〕 공산주의자.
bolschewisieren [bɔlʃevizí:rən] *t.* 볼셰비즘화하다, 공산화하다.
Bolschewismus *m.* - ① 볼셰비키 노선, 볼셰비즘(구소련 공산당의 마르크스·레닌주의 사상과 그 제도). ②〔폄어〕 소비에트 공산주의 이데올로기.
Bolschewist *m.* -en, -en ↑ Bolschewik.
bolschewistisch *a.* 볼셰비키의, 볼셰비즘의.
Bolus [bó:lʊs] 《lat., „Bissen"》 *m.* - ①〖광물·조각〗 교회점토(膠灰粘土)(토기 및 미술 재료로 쓰임). ②〖醫〗 (음식물 따위의) 덩어리. ③〖수의〗 (큰) 환약, 정제.
Bolus·tod *m.* 〖醫〗 (잘못 삼킨 음식물 덩어리나 이물질로 인한) 질식사.
Bolz [bɔlts] *m.* -es, -e 〔구식〕 ↑ Bolzen.
***Bolzen** [bɔ́ltsən] *m.* -s, - ① (석궁의) 화살: 〔비유〕 jm. die ~ fiedern 누구를 돕다. ②〖工〗 볼트, 리벳; 레일 고정용 대못: 〔비유·구어〕 einen ~ drehen〔loslassen〕 멍청한〔이상한〕 짓을 하다; alles zu ~ drehen 온갖 수단을 다하다; jm. alles zu ~ drehen 누구의 말을 악의로 해석하다. ③ (옛날 다리미에 끼워 넣는) 달군 인두: 〔비속〕 ein paar ~ einlegen 몇 잔 마시다. ④ 쐐기(Keil). ⑤ (수직) 기둥. ⑥〔구어〕 하녀.
bolzen 《I》 *t.* ① 볼트로 죄다. ②〔구어〕 마구 때리다. 《II》 *i.* (h.) ①〔폄어〕 (특히 축구에서) 거칠게 경기하다, 반칙을 자주 하다. ②〔방언〕 축구하다.
Bolzen≈büchse *f.* 공기총. **~gerade** *a.* 화살처럼 곧은, 꼿꼿한. **~hammer** *m.* 도살용 도끼. **~kopf** *m.* 화살촉; 〖工〗 볼트의 머리. **~schloß** *n.* (원통형의) 맹꽁이 자물쇠. **~schraube** *f.* 볼트 나사.
bolz·gerade ↑ bolzengerade.
Bölzung [bœ́ltsʊŋ] *f.* -en 〖광산〗 (갱벽에) 임시로 목재를 대는 일.
Boma [bó:ma] *f.* -s (중앙 아프리카의) 방어 시설을 갖춘 둥그런 토인 부락.
Bomätsche [bó:mɛtʃə] 《tschech.》 *m.* -n, -n, **Bomätscher** *m.* -s, - (엘베강의) 배 끄는 인부.
bomätschen *t.* (배를) 끌다.
Bombage [bɔmbá:ʒə] *f.* -n ① (내용물이 상해서) 깡통 윗부분이 불룩하게 나오는 현상. ② (함석판 따위의) 가장자리 구부리기.
Bombarde [bɔmbárdə] 《lat.》 *f.* -n ① (14-15 세기의) 사석포(射石砲). ②〖음악〗 **(a)** (오르간의) 베이스 음전(音栓). **(b)** (Pommer) 옛날 목관 악기의 일종.
Bombardement [..mã:] *n.* -s, -s ①〖軍〗 포격, 폭격, 집중 포화. ②〔비유〕 폭증, 쇄도: ein wahres ~ an Protestbriefen erreichte die Redaktion 편집부에는 항의 편지가 쇄도했다. ③〖스포츠〗 골세례, 집중 공격.
bombardieren [bɔmbardí:rən] *t.* ①〖軍〗 포

격하다, 폭격하다: eine bombardierte Hafenstadt 폭격당한 항구 도시. ②〔구어·농담〕 던지다, 퍼붓다: jn. mit et.³ ~ 누구에게 무엇을 던지다; die Kinder bombardierte den Lehrer mit Schneebällen 아이들이 선생님에게 눈뭉치를 던졌다; 〔비유〕 jn. mit Fragen〔Vorwürfen〕 ~ 누구에게 질문〔비난〕을 퍼붓다.

Bombardierer *m.* -s, - 〖軍·드물게〗 포수(砲手), 폭격수, 폭격기.

Bombardier=galeote *f.* 〖海〗 (옛날의) 포함(砲艦). **~käfer** *m.* 〖動〗 브라키누스속(屬)의 곤충.

Bombardierung *f.* -en 포격, 폭격.

Bombardist *m.* -en, -en 〖動〗 ↑ Bombardierkäfer.

Bombardon [bɔmbardɔ̃ː] 《frz.》 *n.* -s, - 〖음악〗 베이스 튜바(저음 나팔의 일종).

Bombasin [bɔmbazɛ̃ː, ..zíːn] 《frz.》 *m.* -s, -e 〖섬유〗 면견 교직물(綿絹交織物).

Bombast [bɔmbást] *m.* -(e)s ①〔고어〕 (이불이나 옷에) 넣는 솜. ②〔폄어〕 과장, 호언장담. ③〔폄어〕 허식, 호사.

bombastisch *a.* ① 과장된, 호언장담하는. ② 호화로운, 호사스러운.

***Bombe** [bɔ́mbə] 《frz.》 *f.* -n ① **(a)** 폭탄: ~n abwerfen 폭탄을 투하하다; eine ~ platzt 〔schlägt ein〕 폭탄이 터진다; 〔비유〕 die Nachricht schlug wie eine ~ ein 그 소식은 엄청난 반향을 불러일으켰다; 〔비유〕 die ~ ist geplatzt 스캔들이 터졌다, 진실이 밝혀졌다; 〔고어〕 ~n und Granaten! 엄청난 일이군!; 〔구어〕 mit ~n und Granaten durchfallen 시험을 완전히 망치다. **(b)** 〔복수없음〕 핵폭탄(↑ Atom~의 약칭). ② 둥근 물건: Eis~ (반구형의) 아이스 크림. ③ 〖스포츠〗 강슛 (Bombenschuß); (곡예용) 쇠곤봉. ④ 화산탄(火山彈), 둥근 용암덩이. ⑤ 〖工〗 봄베, 가스통. ⑥ 〔농담〕 뚱보. ⑦ 〔구어〕 (윗부분이 둥근) 빳빳한 모자, 중산모. ⑧ 〔구어〕 (은행의) 야간 금고.

bomben *t.* ① 〔구어〕 폭격하다(bombardieren): den Feind aus der Stadt ~ 폭격을 가해 적을 도시에서 몰아내다; die Regierung an den Verhandlungstisch ~ 정부를 공격하여 협상 테이블로 끌어내다. ② 〖스포츠〗 강슛을 하다.

Bomben=abwerfen *n.*, **~abwurf** *m.* 폭탄투하. **~angriff** *m.* 폭격. **~anschlag** *m.* 폭탄 테러. **~attentat** *n.* ↑ ~anschlag. **~drohung** *f.* 폭탄 테러의 위협. **~element** *int.* 〔구어〕 제기랄(놀라움·분노의 표현). **~erfolg** *m.* 〔구어〕 대성공. **~fest** *a.* ① 폭탄에 견디는, 방탄의. ② [bɔmbənfɛ́st] 〔비유·구어〕 아주 확실한: das steht ~ 그것은 아주 확실하다. **~flugzeug** *n.* 폭격기. **~form** *f.* 〖스포츠·구어〗 최상의 컨디션. **~geld** *n.* 〔구어〕 큰 돈, 거금. **~geschäft** *n.* 〔구어〕 굉장히 수지맞는 장사〔일〕. **~geschwader** *n.* 폭격기 편대. **~gestell** *n.* 〖空〗 폭탄가(爆彈架). **~hitze** *f.* 〔구어〕 엄청난 더위, 폭염. **~kerl** *m.* 〔구어〕 굉장한 놈, 대단한 녀석. **~kiste** *f.* 폭탄〔폭약〕 상자. **~krieg** *m.* 폭격전. **~rolle** *f.* 〔구어〕 중대한〔보람 있는〕 역할. **~schiff** *n.* 포함(砲艦). **~sicher** *a.* ↑ ~fest. **~splitter** *m.* 폭탄 파편. **~stellung** *f.* 〔구어〕 보수가 많은 일자리. **~stimmung** *f.* 〔구어〕 아주 유쾌한 기분. **~teppich** *m.* 융단 폭격. **~terror** *m.* 폭탄 테러. **~werfen** *n.* 폭탄 투하. **~werfer** *m.* 폭격수; 폭격기; 폭탄 투하 장치. **~wurf** *m.* ↑ ~werfen. **~zünder** *m.* 폭탄 뇌관.

Bomber [bɔ́mbər] *m.* -s, - ①〔구어〕 ↑ Bombenflugzeug. ② 〖스포츠〗 득점력이 강한 선수, 골게터. ③〔방언〕 실수, 과실.

Bomber·verband *m.* 〖軍〗 ↑ Bombengeschwader.

bombieren [bɔmbíːrən] 《frz.》 《Ⅰ》 *t.* 구부리다, 철형(凸形)으로 만들다: bombiertes Blech 골함석. 《Ⅱ》 *i.* (통조림 깡통이) 불룩해지다(↑ Bombage).

Bombierung *f.* -en ↑ Bombage.

bombig [bɔ́mbɪç] *a.* 굉장한, 놀랄 만한.

Bombyx [bɔ́mbʏks] 《gr.》 *m.* -(es), -e ① 〖動〗 가잠(家蠶), 누에 명주. ② 〖음악〗 고대 그리스의 목관 악기.

Bomhart 〔고어〕 *m.* -s, -e (Pommer) 옛날 목관 악기의 일종.

Bommel [bɔ́məl] *f.* -n 〔*m.* -s, -〕 〔구어〕 (nordd.) (늘어뜨린) 술(Troddel).

Bommerlunder [bɔmərlʊ́ndər] *m.* -s 보머룬더(아주 오래된 브랜디의 이름).

Bommert 〔고어〕 *m.* -s, -s ↑ Bomhart.

Bon [bɔŋ, bõː] 《frz. bon, „gut"》 *m.* -s, -s ① 상품권, 쿠폰: Essensbon 식권. ② (자동 금전 등록기의) 영수증(↑ Kassenbon 의 약칭).

bona fide [bóːna fíːde] 《lat. „in gutem Glauben"》 〔雅語〕 믿고, 신뢰하고.

Bonaparte [bonapárteː, ..tə] 보나파르트(나폴레옹의 가계).

Bonapartismus *m.* - (19 세기 전반기의) 나폴레옹 보나파르트 정책〔주의〕(보나파르트 가문의 집권을 옹호하는 정치 노선).

Bonapartist *m.* -en, -en 보나파르트 당원〔주의자〕.

bonapartistisch *a.* 보나파르트당〔주의〕의.

***Bonbon** [bɔŋbɔ́ŋ, bõbõː] 《frz.》 *m./n.* -s, -s ① **(a)** 사탕, 봉봉, 캔디: eine Tüte ~s 사탕 한 봉지; 〔경박〕 jm. einen ~ ans Hemd kleben 누구를 놀리다; 〔경박〕 mach dir kein(en) ~ ins Hemd! 괜히 연극하지 마라, 시치미 떼지 마라! **(b)** 〔비유〕 일품, 진수: ein besonderes ~ des Programms 프로그램의 백미. ② 〔구어〕 (둥근 모양의) 당원 배지〔휘장〕.

Bonbon·farbe *f.* 〔폄어〕 유치한〔야한〕 색깔.

Bonboniere *f.* -n ↑ Bonbonniere.

Bonbonniere [bɔŋbɔniéːrə] *f.* -n 선물용 사탕 주머니; 사탕통〔병〕.

Bonbon·papier *n.* (알록달록한) 사탕 껍질〔종이〕.

Bond [bɔnt] *m.* -s, -s 〖經〗 (차용) 증서, 채권, 회사채, 유가 증권.

Bonde [bɔ́ndə] 《skand.》 *m.* -n, -n (Freisasse) 자유 보유(保有) 지주, 자각 농민.

bongen [bɔ́ŋən] 《<Bon》 *t.* 〔구어〕 (가게·음식점 등에서) 매출 전표에 적다, 금전 등록기에 찍다: den Wein ~ 포도주 값을 금전 등록기에 찍다; 〔경박〕 (das ist) gebongt! 알았어, 잘됐어, 약속대로 되었어!

Bongert *m.* -(e)s, -e (schweiz.) 과수원.

Bongo[1] [bɔ́ŋgo] *n.* -s, -s 〔*f.* -s〕 봉고(쿠바의 재즈·춤 음악용 타악기).

Bongo[2] *m.* -s, -s 〖動〗 봉고(아프리카산(産))

영양(羚羊).

Bönhase [bǿ:nha:zə] *m.* -n, -n (ndd.) ① 〔옛뜻〕 조합에 가입하지 않은 수공업자, 무허가 상인. ② 서투른 일꾼(Pfuscher).

bönhasen *i.*(h.) (ndd.) 일을〔장사를〕 서투르게 하다.

Bonheur [bɔnǿ:r] 《frz.》 *n.* -s 행복, 즐거움, 요행.

Bonhomie [bonomí:] 《frz.》 *f.* -n [..mi:ən] 〔교양〕 친절한 마음씨, 온후; 소박, 순박.

Bonhomme [bɔnɔ́m] *m.* -, -s [..nɔ́ms] 호인; 순박한 사람.

bonieren [boní:rən] *i.*(h.) (가게의) 계산대에서 일하다.

Bonifatius [bonifá:tsiʊs], **Bonifaz(ius)** [bonifá:ts(iʊs)] 《lat., „Wohltäter"》 보니파츠, 보니파치우스(성자(聖者) Winfrid(673-754)의 별명; 여러 교황의 이름).

Bonifikation [bonifikatsió:n] *f.* -en (Vergütung) 배상, 보상, 환불.

bonifizieren *t.* 배상〔보상·환불〕하다.

Bonität [bonitɛ́:t] *f.* -en ①〖농업·임업〗 토질, 품질, 생산력. ②〖商〗 지급 능력, 안정성.

Bonite [boní:tə] 《gr.》 *m.* -n, -n〖動〗 가다랑어.

Boniteur [bonitǿ:r] 《frz.》 *m.* -s, -e (Abschätzer) (토지의) 평가사, 사정인(査定人).

bonitieren [bonití:rən] *t.* (품질을) 측정〔사정〕하다, 등급을 매기다.

Bonitierung *f.* -en (품질) 평가, 사정.

Bonmot [bõmó:] 《frz.》 *n.* -s, -s [..mó:s] (Witzwort) 익살, 재담, 재치 있는 말〔생각〕.

***Bonn** [bɔn] 본(통독 전 구서독의 수도).

Bonne [bɔ́nə] 《frz.》 *f.* -n 〔구식〕 (Kinderwärterin) 보모, 아이 보는 여자.

Bonnet [bɔnɛ́] 《frz.》 *n.* -s, -s [..nɛ́:s] ① (여자용) 보닛 모자; (남자용) 챙없는 모자. ②〖軍〗 모장(帽牆). ③〖海〗 버금돛, 보조돛. ④〖工〗 기관의 덮개.

Bonsai *n.* -, -s 분재(盆栽); 분재목(木).

Bontie [bɔ́ntjə] *m.* -s, -s〖방언〗 ↑ Bonbon ①.

Bonus [bó:nʊs] 《lat.》 *m.* -(ses), -(se)/..ni ①〖經〗 보너스, 상여금; 특별 배당금; 연말 정산금; (수출) 장려금; (무사고 때 자동차 보험액의) 할인. ②〖학교·스포츠〗 (열악한 조건의 학생·선수에게 주는) 가산점.

Bonvivant [bõvivã:] 《frz.》 *m.* -s, -s [..vã:s] ① (Lebemann) 방탕아, 플레이보이; 미식가, 향락주의자. ②〖연극〗 사교계 스타역.

Bonze [bɔ́ntsə] 《jap.》 *m.* -n, -n ① (불교의) 중, 승려. ②〔폄어〕 독선적인 보스, 완고하고 거만한 관료〔간부〕.

Bonzentum *n.* -s, **Bonzokratie** *f.* -n [..tí:ən] 〔폄어〕 당파 정치, 보스의 지배.

Boofke [bófkə] *m.* -s, -s (berlin.) 멍청한〔우둔한〕 사람, 바보.

Boogie-Woogie [bʊ́givʊ́gi] 《engl.》 *m.* -(s), -s〖음악〗 ① 부기우기(재즈 음악의 피아노곡). ② 부기우기춤.

Boom [bu:m] 《engl.》 *m.* -s, -s ①〖經〗 **(a)** 호황, 호경기, 벼락 경기. **(b)** (주가의) 급등. ②〔구어〕 붐, 대유행, 선풍적인 인기〔수요〕.

boomen *i.*(h.) 〔경박〕 호경기를 누리다: der Automarkt kann nicht ewig ~ 자동차 시장이 영원히 호경기일 수는 없다.

Boonekamp [bó:nəkamp] 《holl.》 *m.* -s, -s 건위용(健胃用) 브랜디(Magenbitter).

***Boot**[1] [bo:t] 《ndd.》 *n.* -(e)s, -e/Böte 보트, 소형 선박: ein (Rettungs)~ aussetzen 구명 보트를 바다에 띄우다; 〖비유·구어〗 wir sitzen alle in einem ~ 우리 모두는 한 배를 탔다.

Boot[2] [bu:t] 《engl.》 *m* -s, -s 장화, 부츠.

Bootchen [bó:tçən] *n.* -s, - 〔↑ Boot 의 축소형〕 작은 보트.

Bootes [boó:tɛs] 《gr., „Ochsentreiber"》 *m.* -〖天〗 목동자리(별자리 이름).

Boot≈fahrt *f.* ↑ Bootsfahrt. **~förmig** *a.* 보트 모양의.

Böotien [bøó:t(s)iən] 《gr.》 보이오티아(고대 중부 그리스의 지방명).

Böotier [bøó:tsiər] *m.* -s, - 보이오티아 주민; 멍청이, 무뚝뚝한 사람.

böotisch *a.* 보이오티아의; 우둔〔조야〕한.

Bootlegger [bú:tlɛgər] *m.* -s, - 주류 밀수〔밀조〕자.

Boots≈anker [bó:ts..] *m.* 보트의 닻. **~bau** *m.* 보트 건조. **~fahrt** *f.* 주행(舟行), 뱃놀이. **~führer** *m.* 사공; 〖조정〗 콕스, 키잡이, 조타수. **~gast** *m.*〖海〗 노 젓는 선원. **~haken** *m.* 보트의 상앗대. **~haus** *m.* ① 보트 두는 창고. ② 수상 스포츠 클럽 하우스. **~klampen** *pl.* 보트의 밧줄을 매는 고리. **~knecht** *m.* 사공, 뱃사람. **~länge** *f.* 보트 길이. **~leute** *pl.* ↑ ~mann 의 복수형. **~mann** *m.* ① (해군의) 상사. ② (상선의) 당직〔보초〕 선원. **~mannschaft** *f.* 〔집합적〕 (배의) 승무원. **~manns·maat** *m.* ↑ Maat(해군 하사관)의 옛 명칭. **~motor** *m.* 보트 엔진. **~schuppen** *m.* ↑ ~haus ①. **~seil** *n.* ↑ ~tau. **~steg** *m.* 보트 선착장. **~tau** *n.* 보트의 밧줄. **~volk** *n.* 선원. **~wächter** *m.* 보트 감시원. **~weise** *a.* 보트로, 한 보트씩.

Boot≈wett·fahrt *f.* 보트 레이스. **~zieher** *m.* 보트 끄는 밧줄〔사람〕.

Boppchen [bɔ́pçən] *n.* -s, - 작고 귀여운 물건.

Bor [bo:r] *n.* -s〖化〗 붕소(硼素) (기호: B).

Bora [bó:ra] 《it.》 *f.* -s 보라풍(風) (아드리아 해상의 거센 북동풍).

Borago *m.* -s〖植〗 서양자초(↑ Borrago).

Borat [borá:t] 《lat.》 *n.* -(e)s, -e〖化〗 붕산염.

Borax [bó:raks] *m.* -(es)〖化〗 붕사(硼砂).

Borax·säure *f.* 붕산.

Borazit [boratsí:t, ..tsít] *m.* -s〖광물〗 방붕석(方硼石).

Borch [bɔrç] 《ahd.》 *m.* -(e)s, Börche (ndd.) 거세한 수퇘지(↑ Barch).

Bord[1] [bɔrt] 《germ.》 *n.* -(e)s, -e ① 널빤지. ② (벽에 붙인) 선반, 서가(書架).

***Bord**[2] *m.* -(e)s, -e ① 물가, 기슭. ② (술잔·방패·길 따위의) 가장자리. ③ 상판, 옆판. ④ 뱃전, 현(舷); 배, 비행기: an ~ 배〔비행기〕 안에〔으로〕; an ~ bringen 배〔비행기〕에 태우다〔싣다〕; an ~ gehen 배〔비행기〕에 타다, 승선〔탑승〕하다; über ~ gehen〔fallen〕 a) 배에서 바다로 떨어지다, b)〔비유〕 몰락하다: über ~ werfen a) 물속에 던지다, b)〔비유〕 포기하다, 무시하다: die Sorgen über ~ werfen 근심을 떨쳐 버리다; Mann über ~!

(물속으로) 사람이 떨어졌다 ! ; von ~ gehen 배〔비행기〕에서 내리다.
Bord[3] *n.* -(e)s, -e (schweiz.) ① 비탈, 경사. ② (천·의복 등의) 가장자리, 옷단.
Bord≈anker *m.* 뱃전에 있는 닻. **~brett** *n.* 막〔커튼〕을 거는 막대기. **~buch** *n.* 항해〔항공〕 일지; (화물차의) 운행 일지. **~case** [..keis] *n./m.* (기내의 좌석 밑에 둘 수 있는) 소형 트렁크. **~dienst** *m.* 선상〔기내〕 근무.
Borde [bɔ́rdə] *f.* -n 〖방언〗(옷의) 레이스 (Borte).
Börde [bœ́rdə] 《ndd.》 *f.* -n 기름진 평원, 옥야(沃野).
Bordeaux [bɔrdó:] 《frz.》 ① 보르도(프랑스의 도시). ② *m.* -, - [..dó:s] 〖복수는 종류를 말할 때만〗 보르도산(産) 포도주.
bordeaux [bɔrdó:] *a.* ↑ bordeauxrot 의 축약형.
Bordeaux≈brühe [bɔrdó:bry:ə] *f.*, **~mischung** *f.* 보르도액(液) (농업용 살충제). **≈-rot** *a.* 적포도주색의, 적갈색의, 암홍색의. **~wein** *m.* ↑ Bordeaux ②.
Bordelaiser [bɔrdəlɛ́:zər] *a.* 보르도산(產)의: ~ Brühe 보르도액(液) (농업용 살충제).
Bordelese [bɔrdəlé:zə] *m.* -n, -n 보르도 사람.
Bordell [bɔrdɛ́l] 《lat., „Bretterhütte"》 *n.* -s, -e 창녀집, 홍등가, 청루(青樓), 유곽.
Bördel·maschine *f.* 〖工〗 함석의 가장자리를 꺾어 구부리는 기계.
bördeln [bœ́rdəln] 《<Bord²》 *t.* (함석 따위의) 가장자리를 꺾어 구부리다.
borden [bɔ́rdən] *t.* 〔고어〕 ① ↑ bordieren. ② (공격하기 위하여 적의 배를) 갈고리로 끌어 당기다.
Bordereau [bɔrdəró:] 《frz.》 *m./n.* -s, -s (은행에 제출된) 유가 증권 명세서; 송장(送狀).
Border·preis [bɔ́rdər..] *m.* -es, -e 〖經〗 (천연 가스의) 국경까지의 인도 가격.
Bord≈flugzeug *n.* 함재기(艦載機). **~funk** *m.* 선박〔항공기〕의 무전. **~funker** *m.* 선박〔항공기〕의 통신 기사. **~funk·stelle** *f.* 선박〔항공기〕의 무전실. **~gericht** *n.* 선상 군법 회의. **~holz** *n.* 〖海〗 (목선의) 뱃전 밖에 댄 널빤지.
Bor·diamant *m.* 〖化〗 결정(結晶) 붕소.
bordieren [bɔrdí:rən] 《germ.》 *t.* (옷에) 레이스를 달다, 가선을〔테를〕 두르다.
Bordierer *m.* -s, - 레이스 다는 직공.
Bordierung *f.* -en 레이스 달기, 테두르기.
Bording [bɔ́rdɪŋ] *m.* -s, -e/-s 작은 운송선, 하역선.
Bord≈kamera *f.* 기내 카메라. **~kante** *f.* 연석(緣石) (보도와 차도를 구별하기 위한 돌). **~linie** *f.* 〖海〗 흘수선(吃水線). **~monteur** *m.* 항공〔선박〕 기관사.
bordo·rot [bɔrdó:..] *a.* ↑ bordeauxrot.
Bord≈planke *f.* 현판(舷板). **~scheibe** *f.* 〖工〗 날밑〔테〕 달린 너트. **~schicht** *f.* 〖건축〗 (맞배벽에 내단) 곁처마. **~schwelle** *f.*, **~stein** *m.* ↑ ~kante. **~uhr** *f.* 〖海〗 측시기(測時器).
Bordüre [bɔrdý:rə] 《frz.》 *f.* -n 가장자리, 테두리; 가장자리〔테두리〕 장식.
Bordüren·kleid *n.* 가선을 두른 옷.
Bord≈waffe *f.* 〖軍〗 (항공기·선박의) 탑재 화기〔무기〕. **~wand** *f.* 〖海〗 뱃전, 현측(舷測); 〖空〗 동체 외벽. **~zeitung** *f.* 여객선 승객용 신문.
Boreade [boreá:də] 《gr.》 *m.* -n, -n 〖그리스 신화〗 Boreas 의 아들.
boreal [boreá:l] *a.* 북녘의: ~es Klima 아한대〔냉대〕 기후; ~er Nadelwald 북방 침엽 수림.
Boreal·zeit *f.* 〖지질〗 간빙기(間氷期) (빙하 시대 이후의 제 1 온난기).
Boreas [bó:reas] *m.* ①〖그리스신화〗 북풍의 신. ②〖시어〗 북풍.
Boretsch [bó:rɛtʃ] *m.* -es ↑ Borretsch.
Bor·fluor *n.* 〖化〗 붕소(硼素) 플루오르화물.
Bor·fluor·wasser·stoff·säure *f.* 붕소플루오르화수소산.
Borg[1] [bɔrk] *m.* -(e)s [..ks, .gəs] ① 차용, 외상: jm. et. auf ~ geben 누구에게 무엇을 빌려 주다; auf ~ kaufen 외상으로 사다; auf ~ leben 빚으로 생활하다. ②〖비유·구식〗 보충, 여분; 〖海〗 보조구(具).
Borg[2] *m.* -(e)s, -e 거세한 수퇘지(Borch).
Borg·brassen *pl.* 〖海〗 보조 조형삭(操桁索).
***borgen** [bɔ́rgən] 《ahd.》 *t.* ① 빌려 주다: jm. et. ~ 누구에게 무엇을 빌려주다. ② 빌리다, 차용하다; 훔치다, 도용하다: dieses Buch hatte ich mir von dir geborgt 이 책을 나는 너에게서 빌렸었다; 〖속담〗 ≈ macht Sorgen 빚은 근심의 근원이다.
Borger *m.* -s, - ① 임대인, 빌려 주는 사람. ② 차용인, 임차인, 빌리는 사람.
Borgerei *f.* -en 돈꾸기, 빌림질, 빈번한 차용.
Borghese [bɔrgé:se, ..zə] 《it.》 *m.* 보르게제 (16-19 세기 이탈리아의 명문가).
borghesisch [bɔrgé:zɪʃ] *a.* 보르게제가(家)의.
Borgia [bɔ́rdʒa] 《it.》 *m.* -s, -s 보르자(에스파냐계 이탈리아 귀족 가문); 보르자 가문 사람.
Borgis [bɔ́rgɪs] 《it.》 *f.* - 〖印〗 9 포인트 활자.
Borg≈rahe *f.* 〖海〗 보조 범형(帆桁). **~tau** *n.* 보조 밧줄. **~want** *f.* 보조 지장삭(支檣索). **~weise** *adv.* 꾸어서, 외상으로.
Borium [bó:rium] *n.* -s 〖化〗 붕소(Bor).
Borke [bɔ́rkə] 《ndd.》 *f.* -n ① 나무껍질. ② (ndd.) (상처의) 딱지(Wundschorf). ③〖구어·폄어〗 (피부의) 때, 더께.
Borken≈dach *n.* 나무껍질로 엮은 지붕. **~flechte** *f.* 〖醫〗 단발포진(斷髮疱疹). **~-haus** *n.* 나무껍질로 지붕을 엮은 집. **~käfer** *m.* 〖動〗 나무좀과의 곤충. **~krepp** *m.* 〖방직〗 크레퐁(크레프 비슷한 두꺼운 주름비단). **~schokolade** *f.* (표면이 거칠고 쉽게 부서지는) 크런치 초콜릿. **~tier** *n.* 〖動〗 해우(海牛) (인어와 비슷한 포유류; 17 세기말 멸종).
borkig [bɔ́rkɪç] *a.* 나무껍질로 만든; 거친; 딱지로 덮인, 딱지 모양의.
Born [bɔrn] 《mhd.; ↑ Brunnen》 *m.* -(e)s, -e ①〖시어〗 샘, 우물: ~ des Wissens 지식의 샘. ②〖工〗 염천(塩泉), 염갱(塩坑).
Borneo [bɔ́rneo] 보르네오섬.
Borneo·kampfer *m.* 〖化〗 보르네오 장뇌(樟腦); 용뇌(龍腦).
Born·fahrt *f.* 염천(塩泉) 조사 여행.
bornieren [bɔrní:rən] 《frz. borne, „Grenzstein"》 《I》 *t.* 〔구식〕 좁히다, 제한하다. 《II》

borniert *p.a.* ↑ borniert.
borniert 《I》*p.p.* ↑ bornieren. 《II》*p.a.* 편협〔고루〕한, 소견이 좁은, 우매한.
Borniertheit *f.* -en ① 편협, 고루. ② 편협한 언행.
Borokalzit [bo:ro|kaltsí:t] 《lat.》*m* -(e)s, -e 〖광물〗 붕산 회석(灰石).
Borrago [bɔrá:go:] 《lat.》*m.* -s ↑ Borretsch.
Borretsch [bɔ́rɛtʃ] *m.* -(e)s 〖植〗 서양자초(샐러드용 향료로 쓰임).
Börs *m.* -es, -e 〖動〗 농어(Barsch).
Bor≈salbe *f.* 붕산 연고. **≈sauer** *a.* 〖化〗 붕산의. **~säure** *f.* 〖化〗 붕산.
Borschtsch [bɔrtʃ] *m.* - (고기를 넣은) 러시아식 양배추 수프.
Borsdorfer [bɔ́rsdɔrfər] *m.* -s, - 사과의 일종.
*__Börse__ [bœ́rzə] 《lat. bursa „Geldbeutel"》*f.* -n ①〖經〗 증시, 주식〔외환〕 시장, 증권〔상품〕 거래소: an〔auf〕 der ~ kaufen 거래소에서 사다; an der ~ spekulieren 주식 투기하다. ②〔구식〕 중매인(仲買人). ③〔구식〕 지갑: eine dicke ~ haben 지갑이 두둑하다. ④〖권투〗 (선수의) 대전료, 파이트머니.
Börsen≈aufsicht *f.* (국가의) 주식 시장 감독. **~baron** *m.* 증권가의 큰손. **~beginn** *m.* 증권 거래소 개장. **~bericht** *m.* 시세표; 시황〔장세〕 보고. **~besuch** *m.* 거래소로의 출석〔입장〕. **~blatt** *n.* 시세표; 경제〔증권〕 신문. **~brauch** *m.* 거래소의 관례. **~buch** *n.* 거래소 편람〔안내서〕; 중매인의 주문 대장(臺帳). **~drucker** *m.* 티커, 주식 시세 표시기. **~effekten** *pl.* 주권(株券). **≈fähig** *a.* 거래소 출입 자격이 있는; (증권 시장에) 상장된: ≈e Papiere 상장 증권. **~fürst** *m.* ↑ ~baron. **≈gängig** *a.* (증권 거래소에) 상장된. **~gebäude** *n.* (증권) 거래소(건물). **~gericht** *n.* (증권) 거래소 위원회. **~geschäft** *n.* 주식 거래. **~gesetz** *n.* (증권) 거래법. **~gewerbe·steuer** *f.* (증권) 거래소 영업세. **~halle** *f.* (증권) 거래소(의 큰 홀). **~kommissions·geschäft** *n.* 중개업. **~krach** *m.* 주식 폭락. **~kurs** *m.* 주식 시세. **~makler** *m.* 거래소 중매인; 주식 중개인, 증권 브로커. **~manöver** *n.* ↑ ~schwindel. **≈mäßig** *a.* 거래소의 규약에 따르는. **~mitglied** *n.* 거래소 회원. **~ordnung** *f.* 거래소법. **~papiere** *pl.* 증권, 주식. **~polizei** *f.* 거래소 경찰. **~schacher** *m.* ↑ ~schwindel. **~schluß** *m.* ① 증권 거래소 폐장. ② (폐장 때의) 규정 최저가. **~schwindel** *m.* 시세 조작, 주식 불법 거래, 증권 사기. **~spekulant** *m.* 주식 투기꾼. **~spekulation** *f.* 주식 투기. **~spiel** *n.* 〔구식〕 ↑ ~spekulation. **~spieler** *m.* 〔구식〕 ↑ ~spekulant. **~sprache** *f.* 증권 시장 용어. **~steuer** *f.* 거래소세(稅). **~strömung** *f.* 증시 동향. **~tag** *m.* (거래소의) 거래일. **~tip** *m.* 투자 힌트; 유망주. **~umsatz·steuer** *f.* 거래소 영업세. **~usance** [..yzã:sə] *f.* ↑ ~brauch. **~verein** *m.* (증권) 거래소 협회. **~verkehr** *m.* ↑ ~geschäft. **~vorstand** *m.* 거래소 이사회. **~wesen** *n.* 거래소 제도. **~wucher** *m.* 주식 매매 이득. **~zeit** *f.* 거래〔입회〕 시간. **~zeitung** *f.* 증권〔금융〕 신문. **~zettel** *m.* 시세표. **~zulassung** *f.* (주식의) 상장.
Börsianer [bœrziá:nər] *m.* -s, - 〔구어〕 증권업자, 주식 중개인; 주식 투기꾼.
börsisch *a.* 거래소의.
Borst [bɔrst] 《<bersten》 *m.* -(e)s, -e 〔구식〕 틈, 균열, 금.
borst [bɔrst] ↑ bersten 의 과거형.
Borste [bɔ́rstə] *f.* -n ① (동물의) 빳빳한 털, 강모(剛毛), 가시털; 〔구어·농담〕 (사람의) 털, 모발: seine ~n zeigen〔aufstellen, hervorkehren〕 (화가 나서) 머리칼을 곤두세우다, 반항하다. ②〔복수로만〕 (빗자루·솔·칫솔 따위의) 털 부분.
börste [bœ́rstə] ↑ bersten 의 접속법 II 식.
borsten [bɔ́rstən] 《<Borste》《I》*i.* (h.) / *refl.* (sich) ~ 털을 곤두세우다. 《II》*a.* 강모로 된〔만든〕.
borsten·artig *a.* 강모(剛毛) 모양의.
Borsten≈besen *m.* 솔비. **~dolde** *f.* 〖植〗 진득개미나리. **≈förmig** *a.* ↑ ≈artig. **~fuß** *m.* 〖動〗 강모각(剛毛脚). **~gras** *n.* 〖植〗 강아지풀, 개꼬리풀. **~hering** *m.* 〖動〗 강모가 있는 청어의 일종. **~igel** *m.* 〖動〗 마다가스카르섬의 고슴도치(Tanrek). **~pinsel** *m.* (강모로 만든) 화필(畫筆). **~tier** *n.* ↑ ~vieh. **≈tragend** *a.* 강모가 있는. **~vieh** *n.* 〔구어·농담〕 ① 돼지. ② 무뚝뚝한 사람. **~wisch** *m.* ↑ Borstwisch. **~wurm** *m.* 〖動〗 모족류(毛足類).
Bor·stick·stoff *m.* 〖化〗 질화(窒化)붕소.
borstig [bɔ́rstɪç] 《<Borste》《I》*a.* ① 강모(剛毛)가 난; 강모 같은, 빳빳한; (모발이) 텁수룩한. ②〔비유·구어〕 고집센, 무뚝뚝한, 반항적인. ③〔구식〕 비상한, 거대한. 《II》*adv.* 〔구식〕 몹시, 대단히: ~ viel Geld haben 막대한 돈을 가지고 있다.
Borstigkeit *f.* -en 〔구어〕 ① 무례, 거칢. ② 퉁명스러운 말〔행동〕.
Borst·wisch *m.* 〔방언〕 먼지털이용 솔〔비〕.
Bort [bɔrt] *m.* -(e)s, -e ↑ Bord[1].
Borte [bɔ́rtə] *f.* -n ① (옷·화단 등의) 가장자리, 테두리. ② 레이스, 가선, 금몰. ③〔방언〕 (맥주의) 거품. ④〔방언〕〔신부의〕 화관.
borten *t.* (옷 따위에) 가선을 두르다; 레이스로 장식하다.
Borten≈macher, ~weber, ~wirker *m.* 가선 장식을 만드는 직공.
bortieren *t.* 〔드물게〕 ↑ bordieren.
Bortierung *f.* -en 〔드물게〕 ↑ Bordierung.
Borusse [borúsə] 《lat.》 *m.* -n, -n ① 〔시어〕 프로이센 사람. ② 학생 단체〔조직〕 보루시아(Borussia)의 구성원.
Borussia *f.* ① 프로이센을 상징하는 여인. ② 학생 조직(Burschenschaft)의 이름.
borussifizieren *t.* 프로이센화하다.
Borussomanie *f.* 프로이센 애호가〔팬〕.
Borussophobie *f.* 프로이센 공포〔혐오〕.
Borwasser *n.* -s 〖化〗 붕산수(소독약).
Bor·wisch [bó:r..] *m.* -es, -e ↑ Borstwisch.
bös [bø:s] *a.* ↑ böse.
bös≈artig *a.* (↔ gutartig) ① 악의 있는, 음흉한; 성질이 고약한. ②〖醫〗 (병 따위가) 악성인, 치명적인. **≈artigkeit** *f.* 음흉, 사악; 〖醫〗 악성.
*__böschen__ [bœ́ʃən] 《⇔ Busch》 *t.* (토지 따위를) 경사지게 하다; (급경사지를) 완화시키다;

〖軍〗(참호 따위의) 내벽을 쌓다.
Bosch·horn [bɔ́ʃ..] *n.* 〔*pl.*: ..hörner〕(자동차의) 경적, 클랙슨.
Böschung *f.* -en 경사, 비탈, 사면; 둑, 제방; 〖軍〗(비스듬한) 참호벽.
Böschungs≈grad *m.* 경사도. **~fläche** *f.* 경사면. **~winkel** *m.* 경사각.
***böse** [bǿ:zə] 《I》 *a.* (↔gut) ① (schlecht) 나쁜, 불쾌한: eine ~ Ecke (사고가 잦은) 위험한 길모퉁이; eine ~ Überraschung 갑작스런 나쁜〔불쾌한〕 일; ~ Zeiten 고난〔수난〕의 시대. ② 유해한(schädlich); (boshaft) 악의 있는, 심술궂은: ~r Wille 악의; eine ~ Zunge 독설; der ~ Feind〔Geist〕 악마; ~s Wetter a) 궂은 날씨, b)〖광산〗유해한 갱내 가스; der ~ Blick 적의에 찬 시선; ~ Sieben 〔~s Weib〕 잔소리 많은 여자, 표독스러운 여자. ③ (zornig) 성난, 감정이 상한: jm. ~ sein 〔auf jn., mit jm.〕 ~ sein 누구에게 화나 있다; über et. ~ werden 무엇에 화내다; mach mich nicht ~! 나를 화나게 하지 마라!; das wird ~s Blut machen 그것은 분노를 불러일으킬 것이다. ④ (unartig) 버릇없는, 못된: ein ~s Kind 말 안 듣는 아이; wenn du weiterhin so ~ bist, bleibst du zu Hause! 너 계속 그렇게 버릇없이 굴테면 그냥 집에 있어! ⑤ (sündhaft) 악한, 부도덕한: ein durch und durch ~r Mensch 극악무도한 사람. ⑥〘구어〙(krank) 병든, 염증이 생긴:〖醫〗ein ~r Finger 생인손(가락); ~s Auge 안질에 걸린 눈. ⑦〘방언〙탐욕스러운(↑ lüstern²). ⑧〘구어〙(sehr) 대단히, 매우: ich habe mich ~ erschrocken 나는 몹시 놀랐다; gestern war es ~ kalt 어제는 지독하게 추웠다.
Böse 《I》 *der/die* 악인, 죄인: der ~ 악마. 《II》 *das* 악, 나쁜 일, 화(禍), 해(害): jm. ~s tun 누구에게 해를 끼치다; ~s mit ~m vergelten 악을 악으로 갚다; im ~n 폭력적〔강제적〕으로; wenn es im Guten nicht geht, dann im ~n 좋은 말로 통하지 않으면 힘으로 하겠다; nichts ~s ahnend 무슨 불길한 일이 있으리라곤 전혀 생각지도 못하고.
bosen [bó:zən] 〘구식〙《I》 *t.* (erbosen) 화나게 하다, 격분시키다. 《II》 *refl.* sich ~ 노하다.
***Bösewicht** [bǿ:zəvɪçt] *m.* -(e)s, -er/(öst.) -e ①〘구식〙악인, 악한. ②〘구어·농담〙장난꾸러기, 개구쟁이.
bös≈gelaunt *a.* 기분 나쁜. **~gesinnt, ~gewillt** *a.* 악의가〔해칠 마음이〕 있는.
boshaft [bó:shaft] 《<böse》 *a.* ① 음흉한;〖聖〗불경스러운. ② 남의 불행을 기뻐하는 (schadenfroh); 냉소〔경멸〕적인(höhnisch). ③ (schweiz.) 화를 잘 내는, 격분하는.
Boshaftigkeit *f.* -en ① 사악, 음흉; 조소, 경멸. ② 악의에 찬 말〔행동〕.
Bosheit [bó:shaɪt] *f.* -en ① 음흉, 간계; 악의: mit konstanter ~ 끈덕지게, 악착스럽게. ② 악의에 찬 말〔행동〕.
Bosheits·sünde *f.* 악의에서 범한 죄악.
Boskett [bɔskɛ́t] 《germ.; Busch》 *n.* -s, -e ① 덤불, 숲, 총림. ② (르네상스 및 바로크식 정원의) 작은 숲.
Boskoop [bɔ́sko:p], **Boskop** [bɔ́skɔp] *m.* -s, - 사과의 일종(네덜란드의 지명에서).
Bös·kraut *n.* 〖植〗회향풀속(屬).
böslich [bǿ:slɪç] *a.* 〘드물게〙 ↑ böswillig.
Bösling *m.* -s, -e (öst.) 삼의 암나무.
Bosniake [bɔsniá:kə] *m.* -n, -n ① ↑ Bosnier. ② (18세기 폴란드와 프러시아의 슬라브계) 기병. ③〘드물게〙한 번 구운 빵의 분량. ④ (보스니아 지방의) 짐말.
Bos·nickel [bó:snɪkəl] 《<böse》 *m.* -s, - 〘방언〙악인, 심술궂은 사람.
Bosnien [bɔ́sniən] 보스니아(구유고슬라비아의 지방).
Bosnien-Herzegowina 보스니아헤르체고비나(발칸 반도 서부에 있는 주유소의 나라).
Bosnier *m.* -s, - 보스니아 사람.
Bosnigl [bó:snɪgəl] *m.* -s, - (öst.) ↑ Bosnickel.
bosnisch *a.* 보스니아의.
bosnisch-herzegowinisch *a.* 보스니아 헤르체고비나의.
Bosporus [bɔ́sporus] 《gr.》 *m.* 보스포러스 해협(흑해와 마르마라해 사이의 해협).
Boß[1] [bɔs] *m.* Bosses, Bosse 가래〔보습〕의 자루에 대는 횡목(橫木).
Boß[2] [bɔs] 《am.》 *m.* Bosses, Bosse 〘구어〙 보스, 우두머리, 지도자, 장(長): Firmen≈ 사장; Mafia≈ 마피아 보스; Gewerkschafts≈ 노동 조합장.
Boss 新정서 ⇦ Boß[1/2].
Bossage [bɔsá:ʒə] 《frz.》 *f.* -n ↑ Bossenwerk.
Bossa-Nova [..va] *m* -, -s 보사노바(라틴 아메리카의 춤).
Bosse [bɔ́sə] 《frz.》 *f.* -n 〖건축〗 ① (대강 다듬은) 석재의 표면; (마무리되기 이전의) 조각품, 석조물. ② (특히 금속 세공품의) 도드라진 장식, 돋을새김〔양각(陽刻)〕 장식.
Boße *m* -n, -n 〔*f.* -n〕〘방언〙아마(亞麻)의 다발.
Bossel [bɔ́səl], **Boßel** [bó:səl] *m.* -s, - 〔*f.* -n〕 (ndd.) 독일식 볼링의 공.
bosselieren [bɔsəlí:rən] *t.* ↑ bossieren.
bosselig *a.* 공 모양의, 둥근.
bosseln [bɔ́səln] 〘구어〙《I》 *t.* ↑ bossieren. 《II》 *i.* (h.) ① **(a)** 꼼꼼하게 손질하다〔다듬다〕, 공들여 만들다〔세공하다〕: lange Zeit an einer Puppenstube ~ 오랜 시간 동안 조몰락거리며 인형집을 만들다. **(b)**〘비유〙차근차근〔체계적으로〕 해나가다: an einer Doktorarbeit ~ 박사 학위 논문을 꼼꼼히 다듬으며 써 나가다. ② ↑ boßeln.
boßeln [bó:səln] *i.* (h.) (ndd.) (독일식의) 볼링을 하다.
Bossen *m.* -s, - (schweiz.) (특히 짚의) 다발.
Bossen≈quader *m.* 〖건축〗(앞면만 거칠게 다듬은) 방형 석재(方形石材). **~werk** *n.* 〖건축〗방형 석재로 쌓은 벽〔담〕.
Bossier≈arbeit [bɔsí:r..] *f.* 양각(陽刻)〔돋을새김〕 세공. **~bein** *n.* 양각 세공용 뼈주걱. **~eisen** *n.* 자연석 세공용 철제 도구.
bossieren [bɔsí:rən] 《frz.》 *t.* ① (석재를) 거칠게 다듬다, 정으로 쪼아 양각하다. ② (점토·밀랍을) 조형하다, 빌어서 모양을 만들다.
Bossierer *m.* -s, - 양각 세공인; 조형자.
Bossier≈holz *n.* 양각 세공용 나무 주걱. **~kunst** *f.* 양각 세공, 부조(浮彫). **~wachs** *n.* 조형용 밀랍.
Boston [bɔ́stən] 《I》 보스턴(미국 매사추세츠

주의 항구 도시). 《Ⅱ》*n.* -s, -s 보스턴카드(네 명이 하는 카드놀이의 일종). 《Ⅲ》*m.* -s, -s 보스턴 왈츠(느린 미국식 왈츠).

bös·willig [bǿ:svılıç] *a.* 악의 있는. **~·willigkeit** *f.* 악의.

bot [bo:t] ↑ bieten 의 과거형.

Bot [bo:t] 《<(ge)bieten》*n.* -(e)s, -e ①〔고어〕명령; 소환; 경매. ② (schweiz.) 회합, 집회.

Botanik [botá:nık] 《lat. botanica》*f.* -en ① 식물학. ②〔농담·방언〕(대)자연, 들과 산.

Botaniker *m.* -s, - 식물학자.

botanisch *a.* 식물학의: ~er Garten 식물원.

Botanisier·büchse [botanizí:r..] *f.* ↑ ~·trommel.

botanisieren *i.* (h.) 식물을 채집하다.

Botanisier·trommel *f.* 식물 채집통(함).

Bötchen [bǿ:tçən] *n.* -s, - 〖↑ Boot 의 축형〗 작은 보트.

***Bote** [bó:tə] 《⇧ bieten》*m.* -n, -n ① 사환, 심부름꾼: Eil~ 속달 배달부; ein schneller ~ 신속한 전달자; ~ bezahlt! 심부름 값은 받지 않습니다! (배달품 겉면에 쓰임); ~n gehen〔laufen〕 심부름 가다; 〖속담〗 der hinkende ~ kommt nach 불길한 소식은 나중에 온다. ②〖시어〗 사자(使者), 전령(傳令), 고지자, 예고자: Schneeglöcken als erste ~ des Frühlings 봄의 첫 전령인 갈란투스꽃; ein ~ des Todes 죽음의 사자; die zwölf ~n Christi 그리스도의 12 사도.

Böte [bǿ:tə] *pl.* ↑ Boot.

böte ↑ bieten 의 접속법 Ⅱ식.

Botel [botέl] *n.* -s, -s 수상 호텔, 보텔(호텔로 개조된 보트).

Bötel *m.* -s, - (ndd.) 거세된 젊은 숫양.

Boten·amt [bó:tən..] *n.* 사자(使者)의 직위. **~bericht** *m.* 〖연극〗 사자〔전령〕 보고(무대에서 연출할 수 없는 극중 사건을 관객에게 전달하는 연극 기법). **~brot** *n.* 〖고어〗 ↑ ~lohn. **~dienst** *m.* 사자〔사환〕의 임무. **~frau** *f.* 〖고어〗 여자 사환. **~gang** *m.* 심부름 가기: Botengänge besorgen 심부름 가다. **~gänger** *m.* 심부름꾼, 사환. **~geld** *n.* ↑ ~lohn. **~laufen** *n.* 심부름 가기. **~laüfer** *m.* 〖고어〗 ↑ ~gänger. **~lohn** *m.* 심부름 삯〔값〕. **~meister** *m.* 〖고어〗 (상업 도시의) 사환〔전령〕 감독관. **~stoff** *m.* 〖生·化〗 전달 물질. **~·weise** *adv.* 사환〔전령〕을 통해서.

Botin [bó:tın] *f.* -nen ↑ Bote 의 여성형.

Bötlein [bǿ:tlaın] *n.* -s, - ↑ Bötchen.

botmäßig [bó:tmε:sıç] 《<Bot》*a.* 〖고어〗 신하의, 복종의 의무가 있는, 순종하는: jm. ~ sein 누구에게 복종하다.

Botmäßigkeit *f.* -en 〖고어〗 지배, 통치(권): unter js. ~ stehen 누구의 지배를 받다.

Botokude [botokú:də] *m.* -n, -n ① 브라질의 인디언. ②〖폄어·방언〗 무뢰한, 촌놈.

botokudisch *a.* 브라질 인디언 특유의; 촌티 나는.

Botryolith [bɔtryolí:t, .. lít] 《gr.》*m.* -(e)s, -e 〖광물〗 포도 모양의 다토석(石).

***Botschaft** [bó:tʃaft] 《<Bote》*f.* -en ① 소식, 뉴스; 보고, 통지: jm. eine ~ senden 〔überbringen, übermitteln, zukommen lassen〕 소식을 전하다〔알리다〕; eine ~ durch Rundfunk und Fernsehen verbreiten 라디오와 텔레비전을 통해 뉴스를 전하다; 〖기독교〗 die Frohe ~ 복음(Evangelium). ② (a) 공식 발표, 성명, 교서: eine ~ des Bundespräsidenten 대통령의 교서. (b) 〖政〗 (schweiz.) 의안, 제의. ③ 대사관 (건물): zur deutschen ~ in Paris gehen 파리 주재 독일 대사관에 가다.

Botschafter *m.* -s, - 대사: jn. zum ~ ernennen 누구를 대사로 임명하다.

Botschafter·ebene *f.* 대사급: ein Gespräch auf ~ 대사급 수준의 회담.

Botschafterin *f.* -nen ① 여(자)대사. ②〖고어〗 대사 부인.

Botschafter·konferenz *f.* ① (국제) 대사 회의. ②〖史〗 1920-31 년 독일의 베르사유 협정 준수 여부를 감시하기 위해 각국 대사로 구성되었던 위원회. **~posten** *m.* 대사 직위.

Botschafts·rat *m.* 〖복수: ..räte〗 대사관 참사관. **~sekretär** *m.* 대사관 서기관.

Botsuana 보츠와나(남아프리카의 영연방 공화국).

Botsuaner *m.* -s, - 보츠와나 사람.

botsuanisch *a.* 보츠와나의.

Botswana [bɔtsvá:na] ↑ Botsuana.

Bott *n.* -(e)s, -e (schweiz.) ↑ Bot.

Böttcher [bœ́tçər] 《<Bottich》*m.* -s, - 통장이.

Böttcher·arbeit *f.* 통장이의 일. **~axt** *f.*, **~beil** *n.* 통장이의 자귀.

Böttcherei [bœtçəráı] *f.* -en ① 통 만드는 직업. ② 통장이의 일터.

Böttcher·gasse *f.* 통장이 거리. **~hammer** *m.* 통장이의 나무 망치. **~hand·werk** *n.* 통장이 직업. **~holz** *n.* 통의 판자, 통판(桶板). **~lohn** *m.* 통값, 통장이의 품삯. **~meister** *m.* (시험에 합격한) 통장이 기능장〔명인〕.

böttchern *i.* 통장이의 일을 하다.

Böttcher·ware *f.* 나무통 제품. **~werk·statt** *f.* 통장이 작업장.

Bottelier [bɔtəlí:r] *m.* -s, -s 〖海〗 (전함의) 주방장.

Botten *pl.* 〖방언〗 장화, 묵직한 구두.

Botticelli [bɔtitʃέli] Sandro ~ 보티첼리(이탈리아의 화가, 1444 ? -1510).

Bottich [bɔ́tıç] *m.* -(e)s, -e 커다란 (나무)통: die Wäsche in einem ~ einweichen 빨래를 (때가 빠지도록) 나무통에 담가두다; Brau~ 〔Gär~〕 양조통; Bier~ 맥주통.

Bottleparty 新정서 ⇦ Bottle-Party.

Bottle-Party [bɔ́tl..] *f.* ..ties 참석자가 마실 것을 스스로 마련해 오는 파티.

Bottler [bɔ́tlər] *m.* -s, - ↑ Bottelier.

Bottlerei [bɔtləráı] *f.* -en 〖海〗 식품 저장실.

bottnisch [bɔ́tnıʃ] *a.* 보스니아의: der ~e Meerbusen 보스니아만(발트해 북동).

Botulismus [botulísmus] 《lat. botulus》*m.* - 〖醫〗 (특히 육류에 따른) 식중독.

Bouchée [buʃé:] *f.* -s 〖요리〗 부셰(고기·야채를 넣은 만두의 일종, 보통 전채 요리로 나옴).

boucherisieren [buʃərizí:rən] 《frz.》*t.* (방부를 위하여) 목재에 황산구리를 주입하다.

Bouclé [buklé:] 《frz.》《Ⅰ》*n.* -s, -s [..klé:s] 〖방직〗 보풀보풀한 고리실, 부클레 모사(毛絲). 《Ⅱ》*m.* -s, -s 부클레 직물〔양탄자〕.

Bouclé·teppich *m.* ↑ Bouclé 《Ⅱ》.

Boudoir [budwá:r] 《frz.》 *n.* -s, -s (작고 우아한) 부인 방, 규방(閨房).
Boudoir·format *n.* (서적의) 부드아르형(型) (12×19 cm).
Bouffon [bufɔ̃:] 《frz.》 *m.* -s, -s (Possenreißer) 어릿광대, 익살꾼.
Bougainvillea [bugɛ̃vɪlea] *f.* ..villeen 〖植〗 부갱빌레아(열대와 지중해 남부가 원산지로, 연보라 꽃의 덩굴 식물; 프랑스의 항해자 L.A. Bougainville 의 이름에서).
Bougie [buʒí:] 《frz.》 *f.* -s 〖醫〗 부지(협착된 요도·식도 등을 넓히는 데 쓰이는 도구).
bougieren [buʒí:rən] *t.* 〖醫〗 (요도·식도를) 부지로 넓히다.
Bouilabaisse [bujabɛ́:s] *f.* -s 〖요리〗 부야베스(어류·갑각류로 만든 프랑스 수프).
Bouillon [buljɔ́ŋ, buljɔ̃:, bujɔ̃:] 《frz.》 *f.* -s ① 부용(맑은 고기 수프), 육수. ② 〖醫〗 (박테리아 배양을 위한) 육즙.
Bouillon≈kapsel *f.* 캡슐형 고체 육즙. **~tafel** *f.* 판(板)형 고체 육즙. **~würfel** *m.* 주사위 모양의 고체 육즙.
Boule [bu:l] 《frz.》 *n.* -(s), -s 〔*f.* -s〕 (↑ Boccia 와 유사한) 프랑스식 공놀이.
Boule·arbeit [bú:l..] *f.* 상감(象嵌) 세공(프랑스의 가구사 C.A. Boule 의 이름에서).
Boulette [bulɛ́tə] *f.* -n 햄버거 스테이크.
Boulevard [buləvá:r] 《frz.》 *m.* -s, -s 화려한 거리, 큰 가로수 길, (특히 파리의) 환상(環狀) 도로.
Boulevard·blatt *n.* ↑ ~zeitung.
Boulez [bulɛ́:z] Pierre ~ 불레즈(프랑스의 작곡가 겸 지휘자, 1925-).
Boulevardier [buləvardié:] *m.* -(s), -s 〖고어〗 대중 오락극 작가.
Boulevard≈literatur *f.* 〔폄어〕 통속 문학. **~presse** *f.* 〖언론〗 황색지, 통속 신문. **~stück** *n.* 대중 오락극, 통속극. **~theater** *n.* ① (파리의) 불바르 희극 극장. ② 통속극 상연 극장. **~zeitung** *f.* (흥미 위주의) 황색 신문.
Boulogne [bulɔ́njə] 불로뉴(파리의 근교 도시).
Boulogner [..lɔ́njər] 《Ⅰ》 *m.* -s, - 불로뉴의 주민. 《Ⅱ》 *a.* 불로뉴시의.
boulognisch [..lɔ́njɪʃ] *a.* 불로뉴풍의.
Bouquet [buké:] *n.* -s, -s ↑ Bukett ②.
Bouquinist [bukinɪ́st] *m.* -n, -n (특히 프랑스의) 가두〔노점〕 서적상, 헌책 장수.
Bourbone [burbó:nə] 《frz.》 *m.* -n, -n 부르봉가〔왕조〕의 사람.
bourbonisch *a.* 부르봉가〔왕조〕의.
Bourdon [burdɔ̃:] 《frz.》 *m.* -s, -s 〖음악〗 (오르간의) 저(低)음조, 부르동 음전(音栓).
bourgeois [burʒwá] 《frz.》 *a.* 부유한 시민 계급의, 부유층의, 부르주아적인.
Bourgeois[1] 《frz.》 *m.* -, - ① 부유한 시민; 유산자, 자본가, 부르주아. ② 〔폄어〕 타락한 부자.
Bourgeois[2] 《frz.》 *f.* 〖印〗 9 포인트(활자의 크기).
Bourgeoisie [burʒwazí:] 《frz.》 *f.* -n [..zí:ən] ① (부유한) 시민계급; 유산〔자본가〕 계급. ② 〔폄어〕 퇴폐적인 부유층.
Bourrée [buré:] 《frz.》 *f.* -s ① 부레춤(옛 프랑스의 민속춤; Gavotte 와 유사함). ② 〖음악〗 모음곡의 악절.
Bourrette [burɛ́tə] 《frz.》 *f.* -n 〖섬유〗 (Abfallseide) 비단〔명주실〕 부스러기; (부스러기 실로 짠) 거친 비단 직물.
Bouteille [butɛ́:j, butɛ́ljə] 《frz.》 *f.* -n 〔고어〕 병(Flasche).
Boutique [butí:k] 《frz.》 *f.* -n/-s 소형 상점.
Bouton [butɔ̃:] 《frz.》 *m.* -s, -s (꽃봉오리 모양의) 귀고리.
Bouzouki [buzú..] *f.* -s ↑ Busuki.
Bovist [bó:vɪst] *m.* -(e)s, -e 〖植〗 말불버섯.
Bowden·zug [báudən..] *m.* 〖기술〗 (속이 빈 관(管)에 넣어져 있는 견인용의) 바우든 케이블〔와이어〕 (영국인 발명가 Bowden 의 이름에서).
Bowie·messer [bó:vi..] 《engl.》 *n.* 긴 사냥칼 (발명자 Bowie 의 이름에서).
Bowle [bó:lə] 《engl. bowl》 *f.* -n ① 볼(포도주에 과일·향료·샴페인·얼음 등을 섞어 만든 찬 음료). ② 볼용 주발.
bowlen [bóulən] *i.* 볼링을 하다.
Bowlen≈glas *n.* 볼 잔. **~löffel** *m.* 볼용 스푼.
Bowler [bó:lər] 《engl.》 *m.* -s, - 〖의상〗 중산모(영국의 모자 전문가 Bowler 의 이름에서).
Bowling [bóulɪŋ] 《engl.》 *n.* -s, -s ① 볼링. ② (잔디밭에서 하는) 영국식 볼링.
Bowling·bahn *f.* 볼링 레인.
Box [bɔks] 《engl.》 *f.* -en ① (마구간·차고의) 한 칸〔구역〕. ② (자동차 경주로에 설치된) 간이 정비소. ③ 상자, 케이스. ④ (상자 모양의) 사진기. ⑤ 스피커 박스. ⑥ (박람회의) 칸막이 전시실, 코너. ⑦ (öst.) 우편함.
Box·ball *m.* (권투 연습용의) 매단 공.
Box·beutel *m.* ↑ Bocksbeutel.
Box·birne *f.* ↑ Boxball.
Box·calf [..ka:f, ..kalf] *n.* (schweiz.) ↑ Boxkalf.
boxen [bɔ́ksən] 《engl.》 《Ⅰ》 *i.* (h.) 권투하다: er boxt im Schwergewicht 그는 중량급 권투 선수다. 《Ⅱ》 *t.* ① 때리다, 구타하다. ② 쳐 내다, 넘기다: den Ball über das Netz ~ 공을 네트 위로 쳐 넘기다; den Ball ins Aus ~ 공을 밖으로 쳐 내다. 《Ⅲ》 *refl.* sich ~ 헤치고 나가다: sich in die vorderste Reihe der Zuschauer ~ 관중석의 맨 앞줄로 헤치고 나가다.
Boxer [bɔ́ksər] *m.* -s, - ① 권투 선수, 복서. ② (südd., öst.) 펀치. ③ 복서(개의 일종). ④ (중국의) 의화단원(義和團員), 권비(拳匪) (청·일 전쟁 후 외세에 저항했던 비밀 결사단의 조직원).
Boxer·aufstand *m.* 의화단의 난(1900 년).
Boxerei [bɔksəráɪ] *f.* -en 〔드물게〕 잦은 구타.
boxerisch *a.* 권투 선수의.
Boxer≈krieg *m.* ↑ ~aufstand. **~motor** *m.* 〖工〗 쌍기통 엔진(두 개의 실린더를 대칭적으로 세워서 상호 작용을 유도하는 내연 기관). **~nase** *f.* 〔구어〕 안장코.
Box≈geräte *pl.* 권투 장비. **~hand·schuh** *m.* 권투 글러브〔장갑〕. **~hieb** *m.* 〖권투〗 펀치, 타격.
Boxin *n.* -s 복신(인조 가죽).
Box·kalf [bɔ́kskalf] 《engl.》 《Ⅰ》 *n.* -s, -s 복스 가죽, (고급 구두용) 송아지 가죽. 《Ⅱ》 *m.* -s, -s 복스 가죽으로 만든 구두.

Box≈kampf *m.* 권투 시합. **~kunst** *f.* 권투 기술. **~regeln** *pl.* 권투 규칙. **~ring** *m.* 권투 경기장, 링. **~sport** *m.* 권투.
Boy [bɔʏ] 《engl.》 *m.* -s, -s ① (호텔의) 보이, 사환, 급사. ②〔학생〕소년; 남자 친구〔애인〕.
Boyer *m.* 보아 모포(Boi).
Boykott [bɔʏkɔ́t] *m.* -(e)s, -s/-e (Verruf) 보이콧, 공동 배척, 참가〔협력〕 거부, 불매 동맹: zum ~ der Olympischen Spiele aufrufen 올림픽 경기의 참가 거부를 호소하다.
boykottieren [bɔʏkɔtí:rən] *t.* 보이콧〔공동 배척〕하다: wir werden die Wahl ~ 우리는 선거 거부 운동을 전개해 나갈 것이다.
Boykottierung *f.* -en 보이콧, 불매 운동.
Boykott·maßnahme *f.* 보이콧 조치.
Boyle-Mariottesches Gesetz [boil mariɔ́tʃ..] 보일마리오트 법칙(기체의 부피는 압력에 반비례한다는 물리 법칙; 영국 물리학자 Robert Boyle과 프랑스 물리학자 Edmé Mariotte의 이름에서).
Boy-Scout [bɔ́ʏskaut] 《engl.》 *m.* -(s), -s (Pfadfinder) 보이 스카우트, 소년단원.
Bozen [bó:tsən] 보첸(남부 티롤 지방의 도시).
Bozner *m.* -s, - 보첸 사람.
BP ① =Bayern-Partei 바이에른당. ② = Bundespost (독일) 연방 우체국.
Bq =Becquerel 베커렐(방사성 강도 단위).
BR =Bayerischer Rundfunk 바이에른 방송.
Br 〖化〗 =Brom 브롬, 취소(臭素).
Br. ① =Bruder 형제. ② =Brief 편지.
br [br] *int.* ↑ brr.
br. =broschiert 가철(假綴)의.
Brabançonne [brabãsɔ́n] *f.* - 브라방손(벨기에의 혁명가(歌)였고, 오늘날에는 국가(國歌); 벨기에의 Brabant 지방의 이름에서).
Brabant [brabánt] 브라반트(벨기에 중부의 주).
Brabanter 《I》 *m.* -s, - 브라반트 주민. 《II》 *a.* 브라반트의.
brabbeln [brábəln] *i.* (h.) 〔구어〕 중얼대다, 웅얼거리며 혼자말하다.
brach[1] [bra:x] ↑ brechen의 과거형.
brach[2] *a.* ① 한 동안 경작되지 않는, 휴경 중인, 휴한(休閑)의: das ~e Land 휴한지, 쉬는 땅. ②〔비유〕활용되지 않고 있는, 유휴(遊休)의: die ~en Kräfte 유휴 인력.
Brach≈acker *m.* ↑ Brache ②. **~ackern** *i.* (h.) 휴한지를 경작하다.
Brache [brá:xə] 《<brechen》 *f.* -n ① 휴한, 휴경: mit Hilfe der ~ die Beschaffenheit des Bodens verbessern 밭을 쉬게 함으로써 토질을 개선시키다. ② 휴한지, 휴경지: Mist auf die ~ fahren 휴한지에 거름을 주다. ③ 휴한기, 휴경기. ④〔비유〕무위(無爲), 나태.
bräche [brɛ́:çə] ↑ brechen의 접속법 Ⅱ식.
brachen [brá:xən] 《<Brache》 《I》 *t.* ① (밭을) 쉬게 하다, 휴경(休耕)하다. ② (휴경지를) 쟁기로 갈아 엎다. 《II》 *i.* (h.) 황폐해 있다.
Bracher *m.* -s, - ① 휴경지 개간자. ② ↑ Brachvogel.
Brachet [brá:xət] *m.* -s, -e ↑ Brachmonat.
Brach≈feld *n.*, **~flur** *f.* ↑ Brache ②. **~frosch** *m.* 〖動〗 송장개구리. **~huhn** *n.* ↑ ~schwalbe.
brachial [braxiá:l] 《gr.》 *a.* ① 상박(上膊)의, 팔의. ②〔雅語〕거친, 폭력적인: mit ~er Gewalt 완력으로.
Brachial≈gewalt *f.* 〔雅語〕 완력, 폭력. **~index** *m.* 〖해부〗 상박(上膊)과 하박(下膊)의 길이 비례.
Brachiopode [braxiopó:də] 《gr.》 *m.* -n, -n 〖動〗 완족류(腕足類) (Armfüßler).
Brachiosaurus [..záurus] *m.* -, ..rier 〖고생물〗 브라키오사우루스(쥐라기에 살았던 거대한 초식성 공룡).
Brach≈käfer *m.* 〖動〗 풍뎅이의 일종. **~land** *n.* ↑ Brache ②. **~läufer** *m.* 〖動〗 들종달새. **~|legen** *t.* (농지를) 휴경시키다. **~|liegen*** *i.* (h.) ① (농지가) 휴경 중이다, 경작되지 않고 있다. ②〔비유〕(사람·능력 등이) 활용되지 않고 있다; 경시되고 있다: ~de Talente 썩고 있는 재능.
Brachling *m.* -s, -e 〖植〗 ↑ Brachpilz.
Brach≈männchen *n.* 〖植〗 야생 양송이 버섯. **~monat, ~mond** *m.* 〔구식〕 6월(Juni). **~|pflügen** (pflügte brach, gebrachpflügt) *i.* (h.) 휴한지를 갈다. **~pilz** *m.* 〖植〗 들싸리버섯(송이버섯의 일종). **~rübe** *f.* 〖植〗 평지(겨잣과의 다년초).
Brachs [braks] *m* -es, -e ↑ Brachse.
Brach≈schnepfe *f.* 〖動〗 ↑ ~vogel. **~schwalbe** *f.* 〖動〗 들제비.
Brachse [bráksə] *f.* -n, **Brachsen** *m.* -s, - 〖動〗 잉어의 일종(↑ Blei[2]).
Brachsen≈farn *m.*, **~kraut** *n.* 〖植〗 물부추.
Brachsmen *m.* -s, - ↑ Brachse.
brachte [bráxtə] ↑ bringen의 과거형.
brächte [brɛ́çtə] ↑ bringen의 접속법 Ⅱ식.
Brach≈vogel *m.* 〖動〗 마도요새. **~weide** *f.* 휴한지(休閑地)의 목장.
brachy.. 《gr., „kurz"》 *pref.* "짧은, 축약된"의 뜻.
Brachy·achse *f.* 짧은 축.
Brachygraph [braxygrá:f] *m.* -en, -en 〔고어〕 속기사(Stenograph).
Brachygraphie [..grafí:] *f.* -n [..fí:ən] 〔고어〕 속기술(Stenographie).
brachygraphisch *a.* 속기술의.
brachykephal [braxykefá:l] *a.* ↑ brachyzephal.
Brachylogie [..logí:] *f.* -n [..gí:ən] 〖문체〗 축약법, 함축적인 표현법.
brachyzephal [..tsefá:l] *a.* 〖醫〗 단두(短頭)의, 두개(頭蓋)가 짧은.
Brachyzephale* *der/die* 단두(短頭)인 사람(머리의 폭이 길이의 80% 이상).
Brachyzephalie [..tsefalí:] *f.* -n [..lí:ən] 〖醫〗 단두(短頭), 짧고 둥그런 머리형.
Brach·zeit *f.* (Brache) 휴한기, 휴경기.
Brack[1] [brak] 《♧ Wrack》 *n.* -(e)s, -s/-en (ndd.) ① 폐물, 허섭스레기; 불량품, 싸구려. ② ↑ ~wasser. ③ 불순(不純)한 호박(琥珀). ④ 제방의 우묵한 곳. ⑤ (육체상) 결함, 결점.
Brack[2] ① *m.* -en, -en ↑ Bracke[1] ①. ② *m.* -s, -e (obd.) ↑ Bracke[1] ②.
brack *a.* ① 열등한, 저질의, 허섭스레기 같은. ② ↑ brackig. ③ (obd.) 살찐.
Brack·bank 《<Bracke[3]》 *f.* (상품을 고르는) 대(臺).
Bracke[1] [brákə] *m.* -n, -n ① 사냥개의 일종

(수컷). ② 짐승의 새끼.
Bracke² *f.* -n ↑ Bracke¹ ① 의 암컷.
Bracke³ *f.* -n ① 허섭스레기, 불량품. ② 상품 검사(소); 상품 심사 위원. ③ ↑ Brackwasser. ④ 수레채의 가로목〔횡목〕. ⑤ 휴한지(↑ Brache ②).
bracken [brákən] *t.* (ndd.) ① (상품·가축 등을) 추려내다, 선별하다. ② 손바닥으로 때리다. ③ (삼을) 훑다.
Bracker *m.* -s, - 상품 검사원.
Brack·gut *n.* 폐물, 허섭스레기, 불량품.
brackig [brákıç] *a.* (ndd.) 좀 짠, 염분이 섞인: ~es Wasser 염분이 섞여 마실 수 없는 물.
Bräckin [brɛ́kın] *f.* -nen ↑ Bracke².
brackisch [brákıʃ] *a.* ① ↑ brackig. ②〖지질〗기수(汽水)의.
Brack≈kaffee *m.* 바닷물이 들어가 못쓰게 된 커피. **~schaf** *n.* (번식 능력을 잃은) 폐양(廢羊). **~tisch** *m.* ↑ ~bank. **~vieh** *n.* 쓸모없게 된 가축. **~ware** *f.* 불량품. **~wasser** *n.* (특히 강어귀의) 바닷물이 섞인 강물, 기수(汽水); 염분이 섞여 마실 수 없는 물.
bradeln *i.* (schweiz.) 수다떨다(plaudern).
Bradykardie [bradykardí:] 《gr.》 *f.* -n [..dí:ən]〖醫〗심장 박동이 느림, 지맥(遲脈), 서맥(徐脈).
brägeln [brɛ́:gəln] 《I》 *t.* (südd.) 기름에 굽다〔튀기다〕. 《II》 *i.* (h.) ① 지글지글 구워지다: das Fleisch brägelt in der Pfanne 고기가 프라이 팬에서 지글거린다. ② 재잘거리다. ③ es brägelt 굳어져서 후두둑 떨어진다.
Brägen [brɛ́:gən] *m.* -s, - ↑ Bregen.
Bragi [brá:gi] *m.*〖북구신화〗고대 노르웨이의 시인; 시신(詩神).
Brahm [bra:m] *m.* -(e)s, -e〖측량〗측심연.
Brahma [brá:ma, bráhma] 《skt.》 *m.* -s〖宗〗브라마, 범천(梵天).
Brahma·huhn *n.* ↑ ~putrahuhn.
Brahmaismus *m.* - ↑ Brahmanismus.
Brahman [brá:man, bráhman] 《skt.》 *n.* -s 범(梵)(인도 철학의 최고 원리로 우주 만물을 생성·지배하는 영원한 힘).
Brahmane [bra(h)má:nə] 《skt.》 *m.* ..n, ..n 바라문(인도 카스트 제도의 승려 계급).
brahmanisch *a.* 바라문의.
Brahmanismus *m.* - ① 바라문교. ②〔드물게〕↑ Hinduismus.
Brahmaputra [bramapú:tra, brahmapŭtra] *m.* -(s) 브라마푸트라강(인도의 강).
Brahmaputra·huhn *n.* 브라마종의 닭.
Brahmine *m.* -n, -n (öst.) ↑ Brahmane.
brahminisch *a.* ↑ brahmanisch.
Brahminismus *m.* - ↑ Brahmanismus.
Brahms [bra:ms] Johannes ~ 브람스(독일의 작곡가, 1833-97).
Braille≈schrift [brá:jə..] *f.* (Blindenschrift) 점자(點字)(발명자인 프랑스의 L. Braille 의 이름에서). **~system** *n.* 점자법.
Braindrain 新정서 ⇦ Brain-Drain.
Brain≈-Drain [bréındreın] 《engl.》 *m.* -s 두뇌 유출(인재들이 외국, 특히 미국으로 빠져 나가는 현상). **~storming** [..stɔ:mıŋ] 《engl.》 *n.* -s, - 브레인 스토밍(회의·토론에서 창조적인 사고력을 자극하기 위한 방법). **~-Trust** [..trʌst] 《engl.》 *m.* 브레인 트러스트(전문가 집단). **~-Truster** [..trʌstər] 《engl.》 브레인 트러스터의 일원〔전문가〕.
Braise [brɛ́:zə] 《frz.》 *f.* -n〖요리〗걸쭉하고 기름진 육수(고기·야채를 푹 곧 때 사용).
braisieren *t.* (고기·야채를) 육수에 넣고 끓이다.
BRAK = Bundesrechtsanwaltskammer〖法〗연방 변호사회.
Brake [brá:kə] (ndd.) *f.* -n ① 삼을 훑는 기구. ② 둑의 무너짐. ③ 막대, 장대.
braken [brá:kən] 《I》 *t.* Flachs ~ 삼을 줄기에서 훑어내다. 《II》 *a.* 파손된(gebrochen).
Brakteat [brakteá:t] 《lat., „Blech"》 *m.* -en, -en ① (5-7 세기 대개 목에 걸던) 장식용 메달, 펜던트. ② (한쪽 면에만 그림이 각인된) 중세의 동전〔금·은화〕.
Braktee [..té:ə] *f.* -n〖植〗포(苞)(Deckblatt).
Brakteole [..teó:lə] *f.* -n〖植〗소포(小苞)(Vorblatt).
Bram¹ [bra:m] *m.* -(e)s〖植〗금작화(金雀花).
Bram², **Bräm** [brɛ:m] *m.* -(e)s, -e ↑ Brame, Bräme.
Bram³ *f.* -en〖海〗윗돛대(위에서 두 번째의 돛대).
Bramah≈presse [brá:ma..] *f.*〖工〗수압기(水壓機)(영국의 발명가 J. Bramah 의 이름에서). **~schloß** *n.* 브라마 자물쇠.
Bramarbas [bramárbas] 《sp.》 *m.* -, -se〖펌어·교양〗허풍선이(Prahler).
bramarbasieren [..zí:rən] *i.* (h.)〖펌어·교양〗호언장담하다, 허풍떨다.
Bram≈besen *m.* 금작화(金雀花)로 만든 비. **~brasse** *f.*〖海〗윗돛대의 아딧줄.
Bramburi 《tschech.》 *pl.* (öst.) 감자.
Brambusch *m.* -(e)s, ..büsche (ndd.) 금작화(Ginster).
Brame [brá:mə], **Bräme** [brɛ́:..] 《engl. brim》 *f.* -n〔구식〕① 옷의 가장자리 장식(레이스·장식끈). ② (목초지·들판 등의 가장자리에 심어 놓은) 무성한 나무 울타리.
Bramling [brá:mlıŋ], **Brämling** [brɛ́:m..] *m.* -s, -e〖動〗되새류(類)(Bergfink).
Bramme [brámə] *f.* -n (양철 생산 때 첫번째 압연 과정을 거친) 쇠판, 강철판.
Brammen·walz·werk *n.* 철괴 압연기.
Bram≈rahe *f.*〖海〗윗돛대의 활대. **~segel** *n.* 윗돛대의 돛. **~segel·fall** *n.* 윗돛대의 용총줄. **~stenge** *f.* 윗돛대.
bramsig [brámzıç] *a.* (berl.) ① 잘난 체하는, 거만한. ② 언짢은, 성난.
Branche [brã́:ʃə] 《frz., „Zweig"》 *f.* -n ①〖商〗(회사·기업의) 지점, 지사. ② (직업·업무의) 분야, 부문, 업종.
Branche·kenntnis *f.* ↑ Branchenkenntnis.
Branchen≈erfahrung *f.* 특정 분야에서의 경험. **~fremd** *a.* 특정 분야에서의 경험이 없는. **~kenntnis** *f.* 전문 지식. **~kundig** *a.* 특정 분야를 잘 아는, 전문 지식이 있는. **~-üblich** *a.* 그 분야에서는 흔히 있는〔관례적인〕. **~verzeichnis** *n.* (전화 번호부에서의) 업종별 주소록.
Branchiat [brançiá:t] *m.* -n -n〖動〗아가미 호흡 동물.
Branchie [bránçiə] *f.* -n〖動〗아가미(Kieme).

Branchiosaurier [branɕiozáuriər] *m.* -s, - 〖고생물〗 ↑ Branchiosaurus.

Branchiosaurus *m.* -, ..rier 〖고생물〗 브란키오사우루스(석탄기의 대표적인 양서류).

***Brand** [brant] 《<brennen》 *m.* -(e)s, Brände ① 화재, 불; 연소, 타오름: die Feuerwehr konnte den ~ schnell eindämmen 소방대는 화재를 빨리 진압할 수 있었다; in ~ kommen 〔stehen〕 불타다〔연소 중이다〕; ein Haus in ~ stecken〔setzen〕 어떤 집에 방화하다; in ~ geraten 화염에 휩싸이다. ② 〔비유〕 흥분, 열정: der ~ der Eifersucht 불타는 질투심; um die Brände schlagen 사람의 마음을 넌지시 알아보다(불똥이 튀는가 안 튀는가 시험하다); sich aus den Bränden machen (견디지 못하여) 도망하다; jm. auf den Bränden liegen 누구에게서 눈을 떼지 않다, 엄중히 감시하다. ③ 〔방언〕 땔감, 연료: wir müssen uns noch den ~ für den Winter besorgen 우리는 겨울에 쓸 땔감을 더 마련해야 한다. ④ 낙인, 소인(燒印). ⑤ 〔구어〕 갈증: seinen ~ löschen 갈증을 해소하다. ⑥ 〖醫〗 탈저(脫疽), 괴저(壞疽). ⑦ 〖植〗 깜부기병, 흑수병. ⑧ (벽돌·도자기의) 소성(燒成), 구워 만듦. ⑨ 화상, 덴 곳. ⑩ (돈의) 궁핍. ⑪ 화전(火田). ⑫ 〖工〗 심지, 신관. ⑬ 반만 탄 나무; 타는 냄새, 탄 맛. ⑭ 금(Gold); 어리석은 생각. ⑮ 〔방언〕 조산(早產); 정오. ⑯ 〔시어〕 검(劍).

Brand⸗ader *f.* 〖醫〗 대퇴(大腿) 정맥; 〖農〗 불모 지맥(地脈). **⸗aktuell** *a.* 〔구어〕 최신의, 매우 시사성 있는: wir informieren Sie ~ 우리는 당신에게 최신 정보를 드립니다. **~anschlag** *m.* 방화 테러. **⸗artig** *a.* 〖醫〗 탈저상(脫疽狀)〔괴저상〕의. **~assekuranz** *f.* (schweiz.) 화재 보험. **~balsam** *m.* 화상에 바르는 연고. **~beschädigung** *f.* 화재로 인한 손상. **~bettel** *m.* ① 〔고어〕 (화재로 인한 이재민을 위해 관청에서 발부하는) 구걸 인가증. ② 〔구어〕 ↑ Brandbrief ②. **~bettler** *m.* 화재를 당해 구걸하는 사람. **~binde** *f.* 화상용 붕대. **~blase** *f.* 〖醫〗 화상 수포〔물집〕. **~bock** *m.* 난로의 장작 쌓는 시렁. **~bolzen** *m.*, **~bombe** *f.* 〖軍〗 소이탄. **~brief** *m.* ① ↑ ~bettel ①. ② 〔구어〕 긴급 독촉장〔경고장〕, 절박한 편지〔청원서〕. **~direktor** *m.* 소방서장. **⸗eilig** 〔구어〕 화급〔시급〕한. **~eisen** *n.* 낙인〔소인(燒印)〕 도장.

Brandel [brándəl] *m.* -s, - 〖軍〗 뇌관.

brandeln *imp.* (bayr., öst.) es brandelt (뭔가) 타는 냄새가 난다.

branden [brándən] *i.* (h.) 〔雅語〕 ① (파도가) 부서지다. ② 〔비유〕 거세게 일다, 포효하다: die Wogen der Empörung brandeten um den Attentäter 암살범에 대한 분노의 파도가 거세게 끓어올랐다.

Brandenburg [brándənburk] 브란덴부르크(독일의 주).

Brandenburger 《Ⅰ》 *m.* -s, - 브란덴부르크 사람. 《Ⅱ》 *a.* 브란덴부르크의.

brandenburgisch *a.* 브란덴부르크(풍)의.

Brand·ente *f.* 〖動〗 황(黃)오리.

Brander [brándər] 《<Brand》 *m.* -s, - ① 〖軍·고어〗 소이선(燒夷船)(적함을 불지르기 위해 불을 붙여 적진으로 보내는 배). ② 〖軍〗 심지, 신관(信管). ③ 〔학생〕 ↑ Brandfuchs ③.

Bränder [bréndər] *m.* -s, - ↑ Brander ②.

Brand⸗erz *n.* 〖광물〗 역청질 이회석(瀝青質泥灰石). **~eule** *f.* 〖動〗 올빼미의 일종; 나방의 일종. **~fackel** *f.* 방화용 횃불; 〔비유〕 die ~ des Krieges 전쟁의 불길, 전화(戰火). **~faß** *n.* 〖軍〗 발화통. **⸗fest** *a.* 내화성(耐火性)의. **~fieber** *n.* 〖醫〗 화농열, 괴저열(壞疽熱). **~fläche** *f.* 불에 타버린 면적. **~fleck, ~flecken** *m.* ① 불탄 자리: in dem neuen Sessel ist schon ein ~ 새 안락 의자에 벌써 불에 탄 자리가 생겼다. ② 〖醫〗 화상반(火傷斑), 괴저반(壞疽斑). ③ 〖農〗 산성 토양. **⸗fleckig** *a.* 불탄 흔적〔화상 자국〕이 있는. **~fuchs** *m.* ① 여우의 일종. ② 밤색의 말, 구렁말, 자류마(紫騮馬). ③ 〔학생〕 2 학기의 대학생. **~gans** *f.* ↑ ~ente. **~gase** *pl.* 〖광산〗 폭발 가스. **~gasse** *f.* (불이 번지지 않게 하기 위한) 건물 사이의 샛길. **~gefahr** *f.* 화재 위험. **⸗gefährlich** *a.* ① 화재 위험이 있는. ② 〔스포츠〕 매우 위험한, 아슬아슬한. **~geruch** *m.* 탄내, 타는 냄새. **~geschmack** *m.* 탄 맛. **~geschoß** *n.* 〖軍〗 소이탄. **~geschwür** *n.* 〖醫〗 괴저성(壞疽性) 궤양. **~giebel** *m.* 방화용 박공벽. **~glocke** *f.* 화재 경종. **~grab** *n.* 화장한 유골을 묻었던 선사 시대의 묘지. **~granate** *f.* 〖軍〗 소이탄(燒夷彈). **~haken** *m.* (소방수의) 쇠갈고리. **~haube** *f.* 〖軍〗 (불화살의) 첨두(尖頭). **~heiß** *a.* 〔구어〕 (뉴스가) 최신인, 현장에서 방금 들어온, 긴급하고 중대한. **~herd** *m.* 발화점, 화원(火源). **~herr** *m.* 소방 감독관. **~holz** *n.* 장작; 〖林〗 타버린 수목.

brandicht *a.* 〔고어〕 ↑ brandig.

brandig [brándɪç] *a.* ① 〔雅語〕 탄, 눌은, 탄내가 나는. ② 〖植〗 깜부기병에 걸린, 고조병(枯凋病)의. ③ 〖醫〗 탈저증(脫疽症)〔괴저(壞疽)증〕의.

Brand⸗kasse *f.* 〔구어〕 (소형) 화재 보험 회사; 화재 구제 적립금. **~korn** *n.* 깜부기병에 걸린 곡물. **~kugel** *f.* 〖軍〗 소이탄. **~kultur** *f.* 〖農〗 화전(火田). **~laden** *m.* 방화용 철문. **~leder** *n.* 구두 안쪽 바닥 가죽. **~leger** *m.* (öst.) ↑ ~stifter. **~legung** *f.* (öst.) ↑ ~stiftung. **~leiter** *f.* 소방〔비상〕 사다리. **~loch** *n.* 〖軍〗 신관공(信管孔); 〖제련〗 (용광로의) 아궁이. **~mal** *n.* 〔복수: -e/..mäler〕 ① 덴 자리. ② (중세 때 죄인에게 찍은) 낙인; 〔비유〕 오욕, 치욕. ③ ↑ ~zeichen. ④ (선천적인) 붉은 반점. **⸗malen** (*p.p.* gebrandmalt) *t.* ① 낙인을 찍다. ② 소화(燒畫)를 그리다. **~malerei** *f.* 소화(燒畫)(불에 달군 인두로 나무에 그림을 새겨 넣는 화법). **~marke** *f.* 〔드물게〕 ↑ ~zeichen. **⸗marken** (*p.p.* gebrandmarkt) 《Ⅰ》 *t.* 낙인을 찍다, 〔비유〕 오명을 씌우다: man hat ihn für sein ganzes Leben als Verbrecher gebrandmarkt 그는 평생 동안 범죄자로 낙인 찍혔다. 《Ⅱ》 **gebrandmarkt** *p.a.* ↑ gebrandmarkt. **~mauer** *f.* 방화벽; 내화(耐火) 외벽. **~maus** *f.* 들쥐의 일종. **~mehl** *n.* 깜부깃병에 걸린 곡물의 가루. **~meise** *f.* 〖動〗 박새 무리. **~meister** *m.* 소방 대장. **~mittel** *n.* 〖醫〗 괴저약; 화상에 바르는 약. **⸗neu** *a.* 〔구어〕 ① 아주 새로운, 최신의: ein ⸗es Automodell 신형 자동차 모델. ② 미사용의: das Fahrrad ist ~ 이 자전거는 아직 한 번도 타 보지 않은 것이다. **~not·versicherung** *f.* 화재 보험.

~opfer *n.* ①〖聖〗 불에 구운 제물, 번제(燔祭). ② 향불 피우기. ③ 화재 희생자. **~ordnung** *f.* 소방 규칙(Feuerlöschordnung).
Brand≈pfahl *m.* 화형주(火刑柱). **~pfeil** *m.* 불화살, 화전(火箭). **~pflaster** *n.* 덴 데 바르는 고약. **~pilz** *m.*〖植〗(깜부깃병을 일으키는) 흑수균류(黑穗菌類). **~probe** *f.*〖제련〗정련은(精鍊銀)의 시금(試金). **~rakete** *f.*〖軍〗소이용(燒夷用) 로켓, 소이 화전(火箭). **~rede** *f.* ① 긴급 호소. ② 선동적인 연설. **~regen** *m.*〖農〗곡류에 깜부깃병을 일으키는 비. **~rodung** *f.* 화전(火田). **~röhre** *f.*〖軍〗신관(信管). **~rose** *f.*〖醫〗괴저성 단독(壞疽性丹毒). **~rot** *a.* 새빨간(feuerrot). **~röte** *f.* 화홍색(火紅色). **~salbe** *f.*〖醫〗화상(火傷) 연고. **~satz** *m.*〖軍〗(소이탄·예광탄의) 장약. **~schaden** *m.* 화재 피해. **~schatzen** (*p.p.* gebrandschatzt) *t.* 불지른다고 위협하여 면소금(免燒金)을 징수하다, 방화 약탈하다. **~schatzung** *f.* 면소금(免燒金) 징수; 방화 약탈, 강탈. **~schau** *f.* 정기 화재 안전 검사. **~schiefer** *m.* 역청질의 판석(板石). **~schiff** *n.* ↑ Brander ①. **~schimmel** *m.* 붉은 반점의 백마. **~schwarz** *a.* 타서 새카맣게 된. **~silber** *n.*〖제련〗정련은(精鍊銀). **~sohle** *f.* 구두의 안창(원래는 소인이 찍혀서 손상된 짐승의 가죽으로 만든 것을 의미). **~spore** *f.*〖植〗검은 아포(芽胞). **~spritze** *f.* 소방용 증기 펌프. **~statt, ~stätte** *f.* ①〖雅語〗↑ ~stelle. ② 숯굽는 가마(Kohlenmeiler). **~stein** *m.* 구운 벽돌. **~stelle** *f.* 화재 현장, 화재 발생 장소; (삼림의) 불탄 자리. **~steuer** *f.* ① ↑ ~schatzung. ② 화재 이재민을 위한 세금〔의연금〕. ③ (schweiz.) 건물 보험료. **~stifter** *m.* 방화자〔범〕. **~stiftung** *f.*〖法〗방화(죄). **~stiftungs·trieb** *m.*〖醫〗방화광(狂) (Pyromanie). **~stück** *n.* 정련 은편(精鍊銀片); 번제(燔祭)에 바치는 물건. **~teig** *m.*〖요리〗약한 열을 가하며 만든 반죽(전채〔슈크림〕 과자 등의 제조에 쓰임). **~tür** *f.* 내화(耐火) 철문.
Brandung [brándʊŋ] 《<branden》 *f.* -en 부딪쳐 부서지는 파도, 파도의 부서짐.
Brandungs≈boot *n.* 상륙용 보트. **~welle** *f.* (해안·암벽에 부딪쳐) 부서지는 파도.
Brand≈ursache *f.* 화재 원인, 화인(火因). **~versicherung** *f.*〔구어〕화재 보험. **~vogel** *m.*〖動〗작은부리울새(Rotschwänzchen). **~wache** *f.* (화재 진압 후 재발을 막기 위한) 화재 현장 감시(인). **~weizen** *m.* 깜부깃병에 걸린 밀. **~wirtschaft** *f.*〖農〗화전(火田) 영농. **~wunde** *f.* 화상.
Brandy [brǽndi, brɛ́n..] 《engl.》 *m.* -s, -s 브랜디, 화주(火酒).
Brand≈zeichen *n.* (가축에 찍는) 낙인, 소인(燒印). **~zettel** *m.* 방화 협박장. **~zeug** *n.*〖軍〗방화용 연소물; 소이약(燒夷藥). **~ziegel** *m.* 내화(耐火) 벽돌. **~ziemer** *m.*〖動〗검은지빠귀.
Brane [brá:nə] *f.* -n ① 숲 기슭. ② 눈썹.
Branke [bráŋkə] *f.* -n 맹수의 앞발(Pranke).
Branle [brɑ̃́:l(ə)] *m.* -, -s (15-16 세기에 유행한) 프랑스 민속춤의 일종.
brannte [brántə] ↑ brennen 의 과거형.
Brannt≈kalk [bránt..] *m.* 소석회, 가성석회. **~wein** *m.* 증류주, 브랜디, 화주(火酒): ~ brennen 화주를 증류해서 빚다.
Branntwein≈blase *f.* 화주 증류기. **~brenner** *m.* 화주 제조업자. **~brennerei** *f.* 화주 양조(소).
Brannt·weiner *m.* (öst.) ① 화주 파는 술집. ② 화주집 주인.
Branntwein≈flasche *f.* 브랜디병, 화주(火酒)병. **~glas** *n.* 화주잔. **~haus** *n.*, **~kneipe** *f.*, **~laden** *m.* 화주〔선술〕집. **~monopol** *n.*〖法〗(국가의) 화주 전매. **~nase** *f.*〔구어·농담〕딸기코. **~schärfe** *f.* 화주의 짜릿한 맛. **~schenke** *f.* ↑ ~laden. **~schlempe** *f.*, **~spülicht** *n.* 화주의 재강(증류하고 남은 찌꺼기). **~steuer** *f.* 화주세. **~waage** *f.*〖工〗주정계(酒精計).
brünstig *a.*〔고어〕탄내 나는.
Brante [brántə] *f.* -n〖사냥〗(짐승의) 앞발, 발톱(Pranke).
branzeln *i.* (h.)〔고어〕① 화주 냄새가 나다. ② 화주를 즐겨 마시다. ③ ↑ brandeln.
Braque Georges ~ 브라크(프랑스 화가, 1882-1963).
Brasil[1] [brazí:l] *m.* -s, -e/-s 브라질 담배; 브라질 커피.
Brasil[2] *f.* 브라질 엽궐련〔시가〕.
Brasiletto·holz [brazilɛ́to..] *n.*〖植〗사이비 브라질 다목.
Brasil·holz *n.*〖植〗브라질 다목(붉은 염료인 Brasilin 을 산출함).
Brasilia 브라질리아(브라질의 수도).
Brasilianer [..liá:nər], **Brasilier** *m.* -s, - 브라질 사람.
brasilianisch, brasilisch *a.* 브라질의.
Brasilien [brazí:liən] 브라질.
Brasilien·holz *n.*〖植〗↑ Brasilholz.
Brasilin [brazilí:n] *n.* -s, - 브라질린(붉은색 염료).
Brasil·nuß *f.* 브라질 호두(Paranuß).
Braß [bras] *m.* Brasses〖방언〗①〔구어〕분노, 화. ② (자동차가) 덜컹거림. ③ 잡동사니, 허섭스레기. ④ 현미(玄米).
Brasse[1] [brásə] *m.* -n, -n〖動〗잉어의 일종(Brachse).
Brasse[2] *f.* -n〖海〗아딧줄.
Brasselett [brasəlɛ́t] 《frz.》 *n.* -(e)s, -e〔고어〕팔찌;〔은어〕수갑(Handschelle).
Brassen [brásən] *m.* -s, - ↑ Brasse[1].
brassen *t.*〖海〗(활대를) 아딧줄로 돌리다.
Brast [brast] *m.* -es (ndd.) ① 걱정, 우수(憂愁). ② 노여움. ③ 허섭스레기. ④ 소음.
Brat (öst.), **Brät** [brɛ:t] (schweiz.) *n.* -s 익히지 않은 소시지 덩어리.
brät ↑ braten 의 3 인칭 단수 현재형.
Brat≈aal *m.* 뱀장어 구이. **~apfel** *m.* (불에) 구운 사과. **~bock** *m.* (고기 굽는 꼬챙이를 걸쳐 놓는) 꼬챙이 받침대.
Brätchen [brɛ́:tçən] *n.* -s, -〔↑ Braten 의 축소형〕구운 고기의 작은 조각.
brat(e) ↑ braten 의 2 인칭 단수 명령형.
bräteln [brɛ́:təln] 《Ⅰ》 *t.* 살짝〔노릇노릇하게〕굽다. 《Ⅱ》 *i.* (h.) 살짝 구워지다.
braten [brá:tən] (briet, gebraten) 《Ⅰ》 *t.* (고기를) 굽다, 지지다, 볶다, 프라이하다: Hähnchen am Spieß ~ 통닭을 꼬챙이에 끼워 굽다; den Fisch in Öl ~ 생선을 기름에 튀기다;〔비유〕sich in der Sonne ~ lassen 일광욕

〔선탠〕을 하다; 〖욕설〗 daß euch der Teufel brate! 벼락맞을 놈들!; Gebratenes und Gesottenes (특히 동화에서) 진수성찬; 〖비유·구어〗 nun brate mir einer einen Storch! 그것 참 희한한 일이구만; 〖비유·구어〗 die gebratenen Tauben fliegen einem nicht ins Maul 〔in den Mund〕 감나무 아래에 누워서 입 벌리고 있어 봐야 소용 없다. 《Ⅱ》 *i.* (h.) 구워지다, 프라이되다: das Fleisch brät schon in der Pfanne 고기가 벌써 프라이 팬에서 익는다; 〖비유〗 in der Sonne ~ 볕에 그을다.

***Braten** *m.* -s, - 구운 고기; 구이용 고기: 〖비유〗 ein fetter ~ 큰 돈벌이, 횡재; 〖구어〗 den ~ riechen 낌새를 알아채다.

Braten⸗brühe *f.* 고기 국물, 육즙(肉汁). **~duft** *m.* 고기 굽는 냄새. **~fett** *n.* 고기 구울 때 나오는 기름. **~löffel** *m.* 구운 고기에 버터를 바르는 숟가락. **~platte** *f.* 불고기 접시. **~rock** *m.* 〖구어·농담〗 외출복, 예복, 프록 코트. **~saft** *m.* (고기를 지질 때) 고기에서 나오는 즙. **~satz** *m.* (고기를 구울 때 프라이 팬에 늘어붙은) 고기 찌꺼기. **~schmalz** *n.* (향료·양파·사과 등을 섞은) 돼지 비계. **~soße** *f.* 육즙 소스; 불고기 소스. **~teller** *m.* 불고기 접시. **~tunke** *f.* ↑ ~brühe. **~wender** *m.* 굽는 고기를 뒤집는 기구.

Bräter [brέːtər] *m.* -s, - 〔방언〕 (타원형의) 고기 굽는 무쇠 냄비; 고기 굽는 사람; 〔농담〕 정확하지 못한 시계.

brat⸗fertig *a.* (고기가) 구울 준비가 된. **~fisch** *m.* 프라이용 생선; 구운 생선, 생선 프라이. **~fleisch** *n.* 불고기. **~hähnchen** *n.* 통닭구이; 구이용 닭. **~hendl** *n.* (südd., öst.) ↑ ~hähnchen. **~herd** *m.* 구이용 화로. **~hering** *m.* 청어 구이, 구운 청어. **~huhn, hühnchen** *n.* 통닭구이; 구이용 닭.

Bratislava 브라티슬라바(슬로바키아의 수도).

Brat·kartoffeln *pl.* 감자튀김.

Brätlein [brέːtlaɪn] *n.* -s, - ↑ Brätchen.

Bratling *m.* -s, -e 구운 야채〔감자〕 경단.

Brätling [brέːtlɪŋ] *m.* -s, -e 〖植〗 느타리버섯의 일종.

Brat⸗ofen *m.* 오븐. **~pfanne** *f.* 프라이 팬. **~röhre** *f.* ↑ ~ofen. **~rost** *m.* 석쇠.

bratsch [bra(ː)tʃ] *int.* 〔의성어〕 덜컹, 꽈당; 와르르.

Bratsche[1] [brá(ː)tʃə] *f.* -n ↑ Bratze.

Bratsche[2] [bráːtʃə] 《it.》 *f.* -n 〖음악〗 비올라.

Bratschen·spieler *m.*, **Bratscher** *m.* -s, -, **Bratschist** *m.* -en, -en 비올라 연주가.

Brat⸗spieß *m.* (회전시킬 수 있는) 고기구이용 꼬챙이; 〔비속〕 검(劍); 〖海〗 잭, 윈치. **~spieß·bock** *m.* ↑ ~bock. **~spill** *n.* 닻을 감아올리는 기계, 윈치, 자아틀.

brätst [brεːtst] ↑ braten 의 2 인칭 단수 현재형.

Brat·wurst *f.* 구이용 소시지; 구운 소시지.

Bratze [brátsə] *f.* -n (Pranke) (짐승의) 며느리발톱; (짐승의) 앞발.

Brau [brau], **Bräu** [brɔʏ] 《I》 *n.* -(e)s, -e/-s ① 양조주(酒); 1 회에 양조된 맥주의 양. ② 양조장. ③ (양조장 직영의) 술집, 비어 홀. 《Ⅱ》 *m.* -(e)s/-e (bayr.) 양조자, 양조장 주인.

brau⸗berechtigt *a.* 양조 면허가 있는. **~bottich** *m.* 양조통(桶).

***Brauch** [braux] *m.* -(e)s, Bräuche [brɔ́ʏçə] ① 〖고어〗 수요; 사용. ② 관례, 관습, 풍습: nach altem ~ 옛 풍속에 따라; im〔in〕 ~ sein 관례이다.

brauchbar [bráuxbaːr] *a.* ① 사용할 수 있는: die Jacke ist noch ~ 이 재킷은 아직 입을 만하다. ② 쓸모 있는, 유용한: er ist ein ~er Mensch 그는 쓸모 있는 인물이다; ~e Ratschläge 유효 적절한 충고. ③ 〖軍〗 병역을 치를 수 있는 (dienstfähig).

Brauchbarkeit *f.* 유용성, 쓸모.

***brauchen** [bráuxən] 《I》 *t.* ① (gebrauchen) 사용하다, 쓰다: derbe Ausdrücke ~ 난폭한 표현을 쓰다; jn. als Werkzeug ~ 누구를 도구로 이용하다. ② (**a**) 필요로 하다, 요하다: er braucht deine Hilfe 그는 네 도움이 필요하다. (**b**) (시간이) 걸리다, 소요되다: er hat zum Studium sechs jahre gebraucht 그는 학업을 마치는 데 6 년이 걸렸다; wieviel Zeit braucht man, um zum Bahnhof zu gehen? 역에 가는 데 얼마나 걸리나요? (**c**) 〖zu 부정형과 함께; 구어에서는 zu 없이도〗 …할 필요가 있다: Sie ~ es nur (zu) sagen 그렇게 말씀만 하시면 됩니다; er hätte es nicht zu wissen brauchen 그가 그것을 차라리 몰랐더라면 좋았을걸; deshalb brauchtest du doch nicht gleich zu kündigen! 그렇다고 해서 당장에 해약할〔사표낼〕 필요까진 없잖아!; 〖구어〗 du brauchst keine Angst mehr haben, es wird alles gut 더 이상 겁낼 필요 없어, 모든 게 다 잘 될거야. (**d**) 소모〔소비〕하다: der Wagen braucht zuviel Benzin 그 차는 기름이 너무 많이 든다; ich habe das ganze Geld gebraucht 나는 그 돈을 다 써버렸다. 《Ⅱ》 *i.* (s.) 〖雅語〗 〔2 격과 함께〕 (bedürfen) 필요로 하다, 요하다: es braucht keines Beweises 그것은 어떤 증명도 요하지 않는다; was braucht es da noch vieler Erklärungen? 그런 상황에 무슨 설명이 더 필요하겠는가? 《Ⅲ》 **gebraucht** *p.a.* ↑ gebraucht.

bräuchlich [brɔ́ʏçlɪç] *a.* 〖고어〗 ① 쓸모 있는, 유용한. ② (gebräuchlich) 통용되는, 관례적인.

Brauchtum [bráuxtuːm] *n.* -s, ..tümer [..tyːmər] 〖雅語〗 관습, 전통: das alte ~ pflegen 옛 풍습을 가꾸고 보존하다.

Brauch·wasser *n.* 용수(用水), 허드렛물.

***Braue** [bráuə] *f.* -n ① 눈썹: dichte ~n 짙은 눈썹; die ~n hochziehen 눈썹을 치켜 올리다. ② 〔방언〕 가장자리.

Brau·eigener *m.* 〔고어〕 양조권 소유자.

***brauen** [bráuən] 《I》 *i.* (h.) 〖시어〗 (안개가) 끼다, 자욱해지다, 피어오르다, (파도가) 일다: der Nebel〔Hase, Fuchs〕 braut im Tal 골짜기에 안개가 자욱이 피어오른다. 《Ⅱ》 *t.* ① (**a**) 불러일으키다: die Hexen ~ Unwetter 마녀가 폭풍우를 일으킨다. (**b**) 〖비유〗 (나쁜 일을) 도모하다, 꾀하다. ② 빚다, (맥주를) 양조하다, (음료를) 섞어 만들다.

Brauer *m.* -s, - (특히 맥주의) 양조자.

Brauerei [brauərái] *f.* ① (맥주의) 양조(법). ② ↑ Braugewerbe. ③ (맥주) 양조장.

Brauer⸗gilde, ~innung, ~zunft *f.* 맥주 양조자 조합.

Brau⸗gefäß *n.* 양조 용기. **~gerät** *n.* 양조 기구. **~gerechtigkeit** *f.* 〖法·고어〗 맥주 양

조권. **~gewerbe** *n.* 양조업. **~haus** *n.* ↑ Brauerei ③. **~hof** *m.* 〔고어〕 ↑ Brauerei ③. **~herr** *m.* 〔고어〕 ↑ ~eigener. **~kessel** *m.* (맥주) 양조 가마솥. **~knecht** *m.* 양조장 직공; 맥주 운반 마차꾼. **~kufe** *f.* 양조통. **~meister** *m.* (자격증을 획득한) 양조 기술자.

***braun** [braun] *a.* ① 갈색의, 밤색의, 고동색의; (피부가) 검게 탄: ~es Haar 갈색 머리; ~ und blau schlagen 마구 때리다; er wird im Sommer schnell ~ 그는 여름에 피부가 빨리 탄다. ②〔비유·구어〕 나치의, 나치즘의(나치들이 갈색 유니폼을 입었던 데서 연유): die ~e Epoche 나치 시대; ~ wählen 나치 정당에 표를 던지다.

Braun *n.* -s 갈색, 고동색: ein dunkles〔rotes〕 ~ 암적〔적갈〕색; Meister ~ 곰(우화에서).

Braune* ① *der/die* (피부·머리칼이) 갈색인 사람; 자류마(紫騮馬). ② *der* 나치; 〔시어〕 곰: er war früher bei den ~n 그는 전에 나치 소속이었다. ③ *die* (한 병의) 흑맥주.

Braun≈alge *f.* -n 갈조류(미역·다시마 따위). **≈äugig** *a.* 갈색 눈의. **~bär** *m.* 〖動〗 불곰. **~beizen** *n.* (니스 따위를 칠하기 전에) 갈색〔청동색〕으로 칠하기. **~bier** *n.* 흑맥주: 〔구어〕 wie ~ und Spucke aussehen 매우 창백해 보이다. **≈blei·erz** *n.* 〖광물〗 녹연광(綠鉛鑛).

Bräunchen [brɔ́ʏnçən] *n.* -s, - (피부·머리칼이) 갈색인 사람; 구렁말, 자류마(紫騮馬).

Bräune [brɔ́ʏnə] *f.* -n ① (피부의) 갈색. ② 〔고어〕 인후염, 편도선염. ③〖광물〗 갈철광.

bräune·artig *a.* 〔고어〕 편도선염 증상의.

Brauneisen≈erz *n.*, **~stein** *m.* 〖광물〗 갈철광(Limonit).

Braunelle [braunɛ́lə] *f.* -n ①〖動〗 (갈색의) 바위종다리. ②〖植〗 꿀풀, 오이풀.

bräunen [brɔ́ʏnən] 《I》 *t.* 갈색이 되게 하다, 갈색으로 염색〔칠〕하다; (고기를) 노릇노릇하게 굽다: die Sonne hat ihn gebräunt 그는 햇볕에 그을었다. 《II》 *i.* (h.) (잎이) 갈색으로 변하다; (고기가) 노릇노릇하게 구워지다; (피부가) 햇볕에 그을리다: er bräunt leicht 그는 피부가 잘 탄다; der Braten bräunt gleichmäßig 고기가 골고루 잘 구워진다. 《III》 *refl.* sich ~ 피부를 햇볕에 태우다〔그을리다〕: sie lagen am Strand und bräunten sich 그들은 해변에 누워 피부를 그을렸다.

Braun≈erz *n.* 〖광물〗 갈철광. **~fisch** *m.* 〖動〗 (Meerschwein) 쥐돌고래(유럽 해안에 서식). **≈fleckig, ≈gefleckt** *a.* 갈색의 반점이 있는. **≈gebrannt** *a.* 햇볕에 갈색으로 그을린. **≈gelb** *a.* 황갈색의, 황토색의. **~glas** *n.* 〖광물〗 운모. **≈haarig** *a.* 갈색 머리칼의. **~heil** *n.* 〖植〗 ↑ Braunelle ②. **~hemd** *n.* ① (나치 당원의) 황갈색 유니폼 셔츠. ② (황갈색 유니폼 셔츠를 입은) 나치 당원. **~holz** *n.* 〖植〗 ↑ Brasilienholz 브라질 다목.

Braunit [brauní:t, ..nɪt] *m.* -(e)s, -e 〖化〗 갈색 망간광, 브라운광(鑛).

Braun≈kehlchen *n.* 〖動〗 검은 딱새의 일종. **~kohl** *m.* 〔방언〕 양배추의 일종(Grünkohl). **~kohle** *f.* 〖광물〗 갈탄.

Braunkohlen≈berg·werk *n.* 갈탄 탄광. **~brikett** *n.* (수분을 빼고 틀에 넣어 찍어낸) 갈탄 연탄〔조개탄〕. **~formation** *f.* 〖지질·고어〗 제 3 기층(Tertiär). **≈haltig** *a.* 갈탄을 함유한. **~sand·stein** *m.* 〖광물〗 갈탄 사암(砂岩).

bräunlich [brɔ́ʏnlıç] *a.* ① 갈색을 띤, 갈색 계통의. ② 나치즘적 성향이 있는.

bräunlich≈gelb *a.* 황갈색의. **~weiß** *a.* 백갈색의.

Bräunling [brɔ́ʏnlıŋ] *m.* -s, -e ① 갈색 머리칼의 사람. ② 나비의 일종. ③ 갑충(甲蟲)의 일종. ④ 갈색 사과(의 품종).

braun≈lockig *a.* 갈색 곱슬머리의. **~rot** *a.* 적갈색의. **~scheckig** *a.* (말이나 소가) 갈색 무늬가 있는.

Braunsche Röhre [bráunʃə..] *f.* 〖전기〗 브라운관(독일 물리학자 K.v. Braun 이 발명).

Braun≈schimmel *m.* 회갈색의 말. **≈schwarz** *a.* 흑갈색의.

Braunschweig [bráunʃvaık] 브라운슈바이크(북독일의 지방 및 도시).

Braunschweiger 《I》 *m.* -s, - 브라운슈바이크의 사람. 《II》 *a.* 브라운슈바이크의.

braunschweigisch *a.* 브라운슈바이크(풍)의.

Braun≈spat *m.* 〖광물〗 백운석(白雲石). **~stein** *m.* 〖광물〗 갈석(褐石), 연(軟)망간광. **~stein·kiesel** *m.* 〖광물〗 장미휘석(輝石). **≈streifig** *a.* 갈색의 줄무늬가 있는.

Bräunung [brɔ́ʏnuŋ] *f.* -en 갈색으로 만들기〔되기〕.

Bräunungs·studio *n.* 선탠 스튜디오; 일광욕실.

Braun·wurz *f.* 〖植〗 현삼(玄蔘).

Brau≈ordnung *f.* 양조 규정. **~pfanne** *f.* ↑ ~kessel. **~recht** *n.* ↑ ~gerechtigkeit.

Braus [braus] *m.* -es [..zəs] 떠들썩함: in Saus und ~ leben 호화스러운 생활을 하다.

Brausche [bráuʃə] *f.* -n 〔방언〕 (이마의) 혹.

brauschen [bráuʃən] *i.* 〔방언〕 ① (s.) 혹이 나다, 붓다. ② (h.) **(a)** (말이) 소리 높여 울다. **(b)** ↑ brausen 《I》①.

brauschig [bráuʃıç] *a.* 〔방언〕 혹처럼 부어오른(angeschwollen).

Brause [bráuzə] (《<brausen》) *f.* -n ① 발효, 비등: in der ~ sein 발효하고 있다. ② **(a)** 샤워기〔물뿌리개〕의 꼭지. **(b)** 샤워기, 물뿌리개, 살수기: ein Blumenbett mit der ~ gießen 꽃밭에 물뿌리개로 물을 주다. ③ 샤워(Dusche). ④ ↑ ~limonade.

Brause≈bad *n.* 샤워실(Duschbad); 샤워. **~geist** *m.* ↑ ~kopf ②. **~hahn** *m.* 〖動〗 목도리도요새. **~kopf** *m.* ① 샤워기의 주둥이〔꼭지〕. ② 흥분 잘하는 사람. **≈köpfig** *a.* 흥분 잘하는, 성미가 급한. **~limonade** *f.* 레몬수, 레몬 사이다.

***brausen** [bráuzən] 《I》 *i.* ① (h.) (바람이) 윙윙거리다, (파도가) 쏴하고 밀려오다, (숲이) 쏴쏴 소리내다, (박수가) 우레와 같이 울리다: es braust mir in den Ohren 내 귓속이 웅웅거린다. ② (h.) (물이) 부글부글 끓다, (술이) 발효하다; 〔비유〕 흥분하다, 난폭해지다, 화내다. ③ (s.) 뿜어오르다, 분출하다: die Limonade ist aus der Flasche gebraust 레모네이드가 거품을 내며 병에서 뿜어져 나왔다. ④ (s.) 〔구어〕 굉음을 내며 질주하다, 사납게 돌진하다: plötzlich brauste ein Motorrad um die Ecke 갑자기 오토바이 한 대가 요란한

소리를 내며 코너를 돌아 달려왔다. ⑤ (h.) 샤워하다: ich brause täglich kalt 나는 매일 냉수로 샤워한다. 《Ⅱ》 *t.* ① 뿜어내다, 내뿜다: das Pferd braust den Dampf aus der Nase 말이 거칠게 콧김을 뿜어낸다. ② 샤워시키다, 씻기다: die Kinder in der Badewanne ~ 욕조에서 아이들을 샤워시키다.

brausend *p.a.* 윙윙〔쏴쏴〕거리는; 들끓는, 거칠게 날뛰는; (소리가) 떠나갈 듯한: der Künstler erntete ~en Beifall 그 예술가는 우레와 같은 박수 갈채를 받았다.

Brause·pulver *n.* 분말 청량제(물에 녹을 때 탄산이 발생함).

Brauser *m.* -s, - 쉽게 흥분하는〔성급한〕 사람; 샤워하는 사람.

Brauserei [brauzəráı] *f.* -en 비등(沸騰), 소동, 흥분.

Brause≈wein *m.* (발효 중인) 포도즙(↑ Sturm ⑤). **~wind** *m.* ① 광풍. ②〔비유·구어〕 생기발랄한 아이; 성급〔경박〕한 사람.

Brau≈sohle *f.* (öst.) 구두 안창. **~steuer** *f.* 양조세.

Bräu·stübchen [brɔ́ʏ..] *n.* (südd.) 조그마한 술집 겸 간이 식당.

*__Braut__ [braut] *f.* Bräute ① 예비 신부, 약혼녀: er stellte seinen Eltern seine ~ vor 그는 자신의 색싯감을 부모에게 선보였다; sich nach einer ~ umsehen 신붓감을 물색하다; 〖가톨릭〗 ~ Christi 〔des Himmels〕 수녀. ② (결혼 당일의) 새색시, 신부: die ~ trug einen weißen Schleier 신부는 하얀 면사포를 쓰고 있었다. ③〔구어〕 아가씨, 여자 친구〔애인〕: das ist aber eine tolle ~ 저 아가씨는 정말 근사하다; der hat überall eine ~ 그 녀석은 도처에 여자 친구가 있다. ④〖植〗 ~ in Haaren 니겔라(미나리아재빗과).

Braut·abend *m.* 〔고어〕 결혼식 전날 밤(Polterabend).

Brau·tag *m.* 양조일(釀造日).

Braut≈altar *m.* 〔고어〕 결혼식의 제단(Traualtar). **~anzug** *m.* 결혼 의상. **~ausstattung** *f.* 출가 준비물, 혼수. **~bett** *n.* 신방 침대. **~bitter** *m.* ↑ ~werber. **~bukett** *n.* 신부의 꽃다발, 결혼식 부케.

Bräutchen [brɔ́ʏtçən] *n.* -s, - 〔↑ Braut 의 축소형〕 어여쁜 새색시.

Braut≈eltern *pl.* 신부의 부모. **~fackel** *f.* 혼례용 횃불. **~fahrt** *f.* (신랑이) 신부를 맞으러 가기, 약혼녀와 함께 친척 방문하기. **~führer** *m.* 결혼식장으로 신부를 데리고 들어가는 남자. **~führerin** *f.* ↑ ~jungfer. **~gabe** *f.* ↑ ~geschenk. **~gelage** *n.* 결혼 잔치, 피로연. **~gemach** *n.* 신방. **~geschenk** *n.* (신랑이 신부에게 주는) 약혼 선물. **~gewand** *n.* ↑ ~kleid.

*__Bräutigam__ [brɔ́ʏtıgam] *m.* -s, -e/(구어) -s ① 약혼한 남자: 〖가톨릭〗 der himmlische ~ 그리스도. ② (결혼 당일의) 신랑: der ~ hielt eine kleine Ansprache 신랑이 (하객들에게) 간단한 인사말을 했다. ③ (남자) 애인.

bräutigamshaft *a.* 새신랑 같은.

Braut≈jungfer *f.* 신부의 들러리. **~kammer** *f.* ↑ ~gemach. **~kind** *n.* 〖法〗 결혼식 전에 태어난 아이. **~kleid** *n.* 웨딩 드레스, 혼례복. **~kranz** *m.* 신부의 화관. **~kuß** *m.* (결혼식 후에 나누는) 신랑 신부의 키스. **~lauf** *m.* 〔고어〕 결혼식. **~leute** *pl.* ↑ ~paar.

Bräutlein [brɔ́ʏtlaın] *n.* -s, - ↑ Bräutchen.

bräutlich *a.* 신부의, 순결한; 혼례의.

Braut·lied *n.* 결혼 축가(중세 때 신부를 신랑의 가문에 넘겨줄 때 불렀던 노래).

Bräutling *m.* -s, -e ① 신혼의 남자. ②〔복수〕 작년에 결혼한 남자들의 총칭.

Braut≈mahl *n.* 결혼 잔치, 피로연. **~messe** *f.* 〖가톨릭〗 혼인 미사. **~mutter** *f.* 신부 어머니. **~nacht** *f.* 첫날밤, 초야, 결혼식날 밤. **~paar** *n.* 약혼한 남녀; 신랑 신부. **~ring** *m.* 결혼 반지.

Brautschaft [braut∫aft] *f.* 〔드물게〕 신부〔신랑〕로서의 신분.

Braut≈schatz *m.* 지참금(Mitgift). **~schau** *f.* ①〔옛뜻〕 구혼〔청혼〕하러 가기. ②〔대개 다음 용법으로〕〔구어·농담〕 auf ~ gehen 〔sein〕, ~ halten, auf ~ wollen 신붓감을 찾는 중이다. **~schleier** *m.* 신부의 면사포〔베일〕. **~schmuck** *m.* 신부의 장신구. **~staat** *m.* 신부의 장신구와 의상. **~stand** *m.* 약혼녀임, 약혼 상태〔관계〕. **~steuer** *f.* ↑ ~schatz. **~tag** *m.* 결혼식날, 혼례일. **~vater** *m.* 신부의 아버지. **~wagen** *m.* ① 신랑 신부의 마차. ② 혼수를 나르는 꽃마차. **~werber** *m.* 〔고어〕 (신랑을 대신해서 신부집에 가서 구혼했던) 중매인(Mittelsmann). **~werbung** *f.* 중매; 구혼. **~zug** *m.* 결혼식 행렬.

Brau≈wesen *n.* 양조 공장, 양조업. **~wirt** *m.* 양조장 주인.

*__brav__ [bra:f] (braver [..vər, ..fər], bravst [..fst]) 《Ⅰ》 *a.* ① 점잖은, 예의바른, 착실한, 정직한: sie ist ~er Leute Kind 그녀는 점잖은 가문에서 자랐다. ② 용감한, 씩씩한: die Truppen hatten sich ~ geschlagen 그 군대는 용감하게 싸웠다; sich ~ halten 굳건한 자세를 견지하다, 꿋꿋하게 버티다. ③ 행실 좋은, 착한, 기특한, 얌전한: wenn du schön ~ bist, darfst du noch ein bißchen aufbleiben 네가 얌전히 군다면 좀더 있어도 좋아. ④ 무난한, 그럭저럭 괜찮은: er hat das Stück ~ (herunter)gespielt 그는 그 곡을 실수없이 무난하게 연주했다. ⑤〖海〗 침로(針路) 불변의. 《Ⅱ》 *adv.* 대단히, 충분히: ~ Geld haben 많은 돈을 가지고 있다; ~ gemacht! 잘했다!

Bravade [bravá:də] *f.* -n 〔고어〕 허세, 허풍; 고집, 반항.

Bravheit [brá:fhaıt] *f.* -en 정직; 용감; 착함.

bravissimo [bravísimo] 《it.》 *int.* (ausgezeichnet) 참 훌륭하다, 멋있다!

bravo [brá:vo] *int.* (gut) 잘한다, 훌륭하다.

Bravo 《Ⅰ》 *n.* -s, -s 환호〔갈채〕의 소리. 《Ⅱ》 *m.* -s, -s (고용된) 자객〔암살자〕.

Bravo·ruf *m.* ↑ Bravo 《Ⅰ》.

Bravour [bravú:r] 《frz.》 *f.* -en ① (a) 탁월한 기량, 능숙, 대가다움. (b) 능〔노련〕한 연기. ② 대담, 용기, 배짱.

Bravour≈arie *f.* 〖음악〗 기교와 고도의 테크닉을 요구하는 아리아. **~leistung** *f.* 대단한 기량, 뛰어난 성과.

bravourös [bravurǿ:s] 《frz. bravoureux》 *a.* ① 고도의 테크닉을 요하는, 고난도의. ② 테크닉이 대가다운: er hat ~ gespielt 그는 대가다운 테크닉으로 연주를 했다.

Bravour·stück *n.* ① 고도의 테크닉과 기량

을 요하는 곡. ② 걸작, 명작; 뛰어난 성적〔기록〕.

Bravur *f.* -en ↑ Bravour.

Bravur·arie *f.* ↑ Bravourarie.

bravurös *a.* ↑ bravourös.

Bravur·stück *n.* ↑ Bravourstück.

bräzeln [brɛ́:tsəln] *i.*(h.) ① 살짝 타다. ② ↑ bräteln.

Brazzaville [brazavíl] 브라자빌(콩고 공화국의 수도).

BRD =Bundesrepublik Deutschland 독일 연방 공화국.

Break [bre:k, (engl.) breɪk] *m./n.* -s, -s ① 〖스포츠〗 (**a**) 〔중성 명사로만〕 브레이크(권투에서 클린치를 풀라는 주심의 명령). (**b**) 〖아이스하키〗 기습 공격, 단독 돌파. (**c**) 〖테니스〗 서브 리턴에 따른 득점. ② 〖음악〗 재즈곡 중간의 솔로 연주〔가창〕. ③ 〔구식〕 사냥 또는 연회 행사에 동원되었던 4 륜 무개 마차. ④ 〖승마〗 속보에서 갤럽으로의 급가속.

break [bre:k] *int.* 〔명령형〕 ~! 〖권투〗 떨어지시오!

Breakdance 《engl.》 *m.* -(s), - 브레이크 댄스.

breaken [bré:kən] *i.* ① 〖테니스〗 상대방의 서비스에서 한 점을 따다. ② 무선 방송을 이용해 통과하다.

Break-even-Analyse [brɛ́ɪk|ivən..] 《engl.》 *f.* -n 손익 분기점에 대한 연구 분석.

Breakfast [brɛ́kfəst] *n.* -s, -s 아침 식사.

Breccie [brɛ́tʃə] 《it.》 *f.* -n 〖광물〗 각력암(角礫岩).

Brech·akt [brɛ́ç..] *m.* 구토 작용. **~arznei** *f.* 구토제. **~bank** *f.* (빵집의) 반죽판; 삼을 훑는 기구(Flachsbreche).

brechbar [brɛ́çba:*r*] *a.* 깨지는, 부서지는, 약한; 〖物〗 굴절성의.

Brechbarkeit *f.* 깨질 수 있음; 〖物〗 굴절성.

Brech·bohne *f.* 강낭콩. **~durchfall** *m.* 〖醫〗 토사 곽란, 유럽 콜레라.

Breche [brɛ́çə] 《<brechen》 *f.* -n ① 부수는〔찢는〕 기구; 삼 훑는 기구. ② 삼을 훑는 시기. ③ 포도잎을 따는 시기(5 월 말). ④ ↑ Bresche.

Brech·eisen *n.* 쇠지레, 쇠막대, 철봉.

Brechel *f.* -n 삼 훑는 기구(Breche).

brechen [brɛ́çən] (brach, gebrochen) 《Ⅰ》 *t.* ① 깨다, 부수다, 쪼개다, 부러뜨리다, 꺾다, 뜯다: Nüsse brechen 호두를 까다; Flachs brechen 아마(亞麻)를 꺾어서 목질(木質) 부분을 훑어내다; Körner brechen 곡식을 빻다; 〔시어·방언〕 Blumen ~ 꽃을 꺾다; sich³ den Arm 〔ein Bein〕 ~ 팔이〔다리가〕 부러지다; einen Streit vom Zaune ~ 싸움을 걸다, 트집을 잡다; sich³ den Hals ~ 목숨을 잃다; jm. den Hals ~ 〔비유〕 누구의 지위를 빼앗다, 누구의 자만심〔고집〕을 꺾다; mancher Flasche den Hals ~ 술을 여러 병 마시다; 〔비유〕 den Stab über jn. ~ a) 누구에게 사형 판결을 내리다, b) 누구를 벌〔비난〕하다; 〔비유〕 für jn. eine Lanze ~ 누구를 옹호하다; 〔비유〕 et. übers Knie ~ 무엇을 손쉽게〔경솔히〕 해치우다; 〔雅語〕 nichts zu ~ und zu beißen haben 먹을 것이 아무것도 없다; 〔비유〕 Herzen ~ 사람들의 마음을 사로잡다; jm. das Herz ~ 누구에게 애끊는 슬픔을 맛보게 하다. ② (돌을) 잘라내다, 채석하다: (밭을) 쟁기질하다; 〔비유〕 (sich³) Bahn ~ 활로를 개척하다, 난관을 뚫고 나가다. ③ (종이·수건을) 접다; 〖印〗 (난(欄)·단(段)을) 나눠 정리하다. ④ (색을) 어둡게〔흐리게〕 하다, (다른 색을 섞어 색의) 명도를 떨어뜨리다. ⑤ (광선·음파를) 굴절〔반사〕시키다, 방향을 바꾸어 놓다: Wasser bricht das Licht 물은 빛을 굴절시킨다; die Wellen werden an der Küste gebrochen 파도가 해안에 부딪치면서 방향을 튼다; die Treppen ~ 층계참을 두어 계단의 방향을 꺾다. ⑥ 〔비유〕 극복하다, 굴복시키다, 꺾어버리다: js. Trotz〔Widerstand〕 ~ 누구의 고집〔저항〕을 꺾다; die Blockade ~ 봉쇄를 돌파하다; einen Rekord ~ 기록을 깨뜨리다, 신기록을 세우다; Bundesrecht bricht Landesrecht 연방법은 주법에 우선한다; 〔속담〕 Not bricht Eisen 궁한 쥐가 고양이를 문다, 궁하면 무쇠라도 깨부순다. ⑦ (음절·수를) 가르다, 나누다. ⑧ 〔비유〕 어기다, 깨다, 위반하다: sein Wort ~ 그의 약속을 어기다; einen Vertrag ~ 계약을 위반하다; das Fasten ~ 금식 계율을 지키지 않다; die Ehe ~ 간통하다. ⑨ 〔구어〕 게우다, 토하다: Blut ~ 피를 토하다; das ganze Essen ~ 먹은 음식물을 모두 토하다. ⑩ 〖海〗 (짐을) 부리기 시작하다. ⑪ (반죽을) 충분히 이기다〔주무르다〕. 《Ⅱ》 *i.* (s.) ① 깨지다, 부러지다, 부서지다, 찢어지다, 갈라지다: der Ast brach 나뭇가지가 부러졌다; das Eis ist gebrochen a) 얼음이 갈라졌다, b) 감정의 갈등이 풀렸다; 〔비유·雅語〕 das Herz brach ihr vor Heimweh 고향 생각에 그녀의 가슴은 미어졌다; 〔雅語〕 js. Augen ~ 누구의 눈이 흐려진다(죽어갈 때); seine Stimme brach 〔ihm brach die Stimme〕 a) 그는 (감정이 북받쳐) 목이 메었다, b) 그는 목소리가 변성되었다. ② 관계를〔인연을〕 끊다, 단절하다: mit jm. ~ 누구와 관계를 끊다; mit der Partei ~ 당과 결별하다; du wirst mit dieser lieben Gewohnheit ~ müssen 너는 이 잘난 습관 좀 끊어야 할걸. ③ 나타나다, (새어) 나오다: der Mond bricht aus den 〔durch die〕 Wolken 달이 구름을 뚫고서 나타난다; laut schreiend brachen die Kinder aus dem Versteck (hervor) 아이들이 와하고 소리를 지르며 숨어 있던 곳에서 튀어나왔다. ④ 덮치다, 침입하다: über jn. ~ (불행이) 누구를 엄습하다; in ein Haus ~ 어느 집에 침입하다. ⑤ (h.) 〔구어〕 (구)토하다: er brach heftig 그는 심하게 토했다. ⑥ (h.) (광석이) 노출되다. ⑦ (**a**) (포도주가) 탁해지다. (**b**) (schweiz.) (우유가) 응고되다. ⑧ (날씨가) 변하다. ⑨ 〖사냥〗 Schwarzwild bricht 멧돼지가 먹이를 찾느라 땅을 파헤치고 있다. 《Ⅲ》 *refl.* sich ~ ① 구토하다. ② 부딪쳐 부서지다, 되튀다: die Wellen ~ sich am Felsen 파도가 바위에 부딪쳐 부서진다. ③ (광선·음파가) 굴절되다. ④ (날씨가) 변하다, 좋아지다; (병세가) 약해지다, 낫다; (추위가) 풀리다. 《Ⅳ》 **gebrochen** [gəbrɔ́xən] *p.a.* ↑ gebrochen.

Brechen *n.* -s ① 깨뜨리기, 부수기, 쪼개기; 〖聖〗 (떡을) 떼기(사도 행전 2:42): auf Biegen und ~ 극도로, 최후까지; zum ~ voll 터질 듯이 꽉찬. ② (계약의) 위반. ③ (관계의) 결렬, 단절. ④ 구토: 〔비유〕 et. zum ~ finden 무엇이 구역질이 날 정도로 혐오스럽다.

Brecher *m.* -s, - ① 깨뜨리는〔부수는〕 사람. ② 위반자. ③ 부서지는 파도, 격랑. ④『기술』(광물·석재의) 분쇄기. ⑤〔방언〕울타리를 부수는 소.
Brech≈kartoffeln *pl.* 으깬 감자. **~körner** *pl.*『植』아주까리씨.
brechlich [bréçlɪç] *a.* 부서지기 쉬운.
Brech≈maschine *f.* 으깨는 기계, 파쇄기; 삼 훑는 기구. **~mittel** *n.* ①『醫』구토제. ②〔비유·구어〕역겨운 사람, 싫은 것: er ist (für mich) ein richtiges ~ 그는 정말이지 (내게는) 너무나 싫다. **~neigung** *f.* 구역질, 메스꺼움. **~nuß** *f.*『植』마전자(馬錢子)(구토제로 쓰임). **~pulver** *n.*『醫』분말 구토제. **~punkt** *m.*『物』굴절점. **~reiz** *m.* 구토증, 구역질: ~ verspüren 구역질이 나다. **~ruhr** *f.*『醫』콜레라(Cholera). **~see** *f.* 부서진 파도. **~stange** *f.* 쇠지렛대(~eisen). **~trank** *m.* 액체 구토제.
Brecht Bert(olt) ~ 브레히트(독일의 극작가, 1898-1956).
Brechung [bréçʊŋ] 《<brechen》*f.* -n ① 깨기, 꺾기, 부수기. ② (빛의) 굴절. ③ (색채의) 흐려짐, 명도 약화. ④『문법』모음 변화(게르만어에서 특정 모음이 뒤에 오는 음절의 모음이나 자음의 영향으로 변화하는 현상); (운율의) 탈도식화(보기: Enjambement, Hakenstil). ⑤『음악』~ eines Akkordes 분산 화음.
Brechungs≈ebene *f.*『物』(빛의) 굴절면. **~exponent** *m.* ↑ ~index. **~fläche** *f.* ↑ ~ebene. **~index** *m.*『物』굴절률. **~winkel** *m.* 굴절각. **~zahl** *f.* ↑ ~index.
Brech≈veilchen *n.*『植』토근(吐根)(구토제·설사약으로 씀). **~walzen** *pl.*『工』압좌전자(壓挫轉子). **~wasser** *n.* 구토제. **~wein** *m.*『醫』최토주(催吐酒). **~wein·stein** *m.*『化』토주석(吐酒石). **~wurz** *f.*『植』토근(吐根)의 뿌리(기침이나 아메바성 이질에 대한 약재). **~wurzel** *f.* ↑ ~wurz. **~zange** *f.* 못 뽑게, 장도리, 쇠집게. **~zeug** *n.* 쇠지레.
Bredouille [bredúljə] 《frz.》*f.* ① 주사위 놀이에서의 전패(全敗). ②〔구어〕곤궁, 곤란, 당황: in der ~ sein 곤경에 처해 있다.
Breeches [brítʃəz, brí:tʃəs] 《engl.》*pl.*〔↑ ~hose 의 축약형〕.
Breeches·hose [brítʃəz..] *f.* 승마용 바지.
bregeln *t./i.* ↑ brägeln.
Bregen [bré:gən] *m.* -s, - 《ndd.》 ①『요리』(동물의) 골: Kalbs≈ 송아지골. ②〔구어·농담〕머리통: jm. eins über den ~ geben 누구의 머리에 알밤을 한 대 먹이다.
Bregen≈kasten *m.* 두개(頭蓋). **~klüterig** *a.* (ndd.) 우울한, 멜랑콜리한. **~wurst** *f.* 브레겐 소시지(끓는 물에 익혀 먹는 송아지〔돼지〕골 소시지).
Bregenz 브레겐츠(오스트리아 Vorarlberg 주의 수도).
Bregenzer *m.* -s, - 브레겐츠 사람.
***Brei** [braɪ] *m.* -(e)s, -e ① 죽, 퓌레: Hafer≈ 귀리죽, 오트밀; Kartoffel≈ 감자 퓌레. ② 죽 모양의 것, 질척거리는 것, 곤죽: ein ~ von tauendem Schnee 눈진창; et. zu ~ zerdrücken 무엇을 으깨어 곤죽을 만들다;〔비유·비속〕jn. zu ~ schlagen 누구를 묵사발이 되게 두들겨 패다. ③〔비유〕잘못된 물건; 뒤섞인 것; 달콤〔유치〕한 이야기책. ④〔비유·구어〕um den (heißen) ~ herumreden 중요한 것을 말할 용기가 없다, 빙빙 돌려 말하다; jm. ~ ums Maul schmieren 누구에게 듣기 좋은 말만 하다, 알랑거리다; ~ verschütten 실수하다;〔속담〕(zu) viele Köche verderben den ~ 사공이 많으면 배가 산으로 올라간다; wie die Katze um den heißen ~ herumgehen 조심성이 많다, 선불리 대들지 못하다; regnet's ~, fehlt ihm der Löffel 그는 운이 나쁜 놈이다.
Brei≈apfel·baum *m.*『植』사포딜라(열대 아메리카산(產)으로 껌의 원료를 채취하는 나무). **≈artig** *a.* ↑ breiig. **≈herzig** *a.* 마음이 약한, 감상적인.
breiicht [bráɪɪçt], **breiig** [bráɪɪç] *a.* 죽 같은, 걸쭉한, 질척한.
Brei·löffel *m.* 죽 숟가락.
Brein [braɪn] *m.* -s, -e (öst.) ①『植』기장. ② 기장으로 끓인 죽.
Brei≈napf *m.* 죽 그릇. **~pfanne** *f.* 죽 냄비.
Breisach [bráɪzax] 브라이자흐(라인강 상류의 도시).
Breisgau [bráɪsgaʊ] 브라이스가우(독일의 남서부).
***breit** [braɪt] *a.* ① 폭이〔너비가〕 …인: ein 4 cm ~es und 5 cm langes Rechteck zeichnen 가로 4 cm 세로 5 cm 인 사각형을 그리다; der Schrank ist 2 m ~ und 2,50 m hoch 그 옷장은 너비가 2 m 이고 높이가 2.50 m 다; keinen Finger ~ 손가락 폭도 안 되는, 아주 좁은; es ist so ~, wie es lang ist a) 그것은 폭과 길이가 같다, b)〔비유〕결국 마찬가지다. ② 폭이 넓은, 옆으로 퍼진, 떡 벌어진; 폭넓은, 광범위한: eine ~e Straße〔Stirn〕넓은 길〔이마〕; er hat ~e Schultern 그는 어깨가 떡 벌어졌다;〔비유·구어〕er hat einen ~en Buckel〔Rücken〕그는 참을성이 많다, 쉽게 동요되지 않는다; die ~e Öffentlichkeit 광범위한 대중; weit und ~ 도처에, 어디에나; die ~e Masse des Volkes 국민 대다수; ein ~es Echo finden 폭넓은 반향을 얻다. ③ (연설·문장 등이) 지루〔장황〕한: eine ~e Darstellung 장황한 묘사; et. lang und ~ 〔des langen und ~en〕 erläutern 무엇을 장황〔상세〕하게 설명하다. ④ (발음·말씨 등이) 느릿느릿한, 또렷하지 않은: die Ostpreußen haben eine ~e Aussprache 동프로이센 사람들은 발음이 분명치가 않다. ⑤『음악』느리면서 표현이 풍부한. ⑥〔경박·방언〕곤드레만드레 취한: ich war ganz schön ~ gestern abend 나는 어제 저녁 완전히 취해 버렸다; laß den in Ruhe, der ist schon ~ 그 녀석을 내버려둬, 벌써 엉망으로 취했는데 뭐. ⑦〔마약 세계의 은어〕마약에 완전히 취해 있는.
Breit≈axt *f.*, **~beil** *n.* 큰〔넓은〕 도끼. **≈beinig** *a.* 다리를 넓게 벌린: ~ dastehen 두 다리를 크게 벌리고 버티고 서다. **≈blätterig** *a.* 잎이 넓은, 활엽의. **≈brüstig** *a.* 가슴이 넓은. **≈drücken** *t.* 눌러서 납작하게 하다, 으깨다.
***Breite** [bráɪtə] *f.* -n ① 폭, 너비: die Fahrbahn von 5 Meter ~ 폭 5 미터의 차도; die ~ des Stoffes beträgt 140 cm 그 천의 폭은 140 cm 다; der ~ nach 가로로;〔구어〕in die ~ gehen 옆으로 퍼지다, 뚱뚱해지다. ②『지리』위도: hohe〔niedere〕~n 고위도〔저위

도]; Köln liegt auf 51 Grad nördlicher ~ 쾰른은 북위 51 도상에 위치해 있다. ③〖복수〗 지역, 지방: in unseren ~n ist das nicht üblich 우리 지방에서는 그런 일이 흔하지 않다. ④ 평야, 광야, 들판; 넓은 면, 평면. ⑤ (삼 따위의) 한 다발〔춤〕; (광맥의) 두께. ⑥〖비유〗 장황, 지루: einen Vorgang in aller〔großer〕 ~ schildern 어떤 사건에 대해서 시시콜콜히 〔매우 장황하게〕 이야기를 늘어놓다; 〖구어〗 et. in die ~ ziehen (대화·토론을) 필요 이상으로 질질 끌다.

Breit·eisen *n.* (석공이 쓰는) 날이 넓은 정.

breiten [bráɪtən] 〖雅語〗《I》 *t.* ① 넓히다, 편편하게 하다; (쇠붙이를) 두들겨 펴다. ② (커버·식탁보를) 펴다, 덮다, 깔다: ein Leichentuch über den Toten ~ 죽은 사람 위에 염포를 덮다. ③ (비료를) 뿌리다. ④ (날개를) 펼치다, (양팔을) 벌리다. 《II》 *refl.* sich ~ 퍼지다, 펼쳐지다: vor unserem Auge breitete sich das Meer 우리들의 눈 앞에 바다가 펼쳐졌다; ein Leuchten breitete sich über ihr Gesicht 그녀의 얼굴이 환해졌다.

Breiten=arbeit *f.* 포괄적〔근본적〕 연구. **~grad** *m.* 〖지리〗 위도: der nördliche〔südliche〕 ~ 북위〔남위〕. **~kreis** *m.* 위선(緯線). **~sport** *m.* 국민 체육, 대중 스포츠. **~streuung** *f.* 〖軍〗 (탄착점의) 횡(橫)방향 분산. **~wirkung** *f.* 광범위한 영향, 대중적 파급 효과.

Breit=fisch *m.* 〖動〗 넓적한 물고기(넙치·홍어 등). **~fock** *f.*, **~fock·segel** *n.* 〖海〗 앞 돛대의 가장 밑에 있는 넓은 돛, 네모진 돛. **~format** *n.* 가로 인쇄 용지 규격(↔ Hochformat). **≈füßig** *a.* 편평족〔평발〕의. **≈gefächert** *a.* 다양한, 선택의 폭이 넓은. **≈gesichtig** *a.* 얼굴이 넓적한. **≈gestirnt** *a.* 이마가 넓은. **≈gestuft** *a.* (계단의) 층디딤판이 넓은. **~guß** *m.* 방송, 전파(傳播). **~hammer** *m.* (두 손으로 쓰는) 큰 해머. **≈händig** *a.* 손의 폭이 넓은. **~kirchlichen** *pl.* 〖宗〗 광교파(廣敎派)의 신도. **≈köpfig** *a.* 머리통이 넓적한. **≈krempig** *a.* (모자가) 챙이 넓은.

Breitling *m.* -s, -e ①〖動〗 청어의 일종 (Sprotte). ②〖植〗 느타리버섯. ③ 사과의 일종.

Breit=lippe *f.* ①〖植〗 우산이끼의 일종. ② 두꺼운 입술. **≈|machen** *refl.* 〖구어〗 sich ~ ① 자리를 많이 차지하다, 넓게 앉다. ②〖비유〗 주제넘게 굴다, 으스대다: sich mit et.³ ~ 무엇을 뽐내다〔과시하다〕. ③ 확산되다, 퍼져 나가다. **≈mäulig** *a.* 입이〔주둥이가〕 큰. **~nase** *f.* 〖動〗 광비원(廣鼻猿) (Neuweltaffe). **≈nasig** *a.* 넓고 납작한 코의. **≈|quetschen** *t.* 으깨다; 〖비유〗 상세하게 기술하다. **≈randig** *a.* 테두리가 넓은. **≈rückig** *a.* 등이 넓은. **~saat** *f.* 〖農〗 씨앗을 손으로 흩뿌리기, 산포(散布) 파종. **~schädel** *m.* 〖醫〗 광두개(廣頭蓋). **≈|schlagen*** *t.* ① 두들겨 늘이다. ② 〖비유·구어〗 **(a)** 설득〔설복〕시키다: warum hast du dich von ihm ~ lassen? 어째서 너는 그의 말에 넘어가고 말았니? **(b)** (schweiz.) 지나치게 중요시하다. **≈schnäbelig** *t.* 〖動〗 부리가 넓은. **≈schult(e)rig** *a.* 어깨가 벌어진. **~schwanz** *m.* (소아시아산(産)의) 꼬리가 굵은 양; 그 새끼양의 모피. **~seite** *f.* ① (물체의) 긴 쪽; (특히 배의) 좌우현, 뱃전: 〖비유〗 ~ bieten 공격 기회를 제공하다, 헛점을 노출하다. ② (전함의) 좌우현포; 좌우현포의 일제 발사. **~spur** *f.* 〖철도〗 광궤(廣軌) (1.435 m 이상). **≈spurig** *a.* ①〖철도〗 광궤의. ②〖비유·폄어〗 잘난 체하는, 거만한, 뽐내는. **~spurigkeit** *f.* 거드름, 유세, 잘난 체. **≈stirnig** *a.* 이마가 넓은. **≈|treten*** *t.* 〖비유·구어〗 (듣기 싫은 이야기를) 장황하게 늘어놓다, 길게 설명하다. **~wand** *f.* (극장의) 대형 화면. **~wand·film** *m.* 대형 화면 영화. **~wimpel** *m.* (독일 황제가 사령관에게 넘겨주는) 좁고 긴 삼각형의 깃발. **~wurf** *m.* ↑ ~saat. **≈würfig** *a.* 흩뿌리는. **≈zahnig** *a.* 〖動〗 광치(廣齒)의.

Brei=umschlag *m.* (으깬 감자, 식물의 씨앗 따위를 넣고 싼) 찜질 주머니: einen ~ auf eine entzündete Stelle auflegen 염증이 생긴 부위에 찜질을 하다. **≈weich** *a.* 죽같이 무른; 〖비유〗 인정에 약한, 마음이 여린.

Brekzie [brɛ́ktsiə] 《it.》 *f.* -n 〖광물〗 각력암(角礫岩) (Breccie).

Breme [bré:mə] *f.* -n (obd.) ↑ Bremse¹.

Bremen [bré:mən] 브레멘(북독일의 도시 및 주).

Bremer 《I》 *m.* -s, - 브레멘 사람. 《II》 *a.* 브레멘의.

Bremerhaven [bre:mərhá:fən] *m.* 브레머하펜(브레멘주의 항구 도시).

Bremerhavener *m.* 브레머하펜 사람.

bremisch *a.* 브레멘(풍)의.

Bremmer [brɛ́mər] *m.* -s, - 〖광산〗 작은 수직갱.

Brems [brɛms] *m.* -es, -en [..zən] ↑ Bremse².

Brems=achse *f.* 〖工〗 브레이크〔제동기〕의 축. **~ausgleich** *m.* 제동 균등기. **~backe** *f.* 제륜자(制輪子), 바퀴 제동기. **~band** *n.* 바퀴 제동 밴드. **~belag** *m.* 브레이크 라이닝. **~berg** *m.* 〖광산〗 자동 운반 경사로. **~block** *m.* ↑ ~schuh. **~dynamo·meter** *n.* 〖기술〗 제동력 측정기.

***Bremse**¹ [brɛ́mzə] 《ndd. pramen, „drücken"》 *f.* -n ①〖工〗 제동기, 브레이크: die ~ anlegen 〔anziehen, betätigen〕 브레이크를 걸다; auf die ~ treten 브레이크를 밟다. ②〖비유〗 (심리적) 제동, 장애 요인: seine Bedenken gegen unseren Plan wirkten als ~ 우리의 계획에 대한 그의 우려는 계획 추진에 장애 요인으로 작용했다; 〖구어〗 zieh die ~ an! 자 아 이젠 그만해 둬! ③ (말이나 소를 제어하는 데 쓰이는) 재갈, 콧쇠: Nasen≈ 코뚜레; Lippen≈ 재갈. ④〖비속〗 따귀 때리기.

Bremse² 《♧ brummen》 *f.* -n 〖動〗 등에, 쇠파리.

bremseln *i.* (öst.) (곤충에 쏘였을 때처럼) 따끔따끔하다, 간질간질하다, 톡 쏘는 듯하다.

***bremsen** [brɛ́mzən] 《I》 *t.* ① (무엇에) (제동을 걸어) 늦추다, 정지시키다; 〖비유〗 제지하다: er bremste das Auto 그는 브레이크를 밟아 차를 세웠다; er suchte ihren Redestrom zu ~ 그는 그녀의 수다를 가로막으려고 애썼다; 〖구어〗 er ist nicht zu ~ 그는 누구도 막을 수 없다, 지칠 줄 모르는 에너지의 소유자다; 〖구어〗 ich kann mich nicht ~! 난 자제할 수 없어! ② (말에) 재갈을 물리다. 《II》 *i.* (h.) ① 제동을〔브레이크를〕 걸다: er bremste scharf 그는 급제동을 걸었다. ②〖비속〗 자다. ③〖방언〗 투덜거리다.

Bremsen≈plage *f.* (특히 가축의) 등에로 인한 괴로움. **~stich** *m.* (등에가) 쏘기, 그 상처.

Bremser *m.* -s, - 제동수(手); 〖철도〗 화물열차에 동승하는 열차 승무원; 〖스포츠〗 (봅슬레이의) 마지막에 타는 선수.

Bremser·häuschen *n.* 〖철도〗 (차량의) 제동실.

Brems≈erlaß [brέms..] *m.* 억제 법령(급격한 혁신을 억제하거나 구법령을 부분적으로 취소하는 것). **~fliege** *f.* ↑ Bremse[1]. **~flüssigkeit** *f.* 〖工〗 (유압식 제동 장치의) 제동액. **~gitter** *n.* 〖전자〗 제어 격자(그리드). **~gitter·röhre** *f.* 〖전자〗 5극 진공관(Pentode). **~haspel** *f.* 사면 권양기(斜面卷揚器). **~hebel** *m.* 〖工〗 제동 레버: im Notfall den ~ ziehen 비상시에는 제동 레버를 당기십시오. **~klotz** *m.* ① 바퀴 멈추개, (쐐기 모양의) 제동자. ② 〖비유·구어〗 방해자(물), 걸림돌. **~kurbel** *f.* 〖工〗 제동 크랭크. **~leistung** *f.* 〖工〗 제동력. **~licht** *n.* 〖복수: -er〗 (자동차 후미의) 정지등(브레이크를 밟으면 켜짐). **~moment** *n.* 제동 회전력. **~nieder-punkt** *m.* 〖工〗 항복점(降伏點). **~pedal** *n.* 브레이크 페달. **~probe** *f.* 〖工〗 브레이크 테스트, 제동력 시험. **~rad** *n.* 제동 링, 브레이크 드럼. **~rakete** *f.* 〖우주〗 속도 제어용 로켓. **~scheibe** *f.* 제동판(板). **~schuh** *m.* 〖철도〗 제동 편자(Hemmschuh). **~schwengel** *m.* ① 제동기의 자루. ② ↑ ~backe. **~spur** *f.* (급제동 때 도로상에 생기는) 바퀴 자국. **~seil** *n.* 제동줄. **~strahlen** *pl.* 〖전기〗 저지선(沮止線). **~trommel** *f.* 〖工〗 브레이크 드럼.

Bremsung [brέmzuŋ] *f.* -en 〖工〗 제동.

Brems≈vorrichtung *f.* 제동 장치. **~wagen** *m.* 〖철도〗 (핸드 브레이크가 달린) 화물칸. **~weg** *m.* 제동 거리. **~welle** *f.* 〖工〗 브레이크의 축. **~werk** *n.* ↑ ~vorrichtung. **~zylinder** *m.* 〖工〗 브레이크 실린더.

Brenke [brέŋkə] *f.* -n, **Brenkel** *n.* -s, - (obd.) 목조 용기, 나무통.

Brenn≈achse *f.* 〖광학〗 초점축. **~apparat** *m.* ① (브랜디 제조용) 증류 장치. ② 〖醫〗 소작(燒灼) 장치(Glühbrenner). ③ 소화(燒畫) 그리는 기구. **~arbeit** *f.* 〖제련〗 (특히 은의) 정련(精鍊).

brennbar *a.* 타기 쉬운, 가연성(可燃性)의: schwer ~e Baustoffe 불에 잘 타지 않는 건축 재료; ~e Luft 수소.

Brennbarkeit *f.* ① 가연성. ② 〖복수〗 가연물(可燃物).

Brenn≈berge *pl.* 〖광산〗 석탄층 사이의 탄소를 함유하는 이판암(泥板岩). **~blase** *f.* 브랜디 증류기. **~bündel** *n.* 장작(나뭇)단. **~dauer** *f.* ① 굽는(가열) 시간. ② (전구의) 수명. **~ebene** *f.* 〖광학〗 초점면. **~eisen** *n.* ① 낙인 도장(Brandeisen). ② ↑ ~schere. ③ 〖醫〗 소작기(燒灼器)(Thermokauter). **~element** *n.* 〖핵물리〗 핵 연료봉 묶음.

brennen [brέnən] (brannte, gebrannt) 《I》 *i.* (h.) ① **(a)** 타다, 불타다, 연소하다, 점화되다: das Dach brannte lichterloh 지붕이 활활 타올랐다; Asbest brennt nicht 석면은 불이 붙지 않는다; es brennt! a) 불이야! b) 그래 바로 그 근처야!(찾기놀이에서 숨겨진 물건이 가까이에 있음을 알려 주는 표현); 〖구어〗 wo brennt's (denn)? 어디 불났니, 뭐가 그렇게 급해, 도대체 무슨 일이야?; 〖비유〗 jm. brennt der Boden unter den Füßen 누구에게 위험이 닥치다, 누구가 불안해서 도망치고 싶어하다; 〖비유〗 die Arbeit brennt mir auf den Nägeln 그 일은 내게 발등에 떨어진 불이다, 몹시 급하다(중요하다). **(b)** 작열하다, 뜨겁게 빛나다: die Sonne brannte über der Stadt 태양이 도시 위에서 타는 듯이 빛을 발하였다. **(c)** 켜져(타고) 있다: im Wohnzimmer brennt noch Licht 거실에는 아직 불이 켜 있다; über Nacht lasse ich im Flur (das) Licht ~ 나는 밤새 복도에 불을 켜 둔다. ② 〖비유·雅語〗 (감정이) 타오르다, 불타다: Liebe(Haß) brannte in ihm 그는 사랑으로(증오로) 가슴이 이글거렸다; auf et. ~ 무엇을 열망하다; für jn. ~ 누구에게 깊은 연정을 품다; ich brenne darauf, sie zu sehen 그녀가 보고 싶어 못 견디겠다; vor Neugier(Eifersucht) ~ 호기심(질투) 때문에 안달하다. ③ 따끔따끔하다, 화끈거리다, 쑤시다: mir ~ die Fußsohlen vom vielen Gehen 많이 걸어서 발바닥이 화끈거린다; die Wunde brennt heftig 상처가 쿡쿡 쑤신다. ④ 매운(톡 쏘는) 맛이 나다: der Pfeffer brannte auf der Zunge 후추맛이 강해서 혀가 얼얼했다. ⑤ 〖고어〗 방화하다: morden und ~ 살인 방화하다. 《II》 *t.* ① 태우다, 때다, 연소시키다; 켜다, 점화하다: Briketts ~ 연탄을 피우다; nichts zu ~ haben 땔감이 없다; Kerzen ~ 촛불을 켜다. ② (인두 등으로) 지지다, 낙인(소인)을 찍다; 태워 넣다(새기다): er hat ein T auf das Fell seiner Pferde gebrannt 그는 자기 말들에다 T자 낙인을 찍었다; Bilder in Holz ~ 나무판에 그림을 그려 넣다; er hat mit der Zigarette ein Loch ins Tischtuch gebrannt 그는 담뱃불로 식탁보에 구멍을 냈다; 〖비유〗 jm. eins auf den Pelz ~ 누구를 쏘아 맞추다. ③ **(a)** 굽다, 구워(가열하여) 만들다, 소성(燒成)시키다: Porzellan(Ziegel) ~ 도자기를(벽돌을) 굽다; Kohlen aus Holz ~ (Holz zu Kohlen ~) 숯을 굽다; Getreide zu Branntwein ~ (Branntwein aus Getreide ~) 곡물로 화주를 양조하다. **(b)** (아몬드·커피·콩 따위를) 볶다; (머리카락을) 지지다, 웨이브를 만들다; (유리를) 가열하여 녹이다. **(c)** (금속을) 정련하다, 달구어 단련시키다; 하소(煆燒)하다(kalzinieren): Stahl ~ 쇠를 강철로 만들다; 〖비유〗 jn. weiß ~ 누구의 무죄를(결백을) 밝히다. ④ 〖방언〗 데게 하다, 화상을 입히다: 〖비유·구어〗 was dich nicht brennt, das blase nicht 남의 일에 괜히 참견하지 마라. ⑤ 초조하게 하다, 애태우다: es brennt mich (mir) auf der Zunge 말하고 싶어서 몸이 단다. 《III》 *refl.* sich ~ ① 데다, 화상을 입다: sich am Ofen(Bügeleisen) ~ 난로(다리미)에 데다. ② 〖비유〗 실망하다, 잘못 생각하다. ③ (도자기·벽돌이) 구워지다: 〖비유〗 er will sich weiß(rein) ~ 그는 자신이 결백하다는 것을 나타내 보이려고 한다. ④ (쐐기풀 따위에) 쏠리다: am Wegrand brennt man sich leicht an den Brennesseln 길가에서는 쐐기풀에 살갗이 쏠리기 쉽다. 《IV》 **gebrannt** *p.a.* ↑ gebrannt.

Brennen *n.* -s ① 연소, 발화, 점화. ②〖醫〗 소작(燒灼); 쿡쿡 쑤심: ~ im Magen 속쓰림. ③ (도자기의) 소성(燒成); (화주의) 증류; 〖化〗 하소(煆燒).

brennend *p.a.* ① 타는: ~e Kerze 타는 양초. ② 찌르는 듯한, 쿡쿡 쑤시는: ~es Weh 따끔따끔한 아픔; ein ~es Geheimnis 말해 버리고 싶은 비밀. ③〖비유〗격렬〔열렬〕한; 시급〔절박〕한, 몹시 중요한: ~er Durst 타는 듯한 갈증; ~e Liebe a) 열렬한 사랑, b)〖植〗아메리카전추라(꽃은 심홍색); eine ~e Frage 긴급한 문제; sein ~er Ehrgeiz treibt ihn zu weit 이글거리는 야심 때문에 그는 너무 무리하고 있다. ④〖부사적 강조어〗매우, 몹시: ~ geizig 몹시 탐욕스러운; ~ verliebt sein 홀딱 반해 있다; ich habe deine Hilfe ~ nötig 나는 네 도움이 절실히 필요해.

Brenner[1] [brɛ́nər] *m.* -s, - ①〖고어〗방화자(放火者). ② 화주 양조자. ③ 용접 기계: Schweiß~ 산소 용접기. ④ **(a)** 버너, 연소기: Gas~ 가스 버너. **(b)** (난로·램프의) 점화구; 〖전기〗발광체. ⑤ (커피 열매를) 볶는 기구. ⑥ (벽돌·도자기 공장의) 가마꾼, 가마쟁이. ⑦〖動〗사슴벌레의 일종. ⑧ (특히 포도나무의) 엽삽병(葉澁病), 수병(銹病). ⑨〖軍〗소이선(燒夷船).

Brenner[2] 브레너(Tirol 에 있는 알프스의 고개 이름).

Brenner·bahn *f.* 브레너선(線)(브레너 고개의 양쪽을 연결하는 철도).

Brenn·erde *f.* 토탄(土炭).

Brennerei [brɛnəráɪ] ⟪< brennen⟫ *f.* -en ① 화주 양조(장). ② (벽돌·도자기를) 굽는 가마, 벽돌 공장. ③ 커피 볶는 기계〔공장〕.

brennerig *a.*〖방언〗① 타는 냄새가 나는. ②〖비유·구어〗심상치 않은, 수상한(brenzlig).

Brennessel [brɛ́nnɛsəl] *f.* -n〖植〗쐐기풀.

Brenn≈fläche *f.*〖物〗↑ ~ebene. **~gerät** *n.* ① 에탄올 증류기. ②〖醫〗소작(燒灼) 기구. **~glas** *n.*〖광학〗(Konvexlinse) 집광(集光) 렌즈, 점화경(點火鏡). **~haare** *pl.*〖植〗쐐기풀의 가시. **~haus** *n.* 화주 증류장;〖제련〗정련소(精錬所). **~helm** *m.* 증류기의 뚜껑. **~herd** *m.*〖제련〗정련로(爐). **~hitze** *f.* 화열(火熱). **~holz** *n.* 땔나무, 장작. **~kammer** *f.*〖工〗(내연 기관의) 연소실. **~kapsel** *f.*〖軍〗폭탄 신관의 뚜껑; 도자기를 굽는 용기(容器). **~kegel** *m.*〖醫〗(Moxa) 애엽(艾葉), 뜸쑥, 약쑥. **~kolben** *m.* ↑ ~blase. **~kraft** *f.* 화력. **~kultur** *f.* 화전식 경작(Brandkultur). **~linie** *f.*〖광학〗화선(火線), 초선(焦線). **~linse** *f.* ↑ ~glas. **~-material** *n.* 연료, 땔감. **~meister** *m.* 용광로 감독자, 벽돌 공장 작업반장. **~messer** *n.* (제철공(蹄鐵工)의) 지지는 인두. **~mittel** *n.*〖藥〗소작약(燒灼藥). **~nessel** *f.* ↑ Brennessel. **~-Nessel** *f.* ↑ Brennessel. **~ofen** *m.* (벽돌·도자기를 굽는) 가마. **~öl** *n.* (연료용·조명용) 기름, 등유(燈油). **~pfanne** *f.* 도가니. ***~punkt** *m.* ①〖광학〗초점(Fokus). ②〖기하〗원뿔 곡선의 중심점. ③〖비유〗중심점, 초점: der ~ des Verkehrs 교통의 요충지; in den ~ des Interesses gerückt werden 관심의 초점으로 떠오르다. ④〖化〗발화 온도. **~punkts·abstand** *m.*〖物〗초점 거리. **~-schere** *f.* (머리 세팅용) 전열 가위. **~spiegel** *m.*〖광학〗오목 거울, 화경(火鏡). **~spiritus** *m.* 공업용 알코올. **~stab** *m.* ↑ ~stoffstab. **~stahl** *m.* 삼탄강(滲炭鋼). **~stahlofen** *m.*〖제련〗강화로(鋼火爐). **~stelle** *f.* (집안의) 전기 배선 단말, 불이〔전기가〕들어오는 곳(콘센트·레인지·전등 등). **~stift** *m.* ① 소화(燒畫)를 그리는 인두. ② 소작용(燒灼用) 금속봉 (막대). **~stoff** *m.* ① 연료; 가연물(可燃物). ② 핵연료.

Brennstoff≈behälter *m.* (자동차의) 연료 탱크. **~element** *n.*〖전기〗연료 전지. **~frage** *f.* 연료 문제. **~stab** *m.*〖핵물리〗핵연료봉. **~zelle** *f.* ↑ ~element. **~zellen-Auto** *n.* 연료 전지 자동차.

Brenn≈stunde *f.* 점등 시간. **~weite** *f.* ①〖광학〗(렌즈의 중심에서 초점까지 이르는) 초점 거리. ②〖사진〗(거리를 무한대로 맞추었을 때) 대물 렌즈와 필름 사이의 거리. **~wert** *m.* 연소가(燃燒價), (발)열량. **~zeit** *f.* (신관(信管)의) 연소 시간. **~zeug** *n.* 증류 기구. **~ziegel** *m.* 내화(耐火) 벽돌. **~zünder** *m.* 예화 신관(曳火信管).

brenschen *i.* (h.) (말이) 큰 소리로 울다.

Brentano ① Clemens von ~ 브렌타노(독일의 시인, 1778-1824). ② Franz ~ 브렌타노(독일의 철학자, 1838-1917).

Brente[1] *f.* -n (schweiz.) 나무 그릇〔주발〕.

Brente[2] ⟪lat.⟫ *f.* -n 아몬드가 든 과자.

Brenz [brɛnts] *m.* -es, -e ①〖구식〗(obd.) 화주(火酒), 브랜디. ②〖복수〗가연성 광물.

brenzeln [brɛ́ntsəln] ⟪↔ brennen⟫〖방언〗*i.* (h.) ① 탄내가〔탄맛이〕나다: es brenzelt in der Küche 부엌에서 탄내가 난다. ② 약하게 타다; 불빛이 가물가물 하다.

Brenz·katechin [..katɛçiːn] *n.* -s〖化〗피로카테킨, 초성(焦性) 카테킨.

brenzlich ⟪öst.⟫ *a.* ↑ brenzlig.

brenzlig *a.* ① 탄내가〔탄맛이〕나는, 탄 듯한. ②〖비유·구어〗위험한; 까다로운: in eine ~e Situation geraten 어려운 상황에 빠지다.

Brenz≈öle *pl.*〖化〗초성유(焦性油). **~säure** *f.* 초성산. **~verbindung** *f.* 초성 화합물.

Bresche [brɛ́ʃə] ⟪frz. brèche⟫ *f.* -n〖軍〗(성벽·방어선 등의) 돌파구, 갈라진 틈; (벽의) 균열: ~ schießen〔legen, schlagen〕a) 돌파구를 만들다, b) 난국을 타개하다;〖비유〗für jn. in die ~ springen〔treten〕(누구를 돕기 위해) 누구의 역할을 대신하다; ich mußte für eine kranke Kollegin in die ~ springen 나는 아픈 여자 동료를 대신해서 일해야 했다; sich (für jn.) in die ~ werfen (누구를) 앞장서서 돕다, 대신하다.

Bresche·batterie *f.* 파장 포대(破牆砲臺).

Breschnew [brɛ́ʃnjɛf] Leonid Iljitsch ~ 브레주네프(옛 소련의 공산당 서기장, 1906-82).

Breslau [brɛ́slau] 브레슬라우(Oder 강변의 도시).

Breslauer *m.* -s, - 브레슬라우 사람; *a.* 브레슬라우의.

breslauisch *a.* 브레슬라우(풍)의.

Bresling [brɛ́slɪŋ] *m.* -s, -e〖植〗딸기의 일종(열매는 희고 꽃은 노란색).

Brest [brɛst] ⟪↔ bersten⟫〖구식〗*m.* -es, -e 기형, 불구, (육체적인) 결함; 질병.

Breste *f.* -n ↑ Brest.
bresthaft *a.* 〔구식〕 (schweiz.) 허약〔쇠약〕한.
Brestling *m.* -s, -e ↑ Bresling.
Bretagne [bretánjə, brə..] *f.* 브르타뉴(지방).
Bretagner [..tánjər] *m.* -s, - 브르타뉴 사람.
bretagnisch [..tánjɪʃ] *a.* ↑ bretonisch.
bretonisch *a.* 브르타뉴의.
Bretesche [bretέʃə] *f.* -n 성벽의 총안(銃眼).
Breton [brətṍ:] 《frz.》 *m.* -s, -s 브르타뉴 밀짚 모자.
Bretone *m.* -n, -n, **Bretonin** *f.* -nen 브르타뉴인.
*__Brett__ [brɛt] 《♧ Bord¹》 *n.* -(e)s, -er ① (얇은) 널빤지, 마루 판자; 〔비유〕 장벽: mit ~ern beschlagen 널빤지를 깔다; die sechs ~er 관(棺); in die ~er gehen 죽다; mit ~ern vernagelt sein a) 우둔하다, b) 앞길이 막히다; 〔비유·구어〕 ein ~ vor dem Kopf haben 우둔하다; 〔비유·구어〕 er kann durch drei ~er sehen 그는 형안(炯眼)이다, 눈이 예리하다; jm. das ~ unter den Füßen wegziehen 누구를 함정에 빠뜨리다; 〔비유·구어〕 das ~ bohren, wo es am dünnsten ist 편하게〔손쉬운 방법으로〕 일을 처리하다. ② (Zahl⌢) 금전 계산대, 카운터: auf einem ~ bezahlen 한번에 현금으로 지급하다. ③ (Spiel⌢) 놀이판, (서양) 장기판: 〔구어〕 bei jm. einen Stein im ~ haben 누구에게 잘 보이고 있다, 누구의 사랑을 받다. ④ (Bücher⌢) 서가(書架). ⑤ (직공의) 작업대; 배전반, 제어반. ⑥ (Griff⌢) (현악기의) 지판(指板). ⑦ 〔구식〕 (커피 따위를 나르는) 쟁반. ⑧ 게시판: das schwarze ~ 흑판; zu ~ kommen 게시되다. ⑨ (시의회·재판소 따위의) 회의용 탁자; 관공서: vors ~ kommen 소환되다; ans ~ kommen 입신 출세하다, 고관으로 승급하다; (hoch) am ~ sein 고관의 지위에 있다, 권세가 있다. ⑩ 〔시어〕 배; 선판(船板). ⑪ 〔복수〕 〔비유〕 무대; die ~er besteigen〔betreten〕 무대에 서다; über die ~er gehen 상연되다. ⑫ 〔복수〕 스키: sich die ~er anschnallen (부츠에) 스키를 끼우다. ⑬ 〖스포츠〗 링의 바닥: auf die ~er gehen 다운되다.
Brett⸗baum *m.* 판자용 나무. **~bohle** *f.* 두꺼운 널빤지.
Brettchen *n.* -s, - ↑ Brett 의 축소형.
Brettel [brέtəl] *n.* -s, -(n) (südd., öst.) ① 작은 판자. ② 스키.
bretteln *i.* (h.) 〔구어〕 카바레 공연을 하다; 카바레 공연에 등장하다.
Bretter⸗boden *m.* 널빤지를 깐 마루〔바닥〕. **~bude** *f.* 판잣집, 작은 가건물. **~bühne** *f.* 가설 무대. **~dach** *n.* 판자 지붕. **~gerüst** *n.* 나무 발판.
bretterhaft 《<Brett》 *a.* 상연하기에 알맞은; 연극풍의.
Bretter⸗haus *n.*, **~häuschen** *n.*, **~hütte** *f.* 판잣집.
brettern 《I》 *a.* 판자로 된. 《II》 *t.* …에 판자를 깔다.
Bretter⸗tür *f.* 판자문. **~verschlag** *m.*, **~wand** *f.* 판자벽, 칸막이. **~werk** *n.* 판자 골조. **~zaun** *m.* 판자 울타리.
brett·hart *a.* 아주 단단한〔딱딱한〕.
brettig *a.* 판자 같은.
Brettl [brέtəl] 《<Brettlein》 *n.* -s, -(n) ① (südd., öst.) ↑ Brettel. ② 〔구어〕 카바레(공연).
Brettlein *n.* -s, - 〔雅語〕 ↑ Brettchen.
Brettling 《<Brett》 *m.* -s, -e 테이블, 판.
Brettl⸗lied *n.* 카바레에서 부르는 노래. **~sänger** *m.* 카바레 가수.
Brett⸗mühle *f.* 제재소. **~nagel** *m.* 판자못. **~säge** *f.* 제재용 톱. **~säger, ~schneider** *m.* 목수. **~schaukel** *f.* (앉는 부분이 나무로 된) 그네. **~segeln** *n.* 〔구식〕 윈드 서핑. **~spiel** *n.* ① 판 위에서 하는 게임(체스 따위). ② 바둑 무늬가 있는 것(나비·식물 따위). **~springen** *n.* 〖수영〗 스프링보드 다이빙. **~steif** *a.* 매우 빳빳한. **~stein** *m.* 〖체스〗 말. **~verkleidung** *f.* 판자 대기.
Bretzel [brέtsəl] *f.* -n ↑ Brezel.
Breve [bré:ve, ..və] 《lat. brevis, „kurz"》 *n.* -s, -n/-s 〖史〗 ① 〔원뜻〕 교황의 짧은 교서(教書). ② 교황이 내리는 사면장.
Brevet [brevé:] 《frz.》 *n.* -s, -s [..vé:s] ① 〔원뜻〕 프랑스왕의 사면장. ② 〔구식〕 신임장, 사령장.
brevetieren [brevetí:rən] 《lat.》 *t.* (외교관 등에게) 임명장〔신임장〕을 주다.
Breviar *n.* -s, -e, **Breviarium** [breviá:rium] *n.* -s, ..rien [..riən] ① 발췌, 개요. ② ↑ Brevier¹.
Brevier¹ [breví:r] *n.* -s, -e ① 〖가톨릭〗 (신부의) 성무(聖務) 일과(서). ② 애독서; 발췌, 어록. ③ 지침서.
Brevier² 《engl.》 *f.* 〖印〗 8 포인트에 해당하는 영국의 활자.
Breviloquenz [brevilokvέnts] *f.* 표현〔어구〕의 간결.
brevi manu [bré:vi má:nu] *adv.* 〔교양〕 즉석에서, 간단히(약어: br.m.).
Brezel [bré:tsəl] 《lat.》 *f.* -n 브레첼(8 자 모양의 짭짤한 빵).
Brezel·backen *n.* 브레첼 굽기: 〔구어〕 das geht wie's ~ 그것은 금방 할 수 있다.
Brezen *m.* -s 〔*f.*〕 (öst.) ↑ Brezel.
brich [brɪç] ↑ brechen 의 2 인칭 단수 명령형.
brichst [..st] ↑ brechen 의 2 인칭 단수 현재형.
bricht [..t] ↑ brechen 의 3 인칭 단수 현재형.
Bricke [brίkə] *f.* -n 〖動〗 칠성 장어.
Bride *f.* -n 수망(手網).
Bridge [brɪdʒ] 《engl.》 *n.* - 브리지 게임.
Bridge·partie *f.* 브리지 한 게임.
Bridgetown [brίdʒtaun] 브리지타운(바베이도스의 수도).
*__Brief__ [bri:f] 《lat. brevis, „kurz"》 *m.* -(e)s, -e ① 문서, 서류; 증서: 〔비유〕 auf et. ~ und Siegel geben 무엇을 보증하다. ② 〖商〗 유가 증권, 어음. ③ 〔고어·방언〕 카드. ④ 편지, 서한: ein offener ~ 공개장; blauer ~ 경고장, 해고 통지, (낙제를 알리는) 유급 통지문; einen ~ frankieren〔freimachen〕 편지에 우표를 붙이다; jm. 〔an jn.〕 einen ~ schreiben 누구에게 편지를 쓰다; mit jm. ~e wechseln 누구와 편지를 주고 받다; einen ~ auf die 〔zur〕 Post geben 편지를 부치다; 〔비유〕 js. ~e finden 누구의 비밀을 간파하다. ⑤ (봉투형의) 꾸러미, 조그만 포장: ein ~ Tabak 한 쌈지의 담배; ein ~ Haarnadeln 한 쌈의

머리핀.

Brief≈abfertigung *f.* 우편물 발송. **~abholung** *f.* (집배원의) 우편물 수집; 우편물 찾아가기. **~abstempler** *m.* 소인 압인기(押印器). **~adel** *m.* (세습이 아니고) 수작서(授爵書)에 따른 귀족. **~adresse** *f.* 수신자 주소. **~annahme** *f.* 우편물 접수(구). **~anschrift** *f.* 우편물의 주소 성명. **~aufgabe** *f.* 우편물 발송. **~aufschrift** *f.* ↑ ~anschrift. **~ausgabe** *f.* 우편물 배달, 우편물 교부 창구. **~beschwerer** *m.* 문진(文鎭), 서진(書鎭). **~bestellung** *f.* 우편물 배달. **~beutel** *m.* 우편 행낭. **~block** *m.* 편지지 묶음. **~bogen** *m.* 편지지. **~bombe** *f.* 폭발물이 들어 있는 우편물. **~bote** *m.* 〖방언〗 우편 집배원. **~buch** *n.* 편지철.

Briefchen *n.* -s, - ① 짧은 편지; 메모. ② 조그만 (소포) 꾸러미.

Brief≈decke *f.* 편지 봉투. **~druck·sache** *f.* 인쇄물 우편. **~einwurf** *m.* (우체통의) 편지 투입구; 우편함. **~fach** *n.* 우편함; 〖우편〗 사서함. **~fell·eisen** *n.* 우편 가방. **~flut** *f.* 우편물〔편지〕 홍수. **~form** *f.* 편지 형식; 서간체. **~freund** *m.* 펜 팔. **~gebühr** *f.* 우편 요금. **~geheimnis** *n.* 〖法〗 신서(信書)의 비밀. **~geld** *n.* 우편 요금. **~halter** *m.* 편지철. **~hülle** *f.* (서류) 봉투. **~hypothek** *f.* 〖法〗 증권 저당.

Briefing [bríːfɪŋ] 《engl.》 *n.* -s, -s ① 〖軍〗 상황 보고〔설명〕, 정보 교환. ② (광고 회사와 광고주의) 정보 교환 회의.

Brief≈karte *f.* 봉함 엽서. **~kasten** *m.* 우체통; 우편함; (신문·잡지의) 독자란; 편집 후기: 〖비유〗 lebender ~ 첩보 기관의 연락원; 〖비유〗 toter ~ 접선 장소.

Briefkasten≈ecke *f.* 독자란(Briefkasten). **~firma** *f.* 〖經〗 해외 연락소. **~onkel** *m.* (신문 등의) 독자란 담당자. **~tante** *f.* (신문 등의) 독자란 담당 여직원. **~schlitz** *m.* (우체통의) 편지 투입구. **~spalt** *m.* 편지 투입구.

Brief≈klemmer *m.* 편지철. **~kopf** *m.* (발신인의 주소·성명이 인쇄된) 편지지 윗부분. **~kopie** *f.* 편지의 복사, 사본. **~kurs** *m.* 〖증권〗 공급 시세, 매도가(價). **~kuvert** *n.* 편지〔서류〕 봉투.

Brieflein *n.* -s, - ↑ Brief 의 축소형.

brieflich [bríːflɪç] 《Ⅰ》 *a.* 편지의. 《Ⅱ》 *adv.* 편지로, 서면으로: mit jm. ~ verkehren 누구와 서신 왕래를 하다.

Brief≈mappe *f.* 편지철; 손가방. *__~marke__* *f.* 우표.

Briefmarken≈album *n.* 우표 수집 앨범. **~auktion** *f.* 〖우표〗 우표 경매. **~ausstellung** *f.* 〖우표〗 우표 전시회. **~automat** *m.* 우표 자동 판매기. **~block** *m.* 〖우표〗 기념 우표 세트. **~bogen** *m.* 우표 전지(全紙). **~kunde** *f.* 우표 수집법〔연구〕. **~liebhaber** *m.* 우표 애호가. **~sammler** *m.* 우표 수집가. **~sammlung** *f.* 우표 수집. **~schalter** *m.* (우체국의) 우표 판매 창구. **~serie** *f.* 우표 시리즈.

Brief≈muster *n.* 모범 서간문. **~nadeln** *pl.* 서류를 철하는 핀. **~oblate** *f.* 편지를 봉하는 풀; 봉함지(封緘紙). **~öffner** *m.* (우편물) 개봉 나이프. **~ordner** *m.* 서류 끼우개〔파일〕. **~päckchen** *n.* 〖우편〗 소포. **~papier** *n.* 편지지와 편지 봉투. **~partner** *m.* (정기적인) 서신 왕래 상대. **~porto** *n.* 우편 요금. **~post** *f.* 우편; 우송; 우편 마차. **~post·sachen** *pl.* 우편물. **~presse** *f.* 서류 복사기. **~probe** *f.* 편지에 동봉된 견본. **~roman** *m.* 〖문학〗 서간체 소설. **~sack** *m.* 우편 행랑.

Briefschaften *pl.* 서신, 서류.

Brief≈schalter *m.* (우체국의) 우편함; 우편물 접수구. **~schluß** *m.* 편지의 끝맺는 말. **~schrank** *m.* 편지꽂이. **~schreibekunst** *f.* 편지 쓰는 법. **~schreiber** *m.* 발신인. **~schuld** *f.* ① 회답하지 않은 편지. ② 문서로 확정된 채무. **~sortierer** *m.* 우편물 분류자〔분류기〕. **~sendung** *f.* 우편물 발송. **~steller** *m.* ① (과거의) 편지 대필자. ② 모범 서간문집. **~stellerei** *f.* 편지 쓰기; 편지 쓰는 법. **~stempel** *m.* 소인(消印). **~stil** *m.* 서간체. **~streicher** *m.* 개봉 나이프, 편지 접는 나무칼. **~tabak** *m.* 종이로 싼 담배. **~tasche** *f.* (가죽) 지갑; 수첩: eine dicke ~ haben 돈이 많다. **~taube** *f.* 전서(傳書) 비둘기. **~taxe** *f.* 우편세. **~telegramm** *n.* 〖우편〗 우편 전보. **~träger** *m.* 집배원. **~umschlag** *m.* 편지 봉투. **~verkehr** *m.* ↑ ~wechsel. **~waage** *f.* 우편물 다는 저울. **~wahl** *f.* 우편〔부재자〕 투표. *__~wechsel__* *m.* 편지 교환; 교환한 편지 (전체): mit jm. im ~ stehen 누구와 편지 왕래가 있다; den ~ zwischen Goethe und Schiller herausgeben 괴테와 쉴러가 주고받은 서한을 출판하다. **≈wechseln** (*p.p.* gebriefwechselt) *i.* (h.) 편지 왕래가 있다. **~zensur** *f.* 우편물 검열. **~zusteller** *m.* 〖격식〗 우편 집배원. **~zustellung** *f.* 〖격식〗 우편 배달.

Brie·käse [bríː..] *m.* 크림 치즈의 일종(산지인 프랑스 Brie 지방의 이름에서).

Bries [briːs] *n.* -es, -e 송아지의 지라.

Brieschen [bríːsçən] *n.* -s, - 〖요리〗 송아지 지라의 요리.

Briesel [bríːzəl] *n.* -s, - ↑ Bries.

Briesen·käse [bríːzən..] *m.* (양젖) 치즈.

briet [briːt] ↑ braten 의 과거형.

briete [bríːtə] ↑ braten 의 접속법 Ⅱ 식.

Brigade [brigáːdə] 《fr.》 *f.* -n ① 〖軍〗 여단. ② 〖구동독〗 작업반.

Brigade≈adjutant *m.* 여단 부관(副官). **~chef** *m.* 여단장. **~exerzieren** *n.* 여단 훈련. **~führer** *m.* ↑ Brigadier. **~general** *m.* 〖軍〗 준장; 준장급 장성. **~kommandeur** *m.* 여단장. **~kommando** *n.* 여단 사령부. **~leiter** *m.* 〖구동독〗 작업반장.

Brigadier [brigadiéː, ..díːr] 《frz.》 *m.* -s, -s ① 〖軍·구식〗 여단장. ② 〖구동독〗 작업반장.

Brigadierin *f.* -nen ↑ Brigadier 의 여성형.

Brigant [brigánt] 《it.》 *m.* -en, -en 〖옛뜻〗 노상 강도.

Brigantentum *n.* -s 〖옛뜻〗 강탈; 도둑질.

Brigantine [..tíːnə] 《it.》 *f.* -n ① (중세의) 갑옷. ② 〖海〗 ↑ Brigg.

Brigg [brɪk] *f.* -s 쌍돛대의 횡범선.

Brigg·schoner *m.* ↑ Brigantine.

Brightsche Krankheit [bráɪtʃə..] *f.* 〖醫〗 브라이트병(신장염의 옛 명칭).

Brigitta, Brigitte *f.* 브리기타, 브리기테(여자 이름).

Brikett 《frz.》 *n.* -s, -s/-e 연탄, 조개탄.

brikettieren *t.* 연탄을 만들다, 조개탄을 만들다.
Brikettierung *f.* -en 연탄 제조.
Brikole 《frz.》 *f.* -n 〖당구〗 원쿠션 치기.
brikolieren *i.* (h.) 〖당구〗 원쿠션으로 맞히다.
Brikol·schuß *m.* 〖軍〗 도탄(跳彈).
Brillant[1] [brıljánt] *m.* -en, -en 마름모꼴로 간 보석(특히 다이아몬드).
Brillant[2] *f.* 〖印〗 브릴리언트 활자(약 3.5포인트).
brillant 《frz.》 *a.* 빛나는, 찬란한; 우수한, 훌륭한: ein ~er Schauspieler 훌륭한 배우.
Brillant·brosche *f.* 다이아몬드 브로치.
brillanten *a.* 다이아몬드로 된; 다이아몬드 같이 빛나는.
Brillant≠feuer *n.* 불꽃(덩어리). **~feuerwerk** *n.* ↑ ~feuer.
brillantieren *t.* (보석을) 마름모꼴로 갈다.
Brillantin *n.* -s, -e (öst.) ↑ Brillantine.
Brillantine [..tí:nə] *f.* -n 머릿기름, 포마드.
Brillant≠kollier [brıljánt..] *n.* 다이아몬드 목걸이. **~nadel** *f.* 다이아몬드가 박힌 장식핀. **~ring** *m.* 다이아몬드 반지. **~schliff** *m.* 마름모꼴 연마. **~schmuck** *m.* 다이아몬드 장식〔장신구〕. **~schnitt** *m.* (보석을) 마름모꼴로 깎기〔잘라서 갈기〕.
Brillanz [brıljánts] 《fr.》 *f.* ① 〖고어〗 빛, 광채. ② 〖사진〗 화상의 선명도. ③ 노련미, 대가다운 훌륭한 솜씨.
***Brille** [brílə] 《gr.; <Beryll》 *f.* -n ① 안경; 〖드물게〗 안경을 쓴 사람: eine ~ tragen 〔aufsetzen, absetzen〕 안경을 쓰고 있다〔쓰다, 벗다〕; mit gefärbter ~ 색안경을 낀; et. durch eine gefärbte ~ sehen 무엇을 색안경을 끼고 보다; durch eine rosige ~ ansehen 사물을 낙관하다; et. durch die eigene ~ betrachten 무엇을 주관적으로 보다〔판단하다〕; alles durch die schwarze ~ sehen 매사를 비관적으로 보다; 〖비유〗 jm. eine ~ aufsetzen 누구를 속이다; 〖구어〗 das sieht man ja ohne ~ 그것은 명백하다. ② 안경 같은 것; 〖軍〗 안경보(堡); 〖工〗 이중으로 된 멈춤 나사; (말의) 눈가리개; (동물의) 안경 모양의 반점. ③ 양변기의 걸터앉는 부분.
Brillen≠bogen *m.* 안경의 콧등 받침. **~bügel** *m.* 안경 다리. **~etui** *n.* 안경집. **~fassung** *f.* ↑ ~gestell. **~gestell** *n.* 안경테. **~futteral** *n.* 안경집. **~glas** *n.* 안경알. **~händler** *m.* 안경 장수. **~kaiman** *m.* 〖動〗 안경악어.
brillenlos *a.* 안경을 쓰지 않은.
Brillen≠macher *m.* 안경 제작자; 안경점. **~ofen** *m.* 쌍로(雙爐) 용광로. **~rand** *m.* 안경테. **~schanze** *f.* 〖軍〗 안경보(堡). **~schlange** *f.* ① 〖動〗 코브라(Kobra). ② 〖농담〗 안경 쓴 여자. **~schleifer** *m.* 안경알 가는 사람, 안경사. **~tragend** *a.* 안경을 쓴. **~träger** *m.* 안경 쓴 사람. **~werk** *n.* 〖軍〗 안경보(堡). **~zirkel** *m.* 〖樂〗 캘리퍼스, 측경기(測徑器).
brillieren [brıljí:rən] 《frz.》 *i.* (h.) 빛나다; 뛰어나다: mit et.[3] ~ 무엇으로 두각을 나타내다.
Brimborium [brımbó:riʊm] 《frz.》 *n.* -s 〖구어〗 하찮은 것; 객쩍은 말; 헛소동: laß doch dieses (unnötige) ~! 이런 (쓸데없는) 소동은 그만둬!
Brimsen [brímzən] *m.* -s, - (öst.), **Brimsen·käse** *m.* 〖식품〗 헝가리산(産) 양젖 치즈.
Brindisi [bríndizi] 《it.》 *n.* -s, -s 건배의 말(Toast); 〖樂〗 축배의 노래.
Brinell·härte *f.* 〖物〗 브리넬〔금속〕 경도(硬度)(스웨덴 기사 J.A.Brinell의 이름에서).
bringen [bríŋən] (brachte, gebracht) *t.* ① 운반〔지참·전달〕하다, 보내다: jn. nach Hause ~ 누구를 집까지 바래다 주다; den Kranken ins Krankenhaus ~ 환자를 병원으로 이송하다. ② 가져 오다, 데려오다: Antwort ~ 회답을 가져오다〔듣고 오다〕; was ~ Sie? a) 무슨 새로운 일이 있습니까? b) 무슨 일입니까?; was bringt Sie her? 무슨 일로 오셨습니까? ③ 제출하다, 제공〔증정〕하다, 바치다: jm. ein Geschenk〔Opfer〕 ~ 누구에게 선물하다〔희생을 바치다〕; jm. ein Glas〔es〕 ~ 누구를 위하여 건배하다. ④ (결과로서) 가져오다, 야기하다, 초래하다: der Talisman soll Glück ~ 그 부적은 행운을 가져온다고 한다; jm. Ehre〔Schande〕 ~ 누구에게 명예가〔치욕이〕 되다; der Baum bringt Früchte 이 나무에는 열매가 열린다; 〖속담〗 Zeit bringt Rat 나이가 들면 철이 난다; das Geschäft brachte ihm reichen Eintrag 그 장사로 그는 큰 이득을 보았다; 〖구어〗 das bringt's! 굉장한데!; 〖구어〗 was bringt das? 그것이 무슨 소용이 있느냐?; 〖구어〗 das bringt nichts! 그것은 아무 소용이 없다! ⑤ 〖구어〗 공개하다, 게재하다, 방송하다: die Zeitungen ~ darüber nichts 신문에는 그 기사가 실려 있지 않았다; das Programm bringt nichts Neues 프로그램에는 하등 새로운 것이 없다. ⑥ 〖구어〗 할 수 있다, 성취〔극복〕하다: das bringe ich nicht 나는 그것을 할 수 없다. ⑦ 데리고 나가다, 가지고 가다: wart', ich werd' dich ~ 기다려, 너를 끄집어낼 테니. ⑧ 〖부사와 함께〗 **(a)** jn. dahin 〔dazu〕 ~, daß er davon redet 〔davon zu reden〕 누구에게 그것에 대해 말하게 하다; beiseite ~ 없애다; jn. heim ~ 누구를 집으로 데리고 가다; sein Leben hoch ~ 장수하다; jn. vorwärts ~ 누구를 발전〔승진〕시키다; et. zustande〔zuwege〕 ~ 무엇을 성취하다. **(b)** 〖부사 외에 es를 동반하여〗 es (bis) zu et.[3] ~ 무슨 일을 성취하다, 입신출세하여 무엇이 되다; es in et.[3] hoch〔weit(er)〕 ~ 어떤 일에 숙달〔성공〕하다; es dahin ~, daß... …까지 일을 진행시키다, …까지 성취하다; es dahin ~, daß jemand ... 누가 …하게 하다. ⑨ 〖전치사와 함께〗 **an** einen Ort ~ 어느 장소로 가져가다, 데리고 (나)가다; jn. an den Bettelstab ~ 누구를 거지로 몰락시키다; et. an den Tag 〔ans Licht〕 ~ 무엇(비밀 따위)을 폭로하다; seine Tochter an den Mann ~ 딸을 시집보내다; (et.) an sich ~ 획득하다, 얻어내다; es an jn. ~ 누구를 노하게 하다; jn. **auf** et. ~ 누구를 무엇하도록 부추기다; jn. auf die Beine ~ 누구를 부축해 일으키다; 〖軍〗 (jn.) auf die Wache ~ 초소에 배치하다, 보초로 세우다; jn. auf einen Gedanken〔Einfall〕 ~ 누구에게 어떤 생각이 떠오르게 하다; jn. auf die 〔seine〕 Seite ~ 누구를 제쳐놓다〔자기편으로 하다〕; (jn.) auf den rechten Weg ~ 옳은 길로 인도하다; jn. auf den Trab ~ 누구를 재

촉하다, 몰아대다; (et.) aufs Höchste ~ 완성하다, 절정에 달하게 하다; et. (mit) auf die Welt ~ 무엇을 타고 나다; ein Stück auf die Bühne ~ 희곡을 상연하다; eine Schuld 〔einen Verdacht〕 auf jn. ~ 누구에게 죄〔혐의〕를 돌리다; (jn.) auf die Schule ~ 입학시키다; (et.) aufs Tapet ~ 화제로 삼다; es (bis) auf 80 Jahre ~ 80 세까지 살다; dieser Wagen bringt es auf 160 Stundenkilometer 이 자동차는 시속 160 킬로미터까지 낼 수 있다; Flecken **aus** dem Kleid ~ 옷의 얼룩을 빼다; sich³ et. aus dem Sinn〔Kopf〕 ~ 무엇을 잊다; (et.) aus jm. ~ 누구에게 자백시키다; jn. aus dem Brot ~ 누구의 밥줄을 끊다; jn. aus dem Häuschen ~, jn. aus der 〔**außer**〕 Fassung ~ 누구를 당황하게〔화나게〕 하다; es **bis zum** Major ~ 소령까지 승진하다; et. **hinter** sich ~ 무슨 일을 성취하다〔끝내다〕; den Großteil meiner Doktorarbeit habe ich nun hinter mich gebracht 나는 이제 박사 논문의 대부분을 완성하였다; **in** Ansatz ~ 계산〔책정〕하다; in Ausführung ~ 실행하다; in Erfahrung〔Erinnerung〕 ~ 확인하다〔상기시키다〕; in Gang〔Gefahr〕 ~ 진행시키다〔위험에 빠뜨리다〕; ins Gerede〔Klare〕 ~ 소문을 내다〔밝히다〕; jn. ins Gefängnis〔Grab〕 ~ 누구를 투옥〔매장〕하다; et. in jn. ~ 누구에게 무엇을 가르쳐 주다; Licht in et. ~ 무엇을 밝히다; in (die) Mode ~ 유행시키다; ins gleiche ~ 조정하다; in Not ~ 곤란하게 하다; in Reim ~ 운을 맞추다; in Ordnung 〔ins reine〕 ~ 정돈〔정리〕하다; in Unordnung ~ 어질러 놓다; in Schande〔Sicherheit〕 ~ 치욕을 당하게 하다〔안전하게 하다〕; in Verruf 〔Vergessenheit〕 ~ 누명을 씌우다〔잊어버리게 하다〕; ins Werk ~ 완성〔실현〕하다; in Zweifel ~ 의심나게 하다; **mit** sich³ ~ a) 당연히 필요하다, b) 필연적으로 따르다; das Amt bringt es mit sich³ 그것은 직책상 당연히 필요하다; das Alter bringt manche Gebrechlichkeit mit sich³ 나이가 들면 아무래도 병약해진다; **über** jn. Segen〔Fluch〕 ~ 누구에게 축복을 주다〔누구를 저주하다〕; et. über sich 〔das Herz〕 ~ 과감하게 무슨 일을 하다; et. nicht über sich ~ 무엇을 할 수 없다, 무엇을 할 결심이 서지않다; kein Wort über die Lippen ~ können 말을 한 마디도 할 수 없다; jn. **um** et. ~ 누구의 무엇을 빼앗다; jn. ums Leben ~ 누구를 죽이다; jn. um seine Zeit 〔Stellung〕 ~ 누구의 시간을 헛되게 하다〔지위를 빼앗다〕; sich um Lohn und Brot ~ (자신의 잘못으로) 일자리를 잃다; et. **unter** seine Herrschaft〔Gewalt〕 ~ 무엇을 지배〔통제〕하다; 〖비유·구어〗 jn. unter die Erde ~ a) 누구를 매장하다, b) 누구의 사인(死因)이 되다; seine Tochter unter die Haube ~ 딸을 시집보내다; et. unter die Leute ~ 무엇을 유포하다; viele Köpfe〔Leute〕 unter einen Hut ~ 중론〔이론〕을 통일하다; jn.〔et.〕 **von** der Stelle 〔vom Fleck〕 ~ 누구를〔무엇을〕 이동시키다, 움직이게 하다; vom rechten Weg ~ 옳은 길에서 벗어나게 하다; et.〔jn.〕 **vor** den Richter 〔vors Gericht〕 ~ 무슨 일로 〔누구를〕 기소하다; et. vor sich ~ 무엇을 진척시키다, 성취하다, 재산을 모으다, 입신출세하다; jn. **zu** et.³ ~ 누구에게 무엇을 하게 하다; eine Tatsache zum Bewußtsein ~ 어떤 사실을 알게 하다; et. zur Anwendung ~ 무엇을 이용〔응용〕하다; et. zur Anzeige ~ 무엇을 고시하다, 보고하다; jn. zur Arbeit 〔Besinnung〕 ~ 누구를 일하게 하다〔제정신으로 돌아가게 하다〕; et. zum Ausdruck ~ 무엇을 표현하다; jn. zu Bett〔Ehren〕 ~ 누구를 재우다〔명예롭게 하다〕; et. zu Ende 〔zum Abschluß〕 ~ 무엇을 종료〔완성〕하다; zum Halten ~ 중지하다; (jm.) et. zur Kenntnis 〔Erkenntnis〕 ~ (누구에게) 무엇을 알리다; jn. zu Fall(e) ~ 누구를 넘어뜨리다, 타락〔몰락〕시키다; jn. zum Gehorsam〔Geständnis〕 ~ 누구를 복종〔자백〕시키다; jn. zu sich³ ~ 누구를 제정신으로 돌아오게 하다; es (bis) zu et.³ ~ 무슨 일을 성취하다, (출세하여) 무엇이 되다; et. zu Markt〔Papier〕 ~ 무엇을 시장에 내다〔집필하다〕; et. zu Stande 〔zustande〕 ~, et. zu Wege 〔zuwege〕 ~ 무엇을 성취〔실현〕하다; jn. zum Schweigen〔Weinen〕 ~ 누구를 침묵시키다〔울리다〕; jn. zur Vernunft〔Ruhe〕 ~ 누구로 하여금 이성을 찾게 하다〔누구를 진정시키다〕; ein Kind zur Welt ~ 애를 낳다.

Bringer *m.* -s, - 〖드물게〗 가져오는 사람, 지참〔전달〕자.

Bringer·lohn *m.* 지참자〔전달자〕에 대한 보수.

Bring·schuld *f.* 〖法·商〗 지참 채무(↔ Holschuld).

Bringsel *n.* -s, - 개의 목걸이에 다는 메시지를 담은 가죽끈.

Brink [brɪŋk] *m.* -(e)s, -e (ndd.) 초원의 언덕(Grasrain).

Brink·sitzer *m.* (북독일의) 가난한 농부(Kätner).

Brinte *f.* -n ↑ Brente².

brio [brí:o] 《it.》〖樂〗 con ~ 기운차게.

Brioche [briɔ́ʃ] 《frz.》 *f.* -s [..ɔ́ʃ] 〖요리〗 브리오슈(버터·달걀이 든 과자빵의 일종).

Briolets [briolé:s] 《frz.》 *pl.* 귀걸이.

brioso [brió:zo] 《it.》 *adv.* 〖樂〗 기운차게(con brio).

brisant [brizánt] 《frz. briser, „zerschlagen"》 *a.* ①〖軍·광업〗 폭발성의, 파괴력〔폭파력〕이 강한: ~e Stoffe 폭발물. ②〖비유〗 큰 관심을 유발하는, 논란의 소지가 있는.

Brisanz [brizánts] *f.* -en ①〖軍·광업〗 폭파력. ②〖비유〗 파괴력, 논란의 소지: dieses Thema hat inzwischen seine ~ verloren 이 주제는 그 동안에 파괴력을 상실했다.

Brisanz⸗geschoß *n.* 〖軍〗 폭렬탄(爆裂彈). **~granate** *f.* 폭렬 수류탄. **~schuß** *m.* 폭렬 사격.

Brise 《frz.》 *f.* -n 미풍, 산들바람.

Brisesoleil [brizsɔléj] 《frz.》 *m.* -s, -s (창문 바깥쪽에 다는) 블라인드.

Brisling *m.* -s, -e 〖動〗 정어리의 일종.

Brisolett [brizolɛ́t] *n.* -(e)s, -e, **Brisolette** [..tə] 《frz.》 *f.* -n 〖요리〗 고기 완자.

Brissago [brɪsá:go] *f.* -s 여송연의 일종.

Bristol [brístəl] 브리스틀(영국의 도시).

Bristol⸗kanal *m.* 브리스틀 운하. **~karton** *m.*, **~papier** *n.* 〖畵〗 브리스틀 도화지(영국의 Bristol 시에서).

Britannia·metall *n.* 브리타니아 합금.

Britannien [británian] 《klt.》 영국.
britannisch *a.* 영국의.
Brite [brítə, brí:tə] *m.* -n, -n ①〖史〗 브리타니아의 켈트계 사람. ② 영국인.
Britin *f.* -nen ↑ Brite 의 여성형.
britisch [brítɪʃ, brí:t..] *a.* 영국의: das ∼e Museum 대영 박물관.
Britizismus *m.* -, ..men 〖언어〗 ① 영국 영어의 특이성. ② 영국 영어에서 온 차용어.
Britsche [brítʃə] *f.* -n ↑ Pritsche.
britschen [brítʃən] *t.* ↑ pritschen.
Britschka [brítʃka] 《poln.》 *f.* -s 〔옛뜻〕 덮개 없는 여객용 마차.
Britt *n.* -(e)s, -e (alem.) 판자; 쟁기의 날.
Britzka [brítska] *f.* ↑ Britschka.
br.m. =brevi manu 간단히, 즉석에서.
Broadcasting [brɔ́:dka:stɪŋ] 《engl.》 *n.* -s, -s 방송(Rundfunk).
Broadway [brɔ́:dweɪ] 《engl.》 *m.* -s 브로드웨이(New York 중심가).
Broccoli *pl.* ↑ Brokkoli.
Bröckchen [brœ́kçən] *n.* -s, - 〔↑ Brocken[1] 의 축소형〕 작은 조각, 파편; (빵 등의) 부스러기: 〔구어〕 ∼ husten〔lachen〕 토하다.
bröckchen·weise *adv.* 조금씩, 부수어서.
Bröckel [brœ́kəl] *m.* -s, - (bair., öst.) 작은 조각; 파편.
bröckelig [brœ́kəlɪç] *a.* ↑ bröcklig.
Bröckeligkeit *f.* -en ↑ Bröckligkeit.
bröckeln [brœ́kəln] 《I》 *t.* 잘게 부수다. 《II》 *i.* (s.) / *refl.* (sich) ∼ 잘게 부서지다: wenn der Kuchen zu trocken ist, bröckelt er leicht 케이크가 너무 마르면 부스러지기 쉽다; der Putz bröckelt von den Wänden 벽에 바른 회칠이 부서져 떨어진다.
*****Brocken**[1] [brɔ́kən] (♧ brechen) *m.* -s, - ① 떨어져 나온 덩어리, 조각: ein ∼ Brot 빵 한 조각. ②〔비유·구어〕 소량: einige〔ein paar〕 ∼ Französisch können 몇 마디의 프랑스어를 할 수 있다; 〔비유·구어〕 jm. ein paar ∼ hinwerfen 몇 마디 말로 누구에게 퇴짜를 놓다; ein harter ∼ 곤란한 일〔사항〕; 〔구어〕 an einem harten ∼ zu kauen haben a) 싫은〔불쾌한〕 일을 하지 않으면 안 되다, b) 어려운 일이 앞에 있다. ③〖軍〗 dicke ∼ 중포탄(重砲彈). ④〔비유·구어〕 비대한 사람: 〖軍〗 gesunder ∼ 건장한 사람. ⑤〖사냥〗 포획 미끼. ⑥〖민속〗 브로켄산(독일 하르츠(Harz) 지방에서 가장 높은 산).
brocken [brɔ́kən] *t.* ① 부수다, 분쇄하다: nichts zu beißen und zu ∼ haben 먹을 것이 없다. ② (우유·수프 따위에) 빵을 부숴 넣다: er kann was in die Suppe ∼ 그는 넉넉하게 살고 있다. ③ (südd.) (꽃·열매 따위를) 따다.
Brocken≈blume *f.* 〖植〗 일본할미꽃. **∼gespenst** *n.* 〖민속〗 브로켄산의 요괴, 브로켄 현상(높은 산에서 비쳐오는 햇빛으로 관찰자의 그림자가 짙은 안개 속에 비쳐보이는 현상). **∼gestein** *n.* 〖광물〗 각력암(角礫岩). **∼haus** *n.* ① ↑ ∼sammelung. ② 중고품 판매상. **∼sammelung** *f.* 폐품 수집. **∼stahl** *m.* 막대 모양의 강철. **≈weise** *adv.* 부수어서, 조금씩, 점차로.
Bröcklein [brœ́klaɪn] *n.* -s, - 〔雅語〕 ↑ Bröckchen.
bröcklig *a.* 부서지기 쉬운, 부서진.
Bröckligkeit *f.* 부서지기 쉬움.
Brock·perle *f.* 타원형의 (모양 나쁜) 진주.
Brodel *m.* -s, - 김, 연기, 증기.
brodeln [bró:dəln] (♧ brauen) *i.* (h./s.) ① (obd.) 부글부글 끓어 오르다; (물결·맥주 따위가) 거품이 일다; (안개가) 피어오르다. ② 〔구어〕 (öst.) 시간을 낭비하다, 늑장부리다. ③ (obd.) 지껄이다; 뽐내다. ④〔비유〕 (소요 따위가) 일다: es brodelt im Volk 국민들 사이에 소요가 일고 있다.
Brodem [bró:dəm], **Broden** [..dən] *m.* -s, - 〔시어〕 ↑ Brodel.
Broderie [brodərí:] 《frz.》 *f.* -n [..rí:ən] ① 〔구식〕 자수, 가선 장식. ②〖樂〗 멜로디의 장식.
brodieren *t.* 〔구식〕 가선 장식을 달다.
Brodierung *f.* -en 〔구식〕 가선 장식.
Brodler [bró:dlər] *m.* -s, - 〔구어〕 (öst.) 시간 낭비하는 사람.
Broihan [brɔ́yha:n] *m.* -s 〖양조〗 백(白)맥주의 일종(Broyhahn).
Broiler [brɔ́ʏlər] *m.* -s, - 〖구동독〗 튀김 닭, 구이용 닭.
Broiler·mast *f.* 〖구동독〗 (구이용 닭) 양계.
Brokat [broká:t] 《it. broccato》 *m.* -(e)s, -e ①〖섬유〗 금란(錦襴), 수 놓은 비단. ② 청동도금용 분말.
Brokatell *m.* -s, -e, **Brokatelle** [..tɛ́lə] 《it.-frz.》 *f.* -n 〖섬유〗 혼방 금란.
brokaten *a.* 금란의, 금란으로 만든.
Brokat≈marmor *m.* 〖광물〗 (꽃무늬가 있는) 횡반(橫斑) 대리석. **∼papier** *n.* 금은 무늬를 넣은 종이. **∼schuh** *m.* 금란 구두.
Broker [bró:kər, bróʊkə] 《engl.》 *m.* -s, - 〖증권〗 브로커, 중개인.
Brokkoli [brɔ́koli] 《it.》 *pl.* 〖植〗 브로콜리.
Brom[1] 《gr.》 *n.* -s 〖化〗 브롬(기호: Br).
Brom[2] 《obd.》 *m.* -(e)s, -e 꽃〔과일〕 가지.
Bromat *n.* -(e)s, -e 〖化〗 브롬산염.
Bromatik, Bromatographie, Bromatologie [..matologí:] *f.* 〖영양〗 영양학.
Brom·beere *f.* 〖植〗 나무딸기(의 열매).
Brombeer≈konfitüre [brɔ́mbe:r..] *f.* 나무딸기잼. **∼marmelade** *f.* 나무딸기잼. **∼staude** *f.*, **∼strauch** *m.* 〖植〗 나무딸기 그루〔덤불〕.
Brom·druck *m.* 〔복수: -e〕 브로마이드 (사진).
brom·haltig *a.* 〖化〗 브롬이 들어있는.
Bromid [bromí:t] *n.* -(e)s, -e [..də] 〖化〗 브롬화물.
Bromismus *m.* -, ..men 〖醫〗 브롬 중독.
Bromit [..mí:t, ..mít] *m.* -s, -e 〖化·광물·구식〗 브롬화은.
Brom≈kalium *n.* 〖化〗 브롬화칼륨, 취박(臭剝). **∼metall** *n.* 브롬화 금속. **∼säure** *f.* 브롬산(酸). **∼silber** *n.* 브롬화은. **∼silber·papier** *n.* 〖사진〗 브롬지(紙), 브로마이드 인화지. **∼verbindung** *f.* 브롬화물. **∼vergiftung** *f.* 브롬 중독. **∼wasser** *n.* 브롬수(水).
bronchial [brɔnçiá:l] 《gr.》 *a.* 〖醫·해부〗 기관지의.
Bronchial≈ast *m.* 기관지의 (잔)가지. **∼asthma** *n.* 〖병리〗 기관지 천식. **∼atmen** *n.* 〖醫〗 기관지 호흡. **∼baum** *m.* 〖해부〗 기관지

(전체). **~katarrh** *m.*〖병리〗기관지염, 기관지 카타르. **~tee** *m.* 기관지 치료용 차.
Bronchie [brɔ́nçiə] *f.* -n〖해부〗기관지.
Bronchi·ektasie [brɔ́nçi..] *f.*〖해부〗기관지 확장증.
Bronchiole [..çióːlə] *f.* -n〖해부〗모세 기관지.
Bronchitiker *m.* -s, - 기관지염 환자.
Bronchitis [..çíːtɪs] *f.* ..tiden [..tídən] 기관지염, 기관지 카타르.
Broncho=pheumonie [brɔnço..] *f.*〖병리〗기관지 폐렴. **~skop** *n.*〖醫〗기관지경(鏡). **~skopie** *f.*〖醫〗기관지 검사.
Bronchotomie *f.* -n [..míːən] 갑상선하 기관 절개술.
Bronchus [..çʊs] *m.* -, ..chen/..chi〖해부〗기관지.
Bronn [brɔn] *m.* -(e)s, -en, **Bronnen** [brɔ́nən] *m.* -s, -〔시어·구식〕샘, 분수.
Brontosaurus [brɔntozáʊrʊs] 《gr. -lat.》 *m.* -, ..rier〖고생물〗브론토사우루스, 뇌룡(雷龍).
*__Bronze__ [brɔ̃ːsə, brɔ́ŋsə] 《frz.》 *f.* ① 청동(青銅). ②〔복수: -n〕〔교양〕청동 제품, 청동상(像). ③ 청동색(도료). ④〔구어〕동메달 (Bronzemedaille 의 축약어).
Bronze=arbeit *f.* 청동 세공. **~artig** *a.* 청동 같은. **~blech** *n.* 청동판. **~braun** *a.* 청동색의, 황동색의. **~druck** *m.*〖印〗청동색 인쇄. **~farbe** *f.* 청동색. **~farben** *a.* 청동색의. **~gießer** *m.* 청동주조공(鑄造工). **~guß** *m.* 청동 주조(조각). **~krankheit** *f.*〖醫〗(피부가 청동색이 되는) 부신질환(에디슨병). **~kunst** *f.* 청동 예술. **~medaille** [..medaljə] *f.* 동메달.
bronzen [brɔ̃ːsən] *a.* 청동제의; 청동색의.
Bronze=statue *f.* 동상(銅像). **~ton** *m.* 청동색조. **~waren** *pl.* 청동 제품. **~zeit** *f.*, **~zeit·alter** *n.*〖선사〗청동기 시대. **~-zeitlich** *a.* 청동기 시대의.
bronzieren [brɔ̃síːrən] *t.* 청동색을 입히다.
Bronzier=pulver *n.* 청동 도금용 분말. **~vergoldung** *f.* 청동 도금.
Bronzit [brɔ̃síːt, ..sɪt] 《<Bronze》 *m.* -(e)s, -e〖광물〗고동석(古銅石).
Brooklyn [brúklin] 브루클린(뉴욕시의 한 지역).
Brosam [bróːzaːm] *m.* -(e)s, -e ↑ Brosame.
Brosämchen [bróːzɛːmçən] *n.* -s, - 작은 (빵)부스러기.
Brosame *f.* -n〔雅語〕(빵)부스러기;〔비유〕소량; 허섭스레기.
Brosämlein *n.* -s, -〔↑ Brosam 의 축소형〕〔雅語〕작은 부스러기.
brosch. =broschiert 가철(假綴)〔가제본〕의.
Brosche [brɔ́ʃə] 《frz.》 *f.* -n 장식 핀, 브로치: eine ~ anstecken 브로치를 달다.
Bröschen *n.* -s, -〖요리〗↑ Brieschen.
broschieren [brɔʃíːrən] 《frz.》《I》 *t.* ①〖제본〗(책 따위를) 가철(假綴)〔가제본〕하다. ②〖방직〗무늬를 짜넣다, 자수 효과를 내다. 《II》 **brochiert** *p.a.* ↑ brochiert.
broschiert 《I》 *p.p.* ↑ broschieren. 《II》 *p.a.* 가철한; 문직(紋織)의.
Broschur *f.* -en〖제본〗① 가철. ② 가철본.
Broschüre [..ʃýːrə] *f.* -n 가철본(本); 소책자, 팜플렛.
Brösel [brǿːzəl] *m./n.* -s, -(n) ① (작은) 부스러기. ② 빵가루.
Bröselein *n.* -s, - (축소형) 작은 빵부스러기.
bröselig *a.* 잘 부스러지는; 빵가루로 된: ~er Teig 빵가루 반죽.
bröseln [brǿːzəln] 《I》 *t.* 잘게 부수다. 《II》 *i.* (h.) 잘게 부스러지다.
Brossage [brɔsáːʒə] 《frz.》 *f.* -n 솔질하기.
Brosserie [brɔsəríː] *f.* -n [..ríːən] 솔 종류.
brossieren *t.* 솔질하다.
*__Brot__ [broːt] 《↔ brauen》 *n.* -(e)s, -e ① **(a)** 빵; 식사: ~ backen〔brechen〕빵을 굽다〔떼다〕:〔비유〕bei Wasser und ~ sitzen 감옥살이하다;〔비유·농담〕flüssiges ~ 맥주;〔비유〕er kann mehr als ~ essen 그는 여러가지 일에 능력이 있다;〔비유·구어〕das ~ nicht über Nacht haben (다음 끼니 걱정을 할 정도로) 매우 가난하다;〔비유·구어〕das frißt uns kein ~ 그것은 (그냥 놓아 두어도) 우리에게 해될 것이 없다;〔비유〕~ und Salz 꼭 필요한 음식;〖종교〗~ und Wein 성체(빵과 포도주);〔雅語〕sein eigen ~ essen (직업상) 자립하고 있다; ans ~ gewöhnt sein 오래 집을 떠나 있지 못하다. **(b)** 빵 (한) 조각: sich Marmelade aufs ~ streichen 빵에 잼을 바르다;〔비유·구어〕jm. et. aufs ~ schmieren 누구에게 무엇을 질책〔비난〕하다. ② 빵 모양의 물건(Laib): ein ~ Zucker 막대 설탕 한 덩어리. ③〔비유〕생계, 살림: das tägliche ~ 일용할 양식(주기도문에서); das ist ein hartes〔saures, schweres〕~ 그것은 매우 힘든〔고된〕일이다; (sich³) sein ~ verdienen 생계를 이어나가다; jn. aus dem〔ums〕~ bringen 누구의 살림 밑천을 빼앗다; bei jm. in Lohn und ~ stehen〔sein〕누구의 밑에서 고용살이하다; fremdes ~ essen 남의 집 밥을 먹다, 고용살이하다; die Kunst geht nach ~ 예술도 배부른 뒤의 이야기다; da fällt mir die Butter vom ~! 아주 실망했어!
Brot=arbeit *f.* 생계를 위한 일; 밥벌이. **~-aufstrich** *m.* 빵에 바르는 것(버터·잼 따위). **~austeilung** *f.* 빵 배급. **~backen** *n.* 빵굽기. **~bäcker** *m.* 빵굽는 사람. **~bäckerei** *f.* 빵집. **~bank** *f.* (상점의) 빵 진열대. **~baum** *m.*〖植〗↑ ~fruchtbaum. **~-belag** *m.* 빵에 얹는 것(치즈·햄 따위). **~-beruf** *m.*〔구어〕밥벌이(를 위한) 직업. **~beutel** *m.* 빵 주머니;〖軍〗식량 주머니. **~brechen** *n.*〖신약〗공동의 식사, 성찬(聖餐)에 참여하기. **~brei** *m.* 빵 죽. **~büchse** *f.* 빵 그릇〔통〕.
Brötchen [brǿːtçən] *n.* -s, -〔↑ Brot 의 축소형〕작은 빵: belegtes ~ 소시지나 치즈 따위를 끼운 빵;〔비유·구어〕seine ~ verdienen 생계비를 벌다;〔비유·구어〕kleine ~ backen 작은 결과에 만족하다.
Brötchen·geber *m.*〔농담〕고용주.
Brot=dieb *m.* 남의 살림 밑천을 빼앗는 사람; 도식자(徒食者). **~einheit** *f.*〖영양〗(당뇨 환자의 음식 조절을 위한) 탄수 화물 함량 표시 단위(약어: BE). **~erwerb** *m.* 밥벌이, 생업, 생계. **~fabrik** *f.* 빵 공장. **~fisch** *m.* (어부의) 밥벌이가 되는 어종(魚種). **~frucht** *f.*〖植〗빵나무의 열매; 빵의 원료가 되는 곡물. **~frucht·baum**〖植〗빵나무. **~geber** *m.*

〔구어〕 고용주. **~gelehrsamkeit** *f.* 생계를 위한 학문. **~gelehrte*** *der/die* 학문을 생활 수단으로 하는 학자. **~getreide** *n.* ① 빵 재료가 되는 곡물. ② 주식 곡물. **~gewinner** *m.* 〖海〗 스팽커(뒷 돛대의 비스듬한 활대에 걸린 돛). **~herr** *m.* 〔구식〕 고용주. **~hobel** *m.* 빵 자르는 기구. **~käfer** *m.* 〖動〗 느치. **~kammer** *f.* 식량 저장실; 〖海〗 빵 저장실. **~kanten** *m.* 빵의 가장자리 조각. **~karte** *f.* 빵 배급표. **~kasten** *m.* 빵통. **~korb** *m.* 빵 바구니: jm. den ~ höher hängen 누구에게 먹을 것을 빠듯하게 주다, 급여를 줄이다. **~korn** *n.* ↑ ~getreide. **~krume** *f.*, **~krümchen** *n.*, **~krümel** *m.* 빵 부스러기. **~kruste** *f.* 빵 껍질. **~laib** *m.* 빵의 한 덩이.

Brötlein [brø:tlaın] *n.* -s, - ↑ Brötchen.

Brötling 《< Brot》 *m.* -s, -e ① 피고용인, 봉직자. ② 〖植〗 느타리 무리(Breitling).

brotlos *a.* 실직한, 벌이가 없는; 벌이가 안 되는; eine ~e Kunst 벌이가 안 되는 재주〔기술〕.

Brotlosigkeit *f.* 궁핍, 실업(失業).

Brot≈mangel *m.* 빵 부족. **~maschine** *f.* (가정용) 빵 자르는 기구. **~messer** *n.* 빵 자르는 칼. **~neid** *m.* 남의 지위, 수입에 대한 시기〔질투〕. **~not** *f.* 식량 결핍. **~nußbaum** *m.* 〖植〗 뽕나뭇과 식물(그 씨앗이 빵 만드는 데 사용됨). **~pflaster** *n.* 〖醫〗 뜨거운 물에 적신 빵으로 만든 찜질 재료. **~pilz** *m.* ↑ Brötling ②. **~preis** *m.* 빵 값. **~raspel** *f.* 빵 가는 강판. **~ration** *f.* 빵 배급량. **~raum** *m.* 〖海〗 빵 저장실. **~rinde** *f.* 빵 껍질. **~röster** *m.* 토스터. **~scharren** *n.* ↑ ~bank. **~schätzer, ~schauer** *m.* 빵의 품질·가격 검사관. **~schau** *f.* 빵의 품질·가격 검사. **~schaufel** *f.* 오븐에 빵을 넣고 꺼내는 자루가 긴 나무 주걱. **~scheibe** *f.* ① (얇게 썬) 빵 조각. ② ↑~schaufel. ③ 꽃가루가 든 벌집. **~schieber** *m.* ↑ ~schaufel. **~schneide·maschine** *f.* ↑ ~maschine. **~schnitte** *f.* 빵 조각. **~schranne** *f.* ↑~bank. **~schrift** *f.* 〖印〗 (신문 따위의) 본문 활자체. **~sonntag** *m.* 〖宗〗 사순절의 제 4 일요일. **~spende** *f.* 빵 기부. **~studium** *n.* 〔폄어〕 생계를 위한 학문. **~suppe** *f.* 〖요리〗 빵 수프. **~teig** *m.* 빵 반죽. **~teller** *m.* 빵 접시. **~verdienen** *n.* 생계, 살림살이. **~verdiener** *m.* (가족 중) 생계비를 버는 사람. **~verwandlung** *f.* 〖가톨릭〗 화체(化體)(성찬의 빵과 포도주를 예수의 피와 살로 바꿈). **~wagen** *m.* 〖軍〗 식량 보급차. **~wasser** *n.* 빵으로 만든 미음. **~winner** *m.* ↑ ~gewinner. **~wissenschaft** *f.* ↑ ~gelehrsamkeit. **~wurzel** *f.* 〖植〗 마속(麻屬). **~zeit** *f.* (obd.) ① 간식 시간; 아침 식사. ② 간식.

brotzeln *t./i.* (h.) 〔구어〕 ↑ brutzeln.

Brot·zucker *m.* 막대 설탕.

Brouette [bruɛ́tə] 《frz.》 *f.* -n 2 륜 손수레.

Brougham [brú:(ə)m] 《engl.》 *m.* -s, -s 유개 4 륜 마차; 브롬형(型) 자동차.

Brouillard [brujá:r] 《frz.》 *m.* -s, -s 초안; 약도.

brouillieren [brují:rən] *t.* 〔雅語〕 혼란시키다, 엉키게 하다; 이간시키다.

Brouillon [brujɔ̃:, bruljɔ̃:] *n.* -s, -s [..jɔ̃:s] 〔雅語〕 초고(草稿), 초안; 〖商〗 당좌 기입장, 임시 장부.

Browning [bráunıŋ] 《engl.》 *m.* -s, -s, **Browning·pistole** *f.* 브라우닝 자동식 권총(발명자 J.M. Browining 의 이름에서).

Broyhahn, Broyhan [brɔ́yha:n] *m.* -es 브로이한(달콤한 백(白)맥주의 일종).

brr [br, br:] *int.* ① 체(혐오를 나타냄). ② 워(말을 멈출 때 하는 말). ③ 쾅(대포·우뢰 따위의 소리). ④ 덜덜덜(추워서 떠는 소리).

BRT = Bruttoregistertonne 선박의 총등록 톤수.

***Bruch**[1] [brux] 《< brechen》 *m.* -(e)s, Brüche [brýçə] ① **(a)** 부숨, 부서짐, 파괴: (봉합의) 개봉: zu ~ gehen 깨지다. **(b)** (제방의) 무너짐; 〖광산〗 붕괴: in die Brüche gehen a) 붕괴하다, 파괴되다, b) 실패하다; 〔비유〕 vor die Riss' und Brüche treten 공격에 정면으로 맞부딪치다, 스스로 난국에 부딪치다. **(c)** 〔비유〕 (법률 따위의) 위반; 〔복수〕 (위반의) 벌금; (풍속 따위의) 폐기: der ~ eines Gesetzes 위법. **(d)** 결렬, 불화, 단절: ~ einer Freundschaft 〔eines Verlöbnisses〕 절교〔파혼〕; ein ~ mit der Vergangenheit 과거와의 단절; es kam zwischen ihnen zum ~ 그들은 절교했다. **(e)** 〖空〗 (착륙 과정에서의) 기체 파손: ~ machen (착륙하다가) 기체를 파손시키다. **(g)** 분기〔전환〕점: das war der wesentliche ~ in meinem Leben 그것은 내 인생에서 본질적인 전환점이었다. ② 〖醫〗 골절, 좌골, 탈장: einen ~ einrichten 접골하다; 〔비유·경박〕 sich[3] einen ~ lachen 배꼽이 빠지도록 웃다, 포복절도하다; sich[3] einen ~ heben 탈장하다. ③ 꺾인 자리, 주름: ein Tuch in die alten Brüche legen 원래 접힌 대로 천을 접다. ④ 깨진〔부서진〕 물건, 파손물; 〖商〗 (예상) 파손 수량, 파손품: ein Fahrzeug zu ~ fahren 탈것을 (사고로) 완전히 망가뜨리다; 〔비유〕 das ist alles ~ 그것은 모두 변변치 않다〔쓸모가 없다〕. ⑤ **(a)** 찢어진 자리, 갈라진 틈, 금; 〖지질〗 단층(斷層). **(b)** 〖坑〗 채굴〔채석〕장. ⑥ 〖數〗 분수: echter〔unechter〕 ~ 진〔가〕분수; einen ~ kürzen 약분하다. ⑦ 〔은어〕 절도. ⑧ 〖사냥〗 (사냥한 짐승의 수나 발자국 표시를 위해) 꺾은 나뭇가지; 성공적으로 사냥을 마친 사냥꾼의 모자에 꽂는 가지. ⑨ 〖林〗 수목의 손상. ⑩ (치즈 제조 때의) 우유 응고물. ⑪ (물고기·개구리 따위가) 낳은 알.

Bruch[2] [brux, bru:x] *m.* -(e)s, Brüche [brý:çə]〔*n.* -(e)s, Brüche(r)〕 (Sumpfland) 습지, 늪지.

Bruch[3] [bru:x] *f.* -e 〔*n.* -(e)s, Brüche [brý:çə]〕 바지의 일종.

Bruch≈ampfer *m.* 〖植〗 애기괭이밥. **~artig** *a.* 늪 같은, 습지의. **~arzt** *m.* 탈장(脫腸) 전문 의사. **~band** *n.* 탈장대(帶). **~bau** *m.* 〖광산〗 ① 전부 파내는 채굴. ② 전부 파내는 채굴 방법에 따른 채광. **~beere** *f.* 〖植〗 월귤나무류(類). **~belastung** *f.* 파괴 하중(荷重). **~binde** *f.* 〖醫〗 (골절했을 때) 팔을 매는 붕대. **~bude** *f.* 〔구어·폄어〕 허물어져 가는 집. **~dach** *n.* 〖건축〗 구부러진 지붕. **~dehnung** *f.* 파괴에 의한 신장〔늘어남〕. **~dorf** *n.* 늪지대 부근의 마을.

Brüche [brýçə] *f.* -n 벌금(↑ Bruch[1] ① (c)).

Bruch≈einklemmung *f.* 〖醫〗 탈장 감돈(嵌

頓). **~eisen** *n.* 쇠부스러기, 고철. **~ende** *n.* 〖醫〗 골절골단(骨折骨端). **≈fällig** *a.* 붕괴한, 썩고 낡은. **~faltung** *f.* 〖지질〗 단층과 습곡이 나란히 나타나는 지층(현상). **≈fest** *a.* 강인한, 잘 부러지지 않는. **~festigkeit** *f.* 강인, 세기, 강도(强度); 〖건축〗 파괴점. **~fläche** *f.* ① 파쇄면, 단면. ②〖지질〗 단층면. **≈frei** *a.* 〖醫〗 탈장이 없는; 〖商〗 파손 없는. **~gefahr** *f.* 파손 위험. **~glas** *n.* 유리 조각. **~harz** *n.* 고형 수지(樹脂).

bruchig [brʊ́xɪç, brúːxɪç] 《<Bruch²》 *a.* 늪(모양)의, 습지의.

brüchig [brʏ́çɪç] 《<Bruch¹》 *a.* ① 깨지기 쉬운, 약한. ② 깨진, 파손된; 〖비유〗 건강하지 않은; 〖비유〗 (우정 따위가) 금이 간: die ~e Moral 문란한 도덕. ③〖醫〗 탈장에 걸린. ④ 벌금형에 처해져야 할. ⑤〖비유〗 (목소리가) 쉰: eine ~e Stimme 쉰 목소리.

..brüchig *suf.* "깨어진"의 뜻(보기: wort~ 약속을 지키지 않는).

Brüchigkeit *f.* ↑ brüchig 의 명사형.

Bruch≈koeffizient *m.* 〖工〗 파괴 계수(係數). **~kraft** *f.* 〖工〗 파괴 강도(强度). **~kraut** *n.* 〖植〗 탈장(脫腸) 치료 약초(참반디 따위). **~-kupfer** *n.* 구리〔동(銅)〕 부스러기. **~land** *n.* 늪지대, 습지. **≈landen** *i.* (s.) 〖부정형이나 과거 분사로만〗 (기체 파손이 따르는) 착륙을 하다. **~landung** *f.* (기체 파손이 따르는) 착륙, 착륙 사고.

Brüchling [brʏ́xlɪŋ] 《<Bruch¹》 *m.* -s, -e ① (schweiz.) 파편, 단편. ② 흠이 있는 질그릇.

Bruch·linie *f.* ①〖지질〗 단층선. ②〖數〗 분모와 분자를 나누는 선. ③〖건축〗 지붕의 두 경사면이 만나 이루는 수평선.

bruchlos *a.* 중단 없는.

Bruch≈moment *n.* 〖工〗 파괴 운동량. **~-nachdruck** *m.* 〖工〗 파괴 내력(內力). **~-operation** *f.* 〖醫〗 탈장 수술. **~pflaster** *n.* 〖醫〗 탈장(脫腸) 고약. **~pforte** *f.* 〖醫〗 탈장문(門). **≈rechnen** 〖부정형으로만〗 *i.* 〖數〗 분수 계산을 하다. **~rechnung** *f.* 〖修〗 분수 계산. **~ring** *m.* 〖醫〗 탈장륜(輪). **~sack** *m.* 〖醫〗 탈장낭(囊). **~schaden** *m.* ①〖商〗 상품 파손으로 인한 손해. ②〖醫〗 탈장으로 인한 신체적 손상. ③〖林〗 (바람·눈으로 인한) 수목의 손상. **~schiene** *f.* 〖醫〗 (골절 치료용) 부목(副木). **~schlange** *f.* 〖動〗 발 없는 도마뱀과의 동물. **~schneider** *m.* 탈장 절개 의사. **~schnitt** *m.* 〖醫〗 탈장 절개. **~schokolade** *f.* 초콜릿 조각〔부스러기〕, 부서진 초콜릿. **~schrift** *f.* 〖印〗 (Fraktur) 독일 인쇄체〔활자체〕. **~sicher** *a.* 견고한, 파손되지 않는: einen Gegenstand ~ verpacken 물건을 파손되지 않도록 포장하다. **~silber** *n.* ① 용해용의 은 제품, 은 부스러기. ② (고대 중국에서 지급 수단으로 사용한) 작은 은조각, 은편(銀片). **~stein** *m.* 황석(荒石), 막돌.

Bruchstein≈mauer *f.* 막돌로 쌓은 담. **~-mauer·werk** *n.* 황석(荒石) 더미.

Bruch≈stelle *f.* 깨진〔파손된〕 부분. **~strich** *m.* 〖數〗 분모와 분자를 가르는 선. **~stück** *n.* ① 파편, 부서진〔깨진〕 조각, 끊긴 토막. ② 단편, 미완성 원고〔문서〕. ③〖조각〗 토르소. **≈-stückhaft** *a.* 단편적인, 파편의; 미완성의. **≈stück·weise** *adv.* 단편적으로, 조금씩. **~-stufe** *f.* 〖지질〗 단층.

Brüchte [brʏ́çtə] *f.* -n 위반(↑ Bruch¹ ① (c)).

Bruch≈teil *m.* 단편, 토막, 작은 부분; 〖法〗 몫, 할당, 배당: 〖비유〗 im ~ einer Sekunde 한순간에. **≈teilig** *a.* 경미한, 소수의, 근소한.

brüchten [brʏ́çtən] 《<Bruch¹》 *t.* 벌금〔과료〕에 처하다.

Bruch≈trag·band *n.* 〖醫〗 탈장대(脫腸帶). **~wasser** *n.* 〖드물게〗 늪의 물. **~weide** *f.* 〖植〗 버들의 일종. **≈weise** *adv.* 조각조각, 조금씩. **~zahl** *f.* 〖數〗 분수. **~ziffer** *f.* 분수의 숫자. **~zone** *f.* 〖지질〗 단층대(斷層帶).

Brückchen [brʏ́kçən] *n.* -s, - 〖↑ Brücke 의 축소형〗 작은 다리.

Brücke [brʏ́kə] *f.* -n ① 다리, 교량: Stahl≈ 철교; eine ~ bauen〔schlagen〕 다리를 놓다; eine ~ abbrechen 다리를 끊다; eine ~ führt über den Strom 다리가 강 위에 놓여 있다. ②〖비유〗 가교, 연락: jm. die ~ (ver)-treten〔niederlassen〕 누구를 후원〔원조〕하다; jm. die ~ aufziehen 누구의 퇴로를 끊다; dem Gegner goldene ~n bauen 상대방에게 협상할 여지를 남겨 두다, 퇴로를 남겨 두다; 〖비유〗 alle ~n hinter sich³ abbrechen 배수진을 치다. ③ 작은 깔개, 폭좁은 작은 양탄자. ④〖치과〗 가공 의치(架工義齒), 브리지. ⑤〖전기〗 교락(橋絡). ⑥〖해부〗 뇌교(腦橋). ⑦ (schweiz.) 발판; (외양간 지붕 밑의) 건초 하치장. ⑧ (öst.) 도살장. ⑨ (안경의) 코걸이. ⑩〖海〗 (선박의) 사령교(司令橋), (함선의) 브리지. ⑪〖연극〗 (무대 위의) 작업대: Beleuchter≈ (무대 위의) 조명대. ⑫〖체조〗 윗몸 뒤로 젖혀 손으로 땅짚기. ⑬〖레슬링〗 머리와 발바닥을 바닥에 댄 방어 자세. ⑭〖畫〗 (1905 년 드레스덴에서 창설된) 표현주의 화가 협회.

brücken [brʏ́kən] 《Ⅰ》 *t.* 〖구식〗 …에 다리를 놓다. 《Ⅱ》 *refl.* sich über et. ~ 무엇 위에 다리 모양으로 자라나다〔걸리다〕.

Brücken≈bahn *f.* 다리의 선로〔차도〕. **~-balken** *m.* 다리 노면의 가로 들보. **~bau** *m.* 〖복수: ..bauten〗 ① 교량 건설, 다리 공사. ② (건축의) 교량 건설 분야. ③ 다리, 교량. **~bau·holz** *n.* 교량 건설용 목재. **~baum** *m.* ↑ ~balken. **~belag** *m.* 다리의 노면. **~beuge** *f.* 다리의 만곡. **~bindung** *f.* 〖化〗 교상 결합. **~bock** *m.* 교각. **~bogen** *m.* 다리의 아치. **~bohle** *f.* 교량용 목재. **~boot** *n.* 부교용(浮橋用) 보트. **~deck** *n.* 〖海〗 사령교(司令橋)를 세우는 갑판. **~decke** *f.* 다리의 노면. **~echse** *f.* 〖動〗 (훼두목(喙頭目)에 속하는) 뉴질랜드산(産) 파충류〔도마뱀〕. **~feld** *n.* 교각과 교각 사이. **~geländer** *n.* 다리의 난간. **~geld** *n.* 〖옛뜻〗 교량 통행세. **~geld-einnehmer** *m.* 교량 통행세 징수원. **~ge-wölbe** *n.* ↑ ~bogen. **~glied** *n.* 떠 있는 잔교(棧橋). **~haus** *n.* 다리 지키는 사람의 막사. **~joch** *n.* ① 교각간 횡목. ② 교각 사이의 공간. **~kahn** *m.* 부교용 배, 교각주(橋脚舟). **~kopf** *m.* 교두(橋頭); 〖軍〗 교두보. **~-kopf·stellung** *f.* 〖軍〗 교두 진지. **~kran** *m.* 다리 모양의 기중기. **~lehne** *f.* 다리의 난간. **~meister** *m.* 다리 감독〔지키는 사람〕. **~methode** *f.* 〖전기〗 교락법(橋絡法). **~-pfahl** *m.* 다리 말뚝. **~pfeiler** *m.* 다리 기둥, 교각. **~pfennig** *m.* ↑ ~geld. **~schan-**

ze *f.* 〖軍〗 교두보(橋頭堡). **~schiff** *n.* ↑ ~kahn. **~schlag** *m.*, **~schlagen** *n.* ① 교량 가설, 가교(架橋). ② 〔雅語·비유〕 연결, 이행: ~ zwischen zwei Kulturen 두 문화 사이의 교량 (역할). **~steg** *m.* 인도교, 작고 좁은 다리. **~train** *m.* 〖軍〗 가교 치중(架橋輜重). **~waage** *f.* 앉은(뱅이) 저울, 칭량대(秤量臺). **~zoll** *m.* ↑ ~geld. **~zweig** *m.* 천칭완(天秤腕).

Brücklein *n.* -s, - 〖↑ Brücke 의 축소형〗 작은 다리.

Brückling 《< Brücke》 *m.* -s, -e 〖植〗 버섯의 일종.

Bruckner, Brückner [brýknər] *m.* -s, - ①〔옛뜻〕 다리 지키는 사람, 교량 통행세 징수인. ②〔방언〕 (도로) 포장공.

Brückung [brýkuŋ] *f.* -en ① 가교(架橋). ② 마구간의 널마루. ③ (제재소에서 통나무를 들어올리는) 거중기(擧重機).

Brüden [brý:dən] *m.* -s, - 〖工〗 수증기.

***Bruder** [brú:dər] *m.* -s, Brüder [brý:dər] ① 형, 아우; 형제: leiblicher ~ 친 형제; älterer〔jüngerer〕 ~ 형〔아우〕; der große ~ a) 막강한 파트너. b) 〔농담〕 큰 지출, 많은 비용. c) 독재자(오웰의 소설 "1984 년"에서 big brother 의 차용 역어). ② 친구, 동지, 동료: 〔속담〕 gleiche Brüder, gleiche Kappen 유유상종(類類相從); 〔구어〕 unter Brüdern a) 싸게 쳐서, b) 솔직히 말해서: unter Brüdern kostet das Auto 2000 Mark 그 자동차는 싸게 쳐서 2000 마르크의 값이 나간다; das Bild ist unter Brüdern Dreifache wert 그 그림은 솔직히 말해서 세 배의 가치는 있다. ③ 수도사, 수사(修士): barmherzige Brüder 자선 간호 수사. ④〔농담〕 ~ Hitzig 화를 잘 내는 사람, 성급한 사람: ~ Leichtfuß〔Liederlich〕 덜렁이〔방탕자〕; ~ Lustig 익살꾼; ~ Jonathan 미국 사람(별명); ~ Saufaus 대주가, 술고래. ⑤ (상징적으로) ~ Bierhold 퍼꼬리; Pfennig ist Pfennigs ~ 돈이 돈을 번다. ⑥〔경박·폄어〕 녀석, 놈: den ~ kriegen wir noch! 그 녀석은 우리가 잡고야 말 테다!; warmer ~ 동성 연애자, 호모.

Bruder≈art *f.* 형제다움. **~band** *n.* 〔복수: -e〕, **~bund** *m.* 〔雅語〕 (의) 형제 관계, 긴밀한 우호 관계: einen ~ schließen 의형제를 맺다.

Brüderchen [brý:dərçən] *n.* -s, - 〖↑ Bruder 의 축소형〗 아우: ~! 얘!, 자네!.

Brüder≈gemeinde *f.* 〖宗〗 교회. **~hand** *f.* 〔雅語·비유〕 우정의 손: jm. die ~ reichen 누구에게 우정의 악수를 청하다. **~herz** *n.* 〔애칭〕 형제, 친구. **~kassen** *pl.* 〖광산〗 광원 조합 적립금. **~kinder** *n.* 〔구식〕 조카. **~krieg** *m.* 내전, 동족 상잔. **~kuß** *m.* 우정의 입맞춤. **~laden** *pl.* ↑ ~kassen.

Brüderlein *n.* -s, - 〔雅語〕 ↑ Brüderchen.

brüderlich *a.* 형제 같은, 친한.

Brüderlichkeit *f.* -en 형제애, 우애, 박애.

Bruder≈liebe *f.* ① 형제애. ② (기독교적) 이웃 사랑. **~mord** *m.* ① 형제 살해. ②〔비유〕 내전, 동족 상잔. **~mörder** *m.* 형제 살해범. **~mörderisch** *a.* 형제 살해의, 동족 상잔의.

Bruderschaft [brú:dərʃaft] *f.* -en 조합, 협회; 〖宗〗 신도 단체, 교단.

Brüderschaft [brý:dər..] *f.* -en ① 형제 (같은) 관계, 너나하는 사이; 우의, 친목: 〔구어〕 mit jm. ~ trinken〔machen〕 누구와 형제의 잔을 나누다; jm. ~ antragen 누구에게 너나하자고 하다; ~ schließen 너나하는 사이가 되다. ② ↑ Bruderschaft.

Bruders≈frau *f.* 〔구식〕 형제의 처(형수, 제수). **~kind** *n.* 조카, 조카딸. **~sohn** *m.* 조카. **~tochter** *f.* 조카딸.

Brudertum *n.* -s ↑ Brüderschaft ①.

Brüder≈volk [brý:dər..] *n.* 동포. **~zwist** *m.* 형제간〔동포간〕의 불화, 골육 상쟁.

Brügge [brýgə] 브뤼거(벨기에의 도시).

***Brühe** [brý:ə] 《♧ Brei》 *f.* -n ①〖요리〗 육수, 고아낸 국물, 육즙(肉汁), 수프: 〔구어〕 die rote ~ 피: 〔비유〕 die ~ kostet mehr als der Braten 배보다 배꼽이 크다. ② (과일·고기 따위의) 액즙(液汁). ③〖工〗 염료액, (가죽 따위의) 침액(浸液). ④〔비유·구어〕 허섭스레기, 찌꺼기: 〔비유〕 die ganze ~ bezahlen 음식값을 한 사람이 모두 치르다; in der ~ sitzen 곤란한 처지에 놓여 있다; über〔um〕 et. eine lange ~ machen 무엇에 대하여 군소리를 늘어놓다. ⑤〔구어·폄어〕 구정물; 묽은 커피. ⑥〔구어〕 땀.

brühen [brý:ən] 《I》 *t.* ① 가열하다, 고다, 삶다: ich brühte das Huhn 나는 닭을 고았다. ② 끓는 물을 끼얹다, 데치다. ③ (빨랫감을) 뜨거운 물에 담그다. 《II》 *refl.* 〔드물게〕 sich ~ 뜨거운 물〔증기〕에 데다: sie hat sich furchtbar (den Arm) gebrüht 그녀는 (팔을) 심하게 데었다.

Brüh≈erz *n.* 〖광물〗 황동광. **~faß** *n.* 〖방직〗 끓이는 통. **~futter** *n.* 끓인 사료. **~heiß** *a.* 끓는 물처럼 매우 뜨거운.

brühig [brý:ıç] 《< Brühe》 *a.* 육즙(肉汁)〔육수〕 같은.

Brüh·kartoffeln *pl.* 〖요리〗 육즙으로 요리한 감자.

Brühl [bry:l] *m.* -(e)s, -e ① 소택지, 늪, 습지. ②〔드물게〕 (습지 위에 만든) 길, 광장.

Brüh≈napf *m.*, **~näpfchen** *n.*, **~pfännchen** *n.* 육수 그릇. **~siede·heiß** *a.* 〔드물게〕 ↑ brühheiß. **~warm** *a.* 〔비유·구어〕 ① 갓 나온, 아주 새로운: eine ~e Neuigkeit 최신 뉴스. ② 즉시, 곧: jm. et. ~ auftischen 누구에게 무엇을 즉각 얘기하다〔알리다〕. **~würfel** *m.* (직육면체 모양의) 고형 수프. **~wurst** *f.* 〖식품〗 굽거나 끓는 물에 데워 먹는 소시지. **~würstchen** *n.* 끓는 물에 데운 작은 소시지.

Bruitismus [bryitísmus] *m.* 〖음악〗 작곡에 소음을 이용하는 미래주의적 경향.

Brüll [bryl] *m.* -(e)s, -e 〔구식〕 (schweiz.) 외침, 비명.

Brüll·affe *m.* ①〖動〗 원숭이의 일종. ②〔욕설〕 고래고래 소리지르는 사람.

***brüllen** [brýlən] 《I》 *i.* (h.) ① (짐승이) 울부짖다, 포효하다; 〔비유〕 gut gebrüllt, Löwe! 너 말 잘했어! (셰익스피어의 "한여름밤의 꿈"에 나오는 대사); 〔시어〕 der Motor brüllt 모터가 부르릉댄다. ② **(a)** 〔구어〕 (어린아이가) 울어대다. **(b)** 큰소리로 말하다; 소리지르다: vor Schmerz ~ (사람이) 고통 때문에 절규하다; 〔비유·구어〕 das ist ja zum Brüllen 그거 우스워 죽겠군; vor Dummheit ~ 매우 어리석다. 《II》 *t.* 소리치다, 소리쳐 부르다: jm.

Beifall ~ 누구에게 갈채를 보내다; jn. aus dem Schlaf ~ 소리쳐서 누구의 잠을 깨우다.
Brüller [brʏ́lər] *m.* -s, - 〖구어〗 ①〖폄어〗 소리지르는 사람. ② 함성.
Brüll≈frosch *m.* 식용 개구리. **~ochs(e)** *m.* 종우(種牛).
Brumaire [brymɛ́ːr] 《frz.》 *m.* -(s), -s [..mɛ́ːrs] (Nebelmonat) 무월(霧月), 프랑스 혁명력(曆)의 제 2 월(10 월 22 일-11 월 22 일).
Brumm≈bär *m.* 장난감 곰; 〖비유·구어〗불평꾼. **~bart** *m.* 〖비유·구어〗불평꾼. **~baß** *m.* 〖음악〗 ① 베이스(남성의 저음). ② ↑ Kontrabaß. ③ 저음 호른. ④ 드론 베이스. **~eisen** *n.* ①〖음악〗 구금(口琴) (입으로 물고 손으로 키는 수금(竪琴)). ②〖은어〗 감옥.
Brumme *f.* -n ↑ Brummer ② (a).
brummeln [brʊ́məln] *i.* (h.) 낮게 울부짖다; 중얼〔웅얼〕거리다.
*__brummen__ [brʊ́mən] *i.* (h.) / *t.* ① (짐승이) 으르렁대다, 왕왕거리다, (파리 따위가) 윙윙거리다, 쾅쾅울리다: ~ mit dem alten Auto durch die Lande ~ 낡은 자동차를 타고 붕붕대며 지역을 돌아다니다. ② (종이) 울리다; 〖구어〗 입속으로 노래하다, 서투르게 노래부르다, (저음 악기가) 울리다: mir brummt der Bauch 내 배가 꼬르륵거린다. ③〖사람이 주어〗 **(a)** 중얼〔홍얼〕거리다: in den Bart ~ 입속에서 중얼거리다; einen Schlager ~ 유행가를 흥얼거리다. **(b)** 불평을 말하다, 투덜거리다. **(c)** 〖비유·구어〗감옥에 있다, 감금 중이다; 〖학생〗 벌로 방과 후까지 남아 있다: er muß vier Wochen ~ 그는 4 주 동안 구류를 살아야 한다. ④ *imp.* 〖비유·구어〗 mir brummt der Kopf〔Schädel〕 나는 머리가 지끈거린다.
Brummer *m.* -s, - ① **(a)** 중얼대는 사람, 불평을 말하는 사람. **(b)** 〖농담〗노래가 서투른 가수〔사람〕: er gehört unter die ~ 그는 노래가 서투르다. ②〖動〗 **(a)** 똥파리, 금파리. **(b)** 종우(種牛), 황소. **(c)** 갑충의 일종. ③〖구어〗 **(a)** 윙윙〔웅웅〕거리는 물건; 윙윙거리는 장난감; 일종의 대포; 폭격기; 대형 트럭. **(b)** 〖음악〗 ↑ Brummbaß. ④〖경박〗 예쁜 여자아이.
Brumm≈fliege *f.* 〖動〗 똥파리, 금파리. **~hahn** *m.* 흑뇌조(黑雷鳥)의 수컷.
Brummi *m.* -s, -s 〖구어〗 대형 트럭.
brummig [brʊ́mɪç] 《<brummen》 *a.* 〖구어〗 투덜거리는, 불평하는, 짜증내는.
Brummigkeit *f.* -en 〖구어〗 ↑ brummig 의 명사형.
Brumm≈kater *m.* 〖俗〗① 불평꾼. ② 숙취. **~kreisel** *m.* 윙윙거리는 팽이. **~ochs, ~ochse** *m.* 〖구어〗종우(種牛), 황소; 〖욕설·비속〗 돌대가리. **~schädel** *m.* 〖구어〗 숙취; 두통.
Brummse [brʊ́mzə] *f.* -n, **Brummser** *m.* -s, - 〖動〗 금파리.
Brumm≈stall *m.* 〖구식〗감옥. **~topf** *m.* 〖음악〗 소고(小鼓)의 일종. **~vogel** *m.* 〖動〗 벌새; 누에의 나방.
Brunch [bran(t)ʃ] 《engl.》 *m.* -/-(e)s, -e(s)/-s 브런치(아침 겸 점심 식사).
Brunelle [brunɛ́lə] 《frz.》 *f.* -n 〖植〗 꿀풀.
brünett [brynɛ́t] 《frz.》 *a.* 갈색을 띤, 갈색 머리칼〔피부〕의, 흑갈색의: eine ~e Frau 갈색 머리의 여인.
Brünette* [..tə] *der/die* 갈색 피부〔머리〕의 남자〔여자〕.
Brunft 《♧ brummen》 *f.* Brünfte 〖사냥〗 (특히 사슴·멧돼지 등의) 짝짓기; 짝짓는 시기.
brunften *i.* (h.) 〖사냥〗 발정하다; 짝짓기〔교미〕하다.
brunftig *a.* 〖사냥〗 발정한: 짝짓는 시기의.
Brunft≈hirsch *m.* 발정기의 수사슴. **~plan, ~platz** *m.* 〖사냥〗 교미 장소. **~schrei** *m.* 〖사냥〗 발정기의(수사슴의) 울음 소리. **~stand** *m.* 교미 장소. **~zeit** *f.* 교미기.
Brunhild [brúːnhɪlt], **Brunhilde** [..hɪ́ldə] *f.* ① 브룬힐트, 브룬힐데(여자 이름). ② (Nibelungen 전설에서) Gunther 의 왕비.
Brünier·eisen *n.* 금속 연마기.
brünieren [bryníːrən] 《frz.》 *t.* (금속의 표면 보호를 위해) 갈색〔검푸른〕 산화물을 입히다.
Brünier≈gold *n.* 광을 낸 금. **~salz** *n.* 〖化〗 염화안티몬(금속의 갈색 도료). **~stahl** *m.* ↑ ~eisen. **~stein** *m.* 연마석(研磨石).
Brunn *m.* -(e)s, -en 〖시어·구식〗 ↑ Brunnen.
Brünnchen [brʏnçən] *n.* -s, - ↑ Brunnen 의 축소형.
Brunne *f.* -n 〖광산〗 암석의 갈라진 틈.
Brünne [brʏnə] *f.* -n (중세의) 갑옷.
Brünnel [brʏn(ə)l] *n.* -s, - 작은 샘, 옹달샘.
*__Brunnen__ [brʊ́nən] 《♧ brennen, brauen》 *m.* -s, - ① **(a)** 샘; 〖비유·시어〗 원천, 근원: der ~ des Lebens 삶의 원천. ② 샘물, 광천수; 온천수: ~ trinken 광천수를 마시다. ③ 우물; 분수(대): Spring~ 분수; Zieh~ 두레우물; einen ~ graben〔bohren, anlegen〕 우물을 파다; 〖비유〗 in den ~ fallen (희망·계획이) 수포로 돌아가다; Wasser in den ~ tragen 쓸데없는 일을 하다; 〖속담〗 den ~ (erst) zudecken, wenn das Kind hineingefallen ist 소 잃고 외양간 고친다. ④〖軍〗 수갱도(垂坑道). ⑤ (südd.) 수도꼭지. ⑥ (südd.) einen ~ machen 오줌누다. ⑦ 온천장.
Brunnen≈ader *f.* 우물의 수맥(水脈). **~anstalt** *f.* 물 긷는 곳, 광천장; 온천장. **~arzt** *m.* 온천장의 의사. **~bau** *m.* 우물 파기. **~bauer** *m.* 우물 파는 사람〔인부〕. **~becken** *n.* 우물〔분수〕의 수반(水盤). **~behälter** *m.* 우물물 저수조(貯水槽). **~beschlag** *m.* 펌프 장치. **~bohrer** *m.* 우물파는 사람〔기계〕. **~brüstung** *f.* 우물의 난간. **~dach** *n.* 우물 지붕. **~deckel** *m.* 우물 뚜껑. **~eimer** *m.* 두레박. **~einfassung** *f.* 우물 주위를 둘러싼 돌. **~faden** *m.* 〖植〗 (우물 속의) 다아포모상균(多芽胞毛狀菌). **~feger** *m.* 우물 치는 사람. **~figur** 분수대의 조각. **~gast** *m.* 온천 요양자. **~gebrauch** *m.* 광천수 음용(飲用). **~geist** *m.* 우물의 요정. **~geländer** *n.* 우물의 난간. **~gräber** *m.* 우물 파는 사람. **~haus** *n.* (중세 수도원의) 우물칸; 펌프실. **~kasten** *m.* 수조(水槽), 저수통. **~kette** *f.* 두레박 줄. **~kraut** *n.* 〖植〗 우산이끼. **~kresse** *f.* 〖植〗 미나리; 네덜란드냉이(샐러드용). **~kur** *f.* 광천수 음용 요법. **~loch** *n.* 샘 구멍, 우물의 물구멍. **~macher** *m.* 우물 파는 사람; 펌프 제조업자. **~mauer** *f.* ↑ ~einfassung. **~meister** *m.* 〖옛뜻〗 수도〔우물〕 감독관. **~ort** *m.* 온천장. **~pest** *f.* 〖植〗 ↑ ~faden. **~pumpe** *f.* 우물 펌프. **~quell** *m.*, **~quelle** *f.* 원천, 수원(水源); 〖비유〗근

원. ~**rad** *n.* 우물의 도르래. ~**rand** *m.* 우물가. ~**röhre** *f.* 우물의 취수관, 펌프관. ~**schale** *f.* ↑ ~becken. ~**schwengel** *m.* 펌프의 손잡이. ~**seil** *n.* 두레박 줄. ~**stange** *f.* 두레박 대. ~**stube** *f.* 〔구식〕 ① (우물의) 저수조. ② ↑ ~haus. ~**trog** *m.* (가축에게 물 먹이는) 우물가의 물통. ~**vergifter** *m.* ① 〖法·구식〗 우물에 독을 넣는 사람. ② 〔비유·펌어〕 비방자, 중상가. ~**vergiftung** *f.* 〖法·구식〗 우물에 독을 넣기; 광천 중독. ② 〔비유·펌어〕 비방, 중상. ~**wasser** *n.* 우물물, 샘물, 광천수. ~**zeit** *f.* 온천 요양 계절. ~**ziegel** *m.* 우물 주변을 둘러싼 벽돌.

Brünnlein *n.* -s, - 〔雅語〕 ↑ Brünnchen.

Brunn≈quell *m.*, ~**quelle** *f.* 수원(水源), 원천; 〔비유〕 근원.

Bruno *m.* 브루노(남자 이름).

***Brunst** [brunst] 《♧ brennen》 *f.* Brünste ① 욕정, 색욕; 〖動〗 (Brunft) 발정, 교미욕, 교미기. ② 〔구식〕 (Inbrunst) 정열, 격정. ③ 〔고어〕 화재.

brunsten *i.* (h.) 발정하고 있다.

Brunst·feige *f.* 〖사냥〗 (영양의) 발정 호르몬 분비선.

brünstig [brʏnstɪç] *a.* ① 〔雅語·구식〕 열렬한, 격정적인; 〔비속〕 음탕한. ② 발정한; 암내를 풍기는.

Brünstigkeit *f.* -en ① 발정. ② 〔雅語〕 열정, 격정.

Brünstling *m.* -s, -e 호색한(好色漢).

Brunst≈zeit *f.* 〖動〗 교미기. ~**zyklus** *m.* 〖動〗 발정 주기.

Brunz [brunts] *m.* -es, Brünze, **Brunze** *f.* -n 〔비속·방언〕 오줌.

brunzen *i.* (h.) 〔비속·방언〕 오줌누다.

Brüsch [brʏʃ] *m.* -es, -e 〖植〗 ① 히스. ② 유럽산(產) 관상용 관목의 일종.

Brüsche [brʏ́ʃə] *f.* -n (ndd.) 종양, 혹: sich³ für jn. sieben ~n rennen (고맙다는 말도 못 들으면서) 누구를 위해 분골쇄신하다.

Brüschen [brʏ́:sçən] *n.* -s, - 〔방언〕 송아지(또는 새끼양) 요리(↑ Bröschen).

brüseln *i.* (h.) (샘 따위가) 졸졸 흐르다.

brüsk 《frz.》 *a.* 험악한, 무뚝뚝한; 사정 없는: sich ~ verabschieden 무뚝뚝하게 작별하다.

brüskieren [..kí:rən] *t.* 거칠게 다루다, 무뚝뚝하게〔매정하게〕 대하다.

Brüskierung *f.* -en ↑ brüskieren 의 명사형.

Brüssel [brʏ́səl] 브뤼셀(벨기에의 수도).

Brüsseler, Brüßler 《I》 *m.* -s, - 브뤼셀 사람. 《II》 *a.* 브뤼셀의.

brüßlerisch *a.* 브뤼셀의.

***Brust** [brust] *f.* Brüste ① 〖해부〗 가슴, 흉부, 흉곽: eine breite〔schmale〕 ~ 넓은〔좁은〕 가슴; jn. an seine ~ ziehen 누구를 끌어안다; sich in die ~ werfen 잘난 체하다, 뻐기다; die ~ schwoll ihm vor Freude 그는 기뻐서 가슴이 부풀었다; 〔雅語〕 ein Geheimnis in seiner ~ verschließen 비밀을 가슴 속에 간직하다; ~ an ~ 마주보고, 나란히; 〔비유〕 sich an die ~ schlagen 가슴치며 후회하다, 통회하다; 〔구어〕 einen zur ~ nehmen 술을 (많이) 마시다. ② 유방, 젖: einem Kind die ~ geben 아기에게 젖을 먹이다; 〔시어〕 an den Brüsten der Weisheit saugen 열심히 배우다. ③ 폐: eine gesunde〔schwache〕 ~ haben 폐가 튼튼하다〔약하다〕; 〔비유·구어〕 schwach auf der ~ sein a) 몸이 허약하다, b) 능력〔지식〕이 부족하다, c) 〔비유〕 돈이 없다; 〔구어〕 es auf der ~ haben 기관지를 앓다; aus voller ~ singen 큰소리로〔힘차게〕 노래부르다. ④ 옷의 흉부, 여성의 흉의(胸衣)〔코르셋〕. ⑤ (Herz) 심정, 흉중; (느끼는) 사람: die stolze ~ 거만한 사람; frisch von der ~ weg sprechen 솔직히 말하다; mir fiel ein Stein von der ~ 나는 근심을 떨어 버렸다〔마음을 놓았다〕. ⑥ 가슴 고기, 가슴살. ⑦ 〖工〗 흉상부(胸狀部). ⑧ 〖수영〗 평영(Brustschwimmen의 축약형).

Brust≈ader *f.* 〖해부〗 흉부 혈관. ~**angst** *f.* 협심증. ~**arterie** *f.* 흉부 동맥. ~**arznei** *f.* 흉부 질환제. ~**balsam** *m.* 흉부 질환에 바르는 연고. ~**band** *n.* 여성 흉의〔코르셋〕의 띠; 〖醫〗 흉부 붕대. ~**baum** *m.* 〖工〗 직포(織布)를 미끄러지게 하는 횡목. ~**beere** *f.* 〖植〗 대추(폐질환의 약으로 쓰임). ~**bein** *n.* 〖해부〗 흉골. ~**beklemmung** *f.* 흉부 협착증, 우울증. ~**beschwerde** *f.* ↑ ~beklemmung. ~**beutel** *m.* 목에 거는 돈지갑. ~**bild** *n.* 반신상, 흉상. ~**binde** *f.* 흉부 붕대; (여성복의) 가슴 장식. ~**blatt** *n.* (마구(馬具)의) 가슴 혁대. ~**bohrer** *m.* 〖工〗 흉추(胸錐). ~**bonbon** *m./n.* 기침할 때 먹는 사탕. ~**bräune** *f.* 〔구식〕 협심증. ~**breite** *f.* 〔다음 용법으로〕 mit〔um〕 ~ 간발의 차이로. ~**brett** *n.* 〖工〗 흉추의 흉판.

Brüstchen [brʏ́stçən] *n.* -s, - 〔↑ Brust 의 축소형〕 작은 가슴; 작은 흉의(胸衣).

Brust≈drüse *f.* 〖해부〗 유선(乳腺); (송아지의) 지라. ~**eisen** *n.* 여성 흉의〔코르셋〕에 대는 것(쇠붙이·고래뼈·목제 따위).

brüsten [brʏstən] 《< Brust》 〔펌어〕 *refl.* sich ~ 뻐기다, 뽐내다; (공작 따위가) 날개를 펴다: sich mit et.³ ~ 무슨 일을 자랑하다, 자만하다.

Brust≈entzündung *f.* 〖醫〗 유방염. ~**fell** *n.* 〖해부〗 늑막, 흉막. ~**fell·entzündung** *f.* 늑막염. ~**fieber** *n.* 〖醫〗 기관지염. ~**finne** *f.* 〖動〗 가슴지느러미. ~**fleck** *m.* (동물의) 가슴에 있는 점. ~**fleisch** *m.* 〖식품〗 가슴살. ~**flosse** *f.* 〖해부〗 가슴지느러미. ~**flosser** *pl.* 〖動〗 흉부 익기류(翼鰭類). ~**fuß** *m.* 〖動〗 흉각(胸脚). ~**gang** *m.* 〖해부〗 흉관(胸管). ~**ganglion** *n.* 〖動〗 흉신경절(胸神經節). ~**gefäß** *n.* 〖해부〗 흉맥관(胸脈管). ~**gegend** *f.* 흉부(胸部). ~**geschwür** *n.* 〖醫〗 흉부 궤양. ~**glas** *n.* 흡유기(吸乳器). ~**grube** *f.* (말의) 흉와(胸窩). ~**harnisch** *m.* 〖軍〗 흉갑(胸甲), 가슴 갑옷. ~**hieb** *m.* ↑ ~quart. ≈**hoch** *a.* 가슴 높이의. ~**höhe** *f.* 가슴 높이. ~**höhle** *f.* 〖해부〗 흉강(胸腔). ~**holz** *n.* 〖海〗 (이물의) 물결 헤치는 끝; 〖工〗 흉추(胸錐)의 흉판. ~**horcher** *m.* 〖醫〗 청진기.

..**brüstig** *pref.* "…가슴의, 가슴이 …한"의 뜻 (보기: breit~ 가슴이 넓은).

Brust≈kasten *m.* 〔구어〕 흉곽. ~**kern** *m.* 〖식품〗 (소의) 가슴〔갈빗〕살. ~**kind** *n.* 모유로 자라는 아이. ~**kleid** *n.* 흉의(胸衣). ~**knochen** *m.* 흉골. ~**knorpel** *m.* 〖해부〗 늑연골(肋軟骨). ~**korb** *m.* 흉곽. ~**krampf** *m.* 〖醫〗 천식(喘息). ≈**krank** *a.* 흉부 질환

의, 폐병의. **~krankheit** *f.* 폐〔흉부〕질환. **~krebs** *m.* ①『병리』 유방암. ② ↑ ~harnisch. **~kreuz** *n.*『가톨릭』(Pektorale) 고위 성직자가 가슴에 거는 보석으로 장식한 금〔은〕 십자가. **~kuchen** *m.* ↑ ~bonbon. **~lage** *f.*『수영』 평영 자세. **~latz** *m.* ①『유행』(여성의) 흉의; 가슴받이. ② (앞치마·바지 따위의) 가슴 부분. **~leder** *n.*『펜싱』 혁동(革胴); 가죽 가슴받이. **~lehne** *f.* ↑ Brüstung. **~leiden** *n.* 폐질환. **~leidend** *a.* 폐질환을 앓는. **~leier** *f.*『工』 흉추(胸錐).

Brüstlein [brÝstlaɪn] *n.*〘↑ Brust 의 축소형〙〘雅語〙 작은 가슴.

Brüstling [brÝstlɪŋ]《<Brust》*m.* -s, -e『유행』(17 세기의) 소매와 스탠드업 칼라가 있는 코르셋.

Brust≈mauer *f.* (부두나 방파제의) 보조벽. **~messer** *n.*『醫』 호흡 운동 측정기. **~mittel** *n.*『藥』 흉부 질환 치료제. **~muskel** *m.*『해부』 흉근(胸筋). **~nadel** *f.*〔구식〕브로치; 넥타이핀. **~panzer** *m.*『軍』 ↑ ~harnisch. **~platte** *f.* ↑ ~brett. **~pulver** *n.*『藥』 복방 감초산(複方甘草散). **~pumpe** *f.* 흡유기(吸乳器). **~quart** *f.*『펜싱』(우측에서) 찌르기. **~reinigend** *a.*『醫』 거담성(去痰性)의. **~reinigung** *f.* 거담(去痰). **~riegel** *m.*『건축』 난간. **~riemen** *m.* (말의) 가슴 혁대; (배낭의) 가슴 끈. **~saft** *m.*『醫』 기침 물약. **~salbe** *f.*『醫』 유두(乳頭) 연고. **~schild** *n.* 흉갑(胸甲);『動』 복갑(腹甲). **~schleier** *m.* (수녀의) 베일. **~schmerz** *m.* 흉통(胸痛). **~schwimmen** *n.*『수영』 평영. **~seuche** *f.*『수의』(말의) 전염성 폐렴. **~stimme** *f.* (가성(假聲)에 대해) 흉성(胸聲). **~stück** *n.* ① 흉상(胸像); 흉부. ②『식품』 가슴살. ③ 흉갑(胸甲); 흉의(胸衣). **~tasche** *f.* 가슴 부분에 달린 포켓; 양복 안주머니. **~tee** *m.*『藥』 기침 감기에 잘 듣는 차. **~teil** *m.* 흉부. **~terz** *f.*『펜싱』(좌측에서) 찌르기. **~ton** *m.*〘복수: ..töne〙 흉성; 흉음(胸音):〔비유〕 im ~ der Überzeugung 확신에 찬 소리로. **~tuch** *n.*〘복수: ..tücher〙 가슴에 꽂는 수건. **~umfang** *m.* 흉위(胸圍).

Brüstung [brÝstʊŋ]《<Brust》*f.* -en (발코니·다리 등의) 난간; 창문턱.

Brust≈verschleimung *f.*『醫』 기관지 카타르. **~wams** *n.* (옛날 남자의) 조끼. **~wand** *f.*『해부』 흉벽(흉곽의 외벽). **~warze** *f.*『해부』 젖꼭지, 유두. **~wasser** *n.*『醫』 흉수(胸水); 기침 물약. **~wasser·sucht** *f.*『醫』 흉수종(胸水腫). **~weh** *n.* 흉통(胸痛). **~wehr** *f.*『軍』 흉장(胸墻), 흉벽. **~weite** *f.* 흉곽의 넓이. **~wenzel** *m.*『動』 작은 부리울새. **~werk** *n.*『악기』(오르간의) 전면(前面), 브루스트 건반(중앙부 위쪽 파이프군을 지배하는 건반);〔구어〕가슴. **~wickel** *m.* 가슴에 대는 찜질용 물수건. **~wirbel** *m.*『해부』 흉추(胸椎). **~wurz, ~wurzel** *f.*『植』 구리때.

*__Brut__[1] [bru:t]《♧ brühen》*f.* -en ① 부화: künstliche ~ 인공 부화; in der ~ sein 알을 품고 있다. ② (동물의) 한 배의 새끼; 알, 애벌레, 유충. ③〔농담〕 아이(들), 자식: die Mütter holten ihre ~ ab 엄마들이 아이들을 데려갔다: Löwen≈ 사자 새끼. ④〔폄어〕 패거리; 도당. ⑤『植』 눈; 새싹; 뿌리눈, 봉오리, 꺾꽂이의 가지. ⑥ 광을 내기 전의 보석.

Brut[2] [bryt] *m.* -『요리』 달지 않은 샴페인의 종류.

brutal [brutá:l]《lat.》*a.* ① 야만적인; 난폭〔잔인〕한; 조야한. ② 노골적인, 가차없는: jm. einen Vorwurf ~ ins Gesicht schleudern 누구를 면전에서 가차없이 비난하다. ③ 가혹한, 쓰라린: es war eine ~e Enttäuschung 그것은 쓰라린 실망이었다.

brutalisieren *t.* 난폭〔잔인〕하게 만들다: im Krieg wurde die Menschen brutalisiert 전쟁중에 사람들이 잔인해졌다; brutalisierte Methoden 잔인해진 방법.

Brutalisierung *f.* -en ↑ brutalisieren 의 명사형.

Brutalität [..litɛ́:t] *f.* -en 야만성, 난폭, 가혹; 난폭 행위.

Brut≈apparat *m.* 인공 부화기(孵化器). **~beutel** *m.*『動』(캥거루 따위의) 아기 주머니. **~biene** *f.* 수펄(Drohne).

Brüt·ei [brÝ:t..] *n.* 부화란; 부화 중인 알.

*__brüten__ [brÝ:tən]《<Brut》《I》*i.* (h.) ① (새 따위가) 알을 품다; (알이) 부화되다. ②〔비유·시어〕 짓누르다: die Sonne brütet über dem Tal 햇살이 골짜기를 내리쬐고 있다; ~d heiß 찌는 듯이 더운. ③〔비유〕 숙고하다: über einem Entschluß ~ 어떤 결정을 숙고하다. ④『핵물리』 핵연료를 증식하다. 《II》*t.* ① (알·병아리를) 부화하다: gebrütete Enten 부화된 오리. ②〔폄어〕(나쁜 일 따위를) 꾀하다: Rache〔Verrat〕 ~ 복수를〔모반을〕 꾀하다.

Brüten *n.* -s 부화; 심사, 숙고.

brütend·heiß *a.* 무더운, 찌는 듯이 더운.

Brüter *m.* -s, - ① 알을 품고 있는 새. ②『핵물리』 증식형 원자로(Brutreaktor).

Brut≈fleck *m.*『動』 포란점(抱卵點). **~haus** *n.* 부란사(孵卵舍).

Brüt·haus *n.* ↑ Bruthaus. **~henne** *f.* 알을 품고 있는 암탉.

Brut·hitze *f.*〔비유·구어〕 찌는 듯한 더위.

brutig *a.* (öst) ↑ brütig.

brütig [brÝ:tɪç]《<brüten》*a.* ① 부화할 준비가 된. ②〔비유〕 찌는 듯이 더운, 무더운.

Brut≈kammer *f.*『動』 사육실. **~kasten** *m.*, **~kiste** *f.* ①『醫』 인큐베이터. ②〔비유·구어〕 매우 더운 방. **~knospe** *f.*『植』 무성아(無性芽). **~maschine** *f.* 부란기(孵卵器).

Brüt·maschine *f.* ↑ Brutmaschine.

Brut≈ofen *m.* ↑ ~apparat. **~ort** *m.* 부화시키는 장소;『醫』 병균 배양기. **~pflege** *f.*『행동과학』(어미의) 부화된 새끼 돌보기, 포육(哺育). **~reaktor** *m.*『핵물리』 증식형 원자로, 증식로(增殖爐). **~sack** *m.*『動』 부란낭(孵卵囊). **~schrank** *m.* ①『生·醫』 미생물 배양기. ② ↑ ~apparat. **~stätte** *f.* 부화 장소;『醫』 전염병 발생지;〔비유〕(악·음모 따위의) 발생지〔온상〕.

Brüt·stätte *f.* ↑ Brutstätte.

Brut≈tasche *f.*『動』 육아낭(育兒囊). **~teich** *m.* (물고기의) 부화지(孵化池).

bruttig [brútɪç] *a.* 찌는 듯이 더운(schwül).

brutto [brúto]《it.》*adv.*『商』 ① (↔ netto) 포장까지 포함하여, 총계해서, 총체로(약어: btto.): ~ für netto(약어: bfn.) 포장까지 포함한 값으로. ② **(a)** 할인하지 않고. **(b)** (세금을) 공제하지 않고: ein Gehalt von 2000 DM ~ 세금을 포함하여 2000 마르크의 봉급.

Brutto≈belastung *f.* ① 순수입 계산을 위해 총수입에서 뺄 경제적 부담액(이자·잡비 따위). ② 전하중(全荷重). **~betrag** *m.* 총액. **~budget** [..bʏdʒeː] *n.* 총예산. **~einkommen** *m.* 총소득. **~einnahme** *f.* 총수입. **~ertrag** *m.* 총수익. **~gehalt** *n.* 봉급 총액. **~gewicht** *n.* 총중량. **~gewinn** *m.* ↑ ~ertrag. **~masse** *f.* 총량. **~prämie** *f.* 총보험료. **~preis** *m.* 총가격. **~raum·gehalt** *m.*, **~raum·zahl** *f.* 〖海〗(선박의) 총톤수. **~register·tonne** *f.* 〖海〗(선박의) 총등록 톤수 (약어: BRT). **~sozial·produkt** *n.* 국민 총생산, 지엔피. **~verdienst** *m.* 총수입. **~vermögen** *n.* (부채도 포함한) 총재산.

Brut≈wärme *f.* 부화열. **~zeit** *f.* 부화기. **~zelle** *f.* (꿀벌의) 부화한 밀방(密房); 〖植〗 녹과체(綠顆體).

brutzeln [brʊ́tsəln] 《I》 *i.* (h.) 지글지글 구워지다: ein Schnitzel brutzelte in der Pfanne 커틀릿이 프라이팬에서 지글지글 구워졌다. 《II》 *t.* 지글지글 (기름에) 튀기다[굽다]: ein Stück Fleisch in der Pfanne ~ 고기 한 조각을 프라이팬에 튀기다.

Brut·zwiebel *f.* 〖植〗 구아(球芽); 구근.

Bruyère·holz [bryjɛ́ːr..] 《frz.》 *n.* (뿌리로 파이프를 만드는) 브라이어 나무.

Bruzin [brutsíːn] *n.* -s, -e 〖化〗 브루친(유독 알칼로이드).

Bryologie [bryologíː] 《gr. brýon, „Moos"》 *f.* 〖植〗 선태학(蘚苔學).

Bryonie [bryóniə] 《gr.》 *f.* -n 〖植〗 브리오니아(호리병박과(科)).

Bryophyt [bryofýːt] *m.* -en, -en 이끼 식물.

Bryozoon [..tsóːɔn] 《gr.》 *n.* -s, ..zoen [..tsóːən] 〖動〗 태충류(苔蟲類).

BRZ =Bruttoraumzahl (선박의) 총톤수.

BSA =Bund schweizerischer Architekten 스위스 건축가 협회.

BSE =bovine spongiforme Enzephalopathie 광우병(狂牛病) (Rinderwahnsinn).

BSG =Blutkörperchensenkungsgeschwindigkeit 혈액[적혈구] 침강 속도.

bst [bst, pst] *int.* 쉿, 조용히.

BTB =Branchentelefonbuch 업종별 전화번호부.

Btl. =Bataillon 〖軍〗 대대.

btto. =brutto 포장까지 포함하여, 총계해서.

Bttr. =Batterie 〖軍〗 포병(중)대.

Btx =Bildschirmtext 영상 정보 (체계).

Bub [buːp] *m.* -en, -en (obd.) ① 〖구식〗 소년, 남자 아이: ~en und Mädchen 소년 소녀. ② 아들: er ist der ~ vom Bürgermeister 그는 시장의 아들이다.

bubbeln *i.* (h.) (bobbeln) 거품을 일으키다.

bubbern *i.* (h.) 〖구어〗 두근[쿵쿵]거리다.

Bübchen [býːpçən] *n.* -s, - 〖↑ Bube의 축소형〗 소년, 남자 아이, 아기.

***Bube** [búːbə] *m.* -n, -n ① 〖구식〗 ↑ Bub. ② 〖카드〗 잭. ③ 〖폄어〗 악동; 악한. ④ 〖옛뜻〗 (기사 서임식(敍任式) 전의) 젊은 기사.

buben *i.* (h.) 〖구식·폄어〗 ① 어린애같이 행동하다, 사내 아이처럼 굴다; 개구쟁이짓을 하다. ② 나쁜 짓[비행]을 저지르다: huren und ~ 음탕한 짓을 하다.

bubenhaft *a.* ① 장난꾸러기[개구쟁이] 같은. ② 거친, 못된.

Bubenhaftigkeit *f.* -en ↑ bubenhaft의 명사형.

Buben≈kopf *m.* (여자의) 단발 머리. **≈-mäßig** *a.* ↑ bubenhaft. **~streich** *m.* ① (어린애의) 장난. ② 〖구식·폄어〗 비행, 나쁜짓. **~stück** *n.*, **~tat** *f.* 비행, 파렴치한 행위.

Büberei [byːbəráɪ] 《< Bube》 *f.* -en 〖雅語〗 (Bubenstück) 비행(非行), 비열한 짓.

Bubi [búːbi] *m.* -s, -s ① ↑ Bub의 애칭. ② 〖경박·폄어〗 철부지, 애숭이: mit so einem ~ kann ich nichts anfangen 나는 그런 애숭이하고는 아무 것도 할 수 없다.

Bubi≈kopf *m.* ↑ Bubenkopf. **≈köpfig** *a.* 단발의.

Bübin [býːbɪn] *f.* -nen 〖구식·폄어〗 악녀, 독부(毒婦).

bübisch *a.* 〖구식·폄어〗 개구쟁이 같은; 파렴치한, 간악한.

Büblein *n.* -s, - 〖雅語〗 ↑ Bübchen.

Bubo [búːbo], **Bubon** 《gr.》 *m.* -s, ..bonen 〖醫〗 가래톳, 서혜선종(鼠蹊腺腫).

Bubonen·pest, Bubo·pest *f.* 〖醫〗 선(腺) 페스트.

***Buch** [buːx] 《germ.; 원뜻 „Buchenholz"》 *n.* -(e)s, Bücher [býːçər] ① (**a**) 책, 책자, 서적: das Goldene ~ 방명록; das ~ der Bücher 성경; ein ~ aufschlagen[zumachen] 책을 펴다[덮다]; in einem ~ blättern 책장을 넘기다; er redet[spricht] wie ein ~ 그는 청산유수같이 말한다; ein Geschäftsmann, wie er im ~ steht 전형적인 상인; immer über den Büchern sitzen 늘 공부에 열중하다; Bücher machen keine Weisen 책만 읽는다 해서 세상 물정을 아는 것은 아니다; 〖비유〗 in js. Seele wie in einem (aufgeschlagenen) ~ lesen können 누구의 마음을 꿰뚫어보다; 〖비유〗 das ist für mich ein ~ mit 7 Siegeln 나는 그것을 이해할 수 없다, 그것은 내게 수수께끼다; sich ins ~ der Geschichte eintragen 역사에 이름을 남기다. (**b**) 〖비유〗 das schwarze ~ 블랙리스트. (**c**) 〖영화〗 각본, 시나리오. ② (**a**) 공책, 필기장: über et. ~ führen 무엇에 관해 기록[메모]하다. (**b**) 〖商〗 (회계) 장부, (현금) 출납부: die Bücher führen 장부 기장을 하다; in js. ~ stehen 누구에게 빚이 있다; et. ins ~ eintragen 장부에 기입하다, 기장(記帳)하다; mit 30000 Mark zu ~(e) stehen 3만 마르크 짜리로 등기되어 있다; zu ~ schlagen 〖구식〗 (금액이) 예산에 반영되다, 회계에 영향을 미치다, 〖비유·雅語〗 (조처·정책이) 유효하다. (**c**) (경마의) 마권 장부. ③ 권(卷), 편(篇): Roman in drei Büchern 3권으로 된 소설; 〖聖〗 die fünf Bücher Moses 모세 오경(구약 성경 최초의 5권). ④ (**a**) 첩(帖) (전지(全紙)·금박·은박의 수량 단위: 종이 1첩=전지 100장, 금박 1첩=250장). (**b**) 〖카드〗 (한) 벌, (한) 세트: ein ~ Spielkarten 카드 한 벌.

Buch·adel *m.* ↑ Briefadel.

Buchara[1] [buxáːra] 부하라(우즈베키스탄의 도시).

Buchara[2] *m.* -s, -s 부하라산(産) 양탄자.

Buchare [..rə] *m.* -n, -n 부하라의 주민.

Bucharei [buxaráɪ] *f.* 부하라이(카스피해 부근의 도시).

Buch≈ausstattung *f.* 책의 장정. **~auszug**

m. ① 책〔장부〕의 발췌. ②〖經〗 계좌 잔고 통지(서). **~besprechung** *f.* 서평, 북리뷰. **~binder** *m.* 제본공.

Buch≈binderei *f.* 제본(업); 제본소. **~binderei·maschine** *f.* 제본 기계.

Buchbinder≈geselle *m.* 제본공. **~gold** *n.* (제본용) 금박. **~handwerk** *n.* 제본업.

Buch≈binderin *f.* ↑ ~binder 의 여성형. **∻-bindern** *i.* (h.) ① 제본하다. ② 제본소에서 일하다. **~block** *m.* (표지를 붙이지 않은) 책 묶음, 가철본. **~decke** *f.*, **~deckel** *m.* 책의 표지. **~drama** *n.* 레제드라마(공연보다는 읽기 위한 희곡). **~druck** *m.* 서적 인쇄. **~drucker** *m.* ① 인쇄공; 인쇄업자. ②〖動〗 나무좀과의 곤충의 일종. **~druckerei** [bu:x..ráɪ] *f.* 인쇄업; 인쇄소.

Buchdrucker≈farbe *f.* 인쇄용 잉크. **~gehilfe** *m.* 인쇄공. **~handwerk** *n.* 인쇄업. **~kunst** *f.* 인쇄술. **~presse** *f.* 인쇄기. **~-schriften** *pl.* 인쇄 활자. **~schwärze** *f.* 인쇄용 검정 잉크. **~stock** *m.* 책의 장(章)〔페이지〕의 처음과 끝을 장식하는 꽃무늬〔컷〕. **~zeichen** *n.* 인쇄소〔출판사〕의 상표.

Buchdruck≈farbe *f.* 인쇄용 잉크. **~presse** *f.* 인쇄기.

***Buche** [bú:xə] *f.* -n〖植〗 너도밤나무.

Buch≈ecker, ~eichel *f.* 너도밤나무의 열매.

Buch≈eigentum *n.*〖法〗 등기 소유권. **~-eigner·zeichen** *n.* 장서표(藏書票). **~einband** *m.* 책의 장정〔표지〕.

Buchel, Büchel[1] *f.* -n 너도밤나무의 열매.

Büchel[2] [bý:çəl], **Büchelchen** *n.* -s, -〘↑ Buch 의 축소형〙 소책자, 작은 책.

buchen[1] 《<Buch》 *t.* ① 기입〔기록〕하다: die Zinsen auf ein Konto ~ 이자를 계좌에 기입하다. ② 인정〔간주〕하다: et. als Fortschritt ~ 무엇을 발전으로 여기다. ③ 예약하다: einen Platz im Flugzeug ~ 비행기 좌석 하나를 예약하다.

buchen[2], **büchen** 《<Buche》 *a.* 너도밤나무로 만든.

Buchen≈allee *f.*, **~gang** *m.* 너도밤나무가 늘어선 길. **~berg** *m.* 너도밤나무의 산. **~-hain, ~halle** *m.* ↑ ~wald[1]. **~holz** *n.* 너도밤나무 목재. **~kloben** *m.* (장작용) 너도밤나무 통나무.

Buchenland *n.* 부헨란트(Buckowina 의 독일식 이름).

buchenländisch *a.* 부헨란트의.

Buchen≈mast *f.* 너도밤나무의 열매 일년 총수확. **~scheit** *n.* 너도밤나무 장작. **~stab** *m.* 너도밤나무 막대기. **~stamm** *m.* 너도밤나무 줄기. **~wald**[1] *m.* 너도밤나무숲.

Buchenwald[2] 부헨발트(나치의 유대인 수용소가 있던 곳; 바이마르 근교에 위치).

Bücher≈abschluß *m.* 장부 결산. **~ankündigung** *f.* 신간 서적 광고. **~aufseher** *m.* 도서관 직원, 사서. **~auktion** *f.* 서적 경매. **~bewahrer** *m.* ↑ ~aufseher. **~bohrer** *m.*〖動〗 가루좀, 책벌레. **~bord, ~brett** *n.* 책꽂이, 서가.

Bücherchen *pl.* 소책자.

Bücher≈dieb *m.* 책도둑;〘비유〙 표절자. **~-diebstahl** *m.* 책의 절도;〘비유〙 표절.

***Bücherei** [by:çəráɪ] *f.* -en (소규모) 도서관.

Bücher≈freund *m.* ↑ ~liebhaber. **~gelehrsamkeit** *f.* 책에 의한 지식; 죽은 지식. **~gestell** *n.* 서가. **~halle** *f.* 공공 도서관. **~halter** *m.* 〘방언〙 북엔드. **~handel** *m.* 서점. **~händler** *m.* 서적 상인. **~kenner** *m.*, **~kundige*** *der/die* 서지학자. **~kenntnis, ~kunde** *f.* 도서학, 서지학.

bücher·kundlich *a.* 서지학의.

Bücher≈laden *m.* 서점. **~laus** *f.*〖動〗 책좀. **~lieb·haber** *m.* 애서가. **~lieb·haberei** *f.* 애서, 책사랑. **~macher** *m.* 〘구어·농담〙 저술가; 출판인. **~macherei** *f.* 저술; 출판. **~mappe** *f.* 책가방. **~marke** *f.* 인쇄업자〔출판업자〕의 상표; 책의 인지(印紙). **~mensch** *m.* 〘농담〙 책에만 매달리는 사람. **~milbe** *f.* ↑ ~laus. **~nachdruck** *m.* 서적 복제. **~-narr** *m.* 광적인 애서가, 독서광. **~paket** *n.* 책 소포. **~post** *f.* 서적 우편. **~reff** *n.* 책 운반용 상자. **~regal** *n.* 서가. **~revision** *f.* 회계 감사. **~revisor** *m.* 회계 감사관, 회계사. **~saal** *m.* 열람실. **~sammler** *m.* 서적 수집가. **~sammlung** *f.* 서적 수집; 장서. **~schatz** *m.* 희귀본 장서. **~schmuck** *m.* 책의 장식. **~schrank** *m.* 책장. **~sendung** *f.* 서적 소포. **~skorpion** *m.*〖動〗 (헌 책을 파먹는) 게벌레. **~sprache** *f.* 문어(文語). **~stand** *m.* 서적 진열대. **~ständer** *m.* 서가. **~staub** *m.* 책의 먼지. **~stelle** *f.* 〘방언〙 ↑ ~schrank. **~stube** *f.* 서점. **~stütze** *f.* 책꽂이; 북엔드. **~sucht** *f.* 장서광, 서적 수집광. **~tasche** *f.* 책가방. **~titel** *m.* 책의 제목. **~trödler** *m.* 헌책방. **~verbot** *n.* 금서. **~verbrennung** *f.* 분서(焚書). **~verleiher** *m.* 책 대여점. **~verzeichnis** *n.* 도서 목록. **~vorrat** *m.* 장서. **~wand** *f.* ① 책장으로 가린 벽. ② 벽면 전체를 차지한 책장. **~wart** *m.* ↑ ~aufseher. **~weisheit** *f.* ↑ Buchgelehrsamkeit. **~wesen** *n.* 저작물, 문헌. **~wurm** *m.*〖動〗 책벌레(좀·게벌레 등); 〘비유·농담〙 독서광. **~wut** *f.* ↑ ~sucht. **~zeichen** *n.* 장서표. **~zensur** *f.* 도서 검열. **~zettel** *m.* 도서 주문 용지. **~zimmer** *n.* 도서실.

Buch≈esche *f.*〖植〗 단풍나무류; 독일서나무. **~fink** *m.*〖動〗 되새속(屬)의 일종. **~forderung** *f.*〖法〗 장부상의 채권. **~form** *f.*, **~format** *n.* 책의 크기〔모양〕; 판형(版型). **~führen** *n.*, **~führung** *f.* 부기, 기장. **~führer** *m.* ① (16 세기) 서적 행상인. ② 〘드물게〙 ↑ ~halter. **~geld** *n.*〖經〗 장부상의 돈, 대체금(對替金). **~gelehrsamkeit** *f.* 〘주로 폄어〙 비실용적인 지식, 책으로만 배운 지식. **∻gemäß** *a.* 장부대로의. **~gemeinschaft** *f.* ① 독서회, 독서 클럽. ② (회원제로 운영하는) 서적 판매 조직. **~gewerbe** *n.* 〘총칭〙 서적업. **∻gewerblich** *a.* 서적업의. **~gewinn** *m.* 장부상의 이익. **~gläubiger** *m.* 장부상의 채권자. **~gold** *n.* (제본용의) 금박. **~grund·schuld** *f.* 등기부상의 토지 채무. **~halter** *m.* ① 회계 담당자, 경리. ② (도제) 수습직. **~halterei** *f.* 회계과. **~halterin** *f.* ↑ ~halter 의 여성형. **∻halterisch** *a.* 회계상의. **~haltung** *f.* 부기, 기장; 회계과, 경리부. **~handel** *m.* 서적 판매(업). **~händler** *m.* ① 서적 판매업자; 출판업자. ② 서점 점원.

Buchhändler≈börse *f.* 서적 판매업자의 거래소; 서적 출판업 조합 사무소. **~geschäft**

n. 서적 판매, 출판업. **~gilde** *f.* 서적 판매 조합.
Buch·händlerin *f.* ↑ ~händler 의 여성형.
buchhändlerisch *a.* 서적 판매〔출판〕의.
Buchhändler·messe *f.* ↑ Buchmesse. **~preis** *m.* 서적 출고 가격. **~rabatt** *m.* 도매가와 소매가 사이의 차액.
Buch·handlung *f.* 서점, 책방.
Buchholtz [bú:xhɔlts] 부흐홀츠(프리드리히 대왕의 재무 장관 이름, 1706-98) : 〖구어〗 ~ hat kein Geld dazu 그럴 돈이 없다.
Buch·hülle *f.* 책 커버. **~hypothek** *f.* 등기 저당(권). **~kredit** *m.* 〖商〗 장부상의 대변 계정; 외상 판매 대금. **~kritik** *f.* 서평. **~kunst** *f.* (책을 예쁘게 꾸미는) 서적 장식 기술. **~laden** *m.* 서점. **~lauf·karte** *f.* (책에 끼워 두는) 도서 유통 카드.
Büchlein [bý:çlaın] *n.* -s, - 〖↑ Buch 의 축소형〗 소책자, 작은 책.
Buch·leinen *n.*, **~lein·wand** *f.*, **~linnen** *n.* (책 제본용의) 아마포, 클로스. **~macher** *m.* (경마) 마권(馬券) 영업자. **~macherei** *f.* (경마) 마권 영업. **~malerei** *f.* ① (고대·중세에) 세밀화를 그려넣어 경전을 꾸미는 장식술. ② 세밀화, 미니어처.
Buch·marder *m.* 〖動〗 족제비속(屬)의 일종.
buch·mäßig *a.* 〖商〗 장부의.
Buch·mast *f.* 너도밤나무의 열매 일년 총수확.
Buch·messe *f.* 도서 박람회.
Büchner [bý:çnər] Georg ~ 뷔히너(독일 극작가, 1813-37).
Buch·nuß *f.* 너도밤나무의 열매. **~(nuß)öl** *n.* 너도밤나무 열매 기름.
Buch·porto *n.* 서적 우편 요금. **~post** *f.* 서적 우편. **~prämie** *f.* 상품〔사은품〕으로 주는 책. **~prüfer** *m.* 회계사, 세무사. **~rechnung** *f.* 장부 계산. **~rolle** *f.* 두루마리 책. **~rücken** *m.* 책의 등.
***Buchs** [buks] *m.* -es, -e ↑ ~baum.
Buchs·baum *m.* 〖植〗 회양목. **~baumen** *a.* 회양목의. **~baum·holz** *n.* 회양목 목재.
Büchschen [býksçən] *n.* -s, - 〖↑ Büchse 의 축소형〗 작은 상자〔갑〕.
Buch·schmuck *m.* 책의 장식. **~schreiber** *m.* 대본 작가. **~schrift** *f.* ① (활자 발명 이전에 중요 문서를 작성할 때 사용한) 필기 서체. ② 〖印〗 활자. **~schuld** *f.* 〖經〗 ① 장부상의 부채(↔ ~forderung). ② 국채(國債).
Buchse [bʊ́ksə] *f.* -n ① 〖工〗 윤통(輪筒), 라이너. ② 〖전기〗 소켓, 콘센트.
***Büchse** [býksə] *f.* -n ① **(a)** (작은) 상자, 통: die ~ der Pandora 판도라의 상자. **(b)** 통조림 캔: eine ~ Thunfisch 참치 통조림 한 캔. **(c)** 모금함: mit der ~ herumgehen 모금함을 들고 이리저리 돌아다니다. ② 〖軍〗 소총, 라이플: die ~ laden 총에 장전하다. ③ 엽총.
Büchsel [býksəl] *n.* -s, - 작은 상자.
büchsen [býksən] *t.* ① 〖기계〗 케이스〔상자〕에 넣다. ② 사격〔발사〕하다. ③ 〖학생〗 훔치다, 날치기하다. ④ 〖구어〗 지급하다.
Büchsen·bohrer *m.* 〖軍〗 총신 천공기. **~fleisch** *n.* 통조림 고기. **~förmig** *a.* 통〔상자〕 모양의. **~frucht** *f.* 통조림 과일. **~futteral** *n.* 총 케이스, 총대(銃袋). **~geld** *n.* 모금함에 모은 돈. **~gemüse** *n.* 통조림 야채. **~konserve** *f.* 통조림. **~knall** *m.* 총소리. **~kuchen** *m.* 깡통에 든 과자. **~kugel** *f.* 총알. **~lauf** *m.* 총신(銃身). **~licht** *n.* 〖사냥〗 겨눌 수 있을 정도의 밝기. **~macher** *m.* 총 만드는 직공. **~macherei, ~macherkunst** *f.* 총기 제작(술). **~meister** *m.* 총기 제작 기능장. **~milch** *f.* 깡통에 든 우유. **~obst** *n.* 통조림 과일. **~öffner** *m.* 깡통 따개. **~pulver** *n.* 소총 화약. **~ranzen** *m.* 사냥 주머니〔포대〕. **~rohr** *n.* 총신. **~sack** *m.* 사냥 주머니〔포대〕. **~schaft** *m.* 총의 개머리판. **~schießen** *n.* 소총 사격. **~schloß** *n.* (총의) 노리쇠. **~schmied** *m.* 총포 제조인. **~schrot** *n.* 총에 장전할 산탄(霰彈). **~schuß** *m.* 소총 사격. **~schütze** *m.* 사수(射手). **~spanner** *m.* 〖사냥〗 총을 장탄해 주는 보조자. **~ware** *f.* 통조림 제품. **~wettschießen** *n.* 소총 사격 시합.
Büchs·flinte *f.* 쌍신총(雙身銃), 엽총.
Büchslein *n.* -s, - 작은 상자.
Buchstäbchen *n.* -s, - ↑ Buchstabe 의 축소형.
***Buchstabe** [bú:xʃta:bə] 《<Buchenstab》 *m.* -n(s), -n 문자; 자모(子母); 글자체: großer 〔kleiner〕 ~ 대〔소〕문자: in ~n (기호·숫자가 아니고) 문자로; 〖비유〗 er sieht die ~n doppelt 그는 취해 있다; 〖비유〗 man darf nicht nur nach dem ~ gehen! (자구에만 매달리지 말고) 자유롭게 생각해야 해! ; am ~n kleben 문자 그대로 받아들이다; nur nach dem ~n verurteilen (정상을 참작하지 않고) 법조문 그대로 재판하다; et. bis auf den letzten ~n erfüllen 무슨 일을 철저하게 행하다; auf den ~n genau 매우 꼼꼼하게, 아주 면밀하게; sich an den ~n halten 조문〔자구〕에 얽매이다; 〖구어〗 setz' dich auf deine vier ~n 앉아라.
Buchstäbelei [bu:xʃtɛ:bəláı] *f.* -en 자구에 구애받음, 고지식함, 지나치게 꼼꼼함.
Buchstäb(e)ler *m.* -s, - 자구에 구애받는 사람, 고지식한〔융통성 없는〕 사람.
buchstäbeln *i.* (h.) 자구에 구애받다; 지나치게 꼼꼼하다.
Buchstaben·ausdruck *m.* 〖數〗 대수식. **~blindheit** *f.* 〖醫〗 독서 불능증, 실독증(失讀症). **~folge** *f.* 알파벳순. **~gelehrsamkeit** *f.* 〖폄어〗 피상적인 지식에 바탕을 둔 학식. **~getreu** *a.* 자구에 충실한, 문자대로의; 아주 정확한. **~glaube** *m.* 〖주로 폄어〗 (자구를 맹신하는) 문자 신앙, 교조적인 신앙. **~gläubig** *a.* 문자로 씌어 있는 것만을 믿는; 교조적으로 생각하는. **~gleich·klang** *m.* 〖문학〗 두운법(頭韻法). **~gleichung** *f.* 〖數〗 대수 방정식. **~kenntnis, ~lehre** *f.* 자모학(子母學) (용법 및 발음). **~kombination** *f.* 문자의 결합. **~krämer, ~mensch** *m.* 문자로 씌어 있는 것만을 믿는 사람. **~ordnung** *f.* ↑ ~folge. **~rätsel** *n.* 글자 수수께끼(자모를 바꾸어 새 말 만들기(보기: Hagel → Hagen, hager). **~rechen·kunst, ~rechnung** *f.* 〖數〗 대수. **~reim** *m.* ↑ ~gleichklang. **~schloß** *n.* (일정 문자를 조합해서 여는) 글자 자물쇠. **~schrift** *f.* 표음 문자(↔ Begriffsschrift). **~spiel** *n.* 문자 유희(보기: Kant, Tank). **~tafel** *f.* 자모표, 알파벳. **~ton·schrift** *f.* 〖음악〗 악보 표기에 사용하는 문자. **~versetzung** *f.*, **~wechsel** *m.* ① ↑

~spiel. ②〖문법〗 자위〔음위〕(字位〔音位〕) 전환. **~weise** *adv.* 문자로, 자구대로. **~wort** *n.* (머릿글자를 따서 만든) 약어.

Buchstabier·buch *n.* 〖구식〗 철자책.

buchstabieren [bu:xʃtabí:rən] *t.* ① 한자한자 읽다〔말하다〕: seinen Namen am Telefon ~ 자기 이름을 전화로 또박또박 불러주다. ② (읽기 어려운 문자를) 힘들여 해독〔판독〕하다.

Buchstabier≈kunst, ~methode *f.* 자모를 읽어 배우는 방법.

Buchstabierung *f.* 철자(법).

Buchstabier(wett)·spiel *n.* 철자〔낱말〕 맞추기 놀이.

..buchstabig *suf.* "…글자〔문자〕의"의 뜻(보기: vier~ 네 글자의).

buchstäblich [..ʃtɛ:plɪç] *a./adv.* ① 글자〔문자〕대로의: eine Textstelle ~ übersetzen 어떤 구절을 직역하다. ②〖비유〗 말 그대로, 실제로, 정말로: er ist ~ in Schweiß gebadet 그는 말 그대로 땀으로 목욕했다.

Buchstäblichkeit *f.* 글자〔문자〕대로임.

Buch·stütze *f.* 북엔드.

*__Bucht__ [buxt] 《♧ biegen》 *f.* -en ① 만(灣): in der ~ vor Anker gehen 만에 들어가 정박하다. ② 만곡(彎曲), 궁형(弓形). ③ (인도의 일부를 이용해서 만든) 정거장, 주차 구역. ④〖海〗 갑판 측면의 휨. ⑤〖海〗 밧줄의 연결 고리. ⑥〖방언〗 돼지 우리; 칸막이한 우리. ⑦ 분지.

Buchtel [búxtəl] *f.* -n (obd.) (효모를 넣고 구운) 푸딩, 경단.

buchten [búxtən] 《<Bucht》《Ⅰ》 *i.* (h.) / *refl.* (sich) ~ 만곡을 이루다. 《Ⅱ》 **gebuchtet** *p. a.* ↑ gebuchtet.

buchten·reich *a.* 만이 많은, 해안선이 복잡한.

buchtig *a.* ↑ buchtenreich.

Buch·titel *m.* 책 제목.

Buchung [bú:xuŋ] 《<buchen[1]》 *f.* -en ①〖經〗 부기, 기장. ② 예약.

Buchungs≈geld *n.* 장부상의 돈. **~maschine** *f.* 금전 등록기, 기장기.

Buch≈verleih *m.* ① 도서 대출. ② 책 대여점. **~versand** *m.* ① 도서 발송. ② 서적 통신 판매 전문점.

Buch≈wald *m.* 너도밤나무 숲. **~weizen** *m.* 〖植〗 메밀. **~weizen·mehl** *n.* 메밀 가루.

Buch≈wert *m.* 장부 가격. **~wesen** *n.* (제작·유통 따위의 전과정을 포괄하는) 서적에 관한 모든 것. **~wissen** *n.* ↑ ~gelehrsamkeit. **~woche** *f.* 독서〔도서〕 주간. **~zeichen** *n.* (읽을 페이지에 끼워넣는) 서표(書標). **~-zwang** *m.* 〖商〗 기장〔부기〕 의무.

Bucintoro [butʃintó:ro] 《it.》 *m.* -s ↑ Buzentaur.

Bücke [býkə] *f.* -n 〖체조〗 굴신(屈身) 도약.

*__Buckel__[1] [búkəl] 《lat.》 *m.* -s, - ① 등의 혹; 곱사등: sie hat einen ~ 그 여자는 곱사등이다. ② 등: einen krummen ~ machen 등을 굽히다, 굽실거리다; 〖구어〗 jm. juckt der ~ 누구는 맞고 싶어 등이 근질근질한 모양이다; 〖구어〗 sich³ den ~ frei halten 몸을 사리다, 조심하다; einen breiten ~ haben 참을성이 많다, 대범하다; 〖구어〗 den ~ voll Schulden haben (등이 휠 정도로) 부채가 많다; 〖구어〗 den ~ hinhalten 책임을 떠맡다; genug〔viel〕 auf dem ~ haben 처리해야 할 일이 많다; mir lief es kalt den ~ runter 나는 등골이 오싹했다; 〖비유〗 er hat schon seine 90 Jahre auf dem ~ 그는 벌써 90 세다; 〖비유〗 rutsch mir doch den ~ runter! 제발 나를 가만히 내버려 다오; 〖비유〗 jm den ~ zudrehen 누구를 본체만체하다; 〖구어〗 den ~ voll kriegen 흠씬 두들겨 맞다. ③〖구어〗 언덕, 구릉.

Buckel[2] *m.* -s, - ① 돌기, 융기, 튀어나온〔불거진〕 부분. ②〖또는〗 *f.* -n 방패의 불룩한 곳.

Buckel≈biene *f.* 〖動〗 나나니벌. **~fliege** *f.* 곱사등파리.

buckelicht [búkəlɪçt] *a.* ↑ bucklig.

buckelig *a.* ↑ bucklig.

Buckelige* [búkəlɪgə] *der/die* ↑ Bucklige.

Buckel≈keramik *f.* (석기·청동기 시대의) 가운데가 볼록한 도자기. **~kraxe** *f.* 지게. **~-kraxen** *t.* 지게로 져 나르다: (bayr., öst.) jn. ~ tragen〔nehmen〕 누구를 업어 나르다.

buckeln [búkəln] 《Ⅰ》 *i.* (h.) ① 등을 굽히다. ② 굽실거리다. 《Ⅱ》 *t.* ① (금속에) 양각 장식을 붙이다, 세공하다. ②〖드물게〗 (짐을) 등에 지다, 나르다. 《Ⅲ》 **gebuckelt** *p.a.* ↑ gebuckelt.

Buckel·ochse *m.* 〖動〗 혹소(Zebu).

Buckelorum 《d.+lat.》 *m.* -s, -s 〖비속〗 곱사등이.

Buckel≈rind *n.* ↑ ~ochse. **~stein** (벽을 쌓을 때 사용하는) 울퉁불퉁한 석재. **~stern** *m.* 〖動〗 혹불가사리. **~urne** *f.* ↑ ~keramik. **~wal** *m.* 〖動〗 혹고래. **~wiese** *f.* (알프스 지역의) 울퉁불퉁한 초지(草地).

*__bücken__ [býkən] 《♧ biegen》《Ⅰ》 *t.* (머리·등 따위를) 구부리다, 굽히다: gebückt gehen 구부리고 걷다; vom Alter gebückt 늙어서 허리가 굽은. 《Ⅱ》 *refl.* sich ~ ① 기울다, 몸을 굽히다: sich nach et.³ ~ 구부려서 무엇을 줍다. ②〖구식〗 절하다, 굽실거리다: sich vor jm. ~ 누구에게 절하다, 굽실거리다.

Buckerl *n.* -s, -n (öst.) 〖구어〗 절, 인사.

Bücking [býkɪŋ] *m.* -s, -e ↑ Bückling².

bucklig [búklɪç] *a.* ① 곱사등의, 등이 굽은: er ist ~ 그는 곱사등이다. ② 울퉁불퉁한: ein ~es Pflaster 울퉁불퉁한 포장 도로.

Bucklige* *der/die* 곱사등이.

Bückling[1] [býklɪŋ] 《<bücken》 *m.* -s, -e 몸을 굽힘, 절: ~e machen 절하다.

Bückling[2] *m.* -s, -e 훈제 청어.

Buckram [búkram, bʌ́krəm] 《engl.》 *m.* -s 버크럼(풀을 먹인 빳빳한 삼베; 제본 따위에 쓰임).

Buck·skin [búkskɪn, bʌ́k..] 《engl.》 *m.* 사슴〔양〕의 가죽; 능직(綾織) 나사.

Budapest [bú:dapɛst, búdɔpɛʃt] 부다페스트 (헝가리의 수도).

Budapester 《Ⅰ》 *m.* -s, - 부다페스트 사람. 《Ⅱ》 *a.* 부다페스트의.

Büdchen [bý:tçən] 《sl.》 *n.* -s, - 〖↑ Bude 의 축소형〗 작은 점포, 구멍 가게, 작은 방.

Buddel [búdəl] *f.* -n 〖비속〗 병(瓶).

Buddelei [budəlái] *f.* -en (계속해서 모래를) 파헤치기.

Buddel·kasten *m.* 모래 상자.

buddeln [búdəln] 《Ⅰ》 *i.* (h.) 파내다: im Sand ~ 모래를 파헤치다. 《Ⅱ》 *t.* ① (감자 따위를) 캐내다, 수확하다. ② 파헤쳐 만들다.

Buddel≈platz *m.* ① 놀이터. ② (놀이터 등에 설치한) 모래 상자. **~sand** *m.* (놀이용) 모래. **~schiff** *n.* 병에 집어넣은 배의 모형.
Buddha [búda] 《skt., „der Erwachte"》 *m.* -s, -s ①〖宗〗 불타(佛陀), 석가, 부처. ②〖畫〗 불상.
Buddhismus [budísmus] *m.* - 불교.
Buddhist [budíst] *m.* -en, -en 불교도, 불교 신자.
Buddhistik *f.* 불교학.
buddhistisch *a.* 불교(도)의.
buddisieren [budizí:rən] *t.* (우유를) 과산화 수소로 저온 살균하다(덴마크의 발명가 Budde 의 이름에서).
Buddleia *f.* -s 중국산(產) 관목 식물의 일종 (입사귀에 담자색 작은 꽃이 핌; 영국의 식물 학자 Buddle 의 이름에서).
*__Bude__ [bú:də] 《sl.》 *f.* -n ① 노점, (공사장의) 간이 숙소. ② 오막살이 집, 초라한 집. ③〔구어·폄어〕 상점, 가게: die ~ zumachen 영업을 그만두다. ④〔구어〕 (가구가 딸린) 방, 주거; 사무실; 〔학생〕 하숙방: jm. auf die ~ rücken 누구를 불시에 방문하다; 〔비유〕 jm. die ~ einlaufen〔einrennen〕 누구를 자꾸 찾아가 귀찮게 하다; jm. fällt die ~ auf den Kopf 집에 혼자 가만히 있지 못하고 나돌아다니다; die ~ auf den Kopf stellen 터무니없는 일을 벌이다; Leben in die ~ bringen 모임을 즐겁게 만들다. ⑤〔농담〕 극장, 학교, 관청, 집, 공장.
Budel *f.* -(n) 판매대; 카운터.
Buden≈geld *n.* 〖구식〗 자릿세, 가겟세. **~leute** *pl.* 노점 상인. **~stadt** *f.* 노점가. **~stand** *m.* 노점. **~zauber** *m.* 자택에서 벌이는 잔치. **~zins** *m.* ↑ ~geld.
*__Budget__ [bydʒé:] 《frz.》 *n.* -s, -s ① 예산(안). ②〔구어·농담〕 (지출할 수 있는) 자금.
budgetär [bydʒetɛ́:r] *a.* 예산과 관련된, 예산의.
Budget≈beratung *f.* 예산 심의. **~betrag** *m.* 예산액. **~entwurf** *m.* 예산 시안.
budgetieren *i.* 예산안을 편성하다〔짜다〕.
Budgetierung *f.* -en 예산 편성.
Budget≈jahr *n.* 회계 연도. **~kommission** *f.* 예산 위원회. **~kontrolle** *f.* 예산(안) 검토. **~recht** *n.* (국회의) 예산 승인권. **~vorlage** *f.* 예산안.
Budike 《frz.》 *f.* -n 작은 가게; 선술집.
Budiker *m.* -s, - 구멍 가게〔선술집〕 주인.
Büdner [bý:dnər] 《<Bude》 *m.* -s, - 〔방언〕 소농; 소작농.
Budo [bú:do] 《jap.》 *n.* -s 무도(武道) (태권도·유도·가라데 등의 투기의 총칭).
Budoka [budó:ka] 《jap.》 *m.* -(s), -(s) 무도인.
Buenos Aires [buɛnɔs áirɛs] 부에노스 아이레스(아르헨티나의 수도).
Buen Retiro 《sp.》 *n.* - -s, - -s ① 마드리드 부근의 별장. ②〔비유〕 별장; 안식처.
Büfett [byfét] 《frz.》 *n.* -(e)s, -e ① 찬장, 조리대. ② (술집·식당의) 판매대, 스탠드, 바. ③ 뷔페 테이블; 뷔페 음식. ④ (schweiz.) 역 구내 식당.
Büfett≈abend·brot *n.* 간단한 저녁 식사. **~fräulein** *n.* 여자 바텐더.
Büfettier [byfɛtié:] 《frz.》 *m.* -s, -s [..tié:s] ① (술집·식당의) 바텐더, 종업원. ② (schweiz.) (역의) 구내 식당의 주인.
Büfett·mamsell *f.* 여자 바텐더.
Buff *m.* -s, -s (Puff) 창가(娼家), 매음굴.
Buffa [búfa] 《it.》 *f.* -s 희가극(喜歌劇), 익살 오페라.
Buffalo [bʌ́fəlou] 《engl.》 《I》 버팔로(미국의 도시). 《II》 *m.* -s, -s (미국산(產)) 들소.
Büffel [býfəl] 《lat. -frz.》 *m.* -s, - ①〖動〗 물소. ②〔비유〕 세련되지 못한 사람, 미련한 사람, 바보; 〔학생〕 책벌레.
Büffelei [bʏfəláɪ] *f.* -en 들이파는 공부; 달달 외우는 공부.
Büffel≈fell *n*, **~haut** *f.* 물소 가죽. **~herde** *f.* 물소떼. **~horn** *n.* 물소 뿔. **~koller** *n.* 두꺼운 모포로 만든 저고리. **~kopf** *m.* 바보. **~leder** *n.* 물소 가죽.
büffeln [býfəln] *t./i.* (s.) 들이파는 공부를 하다, 달달 외우다: Vokabeln ~ 단어를 달달 외우다.
Büffel≈ochs *m.* 물소의 수컷. **~rock** *m.*, **~wams** *n.* 두껍고 거친 모포로 만든 저고리.
buffen *t./i.* (h.) ↑ puffen.
Buffet, Büffet [bʏfé:, (frz.) byfɛ́] *n.* -s, -s ↑ Büfett.
Büffler *m.* -s, - 들이파며 공부하는 사람.
Buffo [búfo] 《it.》 *m.* -s, -s/..ffi 〖희가극〗 광대역의 가수.
buffonesk *a.* 〖오페라〗 익살 광대역〔풍〕의.
Buffo·oper *f.* 익살 오페라, 희가극.
Bug [bu:k] *m.* -(e)s, Büge [..gə] ① 만곡(彎曲), 굴절. ② (소·말 등의) 어깨 부위. ③〖海〗 (↔ Heck) 이물, 선수(船首), 뱃머리; 〖空〗 기수(機首): jm. eine vor den ~ knallen (경고의 표시로) 누구를 한 대 치다, 말로 위협하다. ④〖건축〗 버팀 기둥의 윗부분.
Bug·anker *m.*〖海〗 이물의 닻.
*__Bügel__ [bý:gəl] 《<biegen》 *m.* -s, - ① 만곡(彎曲)된 나무 또는 금속제 도구. ② 옷걸이; (말 안장의) 등자(鐙子): 〔비유〕 jm. den ~ halten 누구의 출세를 돕다. ③ (주전자 등의) 손잡이; (총의) 방아쇠울; 칼코등이; (전차) 집전기, 팬터그래프; (손지갑·핸드백 등의) 여닫이 테; 안경 다리. ④ (졸임용 유리 그릇의) 덮개 고정 집게.
Bügel≈anstalt *f.* 세탁소. **~automat** *m.* ↑ ~maschine. **~bogen** *m.* 〖軍〗 (총의) 방아쇠울. **~brett** *n.* 인두판. **~dohne** *f.* 〖사냥〗 올가미, 덫. **≈echt** *a.* 다림질에 변형되지 않은. **~eisen** *n.* 인두, 다리미. **~falte** *f.* 바지의 주름. **≈fest** *a.* ① (섬유가) 다림질 온도에 변형되지 않은. ② 등자를 꽉 밟은. **≈frei** *a.* 다림질할 필요가 없는. **~griff** *m.* 손잡이. **~horn** *n.*〖음악〗 베이스 튜바; (군악대에서 사용하는) 호른. **~maschine** *f.* 전기 다리미.
*__bügeln__ [bý:gəln] *t.* ① 다리미질하다. ②〔비유〕 gebügelt sein 매우 놀라다. ③〖스포츠〗 압승을 거두다. ④〔비속〕 (여자와) 동침하다.
Bügel≈riemen *m.* (말 안장의) 등자(鐙子)의 가죽끈. **~rock** *m.* 버팀살대를 댄 여성용 스커트. **~säge** *f.* 활 모양의 톱. **~stahl** *m.* 인두의 철판. **~tisch** *m.* 다림질용 테이블. **~tuch** *n.* 다림질용 천.
Bug≈figur *f.* 〖海〗 뱃머리 장식. **~flagge** *f.* 선수기(船首旗). **~geschütz** *n.* 선수포(砲).
Buggy [bʌ́gi] 《engl.》 *m.* -s, -s ① 2 륜〔4 륜〕

무개(無蓋)차. ② 레저용 무개 자동차.
Bug≈hölzer *pl.* 선수재(船首材). **≈lahm** *a.* 어깨 부위가 마비된. **~lähmung** *f.* 어깨 부위 마비.
Bügler [bý:glər] *m.* -s, - 세탁소의 다림질 종업원.
Büglerin *f.* -nen ↑ Bügler 의 여성형.
Bug≈mann *m.* 〖조정〗 선수(船首)에서 노젓는 사람. **~MG** *n.* 〖軍〗 탱크 앞 부분에 설치한 기관총(MG=Maschinengewehr).
Bugra *f.* =(Internationale Ausstellung für) Buchgewerbe und Graphik 국제 인쇄 기술 박람회.
Bug≈rad *n.* 항공기의 앞바퀴. **~see** *f.* 이물〔선수〕에 부딪치는 파도.
Bugsier≈anker *m.* 〖海〗 예인용 닻. **~boot** *n.* 소형 예인선. **~dampfer** *m.* 예(인)선.
bugsieren [buksí:rən] 《ndl.》 *t.* ①〖海〗 (배를) 끌다, 예인하다. ②〖비유·구어〗 (어디로) 데려가다, 가져가다: jn. nach Hause ~ 누구를 집으로 데려가다.
Bugsierer *m.* -s, - ↑ Bugsierdampfer.
Bugsier≈lohn *m.* 예선료(曳船料). **~schlepper** *m.* 예인선, 터그보트. **~seil, ~tau** *n.* 예인용 밧줄. **~trosse** *f.* 예인용 굵은 밧줄.
Bug≈spriet *n.* 〖海〗 이물〔뱃머리〕에 비스듬히 세워진 돛대. **~stag** *m.* 선수에 비스듬히 세워진 돛대를 지탱하는 밧줄. **~stück** *n.* ① 〖요리〗 (소·양 등의) 어깻살. ②〖기술〗 도관(導管)의 만곡부. **~welle** *f.* 뱃머리에 부딪치는 파도. **~zelt** *n.* 앞 갑판의 천막.
buh [bu:] *int.* ① (불만의 표현으로) 피이, 우우: ~ rufen 우우 소리를 지르다, 야유하다. ② 부우(누구를 놀라게 하기 위한 소리).
Buh *n.* -s, -s (불만의 표시) 우우.
Buhei [buhái] *n.* -s ① 왁자지껄한 소동, 야단법석. ② 허풍, 호언장담.
Bühel [bý:əl] 《♧ biegen》 *m.* -s, - ↑ Bühl.
buhen [bú:ən] *i.* (h.) (불만의 표시로) 우우 하고 소리지르다, 야유하다.
Bühl [by:l] *m.* -(e)s, -e 구릉, 언덕.
Buhl·dirne [bú:l..] *f.* 〖구식·시어〗 창녀.
Buhle [bú:lə] 《Ⅰ》 *m.* -n, -n 〖구식·시어〗 애인, 정부(情夫). 《Ⅱ》 *f.* -n 〖구식·시어〗 애인, 정부(情婦).
buhlen [bú:lən] *i.* (h.) ① 〖구식·시어〗 mit jm. ~ 누구와 사랑놀음을 하다, 정을 통하다. ② 〖구어·폄어〗 um et.〔jn.〕 ~ 무엇을 얻으려고 애쓰다: um js. Anerkennung ~ 누구의 인정을 받으려고 애쓰다. ③ mit jm. um et. ~ 무엇을 두고 누구와 경쟁하다.
Buhler *m.* -s, - ① 〖구식〗 애인, 정부(情夫). ② 〖雅語·폄어〗 경쟁자, 라이벌; 아첨꾼.
Buhlerei [bu:lərái] *f.* -en ① 정사(情事). ② (um et.) (…을 얻기 위한) 경쟁. ③ 교태, 아양.
buhlerhaft *a.* ↑ buhlerisch.
Buhlerin *f.* -nen ① 정부(情婦); 애인. ② 음란한 여자, 탕녀.
buhlerisch *a.* 호색적인; 요염한; 음란한; 아양떠는.
Buhl·geschäft *n.* 〖구식〗 ↑ Buhlerei ①.
Buhlin *f.* -nen 애인, 정부(情婦).
Buhl·lied *n.* 음탕한 연가.
Buhlschaft *f.* -en ① 연애, 정사. ② 애인.
Buhl·schwester *f.* ↑ Buhlerin.
Buhmann [bú:man] *m.* -(e)s, ..männer 〖구어〗 ① 무서운 악당〔귀신〕. ② 희생양.
Buhne [bú:nə] 《♧ Bühne》 *f.* -n 부두, 방파제.
*__Bühne__ [bý:nə] 《♧ Boden》 *f.* -n ① 발판, 섬돌. ② 높은 단, 연단. ③ 무대, 극장; 〖비유〗 활동 무대: eine drehbare ~ 회전 무대; auf die ~ bringen 무대에 올리다; über die ~ gehen 공연되다, 〖비유〗 (순조롭게) 진행되다, 시행되다; von der ~ abtreten〔abgehen〕 무대에서 퇴장하다, 〖비유〗 은퇴하다, 활동을 중단하다; die ~ betreten (무대에) 등장하다; zur ~ gehen 배우가 되다; et. über die ~ bringen 무엇을 끝내다, 완수하다. ④ (südd.) (Dachboden) 다락방, 광. ⑤ 〖광산〗 (수직갱 안의) 작업대. ⑥ (obd.) 건초를 쌓아두는 헛간. ⑦ (자동차를 들어올리는) 리프트.
bühnen [bý:nən] *t.* ① …에 마루를 깔다; …에 나무 판자를 대다. ② (무대를) 아치형으로 만들다(wölben).
Bühnen≈anweisung *f.* 무대〔연출〕 지시. **~arbeiter** *m.* 무대 장치 작업 일꾼, 도구계. **~atmosphäre** *f.* 무대 분위기. **~ausgabe** *f.* 대본. **~aussprache** *f.* 무대〔표준〕 발음. **~ausstattung** *f.* 무대 장치, 세팅. **~autor** *m.* 희곡 작가, 극작가. **~bearbeitung** *f.* 각색. **~beleuchter** *m.* 무대 조명 담당자. **~beleuchtung** *f.* 무대 조명. **~bild** *n.* 무대 장치〔장식〕, 세트. **~bildner** *m.* 무대 장치가〔미술가〕. **~darstellung** *f.* 연출. **~dekoration** *f.* ↑ ~bild. **~deutsch** *n.* 무대에서 사용되는 표준 독일어. **~dichter** *m.* ↑ ~autor. **~dichtung** *f.* 희곡, 각본. **~diener** *m.* 무대 장치 보조원, 도구 담당. **~effekt** *m.* 무대 효과. **~eingang** *m.* 무대 출입구. **~einrichtung** *f.* 무대 장치. **~erfahrung** *f.* 무대 경험. **~erfolg** *m.* 공연의 성공. **≈fähig** *a.* 무대에 올릴 수 있는, 공연이 가능한. **~fassung** *f.* 각색. **~fieber** *n.* 무대의 열기. **≈gerecht** *a.* 공연에 적합한, 무대에 알맞은. **~gestalt** *f.* 연극의 등장 인물. **~gott** *m.* 기상신(機上神) (↑ Deus ex machina). **~größe** *f.* 무대의 스타, 유명 배우.
bühnenhaft *a.* ↑ bühnenfähig.
Bühnen≈haus *n.* ① 무대, 스테이지. ② 극장. **~held** *m.*, **~heldin** *f.* 극의 주연. **~himmel** *m.* 무대의 반원형 배경, 원형 지평(地平). **~hoch·lautung** *f.* ↑ ~aussprache. **~inspizient** *m.* 무대 감독.
Buhnen·kopf *m.* 제방의 끝.
bühnen≈kundig *a.* 무대〔연극계〕에 정통한. **≈kunst** *f.* 무대 예술, (배우의) 연기술. **~künstler** *m.* 배우. **≈leiter, ≈lenker** *m.* 무대 감독. **≈licht** *n.* 무대 조명. **~literatur** *f.* 희곡 문학. **≈maler** *m.* 무대 배경 화가. **≈malerei** *f.* 무대 그림〔배경〕. **≈manuskript** *n.* 공연 대본. **~mäßig** *a.* 무대의; 공연에 적합한, 연극 같은.
Buhnen·meister *m.* 〖海〗 제방 관리인.
Bühnen≈meister *m.* 무대 장치 기술 감독. **~musik** *f.* 무대 음악. **~personal** *n.* 〖총칭〗 극단 단원, 극단. **~raum** *m.* 무대 공간. **~regulator** *m.* (무대의) 조명 조절기. **≈reif** *a.* 공연에 적합한; (배우가 연기 수업을 마치고) 무대에 설 수 있는. **~reife** *f.* 공연 적합성; (배우의) 공연 능력. **~salz** *n.* 증발시

켜 만든 소금. **~sänger** *m.*, **~sängerin** *f.* 오페라 가수. **~schaffende*** *der/die* 무대 예술 종사자, 대본 작가. **~schrift·steller** *m.* ↑ ~autor. **~spiel** *n.* 연극. **~sprache** *f.* ↑ ~aussprache. **~stern** *m.* ↑ ~größe. **~streich** *m.* 연극의 트릭〔속임수〕. **~stück** *n.* 희곡, 각본. **~tanz** *m.* 무용, 발레. **~tätig** *a.* 무대에서 활동하는. **~technik** *f.* 무대 기술(조명·시설 따위). **~techniker** *m.* 무대 기술자. **~veränderung** *f.* 무대 장치의 이동〔변환〕. **~vertrieb** *m.* (희곡의) 공연 중개업. **~volks·bund** *m.* 국민 연극 연맹. **~vorhang** *m.* 막, 장막. **~wand** *f.* 〖연극〗 무대 배경의 측벽(側壁), 세트. **~weisung** *f.* ↑ ~anweisung. **~werk** *n.* ① 무대 작품(오페라·연극·무용 따위). ② 희곡, 각본. **~werkmeister** *m.* (극장의) 도구 담당 책임자. **~wesen** *n.* 〖총칭〗 무대와 관련된 일. **~wirksam** *a.* 무대 효과가 있는, (극이) 효과 만점인. **~wirksamkeit** *f.* ↑ ~wirksam 의 명사형. **~wirkung** *f.* 무대 효과. **~zubehör** *n.* 무대 소도구.

bühnisch *a.* 무대의, 공연에 적합한.

Buh≈ruf *m.* 우우 소리(야유). **~rufer** *m.* 우우 소리치는 사람, 야유하는 사람.

Buhurt, Buhurd [búːhurt] *m.* -(e)s, -e 중세 기사들의 무예 시합.

bu|hurtieren, bu|hurdieren *i.* (h.) 무예 시합을 벌이다.

Bujumbura [buzumbuːrá, ..búːra] 부줌부라 (부룬디의 수도).

buk [buːk] ↑ backen 의 과거형.

Bukanier [bukáːniər] *m.* -s, - (17 세기의) 서인도 제도의 해적.

Bukardie [bukardíː] 《gr., „Ochsenherz"》 *f.* 〖醫〗 비대 심장; 심장 비대증.

Bukarest [búːkarɛst] 부카레스트(루마니아의 수도).

Bukarester [búː..] 《Ⅰ》 *m.* -s, - 부카레스트 사람. 《Ⅱ》 *a.* 부카레스트의.

büke [býːkə] ↑ backen 의 접속법 Ⅱ 식.

Büke *f.* -n (ndd.) ↑ Beuche.

büken *t.* (h.) (ndd.) ↑ beuchen.

Bukentaur [bukɛntáur] *m.* -en, -en 〖그리스신화〗 부켄타우로스(반인반수의 괴물).

Bukephalos [bukéːfalɔs] *m.* - 부케팔로스 (알렉산더 대왕의 애마(愛馬)).

Bukett [bukɛ́t] 《frz.》 *n.*, -(e)s, -e/-s ① 〖雅語〗 꽃다발, 부케: Hochzeits~ 결혼식 부케. ② 포도주 특유의 향기.

Bukinist [bukiníst] *m.* -en, -en 헌책 장사.

Buklee 新정서 ⇦ Bouclé.

Bukolik [bukóːlɪk] *f.* 목가, 전원시.

Bukoliker 《gr. bukolos, „Hirt"》 *m.* -s, - 목가〔전원〕 시인.

bukolisch *a.* ① 목가(문학)의. ② 전원적인, 목가적인.

Bukowina [bukovíːna] *f.* 부코비나(루마니아 북부 지방).

Bukowiner [bukovíːnər] 《Ⅰ》 *m.* -s, - 부코비나 사람(주민). 《Ⅱ》 *a.* 부코비나의.

bulbös *a.* 〖醫〗 결절(結節)의; 양파 모양의.

Bulbul [búlbul] *m.* -s, -s ↑ Bülbül.

Bülbül 《pers.》 *m.* -s, -s 〖動〗 페르시아 꾀꼬리.

Bulbus [búlbus] 《lat.》 *m.* -, ..bi ① 〖植〗 구근(球根); 양파. ② 〖醫〗 부어오름; 부어오른 곳, 결절.

Bulette 《frz.》 *f.* -n 〔방언〕 (Frikadelle) 고기 완자, 햄버그 스테이크: 〔구어〕 ran an die ~n! 자, 시작하자!

Bulgare *m.* -n, -n 불가리아 사람.

Bulgarien [bulgáːriən] 불가리아.

Bulgarin *f.* -nen ↑ Bulgare 의 여성형.

bulgarisch *a.* 불가리아의.

Bulgarische* *das* 불가리아어.

Bulge *f.* -n ① 가죽 주머니; 깡통. ② (ndd.) 물결, 파도.

Bülge *f.* -n (ndd.) 물결; 파도.

Bulimie *f.* 〖醫〗 거식증(拒食症).

Bulin *f.* -en ↑ Buline.

Buline [bulíːnə] 《engl.》 *f.* -en 〖海〗 (옆 돛의 양쪽 끝에 달아놓은) 밧줄.

Bulk·carrier [bʌ́lkkærɪə] 《engl.》 *m.* 화물(수송) 선.

Bulk·ladung [búlk.., bʌ́lk..] *f.* 〖海〗 쏟아부어 운송할 수 있는 화물(곡물·석탄 등).

Bull [bul] *m.* -s ① 헛소리. ② 투기꾼.

Bull·auge *n.* (배의) 둥근 창문.

Bulldog [búldɔk] 《engl.》 *m.* -s, -s 트랙터.

Bulldogge [..dɔgə] *f.* -n 불도그, 맹견.

Bulldozer [..doːzər] *m.* -s, - 불도저.

Bulle[1] [búlə] *m.* -n, -n ① **(a)** 황소, 종우(種牛). **(b)** (큰 동물의 다 자란) 수컷: Elefanten~ 수코끼리. ② 불도그. ③ 〔비유·구어〕 건장한 사내. ④ 〔경박·폄어〕 경찰, 형사. ⑤ 〖軍〗 (지휘관급의) 상관.

Bulle[2] 《lat.》 *f.* -n ① 문서의 봉인. ② 봉인된 문서; 교황의 교서, 칙서: die Goldene ~ (카를 4 세의) 황금 칙서. ③ 병(瓶) (Pulle).

Bullen [búlən] *m.* -s, - 〖海〗 기중기 헐크, 하역 정치선(定置船).

Bullen≈beißer *m.* ① 〖動〗 불도그. ② 〔구어·농담〕 독설가. **~beißerisch** *a.* 〔구어·농담〕 독설적인, 시비조의. **~hetze** *f.* (맹견을 부추겨) 소를 공격하는 유희. **~hitze** *f.* 〔구어〕 혹서(酷署). **~kalb** *n.* 수송아지. **~stark** *a.* 매우 힘센. **~tau** *n.* 〖海〗 마룻줄, 용총줄. **~wiese** *f.* 〔방언〕 질이 좋은 목장. **~winkel** *m.* 〔방언〕 막다른 골목.

bullerig *a.* 〔방언〕 시끄러운, 소리가 요란한, 호통치는, 울컥 화를 내는.

bullern [búlərn] *i.* (h.) ① 부글부글 끓다, 끓는 소리를 내다, 비등하다. ② 〔비유〕 고래고래 소리 지르다, 호통치다; 울컥 화를 내다. ③ 쿵쿵 두들기다.

Bulletin [bʏlətɛ̃ː] 《frz.》 *n.* -s, -s [..tɛ̃ːs] ① 공고, 고시, 공보. ② 정기(학술) 간행물의 제목, 회보. ③ (의사의) 소견서.

Bullfinch 《engl.》 *m.* -(e)s, -s 〖승마〗 (장애물용) 목책(木柵).

bullig *a.* 〔구어〕 ① 대단한, 엄청난: eine ~e Hitze 혹서. ② 땅딸막한, 육중한.

Bullion [búljən] 《engl.》 *n.* -s (금·은의) 잉곳, 주괴(鑄塊).

Bull≈kater *m.* 〔방언〕 집귀신. **~ochse** *m.* 씨소, 종우(種牛).

Bullrich·salz *n.* 〖醫〗 중탄산나트륨.

bullrig *a.* ↑ bullerig.

Bull·terrier [búl..] 《engl.》 *m.* (불도그와 테리어의 혼혈인) 불테리어견(犬).

Bully *n.* -s, -s 〖하키〗 경기 개시.

Bülow [bý:lo] ① 뷜로(독일의 귀족 이름). ② *m.* -s, -s 〖動〗 꾀꼬리.
bulstern *t.* (obd.) 깍지를〔껍질을〕 벗기다.
Bult [bult] *m.* -(e)s, -en ↑ Bülte.
Bülte [býltə] *f.* -n (늪지에서) 이끼나 풀로 덮여 단단해진 부분.
Bulten·bett *n.* (ndd.) 거석(巨石) 분묘, 고인돌.
Bult·sack *m.* 선원용 침대 매트리스.
bum [bum] *int.* 붕, 쾅! (둔탁한 타격·대포·종소리 등).
Bumbaß [búmbas] *m.* ..basses, ..basse 〔방언〕 (옛날) 방울이 많이 달린 악기의 일종.
Bumboot *n.* -(e)s, -e 〖海〗 정박 중인 배에 식료품 등을 팔러다니는 작은 배.
Bumbum *n.* -s 〔구어〕 시끄러운 소리: mit ~ die Treppe runterkommen 쿵쾅거리며 계단을 내려오다.
Bumerang [bú:məraŋ] *m.* -s, -e ① 부메랑. ② 〔비유〕 부메랑 효과; 자업자득: der Einreisestop erwies sich als ~ 입국 금지 조치는 결국 같은 보복을 가져오게 되었다.
bumfiedeln [bʊ́mfidəln] *t.* 〔구어〕 jn. ~ 누구에게 아첨하다.
Bummel[1] [bʊ́məl] *m.* -s, - 〔구어〕 ① 산책, 배회, 소요(消遙), 어슬렁거림: einen ~ durch die Stadt machen 시내를 어슬렁거리다. ② 술마시며 돌아다니기.
Bummel[2] *f.* -n 〔구어〕 (늘어뜨린) 술: eine Mütze mit großer ~ 커다란 술이 달린 모자.
Bummelant 《frz.》 *m.* -en, -en ① 느림보, 게으름뱅이. ② 무위도식자, 백수 건달.
Bummelantentum *n.* -s 〔폄어〕 무위도식, 빈둥거림.
Bummelei *f.* -en ① 늑장, 게으름. ② 태만, 나태.
bummelig *a.* 〔구어〕 느린, 게으른, 나태한.
Bummeligkeit *f.* 늑장, 게으름, 태만.
Bummel=hosen *pl.* 헐렁헐렁한 바지. **~leben** *n.* 빈둥거리는 생활, 무위도식.
bummeln [bʊ́məln] *i.* 〔구어〕 ① (s.) 배회하다, 어슬렁거리며 돌아다니다: durch die Hauptgeschäftsstraßen ~ 번화한 상점가를 배회하다. ② (s.) 여러 술집을 돌아다니다: er hat noch einen Kater vom gestrigen ~ 그는 어제 여기저기 돌아다니며 술을 마셔서 아직도 술이 덜 깼다. ③ (h.) 늑장부리다, 게으름피우다: bummele nicht so! 그렇게 꾸물거리지 마! ④ (h.) 〖폄어〗 무위도식하다.
Bummel=streik *m.* 태업, 사보타주. **~tag** *m.* (직공 따위의) 휴일. **~wagen** *m.* 역마차. **~zug** *m.* 〖철도〗 완행 열차.
Bummerl *n.* -s, -(n) (öst.) ① 〔카드〕 실점. ② 놀림받는 사람.
bummern *i.* (h.) (ndd.) (문을) 쾅쾅 두드리다, (심장이) 쿵쿵 뛰다: laut die Tür ~ 시끄럽게 문을 쾅쾅 두드리다.
Bummler *m.* -s, - ① 배회하는 사람, 어슬렁거리며 돌아다니는 사람. ② 나태한 자, 무위도식자, 백수건달. ③ 느림보, 게으름뱅이.
bummlig *a.* ↑ bummelig.
Bummligkeit *f.* ↑ Bummeligkeit.
bums [bums] *int.* 쿵, 탕(떨어지거나 때릴 때의 둔한 소리).
Bums *m.* -es, -e [..zə] ① 싸구려 술집(~lokal). ② (ndd.) 경석(輕石). ③ 쿵, 탕(둔탁한 충돌음). ④ 〖경박·폄어〗 떠들썩한 무도회. ⑤ 〖축구〗 강한 슈팅력.
bumsen [bʊ́mzən] 《I》 *i.* ① (h.) 쾅〔탕〕 소리를 내다. ② (s.) 쾅〔탕〕 소리를 내며 떨어지다, 부딪치다: mit dem Kopf an den Türpfosten ~ 머리를 쾅소리를 내며 문설주에 부딪치다. ③ mit jm. ~ 누구와 동침하다, 성교하다. 《II》 *t.* 〖축구〗 강슛을 날리다.
Bums=keller *m.*, **~lokal** *n.* 싸구려 술집. **~musik** *f.* 시끄러운 음악. **~voll** *a.* 왁자지껄한, 만원인.
Buna [bú:na] 《< Butadien + Natrium》 *m./n.* -(s) 부나(합성 고무).
Buna·reifen *m.* 고무 타이어.
***Bund**[1] [bunt] 《<binden》 *n.* -(e)s, -e [..də] 다발, 묶음, 포(包): zwei ~ Stroh 짚 두 단.
***Bund**[2] 《<binden》 *m.* -(e)s, Bünde [býndə] ① **(a)** 결합, 결속, 유대 관계: ein enger 〔fester〕 ~ 긴밀한〔굳은〕 결속; 〔비유〕 den ~ fürs Leben schließen 결혼하다; mit jm. im ~e sein〔stehen〕 누구와 한편이다. **(b)** 동맹, 연맹, 연합, 연방; 독일 연방; 연방군: Völker~ 국제 연맹; der Deutsche ~ 독일 연방 (1815-66); einem ~ beitreten 〔sich einem ~ anschließen〕 동맹에 가담하다. ② 〖宗〗 (하느님과 유대 민족간의) 계약: der Alte〔Neue〕 ~ 구약〔신약〕 성서. ③ (바지·스커트의) 허리 심지, 말기; 〔복수〕 (제본용) 실. ④ 〖악기〗 (현악기의) 줄 굄목, 기러기발.
BUND = Bund für Umwelt und Naturschutz Deutschland 독일 환경·자연 보호 연맹.
Bunda *f.* -s (마자르족 농부들의) 양피 외투.
Bund=axt *f.* 목수용〔마무리〕 도끼. **~bruch** *m.* 동맹 파기. **~brüchig** *a.* 동맹을 파기하는.
Bündchen [býntçən] *n.* -s, - (셔츠나 내의의) 목이나 소매 끝의 좁고 두툼한 단.
***Bündel** [býndəl] *n.* -s, - ① 작은 다발〔단〕; 〖數〗 선속(線束), 평면속(平面束): 〔비유·구어〕 sie ist nur ein ~ Nerven 그 여자는 지나치게 신경질적이다. ② 보따리, 소포, 꾸러미, 여행짐: 〔비유·구어〕 sein ~ schnüren 여장을 꾸리다, 떠날 준비를 하다; 〔비유·구어〕 auch er hat sein ~ zu tragen 그도 나름대로 걱정거리가 있다. ③ 〔구어〕 젖먹이, 어린 아이. ④ 〖옛뜻〗 실 묶음 단위.
Bündelei [byndəláɪ] *f.* -en ① 묶는 끈. ② 음모, 모반, 공모(共謀).
bündel·förmig *a.* 묶음〔단〕 모양의.
bündeln [býndəln] 《I》 *t.* 묶다, 짐을 꾸리다. 《II》 *i.* (h.) 음모를 꾀하다, 공모하다.
Bündel·pfeiler *m.*, **~säule** *f.* 〖건축〗 (고딕 양식의) 족주(簇柱). **~träger** *m.* 행상인. **~weise** *adv.* 묶어서, 다발로, 꾸려서.
Bünden = Graubünden 그라우뷘덴.
Bundes=akte [bʊ́ndəs..] *f.* (1815 년 빈 회의에서 제정한) 독일 연방 규약. **~amt** *n.* 연방 (상급) 관청. **~angelegenheit** *f.* 연방 관할 〔관련〕 사안.
Bundesangestellten=tarif *m.* 독일 연방 공무원 급여표(약어: BAT). **~tarif·vertrag** *m.* 독일 연방 공무원 급여 협약.
Bundes=anwalt *m.* ① 연방 검사〔검찰관〕. ② (schweiz.) 연방 형사 문제 담당 검사; (정치적 사건 담당의) 경찰 총수. **~anwaltschaft** *f.* 연방 검찰청. **~anzeiger** *m.* 연방 정부의

관보. **~armee** *f.* 연합〔동맹〕군. **~ausbildungs·förderungs·gesetz** *n.* 연방 교육 진흥법. **~auto·bahn** *f.* (독일·오스트리아의) 고속 도로. **~bahn** *f.* (독일·오스트리아·스위스의) 국영 철도. **~bank** *f.* (독일의) 연방 은행. **~beamte*** *der* 연방 공무원. **~behörde** *f.* 연방 (상급) 관청. **~betrieb** *m.* 국영 기업. **~bruch** *m.* 동맹 파기. **≈brüchig** *a.* 동맹을 파기하는. **~bruder** *m.* (특히 학생 단체에 소속한) 회원. **~bürger** *m.* 독일 국민, 연방 시민. **~daten·schutz·gesetz** *n.* 연방 정보 자료 보호법(약어: BDSG). **≈deutsch** *a.* 독일 연방 공화국의. **~deutsche*** *der/die* 독일 연방 공화국 국민. **~ebene** *f.* 〖다음 용법으로〗 auf ~ 연방 차원의. **~eid** *m.* 맹약. **≈-eigen** *a.* 연방 소유〔소속〕의. **~feldherr** *m.* 연합군 사령관. **~fest** *n.* 스위스 연방 창립 기념제. **≈flüchtig** *a.* ↑ ≈brüchig. **~frauenministerin** *f.* 연방 여성부 장관 (여자). **~gebiet** *n.* 독일 연방 공화국 영토. **~genoß, ~genosse** *m.* 동맹자, 연합국. **~genossenschaft** *f.* 동맹(자), 연합 (제국). **≈genössisch** *a.* 동맹(자)의, 연합(국)의. **~gericht** *n.* 연방 헌법 재판소, 대법원. **~gerichts·hof** *m.* (독일) 연방 최고 재판소(약어: BGH). **~gesetz** *m.* 연방 법률. **~gesetzblatt** *n.* 연방 법률 관보(약어: BGBl.) **~grenz·schutz** *m.* 연방 국경 수비대(약어: BGS).

Bundes≈haupt·stadt *f.* 연방 수도. **~haus** *n.* (독일·스위스의) 연방 의회 의사당. **~-haus·halt** *m.* (독일 및 스위스의) 연방 재정 (예산). **~heer** *n.* 연방군. **~indigenat** *n.* 구(舊)독일 연방 국적. **~jugend·plan** *m.* (구서독의) 청소년 육성 계획. **~kabinett** *n.* (독일) 연방 내각. **~kanzlei** *f.* (스위스) 연방 의회 사무국. **~kanzler** *m.* ① (독일 및 오스트리아의) 연방 수상. ② (스위스의) 연방 의회 사무국장. **~kriminal·amt** *n.* (독일) 연방 형사국(약어: BKA). **~lade** *f.* 〖宗〗 율법을 모신 궤(櫃)(모세의 10 계명을 새긴 석판이 들어 있음). **~land** *n.* (독일) 연방을 구성하는 각 주(州). **~liga** *f.* 〖축구〗 (독일의) 분데스리가. **~ligist** *m.* 분데스리가 소속팀. **~macht** *f.* 동맹(국). **~marine** *f.* (독일) 연방 해군. **≈-mäßig** *a.* 동맹〔연방〕의. **~minister** *m.* (독일·오스트리아의) 연방의 장관. **~ministerium** *n.* (독일·오스트리아의) 연방 정부의 부(部). **~mitglied** *n.* 동맹자, 동맹국. **~nachrichten·dienst** *m.* (독일의) 연방 정보처(약어: BND). **~post** *f.* 연방 우체국(약어: DBP). **~präsident** *m.* ① (독일·오스트리아) 연방 대통령. ② (스위스의) 연방 내각 수반. **~präsidium** *n.* 〖史〗 (북독일 연방의) 연방 주석(직). **~presse·amt** *n.* 연방 언론·정보국. **~rat** *m.* ① (독일의) 참의원(각 주의 대표로 구성되며 상원에 해당함). ② (스위스의) 연방 내각. ③ (오스트리아) 참의원 의원, (스위스) 연방 각료. **~rechnungs·hof** *m.* 연방 회계 감사원. **~regierung** *f.* 연방 정부. **~republik** *f.* 연방 공화국: ~ Deutschland 독일 연방 공화국(구서독의 공식 명칭; 1990 년부터는 통일 독일의 공식 명칭). **≈-republikanisch** *a.* 독일 연방 공화국의. **~reserve·bank** *f.* (미국의) 연방 준비 은행. **~sitzung** *f.* 연방 회의. **~sozial·gericht** *n.* 연방 사회 복지 관계 최고 재판소(약어: BSG). **~staat** *m.* ① (주(州)로 이루어진) 연방 국가. ② 연방의 주. **~stadt** *f.* ① 동맹 도시. ② 연방의 수도. **~straße** *f.* 연방 도로, 국도. **~tag** *m.* ① (독일의) 연방 의회(하원). ② 〖史〗 ↑ ~versammlung ②.

Bundestags≈abgeordnete* *der/die* 연방 의회 의원. **~debatte** *f.* 연방 의회에서의 토론. **~präsident** *m.* 연방 의회 의장.

bundes≈treu *a.* 동맹에 충실한. **≈truppen** *pl.* 동맹군, 연합군. **≈verdienstkreuz** *n.* (독일) 연방 공로 십자 훈장. **≈verfassung** *f.* 연방 헌법. **≈verfassungs≈gericht** *n.* (독일) 연방 헌법 재판소. **≈versammlung** *f.* ① (독일) 연방 회의(연방 의회 의원과 같은 수의 주의회 의원으로 구성된 대통령 선거 기관). ② 〖史〗 연방 회의(1815-66 년 독일 동맹 구성 국가들로 이루어진 기구). ③ (스위스) 연방 의회. **≈versorgungs·gesetz** *n.* (독일) 연방 원호법(약어: BVG). **≈vertrag** *m.* 동맹 조약. **~verwandt** *a.* 동맹을 맺은. **≈vorstand** *m.* 동맹〔연맹〕 대표자. **≈wehr** *f.* (독일) 연방군. **~weit** *a.* 연방 전체를 포괄하는, 연방 전체에 걸친.

Bund≈hose *f.* 니커보커스, 무릎 아래를 끈으로 묶는 반바지. **≈förmig** *a.* ↑ bündelförmig. **~holz** *n.* 장작단.

bündig [bʏ́ndɪç] 《< Bund》 *a.* ① 강제력〔구속력〕이 있는, 의무적인. ② 설득력 있는, 적절〔적확〕한. ③ 간결〔간명〕한: kurz und ~ 간결하고 요령 있는. ④ 〖건축〗 같은 평면에 놓인, 나란히 늘어서 있는.

Bündigkeit *f.* ↑ bündig 의 명사형.

bündisch *a.* 동맹〔연합〕을 맺은, 가맹한: ≈e Jugend 연합 청소년단(1923-33 년 독일 자유 청년 운동 그룹의 총칭).

Bündlein [bʏ́ntlaɪn] *n.* -s, - ↑ Bund 의 축소형.

Bündler *m.* -s, - 〖구식〗 공모자; 동맹자.

bündlerisch *a.* 〖구식〗 파벌을 즐겨 만드는, 패거리 의식에 젖은.

Bündner [bʏ́ndnər] *m.* -s, - ① 동맹자, 연합국. ② (스위스) 그라우빈덴주(州) 사람.

Bündner Fleisch *n.* - -(e)s 지방·뼈를 제거해 말린 쇠고기(그라우빈덴의 대표적 음식).

bündnerisch *a.* 그라우빈덴의.

***Bündnis** [bʏ́ntnɪs] *n.* -ses, -se (Bund) 동맹, 연합: ein ~ schließen〔lösen〕 동맹을 맺다〔파기하다〕.

Büdnis≈block *m.* 동맹권(圈), 동맹 블록. **~system** *n.* 동맹 체제. **~treue** *f.* 동맹상의 신의. **~vertrag** *m.* 동맹 조약.

Bund≈pfahl *m.* 연결 기둥〔말뚝〕. **~schraube** *f.* 〖工〗 연결 나사. **~schuh** *m.* ① 가죽 끈으로 매는 농민화(靴). ② 〖史〗 농민 봉기 동맹 (16 세기 초 농민 전쟁 당시 농민화가 그려진 깃발을 사용한 데서). **~steg** *m.* 두 페이지〔단〕 사이의 제본용 여백. **~wand** *f.* 격벽(隔壁). **≈weise** *adv.* 묶어서, 꾸려서. **~weite** *f.* (바지나 치마의) 허리 둘레〔치수〕.

Bungalow [bʊ́ŋgalo:] 《engl.》 *m./n.* -s, -s ① 방갈로. ② 방갈로식 주택.

Bunge [bʊ́ŋə] *f.* -n ① 북. ② 〖漁〗 통발, 어량. ③ 〖植〗 물칭개나물.

Bungert *m.* -s, -e (obd.) 공원, 과수원.

Bunkel *m.* -s, - (obd.) 땅딸보.

Bunker [bʊ́ŋkər] 《engl.》 *m.* -s, - ① 대형

저장 창고. ② (골프장의) 모래 구멍, 벙커. ③ (콘크리트의) 방공호; 토치카. ④〖軍〗 감옥, 영창.

bunkern *i.* (h.) ① 창고에 저장하다. ② (배에) 연료를 싣다.

Bunny [bʌ́ni] 《engl.》 *n.* -s, ..nies 토끼 소녀 (토끼 모양 차림새의 클럽 여종업원).

Bunsen [búnzən] *m.* Robert Wilhelm ~ 분젠(독일의 화학자, 1811-99).

Bunsen≈brenner *m.* 분젠등(燈) (R. W. Bunsen 이 발명한 가스등). **~element** *n.* 분젠 전지. **~flamme** *f.* 분젠등(의 불꽃).

***bunt** [bunt] *a.* ① 다채로운, 가지각색의; 천연색의: ~e Blumen 가지각색의 꽃; 〖구어〗 wie ein ~er Hund bekannt sein 널리 알려져 있다. ② 뒤섞인, 혼합된; 다채로운, 다양한: ~e Reihe 남녀가 번갈아 늘어선 줄: der ~e Abend 다채로운 놀이가 있는 저녁 행사; ~er Teller 다양한 과자·과일 따위가 든 접시. ③ 잡다한, 난잡〔혼잡〕한: er treibt es zu ~ 그는 너무 지나치다, 천방지축이다; 〖비유〗 das wird mir zu ~ 그것은 너무 심하다, 나는 그것을 참을 수 없다.

Bunt≈anstrich *m.* 〖軍〗 위장, 카무플라즈. **~bild** *n.* 채색한 그림. **~bock** *m.* 〖動〗 남아프리카산(産) 영양의 일종. **~buch** *n.* (외교부가 의회에 제출하는) 외교 문서집(해당 국가에 따라 겉표지의 빛깔이 다름). **~druck** *m.* 〖복수: -e〗 컬러 인쇄. **~färben** *n.* 〖工〗 염색. **~farben·kinematogramm** *n.* 컬러 영화. **~färber** *m.* 염색공. **≈farbig** *a.* 다색〔컬러〕의. **~fernsehen** *n.* 컬러 텔레비전. **~feuer** *n.* 일종의 신호용 불꽃. **≈fiederig** *a.* (새가) 다채로운 깃이 있는. **~film** *m.* 컬러 영화. **≈fleckig** *a.* ↑ ≈gefleckt. **~foto** *n.* 컬러 사진. **≈gefiedert** *a.* ↑ ≈fiederig. **≈gefleckt** *a.* 점박이의, 반점이 있는. **≈-gemischt** *a.* 다채로운. **≈gestreift** *a.* 채색 줄무늬가 있는. **≈gewürfelt** *a.* 바둑판 무늬의.

Buntheit *f.* 잡색; 다채로움, 다양.

Bunt≈käfer *m.* 〖動〗 개미붙이. **~kupfer·erz** *n.* 〖광물〗 반동광(斑銅鑛). **~macher** *m.* 모피사(毛皮師). **~metall** *n.* 비철금속. **~papier** *n.* 색종이. **~sand·stein** *m.* 〖광물〗 잡색 사암(砂岩); 〖지질〗 삼첩계(三疊系)의 최하위층. **≈scheckig** *a.* 반점이 있는, 잡색의. **≈schillernd** *a.* 여러 색으로 반짝거리는. **~schrift** *f.* ↑ ~buch. **~specht** *m.* 〖動〗 청딱따구리속. **~stickerei** *f.* 색무늬가 있는 자수. **~stift** *m.* 색연필. **≈streifig** *a.* ↑ ≈gestreift. **~wäsche** *f.* 빛깔 있는 속옷. **~weberei** *f.* 착색 직물. **~werk** *n.* 모피 제품. **~werker** *m.* 모피 제조공.

Bunze [búntsə] *f.* -n, **Bunzen** *m.* -s, - 〖工〗 압천기(壓穿器), 펀치; 타인기(打印器).

Bunzlau 분츨라우(니더슐레지엔의 도시).

Buonarroti ~ Michelangelo 미켈란젤로(이탈리아 예술가, 1475-1564).

Bur [bu:r] *m.* -en, -en ↑ Bure.

Burckhardt [búrkhart] Jakob ~ 부르크하르트(스위스 예술사가, 1818-97).

Bürde [bʏ́rdə] *f.* -n ① 무거운 짐; 〖비유〗 (심적) 부담, 귀찮은 일, 걱정거리, 곤란: jm. eine ~ aufladen 누구에게 무거운 짐〔부담〕을 지우다; unter der ~ eines Amtes leiden 직무의 중압에 시달리다. ② 〖醫〗 태아.

bürden [bʏ́rdən] *t.* 〖구식〗 (무거운 짐·의무 등을) 지우다, 과하다: Verantwortung auf jn. ~ 누구에게 책임을 지우다.

Bure *m.* -n, -n 보어인(네덜란드계 남아프리카인).

Büre [bʏ́:rə] *f.* -n 침대 커버, 시트.

Bureau [byró:] *n.* -s, -s [..ró:s] ↑ Büro.

Buren≈freund [bú:rən..] *m.* 보어 사람의 편〔친구〕. **~krieg** *m.* 〖史〗 보어 전쟁. **~-staaten** *pl.* 남아프리카 제국(諸國). **~wurst** *f.* (öst.) 끓는 물에 데워먹는 소시지.

Bürette [byrɛ́tə] 《frz.》 *f.* -n 〖化〗 뷰렛, 적량계(滴量計), 눈금이 있는 유리관.

***Burg** [burk] 《⊕ bergen》 *f.* -en [..gən] ① 〖구식〗 축성 도시. ② 성(곽), 성채; 〖비유〗 피난처, 보호자: 〖구어〗 eine alte ~ 오래된〔낡은〕 집, 누옥. ③ 〖사냥〗 해리(海狸)의 집. ④ (특히 해변의) 모래 울타리, 모래성. ⑤ 빈(Wien)의 부르크 극장.

Burg≈bann *m.* 성주의 관할 범위〔재판 관구·재판권〕. **~dienst** *m.* 축성 작업 근무.

..burg *suf.* 지명의 끝에 붙어 명사를 만듦(보기: Ham~ 함부르크; die Wart~ 바르트부르크성).

***Bürge** [bʏ́rgə] 《<borgen》 *m.* -n, -n ① 보증인: einen ~n stellen 보증인을 세우다; für et.〔jn.〕 ~ sein 무엇〔누구〕의 보증인이다. ② 보증(물): der Name der Firma ist ~ für Qualität 그 회사의 이름이 곧 품질 보증이다.

bürge [bʏ́rgə] ↑ bergen 의 접속법 Ⅱ식.

Bürgel [bʏ́rgəl] *n.* -s, - 〖↑ Burg 의 축소형〗 ① 작은 성(곽). ② 성터.

Burge·meister *m.* 〖고어〗 시장(Bürgermeister).

***bürgen** [bʏ́rgən] *i.* (h.) 보증하다; 책임지다; 〖法〗 보증서다: für et.〔jn.〕 ~ 무엇을〔누구를〕 보증하다; für die Echtheit der Unterschrift ~ 서명이 진짜임을 보증하다; wer bürgt mir dafür, daß er die Schulden bezahlt 그가 빚을 갚을 것이라고 누가 내게 보증할 것인가?

Burger *m.* -s, - (schweiz.) 시민권〔거주권〕 소유자.

***Bürger** [bʏ́rgər] 《<Burg》 *m.* -s, - ① 시민; 도시인. ② **(a)** (무산 계급과 구분하여) 부르주아, 중산층의 사람. **(b)** (승려·귀족과 구분하여) 평민. **(c)** (군인과 구분하여) 민간인. **(d)** 구성원, 국민: akademischer ~ 대학생; ~ in Uniform 독일 연방군 소속 군인.

Bürger≈adel *m.* (Patrizier) 도시 귀족, 문벌가. **~aktion** *f.* 시민 운동. **~amt** *n.* 시청. **~ausschuß** *m.* 시의회, 시 참사회. **~begehren** *n.* (중요 사안에 대한) 시민의 참정권 요구. **~bewegung** *f.* 시민 운동. **~brief** *m.* 〖고어〗 시민증. **~buch** *n.* 〖고어〗 시민 명부. **~eid** *m.* 시민 선서. **~frau** *f.* 시민〔평민〕의 부인. **~garde** *f.* 시민군. **~gardist** *m.* 민병, 의용병. **~gehorsam** *m.* 〖고어〗 시의 감옥. **~geld** *n.* 〖고어〗 시민권료(料). **~genuß** *m.* 시민권 향유. **~gerechtsamen** *pl.* 시민의 특권. **~glocke** *f.* 〖옛뜻〗 시민의 종(소리) (소집·때를 알림). **~haus** *n.* ① 시민 회관. ② 중산 계층의 집안, 부르주아 가문. ③ (15-17 세기의) 민가, 시민 계층의 집. **~heer** *n.* ↑ ~-garde.

Bürgerin *f.* -nen ↑ Bürger 의 여성형.

Bürger≈initiative *f.* 시민 운동. **~komitee** *n.* 시민 위원회. **~krieg** *m.* 내란, 내전. **~krone** *f.* 시민관(冠)(훈장). **~kunde** *f.* 사회 과목; 〖구동독〗 국민 교육(중등 학교의 교과목으로 사회주의 세계관을 주입시킴).
bürgerkundlich *a.* 사회 과목의; 국민 교육의.
***bürgerlich** [bʏ́rgərlɪç] 《I》 *a.* ① 시민의, 평민(출신)의; 민간인의; 중산 계급의: die ~e Gesellschaft 시민〔평민〕 사회; von ~er Abkunft sein 시민 계급 출신이다. ② 공민〔국민〕의. ③〖法〗 민사의: ~es Gericht 민사 재판소; ~es Recht 민법; ~e Ehrenrechte 공민권; ~er Tod 공민권 상실: das ≈e Gesetzbuch 민법전(약어: BGB). ④ 평민적〔서민적〕인, 시민에 알맞은, 일상의, 간소〔검소〕한: die ~e Küche 간소한〔서민적인〕 요리; 〖天〗 ~e Zeit 상용시(常用時). ⑤〖폄어〗 속물 근성의, 편협〔고루〕한: ~e Vorurteile 속물적 편견.
Bürgerliche* *der/die* 시민; 서민; 중산 계급의 사람.
Bürgerlichkeit *f.* 시민성, 서민적〔시민적〕임; 간소, 소박; 편협.
Bürger≈mädchen *n.* 평민〔시민〕의 딸. **≈-mäßig** *a.* 서민적인. **~meister** [(또는) bʏrgərmáɪstər] *m.* 시장. **~meisterei** [(또는) bʏr..ráɪ] *f.* ① 시〔지방 자치 단체〕의 행정. ② 시〔지방 자치 단체〕의 청사. **~meisterin** *f.* ↑ ~meister 의 여성형. **~miliz** *f.* 시민군. **~nah** *a.* 서민적인, 소탈한, 관료적이 아닌. **~nähe** *f.* 서민적〔비관료적〕 태도. **~nutzen** *m.* ↑ ~genuß. **~pack** *n.* 하층민, 오합지졸. **~pflicht** *f.* 시민〔공민〕의 의무. **~rat** *m.* 시 참사회. **~recht** *n.* 시민권, 공(민)권. **~rechtler** *m.* 민권 운동가. **~-rechtlich** *a.* 시민권에 관한〔속하는〕. **~rolle** *f.* ↑ ~buch.
Bürgerschaft *f.* -en ①〖총칭〗 시민〔국민〕; 〖총칭〗 지방 자치 단체의 주민. ② (한자 동맹 도시인 함부르크와 브레멘의) 시의회.
bürgerschaftlich *a.* 시민의, 시민 계급의.
Bürger≈schreck *m.* (사회 질서를 어지럽히는) 선동가, 도발적인 사람. **~schule** *f.* 시립 중등 학교: höhere ~ 시립 실업 학교.
Bürgers·frau *f.* 시민 계급의 여자.
Bürger·sinn *m.* 〖雅語〗 공공심, 시민 정신.
Bürgers≈kind *n.* 시민〔평민〕 자식. **~leute** *pl.* 시민〔평민〕(층 사람). **~mann** *m.* 시민.
Bürger≈soldat *m.* 시민병, 의용병. **~stand** *m.* 시민〔평민〕 계급. **~steig** *m.* (Fußweg) 보도, 인도. **~steuer** *f.* 주민세(稅).
Bürger(s)·tochter *f.* 시민〔평민〕의 딸.
Bürger≈stolz *m.* 시민의 계급 의식. **~-stunde** *f.* 〖방언〗(음식점의) 법정 폐점 시간. **~tugend** *f.* 시민 도덕.
Bürgertum [bʏ́rgərtu:m] *n.* -(e)s 〖총칭〗 시민, 시민 계급.
bürgertümlich *a.* 서민풍〔평민풍〕의.
Bürger≈versammlung *f.* 시민 집회〔대회〕. **~volk** *n.* 〖총칭〗 시민. **~vorsteher** *m.* 시〔읍·면〕장, 시참사회원. **~wache, ~wehr** *f.* 시민군(~garde).
Burg≈flecken *m.* 성읍(城邑), 시읍. **~frau** *f.* 〖중세〗 성주〔기사〕의 부인. **~fräulein** *n.* 성주〔기사〕의 딸. **~freiheit** *f.* 성주의 관할 범위(↑ ~bann). **~fried** *m.* 〖史〗 (중세 성의) 중심탑, 망대, 망루. **~friede** *m.* ①〖중세〗 성주의 관할 범위, 성주의 보호 구역. ② (의회의) 잠정적인 정쟁〔당쟁〕 중지. **~gericht** *n.* 성내 법정. **~graben** *m.* 성호(城壕), 해자(垓子). **~graf** *m.* 〖중세〗 성주, 태수(재판관·군사령관을 겸함). **~gräfin** *f.* 성주의 부인. **≈-gräflich** *a.* 성주의. **~grafschaft** *f.* 성주의 직〔영지〕. **~herr** *m.* 성주. **~hof** *m.* 성(城)의 안마당.
Bürgin *f.* -nen ↑ Bürge 의 여성형.
Burg≈keller *m.* 성의 지하 감옥. **~knappe** *m.* 성내의 시동(侍童). **~lehen** *n.* 성주의 영지. **~mann** *m.* 〖복수: ..leute〗 성주; 성내의 신하. **~ruine** *f.* 성의 폐허. **~saß, ~sasse** *m.* 성내의 가신; 성내의 주민.
***Bürgschaft** [bʏ́rkʃaft] *f.* -en ① **(a)** 보증: für jn.〔et.〕 ~ leisten 누구를〔무엇을〕 보증하다. **(b)** 〖法〗 보증 계약. ② 보증금, 보석금: jn. gegen ~ freilassen 누구를 보석금을 받고 석방하다.
Bürgschafts≈brief *m.* 보증 증서. **~fähig** *a.* 보증할 수 있는. **~leistung** *f.* 보증. **~-schein** *m.* 보증 증서.
Burg≈stall *m.* 성터, 성지(城址). **~theater** *n.* 빈(Wien) 국립 극장. **~tor** *n.* 성문.
Burgund [burgʊ́nt] ① 부르고뉴(프랑스의 지방). ②〖史〗 부르군트 왕국.
Burgunder 《I》 *m.* -s, - ① 부르고뉴 사람. ② 부르고뉴산(産) 포도주. ③ 부르군트 족의 사람. 《II》 *a.* 부르고뉴의.
Burgunder·wein *m.* 부르고뉴산(産) 포도주.
burgundisch *a.* 부르고뉴의.
Burg≈verlies *n.* 성내의 (지하) 감옥. **~verließ** *n.* ↑ ~verlies. **~vogt** *m.* 성주, 태수. **~vogtei** *f.* 성주의 직. **~wache** *f.* 성의 보초병. **~warte** *f.* 성의 망루.
Burin [byrɛ̃:] 《frz.》 *m.* -s, -s [..rɛ̃:s] (동판 조각용) 끌.
burinieren [byrini:rən] 《frz.》 *t./i.* (h.) 끌로 조각하다.
burisch [bú:rɪʃ] 《< Bur》 *a.* 보어(인)의.
Burjate *m.* -n, -n ↑ Burjäte.
Burjäte [burjɛ́:tə] *m.* -n, -n 부르예트인(시베리아 남쪽에 사는 몽고족의 일원).
burjatisch, burjätisch *a.* 부르예트(인)의.
Burkhard *m.* 부르크하르트(남자 이름).
Burkina Fasso 부르키나파소(서아프리카에 있는 나라; 수도는 와가루구).
Burkiner *m.* -s, - 부르키나 사람.
burkinisch *a.* 부르키나(인)의.
Burlak [burlák] 《russ.》 *m.* -en/-en (제정 러시아 시대의) 볼가강에서 배를 끄는 인부.
burlesk [burlɛ́sk] 《it.》 *a.* 익살스러운, 우스꽝스러운.
Burleske 《it.》 *f.* -n ①〖문학〗 익살스러운 즉흥곡; 골계극, 소극. ②〖음악〗 익살스런 악곡, 희가극.
Burma [bʊ́rma] 미얀마.
Burmese *m.* -n, -n 미얀마인.
burmesisch *a.* 미얀마(인)의.
Burnus [bʊ́rnus] 《ar.》 *m.* -(ses), -se (아라비아인의) 두건 달린 외투.
***Büro** [byró:] 《frz.》 *n.* -s, -s ① 사무실. ② 사업소; 지사: die Firma unterhält in Bonn ein

~ 그 회사는 본에 지사를 두고 있다. ③ 사무실 직원(전체): das ganze ~ einladen 전직원을 초대하다.

Büro≈angestellte* *der/die* 사무원. **~arbeit** *f.* 사무. **~assistent** *m.* 사무 보조원; 수습 사원. **~ausgaben** *pl.* 사무실 (운영) 비용. **~beamte*** *der* 공무원, 사무원. **~bedarf** *m.* 사무 용품. **~chef** *m.* 사무장, 국장, 과장. **~diener** *m.* 관청〔사무소〕사환. **~fräulein** *n.* 여사무원. **~gehilfe** *m.* 사무 보조원. **~gemeinschaft** *n.* (변호사 등의) 합동 사무소. **~haus** *n.* 사무실 (전용) 건물. **~kauffrau** *f.* 사무실 기구와 판매 관리일을 함께 보는 여사무원. **~kauf·mann** *m.* 기업 내 조직관리와 판매 관리 일을 함께 보는 남자 사무원. **~klammer** *f.* 클립.

***Bürokrat** [byrokráːt] *m.* -en, -en ① 관료(주의자). ②〖폄어〗융통성 없는〔지나치게 꼼꼼한〕사람.

***Bürokratie** [..kratíː] *f.* -n [..tíːən] ① 관료 정치〔주의〕; 관료 사회; 관료 기구, 관료제. ②〖총칭〗관료. ③〖폄어〗관료 근성.

***bürokratisch** *a.* ① 관료(주의)적인; 형식주의적인. ②〖폄어〗소심한, 지나치게 꼼꼼한, 융통성 없는.

bürokratisieren *t.* 관료〔형식〕주의화하다.

Bürokratisierung *f.* -en 관료주의화.

Bürokratismus *m.* - 관료주의, 형식주의.

Bürokratius [..ráːtsius] *m.* -〖폄어〗관료주의의 화신.

Bürolist *m.* -en, -en (schweiz.) 사무실 직원.

Büro≈materialien [byróː..] *pl.* ↑ ~bedarf. **~mensch** *m.* 관료주의자; 냉정한 사람; 세상 물정을 모르는 사람. **~möbel** *pl.* 사무실용 집기. **~schluß** *m.* 퇴근 시간. **~stunden** *pl.* 집무〔근무〕시간. **~utensilen** *pl.* ↑ ~bedarf. **~vorsteher** *m.* 사무장, 국장, 과장. **~zeit** *f.* ↑ ~stunden.

burr [bur] *int.* ① 붕(딱정벌레 등의 날개 소리). ② 워(말을 멈추는 소리).

burren [búrən] *i.* (h.) ① (h.) (딱정벌레 등이) 붕붕거리다. ② (h.) (말에) 워 하고 소리 지르다.

Burr≈hahn *m.*〖動〗목도리도요. **~käfer** *m.*〖動〗풍뎅이.

Bursa [búrza] 《lat., „Geldbeutel"》 *f.* -e ①〖가톨릭〗사제 미사복의 성포낭(聖布囊). ②〖해부〗낭, 활액낭.

Bursch [burʃ] *m.* -en, -en〖방언〗↑ Bursche.

Bürschchen [býrʃçən] *n.* -s, -〖↑ Bursche의 축소형〗풋내기; 꼬마, 장난꾸러기.

***Bursche** [búrʃə] *m.* -n, -n ① 소년; 젊은이, 청년. ② (↔ Fuchs) 고참 학생; 대학생; 학생회의 정회원. ③ 도제(徒弟), 어린 머슴. ④〖폄어〗(Kerl) 놈, 녀석: ein unverschämter ~ 파렴치한 놈. ⑤〖軍〗장교의 당번병. ⑥ 사환, 보조원: Hotel≈ 호텔 종업원. ⑦〖비유〗(동물 등의) 큰놈, 실한 놈, 쓸만한 것: dieser Lachs ist ein prächtiger ~ 이 연어는 대단히 크다.

Bürschel *n.* -s, - ↑ Bürschchen.

bürschen *t./i.* (h.) 사냥개를 데리고 사냥하다 (birschen).

Burschen·brauch *m.* 대학생의 풍습〔관례〕.

burschenhaft *a.* 대학생(풍)의, 젊은이〔대학생〕다운.

Burschen≈herrlichkeit *f.* 멋진 대학 시절. **~leben** *n.* 대학생 생활. **~lieder** *pl.* 학생의 노래.

Burschenschaft [búrʃənʃaft] *f.* -en 부르셴샤프트, 대학생 학우회(1815 년 Jena 대학 학우회가 그 첫 조직임).

Burschenschafter *m.* -s, - 부르셴샤프트〔대학생 학우회〕회원.

burschenschaftlich *a.* 부르셴샤프트〔대학생 학우회〕의.

Burschen≈sitte *f.* 대학생 풍습(~brauch). **~sprache** *f.* 학생 언어.

Burschentum [búrʃəntuːm] *n.* -(e)s 젊은이다움; 대학생의 신분〔생활〕.

burschikos [burʃikóːs] 《d. -lat.》 *a.* ① 소년다운, 얽매이지 않은; (특히 소녀가) 거리낌없는, 자유분방한. ②〖구식〗품위 없는, 무례한.

Burschikosität [..kozitέːt] *f.* -en 발랄; 자유분방한 행동〔태도〕.

Bürschlein *n.* -s, - ↑ Bürschchen.

Burse [búrzə] *f.* -n ①〖중세〗지갑, 돈주머니. ② (14-17 세기의) 대학생 기숙사.

Bürstchen *n.* -s, - ↑ Bürste의 축소형.

***Bürste** [býrstə] (《♧ Borste》) *f.* -n ① 솔, 브러시; 먼지털이. ②〖전기〗(모터의) 브러시. ③ ↑ Bürstenfrisur.

bürsten [býrstən] 《Ⅰ》 *t.* ① 솔질하다, 솔질하여 털어내다: sich³ die Zähne ~ 칫솔로 이를 닦다. ②〖고어〗술 마시다. 《Ⅱ》 *i.* (h.) ①〖농담〗술 마시다. ② 스쳐 지나다, 질주하다. ③〖비속〗성교하다.

Bürsten≈abzug *m.*〖印〗교정쇄. **~binder** *m.* 솔 만드는 사람: wie ein ~ laufen 질주하다;〖구어·농담〗wie ein ~ saufen 폭음하다. **~entladung** *f.*〖전기〗브러시 방전(放電). **~frisur** *f.* (브러시 모양으로) 위로 뻗친 짧은 머리칼. **~haar·schnitt** *m.* ↑ ~frisur. **~halter** *m.*〖전기〗브러시 홀더. **~kontakt** *m.* 브러시 접촉. **~macher** *m.* 솔 만드는 사람. **~rad** *n.*〖工〗마찰륜(輪).

Bürstlein *n.* -s, - ↑ Bürstchen.

..bürtig *suf.* "…신분(출신)의"의 뜻(보기: ritter~ 기사 가문〔신분〕의; eben~ 같은 신분의).

Burundi [burúndi] 부룬디(중앙 아프리카에 있는 공화국).

Burundier *m.* -s, - 부룬디 인.

burundisch *a.* 부룬디(인)의.

Burzel [búrtsəl] *m.* -s, - 땅딸보(↑ Purzel).

Bürzel [býrtsəl] *m* -s, - ① (새·짐승의) 꼬리가 달린 부분, 둔부, 미저골(尾骶骨). ②〖사냥〗(사슴·토끼 등의) 짧은 꼬리.

Bürzel·drüse *f.*〖動〗(날짐승의) 미선(尾腺).

burzeln [búrtsəln] *i.* 곤두박질하다(purzeln).

***Bus** [bus] 《engl.》 *m.* -ses, -se 버스.

***Busch** [buʃ] *m.* -es, Büsche [býʃə] ① 수풀, 총림(叢林); 관목(숲); 원시림; 열대 지방의 밀림:〖구어·비유〗bei jm. auf den ~ klopfen 누구의 의향을 떠보다, 누구를 유도 심문하다;〖구어·비유〗sich (seitwärts) in die Büsche schlagen 슬쩍 달아나다;〖구어·비유〗mit et.³ hinterm ~ halten 무엇을 비밀에 붙이다. ② 다발, 묶음; 술, 송이. ③ (모자 따위의) 깃장식.

Busch≈affe *m.* 〖動〗 오랑우탄, 성성(猩猩)이. **~baum** *m.* 관목, 키가 작은 나무. **~bock** *m.* 영양류(羚羊類). **~bohne** *f.* 강낭콩.
Büschchen [býʃçən] *n.* -s, - ↑ Busch 의 축소형.
Büschel [býʃəl] 《<Busch》 *m./n.* -s, - ① (작은) 다발, 묶음, 단, 술. ② 나무에서 떨어진 마른가지, 물거리. ③〖印〗 망광(芒光). ④〖植〗 총생(叢生), 밀산(화)(密繖(花)), 원추꽃차례, 화총(花叢).
büschel≈artig *a.* 다발〔술〕 형태의. **≈boden** *m.* (술을 거르는) 털로 된 체.
Büschelchen *n.* -s, - ↑ Büschel 의 축소형.
Büschel≈entladung *f.* 〖전기〗 망광 방전(芒光放電). **≈förmig** *a.* ↑ ~artig.
büschelig *a.* ↑ büschelartig.
Büschel≈kiemer *m.* 〖動〗 관새목(冠鰓目). **~kuchen** *m.* 〖動·해부〗 소엽 태반(小葉殆盤). **~licht** *n.* 〖전기〗 망광(芒光). **~mütze** *f.* 깃털을 붙인 모자.
büscheln 《I》 *t.* 다발로 묶다. 《II》 **gebüschelt** *p.a.* ↑ gebüschelt.
Büschel≈nelke *f.* 〖植〗 끈끈이대나물. **≈weise** *adv.* 다발〔단〕을 지어.
Buschen [búʃən] *m.* -s, - 〔방언〕 큰 다발.
buschen *t.* (풀 따위를) 베다, 뽑아내다.
Buschen≈schank *m.* ↑ ~schenke. **~schenke** *f.* 자기 집에서 만든 포도주를 시음케 하고 판매하는 술집.
Busch≈eule *f.* 〖動〗 올빼미의 일종. **~fang** *m.* 숲에서의 새사냥. **~gras** *n.* 〖植〗 오리새류. **~hemd** *n.* 남방 셔츠. **~holz** *n.* 관목숲; 총림(叢林), 수풀; 덤불. **~huhn** *n.* 〖動〗 탈레갈루스속의 새.
buschicht [búʃıçt] *a.* ↑ buschig.
Buschicht *n.* -(e)s, -e 덤불, 수풀, 총림.
buschieren *i.* (h.) 〖사냥〗 개를 풀어 작은 사냥거리를 찾다.
buschig [búʃıç] *a.* ① 털이 많은, 덥수룩한. ② 관목이 무성한. ③ 떨기 모양의, 다발로 된, 관목 형태로 자란.
Busch≈klepper *m.* 산적, 노상 강도. **~klepperei** *f.* 산적질, 노상 강도질. **≈kleppern** (*p.p.* gebuschkleppert) *i.* (h.) 산적질〔노상 강도짓〕을 하다. **~kohle** *f.* 〔방언〕 숯, 목탄. **~lein** *n.* ↑ Büschchen. **~mann** *m.* 〔복수: ~männer〕 부시맨(남아프리카의 원주민). **~maus** *f.* 〖動〗 주머니쥐의 일종. **~meister** *m.* 〖動〗 브라질산(產) 독사. **~mensch** *m.* 오랑우탄(~affe). **~messer** *n.* 대형 칼〔낫〕. **~neger** *m.* 서인도의 흑인(종족); 〔비유〕 우둔한 사람. **~reiter** *m.* 산적, 노상 강도(~klepper). **~sänger** *m.* 〖動〗 휘파람새의 일종. **~schnepfe** *f.* 〖動〗 누른도요. **~spinne** *f.* 〖動〗 (열대산(產)의) 새잡이 거미의 일종. **~streu** *f.* 마른 잎으로 만든 침대 깔개. **~weide** *f.* ① 관목이 우거진 목장. ②〖植〗 선버들. **~werk** *n.* 무성한 덤불. **~windröschen** *n.* 〖植〗 아네모네. **~würmer** *pl.* 〖動〗 전둔(前臀) 동물.
Buse *f.* -n (schweiz.) ① 양털 부스러기 (Wollflaum). ② 고양이(Katze).
Büse [bý:zə] 《ndl.》 *f.* -n 청어잡이 배.
*__Busen__ [bú:zən] *m.* -s, - ① (산 따위의) 요부(凹部); 만(灣). ② (젖)가슴; 유방. ③ 품: an js. ~ 누구의 품에 안겨; am ~ der Natur 자연의 품에서, 야외에서. ④ 옷의 팬 목 부분. ⑤ 〔비유〕 내부; 심중, 흉중: im tiefsten ~ 마음 속 깊이; ein Geheimnis im ~ verschließen 비밀을 가슴에 숨겨두다.
busen≈frei *a.* 가슴을 드러낸. **≈freund** *m.* 막역한 친구. **~kind** *n.* 총아, 귀염둥이. **≈krause** *f.* 가슴쪽의 주름 장식. **~latz** *m.* ↑ ≈tuch. **≈nadel** *f.* 브로치. **≈schleier** *m.* 수녀의 베일. **~schleife** *f.* 가슴의 매듭 장식. **~star** [..ʃta:r, ..sta:] *m.* 〔구어〕 가슴이 큰 여배우. **≈streif(en)** *m.* ↑ ~krause. **≈sünde** *f.* 빠지기 쉬운 죄, 상습적 죄악. **≈tuch** *n.* (여성복의) 가슴받이, 가슴 가리개.
Bus≈fahrer *m.* 버스 운전사. **~halte·stelle** *f.* 버스 정류장.
Bushel [búʃəl] 《engl.》 *m.* -s, -s 부셀(약 36 리터에 해당하는 영국의 곡량 단위).
busig [bú:zıç] 《<Busen》 *a.* ① 만(灣)을 이룬. ② 가슴이 풍만한. ③ 가슴처럼 볼록한.
..busig *suf.* 형용사에 붙여 "…한 가슴의"의 뜻 (보기: voll~ 가슴이 풍만한).
Business 新정서 ⇦ Busineß.
Busineß [bíznıs] 《engl.》 *n.* - 일, 용무, 사업, 비즈니스.
Bus·linie *f.* 버스 노선.
busper *a.* (alem.) 쾌활한, 싱싱한.
Bussard [búsart] *m.* -(e)s, -e [..də] 〖動〗 말똥가리속의 새.
Buß≈andacht *f.* 참회 미사. **~bank** *f.* 〔복수: ..bänke〕 〖宗〗 참회(할 때 앉는) 의자. **~bruder** *m.* 참회승(僧), 속죄자. **~buch** *n.* 참회 절차 규정서.
*__Buße__ [bú:sə] 《♧ Besserung》 *f.* -n ① 참회, 회개; 후회; 속죄, 갚음: für et. ~ tun 어떤 일을 참회〔속죄〕하다. ② 보상, 배상; 과태료, 벌(금): ~ auferlegen〔zahlen〕 벌금을 과하다〔물다〕.
Bussel 《obd.》 *n.* -s, -(n) ↑ Busserl.
busseln *t.* ↑ busserln.
*__büßen__ [bý:sən] 《I》 *t.* ① 참회〔속죄·회개〕하다: seine Sünden ~ 자신의 죄를 속죄하다. ② (죄의) 대가를 치루다; (누구를) 벌금형에 처하다, (누구에게) 과태료를 물리다: das soll er mir büßen! 나는 그에게 그것에 대해 앙갚음을 할 것이다. ③ 갚다, 보상〔배상〕하다: er mußte seinen Leichtsinn mit dem Tode ~ 그는 그의 경솔함의 대가로 죽음을 당했다. ④ 〔구식〕 (욕구를) 만족시키다. 《II》 *i.* (h.) 참회〔속죄·회개〕하다; 〖聖〗 in Sack und Asche ~ 베옷을 입고 재에 앉아 참회하다(마태 11 : 21).
Büßende* *der/die* 참회자, 속죄자.
Büßer *m.* -s, - 참회자, 속죄자, 고해자.
Büßer≈gewand *n.* ↑ ~hemd. **~hemd** *n.* 참회복.
Büßerin *f.* -nen ↑ Büßer 의 여성형.
Busserl [búsərl] *n.* -s, - (obd.) 키스.
busserln *t.* (obd.) (…에게) 입맞추다, 키스하다.
Büßer≈orden *m.* 참회 교단. **~schnee** *m.* 〖지리〗 (특히 열대 지방의 높은 산의) 순례자의 모습을 연상시키는 눈덩이.
Buß≈fach [bú:s..] *n.* 펠트 모자를 기운 조각. **≈fällig** *a.* 처벌해야 할, 범죄를 저지른. **≈fertig** *a.* 회개할 준비가 되어 있는, 개전의 정이 있는. **~fertigkeit** *f.* 참회, 후회, 개전의 정. **~gebet** *n.* 참회의 기도. **~geld** *n.* 벌금,

과태료. **~geld·bescheid** *m.* 과태료〔벌금〕 부과 (통지서). **~gewand** *n.* 참회복(服). **~gottes·dienst** *m.* 〖가톨릭〗 참회 미사.
bußhaft [bú:shaft] *a.* 참회〔회개〕하는.
Buß·kleid *n.* 참회복.
Bußl *n.* -s, - (obd.) 키스, 입맞춤.
Büßling [bý́slıŋ] *m.* -s, -e 〖植〗 삼나무.
Bussole [busó:lə] 《it.》 *f.* -n 자기(磁氣) 컴퍼스〔나침반〕; 〖전기〗 자침 전류계.
Buß⸗prediger *m.* 참회를 권하는 설교자. **~predigt** *f.* 참회를 권하는 설교. **~psalm** *m.* 〖聖〗 참회〔속죄〕 시편. **~sakrament** *n.* 고해 성사. **~schemel** *m.* ↑ ~bank. **~-schwester** *f.* 여성 참회자. **~seite** *f.* 수선해야 할 쪽〔면〕. **~stück** *n.* 덧대는 천조각. **~tag** *m.* ① 속죄의 날. ② ↑ ~ und Bettag. **~text** *m.* 참회 설교용 성서 구절. **~übung** *f.* 참회의 고행〔실천〕. **~- und Bet·tag** *m.* 참회 기도일.
Büßung [bý:suŋ] *f.* -en 참회, 회개; 속죄; 보상, 배상.
Buß⸗werke *pl.* 참회 행위〔일〕. **~zeit** *f.* 고해〔참회〕 시간; 사순절(四旬節). **~zelle** *f.* 고해실, 참회실.
***Büste** [bý́stə] 《frz. buste》 *f.* -n ① (특히 여자의) 상반신, 흉부. ② 흉상(胸像), 반신상. ③ 〖재단〗 동체(胴體) 모형, 보디.
Büsten·halter *m.* 브래지어(약어: BH).
Bustier [bystíe:] 《frz.》 *n.* -s, -s 소매 없는 여자 속옷.
Bustrophedon [bustrofedó:n] 《gr.》 *n.* -s 좌우 교호(交互) 서법(소가 밭을 가는 것처럼 한 줄을 좌로부터 쓰면 다음 줄은 우로부터 쓰는 고대 그리스의 서법).
Busuki *f.* 〖악기〗 그리스 민속 음악에 사용하는현악기의 일종.
Butadien [butadié:n] *n.* 〖化〗 부타디엔(합성 고무의 원료).
Butan [butá:n] 《gr.》 *n.* -s 〖化〗 부탄.
buten [bú:tən] *adv.* (ndd.) 밖에서.
Butike *f.* -n 〖방언〗 선술집(Budike).
Butiker *m.* -s, - 선술집 주인(Budiker).
Butler [bátlər, bʌtlə] 《engl.》 *m.* -s, - (영국 귀족 가문의) 집사(執事).
Butscher *m.* -s, -s (nordd.) 소년(Buttjer).
Butt [but] 《ndd.》 *m.* -(e)s, -e 〖動〗 넙치속.
butt *a.* (ndd.) 땅딸막한; 우둔한.
Bütt [byt] *f.* 〖방언〗 (사육제〔카니발〕에 쓰는) 통모양의 연단.
Butte *f.* -n ① (소·양의) 맹장. ② (obd.) ↑ Bütte ①.
Bütte [bý́tə] *f.* -n ① 물통; (포도 수확기에 등에 짊어지는) 통. ② (젓는 기구가 딸린 타원형의) 제지용 통. ③ 〖드물게〗 ↑ Bütt.
Buttel [bútəl] *f.* -n 〖방언〗 ↑ Buddel.
Büttel [bý́təl] (♧ bieten) *m.* -s, - ① 〖구식〗 재판소의 정리(廷吏), 형리(刑吏). ② 〖폄어〗 경찰(관). ③ 〖폄어〗 앞잡이, 하수인.
Büttelei [bʏtəlái] *f.* -en 감옥.
butteln [bútəln] 《Ⅰ》 *i.* (h.) 거품이 일다. 《Ⅱ》 *t./i.* (h.) 파헤치다: in Erde〔Asche〕 ~ 흙을〔재를〕 파헤치다.
bütteln [bý́təln] *t.* (jn.) 난폭하게 다루다.
Bütten [bý́tən] *n.* -s, - ↑ ~papier.
Bütten⸗papier *n.* 손으로 뜬 종이. **~rede** *f.* 사육제 때에 통 모양의 연단에 올라가 행하는 우스꽝스러운 연설. **~träger** *m.* 행상인.
***Butter** [bútər] 《gr. -lat.》 *f.* ① 버터: et. in ~ braten 무엇을 버터에 볶다; eine Scheibe Brot mit ~ bestreichen 빵 한 조각에 버터를 바르다; 〖구어〗 es ist alles in (bester) ~ 모든 일이 순조롭게 되고 있다; er ist weich wie ~ 그는 상냥하고 온순하다; ihm zerrinnt das Geld wie ~ an der Sonne 그는 돈을 헤프게 쓴다; mir ist die ~ vom Brot gefallen 나는 당황했다〔깜짝 놀랐다〕; sie läßt sich nicht die ~ vom Brot nehmen 그 여자는 속아 넘어갈〔만만한〕 사람이 아니다; jm. die ~ auf dem Brot nicht gönnen 누구를 질투〔시기〕하다. ② 버터 모양의 물건; 반죽한 물건(요리·약 따위); 눈곱(Augen~).
Butter⸗ampfer *m.* 〖植〗 애기괭이밥. **~artig** *a.* 버터 같은. **~äther** *m.* 〖化〗 부티르산 에테르. **~baum** *m.* 〖植〗 버터나무. **~bemme** *f.* ↑~brot. **~berg** *m.* (유럽 공동체의 보호주의 농업 정책으로 인해 발생한) 잉여 버터 재고. **~birne** *f.* 버터 배(질이 연하고 즙이 많음). **~blume** *f.* (민들레처럼) 노란꽃이 피는 식물; 〖농담〗 밀짚 모자(Strohhut). **~-bohrer** *m.* (제조할 때 쓰는) 버터 검사기. **~brezel** *f.* 버터로 구운 8자 모양의 빵. **~brief** *m.* 〖가톨릭〗 (사순절 기간 중의) 버터 식용 허가증. **~brot** *n.* 버터 빵: belegtes ~ 소시지·치즈 등을 끼운 버터 (바른) 빵; auf ~ 시험삼아; für ein ~ arbeiten 푼돈 받고 일하다; jm. et. aufs ~ schmieren 누구에게 무엇을 분명히 알게 하다, 누구의 무엇을 자꾸 비난하다; et. für ein ~ bekommen〔kaufen〕 무엇을 헐값에 사다. **~brot·papier** *n.* (기름이 배지 않는) 버터 빵 종이. **~brühe** *f.* 버터 소스. **~büchse** *f.* 버터통. **~creme** *f.* 버터 크림. **~dose** *f.* ↑ ~büchse. **~elf** *m.* 〖방언〗 바보. **~fahrt** *f.* 〖구어〗 관세를 물지 않고 (물건을) 싸게 살 수 있는 배 여행. **~faß** *n.* (버터 만들 때의) 우유 젓는 통; 버터 넣는 통. **~fliege** *f.* 〖動〗 노랑나비.
Butterfly [bʌ́təflaı] 《engl.》 *m.* -s, - ① 〖수영〗 버터플라이, 접영; 〖피겨스케이트〗 버터플라이(공중에서 상체를 수평으로 하는 동작); 〖체조〗 수평 자세의 공중 회전. ② 나비 넥타이.
Butter⸗form *f.* 버터를 만드는 틀. **~frau** *f.* 버터 파는 여자. **~gebäck** *n.* 버터를 넣어 구운 과자. **~gebackene*** *das* ↑ ~gebäck. **~-gelb** *a.* 버터색의, 노란 빛의. **~geschäft** *n.* 버터 가게. **~glocke** *f.* 종 모양의 버터 그릇.
butterhaft [bútərhaft] *a.* 버터 같은.
butter⸗haltig *a.* 버터가 든. **~handlung** *f.* 버터 가게. **~herzig** *a.* 다정다감한. **~hose** *f.* 긴 버터통.
butterig [..riç] 《<Butter》 *a.* 버터 같은, 버터가 든, 버터 맛이 나는.
Butter⸗kammer *f.* 버터 저장실. **~karte** *f.* 버터 구매권. **~käse** (버터처럼 부드러운) 크림 치즈. **~krem** *f.* ↑ ~creme. **~kringel** *m.* ↑ ~brezel. **~kuchen** *m.* 버터 케이크. **~kühler** *m.* 버터 냉각기. **~land** *n.* 〖海〗 수평선에 육지처럼 보이다가 버터처럼 사라지는 구름. **~lecker** *m.* 〖방언〗 나비. **~mann** *m.* 버터 파는 사람. **~messer** *n.* 버터나이프. **~milch** *f.* (버터 채취 후의) 탈지유.
buttern[1] [bútərn] 《<Butter》 《Ⅰ》 *t.* ① 버터를 바르다. ② 버터로 맛을 내다: Nudeln ~ 버

터로 국수 맛을 내다. ③〖구어〗(돈을) 쏟아 붓다, 투자하다: viel Geld in et. ~ 무엇에 많은 돈을 쏟아 붓다〔처바르다〕. ④〖스포츠〗(공을 세게) 슛하다. ⑤〖방언〗(아침으로 버터빵을) 먹다. 《Ⅱ》 *i.* (h.) ① 버터를 만들다. ② (유지가) 버터로 되다: die Milch buttert (sich) gut 이 우유는 버터만들기가 좋다; 〖비유〗es buttert nicht 일이 잘 안 풀린다; das will nicht ~ 그것은 헛수고다. ③〖구어〗(상처가) 곪다.

buttern[2] *a.* 버터로 만든.

buttern[3] *i.* (h.) 〖방언〗 쾅하고 충돌하다.

Butter·öl *n.* 〖化〗 낙유(酪油), 유지(乳脂). **~säure** *f.* 〖化〗 낙산(酪酸), 부티르산. **~schmalz** *n.* 버터 지방. **~schminke** *f.* 버터 착색 화장품. **~schnitte** *f.* ↑ ~brot. **~semmel** *f.* 버터를 바른 롤빵. **~soße** *f.* 버터 소스. **~stecher** *m.* ↑ ~bohrer. **~stempel** *m.* (버터를 제조할 때) 휘젓는 막대기. **~stößel** *m.* ↑ ~stempel. **~stulle** *f.* 버터 바른 빵. **~teig** *m.* 버터가 든 반죽. **~topf** *m.* 버터 단지. **~verfälschung** *f.* 버터의 부정 제조. **~vogel** *m.* 〖방언〗 노랑나비. **~weck** *m.* 빵 모양의 버터; 버터가 든 빵. **~weich** *a.* ① 버터처럼 부드러운. ②〖비유·구어〗동정심 있는; 관대한. ③〖스포츠〗 가벼운, 사뿐한. **~woche** *f.* 〖가톨릭〗 사순절 전주(前週); 〖비유〗허니문. **~wurz(el)** *f.* 〖植〗 벌레잡이제비꽃.

Butt·fisch *m.* 넙치속(↑ Butt).

Bütt·geselle *m.* 종이 만드는 직공.

buttig *a.* (ndd.) 땅딸막한, 짧고 굵은.

Buttje *m.* -s, -s (ndd.) 소년.

Buttjer *m.* -s, -s ↑ Buttje.

Büttner [bʏ́tnər] *m.* -s, - 〖방언〗 통장이 (Böttcher).

buttrig *a.* ↑ butterig.

Butyl [butý:l] 《gr.》 *n.* -s 〖化〗 부틸.

Butyrat [butyrá:t] 《gr. -lat.》 *n.* -(e)s, -e 부티르산염.

Butyrometer 《gr.》 *n.* -s, - 유지방 측정기.

Butz [buts] *m.* -en, -en ① 꼬마, 난쟁이. ② 도깨비, 요괴. ③ 사과의 과심(果心)

Bützchen [bʏ́tsçən] *n.* -s, - 〖방언〗 (가벼운) 키스.

Butze[1] [bʊ́tsə] *m.* -n, -n ↑ Butz.

Butze[2] *f.* -n (ndd.) ① 벽에 설치한 침대, 밀어 넣는 침대. ②〖海〗 널칸막이, 격벽(隔壁).

Butze·mann *m.* 〖복수: ..männer〗 (Kobold) 도깨비, 요괴.

Butzen *m.* -s, - ① 덩어리. ②〖광물〗 광맥괴(塊). ③ 초의 검게 탄 심지 부분. ④ (사과의) 과심(果心). ⑤ 눈곱, 코딱지, 고름의 멍울〔심〕. ⑥ 판유리의 돌기. ⑦ 주물의 불규칙한 부분.

Butzen·scheibe *f.* (가운데가 불룩 나온) 원반(圓盤) 유리.

butzig [bʊ́tsıç] *a.* ① 단단해진. ② 우스꽝스러운.

Butz·kopf *m.* 〖動〗 돌고래.

Bux [bʊks] *m.* -es, -e 회양목(Buchs).

Büx [bʏks] *f.* -en (mnd.) ↑ Buxe.

Buxe [bʊ́ksə] *f.* -n (mnd.) 바지.

buxen *t.* 〖비속〗 재빨리 바지 호주머니에 쑤셔 넣다; 들치기하다.

Buxtehude [bʊkstəhú:də] *m.* 〖구어·농담〗 일정하지 않은 어느 곳(Nirgendheim): in 〔aus, nach〕 ~ 어딘지 알 수 없는 먼 곳에서〔곳으로부터, 곳으로〕.

Buyout [báıǀaʊt] 《engl.》 *n.* -s, -s 경영 매입 (Management-Buy-out).

Buz *m.* -es, -e, **Buzel** *n.* -s, - 어린 식물; 어린 아이.

buzen *i.* (h.) 성장하지 않고 있다.

Buzentaur [butsɛntáʊr] 《gr.》 *m.* -en, -en 〖그리스신화〗 반인반우의 괴물. ② 베니스 총독이 타던 호화선.

Buzephalus [butsé:falʊs] *m.* - 알렉산더 대왕의 애마(愛馬); 〖비유〗 애마.

BV =Bundesverfassung (스위스의) 연방 헌법.

BVG ① =Bundesverfassungsgericht 연방 헌법 재판소. ② =Betriebsverfassungsgesetz (종업원 대표로 경영에 참가하는 위원들의 권한을 정하는) 경영 규칙법.

b.w. =bitte wenden 뒷면 참조.

BWV =Bach-Werke-Verzeichnis 바흐 작품번호.

bye-bye [báıbáı] 《engl.》 *adv.* 〖구어〗 안녕, 바이바이.

Bypass [báıpa:s] 《engl.》 *m.* -, -es ① 우회로. ② 측관(側管). ③〖전기〗 부도선(副導線). ④〖醫〗 (a) 손상된 장기〔혈관〕의 연결. (b) 대체 장기, 인공 호스.

Byssus [bʏ́sʊs] 《gr. -lat.》 *m.* - ① 고대의 가는 아마실〔직물〕. ②〖動〗 (부족류(斧足類)의) 족사(足絲).

Byte [báıt] 《engl.》 *n.* -(s), - 〖컴〗 바이트.

Byzantiner [bytsantí:nər] *m.* -s, - ① 비잔티움 주민. ② 동로마 제국의 화폐. ③〖비유〗 아첨〔추종〕자.

byzantinisch *a.* 비잔티움의; 〖비유〗 추종하는, 비굴한.

Byzantinismus *m.* - ① 비잔티움 양식. ② 〖비유·구식·폄어〗 비굴, 굴종.

Byzantinist *m.* -en, -en ① 비잔티움학을 연구하는 학자. ② 비잔티움학을 공부하는 학생.

Byzanz [bytsánts] 비잔티움(후의 콘스탄티노플; 현재의 이스탐불).

bz =bezahlt (시세표상의) 지급필(畢).

Bz. =Bezirk 구역.

bzw. =beziehungsweise 각각, 각기(respektive); 또는(oder), 내지(und).

C

C, c [tse:] *n.* -, - ① 독일어 자모의 셋째 자. ② 〖動〗 (C-Falter) 들신선나비류(類). ③ = Cent, Centime, Zenti... ④〖음악〗 다음(音); 다조(調)(대문자는 다장조(C-Dur), 소문자는 다단조(c-Moll)).
C ①〖化〗=Carboneum 탄소. ② **(a)** =Celsius 섭씨. **(b)** =Coulomb 쿨롱(전기량의 단위). **(c)** =Centum 로마 숫자의 100; CC=200. ③ 독일의 옛 화폐에 표시된 기호(Frankfurt a.M. 조폐국을 말함).
Ca〖化〗=Calcium 칼슘(↑ Kalzium).
ca. =circa [tsírka] 약(約), 대략.
Cab [kæb] 《engl.》 *n.* -s, -s 말 한 필이 끄는 2 륜〔4 륜〕 영업용 마차; 택시.
Cabaletta [kaba|léta] *f.* -s/..leten〖음악〗 카발레타(리듬이 한결같은 짧은 아리아).
Caballero [kavaljé:ro, kaba..] 《lat.》 *m.* -s, -s ① 에스파냐의 귀족; 기사. ②〖호칭〗여보세요; 선생님(이름과 함께 쓸 수 없음).
Caban [kabã] *m.* -s, -s 남성용 반코트.
Cabanossi [kabanɔ́si] *f.* -〖요리〗 가늘고 향이 진한 이탈리아 소시지(↑ Kabanossi).
Cabaret [kabaré:] *n.* -s, -s ↑ Kabarett.
Cabochon [kabɔʃɔ̃:] 《frz.》 *m.* -s, -s [..ʃɔ̃:s] 카보숑(윗부분을 둥글게 간 보석).
Cabrio [ká:brio] *n.* -s, -s ↑ Cabriolet.
Cabriolet [kabriolé:] *n.* -(e)s, -e ↑Kabriolett.
Cachenez [kaʃəné:] 《frz.》 *n.* -, - 목도리.
Cachet [kaʃé:, ..ʃɛ́] 《frz.》 *n.* -s, -s [..ʃé:s] 인장, 도장; 봉인;〖비유〗특징.
Cachetero [katʃeté:ro] *m.* -s, -s 부상당한 소에 마지막 일격을 가하는 투우사.
Cachou [kaʃú:] 《frz.》 *n.* -s, -s [..ʃú:s] ① ↑ Katechu. ② 카슈(입에 넣는 진해제), 향정.
Cachucha [katʃú:tʃa] 《sp.》 *f.* 카추차(에스파냐 안달루시아 지방에서 유래한 무용(곡)).
Cäcilia [tsetsí:lia], **Cäcilie** [tsɛtsí:liə] 《lat.,》 *f.* 세실리아(여자 이름);〖가톨릭〗 die heilige ~ 성녀(聖女) 세실리아(음악의 수호 성녀).
Cäcilien-Verband *m.*〖가톨릭〗 세실리아 성가대.
Cäcilianismus *m.* -〖음악〗 19 세기 교회 음악 개혁 운동(예배에서의 세속 음악 추방).
CAD =computer-aided design〔drafting〕 컴퓨터〔전산〕 디자인〔설계〕.
Caddie [kédi, kǽdi] 《engl.》 *m.* -s, -s ①〖골프〗 캐디. ② 골프채 운반용 2 륜차. ③ (슈퍼마켓에서 사용하는) 물건 구입용 수레.
Cadeau [kadó:] 《frz.》 *n.* -s, -s [..dó:s] (Geschenk) 선물.
Cadmium [kátmiʊm] *n.* 카드뮴(↑ Kadmium).
Cadre [ká:der] 《frz., cadre》 *m.* -s, -s ↑ Kaderpartie.
***Café** [kafé:] 《frz.》 *n.* -s, -s [..fé:s] 커피점 (Kaffeehaus); 카페(Kaffee ⑤).
Café chantant [kafe ʃãtã:] 《frz.》 *n.* - -, -s -s [kafe ʃãtã:(s)] 음악 여흥이 있는 카페.
Café complet [kafekɔ̃plɛ́] *m.* - -, -s -s 커피에 우유·빵·버터·잼을 곁들인 메뉴.
Café crème [kafekrɛ́:m] *m.* - -, -s - 생크림 커피.
Cafeteria [kafetərí:a] *f.* -rien/-s 카페테리아(셀프서비스 간이 식당).
Cafetier [kafetié:] *m.* -s, -s [..tié:s]〖고어〗 카페 주인.
Cafetière *f.* ↑ Cafetiere.
Cafetiere [kafetiɛ́:rə] *f.* -n 카페 여주인.
Cairn [kɛrn] 《klt.》 *m.* -s, -s 돌무덤; (이정표·기념비로 쌓아올린 원뿔꼴의) 돌무더기.
Caisson [kɛsɔ̃:] 《frz.》 *m.* -s, -s [..sɔ̃:s]〖工〗 (수중 토목 공사용의) 잠함(潛函), 케송.
Caisson·krankheit *f.*〖醫〗 잠수병, 잠함병.
Cakewalk [ké:kwɔ:k, kéɪk..] 《engl.》 *m.* -(s), -s ① 케이크워크. ② 케이크워크춤〔곡〕.
Cal =Kilogrammkalorie 킬로칼로리.
cal [kalorí:] =Grammkalorie 칼로리.
Caladium [kalá:diʊm] 《lat.》 *n.* -s, ..dien [..diən]〖植〗 칼라듐(토란속(屬)의 온실 관엽 식물).
Calais [kalɛ́:] 칼레(프랑스의 항구 도시).
Calamit [kalamí:t, ..mít] 《gr.》 *m.* -en, -en 노목(蘆木)(고생대 양치 식물).
Calamus *m.* -, ..mi (갈대로 만든) 고대의 필기 도구.
calando [kalándo] 《it.》 *adv.*〖음악〗 점점 느리고 약하게.
calci... ↑ kalzi...
Calcium [káltsiʊm] *n.* -s 칼슘(↑ Kalzium).
Caldera *f.* ..ren〖지질〗 칼데라.
Calderón [kaldərɔ́n, kaldərɔ́:n] Pedro ~ de la Barca 칼데론(에스파냐의 희곡 작가, 1600-81).
Calembour, Calembourg [kalãbú:r] 《frz.》 *m.* -s, -s〖고어〗 말장난, 익살.
Calendula 《lat.》 *f.* -e 금잔화.
Caliban [ká(:)liban] ↑ Kaliban.
Californium [kalifɔ́rnium] *n.* -s〖化〗 칼리포르늄(방사성 원소; 기호: Cf).
Callboy 《engl.》 *m.* -s, -s 매춘 소년, 남창.
Callgirl 《engl.》 *n.* -s, -s 콜걸, 매춘부.
Calmette·verfahren [kalmɛ́t..] *n.* 결핵 예방 주사(프랑스 세균학자 A.L.C. Calmette 의 이름에서).
Calumet [ká:lumɛt, kalumɛ́t, kalymɛ́] *n.* -s, -s 인디언의 평화의 담뱃대.
Calvados [kalvadó:s, ..dɔ́s] *m.* -s, - 칼바도스(프랑스산(產) 사과 브랜디).
Calvin [kalví:n] Johann ~ 칼뱅(스위스의 종교 개혁가, 1509-64).
Calvinismus *m.* -〖宗〗 칼뱅교, 칼뱅주의.
Calx [kalks] *f.* Calces [káltse:s] 석회.

Calypso [kalípso, ..iýpso] *m.* -(s), -s ①〖그리스신화〗칼립소(Odysseus를 7년간 Ogygia 섬에 잡아둔 바다의 요정). ② 칼립소(서인도 제도의 민속 음악; 룸바조〔삼바조〕의 춤).
CAM =《engl.》computer-aided manufacturing 컴퓨터〔전산〕이용 제조.
Camaieu [kamaiǿ:] 《frz.》*m.* -s, -x ① 돋을새김 세공을 한 보석. ② ↑ ~gemälde.
Camaieu·gemälde *n.* 단채화(單彩畫).
Camembert [kámәmbe:r, ..bεr, kamãbέ:r] 《frz.》*m.* -s, -s 고급 치즈의 일종.
Camera obscura [kámәra ɔpskú:ra] 《lat., „Dunkelkammer"》*f.* - -/-e, -e〖物·광학〗카메라 오브스큐라, 암실 투영 장치.
Camion [kamiɔ̃́:, kámiɔ̃] *m.* -s, -s (schweiz.) 화물 자동차.
Camionage [kámiɔna:ʒә, kamiɔná:ʒә] *f.* (schweiz.) ① 운송(업). ② 운송료.
Camionneur [kamiɔnǿ:r, kámiɔnø:r] *m.* -s, -e (schweiz.) 운송업자.
Camouflage [kamuflá:ʒә] 《frz.》*f.* -n 가장(假裝), 의장(擬裝);〖軍〗위장.
camouflieren [kamuflí:rәn] *t.* 가장〔카무플라주〕하다;〖軍〗위장하다(tarnen).
Camp [kεmp, kæmp] *n.* -s, -s 캠프장, 야영지; (포로) 수용소.
Campagna [kampánja] *f.* 캄파냐(로마 평원).
Campanile [kampaní:lә] 《it.》*m.* -s, -s (성당과는 별채의) 종탑.
Campanula [kampá:nula] 《lat.》*f.* -e [..lε]〖植〗↑ Glockenblume.
Campari [kampá:ri] *m.* -s, - 캄파리(이탈리아의 독한 리큐어술).
Campeche·holz [kampέtʃe..] *n.* -es ↑ Kampescheholz.
campen [kέmpәn] *i.* (h.) 야영하다.
Camper [..pәr] 《engl.》*m.* -s, - 야영객.
Campesino *m.* -s, -s (에스파냐·남아메리카의) 가난한 농장 일꾼, 농부.
Camping 《engl.》*n.* -s, -s 야영, 캠프 생활: zum ~ fahren 야영가다.
Camping≈artikel *m.* 야영 용품. **~ausrüstung** *f.* 야영 장비. **~beutel** *m.* 야영용 침낭. **~bus** *m.* 캠핑용 버스. **~freund** *m.* 캠핑광(狂). **~führer** *m.* 야영장 안내서. **~geschirr** *n.* 야영용 그릇. **~platz** *m.* 야영장, 캠핑장. **~stuhl** *m.* 캠핑용 의자. **~verzeichnis** *n.* ↑ ~führer. **~zubehör** *n.* ↑ ~ausrüstung.
Camposanto [kampo|sánto] 《it., „heiliges Feld"》*m.* -s, -s/ ..ti 묘지, 공동 묘지.
Campus [kámpus, kǽmpәs] *m.* - 캠퍼스.
Campus Martius [kámpus mártsius] 《lat., „Marsfeld"》*m.* - - 고대 로마의 투기 훈련장.
Canaille [kanáljә] *f.* -n ↑ Kanaille.
Canape [kánape, kanapé:] *n.* -s, -s ↑ Kanapee.
Canasta [kanásta] *n.* -s 카드놀이의 일종.
Canberra [kέnbәrә, kǽn..] 캔버라(오스트레일리아의 수도).
Cancan [kãkã́:, kaŋkáŋ] 《frz.》*m.* -s, -s 캉캉춤.
cand. [kandidá:tus, (학생) kant] =candidatus(Kandidat) 후보자; 수험생.
Candela [kandé:la] 《lat.》*f.*〖物〗칸델라(광도 단위; 기호: cd.)
Canna [kána] *f.* -n ↑ Kanna.
Cannabis [kánabıs] 《gr.》*m.* - 대마초.
Cannelloni [kanεló:ni] *pl.*〖요리〗카넬로니(고기를 넣은 이탈리아식 파스타).
Cañon [kánjɔn, kanjó:n] *m.* -s, -s 《sp.》캐년, 협곡(특히 미국 서부의 가파른 협곡).
Canossa *n.* -s, -s *n.* -s, -s ↑ Kanossa.
Cant [kεnt, kænt] *m.* -s ① (도둑 등의) 은어. ② 위선적인 말투.
cantabile [kantá:bilә, kantá:bile] 《it.》*adv.*〖음악〗칸타빌레, 가요풍으로, 풍부한 감정으로.
cantando [kantándo] *adv.*〖음악〗노래하듯.
Cantate [kantá:tә] *f.* -n ↑ Kantate.
Canto [kánto] 《lat. cantus》*m.* -s, -s/..ti〖음악〗가곡.
Cantus [kántus] *m.* -, -〖음악〗가곡, 선율.
Cantus firmus [kántus, firmus] *m.* - -, - ..mi〖음악〗(대위법의) 주(主)선율.
Canvassing [kǽnvәsiŋ] 《engl.》*m.* -s, -s〖政·은어〗(선거 운동에서) 호별 방문.
Capa [kápa] *f.* -s (투우사의) 붉은색 망토.
Cape [ke:p, keıp] 《engl.》*n.* -s, -s 망토.
Capeador [kapeadó:r] *m.* -s, -es 투우사.
Cappuccino [kaputʃí:no] *m.* -(s), -s 카푸치노(커피의 일종).
Caprese *m.* -n, -n ① 카프리섬 주민. ② 카프리 출신 사람.
Capriccio [kapríttʃo] 《it., „Laune"》*n.* -s, -s〖음악〗기상곡(奇想曲), 카프리치오.
capriccioso [kapritʃó:zo] *adv.*〖음악〗자유롭게, 변덕〔익살〕스럽게.
Caprice [kaprí:sә] *f.* -n 변덕, 망상.
Captain 《engl.》*m.* -s, -s ↑ Kapitän.
Captatio benevolentiae [kaptá:tsio: benevolέntsiε:] 《lat.》*f.* 독자 또는 청중의 환심을 사려는 언행.
Capuchon [kapyʃɔ̃́:] 《frz.》*m.* -s, -s 두건; 후드 달린 여성용 외투.
Caput mortuum [ká:put mɔ́rtuum] 《lat.》*n.* -, -〖化〗① (안료로 쓰이는) 붉은 산화철, 철단(鐵丹), 벵갈라. ②〖고어〗무가치한 것.
Car *m.* -s, -s (schweiz.) 버스(↑ Autocar).
Carabiniere [karabinié:rә] 《it.》*m.* -(s), ..ri ↑ Karabiniere.
Caracalla [karakála] 《lat.》*f.* -s (고대의) 두건이 달린 긴 외투.
Caracas [karákas] 카라카스(베네수엘라의 수도).
caramba [karámba] 《sp.》*int.*〔구어〕제기랄, 빌어먹을.
Caravan [ká(:)ravan, karavá:n] *m.* -s, -s ① 화물 겸 승용 자동차. ② 여행용 주거 자동차. ③ (과일·채소 등의) 판매 자동차.
Caravaner [ká(:)rava:nәr, karavá:nәr] *m.* -s, - 여행용 주거차를 타고 다니는 사람.
Carboneum 《lat.》*n.* -s〖化〗탄소(기호: C).
Cardigan [kárdigan, ká:..] *m.* -s, -s 카디건.
CARE [kεәr] 《engl.》=Cooperative for American Remittances to Europe 대(對)유럽 미국 원조 물자 발송 협회.
care of [kέәr әv] …씨 댁〔방〕(약어: c/o).
Care-paket [kέә...] *n.* 구호 물품 꾸러미.
Cargo·sprinter *m.*〖교통〗(독일의) 신형 화

물 열차.
Caritas [ká:ritas] 《lat. carus》 *f.* 〖宗〗 ① 독일 가톨릭 사회 복지 사업단(Deutscher Caritasverband)의 약칭. ② ↑ Karitas.
caritativ [karitatí:f] *a.* 자비로운, 자선의.
Carlos [kárlɔs] *m.* 카를로스(남자이름; Don ~ 에스파냐 펠립 2세의 왕자, 1568년 사망).
Carmagnole [karmanjó:lə, (frz.) karmaɲɔ̃l] 《frz.》 *f.* -n 카르마뇰. ① 프랑스 혁명 시대에 유행한 춤〔노래〕. ② 자코뱅 당원의 조끼.
Carmen[1] [kármən] 《lat.》 *n.* -s, ..mina [..mina] (특히 고대 로마의) 축제시(詩), 행사시: ~ seculare 백년 축가(祝歌).
Carmen[2] *f.* 카르멘(여자 이름; 비제의 가극명).
Carnallit *m.* -s, -e ↑ Karnallit.
Carnegie·stiftung *f.* 카네기 재단.
Carnet (de passages) [karnɛ́ (də pasá:ʒə)] *n.* - - -, -s - - (자동차의) 국경 통과 허가증.
Carnotit [karnotí:t, ..tít] *m.* -(e)s, -e 〖광물〗 카르노석(石) (우라늄 원광(原鑛)).
carpe diem [kárpe: dí:ɛm, ..pə-] 《lat., „genieße den Tag"》〔교양〕 오늘을 즐겨라(호라티우스(Horatius)의 말).
Carpenter·bremse [ká:rpəntər..] *f.* (압축 공기를 이용한) 차량 제동기.
Carrara [kará:ra] *m.* -s (이탈리아의) 카라라산(産) 대리석.
Carrier [kǽriə] *m.* -s, -s 운송(업).
Carte blanche [kart(ə) blɑ̃:ʃ] 《frz., „weiße Karte"》 *f.* - -, -s 백지 위임, 전권 위임(장).
Cartesianer [karteziá:nər] *m.* -s, - 〖哲〗 데카르트파의 학도.
Cartesius [karté:ziʊs] 카르테시우스(데카르트(Descartes)의 라틴명).
Cartoon [kartú:n, ka:tú:n] *m.* -(s), -s (풍자) 만화, 희화.
Cartoonist *m.* -en, -en (풍자) 만화가.
Casanova [kazanó:va] *m.* -(s), -s 탕아, 바람둥이(이탈리아의 문인이며 호색가인 G. G. Casanova의 이름에서).
Cäsar [tsɛ́:zar] 《I》 시저(로마의 군인·정치가, 100-44 B.C.): aut ~ aut nihil 먹느냐 먹히느냐, 흥하느냐 망하느냐. 《II》 *m.* -en, -en [tsɛzá:rən] (로마의) 독재 군주; (아우구스투스 이후의) 로마 황제의 칭호.
Cäsaren·herrschaft *f.* 독재 군주제.
Cäsarentum [..tu:m] *n.* -(e)s 로마의 제정(帝政); 독재 군주제.
Cäsaren=wahn *m.* (독재자의) 과대 망상증.
~wahn·sinn *m.* ↑ ~wahn.
Cäsareo·papismus [tsɛzaropapísmʊs] *m.* - 정교(政敎) 일치주의, 황제 교황주의.
Cäsarisch *a.* 시저의.
cäsarisch *a.* 제왕의; 독재의.
Cäsarismus *m.* - 독재 군주제; 무단 정치.
Cäsaropapismus *m.* - ↑ Cäsareopapismus.
Cash [kæʃ] 《engl.》 *n.* - 현금, 현금 지급.
cash and carry [kǽʃ ənd kǽri] 《engl.》〖商〗 무배달 현금 판매(의〔로〕), 현금 지급 구매자 인수 판매(로).
Cash-and-carry-Klausel *f.* 무배달 현금 판매 조항; 현금 지급 자국선(自國船) 수송 약관.
Cash-flow [kǽʃfloʊ] 《engl.》 *m.* - - 〖經〗 (모든 비용을 공제한) 현금 잔고〔잔액〕.
Cassa [kása] 《lat.》 *f.* ① 현금: per ~ 현금으로 ② 〖음악〗 북.
Cassata [kasá:ta] *f.* -s 캐사타(아몬드·과일 등을 넣은 이탈리아식 아이스크림).
Casting 《engl.》 *n.* -s 〖방송〗 배역 선정, 캐스팅.
CASTOR 《engl.》 =cask for storage and transport of radioactive material 〖환경〗 원자력 폐기물의 저장 및 수송 용기.
Cästus [tsɛ́:stʊs] *m.* -, ..sti (고대 로마의) 권투용 장갑.
Cäsur [tsɛzú:r] *f.* -en ↑ Zäsur.
Casus [ká:zʊs] 《lat.》 *m.* -, - ↑ Kasus.
Casus belli [..bɛ́li:] 《lat.》 *m.* - -, - - 〔교양〕 개전(開戰)의 사유가 되는 사실〔구실〕.
Casus obliquus [..ɔblí:kʊʊs] 《lat.》 *m.* - -, - ..qui [..kvi] 〖문법〗 사격(斜格) (주격·호격 외의 격).
Casus rectus [rɛ́ktʊs] *m.* - -, - ..ti 〖문법〗 직격(直格).
Cat-Boot [kɛ́tbo:t] 《engl.》 *n.* -s, -s 〖海〗 (마스트를 선수(船首)에 바싹 세운) 외돛대 범선.
Catch-as-catch-can [kǽtʃ əz kǽtʃ kǽn] 《engl.》 *n.* - ① 〖스포츠〗 프로 레슬링. ② 〔비유〕 수단 방법을 가리지 않음.
catchen [kɛ́tʃən] *i.* (h.) ① 프로 레슬링을 하다. ② 프로 레슬링 선수로서 싸우다.
Catcher [kɛ́tʃər] *m.* -s, - 프로 레슬러.
Catchup [kɛ́tʃap, kɛ́tʃəp] 《engl.》 *m.* -s, -s 〖요리〗 케첩(Ketchup).
Catenaccio [katenátʃo] *m.* -(s), -(s) (축구의) 빗장 수비.
Caterpillar [kǽtəpɪlə] *m.* -s, -(s) (도로 공사용) 무한 궤도식 트랙터, 캐터필러.
Catgut [kátgut, kǽtgʌt] *n.* -s ↑ Katgut.
Cathedra [ká:tedra] *f.* -e [..drɛ] ① 〔고어〕 교수직. ② 주교좌(主敎座).
Caudillo [kaʊdíljo] *m.* -(s), -s ① 독재자, 총통. ② 수령, 사령관. ③ 에스파냐 독재자 프랑코(F. Franco)의 공식 칭호.
Causa [káuza, (lat.) káusa] 《lat.》 *f.* -e [..zɛ] 〖法〗 원인; 소송 사유; 〖哲〗 ~ efficiens 작용인(作用因), 동력인(動力因); ~ finalis 목적인(目的因).
Cause célèbre [ko:z(ə)selɛ́:bər, kozselɛ́br] 《frz.》 *f.* -s -s 이목을 끄는 (소송) 사건.
Causerie [kozərí:] 《frz. causer》 *f.* -n [..rí:ən] 잡담, 한담; (잡지 등의) 가십.
Causeur [kozǿ:r] *m.* -s, -e 만담가; 만필가.
Causeuse [kozǿ:zə] *f.* -n ① 〔고어〕 수다스러운 여자. ② (2인용의) 작은 소파.
Cavaliere [kavaljɛ́:rə] 《it.》 *m.* -, ..ri ① 기사. ② 이탈리아의 작위.
cave canem [ká:və ká:nɛm, ..ve..] 《lat.》 (고대 로마에서 대문에 붙인) 개조심; 주의.
Cayenne [kajɛ́n] 카옌(남아메리카 프랑스령 기아나의 수도).
Cayenne·pfeffer *m.* (칠레산(産)) 후추.
CB-Funk *m.* 〖통신〗 아마추어 무선.
cbkm =Kubikkilometer 세제곱킬로미터(km^3의 옛 표기).
cbm =Kubikmeter 세제곱미터(m^3의 옛 표기).
CC =Corps consulaire 영사단.
ccm =Kubikzentimeter 세제곱센티미터(cm^3의 옛 표기).

Cd 〖化〗 =Cadmium 카드뮴.
cd =Candela 칸델라(광도의 단위).
CD =Corps diplomatique 외교 사절단.
CD 《engl.》 *f.* -(s) ↑ CD-Platte.
CD-Platte *f.* 콤팩트 디스크.
CD-Player 《engl.》 *m.* -s, - 콤팩트 디스크 플레이어.
cdm =Kubikdezimeter 세제곱데시미터(dm^3의 옛 표기).
CD-R =Compact Disc Recordable 〖컴〗 (1회에 한해) 데이터 저장이 가능한 시디.
CD-ROM 《engl.》 *f.* -, -(s) 시디롬.
CD-RW =《engl.》 Compact Disc Rewritable 〖컴〗 데이터 저장이 (여러 번) 가능한 시디.
CDU [tse:de:ú:] =Christlich-Demokratische Union (Deutschlands) 독일 기독교 민주당 (독일의 정당명; 1945년 창립).
C-Dur [tsé:-du:*r*] *n.* - 〖음악〗 다 장조.
CE =Conformité Européenne 유럽 상품 규격 인증.
Ce 〖化〗 =Cerium 세륨.
CeBIT =Centrum für Büro, Information und Telekomunikation (매년 하노버에서 열리는) 컴퓨터 및 사무 기기 박람회.
Cedille [sedí:j(ə)] 《frz.》 *f.* -n 〖문법〗 세디유 (c의 s음(音)임을 나타내는 부호로, 글자 밑에 덧붙임(ç)).
Celesta [tʃeléstа] 《it.》 *f.* -s/..sten 〖음악〗 첼레스타(피아노와 비슷한 건반 악기).
Cella [tsέla] *f.* -e [..lɛ] ① 고대 신전의 신상(神像) 안치소. ② 〔고어〕 (수도원의) 승방. ③ 〖醫〗 ↑ Zelle.
Cellini [tʃɛlí:ni] Benvenato ~ 첼리니(이탈리아의 금속 공예가, 1500-71).
Cellist [tʃɛlíst, ʃɛ..] 《it.》 *m.* -en, -en 첼로 연주가.
Cellistin *f.* -nen ↑ Cellist의 여성형.
Cello [tʃέlo, ʃέ..] *n.* -s, -s/..lli 첼로.
Cellon [tsɛló:n] 《lat.》 *n.* -(s) 〖化〗 셀론(테트라클로로에탄).
Cellophan [tsɛlofá:n] *n.*-s, -e 셀로판.
Celsius [tsέlziʊs] 《Ⅰ》 Anders ~ 셀시우스 (스웨덴의 천문학자, 1701-44). 《Ⅱ》 *m.*-, - 〖物〗 섭씨(100분도 온도계의 도수; 기호: C).
Celsius=skala *f.* 섭씨 온도의 눈금. **~thermometer** *n./m.* 섭씨 온도계.
Cembalo [tʃέmbalo] 《it.》 *n.* -s, -s/..li 〖악기〗 쳄발로.
Cenoman [tsenomá:n] *n.* -s 〖지질〗 백악기의 최하층.
Cent [tsɛnt, sɛnt] *m.* -(s), -(s) 센트(미국·캐나다의 화폐 단위, 1/100 달러; 네덜란드의 화폐 단위, 1/100 굴덴).
Centavo [sɛntá:vo] *m.* -(s), -(s) 센타보(아르헨티나·브라질의 소액 화폐).
Centesimo [tʃɛnté:zimo] 《it.》 *m.* -(s), ..mi 첸테지모(이탈리아의 화폐 단위, 1/100 리라).
Centime [sɑ̃tí:m] 《frz.》 *m.* -(s), -(s) 상팀 (프랑스·벨기에의 화폐 단위, 1/100 프랑, 1/100 벨가).
Centimo [séntimo] *m.* -(s), -(s) 센티모(에스파냐·파라구아이·코스타리카의 소액 화폐 단위).
Cento [tsέnto] 《lat.》 *m.* -s, -s/-nen (명작 등에서) 추려 모아 만든 시문(詩文).
Cer [tse:*r*] *n.* -s 세륨(기호: Ce) (↑ Zer).
Cerberus *m.* -, -se 〖신화〗 ↑ Zerberus.
Cercle [sέrkəl] 《lat.》 *m.* -s, -s ① (궁중의) 알현: ~ halten 알현하다; 담소하다. ② 모임; 상류 사교계. ③ (öst.) (극장·음악회 등의) 앞좌석.
Cerealien [tsereá:liən] *pl.* ① (고대 로마의) 케레스(Ceres) 축제(4월 9일-18일). ② 오곡, 곡물.
Ceres [tsé:rɛs] *f.* ① 〖로마신화〗 케레스(곡물의 여신; 〖그리스신화〗 Demeter에 해당). ② 〖天〗 케레스성(星) (화성과 목성 사이의 소행성).
Cerevis [tsereví:s] 《lat.》 *n.* -, - (챙이 없는 둥글고 작은) 학생회 회원 모자: 〔비유〕 auf ~! 명예를 걸고서, 맹세코!
cerise [sərí:z] *a.* 벚꽃 빛깔의, 진홍색의.
Cerium [tsé:rium] 《lat.》 *n.* -s 〖化〗 세륨.
CERN =Conseil Européen pour la Recherche Nucléaire 유럽 (공동) 핵 연구소
Certepartie [sɛrtəpartí:] 《frz.》 *f.* -n 〖法〗 용선(傭船) 계약(서) (↑ Chartepartie).
Certosa [tʃɛrtó:za] *f.* -sen 〖宗〗 이탈리아 카르토시오 교단의 수도원.
Cervantes [sɛrvántɛs] Miguel de ~ Saavedra 세르반테스(에스파냐의 작가, 1547-1616; ↑ Don Quichotte).
Ces [tsɛs] *n.* -, - ↑ Ces-Dur.
ces [tsɛs] *n.* -, - 〖음악〗 내림 다음(音), 내림 다 단조.
Ces-Dur [tsέsdu:*r*] *n.* - 내림 다 장조.
Ces-Dur-Tonleiter *f.* -n 내림 다 장조 음계.
c'est la guerre [sɛlagέ:r] 《frz.》 전쟁 중엔 다 그렇다, 어쩔 수 없다.
c'est la vie [sɛlaví:] 《frz.》 인생이란 다 그런 것이다(체념의 표현).
Cetera [tsé:təra] 《lat.》 등등(等等).
ceteris paribus [tsé:teri:s pá:ribus] 《lat.》 그 밖의 사정〔조건〕이 같을 경우에는.
Ceterum censeo [tsé:terum tsέnzeo] 《lat.》 *n.* - - 지론; 신념.
Ceylon [tsáilɔn] 실론(스리랑카의 옛 이름).
Ceylonese *m.* -n, -n 실론의 주민.
ceylonesisch *a.* 실론의.
Ceylon·tee *m.* 실론차.
cf =cost and freight 운임 포함 가격.
Cf 〖化〗 =Californium 칼리포르늄.
cf(r). [kɔ́nfɛr] =confer 비교〔참조〕하라.
cg =Zentigramm 100분의 1 그램.
CGB = Christlicher Gewerkschaftsbund Deutschlands 독일 기독교인 노조 연합.
CGS-system *n.* 〖物〗 시지에스 단위(길이·질량·시간을 각각 센티미터·그램·초로 나타내는 단위계).
CH =Confoederatio Helvetica(스위스를 지칭하는 약어).
Chablis [ʃablí:] 《frz.》 *m.* -[..bli:(s)], -[..bliis] 프랑스 부르군트 지방산(産) 백포도주.
Cha-cha-cha [tʃátʃátʃá] *m.* -(s), -s 차차차(4분의 4박자의 남아메리카 리듬의 춤).
Chaconne [ʃakɔ́n] 《frz.》 *f.* -s/-n 샤콘(3박자로 된 에스파냐의 무용 또는 그 곡).
chacun à son goût [ʃakœ̃(n)asɔ̃gú(:)] 《frz.》 각자 취향대로.
Chagrin[1] [ʃagrɛ̃:] 《frz.》 *m.* -s, -s 〔고어〕 근심; 비탄.
Chagrin[2] *n.* -s, -s 우툴두툴한 가죽, 샤그린 가죽.

chagrinieren [ʃagriní:rən] *t.* (가죽을) 우툴두툴하게 무두질하다.
chagriniert [ʃa..] *p.a.* (가죽이) 우툴두툴한.
Chaine [ʃɛ́:n(ə)] 《frz., „Kette"》 *f.* -n ①〖방직〗 날실. ②〖발레〗 셰네.
Chairman *m.* -, ..men 의장, 위원장.
Chaischen [ʃɛ́:sçən] 《frz.》 *n.* -s, - 〘↑ Chaise 의 축소형〙 경(輕)마차.
Chaise [ʃɛ́:zə] 《frz., „Stuhl"》 *f.* -n ①〘고어〙 (안락) 의자. ②〘고어〙 반개(半蓋) 마차, 경마차. ③〘구어·폄어〙 낡은 자동차, 중고차.
Chaiselongue [ʃɛzəlɔ́:ŋ, ..lɔ̃́:(k)] 《frz.》 *f.* -n [..lɔ̃́:gən] 눕는 의자.
Chaldäa [kaldɛ́:a] 칼데아(페르시아만 연안에 있었던 옛 왕국).
Chaldäer [kaldɛ́:ər] *m.* -s, - 칼데아 사람.
Chalet [ʃalé:, ..lɛ́] 《frz.》 *n.* -s, -s (스위스) 목동〔농부〕의 막사; 시골 별장〔산장〕.
Chalkochemigraphie [çalkoçemigrafí:] 《gr.》 *f.* 〖印〗 금속판 조각술.
Chalkograph 《gr. chalkos》 *m.* -en, -en 동판 조각사.
Chalkographie *f.* -n [..fí:ən] 동판 조각술; 동판화.
chalkographisch *a.* 동판 조각의.
Chalkolith [..lí:t, ..lít] *m.* -s/-en, -e(n) 〖광물〗 우라늄 동광(銅鑛) (Kupferuranit)
Chalkolithikum [..lí:tikum, ..lít..] 《gr.》 *n.* -s 신석기 후기, 청동기 초기.
Chalkopyrit [..pyrí:t, ..rít] *m.* -s, -e 〖광물〗 황동광.
Chalkotypie *f.* 동판 인쇄술.
Chalzedon [kaltsedó:n] 《gr.》 *m.* -s, -e 〖광물〗 옥수(玉髓).
Chamade [ʃamá:də] *f.* -n ↑ Schamade.
Chamäleon [kamɛ́:leɔn] 《gr.》 *n.* -s, -s 〖動〗 카멜레온; 〘비유〙 변덕쟁이, 절조없는 자.
chamäleon·artig *a.* 카멜레온 같은.
Chambertin [ʃãbɛrtɛ̃́:] 《frz.》 *m.* -(s) 샹베르탱(프랑스산(産) 적포도주의 일종).
Chambre garnie [ʃãbrə garní] 《frz. chambre》 *n.* - -, -s -s 〘고어〙 가구 달린 셋방.
Chambregarnist [ʃãbrəgarníst] *m.* -en, -en 세입자, 셋방에 사는 사람.
Chambre séparée [ʃãbrəseparé] 《frz.》 *n.* - -, -s -s 〘고어〙 별실.
Chamisso [ʃamíso] Adalbert von ~ 샤미소 (독일의 작가·식물학자, 1781-1838).
chamois [ʃamoá] 《frz.》 *a.* 담황색〔황갈색〕의.
Chamois *n.* - ① 담황색, 황갈색. ② 섀미 가죽(영양·염소 등의 무두질한 가죽).
Chamois=leder [ʃamoá..] *n.* 섀미 가죽. **~-papier** *n.* 〖사진〗 황갈색 인화지.
Champagne [ʃãmpánjə] *f.* 샹파뉴(프랑스 북동부 지역).
Champagner [ʃampánjər] *m.* -s, - 샴페인.
Champagner·farben *a.* 샴페인색의.
champagnern [ʃampánjərn] *i.* (h.) 〘고어〙 샴페인을 마시다.
Champagner·wein *m.* ↑ Champagner.
Champignon [ʃámpɪnjɔŋ, ..jɔ̃, sã:pɪnjɔ̃] 《frz.》 *m.* -s, -s 〖植〗 양송이(버섯).
Champignon=kultur *f.* 양송이 재배 시설. **~zucht** *f.* 양송이 재배.
***Champion** [tʃɛ́mpiən, ʃãpiɔ̃́:] 《engl., frz.》 *m.* -s, -s 챔피언, 선수권 보유자; 경기 우승자.
Championat [ʃampioná:t, ʃã..] *n.* -(e)s, -e 선수권.
Champions Leaque 《engl.》 *f.* - - 〖스포츠〗 유럽 챔피언 리그.
Champs-Elysées [ʃãzelizé] *pl.* 샹젤리제(파리의 번화가).
Chan [ka:n, xa:n] ↑ Khan.
***Chance** [ʃɑ̃́:sə, ʃã:s, ʃáŋsə] 《frz.》 *f.* -n ① 재수, 운; 요행. ② 가망, 승산: seine Chancen stehen gut 그의 형세가 유리하다; 〘구어〙 er hatte keine Chancen bei ihr 그가 그녀의 마음에 들 가망은 없었다.
Chancen=gerechtigkeit *f.* 공정. **~gleichheit** *f.* 기회 균등.
Change [ʃã:ʒ, ʃɑ̃́:ʒə] 《frz.》 *f.* 교환; 환전(상).
Changeant [ʃãʒɑ̃́:] *m.* -(s), -s [..ʒɑ̃́:s] ① (광선에 따라) 빛깔이 변하는 견직물(Schillerseide). ② 오색영롱한 보석.
changeant 《frz.》 *a.* 오색찬란한; 여러 가지로 빛이 변하는.
changieren [ʃãʒí:rən, ʃaŋ..] *i.* (h.) ①〘고어〙 교환하다; 변경하다. ② 빛깔이 여러 가지로 변하다. ③〖승마〗 (말이) 걷는 모양을 바꾸다. ④ (사냥개가) 추적로를 바꾸다.
Chanson [ʃãsɔ̃́:] 《frz.》 *f.* -s [..sɔ̃́:s] ① (중세 프랑스의) 시가, 가요; 정치 풍자 가곡. ② 샹송.
Chansonette *f.* -n ① (익살맞고 가벼운 내용의) 소(小)가곡. ② 여자 샹송 가수.
Chansonier 新정서 ⇦ Chansonnier.
Chansonnier [ʃãsonié:] *m.* -s, -s [..nié:s] ① 12-14 세기의 프랑스 음유 시인. ② 프로방스 지방 음유 시인들의 노래 모음집. ③ 정치 풍자 가곡의 가수〔시인〕.
Chanteuse [ʃãtǿ:zə] *f.* -n 여가수.
***Chaos** [ká:ɔs] 《lat.》 *n.* - 혼돈; 혼란, 무질서: ein ~ auslösen 혼란을 일으키다.
Chaos=Forschung *f.* 〖학문론〗 카오스 연구. **~-Theorie** *f.* 〖학문론〗 카오스 이론.
Chaot [kaó:t] *m.* -en, -en 〘구어〙 정리를 못하는 사람, 뒤죽박죽인 사람.
Chaote [kaó:tə] *m.* -en, -en 〘폄어〙 ① (정치적) 폭력〔파괴〕주의자, (급진적) 무정부주의자. ② (불안·혼란의) 선동꾼.
chaotisch [kaó:tɪʃ] *a.* 혼란〔무질서〕한.
Chapeau [ʃapó:] 《frz.》 *m.* -s, -s [..pó:s] 모자, 샤포.
Chapeau claque [ʃapo klák] *m.* - -, -x -s (Klapphut) 접는 실크 모자, 오페라 해트.
Chaperon [ʃapərɔ̃́:] *m.* -(s), -s [..rɔ̃́:s] ① (중세의) 두건, (수도자의) 고깔 달린 겉옷. ② 〘고어〙 샤프롱(젊은 여자의 사교계 출입에 수행하여 돌봐 주는 여인).
chaperonieren [ʃapəroní:rən] *t.* (젊은 여성의) 보호자로서 동반하다.
Chapiteau [ʃapitó:] 《lat.》 *n.* -, -x [..tó:] 곡마단 천막, 곡마당의 반구〔둥근〕지붕.
Chaplinade [tʃapliná:də] *f.* -n (채플린의 영화에서와 같은) 우스꽝스런 사건.
Charaban [ʃarabɑ̃́:] 《frz.》 *m.* -s, -s [..bɑ̃́:s] (양 옆으로 좌석이 있는 포장 없는) 유람 마차.
Charade [ʃará:də] *f.* -n ↑ Scharade.
***Charakter** [karáktər] *m.* -s, -e [..té:rə] 《gr.》 ① 기호; 문자. ② 특성, 특색; 성격, 품성: er ist ein Mann von ~ 그는 개성〔지조〕

있는 인간이다; die Brüder hatten völlig unterschiedliche ~e 그 형제들은 완전히 다른 성격을 가졌다. ③〖드물게〗인성 증명서; (사람의) 특성 서술; 평판, 명성. ④ (a) 자격, 지위, 신분: ein Dozent mit Titel und ~ eines Professors 교수의 칭호와 자격을 갖춘 대학 강사. (b) 어떤 지위의 사람: ein öffentlicher ~ 공직에 있는 사람, 공인(公人). ⑤〖연극〗역, 성격.

Charakter⸗anlage *f.* 기질, 성향. **~athlet** *m.* 완고한 사람. **~bild** *n.* 성격 묘사. **~bildung** *f.* 성격 형성, 품성 도야. **~darsteller** *m.* 성격 배우. **~drama** *n.*〖연극〗성격극. **~eigenschaft** *f.* 성격상의 특징. **~fehler** *m.* 성격 결함. **~fest** *a.* 성격이 굳건한, 주의(主義)〔절개〕가 있는. **~festigkeit** *f.* 강한〔굳건한〕성격.

C

***charakterisieren** *t.* ① …의 특질을 그려내다〔묘사하다〕; 특성을 보이다; 특색을 이루다: einen Roman ~ 소설의 특성을 묘사하다; das charakterisiert die Situation umfassend 그것은 이 상황을 전체적으로 특징짓고 있다. ② …에게 칭호를 수여하다: der charakterisierte Oberst (명예 진급의) 대령.

Charakterisierung *f.* -en 특성을 나타냄.

Charakteristik *f.* -en ① 특성〔성격〕묘사. ②〖數〗(대수(對數)의) 지표(指標).

Charakteristikum *n.* -s, ..ka〘교양〙특징.

charakteristisch *a.* 특질을 나타내는, 특색 있는: der Ausspruch ist ~ für ihn 그 말투는 그에게 특유한 것이다.

charakteristischer·weise *adv.* 유별나게도, 독특하게도.

Charakter⸗kopf *m.* 특징 있는 얼굴. **~kunde** *f.* ↑ Charakterologie.

charakterlich *a.* 성격(상)의: ~e Anlage 기질.

charakterlos *a.* ① 지조 없는, 나약한. ② 특색 없는.

Charakterlosigkeit *f.* 지조 없음; 비겁한 언동; 지조 없는 언동.

Charakter⸗maske *f.* 성격을 표현하는 분장. **~merkmal** *n.* 성격상의 특징.

Charakterologie *f.* -n 성격학.

charakterologisch *a.* 성격학(상)의.

Charakter⸗puppe *f.* 개성 있는 얼굴의 인형. **~rolle** *f.*〖연극〗특수한 성격의 역. **~sache** *f.*〘구어〙성격의 문제. **~schilderung** *f.* 특징 서술, 성격 묘사. **~schwäche** *f.* 성격의 나약함. **~stärke** *f.* 성격의 강인함. **~stück** *n.* ① 성격극. ②〖음악〗(대개 피아노의) 표제 음악곡. **~voll** *a.* ① ↑ ~fest. ② 특색 있는. **~zug** *m.* 특징.

Charcuterie [ʃarkytəri:]《frz.》*f.* -n [..ri:ən] (südd.) 정육점, 푸줏간; 도살업.

Charcutier [ʃarkytié:]《frz.》*m.* -s, -s (südd.) 도축업자; 푸줏간 주인.

Charge [ʃárʒə]《frz.》*f.* -n ① 짐, 무거운 짐;〖理〗부하(負荷), 하중; 관직, 지위;〖軍〗계급; 어떤 계급의 인물;〘복수〙하사관. ②〖제련〗용광로에 광석 채우기;〖軍〗(총의) 장전. ③ 습격; 습격 신호. ④〖연극〗단역(端役). ⑤〘학생·속어〙학생회 간부. ⑥〖藥〗한 공정에서 생산 포장된 약품.

Chargé d'affaires [ʃarʒe:dafɛ́:r]《frz.》*m.* -‑, -s - 외교 사절 단장.

Chargen·pferd [ʃárʒən..] *n.*〖軍〗(특히 장교용의) 군마.

Chargen·spieler *m.* 단역 배우.

chargieren《frz.》*t.* ① 짐을 싣다, 무거운 짐을 지우다; 위임하다. ② 학생회 단복을 입고 나타나다. ③〖제련〗(용광로에) 광석을 채우다;〖전기〗충전하다;〖軍〗(총에) 장전하다. ④〖軍·고어〗습격하다. ⑤〖연극〗과장해서 연기하다.

Chargierte* *der/die* 학생회 간부.

Charis [çá(:)rɪs] *f.* ..riten [..rí:tən]〖그리스 신화〗카리스(우미의 3 여신;〖로마신화〗Grazien 에 해당); 우미(優美).

Charisma [çá(:)rɪsma, çarísma]《gr.》*n.* -s, ..men/..ta ①〖宗〗신에게서 받은 능력. ② 카리스마(지도자로서의 매력 및 권위).

charismatisch *a.* 카리스마적인.

Charitas [çá:ritas, ká:..] *f.* ↑ Karitas.

charitativ [karitatí:f] *a.* ↑ karitativ.

Charité [ʃarité:]《frz.》*f.* -s [..té:s]〘고어〙자선 병원.

Charitin [çarí:tɪn, ka..] *f.* -nen ↑ Charis.

Charivari [ʃarivá:ri]《frz.》*m./n.* -s, -s ①〖민속〗음이 맞지 않는 음악; (특히 늦게 재혼한 과부의 집 앞에서의) 세레나데. ② 혼란, 뒤죽박죽. ③ 샤리바리(파리의 정치 풍자 잡지명; 1832 년 창간).

Charleston [tʃárlstən, tʃá:lstən] *m.* -, -s 찰스턴(4 분의 4 박자의 경쾌한 리듬의 댄스).

Charlotte [ʃarlɔ́tə]《frz.》*f.* ① 샤를로트(여자 이름). ②〖요리〗샬럿푸딩(과일 푸딩).

Charlottenburger [ʃarlɔ́tənbʊrgər] *m.* -s, - ① 샬로텐부르크 사람. ②〘다음 용법으로만〙einen ~ machen 손으로〔엄지와 집게손가락만으로〕코를 풀다.

charmant [ʃarmánt]《frz.》*a.* 매력적인, 애교 있는, 귀여운, 상냥한.

Charme [ʃarm] *m.* -s 매력, 매혹; 애교; 우미.

Charmeur [ʃarmǿ:r]《frz.》*m.* -s, -s/-e 여자를 호리는 남자; 알랑거리는 사람.

Charmeuse [ʃarmǿ:z]《frz.》*f.* ① 샤머즈(직물). ② 인조견 내의 옷감.

Charon [çá:rɔn, ká:..]〖그리스신화〗카론(명부(冥府)의 스틱스(Styx)강의 나룻배 사공).

Chart [tʃa(r)t] *f.* -s 인기 가요 목록.

Charta [kárta]《gr.》*f.* ..tae [..tɛ:]/-s 헌장: Magna ~ 마그나카르타, 대헌장(1215 년 영국에서 공인); die ~ Vereinten Nationen 유엔 헌장.

Charte [ʃártə, ʃart]《frz.》*f.* -s/-n 헌장.

Charte·partie [ʃartəpartí:] *f.* 용선(傭船) 계약(서); 운송 계약.

Charter [tʃártər, ʃár.., tʃá:tə]《engl.》*m.* -s, - ① (선박·비행기 등의) 전세 (계약). ② 특허장, 면허장.

Charterer《engl.》*m.* -s, -s 용선(傭船) 계약자, 비행기 전세 계약자.

Charter⸗flug *m.* 전세기 비행〔여행〕. **~flugzeug** *n.* 전세기(↔ Linienflugzeug). **~gesellschaft** *f.* ①〘고어〙무역상사. ② 차터 운송 회사. **~maschine** *f.* ↑ ~flugzeug.

chartern《engl.》*t.* (배·비행기를) 세내다.

Chartismus [tʃartísmʊs]《engl.》*m.* - 차티스트 운동(1836-50 년에 영국에서 일어났던 급진적 정치 운동).

Chartreuse [ʃartrǿ:zə] 《frz.》 *f.* ① 카르투지오 수도원. ② 위의 수도원에서 빚은 증류주.
Charybdis [çarÝpdɪs] 《gr.》 *f.* 카리브디스(메시나 해협의 위험한 소용돌이의 이름. Szylla 의 맞은 편에 있음); 〖그리스신화〗 카리브디스(바다의 소용돌이를 의인화한 여자 괴물): 〔속담〕 von der Szylla in die ~ kommen 호구(虎口)를 피하여 용혈(龍穴)에 들다.
Chassé-croisé [ʃasé: kroazé:] 《frz.》 *n.* -, -s [..zé:] 크로스 샤세(스퀘어 댄스의 동작).
Chassepot·gewehr [ʃasəpó:..] *n.* 〖軍〗 샤스포총(프로이센·프랑스 전쟁 때 프랑스의 보병총 발명자의 이름에서).
Chasseur [ʃasǿ:r] 《frz.》 *m.* -s, -e 〖軍〗 (프랑스 육군의) 저격병.
Chassidim [xasidí:m] 《hebr.》 *pl.* 하시디즘의 신봉자.
Chassidismus *m.* 《hebr.》 하시디즘(18 세기 동유럽에서 일어난 유대교의 종교 운동).
Chassis [ʃasí:] 《frz.》 *m.* - [..sí:(s)], - [..sí:s] (자동차의) 차대(車臺), 섀시; 포좌(砲座); (현미경의) 재물대; (재봉틀의) 다리; (전기 기구의) 조립대.
Chasuble [ʃazÝbl, tʃǽzjubl] *n.* -s, -s 샤쥐블(소매 없는 여성용 겉옷).
Chateau [ʃató:] 《frz.》 *n.* -s, -s [..tó:s] ① 성(城), (귀족의) 저택. ② (특히 프랑스 보르도 지방의) 포도 농원.
Château 新정서 ⇦ Chateau.
Chateaubriand [ʃatobriã́(:)] *n.* -s, -s 〖요리〗 샤토브리앙 비프 스테이크.
Chaudeau [ʃodó:] 《frz.》 *m.* -s, -s [..dó:s] 쇼도(따끈한 와인 소스).
Chauffeur [ʃɔfǿ:*r*] 《frz.》 *m.* -s, -e (승용차의 직업) 운전사.
chauffieren [ʃɔfí:rən] *i.* (h.) 자동차를 운전하다; (직업상) 누구를 자동차로 태워 주다.
Chaussee [ʃɔsé:, ʃosé:] 《frz.》 *f.* -n 〔준고어〕 (포장된) 큰길, 국도.
Chaussee≈bau *m.* 도로 공사. **~baum** *m.* 가로수. **~floh** *m.* 오토바이. **~geld** *n.* 〔준고어〕 도로 통행료. **~geld·einnehmer** *m.* 도로 통행료 징수원. **~graben** *m.* 도로 배수구. **~haus** *n.* 통행료 징수소. **~wanze** *f.* 소형 자동차. **~wärter** *m.* 도로 관리인〔보수 인부〕.
chaussieren [ʃɔsí:rən, ʃo..] *t.* 〔준고어〕 (도로에) 자갈을 깔다, 포장하다.
Chaussure [ʃɔsÝ:rə] *f.* -n 〔준고어〕 신발과 양말.
Chauvi [ʃó:vi] *m.* -s, -s 〔구어〕 남성 우월주의자(Chauvinist).
Chauvinismus 《frz.》 *m.* - ① 편협〔과격〕한 애국주의. ② männlicher ~ 남성 우월주의.
Chauvinist *m.* -en, -en ① 편협〔과격〕한 애국주의자. ② 남성 우월주의자.
chauvinistisch *a.* ① 편협〔과격〕한 애국주의의. ② 남성 우월주의자의.
Check[1] [tʃɛk] *m.* -s, -s 〖아이스하키〗 방해, 저지.
Check[2] [ʃɛ́k] *m.* -s, -s (schweiz.) 수표, 우편환(Scheck).
checken [tʃɛ́kən] 《engl.》 *t.* ① 〖아이스하키〗 방해〔저지〕하다. ② 〖기술〗 점검하다.
Check≈liste [tʃɛ́k..] 《engl.》 *f.* -n ① 〖기술〗 점검 목록. ② 〖항공〗 탑승자 명단. **~point** 《engl.》 *m.* -s, -s 검문소.
cheerio [tʃí:rio] *int.* 〔구어〕 ① 축배, 건배. ② 안녕, 또 봐요.
*__Chef__ [ʃɛf] *m.* -s, -s ① 우두머리, (과·부의) 장; 고용주, 주인; 주방장; 상사, 지휘자; 지배인: ein großzügiger ~ 관대한 상사〔사장〕; 〖軍〗 ~ des Stabes 참모장. ② 〔친근한 호칭〕 아저씨, 여보세요: hallo ~, wo ist hier das nächste Hotel? 여보세요, 여기서 가장 가까운 호텔은 어디 있습니까?
Chef≈arzt *m.* 주임 의사. **~delegierte*** *der/die* 사절 단장.
Chef de mission [ʃɛ́f də misiɔ̃́] *m.* 선수단 단장.
Chef≈dirigent *m.* 수석 지휘자. **~dramaturg** *m.* 수석 연극 고문. **~etage** *f.* 중역실〔사장실〕이 있는 층. **~ingenieur** *m.* 주임 기사. **~koch** *m.* 수석 요리사. **~lektor** *m.* 출판사의 편집장. **~pilot** *m.* 수석 조종사, 기장. **~redakteur** *m.* 주필(主筆), 편집장. **~sekretärin** *f.* (Chef ① 의) 여비서. **~trainer** *m.* 수석 코치. **~visite** *f.* 주임 의사의 회진(回診).
*__Chemie__ [çemí:, (öst.) ke..] *f.* 화학: organische〔anorganische〕~ 유기〔무기〕화학; angewandte ~ 응용 화학.
Chemie≈arbeiter *m.* 화학 공장 노동자. **~betrieb** *m.* 화학 공장. **~faser** *f.* 화학 섬유. **~industrie** *f.* 화학 공업. **~ingenieur** *m.* 화학 공장 기사. **~werker** *m.* 화학 공장 노동자.
Chemigraphie [..grafí:] *f.* 〖印〗 철판(凸版)〔볼록판〕의 화학적 제판법.
Chemikalien *pl.* 화학 제품〔약품〕.
Chemikant *m.* -en, -en 화학 공장의 숙련공.
Chemiker [çé:mikər, (öst.) ké:..] *m.* -s, - 화학자.
chemisch *a.* 화학(상)의, 화학적인: ~e Formel 화학식; ~e Gleichung 화학 방정식; ~e Reaktion 화학 반응; ~e Reinigung 드라이클리닝; ~e Verwandtschaft 화학 친화력〔친화도〕; ~e Waffe 화학 무기.
Chemise 《frz.》 *f.* -n 여성의 속옷, 슈미즈.
Chemisett [ʃəmizɛ́t] *n.* -(e)s, -s/-e ① (남자용 예복의) 가슴 부분. ② (여성용 의복의) 가슴 장식 레이스.
Chemisette [ʃəmizɛ́tə] *f.* -n ↑ Chemisett.
chemisieren [çemizí:rən] *t.* 〖구동독〗 (생산 방법 등을) 화학화〔공업화〕하다.
Chemismus *m.* - ①〔총체적〕 화학적 현상. ② (특히 동식물 체내의) 화학 작용 (변화).
Chemist *m.* -en, -en 화학자; (öst.) 약제사; 약종상.
Chemnitz [kɛ́mnɪts] 켐니츠(동부 독일의 도시; 〖구동독〗 Karl-Marx-Stadt 라고 부름).
Chemosynthese *f.* -n 〖生〗 화학 합성(태양빛 없이도 합성할 수 있는 박테리아의 능력).
Chemotaxe [..táksə] *f.* ↑ Chemotaxis.
Chemotaxis [..táksɪs] 《gr.》 *f.* ..xen 〖生〗 주화성(走化性), 추화성(趨化性).
chemotaktisch *a.* 〖生〗 주화성의.
chemotherapeutisch *a.* 화학 요법의.
Chemotherapie [..pí:] *f.* 화학 요법.
Chemotropismus [..tropísmus] *m.* -, ..men 〖生〗 굴화성(屈化性), 향화성(向化性).
Chenille [ʃənílje, ..ní:jə] 《frz., „Raupe"》 *f.* -n

① 셔닐사(絲). ②〖기계〗무한 궤도.
Cheops·pyramide [çéːɔps.., kéː..] *f.* (이집트 제 4 왕조의) Cheops 왕이 건설한 피라미드.
Cherchez la femme [ʃɛrʃelafám] 《frz.》〖교양〗여자를 찾아라, 사건 뒤에 여자가 분명 있다(A. Dumas 의 연극 "Mohicans de Paris"에서)
Cherry Brandy [tʃéri bréndi, ʃér-, tʃéri brǽndi] 《engl.》 *m.* --s, --s 버찌 브랜디.
Chersones [çɛr..] 《gr.》 *m.* -, -e 반도.
Cherub [çéːrup, kéː..] 《hebr.》 *m.* -s, -im [..rubim, ..bíːm]/-inen [..bíːnən]〖가톨릭〗케르빔, 지품(智品)천사.
cherubinisch *a.* 케르빔의, 천사의.
Cherusker [çerúskər] *m.* -s, - 케루스키족 (로마 시대 게르만족의 한 파).
cheruskisch *a.* 케루스키족의.
Chester [tʃéstər, ..tə] ① 체스터(영국 중부의 항구 도시). ② ~käse 의 약어.
Chester≈field [..fiːld] 《engl.》 *m.* -(s), -s 단추가 안 보이는 남자용 싱글 외투. **~käse** *m.* 체스터산(産) 치즈.
chevaleresk [ʃəvalərésk] 《frz.》 *a.*〖교양〗기사풍의, 기사다운; (여성에게) 공손한.
Chevalier [..iéː] *m.* -s, -s [liéːs] 기사(騎士).
Chevauleger [ʃəvoleʒéː] *m.* -s, -s 경(輕)기병.
Cheviot [ʃéviɔt, tʃé..] 《engl.》《I》체비엇(잉글랜드와 스코틀랜드 경계의 산악 지대). 《II》 *m.* -s, -s 체비엇 나사(체비엇산(産) 모직물).
Chevreau [ʃəvróː, ʃévro] 《frz.》 *m.* -s, -s 새끼 산양; 염소 가죽.
Chevreau·leder *n.* 산양 가죽.
Chevron [ʃəvrɔ̃ː] *m.* -s, -s ① 셰브롱(프랑스 군인의 계급장). ②(물고기 뼈 모양의 무늬가 있는) 모직의 일종.
Chevy-Chase-Strophe [tʃévɪtʃeɪs-] *f.* -n 영국 민중 담시의 연(聯) 형식.
Chi [çiː] *n.* -(s), -s 카이(그리스어 자모 22 번째 글자 X, χ).
Chianti [kiánti] 《it.》 ① 키안티(중부 이탈리아의 지방). ② *m.* - 키안티산(産)의 적포도주.
Chiasma [çiásma] *n.* -s, -s/..men 《그리스 자모의 X 자 형(形)에서》〖해부〗(Kreuzung) (특히 시신경의) 교차, 시각 교차.
Chiasmus *m.* -〖修〗교차(交差) 대구법(보기: Die Kunst ist lang, und kurz ist unser Leben).
chiastisch *a.* 교차 배열법의.
chic [ʃɪk] 《frz.》 *a.* 품위 있는, 멋진, 세련된.
Chicago [ʃikáːgo, ..goʊ] 시카고(미국의 도시).
Chichi [ʃiʃíː] *n.* -(s) 《frz.》〖교양〗① 과장된 태도, 거드름. ② 사족, 군더더기.
Chicorée [ʃikoréː, ʃíkore] 《frz.》 *f.* -n〖植〗치코리(Zichorie).
Chiemsee [kíːmzeː] *m.* -s 킴제(독일 바이에른에 있는 호수).
Chiffon [ʃífɔ̃ː, ʃɪfɔ̃ː, (öst.) ..fóːn] 《frz.》 *m.* -s, -s/(öst.) -e 시폰, 인조 모슬린.
Chiffonnier [ʃifɔniéː] *m.* -s, -s ①〖고어〗넝마주이. ②〖방언〗장롱.
Chiffonniere [..niéːrə, ..niéːr(ə)] *f.* -n (öst., schweiz.) 옷장, (반짇고리) 서랍장.
Chiffre [ʃífrə, ʃífər] 《frz.》 *f.* -n (Ziffer) 숫자; (성명의) 머리 글자를 짜맞춘 것(모노그램); 암호; (현대 서정시의 난해한) 상징.
Chiffren≈brief *m.* 암호 전보. **~schlüssel** *m.* 암호 해독의 열쇠. **~schrift** *f.* 암호문. **~sprache** *f.* 은어. **~telegramm** *n.* 암호 전보.
Chiffreur [ʃifrǿːr] 《frz.》 *m.* -s, -e 암호 쓰는〔새기는〕 사람, 암호 해독자.
chiffrieren [ʃifríːrən] *t./i.* (h.) 암호로 쓰다, 암호로 옮기다; 부호화〔암호화〕하다.
Chiffrier≈kunst *f.* 암호 기법(記法). **~maschine** *f.* 암호(제작 또는 해독)기.
Chignon [ʃinjɔ̃ː] 《frz.》 *m.* -s, -s [..njɔ̃ːs] 시뇽, (여성의) 쪽진 머리.
Chihuahua [tʃiuáua] *m.* -s, -s 치와와(개의 한 품종; 멕시코의 주(州) 이름에서).
Chile [tʃíːleː, çíːleː] 칠레.
Chilene [tʃiléːnə, çi..] *m.* -n, -n 칠레인.
Chilenin *f.* -nen ↑ Chilene 의 여성형.
chilenisch [..niʃ] *a.* 칠레의.
Chile·salpeter *m.* 칠레 초석.
Chili [tʃíːli] *m* -s, -es ① 칠레 고추(중앙 아메리카산(産)의 매운 고추). ② 칠레 소스(매운 고추 소스).
Chiliade [çiliáːdə, ki..] 《gr.》 *f.* -n 1 천(년).
Chiliasmus [..liásmʊs] *m.* - 천년설(그리스도가 재림하여 1 천년간 이 세상에 군림한다는 설).
Chiliast *m.* -en, -en 천년설의 신자.
chiliastisch *a.* 천년설의.
Chili·salpeter *m.* ↑ Chilesalpeter.
Chimära [çiméːra, ki..] 《gr.》 *f.*〖그리스신화〗① 키메라(머리는 사자, 몸은 염소, 꼬리는 뱀인 전설상의 괴물). ②〖생물〗키메라(두 개 이상의 다른 조직을 가진 생물체).
Chimäre [..rə, ʃi..] *f.* ↑ Chimära.
***China**[1] [çíːna, kíː..] 중국.
China[2] [çíːna, kíː..] 《peru., „Rinde"》 *f.* ↑ Chinarinde.
China≈cracker *m.* 불꽃, 폭죽. **~gras** *n.*〖植〗모시(쐐기풀과). **~kohl** *m.* 배추. **~rinde** *f.*〖藥〗기나피(幾那皮). **~rindenbaum** *m.* 기나수(樹). **~silber** *n.* 은도금한 양은. **~tinktur** *f.*〖藥〗키나정기(丁幾). **~town** *n.* 차이나 타운. **~ware** *f.* 중국산(産) 공예품(특히 도자기). **~wein** *m.* 키나주(酒)(강장제). **~wurzel** *f.*〖植〗청미래덩굴.
Chinchilla[1] [tʃɪntʃíl(j)a] 《sp.》 *f.* -s 〔(öst.) *n.* -s, -s〕〖動〗친칠라(다람쥐와 닮은 남아메리카산(産)의 작은 동물).
Chinchilla[2] *n.* -s, -s〖動〗① 친칠라 토끼 (Kaninchenrasse). ② 친칠라의 모피.
Chiné [ʃinéː] 《frz.》 *n.* -s, -s [..néːs] 물결 무늬를 넣은 견직물.
***Chinese** [çinéːzə, ki..] *m.* -n, -n 중국인.
Chinesin [..zin] *f.* -nen ↑ Chinese 의 여성형.
***chinesisch** [..zɪʃ] *a.* 중국의: die ~e Mauer 만리 장성;〖비유·구어〗이해할 수 없는: für mich war das Fachgespräch ~ 나는 그 전문적 대화를 전혀 이해할 수 없었다.
chiniert [ʃiníːrt] *a.* 물결 무늬를 넣은.
Chinin [çiníːn, ki..] 《it.》 *n.* -s〖藥〗키닌, 키니네.
Chinoiserie [ʃinoazəríː] 《frz.》 *f.* ..rien [..ríː-

ən] 중국(풍)의 미술 공예품; 중국 취향.
Chintz [tʃɪnts] *m.* -(es), -e〖섬유〗사라사(표면을 반짝거리게 처리한 옷감).
chintzen *t.* (옷감의) 표면을 반짝거리게 처리하다.
Chip [tʃɪp] *m.* -s, -s ① (룰렛용)칩. ② 감자칩.
Chippendale [tʃípəndeːl, ʃí.., ..deɪl] 《engl.》 *n.* -s 치펜데일풍〔양식〕(18 세기에 유행한 가구 등의 의장(意匠); 창시자 Th. Chippendale 의 이름에서).
Chippendale·stil *m.* 치펜데일 양식.
Chiragra [çíːragra] 《gr.》 *n.* -s〖醫〗(Handgicht) 손 통풍(痛風).
chiro.. [çiro-, (südd., öst.) kiro-] *pref.* (명사·형용사 앞에 붙어) "손·수(手)…"의 뜻.
Chirograph [çirográːf] 《gr.》 *n.* -s/-en, -en ① 필적. ②〖고대후기〗자필(차용) 증서. ③〖가톨릭〗(교황이 서명한) 교황의 칙서. ④〖중세〗(각자 보관하다가 후에 진위를 확인하는) 계약서 또는 교환 문건.
Chirologie [..logíː] 《gr.》 *f.* ① 수화법(手話法). ② 수상학(手相學).
Chiromant [..mánt] 《gr.》 *m.* -en, -en 수상가(手相家).
Chiromantie [..mantíː] *f.* 손금보기, 수상술(手相術).
Chiropraktik *f.* - 척추 지압 요법.
Chiropraktiker *m.* -s, - 척추 지압 요법사.
Chirospasmus [..ʃpásmus, ..rɔs..] *m.* -, ..men〖醫〗(Schreibkrampf) (주로 글씨를 많이 쓰는 사람에게 오는) 손가락의 통증.
***Chirurg** [çirʊ́rk, (öst.) ki..] 《gr.》 *m.* -en, -en 외과 의사.
***Chirurgie** [çirurgíː] *f.* -n 외과 (의술).
chirurgisch *a.* 외과의; 수술(용)의.
Chitarrone [kitaróːnə] *m.* -(s), -s/..ni〔*f.* -n〕〖음악〗키타로네(17-18 세기 이탈리아의 저음 현악기).
Chitin [çitíːn] 《gr.》 *n.* -s〖생화학〗키틴질(質)(절지 동물의 껍데기를 구성하는 굳은 물질).
chitinig *a.* 키틴질의.
chitinös [çitinǿːs] *a.* 키틴질의.
Chiton [çitóːn] 《gr.》 *m.* -s, -e 키톤(고대 그리스인의 일종의 가운).
Chlamys [çláːmʏs, çlamʏ́ːs; kl..] 《gr.》 *f.* 클라미스(고대 그리스인의 남자용 짧은 겉옷).
Chlodwig [klóːtvɪç] *m.* 클로비스(프랑크 왕국의 초대왕, 466-511).
Chloe [klóːeː, ..óːə, xlóːə] 《gr.》 *f.* ①〖그리스신화〗클로에(곡식의 여신 Demeter 의 별명). ② 클로에(여자 이름).
***Chlor** [kloːr] 《gr.》 *n.* -s〖化〗염소(기호: Cl).
Chloral [kloráːl] *n.* -s〖化〗클로랄.
Chloral·hydrat *n.*〖化〗포수(抱水) 클로랄(수면제).
Chlor·ammonium [klóːr..] *n.*〖化〗염화암모늄.
Chlorat [kloráːt] *n.* -(e)s, -e 염소산염.
Chlor·dioxyd *n.*〖化〗이산화염소.
Chlorella [..rέla] *f.* ..llen〖植〗클로렐라.
chloren [klóːrən] *t.* 염소로 살균〔소독〕하다.
Chlor=gas *n.* 염소가스. **~haltig** *a.* 염소를 함유한.

Chlorid [..ríːt] *n.* -(e)s〖化〗염화물.
chlorieren [..ríːrən] *t.* 염소로 처리하다〔소독하다〕.
chlorig *a.* 염소의, 염소를 함유하는.
Chlorit [..rít] 《Ⅰ》 *m.* -(e)s, -e〖광물〗녹니석. 《Ⅱ》 [..ríːt] *n.* -(e)s, -e〖化〗아염소산염.
Chlor=kalk *m.* 염화석회, 표백분. **~kalium** *n.* 염화칼륨(비료 등에 씀). **~kalzium** *n.* 염화칼슘. **~natrium** *n.* 식염, 염화나트륨.
Chloroform [klorofɔ́rm] 《gr.》 *n.* -s〖藥〗클로로포름(마취제 또는 용해제).
chloroformieren *t.* 클로로포름으로 마취시키다.
Chloromycetin [kloromytsetíːn] 《gr.》 *n.* -s〖藥〗클로로마이세틴(항생 물질).
Chlorophyll [..fʏ́l] 《gr.》 *n.* -s〖植〗엽록소.
Chlorose [..róːzə] *f.*〖醫〗위황병(萎黃病).
Chlor=säure *f.*〖化〗염소산. **~silber** *m.*〖化〗염화은. **~stick·stoff** *m.*〖化〗염화질소.
Chlorung *f.* -en 염소로 소독〔처리〕하기.
Chlorür [klorýːr] *n.* -s〖化〗염화물.
Chlor=wasser *n.*〖化〗염소수. **~wasser-stoff** *m.*〖화학〗염화수소. **~zink** *n.*〖화학〗염화아연.
Choc [ʃɔk] 《frz.》 *m.* -s, -s ↑ Schock.
chokant [ʃɔkánt] *a.* ↑ schokant.
chokieren [ʃɔkíːrən] *t.* ↑ schockieren.
Choke [tʃoːk, tʃoʊk] 《engl.》 *m.* -s, -s〖기계〗초크(추위에 자동차 시동을 잘 걸기 위한 장치).
Choker *m.* -s, - 초크 조작용의 누름 단추.
Cholera [kóːlera, kɔ́l..] 《gr.》 *f.* 콜레라.
Cholera=bazillus *m.* 콜레라균(菌). **~epi-demie** *f.* 유행성 콜레라. **~erreger** *m.* 콜레라 병원체. **~tropfen** *pl.* 콜레라 약물 치료제.
Choleriker [koléːrikər] 《gr.》 *m.* -s, - ① 성급한〔다혈질인〕사람. ② 다혈질(히포크라테스가 분류한 네 기질 중 하나).
Cholerine [koleríːnə] *f.* 경증(輕症) 콜레라.
cholerisch *a.* 다혈질의; 화를 잘 내는.
Cholesterin [kolɛsteríːn, çoles..] 《gr.》 *n.* -s〖化〗콜레스테롤.
Cholesterin·spiegel *m.*〖醫〗(혈중) 콜레스테롤 농도.
Choliambus [çoliámbus, ko..] 《gr.》 *m.* -, ..ben〖운율〗(고대 그리스·로마의 조롱조의 시에 사용된) 파행 단장격(6 각(脚)으로 된 한 행의 제 6 각이 단장격(Jambus) 대신에 장단격(Trochäus)으로 파행을 이룸).
Chondren [çɔ́ndrən] *pl.*〖광물〗콘드룰, 운석 알갱이〔미립자〕.
Chondrit [çɔndríːt] *m.* -s, -e ①〖광물〗콘드룰 함유 운석. ②〖지질〗암석에 찍힌 나뭇가지 모양의 무늬.
chondritisch *a.* 콘드룰을 함유한 운석의.
Chopper [tʃɔ́pər] *m.* -s, -(s) ① (선사 시대의) 석기(石器). ② 이지 라이더(앞바퀴가 낮고 뒷바퀴가 높은 오토바이).
Chop-suey [tʃɔpsúːi] *n.* -(s), -s〖요리〗잡채.
Chor¹ [koːr] 《gr.》 *m./n.* -(e)s, -e/Chöre [kǿːrə]〖건축〗① (성당의) 본제단이 있는 곳. ② 성가대석.
***Chor**² *m.* -s, Chöre ① 합창(곡). ② (교회의) 성가대;〖연극〗(고대 그리스 비극의) 합창단. ③〔비유〕일단(團), 한패, 동료, (천사·새 등) 모여서 노래하는 무리;〖구어〗건방진 젊은이

의 무리: im ~ 다 함께, 이구동성으로.
choragisch [ço.., ko..] *a.* 합창 지휘자의.
Choral [korá:l] *m.* -s, ..räle 송가(頌歌), 성가, 찬송가(곡).
Choral·buch *n.* 찬송가집.
Choralist *m.* -en, -en 합창단의 일원; 성가대의 지휘자.
choral·mäßig *a.* 찬송가풍의.
Choral·vorspiel *n.* (오르간에 의한) 찬송가 전주.
Chor=altar *m.* 주[본]제단. **~amt** *n.* 본당 미사. **~bischof** *m.* (중세의) 지방 교구 감독; (동방 교회의) 사교 총대리.
Chörchen [kø:rçən] *n.* -s, - 〖↑ Chor² 의 축소형〗 소규모 합창대; 부(副)제단.
Chorda [kɔ́rda] 《gr.》 *f.* .den, **Chorde** [..də, çɔ́..] *f.* -n 장선(腸線), (현악기 등의) 현선(絃線); 〖數〗 현(弦); 〖해부〗 인대(靭帶).
Chordaten [kɔrdá:tən] *pl.* 척색(脊索) 동물.
Chor=direktor, ~dirigent *m.* ↑ ~leiter.
Chordometer [çɔr..] 《gr.》 *n./m.* 〖악기〗 현(絃)의 강도 측정기.
Chorea [koré:a] 《gr.》 *f.* ①〖병리〗 무도병(舞蹈病)(일종의 경련). ② (중세의) 윤무(곡).
choregisch [çoré:giʃ, ko..] *a.* ↑ choragisch.
Choreograf 新정서 ⇦ Choreograph.
Choreograph [koreográ:f] 《gr.》 *m.* -en, -en 무용〔발레〕 안무가, 무용〔발레〕 연출가.
Choreografie 新정서 ⇦ Choreographie.
Choreographie [..fí:] *f.* -n 무용 안무법〔도해·각본〕.
choreographieren *t.* (발레를) 안무하다.
Choreus [çoré:us, ko..] 《gr.》 *m.* -, ..reen 〖운율〗 장단〔강약〕격(格)(Trochäus).
Choreut [çorɔ́ʏt] *m.* -en, -en (고대 그리스의) 합창 윤무(輪舞)의 무용수.
Choreutik [..tɪk] *f.* 무용술(Tanzkunst).
choreutisch [..tɪʃ] *a.* 합창 윤무의.
Chor=führer *m.* (고대 그리스 비극의) 합창 가무단의 지휘자. **~gang** *m.* (성당 등의) 측랑(側廊). **~gebet** *n.* 〖가톨릭〗 (일과(日課) 예배 중의) 기도. **~gehilfe** *m.* 〖가톨릭〗 복사(服事). **~gesang** *m.* 성가 합창. **~gestühl** *n.* (교회 안의) 성직자석; 성가대석 **~hemd** *n.* (목사·성가대용) 넓고 흰 가운. **~herr** *m.* 성당 참사회원, 수도(修道) 참사회원.
Choriambus [çoriámbus, ko..] 《gr.》 *m.* -, ..ben 〖문학〗 장단단장격(長短短長格), 강약약강격(強弱弱強格).
Chorion [kó:riɔn, çó:..] 《gr.》 *n.* -s 〖해부〗 융모막.
chorisch [kó:rɪʃ] *a.* 〖음악〗 (↔ solistisch) 합창(용)의, 합창에 따른.
Chorismos [korismós] *m.* - 〖哲〗 존재와 인식의 영역의 분리.
Chorist [koríst] *m.* -en, -en (오페라의) 합창단원.
Choristin *f.* -nen ↑ Chorist의 여성형.
Chor=knabe *m.* (교회의) 소년 성가대원. **~leiter** *m.* 〖宗〗 성가대 지휘자.
Chörlein *n.* -s, - ①〖교양〗 ↑ Chörchen. ②〖건축〗 (중세 건축물의) 작은 돌출 창문.
Chorograph [çorográ:f, ko..] *m.* -en, -en 〖고어〗 (지방) 지도 제작자.
Chorographie [çorografí:] *f.* -n [..fí:ən] 〖고어〗 지도 작성; 지방 지지도 작성.
Chor=pult *n.* 성서 낭독용 탁자, (교회의) 성서대. **~regent** *m.* 〖고어〗 (교회의) 성가대장(長). **~rock** *m.* 성직자의 짧은 백의(白衣). **~sänger** *m.* 합창단원. **~sängerin** *f.* ↑ ~sänger의 여성형. **~schüler** *m.* 소년 합창단원. **~stuhl** *m.* ↑ ~gestühl.
Chorus [kó:rus] *m.* -, -se 〖고어〗 ① 합창; 합창단. ②〖음악〗 (재즈의) 즉흥 연주의 기초 화음 형식. ③ 경음악의 후렴〔반복구〕.
chor·weise *adv.* 〖음악〗 합창으로, 일제히.
Chose [ʃó:zə] 《frz.》 *f.* -n 〖구어〗 일, 용무, (특히) 싫은 일(Schose).
Chow-Chow [tʃautʃáu, ʃauʃáu] *m.* -s, -s 차우차우(중국 원산 개의 한 품종).
Chrestomathie [krɛstomatí:, çrɛ..] 《gr.》 *f.* -n [..tí:ən] (시문 등의) 선집, 시문선(詩文選)(대개는 어학 교재).
Chrie [çrí:ə, çrí:] 《lat.》 *f.* -n [çrí:rən] (학교 등의) 과제 작문; 〖修〗 규범에 따른 논설.
Chrisam [çrí:zam, krí:..] 《gr., „Salbe"》 *n./m.* -s, ↑ Chrisma
Chrisma [çrismə] *n.* -s 〖宗〗 성유(聖油).
***Christ** [krɪst] 《gr., „Gesalbter"》 ① *m.* -en, -en 기독교도. ② *m.* -(e)s 그리스도(Christus): der heilige〔Heilige〕 ~ a) 아기 예수, b) 크리스마스(선물); zum Heiligen ~ wünschen wir dir alles Gute! 크리스마스를 맞이하여 만복이 깃들기를!
Christ=abend *m.* 크리스마스 전야. **~baum** *m.* ① 크리스마스 트리(Weihnachtsbaum). ②〖구어〗 (폭격 지점을 알려 주는) 폭격 신호; 〖비유·경박〗 nicht alle auf dem ~ haben 제 정신이 아니다. **~bescherung** *f.* 크리스마스 선물. **~blume** *f.* 〖植〗 크리스마스 로즈(미나리아재빗과). **~demokrat** *m.* 기독교 민주 당원, 기민당원. **~demokratisch** *a.* 기독교 민주당의. **~dorn** *m.* 〖植〗 갯대추나무(팔레스타인 원산; 그리스도의 가시 면류관의 재료).
Christelei [kri..] *f.* -en 기독교도인 체하는 행위; 믿음이 깊은 체하는 행위.
christeln *i.* (h.) 기독교도인 체하다.
Christen=gemeinde *f.* ① 전체 그리스도교도; 기독교 교구. ② 슈타이너파. **~gemeinschaft** *f.* 그리스도교 공동체(1922 년 창립; 인지학(人智學)에 근거를 둔 정신 운동). **~glaube** *m.* ↑ ~glauben. **~glauben** *m.* 기독교(신앙). **~heer** *n.* 〖聖〗 십자가 군병.
Christenheit [krístənhaɪt] *f.* 전(全) 기독교도, (전세계의) 기독교.
Christen=kind *n.* 기독교도의 자녀, 기독교 세례를 받은 아이. **~lehre** *f.* 〖가톨릭〗 (견진성사 후의) 청소년을 위한 종교 교육; 〖가톨릭〗 (성인용) 종교 강의. **~mensch** *m.* 기독교도. **~pflicht** *f.* 기독교도의 의무. **~seele** *f.* 〖구식〗 ↑ ~mensch. **~sinn** *m.* 기독교도의 정신〔기질〕.
***Christentum** *n.* -(e)s 기독교; 기독교의 신앙; 〖총칭〗 (기독교의) 교회; 기독교적 정신: jn. zum ~ bekehren 누구를 기독교로 개종시키다.
christentümeln *i.* (h.) ↑ christeln.
christentümlich *a.* 기독교(도)의, 기독교적인.
Christen=verfolgung *f.* (고대 로마 특히 네로 황제 때의) 기독교도 박해. **~volk** *n.* 전(全) 기독교도. **~zeichen** *n.* 기독교도의 표

지(標識).
Christ≈fest *n.* 크리스마스. **~geschenk** *n.* 크리스마스 선물.
Christian *m.* 크리스티안(남자 이름).
christianisieren [krıstianizí:rən] *t.* 그리스도교로 개종시키다.
Christianisierung *f.* -en 그리스도교로의 개종.
Christianitas [kristiá:nitas] 《lat.》 *f.* 〖교양〗 기독교적 생활〔정신〕 태도.
Christian Science [krıstjən sáıəns] 《engl.》 *f.* 크리스천 사이언스(미국의 한 종파; 신앙의 힘으로 병을 치료하는 것이 특색임).
Christiane 크리스티아네(여자 이름)
Christine *f.* 크리스티네(여자 이름).
Christin [..stın] *f.* -nen ↑ Christ ① 의 여성형.
Christ≈kind *n.* ① 아기 예수(상). ② (아이들이 믿는) 크리스마스 선물을 가져오는 아기 예수. ③ (südd., öst.) 크리스마스 선물. **~kindchen** *n.* ↑ Christkind 의 축소형. **~kindlein** *n.* ↑ ~kindchen. **~königs·fest** *n.* 〖가톨릭〗 왕 되신 그리스도 대축일(10 월 마지막 일요일).
*__christlich__ [krístlıç] *a.* 기독교를 믿는, 기독교(도)의; 기독교 신자다운, 박애의: ~e Länder 기독교국; ~e Lehre 기독교 교리; ~e Wissenschaft ↑ Christian Science.; ~e Zeitrechnung 서력 기원; ≈er Verein Junger Männer 기독교 청년회(독일의 Y.M.C.A).
Christlichkeit *f.* ↑ christlich 의 명사형.
christlich·sozial *a.* 기독교 사회주의의.
Christ≈messe 〖가톨릭〗 *f.* 〖가톨릭〗 크리스마스 심야〔자정〕 미사. **~mette** *f.* 〖가톨릭〗 크리스마스 심야 미사; 〖기독교〗 크리스마스 예배. **~monat** *m.* 12 월. **~mond** *m.* ↑ ~monat. **~nacht** *f.* 크리스마스 전야.
Christolatrie 《gr.》 그리스도 숭배.
Christologie [..logí:] *f.* -n [..gí:ən] 그리스도론.
christologisch *a.* 그리스도론의.
Christophanie [..stofaní:] *f.* -n [..ní:ən] (부활 이후의) 그리스도 현현(顯現).
Christoph *m.* 크리스토프(남자 이름).
Christophorus [kristó(:)forus] 《gr.》 *m.* ① 크리스토포루스(남자 이름). ② Sankt ~ 성(聖)크리스토퍼(순교자; 여행자의 수호신).
Christ≈rose *f.* ↑ ~blume. **~stolle** *f.* ↑ ~stollen. **~stollen** *m.* 크리스마스용 롤케이크. **~tag** *m.* 크리스마스 날.
*__Christus__ [krístus] 《gr., „Gesalbter"》 *m.* (*gen.* Christi, *dat.* Christo, *acc.* Christum; *voc.* Christe; 또는 전격(全格) Christus) 예수 그리스도: vor Christo, vor Christi Gegburt 서력 기원전(약어: v. Chr.); nach Christo 서력 기원후(약어: n. Chr.); um Christi willen! 부디, 제발, 저런!
Christus≈akazie *f.* 〖植〗 아재비과줄나무. **~bild** *n.* 십자가에 못박힌 그리스도상(像). **~dorn** *m.* 〖植〗 ↑ Christdorn. **~kopf** *m.* 십자가에 못박힌 그리스도의 머리상. **~lehre** *f.* ↑ Christologie. **~monogramm** *n.* 그리스도의 이름의 심벌인 그리스 문자 X(=Chi)와 P(=R)를 결합시킨 기호. **~orden** *m.* ① (중세 포르투갈의) 기사 수도회. ② (현재는) 교황이 수여하는 최고 훈장.

Christ≈vogel *m.* 〖動〗 솔잣새. **~woche** *f.* 크리스마스 주일. **~wurz** *f.* ↑ ~blume.
*__Chrom__ [kro:m] 《gr.》 *n.* -s 〖化〗 크롬(금속 원소; 기호: Cr).
Chromasie [..mazí:] *f.* 〖物〗 색수차.
Chromatik *f.* 색채론; 〖음악〗 반음계법.
Chromatin [..tí:n] *n.* -s, -e 염색질(質).
chromatisch [..má:tıʃ] *a.* 색의, 채색한; 〖음악〗 반음의(↔ diatonisch).
Chromatographie *f.* 〖化〗 색층 분석.
chromatographieren *t.* 색층 분석하다.
Chromatometer *n.* -s, - 측색계(測色計).
Chromatophor [..fó:r] *n.* -s, -en 〖動〗 색소세포; 〖植〗 색소체.
Chromatoskop [..toskó:p] *n.* -s, -e 〖天〗 반사 망원경; 〖物〗 광선 합성기.
Chromatron [kró:matro:n] *n.* -s, -e 〖기술〗 크로마트론(컬러 텔레비전용 브라운관).
Chromatropie [..tropí:] *f.* -n [..pí:ən] 회전 채광판.
Chromatypie [..typí:] *f.* -n [..pí:ən] 크롬 사진법; 착색 사진술.
chrom≈blitzend *a.* 크롬 빛깔로 번쩍이는. **≈-eisenstein** *m.* 〖광물〗 크롬 철광. **≈gelb** *n.* 크롬황, 황연(황색 안료). **≈grün** *n.* 크롬그린(녹색 안료).
chromieren [kromí:rən] *t.* 〖工〗 ① (모직물을) 크롬 연료로 염색하다; 크롬산 용액으로 처리하다. ② 크롬 도금하다.
Chrom·leder *n.* 크롬염으로 무두질한 가죽.
Chromodruck [..mo..] *m.* -(e)s, -e 착색(석판) 인쇄.
Chromogen 《gr.》 *n.* -s 〖化〗 색원체(色原體).
Chromolith [kro:molí:t, ..lít] *m.* -s/-en, -e(n) (유약을 바르지 않은) 채색 토기.
Chromolithographie [..lıtografí:] *f.* -n [..fí:ən] ① 컬러 석판 인쇄. ② 컬러 석판화.
Chromophotographie *f.* -n [..fí:ən] 착색 사진술.
Chromoskop [..mosskó:p, ..mɔs..] *n.* -s, -e 〖사진〗 크로모스코프(컬러 환등기).
Chromosom *n.* -s, -en 염색체.
chromosomal *a.* 염색체의.
Chromosomen≈satz *m.* 〖生〗 세포핵 염색체(전체). **~karte** *f.* 염색체 지도. **~mutation** *f.* 염색체 변이. **~zahl** *f.* 염색체 수.
Chromosphäre *f.* 채층(彩層)(태양 둘레의 붉은색 가스층; 주로 수소로 됨).
Chrom≈rot *n.* 크롬 적(赤), 적색 안료. **≈-sauer** *a.* 크롬산의. **~säure** *f.* 크롬산. **≈-stahl** *m.* 크롬강(鋼).
*__Chronik__ 《gr. chrónos》 *f.* -en 연대기, 편년사(編年史); 기록; (중세의) 사담(史譚): in eine ~ eintragen 연대기에 싣리다, 기록하다; 〔농담〕 sie ist eine wandelnde ~ 그녀는 소식통이다.
Chronika [kró:nika] *pl.* 〖聖〗 역대기.
chronikalisch *a.* 연대순의; 연대학적인.
Chroniken·schreiber *m.* ↑ Chronist.
Chronique scandaleuse [krɔní:k skãdalǿ:z] 《frz.》 *f.* -s, -s 추문록(醜聞錄); 추문, 스캔들.
*__chronisch__ [kró:nıʃ] 《gr.》 *a.* 해묵은; 〖醫〗 (↔ akut) 만성의; 〔구어〕 지속적인.
Chronist *m.* -en, -en 연대기 저자〔편자〕; 기록자.

C

Chronịsten·pflicht *f.* 〔농담〕 객관적 보고의 의무.
Chronograph *m.* -en, -en ① 연대기 편찬자. ② 크로노그래프, 계시 장치; 스톱 워치.
Chronographie *f.* -n [..fí:ən] 연대기 편찬.
chronographisch [..grá:fɪʃ] *a.* 연대순의, 연대기적인.
Chronologe [..ló:gə] *m.* -n, -n 연대 편찬학자.
Chronologie [..logí:] *f.* -n [..gí:ən] 연대기, 연표(年表); 연대학.
chronologisch *a.* 연대표〔순〕의; 연대학의.
Chronometer [..mé:tər] *n.* -s, - 크로노미터(정교한 측시기(測時器)); 〖海〗 경선의(經線儀)(천문·항행용 정밀 시계); 〖음악〗 메트로놈, 박절기; 〔구어·농담〕 회중 시계.
Chronometrie *f.* -n [..rí:ən] 시간 측정(법).
chronometrisch [..mé:trɪʃ] *a.* 크로노미터의〔로 측정한〕.
Chronoskop [..noskó:p, ..nɔs..] *n.* -s, -e 크로노스코프, 계시기, 정밀 시간 측정기(빛의 속도 등을 측정함).
Chrysalide [çryzalí:də] 《gr.》 *f.* -n 〖動〗 번데기.
Chrysantheme [kryzanté:mə, çry..] *f.* -n 〖植〗 국화.
Chrysanthemum [..zántemʊm] *n.* -s, ..men ↑ Chrysantheme.
chryselephantin [..zelefantí:n] 《gr.》 *a.* (고대 그리스 조각상이) 금과 상아로 입혀진.
Chrysoberyll [..zoberÝl] 《gr.》 *m.* -s, -e 〖광물〗 금록옥(金綠玉).
Chrysoidin [..idí:n] 《gr.》 *n.* -s 〖化〗 크리소이딘(동황색 색소).
Chrysolith [..lí:t, ..lɪt] 《gr.》 *m.* -s/-en, -e(n) 감람석(橄欖石).
Chrysopras [..prá:s] 《gr.》 *m.* -es, -e 〖광물〗 녹옥수(綠玉髓)(준보석).
chthonisch [çtó:nɪʃ] 《gr. chthōn》 *a.* 땅〔흙〕의; 지상의; 명부(冥府)〔지하〕의: 〖그리스신화〗 ~e Götter 저승의 신(神)들.
Chur [ku:r] 쿠어(스위스 그라우뷘덴주의 주도).
Church Army [tʃə́:rtʃ á:rmi] *f.* 영국 국교의 전도 단체.
Chutney [tʃátni] 《engl.》 *n.* -(s), -s 처트니, (과일 · 약초로 만든) 인도 양념.
Chuzpe [xʊ́tspə] 《hebr.》 *f.* 〔경박〕 파렴치, 뻔뻔스러움.
Chylus [çý:lʊs] 《gr.》 *m.* - 〖醫〗 유미(乳糜).
Chylus·gefäß *n.* 유미관(管).
Chymosin [çymozí:n] *n.* -s 레닌, 응유(凝乳) 효소.
Chymus [çý:mʊs] *m.* - 위산과 섞여 암죽 상태가 된 음식물, 미즙(糜汁).
Ci =Curie 퀴리(방사능 단위).
ci =cost and insurance 보험료 포함 가격.
c.i. =cum infamia (mit Schimpf und Schande) 치욕적으로, 욕되게 하여.
CIA 《engl.》 *m.*/(드물게) *f.* 미국 중앙 정보국 (Central Intelligence Agency).
Ciacona [tʃakó:na] *f.* -s ↑ Chaconne.
ciao [tʃaʊ] *int.* (tschau [tʃa:u]의 이탈리아식 표기) 안녕.
Ciborium [tsibó:riʊm] *n.* -s, ..rien [..riən] ↑ Ziborium.
Cicade [tsiká:də] *f.* -n ↑ Zikade.
Cicero [tsí(:)tsero:] ① Marcus Tullius ~ 키케로(로마의 웅변가·철학자, 106-43 B.C.). ② *f.* 〖印〗 12 포인트 활자.
Cicerone [tʃiʃeró:nə, ..ne] 《it.》 *m.* -(s), -s/..ni (Fremdenführer) 외국인 안내자; 관광 안내 책자, 여행 가이드.
Ciceronianer [tsitseroniá:nər] *m.* -s, - 키케로 숭배자〔연구가〕.
ciceronianisch, ciceronisch *a.* 키케로류의〔같은〕; 말이 유창하고 완벽한; 웅변의.
Cicisbeo [tʃitʃɪsbé:o] 《it.》 *m.* -(s), -s 유부녀의 정부(情夫).
Cid [tsit, tsi:t] *m.* -s (el) ~ Campeador (엘)시드(11 세기 무어인과 싸운 에스파냐 용사).
Cidre [sí:dər] 《frz.》 *m.* -s (브레타뉴·노르망디산(產)의) 사과주.
Cie. 〔고어〕 =Compagnie 상회, 회사.
cif [tsɪf, sɪf] =cost, insurance and freight 《engl.》 〖商〗 운임 보험료 포함 가격.
Cikade [tsiká:də] *f.* -n ↑ Zikade.
Cimber [tsɪ́mbər] *m.* -s, -n ↑ Zimber.
Cinchona [sintʃó:na] 《sp.》 *f.* ..nen 〖植〗 기나수(幾那樹).
Cinchonin [sɪntʃoní:n, ..ço..] *n.* -s 〖化〗 신코닌(알칼로이드; 키니네 대용).
Cineast [sineást] 《frz.》 *m.* -en, -en 영화 제작자〔평론가〕; 영화 애호가.
Cinema [sínema] *n.* -s, -s 영화관.
Cinemagic [sɪnəmǽʒɪk] *n.* - 〖영화〗 실사(實寫) 필름과 애니메이션 필름을 합성하는 특수 기술.
cinemagic *a.* 〖영화〗 트릭 촬영 기법에 따른.
Cinemascope [sinemaskó:p] *n.* - 〖영화〗 시네마스코프.
Cinemathek [sinematé:k] *f.* -en 〖영화〗 ↑ Kinemathek, Filmarchiv.
Cinephile [sɪnəfi:lə] *m./f.* -n, -n 〖영화〗 영화 애호가.
Cinerama [sinerá:ma] *n.* -(s) 〖영화〗 시네라마.
Cinquecentist [tʃɪŋkvetʃɛntíst] 《it.》 *m.* -en, -en 16 세기 이탈리아의 시인·예술가.
Cinquecento [..tʃɛ́nto] *n.* -(s) (이탈리아 문예 부흥의) 16 세기.
CIO 《engl.》 =Congress of Industrial Organizations (미국의) 산업별 노동 조합 회의.
CIP [tsɪp] 《engl.》 =Cataloguing in Publication) (프랑크푸르트에 있는) 독일 신간 서적 정보 서비스.
Cipollin [tʃipɔlí:n] 《it.》 *m.* -s 〖광물〗 (이탈리아산(產)) 백록(白綠) 대리석.
circa [tsɪ́rka] 《lat.》 *adv.* (zirka) 약(約), 대략(약어: ca).
Circarama [sɪrkará:ma] *n.* -(s) 〖영화〗 파노라마와 유사한 영상 기법.
Circe [tsɪ́rtse, ..tʃə] *f.* -n 〖그리스신화〗 키르케(호머의 서사시 오디세이에 나오는 마녀; 〖비유〗 요부(妖婦) (Kirhe).
Circulus vitiosus [tsɪ́rkulʊs vitsió:zʊs] 《lat.》 *m.* - -, ..li ..osi ① 〖논리〗 순환 논증. ② 〖醫〗 악순환 관계(서로간에 상치되는 병의 증세(보기: 고혈압과 신장병)).
Cịrcus *m.* -, - ↑ Zirkus.
cis [tsɪs] *n.* -, - 〖음악〗 올림 다 음(音).

Cis *n.* -, - 올림 다(장조).
Cis-Dur [tsísdu:*r*] *n.* - 올림 다 장조.
Cis-Dur-Tonleiter *f.* 올림 다 장조 음계.
cis-Moll [tsísmɔl] *n.* - 올림 다 단조.
Cis-Moll-Tonleiter *f.* 올림 다 단조 음계.
citato loco [tsitá:to: ló:ko:] 《lat.》 (am angeführten Ort) 상술한 바에서(약어: c.l.).
citissime [tsitísime:] 《lat.》 *adv.* 화급(火急) (우편·공문서 등에 씀).
cito [tsí:to] *adv.* (eilig) 지급으로, 속히.
Citoyen [sitoajɛ̃:] 《frz.》 *m.* -s, -s [..jɛ̃:s] (Bürger) 시민, 공민, 국민.
Citrat [tsitrá:t] *n.* -(e)s, -e ↑ Zitrat.
Citrin [tsitrí:n] *n.* -s, -e ↑ Zitrin.
City [síti] 《engl.》 *f.* -s/..ties [..ti:z] 시, 도시; (런던의) 구시가; 대도시의 상업 지구; 번화가.
City-Bike [..baik] 《engl.》 *n.* -s, -s 도시용 소형 오토바이.
Citybildung *f.* -en 도심의 상업 지구화 현상.
Civet [sivé:, sivɛ́:] *n.* -s, -s 〖요리〗 토끼 고기 스튜.
Civitas Dei [tsí:vitas dé:i] *f.* 〖哲〗 (아우구스티누스 철학에서의) 신의 나라.
Cl =Chlor 염소.
cl =Zentiliter 센티리터(100 분의 1 리터).
c.l. =citato loco 상술한 바에서.
Claim [kle:m, kleım] 《engl.》 *n.* -(s), -s 청구(권); 지급 청구; 금광 회사의 지분, 몫.
Clairet [klɛrɛ́] 《frz.》 *m.* -s, -s (타닌산이 적은 프랑스산(産)) 적포도주의 일종.
Clair-obscur [klɛrɔpský:*r*] 《frz.》 *n.* -(s) 〖畫〗 농담(濃淡), 명암화법; 〖印〗 목판 인쇄.
Clair-obscurschnitt *m.* 목판화의 명암법.
Clairon [klɛrɔ̃́:] 《frz.》 *n.* -s, -s [..rɔ̃:s] ① 신호 나팔. ② (16-18 세기의) 트럼펫의 일종.
Clairvoyance [klɛrvoajɑ̃́:s] *f.* -n 천리안, 혜안.
Clan [kla:n, klæn] 《engl.》 *m.* -s, -s [klæns]/-e [klá:nə] (스코틀랜드의) 일족(一族), 씨족; 파벌(Klan).
Clanschaft [..ʃaft] *f.* 벌족(閥族), 일당.
Claque [klákə, klak] 《frz.》 *f.* (고용된) 박수 부대.
Claqueur [klakǿ:*r*] *m.* -s, -e 고용되어 박수 치는 사람.
Clarino [klarí:no] *n.* -s, -s ① 트럼펫의 고음, 고음의 트럼펫. ② 오르간의 음전(音栓).
Clausius *n.* -, - 〖物〗 클라우지우스(엔트로피(열역학 함수)의 단위; 1 cal/°K).
Clausula *f.* -e 약관; 유보 조항.
Claves [klá:vɛs] *pl.* 클라베스(타악기).
Clavicembalo [klavitʃɛ́mbalo] *n.* -s, -s/..li 〖음악〗 쳄발로의 구형(합시코드).
Clavicula [klaví:kula] *f.* -e 쇄골(鎖骨).
Clavis [klá:vıs] *f.* -/..ves ① 오르간의 건반. ② 음자리표; 음이름. ③ (고문서 또는 성경의) 해설 사전.
Clavus [klá:vʊs] *m.* -, ..vi ① (고대 로마에서) 고관의 의복에 장식된 자색이나 황금색 선. ② 〖醫〗 각질 세포(군살); 티눈.
clean [kli:n] 《engl.》 *a.* ① 〔구어〕 마약 중독에서 벗어난: er ist jetzt seit drei Monaten ~ 그는 이제 석달째 마약을 끊고 있다. ② 〔경박〕 환상적인, 아주 좋은; 미친 듯한.
Clearing [klí:rıŋ, klíə..] 《engl.》 *n.* -s, -s 〖經〗 어음 교환; (Verrechnung) 청산.
Clearing≈abkommen *n.* 〖經〗 (국가간의) 청산 협정. **~haus** *n.*, **~stelle** *f.* 어음 교환소. **~verkehr** *m.* 어음 교환.
Clematis [klé:matıs, klemá:tıs] *f.* ↑ Klematis.
Clerk [klark, kla:k] 《engl.》 *m.* -s, -s ① (영국 성공회의) 성직자. ② 서기; 회계원. ③ 사무원; 점원.
clever [klɛ́vər, klɛ́və] 《engl.》 *a.* ① 〖스포츠〗 능란한, 기량이 뛰어난. ② 영리한, 재치 있는.
Cleverneß *f.* 영리; 재치 있는 태도.
Cliché [kliʃé:, klıʃé:] *n.* -s, -s 상투어; 서투른 모방(Klischee).
Clinch [klıntʃ, klınʃ] 《engl.》 *m.* -es 〖권투〗 껴안기, 클린치.
clinchen *i.* 상대를 껴안다, 클린치하다.
Clipper [klípə] *m.* -s, - (미국의 해외 노선용) 장거리 대형 비행기.
Clique [klíkə, klí:..] 《frz.》 *f.* -n 파벌; 도당, 당파; 같은 패(↑ Klicke).
Cliquen≈wesen [klíkən.., klí:kən..] *n.* 파벌 대립〔지배〕. **~wirtschaft** *f.* 〖구어·폄어〗 파벌 정치〔지배〕, 족벌주의.
Clivia [klí:via] *f.* ..vien [..viən] 〖植〗 클리비아, 군자란.
Clochard [klɔʃá:r] 《frz.》 *m.* -s, -s (대도시의) 건달, 부랑아: die ~s am Seineufer 센 강변의 건달들.
Clog [klɔk, klɔg] *m.* -s, -s 나막신.
Cloisonné [kloazɔné:] 《frz.》 *m.* -s, -s [..né:s] (에나멜 세공을 한) 칠보(七寶) 자기.
Cloqué [kloké:] *m.* -(s), -s (잔주름이 있는) 크레이프.
Clos [klo:, klo:s] *n./m.* -, - (프랑스의) 포도밭.
Closed Shop [klóuzd ʃɔ́p] 《engl.》 *m.* - -(s), - -s ① 〖컴〗 (공개하지 않는) 전산실. ② (미국의) 노동 조합원만 고용하는 사업소(↔ Open Shop).
Cloth [klɔ(:)θ] *m./n.* - 〖섬유〗 혼방 직물.
Clou [klu:] 《frz.》 *m.* -s, -s [klu:s] (연회·여흥의) 흥취의 절정; 하이라이트.
Clown [klaun] 《engl.》 *m.* -s, -s (서커스 등의) 어릿광대.
Clownerie *f.* -n [..rí:ən] 바보스런〔어리석은〕 행동.
Club *m.* -s, -s ↑ Klub.
Cluster [klastər, klʌ́stə] *m.* -s, - ① 〖음악〗 연속음. ② 〖언어〗 서로 상이한 자음들의 연속. ③ 〖化〗 입자의 송이.
Cm =Curium 퀴륨.
cm =Zentimeter 센티미터.
cm² =Quadratzentimeter 제곱〔평방〕 센티미터(↑ qcm).
cm³ =Kubikzentimeter 세제곱〔입방〕 센티미터(↑ ccm).
C+M+B =Caspar, Melchior, Balthasar (동방의 세 박사를 불러 악마를 쫓는 주문).
cmm =Kubikmillimeter 세제곱〔입방〕 밀리미터(↑ mm³).
c-Moll [tsé:-mɔl] *n.* - 〖음악〗 다 단조.
C-Netz *m.* -es, -e 〖통신〗 독일 텔레콤에서 운영하는 아날로그 방식의 무선 통신망.
Co 〖化〗 =Cobaltum 코발트; =Kohlenmonoxid 일산화탄소.

Co. [ko:] =Kompanie 회사(↑ Komp.).
c/o =《engl.》 care of (bei..) (편지의 수신인에 쓰는) 전교(轉交), …(씨) 방(方).
Coach [ko:tʃ, koutʃ] 《engl.》 *m.* -(s), -s ① 마차; 세단형 자동차. ② 코치, 감독.
coachen [kó:tʃən] *t.* 훈련시키다.
Cobalt [kó:balt] *n.* -s ↑ Kobalt.
COBOL [kó:bɔl] *n.* -s 〖컴〗 =Common Business Oriented Language 코볼(프로그램 언어의 일종).
Coca-Cola [kokakó:la] *n.* -(e)s, 코카콜라.
Cocain [kokaí:n] *n.* -s, - ↑ Kokain.
Cochenille [kɔʃəníljə] 《sp.》 *f.* -n 연지(臙脂) 벌레에서 채취한) 진홍색, 주홍색.
Cochon [kɔʃɔ̃:] 《frz.》 *m.* -s, -s [kɔʃɔ̃:s] 〖고어〗 돼지; 〖비유〗 무례〔불결·천〕한 사람.
Cochonnerie [kɔʃɔnərí:] *f.* -n [..rí:ən] 〖고어〗 (Schweinerei) 야비; 외설, 추행.
Cockerspaniel [kɔ́kərʃpa:niəl, ..spɛ..] 《engl.》 *m.* -s, -s 코커스파니엘(중간 크기의 영국산 사냥개).
Cockney[1] [kɔ́kni] 《engl.》 *n.* -(s) 런던 토박이 하층민의 사투리.
Cockney[2] 《engl.》 *m.* -s, -s 〖펌어〗 Cockney[1]의 사용자.
Cockpit [kɔ́kpɪt] 《engl.》 *n.* -s, -s ① 〖空〗 조종실. ② (경주용 자동차의) 운전석. ③ (선박의 지붕 없는) 선원석. ④ 배의 저장실.
Cocktail [kɔ́kte:l, ..teɪl] 《engl.》 *m.* -s, -s ① 칵테일. ② 잡종 경주마(Halbblut). ③ 〖구동독〗 연회. ④ 칵테일 파티. ⑤ 혼합 음식.
Cocktail·empfang *m.* 칵테일 파티. **~happen** *m.* 칵테일 파티의 간식. **~kleid** *n.* 연회복. **~party** *f.* 칵테일 파티. **~schürze** *f.* 작은 앞치마.
Cocytus [kotsý:..] *m.* - 〖그리스신화〗 코퀴투스(저승을 흐르는 강).
Coda [kó:da] 《it.》 *f.* -s ↑ Koda.
Code [ko:d, (frz.) kɔd] 《frz.》 *m.* -s, -s ① 법전(↑ Kodex ②). ② 전산 약호; 암호서(Kode).
Code civil [kɔd sivíl] *m.* - - 프랑스 민법전.
Code Napoleon [..napoleɔ̃:] *m.* -, - 나폴레옹 법전.
Codex *m.*, ..dices [..tse:s] ↑ Kodex.
codieren [kodí:rən] *t.* 부호화하다.
Codierung [..ruŋ] *f.* -en ↑ Kodierung.
Cœur [kø:r] 《frz.》 *n.* -(s), -(s) (카드의) 하트.
Coeur·as [kø:r|as] *n.* 하트 에이스. **~dame** *f.* 하트의 퀸.
Coffein *n.* -s ↑ Koffein.
Cogito, ergo sum [kó:gito ɛ́rgo zúm] 《lat.》 (ich denke, also bin ich) 나는 생각한다, 그러므로 나는 존재한다(데카르트 철학의 근본 명제).
Cognac [kɔ́njak] 《frz.》 *m.* -(s), -s 코냑.
cognac *a.* 금갈색의, 코냑색의.
cognac·farben *a.* 코냑색의.
Coiffeur [koafǿ:r] 《frz.》 *m.* -s, -e 이용사, 미용사.
Coiffeuse [..fǿ:zə] *f.* -n ↑ Coiffeur 의 여성형.
Coiffure [koafý:r] *f.* -n ① 이발〔미용〕 기술. ② (schweiz.) 이발소. ③ 멋진 헤어스타일.
Coir [koí:r, kɔ́ɪə] 《engl.》 *f.* 〔*n.* -(s)〕 야자피(皮) 섬유.
coitieren [koití:rən] *i.* (h.) 성교하다(koitieren).
Coitus [kó:itus] 《lat.》 *m.* -, - 교접, 성교 (Koitus).
Coke [ko:k, kouk] *n.* -s, -s 코카콜라.
col. =columna 단, 난(Spalte).
col basso 《it.》 *adv.* 〖음악〗 저음으로(약어: c.b.)
Cold Cream [kóuld krí:m] 《engl.》 *f.* -(s) 〔*n.* -(s), -(s)〕 콜드 크림.
Coleopter [koleɔ́ptər] 《gr.》 *m.* -s, - 콜레옵터(원형 날개가 있는 수직 이착륙 비행기).
Cölestiner [tsøləstí:nər] *m.* -s, - 〖가톨릭〗 (베네딕트 교단의 일파인) 첼레스티노파의 수도사.
Collage [kɔlá:ʒə] *f.* -n ① 콜라주; 콜라주 기법; 콜라주 기법 그림. ② 〖문학〗 다양한 텍스트에서 인용하여 만든 작품. ③ 〖음악〗 상이한 소재를 짜맞춘 작곡.
collagieren *t.* 콜라주 기법으로 제작하다.
colla parte [kɔ́la pártə] 《it.》 성부(聲部)에 맞추어.
College[1] [kɔ́lɪdʒ, kɔ́lɪtʃ] 《engl.》 *m.* -(s), -s [..dʒiz] ① (영국의) 학생과 교수의 생활 공동체. ② (영국의) 기숙사가 부설된 사립 고교. ③ 전문 대학, 단과 대학.
Collège[2] [kɔlɛ́:ʒ, ..lɛ́:ʃ] *n.* -(s), -s (프랑스어 사용국의) 고등 학교.
col legno [kɔl lɛ́:njo] 《it.》 (현악기에서) 활대로 줄을 두들기듯 하는(주법).
Collico [kɔ́liko] *m.* -s, -s (연방 철도국에서 대여하는 접이식) 금속제 수송 상자.
Collico-kiste *f.* ↑ Collico.
Collie [kɔ́li] 《engl.》 *m.* -s, -s (스코틀랜드의) 양을 지키는 개.
Collier [kɔlié:] 《frz.》 *n.* -s, -s [..lié:s] ↑ Kollier.
Colon [kolɔ́n] *m.* -(s), -s 콜론(엘살바도르와 코스타리카에서 사용하는 화폐 단위).
Colonel [kɔlɔnɛ́l, (engl.) kɔ́:nəl] 《lat.》 *m.* -s, -s (Oberst) 육군 대령.
Colonía [koló:nia] 《lat.》 *f.* -e (고대 로마의) 로마 시민 거주 구역 밖의 주거지.
Colonia·kübel *m.* - (öst.) 대형 쓰레기통 (Koloniakübel).
Colt [kɔlt] *m.* -s, -s [..ts] 콜트식 자동 권총.
Combine [kɔmbáɪn] 《engl.》 *f.* -s ↑ Kombine.
Combo [kɔ́mbo] 《engl.》 *f.* -s 〖음악〗 소규모 재즈 밴드, 캄보.
Comeback 《engl.》 *n.* -(s), -s 재등장, 컴백.
COMECON [kɔ́mekɔn] 《engl.》 *m./n.* - = Council for Mutual Economic Assistance 〔Aid〕 (구소련을 중심으로 결성하였던) 동유럽 경제 협력 회의(Rat für Gegenseitige Wirtschafts hilfe; 약어: RGW).
Comedie larmoyante [kɔmedil armoajã:t] 《frz.》 *f.* - -, -s -s 〖문학〗 (계몽주의 초기의) 감상적 희극.
Comes [kó:mɛs] *m.* -, -/..mites ① (고대 로마의) 고급 관리. ② (중세 왕의) 시종, 고문. ③ 〖음악〗 푸가(Fuge)에서의 테마 반복.
Comestibles [kɔmɛstí:bəl] *pl.* 진미, 별식.
Comic [kɔ́mɪk] *m.* -s, -s ↑ Comic strips.
Comic-Heft *n.* 만화(책).

Comic strips 《engl.》 *pl.* 만화(책).
Coming-out 《engl.》 *n.* - (s), -s (자신의 동성 연애 사실을) 알림.
Commedia dell'arte [kɔmé:dia dɛlártə] 《it.》 *f.* -s, - (16-18 세기 이탈리아의) 즉흥 희극.
comme il faut [kɔmɪlfó:] 《frz., „wie es sein muß"》〖교양〗 마땅히, 모범적으로.
Commis voyageur [komí voajazǿ:r, ..voaja͡ʒœ́:r] 《frz.》 *m.* - -, - -s [..ʒǿ:r] 행상, 도붓장수.
Common sense 《engl.》 *m.* - - 상식, 양식.
Commonwealth [kɔ́mənwɛlθ] 《engl.》 *n.* - ① 국가 연합. ② (공통의 목적·이익으로 결합된) 공동체. ③ 영(英)연방.
Communiqué [kɔmyniké:] 《frz.》 *n.* -s, -s [..ké:s] 공식 발표; 성명서.
comodo [kó:modo] 〖음악〗 차분〔조용〕하게.
Compagnie [kɔmpaní:] *f.* -n [..ní:ən] ↑ Kompanie.
Composé[1] [kõpozé:] *m.* -(s), -s 이중 색무늬의 직물.
Composé[2] *n.* -(s), -s (여러 가지 색과 무늬가 어우러진) 옷감(으로 만든 숙녀복).
Composer [kɔmpó:zər] *m.* -s, - (자동 조절) 전자 식자기.
Compound≈maschine [kɔmpáʊnt..] *f.* ①〖기계〗 복합 기관. ②〖전기〗 직류 기계. **~motor** *m.* 복권(復捲) 전동기.
comptant [kõtã́:] *a.* ↑ kontant.
Comptoir [kõtoá:r] 《frz.》 *n.* -s, -s 〖고어〗 카운터, 회계하는 곳.
Compton-effekt [kámptən..] *m.* 〖物〗 (엑스선 산란에 관한) 콤프턴 효과.
Computer 《engl.》 *m.* -s, - 컴퓨터.
Computer≈börse *f.* 〖증권〗 전자 증권 거래 시장. **~diagnostik** *f.* 컴퓨터 진단(법). **~generation** *f.* ① 컴퓨터 기술의 발전 단계. ②〖구어〗 컴퓨터 세대. **~kriminalität** *f.* 컴퓨터(이용) 범죄. **~linguistik** *f.* 〖언어학〗 컴퓨터 언어학.
computern [kɔmpjútərn] *i.* (h.) 컴퓨터로 작업하다.
computerisieren *t.* ① (정보 및 자료를) 컴퓨터에 입력하다. ② 컴퓨터화하다: 〖평어〗 die Gesellschaft ~ 사회를 컴퓨터화〔몰개성화〕하다.
Computer≈schnitt·stelle *f.* 〖컴〗 컴퓨터와 주변기기의 연결부. **~simulation** *f.* 〖컴〗 컴퓨터 시뮬레이션. **~spiel** *n.* 컴퓨터 게임〔오락〕. **~sprache** *f.* 컴퓨터 언어. **~sucht** *f.* 〖컴〗 컴퓨터 중독. **~tomographie** *f.* CT 촬영.
con amore [kɔn amó:rə] 《it.》 *adv.* 〖음악〗 (mit Liebe) 애정을 가지고, 기쁨으로.
conaxial [kɔn|aksía:l] *a.* ↑ koaxial.
con brio 《it.》 *adv.* 〖음악〗 열렬히, 생기 있게.
Concern [kɔntsɛ́rn] *m.* -s, -e ↑ Konzern.
Concierge [kõsiɛ́rʃ, kõsjɛ́rʒ] *m./f.* -, -s/-n [..ʒən] 관리인(의 부인).
Concorde [kõkɔ́rd] 콩코드(영국·프랑스 합작 초음속 제트 여객기).
Concours hippique [kõkúr ipík] 《frz.》 *m.* - -, - -s [..ipík] 마술(馬術) 경기 대회.
Condition sine qua non [kɔndí:tsion: zí:nə: kvá: nó:n] 《lat.》 *f.* 필수적 (전제) 조건.
Condom [kɔndó:m, kõdɔ̃́:] 《frz.》 *m.* -s, -s [..dó:ms, ..dɔ̃́:s] 콘돔(피임용구).
Condor [kɔ́ndɔr] *m.* -(s), -(s) 옛날 라틴 아메리카 제국에서 발행했던 경화.
confer [kɔ́nfɛr] 《lat.》 참조하라(약어: cf.).
Conférence [kõferã́:s] 《frz.》 *f.* -s [..rã́:s] 구두 안내, 사회.
Conférencier [kõferãsié:] 《frz.》 *m.* -s, -s [..sié:s] 토론〔강연〕자; (연예·여흥 등의) 아나운서, 사회자, 진행자.
conferieren [kɔnferí:rən] *t.* 사회를 보다.
Confessio [kɔnfɛ́sio] *f.* -nes [..sío..] ① 죄〔신앙〕 고백. ② 종교 개혁 시대의 신앙 고백서. ③ (고대 기독교의) 제단 밑 순교자 묘 앞의 공간.
Confessor [kɔnfɛ́sɔr] *m.* -s, -es (로마 황제 시대의) 박해받은 기독교도.
Confiserie [kɔnfizərí:] *f.* -n [..rí:ən] 제과점.
Confoederatio Helvetica [kɔnføderá:tsio hɛlvé:tika] *f.* 스위스 연방(라틴어 표기; 약어: CH).
Conga [kɔ́ŋga] *f.* -s ① (4/4 박자의) 쿠바 민속춤. ② (쿠바 흑인 음악에 쓰이는) 큰 북.
Connaisseur [kɔnɛsǿ:r] *m.* -s, -s ① 전문가. ② 미식가.
Consecutio temporum [kɔnzekú:tsio:tɛ́mporʊm] 《lat.》 *f.* 〖문법〗 주문장과 부문장의 시제 일치(Zeitenfolge).
con sentimento [kɔn zɛntimɛ́nto] 《it.》 *adv.* 〖음악〗 감정을 넣어서.
Consilium abeundi [kɔnzí:liʊm abeʊ́ndi] 《lat.》 *n.* - - 권고 퇴학.
Consommé [kõsɔmé:] *f.* -s 〔*n.* -s, -s〕 곰국, (쇠고기나 야채로 된) 수프(Konsommee).
con sordino [kɔn zɔrdí:no] 《it.》 〖음악〗 약음기(弱音器)를 붙여서.
Constituante [kõstityã́:t] 《frz.》 *f.* -s (프랑스 혁명 때의) 국민 의회.
Container [kɔnté:nər, kəntéɪnə] 《engl.》 *m.* -s, - 컨테이너.
Container≈bahnhof *m.* 컨테이너 역. **~hafen** *m.* 컨테이너 항구. **~last·zug** *m.* 컨테이너 수송 열차. **~schiff** *n.* 컨테이너선. **~verkehr** *m.* 컨테이너 화물 운송.
Contax [kɔ́ntaks] *f.* 콘탁스(사진기 이름).
Conteben [kɔntebé:n] *n.* -s 〖藥〗 콘테벤, 티비온(결핵 치료약).
Contergan·kind *m.* 〖구어〗 임신중 수면제인 contergan을 복용하여 기형으로 태어난 아이.
contra [kɔ́ntra] 《lat.》 (kontra) 《Ⅰ》 *adv.* 반대하여(↔ pro). 《Ⅱ》 *prp.*[4] …에 대하여(gegen): A ~ B, A대 B.
Contradictio [..dɪ́ktsio:] *f.* 모순: ~ in adjecto 형용의 모순.
contre.. *pref.* ↑ konter...
Contre coup [kõtərkú:, kõtrə..] *m.* -s, -s ① 〖비유·교양〗 반동(反動), 반동 충격. ②〖醫〗 반충(反衝) 손상.
Controller [kəntró:lər] *m.* -s, - 〖經〗 경리부장.
Convertible Bonds *pl.* 〖經〗 전환 사채.
Conveyer [kɔnvé:ər] 《engl.》 *m.* -s, - 운반〔전송〕 장치, 컨베이어.
Convoi [kɔ́nvɔy] 《frz.》 *m.* -s, -s (Konvoi) 호송, 경호.

Cookie 《engl.》『컴』 쿠키(인터넷서버에서 컴퓨터로 보내지는 사용자의 조그만 파일).
cool [ku:l] 《engl.》 *a.* ① 시원한; 태연한, 냉정한. ② 아주 좋은.
Cool Jazz *m.* - - 50 년대의 재즈 양식.
Cop [kɔp] *m.* -s, -s 〖구어〗 경찰(미국식 호칭).
Copilot [kó:pilo:t] *m.* -en, -en 부조종사.
Copyright [kɔ́piraɪt] 《engl.》 *n.* -s, -s 판권, 저작권(Urheberrecht).
Coram publico [kó:ram pú:bliko] 《lat.》 공중 앞에서, 공공연히.
Cord [kɔrt] *m.* -(e)s, -e ↑ Kord.
Cordon bleu [kɔrdɔ̃blǿ] *n.* - -, -s -s 『요리』 (햄과 치즈를 채워 넣고 튀김옷을 입혀 튀긴) 송아지 고기 커틀렛.
Córdoba[1] [kɔ́rdoba, ..va] 코르도바(에스파냐 안달루시아의 도시).
Córdoba[2] *m.* -(s), -(s) 코르도바(니카라과의 화폐 단위).
Corned beef [kɔ́:nd, bí:f] 《engl.》 *n.* - - 소금에 절인 쇠고기, 통조림 콘드 비프.
Corneille [kɔrnέ:j] Pierre ~ 코르네유(프랑스의 극작가, 1606-84).
Corner [kó:rnər, kɔ́:nə] 《engl.》 *m.* -s, - ① (öst., schweiz.) 코너 킥. ② (조작에 따른) 주가 앙등. ③ 링의 코너.
Cornichon [kɔrniʃɔ̃:] *n.* -s, -s 작은 오이 절임.
Corona [koró:na] *f.* ..nen ↑ Korona.
Corps [ko:r] *n.* - [ko:r(s)], - [ko:rs] ↑ Korps.
Corps de ballet [..də balέ] *n.* - - -, - - - 무용단.
Corps diplomatique [kɔr diplɔmátík] *n.* - -, - -s 외교 사절단(약어: CD).
Corpus [kɔ́rpus] *n.* -, ..pora ↑ Korpus.
Corpus juris [..jú:rɪs] 《lat.》 *n.* - - 〖法〗 법전.
corriger la fortune [kɔriʒélafɔrtýn] *i./t.* 〔교양〕 사기 도박하다, 속임수를 쓰다.
Cortes [kɔ́rtεs] 《lat.》 *pl.* (에스파냐·포르투갈의) 양원제 국회.
Cortische Organ *m.* -s, -e 『해부』 코르티 기관(내이(內耳)의 일부분).
cos [kó:zinus] = Kosinus 코사인.
Cosa Nostra [kó:za nɔ́stra] *f.* 미국에 있는 마피아 조직.
cosec [kó:zekans] = Kosekans 코시컨트.
cosi fan tutte [kozí: fán tutə] 《it.》 (so machen alle (Frauen)) 여인은 모두 이런 것(모차르트의 오페라 제목).
Costa Rica [kɔ́sta rí:ka] 코스타리카(중앙아메리카의 공화국).
cot, cotg [kó:taŋgεns] = Kotangens 〖數〗 코탄젠트.
Côte d'Azur [ko(:)tdazý:r] 《frz.》 코트 다쥐르(리비에라 해안 지방의 프랑스 이름).
Côte d'Ivoire 코트디부아르(서아프리카 남서부에 있는 공화국).
Cottage [kɔ́tɪtʃ, kɔ́tɪdʒ] 《engl.》 *n.* -, -s [..dʒiz] 오두막집, 작은 별장.
Cottage·system *n.* (영국의) 직원 조합 주택.
Cottbus [kɔ́tbus] 콧부스(독일 도시명).
Cötus [tsǿ:tus] 《lat.》 *m.* -, ..ten ↑ Zötus.
Couch [kautʃ] 《engl.》 *f.* -es [..tʃɪs, (öst., schweiz.) ..tʃiz/(구어) -en] 긴 소파.
Couch≈garnitur *f.* 긴 소파 세트. **~tisch** *m.* 긴 소파용 탁자.
Couéismus [kueísmus] *m.* - 쿠에 요법(프랑스의 E. Coué 가 창시한 자기 암시 치료법).
Couleur [kulǿ:r] 《frz.》 *f.* -en/-s [..lǿ:rs] ① (Farbe) (정치적) 색채. ② 『카드』 으뜸패. ③ 학생 조합의 고유한 특정 빛깔의 모자와 휘장.
Couleur≈bruder *m.* 조합 소속 대학생. **~student** *m.* 조합 소속 대학생.
Couloir [kuloá:r] 《frz.》 *m.* -s, -s [..loá:rs] ① (Flur) 관람석 따위의 통로; 복도. ② (알프스 등지의) 쿨로아르, 산중턱의 협곡. ③ (울타리를 두른) 말 도약 훈련장.
Coulomb [kulɔ̃:] ① Charles Augustin de ~ 쿨롱(프랑스의 물리학자, 1706-1806). ② *n.* -s, - 『전기』 쿨롱(전기량의 단위).
Coulomb·meter *n.* 전량계.
Count [kaunt] 《engl.》 *m.* -s, -s (영국을 제외한) 유럽 각국의 백작(영국의 Earl 에 상당함).
Countdown [kauntdáun] 《engl.》 *m./n.* -(s), -s ① 초읽기, 카운트다운. ② (로켓 발사 전의) 총점검. ③ 최종 정비.
Counterpart *m.* -s, -s 개발 도상국에 대한 기술 원조 및 교환으로 서독에 왔던 외국인.
Counteß [káuntis] *f.* ..tessen [..tέsən]/..tesses [..tisɪs] 백작 부인.
Countess 新정서 ⇦ Counteß.
County [káunti] *f.* -s ① (영국·미국의) 행정 구역, 군(郡), 도(都). ② 백작령.
Coup [ku:] 《frz.》 *m.* -s, -s 타격, 구타; 불의의 습격〔감행〕; 교묘한 수단: einen ~ gegen jn.〔et.〕 machen 누구에게〔무엇에 대해〕 뜻한 바를 결행하다.
Coup d'état [ku:detá] *m.* - -, -s - [ku:detá] 쿠데타; 무력 정변.
Coup de main [kundmε̃] *m.* - - -, -s - - 〔고어〕 급습, 기습.
Coupé [kupé:] 《frz.》 *n.* -s, -s [..pé:s] ① 2 인승 덮개 마차. ② 쿠페형 (덮개) 자동차. ③ 『철도』 칸막이 객실(Kupee).
Couplet [kuplé:] 《frz.》 *n.* -s, -s [..s] 농담조의 시사 풍자적 노래(대개 반복운을 가짐).
Couplet·sänger *m.* 시사 풍자 가수.
Coupon [kupɔ̃:] 《frz.》 *m.* -s, -s [..pɔ̃:s] ① 조각. ② 쿠퐁; 회수권; 『철도』 연결 승차증. ③ 『商』 이자 지급표.
Coupon·steur *f.* (채권의) 이자세.
Cour [ku:r] 《frz.》 *f.* (Hof) 궁정; 법원: jm. die ~ machen〔schneiden〕 누구의 비위를 맞추다, 사랑을 구하다.
Courage [kurá:ʒə] 《frz.》 *f.* 〔구어〕 용기, 담력.
couragiert [kuraʒí:rt] *a.* 용기 있는.
courant [kuránt] *a.* 〔고어〕 통용되는, 현행의 (kurant).
cour≈fähig [kú:r..] *a.* 입궐(入闕)할 자격이 있는. **∼macher** *m.* 여자의 비위를 맞추는 사람, 구애자. **∼schneider** ↑ ∼macher.
Course [kɔ:s] 《engl.》 *m.* -, -s [-siz] 골프장.
Court [kɔ:t] *m.* -s, -s 테니스 코트.
Courtage [kurtá:ʒə] 《frz.》 *f.* -n 『商』 (주식 거래 따위의) 중개료, 수수료.
Courtoisie [kurtoazí:] 《frz.》 *f.* -n [..zí:ən] 기사다운〔세련된〕 태도, 정중.

Cousin [kuzɛ̃:] 《frz.》 m. -s, -s [..zɛ̃:s] (Vetter) 종형제, 사촌.
***Cousine** [kuzí:nə] f. -n 사촌 자매(Kusine).
Couture [kutý:r] 《frz.》 f. ↑ Haute Couture.
Couturier [kutyrié:] m. -s, -s 패션 디자이너.
Couvade [kuvá:də] 《frz.》 f. -n 의만(擬娩) (아내의 산욕을 남편이 함께 흉내내는 풍습).
Couvert [kuvé:r] n. -s, -s ① 홑누비이불. ② ↑ Kuvert.
Couveuse [kuvǿ:zə] f. -n 〖醫〗 조산아 보육기, 인큐베이터.
Cover=coat [kʌ́vərko:t, kʌ́vərkout] 《engl.》 m. ① 방수 모직 옷감. ② 방수 모직 코트.
~girl n. (화보 잡지의) 표지 모델.
Cowboy [káubɔy] 《engl.》 m. -s, -s (미국의) 카우보이, 목동.
Cowboy·hut m. 카우보이 모자.
Cowper [káupər] m. -s, -s 〖工〗 제강(製鋼) 열풍로.
Coyote [kojó:tə] m. -n, -n ↑ Kojote.
cpt. =comptant 〖商〗 현금 지급의.
CQD 《engl.》 〖海〗 =Come quick, danger! 빨리 오라, 위험에 빠졌음! (조난 신호).
Cr 〖化〗 =Chrom 크롬.
cr. =currentis 이 달〔해〕의.
Crack [krɛk] 《engl.》 m. -s, -s 〖스포츠〗 명선수, 최우수 선수; (최)우수마; 〖마약〗 코카인이 섞인 마약의 일종.
Cracker [krɛ́kər] m. -s, -(s) ① 크래커(비스킷의 일종). ② 폭죽, 딱총알.
Craquelée [krakəlé:] 《frz.》 n. -s, -s [..lé:s] ①〔m. 으로도〕 (표면에 금간 무늬가 있는) 크레이프 옷감. ② (유리 표면의) 균열. ③ 균열 무늬를 넣은 도자기.
Crash-Test 《engl.》 m. -(e)s, -s/-e 〖車〗 (자동차의 안전도를 측정하기 위한) 충돌 시험.
Crawl [krɔ:l] n. -(s) 〖수영〗 크롤(Kraul).
Crawler [krɔ́:lər] 《engl.》 〖컴〗 크라울러(인터넷 페이지의 색인을 자동으로 만들어 주는 프로그램).
Crayon [krɛjɔ̃:] 《frz.》 m. -s, -s [..jɔ̃:s] (Krayon) (색)연필, 크레용; 연필화(畫).
Credo [kré:do] 《lat.》 n. (Kredo) 〖聖〗 사도신경; 신조.
Creek [kri:k] 《engl.》 m. -s, -s ① 작은 만. ② (미국·오스트레일리아의) 건천(乾川).
Creme [kre:m, krɛ:m] f. -s ① 유지(乳脂), 크림. ② (구두·치약 등의) 크림. ③ 달고 걸쭉한 리큐어술. ④〖비유〗 상류 사회; 최상.
creme 《frz.》 a. 누르스름한, 크림색의.
creme·artig a. 크림과 같은.
Crème de la crème [krɛ́:m de la krɛ́:m] f. 〖교양·반어〗 최상류층의 인사들.
creme·farben a. ↑ creme.
cremen [kré:mən, krɛ́..] t. 크림을 바르다.
Creme·torte [..ktɔrtə] f. 크림 바른 파이.
Cremoneser [kremoné:zər] 크레모나(북이탈리아의 도시)의.
Crêpe[1] [krɛ:p] f. -s 〖요리〗 크레이프(아주 얇은 프랑스식 달걀 케이크).
Crêpe[2] [krɛ:p] 《frz.》 m. -, -s ↑ Krepp.
Crêpe de Chine [krɛ:p de ʃín] 《frz.》 m. - - -, -s - - [krɛ̀:p..] 크레프 드 신(생사(生絲)로 짠 프랑스 비단의 일종).
Crêpe Satin [krɛp satɛ̃] m. -, -s 크레이프 공단(貢緞).
Crepon [krepɔ̃:] m. -s, -s [..pɔ̃:s] 〖방직〗 크레퐁(양털·명주로 짠 주름잡힌 옷감).
cresc. =crescendo.
crescendo [krɛʃɛ́ndo] 《it.》 adv. 〖음악〗 점점 세게(기호: <).
Crescendo n. -s, -s/..di ①〖음악〗 (↔ Decrescendo) 크레센도, 점강음. ②〖스포츠〗 (육상 경기의 마지막 단계에서) 속도를 점차 높임 (Krescendo).
Cretonne [kretɔ́n] f. -s 〔m. -, -s〕 ↑ Kretonne.
Creutzfeld-Jakob-Krankheit 〖醫〗 크로이츠펠트-야콥병.
Crevette f. -n 작은 식용 새우.
Crew [kru:] 《engl.》 f./m. -, -s ① (선박이나 비행기의) 승무원. ②〖스포츠〗 조정 선수팀. ③ (같은 목표를 가진) 집단.
c.r.m. =candidatus reverendi ministerii 목사직 지원자(Kandidat).
Croisé [kroazé:] 《frz.》 n. -(s), -s [..zé:s] ① 능직(綾織). ②〖발레〗 발을 서로 교차시키는 스텝.
croisiert [kroazí:rt] a. 능직의.
Croissant [kroasã:] n. -(s), -s 크라상(빵).
Cromagnon·rasse [kromanjɔ̃(:)..., kromaɲɔ̃(:)..] f. 크로마뇽 인종.
Cromargan [kromargá:n] n. -s 크로마르만, (녹슬지 않는) 크롬 니켈강(鋼).
Croquet [krɔ́kɪt] n. -s, -s [..s] ↑ Krocket.
Croquis [krokí:] n. -, - ↑ Kroki.
Cross [krɔs] 《engl.》 m. -, - ①〖테니스〗 공을 상대 코트에 대각선으로 치는 것. ② Cross-Country 의 준말.
Cross-Country [krɔ́skʌ́ntri] 《engl.》 n. -(s), -s [..tri:z] 〖스포츠〗 크로스컨트리 경주.
Croupier [krupié:] 《frz.》 m. -s, -s 도박장 직원.
Croûton [krutɔ̃:] m. -(s), -s 〖요리〗 크루통 (수프 등에 넣는 빵조각).
crt. =courant 통용되는, 현행의.
Cruise-Missile [krú:z-] 《engl.》 n. -s, -s 〖軍〗 크루즈〔순항〕 미사일.
Crux [kruks] 《lat.》 f. 고뇌; 곤란(Krux).
Cruzeiro [kruzɛ́iru] m. -(s), -s 크루제이루 (브라질의 화폐 단위; =100 Centavos).
Cs 〖化〗 =Caesium 세슘.
Csardas 新정서 ⇦ Csárdás.
Csárdás [tʃárdas] 《ung.》 m. -, - 헝가리의 민속 무용(4 분의 2 박자) (Tschardash).
C-Schlüssel m. -s, - 〖음악〗 다음(音) 기호.
Csikos [tʃí:ko:ʃ] 《ung.》 m. -, - 헝가리의 목동(Tschikasch).
CSSR 《tschech.》 =Ceskoslovenská Republika 구체코슬로바키아 공화국.
CSU =Christlich-Soziale Union 기독교 사회 연합(독일 바이에른의 정당 명칭).
Ct. =Centime 상팀.
ct. =Cent, Centime 센트, 상팀.
c.t. [tse: té:] =cum tempore 시간 여유를 두고, (대학 강의 시작이) 15 분 늦게.
ctg =Cotangens 코탄젠트.
Cu 〖化〗 =Cuprum 구리.
Cuba [kú:ba] n. 쿠바(Kuba).
Cubiculum [kubí:kulum] n. -s, ..la ① 고대 로마 주택의 침실, 거실. ② 지하 묘지의 묘소. ③ 고대 로마 원형 경기장의 황제석.

C

cui bono [kú(:)i bó(:)no] 《lat., „wem zu gute?“》 누구를 위하여, 무슨 소용인가.
Cuius regio, eius religio [kú:jus ré:gio: é:jus relí:gio] 《lat., „wem das Land gehört, dem gehört die Religion"》〖교양〗군주가 자기 영토의 종교를 결정한다(1555 년 아우구스부르크 종교 회의에서 결정된 원칙).
Cul de Paris [kýdparí] *m.* - - -, -s - - (18 세기에 후프 스커트 밑에 받쳐 입었던) 코르셋.
Culemeyer [kú:ləmaiər] *m.* -s, -s 대형 화물차(발명가 J. Culemeyer 의 이름에서).
Culotte [kylɔ́t] *f.* -n 퀼로트(17-18 세기에 특히 프랑스에서 귀족 계층이 입던 반바지).
cum grano salis [kum grá:no zá:lıs] 《lat., „mit einem Körnchen Salz“》 적당히 짐작〔고려〕하여; (찬사 따위를) 깎아서.
cum infamia [..ınfá:mia] 《lat.》 (mit Schande) 치욕적으로(해고하는 따위).
cum laude [..láudə, ..de:] 《lat.》 (mit Lob) (박사 학위 논문의 성적 등급) 세번째로 좋은 성적으로, 우등으로; 영예롭게.
cum tempore [..tέmpore] 《lat.》 (mit akademischem Viertel) (대학의 강의 시간이) 15 분 늦어서(약어: c.t.): der Vortrag beginnt 8 Uhr c.t. 강연은 8 시 15 분에 시작된다.
Cunnilingus [kunilíŋgus] 《lat.》 *m.* -, ..gi 쿤닐링구스(여성의 성기를 핥는 구강 성교).
Cup 《engl.》 *m.* -s, -s (경기의) 우승컵.
Cup·finale *n.* 우승배 쟁탈전의 결승전.
Cupido [kupí:do] *f.* 〖로마신화〗 큐피드(연애의 신).
Cuprum [kú:prum] *n.* -s 〖化〗 구리(금속원소; 기호: Cu.)
Cup=sieger *m.* 우승배 쟁탈전의 승리자. **~=wett·bewerb** *m.* 우승배 쟁탈전.
Curaçao [kurasá:o] ① 쿠라사오(서인도 제도 중의 섬). ② *m.* -s, -s 큐라소 술.
Cura posterior [kú:ra pɔsté:riɔr] 《lat.》 *f.* -, -〖교양〗 차후에 처리할 수 있는 일.
Curare [kurá:rə] *n.* -(s) ↑ Kurare.
Curé [kyré:] 《frz.》 *m.* -s, -s [..ré:s] 프랑스의 가톨릭 신부.
Curée [kyré:] *f.* ↑ Küree.
Curie [kyrí:] *n.* -, -〖物〗 퀴리(방사능 측정 단위; 기호: Ci).
Curium [kú:rium] *m.* -s 〖化〗 퀴륨(방사성 원소; 기호: Cm).
Curling [kø:rlıŋ, kǝ́:lıŋ] 《engl.》 *n.* -s 컬링(얼음판 위에서 둥근 돌을 굴려 과녁에 맞히는 경기).
currentis [kurέntıs] 《lat.》 이 달〔해〕의(약어: cr).
Curriculum [kurí:kulum, kurik..] *n.* -s, ..la 교육 과정(이론) (Kurrikulum).
Curriculum Vitae [..ví:tɛ] 《lat.》 *n.* - -, ..la - (Lebenslauf) 이력(서).
Curry [kári, kʌ́ri:] 《ind.-engl.》 *n.* -s 〖요리〗 카레, 카레 가루.
Cursor [kœ́:(r)sə(r)] *m.* -s, -s 〖컴〗 커서, 깜박이.
Custard [kástərt, kʌ́stəd] *m.* -, -s 〖요리〗 커스터드(우유와 달걀로 만든 과자).
Cut [kœt, kʌt] *m.* -s, -s ↑ Cutaway.
Cut·away [kœ́təve, kát.., kʌ́təweı] 《engl.》 *m.* -(s), -s ① 커터웨이(앞 자락을 둥글게 비스듬히 마른 상의); (특히) 모닝 코트. ②〖권투〗 특히 눈 주위의 파열상.
cutten *t.* 영화 필름이나 테이프를 편집하다.
Cutter *m.* -s, -〖영화〗 필름 편집자.
Cutterin *f.* -nen ↑ Cutter 의 여성형.
cuttern [kátərn, kœ́t..] *t.* ↑ cutten.
CVJM =Christlicher Verein Junger Männer〔Menschen〕 기독 청년회.
CVP =Christlich-Demokratische Volkspartei 스위스 기민당.
Cwt. =Centweight (영국의) 100 파운드의 중량.
Cyan [tsyá:n] *n.* -s 〖化〗 시안.
Cyanid [tsyaní:t] *n.* -s, -e 〖化〗 시안화물.
Cyan·kali [tsyan..] *n.* 〖化〗 시안화칼륨.
Cybele [tsý:bele:] *f.* 퀴벨레 ①〖신화〗 풍요한 대지를 상징하는 프리기아(Phrygia)의 여신. ②〖天〗 소행성의 이름(Kybele).
Cyber-Angel [sáıbər endʒəl] 《engl.》 *m.* 〖컴〗 사이버 천사〔에인절〕(인터넷상의 불법 활동을 감시하는 자원 봉사자).
Cyberpunk [sáıbərpəŋk] 《engl.》 *m.* 〖사회〗 사이버 펑크(컴퓨터 기술을 개인적·저항 문화적 목적으로 사용하는 사람).
Cyborg 《engl.》 *m.* -s, -s =Cybernetic organism 사이보그
cyclisch [tsý:klıʃ, tsýk..] *a.* ↑ zyklisch.
Cyclonium [tsykló:nium] *n.* -s 〖化〗 사이클로늄(프로메튬의 동위 원소).
Cymbal [tsýmbal] 《gr.》 *n.* -s, -s/-e 〖음악〗 심벌즈(Zimbel).
Cypern [tsý:pərn] ↑ Zypern.
Cyropädie [tsyropεdí:] *f.* 고대 그리스의 시인 크세노폰의 정치 소설.
Cyrus [tsý:rus] *m.* 키루스(페르시아의 왕).
Cytosin 〖生·化〗 시토신.
Czapka [tʃápka] *f.* -s ↑ Tschapka.
Czeche [tʃέçə] *m.* -n, -n ↑ Tscheche.

D

D, d [de:] *n.* -, - ① 독일어 자모의 넷째 자. ②〖음악〗(**a**) 라장조〔단조〕음계의 첫째 음〔기본음〕(대문자는 장조, 소문자는 단조). (**b**) 라장조〔단조〕.

D ① 독일 화폐에 표시된 조폐국 기호(뮌헨·뒤셀도르프 조폐국을 나타냄). ② 로마 숫자의 500. ③〖化〗=Deuterium 중수소(重水素). ④〖우편〗(dringend) 지급 (전보). ⑤〖商〗=Debet 차변, 부채. ⑥ =Deutschland 자동차 번호판의 독일 국적 표시.

d ① =Denar 고대 로마의 은화. ② =Penny, Pence〖복수〗영국의 최소 화폐 단위. ③ =Durchmesser 직경. ④〖數〗=Differential 미분. ⑤〖化〗=dextrogyr 우선성(右旋性)의. ⑥〖物·天〗=Tag 일.

D. ① =Doktor(특히 신교의 신학 박사). ② 독일어 목록.

δ, Δ [dέlta] =그리스어의 넷째 자모.

***da**[1] [da:] *adv.* ①〖공간적〗(**a**) 저기(dort); 여기(hier): da kommt er 저기 그가 온다; sieh ~! 보아라!; hier und ~ 여기저기, 곳곳에; ~ und ~ 여차여차한 곳에; ~ und dort ↑ hier und ~; die Frau ~ 저기 저 여자; ~ draußen 저 바깥에; ~ vorn 저 앞에; das Unglück geschah ~, wo die Straße stark abfällt 사고는 저기 길이 급경사진 곳에서 일어났다; von ~ 거기서부터; was ~? 무슨 일이냐?; wer ist ~? 누구세요?; wer ~? 누구야? (**b**) 여기에(현재 이 자리에 있음): ~ bin ich 저 여기 있습니다; ich bin gleich wieder ~ 곧 돌아옵니다; ~ ist ein Brief für dich 자 여기 너한테 편지가 와 있다. (**c**)〖막연히 존재를 나타냄〗wozu ist er ~ (=auf der Welt)? 그는 무엇 때문에 존재하는가?; das ist noch nicht ~ gewesen 그것은 여태껏 없었던 일이다;〖聖〗~ ist keiner, der Gutes tue 선을 행하는 자가 없도다(시편 14:1). (**d**)〖사물을 건낼 때〗~ hast du's!〔~ nimm's!〕옛다! (**e**)〖관계 대명사의 뒤에 와서〗alle, die ~ kamen 온 사람들 모두;〖聖〗wer ~ sucht, der findet 구하는 이마다 얻을 것이오(마태 7:7). ②〖시간적〗(**a**) 그때, 그 당시: wir haben alle ~ gelacht 그때 우리는 모두 웃었다; hier und ~ 때때로, 이따금씩; ~ erst 그 때야 비로소; eben ~ 바로 그때; von ~ ab〔an〕그 이후로. (**b**)〖관계 부사〗〖고어·시어〗der Tag, ~ die Wende eintrat 전환기가 시작되었던 날. ③〖추론〗그런 경우에는, 그렇다면: ~ haben Sie unrecht 그렇다면 당신이 틀린 거지요; was kann ich ~ machen? 그럴 때 제가 무얼 할 수 있겠습니까?

da[2] *cj.* ①〖이유·원인〗…이므로, …때문에: ~ er krank war, konnte er nicht kommen 그는 병이 나서 올 수가 없었다; ~ nun einmal〔~ aber, ~ doch, ~ ja, ~ jedoch〕어차피 …니까; ~ dem so ist 그런 사정이기 때문에. ②〖상반: 대개 doch를 동반〗du spielst, ~ du doch arbeiten solltest 너는 일을 해야 할 텐데 놀고 있구나; ~ hingegen …인데도.

da[3] =Deziar 10분의 1 아르(1 Ar=100 m^2).

da.. *pref.* ① 동사의 분리 전철로 "존재·지속"의 뜻(보기: dasein 현존하다; dasitzen 그대로 앉아 있다). ② 전치사와 결합하여 사물을 나타내는 인칭 대명사·지시 대명사의 역할을 대신함(보기: damit); 모음 앞에서는 dar..로 쓰임(보기: darauf). ③ 다른 부사와 결합함(보기: ~drinnen, ~her). ④ ↑ deka〔Deka〕..의 약어.

d.Ä. =der Ältere (부모·형제 등이 같은 이름일 때) 손윗사람: Johann Strauß ~ 아버지 요한 슈트라우스.

DAAD [de:|a:|a:dé:] =Deutscher Akademischer Austauschdienst 독일 학술 교류처.

DAB [de:|a:bé:] =Deutsches Arzneibuch 독일 약전(藥典).

da|behalten* *t.* 그대로 붙들어 두다, 내어주지 않다: als er ins Krankenhaus zur Untersuchung kam, hat man ihn gleich ~ 그가 병원에 진찰을 받으러 왔을 때, 사람들은 즉시 그를 붙들어 두었다.

***da·bei** [dabáı, (지시적 의미가 강할 때) dá:baı] *adv.* ①〖공간적 근접〗(**a**) 그 근처에, 옆에: ich stand dicht ~ 나는 바로 그 곁에 서 있었다. (**b**) ~ sein 그 자리에 참석하고 있다, 관여하고 있다: ich war ~ 내가 거기 있었다; er ist überall ~, wo es lustig hergeht 무슨 재미나는 일이 있는 곳에는 반드시 그가 한몫 낀다. ②〖시간적 근접〗그 때에, 동시에: er arbeitete und hörte ~ Radio 그는 일을 하면서 동시에 라디오를 들었다; er war gerade ~, den Brief abzuschicken 그는 마침 그 편지를 부치려는 참이었다; nahe ~ sein, et. zu tun 바야흐로 무엇을 하려고 하고 있다. ③〖동사·형용사의 보충어로서〗es bleibt ~! (정해진) 그대로야!; ~ bleiben 고집하다; er bleibt ~, daß er Bescheid gesagt habe 그는 자기가 확답을 했노라고 주장한다; es ist nichts ~ 그것은 상관 없다; was ist denn ~? 그것이 어쨌단 말이야? ④〖부가적〗그 외에 더, 덧붙여: er ist gescheit und ~ fleißig 그는 영리한데다 부지런하기도 하다. ⑤ 그럼에도, 그런데도.

dabei|bleiben* *i.* (s.) (무엇에서) 떨어지지 않고 있다, (누구의) 곁에 머물다(단: dabei bleiben *i.*(s.) 의견을 고집하다): er war als Bäcker tätig und ist dabeigeblieben 그는 빵 굽는 일을 했고 지금도 그 일을 계속하고 있다.

dabei|haben *t.* ① 가지고 있다, 함께 데리고 있다: ich habe kein Geld dabei 나는 가진 돈이 없다. ②〖구어〗참여시키다: wir wollen ihn nicht ~ 우리는 그를 끼워주지 않겠다.

dabei|sein* *i.*(s.) ↑ dabei ① (b).

dabei|sitzen* *i.*(h.) 그 곁에 (앉아) 있다, 그

D

자리에 와 있다(단: dabei sitzen *i.*(h.) 그 동안 죽 앉아 있다).

dabei|stehen *i.*(h.) 그 곁에 (서) 있다, 그 자리에 와 있다; 수수방관하다(단: dabei stehen *i.*(h.) 그 동안 죽 서 있다).

da|bleiben* *i.*(s.) (그곳에) 머무르다: könnt ihr noch eine Weile ~? 너희 잠깐만 더 있다 갈 수 있겠니?

da capo [da ká:po] 《it.》〖음악〗 처음부터 다시 한 번(약어: d.c.): ~ rufen 앙코르를 외치다; ~ singen 되풀이해서 노래부르다.

da capo al fine 〖음악〗 처음부터 끝까지 (반복하다).

Dacapo·zeichen *n.* 〖음악〗 반복 부호.

Dacca ↑ Dakka.

d'accord [dakó:*r*] 《frz.》 *a.* 〖구식〗 의견이 일치하는.

***Dach** [dax] *n.* -(e)s, Dächer [dɛ́çər] ① 지붕: Ziegel≈ 기와 지붕; Sattel≈ 박공 지붕; Giebel≈ 박공 지붕; flaches ~ 평(平)지붕; das ~ aufsetzen 지붕을 얹다; das ~ mit Schiefer decken 슬레이트로 지붕을 이다; mit jm. unter einem ~ wohnen 누구와 한 집에 살다; unterm ~ wohnen 맨 위층에 살다; 〖시어〗 das ~ der Welt 세계의 지붕(파미르 고원을 말함). ②〖비유〗 집; 보호: ein niedriges ~ 오막살이 집; kein ~ überm Kopf haben 거처가 없다; ohne ~ und Fach 집 없는, 거처 없는; unter ~ und Fach sein 안전한 곳에 있다; die Ernte unter ~ bringen 수확을 갈무리하다. ③〖구어〗 (사람의) 머리: bei ihm ist gleich Feuer im ~ 그는 툭하면 화를 낸다; 〖비유·구어〗 jm. aufs ~ steigen 누구를 꾸짖다; jm. auf dem ~ sein〔sitzen〕 누구를 감시하다; 〖구어〗 eins aufs ~ bekommen 〔geben〕 머리통을 한 대 쥐어박히다〔쥐어박다〕; bei ihm ist es unterm ~ nicht ganz richtig 그는 정신이 온전하지가 않다. ④〖해부〗 (Schädel≈) 두개(頭蓋). ⑤〖광산〗 광맥을 덮고 있는 암석. ⑥〖사냥〗 (새의) 등과 날개. ⑦〖음악〗 (현악기의) 향판(響板). ⑧ (ndd.) (지붕 이는) 짚, 갈대. ⑨ (비를 막는) 덮개, 차양. ⑩ (조직의) 상부, 중앙부.

Dach≈antenne *f.* 옥상 안테나. **~artig** *a.* 지붕처럼 경사진. **~balken** *m.* 지붕의 마룻대. **~bedeckung** *f.* 지붕 표면. **~boden** *m.* 다락 창고, 다락방. **~brand** *m.* 공기가 잘 통하지 않는 곳에서 담뱃잎을 말리며 썩히기. **~decker** *m.* 기와공, 기와장이, 개초(蓋草)장이.

Dächelchen [dɛ́çəlçən] *n.* -s, - 〖↑ Dach의 축소형〗 작은 지붕.

dachen [dáxən] 《Ⅰ》 *t.* …에 지붕을 덮다. 《Ⅱ》 *refl.* sich ~ 비탈지다, 경사지다.

Dächerchen *pl.* ↑ Dächelchen의 복수.

Dach≈erker *m.* 지붕의 돌출창. **~fahne** *f.* 풍향기. **~fenster** *n.* 〖건축〗 채광창, 천창(天窓). **~first** *m.* 용마루. **~förmig** *a.* 지붕 모양의. **~fuß** *m.* 지붕의 아래쪽 수평 모서리. **~garten** *m.* 옥상 정원. **~gaube, ~gaupe** *f.* 〖건축〗 (지붕에서 돌출한) 수직 지붕창. **~gebälk** *n.* 지붕 마룻대 (전체). **~gepäckträger** *m.* (자동차 지붕 위에 설치된) 짐 신는 받침대. **~geschoß** *n.* 다락층. **~gesellschaft** *f.* 지주(持株) 회사. **~gesims** *n.* 〖건축〗 처마 돌림띠. **~gesparr(e), ~gesperr** *n.* 서까래. **~gestein** *n.* ↑ Dach ⑤. **~gestühl** *n.* ↑ ~stuhl. **~giebel** *m.* 합각머리 (벽). **~gleiche** *f.* (öst.) 상량식. **~gleichen·feier** *f.* (öst.) ↑ ~gleiche. **~grat** *m.* 당마루, 너새. **~haken** *m.* (수리 때 사다리를 거는) 지붕의 고리. **~hase** *m.* 〖농담〗 고양이. **~haut** *f.* 지붕 표면. **~kammer** *f.* 다락방. **~kandel** *m.* 〖방언〗 추녀의 홈통. **~kehle** *f.* 〖건축〗 지붕면이 꺾어지는 모서리. **~latte** *f.* 산자(檄子)널. **~laube** *f.* 지붕 모양의 포도나무 시렁; 옥상 정원의 정자. **~lauch** *m.* ↑ ~wurz. **~lawine** *f.* 지붕에서 미끄러져 떨어지는 눈덩이.

Dächlein [dɛ́çlaɪn] *n.* -s. - ↑ Dächelchen.

Dachling *m.* -s, -e 〖방언〗 ① (지붕의) 고드름. ②〖動〗 (Dohle) 까마귀속(屬)의 일종(탑의 지붕에 집을 지음).

Dach≈luke *f.* 〖건축〗 채광창, 천창(天窓). **~organisation** *f.* 상부 조직. **~pappe** *f.* 타르칠을 한 지붕 공사용 판지. **~pfanne** *f.* 암키와, 골기와. **~recht** *n.* 지붕 설치권(자기 집의 지붕이 이웃집의 토지에까지 넘어갈 수 있는 권리). **~reiter** *m.* 용마루 위의 작은 탑; 〖방언〗 (Firstziegel) 용마루 기와. **~rinne** *f.* 처마의 물받이 홈통. **~röhre** *f.* 세로로 세운 홈통.

***Dachs** [daks] *m.* -es, -e ①〖動〗 오소리: er schläft wie ein ~ 그는 잠을 깊이 잔다, 잠꾸러기다. ② ↑ Dachshund. ③〖비유·구어〗 풋내기, 경험 없는 젊은이: so ein junger ~! 저런 풋내기!

Dachs≈bär *m.* 〖사냥〗 오소리의 수컷. **~bau** *m.* 오소리 굴. **~beil** *n.* 까뀌. **~beinig** *a.* 다리가 짧고 굽은. **~bracke** *f.* ↑ Bracke와 Dackel의 잡종견.

Dach·schaden *m.* ① 지붕의 손상. ②〖비유·구어〗 두뇌 이상, 정신적 결함: einen kleinen ~ haben 머리가 좀 이상하다.

Dächschen [dɛ́ksçən] *n.* -s, - 〖↑ Dachs의 축소형〗 새끼 오소리.

Dach≈schicht *f.* -en 〖광산〗 광맥을 덮고 있는 암석층. **~schiefer** *m.* 지붕을 이는 슬레이트. **~schindel** *f.* 지붕을 이는 널빤지. **~schütze** *m.* (프로이센·프랑스 전쟁 당시의) 프랑스 의용병. **~schwelle** *f.* 평고대.

Dachs·eisen *n.* ↑ ~falle.

Dächsel [dɛ́ksəl] *m.* -s, - ① ↑ Dachshund. ② 까뀌.

dächseln *t./i.* ① 오소리 사냥을 하다. ② 까뀌로 세공하다.

dachsen [dáksən] *i.* 〖구어〗 잠자다.

Dachs≈falle *f.* 오소리 덫. **~fell** *n.* 오소리 가죽. **~haar** *n.* 오소리 털. **~hund** *m.* (Dackel) 닥스훈트(오소리 사냥에 쓰이는 다리가 짧고 굽은 개).

Dächsin [dɛ́ksɪn] 《<Dachs》 *f.* -nen 오소리의 암컷.

Dächslein [dɛ́kslaɪn] *n.* -s, - 〖雅語〗 새끼 오소리(Dächschen).

Dachs≈loch *n.* ↑ ~bau. **~mond** *m.* 〖사냥·드물게〗 시월.

Dach·sparren *m.* 〖건축〗 서까래.

Dachs·pinsel *m.* 오소리 털로 만든 면도용 붓.

Dach·spitze *f.* ↑ ~first.

Dachs·schwarte *f.* 〖사냥〗 오소리 가죽 (~fell).

Dach≈stein *m.* 모래와 시멘트로 만든 굽지 않은 기와. **~stock** *m.* ↑ ~geschoß. **~stroh** *n.* 이엉. **~stübchen** *n.* 작은 다락방; 〖구어〗 머리: es ist bei ihm im ~ nicht richtig 그는 머리가 좀 돌았다. **~stube** *f.* 다락방. **~stuhl** *m.* ① 지붕의 뼈대. ② (기와장이의) 발판. ③ ↑ ~geschoß. **~stuhl·brand** *m.* 지붕 뼈대 부분의 화재.

Dacht *m.* -(e)s, -e (ndd.) (Docht) 심지.

dachte [dáxtə] ↑ denken 의 과거형.

dächte [dɛ́çtə] ↑ denken 의 접속법 Ⅱ식.

Dachtel [dáxtəl] *f.* -n 〖구어〗 따귀 때림.

dachteln *t.* …의 뺨을 치다.

Dach·traufe *f.* 처마 낙숫물받이(Dachrinne).

Dachung [dáxuŋ] *f.* -en ① 지붕을 올림; 지붕. ② (Ab≈) 물매, 경사.

Dach≈verband *m.* ↑ ~organisation. **~werk** *n.* 지붕. **~wohnung** *f.* 다락방. **~wurz** *f.* 〖植〗 돌나물과의 잡초. **~zeile** *f.* 〖신문〗 제목의 행(行). **~ziegel** *m.* 기와. **~ziegel·verband** *m.* 〖醫〗 (갈빗대 부상 때 사용하는) 기와식으로 붙이는 반창고. **~zimmer** *n.* ↑ ~stube.

Dackel [dákəl] *m.* -s, - 〖방언〗 ① ↑ Dachshund. ② 〖구어·욕설〗 어리석은 녀석.

Dada [dáda] *m.* -(s) ① 다다이즘의 약칭. ② 다다이즘의 대표자들, 다다이스트들.

Dadaismus [dadaísmus] *m.* - 다다이즘.

Dadaist *m.* -en, -en 다다이즘의 예술가.

dadaistisch *a.* 다다이즘의.

dädalisch [dɛdá:lɪʃ] *a.* 〖예술〗 그리스 초기 예술의; 복잡한, 미궁 같은; 독창적인.

Dädalus [dɛ́:dalus], **Dädalos** 다이달로스 (크레타섬의 미궁을 지었다는 그리스의 전설적인 명장).

Daddy [dǽdi] 《engl.》 *m.* -s, -s/..dies 아빠.

da·durch [dadúrç, (지시적 의미가 강할 때) dá:durç] *adv.* ① 그 곳을 지나: er eilte ~ 그는 그곳을 지나서 급히 갔다. ② 그것에 의해서, 그렇게 하여: er profitierte nichts ~ 그는 그렇게 해서 아무런 이익도 얻지 못했다; 〖문장 첫머리에서는 [dá:durç]〗 ~ geriet er in Rückstand 그로 인해 그는 퇴보했다; es geschah ~, daß er nachlässig war 그 일은 그가 게을렀기 때문에 벌어진 것이다.

DAF =Deutsche Arbeitsfront 독일 노동 전선.

DaF =Deutsch als Fremdsprache 외국어로서의 독일어.

da·fern *cj.* 〖고어〗 ↑ wofern, (in)sofern.

Daffke [dáfkə] 《jidd.》 〖다음 용법으로만〗 (berl.) aus ~ 반항심에서, 그저 재미로; et. aus ~ tun 무엇을 그저 재미로 해보다.

***da·für** [dafý:r, (지시적 의미가 강할 때) dá:fy:r] *adv.* ① 〖대항〗 그것에 대하여: ~ gibt es kein Mittel 그것에 대해서는 어떻게 할 방도가 없다; 〖구어〗 ~ kann ich wirklich nichts 그건 정말 내 잘못이 아니다. ② 그것을 위하여: ich werde ~ sorgen, daß bald mit der Arbeit begonnen wird 일이 곧 시작되도록 배려하겠다. ③ 〖찬성·지지〗 그것에 찬성하여(↔ dagegen): wer ist ~? 그것에 찬성하는 사람은 누굽니까?; er ist ~, umzuziehen 그는 이사하는 것에 찬성이다. ④ 그 대신에, 그 대가로: er ist streng, aber ~ wohlwollend 그는 엄격하지만 그 대신에 호의적이다; ~ kann ich es nicht geben 그 값으로는 그것을 드릴 수가 없습니다; ~, daß er gelogen hat, ist er bestraft worden 거짓말을 했기 때문에 그는 벌을 받았다. ⑤ 〖이유〗 어쨌든 …이니까: er kann das, ~ ist er König 그는 그럴 수 있다, 어쨌든 그는 임금이니까. ⑥ 〖동일시〗 jn. 〔et.〕 dafür halten〔ansehen〕 누구를〔무엇을〕 그것이라고 생각하다.

dafür|halten* *i.* (h.) 〖고어〗 ↑ dafür ⑥.

Dafürhalten *n.* -s 〖雅語〗 견해, 생각: nach meinem ~ 〔meines ~s〕 내 생각으로는.

dafür≈|können *t.* 〖구어〗 et. 〔nichts〕 ~ 그것에 대한 책임이 있다〔없다〕; er kann nichts dafür 그는 책임이 없다. **~|stehen** 《Ⅰ》 *t.* 〖고어〗 보증하다. 《Ⅱ》 *i.* (s.) (öst.) es steht nicht dafür 그건 소용없다.

DAG [de:|a:gé:] =Deutsche Angestellte Gewerkschaft 독일 사무원 노동 조합.

dag =Dekagramm 데카그램(10 g).

***da·gegen** [dagé:gən, (지시적 의미가 강할 때) dá:ge:gən] 《Ⅰ》 *adv.* ① 〖충돌〗 그것을 향하여: er kam vor eine Tür und stieß ~ 그는 어떤 문 앞으로 오다가 그것에 부딪쳤다. ② (↔ dafür ③) 그것에 반대하여: wir sind ~ 우리는 반대다; ~ stimmen 그것에 반대 투표를 하다; et. ~ haben 그것에 반감을 갖다, 반대하다; ~ hilft nichts 그것은 어떻게 할 수가 없다. ③ 〖교환·대가〗 그 대신에: ich gebe dir einen Apfel ~ 그 대신 네게 사과를 주겠다. ④ 〖비교〗 그것에 비하면: diese Musik ist nichts ~ 그것과 비교하면 이 음악은 아무것도 아니다; et. ~ halten 무엇을 그것과 비교〔대조〕하다. 《Ⅱ》 *cj.* 그와 반대로, 그런데; 그 대신에: er ist arm, ~ hat er viele Freunde 그는 가난하지만 그 대신 친구가 많다.

dagegen≈halten* *t.* ① 이의를 제기하다, 대답하다. ② 비교하다, 나란히 놓다: man müßte zum Vergleich einmal den Originaltext ~ 비교를 위해서 일단 원전을 나란히 놓고 보아야 할 것이다. **~|setzen** *t.* (어떤 언급에) 반대 의사를 표시하다. **~|sprechen** *i.* 불리하게 작용하다. **~|stellen** *t./refl.* 반대〔항의〕하다. **~|stemmen** *t./refl.* 강력히 저항하다〔맞서다〕.

Dagewesenheit [dá:gəve:zənhaɪt] *f.* -en 평범〔진부〕한 것.

Dag(h)estan [dá:gɛsta(:)n] 다게스탄(카스피해 연안의 러시아 연방 내 자치 공화국).

Dagmar 다그마르(여자 이름).

Dagon 다곤(블레셋인들의 신).

Daguerreotyp [dagɛrotý:p] *m.* -s, -e ↑ Daguerreotypie.

Daguerreotypie [dagɛrotypí:] *f.* -n (프랑스인 Daguerre 가 1838 년에 발명한) 금속판 사진(술).

da|haben *t.* ① 〖구어〗 저장〔비축〕하고 있다: er hat kein Bier mehr da 그는 이제 사다 둔 맥주가 다 떨어졌다. ② (손님으로) 모시고〔데리고〕 있다: wir haben gerade die Enkelkinder da 우리 집에는 마침 손자들이 와 있다.

***da·heim** [dahaɪm] *adv.* 자기 집에, 고향에, 본국에: bitte fühlen Sie sich hier wie ~! 여기를 집처럼 편하게 생각하세요!; 〖구어〗 wie geht's ~? 댁에서들은 안녕하시오?; ~ ist ~ 제 집이 제일이다.

Daheim *n.* -s 우리 집; 고향, 본국.

daheim≈|bleiben* *i.* (s.) 집〔고향〕에 머무르다. **≈gebliebene*** *der/die* 집〔고국〕에 남은 사람들. **~sein** *n.* 집에 있음.

***da·her** [dahé:r, (지시적 의미가 강할 때) dá:he:r] 《I》 *adv.* ① (**a**) 그곳에서: ich komme〔bin〕 ~, (또는 분리해서) da komme ich her 나는 그곳에서 왔다; 〖구어〗(ach) ~ weht der Wind! (아아) 그렇게 할 셈이군! (**b**) 그런 이유에서: ~ die Aufregung im Städtchen! 그래서 동네가 떠들썩한 거군!; ~ kommt es, daß... 그것 때문에 …한 일이 생긴다. (**c**) 〖관계 부사〗 ↑ woher. ② 〖발음이 항상 dahé:r〗 (**a**) 이리로: bring das Buch ~ 그 책을 이리 가져오너라. (**b**) 〖시간적〗 bis ~ 여태까지, 지금까지. 《II》 *cj.* 그런 까닭에: er ist unwohl, ~ kommt er nicht 그는 몸이 불편해서 오지 않는다.

da≈herab *adv.* 그쪽〔이쪽〕에서부터 아래로: das Wasser fließt ~ 물이 여기서부터 아래로 흐른다; 〖분리해서〗 da vom Hügel herab 그 언덕에서 아래쪽으로. **~herauf** *adv.* 그쪽〔이쪽〕에서 위로: 〖분리해서〗 da vom Tal herauf 그 골짜기에서 위로. **~heraus** *adv.* 그쪽〔이쪽〕에서 밖으로: 〖분리해서〗 da zur Tür heraus 그 문에서 밖으로.

daher|brausen *i.* (s.) 쾅쾅 소리를 내며 돌진하다.

daher|bringen *t.* (südd., öst.) ① (이쪽으로) 가지고 오다(↑ herbeibringen). ② 〖폄어〗 아무 생각 없이 떠들어대다.

da·herein *adv.* 그쪽〔이쪽〕에서 안으로: 〖분리해서〗 da zur Tür herein 그 문에서 안쪽으로.

daher≈|fahren* *i.* (s.) 차로 달려오다〔가다〕. **~|fliegen*** *i.* (s.) 날아오다〔가다〕. **~|gehen*** *i.* (s.) 걸어서 접근하다. **~gelaufen** *a.* 〖폄어〗 굴러 들어온, 유래가 수상쩍은. **≈gelaufene*** *der/die* 〖폄어〗 굴러 들어온 사람. **~|jagen** *i.* (s.) 빠른 속도로 다가오다〔가다〕. **~|kommen*** *i.* (s.) (다가)오다. **~|quatschen, ~|reden** *i.* (h.) 〖구어·폄어〗 함부로 지껄이다. **~|schleichen*** *i.* (s.) 살금살금 가다〔오다〕. **~|schwatzen, ~|schwätzen** *i.* (h.) ↑ ~reden. **~|sprengen** *i.* (s.) 질주하여 가다〔오다〕. **~|stolzieren** *i.* (s.) 뻐기고 다니다; 뻐기며 다가오다. **~|stürmen** *i.* (s.) 돌진하여 가다, 돌진하여 오다.

da≈herüber *adv.* 그쪽에서 이리로: 〖분리해서〗 da vom Walde herüber 그쪽 숲에서 이리로. **~herum** *adv.* 그〔이〕 근처에. **~herunter** *adv.* 거기서〔이쪽〕 아래로.

daher≈|wanken *i.* (s.) 비틀비틀 걸어오다〔가다〕. **~|ziehen*** *i.* (s.) 이쪽〔그쪽〕으로 이동해 오다〔가다〕.

da·hier [dahí:r] *adv.* 〖官〗 이곳에, 현지에.

***da·hin** [dahín, (지시적 의미가 강할 때) dá:hın] *adv.* ① (**a**) 거기로: auf diesem Weg kommt man nie ~ 이 길로 해서는 결코 거기로 가지 못한다; ist's noch weit bis ~? 그곳까지는 아직 멀었니?; ~ und dorthin 이리저리로; 〖분리해서〗 da gehe ich nicht hin 나는 그곳으로 가지 않는다. (**b**) 〖비유〗 es steht noch ~ 그것은 아직 미정이다, 불확실하다. (**c**) 〖시간적〗 bis ~ 그때까지; es ist noch genug Zeit bis ~ 그때까지는 충분한 시간이 있다. (**d**) 〖방향·목표·의향〗 meine Meinung geht ~, daß... 내 의견은 하다; seine Bemühungen gehen ~, daß ... 그의 노력은 …을 지향한다; ~ arbeiten, daß ... …하려고 힘쓰다; et. ~ auslegen 무엇을 이런 식으로 해석하다; ~ streben〔wirken, zielen〕 그것을 목표로 노력하다〔삼다〕; es ~ bringen, daß ... 일을 …하게 되도록 진척시키다; jn. ~ bringen, daß ... 누구로 하여금 …하게끔 하다; ~ hat ihn der Alkohol gebracht 술이 그를 그 지경으로 만들었다; man einigte sich ~, Rudolf von Habsburg zum Kaiser zu wählen 의견의 일치가 이루어져 합스부르크가의 루돌프를 황제로 선출하기로 하였다; der Brief lautete ~ 그 편지 내용은 이러했다. ② 〖발음: 항상 dahín〗 떠나서, 사라져서: alles Geld ist ~ 돈이 다 떨어졌다; ihre Schönheit ist ~ 그녀의 아름다움은 시들었다; er ist schon ~ 그는 이미 세상을 떴다.

da≈hinab *adv.* 거기를〔그쪽으로〕 내려가서: 〖분리해서〗 da den Berg hinab 그 산을 내려가서. **~hinauf** *adv.* 거기를〔그쪽으로〕 올라가서: 〖분리해서〗 da die Treppe hinauf 그 계단을 올라가서. **~hinaus** *adv.* 거기서〔저〕 바깥으로: 〖분리해서〗 da zum Tor hinaus 그 문을 나서서; 〖비유〗 will er ~? 그것이 그의 목적이냐?

dahin≈|bewegen *refl.* sich ~ 일정하게〔한결같이〕 앞으로 나아가다: ein Flugzeug bewegt sich glitzernd am Himmel dahin 비행기 한 대가 하늘에서 반짝거리며 일정한 속도로 날아가고 있다. **~|brausen, ~|dämmern** *i.* (s.) 의식 없이 몽롱한 상태로 살아가다. **~|eilen** *i.* (s.) 바삐 가다; (시간 따위가) 휙휙 지나가다.

da·hinein *adv.* 거기서〔저〕 안으로: 〖분리해서〗 da ins Haus hinein 그 집 안으로.

dahin≈|fahren* *i.* (s.) (배타고) 떠나가다, 지나가다; 〖시어·고어〗 죽다. **~|fallen** *i.* (s.) (schweiz.) 무력해지다, 사라지다. **~|fliegen*** *i.* (s.) 휙하고 날아가다; (시간이) 훌쩍 가버리다. **~|fließen*** *i.* (s) 한결같이 흘러가다. **~|geben*** *t.* 버리다, 포기하다, 희생하다. **≈gegangene*** *der/die* 〖雅語〗 고인, 죽은 사람.

da·hingegen *adv.* 이〔그〕와 반대로.

dahin≈|gehen* *i.* (s.) 가버리다; (시간이) 흘러가다; 〖시어〗 죽다. **≈|geschiedene*** *der/die* 〖雅語〗 고인, 죽은 사람. **~gestellt** *p.a.* ↑ ~stellen. **~|gleiten*** *i.* (s.) 미끄러져 나아가다. **~|haben*** *t.* (보수나 몫을) 받아 가지고 있다. **~|jagen** *i.* (s.) 고속으로 전진하다. **~|kriechen** *i.* (s.) 천천히 앞으로 나아가다, 기어가다. **~|leben** *i.* (h.) 빈둥빈둥 살아가다; 근근이 살아가다. **~|nehmen** *t.* 휩쓸어가다. **~|plätschern** *i.* (s.) ① 졸졸 흘러가다. ② (대화가) 별 내용없이 진행되다. **~|raffen** *t.* 〖雅語〗 급사시키다. **~|rauschen** *i.* (s.) 〖시어〗 (시간이) 휙〔훌쩍〕 흘러가다. **~|reden** *i.* (h.) 조심성 없이 지껄이다. **~|reißen*** *t.* 낚아채 가다. **~|rollen** *i.* (s.) 한결같이 굴러가다. **~|scheiden*** *i.* (s.) 〖雅語〗 죽다. **~|schießen*** *i.* (s.) 쏜살같이 나아가다. **~|schleichen** *i.* (s.) 천천히 나아가다; (시간이) 더디게 흘러가다. **~|schleppen** *refl.* sich

~ 질질 끌며 가다. **~|schmachten** *i.* (s.) 〖雅語〗 간신히 살아가다, 연명하다. **~|schweben** *i.* (s.) 가뿐하게 움직여 가다, 둥실둥실 떠가다. **~|schwinden*** *i.* (s.) 차츰차츰 사라져가다. **~|segeln** *i.* (s.) (배 따위가) 유유히 나아가다. **~|siechen** *i.* (s.) 시름시름 앓다, 죽어가다. **~|sinken*** *i.* (s.) 천천히 쓰러지다; 쇠약해지다. **~|sprengen** *i.* (s.) 질주해 가다. **~|stehen*** *i.* (h.) 〖고어〗 미정이다, 불확실하다. **~|stellen*** *t.* 〖과거 분사로만〗 dahingestellt sein lassen 그대로 놓아두다, 결정하지 않고 놔두다; dahingestellt bleiben〔sein〕 미결된 채로 있다. **~|sterben*** *i.* (s.) 잇달아 죽다. **~|stürmen** *i.* (s.) 질풍처럼 나아가다. **~|tändeln** *i.* (h.) 건들거리며 살아가다.

da·hinten [dahíntən, (지시적 의미가 강할 때) dá:hintən] *adv.* 그 뒤에.

dahinten≈|bleiben* *i.* (s.) 뒤에 남아 있다. **~|lassen*** *t.* 뒤에 남겨〔내버려〕 두다.

da·hinter [dahíntər, (지시적 의미가 강할 때) dá:hintər] *adv.* 그 뒤에, 배후에: 〖비유〗 es ist nichts ~ 별다른 의미는 없다; es steckt etwas ~ 그 뒤에는 내막이 있다.

dahinter≈|gucken *i.* (h.) 〖구어〗 내막을 들여다보다. **~her** *adv.* 〖다음 용법으로만〗〖구어〗 ~ sein 열심히 추구하다. **~|klemmen** *refl.* 〖구어〗 ↑ ~knien. **~|knien** *refl.* 〖구어〗 sich ~ 무진장 노력하다. **~|kommen*** *i.* (s.) 〖구어〗 (숨겨진 것을) 발견해내다, 알게 되다. **~|machen** *refl.* 〖구어〗 sich ~ 의욕적으로 착수하다. **~|stecken**(*) *i.* (h.) 배후에 숨어 있다: er meint, es müsse etwas ~ 그는 그 배후에 무언가 (까닭이) 있음에 틀림없다고 생각한다; das steckt gerade sie dahinter 배후의 장본인은 바로 그녀다. **~|stehen** *i.* (h.) ① 후원〔지지〕하다. ② 배후에서 작용하다: sein Ehrgeiz steht als Motiv dahinter 그 배후에는 그의 명예욕이 동기로서 작용하고 있다.

da≈hinüber *adv.* 거기를〔저편으로〕 넘어서. **~hinunter** *adv.* 거기를〔저편으로〕 내려가서.

dahin≈|vegetieren *i.* (h.) 〖폄어〗 비참하게 살아가다. **~|wälzen** *refl.* sich ~ 천천히 앞으로 움직여 나아가다.

dahin·wärts *adv.* 그쪽으로.

dahin≈|welken *i.* (s.) (서서히) 시들어가다. **~|ziehen*** 《Ⅰ》 *i.* (s.) (달·구름 따위가) 움직여 가다, 이동해 가다. 《Ⅱ》 *refl.* sich ~ 뻗어 있다, 확대되다.

Dahl·bord [dá:l..] *m.* 〖海〗 뱃전의 위쪽 갑판.

Dähle [dɛ́:lə] *f.* -n (schweiz.) 유럽산(産) 소나무.

dahlen [dá:lən] *i.* (h.) 〖고어〗 어르다, 달래다, 장난하다.

Dahlie [dá:liə] *f.* -n 〖植〗 달리아.

Dahlien·strauß *m.* 달리아 꽃다발.

da|hocken *i.* (h.) 〖구어〗 (아무렇게나, 쪼그리고) 앉아 있다.

Dail Eireann [da:l é:rɪn] *m.* - - 아일랜드의 하원.

Dakapo [daká:po] 《it.》 *n.* -s, -s ① 〖음악〗 반복. ② 앙코르를 외치는 소리.

Dakapo≈arie *f.* (18 세기에 애용되었던) 3 부로 이루어진 아리아(A-B-A 형식). **~ruf** *m.* ↑ Dakapo ②. **~zeichen** *n.* 반복 기호.

Dakka 다카(방글라데시의 수도).

Dakota [dakó:ta, (engl.) dəkóutə] 《Ⅰ》 다코타(미국 중서부의 지방). 《Ⅱ》 *m.* -(s), -(s) (북아메리카 인디언의) 다코타족.

daktylieren *i.* (h.) 수화(手話)하다.

daktylisch [daktý:lɪʃ] 《gr.》 *a.* 강약약격의, 장단단격의.

Daktylo *f.* -s (schweiz.) ↑ Daktylographin.

Daktylo≈gramm *n.* 지문. **~graphin** *f.* 〖방언〗 여자 타자수. **~logie** *f.* 수화.

Daktyloskopie [..tyloskopí:] *f.* -n [..pí:ən] 지문법, 지문 검사.

Daktylus [..lus] 《gr.》 *m.* -, ..tylen [..tý:lən] 〖문학〗 강약약〔장단단〕격.

dal 《ndd.》 *adv.* (nieder) 아래로.

Dalai-Lama [dá:lailá:ma] *m.* -(s), -s 달라이라마(티베트 라마교의 교주).

da|lassen *t.* (h.) 내버려〔남겨〕 두다.

Dalbe [dálbə] 《ndd.》 *m.* -n, -n 〖海〗 (말뚝을 여러 개 묶은) 계선주(繫船柱).

Dalben *m.* -s, - ↑ Dalbe.

dalberig *a.* 〖구어〗 고지식한, 어리석은.

dalbern [dálbərn] *i.* (h.) 〖구어〗 객쩍게 굴다, 허튼수작을 하다.

Dale, Däle *f.* -n (schweiz.) ↑ Dähle.

dalen *i.* (s.) (ndd.) (해가) 서쪽으로 기울다.

da|liegen* *i.* (h) 뻗은 채 누워 있다; 눈앞에 놓여 있다.

Dalk [dalk] *m.* -(e)s, -e ① (obd.) 바보, 미련퉁이. ② 승려복.

dalken *i.* (h.) 〖구어〗 (öst.) 멍청하게 말하다

dalkert [dálkərt] *a.* 우둔한, 미련한.

Dalle *f.* -n ↑ Delle ①.

Dalles [dáləs] 《hebr.》 *m.* - 〖구어〗 (Armut) 빈곤, 돈부족: im ~ sein 〔den ~ haben, an ~ leiden〕 돈에 쪼들리다.

dalli [dáli] *adv.* 〖구어〗 빨리, 서둘러라.

Dalmatien [dalmá:tsiən] 달마티아(아드리아해의 동쪽 해안 지방).

Dalmatik, Dalmatika 《lat.》 *f.* ..ken 달마티카(가톨릭 성직자가 입는 제의(祭衣)).

Dalmatiner [dalmatí:nər] *m.* -s, - ① 달마티아 주민. ② 달마티아산(産)의 독한 포도주. ③ 달마티아산 사냥개.

dalmatinisch, dalmatisch *a.* 달마티아의.

Dal·rasse [dá:l..] 《schwed.》 *f.* 달족(族).

dal segno [dal zɛ́njo] 〖음악〗 (악보의) 표시부부터 반복하여.

Daltonismus [daltonísmus] *m.* - 적록 색맹.

Dam [da(:)m] *m.* -(e)s, -e ↑ Damhirsch.

damalem *adv.* 〖드물게〗 ↑ damals.

damalig [dá:ma:lɪç] *a.* 당시의, 그 무렵의.

***damals** [dá:ma:ls] *adv.* 당시에, 그 무렵에.

Damaskus [damáskus] 다마스쿠스(시리아의 수도; 사도 바울이 회심(回心)한 곳): sein ~ erleben〔finden〕 회심하다; seinen Tag von ~ erleben 회심〔개종〕하다.

Damast [damást] *m.* -es, -e (다마스쿠스 원산의) 문직물(紋織物).

damast≈artig *a.* 문직물류의. **~bezug** *m.* 문직물로 만든 시트.

damasten [damástən] *a.* 다마스쿠스산(産) 문직물의.

Damast≈fabrik *f.* 문직물 공장. **~leinwand** *f.* 문직 아마포. **~stuhl** *m.* 문직물을 짜는 베틀. **~weber, ~wirker** *m.* 문직물을 짜는 사람.

Damaszener [damastsé:nər] 《I》 *m.* -s, - 다마스쿠스 사람. 《II》 *a.* 다마스쿠스의: ~ Klinge (물결 무늬가 있는) 다마스쿠스칼; ~ Stahl 물결 무늬를 넣은 강철.
damaszenisch *a.* 다마스쿠스의.
damaszieren *t.* (강철에) 물결 무늬를 세공하다; 상감하다.
Damaszierung *f.* -en ① (물결) 무늬 세공, 상감. ② 물결〔줄〕 무늬.
Dam·bock [dám..] *m.* ↑ Damhirsch 의 수컷.
Dam·brett [dá:m..] *n.* ↑ Damebrett.
Dämchen [dɛ́:mçən] *n.* -s, - 〖↑ Dame 의 축소형〗 ① (귀)부인. ② 〖폄어〗 매춘부.
***Dame** [dá:mə] *f.* -n ① **(a)** 귀부인: eine hohe 〔große〕 ~ 상류 사회의 부인; die (vornehme) ~ spielen 귀부인 행세를 하다; ganz ~ sein 매우 기품이 있다. **(b)** 숙녀, 부인(여성에 대한 공손한 표현): meine ~n und Herren! 신사 숙녀 여러분!; (für) ~n 숙녀용(화장실); die ~ des Hauses 여주인, 안주인; 〖구어〗 meine alte ~ 나의 모친; 〖농담〗 die ~ seines Herzens 그가 사모하는 여자. ② **(a)** 〖폄어〗 평이 나쁜 여자, 행실이 수상한 여자(Dämchen ②). **(b)** (댄스의) 상대역 여자. ③ **(a)** 〖체스·카드〗 여왕. **(b)** 체스의 일종: ~ spielen 체스를 두다. ④ 〖植〗 ~ in Trauer 붓꽃과의 한 식물.
Dame·brett *n.* 서양 장기판.
Dämel [dɛ́:məl] *m.* -s, **Däm(e)lack** [dɛ́:m(ə)lak] *m.* -s, -s 〖구어〗 바보, 팔푼이.
Dämelei [dɛːməláɪ] *f.* -en (Dummheit) 우둔, 우둔한 언행.
dämelich, däm(e)lig *a.* ↑ dämlich.
dämeln [dɛ́:məln] *i.* (h.) 어리석은 짓〔말〕을 하다.
Damen⸗abteil *n./m.* (기차의) 여성 전용칸. **~bad** *n.* 여탕(女湯). **~bart** *m.* 여성의 입술 위쪽에 과도하게 난 털. **~begleitung** *f.* 여자 동반: so oft ich ihn traf, war er in ~ 내가 그를 만날 때마다 그는 여자를 동반하고 있었다. **~bekanntschaft** *f.* (남자의) 여자 친구〔관계〕. **~besuch** *m.* (남성의 집에) 여성의 방문. **~binde** *f.* 생리대. **~brett** *n.* ↑ Damebrett. **~coupe** [..kupe:] *n.* ↑ ~abteil. **~doppel** *n.* 〖테니스·탁구·배드민턴〗 여자 복식 시합. **~einzel** *n.* 〖스포츠〗 여자 단식 시합. **~fahrrad** *n.* 여성용 자전거. **~flor** *m.* 한 무리의 꽃다운 여자들. **~frieden** *m.* 〖史〗 캉브레(Cambrai)의 평화 조약(1529). **~friseur** *m.* 미용사. **~gesellschaft** *f.* ① 여성들의 모임. ② 여성 동반.
damenhaft *a.* 숙녀다운, 우아한.
Damen⸗handschuh *m.* 여성용 장갑. **~held** *m.* 여성에게 인기가 좋은 남자. **~hut** *m.* 여성용 모자. **~kleid** *n.* 여성복. **~klub** *m.* 여성 클럽. **~konfektion** *f.* 여성 기성복. **~kränzchen** *n.* (정기적으로 만나는) 부인들의 모임. **~mannschaft** *f.* 여자 선수단. **~mantel** *m.* 여성용 외투. **~pferd** *n.* 여성용 승마말. **~rede** *f.* (연회에 참석한) 여성(들)에게 하는 연설. **~reit·kleid** *n.* 여성용 승마복. **~rock** *m.* 여자 치마. **~sattel** *m.* 여성용 승마 안장. **~schneider** *m.* 여성복 재단사. **~schuh** *m.* 여자 구두. **~stein** *m.* ↑ Damstein. **~toilette** *f.* ① 숙녀용 화장실. ② 연회용 숙녀복, 야회복. **~tuch** *n.* 여성용 여름 옷감. **~unter·wäsche** *f.* 여성용 속옷. **~wahl** *f.* 여자가 상대를 선택하여 댄스를 청함. **~weg** 《frz.》 *m.* 프랑스 북동부 고지의 도로. **~welt** *f.* (회합에 참석한) 여성들 전체. **~wind** *m.* 〖海·농담〗 온화한 무역풍. **~zimmer** *n.* 부인 방.
Dame·spiel *n.* ↑ Dame ③ (b).
Dam·hirsch [dám..] *m.* 사슴의 일종(담황색 털에 흰 반점이 있고 뿔이 삽 모양임).
dämisch [dɛ́:mɪʃ], **damisch** [dá:..] *a.* (südd.) ↑ dämlich.
***da·mit** 《I》 *adv.* [damít, (지시적 의미가 강할 때) dá:mɪt] ① 그것과 함께, 그것을 가지고; 그것으로; 그것에 관해서, 그와 동시에: er nahm das Geld und ging ~ weg 그는 돈을 받아 가지고 떠났다; was soll ich ~? 나는 그것을 어떻게 하면 좋을까?; wie steht es ~? 그것은 어떻게 되어 있느냐?; ~ ist es jetzt aus 이제 그건 끝장이다; 〖구어〗 her ~! 그거 이리 내놔!; 〖구어〗 heraus ~! 내놔라; 털어놔라!; und ~ basta〔genug, gut, Punktum〕! 됐다, 이제 충분해!; es ist nichts ~ 그건 아무짝에도 소용없다; ich bin ~ zufrieden 나는 그것으로 만족하고 있다; was willst du ~ sagen? 너의 그 말은 무슨 뜻이냐?; er reichte ihnen die Hand und verließ sie ~ 그는 그 사람들에게 악수를 청하고 곧 그들의 곁을 떠났다; ich fing ~ an, ihm zu sagen 나는 그에게 말하기 시작했다. ② 〖관계 부사〗〖고어〗 ↑ womit. 《II》 *cj.* 〖의도·목적〗 …하기 위하여: ich sage es, ~ ihr Bescheid wißt 너희들이 확실하게 알도록 내가 말하는 거야; ~ wir uns recht verstehen 우리가 서로를 제대로 이해하도록; ~ ich es kurz mache 간단히 말하자면, 요컨대 (um es kurz zu machen).
Däm·lack *m.* ↑ Dämelack.
dam·ledern *a.* 사슴 가죽으로 된.
Dämlein *n.* -s, - ↑ Dämchen.
dämlich [dɛ́:mlɪç] *a.* 〖구어·폄어〗 어벙벙한, 미련한, 멍청한.
Dämlichkeit *f.* 우둔한 일.
Dämling *m.* -s, -e ↑ Dämel.
***Damm** [dam] *m.* -(e)s, Dämme [dɛ́mə] ① 제방, 둑; (Eisenbahn~) 철둑, (Hafen~) 방파제, 부두: einen ~ bauen〔aufführen, errichten〕 둑을 쌓다; 〖비유〗 et.[3] einen ~ entgegensetzen 무엇을 막다. ② (포장한) 차도: 〖구어〗 jn. wieder auf den ~ bringen 누구를 다시 건강하게 하다; 〖비유〗 jn. auf den ~ bringen a) 누구를 격려하다, b) 누구를 내쫓다; 〖구어〗 wieder auf dem ~ sein 다시 건강해지다. ③ 〖해부〗 회음(會陰). ④ 〖음악〗 (오르간의) 음전(音栓)을 받치는 가로 나무. ⑤ 〖工〗 **(a)** 주갱(鑄坑). **(b)** (용광로의) 용해물을 괴게 하는 벽.
Dammar [dámar] 《mal.》 *n.* -s 다마르나무 수지(樹脂).
Dammara [damá:ra, dá..] *f.* -s, **Dammara·fichte** *f.* 〖植〗 다마르나무.
Dammara·lack *m.* 다마르 니스.
Damm⸗arbeit *f.* 제방 공사, 토공(土工) 작업. **~bau** *m.* 축제(築堤). **~bruch** *m.* 둑이 무너짐; 〖醫〗 회음(會陰) 헤르니아.
dämmen[1] [dɛ́mən] *t.* ① 제방으로 막다; 〖비유〗 저지〔차단〕하다: die Seuche war nicht

zu ~ 전염병은 막을 수가 없었다. ② (도로를) 포장하다.

dämmen[2] *i.* (h.) schlemmen und ~ 큰 잔치를 베풀다.

Dämmer[1] [dɛ́mər] *m.* -s, - 토목 일꾼; 도로 포장 일꾼.

Dämmer[2] *m.* -s 〔시어〕 (Dämmerung) 희미한〔어스름한〕 빛.

Damm·erde *f.* ①〖農〗 (상층의) 옥토, 부식토. ② 축제용 흙.

Dämmerer *m.* -s, - 〔구어〕 몽상가, 공상가.

dämmer·grau *a.* 〔시어〕 희미한, 어스름한.

dämmerhaft, dämmerig, dämmerlich *a.* ① 어스름한, (빛이) 희미한; (날씨가) 흐린. ②〔비유〕 막연한, 몽롱한; 꿈꾸는 듯한, 공상적인.

Dämmer·licht *n.* 어스름빛; 황혼, 여명.

Dämmerling *m.* -s, -e ① ↑ Dämmerer. ②〖動〗 ↑ Dämmerungsfalter.

***dämmern** [dɛ́mərn] 《Ⅰ》 *i.* (h.) ① 차츰차츰 밝아지다〔어두워지다〕, 동트다, 땅거미지다; 희미하게 빛나다: der Morgen〔Abend〕 begann zu ~ 동이 트기〔땅거미가 지기〕 시작했다; es dämmert a) 날이 밝는다, b) 황혼이 깃든다; ~de Frühe 동트는 새벽. ②〔구어〕 어렴풋이 깨닫다: mir dämmert die Erinnerung 기억이 어렴풋이 떠오른다; dämmert's dir endlich? 드디어 그것을 알겠니?; ~de Hoffnung 일루의 희망. ③ 반쯤 졸고 있다, 몽롱하다: vor sich hin ~ 의식이 희미하다; der Kranke dämmerte den ganzen Tag vor sich hin 그 환자는 종일 의식이 혼미했다. 《Ⅱ》 *refl.* sich ~ 점차로 사라지다.

Dämmer≈schein *m.* ↑ ~licht. **~schlaf** *m.* 선잠, 반수(半睡); 〖醫〗 (무통 분만법의) 반마취 상태. **~schoppen** *m.* 늦은 오후〔초저녁〕의 술모임. **~stunde** *f.* 동틀 무렵, 해질녘, 어스레한 때.

***Dämmerung** [dɛ́məruŋ] *f.* -en 어스름; (Morgen~) 새벽, 여명; (Abend~) 초저녁, 황혼.

dämmerungs≈aktiv *a.* 〖動〗 야행성의. **~-erscheinung** *f.* 어스름에 나타나는 시각 현상(저녁 노을 따위). **~falter** *m.* 〖動〗 박각싯과의 나방. **~kreis** *m.* 〖天〗 박명권(薄明圈). **~leistung** *f.* 어스름 때의 망원경 성능. **~licht** *n.* 어스름빛, 미광. **~schalter** *m.* 〖기술〗 (광도에 따라 작동하는) 자동 스위치. **~-sehen** *n.* 낮은 광도에서의 시력. **~vogel** *m.* ↑ ~falter.

Dämmer≈zeit *f.* ↑ ~stunde. **~zustand** *m.* 의식이 몽롱한 상태, 비몽사몽.

Damm≈gegend *f.* 〖해부〗 회음부(會陰部). **~grube** *f.* 〖工〗 주갱(鑄坑). **~krone** *f.* 제방이나 차도의 제일 높은 부분. **~riß** *m.* 〖醫〗 회음부 파열. **~rutsch** *m.* 제방 붕괴. **~-schnitt** *m.* 〖醫〗 (출산 때의 회음부 파열 방지를 위한) 회음부 절개. **~schüttung** *f.* 축제(築堤). **~schutz** *m.* 〖醫〗 회음부 파열 방지 조치. **~setzer** *m.* 도로 포장공. **~stein** *m.* 중간 크기의 호박(琥珀). **~straße** *f.* 제방 위의 도로. **~weg** *m.* 제방 위의 길, 둑길.

damnabel [damná:bəl] 《lat.》 *a.* (verdammungswürdig) 벌 받아야 할, 저주받을.

Damnifikant [..nifikánt] *m.* -en, -en 〖法〗 가해자(Schädiger).

Damnifikat [..ká:t] *m.* -en, -en 〖法〗 피해자 (Beschädigter).

Damno [dámno] 《it.》 *m./n.* -s, **Damnum** 《lat.》 *n.* -s 손해, 손실.

Damokles [dá:moklɛs] 《gr.》 다모클레스(시라쿠스의 왕 Dionysos 2세의 신하).

Damokles·schwert *n.* 다모클레스의 칼(환락 중에서도 늘 존재하는 위험에 대한 비유).

***Dämon** [dɛ́:mɔn] 《gr., daímōn》 *m.* -s, -en 마귀, 악령; 〔비유〕 귀신, 초자연력; 인간에게 내재하는 초인적 힘.

dämonenhaft [dɛmó:nənhaft] *a.* 악령과 같은.

Dämonie [dɛmoní:] *f.* -n [..ní:ən] 신들림, 마력.

dämonisch [dɛmó:nɪʃ] *a.* 악마적인, 신들린, 무시무시한, 초자연적 힘을 지닌.

dämonisieren [..nizí:rən] *t.* 신들리게 하다.

Dämonismus *m.* - 악령 숭배.

Dämonium [dɛmó:nium] *m.* -s, ..nien [..niən] (신의) 내면적 경고의 음성.

Dämonologie [dɛmonologí:] *f.* -n [..gí:ən] 악령학.

Dämonomanie [dɛmonomaní:] *f.* -n [..ní:ən] 〖醫·心〗 신들림.

***Dampf** [dampf] *m.* -(e)s, Dämpfe [dɛ́mpfə] ① 증기, 김; 안개, 연기: ~ von hoher〔niedriger〕 Spannung 고압〔저압〕 증기; im ~ gar machen 김으로 익히다, 찌다: ~ erzeugen〔ablassen〕 증기를 만들다〔빼다〕; 〔구어〕 ~ ablassen 화풀이하다; mit vollem ~ fahren 전속력으로 달리다; das Schiff ist unter ~ 배는 출항 준비가 되어 있다; 〔비유〕 mit ~ arbeiten 전력을 다하여 일하다; jm. ~ machen 누구를 독려하다; ~ hinter et.[3] machen 무엇을 몰아대다, 밀어붙이다; 〔구어〕 ~ haben 배고프다, 허기지다; 〔구어〕 ~ drauf haben 고속으로 달리다, 지나친 활기를 갖다; 〔구어〕 aus et.[3] ist der ~ raus 무엇이 김새버리다, 활기를 잃다; vor jm.〔et.[3]〕 ~ haben 누구를〔무엇을〕 두려워하다. ②〔비유〕 **(a)** 공허한 것: Hans ~ 허풍선이. **(b)** 술취함. ③〖醫〗 천식; (말의) 숨찬 병: 〔구어〕 vor et.[3] ~ antun 누구를 화나게 하다, 괴롭히다, 놀리다. ④〔구어〕 활력, 힘, 무게.

Dampf≈ablaß·schlauch *m.* 복수관(復水管). **~absperrung** *f.* 증기 차단. **~auslaß·rohr** *n.* 배기관. **~bad** *n.* 증기욕, 한증. **~bagger** *m.* 증기 준설기. **~betrieb** *m.* 증기 운전. **~boot** *n.* (내륙의 수로를 다니는) 소형 증기선. **~bremse** *f.* 증기 제동기. **~bügel·eisen** *n.* 증기 다리미. **~dicht** *a.* 증기가 침입하지 못하는. **~dichte** *f.* 증기의 밀도〔비중〕. **~dom** *m.* 종 모양의 증기실. **~druck** *m.* 증기압. **~druckmesser** *m.* 증기 압력계. **~dynamo** *m.* 증기 직류 발전기.

dampfen [dámpfən] 《Ⅰ》 *i.* (h.) 김을 내다, 증기〔연기〕를 내다: das Essen dampft noch 음식에서 아직 김이 난다; das Wasser dampft bereits auf dem Herd 화덕 위에서 물이 벌써 끓는다; der Pferd hat gedampft 말이 흠뻑 땀에 젖었다. 《Ⅱ》 *i.* (s.) ① 증기〔연기〕가 피어오르다; 증발하다. ② **(a)** 증기〔연기〕를 내뿜으며 달리다: die Lokomotive dampft aus dem Bahnhof 기관차가 증기를 내뿜으면서 역을 빠져 나가고 있다. **(b)** 〔구어〕 (기선을 타

고) 가다, 여행하다: vor zwei Jahren ist er nach Australien gedampft 그는 2년 전에 호주로 떠났다. 《Ⅲ》 *t.* eine Pfeife ~ 파이프로 담배를 피우다; die Erde dampft erquickenden Geruch 대지가 상쾌한 향내를 풍긴다.

dämpfen [dɛ́mpfən] *t.* ① 증기로 익히다, 찌다: Gemüse ~ 채소를 증기로 찌다. ② 김을 쏘여서 다리다: eine Hose ~ 바지를 증기로 다림질하다. ③ 약화〔완화〕시키다, 둔하게 하다: der Teppich dämpft den Schall 양탄자가 울림을 완화시켜 준다; gedämpfte Farben 가라앉은〔차분한〕 색채; Stoß ~ 충격을 완화시키다. ④ 누그러뜨리다, 진정시키다: js. Neugierde〔Erwartungen〕 ~ 누구의 호기심을〔기대를〕 가라앉히다.

Dampfer *m.* -s, - ① 기선(Dampfschiff): 〘비유·구어〙 auf dem falschen ~ sein〔sitzen〕 착각하고 있다.

Dämpfer *m.* -s, - ① **(a)** 〘기계〙 제동 장치. **(b)** 〘악기〙 (바이올린 따위의) 약음기(弱音器); (피아노 현의) 울림 멈추개. ② 〘비유〙 den Begierden einen ~ aufsetzen 욕망을 억누르다; jm. einen ~ aufsetzen 누구의 기세를 꺾다, 흥을 깨뜨리다; 〘구어〙 einen ~ bekommen 견책을 받다. ③ 〘방언〙 (채소 따위를 찌는) 찜통, 시루.

Dampfer≈anlege·stelle *f.* 기선의 선창(船艙). **~fahrt** *f.* 기선 여행. **~linie** *f.* 기선 항로. **~station** *f.* 기선의 정류소.

Dampf≈erzeuger *m.* ↑ ~kessel. **~esse** *f.* (기선 따위의) 굴뚝. **~fähre** *f.* 증기 나룻배. **~faß** *n.* 찜통; 증기 발생기. **~fleisch** *n.* 〘요리〙 스튜. **≈förmig** *a.* 증기 모양의. **~hammer** *m.* 증기 망치. **~haube** *f.* ↑ ~dom. **~heizung** *f.* 증기 난방.

dampfig *a.* ① 증기로 가득 찬; 곰팡내나는 (dumpfig). ② ↑ dämpfig.

dämpfig [dɛ́mpfɪç] *a.* 〘醫〙 천식의; (말이 호흡기병에 걸려) 숨이 찬; 〘방언〙 무더운.

Dämpfigkeit *f.* (말의) 호흡 곤란.

Dampf≈kammer *f.*, **~kasten** *m.* 증기실. **~kessel** *m.* 증기 발생기. **~klappe** *f.* 증기판(瓣). **≈klar** *a.* 〘海〙 출항 준비가 완료된. **~koch·topf** *m.* 압력솥〔냄비〕. **~kohle** *f.* 기관용 석탄. **~kolben** *m.* 증기 피스톤. **~kraft** *f.* 증기력. **~kraft·werk** *n.* 화력 발전소. **~kran** *m.* 증기 기중기. **~kugel** *f.* ① 〘物〙 증기의 방출에 의하여 회전하는 공중의 구(球). ② 〘軍〙 연막탄.

Dampfl [dámpfl] *n.* -s, -(n) (südd., öst) 효모를 넣은 반죽.

Dampf≈leitung *f.* 증기 도관. **~lokomotive** *f.* 증기 기관차. **~maschine** *f.* 증기 기관. **~messer** *m.* 증기 계량기. **~motor** *m.* 〘기계〙 증기 기관. **~mühle** *f.* 증기 제분소. **~nudel** *f.* 효모를 넣어 찐 국수.

Dämpf·pfanne *f.* 〘요리〙 스튜 냄비.

Dampf≈pfeife *f.* 기적. **~pflug** *m.* 증기 쟁기. **~pumpe** *f.* 증기 펌프. **~radio** *n.* 〘구어·농담〙 라디오. **~rohr** *n.*, **~röhre** *f.* 증기관. **~roß** *n.* 〘농담〙 ↑ ~lokomotive. **~säge·werk** *n.* 증기 제재소. **~schiff** *n.* 기선. **~schiffahrt** *f.* 기선 항해.

Dampfschiffahrts≈gesellschaft *f.* 기선 회사. **~linie** *f.* 기선 항로.

Dampfschifffahrt *f.* 新정서 ⇦ Dampfschiffahrt.

Dampf≈spannung *f.* 증기압. **~spritze** *f.* 증기 소화기. **~steuerung** *f.* 증기 배급기. **~strahl** *m.* 증기 분사.

Dampfstrahl≈gebläse *n.* (제강용) 증기 분사기. **~pumpe** *f.* 〘工〙 증기 분사 펌프(배기 장치).

Dapf·topf *m.* 압력솥, 압력 냄비.

Dämpf·topf *m.* 〘요리〙 스튜 냄비.

Dampf≈turbine *f.* 증기 터빈. **~überhitzer** *m.* 증기 과열기.

Dämpfung [dɛ́mpfʊŋ] *f.* -en 약화, 완화; 〘物〙 (진동의) 감쇠; 〘工·전기〙 제동; 〘醫〙 (타진할 때의) 탁음(濁音).

Dampf≈ventil *n.* 증기 도관의 배기 밸브. **~wagen** *m.* 증기 자동차; 증기 기관차. **~walze** *f.* ① (도로 공사용의) 증기 롤러. ② 〘구어·농담〙 몹시 뚱뚱한 사람(특히 여자). **~zylinder** *m.* 증기 실린더.

Dam≈spiel *n.* (öst.) ↑ Damespiel. **~stein** *m.* (öst.) 체스용 말. **~wild** *n.* 〘動〙 ↑ Damhirsch.

Dan *m.* -, - (태권도·유도 따위의) 등급, 단.

***da·nach** [daná:x, 지시적 의미가 강할 때: dá:na:x] *adv.* ① 〘목표·방향〙 그쪽으로, 그것을 향하여: das Baby sah ein Buch und streckte seine Hand ~ aus 갓난애는 책을 보고 그것을 향해 손을 뻗었다; er trachtet ~, dich zu übervorteilen 그는 너를 속여넘기려고 한다; mein Sinn steht jetzt nicht ~ 나는 그것에 관심이 없다. ② 〘표준·상응〙 그것을 좇아서, 그것에 따라서: ~ richte dich! 그것을 따르라!; die Ware ist billig, aber sie ist auch ~ 그 물건은 싸지만 결국 그 값어치밖에 못된다; er ist der Mann ~ 그는 그 일에 적임자다; seine Kräfte sind nicht ~ 그의 힘으로는 그것을 감당 못 한다. ③ 〘관계 부사〙〘고어〙 …에 따라서: ~ es sich trifft 형편에 따라서; ~ sich einer führt, ~ wird einem 인과응보. ④ **(a)** 〘순서〙 (dann) 그 다음에, 그것에 이어서: erst geht der Vater, ~ der Sohn 아버지가 앞장 서고 아들이 그 뒤를 따라간다. **(b)** 〘시간적〙 그 후에: bald ~ 그 후 곧. **(c)** 〘공간적〙 뒤이어: am Weg stehen erst Erben und ~ Weiden 길가에는 처음에 느릅나무들이, 뒤이어 수양버들이 서 있다.

Danach·achtung *f.* 〘官〙 (öst.) 고려, 주의.

Danae [dá:nae] *f.* 〘그리스신화〙 다나에(아르고스의 왕 아크리시오스의 딸이며 페르세우스의 어머니).

Danaer [dá:naər] *m./pl.* 〘시어〙 그리스인.

Danaer·geschenk *n.* 위험한 선물(트로이를 멸망으로 이끈 목마에서 유래).

Danaiden [danaí:dən] *pl.* 〘그리스신화〙 아르고스의 왕 다나오스의 오십 명의 딸(첫날밤에 각자의 남편을 죽인 죄로 지옥에서 구멍 투성이의 통에 쉬지 않고 물을 퍼 넣는 벌을 받음): 〘비유〙 er schöpft ins Faß der ~ 그는 헛수고를 하고 있다.

Danaiden≈arbeit *f.* 〘교양〙 헛수고, 밑 빠진 독에 물 붓기. **~faß** *n.* 다나이데의 밑창 뚫린 통; 〘비유〙 헛수고.

Dancing [dá:nsɪŋ] 《engl.》 *n.* -s, -s ① 댄스홀, 무도장. ② 댄스 (모임).

Dandy [dɛ́ndi, dǽndi] 《engl.》 *m.* -s, -s/..dies [..diz] 멋쟁이, 호사바치, 맵시꾼.

dandyhaft *a.* 멋쟁이의, 호사바치의.
Dandyismus [dɛndiísmʊs] *m.* 〖교양〗 댄디이즘.
Dandytum [..tu:m] *n.* -(e)s 멋부림, 호사.
Däne [dɛ́:nə] *m.* -n, -n 덴마크 사람.
da·neben [dané:bən, dá:ne:bən] *adv.* ① 그 곁에, 그것과 나란히: dicht〔gleich〕~ 바로 그 곁에. ② 그 밖에, 그 외에; 동시에. ③〔이 경우에는 보통 동사의 분리 전철이 됨〕〖비유〗 표적을 벗어나서, 잘못하여.
daneben≈|benehmen *refl.* 〖구어〗 sich ~ 어울리지 않게 행동하다. **~|fallen** *i.* (s.) 옆에 떨어지다, 표적을 벗어나다. **~|gehen** *i.* (s.) 빗나가다; 〖구어〗 실패하다. **~|gelingen, ~|geraten** *i.* (s.) 잘 안 되다, 실패하다. **~|gießen** *i.* (h.) 잘못 부어서 흘리다. **~|glücken** *i.* (s.) 실패하다. **~|greifen** *i.* (h.) ① 목표물을 빗맞히다. ②〖비유·구어〗 오류를 범하다, 잘못을 저지르다. **~|hauen** 잘못 치다, 실수하다. **~|liegen** *i.* (h.) 〖구어〗 착각하다. **~|schätzen** *i.* (h.) 〖구어〗 잘못 요량하다. **~|schießen** *i.* (h.) 잘못 쏘다; 〖구어〗 착각하다. **~|schlagen** 잘못 치다; 〖구어〗 잘못〔실수〕하다. **~|tippen** *i.* (h.) 〖구어〗 잘못 알아맞추다. **~|treffen** *i.* (h.) 적중시키지 못하다; 〖구어〗 잘못 말하다.
Danebrog [dá:nəbro:k] *m.* -s 덴마크 국기.
Dänemark [dɛ́:nəmark] 덴마크.
dang [daŋ] ↑ dingen 의 과거형.
dänge [dɛ́ŋə] ↑ dingen 의 접속법 Ⅱ식.
da·nieden [daní:dən] *adv.* 〖시어·고어〗 이 지상〔세상〕에서.
da·nieder [daní:dər] *adv.* 〖고어〗 아래로; 아래에, 땅바닥에.
danieder≈|beugen *t.* 아래로 굽히다〔숙이다〕; 〖비유〗 사기를 저하시키다. **~|liegen*** *i.* (h.) ① 아래에 가로 놓여 있다; (병으로) 누워 있다. ②〖비유〗 의기소침해〔위축되어〕 있다: das ≈des Handels 상업의 부진, 불경기. **~|schlagen*** *t.* 때려눕히다; 〖비유〗 사기를 저하시키다, 굴복시키다.
Daniel [dá:nie:l, dá:niɛl] *m.* 다니엘(남자 이름; 〖聖〗 이스라엘의 예언자 이름).
Dänin [dɛ́:nɪn] *f.* -nen ↑ Däne 의 여성형.
Dänisch *n.* -(s), **Dänische*** *das* 덴마크어.
dänisch *a.* 덴마크의, 덴마크 사람〔어〕의.
danisieren, dänisieren *t.* 덴마크식으로 하다〔꾸미다〕.
*__Dank__ [daŋk] 《<denken》 *m.* -(e)s ①〔복수: -en〕〖고어〗 생각, 뜻. ② 감사, 고마움; 감사의 말: jm. ~ sagen 누구에게 감사(의 말을)하다. jm. seinen ~ abstatten〔aussprechen〕 누구에게 사의를 표하다; keinen ~ für et. beansprechen〔erhalten〕 무엇에 대해 사례를 요구하지 않다〔받지 못하다〕; jm. für et. ~ schulden 어떤 일로 누구에게 은혜를 입다; jm. zu ~ verpflichtet sein 누구에게 감사할 일이 있다; jm. ~ wissen 누구에게 감사하고 있다. ③ (a) Gott〔dem Himmel〕sei ~! 아유 고마워라, 고맙게도! (b) haben Sie vielen ~! 대단히 감사합니다! (정중한 문어체 표현); vielen〔großen, herzlichen, schön(st)en, tausend, besten〕 ~! 매우 감사합니다! (c) 〖聖〗 칭찬, 찬미. ④ 보수, 사례: des Teufels ~ 화(禍), 횡액; der ~ für die Mühe 노력에 대한 보수; zum〔als〕 ~ 사례로서; schlechten ~ ernten 은혜를 원수로 되받다. ⑤〔복수: Dänke〕〖고어〗 상품, 포상.
dank *prp.*³/(드물게) *prp.*² …덕택으로, …때문에: ~ seinem Fleiß〔seines Fleißes〕그가 부지런했기 때문에.
Dank≈adresse *f.* 감사장, 감사문. **~altar** *m.* 감사의 제물을 바치는 제단.
*__dankbar__ [dáŋkba:r] *a.* ① 감사하고 있는, 고마움을〔은혜를〕 느끼고 있는: sich gegen jn. ~ erweisen 누구에게 사의를 표하다; ich bin dir sehr ~ für deine Teilnahme 너의 관심에 대해 매우 고맙게 여기고 있다. ② 이익이 있는; 보람 있는: eine ~e Arbeit 보람 있는 일; ein ~es Geschäft 남는 장사. ③〖구어〗 견고한, 질긴: der Stoff ist sehr ~ 이 옷감은 아주 질기다. ④〖구어〗 손이 많이 가지 않는, 기르기 쉬운: eine ~e Pflanze 가꾸기 쉬운 식물.
Dankbarkeit *f.* ① 감사하는 마음, 사은(謝恩): seine ~ bezeigen 감사의 뜻을 표하다; zur ~ verpflichtet 감사의 의무가 있는. ② 견고, 질김. ③ 기르기 쉬움.

dankbarlich *a.* 〖고어〗 감사하는.
dank≈beflissen *a.* 사의를 표하려고 애쓰는. **~begierig** *a.* 사의를 표하려고 안달하는. **≈-bezeigung** *f.* 사의의 표명. **≈brief** *m.* 감사장(感謝狀).
*__danken__ [dáŋkən] 《<Dank》《Ⅰ》 *i.* (h.) ① 감사하다: jm. für et. ~ 무엇에 대하여 누구에게 감사하다; ich danke Ihnen für Ihre Hilfe〔Teilnahme〕 도와〔참석해〕 주셔서 감사합니다; danke schön! — bitte schön! 대단히 고맙습니다! —천만에요!; nichts zu ~! 별말씀 다 하십니다!; möchten Sie noch ein Stück Kuchen? — ja〔nein〕, ~! 케이크 한 조각 더 드시겠습니까? — 네〔아니오〕!; wollen Sie ein Stück mitfahren? — nein, ~! 좀 같이 타고 가시겠어요? — 괜찮습니다!; seid gedankt! 여러분 고맙습니다!; 〖商〗 ~d erhalten 정히 영수함. ② (사의를 표하며) 사절〔사양〕하다: wollen Sie etwas trinken? — (ich) danke! 뭣 좀 안 마시겠습니까? — 아니 괜찮습니다!; ich danke für solchen Rat! 그런 충고는 싫다!; 〖구어·반어〗 na, ich danke, mir reicht es! 이제 그만, 그만하면 충분해! ③ jm. ~ 누구에게 답례〔답례 인사〕하다. 《Ⅱ》 *t.* ① jm. et. ~ 누구에게 무엇에 대한 보답을 하다: er dankte ihnen ihre Güte mit Bösem ~ 그는 그들의 은혜를 원수로 갚았다; danke dir's Gott! 하느님이 네게 보답해 주시기를! ② jm.〔et.³〕 et. ~ 누구〔무엇〕의 덕택으로 무엇을 가지다; ihren Erfolg dankt sie ihrem Talent und ihrem Fleiß 그녀의 성공은 그녀의 재능과 근면 덕분이다; was ich bin, danke ich dir 내가 오늘날과 같이 된 것은 네 덕분이다.
dankens≈wert *a.* 감사할 만한, 고마운, 공이 있는. **~werter·weise** *adv.* 감사하게도, 고맙게도.
dank·erfüllt *a.* 감사의 마음이 넘치는.
Danke·schön *n.* -s 감사의 표현〔말〕: jm. ein ~ sagen 누구에게 감사의 말을 전하다.
Dankes≈kirche *f.* 신의 은혜에 감사하는 뜻으로 세워진 교회. **~schuld** *f.* 〖雅語〗 감사의 은혜: ich stehe bei ihm in großer ~ 나는 그에게 커다란 은혜를 입고 있다. **~tafel** *f.* 감사패. **~worte** *pl.* 감사의 말.

Dank=fest *n.* 감사절. **~gebet** *n.* 감사의 기도. **~gefühl** *n.* 감사하는 마음. **~gottesdienst** *m.* 감사 예배. **~lied** *n.* 감사의 노래, 찬미가.

danklos *a.* 배은망덕한, 감사할 줄 모르는; 감사할 것이 못 되는.

Dank=opfer *n.* 감사의 공양물. **~predigt** *f.* 감사의 설교. **~rede** *f.* 감사 연설. **~sage** *f.* ↑ Danksagung.

dank·sagen *i.* (h.) (danksagte; dankgesagt) 〖雅語·드물게〗 (말이나 글로) 감사의 뜻을 전하다, 사의를 표하다: sie danksagten Gott 그들은 신에게 감사를 표했다; vergiß nicht, dankzusagen 잊지 말고 감사의 말을 하도록 하게.

Dank·sagung *f.* -en ① 사의를 표함. ② 감사의 말; (특히 조문 편지에 대한) 감사문.

Dank(sagungs)=schreiben *n.* 감사장. **~tag** *m.* 감사절.

dank=schuldig, ~verbunden *a.* 감사할 의무가 있는, 은혜를 입은. **~vergessen** *a.* 배은망덕한. **~verpflichtet** *a.* ↑ ~schuldig. **~voll** *a.* ↑ ~erfüllt.

D

***dann** [dan] 《I》 *adv.* ① 그때, 그 경우에, 그럴 때는: selbst ~, wenn... …한 경우에라도; wenn du fertig bist, ~ komm zu mir! 끝나면 나한테로 오너라! ② 그 다음〔후〕에, 그러고 나서, 그러자: wie ~〔und ~〕? 그 다음은?; erst du, ~ ich 먼저 네가, 그리고선 내가; 〖속담〗 erst wägen, ~ wagen 숙려(熟慮) 단행, 심사숙고 후에 단행함; was soll ~ folgen〔kommen〕? 다음에는 어떻게〔무엇을〕 할까요?; 〖구어〗 bis ~ 또 만나요. ③ 그 외에 더, 더욱, 게다가: ~ mußt du noch einiges bedenken 그 외에 너는 몇 가지 일을 더 생각하지 않으면 안 된다. ④ ~ ..., ~ ... 때로는 …, 때로는 …. ⑤ ~ und wann 때때로, 가끔. ⑥ ~ und ~ 어느어느 때; von ~ bis ~ 언제부터 언제까지, 얼마 동안. ⑦ ↑ dannen.

Dann *n.* - (Zukunft) 장래, 금후.

dannen *adv.* ① 〖다음 용법으로만〗 von ~ 거기서부터; von ~ gehen〔ziehen〕 그곳을 떠나다, 출발하다. ② 〖고어〗 ↑ da[1] ② (b).

dann·zumal *adv.* (schweiz.) 그렇게 됐을 때, 그리고 나서.

Danse macabre [dãs makáːbr] 《frz.》 *m.* -(s), -(s) 〖교양〗 죽음의 춤.

Dante [..te, ..teː] Alighieri ~ 단테(이탈리아의 시인, 1265-1321).

Danten·anzug *m.* 〖컴〗 데이터복.

Dantes 《span.》 *m.* -s, -s 〖고어〗 장난감 돈.

dantesk [dantέsk], **dantisch** *a.* 단테(풍)의, 정열적인, 힘찬, 장중한.

Dantisch *a.* 단테의.

Danzig [dántsıç] 단치히(발트해 연안 도시).

Danziger [..gər] 《I》 *m.* -s, - 단치히 사람. 《II》 *a.* 단치히(산(産))의: das ~ Goldwasser 단치히산의 고급 브랜디.

Daphne [dáfnə] *f.* ① 〖그리스신화〗 다프네(아폴로의 구애를 피하기 위해 월계수로 화신한 요정). ② 〔복수: -n〕 〖植〗 서양닥나무.

Daphnia[2], **Daphnie** *f.* 〖動〗 물벼룩의 일종.

Daphnin *n.* -s 다프닌(서양닥나무 껍질의 성분; 약제에 쓰임).

dappeln [dápəln] *i.* (h./s.) 〖방언〗 (trippeln) 종종걸음으로〔아장아장〕 걷다.

dar.. 《mhd. dar, „dahin"; 지금은 da[1] 와 같은 뜻》 *pref.* ① 특히 모음으로 시작하는 전치사와 결합해서 부사를 만듦(보기: ~an). ② 분리 동사의 전철로서 항상 강음이 있고 "양도·제출"의 뜻을 지님(보기: ~bieten).

Darabukka [darabúka] 《arab.》 *f.* ..bukken (이집트의) 북.

***dar·an** [darán, (지시적 의미가 강할 때) dáːran] 〔(구어) **dran**〕 *adv.* ① 그 옆에 (붙여), 그것에 연결되어, 거기에 가까이: ein Hut mit einer Feder ~ 옆에 깃털이 달린 모자; ~ schließt sich gleich der Wald an 그 다음에 바로 숲이 이어진다; komm nicht ~! 그것 만지지 마라!; er will nicht recht ~ 그는 그 일에 흥미가 없다. ② 그것에 관해, 그 일에 대해: ~ denken 그것에 대해 생각하다; ~ sein 차례다(↑ ~sein); ich habe nie ~ gedacht, ihn zu beleidigen 나는 결코 그를 모욕할 생각이 없었다; ~ erkennen 그것을 보고 알아보다; ~ glauben 그것을 믿다; 〖구어〗 ~ glauben müssen 피할 수 없는 운명이다, 죽다; ich zweifle nicht ~, daß... 나는 …을 의심하지 않는다; ~ bin ich nicht beteiligt 나는 그 일에 관여하지 않았다; er ist nicht schuld ~ 그는 그 일에 책임이 없다; im Anschluß ~ 그것에 이어; es liegt mir viel〔nichts〕 ~ 그것은 내게는 중대〔사소〕한 일이다; was liegt ~? 그것이 어쨌단 말이냐?; er tat gut ~ 그는 잘 했다; er ist gut ~ 그는 행복〔유복〕하다(↑ ~sein). ③ 〖다른 부사와 함께〗 drauf und dran 막 …하려고: wenn es drauf und dran kommt 막상 그 일이 닥치면〔문제가 되면〕; es war drauf und dran, daß er fortging 그가 막 떠나려고 할 때였다; alles, was drum und dran ist〔hängt〕 그것에 관련된 온갖 일; nahe ~ 그 바로 곁에, 임박해서; er war nahe ~, sein Leben zu verlieren 그는 하마터면 생명을 잃을 뻔했다; das Licht ist nahe ~ auszugehen 불이 막 꺼지려고 한다; sie war dicht ~, in Tränen auszubrechen 그녀는 눈물을 터뜨리기 직전이었다; neben ~ 나란히, 인접해서; hinten〔unten, oben〕 dran 그 뒤〔밑, 위〕에.

Daran·gabe *f.* 〖雅語〗 ① 희생, 투입, 바침: unter ~ seiner Gesundheit 그의 건강을 희생하여. ② (Angeld) 착수금, 계약금.

daran=|geben* *t.* 바치다, 희생하다: sein Leben〔sein ganzes Vermögen〕 ~ 자신의 목숨〔전재산〕을 바치다: **~|gehen*** *i.* (s.) 착수하다, 손을 대다: er wollte gerade ~, die Zeitung zu lesen, da klingelte es 그가 막 신문을 읽으려고 하는데 벨이 울렸다; widerwillig ~, et. zu tun 마지못해 무엇을 시작하다. **~geld** *n.* 계약금. **~|halten*** *refl.* sich ~ ① 서두르다. ② (싫다는데도) 기어코 하다, 고집을 꺾지 않다. **~|kommen*** *i.* (s.) 차례가 오다, 달하다(단: daran kommen 그것에 근접하다, 접촉하다): jetzt komme ich daran 이번에는 내 차례다; jeden ~ lassen 모두 차례대로 할 수 있게 하다. **~liegend** *a.* 인접한, 가까운. **~|machen** *refl.* sich ~ 시작〔착수〕하다: sich ~, die Wohnung aufzuräumen 집을 치우기 시작하다. **~|mögen*** *i.* (h.) 그것을 좋아하다. **~|müssen*** *i.* (h.) 그것에 따르지 않으면 안 되다; 차례가 되다: er muß tüchtig daran 그는 열심히 일하지 않으면 안 된다. ~|**nehmen*** *t.* …에게 문제를 내다, 시험하다: jn. tüchtig ~ 누구에게 심하게 일을 시키다. ~|**sein*** *i.* (s.) ① ~ 차례가 되다: wer ist daran?—ich bin daran 누구 차례냐?—내 차례입니다; die Partei, die daran ist (경기에서) 공격팀. ② es ist etwas (Wahres) daran 거기에는 다소 그럴 듯한 점이 있다; es ist nichts daran 거기에는 하등의 취할 점이〔의의가〕 없다. ③ er ist gut〔übel〕 daran 그는 유복〔가난·불우〕하다; wie bist du mit ihm daran? 너는 그와 사이가 어떠니?; ich bin gut mit ihm daran 나는 그와 사이가 좋다; man weiß nie, wie〔wo〕 man mit ihm daran ist 그는 어떻게 보아야 좋을지 모를 인물이다. ④ ~ (그것을) 하고 있다: ich bin jetzt daran 나는 지금 그것을 하고 있다; er war nahe daran zu sterben 그는 하마터면 죽을 뻔했다. ⑤ wenn wir recht daran sind 만일 우리가 옳다면. ~|**setzen** 《I》 *t.* 모험적으로 하다, 걸다, 감행하다: sein Leben ~ 목숨을 걸다; du mußt alles ~, um... zu 너는 …을 하기 위해 온 힘을 쏟아야 한다. 《II》 *refl.* sich ~ 시작〔착수〕하다: du mußt dich endlich ~, die Steuererklärung zu machen 너는 이제는 소득세 신고를 해야 한다. ~**stoßend** *a.* 그것에 인접한. ~**wachsend** *a.* 〖植〗 측생(側生)〔착생(着生)〕의. ~|**wenden** *t.* (힘·노력·시간을) 들이다, 기울이다: er hat viel Mühe darangewandt, bis das Haus fertig war 그는 집이 완성되기까지 많은 노력을 기울였다. ~|**wollen*** *i.* (h.) 그것을 하고 싶어하다: er will nicht ~ 그는 그것을 하기 싫어한다.

Darapskit *m.* -s, -e 〖광물〗 (질산나트륨과 황산나트륨으로 구성된 무색의) 복염(複塩).

***dar·auf** [daráuf, (지시적 의미가 강할 때) dá:rauf] 〔(구어) **drauf**〕 *adv.* ① 그 위에, 그 위로: ein Hut mit einer Feder ~ 위에 깃털이 달린 모자; setz' dich ~! 거기에 앉아라!; nimm vom Tische, was ~ steht 탁자 위에 있는 것을 집어라〔먹어라〕; stell die Vase ~ 그 위에 화병을 놓아라; stolz ~ sein 그것을 자랑삼다; ~ versessen 거기에 열중〔전념〕하여; ~ steht als Strafe der Tod 그런 일을 하면 죽을 죄가 된다. ②〔다른 부사와 함께〕 drauf und dran 바야흐로 …하려고; er war drauf und dran, seine Stellung zu verlieren 그는 하마터면 자신의 지위를 잃을 뻔했다(↑ daran ③); frisch ~! 힘을 내어서 해라, 달려들어라!; gerade ~ zu 그쪽으로 곧장; er arbeitet ~ hin, mich zu verderben 그는 나를 망치려고 애쓰고 있다; ~ hin reiste er ab 그것 때문에 그는 여행을 떠났다; ~ wollte ich hinaus 나는 그것을 노리고 있었다; ~ los essen 닥치는 대로 먹어 치우다. ③〔시간적〕 그 후, 그것에 이어서: das Jahr ~ 그 이듬해; ein Jahr ~ 1년 후에; eine Woche ~ 1주일 후에; den Tag ~ 그 이튿날; drauf und drauf 영원히, 끊임없이; bald ~ 그 후 얼마 안 가서; gleich ~ 바로 그 뒤에. ④〔다음에 오는 부문장과 관련해서〕 die Sache wird schließlich ~ hinauslaufen, daß... 사태는 결국 …로 치달을 것이다; ich lege kein Gewicht ~, daß... 나는 …을 중요시하지 않는다; ich wollte ~ schwören, daß... 나는 …을 맹세라도 하고 싶었다; Sie können sich ~ verlassen, daß... 당신은 …을 믿어도 좋다. ⑤〔원인〕 그 때문에, 그래서: sie hatte sehr gute Zeugnisse und bekam ~ die Stellung 그녀는 성적이 아주 좋아서 그 자리를 얻었다. ⑥〔동사와 함께〕 es kommt ~ an 그것은 상황에 따라서 다르다; ~ kommt alles an 만사가 그것에 달렸다; er ließ es ~ ankommen 그는 위험을 무릅쓰고 그것을 감행했다; ~ geht er eben aus 그는 바로 그것을 노리고 있다; ~ begierig sein 그것을 열망하고 있다; sich ~ besinnen 그것을 상기하다; ~ lasse ich mich nicht ein 나는 그 일에 상관하고 싶지 않다; ~ fallen 그것을 생각해내다; ich gebe nicht viel ~ 나는 과히 그것을 중요시하지 않는다; ~ gefaßt sein 그것에 대한 마음의 준비〔각오〕가 되어 있다; ~ halten 그것에 힘을 들이다, 중요시하다; ~ hoffen 그 점을 바라다; ~ kommen 그런 생각이 들다; wie kommen Sie ~? 어떻게 그런 생각을 했습니까?

darauf≈folgend *a.* 그 다음의, 그것에 뒤따르는: am ~en Tag 다음날에; im ~en Jahr 그 다음 해에. ~**gabe** *f.* (Handgeld) 착수〔계약〕금. ~|**geben*** *t.* 추가로 지급하다. *~|**gehen*** *i.* (s.) 〔구어〕 ① 소비〔소모〕되다: es geht viel darauf 그것은 돈이 많이 든다; er läßt viel Geld ~ 그는 큰 돈을 들인다. ② 죽다: es sind viele Menschen daraufgegangen 많은 사람이 죽었다. ~**geld** *n.* ↑ ~gabe. ~|**helfen*** *i.* (h.) jm. ~ 누구에게 그 일을 상기시키다〔시사하다〕. ~**hin** [daraufhín, dá:raufhın] *adv.* ① 그런 관점에서, 그 점에 관하여: et. ~ analysieren〔untersuchen, prüfen〕 무엇을 그런 관점에서 분석〔조사·검토〕하다. ② 그 때문에, 그것에 입각하여: es begann zu regnen, ~ gingen alle Zuschauer nach Hause 비가 오기 시작하자 모든 관객들이 집으로 갔다. ~|**legen** *t.* 그 위에 (겹쳐) 놓다. ~|**schlagen*** *i.* (h.) 거기에 부가하다. ~|**setzen** 《I》 *t.* 그 위에 놓다. 《II》 *refl.* sich ~ 그 위에 앉다. ~|**stehen*** *i.* (h./s.) 그 위에 서다.

***dar·aus** [daráus, (지시적 의미가 강할 때) dá:raus] 〔(구어) **draus**〕 *adv.* 그곳〔그 속〕에서 (밖으로); 그런 이유〔사실〕에서: die Kasse war verschlossen, trotzdem ist ~ Geld verschwunden 금고가 잠겨져 있었지만 돈이 사라졌다; ~ folgt, daß... 그것에서 …한 결론이 나온다; ~ wird nichts a) 그것은 아무것도 안 된다, 보잘것없다, b) 그것은 안 된다, 실행되지 않는다; was ist ~ geworden? 그것은 어떻게 되었나?; ich mache mir nichts ~ a) 나는 그것에 상관하지 않는다, b) 나는 그것을 좋아하지 않는다, 흥미가 없다; ~ werde ich nicht klug 나는 그것이 이해되지 않는다.

darben [dárbən] 《ahd.; ↑ dürfen》 《I》 *i.* (h.) ①〖雅語〗 궁핍하게 살다: sie haben zeitlebens gehungert und gedarbt 그들은 평생 굶주리며 궁핍하게 살았다. ②〖고어〗 mit et.[3] ~ 무엇을 아끼다. 《II》 *refl.* sich reich ~ 인색하게 굴어 부자가 되다.

darbietbar *a.* 드러내 보일 수 있는.

dar|bieten 《I》 *t.* 내놓다, 제공하다, 바치다; 나타내다, 서술하다; (극·곡을) 상연〔연주〕하다: jm. seinen Beistand ~ 누구를 원조하다; die Hand zum Küssen〔Gruß〕 ~ 키스〔인사〕하도록 손을 내밀다; das Thema wurde interessant dargeboten 그 주제가 흥미롭게 제시되었다. 《Ⅱ》 *refl.* sich ~ 모습을 드러내다, 나타나다: es bot sich eine günstige Gelegenheit dar 좋은 기회가 생겼다.

Darbietung *f.* -en 상연, 연주; 낭송, 낭독; 제시; 공연물: dieses Theater ist durch die ~ experimenteller Stücke bekannt geworden 이 극장은 실험극의 상연으로 유명해졌다; die ~ des Themas war trocken 제시된 주제는 딱딱한 것이었다; musikalische ~en 음악 공연물.

Darbietungs·kunst *f.* 기량, 공연술: seine ~ ist nur schwer zu übertreffen 그의 기량을 능가하기는 매우 어렵다.

dar|bringen* *t.* 내놓다, 제출하다, 바치다, 올리다: ein Opfer ~ 제물을 바치다; ich bringe dir meine Freundschaft dar 네게 내 우정을 바친다.

Darbringer *m.* -s, - 헌납자, 봉헌자.

Darbringung *f.* -en 내놓음, 헌납; 제물, 희생; 〖聖〗 할례(割禮).

Darbuka *f.* -en ↑ Darabukka.

Darbysten [..bíst..] *pl.* 다비파(派) (영국 신학자 Darby가 시작한 칼뱅파의 교단).

Dardanellen [dardanέlən] *pl.*, **Dardanellen·straße** *f.* 다르다넬스 해협.

*__dar·ein__ [daráın, (지시적 의미가 강할 때) dá:raın] 〔(구어) **drein**〕 *adv.* 그 속으로, 그것 안으로: sie legte das Obst ~ 그녀는 과일을 그 안에 넣었다; oben drein 거기에 덧붙여, 그 밖에; sich ~ (er)geben〔fügen, schicken〕 그것에 따르다〔순응하다〕, 그것을 참다〔감수하다〕; ich muß mich ~ ergeben 나는 그것을 참고 따르지 않으면 안 된다.

darein=|fahren* *i.* (s.) 간섭〔말참견〕하다. **~|finden** *refl.* sich ~ 〖雅語〗 감수〔감내〕하다, (상황에) 따르다. **~|geben*** *t.* 덧붙여〔덤으로〕 주다. **~|gießen*** *t.* 그것에 붓다: gieße Wasser darein 그것에 물을 부어라. **~|legen, ~|mengen, ~|mischen** *refl.* 중재〔조정〕하다; 간섭〔개입〕하다: ich will mich nicht ~ 나는 거기에 끼어들고 싶지 않다. **~|reden** *i.* (h.) 말참견하다, 말을 가로채다: niemand hat ihm dareinzureden 아무도 그에게 이래라 저래라 할 수 없다. **~|schauen, ~|sehen*** *i.* (h.) ① 들여다보다, 뚫어지게 보다. ② **(a)** (…한) 눈초리를 하다: er schaut wild darein 그는 사나운 눈초리를 하고 있다. **(b)** (…하게) 보이다: du siehst nicht frisch ~, was hast du? 너 기운 없어 보이는데 웬일이냐? **~|schlagen*** *i.* (h.) 마구 치다. **~|setzen** *i.* (h.) 〖雅語〗 투입하다, 동원하다: seine ganze Energie ~, et. zu tun 그의 온 에너지를 무엇을 하는 데 쏟다. **~|sprechen*** *i.* (h.) ↑ ~reden. **~|willigen** *i.* (h.) 동의〔승낙〕하다.

darf [darf] ↑ dürfen 의 1 인칭 단수 현재형.

darfst ↑ dürfen 의 2 인칭 단수 현재형.

Darg [dark] *m.* -(e)s, -e (ndd.) (습지대의) 이탄(泥炭); 이탄층, 이토층.

dar|geben* *t.* 건네다, 내주다; 바치다, 주다.

Dargebot [dá:*r*..] *n.* -(e)s, - 〖工〗 (전기·물 등의) 가용량, 사용 가능량.

dargetan 《Ⅰ》 *p.p.* ↑ dartun. 《Ⅱ》 *p.a.* 입증〔확증〕된.

Dargtorf *m.* -(e)s ↑ Darg.

dar|halten* 《Ⅰ》 *t.* 내밀고 있다. 《Ⅱ》 *i.* (h.) (schweiz.) 인내하다; 오래 가다: das hält nicht dar 그것은 오래 못 간다.

Dari [dá:ri, ..rí] *n.* -s, -s ↑ Durra.

*__dar·in__ [darín, (지시적 의미가 강할 때) dá:rın] 〔(구어) **drin**〕 *adv.* 그 속에, 거기에; 그 점에 있어서: ein Beutel und kein Geld ~ 빈 돈지갑; mit ~ begriffen 그 속에 함께 포함되어; was ist ~? 그 속에 무엇이 들어 있나?; in dem Glas ist nichts ~ 컵 속은 비어 있다; es steckt ein Fehler ~ 그 점에 잘못이 있다; ~ ist er mir überlegen 그 점에서 그는 나보다 뛰어나다; die beiden unterscheiden sich ~, daß... …한 점에서 두 사람은 구별된다; ~ finde ich nichts 나는 그것을 개의치 않는다.

darinnen *adv.* 그 속에, 내부에.

dar|legen *t.* ①〖고어〗 (hinlegen) 앞에 놓다, (금전 등을) 내놓다. ②〖비유〗 명시〔표명〕하다; 설명〔진술〕하다: umständlich ~ 자세히 진술하다; lege mir deine Gründe dar 네 이유를 설명해 다오.

Darleger *m.* -s, - 설명하는 사람.

Darlegung *f.* -en 설명, 진술; 표명: nach ~ der Verhältnisse 상황을 설명한 후에; mündliche〔schriftliche〕 ~ 구두〔서면〕 진술; den ~en des Zeugen zufolge 증인의 진술에 따르면.

Darlehen 《<leihen》 *n.*, **Darlehn** *n.* -es, - 대부, 대출(금): jm. ein ~ geben〔machen〕 누구에게 돈을 빌려 주다, 대부를 해주다; ein ~ aufnehmen〔bekommen〕 대출받다; jn. um ein ~ bitten 누구에게 돈을 빌려달라고 부탁하다; die Tilgung〔Gewährung〕 eines ~s 대출의 상환〔허용〕; ein ~ in Höhe von 10000 DM 1만 마르크의 대출액.

Darlehens=bank *f.* 대출〔대부〕 은행. **~bedingung** *f.* 대출〔대부〕 조건. **~geber** *m.* 대주(貸主), 대출〔대부〕해주는 사람. **~geschäft** *n.* 대출〔대부〕 업무. **~kasse** *f.* 대출〔대부〕 기관. **~nehmer** *m.* 차주(借主). **~summe** *f.* 대출〔대부〕(총)액 **~verein** *m.* ↑ ~kasse. **~vertrag** *m.* 대출〔대부〕 계약. **~zins** *m.* 대출〔대부〕 이자.

dar|leihen* *t.* (schweiz.) (금전 등을) 빌려 주다, 대출〔대부〕하다.

Darleihen *n.* -s, - (schweiz.) ↑ Darlehen.

Darleiher *m.* -s, - 대주(貸主), 대부인.

Darleihung *f.* -en (schweiz.) 대부(금), 대출.

*__Darm__ [darm] *m.* -(e)s, Därme ① 장(腸): der blinde ~ 〔der Blind≈〕 맹장; der dicke 〔große〕 ~, der Dick≈ 대장(大腸); der dünne〔enge〕 ~, der Dünn≈ 소장(小腸); der gerade ~ 〔der Mast≈〕 직장(直腸); der leere ~ 〔der Leer≈〕 공장(空腸); der Krumm≈ 회장(回腸); der Zwölffinger≈ 십이지장. ②〖복수〗 장부(臟腑), 내장. ③ (순대 제조용) 창자. ④〖방언〗 유아(幼兒). ⑤〖비유〗 ein hungriger ~ 굶주린 사람.

Darm=abschnitt *m.* 장의 부위. **~ausgang** *m.* 직장의 끝부분. **~ausleerung** *f.* 배변. **~bad** *n.*, **~bähe** *f.* 관장(灌腸). **~bakterie** *f.* 장내 세균. **~bein** *n.* 장골(腸骨). **~beinmuskel** *m.* 장골근(腸骨筋). **~bereich** *m.* 장 부위. **~beschreibung** *f.* 장운동 묘사도. **~bewegung** *f.* 장의 연동(蠕動). **~blutung** *f.* 〖醫〗 장출혈. **~bruch** *m.* 〖醫〗 ↑ ~durchbruch.

Därmchen [dɛ́rmçən] *n.* -s, - 〖↑ Darm 의 축소형〗 작은 장(腸).

Darm≈drüse *f.* 장선(腸腺). **~durchbruch** *m.* 〖醫〗 탈장. **~eingang** *m.* 소장의 첫부분. **~einlauf** *m.* 관장. **~entleerung** *f.* 배변. **~entzündung** *f.* 장염. **~fäulnis** *f.* 이질. **~fell** *n.* 복막. **~fistel** *f.* 〖醫〗 장관루(腸管瘻). **~flora** *f.* 〖醫·총칭〗 장세균. **~geschwür** *n.* 장궤양. **~gicht** *f.* 장폐색. **~grimmen** *n.* 장산통(腸疝痛). **~infektion** *f.* 장점막 감염. **~inhalt** *m.* 장 내용물. **~kanal** *m.* 장관(腸管). **~katarrh** *m.* 〖醫〗 장카타르. **~kolik** *f.* 〖醫〗 장산통(腸疝痛). **~krankheit** *f.* 장질환. **~krebs** *m.* 〖醫〗 장암. **~lähmung** *f.* 장마비. **~parasit** *m.* 〖生〗 장기생충. **~perforation** *f.* ↑ ~durchbruch. **~resektion** *f.* 장절개. **~riß** *m.* 〖醫〗 장파열. **~rohr** *n.* 〖醫〗 장세척기, 관장기. **~ruhr** *f.* 이질. **~saft** *m.* 장점막액. **~saite** *f.* 〖악기〗 장막현(腸膜絃)(양의 창자로 만든 현악기의 줄); 〖醫〗 장선(腸腺), 캣거트(봉합사의 일종). **~schleim** *m.* ↑ ~saft. **~schleimer** *m.* 장막현 제조자. **~schleimerei** *f.* 장막현 제조소. **~schleim·haut** *f.* 〖해부〗 장점막. **~schnitt** *m.* 장절개. **~spritze** *f.* 관장기. **~spülung** *f.* 〖醫〗 장세척.

Darmstadt [dármʃtat] 다름슈타트(독일 Hessen 주의 주도).

Darmstädter [..ʃtɛtər] 《I》 *m.* -s, - 다름슈타트의 사람. 《II》 *a.* 다름슈타르의.

darmstädtisch *a.* ↑ Darmstädter 《II》.

Darm≈stein *m.* 장결석(結石). **~stenose** *f.* ↑ ~verengung. **~störung** *f.* 장기능 장애. **~trägheit** *f.* 변비. **~trakt** *m.* 창자의 전체. **~tuberkulose** *f.* 장결핵. **~verengung** *f.* 장협착. **~verschlingung** *f.* 장의 얽힘. **~verschluß** *m.* 장폐색. **~wand** *f.* 장벽. **~wind** *m.* 방귀. **~wurm** *m.* 장충(腸蟲). **~zotte** *f.* 장융모(腸絨毛). **~zwang** *m.* 변비.

dar·nach *adv.* ↑ danach.

dar·neben *adv.* ↑ daneben.

dar·nieder *adv.* ↑ danieder.

dar·ob [darɔ́p, (지시적 의미가 강할 때) dá:rɔp] 〔(구어) **drob**〕 *adv.* 〖구식〗(darüber) 그 위에, 그것 때문에: er war ~ sehr erbost 그는 그것 때문에 몹시 화가 났다.

Darr≈arbeit *f.* 건조 작업; 〖제련〗 용리(溶離). **~boden** *m.* ↑ ~kammer.

Darre [dárə] *f.* -n ① 건조. ② 〖工〗 건조 가마, 건조로, 건조 장치; 건조실: auf die ~ bringen 건조시키다. ③ 〖雅語〗 ↑ Darrsucht. ④ 말라깽이, 말라빠진 사람〔동물〕. ⑤ 〖방언〗 ↑ Kerlchen.

dar|reichen *t.* 〖雅語〗 내놓다, 내주다; 제공하다, 바치다, 헌정하다; (성찬 등을) 베풀다; 〖醫〗 투약하다: jm. Speisen ~ 누구에게 음식을 제공하다; er reichte ihr die Hand zum Abschied dar 그는 작별 인사로 그녀에게 손을 내밀었다.

Darreichung *f.* -en 〖雅語〗 제출, 수여, 제공, 헌정.

darren [dárən] 《< Darre》 *t.* ① (가마에 넣어서) 건조시키다: Getreide〔Holz, Hopfen〕 ~ 곡식을〔목재를, 홉을〕 건조시키다. ② 〖제련〗 용해시키다: Kupfer ~ 구리를 용해〔용석(鎔析)〕하다.

Darr≈fieber *n.* 〖醫〗 소모열(消耗熱). **~gewicht** *n.* 건조한 목재의 무게. **~haus** *n.* 건조소. **~kammer** *f.* 건조실, 건조 가마; 〖제련〗 용광로실.

Darrling *m.* -s, -e 〖제련〗 정련동(精錬銅) (↑ darren ②).

Darr≈malz *n.* (화주를 얻기 위해 건조시킨) 엿기름. **~ofen** *m.* 건조로; 〖제련〗 용해로. **~staub** *m.* 엿기름 지스러기. **~stube** *f.* ↑ ~kammer. **~sucht** *f.* ① (어린 가축, 특히 망아지의) 쇠약증, 소모증. ② (식물의) 말라죽는 병. ③ 〖醫〗 경피증(Sklerodermie). **≈süchtig** *a.* 쇠약증의: ein ~es Fohlen 쇠약증에 걸린 망아지.

Darrung *f.* ① (목재의) 건조. ② (특히 목재를 이용한) 습도 조사.

Darß [dars] *m.* 다르스(Ostsee 연안 Zingst 반도의 일부분).

darstellbar *a.* 표현이〔묘사가〕 가능한, 연기할 수 있는.

***dar|stellen** [dá:rʃtɛlən] 《I》 *t.* ① 거기에 놓다〔세워두다〕; 눈 앞에 나타내다, 명시〔제시〕하다. ② 〖化〗 (금속 등을) 석출(析出)하다; 조제하다, 합성하다. ③ 표현〔재현〕하다, 묘사〔서술〕하다, 그려내다; (어떤 역을) 연기하다, 상연하다: et. kurz〔knapp〕 ~ 무엇을 간략히 기술하다; er stellte seine Frau sehr negativ dar 그는 자기 부인을 아주 부정적으로 묘사했다; im Film ~ 영화에 출연하다; et. im Umriß ~ 무엇을 대충 말하다; in der Zeitung falsch ~ 신문에서 잘못 전하다; das Gemälde stellt den Künstler selbst in jungen Jahren dar 그 그림은 젊은 시절의 화가 자신을 그리고 있다; er stellte den Faust meisterhaft dar 그는 파우스트역을 능란하게 해냈다. ④ 의미하다, …이다: diese Behauptung stellt eine Beleidigung dar 이 주장은 모욕적이다; dein Verhalten stellt eine große Enttäuschung für mich dar 네 태도를 보니 실망이 크다. 《II》 *refl.* sich ~ 보이다, 나타나다: sich als etwas ~ a) 〖etwas 가 1격일 때〗 …임이 드러나다, b) 〖etwas 가 4격일 때〗 자기를 …처럼 보여주다〔가장하다〕: er hat sich als hervorragender Kenner der Geschichte dargestellt 그는 역사에 정통한 사람임이 밝혀졌다; die Sache stellte sich als unwahr dar 그 일은 거짓임이 드러났다; er versucht, sich immer als liberal darzustellen 그는 늘 자신을 자유주의자로 보이려고 애쓴다.

darstellend *p.a.* 묘사적인: ~e Geometrie 화법 기하학; ~e Künste a) 조형 미술, b) 극예술, 연극, c) 무용; ~es Spiel (교수법으로 이야기·연극을) 재연하는 놀이.

Darsteller *m.* -s, - 표현〔서술〕자; 〖연극〗 연기자, 배우; 오페라 가수: der ~ des Hamlet 햄릿역의 배우.

darstellerisch *a.* 연기의, 연극에 관한: ~ begabt sein 연기에 재능이 있는.

***Darstellung** *f.* -en ① 제시, 명시. ② 〖化〗 석출(析出); 합성, 조제. ③ 표현, 재현, 묘사, 서술; 〖연극〗 연기, 상연: poetische ~ 시적 묘사; zur ~ kommen〔gelangen〕 표현〔묘사〕되다; Gesamt≈ 전체적 서술; Einzel≈ 개별적 서술; seine ~ des Othello 그의 오셀로 연기; et. zum Gegenstand einer ~ machen 무

엇을 서술 대상으로 삼다. ④ (언어·그림 등으로) 묘사〔서술〕된 것. ⑤〖法〗 공술(供術), 진술.

Darstellungs=art *f.* 묘사법, 서술 방식, 표현 방법; 〖연극〗 연출〔연기〕법; 〖化〗 제조법. **~form** *f.* 서술〔묘사〕 형식: die moderne Kunst entwickelte neue ~en 근대 예술은 새로운 표현 형식을 발전시켰다. **~gabe** *f.* 묘사〔표현〕의 재주. **~kraft** *f.* 묘사〔표현〕력. **~kunst** *f.* 표현술, 묘사술. **~mittel** *n.* 묘사〔표현〕 수단: nach neuen ~en suchen 새로운 표현 수단들을 찾다. **~möglichkeit** *f.* 묘사〔표현〕 가능성: als Schauspieler hat er ganz andere ~en 배우로서 그는 완전히 다른 표현 가능성을 지니고 있다. **~objekt** *n.* 묘사〔표현〕 대상: die Natur als ~ für seine Bilder 그의 그림의 묘사 대상인 자연. **~stil** *m.* 표현 양식. **~talent** *n.* ↑ ~gabe. **~weise** *f.* ↑ ~art.

dar|strecken *t.* 〖고어〗 내밀다, 건네다.

Darts [da:rts] *n.* 다츠(화살 던지기 놀이).

***dar|tun** 《I》 *t.* ①〖고어〗 내놓다, 앞에 놓다; 바치다. ②〖雅語〗 설명하다, 밝히다, 입증하다. 《II》 **dargetan** *p.a.* ↑ dargetan.

Dartuung *f.* -en 〖雅語〗 설명, 명시, 입증.

***dar·über** [darý:bər, (지시적 의미가 강할 때) dá:ry:bər] 〔(구어) **drüber**〕 *adv.* ① **(a)** 그 위에, 그것을 넘어서: eine Tür und ein Schild ~ 문과 그 위의 문패; ~ sein〔sitzen〕 한창 일하고 있는 중이다; mit dem Nachen ~ fahren 작은 배로 그 위를 건너다; ein Tuch liegt ~ 옷감〔천〕이 그 위에 놓여 있다. **(b)** ~ hinaus〔hinweg〕 그것을 넘어서〔지나서〕: wir sind ~ hinweg 우리들은 그것을 극복〔처리〕했다. **(c)** drunter und drüber 뒤죽박죽인, 혼란스러운: alles geht drunter und drüber 모든 일이 대혼잡〔뒤죽박죽〕이다; alles drunter und drüber gehen lassen 만사를 되어가는 대로 내버려두다. ②그 동안에, 그러는 중에: er ist ~ weggestorben 그는 그 동안에 죽어 버렸다; ~ verging viel Zeit 그러는 동안에 많은 시간이 지났다. ③〖이유〗그 때문에, 그래서: ich freue mich ~ 나는 그것 때문에 기쁘다; er ist ~ zugrunde gegangen 그는 그 때문에 망했다; es entstand ~ ein Streit 그로 말미암아 싸움이 일어났다. ④그것에 대하여: alles, was ich ~ weiß 그것에 관해 내가 알고 있는 모든 것; ~ kann ich nichts sagen 그것에 대하여 나는 아무 말도 할 수 없다. ⑤그 밖에, 게다가; 지나서, 남짓: eine Viertelstunde ~ 15분이 지나; ~ hinaus möchte ich noch folgendes bemerken 그 외에 나는 또 다음을 지적하고 싶다; nicht ~ oder darunter 과부족 없이; 20 DM und keinen Pfennig ~! 꼭 20 마르크다(그 이상은 한푼도 안 된다)!: es ist ein Jahr und ~ 1년 이상이 된다; die Schüler waren 15 Jahre alt und darüber 학생들은 열 다섯 살 남짓했다. ⑥그것을 넘어서〔능가하여〕: ~ geht nichts 그것을 능가하는 것은 없다; das geht noch ~ 그것은 그보다 더 뛰어나다; es ging ihm nichts ~ 그에게 그 이상 가는 것은 없었다; ich bin ~ hinaus 나는 더 이상 그것에 흥미가 없다, 나는 그것을 극복했다.

darüber=|breiten *i.* (h.) 그 위에 펴다: breite einmal die Decke darüber! 그 위에 이불 좀 펴라! **~|fahren** *i.* (h.) 그 위를 문지르다, 닦다: mit der Hand 〔mit einem Lappen〕 ~ 손으로〔걸레로〕 그 위를 닦다. **~|gehen*** *i.* (s.) 그것보다 낫다, 그것을 능가하다, 그것 이상이 되다. **~|legen** *t.* 그 위에 놓다, 그것을 덮다. **~|liegen*** *i.* (h.) 그 위에 있다, 그것을 덮고 있다. **~|machen** *refl.* sich ~ 〖구어〗 즉시 착수하다, 덤벼들다: er soll sich endlich einmal ~ 그는 이제는 그 일에 달려들어야 한다. **~|schreiben*** *i.* (h.) 그 위에 쓰다: ich muß noch die Seitenzahl ~ 나는 그 위에 페이지 숫자를 써야 한다. **~|setzen** *t.* 그 위에 놓다, 겹쳐 놓다; 〖비유〗 (그것보다) 낫다고 하다. **~|stehen*** *i.* (h.) 그것을 초월〔능가〕하다; 개의치 않다. **~|steigen*** *i.* (s.) ① 위로 넘어가다: wir mußten über die Schlafenden ~ 우리는 잠자는 사람들을 타넘어야 했다. ②〖비속〗 (여자와) 자다: über das Mädchen ist er schon darübergestiegen 그 여자와 그는 이미 잔 적이 있다.

***dar·um** [darúm, (지시적 의미가 강할 때) dá:rum] 〔(구어) **drum**〕 *adv.* ①그 주변〔부근〕에: das Schloß und die Dörfer ~ 성과 그 주위의 마을들; ~ binden 그 둘레에 매다〔묶다〕; 〖비유〗 es hängt viel drum und dran 그것에 많은 것이 달려 있다, 그것은 극히 중요하다. ②그것에 관하여, 그 일로: jn. ~ bitten 누구에게 그것을 부탁하다; es sei ~! 그만하면 되겠지, 괜찮다!; ~ sei unbesorgt! 그 일은 걱정하지 마라!; niemand kümmert sich ~ 아무도 그것에 개의치 않는다. ③〖[dá:rum]으로만〗 그 때문에, 그런 까닭에: ~ eben 바로 그 때문에; nur ~, weil ... 오직 …하기 때문에; ~ kam er nicht 그 때문에 그는 오지 않았다. ④〖부정어 앞에서〗〖구어〗 그럼에도 불구하고: er ist reich, ~ ist er noch nicht glücklich 그는 부자이기는 하지만 그래도 행복하지는 못하다.

Darum *n.* -s 이유, 원인; 주변 사정〔관계〕: jedes ~ hat sein Warum 어떤 일에나 까닭은 있다; das ganze ~ 〔Drum〕 und Daran〔Dran〕 주위의 전체적인 사정.

darum=|bringen* *t.* 그것을 빼앗다: jn. ~ 누구에게서 그것을 빼앗다. **~|kommen*** *i.* (s.) 그것을 잃다〔빼앗기다〕. **~|legen** *t.* 그 둘레에 놓다, 둘러싸다: den Verband vorsichtig ~ 그 주위를 조심스럽게 붕대로 감아라. **~|stehen*** *i.* (s.) 주위〔둘레〕에 서 있다: sie sah das brennende Auto und die Leute, die darumstanden 그녀는 불타는 자동차와 그 주위에 서 있는 사람들을 보았다. **~|ziehen*** *t.* (원 따위를) 그 둘레에 긋다.

dar·unter [darúntər, (지시적 의미가 강할 때) dá:runtər] 〔(구어) **drunter**〕 *adv.* ①그 밑에, 그 아래: ~ hervor 그 밑에서〔아래〕에서; seinen Namen ~ schreiben 그 밑에 서명하다; 〖비유〗 ~ steckt etwas 그것에는 무슨 곡절이 있다; ~ stand ich vor Regen geschützt 나는 비를 피해 그 밑에 서 있었다; ~ und darüber ↑ darüber ① (c). ②그 이하로: Frauen von 25 Jahren und ~ 25세 이하의 여성들(25세 포함); ich kann es nicht ~ verkaufen 나는 그것을 그 가격 이하로는 팔 수 없다. ③그 가운데, 그 중에: mitten ~ 그 한가운데에; mein Buch war nicht ~ 내 책은 그 중에 없었다; eine große Menschenmenge,

~ viele Kinder 많은 사람들이 있었는데 그 중에 아이들도 많았다; dies ist das beste ~ 이것은 그 중에서 최고급이다; ich finde keinen Unterschied ~ 나는 그것들 사이에서 아무런 차이도 찾을 수 없다. ④ 그것에 의해, 그 때문에: meine Gesundheit leidet ~ 나는 그 때문에 건강이 나빠지고 있다; warum soll ich ~ leiden? 내가 왜 그런 일로 괴로워해야 하나?

darunter|bleiben* *i.* (s.) 그 이하이다: sein persönlicher Rekord liegt bei 2 m, diesmal ist er um einiges daruntergeblieben 그의 개인 기록은 2 m 인데, 이번에는 그에 약간 못 미쳤다. **~|fallen*** *i.* (s.) 거기에 해당되다: die Jahrgänge 1994 bis 2000 fallen nicht darunter 1994 년생에서 2000 년생까지는 거기에 해당되지 않는다. **~|gehen*** *i.* (s.) 〖구어〗 그 밑에 들어가다: unter dem Bett ist noch Platz, da geht noch ein Koffer darunter 침대 밑에는 아직 자리가 있어서 트렁크가 그 밑에 들어간다. **~|legen** *t.* 그 밑〔무리 속〕에 놓다. **~|liegen*** *i.* (h.) 그것에 못 미치다: du hast mit deinen Schätzungen weit darunter gelegen 네 예상은 그에 훨씬 못 미쳤다. **~|mischen** *t.* 그 속에 섞다. **~|schreiben*** *i.* (h.) 그 밑에 쓰다: du mußt noch deinen Namen ~ 너는 그 밑에 서명해야 한다. **~|setzen** *t.* 그 밑에 놓다: seinen Namen ~ 서명하다. **~|stehen*** *i.* (h.) 그 밑에 서다.

dar·wider *adv.* 그것에 반대하여(dawider).

Darwin [dárvi:n] Charles ~ 다윈(영국의 생물학자·진화론자, 1809-82).

Darwinismus [..viníśmus] *m.* - 다윈의 진화론.

Darwinist [..viníst] *m.* -en, -en 진화론자.

darwinistisch *a.* 진화론의.

dar|zahlen *t.* 그 자리에서 지급하다.

dar|zählen *t.* 세어나가다, 세어 보이다.

dar|zeigen *t.* 눈앞에 나타내다, 명시하다.

dar·zu *adv.* 게다가(dazu).

***das** [das] 〖↑ der 참조〗 《I》〖정관사〗 ~ Buch auf dem Tisch 책상 위의 책; ~ Gute 좋은 것〔일〕, 선(善). 《II》 [dás] 〖지시 대명사〗 ①〖형용사적〗 그, 이, 저: ~ Buch gehört mir 이 책은 내 것이다; ich meine ~ Buch, welches hier liegt 나는 여기에 놓여 있는 이 책을 말하는 것이다. ②〖명사적〗 그것, 이것, 저것: (**a**) mein Haus und ~ meines Bruders 내 집과 내 형제의 그것〔집〕; ~ mag sein 그럴지도 모른다; wenn ~ wahr wäre! 그것이 정말이라면 좋겠는데!; er leistet ~ nicht, was er versprach 그는 약속한 일을 이행하지 않는다; von wem hast du denn ~ gehört? 너는 누구한테서 그것을 들었느냐? (**b**) 〖전후 문장의 내용을 가리킴〗 ich habe ausdrücklich davon abgeraten, ~ ist die Wahrheit 나는 그러지 말라고 분명히 말렸다, 그건 사실이다; ~ glaube ich nicht, daß... 나는 …을 믿지 않는다; er ist bestraft worden, und ~ mit Recht 그는 벌을 받았다, 마땅히 받아야 할 벌을. (**c**) 〖동사의 부정형 또는 분사 대신에〗 er hat studiert — ~ hast du nicht 그는 대학을 나왔는데 너는 나오지 못했다. (**d**) 〖술어 대신에〗 ich bin krank, ~ bist du nicht 나는 아픈데 넌 그렇지 않다. (**e**) 〖sein과 결합하는 명사를 술어로 하는 문장의 주어로서: 이때 술어 명사의 성·수는 가리지 않음〗 ~ ist meine Feder 그것은 내 펜이다; ist ~ der Weg auf den Bahnhof? 이 길이 역으로 가는 길이오?; ~ waren herrliche Zeiten! 그때가 참 좋은 시절이었어! (**f**) 〖사람을 총괄하여〗〖구어〗 ich höre Kinder gern, ~ lärmt und lacht den ganzen Tag 나는 아이들의 (떠드는) 소리를 듣는 것이 좋은데, 아이들은 하루 종일 떠들며 웃는다. (**g**) 〖보족어〗〖구어〗 ~ wurde die Frau Holle bald müde 홀레 부인은 곧 그것에 싫증이 났다; er ist ~ zufrieden 그는 그것에 만족하고 있다. 《III》〖관계 대명사〗 ein Kind, ~ schreit, ist nicht immer krank 우는 아이라고 해서 반드시 병이 난 것은 아니다.

DASA =Daimler-Benz Aerospace 다임러 벤츠 항공 회사.

da|sein *i.* (s.) ①〖어느 특정 장소에 있다는 의미; 이 경우 da 는 분리 전철이 아니라 부사임〗 있다, 와 있다: ich bin gleich wieder da 나는 곧 다시 돌아온다; die Zeit ist noch nicht da 그 시기는 아직 오지 않았다; da kein Platz da war, ging er fort 자리가 없었기 때문에 그는 가 버렸다; ich bin schon oft da gewesen 나는 여러 번 거기에 간 적이 있다. ②〖스포츠〗 기량을 회복하다: in der letzten Saison war er nicht sehr gut, aber jetzt ist er wieder voll da 지난 시즌에 그는 별로 좋지 않았지만 이젠 완전히 다시 좋아졌다. ③ (…하도록) 정해지다, 규정되다: du kannst das Geld verbrauchen, dazu ist es ja da 너는 그 돈을 쓸 수 있다, 그 돈은 네가 쓰도록 되어 있으니까. ④ (사건이) 일어나다, 발생하다: das ist noch nicht dagewesen 그 일은 아직 발생하지 않았다. ⑤ 존재〔현존〕하다; 출석하다: alles, was je dagewesen ist 일찍이 이 세상에 존재한 모든 것; etwas noch nie Dagewesenes 미증유의 것; das ist noch nie dagewesen 그것은 전례에 없는 일이다; 〖聖〗 (es ist) alles schon dagewesen! 해 아래에는 새것이 없나니! (전도서 1:9).

***Dasein** *n.* -s ① 현존, 현재; 출석: während meines ~s 내가 현존해 있는 동안에. ② 생존, 존재; 생활, 삶; 〖哲〗 (헤겔의) 정유(定有), (하이데거의) 현존재: künftiges ~ 내세; Kampf ums ~ 생존 경쟁; ein elendes ~ führen 비참한 생활을 하다; sich seines ~s freuen 생활을 즐기다; et. ins ~ rufen 〔et.[3] ~ geben〕 무엇을 창조하다, 무엇에 생명을 주다; ins ~ treten 태어나다, 생기다; das ~ Gottes bedarf keines Beweises 신의 존재는 증명을 필요로 하지 않는다.

Daseins≈angst *f.* 존재의 불안. **≈bedingend** *a.* 〖哲〗 현존의 조건이 되는(하이데거의 existenzial 에 해당). **~bedingung** *f.* 생존〔생활〕 조건. **~berechtigung** *f.* 존재 이유; 생존권. **~form** *f.* 삶의 형식, 생활 방식. **~freude** *f.* 삶의 기쁨. **≈hungrig** *a.* 생활〔체험〕에 굶주린. **~kampf** *m.* 생존 경쟁. **~kern** *m.* 삶의 핵심. **≈mäßig** *a.* 〖哲〗 현존(재)의(하이데거의 existenziell 에 해당). **~recht** *n.* 생존권. **~weise** *f.* 생활 방식. **~wille** *m.* 삶의 의지. **~zweck** *m.* 삶의 목적.

da·selbst [dazɛ́lpst] *adv.* 거기에, 바로 그곳에.

Dash [dɛʃ] 《engl.》 *m.* -s, -s (칵테일을 만들 때의) 소량의 음료: ein ~ Zitronensaft 한 방울의 레몬 주스.
das heißt 즉(약어: d.h.).
dasig[1] [dó:zɪg] *a.* 〖방언·고어〗 이곳의.
dasig[2] [dá:zɪç] *a.* ① 당혹한, 혼란스런: mir ist noch ganz ~ im Kopf 나는 아직도 머리가 혼란스럽다. ② 겁먹은, 수줍은: jn. ~ machen 누구를 겁먹게 만들다.
da|sitzen* *i.* (h.) 빈둥거리며 앉아 있다, 죽치고 있다; 〖비유〗 속수무책이다(단: da sitzen 거기에 앉아 있다).
das·jenige *prn.* 그것(↑ derjenige).
das·mal *adv.* 〖고어〗 이번에(는), 그때(에).
***daß** [das] *cj.* ① …인 것〔일〕: **(a)** 〖주어 문장의 첫머리에〗 ~ du kommst, ist mir lieb 잘 와 주었네; es ist klar, ~ er recht hat 그가 옳다는 것은 명백하다. **(b)** 〖4 격 보족어 문장의 첫머리에〗 ich weiß, ~ es wahr ist 나는 그것이 사실이라는 것을 알고 있다. **(c)** 〖2 격 보족어 문장의 첫머리에〗 ich bin (dessen) gewiß, ~ er wieder kommen wird 나는 그가 돌아올 것을 확신하고 있다. **(d)** 〖3 격 보족어 문장의 첫머리에〗 lange widersetzt er sich (dem), ~ man die Steuern erhöht 오랫동안 그는 세금을 올리는 것에 반대하였다. **(e)** 〖관계사 da(r)와 함께 전치사 목적어 문장을 이끌어〗 ich warte darauf, ~ er kommt 나는 그가 오기를 기다린다; er zweifelte (daran), ~ es wahr sei 그는 그 사실을 의심하였다; er verbrachte sein Leben damit, ~ er an seiner Erfindung arbeitete 그는 발명으로 평생을 보냈다. **(f)** 〖상황 문장의 첫머리에: 대개 전치사·부사와 함께〗 außer ~ ... …이외에는; gesetze ~ ... …라고 가정한다면; statt ~ ... …하는 대신에; ungeachtet ~ ... …임에도 불구하고; ich schlich ihm nach, ohne ~ er es merkte 나는 그에게 눈치채이지 않고 그의 뒤를 밟았다; das kommt daher, ~ wir uns so selten sehen 그것은 우리가 자주 만나지 못했기 때문이다. **(g)** 〖daß 문장의 가목적어와 전치사의 결합형인 dessen, daran, dazu 등은 흔히 생략됨 ↑ (c) (e)〗 ich bitte Sie (darum), ~ ... 나는 당신에게 …을 청〔부탁〕해줄 것을 부탁드립니다; ich bin (dessen) sicher, ~ er es gewesen ist 나는 그것이 그였다는 것을 확신한다. ② 〖부가적〗 …이라는: ich habe die Hoffnung, ~ sich alles noch zum Guten wenden wird 나는 만사가 잘 될 거라는 희망을 갖고 있다; die Sitte, ~ die Leichen verbrannt werden 화장하는 풍습; für den Fall, ~ ich sterbe 내가 죽을 경우를 대비해; unter der Bedingung, ~ ... …한다는 조건으로; es ist Zeit (dazu), ~ du gehst 네가 가야 할 때다. ③ **(a)** 〖정도·결과를 나타내는 부문장의 첫머리에〗 es ist so dunkel, ~ ich nicht mehr sehen kann 어두워서 이젠 보이지 않는다; er ist zu stolz, als ~ er diese Beleidigung verzeihen könnte 그는 자존심이 너무 강해서 이런 모욕을 용서할 수 없을 것이다; kaum ~ er da war, begann er schon Streit 그는 오자마자 싸움을 시작했다; was habe ich verbrochen, ~ ich Strafe leiden soll? 무슨 죄가 있어 내가 벌을 받게 되는 것이냐? **(b)** nicht ~ ich wüßte 그렇지는 않다고 생각합니다만(불확실한 부정). ④ 〖목적절의 첫머리에〗 …하기 위해서: beeil dich doch, ~ du endlich damit fertig wirst 네가 그 일을 끝마치도록 좀 서둘러라; ehre Vater und Mutter, (auf) ~ es dir wohl gehe! 네가 행복하게 되도록 부모를 공경하여라! ⑤ 〖때를 나타내는 부문장의 첫머리에〗 **(a)** das nächste Mal, ~ ich den Berg besteige 다음 번 산에 올라갈 때. **(b)** es ist nun bald ein Jahr, ~ er fort ist 그가 가버린지 어언 1년이 된다. ⑥ **(a)** 〖명령·기원·저주를 나타내는 글의 첫머리에〗 ~ du es ja ihm sagst! 틀림없이 그에게 일러 둬라!; ~ du still bist! 조용히 해라!; ~ er noch lebte! 그가 아직도 살아 있다면 (좋겠는데)!; o ~ er's endlich so weit wäre 오, 결국 그가 그 지경이 되다니; ~ es doch wahr wäre! 그게 사실이라면 좋으련만!; ~ ihn der Teufel hole 그 녀석 악마에게라도 붙잡혀 갔으면 좋겠는데. **(b)** 〖nur 와 함께 제한을 나타내며〗 ich bin ganz zufrieden mit ihm, nur ~ er etwas langsam arbeitet 나는 그에게 전적으로 만족한다, 다만 그는 일손이 좀 더디다.

Daß *n.* - 사실, 존재.
dass 新정서 ⇦ daß.
Dassel [dásəl] *f.* -n ↑ ~fliege.
das·selbe *prn.* 그와 같은 것(↑ derselbe, derselbige 의 중성 1 격 및 4 격).
Dassel·beule *f.* 〖醫〗 망교종(虻咬腫) (쇠파리에 쏘여서 생기는 종기).
dasselbige *prn.* ↑ dasselbe.
Dassel=fliege *f.* 〖動〗 쇠파리. **~larve** *f.* 쇠파리 유충.
daß-Satz *m.* 〖언어〗 daß 로 시작되는 문장.
da|stehen [dá:ʃte:ən] *i.* (h.) ① 서 있다: beschämt ~ 부끄러워하고 있다; müßig ~ 수수방관하다; wie er dasteht! 저 녀석은 무슨 꼬락서니가 저러냐!; einzeln ~d 고립된, 외딴; in der Geschichte unerreicht ~ 역사상 그 유례가 없다. ② (어떤 상황에) 처해 있다: das Geschäft steht gut da 사업은 순조롭게 되고 있다; wie stehe ich nun da! a) (자랑하며) 나 좀 봐라, b) (자탄하며) 내가 이게 무슨 꼴인가!; jetzt steht er ganz anders da 지금은 그의 처지가 완전히 변했다; mit leeren Händen ~ 완전히 빈털터리다. ③ 〖드물게〗 일어나다, 생기다: eine einzig ~de Leistung 유일무이한 업적.
Dasy·meter [dazy..] 《gr.》 *n.* 기체 농도계(濃度計).
DAT =digital audio tape 디지털 오디오 테이프.
Dat. =Dativ 3 격, 여격.
dat. =datum 날짜, 자료.
Datei [datáɪ] *f.* -en ① 기록철. ② 〖컴〗 파일, (전산) 자료.
Datei·attribut *n.* 〖컴〗 파일 속성.
Daten *pl.* 〖↑ Datum 의 복수형〗 ① 자료; (실험·측정의) 데이터. ② 〖數〗 기지수.
Daten=austausch *m.* 〖컴〗 데이터〔자료〕 교환. **~auto·bahn** *f.* 〖컴〗 정보 고속 도로. **~bank** *f.* 자료 은행. **~bank·programm** *n.* 데이터 뱅크 프로그램. **~bestand** *m.* 자료 현황〔재고량〕; 〖컴〗 저장 자료 목록. **~erfassung** *f.* 자료 파악. **~handschuh** *m.* 〖컴〗 데이터 장갑. **~satz** *m.* 〖컴〗 데이터 레코드, 자료 기록 (내용). **~schutz** *m.* 자료 보호.

Datenschutz≈beauftragte* *der/die* 자료 보호 담당관. **~gesetz** *n.* (연방) 정보 자료 보호법.
Daten≈träger *m.* 〖컴〗 (전산 자료가 입력된) 자료 전달 매체. **~typistin** *f.* 여자 전산 자료 타자수, 키펀처. **~übertragung** *f.* 〖컴〗 자료 전송. **≈verarbeitend** *a.* 자료 처리의. **~verarbeitung** *f.* 자료 처리. **~verarbeitungs·anlage** *f.* 자료 처리 시설. **~verlust** *m.* 〖컴〗 자료 손상〔손실〕. **~verschlüsselung** 〖컴〗 자료의 암호화.
datieren [datíːrən] 《lat. dare》 《Ⅰ》 *t.* 날짜를 적어 넣다; 성립 연대를 확인하다: früher 〔später〕 ~ 날짜를 이르게〔늦게〕 기입하다; er hat den Brief vom 5. April datiert 그는 편지의 날짜를 4 월 5 일로 적었다; das Bild läßt sich nur schwer ~ 그 그림은 그린 연도를 알기가 어렵다. 《Ⅱ》 *i.* (h.) / *refl.* (sich) von 〔aus〕 ... ~ …의 날짜가 적혀 있다, …부터 기산(起算)〔시작〕하다, …에서 유래하다; das datiert aus dem 13. Jahrhundert 그것은 13 세기부터 시작되었다; seine Verstimmung datiert von meiner Zurückweisung 그가 불쾌해진 것은 내가 거절하였기 때문이다.
Datierung *f.* -en ① 날짜 기입〔표시〕. ② (고문서 등의) 발생 연도 확인.
***Dativ** [dáːtiːf, datíːf] 《lat.》 *m.* -s, -e [..və] 〖문법〗 3 격, 여격.
dativisch [datíːvɪʃ] *a.* 3 격의.
Dativ·objekt *n.* 3 격 목적어〔보족어〕.
Dativus [datíːvʊs] *m.* -, ..vi 여격 (↑ Dativ).
Dativus ethicus *m.* - -, ..vi ..ci (화자의 관심을 표현하는) 관심의 3 격: das ist mir aber eine Überraschung 그건 정말 놀랄 일인데.
dato [dáːto] 《< lat. dātum》 *adv.* 〖商〗 오늘, 금일: a ~ 오늘부터의; de ~ 이날부터, 오늘부터; drei Tage nach ~ 이날〔오늘〕부터 3 일 이내에; 〔구어〕 bis ~ 지금〔오늘〕까지.
Dato·wechsel *m.* 〖商〗 지급일이 명시된 어음.
Datscha [dátʃa] 《russ.》 *f.* -s/..schen, **Datsche** [dátʃə] *f.* -n 러시아의 여름 별장.
Dattel [dátəl] *f.* -n 대추야자 열매.
Dattel≈baum *m.* 〖植〗 대추야자 나무. **~kern** *m.* 대추야자 열매의 핵〔씨〕. **~muschel** *f.* 〖動〗 포라스과(科)의 조개. **~palme** *f.* ↑ ~baum. **~pflaume** *f.* 〖植〗 고욤(나무). **~traube** *f.* (포도알이 길쭉한 모양의) 특히 달콤한 포도송이.
Datterich *m.* -s 〔방언〕 ↑ Tatterich.
datum [dáːtʊm] 《lat.》 (옛 문서에) 쓰여진(약어: dat.).
***Datum** *n.* -s, ..ten ① 날짜, 연월일: ohne ~ 날짜 (기입이) 없는; unter heutigem ~ 오늘 날짜로; welches ~ haben wir heute? 오늘은 며칠인가?; jungen ~s sein 최근의 것이다. ② 〔복수〕 사실, 자료, 데이터 (↑ Daten): wichtige Daten 중요 자료.
Datums≈angabe *f.* 날짜 표시. **~anzeiger** *m.* 날짜 표시기. **~eier** *pl.* 산란한 날짜를 기입한 달걀.
datumslos *a.* 날짜가 없는.
Datums≈grenze *f.* 〖天〗 날짜 변경선. **~stempel** *m.* 날짜인, 소인. **~uhr** *f.* 날짜를 가리키는 시계.
Datura [datúːra] 《pers. -ar.》 *f.* ..ren 〖植〗 흰독말풀속(屬).
Daturin *n.* -s 〖化〗 다투린(흰독말풀의 독소).
Dau [dau] 《ar.》 *f.* -en 돛대가 2 개 있는 아라비아의 돛단배.
Daube [dáubə] *f.* -n ① 통판(桶板) (통의 불룩한 옆면 널빤지). ② 구좌(球座) (빙상놀이 Eisschießen 의 표적).
Dauben≈holz *n.* 통판용 목재. **~reißer** *m.* 통판 제작기.
däuchten *i.* (h.) ↑ deuchten.
***Dauer** [dáuər] *f.* ① (존속) 기간, 기한; 〖空〗 항속〔체공〕 시간: die ~ seines Aufenthalts 그의 체류 기간; auf die ~ von zwei Jahren 2 년의 기한으로. ② 오랜 시간, 장기간: auf ~ 영구히; auf (die) ~ 오랫 동안: das ist auf die ~ nicht zu ertragen 그것이 오래 계속되면 견뎌낼 수 없다; dies ist natürlich keine Lösung auf ~ 이것은 물론 장기적인 해결책은 아니다; auf ~ kann ich es nicht mit ihr aushalten 나는 언제까지고 그녀를 참아낼 수는 없다. ③ 존속, 지속; 영속성, 내구성, 견고성: auf die ~ gearbeitet 견고하게 만들어진; von ~ sein 영속되다, (직물 등이) 오래 가다, (빛깔이) 변하지 않다; ihr Glück war nicht von ~ 그녀의 행복은 오래가지 않았다; von kurzer 〔von begrenzter, nicht von langer〕 ~ sein 오래 가지 않다.
Dauer≈apfel *m.* 저장 사과. **~arbeitslose*** *der/die* 장기 실업자. **~arbeitslosigkeit** *f.* 장기 실업. **~auftrag** *m.* 〖금융〗 자동 이체: die Miete per ~ überweisen 집세를 자동 이체로 내다; seiner Bank einen ~ erteilen 자신의 거래 은행에 자동 이체를 신청하다. **~ausscheider** *m.* 〖醫〗 임상적 건강인. **~ausstellung** *f.* 상설 전시회. **~ausweis** *m.* 장기 신분증.
dauerbar *a.* ↑ dauerhaft.
Dauer≈belastung *f.* 장기적 부담. **~betrieb** *m.* ① 연속 가동〔사용〕. ② 〔구어〕 지속적 혼잡. **~bier** *n.* 저장 맥주(Lagerbier). **~blumen** *pl.* 시들지 않는 꽃. **~brand·ofen** ↑ ~brenner ①. **~brenner** *m.* ① 연속 연소로(燃燒爐). ② 〔구어〕 장기 흥행 연극〔영화〕, 오랫동안 인기 있는 유행가. ③ 〔농담〕 긴 입맞춤. ④ 오랫동안 직업적 역량을 발휘하는 사람. **~butter** *f.* 저장 버터. **~einrichtung** *f.* 지속적인 제도〔조직〕. **~fahrt** *f.* (자전거의) 장거리 경주. **~feld·bau** *m.* 〖農〗 연중 무휴 경작. **~festigkeit** *f.* 〖理〗 내구 한도. **~feuer** *n.* 연속 사격. **~flug** *m.* 연속 비행, 항속, 체공(滯空). **~form** *f.* 〖生〗 영속형(오랫동안 불변하는 조직). **~frost** *m.* 장기간의 혹한. **~frost·boden** *m.* 영구 동토 지역. **~gast** *m.* ① 단골 손님: er ist bei uns ~ 그는 우리 집 단골이다. ② 장기 체류자: in dieser Pension wohnen nur Dauergäste 이 여관에는 장기 체류자들만이 묵고 있다. **~geschwindigkeit** *f.* 순항 속도. **~gewächs** *n.* 다년생 식물. **~gewellt** *p.a.* 퍼머한: ~es Haar 퍼머한 머리; sie trug ihr Haar ~ 그녀는 머리를 퍼머했다.
dauerhaft *a.* 영속하는, 오래가는; 내구성이 강한, 견고한, 튼튼한: ~er Friede 지속적인 평화; ein ~es Material 견고한〔질긴〕 물질; ~ gemacht 견고하게 만들어진.
Dauerhaftigkeit *f.* 영속(성), 내구(력), 지

D

속(성), 항구, 불변; 견고, 강건.

Dauer≈hefe *f.* 내구 효모. **~karte** *f.* 정기 승차권〔승선권·입장권〕. **~krause** *f.* ↑ ~welle. **~krise** *f.* 지속적 위기. **~kunde** *m.* 단골 손님(Stammkunde). **~lauf** *m.* 조깅; 장거리 경주〔레이스〕: im ~ 조깅 걸음으로; einen ~ machen 조깅하다. **~leih·gabe** *f.* 장기 대여품. **~lutscher** *m.* (자루 달린) 사탕. **~magnet** *m.* 영구 자석. **~marsch** *m.* 장거리 행진〔행군〕. **~miete** *f.* 장기 임대〔임차〕. **~mieter** *m.* 장기 임차인. **~milch** *f.* 내구성〔멸균〕 우유.

***dauern**[1] [dáuərn] 《lat. dūrāre》《I》 *i.* (h.) ① 계속〔지속〕되다: ewig ~ 영속하다; solange die Verträge ~ 조약이 유효한 동안은; die Sitzung dauert immer noch 회의는 아직도 계속되고 있다. ② 오래가다, 견디다, 존속하다, 불변〔견고〕하다: in der Hitze ~ 더위에 견디다; sein Nachruhm wird ~ 그는 사후에도 명성이 계속될 것이다; nichts dauert ewig 제행무상(諸行無常), 영구히 변하지 않는 것은 없다. ③〖*imp.* 로도〗 시간이 걸리다〔경과하다〕: der Unterricht dauert zwei Stunden 수업은 두 시간 동안 진행된다; wie lange dauert der Flug? 비행 시간은 얼마나 걸립니까?; warum dauert das Anziehen bei dir immer so lange? 너는 옷 입는데 늘 왜 그렇게 오래 걸리니?; es dauert über eine Stunde, bis... …하기까지 한 시간 이상 걸린다; es dauerte nicht lange, so kam er 얼마 안 되어 그가 왔다.

***dauern**[2] *t.* 〖雅語〗 ① jn. ~ 누구에게 동정심이 일게 하다, 불쌍히 여기게 하다: du dauerst mich 네가 딱하다〔불쌍하다〕; mich dauert sein Unglück 그의 불행은 정말 딱하다. ② *imp.* 애석히 여기다, 유감으로 생각하다, 후회하다: es dauert mich, daß du fort mußt 네가 떠나야 하다니 유감이다; es dauerte ihn im Alter, seine Jugend so vergeudet zu haben 그는 나이가 들자 젊은 시절을 그렇게 허송한 것이 안타까웠다. ③〖*imp.* 로도〗 아깝게 여기게 하다: sich[3/4] et. ~ lassen 무엇을 아끼다; sich[3/4] weder Mühe noch Geld ~ lassen 수고도 돈도 아끼지 않다.

dauernd 《I》 *p.a.* 계속〔지속〕되는, 영속적인; 오래가는, 질긴, 변하지 않는: eine ~e Gefahr 항구적인 위험; lange ~ 장기간의; eine ~e Ausstellung 상설 전시; ~er Wohnsitz 상주 거처; 〖植〗 das ganze Jahr ~ 다년생의. 《II》 *adv.* 끊임없이, 언제나: ich bin ~ unterwegs 나는 늘 밖에 있다〔돌아다닌다〕; er kommt ~ zu spät 그는 늘 지각한다.

Dauer≈obst *n.* 저장용 과일. **~parker** *m.* 장기 주차인. **~pflanze** *f.* ↑ ~gewächs. **~posten** *m.* 〖구어〗 ↑ ~stellung. **~präparat** *n.* 영구적 학습용 표본. **~probe** *f.*, **~prüfung** *f.* 〖工·전기〗 ① 온도 시험, 내열〔내구〕 시험. ② 연속 부하(負荷) 시험. **~regen** *m.* 장마. **~rekord** *m.* 장기간 갱신되지 않은 기록. **~rennen** *n.* 장거리 경주. **~ritt** *m.* 장거리 승마. **~schaden** *m.* 후유 질환〔장애〕: er hat Dauerschäden davongetragen 그는 그로 인해 후유증이 생겼다. **~schlaf** *m.* 〖醫〗 (인위적인) 장기 수면 (요법). **~seller** *m.* 〖구어〗 스테디 셀러. **~spannung** *f.* 〖전기〗 지속 전압. **~speicher** *m.* 〖컴〗 영구 저장〔메모리〕 장치. **~speise** *f.* 통조림 식품. **~spore** *f.* 〖植〗 월동 포자(胞子). **~stellung** *f.* 장기간의 고용; 고정직. **~test** *m.* 장기간의 테스트. **~ton** *m.* 지속음. **~tropf·infusion** *f.* 장시간 소요되는 정맥 주사. **~type** *f.* ↑ ~form. **~verhältnis** *n.* 〖구어〗 지속적 애정 관계. **~versuch** *m.* ↑ prüfung. **~wald** *m.* 〖林〗 항속림(恒續林). **~ware** *f.* 장기 보존 가능 물품(훈제품 등). **~wäsche** *f.* (고무 칼라·고무 커프스 등의) 세탁할 수 있는 속셔츠붙이. **~welle** *f.* (미용에서) 퍼머, 퍼머넨트 웨이브. **~wirkung** *f.* 지속적인 영향〔작용〕. **~wohn·recht** *n.* 장기 거주권. **~wurst** *f.* 장기 저장용 소시지. **~zustand** *m.* (대부분 불유쾌한) 지속적 상태, 장기적 현상: ich möchte nicht, daß das zum ~ wird 나는 이런 것이 지속적 상태가 되기를 바라지 않는다; das ist doch kein ~ 이것은 일시적 현상일 뿐이야.

Daulas [dáulas] 《engl.》 *n.* - 조마포(粗麻布).

Daum [daum] *m.* -es, Däume [dɔ́ʏmə] 엄지(손가락) (↑ Daumen).

Däumchen [dɔ́ʏmçən] *n.* -s, - 〖↑ Daumen 의 축소형〗 조그만 엄지 손가락.

Däumelinchen *n.* -s 엄지 공주(동화 속 인물).

***Daumen** [dáumən] *m.* -s, - ① 엄지손가락; 〖드물게〗 엄지발가락: 〖비유〗 die ~ drehen 빈둥거리다, 지루해하다; jm. den ~ drehen 누구에게 아첨하다; den ~ rühren 돈을 지급하다; jm. (für jn.) den ~ drücken〔halten〕 누구에게 성공을 빌다; ich drücke dir den ~ für die morgige Prüfung 너의 내일 시험에 성공을 빈다; 〖구어〗 auf et. den ~ drücken 무엇을 고집하다; am ~ lutschen 손가락을 빨다, 먹을 것이 없다; der ~ an der Hand sein 가장 중요한 일〔인물〕이다; den ~ gegen jn. beißen 누구를 경멸〔조소〕하여 엄지손가락을 깨물다; den ~ in der Hand 〔auf den Beutel〕 halten 인색하다; über den ~ schätzen 어림잡아 추정하다; et. über den ~ peilen 무엇을 대충 셈하다〔어림잡다〕; 〖구어〗 jn. über den ~ drehen 누구를 속이다; den ~ auf et. halten 무엇을 잘 지켜보다, 주의하다; jm. den ~ aufs Auge halten〔drücken, setzen〕 누구에게 강요하다; jn. unter den ~ bringen 누구를 좌지우지하다, 굴복시키다. ② 인치(Zoll). ③〖工〗 지레 장치의 손잡이, 레버; 캠.

Daumen≈abdruck *m.* 엄지손가락의 지문, 무인(拇印). **~ballen** *m.* 〖醫〗 손가락 끝 안쪽 도톰한 부분. **~beuger** *m.* 〖醫〗 무지 굴근(拇指屈筋). **≈breit** *a.* 엄지손가락 넓이의. **≈dick** *a.* 엄지손가락 굵기의. **~dreher** *m.* 아첨하는 사람; 게으름뱅이; 사기꾼. **~drücker** *m.* ① 후원자, 지지자. ② (특히 엄지손가락으로) 눌러 여는 자물쇠. **~index** *m.* ↑ ~register. **~kappe** *f.* 〖드물게〗 ↑ ~schützer. **~lutscher** *m.* 〖대개 폄어〗 엄지손가락을 빠는 아이. **~nagel** *m.* 엄지손가락의 손톱. **~register** *m.* 반달 색인(사전 등에서 찾기 쉽도록 자모 단위로 도려낸 부분). **~ring** *m.* 〖工〗 캠의 고리; 〖음악〗 (Zither 를 켤 때) 엄지손가락에 끼우는 채. **~schraube** *f.* 나사로 엄지손가락을 죄어 비트는 옛날의 고문 도구: jm. ~n anlegen〔ansetzen〕 누구를 몰아세우다, 닦달하다, 강요하다. **~schützer**

m. 골무. ∼**stark** *a.* 엄지손가락 굵기의. ∼**strecker** *m.* 〖醫〗 무지 신근(拇指伸筋). ∼**welle** *f.* 〖工〗 캠축(軸).

Däumerling [dɔ́ʏmər..] *m.* -s, -e ↑ Däumling.

Daum·kappe *f.* ↑ Daumenkappe.

Däumling *m.* -s, -e ① (동화 속의) 엄지손가락만한 꼬마. ② 골무; 장갑의 엄지손가락.

Daum·schraube *f.* ↑ Daumenschraube.

Daune [dáʊnə] 《ndd.》 *f.* -n (Flaumfeder) 솜털, 보들보들한 깃털: Steppdecke mit ∼n füllen 누비이불에 깃털을 채우다.

Daunen≈bett *n.* 깃털로 만든 침대. ∼**decke** *f.* 깃털 이불. ∼**feder** *f.* 솜털. ∼**füllung** *f.* 깃털 속.

daunenhaft *a.* 솜털 같은, 솜털처럼 부드러운.

Daunen≈kissen *n.* 솜털〔깃털〕 쿠션. ∼**weich** *a.* 솜털처럼 부드러운.

daunicht *a.* ↑ dauenweich.

Dauphin [dofɛ̃:] 《frz.》 *m.* -s, -s [..fɛ̃:s] 프랑스 황태자의 칭호(1349-1830); Dauphiné 주의 백작(12 세기에 남프랑스에서 돌고래를 문장(紋章)으로 썼음).

Dauphiné [dofiné:] *f.* 도피네주(州).

Daus[1] [daʊs] 《altfrz. dous》 *n.* -es, -e/Däuser [dɔ́ʏzər] 〖카드〗 에이스; (주사위의) 두 점 눈이 찍힌 면.

Daus[2] *m.* -es, -e [..zə] 〖구식〗 악마, 귀신: ei 〔was〕 der ∼ 〔potz ∼〕! 도대체 웬일이냐, 이런 실수했구나!

Daus·mann *m.* 훌륭한 남자, 수완가, 명망가.

David [dá:fɪt, (드물게) ..v..] *m.* 다비드(남자 이름); 다윗(이스라엘의 왕, 재위 1010-971 B.C.).

Davids≈harfe *f.* 〖動〗 하르파(복족류 조개의 일종). ∼**schild,** ∼**stern** *m.* (Sechsstern) 다윗의 별(6 모의 별 모양).

David·stern *m.* ↑ Davidsstern.

Daviscup, Davispokal, Davis-Pokal [dé:vɪs..] *m.* -s (국제 테니스 경기의) 데이비스컵.

Davispokal·mannschaft *f.* 데이비스컵을 획득한 팀.

Davisstraße *f.* 데이비스 항로(그린랜드와 북아메리카간의 항로).

Davit [dé:vɪt, dǽvɪt] 《engl.》 *m.* -s, -s 〖海〗 대빗(구명 보트 등을 매다는 기둥).

***da·von** [dafɔ́n, (지시적 의미가 강할 때) dá:fɔn] *adv.* ① 그것의, 그것에서 (떨어져), 그 중의, 그것을, 그것에 관하여: infolge ∼ 그 결과, 그것 때문에; bleibt ∼! 그것에 가까이 가지 마라, 그것에 관여하지 마라!; lassen Sie Ihre Hände ∼! 그 일에서 손을 떼시오!; ein andermal ∼! 그 얘기는 다음 기회에 합시다!; das kommt ∼ 이것은 그 결과다; fünf ∼ gehen mit uns zu Fuß 그 중의 다섯은 우리와 걸어서 간다; etwas ∼ haben 그것에서 이익을 얻다; ich will nichts ∼ haben 나는 그것으로 이득을 볼 생각이 없다; 〖商〗 ∼ ab fünf Prozent 그것에서 5 퍼센트 뺌; 〖數〗 vier ∼ ab, bleibt sechs 그것에서 4 빼면 6 이 된다; ∼ ist nicht die Rede 문제는 그것이 아니다; kein Wort mehr ∼ 〔nichts mehr ∼, still ∼〕! (이제) 그 얘기는 그만두어라!; sein Leben hängt ∼ ab 그의 인생은 그것에 달려 있다; ∼ habe ich nichts gehört 그것에 대해서 들은 바가 없다; man redet ∼, daß ..., …라는 소문이다; das kommt ∼, wenn man nicht aufpaßt 그런 일은 부주의의 결과다; ich halte nicht viel ∼ 나는 그것을 중요하게 여기지 않는다; iß nur ∼! 그것 좀 드세요!; ∼ wirst du nicht sterben 너는 그것 때문에 죽지는 않을 것이다. ② 그러한 수단으로, 그것으로: ∼ kann ich keine Suppe kochen 그것으로 나는 수프를 끓일 수 없다; ∼ kann kein Mensch existieren 그것으로는 어떤 사람도 살 수 없다. ③ 그 때문에, 그리하여: ich habe Bauchweh ∼ bekommen 그 때문에 나는 복통에 걸렸다. ④ 저쪽으로, 떠나서: auf und ∼! 자 도망쳐라!; sie sind ∼ 그들은 도망쳐 버렸다.

davon.. *pref.* "저쪽으로, 가 버려서" 등 이탈의 의미를 나타냄.

davon|bleiben* *i.* (s.) 그것에서 떨어져〔피해〕 있다: bleib davon! 그것에 가까이 가지 마라, 손대지 마라! ∼|**eilen** *i.* (s.) 급히 떠나다〔가 버리다〕. ∼|**fahren*** *i.* (s.) 차〔배〕로 떠나다〔가 버리다〕. ∼|**fliegen*** *i.* (s.) 날아가 버리다. ∼|**gehen*** *i.* (s.) ① 떠나다, 도망치다. ② 〖시어〗 죽다: er ist vor einigen Monaten davongegangen 그는 몇 달 전에 세상을 떴다. ∼|**helfen*** *i.* (h.) jm. ∼ 누구를 도와서 그것에서 벗어나게 하다〔구출하다〕. ∼|**huschen** *i.* (s.) 휙 지나가다. ∼|**jagen** 《I》 *i.* (s.) 질주하여 가 버리다: die Kinder jagten davon 아이들이 쏜살같이 지나갔다. 《II》 *t.* 쫓아버리다; 해고하다: er jagte die Kinder davon 그는 아이들을 쫓아버렸다; er hat den Lehrling im Zorn davongejagt 그는 수습생을 화가 나서 해고했다. ∼|**kommen*** *i.* (s.) 빠져나오다, (위험을) 모면하다: leichten Kaufs ∼ 가벼운 손해로 끝나다; mit knapper〔genauer〕 Not ∼ 간신히 빠져 나오다. ∼|**lassen*** *t.* (h.) 〖다음 용법으로〗 die Finger〔Hände〕 ∼ 그것에서 손 떼다: du solltest besser die Hände ∼! 너는 그것에서 손떼는 것이 좋다! ∼|**laufen*** *i.* (s.) 달아나 버리다, 도주하다; 〖軍〗 탈영하다: jm. ∼ 누구에게서 달아나다; 〖구어〗 es ist zum ∼ 도저히 견뎌낼 수가 없다. ∼|**machen** *refl.* sich (auf und) ∼ 가 버리다, 도망치다. ∼|**müssen*** *i.* (h.) 떠나야만〔출발해야만〕 하다. ∼|**rennen*** *i.* (s.) 달아나다. ∼|**schleichen*** *i.* (s.) / *refl.* (sich) ∼ 살금살금 도망쳐 버리다. ∼|**stehlen*** (h.) sich ∼ 몰래 사라지다, 슬쩍 가 버리다. ∼|**tragen*** *t.* ① 가져가다, 실어가다: sie fiel in Ohnmacht und wurde davongetragen 그녀는 정신을 잃고 쓰러져 실려갔다. ② 〖비유〗 획득하다: den Sieg ∼ 승리를 획득하다; einen Preis ∼ 상을 타다; Schaden ∼ 손해를 보다; er hat von dem Unfall schwere Verletzungen davongetragen 그는 사고로 심한 상처를 입었다. ∼|**treiben** 《I》 *i.* (s.) (휩쓸려) 떠내려가다: das Floß trieb davon 뗏목이 떠내려가 버렸다. 《II》 *t.* 몰아내다: der Wind trieb die Blätter davon 바람이 낙엽들을 휩쓸어갔다. ∼|**tun*** *t.* 가져가다. ∼|**ziehen*** *i.* (s.) ① 출발하다, 떠나다. ② 〖스포츠〗 앞지르다, 앞서다.

da·vor [dafó:r, (지시적 의미가 강할 때) dá:fo:r] *adv.* ① 그 앞에〔앞으로〕: ein Haus mit einem Baum ∼ 앞에 나무가 있는 집; hier ist der Eingang, stell dich ∼! 여기가 입구다,

그 앞에 서라! ②미리, 사전에; 그 전에: kurz ~ 그 직전에; einige Stunden ~ 그 몇 시간 전에. ③그것에 대하여, 그것을: hüte dich ~! 그것을 조심해라!; ~ behüte uns Gott! 그런 일은 없기를, 신의 가호가 있기를!; ich warne dich ~! 그것을 조심해라! ④〘방언·구어〙 ich kann nichts ~ 그것은 내 책임은 아니다.

davor|stehen* *i.* (h./s.) 그 앞에 서 있다.

Davos [davó:s] 다보스(스위스의 요양지).

Davoser [davó:zər] *m.* 다보스 사람.

Davy [de:vi] Sir Humphry ~ 데이비(영국의 화학자, 1778-1829).

Davysch [de:vɪʃ] *a.* 데이비식(式)의: ~e Lampe 갱내용 안전등.

Dawes [dɔ:z] Charles Gates ~ 도스(미국의 재정가·정치가·부통령, 1865-1951).

Dawes·plan [dɔ́:z..] *m.* 도스안(案) (1924 년 독일의 전쟁 배상금 지급안).

da·wider [daví:dər, (지시적 의미가 강할 때) dá:vi:dər] *adv.* 그것에 반대〔거역〕하여: dafür und ~ 찬성과 반대의; sich ~ setzen 그것에 반대하다; ich habe nichts 〔bin nicht〕 ~ 나는 그것에 이의가 없다.

dawider|reden *i.* (h.) 〘구식·방언〙 이의를 제기하다, 반대 주장을 하다.

DAX =Deutscher Aktienindex 독일 주가 지수(가장 중요한 30개 주가 지수의 평균값).

Dazien [dá:tsiən] ↑ Dakien.

Dazier [..iər] *m.* 다치엔 사람.

dazisch [dá:tsɪʃ] *a.* 다치엔의: die ~en Kriege 다치엔 전투.

***da·zu** [datsú:, (지시적 의미가 강할 때) dá:tsu:] *adv.* ①거기〔그곳〕까지, 거기에: ich bin noch nicht ~ gekommen 나는 아직 거기까지는 이르지 못했다: ~ paßt am besten ein schwarzer Hut 거기에는 검은 모자가 가장 잘 어울린다; ich gehöre nicht ~, sondern zu einer anderen Gruppe 나는 거기가 아니라 다른 그룹에 속한다. ②그 목적으로, 그것에 대하여, 그것을 향하여, 그것을 위하여: ~ habe ich kein Geld 내게는 그것을 할 만한 돈이 없다; ~ kann ich nichts 나는 그것을 위해서 아무것도 할 수 없다; er ist kein Fachmann, aber man könnte ihn ~ ausbilden 그는 전문가가 아니지만 전문가로 키울 수 있을 것이다; was bringt dich ~, so etwas anzunehmen? 너는 어쩌다가 그런 것을 받아들이게 되었니?; er hat keine Lust ~ 그는 그것을 할 마음이 없다; ich weiß nicht, was ich ~ sagen soll 나는 그것에 대하여 무어라고 말해야 좋을지 모르겠다; er ist nicht der Mann ~ 그는 그 적임자가 아니다. ③〘정도·기회〙 nie ~ kommen, Besuche zu machen 방문할 기회를 얻지 못하다; ~ wird es nie kommen 그렇게는 결코 되지 않을 것입니다. ④게다가, 그것에 덧붙여: (noch) ~, ~ noch 게다가, 덧붙여서; arm und alt ~ 가난한 데다가 늙은; ~ kommt, daß ... 게다가 …이 있다; sie ist nicht sehr begabt, ~ ist sie noch faul 그녀는 별로 재주가 없는 데다가 게으르다; ich gebe drei Mark, gib du auch etwas ~ 내가 3 마르크 낼 테니 너도 얼마간 더 보내라. ⑤그와 동시에: er arbeitet und singt ~ 그는 일을 하면서 노래부르고 있다.

dazu=|bekommen* *t.* (h.) 추가로 받다: wir haben zu unserer Mannschaft noch drei Spieler ~ 우리 팀은 세 명의 선수를 추가로 받았다. **~|geben*** *t.* 기여하다, 보태 주다: wenn du noch etwas dazugibst, kann ich mir ein Fahrrad kaufen 네가 좀 보태 주면 나는 자전거를 살 수 있다. **~|gehören** *i.* (h.) 그것에 속하다. **~gehörig** *a.* 그것에 속하는, 그것의 일부인: die ~en Einzelteile 그것에 속하는 부품들. **~|halten*** *refl.* sich ~ 〘방언〙 서두르다, 노력하다. **~|kommen*** *i.* (s.) ①나타나다, 도착하다: er kam gerade dazu 그는 막 거기에 도착했다. ②추가되다: folgendes wird noch ~ 다음이 또 추가된다. **~-kommen** *n.*, **~kunft** *f.* 〘드물게〙 개입, 간섭. **~|legen** *t.* 부가〔첨가〕하다; 합석시키다: in dieses Zimmer können wir noch zwei Patienten ~ 이 방에 2 명의 환자를 더 들일 수 있다. **~|lernen** *t.* 추가로〔더〕 배우다.

da·zumal *adv.* 〘고어〙 (damals) 당시, 그 무렵에: Anno ~ 옛날에, 이전에, 그 때에.

dazu=|nehmen* *t.* 덧붙이다, 보태다. **~|rechnen** *t.* 가산하다, 더하다. **~|schauen** *i.* (h.) (öst.) 노력하다, 애쓰다: ich werde ~, daß ich pünktlich da bin 정각에 가도록 노력하겠습니다. **~|schreiben*** *t.* 덧붙여 쓰다 (단: dazu schreibt er erläuternd 그는 그것을 설명하며 쓰고 있다). **~|setzen** *t.* (h.) 동석시키다; 거기에 앉히다: darf ich mich ~? 동석해도 되겠습니까?; ein Kind an den Tisch ~ 아이를 탁자에 앉히다. **~|tun*** *t.* 덧붙이다, 추가하다(단: was kann ich dazu tun? 그것에 대하여 내가 무엇을 할 수 있을까?). **~tun** *n.* 지원, 관여, 개입: ohne js. ~ 누구의 개입〔지원〕 없이. **~|verdienen** *t.* (h.) 추가로 벌다: ich muß zu meinem Stipendium noch etwas ~ 나는 장학금 말고도 또 얼마간 벌어야 한다. **~|zählen** *t.* 가산하다.

***da·zwischen** [datsvíʃən, (강조) dá:tsvɪʃən] *adv.* ①그 사이에, 그 사이로: ~ ist kein Platz mehr 그 사이에는 더 이상 자리가 없다; er drängte sich ~ 그는 그 사이로 비집고 들어갔다; ~ liegen immerhin fünf Jahre 그 사이에는 어쨌든 5년의 간격이 있다; es kam etwas ~ 그 사이에 무슨 일이 일어났다. ②〘구어〙 그 중에, 그 가운데에: wählen Sie ~! 그 중에서 고르시오!; es war ~ viel Unkraut 그 중에는 잡초가 많이 있었다.

dazwischen=|einschalten *t.* ↑ ~schalten. **~|einschieben*** *t.* ↑ ~schieben. **~|kommen*** *i.* (s.) (예기치 못한 일이) 발생하다, 생기다; 개입〔간섭〕하다, 방해하다: wenn (mir) nichts dazwischenkommt (내게) 아무런 일이 없으면. **~kommen** *n.*, **~kunft** *f.* 〘구식〙 간섭, 방해. **~|legen** 《I》 *t.* 사이에 놓다, 삽입하다. 《II》 *refl.* sich ~ 간섭〔조정〕하다. **~|liegen*** *i.* (h.) 사이에 놓여 있다: einige Jahre liegen dazwischen 그 동안 몇 년이 흘러갔다. **~|reden** *i.* (h.) 말참견하다: jm. ~ 누구의 말을 (참견하여) 가로막다. **~|rufen** (h.) (연설이나 토론을) 소리를 질러 중단시키다: er hat während des Vortrags mehrfach dazwischengerufen 그는 강연하는 동안 여러 번 소리를 질러 방해했다. **~|schalten** *t.* 연결해 넣다. **~schieben** *t.* 끼워 넣다, 삽입하다, (책 등에) 써 넣다: 〖天〗 einen Tag ~ 윤

일(閏日)을 집어 넣다. ~|**schlagen*** *t.* 때려서 말리다, 진압하려 하다. ~|**schreiben*** *t.* 행간에 써넣다. ~|**setzen** *t.* 사이에 놓다〔앉히다〕. ~|**springen** *i.* 사이에 불쑥 끼여들다. ~|**stehen*** *i.* (h.) 사이에 서 있다. ~|**stellen** 《I》 *t.* 사이에 놓다. 《II》 *refl.* sich ~ 참견하다. ~|**treten*** *i.* (s.) 사이에 들어가다, 사이를 갈라놓다; 〖비유〗 개입〔간섭〕하다, 중재〔조정〕하다. ∼**treten** *n.* 개입, 간섭; 중재, 조정. ~|**werfen*** 《I》 *t.* 던져 넣다. 《II》 *refl.* sich ~ (말)참견하다.

DB =Deutsche Bundesbahn 독일 연방 철도.

dB [de:bé:] =Dezibel 데시벨.

DBAG =Deutsche Börse AG 독일 증권 거래소 주식 회사.

D-Banken *pl.* 첫 글자가 D로 시작되는 옛 독일의 4대 은행의 총칭(Darmstädter und Nationalbank, Deutsche Bank, Disconto-Gesellschaft, Dresdner Bank 의 4은행; 1931년 이후 Deutsche Bank 와 Dresdner Bank 의 두 은행으로 합병되었음).

DBB =Deutscher Beamtenbund 독일 공무원 연맹.

DBD 〖구동독〗 =Demokratische Bauernpartei Deutschlands 독일 민주 농민당.

DBGM =Deutsches Bundes-Gebrauchsmuster 독일 연방 실용 신안 의장(意匠).

DBP ① =Deutsche Bundespost 독일 연방 우편. ② =Deutsches Bundespatent 독일 연방 특허청.

D.C. =District of Columbia (미국 워싱턴의) 컬럼비아 특별구.

d.c. =da capo 〖음악〗 다시 한번 처음부터; 〖전기〗 =direct current 직류.

dca =Deziar 데시아르.

dcg =Dezigramm 데시그램.

dcl =Deziliter 데시리터.

dcm =Dezimeter 데시미터.

d.d. =de dato 발행일로부터.

Dd. =Doktorrand (doctorandus) 《lat.》 박사 과정 학생.

DDAC =Der Deutsche Automobil Club 독일 자동차 클럽.

DDR =Deutsche Demokratische Republik 독일 민주 공화국(옛 동독의 정식 이름).

DDr. =doctores 박사들; 여러 종류의 학위를 가진 사람.

DDR-Bürger *m.* 동독 국민.

DDSG =Donau-Dampfschiffahrtsgesellschaft 도나우 기선 회사.

DDT [de:de:té:] *n.* =Dichlordiphenyltrichloräthan 디디티(살충제 이름).

D-Dur [dé:du:*r*, dé:dú:*r*] *n.* - 〖음악〗 라장조.

D-Dur-Ton·leiter [dé:du:*r*.., dé:dú:*r*..] *m.* 라장조 음계.

de.. [de(:)..] 《lat.》 *pref.* "분리·반대"의 뜻.

DE =Delaware 델라웨어(미국의 주).

Dead heat 《engl.》 *n.* 무승부 경주〔경쟁〕.

Deadline [dɛ́dlaɪn] 《engl.》 마감 시간, 최종 시한.

Deadweight [dɛ́dweit] 《engl.》 *n.* 선박의 총 운반량.

Deal [di:l] 《engl.》 *m./n.* -(s), -s 거래, 사업.

dealen [dí:lən] *i.* (h.) (불법으로) 마약 거래하다: das ∼ hat in den letzten Jahren stark zugenommen 마약 거래가 최근 몇 년간 급격히 증가했다.

Dealer [dí:lə*r*] 《engl.》 *m.* -s - ① 마약 거래자〔밀매업자〕. ② 증권 중개인; 투기꾼.

Dean [di:n] 《engl.》 *m.* -s, -s ① 수석 사제. ② 〖드물게〗 (단과 대학의) 학장. ③ (단체의) 최고참자.

Debakel [debá:kəl] 《frz.》 *n.* -s 〖교양〗 와해, 붕괴; 패배.

Debardage [debardá:ʒə] 《frz.》 *f.* -n 〖고어〗 (부두의) 하역.

Debardeur [debardǿ:*r*] 《frz.》 *m.* -s, -e (부두의) 하역 인부(Auslader).

debardieren *t.* 〖고어〗 (배에서) 짐을 부리다, 하역하다: Schiffe ~ 배의 짐을 하역하다.

debarkieren [debarkí:rən] 《frz.》 *t.* 〖고어〗 (ausschiffen) 하역하다; 상륙시키다.

Debatte [debátə] 《frz. débat》 *f.* -n 논쟁; 토론, 토의, 심의: eine erregte ~ 열띤 논쟁; eine ~ eröffnen 토론을 개시〔시작〕하다; sich in eine ~ einlassen〔eingreifen〕 논쟁에 끼어들다; et. zur ~ stellen 무엇을 토의에 부치다; in eine ~ eintreten 토의에 들어가다; die Frage steht zur ~ 그 문제는 토의 중이다.

debattelos *adv.* 논쟁 없이: es wurde ~ genehmigt 그것은 두말 없이 가결되었다.

Debatten·schrift *f.* 〖고어〗 속기 (문자).

Debatter *m.* -s, - 토론자; 논객.

Debatterin *f.* -nen ↑ Debatter 의 여성형.

debattieren [debatí:rən] 《frz.》 *t./i.* (h.) 논쟁〔토의〕하다: stundenlang wurde über dasselbe Thema debattiert 같은 주제에 대해 장시간 토론했다.

Debattierer *m.* -s, - ↑ Debatter.

Debattier·klub *m.* 〖반어〗 (쓸데없는 논쟁을 일삼는) 논객 모임, 토론회.

Debauche [debó:ʃə] 《frz.》 *f.* -n 〖교양〗 방탕, 도락.

debauchieren [deboʃí:rən] *i.* (h.) 〖교양〗 방탕한 생활을 하다, 난봉을 부리다.

Debellation [debɛlatsió:n] 《lat.》 *f.* -en 〖국제법〗 (적국의 점령을 통한) 전쟁의 종결.

Debent [debɛ́nt] 《lat.》 *m.* -en, -en 채무자, 부채자.

Debet [dé:bɛt] *n.* -s, -s 〖금융〗 (↔ Kredit) 빚, 부채, 채무, (부기의) 차변: im ~ stehen 채무로〔차변에〕 기재되어 있다; in das ~ stellen 채무로〔차변에〕 기입하다.

Debet∼**posten** *m.* 〖금융〗 차변 계정〔항목〕. ∼**saldo** *m.* 차변 잔고〔잔액〕(↑ Sollsaldo). ∼**seite** *f.* 차변.

debil [debí:l] 《lat.》 *a.* (쇠)약한, 정신 박약의.

Debilität *f.* 쇠약; 〖醫〗 정신 박약.

Debit [debí:(t)] 《frz.》 *m.* -s [..bí:s] 〖고어〗 ① 판매, 매출. ② 선술집; (술집의) 카운터.

Debitant [debitánt] *m.* -en, -en 판매인.

debitieren [debití:rən] *t.* 《frz.》 〖商〗 ① 팔다, 판매하다; 〖비유〗 보급하다. ② jn. mit et.³ ~ 누구에게 어떤 채무를 지우다, 무엇을 누구의 차변에 기입하다.

Debit·masse *f.* 파산 재단.

Debitor [dé:bitɔr, ..to:*r*] *m.* -s, -en [..tó:rən] ① (↔ Kreditor) 채무자, 차주(借主). ② 〖복수〗 미지급 채무, 외상.

Debitoren·konto *n.* 채무〔외상〕 계정.

deblockieren [deblɔkí:rən] *t.* ① 〖軍〗 포위〔봉쇄〕를 풀다. ② 〖印〗 복자(覆字)를 바로잡다.

Debordement [debɔrdmɑ̃:] 《frz.》 *n.* -(s), -s 범람; (군중의) 난입; (감정의) 폭발; 〚軍〛 포위; 방탕.
debordieren 《frz.》 《Ⅰ》 *i.* (s.) 범람하다: 〔비유〕 debordierter Mensch 탕아. 《Ⅱ》 *t.* 〚軍〛 좌우로 군사를 펴서 포위하다.
Debouché [debuʃé:] 《frz.》 *n.* -s, -s 출구; 〚軍〛 진출구; 〚商〛 판로.
Debouchement [..ʃmɑ̃:] *n.* -s, -s 유출; 〚軍〛 진출.
debouchieren [..ʃí:rən] *i.* (s.) 흘러나가다; 〚軍·고어〛 애로에서 벗어나다.
Debrecziner [dɛ́brɛtsi:nər] *n.* -s, - ↑ Debreziner.
Debreziner *n.* -s, - (맵게 양념한) 데브레첸 소시지(헝가리 도시 Debrecen 에서).
Debunking [dibʌ́ŋkiŋ] 《engl.》 *n.* -s, -s (연극·영화·소설에서) 영웅이나 신화의 정체 폭로.
Debüt [debý:] 《frz.》 *n.* -s, -s [..bý:s] 데뷔, 첫 등장; 첫 무대; 첫 출연〔연주〕: die junge Sängerin gab ihr ~ 젊은 여가수가 데뷔했다.
Debütant [debytánt] *m.* -en, -en 데뷔한 사람; 신인.
Debütantin *f.* -nen ① ↑ Debütant 의 여성형. ② 사교계에 처음 등장한 상류 사회의 처녀.
Debütantinnen·ball *m.* 사교계에 처음 등장한 처녀들을 위한 무도회.
debütieren *i* (h.) 데뷔하다, 첫 무대에 서다.
Decadence [dekadɑ̃́:s] 《frz.》 *n.* ↑ Dekadenz.
Decamerone *n.* -s ↑ Dekameron.
Decay [diké:] *n.* -(s) 〚음악〛 음 합성 장치〔신시사이저〕에서 최고음에서 0 으로 떨어지는 시간.
Dechanat [dɛçaná:t] 《lat.》 *n.* -(e)s, -e 〚가톨릭〛 대교구 수석 사제직(司祭職) 또는 그 교구; (대학의) 학장직(↑ Dekanat).
Dechanei [dɛçanáɪ] *f.* -en 수석 사제〔학장〕 공관(Dekanei).
Dechant [dɛçánt] *m.* -en, -en 대교구 수석 사제; 수도원장; (대학의) 학장(Dekan).
Dechantei *f.* -en (öst.) 수석 사제의 관할 구역.
Decharge [deʃárʒə] 《lat.》 *f.* -n 〔고어〕 ① 짐 풀기, 하역, 양륙. ② 채무의 면제〔탕감〕; 변제; 상각.
dechargieren [deʃarʒí:rən] *t.* 〔고어〕 ① 하역하다. ② 면제〔변제〕하다.
Decher [dɛ́çər] 《lat.》 *m./n.* -s, - (모피·담배에 사용된 옛 계량 단위로) 10 개(변이형: Dechent, Dechend).
Dechet [deʃé:] *m.* -s, -s (방적 공장의) 섬유 쓰레기.
Dechiffrement [deʃɪfrəmɑ̃] 《frz.》 *n.* -(s), -s 암호 해독〔판독〕.
dechiffrieren [deʃɪfrí:rən] 《frz.》 *t.* (entziffern) 암호문을 해독하다; 판독하다.
Dechiffrierung *f.* -en 암호 해독〔판독〕.
Dechsel [dɛ́ksəl] *f.* -n 〔방언〕 ↑ Deichsel².
Decimus [détsi...] *m.* -, ..mi 〚史〛 (폴란드 지역의 1 개 마을에 10 명 단위로 거주한) 농노.
deciso [detʃí:zo] 〚음악〛 단호하게.
***Deck** [dɛk] *n.* -(e)s, -s/(드물게) -e ① 〚海〛 갑판, 덱: auf (dem) ~ promenieren 갑판 위를 산책하다; oberes ~ 상갑판; alle Mann an ~! 전원 갑판으로!; klar ~ 전투 준비 완료. ② 〔비유·구어〕 nicht (recht) auf ~ sein 몸의 상태가 (썩) 좋지 않다. ③ (2 층 버스의) 위층. ④ 주차 빌딩의 각 층(Parkdeck).
Deck≈adresse 《<decken》 *f.* 가명(으로 된) 수신인 주소. **~akt** *m.* (동물의) 짝짓기, 교미. **~anschrift** *f.* ↑ ~adresse. **~anstrich** *m.* 〚건축〛 마무리 칠. **~aufbauten** *pl.* 배의 상갑판실. **~balken** *m.* 〚海〛 갑판의 가로 들보.
deckbar 《<decken》 *a.* 덮을 수 있는; (손실을) 메울 수 있는.
Deck≈bett *n.* (깃털을 넣은) 이불. **~blatt** *n.* ① (지도·도면에 올려 놓는) 투명지. ② (책·팸플릿 따위의 교정용) 간지, 부전지. ③ (여송연의) 겉말이 잎. ④ 〚植〛 포엽(苞葉). ⑤ 〚제본〛 (귀중한 사진·그림의 보호를 위해 앞에 부착한) 투명지; 〔구어〕 책걸장. ⑥ 〚카드〛 (쌓아놓은 카드의) 맨 윗장. **~blech** *n.* 덮개용 철판. **~brett** *n.* 덮개용 널판.
Deckchen [dɛ́kçən] *n.* -s, - ↑ Decke 의 축소형.
Deck·dienst *m.* 갑판 근무.
***Decke** [dɛ́kə] 《<decken》 *f.* -n ① 덮개, 씌우개, 커버. ② 이불, 모포, 무릎 덮개; 깔개, 돗자리; 식탁보: eine ~ über et. breiten〔legen〕 무엇에 덮개를 씌우다; ohne ~ gehen 발가벗고 걷다; 〔비유·구어〕 sich nach der ~ strecken 분수에 맞게 살다, 검소한 환경에 맞추다. ③ 〚醫〛 피부, 피막; 〚사냥〛 모피. ④ (책의) 표지, 장정; (여송연의) 겉에 말아 입힌 잎; 〚음악〛 (현악기의) 향판(響板). ⑤ 〚건축〛 천장, 지붕: eine niedrige〔hohe〕 ~ 낮은〔높은〕 천장; eine gewölbte ~ 아치형 천장; 〔비유〕 an die ~ gehen 화가 나서 펄펄 뛰다; vor Freude bis an die ~ springen 기뻐 펄쩍 뛰어오르다; jm. fällt die ~ auf den Kopf 방 안이 갑갑하게 느껴지다, 집안에서 지루하여 기분 전환을 원하다. ⑥ 땅을 뒤덮은 것; 화산암의 층: eine ~ über die Erde 땅 위를 뒤덮은 것. ⑦ 나무의 월동용 싸개. ⑧ 눈가림, 차폐: 〔비유〕 jm. die ~ von den Augen ziehen 누구의 우둔함을 깨우쳐 주다. ⑨ 〔비유〕 엄호; 핑계, 구실: unter der ~ der Freundschaft 우정을 빙자하여; mit jm. unter einer ~ stecken〔liegen〕 누구와 결탁하다. ⑩ (자동차) 타이어 커버.
***Deckel** [dɛ́kəl] *m.* -s, - ① 뚜껑, 덮개: den ~ aufklappen 뚜껑을 열다; 〔비유〕 wie Topf und ~ zusammenpassen 잘 어울리다, 궁합이 맞다; für jeden Hafen〔Topf〕 findet sich ein ~ 짚신도 짝이 있다. ② (책의) 겉장. ③ 〚印〛 압지격(壓紙格), 인자압(印字壓); 〚건축〛 처마 복공; 〚軍〛 화문(火門) 덮개, 첨모(尖帽); 〚植〛 꼬투리, 겉껍질; 〚動〛 (조개의) 겉껍질; (물고기의) 아가미 덮개; 〔농담〕 눈까풀. ④ 〔농담〕 머리, 모자: jm. eins auf den ~ geben 훈계하다, 엄하게 꾸짖다; eins auf den ~ kriegen〔bekommen〕 따끔하게 혼나다. ⑤ 〔방언〕 하인. ⑥ 〔구어〕 맥주잔의 깔판: jm. einen ~ machen 누구의 술값을 계산하기 위해 깔판에 표시하다.
Deckel≈band *n.* 뚜껑에 딸린 경첩. **~becher** *m.* 뚜껑 달린 술잔. **~förmig** *a.* 뚜껑 모양의. **~glas** *n.* 뚜껑 달린 컵. **~halter** *m.* 뚜껑받이. **~kanne** *f.* (주전자·포트의) 뚜껑 달린 물초롱. **~kapsel** *f.* 〚植〛 개과(蓋果), 꼬

투리 과일. **~korb** *m.* 뚜껑 달린 바구니. **~krug** *m.* 뚜껑 달린 맥주잔.

deckeln [dékəln] 《I》 *t.* ① 뚜껑으로 덮다, 뚜껑을 달다. ② (jn.) 혼내 주다, 훈계하다, 반박하다. 《II》 *i.* (h.) 〔농담〕 모자를 벗어 인사하다.

Deckel≈pfeife *f.* 뚜껑 달린 담뱃대. **~schnecke** *f.* 〖動〗 뚜껑 있는 권패(卷貝). **~uhr** *f.* 뚜껑 달린 회중 시계. **~vase** *f.* 뚜껑 달린 꽃병. **~ventil** *n.* 〖工〗 개폐 밸브. **~weide** *f.* (ndd.) 지붕 이는 데 쓰는 버들.

*__decken__ [dékən] 《I》 *t.* ① 덮다, 씌우다, 싸다: die Decke auf das Pferd ~ 안장 밑〔말등〕에 담요를 깔다; Schnee deckt die Flur 눈이 들판을 덮다; 〔비유〕 den Tisch für 4 Personen ~ 4 인분의 식사를 준비하다; es ist gedeckt 식사 준비가 다 되었다; ein Haus (mit einem Dach) ~ 지붕을 이다; das Dach mit Ziegeln ~ 지붕을 기와로 이다. ② 〔비유〕 은폐하다, 숨기다: der grüne Rasen deckt ihn 그의 묘엔 푸른 풀이 돋아난다(그는 무덤에 묻힌 지 오래 되었다). ③ 감싸 주다, 엄호〔보호〕하다; (성루가 도시를) 지키다, 수호하다; 〖스포츠〗 (자기편 선수를) 커버하다: jn. mit dem eigenen Leib ~ 누구를 몸으로 지키다; jn. gegen die Beschuldigung ~ 누구를 비난에서 보호하다; jm. den Rücken ~ 누구의 뒤쪽〔후방〕을 지키다〔퇴로를 확보하여 두다〕. ④ 〖스포츠〗 (상대방의 공격을) 방어하다: der Boxer deckte gut 그 권투 선수는 잘 방어하였다. ⑤ 〖商〗 보증하다; (jn.) …에게 담보를 제공하다; (지출 따위를) 지급하다; (손실 따위를) 메우다, 배상〔보상〕하다: Schulden ~ 빚을 갚다; den Bedarf 〔die Nachfrage〕 ~ 수요를 충족시키다; einen Wechsel ~ 어음을 보증하다; der Schaden wird durch die Versicherung voll gedeckt 손해가 보험으로 완전히 보상된다. ⑥ 불투명한 색으로 만들다: eine Farbe deckt eine andere 어떤 빛깔이 다른 빛깔을 연하게 한다. ⑦ 〖數〗 eine Figur deckt eine andere 어떤 도형이 다른 도형과 합동이다. ⑧ 〖動〗 …와 교미하다: der Hengst deckt die Stute 수말이 암말과 교미하다. ⑨ 〖사냥〗 (사냥개가 짐승의) 도주로를 막다, (붙)잡다: die Hunde ~ das Schwein 사냥개가 멧돼지를 (붙)잡는다. ⑩ (jn.) 때리다. ⑪ 〖化〗 정제하다. 《II》 *refl.* sich ~ ① 방어하다: sich gegen Angriff ~ 공격을 방어하다. ② 〖數〗 sich〔einander〕 ~ 합동이다, 같다, 〔비유〕 일치〔부합〕하다: diese Behauptung deckt sich nicht mit den Tatsachen 이 주장은 사실과 맞지 않는다. ③ 보증받다; 지급〔배상·변상〕받다. 《III》 **gedeckt** *p.a.* ↑ gedeckt.

Decken≈balken *m.* 〖건축〗 들보. **~beleuchtung** *f.* 천장 조명〔등〕. **~feld** *n.* 〖건축〗 반자. **~fenster** *n.* 천창(天窓), 지붕창. **~flechter** *m.* 돗자리장이〔엮는 이〕. **~gemälde** *n.* ① 천장 그림. ② 〖연극〗 무대 천장의 화포(畫布). **~heizung** *f.* 천장 (반사) 난방 (장치). **~hoch** *a.* 천장 높이의, 천장에 닿는. **~konstruktion** *f.* 천장 구조. **~lampe** *f.* 천장등. **~leuchte** *f.* ↑ ~lampe. **~licht** *n.* 천장〔지붕〕의 창을 통해서 들어오는 광선. **~macher** *m.* ↑ ~flechter. **~maler** *m.* 천장 그림 화가. **~malerei** *f.* ① 천장 회화(술). ② 천장화(畫). **~paneel** *n.* 천장에 댄 판자. **~putz** *m.* 〖건축〗 천장의 회칠〔모르타르〕. **~schalung** *f.* (천장에 콘크리트를 칠 때 밑에 대는) 널판. **~strahler** *m.* (서치라이트형) 천장 조명기. **~träger** *m.* 천장의 빔. **~ventilator** *m.* 천장의 환풍기〔선풍기〕. **~verkleidung** *f.* ① 천장의 상판 입히기. ② (원목·대리석의) 천장의 상판입히기용 재료.

Decker [dékər] 《<decken》 *m.* -s, - 지붕장이.

Deck≈erinnerung *f.* 〖心〗 은폐 기억. **~erlaubnis** *f.* 교미 허가. **~fähig** *a.* 생식 능력이 있는. **~farbe** *f.* 〖畫〗 불투명한 그림 물감; (초벌칠에 쓰이는) 안료(顏料). **~färbung** *f.* (동물의) 보호색. **~faß** *n.* 지붕을 이는 사람이 쓰는 통. **~feder** *f.* 〖動〗 깃털. **~firnis** *m.* 겉칠 니스. **~fläche** *f.* 〖기하〗 윗면. **~flügel** *m.* (뒷날개와 뒷몸체를 보호하는) 곤충의 앞날개. **~flügler** *m.* 〖動〗 초시류(鞘翅類), 딱정벌레목(目). **~fracht** *f.* 〖海〗 갑판 위의 선적 (↑ ~ladung). **~frucht** *f.* 〖農〗 간작 작물. **~gang** *m.* 복도, 은폐로(路), (두 건물을 잇는) 지붕 있는 복도. **~garn** *n.* (새·여우를 잡는) 그물 덫. **~glas** *n.* (현미경 표본의) 커버 글라스. **~haar** *n.* ① (포유 동물의) 가죽털. ② (정수리 부근의) 머리털. **~haus** *n.* ↑ Deckshaus. **~haut** *f.* 외피, 포피(包皮), 피막(皮膜). **~hengst** *m.* 씨말, 종마(種馬). **~kraft** *f.* 〔고어〕 바탕색을 불투명하게 만드는 성질. **~kräftig** *a.* 바탕색을 불투명하게 만드는. **~ladung, ~last** *f.* ↑ Decksladung. **~licht** *n.* (자동차 천장의) 실내등. **~mantel** *m.* 구실, 핑계, 가면, 가장, 은폐 수단: unter dem ~ der Freundschaft 우정을 핑계로. **~name** *m.* 가명, 익명, 예명, 아호. **~netz** *n.* ↑ ~garn. **~nummer** *f.* 비밀 번호. **~offizier** 《<Deck》 *m.* 해군 하사관. **~passagier** *m.* 〖海〗 1 등칸 선객. **~plane** *f.* (분리 가능한) 덮개, 포장. **~planke** *f.* 갑판의 두꺼운 판자. **~platte** 《<decken》 *f.* ① 〖工〗 덮개 판자, 상판; (판자 울타리의) 이음매에 대는 오리목. ② 〖악기〗 현악기의 상판. **~rasen** *m.* 덮개로 쓰는 잔디. **~rohr** *n.* 지붕을 이는 갈대. **~rüde** *m.* 〖축산〗 종견(種犬). **~schein** *m.* 〖축산〗 (씨받이 가축과의) 교미 증서. **~schicht** *f.* ① 〖건축〗 포장 도로의 표면. ② 〖사진·畫〗 보호막층. **~seuche** *f.* 〖축산〗 교미 때 옮겨지는 질병.

Decks·haus *n.* 갑판실.

Deck·sitz *m.* (2 층 버스 따위의) 상층석.

Decks·ladung 《<Deck》 *f.* 〖海〗 갑판 위의 선적.

Deck≈station *f.* 〖축산〗 종축장. **~stroh** *n.* 지붕을 이는 짚. **~stuhl** *m.* ① (지붕일 때 쓰는) 끈에 매인 의자. ② 상갑판의 선객용 의자. **~stütze** *f.* 〖海〗 갑판의 지주(支柱).

Deckung [dékuŋ] 《<decken》 *f.* -en ① 덮음, 피복(被覆); 〖軍〗 엄폐(물); 〖工〗 겉덮개, 겉뚜껑. ② 지붕(을 이는 일). ③ 〖스포츠〗 방어, 수비(수). ④ 〖商〗 보증, 담보, 충당(금); 상환, 배상; (수요 따위의) 충족. ⑤ (의견의) 일치; 〖數〗 합동; 〖哲〗 복합(覆合). ⑥ 교미.

Deckungs≈aufgabe *f.* 〖스포츠〗 수비 임무. **~auflage** *f.* 〖출판〗 (출판비를 충당하기 위하여 판매될) 책 부수. **~fehler** *m.* 〖스포츠〗 수비(수) 실책. **~feuer** *m.* 〖軍〗 엄호 사격. **~fonds** *m.* 보전(補塡)〔상환(償還)〕 자금.

~geschäft *n.* 〖經〗 ① ↑ ~kauf. ② (유가 증권·외국환의) 보전 매입. **~gleich** *a.* 〖기하〗 일치〔합동〕하는. **~gleichheit** *f.* 〖기하〗 합동. **~graben** *m.* 〖軍〗 엄폐호, 참호. **~kapital** *n.* ↑ ~rücklage. **~karte** *f.* 〖車〗 자동차 의무 보험 가입 신청 확인서(↑ Versicherungsbestätigungskarte). **~kauf** *m.* 〖商〗 보전(補塡) 구입, 보상 판매. **~kraft** *f.* 〖軍〗 비상 대기조. **~linie** *f.* 〖軍〗 차폐선. **~loch** *m.* ①〖軍〗 참호. ②〖經·비유·구어〗 보전 수단이 없는 지출. **~lücke** *f.* 〖經〗 ↑ ~loch ②. **~-mittel** *n.* 〔복수〕 책임 준비금, 보전 자금. **~pflicht** *f.* 보전 의무. **~rück·lage** *f.* (보험 회사의) 책임 준비금. **~spieler** *m.* 〖스포츠〗 수비수. **~summe** *f.* 〖經〗 보험 보장 최고 금액. **~truppe** *f.* 〖軍〗 엄호 부대. **~zusage** *f.* (보험 회사의) 배상 약속.

Deck=weiß *n.* 안 보이게 덧칠하는 백색 물감. **~werk** 《<decken》 *n.* 〖軍〗 차폐 공사. **~-wort** *n.* 〔복수: ..wörter〕 전신용 암호 문자. **~zeit** *f.* 교미기. **~zeug** 〔준고어〕 *n.* 식탁보.

Decoder [dɪkóʊdə] 《engl.》 *m.* -s, - 코드 해독기, 디코더.

decodieren *t.* ↑ dekodieren.

Decoding *n.* -s, -s ↑ Dekodierung.

Decollage [dekɔlá:ʒə] *f.* -n 〖畫〗 데콜라주(표면을 파괴·변형시켜 만든 미술 작품).

Decollagist [..laʒíst] *m.* -en, -en 데콜라주 창작 예술가.

Decollement [dekɔləmã́:] *n.* -s, -s 〖醫〗 (타박상에서 피부의) 박리(剝離).

Décolleté *n.* -s,-s ↑ Dekolleté.

decouragieren [dekuraʒí:rən] 《lat.》 〔교양〕 《I》 *t.* 낙담케〔풀죽게〕 하다. 《II》 **decouragiert** *p.a.* ↑ decouragiert.

decouragiert 《I》 *p.p.* ↑ decouragieren. 《II》 *p.a.* 낙담한, 용기 없는.

decresc. ↑ decrescendo.

decrescendo [dekrɛʃɛ́ndo] 《it.》 *adv.* 〖음악〗 (abnehmend) 점점 약하게.

Decrescendo *n.* -s, -s 〖음악〗 (소리가) 점점 약해짐(↔ Crescendo).

de dato [de: dá:to] 《lat.》〖商〗 (기입된) 날짜 이후(약어: d.d.).

Dedikation [dedikatsió:n] 《lat.》 *f.* -en ① 증정, 헌정, 헌납; 헌사(獻詞). ② 기부한 물건.

Dedikations·exemplar *n.* (저자의 헌사가 적힌) 증정본.

dedit 《lat.》〖商〗 영수필(약어: dt.).

dedizieren 《lat.》 *t.* ① 바치다, 드리다, 헌정〔증정〕하다. ② 선사하다.

Deduktion [deduktsió:n] 《lat.》 *f.* -en (↔ Induktion) 연역(법); 추론; 〖法〗 추정; 환불, 리베이트.

deduktiv *a.* 연역적인; 추정적인.

deduzierbar *a.* 연역〔추정〕될 수 있는.

deduzieren *t.* 연역하다; 추론하다.

Deemphasis [deɛ́mfazɪs] *f.* 〖무선〗 고음 증폭의 조정(↔ Preemphasis).

Deep·freezer [dí:pfri:zə] 《engl.》 *m.* -s, - 급속 냉동고〔실〕.

Deern [de:*r*n] *f.* -s (ndd.) ↑ Mädchen.

Deeskalation *f.* -en (단계적) 감축(↔ Eskalation).

deeskalieren *t.* 감축〔완화〕하다(↔ eskalieren): einen Konflikt ~ 갈등을 완화하다.

Deez *m.* -es, -e 〔구어〕 (berl.) ↑ Dez.

DEFA [dé:fa] *f.* = Deutsche Film-Aktiengesellschaft 〖구동독〗 독일 영화 주식 회사.

de facto [de:fákto] 《lat.》 사실상, 실제로.

De-facto-Anerkennung *f.* 〖法〗 사실상의 승인.

Defaitismus [..fɛ..] *m.* - ↑ Defätismus.

Defaitist *m.* -en, -en ↑ Defätist.

Defäkation 《lat.》 *f.* -en ① 정화, 순화, 오물 배출. ②〖醫〗 배변; (제당의) 청정법(淸淨法).

defäkieren *i.* 배변하다.

Defatigation *f.* -en 〖醫〗 피로, 탈진.

Defätismus [defɛtísmʊs] *m.* - 비관〔패배〕주의, 의기소침.

Defätist *m.* -en, -en 비관〔패배〕주의자.

defätistisch *a.* 패배주의적, 의기소침한.

defekt [defɛ́kt] 《lat.》 *a.* 결함〔흠〕이 있는; 훼손된: ~es Buch 낙장본.

Defekt *m.* -(e)s, -e 결함, 흠, 하자; 〖商〗 결손; 〔복수〕〖印〗 마멸된〔이지러진〕 활자, 낙장 있는 책: geistiger ~ 정신적 결함.

Defektar *m.* -s, -e (대량 소비 약품의) 약제사.

Defekt=bogen *m.* 〖印〗 (제본 전에) 결점이 있어서 빼놓은 책장. **~buch** *n.* 주문장(帳). **~buchstabe** *m.* 〖印〗 마멸된〔깨진〕 활자.

Defekten=kasten *m.* 〖印〗 마멸된 활자를 넣는 상자. **~protokoll** *n.* 〖法〗 결손 조서; 부족 비품표.

defektieren [defɛktí:rən] 《lat.》 *t.* ① 오산을 지적하다; 흠잡다. ②〖우편〗 도착하지 않은 우편물을 청구하다, 전송(轉送)을 청하다. ③ 결함을 메우다. ④ 주문하다. ⑤ 횡령〔착복〕하다.

defektiv [..tí:f] *a.* 결함〔흠〕 있는, 불완전한; 〖문법〗 굴절 형태가 불완전한: ~es Nomen 불완전한 굴절 형태의 명사.

Defektivität *f.* 결함, 흠.

Defektivum [..vʊm] *n.* -s, ..va 〖문법〗 굴절 형태가 불완전한 어휘(보기: 단수형이 없는 Leute).

Defekt=kasten *m.* 마멸된 활자를 넣는 상자. **~mutation** *f.* 기능 장애성 돌연 변이.

Defektur [..tú:*r*] *f.* -en ① (약국에서의) 약품 제조. ② (대량 소비) 약품의 재고.

Defeminatio *f.* -nes 〖醫〗 ↑ Defemination.

Defemination *f.* -en 〖醫〗 ① 여성의 성감 상실; 불감증. ②〔고어〕 (여성의) 남성화.

Defendent *m.* -en, -en ↑ Defensor.

defendieren 《lat. defendere》 *t.* 방어〔수비〕하다; 〖法〗 변호〔답변〕하다.

Defension [defɛnzió:n] 《lat.》 *f.* -en 방어, 수비; 변호, 옹호; 〖法〗 답변〔항변〕(서).

defensiv [..zí:f] *a.* ① (↔ offensiv) 방어의; 수세적인; 수비에 치중하는. ② 안전 위주의: ~ fahren 안전 운전을 하다.

Defensive [..zí:və] *f.* -n (↔ Offensive) 방어(전), 수비, 수세: jn. in die ~ drängen 누구를 수세에 몰다; aus der ~ in die Offensive übergehen 수세에서 공세로 전환하다.

Defensive=boxer *m.* 수비형 권투 선수. **~-bündnis** *n.* 〖軍〗 방어 동맹.

Defensiv=krieg *m.* 방어〔수비〕전. **~spiel** *n.* 〖스포츠〗 방어전. **~spieler** *m.* 〖스포츠〗 수비수. **~stellung** *f.* ↑ Defensive. **~taktik** *f.* 방어 전략〔전술〕.

Defensor [defɛ́nzɔr, ..zo:*r*] *m.* -s, -en [..zó:-

rən] 방어〔옹호〕자, 변호〔대리〕인; 〖가톨릭〗 관리인.
Deferenz 《lat.》 *f.* -en 복종; 승낙, 승복.
deferieren [deferí:rən] 《lat.》 〔고어〕 *t.* ① 〖法〗 선서를 요구하다. ② (청원을) 들어주다, 승낙하다.
Defibrator [..brá:tɔr, ..to:*r*] *m.* -s, -en [..tó:rən] (합판 제조용) 목재섬유 제작 기계.
defibrinieren *t.* 〖醫〗 (응고하지 않도록) 혈액의 섬유소를 제거하다.
deficiendo [defitʃέndo] 《lat.》 〖음악〗 속도와 음의 강도를 줄이면서.
Deficit-spending [dέfɪsɪt spέndɪŋ] 《engl.》 *n.* -s 〖經〗 초과 지출, 적자 재정.
Defiguration *f.* -en 기형(화), 불구.
defigurieren *t.* 기형으로〔불구로〕 만들다, 일그러뜨리다.
Défilé [defilé:] *n.* -s, - (öst.) ↑ Defilee.
Defilee [defilé:] 《frz.》 *n.* -s, -n/(schweiz.) -s 〔교양〕 좁은 길; 〖軍〗 분열 행진.
defilieren 《I》 *i.* (h./s.) 좁은 길을 가다; 〖軍〗 종대로 가다, 분열 행진하다. 《II》 *t.* 〖軍〗 (보루 따위를) 차폐하다.
Defilier·marsch *m.* 분열 행진.
Definiendum *n.* -s, ..da 〖언어〗 피규정어, 피규정 개념.
Definiens *n.* -, ..entia 〖언어〗 피규정어를 규정하는 개념, 규정어.
definierbar *a.* 정의할 수 있는, 한계를 명시할 수 있는: ein kaum ~es Lächeln 뜻을 알 듯 말 듯한 미소.
definieren [definí:rən] 《lat.》 《I》 *t.* 정의〔설명〕하다; 규정하다, 확정하다: einen Begriff exakt ~ 개념을 정확하게 설명하다. 《II》 *refl.* sich ~ 규정〔결정〕되다: sich durch den Beruf ~ 직업에 따라 결정되다.
definit [definí:t] *a.* 확정된, 한정적인.
Definition [..tsió:n] *f.* -en ① 정의(定義). ② 〖가톨릭〗 (교황이나 공의회의) 무오류 결정.
definitiv [..tí:f] *a.* 결정적〔확정적·최종적〕인: et. ~ aussagen 무엇을 확정적으로 이야기하다.
Definitivum [..vum] *n.* -s, ..va 최종 결정(상태), 최종 판결.
Definitor [..nítɔr, ..to:*r*] *m.* -s, -en [..tó:rən] ① 〖가톨릭〗 대교구의 재정 담당 보조원. ② 수도원의 최고 회의 (기관). ③ 〖논리〗 규정어와 피규정어의 연결 기호(약어: Def).
definitorisch *a.* 정의(定義)〔규정〕에 관계되는, 정의상의.
Defizient [defitsiέnt] 《lat.》 *m.* -en, -en ① (süddt., öst.) (퇴직한) 가톨릭 성직자. ② 〔고어〕 근무 부적격자〔불능자〕.
defizient *a.* 〔교양〕 불완전한, 부족한.
Defizit [dé:fitsɪt] 《lat.》 *n.* -s, -e 부족(액), 적자, 결손; 결핍.
defizitär [defitsité:*r*] 《frz.》 *a.* 결손이 나는, 적자를 내는.
Defizit⸗finanzierung *f.* -en 〖經〗 적자 재정. **~politik** *f.* 적자 정책.
Deflagration *f.* -en 불발 연소.
Deflation [deflatsió:n] 《lat.》 *f.* -en 〖經〗 (↔ Inflation) 디플레이션, 통화 수축; 〖지질〗 풍식(風蝕).
deflationär *a.* ↑ deflatorisch.
deflationieren *t.* 디플레이션을 일으키다.
deflationistisch *a.* ↑ deflatorisch.
Deflations⸗maßnahme *f.* 디플레이션〔통화 수축〕 조치. **~politik** *f.* 디플레이션 정책. **~prozeß** *m.* 디플레이션 과정. **~wanne** *f.* 〖지질〗 풍식으로 인해 깊게 팬 곳.
deflatorisch *a.* 디플레이션의〔을 일으키는〕.
deflektieren 《lat.》 《I》 *t.* 빗나가게〔기울어지게·쏠리게〕 하다. 《II》 *i.* (s.) 빗나가다, 기울다, 쏠리다.
Deflektion *f.* -en 빗나감, 일탈(逸脫), 쏠림; 〖理〗 편향, 편차; 휨, 기욺.
Deflektor [..flέktɔr, ..to:*r*] *m.* -s, -en [..tó:rən] (굴뚝 따위의) 전향(轉向) 장치; 〖전기〗 편사기(偏射器); 〖物〗 (사이클로트론의) 궤도 유도 장치, 전극.
Defloration [defloratsió:n] 《lat.》 *f.* -en 〔고어〕 꽃을 꺾음; 〔비유〕 처녀성을 잃게 함, 처녀막 파괴.
Deflorations·anspruch *m.* 〖法〗 처녀성 상실 보상 청구(권), 파혼 위자료 청구(권).
deflorieren *t.* 꽃을 꺾다; 처녀성을 빼앗다.
Deflorierung *f.* -en ↑ Defloration.
deform 《lat.》 *a.* 기형의; 보기 싫은, 흉한.
Deformation [defɔrmatsió:n] *f.* -en 일그러뜨림, 훼손, 손상; 〖醫〗 불구화, 기형; 〖理〗 변형, 뒤틀림; 〖畫·문학〗 데포르마시옹.
deformieren 《lat.》 *t.* 보기 흉하게 만들다; 〖理〗 변형시키다.
Deformität [defɔrmitέ:t] *f.* -en 〖醫〗 (기관이나 신체 부위의) 기형(물); 흉한〔보기 싫은〕 모양.
Defraudant [defraudánt] 《lat.》 *m.* -en, -en 〔고어〕 사기꾼, 횡령자; 탈세자; 관세 포탈자.
Defraudation [..tsió:n] *f.* -en 〔고어〕 사기; 탈세; 횡령, 착복; 관세 포탈.
defraudieren [defraudí:rən] *t./i.* (h.) 〔고어〕 속이다, 사기치다; 횡령하다; 탈세하다.
Defroster *m.* -s, - (자동차 유리창·냉동고 따위의) 성에 제거 장치.
Defroster·anlage *f.* ↑ Defroster.
Defter 《türk.》 *m.* -, - 문서, (특히 국가 재정의) 기록.
deftig [dέftɪç] *a.* 〔구어〕 (ndd.) ① 호된, 대단한: jn. ~ ausnutzen 누구를 실컷 이용하다. ② 영양가 많은, 즙 많은. ③ 거친, 저속한.
Deftigkeit *f.* ① 유능, 억셈. ② 영양가〔즙〕 많음. ③ 저속.
DEG = Deutsche Gesellschaft für Ernährung 독일 영양 학회.
Degagement [degaʒəmã́:] 《frz.》 *n.* -s, -s ① 〔고어〕 (의무·책임의) 면제; (약속의) 취소; 구속에서 벗어난 상태. ② 〖펜싱〗 (상대방의 검을) 빗나가게 하기.
degagieren [..ʒí:..] *t.* ① 〔고어〕 (의무·책임을) 면제하다; (약속을) 취소하다. ② 〖펜싱〗 (상대방의 검을) 빗나가게 하다, 피하다.
degagiert [..ʒí:..] *p.a.* 〔고어〕 자유로운, 해방된, 자연스러운, 무리가 없는; 〔방언〕 날쌘, 경쾌한; 경박한.
Degen¹ [dé:gən] 《ahd. degan》 *m.* -s, - 〔고어·시어〕 용사, 무사, 영웅.
***Degen²** 《frz. dague》 *m.* -s, - ① 검, 칼: den ~ ziehen 칼을 뽑다; zum ~ greifen 칼의 손잡이를 잡다; den ~ führen〔tragen〕 칼을 차고 있다. ② 치즈 (자르는) 칼; 〖工〗 검 모양의 것. ③ 〔비유〕 ↑ Degen¹. ④ 〔방언〕 부신(符信)

(Kerbholz). ⑤〖펜싱〗(날이 섯인) 펜싱용 칼; 펜싱 경기.

Degen≈band *n.* 검에 달린 끈. **~blatt** *n.* 칼날.

Degeneration [degeneratsió:n] 《lat.》 *f.* -en (↔ Regeneration) ①〖生〗(세포·조직·기관의) 퇴화. ② 퇴폐, 타락. ③〖醫〗 변성, 변질.

Degenerations·erscheinung *f.* 퇴폐적 현상; 퇴화한 현상.

degenerativ *a.* 퇴폐적인, 퇴화한.

degenerieren 《I》 *i.* (s.) 퇴화하다; 타락하다; 변질되다. 《II》 **degeneriert** *p.a.* ↑ degeneriert.

degeneriert 《I》 *p.p.* ↑ degenerieren. 《II》 *p.a.* 퇴화한; 타락한; 변질된.

Degen≈fechten *n.* 〖스포츠〗 펜싱 경기. **~fechter** *m.* 펜싱 선수. **~fisch** *m.*〖動〗 갈치. **~fläche** *f.* 칼의 면(面). **≈förmig** *a.* 검〔칼〕 모양의. **~futter** *n.* 칼집. **~gefäß** *n.* ↑ ~korb. **~gehänge, ~gehenk** *n.* 검대(劍帶). **~glocke** *f.* (칼의) 날밑. **~griff** *m.* 칼자루. **~gurt** *m.* 검대. **~kleid** 《<Degen[1]》 *n.* 궁정복, 예장(禮裝). **~klinge** *f.* 칼날. **~knopf** *m.* 칼자루 끝. **~koppel** *f.* 검대(劍帶). **~korb** *m.* 검의 손을 보호하는 부분, (칼의) 날밑. **~quaste** *f.* 칼의 장식끈, 장식술. **~scheide** *f.* 칼집. **~stock** *m.* 속에 칼이 든 지팡이. **~stoß** *m.* 칼로 찌르기.

Deglutination *f.* -en 〖언어〗 앞의 관사와 혼동되어 단어의 초두음으로 분리된 변화(보기: Natter<ein Otter).

Degout [degú:] 《frz.》 *m.* -s [..gú:s] 〔교양〕 혐오, 싫증, 불쾌.

degoutant [degutánt] *a.* 〔교양〕 혐오할 만한, 싫은, 불쾌한.

degoutieren [degutí:rən] *t.* 〔교양〕 불쾌하게 하다, 혐오감을 주다.

de grâce [də grá:s] 《frz.》 *int.* (mit Erlaubnis) 제발, 부탁이오니.

Degradation [degradatsió:n] 《lat. gradus》 *f.* -en 격하, 강등, 좌천; (작위 따위의) 박탈; 파면; 〖生〗 하강, 퇴화, 변성(變性); 〖化〗 감성(減性); 변질; 〖지질〗 토질의 저하.

degradieren *t.* ① 직급〔계급〕을 떨어뜨리다, 강등시키다: einen Offizier zum Gefreiten ~ 장교를 하사관으로 강등시키다. ② 격하시키다, 깎아내리다: Die Tragödie wurde zur Parodie degradiert 비극이 패러디로 격하되었다. ③ 좌천시키다; 파면하다: ein degradierter Priester 성직을 박탈당한 사제. ④ 토질을 저하〔퇴화〕시키다.

Degradierung *f.* -en ↑ Degradation.

degraissieren [degrɛsí:rən] *t.* 〖요리〗 (소스나 수프의) 기름기를 제거하다.

Degras [..grá] 《frz.》 *n.* - 무두질용 기름, 피혁용 유지(油脂).

degravieren [..ví:..] 《lat.》 *i.* (h.) 괴롭히다, 폐를 끼치다.

Degression *f.* -en ①〖經〗 (생산량 증가에 따른) 경비 체감. ②〖재정〗 (수입 감소에 따른) 과세율 인하.

degressiv [degrɛsí:f] 《lat.》 *a.* 〖經·재정〗 감소하는, 체감적인.

Degustation [degustatsió:n] 《lat.》 *f.* -en 맛보기, 시음, 시식; 포도주 맛보는 방.

de gustibus non est disputandum [de:gʊ́stibus nɔn ɛst dɪsputándum] 《lat.》 취미는 사람 나름(über Geschmack(sfragen) ist nicht zu streiten).

degustieren [degustí:rən] *t.* (schweiz.) 맛보다, 시음〔시식〕하다.

dehnbar [dé:nba:*r*] *a.* ① 늘일〔펼·넓힐〕 수 있는; 유연한; (금속 따위가) 단련할 수 있는; 신축성 있는: ein ~er Stoff 신축성 있는 재료. ② 연기할 수 있는; 융통성 있는. ③〔비유〕 막연한, 애매한: ein ~er Begriff 모호한 개념.

Dehnbarkeit *f.* 탄력성, 신축성, 연성(延性); 융통성; 애매.

***dehnen** [dé:nən] 《I》 *t.* ① 늘이다, 펴다, 넓히다; 연장하다, 팽창시키다; (말을) 길게 끌다; 느릿느릿 이야기하다: den Vokal ~ 모음을 장음으로 발음하다. ②〔비유〕 (말뜻을) 확대 해석하다. 《II》 *refl.* sich ~ ① 늘어나다, 펴지다, 넓어지다, 팽창하다: der Weg dehnt sich (in die Länge) 길이 길게 뻗어 있다; seine Brust dehnt sich vor Glück 행복감에 그의 가슴이 부풀어 오른다. ② 손발을 뻗다, 기지개를 켜다: sich nach dem Schlaf recken und ~ 잠잔 후에 기지개를 켜다. ③ 게으름피우다. ④ 〔비유·구어〕 오래 지속되다, 길어지다: die Sitzung dehnt sich 회의가 길어지다.

dehn≈fähig *a.* ↑ dehnbar. **≈fähigkeit** *f.* ↑ Dehnbarkeit. **≈fuge** *f.* ↑ Dehnungsfuge. **≈sonde** *f.* ①〖醫〗 (Bougie) 소식자, 확장기, 부지(요도·식도를 넓히는 도구). ② 탄력 계수; 탄성률. **≈stufe** *f.* (강변화 동사의 변화에서) 어간 모음의 장음화 단계(보기: bitten>bat).

Dehnung *f.* -en ① 신장, 확장, 연장, 팽창. ②〖문법〗 장음; 모음을 길게 발음함; 느릿느릿한 말투. ③ 확대 해석.

Dehnungs≈fuge *f.* 〖건축〗 (열팽창 계수를 고려한) 신축성 있는 이음매. **~-h** *n.* 〖문법〗 앞의 모음을 장음으로 만드는 h(보기: roh). **~messer** *m.* 신축성 측정기. **~zeichen** *n.* 〖문법〗 장음 기호.

Dehors [deó:*r*s] 《frz.》 〔복수〕 ① 체면, 예의; 외모: die ~ wahren 체면을 차리다. ②〖발레〗 (몸의) 바깥 방향으로의 회전.

Dehumanisation *f.* -en 비인간화, 인간 존엄성의 박탈, 인권 훼손.

dehumanisieren *t.* 비인간화하다, 인간 존엄성을 박탈하다, 인권을 훼손하다.

Dehumanisierung *f.* -en 비인간화, 인간 존엄성의 박탈, 인권 훼손.

Dehydrase *f.* -n 〖化〗 탈수소(脫水素) 산소.

Dehydratation *f.* -en 〖化〗 탈수(脫水).

Dehydration *f.* -en 〖化〗 탈수소 (작용).

dehydratisieren *t.* 〖化〗 탈수하다.

dehydrieren [dehydrí:rən] *t.* 〖化〗 …의 수소를 빼내다.

Dehydrierung *f.* -en 〖化〗 탈수소(작용).

Dei [daɪ] *m.* -s, -s ↑ Dey.

Deibel *m.* -s, - ①〔구어〕 악마(Deiwel). ②〔방언〕 붕어.

***Deich** [daɪç] *m.* -(e)s, -e 둑, 제방; 〔방언〕 작은 수로(水路), 도랑; 〔방언〕 방벽: einen ~ verstärken 제방을 보강하다; 〔경박·방언〕 mit et.[3] über den ~ gehen 무엇을 착복하고 몰래 도망치다.

Deich≈amt *n.* 제방국〔과〕(堤防局〔課〕). **~anker** *m.* 제방〔둑〕의 기초. **~arbeiter** *m.* 제방 공사 일꾼. **~bau** *m.* 제방 축조. **~beamte*** *der* 제방국원(局員). **~böschung** *f.* 제

방〔둑〕의 경사면. **~bruch** *m.* 제방의 붕괴.
deichen [dáiçən] 《I》 *t./i.* (h.) 둑〔제방〕을 쌓다, 제방 공사에 종사하다. 《II》 *i.* (s.) 〔방언〕 몰래 도망치다.
Deicher *m.* -s, - 제방 공사 일꾼.
Deich⸗fuß *m.* 제방〔둑〕의 기초〔토대〕. **~genossenschaft** *f.* ↑ ~verband. **~geschworene*** *der/die* 수리 조합원, 제방 감독관. **~graf** *m.*, **~haupt·mann** *m.* 수리 조합장. **~kamm** *m.*, **~koppe** *f.* 제방의 등성마루. **~krone** *f.* 제방의 윗면. **~land** *n.* 제방으로 보호되어 있는 토지. **~meister** *m.* 제방기사〔감독관〕. **~ordnung** *f.* 제방 조례〔규칙〕. **~pflicht** *f.* (제방의 유지·관리를 위한) 수리 조합원의 의무. **~richter** *m.* ↑ ~hauptmann. **~scharte** *f.* 제방을 횡단하는 교통로. **~schleuse** *f.* 배수용 수문(水門). **~schöffe** *m.* ↑ ~geschworene. **~schoß** *m.* 제방세(稅).
Deichsel[1] [dáiksəl] *f.* -n 수레의 채〔손잡이〕: die Pferde an die ~ spannen 말을 수레의 채에 매다.
Deichsel[2] *f.* -n (Dechsel) 손도끼, 자귀.
Deichsel⸗arm *m.* 채를 다는 막대. **~blech** *n.* 채 끝의 양철. **~bruch** *m.* 채의 파손. **~freiheit** *f.* 채를 자유롭게 움직일 수 있는 여지. **~gabel** *f.* 두 갈래로 갈라진 채. **~kreuz** *n.* ① (손수레 채의) 손잡이. ② Y 자형 십자가.
deichseln [dáiksəln] 《<Deichsel[2]》 *t.* ① 손도끼〔자귀〕로 세공하다. ② 〔비유·구어〕 (일을) 잘 해내다, 성취하다. ③ 궤도에 올리다.
Deichsel⸗nagel *m.* 채의 못. **~pferd** *n.* 채에 묶은 말. **~stange** *f.* 채로 사용되는 장대.
Deich⸗ufer *n.* 둑가. **~verband** *m.* 수리 조합. **~vogt** *m.* ↑ ~meister. **~weg** *m.* 둑길. **~wesen** *n.* 제방 관련 기관; 제방 사업.
Deifikation [deifikatsió:n] 《lat.》 *f.* -en 〔교양〕 신격화; 우상화.
deifizieren *t.* 〔교양〕 신격화하다; 우상화하다.
Dei gratia [dé:i grá:tsia] (von Gottes Gnaden) 신의 은총으로(약어: D.G.).
deiktisch [déiktıʃ, dáik..] 《gr.》 *a.* 지시적〔직시적〕인; 실물〔예증〕에 의거한: ~ begründet 직시적으로 증명된.
***dein** [dain] *prn.* 〔인칭 대명사 du 의 소유대명사; (편지에서는) ∼〕 ① 〔명사 앞에서〕 너의, 자네의, 그대의: ~ Vater 네 아버지; ~e Tasche 네 가방; ~ Buch 네 책; ~e Bücher 네 책들; ~ Zug fährt um 9 Uhr ab 네가 탈 기차는 9 시에 출발한다; tue ~ möglichstes! 최선을 다하라! ② 〔술어〕〔雅語〕 ich bin ~ 나는 당신 것이오. ③ 〔명사적〕 **(a)** Streit über mein und ~ 소유권을 둘러싼 다툼; das Mein und Dein 내 것과 네 것. **(b)** der〔die, das〕 **deine**, *pl.* die **deinen** 네 것: das war nicht mein Wunsch, sondern der ~e 그것은 내 소원이 아니라 네 소원이었다; 〔가끔 대문자〕 der〔die〕 ∼e 당신의 남편〔아내〕; das ∼e 네 것〔재산·의무〕; 〔복수〕 die ∼en 네 가족〔신하·친구〕. **(c) deiner** *m.*, **deine** *f.*, **deines** *n.*, **deine** *pl.* 네 것: mein Bruder und ~er 내 형과〔아우와〕 네 형〔아우〕.
***deiner** *prn.* 〔인칭 대명사 du 의 2 격〕 ich gedenke ~ 나는 너를 잊지 않는다(↑ du).
deiner·seits *adv.* 〔편지에서는 ∼〕 네〔그대〕 쪽〔편〕에서.
deines⸗gleichen *prn.* 〔편지에서는 ∼〕 너〔그대〕와 같은 사람. **~teils** 〔편지에서는 ∼〕 ↑ deinerseits.
deinet⸗halben *adv.* ↑ ~wegen. **~wegen** *adv.* 〔편지에서는 ∼〕 너〔그대〕를 위하여〔생각하여〕. **~willen** *adv.* 〔다음 용법으로만〕 um ~ ↑ ~wegen.
deinige [dáinıgə] *prn.* *der/die/das*; *pl.* *die* -n 〔소유 대명사로 단수 중성은 재산·의무를, 복수는 가족·친구·부하를 뜻함〕〔교양〕 그대〔너〕의 것: dieses Haus ist nicht das ~ 이 집은 네 것이 아니다; tue das ∼! 그대〔너〕의 의무를 다하라!; ewig der〔die〕 Dein(ig)e 영원히 당신의 …(편지 맺음말).
Deining [dáinıŋ] *f.* -en ↑ Deinung.
deinken [deínkən] *t.* Altpapier ~ 폐지의 인쇄 잉크를 (재생을 위해) 제거하다.
Deinung [..nuŋ] *f.* -en 〔방언〕 부서지는 물결; 높은〔큰〕 파도.
Deise *f.* -n 훈제소(燻製所).
Deismus [deísmus] 《lat. <Deus》 *m.* - 〔哲〕 이신론(理神論), 자연신론(神論), 자연신교(教).
Deist *m.* -en, -en 이신론자.
deistisch *a.* 이신론의.
Deiwel [dáivəl] *m.* -s, - (ndd.) 악마.
Deixel [dáiksəl] *m.* -s (md., obd.) 악마: pfui ~! 제기랄, 빌어먹을!
deixeln [dáiksəln] *t.* ↑ deichseln.
Déjà-vu-Erlebnis [deʒavý:..] *n.* 〔心〕 (현상황을 이미 체험했다고 생각하는) 회상 착각.
Dejekt [dejékt] 《lat.》 *n.* -(e)s, -e 〔醫〕 배설물, 똥오줌.
Dejektion *f.* -en 〔醫〕 배변, 배설.
Dejeuner [deʒøné:] 《frz.》 *n.* -s, -s [..né:s] ① 〔고어〕 아침 (식사), 조반; 〔교양〕 새참. ② (아침 식사용) 식기.
dejeunieren [deʒøní:rən] *i.* (h.) 〔고어〕 아침〔조반〕을 들다.
dejizieren [dejitsí:rən] 《lat.》 *t.* 제거〔배출·방축〕하다.
de jure [de:jú:rə] 《lat.》 (von Rechts wegen) (↔ de facto) 합법적으로, 법률상 정식으로.
De-jure-Anerkennung *f.* 〔法〕 정식〔합법적·법률상〕 승인.
Deka [déka] *n.* -, - (öst.) ↑ Dekagramm 의 약어.
deka.. *pref.* 〔모음 앞에서는 dek..〕 "10"의 뜻.
Dekabrist [..bríst] 《russ.》 *m.* -en, -en 〔史〕 데카브리스트, 12 월당원(1825 년 12 월 러시아의 니콜라우스 I 세에 대항하여 봉기한 장교 가담자들).
Dekade [..ká:də] 《gr.》 *f.* -n 10 의 수; 10 개〔편·권〕; 10 일간〔주간·년간〕.
dekadent [dekadént] 《lat.》 *a.* 퇴폐적인, 타락한.
Dekadenz [dekadénts] *f.* 퇴폐, 타락; (특히 19 세기말의) 데카당스.
dekadisch [deká:dıʃ] 《gr.》 *a.* 10 의, 10 으로 된: ~es System 십진법.
Dekaeder [..é:dər] *n.* -s, - 〔기하〕 10 면체.
Dekagon [..gó:n] *n.* -s, -e 〔기하〕 10 각형.
Dekagramm *n.* -s, -e/(단위) - 10 그램 (기호: Dg; (öst.) dkg).

Dekaliter *n.* -s, - 10 리터(기호: Dl; (öst.) dkl).

dekalkieren [dekalkí:rən] 《frz.》 *t.* 대고 베끼다, 복사하다.

Dekalkier·papier *n.* (도안·그림을 도자기·유리에 옮기는) 복사 그림 종이, 전사지.

Dekalog [dekaló:k] 《gr.》 *m.* -(e)s 〖기독교〗 모세의 십계명.

Dekameron [deká:mərɔn] 《gr. -it.》 *n.* -s 데카메론(이탈리아의 작가 G. Boccaccio 의 소설집).

Dekameter [..mé:tər] *n.* -s, - 10 미터(기호: Dm; (öst.) dkm).

dekampieren [dekampí:rən] 《frz. camp》 *i.* (h.) 철영(撤營)〔철수〕하다.

***Dekan** [deká:n] 《lat.》 *m.* -s, -e ① (대학의) 학장. ②〖가톨릭〗 대교구 수석 사제(司祭); 베네딕트 수도원장; 수석 수사(修士). ③ (신교의) 교구 감독. ④ (고대 로마의) 십인 대장(隊長); (이탈리아 귀족 등의) 하인 우두머리. ⑤〖天〗 (고대 이집트 천문학의) 수대궁(獸帶宮).

Dekanat *n.* -(e)s, -e (대학의) 학장직; 〖가톨릭〗 대교구 수석 사제직 또는 그 교구.

Dekanei *f.* -en 사제〔학장〕의 공관.

dekantieren [dekantí:rən] 《frz.》 *t.* 〖化〗 (침전물을 제거하기 위해) 기울여서 따르다; 윗물을 가만히 따라 옮기다.

dekapieren [dekapí:rən] 《frz.》 *t.* 〖工〗 (금속을) 부식제로 닦다, 산(酸)으로 씻다.

Dekapitation [dekapitatsió:n] 《lat.》 *f.* -en 목을 벰, 참수; 〖醫〗 단두술(斷頭術).

dekapitieren *i* (h.) 〖醫〗 단두 수술을 하다.

Dekapode [dekapó:də] 《gr.》 *m.* -n, -n 〖動〗 십각류(十脚類).

Dekapsulation *f.* -en 〖醫〗 피막 박리술(被膜剝離術).

dekaptieren *i.* (h.) ↑ dekapitieren.

Dekar [deká:r] *n.* -s, -e/(단위로 사용될 때) - 데카르, 10 아르(1 아르=100 제곱미터; 지적(地積) 단위).

Dekare [deká:rə] *f.* -n ↑ Dekar.

dekartellieren [dekartɛlí:rən] *t.* 〖經〗 카르텔을 해체하다.

dekartellisieren [dekartɛlizí:rən] *t.* ↑ dekartellieren.

Dekartellisierung *f.* -en 〖經〗 카르텔 해체.

Dekaster [dekasté:r] *m.* -s, -e/-s/(단위) 데카스터(10 세제곱미터; 목재의 용적 단위).

Dekateur [..tǿ:r] 《frz.》 *m.* -s, -e 〖섬유〗 가열 압축공, 증기 처리공.

dekatieren *t.* (직물을 증기로) 가열 수축하다; (직물의) 광을 없애다.

Dekatierer *m.* -s, - ↑ Dekateur.

Dekatur *f.* -en (모직물) 증기 처리.

Deklamation [deklamatsió:n] 《lat.》 *f.* -en ① (문학 작품의 기교적) 낭독, 낭송, 암송. ②〔대개 복수〕〔구어·폄어〕 미사여구를 늘어놓는 연설, 열변, 장광설: leere ~en 공허한 장광설. ③〖음악〗 낭송법, 낭송조.

Deklamator [..má:tɔr, ..to:r] *m.* -s, -en [..tó:rən] 낭독가, 낭송가; 암송자; 열변가.

Deklamatorik *f.* 낭독술, 낭송술.

deklamatorisch *a.* 낭독조〔낭독투〕의; 연설투의; 미사여구적인; 〔구어·농담〕 열변의, 절규와 같은.

deklamieren 《lat.》 《I》 *i.* 낭독〔낭송〕하다; 암송하다. 《II》 *t.* 미사여구를 늘어놓으며 연설하다; 〔구어·농담〕 열변을 토하다, 절규하다; 〔음악〕 낭독조로 노래하다.

Deklarant [deklaránt] 《lat.》 *m.* -en, -en 〖商〗 (자진) 신고자.

Deklaration [..tsió:n] 《lat.》 *f.* -en ①〖法〗 (Erklärung) 선언, 표명; 공시. ②〖商〗 (세관에 하는) 신고; (가격 따위의) 표기; (파산) 선고.

deklarativ *a.* 선언 형식의, 선언하는.

deklaratorisch *a.* ① 선언 형식의. ②〖法〗 선언적(인): ~e Wirkung 선언적 효과.

deklarieren 《I》 *t.* ① 선언〔표명〕하다. ② (상품을 세관에) 신고하다; (가격·내용을) 표기하다. ③ jn.〔et.〕 als jn.〔et.〕 ~ 누구를〔무엇을〕 누구라고〔무엇이라고〕 칭하다〔부르다〕. 《II》 **deklariert** *p.a.* deklariert.

deklariert 《I》 *p.p.* deklarieren. 《II》 *p.a.* 공공연한, 명백한.

Deklarierung *f.* -en ① 신고; 표기. ②〔드물게〕 선언.

deklassieren [deklasí:rən] *t.* ① 더 낮은 사회 계급〔계층〕으로 떨어뜨리다; 영락케 하다: gesellschaftlich deklassiert sein 사회적 신분이 낮아지다. ②〔스포츠〕 압승을 거두다: der Herausforderer deklassierte den Weltmeister 도전자가 세계 챔피언에게 압승을 거두었다.

Deklassierung *f.* -en 사회적 신분의 하락.

deklinabel [dekliná:bəl] 《lat.》 *a.* 〖문법〗 변화할 수 있는.

Deklination [deklinatsió:n] *f.* -en ① 기울어짐; 편행(偏行); 〖天·物〗 방위각, 편각(偏角); 〖天〗 적위(赤緯). ②〖문법〗 (명사·대명사·형용사의) 변화, 굴절.

Deklinations·endung *f.* 〖문법〗 굴절 어미.

Deklinator [..ná:tɔr, ..to:r] *m.* -s, -en [..tó:rən] 방위각계(方位角計).

Deklinatorium [..tó:riʊm] *n.* -s, ..rien [..riən] ↑ Deklinator.

deklinierbar *a.* ↑ deklinabel.

***deklinieren** 《I》 *t.* 〖문법〗 변화〔굴절〕시키다. 《II》 *i.* (h.) 〖物·天〗 빗나가다, 편의(偏倚)하다.

dekodieren *t.* (코드·암호를) 해독하다: ein Funksignal ~ 무선 신호를 해독하다.

Dekodierung *f.* -en (코드·암호의) 해독.

Dekokt [dekɔ́kt] 《lat.》 *n* -(e)s, -e 〖藥〗 (약을) 달임, 탕약.

Dekolleté [dekɔlәté:] 《frz.》 *n.* -s, -s 여성복의 가슴이나 목덜미를 노출시키는 마름질: ein gewagtes, tiefes ~ 노출이 심한 대담한 복장.

Dekolletee **新정서** ⇦ Dekolleté.

dekolletieren [dekɔlətí:rən, ..le..] 《I》 *t.* ① 목덜미를〔가슴을·어깨를〕 노출하다; (옷의 가슴이나 등을) 깊이 파서 마름질하다. 《II》 *refl.* sich ~ 〔구어〕 약점을 드러내다. 《II》 **dekolletiert** *p.a.* dekolletiert.

dekolletiert 《I》 *p.p.* ↑ dekolletieren. 《II》 *p.a.* (여성복에서) 목덜미를〔가슴을·어깨를〕 노출시킨.

Dekolonialisierung *f.* -en ↑ Dekolonisation.

Dekolonisation *f.* -en 탈식민지화, 식민지 해방.

dekolonisieren *t.* 식민지를 해방시키다.

Dekolonisierung *f.* -en ↑ Dekolonisation.

dekolorieren *t.* 탈색하다.
Dekompensation *f.* -en 〖醫〗 (장기 특히 심장의) 대상 부전(代償不全), 실조.
dekomponieren [dekɔmponí:rən] 《lat.》 *t.* 〔교양〕 분해하다; 용해하다; 〖언어〗 분석하다.
Dekomposition *f.* -en 〔교양〕 분해, 해체; 용해; 〖醫〗 소아 소모증(消耗症); 〖언어〗 분석.
dekompositorisch *a.* 〔교양〕 분해하는, 파괴하는.
Dekompositum *n.* -s, ..ta 〖문법〗 이중 복합어(보기: Armbanduhr); 복합어의 파생어(보기: Haushaltung<haushalten).
Dekompression *f.* -en ① 〖工〗 감압(減壓). ② (오랫동안 과잉 압력을 받은 생체의) 점진적인 압력 감소.
Dekompressions≈kammer *f.* 감압실. **~krankheit** *f.* 감압증, 케이슨병(Caissonkrankheit).
dekomprimieren *t.* 압력을 감소시키다; 〖컴〗 (압축 파일을) 풀다.
Dekomprimierung *f.* -en 감압.
Dekonditionation *f.* -en (우주 비행에서 무중력 상태로 인한) 체력 감소.
Dekontamination *f.* -en ① 〖物〗 원자로의 방사능 오염 물질 제거. ② 〖軍〗 (핵·생화학 무기로 인한) 오염 제거〔해독〕 조치.
dekontaminieren *t.* 〖物〗 원자로에서 제거하다; 〖軍〗 (방사능 물질을) 제거〔해독〕하다.
Dekontaminierung *f.* -en ↑ Dekontamination.
Dekonzentration *f.* -en 확산, 분해, 분산, 해산, 해체.
dekonzentrieren *t.* 분산시키다, 해체하다.
Dekonzentrierung *f.* 분산, 해체.
Dekor [dekó:*r*] *m./n.* -s, -s/-e ① 장식; (유리나 도자기에 새겨진) 무늬. ② 〖연극〗 무대 장치.
Dekorateur [..tǿ:*r*] *m.* -s, -e ① 실내 장식가; 〖연극·영화〗 무대 예술가. ② (3 년의 실습 기간을 요하는) 교직.
Dekorateurin *f.* -nen ↑ Dekorateur 의 여성형.
Dekoration *f.* -en 장식, 미장(美裝); 〖연극·영화〗 무대 장치〔배경〕; 〔반어〕 훈장.
Dekorations≈arbeit *f.* 장식 작업. **~blume** *f.* 장식용 조화. **~element** *n.* (큰 장식의 일부분으로 사용되는) 장식 부품. **~kunst** *f.* ① 장식 미술. ② 장식 기술. **~maler** *m.* 장식〔무대 배경〕 화가. **~malerei** *f.* 장식화; 무대 배경화. **~papier** *n.* 장식용 (단색 플래카드) 용지. **~pflanze** 장식용 식물. **~stoff** *m.* 커튼용〔벽걸이용〕 천. **~stück** *n.* 장식 부품. **~wechsel** *m.* 장식 변경〔교체〕.
dekorativ [dekoratí:f] *a.* 장식의, 장식적인, 장식용의.
dekorieren *t.* ① 꾸미다, 장식하다. ② 훈장을 수여하다.
Dekorierung *f.* -en ① 장식. ② 훈장 수여.
Dekort [dekó:*r*, dekɔ́rt] 《frz.》 *m.* -s, -e 〖商〗 ① (포장 불량·중량 부족·품질 불량으로 인한) 할인. ② (수출업에서의) 할인.
dekortieren *t.* 〖商〗 할인하다.
Dekorum [dekó:rʊm] 《lat.》 *n.* -s 〔고어〕 외모; 체면: das ~ wahren 체면을 차리다.
Deko·stoff [dé:ko..] *m.* ↑ Dekorationsstoff 의 단축형.
Dekrement [dekremɛ́nt] 《lat.》 *n.* -(e)s, -e 감소, 저하; 〖數〗 감소량, 감소율; 〖醫〗 증후의 감소.
dekrepit [dekrepí:t] 《lat.》 *a.* 쇠약〔노쇠〕한; 영락한; 낡아빠진.
Dekrepitation [..pitatsió:n] *f.* -en 〖化〗 (결정체·소금을 태워) 가루로 만들기.
dekrepitieren 〖化〗 《Ⅰ》 *t.* (결정체·소금을) 굽다〔볶다〕. 《Ⅱ》 *i.* (s.) (결정체·소금이) 타닥거리며 타서 가루가 되다.
Dekrescendo [dekrɛʃɛ́ndo] 《it.》 *n.* -s, -s/..di 〖음악〗 ↑ Decrescendo.
Dekreszenz [dekrɛstsɛ́nts] 《lat.》 *f.* -en 감소; 〖음악〗 음을 점점 약하게 함.
Dekret [dekré:t] 《lat.》 *n.* -(e)s, -e 명령, 법령, 훈령, 포고; 〖宗〗 천명(天命); 교령(敎令); 〖法〗 판결(서), 선고.
Dekretale [dekretá:lə] *n.* -, ..lien [..liən] 〔*f.* -n〕 교황의 교령; 〔복수〕 교황의 교령집.
Dekretalist *m.* -en, -en ↑ Dekretist.
dekretieren *t.* ① 명령〔포고·훈령〕하다. ② 판결〔결재〕하다.
Dekretist *m.* -en, -en 〖가톨릭〗 (12 세기 이후의) 교회법 교사.
dekryptieren *t.* (암호문을) 해독하려고 시도하다.
Dekubitus *m.* - 〖醫〗 욕창(褥瘡).
Dekumatenland [dekumá:tən..] 《lat.》 *n.* -(e)s 〖史〗 데쿠마텐란트(라인강과 도나우강 사이에 있던 옛 로마의 식민지).
Dekumatland [dekumá:t..] 《lat.》 *n.* -(e)s ↑ Dekumatenland.
dekupieren [dekupí:rən] 《frz.》 *t.* (실톱으로) 절단하다, 물결 모양으로 도려내다.
Dekupier·säge *f.* 실톱.
Dekurie [dekú:riə] 《lat. decem》 *f.* -n (고대 로마의) 원로원 10 인조, 10 인조 기병 분대.
Dekurio *m.* -s/-nen, -nen (고대 로마의) 원로원 10 인조의 조원, 10 인조 기병 분대장.
dekussiert [dekusí:*r*t] 《lat.》 *a.* 〖植〗 (잎의) 십자 대생(對生)의.
Dekuvert [dekuvɛ́:*r*] 《frz.》 *n.* -s, -s 〖商〗 무담보 채무; 대금 미회수; 수입 결손.
dekuvrieren 〔교양〕 《Ⅰ》 *t.* 밝혀 내다, 폭로하다, 들추어내다: ein Geheimnis ~ 비밀을 폭로하다; jn. als Lügner ~ 누구를 거짓말쟁이로 폭로하다. 《Ⅱ》 *refl.* sich ~ 정체를 드러내다.
Dekuvrierung *f.* -en 〔교양〕 폭로.
del.[1] =deleatur 삭제하다.
del.[2] =delineavit …작(作).
Delaborierungs·wagen *m.* 폭발물 뇌관 제거 차량.
Delaktation [delaktatsió:n] 《lat. lac, „Milch"》 *f.* -en 젖떼기, 이유(離乳).
Delat [delá:t] 《lat.》 *m.* -en, -en 피고; 선서를 요구받은 자〔사람〕.
Delation [..tsió:n] *f.* -en 고소, 고발, 밀고; (유산 따위의) 양도; 선서 요구.
Delator [..lá:tɔr, ..to:*r*] *m.* -s/-en, -en [..tó:rən] 밀고자, 고소자.
delatorisch *a.* 고소의, 고발의; 밀고하기 좋아하는; 배반하는, 배신적인; 비방하는.
deleatur [deleá:tʊr] 《lat.》 〖印〗 (글자 따위를) 삭제하라, 지워라(약어: del.).
Deleatur *n.* -s, - 삭제 기호.

Deleatur·zeichen *n.* ↑ Deleatur.
Delegat [delegá:t] 《lat.》 *m.* -en, -en 파견 위원, (전권을 부여받은) 사절; 〖가톨릭〗 교황의 사절.
***Delegation** [..tsió:n] *f.* -en ① 대표〔전권 사절〕의 파견; 〔집합적〕 파견단, 사절단, 대표단: die britische ~ 영국 대표단; eine ~ von Abgeordneten 국회의원 (외교) 사절단; eine ~ zu der Tagung entsenden 회의에 대표단을 파견하다. ②〖法〗 권한 위임〔양도〕: ~ einer Vollmacht〔Schuld〕 전권 위임〔채무 양도〕.
Delegations·chef *m.* ↑ ~leiter. **~leiter** *m.* 대표단장. **~mitglied** *n.*, **~teil·nehmer** *m.* 대표단원.
Delegatur [..tú:*r*] *f.* -en 〖가톨릭〗 교황 사절의 직〔관할 구역〕.
delegieren *t.* ① 대표로 (뽑아) 파견하다; 전권을 위임하다; jn. zu einer Konferenz ~ 누구를 회의에 파견하다; eine Aufgabe an〔auf〕 jn. ~ 누구에게 임무를 맡기다. ② (채무·채권을) 양도하다.
Delegierte* *der/die* (Delegat) 파견 대표, 전권 사절.
Delegierten·konferenz *f.*, **~versammlung** *f.* 대표단 회의.
Delegierung *f.* -en 대표단 파견.
delektabel *a.* 재미있는, 즐거움을 주는: ein ~es Programm 오락 프로그램.
delektieren [delɛktí:rən] 《lat.》 《Ⅰ》 *t.* 〔교양〕 jn. (mit et.³) ~ 누구를 (무엇으로) 즐겁게〔기쁘게〕 하다. 《Ⅱ》 *refl.* sich an et³ ~ …을 즐기다〔즐겨먹다〕: er delektiert sich an Süßigkeiten 그는 단것을 즐겨 먹는다.
deletär [deletέ:*r*] *a.* 〖醫〗 유독한, 해로운, 치명적인.
Deletion *f.* -en ①〖生〗 특정 염색체의 절단. ②〖언어〗 삭제.
Delfin [dɛlfí:n] *m.*-s, -s ↑ Delphin¹.
Delft [dɛlft] 델프트(네덜란드 남서부의 도시).
Delfter *a.* 델프트의: ~ Fayencen 델프트에서 구운 도자기.
Delfter·ware *f.* ↑ Delftware.
Delft·ware *f.* ① 델프트에서 구운 도자기. ② 인디고로 물들인 무명.
Delhi [dé:li] 델리(인도의 수도).
Deliberation [delibəratsió:n] 《lat.》 *f.* -en 숙고, 협의; 상담.
Deliberations·frist *f.* 숙고 기간.
Deliberativ·stimme *f.* 〖政〗 (정치 협의 기구에서) 표결권 없이 조언만 하는 발언권(↔ Dezisivstimme).
deliberieren *t.* 숙고하다; 협의〔상담〕하다.
Delice [delí:s] 《frz.》 *f.* -n 쾌락, 환희; 진미, 감미로운 것.
***delikat** [deliká:t] 《lat.》 *a.* ① 맛좋은, 맛있는, 감미로운: ~e Speisen 맛있는 음식; es schmeckt ~ 맛있다; das ~e Aroma des Tabaks 담배의 그윽한 향내. ② 미묘한, 까다로운, 신중을 요하는: ~e Angelegenheiten 신중을 요하는 사안들. ③ 섬세한; 우아한, 멋있는, 세련된. ④ 가냘픈, 연약한; 다감한; 세심한; 민감한, 예민한: ein ~er Mensch 민감한 사람.
delikatess.. 新정서 ⇦ delikateß...
Delikatesse [..tέsə] 《frz.》 *f.* -n ① 맛있는 음식, 진미 식품. ② 까다로움, 곤란. ③ 섬세, 미묘; 우아, 고상, 멋. ④ 동정심; 세심. ⑤ 연약, 가냘픔; 민감, 예민.
Delikatessen·geschäft *n.*, **~handlung** *f.* ↑ Delikateßgeschäft.
Delikateß·geschäft *n.* 진미 식품 전문점, 고급 식품점. **~gurke** *f.* (특별히 맛을 낸) 오이지. **~laden** *m.* ↑ ~geschäft. **~senf** *m.* 맛좋은 겨자. **~waren** *pl.* 진미 식품.
Delikat·laden *m.* 〖구동독〗 ↑ Delikateßgeschäft.
Delikt [delíkt] 《lat.》 *n.* -(e)s, -e 〖法〗 불법〔위법〕 행위, 범죄, 범행.
deliktisch *a.* 불법〔위법〕 행위의.
Delimiter *m.* 〖컴〗 구분 문자(자료의 항목을 구분하는 특수 기호).
delimitieren [delimití:rən] 《lat.》 *t.* (abgrenzen) 경계를 정하다〔고치다〕.
delineavit [delineá:vɪt] 《lat.》 (특히 동판화에서 예술가의 이름과 함께) …작(作), …화(畫) (약어: del., delin.)
Delinquent [delɪŋkvέnt] 《lat.》 *m.* -en, -en 위반자, 범법자, 범죄자; 피고(인).
delinquent *a.* 〔雅語〕 범법의, 처벌받아야 할.
Delinquenz *f.* 〔雅語〕 범법, 범죄.
delirant *a.* 〖醫〗 정신 착란의.
delirieren [delirí:rən] 《lat.》 *i.* (h.) 〔교양〕 헛소리를 하다, 정신 착란 증세를 보이다.
Delirium [delí:riυm] *n.* -s, ..rien [..riən] ↑ ~ tremens; 〔교양〕 헛소리; 착란 상태; 〔비유〕 열중, 무아경.
Delirium tremens [..tré:mɛns] *n.* -, - 〖醫〗 (알코올 중독에 의한) 정신 착란.
delisch [dé:lɪʃ] *a.* ① 델로스(Delos) 섬의. ② das ~e Problem 델로스의 문제, 풀 수 없는 문제.
deliziös [delitsiǿ:s] 《frz.》 *a.* 〔雅語〕 기분 좋은, 즐거운, 멋진, 맛좋은.
Delizius *m.* -, - ↑ Golden Delicious.
Delkredere [dɛlkré:dərə] 《it.》 *n.* -, - 〖商〗 지급 (능력) 보증: ~ stehen für et. 무엇의 지급을 보증함.
Delkredere·fonds *m.* 〖商〗 손해 보전 준비금.
Delle [dέlə] *f.* -n ① 종양(腫瘍); 〔구어〕 움폭 들어간 곳: eine ~ in et. schlagen 무엇을 두들겨 오목하게 하다. ②〖지질〗 (골짜기에 물이 빠져 생긴) 타원형 분지. ③ (ndd., md.) 울타리의 외(椳).
Delogement [..ʒəmã́:] 《frz.》 *n.* -s, -s 강제 퇴거〔이주·철거〕; 〖軍〗 진영의 철거〔이동〕.
delogieren [deloʒí:rən] 《Ⅰ》 *i.* (s.) 〖軍〗 진영을 철거〔이동〕하다. 《Ⅱ》 *t.* (강제로) 퇴거〔이주·철거〕시키다.
Delogierung [..ʒí:rυŋ] *f.* -en (강제) 퇴거.
Delos [dé:lɔs] 델로스(에게해의 섬).
Delphi [dέlfi] 델포이(아폴로 신전이 있던 그리스의 옛 도시).
***Delphin**¹ [dɛlfí:n] 《gr.》 *m.* -s, -e 〖動〗 돌고래; 〖天〗 돌고래자리.
Delphin² *m.* -s 〔수영〕 접영(蝶泳), 버터플라이.
Delphinarium [..finá:riυm] *n.* -s, ..rien [..riən] 돌고래 조련장〔곡예장〕.
Delphinologe *m.* -n, -n 돌고래 연구가.
delphin·schwimmen *i.* (h./s.) 〔대개 부정

형〗 접영을 하다. ~**schwimmen** *n.*〖수영〗 접영(蝶泳), 버터플라이. ~**schwimmer** *m.* 접영〔버터플라이〕 선수. ~**sprung** *m.*〖수영〗 뒤로 점프하여 앞으로 회전하면서 입수하는 다이빙.

delphisch [dɛ́lfɪʃ] *a.* ① 델포이의: ~es Orakel 델포이에 있는 아폴로의 신탁(神託). ② 신탁의; 〔비유〕 애매한, 불가사의한: ein ~es Rätsel 풀기 어려운 수수께끼.

Delta[1] [dɛ́lta] 《gr.》 *n.* -(s), -s ① 그리스어 자모의 네 번째 글자(Δ, δ). ②〖數〗 델타(3 각형이나 증분(增分)의 기호).

Delta[2] *n.* -s, -s/..ten 델타 모양의 것; 〖지질〗 델타, (강 하구의) 삼각주.

Delta≈bildung *f.* 델타〔삼각주〕 형성. ~**drachen** *m.* 삼각형 모양의 연. ~**flieger** *m.* ↑ Drachenflieger. ~**flügel** *m.* (비행기의) 삼각 날개. ~**förmig** *a.* 삼각형의. ~**gebiet** *n.* 삼각주 지역. ~**gleiter** *m.* ↑ ~drachen. ~**metall** *n.*〖工〗 델타 메탈(구리·철·아연의 합금). ~**mündung** *f.* 삼각주, 삼각주가 형성된 강하구. ~**muskel** *m.*〖해부〗 삼각근(筋). ~**region** *f.* ↑ ~gebiet. ~**strahlen** *pl.*〖物〗 델타 광선.

Deltoid [dɛltoí:t] 《gr.》 *n.* -(e)s, -e〖기하〗 편능형(偏菱形).

Deltoid·dodekaeder *n.*〖광물〗 편능형 12 면체.

Delusion [deluzió:n] *f.* -en〔고어·교양〕 ① 조롱. ② (눈)속임, 기만.

delusorisch *a.*〔고어·교양〕 ① 조롱하는. ② 속이는, 기만하는.

de Luxe [dəlýks] 《frz.》〔자주 다른 말의 뒤에 첨가됨〕 호화판의: China-Tourismus ~ 호화판 중국 여행.

De-Luxe-Ausstattung *f.* 호화로운 장식〔설비·장정〕.

*__dem__ [de(:)m, dəm]〔정관사·대명사 der 및 das 의 3 격〕 helfen Sie ~ Mann? (그) 남자를 돕습니까?; bei alle ~ 그럼에도 불구하고; ~ ist so 그건 그렇다; es ist an ~ 그것은 정말이다; wie ~ auch sei 어떻든, 여하간; wenn ~ so ist 만일 그렇다면.

*__Demagoge__ [demagó:gə] 《gr.》 *m.* -n, -n〔폄어〕 대중 선동가; 선동 정치가.

Demagogentum [..gəntu:m] *n.* -(e)s, ..tümer, **Demagogie** [..gogí:] *f.* -n [..gí:ən]〔폄어〕 대중 선동, 선동주의〔정치〕.

Demagogin *f.* -nen ↑ Demagoge 의 여성형.

demagogisch *a.*〔폄어〕 선동적인: einen ~en Wahlkampf führen 선동적인 선거전을 치르다.

demandieren [demandí:rən] 《lat.》 *t.* (auftragen) 위임〔위탁〕하다.

Demant [dé:mant] 《gr.》 *m.* -(e)s, -e〔시어·방언〕 ↑ Diamant.

demanten [demántən] *a.*〔시어·방언〕 ↑ diamanten.

Demantoid [demantoí:t] *m.* -(e)s, -e〖광물〗 초록빛의 석류석.

Demarche [demárʃ(ə)] 《frz.》 *f.* -n〖政〗 (이해관계의 보전을 위한) 외교적 조처〔방책〕; (구두) 항의: eine ~ an den Nachbarstaat richten 이웃 국가에 외교적 조처를 취하다.

Demarkation [demarkatsió:n] 《lat.》 *f.* -en〖政〗 경계 설정, 구획;〖醫〗 (질병의 조직과 건강한 조직의) 분할.

Demarkations·linie *f.*〖軍〗 군사 분계선, 불가침 국경선.

demarkieren *t.*〔교양〕 경계를 설정하다.

Demarkierung *f.* -en 경계 설정.

*__demaskieren__ [demaskí:rən] 《frz.》 《Ⅰ》 *t.* 가면을 벗기다, 정체를 들추어내다; 폭로하다;〖軍〗 (총포의) 위장망을 제거하다. 《Ⅱ》 *refl.*〔비유〕 sich ~ 가면을 벗다, 정체를 드러내다; mit dieser Äußerung hast du dich selbst demaskiert 이 말로 너는 자신의 정체를 드러냈다.

Demaskierung *f.* -en 가면 벗기기, (정체) 폭로.

Dematerialisation *f.* -en ①〖物〗 소멸 방사(放射)(Zerstrahlung). ②〖심령〗 (심령의) 탈육신화, 탈물질화.

Demelee [demelé:] 《frz.》 *n.* -(s), -s〔고어〕 투쟁, 싸움; 격투, 접전.

demelieren [demelí:rən] *t.* (entwirren) 얽힌 것을 풀다, 분쟁을 해결하다.

Demen *pl.* ↑ Demos.

demembrieren [demã..] 《lat.》 *t.* 해체〔해부·분할〕하다.

dem·entgegen [dé:m|ɛntgé:gən] *adv.* ↑ dagegen.

Dementi [deméntì] 《frz.》 *n.* -s, -s (공식적인) 취소, 부인; (성명의) 공식적인 정정; sich ein ~ geben 자가당착에 빠지다; die Regierung veröffentlichte sofort ein ~ 정부는 즉각 부인 성명을 발표했다.

Dementia [demɛ́ntsia] 《lat.》 *f.* -e [..tsiɛ] ↑ Demenz.

Dementia praecox [..prɛ́:kɔks]〖醫〗 조발성(早發性) 치매증.

dementieren [demɛntí:rən] *t.* (공식적으로) 부정〔부인〕하다; 정정하다; 취소하다: Gerüchte ~ 소문을 부인〔반박〕하다.

dem·entsprechend *a.* 그에 따르는〔상응하는〕: eine ~e Tat 그에 걸맞는 행위; wenn man krank ist, sollte man ~ leben 아플 땐 그에 맞게 생활해야 한다.

Demenz [deménts] *f.* -en〖醫〗 (후천성) 치매.

Demerit [demerí:t] 《lat.》 *m.* -en, -en〖가톨릭〗 (사제직 정지 처분을 받은) 파계 성직자.

demeritieren *t.* 죄를 범하다.

Demeter [demé:tər] *f.*〖그리스신화〗 농업〔대지〕의 여신(〖로마신화〗 Ceres 에 해당).

Demetrius [demé:trius] *m.*〖그리스신화〗 데메트리우스(농업〔대지〕의 여신 Demeter 의 아들).

dem≈gegenüber *adv.* 그에 비해, 그와는 달리. ~**gemäß** *adv.* ↑ dementsprechend.

Demijohn [dé:midʒɔn] 《engl.》 *m.* -s, -s 채롱에 든 목이 가는 큰 병.

demilitarisieren *t.* 비군사화〔비무장화〕하다, 군사 시설을 철폐하다.

Demilitarisierung *f.* -en 비군사화, 비무장화, 군사 시설 철폐.

Demimonde [dəmimɔ̃́:d(ə)] 《frz.》 *f.* 화류계.

Demineralisation *f.* -en 광물질 제거;〖醫〗 미네랄 결핍 현상.

demineralisieren *t.* 광물질을 제거하다.

deminutiv [deminutí:f] *a.* ↑ diminutiv.

demi-sec [dəmisɛ́k] 《frz.》 *a.* (샴페인 맛이) 약간 쌉쌀한, 드미섹의.

Demission [demɪsió:n] *f.* -en 〖고어〗 (고위직 관료의) 사직, 사임; 파면.
Demissionär *m.* -s, -e 〖고어〗 퇴직 공무원.
demissionieren *i.* (h.) 사직(사임)하다, 퇴직하다; 파면되다.
Demiurg [demiúrk] 《gr.》 *m.* -s/-en 〖哲〗 (플라톤이 세계의 형성자로 생각한) 데미우르고스, 세계의 창조자, 조물주.
Demi-vierge [dəmivjέrʒ] 《frz.》 *f.* -n (처녀지만 성적 접촉 경험이 있는) 반(半)처녀(E.M. Prévost 의 소설 제목에서).
dem·nach *adv./cj.* 그러므로, 그러니까, 그런 이유에서, 그것에 따라서.
dem·nächst *adv.* 곧, 바로 그 다음에.
dem·nächstig *a.* 절박한, 다가온.
Demo *f.* -s 〖↑ Demonstration 의 단축형〗〖구어〗 데모, 시위.
Demobilisation [demobilizatsió:n] 《frz.》 *f.* -en ↑ Demobilisierung.
demobilisieren *t.* ①〖軍〗 (군대를) 동원 해제하다; (경제·산업의) 전시 체제를 해제하다. ②〖고어〗 전시 동원자를 제대 복귀시키다.
Demobilisierung *f.* -en 〖軍〗 (군대의) 동원 해제; (경제·산업의) 전시 체제 해제.
Demobilmachung *f.* -en ↑ Demobilisierung.
demöblieren [demøblí:rən] 《frz.》 *t.* 가구를 치우다(정리하다).
démodé [de:modé:] 《frz.》 *a.* 〖고어〗 유행이 지난.
Demodulation *f.* -en 〖통신〗 검파(檢波).
Demodulator [..lá:tɔr, ..to:*r*] *m.* -s, -en [..tó:rən] 〖통신〗 검파기.
demodulieren *t.* 〖통신〗 검파하다.
Demograph *m.* -en, -en 인구 통계 전문가(학자).
Demographie [demografí:] 《gr.》 *f.* -n [..fí:ən] (넓은 의미로) 인구 통계학; (좁은 의미로) 인구의 통계학적 연구.
Demographin *f.* -en ↑ Demograph 의 여성형.
demographisch *a.* 인구 통계학의, 인구 통계학적(인).
Demoiselle [dəmoazέl] 《frz.》 *f.* -n 〖고어〗 …양(孃), 아가씨.
Demökologie [demøkologí:] *f.* -n [..gí:ən] 개체군(個體群) 생태학.
***Demokrat** [demokrá:t] 《gr.》 *m.* -en, -en 민주주의자; 민주당원.
***Demokratie** [..kratí:] *f.* -n [..tí:ən] 〖政〗 ① 〖복수없음〗 민주주의; 민주 정치, 민주제: eine parlamentarische ~ 의회 민주제; ein Wegbereiter der ~ 민주주의의 선구자. ② 민주주의 국가: die Probleme dieser jungen ~ 이 신생 민주주의 국가의 문제들.
Demokratin *f.* -nen ↑ Demokrat 의 여성형.
***demokratisch** [..krá:tɪʃ] *a.* 민주제의, 민주 정치의, 민주적인, 민주주의적인: eine ~e Partei 민주주의 정당; 민주당 소속의: sozial (christ) ~ 사민당(기민당) 소속의.
***demokratisieren** *t.* ① (국가·제도를) 민주화하다: die Verwaltung ~ 행정을 민주화하다. ② (누구나 이용하도록) 대중화하다: den Kulturbetrieb ~ 문화 사업을 대중화하다.
Demokratisierung *f.* -en 〖政〗 민주화.
Demokratismus *m.* -〖政·폄어〗 (민주적 원칙을 역설하지만 실제로는 민주적 원칙에 위배되는) 형식적 민주주의.
Demokrit [demokrí:t], **Demokritus** [demó:kritus] *m.* 데모크리토스(고대 그리스의 철학자, 460 ? -370 ? B.C.).
demolieren [demolí:rən] 《lat., -frz.》 *t.* 파괴하다, 부수다, 헐다.
Demolierung *f.* -en 파괴, 부수기.
Demolition *f.* -en ↑ Demolierung.
Demologie [demologí:] 《gr.》 *f.* -n [..gí:ən] ↑ Demographie.
Demonetisation [demonetizatsió:n] *f.* -en ↑ Demonetisierung.
demonetisieren *t.* (화폐의) 유통을 정지시키다.
Demonetisierung *f.* -en (화폐의) 유통 정지.
Demonstrant [demɔnstránt] 《lat.》 *m.* -en, -en 시위(데모) 가담자.
Demonstrantin *f.* -nen ↑ Demonstrant 의 여성형.
***Demonstration** [..tsió:n] *f.* -en ① (실례를 통한 구체적) 증명, 실증, 설명; 실연(實演). ② (의도·감정·태도의) 표명, 표출, 표현: zur ~ seiner Friedfertigkeit 자신의 평화 애호심을 과시하기 위하여. ③〖法〗 진술, 고발. ④〖政〗 시위 운동, 데모: an einer ~ teilnehmen 시위에 참가하다; eine ~ gegen den Krieg (die Kernkraft) 반전(반핵) 시위; jn. zu einer ~ aufrufen 누구에게 시위 참가를 호소하다. ⑤〖軍〗 거짓 공격.
Demonstrations·apparat *m.* 설명용 기구(도구). **~marsch** *m.* 시위(데모) 행진. **~material** *n.* 실연 자료. **~objekt** *n.* 실연 대상. **~recht** *n.* 〖法〗 시위권. **~verbot** *n.* 시위 금지. **~zug** *m.* 시위 행진(대열).
demonstrativ [..tí:f] *a.* ① 구체적(실증적)인: ein ~es Beispiel 구체적인 예. ②〖문법〗 지시적인: ein ~es Pronomen 지시 대명사. ③ 명시적인, 뚜렷한, 판연한, 눈에 띄는; 과시적(노골적)인; 시위적인.
Demonstrativ *n.* -s, -e ↑ Demonstrativpronomen.
Demonstrativ·pronomen *n.* 〖문법〗 지시 대명사.
Demonstrativum [..tí:vum] *n.* -s, ..va ↑ Demonstrativpronomen.
Demonstrator [..strá:tɔr, ..to:*r*] *m.* -s, -en [..tó:rən] 〖고어〗 실증자, 실연자.
***demonstrieren** 《I》 *t.* ① 증명(실증)하다. ② 표명(표출·표현)하다. ③ (실례를 들어) 설명하다. ④〖軍〗 거짓 공격하다. 《II》 *i.* (h.) 시위(데모)하다: für den Frieden (gegen die Umweltverschmutzung) ~ 평화 옹호를 위해(환경 오염에 반대하여) 시위하다.
demontabel *a.* 해체가(분해가·분해 조립이) 가능한.
Demontage [demɔ̃tá:ʒə, demɔn..] 《lat.》 *f.* -n ① (시설) 철거, (점차적인) 파괴; 〖기계〗 해체, 분해. ②〖軍〗 하마(下馬)시킴.
***demontieren** [demɔ̃tí:rən, demɔn..] *t.* ①〖기계〗 해체(분해)하다; (점차적으로) 파괴하다, 철거하다, 제거하다: 〖비유〗 seinen guten Ruf ~ 그의 좋은 평판을 하나씩 깎아내리다. ②〖軍〗 하마시키다.

Demontierung *f.* -en ↑ Demontage.
Demoralisation [demoralizatsió:n] 《lat.-frz.》 *f.* -en 풍기 문란, 퇴폐, 타락; 〖心·軍〗 사기 저하, 의기소침.
demoralisieren *t.* 풍기를 문란케 하다, 타락시키다; 〖심리·軍〗 사기를 잃게 하다.
Demoralisierung *f.* 풍기 문란, 타락; 사기 저하.
de mortuis nil nisi bene [de: mɔ́rtui:s ní:l ní:zi bé:nə] 《lat.》 〔교양〕 죽은 사람에 대해서는 좋은 말만 하라(„über die Toten nichts als Gutes").
Demos [dé:mɔs] 《gr.》 *m.* -, ..men [..mən] ① (고대 그리스의) 시민 단체, 민중; 행정 구역. ② (현대 그리스의) 행정 구역의 최소 단위.
Demoskop *m.* -en, -en 여론 조사 전문가.
Demoskopie *f.* -n [..pí:ən] 여론 조사.
Demoskopin *f.* -nen ↑ Demoskop 의 여성형.
demoskopisch *a.* 여론 조사의: ~es Ergebnis 여론 조사 결과; eine ~e Umfrage 여론 조사.
Demosthenes [demɔ́stenɛs] *m.* 데모스테네스 (고대 그리스의 웅변가, 384-322 B.C.).
demosthenisch *a.* 데모스테네스적인.
demotisch [demó:tɪʃ] 《gr.》 *a.* (volkstümlich) 민중의, 통속의.
Demotisch *n.* -(s), **Demotische*** *das* (고대 이집트의) 민중 문자.
Demotistik *f.* (고대 이집트의) 민중 문자를 연구하는 학문.
Demotivation *f.* -en ↑ Demotivierung.
demotivieren *t.* 〔교양〕 동기를 잃게 하다.
Demotivierung *f.* -en 동기 상실.
Demulgator [demulgá:tɔr, ..to:r] *m.* -s, -en [..tó:rən] 〖化〗 유제(乳劑) 분리제.
demulgieren *t.* 〖化〗 Emulsionen ~ 유제를 분리하다.
dem·unerachtet, dem·ungeachtet *adv.* 그럼에도 불구하고.
***Demut** [dé:mu:t] *f.* 겸손, 겸허; 순종; (특히 하느님에 대한) 경건한〔공경하는〕 마음; 비하(卑下), 굴종.
***demütig** [dé:my:tɪç] 《I》 *a.* 겸허〔겸손〕한; 고분고분한; 자기 비하(卑下)의; 굴종하는. 《II》 *adv.* ~ bitten 탄원하다; ~st 자신을 아주 낮추어서.
demütigen [..tɪgən] 《I》 *t.* 굴욕을 느끼게 하다, 자존심을 상하게 하다; 굴복시키다: die Äußerung hat ihn sehr gedemütigt 그 발언은 그의 자존심을 상하게 하였다. 《II》 *refl.* sich ~ 굴종하다, 굴욕감을 느끼다: er hat sich vor ihr ~ müssen 그는 그녀에게 굴욕감을 느끼지 않을 수 없었다.
Demütigkeit *f.* ↑ Demut.
demütiglich [..lɪç] *adv.* 겸손〔겸허〕하여, 공손하게, 고분고분하게.
Demütigung *f.* -en ① 겸양, 공손. ② 업신여김, 경멸, 멸시; 굴욕: jm. eine ~ antun 누구에게 굴욕감을 주다; eine ~ erleiden 굴욕감을 느끼다. ③ 체면 실추; 굴복, 비하.
Demuts≈gebärde *f.* -n 〖행동과학〗 (동물이 싸움에 졌을 때 취하는) 굴종적 자세. **~haltung** *f.* ↑ ~gebärde. **~sinn** *m.* 겸손한〔순종하는〕 마음. **~stellung** *f.* ↑ ~gebärde. **≈voll** *a.* ↑ demütig.
dem·zufolge *adv.* 그러므로, 그 결과로.
***den** [de(:)n, dən] ① 관사 및 대명사 der 의 단수 4격. ② 정관사의 복수 3격.
DENA =Deutsche Nachrichten-Agentur 독일 통신사.
Denar [dená:r] 《lat.》 *m.* -s, -e ① 데나리우스(고대 로마의 은화). ② 데나르(중세의 은화; 약어: d.).
denationalisieren 《lat.》 *t.* ↑ denaturalisieren.
Denaturalisation [denaturalizatsió:n] 《lat.》 *f.* -en 국적〔시민권〕 박탈(↔ Naturalisation).
denaturalisieren *t.* 국적〔시민권〕을 박탈하다(↔ naturalisieren).
denaturieren 〔교양〕 《I》 *t.* ① 본래의 특성을 박탈하다〔잃게 하다〕. ② 변질〔변성〕시키다. 《II》 *i.* (s.) 본성을 잃다; 변질되다.
Denaturierung *f.* -en 변질, 변성.
denazifizieren [denatsifitsí:rən] *t.* ↑ entnazifizieren.
Denazifizierung *f.* -en 탈나치스화.
Dendrit [dɛndrí:t, ..drít] 《gr.》 *m.* -en, -en 〖광물〗 모수석(模樹石); 〖醫〗 (신경 세포의) 수상(樹狀) 돌기.
dendritisch *a.* 나뭇가지 모양의.
Dendro≈bios [dɛndró:..] *m.* 〖生〗 수목(樹木) 생물. **~chronologie** *f.* 연륜 연대학.
Dendrolith [..drolí:t, ..lít] *m.* -(e)s/-en, -e(n) 〖광물〗 수목 화석, 화석 식물.
Dendrologe [..ló:gə] *m.* -n, -n 수목학자.
Dendrologie [..logí:] *f.* 수목학(樹木學).
dendrologisch *a.* 수목학의.
Dendrometer *n.* -s, - (나무의 높이와 두께를 재는) 측수기(測樹器).
Denegation [denegatsió:n] 《lat.》 *f.* -en 부인, 거절.
denegieren *t.* 부인〔거절〕하다.
***denen** [dé:nən] *prn.* 지시 대명사 및 관계 대명사의 복수 die 의 3격.
Denervation *f.* -en 〖醫〗 신경 제거, 탈신경.
Denervierung *f.* -en ↑ Denervation.
Dengel [dɛ́ŋəl] *m.* -s, - (낫·쟁기의) 날.
Dengel≈amboß *m.* (날을 세우는 데 쓰는) 모루. **~geist** *m.* (schwäb.) 요마(妖魔); 죽음. **~hammer** *m.* (낫의 날을 세우는) 망치. **~maschine** *f.* (날을 세우는) 기계.
dengeln 《원뜻 „klopfen"》 *t.* (낫 따위를) 망치로 쳐서 날을 세우다.
Dengue·fieber [dɛ́ŋge..] *n.* 〖醫〗 뎅기열(熱) (열대 지방의 전염병).
Den Haag [de:n há:k, ndl.: dɛnhá:x] 헤이그 (네덜란드의 실질적 수도).
Denier [denié:] *n.* -(s), - ① 데니어(실·섬유의 강도를 나타내는 단위; 약어: den). ②〔고어〕 데니에(프랑스의 금·은·동전의 무게 단위).
denitrieren [denitrí:rən] 《lat.》 *t.* 〖化〗 질산을 제거하다, 탈질(脫窒)하다.
Denitrifikation [..fikatsió:n] *f.* -en 〖農〗 탈질소 작용, 탈질.
denitrifizieren *t.* 질소를 제거하다, 탈질(脫窒)하다.
Denk≈arbeit [dɛ́ŋk..] *f.* 정신적 작업, 정신 노동. **~art** *f.* 사고 방식; 주의(主義), 신념; 성향: die wissenschaftliche ~ 학문적 사고 방식; eine typisch bürgerliche ~ 전형적인 시

민적 성향. **~aufgabe** *f.* 사고력을 요하는 과제.

denkbar [dɛ́ŋkba:r] 《< denken》《I》 *a.* ① 생각할〔상상할〕 수 있는; 가능한, 있을 수 있는: ohne Luft und Licht ist kein Leben ~ 공기와 빛이 없이는 어떠한 생명도 있을 수 없다. 《II》 *adv.* 대단히, 아주: ein ~ großzügiger Mensch 아주 너그러운 사람; in der ~ kürzesten Zeit 최단 시간내에.

Denkbarkeit *f.* 생각할 수 있음, 생각이 가능함, 있을 수 있음.

Denk=bild *n.* 〖고어〗 (Denkmal) 기념비, 기념물. **~blatt** *n.* 기념 서화집. **~brot** *n.* 〖宗〗 (이스라엘 사람의) 공물(供物)로 바치는 빵. **~ebene** *f.* 사고의 차원.

denken [dɛ́ŋkən] (dachte, gedacht) 《I》 *i.* (h.) ① (**a**) 생각하다, 사색하다: ich denke, also bin ich 나는 생각한다, 고로 나는 존재한다; logisch ~ 논리적으로 생각하다; hin und her ~ 이리저리 생각하다; laut ~ 생각대로 말이 나오다, 생각하면서 혼자말을 하다; wo ~ Sie nur hin? 무슨 생각을 하시는 겁니까? 당치 않습니다(강한 거절); etwas gibt jm. zu ~ 무엇이 누구로 하여금 생각〔고민〕하게끔 하다, 무엇이 누구를 어리둥절하게 하다; 〖구어·폄어〗 nur von hier bis zur nächsten Ecke ~ können 통찰력이 없다, 근시안적이다. (**b**) 꾀하다, 마음먹다, 기도하다, 계획을 세우다: 〖속담〗 der Mensch denkt, Gott lenkt 꾀하는 것은 인간이지만 성사(成事)는 신이 좌우한다; 〖준고어〗 gedacht, getan 생각하자마자 해치웠다. (**c**) 상기하다, 기억하다: seit Menschen ~ 유사 이래; solange ich ~ kann 내가 기억하는 한; er kann lange ~ 그는 기억력이 좋다. (**d**) 믿다, 바라다, 의견을 갖다: machen Sie es, wie Sie ~! 마음대로 하십시오! (마음이 썩 내키지 않는 찬성). (**e**) …한 성향이 있다: er denkt edel 그는 고상한 정신〔성품〕을 지니고 있다. (**f**) 〖과거형〗 ich dachte gar! 그럴 리가 있겠나! (**g**) 〖접속법 II 식〗 ich dächte doch (글쎄) 그럴까요(점잖은 반대); ich dächte ... 저는 …라고 생각합니다만. ② 〖3 격과 함께〗 〖고어〗 jm. ~ 누구를 생각하다. ③ 〖2 격과 함께〗 〖준고어〗 상기하다, 기억하다: der alten Zeit ~ 옛날을 회상하다; denkt er noch mein(er)? 그는 아직도 나를 기억하고 있느냐? ④ 〖전치사와 함께〗 **an** jn.〔et.〕 ~ (**a**) 누구를〔무엇을〕 생각하다: an die Zukunft ~ 미래를 생각하다; ich denke oft an dich 나는 자주 너를 생각한다; daran ist im Augenblick überhaupt noch nicht zu ~ 그 일은 현시점에선 아직 가망이 전혀 없다; nur an sich ~ 자기 자신만을 생각하다. (**b**) 누구를〔무엇을〕 기억〔상기〕하다: denke daran! (그것을) 잊지 마라, 염두에 두어라!; 〖구어〗 er soll ewig an mich ~ 그에게 본때를 보여 주겠다, 영원히 나를 잊지 못하게 해주겠다. (**c**) 누구에게〔무엇에〕 관심을 갖다, 누구를〔무엇을〕 위해 애쓰다: du mußt endlich auch an dich selbst ~ 이젠 너는 너 자신도 생각해야 한다(지나치게 남 생각만 하는 것은 좋지 않다); **auf** et. ~ 무엇을 뜻하다〔꾀하다〕, 무엇을 연구〔고안〕하다: auf Rache ~ 복수를 꾀하다; denk' auf deine Rettung! 살아날 궁리를 해라!; **bei** et.³ ~ 무엇을 실마리로 생각해 보다; bei sich ~ 곰곰이 생각해 보다; **für** jn. ~ 누구를 대신하여〔위하여〕 생각하다; **gegen** jn. ~ 누구에게 반감을 갖다; wie denkst du gegen mich? 자네는 왜 내게 반감을 갖는 건가?; **in** js. Lage ~ 누구의 입장에서 생각하다; er denkt in seinen Sack 그는 자신의 사리(私利)를 꾀한다; **über** jn.〔et.〕 ~ 누구〔무엇〕에 대해 생각〔평가〕하다; was ~ Sie darüber? 그것에 대해 어떻게 생각합니까?; **von** jm.〔et.³〕 soundso ~ 누구를〔무엇을〕 이러저러하다고 생각하다; von jm. gut〔Gutes〕 ~ 누구를 좋게 생각하다; was ~ Sie von mir? 나를 어떻게 생각하십니까? 《II》 *t.* ① (**a**) …을 생각하다: was ~ Sie? 무엇을 생각하고 계십니까?; et. bei sich ~ 무엇을 은밀히 심사 숙고하다. (**b**) 예상하다, 상상하다: 〖반어〗 wer hätte das gedacht? 누가 그 일을 짐작이나 했겠느냐?; ich habe es nicht von ihm gedacht 그가 그런 일을 하리라고는 꿈에도 생각지 못했다; er denkt immer gleich das Schlimmste bei allem 그는 언제나 무슨 일에든지 최악의 경우를 생각한다. (**c**) (원한 따위를) 잊지 않다: ich denk' es dir 두고 보자. (**d**) 상기하다, 회상하다: du denkst es nicht mehr 자네는 그것을 이미 잊고 있다. (**e**) (sinnen) 꾀하다, 마음먹다: gegen jn. Böses ~ 누구에게 악의를 품다. (**f**) 상상하다, 마음에 그리다: den Tod ~ 죽음을 생각〔상상〕하다; unter Liebe denke ich das edelste Bedürfnis geistiger Vereinigung 나는 사랑을 정신적 결합의 가장 숭고한 욕구라고 생각한다. (**g**) jn. ~ a) 누구를 줄곧 생각〔사모〕하다, b) 누구를 돌볼 생각을 하다: du denkst nur dich 너는 네 일만 생각한다. ② 〖종속문과 함께〗 ich denke, er wird sein Wort halten 나는 그가 약속을 지킬 것이라고 생각한다. ③ 〖zu 부정법과 함께〗 (**a**) …할 생각이다(beabsichtigen): wir ~ noch ein wenig zu bleiben 우리는 좀더 머물 생각이다. (**b**) (sich einbilden) 자부하다, 자신하다: er denkt, mich verdrängen zu können 그는 나를 밀어젖힐〔배제할〕 수 있다고 자신하고 있다. ④ 〖결과를 나타내는 형용사와 함께〗 er hatte seine Entschlüsse reif gedacht 그는 깊이 생각한 끝에 결심하였다; du könntest dich wohl gar wahnsinnig daran ~ 그 일을 계속 생각하고 있으면 너는 미칠지도 모른다. 《III》 *refl.* ① 〖3 격의 재귀 대명사와 함께〗 man denke sich! 생각해 보시오!; denke dir meine Lage! 내 입장을 생각해 주게!; das hätte ich mir nie gedacht 그것은 생각지도 않았다; 〖구어〗 ich denke mir mein Teil dabei 그 점에 대해 나는 내 나름대로의 생각〔의견〕이 있다; 〖구어〗 das hast du dir (so) gedacht! 넌 그렇게 생각했나 본데(그렇지 않아)!; das hätte ich mir ~ können! 나는 그것을 생각할 수 있었어야〔대비했어야〕 했는데! ② 〖4 격의 재귀 대명사와 함께〗 sie denkt sich schön 그녀는 스스로 미인이라고 생각하고 있다; das läßt sich ~ 그것은 있음직한 일이다; das läßt sich leicht ~ 그것은 쉽사리 생각할 수 있는 일이다; ~ Sie sich an meine Stelle! 내 입장을 생각해 주십시오!; denke dich in meine Lage! 내 입장에서 생각해 보게!; mancherlei denkt sich bei den Worten 그 말에서 여러 가지가 떠오른다. ③ *imp.* es denkt sich schön am stillen Ort 고요한 곳에서는 사색이 잘 된다. 《IV》 **gedacht**

p.a. ↑ gedacht.

***Denken** [dέŋkən] *n.* -s 사고, 사색, 사유, 사상; 생각, 상념: sie ist mein einziges ~ 나는 그녀만 생각하고 있다.

denkend *p.a.* 생각〔사고〕하는: ein ~er Kopf 사색적 두뇌(의 사람); ~es Wesen 생각하는 존재, 인간.

Denker [dέŋkər] *m.* -s, - 사상가, 생각하는 사람, 철학자.

Denkerei [..kərάɪ] *f.* -en 쓸데없는〔무익한〕 생각; 〖농담〗 철학자의 서재: die ganze ~ führt zu nichts 쓸데없는 생각은 아무리 해도 소용이 없다.

Denker·falte *f.* 〖농담〗 사색가의 주름.

denkerisch *a.* 사색적인, 철학자다운.

Denker·stirn *f.* 〖구어·농담〗 높은〔넓은〕 이마, 주름진 이마.

denk≈fähig *a.* 사고력 있는, 이성적인. **~-fähigkeit** *f.* 사고력, 추리력, 이성. **~faul** *a.* 생각을 게을리하는, 생각하기 싫어하는; 이해가 더딘; 무비판적인. **~faulheit** *f.* 생각하기 싫어함. **~fehler** *m.* 사고〔논리〕의 오류. **~-form** *f.* 사유 유형, 사고 방식; 세계관. **~-freiheit** *f.* 사상의 자유. **~gesetze** *pl.* 〖哲〗 사고의 법칙. **~hilfe** *f.* 사고를 도와 줌: jm. eine ~ geben 누구가 생각하는 것을 도와 주다. **~inhalt** *m.* 사고의 내용. **~kraft** *f.* 사고력, 지적 능력. **~kunst** *f.* 논리학; 기억술. **~lehre** *f.* 논리학.

denklich *a.* 생각할 수 있는(denkbar).

***Denk·mal** [dέŋkma:l] *n.* -(e)s, ..mäler/(드물게) -e 기념물, 기념비, 기념 건축물, 문화재; 〖비유〗 기념; 기념이 되는 업적; 유작, 유품: Denkmäler antiker Kunst 고대 예술의 기념비적 유산; jm. 〔für jn.〕 ein ~ setzen 누구를 위하여 기념비를 세우다; sich ein ~ setzen 후세에 남을 업적을 세우다; zum ~ an jn. 〔et.〕 누구를〔무엇을〕 기념하기 위하여; 〖비유〗 ~ machen 근면한 체하며 게으름피우다.

Denkmal(s)≈kunde *f.* 문화재학(學). **~-kundlich** *a.* 문화재학의. **~pflege** *f.* 문화재〔사적(史跡)〕 보호. **~pfleger** *m.* 문화재 보호 전문가. **~pflegerisch** *a.* 문화재 보호의. **~schändung** *f.* 문화재 훼손. **~schutz** *m.* (법적인) 문화재 보호.

denk≈mäßig *a.* 사유(思惟)에 따르는; 논리적인. **~modell** *n.* 사고 모형. **~münze** *f.* 기념패, 메달. **~muster** *n.* 사고의 틀: anerzogenes ~ 습관화된 사고의 틀. **~notwendig** *a.* 논리적인. **~ökonomie** *f.* 〖哲〗 사유 경제설(마하의 설: 최소의 개념으로 최대의 내용을 인식하는 일). **~päuschen** *n.* 〖구어〗 잠깐 자는 잠. **~pause** *f.* (대화나 회의 중) 머리를 식히기 위한 휴식, 생각할 시간. **~-prozeß** *m.* 사고 과정: einen ~ in Gang setzen 어떤 문제를 사색하기 시작하다. **~-rede** *f.* 기념〔추도〕 연설. **~reim** *m.* 격언; 기념 시구. **~richtig** *a.* ↑ ~mäßig. **~säule** *f.* 기념주(柱), 기념상. **~schablone** *f.* 〖구어·폄어〗 틀에 박힌 사고. **~schrift** *f.* 각서; 회고문; 추도사. **~spiel** *n.*, **~sport** *m.* 수수께끼 풀기〔놀이〕, 두뇌 운동. **~sport-aufgabe** *f.* ↑ ~aufgabe. **~spruch** *m.* 격언; 좌우명. **~spruch·artig** *a.* 격언풍의, 격언 같은.

denkste [dέŋkstə] *int.* 〖구어〗 너는 잘못 생각했다, 결코 아니다!

Denk≈stein *m.* 기념비. **~tafel** *f.* 기념패. **~übung** *f.* 사고력 연습.

Denkungs≈art *f.*, **~weise** *f.* ↑ Denkart.

Denk≈vermögen *n.* ↑ ~fähigkeit. **~vers** *m.* 기억용〔암기용〕 시구; 격언시. **~vorgang** *m.* 사고 과정. **~weise** *f.* ↑ ~art. **~-würdig** *a.* 기억할〔생각해볼〕 만한; 현저한, 중요한: ein ~es Ereignis 기억할 만한〔중요한〕 사건. **~würdigkeit** *f.* 기억할 만한 일; 〖복수〗〖구식〗 비망록, 회상록. **~zeichen** *n.* 기념품, 유물. **~zeit** *f.* 시대, 기(期). **~zettel** *m.* 메모용 쪽지; 〖宗〗 (유대인이 기도할 때 쓰는) 경문 서찰(書札); 〖비유·구어〗 (잊혀지지 않는) 엄한 훈계; 징벌: jm. einen ~ geben 〔verpassen〕 누구를 엄하게 훈계〔징벌〕하다.

***denn** [dεn] 《원래는 dann 과 같은 말》 《Ⅰ》 *cj.* ①〖병렬적 접속사〗 왜냐하면, 그 까닭은, …이니까: ich frage dich, ~ ich möchte es wissen 알고 싶으니까, 나는 너에게 묻는다. ②〖시어; "…으로서"의 als 와 비교의 als 의 중복을 피하기 위하여〗 mehr ~ einmal 한 번 이상; mehr ~ je 종전보다 많이, 그 어느 때보다 더; er ist größer als Dichter ~ als Arzt 그는 의사로서보다도 시인으로 더 위대하다. 《Ⅱ》 *cj./adv.* ①〖강조 또는 앞선 사실과의 관련; 이 경우 문장 앞에 올 수 없음〗 그러면; 그래서; 참으로, 실로: nun ~! 그러면, 자 어서!; wohlauf ~! 자 이제 시작할 시간이다!; sei's ~ 그러면 그렇다고 해 두자; so ging er ~ hin 그래서 그는 갔다; so wollen wir ~ aus 자 나갑시다; das mag ~ auch schön sein 그것은 실로 〔틀림없이〕 아름다울 것이다; geschweige ~ 하물며 …은 더욱더 아니다(↑ geschweige). ②〖특히 의문문에서 말하는 사람의 관심을 나타냄〗 도대체, 대관절: was ~? 도대체 무슨 일이냐? warum ~? 도대체 왜 그러는 것이냐?; wo ist er ~? (그럼) 도대체 그는 어디에 있느냐? ③〖접속법과 함께 제외를 나타냄〗 …아니라면, …하지 않으면: es sei ~, daß ... …가 아니라면; es wäre〔sei〕 ~, daß ich mich irre 내가 잘못 생각한 것이 아니라면; wir binden dich nicht los, du singest uns ~ ein Lied 네가 노래를 하나 부르지 않으면 놓아 주지 않겠다; 〖聖〗 ich lasse dich nicht, du segnest mich ~ 네가 나를 축복하지 않는다면 너를 놓아 주지 않겠다. ④ (nordd.) 그 후, 그 뒤에(danach).

Denn *n.* -s 이유, 근거; 논증.

***dennoch** [dέnɔx] *cj./adv.* 그런데도, 그럼에도 불구하고: ich werde es ~ tun 그럼에도 불구하고 나는 그것을 하겠다.

dennschon *cj.* ↑ wennschon.

denobilitieren [denobilitί:rən] 《lat.》 *t.* (귀족의) 작위를 박탈하다.

Denomination [denominatsió:n] 《lat. nomen》 *f.* -en ①〖구식〗 명명(命名), 지명; 임명; 공고, 포고. ②〖宗〗 (특히 미국에서) 교파. ③〖經〗 (주식의 액면 가격 인하로 인한) 주식회사의 자본금 축소.

Denominativ [..tί:f] *n.* -s, -e [..və] 〖문법〗 명사·형용사에서 온 파생어(보기: Trost → tröstlich; groß → vergrößern).

Denominativum [..tί:vum] *n.* -s, ..va ↑ Denominativ.

Denominator *m.* -s, -en 〖數〗 분모.

denominieren *t.* 명명하다; 임명하다.
Denotat [denotá:t] *m.* -s, -e (↔ Konnotat) ①〖언어〗 지시체. ② (언어 기호의) 외시소(外示素).
***Denotation** *f.* ①〖논리〗 외연(外延). ②〖언어〗 (↔ Konnotation) 단어의 지시적〔명시적〕 의미, 기호의 일차적 의미, 외시의(外示義); 단어와 대상의 형식적 관계.
denotativ *a.*〖언어〗 (↔ konnotativ) 지시적인, 외시의적인.
Dens [dɛns] *m.* -, Dentes〖醫〗 이(Zahn).
Densimeter 《lat.》 *n.* -s, -〖物〗 밀도계.
Densität [dɛnzitɛ́:t] *f.* -en ①〖物〗 밀도, 농도. ②〖사진〗 사진의 음영〔농도〕.
Densito·meter *n.*〖사진〗 농도계. **~metrie** *f.*〖物〗 밀도〔농도〕 측정.
Densograph *m.* ↑ Densitometer.
dental [dɛntá:l] 《lat. dens》 *a.* 이의, 치아의;〖음성〗 잇소리의, 치음의.
Dental *m.* -(e)s, -e〖음성〗 잇소리, 치음(보기: d, t).
Dentalgie *f.* -n [..gí:ən]〖醫〗 치통.
Dentalis *f.* ..les〔구식〕 ↑ Dental.
dentelieren [dãtəlí:rən] 《frz.》 *t.* 톱니〔들쭉날쭉한〕 모양으로 새기다.
Dentelles [dãtɛ́l] *m.* 《frz.》〖섬유〗 레이스.
Dentikel *m.* -s, -〖醫〗 작은 이〔치아〕; 작은 치상 돌기.
Dentin [dɛntí:n] *n.* -s〖醫〗 상아질, 치골(齒骨).
Dentist [..tíst] *m.* -en, -en〔구식〕 (대학 정규 과정을 거치지 않은) 치과의, 치과 기공사.
Dentition *f.* -en 이〔치아〕가 남.
dentogen [dɛntogé:n] 《lat.》 *a.* 이의, 치아(성)의.
Dentologie *f.* 치의학.
Denudation [denudatsió:n] 《lat.》 *f.* -en〖지질〗 침식 (작용), 마모.
denudieren *t.* (표면을) 침식하다.
Denunziant [denʊntsiánt] 《lat.》 *m.* -en, -en 밀고자, 고발자.
Denunziantentum *n.* -s〔폄어〕 ① 밀고자의 비열한 성격〔태도〕. ②〔집합적〕 밀고자.
Denunziat *m.* -en, -en〔고어〕 밀고당한 사람; 피고발인.
Denunziation [..tsió:n] *f.* -en (비열한) 밀고, 고발.
denunziatorisch *a.* 밀고의; 밀고를 꾀하는; 중상 모략하는.
denunzieren [denʊntsí:rən] *t.* (비열한 동기에서) 밀고〔고발〕하다.
Deo [dé:o] *n.* -s, -s〔구어〕 ↑ Deodorant 의 약칭.
Deodorant *n.* -s, -s/-e 악취〔체취〕 제거제, 방취제(防臭劑).
Deodorant·spray [..ʃpre:, ..spre:] *m./n.* 체취 제거 스프레이.
deodorieren *t.* …의 악취〔체취〕를 제거하다.
deo gratias [dé:o grá:tsias] 《lat.》 아유 고마워라(Gott sei Dank !).
Deontologie [deɔntologí:] 《gr. déon》 *f.*〖哲〗 의무론.
Deo·spray [..ʃpre:, ..spre:] *m./n.* ↑ Deodorantspray 의 약칭.
***Departement** [departəmã́, ..mɛ́nt] 《frz.》 *n.* -s, -s/-e ① (업무의) 구분, 부문, 국(局), 과. ② (프랑스의) 지방, 행정 구역; (스위스의) 성(省), 부(部), 행정부(처).
Department [dıpá:tmənt] 《frz. -engl.》 *n.* -s, -s (영·미 대학의) 전공 분야, 과(科).
Departure [dıpá:tʃə]〔관사없이〕 출발 장소〔시간〕(공항의 표시).
Dependance [depãdã́:s] 《frz.》 *f.* -n ① 종속, 의존. ②〔교양〕 (회사의) 지점, 지사. ③ (특히 스위스에서) 부속 건물, (특히 호텔의) 별관.
dependent [depɛndɛ́nt] 《lat.》 *a.* (abhängig) 종속된, 비독립의.
Dependenz *f.* -en ① 종속물, 부속물;〔구식〕 호텔; 별관. ②〖언어〗 의존 관계.
Dependenz·grammatik *f.*〖언어〗 의존 문법(동사를 중심으로 문장을 분석하는 체계).
Depense [depã́:sə] 《frz.》 *f.* 지출, 경비.
Depersonalisation *f.* -en〖醫·心〗 이인증(離人症), 주체감〔자아감〕 상실.
Depesche [depɛ́ʃə] 《frz.》 *f.* -n〔구식〕(Eilbrief) 급보, 빠른 우편; 전보(Telegramm).
Depeschen·anweisung *f.* 전신환. **~beförderung** *f.* 전보〔속달 우편〕의 송달. **~formular** *n.* 전보 용지. **~reiter** *m.* 기마(騎馬) 급사. **~schlüssel** *m.* 전신 약호. **~weg** *m.* im ~e 전신으로.
depeschieren [depɛʃí:rən] 《frz.》 *t./i.* (h.) 전보 치다.
Dephlegmation *f.* -en〖기계〗 분류(分溜), 분별 증류(증기를 일정 온도로 냉각하여 특정 성분을 응축시켜 액체 상태로 환원함).
Dephlegmator [deflegmá:tɔr] 《lat. -gr.》 *m.* -s, -en [..tó:rən]〖기계〗 분류기(分溜器).
Depilation [depilatsió:n] 《lat.》 *f.* -en〖醫〗 탈모(脫毛) (Enthaarung).
Depilatorium [..tó:rium] *n.* - s, ..rien [..riən] 탈모제.
depilieren *t.* 탈모(脫毛)시키다.
Deplacement [deplasəmã́:] 《frz.》 *n.* -s, -s [..mã́:s]〔구식〕 옮겨 놓음, 이동, 전근;〖理〗 변위(變位);〖海〗 배수량.
deplacieren [..sí:rən] 《I》 *t.* 전근시키다, 이동시키다; 배척하다;〖海〗 배수하다. 《II》 **deplaciert** *p.a.* ↑ deplaciert.
deplaciert [..sí:rt] 《I》 *p.p.* ↑ deplacieren. 《II》 *p.a.* 부적당한, 어울리지 않는: Ihre Äußerung halte ich für reichlich ~ 당신의 발언을 나는 매우 적절치 않다고 생각합니다.
Deplacierung [..sí:ruŋ] *f.* -en〔구식〕 이동; 배수(排水).
Deplantation [deplantatsió:n] 《lat.》 *f.* -en〖植·구식〗 (Verpflanzung) 이식, 옮겨 심음.
deplantieren *t.*〔구식〕 ① (식물을) 이식하다. ② (장기를) 이식하다.
deplaziert *a.* ↑ deplaciert.
Depolarisation *f.* -en 감극(減極), 소극.
Depolarisator [..zá:tɔr, ..to:r] *m.* -s, -en [..tó:rən]〖化〗 감극제, 소극제.
depolarisieren *t.* 감극하다., 소극하다
Deponat *n.* -(e)s, -e〔교양〕 보관물.
Deponens [depó:nɛns] 《lat.》 *n.* -, ..nentia [..nɛ́ntsia]/..nenzien [..nɛ́ntsiən]〖문법〗 이태(異態) 동사(라틴어에서 모양은 수동이나 뜻은 능동인 동사).
Deponent [deponɛ́nt] *m.* -en, -en (Hinterleger) 공탁자, 기탁자; 예금자, 예금주;〖法〗 선서 증인.

Deponie *f.* -n 쓰레기 집하〔하치〕; 쓰레기 하치장〔매립지〕.
deponieren [deponí:rən] *t.* ①〖商〗(hinterlegen) 공탁〔기탁〕하다; 보관〔저장〕하다. ②〖法·구식〗증언하다.
Deponierung *f.* -en 공탁, 기탁.
Depopulation *f.* -en 인구 감소.
Deport [depɔ́rt, depó:r] 《frz.》 *m.* -s, -s 〖증권〗인수 유예금.
Deportation [depɔrtatsió:n] 《lat.》 *f.* -en (국가에 의한) 추방, 유형.
Deportations·lager *n.* 추방자 수용소, 강제 수용소.
deportieren *t.* 추방하다, 유형을 보내다.
Deportierte* *der/die* 추방된 사람, 유배자.
Deportierung *f.* -en 추방.
Depositar [depozitá:r] 《lat.》 *m.* -s, -e 〖法〗수탁자; 보관인.
Depositär [..tɛ́:r] *m.* -s, -e ↑ Depositar.
Depositen [..zí:tən] 〖↑ Depositum 의 복수형〗공탁된 돈〔유가 증권〕; 예금.
Depositen≈bank *f.* 예금 은행 (↔ Effektenbank). **~einlagen** *pl.*, **~gelder** *pl.* 공탁금; 예금 (화폐). **~kasse** *f.* (은행의) 예금; 예금 창구. **~konto** *n.* 예금 계정. **~schein** *m.* 예금〔기탁〕증서. **~wesen** *n.* 기탁 제도.
Deposition [depozitsió:n] 《lat.》 *f.* -en ①〖法〗공탁, 기탁; 예입. ②〖가톨릭〗성직자의 면직(Absetzung).
Depositorium [..tó:rium] *n.* -s, ..rien [..riən] 보관소, 공탁소, 금고.
Depositum [..pó:zitum] *n.* -s, ..ten/(드물게) ..ta ① 공탁물; 보관품, 기탁금. ②〔복수〕〖經〗신탁 예금.
depossedieren [depɔsedí:rən] 《frz. déposséder》 *t.* ① (누구의) 재산을〔권리를〕빼앗다. ② (왕을) 폐위하다, 퇴위시키다.
***Depot** [depó:] 《frz.》 *n.* -s, -s ① 보관, 저장; 〖商〗공탁, 기탁. ② 기탁물, 보관〔저장〕품; 예금, 공탁금; 기탁한 유가 증권: das ~ bestand aus Schmuck und Wertpapieren 보관품은 보석과 유가 증권이었다. ③ 보관소, 창고; (은행의) 금고: Schmuck ins ~ geben 귀중품을 (은행) 금고에 보관하다. ④ 병참부; 보충 부대. ⑤ (버스·전차 따위의) 차고. ⑥〖醫〗침착, 침사(沈渣); 저류(貯溜). ⑦ (음료 또는 붉은 포도주의) 침전물. ⑧ (스위스에서) 보증금, 예치금.
Depot≈behandlung [depó:..] *f.* 〖醫〗기탁 요법(약물을 일정 기간 동안 체내에서 서서히 흡수시킴), 데포제 치료법. **~fett** *n.* 피하(皮下) 지방. **~fund** *m.* (선사 시대의) 발굴물, 출토품. **~gebühr** *f.* (유가 증권 따위의) 보관료. **~präparat** *n.* 〖醫〗침사제(沈渣劑), 데포제. **~schein** *m.* 기탁〔예금〕증서. **~wechsel** *m.* 담보 어음. **~wirkung** *f.* 〖醫〗데포제의 지속적인 효과.
depotenzieren [depotɛntsí:rən] 《lat.》 *t.* (entkräften) 피로〔쇠약〕하게 하다.
Depp [dɛp] *m.* -s, -(e)n (südd., öst.) 〔경박〕 정신 박약자, 정신병자; 멍청이.
deppen [dɛ́pən] *t.* 체면을 깎다, 굴복시키다; 속이다.
deppert *a.* (bair., öst.) 〔구어〕 미련한, 우둔한.
Depravation [depravatsió:n] 《lat. pravus》 *f.* -en ① 악화; 타락. ②〖醫〗병세의 악화. ③ (주화의) 가치 감소.
depravieren 《I》 *t.* 악화〔타락〕시키다. 《II》 *i.* (s.) (주화의 가치가) 감소하다.
Deprehension [deprehɛnzió:n] 《lat.》 *f.* -en (특히 현행범의) 체포.
Deprekation *f.* -en ① 거절, 사절. ② 사죄.
***Depression** [deprɛsió:n] 《lat.》 *f.* -en ① 내리누름, 압박. ②〖心〗의기소침, 울적, 우울(증): an〔unter〕 ~en leiden 우울증에 시달리다. ③〖지질〗함몰; 해면보다 낮은 땅. ④〖天〗수평선 아래에 있는 별자리의 음(陰)고도; (수평) 부각(俯角). ⑤〖기상〗저기압 (지대). ⑥〖商〗불황, 침체. ⑦〖醫〗(뼈의) 함몰. ⑧〖物〗(비정상적인) 저압력 상태. ⑨〖광산〗(가스의) 부압(負壓).
Depressions≈gebiet *n.* 저기압 지대. **~schuß** *m.* 〖軍〗내려 쏘기. **~winkel** *m.* 〖天〗(수평) 부각(俯角). **~zustand** *m.* 우울〔울적〕한 상태.
depressiv *a.* ① 우울한, 의기소침한: ~es Syndrom 우울증. ②〖經〗불황(기)의.
Depressivität *f.* 의기소침한 상태.
deprezieren [depretsí:rən] 《lat.》 *i.* (h.) (abbitten) 사죄하다; 사절하다.
deprimieren [deprimí:rən] 《lat. premĕre》 《I》 *t.* ① 내리누르다, 저하시키다. ②〖商〗불황에 빠뜨리다. ③ (원기 따위를) 잃게 하다, 풀죽게 하다, 우울하게 하다. 《II》 **deprimiert** *p.a.* ↑ deprimiert.
deprimiert 《I》 *p.p.* ↑ deprimieren. 《II》 *p.a.* 의기소침한.
Deprivation [deprivatsió:n] 《lat.》 *f.* -en 박탈; 파직; 〖心〗부족, 상실, (애정의) 결핍; 〖가톨릭〗성직 박탈.
Deprivations·syndrom *n.* (애정 결핍으로 인한) 발육 부전.
deprivieren [depriví:rən] *t.* (누구를) 결핍 상태로 만들다, (누구의) 심리적 보호인을 빼앗다.
de profundis [de: profúndi:s, ..dɪs] 《lat.》 ① 깊은 곳에서, 심연에서(성서의 시편 제 130 편의 첫 구). ②〔비유〕비탄의 소리.
Depuration [depuratsió:n] 《lat.》 *f.* -en 〖醫〗청정법(清淨法), 정혈(淨血) 작용.
Deputant [deputánt] 《lat.》 *m.* -en, -en 현물로 급여를 받는 사람.
Deputat [deputá:t] *n.* -(e)s, -e ① (봉급 이외의) 현물 급여. ② 교원의 책임 수업 시간수.
Deputat·getreide *n.* 급여 곡물.
Deputation [..tsió:n] *f.* -en 대리, 대표, 위원, 파견(원); 대표단, 교섭 위원단.
Deputat≈kohle *f.* (봉급 외에 지급되는) 급여 석탄. **~lohn** *m.* 현물 급여.
deputieren [deputí:rən] *t.* (abordnen) 파견하다.
Deputierte* *der/die* 대표; (특히 프랑스의) 의원.
Deputierten·kammer *f.* (프랑스의) 하원.
***der** [de:r] 〔정관사·지시 대명사·관계 대명사의 남성 단수 1격; 여성 **die**, 중성 **das**, 복수 **die**〕 《I》 [der, dər, deə] 정관사 〔강세 없음〕 ① das Haus des Nachbarn 이웃 사람의 집; er hat das〔sein〕 Leben verloren 그는 목숨을 잃었다; der Kopf tut mir weh 나는 머리가 아프다; die Bücher auf dem Tisch 책상 위의 책.

②〔대표 단수〕der Mensch ist sterblich 인간이란 죽게 마련이다; die Emanzipation der Frau 여성 해방. ③〔계량의 단위〕2 Mark das Pfund 1 파운드에 2 마르크; fünfmal in der Woche 1 주일에 다섯 번. ④〔격을 명시하기 위하여〕ich ziehe Kaffee dem Tee vor 나는 차보다 커피가 더 좋다; Karl lobte den Fritz 카를은 프리츠를 칭찬하였다. ⑤〔고유 명사에 붙일 경우〕(**a**)〔형용사 따위에 의하여 규정될 경우〕der arme Heinrich 불쌍한 하인리히; das Deutschland von heute 오늘날의 독일. (**b**)〔유명인의 이름 앞에〕eine Novelle von der Ebner Eschenbach 에브너 에셴바흐의 단편 소설; war das die Hujus? 그분이 후유스 부인이었나요? (**c**)〔대표적 의미로 쓰이는 경우〕…와 같은 사람: der Demosthenes unserer Zeit 우리 시대의 데모스테네스. (**d**)〔예술 작품·선박명 따위에〕die erste Aufführung der Emilia Galotti 에밀리아 갈로티의 초연(初演); den Faust lesen 파우스트를 읽다; mit der Europa fahren 유럽호를 타다. (**e**)〔중성 이외의 지명·국명에〕die Türkei 터키; die Schweiz 스위스; der Haag 헤이그; der Sudan 수단; die Niederlande 네덜란드. (**f**)〔독일 남부의 일상어에서는 인명에 거의 붙임〕der Karl ist heute nicht zu sprechen 카를은 오늘 면회할 수 없다. ⑥〔und 에 의하여 연결된 몇 개의 명사가 동일 대상의 다른 면을 나타낼 경우에는 보통 최초의 것에만 관사를 붙임〕der Philosoph und Dichter N. 철학자이며 시인인 N.; die Länge und Breite des Hauses 집의 길이와 폭. ⑦〔전치사와 결합; 정관사의 지시적 뜻이 상실됨; 지시적 의미를 가질 때는 예외〕am(=an dem) Tag 낮에; beim(=bei dem) Bahnhof 역 근처에; an dem Tag, an dem die Schlacht stattfand 전투가 있었던 그날에. 《Ⅱ》[deːr] 지시 대명사〔강세 있음〕①〔부가어적 용법; 변화는 정관사와 같음〕(**a**) (dieser) 이, 저, 그: der Mann hier 여기 있는 이 남자; der Garten da 저기 있는 저 정원; an dem und dem Tag〔Ort〕이러이러한〔여차여차한〕날〔곳〕에, 모일〔모처〕에; der Feigling! 이 비겁한 자여!; der Mann da wohnt vor der Stadt 저기 있는 저 남자는 교외에 살고 있다. (**b**)〔관계 문장을 동반하는 경우: =derjenige〕das Haus, wovon ich sprach 내가 말한 그 집. ②〔명사적 용법〕(**a**)〔직접 지시하는 경우〕der war es 바로 저〔그〕사람이었다; wer ist denn die (da)? 저기 저 여자는 누구인가?; die mit der Brille 안경을 쓴 여자; der und bezahlen! 그 녀석이 돈을 내다니!; der und der 아무개, 모씨; der und jener a) 아무개, b) 악마; willst du Hans sprechen? der ist schon lange weg 한스를 만나려고 하니? 그는 벌써 간지 오래 됐어; ein Wimmern gleich dem eines Kindes 어린아이 같은 훌쩍임; Freunde! ich habe deren nicht viele 친구라고! 나는 친구가 많지 않아;〔지시 대명사 das 는 술어 구문에서 성·수에 관계없이 사용되며 앞 문장의 내용을 가리키는 데도 쓰임〕sind das Ihre Bücher? 저것이 당신의 책입니까?; er ist wütend, und das mit Recht 그는 격분했는데, 그것은 당연한 일이다; wie dem auch sei 그것이야 어떻든; auch das noch! 그런 것〔불행〕까지 겹치다니!; bei dem allem〔bei alledem〕그럼에도 불구하고; vor dem 그 앞에; es ist an dem 그것은 정말이다;〔2 격 또는 전치사가 붙은 명사를 동반할 경우의 복수 2 격에는 derer 를 씀〕sie erinnert sich gern ihrer Freundinnen, besonders derer aus ihrer Schulzeit 그녀는 자기 친구들 특히 학창 시절의 친구들을 즐겨 회상한다. (**b**)〔관계 문장을 동반하는 경우: =derjenige〕das ist nicht der, den ich meinte 저 사람은 내가 말한 분이 아니다; Gott hilft denen, die andern helfen 하느님은 남을 돕는 자를 돕는다; die Anzahl derer, denen er geholfen hatte, war nicht gering 그가 도와 준 사람들의 수는 적지 않았다;〔복수 2 격이 명사 앞에 올 때는 deren〕trockne die Tränen von deren Gesicht, die um mich weinen 나를 애석히 여겨 우는 사람들의 얼굴에서 눈물을 닦아 다오. (**c**)〔뜻을 분명히 하기 위해 주어 이외의 명사에 관계되는 소유 대명사의 대신으로〕sie empfing ihre Freundin und deren Tochter 그녀는 자신의 여자 친구와 그 친구의 딸을 맞아들였다(deren 대신에 소유 대명사 ihre 를 쓰면 주어 sie 의 딸을 뜻함). 《Ⅲ》관계 대명사〔지시 대명사의 전용(轉用)이며 변화도 《Ⅱ》와 같은 꼴이나 복수 2 격에 derer 꼴은 없음; 발음도 《Ⅱ》에 준하지만 그보다 어세가 약함: =welcher〕①der Wagen, der kaputt ist 고장난 자동차; das Mädchen, mit dem ich sprach 내가 이야기를 나눈 소녀; die Freunde, deren Wohltaten du empfangen wirst 네가 그 은혜를 받게 될 친구들;〔선행사가 인칭 대명사일 때는 반드시 der 를 쓰며 welcher 는 쓰지 않음; 1·2 인칭의 인칭 대명사를 가리키는 관계 대명사는 종종 인칭 대명사를 되풀이함〕du, die du alle Wunden heilst 온갖 상처를 고쳐 주는 그대; ihr, die sich zur Teilnahme bereit erklärt haben 참가할 용의가 있다고 말한 너희들. ②〔고어〕〔격이 같을 경우에는 주문장의 지시 대명사와 부문장의 관계 대명사를 합쳐서 한 말로 만들 때가 있음〕〔속담〕Ehre dem Ehre gebührt 영광 있을 만한 자에게 영광 있을지어다; der mich liebt und kennt, ist in der Weite 나를 사랑하고 알아주는 이는 먼 데 있다.

Derangement [derɑ̃ʒəmɑ́ː] 《frz.》 *n.* -s, -s 혼란, 교란; 방해, 고장; 정신 착란.

derangieren [derɑ̃ʒíːrən] 《Ⅰ》 *t.* 〔교양〕어지럽히다, 혼란스럽게 하다: sich derangiert fühlen 혼란스러워하다, 혼란〔당혹〕스럽다. 《Ⅱ》**derangiert** *p.a.* ↑ derangiert.

derangiert 《Ⅰ》 *p.p.* ↑ derangieren. 《Ⅱ》 *p.a.* 뒤죽박죽의, 혼란스러운.

der·art *adv.* 이〔그〕와 같이, 이〔그〕렇게; 이〔그〕만큼: ~, daß ... …할 만큼〔정도로〕; er hat mich ~ beleidigt, daß eine Versöhnung unmöglich ist 그는 화해할 수 없을 정도로 나를 모욕했다. **~artig** 《Ⅰ》 *a.* 이런〔그런〕종류의, 이와〔그와〕같은: etwas ~es 이와〔그와〕같은 것; eine ~e Frechheit habe ich noch nicht erlebt! 그와 같은 무례는 난생 처음이다! 《Ⅱ》 *adv.* ↑ derart.

***derb** [dɛrp] *a.* ①실한, 실팍한, 단단한; 묵직한: ~er Stoff 단단한 물질; ~ zugreifen 단단히 붙잡다. ②힘센, 튼튼한. ③거친, 우악스러운, 상스러운, 버릇 없는; 무뚝뚝한, 노골적인, 주제넘은: eine ~e Antwort 무뚝뚝〔쌀쌀〕한 대답; ein ~er Ausdruck 상스러운 표

현; eine ~e Lüge 지독한 거짓말; ein ~er Scherz 거친 농담; ein ~es Mädchen 거칠고 촌스러운 계집애. ④ 강렬한, 격렬한: ~er Stoß 격렬한 가격; jn. ~ anfahren 누구를 호되게 나무라다. ⑤〖광산〗덩어리 모양의.

Derbheit *f.* -en ① 자연의 거친 힘. ② 조야, 투박함, 거친 행동: zu ~en neigen 거친 행동을 하는 경향이 있다. ③ 세련되지 못한 농담.

Derb≈holz *n.*〖林〗직경 7 cm 이상의 간재(幹材). **~knochig** *a.* 뼈대가 큰〔실한〕. **~-komisch** *a.* 저질 코미디의. **~stange** *f.* ↑ ~holz.

Derby [dɛ́rbi, dá:bɪ] ⟪engl.⟫ *n.* -(s), -s, **Derby·rennen** *n.* 더비 경마(영국의 Epsom 시에서 매년 행해지며, 창시자의 이름에서).

der≈einst [de:rláɪnst] *adv.*〔구식〕① 장차, 언젠가. ② 일찍이, 전에, 옛날에. **~einstens** *adv.* ↑ ~einst. **~einstig** *a.* 장래의, 언젠가의. **~einstmals** *adv.* ↑ ~einst.

Derelikt [derelɪ́kt] ⟪lat⟫ *n.* -(e)s, -e 주인 없는 물건, 버린 물건.

Dereliktion [..tsió:n] *f.* -en 방기(放棄), 유기;〖法〗동산 소유권의 방기; (직무의) 태만.

derelinquieren [derelɪŋkví:rən] *t.* (aufgeben) 버리다, 방기〔유기〕하다;〖法〗(동산 소유권을) 방기하다.

***deren** [dé:rən]〔지시 대명사 및 관계 대명사 der 의 복수 2 격 및 여성 2 격이며 항상 지시하는 말 앞에 둠〕⟪Ⅰ⟫〔지시 대명사〕sie grüßt ihre Mutter und ~ Freundin 그녀는 자신의 어머니와 어머니의 친구에게 인사한다. ⟪Ⅱ⟫〔관계 대명사〕die Frau, ~ Mann du kennst 네가 알고 있는 남자의 부인.

derent·halben *adv.* ↑ derentwegen.

derent·wegen [dé:rənt..] (t 는 뜻이 없는 첨가 자음) *adv.* ①〔선행하는 여성 또는 복수 명사를 지시〕그들〔그녀〕때문에, 그것〔그것들〕때문에: dort steht eine berühmte Kirche, ~ unterbrechen wir unsere Fahrt 거기에는 유명한 교회가 있는데 그것 때문에 우리는 여행을 중단한다. ②〔관계 대명사적〕die Kinder, ~ er sich ins Feuer stürzte 구출하기 위하여 그가 불 속으로 뛰어든 그 아이들.

derer [dé:rər] 지시 대명사 der 의 복수 2 격(↑ der ⟪Ⅱ⟫ ②).

der·gestalt *adv.* 이와 같이, 이만큼, 이 정도로: ~, daß ... …할 만큼〔정도로〕.

***der·gleichen**〔지시 대명사; 어미변화 없음〕①〔형용사적〕그와 같은: ~ Menschen 그와 같은 사람들. ②〔명사적〕그와 같은 것, 그런 것: ~ habe ich nie gehört 그런 말을 나는 아직 들은 적이 없다; Zucker, Kaffee und ~ mehr (약어: u.dgl.m.) 설탕, 커피 등등; nichts ~ tun (기대와는 달리) 아무런 반응도 보이지 않다. ③〔부사적〕~ tun, als ob ... 마치 …인 것 같이 행동하다; er tut ~, als ob er arbeitete 그는 마치 일을 하고 있는 것처럼 가장한다. ④〔관계 대명사적〕er erzählte uns Ereignisse, ~ gar nicht geschehen sein können 그는 전혀 일어날 수 없는 일들을 우리에게 이야기했다.

Derivat [derivá:t] ⟪lat. derivare⟫ *n.* -(e)s, -e ①〖化〗유도체. ②〖문법〗파생어. ③〖生〗파생 기관.

Derivation [..tsió:n] *f.* -en ① 유도(誘導); 유래, 기원; 파생. ②〖軍〗탄환이 조준선에서 빗나감.

derivativ [..tí:f] *a.* 파생된, 유도된.

Derivativ *n.* -s, -e [..və]〖문법〗파생어.

Derivativum [..vum] *n.* -s, ..va ↑ Derivativ.

derivieren [derivíːrən] ⟪Ⅰ⟫ *t.* (ableiten) (근원에서) 끌어내다, 파생시키다, 유도하다: Wörter ~ 파생어를 만들다. ⟪Ⅱ⟫ *i.*(h.)〖軍〗조준선에서 벗어나다: Geschosse ~ 탄환이 빗나간다. ⟪Ⅲ⟫ **deriviert** *p.a.* ↑ deriviert.

deriviert ⟪Ⅰ⟫ *p.p.* ↑ derivieren. ⟪Ⅱ⟫ *p.a.* 유도된, 파생된.

Derivierte* *die*〖數〗도함수(導函數).

***der·jenige** [dé:rje:nɪgə] *prn.*〔지시 대명사, der 부분은 정관사의 변화를 하고 jenige 는 형용사의 약변화를 따름〕①〔명사적〕**(a)**〔2 격 명사·전치사가 붙은 명사를 동반하여〕그것, 그 사람: mein Hut und ~ meines Vaters 내 모자와 아버지의 그것〔모자〕; sein Buch und dasjenige auf dem Tisch 그의 책과 책상 위의 그것〔책〕. **(b)**〔관계 문장을 동반하여〕그것, 그 사람: unter denjenigen, die hier gestorben sind, war mein Freund 이곳에서 죽은 사람들 가운데에 내 친구도 있었다;〔반어〕du bist also ~, welcher! 네가 바로 문제가 되고 있는〔책임이 있는〕그 사람이다! ②〔형용사적; 관계 문장을 동반하여〕~ Gast, den wir gestern trafen 우리가 어제 만난 손님; Gold ist dasjenige Metall, dessen Glanz so viele betört 황금은 그 빛이 수많은 사람을 현혹시키는 금속이다.

derlei [dé:rláɪ] *a.* 이러한 (것) (↑ dergleichen): ~ Dinge 이와 같은 것들.

Derma [dɛ́rma] ⟪gr.⟫ *n.* -s, -ta〖醫〗피부.

dermal ⟪gr.⟫ *a.* 피부(상)의 (dermatisch).

dermal·einst *adv.* ↑ dereinst.

dermalen *adv.*〔고어〕지금.

Dermalgie *f.* -n [..gí:ən]〖醫〗피부(신경) 통증.

dermalig *a.*〔고어〕지금의.

der·maßen [dé:rmá:sən] *adv.* (derart) 이와 같이, 이렇게, 이런 정도로: er schrie ~, daß ... 그는 …할 정도로 소리를 질렀다.

Dermatikum [dɛrmá:tikum] ⟪gr.⟫ *n.* -s, ..ka〖醫〗피부약.

dermatisch [dɛrmá:tɪʃ] ⟪gr.⟫ *a.* 피부의; 피부에 관한; 피부병〔과〕의.

Dermatitis [..tí:tɪs] *f.* ..tiden [..tí:dən]〖醫〗피부염.

Dermatogen *n.* -s〖植〗원표피(原表皮).

Dermatoid *n.* -(e)s, -e (제본용) 인조 가죽.

Dermatol [..tó:l] *n.* -s〖藥〗데르마톨(상처에 바르는 연고제).

Dermatologe *m.* -n, -n 피부과 의사.

Dermatologie [..logí:] *f.* 피부과학, 피부병학.

Dermatologin *f.* -nen ↑ Dermatologe 의 여성형.

dermatologisch *a.* 피부병학의.

Dermatom[1] *n.* -s, -e〖醫〗① 피부 조각. ② 이식용 피부 분리기.

Dermatom[2] *n.* -s, -e ⟪gr.⟫〖병리〗피부 종창.

Dermatomykose *f.* -n 진균에 의한 피부병.

Dermatoplastik *f.*〖醫〗식피술(植皮術); 박제술(剝製術).

Dermatose *f.* -n〖병리〗피부병.

Dermatozoon [dɛrmatotsó:ɔn] *n.* -s, ..zoen

[..tsó:ən] 〖醫·生〗 피부 기생충.

Dermatozoonose [..tsoonó:zə] *f.* -n 기생충으로 인한 피부병.

Dermographie *f.* -n, **Dermographismus** *m.* -, ..men 〖醫〗 기계적 자극으로 인한 피부 반응.

Dermoplastik *f.* ↑ Dermatoplastik.

Dernier Cri [dɛrnjekrí] 《frz.》 *m.* - -, -s -s 최신 유행.

Dero 〔구식〕 (왕족에 대한 호칭으로서) ~ (= Ihr, Ihro, Euer) Gnaden 폐하, 전하.

dero [dé:ro] *prn.* 〔원래 복수 및 여성 die 의 2 격 deren 의 고어형으로 왕족의 존칭〕 폐하의, 전하의.

Derogation [derogatsió:n] 《lat.》 *f.* -en 〖法〗 훼손, 감손; (법령 따위의) 부분적 폐지.

derogativ [..tí:f] *a.* (법령을) 일부 폐지하는, 제한적인.

derogatorisch *a.* ↑ derogativ.

derogieren *t.* (권위 따위를) 훼손하다, 떨어뜨리다; (법령 따위를) 일부 폐지하다.

dero·halben *adv.* 〔구식〕 ↑ deshalb.

Deroute [derú:t(ə)] 《frz.》 *f.* -n 〖軍·고어〗 패주, 패배; 〖商〗 (주가·물가의) 폭락.

deroutieren [derutí:rən] *t.* ①〔구식〕 (누구를) 나쁜 길로 이끌다; (무엇을) 수포로 돌아가게 하다. ②〖經〗 den Markt ~ 시장 가격을 떨어뜨리다.

dero·wegen 〔고어〕 *adv.* 그것 때문에 (↑ derentwegen).

Derrickkran [dérık..] *m.* -s, ..kräne/-e 데릭 크레인 (고층 및 지하 공사용 조립 크레인).

***der·selbe** [de:rzélbə] *prn.* 〔der 의 부분은 정관사의 변화를, selbe 는 형용사의 약변화를 따름〕 ① 같은〔동일한〕 (것·사람): sie trägt immer denselben Hut 그녀는 항상 같은 모자를 쓰고 있다; er ist immer ~ 그는 언제나 변함없다〔한결같다〕; sie ist nicht mehr dieselbe 그녀는 더 이상 이전의 그녀가 아니다; zu derselben (=zur selben) Zeit 같은 시간에, 동시에; eben〔ganz, genau〕 ~ 바로 그것〔사람〕; 〔ein und 가 추가되어 뜻을 강조하여〕 in ein(em) und demselben Bezirk wohnen 같은 구역에 살다; das ist doch ein und dasselbe 그것은 동일하다〔차이가 없다〕. ②〔앞에 나온 것 또는 이미 아는 것을 가리킴〕 er nahm seinen Füller und legte denselben auf den Tisch 그는 만년필을 집어서 그것을 책상에 올려 놓았다. ③ 유사한 (dergleiche). ④〔경칭·구식〕 *pl.* dieselben 당신(들) (Sie): Hochdieselben, Höchstdieselben 폐하, 전하.

der·selbige ↑ derselbe.

Derutaware [derú:ta..] *f.* -n (노란 바탕에 파란 칠을 한) 16 세기 토기 (이탈리아의 도시 Deruta 에서).

der≈wegen *adv.* 〔고어〕 ↑ derentwegen. **~weil** 《Ⅰ》 *adv.* 그 동안에, 그렇게 하는 사이에. 《Ⅱ》 *cj.* (während) …하는 동안에. **~weilen** *adv./cj.* ↑ ~weil.

Derwisch [dérvıʃ] 《pers.》 *m.* -es, -e (이슬람교의) 탁발 종단 승려.

der≈zeit *adv.* ① 지금, 현재: die ~ beste Methode 현재로서는 최상의 방법. ② 당시, 그 때, 그 무렵에 (약어: dz.). **~zeitig** *a.* 지금의, 현재의; 당시의.

Des *n.* -, - 〖음악〗 내림 라 장조; 내림 라 장조의 기본음.

des[1] [dɛs] ①〔정관사 der 및 das 의 2 격 (↑ der)〕 das Haus ~ Vaters 아버지의 집; das Buch ~ Kindes 아이의 책. ②〔dessen 의 고형(古形)〕 ~ Morgens〔Abends〕 그 아침〔저녁〕에; ~ sind wir sicher 우리는 그 일에 확신을 갖고 있다.

des[2] *n.* -, - 〖음악〗 내림 라 단조; 내림 라 단조의 기본음.

des. =designatus 임명되어 아직 취임하지 않은, 지명된, 내정된.

Desannexion [dɛs|anɛksió:n, deza..] 《frz.》 *f.* -en 분리, 분해; (Elsaß-Lothringen 의) 반환 (제 1 차 세계 대전 때 프랑스의 구호).

desarmieren [dɛs|armí:rən, deza..] 《frz.》 *t./i.* (h.) 〖軍〗 무장을 해제하다: ihn ~ 그의 무장을 해제하다; 〖검도〗 den Gegner ~ 상대의 칼을 쳐서 떨어뜨리다.

Desaster [dezástər] 《frz.》 *n.* -s, - 불운, 재난, 재해; 실패, 파멸, 파국: mit einem ~ enden 파국으로 끝나다.

desavouieren [dɛs|avuí:rən, deza..] 《frz.》 *t.* 〔교양〕 ① 부인하다. ② 인정〔승인〕하지 않다: den Beschluß ~ 회의 결과를 승인하지 않다. ③ 모욕하다, 조소하다: jn. in aller Öffentlichkeit ~ 모든 사람 앞에서 누구를 모욕하다. ④ (죽게) 내버려두다, 아랑곳하지 않다.

Desavouierung *f.* -en 모욕, 조소.

Descartes [dekárt] *m.* René ~ 데카르트 (프랑스의 철학자, 1596-1650).

Des-Dur [dés-du:r] *n.* - 〖음악〗 내림 라 장조 (기호: Des).

Des-Dur-Ton·leiter *f.* 내림 라 장조 음계.

Desem [dé:zəm], **Desemer, Desen** *m.* -s, - (nordd.) 큰 저울.

deseme(r)n *t.* 큰 저울로 달다.

Desengagement [dezɑ̃gaʒəmɑ́:] *n.* -s, -s ↑ Disengagement.

Desensibilisation *f.* -en ①〖醫〗 (알레르기에 대한) 둔감화. ②〖사진〗 감광 둔화.

Desensibilisator *m.* -s, -en [..tó:rən] 〖사진〗 감광둔화제, 감감제 (減感劑).

desensibilisieren [dezɛnzibilizí:rən] 《lat.》 *t.* ①〖醫〗 불감증으로 만들다, 둔감하게 하다: die Darstellung von Brutalität in den Medien desensibilisiert die Menschen gegenüber Gewalt 매체에 나타나는 잔인성의 묘사가 사람들을 폭력에 대하여 둔감하게 한다. ②〖사진〗 감광을 둔하게 하다.

Desensibilisierung *f.* -en 둔감(화).

deserieren 《lat.》 《Ⅰ》 *t.* 내버리다, 유기하다. 《Ⅱ》 **deseriert** *p.a.* ↑ deseriert.

deseriert 《Ⅰ》 *p.p.* ↑ deserieren. 《Ⅱ》 *p.a.* 버림받은, 유기된, 주인 없는.

desert *a.* 황폐한; 무인의.

Deserteur [dezɛrtǿ:r] *m.* -s, -e 〖軍〗 탈영자, 탈주병; 투항병.

desertieren *i.* (s.) 탈영〔도주〕하다; 투항하다.

Desertifikation *f.* -en 〖지리〗 사막화.

Desertion [dezɛrtsió:n] *f.* -en 탈영, 도망.

Deservit [dezɛrví:t] 《lat.》 *n.* -s, -en 보수; 변호사 수임료.

des≈falls *adv.* 〔고어〕 이 경우에. **~fallsig** *a.* 〖官〗 이 경우의.

desgl. =desgleichen.

***des·gleichen** *prn.* 〔지시 대명사; 어미변화 없음〕 ① **(a)** 〔부사적〕 마찬가지로, 그와 같이: ~ tun a) 그런 식으로 하다, b) 같은 일을 하다; und die übrigen ~ 그리고 나머지 사람들도 마찬가지로. **(b)** 〔접속사적〕 마찬가지로, 그와 같이: ~ daß ... 마치 …와 같이. ②〔명사적〕 그러한 것: sie hat nie vorher ~ gesehen 그 여자는 아직 그런 것을 본 적이 없다. ③〔관계 대명사적〕 ↑ dergleichen.

Déshabillé [dezabijé:] 《frz.》 *n.* -s, -s (Hauskleid) ① (장식이 달린) 우아한 실내복. ②〖유행〗 데자비예(치마 부분을 부풀린 18 세기의 실내용 원피스).

***des·halb** *adv./cj.* 그 때문에, 그래서: er war erkältet, ~ fehlte er 그는 감기에 걸렸기 때문에 불참했다; eben ~ 바로 그렇기 때문에; ~, weil ... …이기 때문에; ~ doch 그래도 역시, 그런데도; er leugnet es, es ist aber ~ doch wahr 그는 부인하지만 그래도 그것은 사실이다.

desiderabel [deziderá:bəl] 《lat.》 *a.* 바람직한, 추구할 만한.

Desiderat [deziderá:t] *n.* -(e)s, -e ①〔교양〕 숙원, 미해결의 문제; 희망 사항: die Lösung dieses Problems ist bis heute ein ~ der Wissenschaft 이 문제는 오늘날까지도 과학이 풀어야 하는 숙원 사항이다. ②〖도서관〗 결본(缺本); 부족한 것.

Desiderativum [..tí:vum] *n.* -s, ..va 〖문법〗 희구(希求) 동사(소망을 나타냄).

Desideratum *n.* -s, ..ta ↑ Desiderat.

Desiderium *n.* -s, ..rien ① 소망, 희망, 요구. ②〖도서관〗 결본, 구입 희망 도서.

Design [dizáın] 《engl.》 *n.* -s, -s 초안, 스케치; 무늬; 디자인.

Designation [dezıgnatsió:n] 《lat. signum》 *f.* -en ① 지정, 규정, 지명. ② 잠정적〔비공식적〕인 임명, 내정.

designatus [dezıgná:tus] *a.* 임명되어 아직 취임하지 않은(약어: des.): Professor des. 교수 임용 예정자.

Designer [dizáınər] 《engl.》 *m.* -s, - 디자이너.

Designer·droge *f.* (기존 마약들을 합성한) 신종 마약.

Designerin *f.* -nen 여성 디자이너.

Designer·mode *f.* 유명 디자이너가 만든 의상.

designieren [dezıgní:rən] *t.* ① 내정하다: der designierte Nachfolger 내정된 후계자. ②〔드물게〕 결정하다.

***Desillusion** [dɛs|ıluzió:n, dezı..] 《frz.》 *f.* -en 환멸; 각성; 탈(脫)환상, 현실 인식: eine ~ erleben 환멸을 체험하다.

desillusionieren [..zioní:rən] *t.* jn. ~ 누구에게 환멸을 느끼게 하다, 누구를 각성시키다.

Desillusionierung *f.* -en 탈(脫)환상, 환상 파괴, 각성시키기.

Desillusionismus *m.* - 냉철한 현실주의.

Desinfektion [dɛs|infɛktsió:n, dezın..] 《frz.》 *f.* -en 소독, 살균: ~ der Wunde 상처 소독.

Desinfektions·mittel *n.* 소독제.

Desinfektor [dɛs|ınfɛ́ktɔr, ..to:r] *m.* -s, -en [..tó:rən] 소독〔살균〕 전문가; 소독기.

Desinfiziens [dɛs|ınfí:tsiɛns] *n.* -, ..zienzien/..zientia [..tsia] 소독〔살균〕제.

desinfizieren *t.* 소독〔살균〕하다.

Desinfizierung *f.* -en 소독, 살균.

Desinformation *f.* -en (정치적 목적으로) 거짓 정보를 유포시킴.

***Desintegration** [dɛs|integratsió:n, dezın..] 《frz.》 *f.* -en ① 분해, 분산. ②〖心〗 (정신병적인) 인격 분열〔파탄〕. ③〖사회〗 (조직의) 해체; (문화 및 가치 체계의) 분산; (개인·단체의) 사회적 부적응〔일탈〕.

Desintegrator [dɛs|integrá:tɔr, ..to:r] 《lat.》 *m.* -s, -ren [..tó:rən] ① 파쇄기, 분쇄기. ② 공기 정화기(습식 집진기).

desintegrieren *t.* 분리〔해체〕하다.

desintegrierend *a.* (↔ integrierend) 본질적이지 않은; 중요하지 않은.

Desintegrierung *f.* -en 분해, 분산(Desintegration).

Desinteresse [dézɛ̃teres] *n.* -s ① 무관심, 냉담. ② 공평무사; 불간섭.

Desinteressement [dezɛ̃tərɛsəmã:] 《frz.》 *n.* -s ↑ Desinteresse.

desinteressiert [dɛ́sint..] *a.* 무관심한, 무심한, 냉담한.

desistieren [dezısti:rən] 《lat.》 *i.* (h.) 〔구식〕 (abstehen) 포기하다, 중지하다.

Desjatine [dɛsjatí:nə] *f.* -n 옛 러시아의 면적 단위(약 1 헥타르).

deskribieren [dɛskribí:rən] 《lat.》 *t.* (beschreiben) 묘사하다, 서술하다.

Deskription [deskrıptsió:n] 《lat.》 *f.* -en 서술, 기재; 묘사; 기술.

deskriptiv [..tí:f] *a.* 서술적인, 기술적인: ~e Sprachwissenschaft 기술(記述) 언어학(역사적·이론적 고찰보다 현실의 언어 현상을 기술하는 데 중점을 둠).

Deskriptivismus *m.* - 기술(記述)주의.

Deskriptor [..skríptɔr, ..to:r] *m.* -s, -en [..tó:rən] ① 핵심어. ②〖컴〗 키워드.

Desktop·publishing [..páblıʃıŋ] 《engl.》 *n.* -(s) 탁상 출판.

Desmitis *f.* ..tiden [..tí:dən] 《gr.》〖醫〗 건염(腱炎), 인대염.

Desmoid *n.* -(e)s, -e 〖醫〗 결체 조직의 종창.

des-Moll *n.* - 내림 라 단조.

des-Moll-Ton·leiter *f.* 내림 라 단조 음계.

Desmologie [dɛsmologí:] *f.* 〖醫〗 인대학(靭帶學).

Desodorans *n.* -, ..ranzien/..rantia, **Desodorant** *n.* -s, -e/-s ↑ Deodorant.

desodorisieren [dɛs|odorizí:rən, dezo..] 《lat.》 *t.* 냄새를 제거하다: Toiletten ~ 화장실 냄새를 제거하다; sich ~ 체취를 없애다.

Desodorierung *f.* -en 냄새 제거, 탈취.

Desodorisierung *f.* -en ↑ Desodorierung.

des·ohn·erachtet *adv.* ↑ dessenungeachtet.

desolat [dezolá:t] 《lat.》 *a.* ①〔고어〕 적막한, 황량한. ② 절망적인, 슬픈.

Desolation [..latsió:n] *f.* -en 고독; 비탄; 황폐.

Desordre [dezɔ́rdər] 《lat.》 *m.* -s, -s (Unordnung) 혼란, 무질서.

Desorganisation [dɛs|ɔrganizatsió:n, dezɔr..] 《frz.》 *f.* -en 해체, 분열; 질서〔조직〕 파괴; 무조직, 무체계; 계획 부족〔부재〕.

desorganisieren *t.* 해체하다.

Desorganisierung *f.* -en 해체, 와해, 분열;

계획 부족〔부재〕.

*desorientieren [dɛs|oriɛntíːrən, dezo..] *t.* 방향 감각을 잃게 하다, 갈피를 못 잡게 하다; 혼란시키다: in et.³ desorientiert sein 어떤 일에 갈피를 못잡다.

desorientiert 《I》 *p.p.* ↑ desorientieren. 《II》 *p.a.* 혼란〔당혹〕스러운.

Desorientiertheit *f.* 혼란.

Desorientierung *f.* -en ① 혼란, 방향 상실. ②〖心〗 방향 감각 장애.

Desoxydation [dɛs|ɔksydatsióːn, dezɔ..] 《frz.》 *f.* -en 〖化〗 탈산(脫酸), 환원.

desoxydieren *t.* 〖化〗 (화합물에서) 산을 제거하다.

Desoxyribo·nuklein·säure *f.* 〖생화학〗 디옥시리보 핵산, DNA(독일어 약어: DNS).

Desoxyzucker *m.* -s 〖생화학〗 탈산소제 설탕(자연 상태의 수소 원자만 가진 설탕).

despektieren [despɛktíːrən] 《lat.》 *t.* 경멸하다(verachten).

despektierlich *a.* 업신여기는, 모멸적인, 무례한.

Desperado [dɛsperáːdo] 《sp.》 *m.* -s, -s (앞뒤 가리지 않는) 무법자, (정치적인) 폭력배, 과격 분자.

Desperado·politik *f.* 자포자기적인 정책.

desperat [dɛsperáːt] 《lat.》 *a.* (verzweifelt) 절망적인, 자포자기의; 무모한, 필사적인.

Desperation [dɛsperatsióːn] *f.* -en 절망, 자포자기; 필사적인 행동.

Despot [dɛspóːt] 《gr.》 *m.* -en, -en ① 전제 군주, 독재자; 폭군, 압제자. ②〔폄어〕폭군 같은 사람.

*Despotie [..potíː] *f.* -n [..tíːən] 전제 (정치); 폭정.

Despotin *f.* -nen ↑ Despot 의 여성형.

*despotisch *a.* ① 전제〔독재〕 정치의. ②〖폄어〗 강압적인, 무자비한, 오만한, 반론을 허용하지 않는.

despotisieren [..tizíːrən] 《I》 *i.* (h.) 전제〔압제〕 정치를 하다. 《II》 *t.* 폭력적으로 다스리다, 억압적으로 다루다.

Despotismus [..tísmus] *m.* - 전제 정치〔주의〕; 압제.

Dessau *n.* -s 데사우(엘베 강변의 도시).

Dessauer[1] *m.* -s, - 데사우 사람.

Dessauer[2] *a.* 데사우의.

dessauisch *a.* 데사우의.

Dessein [dɛsɛ̃ː] 《frz.》 *n.* -s, -s 〖당구·드물게〗 (타구 방법의) 구상.

des·selben [dɛszɛ́lbən] *prn.* ↑ derselbe 의 남성·중성 2 격형.

des·selbigen·gleichen 〔고어〕 *adv.* 마찬가지로(ebenso).

*dessen [dɛ́sən] 〔지시〔관계〕 대명사 der 및 das 의 2격(↑ der 《II》《III》)〕 die Hand ~, der alles sieht 모든 것을 보시는 분〔하느님〕의 손; das Haus, ~ Eigentümer weggezogen ist 소유자가 이사 나간〔떠나고 없는〕 집.

dessent·halben [dɛ́sənt..] *adv.* ↑ dessentwegen.

dessent·wegen *adv.* ① 그 때문에: ~ 〔um dessentwillen〕 ging ich nicht spazieren 그 때문에 나는 산책을 가지 않았다. ②〔관계적〕 das Mädchen, ~ 〔um dessentwillen〕 er so lange gewartet hatte 그가 (그녀 때문에) 그렇게 오래 기다렸던 그 소녀.

dessent·willen *adv.* ↑ dessentwegen.

dessen·ungeachtet *adv.* 그럼에도 불구하고.

Dessert [dɛsɛ́ːr, dɛsɛ́rt] 《frz.》 *n.* -s, -s (Nachtisch) 후식, 디저트.

Dessert·gabel *f.* 후식용 포크. ~löffel *m.* 후식용 숟가락. ~messer *n.* 후식용 나이프. ~teller *m.* 후식용 접시. ~wein *m.* (특히 달콤한) 후식용 포도주.

*Dessin [dɛsɛ̃ː] 《frz.》 *n.* -s, -s ① 데생, 소묘; 초벌 그림, 약도; 도면, 도안, 제도; 의장(意匠), 본. ② (Entwurf) 계획, 구상. ③〖당구〗 공들의 위치〔형세〕.

Dessinateur [dɛsinatøːr] *m.* -s, -e 의장가, 도안가, 제도가; 디자이너.

dessinieren *t.* 소묘하다, 의장〔도안〕을 그리다, 디자인하다.

dessiniert *a.* 무늬가 그려진.

Dessinierung *f.* -en 도안.

Deßjatine *f.* -n ↑ Desjatine.

Dessous [dɛsúː] 《frz.》 *n.* - [..súː(s)], - [..súːs] 여성의 속옷, 언더웨어: ein rosafarbenes ~ tragen 핑크빛 속옷을 입고 있다.

destabilisieren *t.* 〖政〗 혼란스럽게 만들다: einen Staat ~ 한 나라를 혼란에 빠뜨리다.

Destabilisierung *f.* -en 혼란을 일으킴, 안정을 저해함.

Destillat [dɛstɪláːt] 《lat. stilla》 *n.* -(e)s, -e 〖化〗 증류액.

Destillat·brenner *m.* ↑ Destillateur ①.

Destillateur [dɛstɪlatøːr] 《frz.》 *m.* -s, -e ① 브랜디〔화주〕 제조업자. ②〖드물게〗(브랜디를 파는) 술집 주인.

Destillation [..tsióːn] *f.* -en ① 증류; 브랜디 양조장; 선술집. ② 나무를 구워 숯을 만듦.

Destillations·gas *n.* 증류 가스.

destilativ *a.* 증류(식)의.

Destille [dɛstílə] *f.* -n ①〖폄어〗 선술집: von ~ zu ~ ziehen 술집을 전전하다. ② 브랜디 양조장.

Destillier·apparat *m.* 증류기. ~blase *f.* ↑ ~kolben.

*destillieren [dɛstɪlíːrən] 《lat.》 *t.* ① 증류하다: destilliertes Wasser 증류수. ② 브랜디를 양조하다. ③ (긴 논문 따위에서) 중요한 것을 발췌하다, 요약하다.

Destillier·gefaß *n.* ↑ ~kolben. ~helm, ~hut *m.* 증류기의 상부. ~kolben *m.* 증류기, (유리로 된) 증류 플라스크. ~ofen *m.* 증류로(爐).

Destinatar [dɛstinatáːr] 《lat.》 *m.* -s, -e ① 선화(船貨) 수취인. ②〖法〗 기금 수혜자.

Destinatär [..tɛ́ːr] *m.* -s, - ↑ Destinatar.

Destination [..tsióːn] *f.* -en ① 사명, 최종 목적. ② (운명적으로) 예정된 일. ③〖항공〗 도착지.

Destinations·hafen *m.* 도착지 항구.

destinieren *t.* (어떤 목적에) 예정해 두다; 운명지우다.

destituieren [dɛstituíːrən] 《lat.》 *t.* 〔구식〕 면직하다, 파면하다.

Destitution [..tsióːn] *f.* -en 면직, 파면.

*desto [dɛ́sto] *adv.* 〔비교급 앞에서〕 (um so) 더욱더, 한층: je mehr, ~ besser 많으면 많을수록 좋다; je schneller er kommt, ~ besser ist es 그가 오는 것이 빠르면 빠를수록 좋다;

~ besser! 그렇다면 더욱더 좋다, 정말 다행이다! (안도의 외침).
destruieren [destruí:rən] ⟪lat.⟫ *t.* (zerstören) 파괴하다, 파멸시키다.
***Destruktion** [destruktsió:n] *f.* -en ① 파괴, 박멸. ②〖문학〗해체. ③〖지질〗삭마(削磨), 풍화. ④ (육지가 바다로 바뀌는) 침하, 침강.
***destruktiv** [..tí:f] *a.* 파괴적〔해체적〕인; 혁명적인;〖醫〗악성의, (조직을) 파괴하는:〖政〗~es Mißtrauensvotum 대안 없는 불신임 투표(↔ konstruktives Mißtrauensvotum).
Destruktivität *f.* 파괴(성).
desultorisch [dezultó:rɪʃ] ⟪lat.⟫ *a.*〔구식〕일관성이 없는, 맥락이 없는, 산만한.
des·ungeachtet *adv.* ↑ dessenungeachtet.
des·wegen *adv./cj.* 그 때문에: ~, weil ... 이기 때문에; eben ~ 바로 그런 까닭에; ~ doch 그런데도 또한.
des·willen *adv.* um ~ 그 때문에.
Deszendent [des|tsɛndɛ́nt] ⟪lat. descendere⟫ *m.* -en, -en ① 자손, 후예, 혈통;〖法〗비속(卑屬). ②〖天〗하강하는〔지는〕별〔별자리〕, 별〔별자리〕의 하강점. ③〖점성술〗(출생 때 서쪽 지평선에서) 하강하는 별자리.
deszendent *a.*〖지질〗(↔ aszendent) 새는, 땅으로 스며드는: ~es Wasser 스며든 물.
Deszendenz *f.* ① 혈통. ②〖天〗별〔별자리〕의 하강.
Deszendenz·theorie *f.* 진화론.
deszendieren *i.* (s.) 하강하다, 침강하다.
deszendierend *a.* ↑ deszendent.
Deszension *f.* -en〖天〗(별의) 하강.
Detachement [detaʃəmã́:] ⟪frz.⟫ *n.* -s, -s ①〖軍〗파견대, 지대, 분견대, 별동대. ② (schweiz.) 고립; 냉정하게 거리를 취하는 태도〔자세〕.
Detacheur[1] [..ʃǿ:r] *m.* -s, -e 분쇄기.
Detacheur[2] *m.* -s, -e 얼룩 제거 전문가.
Detacheuse [..ʃǿ:zə] *f.* -n ↑ Detacheur[2]의 여성형.
detachieren[1] [detaʃí:rən] *t.* ① 가르다, 분리하다. ②〖軍·구식〗파견하다. ③ (곡물을) 잘게 부수다〔빻다〕.
detachieren[2] *t.* 얼룩을 빼다.
***Detail** [detáɪ, detá:j] ⟪frz.⟫ *n.* -s, -s ① 상세, 세목, 세부, 디테일: ins ~ (ein)gehen〔auf jedes ~ eingehen, sich auf jedes ~ einlassen〕상세한 내용까지 다루다, 자세히 설명하다; auf ~s verzichten 상세한 내용은 다루지 않다; bis ins kleinste ~ berichten 극히 상세한 내용까지 보고하다. ②〖商〗소매: im ~ verkaufen 소매하다.
Detail≈bericht *m.* 상보(詳報). **~frage** *f.* 세부 질문〔문제〕. **~geschäft** *n.* ① 소매. ② ↑ ~handel. **~getreu** *a.* 세부까지 똑같은. **~handel** *m.*〔구식〕(schweiz.) 소매. **~handlung** *f.* 소매점. **~kenntnis** *f.* 세부 지식.
***detaillieren** [detají:rən] ⟪frz.⟫ *t.* ① 상세히 기술하다, 세목까지 다루다; 디테일을 묘사하다. ②〖商〗소매하다. ③ 상세히 분할하다.
detailliert *p.a.* 상술된, 세분된.
Detaillierung [detají:ruŋ] *f.* -en ① 상술. ② 소매.
Detaillist [detajɪ́st] *m.* -en, -en 소매 상인.
Detail≈preis *m.* 소매 가격. **~reich** *a.* 세부 사항이 많은, 상세한. **~verkauf** *m.* 소매. **~zeichnung** *f.*〖工〗상세도.
Detektei [detɛktáɪ] *f.* -en 탐정 사무소, 신용 조사소, 흥신소.
***Detektiv** [detɛktí:f] ⟪lat. detegĕre⟫ *m.* -s, -e [..və] ① (독일의) 탐정. ② (미국·영국의) 비밀 경찰(관), 형사.
Detektiv·büro *n.* 탐정 사무소.
Detektive [..tí:və] *m.* -s, -s ↑ Detektiv.
Detektiv·geschichte *f.* 탐정〔추리〕소설.
Detektivin *f.* -nen ↑ Detektiv의 여성형.
Detektiv·institut *n.* 탐정 협회〔학회〕; 탐정 사무소; 수사과.
detektivisch *a.* 탐정의, 탐정 같은.
Detektiv≈kamera *f.* (정탐용) 소형 사진기. **~roman** *m.* 탐정〔추리〕소설.
Detektor [detɛ́ktɔr] ⟪lat.⟫ *m.* -s, -en [..tó:rən] ① 검전기(檢電器). ② 검파기(檢波器).
Detektor·empfänger *m.* 광석 검파 수신기, 광석 라디오.
Détente [detã́:t] ⟪frz.⟫ *f.* -n (국제 관계의) 긴장 완화, 데탕트.
Détente·politik *f.* 긴장 완화 정책.
Detention [detɛntsió:n] ⟪lat.⟫ *f.* -en 억류, 구류; 감금;〖法〗(타인 재산의) 불법 점유.
Detergens [detɛ́rgɛns] *n.* -s, ..gentia [..gɛ́ntsia/..genzien [..gɛ́ntsiən] ①〔복수〕〖化〗(물의 표면 장력을 감소시켜 세척력을 높이는) 세제 성분. ②〖醫〗살균제, 소독제.
Deterioration [deterioratsió:n] ⟪lat. deterior⟫ *f.* -en ① 악화, 퇴화. ②〖法〗훼손, 변질, 가치 감소.
deteriorieren *t./i.* (s.) 훼손하다.
Deteriorierung *f.* -en〔구식〕↑ Deterioration.
Determinante [detɛrminántə] ⟪lat. determinare⟫ *f.* -n〖數〗① 요인. ② 행렬식. ③〖生〗유전 인자, 결정자(子).
***Determination** [detɛrminatsió:n] *f.* -en ① 결정; 개념 규정; 결의, 결심; 과단(果斷); 측정, 감정. ②〖哲〗한정, (피)결정성. ③〖生〗배(胚)의 형태) 결정(성). ④〖心〗(내외적 여건에 의한) 심리 현상의 결정〔제한〕.
determinativ [..tí:f] *a.* ① 결정적인; 한정적인. ② 단호한.
Determinativ *n.* -s, -e ①〖문법〗한정사(지시 대명사). ②〖언어〗어근 결정사(↔ Formans). ③ 이집트·수메르 그림 문자의 한정부(限定符).
Determinativum *n.* -s, ..va ↑ Determinativ.
determinieren [detɛrminí:rən] *t.* 한정하다, 종결하다; 결정하다; 결의하다, 결심하다; 측정하다.
determiniert ⟪I⟫ *p.p.* ↑ determinieren. ⟪II⟫ *p.a.* 결정된, 결심한; 단호한: ein ~er Automat 미리 입력된 신호에 의해서 작동하는 기계(↔ stochastischer Automat).
Determiniertheit *f.* 결정되어 있음, 피결정성.
Determinismus *m.* -〖哲〗결정론, 숙명론.
Determinist *m.* -en, -en 결정론자, 숙명론자.
deterministisch *a.* 결정론적인.
detestabel [detɛstá:bəl] ⟪lat.⟫ *a.*〔구식·교양〕혐오할 만한, 혐오감을 주는.

detestieren *t.* 혐오하다; 저주하다.

detinieren [detiní:rən] 《lat.》 *t.* 억류하다, 구류하다.

Detonation[1] [detonatsió:n] 《lat.》 *f.* -en 폭발; 폭음: et. zur ~ bringen 무엇을 폭발시키다.

Detonation[2] *f.* -en 음조에서 벗어남; 음조에서 벗어난 노래〔연주〕.

Detonator *m.* -s, -en [..tó:rən] 뇌관.

detonieren[1] *i.* (h.) 터지다, 폭발하다.

detonieren[2] *i.* (h.) 음조에서 벗어나 (틀리게) 연주하다: er hat gegen Ende der Arie detoniert 그는 아리아의 끝 무렵에서 틀리게 노래〔연주〕했다.

detrahieren [detrahí:rən] 《lat.》 *t.* 빼다; 빼앗다; 비방하다.

Detriment [detrimɛ́nt] 《lat.》 *n.* -(e)s, -e 〖구식〗(Schaden) 손해, 손상, 손실.

Detritus [detrí:tus] *m.* - ①〖지질〗바위 부스러기, (풍화 작용에 의해) 부서진 바위. ②〖醫〗노폐 조직. ③〖生〗(죽은 미생물·동식물의) 해저 침적물, 부유 조각.

detto [dɛ́to] 《it.》 *adv.* 위와 같이 (dito) (약어: do).

Detumeszenz *f.* 〖醫〗종창의 부기가 빠짐.

Deubel [dɔ́ʏbəl] *m.* -s, - 〖방언〗악마(Teufel).

deucht [dɔ́ʏçt] ↑ 〖고어〗 dünken 의 3 인칭 단수 현재형.

deuchten *i.* (h.) 〖고어〗 (dünken) 여겨지다, 생각되다: mich〔mir〕 deucht, man hat uns vergessen 나는 사람들이 우리를 잊어버렸다는 생각이 든다.

Deukalion [dɔʏká:liɔn] *m.* 〖그리스신화〗 데우칼리온(Prometheus 의 아들; 대홍수를 견뎌내어 인간을 후세에 퍼뜨림).

Deuker *m.* -s, - (ndd.) 악마(Teufel).

Deul [dɔʏl] *m.* -(e)s, -e 〖방언〗 쇳덩어리.

Deus ex machina [dé:us ɛks máxina] 《lat.》 *m.* - - -, Dei [de:i] - - ①〖연극〗 기계신(神) (고대극에서 기계 장치로 공중에서 내려와 문제를 해결해 주는 신); 갑자기 출현하여 난국을 타개하는 극〔소설〕 중의 인물〔장치〕. ②〖비유〗뜻밖의 해결(사); (부자연스러운) 억지 결말.

Deut[1] [dɔʏt] 《ndl.》 *m.* -s, -e ①〖고어〗 옛 네덜란드의 동전; 값어치 없는 돈. ②〖비유〗 조금, 약간: 〖오늘날에는 다음 용법으로만〗 keinen 〔nicht einen〕 ~ 전혀 …않다; keinen ~ wert sein 한 푼의 가치도 없다; nicht einen ~ davon verstehen 그것에 대해 조금도 이해하지 못하다.

Deut[2] 《<deuten》 *m.* -s, -e 〖방언〗 주의, 신호.

deutbar [dɔ́ʏtba:*r*] *a.* 풀이할 수 있는, 해설 가능한.

Deute [dɔ́ʏtə] *f.* -n 〖방언〗 ↑ Tüte.

Deutel [dɔ́ʏtəl] *m.* -s, - (배의 나무못을 죄기 위해 그 머리에 때려박는) 작은 나무쐐기.

Deutelei [dɔʏtəláɪ] *f.* -en 억지 해석, 궤변, 견강부회(牽強附會).

deuteln [dɔ́ʏtəln] *t./i.* (h.) 억지 해석〔설명〕을 하다, 트집을 잡다: an jedem Wort ~ 말끝마다 트집을 잡다; daran gibt es nichts zu ~ 거기에는 트집을 잡을 것이 하나도 없다.

***deuten** [dɔ́ʏtən] 《ahd. diuten》 《Ⅰ》 *i.* (h.) ① 가리키다, 지시하다: mit dem Finger 〔durch Winken〕 auf jn.〔et.〕 ~ 누구를〔무엇을〕 손가락〔눈짓〕으로 가리키다; nach〔gegen〕 Norden ~ 북쪽을 가리키다. ②〖비유〗 예시(豫示)하다, 징후를 나타내다, 조짐을 보이다: Abendrot deutet auf Wind 저녁놀은 바람의 전조다. 《Ⅱ》 *t.* ① 의미〔암시〕하다: die Schärpe deutet Krieg 견대(肩帶)는 전쟁을 의미〔암시〕한다; unheildeutende Vögel 불길한 새; 〖비유〗 jm. Eselsohren ~ 누구를 (몸짓으로) 조소하다. ② 해석하다, 설명하다; 풀이하다; 감정(鑑定)하다: et. richtig〔verkehrt〕 ~ 무엇을 옳게〔거꾸로〕 해석하다; et. auf jn. ~ 무엇을 누구에게 관계시켜서 해석하다; jm. et. übel 〔zum bösen〕 ~ 누구의 무엇을 나쁘게 〔악의로〕 해석하다; alles zum guten〔besten〕 ~ 만사를 선의로〔최상으로〕 해석하다; ich deutete ihr Nicken als Zustimmung 나는 그녀가 고개를 끄덕인 것을 동의의 뜻으로 해석했다; Handlinien 〔die Sterne〕 ~ 손금을〔별자리를〕 보다〔해석하다〕. ③ 지시〔명령〕하다: jm. den Rückzug ~ 누구에게 퇴각 명령을 내리다. 《Ⅲ》 *refl.* ① das deutet sich 그것이 전조로 나타난다. ② das deutet sich leicht 그것은 쉽게 설명〔해석〕된다.

Deuter [dɔ́ʏtə*r*] *m.* -s, - ① 해석〔해설〕자: Stern~ 점성술사. ②〖드물게〗 둘째손가락; 지시봉; 교편. ③ (öst.) 눈짓, 손짓: jm. einen ~ geben 누구에게 신호〔암시〕하다.

Deuteragonist [dɔʏteragonɪ́st] *m.* -en, -en (고대 그리스 연극의) 제 2 배우(↑ Protagonist, Tritagonist).

Deuterei [..tərάɪ] *f.* -en 구구한 해석〔설명〕, 억지 해석, 궤변.

Deuterium [dɔʏté:rium] 《gr.》 *n.* -s 〖化〗 2 중 수소, 중(重)수소(기호: D).

Deuterium·oxyd *n.* 〖化〗 중수(重水), 산화중수소.

Deuterling *m.* -s, -e 〖농담·고어〗 집게 손가락, 둘째 손가락.

deutero.. 《gr. deýteros》 *pref.* "제 2 의, 재(再)"의 뜻.

Deuterogamie [..gamí:] 《gr.》 *f.* -n [..mí:ən] 재혼.

Deuteron [..terɔn] *n.* -s, -en [..ró:nən] 〖物〗 중양자(重陽子).

deuteronomisch [dɔʏterogó:mɪʃ] *a.* 〖聖〗 신명기(申命記)의.

Deuteronomium [..nó:mium] *n.* -s 〖聖〗 신명기(申命記).

Deuteropathie [..patí:] *f.* 〖醫〗 후〔속〕발증(後〔續〕發症).

Deuterostomier [dɔʏtyerostó:mi*r*] *m.* -s, - 〖動〗 (↔ Protostomier) 후구(後口)〔신구(新口)〕동물(본래의 입은 항문이 되고 그 반대쪽에 새로 입이 형성되는 동물).

..deutig 《<deuten》 *suf.* "…의 뜻을 가진"의 뜻(보기: zwei~ 두 가지로 해석할 수 있는, 애매한; viel~ 여러 의미로 해석할 수 있는, 다의적인).

Deutler [dɔ́ʏtlə*r*] 《<deuteln》 *m.* -s, - 궤변가, 억지 해석을 하는 사람.

***deutlich** [dɔ́ʏtlɪç] 《<deuten》 *a.* ① 분명한, 명백〔뚜렷〕한: ein ~er Begriff 명확한 개념; eine ~e Schrift 알아보기 쉬운 필적〔글〕; jm. et. ~ machen 누구에게 무엇을 분명히 해주다

〔설명하다〕. ② 잘 들리는, 알아듣기 쉬운, 발음이 정확한: du sollst doch klar und ~ reden! 말 좀 똑똑히 해라! ③ 노골적인, 거침없이 마구 말하는: ~ werden 말을 노골적으로 하다.

Deutlichkeit [..kaɪt] *f.* -en ① 명료, 명확, 알기 쉬움: die ~ seiner Erklärung 그의 설명의 명료함. ② (**a**) 무례, 파렴치. (**b**) 〖복수〗 노골적인 말, 거친〔무례한〕 대답: et. mit〔in〕 aller ~ sagen 무엇을 아주 명확하게〔대놓고〕 말하다; jm. ~en sagen 누구에게 무례한 말을 하다.

deutlichkeits·halber *adv.* 분명히 하기 위하여.

Deuton [dɔ́ʏton] *n.* -s, -e 〖化〗 ↑ Deuteron.

deutsam [dɔ́ʏtza:m] *a.* 〖고어〗 중요한, 뜻깊은; 판단〔해석〕에 재치 있는.

*__deutsch__ [dɔʏtʃ] ⟪ahd. diutisc, „volkstümlich"⟫ *a.* ① (**a**) 독일의, 독일 사람의, 독일어의: das ~e Volk 독일 민족〔국민〕; die ~e Staatsangehörigkeit 독일 국적; ein ~es Auto 독일 자동차; ~er Lehrer 독일인〔독일어〕 교사; die ~e Schweiz 스위스의 독일어 사용 지역; viele Schweizer sprechen ~ 많은 스위스인들이 독일어를 (사용)한다; et. auf ~ sagen 무엇을 독일어로 말하다; in ~ geschrieben 독일어로 적힌. (**b**) 〖고유 명칭에서는 대문자로〗 독일의: die ≗e Akademie 독일 학술원; ≗e Bibliothek 독일 도서관(구서독의 국립 국학 도서관); die ≗e Bücherei 독일 도서관(구동독의 국립 도서관); der ≗e Bund 독일 동맹(1815-66); ≗ Bundesbahn 독일 연방 철도(약어: DB); ≗ Bundespost 독일 연방 우체국(약어: DBP); ≗e Demokratische Republik 독일 민주 공화국(구 동독; 1949-90, 약어: DDR); ≗es Institut für Normung 독일 공업 규격화 연구소(약어: DIN); der ≗e Krieg (1866년 프로이센과 오스트리아간에 일어났던) 독일 전쟁; ≗es Museum 독일 박물관(München 소재의 과학 기술 박물관); der ≗e Orden (중세의) 독일 기사단; das ≗e Reich (과거의) 독일 제국; ≗e Welle 독일의 소리(외국으로 보내는 독일 단파 방송〔텔레비전 방송〕). ② 〖비유〗 독일풍의, 독일적인, 독일 사람 같은: was ist typisch ~? 무엇이 전형적으로 독일적인가?: die ~este Oper 가장 독일적인 가극; das ist noch ~er 그쪽이 더 독일적이다. (**a**) 〖성실·검소·신의·근면·용기·철저성·불굴 따위의 좋은 특성을 나타냄〗 ~er Sinn 〔~es Herz〕 정직, 순박, 성실; ~ heraus 솔직히; auf gut ~ 간단〔명확〕히 말하자면; mit jm. ~ sprechen〔reden〕 누구와 솔직하게〔터놓고〕 이야기하다. (**b**) 〖조야·투박·고루 따위의 나쁜 특성을 나타냄〗 ~er Bär 〔~er Michel〕 우직한 독일 사람(독일인들의 고지식하고 촌스러운 면을 풍자하는 말).

*__Deutsch__ *n.* -(s) ① (**a**) (개인이나 특정 집단의) 독일어: sein ~ ist akzentfrei 그의 독일어는 외국인의 억양이 없다; Goethes ~ 괴테의 독일어; im heutigen ~ gibt es viele amerikanischen Wendungen 오늘날의 독일어에는 미국식 표현들이 많이 있다; gutes ~ 훌륭한 독일어; das Kanzlei≗ 관청 독일어; das Kaufmanns≗ 상업 독일어. (**b**) 〖무관사〗 (일반적으로) 독일어: er lernt ~ 그는 독일어를 배운다; er versteht kein Wort ~ 그는 독일어를 한 마디도 알아듣지 못한다; 〖비유·구어〗 du verstehst wohl kein ~? 너 내 말이 안 들리니? (귀가 먹었니) ② 〖무관사〗 (수업 과목으로서의) 독일어 및 독문학: Unterricht in ~ geben 독일어를 가르치다; er hat in ~ eine 3 그는 독일어에서 '미'를 받았다.

Deutsch≈amerikaner *m.* 독일계 미국인. **≗-amerikanisch** *a.* 독일계 미국인의. **~-amerikanisch** *a.* 독일과 미국 간의. **~-arbeit** *f.* 독일어 과목의 과제물. **~aufsatz** *m.* 독일어 (수업 시간의) 작문. **≗blütig** *a.* 독일계(혈통)의, 독일 출신의. **≗-deutsch** *a.* (통일 이전의) 동서독 간의, 양독 간의: die ~en Beziehungen 양독 관계.

Deutsche*[1] [dɔ́ʏtʃə] *das* ① (**a**) (일반적으로) 독일어: et. aus dem ~n ins Koreanische übersetzen 무엇을 독일어에서 한국어로 번역하다. (**b**) (개별 분야의) 독일어: das Nieder≗ 저지 독일어; das Mittelhoch≗ 중고(中高) 독일어. ② 독일적인 것, 독일(인)의 특성, 독일식: er hat das typisch ~ 그는 전형적으로 독일 사람다운 면을 지니고 있다.

Deutsche*[2] *der/die* 독일 사람: ich ~r 독일 사람인 나(남자); ich ~ 독일인인 나(여자); wir ~n 〔(준고어) ~〕 우리들 독일인; alle ~n 모든 독일 사람; sie hat einen ~n geheiratet 그녀는 한 독일 남자와 결혼했다.

deutscheln [dɔ́ʏtʃəln] *i.* (h.) 〖고어〗 ① 독일 사람을 닮다. ② 독일 사람인 체하다, 독일풍으로 가장하다.

deutschen [dɔ́ʏtʃən] *t.* 〖고어〗 ① 독역하다. ② 독일화하다, 독일 사람처럼 만들다,

Deutschen≈feind *m.* 독일 적대자, 배독(排獨)주의자. **≗feindlich** *a.* ↑ deutschfeindlich. **~fresser** *m.* 〖구어·폄어〗 ↑ ~feind. **~freund** *m.* 친독(親獨)파, 친독주의자. **≗-freundlich** *a.* 〖고어〗 ↑ deutschfreundlich. **~haß** *m.* 독일(인) 혐오, 반독(反獨) 감정. **~hasser** *m.* 독일(인) 혐오자, 반독(反獨)주의자.

deutsch≈feindlich *a.* 독일(인)에 대해 적대적인, 반독적인. **~feindlichkeit** *f.* 독일(인) 혐오〔배척〕, 반독 감정〔주의〕. **~französisch** *a.* 독일과 프랑스 사이의: der ≗-≗e Krieg 프로이센·프랑스〔보불(普佛)〕 전쟁(1870-71). **~freundlich** *a.* 독일(인)에 대해 우호적인, 친독주의의. **≗freundlichkeit** *f.* 친독 감정〔주의〕. **≗gefühl** *a.* 독일적 정서. **~gesinnt** *a.* 독일적 정서를 품고 있는, 독일 기질의.

Deutschheit [dɔ́ʏtʃhaɪt] *f.* 〖드물게〗 독일적 특성〔기질〕, 독일의 국민성(↑ Deutschtum ①).

Deutsch≈herr *m.* (중세의) 독일 기사단원. **~herren·orden** *m.* 독일 기사단(1190년에 Lübeck과 Bremen의 상인들에 의해 설립됨). **≗herrlich** *a.* 독일 기사단(원)의. **≗-klingend** *a.* 독일 말투의, 독일 말의 울림이 있는. **~kunde** *f.* 독일학. **≗kundlich** *a.* 독일학의.

*__Deutschland__ [dɔ́ʏtʃlant] 독일: Bundesrepublik ~ 독일 연방 공화국(독일의 공식 명칭; 1949-90년에는 구서독의 공식 명칭; 약어: BRD).

Deutschland≈bild *n.* 독일(에 대하여 가지고 있는) 이미지. **~frage** *f.* 〖政〗 (1945년 이후 독

일의 분단과 통일에 관련된) 독일 문제. **~funk** *m.* (통일 전에 특히 동독과 동구권을 향해 독일어 및 외국어 방송을 하던) 독일 라디오 방송.

deutschländisch [..lɛndɪʃ] *a.* 독일의.

Deutschland≈lied *n.* 독일 국가(國歌)(1922년 제정). **~politik** *f.* (독일의 분단 문제에 관한) 독일 정책. **~problem** *n.* ↑ ~frage. **~sender** *m.* ① 독일 제국 방송국(1927-45). ② 구동독의 라디오 방송국(1948-71).

Deutsch·lehrer *m.* 독일어 교사.

Deutschling [..lɪŋ] *m.* -s, -e 사이비 독일인; 독일인임을 거부하는 독일인, 독일인인 체하는 외국인.

Deutsch≈meister *m.* 독일 기사단장(長). **~-national** *a.* ① 독일 국민의. ②〖史〗(a) 독일의 오스트리아 합병을 주장하는. (b) 바이마르 공화국의 군주 정치 및 민족주의를 내세운 정당에 속하는: ~e Volkspartei 독일 국민당 (1918-33; 약어: DNVP). **~ordens·ritter** *m.* 독일 기사단의 기사. **~-Ost·afrika** 동부 아프리카의 옛 독일 식민지. **~ritter·orden** *m.* (중세의) 독일 기사단(~herrenorden). **~schweiz** *f.* 독일어를 쓰는 스위스 (지역). **~schweizer** *m.* 독일어를 쓰는 스위스인. **~-schweizerisch** *a.* 독일어를 쓰는 스위스(지역)의. **~-schweizerisch** *a.* 독일과 스위스 간의. **~sprachig** *a.* 독일어를 쓰는[하는]. **~sprachlich** *a.* 독일어의. **~sprechen** *n.* 〖드물게〗 독일어 (말)하기. **~sprechend** *p.a.* 독일어를 (말)하는. **~stämmig** *a.* 독일계의. **~stunde** *f.* 독일어 수업 시간. **~-Süd·west·afrika** 서남 아프리카의 옛 독일 식민지.

Deutschtum [dɔ́ʏtʃtu:m] *n.* -s ① 독일적 본성, 독일 정신[기풍]. ②〖고어〗(어떤 나라에 거주하는) 독일인 전체: das ~ im Ausland 외국에 거주하는 독일인 (전체).

Deutschtümelei [..ty:məlάɪ] *f.* 〖폄어〗 독일 정신의 지나친 강조, 독일 숭배, 독일광(狂).

deutschtümeln *i.* (h.) 독일 사람인 체하다, 독일 사람 티를 내다.

Deutschtümler *m.* -s, - 독일 티를 내는 사람, 독일 사람인 체하는 사람.

Deutsch≈unterricht *m.* 독일어 수업. **~-verderber** *m.* 독일어 파괴자; 엉터리 독일어를 말하는 사람. **~völkisch** *a.* 독일 민족의.

***Deutung** [dɔ́ʏtʊŋ] 《<deuten》 *f.* -en 해석, 설명: dieses Wort läßt mehrere ~en zu 이 말은 여러 가지로 해석될 수 있다.

Deutungs≈gabe *f.* 〖드물게〗 해석의 재능. **~-kundig** *a.* 해석에 능한, 판단 방법을 아는. **~versuch** *m.* 해석의 시도. **~voll** *a.* 뜻깊은, 여러 가지 뜻의; 전조(前兆)가 있는, 불길한. **~weise** *f.* 해석의 방식, 풀이 방법. **~-zeichen** *n.* 암호, 신호.

Deutzie [dɔ́ʏtsiə] *f.* -n 〖植〗 범의귓과의 식물 (18세기 식물학 연구자 J. van der Deutz의 이름에서).

Deux-pièces [døpiέ:s] 《frz.》 *n.* -, - 투피스.

Devaluation [devaluatsió:n] **Devalvation** [devalvatsió:n] 《lat.》 *f.* -en 〖經〗 (↔ Evaluation) 평가 절하, (화폐의) 가치 하락.

devalvationistisch [..tsionístɪʃ] *a.* (화폐 가치를) 평가 절하하는.

devalvatorisch [..tó:rɪʃ] *a.* ↑ devalvationistisch.

devalvieren [..ví:rən] 《I》 *t.* 평가 절하하다: eine Währung ~ 화폐를 평가 절하하다. 《II》 **devalviert** *p.a.* ↑ devalvieren.

devalviert 《I》 *p.p.* ↑ devalvieren. 《II》 *p.a.* (화폐) 가치가 하락한.

Devastation [devastatsió:n] 《lat.》 *f.* -en 〖교양〗 황폐화, 유린, 파괴.

devastieren [..tí:rən] *t.* 황폐화시키다, 유린[파괴]하다.

Deverbativ *n.* -s, -e, **Deverbativum** [..tí:vum] *n.* -s, ..va [..va] 동사에서 파생된 단어 (형용사나 명사).

devestieren [devɛstí:rən] 《lat.》 *t.* jn. ~ 누구의 옷을 벗기다; 성직(聖職)을 빼앗다; 봉토(封土)를 몰수하다.

Devestitur [..stitú:*r*] *f.* -en 성직 박탈, 봉토 몰수.

deviant [deviánt] *a.* 〖사회·心〗 사회적 통념[규범]에서 벗어나는, 일탈한.

Devianz [deviánts] *f.* -en 〖사회·心〗 일탈.

Deviateur [deviatǿ:*r*] 《lat.》 *m.* -s, -e (비행선의) 항로 전향표(轉向錨).

Deviation [deviatsió:n] *f.* -en ① 벗어남, 일탈; (예정된 길에서의) 이탈. ② 오차, 편차. ③ (나침반의) 편각(偏角). ④〖生〗 변이.

Deviationist [..níst] *m.* -en, -en 〖교양〗 (당 노선에서의) 이탈자, 전향자.

deviieren [..vií:rən] *i.* (s.) 〖교양〗 (abweichen) 노선에서 벗어나다, 빗나가다.

Devise [deví:zə] 《frz.》 *f.* -n ① (Wahlspruch) 슬로건, 모토. ②〖음악〗 (바로크 아리아에서 반주 없이 부르는) 머릿주제.

Devisen *pl.* 외국환, 외환.

Devisen≈abkommen *n.* (국가 간의) 외환 협정. **~abteilung** *f.* 외환부[과]. **~aus-gleich** *m.* (독일 연방 공화국이 군사 주둔비로 나토 회원국들에게 지급하는) 외환 보상. **~bank** *f.* 외국환 은행. **~beschränkung** *f.* 외환 매입의 제한. **~bestand** *m.* 외환 보유고. **~bestimmung** *f.* 외환 관리 규정. **~-bewirtschaftung** *f.* 외환 관리. **~bilanz** *f.* 외환 결산. **~börse** *f.* 외환 시장[거래소]. **~bringer** *m.* 〖구어〗 (한 나라의) 외환[외화] 수입원(源): der Tourismus ist der größte ~ des Landes 관광은 그 나라의 가장 큰 외화 수입원이다. **~geschäft** *n.* 외환 상거래. **~-gesetz** *n.* 외환 관리법. **~handel** *m.* 외환 상거래. **~knappheit** *f.* 외환 부족. **~kurs** *m.* 〖經〗 외환 시세, 환율. **~markt** *m.* 외환 시장. **~notierung** *f.* 외환 시세 결정. **~-reserve** *f.* 외환 보유고[량]. **~schiebung** *f.* 외환 밀반입 및 밀반출, 외환 암거래. **~-schmuggel** *m.* 외환 밀수. **~sperre** *f.* 외환 반입[반출] 금지. **~trächtig** *a.* 〖구어〗 외환을[외화를] 잘 벌어들이는, 외환[외화] 수익성이 좋은. **~vergehen** *n.* 외환 관리법 위반. **~verkehr** *m.* 외환 거래.

Devolution [devolutsió:n] 《lat.》 *f.* -en ① 〖法·고어〗 (권리·재산의) 양도; 이심(移審). ②〖가톨릭〗 임명권.

devolvieren [..vɔlví:rən] *i.* 〖法·고어〗 (권리·재산이) 양도되다; (상급 법원으로) 이심(移審)되다.

Devon [devó:n] *n.* -(s) 〖지질〗 데본기(紀)

(고생대의 한 시기; 영국의 Devonshire 주의 이름에서).
devonisch [..nɪʃ] *a.* 데본기의: ~e Formation 데본기계(系).
devorieren [devorí:rən] *t.* 〖醫〗 삼키다.
devot [devó:t] 《lat.》 *a.* ①〔폄어·교양〕비굴한, 지나치게 공손한. ②〔고어〕신앙심이 깊은, 경건한; 겸손한.
Devotion [..votsió:n] *f.* 〔폄어·교양〕① 비굴, 지나친 겸손. ② 경건.
Devotionalien [..tsioná:liən] *pl.* 〖가톨릭〗 성물(聖物)(십자가·묵주·염주 따위).
Dewa [dé:va] 《skt.》 *m.* - 데바, 제바(提婆); 신.
Dewanagari [devaná:gari] 《skt.》 *f.* 데바나가리 문자(산스크리트어나 기타 인도 언어를 표기함).
Dexel [dɛ́ksəl] *m.* -s, - ↑ Deichsel².
Dexiographie [dɛksiografí:] 《gr. dexiós》 *f.* 왼쪽에서 오른쪽으로 써나가는 서법.
Dexterität [dɛksteritɛ́:t] 《lat. dexter》 *f.* -en 교묘, 솜씨 좋음.
Dextrin [..trí:n] *n.* -s, -e 〖化〗 덱스트린, 호정(糊精).
dextrogyr [..trogý:r] 《lat. +gr.》 *a.* 〖物〗 우선성(右旋性)의(직선 편광의 편광면을 오른쪽으로 돌리는).
Dextrokardie [..kardí:] 《lat. +gr.》 *f.* -n [..dí:ən] 〖醫〗 우심증(右心症)(심장이 오른쪽으로 치우치는 증상).
Dextropur [..pú:r] *n.* -s 덱스트로푸어(포도당 영양제 이름).
Dextrose [..tró:zə] 《lat.》 *f.* 〖化〗 포도당.
Dez [de:ts] *m.* -es, -e (nordd.) 〔구어·농담〕 머리(Kopf).
Dez. = Dezember 12 월.
dezedieren [detsedí:rən] 《lat.》 *i.* (s.) 떠나다, 물러가다.
Dezem [dé:tsɛm] 《lat. decem》 *m.* -s, -s 〖史〗 (중세 때 농사 수확의 10 분의 1 을 교회에 바치던) 십일조, 10 분의 1 세.
***Dezember** [detsémbər] *m.* -(s), - 12 월(약어: Dez.).
Dezemvir [..vɪr] *m.* -n/-s, -n (고대 로마의) 10 대관(大官).
Dezemvirat [..virá:t] *n.* -(e)s, -e 10 대관의 직; 10 두 정치.
Dezennium [detsénium] *n.* -s, ..nien [..niən] (Jahrzehnt) 10 년.
dezent [detsɛ́nt] 《lat.》 *a.* (↔ indezent) ① 단정한, 얌전한; 삼가는. ② 수수한, 은은한.
dezentral [detsɛntrá:l] *a.* 중심(점)에서 떨어진(↔ zentral); 분산된.
Dezentralisation [de|tsɛntralizatsió:n] 《lat.》 *f.* -en 분산, 지방 분권(화).
dezentralisieren [..zí:rən] *t.* (행정권·권력 따위를) 분산시키다, 지방 분권화하다.
Dezentralisierung [..ruŋ] *f.* -en ↑ Dezentralisation.
Dezenz [detsɛ́nts] 《lat.》 *f.* (↔ Indezenz) 〔교양〕① 단정, 삼감. ② 수수함, 은은함.
Dezernat [detsɛrná:t] 《lat.》 *n.* -(e)s, -e ① (Dezernent 의) 소관, 업무 분야〔부문〕. ②〔드물게〕(소관 사항에 대한) 보고.
Dezernent [..nɛ́nt] *m.* -en, -en ① (행정 관서의) 특정 업무(분야) 전담자〔책임자〕. ② 〖法〗 판결 기초자.
dezernieren *t.* 판결하다.
dezi.. 《lat.》 *pref.* "10 분의 1"의 뜻.
Deziar [detsi(|)á:r, dé:ts(|)a:r] *n.* -s, -e 데시아르, 10 분의 1 아르(10 m²; 기호: da).
Dezibel [detsibɛ́l, dé:tsibɛl] *n.* -s, - 〖理〗 데시벨, 10 분의 1 벨(기호: dB).
dezidieren [detsidí:rən] 《lat.》《I》 *t.* 〔드물게〕 결정하다. 《II》 **dezidiert** *p.a.* ↑ dezidiert.
dezidiert 《I》 *p.p.* ↑ dezidieren. 《II》 *p.a.* 〔교양〕 결정적인, 단호한.
Dezigramm [detsigrám, dé:tsigram] *n.* 데시그램, 10 분의 1 그램(기호: dg).
Deziliter [detsilí:tər, dé:tsili:tər] *m./n.* -s, - 데시리터, 10 분의 1 리터(기호: dl).
dezimal [detsimá:l] 《lat.》 *a.* 10 분의 1 의, 10 진법의.
Dezimal≈bruch *m.* 〖數〗 소수: periodischer ~ 순환 소수. **~dual** *a.* 〖컴〗 10 진법을 2 진법화하는.
Dezimale [detsimá:lə] *f.* -n 소수점 이하의 숫자.
dezimalisieren [detsimalizí:rən] *t.* 10 진법으로 하다〔바꾸다〕.
Dezimalisierung [..ruŋ] *f.* -en 10 진법화.
Dezimal≈klassifikation *f.* (도서의) 10 진 분류법(약어: DK). **~maß** *n.* 10 진법에 따른 도량형. **~rechnung** *f.* 〖數〗 소수 계산. **~stelle** *f.* ↑ Dezimale. **~system** *n.* 〖數〗 10 진법. **~waage** *f.* 10 진법에 따른 저울. **~zahl** *f.* 〖數〗 소수.
Dezimation [detsimatsió:n] 《lat. decem》 *f.* -en ① (고대 로마에서 반란 또는 군기 문란 때) 10 명에 1 명꼴로 처형하던 군대 형벌. ② 병력의 대량 손실; (전염병 따위에 따른) 다수의 사망. ③〔고어〕1 할의 징세.
Dezime [dé:tsimə, detsí:mə] *f.* -n ①〖음악〗 10 도의 음정. ②〖화폐〗(1793 년 프랑스 제 1 공화국에서 주조한) 10 상팀짜리 동전. ③〖문학〗(스페인의) 10 행시.
Dezimeter [detsimé:tər, dé:tsime:tər] *m./n.* -s, - 데시미터, 10 분의 1 미터(약어: dm).
Dezi·meter·welle *f.* (파장이 10 cm-1 m 인) 극초단파, UHF.
dezimieren [detsimí:rən] *t.* ①〔고어〕1 할을 징세하다. ②〖史〗 10 명에 1 명씩 처형하다. ③ (파괴적인 방법으로) 대폭 감소시키다; (전염병·전쟁 따위가) 많은 사람을 죽이다.
Dezimierung [..ruŋ] *f.* -en ↑ dezimieren 의 명사형.
Dezision [detsizió:n] 《<dezidieren》 *f.* -en 〔교양〕 결정; 판결.
Dezisionismus *m.* - 〖哲〗 (C. Schmidt 의 법철학 및 실존주의 철학의) 결정론.
dezisiv [detsizí:f] *a.* 결정적인, 단호한.
Dezisiv·stimme *f.* 〖政〗 표결권이 있는 표(↔ Deliberativstimme).
Dezi≈ster [detsisté:r, dé:tsiste:r] 《lat.》 *m.* 10 분의 1 스테르(10 분의 1 세제곱미터). **~tonne** *f.* 10 분의 1 톤(100 kg; 기호: dt).
DFB [de:|ɛfbé:] = Deutscher Fußball-Bund 독일 축구 연맹.
DFD [de:|ɛfdé:] = Demokratischer Frauenbund Deutschlands 독일 민주 여성 연맹(구동독의 여성 단체).

DF 1 =Deutsches Fernsehen 1 〖방송〗 독일 최초의 유료 디지털 텔레비전 방송사.
DFF [de:|ɛfɛ́f] =Deutscher Fernsehfunk 독일 텔레비전·라디오 방송.
DFF-Länder·kette *f.* 구동독 지역의 방송망.
DFG [de:|ɛfgé:] =Deutsche Forschungsgemeinschaft 독일 학술 연구 지원처.
DFKI =Deutsches Forschungsinstitut für künstliche Intelligenz 독일 인공 지능 연구소.
DFS =Deutsche Flugsicherung 독일 항공 안전국.
Dg [dekagrám] =Dekagramm 데카그램, 10 그램.
dg [detsigrám, dé:tsigram] =Dezigramm 데시그램, 10 분의 1 그램.
D.G. =Dei gratia 하느님의 은총으로.
DGB [de:ge:bé:] =Deutscher Gewerkschaftsbund 독일 노조 총연맹.
dgl. =dergleichen 그와 같은 (것).
DGPS =Differential-GPS 〖통신〗 새로운 방식의 위성 항법 장치.
d.Gr. =der Große 대왕, 대제.
d.h. =das heißt 즉.
Dhaka [dáka] 다카(방글라데시의 수도).
Dharma *m.* -(s), -s (특히 부다의) 가르침, 법.
Dhau, Dhaw [daʊ] 《ar.》 *f.* -en ↑ Dau.
d'Hondtsches System 의석수 배분 계산 방법(d'Hondtsches Verfahren) (벨기에의 법률가 V. d'Hondt 의 이름에서).
DHS =Deutsche Hauptstelle gegen die Suchtgefahren 독일 중독 퇴치 본부.
DHV =Deutscher Handlungsgehilfenverband 독일 점원 연맹.
Di =Dienstag 화요일.
d.i. =das ist 즉.
di..[1] 《lat.》 *pref.* "분 리·파 괴(ent.., ver.., zer..)"의 뜻.
di..[2] 《gr.》 *pref.* "2 중"의 뜻.
Dia [dí:a] *n.* -s, -s 〔구어〕 슬라이드 필름(↑ Diapositiv 의 약어).
dia.. 《gr.》 *pref.* "관통·분산(durch.., auseinander..)"의 뜻.
Diabas [diabá:s] 《gr.》 *m.* -es, -e 〖광물〗 휘록암(輝綠岩).
Diabetes [diabé:tɛs] 《gr.》 *m.* - 〖醫〗 ①소변과다증, 다뇨증(↑ Harnruhr). ②당뇨병 (Diabetes mellitus).
Diabetiker [..tikər] *m.* -s, - 당뇨병 환자.
Diabetikerin [..rɪn] *f.* -nen ↑ Diabetiker 의 여성형.
diabetisch [..tɪʃ] *a.* 당뇨병의.
Diabolie [diabolí:], **Diabolik** [..bó:lɪk] *f.* 〔교양〕 (Teufelei) 악마적 행위, 극악무도.
diabolisch [diabó:lɪʃ] 《gr.》 *a.* 〔교양〕 악마의〔같은〕, 사악한.
Diabolismus [..smʊs] *m.* -, ..men 악마적 행위; 악마 숭배.
Diabolo [diá:bolo] 《it.》 《Ⅰ》 *m.* -, ..li 악마. 《Ⅱ》 *n.* -s, -s 디아볼로(팽팽한 줄로 공중에 던져 올렸다가 다시 받는 팽이 모양의 장난감).
Diabologie [..logí:] *f.* -n [..gí:ən] 악마〔요괴〕학, 악마 전설.
Diabolos *m.* - ↑ Diabolus.
Diabolus [..lʊs] 《lat.》 *m.* - 〔교양〕 악마, 요괴(妖怪).
diachron [diakró:n] 《gr.》 *a.* 〖언어〗 통시적(通時的)인(↔ synchron).
Diachronie [diəkroní:] *f.* 〖언어〗 통시적 기술.
diachronisch *a.* ↑ diachron.
Diachylon·pflaster [diaçý:lɔn..] *n.* 〖醫〗 연단 경고(鉛丹硬膏).
Diadelphia [diadɛ́lfia] 《gr.》 *pl.* 〖植〗 이체웅예(二體雄蕊) 식물.
Diadem [diadé:m] 《gr.》 *n.* -s, -e (페르시아 왕이 머리에 쓰는) 보석 장식 금속띠; 〔비유〕 왕권, 왕위.
Diadochen [diadɔ́xən] 《gr.》 *pl.* ①〖史〗 알렉산더 대왕 사후 왕권을 놓고 서로 싸웠던 장군들. ②〔교양·비유〕 (실력자의 뒷자리를 놓고 경합하는) 후계자들.
Diadochen≈kämpfe *pl.* 〔교양〕 후계자 다툼, 후계 분쟁. **~zeit** *f.* 〖史〗 후계자 분쟁기(期) (기원전 3 세기 후반).
Diagenese [diagené:zə] 《gr.》 *f.* -n 〖지질〗 종합 연속 변질 작용(압력·열 따위로 퇴적물이 단단한 암석으로 변하는 일).
Diaglyphe [diágly:fə] 《gr.》 *f.* -n 〖조각〗 새겨진 형태, 양각〔음각〕된 형상.
diaglyphisch [..fɪʃ] *a.* 새겨진, 양각〔음각〕된.
Diagnose [diagnó:zə] 《gr.》 *f.* -n 〖醫·心〗 진단; 〖生〗 감식, 감별: eine ~ stellen 진단〔감식·감별〕하다.
Diagnose≈verfahren *n.* 진단 방식. **~zentrum** *n.* 〖醫〗 진단 전문 센터〔병원〕.
diagnosieren [diagnozí:rən] *t.* 진단〔감별〕하다.
Diagnosis [..gnó:zɪs] *f.* ..sen ↑ Diagnose.
Diagnostik [..gnɔ́stɪk] *f.* 진단학〔법〕; 감별법.
Diagnostiker [..ər] *m.* -s, - 진단학자, 진단의사.
diagnostisch [..tɪʃ] *a.* 진단(학)의, 진단에 따른.
diagnostizieren [..gnɔstitsí:rən] *t./i.* (h.) 진단하다; 감정〔식별〕하다.
diagonal [diagoná:l] 《gr. gonía, „winkel"》 *a.* 〖數〗 대각선의; 비스듬한: 〔구어〕 ein Buch ~ lesen 책을 빨리〔대충〕 훑어보다.
Diagonal [diagoná:l] *n.* -(s), -s 능직(稜織).
Diagonale [diagoná:lə] *f.* -n 대각선; 〖광산〗 사갱(斜坑).
Diagonal≈kraft *f.* 〖理〗 합력(合力). **~linie** *f.* 〖數〗 대각선. **~reifen** *m.* 강화 섬유가 자동차 진행 방향의 대각선으로 넣어진 타이어, 바이어스 플라이 타이어. **~schritt** *m.* 〖스키〗 (스키날을 비스듬하게 타는) 사행진(斜行進).
***Diagramm** [diagrám] 《gr.》 *n.* -s, -e ①약도, 겨냥도. ②〖통계〗 도표, 도식, 도해. ③(마귀를 쫓는) 별 모양의 부적. ④〖植〗 화식도(花式圖). ⑤〖지질〗 지세(地勢) 단면도.
Diagraph [..grá:f] *m.* -en, -en 각도기, 확대사도기(寫圖器); 모양자.
Diakaustik [diakáustɪk] 《gr.》 *f.* -en 〖物〗 (광선이 굴절할 때의) 초선(焦線), (굴절 광선이 만드는) 화면(火面).
diakaustisch [diakáustɪʃ] *a.* 초선(焦線)의: ~e Linie 초선.
Diakon [diakó:n] 《gr. diákonos》 *m.* -s/-en,

-e(n) ①〖가톨릭〗 부제(副祭)(신부의 아래 단계). ②〖개신교〗 부목사; 집사.

Diakonat [..koná:t] *n./m.* -(e)s, -e ① 부제〔부목사〕의 직책〔주택〕. ② 간호 봉사.

Diakonie [..ní:] *f.* 〖개신교〗 (병자 간호·빈민 구제 따위의) 사회 봉사 활동.

Diakonin [..ɪn] *f.* -nen ↑ Diakon 의 여성형.

diakonisch [..kó:nɪʃ] *a.* 〖개신교〗 사회 봉사 활동에 관한〔따른〕.

Diakonisse [..nísə] *f.* -n, **Diakonissin** [..nísɪn] *f.* -nen 〖개신교〗 여자 집사〔부목사〕; 교구 간호사, 사회 사업 부녀 회원.

Diakonissen≈anstalt *f.*, **~haus** *n.* 〖개신교〗 사회 사업 부녀 회원 양성소 및 양로원.

Diakonus [diá:konʊs] *m.* -, ..nen [..kó:nən] 〖개신교·고어〗 ↑ Diakon ②.

Diakrise [diakrí:zə] 《gr.》 *f.* -n, **Diakrisis** [diá(:)krizɪs] 《gr.》 *f.* ..krisen [..krí:zən] ① 〖醫〗 감별 진단; 위독 상태. ②〖哲〗 (↔ Synkrise) 구분, 구별, 변별.

diakritisch [diakrí:tɪʃ] *a.* 구분〔구별〕하는 (↔ synkritisch) : 〖문법〗 ~es Zeichen 발음 변별 부호(보기: ā, ă, ä).

diaktin [diaktí:n] *a.* 〖醫〗 엑스선을 통과시키는.

Diakustik [di|akʊ́stɪk] 《gr.》 *f.* 〖物〗 음향 굴절학〔전달학〕.

Dialekt [dialɛ́kt] 《gr.》 *m.* -(e)s, -e 방언, 사투리; 〖언어〗 언어의 지역적 변형: Stadt≈ 도시 말투.

dialektal [..lɛktá:l] *a.* 방언〔사투리〕의.

Dialekt≈ausdruck *m.* 〖언어〗 방언적 표현. **~dichtung** *f.* 방언 문학. **~färbung** *a.* (발음의) 방언적 색채, 사투리 억양. **~forschung** *f.* 방언 연구. **≈frei** *a.* 방언을 쓰지 않는: ~ sprechen 표준어로 말하다. **~geographie** *f.* 〖언어〗 방언 지리(학).

Dialektik [..tɪk] 《gr.》 *f.* ① 토론술, 변론법. ②〖哲〗 변증법: materialistische ~ 유물론적 변증법.

Dialektiker [..tikər] *m.* -s, - 토론의 명수, 궤변가; 〖哲〗 변증가.

dialektisch [..tɪʃ] *a.* ①〖고어〗 ↑ dialektal. ② 토론술의; 〖哲〗 변증법적인: ~er Materialismus 변증법적 유물론; 〖개신교〗 ~e Theologie 변증법적 신학. ③〖교양·폄어〗 궤변적인, 꼬치꼬치 따지고 드는.

Dialektologie [..tologí:] *f.* 방언학.

dialektologisch [..ló:gɪʃ] *a.* 방언학의.

Diallag [dialá:k] 《gr.》 *m.* -(e)s 〖광물〗 이박석(異剝石).

Diallele [dialé:lə] 《gr.》 *f.* -n 〖哲〗 순환 논법 (Circulus vitiosus).

Dialog [dialó:k] 《gr.》 *m.* -(e)s, -e ① (↔ Monolog) 대화, 문답; (소설·영화 따위의) 대화 부분. ② (협상 전의) 대담, 회담.

Dialog≈autor *m.* 〖영화〗 시나리오의 대화 부분 작가. **~form** *f.* 대화체.

dialogisch *a.* 대화체〔문답체〕의.

dialogisieren [..gizí:rən] *t.* 대화체로 쓰다〔각색하다〕.

Dialog·kunst *f.* 대화술, 토론술.

Dialysator [dialyzá:tɔr, ..to:r] 《gr.》 *m.* -s, -en [..tó:rən] 〖化〗 투석기(透析器).

Dialyse [..lý:zə] *f.* -n ①〖化〗 투석, 여막(濾膜), 분석. ②〖醫〗 (인공 신장에 의한) 혈액 세정(洗淨), 투석.

Dialyse≈station *f.* 인공 신장실. **~zentrum** *n.* 인공 신장 센터.

dialysieren [..lyzí:rən] *t.* ①〖化〗 투석을 통해 분리시키다. ②〖醫〗 투석하다.

dialytisch [..lý:tɪʃ] *a.* 투석의〔에 따른〕; 분해하는.

diamagnetisch [diamagné:tɪʃ] 《gr.》 *a.* 반자성(反磁性)의, 역자성(逆磁性)의.

Diamagnetismus [..tísmʊs] *m.* - 반자성, 역자성.

***Diamant**[1] [diamánt] 《gr.》 *m.* -en, -en ① 다이아몬드, 금강석; 〖비유〗 값나가는 물건, 변하지 않는 것, 순수한 것: ein ~ von 3 Karat 3 캐럿 짜리 다이아몬드; 〖농담〗 schwarze ~en 석탄. ② 유리칼(끝에 뾰족한 다이아몬드가 박힌 조판(彫版) 공구). ③ 전축의 바늘.

Diamant[2] *f.* 〖印〗 최소 활자(4 포인트).

Diamant≈ausgabe *f.* 포켓판(도서). **≈besetzt** *a.* 다이아몬드가 박힌. **~bindung** *f.* 방사상(放射狀)의 능직물(稜織物). **~bohrer** *m.* 〖광산〗 (다이아몬드 송곳이 달린) 착암기, 천공기. **~bort** *m.* -(e)s 금강석 가루, 다이아몬드 부스러기.

diamanten [diamántən] *a.* ① 다이아몬드로 된〔가 박힌〕: eine ~e Brosche 다이아몬드 브로치. ② 다이아몬드와 같은; 〖비유〗 부서지지 않는; 찬란한, 순수한: ~e Hochzeit 다이아몬드혼식(결혼 60주년 기념식); von ~er Härte 다이아몬드처럼 단단한.

diamanten.. ↑ diamant...

Diamant≈feld *n.* 금강석 채굴지. **~gewicht** *n.* 캐럿(보석의 무게 단위). **~glanz** *m.* 다이아몬드의 광채. **~grube** *f.* 금강석 갱(坑). **~kollier** *n.* 다이아몬드 목걸이. **~leim** *m.* 보석용 아교. **~nadel** *f.* 다이아몬드가 박힌 장식용 핀. **~pulver** *n.* 금강석 가루. **~ring** *m.* 다이아몬드 반지. **~schild·kröte** *f.* 〖動〗 (미국의 대서양 연안에 서식하는 길이 20 cm 가량의) 다이아몬드 거북. **~schleifer** *m.* 다이아몬드 연마공. **~schliff** *m.* 다이아몬드 연마. **~schmuck** *m.* 다이아몬드 장신구. **~schrift** *f.* 다이아몬드체 (↑ Diamant[2])로 식자한 글. **~schwarz** *n.* 〖化〗 다이아몬드 흑(黑)(아조(azo) 염료). **~spat** *m.* 〖광물〗 강옥(鋼玉). **~spitze** *f.* 다이아몬드가 박힌 공구의 끝〔머리〕 부분. **~stahl** *m.* 강도가 높은 특수강. **~staub** *m.* (연마용의) 다이아몬드 분말. **~strauß** *m.* 잔가지 모양의 다이아몬드 장식. **~tinte** *f.* (유리 부식용) 다이아몬드 잉크.

DIAMAT, Diamat [diamá(:)t] *m.* - = 〖구어·은어〗 dialektischer Materialismus 변증법적 유물론.

Diameter [diamé:tər] 《gr.》 *m.* -s, - 지름, 직경.

***diametral** [diametrá:l] *a.* 지름〔직경〕의; 〖교양〗 정반대의, 극단의: er vertrat eine ~ entgegengesetzte Meinung 그는 전혀 정반대의 의견을 주장했다.

diametrisch [..mé:trɪʃ] *a.* 지름〔직경〕의.

Diana [diá:na] *f.* ①〖로마신화〗 다이아나(사냥·정조의 여신, 달의 여신). ②〖天〗 다이아나(소유성의 이름). ③〖化〗 은의 옛 명칭. ④〖動〗 긴꼬리원숭이.

Diana·affe *m.* ↑ Diana ④.

Diandria [di|ándria] 《gr.》 *pl.* 〖植〗 2 웅예(雄蕊) 식물(수술이 둘 있는 식물).
Dianen·baum [diá:nən..] *m.* 〖化〗 수상(樹狀) 침전은.
Dianetik [dianéːtık] *f.* 다이어네틱스(출생 이전의 경험에서 인간 행동을 설명하는 비과학적 성격론).
Dianoethik [dianoéːtık] *f.* 사고술(術), 추리, 추론.
dianoethisch [..tıʃ] *a.* 사고에 관한, 추리의, 추론의.
Diantee [diantéːə, ..téː] 《gr.》 *f.* -n 〖植〗 패랭이, 패랭이속(屬) 식물의 총칭.
Diapason [diapáːzɔn] 《gr.》 *m./n.* -s, -s/-e [..zóːnə] 〖음악〗 ① 고대 그리스의 옥타브, 멜로디. ② 표준 음조. ③ (영국에서) 오르간의 기본 음역. ④ 소리굽쇠, 음차(音叉).
Diapause [diapáuzə] 《gr.》 *f.* -n 〖生〗 (특정 동물의) 발육 휴지기.
diaphan [diafáːn] 《gr.》 *a.* 〖畫〗 (반)투명한.
Diaphan·bild *n.*, **Diaphanie** [..níː] *f.* -n [..níːən] 〖畫〗 (유리 위에 그려진) (반)투명화.
Diaphanität [diafanitɛ́ːt] *f.* 〖기상〗 투명성, 투명도, (광선의) 투과도.
Diaphanometer [diafanoméːtər] *n./m.* -s, - 투도계(透度計), 측투계(測透計).
Diaphanoskop [diafanoskóːp] *n.* -s, -e 〖醫〗 투시 진찰 기구.
Diaphonia [diafonía] *f.* ..nien ↑ Diaphonie.
Diaphonie [diafoníː] *f.* -n [..níːən] 〖음악〗 ① (고대 그리스 음악에서) 불협화음. ② (중세 음악에서) 다성부 음악.
Diaphora [diá(ː)fora] 《gr.》 *f.* 〖修〗 ① 상위(相違), 불일치; 상위의 강조. ② (같은 문장에서) 동일어를 다른 의미로 반복하기.
Diaphorese [..foréːzə] *f.* -n 발한(發汗).
Diaphoretikum [..tikum] *n.* -s, ..ka 〖醫〗 발한제.
diaphoretisch [..tıʃ] *a.* 발한성의, 발한을 촉진하는.
Diaphragma [diafrágma] 《gr.》 *n.* -s, ..men ① 〖해부〗 횡격막; 격막. ② 〖理〗 격벽(隔壁); 이온 투과막. ③ 〖사진〗 차광판; (렌즈의) 조리개. ④ (피임용) 페서리.
Diaphyse [diafýːzə] 《gr.》 *f.* -n 〖해부〗 골간.
Diaplasma [diaplásma] 《gr.》 *n.* -s, -s 〖醫〗 엄법(罨法), 습포 요법.
Diapositiv [diapozitíːf, díapozitiːf] *n.* -s, -e 〖사진〗 슬라이드 필름(약어: Dia).
Diaprojektor [díːaprojɛktɔr, ..toːr] *m.* -s, -en 환등기.
Diarähmchen [diarɛ́ːmçən] *n.* -s, - ↑ Diarahmen 의 축소형.
Diarahmen [diaráːmən] *m.* 슬라이드 필름의 틀〔프레임〕.
Diärese [diɛréːzə] *f.* -n, **Diäresis** [diɛ́(ː)..] *f.* ..sen [..réːzən] 《gr.》 ① 〖문법〗 (연속된 두 모음의) 분음(分音) (보기: Museum [..ze|um]). ② 〖醫〗 (혈관의) 파열. ③ 〖哲〗 (플라톤 철학의) 개념 분해(최소 의미 단위로의 체계적 분해).
Diarium [diáːrium] 《lat. dies》 *n.* -s, ..rien [..riən] 〔고어〕 일기(장); 비망록, 메모; 공책.
Diarrhö *f.* -en [..rǿːən] 《gr.》 〖醫〗 설사.
Diarrhöe [diarǿː] *f.* -n [..rǿːən] ↑ Diarrhö.
diarrhöisch [diarǿːıʃ] *a.* 설사의: eine ~e Erkrankung 설사병.
Diaskop [diaskóːp] 《gr.》 *n.* -s, -e ↑ Diaprojektor.
Diaskopie [diaskopíː] *f.* -n [..píːən] 〖醫·고어〗 뢴트겐 촬영〔투시〕.
Diaspora [diáspora] 《gr.》 *f.* ① (팔레스타인을 떠나서 사는) 이산 유대인(의 거주 지역). ② 종교적·민족적 소수파(의 거주 지역).
Diaspora·gemeinde *f.* 소수 민족〔종교 집단〕 거주지역.
diastaltisch [diastáltıʃ] 《gr.》 *a.* (음이) 퍼지는.
Diastase [diastáːzə] 《gr.》 *f.* -n ① 〖化〗 녹말〔전분〕 분해 효소, 디아스타아제. ② 〖醫〗 이개(離開)(뼈와 근육 사이에 틈이 생기는 현상).
Diastema [diástema] *n.* -s, -ta 〖生·醫〗 (포유 동물에 흔히 나타나는) 이와 이 사이의 틈, 치간; 윗앞니 사이의 틈.
Diastole [diástole] 《gr.》 *f.* -n [..stóːlən] 〖醫〗 (↔ Systole) (수축 후의) 심장 확장, 심실(心室) 이완.
diastolisch [diastóːlıʃ] *a.* 심실(心室) 이완으로 인한, 심실 이완에 관한.
Diastylon [diastýːlɔn, diástylɔn] 《gr.》 *n.* -s, ..la 〖건축〗 기둥 사이가 넓은 큰 방.
Diät [diɛ́ːt] 《gr. díaita》 *f.* 식이 요법, 건강식, 다이어트; 몸조리, 섭생: nach der ~ leben 식이 요법을 지키며 살다.
diät *a.* 섭생에 알맞은, 식이 요법을 지키는: ~ leben 다이어트하며 살다; er muß streng ~ essen 그는 엄격하게 식사 조절을 해야 한다.
Diätar [diɛtáːr] *m.* -s, -e 〔고어〕 (관청의) 임시 직원, 일용직.
diätarisch *a.* 일당〔일급〕으로 고용된.
Diät≈assistent *m.* 식이 요법 영양사. **~-assistentin** *f.* ↑ ~assistent 의 여성형. **~-bier** *n.* 다이어트 맥주.
Diäten [diɛ́ːtən] 《lat. dieta》 *pl.* 일당, 일급, 출장비; (국회 의원의) 수당, (대학 강사의) 강사료.
Diäten·dozent *m.* (대학의) 임시직 교원, 시간 강사.
Diätetik [..téːtık] *f.* -en (Ernährungstherapie) 섭생법, 식이 요법.
Diätetiker *m.* -s, - 다이어트사, 영양사.
Diätetikum [..tikum] *n.* -s, ..ka 다이어트〔건강〕 식품.
diätetisch *a.* 식이 요법에 맞는.
Diät≈fahr·plan *m.* 〔구어〕 ↑ Diätplan. **~-fehler** *m.* 식이 요법 실수.
Diathek [diatéːk] *f.* -en 슬라이드 필름 보관소.
diatherman [diatɛrmáːn] 《gr.》 *a.* 〖物〗 투열성(透熱性)의.
Diathermanität [..itɛ́ːt] *f.* 투열성.
Diathermansie [..zíː] *f.* ↑ Diathermanität.
Diathermie [..míː] *f.* 〖醫〗 투열 요법.
Diathese [diatéːzə] 《gr.》 *f.* -n ① 〖醫〗 특정 질병에 걸리기 쉬운 체질, 특이 체질. ② 〖문법〗 (동사의) 태(態) (Genus verbi).
Diäthylen·glykol 《gr.》 *n.* 〖化〗 디에틸렌글리콜(부동액의 구성 성분).
diätisch [diɛ́ːtıʃ] *a.* 식이 요법에 관한〔맞는〕; 영양에 관한.
Diätistin [diɛtístın] *f.* -nen ↑ Diätassistentin.

Diät·koch *m.* 건강식(食) 조리사. **~köchin** *f.* ↑ ~koch 의 여성형. **~kost** *f.* 식이 요법용 음식. **~küche** *f.* ① (병원 등의) 건강식 조리 주방. ② 건강식 요리(법). **~kur** *f.* 식이 요법.

Diatomee [diatomé:(ə)] 《gr.》 *f.* -n 〖生〗 규조(硅藻).

Diatomeen·erde *f.* 〖지질〗 규조토. **~schlamm** *m.* 규조 퇴적물.

Diatomit [..mí:t, ..mít] *m.* -s 규조 퇴적토에서 생긴 수성암, 규조암.

Diatonik [diató:nık] 《gr.》 *f.* 〖음악〗 (7 단계로 구성된) 온음계(↔ Chromatik).

diatonisch [diató:nıʃ] *a.* 〖음악〗 온음계의.

Diät·plan *m.* 식이 요법 계획〔차림표〕.

Diatribe [diatrí:bə] 《gr.》 *f.* -n ①〖고어〗(대화 형식의) 도덕 설교(문). ② 통렬한 비난, 혹평; 비판적 논설문.

DIB = Deutsche Industrievereinigung Biotechnologie 독일 생물 공학 산업 연합.

Dibbel·maschine [díbəl..] *f.* 〖農〗 파종기.

dibbeln [díbəln] *t.* 〖農〗 (씨를) 듬성듬성 한 움큼씩 뿌리다〔파종하다〕.

dibbern [díbərn] 《hebr.》 *i.* (h.) 〖방언〗 수군대다, 밀담을 나누다.

Dibrachys [dí:braxʏs] 《gr.》 *m.* -, - 〖문학〗 단단격(短短格) 운각(韻脚).

***dich** [dıç] *prn.* ① 인칭 대명사 du 의 4 격. ② 2 인칭 단수 평칭의 4 격 재귀 대명사.

Dichogamie [diçogamí:] 《gr.》 *f.* 〖植〗 (양성화(兩性花)에서 자가 수분을 막는) 자웅이숙(異熟).

Dichoreus [diçoré:ʊs] 《gr.》 *m.* -, ..reen [..ré:ən] 〖문학〗 2 중 장단격(長短格).

dichotom [..tó:m] 《gr.》 *a.* 이분〔양분〕된; 이분법적인; 두 갈래진.

Dichotomie [dıçotomí:] 《gr.》 *f.* -n [..mí:ən] ① 이분, 양분; 〖논리〗 이분법. ② 〖生〗 이분지(二分枝) (식물의 싹이 둘로 갈라지는 현상).

dichotomisch [..tó:mıʃ] *a.* ↑ dichotom.

Dichroismus [dikroísmʊs] 《gr.》 *m.* - 〖物〗 (단축 결정(單軸結晶) 광물의) 2 색성(色性).

dichroitisch [..í:tıʃ] *a.* 2 색성의.

Dichromat [dikromá:t] *n.* -s, -e 〖化〗 중(重)크롬산염.

dichromatisch *a.* 2 색(성)의, 두 가지 색의.

Dichrom·säure [dikró:m..] *f.* 〖化〗 중크롬산.

Dichroskop [dikroskó:p, ..rɔs..] *n.* -s, -e 2 색경(鏡).

dichroskopisch [..pıʃ] *a.* 2 색경의, 2 색경에 의한.

***dicht** [dıçt] 《< gedeihen》 《I》 *a.* ① 촘촘한, 빽빽한, 조밀한, 밀집한; 짙은, 농후한: ~e Bevölkerung 조밀한 인구; ~es Haar 숱이 많은 머리; ~er Nebel 짙은 안개; ~e Stoffe (올이) 촘촘한 천; ~e Straßen (사람들이) 북적대는 거리; ein ~er Wald 밀림. ② 새지 않는, 밀폐된: wasser~ 방수의; die Schuhsohlen sind nicht mehr ~ 구두 밑창이 샌다; das Fenster schließt nicht ~ 창문이 꼭 닫히지 않는다; 〖비유·속어〗 ~ halten 입이 무겁다, 침묵을 지키다; 〖비유〗 nicht ganz ~ sein 정신이 온전치 못하다; ~ sein 오줌 똥을 잘 가리다. 《II》 *adv.* ①〖특히 전치사 앞에서〗 밀접하여, 가까이에, 바싹: ~ an der Tür 문에 밀착해서; ~ beim Haus 건물 바로 옆에; jm. ~ auf den Fersen sein 누구를 바싹 뒤쫓다. ② 〖시간적〗 아주 가깝게, 곧장, 바로: ~ nach seiner Rückkehr 그가 돌아오자 곧; ~ vor dem Tod seines Vaters 그의 부친이 별세하기 직전에; ~ vorher 직전에; die Hochzeit steht ~ bevor 결혼식이 눈앞에 다가왔다.

dicht·anliegend *a.* (옷 따위가) 몸에 꼭 맞는. **~auf** [(또는) dıçtláuf] *adv.* 아주 가까이에, 바싹. **~behaart** *a.* 털이 촘촘하게 난. **~belaubt** *a.* 잎이 무성한. **~besetzt** *a.* 빈틈없이 자리잡은, 입추의 여지가 없는. **~bevölkert** *a.* 인구 밀도가 높은. **~bewachsen** *a.* 밀생한, 촘촘히 자란.

Dichte [díçtə] *f.* ① 조밀, 밀도, 농도: die ~ der Bevölkerung 인구 밀도; Luft~ 공기 밀도. ②〖사진〗 투광도(度). ③〖방직〗 실 또는 코의 수.

Dichte·messer *n.* 〖物〗 밀도계, 비중계.

Dichtelei [dıçtəláı] *f.* -en 서투른 작시(作詩).

dichteln [díçtəln] *i.* (h.) / *t.* 시를 서투르게 짓다.

dichten[1] [díçtən] 《< dicht》 《I》 *t.* 새지 않게 하다, 촘촘하게 하다: ein Faß 〔das Dach〕 ~ 통〔지붕〕을 새지 않게 하다; ein Leck mit Teer ~ 틈새를 타르칠로 막다. 《II》 *refl.* sich ~ (군중이) 와글와글하다, 득실거리다, 서로 밀치다.

***dichten**[2] 《lat. dictare》 《I》 *t.* ① (문학 작품, 특히 시를) 짓다, 창작하다: ein Gedicht〔Drama〕 ~ 시를〔희곡을〕 창작하다. ② 생각해내다, 꾸며내다: das hat er alles nur gedichtet 그것은 모두 그가 꾸며낸 말이었다. 《II》 *i.* (h.) ① 창작 활동을 하다. ② 꿈 같은 생각을 하다, 몰두하다: auf et. ~ 무엇에 정신을 팔다; auf et. ~ und trachten 무엇을 얻으려고 힘쓰다; 〖구어〗 du dichtest wohl? 자네가 말을 지어내고 있는 거지?

Dichten *n.* -s ① 시작(詩作), 창작, 고안. ② 전심, 노력: sein ganzes ~ und Trachten war auf Genuß gerichtet 그의 모든 생각과 행동은 향락에만 집중되어 있었다.

***Dichter** [díçtər] *m.* -s, - 시인, 작가; 〖농담〗 몽상가: ein großer ~ 위대한 시인.

Dichter·ader *f.* 작가적 소질. **~art** *f.* 작풍. **~beruf** *m.* 작가로서의 천직.

Dichterei [..təráı] *f.* ①〖폄어〗 서투른 작시(作詩)〔글쓰기〕. ②〖고어〗 창작법, 시작법(詩作法), 시학.

Dichter·feuer *n.*, **~flug** *m.* 시적 영감〔정열〕. **~freiheit** *f.* 창작의 자유. **~fürst** *m.* 〖비유〗 시성(詩聖), 대작가: Goethe, der ~ 시성 괴테. **~gabe** *f.* 문학적 재능, 시재(詩才). **~geist** *m.* 문학 정신. **~glut** *f.* ↑ ~feuer. **~gott** *m.* 시신(詩神) (아폴로). **~greis** *m.* 노시인〔작가〕.

Dichterin *f.* -nen ↑ Dichter 의 여성형.

***dichterisch** [díçtərıʃ] *a.* 시적인, 문학적인; 시인의, 작가적인; 영감에 찬, 상상력이 풍부한: ~e Gedanken 시상(詩想); ~e Freiheit 창작의 자유; eine ~e Begabung 시적 재능.

Dichter·jüngling *m.* 청년 시인. **~komponist** *m.* 시인〔작사가〕 겸 작곡가. **~könig** *m.* ↑ ~fürst. **~kreis** *m.* 문인〔작가〕 그룹. **~leben** *n.* 작가의 생애, 작가적 삶. **~lesung** *f.* (작가가 자신의 작품을 읽는) 낭

독회.

Dichterling [díçtərlıŋ] *m.* -s, -e 〖폄어〗 엉터리 시인, 재능 없는 작가.

Dichter≈quell *m.*, **~quelle** *f.* 〖그리스신화〗 뮤즈의 영천(靈泉) (Pegasus 가 발굽으로 걷어 찬 땅에서 분출하였으며 그 물은 시적 영감을 줌); 〖비유〗 시적 영감. **~roß** *n.* 페가수스(뮤즈가 타는 천마); 〖비유〗 시흥(詩興): 〖농담〗 das ~ besteigen (작가가 되기 위해) 습작을 해보다, 시를 짓다. **~schule** *f.* 〖고어〗 ↑ ~kreis. **~sprache** *f.* 시어, 문학어.

Dichtertum [díçtərtu:m] *n.* -s 작가〔시인〕정신; 작풍.

Dichter≈volks 시인〔문인〕들. **~werk** *n.* 문학 작품, 시가(詩歌). **~wort** *n.* 〖복수: ..worte〗 시인〔작가〕의 말.

dicht≈gedrängt [díçt..] *a.* 밀집한, 꽉 찬. **~gewebt** *a.* 촘촘하게 짠. **~|halten*** *i.* (h.) 〖구어〗 침묵〔비밀〕을 지키다. **≈hammer** *m.* 〖工〗 틈새를 메우는 데 쓰는 망치.

Dichtheit [díçthaıt] *f.* ↑ Dichte ①.

Dichtigkeit [díçtıçkaıt] *f.* ↑ Dichte ①.

Dichtigkeits·messer *m.* 〖理〗 비중〔밀도〕계.

Dicht·kunst [díçt..] *f.* ① 문학, 문예; 시〔운문〕 문학: die ~ der Klassik 고전주의 (시) 문학. ② (시)문학 창작(능력); 시학, 작시법.

dicht|machen [díçt..] *t./i.* 〖구어〗 ① (**a**) 문을 닫다, (영업을) 중지하다: gegen sechs macht er seinen Laden dicht 그는 6 시경에 가게 문을 닫는다. (**b**) 폐쇄시키다: die Polizei hat die Fabrik dichtgemacht 경찰은 그 공장의 영업허가를 취소했다. ② 〖스포츠〗 수비를 강화하다: hinten ~! 후미 수비 강화!

Dichtung[1] [díçtuŋ] 《<dichten[1]》 *f.* -en ① 틈새〔뱃밥〕 메움, 밀폐. ② 〖기술〗 (이음매·접합부의) 패킹, (볼트의) 와셔: Gummi≈ 고무 패킹; eine neue ~ in den Wasserhahn einlegen 수도 꼭지에 패킹을 새로 갈아넣다.

*__Dichtung__[2] 《<dichten[2]》 *f.* -en ① (**a**) 문학 작품: eine epische〔lyrische〕 ~ 서사〔시〕 문학 작품; eine geistliche〔weltliche〕 ~ 종교적〔세속적〕 문학 작품. (**b**) 문학: die ~ der Romantik 낭만주의 문학. ② 〖구어〗 꾸며 낸 것, 사기: das ist doch reine ~! 그건 순전히 꾸며 낸 거야!

Dichtungs≈art *f.* 작시법, 창작 방법. **~gabe** *f.* 시재(詩才), 문학적 재능. **~gattung** *f.* 문학 장르. **~kraft** *f.* ↑ ~gabe. **~masse** *f.* 밀폐용 물체. **~material** *n.* 〖건축〗 밀폐 재료, 패킹(석면·고무·코르크·가죽 따위). **~mittel** *n.* 〖건축〗 방수재. **~ring** *m.* 〖기술〗 고리 모양의 패킹〔와셔〕. **~scheibe** *f.* 〖기술〗 원반 모양의 패킹〔와셔〕. **~vermögen** *n.* ↑ ~gabe.

Dicht≈werg *n.* 〖海〗 뱃밥. **~werk** *n.* ↑ Dichterwerk.

*__dick__ [dık] 《I》 *a.* ① (↔ dünn) 두꺼운, 굵은, 뚱뚱한: ein ~es Buch 두꺼운 책; ein ~er Mann 뚱뚱한 남자; sie hat ~e Beine 그녀는 다리가 굵다. ② 〖척도〗 두께〔굵기〕가 …인: das Brett ist 3 cm ~ 이 널빤지는 두께가 3 cm 다; einen Finger 〔〖고어〗 eines Fingers〕 ~ 손가락 굵기의. ③ 부푼, 부은: einen ~en Finger haben 손가락 하나가 부어 있다; 〖구어·비유〗 einen ~en Kopf haben a) 머릿속이 걱정으로 가득 차 있다, b) 숙취로 머리가 지끈지끈하다. ④ 〖비속〗 아이 밴, 임신한: ~ sein 임신 중이다; eine (Frau) ~ machen 여자를 임신시키다. ⑤ 〖구어·비유〗 많은, 높은, 큰; 심한, 지독한, 대단한: ein ~es Gehalt 고액의 봉급; eine ~e Rechnung 고액의 계산서; ein ~es Lob ernten 칭찬을 많이 받다; ~es Geld haben 〔es ~ haben〕 돈이 많다; (schweiz.) ~er Bruder 돈 많은 남자; sich ~ und rund essen 양껏 먹다; et. ~ 〔satt〕 haben 무엇에 물리다; ein ~er Fehler 큰 실수, 대단한 잘못; ~e Sorge 큰 걱정; ~e Lügen 지독한 거짓말; ~e Töne spucken 떠벌리다, 큰소리치다; 〖구어〗 ~ auftragen 과장하다; sich mit et.[3] ~ machen 무엇을 가지고 뽐내다; tu dich nicht ~! 뽐내지 마라!; das ~e Ende kommt nach 최악의 상황이 뒤따라오고 있다. ⑥ 짙은, 조밀한; 〖구어〗 두터운, 친밀한: ein ~er Wald 울창한 숲; ~er Nebel 짙은 안개; ~e Luft a) 혼탁한 공기, b) 〖구어〗 심상치 않은 분위기, c) 〖軍〗 맹렬한 사격; 〖俗〗 ~e Freunde 교분이 두터운 친구들; mit jm. ~ sein 누구와 친밀하다. ⑦ (액체 따위가) 진한, 된, 걸쭉한: ~er Brei 된 죽; ~e Milch 엉긴 우유, 응유(凝乳); das ≈e (술·맥주의 밑에 가라앉은) 찌꺼기. ⑧ 〖구어·비유〗 무감각〔둔감〕한: ~e Ohren 잘 들리지 않는 귀; eine ~e Stirn 둔한 머리; ein ~es Fell haben 둔감〔무신경〕하다; einen ~en Schädel haben 완고하다, 고집이 세다. ⑨ 〖구어·비유〗 durch ~ und dünn 온갖 어려움을 이겨내면서; er ging mit ihr durch ~ und dünn 그는 그녀와 동고동락하며 살아갔다. 《II》 *adv.* 〖구어·강조〗 매우, 대단히: ~ mit jm. befreundet sein 누구와 매우 친하다.

dick≈bäckig *a.* 뺨이 부은, 볼이 통통한. **≈balg** *m.* 〖구어·폄어〗 뚱뚱보. **~bändig** *a.* 책이 두꺼운. **≈bauch** *m.* 〖구어·농담〗 배불뚝이. **~bauchig** *a.* (병 따위가) 배가 불룩한: eine ~e Flasche 배가 불룩 나온 (유리)병. **~bäuchig** *a.* (사람이) 배가 나온: der Mensch ist aber ~ 그 사람은 배가 참 많이 나왔다. **≈bein** *n.* 〖드물게〗 넓적다리(Oberschenkel); 다리가 굵은 사람. **~beinig** *a.* 다리가 굵은. **~belaubt** *a.* 잎이 무성한. **~blätterig** *a.* ↑ ~blättrig. **≈blatt·gewächs** *n.* 〖植〗 돈나뭇과의 식물. **~blättrig** *a.* 잎이 두꺼운. **~brüstig** *a.* 가슴이 두툼한. **≈darm** *m.* 〖해부〗 대장(大腸). **≈darmentzündung** *f.* 대장염.

dicke [díkə] *adv.* 〖구어〗 충분히, 아주: davon haben wir ~ genug 그건 아주 충분히 있다; et. ~ haben 무엇에 물리다〔싫증이 나다〕.

Dicke[1] *f.* -n ① (↔ Dünne) 굵음, 두꺼움, 뚱뚱함, 비만: ein Kind von krankhafter ~ 병적으로 비만인 아이. ② 굵기, 두께: die Mauer hat eine ~ von 2 m 그 담은 두께가 2 m 다. ③ 〖복수없음〗 됨, 진득진득함.

Dicke[2] *der/die* 〖구어〗 뚱보, 뚱뚱한 사람.

dicken [díkən] *t./i.* 걸쭉하게〔되게〕 만들다: Pudding dickt leicht 푸딩은 쉽게 굳는다.

Dickens [díkınz] Charles ~ 디킨스(영국의 작가, 1812-70).

Dicken·wachstum *n.* 〖植〗 (↔ Längenwachstum) 굵어짐, 수평 성장.

Dickerchen [dɪ́kərçən] *n.* -s, - 땅딸보, 뚱뚱한 아이.
Dicke≈tuer [dɪ́kətu:ər] *m.* ↑ Dicktuer. **∼|tun*** *t.* ↑ dicktun.
dick≈fellig *a.* 〖구어〗(비난 따위에 대해) 무신경한, 굼뜬, 철면피의: ein ∼er Mensch 둔감한 사람. **∼felligkeit** *f.* 무신경, 둔감. **∼fleischig** *a.* ① (손·발이) 두툼한. ② (나뭇잎·과일이) 살과 즙이 많은. **∼flüssig** *a.* 걸쭉한, 진득진득한. **∼fuß** *m.* ①〖植〗독들싸리버섯(Hutpilz). ②〖動〗큰물떼새. **∼füßig** *a.* 〖動〗후지(厚趾)의. **∼|füttern** *t.* 〖구어〗살찌게 먹이다. **∼gehen** *n.* 〖사냥〗(개·맹수 따위가) 새끼를 뱀. **∼halsig** *a.* 목이 굵은. **∼häuter** *m.* 〖動〗후피류(厚皮類)(코끼리·하마 등); 〖농담〗무신경〔둔감〕한 사람. **∼häutig** *a.* ① 후피류의. ② ↑ ∼fellig.
Dickheit [dɪ́khaɪt] *f.* ↑ Dicke[1] ①.
Dickicht [dɪ́kɪçt] 《<dick》 *n.* -s, -e ① 우거진 숲〔덤불〕, 총림. ②〖비유〗미로(迷路): im ∼ der Paragraphen 복잡한 법조문의 미로 속에서.
Dickigkeit [dɪ́kɪçkaɪt] *f.* ↑ Dickheit.
Dick≈kopf *m.* ① (a) 머리통이 큰 사람. (b) 〖구어〗고집쟁이; 고집, 완고: einen ∼ haben 고집이 세다; so ein ∼! 이런 고집 불통아! ② 〖動〗팔랑나빗과. **∼köpfig** *a.* 머리통이 큰; 고집 센, 완고한. **∼leibig** *a.* 뚱뚱한, 비만의; (책 따위가) 두꺼운. **∼leibigkeit** *f.* 뚱뚱함, 비만.
dicklich [dɪ́klɪç] *a.* ① 좀 뚱뚱한, 통통한, 도톰한. ② ↑ dickflüssig. ③〖고어〗고집 센, 완고한.
dick≈lippig *a.* 입술이 두꺼운. **∼macher** *m.* 〖구어〗살찌게 하는 음식물. **∼milch** *f.* 발효유, 응유(凝乳). **∼nasig** *a.* ① 코가 큰. ②〖비유〗건방진, 거만한. **∼rübe** *f.* 〖방언〗사료용 무. **∼sack** *m.* 〖폄어·농담〗뚱뚱보. **∼schädel** *m.* 〖구어〗 ↑ Dickkopf ①(b). **∼schalig** *a.* 껍질이 두꺼운. **∼schiff** *m.* 대형 선박. **∼schnäbelig, ∼schnäblig** *a.* 〖動〗부리가 두꺼운. **∼stirnig** *a.* 우둔한; 완고한.
Dicksein [dɪ́kzaɪn] *n.* -s ↑ Dicke[1] ①.
Dickte [dɪ́ktə] *f.* -n ①〖工〗두께. ②〖印〗활자의 폭. ③〖복수〗(단단한 재질의) 널빤지.
Dicktuer [dɪ́ktu:ər] *m.* -s, - 〖구어·폄어〗잘난 체하는 사람, 허풍선이.
Dicktuerei [dɪktu:ərái] *f.* 〖구어·폄어〗잘난 체하기, 허풍 떨기.
dicktuerisch [..rɪʃ] *a.* 〖구어·폄어〗잘난 체하는, 허풍 떠는.
dick|tun* [dɪ́ktu:n] *i.* (h.) 〖구어·폄어〗잘난 체하다, 허풍 떨다.
Dickung [dɪ́kʊŋ] *f.* -en ①〖林〗나이테. ②〖林〗우거진 어린 침엽 수림.
dick≈wandig *a.* 벽이 두꺼운. **∼wanst** *m.* 〖구어·폄어〗뚱뚱보, 불뚝이배. **∼wanstig** *a.* 뚱뚱보의. **∼wurz, ∼wurzel** *f.* 〖방언〗사료용 무. **∼zirkel** *m.* 〖기계〗캘리퍼스, 측경기(測徑器).
***Didaktik** [didáktɪk] 《gr.》 *f.* -en 〖교육〗① 교수학〔법〕. ② 수업 방법〔론〕. ③ 교수학 논문.
Didaktiker [..tikər] *m.* -s, - 교수법 학자; 유능한 교사.
Didaktikerin *f.* -nen ↑ Didaktiker 의 여성형.
***didaktisch** [..tɪʃ] *a.* ① 교수법적인, 교수법에 따른: nach ∼en Prinzipien unterrichten 교수법 원칙에 따라 가르치다. ② 교훈적〔교육적〕인: ein ∼es Gedicht 교훈시.
Didaskalien [didaská:liən] *pl.* (고대 그리스 연극의) 연출 지시문, 희곡 공연 목록.
Didaxe [didáksə] *f.* 《gr.》〖드물게〗교수법.
dideldum [di:dəldʊ́m] *int.* 얼씨구나(노래 부르거나 춤출 때 흥을 돋우는 소리; Dudelsack 이나 Drehorgel 소리의 의성어).
dideldumdei [..dʊ̃mdáɪ] *int.* ↑ dedeldum.
Diderot [didəró:, didró] Denis ∼ 디드로(프랑스의 작가·철학자, 1713-84).
Dido [dí:do:] *f.* 디도(원래는 페니키아의 달의 여신; 카르타고를 건설했다는 여왕).
Didot≈antiqua [didó:anti:kva] *f.* 〖印〗직립한 라틴체의 활자(프랑스의 인쇄업자 F. Didot 의 이름에서). **∼system** *n.* 〖印〗(활자 크기를 계산하기 위한) 포인트식 활자 분류법(프랑스의 인쇄업자 F.A. Didot 의 이름에서).
Didymitis 《gr.》 *f.* ..tiden [..tí:dən] 〖醫〗고환염.
***die** [di:] 정관사〔지시 대명사·관계 대명사〕의 여성 1 격 및 4 격; 각 성(性)의 복수 1 격 및 4 격(↑ der).
***Dieb** [di:p] *m.* -(e)s, -e ① 도둑: Laden∼ 가게털이 도둑; Taschen∼ 소매치기; Gewohnheits∼ 상습 절도범; einen ∼ ertappen 도둑을 붙잡다; haltet den ∼! 도둑 잡아라!; er hat sich davon gestohlen wie ein ∼ 그는 몰래 그 자리에서 빠져 나왔다; Gelegenheit macht ∼e 견물생심. ② 나쁜 사람; (애칭으로) 장난꾸러기, 녀석. ③〖고어〗타다 남은 양초심지. ④〖植·드물게〗군가지, 쓸데없는 나뭇가지.
Diebel [dí:bəl] *m.* -s, - (ostmd.) ↑ Döbel[1].
dieben [dí:bən] *t./i.* (h.) 〖구어〗훔치다; (wildern) 밀렵하다.
Dieberei [di:bərái] *f.* -en 〖구어·폄어〗도둑질; 도벽, 도둑 근성: ∼en begehen 도둑질을 하다; auch eine kleine ∼ ist strafbar 작은 도둑질이라도 처벌받는다.
Diebes≈auge [dí:bəs..] *n.* 도둑의 눈초리. **∼bande** *f.* 〖폄어〗도적단, 도둑떼. **∼beute** *f.* 훔친 물건, 장물. **∼fahrt** *f.* 도둑질하러 가기, 절도 행각. **∼fänger** *m.* 포리(捕吏). **∼finger** *m.* ① ∼ haben 손버릇이 나쁘다. ② ↑ Diebsdaumen. **∼gehilfe** *m.* 절도 공범자. **∼gelüste** *n.* 도심(盜心), 도벽. **∼genosse** *m.* ↑ ∼gehilfe. **∼geschichte** *f.* 도둑 이야기. **∼geselle** *m.* ① ↑ ∼gehilfe. ② 도둑. **∼gesicht** *n.* 도둑놈의〔험상궂은〕얼굴. **∼glück** *n.* 도둑질할 때의 행운; 부당한 행복. **∼gut** *n.* ↑ ∼beute. **∼haken** *m.* 〖고어〗모조 열쇠, 곁쇠(Dietrich). **∼hand·werk** *n.* 〖반어〗(직업적으로 하는) 도둑질. **∼hehler** *m.* 장물아비. **∼helfer** *m.* ↑ ∼gehilfe. **∼herberge, ∼höhle** *f.* 도둑의 소굴. **∼laterne** *f.* 〖고어〗초. **∼nest** *n.* ↑ ∼höhle. **∼pack** *n.* ↑ Diebsgesindel. **∼pfeife** *f.* 호루라기, 호각. **∼schlüssel** *m.* ↑ ∼haken. **∼sicher** *a.* 도난을 막을 수 있는. **∼sprache** *f.* 도둑의 은어. **∼tour** *f.* ↑ ∼fahrt. **∼zug** *m.* ↑ ∼fahrt.
Diebin *f.* -nen ↑ Dieb 의 여성형.

diebisch [dí:bɪʃ] 《I》 *a.* ① 도둑의〔같은〕; 도벽이 있는: 〖비유〗 eine ~e Elster 도벽이 있는 사람. ② 남의 눈을 속이는, 남몰래 하는. 《II》 *adv.* 〖구어〗 몹시, 대단히: es ist ~ kalt 몹시 춥다.

diebischer·weise *adv.* 도둑처럼, 살그머니, 몰래.

Diebs≈daumen [dí:ps..] *m.* ① 〖고어〗 (행운을 가져온다는) 처형된 도둑의 엄지손가락. ② 〖다음 용법으로〗 einen ~ haben 도벽이 있다. **~gelichter** *n.* ↑ ~gesindel. **~gesindel** *n.* 〖펌어〗 도둑의 무리, 부정〔비열〕한 사람들. **~haken** *m.* 〖고어〗 ↑ Diebeshaken.

***Diebstahl** [dí:pʃta:l] *m.* -(e)s, ..stähle 도둑질, 절도, 도난: sich des ~s schuldig machen 절도죄를 범하다; Auto≈ 자동차 절도〔도난〕; geistiger〔gelehrter, literarischer〕 ~ 표절.

Diebstahl·versicherung *f.* 도난 보험.

Diebs≈volk *n.* ↑ ~gesindel. **~zunft** *f.* ↑ ~gesindel.

Dieffenbachie [..çiə] *f.* -n 디펜바키아속의 관상용 열대 식물(오스트리아의 식물 학자 Dieffenbach 의 이름에서).

Diegese [diegé:zə] 《gr.》 *f.* -n 〖고어·교양〗 (장황한) 이야기, 설명.

diegetisch [..tɪʃ] *a.* 이야기투의, 설명투의.

die·jenige [dí:je:nɪgə] ↑ derjenige.

***Diele** [dí:lə] *f.* -n ① (마룻바닥의) 널빤지, 마루청: ~n legen 마루청을 깔다. ② 현관 (복도). ③ (작은 규모의) 술집, 음식점: Eis≈ 아이스 크림 가게; Tanz≈ 춤도 출 수 있는 동네 술집. ④ 〖건축〗 (북독일의 농가에서 거실·부엌·작업실을 겸하는) 중앙의 큰 공간. ⑤ (südd.) 천정.

Dielektrikum [diʼelέktrikʊm] 《gr. -lat.》 *n.* -s, ..ka 〖物·전기〗 ① 전매질(電媒質), 유전체(誘電體). ② 절연체(↑ Isolator).

dielektrisch [..trɪʃ] *a.* 유전성(誘電性)의; 절연체의.

Dielektrizitäts·konstante [..tritsitέ:ts..] *f.* 유전율(誘電率).

dielen [dí:lən] 《<Diele》 *t.* (바닥에) 마루청을 깔다.

Dielen≈boden *m.* ① 마룻바닥. ② 현관의 바닥. **~brett** *n.* 마룻바닥의 널빤지. **~kopf** *m.* 〖건축〗 도리아식 원기둥의 평평한 처마 장식. **~lampe** *f.* 현관(용) 등. **~säge** *f.* 두 사람이 쓰는 큰 톱.

Dieler [dí:lər] *m.* -s, - 〖고어〗 마루청 까는 목수.

Dielung *f.* -en ① 마루청 깔기. ② 마룻바닥, 마루청.

Dieme [dí:mə] *f.* -n ↑ Diemen.

Diemen *m.* -s, - (ndd.) 짚가리, 건초 더미.

diemen *t.* 짚가리로 만들다, 더미로 쌓다.

***dienen** [dí:nən] 《I》 *i.* (h.) ① 섬기다, 봉사〔헌신〕하다: Gott 〔einem Götzen〕 ~ 하느님을 섬기다〔우상을 숭배하다〕; 〖격언〗 niemand kann zwei Herren ~ 아무도 두 주인을 섬길 수는 없다; der Wahrheit〔Gerechtigkeit〕 ~ 진리〔정의〕를 위해 헌신하다; der Sünde ~ 죄의 노예가 되다, 죄를 자꾸만 짓다; den Sinnen 〔dem Mammon〕 ~ 관능의 노예다〔배금주의다〕; ~de Brüder (성당·수도원의 잡일에 종사하는) 봉사 수사, 조(助)수사. ② 근무하다, 고용되어 있다: als Beamter dem Staat ~ 공무원으로 국가를 위해 일하다; als Dienstmädchen (bei) jm. ~ 누구의 집에서 하녀로 고용살이하다; ~de Klasse 하인들. ③ 병역〔군〕에 복무하다: als Offizier ~ 장교로 복무하다; zu Fuß 〔zur See〕 ~ 보병〔수병〕으로 복무하다; von der Pike 〔von unten〕 auf ~ 졸병에서 입신〔출세〕하다; er hat noch nicht gedient 그는 아직 병역을 마치지 않았다. ④ 시중들다, 모시다: einer Dame ~ 숙녀를 잘 모시다. ⑤ 돕다, 쓸모있다, 도움이 되다: in dieser Angelegenheit kann ich Ihnen nicht ~ 이 일에서 저는 당신을 도와드릴 수 없습니다; damit ist mir nicht gedient 그것은 내게 도움이 안 된다. ⑥ 〖공손한 말투〗 (Ihnen) zu ~ ! 잘 알겠습니다, 분부대로 하겠습니다 ! ; womit kann ich Ihnen ~ ? a) 무슨 용건이십니까 ?, b) 〖商〗 무엇이 필요하신가요 ? ; damit kann ich leider nicht ~ a) 죄송합니다만 그것은 해 드릴 수 없습니다, b) 〖商〗 죄송합니다만 그 물건은 마침 재고가 없습니다. ⑦ jm. auf et. ~ 누구에게 무엇에 대한 답변을 하다; 〖반어〗 jm. gehörig ~ 누구에게 호되게 복수하다. ⑧ zu et.³ 〔als et.〕 ~ 무엇으로 사용〔이용〕되다: zum Vorwand ~ 구실이〔핑계가〕 되다; jm. zum Vorteil 〔zu js. Vorteil〕 ~ 누구에게 이익이 되다; wozu soll das ~ ? 이것은 무엇에 쓰이는 거냐 ? ; er kann dir als Vorbild ~ 그는 너의 모범이 될 수 있다(그를 너의 모범으로 삼아라); jm. zum Spott ~ 누구의 놀림감이 되다; das frühere Schloß dient jetzt als Museum 옛날의 성이 지금은 박물관으로 사용되고 있다. 《II》 **gedient** *p.a.* ↑ gedient.

***Diener** [dí:nər] *m.* -s, - ① 하인, 종, 사환: ein treuer ~ seines Herrn 자기 주인의 충실한 하인; 〖비유〗 stummer ~ a) 사이드 테이블, (사환이 필요 없는) 회전 송식대(送食臺)), 사환용 손수레, b) 옷걸이. ② 〖비유〗 봉사자, 공복(公僕): ein ~ Gottes 〔der Kirche〕 성직자, 목사; ein ~ des Staates 공무원; ein ~ des Mammons〔Bauchs〕 배금주의자〔식충이〕. ③ 〖정중한 인사〗 〖고어〗 Ihr (gehorsamer) ~ ! 예 (잘) 알았습니다, 〖반어〗 (감사합니다만) 사양하겠습니다 ! ; Ihr ergebenster〔untertänigster〕 ~ 돈수(頓首) (편지 끝의 맺는 말). ④ (고개를 숙여 하는) 인사, 절: 〖아동〗 einen ~ machen (어른에게) 인사드리다, 절하다; mache dem Onkel einen ~ ! 아저씨에게 인사드려라 !

Dienerei [..nəráɪ] *f.* -en ① ↑ Dienerschaft ①. ② 노예 근성, 비굴, 추종. ③ 무턱대고 자꾸 절하기, 지나친 공손.

Diener·gefolge *n.* 하인, 종자.

dienerhaft [dí:nərhaft] *a.* 종〔하인〕 같은, 노예 근성의; 비굴한, 추종하는.

Dienerin *f.* -nen 하녀, 식모, 시녀.

dienerisch *a.* ↑ dienerhaft.

dienerlich *a.* ↑ dienerhaft.

dienern [dí:nərn] *i.* (h.) 〖펌어〗 ① 종〔하인〕 같이 거동하다. ② 무턱대고 절을 하다, 굽신거리다.

Dienerschaft [dí:nərʃaft] *f.* ① 하인〔신하〕 일동. ② 종의 신분; 굴종, 예속.

Dienertum *n.* -(e)s ↑ Dienerschaft.

Diener·schar *f.* ↑ ~gefolge.

dienlich [díːnlıç] *a.* 쓸모 있는, 유용한, 이로운: jm. 〔et.³〕 ~ sein 누구에게〔무엇에〕 유익하다, 이롭다.

Dienlichkeit [..kaıt] *f.* 〖드물게〗 유용성.

diensam [díːnzaːm] *a.* ↑ dienlich.

***Dienst**[1] [diːnst] *m.* -es, -e ① 고용 관계: in js. ~ treten 누구에게 고용되다, 누구를 위해 일하다; jn. in ~ nehmen 누구를 고용하다; bei jm. in 〔im〕 ~ stehen 누구 집에서 고용살이하고 있다. ② 근무, 복무; 직무, 직위, 지위: seinen ~ vernachlässigen 직무를 태만히 하다; seinen ~ gewissenhaft versehen 직무를 양심적으로 수행하다; auch am Wochenende hat er ~ 그는 주말에도 근무해야 한다; welche Apotheke hat heute ~? 오늘 어느 약국이 문을 열었나요?; im ~ ist der Genuß von Alkohol verboten 근무 중 음주는 금지되어 있다; dem mittleren〔gehobenen〕 ~ angehören 중간직〔고위직〕이다; den ~ aufsagen 해고를 통고하다; Beamter〔Offizier〕 außer~ (약어: a.D.) 퇴직 공무원〔퇴역 장교〕; der Offizier vom ~ 당직 사관; ~ nehmen 군에 입대하다; 〔속담〕 ~ ist ~, und Schnaps ist Schnaps 공은 공이고 사는 사다 (공과 사는 구분해야 한다). ③ jm. auf den ~ passen〔lauern〕 a) 누구의 근무 태도를 감시하다, b) 〖비유〗 동정을 살피다. ④ 예속, 봉사, 헌신: im ~ der Gerechtigkeit stehen 정의를 위해 헌신하고 있다; dem ~ der Lust frönen 정욕의 노예가 되다; ~e, die er der Wissenschaft geleistet hat 그가 학문에 이바지한 공로. ⑤ 예배, 미사(Gottesdienst 의 준말로). ⑥ 도움, 수고, 봉사, 서비스: jm. einen ~ tun〔leisten〕 누구를 위하여 애쓰다, 누구를 돕다; jm. seine ~e anbieten 누구에게 도와 주겠다고 제안하다; jm. einen schlechten ~ erweisen 누구에게 (도리어) 폐를 끼치다; 〖구어〗 ~ am Kunden 고객에 대한 서비스. ⑦ 〔정중한 말투〕 jm. zu ~en stehen 누구를 위하여 수고하다; was steht Ihnen zu ~en? a) 용무는 무엇입니까?, b) 〖商〗 무엇을 드릴까요?; ich stehe Ihnen zu ~en 언제든지 저를 불러주십시오; jedes Buch steht Ihnen gern zu ~en 어떤 책이건 마음대로 보실 수 있습니다. ⑧ (기계 따위의) 작동, 가동, 기능: seinen ~ 〔seine ~e〕 tun 제대로 작동되다; der Fernsehapparat ist zwar ziemlich alt, aber es tut noch seinen ~ 저 텔레비전은 상당히 오래된 거지만 아직은 잘 나온다; in ~ stellen 가동시키다, 사용하기 시작하다; außer ~ stellen 더 이상 사용하지 않다; gute ~e leisten 효과적으로 사용되다; unsere neue Heizung leistet uns in diesem Winter gute ~e 우리의 새 난방기는 올 겨울에 아주 긴하게 쓰이고 있다; die Beine versagten ihm plötzlich den ~ 그의 다리가 갑자기 말을 듣지 않았다. ⑨ 공공 기관, 서비스 회사: Nachrichten∼ 정보 기관, 통신사; Abschlepp∼ 견인 회사〔서비스〕. ⑩ 〖고어〗 (영주에게 바치는) 조세나 지대(地代). ⑪ 〖건축〗 (고딕식의) 벽이나 주기둥에 함께 세워진 보조 기둥.

Dienst[2] *m.* -en, -en 〔고어·방언〕 하인, 머슴, 종.

Dienst≈ablösung *f.* 근무 교대; 교대 근무조. **~abteil** *m.* 〖철도〗 차장실, 승무원실. **~abzeichen** *n.* 〖軍〗 근무 휘장. **~adel** *m.* 공로(에 의해 신분을 획득한) 귀족.

***Dienstag** [díːnstaːk] 《ahd. Ziestag》 *m.* -(e)s, -e 화요일: am ~ 화요일에; jeden ~ 화요일마다; am ~ abend 화요일 저녁에; gestern war ~, der 20. Mai 어제는 5 월 20 일 화요일이었다.

Dienstag·abend *m.* 화요일 저녁.

dienst·abends *adv.* 화요일 저녁에.

dienstägig [díːnstɛːgıç] *a.* 화요일의.

dienstäglich [díːnstɛːklıç] *a.* 매주 화요일의.

Dienstag·nacht *f.* 화요일 밤.

dienstags [díːnstaːks] *adv.* 매주 화요일에.

Dienst≈alter [díːnst..] *n.* 근무〔복무〕 연수. **~alters·zulage** *f.* 연공 가봉(年功加俸). **~älteste*** *der/die* 최고참 직원. **~antritt** *m.* 취임, 취직. **~anweisung** *f.* 근무 지침, 복무 규정. **~anzug** *m.* 근무복, 제복, 정복. **~auffassung** *f.* 직무관(觀), 직업관, 근무자세. **~aufsicht** *f.* 〖法〗 근무 감독. **~aufsichts·beschwerde** *f.* 〖法〗 행정 소원, 시정 청원. **~ausweis** *m.* 근무자 신분증. **~auszeichnung** *f.* 근속상; 〖軍〗 복무 훈장.

dienstbar [díːnstbaːr] *a.* ① 예속된, 복종하는, 섬기는: sich³ jn. ~ machen 누구의 주인이 되다, 누구를 지배하다; er machte sich alle Welt ~ 그는 온 세계를 정복하였다. ② 봉사〔헌신〕하고자 하는: ein ~er Geist a) 천사, b) 〖구어·농담〗 남의 일을 잘돌봐 주는 사람. ③ 〖비유〗 쓸모 있는, 편리한.

Dienstbarkeit [..kaıt] *f.* -en ① 〖드물게〗 하인〔하녀〕직. ② 봉사, 서비스. ③ 예속 상태, 순종, 굴종. ④ 〖法〗 (타인의 토지·재산에 대한) 사용권, 용익권.

Dienst≈befehl *m.* 업무상의 명령〔지시〕. **∼beflissen** *a.* 남의 일을 잘 돌보는, 지나치게 열심인. **~beflissenheit** *f.* 남의 일을 잘 돌보는 천성, 지나친 열성. **~beginn** *m.* 근무 시간의 시작. **~behörde** *f.* 상급〔관할〕 관청. **∼berechtigt** *a.* 〖法〗 근무할 권리가 있는. **~bereich** *m.* 소관〔업무〕 분야. **∼bereit** *a.* ① 남의 일을 잘 돌보는. ② 업무를 보는, 열려 있는, 개점하는; (정상 개점 시간 이외에 긴급한 수요를 위해) 비상 개점하고 있는: diese Apotheke ist heute nacht ~ 이 약국은 오늘 밤 비상 개점한다. **~bereitschaft** *f.* ↑ ∼bereit 의 명사형. **~beschädigung** *f.* 공무 수행 중의 부상, 공상(公傷). **~bezeichnung** *f.* 직책명. **~bezüge** *pl.* (공무원의) 봉급. **~bote** *m.* 〖구식〗 머슴, 하인, 하녀. **~buch** *n.* 근무 평가 기록부; 근무 일지. **~eid** *m.* 취임 선서(Amtseid): 〖구어〗 et. auf seinen ~ nehmen 무엇을 책임지겠다고 선언하다. **~eifer** *m.* 봉사〔근무〕 열의. **∼eifrig** *a.* ↑ ~eifer 의 형용사형. **~einkommen** *n.* 봉급. **~enthebung** *f.* 정직(停職). **~entlassung** *f.* 면직, 해고. **~entsetzung** *f.* 면직. **∼ergeben** *a.* ↑ ~eifrig. **∼fähig** *a.* 복무 능력이 있는, 병역을 감당할 수 있는; 〖海〗 내항성(耐航性)이 있는. **∼fertig** *a.* 남의 일을 돌보기 좋아하는; 근무 준비가 된. **~fertigkeit** *f.* ↑ ∼fertig 의 명사형. **~flagge** *f.* 관청의 기〔깃발〕. **~frau** *f.* 〖구식〗 파출부, 잡역부. **∼frei** *a.* 근무가 없는, 비번인: ~ haben 비번이다. **~führung** *f.* 직무 수행, 근무. **~geber** *m.* (öst.) 고용주(↑ Arbeitgeber). **~gebrauch** *m.* 직무상의 사용, 공적인 사용,

공용. **~gefällig** *a.* 〔드물게〕 남의 일을 돌보기 좋아하는. **~geheimnis** *n.* 〖法〗 직무상의 비밀; 직무상의 비밀 유지 책임. **~geld** *n.* 〔고어〕 급료. **~geschäft** *n.* 직무상의 일. **~gespräch** *n.* 공무상의 대화〔통화〕. **~gewalt** *f.* 직권. **~grad** *m.* 〖軍〗 계급. **~grad·abzeichen** 〖軍〗 계급장. **~habend** *a.* 근무 중인, 당직의: der ~e Arzt〔Offizier〕 당직 의사〔장교〕. **~habende*** *der/die* 당직 근무자. **~herr** *m.* 상급 관청; 고용주; 주인. **~herrschaft** *f.* 〔구식〕 주인과 그의 가족. **~jahr** *n.* 근무 연수: 〔구어〕 er hat 30 ~e auf dem Buckel 그는 30 년간 봉직하였다. **~jubiläum** *n.* 근속 기념일. **~kleid** *n.* ↑ ~kleidung. **~kleidung** *f.* 근무복, 제복. **~lauf·bahn** *f.* 근무 경력. **~leistung** *f.* ① 근무, 직무 수행; 봉사. ② 〖經〗 서비스 업종: Reparaturen gehören zu den ~en 정비업은 서비스 업에 속한다.

Dienstleistungs·betrieb *m.* 〖經〗 서비스 업체. **~einrichtung** *f.* 서비스 기관. **~gesellschaft** *f.* 〖사회〗 서비스 산업 위주의 사회 형태, 3 차 산업 사회. **~gewerbe** *n.* 서비스 산업. **~kombinat** *n.* 〖구동독〗 (세탁·구두 수선·거리 청소 등의) 각종 서비스를 제공하는 대기업(약어: DLK).

Dienst·leute *pl.* ↑ ~mann.

dienstlich [díːnstlɪç] *a.* ① 직무상〔근무상〕의. ② 〔구어〕 사무적인, 격식적인: eine ~e Miene aufsetzen 사무적인 표정을 짓다. ③ ↑ dienstfertig.

Dienst·lohn *m.* 급료, 임금. **~lokal** *n.* 사무소, 관청.

dienstlos *a.* 무직의.

Dienst·mädchen *n.* 〔준고어〕, **~magd** *f.* 〔고어〕 하녀, 식모. **~mann** *m.* ① 〔복수: ..mannen/..leute〕 〖史·고어〗 봉신(封臣), 신하, 시종(侍從); 하인. ② 〔복수: ..leute/..männer〕 〔구식〕 수하물 운반인, 짐꾼. **~mannschaft** *f.* 신하들〔하인들·짐꾼들〕의 무리; 〖軍〗 현역병(전체). **~marke** *f.* ① 관청용 우표. ② 사복 형사의 신분 증명패. **~mütze** *f.* 제모(制帽). **~nehmer** *m.* (öst.) 피고용인(Arbeitnehmer). **~ordnung** *f.* 근무〔복무〕 규정. **~personal** *n.* (잡일을 하는) 직원들. **~pfennig** *m.* 예약금; 급료의 임시 지급〔가불〕. **~pferd** *n.* 〖軍〗 관마(官馬). **~pflicht** *f.* 복무〔근무상의〕 의무. **~pflichtig** *a.* 복무 의무가 있는. **~pragmatik** *f.* (öst.) 공법상의 고용 관계에 대한 일반 규범. **~prämie** *f.* 보너스. **~rang** *m.* ↑ ~grad. **~raum** *m.* 사무실. **~recht** *n.* 공직자의 권리. **~rechtlich** *a.* 공직자의 권리에 관한. **~reise** *f.* 공무 여행, 출장. **~rock** *m.* 제복, 근무복. **~sache** *f.* 공무; 공문서. **~schluß** *m.* 근무 시간의 종료, 근무 끝. **~schreiben** *n.* 공문서. **~siegel** *n.* 직인, 관인. **~spritze** *f.* 〔구식·폄어〕 하녀. **~stelle** *f.* 관청; 사무실. **~stellung** *f.* 직위, 계급; 업무 분야. **~stempel** *m.* 관청의 고무인〔직인〕. **~strafe** *f.* 〖法〗 징계 조치〔처분〕(Disziplinarmaßnahme).

Dienststraf·gewalt *f.* 징계권. **~recht** *n.* 〖法〗 직무 위반 처벌법.

Dienst·stunde *f.* ① 근무 시간. ② (관청의) 민원 업무 시간. **~tauglich** *a.* 〖軍〗 복무 능력이 있는, 복무 적격의. **~tuend** *a.* ↑ ~habend. **~tuende*** *der/die* ↑ ~habende. **~unfähig** *a.* 근무〔군복무〕 능력이 없는. **~unfähigkeit** *f.* 근무〔군복무〕 불능. **~untauglich** *a.* ↑ ~unfähig. **~vergehen** *n.* 직무 위반. **~verhältnis** *n.* 고용 관계; 근무 상황. **~verpflichten** 《I》 *t.* (비상시에) 군복무 명령을 내리다. 《II》 **~verpflichtet** *p.a.* ↑ ~verpflichtet. **~verpflichtet** 《I》 *p.p.* ↑ ~verpflichten. 《II》 *p.a.* 복무 의무가 있는, 복무 명령을 받은. **~vertrag** *m.* 고용 계약. **~vorschrift** *f.* 근무〔복무〕 규정. **~waffe** *f.* 관용(官用) 무기(특히 경찰관의 권총). **~wagen** *m.* 공무 수행용 차, 관용차. **~weg** *m.* 업무 처리 절차; 〖法〗 심급 순서: auf dem ~ 올바른 절차〔순서〕를 밟아서. **~widrig** *a.* 근무〔복무〕 규정에 위반되는. **~willig** *a.* ↑ ~fertig. **~wohnung** *f.* 관사, 사택. **~zeit** *f.* ① 근무 시간. ② 〖軍〗 복무 기간: seine ~ abdienen 복무 기간을 마치다. **~zeugnis** *n.* 근무〔복무〕 증명서. **~zimmer** *n.* 사무실. **~zulage** *f.* (호봉 상승에 따른) 봉급의 증액. **~zweig** *m.* (관공서의) 부서, 업무 분야.

dies [diːs] *prn.* 〔지시 대명사 dieses 의 단축형〕 이; 이것, 이 사람: ~ alles 이 모든 것; ~ ist mein Mann 이 사람은 내 남편이다; ~ sind meine Gäste 이분들은 내 손님들이다.

Dies *m.* = Dies academicus.

Dies academicus [dí(ː)ɛs akadéːmikʊs] 《lat.》 *m.* 〔교양〕 대학의 축제일.

Dies ater [..áːtɛr, ..tər] 《lat.》 *m.* 〔교양〕 불운한 날, 흉일.

dies·bezüglich [díːsbətsyːklɪç] *a.* 이에 관한: die ~e Vereinbarung 이에 관한 협정; ~ habe ich nichts mehr zu sagen 이것과 관련해서 나는 더 할 말이 없다.

Diese [diéːzə] 《gr.》 *f.* -n 〖음악·고어〗 올림표(#).

diese [díːzə] ↑ dieser.

Diesel [díːzəl] *m.* -(s), - 〔구어〕 ① ↑ ~motor. ② 디젤 엔진 자동차. ③ ↑ ~kraftstoff.

dieselbe [diːzɛ́lbə, di..] *prn.* ↑ derselbe.

dieselbige [..zɛ́lbɪgə] *prn.* ↑ derselbige.

Dieselbigkeit [..bɪç..] *f.* 동일, 불변.

diesel·elektrisch *a.* 디젤 엔진으로 발전하는. **~kraft·stoff** *m.* 디젤 기관용 연료. **~lok** *f.* ↑ ~lokomotive. **~lokomotive** *f.* 디젤 기관차. **~motor** *m.* 디젤 엔진〔기관〕. **~öl** *n.* ↑ ~kraftstoff. **~trieb·wagen** *m.* 디젤 엔진 자동차.

dieseln [díːzəln] *i.* (s./h.) 〖자동차〗 (스위치를 끈 후에도 엔진이 잠시) 계속 회전하다 (nachdieseln).

dieser [díːzər] 〔지시 대명사, 남성 단수 1 격의 형태, 어미 변화는 정관사 변화에 따름〕 ① 〔부가적 용법〕 **(a)** 〔말하는 사람의 가까이에 있는 것을 가리키며〕 이: ~ Platz ist frei 이 자리는 비었다; wem gehört diese Tasche? 이 가방은 누구의 것인가?; sich aller ~ Kinder annehmen 이 아이들을 모두 돌보다. **(b)** 〔이미 언급되거나 알려져 있는 것을 강조하며〕 dieses Ergebnis ist falsch 이 결과는 틀리다. **(c)** 〔시간적으로 가까이 있는 것을 가리키며〕 지금의, 요전의, 다음의: dieses Jahr 올해(에); dieses Jahres 올해〔금년〕의(약어: d.J.); bis diesen Tag 이날〔오늘〕까지; diese Nacht a) 오늘 밤, b) 간밤; dieser Tage a) 근간, 이삼일내로, b) 최근, 요사이, 요즈음. (**d**) 〖사람 이름이나 사람과 결합하여 대개 폄하적으로〗 ~ Herr Müller ist einfach unmöglich! 이 뮐러씨라는 양반은 정말 구제 불능이야!; diese Frau trägt schon wieder einen neuen Mantel 이 부인은 또 새 외투를 입었구나; mit diesem Nachbarn möchte ich nichts zu tun haben 이런 이웃과는 아예 상종을 하고 싶지 않다. ② 〖명사적〗 (**a**) 〖가까이 있는 것을 가리키며〗 이것, 이 사람: Dies(es) hier ist mein Auto 여기 이것이 내 차입니다; welcher Hut gefällt dir? — ~ da 어느 모자가 네 마음에 드니? — 여기 이것(이 마음에 듭니다); von seinen Freunden ist ~ der beste 그의 친구들 중에서 이 친구가 가장 좋다; wer war es? ~! 누구였지? 이 사람이었어요; ~ oder keine 이 사람 아니면 안 되겠다; 〖商〗 der Überbringer dieses (Briefes) 이 편지의 지참인; den〔am〕 ersten dieses (Monats) 이 달 초하루에. (**b**) 〖jener 와 어울려〗 후자: ich traf heute Frau Huber und ihre Tochter; diese trug eine Hose, jene einen Rock 나는 오늘 후버 여사와 딸을 만났는데 후자는(딸은) 바지를 입었고 전자(여사)는 스커트를 입었다; dies und das 〔dies(es) und jenes〕 몇 가지 일, 이것 저것; ~ und jener 이 사람 저 사람, 몇몇 사람; ~ oder jener 어떤 사람; mit diesen und jenen sprechen 사람들과 이야기하다.

dieser≈art [dí:zər|a:rt] *adv.* 〖구식〗 이런 식으로, 이와 같이. **~halb** *adv.* 〖고어〗 이〔그〕 때문에.

dieserlei [..laɪ] *prn.* 〖구식〗 이와 같은, 이런 식의.

dieser≈seits 〖고어〗 *adv.* 이쪽에. **~wärts** *adv.* 이쪽으로. **~wegen** *adv.* 이 때문에.

dieses [dí:zəs] *prn.* ↑ dieser, dies.

dies≈fällig [dí:s..] *a.* 〖구식〗 이 경우의. **~falls** *adv.* 〖구식〗 이 경우에.

diesig [dí:zɪç] 《ndd.》 *a.* ① 〖海〗 흐리고 습한, 비가 올 것 같은, 안개가 짙은. ② 〖방언〗 고집 센; 어리석은.

Diesigkeit [..kaɪt] *f.* ↑ diesig 의 명사형.

Dies irae [dí(:)ɛs í:rɛ:] 《lat.》 *n.* - - 〖음악〗 최후의 심판을 노래하는 라틴어 찬송가의 첫 부분; (위령 미사 때) 진혼곡의 반복되는 구절.

Diesis [dí(:)ezɪs] *f.* 〖음악〗 올림표(#).

dies≈jährig *a.* 금년의. **~mal** *adv.* 이번에: laß uns ~ etwas anderes spielen 이번에는 다른 놀이를 하기로 하자. **~malig** *a.* 이번의. **~seit** *prp.* ↑ ~seits. **~seitig** *a.* (↔ jenseitig) 이쪽의, 우리 편의; 〖교양〗 이 세상의, 현세의: der ~e Verlust 우리 편의 손해; das ~es Leben 현세〔이승〕의 삶. **~seitigkeit** *f.* 〖교양〗 현세주의, 현세 지향적 자세. **~seits** *n.* 현세, 이 세상: im ~ 이 세상에서. ***~seits** (↔ jenseits) 《Ⅰ》 *prp.*² 이쪽에: ~ des Flusses 〔der Alpen〕 강〔알프스〕 이쪽에. 《Ⅱ》 *adv.* 이쪽에: ~ von der Grenze 경계선 이쪽에. **~seits·glaube** *m.* 현세 신앙〔주의〕.

diet.. 《ahd. diot》 *pref.* 〖주로 인명 앞에서〗 〖고어〗 "민족"의 뜻.

Diet·abend *m.* 〖고어〗 (나치스 독일의) 국민 체육 진흥의 날 저녁 축제.

Dietrich¹ [dí:trɪç] *m.* 디트리히(남자 이름).

Dietrich² *m.* -(e)s, -e (열쇠 대용으로 쓰이는) 곁쇠.

dietrichen [dí:trɪçən] *i.*(h.)/*t.* 곁쇠를 쓰다, 곁쇠로 열다.

Diet≈wart *m.* 〖고어〗 (나치스 독일의) 전국 체육 연맹의 감독관. **~wesen** *n.* (나치스 독일의) 국민성; 인종학.

die·weil [di:váɪl] 〖고어〗 《Ⅰ》 *adv.* (inzwischen) 그 동안에. 《Ⅱ》 *cj.* ① (weil) …때문에. ② (während) …하는 동안에.

dif.. *pref.* ↑ di..¹(f 앞에 올 때의 형태).

Diferencia [..θia] *f.* -s 〖음악〗 (16 세기 에스파냐 기악곡의) 변주곡.

Diffamation [dɪfamatsió:n] *f.* -en 비방; 명예 훼손.

diffamatorisch [..tó:rɪʃ] *a.* 비방하는.

Diffamie [dɪfamí:] *f.* -n ① 악의, 비열: seine Äußerungen waren von einer unglaublichen ~ 그의 발언은 믿을 수 없을 만큼 악의적이었다. ② 중상 모략의 언사, 악의적인 발언.

diffamieren *t.* 비방하다; 명예를 훼손하다, 중상 모략하다.

Diffamierung *f.* -en 비방, 모략, 명예 훼손.

different [dɪfərɛ́nt] 《lat.》 *a.* 〖드물게〗 다른, 상이한.

Differential [..tsiá:l] *n.* -s, -e ① 〖數〗 미분. ② 〖기계〗 차동(差動).

differential *a.* 〖드물게〗 ↑ differentiell.

Differential≈analysator *m.* 〖數·컴〗 미분 계산기. **~blut·bild** *n.* 〖醫〗 혈액 감별(도). **~bremse** *f.* 〖기계〗 차동(差動) 제동기. **~diagnose** *f.* 〖醫〗 감별 진단(약어: DD). **~diagnostik** *f.* 감별 진단학. **~flaschenzug** *m.* 차동 도르래. **~geometrie** *f.* 〖數〗 미분 기하학. **~getriebe** *n.* 차동 장치, 차동기. **~gleichung** *f.* 〖數〗 미분 방정식. **~größe** *f.* 미분값. **~koeffizient** *m.* 미분 계수. **~quotient** *m.* 미분값. **~rechnung** *f.* ① 미분법. ② 미분 계산. **~rente** *f.* 〖經〗 차액 지대(地代). **~schaltung** *f.* 〖전기〗 차동 접속. **~schraube** *f.* 차동(差動) 나사. **~tarif** *m.* 차등 요율. **~zoll** *m.* 차별 관세.

Differentiat *n.* 〖지질〗 분화로 생성된 광물.

Differentiation [dɪfərɛntsiatsió:n] *f.* -en ① 분리, 분화. ② 〖지질〗 분화(용암이 다양한 암석으로 분화되는 현상). ③ 〖數〗 미분 계산.

differentiell [dɪfərɛntsiɛ́l] *a.* 차별하는, 차별적인: ~e Psychologie 차별〔개성〕 심리학.

differentiieren [..tsií:rən] *t.* ↑ differenzieren.

Differenz [dɪfərɛ́nts] *f.* -en ① 차(이), 불일치: die ~ zwischen Angebot und Nachfrage 공급과 수요의 차이. ② 〖數〗 차(差): die ~ zwischen 10 und 15 beträgt 〔ist〕 5 10 과 15 의 차는 5 다; 〖商〗 결손액, 차액, 과부족. ③ 〖대개 복수〗 견해 차이, 불화: persönliche 〔scharfe〕 ~en 개인적〔첨예한〕 의견차; mit jm. ~en haben 누구와 의견차가 있다; ~en beilegen 불화를 조정하다; es besteht eine ~ zwischen ihren Ansichten 그들은 견해 차이가 하나 있다.

Differenz≈betrag *m.* 차, 차액. **~geschäft** *n.*, **~handel** *m.* 〖商〗 차액 거래.

Differenzial *n.* -s, -e 〖數〗 미분.

differenzial *a.* 차이가 나는; 〖數〗 미분의.
differenzieren [dɪfərɛntsíːrən] 《I》 *t.* ① 구분〔구별〕하다: zwischen Möglichkeit und Notwenigkeit ~ 가능성과 필연성을 구분하다. ② 분간〔식별〕하다: verschiedene Farben ~ 다양한 빛깔들을 분간하다. ③ 세분화하다, 섬세〔세밀〕하게 나누다: Bewertungskriterien ~ 평가 기준을 세분화하다; ein differenzierter Charakter 세심한 성격(의 소유자). ④〖醫·生〗(세포·조직을 판별하기 위해) 번식시키다; 감별하다. ⑤〖數〗미분하다. 《II》 *refl.* sich ~ 세분화되다, 복잡해지다: die Berufe ~ sich immer stärker 직업이 갈수록 세분화된다.
***Differenzierung** *f.* -en ① 구분, (세)분화; 다양화: 〖교육〗 ~ des Unterrichts 수업 (방식)의 다양화; ~ der Berufe 직업의 분화. ②〖生〗(조직·세포의) 분화, (개체의) 분리. ③〖醫〗감별. ④〖數〗미분.
Differenzierung·prozeß *m.* 분화 과정.
differieren [dɪfəríːrən] *i.* (h.) 다르다, 차이 나다: die Preisen ~ sehr stark 가격 차이가 심하다; von jm.〔et.[3]〕 ~ 누구와〔무엇과〕 다르다.
Diffession [dɪfɛsióːn] *f.* -en 〖法〗 부인(否認).
Diffikultät [dɪfikultɛ́ːt] *f.* -en 곤란, 어려움.
diffizil [..tsíːl] *a.* ① 힘든, 복잡한: ~e Verhandlungen 힘든 협상. ② 까다로운: eine ~e Untersuchung 까다로운 조사. ③ 괴팍한: ein ~er Mensch 괴팍한 사람.
Diffluenz *f.* -en 〖지질〗 빙하의 분류(分流) (↔ Konfluenz).
difform [dɪfɔ́rm] *a.* (mißgestaltet) 기형의.
Difformität [..mitɛ́ːt] *f.* -en 기형, 이형(異形).
Diffraktion [dɪfraktsióːn] *f.* -en 〖物〗 회절(回折).
diffundieren [dɪfundíːrən] 《I》 *i.* 〖化·生〗 **(a)** 침투〔용해〕되다, 뒤섞이다: zwei Gase ~ ineinander 두 종류의 기체가 서로 뒤섞인다. **(b)** 〖物〗 Strahlen ~ 광선이 발산〔확산〕된다. 《II》 *t.* 〖物〗 확산시키다.
diffus [..fúːs] *a.* ① 무질서한, 산만한, 혼란스러운: ~e Gedanken 혼란스러운 생각. ② 〖化·生〗 산란성〔분산성〕의: ~es Licht 산란 광선; ~e Reflexion 산란 굴절.
Diffusat [dɪfuzáːt] *n.* -s, -e 〖化〗 확산물, 혼합물.
Diffusion [dɪfuzióːn] *f.* -en ① 확산, 전파. ②〖物〗(빛의) 산란, 분산. ③〖化·生〗혼합, 용해, 삼투. ④〖광업〗 통풍 (장치).
Diffusor [dɪfúːzɔr, ..zoːr] *m.* -s, -en [..zóːrən] ①〖工〗 산기통(散氣筒). ②〖광학〗 산광기(散光器).
difteln [dɪ́ftəln] *t.* ↑ tüfteln.
Digamma [digáma] *n.* -(s), -s 초기 그리스 자모의 여섯째 글자(음가: F).
Digenesis 《gr. -lat.》 *f.* 〖生〗 세대 교번.
digerieren [digeríːrən] *t.* ① 소화하다. ② 〖化〗 침지(浸漬)하다, (용해제로) 녹이다.
Digest [dáɪdʒɛst, ..dʒəst] 《engl.》 *m./n.* -(s), -s 다이제스트, 축약본, 요약본.
Digesten [digɛ́stən] *pl.* 〖法〗 법학설 대전(大典) (일명 유스티니아누스 법전의 일부).
Digestif [..ʒɛstíf] *m.* -s, -e 소화제.
Digestion [..gɛstióːn] *f.* -en ① 소화. ②〖化〗 담금, 침지(浸漬), 용해.
Digestions·apparat 《lat.》 *m.* ①〖醫〗 소화기. ②〖化〗 침지기(器).
digestiv [..tíːf] *a.* 소화의, 소화를 촉진하는.
Digestiv·mittel *n.* ↑ Digestivum.
Digestivum *n.* 소화제.
Digestor [digɛ́stɔr, ..toːr] *m.* -s, -en [..tóːrən] ①〖고어〗 찌는〔삶는〕 기구. ②〖化〗 침지기(器).
Digger [dɪ́gər] *m.* -s, - 금광 광원.
Digging *n.* -s, -s 채굴지, 채광지(地).
Digimatik *f.* 디지털 정보처리학, 전자 계수 기술.
Digit [dɪ́dʒɪt] *n.* -(s), -s 〖工〗 (전자 기기 표시판의) 숫자.
***digital** [digitáːl] *a.* ①〖醫〗 손가락에 관계되는, 손가락을 사용한: et. ~ untersuchen〔betasten〕 무엇을 손가락으로 진찰하다〔만져보다〕. ②〖工·컴〗 디지털〔계수〕 방식의 (↔ analog): ein ~es Gerät 디지털식 기기; ~es Signal 디지털식 신호.
Digital-Analog=Umsetzer *m.* ↑ ~-Wandler. **~-Wandler** *m.* 〖工〗 디지털 아날로그 변환 장치.
Digital=anzeige *f.* 〖工〗 디지털식 표시(판). **~drucker** *m.* 디지털식 인쇄기(프린터).
Digitale Signatur *f.* 〖컴〗 (전자 상거래에 쓰는) 전자 서명.
Digitales Radio *n.* 〖방송〗 (고음질의) 디지털 라디오.
Digitales Wasser·zeichen *n.* 〖컴〗 디지털 숨은그림(프로그램의 불법 복제를 추적하기 위하여 숨겨놓은 코드).
Digitalis[1] [digitáːlɪs] 《lat.》 *f.* 〖植〗 디기탈리스.
Digitalis[2] *m.* 〖藥〗 (디기탈리스에서 채취한) 강심제.
digitalisieren [..zíːrən] *t.* ①〖醫〗 eine Herzkrankheit ~ 심장병을 디기탈리스 약제로 치료하다. ②〖工·컴〗 디지털식으로 처리하다: Daten〔Informationen〕 ~ 데이터〔정보〕를 (아날로그식에서) 디지털식으로 바꾸다.
Digitalisierung *f.* 디지털화.
Digitaloid *n.* 〖藥〗 (디기탈리스의 효력을 내는) 심장약, 강심제.
Digital=rechner *m.* 〖工〗 디지털 전자계산기. **~technik** *f.* 디지털 기술. **~uhr** *f.* ①〖전산〗 (전자 계산기에 내장된) 시계. ② 디지털식 시계.
Digitoxin [digitɔksíːn] *n.* 〖藥〗 (자줏빛 디기탈리스 잎에서 추출한) 심장약.
Diglossie [dɪglɔsíː] *f.* -n 〖언어〗 2 개 국어 공용 현상(보기: 캐나다의 영어와 프랑스어).
Diglyph [diglýːf] *m.* -s, -e 〖건축〗 복구(複溝) 조각 장식.
Dignitar [dɪgnitáːr] *m.* -s, -e 〖가톨릭〗 고위 성직자.
Dignitär [..tɛ́ːr] *m.* -s, -e ↑ Dignitar.
Dignität *f.* -en ① (Würde) 위엄, 품위. ② 〖가톨릭〗 고위 성직(자).
digredieren *i.* (h.) 〖고어〗 (말이) 주제에서 벗어나다.
Digression [digrɛsióːn] *f.* -en ① 주제에서 벗어남, 지엽적인 문제에 빠짐. ②〖天〗 이각(離角).

DIHT =Deutscher Industrie- und Handelstag 독일 상공 회의소.
Dihybride [dihybrí:də] *m.* -n, -n 양성(兩性) 잡종.
Diiambus [diiámbus] *m.* -, ..ben ↑ Dijambus.
Dijambus [dijám..] 《gr.》 *m.* -, ..ben 〖문학〗 이중 단장격(短長格).
Dijudikation [dijudikatsió:n] *f.* -en 〖法·고어〗 판결, 재판.
Dijudikator *m.* -s, -en [..tó:rən] 〔고어〕 재판관.
dijudizieren *t.* 〔고어〕 판결하다.
Dikasterium [dikasté:rium] *n.* -s, ..rien [..riən] ① (고대 그리스의) 재판정, 법원. ② 〔복수〕 로마 교황청 본부.
Dike [dí:kə, dí:ke] *f.* 〖그리스신화〗 정의의 여신(Horen 가운데 하나).
diklin [diklí:n] *a.* 〖植〗 단성(單性)의.
diklinisch *a.* 〖植〗 자웅이화(雌雄異花)의, 단성(單性)의.
Dikotyle [dikotý:lə] *f.* -n ↑ Dikotyledone.
Dikotyledone [..tyledó:nə] 《gr.》 *f.* -n 쌍떡잎〔쌍자엽〕 식물.
Dikrotie [dikrotí:] *f.* -n [..tí:ən] 〖醫〗 중복맥(박).
diktando [dıktándo] 《lat. dicere》 *adv.* 구술하여, (글을) 받아쓰게 하여.
Diktant *m.* -en, -en 받아쓰게 하는 사람.
Diktaphon [dıktafó:n] *n.* -s, -e ↑ Diktiergerät.
***Diktat** *n.* -(e)s, -e ① 구술(口述), 받아쓰기(시험). ② 요구, 명령: sich einem ~ fügen 명령에 따르다. ③ (강요된) 조약, 계약: Versailler ~ 베르사유 조약.
Diktat≈friede *m.* ↑ ~frieden. **~frieden** *m.* 강제적 강화(講和).
***Diktator** [dıktá:tɔr, ..to:*r*] *m.* -s, ..en [..tó:rən] ① 명령자; 독재자. ② (고대 로마의) 집정관. ③ 구술자.
diktatorial, diktatorisch *a.* ① 명령적인, 압제적인; 독재의. ② 집정관의.
Diktatur [..tú:*r*] *f.* -en 독재, 전제, 횡포: ~ des Proletariats 프롤레타리아 독재; die ~ des Geldes 돈의 횡포.
diktieren [dıktí:rən] *t.* ① 받아쓰게 하다: jm. einen Brief ~ 누구에게 편지를 구술하다. ② 강요하다, 명령하다: jm. einen Vertrag ~ 누구에게 계약을 강요하다. ③ 결정〔지시〕하다: die Mode diktiert, was wir anziehen 우리가 무엇을 입을 것인가는 유행이 결정한다.
Diktierer *m.* -s, - ↑ Diktant.
Diktier≈gerät [dıktí:*r*..] *n.* 구술 녹음기, 딕터폰. **~maschine** *f.* ↑ ~gerät.
Diktion [..tsió:n] *f.* ① 어법, 말투, 표현법. ② 〖연극〗 연기법.
Diktionär [..tsionɛ́:*r*] 《frz.》 *n./m.* -s, -e 사전: im ~ nachschlagen 사전을 찾아보다.
Diktum [díktum] *n.* -s, ..ta ① (Ausspruch) 격언, 명언. ② 〔고어〕 명령, 규약.
Diktyogenese [dıktyogené:zə] *f.* -n 〖지질〗 구조 형성.
dilatabel [dilatá:bəl] *a.* 확장〔연장〕할 수 있는.
Dilatation [..tsió:n] *f.* -en ① 〖物·化〗 확장, 팽창, 연장. ② 〖植〗 (나무 껍질의) 확대 성장. ③ 〖醫〗 (속이 빈 장기의 병적·인공적) 확장.
dilatieren *t.* 확장〔연장〕하다.
Dilation [..tsió:n] *f.* -en 연기, 유예 (기한); 주저.
Dilator *m.* -s, -en [..tó:rən] 〖醫〗 확장기(器).
dilatorisch [..tó:rıʃ] *a.* 지연〔우물주물〕하는.
Dildo *m.* -s, -s 라텍스로 만든 남자의 성기.
***Dilemma** [dilɛ́ma] *n.* -s, -s/-ta ① 〖논리〗 양도(兩刀) 논법. ② 궁지, 진퇴양난, 딜레마: aus dem ~ herauskommen 딜레마에서 벗어나다.
***Dilettant** [dilɛtánt] *m.* -en, -en (전문가가 아닌) 예술〔학술〕 애호가, 호사가, 아마추어.
dilettantenhaft *a.* ↑ dilettantisch.
Dilettanten≈konzert *n.* 아마추어 연주회. **~mäßig** *a.* ↑ dilettantisch. **~theater** *n.* 아마추어 연극, 소인극(素人劇).
Dilettantentum *n.* -s ↑ Dilettantismus.
Dilettanten·vorstellung *f.* 아마추어 공연.
dilettantieren *i.* (h.) ↑ dilettieren.
Dilettantin *f.* -nen ↑ Dilettant 의 여성형.
dilettantisch *a.* 아마추어 같은; 어중간하게 아는, 졸렬한.
Dilettantismus *m.* - 얼치기 예술 취미, 호사 취미; 예술 애호.
dilettieren [dilɛtí:rən] *i.* (h.) (예술·학문을) 얼치기로 하다.
Diligence [diliʒɑ̃́:s] 《-frz.》 *f.* -n 〔준고어·구식〕 ① 근면, 열심. ② 급행 우편 마차.
Dill [dıl] *m.* -(e)s, -e 〖植〗 서양 자초(미나릿과의 식물로 잎과 열매는 향료로 쓰임).
Dille [dílə] *f.* -n ① ↑ Dill. ② ↑ Tülle.
Dilthey [díltaı] *m.* Wilhelm ~ 딜타이(독일의 철학자, 1833-1911).
diluieren [diluí:rən] *t.* 희석하다, 묽게 하다.
Dilution [dilutsió:n] *f.* -en 희석(도).
diluvial [diluviá:l] *a.* 대홍수의; 〖지질〗 홍적세(洪積世)의.
Diluvial≈bildungen, ~schichten *pl.* 〖지질〗 홍적층(洪積層). **~zeit** *f.* 〖지질〗 ↑ Diluvium.
Diluvium [dilú:vium] 《lat.》 *n.* -s 범람; 〖聖〗 (노아의) 대홍수(Sintflut); 〖지질〗 홍적세(洪積世).
dim.[1] =diminuendo 점점 여리게.
dim.[2] =Diminutiv 축소사(縮小詞).
Dime [daım] *m.* -s, -(s) 다임(미국과 캐나다의 10 센트 은화).
***Dimension** [dimɛnzió:n] 《lat. dimetiri》 *f.* -en ① 넓이, 면적, 용적, 굵기, 두께; 치수: ein Raum von ungeheuren ~en 엄청난 규모의 공간. ② 차원, 의의: die drei ~en 3 차원(길이와 너비와 두께); die ~en eines Problems erfassen 어떤 문제의 의의를 파악하다.
dimensional [..zioná:l] *a.* 차원의; …의 치수인.
dimensionieren *t.* 재다, 측량하다, 규격을 정하다.
Dimensions·holz *n.* 건축 목재.
dimer [dimé:*r*] *a.* 〖化〗 두 부분으로 이루어진.
Dimeter [dí:metə*r*] 《gr.》 *m.* -s, - 〖문학〗 2 운각(韻脚)(의 시구(詩句)).
diminuendo [diminuɛ́ndo] 《it.》 *adv.* 〖음악〗 (decrescendo) 점점 여리게(기호: >).
diminuieren [diminuí:rən] 《lat. minuere》 *t.* ① 축소〔감소〕하다. ② 〖음악〗 eine Melodie

～ 멜로디를 변주하다.
Diminution [..tsió:n] *f.* -en ① 축소, 감소. ②〖음악〗(**a**) 축소법. (**b**) 변주.
diminutiv [..tí:f] *a.* 축소의, 소형의;〖문법〗축소의.
Diminutiv *n.* -s, -e [..və]〖문법〗축소형(보기: Blümchen, Büchlein).
Diminutivum [..tí:vum] *n.* -s, ..va ↑ Diminutiv.
Dimission [dimısió:n] *f.* -en (Entlassung) 면직, 해고; 사직.
Dimissionär [..sioné:r] *m.* -s, -e 파면된 관리, 퇴직 관리.
dimissionieren 《I》 *i.* (h.) 사직하다. 《II》 *t.* 면직시키다.
Dimissoriale [..soriá:lə] *n.* -s, -n 파면장; 허가증.
Dimissorium *n.* -s, ..rien [..riən]/..ria ↑ Dimissoriale.
dimittieren 《I》 *t.* 면직시키다. 《II》 *i.* (h.) 사직하다.
Dimmer *m.*〖전기〗조광기(調光器); 주차 표시등.
dimorph [dimɔ́rf] *a.*〖生·광물〗(zweigestaltig) 동종 이형(同種二形)의.
Dimorphie *f.* -n, **Dimorphismus** *m.* -, ..men 동종 이형(同種二形), 양형(兩形).
DIN[1] *f.* ① =Deutsche Industrie-Norm 독일 공업 규격. ② =Deutsches Institut für Normung 독일 공업 규격화 연구소.
DIN[2]〖사진〗감광도(DIN-Grad).
Din. ↑ Dinar.
Dinar [diná:r] *m.* -s, -e 디나르(유고슬라비아·이라크·이란 등의 화폐 단위).
dinarisch *a.* ① 디나르족의: die ～e Rasse 디나르족(유럽 동남부 산악 지대에 거주). ②〖지리〗das ≈e Gebirge 디나르 산맥.
Diner [diné:] *n.* -s, -s ①〖雅語〗오찬, 만찬; 성찬, 연회. ② (프랑스에서) 정식, 만찬.
DIN-format *n.* 규격판(DIN 에 의한 종이의 치수): ～ A 4 A 4 규격 용지.
***Ding**[1] [dıŋ] *n.* -(e)s, -e ① 물건, 사물, 존재; (…인) 것: kein ～ 무(無); ein gutes ～ 좋은 것;〖哲〗das ～ an sich 물자체(物自體); der Schöpfer aller ～e 만물의 창조주, 조물주; aller guten ～e sind drei 좋은 것은 모두 세 번 겹친다; große〔kleine〕～e 큰〔작은〕일; andere ～e im Kopf haben a) 속으로 다른 생각을 하다, b) 더 중요한 문제를 생각하다; große ～e von jm. halten 누구를 존경하다; das ist ihm alles ein ～ 그에게는 그것은 모두 같다〔아무래도 좋다〕; es ist ein köstliches ～ um einen Freund 친구란 소중한 것이다; jedes ～ hat seine Zeit 매사에는 때〔시기〕가 있다; gut ～ will Weile haben 좋은 일에는 시간이 걸린다, 대기만성; über den ～en stehen 초연한 태도를 보이다. ② 사건, 일; 사정, 형세: vor〔in, zu〕allen ～en 무엇보다도, 특히; guter ～e sein 기분이 썩 좋다; es geht nicht mit rechten ～en zu 그것은 심상치 않은 일이다;〖복수 2 격〗unverrichteter〔ungeschaffter〕～e 목적을 이루지 못하고, 요령을 터득하지 못하고; bei solchem Stand der ～e 그런 상황에서; wie die ～e (nun einmal) liegen 형편대로; laß den ～en ihren Lauf〔Verlauf〕! 일이 되어가는 대로 내버려두어라, 운을 하늘에 맡겨라!; das ist ein ～ a) 그것은 훌륭한 일이다, b) 곤란한 일이다; jm. ein ～ drehen 누구에 대하여 나쁜 일을 하다; das ist ein anderes ～ 그것은 전혀 다른 일〔문제〕이다; das ～ beim rechten Namen nennen 어떤 문제에 관해 터놓고〔솔직히〕말하다.
Ding[2] *n.* -(e)s, -er〖구어〗①〖말하기 애매한 것을 지칭〗것, 일: was sind denn das für komische ～er? 대체 이게 무슨 우스운 짓인가?; ein ～ mit ('nem) Pfiff 멋진 것〔일〕; krumme ～er drehen 잘못을 저지르다; das ～ werden wir schon drehen〔schaukeln〕그 일은 우리가 해결하고야 말 것이다;〖구어〗mach keine ～er! 그런 짓은 아서라! (놀라움의 표시); jm. ein ～ verpassen 누구에게 불쾌한 일을 저지르다; das ist (ja) ein dickes ～ a) 그것은 중대한 일이다, b) 그것은 파렴치한 일이다; ein ～ wie 'ne Wanne 인상 깊은 일. ②〖소녀·아이·동물에 대하여 경멸·연민·애정을 나타내어〗녀석, 자식: ein dummes ～ 어리석은 자식; ein naseweises ～ 건방진 녀석〔계집애〕; ein niedliches ～ 귀여운〔예쁜〕계집애〔녀석〕. ③ 성기(性器). ④〖갑자기 생각나지 않은 것을 가리킬 때, 보통: Dings(da)〗↑ Dingsda.
Ding[3] *n.* -(e)s, -e〖史〗(Thing) (게르만족의) 부족 회의, 공재 재판: ein ～ abhalten〔einberufen〕부족 회의를 개최〔소집〕하다.
dingbar 《<dingen》 *a.* 임대차할 수 있는; 고용된.
Dingelchen *n.* -s, -〖구어〗① 조그만〔예쁘장한〕것: diese Ohrringe sind hübsche ～ 이 귀고리는 깜찍하다. ② 하찮은 것. ③ 귀여운〔깜찍한〕소녀.
dingen(*) [díŋən] (dingte/dang/(고어) dung, gedungen/gedingt) 《<Ding》《I》 *t.* ①〖고어〗고용하다: einen Arbeiter ～ 일꾼을 고용하다. ②〖교양·폄어〗매수하다: einen Mörder ～ 자객을〔청부 살인자를〕사다. 《II》 *i.* (h.)〖고어〗um et. ～ 무엇의 값을 깎다〔흥정하다〕; mit jm. ～ 누구와 협상하다.
Dingerchen *pl.* ↑ Dingelchen.
Dingerich [díŋərıç] *m.* -s, -e ↑ Dingsda.
Dingerichs·hausen *n.* -s ↑ Dingsda.
ding≈fest *a.* ①〖고어〗법에 따라 확정된. ②〖다음 용법으로만〗einen Verbrecher ～ machen 범인을 체포하다. **≈gedicht** *n.*〖문학〗사물시. **≈geld** *n.*〖고어〗착수금.
dinghaft *a.* 실재의, 물적인, 구체적인.
Dinghaftigkeit *f.* 실재성.
Dinghi [díŋgi] *n.* -s, -s (큰 배에 실려 있는) 작은 보트.
Dingi *n.* -s, -s ↑ Dinghi.
Dinglein *n.* -s, -〖교양〗↑ Dingelchen.
dinglich [díŋlıç] *a.* ① 실제적인, 구체적인. ②〖法〗물적인, 물권적인: ein ～er Anspruch 대물(對物) 청구권; eine ～e Klage 대물 소송; ～es Recht 물권, 물적 권리.
Dingo [díŋgo:] 《austral.》 *m.* -s, -s〖動〗오스트레일리아산(產) 들개.
Ding≈pflicht *f.*〖史〗(게르만족의) 부족 회의 참가 의무. **～platz** *m.* (게르만족의) 부족 회의장, (공개) 재판정.
..dings *suf.* "최근·요즈음·요사이"의 뜻(보기: neuer～).
Dings *n.* -, **Dinger**〖구어〗↑ Ding[2].

Dings≈bums *n./m./f.* 〖구어·익살〗 ①〖이름이 얼른 떠오르지 않을 때〗 아무개, 거시기: fragen sie den Herrn ~ ! 저 양반한테 물어 보십시오! ②〖깔보는 사람·대상에 대해 쓰는 말〗〖폄어〗 …라는 족속〔작자·것〕: die Hochzeit des Königs ~ interessiert mich nicht 나는 왕인지 뭔지 하는 족속의 결혼식에는 관심이 없다. **~da** *m./n./f.* 〖얼른 떠오르지 않는 사람·대상·장소를 가리킬 때〗〖구어·익살〗 거시기, 아무개; 모처: mein Vetter aus ~ 모고장 출신의 내 조카. **~dorf, ~hausen, ~kirchen** *n.* 〖이름이 떠오르지 않거나 굳이 밝힐 필요가 없는 장소를 가리킬 때〗 모처, 모고장: in ~ 모처에서.

Ding≈statt, ~stätte, ~stelle *f.* ↑ ~platz. **~symbol** *n.* 〖문학〗 사물 상징; 상징물.

Dingung [dɪ́ŋʊŋ] 《<dingen》 *f.* 〖고어〗 고용; 매수.

Ding·wort *n.* 〖복수: ..wörter〗〖문법〗 명사.

dinieren [diní:rən] *i.* (h.) 〖교양〗 만찬〔정찬〕을 들다; 잔치〔향연〕에 참석하다.

Dink *m.* -s, -s 자식이 없는 맞벌이 부부.

Dinkel [dɪ́ŋkəl] *m.* -s, - 〖植〗 밀.

Dinner [dɪ́nər] *n.* -s, -(s) 〖교양〗 ① 성찬, 향연: ein ~ geben 향연을 베풀다. ② (영국에서) 만찬, 정찬.

Dinner·jacket [..dʒɛkit] *n.* 연회복, 정장.

Dinosaurier [dinozáuriər] *m.* -s, - 〖고생물〗 디노사우르, 공룡.

Dinosaurus [..rus] *m.* -, ..rier [..riər] ↑ Dinosaurier.

Dinotherium [..té:rium] *m.* -s, ..rien [..riən] 〖고생물〗 공수(恐獸) (제 3 기의 포유 동물).

DIN-Sensitometer *n.* 〖사진〗 감광계(感光計).

Dinte [dɪ́ntə] *f.* -n ↑ Tinte.

Diode [di|ó:də] *f.* -n 〖컴〗 2 극 진공관, 다이오드.

Diogenes [dió:genɛs] *m.* 디오게네스(고대 그리스의 철학자, 412-323 B.C.).

Diökie *f.* ↑ Diözie.

diokletianisch [diokletiá:nɪʃ] *a.* 로마 황제 Diokletian 의〔과 같은〕: ~e Verfolgung 잔인한 박해.

Diolen *n.* -s 〖방직〗 ① 디올렌(폴리에스테르 인조사). ② 디올렌 직물(풍).

Dionäa [dionɛ́:a] *f.* ..näen 〖植〗 파리지옥풀.

Dionys [dioný:s] *m.* 디오니스(남자 이름).

Dionysien [..ný:ziən] *pl.* (고대 아테네의) 디오니소스 축제.

Dionysios *m.* ↑ Dionys.

dionysisch *a.* ① 주신(酒神) Dionysos 의〔와 같은〕. ② 도취적인, 격정적인, 충동적인.

Dionysius *m.* ↑ Dionysos.

Dionysos [diɔ́nyzɔs, dioný:..] *m.* 〖그리스신화〗 디오니소스(포도주와 생산의 신).

diophantisch [diofántɪʃ] *a.* (그리스 수학자) Diophantos 의: 〖數〗 ~e Gleichung 부정(不定) 방정식.

Diopsid [diɔpsí:t] *m.* -s, -e 〖광물〗 투명 휘석(輝石).

Dioptas *m.* -, -e 〖광물〗 (에메랄드 빛깔의) 녹색 투명 보석.

Diopter [diɔ́ptər] *m.* -s, - 조준기(照準器), 조준경(鏡).

Dioptrie [..trí:] *f.* -n [..rí:ən] 〖광학〗 디옵터 (렌즈의 굴절력 단위; 기호: dpt).

Dioptrik [..trɪk] *f.* 〖고어〗 광선 굴절학.

dioptrisch *a.* ① 빛의 굴절을 이용한, 굴절에 관한. ② 굴절되는, 투명한: ~es Fernrohr 굴절 망원경.

Diorama [diorá:ma] *n.* -s, ..men 〖예술〗 투시화(畫), 디오라마.

dioramisch *a.* 투시화의.

Diorismus [diorɪ́smus] 《gr. diorízein》 *m.* -, ..men 〖고어〗 개념 규정, 구분.

dioristisch *a.* 설명적인.

Diorit [diorí:t, ..rɪt] *m.* -s, -e 〖광물〗 섬록암(閃綠岩).

Dioskur [diɔskú:r] *m.* -en, -en 〖대개 복수〗 ①〖그리스신화〗 쌍둥이신(神) (특히 제우스의 쌍둥이 아들 Kastor 와 Pollux). ②〖교양·비유〗 막역한 친구; 〖天〗 쌍둥이자리.

Diosmose [diɔsmó:zə] *f.* -n 침투, 교류.

Diotima *f.* ① [diotí:ma] 디오티마(Platon 의 "향연(Symposion)"에 나오는 여자). ② [diɔ́:tima] 디오티마(F. Hölderlin 의 작품 "휘페리온(Hyperion)"에 나오는 여자).

Dioxid [dí:|ɔksi:t, di|ɔksí:t] *n.* -(e)s, -e 〖化〗 2 산화물.

Dioxin [di|ɔksí:n] *n.* -s, -e 〖化〗 다이옥신.

Dioxyd *n.* -(e)s, -e ↑ Dioxid.

Diözesan [diøtsezá:n] *m.* -en, -en 〖가톨릭〗 ① 주교 관할구의 주민. ② 교구 주교, 감독.

diözesan *a.* 〖가톨릭〗 주교 관할의.

Diözese [..tsé:zə] *f.* -n ①〖가톨릭〗 주교의 관구. ② (고대 로마의) 법원 관할 구역.

Diözie [diøtsí:] *f.* -n [..tsí:ən] 〖植〗 자웅이주(류) (雌雄異株(類)) (↔ Monözie).

diözisch *a.* 〖植〗 자웅이주(류)의.

Dip *m.* -s, -s (감자튀김 등을 찍어 먹는) 양념 소스.

Diphtherie [dɪfterí:] *f.* -n [..rí:ən] 〖醫〗 디프테리아.

Diphtherie≈bazillus *m.* 〖醫〗 디프테리아균. **~serum** *n.* 디프테리아 혈청. **~schutzimpfung** *f.* 디프테리아 예방 접종.

diphtherisch *a.* 디프테리아(성)의.

Diphtheritis [dɪfterí:tɪs] *f.* ↑ Diphtherie.

diphtheritisch *a.* ↑ diphtherisch.

Diphtheroid [dɪfteroí:t] *n.* -(e)s, -e 〖醫〗 의사(疑似) 디프테리아.

Diphthong [dɪftɔ́ŋ] 《gr.》 *m.* -s, -e 〖문법〗 (↔ Monophthong) 복모음(au, ei 따위); 중모음.

diphthongieren [..tɔŋgí:rən] *t.* 복모음〔중모음〕으로 발음하다.

Diphthongierung *f.* -en 복모음〔중모음〕화.

diphthongisch [dɪftɔ́ŋɪʃ] *a.* 복모음〔중모음〕을 포함하는; 복모음〔중모음〕으로 발음되는.

Dipl. =Diplom 대학 졸업 증서.

dipl. =diplomiert 면허증〔자격증〕을 가진, 대학을 졸업한.

Dipleidoskop [diplaɪdɔskó:p] *n.* -s, -e 〖天〗 자오의(子午儀).

diplex.. *pref.* "2 중"의 뜻.

Diplex·schaltung *f.* 〖전기〗 2 중 결선(結線).

Dipl.-Hdl. =Diplomhandelslehrer 학위 소지 상업 교사.

Dipl.-Ing. [dɪ́pl ɪ́ŋk] =Diplomingenieur 공학사.

Dipl.-Kfm. =Diplomkaufmann 상학사.

Dipl.-Ldw. =Diplomlandwirt 농학사.

Diplokokkus [diplokɔ́kus] *m.* -, ..kokken 〖醫〗 쌍구균(雙球菌).

***Diplom** [dipló:m] *n.* -s, -e ① 〔고 어〕 공 문서. ② 자격증, 면허장; (대학교 또는 전문 대학의) 졸업 증서; (대개 이공·경영·예체능 분야 석사 수준의) 학위, 학위기(學位記), 디플롬: ein ~ erwerben 학위를 받다; er hat (als Physiker) sein ~ gemacht 그는 (물리학) 학위를 받았다. ③ 상장, 훈기(勳記).

Diplom·arbeit *f.* 디플롬(학사 논문).

Diplomand *m.* -en, -en 대학 졸업 자격 시험 준비생.

***Diplomat** [diplomá:t] *m.* -en, -en 외교관; 외교적 수완이 있는 사람.

Diplomaten=gut *n.* (관세가 면제되는) 외교관용 물품. **~loge** *f.* 외교관석. **~wasser** *n.* 〔익살〕 샴페인(Sekt).

***Diplomatie** [diplomatí:] *f.* ① 탁월한 사교술, 교제술, 기지. ② **(a)** 외교, 외교 정책. **(b)** 외교 사절.

Diplomatik [..má:tɪk] *f.* 고문서학(Urkundenlehre).

Diplomatiker *m.* -s, - 고문서 학자.

***diplomatisch** *a.* ① 외교상의; 외교적인: das ~e Korps 외교단. ② 교활한, 능란한: et. ~ fragen〔antworten〕 무엇을 능수능란하게 질문〔답변〕하다. ③ 고문서학의.

diplomatisieren *i.* (h.) 외교적으로 행동하다.

Diplom=dolmetscher *m.* 통역사. **~handels·lehrer** *m.* 학위 소지 상업 교사(약어: Dipl.-Hdl.).

diplomieren *t.* 면허장을〔졸업 증서를〕 주다.

Diplom=ingenieur *m.* 공학사(약어: Dipl.-Ing.). **~kaufmann** *m.* 경영학사(쾰른 대학, 프랑크푸르트 암 마인 대학의 학위의 명칭; 약어: Dipl.-Kfm.). **~land·wirt** *m.* 농학사(약어: Dipl.-Ldw.). **~volks·wirt** *m.* 경제학사(약어: Dipl.-Volksw.).

Dipodie [dipodí:] 《gr.》 *f.* -n [..dí:ən] 〖문학〗 2중 운각(韻脚).

Dipol [dí:po:l] 《gr.》 *m.* -s, -e 〖理·化〗 이중극(二重極), 쌍극자(雙極子).

Dippel [dípəl] *m.* -s, - 〔방언〕 ① 통마개. ② 종기. ③ (양의) 회선증(回旋症).

Dippel=baum *m.* 〔방언〕 들보, 장선(張線), 가운데를 수직으로 자른 나무 등걸. **~hafer** *m.* 〖植〗 독보리속(屬)의 일종(Taumellolch).

dippeln [dípəln] *i.* (s.) 깡충깡충 달리다; 방랑하다, 떠돌아다니다.

Dippel·schickse [..ʃɪksə] *f.* 부랑녀.

dippen [dípən] 《ndd.》 *t.* ① 〖海〗 die Flagge ~ (경의를 표하기 위해) 기를 약간 내렸다가 올리다. ② 살짝 담그다〔축이다〕: Brot in den Kaffee ~ 빵을 커피에 살짝 담그다; räudige Schäfe ~ (치료를 위해) 비루먹은 양을 목욕시키다.

Dipsomane *m.* -n, -n 〖醫〗 주기적 폭음증 환자.

Dipsomanie *f.* -n [..ní:ən] 주기적 폭음증.

Diptam [díptam] 《gr.》 *m.* -s 〖植〗 백선(白癬)(지혈제).

Dipteral·tempel *m.* ↑ Dipteros.

Dipteren [dɪpté:rən] 《gr.》 *pl.* 〔복수〕〖動〗 (Zweiflügler) 쌍시류(雙翅類).

Dipteros [dípterɔs] *m.* -, ..roi [..rɔʏ] 〖건축〗 (그리스의) 2중 주열(柱列)의 신전.

Diptychon [díptʏçɔn] 《gr. dí-ptychos》 *n.* -s, ..chen/..cha (고대 로마의) 두 장으로 접는 편지〔그림〕.

***dir** [di:*r*] *prn.* ↑ du 의 3 격.

Directoire [dirɛktoá:*r*] 《frz.》 *n.* -(s) ① (1795-99 년 프랑스 혁명 정부의) 집정 내각. ② 디렉토아르 양식(위 시대의 미술·복장 양식).

***direkt** [dirέkt] 《I》 *a.* ① 똑바른, 곧은, 직행의, 직통의: in ~er Linie 일직선으로; ~e Abstammung 직계(直系); eine ~e Verbindung nach Paris (갈아타지 않는) 파리 직행. ② 직접의; 전적인: ~e Wahl 직접 선거; ~e Demokratie 직접 민주주의; der ~e Handel 직접 거래; die ~e Steuer 직접세; die ~e Rede 직접 화법; seine ~en Fragen 그의 단도직입적인 질문들. ③ 〖天〗 순행의. 《II》 *adv.* 똑바로; 직접으로, 곧장: ~ nachher 바로 그 후에; der Ball flog mir ~ ins Gesicht 공이 바로 내 얼굴로 날아왔다; ich komme ~ von zu Hause 집에서 곧장 옵니다; Waren ~ beziehen 상품을 직접 (공장에서) 사들이다.

Direkt=absatz *m.* 〖經〗 직접 판매. **~bank** *f.* 〖經〗 직접 은행(지점이나 분점이 없이 전화나 컴퓨터 통신만으로 업무를 보는 은행). **~-bezug** *m.* 〖經〗 직접 구매.

direkte·mang *ad.* 〔구어·익살〕 곧장, 다짜고짜.

Direkt=farb·stoff *m.* 직접 염료. **~flug** *m.* 직항, 논스톱 비행. **~foto** *n.* 즉석 사진. **~import** *m.* 직수입.

Direktion [..tsió:n] *f.* -en ① 〔고어〕 방향. ② 지도, 관리, 감독. ③ 지도부, 간부진; 관리〔감독〕국. ④ (schweiz.) 주(Kanton)의 내각.

Direktions=kraft *f.* 〖物〗 복원력. **~linie** *f.* 방향선(線); 〖數〗 지도선(指導線). **~loge** *f.* (극장의) 귀빈석.

direktionslos 〔구식·교양〕 *a.* 방향이 없는.

Direktions=mitglied *n.* 간부〔중역〕의 한 사람. **~recht** *n.* 〖法〗 (노동자에 대한 사용자의) 노동 지도권, 근로 감독권. **~sekretärin** *f.* 관리부의 여비서.

Direktive [dirɛktí:və] *f.* -n 지시, 훈령; 방침; (행정) 규정.

Direkt=kandidat *m.* 〖政〗 (↔ Listenkandidat) (독일 연방 의회의) 직선 의원 후보. **~mandat** *n.* 직선 의회 의석〔의원직〕. **~-maschine** *f.* 직행〔무기착〕 비행기.

Direktor [dirέktɔr, to:*r*] *m.* -s, -en [..tó:rən] 지도자, 책임자; 기관장, 우두머리; 교장, 학장; (연구소 따위의) 소장, 관장; (무대) 감독, 악장: Bank≈ 은행장; Fabrik≈ 공장장; Schul≈ 교장.

Direktorat *n.* -(e)s, -e 책임자〔지도자〕의 직책〔임기·집무실〕.

direktorial [..riá:l] *a.* 지휘(자)의, 관리(자)의.

Direktorin [dirɛktó:rɪn, dirέktorɪn] *f.* -nen ↑ Direktor 의 여성형.

Direktorium [..rium] *n.* -s, ..rien [..riən] ① 관리〔감독〕국; 이사회. ② (프랑스 혁명 때의) 집정 내각. ③ 〖가톨릭〗 예배 지침서.

Direktrice [..trí:sə] *f.* -n (의류 매장의) 여지배인.

Direktrix [..trɪks] 《lat.》 *f.* ① ↑ Direktor.

②『數』 준선(準線); 표준.
Direkt=sendung *f.* 생중계, 실황중계(방송). **~student** *m.* 『구동독』 정규〔미취업〕 대학생 (↔ Fernstudent). **~studium** *n.* 『구동독』 정규 학업〔공부〕. **~übertragung** *f.* ↑ ~sendung. **~verkauf** *m.* 직접 판매, 직판. **~wahl** *f.* 직접 선거.
Direx [dí:rɛks] *m.* -, -e 〔*f.* -en〕 『농담』 교장.
Dirham *m.* -s, -s 디르함(모로코의 화폐 단위 (1 디르함＝100 Centimes); 회교 국가의 무게 단위).
Dirigat *n.* -(e)s, -e 『교양』 ① 지휘자의 직책 〔직업〕. ② (일회적인) 지휘.
Dirigent [dirigɛ́nt] *m.* -en, -en 관리인, 지배인. ②『음악』 지휘자, 악장.
Dirigenten=podium *n.* 지휘석. **~pult** *m.* 지휘자용 악보대. **~stab** *m.* 지휘봉.
dirigieren 《lat., „regieren"》 *t.* ① 지도〔관리·안내〕하다: jn. zum Ausgang ~ 누구를 출구 쪽으로 안내하다. ② 지휘하다. ③『구어』 (상품을) 보내다.
Dirigismus *m.* - 『經』 (국가에 의한) 경제 규제, 계획 경제.
dirigistisch *a.* 계획〔통제〕 경제의.
Dirk [dɪrk] 《ndd.》 *m.* -(e)s, -e 『海』 (돛의) 사형(斜桁) 올림 밧줄.
Dirn [dɪrn] *f.* -en ① (nordd.) 소녀. ② (südd., öst.) 농사꾼 처녀, 시골 아가씨.
Dirnchen *n.* -s, - ↑ Dirne 의 축소형.
Dirndl [dɪ́rndəl] *n.* -s, - (obd.) ①〔↑ Dirne 의 축소형〕 소녀. ②『植』 서양 산수유나무 (Dirndlbaum). ③ ↑ Dirndlkleid 의 약칭.
Dirndl·kleid *n.* 디른들(바이에른·오스트리아 지방의 전통 여자 의상).
*__Dirne__ [dɪ́rnə] 《ahd. diorna》 *f.* -n ①『고어』 시골 소녀. ② 창녀(Prostituierte): sie verdient ihr Geld als ~ 그 여자는 매춘으로 돈을 번다.
Dirnen=haus *n.* 창녀집. **~wesen** *n.* 매춘 (행위).
Dis [dɪs] *n.* -, - 『음악』 올림 라음 (장조).
dis *n.* -, - 『음악』 올림 라음 (단조).
dis..[1] ↑ di..[1].
dis..[2] ↑ di..[2].
Disagio [dis|á:dʒo] *n.* -s, -s 『商』 정화(正貨) 할증금; 손실.
Discount=geschäft [dɪskáʊnt..] *n.* 할인점. **~laden** *m.* ↑ ~geschäft. **~preis** *m.* 할인 가격.
Disengagement [dɪsɪngéɪdʒmənt] 《engl.》 *n.* -s 『軍』 자발적 병력 철수.
Diseur [dizǿ:r] *m.* -s, -e (소극장 따위의) 낭독자.
Diseuse *f.* -n ↑ Diseur 의 여성형.
Disfiguration [dɪsfiguratsió:n] *f.* -en 형태 변형〔해체〕, 기형.
Disgregation [dɪsgregatsió:n] *f.* -en 『物』 (빛의) 분산.
Disharmonie [dɪsharmoní:] *f.* -n [..ní:ən] ①『음악』 불협화음. ② 부조화, 불화, 불일치.
disharmonieren *i.* (h.) 화성〔화음〕이 맞지 않다; 조화〔일치〕되지 않다.
disharmonisch *a.* 불협화(음)의; 조화〔일치〕되지 않는.
Disjektion *f.* -en 『心』 (꿈속에서 체험하는) 인격 분열.
disjunkt [dɪsjʊ́ŋkt] *a.* ①『數』 공통점이 없는, 상이한. ②『논리』 배타적인, 상반되는.
Disjunktion [dɪsjʊŋktsió:n] 《lat. disjungere》 *f.* -en ① 분리, 대립. ②『논리』 (↔ Konjunktion) 상반 관계, 배타성; 양자택일.
disjunktiv [..tí:f] *a.* 분리된; 상반되는; 양자택일의:『문법』 ~e Konjunktion 상반 접속사(보기: entweder ... oder); ~er Satz 선언적 명제.
Disjunktor *m.* -s, -en [..tó:rən] 『전기』 분리기(전류 차단기의 일종).
Disk *f.* -s ↑ Diskette.
Diskant [dɪskánt] *m.* -s, -e 『음악』 ① (기악의) 최고음. ② 고음 성역(聲域).
Diskant=bratsche *f.* 고음의 비올라(바이올린의 일종). **~hoboe** *f.* 최고음 오보에(목관 악기).
Diskantist *m.* -en, -en 『음악』 소프라노 가수.
Diskant=sänger *m.* ↑ Diskantist. **~schlüssel** *m.* 최고 음부 기호. **~stimme** *f.* (성악의) 최고 음부, 소프라노.
Diskette *f.* -n 『컴』 디스켓, 저장판.
Disketten·lauf·werk *n.* (플로피) 디스크 드라이버.
Disk·jockey [dískdʒɔki] 《engl.》 *m.* -s, -s 디스크 자키.
Disko [dísko] *f.* -s ① ↑ Diskothek ② 의 약칭. ② (음반을 이용한 청소년) 무도회.
Disko·graphie *f.* ① 음반 목록. ②『醫』 디스크〔척추판〕 엑스선 촬영 기록.
Diskont [dɪskɔ́nt] 《it. conto》 *n.* -s, -e 『商』 (Abzug) (어음) 할인, 할인율.
Diskont·bank *f.* (어음) 할인 은행.
Diskonten *pl.* 『商』 국내 어음.
Diskont=erhöhung *f.* (어음) 할인율 인상. **~geschäft** *n.* 할인 업무. **~herabsetzung** *f.* 할인율 인하.
diskontierbar *a.* (어음을) 할인할 수 있는.
diskontieren *t.* (어음을) 할인하다, 할인하여 사다.
Diskontierer *m.* -s, - (어음) 할인 중개업자.
diskontinuierlich [dɪskɔntinuí:rlɪç] *a.* 불연속의.
Diskontinuität [..nuitɛ́:t] *f.* -en 단절, 중절; 『數』 불연속성.
Diskonto [dɪskɔ́nto] *m.* -(s), -s/..ti ↑ Diskont.
Diskont=rate *f.* ↑ ~satz. **~satz** *m.* (어음) 할인율. **~senkung** *f.* 할인율 인하.
diskordant *a.* 부조화의, 불일치의.
Diskordanz [dɪskɔrdánts] *f.* -en (↔ Konkordanz) ① 부조화, 불일치. ②『음악』 불협화음. ③『지질』 (지층의) 부정합(不整合).
Disko·roller *m.* -s, - (무도용) 롤러 스케이트.
Diskos [dískɔs] *m.* -, - ↑ Diskus.
*__Diskothek__ [dɪskoté:k] *f.* -en ① 음반 도서실, 녹음 자료실, 음반 수집. ② 디스코테크, 댄스 홀: samstags gehen viele Jugendliche in die ~ 토요일에는 많은 청소년들이 디스코테크에 간다.
Diskothekar [..teká:r] *m.* -s, -e 음반 도서실〔녹음 자료실〕 사서.
Diskredit [dískredi:t] *m.* -(e)s 불신임, 악평.

diskreditieren *t.* (누구의) 신용을 떨어뜨리다, 이름을 더럽히다.
Diskreditierung *f.* -en 신용〔명예〕 훼손.
diskrepant [dıskrepánt] 《lat. discrepare》 *a.* 모순되는, 불일치의, 불화의.
Diskrepanz [..pánts] *f.* -en 모순, 불일치, 괴리, 상위(相違): die ~ zwischen Theorie und Praxis 이론과 실천의 괴리.
diskret [dıskréːt] 《lat. discernere》 *a.* ①〖數·工〗분산된, 불연속의. ② 분별 있는, 신중한; 약삭빠른: ein ~es Benehmen 신중한 처신; er ist ein sehr ~er Mensch 그는 매우 신중한 사람이다. ③ 드러내지 않는, 삼가는; (향기가) 은은한, 튀지 않는: ein ~es Parfüm 은은한 향수; ~e Farben 고상한 빛깔; ihr Make-up war sehr ~ 그녀의 화장은 매우 고상하였다; ein ~es Zeichen geben 은밀한 신호를 보내다; ein Kind von ~er Geburt 사생아. ④〖언어〗분리된.
Diskretion [..kretsióːn] ① 분별, 신중: eine Angelegenheit mit ~ behandeln 어떤 사안을 신중히 다루다. ② 비밀 엄수, 보안: um äußerste ~ bitten 철저한 보안을 당부하다.
diskretionär [..tsionέːr] *a.* 자유재량의, 마음대로의.
Diskretions≈jahre *pl.* 철들 나이. **~tage** *pl.*〖商〗은혜일(恩惠日), 어음 지급 유예 기간.
Diskriminante [dıskriminántə] *f.* -n〖數〗판별식.
Diskrimination [..natsióːn] *f.* -en ↑ Diskriminierung.
*__diskriminieren__ *t.* ① 구별〔식별〕하다. ② 차별〔멸시〕하다: jn. wegen seiner Hautfarbe 〔Religion〕 ~ 누구를 피부색〔종교〕 때문에 차별하다; eine diskriminierte Minderheit 차별당하는 소수 집단.
*__Diskriminierung__ *f.* -en ① 차별, 멸시: ~ der Ausländer 외국인 차별; rassische〔religiöse〕 ~ 인종적〔종교적〕 차별; gegen die ~ der Farbigen kämpfen 유색 인종 차별에 맞서 싸우다. ② 식별, 구별.
diskurrieren [dıskuríːrən] *i.* (h.) 〖고어〗(활발하게) 토론하다, 이야기를 주고받다.
*__Diskurs__ [..kúrs] *m.* -es, -e ① (**a**) 담화, 담론: ein lebhafter ~ 활발한 담론; einen ~ mit jm. haben〔führen〕 누구와 담론을 하다. (**b**) 논쟁: es gab einen heftigen ~ 격론이 있었다. ② 강의, 연설; 설교. ③〖언어〗술화(述話).
diskursiv [..zíːf] *a.* (↔ intuitiv) 추론적, 논증적.
Diskus [dískus] *m.* -(ses), ..ken/-se ①〖스포츠〗원반던지기. ②〖植〗화반(花盤).
Diskus≈werfen *n.*, **~wurf** *m.* 원반던지기. **~werfer** *m.* 투원반 선수.
*__Diskussion__ [dıskusióːn] *f.* -en 토론, 토의; 논쟁: zur ~ stehen〔kommen〕 논의 중이다〔논의되다〕; et. in die ~ werfen 무엇을 토론에 부치다; das steht außer ~ 그것은 토론할 여지도 없다 〔명백하다〕.
Diskussions≈beitrag *m.* 토론회에서의 발언. **≈freudig** *a.* 토론을 즐기는. **~grundlage** *f.* 토론의 근거. **~leiter** *m.* 토론의 사회자. **~runde** *f.* 토론회(장). **~teilnehmer** *m.* 토론 참여자. **≈würdig** *a.* 토론할 가치가 있는.

diskutabel [dıskutáːbəl] *a.* 논할 가치가 있는, 논쟁의 여지가 있는.
Diskutant *m.* -en, -en (지정) 토론자.
diskutierbar [..tíːrbaːr] *a.* ↑ diskutabel.
diskutieren [..tíːrən] *t.* 논구하다; 토론〔토의〕하다.
Dislokation [dıslokatsióːn] 《lat.》 *f.* -en ① 위치 이동, 이송. ②〖醫〗탈구(脫臼), 뼈를 뺌. ③〖지질〗단층. ④〖軍〗(병력의) 분산 배치.
dislozieren [dıslotsíːrən] *t.* ① 위치를 옮기다. ②〖醫〗탈구시키다, (뼈마디를) 삐게 하다. ③〖軍〗분산 배치하다. ④〖商〗이송하다. ⑤ (schweiz.) 이사〔이주〕하다.
Dislozierung *f.* -en 분산 배치; 이송; 이주.
Dismembration [dısmεmbratsióːn] 《lat. membrum》 *f.* -en 분할, 분해.
dis-Moll [dísmɔl] *n.* -〖음악〗올림 라 단조.
Dispache [dıspáʃ(ə)] *f.* -n〖經〗해손(海損) 청산.
Dispacheur [..ʃǿːr] *m.* -s, -e 해손 청산인.
dispachieren [..ʃíːrən] *i.* (h.) 해손을 청산하다.
disparat [dısparáːt] 《lat. disparare》 *a.* 상반〔모순〕되는; 이질적인: ~e Urteile 상반되는 판단들; ~e Charaktere 상반되는 성격의 소유자들.
Disparität [..ritέːt] *f.* -en 상반, 모순, 불일치.
Dispatcher [..pέtʃər] *m.* -s, -〖經〗① 생산 주임. ②〖구동독〗(산업 현장의) 현장 감독.
Dispatcher·system [..pέ..] *n.*〖구동독〗(산업) 현장 감독 체제.
Dispens [dıspέns] *m.* -es, -e 〔(가톨릭) *f.* -en〕 (의무·금지 조항의) 사면, 면제, 특별 허가.
dispensabel *a.* 〖고어〗면제〔사면〕받을 수 있는.
Dispensaire≈betreuung [dıspãséːr..] *f.* 예방 의료 조치. **~methode** *f.* ↑ ~betreuung.
Dispensation [..pεnzatsióːn] *f.* -en ① Dispensierung ②. ②〖藥〗의약품 조제〔판매〕.
Dispensations≈gericht *n.* 특별 면제 법원. **~recht** *n.* (특별) 면제권.
Dispensator *m.* -s, -en [..tóːrən]〖중세〗(궁성의) 재무관.
Dispensarium *n.* -s, ..rien [..riən] ↑ Dispensatorum.
Dispensatorium [..tóːrium] *n.* -s, ..rien [..riən] ① 처방전, 약전. ② 조제실, 약국.
Dispensier·anstalt [..zíːr..] *f.* ↑ Dispensatorium ②.
dispensieren [..pεnzíːrən] *t.* ① 나누어 주다; (약을) 조제하(여 주)다. ② 면제하다.
Dispensier·recht *n.* 약제사 면허.
Dispensierung *f.* ① 약의 조제 및 교부. ② 면제, 해방.
dispergieren [dıspεrgíːrən] 《lat. spargere》 *t.* (광선을) 분산시키다; 퍼뜨리다.
dispers [dıspέrs] *a.* 분산된, 흩어진: 〖언론〗 ~es Publikum 분산된 시청자층〔구독자층〕.
Dispersion [..zióːn] *f.* -en ①〖物·化〗분산, 분광(分光). ② (인구 분포 따위의) 분산. ③〖예술〗구조 분석〔분해〕.
Dispersions·farbe *f.* 분광색(分光色).
Displaced Persons [dısplέist pǝ́ːsnz] 《engl.》 *pl.* (제 2 차 세계 대전 중 강제 노동을

위해 독일로 이송된) 강제 이주자(약어: D. P. [dí:pí:]).

Display [..plé:, pléɪ] 《engl.》 *n.* -s, -s ① 진열(품). ②〖전산〗 화면 표시, 디스플레이.

Displayer [..ər] *m.* -s, - ↑ Displaygraphiker.

Display=graphiker *m.* 진열품 디자이너. **~werbung** *f.* 진열 광고.

Dispondeus [dispɔndé:ʊs] 《gr.》 *m.* -, ..deen [..dé:ən] 〖운율〗 2중 장장(長長)〔강강(強強)〕격.

Disponenden [dɪsponɛ́ndən] *pl.* 재고 서적.

Disponent *m.* -en, -en ① 관리인, 지배인. ②〖연극〗 감독.

Disponentin *f.* ↑ Disponent의 여성형.

disponibel [..ní:bəl] *a.* ① 자유롭게 처분할 수 있는: ~es Geld 처분 가능한 돈. ② (마르크스주의 사회학에서) 다용도로 투입〔동원〕할 수 있는: ~e Arbeitskräfte 다기능 노동력. ③〖軍〗 대기 상태의.

Disponibilität [dɪsponibilitɛ́:t] *f.* ① 자유롭게 처분할 수 있는 일. ② 대기 상태, 휴직.

Disponibilitäts·gehalt *n.* 〖軍〗 휴직 봉급.

disponieren [dɪsponí:rən] 《I》 *t.* 〔고어〕 정리하다; 구상하다: einen Aufsatz〔Vortrag〕 ~ 논문〔강연〕의 초안을 잡다. 《II》 *i.* (h.) 〔교양〕 ① 계획〔계산〕하다: nennt mir bitte die Termine, damit ich rechtzeitig ~ kann 기일을 일러다오, 내가 제때 계획을 세울 수 있게. ② 처분〔처리〕하다: über sein Vermögen ~ 그의 재산을 처분하다; Sie können jederzeit über mein Geld ~ 언제든 제 돈을 쓰실 수 있습니다. 《III》 **disponiert** *p.a.* ↑ disponiert.

disponiert 《I》 *p.p.* ↑ disponieren. 《II》 *p.a.* ① 정리된, 배치된. ② …할 기분〔생각〕인, …하기 쉬운 성향인: gut〔schlecht〕 ~ 기분이 좋은〔나쁜〕; der Sänger ist heute nicht ~ 그 가수는 오늘은 노래할 기분이 아니다; er ist zu dieser Krankheit ~ 그는 이 병에 걸리기 쉽다.

***Disposition** [..zitsió:n] *f.* -en 〔교양〕 ① 배치, 정리; 구상, 계획: die ~ einer Rede 연설의 구상〔초안〕. ② 처리, 처분: ~en treffen 조처〔처분〕하다; ich stehe ganz zu Ihrer ~ 전적으로 당신의 처분에 따르겠습니다. ③ 대기 상태, 휴직: einen Offizier〔Beamten〕 zur ~ (약어: z. D.) stellen 장교〔공무원〕에게 휴직을 명하다. ④ 성향, 성질, 기분, 체질: ~ zu einer Krankheit 어떤 병에 걸리기 쉬운 체질.

dispositions=fähig *a.* 처리할 능력이 있는. **≈fonds** [..fɔ̃:] *m.* 가처분 자금, 기밀비. **≈gehalt** *n.* 휴직 봉급. **≈gelder** *pl.* 가처분 금액. **≈kartei** *f.* 〖經〗 물품 관리 대장. **≈kredit** *m.* 신용 대부. **≈recht** *n.* 처분권; 휴직 봉급을 받을 권리. **≈urlauber** *m.* 휴직자, 휴가병.

dispositiv *a.* ① 계획 중인; 기초가 되는: 〖經〗 ein ~er Faktor 생산 요인. ② 임의의, 가변적인: 〖法〗 ~es Recht 임의법; ~e Vorschriften 임의 규정.

Disproportion [dɪsprɔpɔrtsió:n] *f.* -en (Mißverhältnis) 불균형.

disproportional [..tsioná:l] *a.* ↑ disproportioniert.

disproportioniert *a.* 균형이 잡히지 않은.

Disproportionalität *f.* -en 불균형.

Disput [dɪspú:t] *m.* -(e)s, -e (대개 학술상의) 논쟁, 토론.

disputabel [dɪsputá:bəl] *a.* 논란의 여지가 있는.

Disputant *m.* -en, -en 논쟁자.

Disputation [..putatsió:n] *f.* -en 〔교양〕 (대개 학술적인) 공개 논쟁; 학위 논문 요지 토론회: die ~ Luthers mit Eck 루터의 에크와의 논쟁.

disputieren [..tí:rən] *i.* (h.) ①〔교양〕 논쟁하다. ②〔구어〕 우기다, 강변하다: hör endlich auf zu ~! 제발 그만 좀 우겨라!

Disputierer *m.* -s, - ① 논쟁자. ② 우기는 사람.

Disputier=klub *m.* 〔펌어〕 공론가(空論家) 집단. **~kunst** *f.* 토론술. **≈süchtig** *a.* (병적으로) 논쟁을 좋아하는. **~übung** *f.* 토론(연습).

Disqualifikation [dɪskvalifikatsió:n] *f.* -en 부적격 판정, 실격.

disqualifizieren [..tsí:rən] *t.* 무자격〔실격〕 판정을 내리다.

Disqualifizierung *f.* -en 실격〔무자격〕 판정.

Diss. =Dissertation 박사 학위 논문.

Dissektion [dɪsɛktsió:n] *f.* -en 〖醫〗 해부, 절단.

Dissemination [dɪseminatsió:n] *f.* -en 〖醫〗 (질병의) 확산, 전파, 만연.

disseminiert *a.* 확산〔전파〕된.

Dissens [dɪsɛ́ns] *m.* -es, -e (↔ Konsens) (의견의) 불일치, 분열; 〖法〗 불합의.

Dissenter *m.* -s, -s (영국의) 비국교도(↔ Konformist).

dissentieren 《lat. sentire》 *i.* (h.) ① 의견을 달리하다. ② (기성 교회에서) 분리〔독립〕하여 나오다.

Dissertant [dɪsɛrtánt] *m.* -en, -en 박사 학위 논문 준비생.

Dissertantin *f.* -nen ↑ Dissertant의 여성형.

Dissertation [dɪsɛrtatsió:n] *f.* -en 박사 학위 논문.

dissertieren *i.* (h.) (학술적으로) 논하다; 박사 학위 논문을 작성하다.

Dissident [dɪsidɛ́nt] *m.* -en, -en ① 이교도, 비국교도. ② 반교회주의자, 분리주의자. ③ (신앙의) 자유 사상가. ④〖구동독〗 반체제 인사.

Dissidenz *f.* -en (종교상의) 의견의 불일치, 분리, 이탈.

Dissidien [..sí:diən] *pl.* 논점, 쟁점.

dissidieren [dɪsidí:rən] *i.* (h.) 의견을 달리하다; (교회에서) 이탈하다.

Dissimilation [dɪsimilatsió:n] *f.* -en (↔ Assimilation) ① 부동화(不同化); 〖음성학〗 음의 이화(異化). ②〖生〗 이화 작용.

dissimilieren *i.* (h.) 〖음성학〗 이화(異化)하다; 〖生〗 분해되다.

Dissimulation [dɪsimulatió:n] 《lat. simulare》 *f.* -en 〖醫·心〗 (병의 징후를) 감추기, 위장.

dissimulieren *t./i.* (h.) 감추다, 위장하다.

Dissipation [dɪsipatsió:n] *f.* -en ①〖物〗 (에너지의) 발산, 열방출. ②〖인공두뇌학〗 (소음 따위의) 불필요한 정보. ③〖物〗 (음파가 매체

를 통과할 때 나타나는) 밀도 저하〔소실〕.

Dissipations·sphäre *f.* 〖기상〗 외기권, 일탈권(逸脫圈).

dissolubel [dɪsolú:bəl] *a.* 〖化〗 분해〔용해〕 가능한.

dissolut *a.* 방종한, 단정하지 못한.

Dissolution [..tsió:n] *f.* -en ① 분해, 용해. ② (회사·단체의) 해산, 해체. ③〖醫〗 절단, 해부. ④ 방자, 방종.

Dissolvens [dɪsɔ́lvɛns] *n.* -, ..ventia/..venzien〖藥〗 용해제.

dissolvieren [..ví:rən] 《lat. solvere》 *t.* 분해〔용해〕하다.

dissonant [dɪsonánt] *a.* 불협화음의, 부조화의.

***Dissonanz** *f.* -en〖음악〗 불협화음; 부조화, 불화.

dissonieren 《lat. sonare》 *i.* (h.) 불협화음을 내다; 불화를 일으키다.

dissozial [dɪsotsiá:l] *a.* 〖心〗 반사회적인, 비사교적인.

Dissozialität [..tsialitɛ́:t] *f.* 〖心〗 반사회성, 비사교적 태도.

Dissoziation [dɪsotsiatsió:n] *f.* -en (↔ Assoziation) 분리, 분해; 〖化〗 해리(解離); 〖心〗 (의식·인격의) 분열.

dissoziieren [..tsií:rən] *t./i.* (h.) 분리〔분해〕하다; 〖化〗 해리하다; 분열시키다.

Disstreß *m.* -es, -e〖醫·心〗 (오래가는) 심한 스트레스.

distal [dɪstá:l] *a.* 〖해부〗 말초(부)의, 말단의.

***Distanz** [dɪstánts] *f.* -en ① 거리, 간격: eine ~ von 10 m 10 미터의 거리. ②〖스포츠〗(특히 권투의) 경기 시간: die ~ von 12 Runden 12 회전의 경기 시간. ③ 거리감, 소원, 격차: ~ halten 거리를 두다.

Distanz·geschäft *n.* 〖經〗 원격지 거래(통신판매 등 현물을 보지 않고 이루어지는 거래)(↔ Lokogeschäft).

distanzieren [dɪstantsí:rən] 《I》 *t.* ① 거리를〔간격을〕 두다: sich von jm. ~ 누구를 멀리하다; sich von et.³ ~ 무엇에서 거리를 두다. ② 앞질러 가다: jn. ~ (경기 따위에서) 누구를 앞지르다, 따돌리다. 《II》 **distanziert** *p.a.* ↑ distanziert.

distanziert 《I》 *p.p.* ↑ distanzieren. 《II》 *p.a.* 거리를 두는, 소원한: jn. ~ behandeln 누구를 소원하게 대하다.

Distanziertheit *f.* 거리를 둠, 삼가는 태도.

Distanzierung *f.* -en 거리두기, 멀리하기.

Distanz=kauf *m.* 원격지 구매.

distanzlos *a.* 거리감 없는, 격의 없는.

Distanzlosigkeit *f.* 격의 없음.

Distanz=messer *m.* 거리 측정기. **~pfahl** *m.* (경마) 구간 거리표. **~relais** [..rəlɛ:] *n.* 〖전기〗 계전기. **~ritt** *m.* 원거리 승마. **~wechsel** *m.* 〖商〗 격지(隔地) 어음(↔ Platzwechsel).

Distel [dɪ́stəl] *f.* -n ①〖植〗 엉겅퀴, 가시가 돋힌 식물류. ②〖방언〗 자귀(Deichsel²).

Distel=falter *m.* 〖動〗 작은멋쟁이나비. **~fink** *m.* 〖動〗 도요새속(屬).

distelig *a.* 엉겅퀴 같은, 엉겅퀴가 무성한.

Distel=vogel *m.* ① ↑ ~fink. ② ↑ ~falter. **~wolle** *f.* 엉겅퀴의 관모(冠毛).

Distension *f.* -en 확장, 팽창, 넓힘.

Disthen [dɪsté:n] *m.* -s, -e〖광물〗 이경석(二硬石), 남정석(藍晶石).

distich [dɪstíç] *a.* 〖植〗 (잎이) 2 열로 된.

distichisch [dɪstí:çɪʃ] *a.* 〖문학〗 ① 2 행시(구)의. ② 운율이 일정하지 않은 시행으로 된(↔ monostichisch).

Distichon [dɪ́stɪçɔn] 《gr. stíchos》 *n.* -s, ..chen〖운율〗 2행시 (Hexameter 와 Pentameter 로 이루어짐).

distinguieren [dɪstɪŋgí:rən] 《I》 *t.* 분류〔구별〕하다; (특색을) 부각시키다. 《II》 **distinguiert** *p.a.* ↑ distinguiert.

distinguiert 《I》 *p.p.* ↑ distinguieren. 《II》 *p.a.* 두드러진; 빼어난: von ~em Aussehen 풍모〔외모〕가 빼어난.

Distinguiertheit *f.* 빼어남, 탁월.

distinkt [..tɪŋkt] *a.* 독특한; 분명한.

Distinktion [..tsió:n] *f.* -en ① (a) 〖교양〗 구별, 차별. (b) 특출, 위엄, 품위. ② 존중, 공경: jm. mit ~ begegnen 누구를 극진히 맞이하다. ③ (öst.) 계급장.

Distinktions·winkel *m.* 시각(視角).

distinktiv [..tí:f] *a.* ① 구별〔변별〕되는: 〖언어〗 ein ~es Merkmal 변별 요소. ② 특출한, 뛰어난.

Distorsion [dɪstɔrzió:n] *f.* -en ① 일그러뜨림, 일그러짐; 〖비유〗 곡해. ②〖광학〗 왜곡. ③〖醫〗 염좌(捻挫).

distrahieren [dɪstrahí:rən] *t.* 〖고어〗 ① 분리〔분산〕시키다. ② 팔다, 매각하다.

Distraktion [dɪstraktsió:n] *f.* -en ① 분산, 분리; 마음이 흐트러짐. ② (담보물의) 양도, 매각. ③〖醫〗 (접골 치료의) 연전(延展), 신연(伸延).

Distribuent [dɪstribuɛ́nt] *m.* -en, -en 〖고어·교양〗 분배자.

distribuieren *t.* 분배〔교부〕하다.

Distribution [..tsió:n] *f.* -en ① 분배, 교부. ②〖언어〗 언어 환경. ③〖生〗 (동식물의) 분포. ④〖經〗 소득 분배. ⑤〖數〗 초함수. ⑥〖心〗 주의력 분산, 정신 산만.

distributional [..tsioná:l] *a.* 〖전문어〗 (동식물·소득의) 분포〔배분〕에 관한.

distributionell *a.* ↑ distributional.

Distributions=formel *f.* 〖기독교〗 성체 성사(聖體聖事) 때의 기도 문구. **~gesetz** *n.* 〖數〗 분배 법칙.

distributiv [..tí:f] *a.* 분배의; 〖논리〗 개별적인.

Distributiv·zahl *f.* ①〖언어학〗 분배 수사. ②〖數〗 분배수.

Distrikt [dɪstrɪ́kt] *m.* -(e)s, -e ① 관할〔행정〕구역; 지역, 지방. ②〖드물게〗 통제〔폐쇄〕 구역.

Distrikts·vorsteher *m.* 지방 관청장, 행정구역장.

Disturbation *f.* -en 방해; 혼란.

Diszession [dɪstsɛsió:n] *f.* -en 〖고어〗 퇴거, 탈퇴, 탈당; 변신.

***Disziplin** [dɪstsiplí:n] 《lat. discere》 *f.* -en ① 단련, 훈육; 규율, 징계; 〖宗〗 금욕, 고행: (auf) ~ halten 규율을 지키다; die ~ untergraben 규율을 깨뜨리다. ② 학과, 부문, 학문의 분야〔분과〕: die Anatomie ist eine selbstständige ~ der Medizin 해부학은 의학의 독자적인 한 분야이다. ③ 경기 종목: die olympischen ~en 올림픽 경기 종목.

disziplinar, disziplinär [..plinɛ́:r] *a.* ↑ disziplinarisch.

Disziplinar⸗bestrafung *f.* 징계 처벌. **~fall** *m.* 규율〔군기〕 위반. **~gericht** *n.* 징계 재판. **~gesetz** *n.* 징계법. **~gewalt** *f.* 징계권. **~hof** *m.* 징계 재판소.

disziplinarisch [dɪstsiplinɑ́:rɪʃ] *a.* 훈련상의; 규율상의, 군기(상)의, 징계용의; 엄격한.

Disziplinar⸗kammer *f.* 징계 재판소〔위원회〕. **~maß·nahme** *f.* 징계 조치. **~ordnung** *f.* 〖法〗 징계 규정. **~recht** *n.* 징계권. **~senat** *m.* 〖法〗 징계 위원회. **~strafe** *f.* 징벌. **~verfahren** *n.* 징계 절차. **~vergehen** *n.* 규율 위반(죄); 〖軍〗 군형법상의 죄. **~weg** *m.* auf dem ~e 징계 절차를 거쳐.

disziplinell [dɪstsiplinɛ́l] *a.* ↑ disziplinarisch.

disziplinieren *t.* 《Ⅰ》 훈련시키다, 규칙을〔군기를〕 지키게 하다, 징계하다: die Soldaten ~ 병사들을 훈련시키다. 《Ⅱ》 **diszipliniert** *p.a.* ↑ diszipliniert.

diszipliniert 《Ⅰ》 *p.p.* ↑ disziplinieren. 《Ⅱ》 *p.a.* 규율 잡힌, 절도 있는: gut ~ 잘 훈련된, 군기가 잘 잡힌.

Diszipliniertheit *f.* 기강, 규율, 절도.

disziplinlos *a.* 규율이〔절도가〕 없는.

disziplin·widrig *a.* 규율에 위반되는.

Diszission [dɪstsɪsió:n] *f.* -en 〖醫〗 절개, 해부.

Dithyrambe [dityrámbə] 《gr.》 *f.* -n ① 디오니소스 송가〔찬가〕. ② 열광적인 송가.

Dithyrambos, Dithyrambus [..bus] *m.* ..ben ↑ Dithyrambe.

dithyrambisch *a.* ① 디오니소스 송가풍의. ② 열광적인, 격정적인.

dito [dí:to] *a.* (öst.) ① 〔같은 말이나 수치가 반복될 때〕〖商〗 역시, 똑같이: wir liefern morgen 10 Zentner Kartoffeln à ... und nächste Woche 5 Zentner ~ 우리는 내일 1000 파운드의 감자를 단가 …로 공급할 것이며, 다음 주에 500 파운드를 같은 조건으로 공급할 것입니다. ② 〔구어·익살〕 마찬가지로, 똑같이: ich bestellte ein Bier. „Ich dito!“, sagte er 나는 맥주 한 잔을 주문했다. 그가 "나도요!"라고 말했다.

Ditrochäus [..xɛ́:us] *m.* -, ..chäen 〖운율〗 이중 장단〔강약〕격.

ditto [dɪ́to] *a.* ↑ dito.

Dittographie [dɪtografí:] *f.* -n [..fí:ən] ① (고문서의) 이중 판본〔해독법〕. ② (철자·낱말의) 잘못된 표기 중복(보기: Literatur 대신 Literat*at*ur).

Diurese [diuré:zə] *f.* -n 〖醫〗 이뇨.

Diuretikum *n.* -s, ..ka 이뇨제.

diuretisch *a.* 이뇨 작용을 하는.

Diurnal [diurná:l] *n.* -s, -e 〖가톨릭〗 (하루의 성무(聖務) 일과책에서 발췌한) 일상 기도서.

Diurnale *n.* -, ..lia ↑ Diurnal.

Diurnist *m.* -en, -en (옛 오스트리아의) 날품팔이 필경사; 저널리스트.

Diurnum *n.* -s, ..nen (öst.) 일당, (하루) 품삯.

Diva [dí:va] *f.* -s/..ven (가극의) 프리마 돈나; 스타.

Divan [dí:va(:)n, divá:n] 《pers.》 *m.* -s, -e (페르시아의) 시집: Westöstlicher ~ 서동(西東) 시집(괴테의 작품).

divergent [divɛrgɛ́nt] 《lat.》 *a.* (↔ konvergent) ① 상이한, 상반되는. ② 〖數·物〗 발산하는: 〖數〗 ~e Reihe 발산 수열.

Divergenz [..gɛ́nts] *f.* -en (↔ Konvergenz) ① 분기(分岐), 발산: die ~ von Meeresströmungen 해류의 분기〔갈라짐〕. ② 〔대개 복수〕 〔교양〕 견해 차이: ~en beilegen〔ausräumen, austragen〕 견해 차이를 조정하다. ③ 〖生〗 (종의) 분화. ④ 〖數〗 발산.

divergieren [..gí:rən] *i.* (h.) ① 갈라지다, 분기〔분화〕하다, 발산하다: Lichtstrahlen ~ 광선이 흩어진다. ② 배치되다, 빗나가다; (의견이) 갈라지다: ihre Ansichten über die Kindererziehung ~ sehr stark 자녀 교육에 대한 그들의 견해는 크게 다르다; ~de Positionen einnehmen 상반되는 입장을 취하다.

divers [divɛ́rs] *a.* 여러 부류의, 다양한: aus ~en Gründen 여러 이유에서.

Diversant [divɛrzánt] *m.* -en, -en 〖구동독〗 태업자, 훼방꾼.

Diverse [divɛ́rzə] *n.* -, ..versa [..vɛr..] 다양한 것, 온갖 일, 잡사.

Diversifikation *f.* -en ① 다양성, 변화. ② 〖經〗 (생산 품목의) 다양화, (경영의) 다각화.

diversifizieren *t.* 다양화〔다각화〕하다.

Diversion [..zió:n] *f.* -en ① 〔고어〕 방향 전환. ② 〖구동독〗 사보타주, 분열 책동.

divertieren 《lat.》 *t.* (마음을) 딴 데로 돌리게 하다, 기분 전환을 시켜 주다, 흥겹게 하다: sich ~ 기분 전환을 하다.

Divertikel [divɛrtí:kəl] *n.* -s, - 〖醫〗 (장기의) 팽창.

Divertimento [..timɛ́nto] *n.* -s, -s/..ti 〖음악〗 디베르티멘토, 희유곡(嬉遊曲).

Divertissement [..tɪsəmã́:] *n.* -s, -s [..mã́:s] 오락; 〖음악〗 ↑ Divertimento.

Dividend [dividɛ́nt] *m.* -en, -en 〖數〗 (↔ Divisor) 피제수; 분자.

Dividende [..də] *f.* -n 〖商〗 배당금, 보너스: eine ~ festsetzen 배당금을 정하다.

Dividenden⸗ausschüttung *f.* 〖經〗 배당금 지급. **~ertrag** *m.* 배당 수익. **~schein** *m.* 배당금 지급 증서.

dividieren [dividí:rən] *t.* ① 나누다, 분배하다. ② 〖數〗 나누다, 제하다: 20 ist durch 5 zu ~ 20은 5로 나눌 수 있다. ③ 꼬치꼬치 캐다, 궤변을 부리다.

Dividivi [dividí:vi] *pl.* 〖植〗 디비디비(미국산(産) 콩과 식물).

Divina Commedia [diví:na kɔmé:dia] *f.* (단테의) 신곡.

Divination [divinatsió:n] *f.* -en 〖宗〗 예감, 예언, 예언 능력.

Divinations·vermögen *n.* 예언 능력.

divinatorisch *a.* 예언적인, 직감하는.

divinieren 《lat. divinare》 *t.* 예감〔예언〕하다, 점치다.

Divinität [divinitɛ́:t] *f.* 신성(神性), 신적 존재.

Divis [..ví:s] *n.* -es, -e 〖印〗 (Bindestrich) 이음표, 하이픈.

Division [divizió:n] *f.* -en ① 분할, 구분. ② 〖數〗 나눗셈. ③ 〖軍〗 (육군의) 사단, (해군의)

합대. ④〖經〗(콘체른의) 산업 부문. ⑤(축구의) 군(群): in der ersten ~ spielen 제 1 군에서 경기하다.
Divisionär [..zioné:*r*] *m.* -s, -e〖軍〗사단장, 합대 사령관.
Divisions·arzt *m.* 사단 군의관. **~aufgabe** 나눗셈 숙제. **~befehl** *m.* 사단 명령. **~-kommandant** *m.* ↑ ~kommandeur. **~-kommandeur** *m.* 사단장. **~lazarett** *n.* 사단 야전 병원. **~stab** *m.* 사단 사령부.
Divisor [diví:zɔr, ..zo:*r*] *m.* -s, -en [..zó:rən]〖數〗약수, 분모.
Divisorium [..zó:riʊm] *n.* -s, ..rien [..riən]〖印〗(식자공의) 원고 집게.
Divulgation *f.* -en〖고어·교양〗(이념·소식의) 전파, 확산.
divulgieren *t.* 전파하다, 확산시키다.
Diwan [dí:va(:)n, divá:n] ⟪pers.⟫ *m.* -s, -e ①〖고어〗안락 의자; (터키의) 회의실, 접견실. ②(옛 터키의) 추밀원. ③회의, 집회.
DIVX〖컴〗=Digital Video Express 디지털 비디오 시스템.
DIW =Deutsches Institut für Wirtschaftsforschung 독일 경제 연구소.
dixi [dí:ksi] ⟪lat.⟫〖교양〗나는 말했다, 이상 (라틴어의 결어구).
Dixie [díksi] *m.* -s ↑ Dixieland².
Dixieland¹ [díksilɛnt, ..sɪlænd] *n.* -(s) 딕시랜드(미국의 남부 주(州)에 대한 총칭).
Dixieland² *m.* -(s)〖음악〗딕시랜드 재즈(뉴올리언스풍의 미국 남부 음악).
Dixieland·jazz *m.* ↑ Dixieland².
d.J. ① =dieses Jahres 금년의, 금년에. ② =der Jüngere 어린, 젊은, 손아래의.
DJH =Deutsche Jungendherberge 독일 유스호스텔 (협회).
DJK =Deutsche Jugendkraft 독일 청소년단.
DK =Dezimalklassifikation 십진 분류법.
Dkfm. ⟪öst.⟫ =Diplomkaufmann 대졸 경영자.
dkg ⟪öst.⟫ =Dekagramm 10 그램.
dkl =Dekaliter 10 리터.
dkm =Dekameter 10 미터.
DKP =Deutsche Kommunistische Partei 독일 공산당.
dkr =dänische Krone 덴마크 크로네(화폐 단위).
DKW =Das Kleine Wunder 자동차 회사 Auto Union 사의 상표.
dl =Deziliter 10 분의 1 리터, 데시리터.
DL =Dekaliter 10 리터.
d.L. =des Landtags (옛) 국회의; 주(州)〔지방〕의회의.
d.l. =dicto loco 앞에 언급한 곳에서.
DLF =Deutschlandfunk 독일 국영 방송.
DLG =Deutsche Landwirtschats-Gesellschaft 독일 농업 협동 조합회.
DLR =Deutsches Forschungszentrum für Luft- und Raumfahrt 독일 항공 우주 연구소.
DLRG =Deutsche Lebens-Rettungs-Gesellschaft 독일 인명 구조 협회.
DLV. ① =Deutscher Luftsportverband 독일 항공 경기 연맹. ② =Deutscher Leichtathletik-Verband 독일 육상 경기 연맹.
***DM** [dé:mark] =Deutsche Mark 독일 마르크 (보통 D를 생략해서 발음함): 3, 10 ~ (=drei Mark zehn) 3 마르크 10 페니히.
Dm =Dekameter 10 미터.
dm¹ =Dezimeter 10 분의 1 미터.
dm² (qdm) =Quadratdezimeter 제곱 데시미터.
dm³ (cdm) =Kubikdezimeter 세제곱 데시미터.
d.M. =dieses Monats 이달의.
d.m. ⟪it.⟫〖음악〗=destra mano 오른손으로.
DMB =Deutscher Mieterbund 독일 세입자 협회.
d-Moll [dé:mɔl] *n.* -〖음악〗라 단조.
d-Moll-·Drei·klang [dé:mɔl..] *m.* 라 단조 삼화음. **~Ton·leiter** [dé:mɔl..] *f.* 라 단조 음계.
DN =Deutsche Notenbank 구동독의 중앙 은행.
DNA =Deutscher Normenausschuß 독일 규격 위원회.
DNB, dnb =Deutsches Nachrichtenbüro 독일 통신사.
D-Netz *n.*〖통신〗독일의 디지털 방식의 무선 통신망.
DNS〖生〗=Desoxyribonukleinsäure 디옥시리보 핵산(engl. DNA).
DNS-Chip *m.*〖生·化〗DNA 칩(생물 공학적 질병 진단용 칩).
do [do:] ⟪it.⟫〖음악〗(도레미파 창법의) 도.
Do =Donnerstag 목요일.
do. =dito 또한, 마찬가지로.
d.O. =der〔die, das〕Obige 위의 사람〔것〕(편지의 추신 밑에 다시 서명하는 대신 쓰는 말 따위).
Dobel *m.* ↑ Döbel¹.
Döbel¹ [dǿ:bəl] *m.* -s, - 나무못, 나무 마개.
Döbel² *m.* -s, -〖動〗황어(몸길이가 긴 잉어류).
dobeln [dó:bəln] *t.* ↑ döbeln.
döbeln [dǿ:bəln] *t.* 나무못을 박다〔박아 맞추다〕.
Dobermann [dó:bə*r*man] *m.* -(e)s, ..männer 도베르만(셰퍼드와 테리어의 잡종 개).
***doch** [dɔx] ⟪I⟫ *cj.* ①〖상반·제한의 뜻〗그렇지만, 하지만, 그러나; 그런데도, 그럼에도 불구하고: ich habe mehrmals ihn angerufen, ~ er war nicht zu Hause 내가 몇 차례 전화했지만 그는 집에 없었다. ②〖대답을 할 때〗**(a)**〖부정 의문문의 긍정〗hast du die Arbeit nicht gemacht? — ~! 자네는 그 일을 하지 않았지? — 웬걸요〔했습니다〕!; kommst du nicht mit? — ~! 함께 안 가니? — 아니〔함께 가〕! **(b)** (südwestd.) 그럼, 아무렴: kommst du? — ~! 올 거지? — 그럼! **(c)**〖당연한 물음에 대한 긍정이나 부정의 강조〗물론: hast du's gehört? — ja ~! 들었나? — 암, 들었지! ⟪II⟫ *adv.* ①〖상반·제한의 뜻〗그렇지만, 하지만, 그런데도, 그러나: er ist (zwar) arm, ~ zufrieden 그는 가난한데도 만족한다; also ~! 역시 그렇군!; du hast es also ~ gewußt 그러니까 너는 그것을 알고 있었잖아. ② (sowieso) 하여간, 어차피: tu's lieber gleich, du mußt es ~ einmal tun 어차피 해야 할 바에야 차라리 당장 해버려! ③〖서술의 강조〗**(a)**〖의아·불만·실망을 강조하며〗das darf ~ nicht wahr sein! 절대로 그럴 리가 없어!; ich habe es ~ geahnt! 그럴 줄 알았다

니까! ; wie kannst du ~ nur so etwas glauben? 자넨 도대체 어떻게 그 따위 것을 믿을 수 있지? (b) 〖남의 견해에 대한 의혹을 나타내며〗 das müßt' ich ~ wissen 그건 도무지 모르겠군. (c) 〖망설임 끝에 결심하며〗 아무래도, 꼭 좀: ich will es ~ wagen 나는 어쨌든 〔꼭 좀〕 해볼 작정이다. (d) 〖동의를 구하듯〗 정말로, 확실히, 역시, 어쨌든: es ist ~ wahr 그것은 정말이라니까; es ist ~ schön hier! 여기는 정말 굉장하구나〔좋구나·아름답구나〕! ; das nenne ich ~ noch Humor! 그것도 역시 유머라는 걸세! (e) 〖이유를 설명하며〗 좌우간, 뭐니뭐니 해도, 여하튼: ich kann ihm das nicht antun, er bleibt ~ immer mein Bruder 나는 그에게 그런 짓을 할 수 없다, 그래도 그는 여전히 내 형제니까; 〖가끔 정동사를 도치하여〗 kann ich mich ~ gar nicht erinnern 하지만 전연 생각나지 않는걸. (f) 〖놀라움을 나타내며〗 mein Vater ist schwer krank, er war ~ gestern noch ganz munter 아버님은 중병이시다, 어제까지만 해도 아주 정정하셨는데. ④ 〖의문문에서〗 (a) 〖평서문 어순의 의문문에서 긍정적 대답을 기대하며〗 du kommst ~ mit? 자네도 함께 오겠지? ; er ist ~ nicht etwa krank? 그가 설마 병이 난 것은 아닐 테지? (b) 〖무엇을 생각해 내려고 하며〗 자, 글쎄, 도대체: was sollte ich ~ bestellen? 내가 대체 뭘 주문하려고 했더라? ; wie heißt er ~? 그의 이름이 뭐더라? ; was mache ich ~? 내가 도대체 무엇을 하고 있는 거야? (약간 비난의 뜻을 가짐). ⑤ 〖감탄문의 강조〗 실로, 정말: wie selten kommt ~ das vor! 그것은 좀처럼 없는 일이다! ⑥ 〖명령문의 강조〗 komm ~! 자, 오너라! ; laß mich ~ los! 놔라, 놓으라니까! ; hören Sie ~ nur einmal! 제발 한번 들어보세요! ⑦ 〖기원문의 강조〗 wenn〔daß〕 er ~ käme! 그가 와 주었으면 좋으련만!

*__Docht__ [dɔxt] *m.* -(e)s, -e (램프·양초의) 심지.

__Docht≈garn__ *n.* 심지실. __~halter__ *m.* (램프의) 꼭지. __~schere__ *f.* (촛불 끄는 데 쓰는) 심지 가위.

*__Dock__ [dɔk] *n.* -(e)s, -e/(드물게) -s ① 독, 선거(船渠), 부두, 선착장: das trockne 〔schwimmende〕 ~ 육상〔해상〕 선착장; ins ~ bringen 입거(入渠)시키다. ② ↑ ~hafen.

__Docke__ [dɔ́kə] 《germ.》 *f.* -n ① 짧고 굵은 기둥; 난간 기둥; (선반의) 축(軸); (물통 따위의) 나무 마개. ② (실·짚의) 묶음, 다발, 타래, 단. ③ (südd.) 인형, 장난감; 소녀, 아이. ④ 〖植〗 개사프란(백합과). ⑤ (운두가 높은) 부인 모자. ⑥ ↑ Dock.

__docken__[1] [dɔ́kən] 《I》 *t.* (실 따위를) 다발〔타래〕로 엮다〔감다〕. 《II》 *i.* (h.) 인형놀이를 하다.

__docken__[2] 《I》 *t.* (배를) 선착장에 넣다. 《II》 *i.* ① (배가) 선착장에 정박 중이다. ② (우주선이) 도킹하다, 결합하다.

__Docken·geländer__ *n.* 〖건축〗 난간.

__Docker__ [dɔ́kər] *m.* -s, - 독〔선착장〕 노동자.

__Dock≈gebühren__ *pl.*, __~geld__ *n.* 독〔선착장〕 사용료. __~hafen__ *m.* 갑문식 선착장.

__Docking__ [dɔ́kɪŋ] *n.* -s, -s (우주선의) 결합, 도킹.

__Docking·manöver__ *n.* 우주선의 도킹 작전.

__Documenta__ [dɔkuménta] 〖예술〗 도쿠멘타 (1955 년부터 Kassel 에서 5 년 마다 열리는 국제 현대 미술전).

__Dodekadik__ [dodekáːdɪk] *f.* 〖數〗 12 진법.

__dodekadisch__ [..káːdɪʃ] 《gr. dṓdeka》 *a.* 12 진법의, 12 로 이루어진.

__Dodekaeder__ [dodeka|éːdər] 《gr. hedra》 *n.* -s, - 〖기하〗 정 12 면체.

__Dodekaphonie__ [..foníː] 《gr.》 *f.* 〖음악〗 12 음 음악.

__dodekaphonisch__ [..fóːnɪʃ] *a.* 12 음 음악의.

__Dodekaphonist__ [..foníst] *m.* -en, -en 12 음 음악가〔작곡가〕.

__Dodo__ [dóːdo, dodóː] *f.* -en, -en 도도(여자 이름; Dorothea 의 애칭).

__Dodona__ [dodóːna] 《gr.》 도도나(제우스신의 신탁을 듣던 성지〔성소〕).

__dodonäisch__ *a.* 성지 Dodona(의 신탁)의.

__Doeskin__ [dóːskɪn] *n.* -s, -s ① (원래는) 노루 가죽. ② (신사용 외투에 쓰이는) 노루 가죽 비슷한 나사(羅紗), 도스킨.

__Dogaressa__ [dogarɛ́sa] 《it.》 *f.* ..ressen [..sən] 〖史〗 Doge 의 부인을 일컫던 칭호.

__Dogcart__ [dɔ́gkaːt, dɔ́kart] *m.* -s, -s 경쾌한 일두(一頭) 2 륜 마차.

__Doge__ [dóːʒə, dóːdʒe] *m.* -n, -n 〖史〗 옛날 베니스 및 제노바 공화국의 총독.

__Dogge__ [dɔ́gə] *f.* -n ① 맹견의 일종, 불도그: (deutsche) ~ 그레이트 데인. ② 보석 세공용 틀〔죔쇠〕.

__Dogger__[1] [dɔ́gər] *m.* -s 〖지리〗 쥐라기 중부층(中部層).

__Dogger__[2] 《ndl.》 *m.* -s, - (네덜란드의) 쌍돛 원양 어선, 도거선(船).

__Dogger·bank__ *f.* 도거 대륙붕(영국과 네덜란드 사이의 얕은 바다).

__Dögling__ [dǿːklɪŋ] *m.* -s, -e 〖動〗 향유고래.

*__Dogma__ [dɔ́gma] 《gr. dokeîn》 *n.* -s, ..men ① 교의(教義), 교리, 교조. ② 독단.

__Dogmatik__ [..máːtɪk] *f.* ① 교의학, 교리론. ② 독단적〔교조적〕 사고.

__Dogmatiker__ *m.* -s, - 독단론자; 교리학자, 교조주의자.

*__dogmatisch__ *a.* 교리(상)의; 독단적인, 교조적인.

__dogmatisieren__ [..matizíːrən] *i.* (h.) 교리를 말하다, 교리화하다; 독단적으로 말〔생각〕하다.

__Dogmatismus__ [..tísmus] *m.* - 독단론, 교조주의.

__Dogmen·geschichte__ [dɔ́gmən..] *f.* 교리사(史).

__Dohle__ [dóːlə] *f.* -n ① 〖動〗 갈가마귀. ② 〖익살〗 (유행에 뒤진) 검은 모자. ③ 〖은어〗 창녀, 매춘부. ④ ↑ Dole.

__Dohne__ [dóːnə] *f.* -n ① 말총으로 만든 새올가미. ② 〖방언〗 들보가 보이는 천장(Balkendecke).

__Dohnen≈steig__ *m.* ↑ ~stieg. __~stieg__ *m.* 올가미를 놓은 숲속 샛길. __~strich__ *m.* ↑ ~stieg.

__doktern__ [dɔ́ktərn] 《<Doktor》 *i.* (h.) 〖구어〗 (의사인 체하고) 치료하다: an jm. (herum) ~ 의학적 지식 없이 누구를 치료하다; an sich selbst ~ 자가 치료하다; er doktert schon wieder 그 사람 또 의사 행세를 한다.

***Doktor** [dɔ́ktɔr, ..to:r] *m.* -s, -en [..tó:rən] (약어: Dr., *pl.* Dres./DDr.) ① 박사: Herr ~ Schmidt! 슈미트 박사님!(남성의 호칭); Frau ~ Schmidt! 슈미트 박사님!(여박사의 호칭); zum ~ promovieren 박사 학위를 받다; den ~ erwerben 박사 학위를 취득하다; Ehren≈ [~ ehrenhalber] 명예 박사(약어: Dr. h.c./Dr. E.h.); ~ der Medizin 의학 박사(약어: Dr. med.); ~ der Naturwissenschaften 이학 박사(약어: Dr. phil. nat./Dr. rer. nat./Dr. sc. nat.); ~ der Philosophie 철학 박사(약어: Dr. phil.); ~ des Rechts 법학 박사(약어: Dr. jur. / J.(C.)D.); ~ beider Rechte 양법학(兩法學) 박사(약어: Dr. j. und/ J.U./J.U.D.); ~ der Staatswissenschaften 정치학 박사(약어: Dr. rer. pol./Dr. scient. pol./Dr. oec. publ.); ~ der Theologie 신학 박사(약어: Dr. theol.); ~ der technischen Wissenschaften 공학 박사(약어: Dr. rer. techn.; (öst.) Dr. techn.). ②〖구어〗 박사 학위(구술) 시험: den ~ machen[bauen] 박사 학위 시험을 치르다. ③ 박사 학위 소지자: sie ist ~ der Philosophie 그 여자는 철학 박사다. ④〖구어〗 의사: zum ~ gehen 의사한테 가다; den ~ holen lassen 의사를 데리러 보내다. ⑤ (중세 대학의) 교사.

Doktorand [..toránt] *m.* -en, -en 박사 과정 학생(약어: Dd.).

Doktorandin [..dɪn] *f.* -nen ↑ Doktorand 의 여성형(약어: Dd.).

Doktor·arbeit *f.* 박사 학위 논문.

Doktorat [dɔktorá:t] *n.* 〖고어〗 ① 박사 학위 (구술) 시험. ② 박사 학위.

Doktor≈diplom *n.* 박사 학위증. **~examen** *n* 박사 학위 (구술) 시험. **~frage** *f.* 〖구어·농담〗 어려운 질문. **~grad** *m.* 박사 학위. **~hut** *m.* ① 박사 학위모. ②〖비유〗 박사 학위: den ~ erwerben 박사 학위를 받다.

doktorieren [dɔktorí:rən] 《Ⅰ》 *i.* (h.) ① 박사 학위 (구술) 시험을 치르다, 박사 학위를 취득하다. ② 치료하다. 《Ⅱ》 *t.* 박사 학위를 주다.

Doktorin [dɔktó:rɪn, dɔ́ktorɪn] *f.* -nen ↑ Doktor 의 여성형.

Doktor≈ingenieur *m.* 공학 박사(약어: Dr.-Ing.). **≈mäßig** *a.* 박사 같은. **~miene** *f.* 학자적 풍채, 점잔빼는 모양[모습]. **~promotion** *f.* 박사 학위 수여. **~prüfung** *f.* 박사 학위 (구술) 시험. **~schmaus** *m.* 〖구식〗 (박사 시험 합격 후의) 사은회. **~schrift** *f.* ①〖드물게〗 박사 학위 논문. ②〖구어·농담〗 난해한 필적. **~titel** *m.* 박사 칭호. **~vater** *m.* (박사 학위 논문의) 지도 교수. **~würde** *f.* 박사 학위.

***Doktrin** [dɔktrí:n] *f.* -en ① 교의, 교훈; 이론, 설(說): eine ~ verteidigen 교의를[이론을] 변호하다. ②〖대개 폄어〗 (완고하거나 경직된) 신조. ③〖정치적〗 원칙, 주의: Partei≈ 당(정)책.

Doktrinär [..trinɛ́:r] *m.* -s, -e 순이론가, 주의[교의] 신봉자, 공리 공론가, 세상 일에 어두운 사람.

doktrinär *a.* ① 교의적인, 이론적인. ②〖대개 폄어〗 외곬인, 편협한, 공론적인. ③ 세상 일에 어두운.

Doktrinarismus *m.* - 〖폄어〗 교조주의, 공리공론.

***Dokument** [dokumɛ́nt] *n.* -(e)s, -e ① 문서, 자료 기록, 증서, 증거 서류: ~e für eine Tagung 회의 자료; ein amtliches ~ 공문서. ② 증거, 증명: diese Fotos sind ~e des Elends 이 사진들은 참상의 증거다.

Dokumentalist [..mɛntalɪ́st] *m.* -en, -en 문서 보관 사서.

Dokumentalistik *f.* 문서 보관학.

Dokumentar [..tá:r] *m.* -s, -e 문서 보관 사서.

Dokumentar≈aufnahme *f.* 기록 녹음[촬영]. **~film** *m.* 기록 영화.

dokumentarisch *a.* ① 문서의; 기록[증거]에 의한: es ist ~ nachweisbar, daß ... …는 기록에 의해 입증될 수 있다. ② 사실적인, 증명력이 있는, 증거로 사용될 수 있는: ~es Material 증거 자료; ein ~er Film 기록 영화; ein ~es Stück 기록극.

Dokumentarist [..tərɪ́st] *m.* -en, -en 기록물의 작가.

Dokumentarium *n.* ..rien [..riən] ↑ Dokumentensammlung.

Dokumentar≈literatur *f.* 기록 문학. **~sendung** *f.* 다큐멘터리 방송. **~spiel** *n.* (텔레비전용의) 다큐드라마. **~stück** *n.* 기록극. **~theater** *n.* 기록극.

Dokumentation [..tatsió:n] *f.* -en ① 문서[증거 서류] 작성. ② (작성된) 문서, 기록집. ③ 증명, 증거.

Dokumenten·sammlung *f.* 기록[문서] 수집.

dokumentieren [dokumɛntí:rən] 《Ⅰ》 *t.* ① (문서로) 증명하다: et. durch Tonbandaufnahmen ~ 무엇을 녹음 기록으로 증명하다. ② (분명하게) 보여 주다, 표명하다: den Willen zum Frieden ~ 평화에 대한 의지를 보여 주다. 《Ⅱ》 *refl.* sich ~ 나타나다: hierin dokumentiert sich unser guter Wille 여기에 우리의 선의가 나타난다.

Dol [do:l] *n.* -(s), - 〖醫〗 돌(통증의 측정 단위).

Dolby-System *n.* 돌비 방식.

dolce [dɔ́ltʃə, ..tʃe] 《it.》 *adv.* 〖음악〗 부드럽게, 달콤하게.

dolce far niente [dɔ́ltʃə fá:r niɛ́ntə] 《it., „süß (ist's), nichts zu tun"》 무위도식은 즐거워라(한가한 생활 방식의 구호).

Dolcefarniente [dɔltʃəfa:rniɛ́ntə] *n.* - 즐거운 무위(도식), 즐거운 안일.

Dolce vita [dɔ́ltʃə ví:ta] *n./f.* - - 《it., „süßes Leben"》 무위 방탕한 생활(이탈리아 영화 감독 F. Fellini 가 만든 동명의 영화 이름에서).

***Dolch** [dɔlç] 《sl.》 *m.* -(e)s, -e ① 단도, 비수: jm. den ~ ins Herz stoßen 누구의 가슴을 단도로 찌르다, 〖비유〗 폐부를 에다. ②〖구어〗 칼.

dolchen *i.* (h.) / *t.* 단도로 찌르다, 찔러 죽이다.

Dolch≈messer *n.* 단도. **~spitze** *f.* 단도의 끝. **~stich, ~stoß** *m.* 단도로 찌르기; 단도에 찔린 상처; 〖비유〗 음험한 계략: seine Worte sind (wie) ~stiche 그의 말은 통렬하기 짝이 없다; 〖비유〗 ~stoß von hinten 뒤통수치는 공격. **~stoß·legende** *f.* (제 1 차 세계 대전에서 독일의 패망 원인이) 후방의 배신 행위라는 주장.

Dolde [dɔ́ldə] *f.* -n 〖植〗 산형(繖形) 꽃차례

〔화서(花序)〕.
dolden≈artig *a.* 산형 꽃차례〔화서〕의. **≈blume, ≈blüte** *f.* 산형화(花). **~blütig** *a.* 산형화가 나는, 산형 꽃차례의. **~blütler** *m.* 〖植〗 산형과(科). **~förmig** *a.* ↑ ~artig. **≈gewächs** *n.* 산형과 식물. **~pflanze** *f.* ↑ ~gewächs. **≈rebe** *f.* 〖植〗 미국 담쟁이덩굴. **~rispe** *f.* 산형 꽃차례. **~ständig** *a.* 산형화를 갖는, 산형 꽃차례의. **~tragend** *a.* 산형화를 갖는. **≈traube** *f.* 산방(繖房) 꽃차례. **~traubig** *a.* 산방 꽃차례의, 산방화 모양의.
doldig [dɔ́ldɪç] *a.* 산형 꽃차례의.
Doldrum *n.* -s, -s 〖기상〗 무풍대(無風帶).
Dole [dó:lə] *f.* -n ① 하수도, 지하 배수로. ② 〖방언〗 도랑.
Dolerit [dolərí:t, ..rít] 《gr.》 *m.* -s, -e 〖광물〗 현무암.
dolichokephal [dolıçokefá:l] *a.* 〖醫〗 머리통이 긴.
Dolichokephale* *der/die* 《gr.》 (비정상적으로) 머리통이 긴 사람.
Dolichokephalie [..falí:] *f.* -n [..lí:ən] 〖醫〗 (비정상적으로) 머리통이 긴 증상.
dolichozephal [..tsefá:l] [..ço..] *a.* ↑ dolichokephal.
Dolichozephale* *der/die* ↑ Dolichokephale.
Dolichozephalie [..tsefalí:] *f.* -n ↑ Dolichokephalie.
dolieren [dɔlí:rən] *t.* ↑ dollieren.
Doline [dolí:nə] 《russ.》 *f.* -n 〖지질〗 돌리네, 석회정(石灰穽).
doll [dɔl] *a.* 〔특히 북독 지방〕 ↑ toll.
Dollar [dɔ́lar, ..la:r, dɔ́lə] *m.* -s, -s 달러(미국·캐나다 등의 화폐 단위; 기호: $).
dollar≈kräftig *a.* 재력이 있는. **~kurs** *m.* 달러 환율. **≈land** *n.* 달러의 나라(미국). **~zeichen** *n.* 달러 기호.
Doll·bord [dɔ́l..] *n.* 〖海〗 뱃전의 위쪽에 댄 판자.
Dolle [dɔ́lə] 《ndd.》 *f.* -n ① 노받이, 노걸이; 놋좆. ② 〖건축〗 나무못.
Dollen *m.* -s, - 〔전문어〕 나무못.
Doll·fuß [dɔ́l..] *m.* 새우다리, 〖醫〗 내번족(內翻足).
dollieren [dɔlí:rən] 《frz.》 *t.* 〖제혁〗 (가죽을) 반들반들하게 닦다〔깎다〕.
Dölling [dœ́lıŋ] *m.* -s, -e 〔방언〕 꼬치고기의 새끼, 농어류(類).
Doll·punkt *m.* -(e)s 쟁점, 요점.
Dolman [dɔ́lman] 《türk.》 *m.* -s, -e ① 고대 터키 의상에서 남자의 윗옷. ② 경기병(輕騎兵)의 모피 달린 저고리. ③ 발칸 지방의 여성용 외투의 일종.
Dolmen [dɔ́lmən] 《klt.》 *m.* -s, - 고인돌.
Dolmetsch [dɔ́lmɛtʃ] 《türk.》 *m.* -(e)s, -e ① (öst.) ↑ Dolmetscher ①. ② 〖雅語〗 대변자, 변호인: sich zum ~ für js. Angelegenheiten machen 누구의 일에 변호인이 되다.
dolmetschen [dɔ́lmɛtʃən] 《I》 *i.* (h.) 통역사로 일하다: bei der UN ~ 유엔에서 통역사로 일하다. 《II》 *t.* 통역하다, 납득시키다: 〔雅語〕 ich will dir meine Absichten ~ 너에게 내 의도를 이해하기 쉽게 설명할게.
***Dolmetscher** *m.* -s, - ① 통역(사): er arbeitet als ~ 그는 통역사로 일한다; Simultan≈ 동시 통역사; Diplom≈ 학위〔자격증〕 있는 통역사. ② 〔비유〕 ↑ Dolmetsch ②. ③ 〖動〗 꼬까물떼새.
Dolmetscherin *f.* -nen ↑ Dolmetscher 의 여성형.
Dolmetscher≈institut *n.* 통역 학교. **~schule** *f.* ↑ ~institut.
Dolomit [dolomí:t, .mít] *m.* -s, -e 〖광물〗 ① 백운암(白雲岩). ② 백운석 침적물.
Dolomiten *pl.* (남부 티롤의) 백운석 산맥.
doloros *a.* ↑ dolorös.
dolorös [dolorø̀:s] *a.* 고통스러운.
doloroso [doloró:zo] 《it.》 〖음악〗 고통이 가득찬, 비탄하는.
dolos [doló:s] 《lat.》 *a.* 〖法〗 악의의; 고의의.
Dolus [dó:lus] *m.* - 〖法〗 악의; 사기; 고의: ~ eventualis 미필적 고의.
***Dom**[1] [do:m] 《lat. domus》 *m.* -(e)s, -e ① 대성당, 사원; 〖가톨릭〗 본당, 주교좌(主敎座) 성당: der Kölner ~ 쾰른 대성당. ② (함부르크 대성당의 광장에서) 크리스마스 때 서는 장.
***Dom**[2] 《gr. -lat. doma》 *m.* -(e)s, -e 돔, 둥근 지붕, 원개(圓蓋); (산악 등의) 원정(圓頂); 〖기계〗 종 모양의 기실(機室); 〖지질〗 궁륭 암류(穹窿岩瘤).
Dom[3] 《port.》 *m.* -(s), -s 〔관사없이〕 ↑ Don[1].
Doma *n.* -s, ..men (결정체의) 비면(庇面).
Domäne [domɛ́:nə] 《frz.》 *f.* -n ① 왕령(王領), 국유지. ② 〔비유〕 (학문의) 전문 분야, 영역, (활동) 범위. ③ 기사령(騎士領).
Domänen≈amt *n.* 황실〔군주〕 재산 관리국. **~gut** *n.* 국유지, 황실 소유지. **~pächter** *m.* 국유지〔황실 소유지〕 소작인. **~verwalter** *m.* 국유지〔황실 소유지〕 관리인.
domanial [domaniá:l] *a.* 국유지의, 황실〔군주〕 소유지의.
Domanial≈besitz *m.* 국유지. **~gut** *n.* ↑ Domäne ①.
Domanium [domá:nium] *n.* -s, ..nien [..niən] 황실〔군주〕 소유지, 국유지; 〔방언〕 (중세) 기사의 영지.
Dom≈archiv *n.* 대성당의 서고〔문서실〕. **~chor** ① *m.* 대성당의 성가대. ② *m./n.* 〖건축〗 대성당 성가대의 자리. **~dechant** *m.* ↑ ~dekan. **~dekan** *m.* 〖가톨릭〗 대성당의 수석 사제(司祭), 주교좌 성당의 참사회 수석, 주교성당의 주임 신부.
Domestik [domɛstí:k] 《frz.》 *m.* -en, -en ① 〔대개 폄어〕 머슴, 하인, 하녀, 종. ② 〖사이클〗 보조 선수.
Domestikation [..tsió:n] *f.* -en (야수를) 길들이기, 순치(馴致).
Domestike *m.* -n, -n ↑ Domestik.
domestizieren [..stitsí:rən] *t.* 길들이다.
Dom≈freiheit *f.* 〖史〗 주교좌 성당 관할 지역 (이전에는 성당 참사회에 재판권이 있었음). **~herr** *m.* 〖가톨릭〗 주교좌 성당 참사회원; 〖개신교〗 총회 회원.
Domherrn≈pfründe, ~stelle, ~würde *f.* 주교좌 성당 참사회원의 직.
Domina [dó:mina] 《lat.》 *f.* ..nä [..nɛ] ① 〔교양〕 여주인. ② 수녀원장. ③ 〔은페〕 마조히스트에게 사디즘 행위를 하는 창녀.
dominant [dominánt] 《lat.》 *a.* 지배적인; 우세한; 〖生〗 우성의: ~er Charakter 우성 (형질).

Dominant·akkord *m.* 〖음악〗 딸림화음.

Dominante [..nántə] 《it.》 *f.* -n ① 지배적 특성; 〖生〗 지배적 종(種). ②〖음악〗 제 5 음, 딸림음, 속음(屬音); 딸림화음.

Dominant·sept·akkord *m.* 〖음악〗 딸림 7 화음.

Dominanz [..nánts] 《lat.》 *f.* -en ①〖유전〗 (유전자 효과의) 상위(성) (Epistase). ②〖生〗 (동·식물 집단에서 한 종(種)이 차지하는) 몫, 지분. ③ 우성.

Dominica [domí:nika] 도미니카(여자 이름).

dominieren [dominí:rən] 《Ⅰ》 *i.* (h.) 우세하다, 압도적이다, 세력을 부리다. 《Ⅱ》 *t.* 지배하다; 〖軍〗 제압하다.

Dominik [dó:minık] 《lat.》 *m.* ① 도미니크 (남자 이름). ② 성(聖)도미니쿠스(도미니크 수도회의 창시자, 1170 ? -1221).

Dominikaner [..niká:nər] *m.* -s, - ① 도미니크 수도사. ② 도미니카 공화국 사람.

Dominikaner≈kloster *n.* 도미니크회 수도원. **~orden** *m.* 도미니크 교단.

dominikanisch *a.* 도미니크 수도회의.

Dominikanische Republik *f.* 도미니카 공화국.

Dominikus [domí:nikus, ..mín..] *m.* ↑ Dominik ②.

Dominion [domíniən, ..njən] 《engl.》 *n.* -s, -s/..nien [..niən] (영국의) 자치령.

Dominium [domí:nium] 《lat.》 *n.* -s, -s/..nien [..niən] 〖구식〗 ① 국유지. ②〖중세〗 영지.

Domino [dó:mino] 《it.》《Ⅰ》 *m.* -s, -s ① 가장 무도회의 가면복(을 입은 사람). ② 두건 달린 겨울 수사복. 《Ⅱ》 *n.* -s, -s 도미노 놀이(28개의 말로 하는 수 맞추기 놀이) (《öst.》 ↑ ~stein).

Domino≈maske *f.* ↑ Domino 《Ⅰ》 ①. **~spiel** *n.* ↑ Domino 《Ⅱ》. **~stein** *m.* ① 도미노 놀이의 말. ② 과자의 일종.

Dominus [dó:minus] 《lat.》 *m.* 〖가톨릭〗 (호칭어로) 주 하느님; (특히) 그리스도.

Dominus vobiscum [dó:minus vobískum] 《lat.》, (der Herr sei mit euch) 주께서 여러분과 함께 하시기를! (미사나 성무 일과(聖務日課)에서 사제가 신자에게 하는 인사).

Domizellar [domitsɛlá:r] 《lat.》 *m.* -s, -e 〔고어〕 수학(修學) 수사(주소·투표권 없는 어린 성직자), 주교좌 성당 부속 학교 생도.

Domizil [domitsí:l] *n.* -s, -e ①〔교양〕 주거, 거처; 〖法〗 주소: sein ~ wechseln 거주지를 변경하다. ②〖商〗 (어음의) 지급지. ③〖점성술〗 (행성에 부여된) 궁, 수대(獸帶) 기호.

domizilieren [..tsilí:rən] 《Ⅰ》〔교양〕 *i.* (h.) 정주〔거주〕하다: in einer großen Stadt ~ 대도시에 살다. 《Ⅱ》 *t.* 〖商〗 einen Wechsel ~ 어음에 지급지를 지정 기입하다.

Domizil≈ort *m.* 주소지. **~veränderung** *f.* 주소 변경. **~wechsel** *m.* ① ↑ ~veränderung. ② 타지(他地) 지급 어음, 지급지 지정 어음.

Dom≈kapitel *n.* 〖가톨릭〗 주교좌 성당 참사회; 〖기독교〗 성직자 회의. **~kapitular** *m.* ↑ ~herr. **~kirche** *f.* 주교좌 성당.

Dommel [dɔ́məl] *f.* -n 〖動〗 알락해오라기.

Dom≈pfaff *m.* 〖動〗 피리새. **~pfründe** *f.* 주교좌 성당 참사회원의 직. **~prediger** *m.* 〖기독교〗 본당 교회의 목사. **~propst** *m.* 〖가톨릭〗 주교좌 성당 참사회 회장.

Dompteur [dɔ̃tǿ:r, dɔmp..] 《frz.》 *m.* -s, -e (맹수) 조련사.

Dompteur·kunst *f.* 조련술.

Dompteuse [..tǿ:zə] *f.* -n ↑ Dompteur 의 여성형.

Domra *f.* -s/..ren 〖음악〗 돔라(만돌린 비슷한 러시아의 옛 악기).

Dom≈schatz *m.* 대성당의 보물. **~schule** *f.* (중세의) 주교좌 성당 부속 학교. **~stelle** *f.* ↑ ~pfründe. **~stift** *n.* ↑ ~kapitel.

Don[1] [dɔn] 《sp.》 *m.* -(s), -s 〔호칭〕 님, 나리 (에스파냐에서 남자 세례명에 붙이는 경칭; 이탈리아에서는 성직자 및 귀족에 대한 경칭).

Don[2] *m.* -(s) 돈강(러시아 동남부의 큰 강).

Doña [dɔ́nja] 《sp.》 *f.* -s ①〔관사없이〕 부인 (에스파냐에서 여자 이름 앞에 붙이는 존칭). ② 여주인. ③〔농담〕 하녀; 애인.

Donar [dó:nar] 《ahd., „Donner"》 *m.* 〖신화〗 도나르(게르만의 뇌우의 신).

Donarit [donarí:t, ..rít] *m.* -s 광산용 폭약(뇌우의 신 Donar 에서).

Donat [doná:t] 《lat.》 *m.* -en, -en ↑ Donatus ①.

Donatar [donatá:r] 《lat. „donare"》 *m.* -s, -e 〖法·고어〗 수익자, 증여받은 사람.

Donation [..tsió:n] *f.* -en 〖法·고어〗 증여; 기부.

Donator [doná:tɔr, ..to:r] *m.* -s, -en [..tó:rən] ①〔구식〕 증여자, 기부자. ②〖化〗 화학 반응 때 전자나 이온을 방출하는 원자나 분자.

Donatus [doná:tus] 《Ⅰ》 ① 도나투스(남자 이름). ② Aelius ~ 도나투스(4 세기 로마의 문법 학자). 《Ⅱ》 *n.* -, ..ti (중세의) 수도원에 맡겨진 아이.

***Donau** [dó:nau] *f.* 다뉴브〔도나우〕강.

Donau·monarchie *f.* 도나우 왕국(옛 오스트리아·헝가리 왕국의 별칭).

Dönchen [dǿnçən] *n.* -s, - 〔드물게〕 ↑ Döntjes.

Donegal [donegá:l, dó:nega:l] 《engl.》 *m.* -(s), -s 도니골직(織), 도니골 트위드.

Dong *m.* -(s), -(s) 동(베트남의 화폐 단위).

donisch *a.* 돈강(지방)의(↑ Don[2]).

Donja [dɔ́nja] 《sp.》 *f.* -s ①〔고어〕 하녀. ②〔농담·폄어〕 애인, 여자 친구.

Donjon [dɔ̃ʒɔ̃] 《frz.》 *m.* -s, -s [..ʒɔ̃:s] 성 탑의 중심 망루.

Don Juan [dɔnjú:an, (sp.) dɔnxuán, (frz.) dɔ̃ʒuɑ̃] 《sp.》 *m.* 돈 환(에스파냐의 전설상의 호색 귀족); 〔비유〕 바람둥이.

Donkosak [dɔ́nkozak] *m.* -en, -en ① 돈강 하류의 카자흐 사람. ② 돈카자흐 합창단의 단원.

Donkosaken·chor *m.* 돈카자흐 합창단(러시아 남성 합창단).

Donna [dɔ́na] 《it.》 *f.* -s/Donnen ① 부인 (이탈리아 귀족 여성에 대한 옛 경칭). ②〔농담·폄어〕 하녀, 가정부.

***Donner** [dɔ́nər] *m.* -s, - ① 천둥, 뇌성; 우렛소리: der ~ rollt 〔grollt〕 천둥친다; wie vom ~ gerührt 벼락 맞은 것처럼, 깜짝 놀라서, 혼비백산하여. ②〔저주·경탄〕 der ~ 〔~ noch mal, ~ und Blitz, ~ und Doria, ~ und Wetter〕! 이런, 하느님 맙소사, 굉장한데!

Donner≈axt *f.* ↑ ~keil. **~balken** *m.* 〖軍·비속〗 간이 화장실. **~bart** *m.* 〖植〗 꿩의 비름속. **~besen** *m.* 〖植〗 겨우살이. **~büchse** *f.* ①〖軍〗 나팔총(옛 무기의 일종) (↑ Bombarde). ②〔구어·농담〕 무기, 총.

Donnerer [dɔ́nərər] *m.* -s, - ①〔고어〕 ↑ Donnergott. ② 고함치는 사람, 걸핏하면 화내는 사람.

Donner≈gebrüll *n.* 포효, 우렛소리. **~gepolter** *n.* ↑ ~getöse. **~getöse** *n.* 우레(같은 소음). **~gott** *m.* 뇌우의 신, 뇌신(雷神). **~guge** *f.* 〖動〗 하늘가재. **~hall** *m.* ↑ ~-gebrüll. **~hammer** *m.* ↑ ~keil. **~keil** *m.* ①〖신화〗 뇌신(雷神)의 화살. ② (선사 시대의) 돌도끼. ③〖지질〗 전석(箭石), 벨렘나이트(고생대의 화석). ④〔구어〕 와, 아니! (놀라움의 표시) **~kerl** *m.* 지독한 놈. **~knall, ~krach** *m.* ↑ ~gebrüll. **~littchen** 〔방언〕 저런! (놀라움의 표시) **~lüttchen** ↑ ~littchen. **~maschine** *f.* 〖연극〗 천둥 소리 내는 장치. **~mäßig** 《I》 *a.* 천둥과 같은. 《II》 *adv.* 매우 엄청나게.

***donnern** [dɔ́nərn] 《I》 *i.* (h.) ① *imp.* es donnert 천둥친다. ②〔비유〕 우레 같은 소리를 내다, 우르릉 꽝하고 울리다; (화나서) 고함치다: das Geschütz donnert 대포(소리)가 울리다; ~der Beifall 우레와 같은 박수. ③ (**a**) (s.) 큰 소리를 내며 가다: der Zug donnert über die Brücke 기차가 굉음을 내면서 다리를 지나간다. (**b**) 〔구어〕 심하게 두드리다〔차다〕: an die Tür ~ 문을 쾅쾅 두드리다; mit der Faust auf den Tisch ~ 주먹으로 책상을 세게 치다. 《II》 *t.* ① 천둥같이 울리게 하다, 우르릉거리게 하다: er donnert die Antwort 그는 벼력같이 대답한다; jm. die Ohren ~ 누구의 귓전에 고함치다; jn. aus dem Schlafe ~ 고함쳐서 누구의 잠을 깨우다. ②〔구어〕 내던지다: er donnert die Bücher in die Ecke 그는 책을 구석으로 확 던진다. ③〔구어〕 호통치다, 심하게 꾸짖다: Vater hat mächtig wegen unseres Zuspätkommens gedonnert 아버지는 우리가 늦게 왔다고 심하게 야단치셨다. ④〔경박〕 jm. eine ~ 누구의 빰을 한 대 때리다; gleich kriegst du ein paar gedonnert 너는 곧 빰 몇 대 맞게 될 거다.

Donner≈pfeil *m.* ↑ ~keil. **~schlag** *m.* ① 천둥소리, 벽력; 〔비유〕 청천 벽력. ②〖놀라움〗 ~ (noch eins)! 이것 참, 이런, 아뿔싸, 이건 낭패다! **≈schwanger, ≈schwer** *a.* (구름 등이) 우레를 품은.

***Donners·tag** 《"뇌신(雷神) Donar 에게 바친 날"의 뜻》 *m.* 목요일(약어: Do.): grüner ~ 부활절 전주의 목요일; am ~ 목요일에; ~abend (어떤 특정한) 목요일 저녁에; 〔속어〕 ~ und Freitag! 이것 참, 이런, 아차, 이건 정말 놀랐는데!

donnerstags *adv.* (매주) 목요일에, 목요일마다: ~ abends (매주) 목요일 저녁에.

Donner≈stein *m.* ↑ ~keil ②. **~stimme** *f.* 우레 같은 목소리, 큰 음성. **~strahl** *m.* 전광(電光), 번갯불. **~wetter** *n.* ① 뇌우(雷雨). ②〔구어·농담〕 심한 꾸지람, 질책: ein ~ auf jn. niedergehen lassen 〔jm. wie ein ~ dreinfahren〕 누구에게 호통치다; ein ~ ging auf ihn nieder 그는 호되게 꾸지람을 들었다. ③ (zum) ~ (**a**) 〔경탄〕 이런, 이것 참: ~, sieht die Frau gut aus! 와, 저 여자 멋진데! (**b**) 〔분노〕 zum ~ (noch einmal)! 제기랄, 빌어먹을; 이런, 아차! **~wolke** *f.* 뇌운(雷雲). **~wort** *n.* 호되게 꾸짖는 말; 〔시어〕 (큰 소리로) 강조하는 말〔단어〕.

Donnrer *m.* -s, - ↑ Donnerer.

Don Quichote [dɔn kixó:tə, ..kiʃɔ́t] - -s, - -s ↑ Don Quichotte.

Donquichoterie [dɔnkixotərí:, ..ʃɔtərí:] *f.* -n [..rí:ən] ↑ Donquichotterie.

Don Quichotte [dɔn kiʃɔ́t, dɔ̃k..] 《sp.》 *m.* - -s, - -s 돈키호테; 〔비유〕 무모한 모험가, 현실을 모르는 이상주의자.

Donquichotterie [..kiʃɔtərí:] *f.* -n [..rí:ən] 과대 망상, 무모한 모험.

Donquichottismus *m.* -, ..men ↑ Donquichotterie.

Don Quijote, Don Quixote [dɔn kixó:tə, (sp.) ..xɔ́te] 《sp.》 Don Quichotte 의 에스파냐 어형.

Dont·geschäft [dɔ̃:..] 《frz.》 *n.* 〖商〗 특권〔옵션〕 거래, 프리미엄 거래.

Döntje [dœ́ntjə, dǿ:ntjə] *n.* -s, -s (ndd.) ↑ Döntjes.

Döntjes [dœ́ntjes] *pl.* 《ndd.》 우스운〔익살스런〕 이야기.

Donum [dó:nʊm] *n.* -s, ..na 〔고어〕 선물, 증여.

doof [do:f] 《ndd., „taub"》 *a.* 〔구어·폄어〕 ① 어리석은, 멍청한: ein ~er Kerl 어리석은 녀석. ②〔방언〕 귀먹은; 텅 빈. ③〔방언〕 지루한: ein ~er Film 지루한 영화; das Kleid sieht ~ aus 그 옷은 볼품 없다.

Doofheit *f.* -en 〔구어·폄어〕 ① 어리석음, 우매. ② 어리석은 행동〔발언〕: hör auf mit den ~en! 어리석은 짓 그만해.

Doofi [dó:fi] *m.* -(s), -s 〔구어〕 얼간이, 순진한 사람: 〔구어·농담〕 klein ~ mit Plüschohren 팔푼이.

Dope [do:p] *n.* -(s), -s 〔은폐〕 마취〔흥분〕제.

dopen [dó:pən, dɔ́pən] *t.* 〖스포츠〗 자극제를 써서 최고 능력을 발휘하게 하다, 흥분제를 먹이다.

Doping [dó:piŋ, dɔ́..] 《engl.》 *n.* -s, -s 도핑; 흥분제: einen Sportler 〔ein Tier〕 auf ~ untersuchen 운동 선수〔동물〕의 도핑 여부를 검사하다.

Doping·kontrolle *f.* 〖스포츠〗 도핑 검사.

Doppel [dɔ́pəl] 《I》 *n.* -s, - ① 부본(副本); 〖우편〗 사본: das ~ eines Zeugnisses 증명서 사본. ②〖스포츠〗 복식 (경기): Damen≈ 여성 복식; Herren≈ 남성 복식; gemischtes ~ 혼합 복식(↔ Einzel). 《II》 *m.* -s, - ① (영화 등의) 가짜, 대역; 꼭 닮은 사람, 생령(生靈). ②〖海〗 2인승 스컬(경기).

doppel ↑ doppelt(합성어 이외에는 doppelt를 씀).

doppel.. *pref.* "이중·복(複)·쌍·양·배" 등의 뜻.

Doppel≈adler *m.* (문장·화폐의) 쌍두 독수리. **~agent** *m.* 이중 첩자. **~axel** *m.* (피겨의) 2중 역회전. **~axt** *f.* 양날 도끼. **~-b** *n.* -, - 〔(구어) -s, -s〕 〖음악〗 더블 플랫(♭♭). **~bahn** *f.* 〖철도〗 복선. **~bauer** *m.* (체스에서) 한 줄에 연이어 서 있는 말. **~belastung** *f.* ① 이중 부담. ②〖法〗 ↑ ~besteuerung.

~belichtung *f.* 〖사진〗 이중 노출. **~besteuerung** *f.* 〖法〗 이중 과세. **~bett** *n.* 더블 베드, 2 인용 침대. **~bewußt·sein** *n.* 이중 의식〔자아〕. **~bier** *n.* 독한 맥주. **~bildung** *f.* 〖醫〗 2 중체. **~bindung** *f.* 〖化〗 이중 결합. **~bock** *n./m.* (사순절에 생산되는) 독한 맥주. **~boden** *m.* (배·용기·방의) 2 중 바닥. **≈bödig** *a.* 〔비유〕 모호한, 뜻이 불분명한: eine ~e Moral 이중 도덕. **~bödigkeit** *f.* 〔비유〕 ① 모호성. ② 〔드물게〕 모호한 발언. **~brechung** *f.* 〖物〗 복굴절. **~brenner** *m.* 이련(二連) 가스 연소기〔난로〕. **~brief** *m.* 규격외 편지. **~bruch** *m.* 〖醫〗 복(複)골절; 〖數〗 복분수. **~buch·führung** *f.* 〖商〗 복식 부기. **~büchse** *f.* 쌍발총. **~buch·stabe** *m.* (두 개의 같은 철자로 만들어진) 연자(連字) (보기: ß). **~cicero** *f.* 〖印〗 Cicero 의 2 배 크기의 활자(24 포인트). **~decker** *m.* ① 복엽(複葉) 비행기(↔ Eindecker). ② 〔구어〕 2 층 버스. ③ 〔구어·농담〕 ↑ ~schnitte. **≈deutig** *a.* 2 가지로 해석되는, 중의적인; 모호한: eine ~e Bemerkung machen 중의적인 발언을 하다. **~deutigkeit** *f.* ① 중의성, 모호성. ② 모호한 발언, 애매한 진술. **~draht** *m.* (두 가닥을 꼰) 질긴 실. **~druck** *m.* 〔복수: -e〕 〖印〗 2 중쇄(二重刷); 잘못된 인쇄. **~ehe** *f.* 중혼(重婚). **~endball** *m.* (복싱의) 펀칭 볼.

Doppeler [dɔ́pələr] *m.* -s, - ↑ Doppler.

Doppel≈erfolg *m.* 이중 승리, 2 종목에서 거둔 승리. **~fall** *m.* 양자택일. **~fehler** *m.* ① 〖테니스〗 (서브의) 2 번 반칙, 더블 폴트. ② 〖배구〗 양 팀의 동시 반칙. **~fenster** *n.* 이중창(窓). **~fern·rohr** *n.* 쌍안(망원)경. **~flinte** *f.* 쌍발 산탄총. **~flöte** *f.* 〖음악〗 쌍적(雙笛) (피리통은 둘이고 주둥이는 하나인 옛 피리). **~gänger** *m.* ① 동시 출현인(동시에 다른 장소에 나타난다고 믿어지는 사람), 제 2 의 자아, 생령(生靈). ② 〔비유〕 꼭 닮은 사람. ③ (영화 등의) 대역. **~geleise** *n.* ↑ ~gleis. **≈geleisig** *a.* ↑ ≈gleisig. **~gesang** *m.* 〖음악〗 2 중창. **~gespann** *n.* 4 두 마차. **~gestirn** *n.* ↑ ~stern. **~gewebe** *n.* 이중직. **~gleis** *n.* 〖철도〗 복선. **≈gleisig** *a.* 〖철도〗 복선의. **~griff** *m.* 〖음악〗 (현악기·건반 악기의) 중음(重音) 주법. **~haken** *m.* ① (14-16 세기의) 긴 화승총. ② 닻 모양의 낚시; (짐 올리는 데 쓰는) 쌍갈고랑이. **~haus** *n.* (모양이 똑같은) 두 채의 연립 주택. **~heirat** *f.* ↑ ~hochzeit.

Doppelheit [dɔ́pəlhaɪt] *f.* 이중성, 양면성, 2 부로 이루어짐; 〔비유〕 표리부동, 모호.

Doppel≈heft *n.* 2 호 합본 잡지. **~helix** *f.* 〖生〗 디엔에이(DNA)의 분자 구조 표지. **~hoch·zeit** *f.* 2 쌍 합동 결혼식. **~-Ich** *n.* 이중 자아. **~kinn** *n.* 이중턱. **~klick** *m.* 더블 클릭. **~knoten** *m.* 이중 매듭. **≈kohlensauer** *a.* ↑ doppeltkohlensauer. **~kolbenmotor** *m.* 복동(復動) 발동기. **~konsonant** *m.* 〖문법〗 중자음. **~kopf** *m.* ① (사슴의) 뿔 모양. ② 카드놀이의 일종. **~kopf·hörer** *m.* 헤드폰, 양두(兩頭) 수화기〔수신기〕. **~kreuz** *n.* ① 2 중 십자가. ② 〖음악〗 겹올림표, 더블 샤프(기호: ✕). **~krone** *f.* (옛 독일의) 20 마르크짜리 금화. **~lauf** *m.* (총의) 쌍신(雙身). **≈läufig** *a.* 쌍발의. **~laut** *m.* 〖문법〗 ① 중모음이나 중자음. ② 복모음(보기: au, ei, eu). **~leben** *n.* 이중 생활. **≈lebig** *a.* 수륙 양서(水陸兩棲)의. **~leiter** *f.* 〖전기〗 2 중선; 두 발 사다다리. **~linie** *f.* 복선. **~lutz** *m.* 〖피겨·롤러스케이팅〗 2 중 후진 회전〔루츠〕 점프. **~moral** *f.* 이중 도덕. **~mord** *m.* 이중 살인.

doppeln [dɔ́pəln] 《Ⅰ》 *t.* ① 두 배로〔2 중으로〕 하다. ② (öst., südd.) 신창을 갈다〔대다〕: Schuhe ~ 구두에 밑창을 대다; ein Schiff ~ 배에 널빤지를 대다〔붙이다〕. ③ 〖컴〗 (복)사본을 만들다. 《Ⅱ》 *i.* (h.) 〔고어〕 도박하다; (도박으로) 사기하다. 《Ⅲ》 **gedoppelt** *p.a.* ↑ doppelt.

Doppel≈naht *f.* 더블 스티치; 이중 봉합. **~name** *m.* (2 개의 이름을 합쳐서 만든) 복합명(보기: Hans-Georg). **~nelson** *m.* (레슬링에서) 2 차례에 걸친 목 공격, 넬슨. **~nummer** *f.* 2 호 합본 잡지. **~partner** *m.* 〖스포츠〗 복식 파트너. **~paß** *m.* 〖축구〗 더블 패스. **~posten** *m.* 〖軍〗 2 인 보초. **~punkt** *m.* 〖문법〗 콜론, 쌍점(:); 〖음악〗 복부점(複附點) (음표); 〖數〗 2 중점. **~reihe** *f.* 2 열; 〖數〗 2 중 급수. **≈reihig** *a.* 2 열의. **~rittberger** *m.* (피겨의) 2 중 리트베르거. **~rolle** *f.* 1 인 2 역. **~rumpf** *m.*, **~rumpf·flugzeug** *n.* 〖空〗 쌍동(雙胴) 비행기. **~salz** *n.* 〖化〗 복염(複塩). **~schatter** *m.* 열대 지방의 주민. **~schicht** *f.* ① 〖理〗 2 중층. ② 2 팀의 작업조. **≈schläfrig** *a.* 2 명이 잘 수 있는: eine ~e Couch 2 인용 취침 겸용 소파. **~schlag** *m.* ① 〖음악〗 턴, 돈꾸밈음(기호: ∽). ② 〖스포츠〗 (a) 〖권투〗 더블 펀치. (b) 〖구기〗 한 선수가 공을 두 번 건드림. **~schluß** *m.* 〖논리〗 양도(兩刀) 논법. **~schnepfe** *f.* 〖動〗 도요새의 일종. **~schnitte** *f.* 샌드위치. **~schraube** *f.* 2 중 나사. **~schritt** *m.* ① 빠른 걸음, 구보. ② (체스에서) 말이 한 번에 두 칸 가는 일. ③ 〖무용〗 더블 스텝. **~sehen** *n.* ↑ ~sichtigkeit. **≈seitig** *a.* 양면의, 양측의. **~sichtigkeit** *f.* 〖醫〗 복시(複視). **~sinn** *m.* 두 가지 뜻; 모호. **≈sinnig** *a.* 두 가지 뜻이 있는; 모호한: 〖醫〗 ~e Leitung (신경의) 양방향성 전도(傳導). **~sitzer** *m.* 복좌(復座) (비행)기. **≈sitzig** *a.* 2 인승의, 두 좌석의. **~skuller** *m.* 2 인승 스컬(배). **~sohle** *f.* 2 중 구두창. **~spat** *m.* 〖광물〗 방해석(方解石). **~spiel** *n.* ① 〖음악〗 2 중창, 2 중주. ② 〖연극〗 1 인 2 역. ③ 〖스포츠〗 (테니스 등의) 복식 경기. ④ 〔비유·폄어〕 표리부동, 양면적 태도; 거짓. **~spieler** *m.* 〖영화〗 대역자, 스턴트 맨. **~stern** *m.* 〖天〗 쌍성(雙星). **~stück** *n.* ↑ Duplikat.

***doppelt** [dɔ́pəlt] *a./adv.* ① 2 배의, 2 중의, 2 개의: ~ so groß wie ... …보다 2 배 큰; ~ sehen (술에 취해서) 2 개로 보이다; mit ~er Kraft 두 배의 힘으로; das freut mich ~ 그것 때문에 나는 2 배로 기쁘다; mit ~er Kreide anschreiben 대금을 2 배로〔터무니없이〕 청구하다; das kostet das Doppelte 그것은 비용이 2 배로 든다; das Buch besitze ich ~ 나는 그 책을 2 권 가지고 있다; 〔속담〕 geteilte Freude ist ~ Freude 기쁨은 나누면 두 배가 된다; 〔속담〕 ~ (genäht) reißt nicht 공든 탑이 무너지랴; ~e Buchführung 복식 부기; ~e Verneinung 이중 부정; in ~er Ausfertigung herstellen 정부(正副) 2 통으로 작성하다;

~er Boden 2중 바닥; 〖구어〗 ~ gemoppelt 중언부언한. ② 중의적인; 정직하지 못한, 믿을 수 없는: einen ~en Boden haben 속임수다, 표리부동해서 믿을 수 없다; ~er Sinn 이중의〔모호한〕의미; ~es Spiel 속임수 (시합), 표리부동한 언행. ③〔특히 〔구어〕 ~ und dreifach 의 형태로〕 매우; 너무, 필요 이상으로, 이중삼중으로: in dem Fall mußt du ~ vorsichtig sein 그 경우에 너는 특히 조심해야 한다; ein Paket ~ und dreifach verschnüren 소포를 이중 삼중으로 묶다.

Doppel-T-Eisen *n.* 2중 T형 강철.

Doppel·telegraph *m.* 2중 전신, 동시 송수(送受) 전신.

doppelt=gefiedert *a.* 〖植〗 2중 깃 모양의. **~gepaart** *a.* 거듭 쌍생(雙生)의, 2개의 쌍을 이룬. **~hoch·rund** *a.* 〖物〗 양철(兩凸)의. **~hohl** *a.* 양요(兩凹)의. **~kohlen·sauer** *a.* 탄산수소의: 〖化〗 ~es Natrium 탄산수소나트륨. **~sehen** *n.* 〖醫〗 복시(複視).

Doppel-T-Träger *m.* 〖건축〗 2중 T 자형의 지주(支柱).

Doppel·tür *f.* 2중 문; 맞닫이 문.

doppelt·wirkend *a.* 〖工〗 복동(復動) (작용)의; 2중으로 작용하는, 2중 효과가 있는.

Doppelung [dɔ́pəlʊŋ] *f.* -en ① 2배, 2중, 중복. ② (구두 등의) 안창〔밑창〕대기; (뱃바닥 등의) 피복(被覆), 포판(包板). ③ 도박; 기만.

Doppel=verdiener *m.* ① 2중 소득자, 겸직자. ② 〔복수〕 맞벌이 부부. **~verdienst** *m.* 맞벌이 부부의 공동 수입. **~vers** *m.* 〖문학〗 2행 연구(連句), 대구(對句). **~versicherung** *f.* 중복 보험. **~vokal** *m.* 중모음. **~währung** *f.* 금은 양본위제. **~zentner** *m.* 200 파운드(100 킬로그램; 약어: dz, (öst.) q.). **~zimmer** *n.* 2인용 방, (호텔의) 트윈룸. **~züngig** *a.* 표리부동한, 불성실한, 거짓의. **~züngigkeit** *f.* ① 표리부동. ② 거짓〔불성실한〕 진술. **~züngler** *m.* 표리부동한〔거짓말하는〕 사람.

Doppik *f.* 〖經〗 복식 부기.

Doppler [dɔ́plər] *m.* -s, - ① (öst., südd.) 새로간 구두창. ② 〔고어〕 도박꾼, 사기꾼.

Doppler·effekt *m.* 〖理〗 도플러 효과(독일 과학자 C. Doppler 의 이름에서).

Dopplung [dóplʊŋ] *f.* -en ↑ Doppelung.

Dora [dó:ra] *f.* 도라(여자 이름; ↑ Dorothea 의 단축형).

Dorade [dorá:də] *f.* -n 〖動〗 돔과 크리스프리스속(屬)의 물고기, 만새기, 큰 메기.

Dorado [dorá:do] 《sp.》 *n.* -s, -s (남아메리카 북부에 있다는 전설상의) 황금나라; 〔비유〕 이상향.

Dorant [doránt] *m.* -(e)s, -e 〖민속〗 (금어초 등의) 마법이나 귀신을 막아 주는 식물.

Dorchen [dó:rçən] *n.* 도르헨(여자 이름; ↑ Dora 의 애칭형).

Dorer [dó:rər] *m.* -s, - ↑ Dorier.

***Dorf** [dɔrf] *n.* -(e)s, Dörfer ① 마을, 촌(락), 시골: Bauern~ 농촌; Nachbar~ 이웃 마을; in ~ und Stadt 도처에서; auf〔in〕 dem ~e wohnen 시골에 살다; er stammt vom ~ 그는 시골 출신이다; die Welt ist (doch) ein ~ 세상 참 좁구나!; das sind ihm böhmische 〔spanische〕 Dörfer 그건 그로서는 무슨 영문인지 도무지 알 수 없는 일들이다; 〔비유〕 nie aus seinem ~ herausgekommen sein 시야가 좁다. ② 〔총칭〕 마을 주민: das ganz ~ 온 마을 사람.

Dorf=anger *m.* 〔구식·방언〕 한 마을의 공동 목장. **~bengel** *m.* 마을 젊은이; 시골뜨기, 본데없는 사람. **~bewohner** *m.* 마을 사람, 촌민. **~bewohnerin** *f.* ↑ ~bewohner 의 여성형.

Dörfchen [dœ́rfçən] *n.* -s, - ↑ Dorf 의 축소형.

Dörfer [dœ́rfər] *m.* -s, - ↑ Dorfbewohner.

Dorf=flur *f.* 마을의 논밭〔공동 소유지〕. **~gemeinde** *f.* (행정 단위로서의) 마을, 촌락; 마을의 교구(敎區). **~geschichte** *f.* 농촌〔전원〕 소설.

dörfisch [dœ́rɪʃ] *a.* 〔폄어〕 세련되지 않은, 촌스러운.

Dorf=jugend *f.* 마을의 젊은이, 젊은 또래. **~junker** *m.* 〔폄어〕 시골 양반〔신사〕. **~kirche** *f.* 마을 교회. **~klub** *m.* 〖구동독〗 마을 클럽. **~krug** *m.* 마을 선술집. **~leben** *n.* 시골〔전원〕 생활.

Dörflein [dœ́rflaɪn] *n.* -s, - ↑ Dörfchen.

Dörfler [dœ́rflər] *m.* -s, - 시골〔촌〕 사람.

Dorf·leute *pl.* 마을〔시골〕 사람.

dörflich [dœ́rflɪç] *a.* 촌〔마을〕의, 시골풍의, 시골티가 나는, 농부 같은.

Dörflichkeit *f.* 〔드물게〕 시골풍.

Dorf·linde *f.* 마을의 보리수(마을 중앙에 있으며 그 밑은 집회·무도의 광장으로 이용됨).

Dörfling *m.* -s, -e 시골뜨기, 촌놈.

dorf·mäßig *a.* 촌 같은, 시골풍의.

Dörfner *m.* -s, - 〔구식〕 ↑ Dörfler.

Dorf=pfarrer *m.* 마을의 목사. **~prediger** *m.* ↑ ~pfarrer. **~richter** *m.* (재판권을 가진) 면장, 촌장.

Dorfschaft [dɔ́rfʃaft] *f.* -en 〔구식〕 촌(락 단체), 촌민 전체.

Dorf=schenke *f.* 마을의 선술집. **~schöne** *f.* 〔구어〕 ↑ ~schönheit. **~schönheit** *f.* 〔구어〕 예쁜 마을 처녀. **~schule** *f.* 시골〔마을〕 초등 학교. **~schul·meister** *m.* 농촌〔마을〕 학교 교사〔교장〕. **~schultheiß** *m.* ↑ ~schulze. **~schulze** *m.* 면장, 촌장. **~straße** *f.* 시골〔마을〕길. **~teich** *m.* 마을 (연)못. **~trottel** *m.* 〔폄어〕 마을의 얼간이.

Doria [dó:ria] 《it.》 *m.* 〔Genua 의 귀족의 성(姓)에서〕 Donner und ~! 제기랄, 빌어 먹을!

Dorier [dó:riər] *m.* -s, - 도리스 사람(고대 그리스의 3대 종족의 하나).

Doris [dó:rɪs] 《Ⅰ》 도리스(고대 그리스 중부 지방). 《Ⅱ》 *f.* 〖그리스신화〗 도리스(Okeanos 의 딸; 바다의 여신). 《Ⅲ》 *f.* ↑ Dorothea 의 단축형.

dorisch [dó:rɪʃ] *a.* 도리스(지방)의, 도리스 사람의; 도리스어의; 도리스풍〔식〕의: die ~e Wanderung 도리스 사람들의 이주; 〖음악〗 ~e Tonart 도리스 선법(旋法); 〖건축〗 ~e Säulenordnung 도리스식 기둥 양식.

Dorl *m.* -(e)s, -e (md.) 팽이.

dorlen *i.*(h.) 돌다.

Dörling [dœ́rlɪŋ] *m.* -s, -e 〖動〗 꾀꼬리; 〖植〗 산수유나무.

Dormeuse [..mǿ:zə] ⟪frz.⟫ *f.* -n 〖고어〗 ① 안락 의자. ② 침대차. ③ 나이트캡.
Dormitiv [..mití:f] ⟪lat.⟫ *n.* -(e)s, -e [..və] 수면제.
Dormitorium [..tó:rium] ⟪lat.⟫ *n.* -s, ..rien [..riən] ① (수도원·기숙사의) 공동 침실. ② (수도원의) 수도사의 독방이 있는 건물.
***Dorn** [dɔrn] *m.* -(e)s, -en/(구어) Dörner ① **(a)** (식물의) 가시: eine Pflanze mit ~en 가시가 있는 식물; sich einen ~ in den Fuß treten 발로 가시를 밟다; einen ~ ausziehen 〔entfernen〕 가시를 뽑다. **(b)** 〖비유〗 고통〔괴로움〕의 근원: er ist mir ein ~ im Auge 그는 내게는 눈엣가시다; sein Lebensweg ist vollen ~en 그의 생애는 고난의 연속이다; keine Rose ohne ~en 가시 없는 장미는 없다(괴로움이 따르지 않는 낙은 없다). ② 〖복수: -e/ Dörner〗 가시 같은 것; 〖醫〗 (뼈의) 뾰족한 돌기; 천공기(穿孔器); (버클 등의) 날름쇠; (자물쇠·경첩의) 축; (칼·호미·살촉의) 슴베; (운동화·첼로의) 스파이크; 〖제련〗 잔재(殘滓).
Dorn≈apfel *m.* 〖植〗 흰독말풀속(屬). **~busch** *m.* ↑ ~enstrauch. **~butt** *m.*, **~butte** *f.* 〖動〗 가재미의 일종.
Dörnchen [dœrnçən] *n.* -s, - 〖↑ Dorn 의 축소형〗 작은 가시.
Dorn·dreher *m.* 〖動〗 (붉은 등) 까치.
dornen [dɔ́rnən] ⟪I⟫ *a.* 가시의, 가시가 있는 〔많은〕: ~e Krone 가시 면류관. ⟪II⟫ 〖드물게〗 *t.* 가시가 돋게 하다.
dörnen *a.* ↑ dornen.
Dornen≈getrüpp *n.* 가시나무 덤불. **~hecke** *f.* 가시나무 울타리. **~kranz** *m.* ↑ ~krone. **~krone** *f.* 가시 (면류)관; 〖비유〗 (그리스도의) 고난의 상징.
dornenlos *a.* 가시 없는.
Dornen≈pfad *m.* 가시밭길, 고난의 길; 고난에 찬 생애. **≈reich** *a.* ↑ ≈voll. **~strauch** *m.* 가시나무 덤불. **≈voll** *a.* 가시가 많은; 고난에 찬. **~weg** *m.* ↑ ~pfad.
Dorn≈fisch *m.* 〖動〗 큰가시고기. **~fortsatz** *m.* 〖해부〗 (뼈의) 가시 모양 돌기. **~gebüsch, ~gesträuch** *n.* ↑ Dornenstrauch. **~gestrüpp** *n.* ↑ Dornengetrüpp. **~hecke** *f.* ↑ Dornenhecke.
Dornicht [dɔ́rnıçt] *n.* -s, -e 〖고어〗 ↑ Dornengetrüpp.
dornicht *a.* 〖고어〗 ↑ dornig.
Dornier [..nié:] Claude ~ 도르니에(독일의 비행기 제작자, 1884-1969).
Dornier·wal *m.* 일종의 대형 비행정.
dornig ① *a.* 가시 같은, 가시가 있는〔많은〕. ② 〖비유·雅語〗 다난한, 고난에 찬.
Dörnlein [dœrnlaın] *n.* -s, - ↑ Dorn 의 축소형.
Dorn≈röschen *n.* (가시에 찔려 100 년 동안 잠잔) 동화의 장미 공주. **~röschen·schlaf** *m.* 〖비유〗 하는 일 없는〔무위의〕 생활. **~rose** *f.* 〖植〗 (야생) 가시장미. **~schuh** *m.* 스파이크화. **~strauch** *m.* ↑ Dornenstrauch.
Dorothea [doroté:a] ⟪gr., „Geschenk Gottes"⟫ *f.* 도로테아(여자 이름).
Dorothee [dó:rote, doroté:(ə)] *f.* ↑ Dorothea.
dörperhaft [dœrpərhaft] *a.* ↑ tölpelhaft.
Dörre [dœrə] *f.* -n 〖방언〗 ↑ Darre.
dorren [dɔ́rən] *i.* (h.) 〖문학〗 (바싹) 마르다, 시들다.
dörren [dœrən] ⟪I⟫ *t.* 말리다, 건조시키다, 바싹 마르게 하다: die Hitze dörrte die Steppe 더위로 초원이 바싹 말랐다; Obst 〔Fisch, Fleisch〕 ~ 과일을〔생선을, 고기를〕 (저장용으로) 말리다. ⟪II⟫ *i.* (s.) 마르다, 시들다: das Gras dörrte in der Sonne 잔디가 햇볕을 받아 말랐다.
Dörr≈fisch [dœr..] *n.* 말린 (훈제) 생선. **~gemüse** *n.* 말린 야채. **~obst** *n.* (저장용) 말린 과일. **~ofen** *m.* 건조로(爐). **~pflaume** *f.* 말린 자두〔오얏〕.
Dorsal [dɔrzá:l] *m.* -s, -e ↑ ~laut.
dorsal *a.* ① 〖醫〗 등의, 뒤쪽의. ② 〖음성〗 후설음의.
Dorsale *n.* -s, - 〖건축〗 (교회의) 성직자석 등받이.
Dorsal·laut *m.* 〖음성〗 후설음.
Dorsch [dɔrʃ] *m.* -es, -e 〖動〗 대구.
Dorsche *f.* -n 〖방언〗 양배추 줄기.
Dorsch·leber·tran *m.* 간유(肝油).
dorsiventral [dɔrzivɛntrá:l] ⟪lat. dorsum „Rücken"＋venter „Bauch"⟫ *a.* 〖生〗 배복성(背腹性)의, 복배 부동(腹背不同)의.
dorsoventral [dɔrzo..] *a.* 〖해부·生〗 배복(背腹) 방향의, 등에서 배로 향하는.
***dort** [dɔrt] *adv.* 거기에(서), 저기에(서), 그곳에서; 저 세상에서: da und ~ 〔hier und ~〕 여기저기에; jenes Dorf ~ 저쪽〔건너편〕의 저 마을; ~ oben a) 저 위에서, b) 천국에서; ~ unten 저 밑에서; ~ herum 그 근방에; ~ hinein 그 속〔안〕으로; von ~ (her) 거기〔그곳〕에서.
dorten [dɔ́rtən] *adv.* 〖문학〗 ↑ dort.
dort≈her [dɔ́rthé:r, dɔrthé:r] *adv.* (von) ~ 거기〔저곳〕에서. **~herab** *adv.* 거기에서 아래쪽으로. **~hin** *adv.* 거기로, 저 곳으로: dahin und ~ 이곳저곳으로, 여기저기로; bis ~ 거기까지. **~hinab** *adv.* 저 아래쪽으로. **~hinauf** *adv.* 저 위쪽으로. **~hinaus** *adv.* 거기에서 밖으로, 저 밖으로: 〖구어〗 bis ~ 매우, 굉장히. **~hinein** *adv.* 그 속〔안〕으로.
dortig [dɔ́rtıç] *a.* ① 거기의, 저곳의: der ~e Bürgermeister 그곳의 시장. ② 거기에서 발생하는: die ~en Ereignisse 그곳에서 발생하는 〔일어난〕 사건들.
Dortmund [dɔ́rtmunt] 도르트문트(Nordrhein-Westfalen 주의 도시).
dort≈seitig *a.* ↑ dortig. **~seits** *adv.* 〖官〗 그쪽에, 그 곳에; 귀지(貴地)에; 거기〔귀지〕에서. **~selbst** *adv.* 〖雅語〗 바로 그곳에서, 같은 곳에서. **~zulande** *adv.* 저 땅〔나라〕에서.
Dos *f.* Dotes 〖法〗 (결혼) 지참금.
dos à dos [dozadó] ⟪frz.⟫ *adv.* 〖발레〗 도자도(등을 맞대고 돌기).
Döschen [dǿ:sçən] *n.* -s, - ↑ Dose 의 축소형.
***Dose** [dó:zə] ⟪gr.⟫ *f.* -n ① (둥근) 통: Blech≈ 양철통; Butter≈ 버터 그릇; Puder≈ 분통; Tabak≈ 담배통; eine flache〔leere〕 ~ 납작한〔빈〕 통. ② 통조림통, 캔: zwei ~n Bier 캔맥주 2개; eine ~ öffnen 캔을 따다. ③ 〖드물게〗 ↑ Dosis. ④ 콘센트(Steckdose 의 약칭): den Stecker aus der ~ ziehen 플러그를 콘센트에서 뽑다. ⑤ 〖비속〗 질(膣).
Dosen [dó:zən] *pl.* ① ↑ Dose. ② ↑ Dosis.

dösen [dǿ:zən] *i.* (h.) 〖구어〗 꼬박꼬박 졸다; 멍하니〔우두커니〕 있다, 방심한 상태다.

Dosen≈barometer *n.* 아네로이드 기압계〔청우계〕. **~bier** *n.* 캔맥주. **~bild** *n.* (코담배) 통의 그림. **~blech** *n.* 캔 제조용 함석. **~deckel** *m.* (원통형의) (캔)뚜껑. **≈fertig** *a.* (바로 먹도록) 통조림된. **~fisch** *m.* 통조림 생선. **~fleisch** *n.* 통조림 고기. **~gemüse** *n.* 통조림 야채. **~libelle** *f.* 〖工〗 수준기(水準器). **~milch** *f.* 연유. **~öffner** *m.* 깡통 따개, 캔 오프너. **~stück** *n.* ↑ ~bild. **~suppe** *f.* 통조림 수프. **~wurst** *f.* 통조림 소시지.

dosierbar *a.* (분량을) 정확히 잴 수 있는.

dosieren [dozí:rən] 《gr.》 *t.* (약을) 처방하다; 조제하다.

Dosierung *f.* -en ① 처방; 조제: die genaue ~ eines Arzneimittels 약의 정확한 조제. ② 정해진 양.

dösig [dǿ:zɪç] *a.* 〖구어〗 졸리운; 멍한; 우둔한, 멍청한: jn. ~ machen 누구를 멍하게 하다; ~ aussehen 우둔해 보이다.

Dösigkeit *f.* 멍(청)함.

Dosimeter [dozimé:tər] *n.* -s, - (방사능) 투사량 측정기.

Dosimetrie [..metrí:] *f.* 〖物〗 방사선 투사량 측정.

*__Dosis__ [dó:zɪs] 《gr.》 *f.* ..sen (약의) 1 회분, (1 회분) 복용량; 분량, 정도: eine tödliche ~ 치사량; er hat eine beträchtliche ~ Humor 그는 유머가 상당히 있다.

Döskopf [dǿ:skɔp] *m.* -(e)s, ..köpfe 〖경박〗 멍청이.

Döslein [dǿ:slaɪn] *n.* -s, - 〖교양〗 ↑ Döschen.

Dossier [dɔsié:] 《frz.》 *n.*/(고어) *m.* -s, -s 일건 서류, 서류 묶음; 〖드물게〗 (누구에게 불리한) 서류.

dossieren [dɔsí:rən] *t.* 〖전문어〗 ① 경사지게 하다, 비탈지게 만들다. ② (거울·금속을) 닦아 광을 내다.

Dossierung *f.* -en 〖전문어〗 ① 물매, 기울기, 완만한 경사. ② 경사지게 하기.

Dost [dɔst] *m.* -es, -e 〖植〗 (약용·요리용) 마요라나.

Doste *f.* -n ↑ Dost.

Dosten *m.* -s, - ↑ Dost.

Dostojewski [dɔstojɛ́fski] Feodor Michajlowitsch ~ 도스토예프스키(러시아의 작가, 1821-81).

dotal [dotá:l] 《lat.》 *a.* 지참금의; 기부〔공납〕 의무가 있는.

Dotalen *pl.* 소작인.

Dotation [dotatsió:n] 《lat. dōs》 *f.* -en ① 〖法〗 (여자의) 혼수, 지참금; (여자의) 결혼 비용 설정; (혼약 파기에 대하여 여자가 청구하는) 위자료. ② 〖교양〗 기부; 〖가톨릭〗 교회 기본 재산 기부.

dotieren [dotí:rən] *t.* ① 〖고어〗 혼수를 마련하여 주다. ② 〖대개 과거 분사로〗 지급하다: eine Stellung gut〔reich〕 ~ 어느 직위에 좋은 보수를 책정하다; eine gut dotierte Position 수입이 좋은 자리; der Preis ist hoch 〔mit 10000 DM〕 dotiert 그 상은 고액의〔1만 마르크의〕 상금이 (책정되어) 있다. ③ 〖고어〗 보수〔급여〕를 지급하다: einen Maler aus der Staatskasse ~ 국고금으로 화가에게 창작 지원금을 주다. ④ 〖전자〗 Halbleiter (mit einem Element) ~ 반도체에 (어떤 원소를) 끼워 넣다.

Dotierung *f.* -en ① 지급. ② 보수, 봉급.

Dotter [dɔ́tər] *m.*/*n.* -s, - ① (달걀의) 노른자위; 〖生〗 난황질. ② 〖植〗 감채(甘菜), 휜독말풀, 냉이.

Dotter≈blume *f.* (미나리아재비·눈동이나물 등의) 노란 꽃. **≈gelb** *a.* 난황색의, 농황색의.

dotterig [dɔ́tərɪç] *a.* 노른자위가 있는; 노른자위 같은.

Dotter≈sack *m.* 〖動〗 난황낭(卵黃囊). **~weide** *f.* 〖植〗 (나무껍질이 노란) 냇버들.

Douane [duá:n(ə)] 《frz.》 *f.* -n (프랑스의) 관세; 세관.

Douanier [duanié:] *m.* -s, -s (프랑스의) 세관원.

doubeln [dú:bəln] 〖영화〗 《I》 *t.* ① 대역하다: den Hauptdarsteller in den gefährlichen Szenen ~ 위험한 장면에서 주연 대신 연기하다. ② 대역을 쓰다: eine Szene ~ 어떤 장면에서 대역을 쓰다. ③ 더빙하다: einen fremdsprachigen Film ~ 외화를 더빙하다. 《II》 *i.* (h.) 대역일을 하다: ich double〔doubele〕 나는 대역으로 일한다.

Doublage [dublá:ʒə] *f.* -n 〖영화〗 ① 동시 녹음, 번역 대사의 녹음, 더빙. ② 동시 녹음 작품, 더빙 영화.

Double [dú:bəl] 《lat.》 *n.* -s, -s ① 〖영화〗 스턴트 맨, 대역자. ② 구별할 수 없을 정도로 닮은 사람. ③ 〖음악〗 (17-18 세기의) 변주곡의 일종. ④ 〖방직〗 이중직.

Doublé [dublé:] *n.* -s, -s ① 〖스포츠〗 이중 명중타. ② 〖음악〗 턴, 돈꾸밈음(기호 : ∽). ③ (schweiz.) ↑ Dublee.

doublieren [dublí:rən] *t.* ↑ dublieren.

Doublure [dublý:r(ə)] *f.* -n ① (옷의) 안감. ② (제복의) 소맷 부리, 옷깃. ③ (양장본 책의) 속표지.

Doublüre [du..] *f.* -n ↑ Doublure.

Douceur [dusǿ:r] 《frz.》 *n.* -s, -s ① 〖구식〗 사례금, 행하(行下). ② 감언, 아첨.

Douche [dú∫] *f.* -n ↑ Dusche.

Douglas·fichte [dú:glas.., dágləs..] *f.* 〖植〗 ↑ ~tanne, Douglasie.

Douglasie [duglá:ziə] *f.* -n 〖植〗 미송(美松), 더글러스 전나무.

Douglas·tanne [dú:glas.., dágləs..] *f.* 〖植〗 ↑ Douglasie.

Dourine [durí:n(ə)] *f.* -n 〖수의〗 (말과 당나귀의) 성병.

do ut des [dó: ʊt dɛ́s] 《lat. „ich gebe, damit du gibst"》 ① (고대 로마의) 상호 계약, 교역의 공식. ② 〖교양〗 (호의에 대한) 답례를 기대할 때 쓰는 표현.

Dow-Jones-Index [daʊdʒó:nz..] *m.* -(es) 〖經〗 (미국의) 평균 주가 지표, 다우 존스 지수.

Dowlas [dáʊləs] *n.* - 〖섬유〗 다울러스(속옷용 촘촘한 면직).

down [daʊn] 《engl.》 *adv.* 〖구어〗 기진맥진한, 풀이 죽은: er kam völlig ~ nach Hause 그는 완전히 기진맥진해서 집에 왔다.

Downing Street [dáʊnɪŋ strí:t] 《engl.》 다우닝가(런던의 관청가); 〖비유〗 영국 정부.

Down-Syndrom [dáʊn..] 《engl.》 *n.* -s 다운 증후군, 몽골리즘(영국의 의사 J.L.H. Down 의 이름에서).
Doxale [dɔksá:lə] 《lat.》 *n.* -s, -s 〖가톨릭〗 성당의 중앙 제단 앞 성가대 자리와 본랑(本廊) 사이의 격자.
Doxograph [dɔksográ:f] *m.* -en, -en 〖哲〗 철학자의 학설을 문제별로 정리하는 그리스의 학자.
Doxologie [dɔksologí:] 《gr.》 *f.* -n [..gí:ən] 찬송(가); 〖가톨릭〗 영송(榮頌); 〖기독교〗 주기도문의 끝 구절; 찬송가의 이름.
Doyen [doajɛ̃:] 《frz.》 *m.* -s, -s 최고참자; 외교단 수석.
Dozent [dotsɛ́nt] 《lat. docere》 *m.* -en, -en 대학 교원, (특히) 대학 강사.
Dozẹntenschaft *f.* 교수진.
Dozẹntin *f.* -nen ↑ Dozent 의 여성형.
Dozentur [dotsɛntú:*r*] *f.* -en 강사 임명〔임용〕; 강사직.
dozieren *i.* (h.)/*t.* ① 교수〔강의〕하다. ② 〔비유·폄어〕 설교조로 말하다.
DP [de:pé:] ① =Deutsche Partei 독일당(구서독의 정당). ② =Deutsche Post 구동독의 국영 우편.
D.P. [dí:pí:] 《engl.》 =Displaced Persons (제 2 차 대전 중 독일로 이송된) 강제 이주자.
dpa =Deutsche Presse-Agentur 독일 통신사.
dpt =Dioptrie 디옵트리(렌즈의 굴절력 단위).
DR 〖구동독〗 =Deutsche Reichsbahn 독일 제국 철도.
Dr =Drachme 드라크마(그리스의 화폐).
Dr. =Doktor 박사.
d.R. =der Reserve 예비역의.
***Drache** [dráxə] *m.* -n, -n, **Drạchen** *m.* -s, - ① 용, 나는 뱀; 마왕; 보물 등의 수호자. ② (a) (원래 용(龍) 모양의) 연: einen ~ steigen lassen 연을 날리다〔띄우다〕. (b) 비행선. ③ 바이킹선. ④〔폄어〕 싸움 좋아하는 여자. ⑤ (schweiz.) 산간의 여울. ⑥〖動〗 (동인도산(産)의) 나는 도마뱀. ⑦ (기상(氣象)의) 작은 불덩어리, 늪에서 나오는 화기(火氣); 회오리바람; 〖天〗 (북극의) 용자리. ⑧〖動〗 동갈양탯과(科)의 물고기; (전서용(傳書用)) 비둘기의 일종. ⑨ 바다이 평평한 3 인승 경주용 배.
Drạchen≈ballon *m.* 계류 기구(氣球). **~baum** *m.* ①〖植〗 용혈수(龍血樹)(백합과의 열대 식물). ② ↑ Elsbeere. **~blut** *n.* ① 기린혈(麒麟血)(용혈수의 수지(樹脂)). ② (특별한 힘을 준다는 전설상의) 용의 피. ③ Drachenfels 산(産)의 붉은 포도주. **~blut·baum** *m.* ↑ ~baum ①. **~fels** *m.* 드라헨펠스(라인 강변의 "용바위"); 〔농담·구식〕 (무도회에서 상류 계급 자녀를) 수행한 여자〔샤프롱〕의 대기석. **~fisch** *m.* 〖動〗 동갈양태속(屬)의 물고기. **~fliegen** *n.* 행글라이더 비행. **~flieger** *m.* 〖스포츠〗 ① 행글라이더. ② 행글라이더 비행사. **~flugzeug** *n.* 행글라이더, 활공기의 일종. **~gift** *n.* 〔시어〕 유해한 것, 맹독. **~kopf** *m.* 용의 머리; 저주하는 사람; 〖건축〗 이무기돌의 일종; 〖天〗 (달 궤도의) 승교점(昇交點); 〖植〗 용머리; 〖動〗 수염어; 도마뱀의 일종. **~kraut** *n.* 〖植〗 짚신나물. **~nest** *n.* 용의 굴; 〔비유〕 도둑 소굴. **~saat** *f.* ① 〖그리스신화〗 (Kadmus 가 뿌린) 용의 이. ② 〔교양〕 불화의 원인(이 되는 생각·말·행동). **~schwanz** *m.* 연의 꼬리; 〔비유〕 저주하는 사람; 〖植〗 눈동이나물류; 〖動〗 도마뱀의 일종; 〖天〗 (달 궤도의) 강교점(降交點). **~töter** *m.* (흉악한) 용을 퇴치한 사람(전설상의 용사들). **~wurz** *f.* ↑ ~kraut.
Drachme [dráxmə] *f.* -en ① 드라크마(그리스의 화폐 단위; 1 드라크마=100 Lepta). ② (옛 독일의) 약의 무게 단위.
Dragee [draʒé:] *n.* -s, -s 〔(드물게) *f.* -n〕 ↑ Dragée.
Dragée [draʒé:] 《frz.》 *n.* -s, -s 〔(드물게) *f.* -n [..ʒé:ən]〕 ① 설탕 입힌 과일이나 단것. ② 〖藥〗 당의정.
Dragge [drágə] *f.* -n ↑ Draggen.
Drạggen 《ndd.》 *m.* -s, - ①〖海〗 끝이 4 가닥인 닻, (소형의) 거는 닻. ② 예망, 트롤그물.
dragieren [draʒí:rən] *t.* 설탕을 입혀 단것을 만들다.
Dragoman [drá:goman, dragomá:n] 《ar.》 *m.* -s, -e 중동의 통역, 안내자.
Dragon [dragó:n] 《lat.》 *m./n.* -s 〖植〗 ↑ Estragon.
Dragonade [dragoná:də] 《frz.》 *f.* -n ① (프랑스 루이 14 세 때 신교도를 강제로 개종시킨 용기병의) 고압적 군대 주둔; 무력적 박해. ② 〔교양·비유〕 (정부의) 강제 조치.
Dragoner [..gó:nə*r*] *m.* -s, - ① 용기병(龍騎兵), 경(輕)기병. ② 〔비유·경박〕 건장한 여자, 여장부. ③ (öst.) (재킷·외투의) 등뒤 죔쇠.
Dragọnne *f.* -n (남아메리카의) 큰도마뱀.
Dr. agr. 《lat.》 =doctor agronomiae 농학 박사.
Dragun [dragú:n] *m./n.* -s ↑ Dragon.
Drahrer [drá:rə*r*] *m.* -s, - (öst.) 밤새도록 놀기 좋아하는 사람.
***Draht** [dra:t] 《<drehen》 *m.* -(e)s, Drähte [drɛ́:tə] ① 철사; 끈실; 〖軍〗 철조망: ~ (aus) ziehen 철사를 만들다; mit ~ einzäunen 철사로 두르다. ② 〔구어〕 전선; 전신, 전화: jm. et. durch ~ mitteilen 누구에게 무엇을 타전하다; et. per ~ bestellen 무엇을 전보〔전화〕로 주문하다; der ~ zwischen Berlin und Paris war (ab)gerissen 베를린과 파리 사이의 전신은 차단되었다; 〔비유〕 den ~ zu jm. nicht abreißen lassen 누구와 접촉을 끊지 않다; heißer ~ (강대국간의) 긴급 직통 전화, 핫 라인; 〔비유〕 auf ~ sein a) 기분〔컨디션〕이 좋다, b) 빈틈이 없다; 〔구어〕 jn. auf ~ bringen 누구를 (기민하게) 행동하게 하다. ③ 〔구어〕 돈: er hatte schon lange keinen ~ mehr 그는 오래 전부터 한푼도 없었다. ④ (제화용) 삼실.
Draht≈anschrift *f.* 〔구식〕 전보의 주소 약호. **~antwort** *f.* 〔구식〕 답전. **~arbeit** *f.* 철사 세공(물). **~auslöser** *m.* 〖사진〗 릴리스(셔터를 작동시키는 피복 용수철선). **~bank** *f.* 철사 제조대(臺). **~bauer** *n./m.* 철사망으로 된 새장. **~bericht** *m.* 〔구식〕 전보. **~besen** *m.* 철사로 된 빗자루. **~binder** *m.* 〔방언〕 땜장이. **~brief** *m.* 전보. **~bürste** *f.* 철사 솔. **~bus** *m.* 트롤리 버스.
Drähtchen [drɛ́:tçən] *n.* -s, - 〔↑ Draht 의 축소형〕 가느다란 철사.
Draht·eisen *n.* ↑ ~zieheisen.
drahten[1] [drá:tən] *i.* (h.)/*t.* ① 〔구식〕 전보 치

다. ② 철사로 철하다.
drahten[2] *a.* 철사의, 철사로 된.
drähtern [drέ:tərn] *a.* ↑ drahten[2].
Draht≈esel *m.* 〖구어·농담〗 자전거. **~feder** *f.* 철사로 만든 태엽. **~fenster** *n.* 철망창. **~funk** *m.* 유선 방송. **~gaze** *f.* 가는 철망. **~geflecht, ~gewebe** *n.* 철사 세공물, (격자·체·울타리에 쓰는) 철망. **~gitter** *n.* 철사 격자, 철망 울타리. **~glas** *n.* 철망을 넣은 유리, 안전 유리. **~haar** *n.* (개 등의) 뻣뻣한 털.
Drahthaar·dackel *m.* 털이 뻣뻣한 닥스훈트 (개의 일종). **~fox** *m.* 〖구어〗 (짧고 뻣뻣한 털을 가진) 폭스테리어.
draht≈haarig *a.* 철사처럼 뻣뻣한 털을 가진. **~hammer** *m.* 철사 제조용 망치; 철사 제조 공장. **~haube** *f.* (불꽃을 막는) 기차 굴뚝의 철망 뚜껑. **~hindernis** *n.* 철조망.
drahtig [drá:tıç] *a.* ① 철사 같은, 단단한, 강한, 견고한. ② 〖비유〗 튼튼한, 근육질의, 운동으로 단련된.
drähtig [drέ:tıç] *a.* ↑ drahtig.
..drähtig *suf.* "…줄〔가닥〕의" 뜻(보기: drei ~ 세 줄의, 3 선의).
Draht≈käfig *m.* 철망 새장. **~kommode** *f.* 〖구어·농담〗 피아노. **~korb** *m.* 철사로 엮은 바구니. **~kugel** *f.* 〖軍〗 연계탄(連繫彈). **~lehre** *f.* 철사 직경 측정기, 철사 게이지. **~leitung** *f.* 〖전기〗 도선(導線), 전신선.
drahtlich [drá:tlıç] *a./adv.* 전신의〔으로〕.
drahtlos *a.* 무선의: ~e Telegraphie 무선 전신.
Draht≈maß *n.* 철사의 직경 측정자. **~-mühle** *f.* 철사 제조기〔공장〕. **~nachricht** *f.* 〖구식〗 전보. **~nagel** *m.* ~stift. **~netz** *n.* 철망. **~puppe** *f.* 꼭두각시; 〖비유〗 멍청이. **~rolle** *f.* 감은 철사. **~saite** *f.* 〖음악〗 금속현(絃). **~schere** *f.* 철사 끊는 가위. **~seil** *n.* 끈 철사줄, 와이어 로프.
Drahtseil≈akt *m.* ① 줄타기 묘기. ② 〖비유·구어〗 위험한 시도, 모험. **~bahn** *f.* 케이블카. **~bahn·wagen** *m.* 케이블 카(탑승칸). **~brücke** *f.* 적교(吊橋), 현교(懸橋).
Draht≈sieb *n.* 철망으로 만든 체. **~stift** *m.* (작은) 철사못.
Drahtung [drá:tʊŋ] *f.* -en 〖구식〗 타전(打電); 전보.
Draht≈verhau *m./n.* 〖軍〗 철조망; 〖軍·농담〗 말린 야채. **~werk** *n.* ① ↑ ~mühle. ② ↑ ~arbeit. **~wurm** *m.* 〖動〗 철사벌레, 연가시(도끼벌레 유충). **~zange** *f.* 철사 절단 도구, 펜치. **~zaun** *m.* 철망 울타리.
Drahtzieh·bank *f.* 철사 제조대. **~eisen** *n.* 철사를 늘이는 강판.
Draht≈ziehen *n.* 철사 제조. **~zieher** *m.* ① 철사 제조자. ② 〖비유·폄어〗 배후 조정자. **~zieherei** *f.* 철사 공장.
Drain [drɛ:n, drε̃:] *m.* -s, -s ① 〖醫〗 배농관(排膿管), 배액관(排液管). ② ↑ Drän.
Drainage [drɛná:ʒə] *f.* -n ① 〖醫〗 배농(排膿)(법), 배액(排液)(법). ② 배수 (시설). ③ 〖기계〗 (젖은 도로면과 타이어 사이의) 배수.
drainieren [drɛní:rən] *t.* ① 〖醫〗 (상처에 유도관을 꽂아서) 배액〔배농〕하다. ② (하수관으로) 배수하다.
Draisine [draızí:nə, drɛ..] *f.* -n ① 드라이스 자전거(자전거의 전신; 발명자 K.F. Drais 의 이름에서). ② 〖철도〗 (철도의) 보선용 소형 궤도차.
drakonisch 《gr.》 *a.* 준엄한, 가혹한, 극히 엄격한(아테네의 가혹한 형법을 만든 Drakon 의 이름에서).
drall [dral] 《<drillen》 *a.* (실이) 꼬인; 튼튼한, 토실토실한; 발랄한: ~er Gang 활발한 걸음걸이.
Drall *m.* -(e)s, -e ① 〖방직〗 (실이) 꼬인 수, 가닥(수). ② 〖物〗 선회, 회전; 〖비유〗 성향, 경도: politisch hat er einen ~ nach links 그는 정치적으로 좌파적 성향을 띤다. ③ 〖軍〗 (총의) 강선(腔綫). ④ 〖구어〗 실없는 장난, 농담.
Drallheit *f.* 둥그스름하고 튼튼한 생김새, 건장.
Dralon *n.* -(s) 폴리아크릴 합성 섬유.
***Drama** [drá:ma] 《gr. drān》 *n.* -s, ..men [..mən] ① 〖문학·연극〗 극문학, 희곡, 각본; (연)극: das ~ zur Zeit Goethes 괴테 시대의 희곡; ein ~ aufführen 연극을 상연하다. ② 〖비유〗 (인생의) 극적 사건.
Dramatik [dramá:tık] *f.* ① 극작법; 연극술, 연출법; 희곡론. ② 긴장, 박진감, 극적 감흥.
Dramatiker *m.* -s, - 극작가, 극시인.
dramatisch *a.* ① 희곡의, 연극의: der ~e Höhepunkt (연)극의 절정, 정점. ② 긴장감이 넘치는, 극적인, 파란 많은.
dramatisieren [..matizí:rən] *t.* ① 희곡화하다, 극화하다, 각색하다: einen Roman ~ 소설을 극으로 각색하다. ② 〖비유〗 과장하다, 극적으로 표현하다.
Dramatisierung *f.* -en 각색, 극화, 희곡화.
dramatis personae [drá:matıs pɛrzó:nɛ] *pl.* 희곡의 등장 인물.
Dramaturg [dramatúrk] *m.* -en, -en 극 평론가〔전문가〕; (극장의) 연극 고문〔주임〕.
Dramaturgie [..gí:] *f.* ① 희곡론, 극평; 연극론, 희곡 작법; 연출법. ② (극장·방송국의) 극 전문가실, 드라마 제작부. ③ 각색, 연출.
dramaturgisch [..túrgıʃ] *a.* 희곡론의, 희곡 작법상의, 극 전문가의: eine ~e Theorie 희곡 이론.
Drama per musica [.. pɛr mú:zika] *n.* - -, ..me - - 〖음악〗 (17-18 세기 북이탈리아에서 개발된 최초의 오페라 형식) 오페라, 가극.
Dramolett [..molέt] 《frz.》 *n.* -s, -e/-s 촌극.
dran [dran] *adv.* 〖구어〗 ① ↑ daran. ② 차례다: wer ist ~? 누구 차례지요?; ich bin ~ 제 차례입니다; 〖비속〗 bald ist er ~ a) 곧 그 녀석 (죽을) 차례다, b) 그가 책임질〔당할〕 차례다; gut〔schlecht〕 ~ sein 행복하다〔불행하다〕; 〖농담〗 am ~sten sein 차례다; nicht wissen, wie man mit jm. ~ ist 누구를 어떻게 생각해야〔대해야〕 할지 모르다; ~ glauben müssen 죽어야만 하다, 위험〔싫은 일〕을 면할 수 없다.
Drän [drɛ:n] *m.* -s, -s 지하 배수로, 배수관; 〖醫〗 배농관.
Dränage [drɛná:ʒə] *f.* -n 배수 (설비); 〖醫〗 배액법.
dran|bleiben *i.* (s.) 〖구어〗 ① (한 곳에 계속) 머무르다: am Telefon ~ 전화를 끊지 않고 기다리다. ② 〖비유〗 (누구 곁에) 있다, (누구와) 접촉을 끊지 않다.
drang[1] [draŋ] ↑ dringen 의 과거형.

drang[2] *a.* 좁은, 옹색한; 긴밀한.

*__Drang__ [draŋ] *m.* -(e)s, Dränge ① 군집, 군중, 혼합. ②〖드물게〗 압박, 핍박, 궁박, 절박: im ~ der Geschäfte 일에 쫓겨; im ~ der Not 〔Verhältnisse〕 부득이, 할 수 없이. ③ 충동, 열망, 갈망: Sturm und ~ 질풍 노도 시대(독문학사의 한 시기); ich fühle einen ~ in mir, meine Kenntnisse zu bereichern 나는 내 지식을 풍부하게 하고 싶은 충동을 느낀다. ④〖醫〗 이급 후중(裡急後重).

dränge [drɛ́ŋə] ↑ dringen 의 접속법 Ⅱ식.

dran≠|geben* *t.* 〖구어〗 ↑ darangeben. ~|**gehen*** *i.* (s.) 〖구어〗 ↑ darangehen.

Drängelei [drɛŋəlái] *f.* -en 〖구어〗 마구 밀치는 짓, 계속된 재촉; 궁박, 곤궁.

drängeln [drɛ́ŋəln] 《Ⅰ》 *t./i.* (h.) 〖구어〗 (자꾸) 밀(치)다, 밀어 붙이다; 재촉하다: nicht ~! 밀(치)지 마라! 《Ⅱ》 *refl.* sich ~ 밀고 나아가다, 밀어닥치다, 몰려들다.

*__drängen__ [drɛ́ŋən] 《Ⅰ》 *t.* ① (억지로) 누르다, 밀(치)다; 밀치고 나아가다, 밀어 내다: jn. **an** die Wand ~ 누구를 벽으로 밀어붙이다; (jn.) **auf** die Seite ~ 밀어 제치다; (jn.) **in** die Ecke ~ 구석으로 몰아넣다. ② 어려운 처지에 몰아넣다, 괴롭히다, 박해하다. ③〖비유〗 촉구하다, 재촉하다: eine Lustbarkeit drängte die andere 여흥이 연달아 있었다; laß dich nicht ~! 덤비지 마라! ④ *imp.* 충동을 일으키다: es drängt mich 〔mich drängt's〕, et. zu tun 나는 몹시 무엇을 하고 싶다, 무엇을 하지 않을 수 없다. 《Ⅱ》 *refl.* sich ~ 몰려들다, 밀고 나아가다; alles drängte sich dahin 모두가 그곳으로 몰려갔다; sich aneinander ~ 서로 밀고 밀리다; sich **durch** die Menge ~ 군중을 헤치고 나아가다; die Gedanken ~ sich **im** Kopfe 갖가지 생각이 머리 속에서 뒤얽힌다; sich **in** die Ecke ~ 구석으로 파고들다 〔들어박히다〕; 〖비유〗 sich in den Vordergrund ~ 다른 사람들의 관심을 자기 쪽으로 돌리다, 돌리려고 하다; sich **um** jn. ~ 누구의 주위에 몰려들다; sich **unter** die Menge ~ 군중 속으로 파고〔섞여〕 들어가다; sich **zu** et.[3] ~ 무엇을 얻으려고 다투다, 무엇에 쇄도하다; die Jugend drängt sich **zu** freiwilligem Dienst 청년들은 너도나도 지원하고 나선다; sich **zwischen** die Streitenden ~ 논쟁자들 사이에 끼여들다, 중재하다. 《Ⅲ》 *i.* (h.) ① 급박하다; 몰려들다: die Sache drängt 사태가 절박〔위급〕하다; die Zeit drängt 때가 닥쳐 온다, 절박하다; **in** jn. ~ 누구를 조르다; die gespannte Lage drängt **zur** Entscheidung 급박한 사태는 긴급한 결정을 요한다. ② auf et. ~ 요구하다: die Gläubiger drängten **auf** Zahlung 〔**wegen** der Bezahlung〕 채권자들이 지급을 재촉〔독촉〕하였다. ③〖구기〗 공격적으로 경기하다. 《Ⅳ》 **gedrängt** *p.a.* ↑ gedrängt.

Drängen *n.* -s 누르기, 밀치기, 압박; 강한 충동, 열망; 밀집; 잇단 재촉, 강요; 급박, 절박: auf sein ~ 그의 강요로; ~ und Treiben 소동, 혼잡, 야단 법석.

drängend 《Ⅰ》 *p.a.* 좁은, 빽빽한; 간결한; 급박한: eine ~e Rede 요약한 이야기. 《Ⅱ》 *adv.* dicht ~ 밀집하여; ~ schreiben a) 좁혀서 쓰다, b) 간결하게 쓰다; der Saal war ~ voll 강당 안은 입추의 여지가 없었다.

Dränger [drɛ́ŋər] *m.* -s, - 미는〔밀고 나아가는〕 사람; 압박자; 재촉하는 사람: Stürmer und ~ 질풍 노도 시기의 문학가.

Drängerei [..rái] *f.* -en 〖구어〗 ① 압박, 압제. ② ↑ Drängelei.

Drängnis *f.* -se 〖구식〗 곤궁, 역경.

Drang·periode *f.* 〖스포츠〗 (운동 경기에서) 공격이 많은 시간대.

Drangsal [dráŋza:l] *f.* -e 〔(구식) *n.* -(e)s, -e〕 〖교양〗 압박, 압제; 곤궁; 고난.

drangsalieren [draŋzalí:rən] *t.* 〖속어〗 압박〔압제〕하다, 괴롭히다: jn. mit seinen Fragen ~ 누구를 질문으로 괴롭히다.

drang·voll *a.* 〖교양〗 ① 혼잡한, 좁은, 밀집한. ② 고난이 많은, 괴롭히는, 압박하는. ③ 내적 충동에 몰린.

dran≠|halten *refl.* sich ~ ① 서두르다: wir müssen uns ganz schön ~ 우리는 매우 서둘러야 한다. ②〖방언〗 계속하다: er hält sich dran 그는 계속한다, 중지하지 않는다. ~|**hängen** 〖구어〗 《Ⅰ》 *i.* (h.) 관련되다: etwas hängt an et. dran 무엇이 무엇과 관계가 있다. 《Ⅱ》 *t.* 추가〔연장〕하다: noch drei Tage Urlaub ~ 휴가를 3일 연장하다. 《Ⅲ》 *refl.* sich (an jm.〔et.[3]〕) ~ 〖다소 폄어적〗 따라가다, 동참하다: er hängt sich einfach immer (an uns) dran 그는 항상 (우리를) 따라 온다.

dränieren [drɛní:rən] *t.* ① ↑ drainieren. ② drainieren ①.

Dränierung *f.* -en 배수; 〖醫〗 배액법(排液法).

Drank [draŋk] *m.* -(e)s (ndd.) 개숫물, 구정물; 음식 찌끼(돼지 등의 사료): 〖비유〗 klar wie ~ 극히 분명한.

Drank·faß *n.* 〖방언〗 돼지 먹이 통.

dran≠kommen *i.* (s.) 〖구어〗 차례가 되다. ~**kriegen** *t.* 〖구어〗 ① (요구에 따르도록) 구슬려 포섭하다. ②〖농담〗 놀리다, 속이다.

Drank·tonne *f.* 〖방언〗 ↑ ~faß.

dran≠|machen *t.* 〖구어〗 ↑ daranmachen. ≈**rohr** *n.*, ≈**röhre** *f.* 배수관, 하수관. ~|**setzen** *t.* 〖구어〗 ↑ daransetzen.

Dränung [drɛ́:nuŋ] *f.* -en 배수(排水).

Drap [dra] 《frz.》 *m.* (올이) 촘촘하고 톡톡한 모직물, 나사(羅紗).

Drapé [drapé:] *m.* -s, -s (나사(羅紗) 같은) 소모(梳毛) 직물.

Drapeau [..pó:] *n.* -s, -s 〖구식〗 기(旗), 군기.

Draperie [drapərí:] *f.* -n [..rí:ən] (천의) 주름; 드레이프 장식. ②〖畫〗 드레퍼리(그림·조각의 의상 연구).

drapieren [drapí:rən] *t.* ① (천·옷에) 주름잡다. ② (드레이프로) 장식하다, 가리다.

Drapierung *f.* -en ① (커튼·옷의) 주름잡기. ② 드레이프로 장식하기.

drapp [drap] *a.* ↑ ~farben.

drapp·farben *a.* (öst.) 모래빛의, 옅은 황갈색의.

Drasch [dra:ʃ] *m.* -s (sächs.) 초조, 성급.

drasch ↑ dreschen 의 과거형.

dräsche [drɛ́:ʃə] ↑ dreschen 의 접속법 Ⅱ식.

draschen [drá:ʃən] *i.* (s./h.) ① 초조해하다, 몹시 서두르다. ② *imp.* 심하게 비가 오다.

Dräsine [drɛzí:nə] *f.* -n ↑ Draisine.

Drastik *f.* 강렬, 단호, 노골적임, 담대.

Drastikum *n.* -s, ..ka 〖藥〗 강력 설사약.

drastisch [drástɪʃ] 《gr.》 *a.* 강하게 작용하는; 단호한, 철저한, 대담한: ein ~es Mittel 준하제(峻下濟), 강력한 수단; eine ~e Schilderung 노골적인〔대담한〕 묘사; ein ~er Beweis 확증.
dräuen [drɔ́ʏən] *i.* 〖시어·구식〗 ↑ drohen.
drauf [draʊf] *adv.* ↑ darauf: ~ und dran sein, et. zu tun 무엇을 막 하려고 하다; was ist denn da ~? 도대체 거기서 무슨 일이 일어나고 있느냐?; ~ los! 자 덤벼라, 해치워 버려라!
drauf≈|arbeiten [dráʊf..] *i.* 〖구어〗 바로 일에 착수하다. **≈gabe** *f.* 〖商〗 예약금, 계약금; 덤. **≈gänger** *m.* 무모한〔저돌적인〕 사람; 방탕자. **~gängerisch** *a.* 무모한; 방탕한. **≈-gängertum** *n.* 무모; 방탕, 무절제. **~|-geben*** *t.* 〖구어〗 ① 더〔덤으로〕 주다. ② jm. eins ~ 누구를 가볍게 때리다, 징계하다. ③ 착수금〔계약금〕을 치르다. **~|gehen*** *i.* (s.) ① 낭비〔소모〕되다, 없어지다: es ging viel Geld dabei drauf 그때 많은 돈이 낭비되었다. ② 죽다: die Hälfte der Leute ist draufgegangen 사람들 중 절반이 죽었다. ③ 무턱대고 돌진하다. **≈geld** *n.* 예약금, 계약금. **~|halten** *i.* 〖구어〗 서두르다. **~|hauen** 《Ⅰ》 *i.* (h.) ↑ ~schlagen. 《Ⅱ》 *t.* einen ~ 신나게 놀다. **~|kriegen** *t.* 〖구어〗 eins ~ 한대 맞다; 꾸지람 듣다; 불행을 당하다. **~|laufen** *i.* (s.) 〖구어〗 바로〔저돌적으로〕 달리다. **~|legen** *t.* 〖구어〗 (일정한 금액에) 얼마를 더 얹다, 추가 지급하다.
drauflos [..ló:s] *a.* ↑ darauf ②.
drauf|machen *t.* einen ~ 〖구어〗 즉흥적으로 (술을) 즐기다.
drauf|reden *i.* (h.) 〖구어〗 무턱대고 지껄이다. **~|reiten** *i.* (s.) 〖구어〗 말을 타고 마구 달리다. **~|schießen** *i.* (h.) 〖구어〗 난사하다, 함부로 쏘다. **~|schimpfen** *i.* (h.) 〖구어〗 마구 욕하다. **~|schlagen** *i.* (h.) 때리다. **~|setzen** *t.* ① 추가하다: er setzte noch eine Flasche drauf 그는 (술을) 또 한 병 추가하였다. ② 앉은 채로〔마냥〕 기다리게 하다. **≈sicht** *f.* 〖드물게〗 조감도. **~|wirtschaften** *i.* (h.) 〖구어〗 지나치게 지출하다, 무절제하게 살림하다. **~|zahlen** 〖구어〗 《Ⅰ》 *i.* (h.) 너무 많이 지급하다. 《Ⅱ》 *t.* 일정액을 추가로 지급하다.
Dräume [drɔ́ʏmə] *pl.* 실 보푸라기.
draus [draʊs] *adv.* ↑ daraus.
draus|bringen *t.* (obd.) 당황하게 하다.
dräuschen [drɔ́ʏʃən] *i.* (h.) (굵은 빗 방울이) 뚝뚝 떨어지다; 지절〔재잘〕거리다.
draus|kommen *i.* (s.) ① (obd.) 얼떨떨해지다, 당황하다. ② 〖구어〗 무엇을 이해〔해독·판독〕하다.
drauß [draʊs] *adv.* ↑ draußen.
***draußen** [dráʊsən] *adv.* 밖에서, 외부에, 바깥으로; 집 밖에서; 야외에서; 시외에서; 교외에서; 외국에서: ~ und drinnen 안팎으로; dort ~ 저 밖에서; wer ist ~? 바깥에 누구십니까?; ~ vor der Tür 문 밖에서; ~ in der Welt 세상에서; von ~ 밖〔해외〕에서; ~ in Afrika (고국을 떠나) 멀리 아프리카에서.
Drawida [draví:da, ..rá:vida] *m.* -(s), - 드라비다(남인도의 선주(先住) 인종).
drawidisch [draví:dɪʃ] *a.* 드라비다(인)의.
Drawing-room [drɔ́:ɪŋrʊm] 《engl.》 *m.* -s, -s (영국의) 응접실, 살롱.
Drazäne [dratsɛ́:nə] 《gr.》 *f.* -n 〖植〗 ↑ Drachenbaum.
Dreadnought [drɛ́dnɔ:t] *m.* -s, -s 드레드노트형(型) 군함(1906 년의 첫 영국 전함).
Drechsel·bank [drɛ́ksəl..] *f.* 〖工〗 선반, 녹로(轆轤).
Drechselei [drɛksəláɪ] *f.* -en ① 선반 세공(업). ② 선반 세공품. ③ 기교를 부린 (비교적 잘못된) 일〔것〕: ~ von Gedichten 어색한 시.
Drechsel≈eisen *n.* 선반 공구. **~mühle** *f.* 선반〔녹로〕 공장.
***drechseln** [drɛ́ksəln] 《Ⅰ》 *t.* ① 선반(旋盤)으로 깎다〔자르다〕, 녹로로 세공하다. ② 〖비유〗 (문구 등을) 기교를 부려 만들다, 조탁(彫琢)하다. ③ 〖방언〗 (일 등을) 연장시키다, 오래 끌게 하다. 《Ⅱ》 *i.* (h.) in Holz〔Horn〕 ~ 목재〔뿔〕에 녹로 세공을 하다. 《Ⅲ》 **gedrechselt** *p.a.* ↑ gedrechselt.
Drechsler [drɛ́kslər] *m.* -s, - 선반공, 녹로공; 〖動〗 때까치, 물까치.
Drechsler≈arbeit *f.* ① 선반〔녹로〕 세공. ② 세공품. **~bank** *f.* ↑ Drechselbank.
Drechslerei [drɛkslərάɪ] *f.* -en 선반〔녹로〕 세공(업·공장·품).
Drechsler≈geselle *m.* 수련 선반공〔녹로공〕. **~hand·werk** *n.* ↑ ~arbeit. **~meister** *m.* 선반 세공 기능장, 선반 세공업 고용주.
drechslern [dɛ́kslərn] *i.* (h.) 취미로 녹로 세공을 하다.
Drechsler≈ware *f.* 선반〔녹로〕 세공품. **~-werk·statt** *f.* 선반〔녹로〕 세공 공장.
***Dreck** [drɛk] *m.* -(e)s ① 똥, 배설물: Mäuse≈ 쥐똥. ② 오물, 더러운 것, 쓰레기, 찌꺼기, 때; 〖비유〗 불쾌한 일: den alten ~ wieder aufrühren 불쾌한 옛일을 다시 들추어내다; ~ am Stecken haben 구린 데가 있다, 결백하지 않다; (wohl) ~ in den Ohren haben 말귀가 어둡다; jn. in den ~ ziehen〔treten〕 누구를 비방하다; jn. wie den letzten ~ 〔wie ~ am Stiefel〕 behandeln 누구를 멸시하다; jn. mit ~ bewerfen 누구를 욕하다; frech wie ~ 뻔뻔스럽기 짝이 없는. ③ 〖경박〗 하찮은 것, 쓸모없는 것, 자질구레한 것: sich um jeden ~ kümmern 〔seine Nase in jeden ~ stecken〕 사소한 일에 일일이 신경쓰다〔간섭하다〕; sich³ einen ~ aus et.³ machen 무엇을 하찮게 생각하다. ④ 〖경박·폄어〗 결코 …아니다: das geht dich einen ~ an 그것은 너와 아무 상관도 없다. ⑤ 어려움, 곤경: aus dem größten 〔gröbsten〕 ~ (heraus) sein 최악의 사태는 모면하다; die Karre aus dem ~ ziehen 사태를 호전시키다; im ~ sitzen 곤경에 처해 있다.
Dreck≈arbeit *f.* 〖구어〗 더러운〔천한〕 일, 막노동, 기피 직종. **~bude** *f.* ↑ ~loch. **~bürste** *f.* 세탁솔, (옷에 묻은) 흙 터는 솔. **~ding** *n.* 〖구어·폄어〗 ① 더러운 것. ② 저질의 물건. **~eimer** *m.* 〖구어〗 쓰레기통.
dreckeln [drɛ́kəln] *i.* (h.) ① 음담패설을 늘어놓다. ② 야단법석을 떨다.
drecken [drɛ́kən] *i.* (h.) 더럽히다, 먼지를 일으키다.
Dreckerei [drɛkəráɪ] *f.* -en 더러운 일; 추잡한 짓.
dreckern [drɛ́kərn] *i.* (h.) ① 〖방언〗 엉망진창으로 만들다. ② (오물이 묻어) 더러워지다.

Dreck=feger *m.* 도로 청소부. **~fink** *m.* ↑ Dreckskerl. **~fleck** *m.* 〖구어〗 오점. **~-haufen** *m.* 오물 더미.
dreckig [drɛ́kɪç] *a.* ① 더러운, 불결한, 지저분한: ~ und speckig 더럽고 지저분한. ② 〖비유〗 고약한, 나쁜: ~es Wetter 고약한 날씨, 악천후; es geht ihm sehr ~ 그는 형편〔건강〕이 아주 나쁘다. ③〖경박〗 저속한, 음흉한: ~es Lachen 음흉한 웃음. ④〖비유〗 역겨운, 구역질나는.
Dreck=käfer *m.* ①〖動〗 풍뎅이. ②〖구어〗 비열한 놈. **~karren** *m.* 쓰레기차, 분뇨차. **~lappen** *m.* ①〖구어〗 걸레. ②〖폄어〗 더러운 옷. **~loch** *n.* 너저분한 방〔집〕. **~nest** *n.* 초라한 마을, 비참한 지역. **~pardel** *m.* ↑ ~skerl. **~pfote** *f.* 더러운 손발. **~sack** *m.* 〖욕설〗 비열한 놈.
Drecks·arbeit *f.* ↑ Dreckarbeit.
Dreck=sau *f.* ↑ Dreckskerl. **~schaufel** *f.* 〖구어〗, **~schippe** *f.* 〖방언〗 쓰레기 삽. **~-schleuder** *m.* 〖폄어〗 ① 험한〔더러운〕 입놀림, 험구. ② 입이 험한 사람. **~schwein** *n.*, **~seele** *f.* ↑ Dreckskerl.
Drecks·kerl *m.* 〖구어〗 더러운〔비열한〕 놈.
Dreck·spatz *m.* ↑ Dreckskerl.
Drecks·zeug *n.* 보잘것없는 물건.
Dreck=vogel *m.* ① ↑ Dreckskerl. ②〖농담〗 개구리. **~weg** *m.* 진창길. **~wetter** *n.* 궂은 날씨. **~winkel** *m.* 불결한 곳; 쓰레기장.
Dredge [dredʒ] *f.* -n ↑ Dredsche.
Dredsche [drɛ́dʒə] 《engl.》 *f.* -n 저인망.
Dreesch [dreːʃ] *m.* -s, -e 〖農〗 ↑ Driesch.
dreeschen 《I》 *t.* (휴경지를) 파서 일으키다. 《II》 *i.* (h.) / *imp.* ↑ draschen.
Dreesch·wirtschaft *f.* 휴한 농업.
Dregg [drɛg] *m.* -s, -e ↑ Dregge.
Dregge *f.* -n 〖海〗 ① 저인망의 일종. ② 작은 닻.
Dregg·anker *m.* 〖海〗 (갈고리가 넷 달린) 작은 닻.
dreggen *t.* (물고기를) 저인망으로 잡다, 바닥까지 샅샅이 훑다.
Dregg·netz *n.* 〖海〗 저인망.
Dreh [dreː] *m.* -(e)s, -s/-e ① 방향 전환, 회전: um den ~ 대략. ② 해결책, 방책, 요령: auf den ~ kommen〔den ~ (he)raushaben〕 요령을 터득하다; das ist doch ein ~! 그것은 정말로 묘책이다! ③ 좋은 기회.
Dr.E.h., Dr.e.h. = Doktor ehrenhalber, Ehrendoktor 명예 박사.
Dreh=achse *f.* 회전축. **~arbeit** *f.* 영화 촬영; 선반공의 작업. **~bahn** *f.* 로프 제작소. **~bank** *f.* 〖복수: ..bänke〗〖工〗 선반.
drehbar *a.* 회전시킬 수 있는: ein ~er Stuhl 회전 의자.
Dreh=baß *m.* 〖방언〗 ↑ ~orgel. **~basse** *f.* (소형) 회전 함포. **~baum** *m.* ① 회전 십자형 차단기(한 사람씩 통과하도록 설치한 차단 장치) (~kreuz); 〖기계〗 회전 지렛대. ②〖海〗 기중(起重) 지렛대. **~bewegung** *f.* 회전 운동. **~blei·stift** *m.* 샤프펜슬. **~bohrer** *m.* 드릴. **~brücke** *f.* ① 회전교, 선개교(旋開橋). ② 〖철도〗 (열차의 진행 선로를 바꾸어 주는) 전차대(轉車臺) (~scheibe). **~buch** *n.* 영화 대본, 시나리오. **~buch·autor** *m.* 시나리오 작가. **~bühne** *f.* 회전 무대. **~dolle** *f.* (조정 경기의) (회전) 놋좆, 노받이.
Drehe [dréːə] *f.* ① 전환(점), 커브. ②〖수의학〗 (특히 양의) 회선증(回旋症). ③〖방언〗 주변, 부근: in dieser ~ 이 부근에.
Dreh·eisen *n.* ↑ ~meißel.
***drehen** [dréːən] 《I》 *t.* ① (**a**) 돌리다, 회전시키다: seinen Kopf nach rechts ~ 머리를 오른쪽으로 돌리다; das Rad (um die Achse) ~ 바퀴를 (축을 중심으로) 돌리다; einen Film ~ 영화를 촬영하다; den Leierkasten ~ (돌려서) 손풍금을 울리다. (**b**) 감다, 비틀다; 구부리다; 〖비유〗 곡해〔왜곡〕하다: jm. et. aus der Hand ~ 누구의 손에서 무엇을 빼앗다; jm. eine Nase ~ 누구를 놀리다〔속이다〕; eine Stelle ~ 어떤 대목을 곡해하다; die Dinge zu seinem Vorteil ~ 사태를 유리하게 해석〔이용〕하다; er dreht alles so, wie er es braucht 그는 무엇이든 자기가 필요한 대로 해석한다. (**c**) 향하게 하다, 방향을 바꾸다: jm. den Rücken ~ 누구에게서 등을 돌리다, 누구를 저버리다; den Mantel nach dem Wind ~ 시류에 순응하다. (**d**) 〖海〗 das Schiff ~ 배의 진로를 바꾸다. ② 돌려서〔감아서·비틀어서〕 만들다: Haare zu einem Zopf ~ 머리를 쪽찌다; Seile ~ 밧줄를 꼬아 만들다; Pillen ~ 알약을 만들다; eine Zigarette ~ 담배를 말다; 〖비유〗 jm. einen Strick aus et.³ ~ a) 무엇으로 누구에게 (손)해를 끼치다, 누구를 모함하다, b) 누구에게 무엇에 대한 책임을 지우다; Fleisch durch den Wolf ~ 고기 써는 기계로 잘게 다지다; 〖비유·비속〗 jn. durch den Wolf ~ 누구를 호되게 매질하다; 〖비유〗 Komplimente ~ 겉치레 인사를 하다. ③〖구어〗 Schule ~ 학교에 가는 것을 게을리 하다; ein Ding ~ 죄를 범하다. 《II》 *refl.* sich ~ ① 돌다, 회전하다: die Erde dreht sich um die Sonne 지구는 태양의 주위를 돈다; 〖비유〗 alles dreht sich um sie 모든 것은 그 여자에게 달려 있다, 그 여자가 중심 인물이다; es dreht sich um jn.〔et.〕 누가〔무엇이〕 문제이다, 누가〔무엇이〕 중심에 놓여 있다; mir dreht sich alles im Kopf 나는 머리가 빙빙 돈다, 갈피를 잡을 수가 없다; 〖비유〗 sich im Kreis ~ 제자리를 맴돌다, 진척되지 않다. ② 향하다: sich seitwärts ~ 옆을 보다; sich rückwärts ~ 뒤돌아보다; sich von jm. fort ~ 누구에게서 떨어지다. ③ 방향이 바뀌다: der Wind 〔das Wetter〕 dreht sich 바람의 방향이〔날씨가〕 바뀐다; das Glück dreht sich 운수가 바뀌다. ④ sich ~ (und wenden) a) 주저하다, b) 이런 저런 핑계를 대며 피하다; er weiß sich immer zu ~ und zu wenden 〔winden〕 그는 언제나 (핑계를 대며) 교묘하게 빠져 나간다. ⑤ (öst.) sich ~ 떠나가다, 출발하다. 《III》 *i.* (h.) ① an et.³ ~ 무엇을 비틀다, 돌리다; am Gashahn ~ 가스 꼭지를 돌리다; 〖비유〗 an einem Gesetz ~ 법률을 곡해하다; daran ist nichts zu ~ und deuteln 그것은 명백하다; es dreht mir alles vorm Gesicht 〔wie ein Mühlrad im Kopf (herum)〕 나는 머리가 빙빙 돈다. ② 일을 그르치다〔망치다〕: da muß doch jemand daran gedreht haben (일이 잘못된 것을 보니) 누군가 일을 그르쳤음에 틀림없다. ③〖海〗 (배가) 진로를 바꾸다; (바람 방향이) 바뀌다: der Fahrer drehte 운전사가 진로를 바꿨다. ④ (영화를)

촬영〔제작〕하다: in Italien ~ 이탈리아에서 촬영하다. 《Ⅳ》 **gedreht** *p.a.* ↑ gedreht.

drehend *p. a.* ① 회전하는, 돌아가는: sich um die Achse ~ 축을 중심으로 회전하는. ② 현기증 나는: mir ist ganz ~ 나는 몹시 어지럽다.

Dreher [dréːər] *m.* -s, - ① 돌리는 사람; 선반공(旋盤工), 도공(陶工), 금속공; 약제사 (Pillen~); 제강공(製綱工)(Seilen~). ② 시계 바늘; 핸들, (문의) 손잡이, 크랭크, 동륜(動輪). ③ 회선증(廻旋症)(에 걸린 양). ④ 〖음악〗(18 세기 남부 독일·오스트리아 등에서 유행한 3/4 박자의 빠른) 무도곡의 일종. ⑤ 〖生〗 회전근(筋); 〖해부〗 두 번째 척추뼈. ⑥ 〖방언〗 현기증. ⑦ 〖방언〗 밤놀이를 하는 사람.

Dreherei [dreːərái] *f.* -en ① 회전, 선회. ② 선반 공장. ③ 〖구어〗 책략, 술책.

Dreh≈feld *n.* 〖전기〗 회전 자계(磁界). **~flanke** *f.* 〖체조〗 회전하여 가로 뛰기. **~flügel·flugzeug** *n.* 〖空〗 ① 회전익(翼) 비행기(헬리콥터 따위). ② 오토자이로. **~flügler** *m.* ↑ ~flügelflugzeug. **~gestell** *n.* 〖철도〗 3 축 회전 차대(車臺). **≈haarig** *a.* 〖방언〗 반항적인. **~hals** *m.* 〖動〗 개미잡이새(딱따구리의 일종). **~impuls** *m.* 〖物〗 각(角)운동량. **~käfer** *m.* 〖動〗 물맴이. **~kehre** *f.* 〖기계 체조〗 반을 회전하여 옆으로 뛰어넘기. **~kippe** *f.* 〖기계체조〗 반회전 차오르기. **~knopf** *m.* (문의) 회전식 손잡이. **~kolben·motor** *m.* 회전식 엔진. **~kondensator** *m.* 가변 축전기, 〖라디오〗 바리콘. **~kopf** *m.* ① (선반의) 터릿대(臺), 캡스턴. ② 회선증(回旋症)에 걸린 양; 〖비유〗 괴짜, 기인. **~kran** *m.* 회전 기중기. **~krankheit** *f.* 〖수의〗 (양의) 회선증(回旋症), 선도병(旋倒病). **~kreuz** *n.* ① 회전문, 회전 차단기(한 사람씩 드나들게 한 장치). ② 〖교통〗 (주요 노선의) 접속점, 연결점. **~leier** *f.* 〖음악〗 고대의 사현금(四絃琴). **~leiter** *f.* (소방대의) 회전 사다리.

Drehling [dréːlɪŋ] *m.* -s, -e ① 회선증(回旋症)(에 걸린 양). ② 자동차의 핸들(↑ Dreher ②); 〖기계〗 등롱형(燈籠形) 톱니바퀴.

Dreh≈maschine *f.* ↑ ~bank. **~meißel** *m.* 회전 공구; 선반용 끌. **~moment** *n.* 〖工〗 회전 모멘트, 토크. **~ofen** *m.* 〖工〗 회전로(爐). **~orgel** *f.* 손풍금. **~orgel·mann** *m.* ↑ ~orgelspieler. **~orgel·spieler** *m.* 손풍금 연주자. **~ort** *m.* 〖영화〗 촬영 장소. **~pause** *f.* 〖영화〗 촬영 중의 휴식. **~punkt** *m.* ① 회전축, 선회점; 〖비유〗 요점, 중심점: Dreh- und Angelpunkt 중심점. ② 〖醫〗 (눈알의) 회전점; 성변기(性變期). **~rad** *n.* 회전 바퀴. **~restaurant** *n.* (고층 건물 최상층에 위치한) 회전 레스토랑. **~rolle** *f.* (회전 의자의) 도르래; (세탁물 따위의 구김을 펴는) 압착 롤러. **~salto** *m.* 〖체조〗 회전 공중 제비. **~scheibe** *f.* ① (열차의 진행 선로를 바꾸는) 전차대(轉車臺). ② (도자기 조각용의) 회전반. ③ (문화적·경제적) 중심지. **~scheit** *n.* (앞쪽 차대(車臺)의) 회전 횡목(橫木). **~schuß** *m.* 〖축구〗 ① (몸을 돌려 차넣는) 회전 슛. ② (회전하며 커브를 그리는) 바나나 킥. **~schwung·stemme** *f.* (기계 체조에서) 반회전하고 멈춤. **~sessel** *m.* 회전〔안락〕의자. **~späne** *pl.* 선반(旋盤)으로 깎아낸 지스러기. **~sprung** *m.* 회전 도약. **~stahl** *m.* ↑ ~meißel. **~stift** *m.* ① ↑ ~bleistift. ② (시계의) 회전축. **~strom** *m.* 〖전기〗 3 상(相) 교류, 다상(多相) 전류. **~strom·motor** *m.* 3 상 교류 모터. **~stuhl** *m.* 회전 의자. **~tisch** *m.* 회전 테이블. **~topf** *m.* (obd.) 팽이. **~tür** *f.* 회전문. **~turm** *m.* (군함의) 회전탑.

Drehung [dréːʊŋ] *f.* -en ① 회전, 선회. ② 방향 전환, 역전(逆轉); 비틂.

Drehungs≈achse *f.* 회전축. **~ellipsoid** *n.* 회전 타원체. **~waage** *f.* 용수철 저울.

Dreh≈vorrichtung *f.* 회전 장치. **~waage** *f.* ↑ Drehungswaage. **~wende** *f.* 〖기계 체조〗 반회전 운동. **~wurm** *m.* 〖動〗 공미충(共尾蟲)(회선증의 병원체): 〖구어·농담〗 den ~ haben〔bekommen〕 현기증이 나다, 어지럽다. **~wurz** *f.* 〖植〗 ① 타래난초. ② 메꽃. **~zahl** *f.* (차바퀴의) 회전수(數). **~zähler, ~zahl·messer** *m.* (혈액·물·자동차의) 회전 속도계, 유속계(流速計).

***drei** [draɪ] *num.* ① 3, 셋: gegen ~ 3 시경; es ist halb ~ 2 시 반이다; der Besitzer dieser ~ Häuser 이 세 집의 주인; alle ~ Jahre 3 년마다; je ~〔~ und ~, ~ zu ~〕 셋씩. ② 〖형용사적 용법으로 쓰일 때는 격을 명시하기 위하여 어미를 가질 수도 있음; 1·4 격 ~e, 2 격 ~er, 3 격 ~en〗 der Einsturz ~er neuen〔neuer〕 Häuser 새집 세 채의 붕괴; ich habe es ~en gesagt 나는 그것을 3 인에게 말했다; wir gehen zu ~en 우리들은 세 사람이 함께 간다; 〖구어〗 zu je ~en 세 사람씩. ③ 〖극히 적은 수를 나타냄〗 mit ~ Worten 간단히; (bleib mir) ~ Schritte vom Leib 가까이 오지 마; er kann nicht bis ~ zählen 그는 (셋까지도 못 세는) 바보다; ehe man (bis) ~ zählen konnte 셋까지 세기 전에, 순식간에; in eins, zwei, ~ 순식간〔삽시간〕에.

Drei *f.* -en ① 3; 3 호선(지하철), 3 번 (버스): mit der ~ fahren 3 번을 타고 가다. ② (성적 평가의) 세 번째 등급(befriedigend): er hat im Zeugnis zwei ~en 그는 성적표에 3 점이 둘이다. ③ 3 개가 한 짝으로 되어 있는 것〔사람〕; (카드·주사위의) 3(점): er hat eine ~ gewürfelt 그는 주사위 3 점을 한 번 던졌다.

Drei≈achser *m.* 차축이 3 개인 차. **≈achsig** *a.* 축이 3 개 있는. **~achtel·takt** *m.* 〖음악〗 8 분의 3 박자. **~akter** *m.* 〖연극〗 3 막극. **~angel** *m.* 〖방언〗 (천의) 세모꼴 흠. **≈armig** *a.* 팔이 3 개인. **~ball** *m.* 〖골프〗 스리볼 매치. **≈bändig** *a.* 세 권으로 된. **≈bastig** *a.* 〖방언〗 무모한; 뻔뻔한. **~bein** *n.* 삼발이, 삼각대; 교수대(絞首臺). **≈beinig** *a.* 3 발의, 삼각(三脚)의. **~bett·zimmer** *n.* 침대가 3 개 있는 방. **~blatt** *n.* ① 〖植〗 잎이 3 개인 식물(보기: 클로버). ② 〖건축〗 (창 따위의) 세 잎사귀 꼴로 파낸 장식. ③ 3 장으로 하는 카드놀이. **≈blätterig** *a.* 세 잎의, 잎이 셋인. **≈blättrig** *a.* ↑ ≈blätterig. **~bördchen** *n.* 〖방언〗 (라인강의) 폭이 좁은 배. **≈buch·stabig** *a.* 3 개의 철자로 된. **~bund** *m.* (독일·오스트리아·이탈리아의) 3 국 동맹. **~decker** *m.* 〖海〗 3 층 갑판의 함선; 〖空〗 3 엽(三葉) 비행기; 〖농담〗 삼각 모자. **≈dimensional** *a.* 3 차원의. **≈drähtig** *a.* 세줄로 꼰. **~eck** *n.* ① 삼각(형). ② (축구 따위의) 골문의 모서리. **≈eckig** *a.* 삼각(형)의.

Dreieck·schaltung [dráɪ|ɛk..] *f.* 〖전기〗 3

각 결선(結線).
Dreiecks≈geschichte *f.* ①〖경박〗삼각 관계. ② 삼각 관계를 묘사한 문학이나 영화. **~komödie** *f.* 삼각 관계를 묘사한 희극. **~lehre** *f.* 3각법. **~messung** *f.*〖數〗3각법. **~netz** *n.*〖측량〗(삼각형의 세 점을 연결하는) 3각망. **~tuch** *n.* 삼각형의 숄. **~verhältnis** *n.*〖구어〗삼각 관계. **~winkel** *m.* 삼각형의 각.
drei≈einhalb *a.* 셋 반의.
drei≈einig *a.* 삼위 일체의. **~einigkeit** *f.*〖宗〗삼위 일체(Trinität). **~einigkeits-fest** *n.* 삼위 일체 축일(성령 강림절 이후 첫 번째 일요일).
Drei·elektroden·röhre *f.* 3극 진공관.
Dreier [dráıər] *m.* -s, - ① 숫자 3. ② (16-18 세기 북독일의) 3페니히짜리 동전: das ist keinen ~ wert 그건 서푼의 가치도 없다. ③ (obd.) (성적 평가의) 세 번째 등급: er hat im Rechnen einen ~ 그는 산수에서 3등급을 받았다. ④ (천 몇 백) 3년산(産) 포도주(보기: 1803년산). ⑤ 제3연대의 대원. ⑥ 3인승 보트〔썰매〕. ⑦ (südd.) 3호선 (지하철). ⑧〖구어〗(복권에서 맞은) 세 숫자. ⑨〖골프〗한 선수가 팀을 이룬 두 선수를 상대로 하는 경기. ⑩〖피겨·롤러스케이팅〗3자형의 피겨.
Dreier·kombination *f.*〖스키〗(활강·회전·대회전의) 3종목 복합 경기.
dreierlei [dráıərláı, ..laı] *a.* 3가지(종류)의, 3개의.
Dreier≈mannschaft *f.* 3인조(팀). **~pakt** *m.*〖史〗(독일·이탈리아·일본의) 3국 동맹. **~reihe** *f.* (사람·사물의) 3열 종대. **~sprung** *m.* (피겨·롤러 스케이트에서 전진 도약, 반회전 도약, 후진 착지로 이루어지는) 3단 자유 선택 도약. **~takt** *m.*〖음악〗3박자 (보기: 3/2, 3/4, 3/8, 6/2, 6/4 박자 따위). **~wette** *f.*〖승마〗3연승식 경마.
***drei≈fach** *a.* 3중〔배〕의: ~er Gewinn 3배의 이익; ~e Krone (로마 교황의) 3중관(冠); doppelt und ~ 이중 삼중으로, 충분히. **~fach·impfung** *f.* (디프테리아·파상풍·백일해에 대한) 3중 예방 접종. **~faltig, ~fältig** *a.* 세 겹의, 3중의. **~faltigkeit** *f.* ↑ ~einigkeit. **~faltigkeits·fest** *n.* ↑ ~einigkeitsfest. **~farben·druck** *m.*〖印〗3색판(版). **~farbig, ~färbig** *a.* 3색의: ~e Fahne (프랑스의) 3색기. **~finger·faultier** *n.*〖動〗나무늘보. **~felder·wirtschaft** *f.* 삼포식(三圃式) 경작. **~fenstrig** *a.* 창문이 셋 있는. **~fuß** *m.* 삼발이, 삼각대; 예언자의 좌석(그리스 Delphi 신전의 무녀가 신탁(神託)을 말했던 좌석). **~fußig** *a.* 3피트의. **~füßig** *a.* ① 삼각(三脚)의, 발이 셋인. ②〖시학〗(운율에서) 세 개의 강음이 있는. **~gabelig** *a.* 삼지창의. **~gesang** *m.*〖음악〗3부 합창. **~geschossig** *a.* 3층(건물)의. **~gespann** *n.* 3두 마차, 트로이카. **~gestaltet** *a.* 세 가지 모양을 가진. **~gestirn** *n.* ① 세 개의 별. ②〖비유〗세 명의 거성. **~gestrichen** *a.*〖음악〗3점음(點音)의, 3선 소자음(小字音)의(보기: c‴). **~geteilt** *a.* 세 부분으로 나뉜, 3분의. **~gliederung** *f.* 3부 (구성), 3가닥;〖數〗3항;〖軍〗3열. **~gliedrig** *a.* 3부로 구성된, 세 사람으로 된;〖數〗3항의; 사방(斜方) 6면체의(결정 따위).
~groschen·heft *n.* 싸구려〔육전〕 소설. **~härig** *a.*〖방언〗교활한, 고집이 센.
Dreiheit [dráıhaıt] *f.* ① 3이 한 벌이 되는 것. ②〖宗〗↑ Dreieinigkeit.
Drei≈herrschaft *f.* 3두 정치. **~holz** *n.*〖방언〗단두대. ***~hundert** [dráıhʊ́n..] *num.* 3백(의). **~jährig** *a.* 세살의, 3년(동안)의. **~jährlich** *a.* 3년마다의. **~kaiser·bund** *m.*, **~kaiser·bündnis** *n.*〖史〗(독일·오스트리아·러시아의) 3제(三帝) 동맹. **~kampf** *m.*〖스포츠〗3종 경기(투포환·멀리 뛰기·100 m 달리기). **~kant** *n./m.* 삼각형, 세모. **~kanter** *m.*〖지질〗삼릉석(三稜石). **~kantig** *a.* 삼각(형)의, 세모난. **~kant-muschel** *f.* 세모꼴 민물 조개. **~kanter** *m.*〖지질〗피라미드 꼴의 돌, 삼릉석(三稜石). **~kant·stahl** *m.* (단면의 형태가) 정삼각형인 강철. **~käse·hoch** [draıkɛ́:zəho:x] *m.*〖구어·농담〗꼬마 녀석, 난장이. **~klang** *m.*〖음악〗3화음. **~klappig** *a.*〖植〗3판(瓣)의. **~klassen·wahl·recht** [draıklásən..] *n.*〖史〗3등급 선거권(1849-1918년 프로이센의 선거 제도; 소득에 따라 선거권을 3등급으로 나눔). **~klassen·wahl·system** *n.* 3등급 선거제. **~könige** [draıkǿ:nıgə] *pl.* ↑ ~königsfest. **~königs·fest** [draikǿ:ni..] *n.*〖宗〗삼왕 내조(來朝) 축일, 공현(公顯) 축일(1월 6일). **~königs·spiel** [draikǿ:ni..] *n.* ① (원래) 1월 6일에 드리는 가톨릭 미사의 개막극. ② (중세의) 종교극의 일종(성삼왕이 그리스도를 숭배하는 내용). **~köpfig** *a.* 3두(頭)의, 3인의. **~länder·eck** *n.* (세 나라가 국경을 맞댄) 3각 접경 지대. **~laut** *m.*〖문법〗3중 모음.
Dreiling [dráılıŋ] *m.* -s, -e ①〖고어〗3페니히 동전; 3페니히짜리 빵. ②〖고어〗오스트리아에서 쓰던 포도주 계량 단위(13.6 hl.). ③ 3인치 두께의 판자.
Drei-Liter Auto *n.*〖車〗3리터의 연료로 100 km를 주행할 수 있는 에너지 절약형 승용차.
drei·mähdig *a.* ↑ ~schürig.
***drei≈mal** *adv.* 3번, 3회, 3배로. **~malig** *a.* 3번의, 3회의. **~männig** *a.*〖植〗수술이 셋 있는. **~männer·wein** *m.*〖구어〗신 맛이 나는 포도주. **~mark·stück·groß** *a.* 3마르크 은화 크기의. **~master** *m.* ① 돛이 셋인 범선. ② 삼각 모자. **~meilen·zone** [draımáılən..] *f.* (국제법에서) 3해리 영해. **~meter·brett** [draımé:tər..] *n.* 3미터 높이의 도약대. **~monatig** *a.* 3개월(동안)의, 3개월된. **~monatlich** *a.* 3개월마다의. **~monats·ziel** *n.* (지급의) 3개월 기한.
drein [draın] *adv.* ↑ darein.
drein≈|blicken *i.* finster ~ 우울한 모습을 하고 있다. **~|fahren*** *i.* (s.) ↑ dareinfahren. **~|finden** *refl.* sich ~ (그것으로) 만족하다. **~gabe** *f.*〖방언〗덤; 부가〔첨가〕물. **~|mischen** *refl.* sich ~ 간섭〔개입〕하다. **~|reden** *i.*〖구어〗참견하다, 끼어들다. **~|schlagen** *i.*〖구어〗간섭하다.
Drei≈paß *m.*〖건축〗삼엽형(둥근 잎사귀가 셋 있는 고딕건축의 장식 무늬). **~pfund·brot** [draıpfʊ́nt..] *n.* 3파운드짜리 빵. **~pfünder** *m.*〖구어〗무게가 3파운드 나가는 것. **~pfündig** *a.* 3파운드의. **~phasen·strom** [draıfá:zən..] *m.*〖전기〗3상(三相) 교류. **~-**

prozentig *a.* 3 퍼센트의. **~punkt·landung** *f.* (비행기의 2 바퀴와 활재(滑材)에 의한) 3 지점 동시 착륙. **~rad** *n.* 세발 자전거; 삼륜차. **~rad·kraft·wagen** *m.* 삼륜차. **~-raum·wohnung** *f.* ↑ ~zimmerwohung. **~reihig** *a.* 3 열의. **~saitig** *a.* 3 현의(악기 따위). **~satz** *m.* ①〖數〗 비례셈, 비례법(3 개의 기지수로 제 4 의 미지수를 구하는 셈법). ② 비례셈 문제. **~satz·spiel** *n.*〖스포츠〗 3 세트의 경기. **~schenkel** *m.* ①〖건축〗 3 차(三叉) 장식 무늬. **~schiffig** *a.*〖건축〗 3 낭(廊) (중랑 하나와 측랑 둘)으로 된. **~schlag** *m.*〖음악〗 3 박자;〖승마〗 느린 걸음. **~schlitz** *m.*〖건축〗(Triglyph) 트리글리프(도리스식 건축에서 3 줄의 수직 홈). **~schneidig** *a.* 날이 3 개 있는. **~schneuß** *m.*〖건축〗(물고기의 부레 형태로 된) 고딕 양식의 원형 장식. **~schnitt** *m.*〖數〗 3 등분. **~schritt·regel** [draɪʃrɪt..] *f.*〖핸드볼〗 3 보 규칙(공을 잡고 3 걸음만 걸을 수 있음). **~schürig** *a.* 1 년에 3 번 베어내는(목초지 따위). **~seitig** *a.* 3 면〔변〕의. **~sekunden·regel** [draɪzekʊ́n..] *f.*〖농구〗 3 초 규칙. **~silbig** *a.*〖문법〗 3 철(綴)의, 3 음절의. **~sitzig** *a.* 좌석이 3 개 있는. **~spaltig** *a.* 셋으로 갈래진; 3 단으로 된. **~spänner** *m.* 세 필의 말이 끄는 마차. **~-spännig** *a.* 세 필의 말이 끄는. **~spiel** *n.*〖음악〗 3 중주, 3 중창. **~spitz** *m.* (18 세기에 유행한) 삼각 모자. **~sprachig** *a.* 3 개 국어의. **~sprung** *m.*〖스포츠〗 3 단 뛰기.

***dreißig** [dráɪsɪç] *num.* 30, 서른: er ist ~ 그는 서른 살이다; über〔unter〕 ~ 30 이상〔이하〕; im ~ Jahr(e)〔(öst.) im Jahre ~〕 30 년에;〖테니스〗 zu ~ 서티올.

Dreißig *f.* -en 30 의 수: Mitte ~ 30 대 중반; in die ~ kommen 30 대가 되다.

dreißiger [..sɪgər] *a.* ① 30 년의: ein ~ Jahrgang 30 년산(産) 포도주; 30 년생(사람). ② 30 년대의: in den ~ Jahren des 20. Jahrhunderts 20 세기의 30 년대에.

Dreißiger *m.* -s, - ① 30 세〔대〕의 남자: er ist in den ~n 그는 30 대다. ② (천 몇 백) 30 년산(産) 포도주. ③ 제 30 연대의 대원.

Dreißigerin *f.* -nen 30 세〔대〕의 여자.

dreißig=fach *a.* 30 배의. **~jährig** *a.* 서른 살의; 30년 간의: ein ~er 30세의 남자; der ~e Krieg 30 년 전쟁(1618-48). **~sekunden·regel** [draɪ..kʊ́n..] *f.*〖농구〗 30 초 규칙.

dreißigst [..sɪçst] *a.* 제 30 의, 30 번째의: den〔am〕 ~en März 3 월 30 일;〖독일민법〗 der ~e 피상속인의 유가족이 상속인에 대해서 상속 후 30 일 동안은 종전과 같이 부양·주거 및 가구의 사용을 요구할 수 있는 권리.

dreißigstel *num.* 30 분의 1(의).

Dreißigstel *n.* -s, - 30 분의 1.

dreißigstens *adv.* 서른 번째로.

***dreist** [draɪst] 《ndd.》 *a.* ① 대담한, 겁 없는; 단호한. ② 뻔뻔스러운, 뱃심 좋은, 불손한: ~ und gottesfürchtig 뻔뻔스럽고 몰염치한; mit ~er Stirn 뻔뻔스럽게.

drei=stellig *a.* (수가) 3 자리의. **~sterne·hotel** *n.* 별 셋 짜리의 호텔.

Dreistheit *f.* ↑ Dreistigkeit.

Dreistigkeit *f.* -en 건방진 언행.

drei=stimmig *a.*〖음악〗 3 중창의. **~stöckig** *a.* 3 층의. **~stück·weise** *adv.* 3 조각씩, 3개씩. **~stufen·rakete** [draɪstú:fən..] *f.* 3 단 추진 로켓. **~stufig** *a.* 3 단계의. **~stündig** *a.* 3 시간의. **~stündlich** *a.* 3 시간마다(의). **~tage·fest** *n.* 3 일간 계속되는 축제. **~tage·fieber** [draɪtá:gə..] *n.*〖醫〗 3 일열(三日熱). **~tägig** *a.* ① 생후 3 일의. ② (열 따위가) 3 일 동안 지속되는. **~täglich** *a.* 3 일마다의. **~tausend** *num.* 3 천의. **~-tausender** *m.* 해발 3000 m 높이의 산. **~teilen** *t.* 3 부〔개〕로 나누다. **~teilig** *a.* 3 부분으로 나누어진〔이루어진〕;〖植〗(잎이) 세 갈래난;〖數〗 3항의: ~es Werk 3부작. **~-teiligkeit** *f.* 3 분(법). **~teilung** *f.* 셋으로 나눔;〖數〗 3등분. **~timp** *m.* 삼각 모자. **~-tritt** *m.*〖방언〗① 조직(粗織)(모)포. ② 왈츠(춤). **~uhr·zug** *m.* 3 시(발) 열차. **~und-einhalb** ↑ ~einhalb. **~verband** *m.* (제 1 차 세계 대전 때 영국·프랑스·러시아의) 3 국 동맹. **~verein** *m.* ↑ ~bund. **~viertel** *num.* 4 분의 3(의): das Glas ist noch ~ voll 잔이 아직 4 분의 3 밖에 안 찼다; ~ fünf (Uhr) 5 시 15 분 전.

Dreiviertel=ärmel *m.* (팔꿈치를 약간 덮는) 4 분의 3 길이의 소매. **~lang** *a.* (정상적) 길이의 4 분의 3 인. **~liter·flasche** *f.* 4 분의 3 리터병. **~mehrheit** *f.* 4 분의 3 에 달하는 다수. **~stunde** [dráɪfɪrtəl.., dráɪfɪrtəlʃtʊ́ndə] *f.* 45 분. **~takt** *m.*〖음악〗 4 분의 3 박자.

Drei=weg *m.* 3 갈래 길. **~wege·hahn** [draɪvɛ́:gə..] *m.* 3 갈래 밸브. **~wege·katalysator** [draɪvɛ́:gə..] *m.* 삼로(三路) 촉매. **~-weibig** *a.*〖植〗 3 자루의 암술이 있는. **~-wertig** *a.*〖化〗 3 가(三價)의;〖언어〗 3 가의 (동사 따위). **~winkelig** *a.* 3 각의. **~-wöchentlich** *a.* 3 주 마다의. **~wöchig** *a.* ① 3 주된. ② 3 주간의. **~zack** *m.* ①〖그리스 신화〗 해신(海神) Neptun 의 상징인 삼지창. ② 끝이 셋으로 갈라진 작살. ③〖植〗 지채속(芝菜屬). **~zackig** *a.* 삼지(三枝)의, 끝이 셋으로 갈라진. **~zahl** *f.* 3 의 수; 3 인조, 3 개 세트. **~zahn** *m.* ①〖植〗 세잎비자나무속(屬). ② ↑ ~zack ①.

***drei=zehn** *num.* 13: die verhängnisvolle ~ 불길한 수 13. **~zehnt** *a.* 13 번째의. **~-zehntel** *num.* 13 분의 1(의). **~zehntens** *adv.* 13 번째로. **~zeilig** *a.* 3 행의. **~-zimmer·wohnung** *f.* 방이 세 개인 집. **~-zinkig** *a.* ↑ ~zackig. **~zöllig** *a.* 3 인치의. **~züger** *m.*〖장기〗 3 수(手)를 두어 풀 수 있는 문제.

Drell [drɛl] *m.* -s, -e 3 가닥의 연사(撚絲)로 짠 삼베.

drell [drɛl] *a.*〖방언〗 토실토실한, 튼튼한.

dremmeln [drɛ́məln] *i.* (h.)〖방언〗 조르다.

Drepanozyten *m.*〖醫〗 초승달 모양의 적혈구.

Drempel [drɛ́mpəl] 《ndd.》 *m.* -s, - ① 수문을 지탱하는 받침대. ②〖건축〗(다락방을 만들기 위한) 들보와 처마 사이의 벽.

Dres. =doctores (둘 이상의 박사를 나타내는 칭호): die ~ Becker und Voigt 베커 박사와 포크트 박사.

Dresch=boden *m.*, **~diele** *f.* ↑ ~tenne.

Dresche [drɛ́ʃə] *f.* -n ① 타작, 탈곡. ②〖구어·경멸〗 구타, 매타작: tüchtige ~ kriegen〔bekommen〕 흠씬 두들겨 맞다. ③〖고어〗 탈

곡기; 탈곡한 곡식.
drẹscheln *t.* ↑ dreschen.
dreschen [drέʃən] (drasch/drosch, gedroschen) 《I》 *t.* ① 탈곡〔타작〕하다: Weizen 〔Gerste〕 ~ 밀〔보리〕 타작하다. ②〔구어〕 (jn.) 구타하다, 마구 때리다: sie haben ihn grün und blau gedroschen 그들은 그를 퍼렇게 멍들도록 팼다. ③〔비유·구어〕 leeres Stroh ~ a) 헛수고하다, b) 헛소리를 지껄이다, c) 케케묵은 이야기를 다시 꺼내다; Karten ~ (카드를 탁탁 내고 돌리며) 카드놀이에 열중하다; mit der Zunge ~ 지껄여대다; Phrasen ~ 장광설을 늘어놓다; den Ball ins Tor ~ 공을 골문으로 차넣다. 《II》 *i.* (h.) 치다, 패다: 〔경박〕 auf jn. los ~ 누구를 때리다; mit der Faust auf den Tisch ~ 주먹으로 테이블을 내리치다; er drischt auf die Tasten 〔das Klavier〕 그는 건반을〔피아노를〕 두드려댄다.
Drẹscher *m.* -s, - ① 타작하는 사람: wie ein ~ essen〔fressen〕 많이 먹다. ② (폐지·넝마 따위의) 정화기.
Drẹscher=krankheit *f.* (먼지로 인해) 탈곡하는 사람이 앓는 급성 기관지염. **~lunge** *f.* 탈곡하는 사람의 폐질환.
Drẹsch=flegel *m.* 도리깨. **~maschine** *f.* 탈곡기. **~tenne** *f.* 타작 마당. **~walze** *f.* 타작용 롤러. **~zeit** *f.* 타작 시기.
Dresden [dré:sdən] 드레스덴(Sachsen 주의 주도).
Dresdener 《I》 *m.* -s, - 드레스덴 사람. 《II》 *a.* 드레스덴의.
dresdenisch *a.* 드레스덴의.
Dresdner *m.* -s, - ↑ Dresdener.
dresdnisch *a.* ↑ dresdenisch.
Dreß [drɛs] 《engl.》 *m.* -/Dresses, Dresse ① (특수 용도의) 의상, 복장; (특히) 유니폼, 운동복: Mannschafts≈ (운동 선수의) 팀 유니폼. ②〔경박〕 (유행의 첨단을 걷는) 현란한 복장〔옷차림〕.
dressen [drέsən] *t.* jn. ~ 〔경박〕 누구에게 옷을 차려 입히다.
Drẹsser *m.* -s, - 의상 담당자.
Drẹsserin *f.* -nen ↑ Dresser 의 여성형.
Dresseur [drɛsǿ:r] 《frz.》 *m.* -s, -e 조련사.
dressieren [drɛsí:rən] *t.* ① 길들이다, 훈련시키다: gut dressiert 잘 훈련된, 고분고분한; einen Hund auf den Mann ~ (소리를 지르면) 사람을 공격하도록 개를 길들이다; Mädchen werden frühzeitig auf ihre späte Rolle dressiert 여자아이들은 그들이 훗날 할 역할에 맞게 일찍부터 길들여진다. ②〔요리〕 (음식을) 맵시있게 차리다; 크림·소스 따위를 입히다: eine Torte mit Creme ~ 케이크에 크림을 입히다. ③ (구겨진 모자 따위에) 증기를 쐬어 제 모양을 만들다. ④〔방적〕 (생사·털을) 가지런히 빗다. ⑤〔기술〕 (철강의 질을 높이기 위해) 반복해서 압연하다. ⑥〔구어〕 끈질지게 괴롭히다.
Dressing [drέsɪŋ] 《engl.》 *n.* -s, -s ① 샐러드용 소스. ② 구운 고기에 넣는 혼합 양념.
Dressing-Gown [drέsɪŋgaun] 《engl.》 *m./n.* -s, -s 실내 가운.
Dressman [drέsmən] 《engl.》 *m.* -s, ..men [..mən] ① 남성 패션 모델. ② 남자 사진 모델. ③ 남성 동성 연애.
Dressur [drɛsú:r] *f.* -en ① 길들임, 조련; 훈련. ② ↑ ~kunststück. ③〔승마〕 마장 마술(승마 경기의 일종).
Dressur=akt *m.* (동물) 곡예 공연; 조련 행위〔과정〕. **~derby** *n.* 〔승마〕 더비 경마. **~fähigkeit** *f.* (동물의) 훈련 적응력. **~halsband** *n.* (개의) 조련용 목걸이. **~haltung** *f.* (승마 조련 때) 기사의 자세. **~kunststück** *n.*, **~leistung** *f.* 동물의 곡예. **~nummer** *f.* 〔서커스〕 곡예 종목. **~pferd** *n.* 조련된 말. **~prüfung** *f.* ① 조련 시험. ②〔승마〕 마장 마술 경기. **~reiten** *n.* ① 조련 승마. ② (마장 마술 시합 형태의) 올림픽 마술 경기의 일종.
Dreyfus·affäre [dráɪfu:safε:rə, drɛfýs..] *f.* 〔史〕 드레퓌스 사건.
Dr. forest. 《lat.》 = Doctor scientiae rerum forestalium 임학 박사.
DRGM. = Deutsches Reichs-Gebrauchsmuster 〔고어〕 독일 실용 신안.
Dr. habil. [dɔ́ktɔr habilitá:tus] 《lat.》 = Doctor habilitatus 대학 교수 자격을 가진 박사의 칭호.
Dr.h.c. [..honó:ris káuza, dɔ́ktɔr ha:tsé:] 《lat.》 = Doctor honoris causa 명예 박사(Ehrendoktor).
Dribbel [drɪ́bəl] 《engl.》 *n.* -s, -s 〔구기〕 드리블링(Dribbling).
drịbbel=gewandt *a.* 드리블에 능한. **≈kunst** *f.* 드리블 기술. **~künstler** *m.* 드리블에 능한 선수.
dribbeln [drɪ́bəln] 《engl.》 *i.* (h.) 〔구기〕 드리블하다.
Drịbbler *m.* -s, - 〔구기〕 드리블 선수.
Drịbbling *n.* -s, -s 〔구기〕 드리블링.
Driesch [dri:ʃ] *m.* -s, -e 휴경지, 휴한지.
Driesel [drí:zəl] *m.* -s, - (ndd.) ① (팽이·회전대 등의) 도는 물건; 소용돌이. ② 어지러움.
drieseln 《I》 *t.* 빙글빙글 돌리다, (실을) 꼬다. 《II》 *refl.* sich ~ 방황〔배회〕하다. 《III》 *imp.* 비가 억수같이 오다.
driesen 《I》 *t.* 돌리다, 휘두르다. 《II》 *i.* (h.) 방황하다. 《III》 *imp.* 가랑비가 오다.
Drift[1] [drɪft] 《ndd.》 *m.* -(e)s, -e ① 품질이 나쁜 토탄(土炭). ② 염색용 통의 그물〔체〕.
Drift[2] 《ndd.; ↑ Trift》 *f.* -en ① 완류(緩流), 편류(偏流)(바람에 따라 해수면에만 물결이 이는 현상). ② 표류, 표류물: die ~ des Eises 유빙(流氷). ③ 물이 얕은 곳, 모래톱, 나루터.
Drift·eis *n.* 유빙(流氷).
drịften *i.* 표류하다.
drịftig *a.* 표류하는, 떠다니는.
Drift·strömung *f.* ↑ Drift[2] ①.
Drilch [drɪlç] *m.* -(e)s, -e ↑ Drillich.
Drill[1] [drɪl] *m.* -(e)s, -e ↑ Drillich.
Drill[2] *m.* -(e)s ①〔軍〕 (심한) 훈련. ② 혹독한 교육.
Drill[3] *m.* -s, -e 〔動〕 (아프리카산(産)) 얼굴이 검은〔흑면〕 비비.
Drịll=bogen *m.* 드릴의 돌림대. **~bohrer** *m.* 드릴.
Drille [drɪ́lə] *f.* -n 〔고어〕 (죄인을 가두어 사람들에게 보이기 위한) 회전 우리; 회전 새장.
drillen [drɪlən] 《I》 *t.* ① 빙글빙글 돌리다; (드릴로) 구멍을 뚫다; (실을) 꼬다. ②〔軍〕 (혹독하게) 훈련시키다: Rekruten ~ 신병을

훈련시키다. ③ 괴롭히다, 들볶다. ④ 우롱하다, 속이다. ⑤〖農〗die Saat ~ 구멍을 파서 파종하다. ⑥〖海〗(배를) 밧줄로 끌다. ⑦ einen Fisch ~ 낚시줄을 당겼다놓았다 하여 물고기를 지치게 만들다. 《Ⅱ》*i.* (h.) 돌리다: mit dem Ruder ~ 키를 돌리다.

Driller *m.* -s, - ↑ Drillbohrer.

Drillich [drɪ́lɪç] *m.* -s, -e (3가지 꼰실로 짠) 삼베.

Drillich=anzug *m.* 삼베옷; 작업복. **~hose** *f.* (작업용) 삼베 바지. **~jacke** *f.* (작업용) 삼베 재킷. **~zeug** *n.* 삼베옷; 군복.

***Drilling**[1] [drɪ́lɪŋ] 《<drei》 *m.* -s, -e ① 세 쌍둥이의 하나; 〖복수〗 세 쌍둥이. ② 총신이 셋인 엽총. ③ 갈고리가 셋 달린 낚싯바늘.

Drilling[2] 《ndd. drillen, „drehen"》 *m.* -s, -e 〖기계〗 등롱형(燈籠形) 톱니바퀴.

Drillings=büchse *f.* 총신이 셋인 엽총. **~geburt** *f.* 세 쌍둥이의 출산. **~dampf·maschine** *f.* 3단식〔3기통〕 기관. **~rolle** *f.* 등롱형(燈籠形) 톱니바퀴의 축(軸). **~schwester** *f.* 세 쌍둥이 여아〔자매〕.

Drill=kultur *f.* 〖農〗 줄뿌림〔조파(條播)〕 경작. **~maschine** *f.* 〖農〗 조파기(機), 줄뿌림 파종기. **~meister** *m.* 〖軍〗 훈련 담당관(중사). **~pflug** *m.* 〖農〗 쟁기. **~platz** *m.* 〖軍〗 연병장. **~steife** *f.* 〖理〗 비틀림 탄성률(彈性率) (Torsionsmodul).

drin [drɪn] ① ↑ darin. ② etwas ist ~ 무엇이 가능하다, 무엇을 할 만하다, 무엇이 의미 있는 일이다. ③ jemand ist (in et.³) ~ 누구가 (무엇에) 능숙〔익숙〕하다; sie muß noch etwas üben, dann ist sie wieder ~ 그녀는 아직 더 연습을 해야 한다. 그러면 다시 익숙해질 것이다.

Dr.-Ing. = Doktor-Ingenieur 공학 박사.

dringen [drɪ́ŋən] (drang, gedrungen) 《Ⅰ》 ① *i.* (s.) (군중 속을) 뚫고 나아가다; 파고들다; 다다르다: 〖비유〗 et³. **auf** den Grund ~ 무엇의 근거를 파고들다; Wasser dringt **aus** der Erde 물이 땅 속에서 솟구쳐 나오다; das Gerücht drang schließlich **bis zum** König 소문은 드디어 왕의 귀에까지 들어갔다; **durch** die Menge ~ 군중 속을 헤치고 나아가다; das Wasser dringt durch den Damm 물이 둑을 뚫고 흘러나간다; die Kälte dringt durch Mark und Bein 추위가 뼈속까지 파고든다; es drang mir durchs Herz 그것은 내 가슴에 사무쳤다; der Feind dringt **in** die Festung 적이 요새 안으로 쳐들어온다; das Schwert dringt in die Brust 칼이 가슴에 꽂힌다; in ein Geheimnis ~ 어떤 비밀을 파헤치다; in die Öffentlichkeit ~ 널리 알려지다; in die Zukunft ~ 미래를 꿰뚫다; **zu(m)** Herzen ~ 가슴에 사무치다, 감동을 주다. ② *i.* (h.) 집요하게 자기 뜻을 관철하려고 하다. **(a)** 주장하다, 강요하다: auf Antwort ~ 대답을 강요하다. **(b)** 조르다, (따지고들며) 괴롭히다: sie drang mit Fragen in ihn 그 여자는 질문을 퍼부으며 그를 괴롭혔다; mit Bitten in jn. ~ 부탁을 들어달라고 누구를 괴롭히다; der Vater drang in sein Kind, (ihm) alles zu gestehen, 아버지는 모든 것을 털어놓으라고 자식을 다그쳤다. 《Ⅱ》 *t./refl.* 〖고어〗 ↑ drängen. 《Ⅲ》 **gedrungen** *p.a.* ↑ gedrungen.

dringend 《Ⅰ》 *p.a.* ① 절박〔긴급〕한, 초미의: ~e Geschäfte 급한 일〔용무〕; ein ~es Gespräch〔Telegramm〕 지급 통화〔전보〕; eine ~e Gefahr 위급; ~e Bitte 다급한 부탁; jn. ~ sprechen 누구와 급히 면담하다. ② 분명한, 근거〔설득력〕 있는, 유력한: ~e Gründe 분명한 근거; ein ~er Verdacht 유력한 혐의. 《Ⅱ》 *adv.* 긴급하게; 간절히, 꼭; 몹시: aufs ~ste 간절히; ~ bitten 간절히 바라다〔원하다〕; wir haben es ~ nötig 우리는 그것이 절실히 필요하다; er ist ~ verdächtig 그는 확실히 의심받을 만하다.

dringlich [drɪ́ŋlɪç] *a.* 절박〔긴급·간절〕한.

Dringlichkeit *f.* 절박, 급박, 긴급.

Dringlichkeits=anfrage *f.* 〖政〗 긴급 (대(對)정부) 질의. **~antrag** *m.* 긴급 동의.

Drink [drɪŋk] 《engl.》 *m.* -(s), -s 알코올성(性) 혼합 음료.

***drinnen** [drɪ́nən] *adv.* ① (↔draußen) 안에, 내부에. ② ↑ darinnen.

drin=|sitzen *i.* 〖구어〗 어려움에 처해 있다. **~|stecken** *i.* ① 〖구어〗 (무엇에) 몰두해 있다, 빠져 있다, (무엇 때문에) 힘들어 하고 있다: er steckt ganz in seiner Arbeit drin 그는 자기 일에 파묻혀 있다. ② (소질·가능성 따위가) 숨겨져 있다. ③ in et.³ ~ 무엇이 어떻게 될지를 예상하다: steckst du nie drin, wie die Prüfung verläuft 너는 시험 결과가 어떻게 될지 전혀 알 수 없니? **~|stehen** *i.* 〖구어〗 in et.³ ~ 무엇에 정통〔통달〕하다: man muß richtig in der Materie ~, um das beurteilen zu können 판단할 수 있기 위해서는 그 분야에 대해 제대로 알고 있어야 한다.

drippeln *i.* (물방울 따위가) 뚝뚝 떨어지다.

drisch [drɪʃ] ↑ dreschen 의 명령형.

Drischel [drɪ́ʃəl] *m.* -s, -〔*f.* -n〕 (bayr., öst.) 도리깨.

drischst ↑ dreschen 의 2인칭 단수 현재형.

drischt ↑ dreschen 의 3인칭 단수 현재형.

***dritt** [drɪt] *a.* ① 제 3 의, 셋째의: heute ist der ~e April 오늘은 4월 3일이다; jeden ~en Tag 3일마다; Heinrich Ⅲ. (=der ∼e) 하인리히 3세; der ∼e in der Klasse 〔in der hinteren Reihe〕 반〔뒷줄〕에서 세번째; 〖철도〗 Wagen ~er Klasse 3등 차(車); 〖가톨릭〗 der ∼e Orden 제 3 회(會) (프란체스코·도미니크회 등의); die ~e Person a) 〖문법〗 3인칭, b) 〖法〗 제 3 자. ② der ∼e 〔ein ∼er〕 제 3 자, 국외자, 들러리: der lachende ∼e 어부지리를 얻는 사람; es ist sein ~es Wort 그것은 그가 툭하면 하는 말이다; das ∼e Reich (히틀러의) 제 3 제국(1933-45); der ~e Stand 제 3 〔시민〕 계급; aus ~er Hand 간접적으로; der Wechsel ist schon in ~er Hand 어음은 이미 제 3 자에게 양도되었다; eine Zahl auf die ~e Potenz erheben 어떤 수를 세제곱하다; wir sind zu ~〔dreien〕 우리는 세 명이다; sie kamen zu ~〔dreien〕 a) 그들 셋이 왔다, b) 그들은 세 명씩 짝을 지어 왔다; fürs ~e 〔zum ~en〕 셋으로로; zum ~en Mal 세 번째로.

drittehalb [drɪ́təhálp] *a.* 2개 반의.

Dritteil [drɪ́(t)taɪl] *n.* -s, -e ↑ Drittel.

Drittel [drɪ́təl] *n.*/(schweiz.) *m.* -s, - 3분의 1.

drittel *a.* 3분의 1의.

dritteln *t.* 셋으로 나누다.

Dritten·abschlagen *n.* 술래잡기의 일종.

drittens *adv.* 셋째 번에.
Dritte* [dríte] *der/die* ① 세 번째 사람, 3 위의 선수. ②〔비유〕제 3 자, 국외자.
Dritte·tags·fieber *n.* 〖醫〗 이틀거리(말라리아의 일종).
Dritte-Welt-Laden *m.* 제 3 세계 상품 판매점.
dritt≈halb [drítháIp] *a.* ↑ drittehalb. **∼höchst** *a.* 3 번째로 높은, 위에서 3 번째의. **∼klässer** *m.* 3 학년 학생. **∼klassig** *a.* 3 류의, 하급의. **∼klaßler, ∼kläßler** *m.* ↑ ∼klässer. **∼land** *n.* (계약 당사국 이외의) 제 3 국. **∼letzt** *a.* 맨 끝에서 3 째 번의. **∼letzte** *a.* 끝에서 3 번째의. **∼schuldner** *m.* 〖法〗 제 3 채무자.
Dr. j.u. 《lat.》 =doctor juris utriusque 공·사법 박사.
Dr. jur. 《lat.》 =doctor juris 법학 박사.
Dr. jur. utr. [..utriusk] 《lat.》 =Doctor juris utriusque 공·사법 박사.
DRK =Deutsches Rotes Kreuz 독일 적십자사.
Dr. med. [dɔ́ktɔr meditsí:nɛ:, ..mé:t] 《lat.》 =Doctor medicinae 의학 박사.
Dr. med. dent. [..dɛntá:riɛ:, (öst.) ..mé:t-dɛ́nt] 《lat.》 =Doctor medicinae dentariae 치의학 박사.
Dr. med. univ. [..univɛrzɛi] 《lat.》 =(öst.) Doctor medicinae universae 일반 의학 박사.
Dr. med. vet. [..veteriná:riɛ:, (구어) ..mé:t-vé:t, ..vɛ́t] 《lat.》 =Doctor medicinae veterinariae 수의학 박사.
Dr. mont. 《lat.》 =(öst.) Doctor rerum montanarum 광산학 박사.
Dr. mult. =Doctor multiplex 복수〔복합〕 박사.
Dr. nat. techn. =Doctor rerum naturalium technicarum 이공학 박사.
Drive [draɪf, draɪv] 《engl.》 *m.* -s, -s ① 성향, 경향; 충동, 욕구. ②〖테니스·럭비〗 드라이브, 강타. ③〖음악〗 (재즈의) 드라이브, 충동적인 리듬.
Drive-in-Kino [draɪvín..] 《engl.》 *n.* 드라이브인 영화관(차에 탄 채 영화를 보는 극장).
Drive-in-Restaurant 《engl.》 *n.* 드라이브인 식당(차에 탄 채 식사할 수 있는 식당).
drob [drɔb] ↑ darob.
droben [dró:bən] 《<da oben》 *adv.* (저) 위에서, 위층에서; 저 세상에서.
Dr. oec. [dɔ́ktɔr økonó:miɛ:] 《lat.》 =Doctor oeconomiae 경제학 박사.
Dr. oec. publ. [.. .. pú:blikɛ:] 《lat.》 =Doctor oeconomiae pubicae 재정학 박사.
Droge [dró:gə] 《frz., „Trocknes"》 *f.* -n ① 약제, 약초. ② 약품. ③ 마약, 흥분제: ∼n nehmen 마약을 복용하다; von einer ∼ abhängig 마약에 중독된; mit ∼n handeln 마약 거래를 하다.
dröge [drǿ:gə] *a.* (ndd.) ① 메마른, 건조한. ②〔비유〕맥빠진, 지루한.
drogen≈abhängig [dró:gən..] *a.* 마약 중독의: ∼e Jugendliche 마약에 중독된 청소년들. **∼abhängigkeit** *f.* 마약〔흥분제〕 중독. **∼beratungs·stelle** *f.* 마약 상담소. **∼konsum** *m.* 마약〔흥분제〕 소비. **∼kunde** *f.* 약물학. **∼mißbrauch** *m.* 마약 남용. **∼pflanze** *f.* 약용 식물. **∼spür·hund** *m.* 마약 탐지견. **∼sucht** *f.* 마약 중독. **∼szene** *f.* 〖구어〗 마약계. **∼therapie** *f.* 마약 중독자 치료 요법. **∼tote*** *der/die* 마약 과다 복용으로 죽은 사람.
Drogerie [drogərí:] *f.* -n [..rí:ən] (약·화장품·세제 따위를 파는) 상점.
Drogerie·waren *pl.* ↑ Drogerie 에서 파는 물품.
Drogett 《frz.》 *m.* -(e)s, -e 반견 반모(半絹半毛)의 직물, 조직(組織) 모포.
Drogi *m.* -s, -s 〖경박〗 마약〔흥분제〕 중독자.
Drogist *m.* -en, -en ↑ Drogerie 의 주인이나 점원.
Droh *m.* -en, -en 벌의 수컷.
Droh·brief *m.* 협박 편지, 협박장.
***drohen** [dró:ən] *i.*(h.)/*t.* ① 으르다, 협박〔위협〕하다: mit der Faust ∼ 주먹으로 위협하다; er droht mir den 〔mit dem〕 Tod 그는 나를 죽이겠다고 협박한다. ② 임박하다: der Krieg droht 전쟁이 임박해 있다; ihm droht Gefahr 그는 위험한 상황이다; das Wetter 〔der Himmel〕 droht mit Regen 금방 비가 올 것 같다; das Haus droht ein Einsturz 집이 곧 무너질 것 같다.
drohend *p.a.* 위협적인, 협박성의; 절박한: eine ∼e Gefahr 위급; jn. ∼ anblicken 누구를 노려보다.
Droher *m.* -s, - 협박자, 위협자.
Droh·gebärde *f.* 위협적인 몸짓.
Drohn [dro:n] *m.* -en, -en ↑ Drohne.
Drohne [dró:nə] *f.* -n ① 수벌, 벌의 수컷. ② 〖비유〗 게으름뱅이, 무위도식자; 식객. ③〖軍〗 무인 정찰기.
***dröhnen** [drǿ:nən] 《I》 *i.* (h.) ① 웅웅거리다; 굉음을 내다; 흔들리다, 진동하다: der Zug dröhnt über die Brücke 기차가 요란한 소리를 내며 다리를 건넌다; es dröhnt mir in den Ohren 나는 귀에서 웅웅거리는 소리가 난다; der ganze Saal dröhnt von der Musik 홀 전체가 음악으로 진동한다; eine Droge dröhnt 어떤 마약의 효과가 강하다. ② (ndd.) 잡담하다, 수다떨다. 《II》 *t.* (날개 따위를) 요란하게 퍼득이다.
dröhnend *p.a.* 울려 퍼지는, 붕붕 소리나는, 푸드득거리는.
Drohnen≈brut *f.* 게으름뱅이(의 패거리). **∼dasein** *n.* 빈둥거리는 생활. **∼schlacht** *f.* (여왕벌과 교미 후) 일벌이 수벌을 죽이는 일.
dröhnig [drǿ:nɪç] *a.* 느릿느릿한, 굼뜬.
Dröhnung *f.* -en 〖구어〗 흥분제 복용량; 도취 상태.
Drohung [dró:ʊŋ] *f.* -en 협박, 위협, 공갈; 〖法〗 강박.
Droh≈verhalten *n.* 위협적 태도. **∼wort** *n.* 협박의 말, 공갈.
Drolerie [drolərí:] 《frz.》 *f.* -n [..rí:ən], **Drollerei** *f.* -en ① 우스꽝스러움, 익살. ② 우스꽝스러운 이야기, 익살스런 장면. ③〖예술〗 (중세 건축·조각 예술의) 익살스런 괴수(怪獸) 장식.
drollicht *a.* ↑ drollig.
***drollig** [drɔ́lɪç] 《ndl.》 *a.* 우스꽝〔익살〕스러운; 〖구어〗 기묘한.
Drolligkeit *f.* -en ① 우스꽝스러움. ② 우스

광스러운 말〔일〕.
Dromedar [dromedá:*r*] 《gr.》 *n.* -s, -e ①〚動〛단봉(單峰)낙타. ②〚비유〛바보, 멍청이.
Drömling *m.* -s 옛 마르크 지역의 남서부 지대.
Drommete [drɔmé:tə] *f.* -n 〚시어·고어〛트럼펫.
Dronte [drɔ́ntə] *f.* -n 〚動〛 도도새(인도양 Mauritius 섬에 살았던 큰 새; 17 세기에 멸종됨).
Drop [drɔp] 《engl.》 *m.* -s, -s (대개 복수형으로) 드롭스, 사탕.
Drop·kick [drɔ́pkɪk] 《engl.》 *m.* -s, -s 〚미식축구·럭비〛드롭킥.
Drop·out [drɔ́p|aut] 《engl.》 *m.* -(s), -s ①(사회의) 낙오자. ②〚기술〛드롭아웃(자기(磁氣) 테이프의 신호 일부가 먼지나 자성체의 결함으로 결락(缺落)되는 일). ③〚럭비〛드롭아웃(터치다운 후 25 야드선 안에서의 드롭킥).
Drops [drɔps] *m./n.* -, - (대개 복수형으로) 드롭스, 사탕.
Drop·shot [drɔ́pʃɔt] 《engl.》 *m.* -(s), -s 〚테니스·탁구〛드롭 샷.
drosch [drɔʃ] ↑ dreschen 의 과거형.
drösche [drœ́ʃə] ↑ dreschen 의 접속법 Ⅱ식.
Droschke [drɔ́ʃkə] 《russ.》 *f.* -n (말 1 필이 끄는 2 륜 또는 4 륜) 마차, 합승〔전세〕마차; 〚구식〛택시.
Droschken≈auto *n.* 〚구식〛택시. **~gaul** *m.* 합승 마차를 끄는 말: wie ein ~ (합승 마차의 말처럼) 지친, 피로한. **~halte·platz** *m.* 합승 마차〔택시〕주차장. **~kutscher** *m.* 합승 마차 마부; 〚구식〛택시 운전사. **~pferd** *n.* ↑ ~gaul.
dröseln [drǿ:zəln] 《ndd., „drieseln"; drehen》《Ⅰ》*t.* 빙글빙글 돌리다, (실을) 꼬다, 감다. 《Ⅱ》*i.* (h.) 꾸물거리다, 늑장부리다.
Drosograph [drozográ:f] *m.* -en, -en 자동 강로(降露) 측정기.
Drosometer [drozomé:tə*r*] 《gr.》 *n.* 강로(降露) 측정기.
***Drossel**[1] [drɔ́səl] *f.* -n 〚動〛지빠귀.
***Drossel**[2] *f.* -n ①후두(喉頭), 목구멍, (특히 들짐승의) 기관(氣管). ② ↑ Drosselspule.
Drossel·ader *f.* 〚醫〛경정맥(頸靜脈).
Drossel·bart *m.* König ~ 지빠귀 부리 모양의 턱을 가진 임금(독일 동화에 나오는 인물).
Drossel·beere *f.* 〚植〛마가목.
Drossel≈bein *n.* 〚醫〛쇄골(鎖骨). **~klappe** *f.* 〚기계〛증기 조절 밸브, 조절판(瓣). **~maschine** *f.* 〚工〛방적기.
drosseln [drɔ́səln] *t.* ①〚구식〛교살하다. ②〚工〛(전기·증기 따위의 유입을 밸브로) 차단하다, 막다: den Dampf ~ 증기를 차단하다. ③(힘·속력 따위를) 줄이다, 감하다, 제동을 걸다; 절약하다; 억제〔제한〕하다: die Einfuhr ~ 수입을 억제하다.
Drosselung *f.* -en 억제, 제한; 감압, 감속.
Drossel≈spule *f.* 〚전기〛유도자(誘導子). **~ventil** *n.* ↑ ~klappe.
Drost [drɔst] 《ndd.》 *m.* -(e)s, -e 〚고어〛군수, 현감, 지방 장관(Hannover 에서는 1885 년까지 씀).
Droste *m.* -n, -n ↑ Drost.
Drostei [drɔstáɪ] *f.* -en 군, 현(Drost 의 관할 구역).
DRP. ① =Deutsche Reichspost 독일 제국 우편(1924-45). ② =Deutsches Reichspatent 독일 제국 특허(1891-1945).
Dr. paed. [dɔ́ktɔr pɛdagó:giɛ] 《lat.》 =Doctor paedagogiae 교육학 박사.
Dr. pharm. [.. fárm] 《lat.》 =Doctor pharmaciae 약학 박사.
Dr. phil. [..fí:lozó:fiɛ:, ..fíl] 《lat.》 =Doctor philosophiae 철학 박사.
Dr. phil. nat. [..fí:l nát] 《lat.》 =Doctor philosophiae naturalis 자연 과학 박사.
Dr. rer. camer. 《lat.》 =Doctor rerum cameralium 국가 경제학 박사.
Dr. rer. comm. 《lat.》 =Doctor rerum commercialium 상학 박사.
Dr. rer. hort. 《lat.》 =Doctor rerum hortensium 원예학 박사.
Dr. rer. merc. [..ré:rum mɛrkantí:lium] 《lat.》 =Doctor rerum mercantilium 상학 박사.
Dr. rer. mont. 《lat.》 =Doctor rerum montanarum 광산학 박사.
Dr. rer. nat. [..naturá:lium] 《lat.》 =Doctor rerum naturalium 이학 박사.
Dr. rer. oec. 《lat.》 =Doctor rerum oeconomicarum 경제학 박사.
Dr. rer. pol. [..politiká:rum] 《lat.》 =Doctor rerum politicarum 정치학 박사.
Dr. rer. soc. oec. 《lat.》 =Doctor rerum socialium oeconomicarumque 사회·경제학 박사.
Dr. rer. techn. [..tɛçniká:rum] 《lat.》 = Doctor rerum technicarum 공학 박사.
Dr. sc. agr. 《lat.》 =Doctor scientiarum agrarium 농학 박사.
Dr. sc. math. 《lat.》 =Doctor scientiarum mathematicarum 수학 박사.
Dr. sc. nat. [..stsiɛ́ntiɛ:naturá:lɪs] 《lat.》 = Doctor scientiarum naturalis ↑ Dr. rer. nat.
Dr. sc. pol. [..stiɛ́ntiɛ:polí:tikɛ:] 《lat.》 = Doctor scientiarum politicarum ↑ Dr. rer. pol.
Dr. techn. [..ré:rum tɛçniká:rum] 《lat.》 = (öst.) Doctor rerum technicarum 공학 박사.
Dr. theol. [..teoló:giɛ:, dɔ́ktɔr teɔ́l..] 《lat.》 =Doctor theologiae 신학 박사.
drüben [drý:bən] *adv.* ①저쪽〔저편〕에서; 내세에서, 저승에서: da〔dort〕 ~ 저기 저쪽〔저편〕; hüben und〔wie〕 ~ 여기저기서. ②국경〔대양〕 저편에: ihre Tochter lebt ~ in Amerika 그녀의 딸은 대양 저편 미국에 살고 있다; von ~ a) 저쪽〔저편〕에서, b) (유럽에서 보아서) 아메리카에서; 〚구동독〛 sie sind von ~ gekommen 그들은 서독에서 왔다.
drüber [drý:bə*r*] *adv.* 〚구어〛↑ darüber; es geht alles drunter und ~ 온통 뒤죽박죽이다〔야단법석이다〕.
drüber|fahren *i.* (h./s.) (무엇 위를) 문지르다, 닦다(↑ darüberfahren).
drübig [drý:bɪç] *a.* 〚구어〛(국경·대양) 저편에 있는.
***Druck** [druk] 《<drücken》 *m.* -(e)s 《Ⅰ》〚복수: Drücke〛 ①누름, 압박: ein ~ mit der Hand 악수; ein ~ auf den Knopf (작동시키기 위해) 단추를 누름; auf jn. einen ~

ausüben 누구에게 압박을 가하다. ②〖物〗압력, 중력: atmosphärischer 〔hydraulischer〕 ~ 기압〔수압〕. ③ 부담, 압박; 역경, 곤경: einen ~ im Magen haben 위에 부담을 느끼다; jn. unter ~ setzen 누구에게 압력을 넣다; unter js. ~ leben 누구의 압제 밑에 살다; unter dem ~ der Verhältnisse 상황에 떠밀려서; im ~ sein 시간에 쫓기다. ④〖商〗(물가의) 하락, 불황. ⑤ 압착 제품(포도주 따위). 《Ⅱ》〔복수: -e〕 ① 인쇄: et. in ~ geben 무엇을 인쇄하도록 맡기다; im ~ befindlich 인쇄중. ② 인쇄물; (제 몇) 판; 출판; 활자체: ein alter ~ 고본; seltener ~ 희귀본; Erst≈ 초판; Neu≈ 신판; großer〔kleiner〕 ~ 큰〔작은〕 활자 인쇄. ③ 날염(捺染) (Tuch≈); 날염한 천: Baumwoll≈ 면 프린트; Blümchen≈ 작은 꽃무늬 프린트(천).

Drụck≈abfall *m.* 기압〔압력〕의 하강. **~anstieg** *m.* 기압〔압력〕의 상승. **~anzug** *m.* (고공·우주 비행에서의) 여압복(與壓服), 우주복. **~ausgleich** *m.* 〖物〗압력 조정〔평형〕. **~ausgleichs·kabine** *f.* 〖기술〗압력 조정실. **~automat** *m.* 자동 인쇄기.

drụckbar *a.* 인쇄할 수 있는.

Drụck≈beanspruchung *f.* 〖工〗압축하여 찌그러짐. **~belastung** *f.* (최대) 하중, 부하(負荷). **~berichtiger** *m.* 교정 담당자. **~berichtigung** *f.* 교정. **~besorger** *m.* 편집인. **~bewilligung** *f.* 〖드물게〗↑ ~erlaubnis. **~bleistift** *m.* 샤프 펜슬. **~bogen** *m.* 인쇄 전지(全紙). **~buch·stabe** *m.* 활자(↑ Letter): in ~n schreiben 활자체로 쓰다.

Drücke·berger [drÝkəbɛrgər] *m.* 〖구어〗(의무·책임을) 회피하는 사람, 도피자; 〖軍〗징집 기피자.

drụck≈empfindlich *a.* 압력〔압박〕에 민감한. **~empfindlichkeit** *f.* 압박감, 압통감.

*__drucken__ [drúkən] 《Ⅰ》 *t.* ①〖구식〗↑ drücken. ② 인쇄하다, 출력하다: ein Buch in 1 000 Exemplaren ~ 어느 책을 1000부 인쇄하다; 〖비유〗er lügt wie gedruckt 그는 그럴 듯하게 거짓말을 한다; er spricht wie gedruckt 그는 정확히〔또박또박〕 말한다. ③ (무늬 따위를) 날염(捺染)하다: ein Muster auf einen Stoff ~ 천에 무늬를 찍어내다. 《Ⅱ》 **gedrụckt** *p.a.* ↑ gedruckt.

*__drücken__ [drÝkən] 《Ⅰ》 *t.* ① **(a)** 누르다, 압박하다: bitte Knopf ~! 단추를 눌러 주십시오!; bitte ~ 미시오; den Hut tief ins Gesicht ~ 모자를 푹 눌러쓰다; das Siegel auf et. ~ 무엇에 도장을 찍다; jn. an die Brust 〔an sich〕 ~ 누구를 꼭 껴안다; 〖구어〗jn. ~ 누구를 꼭 안다; jn. an die Wand ~ a) 누구를 벽에 밀어붙이다, b) 〖비유〗궁지에 몰아넣다; jn. zu Boden ~ a) 누구를 땅바닥에다 꽉 누르다, b) 〖비유〗누구를 압도하다, 때려 눕히다; jm. einen Kuß auf den Mund ~ 누구의 입술에 키스하다; jm. ein Geldstück in die Hand ~ 누구 손에 돈을 쥐어 주다; jm. die Hand ~ 누구와 악수하다; 〖농담〗er muß noch die Schulbank ~ 그 녀석은 아직도 학교에 나가야〔한참 배워야〕 한다네; Blech ~ 양철판을 (눌러서) 변형시키다; den Saft aus der Zitrone ~ 레몬을 짜서 즙을 내다. **(b)** (가까이) 갖다대다: das Taschentuch an die Augen ~ 손수건을 눈에 갖다대다. ②〖결과를 나타내어〗 breit〔platt〕 ~ 눌러서 평평하게 하다; tot ~ 눌러 죽이다; sich³ den Fuß wund ~ 발을 밟혀 다치다. ③ 괴롭히다, 부담을 주다, 근심을 끼치다: der Alp drückt ihn 그는 악몽에 시달린다; die Schulden ~ ihn sehr 그는 빚 때문에 몹시 시달린다; es drückt mich im Magen 나는 위가 더부룩하다; mich drückt der Schuh a) 나는 신발이 작아서 발이 아프다, b) 〖비유〗내게는 남모를 괴로움이 있다; 〖비유〗wo drückt dich der Schuh? 자네 고충은 무엇인가? ④ 억제하다; (기록을) 단축시키다: die Preise ~ 물가를 억제하다; den Markt ~ 경기를 침체시키다; 〖스포츠〗er drückte den bestehenden Rekord um zwei Sekunden 그는 종래의 기록을 2초 단축시켰다. ⑤〖畫〗음영(陰影)을 만들어 돋보이게 하다. ⑥〖空〗(하강을 위해 조종간을) 앞쪽으로 밀다. ⑦〖역도〗(반동을 주지 않고) 들어올리다: er kann 150 kg ~ 그는 150 kg을 들어올릴 수 있다. ⑧〖카드〗패를 버리다(↑《Ⅲ》③). ⑨〖사냥〗Wild ~ 야수를 몰다. 《Ⅱ》 *refl.* ① sich aneinander ~ 서로 밀치다; sich an die Wand ~ 몸을 벽에 바싹 붙이다; 〖비유〗etwas drückt sich jm. ins Herz 〔in die Seele〕 무엇이 누구의 마음에 사무치다. ② 짓눌리다: das Obst hat sich gedrückt 과일이 으깨어졌다; das Pferd hat sich gedrückt (안장에 눌려) 말 잔등에 자국이 났다. ③ 피하다, 몰래 사라지다: sich in eine Ecke ~ 구석으로 숨다; 〖구어〗sich ~ 몰래 도망치다, 살그머니 피하다; sich (von der Arbeit) ~ (일을) 살그머니 피하다; sich um seine Pflichten ~ 의무를 회피하다; 〖농담〗sich französisch〔englisch〕 ~ 인사도 없이 가 버리다. 《Ⅲ》 *i.* (h.) ① 누르다, 압박하다; auf die Klingel ~ 초인종을 누르다; aufs Gemüt 〔auf die Stimmung〕 ~ 마음을 짓누르다, 우울하게 하다. ② 압박감을 일으키다, 답답한 느낌을 주다: Der Nebel drückt auf die Stadt 안개가 도시를 자욱이 뒤덮고 있다; eine Speise drückt (im Magen) 어떤 음식이 (위에) 부담을 주다; die neuen Schuhe ~ vorn 새 신발이 앞쪽이 꼭 낀다. ③ 〖카드〗falsch ~ 틀린 패를 버리다. 《Ⅳ》 **gedrụckt** ↑ gedrückt.

drụckend *p.a.* 압박하는, 답답한, 괴로운; 무더운: ~e Hitze 찌는 듯한 더위; ~e Armut 견디기 힘든 가난; der Wartesaal ist ~ voll 대합실은 숨막힐 듯이 만원이다.

*__Drucker__ [drúkər] *m.* -s, - ① 인쇄공; 인쇄업자; 날염공(捺染工). ②〖畫〗(진한 음영을 넣은) 강조부; 〖비유〗역점, 무게. ③〖컴〗프린터, 인쇄기.

Drücker [drÝkər] *m.* -s, - ① 누르는 사람. ② (문의) 손잡이: 〖비유·구어〗am ~ sitzen 주도권을 쥐고 있다. ③ (총의) 방아쇠: 〖비유·구어〗die Hand am ~ haben 언제라도 (조치를 취할) 준비가 되어 있다. ④〖다음 용법으로〗〖구어〗auf den letzten ~ 마지막 순간에. ⑤ 〖스포츠〗역도 선수.

Drụcker·ballen *m.* 인쇄 잉크를 바르는 데 쓰는 공 모양의 가죽 주머니.

Druckerei [drukərái] *f.* -en ① (Buch≈) 인쇄소. ② (Zeug≈) 날염업(捺染業), 날염 공장.

Drückerei [drʏkərái] *f.* -en (의무·책임의) 회피; 뺑소니침; 게으름피움.

Drucker≈farbe *f.* ↑ Druckfarbe. **~kunst** *f.* 인쇄술.

Drücker·fisch *m.* 수족관 물고기.

Druck·erlaubnis *f.* 인쇄 허가.

Drucker≈lohn *m.* 인쇄비. **~marke** *f.* 인쇄소의 상표, 출판사 마크. **~presse** *f.* 인쇄기.

Drücker·schloß *n.* 눌러서 여는 자물쇠.

Drucker≈schwärze *f.* 인쇄용 검정 잉크. **~sprache** *f.* 인쇄 용어. **~treiber** *m.* 프린터 드라이버. **~zeichen** *n.* 인쇄소의 상표. **~zeugnis** *n.* 인쇄자의 증명(서).

Druck≈erzeugnis *n.* 인쇄물. **≈fähig** *a.* 인쇄할 수 있는. **~fahne** *f.* 교정쇄. **~farbe** *f.* 인쇄 잉크; 날염용(捺染用) 염료. **~fassung** *f.* 인쇄용 (최종) 원고. **~feder** *f.* ① 압축 용수철. ② (총의) 노리쇠 뭉치에 있는 용수철. **~fehler** *m.* 오식(誤植), 오자.

druckfehler≈frei *a.* 오식이 없는. **≈teufel** *m.* 〖농담〗 오자 잡는 귀신(인쇄소의 교정 담당). **≈verzeichnis** *n.* 정오표.

druck≈fertig *a.* (원고가) 인쇄할 준비가 된, 교정이 완료된. **~fest** *a.* 압축〔압력〕에 견디는. **≈festigkeit** *f.* 〖理〗 압축 강도; 내(耐)압력.

Druck≈firma *f.* (인쇄물에 적힌) 인쇄소 이름. **~firnis** *m.* 인쇄용 검은 잉크. **~form** *f.* ①〖印〗 조판, 판형. ②〖섬유〗 날염(捺染)틀. **~formular** *n.* 인쇄된 서식 용지. **~freiheit** *f.* 출판의 자유. **≈frisch** *a.* 막 인쇄한. **~gefälle** *n.* 압력차; (수력 발전의) 낙차; 〖기상〗 기압 경도(傾度). **~gefühl** *n.* 압박감. **~genehmigung** *f.* ↑ ~erlaubnis. **~geschwindigkeit** *f.* 인쇄 속도. **~graphik** *f.* (복제해서 만든) 예술 그래픽스. **~höhe** *f.* 〖物〗 압력 수두(水頭); 낙차(落差); 〖工〗 수압의 높이. **~industrie** *f.* 인쇄 산업. **~jahr** *n.* 출판 연도. **~kabine** *f.* 여압실(與壓室), 기밀실(氣密室). **~kattun** *m.* 날염(捺染)한 무명; 캘리코. **~kessel** *m.* 고압 보일러, 가압탱크. **~koch·topf** *m.* 압력솥. **~knopf** *m.* (의복의) 스냅(똑딱단추); 〖전기〗 누름단추. **~kosten** *pl.* 인쇄비. **~kraft** *f.* 압력. **~kugel** *f.* 〖軍〗 압탄(壓彈). **~lähmung** *f.* 〖醫〗 압박(에 따른 신경의) 마비. **~legung** *f.* 인쇄 (작업). **~leitung** *f.* 〖工〗 고압 수관(水管). **~luft** *f.* 압착 공기.

Druckluft≈bremse *f.* 압착 공기 브레이크. **~hammer** *m.* 〖工〗 공기 망치. **~krankheit** *f.* 잠함병(潛函病).

Druck≈marke *f.* (출생 때) 압박으로 생긴 머리 손상. **~maschine** *f.* 인쇄기. **~messer** *m.* 압력계. **~mittel** *n.* 압력〔강압〕 수단. **~muster** *n.* 〖섬유〗 날염용 도안. **~ort** *m.* (서적의) 인쇄지. **~papier** *n.* 인쇄 용지. **~platte** *f.* 〖印〗 판목(版木). **~posten** *m.* (전쟁 중) 위험이 없는 직무〔직책〕. **~presse** *f.* ↑ Druckerpresse. **~probe** *f.* 시쇄(試刷), 가출력본; 〖工〗 압력 시험. **~puls** *m.* 〖醫〗 (뇌압이 상승할 때 나타나는) 느리고도 강한 맥박. **~pumpe** *f.* 〖工〗 압력〔양수〕 펌프. **~punkt** *m.* 압력(의) 중심; 〖보통 복수〗〖醫〗 압통점(壓痛點). **~regler** *m.* 〖기술〗 압력 조절 장치. **~reif** *a.* 곧바로 인쇄할 만한, 교정이 필요없는: das Manuskript ist ~ 그 원고는 바로 인쇄해도 된다; er hielt eine ~e Rede 그는 바로 인쇄해도 될 만한〔빈틈없는〕 연설을 했다. **≈richtig** *a.* ① 오식 없는. ② ↑ ≈fertig. **~rohr** *n.* (펌프의) 송출관. **~sache** *f.* 〖우편〗 인쇄물. **~schmerz** *m.* 압통(壓痛). **~schraube** *f.* 〖空〗 추진 프로펠러: Flugzeug mit ~ (프로펠러가 기체의 뒤쪽에 있는) 추진식 비행기. **~schrift** *f.* 인쇄체(활자); 인쇄물. **~schwankung** *f.* 압력의 불안정. **~seite** *f.* 인쇄(된) 페이지.

drucksen [drúksən] 《＜drucken》 *i.* (h.) 〖구어〗 망설이다, 주저하다; 말을 더듬다.

Druckser *m.* -s, - 우유부단한 사람; 말을 더듬는 사람.

Druckserei [druksəráı] *f.* 우유부단, 망설임, 주저.

Druck≈sicht·bogen *m.* 교정쇄. **~sinn** *m.* 압각(壓覺). **~sorte** *f.* (öst.) 인쇄한 서식 용지. **~spalte** *f.* (신문·사전 따위의) 단. **~stange** *f.* 압간(壓桿), 누름 막대기. **~stelle** *f.* (신체의) 압박 부위. **~stempel** *m.* 〖工〗 (압력 펌프의) 피스톤. **~stock** *m.* 〖印〗 (활판 인쇄용) 판. **~stoff** *m.* 날염한 직물〔천〕. **~taste** *f.* 누름단추. **~technik** *f.* 인쇄 기술〔방식〕. **~träger** *m.* 〖印〗 인쇄된 자료. **~type** *f.* 〖印〗 활자(형). **~telegraph** *m.* 인쇄 전신기. **~ventil** *n.* 〖工〗 압력 조절 밸브. **~verband** *m.* 〖醫〗 압박 붕대. **~verbot** *n.* 출판 금지. **~verfahren** *n.* 날염법(捺染法), 인쇄법. **~verlust** *m.* 〖工〗 압력 손실. **~vorlage** *f.* (인쇄할) 원본. **~walze** *f.* 〖工〗 압착 롤러. **~wasser·reaktor** *m.* 〖핵물리〗 가압수형 원자로. **~werk** *n.* ① 압력 기관(機關). ② 인쇄물. **~wesen** *n.* 인쇄 제도; 인쇄 공정 및 시설. **~zylinder** [..tsilin.., ..tsyl..] *m.* 인쇄기의 실린더.

Drude [drú:də] 《mhd. trute》 *f.* -n ①〖고어〗 밤의 요정, 요마(妖魔). ② 마녀, 여자 마법사.

Drudel [drú:dəl] *m./n.* -s, - (상상이나 재치를 통해 알아맞히는) 그림 수수께끼.

Druden≈busch *m.* (동화에 나오는) 마녀의 빗자루. **~fuß** *m.* ① (Pentagramm) (귀신을 쫓는) 별 모양의 부적. ②〖植〗 석송(石松). **~kraut** *n.* ↑ ~fuß ②. **~mehl** *n.* 석송의 포자(胞子) (약용).

Drugstore [drʌ́gstɔ:] 《engl.》 *m.* -s, -s 각종 생활 용품을 파는 가게, 드럭스토어.

Druide [druí:də] 《klt.》 *m.* -n, -n 고대 켈트족의 제사장, 드루이드 사제(예언자·시인·재판관·마법사 따위도 겸함).

Druiden·stein *m.* 드루이드교의 돌 제단.

Druidentum *n.* -(e)s 드루이드교(敎).

Drum [dram, drʌm] *f.* -s 〖음악〗 드럼.

drum [drum] *adv.* 〖구어〗 ① ↑ darum. ② sei's ~ 아무렇지도 않다, 상관없다; alles, was ~ und dran ist 그것과 관련 있는 모든 것; das Drum und Dran 부속품, (무엇에) 딸린 모든 것.

Drum·herum [drʊ́mhɛrʊ́m] *n.* -s 〖구어〗 부속물, 딸린 것.

Drumlin [drʊ́mlın, drʌ́m..] *m.* -s, -s 〖지질〗 빙퇴구(氷堆丘), 드럼린.

Drummer *m.* -s, - (재즈 음악의) 타악기 치는 사람, 드럼치는 사람.

Drums *pl.* ① ↑ Drum 의 복수형. ② ↑ Drumlin 의 복수 별형.

Drum und Dran *n.* 부속품, 딸린 것 일체 (↑ drum).

drunten [drʊ́ntən] *adv.* 저 아래(쪽)에; 아래층에.
drunter [drʊ́ntər] *adv.* ① ↑ darunter. ② es geht ~ und drüber 온통 뒤죽박죽이다; in dem allgemeinen ~ und Drüber fand sein Tod wenig Beachtung 온통 혼란 속이어서 그의 죽음은 거의 주목을 받지 못했다.
drunter|liegen *i.* ↑ darunterliegen.
Drusch [drʊʃ] 《<dreschen》 *m.* -(e)s, -e ① 타작, 탈곡. ② 타작하여 얻은 소득〔곡물·짚〕.
Drüsch *m.* -s, -e ↑ Dreesch.
Drüschen [drýːsçən] *n.* -s, - 〖↑ Drüse의 축소형〗〖해부〗 소선(小腺).
Drusch·gemeinschaft *f.* 〖구동독〗 탈곡 공동체.
Druschina [drʊʃíːna, drʊʒíːna] *f.* 러시아 제후의 근위대〔호위대〕.
Drüschling [drýːʃlɪŋ] *m.* -s, -e 〖植〗 참피넌 버섯(식용 버섯류).
Druse[1] [drúːzə] 《mhd. druos》 *f.* -n ①〖광물〗 결정광(結晶鑛)을 품은 암석의 빈 공간; 결정광. ② 선(腺)(Drüse). ③〖수의〗(말의) 비저(鼻疽), 선역(腺疫).
Druse[2] *m.* -n, -n 드루스파(派) 신도(시리아와 레바논의 산 속에 사는 호전적인 회교 광신도).
Druse[3] *f.* -n 〖방언〗 포도주의 침전물〔술지게미〕.
Drüse [drýːzə] 《mhd.》 *f.* -n ①〖구식〗 혹, 종기. ②〖醫〗 선(腺); 〖복수〗 선병(腺病): ~n mit innerer〔äußerer〕 Sekretion 내〔외〕분비선; Vorsteher~ 전립선; 〖구어·비유〗 jm. auf die ~ drücken 누구의 아픈 곳을 건드리다.
druseln *i.* (h.) (ndd.) (잠시) 졸다, 선잠자다, 잠시 눈을 붙이다.
Drusen *pl.* 〖구식〗 포도주용 발효 곰팡이.
Drusen·asche *pl.* (포도주 따위의) 침전물.
Drüsen≠beschreibung *f.* 〖醫〗 선학(腺學), 선론(腺論). **~beule** *f.* 서혜선염(鼠蹊腺炎), 사타구니 가래톳. **~entzündung** *f.* 선염(腺炎). **~fieber** *n.* 선열(腺熱).
drusen·förmig *a.* 〖광물〗 결정체(結晶体)의.
drüsen·förmig *a.* 선상(腺狀)의.
Drüsen≠funktion *f.* 선(腺)의 기능. **~geschwulst** *f.* 〖醫〗 선종(腺腫). **~krankheit** *f.* 선병(腺病). **~kunde, ~lehre** *f.* 선학(腺學).
Drusen·marmor *m.* 패각〔조가비를 품은〕 대리석.
Drusen·öl *n.* 포도씨 기름.
Drüsen≠pest *f.* 〖醫〗 선(腺)페스트. **~schmerz** *m.* 선통(腺痛). **~schwellung** *f.* 〖醫〗 선종창(腺腫脹). **~verhärtung** *f.* 선경화(腺硬化).
drucht *a.* ↑ drusig.
drusig [drúːzɪç] *a.* ① 결정광(結晶鑛)을 함유한. ②〖축산〗 비점막 카타르에 걸린.
drüsicht *a.* ↑ drüsig.
drüsig [drýːzɪç] *a.* ① 선병(腺病)의. ② 선상(腺狀)의.
Drusin *f.* -nen ↑ Druse[2]의 여성형.
drusisch [drúːzɪʃ] *a.* 드루스 교파의.
Drüslein [drýːslaɪn] *n.* -s, - ↑ Drüse의 축소형.
Drüssel *f.* -n (nordd.) 문지방.
Drüs·wurz [drýːs..] *f.* 〖植〗 미나리아재비속(屬)의 일종; 파슬리속(屬)의 일종.
dry [draɪ] 《engl.》 *a.* 무미건조한.
Dryade [dryáːdə] 《gr. drŷs》 *f.* -n 〖그리스신화〗 나무〔숲의〕 요정.
d.s. =dal segno 〖음악〗 달세뇨(표시부부터 반복하라).
DSA =Deutscher Sprachatlas 독일 언어 지도(地圖).
Dschaina [dʒáɪna] *m.* -s, -(s) 자이나교도.
Dschainismus [dʒaɪnɪ́smʊs] *m.* - 자이나교.
Dschainist *m.* -en, -en 자이나교 신봉자.
dschainistisch *a.* 자이나교의.
Dschangel [dʒáŋəl] *f.* ↑ Dschungel.
Dschebel [dʒɛ́bl] *m.* -(s) 〖지질〗 산, 산맥.
Dscherba *n.* 제르바(튀니지의 섬).
D-Schicht [déː..] *f.* (60-80 km 상공에 위치한) 이온권의 최하위 전리층.
Dschihad [dʒiháːt] 《ar.》 *m.* - 지하드(이슬람 근본주의 조직의 하나).
Dschihad Islami 《„Islamischer Heiliger Krieg"》 이슬람 성전파(이슬람 과격 단체).
Dschingis-Khan [dʒɪŋgɪskáːn] 칭기즈 칸(몽고 제국의 시조, 1167-1227).
Dschinn [dʒɪn] 《ar.》 *m.* -s, -(en) (이슬람교 전설상의) 마귀.
Dschonke [dʒɔ́ŋkə] *f.* -n ↑ Dschunke.
Dschungel [dʒʊ́ŋəl] 《ind.》 *m.*/(드물게) *n.* -s, -〔(드물게) *f.* -n〕 ① (인도의) 아열대 우림. ② 정글, 밀림. ③〖비유〗 혼란, 혼잡; 무법 천지: im ~ des Großstadtverkehrs 대도시 교통의 혼잡 속에.
Dschungel≠krieg *m.* 정글전. **~pfad** *m.* 정글 속의 좁은 길.
Dschunke [dʒʊ́ŋkə] 《chin.》 *f.* -n 정크선(돛대가 셋이고 밑이 평평한 중국 배).
DSD =Duales System Deutschland 〖환경〗 독일의 재활용 관리 체계〔회사〕.
DSF =Deutsches Sportfernsehen 〖방송〗 독일 스포츠 방송(스포츠 전용 케이블 방송국).
DSG =Deutsche Schlafwagen- und Speisewagen-Gesellschaft mbH 독일 침대·식당차 유한 회사.
DSO =Deutsche Stiftung Organtransplantation 〖醫〗 독일 장기 이식 협회.
Dsungarei [tsʊŋgaráɪ] *f.* 준가얼 분지(중앙아시아 중소 접경 지역).
dt.[1] =deutsch 독일의, 독일어의.
dt.[2] =dedit 영수필(領收畢).
DTB ① =Deutscher Turnerbund 독일 체조인 연맹. ② =Deutscher Tennis-Bund 독일 테니스 연맹. ③ =Deutsche Termin-börse 〖증권〗 독일 선물 시장.
DTC =Deutscher Touring Automobil Club 독일 자동차 여행 클럽.
dto =dito 똑같이, 상동(上同).
DTP 《engl.》 =desktop publishing 전자 출판.
DTSB =Deutscher Turn- und Sportbund 독일 체조 스포츠 연맹.
Dtzd. =Dutzend 다스.
***du** [duː] 《인칭대명사 2인칭 단수 1격; 2격 deiner; 3격 dir; 4격 dich; 소유 대명사 dein; 복수 1격 ihr》 *prn.* ①〖시어〗 그대: darum sollt ihr beten: Unser Vater in dem Himmel, Dein Name werde geheiliget 그러므로 너희는 이렇게 기도하라: 하늘에 계신 우리 아버지,

이름이 거룩히 여김을 받으시옵고. ②〖편지에서는 Du〗 (**a**) 너, 자네: ~ hast recht 네가 옳아, 네 말이 맞아; mit jm. auf ~ und ~ stehen〔sein〕 누구와 너나하는〔친한〕 사이다; wir erinnern uns deiner 우리는 너를 기억한다; 〖속담〗 wie ~ mir, so ich dir 네가 한 대로 갚아 주겠다; sie liebt dich 그녀가 너를 사랑한다; ~ Dummkopf 이 바보야. (**b**) ~ mein Vaterland! 그대 내 조국이여! ③〖man 을 대신하여〗〖구어〗 was ~ kannst 전력을 다하여; (und) hast ~, was kannst ~ lief er davon 그는 황망히 달아났다. ④〖관계 대명사 뒤에서 선행의 du 를 되풀이하는 용법〗 ~, der ~ mein Freund bist 내 친구인 자네; setz' ~ dich! 앉아라!

Du *n.* -(s), -s 《du 의 명사형》 너, 그대: dein andres〔zweites〕 ~ 그대의 제 2 의 자아(自我), 네 분신; jm. das ~ anbieten 누구에게 말을 놓다.

d.U. =der〔die〕 Unterzeichnete 서명한 사람.

d.u. 〖軍〗 =dienstuntauglich 불합격의, 병역에 부적합한.

dual [duá:l] *a.* 2 원(二元)의, 이중의.

Dual 《lat. duo》 *m.* -s, -e ①〖문법〗 양수(兩數), 쌍수(2 개 또는 1 쌍을 나타내는 수). ②〖체스〗 의도하지 않은 부수적인 해결, 별해(別解), 다른 풀이.

Duala[1] *m.* -(s), -(s) 반투족 사람.

Duala[2] *n.* - 반투어.

Dualis [duá:lɪs] *m.* -, ..le [..lə] ↑ Dual ①.

Dualismus [dualísmus] *m.* - ① 이원론(二元論). ② 양당 분립 체제; 이권(二權) 분립. ③ 양강대국의 대립.

Dualist *m.* -en, -en 이원론자.

dualistisch *a.* 이원(론)의.

Dualität [..litɛ́:t] *f.* 이원성; 〖數〗 쌍대율(雙對律).

Dual·system *n.* 〖數〗 2 진법; 이원(二元) 체계.

Dubai 두바이(페르시아만의 항구).

Dubasse *f.* -n (넓고 편평한) 화물용 거룻배.

Dübel [dý:bəl] *m.* -s, - 맞춤못, (접합용) 나무못, 장부: et. mit einem ~ befestigen 무엇을 맞춤못으로 고정시키다.

dübeln [dý:bəln] *t.* 맞춤못으로 고정시키다.

dubios *a.* 의심스러운, 애매한.

dubiös [..ǿ:s] *a.* ↑ dubios.

Dubiosen [dubió:zən] *pl.* 〖商〗 불량 채권.

Dubiosum *n.* -s, ..sa/..sen 의심스러운 것; 불확실한 요구.

Dubitatio [dubitá:tsio] *f.* -nes 〖修〗 의혹법.

dubitativ [..tatí:f] *a.* 미심쩍은, 애매한.

Dubitativ *m.* -s, -e 〖언어〗 의혹의 접속법(보기: das hättest du getan? 그건 네가 한 짓이겠지?).

Dubium *n.* -s, ..bia/..bien 의심스러운 경우.

Dublee [dublé:] 《frz.》 *n.* -s, -s ① 모조 도금 제품. ②〖당구〗 쿠션 볼.

Dublee·gold *n.* 도금 제품; 모조 귀금속.

Dublette [..blɛ́tə] *f.* -n ① 이중으로 된 것; 쌍을 이룬 것 중의 하나〔한 짝〕; 복사〔복제〕품. ② 모조 보석. ③〖사냥〗 쌍신총(雙身銃): eine ~ machen 쌍신총으로 두마리 짐승을 연거푸 명중시키다. ④〖당구〗 두개의 공을 동시에 맞춤. ⑤〖권투〗 더블 펀치. ⑥〖印〗 (잘못하여) 이중으로 인쇄된 것.

dublieren [dublí:rən] *t.* ① 이중〔겹〕으로 만들다; (옷에) 안을 대다; (실을) 꼬다; 금박을 입히다, 도금하다; 〖印〗 이중으로 인쇄하다. ②〖당구〗 (공을) 쿠션으로 맞추다. ③〖海〗 (갑(岬) 따위를) 빙 돌다. ④〖사냥〗 (두 마리의 짐승을) 연달아 명중시키다. ⑤〖연극〗 대역을 맡다.

Dublier·maschine [dublí:*r*..] *f.* (몇 가닥의 실을 함께) 꼬는 기계, 연사기(撚絲機).

Dublin [dáblɪn, dʌ́..] 더블린(아일랜드 공화국의 수도).

Dublone [..bló:nə] 《sp.》 *f.* -n 다블론(에스파냐의 옛 금화).

Dublüre [..blý:rə] *f.* -n (의복의) 안(감); (군복의) 소매 휘장.

Du Bois-Reymond [dy boa rɛmɔ̃́:] Emil ~ 뒤 부아레몽(독일의 생리학자, 1818-96).

Dubrovnik [dúbrɔ:vni:k] 두브로브니크(크로아티아의 항구).

Duc [dʏk, dyk] ① *m.* -(s), -s 공작(프랑스의 귀족 칭호). ② *m.* -s, -s (부인용 2 인승 4 륜) 장식 마차.

Duca [dú:ka] *m.* -, -s 공작(이탈리아의 귀족 칭호).

Duce [dú:tʃe] 《it., „Führer"》 *m.* - 지도자: il ~ 총통(Mussolini 의 칭호).

ducentesk [dutʃɛntɛ́sk] *a.* (이탈리아) 13 세기 양식의.

Ducentist [..tíst] *m.* -en, -en (이탈리아) 13 세기의 예술가.

Ducento [dutʃɛ́nto] *n.* -(s) (이탈리아의 예술 양식 시기로서의) 13 세기.

Duces [dú:tse:s] *pl.* ↑ Dux 의 복수.

Duchesse [dyʃɛ́s] 《frz.》 *f.* -n [..ʃɛ́sən] ① 공작 부인. ② 묵직하고 광택 나는 견직물.

Ducht [duxt] 《ndd.》 *f.* -en ①〖海〗 (보트의) 노젓는 자리. ② 밧줄의 (꼰) 가닥. ③ (돛을 떠받치는) 지주(支柱).

Duckdalbe [dúkdalbə] 《frz.》 *f.* -n 계선주(繫船柱)(발명자 duc d'Albe 에서).

Dückdalbe [dýkdalbə, dʏkdál..] *f.* -n ↑ Duckdalbe.

ducken [dúkən] 《mhd. tucken》 《Ⅰ》 *t.* ① (머리 따위를) 살짝 숙이다; 〖비유〗 굴복시키다, 콧대를 꺾다. ② 움츠리다: den Kopf ~ 고개를 움츠리다. 《Ⅱ》 *i.* (h.)/*refl.* (sich) ~ ① (물새 따위가) 물 속으로 들어가다. ② 몸을 구부리다, 머리를 숙이다; 〖비유〗 (vor jm.) 몸을 낮추다, 굴종하다.

Ducker *m.* -s, - ①〖軍·고어〗 매복병. ②〖動〗 영양(羚羊). ③〖工〗 고압 지하 송수관.

Dücker [dýkər] *m.* -s, - ↑ Ducker ③.

Duckmäuser [dúkmɔʏzər] 《mhd. tockelmûsen, „Heimlichkeit treiben"》 *m.* -s, - 〖경멸〗 ① 위선자. ② 음흉한 사람.

Duckmäuserei [..mɔʏzəráɪ] *f.* 위선.

duckmäuserig *a.* ↑ duckmäuserisch.

duckmäuserisch *a.* 위선적인; 음흉한.

duckmäusern *i.* (h.) 비열한 짓을 하다.

duck≈nackig *a.* (ndd.) 웅크린. **≈stein** *m.* 〖광물〗 응회석(凝灰石) (Tuff(stein)).

Ductus *m.* -, - 관, 도관(導管); 〖해부〗 수송관, 맥관, 선(腺)의 분비관.

dudeldei [du:dəldáɪ] *int.* (피리·백파이프 따위의 단조로운 소리) 필릴리 필릴리 필릴릴리; (노래 중의 무의미한 가락의 반복) 랄라랄라.

Dudeldei [du:dəldáɪ] *n.* -s ① (피리·파이프 오르간 따위의 (단조로운) 소리) 피푸푸푸, 푸가푸가. ② 하찮은 것; 헐값: et. für ein ~ hingeben 무엇을 헐값에 팔아버리다.
dudeldum [..dum] *int.* ↑ dudeldei.
dudeldumdei [..dumdáɪ] *int.* ↑ dudeldei.
Dudelei [du:dəláɪ] *f.* -en ↑ Dudeldei.
Dudel·kasten [dú:dəl..] *m.* ① 손풍금. ②〖경박〗 라디오, 레코드 플레이어, 녹음기.
Dudeler [dú:dələr] *m.* -s, - ① 백파이프 부는 사람. ② 손풍금 치는 사람. ③ 단조롭게 흥얼흥얼 노래부르는 사람.
dudeln [dú:dəln] *i.* (h.) / *t.* ① **(a)** 피리를 불다, 서투른 음악을 연주하다: täglich die gleiche Melodie ~ 날마다 똑같은 멜로디를 울려대다; auf der Flöte ~ 피리를 시끄럽게 불어대다. **(b)** (악기가) 단조로운 소리를 내다: sein Radio dudelt den ganzen Tag 그의 라디오는 종일 웅웅거린다. ②〖구어〗 중얼〔투덜〕거리다. ③〖비속〗 술을 진탕 마시다: einen ~ 거나하게 한잔 하다.
Dudel·sack *m.* 〖음악〗 풍적, 백파이프(스코틀랜드 고지인의 가죽 피리): den Himmel für einen ~ ansehen 기뻐 날뛰다.
Dudel·sack·pfeifer *m.* 백파이프 연주자.
Duden [dú:dən] ① Konrad ~ 두덴(독일의 언어학자, 1829-1911). ② *m.* -(s), - 두덴 사전: im ~ nachschlagen 두덴 사전을 찾아보다.
Dudler [dú:dlər] *m.* -s, - ↑ Dudeler.
Duecento [duetʃɛ́nto] 《it.》 *n.* -(s) (이탈리아) 문예 부흥기의 13 세기.
***Duell** [duɛ́l] *n.* -s, -e 결투, 대결: jn. zum ~ (heraus)fordern 누구에게 결투를 신청하다; ~ auf Pistolen 권총 결투.
Duellant [duɛlánt] *m.* -en, -en 결투자.
duellieren [..lí:rən] *refl.* sich ~ 결투하다.
Duell·regeln *pl.* 결투 규칙.
Duenja [duɛ́nja] *f.* -s 여주인(Herrin); 〔고어〕 (소녀에게) 예법을 지도하는 (시중드는) 부인.
Duenna *f.* ..nnen [..nən] ↑ Duenja.
Duett [duɛ́t] 《it.》 *n.* -(e)s, -e ①〖음악〗 2중창, 2중주. ②〔농담〕 2인조(↑ Duo ③).
duff [duf] 《ndd.》 *a.* 광택이 없는, 희미한〔흐린〕 색의.
Düffel [dʏ́fəl] *m.* -s, - 더플(거칠게 짠 두툼한 반모직; 벨기에 도시 Duffel 에서).
Dufflecoat [dáfəlko:t, dʌ́fəlkout] *m.* -s, -s 더플코트, 칠부 코트.
***Duft**[1] [duft] *m.* -(e)s, Düfte ①〔고어〕 증기, 서리. ②〔시어〕 엷은 안개, 아지랑이; 연무(煙霧). ③ 향기, 향내, 방향(芳香): Rosen~ 장미 향기; ein berauschender ~ 취하게 하는 향기; einen aromatischen ~ verbreiten〔ausströmen〕 향기로운 내음을 풍기다. ④〔비유〕 분위기, 독특한 매력.
Duft[2] 〔고어〕 노젓는 사람의 자리(Ducht).
Duft≈bruch [dúft..] 《<Duft[1]》〖林〗 *m.* 수빙(樹氷)·무빙(霧氷)으로 입는 수목의 피해. **~drüse** *f.* 〖生〗 (사람·동물의) 냄새샘.
Düftchen [dʏ́ftçən] *n.* -s, - ↑ Duft 의 축소형.
dufte [dúftə] 《hebr.》 *a.* 〔구어〕 ① 탁월한, 멋진, 굉장한: ein ~r Film 근사한 영화; 〔경박〕 eine ~ Biene 예쁜 아가씨. ② 교활한, 능력 있는: ein ~r Kerl, eine ~ Marke〔Nummer〕 교활한 놈, 만만치 않은 녀석.
duften [dúftən] 《I》 *i.* ①〔드물게〕 (s.) 증발하다. ② (h.) **(a)** 〔드물게〕 증기를 내뿜다. **(b)** 향내가 나다; 냄새가 나다: das Essen duftet angenehm 음식 냄새가 구수하게 난다. **(c)** *imp.* es duftet nach Rosen 장미 향기가 난다. **(d)** 〔반어〕 악취가 나다. 《II》 *t.* (향내를) 발산시키다, 풍기다.
düften [dʏ́ftən] *i./t.* ↑ duften.
duftig [dúftɪç] *a.* ①〔시어〕 엷은 안개에 싸인: in ~er Ferne 아련히 먼 곳에. ② 보드라운, 섬세한: ~e Spitzen 아주 섬세한 레이스. ③ 향기로운; 냄새가 나는; 〔비유〕 (추억 따위가) 즐거운. ④ 축축해진, 물기가 있는; 상쾌한.
Duftigkeit *f.* 향기로움.
Duft·kissen *n.* 방향(芳香) 주머니.
duftlos *a.* 향기 없는.
Duft≈marke *f.* 〖生〗 (주로 교미 상대를 끌기 위하여 동물이) 분비물로 만드는 구획 표시. **~note** *f.* 〖광고〗 (화장품의) 특정 향(香): wählen Sie Ihre individuelle ~ 당신만의 향을 고르세요. **~organ** *n.* 〖해부〗 향선(香腺). **~probe** *f.* ① 향수 견본. ② 방향(芳香) 검사. **~stoff** *m.* ①〖生〗 방향 물질. ② 향수(Parfüm). **~wasser** *n.* ① 방향수. ②〔농담〕 향수. **~wolke** *f.* 〔반어〕 자욱한 향기.
Dugento *n.* -(s) 〖예술〗 ↑ Duecento.
Dugong [dú:gɔŋ] 《mal.》 *m.* -s, -e/-s 〖動〗 듀공(인도양에서 나는 수생 포유 동물의 일종으로 돌고래와 비슷함; 속칭: 인어).
duhn *a.* (ndd.) ① 지칠대로 지친. ② (betrunken) 술취한.
Duisburg [dʏ́:sburk] 뒤스부르크(Nordrhein-Westfalen 주의 공업 도시).
Duisburger 《I》 *m.* -s, - 뒤스부르크 사람. 《II》 *a.* 뒤스부르크의.
du jour [dy ʒú:r] 《frz., „vom Tage"》〔고어〕 근무 중인: ~ sein 일직〔주간 근무〕이다.
Dukaten [duká:tən] 《lat.》 *m.* -s, - 두카텐(옛 유럽 금화).
Dukaten≈blume *f.* 〖植〗 민들레와 같은 노란색 꽃. **~esel** *m.* 〔농담〕 (금화 똥을 누는 나귀에서) 무한한 재원(財源), 황금알을 낳는 거위. **~gold** *n.* 순금. **~kacker** *m.* 금화 똥을 누는 작은 요정(Goslar 시의 Wöeth 호텔에 있는 인물상에서): ich habe doch keinen ~! 나는 그렇게 돈이 많지 않아!; dazu braucht man ja einen ~ 그러자면 돈이 참 많이 든다. **~männchen** *n.* ↑ ~kacker. **~röschen** *n.* ↑ ~blume. **~scheißer** *m.* ↑ ~kacker.
Duke [dju:k] *m.* -s, -s 《engl.》 공작(독일의 Herzog 에 해당하는 영국의 최고 귀족 칭호).
Düker [dʏ́:kər] 《ndd.》 *m.* -s, - 〖工〗 고압 수관, 사이펀, 흡수관; 머리 없는 못; 〖動·방언〗 농병아리, 흰쭉지 오리.
duktil [duktí:l] *a.* 늘일 수 있는, 가연성(可延性)의, 유연한.
Duktilität [duktilitɛ́:t] *f.* (가)연성, 유연성.
Duktor [dúktɔr, ..to:r] *m.* -s, -en [..tó:rən] 〖印〗 (염료를 마찰기로 보내는) 강철 도관(導管).
Duktus [..tus] *m.* -, - 자획, 필적; 필법, 필치.
Dulcin [dultsí:n] *n.* -s 〖化〗 둘신(감미제).
Dulcinea [dultsiné:a, (sp.) dulθinéa] *f.* ↑ Dulzinea.

duldbar [dúltbaːr] *a.* 참을 수 있는; 용서할 수 있는.
*__dulden__ [dúldən] *t./i.*(h.) ① 참다, 견디다; 감수하다: er duldet standhaft 그는 끈기 있게 참는다. ② 허용〔용서〕하다: er duldet keinen Widerspruch 그는 어떤 반론도 허용치 않는다; die Sache duldet keinen Aufschub 그 일은 한시도 지체할 수 없다; er ist hier nur geduldet 그는 이곳에서 별로 인기가 없다.
Dulder *m.* -s, - (고생·고통 따위를) 참는 사람; 순교자; 병자; 너그러운 사람.
Dulderin *f.* -nen ↑ Dulder 의 여성형.
Dulder·miene *f.* 〖구어·반어〗 동정을 호소하는 표정.
duldsam [dúltzaːm] *a.* (tolerant) 너그러운; 〖드물게〗 참을성 있는; 잘 견디는: ein ~es Verhalten gegenüber anderen 다른 사람들에 대해 관대한 태도.
Duldsamkeit *f.* (Toleranz) 관용; 참을성; 용인.
Duldung *f.* -en 관용, 관대; 인내.
Dulie [dulíː] 《gr.》 *f.* 〚가톨릭〛 성자 숭경(崇敬).
Dulle *f.* -n 〚海〛 놋좆받이(노를 끼우고 젓게 된 뱃전의 구멍).
Dullerche *f.* -n (ndd.) 〚動〛 종달새의 일종.
dulliäh [duliɛ́ː] *a.* (öst.) 신나는, 들뜬.
Dull·kraut *n.* 〚植〛 사리풀(가짓과의 유독 식물).
Dult [dʊlt] 《mhd. tult》 *f.* -e(n) (bayr.) (1 년에 1-3·4 회 서는) 대목장, 축제 장터.
Dulzian [dúltsiaːn] *m./n.* -s, -e 〚음악〛 ① (16-17 세기에 사용한) 파곳. ② 파이프 오르간의 비음(鼻音)을 내는 스톱〔음전(音栓)〕.
Dulzin [dultsíːn] *n.* -s ↑ Dulcin.
Dulzinea [dultsinéːa] 《sp.》 *f.* ① 둘치네아(여자 이름; Don Quichotte 가 연모한 이상적 여인). ② 〖복수: ..neen/-s〗〖농담·반어〗 애인.
Duma *f.* -s 두마(제정 러시아의 의회; (1870 년대 이래) 러시아의 시의회; (1906-17 년) 러시아의 의회).
Dumb show [dʌm ʃoː] 《engl.》 *f.* -, -(s) (영국의 옛 연극에서) 도입〔중간〕 판토마임.
Dumdum [dumdúm, dúmdum] *n.* -(s), -(s) ↑ Dumdumgeschoß.
Dumdum·geschoß *n.* 덤덤탄(彈)(명중하면 파열하여 중상을 입힘).
Dumka *f.* ..ki 〚음악〛 ① 둠카(발라드풍의 슬라브 민요). ② Dumka 양식의 연주곡.
*__dumm__ [dʊm] (dümmer, dümmst) 《ahd. tumb》 *a.* ① 〖고어〗 무감각한; 벙어리인; 염분이 빠진; 맛〔빛깔〕을 잃은. ② 〖구어〗 마비된: mir ist von dem Lärm ganz ~ im Kopf 나는 소음 때문에 머리가 멍하다. ③ 바보 같은, 미련한, 무지한; 시시한: 〖경박〗 ~ und dämlich〔dußlig〕 꽉 막힌; ~ wie die Sünde〔wie Bohnenstroh〕 지독히 어리석은; ~er Streich 어리석은 장난; ~es Zeug a) 어리석은 일, b) 바보 같으니; du ~es Ding! 이런 멍청한 놈!; der ~e August 곡예단의 어릿광대; ein ~es Gesicht machen 멍청이인 체하다, 멍한 얼굴을 하다; jm. ~ kommen a) 누구에게 시치미 떼다, b) 염치 없이〔넉살좋게〕 행동하다; den ≃en machen〔der ≃e sein〕 손해를 보다, 손해나는 짓을 하다; ich bin (immer) der Dumme 나는 (늘) 손해 보는 짓만 한다; ~ machen a) 바보로 만들다, b) 기만하다; sei nicht so ~, ihm zu folgen 그의 말을 듣는 바보짓은 하지 마라; ich lasse mich doch nicht für ~ verkaufen 나는 결코 조롱당하지 않겠다. ④ (unangenehm) 불쾌한, 달갑지 않은, 까다로운: eine ~e Sache 달갑지 않은 일; das wird mir zu ~ 그만 해 둬.
Dumm≈bach *m.* 〖관사없이·숙어로〗〖경박〗 (nicht) aus ~ sein 어리석(지 않)다. **~bart, ~bartel, ~beutel** *m.* ↑ ~kopf.
Dummchen *n.* -s, - 〖구어〗 ↑ Dummerchen.
dumm≈dreist *a.* 무모한; 뻔뻔스러운. **≈-dreistigkeit** *f.* 무모, 뻔뻔스러움.
Dumme(r)·jungen·streich [duməjúŋən..] *m.* Dumme(n)jungenstreich(e)s, Dumme(n)-jungenstreiche 어리석은 소년의 장난, 바보짓, 우행(愚行).
Dummeling [dúməlɪŋ] *m.* -s, -e 〚動〛 굴뚝새.
Dummenfang [dúmən..] *m.* -(e)s 〖폄어〗 잘 믿는 사람 등쳐 먹기.
Dummerchen [dúmərçən] *n.* -s, - 멍청한 아이.
Dummerjan 《ndd. jan, „Johann"》 *m.* -s, -e 멍청이, 바보.
Dummerle *n.* -s, -s (südd.) ↑ Dummerchen.
Dummerling *m.* -s, -e 멍청이, 바보.
dummer·weise *adv.* 어리석게도.
dumm≈frech *a.* ↑ ~dreist. **~fromm** *a.* 맹신적〔광신적〕인, 신앙심이 굳어버린. **~häuptig** *a.* ↑ ~köpfig.
Dummheit [dúmhaɪt] *f.* -en ① 우둔, 무지, 어리석음: 〖구어〗 mit ~ geschlagen sein 매우 어리석다; 〖경박〗 vor ~ brüllen 매우 어리석다; mit der ~ kämpfen Götter selbst vergebens 바보를 고치는 약은 없다. ② 어리석은 행동〔짓〕: eine ~ begehen 어리석은 짓을 저지르다; mach keine ~en! 바보짓을 하지 마라!
Dummian *m.* -s, -e ↑ Dummerjan.
Dummjan 〖경박〗 (wien.) *m.* -s, -e ↑ Dummerjan.
Dumm≈koller *m.* (말의) 뇌압 항진증(腦壓亢進症), 훈도병(暈倒病). **~kopf** *m.* 어리석은 사람, 바보: 〖구어〗 mit dem ~ geschlagen 매우 어리석은. **≈köpfig** *a.* 어리석은, 멍청한. **≈kühn** *a.* 만용의, 무모한.
dümmlich *a.* 약간 멍청한, 바보스러운.
Dümmling [dʏ́mlɪŋ] *m.* -s, -e 멍청이, 바보.
Dummrian [dúmriaːn] *m.* -s, -e ↑ Dummerjan.
Dumms·dorf 〖관사없이·숙어로〗〖경박〗 (nicht) aus ~ sein 멍청하(지 않)다.
dumm≈stolz *a.* 어리석고 교만한. **~stolz** *m.* 어리석은 교만. **~trotzig** *a.* 어리석게 고집센〔완고한〕.
Dummy [dámi] *m.* -s, -s/..mies ① (건물·책 따위의) 실물 크기의 모조 견본. ② (자동차 사고 실험용의) 실물 크기의 인형. ③ 허수아비.
Dum·palme *f.* (아프리카산(産)) 종려과(棕櫚科) 식물의 일종.
dümpeln [dʏ́mpəln] *i.* 〚선원〛 (배가) 파도에 이리저리 흔들리다.
Dumper [dúmpər] 《engl.》 *m.* -s, - 덤프트럭.

*__dumpf__ [dumpf] 《⇔ Dampf》 *a.* ① 습기 있는; 곰팡내 나는: das Brot riecht ~ 빵에서 곰팡내가 난다. ② 숨막히는, 후덥지근한: ~e Kellerluft 탁한 지하실 공기. ③ (소리가) 공허한, 먹먹한, 둔탁한: der ~e Schlag von Trommeln 둔탁하게 울리는 북소리; mit ~er Stimme 불분명한 목소리. ④ 광택 없는, 희미한 색의. ⑤ 몽롱〔불명확〕한: ein ~er Schmerz 어렴풋한〔알 수 없는〕 고통. ⑥ 희미한; 둔감한, 마비된: ~e Gleichgültigkeit 무신경.

Dumpfheit *f.* ① ↑ dumpf 의 명사형. ② 감정 탐닉(오성적 반성에 반대됨).

dumpfig *a.* 습한; 후덥지근한.

Dumpfigkeit *f.* 후덥지근함.

Dumping [dámpɪŋ] 《engl.》 *n.* -s 투매(投賣), 덤핑.

Dumping·preis *m.* 덤핑 가격.

dun [du:n] *a.* (ndd.) (betrunken) 술 취한.

Dunciade [duntsiá:də] *f.* -n 〖문학〗 풍자시.

Dune [dú:nə] *f.* -n (ndd.) ↑ Daune.

Düne [dý:nə] *f.* -n ① (해안의) 사구(砂丘), 모래 언덕. ② ↑ Dünung.

dünen≈artig *a.* 사구(砂丘) 같은. **~bildung** *f.* 사구 형성. **~gebiet** *n.* 사구 지역. **~gras** *n.* 모래땅에서 자라는 풀. **~hafer** *m.* 〖植〗 (모래땅에 심어 모래의 이동을 막는) 갯보리. **~kette** *f.* 사구군(群).

Dung [duŋ] *m.* -(e)s 〖農〗 거름, 비료, (가축의) 똥.

dung *t.* ↑ dingen 의 과거형.

Dungablage *f.* (얕은) 거름 구덩이.

dünge [dýŋə] *t.* ↑ dingen 의 접속법 Ⅱ식.

Dünge≈jauche *f.* 거름〔똥〕 구덩이. **~kalk** *m.* 석회 비료. **~mittel** *n.* 거름, 비료. **~-mittel·industrie** *f.* 비료 산업.

düngen [dýŋən] 《Ⅰ》 *t.* 〖農〗 …에 거름을 주다: die Erde ~ 땅에 거름을 주다; Pflanzen ~ 식물에 거름을 주다. 《Ⅱ》 *i.* (h.) 거름이 되다.

*__Dünger__ [dýŋər] *m.* -s, - 거름, 비료, 가축의 똥.

Dünger≈erde *f.* 썩은 흙, 부식토. **~haufen** *m.* ↑ Dunghaufen. **~schimmel** *m.* 〖植〗 털곰팡이. **~wirtschaft** *f.* 비료 이용 농업.

Dung≈fliege *f.* 똥파리. **~gabel** *f.* 거름 치우는 쇠스랑〔갈퀴〕. **~grube** *f.* 거름 구덩이. **~haufen** *m.* 퇴비〔거름〕 더미. **~käfer** *m.* 〖動〗 쇠똥구리.

Düngung [dýŋuŋ] *f.* -en ① 비료주기, 시비(施肥). ② 〔드물게〕 비료, 거름.

*__dunkel__ [dúŋkəl] *a.* ① (↔ hell) **(a)** 어두운, 암흑의: es wird ~ 어두워지다; es wird mir ~ vor den Augen 나는 눈앞이 캄캄해진다, 어지럽다; im ~n 어둠 속에서; 〔구어〕 am ~n 저녁에. **(b)** 짙은 색의, 거무스름한: ein dunkles Rot 짙은 빨간 색; dunkles Haar 검은 머리; einen dunklen Auszug anhaben 어두운 빛깔의 옷을 입고 있다. ② 〔비유〕 **(a)** 뚜렷하지 않은, 애매한, 이해하기 어려운; 비밀의, 신비로운: die Herkunft dieses Wortes ist ~ 이 단어의 어원은 불분명하다. **(b)** (의식에) 뚜렷하게 떠오르지 않는, 어렴풋한: dunkle Ahnungen 어렴풋한 예감; im ~n lassen 골자를 알 수 없게〔흐리멍덩하게〕 해 두다; 〔비유〕 ein Sprung ins Dunkle 무모한 모험. **(c)** 음울한, 암담한: die ~sten Stunden seines Lebens 그의 인생에서 가장 암울했던 시기. **(d)** 몽매한: das dunkle Zeitalter 암흑시대(중세). **(e)** 〔폄어〕 수상한: von dunkler Herkunft 태생〔출신〕을 알 수 없는; ein dunkler Ehrenmann 괴신사; in seiner Vergangenheit gibt es verschiedene dunkle Punkte 그의 과거에는 여러 가지 미심쩍은 점들이 있다. **(f)** 미지의: der dunkle Erdteil 검은 대륙(아프리카). ③ 저음의: eine dunkle Stimme 저음의 목소리. ④ 〖언어〗 dunkler Vokal 연구개음(velarer Vokal).

Dunkel [dúŋkəl] *n.* -s ① 〔교양〕 암흑, 어둠: das tiefste ~ der Nacht 밤의 칠흑 같은 암흑; zwischen Tag〔Licht〕 und ~ 땅거미질 때; es herrschte völliges ~ 칠흑 같은 어둠이 깔렸다. ② 〔비유〕 불분명; 애매: ein ~ über et. breiten 무엇을 비밀의 베일에 싸다.

*__Dünkel__ [dýŋkəl] *m.* -s 〔폄어〕 ① 〔고어〕 생각; 망상. ② 자만, 거만, 오만.

Dunkel≈arrest *m.* 암실 감금〔구금〕. **~-äugig** *a.* 검은 눈의. **~blau** *a.* 검푸른. **~-blond** *a.* 짙은 블론드색의; 짙은 금발의. **~-braun** *a.* 암갈색의. **~braun·rot** *a.* 암적갈색의. **~farben** *a.* ↑ ~farbig. **~farbig** *a.* 짙은 빛깔의. **~gelb** *a.* 짙은 황색의. **~-haarig** *a.* 검은 머리털의, 흑발의.

dünkelhaft [dýŋkəlhaft] *a.* 주제넘은, 건방진.

Dünkelhaftigkeit *f.* 건방짐, 오만.

dunkel·häutig *a.* 피부가 거무스레한.

Dunkelheit [dúŋkəlhaɪt] *f.* -en (↔ Helligkeit) 암흑, 어둠; 흐림; 불명료; 비밀; 유명하지 않음: bei anbrechender ~ 땅거미질 무렵에.

Dunkel≈kammer *f.* 〖사진〗 암실. **~mann** *m.* 〔복수: ..männer〕 ① 〔고어〕 비개화주의자, 반진보주의자. ② 음험한〔저의가 있는〕 사람.

Dünkel·meister *m.* 〔고어〕 자기 도취〔자만〕에 빠진 사람.

dunkeln [dúŋkəln] 《Ⅰ》 *t.* 어둡게 하다; (색을) 진하게 하다; 〔비유〕 불분명〔애매〕하게 만들다. 《Ⅱ》 *i.* ① *i./imp.* (h.) 〔교양〕 어두워지다: es dunkelt, der Abend〔Himmel〕 dunkelt 날이 저문다. ② (h.) 〔시어〕 어둡게 빛나다. ③ (s.) 거무스레해지다.

dünkeln *i.* (h.) ① 〔고어〕 …으로 여겨지다(dünken). ② 잘난 체하다, 자만하다: er dünkelte, es sei sein Verdienst gewesen 그는 그것이 자기의 공적이었노라고 자만했다.

dunkel·rot *a.* 짙은 빨강색의.

dünkel·voll *a.* ↑ dünkelhaft.

Dunkel≈werden *n.* 어두워짐, 거무스름해짐: beim ~ 땅거미질 무렵에; vor dem ~ 저물기 전에. **~ziffer** *f.* 비공개 수치. **~ziffer·delikt** *n.* 공개되지 않은 추정 범행. **~zone** *f.* 통제 불가능 영역.

*__dünken__(*) [dýŋkən] (deuchte/dünkte, gedeucht/gedünkt) 〔교양〕 《Ⅰ》 ① *i./t.* (h.) …으로 여겨지다〔생각되다〕: sein Benehmen dünkt mich〔mir〕 seltsam 그의 태도가 나는 이상하다고 생각한다. ② *imp.* es dünkt mich〔mir〕, daß ... …로 생각된다; mich dünkt, er ist zufrieden 나는 그가 만족해 한다고 생각한다. 《Ⅱ》 *refl.* sich ~ ① …이라고 잘못 생각하고 있다, 자부〔자만〕하다: er dünkt sich etwas Großes〔sehr geschickt〕 그는 자기가

대단한 사람이라고〔매우 노련하다고〕 자부하고 있다. ②〖고어〗 sich ~ lassen 생각하다.

Dụnken *n.* -s meinem ~ nach 내 생각으로는.

Dụnkes *m.* -〖방언〗 현혹, 기만.

Dunking [dáŋkɪŋ] *n.* -s, -s〖농구〗 덩크슛.

Dụ̈nkling *m.* -s, -e 잘난 체하는 사람.

***dünn** [dʏn] *a.* ① (↔dick) 얇은; 가느다란; 마른: ein ~er Bach 얕은 시내; ~ wie ein Faden 실처럼 가는; ~es Papier 얇은 종이; ~e Beine 가는 다리;〖비유〗 sich ~ machen a) 별로 자리를 차지하지 않다, b) 몰래 도망치다; durch dick und ~ gehen 온갖 고난을 헤치고 나아가다. ② (↔dicht) 성긴; 희박한: ~es Gewebe 얄팍한 직물; ~es Haar 숱이 적은 머리; ~ säen 씨를 드문드문 뿌리다; es fällt ein ~er Regen 보슬비가 내린다. ③ (기체가) 희박한; (액체가) 묽은: ~es Bier 약한 맥주; ~es Blut 빈혈; ~e Suppe 묽은 수프; ~er Nebel 엷은 안개; ~e Luft 희박한 공기;〖비유〗 in ~e Luft zerrinnen 흔적 없이 사라지다. ④〖俗〗천박〔빈약〕한. ⑤ (↔voll) (목소리 따위가) 가날픈, 음량이 없는: eine ~e Stimme 가날픈〔희미한〕 목소리. ⑥ 불충분한, (내용이) 빈약한: ein ~es Argument 빈약한〔얄팍한〕 논거.

dụ̈nn≈backig, ~bäckig *a.* 볼이 마른〔팬〕. **~bärtig** *a.* 성긴 수염의. **~behaart** *a.* 털이 적은〔성긴〕. **~beinig** *a.* 가는 다리의. **~besiedelt** *a.* 인구가 적은, 인구 밀도가 낮은. **~bevölkert** *a.* 인구가 적은. **~bewachsen** *a.* 성기게 난. **≗bier** *m.* 약한 맥주. **~blätterig, ~blättrig** *a.* 잎이 얇은. **≗-brettbohrer** *m.*〖평어〗 쉬운 길을 택하는 사람. **≗darm** *m.*〖해부〗 소장(小腸). **≗-darmentzündung** *f.*〖醫〗 소장염. **≗-druck** *m.*〖복수: -e〗 인디아 페이퍼 인쇄물〔본〕. **≗-druck·ausgabe** *f.* 인디아 페이퍼 판(版). **≗-druck·papier** *n.* 인디아 페이퍼.

Dünne [dʏ́nə] *f.* ① (↔Dicke) 엷음, 가느다람, 박약; 희박. ②〖복수: -n〗 얇은〔가느다란〕 부분. ③〖경박〗 설사.

dụ̈nne|machen *refl.*〖구어〗 sich ~ 몰래 도망치다.

dunnemals [dʊ́nəma:ls] *adv.*〖고어·방언〗 당시:〖농담〗 Anno ~ 옛날에, 당시에.

dụ̈nnen *t.* 얇게〔가늘게·마르게〕 하다.

dụ̈nn≈flüssig *a.* 묽은 액체 상태의, 수용액상(狀)의. **≗flüssigkeit** *f.* 수용액 (상태). **~gesät** *a.* (씨가) 성기게 뿌려진;〖비유·구어〗 (인구 따위가) 희박한, 성긴. **~häutig** *a.* ① 가죽이 얇은. ②〖비유·교양〗 민감〔예민〕한.

Dụ̈nnheit *f.* 엷음, 희박성 (↑ Dünne ①).

Dụ̈nnigkeit *f.* ↑ Dünnheit.

dụ̈nn·leibig *a.* 몸이 마른, 살이 빠진.

dụ̈nnlich *a.* 약간 얇은〔가느다란〕.

dụ̈nn≈lippig *a.* 얇은 입술의. **~machen** ↑ dünnemachen. **≗mann** *m.*〖경박·평어〗 재능이 없는 사람; 약골, 겁쟁이. **~öhrig** *a.* 귀가 밝은. **≗pfiff** *m.* ↑ ≗schiß. **≗säure** *f.*〖化〗 황산 (Schwefelsäure). **~schalig** *a.* (달걀 따위가) 껍질이 얇은. **≗schiß** *m.*〖비속〗 설사. **≗schliff** *m.* (현미경 검사용) 광물의 얇은 조각. **≗schnäbler** *m.* 세취류(細嘴類) (명금족(鳴禽族)의 일종). **~stimmig** *a.* 가날픈 목소리의.

Dụ̈nnung *f.* -en ①〖사냥〗 (사슴·멧돼지 등의) 옆구리. ② 소의 뱃살 고기.

dụ̈nn·wandig *a.* 벽이 얇은.

Duns [dʌnz] 《engl.》 *m.* -es, -e〖고어〗 바보.

Dunsel [dʊ́nzəl] *m.* -s, -〖방언〗 바보.

dụnsen *i.* (h.) 부풀다, 붓다.

***Dunst** [dʊnst] *m.* -(e)s, Dünste ① (**a**) 증기, 김, 안개, 연무; 연기; 스모그: Zigaretten≗ 담배 연기; in ~ und Rauch (auf)gehen 〔zu ~ werden〕 무산되다; giftige〔schädliche〕 Dünste 유독성 증기〔스모그〕. (**b**) 냄새, 체취; 입김. ②〖비유·구어〗실체가 없는 것, 환영(幻影); 거짓말; 예감: jm. blauen ~ vormachen 속이다〔기만하다〕;〖구어〗 keinen (blassen) ~ davon haben 그 일을 전혀 알지 못하다. ③〖사냥〗 산탄(霰彈) (Vogel≗);〖軍〗 맹사격: ~ bekommen 맹사격을 받다. ④ 거칠게 빻은 밀가루.

dụnst≈artig *a.* 안개 모양의, 연기 같은. **≗-bad** *n.* 증기욕(浴). **≗bild** *n.* ↑ ~gebilde. **≗druck** *m.* (공기 중에 있는) 수증기의 압력.

dunsten [dʊ́nstən] *i.* ① (s.) 증발〔기화〕하다, 연기가〔김이〕 나다, 안개〔연무〕가 끼다: es dunstet 안개〔연무〕가 끼다. ② (h.) 증기를 발산하다; 땀을 내다: die feuchte Erde dunstet 축축한 땅에서 아지랑이 피어오른다. ③〖구어〗 (ost.) jn. ~ lassen 누구에게 사실을 알려주지 않다.

dünsten [dʏ́nstən] 《I》 *t.*〖요리〗 (뭉근한 불에) 찌다, 스튜로 하다: Fleisch〔Gemüse〕 ~ 고기〔야채〕를 찌다. 《II》 ↑ dunsten ①②.

Dụnst≈flimmer *m.* (Irrlicht) 도깨비불. **~-flinte** *f.* 새총. **~gebilde** *n.*, **~gestalt** *f.* 안개 모양의 것;〖비유〗 환영(幻影), 환상. **~glocke** *f.* 심한 스모그. **~haube** *f.* ↑ ~glocke.

dunstig [dʊ́nstɪç] *a.* ① 증기가 가득 찬; 숨막히는; 안개 낀; 땀이 난. ② 기체 모양의, 증기체의. ③ 시야가 흐린.

dünstig *a.* ↑ dunstig.

Dụnst≈kalb *n.* 태내(胎內)에서 죽은 송아지. **~kiepe** *f.*〖농담〗실크 해트; 투구, 둥근 모자; 멍청이. **~kreis** *m.*〖비유〗 분위기, 영향권: im ~ seiner Berühmtheit 명성의 영향권 안에서, 유명세를 타고. **~kugel** *f.*〖軍〗 연막탄. **~loch** *n.* 바람이 통하는 구멍. **~rohr** *n.* 통풍관(通風管).

Dụnst·obst *n.* (öst.) 쪄서 익힌 과일.

Dụ̈nst·obst *n.* ↑ Dunstobst.

Dụnst≈schicht *f.* 안개층. **~schleier** *m.* 연무(煙霧). **~wolke** *f.* 자욱한 연무; (매연으로) 뿌연 공기.

Dünung [dý:nʊŋ] *f.* -en (폭풍 전후의) 파장이 길고 고른 파도.

Dunzel [dʊ́ntsəl] 《it.》 *f.* -n (obd.) 소녀; 말괄량이.

Duo [dú:o] 《it. duo》 *n.* -s, -s ①〖음악〗 2중주. ② 2중주 연주자, 2중창 가수. ③〖농담〗 2인조: Gauner≗ 2인조 사기꾼.

duodenal *a.*〖醫〗 십이지장의.

Duodenal≈geschwür *n.*〖醫〗 십이지장 궤양. **~katarrh** *m.* 십이지장염. **~ulkus** *n.* ↑ ~geschwür.

Duodenitis *f.* ..tiden [..tí:dən]〖醫〗 십이지장염.

Duodenum ⟪lat.⟫ *n.* -s, ..na 〖生〗 십이지장.
Duodez [duodé:ts] ⟪lat.⟫ *n.* -es ①〖印〗 12 절판, 사륙판(기호: 12°). ②〔비유〕특별히 작은 것.
duodez.. *pref.* "조그마한·익살맞은·우스꽝스러운"의 뜻.
Duodez≈band *m.* 12 절판의 책. **~format** *n.* ↑ Duodez ①. **~fürst** *m.* 작은 나라의 군주. **~fürstentum** *n.* 소공국.
duodezimal [duodetsimá:l] ⟪lat.⟫ *a.* 12 분산(分算)의, 12 분 소수의; 12 진법의.
Duodezimal·system *n.* 〖數〗 12 진법.
Duodezime [..dé:tsimə] *f.* -n 〖음악〗 12 도 음정(音程).
Duodez·staat *m.* 소국(小國).
Duole [duó:lə] *f.* -n 〖음악〗 2 잇단음표.
Duopol *m.* -s, -e 〖經〗 복점(複占)(dyopol).
Dupe [dy:p], **Düpe** [dy:p] ⟪frz.⟫ *m.* -n, -n 〔*f.* -n〕 속은 사람, 어리석을 정도로 인품이 좋은 사람, 무골호인.
düpieren [dypí:rən] ⟪frz.⟫ *t.* 속이다, 사기치다.
Düpierung *f.* -en 〔교양〕 사기.
Dupla ↑ Duplum 의 복수형.
Duplet [dupplé:] ⟪frz.⟫ *n.* -s, -s 〖광학〗 2 중 렌즈 확대경.
Duplex [dú:plɛks] *n.* - 2 중천.
duplex.. *pref.* "2 중의·복(複)의"의 뜻.
Duplex≈betrieb *m.* ① 2 중 전신법(電信法). ②〖컴〗 2 중 파일 전송. **~telegrafie** *f.* 〖통신〗 2 중 전신법, 동시 송수(送受) 전신.
duplieren *t.* 2 중으로〔2 배로〕 하다; 〖印〗 2 중쇄(二重刷)로 하다.
Duplierung *f.* -en ↑ duplieren 의 명사형.
Duplik [dupplí:k] *f.* -en 〖法〗 제 2 답변(원고 답변에 대한 피고의 답변).
Duplikat [..liká:t] *n.* -(e)s, -e 사본, 부본(副本): Wechsel in ~ 복본(複本) 어음.
Duplikation [..katió:n] *f.* -en ① 2 중, 배가(倍加). ②〖生〗 유전자 중복.
Duplikatur [..katú:r] *f.* -en 〖醫〗 2 중체(二重體).
duplizieren [duplitsí:rən] *t.* 2 중으로〔배가(倍加)〕하다; 〖法〗 제 2 답변을 하다.
Duplizität [..tsitɛ́:t] -en *f.* ① 2 중성, 중복. ②〔고어〕 일구이언, 표리부동; 애매.
Duplum [dú:plum] *n.* -s, ..pla ↑ Duplikat.
Dups *m.* -es, -e ⟪pol. dupa⟫ 엉덩이.
Dur [du:r] ⟪lat.⟫ *n.* -, - 〖음악〗 장조(↔ Moll).
durabel [durá:bəl] ⟪lat.⟫ *a.* 견고한, 내구성의, 영속적인.
Durabilität [durabilitɛ́:t] *f.* 내구성, 영속성.
Dur·akkord *m.* 〖음악〗 장(長) 3 화음.
dural [durá:l] *a.* 〖醫〗 뇌경막의.
Duralumin [dú:ralumi:n, du:ral..mí:n] *n.* -s 두랄루민.
Dura mater *f.* ⟪lat.⟫〖醫〗 뇌경막.
durativ [dú:rati:f, duratí:f] *a.* 〖언어〗 지속적〔계속적〕인: ~e Aktionsart (진행과정이나 상태의) 지속을 나타내는 동사의 동작상태.
Durativ *n./m.* -s, -e 〖언어〗 ① (동사의 상(相)으로서) 계속상(相). ② 사건의 지속을 나타내는 동사.
Durativum *n.* -s, ..va ↑ Durativ.
***durch** [durç] ⟪I⟫ *prp.*⁴ ①〔공간〕 통과하여, 지나서; 꿰뚫어, 관통하여; (quer~) 가로〔건너〕질러서: er geht ~ den Garten 그는 정원을 가로질러 간다; ~ die Stadt fahren 도시를 차로 지나가다〔통과하다〕; der Schuß ging ihm ~s Herz 총알이 그의 심장을 관통했다; ~ die Nase sprechen〔reden〕 콧소리로 말하다; ~ das ganze Land (hindurch) reiten 전국을 말을 타고 돌아다니다; 〔비유〕 jm. ~ die Finger sehen 나무라지 않다, 너그럽게 봐주다; sein Leid geht mir ~s Herz 그의 괴로움이 내 가슴에 사무친다; mir schießt ein Gedanke ~ den Kopf 어떤 생각이 내 머리를 스치고 지나간다; das ging mir ~ Mark und Bein 그것은 내 골수에 사무쳤다, 나를 오싹하게 하였다; ~ dick und dünn 온갖 고난을 헤쳐내고, 어떤 일이 있어도; 〔상태〕 ~ Gefahr 위험을 뚫고. ② (**a**) 이리저리, 구석구석: ~ ein Land reisen 한 나라를 구석구석 여행하다. (**b**) 〔유포·만연〕 sein Ruf dringt ~ das ganze Land 그의 명성은 전국에 퍼진다. ③ 〔행위 또는 상태의 계속〕 …동안, …내내: ~ die ganze Woche 1 주일 동안 (내내); den Winter ~ 겨울 내내; ~ das ganze Leben (hindurch) 평생 동안. ④ (**a**) 〔목적 달성의 수단이나 매개(자)를 나타냄, 단 mit 보다 광범위하게 쓰임〕 …을 통하여, …으로: ~ Fleiß vorwärtskommen 근면을 통하여 발전하다; eine Krankheit ~ Fasten heilen 단식하여 병을 고치다; ~ Zufall 우연히; ~ die Post 우편으로; ich habe ihn durch Freunde kennengelernt 나는 친구들을 통해 그를 알게 되었다. (**b**) 〔수동태에서 행위의 수단을 나타냄〕 …으로, …에 따라: das Haus ist ~ Bomben zerstört worden 그 집은 폭탄으로 파괴되었다. ⑤ 〔원인을 나타냄, 단 von 처럼 주동인(主動因)이나 행위자를 나타내는 일은 적음, 따라서 자동사가 보통 durch 를 취함〕 …로 말미암아, …때문에; …의 덕택으로: ~ Überarbeitung 과로 때문에; ~ Ihre Güte 덕택으로; das Land ist ~ ihn sehr in die Höhe gekommen 그 나라는 그의 덕으로 융성해졌다. ⟪Ⅱ⟫ *adv.* 〔구어〕 ① (**a**) 〔시간적·공간적〕 지나서: darf ich bitte ~? 지나가도 되겠습니까?; der Zug ist gerade eben ~ 기차가 방금 막 지나갔다; es ist schon drei Uhr ~ 벌써 세 시가 지났다. (**b**) 사방팔방으로; 구석구석이: er geht den Garten ~ 그는 정원을 돌아다닌다 (↑ ⟪I⟫ ①); die (ganze) Nacht ~ 밤 새껏; ~ und ~ 철두철미, 완전히: ich kenne ihn ~ und ~ 나는 그를 아주 잘 알고 있다; er ist ~ und ~ naß 그는 함빡 젖어 있다. ② 〔생략적〕 er ist ~ a) 그는 통과하였다, b) 위난을 모면하였다, c) 시험에 합격하였다, d) 도망쳤다; 〔비유〕 alle Schulen ~ sein 산전수전 다 겪은 노회한 사람이다; mit et.³ ~ sein 무엇을 끝마치고 있다, 무엇을 벗어나 있다; ich habe das Buch bald ~ 나는 그 책을 곧 끝낸다〔다 읽는다〕(↑ durchlesen); wir müssen ~ die Menge 우리들은 군중을 뚫고 나아가지 않으면 안 된다; seine Schuhe sind ~ 그의 구두는 떨어져 있다; die Hose ist unten ~ 바지 자락이 해어져 있다(↑ durchstoßen); 〔俗〕 unten〔(dr)unter〕 ~ sein 웃음거리가 되어 있다, 영락해 있다; er ist bei mir (unten) ~ 내가 보기에 그는 볼짱 다 본 사람이다. ⟪Ⅲ⟫ *a.* 〔구어〕 ~er Käse 잘익은 치즈; ~e Füße 발

병난 발.

***durch..** *pref.* ① 동사의 분리 전철로서 악센트를 가지며, 동사가 나타내는 동작의 "관통·관철·종결·철저·완수·돌파·타개·손상·하락"을 뜻함. ② 동사의 비분리 전철로서는 악센트를 갖지 않음, 이 경우는 모두 타동사이며 "충만·투철·두루 돌아다님·경솔한 행동·시간의 낭비·균등"을 뜻함.

durchächzen *t.* 신음하며 지내다.

durch|ackern *t.* ① (밭 따위를) 꼼꼼히 갈다. ② ↑ durchackern. ③〖비유·구어〗(**a**) 철저히 연구하다; 퇴고하다(↑ durcharbeiten《I》②): für die Prüfung hat er das alles durchgeackert 그는 시험에 대비하여 그 모든것을 철저히 공부했다. (**b**) sich durch et. ~ 무엇을 열심히 연구〔독파〕하다; sich durch ein schwieriges Buch ~ 어려운 책을 힘겹게 독파하다.

durchackern *t.* 갈아 젖히다, 충분히 갈다: gut durchackerter Boden 쟁기질이 잘된 밭.

durchädert *a.* ↑ durchädert.

durchädert [durç|ɛ́:dərt] *a.* 맥이 (드러나) 있는; (대리석이) 줄진 무늬가 있는.

durchängsten *t.* 몹시 걱정하게 하다: sich ~ (몹시) 불안해 하다, 염려〔걱정〕하다.

durchängstigen *t.* ↑ durchängsten.

durch|arbeiten《I》*t.* ① 일을 다해 넘기다, 완성하다; (말을) 충분히 조련시키다; (몸을) 단련하다. ② 철저히 연구〔조사〕하다; 완전하게 다듬다; 퇴고하다; (책을) 숙독하다. ③ durch einen unwegsamen Wald einen Pfad ~ 길 없는 숲에 작은 길을 내다; sich die Hände ~ 일을 하여 손을 망치다. ④〖고어〗호되게 때리다. ⑤ (가루 따위를) 잘 개다〔반죽하다〕.《II》*i.* (h.) 쉬지않고 일하다.《III》*refl.* sich (durch et.) ~ (무엇을) (간신히) 통과하다, 뚫고 나아가다; (곤란을) 극복하다; sich durch eine Krankheit ~ 병을 이겨내다; sich durch den ganzen Shakespeare ~ 셰익스피어의 작품을 모두 철저히 연구〔독파〕하다; die Sonne arbeitet sich durch 햇살이 (안개를 뚫고) 비쳐나오다.

durcharbeiten *t.* die Nacht ~ 밤을 새워 일하다.

durcharbeitet *a.* (계속) 일하면서 보낸.

Durcharbeitung *f.* -en 완성; (몸의) 단련; 철저한 연구; 갈고 닦음; 뚫고 나아감, 극복; (난국의) 타개.

durch|atmen *i.* (h.) 심호흡을 하다.

durchatmen *t.* (향기로) 가득 채우다.

durch|ätzen *t.* 부식(腐蝕)시켜 구멍을 뚫다: sich[3] die Hände ~ 부식 약품 때문에 손이 상하다.

durchätzen *t.* 골고루 침식하다.

***durch·aus** [durç|áus, dúrç|aus] *adv.* ① 처음부터 끝까지, 전체로서. ② 전혀, 전적으로, 철두철미; 꼭, 끝까지; 절대적으로: ~ richtig 전적으로 옳은; ~ nicht 전연〔결코〕…하지 않다; nicht ~ 전혀 …이라고는 할 수 없다; ich habe ~ keinen Grund, das zu denken 내가 그 점을 생각할 이유는 전혀 없다.

durch|backen* *t.* ① 충분히〔고루고루〕굽다. ② …내내 굽다: die ganze Nacht ~ 밤새 (빵을) 굽다.

durchbacken* *t.*〖드물게〗mit et.[3] ~ 섞어 굽다; das mit Rosinen durchbackene Brot 건포도를 넣어 구운 빵.

durch|bauschen *t.* ↑ durchbausen.

durch|bausen *t.* 복사(複寫)〔투사〕하다.

durch|beben *t.* 내내〔계속해서〕떨다: die Nacht vor Dieben ~ 도둑이 무서워 밤새 떨다.

durchbeben *t.* ① 떨게〔전율케〕하다. ② 감동시키다: von Wonne durchbebt 환희에 (몸을) 떨며.

durch|beißen* 《I》*t.* ↑ durchbeißen.《II》*i.* (h.) 파먹어 들어가다: die Schläge beißen durch 매가 살을 파고 드는듯 하다.《III》*refl.* sich ~ 이를 악물고 나아가다;〖비유·구어〗혈로(血路)를 열다, 뚫고 나아가다.

durchbeißen* 물어 뜯다, 물어 찢다〔째다〕.

durch|beizen *t.* ① 부식하여 구멍을 뚫다. ② ↑ durchbeizen.

durchbeizen *t.* 남김없이 부식하다.

durch|bekommen* *t.* ① (**a**) 가까스로 끼워 넣다: einen Faden durchs Öhr ~ 바늘귀에 실을 꿰다. (**b**) 두 조각으로 쪼개다: hast du den Stamm (mit der Säge) ~? 네가 (톱으로) 통나무를 잘랐니? ② (위험에서) 구해 내다; 관철시키다; (의안을) 통과시키다.

durch|beraten* *t.* ① 심의〔숙의〕하다. ② 차례차례 토의하다〔다루다〕.

durch|beten《I》*i.* (h.)〖고어〗durch eine Allee ~ 기도하며 거리를 지나가다.《II》〖고어〗*refl.* sich ~ 기도의힘으로 모면하다.《III》*t.* ① 기도를 끝마치다, 독경(讀經)을 끝마치다. ② ↑ durchbeten.

durchbeten *t.* 기도하며 지내다: die Nacht ~ 밤새껏 기도하다.

durch|betteln[1] *refl.* sich ~ 구걸하며 살아가다.

durchbetteln[2] *t.* das ganze Land ~ 전국을 구걸하며 돌아다니다.

durch|beuteln *t.* 세게 흔들다, (밀가루를) 체로 치다:〖비유〗jn. derb ~ 호되게 때리다.

durch|bewegen *t.* (움직여) 지나가게 하다: sich (durch et.) ~ (무엇을) 뚫고 나아가다: sich durch eine Menschenmasse ~ 인파를 헤치고 가다.

durch|biegen《I》*t.* 힘껏 구부리다.《II》etwas biegt sich durch 무엇이 아래로 휘다.

Durchbiegung *f.* -en 휨, 축 처짐; 침하.

durch|bilden《I》*t.* 완성시키다, 완전히 연마하다; (몸을) 운동시키다: sich ~ 완전한 교양을 갖추다.《II》**durchgebildet** *p.a.* ↑ durchgebildet.

Durchbildung *f.* 철저한 교육, 숙달.

Durchbinder *m.* -s, -〖건축〗갓돌.

durchbittern *t.* (맛을) 몹시 쓰게 하다.

durchbittert *a.*〖고어·비유〗매우 쓴; 몹시 성이 난.

durch|blasen* 《I》*t.* ① (**a**) 취주를 끝마치다, 처음부터 끝까지 불다〔연주하다〕. (**b**) (…내내) 쉬지 않고 불다. ② 불어서 찢다〔째다〕. ③ durch et. ~ 무엇을 통해서 불어넣다: Spucke durch einen Strohhalm ~ 빨대를 통해 침을 불어넣다. ④ 불어서 깨끗하게 하다: das verrußte Rohr ~ 그을린 관을 불어서 깨끗하게 하다.《II》*i.* (h.) 바람이 불어 들어오다.

durchblasen* *t.* (durchwehen) 바람이 휙 불어 지나가다, 바람이 휩쓸다.

durch|blättern *t.* ein Buch ~ a) 책장을 넘

기다, b) 통독하다, (책을) 죽 훑어보다.

durchblättern *t.* ① ↑ durchblättern. ② (전지(全紙)를) 페이지 크기로 자르다.

durch|bleuen *t.* 〔구어〕 호되게 때리다.

Durchblick [dʊ́rçblɪk] *m.* -(e)s, -e ① (틈 사이로의) 조망, 전망. ②〔비유·구어〕통찰, 간파, 형안(炯眼): der hat überhaupt keinen ~ 그 사람은 통찰력이 전혀 없다.

durch|blicken 《I》 *i.* (h.) ① durch et. ~ 무엇을 통하여 보다, 들여다보다; die Sonne blickt durch 햇빛이 구름 사이로 비친다〔보인다〕. ② 보이다, 나타나다: ~ lassen (으러내) 보이다, 암시하다. 《II》 *t.* ↑ durchblicken.

durchblicken *t.* 내다보다, 꿰뚫어보다, 통찰〔간파〕하다.

durch|blinken *i.* (h.) ↑ durch|blitzen.

durchblinken *t.* ↑ durchblitzen.

durch|blitzen *i.* (h.) ① 틈새로 번쩍이다, 빠끔히 비치다: et. ~ lassen 암시하다, 넌지시 비추다. ② 내내 번득이다: es hat die ganze Nacht durchgeblitzt 밤새 번개가 쳤다.

durchblitzen *t.* 번쩍하며 지나가다: ein Gedanke durchblitzte sein Gemüt 어떤 생각이 그의 마음에 퍼뜩 떠올랐다.

durch|bluten *i.* (h.) ① 피가 새어나오다: eine Wunde blutet durch 상처에서 피가 흐른다. ② (s.) 피가 배어나오다: ein Verband blutet durch 붕대에 피가 배어나온다.

druchbluten *t.* ① 피를 공급하다: ein Organ ~ 기관에 피를 공급하다. ② 피로 적시다. ③〔비유·시어〕 가득 채우다: ein neues Lebensgefühl durchblutete ihn 그는 새로운 삶의 기쁨으로 충만해졌다.

durchblutet [dʊrçblú:tət] *a.* 혈색이 좋은.

Durchblutung *f.* 혈액 순환.

durchblutungs⸗fördernd *a.* 혈액 순환을 촉진하는. **⸗störung** *f.* 혈액 부전(不全)〔순환 장애〕.

durch|bohren 《I》 *i.* (h.) (durch et.) 관통하다. 《II》 *t.* ein Loch ~ 구멍을 뚫다. 《III》 *refl.* sich ~ (벌레가 나무 따위를) 파먹어 들어가다: sich durch die Menge ~ 군중을 뚫고 지나가다.

durchbohren 《I》 *t.* 구멍을 뚫다; 꿰뚫다, 찔러서 뚫다: jm. das Herz ~ a) 누구의 심장을 꿰뚫다, b)〔비유〕 누구의 마음에 사무치다; mit (den) Blicken ~ 꿰뚫어보다, 통찰〔간파〕하다. 《II》 **durchbohrt** *p.a.* ↑ durchbohrt.

durchbohrend *p.a.* 날카로운: ein ~er Blick 날카로운 눈빛; ein ~er Schrei 날카로운〔째는 듯한〕 소리.

durchbohrt 《I》 *p.p.* ↑ durchbohren. 《II》 *p.a.* 구멍이 있는: ~e Äpfel 씨를 발라낸 사과.

Durchbohrung *f.* 꿰뚫음, 관통.

durch|boxen 《I》 *t.* 〔구어·비유〕 관철시키다, 무리하게 성사시키다. 《II》 *refl.* sich ~ 마구 밀고 나아가다;〔비유〕(역경을) 헤쳐 나아가다.

durch|braten* 《I》 *t.* 충분히 굽다〔익히다〕. 《II》 *i.* (s.) 충분히 구워지다〔익다〕.

durch|brausen[1] *i.* (s.) 휙 지나가다.

durchbrausen[2] *t.* ① 진동 소리로 뒤덮다: der Sturm durchbraust die Schlucht 폭풍우가 계곡을 휘몰아친다. ②〔교양〕(소리가 어떤 장소를) 가득 채우다: Orgelmusik durchbrauste die Hallen 파이프 오르간 연주곡이 홀을 가득 채웠다.

durch|brechen* 《I》 *t.* ① 꺾다, 부러뜨리다: et. mitten ~ 무엇을 두 동강 내다; ein Loch durch die Wand ~ 벽에 구멍을 뚫다. ②〔드물게 durchbrechen 대신에〕 …에 통로를 뚫다: die Wand ~ 벽에 통로를 뚫다; zwei durchgebrochene Häuser 담을 허물어 하나로 만든 두 집; eine Straße ~ 큰 길을 내다. 《II》 *refl.* sich ~ 부수고 나(아)가다; 탈옥하다. 《III》 *i.* (s.) ① 두 동강 나다. ② 부수고 나오다; 〔비유〕 나타나다, 발현하다; (꽃이) 피다; (이가) 나다; (시냇물이) 범람하다; (눈물이) 쏟아지다; (화가) 폭발하다; 〖軍〗 돌파하다. ③ durch et. ~ 무엇의 밑으로 빠지다: beim Schlittschuhlaufen ist der Junge durch die dünne Eisdecke durchgebrochen 그 소년은 스케이트를 타다가 엷은 얼음장이 깨져 물에 빠졌다.

durchbrechen* 《I》 *t.* ① 부수어 열다; 〖軍〗 돌파하다: eine Blockade ~ 봉쇄를 돌파하다; 〔비유〕(법률 따위를) 어기다, (정적을) 깨뜨리다; allen Schranken ~ 일체의 제한을 어기다〔지키지 않다〕. ② 구멍을 뚫다. 《II》 **durchbrochen** *p.a.* ↑ durchbrochen.

Durchbrechung *f.* -en 돌파; 위반.

durch|brennen* 《I》 *t.* ein Loch ~ 태워 끊다〔구멍을 내다〕(↑ durchbrennen ②). 《II》 *i.* (s.) ① 타서 구멍이 나다, 타서 끊어지다; 〖전기〗(과전류로) 녹아 끊어지다: eine Sicherung brennt durch 퓨즈가 끊어지다. ② 이글거리도록 타다. ③ (**a**) 〔비유·구어〕 몰래 달아나다, 도망치다: mit der Kasse ~ 금고를 들고〔돈을 가지고〕 도망치다. (**b**) 〖스포츠〗 수비를 따돌리다.

durchbrennen* *t.* ① 태워서 구멍투성이로 만들다. ② 속속들이〔이글거리도록〕 태우다.

Durchbrenner *m.* -s, - 도망자; 가출자.

durch|bringen* *t.* 《I》 ① 데리고〔가지고〕 통과하다: den Faden durchs Nadelöhr ~ 바늘귀에 실을 꿰다. ②〔비유〕 위험을 이기게 하다; (병자를) 낫게 하다; (아이를) 양육하다; (법률안을) 통과시키다; 관철시키다; (식물·가축을) 해를 넘기게 하다: jn. im Examen ~ 누구를 (수험 준비를 시켜) 합격시키다. ③ 끝내다; (책을) 다 읽다; (재산을) 탕진하다. ④ ↑ durchbringen. 《II》 *refl.* sich ~ 그럭저럭 살아 나아가다, 생계를 이어가다; sich ehrlich ~ 정직한 생활을 하다.

durchbringen* *t.* 보내다; 지내다: ich durchbrachte eine schlaflose Nacht 나는 한잠도 자지 않고 밤을 새웠다.

Durchbringer *m.* -s, - 낭비하는 사람, (재산을) 탕진하는 사람.

durchbrochen 《I》 *p.p.* ↑ durchbrechen. 《II》 *p.a.* 작은 구멍이 있는, 체눈 세공(細工)의: ~e Stickerei 투조(透彫) 자수.

***Durchbruch** [dʊ́rçbrʊx] *m.* -(e)s, ..brüche ① (**a**) 쳐서 꿰뚫음〔부숨〕, 돌출, 타개; 발현; 〖軍〗 돌파; 〖醫〗 자궤(自潰), 발진(發疹): ~ des Blutes 일혈(溢血); ~ von Hautkrankheiten 발진; ~ von Zähnen 이가 새로 나옴; 〖宗〗 발심(發心), 돈오(頓悟); zum ~ kommen a) 돌파하다, b) 갑자기 나타나다, 돌발하다. (**b**) 출세, 성공, 성사: einer Sache zum ~ verhelfen 일을 성사시키다; er hat den ~ geschafft 그는 성공했다. ② 갈라진

틈; 애로, (산·언덕을) 뚫어낸 길; 벽의 갈라진 곳. ③〖工〗(Durchbrechmeißel) 구멍 뚫는 끌. ④ (작은 구멍이 있는) 망사형 세공. ⑤〖植〗시호(柴胡)(복산형(複繖形) 꽃차례〔화서(花序)〕식물).

Durchbruch=arbeit *f.* ①〖광산〗개착 공사. ② ↑ Durchbruch ④. **~stelle** *f.* (댐이나 둑에) 구멍난 곳.

durchbrüllen *t.* 짖어대다.

durch|brummen *i.* ① 시험에서 떨어지다. ② (자동차 따위로) 붕붕거리며 지나가다.

durch|buchstabieren *t.* (전화 따위로) 철자를 불러주다; 처음부터 끝까지 철자로 읽다.

durch|bummeln *i.* (s.) 〖구어〗(거리를) 배회하다, 걸어다니다.

durchbummeln *t.* 〖비유·구어〗술을 마시면서 (시간을) 보내다.

durch|checken *t.* ① 철저히 검사하다. ②〖구어〗곰곰이 생각하다: das muß ich erst noch mal ~ 나는 그것을 다시 한번 곰곰이 생각해 봐야겠다.

durchdacht [durçdáxt] 《I》 *p.p.* ↑ durchdenken[1]. 《II》 *p.a.* 깊이 생각한, 숙고한.

durch|dämmern *i.* (h.) 살며시 빛이 새어나오다.

durchdämmern *t.* 미광(微光)으로 가득 채우다.

durch|dampfen *i.* (s.) (기차·기선 따위가) 전속력으로 지나가다.

durchdampfen *t.* 증기〔안개〕로 가득 채우다.

durch|dämpfen *t.* 충분히 쪄서 조리하다.

durch|dauern *i.* (h.) 내내 계속되다: das dauert den ganzen März durch 그것은 3 월 한달 내내 계속된다.

durchdauern *t.* (고통을) 견디어 내다: den Winter ~ 겨울을 나다.

durch|denken[1]* *t.* 철저히 사고하다, 집요하게 천착하다.

durchdenken[2]* *t.* 곰곰이 생각하다, 숙고하다.

durch|dienen *i.* (h.) 끝까지 근무〔복역〕하다, 근무를〔복역을〕마치다.

durch|diskutieren *t.* 충분히 토의하다.

durch|donnern *i.* (h.) 천둥이 울려 퍼지다; (우레처럼) 노호하다.

durchdonnern *t.* 천둥처럼 울리다: wie durchdonnert 벼락을 맞은 듯이, 깜짝 놀라서.

durch|drängeln *t.* ↑ durchdrängen.

durch|drängen *refl.* sich ~ 밀치고 나아가다, (군중을) 헤치고 나아가다.

durch|drehen 《I》 *i.* (h.) ①〖海〗키를 잘못 틀어 배가 후진하다. ② (바퀴가) 헛돌다. 《II》 *t.* ① 돌리다: Fleisch (durch den Wolf) ~ 고기를 다지는 기계에 넣어 돌리다. ②〖구어〗제정신을 잃다, 돌다: nach dem Tod seiner Frau hat er durchgedreht 그는 아내가 죽은 뒤로 제정신이 아니다. ③〖영화〗(장면을) 중단 없이 촬영하다. 《III》 **durchgedreht** *p.a.* ↑ durchgedreht.

durch|dreschen* *t.* ① 충분히 타작하다;〖비유〗때리다. ② (문제 따위를) 철저히 논구하다: durchgedroschen 진부한.

durchdringbar *a.* 관통할 수 있는(↑ durchdringlich ①).

durch|dringen *i.* (s.) ① 뚫고 들어가다, 침입하다; 헤치고 지나가다; (액체처럼) 스며들다: das Gerücht ist bis zu uns durchgedrungen 그 소문은 우리 귀에까지 들어왔다; er dringt mit seiner Stimme durch 〔seine Stimme dringt durch〕 그의 목소리는 잘 들린다. ②〖비유〗(곤란을 이겨내고) 목적을 이루다, 성공하다: mit seiner Meinung ~ 자기의 의견을 관철시키다; er wird damit ~ 그는 (결국) 성공할 것이다.

durchdringen *t.* ① 꿰뚫다, 관통하다; 고루고루〔남김없이〕 스미다, 삼투〔침투〕하다; 꽉 차게 하다; (비밀을) 간파하다. ② (사상·느낌 따위가) 사로잡다, 가득 채우다: die Gemüter der Jugend mit et.[3] ~ 청소년의 마음을 무엇으로 사로잡다; von et.[3] durchdrungen sein 무슨 일이 머리 속에 꽉 차 있다.

durchdringend *p.a.* 스며드는; 날카로운; 예민한; 자극성의: ~e Kälte 살을 에는 추위; ein ~er Blick 예리한 시각; ein ~es Erlebnis 뼈에 사무치는 체험.

durchdringlich [dúrçdrɪŋlɪç] *a.* ① 관통〔투입·삼투〕할 수 있는: ~ für Wärme 투열성(透熱性)의. ② ↑ durchdringend.

Durchdringung *f.* 관통, 삼투; 관철:〖政〗friedliche ~ 평화적 침략(문화를 통한 타국의 잠식), (특히) 경제적 침략.

durchdröhnen *t.* …에 울려퍼지다: der Kanonendonner durchdröhnte die Stadt 포성이 온 도시에 울렸다.

durch|drucken 《I》 *t.* (일정 기간 동안) 쉬지 않고 인쇄하다. 《II》 *i.* (h.) ① (인쇄물이) 자국을 남기다: die Zeitung hat auf die Tischdecke durchgedruckt 테이블보에 신문 자국이 남았다. ② 뒷면에 배어 비치도록 진하게 인쇄하다.

durch|drücken 《I》 *t.* ① 눌러 짜다: den Fruchtsaft durch ein Sieb ~ 과즙을 체로 눌러 거르다. ② (뒤로) 쭉 뻗다, (굽은 것을) 바로 펴다: den Ellbogen ~ 팔을 쭉 뻗다. ③〖비유·구어〗(저항에 맞서) 관철시키다: seine Meinung ~ 자신의 의견을 관철시키다. ④ 눌러 부수다. ⑤〖방언〗(빨래를) 가볍게 주물러 빨다. 《II》 *refl.* sich ~ ① sich durch die Menge ~ 군중을 헤치고 나아가다. ② 그럭저럭 살아가다.

Durchdrungensein *n.* -s〖雅語〗충만, 확신.

durchduften *t.* 향내로 가득 채우다, 방향(芳香)이 스미게 하다: die Blumen ~ das Zimmer 꽃향기가 방을 가득 채운다.

durchdulden *t.* 〖雅語〗끝까지 견디다.

durchdunsten *t.* 〖드물게〗증기로 가득 채우다.

durch|dürfen* *i.* (h.) 〖구어〗지나가도〔통과해도〕되다: durch die gesperrte Straße darf niemand durch 차단된 길은 누구도 지나가서는 안 된다.

durch|eilen *i.* (s.) 급히 지나가다.

durcheilen *t.* ① (어떤 장소를) 급히 지나가다, 들르지 않고 지나가다, 급히 여행하다. ②〖비유〗대강 훑어보다, 대충 하다.

***durch·einander** [durç|aɪnándər] *adv.* ① 뒤섞여, 난잡하게, 뒤죽박죽이 되어. ② ~ sein 어리둥절하다.

Durcheinander *n.* -s 혼란, 뒤죽박죽.

durcheinander=|bringen* *t.* ① 흐트러뜨리

다, 뒤죽박죽이 되게 하다: wer hat meine Sachen durcheinandergebracht? 누가 내 물건들을 흐트러 놓았느냐? ② 혼동하다. ③ 흥분시키다, 초조하게 하다. ~|**gehen*** *i.* (s.) 〔구어〕 흐트러지다, 뒤죽박죽이 되다. ~|**geraten** *i.* (s.) ① 뒤죽박죽이 되다. ②〔구어〕 당황하다, 어찌할 바를 모르다. ~|**kommen*** *i.* (s.) ↑ ~geraten. ~|**laufen*** *i.* (s.) 우왕좌왕하다. ~|**mengen** *t.* 뒤섞다, 혼동하다. ~**mischen** *t.* 뒤섞다. ~|**reden** *t.* 동시에 여럿이 말하다, 횡설수설하다. ~|**sprechen*** *t.* ↑ ~reden. ~|**werfen*** *t.* ① 내던져 뒤죽박죽이 되게 하다. ② 혼동하다. ~|**wirbeln** *i.* (h.) ① 이리저리 흩날리다. ②〔축구·은어〕 상대를 교란시키다.

durch|eitern *i.* (s./h.) 고름이 나다.

durch|empfinden* *t.* 깊이 느끼다.

durchessen *refl.* 〔농담〕 ① (차례로) 먹어 치우다. ② 모두 맛보다. ③ 얻어먹다: sich bei jm. ~ 누구한테서 얻어먹다.

durch|fädeln *t.* 꿰다: den Faden (durch das Nadelöhr) ~ 바늘귀에 실을 꿰다.

durch|fahren* 《I》 *i.* (s.) (차로) 통과하다, 항행하다: in Bonn ~ 본에 서지 않고 통과하다. 《II》 *t.* ① einen Weg ~ 도로에 바퀴 자국을 깊이 내다. ② 쉬지 않고 다니다: eine Nacht ~ 밤새껏 운전하고 다니다.

durchfahren* *t.* ① (어떤 장소를) 관통하여 가다; (배·차로) 두루 여행하다: das Meer ~ 바다를 건너다. ② 주파하다: die Rennstrecke kann in 10 Minuten ~ werden 경주 구간은 10분에 주파할 수 있다. ③〔비유〕 갑자기 떠오르다, 엄습하다: ein Schauder durchfuhr ihn 〔seine Glieder〕 그의 온몸에 소름이 끼쳤다; ein Gedanke durchfuhr ihn 어떤 생각이 번득 그의 마음을 스쳤다. ④〔광산〕 갱도를 뚫어 관통하다.

***Durchfahrt** *f.* -en ① (차·배로) 통과: ~ verboten! 자동차 통행 금지! ② 통로; (집의) 문간; 출입구; 〔海〕 수로, 해협.

Durchfahrts·recht *n.* 통행〔통항〕권. ~**-verbot** *n.* 통행 금지. ~**zoll** *m.* 통행세.

Durchfall [dúrçfal] *m.* -(e)s, ..fälle ① 추락; 〔비유〕 실패; 불합격; 낙선. ②〔醫〕 설사: ~ haben 설사를 하다.

durch|fallen* *i.* (s.) ① (틈 사이로) 떨어지다, 추락하다: 〔物〕 ~des Licht 투사광(透射光). ②〔비유〕 실패하다: bei einer Wahl ~ 낙선하다; einen Prüfling ~ lassen 수험생을 떨어뜨리다; er ist (im Examen) durchgefallen 그는 시험에 떨어졌다; das Stück ist bei der Premiere durchgefallen 그 연극 작품은 초연에서 흥행에 실패했다. ③〔空〕 (비행기의 고도가) 갑자기 떨어지다.

durchfallen* *t.* (일정 거리를) 떨어지다〔하락하다〕.

durch|färben *t.* ① 전체를 (고르게) 염색하다. ② 색이 빠져 다른 것에 번지다.

durch|fasten *t.* (일정 기간) 단식하다.

durch|faulen *i.* (s.) 썩어 못쓰게되다, 완전히 부패하다.

durch|fäulen *i.* (s.) ↑ durchfaulen.

durch|faxen *t.* 〔구어〕 팩스로 보내다.

durch|fechten* 《I》 *t.* ① 끝까지 싸워서 목표를 달성하다〔이기다〕; (곤란을) 뚫고 나아가다: den ganzen Tag ~ 온종일 싸우다. ②〔비유〕 (의견·입장을) 관철하다. 《II》 *refl.* sich ~ ①〔비유〕 분투하여 혈로를 트다. ②〔고어〕 구걸하며 겨우 살아가다.

durchfechten* *t.* (어떤 곳을) 싸워서 뚫고 나아가다.

durch|fegen *t.* ① 아주 깨끗이 쓸다. ②〔비유〕 몹시〔심하게〕 꾸짖다, 호되게 때리다.

durchfegen *t.* 휩쓸고 지나가다; (바람이) 불어 스쳐 지나가다.

durch|feiern *i.* (h.) 〔구어〕 계속 잔치를 벌이다, 진하게 놀다: sie haben die ganze Nacht durchgefeiert 그들은 밤새 파티를 벌였다.

durch|feilen *t.* ① (〔드물게〕 durchfeilen) 줄로 끊다. ②〔비유〕 꼼꼼하게 가공하다, 다듬다: einen Text ~ 글을 윤문하다.

durchfeuchten *t.* 흠뻑 적시다: vom Regen durchfeuchtet 비에 흠뻑 젖은.

durch|feuern *t.* 충분히 불피우다: einen Ofen ~ 난롯불을 충분히 피우다.

durch|filzen *t.* 〔경박〕 철저히 몸수색을 하다.

durch|finden* *i.* (h.) / *refl.* (sich) ~ ① 통로를 발견하다; 목표에 도달하다. ② 통찰하다, 내막을 알다: sich in einer Wissenschaft ~ 어떤 학문에 조예가 깊다.

durchfischen *t.* einen Teich ~ 어떤 연못의 물고기를 모조리 잡다.

durch|flammen *t.* 〔방언〕 구타하다.

durchflammen *t.* 〔시어〕 활활 타오르게 하다(↑ durchfeuern).

durch|flattern *i.* (s.) ↑ durchflattern.

durchflattern *i.* 훨훨 날아가다.

durch|flechten* *t.* 무엇을 넣어 짜다〔엮다〕: Perlen durch das Haar ~ 진주 장식을 넣어 머리를 땋다; das Haar ~ 머리를 다〔완전히〕 땋다.

durchflechten* *t.* mit et.³ ~ 무엇과 (섞어서) 엮다: das Haar mit Blumen ~ 꽃으로 머리를 꾸미다.

durch|fliegen* *i.* (s.) ① 날아지나가다: der Ball flog (durch das Fenster) durch 공이 (창문을 뚫고) 날아갔다. ② 중단 없이 날아가다: die Zugvögel sind durchgeflogen 철새들은 쉬지않고 날아갔다. ③〔구어〕 낙제하다.

durchfliegen* *t.* ① (일정 구간을) 날아가다: das Flugzeug durchflog die Strecke Paris-New York in 8 Stunden 비행기는 파리-뉴욕 구간을 8시간에 비행하였다. ②〔비유·구어〕 급히 끝까지 읽다, 대충 훑어 읽다: eine Zeitung ~ 신문을 대강 보다. ③〔비유·교양〕 밀려오다, 엄습하다: Angst durchflog ihn 두려움이 그를 엄습했다.

durch|fliehen* *i.* (s.) 통과해서〔지나서〕 도망가다.

durchfliehen* *t.* 도망가며 통과하다〔지나가다〕.

durch|fließen* *i.* (s.) 사이로 흘러가다, 관류하다; 새어 흘러내리다.

durchfließen* *t.* 관류하다; 관개하다; …에 퍼지다.

durch|flimmern *i.* (h.) 틈 사이로 비치다 (durchschimmern).

durchflimmern *t.* 미광(微光)으로 가득 채우다(durchschimmern).

Durchflug [dúrçflu:k] *m.* -(e)s, ..flüge 비행 통과, 날아 지나감.

Durchflugs·recht *n.* 비행 통과권.

Durchfluß [dúrçflus] *m.* ..flsses, ..flüsse ① 관류. ② (일정 시간당) 관류량. ③ 배수구.
durch|fluten *i.* (s.) 관류하다, 범람하다: das Hochwasser flutete (durch alle Straßen) durch 큰 물이 (모든 길에) 넘쳐흘렀다.
durchfluten *t.* ① 범람하다: ein breiter Strom durchflutete das Land 넓은 강이 육지에 넘쳐흘렀다. ② 채우다: ein unangenehmes Gefühl durchflutete ihn 불쾌한 느낌이 그를 엄습했다.
durch|formen *t.* 철저하게〔완벽하게〕 만들다, 완성하다.
durch|formulieren *t.* 철저히 작성〔구성〕하다: die Rede war gut durchformuliert 그 연설은 잘 작성되었다.
durch|forschen *t.* 연구를 끝마치다.
durchforschen 《I》 *t.* ① **(a)** 연구하다: die europäische Musik ~ 유럽 음악을 연구하다. **(b)** 철저하게 조사하다; (사람의 얼굴을) 유심히 쳐다보다, (마음을) 떠보다, 탐색하다. ② (어떤 지역을) 조사〔수색〕하며 지나가다: die Polizei durchforschte das Gelände 경찰이 그 일대를 수색했다. 《II》 *refl.* sich ~ 자성(自省)하다.
Durchforschung *f.* -en (철저한) 연구, 정밀조사, 수색.
durchforsten *t.* ①〖林〗(삼림을) 간벌(間伐)하다. ②〔비유〕(일정한 관점에서) 무엇을 조사하다.
Durchforstung *f.* -en 간벌.
durch|fragen 《I》 *t.* 차례차례 질문하다; 빠짐없이 골고루 물어보다. 《II》 *refl.* sich ~ 물으며 가다: ich habe mich bis zum Museum durchgefragt 나는 길을 물어물어 박물관까지 갔다.
durchfragen *t.* 탐문하다: er hat die ganze Stadt nach dir durchfragt 그는 자네를 찾아온 시내를 헤맸다.
durch|fressen* 《I》 *t.* 파먹어 구멍을 내다; 부식하여 구멍을 뚫다: die Ratten haben das Brett durchgefressen 쥐들이 널빤지를 쏠아 구멍을 냈다. 《II》 *refl.* sich ~ ① **(a)** (해충이) 파먹어 들어가다. **(b)**〔비유〕번지다, 퍼지다. ②〔비유·폄어〕빌붙어 살다, 얻혀 먹다. ③〔비유〕힘들여 일하다: er hat sich durch all die Unterlagen ~ müssen 그는 모든 서류〔자료〕를 샅샅이 검토해야 했다.
durchfressen* *t.* ↑ durch|fressen 《I》.
durch|frieren* *i.* (s.) ① 꽁꽁 얼어붙다. ②〔비유〕(몸이) 얼어붙다: ich bin ganz durch(ge)froren 나는 추워서 몸이 완전히 얼어붙었다.
durchfrieren* ↑ durch|frieren ②.
durch|fristen *t./refl.* sich 〔sein Leben〕 ~ 겨우겨우 살아가다.
durchfroren *a.* 꽁꽁 언.
durchfrösteln *t.* (추위로) 오싹하게〔덜덜 떨게〕 하다: die Kälte durchfröstelte sie 추위로 그녀는 덜덜 떨었다.
durch|fuchteln *t.* 호되게 때리다.
durch|fühlen 《I》 *t.* ① 느끼다, 알아채다: die Schuhsohlen sind so dünn, ich fühle jeden Stein durch 신발 바닥이 하도 얇아서 밟는 돌마다 다 느껴진다. ② ↑ durchfühlen. 《II》 *refl.* sich ~ 손으로 더듬어〔느낌으로〕 길을 찾다, 내막〔요령〕을 알게 되다.
durchfühlen *t.* 분명히 느끼다.
Durchfuhr [dúrçfu:r] *f.* -en 통과, 통항;〖商〗(외국 화물의) 통과(Transit).
durchführbar *a.* 실행〔실시〕할 수 있는.
***durch|führen** 《I》 *t.* ① 안내하다; 통과 운송하다: durchgeführte Ware 통과 운송 화물. ② **(a)** 수행하다; 성취하다; (의견 따위를) 관철하다;〖연극〗(역을) 완전히 해내다;〖음악〗(악곡의 주제를) 전개시키다. **(b)** 개최하다. 《II》 *i.* 통과하다, 지나가다: hier soll demnächst eine Buslinie ~ 이곳에는 곧 버스 노선이 하나 지나간다고 한다.
Durchfuhr≈erlaubnis *f.* (외국 화물의) 통과 허가. **~gebiet** *n.* 통과 지역〔구역〕. **~handel** *m.* 통과〔중계〕 무역. **~land** *n.* (외국 화물의) 통과국. **~recht** *n.* 통과〔통항〕권.
Durchführung [dúrçfy:ruŋ] *f.* ① -en 수송; 실행; 성취, 수행: zur ~ kommen〔gelangen〕 실시되다; zur ~ bringen 시행하다. ②〖음악〗전개부(部); (그림·희곡 따위의) 끝손질.
Durchführungs≈bestimmung ① (일반적으로) 시행령, 시행 규정. ②〖복수〗〖法〗시행 조례. **~gesetz** *n.* (Ausführungsgesetz) 시행법. **~verordnung, ~vorschrift** *f.* ↑ ~bestimmung.
Durchfuhr≈verbot *n.* (외국 화물의) 통과 금지. **~zoll** *m.* 통과세.
durch|funkeln *i.* (h.) (빛이) 번쩍이며 새어 나오다.
durchfunkeln *t.* 번쩍이는 빛으로 가득 채우다: von Sternen durchfunkelte Nacht 별들이 반짝이는 밤.
durchfurchen *t.* ① 고랑을 만들다: den Acker ~ 밭을 갈아서 고랑을 만들다; den Boden ~ 흙을 파 젖히다. ②〔비유〕die See ~ 바다를 헤치며 나아가다; die Wogen ~ 물결을 일으키며 〔파헤치며〕 나아가다; durchfurchte Stirn 주름진 이마.
durch|futtern *refl.*〖구어〗sich ~ 얹혀살다, 기식하다.
durch|füttern *t.*〖구어〗① (일정 기간) 기르다, 사육하다: im〔den〕 Winter ~ 겨울 동안 길러내다. ② 먹여 살리다, 부양하다: sich von jm. ~ lassen 누구에게 얹혀살다.
durchfüttern *t.* …에 안감을 대다: einen Mantel mit Pelz ~ 외투에 털가죽 안을 대다.
Durchgang [dúrçgaŋ] *m.* -(e)s, ..gänge ① **(a)** 통행, 통과. **(b)**〖商〗통과 운송. **(c)**〖天〗통과. **(d)**〖음악〗지남음. ② 통로, 문; 갑문; 골목길;〖건축〗복도;〖軍·고어〗출격문(門), 암문(暗門): ~ gesperrt! 통행 금지!; (hier ist) kein ~! (지)나가는 길 없음! ③〔고어〕과도 상태. ④ 단계;〖경기〗회(전), 라운드: für dieses Experiment benötigen wir mehrere Durchgänge 이 실험은 여러 단계가 필요하다.
Durchgänger [dúrçgɛŋər] *m.* -s, - ①〔고어·방언〕도망자, 실종자; 난봉꾼;〔비유〕성마른 놈. ② 날뛰는〔잘 놀라는〕 말.
durchgängerisch *a.* 경솔한; 도주하는 버릇이 있는; 생활이 칠칠치 못한; (말이) 잘 놀라는.
durchgängig 《I》 *a.* ① 통로가 있는: für et. ~ 무엇을 관통할 수 있는. ② 보통〔일반〕의: ~er Preis 시가(市價). 《II》 *adv.* 일반적으로, 보통, 대개; 도처에.

Durchgangs≈arzt *m.* 상해 보험 전문 의사. **~bahnhof** *m.* 〖철도〗 통과〔중간〕역. **~-bescheinigung** *f.* 통과 허가증. **~fern-rohr** *n.* 〖天〗 자오의(子午儀). **~gut** *n.* 〖商〗 통과 화물. **~handel** *m.* 통과〔중계〕 무역. **~haus** *n.* (도로를 연결하는) 통로가 있는 집. **~instrument** *n.* 〖天〗 자오의. **~lager** *n.* 임시 수용소. **~note** *f.* 〖음악〗 지남음. **~praxis** *f.* 상해 보험 전문 의원〔병원〕. **~punkt** *m.* 통과〔교차〕점; 과도기. **~schein** *m.* ↑ ~bescheinigung. **~stadium** *n.* 발전 단계, 과도기. **~station** *f.* 중간 단계〔역〕. **~straße** *f.* 통행로. **~verkehr** *m.* ① 통행. ② 〖商〗 (외국 화물의) 통과(Durchfuhr). ③ ↑ ~handel. **~wagen** *m.* 〖철도〗 복도 있는 차량(약어: D-Wagen). **~zoll** *m.* (화물의) 통과세; 통행세. **~zug** *m.* 〖철도〗 복도 있는 급행 열차(약어: D-Zug).

durch|garen 《I》 *t.* 푹 익히다. 《II》 *i.* (s.) 푹〔완전히〕 익다: das Fleisch ist durchgegart 고기가 푹 익었다.

durch|gaunern *refl.* 〖구어〗 sich ~ 사기 쳐서 먹고 살다.

durch|geben *t.* ① 차례로 모두에게 건네주다. ② 전달하다, 알리다: eine Anweisung ~ 지시 사항을 전달하다.

durchgebildet 《I》 *p.p.* ↑ durchbilden. 《II》 *p.a.* (높은) 교양이 있는, 숙달한.

durchgedreht 《I》 *p.p.* ↑ durchdrehen. 《II》 *p.a.* ① 〖구어〗 돌아버린: ich bin ganz ~ 나는 완전히 돌아버렸다. ② 〖구어〗 어쩔 줄 모르는.

durch|gehen* 《I》 *i.* (s.) ① (**a**) 통과하다, 거치다; 관통하다: Sie können gleich hier ~ 바로 여기서 통과하실 수 있습니다; das Museum ist nicht groß, man kann bequem in einer Stunde ~ 박물관은 크지 않아, 한 시간이면 느긋이 둘러볼 수 있다; hier geht es durch 여기가 통로다. (**b**) (검사에서) 통과하다: Wertgegenstände gehen beim Zoll nicht durch 귀중품은 세관을 통과하지 못한다. (**c**) 스며〔배어〕들다, 새다. (**d**) 뚫고 들어가다, 꿰다: der Faden ist nicht durchgegangen 실이 꿰이지 않았다. ② (법안 따위가) 통과하다, 가결되다: der Antrag ist glatt durchgegangen 신청 안건이 문제 없이 통과되었다. ③ 허용되다: jm. et. ~ lassen 누구의 무엇을 나무라지 않다; das sollst du den Kindern nicht ~ 애들이 그러는 것을 그냥 넘어가면 안 돼. ④ 유통하다, 통용되다. ⑤ (**a**) (말이 마차와 함께) 달아나다. (**b**) 〖구어〗 도망가다: die Frau ist mit einem anderen durchgegangen 그 여자는 딴 남자와 도망갔다. (**c**) 〖기계〗 (모터가) 공전(空轉)하다. (**d**) 통제되지 않다: seine Nerven gehen ihm durch 그는 자제력을 잃고 있다; 〖비유〗 그는 정열에 사로잡혀 있다. ⑥ gerade ~ 마음이 내키는 대로 곧바로 행동하다〔척척 해치우다〕. 《II》 *t.* ① (구두 따위를) 신어 떨어〔해어〕뜨리다: sich³ die Füße ~ 걸어서 발을 상하게 하다. ② ↑ durchgehen.

durchgehen* *t.*/(드물게) *i.* (s.) (**a**) 뚫고 지나가다, 걸어 돌아다니다; (학교를) 수료하다. (**b**) 지속〔계속〕되다: die Verhandlung geht bis zum nächsten Tag durch 협상이 다음날까지 이어진다. (**c**) 면밀하게 조사하다; 점검하다; 통독하다: flüchtig ~ 대강 훑어보다; er hat〔ist〕 die Arbeit mit seinem Schüler genau durchgegangen 그는 논문을 학생과 함께 자세히 검토하였다.

durchgehend *p.a.* ① 통과〔관통〕하는: 〖철도〗 ~er Zug (큰 역에만 서는) 직행 열차; 〖商〗 ~e Waren 통과 화물. ② 이어진, 하나로 된: ~e Pfeiler 통기둥; 〖印〗 ~e Breite 전단 조판. ③ 쉬지 않고: wir arbeiten ~ 우리는 휴식 시간 없이 일한다. ④ ↑ durchgängig 《II》.

durchgehends (öst.) 〖구어〗 중단없이; 예외없이.

durchgeistigt *a.* 영적인, (모습이) 총명한.

durchgenäht 《I》 *p.p.* ↑ durchnähen. 《II》 *p.a.* 꿰매어 이은, 누비질한.

durch|gerben *t.* 〖구어〗 충분히 무두질하다; 호되게 두드려패다.

durch|gestalten *t.* 세밀하게 형상화하다.

durch|gießen* *t.* 거르다: den Tee (durch ein Sieb) ~ 차를 여과기에 거르다.

durchgießen* *t.* 골고루 붓다; (물을 끼얹어) 흠뻑 적시다.

durch|glänzen *i.* (h.) 빛이 내비치다, 번쩍이며 새어나오다.

durchglänzen *t.* 〖시어〗 두루 비추다, 광휘로 가득 채우다.

durch|gleiten(*) *i.* (h.), **durchgleiten**(*) *t.* 미끄러져 통과하다〔지나가다〕: durch die Tür ~ 문을 미끄러지듯 빠져나가다.

durch|gliedern, durchgliedern *t.* 세별하다, 세분하다: ein gut durch(ge)gliedertes Buch 장절이 잘 나뉜〔구성이 잘 된〕 책.

Durchgliederung *f.* -en 세별, 세분.

durch|glühen 《I》 *t.* (쇠 따위를) 달구다. 《II》 ① *i.* (s.) (전구 따위가) 타 끊어지다. ② 완전히 붉게 타다.

durchglühen 《I》 *t.* ① 〖교양〗 열〔불〕로 가득 채우다. ② 〖시어·비유〗 (사랑 따위를) 타오르게 하다: von Leidenschaft durchglüht 정열에 불타는. ③ 자극〔고무〕하다, 감격시키다. 《II》 **durchglüht** *p.a.* ↑ durchglüht.

durchglüht 《I》 *p.p.* ↑ durchglühen. 《II》 *p.a.* 감격한: von Begeisterung ~ sein 감격에 열광하다.

durch|graben* *t.* ① (구멍을) 파서 뚫다: einen Tunnel ~ 터널을 뚫다. ② sich ~ 파 나아가다.

durchgraben* *t.* 파서 뚫다; (흙을) 파 젖히다: einen Berg ~ 산에 터널을 파다.

durch|greifen* 《I》 *i.* (h.) ① (사이로) 손을 내밀다〔집어 넣다〕. ② 〖비유〗 단호한 조처를 취하다: ~d 결정적인, 철저한, 유효한, 가차없는; ~de Änderungen 결정적인 변화. 《II》 *t.* (모자의 차양 따위를) 써서 헐게 하다.

durch|grübeln *t.* 골똘히 생각하다: die ganze Nacht ~ 밤새껏 생각에 잠기다.

durchgrübeln *t.* 곰곰이 생각하다.

durch|gucken *i.* (h.) 〖구어〗 (durch et.) 틈으로 들여다보다.

Durchguß [dứrçgus] *m.* ..gusse, ..güsse ① 부어 통하게 함; 여과. ② 하수구, 수채.

durch|haben* *t.* 〖구어〗 ① 무엇을 통해 들여〔끼워〕넣다: den Tisch (durch die schmale Tür) ~ (좁은 문을 통해) 테이블을 들여넣다. ② 〖생략적〗 처음부터 끝까지 해내다: ich habe das Buch durch 나는 그 책을 다 읽었다; ich habe den Kranken durch 나는 그 환자를

다 낫게 하였다. ③ 두 조각 내다: ein Brett ~ 널빤지를 두 조각 내다.

durch|hacken *t.* 도끼로 찍어 자르다〔끊다〕.

durch|haken *t.* 갈고리로 찍다.

durch|hallen *t.* …에 울려퍼지다.

Durchhalte·befehl *m.* 사수 명령.

durch|halten* 《I》 *t.* 끝까지 견디다; 고수〔관철〕하다: er hat eisern durchgehalten 그는 무쇠같이 버텨냈다; er hat seine Position durchgehalten 그는 자기 입장을 고수했다; (ndd.) es ~ 병 따위를 이겨 내다. 《II》 *i.* (h.) *refl.* (sich) ~ 끝까지 견디어 내다.

Durchhalte≈parole *f.* 〔구어·폄어〕 무조건 사수하자는 구호. **~vermögen** *n.* 지구력.

durch|hämmern *t.* 망치로 충분히 치다; 망치로 뚫다; (못을) 때려박다.

Durchhang [dúrçhaŋ] *m.* -(e)s, ..hänge (전선의 한가운데가) 처짐, 늘어짐.

durch|hängen *i.* ① 가운데가 처지다. ②〔비유·구어〕 **(a)** 지치다: nach der Arbeit hängt man völlig durch 근무가 끝난 다음에는 완전히 녹초가 된다. **(b)**〔경박〕(방송·행사가) 지루〔따분〕하다.

Durchhau [dúrçhau] *m.* -(e)s, -e 숲속의 오솔길;〔軍〕(숲속의) 기마(騎馬) 도로.

durchhauchen *t.* 숨을 충분히 내쉬다;〔비유〕 생기가 나게 하다.

durch|hauen* (hieb durch/(구어) haute durch, hat durchgehauen) *t.* ① sich ~ 길을〔혈로를〕 트다. ② ↑ durchhauen. ③ 장애물을 베어 치우다. ④〔구어〕 이겨내다. ⑤〔구어〕 호되게 때리다. ⑥〔고어〕 비방〔중상〕하다. ⑦ 망가뜨리다.

durchhauen* *t.* 쪼개다, 두 쪽 내다:〔비유〕 den (Gordischen) Knoten ~ 일도 양단의 조처를 취하다.

Durchhaus [dúrçhaus] *n.* -es, ..häuser (öst.) ① ↑ Durchgangshaus. ②〔비유〕 임시 방편; 과도(過渡) 단계.

durch|hecheln *t.* (삼 따위를) 충분히 빗질하다;〔구어·폄어〕 헐뜯다, 혹평하다: die Verwandten ~ 친척을 헐뜯다.

durch|heizen 《I》 *t.* ↑ durchheizen. 《II》 *i.* (h.) 계속 난방하다: die Nacht ~ 밤새도록 불을 피워 두다.

durchheizen *t.* 충분히 난방하다.

durch|helfen* 《I》 *i.* (h.) / *t.* jm.〔jn.〕 ~ 누구를 도와서 헤쳐나가게 하다, 구해내다: jm. durch eine Krankheit ~ 누구의 병을 낫게 하다. 《II》 *refl.* sich ~ 그럭저럭 살아가다, 버텨나가다: sich mit Betteln ~ 구걸하며 근근이 살아나가다.

durchhellen *t.* 두루 비추다.

durchherrschen *t.* (어떤 국토를) 완전히 지배하다.

Durchhieb [dúrçhi:p] *m.* -(e)s, -e 숲 속의 오솔길;〔林〕 구획선.

Durchhilfe [dúrçhılfə] *f.* -n 타개책; 원조.

durch·hin *adv.* 아주, 철두철미.

durch|hitzen, durchhitzen *t.* 충분히 가열하다〔뜨겁게 하다〕.

durchhöhlen *t.* 파내다, 파들어가다: die Böschung am Fluß ist vom Wasser durchhöhlt 강기슭이 물로 다 패였다.

durch|holen *t.* ① (어떤 장소를) 지나서 가지고 오다. ②〔비유〕 해내다; 비웃다, 욕하다; 호되게 때리다. ③ (ndd.) 이겨내다; es〔eine Krankheit〕 ~ 병을 이겨내다. ④ (바람이) 휩쓸다. ⑤〔海〕(밧줄을) 팽팽히 잡아당기다. ⑥〔비유·방언〕 심호흡을 하다.

durch|hören *t.*〔구어〕 ① (무엇을 사이에 두고) 듣다: die Tür war geschlossen, aber ich konnte die Stimmen ~ 문은 닫겨있었지만 나는 그 목소리를 들을 수 있었다. ② 끝까지 듣다. ③ 알아차리다, 알아듣다.

durch|hungern *refl.* sich ~ 굶다시피 살아가다: er hungerte sich durchs Studium durch 그는 굶다시피하며 근근이 대학 공부를 했다.

durch|huschen *i.* (s.) 잽싸게 지나가다.

durchirren *t.* (어떤 장소를) 헤매고 다니다.

durch|ixen *t.*〔구어〕(타자기로) 잘못친 글자 위에 ×를 쳐넣다.

durch|jagen 《I》 *i.* (s.) (durch et.) 질주하여〔줄달음쳐〕 지나가다. 《II》 *t.* ① (적·가축 따위를 무엇) 사이로 몰다. ② ↑ durchjagen. ③〔비유〕(재산을) 탕진하다.

durchjagen *t.* (들이나 도시 따위를) 질주하여 관통하다;〔비유〕 신속하게 처리하다; (책 따위를) 줄줄 훑어보다, 탐독하다.

durchjammern *t.* 한탄하며 지내다.

durchjauchzen *t.* ↑ durchjubeln.

durchjubeln *t.* ① 환호하며 지나가다. ② die Nacht ~ 신나게 놀고 마시며 밤을 새우다.

durch|juckern 《I》 *t.* 낭비하다. 《II》 *i.* (s.) 정차하지 않고 지나가다.

durchkälten *t.*〔교양〕 속까지 얼어붙게 하다.

durch|kämmen, durchkämmen *t.* 골고루 빗질하다;〔비유〕 샅샅이 수색하다; (신병을) 그러모으다.

durch|kämpfen 《I》 *t.* ① **(a)** 끝까지 싸우다, 싸워 무찌르다. **(b)**〔비유〕(의견 따위를) 관철하다, 밀고 나가다; (역경 따위를) 이겨내다. ② ↑ durchkämpfen. 《II》 *refl.* sich ~ 싸워서 뚫고 나아가다, 혈로를 트다.

durchkämpfen *t.* (특정 시간 동안) 싸우다, 죽 싸우다.

durch|kauen, durchkauen *t.* ① 충분히 씹다: das Fleisch ~ 고기를 잘 씹다. ②〔비유〕 되새겨 곰곰이 생각하다; (싫증날 정도로) 되풀이하여 논의하다.

durch|kitzeln *t.* 누구를 심하게 간질이다.

durchklauben *t.* 차근차근 찾다.

durch|klettern *i.* (s.) ① 기어 올라서 통과하다. ② 쉬지 않고 기어오르다.

druchklettern *t.* 기어오르다, 기어서 꼭대기에 오르다: einen Kamin ~ 굴뚝 꼭대기에 기어오르다.

Durchkletterung *f.* -en 기어오름.

durch|klimmen(*) *i.* (s.) ↑ durchklettern.

durchklimmen(*) *t.* ↑ durchklettern.

durch|klingeln *i.* (h.) ① (특히 nordd.) 전화하다. ②〔구어〕 ~ lassen 전화벨이 울리도록 내버려두다.

durch|klingen* ① *i.* (s.) (소리가) 잘 들리다〔울리다〕. ② *i.* (h./s.) (누구의 말 속에서 무엇이) 느껴지다, 감지되다.

durchklingen* *t.* 소리로 가득 채우다, …에 울려퍼지다.

durch|klopfen *t.*〔구어〕 ① 충분히 두드려 털다. ②〔비유·방언〕 실컷 두들겨 패다.

durchklüften 《I》 *t./i.* (s.) 갈라진〔터진·째진〕 자리를 내다, 갈라지다, 터지다, 째지다.

《II》**durchklüftet** *p.a.* ↑ durchklüftet.
durchklüftet 《I》*p.p.* ↑ durchklüften. 《II》*p.a.* 여기저기 갈라진, 째진.
durch|kneten, durchkneten *t.* ① 충분히 반죽하다, 반죽을 끝내다. ②〔비유·구어〕충분히 마사지하다.
durch|knöpfen *t.* 단추를 다 채우다.
durch|kochen *t.* 충분히 삶다〔찌다〕.
durch|kommen* *i.* (s.) ① (**a**) (어떤 장소를) 지나서 오다, 통과하다: der Zug wird gleich ~ 기차가 곧 통과하겠습니다. (**b**) 빠져나오다. (**c**) 새어나오다: da kommt das Wasser durch 거기서 물이 새 나온다. (**d**) mit dem Bohrer ~ 송곳으로 구멍을 뚫다. ②〔비유〕꾸려나가다, 모면하다; 합격하다: im Examen ~ 시험에 합격하다; durch eine Krankheit ~ 병에서 회복하다;〔구어〕mit et.³ ~ 무엇으로 임시 변통하다, 그럭저럭 꾸려나가다; mit 500 DM im Monat kannst du ~? 한 달에 5백 마르크 가지고 살 수 있니?; mit solchen Ausflüchten kommt er bei mir nicht durch 그의 그런 구실은 나에게 통하지 않는다; so (gerade) ~ 그렇게 (빠듯하게) 살다. ③〔드물게〕(bei〔mit〕et.³) 일을 끝마치다; (책을) 다 읽다; 다 쓰다. ④ (무엇 사이로) 드러나다, 보이다: die Sonne kommt durch die Wolken durch 해가 구름 사이로 보인다. ⑤〔구어〕통화하다: erst gegen Mitternacht kam er (mit seinem Anruf) durch 그는 자정 무렵에야 통화를 할 수 있었다. ⑥〔구어〕(뉴스가) 보도되다.
Durchkommen *n.* -s 통과; 모면; 성공; 쾌유: hier ist kein ~ a) 통로 없음, b) 이 일은 감당할 수가 없다; es ist kein ~ 일이 성취될 것 같지 않다.
durch|komponieren *t.* ①『음악』(리브레토에) 완전히 곡을 붙이다. ②〔비유〕(작품을) 세부까지 하나하나 형상화하다.
durch|können* *i.* (h.) 〔구어〕통과할〔지나갈〕수 있다(durchgehen können).
durch|konstruieren *t.* 빈틈없이 조립〔구성〕하다.
durch|kontrollieren *t.* 철저하게 통제〔조사〕하다.
durch|kosten *t.* ① (차례차례로) 다 맛보다: Speisen〔Getränke〕~ 음식을〔음료를〕차례차례 맛보다;〔비유〕만끽하다: die Freuden und Leiden des Lebens ~ 인생의 쓴맛 단맛 다 맛보다. ②〔비유〕고통을 겪다.
durchkosten *t.* ↑ durchkosten.
durch|kramen *t.*〔구어〕샅샅이 뒤지다: ich habe alles durch(ge)kramt und die Brille nicht gefunden 나는 온 사방을 다 뒤졌지만 안경을 못 찾았다.
durchkramen *t.* ↑ durchkramen.
durch|kratzen 《I》*t.* ↑ durchkratzen. 《II》*refl.* sich ~ ① 생채기를 내다. ② (쥐 따위가) 갉아 길을 내다.
durchkratzen *t.* 할퀴어 뜯다, 할퀴어 생채기를 내다.
durch|kreuzen *t.* 무엇을 ×표로 지우다: das Wort ~ ×표를 그어 낱말을 지우다.
durchkreuzen 《I》*t.* ①〔교양〕(어떤 곳을) 횡단하다, 누비다: durchkreuzt 교차된,『植』어긋매끼게 마주 나는, 교호 대생(交互對生)의. ②〔비유〕방해하다, 좌절시키다, 위반하다. ③『商』(수표에) 횡선을 긋다. 《II》*refl.* sich ~ 교차하다; 어긋나다; (이해가) 상충하다.
Durchkreuzung *f.* ① 횡단, 교차;『철도』교차점, 건널목. ②〔비유〕방해, (이해의) 상충.
durch|kriechen* *i.* (s.) 기어서 빠져나가다.
durchkriechen* *t.* ① 기어서 돌아다니다: jeden Winkel ~ 구석구석 (기어서) 찾아다니다. ②〔시어〕(감정을) 불러일으키다: Angst durchkroch ihn 두려움이 그를 엄습했다.
durch|lärmen *t.* ↑ durchlärmen ②.
durch|kriegen *t.* 〔구어〕↑ durchbekommen.
durch|kümmern *t./refl.* (sich) ~ 겨우겨우 살아가다.
Durchkunft [dʊ́rçkʊnft] *f.* ..künfte [..kʏ̀nftə] 통과.
Durchl. =Durchlaucht 전하(殿下).
durch|laden *t.* (총알을) 장전하다.
durch|längen *t.*『광산』(광층·광산을) 갱도를 뚫어 횡단하다.
durch|lärmen *t.* ↑ durchlärmen ②.
durchlärmen *t.* ① 떠들고 돌아다니다. ② die ganze Nacht ~ 떠들며 밤을 새우다.
Durchlaß [dʊ́rçlas] *m.* ..lasses, ..lässe ①〔교양〕지나가게 함, 통행 허가: jm. ~ geben〔gewähren〕통과시키다. ② (좁은) 통로, 출입구. ③『건축』배수로;『철도』암거(暗渠).
durch|lassen* *t.* ① 통과시키다, 통하게 하다; (광선을) 투과시키다, (열을) 전도하다, (물을) 새게 하다: das Licht ~d 빛을 투과시키는. ② (**a**) (법안을) 가결하다. (**b**) (잘못을) 눈감아 주다. (**c**) 합격시키다: jn. in der Prüfung ~ 누구를 시험에 합격시키다. ③ (여과기로) 거르다. ④『구기』골을 허용하다.
durchlässig [dʊ́rçlɛsɪç] *a.* 투과〔통과〕시키는, 공기가〔물이·빛이〕새는; 침투성의; (토지가) 연니질(軟泥質)의.
Durchlässigkeit *f.* 투과성, 침투성.
Durchlaß=posten *m.*『軍』보초. **~schein** *m.* 통행권, 통행〔입장〕허가증.
***Durchlaucht** [dʊ́rçlaʊxt] *f.* -en 전하(殿下) (Fürst 의 존칭: Hoheit 와 Erlaucht 사이의 중간 칭호): Ihre ~ die Fürstin 비전하(妃殿下); Eure〔Ew.〕~! 전하!
durchlauchtig *a.* ①〔고어〕번쩍이는, 휘황한, 투명한. ② ↑ durchlauchtigst.
durchlauchtigst *a.* 존엄한, 고귀한.
Durchlauf [dʊ́rçlaʊf] *m.* -(e)s, ..läufe [..lɔʏfə] ① (**a**) 달려 지나감. (**b**)〔고어〕통로. ②『醫』설사(Durchfall). ③ 회람장(章)(Rundschreiben). ④『스포츠』…차전(次戰), 회전. ⑤『컴』프로그램의 진행.
durch|laufen* 《I》*i.* (s.) ① (**a**)〔구어〕달려〔흘러·급히〕지나가다. (**b**)『스포츠』적진을 돌파하다〔뚫다〕. ② (**a**) (일정 기간) 쉬지 않고 달리다. (**b**) (일정 거리를) 주파하다. ③ (액체가) 새다; (광선이) 투과하다. ④ 처리〔완료〕되다. ⑤ 죽 이어지다. 《II》*t.* (구두 따위를) 신어서 닳게 하다.
durchlaufen* *t.* ① (**a**) (길을) 달려 지나가다. (**b**) (어떤 지역을) 뛰어 돌아다니다, 순회하다; (궤도를) 운행하다. ② (학교를) 졸업하다; 거쳐가며 익히다, 겪다. ③〔교양〕(생각·전율 따위가) 엄습하다; (소문이) 갑자기 퍼지다.

Durchlauf≈erhitzer *m.* 순간 온수기. **~probe** *f.* 〖연극〗 총연습. **~-Wasser·erhitzer** *m.* ↑ ~erhitzer. **~zeit** *f.* 〖軍〗 행진 소요 시간; 〖컴〗 프로그램 수행 소요 시간.

durchläutern *t.* (완전히) 정화〔정제〕하다.

durchleben *t.* ① 버티어〔견디어〕 내다; 겪다, 경험하다: wird er die Nacht noch ~? 그가 밤을 또 넘길 수 있을까?; eine schwere Zeit ~ 어려운 시기를 헤쳐 나가다; in der Erinnerung seine Jugend noch einmal ~ 추억 속에서 젊은 시절을 다시 겪다. ② 함께 느끼다, 공유〔공감〕하다: ich durchlebte mit ihm den Schmerz 나는 그와 고통을 함께 나누었다. ③ 〔고어〕 …에 생명을 불어넣다.

durch|lecken *i.* (h./s.) 흘러〔스며〕 들어가다: das Wasser leckt durch den Schiffsboden durch 물이 배의 밑바닥으로 새어들어온다.

durch|legen *t.* (durch et.) …을 뚫고 설치하다: hier wollen wir die Röhre ~ 우리는 여기에 파이프를 설치하고자 한다; die neue Buslinie soll durch die Ortschaft durchgelegt werden 새 버스 노선이 이 지역을 통과해서 생길 것이라고 한다.

durchleiden *t.* 극심하게 시달리다; 끝까지 버텨내다: wir mußten die Schrecken des Krieges ~ 우리는 전쟁의 참상에 시달려야 했다; er hat seine Krankheit klaglos durchlitten 그는 자신의 병을 군소리 없이 끝까지 버텨냈다.

durch|leiten *t.* (durch et.) …을 통해 흘려 보내다, 관류시키다: Wasser durch Röhre zum Nachbargrundstück ~ 파이프를 통해서 인접 토지에 물을 대다.

Durchleitung *f.* -en 관류(시키기).

durch|lesen 《Ⅰ》 *t.* 통독하다, 죽 읽어나가다: sorgfältig ~ 숙독하다. 《Ⅱ》 *refl.* sich durch ein Buch ~ 어떤 책을 끝까지 다 읽다.

durchlesen* *t.* ① 통독하다, 죽 읽어나가다. ② 〔고어〕 책이 닳도록 읽다(zerlesen).

durch|leuchten 《Ⅰ》 *i.* (h.) ① (빛이) 비쳐〔새어〕 나오다: die Sonne hat durch die Gardinen durchgeleuchtet 햇빛이 커튼 사이로 비쳐들었다. ② 〔비유〕 새다, 드러나다. 《Ⅱ》 *t.* 방사선 촬영을 하다, 뢴트겐 검사를 하다: seine Lunge muß durchgeleuchtet werden 그는 폐를 뢴트겐 촬영해야 한다.

durchleuchten *t.* ① 빛으로 가득 채우다: der Himmel war von der untergehenden Sonne durchleuchtet 하늘은 지는 햇빛으로 가득 찼다. ② 철저히 규명〔조사〕하다: die Angelegenheit muß gründlich durchleuchtet werden 이 사건은 철저히 규명되어야만 한다.

durchleuchtig *a.* ↑ durchlauchtig.

Durchleuchtung *f.* -en ① 뢴트겐 촬영, 엑스선 검사. ② 해명, 규명.

durchlichten *t.* ① 두루 비추다: die Sonne durchlichtete den Wald 태양이 숲을 두루 비추었다. ② 밝혀내다, 규명하다: er hat das Geheimnis durchlichtet 그는 그 비밀을 밝혀냈다.

Durchlieferung *f.* -en 〖法〗 범인 인도.

durch|liegen* 《Ⅰ》 *refl.* sich ~ 〔sich³ die Haut ~〕 자리에 몸이 배겨서 헐다, 욕창(褥瘡)이 나다. 《Ⅱ》 *t.* 오래 사용해서 낡게 하다: das Bett ist schon ganz durchgelegen 그 침대는 오래 사용해서 벌써 다 낡았다.

durchlochen *t.* ① 구멍을 뚫다: Papier〔Akten〕 ~ und einheften 종이〔서류〕에 구멍을 뚫어 철하다. ② 〖철도〗 (기차표에) 구멍을 내다〔개찰하다〕: eine Fahrkarte ~: 차표를 개찰하다. ③ 펑크를 내다.

durchlöchern [durçlœçərn] *t.* ① 구멍투성이로 만들다: der Strumpf ist ganz durchlöchert 양말이 온통 구멍 투성이다. ② 〔비유〕 무력화하다, 약화시키다: Gesetze ~ 법을 무력화하다.

Durchlochung *f.* -en (타이어의) 펑크.

Durchlöcherung *f.* -en 약화, 무력〔무효〕화.

durchlodern *t.* 〔시어〕 모조리 태우다, 활활 타오르게 하다.

durch|lotsen *t.* 〔구어〕 수로를〔길을〕 안내하다: ein Schiff durch die Hafeneinfahrt ~ 배의 입항을 안내하다; die Autofahrer durch die Innenstadt ~ 운전수들에게 도심을 통과하는 길을 안내하다.

Durchluft [dúrçluft] *f.* ..lüfte 통풍(Durchzug).

durch|lüften [dúrçlʏftən] *i.* (h.) 충분히 통풍하다.

durchlüften *t.* 통풍하다, 환기하다.

Durchlüfter *m.* -s, - 통풍기(Ventilator).

Durchlüftung *f.* -en 통풍, 환기.

Durchlüftungs·gewebe *n.* (식물의) 통기(通氣) 조직.

durch|lügen* 〔구어〕 *refl.* sich ~ 거짓말로 임시 변통하다.

***durch|machen** *t.* ① 다 마치다; 수료〔졸업〕하다. ② 경험하다, 겪다: er hat viel durchgemacht 그는 숱하게 고생했다; Schmerz ~ 고통을 겪다; eine Krankheit ~ a) 병을 앓다, b) 병을 이기다. ③ 쉬지 않고 계속하다; 밤새도록 놀다: wir müssen bis zum Abend ~, um noch mit der Arbeit fertig zu werden 그 일을 끝내려면 우리는 저녁때까지 쉬지 않고 계속해야 한다; als Studenten haben wir öfter durchgemacht 대학생 때 우리는 곧잘 밤새도록 놀았다.

durch|mahlen* *t.* (곡식을) 빻다.

durchmannen *t.* 〔고어·시어〕 남자다운 기백으로 북돋우다, 격려하다.

durch|manövrieren *t.* ① (비좁은 곳을) 뚫고 지나가게 하다: er hat den Wagen geschickt durch die Autoschlangen durchmanövriert 그는 차를 몰고 차량 행렬 사이를 능란하게 빠져나갔다. ② (이끌어) 헤쳐나가다: seine Familie durch alle Notzeiten ~ 온갖 역경을 헤쳐나가면서 가족을 부양하다.

Durchmarsch [dúrçmarʃ] *m.* -es, ..märsche ① 〖軍〗 통과 행진. ② 〔구어〕 설사. ③ 〖카드〗 (타인이 내놓은 카드를 취하지 않는) 통과.

durch|marschieren *i.* (s.) 〖軍〗 durch et. ~ 무엇을 통과 행진하다.

Durchmarsch·recht *n.* 〖法〗 (군대의 국경 통과를 허가하는) 국가간 통행 협정.

durch|mengen *t.* ① 골고루 섞다. ② 뒤죽박죽으로 만들다.

durch|merken *t.* 알아채다, 간파하다: ich merkte durch, daß mein Besuch ihn störte 나는 내 방문이 그에게 방해가 되고 있다는 것을 알아챘다.

durch|messen* *t.* 남김없이 측량하다〔재다〕.

durchmessen* *t.* 통과〔횡단〕하다.
***Durchmesser** *m.* -s, - ① 직경, 지름. ② 〖軍〗(포의) 구경; 〖物〗(렌즈의) 구경.
durch|mischen *t.* 충분히 섞다.
durchmischen *t.* (뒤)섞다: Kalk mit Sand ~ 석회를 모래와 뒤섞다.
***durch|mogeln** *refl.* 〔구어〕 sich ~ 속임수로 위기를 모면하다, 목표를 달성하다: bei der Kontrolle hat er sich geschickt durchgemogelt 검문에서 그는 속임수를 써서 교묘하게 빠져나갔다.
durch|müssen* *i.* (h.) 〔구어〕 통과해야 하다, (난관을) 극복해야 하다: durch den Zoll ~ 세관을 통과해야 하다; wir müssen durch 우리는 난관을 극복해야만 합니다.
durch|mustern, durchmustern *t.* 면밀하게 조사〔검사〕하다, 일일이 검토하다; 〖軍〗 검열하다.
Durchmusterung [dúrçmustərʊŋ, ..durçmúst..] *f.* -en ① 정밀 검사. ② 〖天〗 소천표(掃天表) (항성의 위치와 등급을 수록한 표).
durchnachten 《I》 *i.* 〔고어〕 밤을 보내다, 묵다. 《II》 **durchnachtet** *p.a.* ↑ durchnachtet.
durchnachtet 《I》 *p.p.* ↑ durchnachten. 《II》 *p.a.* 〔시어〕 칠흑같이 어두운: die durchnachtete Grotte 칠흑같이 어두운 동굴.
durchnageln *t.* 〔고어〕 못으로 구멍을 내다: die durchnagelten Hände des Gekreuzigten 십자가에 못박힌 예수의 손.
durch|nagen *i.* (h.) 물어뜯어 구멍을 내다.
durchnagen *t.* 물어뜯다〔찢다〕: ein Loch ~ 물어뜯어 구멍을 내다; die Ratten haben den Schuh durchgenagt〔durchnagt〕 쥐들이 구두를 갉아서 구멍을 냈다.
durch|nähen 《I》 *t.* ① 꿰매 나가다: sich³ die Finger ~ 꿰매다가 손가락을 다치다. ② 겹쳐 꿰매다, 누비다: 〔농담〕 das Bier mit Branntwein ~ 맥주에 브랜디를 섞어 마시다. 《II》 **durchgenäht** *p.a.* ↑ durchgenäht.
Durchnahme *f.* -n 강의; 논의, 토론: bei der Durchnahme des letzten Kapitels 지난 과에 대한 토론 때.
durchnaß *a.* 흠뻑 젖은.
durch|nässen *i.* (h.) (액체, 진물이) 새어 나오다: die Wunde hat durchgenäßt 상처에서 진물이 새어 나왔다.
durchnässen *t.* 충분히 축이다, 흠뻑 적시다: vom Regen ganz durchnäßt 비에 흠뻑 젖은.
durchnebelt *a.* 〔시어〕 안개 자욱한: ein ~es Tal 안개 자욱한 골짜기.
durch|nehmen* *t.* ① 전반적으로 논하다, 샅샅이 조사하다; (교재를) 강독〔강의〕하다, 다루다. ② 〔비유〕 비난하다, 헐뜯다: beim Kaffeklatsch wurden alle Bekannten durchgenommen 커피를 마시며 쑥덕공론하는 중에 아는 사람들은 모두 험구의 대상이 되었다.
durchnetzen *t.* ↑ durchnässen.
durch|netzen *t.* ↑ durch|nässen.
durchnistern, durchnüstern *t.* ↑ durchstöbern.
durch|nummerieren *t.* 처음부터 끝까지 일련 번호를 매기다: Seiten ~ 페이지의 일련 번호를 매기다.
Durchnummerierung *f.* -en 일련 번호 매기기.
durch|ölen *t.* 〔구어〕 샅샅이〔구석구석〕 기름을 치다: die Maschine ist frisch durchgeölt 이 기계에 방금 구석구석 기름을 쳤다.
durch|organisieren *t.* 철저히 조직하다, (행사의) 준비를 철저히 하다: die Tagung war gut durchorganisiert 그 학술대회는 아주 잘 조직되었다.
durchörtern *t.* 〖광산〗 (산을) 갱도를 파서 횡단하다; 빈틈없이 탐색하다.
Durchörterung *f.* -en ① 양갱도의 교차점. ② 갱도 탐색.
durch|parieren 《I》 *i.* 〖펜싱〗 (상대방의 공격을) 응수하지 않고 방어하다. 《II》 *t.* 〖승마〗 (말의) 달리는 속도를 조절하다.
Durchpaß [dúrçpas] *m.* ..passes, ..pässe 〔고어〕 협곡.
durch|passieren 《I》 *i.* (s.) 통과하다. 《II》 *t.* 〖요리〗 체로 걸러내다, 으깨다.
durch|patschen *i.* (s.) (수렁·물속을) 철벅철벅 소리 내고 지나가다.
durch|pauken *t.* ① 시끄럽게 연주해대다. ② 〔방언〕 마구 때리다. ③ 〔구어〕 열심히 익히다, 파다: wir haben die Lektion nochmals durchgepaukt 우리는 그 과를 다시 한번 철저히 익혔다. ④ 〔비유〕 (계획을) 맹렬하게 관철시키다.
durch|pausen *t.* (durchzeichnen) (밑에) 깔아 베끼다, 복사하다.
durch|peitschen *t.* ① 마구 채찍질하다. ② (말을) 채찍질하여 지나가게 하다. ③ 〔비유〕 (일·법률안을) 급히 서둘러서 해치우다〔통과시키다〕; 대강 훑어 읽다.
durchpeitschen *t.* ① ↑ durch|peitschen ③. ② (폭풍이) 거칠게 불다, 몹시 흔들어대다.
durch|pfeifen* 《I》 *t.* ① (악곡을) 끝까지 불다. ② (노래를) 휘파람으로 연습하다. 《II》 *i.* (h.) (바람이) 휙휙 불어 지나가다; (기차가) 기적을 울리며 지나가다.
durchpfeifen* *t.* (바람이) 휙휙 불다.
durch|pflügen *t.* 충분히〔고루고루〕 갈다〔갈아 젖히다〕.
durchpflügen *t.* 〔비유〕 ① …을 헤치며 나아가다: das Schiff hat der Welle durchpflügt 배는 파도를 헤치며 나아갔다. ② 철저히 조사하다, 파헤치다.
durch|pilgern *i.* (s./h.) 순례하며 지나가다.
durchpilgern *t.* 순례하며 돌아다니다, 편력하다.
durchplaudern *t.* 지껄이며 시간을 보내다: durchplauderte Nachmittage 잡담으로 보낸 오후 시간들.
durch|plumpsen *i.* (s.) 〔구어〕 ① 낙제하다. ② 쿵하고 떨어지다.
durch|pressen *t.* 《I》 ① durch et. ~ 무엇을 통하여 거르다〔짜내다〕: Kartoffeln (durch ein Sieb) ~ 감자를 (체를 이용해서) 으깨다. ② 〔구어〕 힘으로 밀어붙여 관철시키다. 《II》 *refl.* sich ~ 헤치고 나아가다.
durch|proben *t.* 처음부터 끝까지 연습하다.
durch|probieren *t.* 〔구어〕 (다양한 것을) 차례차례 시험〔검토〕해 보다.
durch|prüfen *t.* ① 철저히〔일일이〕 시험〔검사·검토〕하다; (노래를) 충분히 연습하다. ② ↑ durchkosten.
durch|prügeln *t.* 〔구어〕 마구 때리다.
durchpulsen *t.* 〔교양〕 ① 관류하다. ② 〔비

유』 활기차게 하다, 활력을 불어넣다: eine vom Leben durchpulste Stadt 생활의 활력으로 가득 찬 도시.

durch|pusten *t.* 〖구어〗 ① 불어 깨끗이하다: sich die Ohren ~ lassen 귀지를 파다〔파게 하다〕. ② (무엇을) 불어서 관통시키다. ③ jn. ~ (바람이) 누구의 피부까지 스며들다.

durch|putzen *t.* 〖구어〗 ① 차례차례 닦다〔청소하다〕. ② (südd.) 말끔히 청소하다.

durch|quälen *t./refl.* 〖구어〗 sich ~ ① 겨우 입에 풀칠해 가다. ② sich (durch et.) ~ 겨우 참고 해내다; das Buch ist sehr langweilig, aber ich habe mich durchgequält 그 책은 매우 지루하지만 그래도 참고 끝까지 다 읽었다.

***durchqueren** [durçkvéːrən] *t.* ① 횡단하다, 여행하다; 편력하다. ② 〖비유〗 (계획을) 방해하다, 좌절시키다.

Durchquerung *f.* -en 횡단, 편력.

durch|quetschen 〖구어〗《I》 *t.* ① 강제로〔완력으로〕 밀어넣다. ② 강제로 관통〔통과·관철〕 시키다. 《II》 sich (durch et.) ~ (어떤 공간을) 억지로 뚫고 나가다: der Raum war sehr voll, aber ich habe mich nach vorn durchgequetscht 그 방은 사람들로 가득 차 있었지만, 나는 앞쪽으로 마구〔억지로〕 뚫고 나갔다; sich³ die Hand ~ 손을 짓눌러서 다치다.

durchranken *t.* 덩굴을 서로 얽히게 하다.

durch|rasen *i.* (s.) 〖구어〗 미친 듯이 달려 지나가다; (멈추지 않고) 전속력으로 통과하다.

durchrasen *t.* ① 미친 듯이 날뛰며 돌아다니다. ② (시간을) 미친 듯이 보내다. ③ 전속력으로 횡단하다.

durch|rasseln *i.* (s.) ① (차가) 덜거덕덜거덕 (소리내며) 지나가다. ② 〖경박〗 낙제하다.

durch|rationalisieren *t.* 철저히 (경영) 합리화하다: einen Betrieb ~ 공장의 경영을 철저히 합리화하다.

durch|räuchern *t.* 충분히 불김을 쐬다〔훈제하다〕.

durchräuchern *t.* ① 연기로 가득 채우다, 연기 냄새가 가득 배게 하다: die Zimmer waren noch von dem Brand durchräuchert 방들은 아직도 화재 연기가 가득 차 있었다; unsere Kleider waren völlig durchräuchert 우리들 옷은 완전히 연기 냄새가 배어 있었다. ② 〖시어〗 향기로 가득 채우다.

durch|rauschen *i.* (s.) ① 〖경박〗 시험에 미끄러지다. ② 요란스레 지나가다. ③ 살랑살랑〔쏴쏴〕 소리내며 지나가다.

durchrauschen *t.* 〖시어〗 (바람이) 살랑살랑〔쏴쏴〕 불다, 살랑살랑〔쏴쏴〕 소리로 가득 채우다: der Bach durchrauscht die Schlucht 콸콸 흐르는 시냇물 소리가 골짜기를 가득 채우고 있다.

durch|rechnen *t.* 통산(通算)하다, 남김없이 계산하다; 검산하다.

durch|regnen *i.* (h.) *imp.* ① 비가 새다. ② 비가 내내〔계속해서〕 내리다: es hat die ganze Nacht durchgeregnet 밤새도록 비가 쏟아졌다.

durchregnen *t.* 빗물로 흠뻑 적시다: er kam völlig durchregnet nach Hause 그는 비에 흠뻑 젖어서 귀가했다.

durch|reiben* *t.* ① 스쳐서 (닳아) 해어지게 하다; 스쳐서 살가죽이 벗어지게 하다, 스쳐 허물이 까지게 하다: sich³ die Ferse ~ 발뒤꿈치가 까지다; sich ~ 손발을 스쳐 살가죽이 벗어지다. ② (체로) 거르다. ③ ↑ durchreiben.

durchreiben* *t.* 잘 문지르다, 마사지하다.

Durchreiche *f.* -n (부엌과 식당 사이에 음식을 전달하기 위해 뚫어 놓은) 주방 창구.

durch|reichen 《I》 *t.* ① (창·틈 사이를 통하여) 넘겨 주다. ② 〖구어〗 (여러 사람을 지나) 건네다, 건네주다: würden Sie bitte die Salatplatte ~? 실례지만 샐러드 접시 좀 건네 주시겠습니까? 《II》 *i.* (h.) 족하다, 변통되다: damit reiche ich durch 그것으로 나는 충분하다.

Durchreise [dúrçraɪzə] *f.* -n ① 일주: auf der ~ 일주 중에. ② Berliner ~ 베를린 의류 박람회.

durch|reisen *i.* (s.) ① 중간 체류 없이 여행하다. ② 쉬지 않고 여행하다: wir sind die ganze Nacht durchgereist 우리는 밤새도록 여행했다.

durchreisen *t.* (어떤 지방을) 두루 여행하다, 일주하다, 편력하다.

Durchreisende* *der/die* 통과 여행자.

Durchreise=erlaubnis *f.* 통과 여행 허가서.

~visum *n.* ↑ ~erlaubnis.

durch|reißen* 《I》 *i.* (s.) ① (실·밧줄이) 툭 끊어지다, (종이가) 찢어지다, 째지다. ② 〖海〗 (배가) 닻을 끌고 가다. 《II》 *t.* ① (갈기갈기) 찢다. ② 성취〔관철〕하다. 《III》 *refl.* sich ~ 힘들여 목적을 달성하다.

durchreißen* *t.* (갈기갈기) 찢다.

durch|reiten* 《I》 *i.* (s.) 말 타고 지나가다; 쉬지 않고 말을 타고 가다: die ganze Nacht ~ 밤새도록 말을 타고 가다. 《II》 *t.* ① 〖구어〗 (말 잔등·바지를) 말을 타서 상하게 하다: sich ~ 〔sich³ das Gasäß ~〕 말을 타서 엉덩이에 허물이 까지다〔찰상을 입다〕. ② (말을) 길들이다, 훈련시키다.

durchreiten* *t.* 말 타고 건너다〔가로지르다〕; (군대를) 말을 타고 검열하다: einen Fluß ~ 말을 타고 강을 건너다.

durch|rennen* 〖구어〗《I》 *i.* (s.) 달려서 지나가다. 《II》 *t.* ① (구두창에) 달려서 구멍을 내다: sich³ die Füße ~ 달려서 발을 다치다. ② ↑ durchrennen ②.

durchrennen* *t.* ① 달려서 지나가다; 달리며 돌아다니다. ② 찌르다, 꿰뚫다.

durch|rieseln *i.* (s.) ① 졸졸 흘러내리다〔새다〕. ② (포도알이) 톡톡 떨어지다.

durchrieseln *t.* ① 졸졸 흐르다. ② 〖비유〗 (전율·환희로) 오싹하게 하다: von Wonne durchrieselt 환희에 (몸을) 떨며; es durchrieselt mich kalt 나는 (추워서) 오싹 소름이 끼친다.

durch|ringen* 《I》 *t.* 〖드물게〗 die Wäsche ~ 세탁물의 물을 완전히 짜다. 《II》 *refl.* ① sich ~ 난관을 돌파하다, 싸워서 승리를 얻다. ② sich zu et.³ ~ 고심 끝에 무엇을 하기로 결심하다; er hat sich zum Verzicht durchgerungen 그는 고심 끝에 포기하기로 결심했다.

durch|rinnen* *i.* (s.) (…을 뚫고) 서서히 흘러가다, 졸졸 흘러 지나가다.

durchrinnen* *t.* ① ↑ durchrieseln. ② 〖사냥〗 (짐승이 물을) 헤엄쳐 건너다.

Durchritt [dúrçrɪt] *m.* -(e)s, -e 말 타고 지나감.

durch|rollen 《I》 *i.* (s.) ① 굴러서 지나가다.

②〖구어〗쉬지 않고 (굴러) 나아가다: die Panzer rollten durch bis vor die Hauptstadt 장갑차들은 계속해서 수도 앞까지 전진해 갔다. 《Ⅱ》*t.* (세탁물을) 압착 롤러에 집어넣다.

durchrollen *t.* 〖시어〗 울려 퍼지다: der Donner durchrollt die Wolken 구름 사이로 천둥 소리가 울려 퍼진다.

durch|rosten *i.* (s.) 완전히 녹슬다; 녹슬어 갈라지다.

durch|rösten *t.* 충분히 굽다.

durch|rudern 《Ⅰ》*i.* (s.) 노를 저어 빠져나가다. 《Ⅱ》*t.* sich³ die Hände ~ 노를 젓다가 손을 다치다.

durchrudern *t.* 노를 저어 지나가다: einen See ~ 호수를 노저어 건너가다.

durch|rufen* *t.* (h.) 〖구어〗① 전화로 알리다. ② 구두로 알리다, 전하다.

durch|rühren *t.* ① 충분히 휘젓다. ② 휘저으면서 거르다, (체로) 거르면서 으깨다: die Äpfel werden gekocht und durchgerührt 사과는 삶은 후 (체나 수건에 담아) 으깬다.

durch|rutschen 〖구어〗《Ⅰ》*i.* (s.) ① 미끄러지다, 틈새로 빠져나가다: das Netz ist kaputt, die Äpfel sind durchgerutscht 망이 망가져서 사과들이 틈새로 빠져나갔다. ② 부지중 실수하다: in dem Aufsatz sind ihm etliche Fehler durchgerutscht 그는 작문에서 무심코 몇 가지 실수를 저질렀다. ③ 무사 통과하다: er ist bei der Kontrolle gerade noch mit durchgerutscht 그는 검문을 아직까지는 무사 통과해 왔다. 《Ⅱ》*t./refl.* (sich³) et. ~ 써서〔미끄럼질로〕 닳게〔해어지게〕 하다: er hat sich den Hosenboden durchgerutscht 그의 바지 엉덩이는 오래 입어서〔자주 미끄러져서〕 해어졌다.

durch|rütteln, durchrütteln *t.* 흔들어 섞다; 뒤흔들다.

***durchs** [durçs] ＝durch das.

durch|sacken *i.* (s.) 〖空〗 비행기가 갑자기 고도를 잃다〔하강하다〕.

durchsäen *t.* mit et.³ ~ 무엇을 온통 뿌려 흩뜨리다.

Durchsage [dʊ́rçza:gə] *f.* -n (전화·방송을 통한) 전달, 보도: Achtung, Achtung, eine ~! 잠깐 안내 말씀이 있겠습니다!; jetzt folgt eine ~ der Polizei 곧 이어 경찰 당국의 전달 사항이 이어집니다.

durch|sagen *t.* (전화·방송을 통하여) 말하다, 전달하다.

durch|sägen *t.* 톱으로 켜서 끊다.

durch|salzen *t.* …에 흠뻑 소금이 배게 하다.

Durchsatz *m.* -es, ..sätze 통과물의 용량.

durchsäuern [durçzɔ́ʏərn] *t.* 충분히 시게 하다, 발효시키다; 〖化〗 산성을 만들다.

durch|saufen* 《Ⅰ》*i.* 계속해서 술을 퍼 마시다: sie haben die ganze Nacht durchgesoffen 그들은 밤새도록 술을 퍼 마셨다. 《Ⅱ》*t./refl.* (sich) ~ 남에게 술을 얻어마시다: sich überall bei seinen Freunden und Bekannten ~ 어디에서고 친구나 아는 사람에게서 술을 얻어먹다.

durchsaufen* *t.* (시간을) 술로 보내다: manche durchsoffene Nächte 술로 지새운 여러 밤들.

durch|säuseln *i.* (s.) 〖구어〗 in Examen ~ 시험에 낙제하다.

durchsäuseln *t.* (바람이) 산들산들 불다.

durch|sausen *i.* (s.) 〖구어〗① 멈추지 않고 지나가다. ②〖경박〗 시험에서 떨어지다.

durchsausen *t.* ↑ durchbrausen.

durch|schaben 《Ⅰ》*t.* ① 해어지게 하다: die Ärmel sind an den Ellenbogen ganz durchgeschabt 소매는 팔꿈치 부분이 완전히 해어졌다. ② 깎아서 관통하다〔뚫다〕. 《Ⅱ》*refl.* sich ~ 닳아 해어지다.

durch|schaffen* *t.* 운반하여 통과하다.

durch|schallen* *i.* (h.) 울려 퍼지다.

durchschallen* *t.* ① 소리로 가득 채우다, …에 울려 퍼지다. ②〖기술〗 초음파를 쏘다.

durch|schalten *t./i.* (h.) 〖전기〗 ① 접속하다, 잇다. ② (스위치를) 끝까지 돌리다; (전력이) 들어가게 하다: wir können morgen bis zu Ihnen ~ 내일 귀하의 댁까지 전기를 넣어드릴 수 있습니다. ③〖모터스포츠〗 기어를 빨리 올리다.

durchschalten *t.* ↑ durchherrschen.

durchschaubar *adj.* 꿰뚫어볼〔간파할〕 수 있는: sein Verhalten ist schwer〔leicht〕 ~ 그의 태도는 간파하기 어렵다〔쉽다〕.

durch|schauen *i.* (h.) ① (문구멍·현미경을 통하여) 들여다보다, (투명한 것을 통해 내다) 보다; (책을) 죽 훑어보다: die Fenster sind so schmutzig, man kann kaum noch ~ 창문들이 너무 더러워서 거의 내다볼 수 없다. ②〖비유〗 전모를 파악하다, 훤히 꿰뚫어보다: endlich schaue ich durch! 드디어 전모가 파악된다!

durchschauen *t.* ① 충분히 보다, 일일이 검사〔검열〕하다. ②〖비유〗 통찰〔간파〕하다: sie durchschaute sofort seinen Trick 그녀는 그의 속임수를 바로 간파했다.

durchschauern *t.* 〖교양〗 전율하게 하다, 엄습하다.

Durchschein [dʊ́rçʃaɪn] *m.* -(e)s 〖시어·고어〗 투과광(透過光).

durchscheinbar *a.* 투과성의, 반투명의.

durch|scheinen* *i.* (h.) (…을 뚫고) 비치다; 〖비유〗 드러나다: aus seinen Worten schien seine religiöse Überzeugung durch 그의 말에서 자신의 종교적 확신이 내비쳤다.

durchscheinen* *t.* 빛으로 가득 채우다, 두루〔남김없이〕 비추다.

durchscheinend *p.a.* ① 빛을 통과시키는, 투명한: dieses Porzellan ist ~ 이 도자기는 빛이 통과된다. ② (속이 들여다보일 정도로) 여린: ein ~es Gesicht 해맑은 얼굴.

durch|scheuern 《Ⅰ》*t.* (무릎을) 쓸려서 까지게 하다; (바지를) 쓸려서 해어지게 하다. 《Ⅱ》*refl.* sich ~ 쓸려서 까지다〔해지다〕.

durch|schieben* *t.* 〖구어〗① (틈새로) 밀어넣다: einen Zettel unter der Tür ~ 쪽지를 문 밑으로 밀어넣다. ②〖비유〗 실행하다, 진척시키다.

durch|schießen* 《Ⅰ》*i.* ① (h.) 틈 사이로 쏘다. ② (s.) 쏜살같이 지나가다, 질주해 지나가다. 《Ⅱ》*t.* ↑ durchschießen 《Ⅰ》①.

durchschießen* 《Ⅰ》*t.* ① 쏘아 꿰뚫다. ② 번갯불처럼 지나가다; (생각·느낌이) 불현듯 엄습하다, 떠오르다. ③ Bücher ~ 책에 하얀 간지를 넣어 제본하다; 〖印〗 Zeilen ~ (인테르를 넣어서) 행간을 띄우다; Wörter ~ 글자 사이를〔자간을〕 띄우다. 《Ⅱ》**durchschossen**

p.a. ↑ durchschossen.
durch|schiffen 《I》 *i.* (s.) 배를 타고 지나가다; 항행하다. 《II》 *t.* 배로 나르다〔운반하다〕.
durchschiffen *t.* (강·바다를) 주행(舟行)하다, 순항하다; (대양을) 횡단하다: die Lüfte ~ 공중을 날아가다.
durch|schimmern *i.* (h.) ① (약한 빛이) 틈새로 내비치다, 투명하게 내비치다. ②〔비유〕 암시되다, 간접적으로 표현되다: sein Verhalten ließ Unzufriedenheit ~ 그의 태도에는 불만이 넌지시 내비쳤다.
durchschimmern *t.* 〔시어〕 미광(微光)으로 가득 채우다.
durch|schlafen* 《I》 *i.* (h.) (한동안) 계속 자다: die ganze Nacht ~ 밤새도록 자다. 《II》 *t.* ↑ durchschlafen.
durchschlafen* *t.* (어느 기간을) 잠을 자면서 지내다: den Winter ~ 동면하다.
Durchschlag [dúrçʃla:k] *m.* -(e)s, ..schläge ① 쳐서 꿰뚫음. ② 구멍 뚫는 기계〔정〕. ③〔요리〕 체. ④ (때려 꿰뚫은) 구멍; (산·언덕을) 터서 낸 길; 숲속의 빈터. ⑤ (먹지를 대고 치는) 타자기 복사(물). ⑥〔전기〕 (절연체에 따른) 급전류 방출. ⑦〔광산〕 갱도(시설)의 교차점.
durch|schlagen* 《I》 *i.* (h.) ① 쳐서 뚫고 나가다, 뚫고 들어가다; (비가) 새다; (습기가) 배어들다; (잉크가) 번지다; (퓨즈가 과열되어) 끊어지다. ② (약이) 변을 통하게 하다. ③ (용모·소질이) 나타나다: 〔비유〕 im Enkel schlägt der Großvater durch 조부의 모습이 손자에게 나타나다. ④〔비유〕 효력이 있다, 주효하다: das Abführmittel schlägt durch 설사약이 효력이 있다; die Kostensteigerungen schlagen voll auf die Preise durch 비용 상승은 모두 가격에 전가된다. 《II》 *t.* ① 때려눕히다, 쳐서 쪼개다: ein Stück Holz ~ 나무 토막을 쳐서 쪼개다. ② 쳐서 꿰뚫다: (ein Loch durch) die Wand ~ 벽에 구멍을 뚫다. ③ 쳐서 뚫다〔박다〕; 거르다. ④ 타자기로 복사하다. ⑤〔재단〕 (천에 무늬를) 도안대로 뜨다. 《III》 *refl.* sich ~ 싸워서 뚫고 나아가다; sich durch den Feind ~ 적군 속을 뚫고 나아가다; sich kümmerlich〔mühselig〕 ~ 힘겹게 생계를 이어나가다, 겨우 살아가다.
durchschlagen *t.* 뚫고 들어가다, 관통하다: die Kugel hat die Bretterwand ~ 총알이 판자벽을 관통했다.
durchschlagend *p.a.* 유효〔정확〕한, 결정적인, 단호한.
Durchschlag·hammer *m.* 〔기계〕 드리프트 (금속의 구멍을 크게 하는 도구).
durchschlägig [dúrçʃlɛ:gıç] *a.* ① 쳐서 뚫기 쉬운. ② ↑ durchschlagend. ③〔광산〕 갱도의 교차점이 설치되어 있는.
Durchschlag·papier *n.* 먹지, 카본지, 복사지.
Durchschlags=kraft *f.* ①〔軍〕 (탄환의) 관통력. ②〔비유〕 설득력, 호소력: die ~ seiner Argumente 그의 논거가 지니는 설득력. **~kräftig** *a.* 설득력〔효력〕 있는: ~e Argumente 설득력 있는 논거들.
durch|schlängeln *refl.* sich ~ ① 굽이쳐 지나가다; 이리저리 빠져나가다: sich zwischen den wartenden Autos ~ 신호를 기다리는 자동차들 사이로 이리저리 빠져나가다. ② 그럭저럭 살아나가다, (어려움을) 용케 헤쳐나가다.
durchschlängeln *t.* 구불구불 굽이치다; 굽이쳐 흐르다.
durch|schleichen* *i.* (s.) / *refl.* (sich) ~ 살짝〔살그머니〕 지나가다.
durchschleichen* *t.* (어떤 장소를) 살짝 (발소리를 내지 않고) 지나가다.
durch|schleifen*[1] 《I》 *t.* 갈아서 구멍을 뚫다. 《II》 *refl.* sich[3] die Hände ~ 갈다가 손을 다치다.
durch|schleifen[2] 《<Schleife》 *t.* ① 썰매에 싣고 지나가다. ② (샛길로) 밀수입하다. ③ 질질 끌며 지나가다. ④〔구어〕 ↑ durchhelfen 《I》.
durch|schleppen 《I》 *t.* ① 질질 끌며 지나가다; 〔비유·폄어〕 (곤란에서) 구해내다. ② (옷을) 질질 끌어서 해어뜨리다. 《II》 *refl.* sich ~ 발을 질질 끌며 걷다; 〔비유〕 겨우 살아나가다: der Fehler hat sich durch verschiedene Ausgaben durchgeschleppt 그 오류는 여러 판(版)에 걸쳐 고쳐지지 않은 채로 있다.
durch|schleusen *t.* ① (배를) 수문을 지나가게 하다, 빠져나갈 수 있도록 인도하다. ② 몰래 (검문·장애물을) 통과시키다: die Flüchtlinge konnten ungehindert durchgeschleust werden 난민들은 제지받지 않고 검문을 통과할 수 있었다; Rauschgift〔Alkohol〕 ~, ohne erwischt zu werden 마약〔술〕을 들키지 않고 빼돌리다.
durch|schlingen 《I》 *t.* (실을) 꿰어서 맺다. 《II》 *i.* (s.)/*refl.* (sich) ~ (굽이쳐) 지나가다.
durchschlingen* *t.* 〔고어〕 (서로) 얽히게 하다, (얽혀) 짝지게 하다.
durchschlummern *t.* 〔시어〕 잠을 자서 (시간을) 보내다.
Durchschlupf [dúrçʃlupf] *m.* -(e)s, -e/..schlüpfe 미끄러져 빠져나감; 미끄러져 빠져나갈 수 있는 구멍.
durch|schlüpfen *i.* (s.) 미끄러져 빠져나가다; 〔비유〕 들키지 않고 들락거리다, (책에 오류가) 발견되지 않은 채 그대로 남다: ~ lassen a) 놓치다, b) (오류를) 간과하다.
durch|schmecken 〔구어〕《I》 *i.* (h.) 맛으로 식별되다, …의 맛이 두드러지다: der Senf schmeckt in dieser Soße durch 이 소스에는 겨자맛이 두드러진다. 《II》 *t.* ① 맛을 보고 알다〔가려내다〕. ② 고루 맛보다(durchkosten): ich hatte alle Weine durchgeschmeckt 나는 온갖 포도주를 다 맛보았다.
durch|schmelzen(*) 《I》 *t.* 완전히 용해하다; 〔전기〕 (퓨즈를) 끊다. 《II》 *i.* 녹아서 끊어지다: die Sicherung ist durchgeschmolzen 퓨즈가 녹아서 끊어졌다.
durchschmettern *t.* ① 분쇄하다, 박살내다, 깨부수다. ② (큰 소리가) 울려퍼지다.
durch|schmiegen *refl.* sich ~ 몸을 오그리고 빠져 나가다; 간신히 뚫고 나아가다.
durch|schmoren *i.* (s.) (오래 가열하거나 굽거나 용해해서) 망가지다, 끊어지다: ein Kabel〔die Glühbirne〕 ist durchgeschmort 전선이〔전구가〕 과열되어 끊어졌다.
durch|schmuggeln *t.* 밀수입〔밀수출〕하다: zollpflichtige Waren ~ 세관에 신고해야 할 물건을 밀수하다.
durch|schneiden* *t.* 끊다, 절단하다; (야수가) 포획 그물을 물어 끊고 도망가다: ~de

Kälte 살을 에는 듯한 추위.

durchschneiden* *t.* 횡단하다, …와 교차하다; (물결을) 헤치고나아가다: sich〔einander〕 ~ 서로 교차하다; 〖軍〗 durchschnittenes Gelände 단절지(구릉·수류(水流)에 의하여 중단된 지형); das durchschnitt mir das Herz 내 가슴이 찢어지는 것만 같았다.

Durchschneidung *f.* 절단, 분할; 교차, 횡단; (파도를) 가르고 나아감.

durch|schneien *i.* (h.) *imp.* es schneit durch 눈이 내려 들이치다; es hat die ganze Nacht durchgeschneit 밤새도록 눈이 왔다.

***Durchschnitt** [dúrçʃnɪt] *m.* -(e)s, -e ① 절단, 교차; 교차점; 〖數〗 평균치. ② 직경. ③ 〖工〗 구멍 뚫는 기구〔정〕. ④ 〖건축〗 단면(도); 윤곽. ⑤ **(a)** 평균: im ~ 평균하여, 대개; den ~ von et.³ nehmen〔feststellen〕 무엇의 평균을 내다. **(b)** 일반 표준, 보통 것: 〔폄어〕 der ~ 평범한 존재; er ist nur ~ 그는 보통〔평범한〕 사람에 불과하다.

***durchschnittlich** 《I》 *a.* 평균의; 보통의. 《II》 *adv.* 평균하여, 대개.

Durchschnitts-alter *n.* 평균 연령: das ~ der Teilnehmer lag bei 25 Jahren 참가자들의 평균 연령은 25세였다. **~ansicht** *f.* 〖건축〗 단면도. **~betrag** *m.* 평균액. **~bildung** *f.* 보통 교육. **~bürger** *m.* 보통 시민. **~einkommen** *n.*, **~ertrag** *m.* 평균 수입〔소득〕. **~fläche** *f.* 〖數〗 교절(交切)면. **~gesicht** *n.* 평범한 얼굴. **~geschwindigkeit** *f.* ① 평균 속도. ② 보통 속도: der Wagen erreicht nur ~ 그 차는 속도가 보통 수준을 넘지 않는다. **~leistung** *f.* ① 보통 품질〔솜씨〕(의 물건). ② 〖工〗 평균 출력; 평균 산출량. **~linie** *f.* 〖數〗 교선(交線); 직경. **~mensch** *m.* 보통〔평범한〕 사람, 범인. **~preis** *m.* ① 평균 가격. ② 통상〔보통〕 가격. **~punkt** *m.* 교차점. **~rechnung** *f.* 〖數〗 평균 셈. **~schüler** *m.* 평균〔중간〕 수준의 학생. **~sehne** *f.* 〖數〗 할선(割線), 시컨트, 정할(正割). **~summe** *f.* 평균액. **~temperatur** *f.* 평균 온도〔기온〕. **~verhältnis** *n.* 평균 비례. **~ware** *f.* 평범한 물건, 보통품. **~wert** *m.* 평균치. **~zahl** *f.* 평균수. **~zeichnung** *f.* ↑ ~ansicht.

durchschnobern, durchschnüffeln *t.* ① 냄새를 맡아내다, 낌새를 알아채다: der Hund hat den ganzen Garten durch(ge)schnüffelt 그 개는 정원 전체를 킁킁거리며 냄새를 맡았다. ② 〔폄어〕 마구 뒤적이다, 호기심으로 샅샅이 조사하다: js. Post ~ 누구의 우편물을 뒤지다.

durchschossen [..ʃɔsən] 《I》 *p.p.* ↑ durchschießen. 《II》 *p.a.* (책에) 간지를 넣어 제본한, (천에) 줄무늬를 박은: mit Silberfaden ~er Stoff 은실을 박아넣은 천.

Durchschreibe-block *m.* (복사를 위한) 투사지 묶음. **~buch** *n.* 복사 장부. **~buchführung** *f.* 복사 장부(를 이용하는) 부기.

durch|schreiben* *t./i.* (h.) ① (투사지로) 복사하다. ② 팩스로 전송하다.

Durchschreibe-papier *n.* 복사지, 투사지. **~verfahren** *n.* (투사지를 이용한) 복사 절차〔방식〕.

durch|schreien* *i.* (h.) (틈 사이로) 외치다; (목소리가) 잘 들리다.

durchschreien* *t.* …에 외치는 소리로 가득 채우다.

durch|schreiten* *i.* (s.) 걸어 지나가다, 뚫고 나가다.

durchschreiten* *t.* 보조를 맞추며 지나가다; 걸어서 횡단하다〔건너가다〕: am Arm des Brautführers durchschritt sie die Kirche 신부 인도자의 팔을 잡고 그녀는 보조를 맞추어 교회 안을 걸어갔다.

Durchschrift [dúrçʃrɪft] *f.* -en (카본지로 하는) 복사.

Durchschrift-kasten *m.* 〖印〗 인테르 상자.

Durchschuß [dúrçʃus] 《<durchschießen》 *m.* ..schusses, ..schüsse ① (탄환의) 관통, 관통상. ② 〖방직〗 씨줄. ③ **(a)** 〖제본〗 간지(間紙) (책 속에 끼워진 백지). **(b)** 〖印〗 행간. **(c)** 인테르.

Durchschuß-linie *f.*, **~stück** *n.* ↑ Durchschuß ③ (b).

durch|schütteln *t.* 충분히 흔들다.

durchschütteln *t.* ① 엄습하다, 뒤흔들다; 와들와들 떨게 하다: 〖비유〗 vom〔von〕 Fieber〔Frost〕 durchschüttelt werden 열〔추위〕로 덜덜 떨리다; die andauernden Kämpfe haben den Staat durchschüttelt 계속된 전투가 그 나라를 뒤흔들었다. ② 뒤흔들어 섞다.

durch|schütten *t.* 따르다, 부어 넣다, 거르다.

durchschüttern *t.* 몹시 흔들다, 뒤흔들다.

durch|schüttern 《I》 *t.* (어떤 감정이) 가슴 속 깊이 사무치다: 〔고어〕 ↑ durchschütteln: der Schrecken durchschüttert ihn 충격이 그를 온통 뒤흔들어 놓았다. 《II》 *i.* (h.) 매우 감동하다.

durch|schwärmen *i.* (s.) ① 떼를 지어 지나가다. ② (h.) eine Nacht ~ 마시고 떠들면서 하룻밤을 새우다.

durchschwärmen *t.* 구경하며 돌아다니다: die Gasse ~ 거리를 (떠들며) 배회하다; die Luft ~ (꿀벌이) 공중을 떼지어 지나가다.

durchschweben *t.* 〔시어·고어〕 (둥둥) 떠돌다, 떠다니다: ein leiser Ton durchschwebt den Saal 어떤 나지막한 소리가 홀 안을 떠돌고 있다.

durchschweifen *t.* ① 〔고어〕 떠돌아다니다, 방랑〔방황〕하다. ② (시선이) 여기저기 가서 닿다.

durch|schwelgen, durchschwelgen *t.* 〔시어·고어〕 (세월을) 무위도식하며 보내다; 허비하다.

durch|schwimmen* *i.* (s.) 헤엄쳐 지나가다; (물건이) 흘러 지나가다; 계속해서 헤엄쳐 가다: kannst du eine halbe Stunde ~? 너는 30분 동안 계속해서 헤엄칠 수 있느냐?

durchschwimmen* *t.* (강을) 헤엄쳐 건너다.

durch|schwindeln *t./refl.* (sich) ~ 속임수를 써서 성취하다〔이루다〕, 속여서 그 자리를 모면하다: er hat sich überall durchgeschwindelt 그는 어디에서나 속임수로 자신의 목표에 도달했다.

durch|schwirren *i.* (s.) 붕붕〔휘휘〕 소리내며 통과하다.

durchschwirren *t.* 〔시어〕 붕붕〔휘휘〕하는 소리로 가득 채우다: ein Gerücht durchschwirrt die Luft 요란하게 소문이 나다.

durch|schwitzen 《I》 *i.* (s./h.) (흠뻑) 땀을

흘리다; (물 따위가) 스며나오다; 〖비유〗(사건의 내막 따위가) 새어나오다. 《Ⅱ》 *t.* 땀에 흠뻑 젖게 하다: ich habe die ganze Nacht durchschwitzt 나는 밤새도록 땀을 흘렸다; ich bin ganz durch(ge)schwitzt 나는 땀으로 온몸이 흠뻑 젖었다.

durchschwitzen *t.* ↑ durch|schwitzen 《Ⅱ》.

durch|segeln *i.* (s.) ① 배로 지나가다. ② 〖경박〗 시험에 떨어지다.

durchsegeln *t.* ① 순항하다, (두루) 항해하다. ② die Luft ~ 미끄러지듯 날다, 바람을 이용하여 비행하다; der Adler durchsegelt die Lüfte 독수리는 깃을 편 채 하늘을 날고 있다.

durch|sehen 《Ⅰ》 *i.* (h.) ① (창·망원경을 통하여) 들여다보다; 들여다보이다: bei ihm sehen die Ellenbogen durch 그의 옷의 팔꿈치가 찢어져 있다. ② 잘 보이다, 분명〔확연〕하다: 〖비유〗 ich sehe in dieser Sache nicht durch 이 일은 잘 알 수 없다. 《Ⅱ》 *t.* ① 틈으로 보다, 들여다보다. ② 알아채다, 꿰뚫어보다, 간파하다; 일일이 검열〔교열〕하다; 열람하다: eine Arbeit noch einmal auf Schreibfehler ~ 논문에 오자가 있는지 다시 한번 검토하다; ich habe das Bildband nur mal durchgesehen 나는 그 화집을 그저 한번 죽 훑어보았을 뿐이다.

durchsehen *t.* ↑ durch|sehen 《Ⅱ》②.

durch|seihen 《Ⅰ》 *i.* (s.) 새다. 《Ⅱ》 *t.* ↑ durchseihen.

durchseihen *t.* 거르다, 여과하다.

Durchseiher *m.* -s, - 여과기, 거르는 체.

durch|sein* *i.* (s.) 〖구어〗 ① (공간을) 지나치다. ② (시간이) 지나가다. ③ bei jm. unten ~ 누구의 눈 밖에 나다; er ist bei mir unten durch 내가 보기에 그는 볼짱 다 본 사람이다. ④ (어려움을) 극복하다, 위기에서 벗어나다; (반대 의견을 누르고) 통과되다; (시험에서) 통과하다: er war sehr krank, aber jetzt ist er durch 그는 심하게 아팠었지만 지금은 고비를 넘겼다; das Gesetz müßte eigentlich schon ~ 그 법은 사실 벌써 통과되었어야 하는 것인데; hurra, ich bin durch 야호, 합격이다. ⑤ (음식이) 다 익었다, 다 구워졌다; (치즈가) 숙성하다. ⑥ (옷이) 해어졌다.

durch|sengen *i.* (s./h.) 눌러서 구멍이 나다.

durchsengen *t.* 두루 눋게 하다, (작열하는 태양이 풀 따위를) 모두 태워 버리다.

durchsetzbar *a.* 달성 가능한, 관철될 수 있는.

***durch|setzen** 《Ⅰ》 *t.* ① 끝까지 해내다, 관철시키다; (법률을) 실시하다; (의안을) 통과시키다: seinen Willen ~ 자기의 의지를 관철시키다. ② 〖건축〗 벽으로 칸막이하다. ③ 〖광산〗 (빻아서 부순 광석을) 체로 쳐서 가려 내다. 《Ⅱ》 *refl.* sich ~ 자신을 관철시키다, 자기 생각을 주장하다; 인정을 얻다; 성공하다. 《Ⅲ》 *i.* (s./h.) 달려서〔뛰어서〕 지나가다: watend ~ (시냇물을) 걸어서 건너다.

durchsetzen *t.* ① et. mit et.[3] ~ 무엇에다 무엇을 섞다〔섞어 넣다〕; mit Gold durchsetztes Gestein 금을 함유한 광석. ② (마음에) 파고들다, (마음에) 주입하다: eine neue Moral durchsetzte die Gesellschaft 새로운 도덕이 사회에 퍼졌다; Agitatoren versuchten, das Volk mit einer neuen Idee zu ~ 선동자들은 민중에게 새로운 이념을 주입시키려고 하였다.

Durchsetzung *f.* -en 관철, 달성: für die ~ der Forderungen eintreten 요구 사항의 관철을 위해 애쓰다.

Durchsetzungs·vermögen *n.* (자신의 의지를 관철시킬 수 있는) 관철 능력.

durchseuchen 《Ⅰ》 *t.* 〖대개 과거 분사형〗 (어떤 곳을) 병독으로 오염시키다: eine gänzlich durchseuchte Gegend 전염병이 만연한 지방. 《Ⅱ》 *i.* (s.) 병독으로 오염되다.

durch|seufzen, durchseufzen *t.* 〖시어〗 (세월을) 탄식하며 지내다.

Durchsicht [dúrçzıçt] 《<durchsehen》 *f.* ① 〖드물게〗 (durch et.) 통하여 봄, 전망, 조망. ② 〖비유〗 검열, 열독, 교정: zur gefälligen ~ 앙고평(仰高評). ③ (südostd.) 난로의 연통.

***durchsichtig** *a.* ① 투명한; 맑은; (옷감이) 들여다보이는, 내비치는. ② 〖비유〗 명확한; 속이 빤히 들여다보이는. ③ 연약〔창백〕한.

Durchsichtigkeit *f.* 투명; 명확.

durch|sickern *i.* (s.) 새다; 스며들다; (비밀이) 새어 나가다, 누설되다: das Gerücht ist nach und nach durchgesickert 그 소문은 차츰 새어 나갔다; ~ lassen a) 여과하다, 스며나가게 하다, b) (비밀을) 누설하다.

durch|sieben *t.* 체질하다.

durchsieben *t.* …에 (체처럼) 구멍을 내다: die Tür war von Kugeln durchsiebt 문은 총알을 맞아서 벌집같이 구멍이 나 있었다.

Durchsiedlung *f.* -en 국외 이주, 이민.

durch|singen* *t.* 끝까지 노래하다: den ganzen Tag ~ 온종일을 노래하며 지내다.

durch|sinken* *i.* (s.) 〖드물게〗 (어떤 것의 속으로) 푹 빠지다, 가라앉다.

durchsinken* *t.* 〖광산〗 (수직갱을) 파 내려가다.

durch|sinnen*, **durchsinnen*** *t.* 〖시어〗 골똘히 생각하다; 생각에 잠겨 (시간을) 보내다: ein wohl durchsonnener Plan 숙고를 거듭한 계획.

durch|sintern *i.* (s.) 새다, 삼투(滲透)하다.

durch|sitzen* 《Ⅰ》 *t.* ① 앉아서 (바지 따위를) 닳게〔상하게〕 하다. ② ↑ durchsitzen. 《Ⅱ》 *refl.* sich ~ 오래 앉아서 몸을 상하다.

durchsitzen* *t.* (시간을) 앉아서 보내다: eine Nacht ~ (카드를 하면서) 밤새도록 앉아서 보내다; ein Konzert ~ 연주회를 끝까지 듣다.

durchsonnen[1] 《Ⅰ》 *t.* 볕에 쐬다; 〖사진〗 (건판을) 볕에 지나치게 쐬다. 《Ⅱ》 *refl.* sich ~ 일광욕을 하다.

durchsonnen[2] 《Ⅰ》 *p.p.* ↑ durchsinnen. 《Ⅱ》 *p.a.* 철저히 숙고한, 깊은 생각에 잠긴: manche ~e Nacht 상념으로 지새운 여러 밤들.

durchsonnt *a.* 〖시어〗 햇살로 가득한.

durch|spähen *i.* (h.) 틈 사이로 엿보다, 몰래 살피다.

durchspähen *t.* 〖고어〗 샅샅이 탐색하다〔검사하다〕.

durch|spalten, durchspalten *t.* 둘로 쪼개다.

durchspicken *t.* …에 베이컨을 고루고루〔충분히〕 섞다; 〖비유〗 섞다.

durch|spielen 《Ⅰ》 *t.* ① (어떤 곡을) 끝까지 연주하다, 되풀이하여 연습하다; 〖연극〗 (어떤 역을) 끝까지 연기하다: et. immer wieder ~ 무엇을 반복 연습하다; wir haben die ganze

Nacht durchgespielt 우리는 밤새도록 놀았다〔연주했다〕. ② (어떤 일의 가능성을) 여러 가지로 숙고하다: ich hatte die Situation vorher so oft im Geiste durchgespielt 나는 그 사태를 이미 전부터 자주 머리 속으로 생각해 보았다. 《Ⅱ》 *i.* 〖스포츠〗 (교체나 중단 없이) 계속 경기하다. 《Ⅲ》 *refl.* 〖스포츠〗 sich ~ 상대팀의 방어를 뚫고 전진하다.

durchspielen *t.* ① 노름을 하며 지내다. ② 〔시어〕 (바람이 나뭇잎을) 간질이며 지나가다. ③ 〔스포츠〕 die Abwehr ~ 상대팀의 방어를 피해 나가다.

durch|spießen, durchspießen *t.* (창으로) 꿰뚫다.

durch|sprechen* *t.* ① (틈·전화·라디오를 통해) 이야기하다: durchs Telefon ~ 통화하다. ② (기도를) 끝까지 올리다. ③ ↑ durchsprechen.

durchsprechen* *t.* 충분히 토의하다, 상세히 상의하다.

durch|sprengen 《Ⅰ》 *i.* (s.) 빨리 달리며 통과하다. 《Ⅱ》 *t.* (터널을) 폭약을 써서 뚫다.

durchsprengen *t.* (어떤 장소를) 달리며 통과하다.

durch|springen* *i.* (s.) ① 뛰어서 빠져 나가다〔지나가다〕. ② 틈이 생기다, 금이 가다.

durchspringen* *t.* ① (어떤 장소를) 훌쩍 뛰어 통과하다: der Hund durchsprang den Reifen 그 개는 훌쩍 뛰어 타이어를 통과했다. ② 뛰어서 지나가다.

durch|spüren *t.* ① (무엇을 통하여) 알아채다, 감지하다. ② ↑ durchspüren.

durchspüren *t.* 두루〔샅샅이〕 찾아다니다.

durch|stampfen, durchstampfen *t.* (짓) 밟아 부수다〔구멍내다〕; 짓찧어 부수다.

durchstänkern *t.* ① 악취로 가득 채우다. ② 샅샅이 흠잡을 것을 찾아다니다.

durch|starten *i.* ① 〖空〗 (착륙이 어려워서) 가속해서 다시 고도를 높이다. ② (차를 세우기 전에) 갑자기 속도를 다시 높이다, (차의 모터를 가동시킬 때) 액셀러레이터를 세게 밟다.

durch|stauben *i.* (h.) 〔드물게〕 먼지가 들어오다, 먼지를 일으키다, 먼지처럼 퍼지다: es staubt durch 먼지가 들어온다; das Mehl staubt durch 밀가루가 흩날린다.

durchstauben *t./i.* (s.) 온통 먼지로 뒤덮다〔뒤덮히다〕.

durch|stechen* 《Ⅰ》 *t.* 찌르다: die Nadel durch et. ~ 무엇에 바늘을 찌르다; ein Muster ~ (바늘로) 본을 뜨다. 《Ⅱ》 *i.* (h.) ① 꿰뚫다, 관통하다: die Nadel stich durch 바늘〔침〕이 뚫고 나오다. ② 〔고어〕 사기치다: mit jm. ~ 누구와 결탁〔공모〕하다.

durchstechen* *t.* 찔러 꿰뚫다; (제방 따위를) 파서 뚫다; (낟알을) 삽으로 뒤섞다.

Durchstecherei [..ʃtɛçəráɪ] *f.* -en 결탁, 공모: mit jm. ~ treiben 누구와 결탁하다.

Durchstechung *f.* -en (운하·터널의) 굴착.

durch|stecken *t.* 찔러 꽂다, 틈으로 밀어넣다.

durch|stehen* *t.* ① (역경을) 견뎌내다, 극복하다. ② 〖스포츠〗 (스키의 도약·활강을 넘어지지 않고) 성공적으로 해내다.

durch|stehlen* *refl.* sich ~ ① 살그머니 지나가다. ② 도둑질로 살아가다.

durch|steigen* *i.* (s.) ① (…을 통하여) 올라가다. ② 〔비유〕 이해〔파악〕하다: da steige ich nicht durch 그것은 내 능력에 벅차다.

durchsteigen* *t.* 〔등산〕 끝까지 기어올라가다.

durch|stellen *t.* 〖구어〗 ① (전화 통화를) 연결해 주다: ich stelle das Gespräch ins Nebenzimmer durch 제가 옆 방으로 통화를 연결해드리지요. ② (전화에서) 수신자를 바꾸다: nach Ladenschluß das Telefon nach der Wohnung ~ 영업 시간 이후에는 전화를 집에서 받을 수 있도록 하다.

durch|steppen *t.* (옷감을) 누비다.

Durchstich [dúrçʃtɪç] 《< durchstechen》 *m.* -(e)s, -e ① 꿰찌름. ② 굴착, 개착. ③ (산·언덕을) 터서 낸 길; 운하; 터널; 도랑. ④ 〔고어〕 ↑ Durchstecherei.

durchsticken, durch|sticken *t.* 수를 고루 놓다.

Durchstieg *m.* -(e)s, -e (위로 올라갈 수 있는) 통로, 위쪽으로 통하는 구멍.

durch|stimmen *t.* ① (악기의) 전음(全音)을 조율하다. ② 〖전기〗 주파수를 맞추다.

durchstöbern *t.* 샅샅이 찾다, (파헤치고) 찾(아다니)다: das Zimmer nach et.[3] ~ 무엇을 찾아 온 방안을 샅샅이 뒤지다.

Durchstoß [dúrçʃto:s] *m.* -es, ..stöße ① 꿰뚫기, 꿰찌르기. ② 〖당구〗 반칙타.

durch|stoßen* 《Ⅰ》 *t.* ① 꿰찌르다, 처넣다. ② 쳐부수어 열다, 쳐 깨뜨리다; (옷을 오래 입어서) 해어지게 하다: sich[3] den Fuß ~ 발을 부딪쳐 다치다. ③ 〖軍〗 돌파하다: der Feind ist an der Front durchgestoßen 적이 전선을 돌파해 왔다. 《Ⅱ》 *refl.* sich ~ (천이) 너덜너덜 떨어지다, 올이 풀리다; der Ärmel ist 〔hat sich〕 durchgestoßen 소매가 해졌다.

durchstoßen* *t.* 찔러 꿰뚫다, 꿰찌르다: 〖軍〗 die feindliche Front ~ 적진을 뚫다; die Sonne durchstieß langsam den Nebel 햇빛이 서서히 안개 속으로 퍼졌다.

Durchstoß·maschine *f.* 구멍 뚫는 연장〔끌·정〕.

durch|strahlen *i.* (h.) (틈 사이·구름 사이로) 광선이 비쳐〔새어〕 나오다.

durchstrahlen *t.* 두루〔구석구석〕 비추다.

durch|streben *i.* (h.) 뚫고 나가려고 애쓰다.

durchstreben *t.* 〖시어·고어〗 ① (공간을) 애써서 횡단하다. ② (역경을) 노력하여 이겨내다.

durch|strecken *t.* ① …을 관통해서 끌다. ② die Arme ~ 양팔을 쭉 뻗다.

durch|streichen 《Ⅰ》 *t.* ① 줄을 그어 지우다, 삭제하다: Nichtzutreffendes bitte ~! 해당되지 않는 사항은 줄을 그어 주십시오!; er hat den letzten Satz durchgestrichen 그는 마지막 문장을 지웠다. ② 〖요리〗 체에 걸러 내리다. ③ 〔고어〕 호되게 때리다. 《Ⅱ》 *i.* (s.) 스쳐 지나가다: 〖天〗 ~de Linie (혜성의) 궤도.

durchstreichen* *t.* ① 〔교양〕 (어떤 땅을) 헤매고 다니다, 유랑하다. ② (바람이) 스쳐〔불어〕 지나가다.

durch|streifen, durchstreifen *t.* ① (어떤 땅을) 헤매고 다니다, 유랑하다. ② …에 줄〔선〕을 넣다: durchstreift 줄이 있는. ③ (어떤 지역을) 철저히 수색하다.

Durchstrich [dúrçʃtrɪç] 《< durchstreichen》 *m.* -(e)s, -e ① 삭제, 말살. ② (철새의) 이동.

durch|strömen *i.* (s.) 흘러 지나가다.
durchströmen *t.* ① (어떤 지역을) 가로질러 흐르다, 관류하다; 관개하다. ②〖비유〗(인파가) …을 물밀듯이 지나가다. ③ (어떤 감정이) …에게 밀려오다: jn. mit Freude ~ 누구를 기쁨으로 가득 채우다.
durch|strukturieren *t.* (무엇의 구조를) 잘 짜다, 훌륭하게 구성하다: ein gut durchstrukturiertes Programm 잘 짜여진 프로그램; die Abhandlung war klar durchstrukturiert 그 논문은 구성이 명확하게 짜여 있었다.
Durchstrukturierung *f.* -en 구성, 구조화, 조직화.
durch|studieren *t.* ① 철저히 연구하다: ein Buch ~ 책을 철저히 연구하다. ② (시간을) 연구하며 보내다.
durch|stürmen 《I》 *i.* (s.) 〖구어〗 폭풍처럼 지나가다, 돌진하여 지나가다: die Kinder stürmten durch das Treppenhaus durch 아이들이 우당탕거리며 계단을 지나갔다. 《II》 *t.* (일생을) 격정 속에 보내다.
durchstürmen *t.* (지역·공간을) 폭풍처럼 휩쓸고 지나가다; 〖비유〗 몹시 동요시키다, 뒤흔들다: eine plötzliche Angst durchstürmte sie 그녀는 갑작스러운 불안감에 휩싸였다.
durch|stürzen *i.* (s.) (틈 사이로) 추락하다.
durch|stylen *t.* 스타일을 부여하다, 양식을 갖추다.
durch|suchen, durchsuchen *t.* 샅샅이 수색하다; (엄중히) 검사하다.
Durchsuchung *f.* -en ① 수색: Haus~ 가택 수색. ② 검사, 임검(臨檢).
Durchsuchungs=befehl *m.* 〖法〗 수색 명령. **~recht** *t.* 〖法〗 (교전 중인 국가가 무역선을 수색할 수 있는) 수색권.
durchsüßen *t.* 〖시어·고어〗 ① 충분히 달게 하다. ② 〖藥〗 감화(甘化)하다.
durchtändeln *t.* 〖시어·고어〗 빈둥거리며〔놀며〕 지내다.
durch|tanken *t./refl.* 〖스포츠〗 sich (durch die gegnerische Abwehr) ~ 혼신의 힘을 다해 (상대편의 저항을 뚫고) 이기다, 이겨내다.
durch|tanzen 《I》 *i.* (h./s.) 춤추며 지나가다. 《II》 *t.* ① (춤을) 끝까지 추다. ② 줄곧 춤추다. ③ (구두창에) 춤을 추어서 구멍을 내다.
durchtanzen *t.* ① (홀을) 춤추며 돌아가다. ② die Nacht ~ 밤새도록 춤추다.
durch|tappen, durchtappen, durchtasten 《I》 *i.* (s.)/*refl.* (sich) ~ 손으로 더듬으며 지나가다. 《II》 *t.* 손으로 더듬어서 지나가다; 모색하며 돌아다니다.
durch|tauen *t.* ↑ durchtauen ②.
durchtauen *t.* ① 흠뻑 이슬에 적시다. ② 충분히 녹이다.
durch|taumeln *i.* (s.) 〖시어〗 비틀거리며 지나가다.
durchtaumeln *t.* (어떤 장소를) 비틀거리며 지나가다.
durchteufelt *a.* 〖고어〗 악마 같은.
durch|toben, durchtoben *t.* ① 떠들썩하게 지나가다. ② 요란한〔광란의〕 분위기로 가득 채우다: rauschender Beifall durchtobte den Saal 요란한 갈채가 홀에 울려 퍼졌다. ③ (시간을) 떠들며〔소란을 피우며〕 보내다. ④ (감정이) 강렬하게 엄습하다, 들끓다: es durchtobte ihn eine bisher ungekannte Wut 지금까지 느껴 보지 못했던 분노가 그의 내면에서 들끓었다.
durch|tönen *i.* (h.) (소리가) 새어 나가다; 울려 퍼지다(durchklingen).
durchtönen *t.* 〖교양〗 음향으로 가득 채우다; (소리가 홀에) 울려 퍼지다.
durchtosen *t.* 〖교양〗 포효하는 소리로 가득 채우다.
durch|tragen* *t.* ① (어떤 곳을) 운반하며 지나가다. ② (옷을) 입어서 헐게〔해어지게〕 하다.
durch|trainieren 《I》 *t.* (신체를) 철저히 단련시키다: ein gut durchtrainierter Körper 잘 단련된 몸. 《II》 **durchtrainiert** *p.a.* ↑ durchtrainiert.
durchtrainiert 《I》 *p.p.* ↑ durchtrainieren. 《II》 *p.a.* 철저히 훈련〔단련〕된: man sah ihm an, daß er voll ~ war 사람들은 그가 철저히 단련된 몸이라는 것을 알아보았다.
durchtränken *t.* 흠뻑 적시다: der Verband ist mit Blut durchtränkt 붕대가 피로 흠뻑 젖었다; das Werk ist von〔mit〕 Leidenschaft durchtränkt 그 작품에는 열정이 넘쳐흐르고 있다.
durch|träufeln *i.* (s.) (물방울이) 틈 사이에서 뚝뚝 떨어지다.
durchträufeln *t.* (물방울을) 틈 사이에서 뚝뚝 떨어뜨리다.
durch|träumen *t.* (꿈을) 끝까지 꾸다; 집요하게 꿈꾸다.
durchträumen *t.* ① (때를) 꿈꾸며 보내다. ② (어떤 장소를) 꿈꾸듯이 헤매다.
durch|treiben* *t.* ① (가축을) 몰고 지나가다; (못·쐐기를) 때려 박다; 〖요리〗 (완두 따위를) 걸러내다. ② 〖비유〗 관철시키다.
durchtreiben* 《I》 *t.* 〖드물게〗 가득 채우다: mit Geiz durchtrieben 탐욕으로 가득 찬. 《II》 **durchtrieben** *p.a.* ↑ durchtrieben.
durch|trennen *t.* 완전히 가르다, 절단하다: er hat die Sehne durch(ge)trennt 그는 (활의) 현을 끊어 버렸다.
Durchtrennung *f.* -en 절단, 갈라놓기.
durch|treten* 《I》 *i.* (s.) ① 밟고 지나가다; (가스가) 스며 들어오다. ② 〖스포츠〗 (축구공을 상대방과 동시에) 힘껏 차다. ③ 〖구어〗 (차의 문쪽에서) 위치를 안쪽으로 옮기다: treten Sie bitte durch! 안으로 들어가세요! ④ 〖軍〗 앞 사람의 발자국을 밟고 나아가다. 《II》 *t.* ① (구두를) 신어서 해어지게 하다. ② (포도즙 따위를) 밟아 짜다. ③ (얼음·널빤지를) 밟아 부수다; 짓밟다. ④ (브레이크를) 힘껏 밟다.
durchtreten *t.* ↑ durch|treten 《II》 ③.
Durchtrieb [dúrçtri:p] *m.* -(e)s, -e 가축을 몰고 지나감.
durchtrieben 《I》 *p.p.* ↑ durchtreiben. 《II》 *p.a.* ① 재치 있는, 정통〔노련〕한. ② 〖폄어〗 교활한, 약삭빠른, 빈틈없는.
Durchtriebenheit *f.* -en ① (산전수전 다 겪어서) 닳고 닳음, 약삭빠름: er ist für seine ~ bekannt 그는 약삭빠르기로 유명하다. ② 〖드물게〗 교활한 행동: das war mal wieder eine seiner ganz typischen ~en 그것은 다시금 그 사람 특유의 교활한 행동들 중 하나였다.
Durchtrift [dúrçtrɪft] *f.* -en ↑ Durchtrieb.
durch|trocknen 《I》 *i.* (s.) 바싹 마르다. 《II》

t. 바싹 말리다.
durch|tröpfeln, durch|tropfen i. (s.) (물방울이) 틈 사이로 뚝뚝 떨어지다: den Kaffee (durch den Filter) ~ lassen 커피를 (여과지로) 거르다.
durch|üben t. 처음부터 끝까지 연습하다.
durch|versuchen t. 〚드물게〛 ↑ durchprobieren.
durch|wachen, durchwachen t. die (ganze) Nacht ~ 철야하다, 밤새우다.
durch|wachsen* [..vaks..] i. (s.) (바위·울타리의) 틈 사이로 자라나다.
durchwachsen*[1] 《I》 t. ① …의 여기저기에 무성하게 자라다, 번성하다. ② …에 섞여 나다〔자라다〕. 《II》 refl. sich gegenseitig ~ 서로 뒤섞여〔엉켜〕 나다〔자라다〕. 《III》 **durchwachsen** p.a. ↑ durchwachsen[2].
durchwachsen[2] 《I》 p.p. ↑ durchwachsen[1]. 《II》 p.a. ① 뒤섞인, 뒤엉킨: (mit Fett) ~es Fleisch 기름기가 희끗희끗 섞인 고기; mit Fleisch ~er Speck 줄무늬가 박힌 베이컨; 〚植〛 ~e Blätter 천생엽(穿生葉), 포경엽(抱莖葉); 〚농담〛 „wie geht es dir?" „danke, ~!" "어떻게 지내니?" "그저 그렇지 뭐."
Durchwachsung f. -en 〚植〛 관생(貫生).
durch|wagen refl. 〚구어〛 sich ~ 위험을 무릅쓰고 통과하다.
durch|wägen* t. ↑ durchwiegen.
Durchwahl f. 직접 통화: bei diesem Telefonapparat ist keine ~ möglich 이 전화기로는 직접 통화가 불가능하다.
durch|wählen i. ① (교환을 거치지 않고) 직접 통화하다: mit dieser Nummer können Sie direkt nach Frankreich ~ 이 전화 번호를 이용하시면 프랑스로 직접 통화 연결이 됩니다. ② (내선 전화에서) 직접 외부로 전화를 걸다, 시외 전화하다.
Durchwahl·nummer f. 직통 전화 번호.
durch|walken, durchwalken t. ① (천을) 충분히 다듬어 바래다. ② 〚구어〛 호되게 때리다.
durch|wallen i. (s.) ① 〚고어〛 순례하여 지나가다. ② 헤매고 다니다. ③ (향기가) 스며들다.
durchwallen t. 〚시어·고어〛 ① (어떤 곳을) 헤매고 다니다, 편력하다. ② (마음을) 격정으로 가득 채우다, 들끓게 하다. ③ (냄새를) 배게 하다.
durch|walten, durchwalten t. 〚시어〛 완전히 지배하다, 장악하다: die Weltgeschichte ~de Ideen 세계사를 지배하는 이념들.
durch|wälzen t. 〚구어〛 ① (통을) 굴려 지나가게 하다. ② (책을) 뒤적거리며 찾다.
durch|wamsen t. 〚경박〛 호되게 때리다.
durch|wandeln i. (s.), **durchwandeln** t. 〚고어〛 거닐다, 산책하다, 걸어서 지나가다.
durch|wandern i. (s.) ① 도보로 여행하다: es ist viel schöner, durch die Berge durchzuwandern als durchzufahren 산은 도보로 여행하는 것이 차타고 지나가는 것보다 훨씬 근사하다. ② 줄곧 도보로 여행하다: nachdem wir vier Stunden durchgewandert waren, hatten wir Hunger 4시간 동안 계속 걷고 나자 우리는 배가 고팠다.
durchwandern t. 여행하며 지나가다; 방랑하다; 편력하다.
durch|wanken i. (s.), **durchwanken** t. 비틀거리며 지나가다.
durch|wärmen, durchwärmen t. 충분히 데우다〔따뜻하게 하다〕: er mußte sich erst am Feuer ~ 그는 우선 불가에서 몸을 녹여야 했다; das Bett ist angenehm durchwärmt 침대가 기분 좋게 덥혀져 있다.
durch|waschen* 《I》 t. 〚구어〛 (jm.) et. ~ (누구의) 무엇을 빨리〔금방〕 빨다〔씻다〕; 철저히 씻다: 〚구어〛 ganz durchgewaschen 흠뻑 젖은. 《II》 refl. sich[3] die Hände ~ 세탁하다 손을 다치다.
durchwässern t. ① …에 충분히 물을 주다〔뿌리다〕; 물에 적시다〔담그다〕: der Garten war vom Regen durchwässert 정원이 비에 젖어 있었다. ② …에 물을 타다.
durchwatbar a. (물을) 걸어서 건널 수 있는.
durch|waten i. (s.), **durchwaten** t. 〚교양〛 (얕은 물을) 걸어서 건너다: der Fluß ist zu ~ 이 개울은 걸어서 건널 수 있다.
durch|weben(*) t. (직물의) 양면에서 보이게 무늬를 짜넣다.
durchweben(*) t. (무늬를) …에 짜 넣다, 섞어 짜다; 〚비유〛 섞어 넣다: mit Redeblumen ~ 미사여구를 삽입하다; mit Goldfäden durchwebt〔durchwoben〕 금실을 짜 넣은; der Wald ist von Sonnenstrahlen durchwoben 숲은 햇살로 가득 차 있다.
Durchweg [dʊ́rçve:k] m. -(e)s, -e 통로.
durchweg [dʊ́rçvɛk, dʊrçvɛ́k] adv. 오로지; 철두철미; 예외없이; 항상.
durchwegs [dʊrçvé:ks, dʊ́rçve:ks] adv. 〚방언〛 ↑ durchweg.
durch|wehen 《I》 i. (s.) (바람이) 불어 지나가다. 《II》 t. ↑ durchwehen.
durchwehen t. ① (바람이) 불어 들이치다. ② 〚비유〛 (사상·감정을) 불어넣다, 고취하다: eine lyrische Stimmung durchweht das ganze Buch 시적인 분위기가 그 책 전체에 감돌고 있다.
durch|weichen, durchweichen 《I》 i. (s.) ① 물기에 의해 아주 연하게〔부드럽게〕 되다. ② 흠뻑 젖다. 《II》 t. ① 아주 연하게〔부드럽게〕 하다. ② 흠뻑 적시다, 축축하게 하다: der Regen hat das Papier durchweicht 비를 맞아 종이가 흠뻑 젖었다.
durchweinen t. 울며 지내다〔새우다〕: eine durchweinte Nacht 울며 새운 밤.
durch|werfen* t. 사이로 던지다, 던져 넣다; 체질하다: 〚物〛 das Sonnenlicht durch Prismen ~ 햇빛을 프리즘에 통과시키다.
durchwettert [dʊrçvɛ́tərt] a. 비바람에 씻긴, 비바람을 견뎌 낸.
durch|wetzen t. (오래 사용해서) 해어지게 하다: die Jacke ist an den Ellbogen schon ganz durchgewetzt 그 상의는 팔꿈치 부분이 벌써 완전히 해어졌다.
durch|wiegen* t. 차례로 무게를 모두 달다.
durch|winden* 《I》 t. 끝까지 감다. 《II》 refl. sich ~ ① (내·길 따위가) 구불구불 지나가다; 헤치고〔비집고〕 나가다: der Fisch hat sich durch die Maschen des Netzes durchgewunden 물고기가 그물코 사이로 빠져나갔다. ② 〚비유〛 (병·난관을) 이겨내다, 극복하다.
durchwinden* t. (mit et.[3]) …을 묶어 매다, 감다, 엉키게 하다, 짜 넣다: die Mähnen der

Pferde sind mit Bändern durchwunden 말들의 갈기에 리본이 매어 있다.
durch|wintern, durchwintern 《I》 *t.* 겨울을 나게 하다, 월동시키다. 《II》 *i.* (h.) 겨울을 나다, 월동하다; 동면하다.
Durchwinterung *f.* -en ① 월동. ② 동면.
durchwirbeln *t.* ① 소용돌이치며 날아가다. ②〖비유〗울려 퍼지다.
durch|wirken 《I》 *i.* (h.) ① 효력을 발휘하다, 효과가 나타나다: damit die Feuchtigkeit nicht durchwirkt 습기가 스며들지 않도록. ② durch et. ~ 무엇을 꿰뚫다. 《II》 *t.* das Leben ~ 일평생 활동하며 지내다.
durchwirken *t.* ① 짜 넣다, 섞어 짜다: ein Gewebe mit Goldfaden ~ 직물에 금실을 짜 넣다. ② …에 유효하게 침투하다, 충분히 작용하다. ③ (반죽을) 충분히 이기다.
durch|wischen *i.* (s.) ① 지워 버리다: die Schrift auf der Tafel ~ 칠판의 글씨를 지우다. ②〖구어〗잽싸게 도망가다, 슬쩍 빠져나가다.
durch|witschen *i.* ↑ durchwischen ②.
durch|wollen* *i.* (h.) 〖구어〗통과하기를 원하다.
durchwuchten *t.* …에 힘을〔무게를〕 주다: von tiefer Geisteskraft durchwuchtete Worte 깊은 정신력이 담긴 말.
durch|wühlen 《I》 *refl.* sich (durch et.) ~ 파 헤집으며 길을 뚫고 나가다: der Maulwurf wühlt sich langsam (durch die Erde) durch 두더지가 서서히 (땅을 파 헤집으며) 길을 뚫고 나간다; ich habe mich endlich durch die alten Akten durchgewühlt 나는 드디어 낡은 서류들을 헤집어가며 작업을 완수했다. 《II》 *t.* ↑ durchwühlen ③ ④.
durchwühlen *t.* ① (흙을) 파 헤집다; 파서 뚫다; (폭풍이 해면을) 교란시키다, 어지럽히다. ②〖비유〗(마음을) 뒤집어 놓다, 들쑤시다: vom Schmerz durchwühlt 괴로워서 마음이 갈기갈기 찢어진. ③ 마구 뒤지며 찾다: eine Schublade ~ 서랍을 샅샅이 뒤지다; sie haben die Wohnung nach Diebesgut durch(ge)wühlt 그들은 장물을 찾아 집을 마구 뒤졌다. ④ 정력적으로 작업〔연구〕하다.
Durchwurf [dúrçvurf] 《<durchwerfen》 *m.* -(e)s, ..würfe ① 투입구; 사이로 던져 넣음, 투입. ② (낟알·자갈을 체질하는) 눈이 성긴 체.
durch|würgen 《I》 *t.* 목이 메어 가며 삼키다. 《II》 *refl.* sich ~ 가까스로 뚫고 나가다.
durchwürgen *t.* 모조리 (목졸라) 죽이다.
durch|wurschteln *t./refl.*〖구어〗sich (durch et.) ~ 갖가지 잔 걱정거리를 헤쳐나가다; er hat sich bisher immer irgendwie durchgewurschtelt 그는 지금까지는 항상 어떻게 해서든지 이런저런 잔 걱정거리를 헤쳐나갔다.
durch|wursteln *t./refl.* 〖구어〗↑ durchwurschteln.
durch|würzen *t.* ① (음식을) 골고루 양념하다. ②〖비유〗흥취〔분위기〕를 돋우다.
durch|zählen, durchzählen *t.* 끝까지 셈해 내다, 통산하다: ~! (군대의 명령) (뒤로) 번호!; die Stunden werden in Deutschland häufig von 1 bis 24 durchgezählt 독일에서는 시간을 1 시부터 24 시까지 통산하는 경우가 빈번하다.
Durchzählung *f.* -en ① (뒤로) 번호 세기. ② 일일이 세어나가기.
durch|zechen *i.* (h.) 술을 흠뻑 마시다.
durchzechen *t.* (시간을) 술을 마시며 보내다: die Nacht ~ 술을 마시며 밤을 새우다.
Durchzeichen·papier *n.* 투사지(透寫紙).
durch|zeichnen *t.* ① (차례로) 모조리 그리다. ② 투사하다, 받치고 베끼다: Papier zum ~ 투사지.
durch|ziehen* 《I》 *t.* ① (끈·구멍을) 관통시키다: einen Faden durch das Nadelöhr ~ 실을 바늘귀에 꿰다;〖海〗Taue ~ 밧줄을 (구멍·도르래에) 꿰다. ② 끌고 지나가다. ③ (들보를) 건네다; (격벽(隔壁)을) 만들어 놓다: einen Graben ~ 사이에 도랑을 파다, 도랑으로 분할하다; eine Linie 〔einen Strich〕 ~ 선을 죽 긋다, 선으로 구획하다. ④〖비유〗헐뜯다, 혹평하다. ⑤〖고어〗(어느 곳을) 통과하다; 편력하다. ⑥〖구어〗끝까지 마치다: sein Studium in der kürzestmöglichen Zeit ~ 학업을 가능한 최단 시일에 끝마치다. ⑦ eine(n) ~ (대마초〔마리화나〕를) 한 대 피우다. 《II》 *refl.* sich ~ ① 관통하다: es ist nicht sicher, ob sich die Risse durch die ganze Mauer ~ 틈이 벽 전체에 났는지의 여부는 확실하지 않다. ② 길게 이어가다, 줄지어 (뻗어)가다. 《III》 *i.* (s.) ① (군대·행렬이) 지나가다: im Herbst ziehen hier die Kraniche durch 가을에는 이 곳을 두루미들이 떼지어 지나간다. ② (습기가) 스며들다, 침투하다; (오래 담가 두어) 맛이 배다: die Gurken ziehen durch 오이절임에 맛이 배고 있다.
durchziehen* *t.* ① (어느 곳을) 지나가다; 편력하다, 떠돌아다니다. ② 관통하다; (강이) 가로질러 흐르다; (산림이) 줄줄이 이어가다: die Stadt ist von Kanälen durchzogen 도시에는 운하가 이리저리 통해 있다; ein von Falten durchzogenes Gesicht 온통 주름진 얼굴; feine Äderchen durchzogen die durchsichtige Haut 가느다란 실핏줄들이 그 투명한 피부에 퍼져있었다. ③ 가득 채우다; (습기 등이) 침투하다, 스며들다: ein mit wohlriechendem Balsam durchzogenes Zimmer 좋은 향유 냄새로 가득 찬 방. ④ et. mit et.³ ~ 무엇에 무엇을 섞다, 섞어 짜다: einen Stoff mit Goldfäden ~ 천에 금실을 짜 넣다; den Boden mit Gräben ~ 땅에 도랑을 종횡으로 파다; das Fleisch ist mit Fett durchzogen 이 고기는 기름기가 희끗희끗하게 퍼져 있다; die Bowle durchzieht sich mit dem Pfirsicharoma 이 볼주(酒)에는 복숭아 향료가 들어 있다.
Durchzieher *m.* -s, - ① 지나가는 사람. ②〖펜싱〗볼〔면상〕을 비스듬히 벤 상처〔칼자국〕. ③〖학생〗검으로 하는 결투(↑ Mensur ① (c))에서의 일격.
durchzittern *t.* ①〖사람이 주어〗〖드물게〗eine Zeit ~ (때를) 떨며 보내다. ②〖시어〗(마음을) 떨리게〔전율케〕 하다.
Durch·zoll *m.* 통과 관세 (Durchgangszoll).
durchzucken *t.* ① 번갯불처럼 빨리 지나가다, 번쩍이며 지나가다. ②〖비유〗경련시키다; (심장을) 두근거리게 하다; 불현듯 떠오르다: ein Gedanke durchzuckte mich 어떤 생각이 갑자기 내게 떠올랐다.
durchzuckern *t.* …에 충분히 설탕을 치다.
Durchzug [dúrçtsu:k] 《<durchziehen》 *m.*

-(e)s, ..züge ① 꿰뚫어 지나가게 함, 관통; (커튼·바지의) 가장자리의 줄, (밴드를 꿸 수 있게 만든) 고리; (병력의) 통과; (철새의) 이동. ② 삼빗(Hechel). ③〖건축〗대들보. ④ (südd.) 통풍(Luftzug). ⑤ 얽기 세공. ⑥〔경박〕auf ~ schalten 〔die Ohren auf ~ stellen〕어떤 것을 귀담아들으려 하지 않다.

Durchzügler *m.* -s, -〖動〗철새.

Durchzugs≈arbeit *f.* (올이 성기고 군데군데 물감을 들인) 공예품. **~recht** *n.*〖法〗(특히 군대의 다른 나라) 통과권.

durch|zwingen* 《I》*t.* (억지로) 밀고 나가다. 《II》*refl.* sich ~ (군중 속을) 비집고 지나가다.

Dur-Drei·klang *m.*〖음악〗↑ Dur-Akkord.

Dürer [dý:rər] *m.* Albrecht ~ 뒤러(독일의 화가, 1471-1528).

dürfen [dýrfən] (durfte, gedurft)〔화법 조동사〕①〔고어〕*i.*(h.)/*t.*〔2 격 또는 4 격 지배의 독립 동사로서〕필요로 하다. ②〔대개 nur, bloß 와 함께〕〔준고어〕…하기만 하면 된다: Sie ~ nur klatschen, so kommt er schon 손뼉만 치시면 그는 옵니다. ③〔이유〕…할 만하다: Sie ~ es mir glauben 그 점은 저를 믿으셔도 됩니다; darüber ~ Sie sich nicht wundern 당신은 그 일에 별로 놀랄 것은 없습니다. ④ (a)〔허가〕…해도 좋다〔된다〕: das darf man tun 그건 해도 된다; darf ich etwas fragen? 무얼 여쭤봐도 되겠습니까?; ich bitte, mich verabschieden zu ~ 그만 물러가겠습니다; wenn ich bitten darf 죄송합니다만; darf ich um Ihren Namen bitten? 실례입니다만 성함은? (b)〔nicht 와 함께 금지를 나타냄〕das darf nicht sein 그래서는 안 되지; hier darf man nicht parken 여기에는 주차하면 안 된다; er darf nicht ausgehen 그는 외출이 금지되어 있다;〔생략〕es darf niemand herein! 누구를 막론하고 출입 금지!; ich darf hin 나는 거기에 가도 괜찮다;〔구어〕der Deckel darf nicht ab(gemacht werden) 뚜껑을 열어서는 안 된다. ⑤〔강한 추측 또는 겸손한 주장을 나타내며 접속법 2 식 dürfte 를 씀〕다분히 …일〔할〕것 같다: jetzt dürfte es zu spät sein 이제는 너무 늦은 것 같군요; er dürfte wohl kommen 그는 아마도 올 것 같습니다; wer dürfte an Ihrer Güte zweifeln? 누가 당신의 호의를 의심하겠습니까?; das dürfte ein Leichtes sein 그거야 쉬운 일일 것이다; morgen dürfte schönes Wetter sein 내일은 날씨가 맑을 것입니다. ⑥〔드물게 wagen 의 뜻으로〕ich darf es nicht tun 나는 그것을 할 용기는 없다.

durfte [dúrftə] ↑ dürfen 의 과거형.

dürfte [dýrftə] ↑ dürfen 의 접속법 Ⅱ 식.

dürftig [dýrftɪç] *a.* ①〔고어〕eines Dinges 〔an et.³〕 ~ sein 무엇을 필요로 하다, …에 궁해 있다. ② 가난〔옹색〕한: die ≁en 가난한 사람들. ③〔비유〕빈약한, 궁색한: sie war ~ gekleidet 그녀는 차림새가 초라했다; das Essen war ~ 식사가 빈약했다. ④ 불충분한, 만족치 못한; 하찮은, 보잘것없는: sein Vortrag war ~ 그의 강연은 내용이 빈약했다; ein ~es Ergebnis 보잘것없는 결과.

Dürftigkeit *f.* ① 빈곤, 빈궁. ② 빠듯함, 충분치 않음. ③ (내용의) 빈약, (결과의) 보잘것없음: seine Arbeit läßt an ~ nichts zu wünschen übrig 그의 논문〔일〕은 빈약하기 짝이 없다.

Durine [durí:nə] 《ar.-frz.》*f.*〖수의〗구역(媾疫)(말의 전염병).

Dürlitz(e) [dýrlɪts(ə)] 《sl.》*f.*〖植〗산수유.

Duroplast *m./n.* -(e)s, -e〖化〗열경화성 수지, 응고 소재〔수지〕.

dürr [dʏr] *a.* ① 건조한, 마른, 바싹 마른; 고갈된; 시든, 시들어 죽은 (초목); 메마른, 초목이 없는, 불모의 (땅); 말라 시들게 하는 (바람): ~es Obst 말라빠진 과일. ② (schweiz.) 훈제(燻製)한: ~es Fleisch 훈제육(肉). ③ 마른, 살이 빠진, 말라빠진: ~wie ein Skelett sein 해골처럼 앙상하다;〔구어〕ein ~es Gerippe 뼈와 가죽만 남은 사람. ④〔비유〕(말을) 꾸미지 않은: in 〔mit〕 ~en Worten 몇 마디 간략한 말로.

Durra [dúra] *f.*〖植〗수수.

dürr·beinig [dýr..] *a.* 다리가 마른.

Dürre [dýrə] *f.* -n ① 말라 있음, 건조; 한발. ② (초목이) 시들어 있음; (사람이) 말라 있음;〔비유〕불모성, 비생산성: eine geistige ~ 정신적 불모성. ③〔방언〕↑ Darre ①.

dürre≈empfindlich *a.*〖植〗건기에 민감한. **≁fest** *a.* 건기에 잘 견디는. **≁katastrophe** *f.* 가뭄 피해, 한해(旱害).

dürren 《I》*i.*(s.) ↑ dorren. 《II》*t.* ↑ dörren.

Dürre·periode *f.* 가뭄기.

Dürr·erze *pl.*〖광산〗건조 은광.

Dürre·schäden *m.* 가뭄 피해, 한해(旱害).

Dürr≈fleisch *n.* 훈제 고기. **~futter** *n.* (↔ Grünfutter) 생초(生草) 이외의 사료, 말린 꼴. **≁leibig** *a.* 말라빠진, 호리호리한. **~sucht** *f.*〖醫〗소모증(消耗症), 위축. **~wurz** *f.*〖植〗금방망이의 무리.

Dürrenmatt Friedrich ~ 뒤렌마트(스위스의 극작가, 1921-90).

Durst [durst] (⇔ dürr) *m.* -es ① 목마름, 갈증: ~ haben 목마르다; den ~ stillen 갈증을 달래다; jm. ~ machen 누구에게 갈증이 나게 하다;〔구어〕einen über den ~ trinken 과음하다; er hat einen (Trank) über den ~ getrunken 그는 취했다, 과음했다; ich habe ~ auf ein gutes Glas Wein 나는 좋은 포도주를 한 잔 마시고 싶다. ②〔비유〕갈망, 열망: ~ nach Ruhm 강렬한 명예욕; vor ~ umkommen〔vergehen〕갈증이 나서 죽을 지경이다.

dursten [dúrstən] *i.*(h.) ↑ dürsten.

dürsten [dýrstən] *i.*(h.) ① *imp.* 갈증나다, 목이 마르다: es dürstet mich 〔mich dürstet〕 나는 목이 마르다. ②〔비유〕갈망하다: nach et. ~ 무엇을 갈망하다; ihn dürstet nach Ruhm 그는 명성을 갈망하고 있다; ich dürste, mich zu rächen 〔ich durste nach Rache〕 나는 복수심에 불타고 있다;〖聖〗meine Seele dürstet nach Gott 내 영혼이 주를 찾기에 갈급하나이다(시편 40 편 2 : 2).

durstig [dúrstɪç] *a.* ① 목이 마른, 갈증을 느끼는; 건조한:〔비유·교양〕~e Erde 목마른 대지; ein ~er Bruder 〔eine ~e Seele, eine ~e Kehle〕 술꾼, 모주망태. ② 갈증을 느끼게 하는: ~es Wetter 가물음. ③〔비유〕nach et.³ ~ sein 무엇을 갈망하고 있다.

Durstigkeit *f.* ① 갈증, 목마름. ② 고갈, 가물음. ③ 갈구, 열망.

Durst=kur *f.* 〖醫〗 감수(減水) 요법, 갈(渴) 요법. **~löschend** *a.* ↑ ~stillend. **~löscher** *m.* 갈증 해소제(劑). **~mangel** *m.* 〖醫〗 갈감(渴減) 결핍. **~stillend** *a.* 갈증을 풀어〔달래〕 주는. **~strecke** *f.* 근검 절약해야 되는 시기, 허리띠를 졸라매야 하는 시기: wir haben noch eine ganz schöne ~ vor uns 우리는 앞으로도 한동안 허리띠를 바싹 졸라매야 한다. **~sucht** *f.* 〖醫〗 번갈(煩渴).

Dur=ton·art *f.* 〖음악〗 장조. **~ton·leiter** *f.* 〖음악〗 장음계.

dus [du:s] *a.* 〔구식〕 ① 시무룩한, 뚱한. ② 우중충한.

Dusch·bad [dǘʃ..] *n.* ① ↑ Dusche ①. ② 샤워실.

***Dusche** [dǘʃə, dú:ʃə] 《frz. < lat. ducere》 *f.* -n ① 샤워, 샤워 시설: Zimmer mit ~ 샤워 시설이 있는 방; die ~ anstellen〔abstellen〕 샤워를 틀다〔잠그다〕; unter die ~ gehen 〔eine ~ nehmen〕 샤워하다; die morgendliche〔kalte〕 ~ 아침마다 하는〔찬물〕 샤워; 〖비유〗 eine tüchtige ~ bekommen 흠뻑 젖다. ② 〖비유〗 실망, 환멸: die Mitteilung war eine kalte ~ für ihn 그 소식은 그를 실망시켰다.

Dusch·ecke *f.* (칸막이가 된) 샤워 코너.

***duschen** [dǘʃən, dú:ʃən] 《Ⅰ》 *i.* (h.) 샤워를 하다. 《Ⅱ》 *t.* ① 샤워를 시키다. ② 실망시키다, …에 환멸을 느끼게 하다. ③ 비난〔힐책〕하다.

Dusch=gel *n.* 샤워용 물비누. **~gelegenheit** *f.* 샤워룸〔실〕. **~kabine** *f.* 샤워룸. **~raum** *m.* 샤워장. **~schaum** *m.* 샤워용 거품 비누. **~vorhang** *m.* 샤워장용 커튼.

Düse [dý:zə] *f.* -n 〖工〗 (송풍기의) 노즐; 내어부는 관(管); 통풍관; 분사관; (분수의) 방수관.

Dusel [dú:zəl] 《ndd., dösig》 *m.* -s ① 〔구어〕 현기, 혼미; 비몽사몽, 몽상; 취기, 명정(酩酊); 도취, 황홀, 흥분: im ~ sein 현기가 나다, 잠에 취해 있다, 몽상가다. ② 〖농담〗 행운, 요행: ~ haben 운이 좋다; so ein ~! 이게 웬 떡이냐! ③ 〖방언〗 침전물.

Duselei [du:zəlái] *f.* -en 〔구어〕 비몽사몽; 멍청함, 바보짓; 몽상.

Duseler *m.* -s, - 바보, 멍청이; 몽상가.

duselig [dú:zəlıç] *a.* 〔구어〕 비몽사몽의, 졸음 오는, 어렴풋한; 현기증을 일으키는; 멍청〔무심〕한: er war ein bißchen ~ im Kopf 그는 머릿속이 약간 오락가락했다.

duseln [dú:zəln] *i.* 〔구어〕 ① (h.) 어질어질하다; (가물가물) 졸음이 오다; 몽상하다: er duselte vor sich hin 그는 혼자 멍하니 있었다. ② 실수하다. ③ (s.) (꿈꾸듯이) 헤매고 다니다.

Dusel·tier *n.* 〖편어〗 바보 멍청이.

Düsen=aggregat [dý:zən..] *n.* 〖공학〗 ↑ Strahltriebwerk. **~antrieb** *m.* 〖공학〗 제트 추진. **~flugzeug** 〖空〗 *n.* 제트기. **~jäger** *m.* 제트 전투기. **~maschine** *f.* 〖空〗 ↑ ~flugzeug. **~trieb·werk** *n.* 〖공학〗 ↑ Strahltriebwerk.

düsig *a.* ↑ diesig.

duslig [dú:zlıç] *a.* 〔구어〕 ↑ duselig.

Dussel [dǘsəl] *m.* -s, - 〔구어〕 멍청이, 한심한 인물: du bist ein großer ~ 너, 정말이지 멍청하구나.

Dussel=hans *m.* ↑ Dussel. **~kopf** *m.* ↑ Dussel.

Düsseldorf [dÝsəldɔrf] 뒤셀도르프(독일의 라인강변의 도시).

Düsseldorfer 《Ⅰ》 *m.* -s, - 뒤셀도르프 사람. 《Ⅱ》 *a.* 뒤셀도르프(사람)의.

Dusselei *f.* -en ↑ Duselei.

dusselig, dußlig [dǘslıç] ↑ duselig.

Dusseligkeit [dǘsəlıçkaıt] *f.* -en 〔구어〕 ① 한심한 존재〔태도〕. ② 멍청한 짓.

Dussel·tier *n.* ↑ Dussel.

dusslig *a.* ↑ dusselig.

Dussligkeit *f.* -en ↑ Dusseligkeit.

Dust [dust] 《ndd., „Dunst"》 *m.* -es 먼지, (특히 타작할 때의) 흙먼지.

duster [dú:stər] *a.* (ndd.) ↑ düster.

***düster** [dý:stər] *a.* (↔ heiter) ① 어두운; 침침한, 음침한; 흐린, 우중충한, 음산한: eine ~e Gasse 어두운〔음침한〕 골목; ein ~er Himmel 흐린〔음산한〕 하늘; in ~en Farben 우중충한 빛깔로. ② 〖비유〗 음울한, 침울〔암담〕한; 불쾌한, 수상쩍은, 불투명한; 맑지 않은, 탁한: ~e Gedanken 침울한 생각; eine ~e Angelegenheit 불투명한 사건. ③ 암울한, 섬뜩한, 불행을 예고하는 듯한: er hat einen ~en Blick 그는 시선이 왠지 섬뜩하다; eine ~e Ahnung 불길한 예감.

Düster *n.* -s 〔시어〕 ↑ Düsterkeit.

Düsterheit *f.* ↑ Düsterkeit.

Düsterkeit *f.* 〔시어〕 암흑, 어둠; 음울, 우수.

Düsterling *m.* -s, -e 〔고어〕 ① 음울한 사람. ② 몽매한 사람; 비개화주의자.

düstern [dý:stərn] 〔시 어〕 《Ⅰ》 *i.* (h.) / *refl.* (sich) ~ 침침하다, 어둡다, 어두워지다: es düstert a) 하늘이 흐리다, b) 어두워진다. 《Ⅱ》 *t.* 〔드물게〕 어둡게 하다, 우울하게 만들다.

Düsternis [dý:stərnıs] *f.* ↑ Düsterkeit.

Dutchman [dʌ́tʃmən] *m.* -s, ..men 더치맨 (선원이나 네덜란드인에 대한 미국식 폄어).

Düte [dý:tə] *f.* -n 〔폄어〕 ↑ Tüte.

duten *i.*(h.) / *t.* ↑ tuten.

Dutt [dut] *m.* -(e)s, -s/-e 〔방언〕 ① 동여맨 머리. ② (Haufen) 퇴적, 쌓아올린 것: in ~en schießen 놀라게 하다. ③ 난쟁이. ④ ↑ Tüte.

Dutte [dǘtə] *f.* -n ① 유두, 젖꼭지; 젖병, 포유병. ② ↑ Dutt ①②③: in die ~n gehen 실패하다.

duttig, düttig 《ndd.》 *a.* 편협〔고루〕한.

Dutyfreeshop, Duty-free-shop [djú:tı frí:ʃɔp] 《engl.》 *m.* -(s), -s 면세점.

***Dutzend** [dǘtsənt] *n.* -s, -e 12 개, 다스(약어: Dtzd.): ein ~ frische 〔frischer〕 Eier 신선한 달걀 한 다스; zwei ~ Handtücher 손수건 두 다스; im ~ ist die Ware billiger 그 물건은 다스로 사면 더 싸다; ein halbes ~ Freund 대여섯 명의 친구; einige ~ Leute 수십 명; der Doktor und Professor vom ~ 흔해 빠진 박사나 교수; 〔구어〕 davon gehen zwölf aufs 〔auf ein〕 ~ 그것은 대수롭지 않은 일이다; im ~ verkaufen 다스로 팔다; in 〔zu〕 ~en 무더기로; die Tiere starben in ~en 동물들이 떼로 죽었다.

Dutzend=artikel *m.* ↑ ~ware. **~dichter** *m.* 삼류〔엉터리〕 시인. **~fach** *a.* ① 많은: die ~en Versuche, ihn zu erreichen, haben keinen Erfolg gebracht 그와 연락하려고 많

은 시도를 해보았으나 허사였다. ② 종종, 자주: es ist schon ~ bewiesen worden, daß ... …라는 사실은 이미 여러 차례 입증되었다. **~gesicht** *n.* 〔폄어〕 흔한〔평범한〕 얼굴. **~-mal** *adv.* ① 12 번. ② 여러 차례, 종종, 자주. **~mensch** *m.* 〔폄어〕 평범한 사람, 범인(凡人). **~preis** *m.* 다스 가격. **~ware** *f.* 〔대개 폄어〕 다스로 파는 상품; (무더기로 파는) 값싼 물건. **~weise** *adv.* ① 다스로, 다스씩. ② 비교적 다량으로: da gab es ~ Bücher 거기엔 책들이 꽤 많이 있었다.

Duumvir [duúmvɪr] *m.* -n, -n/-i (옛 로마에서 연대(連帶) 직무에 종사하는) 양(兩) 관리(중의 1 인); 2 두(二頭) 정치가(의 1 인).

Duumvirat [..virá:t] *n.* -(e)s, -e 2 인 연대직(職); 2 두 정치.

Duvet [dyvɛ́] 《frz.》 *m.* -s, -s [..vɛ́:s] (schweiz.) 솜털〔깃털〕 이불(Flaumdecke).

Duvetine [dʏftí:n] *m.* -s, -s 〖방직〗 면·양모·모의 혼방(조끼·바지·작업복에 씀).

Duwak [dú:vak] *m.* -s, -s ↑ Duwock.

Duwock [..vɔk] 《ndd.》 *m.* -s, -s 〖植〗 속새(새쇠풀과) (Ackerschachtelhalm).

Dux [dʊks] *m.* -, Duces [dú:tse:s] 〖음악〗 푸가〔둔주곡〕의 주제.

Duz=bruder [dú:ts..] *m.* 너나(들이)하는 친구, 서로 반말하는 동무. **~brüderschaft** *f.* ~ schließen 너나(들이)하는 사이가 되다.

***duzen** [dú:tsən] 《<du》 *t.* 너〔자네〕라고 부르다: sich mit jm. ~ 누구와 너나(들이)하다; wollen wir uns duzen? 우리 서로 말놓고 지내기로 할까요?

Duz=freund *m.* (너나하는) 친한 친구, 막역지우. **~fuß** *m.* 〔다음 표현으로〕 auf dem ~ (miteinander) stehen 너나(들이)하는〔친밀한〕 사이다. **~schwester** *f.* 너나(들이)하는〔친한〕 여자 친구.

DV =〖컴〗 Datenverarbeitung 정보 처리.

DVfV =Deutsche Verwaltung für Volksbildung (독일 통일 전의) 소련 점령 지역.

Dvořák [dvɔ́rʒak] *m.* Anton ~ 드보르자크(체코슬로바키아의 작곡가, 1841-1904).

DW =① Deutsche Welle 독일 방송(독일의 공영 대외 방송국). ② =Dienstwohnung 공관.

D-Wagen [dé:va:gən] *m.* =Durchgangswagen 복도가 있는 객차.

Dwaidel *m.* -s, - ↑ Dweil.

dwars [dvars] 《ndd.》 *adv.* 〖海〗 (quer) 가로질러서, 비스듬히.

Dwars=kieker *m.* 사팔뜨기; 샘많은 사람, 샘바리. **~linie** *f.* 〖海〗 (↔ Kiellinie) 횡렬, 횡진(橫陣). **~see** *f.* 〖海〗 측면(에서 몰아치는) 파랑. **~wind** *m.* 〖海〗 옆바람.

dwatsch [dvatʃ] 《ndd.》 *a.* 어리석은; 실없는, 얼빠진 (quatsch).

Dweil [dvaɪl] *m.* -(e)s, -e 〖海〗 (갑판 닦는) 자루 달린 걸레.

dweilen *t.* 걸레질하다.

Dwina *f.* - 드비나강(러시아 북부에 위치함).

dwt. 〔고어〕 =Pennyweight 페니웨이트(귀금속의 중량 단위; 1.555 g).

Dy 〖化〗 =Dysprosium 디스프로슘.

Dyade [dyá:də] 《gr. dýo, „zwei"》 *f.* -n ① 2(개); 한 쌍. ②〖數〗 다이애드(두 벡터 a 와 b 를 나란히 쓴 ab). ③〖化〗 2 가(二價) 원소.

Dyadik *f.* ↑ Dualsystem, Dyade.

dyadisch *a.* 〖數〗 다이애드(Dyade)의.

Dyakis·dodekaeder [dý:akɪs..] *n.* (결정체의) 편방(偏方) 24 면체.

Dyarchie *f.* -n 2 두(二頭) 정치.

Dyas [dý:as] *f.* 〔고어〕 ①〖지질〗 2 첩계(疊系). ②〔복수: Dyaden〕 ↑ Dyade.

Dyck [daɪk] *m.* Anton van ~ 다이크(네덜란드의 화가, 1599-1641).

Dyn [dy:n] 《gr. dýnamis, „Kraft"》 *n.* -s, - 〖理〗 다인(힘의 C.G.S. 절대 단위); 1 dyn = 1 gcm/s² = 10^{-5}Newton.

dyn ↑ Dyn.

Dynameter *n.* -s, - (망원경의) 확도계(擴度計).

***Dynamik** *f.* ① 역학; 동력학(↔ Statik). ② 〖음악〗 음력론(音力論). ③ 추진력, 활력, 원동력, 생동감: eine Persönlichkeit von ungeheurer ~ 엄청난 활력을 지닌 사람; die ~ der gesellschaftlichen Entwicklung 사회 발전의 활력〔원동력〕, 역동적인 사회 발전.

***dynamisch** *a.* ① 활력이 있는, 동적인: eine ~e Entwicklung 활기찬 발전. ②〖物〗 역학적인: ~er Auftrieb 역학적 추진력; ~e Geologie 역학적 지질학; ~e Klimatologie 역학적 기후학; ~e Meteorologie 역학적 기상학; ~e Psychologie 역학적 심리학.

dynamisieren [dynamizí:rən] *t.* ① 추진력을 가하다, 가속화하다. ② 역동적으로 만들다, 추세에 맞추어 조절하다: Renten ~ 연금을 임금 변화에 연동시키다.

Dynamisierung *f.* -en ① 가속화, 추진. ② 역동적 운용.

Dynamismus [..mísmʊs] *m.* -, ..men 〖哲〗 역본설(力本說), 다이너미즘; 추진력.

dynamistisch *a.* ① 역본설에 따른. ② 역학상의. ③ 역동성〔추진력〕 있는.

Dynamit [dynamí:t, ..mít] *n.* -s ① 다이너마이트. ②〔비유〕 mit ~ spielen 위험한 장난을 하다; 〖스포츠〗 ~ im Bein haben 대단한 슈팅력을 소유하다.

Dynamit·patrone *f.* 다이너마이트탄.

Dynamo [dyná:mo, dý:namo] *f.* -s, -s 다이너모, 발전기.

Dynamo=maschine *f.* ↑ Dynamo. **~-elektrisch** *a.* 기계 에너지를 전기 에너지로 (또는 그 역으로) 바꾸는. **~graph** *m.* 역량(力量) 기록기, 자기 검력기(檢力器). **~-meter** [dynamomé:tər] *n.* 역량계(심리학·스포츠 의학에서 근육력·신체의 역량 따위를 측정하는 장치), 동력계.

Dynast [dynást] 《gr.》 *m.* -en, -en 주권자, 임금, 군주; (중세의) 작은 나라 군주.

Dynasten·familie *f.* 왕실, 왕조.

***Dynastie** [dynastí:] *f.* -n [..tí:ən] 왕통, 왕조, 왕가; 〔비유〕 (영향력 있는) 가문, 그룹: die ~ der Krupps 크루프 기업의 가문.

dynastisch *a.* 왕조〔왕가〕의; 왕당의.

Dynatron [dý(:)natro:n, dynatró:n] 《gr.》 *n.* -s, -e/-s 〖전기〗 다이너트론.

Dyne [dý:nə] 《gr.》 *f.* -n ↑ Dyn.

Dyopol *m.* -s, -e 〖經〗 디오폴(양측의 공급자 또는 수요자가 경쟁하는 시장 형태).

dys.. 《gr.》 *pref.* (↔ eu..) "불량·불완전·곤란·장애"의 뜻(주로 의학 술어에 쓰임).

Dysämie [dʏsɛmí:] *f.* -n [..mí:ən] 〖醫〗 병적 혈질(血質), 혈액 혼합 부조(不調).

Dysästhesie [dʏs|ɛstezí:, dyzɛs..] *f.* -n ① 〖생리〗 반응 이상. ②〖心〗 (주위의 자극을 불쾌하게 느끼는) 과민.
Dysbasie [dʏsbazí:] *f.* -n [..sí:ən] 〖병리〗 (유기적·심리적 원인으로 인한) 보행 장애.
Dysbulie *f.* -n [..lí:ən] 〖心〗 (병적인) 의지 박약.
Dysenterie [dʏs|ɛnterí, dyzɛn..] *f.* -n [..rí:ən] 이질.
dysenterisch [..té:rɪʃ] *a.* 이질의, 적리성(赤痢性)의.
Dysergie *f.* -n [..gí:ən] 저항력 감퇴.
Dysfunktion 《gr. -lat.》 *f.* -en 〖醫〗 기능 장애.
Dyskolie *f.* 〖心〗 우울증.
Dyskranie *f.* -n [..ní:ən] 기형적인 두개골.
Dyskrasie [..krazí:] *f.* -n [..zí:ən] 악액질(惡液質), 혈액 혼합 상태의 불량.
dysmel [dʏsmé:l] *a.* 선천성 기형의.
Dysmelie [..melí:] *f.* -n [..lí:ən] 〖병리〗 선천성 기형.
Dysmenorrhö [..menɔrǿ:, ..norǿ:] *f.* -en 〖醫〗 월경 곤란(증).
Dysmenorrhöe [..menɔrǿ:, ..norǿ:] *f.* -n ↑ Dysmenorrhö.
Dyspepsie [..pɛpsí:] *f.* -n [..sí:ən] 소화 불량.
dyspeptisch *a.* 〖병리〗 ① 소화 불량의. ② 소화하기 힘든.
Dysphagie [..fagí:] *f.* -n [..gí:ən] 〖병리〗 식도 통증.
Dysphasie [..fazí:] *f.* 말더듬, 언어 장애.
Dysphorie [dʏsforí:] *f.* -n [..rí:ən] 〖醫·心〗 우울증.
Dysphrenie *f.* -n [..ní:ən] 정서적 장애.
Dysplasie *f.* -n [..zí:ən] 〖병리〗 (신체의) 기형.
dysplastisch *a.* 〖병리〗 기형인, 발육 부진인.
Dyspnoe [dʏspnó:ə, ..pnó:e] *f.* 호흡 곤란.
Dysprosium [..pró:ziʊm] *n.* -s 〖化〗 디스프로슘(기호: Dy).
Dysteleologie *f.* [..gí:ən] 〖哲〗 반(反)목적론.
Dystonie *f.* -n [..ní:ən] 근육 긴장 이상, 이(異)긴장증.
dystroph [dʏstró:f] *a.* ①〖醫〗 영양 실조의. ②〖생태〗 부영양(富營養)의.
Dystrophie [..trofí:] *f.* -n [..fí:ən] 영양 실조.
Dystrophiker [..tró:fikər] *m.* -s, - 영양 실조 환자.
Dysurie [dʏs|urí:, dyzurí:] *f.* -n [..rí:ən] 배뇨(排尿) 장애.
Dyszephalie *f.* -n [..lí:ən] 기형적인 두개골.
dz =Doppelzentner 200 파운드(무게).
dz. =derzeit(ig) ↑ dzt.
dzt. =derzeit(ig) ① 당시의, 당시에는. ② 목하, 지금.
***D-Zug** [dé:tsu:k] *m.* -(e)s, ..Züge ① =Durchgangszug 직행 열차. ② ein alter Mann [eine alte Frau] ist doch kein ~ 늙은이는 이 이상 빨리는 못 합니다(재촉에 대한 농담).
D-Zug≈-artig *a.* 직행 열차 같은, 빠른 속도의. **~-Wagen** *m.* ↑ D-Wagen. **~-Tempo** *n.* 〖구어〗 직행 열차 (수준의) 속도. **~-Zuschlag** *m.* 직행 열차 추가 요금.

E

E, e [e:] *n.* -, - ① 독일어 자모의 다섯째 자. ②〖음악〗 마음(音)(기본 단음계의 다섯째 음, 기본 장음계의 셋째 음); 마조(調)(대문자는 장조, 소문자는 단조).

E ① =East 동(쪽). ② 독일 화폐에 표시된 조폐국 기호(1872-86 년까지는 드레스덴, 1887 년 이후는 프라이부르크의 조폐국을 나타냄). ③ 준급행 열차(Eilzug).

E, ε [ɛ́psilɔn] 그리스어 자모의 다섯째 자.

H, η [é:ta] 그리스어 자모의 일곱째 자.

e [e:] *int.* ↑ eh.

EAN-Code [e:a:ɛ́n-kot] *m.* -s =Europäische Artikel Nummerierung 유럽 바코드.

Eagle [í:g(ə)l] 《engl.》 *n.* -s -s ①〖골프〗 이글(표준 보다 2 타 적은 타수). ② (10 달러에 해당하는) 미국의 금화.

Earl [ə:rl] 《engl.》 *m.* -s, -s (영국의) 백작(유럽 제국: Count).

Early English [ə́:lɪ íŋglɪʃ] 《engl.》 *n.* -, -〖건축〗 영국의 초기 고딕 양식(1175-1250).

Easy-going Girl [í:zigoʊɪŋ gə́:l] 《engl.》 *n.* - -s, - -s 도덕적·사회적 관습에 얽매이지 않는 아가씨〔젊은 여자〕.

Easy-rider [í:ziraɪdə(r)] 《engl.》 *m.* -s, -[s] ① 이지 라이더(운전대가 높고 분리되어 있으며 안장의 등받이가 높은 오토바이). ② 이지 라이더를 타는 청(소)년.

Eat-art [í:ta:rt] 《engl.》 *f.* 이트 아트(예술 작품을 소비의 대상으로 생산하는 예술).

Eau de Cologne [ó: də kolɔ́njə] 《frz.》 *n./f.* - - -, Eaux - - (Kölnischwasser) 오드콜로뉴(향수)(원산지인 독일의 쾰른의 이름에서).

Eau de parfum [ó: də parfœ̃́] 《frz.》 *n.* - - -, Eaux - - 향수.

Eau de toilette [ó: də toalɛ́t] *n.* - - -, Eaux - - 화장수.

Eau de vie [ó: də ví:] *n./f.* - - -, Eaux - - 오드비(브랜디의 일종).

Ebauche [ebó:ʃə] 《frz.》 *f.* -n 초안, 초벌 그림; 초벌 새김.

Ebbe [ɛ́bə] *f.* -n 썰물, 간조: ~ und Flut **(a)** 썰물과 밀물, 간만. **(b)**〖비유〗 영고성쇠, 증감; in meiner Kasse ist ~ 〔bei mir ist ~〕 나는 돈이 거의 다 떨어졌다.

Ẹbbe≈anker *m.* 썰물 때 이용하는 닻. **~dauer** *f.* 썰물 기간.

ebben [ɛ́bən] *i.*(h.) ① das Meer 〔es〕 ebbt 조수가 빠지다. ② 쇠퇴하다, 줄다.

Ẹbbe≈strom *m.*, **~strömung** *f.* 썰물 때 빠지는 바닷물. **~tor** *n.* 항구의 수문.

Ẹbbe-und-Flut-Kraft·werk *n.* 조력 발전소.

Ẹbbe·zeit *f.* 간조시(干潮時).

ebd. = ebenda 같은 곳〔책〕에.

***eben** [é:bən] 《I》 *a.* ① 평탄한; 고른, 균등한: zu ~er Erde 지면 높이에, 1 층에; ~en Fußes 같은 계급에; ein ~es Gelände 평지; der Weg läuft ganz ~ 그 길은 아주 평탄하다; ~e Geometrie 평면 기하학; ein ~er Faden 굵기가 고른 실; jetzt sind wir ~ 이젠 우리 사이에 대차(貸借) 관계가 없다. ② 적당한, 서로 알맞은;〔고어〕 뜻에 맞는; 꼼꼼한; 조용한: kein Mensch ist ihm ~ 누구도 그의 마음에 들지 않는다; ein ~er Mann 성실한 사람; der Wagen hat eine ~e Fahrt 그 차는 흔들리지 않고 간다. 《Ⅱ》 *adv.* ① 평탄하게; 매끄럽게. ② 바로, 막, 때마침: ~ damals 바로 그때에; ~ erst 지금 막, 방금, 이제야 겨우; ein Knabe, der ~ die Schule verlassen hat 학교를 갓 나온 소년; ~ als ich einen Brief schrieb, klopfte es 내가 막 편지를 쓰고 있을 때 누군가가 문을 두드렸다; er kam ~ recht 그가 때마침 잘 왔다. ③ 정확하게, 정말, 그야말로: das wollte ich ~ sagen 그것을 바로 내가 말하려고 했다; ~! 바로 그거야!; das ~ nicht! 그렇지는 않다!; ich will ~ nicht versprechen 나는 별로 약속하고 싶지 않네; nicht ~ frisch 별로 싱싱하지 않은; es geschieht dir ~ recht 너는 그런 일을 당해 싸지; er ist ~ nicht zu gebrauchen 그는 별로 쓸모가 없다. ④ 겨우, 가까스로, 간신히: nur so ~ 겨우; mit drei Mark komme ich ~ aus 나는 3 마르크로 겨우 부지하고 있다; wir haben (nur) ~ genug, um uns über Wasser zu halten 우리는 겨우 목숨을 부지할 만큼만 가지고 있다. ⑤〖강조〗 다만, 이제는, 그렇지: du bist ~ ein Künstler 너는 예술가일 뿐이야; sag mir doch ~! 자 말 좀 해 줘!; man muß es ~ hinnehmen 그것을 받아들일 수밖에 없다.

Eben≈baum [é:bən..] *m.* 흑단수(黑檀樹). **~bild** *n.* 초상; 꼭 닮은 사람: das ~ der Mutter 어머니를 꼭 닮은 사람; Gottes ~ (신의 형상을 닮은) 인간. **≈bürtig** *a.* 동등한 가문〔신분〕의; 동등한; (정신적으로) 필적하는: seine Frau war ihm nicht ~ 부인은 가문이 그만 못하였다; sie war ihm geistig ~ 그녀는 정신적으로 그와 필적했다. **~bürtige*** [..tɪgə] *der/die* 동등한 가문〔동격〕의 사람; 동배, 같은 또래; 호적수. **~bürtigkeit** *f.* 동등, 필적.

eben≈da [(지시적 강조) e:bendá:], **~dasẹlbst** [(지시적 강조) e:bendazɛ́lpst] (schweiz.) *adv.* 바로 그곳에. **~daher**[1] *adv.* 바로 그곳으로부터. **~daher**[2] [(지시적 강조) e:bendá:he:*r*] *adv.* 바로 그 때문에. **~dahịn** [(지시적 강조) e:bendá:hin] *adv.* 바로 그곳으로. **~darụm** *adv.* ↑ daher². **~der** 〔**~die, ~dạs**〕 [(지시적 강조) e:bendé:*r* 〔..dí:, ..dás〕] *prn.* 바로 그 남자〔그 여자, 그것〕. **~deshạlb, ~deswegen** *adv.* ↑ daher². **~dort** [(지시적 강조) e:bendɔ́rt] *adv.* 바로 그곳에.

***Ebene** [é:bənə] *f.* -n ① 평야, 평지;〖數〗 평면: eine schiefe〔geneigte〕 ~ 사면(斜面)〔경

사면]; in gleicher ~ mit ... …와 같은 높이〔지위〕의, 〖건축〗 같은 평면의. ②〘비유〙정도, 수준; 분야, 영역: Verhandlungen auf höchster ~ 최고위층 회담〔교섭, 담판〕; jn. auf die schiefe ~ bringen 누구를 파멸〔실패〕시키다; auf die schiefe ~ kommen 영락〔실패〕하다; das liegt auf einer anderen ~ a) 그것은 수준이 틀린다, b) 그것은 다른 분야에 속한다.

ebenen *t.* ↑ ebnen.

eben·erdig *a.* ① 1 층의: ein ~es Haus 단층집; ein Haus mit ~er Terrasse 1 층 테라스가 달린 집. ② 지면과 똑같은 높이의.

eb(e)ner≈gestalt, ~maßen *adv.* 똑같은 모양으로〔정도로〕, 똑같이.

eben≈falls *adv.* 마찬가지로, 똑같이. **~genannt** *a.* 상술한. **~genoß** *m.* 〘고어〙동배(同輩).

Ebenheit [é:bənhaɪt] *f.* -en 평탄, 평활(平滑); 균등; 대지(臺地), 분지.

Eben·hoch *m.* -s, -s 〘고어〙 ① 눈사태를 막는 말뚝. ②〘고어〙 성을 공격하기 위한 전루(戰樓).

Ebenholz [é:bən..] 《lat. ebēnus》 *n.* ① 흑단(재)(黑檀(材)): Haare, schwarz wie ~ 흑단같이 검은 머리. ②〘비유〙흑인.

ebenholz·farben *a.* 흑단같이 새까만〔검은〕.

ebenieren [ebeni:rən] *t.* 흑단을 상감하다; 흑단으로 세공하다.

Ebenist [..nɪst] *m.* -en, -en 흑단 소목장이.

eben·jener [(지시적 강조) e:bənjé:nər], **~jene, ~jenes** *prn.* 바로 그 남자〔여자, 것〕.

Eben·maß *n.* 균제, 조화, 대칭: ins ~ bringen 균형잡히게 하다(ebenmäßig machen).

ebenmäßig *a.* 균형이 잡힌, 대칭적: ~ machen 균형이 잡히게〔대칭지게〕 하다.

Ebenmäßigkeit *f.* -en ↑ Ebenmaß.

***ebenso** *adv.* 〘다음에 부사가 오면 흔히 붙여 씀; 보기: ~gut; 형용사일 때는 대개 분리, 보기: ~ gute Leute〙 아주 똑같이, 똑같은 정도로: sie ist ~ reich als schön 그 여자는 아름다울 뿐만 아니라 돈도 많다; es ist ganz ~ wie ... 그것은 …와 아주 똑같다; das geht ~ gut 그것도 또한 괜찮다.

ebenso≈gern *adv.* 마찬가지로〔똑같이〕 기꺼이. **~gut** *adv.* 똑같이 좋게: das geht ~ 그것도 좋다(단, ebenso gute Leute 같은 정도로 선량한 사람들; das ist ebenso gut wie... 그것도 …와 똑같이 좋다, …에 뒤지지 않는다). **~häufig** *adv.* 같은 정도로 자주. **~lang(e)** *adv.* 똑같이 오래. **~oft** *adv.* 그만큼 자주. **~sehr** *adv.* 그 정도로 (매우), 같은 정도로. **~viel** *adv.* 똑같이 많이, 같은 정도로: ~ schöne Stunden 똑같이 즐거운 시간(단, ebenso viele schöne Stunden 똑같이 많은 즐거운 시간); das ist ~ 그것은 똑같다; es kostet ~ 그 값은 꼭 같다. **~weit** *adv.* 똑같이 멀리. **~wenig** *adv.* 마찬가지로 (거의) …않는〔없는〕: ich tue es ~ wie er 나도 그와 마찬가지로 그런 짓을 하지 않는다(단, ebenso wenige Tage 똑같이 적은 날들). **~wie** 똑같이. **~wohl** *adv.* 똑같이 잘: ~ als ... …와 똑같이.

eben≈solcher, ~solche, ~solches *prn.* 바로 그러한 남자〔여자, 것〕.

Eben·strauß *m.* 〖植〗 산방화(繖房花).

Ebenung *f.* -en ↑ Ebnung.

ebenwert *a.* (schweiz.) ↑ ebenbürtig.

Eber [é:bər] *m.* -s, - 수퇘지(↔ Sau): ein wilder ~ 멧돼지.

Eber≈esche [é:bər..] *f.* 〖植〗 마가목. **~fleisch** *n.* (멧)돼지 고기. **~raute** *f.*, **~reis** *n.* 〖植〗 개사철쑥. **~wurz** *f.* 〖生〗 엉겅퀴의 일종. **~zahn** *m.* 수퇘지의 어금니.

Ebne [é:bnə] *f.* -n ↑ Ebene.

ebnen [é:bnən] 《Ⅰ》 *t.* 편편하게 하다; 매끄럽게 하다; 평균하다; 조정하다: jm. den Weg〔die Bahn〕 ~ 누구의 앞길을〔진로를〕 터주다; Schwierigkeiten ~ 어려움을 제거하다. 《Ⅱ》 *refl.* sich ~ 평탄해지다; 어려움이 없어지다; 명백해지다.

Ebnung *f.* -en ↑ ebnen 의 명사형.

Ebola-Virus *n./m.* 〖醫·生〗 에볼라 바이러스(자이르의 에볼라강에서 발견된 데서).

Ebonit [eboni:t] 《engl.》 *n.* -(e)s 경화(硬化) 고무, 에보나이트.

Ebräer [ebrɛ́:ər] *m.* -s -s 이스라엘인, 유대인.

ebräisch *a.* ↑ hebräisch.

Ebro [é:bro] *m.* -(s) 에브로강(에스파냐 북동부의 하천).

Ebullioskop [ebulioskó:p] 《gr.》 *n.* -s, -e 〖化〗 비등점 측정기.

Ebullioskopie [..oskopí:] *f.* -en 〖化〗 (분자량 측정에서) 끓는점〔비등점〕 측정법.

EBWE =Europäische Bank für Wiederaufbau und Entwicklung 유럽 부흥 개발 은행.

e.c. =exempli causa 예를 들면.

Ecaillen·malerei [ekáj..] *f.* -en 〖畫〗 도자기의 비늘 모양 그림.

E-Cash =Electronic Cash 〖컴〗 전자 현금.

Ecce [ɛ́ktse] *n.* -, -(s) 〖구약〗 초혼제 제사.

Ecce-Homo [ɛktsehó:mo] 《lat., „sehet, welch ein Mensch!"》 *m.* -s, -s 〖聖〗 이 사람을 보라(빌라도 총독의 말); 가시 면류관을 쓴 그리스도의 화상(畫像)(요한 19:1-5).

Ecclesia [ɛklé:zia] *f.* ① 〖가톨릭〗 (=Ekklesia) ~ militans 세상에서 싸우는 교회, 현세의 신자들; ~ patiens 고통받는 교회; ~ triumphans 승리하는 교회〔천국의 성인들〕. ② 〖미술〗 에클레시아(신약성서를 상징하는 여인상; ↑ Synagoge).

Echange [eʃɑ̃:ʒə] 《frz.》 *n.* -s, -s 교환.

Echappe [eʃapé:] 《frz.》 *n.* -s, -s 〖발레〗 에샤페(도약 자세).

Echappement [eʃapəmɑ̃:] *n.* -s, -s ① 도주. ② (시계의 톱니 회전 조절용) 제동기; (피아노 안의 해머를 되튀기는) 장치.

echappieren [eʃapí:..] *i.* (s.) 〘고어〙 달아나다.

Echarpe [eʃárp] 《frz.》 *f.* -s ① 〘고어〙 장식띠, 견대(肩帶). ② (schweiz.) 숄, 무늬숄, 무릎싸개.

Echauffement [eʃɔfəmɑ̃:] 《frz.》 *n.* -s, -s ① 가열(Erhitzung); 격앙. ② 〖醫〗 변비; 임질.

echauffieren [eʃɔfi:rən] 《Ⅰ》 *t.* 뜨겁게 하다; 격앙〔흥분〕시키다. 《Ⅱ》 *refl.* sich ~ 뜨거워지다; 격앙〔흥분〕하다. 《Ⅲ》 **echauffiert** *p.a.* ↑ echauffiert.

echauffiert 《Ⅰ》 *p.p.* ↑ echauffieren. 《Ⅱ》 *p.a.* 〘고어〙 ① 뜨거워진. ② 흥분한, 격앙된.

Echauffiertheit *f.* ↑ echauffiert 의 명사형.

Echec [eʃɛ́k] 《frz.》 *m.* -(s), -s ① (장기의) 장군. ② 〘비유〙 패배(Niederlage).

Echelon [eʃəlṍ:] 《frz.》 *m.* -s, -s 〖軍·고어〗 사다리꼴로 편성된 부대, 제대(梯隊).

echelonieren [eʃəloní:rən] *t.* 〖軍·고어〗 사다리꼴로 배치〔편성〕하다.

Echeveria [ɛtʃevé:ria] *f.* ..rien 에체베리아(남아메리카산(産) 돌나무과의 관상용 식물).

Echeverie [ɛçəvɛ́:riə] *f.* -n 〖植〗 ↑ Echeveria.

Echinit [ɛçiní:t] 《gr.》 *m.* -(e)s/-en, -e(n) 〖지질〗 성게의 화석.

Echinoderme [..nodɛ́rmə] *m.* -n, -n 〖動〗 극피동물(성게·해삼 등).

Echinokaktus *m.* -, ..teen [..kakté:ən] 〖植〗 성게 선인장.

Echinokokkose [...kɔkó:zə] *f.* -n 〖수의〗 낭충병.

Echinokokkus [..kɔ́kus] *m.* -, ..kokken 〖動〗 낭충(囊蟲) (Blasenwurm).

Echinus [ɛçí:nus] *m.* -, - ①〖動〗 성게(Seeigel). ②〖건축〗 (Igelwulst) 에키누스(도리아식 건축의 성게 모양 기둥 머리).

***Echo** [ɛ́ço] 《gr.》 *n.* -s, -s ① 산울림, 메아리, 반향: ein ~ geben 메아리치다; du bist nur das ~ deines Freundes 너는 (주관이 없이) 네 친구의 말을 그대로 옮길 뿐이다. ②〖비유〗 반응, 주목: der Vortrag fand begeistertes ~ 그 강연은 열광적인 반응을 얻었다. ③〖기술〗 반향, 되돌아옴; 반복. ④〖음악〗 에코, 반향 음전; (특히 16-18 세기의) 에코 음악.

echoen [ɛ́çoən] *i.* (h.) es echot 메아리가 울린다.

Echo≈bild *n.* (텔레비전 화면의) 이중상. **~effekt** *m.* ①〖工〗 반복 효과. ②〖음악〗 반향 효과. **≈frei** *a.* 반향이〔메아리가〕 없는. **~graphie** *f.* 〖醫〗 초음파 검사(법). **~lalie** *f.* ①〖心〗 반향 언어증〔음성증〕. ②〖언어학〗 (유아의) 언어〔음성〕 모방. **~lot** *n.* 〖海〗 음향 탐지기; 〖空〗 반향 고도계. **~lotung** *f.* 음향 측심. **~matt** *n.* 되풀이 외통수. **~meter** *n./m.* 〖物〗 (Schallmesser) 음향계(音響計). **~patt** *n.* 되풀이 비김수〔무승부〕. **~phrasie** [..frazí:] *f.* ↑ ~lalie.

Echse [ɛ́ksə] *f.* -n 〖動〗 ① 도마뱀. ② 파충류.

***echt** [ɛçt] *a.* 합법적인, 적출(嫡出)〔순종〕의; 실제의; 참된; 올바른; 진짜의, 순수한; 표준적인; 영속적인; 본래의; 정직한; 착실한: ein ~er Erbe 정당한 상속인; ein ~es Kind 적출자; ein ~er Sachse 전형적인 작센 사람; ~es Gold 순금; ~er Honig 진짜꿀; ~er Wein (섞인 것이 없는) 순수한 포도주; ein ~er Dürer a) 진짜 뒤러의 작품, b) 정말 뒤러다운 작품; eine ~e Frau 여성다운 여성; 〖化〗 ein ~e Farbe 불변색(바래지 않는 빛깔); ein ~er Bruch 진분수.

echt≈blau *a.* 순청색의. **~christlich** *a.* 진정 기독교적인. **~deutsch** *a.* 순수한 독일의, 진짜 독일산의, 진실로 독일적인. **~farbig** *a.* 퇴색〔변색〕하지 않는. **~gefärbt** *a.* 바래지 않게 잘 염색한. **≈gelb** *n.* 순(純)황색의 염료. **≈gold** *n.* 순금. **~golden** *a.* 순금의: ein ~es Armband 순금 팔찌. **≈haar** *n.* 진짜 머리털, 자연 모발(↔ Kunsthaar).

Echtheit *f.* 참, 진짜; 적출(嫡出), 순종; 실제; 순수, 순정(純正); 실질적인 것; 확실성: in der Not erweist sich die ~ einer Freundschaft 역경에서 우정의 참다움이 드러난다.

Echtheits≈beweis *m.* 진품〔순종〕 증명. **~probe** *f.* 진품〔순종〕 검사. **~zeugnis** *n.* (사물·내용의) 진품〔사실〕 증명서.

Echt·zeit *f.* 〖컴〗 (컴퓨터 프로그램이 실제로 작동하는) 실시간.

Echtzeit·verarbeitung *f.* 실시간 처리(정보〔자료〕가 입력과 동시에 처리 및 출력되는 방식).

***Eck** [ɛk] 《Ecke의 별형》 *n.* -(e)s, -e ①〖방언〗 귀퉁이(Ecke): über ~ 가로질러, 비스듬히; et. über ~ bringen 무엇을 제거하다. ② 골문의 모서리: der Ball ging ins linke ~ 공이 좌측 골대쪽으로 들어갔다; 〖스포츠〗 im ~ sein 컨디션이 나쁘다. ③ das Deutsche ~ 독일 곶(라인강과 모젤강의 합류점에 있음).

..eck *suf.* "각(角)"의 뜻(보기: Drei≈ 삼각형).

Eckard, Eckart [ɛ́kart] 《„der Schwertstarke" 의 뜻》 ① 에카르트(남자 이름). ②〖다음 용법으로〗 ein getreuer ~ 믿음직한 사나이, 신뢰할 만한 지도자(중세 영웅 서사시의 인물 이름에서).

Eck≈balken *m.* 〖건축〗 각재(角材), 귓보. **~ball** *m.* 〖축구〗 코너 킥; 〖하키〗 코너 히트, 〖핸드볼〗 코너 스로. **~ball·verhältnis** *n.* (양팀의) 코너 킥〔히트, 스로〕 비율. **~bank** *f.* 귀퉁이에 맞춘 긴 의자, 코너 벤치. **~beschlag** *m.* 모서리 쇠(장식). **~blatt** *n.* 〖건축〗 기둥의 나뭇잎 모양 장식. **~brett** *n.* 구석 선반.

Eckchen [ɛ́kçən] *n.* -s, - 〖↑ Ecke의 축소형〗 ① 작은 모서리〔모퉁이〕. ②〖구어〗 구석진 곳. ③ 작은 조각. ④〖비유〗 단거리.

Eckdaten *pl.* (정치·경제 기획〔계획〕의) 주요 자료.

***Ecke** [ɛ́kə] *f.* -n ① 귀퉁이, 구석, 모퉁이, 가장자리; 길목(Straßen≈); 〖건축〗 모서리, 외각(外角): biegen〔gehen〕 Sie rechts um die erste ~ 처음 모퉁이를 오른쪽으로 돌아가십시오; sich in eine ~ drücken 구석에 쭈그리고 앉다; die ~ eines Blattes umschlagen 종이의 끝을 접어 넣다. ②〖數〗 (다각형의) 각(角), (다면체의) 각; 각점(角點). ③〖구어〗 ~ stehen 매춘부가 거리에서 고객을 찾다; 〖스포츠〗 die kurze ~ (선수에게) 가까운 코너; die lange ~ (선수에게) 먼 코너; 〖비유〗 **an** allen ~n (und Enden) 도처에서; 〖구어〗 es brennt an allen ~n (und Enden) 사람들이 도처에서 흥분하고 있다; bläst der Wind **aus** der ~? 일의 발단이 거기에 있어요?; stellt's **in** die ~! 이것을 어디다 치워 버려라!; **um** die ~ bringen a) 치우다, 죽이다, b) 슬쩍 가로채다, c) (돈을) 낭비하다; um die ~ gehen 죽다, (멸)망하다, 횡사하다; 〖구어〗 mit jm. um 〔über〕 sieben〔ein paar〕 ~n verwandt sein 누구와 먼 친척간이다; 〖구어〗 um die ~ sein 죽었다; 〖구어〗 jm. nicht um die ~ trauen 누구를 안 믿다; 〖구어〗 das ist schon längst um die ~ 그것은 벌써 지난〔끝나버린〕 일이다; **von** allen ~n und Enden (her) 사방팔방에서. ④ 노정(路程); 거리: eine tüchtige ~ 상당한 거리. ⑤〖구기〗 코너 킥〔히트〕 (Eckball): eine kurze ~ (동료 선수에게 찬) 짧은 코너 킥; eine lange ~ (골문 쪽으로 찬) 긴 코너 킥; den Ball zur ~ schlagen〔lenken〕 공을 골 라인 밖으로 쳐〔차〕내다. ⑥〖권

투·레슬링』(링의) 코너.
ecken [ɛ́kən] *t.* 《Ⅰ》〖고어〗모(서리)를 내다. 《Ⅱ》**geeckt** *p.a.* ↑ geeckt.
Ecken≈messer *m.* 측각기(測角器). **~rund·stoß·maschine** *f.* (책·종이의) 귀퉁이를 자르는 기계. **~steher** *m.* 〖구어〗하는 일 없이 길모퉁이에서 빈둥거리는 사람. **~tor** *n.* 『필드하키』(코너 히트나 페널티 코너를 얻어 넣은) 코너 골.
Ecker [ɛ́kər] *f.* -n ① 떡갈나무〔너도밤나무〕의 열매. ② (독일 카드의) 클로버.
Eck≈fahne *f.* 『스포츠』 코너 표시기(旗). **~feld** *n.* (체스 등의) 모퉁이 눈.
Eck≈fenster *n.* 『건축』 구석 창문. **~first** *m./f.* 『건축』 추녀마루. **~fluger, flügler** *m.* 『動』 각무늬얼룩나비(얼룩나비의 일종).
Eckhard, Eckhart [ɛ́k(h)art] ↑ Eckard.
Eck≈haus *n.* 길모퉁이 집. **~hölzer** *pl.* 각재(角材).
eckig [ɛ́kɪç] *a.* ① 모난. ②〖비유〗무뚝뚝한, 예의에 벗어난; 조야한.
eckig.. *suf.* "…각이 진, …각형의"의 뜻(보기: sechs~ 6 각(형)의).
Eck≈kegel *m.* (독일식 볼링의) 바깥쪽 두 기둥. **~knollen** *m.* 『건축』 기둥뿌리의 장식. **~laden** *m.* 길모퉁이 가게.
Ecklein [ɛ́klaɪn] *n.* -s, - ↑ Ecke 의 축소형.
Eck≈loch *n.* 귀퉁이 구멍; (당구대의 네 구석 및 양쪽에 있는) 포켓. **~lohn** *m.* 『經』 기준 임금, 기본급. **~pfeiler, ~pfosten** *m.* 『건축』 모서리 기둥, (다리 양 끝의) 지주 교각; 토대, 지주. **~platz** *m.* (극장이나 차내의) 구석자리, 맨끝 좌석. **~satz** *m.* 『음악』 (다악장의) 첫머리나 끝악장. **~säule** *f.* ①『건축』 모서리〔바깥〕 기둥. ②『物』 프리즘. **~schrank** *m.*, **~spind** *n.* 구석장. **~stange** *f.* ↑ ~fahne. **~stein** *m.* 『건축』 귀돌; 경계석; 〖비유〗 주춧돌, 초석; 『카드』 다이아몬드. **~stoß** *m.* 『축구』 코너 킥. **~stück** *n.* 모서리 조각(가장자리를 장식하는 데 쓰이는 금판). **~tisch** *m.* (음식점의) 구석 식탁. **~turm** *m.* (성 등의) 모퉁이 망루〔탑〕. **≈weise** *adv.* 모가 지도록, 서로 어긋나게, 비스듬히. **~wert** *m.* 『經』 개산치(概算值). **~wurf** *m.* 『핸드볼』 코너 스로잉. **~zahn** *m.* 『해부』 송곳니, 견치(犬齒). **~zimmer** *n.* 구석방. **~zins** *m.* 『금융』 기본 이자율.
E-Commerce 《engl.》 =Electronic Commerce 『컴』 전자 상거래.
Economiser [ikɔ́nomaɪzər] 《engl.》 *m.* -s, - ↑ Ekonomiser.
Economy·klasse *f.* 《engl.》 (비행기의) 보통석.
e contrario [e: kɔntrá:rio] 《lat.》 *adv.* 『法·교양』 거꾸로, 역으로.
Ecossaise [ekɔsɛ́:zə] *f.* -n 에코세즈(스코틀랜드의 민속춤).
Ecuador [ekuadó:r] 에콰도르.
Ecuadorianer [..doriá:nər] *m.* -s, - 에콰도르 사람.
Ed.[1] =editio [edí:tsio] 출판, 판(版).
Ed.[2] *f.* =édition 《frz.》 ↑ Edition.
ed. =edidit [é:didɪt] 《lat.》 (발행인을 뜻하는 약어) …가 출판한: die Geschichte der französischen Literatur ed. Fischer 피셔 편찬의 프랑스 문학사.
Edam [é:dam] 에담(네덜란드의 도시).
Edamer *m.* -s, - 에담 사람: ~(Käse) 에담산(産) 치즈.
edaphisch *a.* ① 토양에 관한. ② 토양 미생물의.
Edaphon 《gr.》 *n.* -s 〖生〗 토양 미생물(계).
edd. =ediderunt [edidé:rʊnt] 《lat.》 …가 펴낸 (편찬자가 두 명 이상일 경우): Deutsche Musik edd. Meyer und Hirsch 마이어와 히르쉬가 펴낸 독일 음악.
Edda [ɛ́da] *f.* Edden/-s 『북구신화』 에다(고대 아이슬란드의 신화·영웅 전설 및 시법(詩法)을 실은 책).
eddisch *a.* 에다풍의.
Ede [é:də] 《↑ 남자 이름 Eduard 의 단축형》 *m.* -n/-s, -n/-s 〖은어〗(Helfershelfer) (도둑의) 한패, 동료.
Edeka =Einkaufsgenossenschaft deutscher Kolonialwarenhändler 에데카(독일 식료품 구매 조합).
***edel** [é:dəl] (edler, edelst) 《<Adel》 *a.* ①〖고어〗귀족〔명문〕의, 고귀한: aus edlem Geschlecht 가문이 좋은. ②〖雅語〗고상〔고결〕한, 기품 있는, 귀골의: von edlem Gemüt(e) 고결한 마음을 가진, 의기가 있는; ~ denken 생각이 숭고〔고매〕하다. ③ 우수한; 가치 있는; 값어치가 큰: 『광물』 ein edler Gang 풍부한 광맥; edle Metalle 귀금속; ein Pferd von edler Rasse 우수한 혈통의 말; die edlen Teile (des Körpers) (신체의) 중요 기관, 급소. ④〖교양〗균형 잡힌, 조화로운. ⑤〖반어〗공정치 못한, 비열한: das war ja wieder sehr ~ von ihm 그는 다시 아주 비열하게 행동하였다.
Edel≈auge *n.* 『원예』 접목용의 싹. **~blaß** *a.* 〖구어〗고상하게 화장한. **~brannt·wein** *m.* 고급 화주(火酒). **~bürger** *m.* 〖구식〗 귀족, 상류 인사. **≈bürtig** *a.* ↑ ≈geboren. **~dame** *f.* 〖구식〗 귀부인. **≈denkend** *a.* 고결〔고매〕한, 너그러운. **~dirne** *f.* 고급 창녀. **~erden** *pl.* 『化』 희토류(稀土類). **~erz** *n.* 『광물』 귀금속광. **~falke** *m.* 『動』 매. **~falter** *m.* 공작나비. **~fäule** *f.* 『양조』 포도 알맹이의 발효(향내 나는 술이 됨). **~fink** *m.* 『動』 되새속(屬). **~fisch** *m.* 고급 생선(연어·청어 등). **~frau** *f.* ↑ ~dame. **~fräulein** *n.* 귀족 처녀. **~gas** *m.* 『化』 희소(稀小) 가스류(아르곤·네온·헬륨 등). **≈geboren** *a.* 귀족〔명문〕 출신의. **≈gesinnt** *a.* ↑ ≈denkend. **~gestein** *n.* 보석류. **≈herzig** *a.* 〖雅語〗 ↑ ≈denkend. **~hirsch** *m.* 『動』 고라니 (Rothirsch). **~hof** *m.* (시골에 있는) 귀족〔지주〕의 저택, 장원(莊園).
Edeling [é:dəlɪŋ] *m.* -s, -e (게르만의) 귀족.
Edel≈kastanie *f.* 『植』 밤(나무); 밤나무 목재. **~kitsch** *m.* (겉만 번드르르한) 저속〔유치〕한 것. **~knabe** *m.* (귀족 신분의) 시동(侍童). **~kommunist** *m.* 〖폄어〗 (실천적 행동을 거부하는) 귀족적 공산주의자. **~koralle** *f.* 『動』 적(赤)산호. **~krimi** *m.* 〖구어〗 (비교적 수준 높은) 고급 범죄 탐정 영화〔추리 소설〕. **~mann** *m.* 〖복수: ..leute〗 귀족, 귀인. **≈männisch** *a.* 귀족의, 귀족다운. **~marder** *m.* 『動』 (Baummarder) 담비의 일종. **~mensch** *m.* 명문〔귀족〕 출신의 사람, 고귀한〔세련된〕 성격의 소유자. **~metall** *n.* 귀금속. **~mut** *m.* ↑ ~sinn. **≈mütig** *a.* ↑ ≈-

denkend. ~**nutte** *f.* 〖펌어〗 고급 창녀. ~**obst** *n.* 개량종 고급 과일. ~**pflaume** *f.* 개량 자두. ~**pilz** *m.* 〖植〗 식용 버섯. ~**raute** *f.* 〖植〗 산쑥의 일종. ~**reis** *n.* 〖원예〗 접목용 가지, 접지(接枝). ~**rost** *m.* (청동 제품의) 녹. ~**salbei** *m./f.* ↑ Salbei. ~**schmiede·kunst** *f.* 금은 세공술. ~**schule** *f.* 〖원예〗 접목 묘목원. ~**sinn** *m.* 고결한 마음, 의협심, 아량. ≈**sinnig** *a.* 고결한, 아량 있는. ~**sitz** *m.* ↑ ~hof. ~**stahl** *m.* 특수강(鋼)(탄소 이외의 원소를 함유하는 합금강).

Edel·stein *m.* 보석, 보옥(寶玉); 〖비유〗 보물.

Edelstein≈fasser *m.* 보석(을 금 따위에 박아 넣는) 세공인. ~**gewicht** *m.* 캐럿. ~**händler** *m.* 보석상. ~**imitation** *f.* 인조 보석으로 만든 장신구. ~**schleifer** *m.* 보석 세공인, 보석공. ~**schliff** *m.* 보석 연마〔세공〕. ~**schneider** *m.* ↑ ~schleifer.

Edel≈strich *m.* 고급 매춘. ~**tanne** *f.* 〖植〗 독일 전나무. ~**weiß** *n.* 〖植〗 에델바이스, 왜솜다리. ~**wild** *n.* 〖사냥〗 붉은 사슴. ~**zwicker** *m.* 엘자스산(産) 고급 백포도주.

Eden 〔주로 관사 없이 다음 용법으로〕 der Garten ~ 에덴 동산; 〖비유〗 천국, 낙원: sich im ~ Amerikas befinden 아메리카의 낙원에 살다.

edenisch *a.* 에덴 동산의; 낙원의, 에덴과 같은.

Edentate [edɛntá:tə] 《lat. dens, „Zahn"》 *m.* -n, -n 〔보통 복수〕 〖動〗 빈치류(貧齒類) (나무늘보·개미핥기 등).

edieren 《lat.》 *t.* (herausgeben) 출판〔발행〕하다.

Edikt [edíkt] *n.* -(e)s, -e 칙명, 칙령, 훈령, 포고.

Edikt≈ladung *f.*, ~**zitation** *f.* ① 〖法〗 공시(公示) 소환; 소환장. ② 〖軍〗 항복 권유.

Edinburg [é:dınburk] 에든버러(옛 스코틀랜드 왕국의 수도).

Edison [é:dizɔn, ɛ́dısn] Thomas Alva ~ 에디슨(미국의 발명가, 1847-1931).

Edison·fassung *f.* 에디슨 소켓.

Editio castigata [edí:tsio kastigá:ta] 《lat.》 *f.* -nes -e (종교적·정치적·성적으로) 저촉되는 부분이 삭제된 간행본, 삭제본.

Edition [editsió:n] 《lat.》 *f.* -en 출판, 발행; 간행본; 판(版) (Auflage).

Editions·technik *f.* (학습·비판본의) 출판 기술.

Editio princeps [edí:tsio príntsɛps] 《lat., „erste Ausgabe"》 *n.* -nes ..cipes [editsío:ne:s ..tsipe:s] 〖출판〗 초판(본).

Editor [é:dito:r] *m.* -s, -en [..tó:rən] 편찬자, 출판자, 발행자.

Editorial [editɔ́:riəl] 《engl.》 *n.* -s, -s ① 발행인의 머리말. ② (신문이나 잡지의) 사설. ③ 출판사의 간기(刊記) (발행자·인쇄인의 주소·성명·발행 연월일 등).

Edle* *der/die* 귀인, 귀족: ~r von ... 오스트리아 귀족의 이름 앞에 붙이는 칭호.

Edom [é:dɔm] 에돔(고대 팔레스타인).

Edomiter [edomí:tər] *m.* -s, - 에돔 주민.

Edukation [edukatsió:n] 《lat.》 *f.* -en 교육.

Edukt [edʊ́kt] *n.* -(e)s, -e ① 〖化〗 추출물. ② 〖지질〗 변성암.

E-Dur [é:du:r] *n.* - 〖음악〗 마(E) 장조.

eduzieren 《lat.》 *t.* 끌어내다(ausziehen).

EDV [e:de:fáu] =Elektronische Datenverarbeitung 전자 정보 처리(일반적으로 컴퓨터를 의미함).

EDV-Anlage *f.* 〖컴〗 컴퓨터 장치.

EEC 《engl.》=European Economic Community (구) 유럽 경제 공동체(EWG).

Efendi [efɛ́ndi] *m.* -s, -s (옛 터키의 경칭어) 경(卿), 각하, 선생.

Efeu [é:fɔy] *m./n.* -s 〖植〗 담쟁이덩굴, 송악.

efeu≈bewachsen *a.* 담쟁이 덩굴로 뒤덮인. ≈**blatt** *n.* 담쟁이의 잎. ~**laube** *f.* 담쟁이덩굴로 덮인 정자. ~**ranke** *f.* 담쟁이의 덩굴.

Eff·eff [ɛ́f-ɛf, ɛf-ɛ́f] *n.* - 〔구어〕 et. aus dem ~ beherrschen〔können, verstehen〕 어떤 일을 철저히〔탁월하게〕 할 수 있다.

***Effekt** [ɛfɛ́kt] *m.* -(e)s, -e ① 효과, 결과, 작용. ② 성공, 성과. ③ 인상(印象), 감명. ④ 〖기계〗 능률, 공률(工率).

Effekten [ɛfɛ́ktən] *pl.* ① 〔고어〕 (Habseligkeiten) 소유물, 동산; 수하물(Gepäck); 가재도구. ② 〖商〗 유가 증권(Wertpapiere).

Effekten≈bank *f.* 유가 증권〔발권(發券)〕 은행(↔ Depositenbank). ~**bestand** *m.* 유가 증권의 재고〔잔고〕. ~**börse** *f.* 유가 증권 거래소. ~**depot** *n.* ① (은행의) 유가 증권 보관소. ② (한 은행의) 유가 증권 총보유고. ~**geschäft** *n.*, ~**handel** *m.* 유가 증권 거래. ~**händler** *m.* 유가 증권 중개인〔담당 은행원〕. ~**kapital** *n.* 유가 증권 자본. ~**makler** *m.* ↑ ~händler. ~**markt** *m.* 유가 증권 시장. ~**plazierung** *f.* (원매자에게) 유가 증권 판매. ~**scheck** *m.* 유가 증권 소유 증명서. ~**substitution** *f.* 유가 증권 치환(置換). ~**verwahrung** *f.* 유가 증권 위탁 관리.

Effekt·hascherei *f.* 〔펌어〕 효과〔인기〕를 노리는 짓.

***effektiv** [ɛfɛktí:f] 《lat.》 《Ⅰ》 *a.* ① 효과적인, 유효한, 영향〔작용〕이 큰; 능률적인; (wirklich) 실제〔실물〕의. ② 〖商〗 (greifbar) 재고〔현재〕의; 현금의. 《Ⅱ》 *adv.* ① 유효하게. ② 〔구어〕 실제로, 정말로: dazu weiß ich ~ nichts zu sagen 그것에 대해서는 정말 할 말이 없다.

Effektiv *n.* -s, -e ① 현물, 현금. ② 〖언어〗 결실 동사, 효과 동사(보기: knechten=zum Knecht machen).

Effektiv≈bestand *m.* ↑ ~stand. ~**börse** *f.* 실물 거래소. ~**dosis** *f.* 〖醫〗 실효량. ~**einnahme** *f.* 실수입. ~**erfüllung** *f.* 실제 이행. ~**geschäft** *n.*, ~**handel** *m.* 즉시〔직접〕 거래, 현금〔현물〕 거래.

Effektivität *f.* 실효성, 효력, 효과, 능률.

Effektiv≈kraft *f.* 〖工〗 유효력. ~**lohn** *m.* 실질 임금. ~**preis** *m.* 실효 가격. ~**stand** *m.* 〖軍〗 현재 인원; 실제 재고. ~**stärke** *f.* 〖軍〗 실제 병력. ~**zahl** *f.* 실제 수, 총계.

effektlos *a.* 효과가 없는, 무효의.

Effektor [ɛfɛ́ktɔr, ..to:r] *m.* -s, -en [..tó:rən] ① 〖생리〗 작동 신경〔근육〕(체계). ② 〖생화학〗 주효〔작동〕 인자, 작동 물질. ③ 작동체, 효과기(器).

effektuieren [ɛfɛktuí:rən] 《frz.》 *t.* ① 〖商〗 수행〔실시〕하다. ② 대금을 지불하다. ③ 발송하다.

effekt·voll *a.* 효과가 큰, 유효한; 감동적인.
Effemination [ɛfeminatsió:n] 《lat.》 *f.* 〖心〗 (남성에게서 나타나는) 여성화; (남성이 자신을 여성으로 느끼는) 모순된 성적 느낌(의 극치).
effeminieren [..ní:rən] 《Ⅰ》 *refl.* sich ~ (남성이) 여성처럼 느끼다〔행동하다〕. 《Ⅱ》 *t.* 여성화시키다.
Effendi [ɛfɛ́ndi] *m.* -s, -s ↑ Efendi.
efferent *a.* 〖醫〗 (↔ afferent) 원심성(遠心性)의, 도출성(導出性)의.
Efferenz *f.* 〖醫〗 중추 신경계에서 말초 신경으로 가는 관.
Efferveszenz [ɛfɛrvɛs|tsɛ́nts] 《lat.》 *f.* -en 비등; (화학적 작용에 따른) 발포(發泡).
efferveszieren [..tsi:rən] *i.* (h.) 비등하다; (화학적 작용에 따라) 발포하다.
Effet [ɛfɛ́:] *m.*/(드물게) *n.* -s, -s ① 효과. ② 〖당구〗 스핀, 깎아치기: den Ball mit ~ spielen 공을 깎아〔회전하게〕 치다.
effilieren [efilí:rən] 《frz. effiler》 *t.* (ausdünnen) (머리털〔술〕을) 치다.
Effilier·schere *f.* 머리털 솎는 가위.
Effizienz *f.* 유효(성), 효과, 효율성.
effizieren *t.* 야기시키다, 생기게 하다.
Efflation *f.* -en 〖醫〗 트림, 속 쓰림, 신물이 나옴.
Effloreszenz [ɛflorɛs|tsɛ́nts] *f.* -en ① 꽃피는 시기; 개화; 〔비유〕 (Redeblume) 미사여구, 화려한 말〔문투〕. ② 〖化〗 풍화(風化)물, 풍해(風解). ③ 〖醫〗 발진.
effloreszieren [..tsí:rən] *i* (h.) ① 개화하다. ② 〖化〗 풍해〔풍화〕하다. ③ 〖醫〗 발진하다.
effluieren *i.* (h.) 〖醫〗 넘쳐 흐르다, 유출하다.
Effluvium [ɛflú:vium] *n.* -s, ..vien [..viən] 〖醫〗 발산, 침출(浸出), 대하(帶下), 발한.
Effusion [ɛfuzió:n] 《lat.》 *f.* -en ① (가스의) 누출, (용암의) 유출. ② 격정의 폭발.
Effusiv·gestein *n.* 〖지질〗 화성암(火成岩), 화산암, 분출암.
EFTA 《engl.》 = European Free Trade Association 유럽 자유 무역 연합.
eG = eingetragene Genossenschaft 등록된 협동 조합.
E.G. = Europäische Gemeinschaft 유럽 공동체.
***egal** [egá:l] 《Ⅰ》 *a.* 같은, 한 가지의; 균등한; 〔구어〕 아무래도 좋은: mir ist alles ~ 난 아무래도 상관 없어. 《Ⅱ》 [é:gal] *adv.* 〔구어〕 끊임없이, 계속하여, 여전히: es regnet ~ 비가 끊임없이 내린다.
egalisieren [egalizí:rən] *t.* ① 고르게〔편편하게〕 하다. ② 〖스포츠〗 eine Leistung ~ a) 신기록을 내다, b) 타이 기록을 달성하다. ③ 〖섬유〗 고르게 염색하다.
Egalisierung *f.* -en ↑ egalisieren 의 명사형.
Egalitarismus *m.* 평등주의.
Egalität *f.* 평등, 균등.
Egalité [..té] *f.* 평등(프랑스 혁명의 표어 중 하나) (Gleichheit).
Egart [é:gart] *f.* 〖農〗 (obd.) 휴경지; 초원.
Egart(en)·wirtschaft *f.* 〖農〗 (obd.) 교대 휴경식 영농(법).
Egel [é:gəl] *m.* -s, - 〖動〗 거머리(Blut∼).
Egel≈kraut *n.* 〖動〗 습지 식물(보기: 미나리아재비·끈끈이주걱). **~schnecke** *f.* 〖動〗 민달팽이〔괄태충(括胎蟲)〕의 일종.
Egeria [egé:ria] 《lat.》 *f.* ① 에게리아(고대 로마에서 왕에게 종교적 신앙을 가르친 샘의 요정). ② (일반적으로) 왕후의 신임이 두터운 여인, 여자 고문(顧問). ③ 〖天〗 에게리아(소유성(小遊星)의 이름).
Egerling [é:gərlɪŋ] *m.* -s, -e ① 식용 버섯의 일종; 송이류(松茸類). ② ↑ Engerling.
Egesta *pl.* 〖醫〗 신체의 분비물, 배설물.
Egestion *f.* 〖醫〗 배설.
Egge [ɛ́gə] *f.* -n ① 써레의 일종. ② 〖방직〗 피륙의 가장자리, (천의) 귀.
eggen [ɛ́gən] *t.*/*i.* (h.) 써레질하다.
Eggerling [ɛ́gərlɪŋ] *m.* -s, -e 〖植〗 (여러 종류의) 식용 버섯.
Egghead [ɛ́ghɛd] 《engl.》 *m.* -s, -s 〔교양·폄어〕 지성인, 인텔리.
eGmbH, E.G.m.b.H. = Eingetragene Genossenschaft mit beschränkter Haftpflicht 등록 유한 책임 회사.
eGmuH, E.G.m.u.H. = Eingetragene Genossenschaft mit unbeschränkter Haftpflicht 등록 무한 책임 회사.
eGmuN, E.G.m.u.N. = Eingetragene Genossenschaft mit unbeschränkter Nachschußpflicht 등록 무한 추가 지급 의무 회사.
EGNOS = European Geostationary Navigation Overlay System 〖통신〗 유럽 연합(에서 추진중인) 위성 항법 장치.
Ego [é:go] *n.* -, -s 자아: Alter ∼ 제 2 의 자아, 둘도 없는 친구.
Ego-Ideal *n.* 〖心〗 자아의 이상형, 자아의 모범〔전형〕.
***Egoismus** [egoɪ́smus] *m.* - 이기주의, 자기 중심, 이기심.
***Egoist** *m.* -en, -en 이기주의자(↔ Altruist).
***egoistisch** *a.* 이기적인; 이기주의의.
Ego·theismus *m.* - 자아(自我) 신격화, 자기 숭배.
Egotismus *m.* - 자기를 주장하는 경향〔버릇〕, 자아주의.
Egotist *m.* -en, -en ① 자기 주장자. ② 〖문학〗 (자전적) 일인칭 소설의 작가.
Ego·trip *m.* 〔은어〕 자기 본위의〔중심적인〕 생활 태도.
Ego·zentrik *f.* 〔교양〕 자기〔자아〕 중심적 사고〔관점·입장·태도〕.
egozentrisch *a.* 자기 중심의.
Egozentrismus *m.* 자기 중심주의.
egrenieren [egrení:rən] 《frz.》 *t.* Baumwolle ~ 목화의 씨를 빼다.
Egrenier·maschine *f.* 조면기(繰綿機).
Egrenierung [..ruŋ] *f.* -en ↑ egrenieren 의 명사형.
egressiv [egrɛsí:f] *a.* (↔ ingressiv) ① 〖언어〗 (동사가 어떤 과정이나 상태의) 마지막을 표현하는, 종결적인. ② (소리를 낼 때 공기가) 밖으로 나오는, 외행적인.
Egyptienne [eʒɪpsiɛ́n] 《frz.》 *f.* ① 에집시엔(라틴어 활자체의 일종). ② 견직물의 일종.
eh [e:] ↑ ehe.
eh [e:] 《Ⅰ》 *int.* ① 〔호출하는 소리〕 여보시오, 이봐, 야. ② 〔주저하는 소리〕 글쎄, 그러니까: ~ nun! 글쎄 해 볼까! ③ 〔놀라서 외치는 소리〕 저런, 어머나, 아이쿠. 《Ⅱ》 *adv.* ① 어차피, 아무튼, 그렇지 않아도: das nützt ~ nichts! 어차피 소용 없다! ② seit ~ und je 늘상, 생각〔기억〕할 수 있는 한, 항상; wie ~ und je 여느 때처럼, 변함없이.

e.h. =ehrenhalber 명예를 위하여.

E.h =Ehren halber 명예를 위하여: 〖다음 용법으로〗 Dr. ~ 명예 박사.

***ehe** [é:ə] 《I》 *adv.* 이전에; 벌써; 하여간: das hab' ich ~ gemacht 벌써〔하여간〕 해치워 버렸다. 《II》 *cj.* ~ (daß) …하기 전에, …보다는 차라리: ~ er kommt 그가 오기 전에; ~ daß sie sich ergäben, stürben sie 그들은 항복하기보다는 차라리 죽을 것이다. 《III》 *prp.* …의 전에: ~ um 12 Uhr 12 시 전에.

***Ehe** [é:ə] *f.* -n 혼인, 결혼 (생활), 부부 (관계): ~ aus Liebe 연애 결혼; eine zweifache 〔mehrfache〕 ~ 중혼(重婚); eine vielfache ~ 일부 다처, 일처 다부; 〖구식〗 eine ~ zur linken Hand 〔morganatische ~〕 귀천상혼(貴賤相婚)(왕족과 천한 신분의 여인과의 결혼); wilde ~ 동거 생활; eine ebenbürtige ~ 동등한 신분끼리의 혼인; außer der ~ geboren 사생의, 서출의; die ~ brechen 간통하다; sich in den Stand der ~ begeben 결혼 생활을 시작하다; eine ~ schließen 결혼〔혼인〕하다; eine ~ eingehen 결혼하다; eine ~ vollziehen 결혼식을 마치다; eine ~ führen 결혼 생활을 하다; eine ~ besiegeln (신방에 들어감으로써) 결혼식을 완료하다; 〖속담〗 die ~n werden im Himmel geschlossen 부부는 천생연분이다.

Ehe⸗anbahner *m.* 결혼 중매인. **~aspirant** *m.* 예비신랑. **~auflösung** *f.*, **~aufhebung** *f.* 결혼 파기. **~band** *n.* 부부의 연분. **~beratung** *f.* 결혼 상담. **~betrug** *m.* 결혼(을 빙자한) 사기, 사기 결혼. **~bett** *n.* ① 신혼 잠자리; 결혼. ② 부부의 잠자리, 더블베드. **~|brechen*** *i.* (h.) 간통하다(부정법 이외에는 ich breche die Ehe 의 형식을 씀). **~brecher** *m.* 간부(姦夫). **~brecherin** *f.* 간부(姦婦). **~brecherisch** *a.* 간통한, 부정(不貞)한. **~bruch** *m.* 간통(죄). **~bund** *m.*, **~bündnis** *n.* 짝지움, 결혼. **~delikt** *n.* 〖法〗 결혼과 관련된 범죄 행위.

ehe⸗dem [é:ədé:m] *adv.* 이전에, 옛날에, 일찍이. **~denn** [é:ədɛ́n] *cj.* 〖聖·官〗 (bevor) …하기 전에, …보다 먼저〔우선하여〕.

ehe⸗fähig *a.* 〖法〗 결혼 능력이 있는. **~fähigkeit** *f.* 결혼 자격〔능력〕.

Ehe·feind *m.* 결혼을 싫어하는 자, 독신주의자. **~frau** *f.* 처, 아내. **~freuden** *pl.* 결혼 생활의 즐거움. **~gabe** *f.* 지참금. **~gatte** *m.* ↑ ~mann. **~gattin** *f.* 〖↑ ~gatte 의 여성형〗 ↑ ~frau. **~gemach** *n.* 신부의 방. **~gemahl** *m.* ↑ ~mann. **~gemahlin** *f.* 〖↑ ~gemahl 의 여성형〗 ↑ ~frau. **~genosse** *m.* ↑ ~mann. **~genossin** *f.* ↑ ~frau. **~gericht** *n.* 가정 법원. **~gesetz** *n.* 혼인법. **~gespons** 〖고어·농담〗 ① *m./n.* 바깥주인. ② *n.* 안주인.

ehe·gestern *adv.* ↑ vorgestern.

Ehe⸗gesundheits·gesetz *n.* (나치스 때의) 우생학적 혼인법. **~glück** *n.* 결혼〔부부〕의 행복. **~gott** *m.* 연분을 맺어 주는 신. **~gut** *n.* 부부의 재산. **~güter·recht** *n.* 부부 재산법〔재산제〕. **~hälfte** *f.* 〖구어·농담〗 마누라. **~halt(e)** *m.* ① 〖방언〗 남편, 바깥주인. ② 〖복수〗〖방언〗 하인. **~herr** *m.* 〖고어·농담·반어〗 ↑ ~mann. **~hindernis** *n.* 혼인 장애. **~irrung** *f.* 간통. **~jahr** *n.* 결혼한 햇수. **~joch** *n.* 결혼의 속박. **~jubiläum** *n.* 결혼 기념일. **~knochen** *m.* 〖구어·편어〗 공처가. **~konsens** *m.* 〖法·고어〗 결혼 동의〔승낙〕. **~kontrakt** *m.* 혼인 계약(서); 부부 재산 계약. **~kreuz** *n.* ① 〖농담〗 결혼의 십자가〔속박·명에〕 (↑ ~joch). ② 〖구어〗 악처. **~krüppel** *m.* ① 〖농담〗 공처가. ② 〖구어〗 (늙은) 남편. **~leben** *n.* 결혼 생활. **~leiblich** *a.* 〖法·고어〗 적출의. **~leute** *pl.* 부부.

ehelich [é:əlɪç] *a.* ① 혼인상〔결혼상〕의, 부부의: ~es Güterrecht 부부 재산법〔재산제〕; in der ~en Gemeinschaft leben 부부로 생활하다; ein ~es Leben 결혼 생활; ~ verbinden 결혼으로 결합시키다; 〖교양〗 sich mit jm. ~ verbinden 누구와 결혼하다, 부부의 인연을 맺다. ② 적출의: von ~er Abstammung 적출의; ~e Mutter 적모(嫡母); jn. ~ erklären 〔machen〕 누가 적출임을 선고하다.

ehelichen [é:əlɪçən] *t.* jn. ~ 누구와 결혼하다.

Ehelichkeit *f.* 〖法〗 정식 혼인, 적출.

Ehelich·erklärung *f.*, **Ehelichkeits-erklärung** *f.* 〖法〗 적출 선고.

Ehe⸗liebste* *der/die* 〖방언〗 ↑ ~mann, ~frau.

ehelos *a.* 미혼의, 독신의.

Ehelosigkeit *f.* 미혼, 독신 (생활).

Ehe⸗lustig *a.* 결혼하고 싶어하는. **~makler, ~mäkler** *m.* 〖法〗 결혼 중매인 (Heiratsvermittler).

ehemalig [é:əma:lɪç] *a.* 이전의, 옛적의: sein ~er Herr 그의 전〔옛〕 주인.

ehemals *adv.* 이전에, 옛적에, 일찍이.

Ehe⸗mann *m.* 남편. **~männisch, ~männlich** *a.* 남편의. **~mündig** *a.* 결혼 적령의. **~mündigkeit** *f.* 결혼 적령, 혼기.

ehend(en) (schweiz.) ↑ ehemals.

Ehe⸗nichtigkeit *f.* 혼인 무효. **~paar** *n.* 부부. **~pakt** *m.* (öst.) ↑ ~vertrag. **~pflicht** *f.* 결혼상의 의무. **~prozeß** *m.* 〖法〗 혼인 소송.

***eher** [é:ər] *adv.* 〖ehe 및 bald 의 비교급〗 ① 더 이전에(↔später): er war ~ da als du 그 사람이 너보다 더 먼저 와 있었다; drei Tage ~ als seine Flucht 그 사람이 도망하기 3 일 전에; je ~, desto besser 〔je ~, je lieber〕 빠를수록 좋다. ② 오히려: ~ will ich sterben als das tun 그것을 하느니 차라리 죽겠다; er ist ~ frech als lustig 그는 명랑하다기보다는 뻔뻔스러운 편이다; ein Erfolg oder ~ ein Triumph 차라리 승리라고 할 만한 성공; das ist ~ wahr 그것이 오히려 그럴싸하다; ich bin ~ hungrig als durstig 나는 마실 것보다 먹을 것 생각이 더 간절하다; er ist alles ~ als weise 그는 전혀 현명하지 않다. ③ desto 〔um so〕 ~ 더욱, 그럴수록 더. ④ 이전에, 일찍이.

Ehe⸗recht *n.* 〖法〗 혼인법. **~ring** *m.* 결혼 반지.

***ehern** [é:ərn] *a.* ① 〖문학〗 청동의, 황동〔놋쇠〕의: das ~e Zeitalter 청동기 시대. ② 〖雅語〗 단단〔확고〕한; 완고한; 뻔뻔스러운: das ~e

Lohngesetz 노임(勞賃) 철칙; mit ~er Stirn 철면피하게, 뻔뻔스럽게.

Ehe·sache *f.* 〖法〗 혼인 사건. **~sakrament** *n.* 〖가톨릭〗 혼인 성사. **~schänder** *m.* 간통자. **~schatz** *m.* 결혼 지참금. **~scheidung** *f.* 이혼. **~scheidungs·klage** *f.* 이혼 소송. **~scheu** *f.* 결혼 기피. **~scheu** *a.* 결혼을 기피하는. **~schließung** *f.* 혼인 체결, 결혼 (계약). **~segen** *m.* 〔고어〕 결혼의 축복, 자식복.

*__ehest__ [éːəst] 〖ehe 및 bald 의 최상급〗 *a.* 가장 이른: am ~en 가장 일찍이; des ~en 〔mit dem ~en, mit ~em, ~er Tage〕 a) 되도록 일찍이, b) 며칠 안에; schreiben Sie mir mit ~er Post 속히 회답해 주시기 바랍니다.

ehestens [éːəstəns] *adv.* ① (öst.) 될 수 있는 대로 빨리. ② 일러야, 아무리 빨라도.

Ehe·stand *m.* 결혼 생활, 혼인 상태.

Ehestands·beihilfe *f.* 결혼 보조금. **~-darlehen** *n.* (나치스 때의) 결혼 자금 대여.

Ehe·steuer *f.* 결혼 지참금. **~stifter** *m.*, **~stifterin** *f.* 결혼 중매인. **~stiftung** *f.* 결혼 중매. **~störer** *m.* 결혼 생활 침해자〔범〕, 간부(姦夫). **~streit** *m.*, **~streitigkeit** *f.* 부부 싸움. **~studio** *n.* (schweiz.) 결혼 상담소. **~tauglichkeits·zeugnis** *n.* 결혼 적격증(證). **~teufel** *m.* ① 결혼 생활 침해〔방해〕자. ② 〔농담〕 악처. **~trennung** *f.* 별거. **~verbindung** *f.* 혼인, 결혼. **~vergleich** *m.* ↑ ~vertrag. **~verlobnis** *n.* 혼약, 약혼. **~vermächtnis** *n.* 과부 재산(죽은 남편의 유산 중 과부가 받을 수 있는 몫). **~vermittlung** *f.* 중매. **~versprechen** *n.* 혼약, 결혼 약속. **~vertrag** *m.* 혼인 계약. **~vollzug** *m.* 〖法〗 (부부간의) 성생활의 이행. **~weib** *n.* 〔고어·농담〕 ↑ ~frau. **~werber** *m.* 결혼 중매인. **~werbung** *f.* 결혼 중매. **~widrig** *a.* (결혼 생활에서) 부정(不貞)한. **~wunsch** *m.* 배우자를 원함, (신문 광고에서) 결혼을 원함. **~zerstörer** *m.* 〔구어·농담〕 (결혼 생활의 방해물인) 텔레비전. **~zwist** *m.* ↑ ~-streit.

Ehgaumer *m.* (schweiz.) 도덕가, 풍기 단속관, 남의 품행을 비판하는 사람.

ehlichen *t.* ↑ ehelichen.

Ehni *m.* -s, -s (schweiz.) 조부(Großvater).

Ehr·abschneider *m.* 비방자, 중상자. **~abschneiderei** *f.* 비방, 명예 훼손.

ehrbar [éːrbaːr] *a.* 존경할 만한, 명망 있는; 정직한; 예의 바른, 단정한.

Ehrbarkeit *f.* ↑ ehrbar 의 명사형.

Ehr·begier(de) *f.* 명예욕, 야심. **~begierig** *a.* 명예욕이 강한, 야심 있는. **~begriff** *m.* 명예의 관념, 명예관. **~beraubung** *f.* ↑ ~abschneiderei. **~bewußtsein** *n.* ↑ ~gefühl. **~durst** *m.* 강렬한 명예심.

*__Ehre__ [éːrə] *f.* -n ① 명예, 체면, 면목; 명망, 영광; 신용; 존경, 경의, 자랑할 일; (Auszeichnung) 표창, 특대(特待); (Ruhm) 명성, 영예; 처녀성: das Feld der ~ 명예의 전장(戰場). ② 〔동사와 함께〕 jm. die ~ abschneiden〔rauben, stehlen〕 누구의 명예를 훼손하다; jm. die ~ antun〔bezeigen, erweisen〕 누구에게 경의를 표하다; jm. die letzte ~ erweisen 누구의 장례식에 참석하다; mit et.³ 〔jm.〕 ~ einlegen〔erwerben〕 어떤 일로〔누구로 인해〕 명예를〔신용을〕 얻다; das macht 〔bringt〕 ihm ~ 그것은 그 사람에게 명예로운 일이다; sich³ eine ~ daraus machen, seine ~ darein setzen 그것을 자기의 명예로〔자랑으로〕 생각하다; keine ~ im Leibe haben 염치가〔자존심이〕 없다; bei diesem Unternehmen ist keine ~ zu holen 이런 일에 종사하는 것은 결코 명예로운 일은 아니다; er raubte ihr die ~ 그 사람이 그 여자의 정조를 빼앗았다; der Wahrheit die ~ geben 진실을 존중하다; 〖商〗 einem Wechsel alle ~ widerfahren lassen 어음을 기일대로 지급하다; etwas ist aller ~n wert 무엇은 크게 인정〔존중〕받을 만하다. ③ 〔전치사와 함께〕 jn. **an** der ~ angreifen 누구의 명예를 훼손하다; (streng) **auf** seine ~ halten 체면을 (매우) 중히 여기다; jn. **bei** seiner ~ packen 누구의 명예에 호소하다; **in** allen ~n 극히 공손하게, 고결한 마음으로; et. in allen ~n sagen〔tun〕 무엇을 정직〔공명정대〕하게 말하다〔하다〕; jn.〔et.〕 in ~ halten 누구를〔무엇을〕 존경〔존중〕하다; et. **mit** ~n bestehen 무엇을 훌륭히 마치다〔해내다〕; die Prüfung mit ~n bestehen 우수한 성적으로 시험에 합격하다; mit ~n aus einer schwie-rigen Lage hervorragen 어려운 고비에서 잘 벗어나다; jn. **um** seine ~ bringen 누구의 명예를 빼앗다, 누구(부녀자)를 범하다; ein Mann **von** ~ 명예를 중히 여기는 사람; **zu** js. ~n 〔jm. zu ~n〕 누구(의 명예)를 위하여, 누구에게 경의를 표하여; zu ~n des Tages 그날을 기념하여; sich³ et. zur ~ anrechnen〔schätzen〕 무엇을 명예로 생각하다; etwas gereicht jm. zur ~ 무엇이 누구의 명예가 되다; jn. wieder zu ~n bringen 누구의 명예를 회복시키다; man läßt diese Anschauungen wieder zu ~n kommen 이 견해는 다시 세상에서 널리 인정받게 된다. ④ 〔공손한 말〕 ich habe die ~ zu sein 〔zu verbleiben〕 (편지의 끝맺는 말) 경구(敬具), 돈수(頓首); (südd., öst.) (ich) hab'〔habe〕 die ~! 뵙게 되어 영광입니다, 처음 뵙겠습니다, 안녕히!; ich werde mir die ~ geben 영광으로 생각하겠습니다; was verschafft mir die ~ (Ihres Besuchs)? 무슨 일로 오셨습니까?; darf ich um die ~ Ihres Besuches bitten? 저를 방문해 주시겠습니까?; mit wem habe ich die ~ (zu sprechen)? 실례합니다만 누구신지요? ⑤ auf (meine) ~ 〔bei (meiner) ~〕! (나의) 명예를 걸고, 맹세코!; auf ~ und Gewissen 솔직〔정직〕하게, 진실로; 〖聖〗 ~ sei Gott in der Höhe! 지극히 높은 곳에서는 하나님께 영광이요! (누가 2:14). ⑥ 〔골프〕 (티샷에서) 첫 타격의 우선권.

*__ehren__ [éːrən] 《I》 *t.* ① 존경〔존중〕하다, 경의를 표하다; 칭찬하다; 영광스러운 자리에 앉히다: sehr geehrter Herr Beck〔sehr geehrte Frau〕! 존경하는 베크씨〔존경하는 부인〕! (편지 서두의 인사말); wer den Pfennig nicht ehrt, ist des Talers nicht wert 한푼을 업신여기는 자는 큰 돈을 가질 자격이 없다. ② jn. ~ 누구에게 (경의를 표하려고) 무엇을 증정하다. ③ etwas ehrt mich 어떤 일〔무엇〕이 나의 명예가 된다. ④ 〖商〗 einen Wechsel ~ 어음을 인수하여 (기일 내에) 지급하다. 《II》 **geehrt** *p.a.* ↑ geehrt.

Ehren *m.* -s, - (alem.) (Hausflur) 문간방,

E

현관, 홀(Ähren).

Ehren⸗abend *m.* (축하를 위한) 저녁 특별 행사. **~akzept** *n.* 〖商〗 (수표나 어음의) 참가 인수. **~amt** *n.* 무보수 명예직. **~amtlich** *a.* (무보수) 명예직의. **~annahme** *f.* 〖商〗 ↑ ~akzept. **~bahn** *f.* 명예〔영달〕에의 길. **~bankett** *n.* (누구를 위한) 향연, 잔치. **~-besuch** *m.* 의례적 방문. **~bezeichnung** *f.* 존칭, 경칭. **~bezeigung, ~bezeugung** *f.* 경의를 표하기, 예우; 〖軍〗 경례. **~bild-säule** *f.* 기념상(像). **~bogen** *m.* 개선문. **~buch** *n.* 방명록. **~bürger** *m.* 명예 시민. **~bürger·recht** *n.* 명예 시민권. **~bürger-urkunde** *f.* 명예 시민 증서. **~dame** *f.* 궁녀, 나인, 여관(女官), 시녀. **~denkmal** *n.* 명예 기념비. **~dienst** *m.* ① 궁중 명예직, 시종직(侍從職); 명예 봉사. ② 예의: jm. den letzten ~ erweisen 누구의 장례식에 참가하다. **~doktor** *m.* 명예 박사. **~eintritt** *m.* (어음의) 참가 인수. **~erklärung** *f.* 〖法〗 명예 회복의 선언. **~erweisung, ~erzei-gung** *f.* ↑ ~bezeigung. **~fall** *m.* 명예(훼손)에 관련된 일. **~fest** *a.* 〖고어〗 존경받을 만한; 장한(wacker); 건실한. **~fest** *n.* 명예 표창식. **~formation** *f.* 〖軍〗 의장대. **~friedhof** *m.* 전몰 장병 (공동) 묘지. **~gabe** *f.* ↑ ~geschenk. **~gasse** *f.* (경의를 나타내기 위해) 두 줄로 늘어선 행렬. **~gast** *m.* 주빈(主賓). **~gedächtnis** *n.* ① 명예 기념물. ② ↑ Denkmal. **~gefolge** *n.* (왕의) 수행원; 의장병. **~gehalt** *n.* 연금. **~gelage** *n.* 향연, 축연. **~geleit** *n.* ↑ ~gefolge. **~gericht** *n.* 명예 재판(군법 회의 등). **~geschenk** *n.* 명예 표창의 선물, 기념품. **~grab(mal)** *n.* 추모비. **~grad** *m.* 명예 학위. **~gruß** *m.* 〖軍〗 경례.

ehrenhaft [é:rənhaft] *a.* (↔ ehrlos) 존경할 만한, 고결한, 신용 있는.

Ehrenhaftigkeit *f.* ↑ ehrenhaft 의 명사형.

ehren·halber *adv.* 명예를 위하여(약어: e. h.).

Ehren⸗halle *f.* 기념관. **~handel** *m.* 〖학생〗 ↑ ~sache. **~hold** *m.* 〖드물게〗 ↑ Herold. **~hüterin** *f.* 처녀에게 시중드는 부인, 여자 가정 교사. **~karte** *f.* (내빈을 위한) 초대권. **~klage** *f.* 명예 훼손의 소송. **~kleid** *n.* 대례복(大禮服), 예복. **~kodex** *m.* 명예에 관한 (사회 도덕적) 통념〔불문율〕. **~kom-panie** *f.* 의장대: die ~ abschreiten 의장대를 사열하다. **~kränkung** *f.* 명예 훼손. **~kranz** *m.* 명예의 화환〔화관〕. **~kreuz** *n.* 명예 십자 훈장. **~krone** *f.* 명예의 왕관. **~kuß** *m.* 존경의 키스. **~legion** *f.* (프랑스의) 레종 도뇌르 훈장. **~loge** *f.* (주빈용) 특별석. **~lohn** *m.* (공로에 대한) 사례. **~lüge** *f.* ① 명예를 위한 거짓말. ② 악의 없는〔무심코 하는〕 거짓말. **~mahl** *n.* 경의를 표하기 위한 향연. **~mal** *n.* 기념비. **~mann** *m.* 정직한 남자, 신사. **~medaille** [..medaljə] *f.* 기념메달. **~mitglied** *n.* 명예 회원. **~münze** *f.* 기념 화폐. **~name** *m.* 경칭. **~pate** *m.* 명예 대부(代父). **~pflicht** *f.* 도덕상의 의무; 노름빚. **~pforte** *f.* ↑ ~bogen. **~platz** *m.* 주빈석, 상석; 영예로운 자리. **~posten** *m.* ① ↑ ~amt. ② 〖軍〗 의장병. **~präsident** *m.* 명예 의장. **~präsidium** *n.* 명예 의장직. **~preis** 《I》 *m.* 포상, (경기 등의) 상배(賞杯). 《II》 *n.* 〖植〗 현삼(玄蔘)과의 일종. **~promotion** *f.* 명예 박사 학위 수여. **~punkt** *m.* 체면 문제. **~rat** *m.* ↑ ~gericht. **~raub** *m.* 명예 훼손, 비방; 강간. **~räuber** *m.* 명예 훼손자; 강간자. **~rechte** *pl.* ① die bürgerlichen ~ 시〔공〕민권(특히 선거권). ② 명예권. **~rede** *f.* 송사(頌詞): eine ~ auf jn. halten 누구에게 찬사를 보내다, 누구를 칭송하다. **~reich** *a.* 영예로운; 존경할 만한. **~retter** *m.* 타인의 명예회복을 위해 변론하는 사람. **~rettung** *f.* 명예 회복. **~ruf** *m.* 명성, 명망. **~rührig** *a.* 중상하는, 명예 훼손의. **~rührigkeit** *f.* 중상, 명예 훼손. **~runde** *f.* (우승자의) 장내(場內) 일주: 〖학생〗 eine ~ drehen 유급〔낙제〕하다. **~sache** *f.* ① 명예〔체면〕 문제: das ist mir〔für mich〕 ~ ! 이것은 내 명예가 걸린 문제다. ② 〖구어〗 당연〔지당〕한 의무: es ist uns ~, daran teilzunehmen 거기엔 당연히 참석해야 한다; 〖구어·농담〗 „kommst du?" — „~" "너 올거야?" — "물론이지". **~salve** *f.* 예포, 축포. **~säule** *f.* 기념주(柱). **~-schänder** *m.* ↑ ~räuber. **~schände-risch** *a.* ↑ ~rührig. **~schein** *m.* 〖軍〗 선서문. **~schuld** *f.* 명예를 건 빚, 신용 차용(借用); 노름 빚. **~schüsse** *pl.* ↑ ~salve. **~-sold** *m.* ↑ ~gehalt. **~spalier** *m.* ↑ ~gasse. **~stelle** *f.* ① 명예로운 지위〔신분〕. ② ↑ ~amt. **~strafe** *f.* 명예형(刑). **~stufe** *f.* 명예로운 지위. **~tafel** *f.* ① 기념패. ② 〖교양〗 (누구의 명예를 기리기 위하여 차린) 화려한 식탁, 기념 식사 **~tag** *m.* ① 기념일, (특히) 결혼 기념일. ② 영광의 날, 축제일. ③ 〖복수〗 〖商〗 (어음 지급의) 유예일(猶豫日). **~-tanz** *m.* 예우의 표시로 주빈 또는 주인공이 가장 먼저 추는 춤. **~tempel** *m.* 사원 모양의 기념관.

ehrent⸗halben, ~halber *adv.* ↑ ehrenhalber.

Ehren⸗titel *m.* 명예 칭호, 경칭, 존칭. **~tod** *m.* 명예로운 죽음, 장렬한 죽음. **~tor** *n.* 〖스포츠〗 (축구에서) 패전팀의 유일한 골. **~tref-fer** *m.* ↑ ~tor. **~urkunde** *f.* 상장, 표창장, 훈장 수여 증서. **~trunk** *m.* 축배(들기); 환영 연회. **~voll** *a.* 명예의, 영예로운: er wurde ~ erwähnt 그 사람은 찬사를 받았다. **~wache, ~wacht** *f.* 〖軍〗 의장 위병(儀仗衛兵), 의장병 (근무). **~wein** *m.* ↑ ~trunk. **~wert** *a.* 명예〔영광〕스러운, 존경할 만한. **~wort** *n.* 명예를 건 약속〔언명〕, 선서: auf ~ ! 맹세코 !; sein ~ geben 명예를 걸고 약속하다; Gefangene auf ~ 선서에 따라 석방된 포로. **~würdig** ↑ ehrwürdig. **~zeichen** *n.* 명예 훈장, 기장(記章); 휘장.

ehr⸗erbietig *a.* 경의를〔존경을〕 표하는, 경건한, 공손한. **~erbietigkeit, ~erbietung** *f.* 존경, 경건; 은근, 정중.

***Ehr⸗furcht** *f.* 외경(畏敬), 경외: ~ gebietend〔einflößend〕 경외심을 일으키는; vor et.[3] ~ haben 무엇에 경외심을 품다. **~fürchtig** *a.* 경외심을 품은, 공경하는.

Ehrfurchts⸗bezeigung *f.* 공경의 표시, 공경. **~furchts·voll** *a.* 경외심으로 가득 찬, 공손한.

Ehr⸗gefühl *n.* 명예심. **~geiz** *m.* 공명심, 야심, 명예심; 패기. **~geizig** *a.* 공명심〔야심〕

있는. **~gier** *f.* ↑ ~begier. **~gierig** *a.* ↑ ~begierig.

***ehrlich** [é:rlıç] *a.* ① 성실한, 충실한; 신뢰할 수 있는; 정직한: ein ~er Makler 성실한 중개인(비스마르크의 자칭); ~ gesagt 솔직히 말하면; in ~em Kampfe 정정당당히 싸워서; er hat ~e Absichten 그는 그 여자와 결혼할 생각이다; mit jm. ~ zu Werke gehen 누구에게 성실한 자세로 임하다; 〔속담〕 ~ währt am längsten 정직은 오래가는 최선의 방책이다. ② 〔구어〕 소박한, 우직한: eine ~e Haut 고지식한 사람. ③ 의젓한, 존경할 만한, 명망〔신용〕 있는, 훌륭한: ein ~er Name 명성, 명망; ein ~es Begräbnis 떳떳〔훌륭〕한 장례식; jn. wieder ~ machen 누구의 명예를 회복시키다. ④ 〔구어〕 대단한, 튼튼한, 상당한: etwas ~es 다수, 다량; er lügt was ~es zusammen 그는 상당한 허풍선이다; das hat was ~es gekostet 그것은 상당한 돈이 들었어; er hat sich ~ abgemüht 그는 정말 완전히 지쳐 버렸다.

ehrlicher·weise *adv.* 솔직〔정직〕하게(도).

Ehrlichkeit *f.* 성실, 정직; 공정.

Ehr=liebe *f.* 명예심. **~liebend** *a.* 명예를 귀히 여기는, 명예심이 있는.

ehrlos *a.* 명예심이〔염치가〕 없는, 불명예스러운; 〖法〗 공민권을 박탈당한.

Ehrlosigkeit *f.* 불명예, 몰염치.

ehr·pusselig *a.* 〔구어〕 지나치게 우직한〔고지식한〕.

ehrsam [é:rza:m] *a.* 존경할 만한; 행실이 바른: ein Kind ~er Eltern 행실이 바른 부모의 아이.

Ehrsamkeit *f.* ↑ ehrsam 의 명사형.

Ehr=sucht *f.* 명예욕, 야심. **~süchtig** *a.* 명예욕이 강한, 야심만만한. **~trieb** *m.* 〔드물게〕 ↑ ~liebe.

Ehrung [é:ruŋ] *f.* -en ① 존경. ② ↑ Ehrengeschenk.

ehr=vergessen *a.* 〔교양〕 파렴치〔비열〕한. **~verletzung** *f.* 명예 훼손, 모욕. **~verlust** *m.* 공민권 상실. **~widrig** *a.* 불명예의, 수치스러운; 평판이 나쁜. **~würden** *pl.* 〖가톨릭〗 Euer ~! 신부님!(성직자에 대한 존칭). **~würdig** *a.* 존경할 만한, 존경스러운: 〖가톨릭〗 ~er Vater! 신부님! **~würdigkeit** *f.* 존경스러움, 존경스러운 태도.

***Ei** [aı] *n.* -(e)s, -er ① 알, 달걀: ein frisches ~ 신선한〔갓 낳은〕 알; die Henne hat ein ~ gelegt 암탉이 알을 낳았다; 〔구어〕 ungelegte ~er 결정되지〔확실하지〕 않은 일; ein hartes 〔weiches〕 ~ 완숙〔반숙〕한 달걀; verlorene ~er 수란(水卵); ~er legende Tiere 난생(卵生) 동물; das ~ des Kolumbus 콜럼버스의 달걀; (wie) auf ~ern gehen 살얼음을 밟는 것 같다, 아주 조심스럽게 걷다; jn. mit (faulen) ~ern bewerfen 누구에게 (불만의 표시로) (썩은) 달걀을 던지다; er sieht aus wie aus dem ~ gepellt〔(드물게) geschält〕 그는 말쑥한 몸차림을 하고 있다; ein ~ zu schälen haben mit jm. 누구와 의논할 게 있다, 누구에게 불평할 일이 있다; sie gleichen sich wie ein ~ dem andern 그들은 쌍둥이처럼 꼭 닮았다; das hat seine ~er 그것에도 곤란한 점이 있다, 무엇이 몹시 어렵다; 〔비유·구어〕 das ist ein (dickes) ~! 그것 참 어려운 일이군, 그것 참 멋지군!; er ist kaum 〔eben erst〕 aus dem ~ gekrochen 그는 아직 풋내기〔신출내기〕이다; er ist ein rohes ~ 그는 민감한 사람이다; kümmere dich nicht um ungelegte ~er! 공연히〔지레〕 걱정하지 마라!; 〔구어〕 ach, du dickes ~! (놀람의 표현) 어머나, 저런!; man muß ihn auffassen, wie ein rohes ~ 그 사람은 날달걀처럼 아주 조심해서 다뤄야 한다; 〔속담〕 das ~ will klüger sein als die Henne 자식이 아비보다 똑똑한 체한다; 〖軍〗 jm. die ~er schleifen 누구를 맹훈련시키다; 〔속어〕 jm. die ~er polieren 누구를 마구 때리다; 〔속어〕 jm. auf die ~er gehen 누구의 비위를 거스르다; ein faules ~ verdirbt den ganzen Brei 썩은 달걀 하나가 죽을 다 망쳐놓는다(미꾸라지 한 마리가 온 웅덩이를 흐려놓는다); für ein ~ und ein Butterbrot kaufen 아주 헐값으로 사다. ② 〖植〗 밑씨, 배주(胚珠); 〖動〗 난자, 난세포. ③ 달걀 모양의 것; (**a**) 〖건축〗 쇠시리의 일종. (**b**) 〔비어〕 고환. (**c**) 〖기계〗 뉘른베르크제(製)의 회중 시계. (**d**) 〖空〗 투하 폭탄(Fliegerbombe): ~er werfen〔legen〕 폭탄을 투하하다. ④ 〖스포츠·은어〗 공. ⑤ 〔구어〕 호감이 가지 않는 사람. ⑥ 〔비속〕 ein ~ legen 대변을 보다; 〔구어〕 묘안을 내다, 어떤 것을 발명하다. ⑦ 〖복수〗 돈, 마르크 화폐.

ei *int.* ① 〔기쁨·놀람·노함·경멸 따위를 나타냄〕 아하, 야아, 원, 아이고: ~ was! 뭐야, 별꼴 다 보겠군!; ~ der Tausend! 빌어먹을, 제기랄! ② 〔긍정의 강조〕 그야, 당연히: ~ ja doch 〔~ freilich, ~ jawohl〕! 물론이지, 그렇고말고, 그럼!; ~ warum nicht gar 〔~ das wäre〕! 어째서 안 돼, 설마, 글쎄, 그럴까요! ③ 〔아동〕 ~, ~! a) 아아, 어머나!, b) 이런, 이런!(놀라움의 표시), c) 으흠, 에헴(빈정거림); ~ machen 어루만지다, 애무하다.

..ei *suf.* 여성 명사를 만드는 파생 어미로서 보통 악센트를 가지며 기본어의 "성질"(보기: Kinderei 어린아이의 언행), "행위나 행위의 장소"(보기: Fischerei 고기잡이, 어장), "총칭"(보기: Dienerei 하인), "반복"(종종 나쁜 의미로)(보기: Tadelei 걸핏하면 꾸짖기) 따위의 뜻을 표시함; ..lei, ..rei 의 형태도 위와 같은 의미를 나타냄(보기: Liebelei 연애 유희, Streiterei 싸움짓거리).

eiapopeia [aıapopáıa] *int.* 자장자장(자장가): ~ machen 자장가를 부르다.

EIB 〖재정〗 = Europäische Investitionsbank 유럽 투자 은행.

Ei·balg *m.* 〖해부〗 난포(卵胞).

Eibe [áıbə] *f.* -n 〖植〗 주목(朱木).

eiben [áıbən] *a.* 주목의, 주목으로 만든.

Eiben·holz *n.* 주목재.

Ei·bildung *f.* 〖動〗 배란(排卵).

Eibisch [áıbıʃ] *m.* -es, -e 〖植〗 알테아(Althee)(접시꽃속(屬) 식물): eßbarer ~ 식용 알테아.

Eibisch·tee *m.* 알테아차.

Eich·amt *n.* 도량형 검정국.

Eich=apfel *m.* 〖植〗 몰식자(沒食子), 오배자. **~baum** *m.* ↑ Eiche[1].

Eich·beamte *m.* 검량관(檢量官).

Eiche[1] [áıçə] *f.* -n 〖植〗 떡갈나무, 참나무: 〔구어〕 o du dicke ~! 아이구머니, 이럴 수

E

가! ;〖구어〗das ist eine große ~ 그것은 엄청난 일이다;〖속담〗von einem 〔vom ersten〕 Streiche fällt keine ~ 단번에 되는 일은 없다(매사에는 시간이 필요하다);〖구어〗das fällt ~n 그것은 대단하다〔감명깊다〕.

Eiche² *f.* -n ① 검량(檢量), 도량형 검정. ② ↑ Eichmaß. ③ ↑ Eichstempel.

Eichel [áɪçəl] *f.* -n〖↑ Eiche¹의 축소형〗①〖植〗떡갈나무 열매, 도토리. ②〖해부〗귀두(龜頭). ③〖복수〗(카드의) 클로버.

Eichel≈acht *f.*〖카드〗클로버 패의 8. **~bändchen** *n.*〖해부〗포피 소대(包皮小帶). **~becher** *m.* ↑ ~napf. **~bohrer** *m.* (황갈색의) 바구미. **~daus** *n.*〖카드〗클로버 패의 에이스. **~deutsch** *a.* 참으로 독일적인. **~entzündung** *f.* 귀두 염증. **~förmig** *a.* 도토리〔견과〕 모양의. **~häher** *m.*〖動〗어치. **~kaffee** *m.* 도토리커피(커피의 대용품). **~kappe** *f.*, **~kelch** *m.* ↑ ~napf. **~könig** *m.*〖카드〗클로버 패의 킹. **~lese** *f.* 도토리 주워 모으기. **~mast** *f.* ① 돼지 사료용 도토리 열매. ②〖法·고어〗양돈권(養豚權). **~maus** *f.*〖動〗들쥐. **~muschel** *f.*〖動〗(산에 사는) 동면하는 쥐. **~napf** *m.*, **~näpfchen** *n.* 도토리 깍정이. **~ober** *m.*〖카드〗클로버 패의 퀸. **~tripper** *m.*〖醫〗임질성 귀두염. **~unter** *m.*〖카드〗클로버 패의 잭.

Eichen [áɪçən] *n.* -s, -/Eierchen〖↑ Ei 의 축소형〗작은 알;〖生〗배주(胚珠), 난자(卵子).

eichen¹ [áɪçən] 《<Eiche¹》 *a.* 떡갈나무(제(製))의, 떡갈나무재(材)의.

eichen² *t.* (치수·수량·힘을) 측정하다; 도량형기를 검정하다, …에 검인을 찍다:〖구어〗auf et. geeicht sein 무엇에 사리가 밝다〔정통하다〕.

Eichen≈baum *m.* 떡갈나무. **~bestand** *m.* 떡갈나무 숲. **~blatt** *n.* 떡갈나무 잎. **~bohle** *f.* 두꺼운 떡갈나무 널빤지. **~diele** *f.* 떡갈나무 마루청.

Eichendorff [áɪçəndɔrf] Josef Freiherr von ~ 아이헨도르프(독일의 낭만파 시인, 1788-1857).

Eichen≈farn *m.*〖植〗토끼고사리. **~fest** *a.* 참나무처럼 단단한. **~getäfelt** *a.* 떡갈나무 널빤지를 댄. **~hain** *m.* 떡갈나무 숲. **~holz** *n.* 떡갈나무재(材). **~klotz** *m.* 떡갈나무의 통나무. **~kranz** *m.* 떡갈나무 엽환(葉環). **~laub** *n.* ① 떡갈나무의 무성한 잎. ② (기사십자 훈장의 부상으로 수여된) 떡갈나뭇잎 영관(榮冠). **~lohe** *f.*, **~mehl** *n.* (무두질에 쓰이는) 떡갈나무 껍질 가루. **~planke** *f.* ↑ ~bohle. **~rinde** *f.* 떡갈나무 껍질. **~rose** *f.* ↑ Eichapfel. **~spinner** *m.*〖動〗배버들나방의 일종: japanischer ~ 산누에나방. **~stamm** *m.* 떡갈나무 줄기. **~wald** *m.* 떡갈나무 숲. **~wickler** *m.* ↑ ~spinner.

Eicher [áɪçər] *m.* -s, - ① 도량형기 검정관. ② 조정자(Justierer).

Eich≈gebühr *f.*, **~geld** *n.* 도량형기 검정료. **~gerät** *n.* 도량형 검정기. **~gesetz** *n.*〖法〗도량형기 검정법.

Eich≈hase *m.* ①〖動〗〖방언〗↑ ~hörnchen. ②〖植〗저령(猪苓)(식용 버섯의 일종). **~holz** *n.* 떡갈나무 재목. **~horn** *n.*, **~hörnchen** *n.*〖방언〗, **~kätzchen** *n.*, **~katze** *f.*〖動〗다람쥐.

Eich·maß *n.* (Richtmaß) (도량형의) 원기(原器); 검정 표준〔척도〕.

Eich·mast *f.* ↑ Eichelmast.

Eich≈meister *m.* ↑ Eicher ①. **~schein** *m.* (도량형기) 검정 증서. **~stab** *m.* 표준자. **~stempel** *m.* 도량형기 검인.

Eichung [áɪçʊŋ] *f.* -en 도량형기 검정.

***Eich·wald** *m.* 떡갈나무 숲.

***Eid** [aɪt] *m.* -(e)s, -e 선서, (진실을 말하겠다는) 맹세, 서약: ~ der Treue 충성의 맹세:〖구어〗ein kalter ~ 거짓 맹세, 위증; seinen ~ halten 맹세를 지키다; seinen ~ brechen 서약을 위반하다;〖法〗an ~es Statt (법정의) 선서를 대신하여; einen Eid (auf et.) ablegen〔leisten, schwören〕 (어떤 일을) 맹세〔선서〕하다; ich lege einen ~ darauf ab 〔ich nehme es auf meinen ~〕, daß ... 나는 …임을 선서한다; einen falschen ~ schwören 거짓 맹세하다; jm. einen ~ abnehmen〔jn. unter ~ nehmen〕 누구에게 맹세를 하게 하다, 누구의 맹세를〔서약을〕 받다;〖法〗unter ~ stehen 선서함으로써 진실을 말할 의무가 있다; jm. den ~ zuschieben〔auferlegen〕 누구에게 맹세를 요구하다;〖雅語〗jn. in ~ und Pflicht nehmen 누구를 선서시키다; in ~ und Pflicht genommen werden 선서를 하게 되다.

Eid·ablegung *f.* ↑ Eidesleistung.

Eidam [áɪdam] *m.* -(e)s, -e〖구식〗사위.

Eid≈brecher *m.* 선서〔서약〕 위반자. **~bruch** *m.* 선서〔서약〕 위반: jn. des ~s bezichtigen 누구의 서약 위반을 책망하다. **~brüchig** *a.* 서약 위반의: ~ werden 맹세를 깨뜨리다. **~bürge** *m.* 서약 보증인. **~bürgschaft** *f.* 서약 보증.

EIDE 《engl.》〖컴〗=Enhanced Intergrated Device Equipment 확장 IDE.

Eidechse [áɪdɛksə] *f.* -n〖動〗도마뱀.

eidechsen≈artig *a.* 도마뱀 모양의. **~schwanz** *m.* 도마뱀 꼬리. **~zunge** *f.* 도마뱀 혀.

Eider¹ [áɪdər] *m.* -s, -〔*f.* -n〕〖動〗솜털오리.

Eider² *f.* 아이더강(슐레스비히-홀슈타인 주에 있음).

Eider≈daunen *pl.*, **~dunen** *pl.* 솜털오리의 솜털. **~ente** *f.*, **~gans** *f.* 솜털오리.

Eides≈ablehnung *f.* 선서〔서약〕 거부. **~abnahme** *f.* 선서〔서약〕시키기〔받기〕. **~fähig** *a.* 선서 자격이 있는(↔ ~unfähig). **~fähigkeit** *f.* (만 16 세부터 주어지는 법정에서의) 선서〔서약〕 자격(↔ ~unfähigkeit). **~formel** *f.* ("나는 선서합니다"로 시작하는) 선서 문구. **~leistung** *f.* 선서하기, 서약. **~mündig** *a.* 선서 연령에 달한. **~norm** *f.* 선서 방식. **~pflicht** *f.* 선서 의무. **~statt** *f.* an ~ 선서 대신에. **~stättig** (öst.), **~stattlich** *a.* 선서를 대신하는〔할 만한〕, 선서 효과가 있는: ~e Versicherung 선서를 대신하는 보증. **~unfähig** *a.* 선서 자격〔능력〕이 없는(↔ ~fähig). **~unfähigkeit** *f.* (↔ ~fähigkeit) ↑ ~unfähig 의 명사형. **~verweigerung** *f.* 선서 거부. **~verweigerungs·recht** *n.* 선서 거부권. **~zuschiebung** *f.* 선서 요구.

Eidetik [aɪdé:tɪk] *f.*〖哲〗형상학(形相學), 본질학;〖心〗(대상과 상황의) 직관적 파악 능력.

Eidetiker *m.* -s, - 〖心〗 심상(心像) 직관자.
eidetisch 《gr.》 *a.* 〖哲〗 ① 본질적인, 형상적(形相的)인: die ~e Erkenntnis 형상적 인식. ② 관조적인, 직관적인.
Eid≈genosse *m.* 동맹자, 동배(同輩). **~genossenschaft** *f.* 연합, 연방, 동맹(국): Schweizerische ~ 스위스 연방. **≈genössisch** *a.* ① 동맹〔연합〕한. ② 스위스 연방의. **~leistung** *f.* ↑ Eidesleistung.
eidlich [áɪtlɪç] 《Ⅰ》 *a.* 선서의, 서약한: eine ~e Erklärung 증언, 공술, 진술. 《Ⅱ》 *adv.* 맹세〔서약〕하여: jn. ~ verpflichten zu ... 누구에게 …할 것을 서약시키다.
Eidograph *m.* -en, -en 영상 확대기.
Eidologie *f.* 〖哲〗 형상학.
Eidophor [aɪdofó:*r*] *n.* -s, -e 텔레비전 화면의 확대 투사기.
Eidophor·verfahren *n.* (텔레비전 화면의) 확대 영사 방식.
Eidos [áɪdɔs] *n.* - ① 〖哲〗 형상(形相), 형태, 외관. ② 〖哲〗 (플라톤의) 이념, 이데아. ③ 〖哲〗 (아리스토텔레스의) 형상(질료의 반대 개념). ④ 〖哲〗 (Husserl 의) 본질. ⑤ 〖논리〗 종(種) (유(類)의 하위 개념).
Ei·dotter *m./n.* 달걀 노른자위.
Eid≈schwur *m.* 선서. **~spruch** *m.* 서언(誓言). **≈vergessen** *a.* ↑ ≈brüchig.
eien [áɪən] *t.* 〔아동〕 쓰다듬다, 귀여워하다.
Eier≈apfel *m.* 〖植〗 ↑ ~frucht. **~becher** *m.* ① 삶은 달걀 받침컵. ② 〔속어〕 (남성 생식기) 보호대. **~bier** *n.* 달걀 맥주. **~brot** *n.* 계란빵.
Eierchen *pl.* ↑ Eichen.
Eier≈farbe *f.* (부활절에 쓰는) 달걀 채색용 물감. **~fladen** *m.* ↑ ~kuchen. **~frucht** *f.* 〖植〗 가지. **~händler** *m.* 달걀 장수. **~käse** *m.* 달걀 (넣은) 치즈. **~kiste** *f.* ① 달걀 상자. ② 〔농담〕 낡은 자동차. **~klar** *n.* -s, - (öst.) 달걀 흰자위(↑ Eiklar). **~kocher** *m.* ① 달걀 삶는 기계. ② 납작한 신사모. **~kopf** *m.* ① 〔반어〕 달걀 모양의 머리. ② 바보, 멍청이. ③ 〔편어〕 지성인, 지식인. **~krebs** *m.* 알을 밴 가재〔게〕. **~kuchen** *m.* 팬케이크. **~lampe** *f.* 〖農〗 달걀 투시기. **~landung** *f.* 〖空·은어〗 연(軟)착륙. **~laufen** *n.* 스푼 레이스(수저에 달걀을 올려놓고 달리는 놀이). **~legen** *n.* 산란(產卵). **~leger** *m.* 산란관(管). **~löffel** *m.* 에그 스푼(삶은 달걀을 파먹는 작은 스푼). **~mann** *m.* ↑ ~händler. **~öl** *n.* 난유(卵油); 마요네즈. **~pflanze** *f.* 〖植〗 가지. **~pflaume** *f.* 〖植〗 서양오얏. **~punsch** *m.* 달걀 펀치. **~sack** *m.* 〖해부〗 난포(卵胞); 〖動〗 난낭(卵囊), 알주머니. **~salat** *m.* 달걀 샐러드. **~schale** *f.* 달걀 껍질: 〔구어〕 noch die ~n hinter den Ohren haben 아직 풋내기이다. **~schnee** *m.* 〖요리〗 거품낸 달걀의 흰자위. **~spiegel** *m.* (선도를 판별하는) 달걀 투시기. **~stab** *m.* 〖건축〗 쇠시리. **~stock** *m.* 〖植〗 씨방; 〖해부〗 난소. **~stock·schwangerschaft** *f.* 난소 임신. **~suppe** *f.* 달걀 수프. **~tanz** *m.* 달걀 춤(널려 있는 달걀 사이를 눈 감고 춤추며 돎); 〔비유〕 어려운 때의 신중한 태도: wir mußten einen regelrechten ~ aufführen 우리는 달걀 춤을 추듯이 정말 아슬아슬한 고비를 잘 넘겨야 했다. **≈tragend** *a.* 알을 까는〔품는〕. **~uhr** *f.* 달걀 삶는 시간을 표시하는 기계.
Eifel [áɪ:fəl] *n.* -s 아이펠(마인츠로부터 라인강 하류의 양안에 있는 산맥의 북서쪽 지역); 데본 중기의 지질층.
Eifer [áɪfə*r*] *m.* -s ① 열심, 열의, 열정: mit ~ 열심〔열렬〕히; ohne ~ 열의 없이, 냉담하게; 〔속담〕 blinder ~ schadet nur 서둘면 일을 망친다. ② 흥분, 격앙, 소요; 짜증; 분노: in ~ geraten a) 격분〔흥분〕하다, b) 열중하다; in ~ bringen 흥분시키다; im ~ des Gefechts 싸움에 열중하여, 흥분하여, 황망〔황급〕히. ③ 〖聖〗 (~sucht) 질투; 시기.
Eif(e)rer *m.* -s, - 열광자, 광신자.
Eifer≈geist *m.* ① 열심, 열중. ② 질투. **~gesetz** *n.* 〖聖〗 질투의 율법(민수기 5:29).
eifern [áɪfə*r*n] 《Ⅰ》 *i.* (h.) ① für et. ~ 무엇에 열중하다, 열의가 있다; nach et.³ ~ 무엇을 열망하다, 무엇을 목표로 노력하다; mit jm. in et.³ 〔um et.〕 ~ 누구와 무엇을 위해〔차지하려〕 경쟁하다. ② gegen〔wider〕 et. ~ 무엇을 극구 반대〔비난〕하다. ③ über et. ~ 무엇에 대하여 흥분하다. 《Ⅱ》 *refl.* sich zu Tode ~ 열중한 나머지 죽다, 죽을 정도로 열중하다.
Eifer≈sucht *f.* 질투, 시기, 시의(猜疑); 경쟁심. **~süchtelei** [..zʏçtəláɪ] *f.* -en 질투로 인한 다툼질; 공연한 질투. **≈süchteln** *i.* (h.) 공연히 질투하다, 치정 싸움을 하다. **≈süchtig** *a.* 질투가 심한; 샘 많은. **~opfer** *n.* 의심의 제물(민수기 5:15).
Eiffel·turm [áɪfəl..] *m.* -(e)s 에펠탑.
Ei≈form *f.* 달걀꼴, 난형(卵形). **≈förmig** *a.* 알 모양의.
eifrig [áɪfrɪç] 《<Eifer》 *a.* ① 열심인, 열중하는, 열망하는, 진지한, 열렬한; 경쟁심이 강한: ein ~er Schüler 열심히 공부하는 학생; sich ~ bemühen 열심히 추구하다; ~ mit et.³ beschäftigt sein 무엇에 열심히 종사〔몰두〕하고 있다. ② (eifersüchtig) 질투가 심한.
Eifrigkeit *f.* -en 열심, 열망.
eig. =eigentlich 원래.
Ei·gelb *n.* ↑ Eidotter.
eigen [áɪgən] 《Ⅰ》 *a.* ① 자기의, 자신〔사유〕의: der ~e Vater 친아버지; 〖商〗 ein ~er Wechsel 약속 어음; 〔비유〕 er wird es am ~en Leibe erfahren 그는 그것을 뼈저리게 느낄 것이다; **auf** ~e Faust〔Hand〕 자력으로; auf ~en Füßen stehen 독립해 있다; auf ~e Kosten 자비로; **aus** ~em Antriebe, aus ~er Wahl 자발적으로, 자유 의사로; aus ~em drauf legen 자기 주머니에서 지급하다; **durch** ~e Kraft 자력으로; 〖商〗 **für** ~e Rechnung 자기 부담으로, 자기 책임 아래; **in** ~er Person 스스로, 친히; **mit** ~en Augen sehen 제 눈으로 보다, 직접 목격하다; jm. et. **zu** ~ geben 누구에게 무엇을 주다〔위임하다〕; zu〔als〕 ~ haben 소유하고 있다; sich³ et. zu ~ machen 무엇을 제 것으로 삼다, 무엇을 배워 익히다; zu ~ nehmen 차지하다; als ~ besitzen 〔~ nennen〕 사유〔소유〕하다; sein ~er Herr sein 자주적인〔주체성이 있는〕 사람이다. ② 소유〔소속〕의: das ist mein ~, das gehört mir ~ 〔zu ~〕 그것은 내 것〔소유물〕이다. ③ (leib~) 노예의 몸인: ~e Leute 노예, 농노(農奴). ④ 〔교양〕 특유〔고유〕한; 본래의: das ist ihm ~ 그것은 그의 특징이다. ⑤ 특수한, 특종의: ein ~er Bote 특사; eine

E

～e Meinung 독자적인 견해, 이견; das ist ein ～er Fall für sich 그것은 특별한 경우이다. ⑥ 진기한, 드문: ein ～es Kraut 기인(奇人). ⑦〖방언〗성미가 까다로운; 이것저것 가리는: er ist in〔mit〕 seinen Sachen sehr ～ 그는 자기 일에 매우 세심하다; im Essen ～ sein 식성이 까다롭다.

Eigen [áɪgən] *n.* -s 소유물, 재산: 〖교양〗 er hat kein ～ 그는 가진 것이 없다.

Eigen≈ansicht *f.* ① 사견, 자신의 관점. ② 목격, 검시(檢屍). **～antrieb** *m.*〖기술〗자가 추진〔구동〕 장치. **～art** *f.* 특색, 특징; 본성, 개성, 독자성. **≈artig** *a.* 기이한, 진기한, 이상한, 별난; 기묘한. **～artiger·weise** *adv.* 기묘하게도. **～aufkommen** *n.* 개인 부담 금액〔총액〕. **～bau** *m.* ① 자작(自作). ②〖농담〗 자가 재배(한 식물). **～bedarf** *m.* 자가〔국내〕 수요. **～bericht** *m.* (자사(自社) 특파원의) 직접 보고〔보도〕. **～besitz** *m.* 자주(自主) 점유, 사유 (재산) (↔ Fremdbesitz). **～besitzer** *m.* 자주 점유자;〖방언〗 토지 소유자. **～betrieb** *m.* 자가 경영〔기업〕. **～bewegung** *f.*〖天〗 고유 운동. **～bewirtschaftung** *f.* 자작, 자가 영농. **～blut·behandlung** *f.*, **～blut·therapie** *f.*〖醫〗 자가 혈액요법. **～brödler** *m.* ↑ ～brötler. **～brötelei** [..brøːtəláɪ] *f.* 기벽, 괴팍스러움. **～-brötler** *m.* ① 옹고집, 고집통이. ② 괴짜, 별난 사람. ③ (schwäb.) 독신자. **～dünkel** *m.* 지나친 자부심, 자만. **～dynamik** *f.* 자가동력〔추진력〕.

Eigene* 《I》 *der/die* meine ～en〔Eigensten〕 나의 가족〔혈육〕. 《II》 *das* dein Eigenstes 너의 충심; et. aus ～m besorgen 무엇을 자비(自費)로 돌보다.

Eigen≈finanzierung *f.*〖經〗 자금의 자기〔내부〕 조달(↔ Fremdfinanzierung). **～funktion** *f.*〖數〗 고유 함수. **≈genutzt** *a.* 집주인이 직접 사용하는(↔ fremdgenutzt). **≈geschlechtlich** *a.* 동성(애)의. **～geschwindigkeit** *f.*〖物〗 고유 속도, (항공기의) 대기(對氣) 속도. **～gesellschaft** *f.*〖法〗 독립 법인. **～gewicht** *n.* ①〖物〗 고유 무게, 자체 중량. ②〖商〗 정량(正量), 실(實)중량. **≈gezogen** *a.* 자기 앞으로의: ～er Wechsel 자기앞 환어음. **～goal** *n.* (öst.) 자살골. **～gut** *n.*〔고어〕① (봉건 시대의) 자유 보유지;〖法〗 자유 보유 부동산. ② 저자 자신의 사상〔창의〕. **～handel** *m.* 자영 상업. **≈händig** 《I》 *a.* 자신〔스스로〕의; 자필〔자서〕의. 《II》 *adv.* 손수, 몸소. **～heim** *n.* (소형의) 자택.

Eigenheit *f.* -en ①〖法〗 독점권. ② 특징, 특질, 버릇; 이상함, 진기.

Eigen≈hilfe *f.* 자조(自助). **～hold** *m.*〖고어〗 부하, 하인, 심부름꾼. **～hülfe** *f.* ↑ ～-hilfe. **～initiative** *f.* 자기〔독자적〕 발의. **～kapital** *n.*〖經〗 자기 자본(↔ Fremdkapital). **～kredit** *m.* 회사(에서 받은) 대부. **～leben** *n.* 독자적〔독립〕 생활. **～lehner** *m.* ↑ ～löhner. **～liebe** *f.* 자기애(自己愛), 이기. **～lob** *n.* 자찬: 〖속담〗 ～ stinkt 자화자찬은 듣기 역겹다. **～löhner** *m.*〖광산〗 자영 채광업자(採鑛業者). **～luft·zug** *m.*〖기계〗 자연통풍. **～macht** *f.* 자주, 독립; 독재, 전제: das Prinzip der ～ 자력 구제(救濟)주의. **≈-mächtig** *a.* 자주적〔독단적〕인: sich³ ～ Recht verschaffen 제멋대로 권리를 행사하다;〖軍〗 ～e Abwesenheit 탈영. **≈mächtiger-weise** *adv.* 독단적으로, 제멋대로. **～meer** *n.* 영해(領海). **～mittel** *n.* ① 특효약. ②〖經〗 자기 자금(↔ Fremdmittel). **～name** *m.*〖문법〗 고유 명사. **～nutz** *m.* 사리, 이기(주의). **≈nützig** *a.* 사욕이 센, 이기적인. **～reflex** *m.*〖醫〗 자기 반사(反射). **～regie** [..ʒiː] *f.*〖經〗 자체 경영, 자주(自主) 제작. **～ruhm** *m.* (～lob) 자찬, 자만.

eigens [áɪgəns] *adv.* 오로지, 단지; 특(별)히, 유달리: ～ zu dem Zwecke 특별히 이 목적 때문에; das ist im Vertrag nicht ～ erwähnt 그것은 계약에 별도로 명시되지 않았다.

***Eigenschaft** [áɪgənʃaft] *f.* -en ① (고유의) 성질, 특성, 본성; 특징, 표징. ② 자격, 지위, 신분: in meiner ～ als Vorsitzender erlaube ich mir... 의장의 자격으로 감히 …합니다.

Eigenschafts·wort *n.* 〖복수: ..wörter〗〖문법〗 형용사(Adjektiv).

Eigen≈schwingung *f.*〖物〗 고유〔시준(視準)〕 진동. **～serum** *n.*〖醫〗 자가 혈청. **～sinn** *m.* 고집, 완고, 집요, 고집센 아이. **≈-sinnig** *a.* 고집센, 완고한. **～spannung** *f.*〖物〗 고유 내력(內力)〔압력·장력(張力), 응력(應力)〕. **≈staatlich** *a.* 독립국의. **≈-ständig** *a.* 독자〔자주·독립〕의. **～sucht** *f.* 이기, 사욕(私慾). **≈süchtig** *a.* 이기(주의)적인, 사욕을 부리는.

***eigentlich** [áɪgəntlɪç] 《I》 *a.* 본래의, 원래의, 고유한; 엄밀한; 참된, 실제의: die ～en Umstände 일의 자초지종〔전말〕; im ～en〔～-sten〕 Sinne des Wortes 말의 본래의 뜻으로는. 《II》 *adv.* ① 원래; 엄밀히, 참으로, 실제로. ② (특히 의문문에서) 도대체, 그런데: was ist ～ mit dir los? 너 도대체 무슨 일이냐?

Eigen≈ton *m.*〖物〗 고유음, 자연음. **～tor** *n.* ①〖스포츠〗 자살골. ②〖비유〗 자충수, 자책점: die Reform war ein ～ 그 개혁은 자충수였다.

***Eigentum** [áɪgəntuːm] *n.* -(e)s, ..tümer ① 소유권: literarisches ～ 저작권; unbewegliches ～ 부동산(소유권). ② 소유물, 재산, 소유지: persönliches〔privates, öffentliches, staatliches〕 ～ 개인〔사유, 공공, 국유〕 재산; wessen ～ ist dies? 이것은 누구의 소유물이냐?

Eigentümer [áɪgəntyːmər] *m.* -s, - 소유(권)자; 소유주: der rechtmäßige ～ des Hauses 그 건물의 (합)법적 소유자.

***eigentümlich** [áɪgəntyːmlɪç, (드물게) aigən-týːm..] *a.* ① 소속〔소유〕의: es gehört ihm ～ zu 그것은 그의 소유물이다. ② 독특한, 특이한, 이상한, 진기한.

eigentümlicher·weise *adv.* 기묘〔기이〕하게도.

Eigentümlichkeit *f.* -en ① 특질, 특색, 특징. ② 진기, 기이, 색다름.

Eigentums≈anspruch *m.* 소유권, 청구(권). **～aufgabe** *f.* 소유권 포기. **～begründung** *f.* 소유권의 성립. **～besitz** *m.* 자주(自主)〔소유적〕 점유. **～bildung** *f.* 사유 재산의 형성. **～delikt** *n.*〖法〗 소유권〔재산권〕 침해. **～entziehung** *f.* 소유권 박탈. **～erwerb** *m.* 소유권 취득. **～gemeinschaft** *f.* 소유권 공동

체. ~**herr** *m.* 소유주; 영주. ~**klage** *f.* 소유권 소송. ~**recht** *n.* 소유권: literarisches ~ 저작권. ~**steuer** *f.* 재산세. ~**titel** *m.* 부동산 권리 증서, 지권(地券). ~**übergabe,** ~**übertragung** *f.* 소유권 이전. ~**vergehen** *n.* 소유권 침해(죄). ~**verhältnisse** 〖복수〗 재산 소유 상황, 소유 상태. ~**verlust** *m.* 소유권 상실. ~**verwaltung** *f.* 재산 관리. ~**vorbehalt** *m.* 소유권 유보 (계약). ~**zeichen** *n.* 소유자 표식〔표시 글자〕.

Eigen≈vakzin *n.* 〖醫〗 자가 백신. ≈**verantwortlich** *a.* 자기 책임의. ~**verbrauch** *m.* 자가〔자체〕 소비. ~**versicherung** *f.* 자기 (부담) 보험. ~**verwaltung** *f.* 자체 경영. ≈**völkisch** *a.* (national) 국민(고유)의, 민족의. ≈**warm** *a.* 〖動〗 온혈의. ~**wärme** *f.* 〖醫〗 (고유) 체온; 고유 온도. ~**wechsel** *m.* 〖商〗 약속〔자기앞〕 어음. ~**werbung** *f.* (신문사·영화관의) 자기 선전〔광고〕. ~**wert** *m.* 실질 가치, 진가; 〖數〗 고유치(固有値). ~**wille** *m.* 고집, 멋대로 함; 완고. ≈**willig** *a.* 제멋대로의, 완고한. ~**wirtschaft** *f.* 자작(농); 자족 경제. ≈**wüchsig** *a.* 자생의: ~e Ideen 자생적 이념.

eignen [áɪgnən] 《Ⅰ》 *t.* 적응시키다. 《Ⅱ》 *refl.* sich ~ 적당하다: sich zu et.³ ~ 무엇에 적합하다; dieser Film eignet sich nicht für Kinder 이 영화는 아이들에게 적합치 않다. 《Ⅲ》 *i.* (h.) (누구〔무엇〕의) 특성이다, (누구에게) 특유하다: ihm eignet eine große Güte 큰 호의가 그의 특색이다. 《Ⅳ》 **geeignet** *p.a.* ↑ geeignet.

Eigner [..nər] *m.* -s, - ↑ Eigentümer.

Eignung [..nʊŋ] *f.* -en 적합(성), 적임; (특수한) 재능; 자격.

Eignungs·prüfung *f.* (~test) 자격 시험, 적성 검사: ~ für das Schauspiel 배우 적성 시험.

eigtl. =eigentlich 원래.

Ei≈haut *f.* 〖해부〗 난막(卵膜). ~**kern** *m.* 〖해부〗 난핵(卵核). ~**klar** *n.* ↑ ~weiß.

eijeh [aɪjé:] *int.* 아야, 괴롭다, 아이쿠; 와아, 으와(고통·놀라움을 나타내는 감탄사).

Eiland [áɪlant] *n.* -(e)s, -e 〖시어〗 섬.

Eiländer [..lɛndər] *m.* -s, - 섬 사람.

Eil≈bestellung *f.* 지급〔긴급〕 주문. ~**boot** *n.* 쾌속정. ~**bote** *m.* 급사(急使); 빠른 우편 집배원. ~**boten·zustellung** *f.* 빠른 우편물 배달. ~**brief** *m.* 급신(急信), 빠른 우편.

***Eile** [áɪlə] *f.* 서두름, 신속; 성급, 조급: die Sache hat (große) ~ 그 일은 (매우) 급하다; in (der) ~ 급히 서둘러서, 당황해서; et. in der ~ vergessen 서두르다가 무엇을 잊다; damit hat es keine ~ 그것은 서두를 것 없다; 〖속담〗 zu große ~ bringt Weile 급할수록 차근차근.

Ei·leiter *m.* 〖해부〗 난관, 나팔관.

Eileiter·schwangerschaft *f.* 난관 임신.

***eilen** [áɪlən] 《Ⅰ》 〖고어〗 *t.* 서두르게 하다, 재촉하다, 몰아대다. 《Ⅱ》 *refl.* sich ~ 서두르다, 급히 가다. 《Ⅲ》 *i.* ① (s.) 서둘러〔급히〕 가다〔사라지다〕: jm. zu Hilfe ~ 누구를 구하려고 급히 달려가다; 〖속담〗 die Zeit eilt (dahin) 세월은 유수와 같다; eile mit Weile 급할 수록 천천히 하라; sie ~ nicht sehr damit 그들은 그 일을 그리 서두르지 않고 있다. ② (h.) 급하다, 긴급을 요하다: die Sache eilt nicht 그 일은 급하지 않다; Eilt(!) 빠른 우편(우편물에 찍는 문구).

eilend *p.a.* 급한.

eilends [..ts] *adv.* 급히, 허둥지둥.

eilf [ɛlf, aɪlf] 〖고어〗 ↑ elf.

eil·fertig *a.* ① (**a**) 급히 일하는, 동작이 잽싼. (**b**) 싹싹한, 선뜻 도와 주는. ② 성급한, 덤벙거리는, 경솔한.

Eilfertigkeit *f.* ↑ eilfertig 의 명사형.

Eil≈fracht *f.* (우편 열차 또는 객차편의) 속달〔급송〕 화물. ~**gebühr** *f.* 속달료. ~**gut** *n.* ↑ ~fracht. ~**güterzug** *m.* 급행 화물 열차.

***eilig** [áɪlɪç] *a.* ① 서둘러야 할, 긴급한: eine ~e Nachricht 급한 소식; es ~ haben〔~ sein〕 급하다, 급히 서둘러야 한다; er hat es immer so ~ 그는 언제나 그렇게 허둥거린다; hast du es sehr ~ damit? 그 일이 너에게는 매우 급하니? ② 급(속)한, 신속한: wohin so ~? 어딜 그렇게 급히 가는 거야?; nur nicht so ~! 그렇게 좀 서둘지 마라〔말아요〕!; ~! 지급! (편지 겉봉에 쓰는 표현); er hatte nichts ≈eres zu tun, als es zu verbreiten 그는 만사 제쳐놓고 그 소식〔소문〕을 퍼뜨렸다.

Eiligkeit *f.* ↑ Eile.

eiligst *adv.* 아주 급하게.

Ei·linie *f.* 〖數〗 난형선(卵形線), 타원(형).

Eil≈marsch *m.* 〖軍〗 빠른 행군, 구보. ~**post** *f.* ① 빠른 우편. ② ↑ ~wagen ②. ~**schrift** *f.* 속기(술). ~**schritt** *m.* ① 빠른 걸음. ② 〖軍〗 속보(행진). ~**sendung** *f.* 빠른 우편〔소포〕. ~**tempo** *n.* 〖구어〗 급속도.

Eilung [áɪlʊŋ] *f.* -en 뇌우(雷雨) 전의 돌풍.

Eil≈wagen *m.* ① 준급행 열차의 객차. ② 급행 우편 (승합) 마차. ~**zug** *m.* 〖철도〗 준급행 열차(Personenzug 와 Schnellzug 의 중간).

***Eimer** *m.* -s, - ① 통, 양동이. ② 아이머(액량의 단위: 약 60~70 리터); 〖비유·구어〗 in den ~ gucken 수수방관하다. ③ 〖경박〗 im ~ sein 망가지다, 산통 깨지다, 엉망이 되다. ④ 〖욕설〗 멍청이, 바보. ⑤ 〖폄어〗 낡은 배, 고물 증기선.

Eimer≈kette *f.* ① 〖기계〗 버킷(이 달린) 쇠사슬. ② (불을 끄려고) 양동이를 든 사람들의 도열. ≈**weise** *adv.* 양동이로 (퍼서). ~**werk** *n.* 〖기계〗 버킷 준설기; 버킷 (양수) 수차(水車).

***ein**[1] [aɪn] 《Ⅰ》 부정 관사〖강세없음〗 ① 〖문맥에 처음 나오거나 미지의 개체를 지칭〗 (**a**) 어느, 하나의: ~e Engländerin besuchen 어떤 영국 여자를 방문하다; der Mann trägt einen großen Schirm 그 남자는 (하나의) 커다란 우산을 들고 있다; 〖명사의 성이 다를 때는 관사를 되풀이함〗 Friedrich der Große war ~ großer Feldherr und ~e Stütze des Rechts 프리드리히 대왕은 위대한 장군이며 동시에 정의의 지지자였다; was für ~ Tier ist das? 저건 어떤 (종류의) 동물이야? (**b**) 〖종류〗 일종의, …의 일종: der Mensch ist auch ~ Tier 인간도 역시 일종의 동물이다; ~e Furcht überkam mich (일종의) 두려움이 나를 엄습했다. ② 〖사람 이름 앞에서〗 …와 같은〔라는〕 사람; …의 작품: ~ Goethe a) 괴테와 같은 사람, b) 괴테의 한 작품; solch〔so〕 ~ Mann 그러한 남자; ~ Schmidt hat es gesagt 슈미트라는 사람이 그런 말을 했다; er

E

besitzt einen Picasso 그는 피카소의 그림 한 점을 소장하고 있다. ③〔종류 전체를 대표하여〕 ~ Kind will spielen 아이들이란 놀고 싶어하는 법이다; mit ~em Messer spielt man nicht 칼 같은 것을 가지고 노는 게 아니야. 《Ⅱ》 수사 〔강세있음〕①〔명사적; 수를 셀 사물이 없거나 사물과 관계되지 않을 때는 **eins**〕 하나, 1: ~s, zwei, drei 하나, 둘, 셋; ~er der beiden muß gelogen haben 둘 중 한 사람은 거짓말을 했음이 틀림없어; Band ~s 제 1 권; ~s a 최상급; ~ mal ~s ist ~s 1×1=1; es schlägt ~s (시계가) 한 시를 친다; um halb ~s 0 시 반에; ~ Viertel nach〔vor〕 ~s 1 시 15 분〔1 시 15 분 전〕; um Viertel ~ 0 시 15 분에; er ist belesen wie nur ~er 그 사람은 참으로 박식하다. ②〔형용사적〕**(a)** 하나의, 1 의: dieses ~e Wort sage ich dir noch 덧붙여 이 한 마디를 네게 더 말해 두겠다; der ≗e (= Gott) sieht alles 유일자는〔신은〕 모든 것을 보(살피)신다; ~ für allemal a) 한번만, 이번만, b) 단연코, c) 영원히; dies ~e Mal 이번 한 번만; in ~em Jahre 1년 안〔후〕에; in ~em Zuge 단숨에, 곧장, 대번에; in ~em fort 쉬지 않고, 중단 없이. **(b)** 동일한 (gleich): ~(e) und dieselbe Frau 동일한 여자; in ~(em) und demselben Jahre 같은 해에; das ist mir alles ~ Ding 내게 그것은 어느 것이나 다 같다; wir sind stets ~er Meinung 우리는 언제나 의견이 같다; es läuft〔kommt〕 auf ~s hinaus 결과는 동일하다. **(c)**〔다음 경우에는 관용적으로 어미 변화 없음〕es ist ~ Uhr 1 시다; ein Gewicht von ~ bis zwei Kilo(gramm) 1-2 킬로그램의 무게. 《Ⅲ》 부정 대명사 (man, jemand, etwas) ①〔명사적〕 한 개, 한 명〔사람〕: ~er von euch 너희들 중 한 사람; unser ~er〔unser ~s〕 우리 중 한 사람, 우리와 같은 사람; es ist ~s draußen 누가 밖에 있다; ~er für alle〔alle für~en〕〔속담〕 서로가 서로를 돕는다; manch ~er 몇몇 사람들. ②〔der andere 와 함께〕~(er) und der and(e)re 한 사람〔개〕 그리고 다른 한 사람〔개〕; der ~e und der and(e)re〔〔복수〕die ~en und die ander(e)n〕 이 사람 그리고 저 사람, 이것 그리고 저것; die Brüder lieben, ~er den andern 형제가 서로 사랑하고 있다; ~er nach dem andern 차례차례로; 〔복수〕 die ~en lachen, die ander(e)n weinen 한 쪽의 사람들은 웃고 다른 한 쪽의 사람들은 운다. ③〔man 의 2·3·4 격으로서〕 man〔~er〕 muß zufrieden sein, wenn ~em Gesundheit gegeben ist 사람은 건강하기만 하다면 만족해야 한다; 〔속담〕was man nicht weiß, macht ~en nicht heiß 모르는 것이 약이다, 무소식이 희소식. ④〔명사를 동반하지 않고〕〔구어〕 ~en nehmen〔~s trinken〕 한 잔 마시다; sich³ ~en genehmigen〔heben〕 술을 한 잔 마시다; jm. ~s geben〔versetzen〕 누구에게 일격을 가하다; jm. ~e (Ohrfeige) stechen〔kleben, reinhauen〕 누구에게 따귀를 한 대 갈기다; das geht so in ~em hin 그것은 천편일률적이다, 단조롭다; mit ~s a) 동시에, b) 갑자기; noch ~s! 한 마디만 더! ⑤〔화자를 지칭하여〕〔구어〕 나에게는, 나로서는: das tut ~em wohl 나로서는 그게 기분 좋은데.

*__ein__² [aɪn]《⊕ in》 *adv.* ①〔스위치의 개폐 표시〕 켜짐(↔aus). ② 안〔속〕으로; querfeld~ 들을 가로질러; bei jm. ~ und aus〔aus und ~〕 gehen 누구네 집에 자주 드나들다; nicht ~ und aus〔weder ~ noch aus〕 wissen 어찌할 바를 모르다; jahraus, jahr~ 세세년년, 매년 똑같이.

ein.. *pref.* 〔동사의 분리 전철, 강세 있음〕① 안으로의 이동: ~steigen 승차하다. ② 안으로의 방향 전환: ~biegen 접어들다. ③ 소유 관계의 변화: ~kaufen 사들이다. ④ 포장: ~packen 포장하다. ⑤ 감소·파괴: ~stürzen 무너져내리다. ⑥ 가입·편입·포위: ~rechnen 계산에 넣다. ⑦ 상태의 변화·유도: ~schlafen 잠들다. ⑧ 반복을 통한 성취: ~fahren (차를) 운전하여 길들이다. ⑨ 정지·내재(內在) 상태: ~wohnen 거주하다.

Einachs·anhänger *m.* 〖車〗 단축(單軸) (2륜) 트레일러.

ein·achsig *a.* 〖車〗 단축 (2륜)의; 〖광물〗 단축(單軸)의: ~er Kristall 단축 결정체(結晶體).

ein|ackern 《Ⅰ》 *t.* ① (잡초·비료를) 흙을 파헤치고 넣다, 흙을 덮다. ② einen Rain ~ 밭이랑을 만들다. 《Ⅱ》 *refl.* 〔학생〕 sich in et. ~ 연구하다.

ein≈adrig *a.* 〖전기〗 단심(單心)의: ein ~es Kabel 단심 케이블. **~aderig** *a.* ↑ ~adrig. **≗akter** *m.* 〖연극〗 단막극. **~aktig** *a.* 단막의.

ein|altern *i.* (s.) 못쓰게 되다, 노후해지다.

***ein·ander** [aɪnándər] *adv.* 서로, 상호간: ~ lieben 서로 사랑하다; ~ helfen 서로 돕다; 〔전치사와 함께 쓸 때는 붙여 씀〕 (보기: an~, mit~).

ein|ankern *t.* 〖海〗 (배를) 닻을 내려 정박시키다; (부표(浮標)를) 닻으로 계류하다.

Einanker·umformer *m.* 〖전기〗 회전 변류기(變流機).

ein|antworten *t.* (öst.) jm. et. ~ (법적으로) 누구에게 무엇을 인도〔양도〕하다.

Ein|antwortung *f.* -en (법적인) 인도(引渡), 양도.

ein|arbeiten 《Ⅰ》 *t.* ① jn. in et. ~ 누구를 무엇에 익숙하게 만들다, 숙달시키다. ② et. in et. ~ 무엇을 무엇에 끼워넣다, 삽입하다; eine Stickerei in die Bluse ~ 블라우스에 수를 놓다. ③ 만회하다, 보충하다. 《Ⅱ》 *refl.* sich in et. ~ 무엇에 익숙해지다.

Einarbeitung *f.* -en ↑ einarbeiten 의 명사형.

Einarbeitungs·zeit *f.* 수련 교육 시간.

ein·armig *a.* 외팔의: ein ≗er 외팔이; 〖物〗 ~er Hebel 제 2·3 종(種) 지레.

ein|arten 《Ⅰ》 *i.* ① (h.) jm. ~ 누구에게 (좋은) 성격·기질을 갖게 되다. ② (s.) (인종 따위가) (좋은) 기질을 갖게 되다. 《Ⅱ》 *refl.* sich ~ ↑ 《Ⅰ》①. 《Ⅲ》 **eingeartet** *p.a.* ↑ eingeartet.

ein·artig *a.* 한 종류의; 균일한.

ein|äschern 《Ⅰ》 *t.* 화장하다, 태워 재로 만들다; 〖化〗 하소(煆燒)하다. 《Ⅱ》 **eingeäschert** *p.a.* ↑ eingeäschert.

Einäscherung *f.* -en 잿더미로 만들기; 〖化〗 하소(煆燒); 화장.

Einäscherungs·halle *f.* ↑ Krematorium.

ein|atmen *t.* 숨을 들이마시다, 흡입하다.

Einatmung *f.* -en ↑ einatmen의 명사형.
ein≈atomig, ~atomisch *a.* 〖化〗 1 원자(原子)의, 단(單)원자의.
ein|ätzen *t.* (동판에) 부식하다; 부각(腐刻)하다.
Ein≈auge *n.* 애꾸눈. **~äugig** *a.* 한눈〔외눈·애꾸눈〕의. **~äugige*** *der/die* ① 애꾸, 애꾸눈이. ② 〔구어·농담〕 전조등을 켠 자전거〔오토바이〕; 전조등이 하나만 켜진 자동차.
Ein·back [..bak] *m.* -(e)s, -e/..bäcke/-s 한번〔애벌〕 구운 빵〔과자〕(다시 구운 것은 Zwieback).
ein|backen 《Ⅰ》 *t.* ① (반죽에) 넣어 함께 굽다: Rosinen (in den Kuchen) ~ 건포도를 (과자에) 넣어 굽다. ② 집어 넣어 굳게 하다: in dem Stein sind kleine Stückchen anderen Gesteins eingebacken 이 돌에는 다른 암석의 작은 조각들이 들어가 굳었다. 《Ⅱ》 *refl.* sich ~ 구워 무게가 줄어들다.
Ein·bahn *f.* -en (öst) ↑ Einbahnstraße.
einbahnig *a.* 〖교통〗 일방 통행의.
Einbahn≈straße *f.* 일방 통행로. **~verkehr** *m.* 일방 통행. **~weg** *m.* ↑ ~straße.
ein|ballen [..balən] *t.* ↑ einballieren.
ein·ballig, ~bällig *a.* (좌·우 구두를) 같은 구둣골로 만든.
einballieren *t.* 〖商·고어〗 고리짝에 넣다, (짐을) 꾸리다.
ein|balsamieren *t.* ① (시체를) 방부 처리하다: 〔비유·구어〕 sich ~ lassen können 아무짝에도 쓸모없다: 〔비유·구어〕 der kann sich ~ lassen! 저 녀석은 아무짝에도 쓸모가 없어! ② 〔구어·농담〕 (화장품을) 듬뿍 바르다: sich von oben bis unten mit Sonnenöl ~ 위에서 아래까지 자외선 차단제를 처바르다.
Einbalsamierung *f.* -en (시체의) 방부 보존.
Einband [áınbant] *m.* -(e)s, ..bände [..bɛndə] ① 제본, 장정. ② 표지.
Einband≈decke *f.* (분책·연속 간행물을 한 권으로 묶는) 제본용 표지. **~deckel** *m.* (책의) 겉표지. **~entwurf** *m.* 표지 디자인.
ein·bändig *a.* 한 권의, 한 권으로 된.
ein|bansen *t.* 〖農〗 곡창에 저장하다.
ein·basig *a.* ↑ einbasisch.
ein·basisch *a.* 〖化〗 1 염기의: ~e Säure 1 염기산.
Einbau [áinbau] *m.* -(e)s, -ten ① 〖건축〗 설치; 〖기계〗 (↔ Ausbau) 장착, 장치; 삽입, 보충: der ~ eines Bades in die Wohnung 집에 욕실을 설치하기; der ~ des Motors 모터의 장착; der ~ von Zitaten und Quellenangaben in den Aufsatz 논문에 인용문과 출처를 삽입하기. ② 〖건축〗 내장(품).
Einbau·antenne *f.* 내장 안테나. **~badewanne** *f.* 붙박이 욕조.
ein|bauen *t.* ① 설치〔조립〕해 넣다; 장착하다: einen Motor in ein Auto ~ 자동차에 모터를 장착하다. ② (추가로) 삽입하다, 끼워〔보충해〕 넣다: Zitate in einen Vortrag ~ 강연에 인용문을 삽입하다.
einbau≈fertig *a.* 설치용〔조립용〕으로 완성된. **≈herd** *m.* (조리대의) 붙박이 레인지. **≈küche** *f.* 붙박이식 주방.
Ein·baum *m.* 마상이, 통나무배.
Einbau·möbel *n.* 붙박이 가구.
ein|bedingen* *t.* (mit) ~ 조건〔계약〕에 넣다.
Einbeere *f.* -n 〖植〗 우산나물.
ein|begreifen* 《Ⅰ》 *t.* (mit) ~ 포함하다, 포괄하다, 셈에 넣다. 《Ⅱ》 **einbegriffen** *p.a.* ↑ einbegriffen.
einbegriffen 《Ⅰ》 *p.p.* ↑ einbegreifen. 《Ⅱ》 *p.a.* (mit) ~ …을 포함하여, 셈에 넣어.
ein|behalten* *t.* ① 유보하다, (넘겨 주지 않고) 공제하다: die Steuern 〔zehn Prozent vom Lohn〕 ~ 세액을〔임금의 10 % 를〕 공제하다. ② 유치〔구류〕하다: einen Betrunkenen zur Ausnüchterung ~ 취한 사람을 보호 유치하여 술이 깨게 하다.
ein·beinig *a.* 한 다리의, 외발의; (축구에서 선수가) 한 쪽 발로만 슛을 하는.
Einbein·sprung *m.* 〖육상〗 한 발(로) 뛰기.
ein|beißen* 《Ⅰ》 *i.* (h.) in et. ~ 무엇을 깨물다. 《Ⅱ》 *refl.* sich ~ (벌이) 쏘다.
ein|beizen *t.* (동판에) 부식하다, (나무·가죽에) 줄무늬를 넣다.
ein|bekennen* *t.* (öst.) 자백〔시인〕하다; 〖法〗 (소득을) 신고하다.
Einbekenntnis *n.* -ses, -se 자백, 고백.
Einbekennung *f.* -en ① 자백, 고백. ② (öst.) 세금 신고.
ein|bekommen* *t.* 〔구어〕 ① (범인을) 잡다, 체포하다. ② (복용하기 위해 약을) 받아두다, 얻다.
ein|berechnen *t.* 〔드물게〕 계산에 넣다, 산입(算入)〔고려·참작〕하다.
ein|berichten *t.* (상관에게) 보고〔상신〕하다.
ein|berufen* *t.* ① 소집하다: das Parlament ~ 의회를 소집하다. ② 동원〔징집〕하다: jn. zum Heeresdienst ~ 누구를 병역에 동원〔징집〕하다.
Einberufung *f.* -en 소집, 징집.
Einberufungs≈befehl *m.*, **~order** *f.* (특히 군대의) 소집(명)령.
ein|beschließen *t.* 〔교양·드물게〕 포함〔포괄〕하다, 계산에 넣다.
ein|beschreiben 《Ⅰ》 *t.* 〖數〗 내접시키다: einem Vieleck einen Kreis ~ 다각형에 원을 내접시키다. 《Ⅱ》 **einbeschrieben** *p.a.* ↑ einbeschrieben.
einbeschrieben 《Ⅰ》 *p.p.* ↑ einbeschreiben. 《Ⅱ》 *p.a.* 내접한: ein ~er Kreis 내접원.
ein|bestellen *t.* 임명하다; 소환하다.
ein|betonieren *t.* 콘크리트를 채우다; 콘크리트벽으로 두르다: einen Pfeiler in die Felswand ~ 지주(支柱)를 콘크리트로 암벽에 고정시키다.
Einbetonierung *f.* -en ↑ einbetonieren 의 명사형.
ein|betten 《Ⅰ》 *t.* ① 잠자리에 들게 하다. ② 깊이 파묻다, 매설하다: ein Kabel in die Erde ~ 케이블을 땅 속에 매설하다; ein ganz in Grün eingebettetes Schloß 온통 녹음으로 뒤덮힌 성. ③ 〖農〗 가식(假植)하다. ④ einen Fluß ~ 하천에 제방을 쌓다. ⑤ 〖문법〗 삽입하다: ein eingebetteter Satz 삽입문. 《Ⅱ》 *refl.* sich bei jm. ~ 누구의 집에서 묵다. 《Ⅲ》 **eingebettet** *p.a.* ↑ eingebettet.
ein·bettig *a.* 침대가 하나만 있는; 〖植〗 암수

E

한몸의.

Einbettung *f.* -en 매설, 삽입.

ein|beugen *i./t./refl.* ↑ einbiegen.

ein|beulen 《I》 *t.* (두들겨) 안을 오목하게 하다: der Fahrer hat den Kotflügel seines Wagens eingebeult 그 운전자는 자기 자동차의 흙받기를 찌그려뜨렸다. 《II》 *refl.* sich ~ (안으로) 오목해지다, 움푹 들어가다.

ein|beziehen* *t.* 포함하다; 참작하다: et. in seine Pläne ~ 무엇을 계획에 넣다; das Frühstück ist im Preis (in den Preis) einbezogen 요금에 아침 식사가 포함되어 있다.

Einbeziehung *f.* -en 통합, 합병; 고려, 참작: unter ~ von... …을 함께 고려하여.

ein|biegen* 《I》 *i.* (s.) (길에서 방향을 바꿔) 돌다, 접어들다: (in die Straße) links ~ 왼편 길로 접어들다, 좌회전하다: wieder in den Weg ~ 다시 큰 길로 나서다; 〖비유〗 본론으로 돌아가다. 《II》 *t.* 안쪽으로 구부리다, 휘다; eine Seite ~ 한 페이지를 접다. 《III》 *refl.* sich ~ 안으로 구부러지다, 접히다. 《IV》 **eingebogen** *p.a.* ↑ eingebogen.

Einbiegung *f.* -en 굽음, 휨; 커브, 굴곡; (해안선 따위의) 움푹 들어간 곳.

***ein|bilden** 《I》 *t./refl.* ① (잘못) 상상하다, (그릇) 믿어버리다, 망상〔공상·착각〕하다: du bildest dir ein, hübsch zu sein 너는 예쁘다고 착각하고 있다. ② (근거 없이) 자부〔자만〕하다: er bildet sich³ nichts auf seinen Erfolg ein 그는 자신의 성공을 조금도 자랑하지 않는다. ③ 꼭 갖고 싶어하다, 갖고 싶어 안달하다: der Junge hatte sich zu Weihnachten ein Fahrrad eingebildet 소년은 성탄절에 자전거를 꼭 갖고 싶어했었다. 《II》 **eingebildet** *p.a.* ↑ eingebildet.

Einbildung *f.* -en ① 상상. ② 공상, 망상. ③ 자부, 자만.

Einbildungs=kraft *f.*, **~vermögen** *n.* 상상력.

ein|bimsen 《I》 *t.* 〖구어〗 애써 깨우쳐 주다. 《II》 *refl.* sich³ et. ~ 힘들게 무엇을 깨우치다.

ein|binden* *t.* ① (보호하기 위해 무엇 안에) 집어넣어 묶다; 끼워 넣다; 연결하다, (교통망 따위에) 편입시키다: einen Stein in eine Mauer ~ 돌을 벽에 끼워넣어 바르다; Bücher ~ 제본〔장정〕하다; einem Kind et. ~ 아이에게 무엇을 세례 선물로 주다; ein Reff ~ 돛을 접다; Waren ~ 상품을 포장하다. ② (jm. et.) 명령하다, 타이르다, 유의하게 하다, 주입식으로 가르치다.

ein|blasen* *t.* 《I》 ① 불어넣다: Ozon in Wasser ~ 물에 오존을 불어넣다. ② 선동하다, 부추기다; 넌지시 알리다: jm. Klatsch ~ 누구에게 험담을 넌지시 들려주다. ③ 〖음악〗 (더 좋은 소리를 내도록) 불어서 길들이다: sich auf der Posaune ~ 트럼펫을 불어서 길들이다. ④ 〖드물게·구어〗 불어서 (시작을) 알리다: der Trompeter blies das neue Jahr ein 트럼펫 연주자가 트럼펫을 불어 새해가 밝아옴을 알렸다. ⑤ 불어서 전복시키다: der Orkan hat die Häuser eingeblasen 태풍이 불어 집들이 무너졌다. 《II》 *i.* (h.) 〖연극〗 대사를 알려주다.

Einbläser *m.* -s, - ① 귓속말하는 사람; 몰래 알려 주는 사람, 교사자. ② 〖醫〗 흡입기(器). ③ 〖연극〗 프롬프터.

Einbläserei *f.* -en 암시, 시사, 선동.

Einblasung *f.* 암시; 교사(教唆); 〖醫〗 흡입.

Ein·blatt *n.* 〖植〗 설앵초속(雪櫻草屬), 물매화속(屬), 두루미꽃.

Einblatt·druck *m.* 〖印〗 일면(一面) 인쇄.

einblätterig, ~blattig *a.* 홑잎의; 홑꽃잎의.

ein|bläuen *t.* ① 파랗게 물들이다〔만들다〕: Wäsche ~ 세탁물에 푸르스름한 물을 들이다. ② ↑ einbleuen.

ein|blenden 《I》 *t.* ① (↔ ausblenden) **(a)** 〖방송·영화〗 (음성·영상을) 천천히 선명하게 하다, 페이드인하다. **(b)** 〖컴〗 (윈도를〔창을〕) 화면에 보여주다. ② (방송 프로에 음성·영상을) 삽입하다: ein Interview in eine Reportage ~ 르포에 인터뷰를 삽입하다. 《II》 *refl.* sich ~ 방송하다, 방송에 나오다: wir blenden uns in wenigen Minuten wieder ein 우리는 몇 분 후에 다시 방송을 보내드리겠습니다.

Einblendung *f.* -en 〖영화·방송〗 ① 페이드인, 삽입. ② 삽입된 장면.

ein|bleuen *t.* jm. et. ~ 누구의 머리 속에 무엇을 억지로 주입시키다, 때리며 가르치다; 엄명하다.

Einblick [áınblık] *m.* -(e)s, -e ① 내부를 들여다봄, 일별(一瞥): der ~ in den Garten 정원을 들여다봄. ② 〖비유〗 통찰, 인식: ein ~ in die Zukunft 미래의 통찰. ③ (문서·서류의) 열람, 열독: sich³ einen ~ in die Akten verschaffen 서류를 열람하다.

ein|blicken 《I》 *t.* 들여다보다; 대강 훑어보다. 《II》 *i.* (h.) 통찰하다.

ein·blumig *a.* 〖植〗 단화(單花)의.

ein|bohren 《I》 *t.* ein Loch in ein Brett ~ 판자에 구멍을 뚫다. 《II》 *refl.* sich ~ 구멍을 뚫고 들어가다; 관통하다.

einbomben *i.* (h.) 〖스포츠·구어〗 대포알 같은 슈팅을 하다.

ein|booten *t.* ① (육지에서) 연락보트로 배에 실어나르다. ② 보트에 태우다〔싣다〕.

ein|bräunen *refl.* sich ~ 적갈색으로 되다, 볕에 그을리다.

ein|brechen 《I》 *t.* ① (벽·문을) 파괴하다, 부수어 열다: ein Loch in die Wand ~ 벽에 구멍을 뚫다. ② (말을 타서) 길들이다. 《II》 *i.* (s.) ① (도둑이) 침입하다, 부수고 들어가다: bei ihm ist eingebrochen worden 그의 집에 도둑이 들었다. ② (갑자기) 시작하다, 일어나다, 닥치다, 나타나다: die Nacht bricht ein 밤이 닥쳐온다; bei ~der Nacht 갑자기 밤이 되었을 때. ③ 무너져 아래로 주저앉다, 허물어지다: die Zimmerdecke ist eingebrochen 방 천장이 무너져 내렸다. ④ 〖경박〗 (뜻밖의) 패배를 맛보다, 실패를 겪다: diese Partei ist bei den Wahlen ganz schön eingebrochen 이 정당은 선거에서 참패했다. ⑤ 밑으로 빠져 들어가다: er ist ins Eis 〔auf dem Eis〕 eingebrochen 그는 얼음이 꺼져 물속에 빠졌다.

Einbrechen *n.* -s ① 함입(陷入), 파괴. ② 침입, 틈입; 〖軍〗 돌입, 침입, 침략. ③ (돌연한) 출현, 접근; (황혼·여명의) 시작.

Einbrecher *m.* -s, - (가택) 침입자, 도둑, 강도.

Einbrecher=alarm *m.* 도난 경보기. **~werkzeug** *n.* 가택 침입용 도구.

Einbrenn *f.* -en (öst.) ↑ Einbrenne.

Einbrenne *f.* -n (obd.) 버터로 볶은 밀가루 (Mehlschwitze).

ein|brennen* 《I》 *t.* ① 낙인 찍다, 소인(消印)하다: Tieren ein Zeichen ~ 동물들에 낙인을 찍다; Farben in das Porzellan ~ 도자기에 색을구워넣다;〖畫〗eingebrannte Wachsmalerei 납화법(蠟畫法); Fässer mit Schwefel ~ 통을 황으로 그을리다. ②〖요리〗(밀가루를) 버터로 볶다: eine Suppe ~ 버터로 밀가루를 볶아 수프를 만들다. ③〖섬유〗(직물에) 광택을 내다. 《II》 *i.* ① (s.) 타서 내려앉다; 타서 뚫리다. ② (h.)〖醫〗(불로) 태우다, 지지다. 《III》 *refl.* sich ~ ① 타서 줄어들다; 타들어 가다. ② 깊은 인상을 남기다, 뇌리에 깊이 박히다: das Bild hat sich mir ins Gedächtnis eingebrannt 그 그림은 내 기억에 (깊이) 박혔다.

Einbrenn=kunst *f.*〖畫〗소작(燒灼) 화법, 납화법(蠟畫法). **~suppe** *f.* (öst.)〖요리〗버터로 볶은 밀가루 수프.

ein|bringen 《I》 *t.* ① 가지고 들어오다, 반입하다; (곡물을 창고에) 들이다; (배를 항구에) 들어오게 하다; (범인을) 체포〔수감〕하다: das Getreide in die Scheune ~ 곡물을 창고에 들이다. ② (이익·명성을) 가져오다: das Unternehmen brachte ihm viel (Geld) ein 그는 그 사업으로 큰 돈을 벌었다; (viel) Ehre ~ 명예를 가져다 주다. ③ (wieder) ~ 회복하다, 메우다, 보상〔만회〕하다(nachholen): die verlorene Zeit wieder ~ 잃은 시간을 만회하다; den Verlust wieder ~ 손실을 보충하다. ④〖印〗(활자의 간격이나 행간을 좁혀) 행을 더 짜넣다(↔ausbringen): eine Zeile ~ 한 줄을 더 짜넣다. ⑤ (제안·법안을) 제출하다: einen Antrag im Parlament ~ 의회에서 법안을 제출하다. ⑥ (자본금을) 출자하다; (혼인 때) 지참하다: 50000 Mark in eine Firma ~ 회사에 5만 마르크를 출자하다. 《II》 **eingebracht** *p.a.* ↑ eingebracht.

einbringlich *a.* 수익성이 좋은, 생산적인.

Einbringung *f.* -en ↑ einbringen의 명사형.

ein=|brocken, ~|bröckeln *t.* ① 조각내어 집어넣다: et. in die Suppe ~ 무엇을 수프에 부스러뜨려 넣다. ②〔비유·구어〕무슨 짓을 저지르다, 누구를 뜻하지 않게 곤경에 빠뜨리다: da hast du dir aber etwas Schönes eingebrockt! 너 참 바보 같은 짓을 저질렀구나!;〔속담〕was man sich eingebrockt hat, muß man auch ausessen 자업 자득; etwas einzubrocken haben 가진 것〔재산〕이 좀 있다. ③ 추가로 지급하다(zubüßen); (돈·시간을) 낭비하다(verlieren).

ein|bröseln *t.*〖요리〗빵가루를 묻히다(panieren).

***Einbruch** [áınbrux] *m.* -(e)s, ..brüche [..bryçə] ① (돌연한) 출현, 침입, 내습, 진입, 틈입;〔구어〕(갑작스런) 시작: ~ der Nacht 땅거미, 황혼; der jähe ~ des Todes 돌연사, 급사; sich einen ~ in js. Rechte erlauben 누구의 권리를 침해하다. ② 함락, 함몰; 파괴, 파손; 참패: bei den Wahlen den größten ~ erleben 선거에서 최대의 참패를 맛보다. ③ 침입, 절도. ④〖지리〗함몰. ⑤〖經〗(시세의) 하강, 부진.

Einbruchs=dieb *m.* (침입한) 도둑, 강도. **~-diebstahl** *m.*〖法〗침입 절도. **~-diebstahl·versicherung** *f.*〖法〗도난 보험. **~gefahr** *f.* (살얼음이 꺼져) 빠질 위험, 함몰 위험. **~gebiet** *n.* 함몰 지역. **~sicher** *a.* 도난 방지 장치가 있는. **~stelle** *f.* 침입 지역〔장소〕, (얼음판 따위에서) 깨진 자리, 사람이 빠진 곳;〖지리〗함몰 지역;〖軍〗침투 장소. **~tal** *n.* 함몰 계곡. **~werkzeug** *n.* 침입 장구〔도구〕. **~zone** *f.* 함몰 지역.

ein|brühen *t.* 뜨거운 물에 담가 부드럽게 하다, 삶다.

ein|buchten *t.* ① (해안선을) 휘어들게 하다; (금속을) 오목하게 들어가게 하다. ②〔경박〕감금하다, 감옥에 집어넣다.

Einbuchtung *f.* -en ① (해안선의) 만입, 만곡. ② (도로의) 굴곡. ③〔경박〕감금, 투옥.

ein|buddeln 《I》 *t.*〔구어〕① (모래에) 파묻다. 《II》 *refl.* sich ~ 참호에 들어가 숨다.

ein|büffeln *t.*〔구어〕애써 암기〔주입〕시키다.

ein|bügeln *t.* (주름을) 다려서 넣다: eingebügelte Falten 다림질해 넣은 주름.

ein|bumsen *t.*〔구어〕ein Fenster ~ 꽝소리를 내며 유리창문을 깨뜨리다.

ein|bunkern *t.* ① 벙커〔창고〕에 넣다. ②〔경박〕감금하다, 감옥에 넣다.

ein|bürgern [áınbyrgərn] 《I》 *t.* ① 시민권을 부여하다, 시민으로 삼다; 귀화시키다. ②〖政〗(개인에게) 선거권을 부여하다. ③ (동식물을) 새 풍토에 적응시키다, 길들이다. ④ (외래 문물을) 받아들이다, 동화시키다, 차용하다. 《II》 *refl.* sich ~ ① 국민이 되다; 귀화하다. ② (외국의 언어·풍속이) 동화되다; 통용되다: in unserer Sprache haben sich viele Fremdwörter eingebürgert 우리 언어에는 많은 외래어들이 차용되었다. 《III》 **eingebürgert** *p.a.* ↑ eingebürgert.

Einbürgerung *f.* -en ① 시민권 부여〔획득〕. ② 참정권〔선거권〕 부여; 자치권 부여. ③ 정주, 거주. ④ 외래어 차용; (동식물의) 귀화.

Einbuße [áınbu:sə] *f.* -n 손실, 손해; 희생 (Opfer): keine ~ erleiden 손해를 입지 않다.

ein|büßen 《I》 *t.* (생명·돈을) 대가로 치르다, 잃다. 《II》 *i.* (h.) an et.³ ~ 무엇을 잃다: dadurch hat er sehr an Ansehen eingebüßt 이를 통해 그는 명성을 크게 잃었다.

ein|buttern *t.*〔비속〕지급하다.

ein|checken [áıntʃɛkən] 《I》 *t.* 탑승〔적재〕 자격을 확인하다. 《II》 *i.* 탑승 절차를 밟다.

ein|cremen [áınkre:mən] *t.* 크림을 바르다.

ein|dämmen *t.* ① 제방〔둑〕을 쌓다. ②〔비유〕제한〔억제·방지〕하다, 막다: die Seuche ~ 전염병을 막다.

ein|dämmern 《I》 *i.* (h.) ① 졸음이 오다; (꾸벅꾸벅) 졸다. ② (schweiz.) 어둑어둑해지다: es dämmert ein 날이 어두워진다. 《II》 *t.* 졸리게 하다, 꾸벅꾸벅 졸게 하다.

Eindämmung *f.* -en ↑ eindämmen의 명사형.

ein|dampfen *t.* 증발 건조시키다, 증발 농축하다: Milch ~ 우유를 농축하다.

ein|dämpfen *t.* ① (südd.) 증기로 찌다. ② ↑ eindampfen. ③〖사냥〗Vögel ~ (울지 않도록) 새를 컴컴한 곳에 두다.

Eindampfung *f.* -en ↑ eindampfen의 명사형.

E

ein|decken 《Ⅰ》 *t.* ① 덮다, 싸매다, (지붕을) 이다: die Rosen für den Winter mit Stroh ~ 겨울을 대비해 장미를 볏짚으로 감싸다. ②〖비유·구어〗 쏟아붓다, 포개어 쌓다: er hat sie mit Fragen eingedeckt 그는 그 여자에게 질문을 쏟아부었다. ③〖방언〗(식탁을) 차리다. 《Ⅱ》 *refl.* sich ~ 비축하다: sich für den Winter mit Kohlen ~ 겨울을 대비해 석탄을 비축하다.

Ein·decker *m.* -s, - ①〖空〗단엽(單葉) 비행기. ②〖海〗단층 갑판선.

Eindeckung *f.* -en ① 덮기, 피복; 덮개, 지붕. ② (충분한) 비축: ~ mit Mehl 밀가루의 비축.

ein|deichen *t.* 둑을 쌓아 막다.

ein|dellen [..dɛlən] *t.* 움푹 들어가게 하다, 우묵하게 하다.

***ein·deutig** [áındɔʏtıç] *a.* ① 명백한, 틀림 없는. ② 단호한: seine Absage war ~ 그의 거절은 단호했다.

Eindeutigkeit *f.* -en ① 명백, 분명. ② 단호한〔노골적인〕말: jm. eine ~ sagen 누구에게 단호한 말을 하다.

ein|deutschen *t.* ① 독일인으로 만들다. ② 독일식으로 만들다, 독일(어)화하다: die ~de Schreibung eines slawischen Namens 슬라브 이름의 독일식 표기.

Eindeutschung *f.* -en ① 독일화; 독일인화; 독일어화. ② 독일식 표현, 독일어화한 말.

ein|dicken 《Ⅰ》 *t.* 진하게 하다, 바짝 조리다; 농축하다: eingedickte Milch 농축 우유. 《Ⅱ》 *i.* (s.) 진해지다. 《Ⅲ》 **eingedickt** *p.a.* ↑ eingedickt.

Eindicker *m.* -s, - 농축기.

Eindickung *f.* -en 농축.

eindimensional *a.* ① 일차원적인. ②〖교양〗(행동·사고가) 일면적인.

ein|dingen* *t.* ①〖海〗 jn. in ein Schiff ~, 누구를 배에 고용하다. ②〖드물게〗조건〔계약〕에 넣다(einbedingen).

ein|docken *t.* (배를) 독에 넣다.

ein|dorren *i.* (s.) 말라 쭈그러들다, 바짝 마르다.

ein|dosen *t.* 통〔병〕조림으로 만들다: Obst ~ 과일을 통〔병〕조림하다.

ein|dösen *i.* (s.) 〖구어〗깜빡 졸다, 선잠이 들다.

ein|drängen 《Ⅰ》 *t.* 밀어〔쑤셔〕넣다, 밀어 대다: die Tür ~ 문을 밀쳐 열다. 《Ⅱ》 *refl.* sich ~ 밀고 들어가다, 침입하다; 끼어들다: sich in et. ~ 어떤 일에 간섭하다. 《Ⅲ》 *i.* (s.) 〖비유·雅語〗엄습하다, 기억 속에 떠오르다: eine Flut von Erinnerungen drängte auf sie ein 기억들이 밀물처럼 그녀를 엄습했다.

ein|drecken *t.* 더럽히다.

ein|dreckern 《Ⅰ》 *t.* 더럽히다. 《Ⅱ》 *i.* (s.) 더러워지다, 지저분해지다.

ein|drehen 《Ⅰ》 *t.* ① 돌려 집어넣다〔끼우다〕: eine neue Glühbirne in die Fassung ~ 새 전구를 소켓에 돌려 끼우다. ② (안으로) 돌려 말다: sich die Haare ~ 머리칼을 (컬 클립으로) 말다; die Hände ~ 두 손을 안으로 뒤집다. 《Ⅱ》 *i.* (h.) 〖空·海〗방향을 바꾸다.

ein|dreschen 《Ⅰ》 *i.* (h.) (도리깨로 타작하듯이) 마구 때리다: auf ein Tier ~ 동물을 마구 때리다. 《Ⅱ》 *t.* 〖드물게〗(마구 두드려서) 깨부수다.

ein|drillen *t.* ① ein Loch ~ (송곳·드릴로) 구멍을 뚫다. ② 반복하여 주입시키다, 열심히 학습하도록 만들다: den Schülern die neuen Wörter ~ 학생들에게 새 단어들을 반복해서 주입시키다. ③〖구어〗Rekruten ~ 신병을 (반복하여) 훈련시키다.

ein|dringen *i.* (s.) ① 밀고 들어가다, 파고들다, 침입하다: auf jn. ~ 누구에게 달려들다, 누구를 습격하다; bei jm. ~ 누구의 집에 침입하다; in ein Land ~ 어떤 나라에 침입하다; 〖비유·雅語〗 eine Flut von Erinnerungen drang auf ihn ein 기억들이 밀물처럼 그를 엄습했다. ② (액체가) 스며들다. ③〖비유〗파고들다: in ein Geheimnis ~ 비밀을 캐다; er ist tief in religiöse Fragen eingedrungen 그는 종교 문제에 매우 정통하다. ④ 협박〔위협〕하다: mit Worten auf jn. ~ 말로 누구를 위협하다.

eindringend *p.a.* ① 침투성의: leicht ~ 잘 파고드는; tief ~ 깊이 파고드는, 날카로운, 통찰력이 있는. ② 철저한. ③ 정력이 왕성한.

eindringlich *a.* ① ↑ eindringend. ②〖비유〗인상적인; 강렬한; 효과적인, 감동시키는; 예민한; 긴급〔절박〕한; 집요한; 주제넘은.

Eindringlichkeit *f.* ① 긴급, 절박. ② 강조, 힘줌. ③ 신빙성.

Eindringling *m.* -s, -e 침입자; 방해자; 간섭하는 사람.

Eindringung *f.* -en ① 침입, 침략. ② 침투, 침윤. ③〖지질〗(암맥의) 관입(貫入). ④ 철저, 통찰, 간파.

***Eindruck** [áındrʊk] 《Ⅰ》 *m.* -(e)s, -e 〖印〗(추가) 삽입 인쇄. 《Ⅱ》 *m.* -(e)s, ..drücke ① 압축, 압착. ② 눌린 자국, 흔적. ③ (피륙에) 무늬를 떠 넣기, 날염(捺染). ④ 인상, 감명, 느낌: einen ~ auf jn. machen 누구에게 깊은 인상을 주다; der erste ~ 첫인상; er macht einen guten ~ 그는 좋은 인상을 준다; 〖구어〗 ~ schinden 잘 보이려고 애쓰다.

ein|drucken *t.* ①〖印〗(삽화를) 삽입 인쇄하다. ②〖工〗(무늬를) 날염하다. ③〖방언〗↑ eindrücken.

ein|drücken *t.* ① 밀어 넣다: die Sporen ~ 박차를 세게 가하다. ② 각인하다: dieses Erlebnis hat sich tief in seine Erinnerung eingedrückt 이 체험은 그의 기억에 깊이 새겨졌다. ③ die Augen ~ 눈을 감다. ④ 눌러 움푹 패이게 하다, 눌러 부수다: die Fensterscheibe ~ 유리창을 깨다; eingedrückte Nase 납작코; die Front ~ 전선을 돌파하다. ⑤〖스포츠〗 den Ball ~ (가까운 거리에서 골문에) 공을 (살짝) 밀어 넣다.

eindrücklich *a.* 〖구식〗(eindrucksvoll) 감명 깊은, 감동적인.

Eindrucks≈dichtung *f.* 인상주의 문학. **~fähig** *a.* 감명〔감동〕받을 수 있는, 감수성 있는. **~fähigkeit** *f.* 감수성. **~kunst** *f.* 인상주의 예술.

eindruckslos *a.* 아무런 감명도 주지 않는.

eindrucks·voll *a.* 인상〔감명〕깊은.

Eindrückung *f.* -en ↑ eindrücken 의 명사형.

ein|dübeln *t.* (시멘트 벽·담에) 맞춤못으로 고정하다: Kleiderhaken ~ 옷걸이를 맞춤못으로 고정시키다.

ein|duseln *i.* (s.) 꾸벅꾸벅 졸다(eindämmern《I》①).
eine [áɪnə] ↑ ein.
ein|ebnen *t.* 평평〔균등〕하게 하다.
Einebnung *f.* -en ↑ einebnen 의 명사형.
ein|eggen *t.* (잡초·비료를) 써레로 땅 속에 갈아 넣다.
Ein·ehe *f.* 일부 일처제(↔ Vielehe).
ein·ehig *a.* 일부 일처(제)의.
ein·eiig [áɪn|aɪɪç] *a.* 일란성의:〖醫〗~e Zwillinge 일란성 쌍생아.
ein·eindeutig *a.* 1 대 1 로 대응하는, 가역적(可逆的) 단일 의미의.
Ein·eindeutigkeit *f.* 1 대 1 대응성, 가역적 일의성(一義性).
ein|einhalb *num.* 한 개 반, 하나 반(1 1/2): seit ~ Jahren 1 년 반 전부터.
Ein·eltern·familie *f.* 편(偏)부모 가정, 결손 가정.
einen [áɪnən]《I》*t.* 하나로 하다, 통일하다, 일치시키다.《II》*refl.* sich ~ 하나로 되다, 합일〔일치·결합〕하다(einigen).
ein|engen *t.* ① 비좁게 만들다, 좁히다. ② 둘러싸다, 가두어 넣다; 울 안에 집어넣다. ③ 제한〔한정〕하다; 압박하다: dieses Kleid engt mich ein 이 옷은 내겐 품이 좁다. ④〖化〗농축하다.
Einengung *f.* -en ↑ einengen 의 명사형.
einer [áɪnər] ↑ ein.
Einer *m.* -s, - ①〖數〗(1 에서 9 까지의) 한 자리의 수. ② (주사위·카드의) 1. ③ 1 인승 보트〔비행기〕. ④ 조정자(Einiger). ⑤ 1901 년산(産) 와인; 1 페니히 동전.
Einer·kajak *m./n.* 1 인승 카약〔보트〕.
***einerlei** [áɪnərláɪ] *a.* ① 같은 종류의, 동일한; 단조로운: Kleider von ~ Farbe 단조로운 빛깔의 옷들. ② 아무래도 좋은, 마찬가지인(gleichgültig): mir war das wirklich ganz ~ 나에게 그것은 정말 아무래도 좋았다.
Einerlei *n.* -s 동일(한 것), 같음, 같은 일; 단조로움: das ewige ~ 천편일률.
Einerleiheit *f.* ↑ Einerlei.
ein|ernten *t.* ① 거두어들이다, 수확하다; 수납하다. ②〖비유〗획득하다, 얻다: Ruhm von et.³ 〔für et.〕 ~ 무엇으로 명성을 얻다.
einer·seits [áɪnərzáɪts] *adv.* 한편에서는, 일면으로는: einerseits ..., and(e)rerseits ... 한편에서는〔으로는〕 …, 다른 편에서는〔다른 편으로는〕 ….
eines ↑ ein.
eines·teils *adv.* ↑ einerseits.
ein|exerzieren *t.* ①〖軍〗교련〔훈련〕시키다, 교육하다. ② 반복하여 연습시키다.
***ein·fach** [áɪnfax] 《I》*a.* ① 하나〔단일〕의; 한 겹〔배〕의; 단순〔간단〕한; 이해하기 쉬운: eine ~e Fahrkarte 편도 차표; Hin- und Rückfahrt? — Nein, ~!〖구어〗왕복표를 드릴까요? — 아뇨, 편도로요!;〖物〗~e Farben 원색;〖物〗das ~e Pendel 단일추(錘);〖軍〗der ~e Posten 단독 보초; ~e Zahl 한 자리 수;〖經〗~e Zinsen 단리(單利); ~e Buchführung 단식 부기. ② (schlicht) 꾸밈 없는, 수수한; 천진난만한: ~e Kleidung 수수한 옷차림; ein ~er Mann 소박한 사람; ~e Sitten 순박한 풍속. ③〖數〗나뉘지 않는: ein ~er Bruch 단분수; ~e Zahl 소수(素數). ④ 하나의:〖植〗das ~e Blatt 홑잎, 단엽(單葉);〖化〗~er Körper 단체(單體), 원소.《II》*adv.* ① 소박하게: ~ angezogen〔gekleidet〕 검소한 옷차림으로. ② 정말, 그야말로: das ist ~ prachtvoll 그것 참 근사하다. ③ 지체 없이: geh ~! 빨리 가게! ④ 아주, 도무지, 결코, 전혀: ich verstehe dich ~ nicht! 난 너를 결코 이해할 수 없어! ⑤ 요약하면, 간단히 말하면: die Sache ist ~ die, daß ... 간단히 말하면 사실은 …하다.
Einfache* *das* 간단(한 것), 단순(한 것).
ein|fächern *t.* (편지·서류함에) 분류해넣다.
Einfachheit *f.* 단일; 단순, 간소; 소박; 절제: der ~ halber 간단히 말하면, 편의상; sich mit betonter ~ kleiden 눈에 띄게 수수한 옷차림을 하다.
Einfach·leitung *f.*〖전기〗단선 회로.
ein|fädeln *t.* ① (바늘 구멍에 실을) 꿰다; 끼우다: den Faden in die Nadel ~ 〔die Nadel ~〕 바늘 구멍에 실을 꿰다. ② 실마리를 잡다, (담화·서신 왕래를) 시작하다; 궁리하다; (나쁜 일을) 꾸미다, 도모하다: du hast die Sache fein eingefädelt 자네 일 참 교묘하게 꾸몄군.
Einfäd(e)lung *f.* -en ↑ einfädeln 의 명사형.
ein|fahren*《I》*t.* ① (곡물·건초를 차로 창고에) 운반하다. ② 차를 몰다, 부딪쳐 부수다: einen Weg ~ 차를 몰아 길을 내다. ③ (탈 것을) 길들이다: ein neues Auto ~ 새 차를 길들이다; Pferde ~ (마차를 끌도록) 말을 길들이다.《II》*refl.* sich ~ ① 운전 연습을 하다, 시운전하다. ② 익숙해지다, 숙달하다.《III》*i.* (s.) 차를 타고 들어가다; (차가) 들어오다;〖광산〗in die Grube ~ 갱 안에 들어가다;〖사냥〗(짐승이 도망가 둥지·굴에) 기어들다; (그물에) 걸려들다;〖海〗입항하다;〖철도〗in den Bahnhof ~ (열차가) 정거장에 들어오다.《IV》**eingefahren** *p.a.* ↑ eingefahren.
Einfahrt *f.* -en ① (차의) 진입;〖광산〗입갱(入坑);〖海〗입항. ② (고속 도로) 진입로;〖건축〗입구, 현관 입구;〖海〗항구;〖광산〗갱구;〖사냥〗(둥지의) 입구; 찻길.
Einfahrts·erlaubnis *f.* 진입 허가(증).
Einfahrt(s)·signal *n.*〖철도〗진입 신호(기).
***Einfall** [áɪnfal] *m.* -(e)s, ..fälle ① 함몰, 추락, 함락, 붕괴; (산)사태. ②〖軍〗침입, 침투. ③〖物〗(빛의) 투사(投射), 입사(入射); 비쳐들어옴. ④ 착상: glücklicher ~ 묘안; witziger ~ 기발한 위트; ein wunderlicher ~ 기발한〔묘한〕 생각; ich kam〔geriet〕 auf den ~ 그런 생각이 떠올랐다;〖구어〗Einfälle wie ein alter (Back)ofen 〔wie ein altes Haus〕 haben (시대에 뒤진) 별난 착상을 하다(뚱딴지 같은 생각을 하다). ⑤〖工〗눌러 여는 자물쇠. ⑥〖교양〗갑작스런 시작, 내습: der verfrühte ~ des Winters 겨울의 때이른 내습. ⑦〖음악〗연주의 시작. ⑧〖사냥〗(조류가) 내려앉음.
ein|fallen [áɪnfalən]《I》*i.* (s.) ① 무너지다, 주저 앉다; 붕괴하다;〖광산〗함락〔함몰〕하다. ②〖軍〗침입하다; (바람 따위가) 갑자기 일다〔시작하다〕: Kälte fällt ein 추위가 내습한다. ③〖物〗(빛이) 비쳐 들어오다: schräg einfallende Strahlen 비스듬히 비쳐 들어오는 광선.

④ (자물쇠·빗장이) 걸리다. ⑤〖사냥〗(새가) 내려앉다; (짐승이) 그물에 걸리다; (물새가) 물속에 잠기다. ⑥〖음악〗갑자기 울리기 시작하다; (합창에서 특정 성부가 노래를) 시작하다. ⑦ 끼어들다: in eine Rede ~ 말을 가로막다. ⑧ 갑자기 생각나다: sein Name fällt mir nicht ein 그의 이름이 생각나지 않는다; was fällt dir (nur) ein? 무슨 (당치도 않은) 생각을 하고 있는거야?; sich³ et. ~ lassen 해결책을 궁리하다; das hätte ich mir nie ~ lassen 그런 일은 나는 꿈에도 생각지 못했을거야. ⑨ (빰이) 움푹 들어가다, 수척해지다: eingefallenes Auge〔Gesicht〕 퀭한 눈〔수척해진 얼굴〕. 《Ⅱ》 *refl.* sich³ den Schädel ~ 넘어져서 머리가 깨지다. 《Ⅲ》 **eingefallen** *p.a.* ↑ eingefallen.

einfällig *a.* ① 막 떨어지려고〔주저앉으려고〕 하는. ② 우연한, 우발적인. ③ 기발한; 색다른; 머리를 짜서 고안한.

Einfallicht *n.* -(e)s, -er〖物〗입사〔투사〕광(光).

Einfalls·ebene *f.*〖物〗입사〔투사〕면.

einfallslos *a.* 착상이 빈약한, 재치〔기지〕가 없는.

Einfallslosigkeit *f.* -en 착상 부족, 진부.

einfalls≈reich *a.* 착상이〔재치가〕 풍부한. **~reichtum** *m.* 착상의 풍부함, 풍부한 착상. **~winkel** *m.* 입사각, 투사각;〖軍〗(탄환의) 낙하 각도.

Ein·falt [áınfalt] *f.* -en ① 단순, 간단, 간결. ② 소박, 순진, 천진난만:〔비유〕 die ~ vom Lande 순진한 시골 소녀. ③ 우둔, 무지; 바보, 호인: (du) heilige ~! 아이고, 이 순진한 친구야!

ein|falten *t.* (옷을) 접어 겹치다, 주름잡다; 싸다.

***einfältig** [áınfɛltıç] *a.* ① 단순한, 간결한. ② 질박한; 순진한, 천진난만한. ③ 우직〔무지〕한; 무의미한.

Einfältigkeit *f.* -en ↑ einfältig 의 명사형.

Einfalts·pinsel *m.*〔폄어〕바보, 편협한 사람.

ein|falzen *t.* ① (제본할 때 표지를) 책의 등에 맞추어 접다; 접지(摺紙)하다. ②〖건축〗…의 사개를 맞추다, 사개를 물리다. ③ die Dauben ~ 통 제작용 널빤지에 홈을 파다; den Boden eines Fasses ~ 통의 밑판을 끼워 넣다.

Einfalzung *f.* -en ↑ einfalzen 의 명사형.

Ein·familien·haus *n.*〖건축〗(단독 또는 연립 주택 형태의) 일가족용 주택.

Einfang [áınfaŋ] *m.* -(e)s, ..fänge ① (수력 발전소에서 동력수(水)의) 자유 유입(저수 시설 없이). ②〖핵물리〗(원자핵이 방출 미립자를 흡수하는) 포획〔흡수〕반응. ③ 울타리로 둘러싼 땅, 구내.

ein|fangen* 《Ⅰ》 *t.* ① 체포하다; 감금하다; (여자가 남자를) 낚아채다; 덫으로 잡다. ② 둘러싸다. ③〔비유·교양〕(특징을) 포착하여 표현하다: die Atmosphäre mit der Kamera ~ 분위기를 사진기로 잡아내다. 《Ⅱ》 *refl.* sich³ ~〔구어〕(불쾌한 것에) 걸리다, 당하다: sich³ eine Grippe ~ 유행성 감기에 걸리다; sich³ eine Ohrfeige ~ 빰을 한 대 맞다.

ein|färben *t.* ① 물들이다, 염색하다: sich die Haare ~ lassen 머리카락을 염색하다. ②〖印〗(조판에) 잉크를 바르다.

ein≈farbig, ~färbig *a.* 한 빛깔의, 단색의; (직물이) 단색에 무늬 없는:〖畫〗ein ~es Gemälde 단색화, 단채(單彩)화.

Einfarbigkeit *f.* 단색성.

Einfärbung *f.* -en ↑ einfärben 의 명사형.

ein|faschen *t.* (öst.) 싸다, (붕대로) 감다.

ein|fassen *t.* ① 경계를 짓다, 둘러싸다: einen Garten mit einer Hecke ~ 정원을 울타리로 둘러싸다. ② 테를 두르다: Edelsteine ~ 보석에 테를 두르다. ③ (통에) 담다: Bier ~ 맥주를 통에 담다; Bienen in einen Korb ~ 꿀벌을 벌통에 모으다; Korn in Säcke ~ 곡물을 자루에 담다.

Einfasser *m.* -s, - ① 감침질 직공. ② 다이아몬드 세공사.

Einfassung *f.* -en ① 포위, 둘러쌈. ② 감침질; 테, 틀; 상감(象嵌), 보석을 박아넣는 부분〔대(臺)〕. ③ 통에 담기; 통조림으로 만듦. ④ 울타리, 담. ⑤ 제방.

Einfassungs·mauer *f.* 둘러친 담.

ein|feilen *t.* (쇠창살 등에) 줄질을 해 금을 내다.

ein|fenzen *t.* 울타리로 둘러싸다.

Einfenzung *f.* -en 울타리로 둘러싸기.

ein|fesseln *t.* 수갑을 채우다, 속박하다.

ein|fetten *t.* 기름을 발라 문지르다;〖기계〗기름을 치다.

Einfettung *f.* -en ↑ einfetten 의 명사형.

ein|feuchten *t.* 적시다, 축축하게 하다.

ein|feuern *i.* (h.) ① 불을 붙이다; (난로에) 불을 지피다. ② (*i./t.*) 흥분시키다: jm.〔jn.〕 ~ 누구를 흥분시키다, 고무하다. ③ 발포하다.

ein|filtrieren *t.* ① 필터로 걸러 채워 넣다. ②〔비유·구어〕흘려넣다, 복용시키다: jm. eine Medizin ~ 누구에게 약을 복용시키다.

ein|finden* *refl.* sich ~ ① 나타나다, 도착하다: sich bei jm.〔in js. Haus〕 ~ 누구의 집에 나타나다; sich vor Gericht ~ 법정에 출두하다. ② 적응하다: sich in eine neue Umgebung ~ 새로운 환경에 익숙해지다.

ein|flechten* *t.* ① die Haare ~ 머리를 땋다. ② 엮어(짜)넣다: Blumen in eine Girlande ~ 화환에 꽃을 엮어 넣다. ③〔비유〕(말·인용구를) 삽입하다: Zitate in eine Rede ~ 연설 가운데에 인용구를 끼워 넣다.

Einflechtung *f.* -en ↑ einflechten 의 명사형.

ein|fleischen 《Ⅰ》 *t.* 뇌리에 새기다, 명심시키다. 《Ⅱ》 *refl.* sich ~ 뇌리에 새겨지다, 깊이 인상에 남다. 《Ⅲ》 **eingefleischt** *p.a.* ↑ eingefleischt.

ein|flicken *t.* ① 기워 넣다〔붙이다〕: in die Hose ein Stück Stoff ~ 바지에 천 조각을 대고 깁다. ② 덧붙이다, 첨가하다: Wörter in den Brief ~ 편지 속에 몇 마디 더 써 넣다.

ein|fliegen* 《Ⅰ》 *i.* (s.) (새·비행기가) 날아들다. 《Ⅱ》 *t.* ① (길들이기 위해) 시험 비행을 하다: eine neue Maschine ~ 새 비행기를 시험 비행하다. ② 공수하다, 비행기로 투입하다: Lebensmittel in die überschwemmten Gebiete ~ 침수 지역에 식료품을 공수하다. ③ (항공업으로 돈을) 벌다: Profite ~ (항공사가) 이익을 남기다. 《Ⅲ》 *refl.* sich ~ 비행 연습을 하다.

Einflieger *m.* -s, - 시험〔테스트〕파일럿.

ein|fließen* *i.* (s.) ① 흘러들다: ins Meer

~ (강물이) 바다에 흘러들다. ②〖비유〗(수입이) 들어오다. ③ et. ~ lassen 무엇을 삽입〔부언·첨가〕하다: er ließ ein Wort darüber in die Rede mit ~ 그는 이야기 도중에 그 일에 관하여 한 마디 했다.

einflößbar *a.* 흘려〔따라〕 넣을 수 있는.

ein|flößen *t.* ① 흘려〔부어〕 넣다: dem Kranken fremdes Blut ~ 환자에게 수혈하다. ② jm. et. ~ 누구의 마음에 무엇을 불어넣다, 느끼게 하다; jm. Mitleid〔Mut〕 ~ 누구의 동정심을 일으키다〔용기를 북돋다〕.

Einflößung *f.* -en ↑ einflößen 의 명사형.

Einflug [áinflu:k] *m.* ..(e)s, ..flüge [..fly:gə] ① (항공기의) 진입, 날아듦; 공습. ② 시험 비행. ③ 비둘기집〔꿀벌집〕의 입구.

einflüg(e)lig *a.* 날개가 하나인.

Einflug·schneise *f.* 〖空〗(활주로의) 착륙 진입로.

***Einfluß** [áinflus] *m.* ..flusses, ..flüsse ① 유입, 주입(注入); 합류. ② 하구; 합류점. ③〖비유〗영향, 감화; 세력, 명망: auf jn.〔et.〕 ~ haben〔ausüben〕 누구에게〔무엇에〕 영향을 끼치다; seinen (persönlichen) ~ geltend machen 자기의 (개인적인) 영향력을 발휘하다; ein Mann von〔mit〕 (großem) ~ 실력자, 유력 인물; unter js. ~ stehen 누구의 영향〔지배〕 아래 있다.

Einfluss 新정서 ⇦ Einfluß.

Einfluß=bereich *m.*, **~gebiet** *n.* 영향 범위, 세력권.

einflußlos *a.* 영향력이 없는; 세력이 없는.

Einfluß=nahme *f.* 영향력 행사. **~reich** *a.* 영향(력)이 큰; 세력 있는. **~röhre** *f.* 〖工〗유입관(管), 급수관(管). **~sphäre** *f.* 세력권.

Einflüsterer *m.* -s, - 귓속말하는 사람;〖비유〗교사자.

ein|flüstern *t.* ① 속삭여 귓속말하다. ②〖연극〗(배우에게 대사를) 속삭여 알려주다, 프롬프터로 일하다. ③〖비유·폄어〗(은밀히) 교사(教唆)〔선동〕하다.

Einflüsterung *f.* -en 귓속말; 교사.

ein|fordern *t.* 청구〔요구〕하다, 징수〔회수〕하다: ein verliehenes Buch ~ 대출한 책의 반환을 요구하다.

Einforderung *f.* -en ↑ einfordern 의 명사형.

ein·förmig *a.* ① 동일한 형태의, 균일한. ② 변화 없는, 단조로운, 지루한.

Einförmigkeit *f.* -en ↑ einförmig 의 명사형.

ein|forsten *t.* 〖林〗① 산림으로 만들다; 조림하다. ② jn. ~ 누구에게 삼림의 소유권을 공유케 하다.

ein|fressen* 《I》 *t.* ① 게걸스레 먹다, 다 먹어 치우다;〖化〗부식하다. ②〖비유〗(무례·모욕을) 꾹 참다, 삭이다. 《II》 *refl./i.* (h./s.) (sich) ~ 먹어 들어가다, 파고들다,〖化〗부식하다: die Säure frißt sich in das Eisen ein 산이 철을 부식한다.

ein|fried(ig)en [..fri:d(ɪg)ən] *t.* 담으로 둘러싸다: einen Garten (mit einem Zaun) ~ 정원에 울타리를 두르다.

Einfried(ig)ung [..d(ɪg)uŋ] *f.* -en ↑ einfried(ig)en 의 명사형.

ein|frieren* 《I》 *i.* (s.) ① 얼어붙다, 얼음에 둘러싸여서 꼼짝하지 못하다: eingefrorene Schiffe 얼어붙어 갇힌 선박들. ② 얼어서 막히다: die eingefrorenen Wasserrohre sind geplatzt 얼어서 막힌 수도관이 터졌다. ③ 굳어 버리다; 동결되다: sein Lächeln fror ein 그의 미소가 굳어 버렸다. 《II》 *t.* 〔드물게〕① (보존을 위해) 냉동하다. ②〖비유·구어〗(임금 수준을) 동결하다, 현상태로 두다: Gehälter der Beamten ~ 공무원의 봉급을 동결하다. 《III》 **eingefroren** *p.a.* ↑ eingefroren.

Einfrierung *f.* -en ↑ einfrieren 의 명사형.

ein|frosten *t.* 냉동하다.

Einfrostung *f.* -en 냉동.

ein·früchtig *a.* 〖植〗1 회〔홑씨방〕 결실의.

ein|fuchsen [..fuksən] 《I》 *t.* 〖구어〗교묘하게 숙련시키다, (반복하여) 주입시키다: jn. auf Gehorsam ~ 누구에게 복종을 가르치다. 《II》 **eingefuchst** *p.a.* ↑ eingefuchst.

Einfüge·modus *m.* 〖컴〗삽입 모드〔방식〕.

ein|fugen 《I》 *t.* 끼워넣다, 이음짱을 맞추다: einige Steine in eine Ritze ~ 틈새에 돌 몇 개를 끼워넣다. 《II》 *refl.* sich ~ 꼭 끼다, 들어맞다, 적합하다.

ein|fügen 《I》 *t.* ① 끼워넣다, 삽입하다: ein Wort in den Satz ~ 문장에 단어 하나를 삽입하다. ②〖컴〗(오려둔 텍스트를) 붙이다, 삽입하다. 《II》 *refl.* sich in et. ~ 무엇에 어울리다, 순응〔적응〕하다.

Einfügung *f.* -en ① 결합, 접합, 끼워넣기. ②〖원예〗접목;〖醫〗접합. ③ 순응, 적응.

ein|fühlen *refl.* sich in et. ~ 무엇의 입장이 되어 보다;〖哲〗무엇에 감정을 이입하다.

***Einfühlung** *f.* -en 감정 이입.

Einfühlungs=gabe *f.* ↑ ~vermögen. **~theorie** *f.* 〖哲〗(T. Lipps 가 제창한) 감정 이입설. **~vermögen** *n.* 감정 이입 능력.

***Einfuhr** [áinfu:*r*] *f.* -en ① 반입; 입고(入庫). ②〖商〗수입(輸入)(↔ Ausfuhr): direkte ~ 직수입. ③〔복수〕수입품.

Einfuhr·artikel *m.* 〖商〗수입품.

einführbar *a.* ① 도입할 수 있는. ②〖商〗수입이 허용된.

Einfuhr=beschränkung *f.* 〖商〗수입 제한. **~deklaration** *f.* 수입 신고서.

***ein|führen** [áinfy:rən] 《I》 *t.* ① (구멍 속에) 집어넣다, 삽입하다, 가지고 들어가다: einen Schlauch in den Magen ~ 위에 고무관을 삽입하다. ②〖商〗수입하다(↔ ausführen): Waren ~ 상품을 수입하다. ③ 입문시키다, 불러들이다, 소개하다: jn. bei jm. 〔in eine Familie〕 ~ 누구를 누구에게〔어떤 가정에〕 소개하다; jn. in eine Gesellschaft ~ 누구를 입회시키다; jn. in eine Wissenschaft ~ 누구에게 어떤 학문의 기초를 가르치다. ④ (새로운 제도를) 도입하다, (상품을) 내놓다, 출시하다: einen neuen Artikel auf den Markt ~ 새 상품을 시장에 내놓다; eine Reform ~ 개혁을 실시하다; ein neues Lehrbuch ~ 새 교과서를 채택하다. ⑤ jn. in ein Amt 〔eine Stelle〕 ~ 누구를 어떤 관직〔자리〕에 앉히다. ⑥ (인물·모티프를) (처음으로) 등장시키다: eine neue Person im Roman ~ 소설에 새 인물을 등장시키다. 《II》 **eingeführt** *p.a.* ↑ eingeführt.

Einführer *m.* -s, - ①〖商〗수입상. ② 안내자, 소개자. ③ 임명자, 채용자. ④ (새로운 제도의) 도입자; (습관·유행의) 창시자.

Einfuhr≈erlaubnis *f.* 수입 허가. **~hafen** *m.* 수입항. **~handel** *m.* 〖商〗 수입상〔무역〕. **~kontingent** *n.* 수입 할당(액). **~land** *n.* 수입국. **~liste** *f.* 〖海〗 선화 증권, 선적 증서; 수입 세율표. **~prämie** *f.* 〖商〗 수입 장려금. **~register** *n.* ↑ ~liste. **~schein** *m.* 〖商〗 수입 허가서, 통관〔선박 입항〕 신고서. **~sperre** *f.* 수입 금지. **~tabelle** *f.* ↑ ~liste. **~überschuß** *m.* 수입 초과.

Einführung [áɪnfy:rʊŋ] *f.* -en ①〖商〗 수입. ② 안내, 접대; 소개. ③ 입관, 임명, 채용. ④ 도입, 실시; (유행의) 창시; (종교의) 전래. ⑤ 입문, 개론. ⑥〖전기〗 유도, 도입.

Einführungs≈bestimmung *f.* 〖法〗 시행 규정. **~draht** *m.* 〖전기〗 도입선. **~feierlichkeit** *f.* 취임식. **~gesetz** *n.* 〖法〗 시행법. **~kurs** *m.* (강좌) 입문 과정; (주식의) 상장 시세. **~kapital** *n.* 〖經〗 도입 자본. **~preis** *m.* 첫 시판 가격. **~regel** *f.* 〖法〗 시행 규칙. **~rohr** *n.* 〖工〗 유입관(管). **~schreiben** *n.* 개관〔입문〕의 글. **~vortrag** *m.* 입문〔초급〕 강의.

Einfuhr≈verbot *n.* 수입〔반입〕 금지. **~waren** *pl.* 수입품. **~wechsel** *m.* 〖商〗 수입환. **~zoll** *m.* 〖商〗 수입세, 관세.

ein|füllen *t.* 채워 넣다, 가득 채우다: Wasser in die Flasche ~ 물을 병에 채우다.

Einfüll≈öffnung *f.* 주입구(口). **~trichter** *m.* 깔때기.

Einfüllung *f.* -en ↑ einfüllen 의 명사형.

ein·füßig *a.* 외발의, 한 발의.

ein|füttern *t.* ① 먹을것을 주다: einem Kranken et. ~ 환자에게 무엇을 (먹도록) 주다. ② 〖컴〗 입력하다: einem Computer Befehle ~ 컴퓨터에 명령어를 입력하다. ③〖원예〗 (얼지 않도록) 땅에 깊숙이 묻다.

Eingabe [áɪnga:bə] *f.* -n ① **(a)** (원서의) 제출, 출원. **(b)** (약의) 투여. ② 청원서, 진정서; 각서: eine ~ an die Behörde 〔bei jm.〕 machen 〔richten, weiterleiten〕 당국에 〔누구에게〕 청원서를 제출하다. ③〖컴〗 (↔ Ausgabe) 입력.

Eingabe·taste *f.* 〖컴〗 입력〔엔터〕키.

***Eingang** [áɪngaŋ] *m.* -(e)s, ..gänge ① 들어가기, 입장; 입구; 현관: Ausgang und ~ 출입구; jm. den ~ gestatten 누구에게 입장을 허락하다; sich³ ~ verschaffen 입장을 허락받다; verbotener ~! 입장 금지!; ein Tumor am ~ des Magens 위의 분문(噴門)에 생긴 종양. ② 채용; 유포, 보급; 허락: ~ finden 채용되다, 유행하다, 받아들여지다; einer Sache ~ verschaffen 어떤 것을 도입하다. ③ 개시, 발단; 서문, 서론; 〖음악〗 서곡, 전주(곡); 〖연극〗 서막, 서사(序詞); 〖宗〗 ~ der Messe 입진송(入進誦) (미사에서 사제가 단에 오를 때 노래하는 찬송가); im ~e 처음에. ④ (서류·편지의) 도착, 수령; 〖商〗 ~ von Waren 입하; ~ einer Summe 일정 금액의 입금; ~ des Wechsels 어음의 수령; wir liefern nach ~ des Geldes 돈을 받고 나서 (물건을) 보내드리겠습니다; als ~ buchen 수령 사실을 (장부에) 기입하다; ~ vorbehalten(약어: E.v.) 〔vorbehaltlich des ~s〕 입금을 조건으로. ⑤ 〖복수〗〖商〗 입하물(入荷物); (↔ Ausgänge) 소득 총액, (국가의) 총수입.

eingängig *a.* 이해〔기억〕하기 쉬운.

Eingängigkeit *f.* ↑ eingängig 의 명사형.

eingangs [áɪngaŋs] 《I》 *adv.* 처음에: ~ erwähnt 처음에 언급한. 《II》 *prp².* …의 처음에: ~ des Schreibens 편지의 첫머리에; ~ des Waldes 숲 입구에.

Eingangs≈abgabe *f.* 수입 관세. **~artikel** *pl.* 수입 물품. **~bestätigung** *f.* 〖商〗 수령 증명. **~buch** *n.* 〖商〗 (상품·우편물의) 도착 기입부(簿). **~datum** *n.* (상품·우편물의) 수령일, 수취일. **~deklaration** *f.* 〖商〗 수입 신고서. **~formel** *f.* (문서·편지) 서두의 상투적 문구; 〖法〗 전문(前文). **~halle** *f.* (건물의) 현관 홀, 로비. **~rede** *f.* 연설의 서두, 개회사. **~stempel** *m.* 〖사무〗 수령일 확인 도장. **~strophe** *f.* (노래·시의) 첫 연, 제 1 연. **~stück** *n.* 〖樂〗 서곡, 전주곡. **~tor** *n.* 입구, 정문. **~tür** *f.* (건물의) 입구, 출입문. **~vermerk** *m.* 〖사무〗 (상품·우편물의) 수령〔배달·입금〕 시각 기록. **~zoll** *m.* 수입세.

eingeartet 《I》 *p.p.* ↑ einarten. 《II》 *p.a.* 타고난; 계몽된, 계발된.

eingeäschert 《I》 *p.p.* ↑ einäschern. 《II》 *p.a.* 재로 변한.

ein|geben* *t.* ① (약을) 투여하다, 복용시키다: jm. Arznei ~ 누구에게 약을 투여하다. ② 암시하다; (생각·느낌을) 불어넣다, 고취하다: jm. einen Gedanken ~ 누구에게 어떤 사상〔생각〕을 불어넣다. ③ 제출〔출원〕하다: ein Gesuch bei der Behörde ~ 당국에 청원서를 제출하다. ④〖컴〗 입력하다.

Eingeber *m.* -s, - 암시자; 고취자, 고무자.

eingebettet 《I》 *p.p.* ↑ einbetten. 《II》 *p.a.* 파묻힌, 삽입된.

eingebildet 《I》 *p.p.* ↑ einbilden. 《II》 *p.a.* ① 상상(으로)의, 공상적〔비실재적〕인, 헛된: ein ~er Kranker 상상병〔신경성·우울증〕 환자. ② 자만심이 강한; 우쭐한.

Eingebildetheit *f.* ↑ eingebildet 의 명사형.

Eingebinde [áɪngəbɪndə] *n.* -s, - (schweiz.) 〖고어〗 (유아용) 세례 선물.

eingeblindet [áɪngəblɪndət] *a.* 〖건축〗 (기둥·벽이) 얕게 부조(浮彫)된, 반부조된.

eingebogen 《I》 *p.p.* ↑ einbiegen. 《II》 *p.a.* ① 안으로 휜〔굽은〕: mit ~en Beinen 두 다리가 안으로 굽은. ② (buchtig) 요철(凹凸)이 있는, 파상(波狀)의.

ein·geboren[1] [áɪngəbo:rən] *a.* 〖宗〗 신의 독생자로 태어난: der ~e 〔Gottes ~er Sohn〕 하느님의 독생자(그리스도).

***eingeboren**[2] *a.* ① 토착의: die ~e Bevölkerung 원주민. ② 타고난, 선천적인: ~e Rechte verletzen 천부의 권리를 훼손하다; es ist jedem Menschen ~ 그것은 인간의 선천적 경향이다.

Eingeborene* *der/die* 원주민, 토착민: die ~n Australiens 오스트레일리아 원주민.

Eingeborenen≈frage *f.* 원주민 (처리) 문제. **~sprache** *f.* 원주민의 언어.

eingebracht 《I》 *p.p.* ↑ einbringen. 《II》 *p.a.* das (in die Ehe) ~e Gut 혼수(품), 지참금.

Eingebrachte* *das* 혼수품.

Eingebung [áɪnge:bʊŋ] *f.* -en ① 투약. ② 〖비유〗 영감; (사상을) 불어넣음; 고취; 암시, 시사: eine höhere ~ 〔eine ~ von oben〕 (신의) 계시, 영감.

eingebürgert 《I》 *p.p.* ↑ einbürgern. 《II》 *p.a.* 귀화한, 자국어화한, (풍토에) 동화한.
Eingebürgerte* *der/die* 귀화인.
Eingeburt [áɪngəbu:rt] *f.* ① 토착. ② 토착민의 권리, 귀화권.
Eingeburts·recht *n.* ↑ Eingeburt ②.
eingedenk [áɪngədɛŋk] *a.* 〖bleiben, sein, werden 과 함께〗 eines Dinges ~ sein 〔bleiben〕 무슨 일을 기억하고 있다, 잊지 않다: er war seines Versprechens ~ 그는 약속을 잊지 않고 있었다; ~ seines Verdienstes 그의 공로를 생각하여.
eingedickt 《I》 *p.p.* ↑ eindicken. 《II》 *p.a.* 바짝 조린.
eingefahren 《I》 *p.p.* ↑ einfahren. 《II》 *p.a.* 꼼짝달싹하지 않는, 굳어 버린: er kann nur noch auf〔in〕 ~en Bahnen〔Gleisen〕 denken 그의 생각은 아직도 구태를 벗어나지 못한다.
eingefallen 《I》 *p.p.* ↑ einfallen. 《II》 *p.a.* 초췌〔쇠약〕한.
eingefleischt 《I》 *p.p.* ↑ einfleischen. 《II》 *p.a.* ①〔비유〕 습관이 된, (버릇이) 굳어 버린: ~e Gewohnheit(en) 몸에 밴 습관; ein ~er Junggeselle 독신 생활이 몸에 밴 총각. ②〖드물게〗 인간의 모습을 한, 화신(化身)의: ein ~er Teufel 악마의 화신.
eingefroren 《I》 *p.p.* ↑ einfrieren. 《II》 *p.a.* 얼음에 갇혀 꼼짝을 않는, 결빙된.
eingefuchst [..fukst] 《I》 *p.p.* ↑ einfuchsen. 《II》 *p.a.* 〔구어〕 숙달한, 정통한.
eingeführt 《I》 *p.p.* ↑ einführen. 《II》 *p.a.* 수입한, 도입한, 습관이 된, 유행의: gut ~ 유명한, 인기 있는; die Firma ist gut ~ 그 회사는 잘 알려져 있다.
eingehängt 《I》 *p.p.* ↑ einhängen. 《II》 *p.a.* 경첩에 걸린, 서로 팔짱을 낀.
ein|gehen [áɪnge:ən] 《I》 *i.* (s.) ① 들어가다, 입장하다: bei jm. aus- und ~ 누구의 집에 출입하다; in das Himmelreich 〔zum ewigen Leben〕 ~ 하늘 나라에 들어가다, 죽다; 〖비유〗 das wird in die Geschichte ~ 그것은 역사에 기록될 것이다. ②〖구어〗 das geht ihm glatt ein a) 그는 기꺼이 그것을 받아들인다, b) 쉽게 이해한다; das will ihm nicht ~ 그것은 그에게 도무지 이해가 되지 않는다. ③ (돈이) 들어오다, 수입이 생기다. ④ (편지가) 도착하다, 손에 들어오다: die eingegangene Post durchsehen 도착한 우편물을 훑어보다. ⑤ mit ~ 덤으로 들어오다, 첨가되다. ⑥ (피륙이) 줄다, 수축하다. ⑦ auf et. ~ a) 무엇에 동의하다, 승낙하다, b) 무엇에 관계〔종사〕하다, c) 무엇을 논하다; auf den Scherz ~ 익살에 맞장구치다; auf eine Frage ~ 어떤 문제를 토론하다; auf et. näher ~ 무엇을 상세히 논하다, 다루다. ⑧ 중지되다, 그치다; 죽다, (식물이) 말라 죽다, 시들다, (신문이) 폐간되다: ~ lassen 그만두다, 폐기〔포기〕하다; das Geschäft ~ lassen 가게를 그만두다, 망하게 버려두다; 〖경박〗 er ist an der Krankheit eingegangen 그는 그 병으로 죽었다. ⑨ in et. ~ 무엇에 몰두하다, 무엇을 깊이 파다: in die Einzelheiten ~ 세부 사항들까지 조사하다, 논하다, 다루다. ⑩ (정신적으로) 위축되다. ⑪ 피해를 당하다, 벌을 받다: wenn die Sache herauskommt, gehst du ein 이 일이 탄로나면 너는 벌을 받을거야. 《II》 *t.* (어떤 일에) 동의〔승낙〕하다; (어떤 관계에) 들어가다: eine Ehe ~ 결혼하다; ein Risiko ~ 위험을 무릅쓰다; einen Vertrag ~ 계약을 체결하다; immer neue Verpflichtungen ~ 언제나 새로운 의무를 지다; eine Wette ~ 내기에 응하다.
eingehend [..ge:ənt] 《I》 *p.a.* ① ~er Winkel 〖數〗 요각(凹角), 〖건축〗 안귀; ~e Ausstände 회수 대금. ② 상세한; 정확한: ~e Besprechung 상론. 《II》 *adv.* 상세히; 철저하게; 충분히: et. ~ erörtern 무엇을 상론〔상술〕하다.
eingehenkelt [..gəhɛŋkəlt] 《I》 *p.p.* ↑ einhenkeln. 《II》 *p.a.* 팔짱을 끼고.
Eingeladene* *der/die* 초대받은 사람.
ein·geleisig *a.* ①〖철도〗 단선(單線)의. ② (행동·사고가) 편협한, 일면적인.
eingemacht 《I》 *p.p.* ↑ einmachen. 《II》 *p.a.* (설탕절임·초절임 따위로) 저장된, 병〔통〕조림한.
Eingemachte* *das* 저장물; 설탕〔소금·초〕절임, 병〔통〕조림.
ein|gemeinden [..gəmaɪndən] *t.* 지방 자치 단체에 편입〔병합〕하다.
Eingemeindung *f.* -en (지방 자치 단체에의) 편입, 병합.
eingenommen 《I》 *p.p.* ↑ einnehmen. 《II》 *p.a.* 편견에 사로 잡힌, 편협한; 몽롱한 상태에 있는: sehr für jn. ~ 누구에게 홀딱 빠져 있는; gegen jn. ~ 누구에게 반감을 품고 있는; von sich (selbst) ~ 자만하는; ich habe einen ~en Kopf 나는 머리가 띵하다〔무겁다〕.
Eingenommenheit *f.* ① 편견. ② (의식의) 혼탁; 〖醫〗 혼수.
eingerechnet 《I》 *p.p.* ↑ einrechnen. 《II》 *p.a.* 셈〔고려〕에 넣은.
Eingerichte [áɪngərɪçtə] *n.* -s, - (자물쇠 안의) 걸림쇠, 돌기.
Eingesandt [áɪngəzant] *n.* -s, -s (신문·잡지의) 독자 투고.
eingeschlechtig *a.* 〖植〗 단성(單性)의; 자웅이화(雌雄異花)의.
eingeschlossen 《I》 *p.p.* ↑ einschließen. 《II》 *p.a.* 둘러싸인, 포함된, 동봉한: ~e Luft 통풍이 잘 안 되는 공기; Bedienung ~ 봉사료 포함해서.
Eingeschlossenheit *f.* 격리, 금고, 유폐.
eingeschnitten 《I》 *p.p.* ↑ einschneiden. 《II》 *p.a.* ① 깎여 들어간, 톱니 모양의. ②〖植·動〗 결각(缺刻)이 있는, 여러 갈래로 째진.
eingeschnürt 《I》 *p.p.* ↑ einschnüren. 《II》 *p.a.* ①〖醫〗 협착한. ②〖生〗 불규칙하게 수축된. ③ 잘룩한.
eingeschossig *a.* 일층의, 단층의.
eingeschränkt 《I》 *p.p.* ↑ einschränken. 《II》 *p.a.* 제한된, 절약한, 편협한.
Eingeschränktheit *f.* ① 제한, 한정; 협소. ② 구속, 속박. ③ 편협. ④ 긴박〔절박〕한 상태; 빈궁.
eingeschrieben 《I》 *p.p.* ↑ einschreiben. 《II》 *p.a.* ① (목록·명부)에 기입〔등록·등기〕된. ② 등기 우편의. ③ 병적에 편입된.
eingeschworen 《I》 *p.p.* ↑ einschwören. 《II》 *p.a.* 결의가 굳은, 신념이 투철한: auf jn. ~ sein 누구를 지지하기로 굳게 결의하고 있다.
eingesessen [áɪngəzɛsən] 《I》 *p.p.* ↑ einsit-

zen. 《Ⅱ》 *p.a.* 거주하는, 토착의.
Eingesessene* *der/die* 거주자; 토착민.
Eingesottene *n.* -n 과일 조림.
eingesprengt 《Ⅰ》 *p.p.* ↑ einsprengen. 《Ⅱ》 *p.a.* ① 산재하는: in das Gestein ~es Gold 광석에 박혀 있는 금. ②〖제본〗 대리석 무늬의.
eingestandener·maßen *adv.* ① 자백한 바와 같이. ② 명백히, 의심의 여지 없이.
eingeständig *a.* ↑ geständig.
Eingeständnis *n.* -ses, -se 자백, 공언, (사실의) 시인, 인정.
ein|gestehen* *t.* 자백하다, 시인하다.
eingestrichen [áɪngəʃtrɪçən] *a.* 〖음악〗 가온 다음(音)이 있는 옥타브의(음이름 오른쪽 위에 사선을 그어 표시한 데서): ~es c 가온다(c′) (↑ zweigestrichen).
eingetragen 《Ⅰ》 *p.p.* ↑ eintragen. 《Ⅱ》 *p.a.* 등록을 마친: ~er Verein 등록 협회(약어: E. V.).
Eingetropfte *n.* -n (öst.) (국이나 죽에 뚝뚝 떨어뜨려 넣는) 묽은 반죽.
***Eingeweide** [áɪngəvaɪdə] *n.* -s, ①〖해부〗 내장, 창자. ②〔비유〕 내부.
Eingeweide≈bruch *m.* 〖醫〗 탈장(脫腸). **~lehre** *f.* 내장학. **~nerven·system** *n.* 내장〔교감〕 신경계. **~senkung** *f.* 내장 하수증(下垂症). **~wurm** *m.* (내)장(腸) 기생충.
eingeweiht 《Ⅰ》 *p.p.* ↑ einweihen. 《Ⅱ》 *p.a.* 봉헌되는, 바치는, 개통식을 행하는.
Eingeweihte* *der/die* 내막을 잘 아는 사람, 정통한 사람, 전문가, 소식통.
ein|gewöhnen 《Ⅰ》 *t.* 익숙케 하다, 습관들이다: jn. in eine neue Umgebung ~ 누구를 새로운 환경에 적응시키다. 《Ⅱ》 *refl.* sich ~ 익숙해지다, 적응하다.
Eingewöhnung *f.* -en ↑ eingewöhnen 의 명사형.
eingewurzelt 《Ⅰ》 *p.p.* ↑ einwurzeln. 《Ⅱ》 *p.a.* 뿌리박은, 고정된, 친숙한.
eingezogen 《Ⅰ》 *p.p.* ↑ einziehen. 《Ⅱ》 *p.a.* ① 은퇴한, 틀어박힌, 고독한. ② 소극적인.
Eingezogenheit *f.* 은둔 (생활), 칩거.
ein|gießen* *t.* ① 부어〔쏟아〕 넣다: soll ich dir noch (ein Gläschen) ~? (한 잔) 더 따라 줄까? ②〔비유〕 불어 넣다, 스며들게 하다. ③ mit Blei ~ 납을 부어 접합하다.
Eingießung *f.* -en ① 주입. ② 고취. ③〖醫〗 수혈.
ein|gipsen *t.* ① 석고로 고정시키다, 석회를 바르다. ②〖醫〗 깁스를 하다.
ein|gittern *t.* 격자〔울타리〕를 두르다, 격자로 칸을 막다.
Eingitter·röhre *f.* 〖전기〗 3극관(極管).
Einglas *n.* -es, ..gläser 단(單)안경, 모노클.
ein|glasen *t.* ① (창에) 판유리를 끼우다: die Fenster sind neu eingeglast worden 창문들은 새로 유리를 끼워넣었다. ② (그림을) 유리 밑에 끼우다.
ein|gleisen 《Ⅰ》 *i.* (s.) ~ (기차가) 궤도로 들어서다. 《Ⅱ》 *t.* ① (차량을) 선로 위에 올리다. ② 정리〔정돈〕하다, 바로잡다.
ein·gleisig *a.* ①〖철도〗 단선(單線)의. ② (행동·사고가) 편협한, 일면적인.
ein·glied(e)rig *a.* 〖數〗 단항(單項)의.
ein|gliedern 《Ⅰ》 *t.* 맞추어 넣다, 편입하다. 《Ⅱ》 *refl.* sich et.³ ~ 무엇에 편입되다.
Eingliederung *f.* -en 편입, 가입.
ein|graben* 《Ⅰ》 *t.* ① 파묻다, 매장하다. ② 끌로 새기다: einen Namen in einen Stein ~ 돌에 이름을 새겨넣다. ③ (자국·흔적을 분명하게) 남기다: der Gletscher hat in das Gestein tiefe Rillen eingegraben 빙하가 암반에 깊게 긁힌 자국을 남겼다. 《Ⅱ》 *refl.* sich ~ ① (여우가) 구멍에 파고 들어가다. ②〖軍〗 sich in die Erde ~ 참호를 파고 들어가다. ③〔비유〕 sich in seine Bücher ~ 독서에 몰두하다. ④〔비유〕 새겨지다: das Erlebnis hat sich mir tief ins Herz eingegraben 이 체험은 내 가슴에 깊이 새겨졌다.
Eingrabung *f.* -en 파묻기, 매장; 새김.
ein|gravieren [áɪngraviːrən] *t.* 새겨넣다; 조각하다.
ein|greifen* *i.* (h.) (in et.) ① **(a)** 손 또는 손가락을 집어넣어 잡다: in die Saiten ~ 〖음악〗 (악기의) 현을 타다. **(b)**〔비유〕 개입〔관여〕하다; 영향을 미치다; (권리를) 침해하다: in einen Streit ~ 싸움에 (조정 역할로) 개입하다; in js. Rechte ~ 누구의 권리를 침해하다. ② 꽉 물리다, 맞물리다; ineinander ~ 서로 들어맞다: das Rad greift ins Getriebe ein 차바퀴(의 이)가 기어와 맞물린다.
Eingreifen *n.* -s ① 물고 들어감, (톱니바퀴 따위의) 맞물림; 연결, 연접, 연동(聯動). ② 관여, 간섭; (권리 따위의) 침해.
eingreifend *p.a.* 〔비유〕 효과 있는, 단호한, 결정적인.
ein|grenzen *t.* ① 경계를 두르다, 구획하다. ②〔비유〕 한정〔제한〕하다, 좁히다: die Diskussion auf die wesentlichen Fragen ~ 토론을 본질적인 문제에 한정하다.
Eingrenzung *f.* -en ① 경계를 두름. ② 한정, 제한.
Eingriff [áɪngrɪf] *m.* -(e)s, -e ① 개입, 간섭; (권리의) 침해: ein ~ in fremdes Eigentum 타인 재산의 침해. ②〖醫〗 (절제) 수술: ärztlicher ~ 수술; ein verbotener ~ 금지된 (낙태) 수술.
Eingriffs·möglichkeit *f.* -en 간섭〔개입〕 가능성.
ein|grünen *t.* …에 잔디를 심다.
Eingrünung *f.* -en 잔디 심기.
ein|gruppieren *t.* 나누다, 분류하다.
Eingruppierung *f.* -en 그룹으로 나누기, 분류.
Einguß [áɪngʊs] *m.* ..gusses, ..güsse ① 주입(鑄入), (금속을) 주형에 붓기; (소·말의) 물약. ②〖工〗 (주형(鑄型)의) 주입구.
Einguss 新정서 ⇦ Einguß.
Einguß≈röhre *f.*, **~trichter** *m.* 급수관; 주형(鑄型)의 깔때기.
Eingut [áɪnguːt] *n.* -(e)s 동산(動產).
ein|hacken 《Ⅰ》 *t.* 베어내다, 잘게 썰다, (도끼로) 쳐서 자르다: Fleisch ~ 고기를 다지다. 《Ⅱ》 *i.* (h.) ① 칼〔도끼〕로 계속 내려 치다, (부리로) 쪼아대다: auf eine Beute ~ 먹이를 쪼아대다. ②〔비유〕 auf jn. ~ 누구를 심하게 꾸짖다.
ein|häkeln 《Ⅰ》 *t.* ① 코바늘로 짜넣다; 갈고리로 긁어들이다; 갈고랑쇠를 꽂다. ② 괄호 속에 넣다. 《Ⅱ》 *refl.* sich ~ 갈고리 모양을 이루다: die Katze häkelt sich mit den Krallen ein 고양이가 발톱을 세운다.

ein|haken 《I》 *t.* ① ↑ einhäkeln 《I》①. ② jn. ~ 누구와 팔을 끼다: eingehakt gehen 팔(짱)을 끼고 걷다. 《II》 *i.* (s.)/*refl.* (sich) ~ (갈고리·빗장 등이) 걸리다; 〖海〗 der Anker hakt ein 닻이 (바다 밑에) 박힌다. 《III》 *i.* 〖구어〗 (대화에) 끼어들다.

einhalb·mal *adv.* 반으로, 2 분의 1 배로: ~ soviel 2 분의 1 정도 분량의.

***Einhalt** [ámhalt] *m.* -(e)s 차단, 저지, 방해; 금지, 정지; 제한, 제지: et.³ ~ tun〔gebieten〕 무엇을 저지하다: ein Sturm gebot uns ~ 폭풍 때문에 우리는 활동을 할 수 없었다.

ein|halten 《I》 *t.* ① (약속을) 지키다, 엄수하다; (의무를) 이행하다. ② (원칙·노선·간격을) 지키다, 엄수하다: die vorgeschriebene Geschwindigkeit ~ 규정 속도를 지키다. ③ 〖재봉〗 주름을 잡아 (폭을) 좁히다. ④〔방언〕 (대·소변을) 참다, 배설하지 않다; (소가 우유를) 생산하지 않다; (숨을) 참다, 죽이다: kannst du es noch ~? 아직 (대·소변을) 참을 수 있니?; er lauschte mit eingehaltenem Atem 그는 숨을 죽이고 귀를 기울였다. 《II》 *refl.* sich ~ 집〔방〕에 틀어 박히다. 《III》 *i.* (h.) 중지하다, 그만두다: der Regen hielt ein 비가 멈추었다; in der〔mit〕 Arbeit ~ 일을 중지하다; mit der Bezahlung ~ 지급을 정지하다; halt ein! 멈춰라, 입 닥쳐!

Einhalts·befehl *m.* 중지 명령.

Einhaltung *f.* -en 감금, 정지, 중지, 엄수.

ein|hämmern 《I》 *t.* ① 망치로 때려 박다. ② 망치로 때려 만들다, 타각(打刻)하다: Figuren in Stein ~ 돌에 망치질하여 형상을 만들다. ③ 반복하여 주입하다: es wurde uns eingehämmert, darauf zu achten 그것에 주의하라고 우리는 귀가 따갑도록 들었다. 《II》 *i.* (h.) ① 망치로 때려박다. ②〖비유〗 주먹으로 마구 두들기다: auf einen Boxgegner ~ 상대 권투 선수를 마구 때리다.

ein|handeln *t.* ① 사들이다, 구입하다; 교환하여 얻다: Brot gegen Zigaretten ~ 담배를 주고 빵을 얻다. ②〖드물게〗 sein Vermögen 〔Geld〕 ~ 장사로 재산〔돈〕을 잃다. ③ (자기 잘못으로 무엇을) 감수하다; (비난·질책을) 당하다: durch sein Verhalten hat er sich heftige Kritik eingehandelt 그는 (잘못된) 행실 때문에 심한 비판을 자초했다.

Einhand·feuerzeug *n.* 한 손으로 조작하는 라이터〔점화기〕.

ein·händig *a.* 한 손의; 독력〔독립〕의; 조수가 없는: ~ Fahrrad fahren 한 손으로 자전거를 타다.

ein|händigen [..hɛndɪgən] *t.* 손에 쥐어주다; 교부하다; 인도하다; 〖法〗 (소환장을) 송달하다.

Einhändigung [..gʊŋ] *f.* -en 인도, 교부.

Einhändigungs·schein *m.* 인도〔영수〕증.

Einhand·segler *m.* 〖海〗 ① 단독 항해자. ② 1인승 요트.

Einhands·gut *n.* 〖法〗 (남편이나 아내의) 전유(專有) 재산.

ein|hängen 《I》 *t.* 걸다, 매달다; (문을) 경첩〔돌쩌귀〕에 걸다; 〖海〗 키를 갈고리쇠로 걸다; (차에 제동 장치를) 장착하다; (책에) 표지를 하다: die Tür (in die Angeln) ~ 문을 (경첩에) 걸다. 《II》 *i.* (h.)/*refl.* (sich) bei jm. ~ 누구와 팔짱을 끼다; eingehängt gehen 팔짱을 끼고 걷다. 《III》 *i.* 수화기를 올려 놓다, 전화를 끊다: er hat schon eingehängt 그는 벌써 전화를 끊었어. 《IV》 **eingehängt** *p.a.* ↑ eingehängt.

einhängig *a.* ~es Dach 물림 지붕, 차양.

Einhauch *m.* -(e)s, -e 불어넣기, 들숨.

ein|hauchen *t.* ① 입김을 불어넣다: jm. neues Leben ~ 누구에게 새 생명을 불어넣다. ② (감정·생각을) 불러일으키다, 환기하다: jm. Angst ~ 누구에게 불안감을 불러일으키다.

Einhauchung *f.* -en ↑ einhauchen 의 명사형.

ein|hauen* 《I》 *t.* ① 때려부수다, 박살내다: Fleisch ~ 고기를 다지다; die Fensterscheibe ~ 창유리를 때려부수다; er haute mir einige Zähne ein 그는 내 이빨 몇 대를 부러뜨렸다. ② 파고 들어가다, 새기다, 조각하다: ein Loch ~ 구멍을 파다. ③ 절개하다; 억지로 열다. ④ 두드려 박다: einen Nagel (in die Wand) ~ 못을 (벽에) 박다. 《II》 *refl.* sich ~ 검술을 연습하다. 《III》 *i.* (h.) ① 마구 때리다, 난타하다: auf ein Tier ~ 동물을 마구 때리다. ②〖비속〗 게걸스럽게 먹다, 빨리 먹어치우다: ins Essen ~ 식사를 빨리 먹어치우다.

ein·häusig [áınhɔyzɪç] *a.* ①〖植〗 양성화(兩性花)의, 자웅 동주(雌雄同株)의. ② 집에 틀어박혀 있는, 두문불출의.

Einhäusigkeit *f.* 〖植〗 자웅 동주.

ein|heben* *t.* ① 들어 올려넣다: eine Tür ~ 문을 돌쩌귀에 걸다; 〖印〗 die Form ~ 조판(組版)을 인쇄기에 걸다. ② (süddt., öst.) (요금·세금을) 징수하다.

Einhebung *f.* -en (세금) 징수.

ein|heften *t.* ① 시침 바느질하다, 가봉(假縫)하다, 꿰매어 붙이다. ② (서류를) 철하다; 가철(假綴)하다.

ein|hegen *t.* 담으로 둘러싸다.

Einhegung *f.* -en ① 담으로 둘러싸기; 담으로 둘러싸임. ② 담, 울타리.

ein|heilen *i.* (s.) (이식한 피부가 체내 조직에) 유착(癒着)되다: die übertragene Haut ist eingeheilt 이식된 피부가 유착했다.

einheimisch [áınhaımıʃ] *a.* 국내의, 고향의; 토산의, 국산의: die ~e Dichtung 국문학, 현지〔토착〕 문학; 〖醫〗 ~e Krankheiten 풍토병; ein ~er Krieg 내란; ~e Produkte 국산품; ~es Recht 국내법; in et.³ ~ sein 무엇에 숙달해 있다; ~ machen (동·식물을) 귀화시키다, 풍토에 길들이다; ~ werden 귀화〔정주〕하다, 적응하여 마음이 편해지다, 익숙해지다.

Einheimische* *der/die* 원주민, 토착민.

ein|heimsen [..haımzən] *t.* ① 창고에 저장하다, 수확하다; (집으로) 가지고 돌아가다. ②〖구어〗 획득하다, 얻다, 횡재하다.

Einheirat [áınhaıra:t] *f.* -en ① 데릴사위로 들어가기, 혼인을 통한 편입: ~ in eine adelige Familie 혼인을 통한 귀족 가문에의 편입. ② 혼인을 통한 상속.

ein|heiraten *i.* (h.) 혼인을 통해 가족의 일원이 되다; 혼인을 통해 재산을 얻다: sie heiratete in eine reiche Familie ein 그 여자는 결혼을 통해 어느 부잣집에 들어갔다.

***Einheit** [áınhaıt] *f.* -en ① 통일성, 단일성, 일관성; 〖理〗 단위; 〖哲〗 단일성; 〖軍〗 (단위)

부대; 〖문법〗 단수; 〖物〗 ~ des elektrischen Widerstandes 전기 저항의 단위; Währungs≈ 통화 단위; Gewichts≈ 중량 단위. ② 통일, 통합; 조화, 일치; 〖연극〗 die drei ~en (줄거리·시간·장소의) 삼일치; die ~ des Deutschen Reich(e)s 독일 제국의 통일; in eine ~ verschmelzen 통합시키다, 통일하다. ③〖골프〗 기준 타수.

einheitlich *a.* ① 단일한, 조화를 이루는, 일관성 있는, 일원적인: ein ~er Plan 일관성 있는 계획. ② 한결같은, 균등한; 획일적인: eine ~e Ausbildung 획일적인 교육.

Einheiten·system *n.* 〖理〗 단위계.

Einheitlichkeit *f.* ① 통일성, 일관성; 조화, 일치. ② 균등; 획일성.

Einheits≈bestrebung *f.* 통일 운동〔노력〕. **~betrieb** *m.* 〖經〗 통일 경영. **~bewegung** *f.* ↑ ~bestrebung. **~element** *n.* 〖化〗 단위 원소. **~form** *f.* 규격. **~front** *f.* 통일 전선. **≈gläubig** *a.* 〖宗〗 유일신 종교의. **~kurs** *m.* 〖經〗 단일 시세. **~kurz·schrift** *f.* (관청의) 통일〔표준〕 속기 문자. **~lehre** *f.* 〖宗〗 유일신 교의(教義); 〖哲〗 단자론. **~liste** *f.* (모든 정당의 후보자를 기재한) 통일〔단일〕 후보자 명부. **~porto** *n.* 〖우편〗 단일 우편 요금. **~preis** *m.* 균일 가격.

Einheitspreis≈geschäft *n.*, **~waren-haus** *n.* 균일 가격 상점.

Einheits≈schule *f.* 단일 학제의 학교. **~staat** *m.* 통일〔단일〕 국가. **~streben** *n.* (민족의) 통일 노력. **~trieb** *m.* 집중성, 통일〔통합〕 욕구. **~wert** *m.* 과세 표준 가격. **~wille(n)** *m.* 통일 의지. **~zeit** *f.* 만국 표준시.

ein|heizen *i.* (h.) ① 불을 피워 따뜻하게 하다: das Zimmer ~ 방을 난방하다. ② 혼내 주다, 비난하다: ich habe ihm gehörig eingeheizt 나는 그를 심하게 나무랐다. ③〔경박〕 폭음하다: er hat gestern zu stark eingeheizt 그는 어제 너무 많이 술을 마셨다. ④ 채근하다, 다그치다, 몰아대다: den Arbeitern ~ 노동자들을 독려하다.

Einheizer *m.* -s, - 화부.

ein|helfen* *i.* (h.) ①〔방언〕 (대사·대답을 살짝) 알려주다: sie half ihm freundlich ein 그녀는 그에게 친절하게 답을 알려주었다. ②〔고어〕 (누구를 도와) 어디로 가게 하다.

Einhelfer *m.* -s, - 〖연극〗 프롬프터.

einhellig [áɪnhɛlɪç] 《I》 *a.* (einstimmig) 이구동성의, (만장) 일치의 ~e Zustimmung 만장일치의 승인. 《II》 *adv.* 이구동성으로, 일치하여.

Einhelligkeit *f.* ↑ einhellig 의 명사형.

ein|hemmen *t.* (바퀴를) 서게 하다, 브레이크를 걸다; 〔비유〕 속박〔구속〕하다.

ein·henkelig *a.* 손잡이가 하나인.

ein|henkeln 《I》 *refl.* 〔방언〕 sich bei jm. ~ 누구와 팔(짱)을 끼다; eingehenkelt gehen 팔짱을 끼고 걷다. 《II》 **eingehenkelt** *p.a.* ↑ eingehenkelt.

***einher** [aɪnhéːr] *adv.* (öst.) (안에서 보아) (이쪽) 안으로(herein): komm ~ 들어와; 〔흔히 방향을 정하지 않고〕 이리저리, 유유히.

einher.. *pref.* 〔자동사의 분리 전철, 강세있음〕 "(이쪽) 안으로, 이리저리, 유유히" 따위의 뜻.

einher|brausen *i.* (s.) 돌진해오다; 질주하다.

ein|herbsten *t.* (포도를) 수확하다.

einher≈|fahren* *i.* (s.) 차를 타고 들어오다; 이리저리 차를 타고 돌아다니다. **~|fliegen*** *i.* (s.) 날아오다. **~|gehen*** *i.* (s.) ① 걸어오다; 유유히 걷다. ② (mit et.³) (무엇을) 동반〔수반〕하다, (무엇과) 결부되어 있다: Masern gehen mit Fieber und Ausschlag einher 홍역은 열과 발진을 수반한다.

Einherier [aɪnhéːriər, áɪnheːriər] *m.* -s, - 〖북구신화〗 (Walhall(a) 에 거주하는) 전몰 용사, 전사자.

Einherjer [áɪnhɛrjər] *m.* -s, - ↑ Einherier.

einher≈|kommen* *i.* (s.) (유유히) 걸어오다. **~|schleichen*** *i.* (s.) 살금살금 걷다〔오다〕. **~|schlendern** *i.* (s.) (유유히) 걸어오다. **~|schreiten*** *i.* (s.) 성큼성큼 걸어오다. **~|stolzieren** *i.* (s.) 뽐내며 걸어오다; 활보하다. **~|trippeln** *i.* (s.) 종종걸음으로 오다. **~|ziehen*** *i.* (s.) 행진하다, 줄지어 걷다.

ein|hetzen *t.* 〖사냥〗 (목표물을 향해 덤비도록) 부추기다: die Hunde auf ein Wild ~ 개를 짐승에 덤벼들도록 몰다.

ein|heucheln *refl.* sich ~ 아첨으로 환심을 사다.

ein|hieven [..vən, ..fən] *t.* 〖海〗 (닻줄을) 끌어들이다, 감아올리다, 당겨올리다.

Einhilfe [áɪnhɪlfə] *f.* -n (대사·대답을 넌지시) 알려 주기; 조언, 주의; 〖海〗 조력.

einhöckerig *a.* (낙타가) 단봉(單峰)의.

***ein|holen** *t.* ① 맞아들이다, 영접하다. ② 되찾다, 만회하다: einen Verlust ~ 손실을 만회하다. ③〔구어〕 가져오다, 사들이다, 구입하다: ~ 〔einkaufen〕 gehen 장보러 가다. ④ (간청해) 얻다; js. Einwilligung ~ 누구의 동의를 얻어내다; Nachrichten ~ 정보를 입수하다. ⑤ 거두어들이다, 잡아당겨 내리다: 〖海〗 die Fahne ~ 기를 내리다; ein Netz ~ 그물을 거두어들이다; die Segel ~ 돛을 내리다.

Einholer *m.* -s, - ① 마중나온 사람; 추적자. ② 세금 징수원. ③ 〖海〗 (돛·활대·기를) 다는 줄.

Einholung *f.* -en ① 마중, 영접. ② (보고의) 수합; (입장권 따위의) 수집. ③ (깃발·그물 따위를) 거두어들이기.

Einhol≈korb *m.* 장바구니. **~netz** *n.* 장보기용 그물 망태. **~tasche** *f.* 쇼핑 백.

ein|hören *refl.* sich in et. ~ 자주 들어 무엇에 익숙해지다.

Ein≈horn *n.* 〔복수: ..hörner〕 (전설상의) 일각수(一角獸), 유니콘. **~horn·fisch** *m.* 〖動〗 일각어(一角魚). **≈hornig** *a.* 뿔이 하나인. **~horn·wal** *m.* ↑ ~hornfisch. **~hufer** *m.* 〖動〗 (말 따위의) 단제류(單蹄類). **≈hufig** *a.* 단제류의.

ein|hüllen 《I》 *t.* 감싸다, 싸 넣다; 덮어 씌우다; 감추다: 〖醫〗 ~des Mittel 진통제, 완화제; in einen dichten Nebel eingehüllt werden 짙은 안개에 휩싸이다. 《II》 *refl.* sich in et. 〔et.³〕 ~ 무엇에 싸이다, (무엇을) 두르다.

ein·hundert *num.* 100, 백(百).

ein|hüten *i.* (h.) (특히 nordd.) bei jm. ~ 부재 중인 사람의 집에 기거하다〔살림을 돌보다〕.

ein|hutzeln *i.* (s.) 〔구어〕 (einschrumpfen) 움츠러들다, 수축하다.

***einig**[1] [áɪnɪç] 《ahd.》 《I》 *a.* ①〔드물게〕 〖聖〗 유일신(神)의. ② 의견이 일치한, 통합〔통일〕

된; 사이 좋은: (sich³) über〔in〕et.³ ~ sein …에 관하여 의견이 일치하다; (wieder) ~ machen 화해시키다; er ist mit sich selbst noch nicht ganz ~, ob... 그는 …해야 할지 아닌지 아직 확실히 마음을 정하지 못했다; ich weiß mich in dieser Sache mit ihm ~ 나는 이 일에서는 그와 의견이 일치하고 있다고 생각한다. 《Ⅱ》*adv.* 일치하여; 사이좋게: ~ zusammenleben 화목하게 지내다.

***einig²** 《ahd.》*prn.* 〔변화는 형용사에 준함〕《Ⅰ》①〔복수〕(ein paar, mehrere) 몇몇의, 서넛의: ~e Menschen 몇 사람; ~e hundert 〔tausend〕 수백〔수천〕; er ist ~e dreißig (Jahre alt) 그는 30 여세다. ②〔물질·추상 명사 앞에서는 단수형〕약간〔소량·조금〕의; ich habe hierin einige Erfahrung 나는 이 점에서는 약간 경험이 있다; in einiger Entfernung davon 거기에서 약간 떨어져서; nach einiger Zeit 조금 후에. ③ 꽤 많은, 상당한: es gehört ~er Mut dazu 그 일에는 꽤 큰 용기가 필요하다. 《Ⅱ》〔명사적〕① einiges weiß ich 나는 약간 알고 있다. ② ~e wenige 소수(의 사람들); ~e ... andere ... 어떤 사람들은… 다른 사람들은….

ein|igeln [áɪn|iːgəln] *refl.* sich ~ ① (고슴도치처럼) 몸을 웅크리다. ②〖軍〗사방을 방어할 수 있는 위치를 차지하다. ③〔비유〕은둔하다.

einige·mal [áɪnɪgəmaːl] *adv.* 두서너 번, 몇 번, 때로는.

einigen [áɪnɪgən] 《Ⅰ》*t.* 통일하다, 일치시키다; 통합하다: das Volk ~ 민족을 통일하다. 《Ⅱ》*refl.* sich mit jm. ~ 누구와 의견이 일치하다, 합의하다; sich auf einen Kompromiß ~ 타협안에 동의하다.

Einiger *m.* -s, - (국가·민족을) 통일한 사람.

einiger·maßen [áɪnɪgər..] *adv.* ① 어느 정도, 약간: ich war ~ überrascht 나는 약간 놀랐다. ② 꽤, 상당히: es ist ~ kalt draußen 밖은 꽤 춥다.

einiges *prn.* ↑ einig².

einig|gehen* *i.* (s.) (mit jm.) in et.³ ~ (누구와) 무엇에 대해 의견이 일치하다: wir gehen darin einig, daß ... 우리는 …에 대해 의견이 같다.

Einigkeit [áɪnɪçkaɪt] *f.* 일치, 단결; 조화, 화합: 〔속담〕~ macht stark 뭉치면 강해진다.

Einigung [áɪnɪgʊŋ] *f.* -en ① 통일, 통합, 결합: die politische ~ 정치적 통합. ② (의견의) 일치, 합의: zu einer ~ kommen 합의에 이르다.

Einigungs≈amt *n.* ①〖法〗중재 재판소. ② 임금 문제 중재국. **~bestrebung** *f.* 통일 운동. **~gericht** *n.* ↑ ~amt ①.

ein|impfen *t.* ①〖醫〗(예방) 접종하다: jm. die Kuhpocken ~ 누구에게 우두를 접종하다. ②〖원예〗접목하다. ③〔비유·구어〕(버릇·생각을) 몸에 배게 하다, 사주(使嗾)하다: jm. üble Gewohnheiten ~ 누구에게 나쁜 버릇을 심어주다.

Einimpfer *m.* -s, - ①〖醫〗접종자, 접종의(사). ②〖원예〗접목자.

Einimpfung *f.* -en ↑ einimpfen 의 명사형.

ein|jagen 《Ⅰ》*t.* ① 몰아넣다. ② 주입하다, 불어넣다: du hast ihm große Angst eingejagt 너는 그에게 커다란 두려움을 갖게 했다. ③ 사냥에 길들이다: Hunde ~ 개를 사냥에 길들이다. 《Ⅱ》*i.* (s.) 질주하다, 내닫다: in die Stadt ~ 시내로 질주하다; auf einander ~ 쌍방에서 서로 돌격하다.

ein·jährig [áɪnjɛːrɪç] *a.* ① 1 년간의. ② 한 살의. ③〖植〗1 년생의: ~e Pflanze 1 년생 식물.

Ein·jährige*¹ *der* 〖軍〗1 년 지원병.

Ein·jährige² *n.* -n 〖교육·구식〗1 년 복무 지원병의 필요 자격〔학력〕(1919 년까지 독일에서는 10 학년 수료자).

Einjährigen·zeugnis *n.* 1 년 지원병 증명서.

einjährig≈frei·willig *a.* 1 년 지원의. **~-Frei·willige*** *der* 1 년 지원병. **~Frei-willigen-Dienst** *m.* 1 년 지원 복무.

ein|jochen *t.* (가축에) 멍에를 지우다〔메다〕.

ein|kacheln *i.* (h.) 〔구어·농담〕(과도하게) 난방하다.

ein|kalken *t.* (털을 빼기 위하여 가죽을) 석회수에 담그다: 〖원예〗Bäume ~ 물에 푼 백회를 수목에 바르다.

ein|kalkulieren *t.* ① (판매값에) 포함시키다. ② 고려에 넣다, 염두에 두다: ein Risiko ~ 위험을 예상하다; die Gebühren in seine Berechnungen ~ 요금을 계산에 넣다.

Einkammer·system *n.* (의회의) 단원제.

ein|kampfern *t.*〖醫〗캠퍼로〔장뇌액으로〕처치하다.

ein·kapselig *a.*〖植〗단자낭(單子囊)의, 단삭(單蒴)의.

ein|kapseln [..kapsəln] 《Ⅰ》*t.* 캡슐〔포낭(胞囊)〕에 넣다;〖醫〗eingekapselter Bandwurm 포낭에 싸인 촌충; ein Medikament ~ 어떤 약품을 캡슐에 넣다. 《Ⅱ》*refl.* sich ~ 〔비유〕세상을 등지다, 은둔하다.

Einkaps(e)lung [..lʊŋ] *f.* -en ① 캡슐에 넣기;〖醫〗피포(被包). ② 은둔.

Ein·karäter *m.* -s - 1 캐럿짜리 보석.

ein·karätig *a.* ① 1 캐럿 무게의. ② 순금 1 캐럿을 함유한.

ein|kassieren 《Ⅰ》*t.* ① 감금〔체포〕하다. ②〔구어〕착복하다. 《Ⅱ》*i.* (h.) 수금하다.

Einkassierung *f.* -en ↑ einkassieren 의 명사형.

ein|kauen, ~|käuen *t.* jm. et. ~ 누구에게 무엇을 씹어서 주다; 〔비유〕알아듣도록 자상하게 가르치다.

***Einkauf** [áɪnkauf] *m.* -(e)s, ..käufe ① 구입, 매입; 구입품: Einkäufe machen 물건을 사들이다; ~ auf Meinung 투기 매입; den ~ verstehen 물건을 잘 사다, 물건 사는 솜씨가 있다; 〔농담·은어〕billiger ~ 가게 좀도둑질: sie packt ihre Einkäufe aus 그 여자는 사온 물건들을 푼다. ②〖經〗구매과(Einkaufsabteilung): sie arbeitet im 〔beim〕 ~ 그 여자는 구매과에 근무한다. ③〖스포츠〗(새 선수의) 스카우트, 스카우트한 선수. ④ (가입 자격이나 권리를 얻기 위한) 납입: durch ~ in ein Altersheim für später vorsorgen 양로원 입주금을 미리냄으로써 훗날에 대비하다.

***ein|kaufen** 《Ⅰ》*t.* ① **(a)** (일상 용품을) 구입하다; 사들이다: ~ gehen 물건 사러〔장을 보러〕가다; im kleinen〔großen〕 ~ 소매〔도매〕로 사다. **(b)** 돈을 내고 입주〔입회〕자격을 얻다, 돈을 내고 회원이 되다: jn. in ein Altersheim ~ 입주금을 내고 누구를 양로원에 보내다; 〖농담〗 ohne Geld [billig] ~ (가게에서) 도둑질하다, 훔치다. ② 〖스포츠〗 (선수를) 스카우트하다. 《Ⅱ》 *refl.* sich als Bürger ~ 시민권을 사다; sich in eine Lebensversicherung ~ 생명 보험에 들다.

Einkäufer *m.* -s, - 구매자, 구입자.

Einkaufs·anzeige *f.* 매입 통지. **~beutel** *m.* (비닐) 쇼핑 백. **~buch** *n.* 구매 장부. **~bummel** *m.* 쇼핑(을 겸한) 산책. **~center** *n.* 쇼핑 센터. **~gebühren** *pl.* 매입 수수료. **~geld** *n.* 구매금, 매입 대금. **~genossenschaft** *f.* 구매 조합. **~kartell** *n.* 구매 카르텔. **~kommission** *f.* 위탁 매입[구매]. **~korb** *m.* 장바구니. **~monopol** *n.* 구매독점. **~netz** *n.* 장보기용 그물 망태. **~preis** *m.* 구매 가격, 원가: zum ~ 공장도 가격으로. **~quelle** *f.* 물건 사기 좋은 곳. **~rechnung** *f.* 매입 계정. **~tasche** *f.* 쇼핑 백. **~verband** *m.* 구매 조합. **~wagen** *m.* 쇼핑 카트; 장보기용 손수레. **~zeit** *f.* 구매[매입] 시기. **~zentrum** *n.* 쇼핑 센터.

Einkehle [áɪnke:lə] *f.* -n ① 〖건축〗 지붕골. ② (어업용의) 대망(袋網). ③ 〖제본〗 좌우 양 페이지 사이의 여백.

ein|kehlen *t.* 〖건축〗 …에 홈을 파다.

Einkehr [áɪnke:r] *f.* -en ① 숙박, 체류; 방문: das Wirtshaus hat viel ~ 그 음식점은 손님이 많다; bei jm. seine ~ nehmen 누구의 집에 숙박하다, 들르다. ② (여행인을 위한) 휴식소; 피난소; 여인숙, 주막; 여관; 선술집, 식당. ③ 명상, 자기 성찰: innere ~ 내적 침잠; ~ bei sich³ halten 자성하다.

ein|kehren *i.* (s.) ① (숙박·식사를 위해) 들르다, 잠시 체류하다; 방문하다: bei jm. [in einem Gasthaus] ~ 누구의 집[음식점]에 들르다. ② 〖雅語〗 생기다, 나타나다, 찾아오다: der Frühling kehrte in diesem Jahr verspätet ein 금년에는 봄이 늦게 왔다. ③ 〖비유〗 bei [in] sich (selbst) ~ 명상에 잠기다, 자성하다. ④ 〖체조〗 기구의 중앙을 등 뒤로 뛰어넘어 몸을 걸치거나 앉는 자세를 취하다.

Einkehr·haus *n.* 음식점, 주막, 여관.

ein|keilen *t.* ① 쐐기를 박다, 쐐기로 고정시키다: wir waren in der Menschenmenge völlig eingekeilt 우리는 인파에 끼어 꼼짝 못하고 있었다. ② 〖印〗 (조판을) 쐐기로 죄다. ③ 〖醫〗 (골절 부위에 쇠막대를) 박아넣다.

ein·keim·blätterig *a.* 〖植〗 외떡잎의, 단자엽(單子葉)의.

ein|kellern [..kɛlərn] *t.* (겨울을 나기 위해) 움[지하실]에 저장하다.

Einkellerung *f.* -en ↑ einkellern 의 명사형.

Einkellerung·kartoffel *f.* 지하실 저장용 감자.

einkennig *a.* (ndd.) ① (어린이가) 낯을 가리는. ② 익히 아는(bekannt).

ein|kerben *t.* ① 새김눈[진집]을 내다. ② 〖紋〗 (가장자리를) 들쭉날쭉하게 하다. ③ 〖요리〗 Fische ~ 어육에 칼집을 내다. ④ 새겨넣다: Buchstaben in einen Stamm ~ 나무 줄기에 문자들을 새겨넣다.

Einkerbung *f.* -en ↑ ① einkerben 의 명사형. ② 새김눈, 새긴 홈.

ein|kerkern [..kɛrkərn] *t.* 투옥[유폐]하다.

Einkerkerung *f.* -en 투옥.

ein|kesseln [..kɛsəln] *t.* 〖軍〗 포위하다.

Einkesselung *f.* -en 포위.

Einkindschaft [áɪnkɪnt∫aft] *f.* 〖法〗 (이복 자식에게도 같은 상속권을 인정하는) 평등 상속권 계약.

ein|kippen *i.* 부어넣다(eingießen).

ein|kitten *t.* 시멘트로 때우다; 〖工〗 퍼티로 접합하다.

ein|klagen *t.* 고소하여 청구하다: den Schadenersatz für et. ~ 무엇에 대한 피해 보상을 청구하다.

Einklagung *f.* -en 청구 소송.

ein|klammern *t.* ① 꺾쇠로 죄다. ② 괄호에 넣다: klammere dieses Wort ein! 이 단어를 괄호에 넣어라!

Einklammerung *f.* -en ① 괄호 안에 넣기. ② 괄호 안의 것.

***Ein·klang** *m.* -(e)s, ..klänge ① 〖음악〗 동음, (여러 성부의) 유니즌, 동도(同度). ② 〖雅語〗 일치, 조화: mit et.³ im ~ stehen 무엇과 일치하다, 조화를 이루다; et. mit et.³ in ~ bringen 무엇을 무엇과 일치[조화]시키다.

ein|klappen 《Ⅰ》 *i.* ① (h.) 손뼉을 치다, 거래를 맺다. ② (s.) 꼭 들어맞다, 적합하다; (맥없이) 무릎을 꿇다. 《Ⅱ》 *t.* (휴대용 칼 따위를 찰칵하고) 접다, 접어 넣다: das Bett kann man tagsüber ~ 침대를 낮 동안에는 접어(벽에 붙여) 둘 수 있다.

ein·klappig *a.* 〖植·動〗 단판(單瓣)의.

Einklassen·schiff *n.* (객실의 등급 구분이 없는) 단일 등급의 배.

ein·klassig *a.* 단일 학급의.

Einklebe·buch *n.* 스크랩북.

ein|kleben *t.* (접착제로) 붙이다: die Fotos (ins Album) ~ 사진들을 (앨범에) 붙이다.

ein|kleiden 《Ⅰ》 *t.* ① …에게 옷을 입히다, 군복·제복을 지급하다. ② (처음으로) 제복을 입히다: die Rekruten ~ 신병에게 군복을 입히다; einen Priester [eine Nonne] ~ 신부[수녀]의 제복을 입히다, 신부[수녀]로 만들다. ③ 〖비유〗 표현하다: einen Gedanken in Worte[ein Gleichnis] ~ 어떤 사상을 말[비유]로 표현하다. 《Ⅱ》 *refl.* sich ~ 옷을 입다: sich ~ lassen a) 제복을 입다, b) 군인이 되다, c) 신부[수녀]가 되다.

Einkleidung *f.* -en ① 옷입(히)기; 군복[성직복]의 지급; 성직 입문. ② 비유적 표현.

ein|kleistern *t.* 풀로 붙이다(einkleben).

ein|klemmen *t.* ① 죄다, 끼우다; 밀어[끼워] 넣다: 〖醫〗 ein eingeklemmter Bruch 감돈(嵌頓) 탈장. ② 끼워 움직이지 못하게 하다: ich habe mir den Finger in der Tür eingeklemmt 나는 손가락이 문에 끼였다. ③ (아이스하키에서 경기를 지연시키기 위해) 퍽을 경계선 밖으로 쳐내다.

Einklemmung *f.* -en ① 죄기, 끼우기, 끼워 넣기. ② 〖醫〗 감돈증.

ein|klingen* *i.* (s.) 〖음악〗 고른 음을 내다; 조화를 이루다, 화합하다.

ein|klinken 《Ⅰ》 *t.* ① (문의 걸쇠·손잡이를) 눌러 잠그다(↔ ausklinken). ② 바른 생활로 되돌리다. 《Ⅱ》 *i.* (s.) (문의) 걸쇠가 걸리다, 찰칵 잠기다: eine Tür klinkt ein 문이 (찰칵) 잠긴다.

ein|klopfen *t.* ① (못을) 박다: einen Nagel

(in die Wand) ~ 못을 (벽에) 두들겨 박다. ② eine Wand ~ 벽을 쳐서 부수다.

ein|kneifen* *t.* ① 끼워넣다, 잔뜩 죄다: den Schwanz ~ (개가 무서워 다리 사이에) 꼬리를 사리다. ② 수축시키다, 오므리다: das Auge ~ 눈을 가느다랗게 뜨다. ③ ein Blatt im Buch(e) ~ 책의 페이지를 접다.

ein|kneten *t.* ① (무엇을) 반죽해 넣다, 이기다: Nüsse in den Teig ~ 호두 알맹이를 반죽에 섞어 넣다. ② Butter ~ (단지 따위에) 버터를 눌러 넣다.

ein|knicken 《I》 *t.* 구부려 꺾다, …에 꺾은 금을 내다. 《II》 *i.* (s.) 구부러져 꺾이다: mit eingeknickten Knien〔Beinen〕 gehen 무릎을 굽히고 걷다.

Einknickung *f.* -en ① 구부려 꺾기. ②〖醫〗 만곡(灣曲), 부분적 골절.

ein|knöpfen *t.* 단추로 고정시키다: ein Pelzfutter in den Mantel ~ 모피 라이너를 단추로 외투 안에 달다.

Einknöpf·futter *n.* 단추로 고정시키는 안감〔라이너〕.

ein|knoten *t.* (무엇을) 넣어 매듭을 짓다: ein Geldstück ins Taschentuch ~ 동전을 손수건에 싸서 매듭지어 묶다.

ein|knüpfen *t.* 꿰매〔달아〕 넣다: Perlen ins Kleid ~ 진주들을 옷에 꿰매어 달다.

ein|knüppeln *i.* 몽둥이로 때리다: auf Demonstranten ~ 시위자들을 몽둥이로 때리다.

Einkoch·apparat *m.* 끓이는 기구.

ein|kochen 《I》 *t.* ① 바짝 졸이다, (약을) 달이다, 찌다, (증발시켜) 진하게 하다: zu Gelee eingekochter Saft 젤리처럼 졸인 즙. ② 끓여서 보존할 수 있게 만들다: Früchte in Zucker ~ 과일을 설탕 조림하다. ③ (öst.) (**a**)〔농담〕 (jn.) (누구를) 무엇을 하도록 꾀어내다. (**b**) 속이다. 《II》 *i.* (s.) 바짝 졸여지다〔달여지다〕.

Einkoch·topf *m.* 끓이는 그릇.

ein|kommen [áɪnkɔmən] *i.* (s.) ① 들어오다, 오다, 도착하다: sein Wagen kam als ersterein 그의 자동차가 일등으로 도착했다. ② 청원하다: bei einer Behörde um et. ~ 당국에 무엇을 청원〔진정〕하다; gegen et. ~ 무엇에 대하여 항의하다; mit einer Klage gegen jn. ~ 누구에 대하여 소송을 제기하다; er ist um seinen Abschied eingekommen 그는 사표를 제출하였다. ③ (창고·헛간에) 반입되다. ④ (돈·이자가) 들어오다, 수입이 생기다: eine größere Summe ist durch den Verkauf eingekommen 판매를 통해 상당액의 수입이 생겼다. ⑤〔구식·방언〕 머리에 떠오르다, 생각나다: es kam ihm ein 그것이 그의 마음에 떠올랐다.

***Einkommen** *n.* -s, - ① 소득, 수입: jährliches ~ 연간 소득. ② 봉급,〖宗〗 사록(寺祿), 성직록(聖職祿).

Einkommens·grenze *f.* (소득세 계산상의) 소득 한도.

einkommenlos *a.* 소득이 없는.

einkommens≈schwach *a.* 소득이 적은. **~stark** *a.* 소득이 많은. **≈steuer** *f.* ↑ Einkommensteuer.

Einkommen·steuer *f.*〖세무〗 소득세:〔복수〕 einen Schlund wie die ~ haben 주량이 크다, 술고래다.

Einkommens≈verhältnisse〔복수〕 소득 현황. **~verteilung** *f.* 소득 분배. **~zuwachs** *m.* 소득 증가.

Einkömmling [..kœmlɪŋ] *m.* -s, -e 새 이주자.

ein|köpfen *t.* 헤딩하여 골에 넣다.

ein|koppeln *t.* 담으로 둘러싸다(einfriedigen).

Ein·korn *n.*〖植〗 외톨밀(밀의 일종).

ein|körpern 《I》 *t.*〖宗〗 (영혼에) 새로운 육체를 부여하다. 《II》 *refl.* sich ~ 실체화〔현실화〕되다; 실현〔구현〕되다.

ein|krachen *i.* (s.) ① 우지직 소리를 내며 무너지다, 붕괴하다. ② 우지직 소리를 내며 빠지다. ③ 꽝 소리를 내며 터지다.

ein|krallen 《I》 *i.* (h.) / *refl.* (sich) ~ 발톱으로 움켜잡다, 할퀴다: man sah noch, wo sich die Katze eingekrallt hatte 고양이가 할퀸 자국이 아직도 보였다. 《II》 *t.* (손가락으로) 움켜쥐다, 쥐어뜯다: vor Schmerz die Finger (ins Kissen) ~ 고통 때문에 손가락으로 (베개를) 쥐어뜯다.

ein|kramen *t.* (진열 상품을) 거두어 치우다; 가게를 닫다.

ein|kratzen *t.* ① (글씨를) 새겨넣다: ein Zeichen in Metall ~ 금속에 기호를 새겨넣다. ②〔경박〕 sich bei jm. ~ 누구에게 아첨하여 환심을 사다; er verstand es sich bei allen Vorgesetzten einzukratzen 그는 모든 윗사람에게 다 잘 보이는 비결을 터득하고 있었다.

ein|kreisen *t.* ① 포위하다, 에워싸다: den Feind〔das Wild〕 ~ 적〔들짐승〕을 포위하다. ② 고립시키다, 궁지에 몰아넣다: einen Staat ~ 어떤 나라를 고립시키다. ③ (어떤 구역을 새 행정 구역에) 편입시키다. ④ 동그라미 표시를 하다: ein Datum rot ~ 어떤 날짜에 빨간 동그라미를 치다〔두르다〕. ⑤ (무엇의) 핵심에 접근하다: ein Thema〔Problem〕 ~ 어떤 주제〔문제〕의 핵심에 접근하다.

Einkreisung [..kraɪzʊŋ] *f.* -en 포위;〖政〗 봉쇄, 고립;〖軍〗 양익(兩翼) 포위.

Einkreisungs·politik *f.* 포위〔봉쇄〕 정책.

ein|kremen *t.* 크림을 문지르다〔바르다〕: sich³ das Gesicht ~ 얼굴에 크림을 바르다.

ein|kreuzen *t.*〖사육〗 이종 교배시키다.

Einkreuzung *f.* -en 이종 교배.

ein|kriechen* *i.* (s.) ① 기어 들어오다, 살그머니 들어오다. ② 주름지다, 줄어들다.

ein|kriegen 《I》 *t.* 따라잡다(einholen). 《II》 *refl.* sich ~ 평정을 되찾다, 진정되다: ich kann mich vor Bewunderung nicht ~ 나는 놀라서 마음을 진정시킬 수 없다.

ein|krimpen 《I》 *t.*〖工〗 (천을) 줄이다. 《II》 *i.* (s.) ① (천이) 줄다. ②〖海〗 (바람이) 자다: gegen den Wind ~ 돛을 바싹 죄고 바람을 거슬러 항해하다.

Ein·kristall *m.*〖工〗 단일 결정체(結晶體).

ein|kritzeln *t.* (이름을) 갈겨 써넣다.

ein|krümeln, ~|krumen *t.* ↑ einbrocken.

ein|krümmen *t.* 구부려 넣다; 안으로 구부리다: die Finger ~ 손가락을 안으로 구부리다.

Einküchen·haus *n.* 공동 취사장이 있는 다세대 주택.

ein|kühlen *t.*〔드물게〕 냉장하다.

Einkühlung *f.* -en 냉장, 냉동 보관.

***Einkünfte** [áɪnkʏnftə] *pl.* 수입, 소득; 임대

료: einmalige〔regelmäßige〕 ~ 임시〔정규〕 수입.

ein|kürzen *t.* ① 축소〔축약·요약〕하다; 줄여 말하다. ②〖畫〗(원근법을 써서) 줄여 그리다, 안길이를〔먼쪽을〕 작게 그리다. ③〖海〗das Tau ~ 배를 밧줄로 끌다. ④〖원예〗(가지·뿌리를) 잘라주다.

ein|kuppeln *i.* (h.) (자동차의) 기어를 넣다.

ein|kuscheln 〔구어〕《Ⅰ》*t.* (아기를) 담요로 포근하게 감싸다. 《Ⅱ》*refl.* sich in et. ~ 무엇에 따뜻하게 감싸이다.

Einlad *m.* -s, - (schweiz.) 선적, 적재.

ein|laden [áinla:dən] *t.* ① (배·수레에) 짐을 싣다; (짐을) 싣다: das Schiff ~ 배에 짐을 싣다; die Flintenkugel ~ 탄환을 장전하다. ② **(a)** 초청〔초대〕하다, 부르다; 소집하다;〖法〗소환하다: zum Mittagessen ~ 오찬에 초대하다; der Eingeladene 초대객; zu einer Versammlung ~ 회의에 소집하다. **(b)** 꾀다, 권하다: das Wetter ladet zum Spazierengehen ein 날씨가 좋아 산책하고 싶어진다; ich lud ihn zum Sitzen ein 나는 그에게 앉으라고 권했다. ③ (schweiz.) jn. zu et.³ ~ 누구에게 무엇을 하라고 요구하다.

einladend *p.a.* 마음을 끄는, 유혹적인, 애교 있는; 맛있어 보이는: ein ~es Gasthaus 근사해 보이는 식당; der Braten sah ~ aus 그 구이 요리는 먹음직스러워 보였다.

Einlader[1] [áinla:dər] *m.* -s, - ① 짐싣는 사람. ② 초대자.

Einlader[2] *m.* -s, -〖軍〗단발총.

***Einladung** [áinla:duŋ] *f.* -en ① 실어 넣음, 선적, 적재. ② 초대, 안내; 초대장〔권〕; 소집;〖法〗소환; 유인;〖펜싱〗유인: ~en ergehen lassen 초대하다; eine ~ annehmen 초대에 응하다. ③ (schweiz.) 요구, 요청.

Einladungs=karte *f.* 초대장, 안내장, 초대권. **~platz** *m.* 적하장, 선적장;〖海〗선창, 부두. **~schreiben** *n.* 초대장. **~schrift** *f.* 프로그램; 초대장; 소환장.

***Einlage** [áinla:gə] *f.* -n ① 저장〔포장〕된 것. ② (편지에) 동봉한 첨부물: in der 〔unter〕 ~ 동봉한. ③〖음악〗삽입 가곡;〖연극〗막간극. ④ (↔Deckblatt) 엽궐련의 속〔내용물〕. ⑤ 구두의 안창〔밑창〕; (모자·넥타이의) 심, 속. ⑥〖商〗출자금; 예금. ⑦ (도박·놀이의) 건돈, 베팅. ⑧ (수프의) 건더기, (샌드위치 등에) 곁들이는 요리. ⑨ (치과에서 임시로 박아놓은) 봉, 땜.

Einlage=buch *n.* 저금 통장. **~kapital** *n.* 고정〔창립〕 자본. **~pflicht** *f.* 출자 의무.

ein|lagern 《Ⅰ》*t.* 저축〔저장〕하다;〖商〗창고에 넣다. ②〖軍〗숙박〔숙영〕시키다. ③〖지질〗중간 지층을 이루다: eingelagert 다른 지층 사이에 끼인. 《Ⅱ》*refl.* sich ~ ①〖軍〗숙박〔숙영〕하다. ② 퇴적되다, 쌓여서 층을 이루다.

Einlagerung *f.* -en ① 저장, 갈무리. ② 퇴적(물).

einländisch *a.* 내륙의(inländisch).

ein|langen 《Ⅰ》*t.* (서류를) 제출하다, 내놓다. 《Ⅱ》*i.* (s.) (öst.) 도착하다, 다다르다.

ein·lappig *a.*〖植〗외떡잎의.

Einlaß [áinlas] *m.* ..lasses, ..lässe ① 입장 허가: ~ finden 입장 허가를 얻다; kein ~! 입장 금지, 출입 금지!; wann ist ~? (영화가) 언제 시작되느냐? ② 〔드물게〕 입구; 작은 문, 쪽문.

Einlass 新정서 ⇦ Einlaß.

Einlaß·billett *n.* 입장권.

ein|lassen* [áinlasən] 《Ⅰ》*t.* ① 들여보내다, 입장〔통과〕시키다: nach Beginn der Vorstellung wird niemand mehr eingelassen 공연 시작 후에는 입장 금지입니다. ② (액체를) 유입〔주입〕시키다, 부어넣다:〖工〗Dampf ~ 증기를 쏘이다; Wasser ~ 물을 부어넣다. ③〖醫〗주사하다. ④ 끼워〔맞춰〕넣다, (장식으로) 박아넣다: in Gold eingelassene Edelsteine 금에 박아 넣은 보석. ⑤〖방직〗(더운 물로) 줄게 하다. ⑥ (südd., öst.) 왁스를〔밀랍을·도료를〕 칠하다. 《Ⅱ》*refl.* sich in 〔auf〕 et. ~ 무엇에 관여하다, 간섭하다: sich in ein Gespräch ~ 대화에 끼어들다; ich will mich nicht darauf ~ 나는 그 일에 관여하지 않겠다; sich auf Unterhandlungen mit jm. ~ 누구와 담판을 시작하다; auf solche Fragen lasse ich mich nicht ein 나는 그런 질문에는 응하고 싶지 않다; sich mit jm. ~ 누구와 관계를 맺다, 누구와 음모를 꾸미다; laß dich nicht zu weit mit ihm ein! 그와 너무 깊이 사귀지 마라.

Einlaß=geld *n.* 입장료. **~karte** *f.* 입장권. **~klappe** *f.*〖기계〗↑ ~ventil.

einläßlich [áinlɛslɪç] *a.* 상세〔철저〕한: des ~sten 가장 상세〔자세〕히.

Einläßlichkeit *f.* 상세, 철저.

Einlaß=ofen *m.* 용광로. **~pforte** *f.* ↑ ~tür. **~preis** *m.* 입장료. **~rohr** *n.*, **~röhre** *f.*〖工〗흡입관(管). **~steuerung** *f.* 흡입 조정기. **~tür** *f.* 입구; 작은 문, 쪽문.

Einlassung [áinlasuŋ] *f.* -en ① 입장 허가. ② 삽입, 끼워 넣기. ③ 관여, 참견. ④〖法〗응소(應訴), 고발에 대한 대응 조치.

Einlaß=ventil *n.*〖기계〗흡입판. **~zapfen** *m.*〖목공〗장부촉.

Einlauf [áinlauf] *m.* -(e)s, ..läufe [..lɔʏfə] ① 도착, 도달. ② 도착 서류〔물품·우편물〕. ③〖醫〗관장(灌腸). ④〖사냥〗사냥터 울타리의 입구. ⑤〖스포츠〗결승점 (통과). ⑥ (수프의) 건더기.

ein|laufen 《Ⅰ》*i.* (s.) ① 달려 들어오다; 흘러들다; 입항〔도착〕하다. ② (편지·보고·소송이) 들어오다, 도착하다. ③〖商〗(주문이) 들어오다. ④ (작물이) 줄어들다. 《Ⅱ》*t.* (달려서) 돌파하다; 충돌하다: jm. das Haus ~ 누구를 자주 찾아가서 괴롭히다. 《Ⅲ》*refl.* sich ~ ① (기계가) 가동되다. ② (일이) 진행되다, 돌아가다: sein Unternehmen läuft sich gut ein 그의 사업이 잘 돌아간다.

Ein·läufer *m.* ① 무리에서 홀로 떨어진 멧돼지. ② 단신총(單身銃).

ein·läufig *a.* 단총신(單銃身)의.

Einlauf=suppe *f.* 달걀을 풀어 넣은 수프. **~wette** *f.* (경마에서) 두 마리 이상의 말에 돈을 거는 내기, 연승식(連勝式) 베팅.

ein|laugen *t.* 잿물에 담그다.

ein|läuten *t.* et. ~ 종〔벨〕을 울려 무엇의 개시를 알리다: die Messe ~ 종을 울려 미사의 시작을 알리다.

ein|leben *refl.* ① sich an einem Orte ~ 어떤 곳에 정착하다, 어떤 지방의 사정을 잘 알다. ② sich in et. ~ 무엇에 숙달되다; sich in jn. ~ 누구와 친숙해지다.

Einlege≈arbeit *f.* 상감(象嵌) 세공(품). **~band** *n.* 서표(書標). **~brettchen** *n.* ↑ ~holz. **~gabel** *f.* 『요리』 접는 포크. **~holz** *n.* 상감 세공용 목재. **~kapital** *n.* ↑ Einlagekapital. **~messer** *n.* 접칼.

***ein|legen** [áınle:gən] 《I》 *t.* ① (상자 따위에) 넣다, 넣어 간직하다. ② (편지를) 봉해 넣다; (인용문을) 삽입하다. ③ (돈을) 납입하다; (자본을) 투입하다. ④ (장작·불을 난로에) 넣다, 지피다: 〖방언〗 Feuer in ein Haus ~ 집에 불을 지르다. ⑤ (칼날을) 접어넣다. ⑥ (나뭇가지를) 흙으로 덮다, 휘묻이하다. ⑦ (상아(象牙)·자개 등을) 박아넣다, 상감(象嵌)하다: mit Elfenbein eingelegt 상아를 박아넣은; eingelegte Arbeit 상감 세공. ⑧ 숙박〔하숙〕시키다: bei jm. ~ 누구의 집에 묵게 하다. ⑨ 담그다, 절이다: in Wasser ~ (소금기를 빼기 위해 생선을) 물에 담그다; in Essig ~ 초절임하다. ⑩ 저장하다, 들여놓다: Wein in den Keller ~ 포도주를 지하실에 저장하다; Waren ~ 상품을 들여놓다〔가게를 닫다〕. ⑪ 『재봉』 감치다, 꿰매어넣다: einen Saum am Kleid ~〔das Kleid ~〕 옷자락 솔기가 드러나지 않게 감치다. ⑫ ein gutes Wort für jn. 〔eine Fürbitte bei jm.〕 ~ 누구를 위해 중재하다, 잘 말해 주다. ⑬ (소송·의견을) 제기하다: gegen et. Verwahrung ~ 무엇에 항의하다; 『法』 Berufung ~ 항소(抗訴)하다; sein Veto ~ 거부하다. ⑭ 〖구식〗 들이대다: die Lanze auf jn. ~ 누구를 향하여 창을 겨누다; 〖비유〗 die Lanze für jn. ~ 누구를 옹호하다〔편들다〕. ⑮ Ehre〔Schande〕 mit et.³ ~ 무엇으로 명예를 얻다〔치욕을 입다〕. 《II》 *refl.* ① sich bei jm. ~ 누구의 집에 숙박하다. ② sich für jn. ~ 누구를 옹호하다〔편들다〕.

Einleger *m.* -s, - ① 납입〔예금〕자. ② 상감(象嵌) 세공사. ③ 『원예』 (가지의) 휘묻이. ④ 통조림 가공업자.

Einlege≈sohle *f.* (신발의) 안창. **~stuhl** *m.* 접는 의자(Klappstuhl).

Einlegung [áınle:gʊŋ] *f.* -en 〖드물게〗 ① 넣기; 봉입(封入); 삽입. ② 휘묻이, 꺾꽂이. ③ 끼워넣기, 상감(세공). ④ (소금·설탕에 절여서) 저장하기. ⑤ 중재, 알선.

ein|lehren *t.* 〖고어〗 jm. et. ~ 누구에게 무엇을 가르쳐 주다.

ein|leimen *t.* 아교로 붙이다, 접합하다.

***ein|leiten** [áınlaıtən] 《I》 *t.* ① 도입하다, 안내하다; 준비하다; 시작하다: einen Prozeß ~ 소송을 제기하다; et. mit et.³ ~ 무엇을 무엇으로 시작하다. ② …의 서두를 장식하다: ein Buch ~ 어떤 책의 서론을 쓰다; eine Oper ~ 오페라의 서곡을 부르다〔연주하다〕. ③ 〖전문〗 유입시키다; 유도하다: Abwässer in einen Fluß ~ 폐수를 강으로 유입시키다; eine Geburt künstlich ~ 유도 분만을 하다. 《II》 *refl.* sich ~ 시작〔개시〕하다.

einleitend *p.a.* 처음의, 실마리의, 서문(序文)의, 초보의, 입문적인, 예비적인: ~e Worte 머리말, 소개말.

Ein·leiter·kabel *n.* 『전기』 단심(單心) 케이블.

Einleite·wort *n.* -(e)s, ..wörter 『문법』 도입〔연결〕사(접속사·관계 대명사·관계 부사 등).

***Einleitung** [áınlaıtʊŋ] *f.* -en ① 입문(서): ~ in die Philosophie 철학 개론. ② 서문, 서론; 머리말; 『음악』 전주, 서곡. ③ 발단, 개시: 『法』 ~ des Strafverfahrens 형사 소송 절차의 개시. ④ 『法』 (법률안의) 제출 이유서. ⑤ 준비, 예비: die nötigen ~en treffen 필요한 방책을 마련하다.

Einleitungs≈kapitel *n.* 서론, 서장. **~rede** *f.* 개회사. **~satz** *m.*, **~spiel** *n.* 『음악』 서곡. **~wissenschaften** *pl.* 예비〔기초〕 학문.

ein|lenken 《I》 *t.* ① …의 방향을 바꾸다; 바로잡다: 〖비유〗 jn. wieder ~ 누구를 바른 길로 들어서게 하다. ② 『醫』 (골절된 뼈를) 바로잡다, 교정하다. 《II》 *i.* (h./s.) ① (어떤 길로) 접어들다: in eine Kurve ~ 커브길로 접어들다. ② (태도가) 부드러워지다, 누그러지다: jm. ~d die Hand reichen 누구에게 화해의 악수를 청하다. ③ 〖비유〗 wieder ~ a) 바른 길로 돌아가다, b) 본론으로 돌아가다, c) 고쳐 생각하다, d) 양보하다.

ein|lernen *t.* 〖폄어〗 주입식으로 가르치다, 외게 하다: jm. et. 〔jn. zu et.³〕 ~ 누구에게 무엇을 주입시키다.

ein|lesen* 《I》 *t.* ① 〖고어·방언〗 주워모으다, 수집하다; (바느질감을) 자기 집에서 주문받다. ② 『컴』 (자료를) 입력하다, 옮기다. ③ 『방직』 (실을) 고르다, 정돈하다: Kettfäden ~ 날실을 고르다. 《II》 *refl.* sich in et. ~ 무엇을 읽고 이해하다, 익히다, 익숙해지다.

***ein|leuchten** *t.* ① 분명해지다, 이해되다: das will mir nicht ~ 그것은 도무지 이해되지 않는다. ② 〖드물게〗 누구의 마음에 들다.

einleuchtend *p.a.* 명백〔분명〕한; jm. et. ~ machen 누구에게 무엇을 깨우쳐 주다; eine ~e Antwort 납득이 가는 대답.

Einlieferer *m.* -s, - 인도〔교부〕자.

ein|liefern *t.* ① 인도(引渡)하다, 넘겨주다: jn. ins Gefängnis ~ 누구를 감옥으로 넘기다. ② 교부하다, 납입하다: Briefe ~ 편지를 배달하다.

Einlieferung *f.* -en 인도, 교부, 우송.

Einlieferungs≈schein *m.* 『經』 입고증(入庫證); 『우편』 송달증, 수령증. **~stelle** *f.* 인도〔교부〕처. **~termin** *m.* 인도〔교부〕 기한. **~zeit** *f.* 인도〔교부〕 일시.

ein|liegen* *i.* (s.) ① (편지 따위가) 봉입(封入)되어 있다. ② 〖고어〗 bei jm. ~ 누구네 집에 숙박하다; 『軍』 숙영하다. ③ 〖고어〗 자리에 누워 있다: 〖비유〗 sie liegt ein 그녀는 산욕(産褥)으로 누워 있다.

einliegend *p.a.* 동봉〔봉입〕된: 『數』 ~er Kreis 내접원.

Einlieger *m.* -s, - ① 머슴, 날품팔이 농부. ② 〖비유〗 뜨내기, 기숙자(寄宿者).

Einlieger·wohnung *f.* 행랑채, 곁채.

Einling [áınlıŋ] *m.* -s, -e ① 하나인 것; 외동아들. ② 은둔자, 기인(奇人).

einlinig *a.* 〖드물게〗 직선의, 곧은; 정직한.

ein·lippig *a.* 『植』 홑입술의.

ein|lispeln *t.* 속삭이다; (아이를) 나직이 노래 불러 재우다.

ein|lochen *t.* ① 『목공』 (무엇에) 장붓구멍을 뚫다. ② (골프에서) 공을 쳐서 구멍에 넣다. ③ 〖속어〗 감금〔투옥〕하다.

ein|löffeln *t.* 숟가락으로 떠먹이다.

ein|logieren [..ʒi:..] 《I》 *t.* 재워주다, 숙박시키다: jn. bei jm. ~ 누구를 누구네 집에 숙박

시키다. 《Ⅱ》 *refl.* sich ~ 숙박하다: sich im Hotel 〔bei seinem Freund〕 ~ 호텔에〔친구 집에〕 숙박하다.

einlösbar *a.* ① 되찾을 수 있는. ② 상환〔상각〕할 수 있는. ③ 태환(兌換)할 수 있는.

ein|lösen *t.* ① 되찾다, 되사다: ein Pfand ~ 저당물〔담보물〕을 되찾다. ② 상환〔상각〕하다; (어음을) 인수하다; 〖商〗 태환하다: Schecks ~ 수표를 현금으로 교환하다. ③ (포로를) 교환하다. ④〖비유〗(직무를) 완수하다, (약속을) 이행하다.

Einlöse·summe *f.* (저당물·수표의) 상환액, 환급액.

Einlösung *f.* -en 상환, 환불; 완수, 이행.

Einlösungs·summe *f.* ↑ Einlösesumme. **~fonds** [..fɔ̃ː] *m.* 〖經〗 상환 기금. **~frist** *f.* 상환 기간, 지급 기일. **~kasse** *f.* ↑ ~stelle. **~ort** *m.* 지급지, 상환지. **~papier** *n.* 상환 증권. **~stelle** *f.* 지급 장소.

ein|löten *t.* 납땜하다.

ein|lotsen *t.* ①〖海〗 뱃길을 인도하여 입항시키다. ②〖비유〗(국가의) 위기를 헤쳐나가다.

ein|lugen* *refl.* sich in js. Gunst ~ 거짓말로 교묘하게 누구의 환심을 사다.

ein|lullen 《Ⅰ》 *t.* 자장가를 불러 잠재우다; 〖비유〗(경계·의혹을) 가라앉히다. 《Ⅱ》 *i.* (s.) 〖海〗 (바람이) 자다.

Einmach≈büchse *f.* 통조림용 깡통. **~glas** *n.* 저장용〔병조림용〕 병.

Einmache *f.* (öst.) 버터로 볶은 흰 밀가루.

ein|machen 《Ⅰ》 *t.* ① 넣다, 꽂다: 〔비유〕 laß dich ~! 너는 아무짝에도 쓸모없는 인간이다! ② (과실을) 저장하다, (설탕·소금·초에) 절이다; 통조림으로 만들다. ③ (석회를) 소화(消和)하다. ④ 반죽하다, 이기다. 《Ⅱ》 **eingemacht** *p.a.* ↑ eingemacht.

einmahdig *a.* ↑ einmähdig.

einmähdig *a.* (목초지의 풀을) 1년에 한 번 베어들일 수 있는.

ein·mahlen* 《Ⅰ》 *t.* (곡물을) 빻다, 갈다. 《Ⅱ》 *refl.* sich ~ 빻아서 줄게 하다.

ein|mahnen *t.* (빚을) 독촉하다.

Einmahnung *f.* -en 독촉.

ein|maischen *t.* 〖양조〗 das Malz ~ 엿기름과 더운 물을 섞다.

***ein·mal**[1] [áinmaːl] *adv.* 한 번; 한 곱: ~ eins ist eins 1 곱하기 1은 1; ~ des Jahres 〔das Jahr, im Jahre〕 1년에 한 번; ~ dies, ~ das sagen 이랬다 저랬다 하다; ~ ..., ~ ... 때로는 ..., 때로는 ...; ~ weil ..., sodann weil ... 처음에는 ... 때문에, 다음에는 ... 때문에; ein (mal) für allemal 이번〔한 번〕만, 단연코; 〖속담〗 ~ ist keinmal 한 번은 수에 들지 않는다, 한두 번쯤이야 상관 없다; auf〔mit〕 ~ 갑자기; noch ~ 한 번 더, 또 한 번; dieses Tuch ist noch ~ so breit wie jenes 이 천은 저것보다 폭이 두 배나 된다; nur ~ noch möcht' ich dich sehen! 한 번이라도 너를 만나면 좋겠어; ~ über das andere 여러 번, 거듭; ~ ums andere 번갈아.

***ein·mal**[2] [ainmáːl] *adv.* ① 일찌기, 옛날에, 이전에, 언젠가: es war ~ ein Mann 옛날에 한 남자가 있었다; ich war schon ~ dort 나는 이미 전에 그곳에 간 적이 있다. ② 언젠가, 후일, 장래: ~ wird es doch klappen 언젠가는 잘 될 것이다; er wird es noch ~ bereuen 그는 언젠가는 그것을 후회할 것이다; endlich ~ 결국에는. ③ 확실히, 실로, 전혀, 어떻든: es ist nun ~ so 그것은 기왕지사 별 수 없다; das ist (doch) nun (ein)mal so in der Welt 결국 세상이란 그렇고 그런 것이다; ich bin nun (ein)mal so 나는 원래〔어차피〕 그런 놈이다; wenn's (ein)mal so sein muß 부득이하다면. ④〖명령문에서〗 자, 어서, 좀: stelle dir ~ mein Unglück vor! 자, 내 불행을 좀 상상해 보구려!; kommen Sie doch (ein)mal her! 자, 이리로 오십시오! ⑤〖nicht와 함께 쓰여 부정의 뜻을 강화함〗 nicht ~ lesen kann er 그는 읽기조차 못 한다; er wollte mich nicht ~ anhören 그는 내 말을 들으려고도 하지 않았다.

Einmal·eins [aɪnmaːl|áɪns] *n.* -, - ①〖數〗 구구단. ②〖비유〗기초〔초보〕 지식, 기본 상식.

Einmal·handtuch *n.* 일회용 손수건.

***ein·malig** [áinmaːlɪç] *a.* 한 번의, 일회의; 유일(무이)한, 둘도 없는, 전무후무한: eine ~e Gelegenheit 둘도 없는〔절호의〕 기회.

Einmaligkeit *f.* -en 한 번〔1회〕임; 유일성, 일회성.

Einmann≈betrieb *m.* 1인 회사〔업체〕. **~gesellschaft** *f.* 〖經〗 1인 주주 회사.

ein·männig [áinmɛnɪç], **ein·männisch** *a.* ①〖植〗 수술이 하나인. ② 일부제(一夫制)의.

ein|marinieren *t.* 마리네이드에 절이다.

ein|marken *t.* 경계를 짓다〔표시하다〕, 구획하다.

Einmark·stück *n.* 1마르크 화폐.

ein|markten *t.* 〖고어〗 다량으로 구입하다.

Einmarsch [áinmarʃ] *m.* -es, ..märsche 〖軍〗 진입; 진주, 점령.

ein|marschieren *i.* (s.) 진입하다; 진주〔점령〕하다: in Polen ~ 폴란드를 점령하다.

ein|massieren *t.* (피부에 잘 흡수되도록) 문지르다, 마사지하다.

Ein·master *m.* 〖海〗 돛대가 하나인 배, 외대박이.

ein·mastig *a.* 돛대가 하나인.

ein|mauern *t.* ① 벽에 칠을 하다. ② 벽으로 둘러싸다〔막다〕. ③ (귀중품을) 담〔벽〕 속에 넣고 바르다; 〖비유〗 깊숙이 감추다, 비장하다. ④〖비유〗 유폐〔감금〕하다.

Einmauerung *f.* -en 벽으로 둘러싸기; 비장; 유폐, 감금.

ein|meißeln *t.* et. in et. ~ 무엇에 무엇을 끌로 새기다〔파다〕; 조각하다.

ein|mengen 《Ⅰ》 *t.* 혼합하다. 《Ⅱ》 *refl.* sich in et. ~ 무엇에 간섭〔참견〕하다, 중재하다.

Einmengsel *n.* -s, - 뒤섞임, 혼합(물).

ein|messen* *t.* ① (도량형기를) 검정하다, 규격화하다. ②〖구어〗 et (in et.) 무엇을 (무엇에) 끼워 맞추다, 맞추어 넣다: an einem Kleidungsstück die Ärmel ~ 옷에 소매를 맞춰 달다. ③ (곡물을) 달아서 넣다. 《Ⅱ》 *refl.* sich ~ (달아서) 양이 줄어들다.

Einmeter·brett *n.* 〖수영〗 1미터 높이의 다이빙대.

ein|mieten[1] 《<Miete[1]》《Ⅰ》 *t.* jn. ~ 누구에게 방을 세주다, 누구를 세들이다, 누구를 숙박시키다: er hat sie in einem Hotel eingemietet 그는 그녀를 호텔에 묵게 하였다. 《Ⅱ》 *refl.* sich ~ 세들다, 하숙하다.

ein|mieten² 《< Miete²》 *t.* 〖農〗(농작물을) 저장하다, 쌓아두다.
Einmieter *m.* -s, - ① 세입자, 하숙인. ② 기생 동물.
Einmietung *f.* -en ① 세듦, 하숙. ② (농작물의) 저장, 보관.
ein|mischen 《I》 *t.* 섞다, 섞어 넣다: zuviel Zucker in den Teig ~ 반죽에 설탕을 너무 많이 섞다. 《II》 *refl.* sich ~ 참견〔간섭〕하다, 끼어들다: er mischt sich in alles ein 그는 매사에 참견한다.
Einmischling *m.* -s, -e 참견자, 간섭자.
Einmischung *f.* -en 간섭, 개입, 관여.
ein·monatig *a.* 1개월(간)의; 생후 1개월 된.
ein·monatlich *a.* 한 달마다의, 월 1회의.
ein|montieren *t.* 끼워〔맞춰〕넣다, 조립하다: den Motor in das Gehäuse ~ 모터를 케이스에 조립해 넣다.
ein·motorig *a.* 모터가 하나 달린.
ein|motten [..mɔtən] 《< Motte》 *t.* ① (방충제로) 방충하다, (좀먹지 않도록) 간수하다. ② 〖軍〗(장비에) 보호 피막을 입히다.
ein|mummeln *t.* ↑ einmummen.
ein|mummen *t.* ①〖구어〗(몸을) 감싸주다: sie mummte sich warm ein 그녀는 몸을 따뜻하게 감쌌다. ②〖드물게〗변장〔가장〕시키다.
***ein|münden** *i.* (h./s.) ① (강이 바다로) 흘러들어가다; (강이) 합류하다; (길이) 통해 있다. ②〖해부〗(혈관이) 접합하다. ③ (관(管)이) 끼어 들어가다.
Einmündung *f.* -en ① 유입, 주입; 합류; 교차; 접합; 어귀: ~ eines Flusses in das Meer 강 하구. ②〖해부〗개구(開口), 문합(吻合).
ein|münzen *t.* (금·은을) 화폐로 주조하다; (화폐를) 개주(改鑄)하다.
ein|murkeln 《I》 *t.* 〖구어〗따뜻하게 감싸다. 《II》 *refl.* sich ~ 따뜻하게 감싸이다.
Ein·muskler *m.* -s, - 〖動〗단성류(單性類) 동물.
ein|mustern *t.* 등록〔기재〕하다; 〖軍〗병적에 편입하다.
ein·mütig [áɪnmy:tɪç] *a.* 합의의, 일치한, 협동한, 단결한: ~e Zustimmung 만장 일치의 가결.
Einmütigkeit *f.* 단합, 만장 일치.
ein|nachten *i.* (h.) (schweiz.) es nachtet ein 밤이 된다.
ein|nageln *t.* …에 못을 박다, 못을 박아 고정시키다.
ein|nähen 《I》 *t.* ① 꿰매다: Blumen ~ 꽃무늬를 수놓다. ② 꿰매어 줄이다. 《II》 *refl.* sich ~ ① sich recht ~ 재봉 연습을 하다. ② 꿰매어 줄다.
***Einnahme** [áɪnna:mə] *f.* -n ① 접수, 영수; 징수. ②〖대개 복수〗수입, 소득: ~n und Ausgaben 수입과 지출. ③〖軍〗점령, 탈취. ④ (약의) 복용.
Einnahme≈buch *n.* 〖商〗수입〔소득〕대장. **~posten** *m.* 수입〔소득〕항목. **~quelle** *f.* 수입〔소득〕원, 재원(財源). **~seite** *f.* 수입〔소득〕란.
ein|nassen 《I》 *i.* 오줌을 싸다. 《II》 *t.* 오줌을 싸서 적시다: das Bett ~ 오줌을 싸서 침대를 적시다.
ein|nebeln *t.* 연기로〔연막으로〕덮다〔위장하다〕: die Schiffe nebelten sich ein 함선들이 연막으로 위장했다;〖구어〗es nebelt sich ein 안개가 끼다.
Einnebelung *f.* -en 연막 위장〔은폐〕.
einnehmbar [áɪnne:mba:*r*] *a.* 탈취〔점령〕할 수 있는.
ein|nehmen [áɪnne:mən] 《I》 *t.* ① 받아들이다; (화물을) 싣다, 적재하다; 〖海〗(돛을) 감다, 접다. ② (음식을) 들다, 먹다; (약을) 복용하다. ③ (돈을) 받다, 벌어들이다; (세금을) 징수하다: wenig ~ 벌이가 적다. ④〖軍〗점령하다, 탈취하다. ⑤ (장소를) 차지하다: seinen Platz ~ 자기 자리에 앉다; eine Stelle ~ 어떤 직위에 취임하다; js. Stelle ~ a) 누구의 후임이 되다, b) 누구의 대리로 일을 보다; der Aufsatz nimmt drei Seiten ein 논문은 3 페이지를 차지한다. ⑥ 어리둥절하게 하다 (betäuben): jm. den Kopf ~ 누구의 머리를 멍하게 하다; die Sinne ~ 감각을 마비시키다〔사로잡다〕; sich von seiner Leidenschaft ~ lassen 정욕으로 분별력을 잃다. ⑦ jn. ~ 누구의 마음을 끌다, 사로잡다, 매혹하다: jn. für sich ~ 누구를 자기 편으로 만들다; sein Wesen nimmt mich für ihn ein 그의 됨됨이가 마음에 든다; sich für jn. blindlings ~ lassen 누구에게 홀리다, 넋을 잃다; gegen jn. ~ 누구에게 악의를 품게 하다. ⑧ (태도를) 취하다: er nahm eine zögernde Haltung ein 그는 망설이는 태도를 취했다.
einnehmend *p.a.* 사람의 마음을 끄는, 매력적인: ein Mann von ~em Äußeren 외모가 호감을 주는 남자.
Einnehmer *m.* -s, - 〖고어〗수납인, 세금 징수원.
Einnehmerei *f.* -en ① (약물의) 과다〔상습〕복용. ②〖드물게〗세무서.
ein|netzen *t.* 스며〔배어〕들게 하다, 축이다.
ein|nicken 《I》 *i.* (s.) 깜박 선잠이 들다. 《II》 *t.* 〖축구〗가볍게〔슬쩍〕헤딩골을 넣다.
ein|nieten *t.* (철판 등을) 대갈못〔리벳〕을 박아 접합시키다.
ein|nisten *refl.* sich ~ ① 깃들다; 둥지를 틀다; 꼭 틀어박히다. ②〖비유〗(불법으로) 정주(定住)하다; 눌러앉다: sich bei jm. ~ a) 교묘히 누구의 환심을 사다, b) 남의 집에서 주인 행세를 하다. ③〖醫〗(수정된 난자가) 자궁벽에 착상하다.
Einnistung *f.* -en ① 둥지 틀기; 정주. ②〖醫〗(수정란의) 착상.
ein|norden *t.* (지도를) 북쪽 방향으로 맞추다.
ein|nötigen *t.* jm. et. ~ 누구에게 무엇을 강제로 갖게〔받게〕하다, 밀어붙이다.
Einöd [áɪn|ø:t] *f.* -en (südd., öst.) ↑ Einöde.
Einöd·bauer *m.* -n, -n (südd., öst.) 외딴 농가의 농부.
***Ein·öde** [áɪn|ø:də] *f.* -n ① 황무지, 황야; 인적이 드문 곳. ② 외딴 농가.
Einöd·hof *m.* 외딴 농가.
ein|ölen [áɪn|ø:lən] *t.* ① 기름을 치다. ②〖비유〗jm. et. ~ 무엇을 누구의 구미〔취향〕에 맞추다, 그럴싸하게 둘러대다.
ein|ordnen 《I》 *t.* 정돈〔배열〕하다; 분류하다; 편입하다. 《II》 *refl.* sich ~ ① 편입되다; 적응하다: du mußt dich in die Gemeinschaft ~ 너는 공동체에 적응해야만 한다. ② 지정된

차선에 접어들다: der Fahrer hat sich vor der Kreuzung falsch eingeordnet 그 운전자는 교차로 앞에서 다른 차선으로 잘못 접어들었다.
Einordnung *f.* ① 정돈, 배열; 분류. ② 편입; 적응, 순응.
Einordnungs·schwierigkeiten *pl.* 적응 장애.
***ein|packen** 《Ⅰ》 *t.* ① 싸다, 꾸리다, 포장하다, 싸매다; 감싸다: einen Kranken warm ~ 환자를 따뜻하게 감싸다. ②〖醫〗찜질하다. ③〔구어〕먹어치우다: gehörig ~ 상당히 많이 먹다. 《Ⅱ》 *i.* (h.) ① 꾸리다: zur Reise ~ 여행 짐을 꾸리다. ② (가게를) 닫다. ③〔비유〕짐을 꾸려 떠나다, 도망치다; 그만두다: pack ein! 〔laß dich ~!〕 아서라, 집어치워라, 꺼져!; pack ein mit deinen Witzen! 시시한 익살은 집어치워라!; er mußte ~ 그는 그만두지 않을 수 없었다.
Einpacker *m.* -s, - 짐싸는 인부; 포장업자, 통조림 가공업자.
Einpack·papier *n.* 포장지.
Einpackung *f.* -en ① 짐꾸리기, 포장. ②〖醫〗찜질.
ein|papieren *t.* 〔구어〕 종이에 싸다.
ein|parken *i.* (h.) 주차하다: rückwärts ~ 후진으로 주차하다.
Einparteien=regierung *f.* 일당 독재 정부. **~system** *n.* 일당 독재 체제.
ein|paschen *t.* 〔구어〕 (einschmuggeln) 밀수하다, (누구를) 몰래 들여놓다.
ein|passen 《Ⅰ》 *t.* ① 적응시키다: sie kann sich schnell ~ 그녀는 빨리 적응할 수 있다. ②〖工〗맞추다, 끼우다: in ein Zapfenloch ~ 장부촉을 장붓구멍에 끼워넣다. 《Ⅱ》 *refl.* sich ~ 들어맞다, 끼워지다; 적응하다.
Einpassung *f.* -en 적응, 순응; 맞춰 끼우기.
ein|passieren *i.* (s.) 들어가다, 들르다.
ein|pauken 《Ⅰ》 *t.* 〔구어〕 ① jm. et. ~ 누구에게 무엇을 주입식으로 가르치다; jn. im Fechten ~ 누구에게 검술을 연습시키다. ② jn. ~ 누구에게 수험 준비를 시키다. 《Ⅱ》 *refl.* sich ~ 억지로 외우다〔배우다〕: sich³ Vokabeln ~ 어휘를 힘들게 익히다.
Einpauker *m.* -s, - 수험 지도 교사;〖스포츠〗코치, 감독; 퀴즈 프로의 사회자.
ein|peitschen 《Ⅰ》 *i.* (h.) 채찍질하다: auf jn. ~ 누구에게 회초리로 치며 덤벼들다. 《Ⅱ》 *t.* ① jm. et. ~ 누구에게 무엇을 주입식으로〔강제로〕 가르치다. ② (사냥개를) 채찍으로 몰아넣다(einhetzen). ③ (지지자를) 규합하다.
Einpeitscher *m.* -s, - ① 선동가; 교사자. ② (영국 의회의) 원내 총무. ③ (südd., öst.) 수험 지도 교사.
ein|pendeln 《Ⅰ》 *i.* (s.) 시외에서 시내로 출근하다(↔ auspendeln). 《Ⅱ》 *refl.* sich ~ ① 균형이 잡히다. ② (물가가) 적정치〔평균치〕를 회복하다.
Einpendler *m.* -s, - 시외에서 시내로 출근하는 사람(↔ Auspendler).
ein|pennen *i.* (s.) 〖속어〗깜박 잠들다.
Einpersonen=haushalt *m.* 1인 가계〔가정〕. **~stück** *n.* 1 인극, 모노드라마.
ein|pfählen *t.* 울타리로 에워싸다; 방어책(柵)을 둘러치다.
Einpfählung *f.* -en ① 울타리치기. ② 울타리; 방어책.
ein|pfarren *t.* 교구(敎區)에 편입하다.
Einpfarrung *f.* 교구 편입.
ein|pfeffern *t.* ① 후추를 치다. ② 교묘하게 속이다.
Einpfennig·stück *n.* 1 페니히짜리 동전.
ein|pferchen *t.* ① 우리 속으로 몰아넣다. ②〔비유〕(빽빽히) 처넣다, 몰아넣다; 감금하다: eingepfercht sitzen 밀집하여 앉다.
Einpferchung *f.* -en 밀어넣음, 감금.
ein|pflanzen 《Ⅰ》 *t.* ① (초목을) 심다, 이식하다. ②〔비유〕jm. et. ~ 누구의 마음 속에 무엇을 깊이 심어〔깨우쳐〕주다. 《Ⅱ》 *refl.* sich ~ ① 심겨지다, 뿌리내리다. ②〔비유〕깨우치다.
Einpflanzung *f.* -en 심기, 이식; 심은 묘목.
ein|pflastern *t.* ① 포석(鋪石)에 박아넣다; (보호하기 위해) 포석으로 에워싸다: die Straßenbahn ~ 포장 도로에 시가 전철 레일을 박아 깔다; die Bäume wurden eingepflastert 나무 둘레에 포석을 깔았다. ② (도로를) 포장(鋪裝)하다. ③〖醫〗(피부에) 연고를 바르다. ④〖軍〗장전하다.
ein|pflöcken *t.* ① 말뚝으로 고정시키다. ② 말뚝으로 경계를 표시하다.
ein|pflügen *t.* 〖農〗쟁기질하다, 갈다.
ein|pfropfen *t.* ①〖원예〗접붙이다, 접지(接枝)하다;〔비유〕jm. et. ~ 누구에게 무엇을 힘들여 전수하다. ② 처넣다, 마개로 막다. ③〖醫〗접종하다.
Einpfünder *m.* -s, - 1 파운드 무게의 물건〔동물〕.
einpfündig *a.* 1 파운드의.
Einphasen=moter *m.* 〖전기〗단상(單相) 전동기. **~strom** *m.* 단상 전류. **~wechselstrom** *m.* 단상 교류.
einphasig *a.* 〖전기〗 단상(單相)의: ~er Strom 단상 전류.
ein|pichen *t.* …에 콜타르를 바르다, (목재의 틈을) 콜타르로 메우다.
ein|pinkeln *t.* 〔경박〕 오줌으로 더럽히다〔적시다〕.
ein|pinseln *t.* 붓으로 바르다, 칠하다.
Einpinselung *f.* -en 붓으로 바르기〔칠하기〕.
ein|pissen *t.* 〔비속〕 ↑ einpinkeln.
ein|planen *t.* 계획에 넣다〔고려하다〕.
ein|planken *t.* 판자벽으로 두르다.
ein|plaudern *t.* ① jm. et. ~ 누구에게 무엇을 설득하다. ②〔드물게〕jn. ~ 지루한 이야기로 누구를 졸리게 하다.
ein|pökeln *t.* 소금에 절이다: eingepökeltes Rindfleisch 염장 소고기; du kannst dich ~ lassen〔laß dich ~〕 너는 아무짝에도 쓸모없는 놈이구나.
ein·polig *a.* 〖物〗단극(單極)의;〖해부〗단극성의(신경 세포 따위).
ein|prägen 《Ⅰ》 *t.* (금속 따위에 무엇을) 새겨넣다, 각인하다;〔비유〕jm. et. ~ 누구에게 무엇을 인상깊게 하다, 감명시키다: et. dem Gedächtnis ~ 무엇을 마음〔기억〕에 새겨두다. 《Ⅱ》 *refl.* sich ~ 도장 찍히다〔새겨지다〕; 기억에 남다, 잊혀지지 않다: dieses Bild prägte sich mir unauslöschlich ein 이 그림은 나의 마음 속에 지울 수 없는 인상을 남겼다.
einprägsam [..prɛːkzaːm] *a.* 감명 깊은, 인상적인.
Einprägsamkeit *f.* 인상적임, 감명.

Einprägung *f.* -en 각인, 새겨넣음; 감명을 줌.
ein|predigen 《I》 *i.* (h.) 〖구어〗 auf jn. ~ 누구에게 설교하다, 훈계하다. 《II》 *t.* ① jm. et. ~ 누구에게 무엇을 설교하다, 간절하게 설명하다. ② jn. ~ 누구를 지겨운 설교〔훈계〕로 졸립게 하다. 《III》 *refl.* sich ~ 설교 연습을 하다; 설교하는 데 익숙해지다.
ein|pressen *t.* ① 압축〔압착〕하다. ② (좁은 방에) 밀어넣다, 꽉 처넣다: in et. Blumen ~ 무엇에 꽃무늬를 인쇄하다.
ein|proben *t.* (배역·노래를) 익숙해질 때까지 연습하다.
ein|probieren *t.* ↑ einproben.
ein|programmieren *t.* 〖컴〗 (프로그램을) 입력하다.
ein|prügeln *t.* ① 마구 패다, 때리다: jm. et. ~ 누구에게 무엇을 우격다짐으로〔때려가며〕 가르치다, 주입시키다.
ein|pudern *t.* …에 분가루를 뿌리다, 바르다.
ein|pumpen *t.* 펌프로 물을 퍼넣다: 〖비유〗 jm. et. ~ 누구에게 무엇을 주입시키다; sich³ etwas ~ 진탕 마시다.
ein|puppen *refl.* sich ~ ① 번데기〔고치〕가 되다. ② (berl.) 옷을 입다. ③ 은둔하다.
ein|quartieren 《I》 *t.* jn. bei jm. ~ 누구를 누구의 집에 숙박시키다, 묵게 하다. 《II》 *refl.* sich ~ 숙박〔숙영〕하다.
Einquartierung *f.* -en ① 〖軍〗 (부대의) 숙영. ② 숙박. ③ 〖구어〗 숙박객.
Einquartierungs·zettel *m.* 〖軍〗 숙영권(券).
ein|quellen(*) *t.* (물에) 담그다; 물에 담가〔적셔〕 불리다.
ein|quetschen *t.* 눌러넣다, 꽉 처넣다; 바스러뜨리다, 으깨다: sich³ den Finger ~ 손가락이 눌려 으스러지다.
ein|quirlen *t.* 휘저어 섞다〔넣다〕.
ein|rahmen *t.* ① 틀〔액자〕에 끼우다; (피륙을) 틀에 넣고 팽팽히 하다〔펴다〕: die Feier war von Musik und Gesangsvorträgen eingerahmt 축제의 처음과 끝에 음악과 노래의 연주가 있었다; 〖비유〗 das kannst du dir ~ lassen 그것은 너나 잘 간직해라(나는 관심이 없다). ② 둘러〔에워〕싸다: bewaldete Höhen rahmen das Dorf ein 나무가 무성한 산들이 마을을 빙 둘러싸고 있다.
Einrahmung *f.* -en 틀에 끼움, 테두리를 두름; 틀, 액자, 테두리.
ein|rammeln *t.* ↑ einrammen.
ein|rammen *t.* ① Pfähle (in die Erde) ~ 말뚝들을 (땅에) 때려 박다. ② das Tor (mit einem Balken) ~ 문을 (각목으로) 부수고 들어가다.
ein|randen *t.* ↑ einrändern.
ein|rändern *t.* …에 가장자리를 붙이다, 테두리를〔가선을〕 두르다.
ein|rangieren *t.* ① 열에 끼워 넣다, 정렬시키다, 순서를 맞추다; 편입〔분류〕하다. ② das Auto ~ (주차하기 힘든 곳에) 차를 몰아넣다.
Einrangierung *f.* -en 정렬, 편입, 분류.
ein|rasten *i.* (s.) ① (톱니바퀴가) 맞물리다, 고정되다. ② (쉽게) 감정이 상하다, (툭하면) 화를 내다: 〖농담〗 er ist hörbar eingerastet 그는 심하게 모욕당해 화가 난 것이 역력했다.
ein|raten* *t.* 〖고어〗 jm. et. ~ 누구에게 무엇을 권유하다.
ein|räuchern *t.* 연기로 그을리다, 훈증〔훈제〕하다; 연기를 피워 넣다: 〖구어〗 die Bude ~ 방을 담배 연기로 가득 채우다.
***ein|räumen** *t.* ① (↔ ausräumen) (**a**) 집어넣다, 정리하다, 비치하다: Waren ~ 상품을 창고에 넣다; die Möbel ins Zimmer ~ 가구를 방에 비치하다. (**b**) (어떤 공간에) 채우다, 비치하다: den Schrank ~ 장에 물품을 넣다; sich³ ein Zimmer ~ 방을 구해 살림살이를 갖추다. ② (방·집을) 비워주다, 양도하다: jm. seinen Platz ~ 누구에게 자리를 내주다. ③ (**a**) (권리·특권을) 허가〔용인〕하다: Kredit ~ 고객에게 대출을 허락하다. (**b**) 인정〔시인〕하다: er räumte die Tat ein 그는 자기의 행위임을 시인하였다.
Einräumung *f.* -en ↑ einräumen의 명사형.
Einräumungs≠satz *m.* 〖문법〗 양보문. **≈-weise** *adv.* 양보하여, 설령.
Einraum·wohnung *f.* -en 단칸 방〔아파트〕.
ein|raunen *t.* 〖고어〗 jm. et. ~ 누구에게 무엇을 속삭이다; 밀고하다; 교사(教唆)하다.
ein|rechnen 《I》 *t.* ① 셈에 넣다, 포함하다: Kosten mit eingerechnet 비용을 포함하여. ② 참작〔고려〕하다. 《II》 *refl.* sich in et. ~ 무엇에 익숙해지다. 《III》 **eingerechnet** *p.a.* ↑ eingerechnet.
***Einrede** [áınre:də] *f.* -n 이의, 항의; 〖法〗 이의 신청(권), 항고; eine ~ erheben 이의를 제기하다.
ein|reden 《I》 *t./i.* ① jm. et. ~ 누구에게 무엇을 설득하다, 믿게 하다: jm. Mut ~ 누구를 격려하다; das lasse ich mir nicht ~! 그런 것을 나는 믿지 않는다!; auf jn. ~ 누구를 집요하게 설득하다. ② 〖드물게〗 in et. ~ 무엇에 (말)참견하다. 《II》 *i.* (h.) jm. ~ 누구에게 이의를 제기하다, 반박하다.
ein|reffen *t.* ① 긁어 모으다. ② 〖海〗 (돛을) 접다, 줄이다.
ein|registrieren *t.* 등록〔등기〕하다.
ein|regnen 《I》 *i.* (비가) 퍼붓다; 비처럼 쏟아지다: Vorwürfe regneten auf ihn ein 그에게 비난이 빗발치듯 쏟아졌다. 《II》 *t.* 〖항상 수동태로〗 eingeregnet sein 비 때문에 오도가도 못 하다. 《III》 *imp./refl.* (sich) ~ 비가 계속 내리다, 그치지 않다.
ein|regulieren 《I》 *t.* 맞추다, 조절〔조정〕하다: die Uhr ~ 시계를 맞추다. 《II》 *refl.* sich ~ 조절되다, 순조로워지다.
Einregulierung *f.* -en 조절, 조정.
ein|reiben* *t.* (그릇에) 갈아〔빻아〕 넣다; 문질러 바르다; 어루만지다: die Salbe auf den Arm ~ 〔den Arm mit der Salbe ~〕 팔에 연고를 바르다; 〖구어〗 es jm. ~ a) 누구에게 앙갚음을 하다, b) 단호히〔딱 잘라〕 말하다.
Einreiber *m.* -s, - 창문의 걸림쇠〔날름쇠〕.
Einreibe·salbe *f.* 마사지용 연고〔크림〕.
Einreibung *f.* -en 문질러 넣기〔바르기〕; 마사지.
Einreibungs·mittel *n.* ↑ Einreibesalbe.
ein|reichen *t.* ① (관청에 서류를) 제출하다: ein Gesuch ~ 원서를 내다; seine Entlassung ~ 사표를 제출하다; eine Klage (bei Gericht) ~ 소송을 제기하다. ② (서면으로) 신청하다: Urlaub ~ 휴가를 신청하다. ③ (서면으로) 제안하다: jn. zur Beförderung ~ 누구를 승진

시키자고 제안하다.
Einreichung *f.* -en 제출; 제안.
ein|reifeln *t.* ↑ einriefen.
ein|reihen *t.* ① 열에 넣다, 정렬시키다; 정돈하다. ② 편입하다, 배치〔편성〕하다: in eine Klasse ~ 학급에 편입하다; sich in et. ~ 무엇에 가담하다. ③〖재봉〗(구슬 등을) 실에 꿰다; 가봉하다, 시치다.
Einreiher *m.* 단추가 한 줄인 양복, 싱글 양복〔양장〕.
ein·reihig *a.* 한 줄로 늘어선; 한 줄 단추의.
Einreihung *f.* -en 정렬; 정리, 정돈; 편입, 입대.
Einreise [áınraızə] *f.* -en (↔ Ausreise) ① 입국. ② 입국 허가.
Einreise≠erlaubnis *f.* 입국 허가. **~genehmigung** *f.* ↑ ~erlaubnis.
ein|reisen *i.* (s.) 입국하다.
Einreise≠verbot *n.* 입국 금지. **~verweigerung** *f.* 입국 거부. **~visum** *n.* 입국 비자.
ein|reißen* 《I》 *t.* ① 잡아찢다, 찢어서 구멍〔틈〕을 내다: Löcher in das Gewand ~ 옷을 찢어서 구멍을 내다; sich³ den Splitter ~ 손에 가시가 찔리다. ② (집을) 철거〔파괴〕하다. ③〖畫〗Umrisse ~ 약도를 그리다. 《II》 *i.* (s.) ① 찢어지다; 금가다. ② (악덕·병폐가) 뿌리를 내리다, 만연하다: ein tief eingerissenes Übel 깊이 뿌리내린 악습. ③ 침해하다:〖비유〗es reißt ins Geld 〔in den Beutel〕 ein 그것은 돈이 드는 일이다.
Einreiß·haken *m.* -s, - (포클레인의) 쇠갈고리.
Einreißung [..raısuŋ] *f.* -en ① 찢기; 철거, 해체; 파괴. ② 만연, 유행.
ein|reiten* 《I》 *i.* (s.) 말타고 들어가다. 《II》 *t.* (말을) 길들이다. 《III》 *refl.* sich ~ 말타기 연습을 하다.
ein|renken *t.* (탈구(脫臼)·골절을) 접골하다; 원상 회복하다: die Beziehung kann sich mit der Zeit wieder ~ 시간이 지나면 관계가 다시 원상 회복될 수 있다.
Einrenker *m.* -s, - 접골의(醫); 접골기(器).
Einrenkung *f.* -en 접골; 원상 회복.
ein|rennen* 《I》 *i.* (s.) 뛰어들다: auf jn. ~ 달리다 누구에게 부딪치다〔누구를 부딪쳐 쓰러뜨리다〕. 《II》 *t.* 달려가서 부딪쳐 쓰러뜨리다: sich³ den Kopf ~ 달리다가 부딪쳐 머리를 다치다; die Tür ~ 달려가 문을 박차고 열다;〖비유〗offene Türen ~ 헛수고를〔쓸데 없는 짓을〕하다.
***ein|richten** [áınrıçtən] 《I》 *t.* ① 정돈하다, 정리하다, 가지런히 하다: gut eingerichtet 잘 정돈된. ② 설비〔설치〕하다, 꾸미다:〖구어〗du kannst dich hier häuslich ~ 집에 있는 것 처럼 편히 있거라. ③ jn. ~ 누구의 집에 가구를 비치하다;〖비유〗er ist pompös eingerichtet 그는 사치스러운 생활을 하고 있다. ④ 설립하다, 개업하다: ein Geschäft 〔einen Laden〕 ~ 개점하다. ⑤ 조정하다;〖음악〗편곡하다:〖數〗eine gemischte Zahl ~ 대분수를 가분수로 고치다; et. so ~, daß ... …하도록 무엇을 조처하다; et. **zu** et.³ ~ 무엇을 무엇에 적응시키다. ⑥〖醫〗접골하다(einrenken). ⑦ (초보자에게) 일을 가르치다. 《II》 *refl.* sich ~ ① (**a**) 살림을 차리다. (**b**) 절약하다. ② 적응〔순응〕하다: sich einzurichten wissen 순응할 줄 알다. ③ 준비〔대비〕하다, 갖추다: sich **auf** einen langen Winter ~ 긴 겨울에 대비하다; sich **mit** et.³ ~ 무엇을 갖추다; sich so ~, daß ... …하도록 준비하다.
Einrichter *m.* -s, - 정리자; 설립자.
***Einrichtung** *f.* -en ① 정돈, 정리. ② 적응, 순응. ③〖數〗약분; 환산; 대분수를 가분수로 고치기. ④〖醫〗접골. ⑤ 조직; 계획; 준비; 설립; 제도: militärische ~ 군대 조직. ⑥ 설비; 가구 설비. ⑦ 절약. ⑧ 관행, 관습.
Einrichtungs·gegenstand *m.* 비품, 가구.
ein|riefen *t.*〖軍〗ein Geschützrohr ~ 포신(砲身)에 강선(腔綫)을 넣다.
ein|riegeln 《I》 *t.* 빗장을 질러 가두다. 《II》 *refl.* sich ~ 빗장을 지르고 들어앉다, 은둔하다.
ein|rieseln 《I》 *i.* (s.) 졸졸 흘러들다. 《II》 *t.* 〖시어〗흐르는 소리로 잠들게 하다.
Einriß [áınrıs] 《<einreißen》 *m.* ..sses, ..sse ① 째진〔깨진·터진〕 금, 균열. ② (의견의) 분열. ③〖醫〗절개.
Einritt [áınrıt] 《<einreiten》 *m.* -(e)s, -e 말을 타고 들어가기.
ein|ritzen *t.* ① (피부를) 할퀴어 상처를 내다. ② (돌·금속에) 새겨넣다.
ein|rollen 《I》 *t.* 말아 넣다〔싸다〕: jm. das Haar ~ 누구의 머리를 롤 클립으로 말다; eingerollt〖植〗(잎이) 안으로 말린. ② (공을 경기장 안으로) 굴려 넣다. 《II》 *i.* (s.) (공·차량이) 굴러 들어가다. 《III》 *refl.* sich ~ (돌돌) 말리다: sich am Rande ~ 가장자리가 말려들다.
ein|rosten *i.* (s.) ① 녹슬다; (다른 물체에) 녹슬어 들러붙다. ② 노쇠하다; 둔해지다; (목소리가) 쉬다.
ein|rücken [áınrʏkən] 《I》 *t.* ① 꽂아넣다, 삽입하다: Anzeige in eine Zeitung ~ 광고를 신문에 게재하다. ② (기계를) 작동시키다. ③ 〖印〗(einziehen) (행을) 들여 짜다〔쓰다〕. 《II》 *i.* (s.) ① (직책에) 취임하다: in js. Stelle ~ 누구의 뒤를 잇다. ②〖軍〗진입하다; 입대하다; 군무(軍務)에 복귀하다: in die Quartiere ~ 귀대하다; in die Reihe ~ 대열에 끼다. ③ 〖속어〗죽다.
Einrückung *f.* -en 삽입;〖印·컴〗들여 쓰기; 취임; 진입; 입대, 귀대.
Einrückungs·gebühren *pl.* 게재료.
ein|rühren *t.* (**a**) Eier ~ (푼) 계란을 휘젓다, 뒤섞다. (**b**) 휘저으며 넣다: ein Ei (in die Suppe) ~ (수프에) 달걀을 휘저어 넣다; 〖비유〗jm. etwas Schlimmes ~ 누구를 괴롭히다;〖반어〗da hat er sich³ was Schönes eingerührt 그는 고약한〔곤란한〕 일을 당했다.
ein|rüsten 《I》 *t.* (건물에) 비계를 둘러치다. 《II》 *refl.* sich auf et. ~ 무엇에 대비하다.
Eins [aıns] 《<ein》 *f.* -en ① 숫자 1:〖비유〗wie eine ~ stehen 꼿꼿이〔똑바로〕 서 있다. ②〖교통〗1번 노선의 전철〔버스〕: in die ~ umsteigen 1번 노선으로 갈아타다. ③ 1 등급의 성적. ④ (주사위 눈(目)·카드의) 1, 에이스.
***eins**[1] 《<ein》 ① (기수(基數)) 1: ~ und ~ ist zwei 1 더하기 1은 2; einmal ~ ist ~ 1 곱하기 1은 1; das Spiel ging ~ zu null aus 그 경기는 1: 0으로 끝났다; um ~ 1시(정각)

에. ②〖~ a의 형태로〗 1등품〔최고급〕의: der Wein schmeckt ~ a 그 포도주 맛은 최고다. ③〖관용구〗 ~, zwei, drei war er weg 그는 순식간에 사라졌다; ~ zu null für mich! 내가 옳았잖아〔맞췄잖아〕!

eins[2] *a.* ① 의견이 일치하는(↔ uneins): über et. ~ sein 무엇에 관해 의견이 일치하다; ~ werden 하나로 합쳐지다, 합치되다. ② 아무래도 그만인, 상관 없는: heute ist mir alles ~ 오늘은 뭐든 상관 없어.

eins[3] *prn.* 〖부정(不定) 대명사〗 ① 한가지, 모종의 것: ~ muß ich dir noch sagen 너한테 한 가지 더 말할 게 있다; jm. ~ auswischen 누구에게 한방〔골탕〕 먹이다; es kam ~ zum andern (좋지 않은) 일이 연달아 닥쳤다; ~ nach dem andern! 차근차근히 해라! ② 같은 것, 매일반: es kommt〔läuft〕 auf ~ hinaus, ob ... …하든 않든 결과는 마찬가지다. ③ 하나, 한 잔: ~ von den Büchern 그 책들 중의 한 권; trink noch ~! 한 잔 더 마셔라!

Einsaat [áınza:t] *f.* -en 〖農〗 파종; (Saatkorn) 곡물 씨앗, 종자.

ein|säckeln *t.* 호주머니에 넣다; (이득을) 챙겨넣다.

ein|sacken 《Ⅰ》 *t.* (곡식을) 자루에 담다; 호주머니에 넣다; 획득〔취득〕하다; 〖속어〗 배불리 먹다. 《Ⅱ》 *i.* (s.) 함몰하다; 침강(沈降)하다: im Schlamm ~ 진창에 빠지다. 《Ⅲ》 *refl.* 〖비유〗 sich ~ 옷을 입다; 몰두하다.

ein|säen *t.* 씨뿌리다, 파종하다: Samen ins Feld ~ 〔〖드물게〗 das Feld ~〕 밭에 씨를 뿌리다.

ein|sagen *t.* jm. et. ~ 누구에게 무엇을 몰래 이야기해 주다, 소근 거리다.

ein|sägen *t.* 톱질하다; (톱으로) 베어 넘어뜨리다: 〖植〗 eingesägt 톱니 모양의.

ein·saitig *a.* 〖음악〗 1현(絃)의.

ein|salben *t.* ① 연고를 바르다. ②〖비유〗 jn. ~ 누구의 비위를 맞추다, 구슬리다.

ein|salzen(*) *t.* ① 소금에 절이다: das Eingesalzene 소금에 절인 식품; 〖구어〗 jm. et. ~ 누구에게 어떤 앙갚음을 하다; der kann〔soll〕 sich ~ lassen 그는 아무 짝에도 쓸모 없다; damit kannst du dich ~ lassen 너는 그래 가지고는 성공하지 못한다. ②〖化〗 eine Lösung ~ 용해제에 염분을 첨가하다.

Einsalzer [..zaltsər] *m.* -s, - 소금에 절이는 사람.

Einsalzung *f.* -en 소금에 절이기.

***einsam** [áınza:m] *a.* ① 홀로 있는, 외로운, 고독한; 은둔한. ② 고적한, 외딴; ein ~es Leben führen 외로이 지내다; sich ~ fühlen 쓸쓸해하다. ③〖드물게〗 단독〔독신〕의.

einsamen·lappig *a.* 〖植〗 외떡잎의.

einsamig *a.* 〖植〗 홑씨를 가진.

***Einsamkeit** [áınza:mkaıt] *f.* ① 고독, 외로움, 쓸쓸함; 고적; 은둔. ②〖복수: -en〗〖시어〗 적적한 곳, 외딴 곳.

Einsamkeits·sucht *f.* 고독벽(癖).

ein|sammeln [áınzaməln] *t.* ① 모으다, 채집하다; 저장하다. ② 수확하다; (예약자·광고를) 모으다: Beiträge ~ 기부금을 모으다; Kenntnisse ~ 지식을 쌓다; Lorbeeren ~ 명예를 얻다.

Einsammler *m.* -s, - 모으는 사람, 채집가; 수금원, 징수자.

Einsammlung *f.* -en 채집, 수집; 수금, 징수.

ein|sargen *t.* 입관(入棺)하다: damit kannst du dich ~ lassen! 그래 가지고는 망한다!; der kann sich ~ lassen 그 자는 아무 짝에도 쓸모 없다; sie mußte alle ihre Hoffnungen ~ 그 여자는 모든 희망을 포기해야만 했다.

Einsargung *f.* -en 입관, 매장; 포기, 폐기.

Einsaß *m.* ..sassen, ..sassen ↑ Einsasse.

Einsasse *m.* -n, -n (Insasse) 거주자; 주민.

ein|satteln *refl.* sich ~ 안장 모양으로 움푹 패이다.

Einsattelung *f.* -en (두 산봉우리 사이의) 오목한 부분, 안부(鞍部); 협곡.

***Einsatz** [áınzats] *m.* -es, ..sätze [..zɛtsə] ① 끼워넣기, 삽입(물), 부착(물). ② (도박·유희의) 건 돈, 베팅; (südd.) 저당(물): den ~ des eigenen Lebens nicht scheuen 목숨을 걸고 도박〔모험〕하다. ③〖재봉〗 (자수·레이스 등 장식을 위해) 끼워넣는 천조각, 요크; (법복의) 앞 가리개. ④ 찬합식 트렁크, 찬합식 도시락 그릇. ⑤〖음악〗 시작: ~ einer Stimme (합창·합주에서) 어떤 소리의 시작(을 알리는 신호): der Dirigent gibt den ~ 지휘자가 시작 신호를 보낸다. ⑥ (힘의) 경주(傾注), 진력: persönlicher ~ 신명을 바침. ⑦ (병력·인력의) 배치, 투입; 출동, 출격: zum ~ kommen 배치〔투입〕되다; zum ~ bringen 배치〔투입〕 시키다; der ~ der Polizei war notwendig 경찰의 투입이 불가피했다.

Einsatz⸗becher *m.* (포개 쌓을 수 있는) 세트로 된 잔(의 한 개). **~befehl** *m.* 〖軍〗 출동 명령. **~bereit** *a.* ①〖軍〗 전투〔출동〕 준비가 끝난. ② 남을 도와줄 태세가 되어 있는. **~bereitschaft** *f.* 출동〔투입〕 태세. **~dienst** *m.* 비상시에 투입 가능한 조직〔부대〕. **~fähig** *a.* 투입이 가능한. **~freudig** *a.* 투지가 넘치는, 몸을 아끼지 않는. **~gewicht** *n.* 세트로 된 저울의 분동(分銅)〔추〕. **~gruppe** *f.* 특공대. **~härtung** *f.* 〖제련〗 (쇠의) 표면 담금질, 쇠벼리기. **~kessel** *pl.* (포개 쌓을 수 있는) 세트로 된 냄비〔솥〕. **~kommando** *n.* 출동〔투입〕 부대. **~leiter** *m.* 출동 부대의 지휘관; 투입조장(組長). **~preis** *m.* (경매의) 시작 값. **~schachteln** *pl.* (포개 쌓을 수 있는) 세트식 상자. **~stück** *n.* 삽입물. **~teich** *m.* 양어장. **~zeichen** *n.* (노래·연주의) 시작 신호. **~zirkel** *m.* (연필을 꽂았다 뺐다 할 수 있는) 컴퍼스.

ein|sauen 《<Sau》 *t.* 〖비속〗 (흙탕물로) 더럽히다.

ein|säuern *t.* ① (건초를) 시큼하게 발효시켜 저장하다. ②〖요리〗 (고기·생선을) 초절임하다.

Einsäuerung *f.* -en 발효, 초절임.

ein|saufen* *t.* 폭음하다, 들이키다.

Einsauge⸗ader *f.*, **~gefäß** *n.* 〖醫〗 림프관(管). **~mittel** *n.* 〖醫〗 흡수제.

ein|saugen(*) 《Ⅰ》 *t.* 빨아들이다, 흡수〔흡입〕하다; (사상·의견을) 받아들이다: et. mit der Muttermilch eingesogen haben 어렸을 적부터 무엇에 익숙해지다. 《Ⅱ》 *refl.* sich ~ 흡수되다; (빛깔이) 배다.

einsaugend *p.a.* 〖醫〗 흡수성의.

Einsaugung [..zaugʊŋ] *f.* -en 흡입, 흡수; 수용.

ein|säumen *t.* 〖재봉〗 …의 가장자리를〔깃을〕 접어 솔기가 보이지 않게 꿰매다, 가선을 대다. ② 둘러싸다, 테를 두르다: ein mit Bäumen eingesäumter Weg 양쪽 가에 나무를 심은 길.
Einsäung *f.* -en 파종, 씨뿌리기.
ein·säurig *a.* 〖化〗 일산(一酸)의.
ein|säuseln 《I》 *i.* (s.) (물이) 졸졸 흘러들다, (바람이) 살랑살랑 불어오다. 《II》 *t.* 자장가로 잠들게 하다(einlullen).
ein|schachteln 《I》 *t.* ① 상자에 넣다, (상자로) 포장하다; (차곡차곡) 포개어 끼우다: 〖문법〗 eingeschachtelte Sätze 삽입 문장; eingeschachtelt sitzen 꽉 끼여 앉다. ② 밀어넣다; 얽히게 하다. 《II》 *refl.* sich ~ 꽉 채워지다.
Einschachtelung *f.* -en 상자에 넣음, 포장; 〖문법〗 문장의 삽입; 〔비유〕 혼란, 분규.
Einschachtelungs·theorie *f.* 〖生〗 전개설(展開說).
ein|schaffen(*) *t.* ①〔강변화〕 주입하다, 불어넣다: Gott hat dem Menschen Vernunft eingeschaffen 하느님은 인간을 창조하면서 이성을 불어넣었다. ②〔약변화〕 가지고 들어가다, 넣다, 사들이다.
ein|schäkeln *t.* 사슬〔고리〕로 잇다: eine Kette ~ 고리를 이어 사슬을 만들다.
ein|schalen *t.* 〖건축〗 널빤지〔판자〕로 둘러치다; 콘크리트용 형틀을 만들다.
Einschaler *m.* -s, - 콘크리트용 형틀을 만드는 목수.
ein·schalig *a.* 〖動〗 단각(單殼)의, 홑껍질의.
***ein|schalten** 《I》 *t.* ① 삽입하다, 끼워 넣다; 써넣다: einen Tag ~ (윤년으로) 하루를 더 넣다; eingeschaltete Erzählung 에피소드. ②〖전기〗 (전류·전화를) 연결하다, (스위치를) 켜다; (자동차의 기어를) 넣다: den zweiten Gang ~ 2단 기어를 넣다. ③ 개입시키다, 끌어들이다. 《II》 *refl.* sich ~ ① 작동하다, 가동되다. ② (연결된 전화를) 받다. ③ 끼어들다, 개입하다.
Einschalter *m.* -s, - (원고) 가필자, 개정자.
Einschalt=hebel *m.* 시동 레버. **~quote** *f.* 방송 시청률, 청취율.
Einschaltung *f.* -en 삽입, 첨가, 부연; 〖문법〗 삽입(문); 〖전기〗 연결, 접속; 〖醫〗 삽입.
Einschalung *f.* -en 콘크리트용 형틀 만들기; 널빤지 대기.
Einschaltungs=verfahren *n.* 〖數〗 보삽법(補揷法). **~weise** *adv.* 부연하자면, …한 김에. **~zeichen** *n.* (교정 때의) 삽입 부호(∧).
ein|schanzen *t.* 〖軍〗 …에 보루를 둘러치다.
ein|schärfen *t.* jm. et. ~ 누구에게 무엇을 명심하게 하다, 엄하게 가르치다.
Einschärfung [..ʃɛrfuŋ] *f.* -en 엄명, 훈계.
ein|scharren 《I》 *t.* (몰래) 파묻다. 《II》 *refl.* sich ~ (동물이) 굴을 파고 들어가 숨다.
ein·schattig *a.* (1년 내내) 한 쪽만 그늘진; 온대의: ~e Völker 온대 지방의 주민.
***ein|schätzen** *t.* (세금·재산을) 사정하다, 감정〔평가〕하다; …의 가치를 인정하다.
Einschätzung *f.* -en (세금의) 사정; 평가.
Einschätzungs·kommission *f.* 조세(租稅) 사정 위원(회).
ein|schaufeln *t.* 삽으로 떠넣다〔파묻다〕.
ein|schaukeln 《I》 *t.* 흔들어 재우다. 《II》 *refl.* sich ~ (소득이) 안정되다.
ein|schäumen *t.* 비누〔샴푸〕를 칠하다.
ein|scheiden *t.* 칼집에 넣다.
***ein|schenken** *t.* ① (마실 것을) 따르다: jm. Wein ~ 누구에게 포도주를 따르다; 〔비유〕 jm. reinen〔klaren〕 Wein ~ 누구에게 진상을 말하다. ② (음료로) 채우다: die Tassen ~ 찻잔들을 채우다. ③ den Ball ~ 공을 던지다, 어시스트하다.
ein|scheren(*) 《I》 *i.* (s.) 〖교통〗 (자동차가) 원래 차선으로 다시 들어서다. 《II》 *t.* ①〖海〗 Taue ~ 밧줄을 (고리에) 꿰다. ②〖건축〗 장붓구멍을 뚫다.
ein|scheuern *t.* (곡식을) 곳간에 넣다.
Einschicht [áınʃıçt] *f.* -en (obd.) (Einöde) 외딴 곳, 황무지.
ein|schichten *t.* ① 층층이 넣다. ②〖지질〗 지층 사이에 묻다〔끼우다〕.
ein·schichtig *a.* ① 단독의; 미혼의, 독신의; 외톨박이의. ② 외진, 동떨어진. ③〖산업〗 교대없이 일하는. ④〖지질〗 단층(斷層)의.
ein|schicken *t.* 보내 주다, 송달(送達)하다.
Einschiebe=bild *n.* 환등기의 슬라이드. **~brett** *n.* (미닫이식 책상의) 빼내는 부분, 작업판. **~essen** *n.*, **~gericht** *n.* 곁들인 요리. **~leiste** *f.* 꺾쇠, 거멀못; 〖건축〗 나비장, 나무쐐기.
ein|schieben* 《I》 *t.* ① 밀어〔끼워〕넣다, 삽입하다: den Ball ~ (골 문가까이 있는) 공을 슬쩍 밀어넣다; jn. in eine Stelle ~ 누구를 어떤 자리〔직책〕에 밀어넣다. ② 첨가하다: ein Wort ~ 한 마디 덧붙이다, 슬쩍 써넣다. 《II》 *refl.* sich ~ 미끄러져 들어가다; (들짐승이) 굴속으로 들어가다.
Einschieber *m.* -s, - 삽입〔첨가〕하는 사람.
Einschiebe=satz *m.* 〖문법〗 삽입문. **~tisch** *m.* 보조판을 빼다 끼워 넣었다 할 수 있는 탁자. **~zeichen** *n.* 괄호.
Einschiebsel [..ʃi:psəl] *n.* -s, - 삽입물; 〖문법〗 삽입문.
Einschiebung *f.* -en ① 밀어넣음; 삽입, 첨가. ②〖醫〗 장관(腸管) 삽입; 〖연극〗 막간극; 〖음악〗 간주곡〔악〕; 〖生〗 영양 섭취.
Ein·schienen·bahn *f.* 모노레일(열차).
ein·schienig *a.* 모노레일 (열차)의.
ein|schießen* 《I》 *t.* ①〖軍〗 사격〔포격〕하여 무너뜨리다. ② (총기를) 사격하여 길들이다: ein Gewehr ~ 어떤 무기를 시험 사격하다; jn. ~ 누구에게 사격 연습을 시키다; ein Pferd ~ 말을 사격에 길들게 하다; 〔비유〕 jn. in ein Fach ~ 누구를 어떤 분야에 숙달케 하다. ③ 투입하다: das Brot ~ 빵을 가마솥에 넣다; Ballast in ein Schiff ~ 배에 바닥짐을 싣다; den Ball ~ 공을 차넣다; 〖방직〗 den Eintrag ~ 씨줄을 꿰다; Papier ~ (인쇄 전지 사이에) 종이를 끼워넣다; Bücher ~ (고서점에서) 책을 서가에 꽂아넣다. ④ 납입하다, 예금〔출자〕하다: eingeschossene Kapitalien 출자〔납입〕금. 《II》 *i.* (s.) ① 들이닥치다; 추락하다: auf jn.〔et.〕 ~ 누구를〔무엇을〕 향하여 돌진〔습격〕하다. ②〖醫〗 (이가) 자라나다; (생각이) 떠오르다; 〖지질〗 내려〔가라〕앉다; 〖방직〗 줄어들다. ③ (물·액체가) 흘러들어가다. 《III》 *refl.* sich ~ ① 사격 연습을 하다; (연습을 통해) 사격에 능숙해지다: sich auf ein Ziel ~ 표적을 쏘아 연습하다; sich in ein Fach ~ 어떤 분야에 능통〔숙달〕하다. ② (말로) 쏘아부치다, 비

판〔공격〕하다: er hat sich auf mich eingeschossen 그는 나에게 비판을 퍼부었다.

ein|schiffen 《I》 *t.* 배에 싣다〔태우다〕. 《II》 *refl.* sich ~ 배를 타다. 《III》 *i.* ① (s.) 입항하다. ② (h.) 〖구어〗 오줌싸다(einpissen).

Einschiffung *f.* -en 선적; 승선.

ein|schirren *t.* (말에) 마구를 부착하다.

einschl. =einschließlich …을 포함하여.

ein|schlachten *t.* ① (가축을) 도살하다. ② 〖비유〗 (토지를) 합병하다.

ein·schlächtig *a.* 한 종류의, 동류의.

ein|schlafen *i.* (s.) ① 잠들다: über〔bei〕 et.[3] ~ 무엇을 하다가 깜빡 잠들다; schlaf nicht ein! 정신 차려!; bei diesem Buch schläft man ein 이 책을 읽으면 졸린다. ② 〖비유〗 영면하다, 죽다; (열의가) 식다; (풍속·습관이) 쇠잔〔쇠락〕하다; (수족이) 마비되다.

ein|schläfern *t.* ① 잠들게 하다, 잠재우다; 마비시키다: ich lasse mich nicht durch seine schönen Redensarten ~ 나는 그의 그럴싸한 언변에 넘어가지 않는다; sein Gewissen ~ 양심을 마비시키다; den Schmerz ~ 고통을 잊게하다; jm. den Mut ~ 누구의 용기를 꺾다; er will die Sache ~ 그는 일을 어물어물 넘겨 버리려고 한다. ② (짐승을) 안락사시키다. ③ 안심시키다; 가라앉히다: js. Wachsamkeit ~ 누구의 경계심을 가라앉히다.

einschläfernd *p.a.* 졸음이 오게 하는, 마취성의: ein ~es Mittel 수면제.

Einschläferung *f.* -en 잠들게 함; 마비시킴; 최면(술).

Einschläferungs≈mittel *n.* 수면제, 마취제. **~trank** *m.* ↑ ~mittel.

ein·schläfig *a.* ↑ einschläfrig.

ein·schläfrig *a.* 혼자만 잘 수 있는: ~es Bett 1인용 침대.

Einschlag [áɪnʃlaːk] *m.* -(e)s, ..schläge [..ʃlɛːgə] ① 두들겨 박기; 낙뢰: der ~ eines Geschosses 탄착. ② (소포·편지의) 포장(지), 봉투; 잔디를 까는 일. ③ 〖재봉〗 (의복의) 시접, 주름; 〖방직〗 씨줄, 꼰실; 〖원예〗 묘목밭; 〖사냥〗 짐승의 냄새 자취. ④ 조약〔계약〕의 성립을 뜻하는 악수. ⑤ 혼성(물); 첨가(물); 혼혈: der germanische ~ im französischen Volke 프랑스 국민 가운데에 섞여 있는 게르만인의 혈통; mit starkem ~ südlichen Dialekts 남부 사투리가 강하게 섞여 있는. ⑤ 〖林〗 (계획적인) 벌목, 벌목한 나무 더미. ⑥ 할인: mit ~ verkaufen 할인해서〔손해 보고〕 팔다.

Einschlag≈dolch *m.* 접는 단검. **~garn** *n.* 〖방직〗 기계 연사(撚絲). **~messer** *n.* 접는 주머니칼.

ein|schlagen [áɪnʃlaːgən] 《I》 *t.* ① 박아 넣다, 박다, 쳐넣다: einen Pfahl in die Erde 땅에 말뚝을 박다. ② (문·창문을) 때려 부수다. ③ (구멍을) 두들겨 뚫다. ④ **(a)** (종이·천으로) 싸다, 말다, 포장하다, (봉투에) 넣다, 동봉하다: die Waren in Papier ~ 상품을 종이에 싸다; ein Buch ~ 책을 장정하다. **(b)** 〖農〗 (식물을 옮겨심기 위해) 흙으로 덮어두다. ⑤ 〖재봉〗 감치다: einen Saum im Kleid ~ (옷자락의) 단을 접어넣다; 〖방직〗 Fäden ~ 씨줄을 먹이다. ⑥ (서약·찬성의 표시로) 손뼉 치다, 악수하다. ⑦ Eier ~ 계란을 (반죽·수프에) 깨어〔섞어〕넣다. ⑧ (옷·소매의) 끝을 접다, 접어넣다: die Arme ~ 팔짱을 끼다. ⑨ (어느 방향·길로) 접어들다, 택하다: 〖비유〗 eine Laufbahn ~ 어떤 생활에 들어가다; den Weg der Güte ~ 온건한 길을 택하다; ein anderes Verfahren ~ 다른 조처를 취하다. ⑩ (토지에) 울타리를 두르다. ⑪ 〖動〗 (발굽에 징을) 박아넣다. ⑫ 〖펜싱〗 jn. ~ 누구를 격검 연습 시키다: sich ~ 격검을 연습하다. 《II》 *i.* (h.) ① (벼락·포탄이) 떨어지다; 호되게 부딪치다: wo hat es 〔der Blitz〕 eingeschlagen? 벼락이 어디에 떨어졌나?; die Welle schlug schäumend ein 파도가 물거품을 일으키며 밀려왔다. ② (손톱·발톱이) 꽂히다, 파고들다: die Kralle des Raubtiers schlägt in Fleisch ein 맹수의 발톱이 살에 박힌다. ③ (schürfen) 채굴〔채광〕하다. ④ 마구 패다〔때리다〕: mit Fäusten auf jn. ~ 주먹으로 누구를 마구 때리다; mit der Peitsche auf ein Tier ~ 채찍으로 어떤 짐승을 마구 때리다. ⑤ 〖비유〗 대성공을 거두다, 히트하다: der neue Artikel hat eingeschlagen 그 새 상품〔품목〕이 히트했다; der Ball schlägt ein 공이 멋지게 골인한다. ⑥ (박수로) 동의하다, 찬성하다, 받아들이다: wenn man so ein Angebot bekommt, muß man einfach ~ 그런 제의를 받으면 무조건 수락해야 한다. 《III》 *i.* (s.) ① 어떤 결과를 낳다; (일이) 잘 되어가다: trotz aller Ermahnungen schlug der Schüler nicht ein 모든 경고에도 불구하고 그 학생은 실패하였다; die Spekulation ist ihm gut eingeschlagen 그의 생각이 제대로 들어맞았다. ② 〖사냥〗 (사냥개가) 잘 길들다, 제 구실을 하다: der Hund ist gut eingeschlagen 그 개는 제대로 길들었다. ③ (누구에게) 먹혀들다, 받아들여지다: es schlägt keine Warnung bei ihm mehr ein 그는 이제 아무리 경고해도 소용 없다〔쇠귀에 경 읽기다〕. ④ 〖畫〗 (빛깔이) 바래다. ⑤ (땀·피부병이) 없어지다. 《IV》 *refl.* sich ~ ① 〖펜싱〗 격검을 연습하다. ② 〖사냥〗 (짐승이) 구멍에 들어가다.

Einschlag≈papier *n.* 포장지. **~seide** *f.* 비단의 씨줄; 광선의 위치에 따라 빛깔이 변하는 비단. **~tuch** *n.* 보자기, 싸개.

einschlägig [..ʃlɛːgɪç] *a.* ① 해당〔관계〕되는: die ~en Bestimmungen nachschlagen 해당 규정을 참조하다; die ~en Paragraphen des Strafgesetzbuches 형법전(典)의 해당 조항. ② 〖法〗 ~ vorbestraft 동일 범죄의 전과가 있는.

ein|schlämmen *t.* (식물에) 물을 흠뻑 주다.

ein|schleichen* 《I》 *refl.* sich ~ ① 몰래 잠입하다; 몰래 끼어들다: die Diebe haben sich eingeschlichen 도둑들이 몰래 숨어 들었다; 〖비유〗 sich in js. Vertrauen〔Gunst〕 ~ 교묘하게 누구의 환심을 사다. ② 모르는 사이에 (일이) 생기다, 문제가 발생하다: in seinem Bericht hat sich ein Irrtum eingeschlichen 그의 보고에는 뜻하지 않은 오류가 생겼다. ③ 암암리에 퍼지다, 만연하다: wie konnte sich diese Unsitte hier ~? 여기서 어떻게 이런 악습이 퍼질 수 있었단 말인가? 《II》 *t.* 〖醫〗 (투약을) 조금씩 늘리다.

ein|schleiern *t.* 면사포〔베일〕로 덮다, …에게 면사포〔베일〕를 씌우다: 〖비유〗 sich ~ lassen 수녀가 되다, 수도원에 들어가다.

ein|schleifen(*) 《I》 *t.* ① 〖약변화〗 썰매로 끌

어들이다; 밀수하다(einschmuggeln). ②〖강변화〗(a) (유리 따위에 이름을) 새겨 넣다. (b) (부품을) 갈아서 맞춰 넣다. (c) (반복해서) 익히게 하다: den Schülern die richtige Aussprache ~ 학생들에게 올바른 발음을 익히게 하다. 《Ⅱ》 *refl.* sich ~ ① 익히다: sich³ Vokabeln ~ 어휘를 익히다. ② 익숙해지다, 습관화되다.

ein|schleppen *t.* ① 끌어들이다; (배를) 예인하다; 밀수하다. ② (나쁜 결과를) 초래하다; (병균을) 묻혀〔옮겨〕오다; (불청객을) 끌어들이다: den Typhus ~ 티푸스를 옮아오다.

Einschleppung *f.* -en 반입; 예인; 전염.

ein|schleusen 《Ⅰ》 *t.* ① (배를) 수문을 통해 끌어들이다. ② (첩자를) 잠입시키다; (마약을) 밀반입하다: Agenten als Touristen ~ 공작원을 관광객으로 가장하여 잠입시키다. 《Ⅱ》 *refl.* sich ~ 잠입하다.

Einschleusung *f.* -en 잠입; 밀수.

einschließbar *a.* 둘러쌀〔포함할〕 수 있는; 〖物〗(기체가) 압축될 수 있는.

ein|schließen *t.* ① 가두다, 감금하다; 숨기다, (물건을) 봉해넣다: sich in ein Zimmer ~ 방안에 틀어박히다. ② 둘러막다, 에워싸다; 품다: das Land ist ringsum von Meeren eingeschlossen 이 나라는 사면이 바다로 둘러싸여 있다; in Klammern ~ 괄호에 넣다; den Feind ~ 적을 포위하다; 〖비유〗 ins Herz ~ 가슴에 간직하다. ③ 포함〔포괄〕하다: dich eingeschlossen, sind wir fünf 너를 포함하여 우리는 다섯 사람이다; die Mutter schloß alle ihre Kinder in ihr Abendgebet ein 어머니는 저녁 기도 때에 아이들을 위한 기도도 함께 하였다. ④ (봉투에) 넣다, 동봉하다.

einschließlich [áɪnʃli:slɪç] *adv./prp.*² …을 포함하여, 넣어: ~ des Kostgeldes 식비를 포함하여; vom 1. bis zum 31. Juli ~ 7월 1일에서 당일 포함 31일까지.

Einschließung *f.* -en ① 포위, 봉쇄. ② 감금; 〖法〗(가벼운) 금고형. ③〖언어〗(형용사와 명사의 결합형을 다시 형용사로 수식하는) 포괄 수식 어법(보기: eine schöne deutsche Dogge).

Einschließungs≠heer *n.* 〖軍〗 포위군. **~linie** *f.* 〖軍〗 포위선. **~stellung** *f.* 〖軍〗 포위진지. **~zeichen** *n.* 괄호.

ein|schlingen* *t.* ① 얽어 매다; 올가미에 걸다; 서로 얽히게 하다. ② 게걸스럽게〔말끔히〕 먹어치우다, 꿀꺽 삼키다.

ein|schlitzen *t.* 갈라진〔째진〕 금을 내다, 길이로 가르다〔째다〕.

ein|schluchten *t.* 계곡〔협곡〕으로 둘러싸다.

ein|schlucken *t.* ① 꿀꺽〔통째로〕 삼키다; 흡수하다. ②〖비유〗감내하다, 참다: eine Beleidigung ~ 모욕을 참다.

ein|schlummern 《Ⅰ》 *i.* (s.) ① 깜박 잠들다: 〖비유〗 er ist sanft eingeschlummert 그는 편안히 잠들었다〔숨을 거두었다〕. ② 서서히 그치다, 중단되다: der Briefwechsel war inzwischen eingeschlummert 그 사이에 편지 왕래가 차츰 뜸해졌다. 《Ⅱ》 *t.* 〖드물게〗 재우다, 잠들게 하다.

Einschlupf *m.* -(e)s, ..schlüpfe 입구.

ein|schlüpfen *i.* (s.) 미끄러져 들어가다, 살짝〔몰래〕 숨어 들어가다.

ein|schlürfen *t.* 홀짝홀짝 들이마시다, 빨아들이다.

***Einschluß** [áɪnʃlʊs] *m.* ..schlusses, ..schlüsse [..ʃlʏsə] ① 싸는 일(↔ Ausschluß); 포함, 포괄: die ganze Familie mit ~ der entfernten Verwandten 먼 친척까지 포함한 일가권속. ② 봉입(封入); 봉입〔동봉〕물; 동봉한 편지. ③ (Einklammerung) 괄호를 침; 〖문법〗 괄호 안의 문구, 삽입구. ④ 감금, 구금. ⑤〖지질〗(광석에 들어있는) 함유물, 이물질.

Einschluss 新정서 ⇦ Einschluß.

Einschluß≠klammer *f.* 대괄호. **~zeichen** *n.* 괄호.

ein|schmeicheln 《Ⅰ》 *t.* jm. et. ~ 감언이설로 꾀어 누구에게 무엇을 시키다〔믿게 하다〕. 《Ⅱ》 *refl.* sich ~ (아부하여) 환심을 사다: sich bei den Vorgesetzten ~ 윗사람들에게 환심을 사다.

einschmeichelnd *p.a.* 알랑거리는; 기분 좋은: ~e Melodie 듣기 좋은 멜로디.

Einschmeichelung *f.* -en 아부, 아양.

Einschmeichler *m.* -s, - 아첨꾼.

ein|schmeißen* *t.* 〖구어〗(창문을) 돌 등을 던져 깨뜨리다(einwerfen).

ein|schmelzen⁽*⁾ 《Ⅰ》 *i.* (s.) 〖강변화〗 용해하다; 녹아서 줄다, 없어지다. 《Ⅱ》 *t.* 〖약변화〗 (금속을 도가니에) 녹여 넣다〔붓다〕, 주조하다. 《Ⅲ》〖약변화〗 *refl.* sich ~ 녹아서 없어지다〔줄다〕.

Einschmelzens·prozeß *m.* 주조 과정.

ein|schmettern 《Ⅰ》 *t.* 때려부수다. 《Ⅱ》 *i.* ① (s.) 함몰〔붕괴〕하다. ② (s./h.) (나팔 등이) 갑자기〔요란스레〕 울리다.

ein|schmieden *t.* 달구어 붙이다〔용접하다〕: 〖비유〗 einen Verbrecher ~ 죄인을 쇠사슬에 매다.

ein|schmiegen *refl.* sich ~ 바싹 달라붙다: das Kind schmiegte sich in den Schoß der Mutter ein 그 아이는 엄마 품에 폭 안겼다.

ein|schmieren *t.* ① …에 기름을 바르다〔치다〕: die Bremsen ~ 브레이크에 기름을 치다; sich mit Sonnenöl ~ 몸에 선탠 오일을 바르다; 〖비유〗 einem Kinde den Brei (in den Mund) ~ 아이에게 죽을 먹이다; 〖비유〗 jm. et. ~ 누구에게 무엇을 차근차근 말해주다. ② 더럽히다, 때묻히다: die Kleider ~ (기름으로) 옷을 더럽히다; ein frisches Tischtuch ~ 새 식탁보를 사용하다. ③ (명부 등에) 아무렇게나 써넣다.

Einschmierung *f.* -en 기름 바르기, 도유(塗油); 미끄럽게 하기, 윤활(潤滑).

***ein|schmuggeln** 《Ⅰ》 *t.* ① 밀수입하다. ② (사람을) 몰래 끌어들이다, 밀입국시키다. 《Ⅱ》 *refl.* sich ~ ① 몰래 들어오다, 잠입하다. ② (감정이) 모르는 사이에 생기다: Mißtrauen schmuggelte sich in ihre Beziehung ein 모르는 사이에 그들의 관계에 불신이 생겨났다.

Einschmuggler *m.* -s, - 밀수꾼.

ein|schmutzen *t.* (살짝) 더럽히다.

ein|schnallen *t.* 죔쇠〔버클〕로 죄다, 죔쇠를〔버클을〕 채우다.

ein|schnappen 《Ⅰ》 *i.* (s.) ① (자물쇠가) 찰칵 채워지다. ②〖구어·폄어〗(사소한 일로) 기분이 상하다, 언짢아지다: er schnappt bei jeder Kleinigkeit ein 그는 온갖 사소한 일에도 실쭉해진다. 《Ⅱ》 *t.* 〖드물게〗 frische Luft ~ 신선한 공기를 빠끔빠끔 들이마시다.

ein|schneiden* 《I》 *t.* ① (가위·칼로) 자르다: das Papier (an den Ecken) ~ 종이(의 귀퉁이)를 자르다; Getreide ~ 곡식을 베어 거두다. ② (무늬·금을) 새겨넣다; 〖기계〗 (톱니바퀴의 톱니를) 파다: Buchstaben in Glas ~ 유리에 글자를 새기다; Brot in die Suppe ~ 수프에 빵을 썰어 넣다. ③ (öst.) (거울 등을) 치수에 맞춰 잘라 틀에 넣다. ④ (별도의 필름을) 영화에 삽입하다, 편집해 넣다. 《II》 *i.* (h.) ① 수확하다. ② (끈이 피부에) 옥죄이다; (줄이) 잘 들다; 〖醫〗 절개(切開)하다. ③ (마음에) 사무치다, 깊은 영향을 주다: diese Worte schnitten tief in seine Seele ein 이 말이 그의 마음에 사무쳤다. 《II》 *refl.* sich ~ 잘라지다, 새겨지다; (피륙의) 양이 줄다.

einschneidend *p.a.* 베어 들어가는; 통절한; 영향력 있는; 날카로운; 단호한: ~e Maßnahmen 단호한 조치; von ~er Wirkung 효력이 대단한.

Einschneide·säge *f.* 제본용 톱.

ein·schneidig *a.* (검·칼이) 외날인.

Einschneidung [áinʃnaiduŋ] *f.* -en ① 벤 자국, 칼금, 벤 곳. ② 깎기, 새기기. ③ 〖醫〗 절개; 〖植·動〗 결각(缺刻).

ein|schneien *t.* 《I》 눈으로 덮다, 눈에 갇히게 하다. 《II》 *i.* (s.) 눈에 묻히다, 눈에 갇히다.

***Einschnitt** [áinʃnit] *m.* -(e)s, -e ① 벤 자국 내기; 도려내기. ② 벤 자국; 새겨진 금; 〔비유〕 중요한 계기, 전환점: die Heirat ist der tiefste ~ im Leben 결혼은 인생에서 가장 중요한 분기점이다. ③ 수확, 베어 들임. ④ 〖醫〗 절개: einen ~ machen 절개하다. ⑤ 〖植·動〗 결각(缺刻); 〖數〗 선분; 〖軍〗 총안(銃眼), 포안(砲眼); 〖목공〗 장붓구멍. ⑥ 〖修〗 정독(停讀), 정창(停唱); (운율·음악의) 휴지부(休止部).

Einschnitt=meißel *m.* 깎는 끌. **~messer** *n.* 절개용 수술칼. **~tier** *n.* 곤충(Insekt).

ein·schnittig *a.* (einmähdig) 1 년에 한 번 수확할 수 있는, 1 모작의.

ein|schnitzeln *t.* ↑ einschnitzen.

ein|schnitzen *t.* ① …에 벤 자국을 내다. ② 새겨넣다.

ein|schnupfen *t.* 냄새를 맡(아 찾아내)다.

ein|schnüren 《I》 *t.* ① 끈으로 묶다〔죄다〕. ② 압박하다, 죄다: 〖스포츠〗 den Gegner ~ 상대편을 꼼짝 못 하게 압박하다. 《II》 *refl.* sich ~ 코르셋을 입다. 《III》 **eingeschnürt** *p.a.* ↑ eingeschnürt.

Einschnürung *f.* -en ① 끈으로 묶기〔죄기〕. ② 〖醫〗 협착; 〖植·動〗 비정상적인 수축; 협착한 곳. ③ 〔비유〕 억제, 억압.

ein|schnurren *i.* (s.) (고무줄이) 수축하다.

ein|schöpfen *t.* (액체를) 길어〔퍼〕넣다.

***ein|schränken** 《I》 *t.* 울타리로 둘러막다; 〔비유〕 제한〔국한〕하다; 억제하다; 절제하다: js. Rechte〔Freiheit〕 ~ 누구의 권리〔자유〕를 제약하다; seine Ausgaben ~ 지출을 줄이다. 《II》 *refl.* sich ~ 절제하다, 절약하다, 아끼다: nach Verlust seines Vermögens mußte er sich tüchtig ~ 재산을 잃은 후 그는 허리띠를 단단히 졸라매야 했다.

einschränkend *p.a.* 제한적인: ohne ~e Bedingungen 무조건으로.

***Einschränkung** [..ʃrɛŋkuŋ] *f.* -en 제한; 억제; 절제: in großer ~ leben 매우 쪼들리는 생활을 하다; mit ~ 조건부로; ohne ~ 무조건.

ein|schrauben *t.* 나사를 돌려 끼워 넣다〔고정하다〕: eine Birne in die Fassung ~ 전구를 돌려 소켓에 끼워넣다.

ein|schrecken *t.* ① 놀라게 하다, 위협하다. ② 〖사냥〗 (새·짐승을) 후려서 그물에 몰아넣다.

Einschreibe=amt *n.* 등기소, 등록소. **~-bescheinigung** *f.* 등기〔등록〕 증명(서). **~brief** *m.* 등기 우편. **~bureau** *n.* ↑ ~amt. **~gebühr** *f.* ① 등기 수수료. ② (대학·단체의) 등록금, 입회비. **~geld** *n.* ↑ ~gebühr. **~kammer** *f.* ↑ ~amt.

ein|schreiben 《I》 *t.* ① (장부에) 써넣다, 기입하다; 〖數〗 내접시키다: Einnahmen und Ausgaben ~ 수입과 지출을 기입하다; dem 〔ins〕 Gedächtnis ~ 기억해 두다. ② 등록하다; (대학에) 등록하다; 〖軍〗 병적에 편입하다; 〖우편〗 등기〔우편으〕로 하다: ich werde den Brief ~ lassen 나는 이 편지를 등기로 보내겠다. ③ (어느 소재·주제에) 오랫동안 천착하여 익숙해지다; (필기구를) 사용해서 길들이다: sich auf einer Schreibmaschine ~ 타자기를 써서 길들이다. 《II》 *refl.* sich ~ ① 이름을 기입하다; 등기〔등록〕하다; (대학에) 입학하다; 〖數〗 내접하다.

Einschreiben *n.* -s, - 〖우편〗 등기, 등기 우편(물): et. per ~ versenden 무엇을 등기로 부치다.

Einschreibe=päckchen *n.*, **~paket** *n.* 등기 소포. **~porto** *n.* 등기료.

Einschreiber *m.* -s, - ① 〔구어〕 등기 우편. ② 〔드물게〕 기입자; 등기〔등록〕자; 기록계.

Einschreibe=sendung *f.* 등기 우편(물). **~stelle, ~stube** *f.* ↑ ~amt. **~zeugnis** *n.* 등기〔등록〕 증명.

Einschreibung [áinʃraibuŋ] *f.* -en ① 기입; 등록; 등기. ② (대학의) 입학 (허가); 등록; 〖軍〗 병적에의 편입. ③ (경매의) 입찰.

ein|schreiten *i.* (s.) ① 걸어들어가다. ② 개입〔간섭〕하다. ③ 대응하다, 단호한 조치를 취하다: wir werden gerichtlich gegen ihn ~ 우리는 그에 대하여 법적 절차를 밟을 것이다.

Einschreiten *n.* -s 간섭; 조정; 대응: die Behörde sucht nach einem Vorwand zum ~ 당국은 간섭할 구실을 찾고 있다.

Einschreitung *f.* -en 개입; 조정; 대응.

Einschrieb *m.* -(e)s, -e (schweiz.) 등기 우편.

ein|schroten *t.* 굴려 넣다: Fässer ~ 나무통을 (광에) 굴려 넣다.

ein|schrumpfen *i.* (s.) ① 오그라〔움츠러〕들다, 수축하다. ② 주름잡히다: die Haut ist eingeschrumpft 피부에 주름이 잡혔다. ③ 〔농담〕 (노쇠하여 몸이) 왜소해지다.

Einschub [áinʃu:p] 《<einschieben》 *m.* -(e)s, ..schübe [..ʃy:bə] ① 밀어〔끼워〕넣기. ② 삽입물; 틈막이; 끼움판(板).

Einschub=decke *f.* 이중 천장. **~technik** *f.* 끼워넣기〔틈막이〕 기술.

***ein|schüchtern** *t.* 위협하다, 위압하다; 주눅들게 하다: ~de Gebärden 위압적인 몸짓; laß dich nur nicht ~! 겁내지〔주눅들지〕 마라.

Einschüchterung *f.* -en 위협, 협박.

Einschüchterungs=mittel *n.* 위협 수단. **~politik** *n.* 위협〔압박〕 정책. **~versuch**

m. 공갈 미수, 협박.

ein|schulen *t.* ① 교화하다; 훈련시키다; (말을) 길들이다. ② 입학시키다: wir sind im Alter von sechs Jahren eingeschult worden 우리는 여섯 살에 입학하였다.

Einschulung *f.* -en ① 입학. ② 교화, 길들이기, 훈련.

Einschulungs·jahr *n.* 입학 연령.

Ein·schur [áinʃuːr] *f.* (1년중) 첫 번째 깎는 양털.

einschürig *a.* ① (양털·풀이) 1년에 한 번 깎을 수 있는. ②〔드물게〕기이한, 괴짜의.

Einschuß [áinʃus] 《<einschießen》 *m.* ..schusses, ..schüsse [..ʃysə] ①〖商〗투자; 예금; 납입(금); 선불(금). ②〖방직〗 씨실. ③〖사냥〗총알이 뚫고 들어간 자리. ④ (가축의) 염종(炎腫), 종양. ⑤〖스포츠〗슛.

Einschuss 新정서 ⇦ Einschuß.

Einschuß·stelle *f.* 총알이 뚫고 들어간 부위.

ein|schustern [..ʃuːstərn] 《I》 *i.* 손해를〔손실을〕 입다; 파산〔영락〕하다. 《II》 *refl.* sich ~ 교묘히 환심을 사다.

Einschütte *f.* -n 깃털을 채워넣은 이불(의 속 재료).

ein|schütten 《I》 *t.* 부어〔쏟아〕넣다: Kohlen in den Ofen 난로에 석탄을 부어넣다. 《II》 *refl.* sich³ ~ 들이키다, 부어 마시다: sich³ ein Glas Milch ~ 우유를 한 잔 들이키다.

ein|schwärzen *t.* ① 까맣게 (칠)하다: sich³ an Fastnacht das Gesicht ~ 사육제를 맞아 얼굴을 검게 칠하다. ② 밀수입하다.

Einschwärzer *m.* -s, - 밀수꾼.

Einschwärzung *f.* -en 밀수입.

ein|schwatzen 《I》 *i.* 집요하게 설득하다, 물고 늘어지다: auf. jn. ~ 누구를 설득하려고 애쓰다; mit ~ 말참견하다, 한마디 거들다. 《II》 *t.* jm. et. ~ 갖은 말로 누구에게 무엇을 권하다〔팔다〕. 《III》 *refl.* sich bei jm. ~ 교묘히 누구의 환심을 사다.

ein|schweben *i.* (s.) 선회하며 착륙하다.

ein|schwefeln *t.*황으로 그슬리다;〖化〗황화(黃化)하다.

ein|schweißen *t.* ① 용접〔땜질〕하다. ② 코팅하다.

ein|schwenken 《I》 *i.* (s.) ①〖軍〗(대열이) 선회하다; 공격 방향을 바꾸다. ② (생각을) 바꾸다, 방향 전환하다: auf eine neue Linie ~ 새로운 노선으로 전환하다. 《II》 *t.* ① 방향을 돌리다: das Boot in den Strom ~ 보트의 방향을 강쪽으로 돌리다. ② (수도꼭지를) 돌려서 잠그다.

ein|schwimmen 《I》 *t.*〖토목〗(자재를) 수상으로 운반하다, 수상 수송하다. 《II》 *refl.* sich ~ 수영에 익숙해지다.

ein|schwinden* *i.* (s.)〔시어·고어〕사라지기 시작하다; 줄어들다; 여위다.

ein|schwingen* 《I》 *i.* (s.) ①〖사냥〗(새가) 날아와 앉다. ② 급선회하다. 《II》 *t.*〔드물게 다음 용법〕ein Boot ~ 보트를 배 위에 끌어올리다. 《III》 *refl.* sich ~ (진자가) 규칙적인 진동상태에 들어가다; (자장이) 형성되다.

ein|schwören *t.* ① 선서시키다: seine Gefolgsleute ~ 부하들에게 충성 서약을 시키다. ② 다짐받다: einen Kandidaten auf eine Politik ~ 어떤 후보에게 어떤 정책을 이행하도록 다짐받다. ③〔다음 용법으로〕 auf et. eingeschworen sein 무엇을 광적으로 확신하고 있다.

ein|segeln 《I》 *i.* (s.) (돛을 달고) 입항하다. 《II》 *t.* (풍차의 날개틀에) 날개를 달다.

ein|segnen *t.* ① 축복하다: ein Brautpaar ~ (교회에서) 신랑 신부에게 결혼식을 베풀다. ② …에게 성직(聖職)을 주다; (장소·건축물을) 봉헌하다. ③ …에게 견진 성사를 베풀다: Kinder ~ 아이들에게 견진 성사를 베풀다.

Einsegnung *f.* -en ① 축복; (교회에서의) 결혼식. ② 성직 수여; 봉헌식. ③ 견진 성사.

einsehbar *a.* 이해가〔식별이〕 가능한.

ein|sehen 《I》 *i.* 들여다보다, 엿보다: auf jn. ~ 누구를 말끄러미 쳐다보다; bei jm. ~ 누구에게 들러보다; mit jm. (ins Buch) ~ 누구와 책을 같이 읽다. 《II》 *t.* ① 이해〔통찰〕하다; 인식〔분간〕하다: ich sehe ein, daß du unter diesen Umständen nicht kommen kannst 이런 사정에서는 네가 올 수 없다는 것을 알겠다; er sah sein Unrecht ein 그는 자기 잘못을 알아차렸다. ② 들여다보다; 열람하다, 조사하다.

***Einsehen** *n.* -s ① 이해, 통찰, 인식; 동정(심), 배려, 참작; 분별: mit jm. ein〔kein〕 ~ haben 누구의 사정을 이해〔고려·참작〕하다〔하지 않다〕;〔농담〕der Wettergott hatte ein ~ 날씨가 좋아졌다; so viel ~ sollte er haben 그에게도 그만한 분별은 있어야 할 텐데. ② 들여다보기; 조사.

Einseif·becken *n.* (면도용) 비누통.

ein|seifen *t.* ① 비누로 문지르다; 비누 거품을 칠하다: sich³ das Gesicht ~ 얼굴에 비누칠을 하다;〔구어〕jn. mit Schnee ~ (눈싸움에서) 누구의 얼굴에 눈을 문지르다. ②〔구어〕속이다, 사취하다: dieser Kerl hat ihn schön eingeseift 이 녀석은 그를 멋지게 속여 넘겼다. ③〔드물게〕취하게 하다.

***ein·seitig** [áinzaitɪç] *a.* ① 한쪽의, 일방의, 일면의: ~e Kopfschmerzen 편두통; Papier nur ~ beschreiben 종이를 한쪽 면에만 쓰다. ② 일방적인, 편파적인, 치우친; 피상적인, 천박한: eine ~e Beurteilung 편파적인 판단.

Einseitigkeit *f.* -en 일면성; 편파성.

ein|senden(*) *t.* 송부〔송달〕하다; 운반〔운송〕하다; 공급〔조달〕하다; 기고〔투고〕하다; (광고를) 게재하다.

Einsender *m.* -s, - 송부자; 운반〔운송〕자; 송금인; 기고〔투고〕자; 광고 의뢰인.

Einsende=schluß *m.* 응모〔제출〕 마감. **~termin** *m.* 응모〔제출〕 기한.

Einsendung *f.* -en 송부; 운반, 운송; 응모, 기고, 투고; 광고.

ein|senken 《I》 *t.* ① 가라앉히다, 침몰〔함몰〕시키다; 파묻다; 담그다: ein Samenkorn ~ 씨알을 심다; eingesenkt (땅이) 함몰한. ② (나뭇가지를) 휘묻이하다. ③〖기술〗(프레스로 찍어) 금형을 만들다. 《II》 *refl.* sich ~ 가라앉다; 묻히다: sich in die Seele ~ 마음에 아로새겨지다.

Einsenkung *f.* -en 가라앉힘; 매장; 휘묻이; (지면의) 함몰.

Einser [áinzər] *m.* -s, - (südd.) ① 1의 숫자. ② 최고 점수(를 받은 사람). ③ 01 년도 산(産) 포도주(보기: 1901 년산). ④ 1번 노선(의 버스·전철).

einsetz.. ↑ einsatz...

***ein|setzen** [áɪnzɛtsən] 《Ⅰ》 *t.* ① 넣다, 끼워〔꽂아〕 넣다, 끼우다; (einfügen) 삽입하다, 이어 맞추다; 심어놓다(einpflanzen): Zähne ~ 이를 해 넣다; eine neue Fensterscheibe ~ 새 창틀을 끼워 넣다; Fische in einen Teich ~ 물고기를 (양식하기 위해) 연못에 집어 넣다; das Boot ~ 보트를 물에 띄우다. ② (목숨·돈을) 걸다: 〖비유〗 seine Ehre ~ 명예를 걸다; sein Leben ~ 그의 목숨을 걸다; einen Gegenstand zum Pfand ~ 어떤 물건을 저당잡히다. ③ (ernennen) 임명하다, (어떤 지위에) 앉히다; einen Bürgermeister ~ 시장을 임명하다; jn. in ein Amt ~ 누구를 관리에〔어떤 직위에〕 임명하다; er ist als Erbe eingesetzt 그는 상속인으로 지정되었다; jn. in seine frühere Rechte ~ 누구를 복권시키다. ④ 설치하다; (제)정하다: zur Untersuchung der Frage wurde ein Ausschuß eingesetzt 그 문제를 조사하기 위해 위원회가 설치되었다; ein Fest ~ 축제일을 정하다. ⑤ (노동자·군대를) 투입하다: Truppen gegen die Aufständischen ~ 폭도에 대항해서 군대를 출동시키다; freiwillige Helfer ~ 자원 봉사자들을 파견하다; 〖교통〗 Entlastungszüge ~ 임시 열차를 투입하다. ⑥ (손톱·발톱·이빨로) 찌르다: Raubtiere setzen die Zähne ein 맹수가 이빨을 들이대다. ⑦ (berücksichtigen) 고려하다, 생각해 보다. ⑧ Eisen ~ 철을 강철로 변성(變性)시키다, (쇠붙이를) 담금질하다. ⑨ (야채·과일을) 조리다, 통조림으로 만들다. 《Ⅱ》 *refl.* sich ~ ① (**a**) (차내에) 착석하다, 승차하다. (**b**) 고정되다; 뿌리 박다. ② 전력을 다하다; 변호〔지지〕해주다: sich für jn. ~ 누구를 위하여 전력 투구하다, 누구를 보증〔변호〕하다; sich für Lohnerhöhungen ~ 임금 인상을 위해 전력을 다하다; die Schüler setzten sich in der Unterrichtsstunde sehr ein 학생들은 수업 시간에 대단히 열성적이었다. 《Ⅲ》 *i.* ① (s.) (**a**) auf jn. ~ 누구에게 달려들다. (**b**) (eintreten) 생기다, 나타나다; 시작하다; (바람이) 일다; (조수가) 밀려오다: eine längere Regenzeit setzt ein 긴 우기에 접어들다; das Fieber setzt ein 열이 나기 시작하다; mit ~dem Herbst ziehen die Zugvögel fort 가을이 시작되면서 철새들이 이동한다. ② (h.) 〖음악〗 (einfallen) (연주가) 시작되다, 끼여들다: die Bläser setzen ein 관악기 연주자들이 연주를 시작한다.

Einsetz·glas *n.* 저장용 병.

Einsetzling *m.* -s, -e 휘묻이용 어린 가지(↑Absenker).

Einsetzung *f.* -en ① (우리·새장·양어장에) 넣기; 감금. ② (광고 등의) 삽입; 끼워넣음; (모터 등의) 설치; 식목. ③ 임명, (목사의) 취임식; 지정, 제정. ④ (쇠의) 표면 담금질. ⑤ 〖哲〗 대입(代入); 〖法〗 대위(代位).

***Einsicht** [áɪnzɪçt] 《<einsehen》 *f.* -en ① 들여다봄; 관망: durch den parkenden LKW wurde die ~ in die Straße versperrt 주차하고 있는 화물차 때문에 거리 모습이 보이지 않았다. ② 열람, 검사, 검열: ~ in die Akten nehmen 서류를 열람하다; jm. et. zur ~ vorlegen 누구에게 무엇을 열람시키다. ③ (Einblick, Verständnis) 통찰, 이해; 판단, 분별; 인식: haben Sie doch ~! 정신 좀 차리시오! ; viel ~ haben 형안을 갖다, 총명하다; von et.³ ~ gewinnen 무엇을 파악하다; zur ~ kommen 깨닫다, 이해하다. ④ (Ansicht) 의견, 견해: nach meiner ~ 내 견해로는; nach bester ~ 최선이라고 생각하는 바에 따라.

einsichtig *a.* ① 통찰력〔이해력·분별〕이 있는, 현명한. ② 알기 쉬운, 납득할 만한.

Einsichtigkeit *f.* 통찰력.

einsichtlich *a.* 통찰하기 쉬운, 명백한.

Einsicht·nahme *f.* 열람, 검사: jm. ~ gewähren 누구에게 열람을 허용하다.

einsichtslos *a.* 통찰력 없는, 몰이해한, 무분별한.

einsicht·voll *a.* 분별력 있는.

ein|sickern *i.* (s.) ① 스며들다, 삼투하다: Wasser sickert schnell in den sandigen Boden ein 모래땅에는 물이 빨리 스며든다. ② 침투하다: Spione sind in Schlüsselpositionen eingesickert 첩자들이 핵심 위치에 침투해 들어왔다. ③ (소식이) 들어오다, 당도하다.

Einsiede·glas *n.* (südd., öst.) 저장용 병.

Ein·siedel *m.* -s, - 〖고어〗 은둔자.

Einsiedelei [aɪnzi:dəláɪ] *f.* -en ① 은자(隱者)의 암자, 초암(草庵); 〖구어·농담〗 외딴 집. ② 은자의 생활 방식: in der ~ leben 은둔〔은거〕 생활을 하다.

einsiedeln *i.* (h.) 은자로 지내다, 세상과 등지다; (어떤 지역에) 거주하다.

Einsiedeln *n.* -s ↑Einsiedelei.

ein|sieden(*) 《Ⅰ》 *t.* (einkochen) (고기를) 조리다. 《Ⅱ》 *i.* (s.)/*refl.* (sich) ~ (끓어서) 졸다.

***Ein·siedler** *m.* -s, - ① 은자(隱者); 세상을 등진 사람: wie ein ~ leben 은자처럼 살다. ② 〖비유〗 고독을 좋아하는 사람. ③ 〖動〗 벌샛과(직박구리의 일종).

einsiedlerisch [..zi:dlərɪʃ] *a.* ① 은자의, 은둔적인. ② 고독한.

Einsiedler⸗krebs *m.* 〖動〗 소라게. **~leben** *n.* 둔세(遁世), 은둔 생활: ein ~ führen 은둔 생활을 하다.

ein|siegeln *t.* 넣고 봉하다; 〖전문어〗 (식료품 포장 등에서) 밀폐 포장하다.

Einsilber *m.* -s, - 〖문법〗 단철어, 단음절어.

ein·silbig *a.* 〖문법〗 단철(單綴)의; 단음절의; 〖비유〗 말수가 적은, 과묵한: ~er Reim 1 음절운(韻), 남성운; ein ~er Mensch 말이 없는 사람.

Einsilbigkeit *f.* 〖문법〗 단음절로 이루어짐; 〖비유〗 과묵, 무언.

Einsilbler [..zɪlplər, ..zɪlbər] *m.* -s, - ↑Einsilber.

ein|silieren *t.* 사일로에 저장하다.

ein|singen* 《Ⅰ》 *t.* 〖드물게〗 ① 노래하여 잠들게 하다: ein Kind ~ 노래를 불러 아이를 (잠)재우다. ② jm. et. ~ 노래를 불러 누구에게 무엇을 고취하다. ③ (노래를) 시작하다. ④ (노래를) 음반에 취입하다. ⑤ jn. ~ 누구에게 노래를 연습시키다. 《Ⅱ》 *refl.* sich ~ 노래 연습을 하다: ich muß mich vorher ~ 나는 미리 발성〔노래〕 연습을 해야 한다.

ein|sinken* *i.* (s.) ① (물·수렁에) 빠지다, 가라앉다, 침몰하다: bis zu den Knien ~ 무릎까지 빠지다. ② (지면이) 함몰하다; 움푹 내려앉다; (건물이) 주저앉다, 도괴하다: der Fußboden ist eingesunken 바닥이 함몰했다.

ein|sintern *i.* (s.) 스며들다(einsickern).
ein|sitzen* 《I》 *i.* (h.) ① 틀어박혀 있다. ② (교도소에) 복역하다: Er sitzt im Gefängnis ein 그는 교도소에 복역 중이다. ③ (차내·말안장에) 앉아 있다. ④ (s.) 굴 속으로 내려가다. ⑤ (s.) 승차하다, (말 안장에) 앉다. 《II》 *t.* (무엇을) 앉아서 우묵하게〔주저앉게〕 하다: eine eingesessene Couch 쿠션이 움푹 들어간 소파. 《III》 *refl.* sich ~ (소파·안락의자 따위가) 움푹 꺼지다〔내려 앉다〕: dieses Sofa wird sich leicht ~ 이 소파는 쉽게 내려앉을 것이다. 《IV》 **eingesessen** *p.a.* ↑ eingesessen.
Ein·sitzer *m.* -s, - ① 1 인승의 탈것〔비행기〕. ② (마차의) 승객(Insasse).
ein·sitzig *a.* 1 인승〔용〕의; 〖空〗 단좌의.
Ein·skuller [áınskulər, ..skʌ..] *m.* -s, - 1 인승 스컬(경주용 보트의 일종).
eins·mals [áınsma:ls] *adv.* 이전에(einst(mals)); 갑자기, 돌연.
ein·sohlig *a.* (구두가) 창이 한 겹인.
ein·sommerig *a.* ↑ einsömmerig.
ein·sömmerig *a.* 한 해 여름을 난; (물고기가) 1 년생인.
ein|sommern *refl.* sich ~ 여름 더위에 익숙해지다.
ein|sortieren *t.* 분류하다; 분류해 넣다.
Einsortierung *f.* 분류, 정리.
ein|spannen *t.* ① (필름·테이프를) 끼우다: einen Film in die Kamera ~ 필름을 카메라에 끼우다. ② die Pferde ~ 말을 마차에 매다; jn. in eine Arbeit ~ 누구를 일에 얽어매다, 동원하다; ich habe ihn zum Möbelräumen einspannt 나는 그를 가구 옮기는 일에 끌어들였다. ③ (zügeln) 제어〔구속〕하다: 〖구어〗 das Bürschchen müssen wir fester ~ 저 어린 장난꾸러기 녀석은 좀더 엄하게 버릇을 가르쳐야 한다.
Ein·spänner *m.* -s, - ① 말 한 필이 끄는 마차(의 임자); 한 필의 말을 가진 농부. ② 〖농담〗 (Junggeselle) 독신자, 홀아비; (Sonderling) 기인(奇人); 혼자 있기 좋아하는 사람. ③ (öst.) 낱개의 소시지. ④ (öst.) (생크림을 탄) 커피.
ein·spännig *a.* ① 한 필이 끄는: ein ~er Wagen 한 필이 끄는 마차. ② 1 인용의: ein ~es Bett 1 인용 침대. ③ 독신의: ~ leben 독신으로 살다.
ein|sparen *t.* ① (돈을) 절약하다: die unnötigen Kosten ~ 불필요한 비용을 아끼다. ② (직장의 빈 자리를) 공석으로 놔두다: einen Posten ~ 자리를 공석으로 두다.
Einspar·möglichkeit *f.* 절약 가능성.
Einsparung *f.* -en 절약; 절약하여 얻은 것; (일자리를) 비워두기.
Einsparungs·maßnahme *f.* (경비) 절감 조처.
ein|speicheln *t.* (오래 씹어) 침과 섞이게 하다.
Einspeichelung *f.* -en 침과 섞이게 함.
ein|speichern *t.* 창고에 넣다, 저장하다.
ein|speisen *t.* ① 〖工〗 (에너지를) 보내다, 공급하다. ② 〖컴〗 (자료를) 입력〔저장〕하다.
ein|sperren 《I》 *t.* 가두어 넣다; 감금하다: in Arrest ~ 구금하다; sie sperrte den Hund in der Wohnung ein 그녀는 개를 집에 가두었다; einen Verbrecher ~ 범죄자를 감옥에 넣다. 《II》 *refl.* sich ~ 집 안에 처박혀 있다.
Einsperrung *f.* -en 유폐, 감금.
ein|spielen 《I》 *t.* ① (연주곡을) 연습하다. ② (a) jn. ~ 누구에게 연주를 연습시키다: das Orchester ist gut eingespielt 그 관현악단은 연습이 잘 되어 있다. (b) (악기를) 사용해 길들이다. (c) (팀을) 연습시켜 단련하다. ③ (공연·상영으로) 수익을 얻다: die Produktionskosten wurden innerhalb weniger Monate eingespielt 몇 달만에 제작비를 벌어들였다. ④ ein Musikstück ~ 악곡을 (음반에) 취입하다. ⑤ (방송 중에 음악·광고·자막을) 삽입하다. ⑥ (계기가) 눈금을 가리키다. ⑦ 〖고어〗 (음악으로) 잠들게 하다. 《II》 *refl.* sich ~ ① 연주 연습을 하다, 워밍업하다. ② (새로운 규정·방법에) 익숙해지다. ③ (저울이) 평형을 이루다: sich auf〔bei〕 50 kg ~ 저울 눈금이 50 kg 을 가리키다. ④ (어떤 장소에) 쉽게 들어가다. ⑤ sich aufeinander ~ 서로 호흡을 맞춰 연주〔플레이〕를 하다. 《III》 *i.* (h.) 관여〔함께 작용〕하다: hier spielt Eifersucht mit ein 여기에는 질투심도 함께 개입〔작용〕하고 있다.
Einspiel·ergebnis *n.* 흥행〔공연〕 수입.
Einspielung *f.* -en ① (음반의) 취입, 녹음. ② 공연〔상연〕 수입.
ein|spinnen* 《I》 *t.* ① (실을) 자아넣다, 자아내어 합치다; (거미가 잡은 곤충을) 거미줄로 감다. ② 〖비유〗 (verhaften) 투옥〔감금〕하다. 《II》 *refl.* sich ~ ① (누에가) 고치를 짓다. ② 집안에 틀어박히다; 〖비유〗은둔하다; sich in seine Gedanken ~ 자신의 생각에 몰두하다.
Einsponbetrug *m.* 야바위.
Einsprache [áınʃpra:xə] *f.* -n (Einspruch) 이의, 항의, 불복: ~ erheben 이의를 제기하다.
Einsprache·recht *n.* 항변권, 거부권.
ein·sprachig *a.* ① 1 개 국어로 쓰인. ② 모국어만을 쓰는.
Einsprachigkeit *f.* 1 개 국어 사용.
ein|sprechen* 《I》 *t.* ① jm. Mut〔Trost〕 ~ 누구를 격려〔위로〕하다; 〖구식〗 Gott hat es ihm eingesprochen 신이 그에게 영감을 불어넣었다. ② ein Wort mit ~ 말참견하다. ③ einen Text ~ 텍스트를(레코드·테이프에) 취입〔녹음〕하다. 《II》 ① *i.* (h.) auf jn. ~ a) 누구를 위로〔설득〕하다, b) …을 욕하다, …에게 대들다. ② 말참견하다: für jn.〔et.〕 ~ 누구를 위하여〔무엇을〕 잘 말해 주다〔중재하다〕, 간절히 부탁하다; gegen et. ~ 무엇에 항의하다. ③ (h./s.) bei jm. ~ 누구의 집에 들르다, 방문하다.
Einsprecher *m.* -s, - 항의자.
ein|sprengen 《I》 *t.* ① 부수어 열다, 폭파하여 구멍을 내다: die Haustür ~ 대문을 부수어 열다; ein Loch in den Felsen ~ 바위를 폭파하여 구멍을 내다. ② …에 물을 뿌리다: Wäsche ~ 세탁물에 물을 뿌리다; Rasen ~ 잔디에 물을 뿌리다. ③ 흩뿌리다(einstreuen); 〖지질〗 (지층 사이에) 끼우다; 〖제본〗 대리석 무늬로 하다: in diesem Gestein ist Silber eingesprengt 이 광석에는 은이 섞여 있다. ④ (짐승을) 몰아넣다. 《II》 *i.* (s.) 말을 달려 들어가다: auf den Feind ~ 말을 타고 적에게 돌격하다. 《III》 **eingesprengt** *p.a.* ↑ eingesprengt.

Einsprengling *m.* -s, -e 〖광물〗 반정(斑晶).
Einsprengsel *n.* -s ① 잘게 부서진 조각. ② 〖지질〗 반정(斑晶).
Einsprengung *f.* -en ① 폭파, 부수어 열기. ② 〖지질〗 중간 지층(을 이룸). ③ 기마의 돌격.
ein|springen* 《I》 *i.* (s.) ① 뛰어〔달려〕들다: ein Hund springt auf die Katze ein 개가 고양이에게 달려든다. ② 안쪽으로 구부러들다: 〖數〗 ~der Winkel 둔각. ③ (열쇠 등이) 찰깍 채워지다. ④ 〔학생〕 auf der Mensur ~ (입회인이) 결투를 말리어 떼다. ⑤ für jn. ~ 누구의 대리를〔대역을〕 맡아보다, 누구를 도와 주다; mit Geld ~ 금전적으로 돕다. ⑥ (eintreten) (클럽 따위에) 입회하다: er ist bei dieser Verbindung eingesprungen 그는 이 단체에 가입하였다. ⑦ 금이 가다. ⑧ 〖방직〗 (einlaufen) (폭이) 오그라들다, 균열이 생기다. ⑨ 〖체조·빙상경기〗 뜀뛰기 연습을 하다. ⑩ (벽이) 움푹 패다, 안으로 들어가다. 《II》 *t.* 충돌해 쓰러뜨리다. 《III》 *refl.* 〖육상경기·체조·스키〗 sich ~ (시합 전에) 뜀뛰기를 해서 워밍업을 하다.
Einspritz·düse *f.* (모터의) 연료 주입구, 노즐.
ein|spritzen *t.* ① 주입하다; 〖醫〗 주사하다: jm. ein schmerzstillendes Mittel ~ 누구에게 진통제를 주사하다. ② Wäsche ~ 세탁물에 물을 뿌리다; etwas Öl in ein Schloß ~ 자물쇠에 기름을 약간 치다. ③ (흙탕 따위를) 튀겨 더럽히다.
Einspritzer *m.* -s, - 〖醫〗 주사기.
Einspritz⸗hahn *m.* 〖工〗 주수(注水) 고동. **~kondensator** *m.* 분사 복수기(復水器). **~leitung** *f.* 주사액 도관(道管). **~motor** *m.* 분사식 엔진. **~pumpe** *f.* 분사〔주입〕 펌프. **~rohr** *n.* 주사관, 주수관(注水管). **~strahl** *m.* 복수(復水) 분사.
Einspritzung *f.* -en 주입, 분사; 〖醫〗 주사.
Einspritz·ventil *n.* 분사판(瓣)〔밸브〕.
***Einspruch** [áɪnʃprux] *m.* -(e)s, ..sprüche ① 이의, 항의, 불복; 〖法〗 이의 신청: es ist kein ~ erfolgt 아무런 항의도 나오지 않았다; gegen et. ~ erheben〔einlegen〕 무엇에 이의를 제기하다, 〖法〗 항고〔기피〕하다. ② 내방, 내객: viel ~ haben (여관 등에) 손님이 많다.
Einspruchs·recht *n.* 〖法〗 이의 신청권〔제의권〕, 거부권.
ein|sprühen *t.* 표면에 물을 뿌리다, 기름치다.
Einsprung [áɪnʃprʊŋ] *m.* -(e)s, ..sprünge ① 뛰어듦. ② 〖건축〗 벽감(壁龕) (벽의 오목한 부분) (Nische).
ein|spunden, ein|spünden *t.* ① (병에) 마개를 하다. ② 〔속어〕 jn ~ 누구를 감금하다.
Einspur·bahn [áɪnʃpuːr..] *f.* 단선 철도.
ein·spurig *a.* 〖철도〗 단선의, 일방 통행의, 한 차선만 있는; (오토바이같이) 바퀴 두 개(가 앞뒤로) 달린: ~e Bahn 단선 철도.
Eins·sein *n.* 동일, 일치; 합의(Einverständnis); 합동; 단결.
***einst** [aɪnst] *adv.* ① 언젠가, 일찍이, 이전에, 옛날에. ② 장래에, 후일에, 뒷날에.
Einst *n.* - ① 과거, 옛적: das ~ und (das) Jetzt 옛날과 지금. ② 장래.
ein|stallen *t.* (가축을) 외양간에 넣다: ein Tier ~ 동물을 우리에 넣다.
ein·stämmig *a.* 〖林〗 단간(單幹)의.
ein|stampfen *t.* ① 밟아 넣다; 처박다; (통 따위에) 다져 넣다. ② 찧어〔밟아〕 부수다; (몹쓸 것을) 파기하다: Pfeffer ~ 후추를 찧어 부수다. ③ 밟아 다지다, 단단하게 하다: den Boden ~ 땅을 밟아 다지다. ④ 회수하다, 시판하지 않다: der Rest der Auflage wurde eingestampft 그 판의 나머지는 (팔리지 않아) 회수되었다. ⑤ (폐지를) 종이 원료로 가공하다.
Einstampfung *f.* -en ① 다져 넣음. ② 찧어 부숨; 파기.
Einstand [áɪnʃtant] 《<einstehen》 *m.* -(e)s, ..stände [..də] ① 취임, 취직, 입사; 취임 피로연, 입사〔입회〕금: seinen ~ geben〔bezahlen〕 취임〔취직〕 축하연을〔파티를〕 열다〔베풀다〕; jm. zum ~ Glück wünschen 누구의 취임을 축하하다. ② 신원 보증. ③ 〖商〗 매주(買主) 지급 (능력)의 보증; 구매 조합 가입. ④ 어떤 물건을 놓아두는 장소. ⑤ 〖테니스〗 듀스. ⑥ 첫 경기: ein gelungener ~ 성공적인 데뷰전. ⑦ 〖사냥〗 짐승이 잘 숨는 장소, 은신처. ⑧ (운임을 포함한) 구입 가격, 원가. ⑨ 〖法〗 선매권(先買權).
Einstands⸗gebühr *f.* 매주(買主) 지급 보증금. **~geld** *n.* 입회〔입사〕금; 매주(買主) 지급 보증금; 취직 피로연 비용. **~mädchen** *n.* 심부름하는 소녀. **~mann** *m.* 〖軍〗 (옛날의) 병역 대리자. **~preis** *m.* 매입 가격, 원가. **~recht** *n.* 선매권(先買權). **~schmaus** *m.* 취직 피로연.
ein|stänkern *t.* 〔속어〕 악취로 가득 채우다.
ein|stanzen *t.* (무늬·부호를) 각인하다.
ein|stauben 《I》 *t.* ① 먼지투성이로 만들다: die vorbeifahrenden Autos staubten uns ein 지나가는 차들이 우리를 먼지투성이로 만들었다. ② (öst.) (가루·액체를) 뿌리다: dem Baby die Haut mit Puder ~ 아기의 피부에 가루분을 뿌리다. 《II》 *i.* (s.) (먼지가) 쌓이다, 먼지로 뒤덮이다: die Vorhänge sind eingestaubt 커튼이 먼지투성이가 되었다.
ein|stäuben 《I》 *t.* (액체·가루를) 뿌리다. 《II》 *refl.* sich mit Parfüm ~ 향수를 몸에 뿌리다.
ein|stauen *t.* 처넣다, 집어 넣다.
Einstech·bogen *m.* 〖印〗 교정쇄 용지, 전사지.
ein|stechen* [áɪnʃtɛçən] 《I》 *t.* ① (바늘·꼬챙이를) 찔러 넣다: die Nadel in die Vene ~ 바늘을 정맥에 찌르다. ② 찔러서 (구멍을) 만들다: Löcher in das Papier ~ 종이에 구멍을 내다. ③ 〖海〗 ein Reff ~ 돛을 줄이다. 《II》 *i.* (s.) ① in et. ~ 무엇을 찌르다; mit der Gabel in die Kartoffel ~ 포크로 감자를 찌르다. ② auf jn. ~ 누구를 찔러 부상을 입히다. ③ (바늘·가시에) 찔리다: die Nadel stach ein 바늘에 찔렸다. ④ (h.) 〖카드〗 으뜸패로 먹다. ⑤ in die See ~ 배가 바다 가운데로 나가다.
Einstecher *m.* -s, - ① 구멍 뚫는 사람. ② 〖海〗 방탄선판(船板).
Einsteck·bogen *m.* 〖印〗 교정쇄 용지, 전사지.
***ein|stecken** *t.* ① 집어넣다, 챙기다, 가져가다, 끼워〔꽂아〕 넣다; (칼을 칼집에) 꽂다; (돈

을) 벌다: Vergiß nicht, die Schlüssel einzustecken 열쇠를 챙겨 넣는 것을 잊지 마라; Briefmarken in ein Album ~ 우표를 앨범에 꽂아 넣다; 〖구어〗 bei diesem Geschäft hat er einige Tausender eingesteckt 이 사업에서 그는 수천 마르크를 벌어들였다. ② (모욕을) 참다, 감수하다: eine Beleidigung ~ 모욕을 참다. ③〖구어〗 감금〔투옥〕하다. ④ 능가〔상회·우월〕하다: den steckst du doch zehnmal ein! 너는 그 사람보다 열 배는 낫다!

Einsteck≈kamm *m.* 꽂는 빗(머리 장식). **~leiter** *f.* 비상 사다리. **~schloß** *n.* 끼움 자물쇠; (바깥문 따위의) 만들어 붙인 자물쇠.

Einsteckung [..ʃtɛkuŋ] *f.* -en ① 집어넣음. ② 감금; 투옥.

ein|stehen *i.* (s.) ① für jn. ~ a) 누구를 대신하여 일하다, 〖軍〗 누구의 병역 대리자로 복무하다, b) 누구의 편을 들다, c) 누구의 부채를 변상하다. ② in ein Amt ~ 취임하다; 〖軍〗 in den Dienst ~ 병역에 복무하다. ③ (저울이) 평형을 이루다. ④〖사냥〗 (새가) 날아와 앉다. ⑤〖구어〗 (öst.) 취직〔취학〕하다: bei einer Firma als Verkäufer ~ 어떤 회사에서 판매원으로 일하기 시작하다.

Einsteher *m.* -s, - 〖軍·고어〗 병역 대리자.

ein|stehlen* *refl.* sich ~ 몰래 들어가다: das Kind hat sich leise in das Zimmer eingestohlen 그 아이는 살그머니 방으로 들어갔다; 〖비유〗 sich in js. Vertrauen ~ 교묘하게 누구의 신임을 얻다; der Gedanke hatte sich unbemerkt eingestohlen 불현듯 그런 생각이 들었다.

Einsteig≈brunnen *m.* (배관(配管) 장치의) 청소구(口). **~diebstahl** *m.* 도둑질, 절도.

Einsteige≈brunnen *m.* ↑ Einsteigbrunnen. **~loch** *n.* (증기관(罐) 따위의) 청소를 위한 출입구, 맨홀.

ein|steigen [áɪnʃtaɪgən] *i.* (s.) ① (배·차에) 올라타다: ~! 자, 올라타십시오! ② durchs Fenster ~ 창으로 몰래 들어가다; in eine Bergwand ~ 절벽을 기어오르다. ③ 관여하다; 주식을 사다: als die Kurse anzogen, stieg er ein 시세가 오르자 그는 주식을 샀다; er will in das Geschäft ~ 그는 그 사업에 참여하고자 한다. ④〖스포츠〗 플레이를 거칠게 하다; er ist brutal eingestiegen 그는 잔인하게 (상대방을) 공격했다. ⑤ 물 속으로 들어가다.

Einsteig·platz *m.* (철도의) 승강장.

Einsteiger *m.* -s, - 승객.

Einsteig·schacht *m.* 맨홀.

Einstein [áɪnʃtaɪn] *m.* Albert ~ 아인슈타인 (독일 태생의 미국 물리학자, 1879-1955).

Einsteinium *n.* 아인슈타이늄(인조 방사능 화학 원소, 물리학자 A. Einstein의 이름에서).

einstellbar *a.* 조정할 수 있는.

***ein|stellen** [áɪnʃtɛlən] 《I》 *t.* ① 넣다, 집어넣다: den Wagen (in die Garage) ~ 차를 (차고에) 넣다; Vieh ~ 가축을 (축사에) 들이다; Wild ~ 사냥할 짐승을 (그물로) 에워싸다; Geld zur Verwahrung ~ 예금하다. ② 채용하다; einen neuen Koch ~ 새 요리사를 고용하다: 〖軍〗 Rekruten ~ 신병을 병적에 편입시키다. ③ (unterlassen) 중지〔휴지〕하다; 억제하다; 〖法〗 정지하다: die Arbeit ~ 동맹 파업을 시작하다; Zahlungen ~ 지급을 정지하다. ④ (시계·기계를) 조절하다, 조정하다; (망원경·사진기 따위의) 초점을 맞추다: das Radiogerät auf Zimmerlautstärke ~ 라디오 음량을 실내에서 듣기 좋게 조절하다; 〖철도〗 eine Weiche ~ 전철(轉轍)하다; 〖비유〗 auf et. eingestellt sein 무엇을 겨냥하다〔표준으로 하다〕; national eingestellt 애국적인 입장에 선; gegen jn. eingestellt sein 누구에게 반감을 품다. ⑤〖스포츠〗 타이 기록을 내다: er hat den Weltrekord von X eingestellt 그는 X의 세계 기록과 타이 기록을 냈다. ⑥ (schweiz.) 정직(停職)시키다; (권리를) 박탈하다. ⑦ (수입·지출을) 대차 대조표에 기입하다. ⑧〖化〗 eine Konzentration ~ 농도를 조사하다. 《II》 *refl.* sich ~ ① 모습을 나타내다, 출석〔출두〕하다; 오다, 생기다: sich bei jm. ~ 누구를 방문하다; der Sommer hat sich eingestellt 여름이 왔다; gegen Abend stellte sich hohes Fieber ein 저녁 때 고열이 발생했다. ② sich gut〔schlecht〕 ~ 초점이 잘 맞다〔맞지 않다〕; sich auf et. ~ 무엇을 목표로 겨누다. ③ 적응하다: ich muß mich auf meine Schüler ~ 나는 내 학생들에게 적응해야 한다. ④ 대비〔적응〕하다: sich auf die veränderte Situation ~ 변화된 상황에 대비하다.

Einstell·halle *f.* 차고(Garage).

einstellig *a.* 〖數〗 한 자리의: ~e Zahl 한 자릿수.

Einstell≈knopf *m.* 조절단추〔버튼〕. **~kurbel** *f.* 조정 핸들. **~platz** *m.* 주차장. **~raum** *m.* 차고. **~scheibe** *f.* 다이얼. **~schraube** *f.* 조정 나사. **~skala** *f.* (타자기 따위의) 조정 눈금.

***Einstellung** [áɪnʃtɛluŋ] *f.* -en ① (치워) 넣음. ② 고용: 〖軍〗 die ~ ins Heer 병적에의 편입. ③ (a) 중지, 휴지; 억제: die ~ der Arbeit 동맹 파업. (b) (schweiz.) 〖法〗 박탈, 정지: die ~ der Bürgerrechte 시민권 박탈. ④ (시계·계기의) 조절, 조정, 다이얼 맞추기; (기계의) 설치; (망원경·사진기의) 초점을 맞추는 일. ⑤〖비유〗 관계(Verhältnis); 기분(Stimmung); 목표; 입장, 견지; 〖哲〗 관점; 〖醫〗 정위(定位): günstige ~ 호의; geistige ~ 정신적 태도; ich kenne seine ~ zu dieser Sache 나는 이 문제에 대한 그의 입장을 알고 있다. ⑥ 예상〔고려〕하기. ⑦〖영화〗 컷, 쇼트: amerikanische ~ 무릎 부분까지 나오게 하는 촬영법.

Einstellungs≈bescheid *m.* 취업 통고. **~gespräch** *n.* (채용) 면접. **~methode** *f.* 〖哲〗 조정법. **~stopp** *m.* 고용 중지. **~test** *m.* 고용 테스트.

ein|stemmen *t.* ① 떠받치다, 괴다, (받침으로) 끼워 넣다: die Arm in die Seite ~ 허리에 팔을 짚다. ② ein Loch ~ 끌로 구멍을 파다. ③〖광산〗 (수직갱을) 파내려가다, 바닥을 짚다.

einstens [áɪnstəns] *adv.* 이전에(einst).

ein|steuern *t.* ① (비행기·열차를) 진로〔궤도〕에 진입시키다. ② 과세하다. ③ (오디어 제품의 음량을) 조절하다.

Einstich [áɪnʃtɪç] *m.* -(e)s, -e ①〖醫〗 천자(穿刺), 찌르기. ② 찔린 곳: der ~ ist sofort angeschwollen 찔린 부위가 바로 부어올랐다.

Einstich≈messer *n.* 천자(穿刺) 칼. **~-**

schmerz *m.* 천자통(痛). **~stelle** *f.* 찔린 곳, 찔린 부위.

ein|sticken *t.* (무늬를) 수놓다: Blumen in Tuch ~ 천에 꽃무늬를 수놓다.

***Einstieg** [áınʃti:k] *m.* -(e)s, -e [..gə] ① 승차, 승선; 들어감: der Dieb wurde beim ~ in die Villa überrascht 도둑은 빌라에 들어가면서 깜짝 놀랐다. ② 승강구, 입구: der vordere ~ bei der Straßenbahn 전차의 앞 승강구. ③〖등산〗암벽 등반; (암벽의) 어프로치, 등반로 어귀. ④ (테마의) 접근 방법: nach einem sinnvollen ~ in das Thema suchen 테마에 대한 의미심장한 접근 방법을 찾다.

Einstiegs·droge *f.* 마약성 약물.

einstig [áınstıç] *a* 언젠가의, 이전의, 옛.

ein|stimmen《I》*t.* ① (현악기를) 조율하다, 화음을 내다: eine Geige ~ 바이올린의 줄을 맞추다. ② jn. auf et. ~ 누구를 무엇에 찬동하게 하다: sich auf das Konzert ~ 음악회가 시작되기를 기다리다.《II》*i.* (h.) ① (노래·연주에) 끼어들어 노래〔연주〕하다: in den Gesang ~ 노래에 화창(和唱)하다. ② 동의하다: in einen Plan ~ 계획에 찬동하다.

ein·stimmig *a.* ①〖음악〗독창〔단음〕의; 같은 소리의. ②〔비유〕만장일치의, 이구동성의; 같은 의견인: ein ~er Beschluß 만장 일치의 결정.

Einstimmigkeit *f.* 독창, 단성음; 만장 일치.

Einstimmung *f.* -en ①〖음악〗화음; 조율. ② 화창(和唱), 제창. ③〔비유〕일치, 찬동.

ein|stippen *t.*〔구어〕(eintunken) (물에) 담그다, 적시다.

einst·malig *a.* 이전의(einstig).

einstmals *adv.* 이전에(↑ einst ①).

ein·stöckig *a.* 단층(건물)의: ein ~es Haus 단층집.

ein|stopfen *t.* ① 다져넣다, 처넣다, 꼭꼭 채워넣다: die Federn in ein Kissen ~ 베개에 깃털을 채워 넣다. ② 입〔부리〕에 (먹을 것을) 넣어 주다.

ein|stoßen*《I》*t.* ① 밀어넣다, 처박다, 찔러 넣다;〖軍〗(탄약을) 장전하다: den Spaten in die Erde ~ 삽을 땅에 박다. ② 찔러 부수다〔쓰러뜨리다〕; 쳐부수다: sich^3 den Kopf〔die Stirn〕~ 부딪쳐서 머리〔이마〕를 깨다. ③ 부딪쳐 부수다.《II》*refl.* sich ~ (포환던지기에서) 연습으로 던져 시합에 대비하다.《III》*i.* (h.) auf jn. ~ 누구를 찌르다.

ein|strahlen *i.* (s.) ① 빛이 들어오다, 볕이 들다. ② 열〔빛〕을 방사(放射)하다.

Einstrahlung *f.*〖기상〗일사(日射).

ein|streichen*《I》*t.* ① 발라〔비벼〕넣다, (회반죽으로) 틈을 바르다: die Tapete mit Kleister ~ 벽지에 회반죽을 칠하다; Brei dem Kinde ~ 어린이에게 죽을 먹여 주다. ②〖사냥〗Spatzen in ein Netz ~ 참새를 그물로 잡다. ③〔폄어〕Geld ~ 돈을 호주머니에 쓸어 넣다, 착복하다; alles ~ (도박에 건 돈을) 싹 쓸다, 휘몰아가다. ④〖工〗(눈금을) 긋다, 그어넣다: Feilstriche ~ 줄로 눈금을 긋다. ⑤〖연극〗(대본을) 삭제하여 짧게 하다: Manuskript ~ 원고를 삭제하여 줄이다.《II》*i.* (s.) ① 건들건들 들어가다. ②〖사냥〗(종다리 따위가) 땅으로 내려오다; 그물에 걸리다.

Einstreu *f.* -en〖農〗(가축용) 잠자리 짚.

ein|streuen *t.* ① 뿌려 넣다; (씨앗을) 뿌리다: Mehl in Teig ~ 반죽에 밀가루를 뿌려 넣다; Stroh in den Stall ~ 마구간에 짚을 깔다. ②〔비유〕(einmischen) 섞어 넣다; (남의 말에) 참견하다: er streute einige Witze in den Vortrag ein 그는 강연에 몇몇 재담을 섞어 넣었다. ③ jm. et. ~ 누구에게 무엇을 속삭이다; 불어넣다.

Einstreusel *n.* -s, - 뿌려 넣은 것; 잠자리 짚, 깃.

Einstreuung *f.* -en ① 살포; 삽입; 삽입구. ② 험담, 욕설.

Einstrich [áınʃtrıç] *m.* -(e)s, -e ① 바르기, 칠하기; 호주머니에 넣기. ②〖건축〗횡량(橫梁), 가름보, 도리.

ein|stricken *t.* ① 떠넣다, 짜넣다, 짜 잇다: ein Muster in den Pullover ~ 무늬를 스웨터에 짜넣다. ②〔비유〕얽히게 하다; 올무에 걸리게 하다; 휘말다, 휘감다.

ein|strömen《I》*i.* (s.) 흘러 들어가다,〔비유〕(군중 등이) 밀려오다, 쇄도하다: von Westen her strömt kalte Luft ein 서쪽에서 차가운 공기가 몰려온다; die Besucher strömten in die Ausstellungen ein 방문객들이 전시회장에 몰려들었다.《II》*t.* (사람에게 어떤 기분을) 불어넣다(einflößen).

Einströmung *f.* -en ① 유입, 흘러 들어감. ②〔비유〕(군중의) 쇄도.

ein|stückeln *t.* einen Flicken in et. ~ 무엇에 헝겊을 잇다.

ein|stücken *t.* ↑ einstückeln.

ein|studieren《I》*t.* ① 배워 익히다, 익혀 외우다; 연습하다: einstudierte Rede 미리 연습해온 연설. ② jm. et. ~ 누구에게 무엇을 연습시키다: den Schülern eine Rolle ~ 학생들에게 어떤 역할을 연습시키다.《II》*refl.* sich in ein Fach ~ 어떤 전문 분야를 배워 익히다.

Einstudierung *f.* -en ① (배워) 익힘, 연습. ② 연습한 작품.

ein|stufen *t.* 분류하다; 등급을〔순위를〕매기다: die neue Ware in eine Güteklasse ~ 신상품에 품질 등급을 매기다.

ein·stufig *a.* 1 단(계)의.

Einstufung *f.* -en 정리, 자격 분류.

ein|stülpen《I》*t.* (안쪽으로) 접어 젖히다: den Kragen ~ 옷깃을 안쪽으로 접다.《II》*refl.* sich ~ 접히다, 말리다.

Einstülpung *f.* -en 젖힘, 뒤집음.

Einstunden·takt *m.* 한 시간 간격〔주기〕.

ein·stündig *a.* 한 시간의.

ein|stürmen《I》*i.* (s.) 돌입하다; (불행이) 닥치다, (추억이) 밀려오다: auf jn. ~ 누구에게 돌진하다, 누구를 습격하다; mit Fragen ~ 질문을 퍼붓다; auf seine Gesundheit ~ 건강을 해치다.《II》*t.* 왈칵 넘어뜨리다, 무너뜨리다, 찔러 넣다.

Einsturz [áınʃturts] *m.* -es, ..stürze 추락, 함몰; 몰락; 무너짐, 붕괴, 사태: dem ~ nahe sein 무너질 것 같다; zum ~ bringen 몰락시키다.

Einsturz·beben *n.* 함몰, 지진.

***ein|stürzen**《I》*i.* (s.) ① 추락〔함몰〕하다; 붕괴하다: das Haus droht einzustürzen 집이 금방 무너져 내려앉을 것 같다;〔비유〕seine Welt ist eingestürzt 그의 세계가〔신념이·기반이〕무너졌다. ② auf jn. ~ 누구를 향하여

돌진하다, 누구에게 밀어닥치다. 《Ⅱ》 *t.* 왈칵 밀쳐 넘어뜨리다〔떨어뜨리다〕, 파괴하다: die Jugendlichen haben Mauern eingestürzt 젊은 이들이 벽을 밀어 넘어뜨렸다.

Einsturz·gefahr *f.* 붕괴 위험.

einst≈weilen *adv.* ① 그 동안에, 그럭저럭 하는 동안에, 그 사이에. ② 당분간, 잠시; 우선. **~weilig** *a.* 당분간의, 잠정적인, 일시의; 우선의: ~e Verfügung 가처분.

ein|sudeln *t.* 더럽히다, 때묻히다.

ein|suggerieren *t.* (생각을) 불어넣다.

ein|süßen *t.* 달게 하다.

Eins≈werden *n.* ① 통일, 귀일(歸一), 단일화. ② 일치, 동의, 계약. **~werdung** *f.* ↑ ~werden.

ein·tägig *a.* ① 하루의; 1 일간의; 하루살이의; 〖비유〗 잠깐 동안의, 덧없는: ein ~er Kongreß 하루 동안의 회의. ② 〖醫〗 낮에 심한: ~es Fieber 하루열(熱).

Eintags≈blume *f.* 〖植〗 개사프란. **~fieber** *n.* 〖醫〗 1 일열. **~fliege** *f.* 〖動〗 하루살이; 하루 아침에 명성을 잃은 사람; 단명하는 것: diese Neuerung hat sich als ~ erwiesen 이 개혁은 일과성 현상으로 판명되었다. **~geschöpf** *n.* 단명한 생물; 하루살이.

ein|tanzen *refl.* sich ~ 무도〔춤〕 연습을 하다.

Eintänzer *m.* -s, - (댄스 홀에서 여자 손님을 상대하는) 남성 직업 댄서.

Eintänzerin *f.* -nen ↑ Eintänzer 의 여성형.

ein|tasten *t.* ① (키보드를 눌러) 입력하다, 작동시키다. ② den gewünschten Sender ~ (텔레비전의) 버튼을 눌러 원하는 방송을 택하다.

ein|tätowieren *t.* jm. et. ~ 누구의 몸에 무엇을 문신하다.

ein|tauchen [áɪntaʊxən] 《Ⅰ》 *t.* 담그다; 잠그다, 가라앉히다: die Feder in die Tinte ~ 펜을 잉크에 담그다; einen Schwamm ~ 스펀지를 물에 적시다; seine Hände in Blut ~ 살인하다; eingetauchter Bissen 담근〔절인〕 것, 담근 식품. 《Ⅱ》 *i.* (s.) 담기다, 잠기다, 적셔지다; 가라앉다; 〖海〗 (배가) 흘수(吃水)하다: Unterseeboot taucht ein 잠수함이 잠수한다; 〖비유〗 ins Dunkel der Nacht ~ 밤의 어둠속으로 가라앉다.

Eintauchung *f.* -en 담그기; 〖工〗 적시기, 절이기.

Eintausch [áɪntaʊʃ] *m.* -(e)s, -e 교환, 교역: im ~ gegen et. 무엇과 교환하여.

ein|tauschen *t.* 교환〔교역〕하다: et. für〔gegen〕 et. ~ 무엇을 무엇과 교환하다: er hat Zigaretten gegen Brot eingetauscht 그는 담배를 빵과 바꾸었다〔빵과 교환하여 담배를 얻었다〕.

ein·tausend *num.* 1 천.

ein|taxieren *t.* 평가〔감정〕하다.

ein|teeren *t.* 타르를 칠하다: eine Straße ~ 길에 타르를 칠하다.

ein|teigen *t.* ① 이겨서 반죽으로 만들다: Mehl mit Wasser ~ 밀가루를 물로 반죽하다. ② (…에) 반죽을 입히다. ③ Malz ~ (물·뜨거운 물에) 엿기름을 담그다.

***ein|teilen** [áɪntaɪlən] *t.* ① 나누다, 분할〔구분〕하다; 〖문법〗 구두점을 찍다: weiter ~ 세분하다; in drei Teile ~ 3 분하다; in Grade ~ 등급〔눈금〕을 매기다. ② 분배하다; 정리하다; 〖軍〗 (임무를) 할당하다, 배치하다: in Klassen ~ 반을 나누다, 분류하다; das Wirtschaftsgeld ~ 생활비를 (적당히) 배분하다; Soldaten zur Wache ~ 군인들을 보초 근무에 배치하다; jn. als Aufseher ~ 누구에게 감독 임무를 맡기다.

Einteiler *m.* -s, - 원피스 수영복.

ein·teilig *a.* 1 부로 이루어진; 〖數〗 단항(식)의: ein ~er Badeanzug 원피스로 된 수영복.

Einteilung [áɪntaɪluŋ] *f.* -en ① 분할; 구분; 눈금; 〖문법〗 구두법; 〖軍〗 구획. ② 분배; 정리; 분류: mit ~ leben (살림을) 잘 꾸려 나가다; er hat keine ~ 그는 시간을 이용할 줄 모른다.

Einteilungs·grund *m.* 분류〔구분〕의 원칙〔표준〕. **~prinzip** *n.* ↑ ~grund.

Eintel [áɪntəl] *n.*/(schweiz.) *m.* -s, - 〖數〗 (Ganzes) 1 분의 1, 전체.

ein|tippen *t.* (키보드를 눌러) 입력하다.

***ein·tönig** *a.* 단조로운, 한결같은; 천편일률적인, 지리한, 흥미 없는: eine ~e Arbeit 단조로운 일; ~ reden 지루하게 말하다.

Eintönigkeit *f.* 단조로움, 천편일률.

ein|tonnen *t.* 통조림하다.

Ein·topf *m.* -es (찌개처럼 모든 재료를 냄비에 넣고 끓인) 간소한 냄비 일품 요리.

ein|topfen *t.* (씨앗·식물을) 화분에 심다.

Eintopf≈essen *n.*, **~gericht** *n.* (찌개와 비슷한) 잡탕의 간소한 요리: heute gibt es ~ 오늘은 간소한 냄비 요리가 있다. **~sonntag** *m.* 위의 요리를 만드는 일요일(나치 때 겨울에 매달 한 번씩 있었음).

***Eintracht** [áɪntraxt] *f.* ① (↔ Zwietracht) 일치, 단결, 융화, 조화; 〖음악〗 화현(和絃): in ~ 일치〔융화〕하여; ~ stiften 분쟁을 중재하다; die ~ stören 조화를 해치다. ② 축구 클럽이나 남성 합창단 이름(보기: ~ Frankfurt 축구 분데스리가의 프랑크푸르트팀).

einträchtig [..trɛçtɪç] *a.* 일치〔단결〕한, 협조한, 의좋은.

Einträchtigkeit *f.* (Eintracht) 일치, 협조.

einträchtiglich [..tɪklɪç] *adv.* 일치〔단결〕하여, 협조하여, 화목하게.

***Eintrag** [áɪntra:k] *m.* -(e)s, ..träge [..trɛ:gə] ① 기재(記載), 기입; 등기, 등록: ein ~ in die Akten 서류 기재. ② 〖방직〗 씨줄. ③ 손해, 손실; 방해, 침해: jm. ~ tun 누구에게 손해를 입히다; das tut der Sache keinen ~ 그것은 하등 문제되지 않는다. ④ 수입, 수익; 생산고. ⑤ 서면상의 질책: einen ~ ins Klassenbuch bekommen 학생 기록부에 벌점으로 기록되다. ⑥ 사격.

Eintrage·buch *n.* 기록부, 등기부; 회계부.

ein|tragen 《Ⅰ》 *t.* ① 운반해 들이다; (꿀벌이 꿀을) 벌집에 저장하다. ② 기입하다; 등기하다, 등록하다; (선을) 긋다: irrig ~ 오기(誤記)하다; eingetragene Warenzeichen 등록 상표; Eingetragener〔eingetragener〕 Verein 등록협회(약어: E.V., e.V.); bitte tragen Sie sich in diese Liste ein 이 목록에 (이름을) 좀 기재해주세요. ③ (이익·손실을) 가져오다: Prügel ~ 매를 맞다; dieses Geschäft trägt wenig ein 이 일〔사업〕은 이익이 적다; meine Hilfe trug mir nur Undank ein 기껏 도와 주었다가 배은만 당했다; sein letztes Buch hat ihm Ruhm und großen Gewinn eingetragen 그의 마지막 책은 그에게 명예와 커다란 이익을 가져다 주었다. ④〖방직〗(씨줄을) 꿰다. 《Ⅱ》**eingetragen** *p.a.* ↑ eingetragen.

einträglich [..trɛːklɪç] *a.* 수입〔이익〕이 있는, 벌이가 되는: ein ~es Geschäft 벌이가 되는 사업.

Einträglichkeit *f.* ↑ einträglich 의 명사형.

Eintrags≈amt *n.* 등기소. **~rolle** *f.* 특허권 등록부.

Eintragung *f.* -en 기재; 기입, 등기, 등록, 〖法〗부동산 등기: eine ~ ins Grundbuch vornehmen 토지 대장에 등기하다.

Eintragungs≈amt *n.* 등기소(Eintragsamt). **~buch** *n.* 등기부. **~prinzip** *n.* 등기주의(主義).

ein|trainieren *t.* (많은 연습으로) 익숙하게〔익히게〕 하다.

ein|tränken *t.* ① 담그다, 축이다. ②〔비유〕jm. et. ~ 누구에게 어떤 앙갚음을 하다: das werde ich dir ~! 나는 너에게 복수할 것이다!

ein|träufeln *t.* 한 방울씩 뚝뚝 떨어뜨려 넣다; 〖醫〗적주(滴注)하다: Arznei ins Ohr ~ 약을 귀에 떨어뜨려 넣다.

Einträufelung *f.* -en 뚝뚝 떨어뜨려 넣기.

Einträuflung *f.* -en ↑ Einträufelung.

ein|treffen *i.* (s.) ① (예정한 때·장소에) 도착하다: unsere Besucher trafen pünktlich bei uns ein 손님〔방문객〕이 우리 집에 정시에 도착하였다. ②〔비유〕(예상한 대로) 실현되다, 일어나다; (예상 따위가) 적중하다: meine Ahnungen trafen ein 내 예감이 꼭 들어맞았다; die Rechnung trifft bis auf einen Pfennig ein 계산은 한푼도 틀림없이 맞는다.

Eintreffen *n.* -s 도착; 〔비유〕실현; 성취, 적중, 일치.

eintreibbar *a.* (세금·대출금을) 징수〔회수〕할 수 있는.

ein|treiben* [áintraibən] 《Ⅰ》*t.* ① (못을) 때려박다: Nägel ~ 못을 박다. ② **(a)** (가축·들짐승을) 몰아넣다(↔ austreiben): 〔비유〕er muß am Abend das Vieh ~ 그는 저녁에 가축을 우리에 몰아넣어야 한다. **(b)** 〔비유〕jn. ~ 누구를 궁지로 몰다, 책망하다. ③ jm. et. ~ 누구에게 무엇의 앙갚음을 하다. ④ (조세·빚을) 징수하다, 회수하다: Steuern ~ 세금을 징수하다; schwer einzutreiben 회수하기 어려운. 《Ⅱ》*i.* (s.) 표류하다.

Eintreiber *m.* -s, - 몰아넣는 사람; 징수인, 수금원; 독촉자; 〖사냥〗몰이꾼.

Eintreibung *f.* -en ① (못을) 박음. ② (가축·들짐승을) 몰아넣음. ③ 징집, 징수, 회수; 독촉.

ein|treten [áintreːtən] 《Ⅰ》*i.* (s.) ① (걸어) 들어가다; 입회〔가입〕하다; (우주선이) 궤도에 진입하다: bitte ~, ohne anzuklopfen 노크 없이 들어오시오; **an** js. Stelle ~ 누구의 자리〔지위〕를 대신하다; **bei** jm. ~ 누구의 집에 들르다; **in** eine Stelle ~ 취임하다; 〖軍〗ins Heer ~ 군적에 들다; in die Partei ~ 패에 들다, 입당하다; 〖法〗in js. Rechte ~ 누구의 권리를 계승하다; in die Beratung ~ 협의를 시작하다; in ein Geschäft (als Teilhaber) ~ (동업자로) 사업을 시작하다; ins 30. Lebensjahr ~ 30 고개에 들어서다. ② für jn. ~ a) 누구 편을 들다, b) 누구를 대신하여 일하다, c) 누구를 위하여 보증서다; er ist sehr für mich eingetreten 그는 내 편을 많이 들어주었다. ③ (위기·날씨의 급변이) 일어나다, 생기다, 나타나다; 시작되다: Kälte tritt ein 한기가 엄습해 온다; es wird keine Änderung ~ 아무런 변화가 생기지 않을 것이다; der Tod ist schon eingetreten 이미 죽음이 다가왔다; die Dunkelheit trat ein 어둠이 깔리기 시작했다; eingetret(e)ner Hindernisse halber 장애가 발생하여; bei ~dem Bedarf 만약 수요가 있으면. ④ (h.) **(a)** (오물을) 밟다. **(b)** 밟아 우묵하게 하다: tief ~ 깊이 발자국을 내다. **(c)** 짓밟다, 밟고 지나가다: er hat auf den Liegenden hart eingetreten 그는 누워있는 남자를 마구 짓밟았다. ⑤ (h.) (schweiz.) 다루다, 취급하다: auf eine Anzeige ~ 광고를 취급하다. 《Ⅱ》*t.* ① 짓밟다; 밟고 지나가다: Tritte in den Schnee ~ 눈에 발자국을 내다; er trat den Zigarettenstummel in den Sand ein 그는 담배 꽁초를 발로 밟아 모래에 파묻었다; ich habe mir einen Dorn〔Nagel〕 eingetreten 나는 가시를〔못을〕 밟아 (발에) 찔렸다. ② (문을) 차서 부수다: der Polizist mußte die Tür ~ 경찰은 문을 발로 차서 부수어야 했다. ③ die neuen Schuhe ~ 새 구두를 신어 발에 길들이다.

Eintreten *n.* -s 들어감, 입장; (사물의) 발생, 개시, 내습; 중재, 보증.

eintretenden·falls *adv.* 만일의 (이러한) 경우에는.

Eintretens·debatte *f.* (schweiz.) (국회에서 본격적인 심의에 앞선) 예비 논의.

ein|trichtern 《♧ Trichter》*t.* 깔때기로 부어 넣다; 〔비유〕jm. et. 누구에게 무엇을 억지로 가르치다: Wissenschaften lassen sich nicht ~ 학문은 주입식으로는 되지 않는다; einem Kranken ein Medikament ~ 환자에게 약을 힘들여 먹이다.

ein|trinken* *t.* 들이마시다; 〔비유〕(사상을) 받아들이다, 흡수하다.

***Eintritt** [áintrɪt] *m.* -(e)s, -e ① 들어감; 입장, 시작; (권리의) 계승; 〖天〗(행성의) 잠입; 〖工〗급입(給入), 급기(給汽): ~ verboten! 입장 금지!; ~ frei 무료 입장; ~ ins Leben 〔in die Welt〕 인생에의 첫출발, 탄생; 〖軍〗~ ins Heer 군입대; ~ ins Geschäft 입사; ~ in ein Amt 취임, 취직. ② 개시; 출현; 발생; 〖醫〗발작, 발병: beim ~ des Sommers 초여름에; bei ~ der Dunkelheit 어둑어둑해질 무렵에. ③〖스포츠〗진출권: der ~ ins Finale 결승 진출권.

Eintritts≈billet *n.* 입장권. **~examen** *n.* 입학 시험. **~fähig** *a.* 입장할 수 있는, 들어갈 자격이 있는. **~gebühren** *pl.*, **~geld** *n.* 입장료; 입회〔입사〕금. **~karte** *f.* 입장권. **~preis** *m.* 입장료. **~prüfung** *f.* 입학 시험. **~pupille** *f.* 입사 동공(入射瞳孔). **~recht** *n.* 개입권. **~schein** *m.* 입장권. **~termin** *m.* 입장 기간. **~ventil** *n.* 입구판(入口瓣). **~zimmer** *n.* 응접실, 대합실.

ein|trocknen 《Ⅰ》*i.* (s.) (바짝) 마르다, 시들다, 말라빠지다: die Wunde ist eingetrocknet 상처에 딱지가 생겼다. 《Ⅱ》*t.* (바싹) 말리다; (생선을) 소금에 절여 말리다: die Tinte im Tintenfaß war schon ganz eingetrocknet

잉크병의 잉크가 벌써 완전히 말라 버렸다.
ein|tröpfeln *i.* (s.) / *t.* ↑ eintropfen.
ein|tropfen 《Ⅰ》 *i.* (s.) (물방울이) 똑똑 떨어져 들어가다. 《Ⅱ》 *t.* 똑똑 떨어뜨려 넣다; 〖醫〗 적주(滴注)하다.
Eintröpfelung *f.* -en 침윤; 주입(注入); 〖醫〗 적주(滴注).
ein|trüben 《Ⅰ》 *t.* 흐릿하게 만들다: der Küchendunst hat die Fensterscheiben eingetrübt 부엌의 수증기가 유리창을 뿌옇게 흐려 놓았다. 《Ⅱ》 *refl.* sich ~ 흐려지다: es trübt sich ein 날씨가 흐려진다.
Eintrübung [áintry:buŋ] *f.* -en 어두워짐, 흐려짐.
ein|trudeln *i.* (s.) 〔구어〕 늦게 나타나다〔도착하다〕.
ein|tun* 《Ⅰ》 *t.* ① (집어) 넣다; 치우다; 감금〔금고〕하다, 제압하다. ② (저장용으로) 구입하다; 사들이다. ③ jm. et. ~ 누구에게 무엇을 주다, 양여하다. ④ Vieh ~ 가축을 우리에 넣다. ⑤ Obst ~ 과일을 병〔통〕조림하다. ⑥ Heu ~ 건초를 거두어〔베어〕들이다. 《Ⅱ》 *refl.* sich ~ (사냥꾼이) 몸을 감추다.
ein|tunken *t.* (빵을 즙에) 담그다, 축이다.
ein·türig *a.* 문이 하나인.
ein|türmen *t.* 감금하다(einkerkern).
ein|tüten *t.* 종이 봉지에 넣다; 종이로 싸다: Vogelfutter ~ 새모이를 종이 봉지에 넣다.
ein|üben [áin|y:bən] 《Ⅰ》 *t.* 연습하여 외우다; (jn.) 연습시키다: ein Theaterstück ~ 희곡을 연습하여 대사를 외우다; Truppen ~ 군대를 훈련하다. 《Ⅱ》 *refl.* sich in et. 〔auf et.〕 ~ 무엇을 노력하여 체득하다, 무엇에 친숙해지다: sich in die Kunst des Schachspiels ~ 체스 기술을 습득하다.
Einübung *f.* -en 훈련; 연습.
ein und derselbe 동일한(것·사람).
ein·und·einhalb *num.* 한 개 반.
ein·und·zwanzig *num.* 21.
Einung *f.* -en (Einigung) 통일, 일치.
einverleiben 〔ein 이 분리 전철로 쓰일 수도 있으며, 과거 분사는 항상 einverleibt〕 《Ⅰ》 *t.* 한 몸으로 하다, 합병하다; 동화하다; 섭취하다: et. et.³ ~ 무엇을 무엇에 병합하다; ein Gebiet wird einem Staat einverleibt 어떤 지역이 어떤 나라에 병합된다. 《Ⅱ》 *refl.* ① sich ~ 한 몸이 되다, 합병되다; 동화〔융합〕하다. ② sich³ et. ~ (**a**) 무엇을 병합하다: sich³ ein Land ~ 나라를 흡수 통일하다. (**b**) 〔농담〕 무엇을 먹다, 마시다: er hat sich ein halbes Brot einverleibt 그는 빵 반 개를 먹었다. (**c**) 〔비유〕 (정신적으로) 무엇을 습득하다: sie hat sich die neuen Erkenntnisse einverleibt 그녀는 새로운 지식들을 자기 것으로 만들었다.
Einverleibung *f.* -en 합체, 합병; 동화, 섭취; 〖醫〗 복용; 주사; 이식(移植).
Einvernahme *f.* -n 심문, 심리: die ~ der Zeugen 증인들의 심문.
ein|vernehmen* *t.* 심문〔심리〕하다.
Einvernehmen *n.* -s ① (Einverständnis) 일치, 협조: in bestem ~ miteinander leben 서로 사이좋게 지내다; sich ins ~ setzen 협조하다. ② 심문; 〖法〗 심리.
einvernehmlich *a.* 합의한, (의견이) 일치한: eine ~e Abmachung 합의 협약.
***einverstanden** 《Ⅰ》 *p.p.* ↑ einverstehen. 《Ⅱ》 *p.a.* 동의〔승낙·양해〕한〔된〕; 합의된: ~! 알았습니다, 좋소!; mit jm. 〔et.³〕 ~ sein 누구〔무엇〕에 동의하다; ich erkläre mich damit ~ 나는 그것에 동의의 뜻을 표하는 바이다; die Kinder sind mit der neuen Kindergärtnerin ~ 아이들은 새 유치원 선생을 좋아한다; Kosen mit ~ 비용을 포함하여.
ein|verständigen *refl.* sich mit jm. ~ 누구와 서로 양해하다, 협정하다.
einverständlich *a.* 양해한, 합의된: ein ~es Kopfnicken 동의를 뜻하는 (고개의) 끄덕임.
***Einverständnis** [áinfɛɾʃtɛntnis] *n.* -ses, -se ① 동의, 승낙, 협정: stillschweigendes ~ 묵계. ② 일치, 조화; 의사 소통, 양해: im ~ miteinander sein 서로 사이가 좋다, 서로 협조하고 있다; ich habe sein ~ für unseren Plan 나는 우리 계획에 대해 그의 양해를 얻었다.
Einverständnis·erklärung *f.* 동의 표명.
ein|verstehen* 《Ⅰ》 〔고어〕 *refl.* sich mit jm. ~ 누구에 동의하다. 《Ⅱ》 *p.a.* ↑ einverstanden.
Einwaage *f.* ① (소매에서) 실제 중량의 모자람. ② (통조림의) 순수 내용물 무게.
ein|wachsen* [..vaksən] 《Ⅰ》 *i.* (s.) 뿌리 내리다〔박다〕; 자라서 뻗어들어가다; 〔비유〕 고착(固着)하다; 상습〔폐단〕이 되다: die Pflanzen sind in neuen Boden gut eingewachsen 식물이 새 땅에 뿌리를 잘 박았다. 《Ⅱ》 *refl.* 〔구식〕 sich in einen Ort ~ 어떤 곳에 살아 익숙해지다.
Einwage *f.* ↑ Einwaage.
ein|wägen* 《Ⅰ》 *t.* 달아 넣다; 〖건축〗 수준기(水準器)로 측정하다. 《Ⅱ》 *refl.* sich ~ (달아서) 중량이 줄다, 축나다.
ein|walken 《Ⅰ》 *t.* Tuch ~ 천을 톡톡히 하다 (천의 올을 촘촘히 하다), 다듬질로 바래다. 《Ⅱ》 *i.* (s.) / *refl.* (sich) ~ (천·가죽이) 다듬질되어 줄어들다.
ein|walzen *t.* (종자·자갈을) 롤러로 땅속에 눌러 넣다.
***Einwand** [áinvant] 《<einwenden》 *m.* -(e)s, ..wände [..vɛndə] ① 이의, 이론, 항변: ~ erheben〔machen, vorbringen〕 이의를 제기하다. ② 〖法〗 항변.
Einwanderer [áinvandərəɾ] *m.* -s, - (외국으로부터의) 이주자: 이민자.
Einwanderin *f.* -nen ↑ Einwanderer 의 여성형.
ein|wandern *i.* (s.) (↔ auswandern) (외국에서) 입국하다, 이주하다: seine Familie ist im Jahre 1999 in Südamerika eingewandert 그의 가족은 1999 년에 남아메리카로 이주했다.
Einwanderung *f.* -en (타국에서의) 이주: 이민, 입국; 〖醫〗 미주(迷走).
Einwanderungs·behörde *f.* 이민국. **~·land** *n.* 이민을 허용하는 나라.
einwand·frei *a.* 이의가 없는, 이론이 없는, 실수가 없는, 완벽한; 분명〔명백〕한; 비난할 여지가 없는: ~e Ware 결함이 없는 상품; er sprach ~es Deutsch 그의 독일어는 흠 잡을 데가 없었다; sein Benehmen war ~ 그의 태도는 비난의 여지가 없었다; es ist ~ erwiesen, daß... …라는〔하다는〕 것은 명백히 증명되어 있다.

Einwandrung *f.* -en ↑ Einwanderung.
einwärts [áɪnvɛrts] *adv.* 안(쪽)으로.
einwärts|drehen *t.* 안쪽으로 돌리다.
Einwärts≈dreher *m.* 〖醫〗 회전근(廻前筋). **~drehung** *f.* 〖醫〗 번전(飜轉), 회전(廻前). **≈gebogen** *a.* 안으로 굽은, 내곡의. **≈|gehen*** *i.* (s.) 안짱걸음으로 걷다. **≈gerollt** *a.* 〖植〗 내선(內旋)의. **≈|setzen, ≈|stellen** *t.* (발을) 안짱다리 걸음 자세로 하다: über seine einwärtsgesetzten Füße mußte fast jeder lachen 그의 안짱다리를 보고 거의 모든 사람이 웃지 않을 수 없었다. **~zieher** *m.* 〖醫〗 내전근(內轉筋).
ein|wässern *t.* 물에 적시다〔담그다〕; 물에 담가 부드럽게 하다; (생선 등을 물에 담가) 소금기를 빼다: Salzheringe einen Tag lang ~ 소금에 절인 청어를 하룻동안 물에 담가놓다.
ein|weben(*) 《I》 *t.* 짜 넣다; 〔비유〕 (말에 교훈을) 섞어 넣다: Muster ~ 무늬를 짜 넣다. 《II》 *refl.* sich ~ (누에가) 고치를 짓다; 짜서 줄다; 〔비유〕 결부(結附)하다.
ein|wechseln [..vɛksəln] 《I》 *t.* ① *t.* (돈을) 바꾸다; 환전하다: können Sie mir den Zehnmarkschein in Markstücke? 10 마르크 지폐를 1 마르크짜리 동전으로 바꾸어 주시겠습니까? ②〖스포츠〗 (선수를) 교체하다. 《II》 *i.* (s.) 〖사냥〗 (짐승이) (서식 장소를) 바꾸다.
Einwechselung *f.* -en ↑ Einwechslung.
Einwechslung *f.* -en 돈바꾸기, 환전; 선수 교체.
Einweck·apparat *m.* 병조림 멸균 장치.
einwecken *t.* 병조림하다(J. Weck 의 이름에서): 〔경박〕 Laß dich ~! 너는 어쩔 수 없는 놈이구나!
Einweck·glas *n.* 병조림용 유리병.
einweg.. *pref.* "1회용"의 뜻.
Einweg≈flasche *f.* 1회용 유리병. **~glas** *n.* 1회용 유리병. **~hahn** *m.* 〖化〗 원웨이 콕(액체나 기체를 한 방향으로만 흐르게 하는 차단 장치). **~packung** *f.* 1회용 포장. **~scheibe** *f.* 매직 유리(한 방향에서만 투시할 수 있는 유리창). **~spritze** *f.* 1회용 주사기.
ein|wehen 《I》 *i.* (s./h.) *imp.* auf et. ~ (바람이) 무엇에 들이치다. 《II》 *t.* (바람이) 불어 넘어뜨리다; (바람이) 눈·모래 따위로 뒤덮다: der Wind hat die Hütte eingeweht a) 바람이 불어 오두막을 쓰러뜨렸다, b) 바람에 날려온 눈〔모래〕에 오두막이 파묻혔다.
ein·weibig *a.* 〖植〗 한 암꽃술〔자예(雌蕊)〕의.
ein|weichen *t.* ① (물에) 담가 보드랍게 하다; 〖化〗 침지(浸漬)하다: sie hat die trockenen Brötchen in Milch eingeweicht 그녀는 마른 빵을 우유에 적셨다; schmutzige Wäsche ~ 더러운 세탁물을 세제에 담그다. ②〔비유〕 녹초가 되게 때리다; 흠뻑 적시다: ich bin vom Regen völlig eingeweicht 나는 비에 함빡 젖었다.
Einweichung *f.* -en 물에 적심; 〖化〗 침지.
ein|weihen 《I》 *t.* ① **(a)** 정화하다, 신성하게 하다; (건축물 따위를) 봉납〔봉헌〕하다: eine Kirche ~ 교회 헌당식을 거행하다. **(b)** (목사를) 임명하다; …에게 성직을 수여하다. ②〔비유〕 …의 낙성식〔제막식〕을 행하다: Schule ~ 개교식을 거행하다; die neue Brücke ~ 새 다리의 개통식을 행하다; 〔농담〕 ein neues Kleid ~ 새옷을 처음으로 입다. ③ jn. zu et.³ ~ 어떤 일을 위하여 누구를 바치다. ④ jn. in et. ~ a) 누구를 무엇에 끌어들이다, 입회시키다, b) 누구에게 무엇의 초보를 가르치다, c) 누구에게 무엇의 비밀을 알려주다: jn. in einen Plan ~ 누구에게 계획을 털어놓다; sie hat ihn noch nicht eingeweiht 그녀는 그에게 아직 비밀을 털어놓지 않았다; in et.³ eingeweiht sein 무엇에 정통하다; ein Eingeweihter a) 소식통, b) 대가, 전문가, 노련한 사람, c) 입회자, d) 공모자. 《II》 **eingeweiht** *p.a.* ↑ eingeweiht.
Einweihung [..vaɪʊŋ] *f.* -en ① 신성화, 정화; 봉납, 봉헌; 헌당식; 승직 임명식. ② 낙성〔제막〕식. ③ (비결의) 전수, 초보를 가르침; 내부 정보의 전달.
Einweihungs≈feier, ~feierlichkeit *f.*, **~fest** *n.*, **~festlichkeit** *f.* 낙성〔제막〕식; 성직 임명식. **~rede** *f.* 낙성식의 식사(式辭). **~reise** *f.* 개통식 시험 승차. **~schmaus** *m.* (낙성식의) 축연; 입주식(入住式), 입주 축하 잔치.
ein|weisen* *t.* ① (누구에게 무엇을) 지시〔지정〕하다: ihn in seine neue Aufgabe ~ 그에게 새로운 과제를 지시해 주다. ② (누구에게 갈 곳을) 지정해 주다: den Patienten ins Krankenhaus ~ 환자에게 병원에 가도록 지정해 주다. ③ (운전자에게 방향을) 손짓으로 지시하다: einen Fahrer in eine Parklücke ~ 운전자에게 주차할 곳을 지시하다. ④ (누구에게 어떤 직을) 주다: jn. in ein Amt ~ 누구를 어떤 공직에 임명하다.
Einweisung *f.* -en 지시, 지정; 할당; 임명; (성직의) 수여.
***ein|wenden**(*) [áɪnvɛndən] *t.* ① et. gegen jn.〔et.〕 ~ 누구〔무엇〕에 대하여 무엇을 이의로 제기하다, 반대하다; er wandte mir vieles dagegen ein 그것에 대하여 그는 내게 여러가지 이의를 말하였다; dagegen ist nichts einzuwenden 그것은 트집잡을 것이 없다, 완벽하다. ② 변명으로〔구실로〕 삼다.
Einwendung *f.* -en ① 이의(Einwand): ohne ~ 이의 없이; nichtige ~en machen 이의를〔이론을〕 취소하다. ②〖法〗 항변.
ein|werfen 《I》 *t.* ① 던져 넣다: einen Brief ~ 편지를 투함하다; jn. ~ 누구를 투옥하다. ② Fenster ~ 돌 따위를 던져 창을 깨다. ③ Geld ~ 돈을 납입〔예금·투자〕하다. ④ (말·의견을) 꺼내다: eine Bemerkung ~ 어떤 지적을 하다. ⑤〔비유〕 (einwenden) 이의를〔이론을〕 말하다, 반대하다: er warf mir mancherlei ein 그는 여러 가지로 내게 반대했다. ⑥〖축구〗 (공을) 스로인하다; 〖핸드볼〗 슈팅하다. ⑦ 복용하다: einen Trip〔Aufputschmittel〕 ~ 환각제〔흥분제〕를 복용하다. 《II》 *i.* (h.) 〖축구〗 스로인하다. 《III》 *refl.* sich ~ (연습으로) 공던지기가〔슛이〕 정확해지다.
Einwerfen *n.* -s, **Einwerfung** *f.* -en ① 투입, 투사. ② (투석(投石)에 따른) 파괴. ③ (돈의) 납입; 예금; 투자; (말을) 가로막기, 말참견. ④ 이의, 이론, 반대.
einwertig *a.* 〖化〗 1가(價)의: ~er Alkohol 1가 알코올.
Einwertigkeit *f.* 1가(價).
ein|wichsen [..vɪksən] *t.* (구두·가구를) 왁스로 닦다〔문지르다〕: Schuhe ~ 신발을 구두약으로 광내다.

ein|wickeln 《I》 *t.* ① 싸다, (종이·헝겊 등으로) 둘둘 말다, 푹 두르다: ein Kind ~ 애를 포대기에 싸다; die Haare ~ 머리를 곱슬곱슬하게 지지다, 퍼머하다; eine Ware in Papier ~ 상품을 종이에 싸다. ②〔비유〕얽히게 하다: jn. ~ 누구를 속이다, 기만하다. 《II》 *refl.* ① sich in Mantel ~ 외투에 몸을 감싸다. ② sich von jm. ~ lassen 누구에게 속아 넘어가다; da hast du dich von ihm ganz schön ~ lassen! 너는 그에게 완전히 농락당했다!

Einwickel·papier *n.* 포장지.

Einwickelung *f.* -en ↑ Einwicklung.

Einwicklung *f.* -en 싸기, 포장; 복잡, 착종(錯綜); 〖醫〗 엄법(罨法), 포전(包纏).

ein|wiegen(*) *t.* ①〔약변화〕흔들어 잠재우다; 〔비유〕(풍파·흥분 따위를) 가라앉히다; (고통을) 덜어 주다: ein Kind ~ 아이를 흔들어 잠재우다; jn. in Illusionen ~ 누구에게 위로 삼아 거짓말하다. ②〔강변화〕달아넣다(einwägen).

***ein|willigen** [..vɪlɪgən] *i.* (h.) in et. ~ 무엇에 동의하다, 무엇을 승낙〔인가〕하다: sie willigte in die Scheidung ein 그녀는 이혼에 합의했다; wer schweigt, willigt ein 침묵하는 자는 동의하는 자다.

Einwilligung *f.* -en 동의, 승낙, 인가: dazu mußt du seine ~ haben 너는 그에 대해 그것의 동의를 받아야 한다.

ein|windeln *t.* ein Kind ~ 아이를 포대기에 싸다, 아기에게 기저귀를 채우다.

ein|winden(*) 《I》 *t.* ① 두르르 말다, 싸다; 엮어 넣다. ② (기중기로) 감아 올리다. 《II》 *refl.* sich ~ (뱀이) 몸을 서리다.

ein|winkeln *t.* 안쪽으로 굽히다.

ein|winken *t.* (신호를 해서 특정한 방향·장소로 가라고) 지시하다.

ein|wintern 《I》 *i.* (s.) ① 얼음에 갇히다. ② 겨울이 닥치다. ③ *i.* (h.) *imp.* es wintert ein 겨울에 접어든다. 《II》 *t.* (가축·식물을) 월동 준비시키다. 《III》 *refl.* sich ~ 겨울에 견디게 되다; 월동 준비를 하다.

Einwinterung *f.* 겨울이 닥침; 월동 준비를 함.

***ein|wirken** 《I》 *t.* 짜 넣다(einweben); (einkneten) 반죽해 넣다. 《II》 *i.* (h.) auf jn. ~ 누구에게 작용하다, 영향을 끼치다: nachteilig 〔wohltuend〕 auf jn. ~ 누구에게 불리한〔좋은〕 영향을 끼치다.

Einwirkung *f.* -en 작용, 영향, 감화.

Einwirkungs·möglichkeit *f.* 작용〔영향〕 가능성.

ein=wöchentlich *a.* 매주의. **~wöchig** *a.* ① (태어난 지) 1주일 되는. ② 1주간의, 1주간 계속되는.

ein|wohnen [áɪnvo:nən] 《I》 *i.* (h.) ① 거주하다: bei jm. ~ 누구의 집에 동거〔셋방살이〕하다. ② jm. 〔et.³〕 ~ 누구〔무엇〕에 내재(內在)하다. 《II》 *t.* ① …에 살다(bewohnen); (집을) 살아서 낡게 하다. ② jn. ~ 누구를 숙박시키다. 《III》 *refl.* sich in et. 〔et.³〕 ~ 무엇(장소·기후 등)에 오래 살아 익숙해지다.

Einwohnen *n.* -s 거주, 동거.

einwohnend *p.a.* 내재하는, 고유의.

***Einwohner** [..vo:nər] *m.* -s, - ① 주민, 거주자. ②〔드물게〕세입자.

Einwohnerin *f.* -nen ↑ Einwohner 의 여성형.

Einwohner·melde·amt *n.* 주민 등록 관청.

Einwohnerschaft *f.* (한 지역의) 주민(전체); 총인구.

Einwohner=verzeichnis *n.* 주민 등록부, 주소록(Adreßbuch). **~zahl** *f.* 주민수, 인구. **~zählung** *f.* 인구〔호구〕 조사.

Einwohnung *f.* -en ① 거주(자), 동거(인). ② 내재(內在) (하는 것). ③ 풍토 순화(馴化). ④〖宗〗(성령(聖靈)의) 내재.

Einwohnungs·recht *n.* 〖法〗 거주권.

ein|wölben *t.* …에 둥근 천장을 만들다, 아치형〔반원형〕 천장으로 덮다.

ein|wölken *t.* 구름으로 덮다, 흐리게〔어둡게〕 하다: sie waren in Zigarettenqualm eingewölkt 그들은 담배 연기에 뒤덮여 있었다.

ein|wollen* *i.* (h.) (속으로) 들어가기를 원하다: 〖비유〗 das will mir nicht ein 그것은 내게 도저히 이해가 되지 않는다, 미심쩍다.

einwüchsig [..vyk..] *a.* 〖植〗 총생(叢生)의, 마디가 없는(갈대 따위); 한 마디의〔로 된〕.

ein|wühlen 《I》 *t.* (구멍을) 뚫다; 파들어가다; 땅 속에 묻다〔숨기다〕. 《II》 *refl.* sich in et. ~ 무엇 속에 파들어가다: der Maulwurf wühlt sich in die Erde ein 두더지가 땅 속으로 파고든다.

Einwurf [áɪnvʊrf] 《<einwerfen》 *m.* -(e)s, ..würfe ① 투입: nach dem ~ von 5 DM (in den Automaten) (자동 판매기에) 5 마르크를 넣은 후에. ② (Einwendung) 이의, 이론; 반대, 반박; 〖法〗 (피고의) 반론: einen ~ abweisen〔widerlegen〕 이의를 기각하다; einen ~ gegen et. erheben〔machen〕 무엇에 대하여 이의를 말하다, 반박하다. ③ (우편함의) 투입구; 삽주(插註) (Zwischenbemerkung): ~ für Luftpostbriefe 항공 우편 투입구. ④ (축구 등의) 스로인: ~ für die deutsche Mannschaft 독일팀의 스로인.

ein|wurzeln 《I》 *i.* (s.) / *refl.* (sich) ~ 뿌리박다; 〖비유〗 고착〔고정〕되다: diese Birke ist tief eingewurzelt 이 자작나무는 깊이 뿌리를 내렸다; wie eingewurzelt dastehen 꼼짝 않고 서 있다; in dieser Gegend konnte er sich nicht ~ 이 지역에 그는 뿌리 박고 살〔정착할〕 수 없었다; eingewurzelter Haß 숙원(宿怨). 《II》 *t.* 뿌리를 뻗게 하다. 《III》 **ein-gewurzelt** *p.a.* ↑ eingewurzelt.

Einwurzeln *n.* -s 고착, 정착; 뿌리가 깊이 박힘; 〖植〗 뿌리박음.

Einwurzelung [..vʊrtsəlʊŋ] *f.* -en ↑ Einwurzeln.

ein|zacken *t.* (einkerben) …에 눈금을 새기다.

Einzahl [áɪntsa:l] *f.* 단수.

ein|zahlen *t.* ① 입금하다: die Miete ist auf unser Konto einzuzahlen 임대료는 우리 계좌에 입금해야 한다. ② 납입하다; 예금하다: sie zahlt regelmäßig einen bestimmten Betrag auf ihr Sparkonto ein 그녀는 일정액을 자기의 저금 통장에 정기적으로 예금한다.

ein|zählen *t.* ① (그릇에) 세어 담다: Eier in einen Korb ~ 달걀을 세어 바구니에 넣다. ② 총액〔총수〕에 산입하다; 예금하다.

Einzahlung [áɪntsa:lʊŋ] *f.* -en 입금, 납입; 입금액, 납입액: eine ~ bei der Bank 은행에 납입한 돈; Schalter für ~en ist im ersten

Stock 예금 창구는 2 층에 있다.
Einzahlungs≈beleg *m.* 납입 영수증. **~frist** *f.* 납입 기한. **~schalter** *m.* 납입 창구. **~schein** *m.* ① 예금 입금표, 납입필 영수증. ② (schweiz.) (우체국의) 대체 납입 용지. **~summe** *f.* 납입 금액. **~tag** *m.* 납입 기일.
ein|zahnen *t.* 톱니 모양으로 하다, 새김눈을 내다.
ein|zähnen *t.* ↑ einzahnen.
ein|zapfen *t.* ① (병 따위에 담고) 마개를 막다; 병조림하다. ②〖건축〗장붓구멍을 만들다, 장부 맞추다.
ein|zäunen [áıntsɔʏnən] *t.* …에 담을 두르다: ein Grundstück ~ 토지에 울타리를 치다; eingezäunte Gärten 울타리를 친 정원.
Einzäunung *f.* -en 담을 두르는 일; 담, 울타리: Holz≈ 나무 울타리.
ein·zehig *a.*〖動〗외발가락의.
ein|zehren 《I》 *i.* (s.)/*refl.* (sich) ~ ① (술이) 증발하여 양이 줄다. ② (자금〔재산〕이) 축나다. 《II》 *t.* (재산을) 잃다, 감손하다.
ein|zeichnen 《I》 *t.* (지도 따위에) 적어넣다; 기입하다: seine Reiseroute in eine Karte ~ 그의 여행 루트를 지도에 기입하다. 《II》 *refl.* sich ~ 성명을 기입하다; 무엇이 새겨져 있다: in dem Gesicht hatten sich tiefe Falten eingezeichnet 얼굴에는 깊은 주름이 나 있었다.
Einzeichnung *f.* -en 기입, 기재.
ein·zeilig *a.* 한 줄기의; 일렬의; 한 쪽의; 일자형의: ~e Küche 일자형(으로 싱크대를 한쪽 벽면에만 설치한) 부엌.
Einzel [áıntsəl] *n.* -s -〖스포츠〗단식 경기.
Einzel≈abteil *m.*〖철도〗(객차의) 칸막이 칸. **~aktion** *f.* 개인(별) 행동. **~anwendung** *f.* 개별적 사용. **~arbeit** *f.* 단독〔개별〕작업;〖교육〗개인 수업. **~arrest** *m.* 독방 감금〔구류〕. **~aufzählung** *f.* 열거;〖修〗열거법. **~ausbildung** *f.*〖軍〗각개 훈련. **~ausgabe** *f.* 단행본, 분책(分册) 출판. **~begriff** *m.*〖논리〗단독 개념. **~beobachtung** *f.* 개별 관찰. **~beschreibung** *f.* ↑ ~darstellung. **~bett** *n.* 1 인용 침대. **~bett·zimmer** *n.* 싱글 룸. **~darstellung** *f.* (Monographie) 단일 주제〔사항·인물〕연구 서적〔논문〕. **~ding** *n.*〖복수: ..dinge〗개개의 사물;〖哲〗개물(個物). **~disziplin** *f.*〖스포츠〗개별 종목, 한 종목: Hochsprung ist eine ~ im Zehnkampf 높이 뛰기는 10 종 경기의 한 종목이다. **~dosis** *f.* (약의) 1 회 복용량〔분〕. **~druck** *m.* 단행본 (~ausgabe). **~eigentum** *n.* 개인 소유권. **~einkommen** *n.* 개인 소득. **~erscheinung** *f.* 개별적〔개개의〕현상, 드문 현상. **~fahrschein** *m.* 1 인 1 회용 승차권. **~fall** *m.* 개개의 경우; 특수한 경우. **~feuer** *n.*〖軍〗각개 사격. **~flug** *m.* 단기(單機) 비행. **~friede** *m.* 단독 강화. **~gabe** *f.* (약의) 1 회분. **~gänger** *m.* ① 외톨이; 괴짜. ② 독거성(獨居性) 동물. **~gängerin** *f.* ↑ ~gänger 의 여성형. **≈gängerisch** *a.* 비사교적인, 독자적 행동을 하는. **~garantie** *f.* 단독 보증. **~gebühren** *pl.* 개별 수수료. **~geschäft** *n.* 개별〔특정〕행위. **~gesetz** *n.* 단행(單行)법. **~grab** *n.* 개인 무덤; 외딴 무덤. **~haft** *f.* ↑ ~arrest. **~handel** *m.* 소매. **~handelsgeschäft** *n.* 소매점. **~handels·preis** *m.* 소매가(격). **~händler** *m.* 소매 상인. **~haus** *n.* 단독 주택; 외딴 집.
Einzelheit [áıntsəlhaıt] *f.* -en ① (↔ Gesamtheit) 단일(성), 단독; 개별적인 일; 개물(個物). ②〖복수〗명세, 상세, 세목: mit allen ~en 상세히; auf〔in〕die ~en eingehen 상세하게 다루다; et. bis in die kleinsten ~en erklären 무엇을 아주 상세하게 설명하다.
Einzel≈interesse *n.* 개인〔개별〕이익. **~kampf** *m.* ①〖軍〗각개 전투. ②〖스포츠〗개인전. **~kämpfer** *m.* ①〖軍〗각개 전투병. ②〖구어〗개인 출전 선수. **~kind** *n.* 독자, 외동이. **~konto** *n.* 개별 계정. **~kopie** *f.* 1 장의 사본. **~kosten** *pl.* 개별 비용. **~krieg** *m.* 두 나라만의 전쟁. **~lader** *m.*〖軍〗(↔ Mehrlader) 단발(장전)총. **~ladung** *f.*〖軍〗단발 장전. **~land·tag** *m.* 주의회, 지방 의회. **~leben** *n.* 단독 생활. **~leistung** *f.* 개인(의 특별한) 업적; 개인 성적.
Ein·zeller *m.* - 단세포 생물.
ein·zellig *a.* 단세포의: ~e Lebewesen 단세포 생물.
Einzel·mitgliedschaft *f.* 개별 가입〔참가〕.
***einzeln** [áıntsəln] 《I》 *a.* ① 단일〔단독〕의, 하나하나의, 개별적인; 독신의; 한 부분의; 세목의, 상세한: ein ~er Band (저서 중) 한 권, 낱권; ein ~er Mann a) 개인, b) 독신자; die ~en Teile (기계 따위의) 각부(분);〖動·植·해부〗aus ~en Gliedern bestehend 관절로 이어진;〖논리〗~es Urteil 단칭 판단; der〔die〕~e〔≈e〕각 개인; jeder ~e 각 사람; im ~en 개별적으로, 하나하나; vom Einzelnen zum Allgemeinen 개별적인 것에서 일반적인 것으로; die ~en Umstände 개개의〔상세한〕사정; bis ins ~e gehende Nachforschungen 상세한〔세목에 걸친〕조사. ② (einige) 두서넛의, 소수의: ~es hat mir gefallen 몇 가지는 내 마음에 들었다. 《II》 *adv.* 하나씩, 낱개로; 단독으로; 일일이, 상세히;〖商〗소매로: ~ aufführen a) 하나씩 제시하다, b) 상술하다; ~ liegen〔stehen〕독립해 있다;〖商〗~ verkaufen 소매하다; ~ stehendes Haus 독립 가옥.
Einzelnheit *f.* -en ↑ Einzelheit.
Einzel≈person *f.* 개인. **~preis** *m.* 개별〔낱개〕가격. **~raum** *m.* 개인용 공간. **~reise** *f.* 개인 여행. **~richter** *m.* 단독 재판관. **~sänger** *m.* 독창자. **~schrift** *f.* 단일 사항에 관한 연구 서적〔논문〕. **~spiel** *n.* (테니스 따위의) 단식 (시합); (음악의) 독주. **~spieler** *m.* 독주자. **~staaten** *pl.* 연방〔동맹〕의 각주(各州)〔각국〕. **~stehende*** *der/die* 독신자. **~stimme** *f.* 독창(부). **~stück** *n.* ① 개개의 물건. ② 유일한 물품, 진품. **~stunde** *f.* 개인 교습(시간). **~tanz** *m.* 독무(獨舞). **~täter** *m.* 단독범. **~teile** *pl.* 세목(細目);〖工〗부품. **~verkauf** *m.* 소매. **~unternehmung** *f.* 개인 기업. **~wahlsystem** *n.* 소선거구제(制). **~welle** *f.*〖物〗고독파(孤獨波). **~wesen** *n.* (Individuum) 단체(單體), 개체. **~wett·bewerb** *m.*〖스포츠〗개인전〔경기〕. **~wirtschaft** *f.* 개별 경제. **~wissenschaft** *f.* 개별〔특수〕과학. **~zelle** *f.* 독방;〖生〗단자(單子), 개개의 세포. **~zellen·system** *n.* 독방체(制). **~zimmer** *n.* 1 인실, 독방.

ein|zementieren *t.* 시멘트로 고정시키다; 고착화시키다.

einziehbar *a.* ① 끌어넣을 수 있는; 〖生〗 안으로 구부릴 수 있는: ~e Krallen 끌어들일 수 있는 발톱. ② (돈을) 수금할 수 있는: ~e Gelder 수금할 수 있는 돈. ③ (재산을) 몰수〔압수〕할 수 있는.

ein|ziehen [áıntsi:ən] 《I》 *t.* ① 끌어들이다, 끌어넣다, 끼우다: eine Scheibe ~ 유리창을 끼우다; einen Faden in ein Nadelöhr ~ 실을 바늘귀에 꿰다. ② 〖商〗 (대금(貸金)·통화를) 거두어들이다, 회수하다: Steuern ~ 세금을 거두다. ③ (aufheben) 정지〔폐지〕하다, 취소하다; 회수하다; 몰수〔압수〕하다; 되사다: Banknoten ~ 지폐를 회수하다; ein Signal ~ 신호를 취소하다; 〖商〗 (점포를) 해산하다; 〖法〗 js. Vermögen ~ 누구의 재산을 압류〔몰수·압수〕하다; (사찰령(寺刹領)을) 국유화해서 일반 사용으로 내주다; (경매품을) 되사다. ④〖軍〗 Rekruten ~ 신병을 징집하다; 〖軍〗 Reserve ~ 예비군을 소집하다. ⑤〔고어〕 wegen Diebstahls (gefänglich) ~ 절도 혐의로 체포〔감금〕하다. ⑥ (정보를) 모으다, 조회하다: über js. Vergangenheit Erkundigungen ~ 누구의 과거를 조사하다. ⑦ (einsaugen) 흡수하다, 빨아들이다: den Duft einer Blume ~ 꽃향기를 맡다. ⑧ (던진 밧줄을) 끌어들이다; 움츠리다: die Schultern ~ 어깨를 움츠리다; die Hörner〔Krallen〕 ~ 촉각〔발톱〕을 움츠리다, 〔비유〕 콧대가 꺾이다, 움츠러들다; den Schwanz ~ a) 꼬리를 내리다, b) 〔비유〕 풀이 죽다, 기가 죽다, 움츠러들다. ⑨〖軍〗 Truppen ~ 군대를 철수시키다; 〖印〗 eine Zeile ~ 행(行) 머리를 들여 보내다; 〖건축〗 eine Mauer ~ 벽을 안으로 경사지게 하다. ⑩ **(a)** die Segel ~ 돛을 접다. **(b)** 〔비유〕 양보하다 (nachgeben). ⑪ 오그리다, 작게 하다, 좁히다; (옷을) 줄이다: 〔비유〕 seinen Aufwand ~ 비용을 절감하다. 《II》 *refl.* sich ~ ① 수축〔축소〕되다; 끌려들다, 움츠러들다; 절감〔절약〕하다. ② 흡수〔흡입〕되다. ③ 찔리다: ich habe mir einen Dorn in den Finger eingezogen 나는 가시에 손가락을 찔렸다. 《III》 *i.* (s.) ① 들어가다, 입장하다; 진출하다; 〖軍〗 진군하다: der Frühling zieht ein 봄이 온다; die Truppen zogen in die Stadt ein 군대가 시내로 진군해 들어왔다; die neue Partei zog nach ihrem Wahlerfolg in den Landtag ein 그 새 정당은 선거에 승리해서 주의회에 진출했다. ② 입주하다: in eine Wohnung ~ 어떤 집에 이사하다; bei jm. ~ 누구의 집에 셋방살이하다. ③ (잉크·물이) 스며들다, 삼투하다: diese Creme zieht rasch in die Haut ein 이 크림은 피부에 빨리 스며든다. 《III》 **eingezogen** *p.a.* ↑ eingezogen.

Einziehung [..tsi:ʊŋ] *f.* -en ① 끌어넣기, 움츠러들게 하기. ② 〖商〗 거두어들임, 회수. ③ 폐지, 취소; 몰수, 압수. ④ 체포, 감금. ⑤ 축소, 절감. ⑥ 〖軍〗 징집, 후퇴; 〖醫〗 수축; 흡입; 〖건축〗 (기둥의) 잘록한 부분. ⑦ 이사, 입주. ⑧ 삼투, 침윤.

Einziehungs≈ermächtigung *f.* 〖法〗 수집권한. **~mittel** *n.* 〖藥〗 흡수약.

ein·zifferig *a.* 〖數〗 한자릿수의 (einstellig).

ein·ziffrig *a.* ↑ einzifferig.

***einzig** [áıntsıç] *a./adv.* ① 유일한; 혼자의; 불가분의: das ~ Wahre 유일무이한 진리; er ist der ~e, der mich versteht 오직 그만이 나를 이해한다; nicht ein ~er blieb am Leben 단 한 사람의 생존자도 없었다; das ~e wäre, zu ..., 할 수 있는 유일한 일은 …일 것이다; ~ und allein 오직, 다만, 전적으로 혼자; ~ und allein das ist der Grund 오직 그것만이 이유다. ② 비할 나위 없는, 둘도 없는; 돋보이는; 희귀한; ein ~er Künstler 독보적인 예술가; ~ in seiner Art 유례 없는; seine Hilfsbereitschaft steht ~ da 그의 친절함은 남과 비교가 안 될 정도다.

einzig·artig *a.* 유일무이한, 비길데없는, 비범한, 훌륭한: eine ~e Gelegenheit 유일무이한 기회.

Einzigartigkeit *f.* -en 단일(성); 유일무이; 단 한 번의 사건.

Einzigkeit *f.* -en ↑ Einmaligkeit.

Einzimmer·wohnung *f.* 원룸 아파트.

ein·zollig, ~zöllig *a.* 1 인치의.

ein|zuckern *t.* …에 설탕을 치다: Erdbeeren ~ 딸기에 설탕을 치다.

Einzug [áıntsu:k] 《<einziehen》 *m.* -(e)s, ..züge ① 진입: seinen ~ halten (당당히) 진입하다; der Frühling hat ~ gehalten 봄이 왔다. ② (집의) 이사, 이전: ~ feiern 집들이하다. ③ 〖印〗 (첫자) 들여보내기 (Einrückung): eine Zeile mit ~ setzen 첫행을 들여보내기〔짜기〕하다. ④ 〖방직〗 날줄을 꿰기. ⑤ 〖法〗 입적(入籍). ⑥ 〔방언〕 수금; 추렴. ⑦ 몰수(↑ Einziehung ③).

Einzüger [..tsy:gər] *m.* -s, - ① (schweiz.) 경리, 계산원. ② 〔고어〕 이주자. ③ 한 수(手)로 결판날 대국(對局).

Einzug≈bereich *m.* ↑ Einzugsbereich. **~fest** *n.* 입주식, 입성식(入城式); 집들이. **~gebiet** *n.* 집수(集水) 구역, 유역(流域). **~marsch** *m.* 입성(入城)〔입장〕 행진(곡). **~schmaus** *m.* 취임 축하연, 집들이.

Einzugs·bereich *m.* ① 시장 범위; 원료 공급 지역. ② 집수 구역.

ein|zwängen 《I》 *t.* 강제로 밀어넣다; (모자·구두가) 죄다; 〔비유〕 무참하게 속박〔강제〕하다: der steife Kragen zwängte ihm den Hals ein 빳빳한 옷깃이 그의 목을 죄었다; 〔비유〕 in Konventionen eingezwängt 관습에 얽매인. 《II》 *refl.* sich ~ 억지로 몸을 쑤셔넣다: sie hat sich in die modische Hose eingezwängt 그는 유행하는 꼭 끼는 바지를 억지로 입었다.

Einzwängung *f.* -en 강제로 밀어넣음; 속박, 강제.

ein|zwingen* *t.* ① et. in et. ~ 무엇을 무엇 속에 처박다. ② jm. et. ~ 누구에게 무엇(음식·약먹기 따위)을 강요하다: einem Kind das Essen ~ 아이에게 음식을 억지로 먹이다.

Einzylinder *m.* -s, - ↑ ~motor.

Einzylinder≈maschine *f.* 1 기통 엔진. **~motor** *m.* 1 기통 엔진.

Ei·pulver *n.* -s, - 달걀 가루(말린 노른자위 가루).

Eire [é:ri, (engl.) ɛ́ərə] 에이레(아일랜드 공화국의 1937-49 년까지의 공식명).

Eirene [airé:nə, ..ne] *f.* 〖그리스신화〗 이레네 (평화의 여신; ↑ Irene).

ei≈rund *a.* 달걀 모양의, 타원형의: 〖植〗 verkehrt ~ (입체) 거꿀달걀꼴〔도란형(倒卵形)〕의. **≈rund** *n.* 달걀 모양〔의 것〕; 타원체.

Eis[1] [é:ɪs] *n.* -, - 〖음악〗 올림 마음〔장조〕.

***Eis**[2] [aɪs] *n.* -es [áizəs] ① 얼음: fahrbares ~ 유빙(流氷); mürbes ~ 쇄빙(碎氷); es hat ~ gefroren 얼음이 얼었다; zu ~ gefrieren 결빙하다; in ~ verwandeln 얼음을 만들다, 결정(結晶)시키다; auf dem ~e laufen 얼음을 지치다; in ~ stellen (음료수를) 얼음 속에 두다. ②〖비유〗ein Herz von ~ 냉혈한(漢); aufs ~ gehen a) 얼음 지치러 가다, b) 속다;〖비유·구어〗jn. aufs ~ führen 누구를 궁지에 빠뜨리다, 속이다; et. auf ~ legen a) 무엇을 잠시 보류하다, 냉각 기간을 두다, 연기하다, b) 나중에 쓰려고 남겨 두다;〖경박〗jn. auf ~ legen a) 누구를 잠시 퇴장시키다, b) 나중에 쓰려고 기억해 두다; das ~ brechen (심리적) 장애를〔저항을〕 극복하다; das ~ ist gebrochen 처음의 서먹서먹한 분위기가 없어졌다; unter ~ gehen 실패하다, 망하다;〖속담〗Fleiß bricht ~ 정신일도 하사불성(精神一到何事不成); aufs ~ tanzen gehen 위험한 곳에 발을 들여놓다;〖속담〗wenn es dem Esel zu wohl wird, geht er aufs ~ tanzen 어리석은 사람은 형편이 너무 좋아지면 교만해진다. ③ 아이스크림, 얼음 과자: ein Becher〔eine Portion〕~ 아이스크림 한 컵〔1 인분〕; ~ am Stiel 아이스 바; ein Glas ~ essen 아이스크림 한 컵을 먹다. ③ 스케이트장, 아이스 링크.

Eisack *m.* -s 아이자크강(남부 티롤의 강).

Eis≈apparat *m.* 제빙기. **≈artig** *a.* 얼음 같은〔모양의〕. **~axt** *f.* 얼음 깨는 도끼;〖등산〗아이스피켈. **~bahn** *f.* 스케이트장〔링크〕, 썰맷길. **~baiser** *n.* (달걀 거품을 일게 한) 아이스 크림. **~bank** *f.* (첩첩이 쌓여 있는) 얼음 덩어리, 빙암(氷岩). **~bär** *m.*〖動〗흰곰, 북극곰. **~baum** *m.*〖工〗(교각을 얼음장으로부터 보호하는) 방충재(防衝材), 방현재(防舷材). **~becher** *m.* 아이스크림 컵. **≈bedeckt** *a.* 얼음으로 덮인: ~e Gipfel 얼음으로 덮인 정상. **~beere** *f.*〖植〗인동(忍冬) 덩굴과의 관목. **≈begrenzt** *a.* 얼음에 갇힌. **~behälter** *m.* 얼음 저장 용기. **~beil** *n.* 얼음 깨는 도끼(~axt). **~bein** *n.*〖요리〗(삶은) 돼지 족발;〖사냥〗좌골;〖복수〗〖속어〗찬 발: ~e bekommen 발이 얼다; jm. die ~e knicken 누구를 녹초가 되게 때리다. **~berg** *m.* 빙산, 성엣장; 얼음으로 덮인 산: einen ~ sichten 빙산을 발견하다. **~beutel** *m.*〖醫〗얼음주머니, 빙낭. **~bildner** *m.*〖工〗제빙기. **~blase** *f.* ↑ ~beutel. **≈blau** *a.* 청록색의. **~blick** *m.* ↑ ~blink. **~blink** *m.* 빙영(氷映)(구름에 비친 빙원(氷原)의 반사광). **~block** *m.* ① 얼음덩이. ②〖비유〗차가운〔가까이 하기 어려운〕 사람. **~blume** *f.* (유리창의) 성에;〖植〗선인장 국화(남아프리카 원산). **~blumen·glas** *n.* 성에 무늬 유리. **~bock** *m.* 쇄빙선(↑ ~brecher). **~boden** *m.* 얼어붙은 땅, 동토. **~bombe** *f.* 아이스봄베(빙과의 일종). **~boot** *n.*〖海〗쇄빙선(碎氷船); 빙상 활주정(滑奏艇). **~brecher** *m.*〖海〗쇄빙선; (성엣장을 막는) 교각(橋脚) 앞 쇄빙주(柱), 물막이(말뚝);〖비유〗분위기를 부드럽게 만드는 사람. **~bruch** *m.* (해빙기의) 빙류(氷流); (얼음 낚시를 위한) 파빙(破氷). **~café** *n.* 빙과점.

Ei≈schale *f.* 달걀 껍질. **~schnee** *m.* ~ (제빵용의) 달걀 거품.

Eis≈creme [..kre:m, ..krɛ:m] *f.* 아이스 크림. **~decke** *f.* 얼어붙은 얼음(장). **~diele** *f.* 빙과점. **~eimer** *m.* (냉각용) 얼음통.

eisen [áɪzən] 《<Eis》《I》 *t.* 얼리다. 《II》 *i.* ① (h.) 얼음 위에서 고기 잡다. ② (s.) 얼다, 결빙하다:〖구어〗wohin ~ 급히 어디로 가다. 《III》 *imp.* es eist 얼음이 언다.

***Eisen** *n.* -s, - ① 쇠, 철(기호: Fe), 철분: geschmiedetes〔gezogenes〕~ 단철〔연철〕(鍛鐵〔延鐵〕);〖비유〗Muskeln von ~ 쇠처럼 단단한 근육; ein heißes ~ anfassen〔anpacken, anrühren〕 위험한 일을 감행하다; durch ~ und Blut 강압으로; er muß ~ gegen seine Blutarmut nehmen 그는 빈혈을 막는 철분을 복용해야 한다; zwei ~ im Feuer haben 제 2의 대책을 갖고 있다;〖속담〗Not bricht ~ 궁한 쥐 고양이를 문다;〖속담〗man muß das ~ schmieden, solange es heiß ist 쇠뿔도 단김에 빼야 한다;〖비유〗zum alten ~ werfen〔legen〕 폐물로 간주하고 더 이상 사용하지 않다; er gehört zum alten ~ 그는 이제 늙어 빠졌다, 시대에 뒤져 있다. ② 쇠로 된 연장, 쇠덫; 제철(蹄鐵), 편자; 칼; 다리미, 인두; 골프의 클럽; 수갑; 대패;〖醫〗철제(鐵劑); (Fesseln) 질곡: ein Pferd mit ~ beschlagen 말에 편자를 박다;〖사냥〗das Eisen war zugeschnappt 덫에 걸렸다;〖골프〗das ~ führen lernen 아이언으로 치는 법을 배우다; durchs ~ sterben 칼에 맞아 죽다; jn. in ~ legen 누구에게 수갑을〔차꼬를〕 채우다. ③〖구어〗↑ Eisenpräparat.

Eisen·abfälle *pl.* 파쇠.

Eisenach 아이제나흐(튀링겐주의 도시).

Eisenacher *m.* 아이제나흐 사람.

Eisen≈abgang *m.* 쇠부스러기. **~ader** *f.*〖광물〗철광맥. **≈ähnlich** *a.* 쇠 같은. **~alaun** *m.*〖化〗철명반(鐵明礬). **~alter** *n.* 철기 시대. **~arbeit** *f.* 철제품; 대장장이 일. **~arbeiter** *m.* 철공, 대장장이. **≈artig** *a.* 쇠 같은. **~arznei** *f.*〖醫〗철제(鐵劑).

***Eisen·bahn** *f.* ① 철도; 열차: elektrische〔unterirdische〕~ 전철〔지하철〕; auf〔mit〕der ~ fahren 기차로 가다; in die ~ steigen 기차에 올라타다;〖구어〗es ist (die) höchste ~ 지금이 고비〔절호의 기회〕다, 한시도 망설일 수 없다. ② 모형 기차: der Junge spielte mit seiner ~ 그 소년은 자기의 장난감 기차를 가지고 놀았다. ③ 선로, 레일, 궤도: hier wird eine ~ gebaut 여기에 레일이 건설된다. ④ 철도 노선〔구간〕: die ~ verläuft hier parallel zur Straße 철도는 이곳에서 도로와 평행으로 달린다. ⑤ 철도국: er arbeitet bei der ~ 그는 철도국에 근무한다.

Eisenbahn≈abonnement *n.* 철도 정기권 (구입). **~abrechnungs·stelle** *f.* 철도 운임 정산소(精算所). **~abteil** *m.* 기차의 (칸막이) 객실. **~abteilung** *f.*〖軍〗철도 부대. **~aktie** *f.* 철도 회사 주식. **~aktionär** *m.* 철도 회사 주주. **~anleihe** *f.* 철도 공채〔사채(社債)〕. **~anschluß** *m.* 열차의 접속(역(驛)). **~arbeiter** *m.* 철도 인부. **~auskunfts-bureau** *n.*, **~auskunfts·stelle** *f.* 철도 안내소. **~bau** *m.*〖복수: -ten〗철도 공사〔부

설〕. ~**beamte*** *der/die* 철도원. ~**beförderung** *f.* 철도 운송〔수송〕. ~**betrieb** *m.* 철도 운행, 철도 경영〔사업〕. ~**billett** *n.* 철도 승차권. ~**bremse** *f.* 기차 제동기. ~**brücke** *f.* 철교. ~**bureau** *n.* 철도국. ~**coupé** *n.* 기차의 객실(~abteil). ~**damm** *m.* 철둑. ~**dienst** *m.* 철도 근무. ~**direktion** *f.* 철도 관리(국). ~**direktorium** *n.* 철도 관리국.

Eisen·bahner [áɪzənba:nər] *m.* (Eisenbahnbeamte) 철도(직)원; 〖軍〗 철도병(兵); 철도원 양성 교사.

Eisenbahn⸗fahr·billett *n.* (~billett) 기차표. ~**fähre** *f.* 〖海〗 열차 연락선. ~**fahrkarte** *f.* 기차표. ~**fahr·plan** *m.* 열차 시각표. ~**fahr·preis** *m.* 기차 요금. ~**fahrt** *f.* 기차 여행. ~**fracht** *f.* 철도 화물.

Eisenbahnfracht⸗brief *m.* 철도 화물 송장(送狀). ~**wagen** *m.* 화차.

Eisenbahn⸗geleise *n.* ↑ ~gleis. ~**geschütz** *n.* 〖軍〗 열차〔철도〕포(砲). ~**gesellschaft** *f.* (민영) 철도 회사. ~**gesetz** *n.* 철도법. ~**gleis** *n.* 선로, 철도, 궤도, 레일. ~**güter** *pl.* 철도 화물. ~**güter·tarif** *m.* 철도 화물 운임표〔률〕. ~**hof** *m.* 정거장. ~**karte** *f.* 철도 노선도. ~**kasse** *f.* 기차 승차권 판매소. ~**knoten·punkt** *m.* 철도 접속역. ~**kompanie** *f.* ↑ ~gesellschaft. ~**kran** *m.* 이동 기중기. ~**krankheit** *f.* 철도병(病), 기차 멀미; (철도 수송 중 나타나는) 소 경련증. ~**kreuzung** *f.* (철도) 건널목. ~**kurs·buch** *n.* 열차 시간 안내 책자. ~**leute** *pl.* 철도 종사원. ~**linie** *f.* 철도 노선; 철도 선로. ~**lori** *f.* 철도용 트럭〔무개 화차〕. ~**marken** *pl.* 수하물 보관증, 짐표. ~**minister** *m.* 철도 장관. ~**netz** *n.* 철도망. ~**paß** *m.* 철도 패스. ~**passagier** *m.* 철도 여객. ~**perron** *m.* 플랫폼. ~**personal** *n.* 철도 종사원. ~**personen·tarif** *m.* 철도 여객 운임표〔률〕. ~**plan** *m.* 열차 운행 시각표.

Eisenbahnpost⸗gesetz *n.* 철도 우편법. ~**wagen** *m.* 철도 우편차.

Eisenbahn⸗regiment *n.* 〖軍〗 철도 연대. ~**reise** *f.* 기차 여행. ~**reisende*** *der/die* 철도 여객. ~**riß** *m.* 열차 시각표. ~**schaffner** *m.* 기차 승무원, 차장. ~**schiene** *f.* 철도 레일. ~**schlaf·wagen** *m.* 침대차. ~**schranke** *f.* 건널목 차단기. ~**schwelle** *f.* 철도 침목. ~**signal** *n.* 철도 신호(기). ~**station** *f.* 정거장. ~**steig** *m.* 플랫폼. ~**stollen** *m.* 철도 터널. ~**strecke** *f.* 철도 구간. ~**tarif** *m.* 철도 운임표〔률〕. ~**transport** *m.* 철도 수송. ~**truppen** *pl.* 〖軍〗 철도 부대. ~**übergang** *m.* 철도의 건널목. ~**unfall** *m.*, ~**unglück** *n.* 철도 사고. ~**unternehmer** *m.* 철도 기업가; 철도 공사 도급업자. ~**verbindung** *f.* ① 철도에 의한 연결. ② 접속 철도. ~**verkehr** *m.* 철도 운송. ~**verwaltung** *f.* 철도 관리(국). ~**wagen** *m.* 철도 차량, 객차. ~**wärter** *m.* 건널목지기. ~**werk·schule** *f.* 철도 학교. ~**wesen** *n.* 철도 제도〔업무〕. ~**zerstörung** *f.* 철도 파괴. ~**zug** *m.* 열차. ~**zusammenstoß** *m.* 열차 충돌.

Eisen⸗band *n.* 철대(鐵帶). ~**baron** *m.* 제철왕. ~**barren** *m.* 철봉.

Eisenbart(h) *m.* 〔농담〕 Doktor ~ 돌팔이 의사(J.A. Eisenbarth 의 이름에서).

Eisen⸗bau *m.* 〔복수: -ten〕 철골〔철근〕 건축(물). ~**bedachung** *f.* 쇠덮개. ~**beißer** *m.* 〔구어〕 허풍선이. ~**beize** *f.* 철 매염제(媒染劑). ~**berg·werk** *n.* 철광산. ~**beschlag** *m.* ① 철도금, 쇠를 입힌 것. ② 보강쇠, 쇠테, 쇠고리; 쇠장식. ③ 편자. ~**beschlagen** *a.* 쇠를 입힌〔박은〕. ~**beton** *m.* 철근 콘크리트. ~**beton·bau** *m.* 철근 콘크리트 건축(물). ~**blau** *n.* 남철토(藍鐵土). ~**blech** *n.* 얇은 철판. ~**blech·tafel** *f.* 철판. ~**block** *m.* 쇳덩어리, 철괴. ~**blüte** *f.* 〖광물〗 산석(霰石). ~**chlorid** *n.* 〖化〗 염화철. ~**chlorür** *n.* 〖化〗 염화제 1 철. ~**draht** *m.* 철선, 철사.

Eisendraht⸗mühle *f.* 철선 공장. ~**seil** *n.* 와이어 로프.

Eisen⸗druse *f.* 〖광물〗 결정(結晶) 철광. ~**erde** *f.* 철성토(鐵性土). ~**erz** *n.* 철광석. ~**erzeugung** *f.* 제철(製鐵). ~**farbe** *f.* 철색(鐵色), 철 화합물 안료. ~**farbig** *a.* 철색의; 녹빛깔의. ~**faust** *f.* 〔비유〕 철권. ~**feile** *f.* ↑ ~feilspäne. ~**feil·späne** *pl.* 줄로 쓸어낸 쇠부스러기. ~**fest** *a.* 쇠처럼 단단한, 쇠로 무장한; 〔비유〕 단호한. ~**fresser** *m.* 허풍선이, 떠버리, 거들먹거리는 사람. ~**frisch·arbeit** *f.* 철 제련. ~**gang** *m.* 〖광물〗 철광맥. ~**gans** *f.* 쇳덩어리. ~**garn** *n.* 질긴〔면·마〕 방사(紡絲). ~**gehalt** *m.* 철 함유량. ~**gepanzert** *a.* 장갑(裝甲)한. ~**gerät** *n.* 철기(鐵器). ~**gerippe** *n.* 〖건축〗 철골, 철근. ~**gestell** *n.* 철제 골격〔틀〕. ~**gießer** *m.* 주철공(鑄鐵工). ~**gießerei** *f.* 주철 제조; 주철 공장. ~**gitter** *n.* 쇠격자; 〖化〗 수정 격자. ~**glanz** *m.* 〖광물〗 경(鏡)철광. ~**glimmer** *m.* 〖광물〗 운모 철광. ~**granat** *m.* 〖광물〗 귀석류석(貴石榴石). ~**grau** *a.* 철회색의. ~**graupen** *pl.* 〖광물〗 입철(粒鐵). ~**grube** *f.* 철광산의 갱(坑). ~**guß** *m.* 주철; 주철 제조. ~**gußwaren** *pl.* 주철 제품. ~**haltig** *a.* 철을 함유한. ~**hammer** *m.* ① (쇠를 가공하기 위한) 대형 기계 망치. ② 〔고어〕 대장간(Hammerwerk). ~**handel** *m.* 철물 장사〔매매〕. ~**händler** *m.* 철물 상인. ~**handlung** *f.* 철물점. ~**hart** *a.* ① 쇠처럼 단단한. ② 불굴의; 확고한: ein ~er Wille 불굴의 의지. ~**hoch·ofen** *m.* 철 용광로. ~**holz** *n.* 〖植〗 철목.

Eisenhower [áɪzənhaʊər, ..haʊə] Dwight David ~ 아이젠하워(미국의 34 대 대통령, 1890-1969).

Eisen⸗hut *m.* ① 철모. ② 〖植〗 개정향풀. ~**hütte** *f.* 제철소. ~**hütten·kunde** *f.* 철 야금학.

Eisenhüttenstadt 아이젠휘텐슈타트(1950 년에 건설된 Oder 강가의 도시).

Eisen⸗hütten·wesen *n.* 제철소, 제철업. ~**industrie** *f.* 제철 공업〔상업〕. ~**kalk** *m.* 수산화 제 1 철, 하소철(煆燒鐵). ~**kasten** *m.* ① 쇠부스러기를 넣는 상자. ② 쇠(로 된) 상자. ③ (용광로의) 도가니. ~**kern** *m.* (코일의) 철심(鐵心). ~**kette** *f.* 쇠사슬. ~**kies** *m.* 〖광물〗 황철광. ~**kiesel** *m.* 철석영(石英). ~**konstruktion** *f.* 철골 구조. ~**koks** *m.* 철 코크스. ~**kram** *m.* 쇠부스러기; 철물점. ~**krämer** *m.* 철물 상인. ~**krank** *a.* 〖海〗 배의 쇠못 따위가 녹슬어 헐렁해진. ~**kraut** *n.* 〖植〗 마편초(馬鞭草). ~**kuchen** *m.* 과자

이름(웨이퍼[와플]의 일종). **~kur** *f.* 〖醫〗 철(鐵) 요법. **~lack** *m.* 철니스. **~laden** *m.* 철물점.

eisenlos *a.* 철을 함유하지 않은; (말에) 편자를 박지 않은: ein ~es Pferd 편자를 박지 않은 말.

Eisen≈lot *n.* 철 접합제. **~luppe** *f.* 쇳덩어리, 철괴. **~mal** *n.* 철제 기념물. **~mangel** *m.* 철분 부족[결핍]. **~mann** *m.* ① 철물 상인. ② 강인한 사람. **~mennige** *f.* 〖化〗 변병(辨柄), 철단(鐵丹). **~mine** *f.* ↑ ~bergwerk. **~mittel** *n.* 〖醫〗 철제(鐵劑). **~mohr** *m.* 〖化〗 자성(磁性) 산화철. **~ocker** *m.* 〖광물〗 철자석(鐵赭石). **~ofen** *m.* ① 철제 난로. ② 용광로. **~oxyd** *n.* 〖化〗 산화(제 2) 철. **~oxydul** *n.* 〖化〗 산화제 1 철. **~panzer** *m.* 갑주(甲冑); 〖海〗 장갑(裝甲). **~pflock** *m.* 쇠말뚝, 쇠못. **~pflug** *m.* (쇄빙선의) 쇄빙기. **~platte** *f.* 철판. **~präparat** *n.* 〖醫〗 철제(鐵劑): ein ~ verordnet bekommen 철분이 든 약제를 처방받다. **~produkt** *n.* 철제품. **~pulver** *n.* 쇳가루. **~quelle** *f.* 함철천(含鐵泉), 철광천. **~radierung** *f.* 부식 철판화. **~rahm** *m.* 〖광물〗 다공성(多孔性) 적철광. **~rahmig** *a.* 적철광을 함유한. **~rost** *m.* ① 쇠녹. ② 쇠격자. **~rot** *n.* 〖化〗 철단(鐵丹). **~rüstung** *f.* (중세의) 철갑옷. **~salz** *n.* 〖化〗 제 2 철염. **~sand** *m.* 사철(砂鐵). **~sau** *f.* 선철, 시우쇠. **~säuerling** *m.* 함철수(~wasser). **~säure** *f.* 〖化〗 철산(鐵酸). **~schiene** *f.* 궤도, 레일. **~schimmel** *m.* 철회색 말. **~schlacke** *f.* 제련한 뒤의 쇠찌꺼기. **~schmelze** *f.*, **~schmelze·hütte** *f.* 제철 공장. **~schmied** *m.* 대장장이. **~schmiede** *f.* 대장간. **~schüssig** *a.* 철을 함유한. **~schwarz** *n.* ① 분말 흑연. ② (~schwärze) 휘철광, 흑연. ③ 철 매염제(↑ ~beize). ④ 검은 구두약, 잉크(인쇄용). **~späne** *pl.* 쇠부스러기. **~spat** *m.* 〖광물〗 능철광. **~stab** *m.* 철봉. **~stadt** 아이젠슈타트(오스트리아 부르겐란트의 주도). **~stange** *f.* 철봉. **~stärke** *f.* 쇠의 강도[두께]. **~staub** *m.* 철분. **~stein** *m.* 〖광물〗 철광석. **~stück** *n.* 쇳조각. **~stufe** *f.* 철광괴(塊). **~teilchen** *n.* 철의 미분자(微分子). **~tinktur** *f.* 〖醫〗 철정기(丁幾). **~verarbeitend** *a.* 철을 가공하는: die ~e Industrie 철 가공 산업. **~vitriol** *m.* 녹반(綠礬). **~ware** *f.* 철(기)제품. **~waren·handlung** *f.* 철물점. **~wasser** *n.* 함철수(含鐵水), 철(분)을 함유한 물. **~wein** *m.* 함철 포도주. **~werk** *n.* ① 단철(鍛鐵) 장식품. ② 제철소. **~wurz** *f.* 〖植〗 달구지 국화과(科) 식물(유럽 원산). **~zeit** *f.* 철기 시대. **~zeitlich** *a.* 철기 시대의. **~zeug** *n.* 철기.

***eisern** [áɪzərn] *a.* ① 철의, 쇠로 만든: das ~e Kreuz 철십자 훈장; die ~e Lunge 철폐(인공 호흡 기구); 〖연극〗 ~er Vorhang (무대와 관객 사이의) 방화막(防火幕); der ~e Vorhang 철의 장막(구공산권); 〖광산〗 der ~e Hut 광층(鑛層); das ~e Zeitalter 철기 시대, 〖비유〗 (과거 황금 시대에 견주어) 타락 시대, 말세; die ~e Jungfrau 철의 처녀(중세의 형구(刑具)). ② 〖비유〗 단단[공고]한; 완강한, 불굴의; 무감각의; 확고[의연]한: ~er Fleiß 불요(불굴)의 근면; die ~e Hochzeit 철혼식(결혼 후 65 년째를 축하하는 의식); mit dem ~en Besen auskehren 단호한 조처를 취하다; ~ an einer Meinung festhalten 어떤 견해를 완강하게 고수하다; mit ~er Faust 준엄하게; ~e Disziplin 엄격한 규율; ~es Herz 무정한 마음; der ~e Kanzler 철혈 재상(비스마르크); mit ~er Stirn 의연하게; 철면피로, 뻔뻔스럽게; die ~e Notwendigkeit 피할 수 없는 필연[운명]. ③ 영속적인, 불변의: ~es Kapital 고정 자본; 〖軍〗 ~e Portion 휴대 식량; das Stück gehört zum ~en Bestand unseres Theaters 그 작품은 우리 극장의 단골 레퍼토리다. ④ das ~e Tor 철문(도나우강 하협(河峽)의 이름). ⑤ 〖고어〗 자명한: aber ~! 네, 그렇고 말고요!

Eises·kälte *f.* ① 혹한. ② 〖비유〗 냉담, 냉혹.

Eis≈essig *m.* 〖化〗 빙초산. **~fabrik** *f.* 얼음 공장. **~fach** *n.* (냉장고의) 냉동실. **~fahren** *n.* 스케이트. **~fahrt** *f.* ① 빙상 여행. ② 스케이트. **~feld** *n.* 빙원(氷原). **~fischerei** *f.* 얼음 (구멍) 낚시(질). **~fläche** *f.* 얼음으로 뒤덮힌 표면[지면]. **~flacke, ~flöße** *f.* (부유하는) 얼음장. **~frei** *a.* 얼지 않은[않는]: ein ~er Fluß 얼지 않는 강; die Straße ist ~ 그 길에는 얼음이 얼지 않았다. **~fuchs** *m.* 〖動〗 북극 여우. **~gang** *m.* 얼음이 깨져 떠내려감; 빙류(氷流). **~gebirge** *n.* 빙산; 〖복수〗 빙하로 덮힌 산. **~gegend** *f.* 한대(寒帶). **~gekühlt** *a.* (얼음·냉장고로) 차게 한, 냉각시킨. **~glas** *n.* ① 젖빛 유리의 일종. ② 갑작스러운 늦추위. **~glatt** *a.* ① 얼음으로 덮인. ② 얼음처럼 미끄러운. **~glätte** *f.* ① 얼음으로 덮임. ② 얼음처럼 미끄러움. **~grau** *a.* 서리처럼 흰, 백발의, 연로한. **~griff** *m.* (얼음판 미끄럼 방지용 편자의) 뾰족한 쇳조각. **~grube** *f.* 빙실(氷室), 빙고(氷庫). **~haken** *m.* (등산용) 아이스 하켄[펙]. **~händler** *m.* 얼음[빙과] 장수. **~haus** *n.* 얼음 창고. **~heiligen** *pl.* ① 얼음의 성자들(Pankratius, Servatius, Bonifatius). ② 늦추위(위 3 성자의 날인 5월 12, 13, 14 일에 철늦은 서리가 내리는 날이 있어서 이렇게 일컬음). **~hockey** *n.* 아이스 하키. **~hockey·länder·spiel** *n.* 아이스 하키 국가 대항전. **~höhle** *f.* 얼음 창고.

eisig [áɪzɪç] 《<Eis》 *a.* ① 얼음의; 매우 추운; 얼음으로 덮인: es bläst ein ~er Wind 얼음장같이 찬 바람이 분다; es ist ~ kalt 대단히 춥다; 〖비유〗 ein ~er Schreck 등골이 서늘한 공포. ② 〖비유〗 냉담[쌀쌀]한; 오싹하는: ein ~er Empfang 푸대접.

eisig·kalt *a.* ① 얼음처럼 찬. ② 냉혹[무정]한.

eisis, Eisis [é:ɪsɪs, é:ɪsɪs] *n.* -s 〖음악〗 반음 높은 e[E]음.

Eis≈jacht *f.* 〖海〗 쇄빙선(碎氷船); 〖스포츠〗 빙상 요트. **~kaffee** *m.* 냉커피. **~kalt** *a.* 얼음처럼 찬; 〖비유〗 냉담[매정]한: es durchlief ihn ~ 그는 온 몸이 오싹했다; ein ~er Blick traf ihn 그는 차가운 시선을 느꼈다. **~kälte** *f.* 동한(凍寒); 〖비유〗 냉담, 냉혹. **~kammer** *f.* 빙실. **~kasten** *m.* 얼음상자, 아이스박스. **~keller** *m.* 빙실, 얼음 창고; 아주 추운 공간: unsere Küche ist ein ~ 우리 부엌은 얼음장같이 춥다. **~kluft** *f.* 빙산의 갈라진 틈; 얼어붙은 틈; 〖林〗 (나무의) 얼어터진

틈. **~klumpen** *m.* 얼음 덩어리; 〔비유·구어〕 바짝 움츠러든 사람. **~kraut** *n.* 〖植〗 선인장 국화. **~krem** *f.* 아이스 크림. **~-kristall** *m.* 얼음 결정, 빙정. **~kruste** *f.* 얼음의 표면(↑ ~rinde). **~kübel** *m.* 아이스 박스.

Eiskunst=lauf *m.* 피겨 스케이팅. **~läufer** *m.* 피겨 스케이팅 선수. **~läuferin** *f.* ↑ ~läufer 의 여성형.

Eis=lauf *m.* 얼음지치기, 스케이팅. **~-laufen*** *i.* (s.) 스케이트타다, 얼음 지치다. **~läufer** *m.* 스케이트 타는 사람.

Eisleben 아이스레벤(하르츠 산맥 동부의 도시).

Eislebener *m.* 아이스레벤 사람.

Eisleber *m.* 아이스레벤 사람.

Eis=loch *n.* 얼음 구멍. **~luft** *f.* 아주 차가운 공기. **~mann** *m.* ① 빙과 장사. ② 〔복수〕 ↑ ~heiligen. **~maschine** *f.* 냉동기〔장치〕; 제빙기. **~masse** *f.* 얼음 덩어리. **~meer** *n.* 빙해; 〔비유〕 광활한 빙면. **~monat** *m.* (Januar) 1월. **~mond** *m.* ↑ ~monat. **~-möwe** *f.* 〖動〗 백구, 갈매기. **~nadel** *f.* ① 〖기상〗 세빙(細氷)(안개 속의 얼음 결정). ② 얼음에 덮인 뾰족한 산꼭대기. **~nagel** *m.* 빙상용 편자에 박는 못. **~nebel** *m.* (얼음이 얼 때 못〔강〕 위에 서리는) 빙무(氷霧). **~palast** *m.* ① 실내(피겨) 스케이트장. ② 〖비유〗 난방하지 않은 추운 방. ③ 〖문학〗 얼음 궁전. **~papier** *n.* 투명한 젤라틴 종이, 서릿발 무늬의 알라바스터(Alabaster)지(제도·명함용). **~periode** *f.* 빙하기. **~pflanze** *f.* 선인장 국화. **~pickel** *m.* 쇄빙 도끼, 아이스피켈. **~prinz** *m.* 인기 있는 피겨 스케이팅 선수. **~prinzessin** *f.* ↑ ~prinz 의 여성형.

Ei·sprung *m.* 〖生·醫〗 배란.

Eis=punkt *m.* 어는점, 빙점. **~regen** *m.* 빙우(氷雨); 진눈깨비, 싸락눈. **~revue** *f.* 아이스 쇼. **~rinde** *f.* 얼음의 단단한 표면; 〖비유〗 냉혹(冷酷).

Eiß [aɪs] 《<Eiter》 *m.* -es, -e (obd.) 농양(膿瘍).

Eis=schießen *n.* 〖스포츠〗 (스코틀랜드의) 컬링(빙상 경기). **~säge** *f.* 얼음 톱. **~-scharbe** *f.* 〖動〗 가마우짓과(科)의 일종(사다새 따위). **~schimmer** *m.* 빙광(氷光). **~schlitten** *m.* 빙상 썰매.

Eisschnell=lauf *m.* 스피드 스케이팅 (경기). **~läufer** *m.* 스피드 스케이팅 선수. **~-läuferin** *f.* ↑ ~schnellläufer 의 여성형.

Eis=scholle *f.* 유빙(流氷), 빙산. **~schrank** *m.* 아이스 박스; 냉장고. **~schuh** *m.* 스케이트화(靴).

Eiße [áɪsə] *f.* -n 농양(膿瘍).

Eis=segel·boot *n.* 빙상 요트(~jacht). **~-segeln** *n.* 돛을 가지고 타는 스케이트; 빙상 요트 타기. **~spat** *m.* 빙정석(氷晶石)(~stein). **~spiel** *n.* 빙상 유희〔경기〕. **~spind** *n.* 냉장고(~schrank). **~spitze** *f.* ① 세빙(細氷)(~nadel). ② 뾰족한 쇠붙이(~griff). **~sporn** *m.* 빙상용 편자에 박는 못(~nagel). **~sport** *m.* 빙상 경기(~spiel). **~sprießel** *n.* ↑ ~sprosse. **~sproß** *m.* ↑ ~sprosse. **~sprosse** *f.* 〖사냥〗 사슴뿔의 둘째가지. **~stadion** *n.* 빙상 경기장, 아이스 링크. **~-stau** *m.* (하천의 흐름을 막는) 빙괴. **~-staub·lunge** *f.* 〖醫〗 철폐증. **~stein** *m.* 〖광물〗 빙정석(氷晶石). **~stock** *m.* (손잡이 달린) 컬링 경기용 공(~schießen). **~stock-schießen** *n.* ↑ ~schießen. **~stoß** *m.* ① (~stau) 유빙(流氷)의 적체(積滯). ② (öst.) 빙류(氷流)(↑ ~gang). **~strom** *m.* 빙하; 빙류(氷流). **~sturm·vogel** *m.* 〖動〗 북극바다제비속. **~tanz** *m.* 아이스 댄스 (경기). **~tänzer** *m.* 아이스 댄스 선수. **~taucher** *m.* 〖動〗 되강오리의 일종(북극산(産)). **~-technik** *f.* 빙벽 등반(기)술. **~theorie** *f.* 빙하설(說). **~tour** *f.* 동계 산악〔빙하 지대〕 여행. **~treiben** *n.* 빙류(氷流). **~umsch-lag** *m.* 〖의학〗 얼음 찜질. **~verkäufer** *m.* 아이스 크림 판매원. **~vogel** *m.* 〖動〗 물총새; 나비의 일종. **~wasser** *n.* 냉수; 빙수; 얼음 녹은 물. **~wein** *m.* 아이스 와인(서리가 내릴 때 수확한 포도로 담근 최상품의 백포도주). **~werk** *n.* 제빙 공장. **~wermut** *m.* 〖植〗 엉거싯과(科)의 일종. **~würfel** *m.* 각(角)얼음. **~zacken** *m.* ↑ ~zapfen. **~zapfen** *m.* 고드름. **~zeit** *f.* 빙하 시대. **~zeitlich** *a.* 빙하기〔시대〕의. **~zone** *f.* 결빙 지대; 한대(寒帶).

***eitel** [áɪtəl] *a.* ① **(a)** (leer) 텅빈, 공허한: eitler Wahn 망상, 공상; die eitle Nacht 심야, 암야. **(b)** (gehaltlos) 실(속) 없는, 허황된, 천박한: eitles Geschwätz 군〔객적은〕 소리. **(c)** (vergänglich) 덧없는, 허무한: alles ist ~ 모든 것이 덧없다. ② (eingebildet) 우쭐한, 자만심이 강한: der eitle Geck 멋쟁이, 자만심이 센 남자; auf et. ~ sein 무엇을 뽐내다. ③ (putzsüchtig) 허영심이 강한, 우쭐대는; 화려한: ~ wie ein Pfau (허영의 상징인 공작새처럼) 몹시 뻐기는. ④ (lauter) 오직, 순전히 …뿐인: aus ~ Gold 순금제의; vor ~ Glück 너무나 행복한 〔복에 겨운〕 나머지; mit ~ List und Tücke 교활한 잔꾀만으로.

Eitelkeit *f.* -en ① 공허; 무가치, 내용없음. ② 허영(심); 자만심.

***Eiter** [áɪtər] *m.* -s 〖醫〗 고름, 농(膿).

Eiter=abfluß *m.* 농루(膿漏)(고름이 흐르는 것). **~artig** *a.* 고름 같은, 화농성의. **~auge** *n.* 안구 화농증. **~ausfluß** *m.* ↑ ~abfluß. **~bakterien** *pl.* 〖醫〗 화농균. **~becken** *n.* 농반(膿盤). **~befördernd** *a.* 화농성의. **~beule** *f.* 농양(膿瘍): 〖비유〗 병폐, 부패: eine ~ aufstechen 해악의 근원을 색출하다. **~bildend** *a.* 화농성의. **~bildung** *f.* 화농. **~bläschen** *n.*, **~blatter** *f.* 농포(膿疱), 작은 종양. **~erreger** *m.* 화농균(化膿菌). **~-erzeugend** *a.* ↑ ~bildend. **~fieber** *n.* 화농열. **~flechte** *f.* 화농성 수포진. **~fluß** *m.* ↑ ~abfluß. **~geschwulst** *f.*, **~geschwür** ↑ ~beule.

eiterhaft, eitericht, eiterig [áɪtərɪç] *a.* 화농성의, 곪은; 고름 같은.

Eiter=herd *m.* 〖醫〗 화농소(化膿巢). **~jau-che** *f.* 〖醫〗 희농(稀膿). **~kokkus** *m.* 화농구균.

eitern [áɪtərn] *i.* (h./s.) 곪다.

eiternd *p.a.* 곪은, 화농성의.

Eiter=pflock, ~pfropf *m.* 〖醫〗 농, 농핵(膿核). **~pickel** *m.* 화농성 여드름. **~pilz** *m.* 농균(膿菌). **~sack** *m.* 〖醫〗 농낭(膿囊). **~stock** *m.* ↑ ~pflock.

Eiterung [áɪtərʊŋ] *f.* -en 〖醫〗 곪음, 화농증.

Eiterungs⸗fieber *n.* ↑ Eiterfieber. **~giftig** *a.* 농독성의. **~mittel** *n.* 화농제.
Eiter·vergiftung *f.* 〖醫〗 농혈증(膿血症).
Eito 《engl.》 = European Information Technology Observatory 유럽 정보 기술 관측소.
eitricht *a.* ↑ eiterricht.
eitrig *a.* ↑ eiterig.
***Ei·weiß** [áıvaıs] *n.* (알의) 흰자위; 〖生〗 단백질: tierisches〔pflanzliches〕 ~ 동물성〔식물성〕 단백질; Fisch erhält viel ~ 생선은 풍부한 단백질을 함유하고 있다.
eiweiß⸗artig *a.* 단백질(성)의. **~bedarf** *m.* (체내의) 단백질 필요(량). **~gehalt** *m.* 단백질 함유량. **~haltig** *a.* 단백질을 함유한.
Eiweiß⸗harnen *n.* 〖醫〗 단백뇨. **~haushalt** *m.* 〖生〗 단백질 대사(의 결과). **~körper** *m.* 단백체〔질〕. **~mangel** *m.* 단백질 결핍〔부족〕. **~minimum** *n.* 〖생물〗 (생체의 균형 유지에 필요한) 최소 단백질량. **~papier** *n.* 단백지(蛋白紙). **~stoff** *m.* 〖생물〗 단백질. **~stoff·wechsel** *m.* 〖생물〗 단백질 대사.
EIWOG = Elektrizitätswirtschafts- und Organisationsgesetz 〖法〗 전력 산업과 그 조직에 관한 법률(1998 년 3 월 오스트리아에서 제정).
Ei·zelle *f.* 난(자)세포.
Ejakulat 《lat.》 *n.* -(e)s, -e 〖醫〗 정액.
Ejakulation [ejakulatsió:n] 《lat.》 *f.* -en 탄성, 절규; 〖醫〗 사정(射精).
ejakulieren *t.* ① 절규하다. ② 사정(射精)하다.
Ejektion [ejɛktsió:n] 《lat.》 *f.* -en ①〖고어〗 추방; 소유권 박탈. ② (화산의) 분출, 배출.
Ejektiv *m.* 〖언어〗 방출음(放出音).
Ejektor [ejέktɔr, ..to:r] *m.* -s, -en [..tő:rən] ①〖工〗 증기 분사 펌프, 이젝터, 방사기; (엽총의) 자동 탄피 제거 장치. ② 추방자.
ejizieren [ejitsí:rən] 《lat. jacere, „werfen"》 *t* 내던지다; 추방〔배척〕하다; 방출〔분출〕하다; 〖法〗 소유권을 박탈하다.
ejusdem mensis [ejúsdεm mέnzıs] 《lat.》 (desselben Monats) 같은 달에(약어: e.m.).
EK = Eisernes Kreuz 철십자훈장.
ek.. 《gr.》 *pref.* "밖으로(aus.., heraus.., hinaus..)"의 뜻.
Ekart [eká:r] 《frz.》 *m.* -s, -s 〖증권〗 매매 차액〔수익금〕.
Ekarté [..té:] 《frz., „Abgeworfenes"》 *n.* -s, -s ① 에카르테(카드 놀이의 일종). ②〖체육〗 에카르테 자세(양 다리를 벌린 자세). ②〖발레〗 에카르테 자세(다리를 벌려 쭉 뻗은 자세).
Ekchondrose [ɛkçɔndró:zə] 《gr.》 *f.* -n 〖醫〗 연골 종류(腫瘤).
Ekchymose [ɛkçymő:zə] 《gr.》 *f.* -n 〖醫〗 출혈반(斑), 피부내 삼출(滲出).
EKD = Evangelische Kirche in Deutschland 독일 개신교 연합.
ekdemisch [ɛkdé:mıʃ] 《gr.》 *a.* 외부에 있는, 출타중인, 부재의.
***Ekel**[1] [é:kəl] *m.* -s ① 욕지기, 구역질, 메스꺼움, 구토. ② 싫음, 혐오, 불쾌; 진저리, 권태: das erregt mir ~ 그런 짓은 딱 질색이다; ~ vor et.³ haben 〔empfinden〕 무엇을 아주 싫어하다; (bis) zum ~ 싫증 나도록. ③ 욕지기나게 하는 것, 질색인 것.
Ekel[2] *n.* -s 〖폄어〗 싫은〔혐오스러운 역겨운〕 녀석: du ~! 너 같은 놈 보기도 싫다!
ekel *a.* ① 욕지기 날 것 같은, 싫은. ② 괴팍한, 까다로운, 다루기 힘든; 비위가 약한. ③ (빛깔 따위가) 연한.
ekel⸗erregend *a.* 욕지기나는; 싫은 : ~es Gefühl 메스꺼운 느낌; 혐오감.
***ekelhaft** *a.* ① 욕지기나는, 넌더리나는, 싫은, 불쾌한. ②〖비유〗 (sehr) 대단한, 엄청난: es war ~ heiß in dem Zimmer 그 방안이 몹시 더웠다.
Ekelhaftigkeit *f.* 혐오감, 염증.
ekelig *a.* ↑ eklig.
ekeln [é:kəln] 《I》 *imp.* 구역질나다, 싫다: es ekelt mich〔mir〕 나는 욕지기가 난다, 싫어 죽겠다; mich〔mir〕 ekelt vor et.³ 나는 무엇이 지긋지긋하게 싫다. 《II》 *refl.* sich ~ 혐오감을 느끼다; 싫어하다: ich ekle mich davor 나는 그것이 아주 싫다. 《III》 *t.* ① 구역질을 일으키다: diese Speise ekelt mich 이 음식은 역겹다. ② jn. aus et.³ ~ 누구를 괴롭혀서 어디에서 내쫓다: jn. aus dem Betrieb ~ 누구를 괴롭혀서 직장에서 내쫓다.
Ekel⸗name *m.* 별명(Spitzname). **~paket** *n.* 〖폄어〗 (nordd.) 구역질 나는 인간.
EKG, Ekg *n.* = Elektrokardiogramm 심전도: ein ~ machen 심전도 측정을 하다.
Ekklesia [ɛklé:zia] *f.* ①〖史〗 (고대 아테네의) 민회(民會). ② 기독교 공동체〔교회〕.
Ekklesiarch 《gr. ekklesía, „Kirche"》 *m.* -en, -en 그리스 교회의 장로.
Ekklesiastikos [ɛkleziástikɔs], **Ekklesiastikus** [..kus] *m.* -, 〖聖〗 (구약 성서의) 전도서; 교구에 소속된 성직자.
ekklesiastisch *a.* 교회의; 목사의.
ekklesiogen *a.* 〖心〗 ~e Neurose 신앙상의 금기(특히 성적(性的) 억압)로 인한 노이로제.
Ekklesiologie *f.* 교회학〔론〕.
Eklaireur [eklɛrǿ:r] 《frz.》 *m.* -s, -e 〖軍〗 수색병; 산병(散兵).
Eklampsie [ɛklampsí:, ekl..] 《gr.》 *f.* -n [..sí:ən] 〖醫〗 급간(急癎), 자간(子癎).
Eklat [eklá:] 《frz.》 *m.* -s, -s [..lá:s] (갈채 따위의) 폭발(Ausbruch); 소음; (Aufsehen) 명성, 현저; 광휘, 영광, 화려; 추문, 추문을 일으키는 소동: einen ~ erregen〔verursachen〕 추문을 일으키다.
eklatant [eklatánt] *a.* 빛나는, 화려한; 현저한; 명백한: ein ~es Beispiel dafür 그것에 대한 명백한 예; ~e Erfolge 화려한 성공.
Eklektiker [ɛklέktıkər] 《gr.》 *m.* -s, - 〖哲〗 절충주의자; 아류.
eklektisch *a.* ①〖고어〗 발췌〔축약〕된: ein ~es Werk 축약본; ~e Bibliographie 발췌 서지(書誌). ② 절충적인, 어중간한. ③ 비독창적인, 모방하는, 아류의. ④〖폄어〗 통일성이 없는, 난삽한.
Eklektizismus [..lɛktitsísmus] *m.* - ①〖哲〗 절충주의. ②〖교양·폄어〗 아류(작), 모방(작).
eklektizistisch *a.* 절충주의적인; 아류의.
eklig [é:klıç] *a.* ① 구역질 나는, 메스꺼운; 혐오스러운: ein ~er Geruch 악취, 역한 냄새. ② 정나미 떨어지는, 천박한, 야비한, 상스러운: sei doch nicht so ~! 그렇게 야비하게 굴지 말아라! ③〖구어〗 심한, 대단한: hier ist es ja ~ kalt 여기는 정말 몹시 춥구나.

Eklipse [ɛklíːpsə, ekl..] ⟪gr. ekleípen, „aus-, ablassen"⟫ *f.* -n 〖天〗 일식, 월식; 〖醫〗 가사(假死).

eklipsieren ⟪frz.⟫ *t.* (일식·월식 처럼) (무엇을) 가리다; 그늘지게 하다; 〔비유〕 무색하게 하다.

Ekliptik [..tɪk] *f.* 〖天〗 황도(黃道).

ekliptisch *a.* 〖天〗 황도의, 식(蝕)의.

Ekloge [ɛklóːgə, ekl..] ⟪gr., „Ausgewähltes"⟫ *f.* -n ① 선시(選詩); 목가(Idyll). ② 〖음악〗 (2·3개의 악기로 편성된) 목가풍의 기악곡.

Eklogit [ɛklogíːt, ..gít] ⟪gr.⟫ *m.* -(e)s, -e 〖광물〗 유휘암(榴輝巖), 에클로자이트.

Ekmnesie *f.* 〖心〗 과거 집착증.

Eknoia [ɛknɔ́ʏa] *f.* 〖心〗 사춘기의 과잉 흥분.

Ekonomiser [ikɔ́nomaɪzər] ⟪engl.⟫ *m.* 〖기술〗 (보일러의) 물 예열(豫熱).

Ekossaise [ekɔsɛ́ːzə] ⟪frz.⟫ *f.* -n ↑ Ecossaise.

Ekphorie *f.* -n [..ríːən] 〖心〗 (단서를 통한) 기억 촉진.

ekrü [ekrýː] *a.* 〖섬유〗 자연 그대로의, 표백하지 않은.

Ekrü·seide [ekrýː..] ⟪frz.⟫ *f.* 〖섬유〗 생사(生絲) (Rohseide).

***Ekstase** [ɛkstáːzə] ⟪gr.⟫ *f.* -n 무한한 기쁨, 황홀; (종교적) 망아(忘我), 법열; 열광, 도취: in ~ geraten 황홀경에 빠져들다; jn. in ~ versetzen 누구를 매료시키다.

Ekstatiker [..tɪkər] *m.* -s, - 신바람 난 사람, 열광자; 열중한 설교자, 예언자.

ekstatisch *a.* 무아경의, 도취한, 신바람 난; 황홀한.

Ektase [ɛktáːzə], **Ektasis** [ɛ́ktazɪs] ⟪gr.⟫ *f.* 〖문학〗 (운율의) 장음법(長音法), 음절 연장.

Ektasie *f.* 〖의학〗 (장기의) 확장(증).

ekto.. ⟪gr., „außen"⟫ *pref.* "외부의"의 뜻.

Ektoblast [..blást] *m.* -es, -e 〖植〗 외배엽; 〖生〗 (세포의) 외벽.

Ektoderm [..dɛ́rm] *n.* -s, -e 〖生〗 외배엽.

ektogen [..géːn] *a.* 외생(外生)의.

Ektomie [..míː] *f.* -n [..míːən] 〖醫〗 절제술.

Ektoparasit [ɛktoparazíːt] *m.* -en, -en 〖生〗 외부 기생 동물〔식물〕.

Ektopie [..píː] *f.* -n [..píːən] 〖醫〗 탈구, 전위(轉位).

ektopisch *a.* 〖의학〗 정상 위치를 벗어난, 탈구〔전위〕된.

Ektoplasma *n.* -s/..men 〖생물〗 (세포질의) 외부 원형질, (원생 동물의) 외질(外質).

Ektosit *m.* -en, -en ↑ Ektoparasit.

Ektoskelett *n.* -(e)s, -e (곤충류의) 갑각, 외골격(↔ Endoskelett).

Ektoskopie *f.* -n [..píːən] 〖醫〗 육안 검진.

ektotroph *a.* 〖生〗 숙주의 체외에 기생하는(↔ endotroph).

Ektro≈daktylie *f.* 〖醫〗 선천적 무지증(無肢症). **~melie** *f.* 〖醫〗 선천적 수족(手足) 불구.

Ektypographie [ɛktypografíː] ⟪gr.⟫ *f.* -n [..fíːən] 〖印〗 부식 철판법(凸版法); 튀어나오게 하는 인쇄; (맹인용) 점자.

Ekuador [ekuadóːr] ↑ Ecuador.

ekuadorianisch *a.* 에콰도르의.

Ekzem [ɛktséːm] ⟪gr.⟫ *n.* -s, -e ① 〖醫〗 습진. ② 〖지질〗 암염층(岩鹽層).

Ekzematiker *m.* -s, - 습진 환자.

Ekzematoid *n.* 습진성 피부 질환.

..(e)l *suf.* ① (독일 남부 지역 방언으로) 축소 명사를 만드는 후철(보기: Mädel); ch 또는 g로 끝나는 명사에서는 다시 ..chen과 결합하여 2중의 축소형을 만듦(보기: Bächelchen); 이런 형태는 친밀감을 나타낼 때가 있음(보기: Hänselchen). ② 도구를 나타내는 후철(보기: Bügel, Schüssel, Würfel).

Elaborat [elaboráːt] ⟪lat.⟫ *n.* -(e)s, -e ① 〔교양〕 글월, (퇴고한) 원고; 고심작, 노작. ② 〔폄어〕 날림글, 졸작.

elaborieren *t.* (문장 따위를) 퇴고하다; 완성하다.

elaboriert *a.* 〔교양〕 ① 세련된, 정선된. ② 〖언어〗 ~er Kode 세밀하고 풍부한 표현력.

Elaidin [elaɪdíːn] ⟪gr.⟫ *n.* -s, -e 〖化〗 엘라이징.

Elain [..íːn] *n.* -s 〖化〗 엘라잉.

Elan [eláːn, elɑ̃́] ⟪frz.⟫ *m.* -s, -s [..lɑ̃́ːs] (Schwung) 비약, 돌진; (Begeisterung) 열성, 감격: mit ~ an eine Aufgabe herangehen 정열적으로 어떤 과제에 착수하다.

elanvoll *a.* 비약적인; 감격적인, 열성적인.

Elastik [elástɪk] ⟪frz., „gr, elaúnein, „treiben"⟫ *f.* -en 〔*n.* -s, -s〕 신축〔탄(력)〕성 섬유〔수지〕; 탄성 수지 제품.

***elastisch** [elástɪʃ] *a.* ① 탄력〔신축〕성 있는: ~e Gummibänder 신축성 있는 고무줄. ② 경쾌한, 발랄한: sich ~ bewegen 경쾌하게 움직이다. ③ 유연한, 융통성 있는: ein ~es Verhalten 융통성있는 태도. ④ 〖역학〗 ~er Stoß 탄성 충격.

elastisch·flüssig *a.* 탄력성 액질의.

Elastizität [..stitsitɛ́ːt] *f.* -en 탄력(성), 신축(성); 〔비유〕 경쾌; 유연성, 신축 자재; 융통성, 회복력.

Elastizitäts≈grenze *f.* 〖역학〗 탄성 한계. **~koeffizient** *m.*, **~modul** *m.* 탄성 계수; 탄성률.

Elastomere *n.* -n, -n 〖化〗 탄력성 있는 인공 섬유.

Elativ [éːlatiːf] *m.* -(e)s, -e [..və] 〖문법〗 절대 최상급.

Elba [ɛ́lba] 엘바섬(지중해의 이탈리아 섬).

elb≈abwärts *adv.* 엘베강 하류 쪽으로. **~aufwärts** *adv.* 엘베강 상류쪽으로.

***Elbe** [ɛ́lbə] *f.* 엘베강(독일의 강).

Elbentritsch, Elbetritsch *m.* -s, -e(n) (südd.) ① (주로 새 모양의) 전설의 동물: mit jm. ~e(n) fangen 누구를 바보로 취급하다〔놀려먹다〕. ② 〔욕설〕 du ~! 이 괴물 같은 놈아!

Elb-Florenz [ɛ́lp|flɔrɛnts] 엘베강변의 플로렌스(Dresden의 별명).

Elb·kahn *m.* -(e)s, ..kähne 엘베강의 짐배; 〔구어〕 엄청나게 큰 (신)발.

Elch [ɛlç] *m.* -(e)s, -e 〖動〗 (Elentier) 고라니, 큰 사슴.

Elch·test *m.* 〖車〗 (스칸디나비아의) 자동차 주행 테스트(고라니가 길에 갑자기 나타났을 때의 상황을 가정한 데서). ② 〔비유〕 난관, 어려운 시험.

Eldorado [ɛldoráːdo] ⟪sp.⟫ *n.* -s, -s ① (전설상의) 황금의 나라. ② 〔비유〕 지상 낙원, 이상향, 천국(↑ Dorado).

Eleasar [eleáːzar] ⟪hebr.⟫ *m.* 〖聖〗 엘르아살

(Aaron 의 아들).
Eleate [eleá:tə] 《gr.》 *m.* -n, -n 〖哲〗 (기원전 5-6 세기의) 엘레아 학파의 학자(이탈리아의 도시 Elea 에서).
eleatisch *a.* 엘레아(학파)의: ~e Schule 엘레아 학파.
Eleatismus *m.* 〖哲〗 엘레아주의.
Electronic Banking 《engl.》〖재정〗 (컴퓨터나 전화를 이용한) 전자 금융 거래.
*__Elefant__ [elefánt, elə..] 《gr.》 *m.* -en, -en ① 〖動〗 코끼리: 〔비유〕 aus einer Mücke einen ~en machen 침소봉대하다: 〔구어〕 sich wie ein ~ im Porzellanladen benehmen 서툴게 행동하다. ②〔구어〕 대형 차량. ③ 종이(판)의 크기의 이름.
elefanten·artig *a.* 코끼리 같은; 거대한.
Elefanten=aussatz *m.* ↑ Elefantiasis. **~-baby** *m.* 덩치 크고 서툰 아이. **~bein** *n.* 코끼리 다리; 〔비유〕 뚱뚱하고 못생긴 다리. **~bulle** *m.* 수코끼리. **~führer** *m.* 코끼리 부리는 사람. **~gang** *m.* 〔비유〕 코끼리처럼 팔다리를 뻗고 기어가는 운동 동작. **~haut** *f.* ① 코끼리 가죽. ②〔비유〕 둔감: eine ~ haben 신경이 둔하다, 둔감하다. ③ (청소·세탁하기 편하도록) 벽지 표면에 입히는 광택 피막. **~-hochzeit** *f.* 〔비유〕 대기업 합병. **~jagd** *f.* 코끼리 사냥. **~käfer** *m.* 〖動〗 헤르쿨레스 딱정벌레. **~kalb** *n.* 아기 코끼리. **~kuh** *f.* 암코끼리. **~orden** *m.* (덴마크의) 코끼리 훈장. **~papier** *n.* 대형 도화지. **~rüssel** *m.* ① 코끼리의 코. ② (독일어 프락투어 서체의) 꼬부랑 장식체. **~zahn** *m.* 상아.
Elefantiasis [elefantí:azıs] 《gr.》 *f.* 〖醫〗 상피병(象皮病).
elefantös *a.* 〔구어〕 거대한, 우람한; 굉장한.
*__elegant__ [elegánt] 《frz.》 *a.* (fein) 품위있는, 우아한, 단아한; 세련된, 교양 있는, 멋진: ~e Kleidung 세련된 옷차림; ~er Wein 맛이 조화된 포도주.
Elegant [elegã́:] *m.* -s, -s [..gã́s] (Stutzer) 멋쟁이, 맵시꾼; 미남.
Eleganz [elegánts] *f.* 세련미, 우아, 단아; 멋, 맵시; 기품, 격조: die ~ der Ausstellungsstücke 전시 물품들의 세련미. ③ (움직임의) 유연함.
*__Elegie__ [elegí:] 《gr.》 *f.* -n [gí:ən] ①〖문학〗 (고대 그리스의) 애상조(哀傷調)의 시구(詩句); 비가, 애가. ③ 애수(哀愁), 비애, 우울: die ~ einer Landschaft 애수에 잠긴 풍경.
Elegien·dichter, Elegiker [elé:gıkər] *m.* -s, - 비가의 작가〔시인〕.
elegisch *a.* 비가의, 비가 형식으로 된; 구슬픈, 우울한: ~e Stimmung 우울한 기분〔분위기〕.
Eleison [eláizɔn, elé:i..] 《gr.》 *n.* -s, -s (Erbarmedich) 불쌍히 여기소서(찬송가 첫 구).
Elektion [elɛktió:n] 《lat.》 *f.* -en 〔교양〕 선택, 선발; 선거.
elektiv [..tí:f] *a.* 〔교양〕 선택〔선거〕에 의한.
Elektor [elɛ́ktɔr, ..to:r] *m.* -s, -en [..tó:rən] 〔교양〕 ①〔고어〕 선택(권)자; 선거인, 유권자. ②〖史〗 선제후(選帝侯).
elektoral [..torá:l] *a.* 선제후의.
Elektorat *m.* -(e)s, -e 〖史〗 선제후의 지위; 선제후국.
Elektra [elɛ́ktra] 〖그리스신화〗 엘렉트라 (Agamémnon 의 딸).
Elektra·komplex *m.* 〖心〗 엘렉트라 콤플렉스(여성들이 아버지에게 갖는 매우 강한 애착).
Elektrifikation [elɛktrifikatsió:n] *f.* -en (schweiz.) ↑ Elektrifizierung.
elektrifizieren [..tsí:rən] 《gr. -lat. electrum, „Bernstein"》 *t.* 전력을〔전기를〕 공급하다, 전동화하다: einen Betrieb ~ 공장에 전력을 공급하다.
Elektrifizierung *f.* -en 전력〔전기〕 공급, 전동화.
Elektrik [elɛ́ktrık] *f.* -en 전기 설비; 전기 공학.
Elektriker *m.* -s, - 전기 기사; 전기공.
*__elektrisch__ [elɛ́ktrıʃ] *a.* 전기의; 전기를 띤〔일으키는〕; 전기로 움직이는: ~ machen 전기를 통하게 하다; ~ kochen (전기 제품을 써서) 요리하다; das geht alles ~ 그것은 모두 전기로 움직인다; die ~e Bahn 전철(電鐵), (시내) 전차; eine ~e Batterie 전지; eine ~e Beleuchtung 전등, 전기 채광〔조명〕; ein ~es Feld 전계(電界); ~e Kräfte 전(기)력; ~e Kraftlinien 전기 지력선(指力線); ~e Ladung 전하(電荷); eine ~e Lampe 전구, 전등; ~e Leistung 전력; ein ~er Leiter 전기 도체; ein ~er Generator 발전기; ein ~er Ofen 전기 난로; ~es Potential 전위(電位); einen ~en Schlag bekommen 감전되다; ~e Schlaguhr 전기 시계; ~e Schweißung 전기 용접; ~e Spannung 전압; ~e Steuerung 전기 제어; ~er Strom 전류; ~er Stuhl (사형 집행용) 전기 의자; ein ~er Ventilator 전기 통풍기; ~e Verschiebungslinien 전기 변위선(變位線); ~e Wellen 전파; ~er Widerstand 전기 저항.
Elektrische* *die* 〔고어〕 시내 전차: mit der ~n fahren 전차를 타고 가다.
elektrisieren [elɛktrizí:rən] *t.* 《Ⅰ》① 전류〔전기〕를 통하게 하다, 전동화하다: Bernstein ~ 호박(琥珀)을 전기가 통하게 만들다. ② 〖醫〗 전기(충격) 요법을 하다, 전기 충격을 주다: die Muskelator eines Patienten ~ 환자의 근육(치료)에 전기 충격 요법을 쓰다. ③〔비유〕(감전된 때처럼) 강한 충격을 주다, 오싹하게〔짜릿하게〕 하다, 감격〔흥분〕시키다: der Schauspieler elektrisierte das Publikum 그 배우는 관객들을 짜릿하게 흥분시켰다. 《Ⅱ》 *refl.* sich ~ 감전되다.
Elektrisier·maschine *f.* (실험용) 발전기; (의료용) 전기 발전기.
Elektrisierung *f.* -en 전기화, 전력화.
*__Elektrizität__ [elɛktritsité:t] *f.* 전기, 전류; 전기 에너지: freie ~ 유리(遊離) 전기; negative〔positive〕 ~ 음〔양〕전기.
Elektrizitäts=anlage *f.* 발전 설비〔시설〕. **~ansammlung, ~aufspeicherung** *f.* 축전. **~entladung** *f.* 방전. **~erreger** *m.* ↑ ~erzeuger. **~erregung** *f.* ↑ ~erzeugung. **~erzeuger** *m.* 발전기. **~erzeugung** *f.* 발전. **~gesellschaft** *f.* 전기 회사. **~lehre** *f.* 전기학. **~leiter** *m.* 전기 도체. **~menge** *f.* 전기량. **~messer** *m.* 전기계, 전위계. **~sammler** *m.* 콘덴서; 축전기. **~strom** *m.* 전류. **~versorgung** *f.* 전기 공급. **~waage** *f.* ↑ ~messer. **~werk** *n.* 발전소. **~wirtschaft** *f.* 전기 공급 관리〔상황〕. **~zähler** *m.*

전기 계량기. **~zeiger** *m.* ↑ ~messer.

Elektro≠akustik [elɛktro..] *f.* 〖物〗 전기 음향학. **~analyse** *f.* 전기 분석. **~artikel** *m.* 전기 용품, 가전 제품. **~auto** [elɛ́ktroauto], **~automobil** *n.* 전기 자동차. **~bedarfsartikel** *m.* ↑ ~artikel. **~branche** [..brã́:ʃə] *f.* 전기〔전자〕 업종. **~chemie** *f.* 전기 화학. **~chirurgie** *f.* 〖醫〗 전기 외과. **~chord** [..kɔ́rt] *n.* 전자 오르간.

Elektrode [elɛktró:də] *f.* -n ① 전극. ② 〖醫〗 (심전도기 등에 사용되는) 전극판〔관〕.

Elektro≠diagnostik *f.* 〖醫〗 전기 진단법. **~dialyse** *f.* 〖化〗 전기 투석(透析). **~dynamik** *f.* 전기 역학.

Elektrodynamo≠maschine *f.* 발전기. **~meter** *n.* 전력계(計).

Elektro≠enzephalo·gramm *n.* 〖醫〗 뇌전도(腦電圖) (약어: EEG). **~filter** *m./n.* 전기 집진(集塵) 장치. **~fahrzeug** *n.* 전동차. **~gerät** [elɛ́ktro..] *n.* 가전 제품. **~graphie** *f.* 〖기술〗 전자 복사(법). **~gravüre** *f.* 전기 부각법(腐刻法). **~herd** [elɛ́ktro..] *m.* 전기 레인지. **~industrie** [elɛ́ktro..] *f.* 전자 (제품) 산업〔공업〕. **~ingenieur** [elɛ́ktro..] *m.* 전기 기사. **~installateur** *m.* 전기 설비공(양성 교사). **~kardiogramm** *n.* 〖醫〗 심전도. **~kardiographie** *f.* 〖醫〗 심전도 검사. **~karren** [elɛ́ktro..] *m.* 전동식 소형 트레일러〔짐수레〕. **~kaustik** *f.* 〖醫〗 전기 소작법(燒灼法). **~kauter** *m.* 전기 소작기. **~krampf** [elɛ́ktro..] *m.* 〖醫〗 전기 충격 (요법). **~kühl·schrank** [elɛ́ktro..] *m.* 전기 냉장고.

Elektrolyse [elɛktrolý:zə] *f.* -n 전기 분해, 전해(電解).

Elektrolyseur [..zø̀:r] *m.* -s, -e 전해 장치.

Elektrolyt *m.* -s/-en, -(e)n 전해물, 전해질〔액〕.

elektrolytisch *a.* 전기 분해의.

Elektro≠magnet *m.* 전자석. **≈magnetisch** *a.* 전자기(氣)의. **~magnetismus** *m.* 전자기학. **~mechanik** *f.* 전기 공학. **~medizin** *f.* 전기 의학. **~metallurgie** *f.* 전기 야금학. **~meter** *n.* 전위계(電位計). **~mobil** *n.* 전기 자동차. **~motor** [elɛ́ktro..] *m.* 전동기. **~myogramm** *n.* 〖醫〗 근전도(筋電圖) (약어: EMG, Emg).

Elektron [elɛ́ktrɔn, élɛktrɔn, elɛktró:n] 《gr.-lat.》 *n.* -s, -en [..tró:nen] ① 〖광물〗 호박금(琥珀金); 엘렉트론 합금(일종의 마그네슘 합금). ② 전자.

Elektro·narkose 〖醫〗 전기 충격 마취.

elektro·negativ *a.* 전기적으로 음성인.

Elektronen≠bahn *f.* 전자 궤도. **~blitzer** *m.*, **~blitz·gerät** *n.* (카메라의) 전자식 플래시. **~dichte** *f.* 〖化〗 전자 밀도. **~emission** *f.* 〖物〗 전자 방출. **~gehirn** *n.* 〔구어〕 전자 두뇌(전자 계산기). **~mikroskop** *n.* 전자 현미경. **~optik** *f.* 전자 광학. **~orgel** *f.* 전자 오르간. **~rechen·maschine** *f.*, **~rechner** *m.* 전자 계산기, 전산기. **~röhre** *f.* 전자〔진공〕관. **~schleuder** *m.* 〖物〗 (Betatron) 베타트론, 전자총. **~strahl** *m.* 전자선(線). **~theorie** *f.* 전자론(論). **~volt** *n.* 〖物〗 전자볼트(기호: eV). **~welle** *f.* 전자파.

Elektronik [elɛktró:nɪk] *f.* ① 전자 공학. ② 전자 부품〔기기〕.

Elektronik·schrott *m.* -(e)s, -e 〖환경〗 전자제품 폐기물.

elektronisch *a.* 전자(공학)의: ~e Musik 전자 음악; ~e Datenverarbeitung 전자 정보 처리; ~e Post 전자 우편.

Elektro≠ofen *m.* 전기 난로. **~optik** *f.* 전기 광학.

Elektrophon *n.* -s, -e 전자 악기.

Elektrophor [elɛktrofó:r] *m.* -s, -e 기전반(起電盤), 전기분(盆).

Elektro≠physik *f.* 전기 물리학. **~physiologie** *f.* 전기 생리학. **~plattierung** *f.* 전기 도금. **≈positiv** *a.* 양전기의. **~schock** [elɛ́ktro..] *m.* 전기 충격(요법). **~skop** *n.* 검전기. **~smog** [elɛ́ktro..] *m.* 〔구어〕 전자 스모그. **~statik** *f.* ① 정(靜)전기학. ②〔구어〕 정전기. **~technik** *f.* 전기 공학. **~techniker** *m.* 전기 기사. **~therapie** *f.* 전기 요법. **≈thermisch** *a.* 전(기)열의. **~tomie** *f.* 〖醫〗 전기 절제(술). **~typie** *f.* 전기 제판(술), 전기 금속 석출법. **~verfeinerung** *f.* 전기 정련. **~zeit** *f.* 〖스포츠〗 (전자 시계로 측정한) 시간.

Elektrum [elɛ́ktrum] 《gr.-lat.》 *n.* -s (Bernstein) 호박(琥珀).

***Element** [elemɛ́nt] 《lat. elementum, „Grundstoff"》 *n.* -(e)s, -e ① 원소, (자연의) 기본 요소; (거대한) 자연의 힘: die vier ~e 4대 원소(화(火)·수(水)·풍(風)·토(土)); das Toben der ~e 자연의 위력, 악천후; das periodische System der ~e 원소의 주기계(週期系). ② 요소, 인자, 성분; 〖전자·전산〗 소자(素子). ③ (Lebensstoff) 생활 원소(공기 따위), 생활 필수품; 본래의〔이성적인〕 활동 영역, 본령: er ist (ganz) in seinem Element 그는 살판났다, 물고기가 물을 만난 격이다. ④ 〔복수〕〔비유〕 사회적 구성 인자〔분자〕: gefährliche ~e 위험 분자; schlechte ~e (도덕적으로) 열등한 족속. ⑤〔복수〕 기초, 기본 원리; 전형적 요소, 본질적 특징: die ~e der Physik 물리학의 기초; er hat in seinen Kompositionen ~e aus der Volksmusik verwendet 그는 작곡에 민속 음악의 기본 원리를 사용하였다. ⑥ Blitz ~! 제기랄, 빌어먹을, 아차! ⑦ 〖전기〗 전지(電池). ⑧ 〖건축〗 (조립식 건축물의) 부품, 부분.

***elementar** [elemɛntá:r] *a.* ① 원소의, 기본 요소의. ② 원시의. ③ 기본의, 기초가 되는; 초보의: die ~en Bedürfnisse des Menschen 인간의 기본 욕구; die ~ste Pflicht 가장 주요한 의무. ④ 자연(력)의: ~e Kräfte 자연력; mit ~er Gewalt 불가항력으로. ⑤ 격렬한.

Elementar≠analyse *f.* 〖化〗 원소 분석. **~art** *f.* 〖哲〗 원종(原種). **~begriff** *m.* 기본 개념. **~bestand·teil** *m.* 기본 구성 성분. **~bildung** *f.* 기본 소양; 초등 교육. **~buch** *n.* 입문서. **~ereignis** *n.* ① 천재지변. ② 〖數〗 (확률의) 변수. **~erscheinung** *f.* 자연 현상. **~form** *f.* (기하학의) 기본 도형〔형태〕. **~funktion** *f.* 기본 기능. **~geist** *m.* (자연계의) 정령(精靈). **~gewalt** *f.* 자연력.

elementarisch *a.* ↑ elementar.

Elementar≠kenntnis *f.* 초보적〔기초적〕 지식. **~klasse** *f.* 초등 학급; 초급반. **~kraft** *f.* 자연력. **~ladung** *f.* 〖物〗 전기소량(電氣素

量) (약어: e). **~lehre** *f.* 〖哲〗 원리론. **~lehrer** *m.* 초급 교사; 초등 학교 교사. **~magnet** *m.* 최소 자기(磁氣) 단위. **~organismus** *m.* 〖動〗 원시 생물. **~philosophie** *f.* 〖哲〗 근원 철학. **~quantum** *n.* 〖物〗 소량(素量). **~schule** *f.* 초등 학교. **~stein** *m.* 〖광물〗 단백석(蛋白石) **~teilchen** *n.* 〖物〗 소립자. **~unterricht** *m.* 초등〔초보〕 교육. **~werk** *n.* 입문서〔교재〕. **~zeit** *f.* (상대성 이론에서의) 최소 단위의 시간(10^{-23}초).

Elemi [elé:mi] *n.* -s 엘레미(감람과 식물의 수지(樹脂)).

Elen [é:lɛn] *m./n.* -s, - 고라니(Elch).

Elen·antilope *f.* 〖動〗 (남아프리카) 고라니.

Elenchus [eléŋçus] *m.* -, ..chi/..chen ① 〖印〗 목차, 색인. ②〖印〗 반증.

***Elend** [é:lɛnt] 《원뜻 „Ausland"》 *n.* -(e)s ① 〔고어〕 추방, 귀양. ② 불행; 재난; 비참: es ist ein ~ mit ihm 그는 처지가 비참하다; das große ~ bekommen 몹시 비참한 심경〔기분〕이 되다. ③ 곤궁, 낙담; 번민: glänzendes ~ 겉은 번드르르하나 실속이 없는 것, 외화내빈(外華內貧); 〔학생〕 heulendes ~ (취중의) 서글픈 느낌.; 〔구어〕 er ist nur noch ein Häufchen ~ 그는 단지 처량하고 불쌍한 사람일 뿐이다; er sieht aus wie das leibhaftige ~ 그는 아주 초췌해 보인다. ④〔구어〕 ein langes ~ 비쩍 마른 키다리.

***elend** 《mhd. ellende》《I》 *a.* ①〔고어〕 유랑의. ② 불행한, 비참한; 빈궁한: ein ∼er 비참한 사람, 비열한 놈: ein ~es Los 비참한 운명. ③ 초췌한, 쇠약한; 여윈, 수척한. ④ 가련한, 불쌍한; 야비한, 경멸할 만한: ein ~er Kerl 비열한 놈. ⑤ 고약한, 고약하게 큰, 불쾌한: eine ~e Arbeit 고약한 일거리. 《II》 *adv.* 비참하게; 〔구어〕 아주: ~ groß 아주〔굉장히〕 큰; es ist heute ~ heiß 오늘 날씨가 지독하게 덥다.

elenden [é:lɛndən] 《I》 *t.* 〔구어〕 괴롭히다, 귀찮게 굴다; 싫증나게 하다. 《II》 *refl.* sich ~ 싫증나다.

elendig [é:lɛndıç] *a.* 〔방언〕 ↑ elend.

Elendigkeit *f.* 불행〔비참〕한 상태; (Armseligkeit) 곤궁, 적빈(赤貧); 비루.

elendiglich [é:lɛndıklıç] *adv.* 비참하게; 비열〔불쌍〕하게.

Elends≈dasein *n.* 비참한 삶. **~gestalt** *f.* 초췌한〔비참한〕 몰골(의 사람). **~leben** *n.* ↑ ~dasein. **~quartier** *n.* 궁색한 거처〔숙소〕. **~viertel** *n.* 빈민가, 슬럼.

Elen≈haut [é:lɛn..] *f.* 고라니의 가죽. **~tier** *n.* 〖動〗 고라니.

Elephantiasis *f.* ..sen ↑ Elefantiasis.

Eleusinien [elɔyzí:niən] 《gr.》 *pl.* (풍요·수확의 여신 Demeter 를 신봉하는 그리스의 도시) 엘레우시스에서 행해졌던 축제 의식.

eleusinisch *a.* 엘레우시스의: ~e Mysterien 엘레우시스의 신비 의식.

Eleutheriologie *f.* - 〖哲〗 자유론.

Elevation [elevatsió:n] 《lat., „Erhebung"》 *f.* -en ① 상승, 고양; 고지(高地), 융기. ② 〖軍〗 앙각(仰角); 조준각. ③〖天〗 (별의) 고도 (지평선과 별이 이루는 각도). ④〖建〗 입면도. ⑤〖가톨릭〗 성체 거양(擧揚)〔봉대(奉戴)〕식.

Elevations·winkel *m.* 〖軍〗 앙각.

Elevator [elevátɔr, ..to:r] *m.* -s, -en [..tó:rən] ① 리프트, 기중기; (곡물 운반용) 양곡기(糧穀機). ② 승강기, 엘리베이터; 〖空〗 승강키. ③〖醫〗 거근(擧筋).

Eleve [elé:və] 《frz.》 *m.* -n, -n ①〔고어〕 제자, 생도. ② (연극·발레를 배우는) 수련생. ③ 농림 실습생, 영농〔영림〕 후계자.

elevieren *t.* 올리다, 높이다; (항의를) 제기하다.

Elevin *f.* -nen 〖↑ Eleve 의 여성형〗 여제자, 여생도.

***elf** [ɛlf] 〔명사적 용법으로는 흔히: elfe〕 *num.* 11(의), 열 하 나(의): wir sind zu elf(en) 〔elft〕 우리는 모두 열한 사람이다; es ist ~ (Uhr) 지금 시각이 11 시이다.

Elf[1] *f.* -en ① 11(이라는 수), 열하나. ②〔구어〕 11 번 버스〔전철〕: in die ~ umsteigen 11 번 버스〔전철〕로 갈아타다. ③〖스포츠〗 11 명의 선수로 구성된 팀: Fußball∼ 11 인 축구팀; Handball∼ 11 인 핸드볼 팀.

Elf[2] 《engl.》 *m.* -en, -en (Naturgeist) 요정, 정령: Blumen∼ 꽃의 요정.

Elfe *f.* -n ↑ Elf[2] 의 여성형.

elfe *num.* ↑ elf.

Elf≈eck *n.* 〖數〗 11 각〔변〕형. **∼eckig** *a.* 11 각형〔변형〕의. **∼einhalb** *a.* 11 개 반의.

elfen·artig *a.* 요정 같은, 요정처럼 아리따운.

***Elfen·bein** [ɛ́lfənbaın] *n.* -(e)s 상아; 상아 세공품; 상아(로 된) 유물: gebranntes ~ 골탄(骨炭), 아이보리 블랙(도료색의 일종).

Elfenbein≈arbeit *f.* 상아 세공(품). **~arbeiter** *m.* 상아 세공인. **∼artig** *a.* 상아 같은, 상아로 만든. **~drechsler** *m.* ↑ ~arbeiter.

elfen·beinern *a.* 상아(제)의.

elfenbein≈farbig, ~gelb *a.* 상아색의. **∼griff** *m.* 상아로 만든 손잡이. **∼küste** *f.* ① 상아 해안(서아프리카의 지명). ② (côte d'Ivoire) 코트디부아르(서아프리카의 공화국).

elfenbeinisch *a.* 상아 해안의.

Elfenbein≈nuß *f.* 상아야자의 열매. **~palme** *f.* 〖植〗 상아야자. **~papier** *n.* 상아지(紙)(명함 따위에 쓰이는 광택지). **~porzellan** *n.* 노란 빛깔의 영국산(産) 도자기. **~schnitzer** *m.* 상아 세공사. **~schnitzerei** *f.* 상아 세공(술); 상아 세공 작업실; 상아 세공품. **~schwarz** *n.* 골탄(骨炭)(상아를 건조 증류하여 만드는 채색 재료). **~turm** *m.* 상아탑: 〔비유〕 im ~ leben 상아탑에 살다, (자신의 고유한 세계에 머물며) 세상과 등지고 살다. **~weiß** *a.* 상아색의.

elfenhaft *a.* 요정 같은, 요정처럼 우아하고 부드러운.

Elfen≈könig *m.* 요정의 왕. **~königin** *f.* 요정의 여왕. **~reigen** *m.* ↑ ~tanz. **~ring** *m.* ① (Hexenring) 버섯이 띠 모양으로 자라난 자리(민간 신앙에서 마녀·요정이 출몰하는 장소로 간주되었음). ②〖사냥〗 노루가 발정기에 (풀)밭을 짓밟아 생긴 띠 모양의 자국. **~tanz** *m.* 요정의 춤.

Elfer [ɛ́lfər] *m.* -s, - ① 11 개 한 세트의 물건; 11 인조의 사람〔선수단〕. ② (천 몇 백) 11 년산(産)의 포도주; die ~ 제 11 연대의 병사들. ③ 〔축구〕〔구어〕 페널티 킥.

elferlei *a.* 11 종의: ~ Kuchen 11 종의 케이크.

Elfer≈rat *m.* 사육제를 주관하는 11 인 위원회. **~wette** *f.* 11 개 축구 경기의 승부를 알아맞히는 내기(복권의 일종).
Elfinger *m.* (천 몇 백) 11 년산(產)의 포도주.
elf·fach *a.* 11 배의; 11 겹의.
elfisch *a.* 요정의, 요정 같은.
elf≈jährig *a.* 11 세〔년〕의. **~mal** *adv.* 11 배〔번〕. **~malig** *a.* 11 배〔번〕의.
Elf·männer *pl.* 〖聖〗(12 제자 중 유다를 제외한) 예수의 11 제자.
Elfmeter *m.* -s, -s 〖축구〗 페널티 킥: der Schiedsrichter gab einen ~ 주심이 페널티 킥을 선언했다.
Elfmeter≈marke *f.* ↑ ~punkt. **~pfiff** *m.* 페널티 킥 휘슬. **~punkt** *m.* 페널티 킥 지점. **~reif** *a.* 페널티 킥을 선언할 정도로 심하게 반칙을 한. **~schießen** *n.*, **~schuß** *m.* 페널티 킥. **~schütze** *m.* 페널티 킥을 차는 선수. **~tor** *n.* 페널티 킥에 의한 득점.
elf≈stündig *a.* 11 시간의. **~tägig** *a.* 11 일의.
***elft** [ɛlft] *a.* 제 11 의, 11 번째(의): am ~en Mai 5 월 11 일에; in der ~en Stunde 11 시에, 뒤늦게, 최후에.
elftehalb *num.* 10 개 반(의).
elftel *num.* 11 분의 1 의.
Elftel *n.* -s, - 11 분의 1.
elfteln *t.* 11 로 나누다.
elftens *adv.* 제 11 번째에〔로〕.
elf·und·einhalb *num.* 11 개 반(의).
Elger [ɛ́lgər] *m.* -s, - (고기를 찌르는) 작살.
Elias [elí:as] *m.* ①〖聖〗 엘리야(이스라엘의 예언자). ② 엘리아스(남자 이름).
elidieren [elidí:rən] 《lat.》 *t.* ①〔교양〕 삭제하다, 지우다. ②〖언어〗(모음 등을) 생략하다.
Elidierung *f.* 삭제; 생략.
eligibel [eligí:bəl] *a.* 뽑힐 수 있는, 피선거권이 있는; 적격한.
eligieren 《lat. legere, „lesen"》 *t.* 뽑다, 선거하다.
Elimination [eliminatsió:n] 《lat.》 *f.* -en ① 제거; 배설; 〖數〗 소거. ② 〖生〗 도태, 퇴화.
Eliminations·verfahren *n.* 〖數〗 소거법.
eliminieren 《lat.》 *t.* ①〔교양〕 제거하다; 물리치다, 제압하다: alle Fehler ~ 모든 오류를 제거하다; einen Konkurrenten ~ 경쟁자를 물리치다; man hat ihn eliminiert 사람들이 그를 탈락〔제거〕시켰다. ②〖數〗 소거하다.
Eliminierung *f.* 제거, 소거; 제압.
Eliminator [..ná:tor, ..to:r] 《lat.》 *m.* -s, -en [..tó:rən] (라디오의) 일리미네이터, 직류 전환 장치.
Elis [é:lɪs] 《gr.》 엘리스(그리스의 이오니아해 연안 지방).
Elisa[1] [elí:za, elizá:] 《hebr.》 *m.* 〖聖〗 엘리사(이스라엘의 예언자).
Elisa[2] [elí:za] 《hebr.》 *f.* ↑ Elisabeth 의 단축형.
Elisabeth *f.* 엘리자베스(여자 이름).
elisabethanisch [elizabetá:nɪʃ] *a.* 엘리자베스 여왕(시대)의.
Elisabethinerin *f.* -nen 〖宗〗 간호사(자선을 베푸는 수녀).
Elision [elizió:n] 《lat.》 *f.* -en 〖언어〗 모음 생략(보기: in Fried(e) und Freud(e)) (↑ elidieren).

elitär [elitɛ́:r] *a.* ① 엘리트에 속하는; 정예〔엘리트〕의, 엘리트식의: ~e Gruppen: 엘리트 모임; ~es Denken 엘리트적 사고. ②〖폄어〗 오만한, 건방진: ~es Gerede 건방진 말.
Elite [elí:tə] 《frz.》 *f.* -n 엘리트, 정예; 특권층; 정예병.
Elite≈armee *f.* ↑ ~truppe. **~bildung** *f.* 엘리트 양성. **~formation** *f.* ↑ ~truppe. **~mannschaft** *f.* 정예 선수단〔팀〕. **~schule** *f.* 〖사회학〗 지도자 양성 학교, 엘리트 학교. **~truppe** *f.*, **~verband** *m.* 〖軍〗 정예 부대.
Elixier [elɪksí:r] 《ar.》 *n.* -s, -e ① (연금술사들이 만든) 신비의 영약(靈藥). ②〖藥〗 엘릭시르제(劑).
eljen [ɛ́ljɛn, é:l..] 《ung.》 *int.* 만세.
Eljen·ruf *m.* 만세의 외침.
Elk [ɛlk] *m.* -(e)s, -e 〖動〗 고라니.
***Ellbogen** [ɛ́lbo:gən] *m.* -s, - 팔꿈치: sich auf die ~ stützen 팔꿈치로 몸을 괴다; 〔비유〕 er hat seine ~ 그는 박력〔줏대, 과감성〕 있는 사람이다; keine ~ haben 소심하다; seine ~ (ge)brauchen 과감하게 자기 주장을 관철하다.
Ellbogen≈bein *n.* 척골(尺骨). **~beuger** *m.* 굴근(屈筋). **~freiheit** *f.* 팔꿈치를 움직일 수 있을 만큼의 여유〔자유〕; 자유로운〔과감한〕 운신의 여지. **~gelenk** *n.* 팔꿈치 관절. **~gesellschaft** *f.* 자신의 힘으로 (다른 사람을) 밀어 젖히고 나가야 하는 사회, 경쟁 사회. **~grube** *f.* 주와(肘窩). **~lehne** *n.* 궤(几). **~mensch** *m.* 〔폄어〕 독불장군. **~muskel** *m.* 팔꿈치 근육. **~nerv** *m.* 척골 신경. **~polster** *n./m.* ↑ ~lehne. **~taktik** *f.* 〔폄어〕(수단·방법을 가리지 않는) 무자비한 책략〔술책〕.
***Elle** [ɛ́lə] *f.* -n ①〖醫〗 척골(尺骨). ② 엘레(독일의 옛 치수 이름, 약 2 자 1 치=66 cm): nach der ~ verkaufen 엘레로 팔다; alles mit gleicher ~ messen 모든 것〔일〕을 천편일률적으로 취급하다; 〔구어〕 er hat eine ~ verschluckt 그는 별나게 뻣뻣하다, 태도가 거만하다; jn. mit der ~ messen 〖비유·구어〗 누구를 두들겨 패다.
Ellen≈baum *m.* 〖植〗 오리나무. **~bogen** *m.* ↑ Ellbogen. **~lang** *a.* 1 엘레 길이의; 〖비유·구어〗 아주 기다란: ein ~er Kerl 키다리. **~maß** *n.* 엘레자〔尺〕. **~prinz, ~reiter, ~ritter** *m.* 〔폄어〕 포목점〔양복점〕의 우두머리 점원; 재봉사. **~stab, ~stock** *m.* ↑ ~maß. **~waren** *pl.* 피륙, 옷감.
Ellenwaren·händler *m.* 포목 상인. **~handlung** *f.* 포목상.
ellen·weise *adv.* 엘레 치수로.
Eller [ɛ́lər] *f.* -n ↑ Ellenbaum.
Ellering, Ellerling *m.* -s, -e ↑ Elritze.
ellern *a.* 오리나무의, 오리나무로 만든.
Ellipse [ɛlɪ́psə] 《gr. elleípein, „auslassen, ermangeln"》 *f.* -n ①〖數〗 타원. ②〖문법·修〗 생략(법), 생략문(보기: (ich) danke schön).
ellipsen≈artig *a.* 타원형의. **~form, ~gestalt** *f.* 타원형. **~zirkel** *m.* 〖數〗 타원 컴퍼스〔걸음쇠〕.
Ellipsograph 《gr.》 *m.* -en, -en 〖數〗 타원 컴퍼스.
Ellipsoid [ɛlɪpsoí:t] *n.* -(e)s, -e 〖數〗 타원체면.

ellipsoid *a.* 타원형의.
elliptisch *a.* ①〖數〗 타원(형)의. ②〖문법·修〗 생략한, 생략법의.
Elliptizität [ɛlɪptitsitɛ́:t] *f.* ① 타원형(의 속성). ②〖天〗 타원율.
Ellok *f.* (Elektrische Lokomotive) 전동차 (E-Lok).
Ellritze *f.* -n ↑ Elritze.
Elms·feuer [ɛ́lmsfɔʏər] *n.*〖物〗 Sankt ~ 성(聖)엘모의 불, 장두 전광(檣頭電光)(뇌우 때 첨탑 따위에 발생하는 전광).
El Niño〖기상〗 엘니뇨 현상.
Eloah [elóːa] 《hebr., „der Starke"》 *m.* -(s), Elohim [elohíːm]〖聖〗(헤브라이의) 신(神).
Eloge [elóːʒə] 《frz.》 *f.* -n 찬사, 칭찬; 아첨: eine ~ auf jn. halten 누구에 대한 찬사의 글을 쓰다. jm. ~n machen 누구를 추켜 주다.
Elohim [elohíːm] *pl.* ↑ Eloah.
E-Lok [éːlok] *f.* -s (Elektrische Lokomotive) 전동차.
Elokution [elokutsióːn] 《lat. eloquí, „aussprechen"》 *f.* -en 웅변술, 말재간; 낭독법.
Elongation [elɔŋgatsióːn] 《lat. longus, „lang"》 *f.* -en ①〖天〗(태양과 행성 사이의) 이각(離角). ②〖物〗 진자의 진폭.
Elongations·winkel *m.*〖天〗 이각.
eloquent [elokvɛ́nt] 《lat.; ♧Elokution》 *a.* 〘교양〙 달변〔웅변〕의, 유창한.
Eloquenz [elokvɛ́nts] *f.*〘교양〙 달변, 웅변, 유창.
Eloxal [elɔksáːl] 《<el(ektrisch) ox(idiertes) Al(uminium)》 *n.* -s 알루마이트.
eloxieren *t.* 알루마이트로 도금하다, 알루마이트 처리를 하다.
Elritze [ɛ́lrɪtsə] *f.* -n〖動〗 연준모치(잉어과의 물고기).
Elsa [ɛ́lza], **Elsabe** *f.* 엘자, 엘자베(여자 이름; ↑ Elisabeth의 애칭).
El Salvador [ɛlzalvadóːr] 엘살바도르 공화국.
Elsaß [ɛ́lzas] *n.* -, ..sasse 알자스(라인강 상류의 지방).
Elsässer [ɛ́lzɛsər] 《Ⅰ》 *m.* -s, - ① 알자스 사람. ② 알자스산(産) 포도주. 《Ⅱ》 *a.* 알자스(사람)의.
elsässisch *a.* 알자스의.
Elsaß-Lothringen [..lóːtrɪŋən] 알자스-로렌(프랑스령).
Elsaß-Lothringer *m.* -s, - 알자스-로렌 사람.
Els≠beer·baum [ɛ́ls..] *m.*〖植〗 개쉬땅나무. **~beere** *f.*〖植〗 개쉬땅나무(의 열매).
Else [ɛ́lzə] *f.* -n ① (ndd.)〖植〗 오리나무. ② 〘방언〙〖動〗 청어의 일종.
Else≠beere *f.* ↑ Elsbeere. **~baum** *m.* ↑ Elsbeerbaum.
Elster[1] [ɛ́lstər] *f.* 엘스터(독일 중부의 강).
Elster[2] [ɛ́lstər] *f.* -n ①〖動〗 까치: sie schwatzt〔stiehlt〕 wie eine ~ 그 여자는 잘 재잘거린다〔손버릇이 나쁘다〕. ②〘구어〙 수다쟁이, 도둑.
Elster(n)·auge *n.* (발뒤꿈치의) 티눈.
Elt [ɛlt] *f.* -en ↑ Elektrizität.
Elter [ɛ́ltər] 《<Eltern》 *m./n.* -s, -n〖生〗 양친 중의 한쪽.
elterlich *a.* 부모의, 양친의; 양친에게 속하는; 부모에게 귀속된; 부모와 같은: die ~e Wohnung 부모의 집; ~e Pflichten 부모(로서)의 의무;〖法〗 ~e Gewalt〔Sorge〕 친권.
Elter·mutter *f.*〘고어〙 조모.
***Eltern** [ɛ́ltərn] 《원뜻 „die älteren"》 *pl.* 어버이, 양친, 부모: von guten ~ sein 혈통〔가문〕이 좋다; 〘비유〙 dieser Witz ist nicht von schlechten ~ 이 재담은 정말 멋들어지다.
Eltern≠abend *m.* (교사·학부형이 자리를 함께 하는) 학부모의 밤. **~aktiv** *n.*〖구동독〗 학부형 위원회. **~beirat** *m.* (*pl.* ..räte) 사친회〔학부형회(의 구성원)〕. **~beratung** *f.* 학부모 상담. **~haus** *n.* 생가; (성장·교육 환경으로서의) 집안, 가정: aus einem guten ~ stammen 훌륭한 집안 출신이다. **~liebe** *f.* ① 어버이의 사랑. ② 어버이에 대한 사랑, 효심.
elternlos *a.* 부모가 없는, 고아인.
Eltern≠mitbestimmung *f.* 학부모의 참여. **~mord** *m.* 부모 살해. **~mörder** *m.* 부모 살해자. **~pflicht** *f.* 어버이의 의무. **~recht** *n.* 부모의 권리, 친권.
Elternschaft *f.* -en 어버이임, 어버이로서의 신분(자격); 어버이와 자식의 관계; 학부형.
Eltern≠seminar *n.* 학부모를 위한 세미나. **~teil** *m.* 부모 중의 한쪽. **~vertreter** *m.* 학부모 대표.
Elter·vater *m.*〘고어〙 조부.
Eluat *n.*〖化〗 용리물(溶離物).
eludieren [eludíːrən] 《lat.》 *t.* 회피하다; 망쳐놓다; 기만하다.
eluieren [eluíːrən] 《lat. eluere „auswaschen"》 *t.*〖化〗 용리(溶離)하다.
Elution *f.*〖化〗 용리(溶離).
Elukubration [elukubratsióːn] 《lat.》 *f.* -en 〘고어〙 밤샘 연구; 고심한 논문, 역작.
Elution, Elutriation 《lat.》 *f.* -en〖化〗 물로 씻어 깨끗이함; 세정.
eluvial *a.*〖지질〗 잔적층(殘積層)의.
Eluvium *n.* -s〖지질〗 잔적토(殘積土).
elysäisch [elyzɛ́ːɪʃ] *a.* ↑ elysisch.
Elysee [elizéː] 《frz.》 *n.* -s 엘리제궁(宮).
elysieren 《<Elektrolyse》 *t.* (금속을) 전기분해로 가공하다.
elysisch [elýːzɪʃ] 《gr.》 *a.* 극락의, 황홀한: ~e Gefilde a)〖그리스신화〗 극락, b) 황홀경.
Elysium *n.* -s ①〖그리스신화〗(선택된 영웅들이 죽지 않고 가게된다는) 극락, 이상향. ② 황홀경.
Elytron [ɛ́lytrɔn] 《gr.》 *n.* -s, ..tren [..ýːtrən]〖動〗(곤충의) 날개 딱지;〖醫〗 질(膣).
Elzevir [ɛ́lzəviːr] 《Ⅰ》 엘체비르(17세기 네덜란드의 출판업자). 《Ⅱ》 *f.* 엘체비르 활자〔서체〕.
Elzevir≠ausgabe *f.*〖출판〗(라틴 고전의) 엘체비르판(版) (Elzeviriana). **~format** *n.* 엘체비르 판형. **~schrift** *f.* 엘체비르 활자.
Em =Emanation〖化·고어〗 기체 상태의 방사능 원소 라돈(Radon).
em. =emeritus〘관직·직책 뒤에 붙임〙 퇴직〔퇴역〕의(↑ Emerit).
e.m. =ejusdem mensis 같은 달의.
E-Mail [íːmeil] 《engl.》 *f.* -s 전자 우편.
Email [emáɪ(l), emáːj] 《frz. émail》 *n.* -s, -s, **Emaille** [emáljə, emáːj] *f.* -n 에나멜, 유약; 법랑.
Email≠arbeit [emáɪ(l).., emáːj..] *f.* 법랑 세

공〔제품〕. **~farbe** *f.* 에나멜 색〔도료〕. **~-gemälde** *n.* 에나멜〔칠보〕화(畫). **~geschirr** *n.* 법랑 그릇.

Emailleur [ema(l)jø̃:r] 《fr.》 *m.* -s, -e 법랑 세공사, 칠보 자기공.

emaillieren [ema(l)jí:rən] *t.* 유약〔에나멜〕을 칠하다.

Emaillierer *m.* -s, - ↑ Emailleur.

Emaillier⸗ofen [ema(l)jí:r..] *m.* 에나멜〔법랑〕 굽는 가마. **~werk** *n.* 법랑〔칠보 자기〕 공장.

Email⸗maler [emáı(l).., emá:j..] *m.* 에나멜 화공. **~malerei** *f.* 에나멜화(畫).

Eman [emá:n] *n.* -s, -(s) 에만(방사능 함유량 측정 단위).

Emanation [emanatsió:n] 《lat., „Ausfluß"》 *f.* -en ① 유출; 방사(放射); 〔교양〕 발산. ② 〖哲〗 유출. ③ 기체 상태의 방사능 원소 라돈(기호: Em) (↑ Radon). ④〖法〗 고시(告示).

Emanations⸗theorie *f.* 〖哲〗 유출설; 〖物〗 (빛의) 미립자설. **~theraphie** *f.* 〖醫〗 라돈 요법.

Emanatismus *m.* 〖哲〗 유출설.

emanieren 《lat. manāre, „fließen"》 《Ⅰ》 *i.* (s.) (방사능이) 방사되다, 유출되다. 《Ⅱ》 *t.* 방사〔유출〕하다; 〖法〗 발포〔고시〕하다.

Emanuel [emá:nuɛl] 《hebr., „Gott mit uns"》 *m.* 에마누엘(남자 이름).

Emanze [emántsə] *f.* 〔구어·폄어〕 여성 해방론자; 페미니스트.

***Emanzipation** [emantsipatsió:n] 《lat.》 *f.* -en 해방, 독립; 평등화; 〖法〗 자치산(自治產).

Emanzipations·bewegung *f.* 해방 운동.

emanzipatorisch *a.* 해방〔평등〕을 추구하는: ~er Unterricht 평등 의식을 길러주는 수업.

emanzipieren 《Ⅰ》 *t.* 해방하다, 독립시키다. 《Ⅱ》 *refl.* sich ~ 해방되다.

emanzipiert *p.a.* 해방된, 속박〔인습·편견〕에서 벗어난, 자립적인, 동등한: eine ~e Frau a) 해방된 (신)여성, 남녀 동등권을 부르짖는 여성, b) 자유분방한 여성.

Emanzipierung *f.* 해방.

Emaskulation *f.* -, -en ①〖醫〗 거세(수술). ②〔교양〕 여성화; 유약〔무력〕화.

Emaskulator *m.* -s, -en 〖수의〗 (짐승의) 거세 기구.

emaskulieren *t.* 거세하다.

Emballage [ãbalá:ʒə] 《frz. balle, „Ballen"》 *f.* -n 〖商〗 포장 (재료).

emballieren [ãbalí:rən] *t.* 포장하다.

Embargo [ɛmbárgo] 《sp. embargar, „hindern"》 *n.* -s, -s 〖海〗 (선박에 대한) 출입항 금지 명령; 〖法〗 (특정 품목의) 수출〔통상〕 금지, 무역 봉쇄: Waffen⸗ 무기 수출 금지; jn. mit ~ belegen 누구에게 수출〔출항·선적〕을 금지하다.

embarkieren [ãbarkí:rən] 《frz.》 《Ⅰ》 *t.* (einschiffen) 배에 싣다〔태우다〕. 《Ⅱ》 *refl.* sich ~ (사업 따위를) 착수하다.

Embarras [ãbará] *m./n.* - [..á(s)] 《frz.》 〔고어〕 ① 혼란, 곤란. ② 방해.

embarrassieren [ãbarasí:rən] 《frz. barre, „Stange"》 *t.* ① 방해〔저해〕하다. ② 난처〔곤란〕하게 하다.

Emblem [ɛmblé:m, ãblé:m] 《gr.》 *n.* -s, -e ① 상징, 표지; 우의(寓意); 우의화(畫); der Ölzweig als ~ des Friedens 평화의 상징인 올리브나무 가지. ② 표장(標章), 기호; 장식(품).

Emblematik [..má:tık] *f.* ①〖문학·예술〗(종교·신화적 내용의) 상징적 표현, 우의(寓意). ② 우의 연구〔해석학〕.

emblematisch [ɛmblemá:tıʃ] *a.* 상징적〔우의적〕인; 우의화(畫)의; 표장의.

Embolie [..bolí:] 《gr.》 *f.* -n [..lí:ən] 〖醫〗 색전증(塞栓症).

Embolus 《gr. embolos, „Keil"》 *m.* -, ..li ① 마개; 말뚝, 쐐기. ②〖醫〗 색전물(塞栓物).

Embonpoint [ãbõpoɛ̃:] 《frz.》 *m./n.* -s ① 〔고어〕 비만(증). ②〔농담〕 올챙이배, 똥배.

embrassieren [ãbrasí:rən] 《frz. bras, „Arm"》 *i.* 〔고어〕 포옹하다, 입맞추다.

embrouillieren [ãbrʊljí:rən, ãbrují:..] 《frz.》 *t.* 〔고어〕 (verwirren) 혼란〔혼동〕에 빠뜨리다.

Embryo [ɛ́mbryo] 《gr. brýein, „keimen"》 *m.* -s, -nen/-s ① 배(胚), 맹아; 애벌레. ② 〖醫〗 (임신 4개월까지의) 태아.

Embryogenie [..gení:] *f.* 태아 형성, 배태(胚胎) 발육.

Embryologie [..logí:] *f.* 태생학(胎生學), 발생학.

embryologisch *a.* 태생학의, 발생학의.

embryonal, embryonisch *a.* ① 배(胚)의, 유충의; 태아(모양)의. ② 맹아적(萌芽的)인, 미성숙한, 초기의.

Embryonal⸗entwicklung *f.* 〖生〗 태아 발육. **~zeit** *f.* 〖生〗 태아 발생기.

Embryonen·forschung *f.* 〖醫〗 태아 연구.

Embryo⸗pathie *f.* 〖병리〗 태아 손상. **~-transfer** *m.* 〖生〗 (체외에서 수정된) 난세포의 체내 이식.

Emd [e:mt] *n.* -(e)s (schweiz.) (한 해에 두 번째로 베는 건초용) 풀(Öhmd, Grummet).

emden *t.* (건초용 풀을) 두 번째로 베다 (öhmden).

Emdet *m.* -(e)s ↑ Emd.

Emendation [emɛndatsió:n] 《lat. mendum, „Fehler"》 *f.* -en ①〔고어〕 개량, 수정, 정정. ②〖문학〗 (텍스트 오류의) 바로잡기.

emendieren [..dí:rən] *t.* 개량하다, 수정〔개정〕하다.

Emergenz *f.* -en 〖植〗 (장미의 가시 같은) 돌기.

Emerit [emerí:t] 《lat., „Ausgedienter"》 *m.* -en, -en 정년〔명예〕 퇴직자(특히 성직자).

emeritieren [..tí:rən] *t.* 정년 퇴직시키다.

emeritiert *p.a.* (성직자·교수가) 정년 퇴직한: obwohl er schon jahrelang emeritiert ist, hält er noch Vorlesungen 비록 그는 수년전에 정년 퇴직했으나 아직도 강의를 하고 있다.

Emeritierung *f.* -en 정년 퇴직.

Emeritus [emé:ritus] *m.* -, ..ti ↑ Emerit.

emeritus *a.* 《lat.》 (emeritiert) 정년 퇴직한 (약어: em., emer., emerit.).

Emeritus *m.* -, ..ti 〔교양〕 (정년) 퇴직한 대학 교수.

emers [emɛ́rs] *a.* (연꽃 따위 수생(水生) 식물의 꽃·잎이) 수면 위로 나와 있는(↔ submers).

Emersion [emɛrzió:n] 《lat.》 *f.* -en ①〖지질〗 (해수면의 높낮이로 인한) 육지의 노출. ②

〖天〗(월식에 가려졌던 달의) 재현.
Emesis ⟪gr.⟫ *f.* 욕지기, 구역질.
Emetikum [emé:tikʊm] *n.* -s, ..ka 〖醫〗 구토제.
Emeute [emǿ:tə] ⟪frz.⟫ *f.* -n 〔고어〕 봉기, 폭동, 반란.
***Emigrant** [emigránt] ⟪lat.⟫ *m.* -en, -en ① (타국에로의) 이민자, 국외 이주자(↔Immigrant). ② 망명자.
Emigranten·literatur *f.* -en 망명자〔이민〕 문학.
Emigrantentum *n.* -(e)s 〔집합적〕 망명자, 이주민; 망명자〔이주민〕의 신분〔처지〕.
***Emigration** [emigratsió:n] *f.* -en ① 이주, 이민; 망명. ② 망명지: in der ~ sterben 망명지에서 죽다; innere ~ 국내 망명(국내에 머물며 항거의 표현으로 제반 활동을 중지하는 것).
Emigrations·bewegung *f.* 대규모 이주〔망명〕.
emigrieren *i.* (s.) ① 이주하다. ② 망명하다: ein emigrierter Schriftsteller 망명 작가.
Emil [é:mi:l] *m.* 에밀(남자 이름).
Emilia [emí:lia], **Emilie** [..liə] *f.* 에밀리아, 에밀리에(여자 이름).
eminent [eminɛ́nt] ⟪lat., „hervorragend"⟫ ⟪Ⅰ⟫ *a.* 뛰어난, 현저한; 비상한: ein ~er Unterschied 현저한 차이. ⟪Ⅱ⟫ *ad.* 매우, 대단히: er ist ~ tüchtig 그는 매우 유능하다.
Eminenz *f.* -en ① 특출, 현저. ② 예하(猊下) (추기경의 존칭): Eure ~! (추기경) 예하! ③ 추기경: 〔비유〕 graue ~ 막후〔숨은〕 실력자.
Emir [é:mɪr, emí:*r*] ⟪ar., „Befehlshaber"⟫ *m.* -s, -e 아라비아의 왕족〔장군·족장〕.
Emirat [emirá:t] *n.* -(e)s, -e 아라비아 왕족〔족장〕의 지위.
Emissar [emɪsá:*r*] ⟪lat. emmitĕre, „ausschicken"⟫ *m.* -s, -e 하수도.
Emissär [emɪsɛ́:*r*] *m.* -s, -e 특사(特使), 밀사; 밀정.
Emission [emɪsió:n] *f.* -en ① 〖經〗 (공채·어음·우표의) 발행. ② (schweiz.) 방송 (송신). ③ 〖物〗 (빛·열의) 방출, 유출. ④ (오염 물질의) 배출; 대기 오염. ⑤ 〖醫〗 배설.
Emissions≈bank *f.* 〖經〗 (독일 이외의) 유가증권 발행 은행. **~betrag** *m.* (공채의) 발행액. **~gas·nebel** ↑ ~nebel. **~geschäft** *n.* 〖商〗 유가 증권 발행 업무. **~kataster** *n./m.* 〖法〗 대기 오염도 측정. **~kurs** *m.* (유가 증권의) 발행가(격). **~nebel** *m.* 〖天〗 방출 가스 성운(星雲). **~preis** ↑ ~kurs. **~spektrum** *n.* 〖物〗 방사(放射) 스펙트럼. **~-schaden** *m.* 대기 오염으로 인한 건강 손상. **~schutz** *m.* 대기 오염 방지. **~theorie** *f.* 〖物〗 (빛의) 방사이론. **~vermögen** *n.* 〖物〗 에너지 방출량.
Emittent [emɪtɛ́nt] ⟪lat.⟫ *m.* -en, -en ① 유가 증권 발행자〔처〕. ② 오염 물질 배출 업체〔시설〕.
Emitter [emɪ́tə*r*] ⟪engl.⟫ *m.* -s, - 〖전자〗 이미터, 전자 방사기(放射器).
emittieren *t.* ① 내보내다; (빛·열 따위를) 내뿜다〔방출하다〕; (전자를) 방사하다; (오염물질을) 내뿜다. ② (법령 따위를) 고지〔발포〕하다. ③ (공채 따위를) 발행하다, 유통시키다.

EMK =elektromotorische Kraft 기전력(起電力).
Emma [ɛ́ma] *f.* 에마(여자 이름).
Emmchen *n.* -s, - 〔구어〕 마르크(독일 화폐; 약자 M의 장난스런 표현).
Emmental [ɛ́mənta:l] *n.* -(e)s 에멘탈 지방(스위스 Bern 주 Emme 강의 협곡 지방).
Emmentaler ⟪Ⅰ⟫ *m.* -s, - ① 에멘탈의 주민. ② 에멘탈 치즈. ⟪Ⅱ⟫ *a.* 에멘탈의: ~ Käse 에멘탈 치즈.
Emmer [ɛ́mə*r*] *m.* -s, - ① (süddt.) 밀의 일종. ② (ndd., öst.) 양동이, 물통, 두레박.
Emmerling [ɛ́mə*r*lɪŋ] *m.* -s, -e 〖動〗 멧새류의 울새.
e-Moll [é:mɔl] *n.* -s 마 단조(기호: e.).
e-Moll-Tonleiter *f.* -n 마 단조 음계.
Emolument [emolumɛ́nt] ⟪lat.⟫ *n.* -(e)s, -e 〔고어〕 ① 이익, 수익. ② 부수입.
***Emotion** [emotsió:n] ⟪lat.⟫ *f.* -en ① 감정, 정서; 감동, 감격. ② 폭동, 동란; ~en wecken 감동〔감정〕을 불러 일으키다.
***emotional** [..ná:l] *a.* 감정적〔정서적〕인; 감동적〔감격적〕인: eine ~e Reaktion 감정적 반응.
emotionalisieren *t.* ① jn. ~ 누구의 감정〔감동〕을 불러일으키다: die Rede des Politikers emotionalisierte die Zuhörer 그 정치가의 연설은 청중을 감동시켰다. ② …에 감정을 불어넣다: eine Rede ~ 연설에 감정을 불어넣다.
Emotionalismus *m.* 주정(主情)주의.
Emotionalität *f.* 과민 정서, 감정에 빠지기 쉬운 기질.
emotionell *a.* ↑ emotional.
emotions≈frei *a.* 감정이 배제된. **~geladen** *a.* 감정이 개입된. **~lähmung** *f.* 감정의 마비.
emp.. *pref.* 〔f 앞에서의 변형〕 ↑ ent...
Empathie *f.* 〖心〗 감정 이입 능력.
EMPA, Empa *f.* =Eidgenössische Materialprüfungsanstalt (스위스의) 연방 재료 시험소.
Empedokles 엠페도클레스(고대 그리스의 자연 철학자, 493?-433? B.C.).
empfahen [ɛmpfá:(ə)n] (du empfäh(e)st, er empfäh(e)t; empfahe!; *p.p.* empfah(e)n) 〔시어〕 〔현재형·명령형·부정형·과거 분사만 씀〕 ↑ empfangen.
empfahl [ɛmpfá:l] ↑ empfehlen 의 과거형.
empfähle [..fɛ́:lə] ↑ empfehlen 의 접속법 Ⅱ식.
empfand [ɛmpfánt] ↑ empfinden 의 과거형.
empfände [..fɛ́ndə] ↑ empfinden 의 접속법 Ⅱ식.
***Empfang** [ɛmpfáŋ] *m.* -(e)s, ..fänge ① 받음; 수취, 수령, 영수: et. in ~ nehmen 무엇을 수령하다; nach ~ dieses Briefes 이 편지를 받으신 후에; jm. den ~ bestätigen〔anzeigen〕 누구에게 받았음을 확인하다; den ~ einer Summe bescheinigen 어떤 금액의 영수증을 써주다. ② 수신, 청취: 〖전기〗 störungsfreier ~ (라디오의) 장애 없는 수신. ③ 맞아들임; 영접, 접견; 환영 파티, (환영) 리셉션: jn. in ~ nehmen 누구를 영접하다; jm. einen guten〔schlechten〕 ~ bereiten 누구를 환대〔박대〕하다. ④ 접수대, (호텔) 프론트.

empfangbar *a.* 받을 수 있는, 받을 만한; 〖商〗 견본대로의.

empfangen[1] [ɛmpfáŋən] (empfing, empfangen) 《<ent..+fangen》 《I》 *t.* ① (편지·돈·선물을) 받다, 수령하다; (명령·상처·매 따위를) 받다[입다·맞다]; 〖宗〗 세례 받다: von jm. einen Befehl ~ 누구의 명령을[지시를] 받다; Schläge ~ 매를 맞다; Eindrücke ~ 인상을 받다. ② (jn.) 맞아들이다, 환영하다; 영접[접대]하다: jn. gut[schlecht] ~ 누구를 잘 [푸]대접하다; 〖목적어 없이〗 Herr N. empfängt donnerstags N씨의 면담일은 목요일. ③ 입차하다, 소작하다. ④ 〖교양〗 임신하다, 아이를 갖다: sie empfing ein Kind von ihm 그녀는 그의 아이를 가졌다. 《II》 *i.* (h.) ① 〖교양〗 임신하다: in Sünden ~ 죄의 씨를 배다. ② 〖방송〗 수신하다. 《III》 **empfangen** *p.a.* ↑ empfangen².

empfangen² 《I》 *p.p.* ↑ empfangen¹. 《II》 *p.a.* (서식에서) bar und richtig ~ 정히 영수함.

***Empfänger** [..fɛ́ŋər] *m.* -s, - ① 수취인, 수령자; 수신인: ~ unbekannt 수취인 불명. ② 〖전기〗 수신기, 수화기; 〖法〗 압류물 보관인; 학위 취득자; 〖醫〗 수혈자.

Empfänger·abschnitt *m.* (영수증의) 수취인 보관용 절취 부분.

empfänglich [..lɪç] *a.* ① 민감한, 감수성이 예민한: ~ für Dank 감사할 줄 아는; ~ für Schmeichelei 아첨에 넘어가기 쉬운; ~ für Ratschläge 충고에 잘 따르는; für et. ~ machen 무엇에 휩쓸리기 쉽게 하다, 마음을 무엇에 돌리게 하다. ② 감염되기 쉬운, 병에 잘 걸리는: für Erkältungen ~ 감기에 잘 걸리는.

Empfänglichkeit *f.* -en 민감; 감수성; 수용력; 〖醫〗 소인(素因).

Empfang·nahme *f.* 〖격식〗 ① 수취, 수령. ② 영접, 접대.

Empfängnis [ɛmpfɛ́ŋnɪs] *f.* -se 임신, 수태: eine ~ verhüten 피임하다; 〖가톨릭〗 die unbefleckte ~ (성모 마리아의) 무구(無垢) 수태.

empfängnis⸗fähig *a.* 임신 가능한, 임신 능력이 있는. **~verhütend** *a.* 피임의: ein ~es Mittel 피임약[기구]. **~verhütung** *f.* 피임. **~zeit** *f.* 〖法〗 수태 시기.

Empfangs⸗anlage *f.* 수신기, 수신 장치. **~antenne** *f.* 수신 안테나. **~anzeige** *f.* 수령(受領) 통지. **~apparat** *m.* 수신기; 수화기. **~bekenntnis** *n.* ↑ ~anzeige. **~berechtigt** *a.* 수령권을 부여받은[위임받은]. **~berechtigung** *f.* 수령 대리권. **~bescheinigung** *f.* 수령[영수]증. **~bestätigung** *f.* ↑ ~anzeige. **~buch** *n.* (화물 등의) 수령 장부. **~büro** *n.* (호텔 등의) 접수창구, 프론트. **~chef** *m.* (백화점·호텔의) 안내[접수] 책임자, (기업의) 접대 책임자. **~dame** *f.* (백화점·호텔의) 여자 접대[접수] 책임자. **~frist** *f.* 수령 기간. **~gerät** *n.* (라디오의) 수신기. **~halle** *f.* 호텔 로비. **~komitee** *n.* 환영 위원회. **~loch** *n.* (무선 통신의) 수신[감청] 불능 지역. **~röhre** *f.* (라디오의) 구(球), 밸브. **~saal** *m.* 접견[응접]실. **~schein** *m.* 영수증. **~station** *f.* 〖철도〗 수취역(驛); 〖방송〗 수신국. **~stelle** *f.* 〖방송〗 수신국(局). **~störung** *f.* 수신 장애[방해]. **~tag** *m.* 면회[접견]일. **~tot** *a.* (라디오가) 수신 불능의: ~e Zone 수신 불능 지역. **~zeit** *f.* 접견 시간. **~zimmer** *n.* 응접실; 객실.

Empfehl *m.* -(e)s, -e ↑ Empfehlung.

empfehlbar *a.* 추천할 만한.

empfehlen [ɛmpféːlən] (empfahl, empfohlen) 《I》 *t.* ① 맡기다, 의탁하다: seine Seele Gott ~ 영혼을 신께 맡기다. ② 추천하다, 권하다, 소개하다: jm. ein Buch ~ 누구에게 어떤 책을 추천하다; ich empfehle ihn dir 나는 그를 너에게 추천한다; ~ Sie mich den Ihrigen! 댁의 가족에게 안부 전해 주십시오; sich³ et. empfohlen sein lassen 무엇의 시중을[주선을] 들다[하다]. 《II》 *refl.* sich ~ ① (**a**) 물러가다, 작별을 고하다: er hat sich bald wieder empfohlen 그는 즉시 작별을 고하고 돌아갔다; 〖정중한 말씨〗 ich empfehle mich Ihnen 저는 이만 물러가겠습니다; 〖구어·농담〗 sich (auf) französisch[englisch] ~ 몰래[슬쩍] 달아나다, 인사도 없이 돌아가다. (**b**) 안부를 전하다: sich als Verlobte ~ 약혼(한다는) 인사를 하다; er empfiehlt sich Ihnen bestens 그분이 당신에게 간곡히 문안 드립니다. ② (추천할 만한 것으로) 알려지다: sich schlecht ~ 미움받다; diese Ware empfiehlt sich selbst 이 상품은 훌륭하다(남의 추천을 기다릴 필요도 없다); wir halten uns zu weiteren Aufträgen bestens empfohlen (상거래 따위에서) 저희 회사를[상점을] 앞으로도 계속 애용해 주십시오. ③ *imp.* es empfiehlt sich, daß..., …하는 것이 좋다, 바람직하다, 온당하다: bei diesem Wetter empfiehlt es sich, einen Schirm mitzunehmen 이런 날씨에는 우산을 가져가는 것이 좋다. 《III》 **empfohlen** *p.a.* ↑ empfohlen.

empfehlend *p.a.* 추천하는; 추천받을 만한, 바람직한: ein ~es Gesicht 호감을 주는 얼굴; der[die] ~e 추천인, 소개인.

empfehlens⸗wert, ~würdig *a.* 추천[천거]할 만한.

Empfehler *m.* -s, - 추천자, 소개자.

***Empfehlung** [ɛmpféːlʊŋ] *f.* -en ① 추천, 권유; 소개; 추천장, 소개장: auf ~ des Arztes 의사의 권유로; jm. eine ~ schreiben 누구에게 추천서를 써주다; Haben Sie eine ~? 추천장을 갖고 계십니까? ② (Befähigungsnachweis) (신원·기능 따위의) 증명서, 보증서; (Auskunft) 조회(照會). ③ 〖雅語〗 안부[문안]인사: machen Sie ihm meine ~ 그에게 안부 전해 주십시오; mit schöner ~ an Herrn F. F씨에게 안부 전해 주시기 바라오며; 〖편지 끝에서〗 mit freundlichen ~en [mit den besten ~en] 이만 물러섭니다.

Empfehlungs⸗brief *m.*, **~schreiben** *n.* 추천[소개]장. **~karte** *f.* 소개용[상용(常用)] 명함. **~wert, ~würdig** *a.* ↑ empfehlenswert.

empfiehl [ɛmpfíːl] ↑ empfehlen의 명령형.

empfiehlst ↑ empfehlen의 2인칭 단수 현재형.

empfiehlt ↑ empfehlen의 3인칭 단수 현재형.

empfindbar [ɛmpfíntbaːr] *a.* 느낄[감지될] 수 있는.

Empfindbarkeit *f.* 감지[지각] 가능성.

Empfindelei [..dəláɪ] *f.* -en 〖드물게·폄어〗 과도한[과장된] 감정 표현, 감상주의.

empfindeln *i.* 〖드물게·펌어〗 쉽게 감동하다, 정에 무르다, 감상적이다.

__empfinden__ [ɛmpfíndən] 《<ent.+finden》 《I》 *t.* ① 느끼다, 지각하다: Schmerz〔Hunger〕 ~ 고통을〔허기를〕 느끼다; Scham〔Angst〕 ~ 수치심〔불안감〕을 느끼다; Abneigung〔Achtung〕 für jn. ~ 누구에 대해 혐오감〔존경심〕을 느끼다; viel〔nichts〕 für jn. ~ 누구에 대해 호감을 갖다〔무관심하다〕. ② …라고 여기다〔받아들이다〕: et. als Trauer〔Freude〕 ~ 무엇을 슬프게〔기쁘게〕 생각하다; jn. als (einen) Störenfried ~ 누구를 훼방꾼이라고 생각하다; et. übel ~ 무엇을 나쁘게 여기다. ③ (불쾌한 일 따위를) 경험하다, 겪다. 《II》 *refl.* ① sich (selbst) ~ 자각하고 있다, 자의식을 갖다. ② …한 느낌〔기분〕이 들다: sich glücklich ~ 행복하게 느끼다; sich soundso ~ 이러저러한 기분이 들다; sich selbst als Außenseiter ~ 국외자가 된 느낌이 들다. 《III》 *i.* 감정〔감각〕을 지니다〔갖다〕.

Empfinden *n.* ① 〖교양〗 감정; 느낌: für mein ~ ist diese Farbe zu grell 내 느낌에는 이 색깔이 너무 현란하다. ② 감각, 감성; 이해심: sein natürliches ~ 그의 타고난 감각.

empfindend *p.a.* 감정〔감각〕이 있는: ein ~es Wesen 감정을 가진 존재〔사람〕.

Empfindler *m.* -s, - 감상가, 다정다감한 사람.

__empfindlich__ [ɛmpfíntlıç] 《I》 *a.* ① 느낄 수 있는: die Luft ist fast nicht ~ 바람이 거의 없는 것 같다. ② 예민한, 민감한: ~ gegen Hitze〔Kälte〕 더위〔추위〕에 약한; ~ gegen Tadel 꾸지람을 잘 감당하지 못하는. ③ 〖폄어〗 신경질적인, 초조한, 성마른: eine ~e Miene machen 신경질적인 표정을 짓다; sei nicht so ~! 그렇게 예민하게 굴지마라! ④ 〖사진〗 (빛에) 민감한; 〖기계〗 예민〔정밀〕한: ~e Meßgeräte 정밀 측정기. ⑤ 신랄〔혹독〕한; ~e Kälte 혹한; eine ~e Strafe 엄벌. ⑥ 손상〔오염·파손〕되기 쉬운, 취약〔연약〕한: ein ~es Leder 조심스럽게 다루어야 하는 가죽; eine ~e Farbe 쉽게 바래는〔더럽혀지는〕 색상; eine ~e Stelle 급소, 약점; 〖軍〗 ~er Punkt 취약 지점〔시설〕. 《II》 *ad.* 몹시, 매우: die Preise sind ~ gestiegen 물가가 매우 올랐다.

Empfindlichkeit *f.* -en ① 감성; 예민, 섬세, 감상; 〖기계〗 정밀도; 〖사진〗 감광도. ② 〖대개 복수〗 성마름, 신경질, 짜증. ③ 통렬; 혹독, 신랄.

Empfindling *m.* -s, -e ↑ Empfindler.

empfindsam [..tza:m] *a.* ① 섬세〔예민〕한: ein ~er Mensch 섬세한 사람. ② 감상적인: eine ~e Geschichte 감상적인 이야기.

Empfindsamkeit *f.* -en ① 감수성; 섬세한 감성〔감정〕. ② 〖문학·哲〗 감상주의.

__Empfindung__ [..duŋ] *f.* -en ① 지각: eine ~ von Schmerz 고통의 지각. ② 감각, 기분, 느낌: eine ~ von Freude 쾌감. ③ 감정(의 격앙): mit viel ~ sprechen 감정이 격앙되어 말하다.

Empfindungs≈eigenheit *f.* 특유의 기질, 감각〔감정〕의 특질. **~fähig** *a.* 감각이 있는, 감(수)성이 풍부한. **~fähigkeit** *f.* 지각 능력. **~gefühl** *n.* 감각, 느낌. **~kraft** *f.* ↑ ~fähigkeit. **~kreis** *m.* 지각 범위. **~laut** *m.* 〖문법〗 감탄사. **~leer** *a.* ↑ empfindungslos.

empfindungslos *a.* 무감각한, 마비된; 냉담〔냉혹〕한; 조야(粗野)한.

Empfindungslosigkeit *f.* 무감각, 마비; 냉담, 냉혹.

Empfindungs≈organ *n.* 감각 기관. **~schwelle** *f.* 감각 역치(閾値). **~sitz** *m.* 감각 중추. **~vermögen** *n.* ↑ ~fähigkeit. **~voll** *a.* 감정〔감성〕이 풍부한, 다감한. **~wort** *n.* ↑ ~laut.

empfing [ɛmpfíŋ] ↑ empfangen 의 과거형.

empfinge [..fíŋə] ↑ empfangen 의 접속법 II 식.

empföhle [ɛmpfǿ:lə] ↑ empfehlen 의 접속법 II 식.

empfohlen [..fó:lən] 《I》 *p.p.* ↑ empfehlen. 《II》 *p.a.* 추천〔소개〕받은: Ihr ~er 당신이 추천하신 분.

__Emphase__ [ɛmfá:zə] 《gr.》 *f.* -n 〖교양〗 (어법상의) 강조, 역설; 과장; 정열: mit ~ sprechen 강조하여 말하다, 역설하다.

emphatisch [..tıʃ] *a.* (어투가) 강조〔과장〕된; 열정적인.

Emphysem [ɛmfyzé:m] 《gr.》 *n.* -s 〖醫〗 기종(氣腫).

emphysematisch *a.* 〖醫〗 기종(氣腫)의.

Empire 《I》 [ãpí:r] 《frz.》 *n.* -s ① (특히 나폴레옹 1세와 3세 치하의) 제국. ② ↑ ~stil. 《II》 [ɛ́mpaıər] *n.* -, -s (제국주의 시대의) 대영 제국.

Empire·stil [ãpí:r..] *m.* (1800-1830 년경의 나폴레옹 1세와 그 직후) 제국 시대 예술 양식.

Empirie [ɛmpirí:] *f.* 〖교양〗 경험론; 경험적 지식.

Empirik [ɛmpí:rık] 《gr.》 *f.* 〖교양〗 경험적인 것; 경험적 지식.

Empiriker [..kər] *m.* -s, - ① 〖哲〗 경험론자; 경험주의자. ② (경험만 믿는) 돌팔이 의사.

Empiriokritizismus *m.* - 〖哲〗 경험 비판론.

__empirisch__ *a.* 경험적, 경험에서 얻은, 경험에 근거한.

Empirismus [..rísmus] *m.* - 〖哲〗 경험론, 경험주의.

Empirist *m.* -en, -en 〖哲〗 ↑ Empiriker.

empiristisch *a.* 경험주의적인.

Emplacement [ãplas(ə)mã:] 《frz.》 *n.* -s, -s 〖軍·고어〗 배치, 위치, 포좌(砲座).

Employé [ãploajé:] 《frz.》 *m.* -s, -s 종업원, 피고용자; 조수.

employieren [ãploají:rən] *t.* 〖고어〗 사용하다; 지출〔투자〕하다.

__empor__ [ɛmpó:r] *adv.* 〖시어〗 위로, 높이.

empor.. *pref.* "위로·높이"의 뜻.

empor≈|arbeiten *refl.* sich ~ 노력해서 출세하다, 향상에 힘쓰다: sich vom einfachen Angestellten zum Direktor ~ 말단 사원에서 열심히 노력하여 사장으로 출세하다. **~|blicken** *i.* (zu et³.〔jm.〕) 위를 쳐다보다. **~|blühen** *i.* (s.) 〖시어〗 (꽃이) 피어나다〔오르다〕; 〖비유〗 번영하다. **~|bringen*** *t.* 올리다, 일으키다; 향상〔촉진〕시키다. **~bühne** *f.* ↑ Empore. **~|donnern** *i.* (s.) 《I》 천둥 소리를〔굉음을〕 내며 오르다. 《II》 *t.* 큰소리로〔소란

으로〕 잠을 깨우다. ~|**drängen** 《I》 *t.* 밀어올리다. 《II》 *i.* 위쪽으로 밀고 올라가다. ~|**dringen*** *i.* (s.) ① 위로 솟구치다, 뚫고 올라가다; (가슴 속에서) 북받쳐오르다: von unten drang Licht durch die Ritze empor 아래에서 빛이 틈새를 통해 뻗어 나왔다. ②〔비유〕 명백해지다; 발각되다.

Empore [ɛmpó:rə] *f.* -n 〖건축〗 교회의 2층석 골마루; 합창대석; 〖연극〗 맨 위층, 보통 관람석.

Emporen·kirche *f.* 합창대석이 있는 교회.

***empören** [ɛmpǿ:rən] 《I》 *t.* ①〔고어〕 올리다, 일으키다. ② 선동하다, 부추기다. ③ 불쾌하게 하다; 격앙〔격분〕시키다: dein Benehmen empört mich 너의 행동거지에 나는 화가 치민다; empörte Menge 격분한 군중. 《II》 *refl.* ① sich gegen〔wider〕 jn. ~, sich jm. ~ 누구에게 반항하다: das Volk empörte sich gegen seine Unterdrücker 민중은 폭군에게 항거하였다. ② sich über et. ~ 무엇에 관하여 분개하다.

empörend *p.a.* 괘씸한, 불쾌한, 혐오스러운.

Empörer *m.* -s, - 반항자, 모반자, 폭도; 선동가.

empörerisch *a.* 반항적인; 선동적인: ~e Reden 선동적 연설.

empor≠|fahren* *i.* (s.) 〔교양〕 ① (무엇을 타고) 오르다. ② 벌떡 일어서다: er fuhr erschreckt aus dem Schlaf empor 그는 놀라서 잠에서 벌떡 깨어났다. ③〔비유〕 발끈하다, 벌컥 화내다. ~|**flammen** *i.* (s.) (위로) 활활 타오르다: 〔비유〕 ~de Leidenschaften 활활 타오르는 정열의 불꽃. ~|**fliegen** *i.* (s.) 날아오르다. ~|**gehen** 《I》 *t.* 걸어 올라가다. 《II》 *i.* (s.) 올려지다. ≈**geschoß** *n.* (집의) 위층. ~|**halten*** *t.* 쳐들고 있다. ~|**heben*** 《I》 *t.* ① 들어올리다. ② (사기를) 북돋우다. ③〖宗〗 (성체를) 떠받들다. 《II》 *refl.* sich ~ 오르다. ≈**hebung** *f.* ① 올리기. ②〖지질〗 융기. ③〖宗〗 성체 봉대(식). ~|**helfen*** *i.* ① jm. ~ 누구를 부축해서 일으키다. ② jm. ~ 누구를 도와서 향상〔출세〕시키다.

Emporium [ɛmpó:rium] 《lat.》 *n.* -s, ..rien [..riən] 〔고어〕 ① 상업 중심지, 화물 집산지. ②〖宗〗 본제단(本祭壇). ③ 합창대석.

empor≠|kämpfen *refl.* sich ~ ① 싸워서 올라가다. ②〔비유〕 출세하려고 전력을 다하다. ~|**klettern,** ~|**klimmen*** *i.* (s.) 기어올라가다, 애써 오르다. ~|**kommen*** *i.* (s.) ① 오르다. ② (식물 등이) 생장〔번성〕하다. ③〔비유〕 출세〔득세·번창〕하다; eine neue Mode kommt empor 새 유행이 떠오르고 있다. ≈**kömmling** *m.* 〔폄어〕 벼락 부자〔출세자〕, 졸부. ~|**lodern** *i.* (s./h.) 갑자기 활활 타오르다. ~|**qualmen** *i.* (s.) (연기가) 뭉게뭉게〔자옥하게〕 피어오르다. ~|**quellen*** *i.* (s.) 솟구쳐 나오다. ~|**raffen** *refl.* sich ~ 벌떡 뛰어 일어나다; 분기(奮起)하다. ~|**ragen** *i.* 〔교양〕 (우뚝) 솟다; 뛰어나다, 탁월하다: seine Begabung ragt weit über den Durchschnitt empor 그의 재능은 평균을 훨씬 뛰어넘는다. ~|**ranken** *i./refl.* ① (덩굴이) 벋어오르다. ② 〔익살〕 sich an jm.〔et.³〕 ~ 누구에게서〔무엇에서〕 신임을〔용기를〕 얻다. ~|**recken** *t.* 위로 뻗다. ~|**richten** 《I》 *t.* 위로 향하게 하다, (머리·눈 등을) 치켜올리다. 《II》 *refl.* sich ~ 일어서다. ~|**schauen** *i.* ↑ ~blicken. ~|**schlagen*** 《I》 *t.* 위로 올리다: die Augen ~ 올려다보다. 《II》 *i.* (s.) (불꽃·파도가) 솟구치다. ~|**schnellen** 《I》 *t.* 뛰어〔튀어〕 오르게 하다. 《II》 *i.* (s.)/*refl.* (sich) ~ (펄쩍) 뛰어오르다, 튀어 오르다: die Preise sind emporgeschnellt 물가가 폭등했다. ~|**schweben** *i.* (s.) 날아〔떠〕오르다. ~|**schwimmen*** *i.* (s.) 수면에 떠오르다; 흐름에 거슬러 헤엄치다. ~|**schwingen*** 《I》 *t.* 흔들어〔추켜〕 올리다. 《II》 *refl.* sich ~ 날아 오르다; 〔비유〕 입신〔성공·향상·약진〕하다: sich zu großen Taten ~ 대단한 일을 해 내다. ~|**sehen*** *i.* (zu jm.) 올려다보다; 〔비유〕 우러러보다, 존경하다. ~|**stehen*** *i.* 우뚝 치솟다, 빼어〔뛰어〕나다; (머리칼 따위가) 곤두서다. ~|**steigen*** *i.* (s.) (위로) 오르다; 〔비유〕 출세하다: Nebel steigt aus dem Tal empor 안개가 계곡에서 피어오른다; die Stufen des Erfolgs ~ 성공의 가도를 달리다. ~|**sträuben** *t.* (머리칼 따위를) 곤두세우다. ~|**streben** *i.* 오르려고〔나아지려고〕 노력하다. ~|**strecken** *t.* 위로 뻗다. ~|**treiben*** *t.* 밀어〔추켜〕 올리다; (가격 따위를) 올리다; (감정을) 부추기다; 〖化〗 승화(昇華)하다.

***Empörung** [ɛmpǿ:ruŋ] *f.* -en ① 모반, 폭동: eine ~ organisieren 폭동을 획책하다〔계획적으로 준비하다〕. ② 분개, 격앙: von tiefer ~ erfüllt sein 격노로 가득차 있다.

Empörungs≠geist *m.* 반항〔모반〕심. ~**schrei** *m.* 분노의 외침〔절규〕. ≈**süchtig** *a.* ↑ empörerisch.

empor≠|wachsen* *i.* (s.) ① (덩굴 따위가) 자라 오르다. ② (문제가) 발생하다, 드러나다. ~|**ziehen*** 《I》 *t.* 끌어올리다; (사람을 비천한 신분에서) 끌어 올려주다: Achsel ~ 어깨를 으쓱하다. 《II》 *i.* (s.) (길이) 위쪽으로 나 있다; 위쪽으로 행진하다.

Empressement [ãprɛs(ə)mã:] 《frz.》 *n.* -s 〔고어〕 열심, 열중, 분주.

empressieren *refl.* sich ~ 열중〔노력〕하다.

Empsychosis [ɛm|psyçó:zɪs] 《gr.》 *f.* ..sen (Beseelung) 영혼〔생명〕 부여, 영화(靈化); (Seelenwandlung) 윤회.

Empyem [ɛmpyé:m] 《gr.》 *n.* -s, -e 〖醫〗 축농(증); 흉농(胸膿).

empyreisch [ɛmpyré:ɪʃ] 《gr.》 *a.* ① 천상의; 최고천(最高天)의. ② 광휘로 가득한, 숭고한.

Empyreum [..ré:um] *n.* -s ① 최고천(고대인이 말하는 5천(天) 중의 최고천으로 불이 있는 곳). ②〖宗〗 (빛과 지고의 행복이 있는) 천상의 세계, 하늘 나라.

Ems[1] [ɛms] *f.* 엠스강(서북 독일에 위치함).

Ems[2] [ɛms] 엠스(독일 Lahn 강변에 있는 유명한 온천 휴양지(Bad Ems)).

Emse *f.* -n 〔방언〕 개미(Ameise).

Emser [ɛ́:mzər] 《I》 *m.* -s, - 엠스 주민〔사람〕. 《II》 *a.* 엠스 (온천)의: ~ Salz 엠스산(産) 광천 소금.

***emsig** [ɛ́mzɪç] *a.* 부지런한; 분주한; 끈기 있는: ~e Bienen 부지런한 꿀벌들; ~ arbeiten 부지런히 일하다.

Emsigkeit *f.* 근면, 끈기, 열성.

Emu [é:mu] *m.* -s, -s 〖動〗 에뮤(오스트레일리아산(産)의 타조 비슷한 새).

Emulation *f.* ①〔고어〕 경쟁; 시기, 질투. ②

〖컴〗 에뮬레이션.
Emulator [emulá:tɔr, ..to:r] *m.* -s, -en [..tó:rən] 〖컴〗 에뮬레이션 프로그램〔장치〕.
Emulgator [emulgá:tɔr, ..to:r] *m.* -s, -en [..tó:rən] 〖化〗 유화제(乳化劑).
emulgieren [emulgí:rən] 《lat.》 *t.* 유화(乳化)하다.
Emulsin [emulzí:n] *n.* -s 〖化〗 에멀신(편도(扁桃)에 함유된 효소).
Emulsion *f.* -en ①〖醫·化〗 유화(乳化), 유화액〔제〕. ②〖사진〗 감광 유제(乳劑).
E-Musik *f.* 진지한〔클래식〕 음악(ernste Musik 의 약칭) (↔ U-Musik).
Enakiter [enakí:tər] *m.*, **Enaks·kind** [é:naks..] *n.*, **Enaks·sohn** *m.* ①〖聖〗 아낙 자손(가나안에 살았다고 전해지는 거인(족); 민수기 13 : 23-34). ②〔비유〕 거인(의 무리).
Enallage [ɛn|álage, ená..] 《gr., „Vertauschung"》 *f.* 〖修〗 전구법(轉句法), (어구의) 환치(보기: das Lächeln seiner azurnen Augen → das azurne Lächeln seiner Augen).
Enanthem [ɛn|anté:m] 《gr.》 *n.* -s, -e 〖醫〗 내발진(內發疹), 점막진(粘膜疹).
enantiotrop [ɛn|antiotró:p] 《gr.》 *a.* 〖化〗 호변 2 형적(互變二形的).
Enantiotrophie *f.* 〖化〗 호변 2 형성(互變二形性) (동일한 물질이 상이한 압력 또는 온도에서 변형되는 성질).
en avant [ãnavã́:] 《frz.》〔교양〕 (vorwärts) 앞으로 (가).
en bloc [ãblɔ́k] 《frz.》〔교양〕 (im ganzen) 한 묶음으로; 일괄하여: et. ~ verkaufen 모두 합해서 팔다.
En-bloc-Annahme [ãblɔ́k..] *f.* -n (법률안의) 총괄〔일괄〕 승인.
en canaille [ãkaná:j] 《frz.》 경멸하는: jn. ~ ansehen 누구를 깔보다.
encanaillieren [ãkanají:rən] *refl.* 〔고어·폄어〕 sich ~ 천한 사람과 어울리다; 품위를 떨어뜨리다.
en carrière [ãkarjɛ́:r] 《frz.》〔고어〕 전속력으로(in vollem Laufe).
Enceinte [ãsɛ̃́:tə] 《frz.》 *f.* -n 〔고어〕 ① 울(둘러막은 것). ②〖軍〗 (요새의) 방호벽. ③ 사냥터.
Enchantement [ãʃãtəmã́:] *n.* 《frz.》〔고어〕 매력, 마력; 매혹, 현혹.
enchantiert [ãʃãtí:rt] 《frz.》 *a.* (entzückt) 홀린, 황홀한, 매료된.
en chef [ãʃɛ́f] 《frz.》 우두머리로서, 사령관으로서.
Encheirese [ɛnçaɪré:zə] 《gr.》 *f.* -n 〔고어〕 취급, 처치; 〖醫〗 수술.
Encheiresis naturae [ɛnçáɪrezɪs natú:rɛ] *f.* 〔고어〕 자연력의 이용; (모든 부분을 전체와 연결시키는) 자연의 행위.
Enchiridion [ɛnçirí:diɔn] *n.* -s, ..dien [..diən] 《lat.》〔고어〕 (Handbuch) 소책자, 편람; 〖宗〗 작은 교과서, 원전 자료집.
encodieren *t.* ↑ enkodieren.
Encoding [inkó:..] *n.* -s, -s 〖컴〗 (정보의) 기호〔부호·암호〕화(↔ Decoding).
encouragieren [ãkuraʒí:rən] 《frz.》〔고어〕 *t.* (ermutigen) 용기를 북돋우다, 격려하다.
End≠abrechnung [ɛ́nt..] *f.* 최종 결산, 정산. **~absicht** *f.* 궁극의 목적〔의도〕. **~arterie** *f.* 〖醫〗 종말 동맥. **~ausscheid** *m.* 〖구동독〗 최종 예선〔심사〕. **~bahnhof** *m.* 종착역. **~bäumchen** *n.* 신경 종말 섬유. **~bescheid** *m.* 최후 통첩, 최종 통보〔결정〕. **~beschluß** *m.* 최종 결정, 최종 판결. **~betonung** *f.* 끝음절 강세. **~betrag** *m.* 최종 액수〔금액〕. **~buchstabe** *m.* 낱말의 끝글자.
Endchen [ɛ́ntçən] *n.* -s, - 〔↑ Ende 의 축소형〕〔구어〕 끄트머리; 자투리, 작은 조각; 조금: ein ~ Licht 타다 남은 초 동강이; ein ~ Weges 짧은 길; ein ~ Garn 실조각.
End≠darm *m.* 〖해부〗 직장. **~dreißiger** *m.* 30 대 말의 남자. **~dreißigerin** *f.* 30 대 말의 여자. **~durchsicht** *f.* 최종 검토.
***Ende** [ɛ́ndə] *n.* -s, -n ①〔공간적〕 **(a)** 끝, 말단, 종(착)점; 첨단, 극(極); 거리(Strecke): am ~ der Straße 길거리의 끝에; am ~ der Welt wohnen 멀리 떨어져 살다. das ~ des Bleistifts 연필의 (뾰족한) 끝; ein ~ Wurst 소시지의 잘라낸 한 동강이; ein gutes ~ (= Stück Weg) 제법 먼 길; da ist das ~ von weg〔ab, fort〕〔농담〕 그것은 정말 얼토당토 않다, 있을 수 없는 일이다. **(b)**〔복수〕 (짐승의) 사지; 〖사냥〗 (사슴 따위의) 끝이 갈린 뿔. **(c)** 〖海〗 닻줄, 밧줄; 〖방직〗 (피륙의) 장식 매듭. ②〔시간적〕 끝; 결말; 목적; 최후, 죽음: ~ der Woche 주말; ~ der Welt〔Dinge〕 세계의 종말, 최후의 심판일, 말세; letzten ~s 드디어, 결국; ein trauriges〔böses〕 ~ nehmen 비참한〔참혹한〕 최후를 마치다; das ~ vom Lied〔구어〕 (예상된) 실망스러운 결말〔결과〕; er fühlt sein ~ kommen〔nahen〕 그는 죽음이 임박했음을 직감한다; sie machte sich³ ein ~ 그 여자는 자살하였다; et.³ ein ~ machen〔setzen, bereiten〕 무엇의 결말을 짓다, 무엇을 끝맺다; kein ~ finden 한정〔끝〕이 없다; das Fest fand ein plötzliches ~ 축제가 갑자기 중단되었다; es hat〔nimmt〕 kein ~ 끝〔한〕이 없다; 〔속담〕 ~ gut, alles gut 끝이 좋으면 만사가 좋다; alles hat einmal ein ~ 매사에는 끝이 있는 법이다; der Bewunderung war kein ~ 감탄이 그칠 줄 몰랐다; Klagen und kein ~〔Klagen ohne ~〕 끝없는 하소연; das dicke ~ kommt nach 곤란한 일은 뒤늦게 닥쳐온다. ③〔전치사와 함께〕 **am** ~ a) 끝판에, 최후에, b) 뒤에, 나중에, c) 필경, 결국, d) 아마도: am ~ kommt er gar nicht mehr wieder 결국 그는 두 번 다시 돌아오지 않을 것이다; am ~ sein 완전히 지치다, 기진맥진하다; mit et.³ am ~ sein 무엇이 끝(장)나다; et. am richtigen ~ anfassen 무엇을 올바로〔적절하게〕 다루다: an allen (Ecken und) ~n 도처에, 온 사방에; bis ans ~ der Welt 세상 끝까지, 세상이 끝날 때까지; **gegen** ~ 끝날 무렵에; 〔방언〕 **in** ~ 위로, 높이(in die Höhe); **mit** jm. ein ~ machen〔zu ~ kommen〕 누구와 절교하다; **ohne** ~ 무한한, 끝이 없는; 〖기계〗 Schraube ohne ~ 무한 나사; **von** allen ~n 각지에서; (bis) **zu** ~ 끝까지; zu ~ des Monats 월말에; zu ~ bringen〔führen〕 끝내다, 완성하다; zum guten ~ gehen 유종의 미를 거두다; zu ~ gehen〔sich einem ~ zuneigen〕 끝나가다, 몰락해가다; der Tag geht zu ~ 날이 저문다; es geht mit ihm zu ~ a) 그는 이젠 끝장이다, 다 틀렸다, b) 죽을 때가 됐다; zu ~ kommen 끝

나다, 다하다; meine Geduld ist zu ~ 내 인내심이 한계에 다다랐다; es ist mit et.³ zu ~ 어떤 일〔것〕이 끝장났다; mit seinem Latein 〔seiner Weisheit〕 zu ~ sein 어쩔 줄 모르다, 속수무책이다; 〖고어〗 zu dem ~ 이 목적을 위하여; zu welchem ~? 어떤 목적으로?

End·effekt *m.* 최종 결과〔효과〕: im ~ 결국.

Endel *n.* -s, -n 〖방직〗 (öst., bair.) 직물 양끝의 가장자리 (Webkante).

endeln *t.* (öst., bair.) 천〔옷감〕의 가장자리에 테두리를 두르다.

Endemie [ɛndemíː] 《gr.》 *f.* -n 〖醫〗 풍토병.

endemisch *a.* 고유한, 토속의; 풍토성의; 특정 지방에 분포된: ~e Krankheiten 풍토병 (Endemie).

Endemismus *m.* 〖生〗 풍토성(동식물의 특정 지역 서식).

Endemit *m.* -en, -en 〖生〗 (특정 지역에서만 서식하는) 풍토성 동식물.

***enden** [ɛ́ndən] 《I》 *t.* 〔고어·교양〕 끝내다, 다하다, …에 결말을 내다: einen Krieg ~ 전쟁을 끝내다. 《II》 *i./refl.* (sich) ~ ① 끝나다, 그치다, 낙착되다; (기한 따위가) 다 되다: gut〔schlecht〕 ~ 결과가 좋다〔나쁘다〕; die Vorstellung endet gegen 23 Uhr 공연은 23시경에 끝난다; 〖문법〗 (sich) **auf**〔mit〕 e ~ (단어가) e로 끝나다; die Gasse endet **in** einen Sack 그 골목은 막다른 골목이다; **mit** et.³ ~ 무엇이 끝나다. ② 죽다, 소멸〔파멸〕하다: es endet mit ihm 그는 이젠 글렀다, 죽을 때가 되었다.

Ender *m.* -s, - 〔고어〕 결말을 짓는 사람.

..ender 《↑ Ende》 *suf.* 〖사냥〗 〔다음 용법으로〕 Acht~ 8 가닥의 뿔을 가진 수사슴.

End≈erfolg *m.*, **~ergebnis** *n.* 최종 결과〔성과〕. **~erkenntnis** *n.* 〖法〗 종국 판결. **~erklärung** *f.* 최종 통보.

endermatisch 《gr.》 *a.* 〖醫〗 피하의: ~e Methode 피하 요법.

Endes≈gefertigte*, ~genannte, ~unterschriebene*, ~unterzeichnete* *der/die* 〖격식〗 서명자: ich Endesunterzeichneter 서명자인 나〔본인〕.

en détail [ã detáj] 《frz.》 낱개로(im einzelnen): 〖商〗 ~ verkaufen 낱개〔소매〕로 팔다.

Endetail·handel [ãdetáj..] *m.* 〔고어〕 소매업.

End≈fall *m.* 〖문법〗 격(Kasus). **~gefecht** *n.* 최종전, 결승전. **~geschwindigkeit** *f.* 최종 속도, (허용) 최고 속도.

***endgültig** *a.* 최종〔최후〕의, 결정적인: ~ entscheiden 최후의 결정〔판결〕을 내리다; es ist ~ vorbei 그 일은 완전히 끝난 것이다.

Endgültigkeit *f.* 최종 결정, 번복 불가.

End·halte·stelle *f.* 종착역.

endigen [ɛ́ndɪgən] *i./t.* ↑ enden.

Endiger *m.* -s, - ↑ Ender.

Endigung *f.* -en 종료, 종결; 〖문법〗 어미.

Endivie [ɛndíːviə] 《ägypt.》 *f.* -n 〖植〗 꽃상추.

Endivien·salat *m.* 〖植〗 꽃상추; 〖요리〗 꽃상추 샐러드.

End≈kampf *m.* ↑ ~gefecht. **~knospe** *f.* 〖植〗 정생아(頂生芽). **~konsonant** *m.* (낱말의) 끝자음. **~kürzung** *f.* 〖문법〗 어미 생략. **~lager** *n.*, **~lagerung** *f.* (폐기물의) 최종 처리장. **~lagern** *t.* (폐기물을) 최종 처리장에 옮기다〔보관하다〕. **~lauf** *m.* (육상 경기의) 결승전. **~lein** *n.* ↑ Endchen.

***endlich** [ɛ́ntlɪç] 《I》 *a.* ① 〔고어〕 (eifrig) 열심의, 끈기 있는. ② 유한한; 일시적인, 무상한: unser Leben ist ~ 우리의 삶은 유한〔무상〕하다; 〖哲〗 eine ~e Gruppe 유한군(有限群). ③ 〔고어〕 최후〔궁극〕의; (endgültig) 결정적인. ④ 때늦은. 《II》 *adv.* ① 마지막에, 최후에. ② 마침내, 드디어; 결국: ~ ist es soweit 드디어 때가 왔다. ③ 〔고어〕 열심히, 끈기 있게.

Endlichkeit *f.* 유한성, 무상한 일, 현세; 〖哲〗 유한.

endlos [ɛ́ntloːs] *a.* 끝없는, 무한한, 불멸의; 끊임없는; 원형의: bis ins ~e 끊임없이, 무한히, 영원히; ein ~er Riemen 원형의 띠; ~es Gerede 끝없는 수다; ich mußte ~ warten 나는 한없이 기다려야만 했었다.

Endlos≈band *n.* 〖印〗 (연속으로 인쇄되는) 순환 종이 테이프. **~druck** *m.* 연속 인쇄. **~formular** *n.* 〖印〗 (계속 이어져) 절단할 수 있게 된 서식.

Endlosigkeit *f.* 무한, 영구성, 불멸. **~schleife** *f.* 〖컴〗 무한 루프.

Endlos≈papier *n.* 〖컴〗 연속 용지.

End≈lösung *f.* 최종 해결; (나치 시대의) 유대인 말살 계획. **~montage** *f.* 마무리 조립. **~moräne** *f.* 〖지질〗 빙퇴석(氷堆石).

Endnis *n.* -ses, -se ↑ Ende, Endung.

endo.. 《gr., „innen"》 *pref.* "내(부)의"의 뜻.

Endoblast [..blást] *m.* -es, -e 〖植〗 내배엽(內胚葉) 세포.

Endodermis [..dɛ́rmɪs] *f.* -men 〖植〗 내피(內皮), 내배엽.

Endogamie [..gamíː] 《gr.》 *f.* -n [..míːən] 〖植〗 (↔ Exogamie) 동계(同系) 교배; 동족 결혼.

endogen [..géːn] *a.* (↔ exogen) ① 〖植〗 (조직의) 내부에서 성장하는, 내생(內生)의. ② 〖醫·心〗 내인(內因)의: ~e Psychose (뇌조직의 이상이나 선천적 요인에 의한) 내인성 정신 질환. ③ 〖지질〗 내인적(內因的)인, 내성적(內成的)인.

Endokard [..kárt] *n.* -(e)s, -e 〖醫〗 심장 내막.

Endokarditis *f.* ..tiden [..tíːdən] 〖醫〗 심장 내막염.

Endokarp *n.* -(e)s, -e, **Endokarpium** *n.* -s, ..pien 〖植〗 내과피(內果皮).

endokrin [..kríːn] *a.* 〖醫〗 내분비의.

Endokrinologie *f.* 〖醫〗 내분비학.

Endometritis *f.* ..tiden [..tíːdən] 〖醫〗 자궁 내막염.

Endophyt *m.* -en, -en 〖生〗 체내〔내부〕 기생 식물.

Endoskop [ɛndoskóːp, ɛndo..] *n.* -s, -e 〖醫〗 내시경.

Endoskopie *f.* -n [..píːən] 〖醫〗 내시경 검사법.

endoskopisch *a.* 〖醫〗 내시경을 사용하는.

Endosmose [ɛndɔsmóːzə] *f.* -n 삼투(滲透).

Endosperm [ɛndospɛ́rm] *n.* -s, -e 〖植〗 배유(胚乳).

endossieren [ãdɔsíːrən] 《frz.》 *t.* 배서하다, 기명(記名)하다.

Endothel *n.* -s, -e **Endothelium** [ɛndotéːliʊm] 《gr.》 *n.* -s, ..lien [..liən] 『해부』 내피 세포.

endotherm [..tɛ́rm] *a.* 내열성(內熱性)〔흡열성(吸熱性)〕의(↔exotherm).

End-pfeiler *m.* 『건축』 주요 홍예 받침대. **~phase** *f.* 최종 단계〔국면〕: die ~ eines Wettkampfes 경기의 최종 국면. **~punkt** *m.* 종점, 극점(極點); 목적(지). **~rede** *f.* (Epilog) 끝맺는 말, 결어(結語). **~reim** *m.* 『문학』 각운. **~resultat** *n.* 최종 결과〔성과〕. **~runde** *f.* 『스포츠』 최종 라운드, 마지막 한바퀴.

Endschaft [ɛ́ntʃaft] *f.* -en 〔고어〕 ① 끝, 완료; seine ~ erreichen〔gewinnen, finden, haben〕 끝나다. ② 유한성(Endlichkeit).

End-sieg *m.* 최후의 승리. **~silbe** *f.* (낱말의) 끝 철자. **~spiel** *n.* 최후의 시합〔승부〕, 결승전; (체스 따위에서) 종반 끝내기 단계. **~spruch** *m.* 최종 판결. **~spurt** *m.* 『스포츠』 마지막 스퍼트, 최후의 분발. **~stadium** *n.* 최종 단계〔국면〕: ~ einer Krankheit 질병의 말기 단계. **~stand** *m.* 『스포츠』 최종 결과. **~station** *f.* 『철도』 종착역(↑ ~bahnhof); 종점: 〔비유〕 für viele Drogenabhängige heißt die ~ Gefängnis 많은 마약 중독자들의 종착역은 교도소다. **~stich** *m.* (경구의) 핵심을 찌르는 결말부. **~stück** *n.* 말단(부), 잘려진 조각. **~summe** *f.* 총계, 총합.

Endung [ɛ́ndʊŋ] 《<enden》 *f.* -en ① 끝, 종료; 말단. ② 『문법』 어미.

endungslos *a.* 『문법』 어미가 없는.

End-ursache *f.* 최종 원인. **~urteil** *n.* 『法』 최종 판결. **~verbraucher** *m.* 『經』 최종 소비자. **~vertrag** *m.* 최종 계약; 『法』 본(本) 조약. **~vierziger** *m.* 40 대 말의 남자. **~vierzigerin** *f.* 40 대 말의 여자. **~vokal** *m.* (낱말의) 끝모음.

Endymion [ɛndýːmiɔn] *m.* 『그리스신화』 엔디미온(달의 여신 Selene 의 사랑을 받고 영원히 잠든 미소년(목자)의 이름).

End-zeit *f.* (특히 종교에서) 세계 최후〔종말〕의 시기, 말세. **~zeitlich** *a.* 종말〔말세〕의. **~ziel** *n.*, **~zweck** *m.* 최종 목표〔목적〕. **~ziffer** *f.* (여러 자리 숫자의) 마지막 숫자. **~zustand** *m.* 최종 상태.

Energetik [enɛrgéːtɪk] 《gr.》 *f.* 『哲·物』 에너지 일원론(論) (W. Ostwald 가 주창).

Energetiker *m.* 에너지론자.

energetisch *a.* 에너지론의: ~er Imperativ 에너지론의 기본 법칙.

***Energie** [enɛrgíː] 《gr.》 *f.* -n [..gíːən] ① 힘, 세력; 정력, 기력; 실행력: ~ besitzen 힘〔정력〕을 소유하다; sich mit aller ~ für et. einsetzen 무엇에 모든 정력을 쏟다. ② 『이공학』 에너지; 에너지(자)원: elektrische ~ 전기 에너지; potentielle ~ 위치〔포텐셜〕 에너지; kinetische ~ 운동 에너지; das Gesetz von der Erhaltung der ~ 에너지 보존의 법칙.

energie-arm *a.* 에너지가 적은〔빈곤한〕. **~art** *f.* 에너지의 종류. **~aufwand** *m.* 에너지 소모(량). **~bedarf** *m.* 에너지 수요. **~bewußt** *a.* 에너지 절약의. **~bündel** *n.* 〔비유〕 정력적인 사람, 힘이 넘치는 사람. **~einsparung**, **~ersparnis** *f.* 에너지 절약. **~erzeugung** *f.* 에너지 생산. **~geladen** *a.* 정력적인, 원기 왕성한. **~haus-halt** *m.* 에너지 관리〔수급〕. **~intensiv** *a.* 에너지를 많이 소모하는. **~krise** *f.* 에너지 위기.

energielos *a.* 힘〔정력·실행력〕이 없는.

Energielosigkeit *f.* 힘〔정력〕이 없음.

Energie-politik *f.* 에너지 정책. **~quelle** *f.* 에너지원(源). **~reserve** *f.* 에너지 비축(량). **~satz** *m.* 『物』 에너지 보존 법칙. **~sparer** *m.* 에너지 절약자. **~spar-programm** *n.* 에너지 절약 계획. **~spender** *m.* 에너지원. **~träger** *m.* 에너지 자원. **~verbrauch** *m.* 에너지 사용(량). **~verlust** *m.* 에너지 손실. **~versorgung** *f.* 에너지 공급. **~wirtschaft** *f.* 에너지 경제. **~zufuhr** *f.* 에너지 공급.

***energisch** [enɛ́rgɪʃ] *a.* 정력적인, 원기 왕성한, 활동적인: ~e Maßnahmen ergreifen 강력한 조처를 취하다; ein ~es Verbrechen 발동성(發動性) 범죄: ein ~es Auftreten 단호한 태도.

Energismus *m.* -『哲』 활동주의.

Enervation [enɛrvatsióːn] 《frz.》 *f.* -en ↑ Enervierung.

enervieren 《lat.》 *t.* ① 약하게 하다; 기력을 꺾다: ein ~des Verhalten 기력을 빼앗는 행동. ② 『醫』 ein Organ ~ 어떤 기관의 신경(망)을 제거하다.

Enervierung *f.* -en ① 쇠약, 피로, 무기력. ② 『醫』 신경 제거.

Enesku [eneskúː] Georges [dʒɔːrdʒ] ~ 에네스코(루마니아 태생의 바이올리니스트·작곡가·지휘자, 1881-1956).

en face [ãfáːs] 《frz.》 *adv.* 『畫』 (↔en profil) 앞〔전면〕에서(vonvorn); 마주보고(gegenüber).

en famille [ã famíːj] 《frz., „in der Familie"》 *adv.* 〔고어〕 집안끼리, 내밀히, 비밀리에.

Enfant terrible [ãfã tɛríːbəl] 《frz., „Schreckenskind"》 *n.* -(s) -, -s -s [..fã ..bəl] 〔교양〕 무서운 아이, 주위 사람을 놀라게 하고 난처하게 만드는 사람, 당돌한 사람.

Enfilade [ãfiláːdə] 《frz.》 *f.* -n ① 『건축』 출입문을 통해 모든 방을 한눈에 볼 수 있게 하는 배치법. ② 『軍』 무차별〔싹쓸이〕 사격.

Enfilement [ãfilmãː] *n.* -s, -s ↑ Enfilade ②.

enfilieren [ãfilíːrən] 《frz.》 *t.* ① 실에 꿰다, 나란히 늘어놓다. ② 『軍』 무차별〔싹쓸이〕 사격을 가하다.

enflammieren [ãflamíːrən] 《frz.》 *t.* (entflammen) 태우다, 점화하다.

Enfleurage [ãfløráːʒə] 《frz.》 *f.* 냉침법(冷浸法) (냄새가 없는 기름에 꽃향기가 배어들게 하는 향수 제조법).

***eng** [ɛŋ] 《↑ ahd. angi, engi》 *a./adv.* ① **(a)** 좁은, 비좁은; 부자유스러운, 답답한, (옷 따위가) 꼭 끼는: ein ~es Zimmer 좁은 방; die Hose ist sehr ~ 바지가 너무 꼭 낀다. **(b)** 밀접〔밀집〕한, 빽빽한; 날이 가는(톱니 따위); 응축된: ~e Städte 건물이 빽빽이 들어선 도시; ein ~er Kamm 살이 가는 빗; sich ~ schnüren 코르셋을 꽉 죄다; ~ schreiben 빽빽하게 쓰다. ② 〔비유〕 친밀〔긴밀〕한; 한정〔제한〕된; 도량이 좁은; 우둔한: ~e Freunde 친한 벗; ~er Atem 가쁜 숨, 천식; der ~ere Ausschuß 특별 위원(회); ~es Herz 편협한 마음〔사람〕; ein ~es Gewissen haben 매우

엄격한 윤리관을 갖다; ~ere Wahl 결선 투표; im ~eren Sinn 좁은 의미로; in ~en Beziehungen zueinander stehen 서로 밀접한 관계에 있다; einen ~en Horizont haben 시야가 좁다, 식견이 부족하다; 〘구어〙 das darf man nicht so eng sehen 그것을 너그럽게 봐 주어야 한다; in ~en Verhältnissen leben 빈곤한 생활을 하다; ~er machen 국한하다, (옷을) 줄이다; sich ~ verbinden 긴밀히 결속하다.

Engadin [éŋgadi:n] 엥가딘(스위스 동부를 흐르는 Inn 강의 협곡; 휴양지로 유명함).

***Engagement** [ãgaʒ(ə)mã́:] 《frz.》 *n.* -s, -s [..mã:s] ①〘증권〙 계약, 예약; (계약상의) 책임, 의무. ② 고용, 모집, 초빙; 직무, 직장: ein ~ am Theater bekommen 극장〔극단〕에서 일자리를 얻다. ③〘고어〙 춤추자는 신청〔요청〕; 〘軍〙 교전; 〘商〙 채무, 저당. ④〘교양〙 (정치적·사회적) 참여, 개입, 관심; 책임감, 의무: das ~ der Bürger fördern 시민들의 참여를 장려하다. ⑤〘펜싱〙 (검의) 교차, 접촉.

engagieren [ãgaʒí:rən] 《frz., „verpfänden"》 《I》 *t.* ①〘고어〙 춤을 청하다: jn. zum Tanzen ~ 누구에게 춤을 청하다. ② 고용〔모집〕하다: Gehilfen ~ 조수를 채용하다; jn. zu et.³ ~ 누구를 무엇에 종사시키다, (사환 따위를) 의무적으로 매이게 하다. 《II》 *refl.* sich ~ 약속〔계약〕하다, 고용되다; 참여〔관여〕하다; 진력하다: sich in et. ~ 무엇에 관여〔종사·참여〕하다, 속박되다; sich zu et.³ ~ 무엇에 대한 의무를 지다; sich in einer politischen Bewegung ~ 정치 운동에 참여하다. 《III》 **engagiert** *p.a.* ↑ engagiert.

engagiert [ãgaʒí:rt] 《I》 *p.p.* ↑ engagieren. 《II》 *p.a.* ~ sein a) 종사하고〔고용되어〕 있다, b) (댄스·좌석 따위의) 선약이 있다, c) (파산 따위로) 손해〔폐〕를 끼치고 있다, d) 〘軍〙 교전 중이다; sehr ~ sein 무척 바쁘다; bei et.³ ~ sein 무엇에 관여〔참여〕하고 있다; ~e Literatur (사회) 참여 문학; 〘商〙 ~es Kapital 고정 자본.

Engagiertheit *f.* 〘드물게〙 참여(도), 관심.

eng≈anliegend *a.* (옷이) 몸에 꽉 끼이는. **~anschließend** [éŋ..] *a.* 밀접〔긴밀〕한, (옷 따위가) 몸에 꼭 맞는.

en garde [ã gá:rd] 《frz.》 〘펜싱〙 준비(심판이 시합 시작 직전 선수들에게 내리는 명령).

eng≈bedruckt *a.* 행간을 좁혀 빽빽이 인쇄한. **~befreundet** *a.* 친밀한. **~begrenzt** *a.* 좁게 한정〔국한〕된. **~beschrieben** *a.* 빽빽하게 쓴. **~brüstig** *a.* ① 흉곽이 좁은; 빈약한, 좁은. ② 천식의, 숨이 가쁜. **≈brüstigkeit** *f.* 호흡 곤란.

enge [έŋə] *a.* ↑ eng.

***Enge** *f.* -n ① 좁음, 협소, 빽빽함: die ~ in der kleinen Wohnung 작은 집의 협소함. ② 편협, 소심, 째째함: dogmatische ~ 독단적인 편협성. ③ 좁은 곳; 협곡, 해협; 〘비유〙 궁지: 〘비유〙 in die ~ graten 궁지에 몰리다; jn. in die ~ treiben 누구를 궁지에 몰아넣다.

***Engel** [έŋəl] *m.* -s, - ① 천사: guter〔böser〕 ~ 수호신〔악마〕; 〘구어〙 die ~ (im Himmel) singen〔pfeifen〕 hören 심한 통증〔고통〕을 느끼다; ~ haben ihn in den Schlaf gesungen 그는 평온한 죽음을 맞았다; 〘구어〙 ein ~ mit einem B davor 짓궂은 녀석(B+Engel은 Bengel). ② 천사처럼 착한〔아름다운·순진한〕 사람; 애인; 사자(使者); 구원자: ~ des Todes 죽음의 사자; die gelben ~ 노란 천사들(노란색 차를 타고 다니는 ADAC 의 자동차 구조대원들); ein ~ fliegt 〔es fliegt ein ~〕 durchs Zimmer 갑자기 이야기가 중단된다; 〘구어〙 nicht gerade ein ~ sein 언제나 모범이지는 않다.

engel·ähnlich *a.* 천사와 같은.

Enge·laut *m.* 〘언어〙 마찰음(Frikative).

Engel≈bild *n.* 천사의 상(像); 천사와 같은 사람. **~brot** *n.* 〘宗〙 (Manna) 신이 주신 음식물, 만나.

Engelchen *n.* -s, -, **Engelein** *n.* -s, - 〘↑ Engel 의 축소형〙 작은〔어린〕 천사.

Engel≈fisch *m.* 〘動〙 전자리상어의 일종. **≈gleich** *a.* ↑ ≈ähnlich.

engelhaft *a.* 천사와 같은.

Engelhaftigkeit *f.* 천사 같은 성품; 지순.

Engel≈hai *m.* ↑ ~fisch. **~knabe** *m.* 작은 천사. **~kopf** *m.* 천사의 머리; 예쁜 아이. **~kraut** *n.* 〘植〙 아르니카. **~macher** *m.* 〘은어〙 불법 낙태 시술자. **~macherei** *f.* 불법 낙태 시술; 〘드물게〙 양자 살해. **~macherin** *f.* 불법 낙태를 시술하는 여자〔산파〕; 〘드물게〙 양자를 죽이는 여자. **≈mild** *a.* 천사처럼 유순한. **≈rein** *a.* 천사처럼 순결한.

Engels≈angesicht *n.* 천사의 얼굴. **~bild** *n.* ↑ Engelbild. **~brot** *n.* ↑ Engelbrot. **~burg** *f.* (고대 로마 Hadrian 황제가 건설한) 제묘(帝廟)(지금은 박물관임).

Engel≈schar *f.* 천사의 무리. **≈schön** *a.* 천사처럼 아름다운.

Engels≈geduld *f.* 대단한 참을성. **~gesicht** *n.* 천사의 얼굴, 천사같이 순진무구한 얼굴〔표정〕; 빼어난 미모. **≈gleich** *a.* ↑ engelgleich. **~gruß** *m.* 〘가톨릭〙 (성모 마리아에 대한) 천사 축사(祝詞), 삼종(三鐘)기도(예수의 탄생을 기념하여 드리는 기도). **~güte** *f.* 천사와 같은 인자함. **~haar** *n.* 크리스마스 트리를 장식하는 반짝이는 실〔띠〕. **~kind** *n.* 천사와 같은 아이. **~kopf** *m.* ↑ Engelkopf. **~miene** *f.* ↑ ~gesicht. **~musik** *f.* 천상의 소리처럼 아름다운 음악.

Engel≈speise *f.* ↑ ~brot.

Engels·stimme, ~stimme *f.* 천사와 같은 목소리; 〘음악〙 파이프오르간의 음전(音栓) 이름.

Engels·unschuld *f.* (천사와 같은) 순진무구〔천진〕함.

Engel≈süß *n.* 〘植〙 고란초(고사릿과). **~taler** *m.* 옛 영국 금화. **~verehrung** *f.* 천사 숭배. **~weihe** *f.* 〘宗〙 천사 미카엘의 축제. **~wurz** *f.* 〘植〙 구리때. **~zungen** *pl.* 〘다음 용법으로〙 mit ~ reden〔überreden〕 달변으로 말〔설득〕하다.

engen [έŋən] 《I》 *t.* 좁히다, 죄다, 제한하다: Angst engte ihm die Brust 그는 불안해서 가슴을 졸였다. 《II》 *refl.* sich ~ 좁혀지다; 죄어지다.

Engerich *m.* -s, -e 〘動〙 ↑ Engerling.

Engerling [έŋərlɪŋ] *m.* -s, -e 〘動〙 풍뎅이류의 유충.

Eng≈führung *f.* 〘음악〙 스트레토. **≈geleisig** *a.* 〘철도〙 협궤의. **≈halsig** *a.* (병이) 목이 가는〔좁은〕.

Engheit [έŋhaɪt] *f.* 비좁음, 협소; 편협.

engherzig *a.* 마음이 좁은, 편협한, 완고〔완미〕한.
Engherzigkeit *f.* 편협, 완고함.
Engigkeit [ɛ́ŋɪç..] *f.* ↑ Engheit.
***England** [ɛ́ŋlant] 영국.
***Engländer** [..lɛndər] *m.* -s, - ① 영국 사람. ② 영국산(産) 말(최고 품종의 하나임). ③ 꼬리를 짧게 자른 말. ④〖기계〗만능 스패너. ⑤ (öst.) 땅콩 과자.
Engländerei [..dərái] *f.* 영국 숭배; 영국풍의 취향.
Englein *n.* ↑ Engelein.
englisch[1] [ɛ́ŋlɪʃ] 《<Engel》 *a.* 천사의, 천사와 같은:〖가톨릭〗~er Gruß 삼종(三鐘)기도 (↑ Engelsgruß).
***englisch**[2] 《<England》 *a.* 영국(인)의; 영국에서 유래한; 영어의: ~er Garten 영국식 정원; die ~en Fräulein (여성 교육을 위해 Maria Ward가 창설한) 여성회;〔고어〕~e Krankheit 영국병, 구루병; ~(es) Pflaster 영국식 반창고; ~e Sprache 〔das ~e〕 영어; auf ~ 영어로;〔비유〕~en Abschied nehmen 〔sich ~ empfehlen〕 인사도 없이 가다, 도망치다.
Englisch *n.* -(s) ① 영어: ~ lernen〔sprechen〕 영어를 배우다〔말하다〕. ② (학과로서의) 영어, 영문학; er hat in ~ eine 3 그는 영어 (영문학)에서 평점 3점을 받았다.
englisch⸗deutsch *a.* 영독의. **~horn** *n.* 잉글리시 호른(악기). **~leder** *n.* 면수자(綿繻子), 모수자(毛繻子). **~pflaster** *n.* 영국식 반창고. **~rot** *n.* (염료용 등의) 산화철. **~-unterricht** *m.* 영어 수업. **~-Waltz** [íŋglɪʃ-wɔ́(:)l(t)s] *m.* 느린 왈츠.
englisieren [ɛŋlizí:rən] *t.* ↑ anglisieren.
Eng·paß *m.* ① 애로, 좁은 길: die Gebirgsstraße führt durch mehrere Engpässe 이 산길에는 협로가 여러 군데 나 있다. ② 난관, 난국; 부족: Kühlschränke sind augenblicklich ein ~ 냉장고는 현재 물량이 부족하다.
Engramm [ɛngrám] 《gr., „Inschrift“》 *n.* -s, -e 인상, 감명.
en gros [ã gró:] 《frz., „im großen“》 *adv.* 〖商〗 도매로(↔ en détail).
Engros⸗geschäft [ãgró...] *n.*, **~handel** *m.* 도매업, 도매상. **~händler** *m.* 도매 상인. **~käufer** *m.* (생산자 등으로부터의) 대량 구매인. **~preis** *m.* 도매 가격.
Engrossist [ãgrɔsíst] *m.* -en, -en ↑ Engroshändler.
Engros⸗verkauf *m.* 도매. **~verkäufer** *m.* ↑ ~händler.
eng⸗säulig *a.*〖건축〗(기둥 간격 나누기의 일종) 일반 경간식(徑間式)의. **~schlucht** *f.* 산협(山峽), 협곡. **~spurig** *a.*〖철도〗협궤(狹軌)의. **~stirnig** *a.*〔폄어〕생각이 좁은, 편협한. **~umgrenzt** *a.* 테두리가〔폭이〕 좁은. **~verbunden** *a.* 긴밀하게 결합된. **~verwandt** *a.* 가까운 친척인. **~weg** *m.* 좁은길, 협로.
Enharmonik [ɛnharmó:nɪk] 《gr.》 *f.*〖음악〗이명 동음(異名同音) (보기: 올림 바음과 내림 사음).
enharmonisch *a.* 이명 동음의: gis und as sind ~ gleich 올림 사음과 내림 가음은 이명 동음이다.
enigmatisch *a.* 수수께끼의〔같은〕.
Enjambement [ãʒãbəmã́:] 《frz. enjamber, „überschreiten“》 *n.* -s, -s [..mã:s]〖문학〗(어떤 시행의 의미나 구문이 다음 시구에 계속되는) 월행(越行).
Enk [ɛŋk] *m.* -(e)s, -e ↑ Enke[1].
Enkadrement [ãkadrəmã́:] 《frz.》 *n.* -s, -s 배열, 편입.
enkaustieren [ɛŋkaustí:rən, ɛn..] 《gr.》 *t.* 소작화〔납화〕(燒灼畫〔蠟畫〕)를 그리다.
Enkaustik *f.* 납화(법), 소화술(燒畫術).
enkaustisch *a.* 납화법의.
Enke[1] [ɛ́ŋkə] *m.* -n, -n (ndd.) 머슴, 마부.
Enke[2] *f.* -n〖원예〗휘묻이용의 어린 가지 (Absenker).
Enkel[1] [ɛ́ŋkəl] *m.* -s, -〔방언〕복사뼈.
***Enkel**[2] *m.* -s, - 손자; 자손, 후손: das werden vielleicht unsere ~ noch erleben 아마도 우리의 후손들은 그것을 겪게 될 것이다.
Enkel·frau *f.* 손자며느리.
Enkelin *f.* -nen 손녀.
Enkel·kind *n.* 손자, 손녀.
enken [ɛ́ŋkən] *t.*〔방언〕(나무에) 접을 붙이다.
Enkel⸗knabe *m.*, **~sohn** *m.* 손자. **~-tochter** *f.* ↑ Enkelin.
Enklave [ɛŋklá:və] 《frz.》 *f.* -n 자국의 영토 내에 있는 타국의 영토(↔ Exklave).
Enklise [ɛŋklí:zə, ɛn..] *f.* -n 《gr., „Anlehnung“》〖언어〗(↔ Proklise) 전접(前接) (악센트 없는 말이 앞의 악센트 있는 말에 합쳐지는 현상; 보기: zum ← zudem).
Enklisis [ɛ́ŋklizɪs] *f.* ..sen ↑ Enklise.
Enklitikon [ɛŋklí:tikɔn] *n.* -s, ..ka〖언어〗(악센트 있는) 선행어에 합쳐지는(악센트 없는) 말.
enklitisch *a.* (악센트 있는) 선행어에 합쳐지는(↔ proklitisch).
enkodieren [ɛnkodí:rən] *t.* (정보를) 기호화〔부호화·약호화〕하다.
Enkodierung *f.* -en 기호〔부호·약호〕화.
Enkolpion [ɛnkɔ́lpiɔn] *n.* -s, ..pien [..piən] ① (고대 기독교 성직자의) 십자가 목걸이. ② (그리스 정교회의 신부의 가슴에 매단) 메달 모양의 마리아상.
Enkomiast [ɛŋkomiást, ɛn..] *m.* -en, -en 찬양〔찬미〕하는 사람.
Enkomiastik *f.* 칭송하는 기술, 찬미(술).
Enkomion *n.* -s, ..mien [..miən] 송사(頌詞), 찬사, 찬미가.
Enkomium [..miʊm] *m.* -s, ..mien [..miən] ↑ Enkomion.
Enkrinit [ɛŋkriní:t, ɛn.., ..nít] 《gr. krínon, „Lilie“》 *m.* -en, -en 화석 해백합(海百合).
Enkulturation [ɛnkʊlturatsió:n] *f.* -en (특정 문화 환경에의) 순응, 동화, 적응, 편입.
Enlevage [ãləvá:ʒə] *f.* -n 탈색, 퇴색.
en masse [ãmás] 《frz., „in Masse“》 무더기로; 여럿이 함께; 다량으로: diese Tiere gibt es hier ~ 이 동물들은 이 곳에서 떼를 지어 살고 있다.
en miniature [ãminjatý:r] 《frz., „im kleinen Maßstab“》 소규모로, 줄여서: hier ist der Flughafen ~ 여기 공항 모형〔축소형〕이 있다.
Enneandria [ɛneándria] 《gr.》 *pl.*〖植〗구웅예(九雄蕊) 식물.

enneandrisch [..drɪʃ] *a.* 구웅예의.
ennet [ɛ́nət] *prp.*³ (schweiz.) 건너편에; …을 넘어서.
ennet≈birgisch *a.* 산 너머에. **~rheinisch** *a.* 라인강 건너편의.
Enns¹ *f.* 엔스(도나우강의 지류).
Enns² 엔스(오스트리아 북부의 도시).
Ennui [anyí:, ãnyí:] 《frz.》 *m.* 지루함; 싫증, 짜증; 권태.
ennuyant [anyjánt, ãnyjã́] *a.* 지루한; 싫증나는, 성가신.
ennuyieren [..jí:rən] *t.* 지루하게 하다; 싫증나게 하다: ich bin von dieser Lektüre sehr ennuyiert 나는 이 책을 읽는 것이 아주 지루하다.
Enoch [é:nɔx] 《hebr.》 *m.* 〖聖〗 에녹(노아의 조부 Methusalem의 아버지).
enorm [enɔ́rm] 《lat., „übermäßig"》 *a.* ① 거대한; 〔구어〕 엄청난, 대단한, 보통이 아닌: ~ hoch 대단히 높은; das Theaterstück war enorm 그 연극 작품은 정말 대단했다. ② 〔구어〕 번창하는; 경기 좋은.
Enormität [enɔrmitɛ́:t] *f.* -en 엄청난 것; 거대, 엄청남, 막대.
Enostose [ɛnɔstó:zə] *f.* -n 〖醫〗 내골종(內骨腫).
en passant [ãpasã́:] 《frz.》 ① 지나는 길에; 덧붙여서, 내친 김에, 아울러: ich muß noch ~ einige Dinge erledigen 나는 하는 김에 몇 가지 일을 처리해야 한다. ② 〖장기〗 졸을 써서 상대편의 말을 따내기.
en personne [ãpɛrsɔ́n] 《frz.》 몸소, 친히.
en profil [ãprɔfí:l] 《frz.》 측면에서(↔en face).
En-Profil-Bild *n.* 측면 초상화.
Enquete [ãkɛ́:tə] 《frz.》 *f.* -n 설문 조사, 앙케트; (정부의 위임을 받은) 조사; (öst.) 연구회; 〖法〗 증인 심문.
Enquete·kommission *f.* (정부의 위임을 받은) 전문 조사 위원회.
enragieren [ãraʒí:rən] 《frz. enragé》 《Ⅰ》 *refl.* sich ~ ① 격분〔격노〕하다. ② 매료되다; 열광하다. 《Ⅱ》 **enragiert** *p.a.* ↑ enragiert.
enragiert [ãraʒí:rt] 《frz.》 《Ⅰ》 *p.p.* ↑ enragieren. 《Ⅱ》 *p.a.* 격노〔격분〕한; 열광한: sie war über das Verhalten ihres Sohnes ~ 그녀는 그녀 아들의 행동에 대해 격노했다.
enrhümiert [ãrymí:rt] 《frz. enrhumé》 *a.* 〔고어〕 감기에 걸린, 감기 기운이 있는.
enrollieren [ãrɔlí:rən] 《frz. enróler》 *t.* 명부에 기입하다; 〖軍〗 병적에 편입하다, 징집하다.
en route [ãrút] 《frz.》 〔교양〕 도중에(서).
Ens [ɛns] *n.* - 〖哲〗 존재자, 존재.
Ensemble [ãsã́(:)bəl] 《frz.》 *n.* -s, -s ① 전체; (조화로운) 전체 모습: ein ~ von Gebäuden um einen Platz 광장 둘레의 건물군. ② 극단, 악단, 무용〔합창·합주〕단: Kammermusik-~ 실내 악단. ③ 〖음악〗 소규모 악단. ④ 〖음악〗 (여러 독창자들이 함께 출연하는) 앙상블. ⑤ (재킷이나 외투가 딸린) 여성복. ⑥ 〖사회〗 ~ der gesellschaftlichen Verhältnisse (인간을 규정하는) 사회적 관계의 종합.
Ensemble≈musik *f.* 경음악 및 댄스 음악. **~spiel** *n.* (실내악) 합주. **~tänzer** *m.* (발레단의) 무용수.
Ensilage [ãsilá:ʒə] 《frz.》 *f.* -n 사료를 사일로에 넣어 발효시킴; 발효 사료.
en suite [ãsuí:t(ə), ãsuí:t] 《frz.》 ① 중단〔끊임〕 없이, 연속적인. ② 〖연극〗 ~ spielen 연극 작품을 매일 상연하다.
Ensuite·aufführung *f.* 〖연극〗 연속 공연.
ent [ɛnt] 〔다음 용법으로〕 ent oder weder! 둘 중 하나를 택하라!
*__ent..__ *pref.* "반대·부정·분리·이탈·탈취·생성·발전·어떤 상태로의 이동·악화·변질" 따위의 뜻.
entadeln [ɛnt|á:dəln] 《Ⅰ》 *t.* ① 귀족 지위를 박탈하다. ② 품위를 떨어뜨리다. 《Ⅱ》 *refl.* sich ~ 〔비유〕 굴종〔굴복〕하다.
entamieren [ãtamí:rən] *t.* 《frz.》 ① 베다, 상처를 입히다. ② 〔비유〕 시작하다: eine Unterhandlung ~ 교섭에 들어가다.
Entamöbe [ãnt|amǿ:bə] 《frz.》 *f.* -n 〖生〗 체내 기생 아메바.
entamten [ɛnt|ámtən] *t.* 면직〔해고〕하다.
entarten [ɛnt|á:rtən] 《Ⅰ》 *i.* (s.) / *refl.* (sich) ~ 변종〔변질〕하다; 퇴화하다, 타락하다: von et.³ in et. 〔zu et.³〕 ~ 무엇에서 무엇으로 변종하다. 《Ⅱ》 **entartet** *p.a.* ↑ entartet.
entartet 《Ⅰ》 *p.p.* ↑ entarten. 《Ⅱ》 *p.a.* 변종된; 타락한: ~e Kunst 퇴폐 예술(나치의 예술관과 일치하지 않는 예술의 총칭).
Entartung *f.* -en 변종, 변질, 퇴화, 타락.
Entartungs≈erscheinung *f.* 변질〔변종〕 현상. **~schaden** *m.* 변질에 따른 해악.
entaschen [ɛnt|áʃən] *t.* 재를 제거하다: den Ofen ~ 난로의 재를 제거하다.
Entaschung *f.* -en 재를 제거함.
Entase [ɛntá:zə] *f.* -n 〖건축〗 엔타시스.
Entasis [ɛ́ntazɪs] *f.* ..sen ↑ Entase.
entasten *t.* ↑ entästen.
entästen [ɛnt|ɛ́stən] *t.* ① Bäume ~ 나뭇가지를 베어내다, 가지를 치다. ② (폭풍 따위가) 가지를 꺾다.
entatmen [ɛnt|á:tmən] 《Ⅰ》 *t.* ① 숨가쁘게 하다. ② jm. et. ~ (바람 따위가) 누구에게서 무엇을 날려보내다, 흘러나가게 하다. 《Ⅱ》 *i.* (s.) 숨결처럼 흘러나오다. 《Ⅲ》 **entatmet** *p.a.* ↑ entatmet.
entatmet 《Ⅰ》 *p.p.* ↑ entatmen. 《Ⅱ》 *p.a.* 숨이 막히는, 숨가쁜.
entäußern [ɛnt|ɔ́ʏsərn] *t./refl.* et. ~ 〔sich eines Dinges ~〕 무엇에서 손을 떼다, 무엇을 단념〔포기〕하다; 넘겨주다, 매각하다; 양도〔처분〕하다: das Vermögen ~ 재산을 양도〔처분〕하다.
Entäußerung *f.* -en 포기, 단념; 매각, 양도, 처분.
Entäußerungs≈recht *n.* 양도권. **~wille** *m.* 포기 의지.
Entballung *f.* -en (인구나 공장 과밀 지역의) 밀집도의 경감.
*__entbehren__ [ɛntbé:rən] 《Ⅰ》 *t.* ① …을 아쉬워하다, 그리워하다: sie entbehrte den Kaffee sehr 그녀는 커피를 매우 아쉬워했다. ② 〔보통 können 과 함께〕 …없이 지내다: ich kann ihn nicht ~ 나는 그 사람 없이는 살아갈 수 없다. 《Ⅱ》 *i.* (h.) eines Dinges ~ 무엇이 결여되다; das Gerücht entbehrt jeder Grundlage 그 소문은 아무런 근거가 없다.
entbehrlich [ɛntbé:rlɪç] *a.* 없어도 되는, 무

용의, 불필요한: dein Kommentar ist wirklich ~ 네 논평은 정말 아무 소용이 없다.

Entbehrlichkeit *f.* -en 무용(지물), 불필요.

Entbehrung *f.* -en 결핍, 궁핍, 부자유; 없이 지내기: ~en auf sich nehmen 궁핍을 감수하다.

Entbehrungs=lohn *m.* 이식(利息), 이자. **~reich, ~voll** *a.* 궁핍이 심한: eine ~e Zeit 궁핍이 만연한 시대.

entbeinen *t.* Fleisch ~ 고기에서 뼈를 발라내다.

entbieten* *t.* ① (사자(使者)·편지 따위로) 누구에게 무슨 기별〔명령〕을 전하게 하다: jm. seinen Gruß ~ 누구에게 안부를 전하게 하다. ② jn. zu sich ~ 누구를 부르러 (사람을) 보내다; einen Arzt ~ 의사를 부르러 보내다. ③ (et.) 가져오게 하다.

entbinden* 《Ⅰ》 *t.* ① jn. von et.³ 〔eines Dinges〕 ~ 누구를 무엇에서 해방〔석방〕하다, 누구의 무엇(속박·의무·서약 따위)을 면제하다, 해제하다: sie entband ihn von seiner Verpflichtung 그녀는 그에게 의무를 면제시켜 주었다. ② eine Frau ~ 임신부를 분만시키다; von einem Kinde entbunden werden 아이를 낳다, 분만하다. ③〖化〗(가스·열 따위를) 방출하다. 《Ⅱ》 *refl.* sich ~ 방출되다. ④〖醫〗(백내장을) 제거하다. 《Ⅲ》 *i.* 아이를 낳다: sie hat gestern entbunden 그녀는 어제 아이를 낳았다.

Entbinder *m.* -s, - ①〖法〗면죄 선고자. ② 산과 의사, 조산사(助産師).

Entbinderin *f.* -nen ↑ Entbinder 의 여성형.

Entbindung *f.* -en ① (von et.³) 석방, 면제. ② 분만; 조산. ③〖化〗방출.

Entbindungs=anstalt *f.* (조)산원(院), 산과 병원. **~anzeige** *f.* 출생 신고. **~dauer** *f.* 분만 시간. **~fürsorge** *f.*〖法〗분만 때의 보호. **~heim** *n.* 산원(産院). **~kunst** *f.* 조산술. **~pfleger** *m.* 조산원. **~saal** *m.* 분만실. **~zeit** *f.* 분만기. **~station** *f.* 산과 병동.

entbittern *t.* (음식물의) 쓴맛을 없애다.

entblättern 《Ⅰ》 *t.* 잎을 떨어뜨리다. 《Ⅱ》 *refl.* sich ~ 잎이 지다;〔농담〕옷을 벗다.

Entblätterung *f.* -en 잎을 떨어뜨림; 낙엽이 짐.

Entblättrung *f.* -en ↑ Entblätterung.

entbleien [ɛntbláɪən] *t.* 납성분을 제거하다.

entblocken *t.*〖철도〗ein Signal ~ 신호기의 횡목을 올리다.

entblöden [ɛntblǿːdən] *refl.* sich ~ 꺼리다: 〔지금은 보통 nicht 와 함께〕 sich nicht ~ 꺼리지 않다, 감히 하다; er entblödet sich nicht, mir zu schmeicheln 그는 뻔뻔스럽게도 내게 아부하기를 서슴지 않는다.

entblößen [ɛntblǿːsən] 《Ⅰ》 *t.* ① 벌거벗기다, 드러내다, 노출시키다: die Brust ~ 가슴을 노출하다; 〔비유〕 sein Innenleben ~ 자신의 내면 생활을 적나라하게 털어놓다. ② jn. eines Dinges 〔von et.³〕 ~ 누구에게서 무엇을 빼앗다. ③ eine Festung von Truppen ~ 요새의 수비병을 격퇴하다. 《Ⅱ》 *refl.* ① sich ~ 벌거벗다, 노출하다. ② sich eines Dinges ~ 무엇을 잃다, 포기하다. 《Ⅲ》 **entblößt** *p.a.* ↑ entblößt.

entblößt 《Ⅰ》 *p.p.* ↑ entblößen. 《Ⅱ》 *p.a.* 벌거벗은, 드러낸, 없는: aller Mittel 〔von allen Mitteln〕 ~ sein 돈이 한 푼도 없다; ~en Hauptes 모자를 쓰지 않고〔벗고〕.

Entblößung *f.* -en 벌거벗김, 벌거벗음, 노출(부);〔비유〕박탈; 폭로; 격퇴.

entblühen *i.* (s.) 〔시어〕 et.³ ~ 무엇에서 피어나다, 발원하다: ihrem Schoß entblüht neues Leben 그녀의 모태에서 새로운 생명이 생겨난다.

entblümen, entblüten *t.* 꽃을 따다〔떨어뜨리다〕.

entbrannt 《Ⅰ》 *p.p.* ↑ entbrennen. 《Ⅱ》 *p.a.* von Liebe〔Zorn〕 ~ sein 연정〔분노〕에 불타고 있다.

entbrausen *i.* (s.) 콸콸 소리 내며 흘러나오다〔가다〕.

entbrechen* 《Ⅰ》 *i.* (s.) 밀쳐 부수고〔꿰뚫고〕 나오다. 《Ⅱ》 *refl.* ①〔고어〕 sich eines Dinges ~ 무엇을 피하다, 면하다. ② 억제하다: er kann sich nicht ~ zu lachen 〔des Lachens〕 그는 웃지 않을 수 없다.

entbrennen* 《Ⅰ》 *i.* (s.) 불타오르다; 발발하다, 갑자기 시작되다: in Liebe für jn. 〔zu jm.〕 ~ 누구에의 연정에 불타오르다; in Zorn 〔Wut〕 ~ 분노에 불타다; der Kampf entbrennt 전쟁이 발발하다. 《Ⅱ》 *t.* 〔드물게〕 불타오르게 하다. 《Ⅲ》 **entbrannt** *p.a.* ↑ entbrannt.

entbürden *t.* 무거운 짐을 내려 주다: 〔비유〕 jn. eines Dinges ~ 누구의 무엇(걱정·노고 등)을 덜어주다.

entbürokratisieren *t.* 관료주의 요소를 제거하다; 간소화하다.

Entbürokratisierung *f.* -en 탈관료주의화.

Entchen [ɛ́ntçən] *n.* -s, - 〔↑ Ente 의 축소형〕〖動〗오리.

entchloren *t.* 염소를 제거하다.

entchristlichen *t.* 기독교에서 이탈시키다.

entdachen *t.* 지붕을 벗기다.

entdampfen *i.* (s.) et.³ ~ (증기·연기 따위가) 무엇에서 피어오르다.

***entdecken** [ɛntdɛ́kən] 《Ⅰ》 *t.* ① 발견하다: Kolumbus hat Amerika entdeckt 콜럼버스는 아메리카를 발견했다. ② 털어놓다, 드러내다: ich will dir mein Geheimnis ~ 나는 네게 내 비밀을 털어놓겠다. ③ 뜻밖에 깨닫다, 알아채다, 찾아내다: sein Herz für jn. ~ 누구를 사랑하기 시작하다: einen neuen Weg ~ 새로운 방법을 찾아내다. 《Ⅱ》 *refl.* sich ~ 드러나다: sich jm. ~ 누구에게 속마음을 털어놓다.

Entdecker *m.* -s, - 발견자.

Entdecker·freude *f.* 발견의 기쁨.

Entdeckerin *f.* -nen ↑ Entdecker 의 여성형.

entdeckerisch *a.* 발견의, 발견상의.

Entdeckung [ɛntdɛ́kʊŋ] *f.* -en 발견; 드러냄; 깨달음, 알아냄; 발견물: eine für die Wissenschaft wichtige ~ machen 학문적으로 중요한 발견을 하다.

Entdeckungs=eifer *m.* 발견욕(欲). **~fahrt** *f.* ↑ ~reise. **~reise** *f.* 탐험 여행.

entdeutschen [ɛntdɔ́ʏtʃən] *t.* 독일적인 특색을 없애다, 비독일적으로 만들다.

Entdeutschung *f.* -en 독일적 특색의 제거.

Entdeutschungs·politik *f.* 독일적인 특색 제거 정책.
entdröhnen [ɛntdrǿ:nən] *t.* 〖기술〗 (웅웅거리는) 소음을 제거하다.
Entdröhnung *f.* -en 소음 제거.
entdunkeln *t.* 밝게 하다; 등화 관제를 풀다.
Ente [ɛ́ntə] *f.* -n ①〖動〗 오리, 오리 요리: eine wilde ~ 들오리; eine zahme ~ 집오리; heute gibt es gefüllte ~ 오늘은 속을 채워 넣은 오리 요리가 있습니다; 〖폄어〗 eine lahme ~ 느리고 답답한 사람〔차〕. ②〖구어〗 허위 보도, 날조 기사: die Nachricht war nur eine ~ 그 뉴스는 허위였다. ③ 환자용 소변기. ④ 프랑스의 소형 차종의 하나. ⑤ kalte ~ 백포도주를 넣은 칵테일의 일종.
entehren [ɛnt|é:rən] 《Ⅰ》 *t.* 명예를 실추시키다, 오명을 씌우다; 품위를 낮추다; (처녀를) 능욕하다: damit hast du deine Familie entehrt 그 일로 너는 네 가문에 먹칠을 하였다. 《Ⅱ》 *refl.* sich ~ (자기의) 명예를 더럽히다, 위신을 잃다. 《Ⅲ》 **entehrt** *p.a.* ↑ entehrt.
entehrend *p.a.* 불명예〔수치〕스러운.
Entehrer *m.* -s, - 명예 훼손자, 성폭행자.
entehrt 《Ⅰ》 *p.p.* ↑ entehren. 《Ⅱ》 *p.a.* 명예를 잃은; 능욕당한; ein ~es Mädchen 타락한 처녀.
Entehrung *f.* -en 명예 훼손; 성폭행.
enteignen [ɛnt|áɪgnən] *t.* 〖法〗 jn. ~ 누구의 소유권〔소유물〕을 박탈〔몰수〕하다: alle Großgrundbesitzer wurden nach der Bodenreform enteignet 모든 대지주들이 토지 개혁 후에 재산을 몰수당했다.
Enteignung *f.* -en 〖法〗 몰수, 수용(收用), 공용(共用) 징수.
Enteignungs⸗gesetz *n.* 〖法〗 몰수법, 수용(收用)법. **~recht** *n.* 공용(共用) 징수권. **~verfahren** *n.* 수용 절차.
enteilen [ɛnt|áɪlən] *i.* (s.) ① jm. 〔einem Ort〕 ~ 누구에게서〔어떤 장소에서〕 급히 떠나가다, 도망가다. ②〖비유〗 (시간이) 빨리 지나가다: die Zeit enteilt wie im Fluge 세월은 유수와 같다.
enteisen [ɛnt|áɪzən] *t.* 얼음을〔서리를〕 제거하다.
Enteisung *f.* -en 얼음〔서리〕 제거.
enteisenen [ɛnt|áɪzənən] *t.* 철(분)을 제거하다.
Enteisenung *f.* -en 철분 제거.
Entelechie [ɛntelɛçí:] 《gr. en télei échein, „in Vollendung haben〔sein〕"》 *f.* -n [..çí:ən] 〖哲〗 엔텔레케이아(아리스토텔레스 철학에서 질료속에서 실현되는 본질적 형상; 발전과 완성을 성취시키는 유기체의 힘).
entelechisch [..lɛ́:çɪʃ] *a.* 엔텔레케이아의.
Enten⸗aar, ~adler *m.* 〖動〗 물수리. **~beize** *f.* (매를 이용한) 오리 사냥. **~braten** *m.* 오리 구이. **~dunst** *m.* 오리잡이용 산탄(霰彈). **~ei** *n.* 오리알. **~fang** *m.* ① 오리 사냥. ② 오리잡이터(못). **~feder** *f.* 오리 깃털. **~fett** *n.* 오리 지방〔기름〕. **~flinte** *f.* 오리 사냥총. **~flott** *n.* ↑ ~grütze. **~flugzeug** *n.* 오리 모양의 비행기. **~grieß** *m.* ↑ ~grütze. **~grün** *n.* ↑ ~grütze. **~grütze** *f.* 〖植〗 좀개구리밥. **~hagel** *m.* ↑ ~dunst. **~herd** *m.* ↑ ~fang ②. **~jagd** *f.* 오리 사냥. **~küken** *n.* 오리 새끼. **~muschel** *f.* 조개삿갓. **~pfuhl** *m.* 오리 못. **~schlag** *m.* ↑ ~jagd. **~schnabel** *m.* ① 오리 주둥이. ②〖醫〗 겸자(鉗子). ③〖動〗 조개의 일종. ④ ~schnäbel 〖복수〗 15-16 세기경의 긴 오리 주둥이 모양의 구두(Schnabelschuhe).
Entente [ãtã́:t(ə)] 《frz.》 *f.* -n (국가간의) 협정, 협상; (제 1 차 세계 대전 중) 연합국측의 동맹 협상: eine ~ gründen〔bilden〕 동맹 관계를 맺다; die Große ~ 영·프·러·이·미·일·벨기에간의 7 대국 협상; die Kleine ~ (제 1 차 세계 대전 후 체코·루마니아·유고슬라비아 간의) 소국 협상(1920-39).
Entente cordiale [..kɔrdjál] *f.* (1904 년에 체결된) 영국·프랑스간의 동맹 협상.
Enten·teich *m.* 오리가 사는 연못.
Entente·mächte *pl.* 제 1 차 세계 대전 때의 연합국측.
Enten·wal *m.* 〖動〗 향유고래.
Enter [ɛ́ntər] 《ndd.》 *n./m.* -s, -(s) (망아지·송아지 등의) 한 살 먹은 새끼 짐승.
enteral [ɛnterá:l] 《gr.》 *a.* 장(腸)의, 내장의 (↑ entero..).
Enteralgie [..gí:] *f.* -n [..gí:ən] 〖醫〗 장산통(腸疝通).
Enter·beil 《<entern》 *n.* 〖海〗 (적선을 걸어 잡아당기기 위한) 긴 자루가 달린 도끼.
enterben [ɛnt|ɛ́rbən] 《Ⅰ》 *t.* ① jn. ~ 누구의 상속권을 박탈하다. ②〖비유〗 (관직·명예 따위를) 빼앗다: von Amt enterbt werden 해직되다. 《Ⅱ》 **enterbt** *p.a.* ↑ enterbt.
enterbt [..pt] 《Ⅰ》 *p.p.* ↑ enterben. 《Ⅱ》 *p.a.* 상속권이 박탈된; 해직된; 〖비유〗 vom Schicksal ~ sein 숙명적으로 (세상에서) 얻은 것이 없다.
Enterbte* *der/die* ① 상속권 상실자. ②〖복수〗 무산자, 프롤레타리아.
Enterbung [ɛnt|ɛ́rbʊŋ] *f.* -en 상속권 박탈.
Enter⸗brücke *f.* 적선(敵船) 침입용 다리. **~dregge** *f.*, **~haken** *m.* 〖海〗 적선 포획용 쇠갈고리.
Enterich [ɛ́ntərɪç] *m.* -s, -e 수오리.
enterisch [ɛnté:rɪʃ] *a.* ↑ enteral.
Enteritis [ɛnterí:tɪs] *f.* ..tiden [..tí:dən] 〖醫〗 장염(腸炎).
Enter·lücken *pl.* 〖海〗 적선 침입용 승강구.
entern [ɛ́ntərn] 《Ⅰ》 *t.* 〖海〗 (배에) 적선을 기어올라가 침입하다. 《Ⅱ》 *i.* (h./s.) (줄을 타고) 기어오르다.
Enter·netz *n.* 〖海〗 적선 침입용 그물.
entero.. 《gr. énteron, „Darm, Eingeweide"》 *pref.* "장(腸)·내장"의 뜻.
enterogen [ɛnterogé:n] *a.* 〖醫〗 장(腸)에서 발생한, 장에 원인이 있는.
Enteroklyse [..klý:zə] *f.* -n 〖醫〗 관장(灌腸).
Enteroklysma [..klýsma] *n.* -s, ..men/-ta 〖醫〗 관장, 장세척.
Enterolith [..lí:t, ..lít] *m.* -s/-en, -e(n) 〖醫〗 장결석.
Enterologie *f.* 〖醫〗 장론(腸論), 내장학.
Enteroskop [..skó:p] *n.* -s, -e 〖醫〗 대장(大腸) 내시경.
Enteroskopie *f.* -n 〖醫〗 대장 내시경 검사.
Enterostomie [..stomí:] *f.* -n [..ní:ən] 〖醫〗 인공 항문술(肛門術).
Enterotomie [..tomí:] *f.* -n [..mí:ən] 〖醫〗 장

절단술.

Enterozoon [..tsó:ɔn] *n.* -s, ..zoen/..zoa 〖動〗 장 기생충.

Enter·pike *f.* 〖海〗 적선을 걸어 당기어 침입하는 데 쓰이는 창(槍).

Entertainer [ɛ́ntərté:nər] 《engl.》 *m.* -s, - 엔터테이너, 흥을 돋우는 연예인.

entfachen *t.* ① 불을 붙이다, 불지르다. ②〔비유〕 야기하다, 선동〔자극〕하다: ihre Worte entfachten seinen Zorn 그녀의 말이 그의 분노를 불러일으켰다.

Entfachung *f.* -en 불을 붙임; 자극, 선동.

entfädeln *t.* (바늘에서) 실을 빼다.

entfahren* 《I》 *i.* (s.) ① et.³〔jm.〕 ~ 무엇에서〔누구에게서〕 달아나다〔도망가다〕. ②〔비유〕 jm. ~ 누구 입에서 불쑥 새어나오다: es entfuhr ihm ein Seufzer 그는 자기도 모르게 한숨을 내쉬었다. 《II》 sich³ et. ~ lassen 무엇을 놓치다.

entfallen* [ɛntfálən] *i.* (s.) ① jm.〔et.³〕 ~ 누구에게서〔무엇에서〕 미끄러져〔빠져〕 떨어지다: das Schwert entfiel ihm 〔seiner Faust〕 검이 그의 손에서 빠져 떨어졌다. ②〔비유〕 (깜박) 잊다: die Tatsache ist mir 〔meinem Gedächtnis〕 ~ 나는 그런 사실이 생각나지 않는다. ③ auf〔für〕 jn. ~ 누구의 몫이 되다; der auf ihn ~de Anteil 그의 손에 들어오는 몫. ④ 탈락하다, 누락되다: die Werbung im Fernsehen entfällt 텔레비전에서 이 광고가 빠진다.

***entfalten** [ɛntfáltən] 《I》 *t.* ① 펴다, 풀다, 펼치다: die Stirn ~ 이맛살을 펴다. ②〔비유〕 내보이다, 진술〔개진(開陳)〕하다; 발전시키다; 계발하다; 전개하다: einen Plan ~ 계획을 펼쳐 보이다; eine Begabung ~ 재능을 계발하다; bei dieser Leistung hat er viel Kraft und Mut entfaltet 이 일을 하는 데 그는 크게 힘과 용기를 보여 주었다. 《II》 *refl.* sich ~ 펴지다, 풀리다, 펼쳐지다; 발달〔발전·발육〕하다: die Blüten sind jetzt entfaltet 꽃들이 지금 활짝 피었다. 《III》 **entfaltet** *p.a.* ↑ entfaltet.

entfaltbar *a.* 전개〔발휘〕될 수 있는.

entfaltet 《I》 *p.p.* ↑ entfalten. 《II》 *p.a.* 펼쳐진, 전개된, 발전된: voll ~ 꽃이 만발한.

Entfaltung *f.* 펼침, 전개; 계발, 발전; 제시: et. zur ~ bringen 무엇을 발전시키다.

Entfaltungs·möglichkeit *f.* 발전 가능성.

entfärben 《I》 *t.* 탈색하다, 퇴색시키다, 표백하다. 《II》 *refl.* sich ~ 빛이 바래다; 창백해지다: die Blätter ~ sich im Herbst 나뭇잎들은 가을에 단풍이 든다.

Entfärber *m.* -s, - 〖化〗 탈색〔표백〕제.

Entfärbung *f.* -en 탈색, 퇴색, 창백(해짐).

Entfärbungs·mittel *n.* 탈색〔표백〕제.

entfasern 《I》 *t.* …에서 섬유를 빼다; 풀다. 《II》 *i.* (s.) / *refl.* (sich) ~ 풀리다.

***entfernen** [ɛntfɛ́rnən] 《I》 *t.* 멀리하다, 떼어놓다, 제거하다: sich³ die Mandeln ~ lassen 편도선을 제거하다; jn. aus dem Amte ~ 누구를 면직하다; jn. von jm.³ ~ 누구를 누구에게서 떼어놓다, 누구를 누구와 이간하다. 《II》 *refl.* sich ~ 멀어지다, 떠나가다, 사라지다: sich von et.³ ~ 무엇에서 벗어나다, 어긋나다; 〔비유〕 wir haben uns in den vergangenen Jahren weit voneinander entfernt 지난 수년간 우리는 아주 멀어졌다. 《III》 **entfernt** *p.a.* ↑ entfernt.

***entfernt** 《I》 *p.p.* ↑ entfernen. 《II》 *p.a.* ① (멀리) 떨어진: 〖數〗 gleich weit ~ 같은 거리의; das Haus liegt 2 km ~ 그 집은 2 km 떨어져 있다; ich bin weit (davon) ~, dies zu behaupten 나는 결코 이것을 주장하는 것이 아니다; jn. von sich ~ halten 누구를 멀리하고 있다. ②〔비유〕 (관계·혈연 따위가) 먼; 미소〔근소〕한, 희미한, 불분명한: ~e Verwandte 먼 친척; 〔비유〕 eine ~e Ähnlichkeit mit jm. 누구와의 약간의〔있을까 말까 할 정도의〕 유사성; ~ andeuten 은근히 암시하다; nicht im ~esten 조금도 무엇하지 않은.

entfernter·weise *adv.* (멀리) 떨어져서.

***Entfernung** *f.* -en ① 멀리함, 멀어짐; 이탈; 제거; 퇴직, 면직: die operative ~ einer Geschwulst 수술에 의한 종양의 제거. ② 거리, 간격: 〔비유〕 die gesellschaftliche ~ zwischen oben und unten 상류층과 하류층 사이의 사회적 격차.

Entfernungs·messer *m.* 거리 측량기〔측량기사〕.

entfesseln 《I》 *t.* 쇠사슬에서 풀어 놓아주다; 〔비유〕 누구의 속박을 풀다; 불러일으키다: einen Krieg〔Aufruhr〕 ~ 전쟁〔폭동〕을 일으키다. 《II》 *refl.* sich ~ 속박을 벗어나다. 《III》 **entfesselt** *p.a.* ↑ entfesselt.

entfesselt 《I》 *p.p.* ↑ entfesseln. 《II》 *p.a.* 속박에서 벗어난.

Entfesselung *f.* -en (억제된 것의) 폭발, 해방.

Entfesselungs·künstler *m.* (버라이어티쇼에서 스스로) 포승을 푸는 곡예사.

Entfeßlung *f.* -en ↑ Entfesselung.

entfestigen *t.* ① eine Stadt ~ 도시를 함락하다. ② (금속을) 부드럽게 만들다.

Entfestigung *f.* -en 함락; 부드럽게 만듦.

entfetten *t.* 탈지(脫脂)하다; 〖醫〗 비만증을 치료하다.

Entfettung *f.* -en 탈지, 비만증 치료.

Entfettungs·kur *f.* 〖醫〗 (비만 치료용) 탈지요법.

entfeuchten [ɛntfɔ́ʏçtən] *t.* 습기를 제거하다.

Entfeuchtung *f.* -en 습기 제거.

Entfieberung *f.* 〖醫〗 해열.

entfiedern 《<Feder》 *t.* 무엇의 깃털을 제거하다, 털을 뽑다〔뜯다〕.

entflammbar *a.* ① 불붙기 쉬운, 가연성(可燃性)의. ②〔비유〕 쉽게 열광하는: er ist für alles Neue ~ 그는 모든 새로운 것에 열광한다. ③〔농담〕 사랑에 쉽게 빠지는: ein leicht ~er Mann 곧잘 사랑에 빠지는 남자.

entflammen 《I》 *t.* ① 불타오르게 하다. ②〔비유〕 야기하다, 불러일으키다, 자극하다; 반하게 만들다; 열광하게 만들다: js. Haß ~ 누구의 증오를 일으키다. 《II》 *i.* (s.) / *refl.* (sich) ~ ① 불타오르다: der Streit entflammte von neuem 그 논쟁은 다시 시작되었다. ②〔비유〕 für jn.〔et.〕 ~ 누구에게 반하다〔무엇에 열광하다〕. 《III》 **entflammt** *p.a.* ↑ entflammt.

entflammt 《I》 *p.p.* ↑ entflammen. 《II》 *p.a.* 불타오르는; 열광하는: von Rache〔Liebe〕 ~ sein 복수심〔연정〕에 불타오르고 있다.

Entflammung *f.* -en 불타오름, 열광.

Entflammungs·punkt *m.* 인화(引火)점.

entflattern *i.* (s.) 날개 치며〔펄펄〕날아가다: ein Blatt Papier entflatterte seinen Händen 종이 한 장이 그의 손에서 날아 떨어졌다.
entflechten* [ɛntflɛ́çtən] *t.* ① (엮은 것을) 풀다. ②〖經〗(대기업이나 콘체른을) 나누다, 분할하다.
Entflechtung *f.* -en 풀기; 콘체른〔카르텔〕의 해체.
entflecken *t.* 얼룩을 빼다: einen Teppich ~ 양탄자의 얼룩을 빼다.
entfleischen [ɛntfláiʃən] 《Ⅰ》 *t.* ① 살을 떼어 내다; 여위게〔쇠약하게〕 만들다: die Krankheit hat ihn entfleischt 그는 병으로 살이 빠졌다. ② 가죽 안쪽의 결체(結締) 조직을 제거하다. 《Ⅱ》 **entfleischt** ↑ *p.a.* entfleischt.
entfleischt 《Ⅰ》 *p.p.* ↑ entfleischen. 《Ⅱ》 *p.a.* 살이 빠진, 수척한, 여윈: ~e Gerippe 수척한 골격.
entfliegen* *i.* (s.) jm. 〔et.³〕 ~ 누구에게서〔무엇에서〕 날아가다, 도망가다; der Vogel ist dem Käfig entflogen 새가 새장에서 날아갔다.
entfliehen* *i.* (s.) ① jm. 〔et.³〕 ~ 누구에게서〔무엇에서〕 도망가다, 벗어나다;〖시어〗사라지다: dem Schicksal ~ 운명(의 손아귀)에서 벗어나다. ②〖비유〗빨리 지나가다.
entfließen* *i.* (s.) 무엇에서 흘러나오다: ihren Augen ~ Tränen 그녀의 눈에서 눈물이 흘러나온다.
entflüchten *i.* (s.) ↑ entfliehen.
***entfremden** [ɛntfrɛ́mdən] 《Ⅰ》 *t.* ① jm. et. ~ 〔jn. et.³ ~〕 누구에게 무엇을 낯설게 하다, 소원(疏遠)하게 만들다, 소외시키다: entfremdete Arbeit 소외된 노동(마르크스 이론); die lange Trennung hat sie einander entfremdet 오랜 헤어짐으로 그들의 관계가 서먹해졌다. ② 다른 목적에 사용하다: einen Raum seinem Zweck ~ 공간을 본래의 목적으로 사용하지 않다. 《Ⅱ》 *i.* (s.) / *refl.* (sich) jm. ~ 누구와 소원해지다; sich gegenseitig ~ 서로 멀어지다, 사이가 나빠지다.
Entfremdung *f.* -en 소외, 소원(疏遠), 낯설게 하기.
entfristen *t.* (특정한) 기한을 정하지 않다.
Entfritter [ɛntfrítər] *m.* -s, -〖전기〗데코히어러.
entfrosten *t.* 서리를〔얼음을〕 녹여서 없애다. 해동(解凍)시키다.
Entfroster *m.* -s, - ① (자동차의) 성에 제거용 분무제. ② (냉장고의) 성에 제거 장치.
entführen [ɛntfýːrən] *t.* ① 날라가다, 데려가다, 빼앗아가다; 유괴〔납치〕하다: sich von jm. ~ lassen 누구와 눈맞아 달아나다. ②〖농담〗가지고 가다: darf ich Ihnen kurz das Buch ~? 당신의 책을 잠시 빌려가도 될까요?
Entführer *m.* -s, - 유괴자, 납치범: Flugzeug~ 비행기 납치범.
Entführung *f.* -en 유괴, 납치.
entfüllen *refl.* sich ~ 텅 비게 되다, 공허해지다.
entfuseln *t.* den Branntwein ~ 화주(火酒)에서 퓨젤유(油)를 없애다.
Entfus(e)lung *f.* -en 퓨젤유 제거.
entfusseln *t.*〖구어〗솜털·보푸라기 따위를 제거하다.
Entgang [ɛntgáŋ] 《<entgehen》 *m.* -(e)s, ..gänge (뜻하지 않은 지장 때문에 생긴) 손실, 상실;〖드물게〗회피.
entgangen 《Ⅰ》 *p.p.* ↑ entgehen. 《Ⅱ》 *p.a.* 놓쳐 버린: ein ~er Gewinn 놓친 이익〔벌이〕.
entgasen [ɛntgáːzən] *t.* 무엇에서 가스를 제거〔채취〕하다: einen chemischen Stoff ~ 화학물질에서 가스를 제거하다〔얻어내다〕.
Entgasung *f.* -en 가스 성분 제거〔채취〕.
***entgegen** [ɛntgéːgən] 《Ⅰ》 *adv.*〖방향〗**(a)** 무엇을 향하여, 무엇 쪽으로: sie jauchzten dem Retter ~ 그들은 다가오는 구조자를 향해 환호성을 올렸다. **(b)** 상반〔대립〕되는: das ist allem ~, was Sie vorhin behauptet haben 그것은 당신이 이전에 주장했던 모든 것과 반대다. 《Ⅱ》 *prp.*³〖적대·대항〗…에 반대하여, 거역하여: meiner Weisung ~ 내 지시와 어긋나게.
entgegen.. *pref.* "어떤 것으로의 운동, 특히 접근·마주 향함·환영 및 반대·대항" 따위의 뜻.
entgegen⸗|arbeiten *i.* (h.) jm. 〔et.³〕 ~ 누구〔무엇〕에 대하여 반대 행동을 취하다, 누구를 저지하다; den Plänen des Vorstandes ~ 수뇌부의 계획을 저지하다. **~|blicken** *i.* (h.) jm. ~ 누구 쪽〔얼굴〕을 보다:〖비유〗ich blickte dem Ereignis gelassen entgegen 나는 그 사건을 침착하게 살펴보았다. **~|bringen*** *t.* (jm. et.) 가져오다; 표명하다. **~|drängen** *t.* 누구〔무엇〕의 반대 방향으로 밀고 나가다. **~|eilen** *i.* (s.) jm. ~ 누구 쪽으로 급히 가다〔접근하다〕: dem Verderben ~ 패망의 길로 달리다. **~|fahren*** *i.* (s.) jm. ~ 누구 쪽으로 차를 타고 가다〔접근하다〕. **~|fiebern** *i.* (h.) 학수고대하다: er fieberte dem Ergebnis der Prüfung entgegen 그는 시험 결과를 목이 빠져라고 기다렸다. **~|führen** *t.* jm. 〔et.³〕 jn. 〔et.〕 ~ 누구에게〔무엇에〕 누구를〔무엇을〕 이끌고 가다: dem Bräutigam die Braut ~ 신랑에게 신부를 인도해 주다;〖비유〗ein Werk seiner Vollendung ~ 작품을 완성시켜 가다. **~|gehen*** *i.* (s.) jm. ~ 누구 쪽으로 가다〔접근하다〕: der Gefahr ~ 위험을 무릅쓰고 나아가다; der Vollendung ~ 완성에 가까워지다. **~gesetzt** 《Ⅰ》 *p.p.* ↑ entgegensetzen. 《Ⅱ》 *p.a.* 마주 대한; 반대의;〖비유〗상반되는, 대립적인: in die ~e Richtung gehen 반대 방향으로 가다; wir sind genau ~er Meinung 우리는 정반대의 견해다. **~gesetzten·falls** *adv.* 반대일 경우에는, 그렇지 않다면.
entgegen|halten* *t.* ① 누구〔무엇〕의 방향으로 내밀다: jm. die Hand ~ 누구에게 손을 내밀다. ② 이의를 제기하다: diesen Beweisen ist nichts entgegenzuhalten 이 증거에 대해서는 어떤 반론도 제기할 수 없다. **~|handeln** *i.* (h.) ① ↑ ~arbeiten. ② einem Gesetze ~ 규칙을 위반해서 행동하다. **~|jauchzen** *i.* (h.) jm. ~ 누구를 향하여 환호성을 올리다. **~|jubeln** *i.* (h.) ↑ ~jauchzen. **~|kommen*** *i.* (s.) ① jm. ~ 누구를 향해 가다, 마중하다: der Fahrer hatte den ~den Verkehr nicht beachtet 그 운전사는 맞은편에서 오는 차량을 주의하지 않았다. ②〖비유〗누구의 뜻을 받아들이다: js. Wünschen ~ 누구의 청을 쾌히 들어주다; er kam mir freundlich entgegen 그는 내 청을 흔쾌히 들어주었다. ③ 일치하다: diese Arbeit kommt seinen Neigungen ent-

gegen 이 일은 그의 기호에 맞는다. **~kommen** *n.* 환영, 환대, 친절, 승인. **~kommend** *p.a.* 친절한, 호의적인: sie ist sehr ~ 그녀는 대단히 호의적이다. **~kommenderweise** *adv.* 친절[정중]하게.

entgegen⸗laufen* *i.* (s.) ① jm. ~ 누구 쪽으로 뛰어가다[접근하다]. ②〖비유〗(의견 따위가) 상반되다: das läuft meinen Absichten entgegen 그것은 내 의도와 상반된다. **~nahme** *f.* 수령(受領): die ~ der Glückwünsche 축하 인사를 받음. **~nehmen*** *t.* 받다, 받아들이다. **~reisen** *i.* (s.) jm. ~ 누구를 향해 가다[접근하다]. **~rücken** *i.* (s.) jm. ~ 누구를 향하여 움직이다. **~sehen*** *i.* (h.) ① jm.[et.³] ~ 누구[무엇] 쪽을 바라보다. ② et.³ ~ 무엇을 기다리다: der Verhandlung gespannt ~ 협상의 결과를 긴장하여 기다리다. **~sein*** *i.* (s.) et.³[jm.] ~ 무엇에[누구에게] 적대적이다. **~setzen** 《Ⅰ》 *t.* ① jm.[et.³] et. ~ 누구에게[무엇에] 반대[저항]하다, 누구에게[무엇에] 반대하여 무엇을 내놓다; dem Strom einen Damm ~ 홍수에 대비하여 둑을 쌓다. ② et. et.³ ~ 무엇을 무엇과 대비(對比)하다. 《Ⅱ》 *refl.* sich et.³ ~ 무엇에 반대[대항]하다, 이의를 주장하다. 《Ⅲ》 **entgegen·gesetzt** *p.a.* ↑ entgegengesetzt. **~setzung** *f.* 반대, 대항; 대비; 이의.

entgegen⸗stehen* *i.* (h./s.) jm.[et.³] ~ 누구에게[무엇에] 방해가 되다; 누구에게[무엇에] 대립하다, 모순되다: Ihren Behauptungen steht die Aussage des Zeugen X. entgegen 당신의 주장과 증인 X의 진술은 배치됩니다. **~stellen** *t.* ↑ ~setzen, ~halten. **~stellung** *f.* ↑ ~setzung. **~strecken** 《Ⅰ》 *t.* jm.[et.³] et. ~ 누구[무엇] 쪽에 무엇을 내밀다[내뻗다]. 《Ⅱ》 *refl.* sich et.³ ~ 무엇 쪽으로 뻗(치)다. **~strömen** *i.* (s.) et.³ ~ 무엇을 향하여 흐르다. **~tragen*** *t.* et. jm. [et.³] ~ 무엇을 누구[무엇]에게로 나르다. **~treiben** *t.* 누구[무엇] 쪽으로 흘러가다: er trieb seinem Untergang entgegen 그는 자신의 파멸로 치달았다. **~treten*** *i.* (s.) ① 일어나다, 조우하다: diese Erscheinung tritt jedem häufig entgegen 이러한 현상은 누구에게나 자주 일어난다. ② jm.[et.³] kühn ~ 누구에게[무엇에] 용감히 맞서다, 누구를[무엇을] 제지[저지]하다. **~wirken** *i.* (h.) ↑ ~arbeiten. **~ziehen*** *i.* (s.) jm.[et.³] ~ 누구를[무엇을] 향하여 나아가다.

***entgegnen** [ɛntgé:gnən] *i.* (h.) jm.[et.³] ~ 대답하다; 말대꾸하다, 이의를 말하다; 〖드물게〗 누구에게 말하다: darauf wußte er nichts zu ~ 그 일에 대하여 그는 대답할 말이 없었다.

Entgegnung *f.* -en 대답; 말대꾸; 항변.

entgehen* [ɛntgé:ən] *i.* (s.) 《Ⅰ》 ① et.³ ~ 무엇을 모면[피]하다. ② (a) 무엇이 누구에게서 사라지다: ihm entging die Besinnung 그는 의식을 잃었다. (b) 누가 무엇을 놓치다: diese gute Gelegenheit soll mir nicht ~ 내가 이처럼 좋은 기회를 놓쳐서는 안 되겠다. (c) 누가 무엇을 알아차리지 못하다: dieser Fehler ist mir leider entgangen 유감스럽게도 나는 이 오류를 알아차리지 못하였다. 《Ⅱ》 **entgangen** *p.a.* ↑ entgangen.

Entgehen *n.* -s ↑ Entgang.

entgeistern [ɛntgáɪstərn] 《Ⅰ》 *t.* jn. ~ 누구의 원기[생기·활기]를 빼앗다, 잃게 하다. 《Ⅱ》 **entgeistert** *p.a.* ↑ entgeistert.

entgeistert 《Ⅰ》 *p.p.* ↑ entgeistern. 《Ⅱ》 *p.a.* 활기[생기]가 없는; 망연자실한: er starrt sie ~ an 그는 넋을 잃고 그녀를 응시하였다.

Entgeisterung *f.* 망연자실.

entgeistigen [ɛntgáɪstɪgən] *t.* 누구의 정신을 빼앗다, 물질화하다.

Entgeistigung, Entgeistung *f.* -en 정신을 빼앗음.

entgeizen *t.* 〖農〗 (열매를 잘 맺도록) 곁가지를 치다.

Entgelt [ɛntgɛ́lt] *n./m.* -(e)s, -e 보상, 보수: gegen[ohne] ~ 유상[무상]으로, 보수를 지급하고[무보수로].

entgelten *t.* ① 보상[배상]하다, 보답하다: wie kann ich deine Hilfe ~? 내가 네 도움을 어떻게 갚을 수 있을까? ② 무엇에 대한 벌을 받다, 속죄하다: jn. et. ~ lassen 누구에게 무엇에 대한 벌을 주다.

entgeltlich *a.* 〖法〗 유상(有償)의: ~er Vertrag 유상 계약.

Entgelts·buch *n.* 〖法〗 보상부(簿).

Entgelt·schutz *m.* 보상 보호.

Entgelt(s)·tarif *m.* 보상액.

Entgeltung *f.* -en 보상, 배상; 속죄; 징벌.

entgiften [ɛntgɪ́ftən] *t.* 해독[소독]하다: 〖비유〗 durch das Gespräch entgiftete sich die Atmosphäre 대화를 통하여 분위기가 부드러워졌다.

Entgiftung *f.* -en 해독, 소독.

entglänzen 《Ⅰ》 *i.* (s.) et.³ ~ 무엇에서 빛이 나다. 《Ⅱ》 *t.* einen Anzug ~ 양복의 광택을 없애다.

entglasen *t.* 〖드물게〗 무엇에서 유리를 제거하다: ein Fenster ~ 창의 유리를 없애다.

entgleisen [ɛntgláɪzən] *i.* (s.) ① (기차·전차 따위가) 탈선하다: einen Zug zum ~ bringen 기차를 탈선시키다. ② (a) 〖비유〗 무례[부적절]한 행동을 하다. (b) 본론에서 벗어나다: die Diskussion entgleiste ins Nebensächliche 토론이 지엽적인 데로 흘러갔다. (c) 정도(正道)에서 벗어나다, 탈선하다.

Entgleiste* [..stə] *der/die* (도덕적·경제적인) 탈선자, 실패자.

Entgleisung *f.* -en 탈선; 과실; 무례한 행동.

entgleiten(*) [ɛntgláɪtən] *i.* (s.) ① jm. ~ [(aus) js. Hand ~] 누구의 손에서 미끄러져 떨어지다. ② 〖비유〗 누구[무엇]의 영향[통제]에서 벗어나다: der Junge ist seiner Mutter entglitten 그 소년은 어머니의 슬하에서 벗어났다.

entglimmen(*) *i.* (s.) ① 타기 시작하다. ② 〖비유〗 (정열 등이) 끓어오르다, 불타오르다.

entglorifizieren *t.* 후광(後光)을 없애다.

entglühen 《Ⅰ》 *i.* (s.) ① 시뻘겋게 달기 시작하다. ② 〖비유〗 (정열이) 불타오르다: für jn. ~ 누구에 대한 정열에 불타다. ③ 타오르다. 《Ⅱ》 *t.* 〖드물게〗 작열시키다, 애정을 불러일으키다.

entgotten *t.* 신에 대한 믿음을 없애다; 개인 숭배를 폐지하다; 신성(神性)을 박탈하다.

entgöttern [ɛntgœ́tərn] *t.* 신에 대한 믿음을 없애다.

Entgötterung, Entgottung [..gɔ̃tʊŋ] *f.*

-en 탈신화(脫神化), 신성 박탈.
entgraten *t.* (주물 따위의) 날카로운 모서리를 깎아 내다.
entgräten [ɛntgrɛ́:tən] *t.* 생선 뼈를 바르다.
entgrenzen 《I》 *t.* 〖雅語·드물게〗 한계를 없애다: eine Theorie ~ 이론의 한계를 없애다. 《II》 *refl.* 〖문학〗 sich ~ 자신의 존재의 한계를 벗어나다; die Sehnsucht, sich zu ~ und eins zu werden mit dem All 자신을 벗어나서 만유(萬有)와 하나가 되려는 동경.
Entgrenzung *f.* -en ↑ entgrenzen의 명사형.
entgürten *t.* 띠를 풀다.
Entgürtung *f.* -en 띠풀기.
enthaaren *t.* 털을 뽑다, 탈모시키다.
Enthaarung *f.* -en 털뽑음, 탈모.
Enthaarungs≠creme *f.* 탈모용 크림. **~mittel** *n.* 탈모제.
enthaften *t.* 해방〔석방〕하다.
Enthaftung *f.* -en 해방, 석방, 방면.
enthalftern [ɛnthálftərn] *t.* ein Pferd ~ 말의 고삐를 풀다.
Enthalpie *f.* 〖物〗 엔탈피(일정한 압력에서의 열에너지의 양).
enthalten* [ɛntháltən] 《I》 *t.* 품다, 함유하다, 포함하다, 포괄하다: dieser Likör enthält 38% Alkohol 이 술의 알코올 함량은 38%다; das Buch enthält viele gute Gedanken 그 책에는 많은 훌륭한 생각들이 들어 있다. 《II》 *refl.* 〖雅語〗 sich ~ 무엇을 그만두다, 억제하다: sich des Kaffees ~ 커피를 끊다; er enthielt sich bei der Diskussion jeder Stellungnahme 그는 토론에서 어떠한 입장도 표명하지 않았다; ich kann mich des Lachens nicht ~ 나는 웃음을 참을 수 없다. 《III》 **enthalten** *p.a.* ↑ enthalten.
enthalten 《I》 *p.p.* ↑ enthalten. 《II》 *p.a.* in et.³ (mit) ~ sein 무엇 속에 함유되어 있다; wie oft ist 3 in 12 ~? 12는 3의 몇 배인가?
enthaltsam *a.* 삼가는, 조신(操身)한, 검소한, 절제 있는; 금욕하는.
Enthaltsamkeit *f.* 조신, 검소, 절제; 금욕.
Enthaltung *f.* -en ① 삼감, 조신, 절제; 금욕. ② 단념, 포기; 기권.
enthärten *t.* 무엇의 단단함을 없애다, 무르게 하다; (경수를) 연수화(軟水化)하다.
Enthärtung *f.* -en 부드럽게 하기, 연화(軟化).
enthaupten [ɛnthάuptən] *t.* 목을 베다.
Enthauptung *f.* -en 참수.
enthäuten *t.* (무엇의) 껍질〔살갗〕을 벗기다.
Enthäutung *f.* -en 〖醫〗 탈피, 박피(剝皮).
entheben* 《I》 *t.* ① 〖고어〗 집어 올리다〔없애다〕. ② jn. eines Dinges 〔von et.³〕 ~ 누구를 무엇에서 해방하다, 누구의 무엇(속박·의무 등)을 해제〔면제〕하다; jn. seines Amtes 〔Dienstes〕 ~ 누구를 면직하다; damit bin ich aller Sorgen enthoben 이로써 나는 모든 근심 걱정에서 벗어났다. 《II》 *refl.* sich ~ ① sich eines Dinges 〔von et.³〕 ~ 무엇에서 해방되다. ② enthebe dich! 가라, 꺼져라!
Enthebung *f.* -en 해방; 해제, 면제; 해직, 면직.
entheiligen [ɛnthάılıgən] *t.* ① …의 신성을 모독하다; (성스러운 것을) 더럽히다. ② jn. ~ 누구의 성직을 빼앗다, 누구를 성열(聖列)에서 제외하다. ③〖비유〗 욕보이다, 내려깎다.
Entheiligung *f.* -en 신성 모독.
Enthelminthen [ɛntɛlmíntən] 《gr., „Eingeweidewürmer"》 *pl.* 〖醫〗 내장 기생충.
enthemmen *t.* ① jn. ~ 누구에게서 억제력〔자제심〕을 없애다; Alkohol enthemmt den Menschen 술은 인간의 자제력을 없앤다. ② (기계 따위의) 제동 장치를 풀다.
Enthemmtheit *f.* 무절제; 제동이 풀림.
Enthemmung *f.* -en ↑ enthemmen의 명사형.
entholzen *t.* (어떤 지역의) 숲을 베어내다.
enthornt, enthörnt *a.* 뿔이 뽑힌〔없는〕.
***enthüllen** [ɛnthŶlən] 《I》 *t.* ① …의 덮개를 벗기다, 드러내다: das Denkmal (feierlich) ~ 기념비의 제막식을 (성대하게) 거행하다. ② jm. et. ~ 누구에게 무엇을 밝히다, 털어놓다. ③ …의 가면을 벗기다: man hat ihn als Schwindler enthüllt 사람들이 그를 사기꾼으로 폭로했다. 《II》 *refl.* sich ~ 모습을〔정체를〕 드러내다; 드러나다: der Berg enthüllte sich unseren Blicken 산이 우리들의 눈 앞에 나타났다.
***Enthüllung** *f.* -en 덮개를 벗김; 피력; 드러남, 폭로: seine Enthüllungen verursachten einen Skandal 그의 폭로는 스캔들을 불러일으켰다.
enthülsen *t.* 껍질을 까다, 깍지를 벗기다.
enthumanisieren *t.* 비(非)인간화하다.
Enthumanisierung *f.* -en 비인간화.
enthüpfen *i.* (s.) 깡충깡충 뛰어 가버리다.
enthusiasmieren [ɛntu:ziasmí:rən] 《I》 *t.* 감격〔열광〕케 하다; 황홀케 하다: über et. enthusiasmiert werden 무엇에 감격〔열광〕하다. 《II》 *refl.* sich für et.〔jn.〕 ~ 무엇에〔누구에게〕 감격〔열광〕하다, 황홀해지다.
***Enthusiasmus** [..ziásmus] *m.* - 감격, 열광, 황홀.
Enthusiast *m.* -en, -en 열광자, 광신자, 팬.
Enthusiastin *f.* ↑ Enthusiast의 여성형.
enthusiastisch *a.* 열광적인.
Enthymem [ɛntymé:m] 《gr.》 *n.* -s, -e 〖논리〗 생략 3단 논법〔추리법〕.
entideologisieren *t.* 탈(脫)이데올로기화하다, 이데올로기를 배제시키다.
Entideologisierung *f.* -en 탈이데올로기화.
Entität [ɛntitɛ́:t] *f.* -en 실재, 존재.
entjochen *t.* (소·말의) 멍에를 벗기다: 〖비유〗 ein Volk ~ 국민을 압제에서 해방시키다.
Entjochung *f.* -en 멍에를 벗김, 해방.
entjuden [ɛntjú:dən], **entjüden** *f.* 유대인의 영향〔세력〕을 제거하다.
Entjudung, Entjüdung *f.* -en 유대인의 영향〔세력〕 제거.
entjungfern [..jʊ́ŋfərn] *t.* 처녀성을 빼앗다.
Entjungferung *f.* -en 처녀 능욕.
entkalken *t.* 석회분(分)을 제거하다.
Entkalkung *f.* -en 석회분 제거.
entkeimen [ɛntkάımən] 《I》 *i.* (s.) 싹트다; 발생〔발전〕하다: et.³ ~ 무엇에서 발생〔유래〕하다; ihrem Herzen entkeimte eine zarte Liebe 그녀의 마음에 애틋한 사랑이 싹텄다. 《II》 *t.* 싹을 따다; 살균〔소독〕하다.
Entkeimung *f.* -en 발아(發芽), 발생; 싹을 따 없애기, 살균.

entkernen *t.* (과일의) 핵을〔씨를〕 빼다.
Entkerner *m.* -s, - 씨 제거기.
Entkernung *f.* -en 씨 제거.
entkirchlichen [ɛntkírçlɪçən] *t.* 교회와 인연을 끊게 하다; 파문하다, 환속시키다.
Entkirchlichung *f.* -en 교회와 멀어짐, 교회와의 단절.
entkleiden [ɛntkláɪdən] 《I》 *t.* ① jn. ~ 누구의 옷을 벗기다. ②〔비유〕 jn. eines Dinges 〔von et.³〕 ~ 누구에게서 무엇을 빼앗다; jn. seines Amtes 〔aller Macht〕 ~ 누구를 면직시키다〔누구에게서 일체의 권력을 박탈하다〕; das Gebäude ist jedes Schmuckes entkleidet 그 건물은 장식이 전혀 없다. 《II》 *refl.* sich ~ 옷을 벗다.
Entkleidung *f.* -en 탈의(脫衣); 박탈; 면직.
Entkleidungs·szene *f.* 스트립 쇼.
entknäueln *t.* (감은 것을) 풀다.
entknospen 《I》 *i.* (s.)/*refl.* (sich) ~ 싹이 나다; 꽃봉오리가 피다, 꽃피다;〔비유〕 zur Jungfrau ~ 묘령의 처녀가 되다;〔시어〕 누구의 후손이다, 무엇에서 유래하다; aus einem Geschlecht ~ 어떤 종족의 후손이다. 《II》 *t.* …의 싹〔꽃봉오리·꽃〕을 따다〔떨어뜨리다〕.
entknoten *t.* 매듭을 풀다:〔비유〕 verworrene Gedankenfäden ~ 얽힌 생각의 매듭을 풀다.
entkoffeinieren *t.* 카페인을 제거하다.
entkohlen *t.* 〖化〗 …에서 탄소를 제거하다〔줄이다〕.
Entkohlung *f.* -en 〖化〗 탈탄(脫炭).
entkolonialisieren *t.* 탈식민지화하다, (식민지를) 해방시키다.
Entkolonialisierung *f.* -en 탈식민지화, 식민지 해방.
entkommen *i.* (s.) jm.〔et.³〕 ~ 누구에게서〔무엇에서〕 달아나다, 벗어나다; aus dem Gefängnis ~ 탈옥하다; mit genauer Not ~ 가까스로 달아나다.
Entkommen *n.* -s 도주, 탈주.
entkoppeln *t.* 연결된 것을 분리시키다: 〖사냥〗 Jagdhunde ~ 사냥개를 풀어놓다.
Entkoppelung *f.* -en 연결〔접속〕 상태의 분리.
entkorken *t.* eine Flasche ~ 병마개를 뽑다.
entkörnen *t.* 목화씨를 떼어내다, 목화씨를 앗아 솜을 만들다.
Entkörnung *f.* -en 목화씨 제거.
entkörperlichen [ɛntkœ́rpərlɪçən] *t.* ↑ entkörpern.
entkörpern *t.* (영혼 따위를) 육체에서 이탈시키다; 무형화시키다.
entkräften 《I》 *t.* ① 힘을 빼앗다, 약하게 하다, 쇠약〔피로〕하게 하다; 소모시키다: der Patient ist vom Fieber entkräftet 환자는 열 때문에 탈진했다. ②〔비유〕 논박하다; 〖法〗 무효로〔실효(失效)케〕 하다: einen Verdacht ~ 혐의를 벗다. 《II》 *refl.* sich ~ 무(기)력하게 되다, 쇠약〔피로〕해지다. 《III》 **entkräftet** *p.a.* ↑ entkräftet.
entkräftet 《I》 *p.p.* ↑ entkräften. 《II》 *p.a.* 무기력〔쇠약〕해진.
entkräftigen *t.* ↑ entkräften.
Entkräftung *f.* -en 쇠약, 피로, 무기력, 허약;〔비유〕 논박; 〖法〗 실효.

entkrampfen *t.* 경련을 풀다, (경련을) 이완시키다: im Schlafe ~ sich die Muskeln 수면 중에는 근육이 이완된다.
Entkrampfung *f.* -en 경련 이완, 긴장 해소.
entkrauten *t.* 〖農〗 수초(水草)를 제거하다.
entkriechen* *i.* (s.) 기어 나가다: dem Ei ~ 부화하다.
entkriminalisieren *t.* 범죄의 누명을 벗기다.
Entkriminalisierung *f.* -en 누명을 벗김.
entkuppeln *t.* 〖工〗 연결 장치를 떼다.
entladen [ɛntláːdən] 《I》 *t.* (↔ beladen) ① (배·수레·짐말의) 짐을 부리다〔내리다〕: einen Lastwagen〔ein Schiff〕 ~ 트럭〔배〕의 짐을 내리다. ② 〖전기〗 eine elektrische Batterie ~ 전지에서 방전(放電)하다; ein Gewehr ~ 총의 탄약을 빼내다. ③〔비유〕 das Herz ~ 마음의 부담을 덜다, 마음을 가볍게 하다; jn. von et.³ 〔eines Dinges〕 ~ 누구의 무엇을 면제〔해제〕하다; sein Gewissen ~ 양심의 가책에서 벗어나게 하다. 《II》 *refl.* sich ~ ① 〖전기〗 방전되다. ② (분노 등이) 폭발하다. ③ (뇌우·폭풍 등이) 일어나다. ④ sich von et.³ 〔eines Dinges〕 ~ 무엇에서 해방〔면제·모면〕되다.
Entlader *m.* -s, - 짐 부리는 사람; 〖軍〗 (총의) 장전봉(裝塡棒); 〖전기〗 방전자(放電子).
Entladung *f.* -en 짐을 부림; 면제, 해방; 방전; 탄약 제거;〔비유〕 (분노·웃음 등의) 폭발.
Entladungs·röhre *f.* 〖전기〗 방전관(管). **~stange** *f.* 방전 막대. **~strom** *m.* 방전 전류.
***entlang** [ɛntláŋ] 《I》 *adv.* am Bache ~ 시내를 따라서. 《II》 *prp.*⁴ ① …을 따라. **(a)**〔보통 명사의 뒤, 드물게 명사의 앞에 옴; 때로는 3격 지배〕 den Bach ~ 〔(특히 schweiz.) dem Bach ~,〔드물게〕 ~ den Bach, ~ dem Bach〕 시내를 따라서. **(b)**〔드물게 2격 지배〕 ~ des Gebirges 산맥을 따라. ②〔시간적〕 …을 통하여(hindurch): die Nacht ~ 밤새도록; einen Herbst ~ 가을 내내.
entlang|fahren 《I》 *i.* (s.) 무엇을 따라서 차를 타고 가다: am Ufer ~ 해변을 따라 차를 타고 가다. 《II》 *t.* (손가락 등으로) 무엇을 따라 선을 긋다: beim Lesen mit dem Finger die Zeile ~ 책을 읽으면서 손가락으로 줄을 따라가다. **~|gehen** *i.* (s.) 무엇을 따라서 가다: das Tal ~ 계곡을 따라가다. **~|kommen** *i.* (s.) 무엇을 따라서 오다. **~|laufen*** *i.* (s.) am 〔das〕 Ufer ~ (배·기차 등이) 해안〔기슭〕을 따라서 가다; (사람이) 해안을 따라 달리다.
entlarven* [..lárfən] 《I》 *t.* jn. ~ 누구의 가면을 벗기다:〔비유〕 jn. als Lügner ~ 누가 거짓말쟁이임을 폭로하다. 《II》 *refl.* sich ~ 가면을 벗다;〔비유〕 정체를 드러내다.
Entlarvung *f.* -en 가면을 벗김, 폭로.
entlassen *t.* ① jn. aus et.³ ~ 누구를 무엇에서 떠나게 하다〔자유롭게 해주다〕; aus dem Gefängnis ~ 출옥시키다; aus der Schule ~ 졸업시키다. ② Beamte mit Pension ~ 관리에게 연금을 주어 해고시키다.
Entlassung [..lásʊŋ] *f.* -en 떠나게 함; 해고; 해고 통지: bedingte〔vorläufige〕 ~ 가출옥; um seine ~ einkommen 사표를 제출하다; seine ~ nehmen 연금을 받고 퇴직하다; seine ~ einreichen 사직서를 제출하다.

Entlassungs≈antrag *m.* 석방〔사직〕원(願). **~feier** *f.* 졸업식. **~gesuch** *n.* ↑ ~antrag. **~klasse** *f.* 졸업생반. **~papiere** *pl.* 제대〔석방〕증명서. **~prüfung** *f.* (고등 학교의) 졸업 시험. **~schein** *m.*, **~schreiben** *n.* 제대〔석방·퇴원〕증명서. **~schüler** *m.* 졸업생. **~zeugnis** *n.* 졸업 증명서.

entlasten 《I》*t.* ① …혐의를 풀다(↔ belasten). ② jn. von et.³ 〔eines Dinges〕 ~ 누구의 무엇(의무·책임)을 면제〔해제〕하다, 없애주다, 경감하다; sein Inneres〔Gewissen〕~ 마음의 부담을 덜다〔양심의 가책을 없애다〕. ③ 승인하다: den Vorstand ~ 회장단의 업무 집행을 승인하다. ④〖商〗jn. für eine Summe ~ 일정한 금액을 누구의 대변에 기입하여 부채를 청산하다. ⑤〖건축〗et. ~ 무엇의 하중을 줄이다;〖工〗균형잡다. 《II》*refl.* sich eines Dinges ~ 무엇을 (모)면하다〔해치우다〕.

Entlastung [..lástuŋ] *f.* -en ① 혐의를 풀기. ② 면제, 해제, 경감. ③〖商〗대변 기입. ④〖건축〗하중 경감;〖工〗균형.

Entlastungs≈angriff *m.* 견제 공격. **~bogen** *m.*〖건축〗짐받이 아치. **~material** *n.* 피고의 혐의를 벗기는 자료. **~schlag** *m.*〖스포츠〗어떤 선수나 팀을 곤경에서 벗어나게 하는 공격. **~straße** *f.* 샛길. **~ventil** *n.*〖工〗완급(緩急) 밸브. **~zeuge** *m.*〖法〗피고에게 유리한 증인, 면책 증인. **~zug** *m.* (혼잡 완화를 위한) 임시 열차.

entlauben [ɛntláubən] 《I》*t.* …의 잎을 떨어뜨리다. 《II》*refl.* sich ~ 낙엽지다.

Entlaubung *f.* -en 잎을 떼어냄.

entlaufen*[1] 《I》*i.* (s.) jm.〔et.³〕~ 누구에게서〔무엇에서〕달아나다〔도망하다〕;〖軍〗탈주〔탈영〕하다; seinen Eltern ~ 집을 나가다. 《II》**entlaufen** *p.a.* ↑ entlaufen².

entlaufen[2] 《I》*p.p.* ↑ entlaufen¹. 《II》*p.a.* 도망〔탈주〕한, 집을 나간.

entlausen *t.* …의 이(虱)를 잡다.

Entlausung [..láuzuŋ] *f.* -en 이(虱)의 구제(驅除).

Entlausungs·schein *m.* 이 구제 확인서.

entledigen [ɛntlé:dɪgən] 《I》*t.* jn. eines Dinges ~ 누구를 무엇에서 해방시키다〔자유롭게 하다〕. 《II》*refl.* sich eines Dinges ~ 무엇을 모면하다, 해치우다; sich der Arbeit 〔Pflicht〕~ 일을 해치우다〔의무를 다하다〕; sich seiner Notdurft ~ 대변〔소변〕을 보다; sie entledigte sich seiner 그 여자는 그의 수중에서 빠져 나왔다〔그를 처치하였다〕. 《III》**entledigt** *p.a.* ↑ entledigt.

entledigt 《I》*p.p.* ↑ entledigen. 《II》*p.a.* eines Dinges ~ sein 무엇을 면한〔해치운〕상태다.

Entledigung *f.* -en 해방, 석방, 면제; 벗어남; 이행, 수행.

entleeren [ɛntlé:rən] 《I》*t.* 비우다: ein Faß ~ 통 속을 비우다;〖醫〗den Darm〔Samen〕~ 배설〔사정(射精)〕하다;〔비유〕das Wort ist seines Sinnes entleert worden 그 단어는 본래의 의미를 잃어버렸다. 《II》*refl.* sich ~ 텅비다; 구토하다; 배설하다; 본래의 내용을 잃다; ihr Antlitz hat sich entleert 그녀의 얼굴이 무표정해졌다.

Entleerung *f.* -en 비움;〖醫〗배설;〔복수〕배설물, 대소변.

Entleerungs≈hahn *m.* 배수(排水) 꼭지. **~ventil** *n.* 가스 방출 밸브.

***entlegen** [ɛntlé:gən] *a.* ① 멀리 떨어져 있는, 두메의: zehn Meilen von hier ~ sein 이 곳에서 10 마일 떨어져 있다. ②〔비유〕정상〔통례〕에서 벗어난; ein ~er Romanstoff 기이한 소설 소재.

Entlegenheit *f.* 멀리 떨어져 있음; 두메.

entlehnen [ɛntlé:nən] 《I》*t.* jm. et. ~ 누구에게서 무엇을 빌리다, 차용하다;〔비유〕et. aus einem Buche ~ 무엇을 어떤 책에서 차용하다; ein Wort aus einer fremden Sprache ~ 외국어에서 어떤 말을 전용하다. 《II》**entlehnt** *p.a.* ↑ entlehnt.

Entlehner *m.* -s, - 차용자.

entlehnt 《I》*p.p.* ↑ entlehnen. 《II》*p.a.* 차용한; 빌려온: ~e Wörter 차용어.

Entlehnung *f.* -en ① 빌려 오는 일, 차용. ② 빌려온 것; 차용어.

entleiben [ɛntláɪbən] 《I》*t.*〔雅語〕죽이다, 살해하다. 《II》*refl.* sich ~ 자살하다.

Entleibung *f.* -en〔드물게〕살해; 자살.

entleihen* *t.* ↑ entlehnen《I》.

Entleiher *m.* -s, - ↑ Entlehner.

Entleihung *f.* -en ↑ Entlehnung.

Entlein [ɛ́ntlaɪn] *n.* -s, - ①〔↑ Ente ① 의 축소형〕↑ Entchen. ② häßliches ~ 미운 오리 새끼, 못생긴 어린 소녀.

entloben *refl.* sich ~ 파혼하다.

Entlobung *f.* -en 파혼(↔ Verlobung).

entlocken *t.* ① jm. et. ~ 누구를 꾀어서 무엇을 끌어내다; jm. Tränen ~ 누구에게 눈물을 자아내게 하다. ② 만들어내다, 산출하다.

entlodern *i.* (s.) 불꽃이 일다, 활활 타오르다(auflodern).

entlohen *i.* (s.) ↑ entlodern.

entlohnen *t.* 보수를〔노임을·급료를〕주다.

entlöhnen *t.* ↑ entlohnen.

Entlohnung *f.* -en 노임〔급료〕지급; 수고에 대한 보수.

Entlöhnung *f.* -en ↑ Entlohnung.

entlüften [ɛntlʏ́ftən] *t.* 배기〔환기〕하다.

Entlüfter *m.* -s, - 배기 장치.

Entlüftung *f.* -en ① 배기, 환기. ② 환기 시설.

Entlüftungs≈anlage *f.* 환기 시설, 배기 장치. **~haube** *f.* (화덕 위에 설치한 두건 모양의) 배기 장치. **~ventil** *n.* 통풍 밸브.

entmachten [ɛntmáxtən] *t.* jn. ~ 누구의 힘〔권력〕을 빼앗다: den Gegner politisch ~ 적의 정치(세)력을 잃게 하다.

entmächtigen [..mɛ́çtɪgən] *t.* ↑ entmachten.

Entmachtung *f.* -en 힘〔권력〕의 상실〔박탈〕.

entmagnetisieren *t.*〖理〗자기(磁氣)를 없애다.

Entmagnetisierung *f.* -en 자기를 없앰.

entmannen [ɛntmánən] *t.* ① 거세하다. ②〔비유〕기를 죽이다, 약하게 하다.

Entmannung *f.* -en 거세; 기를 죽임, 유약(화).

entmanteln 《I》*t.* ①〔드물게〕외투를 벗기다. ②〖工〗eine Form ~ 틀에서 외피를 벗기다. 《II》*refl.*〔드물게〕sich ~ 외투를 벗다.

entmasten *t.*〖海〗돛대를 떼어 버리다.

entmenschen 《I》*t.* 인간다움〔인간성〕을 잃

게 하다: die Nationalsozialisten haben die Juden entmenscht 나치스는 유대인의 인간성을 박탈했다. 《Ⅱ》 **entmenscht** *p.a.* ↑ entmenscht.

entmenschlichen *t.* ↑ entmenschen.

entmenscht 《Ⅰ》 *p.p.* ↑ entmenschen. 《Ⅱ》 *p.a.* 인간성을 잃은, 짐승 같은.

entmilitarisieren *t.* 비무장화하다, 군사 시설을 철거하다: eine entmilitarisierte Zone 비무장 지대.

Entmilitarisierung *f.* 비무장화.

entminen [ɛntmíːnən] *t.* 지뢰〔기뢰〕를 제거하다.

entmischen *t.* ① (혼합물을) 분해하다. ② (혼합물을 분해하여) 석출(析出)하다.

Entmischung *f.* -en 혼합물의 분해, 석출.

entmisten *t.* (마구간의) 오물을 제거하다.

Entmistung *f.* -en 마구간 청소.

entmüden [ɛntmýːdən] *t.* 피로를 풀다.

entmündigen [ɛntmýndɪgən] *t.* 〖法〗 금치산(禁治産) 선고를 내리다: einen Geisteskranken ~ 정신병자에게 금치산 선고를 내리다.

Entmündigung *f.* -en 〖法〗 금치산 (선고).

entmutigen [ɛntmúːtɪgən] 《Ⅰ》 *t.* 용기〔의기·사기〕를 잃게 하다, 낙담시키다: laß dich nicht so schnell ~ 그렇게 쉽게 낙담하지 마라; jn. durch Blicke ~ 누구를 뚫어지게 보아 기를 죽이다. 《Ⅱ》 **entmutigt** [..tɪçt] *p.a.* ↑ entmutigt.

entmutigt 《Ⅰ》 *p.p.* ↑ entmutigen. 《Ⅱ》 *p.a.* 의기〔사기〕가 죽은; 〖軍〗 군기가 문란한.

Entmutigung *f.* -en 의기〔사기〕 저하, 낙담.

entmystifizieren *t.* 탈(脫)신비화하다.

entmythisieren *t.* ↑ entmythologisieren.

Entmythisierung *f.* -en ↑ Entmythologisierung.

entmythologisieren *t.* 탈(脫)신화화하다, 신화적 요소를 배제하다.

Entmythologisierung *f.* -en 〖宗〗 (신약 성서의) 비(非)신화화, 신화적 요소의 배제.

Entnahme [ɛntnáːmə] 《<entnehmen》 *f.* -n 가져감, 떼어 냄; 구매(물).

entnationalisieren *t.* ① 국적을 박탈하다. ② 사유화하다.

Entnationalisierung *f.* -en 국적 박탈; 사유화.

entnazifizieren [ɛntnatsifitsíːrən] *t.* 나치의 잔재를 없애다.

Entnazifizierung *f.* -en 비나치화.

Entnazifizierungs·kommission *f.* (1945년 독일 주둔 연합군이 설립한) 비(非)나치화 위원회.

entnebeln *t.* 안개를 없애다.

Entnebelung *f.* -en 안개의 제거.

***entnehmen** [ɛntnéːmən] *t.* ① 집어내다, 끌어내다: der Kasse Geld ~ 금고에서 돈을 꺼내다; Waren beim Kaufmann ~ 상인에게서 상품을 사들이다; einen Vorschuß von jm. ~ 누구에게서 가불하다; die Sprichwörter einem alten Buche ~ 고서에서 속담을 인용하다. ② (aus) et.³ ~, daß... 무엇에서 …을 추론하다〔미루어 살피다〕.

Entnehmer *m.* -s, - 〖商〗 (물품의) 구매자.

entnerven [..nέrfən, ..vən] 《Ⅰ》 *t.* 〖醫〗 신경을 절제(切除)하다; 쇠약하게 하다: der lange Krieg hat ihn völlig entnervt 장기간의 전쟁은 완전히 그를 쇠잔케 하였다. 《Ⅱ》 *refl.* sich ~ 쇠약해지다. 《Ⅲ》 **entnervt** [..ft] *p.a.* ↑ entnervt.

entnervt 《Ⅰ》 *p.p.* ↑ entnerven. 《Ⅱ》 *p.a.* 쇠약한, 신경이 제거된.

Entnervung *f.* -en 〖醫〗 신경 절제(切除); 쇠약.

entnikotinisieren *t.* 니코틴 성분을 없애다.

entnorden *t.* 비(非)북방화하다(북방 민족의 특질을 잃게 하다).

entnüchtern [ɛntnýçtərn] *refl.* sich ~ 아침 식사하다.

ento.. *pref.* 〖모음 앞에서는 ent..〗 "내부…"의 뜻.

Entoblast [ɛntoblást] *n.* -(e)s, -e ↑ Entoderm.

Entoderm [..dέrm] *n.* -s, -e 〖生〗 내배엽(內胚葉).

entölen [ɛnt|ǿːlən] *t.* 기름을 없애다〔빼다〕.

Entomolog [ɛntomolóːk] *m.* -en, -en ↑ Entomologe.

Entomologe [..lóːgə] 《gr.》 *m.* -n, -n 곤충학자.

Entomologie [..logíː] *f.* 곤충학.

entomologisch *a.* 곤충학의〔에 관한〕.

Entoparasit [ɛntoparazíːt] *m.* -en, -en 내부 기생체, 체내 기생충.

entopisch [ɛntóːpɪʃ] *a.* 국내의, 자국의.

Entoplasma *n.* -s, ..men 〖生〗 (세포질의) 내질(內質), 내부 원형질.

entoptisch [ɛnt|ɔ́ptɪʃ] *a.* 〖醫〗 눈〔안구〕 속의.

entordnen *t.* 질서를 파괴하다.

Entordnung *f.* -en 질서 파괴.

entotisch [ɛntóːtɪʃ] *a.* 〖醫〗 귓속의〔에 있는〕.

Entoutcas [ãtukáː(ː)] *m.* -, - ① 우산 겸용 양산. ② 지붕을 덮은 테니스 경기장.

Entoxismus [ɛntɔksísmʊs] *m.* -, ..men/..mi 중독.

Entozoon [ɛntotsóːɔn] *n.* -s, ..zoen/..zoa 〖醫〗 체내 기생충.

entpanzern 《Ⅰ》 *t.* 무장을 해제하다. 《Ⅱ》 *refl.* sich ~ 무장을 해제하다.

entpersönlichen [ɛntpɛrzǿːnlɪçən] *t.* 비인격화하다.

Entpersönlichung *f.* -en 비인격화.

entpflichten *t.* 직위를 해제하다, 정년 퇴직시키다: Professoren werden ihrer Aufgaben entpflichtet 교수들이 직책에서 물러나다.

Entpflichtung *f.* -en 직위 해제, 해임.

entpfropfen *t.* 마개를 뽑다.

entpolitisieren *t.* 정치적 요소를 배제하다, 비정치화하다: eine weitgehend entpolitisierte Jugend 전반적으로 정치에 무관심한 청소년들.

Entpolitisierung *f.* -en 비정치화.

entpressen *t.* jm.〔et.³〕 et. ~ 누구에게서〔무엇에서〕 무엇을 빼앗다, 강탈하다.

entproblematisieren *t.* 문제점을 줄이다〔없애다〕: einen Konflikt ~ 갈등을 해소하다.

entpulpen [ɛntpʊ́lpən] 《<Pulpe》 *t.* (시럽 따위에서) 섬유질을 제거하다.

entpuppen *refl.* sich ~ 고치를 뚫고 나오다; 〖비유〗 정체를 드러내다, 가면을 벗다: er entpuppte sich als Betrüger 그는 사기꾼으로서의 본색을 드러냈다.

Entpuppung *f.* -en 고치를 뚫고 나옴, 정체

를 드러냄.

entquellen* [ɛntkvɛ́lən] *i.* (s.) et.³ ~ 무엇에서 솟아나오다; dem Felsen ~ 바위에서 솟아나오다.

Entracte [ãtrákt] 《frz.》 *m.* -s, -s ↑ Entreakt.

Entrada [ɛntrá:da] *f.* ..den 〖음악〗 인트라다, 서곡, 개막곡.

entraffen 《I》 *t.* jm. et. ~ 누구에게서 무엇을 잡아 빼앗다〔강탈하다〕. 《II》 *refl.* sich et.³ 〔jm.〕 ~ 무엇에서〔누구에게서〕 몸을 간신히 빼내다.

entrahmen *t.* 우유에서 유지방을 빼다: entrahmte Milch 탈지유(脫脂乳).

Entrahmer *m.* -s, - 우유 탈지기(機).

Entrahmung *f.* -en 탈지.

entraten* *i.* (h.)/*t.* 〔雅語·준고어〕 eines Dinges ~ 무엇 없이 지내다; ich kann deiner Hilfe nicht ~ 나는 너의 도움 없이는 지내기 곤란하다.

enträtseln [ɛntrɛ́:tsəln] 《I》 *t.* 수수께끼를 풀다, 해독〔구명〕하다. 《II》 *refl.* sich ~ 수수께끼가 풀리다, 해독〔해명·구명〕되다.

Enträtselung *f.* -en 해독, 해명, 구명.

Enträtslung *f.* -en ↑ Enträtselung.

Entreakt [ãtər|ákt, ãtərákt] 《frz. „Zwischenakt"》 *m.* -(e)s, -e 막간; 〖음악〗 간주곡.

Entrechat [ãtərʃá(:)] *m.* -s, -s [..ʃá(:)s] 〖발레〗 뛰어올라 있는 동안에 발뒤꿈치를 몇 번이고 마주치는 동작.

entrechten *t.* 권리를 박탈하다.

entrechtet *p.a.* 권리를 박탈당한.

Entrechtung *f.* -en 권리 박탈.

Entrecote [ãtərkó:t] 《frz.》 *n.* -(s), -s [..kó:ts] 〖요리〗 스테이크용의 소 갈빗살.

Entree [ãtré:] 《frz.》 *n.* -s, -s [..tré:s] ① 입장, 등장; 입장료; 〖음악〗 발레의 전주곡, 〖연극〗 등장. ② 입구, 대기실, 현관. ③〖요리〗 앙트레(식사 전이나 수프와 주된 요리 사이에 나오는 전채 요리).

Entree·tür *f.* 출입구의 문, 현관문.

Entrefilet [ãtərfilé:] 《frz.》 *n.* -s, -s 신문의 소(小)기사, 소란(小欄).

entreinigen *t.* 더럽히다.

entreißen* [ɛntráɪsən] 《I》 *t.* ①jm. et. ~ 누구에게서 무엇을 빼앗다〔탈취하다〕; dem Feinde den Sieg ~ 적에게 이기다; 〔비유〕 er konnte ihr das Geheimnis ~ 그는 그녀의 비밀을 캐낼 수 있었다. ②jn. et.³ ~ 누구를 무엇에서 구해내다, 벗어나게 하다; jn. den Fluten ~ 누구를 홍수에서 구해내다; eine Erinnerung der Vergessenheit ~ 망각에서 기억을 되살리다. 《II》 *refl.* sich et.³ ~ 무엇에서 몸을 간신히 빼내다, 무엇을 뿌리치다.

Entrelacs [ãtərlá:] *n.* - [..lá:s], - [..lá:s] ① 사슬꼴〔끈 끈 모양〕의 장식. ② 꼬불꼬불한 글자체.

Entremets [ãtərmé:] 《frz.》 *n.* - [..mé:s], - [..mé:s] 〖요리〗 앙트레메(식사 도중에 나오는 가벼운 요리).

entre nous [ãtər nú:] 《frz., „unter uns"》 남몰래, 우리끼리의 말이지만.

Entrepas [ãtərpá(:)] 《frz., „Halbtrab"》 *m.* -, - 〖승마〗 반구보(半驅步), 보통 속도의 구보.

Entrepot [ãtərpó:] 《frz.》 *n.* -(s), -s [..pó:s] ① 보세(保稅) 창고(Lagerhaus). ② 화물 집산지(Stapelplatz).

Entrepot·platz *m.* ↑ Entrepot ②.

Entrepreneur [ãtərprənǿ:r] 《frz., „Unternehmer"》 *m.* -s, -e ① 기업가. ② 주최자, 흥행가.

Entreprise [ãtərprí:zə] *f.* -n 기업, 흥행.

Entresol [ãtərsɔ́l] 《frz.》 *n.* -s, -s [..sɔ́ls] 〖건축〗 중 2층(1층과 2층 사이의 낮은 중간층).

Entrevue [ãtərvý:] 《frz., „Zusammenkunft"》 *f.* -n [..vý:ən] 회견, 인터뷰.

entrichten *t.* jm. et. ~ 누구에게 무엇을 지급하다, 변제〔납부〕하다: er entrichtete pünktlich die Raten 그는 할부금을 또박또박 제때에 납부하였다.

Entrichtung *f.* -en 지급, 변제, 납부.

entriegeln *t.* 빗장을 벗기다(↔verriegeln).

Entriegelung *f.* -en 빗장을 벗김.

entrieren [ãtrí:rən] 《frz., „eingehen"》 *t.* 시작〔착수〕하다; 꾀하다; 시험해 보다: ein Amt ~ 취임하다.

entrieseln *i.* (s.) 졸졸 흘러나오다.

entrinden *t.* 나무껍질을 벗기다.

entringen* [ɛntríŋən] 《I》 *t.* jm. et. ~ 누구에게서 무엇을 억지로 빼앗다: endlich konnte er dem Verbrecher die Waffe ~ 마침내 그는 범인에게서 무기를 빼앗을 수 있었다. 《II》 *refl.* sich ~ ①몸을 간신히 빼내다: sich dürftigen Verhältnissen ~ 곤궁한 상태에서 간신히 벗어나다. ②새어나오다: sich js. Lippen ~ (말·한숨 따위가) 누구의 입에서 가까스로 나오다.

entrinnen* *i.* (s.) ①et.³ ~ 무엇에서 흘러나오다. ②〖비유〗 **(a)** 빨리 지나가 버리다. **(b)** 무엇에서 벗어나다: einer Gefahr ~ 위험에서 가까스로 빠져나오다.

Entrinnen *n.* -s 흘러나옴; 도주.

entrippen *t.* 줄기를 떼다.

entrisch [ɛ́ntrɪʃ] *a.* 섬뜩한, 무시무시한.

entrollen 《I》 *i.* (s.) et.³ ~ 무엇에서 굴러 떨어지다〔굴러 가 버리다〕. 《II》 *t.* (만 것을) 풀다, 열다, 전개하다: ein Bild ~ 그림을 펼치다. 《III》 *refl.* sich ~ 풀리다, 열리다, 전개되다, 나타나다.

Entropie [ɛntropí:] 《gr.》 *f.* -n [..pí:ən] ①〖物〗 엔트로피(열역학 함수). ②〖정보〗 어떤 정보의 평균치 내용.

Entropium [ɛntró:pium] *n.* -s, ..pien [..piən] 〖醫〗 눈꺼풀의 내번증(內飜症).

entrosten *t.* 녹을 빼다〔제거하다〕.

Entrostung *f.* -en 녹의 제거.

entrücken [ɛntrýkən] 《I》 *t.* ①jn.〔et.〕 et.³ ~ 누구를〔무엇을〕 무엇에서 밀어내다, 치우다. ② 현실과 다른 세계〔무아경〕에 빠뜨리다: die schöne Musik hat ihn der Gegenwart entrückt 그 아름다운 음악은 그를 무아경에 빠뜨렸다. 《II》 *i.* (s.) 누구의 시야에서 사라지다: nun bist du wieder meinen Blicken entrückt 너는 또다시 내 눈 앞에서 사라지고 말았구나. 《III》 *refl.* sich dem Auge 〔den Blicken〕 ~ 사람의 눈을 피하다. 《IV》 **entrückt** *p.a.* ↑ entrückt.

entrückt 《I》 *p.p.* ↑ entrücken. 《II》 *p.a.* 무아경의, 황홀한: sich³ selbst ~ sein 기뻐 미칠 지경이다, 무아경이다.

Entrücktheit *f.* 황홀경, 무아경.
Entrückung *f.* -en 〖雅語〗① 옮김, 치움. ② 황홀경, 무아경.
entrümpeln [ɛntrʏ́mpəln] *t.* 잡동사니를 치우다.
Entrümpelung *f.* -en 잡동사니 치우기.
Entrümplung *f.* -en ↑ Entrümpelung.
entrunzeln *t.* die Stirn ~ 이마의 주름살을 펴다.
entrußen *t.* 그을음을 제거하다.
***entrüsten** 《I》 *t.* 격분시키다, 노하게 하다: Er wies den Vorschlag entrüstet von sich 그는 격분해서 제안을 거절했다. 《II》 *refl.* sich (über et.) ~ (무엇에) 격분하다, 노하다. 《III》
entrüstet *p.a.* ↑ entrüstet.
entrüstet 《I》 *p.p.* ↑ entrüsten. 《II》 *p.a.* 격노한.
Entrüstung *f.* -en 분격, 분노.
Entrüstungs·sturm *m.* 분노의 폭풍.
entsaften [ɛntzáftən] *t.* 즙을 짜다.
Entsafter *m.* -s, - 과즙 짜는 기구, 녹즙기.
***entsagen** 《I》 *i.* (h.) et.³ ~ 무엇을 체념하다, 단념〔포기〕하다, 버리다; dem Thron ~ 퇴위하다. 《II》 *refl.* sich des Lebens ~ 죽다.
***Entsagung** [ɛntzá:gʊŋ] *f.* -en 체념, 단념, 포기.
entsagungs·voll *a.* 체념〔단념〕한, 세상을 등진.
entsahnen [ɛntzá:nən] *t.* (우유의) 유지(乳脂)를 제거하다, 탈지(脫脂)시키다.
entsalzen *t.* (바닷물의) 염분을〔소금기를〕 제거하다.
Entsalzung *f.* -en 염분 제거, 탈염.
Entsatz [ɛntzáts] 《<entsetzen》 *m.* -es 〖軍〗 구원; 원병(援兵), 대체 병력.
entsäuern [ɛntzɔ́ʏərn] *t.* 〖化〗 산을 제거하다, 중화하다.
Entsäuerung *f.* -en 탈산(脫酸), 중화.
Entsch. =Entscheidung 결정, 판결.
***entschädigen** [ɛnt|ʃɛ́:dɪgən] 《I》 *t.* jn. für et. ~ 〔jm. et. ~〕 누구에게 무엇을 갚다, 배상〔변상〕하다; für seine Mühe ~ 그의 노력을 보상하다; entschädigt werden 손해 배상을 받다. 《II》 *refl.* sich für einen Verlust ~ 손실을 보충하다.
Entschädigung *f.* -en 손해 배상; 배상금, 보상금.
Entschädigungs⸗anspruch *m.* 손해 배상 청구(권). **~forderung** *f.* 손해 배상 청구.
entschädigungslos *a.* 보상이 없는.
Entschädigungs·summe *f.* 보상액, 손해 배상액.
entschälen *t.* (무엇의) 외피를 벗기다.
entschärfen *t.* ① 뇌관을 제거하다. ② 날카로움을 완화시키다: die gespannte Lage ~ 긴장된 상황을 누그러뜨리다; ein Buch ~ 책의 날카로운 논조를 완화시키다.
Entschärfung *f.* -en 뇌관 제거; 완화.
Entscheid [ɛnt|ʃáɪt] *m.* -(e)s, -e 결정; 〖法〗 판결.
entscheidbar *a.* 결정할 수 있는.
entscheiden* [ɛnt|ʃáɪdən] 《I》 *t.* 결정하다; 결정적인 작용을 하다; 〖法〗 판결을 내리다: das Los soll ~, wer geht 누가 갈지는 추첨으로 결정될 것이다. 《II》 *i.* (h.) über et. ~ 무엇을 결정하다. 《III》 *refl.* sich ~ 결정하다, (사람의 의견·입장 등이) 정해지다; 명백해지다: ich kann mich weder dafür noch dagegen ~ 나는 그 일을 가부간 결정할 수 없다. 《IV》
entschieden *p.a.* ↑ entschieden.
entscheidend *p.a.* 결정적인, 최종적인, 단호한: von ~er Wichtigkeit 결정적으로 중요한; ~e Stimme 결정〔결선〕 투표, 재결권.
Entscheidung [..ʃáɪdʊŋ] *f.* -en 결정; 결의; 결단; 〖法〗 판결: eine ~ treffen 결정하다.
Entscheidungs⸗befugnis *f.* 의결권. **~-frage** *f.* 〖언어학〗 "예"나 "아니오"의 대답을 요구하는 의문문. **~freiheit** *f.* ① 자유 재량권. ② 선택〔결정〕의 자유. **~gewalt** *f.* 결정권. **~grund** *m.* 결정 동기, 최종 이유. **~-kampf** *m.* ↑ ~spiel. **~punkt** *m.* 결정적인 시기. **~recht** *n.* 결정권; 〖法〗 판결권. **~runde** *f.* ↑ ~spiel. **~schlacht** *f.* 〖軍〗 결전. **~schwer** *a.* 〖雅語〗 결정적으로 중요한. **~spiel** *n.* 결승전. **~stimme** *f.* 결선 투표. **~stunde** *f.* ① 결정의 시간. ② 결정적 순간. **~voll** *a.* 결정적인; 위급 존망의. **~zustand** *m.* 위기 상태.
entschieden [ɛnt|ʃí:dən] 《I》 *p.p.* ↑ entscheiden. 《II》 *p.a.* ① 결정적인; 결연〔단호〕한: aufs ~ste ableugnen 단호히 부인〔거절〕하다. ② 분명〔명백〕한: es war ~ falsch, daß du das getan hast 네가 그 일을 한 것은 분명히 잘못된 것이었다.
Entschiedenheit *f.* 단호한 태도; 단호, 확고부동: mit ~ 단호히.
entschienen *i.* (s.) ① (기차 따위가) 탈선하다. ② **(a)** 무례한 행동을 하다. **(b)** 본론에서 벗어나다. **(c)** 정도에서 벗어나다.
Entschl. =Entschließung 결정.
entschlacken *t.* (광물의) 찌꺼기를 없애다, (인체의) 신진 대사 노폐물을 제거하다.
Entschlackung *f.* -en 노폐물 제거, 정화.
entschlafen* *i.* (s.) ① 잠들다. ② 죽다: er ist sanft ~ 그는 고요히 영면하였다.
Entschlafene* *der/die* 고인(故人).
entschlagen* 《I》 *t.* dem Steine Feuer ~ 돌을 쳐서 불을 내다. 《II》 *refl.* sich eines Dinges ~ 무엇(걱정·고뇌 따위)에서 벗어나다, 무엇을 면하다〔버리다〕.
entschlammen [ɛnt|ʃlámən] *t.* 진흙을 제거하다.
Entschlammung *f.* -en 진흙 제거, 준설.
entschleichen* *i.* (s.) jm.〔et.³〕 ~ 누구에게서〔무엇에서〕 몰래 빠져나가다.
entschleiern *t.* ↑ enthüllen.
Entschlei(e)rung *f.* -en ↑ Enthüllung.
entschlichten *t.* (직물의 윤을 내는) 풀을 제거하다.
entschließen* [ɛnt|ʃlí:sən] 《I》 〖고어〗 *t.* ↑ aufschließen. 《II》 *refl.* sich ~, (et. zu tun) (무엇을 하기로) 결심하다; er kann sich nicht dazu ~ 그는 그 결심이 서지 않는다. 《III》
entschlossen *p.a.* ↑ entschlossen.
entschlossen 《I》 *p.p.* ↑ entschließen. 《II》 *p.a.* 결심〔결의〕한; 결연〔단호〕한.
Entschließung *f.* -en ① 결심: zu einer ~ kommen 결심이 서다. ② 결정, 결의: in einer ~ forderten die Parlamentarier ... 의원들은 결의문에서 …을 요구했다.
Entschlossenheit *f.* 결심, 결의된 사항; 단호.

entschlummern *i.* (s.) 잠들다; 〖비유〗 숨을 거두다.
entschlüpfen *i.* (s.) ① (…에서) 미끄러져 나오다: (aus) dem Ei ~ 부화하다. ② (…에서〔…에게서〕) 살그머니 달아나다, 탈주하다. ③ (…의 입에서) 무심코 새어 나오다.
***Entschluß** [ɛntʃlʊ́s] 《<entschließen》 *m.* ..schlusses, ..schlüsse 결심; 결정, 결의: einen ~ fassen〔zu einem ~ kommen〕 결심하다; er ist schnell〔schwer〕 von ~ 그는 빨리 결정을 내린다.
Entschluss *m.* 新정서 ⇦ Entschluß.
entschlüsseln *t.* ① 암호〔코드〕를 해독하다. ②〖雅語〗 숨겨진 의미를 이해하다〔찾아내다〕: er hat die in diesem Buch enthaltene Botschaft entschlüsselt 그는 이 책에 담긴 메시지를 찾아냈다.
Entschlüsselung *f.* -en 암호 해독, 의미 파악.
entschluß≈fähig *a.* 결단력이 있는. **~fähigkeit** *f.* 결단력. **~freudigkeit** *f.* 결단을 잘 내리는 성격. **~kraft** *f.* 결단력.
entschlußlos *a.* 우유부단한.
Entschlußlosigkeit *f.* 우유부단.
entschuhen *t.* 누구의 구두를 벗기다.
entschuldbar [ɛntʃʊ́lt..] *a.* 용서할 수 있는.
entschulden *t.* 채무를 면제〔해제〕하다; 〖드물게〗 책임을 면하게 하다.
***entschuldigen** [ɛntʃʊ́ldɪgən] 《Ⅰ》 *t.* ① 용서하다: ~ Sie 용서하십시오, 미안합니다, 실례입니다; ~ Sie, daß〔wenn〕 ich (Sie) störe! 방해가 되어 죄송합니다만, 실례입니다만! ② 무엇을 납득〔이해〕시키다: seine Müdigkeit entschuldigt sein Schweigen 그의 침묵은 그가 지쳤기 때문이라고 사료된다. 《Ⅱ》 *refl.* sich ~ 사과하다, 변명〔사죄〕하다; 이유를 대다: sich bei jm. wegen eines Dinges ~ 누구에게 무엇에 대한 변명을〔사죄를〕 하다; sich mit et.³ ~ 무엇을 이유로 변명하다.
Entschuldigung [ɛntʃʊ́ldɪgʊŋ] *f.* -en 용서; 변명; 사과: ich bitte um ~ 용서해 주십시오; eine ~ vorbringen 변명하다, 핑계대다.
Entschuldigungs≈brief *m.* 변명서, 사과문; 결석계. **~grund** *m.* 변명의 이유; 〖法〗 책임 면제 사유. **~schreiben** *n.*, **~zettel** *m.* ↑ ~brief.
Entschuldung [ɛntʃʊ́ldʊŋ] *f.* -en 채무 상환.
Entschuldungs≈gericht *n.* 채무 상환 재판소. **~stelle** *f.* 채무 상환소, 부채 정리국.
entschuppen *t.* 비늘을 떼내다.
entschweben *i.* (s.) et.³ ~ 무엇에서 둥실둥실〔훨훨〕 떠나가다; 천천히 사라지다.
entschwefeln *t.* 황(黃)성분을 제거하다.
Entschwefelung *f.* -en 황성분 제거.
Entschweflung *f.* -en ↑ Entschwefelung.
entschweißen *t.* Wolle ~ 양털에서 기름을 빼다.
entschweren *t.* 가볍게 하다.
entschwinden* *i.* (s.) ① 사라지다: das ist mir aus dem Gedächtnis entschwunden 그것은 내 기억에서 사라졌다. ② 빨리 지나가 버리다: die entschwundene Jugend 순식간에 지나간 청춘.
entseelen 《Ⅰ》 *t.* 영혼〔생명〕을 빼앗다, 죽이다. 《Ⅱ》 **entseelt** *p.p.* ↑ entseelt.
entseelt 《Ⅰ》 *p.p.* ↑ entseelen. 《Ⅱ》 *p.a.* 영혼〔생명〕이 없는, 죽은.
Entseelung *f.* 〖雅語〗 영혼이 없음, 내적 공허.
entsenden* *t.* 파견하다; 던지다: 〖비유〗 Strahlen ~ 빛을 발산하다.
Entsendung *f.* -en 파견.
entsetzbar *a.* ↑ absetzbar.
***entsetzen** 《Ⅰ》 *t.* ① 파면〔해고〕하다. ② (도시·요새 따위의) 포위망을 풀다, 구원하다. ③ 깜짝 놀라게 하다: dieser Anblick hat sie sehr entsetzt 이 광경을 보고 그녀는 경악했다. 《Ⅱ》 *i.* (s.)/*refl.* (sich) ~ 깜짝 놀라다: sich über et.〔vor et.³〕 ~ 무엇에 놀라다. 《Ⅲ》 **entsetzt** *p.a.* ↑ entsetzt.
***Entsetzen** *n.* -s ① 깜짝 놀람; 경악: ich habe mit ~ davon gehört 나는 그것을 듣고 깜짝 놀랐다. ② ↑ Entsetzung.
entsetzen·erregend *a.* 경악스러운.
Entsetzens·schrei *m.* 경악의 외침.
entsetzt [ɛntsɛ́tst] 《Ⅰ》 *p.p.* ↑ entsetzen. 《Ⅱ》 *p.a.* 깜짝 놀란: ich war völlig ~ 나는 완전히 경악했다.
entsetzlich 《Ⅰ》 *a.* 놀랄 만한, 경악스러운, 엄청난. 《Ⅱ》 *adv.* 〖구어〗 대단히, 엄청: ~ reich 엄청나게 부유한; 〖구어〗 ~ dick 매우 비대한.
Entsetzlichkeit *f.* 놀람, 경악.
Entsetzung *f.* -en ① 파면, 해고. ② 포위망 풀기, 구원.
entseuchen *t.* 오염을 제거하다, 소독하다.
Entseuchung *f.* -en 오염 제거, 소독.
entsichern *t.* ein Gewehr ~ 총의 안전 장치를 풀다, 사격 준비를 하다.
entsiegeln *t.* 봉인을 떼다, 개봉하다.
Entsiegelung *f.* -en 개봉.
Entsieglung *f.* -en ↑ Entsiegelung.
entsinken* [ɛntzɪ́ŋkən] *i.* (s.) jm.〔et.³〕 ~ 누구에게서〔무엇에서〕 미끄러져〔빠져〕 떨어지다: 〖비유〗 der Mut entsank ihm plötzlich 그는 갑자기 의기소침해졌다.
entsinnen *refl.* sich eines Dinges ~ 무엇을 생각해내다, 상기〔회상〕하다: ich entsinne mich, daß es nachmittags geschah 그것은 오후에 일어난 일로 기억된다.
entsinnlichen [ɛntzɪ́nlɪçən] *t.* 감각적〔구체적〕 요소를 배제하다: die moderne Kunst entsinnlicht die Darstellung des Menschen 현대 예술은 인간을 추상적으로 표시한다.
Entsinnlichung *f.* 감각적 요소 배제, 추상화.
entsittlichen *t.* 풍기를 문란케 하다; 도덕성을 잃게 하다, 타락시키다.
Entsittlichung *f.* -en 풍기문란; 도덕성 상실.
entsorgen [ɛntzɔ́rgən] *t.* 쓰레기를〔폐기물을〕 치우다: ein Atomkraftwerk ~ 원자력 발전소의 (핵)폐기물을 처리하다.
Entsorgung *f.* 쓰레기〔폐기물〕 제거〔처리〕.
entspannen [ɛntʃpánən] 《Ⅰ》 *t.* 긴장을 풀다, 이완시키다. 《Ⅱ》 *refl.* sich ~ 긴장이 풀리다, 완화되다; 쉬다: sich im Urlaub einmal völlig ~ 휴가 중에 한번 완전하게 휴식을 취하다. 《Ⅲ》 **entspannt** *p.a.* ↑ entspannt.
entspannt 《Ⅰ》 *p.p.* ↑ entspannen. 《Ⅱ》 *p.a.* 이완〔의기소침〕된.

Entspannung *f.* 긴장 해소, 이완; 〖政〗 긴장 완화.
Entspannungs≈politik *f.* 유화〔긴장 완화〕 정책. **~übung** *f.* (근육의 긴장을 푸는) 유연 체조.
entspiegeln *t.* (안경 등을) 무반사 처리하다.
Entspiegelung *f.* -en (안경알 등의) 무반사 처리.
entspinnen* *refl.* sich ~ 서서히 생기다〔진전하다〕, 은연중에 움트다.
entspitzen *t.* 〖農〗 어린 눈을 따다.
entsprechen [ɛntʃprέçən] *i.* (h.) et.³ ~ 무엇에 상응하다, 일치하다; (목적에) 알맞다; 응하다, 따르다: seine Behauptung entspricht nicht den Tatsachen 그의 주장은 사실과 일치하지 않는다; es entspricht völlig meinen Erwartungen 그것은 내 기대에 완전히 부합한다.
entsprechend *p.a.* 상응하는, 알맞은, 일치하는; 권한이 있는: eine ~e Belohnung 적당한 보수.
Entsprechung *f.* -en 일치, 상응, 부합; 일치(하는 것).
entsprießen* *i.* (s.) ① et.³ ~ 무엇에서 싹트다, 생기다: der Erde ~ 대지(大地)에서 싹터 나오다. ② 무엇에서 유래하다.
entspringen *i.* (s.) ① 달아나다; 도망〔탈주〕하다. ② 발원하다: der Rhein entspringt in den Alpen 라인강은 알프스에서 발원한다. ③ (jm.〔et.³〕) (…에서) 생기다〔유래하다〕, (…의) 후손이다; (…에) 기인하다: er entsprang dem Hause David 그는 다윗가의 후손이다.
entsprudeln *i.* (s.) et.³ ~ 무엇에서 솟구쳐나오다, 뿜어 나오다.
entsprühen *i.* (s.) (von) et.³ ~ 무엇에서 튀어 나오다〔일어나다〕.
entstaatlichen [ɛntʃtá:tlıçən] *t.* 비국유화〔민영화〕하다: die Kirche ~ 교회의 국교제를 폐지하다.
Entstaatlichung *f.* -en 민간 이양, 비국유화.
entstalinisieren [..stali..] *t.* 비(非)스탈린화하다.
Entstalinisierung *f.* 비스탈린화.
***entstammen** *i.* (s.) ① 누구의 후손이다, 유래하다: einem adligen Geschlechte ~ 귀족 출신이다. ② et.³ ~ 무엇에서 생겨나다, 무엇에 기인하다; diese Kategorie entstammt der Kantschen Philosophie 이 범주는 칸트의 철학에서 나온 것이다.
entstänkern *t.* 악취를 없애다.
entstauben *t.* 먼지를 없애다.
entstäuben *t.* ↑ entstauben.
Entstauber *m.* -s, - ↑ Entstäuber.
Entstäuber *m.* -s, - 먼지 제거기, 전기 청소기.
Entstaubung *f.* -en 먼지 제거.
Entstäubung *f.* -en ↑ Entstaubung.
Entstäubungs·anlage *f.* 먼지 제거 시설.
entstehen [ɛntʃté:ən] *i.* (s.) 생기다, 생성하다, 일어나다; 발생하다: das Gedicht entstand 1995 그 시는 1995 년에 씌어졌다; aus der weiblichen Eitelkeit ~ die größten Laster 여자의 허영심에서 최대의 악덕이 생긴다; Schaden ist (daraus) nicht entstanden (그 일로) 손실이 발생하지는 않았다.
***Entstehung** *f.* -en 생성, 발생; 기원, 기인; 유래.
Entstehungs≈art *f.* 생성〔발생〕 방식. **~geschichte** *f.* 발생〔생성〕사(史). **~grund** *m.* 발생 원인. **~mechanismus** *m.* 발생 메커니즘. **~ort** *m.* 발생〔생성〕지. **~ursache** *f.* 발생 원인. **~weise** *f.* ↑ ~art. **~zeit** *f.* 발생〔생성〕 시기.
entsteigen* *i.* (s.) (무엇에서) 올라오다; 내리다: Nebelschwaden ~ der Niederung 짙은 안개가 저지에서 올라온다.
entsteinen *t.* 과일에서 씨를 빼내다.
entsteißen [ɛntʃtáısən] *t.* 아첨하여 얻어내다.
***entstellen** 《I》 *t.* ① 형태를 일그러뜨리다, 찌그러뜨리다; 훼손하다: die Leiche war gräßlich entstellt 그 시체는 끔찍하게 형체가 일그러져 있었다. ② 〔비유〕 왜곡하다; 거짓 꾸며대다: einen ~den Bericht schreiben (사실을) 왜곡시키는 보고서를 쓰다. 《II》 *refl.* sich ~ 흉하게 일그러지다. 《III》 **entstellt** *p.a.* ↑ entstellt.
entstellt 《I》 *p.p.* ↑ entstellen. 《II》 *p.a.* 일그러진, 훼손된, 왜곡된.
Entstellung *f.* -en 일그러뜨리기, 훼손, 왜곡.
entstempeln *t.* 날인을 지워 무효화시키다.
entstielen *t.* (과일의) 줄기를 떼어내다.
entstofflichen *t.* 비물질화하다.
entstören *t.* 〖電〗 (전자 제품의) 전자파 발생 요인을 제거하다.
Entstörung *f.* -en 수신 장애〔잡음〕 제거.
Entstörungs≈dienst *m.* ↑ ~stelle. **~stelle** *f.* (전화) 수신 장애〔잡음〕 상담실〔센터〕.
entstrahlen [ɛntʃtrá:lən] *i.* (s.) et.³ ~ 무엇에서 빛이 나오다, 번쩍이다; Freude entstrahlte seinen Augen 그의 눈에서 기쁨이 반짝거렸다.
entströmen *i.* (s.) et.³ ~ 무엇에서 흘러나오다, 솟아나오다: einem Quell ~ 샘에서 솟아 나오다: 〔비유〕 ihm ~ Ruhe und Zuversicht 그에게서 평안과 확신이 흘러나온다.
entstrumpfen *t.* 양말을 벗기다.
entstürzen *i.* (s.) ① et.³ ~ 무엇에서 떨어져 내리다. ② 급히 떠나다.
entsühnen [ɛntzý:nən] 《I》 *t.* 죄를 씻다. 《II》 *refl.* sich ~ 속죄하다.
Entsühnung, Entsündigung *f.* -en 속죄, 죄를 씻음.
entsumpfen *t.* 습지를 건조시키다.
entsündigen *t.* ↑ entsühnen.
enttabuisieren *t.* 금기시〔터부시〕하지 않다.
Enttabuisierung *f.* -en 금기시하지 않음.
enttarnen 《I》 *t.* 밀고〔폭로〕하다. 《II》 *refl.* sich ~ 신분을 드러내다.
Enttarnung *f.* -en 밀고, 폭로.
***enttäuschen** [ɛnttɔ́yʃən] 《I》 *t.* 환멸을 느끼게 하다, 실망시키다; über et. in jm. enttäuscht sein 무슨 일로 누구에게 실망하고 있다; diese Aufführung hat mich enttäuscht 이 공연은 나를 실망시켰다. 《II》 *refl.* sich ~ 실망하다.
Enttäuschung *f.* -en 환멸, 실망(시킴).
enttäuschungs·reich *a.* 환멸에 찬, 실망이 큰.

entteeren *t.* 타르를 제거하다.
entthronen *t.* 퇴위〔폐위〕시키다; 지배적 지위에서 몰아내다: 〖비유〗 eine Wirtschaftsmacht ~ 경제 강국을〔실세를〕 퇴출시키다.
Entthronung *f.* -en 퇴위, 폐위; 지배적 지위에서 몰아내기.
enttröpfeln, enttropfen *i.* (s.) 방울져 떨어지다.
enttrümmern *t.* 잔해를〔파편을〕 제거하다.
Enttrümmerung *f.* -en 잔해〔파편〕 제거.
entübrigen [ɛnt|ý:brɪgən] *t.* 〖고어〗① ↑ erübrigen. ② ↑ entbehren. ③ jn. eines Dinges ~ 누구에게서 무엇을 면제하다; eines Dinges entübrigt sein 무엇을 면하고 있다.
entvölkern [ɛntfœ́lkərn] 《I》 *t.* 인구를 감소시키다: die Seuche hat große Gebiete des Landes entvölkert 전염병은 그 나라의 많은 지역의 인구를 감소시켰다. 《II》 *refl.* sich ~ 인구가 감소하다.
Entvölkerung *f.* -en 인구 감소.
Entvolkung *f.* -en 민족성의 제거.
entw. =entweder.
entwachsen* [..váks..] *i.* (s.) ① et.³ ~ 무엇으로는 감당할 수 없게끔 커지다〔성장하다〕; er ist den Kinderschuhen ~ 그는 이제는 아이가 아니다; der Schule ~ sein 학생 시절은 이미 지나다. ② 생겨나오다: den Zweigen ~ Blätter 가지에서 잎이 난다.
entwaffnen [ɛntváfnən] *t.* (↔ bewaffnen) 무기를 빼앗다, 무장을 해제하다; 〖비유〗 무력하게 하다; 흥분이나 노여움을 가라앉히다: ihr Lachen entwaffnete mich 그녀의 웃음은 나를 무력하게 만들었다.
entwaffnend *a.* 흥분〔노여움〕을 가라앉히는.
Entwaffnung *f.* -en 무장 해제, 군비 축소.
entwähren [ɛntvɛ́:rən] *t.* ①〖法〗 jm. et. ~ 누구에게서 무엇의 소유권을 빼앗다. ② (화폐의) 통용〔유통〕을 금지하다.
Entwährung *f.* -en 〖法〗 화폐의 통용〔유통〕 금지.
entwalden *t.* 삼림을 벌채〔개간〕하다.
Entwaldung *f.* -en (삼림의) 벌채, 개간.
entwarnen *i.* (h.) 공습 경보를 해제하다.
Entwarnung *f.* -en ① (공습) 경보 해제(사이렌): nach einer halben Stunde kam die ~ 30분 후에 경보가 해제되었다. ② (여자의) 헤어스타일의 일종(뒷머리를 빡빡하게 빗어 올려 붙임).
entwässern *t.* ① 배수하다: einen Sumpf ~ 늪의 물을 빼내다. ②〖化〗 탈수하다; 〖醫〗 (신체 조직에 고인) 물을 빼다. ③ (공장·가정의 폐수를) 하수 시설로 뽑아내다. ④ (어느 방향으로) 물이 흘러가다: beide Flüsse ~ zum Atlantik hin 두 강은 대서양 쪽으로 흘러간다.
Entwässerung, Entwäßrung *f.* -en 배수(공사); 〖化〗 탈수; 물을 뺌.
***entweder** [ɛ́ntve:dər, ɛntvé:..] *cj.* 〖다음에 오는 oder와 함께 둘 또는 그 이상의 것 중에서 하나를 택하다의 뜻〗 ich reise ~ heute oder morgen 나는 오늘 아니면 내일 여행한다; ~ oder! 둘 중에 하나를 택하라!; 〖구어〗 ent oder weder! 이제 결정해라!; 〖문두에 올 경우 정치법 또는 도치법〗 ~ er ist 〔~ ist er〕 im Irrtum oder ich 그가 잘못 생각하든지 아니면 내가 잘못 생각하고 있다.
Entweder-Oder [ɛ́ntve:dər|ó:dər] *n.* -, - 양자택일(Alternative): hier gibt es kein ~ 여기에 양자택일이란〔선택의 여지란〕 없다; hier gibt es nur ein ~ 여기엔 오직 결단만 있을 뿐이다.
entwehren 《I》 *t.* jn. ~ 누구의 무기를〔소유를〕 빼앗다(entwaffnen). 《II》 *refl.* sich eines Dinges ~ 무엇을 막다, 무엇에서 몸을 지키다.
entweiben *t.* jn. ~ 누구의 아내를 빼앗다, 홀아비로 만들다; 여자다움을 없애다.
entweichen* [ɛntwáɪçən] *i.* (s.) ① jm. ~ 누구에게서 달아나다; 회피하다: dem Tode ~ 죽음을 면하다; aus dem Gefängnis ~ 탈옥하다; er konnte mir auf dem schmalen Pfade nicht ~ 그는 좁은 길에서 나를 피할 수 없었다. ② (연기가) 흩어지다; 〖工〗 (가스·증기가) 새다; (시간이) 경과하다; (토지가) 움푹 들어가다: aus dem Ballon entweicht Gas 풍선에서 가스가 샌다. ③ 사라지다; 지나가다: aus seinem Gesicht entwich alle Farbe 그의 얼굴에서 핏기가 사라졌다; die Nacht entweicht 밤이 물러간다.
Entweich·geschwindigkeit *f.* 〖物〗 이탈 속도(Fluchtgeschwindigkeit).
Entweichung *f.* -en 도망, 소실, 흩어짐; 〖工〗 누출.
entweihen *t.* ① einen Priester ~ 한 목사의 성직을 박탈하다, 환속시키다. ② 무엇의 신성을 모독하다; (신물(神物)·성역(聖域) 따위를) 더럽히다.
Entweihung *f.* -en 성직 박탈; 신성 모독, 신을 모독함, 신물〔성역〕을 더럽힘.
entwenden(*) 《I》 *t.* (jm. et.) ①〖고어〗 빼앗다(wegnehmen). ② 훔치다, 소매치기하다, 횡령하다: Geld ~ 돈을 횡령하다; er hat ihr die Brieftasche entwendet 그는 그녀의 지갑을 훔쳤다. 《II》〖고어〗 *refl.* sich et.³ ~ 무엇을 멀리하다. 《III》 *i.* (s.) 몸을 피하다; 도망하다.
Entwendung *f.* -en 절취, 도둑질, 소매치기, 횡령: in dieser Firma sind schon mehrere ~en vorgekommen 이 회사에서는 벌써 몇 건의 절도 사건이 발생했다.
entwerfen* [ɛntvɛ́rfən] *t.* ① (무엇의) 윤곽을 〔약도를·설계도를〕 그리다: Baupläne ~ 설계도를 작성하다. ② 입안〔기획〕하다, 구상하다, 무엇의 초벌 그림을 그리다, (논문·법률안을) 기초하다: einen Vortrag ~ 강연의 초안을 잡다; den Plan zu et.³ ~ 무엇을 입안하다. ③ 무엇의 상〔모습〕을 보여주다: ein heiteres Zukunftsbild ~ 밝은 미래상을 보여주다.
Entwerfer *m.* -s, - 설계자, 입안자; 디자이너.
Entwerfung *f.* -en ↑ Entwurf.
entwerten 《I》 *t.* ① 무가치하게 만들다. ② 무엇의 가치를〔가격을〕 내리다: Geld ~ a) 화폐 가치를 인하하다, b) 화폐의 유통을 정지시키다. ③ 더 이용하지 못하게 만들다: Briefmarken ~ 우표에 소인을 찍다; einen Fahrschein ~ 차표를 개찰하다. ④〖드물게〗 jn. ~ 누구를 비방하다. 《II》 *i.* (s.) / *refl.* (sich) ~ 무가치하게 되다, 가치가 줄다.
Entwerter *m.* -s, - (지하철·전차·버스의) 자동 개찰기.
Entwertung *f.* -en 가치 저하; 〖經〗 평가 절하; 화폐 회수; 감가 상각; 〖우편〗 (우표에) 소인을 찍음; (승차권의) 개찰; 〖전기〗 감손(減

損); 감광(感光) 보상.

entwesen *t.* ① (해충으로부터) 보호하다, 방충 처리하다; 소독하다(desinfizieren). ②〖雅語〗무엇의 본질을 빼앗다, 누구의 성격을 황폐화시키다: die langjährige Angst entwestete die Menschen 장기간의 불안으로 사람들의 심성이 황폐화되었다.

Entwesung *f.* -en ① 해충 박멸〔구제〕. ② 본질을 빼앗음.

***entwickeln** [ɛntvíkəln] 《I》 *t.* ① (말아 놓은 것을) 펼치다, 풀다, (포장된 것을) 열다. ②〖비유〗jm. einen Plan〔Gedanken〕 ~ 누구에게 어떤 계획〔사상〕을 피력하다; der Redner entwickelte seine Theorie 연사는 그의 이론을 차근차근 설명했다. ③ 발전〔발달〕시키다; 계발〔육성〕하다: ein Talent ~ 어떤 재능을 발전시키다. ④ (가스 따위를) 발생시키다:〖化〗Gas ~ 가스를 발생시키다. ⑤ 서서히 나타내다, 보여주다, 발휘하다: die Maschine hat eine große Geschwindigkeit entwickelt 그 기계는 점점 굉장한 속도를 내었다. ⑥〖사진〗ein Bild ~ 사진을 현상하다. ⑦〖軍〗전투 대형으로 벌리다, 전개하다. 《II》 *refl.* sich ~ ① (매듭 따위가) 풀리다; 명백해지다; 발전하다, 발달〔발육〕하다, 진화하다: aus der Puppe entwickelt sich der Schmetterling 번데기에서 나비가 된다; aus der Diskussion entwickelte sich ein Streit 토론하다가 논쟁이 일어났다; das Dorf hat sich zu einer kleinen Stadt entwickelt 그 마을은 소도시로 발전하였다. ②〖化〗(가스 따위가) 발생하다(entstehen).

Entwickelung *f.* -en ↑ Entwicklung.

Entwickler *m.* -s, - 발명가, 고안자;〖사진〗현상액;〖化〗가스〔증기〕 발생 장치.

***Entwicklung** [ɛntvíkluŋ] *f.* -en 전개; 개진(開陳); 발전, 발달, 발육;〖문학〗사건의 전개;〖사진〗현상.

Entwicklungs≈alter *n.*〖心〗① 발달기. ② 사춘기. **~apparat** *m.*〖사진〗현상기. **~dienst** *m.* 개발 도상국 지원〔원조〕 활동. **~fähig** *a.* ① 발전 가능성이 있는. ② 생명력이 있는. **~flüssigkeit** *f.*〖사진〗현상액(液). **~gang** *m.* 발전〔발달·발육〕 과정, 진화의 과정. **~geschichte** *f.* 발전〔발달〕사, 성장사, 진화사; 발생학: die ~ jener Religion studieren 그 종교의 발전사를 연구하다. **~geschichtlich** *a.* 발전사〔발달사·발생학〕에 관한. **~gesetz** *n.* 발전 법칙(성). **~grad** *m.* 발전 정도〔수준〕. **~helfer** *m.* 개발 도상국의 자원 봉사자. **~helferin** *f.*〔↑ Entwicklungshelfer 의 여성형〕여자 자원 봉사자. **~hemmend** *a.* 발전을 저해하는. **~hilfe** *f.* 저개발국 원조 (계획). **~jahre** *pl.* 사춘기. **~land** *n.* 개발 도상국. **~lehre** *f.* 진화론. **~möglichkeit** *f.* 발전 가능성. **~periode** *f.* 발달 단계, 발전기. **~roman** *m.* (정신적 발전 과정을 묘사한) 성장 소설. **~störung** *f.*〖心〗발전〔발육〕 장애. **~stufe** *f.* 발전 단계. **~theorie** *f.* 진화론; 발달〔발전〕론. **~zeit** *f.* ① 사춘기. ② 발달기.

entwidmen *t.*〖法〗…의 공적인 특성〔사용〕을 해제하다.

Entwidmung *f.*〖法〗공적 특성 사용 해제.

entwilden, entwildern 《I》 *t.* 무엇〔누구〕의 야성을 잃게 하다, 길들이다;〖비유〗교화하다. 《II》 *i.* (s.) 야성을 벗다.

entwillt *a.* 무의지의.

entwinden*〖雅語〗《I》 *t.* jm. et. ~ 누구에게서 무엇을 억지로 빼앗다(entreißen). 《II》 *refl.* sich et.[3] ~ 무엇에서 간신히 몸을 빼내다, 무엇을 뿌리치다: ich entwand ihm die Pistole 나는 그의 권총을 빼앗았다; die Schlange entwand sich seiner Hand 뱀이 그의 손에서 빠져 나갔다.

entwirrbar *a.* 풀〔해결할〕 수 있는.

entwirren 《I》 *t.* 얽힌 것을 풀다(↔ verwirren): einen Knoten ~ 매듭을 풀다;〖비유〗수습〔해결〕하다: es gelang ihm, die politische Lage zu ~ 그는 정국 수습에 성공했다. 《II》 *refl.* sich ~ 풀리다, 해결되다.

Entwirrung *f.* -en 얽힌 것 풀기; 수습, 해결.

entwischen [ɛntvíʃən] 《I》 *i.* (s.)〖구어〗jm. ~ 누구에게서 재빠르게 달아나다, 탈주하다: entwischte Worte 부주의로 새어 나온 말; der Dieb ist der Polizei〔aus dem Gefängnis〕 entwischt 도둑은 경찰로부터〔교도소에서〕 도망쳤다; von zu Hause ~ 집에서 몰래 빠져 나오다. 《II》 *t.* 닦아내다.

entwohnen *i.* (s.) eines Dinges ~ 어떤 습관을 버리다.

entwöhnen [ɛntvǿːnən] 《I》 *t.*〖雅語〗jn. eines Dinges〔von et.[3]〕 ~ 누구의 어떤 습관을 끊게 하다; ein Kind ~ 아이를 젖떼다. 《II》 *refl.* sich eines Dinges ~ 무엇(습관)을 버리다; sich des Rauchens〔Trinkens〕 ~ 담배를〔술을〕 끊다. 《III》 **entwöhnt** *p.a.* ↑ entwöhnt.

entwöhnt 《I》 *p.p.* ↑ entwöhnen. 《II》 *p.a.* 어떤 습관을 버린; 젖뗀: ich bin des Rauchens ~ 나는 담배를 끊고 있다.

Entwöhnung *f.* -en 습관을 버림; 이유(離乳).

entwölken 《I》 *t.* …의 구름을 걷다: entwölkte Sonne 구름걷힌 태양;〖비유〗(무엇에 대한) 걱정을 깨끗이 없애다. 《II》 *refl.* sich ~ 구름이 걷히다, 개다:〖비유〗seine Stirn entwölkte sich bei dieser Nachricht 이 소식을 받고 그의 미간이 펴졌다.

entwürdigen 《I》 *t.* jn. ~ 누구의 품위를 빼앗다, 욕보이다. 《II》 *refl.* sich ~ 자기의 품격을 떨어뜨리다, 면목을 잃다.

entwürdigend *p.a.* 굴욕적인: ~e Behandlung 업신여기는 대접.

Entwürdigung *f.* -en 품격 떨어뜨리기; 체면 손상.

***Entwurf** [ɛntvúrf] 《<entwerfen》 *m.* -(e)s, ..würfe 윤곽, 약도, 겨냥도; 기획, 계획, 설계(도), 구상, 초안: ein vorläufiger ~ 잠정적인 구상; einen ~ anfertigen 초안을 작성하다; der ~ zu einem Gemälde〔Roman〕 그림〔소설〕의 스케치〔초안〕; der ~ eines Vortrages〔zu einem Vortrag〕 강연 초안.

Entwurfs≈geschwindigkeit *f.*〖건축〗(도로의) 설계 속도. **~zeichnung** *f.* 설계도.

entwurmen *t.* 구충(驅蟲)하다.

Entwurmung *f.* -en 구충.

entwurzeln *t.* ① 뿌리째 뽑다: eine Pflanze ~ 식물의 뿌리를 뽑다. ②〖비유〗**(a)** 근절〔근치〕하다. **(b)** jn. ~ 누구를 고향〔고국〕에서 추방하다: ein entwurzelter Mensch a) (사회

적·정신적) 기반을 빼앗긴 사람, b) 방랑자, 뜨내기.

Entwurzlung, Entwurzelung *f.* -en 뿌리뽑기; 근절.

entzaubern [ɛnttsáubərn] *t.* ① 마법에서 구해내다; 〖비유〗 미몽에서 깨어나게 하다; …의 마력(매력)을 빼앗다: einen verzauberten Prinzen ~ 마법에 걸린 왕자를 마법에서 풀려나게 하다; Stimmung ~ 마력적 분위기를 깨다. ② der Geige Töne ~ 바이올린에서 현묘한 음이 울려 나오게 하다.

Entzauberung *f.* -en 마법에서 구해 냄; 마력(매력)을 없앰; 미몽에서 깨어나게 함.

entzerren [ɛnttsέrən] *t.* ①〖工〗(일그러진 것을) 바로잡다; (고르지 못한 방송 상태를) 바로 잡다; (사진의 잘못된 부분을) 수정하다. ② (왜곡된 내용·편견을) 바로잡다.

Entzerrer *m.* -s, -〖工〗(라디오의) 정류기(整流器); (와이드 스크린의) 변형 보정기.

Entzerrung *f.* -en〖工〗(일그러진 것을) 바로잡기, 보정, 수정.

entziehen* [ɛnttsíːən] 《I》 *t.* ① jm. et. ~ 누구에게서 무엇을 빼앗다; jm. den Boden (Halt) ~ 누구의 토대를 잃게 하다; einem Kind Liebe ~ 아이에게 더 이상 사랑을 주지 않다; sich³ Tabak und Alkohol ~ 금주 금연하다; jm. das Wort ~ 누구의 말문을 막다, 두 말 못하게 하다; ihm wurde der Führerschein entzogen 그의 운전 면허가 취소되었다. ②〖드물게〗 뽑다(herausziehen): der Scheide das Schwert ~ 칼집에서 칼을 빼다. ③〖구어〗 jn. ~ (약물 중독된) 누구를 금단 치료하다: er ist jetzt entzogen 그는 지금 금단 치료 중이다. 《II》 *refl.* sich et.³ ~ 무엇에서 멀리하다, 회피(기피)하다, 면하다, 벗어나다, 거절하다; sich seinen Verpflichtungen ~ 자신의 책임을 회피하다; Warum entziehst du dich uns? 왜 너는 우리를 피하느냐?; sich den Verfolgern ~ 추적자들에게서 벗어나다; das entzieht sich der Berechnung 그것은 예측을 불허한다; das entzieht sich meiner Kenntnis 나는 그것을 알 수 없다. 《III》 *i.* (h.)〖구어〗 금단 요법을 받다, 약물 중독을 치료받다: sie hat schon zweimal entzogen 그녀는 벌써 두 번이나 금단 요법을 받았다.

Entziehung *f.* -en 빼앗아 감, 탈취;〖法〗 박탈, 취소, 정지;〖化〗 탈리(脫離), 유리(遊離);〖醫〗 억제, 금단 (요법); 추출.

Entziehungs=anstalt *f.* 금단(금주) 요양소. **~erscheinung** *f.* 금단 현상. **~kur** *f.*〖醫〗 금단 요법.

entzifferbar *a.* 해독(판독)할 수 있는.

Entzifferer *m.* -s, - (암호문의) 해독자, 판독자.

entziffern [ɛnttsífərn] *t.* (암호를) 해독하다;〖비유〗(난해·불명료한 글자를) 판독하다; 해명(천명)하다: eine Geheimschrift ~ 비밀 문서를 해독하다.

Entzifferung *f.* -en 해독; 해명, 천명.

***entzücken** [ɛnttsýkən] 《I》 *t.* ①〖드물게〗(entziehen) 끌어가다, 데려가다. ② 매혹하다, 황홀(감격)하게 하다, 무아경에 빠지게 하다, 몹시 기쁘게 하다: der Anblick entzückte mich 그 광경은 나를 황홀하게 만들었다; über et. (von et.³) entzückt sein 무엇에 매료되어 있다;〖반어〗 von et.³ nicht entzückt sein 무엇에 화가 나 있다. ③〖구식〗 jn. ~ 누구를 다른 영역으로 밀어내다. 《II》 *refl.*〖드물게〗 sich ~ 황홀해하다, 환희를 느끼다.

Entzücken *n.* -s 황홀, 열광, 감격.

entzückend *p.a.* 매력적인, 황홀하게 하는, 요염한: sie ist einfach ~ 그녀는 정말 매력적이다.

Entzückung *f.* -en 황홀, 무아경, 환희.

Entzug *m.* -(e)s 박탈: der ~ von Vergünstigungen 혜택의 박탈.

Entzugs=erscheinung *f.* 금단 현상. **~schmerz** *m.* 금단의 고통.

entzügeln [ɛnttsýːgəln] *t.* jn.(et.) ~ 누구(무엇)의 고삐를 풀어놓다;〖비유〗 entzügelt 고삐 풀린.

entzündbar [ɛnttsýntbaːr] *a.* 불붙기 쉬운, 가연성(可燃性)의;〖비유〗 감격(흥분)하기 쉬운; 성을 잘 내는.

Entzündbarkeit *f.* 가연성.

***entzünden** [ɛnttsýndən] 《I》 *t.* ① 무엇에 불붙이다, 점화하다: er entzündet eine Kerze 그는 초에 불을 붙인다; ein Streichholz ~ 성냥을 켜다. ②〖비유〗(분노를) 불러일으키다: Leidenschaften ~ 정열을 불러일으키다; einen Krieg ~ 전쟁을 일으키다. ③〖醫〗 Wunden ~ 상처에 염증을 일으키다; sein Hals ist entzündet 그의 목에 염증이 생겼다. 《II》 *refl.* sich ~ 불붙다, 발화하다;〖비유〗(분노가) 불타오르다; (전쟁이) 일어나다;〖醫〗 염증을 일으키다: daran hatte sich eine Diskussion entzündet 그 점을 놓고 열띤 토론이 시작되었다.

entzundern *t.* Metalle ~ 금속의 녹을 제거하다.

entzündlich *a.* ① (entzündbar) 불붙기 쉬운; 흥분하기 쉬운. ②〖醫〗 염증(성)의.

Entzündlichkeit *f.* ① 염증. ② 가연성.

Entzündung *f.* -en 발화, 점화;〖비유〗(감정에) 불붙임;〖醫〗 염증, 카타르: eine akute (chronische) ~ 급성(만성) 염증.

entzündungs=hemmend *a.* 염증을 방지하는. **~herd** *m.*〖醫〗 염증의 최초 발생 부위, 염증 병소(病巢). **~punkt** *m.* 발화점. **~temperatur** *f.* 발화 온도.

***entzwei** [ɛnttsvái] 《원뜻 „in zwei Teile"》 *adv.* (↔ganz) 둘로 나뉘어, 갈라져, 쪼개져; 박살나서, 갈기갈기 찢어져: mitten ~ 복판에서 둘로 갈라져; der Topf ist ~ 단지가 두 조각으로 깨졌다;〖비유〗 er ist ganz ~ vor Lachen 그는 너무 우스워 몸을 가누지 못했다.

entzwei.. *pref.* "둘로; 산산이, 조각조각으로"의 뜻.

entzwei|beißen* *t.* 깨물어 (둘로) 가르다, 깨물어 부수다. **~|bersten*** *i.* (s.) 터져서 둘로(조각조각으로) 되다. **~|brechen*** *t./i.* (s.) 둘로(조각조각으로) 쪼개다(쪼개지다), 꺾다(꺾이다): einen Stab ~ 막대기를 두 조각내다; dieses dünne Porzellan bricht leicht entzwei 이 얇은 도자기는 깨지기 쉽다.

entzweien [ɛnttsváiən] 《<zweien》 《I》 *t.* 이간하다, 불화를 일으키다, 서로 다투게 하다: die Erbschaftssache hat uns entzweit 유산 문제로 우리는 서로 다투었다. 《II》 *refl.* sich mit jm. ~ 누구와 사이가 나빠지다.

entzwei|fallen* 《I》 *i.* (s.) 떨어져 (둘로) 쪼개지다(부서지다). 《II》 *t.* sich³ einen Arm ~

떨어져〔넘어져〕 팔이 부러지다. ~|**gehen*** 《I》 *i.* (s.) (둘로) 갈라지다, 쪼개지다; 부서지다; 붕괴하다: 〖비유〗 ein Traum ist entzweigegangen 꿈이 깨졌다. 《II》 *t.* 〖구어〗 er ging die Schuhe entzwei 그는 신을 너덜너덜해지도록 신었다. ~|**hauen*** *t.* 둘로〔토막토막〕 자르다〔쪼개다〕. ~|**machen** *t.* (~-brechen) 쪼개다, 산산조각내다. ~|**reißen*** 《I》 *t.* 둘로〔갈가리〕 찢다. 《II》 *i.* (s.) 둘로〔갈가리〕 찢어지다: 〖비유〗 der schöne Wahn reißt entzwei 아름다운 환상이 깨지다. ~|**schlagen*** *t.* 둘로〔산산이〕 때려부수다, 꺾다: ein Holz mit einem Beil ~ 장작을〔목재를〕 도끼로 패서 토막내다. ~|**schneiden*** *f.* 두 조각으로 베다; 조각조각 자르다. ~|**springen*** *i.* (s.) 두 동강나다; (유리창이) 산산조각나다.

entzweit *p.a.* 불화의, 알력이 생긴.

Entzweiung [ɛnttsváiuŋ] *f.* -en 분리; 소격(疏隔); 불화, 알력: ~en und Versöhnungen wechselten sich bei ihnen ab 그들은 불화와 화해를 거듭했다.

Enumeration [enumərɑtsió:n] 《lat., „Aufzählung"》 *f.* -en ①〔고어·교양〕 하나하나 세기, 열거. ②〖논리〗 열거법. ③〖法〗 헌법과 행정법에서 법률적 열거를 통해 관할권을 규정하기.

enumerativ *a.* 열거하는.

enumerieren *t.* 〔고어·교양〕 하나하나 세다, 열거하다.

Enunziation [enuntsiatsió:n] 《lat.》 *f.* -en ①〔고어·교양〕 진술, 언명; 공시. ② 명제.

Enurese [enuré:zə] -n, **Enuresis** [enú:rezɪs] 《gr.》 *f.* ..resen 〖醫〗 야뇨증(Bettnässen).

Enveloppe [ɑ̃vəlɔ́p(ə)] 《frz.》 *f.* -n ①〔구식〕 (Hülle) 싸개, 덮개; 봉투. ② 앙벨로프(19세기 초에 유행한 여자용 외투의 일종). ③〖數〗 포락선〔면〕(包絡線〔面〕).

Envers [ɑ̃vέ:r] 《frz.》 *m.* -, -〔구식〕 반대(면), 이면(裏面); 역(逆).

Environment [inváɪərənmənt] 《engl.》 *n.* -s, -s (일상 생활 용품을 그대로 사용한) 환경 예술품.

environmental [invaɪərənmentá:l] 《engl.》 *a.* 환경 예술의.

Environtologie *f.* 환경학.

en vogue [ɑ̃vó:k, (frz.) ..vɔ́g] 《frz., „im Schwange"》 〔드물게〕 유행하는, 대인기인: spitze Schuhe sind wieder ~ 뾰족 구두가 다시 유행한다.

Envoyé [ɑ̃voajé:] 《frz.》 *m.* -s, -s 사절; (전권) 공사.

Enzeler *m.* -s 엔치안 화주(火酒).

Enzephalitis [ɛntsefalí:tɪs] 《gr.》 *f.* ..tiden [..tí:dən] 〖醫〗 뇌염.

Enzephalogramm *n.* -s, -e 〖醫〗 뇌촬영도.

Enzian [έntsia:n] 《lat.》 *m.* -s, -e ①〖植〗 용담(龍膽). ② 엔치안(용담 뿌리를 고아 만든 브랜디): einen ~ trinken 엔치안을 한 잔 마시다.

enzian·blau *a.* (용담처럼) 빛나는 파란색의.

Enzyklika [ɛntsý:klika] 《gr., „Rundschreiben"》 *f.* ..ken 〖가톨릭〗 교황 교서〔회람〕.

enzyklisch *a.* ①〔교양〕 원을 도는; 교황 교서의, 회람으로 알리는. ② ~e Bildung (중세의) 자유 7교과목에 근거한 교육.

***Enzyklopädie** [ɛntsyklopɛdí:] 《gr. paideía, „Erziehung"》 *f.* -n [..dí:ən] ① 백과 사전. ② 〔농담〕 해박〔박식〕한 사람: eine lebende ~ 살아 있는 백과 사전.

Enzyklopädiker [..pέ:dɪkər] *m.* -s, - 백과사전 저자〔편찬자〕.

enzyklopädisch *a.* 백과 사전의; (umfassend) 해박한, 박식한: ein ~es Wissen 해박한 지식.

Enzyklopädist *m.* -en, -en 〖哲〗 (프랑스 계몽주의 시대의) 백과 전서파(의 사람).

Enz *f.* 엔츠강(Neckar 강의 지류).

Enzym [ɛntsý:m] 《gr.》 *n.* -s, -e 〖化·生〗 효소(Ferment).

enzymatisch *a.* 효소의.

Enzymologie *f.* 효소학.

enzystieren *t.* 〖生〗 (미생물이) 포낭을 형성하다.

eo ipso [é:o ípso] 《lat., „eben dadurch"》 그러므로; (von selbst) 당연히, 자연히: damit ist ~ geklärt 그것으로 저절로 해명된다.

Eolienne [eɔljέn] 《gr.》 *f.* ((Halb)seidengewebe) 아이올리아(반(半)견직물의 명칭).

Eolith [eolí:t, ..lít] 《gr.》 *m.* -s/-en, -e(n) 〖광물〗 에올리스, 원시석, 원석기.

Eos[1] [é:ɔs] *f.* 서광, 아침 햇빛; 〖그리스신화〗 새벽의 여신(〖로마신화〗 Aurora).

Eos[2] = erweiterte Oberschule 확장된 고등 학교.

Eosin [eozí:n] *n.* -s 〖化〗 에오신(적색 색소).

eosinieren *t.* 에오신으로 붉게 물들이다.

Eozän [eotsέ:n] 《gr. kainós, „neu"》 *n.* -s 〖지질〗 제 3 기(紀) 하층(시신세(始新世)).

eozän *a.* 제 3 기 하층의, 시신세의.

Eozoikum *n.* -s 〖지질〗 에오조이카계.

eozoisch *a.* 에오조이카계의.

EP = Europäisches Parlament 유럽 의회.

e.p. = en personne 사적으로, 친히.

ep.. *pref.* ↑ epi...

EPA = Europäisches Patentamt 유럽 특허청.

Epagoge *f.* -n 〖논리〗 귀납법.

epagogisch [epagó:gɪʃ, ɛp|agó:..] 《gr., „hinzuführend"》 *a.* 매혹적인; 〖논리〗 귀납적인.

Epakris *f.* (gr.) 에파크리스(관상수의 일종).

Epakte [epáktə, ɛp|áktə] 《gr. epaktós, „hinzugesetzt"》 *f.* -n 〖天〗 윤일(閏日)의 수효(Schalttage), 태양력 1년과 태음력 12개월과의 차이(태양력이 약 11일 많으며, 부활절 산정 기준이 됨).

Epanaphora [epa.., ɛp|a..] *f.* ..rä ↑ Anapher.

Eparch [ɛp|árç, epárç] 《gr. arché, „Herrschaft"》 *m.* -en, -en (로마 제국 · 비잔틴 제국의) 총독; (근세의) 군수; 〖宗〗 (그리스 정교의) 수도 대주교, 주교.

Eparchie *f.* -n [..çí:ən] ①〖史〗 (동로마 제국의) 주(州); 군(郡). ② (그리스 정교의) 주교구. ③ (오늘날 그리스의) 지방 정치 행정 단위.

Epaulett [epolέt] 《frz.》 *n.* -s, -s, **Epaulette** [epolέtə] *f.* -n 〖軍〗 견장; (의복의) 어깨받이.

Epen [é:pən] *pl.* Epos의 복수형.

Epenthese [epɛnté:zə, ɛpɛn..] 《gr., „Hineinsetzung"》 *f.* -n 〖문법〗 삽입음, 삽입 문자(보기: eigen-t-lich의 t).

Epenthesis [epέntezɪs, εpέ..] *f.* ..sen ↑ Epenthese.
epenthetisch *a.* 삽입음〔문자〕의.
Epexegese [εp|εksegé:zə] 《gr., „hinzugefügte Erklärung"》 *f.* -n 〖修〗 (앞에 나온 말의 뜻을 설명하기 위한) 설명적 보족어(보기: das alte Haus dort *in der Wilhelmstraße*).
epexegetisch *a.* 보족〔보충〕 설명적인.
EPG[1] =Europäische Politische Gemeinschaft 유럽 정치 공동체.
EPG[2] =Elektronischer Programmführer (디지털 방송의) 전자 프로그램 안내.
eph.. *pref.* ↑ epi...
Ephebe [efé:bə] 《gr. hēbē, „Jugend"》 *m.* -n, -n (고대 그리스의 18-20 세 사이의) 청년, 장정.
Ephebie [efebí:] *f.* 〖醫〗 (Pubertät) 장정이 되는 연령, 사춘기.
ephebisch *a.* 사춘기의.
Ephedra *f.* -e/..dren 〖植〗 마황(속).
Ephedrin *n.* -s 〖化〗 에페드린(아드레날린과 유사한 종류의 알칼로이드).
Epheliden *pl.* 〖醫〗 주근깨.
ephemer [efemé:r] 《gr., „eintägig"》 *a.* 〔교양〕 (단) 하루의, 하루살이의; 덧없는; 〖醫〗 일과성의: ~e Pflanzen 하루살이 식물; ~e Erscheinungen 일과성 현상.
Ephemera [efemé:rə] *f.* -n 〖動〗 하루살이 (Eintagsfliege); 극히 단명한 것; 〖醫〗 일일열 (一日熱).
Ephemeride [efemerí:də] *f.* -n ①〖印〗 일지, 일기; 정기 간행물; 〖天〗 천문력표, 천체력. ②〖動〗 하루살이; 〖植〗 콜키쿰(Zeitlose).
ephemerisch *a.* (ephemer) 일시적인; 일과성의.
Epheser [é(:)fezər] 《Ⅰ》 *m.* -s, - Ephesus 의 주민. 《Ⅱ》 *a.* Ephesus 의: 〖聖〗 ~ Brief 에베소서(書).
Epheser·brief *m.* 〖聖〗 에베소서.
ephesisch [efé:zɪʃ] *a.* Ephesus(산(產)·출생)의.
Ephesos [é(:)fezɔs], **Ephesus** [..zus] *f.* 에베소, 에페소스(소아시아 서부의 고대 그리스 도시).
Epheu [é:fɔʏ] *m.* -s 〔고어〕 담쟁이덩굴 (Efeu).
Ephippium [efípiʊm] 《gr.》 *n.* -s, ..pien [..piən] 〖生〗 (물벼룩 종류의) 난피막(卵皮膜).
Ephor [efó:r] 《gr., „Aufseher"》 *m.* -en, -en (고대 스파르타의) 민선 5 인 행정 감독관(중의 한 사람).
Ephorat [eforá:t] *n.* -(e)s, -e 감독관직 (Ephor 의 직(職); Ephorus 의 직).
Ephorie *f.* -n [..rí:ən] 감독관(Ephorus)의 관할구.
Ephorus *m.* -, ..ren (특히 신교의) 교회 감독관, 신학교 감독관.
Ephraim [é:fraɪm] 에브라임(남자 이름).
epi.. 《gr.》 *pref.* 〔모음 앞에서는 ep.., h 앞에서는 eph.. 으로 됨〕 "bei, zu, hinzu, daneben, auf, an, über, darüber" 등의 뜻.
Epideiktik *f.* 〖修〗 (축사의) 화려한 말투.
epideiktisch *a.* 화려한 말투의.
***Epidemie** [epidemí:] 《gr., „Seuche"; ↔ Endemie》 *f.* -n [..mí:ən] 〖醫〗 전염병, 역병: eine ~ verbreitet sich 전염병이 번진다; 〔비유〕 zu einer richtigen ~ werden 크게 유행하다.
Epidemiologe *m.* -n, -n 〖醫〗 전염병 연구자.
Epidemiologie [..gí:] *f.* -n [..gí:ən] 〖醫〗 전염병학, 역학.
epidemiologisch *a.* 역학의.
epidemisch *a.* 전염성〔유행성〕의.
epidermal *a.* 〖醫〗 (피부의) 표피성의.
Epidermis [epidέrmɪs] 《gr.》 *f.* ..men 〖해부·植·動〗 (Oberhaut) 표피, 외피.
Epidermophyt *m.* -en, -en 〖醫〗 피부 사상균(絲狀菌).
Epidermophytie *f.* -n [..tí:ən] 〖醫〗 피부 사상균 병.
Epidiaskop [epidiaskó:p] 《gr.》 *n.* -s, -e 〖工〗 실물〔불투명 화상〕 환등기.
Epigaion *n.* -s 〖생태학〗 (지상 생물의) 생활권.
epigäisch *a.* 〖生〗 지상의.
Epigenese [epigené:zə] 《gr., „Neuentwicklung"》 *f.* -n ①〖生〗 개체(個體) 신생설, 후성설(後成說). ②〖지질〗 (하상의) 후생.
Epigenesis [epigé:nezɪs, ..gέne..] *f.* ..sen ↑ Epigenese.
epigenetisch *a.* ①〖生〗 후성(설)의. ②〖지질〗 (광상(鑛床)·하상(河床)이) 후생인.
Epiglottis [epiglɔ́tɪs] 《gr., „Kehldeckel"》 *f.* ..tiden [..tí:dən]/(전문어) ..tides [..tí:dəs] 〖해부〗 회염(會厭) 연골.
epigonal *a.* 〔교양〕 모방의, 아류의: die ~e Kunst 아류 예술.
***Epigone** [epigó:nə] 《gr., „Nachgeborner"》 *m.* -n, -n ① 자손, 후예; (테베 전쟁 때 전사한) 그리스 7 용사의 아들들. ② (Nachahmer) 아류(亞流), 모방자, 계승자.
epigonenhaft *a.* 아류〔모방〕의.
Epigonentum *n.* -s 아류(임), 모방〔계승〕 (시대), 퇴폐(기).
***Epigramm** [epigrám] 《gr., „Aufschrift"》 *n.* -s, -e ① (Sinngedicht) (특히 2 행으로 된) 격언적 단시, 경구. ② (고대 그리스의) 제명(題名), 비문.
Epigrammatiker [..gramá:tɪkər] *m.* -s, - 에피그램 작가.
epigrammatisch *a.* 에피그람식의; 간명하게 폐부를〔정곡을〕 찌르는.
Epigrammatist *m.* -en, -en ↑ Epigrammatiker.
Epigraph [epigrá:f] *n.* -s, -e 제명(題名), 제사; (고대의) 비명(碑銘), 비문; 격언.
Epigraphik [..grá:fɪk] *f.* 제명학(題名學), 비명학(碑銘學).
Epigraphiker *m.* -s, - 제명학자, 비명학자.
***Epik** [é:pɪk] 《gr.》 *f.* 서사(敍事) 문학; 서사시 (Epos).
Epikarp [epikárp] 《gr.》 *n.* -s, -e 〖植〗 외과피, 과일 껍질.
Epikarpium *n.* -s, ..pien [..piən] ↑ Epikarp.
Epiker [é:pɪkər] 《gr.》 *m.* -s, - 서사 시인, 산문 작가.
Epiklese *f.* -n 〖가톨릭·그리스정교〗 (만찬 때의) 성령 강림 기도.
Epikondylitis 《gr.》 *f.* ..tiden [..tí:dən] 〖醫〗 테니스 엘보.
epikontinental *a.* 〖지질〗 대륙붕의.

Epikontinental·meer *n.* 〖지질〗 연해(緣海).
Epikrise [epikri:zə] 《gr.》 *f.* -n 〖醫〗 의사의 최종 소견; 제 2 분리(分利).
Epikur [epikú:r] *m.* 에피쿠로스(고대 그리스의 철학자, 341-217 B.C.).
Epikureer [epikuré:ər] *m.* -s, - 에피쿠로스 학파의 철학자; 〖비유〗 향락주의자, 도락자.
epikureisch *a.* 에피쿠로스(학파·학설)의; 향락적인.
epikurisch *a.* ↑ epikureisch.
Epikureismus *m.* - 에피쿠로스주의; 향락주의.
Epikurismus *m.* - ↑ Epikureismus.
Epikuros, Epikurus ↑ Epikur.
Epikykloide [epiky..] *f.* -n 에피사이클로이드(Epizykloide).
Epilation *f.* -en 〖醫〗 탈모, 털뽑기.
Epilepsie [epilɛpsí:] 《gr.》 *f.* -n [..sí:ən] 〖醫〗 간질(Fallsucht).
Epileptiker *m.* -s, - 간질병자.
Epileptikerin *f.* -nen ↑ Epileptiker 의 여성형.
epileptisch *a.* 간질(성)의; 간질을 앓고 있는: einen ~en Anfall haben〔bekommen〕 간질 발작을 일으키다; ~ veranlagt sein 간질병 인자가 있다, 간질성이다.
epilieren *t.* 〖醫〗 털을 뽑다.
Epilimnion *n.* -s, ..nien [..niən] 〖생태학〗 표수층(表水層).
Epilimnium *n.* -s, ..nia/..nien [..niən] 〖생태학〗 표수층(Epilimnion).
***Epilog** [epiló:k] 《gr.》 *m.* -s, -e [..gə] (↔ Prolog) 맺는 말; 후기, 발문(跋文); 〖연극〗 종장(終章); 끝맺는 대사, 에필로그; 〖음악〗 후주곡.
Epimenien [epimé:niən] 《gr.》 *pl.* 매월의 봉납제(奉納祭); 월경(Menstruation).
Epinglé [epɛ̃glé:] *m.* -(s), -s ① 돋은 줄무늬가 있는 의류용 직물. ② 돋은 줄무늬의 부드러운 가구 커버.
Epinikion [epiní:kiɔn] 《gr., ..níkē, „Sieg"》 *n.* -s, ..kien [..kiən] 승리의 축연; 개선가.
Epiphania [epifá:nia, ..faní:a] *f.* ↑ Epiphanie.
Epiphanias·fest *n.* ↑ Ephiphanie ②.
Epiphanie 《gr., „Erschenung"》 *f.* ① 출현; 〖宗〗 신체 현현(제)(神體顯現(祭)). ② 〖가톨릭〗(그리스도의) 공현절(公現節)(1월 6일).
Epiphanien·fest *n.* ↑ Epiphanie ②.
Epiphora [epífora, epí:..] 《gr.》 *f.* ..rä 〖논리〗 결론; 〖修〗 (↔ Anaphora) 결구 반복(보기: er will alles, kann alles, tut alles); 〖醫〗 누루(淚漏).
Epiphyllum *n.* -s, ..len 〖植〗 공작선인장.
Epiphyse [epifý:zə] 《gr.》 *f.* -n 〖해부〗 관상골(管狀骨)의 골단(骨端); 송과체(松果體), 송과선(腺).
Epiphyt [epifý:t] *m.* -en, -en 〖植〗 착생(着生) 식물; 〖醫〗 피부 기생균, 사상균.
epirogen *a.* 〖지질〗 조륙(造陸) 작용에 의한.
Epirogenese *f.* -n 〖지질〗 조륙 작용〔운동〕.
epirogenetisch *a.* 〖지질〗 조륙 작용의.
Epirot *m.* -en, -en 에피루스 사람.
epirotisch *a.* 에피루스(출신)의.
***episch** [é:pɪʃ] 《gr.》 *a.* 서사적인; 서사시의; 이야기체〔식〕의: episches Theater 서사극; ~e Dichtung 서사 문학.
Episiotomie *f.* -n [..mí:ən] 〖醫〗 (출산 때의) 외음 절개술.
Episit *m.* -en, -en 〖動〗 육식 동물.
Episkop [episkó:p] 《gr.》 *n.* -s, -e 〖工〗 (불투명화용·실물용) 슬라이드기.
episkopal [epɪskopá:l] 《gr.》 *a.* 주교(主敎)의(bischöflich).
Episkopalismus *m.* - 주교 (공회) 중심주의(↔ Kurialismus, Papalismus).
Episkopalist *m.* -en, -en 주교 중심주의자; 주교 중심주의파 교도.
Episkopal≈kirche *f.* 비가톨릭 주교단 교회(영국의 성공회, 그리스 정교회 등). **~system** *n.* ① 〖가톨릭〗 (교황에 대한) 주교단 우위 체제. ② 〖기독교〗 (군주에 대한) 교회 우위주의.
Episkopat *m./n.* -(e)s, -e 주교직〔단·관구〕.
episkopisch *a.* 주교의(episkopal).
Episkopus 《gr.》 *m.* -, ..pi 주교(Bischof).
***Episode** [epizó:də] 《gr.》 *f.* -n 삽화; 삽화적 사건; 〖음악〗 삽입곡; 간주곡; 〖연극〗 곁줄거리; 부수적 사건; (특히 그리스 비극의) 합창들 사이에 삽입된 대화.
episoden≈artig *a.* 삽화적인. **~film** *m.* 옴니버스 영화.
episodenhaft, episodisch *a.* 삽화적인, 짧은, 부수적인.
Epistel [epístəl] 《gr., „Brief"》 *f.* -n ① 장문의(예술적인) 편지, 편지시(詩), 서신. ② 〖聖〗 사도(使徒) 서간(Apostelbrief). ③ 〖가톨릭〗 (미사 때의) 사도 서간 낭독: 〖비유·구어〗 jm. die ~ lesen 누구에게 설교〔훈계〕하다.
Epistel·seite *f.* 〖가톨릭〗 미사 때 사제가 서간을 읽는 쪽(제단을 향해 우측).
Epistemologie *f.* 〖哲〗 과학론, 인식론.
epistemologisch *a.* 인식론의.
Epistolar *n.* -s, -e ① 〖가톨릭〗 (미사용) 사도 서간집. ② 〖구식〗 (유명인의) 서간집.
Epistolarium *n.* -s, ..rien [..riən] ↑ Epistolar.
Epistolograph [..grá:f] *m.* -en, -en 편지 쓴 사람, 발신인.
Epistolographie *f.* 〖구식〗 편지 쓰는 법.
Epistropheus [..fɔɪs] *m.* 〖醫·動〗 (척추 동물의) 제 2 경추(頸椎).
Epistyl [epistý:l] 《gr.》 *n.* -s, -e 〖건축〗 주두(柱頭); 평방(平枋); 처마 도리.
Epitaph [epitá:f] 《gr. táphos, „Grab"》 *n.* -s, -e 비명(碑銘), 비문; 비(碑), (성당의) 비벽(碑壁), 비주(碑柱); (정교회에서 성(聖)금요일에 세우는) 그리스도 십자가상.
Epitaphium *n.* -s, ..phien [..fiən] ↑ Epitaph.
Epithalamion *n.* -s, ..mien [..miən] ↑ Epithalamium.
Epithalamium [epitalá:mium] 《gr.》 *n.* -s, ..mien [..miən] (고대 그리스·로마의 결혼) 축가(祝歌), 축시.
Epithel [epité:l] 《gr.》 *n.* -s, -e 〖醫〗 (젖꼭지·입술 등의) 상피(上皮).
epithelial [..teliá:l] *a.* 상피의.
Epitheliom *n.* -s, -e 〖醫〗 상피 (세포) 종양.
Epithelium *n.* -s, ..lien [..liən] 〖醫〗 ↑ Epithel.

Epithel·körperchen *n.* 〖해부〗 상피 소체(上皮小體).
Epithel·zelle *f.* 〖生·醫〗 상피 세포.
Epithese *f.* -n 〖음성학〗 (발음을 쉽게 하기 위한) 어말 자음 첨가〔음〕(보기: niemand, < (mhd.) nieman).
Epitheton [epíteton, epí:..] 《gr. -lat.》 *n.* -s, ..ta 〖修〗 한정적 형용사〔어·구〕; 별명, 작호(綽號), 칭호.
Epitheton ornans [..ɔ́rnans] *n.* - -, ..ta ..nantia [..nántsia] (의례적인) 장식적 형용사(보기: die funkelnden Sterne의 funkelnden).
Epitomator [epitomá:tɔr, ..to:r] 《gr., „Auszugmacher"》 *m.* -s, -en [..tó:rən] 발췌자, 초록자, 적요 편찬자.
Epitome [epítome:, epí:..] *f.* -n 발췌, 초록, 대요, 개요, 적요.
Epitrit [epitrí:t] 《gr.》 *m.* -en, -en 〖문학〗 (고대 그리스의) 3 장(長) 1 단(短) 각운.
Epizentrum [epitsɛ́ntrum] 《gr.》 *n.* -s, ..tren 〖지질〗 진앙(震央), 진원지.
Epizeuxis [epitsɔ́ʏksɪs] 《gr.》 *f.* 〖修〗 동어(同語) 반복법, 첩어법(疊語法) (보기: hüte, hüte dich).
epizoisch *a.* 〖生〗 ① 체표 기생충의. ② (씨앗·종자가) 인간·동물에 부착되어 퍼지는.
epizön 《gr.》 *a.* 〖문법〗 남녀 양성(兩性)의.
Epizoon [epitsó:ɔn] 《gr.》 *n.* -s, ..zoen/..zoa 〖動〗 (↔ Enterozoon) 체외〔외피〕 기생충, 체표 착생 동물.
Epizoonose *f.* -n 〖醫〗 (체외 기생충에 의한) 피부병.
Epizootie *f.* -n [..tí:ən] 〖수의〗 가축의 유행병, 수역(獸疫).
Epizykel [epitsý:kəl] 《gr.》 *m.* -s, - ① 〖天〗 소원(小圓), (Ptolemäus 의) 주전원(周轉圓). ② 〔고어〕 에피사이클로이드(Epizykloide).
Epizykloide [..kloí:də] *f.* -n 〖數〗 외파선(外擺線), 에피사이클로이드.
epochal [epɔxá:l] *a.* ① 획기적인; 신시대의; eine ~e Erfindung 획기적 발명(품); 〔반어·농담〕 Das ist ja eine ~e Idee 그것은 기발한 착상이다. ② 〖교육〗 학과목을 순차적〔단계적〕으로 진행하는.
***Epoche**[1] [epɔ́xə] 《gr.》 *f.* -n ① (역사 구분의) 시기, 시대; 〖天〗 원기(元期); 〖지질〗 기(期), 세(世). ② 역사적 전환점, 신기원: in et.[3] ~ machen 무엇에 신기원을 이루다.
Epoche[2] [epɔxé:] *f.* -n 〖哲〗 판단의 유보.
epoche·machend *a.* 획기적인.
Epochen·unterricht *m.* 〖교육〗 순차적 학습〔수업〕.
Epode [epó:də] 《gr.》 *f.* -n ① (고대 합창가·중세 직장가(職長歌)에서 제 1 연(正)과 제 2 연(反)에 이어지는) 제 3 연(合). ② (Horaz 가 사용한 장단구가 교차하는 서정시형(形)에서) 단구.
epodisch *a.* ↑ Epode 의.
Epopöe [epopǿ:(ə)] 《gr.》 *f.* -n [..pǿ:ən] 〔고어〕 ↑ Epos.
***Epos** [é:pɔs] *n.* -, Epen 서사시; (특히) 영웅 서사시 또는 신들의 서사시; 〔비유〕 장편 역사 소설.
Eppich [ɛ́pɪç] 《lat.》 *m.* -s, -e 〖植〗 ① 〔속어〕 셀러리(미나릿과). ② 〖문학〗 (Efeu) 송악, 덩굴나무.
EPR = European Pressurized Water Reactor 〖핵물리〗 유럽형 가압수형 원자로.
Eprouvette [epruvɛ́t] 《frz.》 *f.* -n 〖化〗 (öst.) 시험관.
Epsilon [ɛ́psilɔn] *n.* -(s), -s 그리스어 자모의 다섯째 자(E, ε).
Equalizer [í:kwəlaɪzə(r)] 《engl.》 *m.* -s, - 음향 조정 장치.
Equestrik [ekvɛ́strɪk] 《lat.》 *f.* (곡)마술(馬術); 조교(調教).
Equiden [ekví:dən] 《lat.》 *pl.* 〖動〗 말과(科).
equilibrieren *t.* 균형을 이루게 하다(äquilibrieren).
Equilibrist [ekvi..] *m.* -en, -en 〔교양〕 (줄타기) 곡예사(Äquilibrist).
Equipage [ek(v)ipá:ʒə] 《frz. équiper, „ausrüsten"》 *f.* -n ① ↑ Equipierung. ② 여행 용구, 종자(從者), 수행원. ③ (호화로운) 마차. ④ 〖海〗 선원. ⑤ 〖軍〗 병참; 〖空〗 승무원.
Equipe [ek(v)íp] *f.* -n 〖스포츠〗 (특히 승마의) 선발팀; (schweiz.) 예술가들의 그룹; 프로젝트 팀원; 〖軍〗 기병대.
equipieren [ek(v)i..] 《I》 *t.* ① ein Schiff ~ a) 배를 의장(艤裝)하다, b) 배에 선원을 승선시키다(bemannen). ② 〔구식〕 장비를 갖추다; 준비하다. 《II》 *refl.* sich ~ 차리다, 무장하다.
Equipierung *f.* -en 〔구식〕 장비; 준비; 〖軍〗 무장; 〖海〗 의장(艤裝).
Equisetazee 《lat.》 *f.* -n 〖植〗 속샛과(科).
Equisetum 《lat.》 *n.* -s, ..ta 〖植〗 쇠뜨기류.
equivoque [ek(v)ivɔ́k] *a.* 다의적인(äquivok).
Er 〖化〗 = Erbium 에르븀.
***er** [e:r, ɛr] 《ahd. er, ir, her》 〔인칭 대명사 3 인칭 남성 단수 1 격 er; 2 격 seiner; 3 격 ihm; 4 격 ihn; 소유 대명사 sein〕 *prn.* 〔이미 알려져 있거나 언급된 남성 명사를 대신하여〕 그, 그 사람, 그것: ich kenne Müller schon lange, ~ hat mit mir zusammen studiert 나는 뮐러를 벌써 오래 전부터 안다, 그는 나와 함께 대학에 다녔다; der Berg dort drüben, ist ~ nicht schön? 저 건너편의 산을 봐요. 그것은 멋지지 않아요?; wir gedenken sein(er) 우리는 그를 추모한다; sie gab es ihm 그녀는 그것을 그에게 주었다; alle sehen ihn 모든 사람이 그를 본다.
Er 《I》 *m.* 남자, 수놈, 수컷: (der) ~ und (die) Sie 남녀, 자웅, 수컷과 암컷(특히 새의): ein ~ 한 마리의 수컷. 《II》 *prn.* ① 〔고어〕 ↑ Gott. ② 〔17 세기에는 Herr 의 뜻으로 극존칭의 호칭으로 되었으나 후에 ↑ Sie 가 등장함에 따라 자취를 감춤; 그러나 18 세기 중엽까지는 Sie 와 du 사이의 뜻으로 고용인·일꾼 등에 대한 호칭으로 쓰임〕 당신; 자네: sage ~, was ~ will 자네가 말하고 싶은 것을 말해 보게나. 《III》 *n.* 너라는 호칭: ich verbitte mir das ~ 해라(반말)는 듣기 싫다.
***er..** 〔강세를 가지는 ur.. 의 변형〕 *pref.* "안에서 밖으로, 밑에서 위로, 발생, 개시, 상태의 변화 종결, 목적의 도달·완성·획득 등"을 나타내는 비분리 전철(보기: erklimmen, erreichen, ersinnen).
..er[1] *suf.* 〔명사를 만드는 후철〕 ① 명사, 동사 어간 따위와 결합해서 "…하는 사람, …하는 도구"의 뜻(보기: Fischer, Schneider). ② 지명

과 결합해서: (**a**) "…출신의 사람"의 뜻(보기: der Wiener). (**b**) "…의"라는 불변화 형용사를 만듦(보기: ein Berliner Kind, Frankfurter Zeitung).

..er² *suf.* 〖동사를 형성하는 후철〗① 축소 동사를 만들어 "빈번함, 소량"의 뜻(보기: plätschern<platschen). ② 지명과 결합하여 동사를 형성, "그 지방의 사투리를 말하다"의 뜻(보기: wienern, berlinern). ③〖방언〗"무엇을 하고자 함"의 뜻(보기: mich rauchern 담배가 피고 싶군).

..er³ ⟪ahd. ..iro, ..ôro; mhd. ..er⟫ *suf.* 〖형용사의 비교급을 형성하는 후철〗"더 …한"의 뜻(보기: kleiner, schöner); 어간의 모음 a, o, u 에는 Umlaut 의 작용을 미침(보기: ärmer<arm).

erachten *t.* et. für〔als〕 et. ~ 무엇을 무엇으로 생각〔간주〕하다: es für nützlich ~ 그것을 유용하다고 생각하다; wie leicht zu ~ ist 쉽게 알 수 있는 일이지만; ich erachte die Zeit für gekommen, um... 나는 …할 시간이 왔다고 생각한다.

Erachten *n.* -s 의견, 판단: meinem ~ nach, nach meinem ~, meines ~s 내 견해로는(약어: m.E.).

erahnen *t.* 예지〔예감〕하다; 직감적으로 파악하다: die Bedeutung eines Begriffs ~ 어떤 개념의 의미를 감지하다.

erangeln *t.* 낚다, 낚아 올리다; 〖비유〗붙잡다, 움켜잡다.

erarbeiten *t.* ① 일하여 얻다〔획득하다〕: die Position selbst ~ 지위〔직위〕를 자기 힘으로 획득하다. ② 연구하여 파악〔소화〕하다: den Unterrichtsstoff ~ 수업 내용을 파악하다. ③ 완성하다, 끝내다: einen Entwurf ~ 구상을 완성하다.

Erarbeitung *f.* -en 얻음, 획득; 파악, 완성.

erasmisch *a.* ① Erasmus von Rotterdam(풍)의. ②〖언어학〗 ~e Aussprache des Altgriechischen 고대 그리스어 자모(H, η)를 i 가 아니라 장음 e 로 발음하기(Etazismus).

Erasmus [erásmus] ⟪gr. erān, „lieben"⟫ *m.* ① 에라스무스(남자 이름). ② ~ von Rotterdam 에라스무스(네덜란드의 인문주의자, 1466–1536).

Erato [é:rato, erá:to] *f.* 〖그리스신화〗에라토(연애시의 여신; Musen 중의 한 사람).

Erb=abweichung *f.* 〖生〗유전 변태(Idiovariation). **~adel** *m.* 세습 귀족. **~amt** *n.* 세습 관직. **~anfall** *m.* (상속법에 따른) 상속 재산의 귀속. **~anlage** *f.* 유전 인자(~faktor).

erbangen 〖고어〗 *i.* (h./s.) 불안해지다, 겁을 집어먹다; 겁내다.

Erb=anspruch *m.* 상속 청구권: einen ~ geltend machen 상속 청구권을 인정하다. **~anteil** *m.* 상속 몫.

Erbärmde=bild *n.* 그리스도의 수난상. **~christus** *m.* 그리스도의 수난상.

Erbarme·dich ⟪<erbarme dich!⟫ *n.* -(s), - 불쌍히 여기소서(Eleison).

***erbarmen** [ɛrbármən] ⟪I⟫ *t.* 〖수동형은 없음〗 jn. ~ 누구에게 연민의 정을 일으키다, 누구로 하여금 불쌍한 마음이 들게 하다: die alte Frau erbarmt mich 나는 그 노파가 불쌍하다는 생각이 든다; das möchte einen Hund ~ 그것은 개라도 불쌍하게 여길 것이다; 〖구식〗 daß (es) Gott erbarm(e)! a) 아이 불쌍해라, 아이 가엾어라!, b) (zum Erbarmen) 가엾게도, 가엾을 만큼 졸렬하군〔서투르군〕! ⟪Ⅱ⟫ *refl.* ①〖사람〗〖雅語〗 sich js. ~ 〔sich über jn. ~〕 누구를 측은히 여기다: ich erbarme mich seiner 〔über ihn〕 그가 가엾다. ②〖사물〗〖구어·농담〗 sich et.³ ~ 무엇을 떠맡다, 먹다; keiner wollte sich der Reste vom Mittagessen ~ 점심밥 남은 것을 아무도 먹으려 하지 않았다. ⟪Ⅲ⟫ *imp.* 〖드물게〗 es erbarmt mich seiner 〔seines Unglücks〕 나는 그를〔그의 불행을〕 측은히 여긴다.

Erbarmen *n.* -s 연민, 동정, 자비: 〖구어〗 zum ~ 불쌍〔가련〕한, 딱한; 보잘것없는, 하찮은; sie spielt zum ~ 그녀의 연주는 형편없다; ich fühle〔habe〕 ~ mit ihm 나는 그를 측은하게 여긴다; kein ~ kennen 인정사정없다, 무자비하다.

erbarmens=wert *a.* 가련〔측은〕한: ein ~er Anblick 측은한 광경. **~würdig** *a.* 〖雅語〗 ↑ ~wert.

Erbarmer *m.* -s, - 〖雅語〗불쌍히 여기는 사람, 동정하는 사람; 〖기독교〗자비로운 하느님.

***erbärmlich** [..bɛ́rm..] *a.* 〖구어〗가련〔측은〕한; 처참한; 비열한; 빈약한, 하찮은; 대단한, 대단히 큰〔심한〕: ihr war ~ zumute 그녀는 측은한 생각이 들었다; er war ~ gekleidet 그는 초라한 옷을 입고 있었다; ~es Trinkgeld 얼마 안 되는 팁; ein ~es Verhalten 비열한 태도; er hatte ~e Angst 그는 무척 불안했다.

Erbärmlichkeit *f.* 비참; 비열; 비열한 성품〔행위〕.

Erbarmung *f.* -en 연민, 동정(Erbarmen).

erbarmungslos *a.* 무자비한, 무정〔냉혹〕한.

Erbarmungslosigkeit *f.* 무자비, 무정.

erbarmungs=reich *a.* ↑ ~voll. **~voll** *a.* 〖雅語〗자비심이 많은. **~wert** *a.* ↑ ~würdig. **~würdig** *a.* 〖雅語〗(erbarmenswert) 가련〔측은〕한.

***erbauen** ⟪I⟫ *t.* ① Früchte〔Korn〕 ~ 과실〔곡식〕을 재배〔경작〕하여 수확하다. ② 짓다, 건축〔건립〕하다: eine Kirche〔Stadt〕 ~ 교회〔도시〕를 건립〔건설〕하다; 〖속담〗 Rom ist nicht in einem Tage erbaut worden 로마는 하루(아침)에 이루어진 것이 아니다. ③〖비유·구어〗교화〔선도〕하다; 마음을 북돋우다, 위로하다, 기쁘게 하다; 〖宗〗신앙심을 일으키다: ich bin von der Nachricht nicht sehr erbaut 나는 그 소식에 그리 기뻐하지 않았다. ⟪Ⅱ⟫ *refl.* 〖雅語〗 sich an et.³ ~ 무엇으로 교화되다, 무엇을 기뻐하다, 무엇에 감동하다; 〖宗〗무엇에 따라 신앙심을 돈독히 하다: er hat sich an diesem Anblick erbaut 그는 이 광경을 보고 감동받았다.

Erbauer *m.* -s, - 건립자, 건설자.

Erbauerin *f.* -nen ↑ Erbauer 의 여성형.

erbaulich [ɛrbáulɪç] *a.* 교화적인, 유익한; 기쁜; 〖宗〗신앙심을 일으키는: 〖반어〗 das ist ja recht ~! 그건 참 감동적인데!

Erbaulichkeit *f.* ① 교화적임. ② 신앙심 고양. ③ (내적인) 기쁨.

Erbauung [ɛrbáuʊŋ] *f.* -en ① 건립, 건설: die ~ einer Bibelstunde 성경 시간의 설정. ② 교화, 선도; 신앙심을 일으킴; 신심(信心),

경건: et. zu seiner ~ lesen 무엇을 정신 수양〔신앙심 고양〕을 위하여 읽다.

Erbauungs≈buch *n.*, **~literatur** *f.* 종교〔교화〕 서적. **~schrift** *f.* 기도서; 종교서. **~stunde** *f.* 기도 시간. **~übung** *f.* 기도, 예배. **~vortrag** *m.* 설교.

Erb≈bau·recht *n.* 〖法〗 지상(地上)권. **~-bau·zins** *m.* 〖法〗 지상권 임대료. **~be-dingt** *a.* 유전적 요인의, 유전성의: ~e Krankheiten 유전병들. **~begräbnis** *n.* 〖구식〗 가족묘, 선산. **~berechtigt** *a.* 상속권이 있는. **~berechtigung** *f.* 상속권. **~besitz** *m.* 상속 토지〔재산〕. **~bestand** *m.* 세습 임차권(~pacht). **~bild** *n.* 〖生〗 (Genotyp) 인자형, 유전자형. **~biologie** *f.* (Genetik) 발생학, 유전학. **~biologisch** *a.* ① 발생학〔유전학〕의. ② ~es Gutachten 친자 확인. **~-buch** *n.* 토지 대장.

***Erbe**[1] [ɛ́rbə] 《„Waisengut"; lat. orbus, „verwaist"》 *m.* -n, -n 상속인, 후계자: der gesetzliche ~ 법정 상속인; jn. zum ~n einsetzen〔machen〕 누구를 상속인으로 지정하다; 〖농담〗 der lachende ~ (사별의 슬픔보다 유산이 생겨서) 속으로 좋아하는 상속인.

Erbe[2] *n.* -s 〖雅語〗 (Erbschaft) 유산, 상속 재산; 〖生〗 유전: das ~ antreten 유산을 상속하다; ein ~ hinterlassen 유산을 남기다; auf sein ~ nicht verzichten 그의 유산을 포기하지 않다; das kulturelle ~ 문화 유산.

erbeben *i.* (s.) ① (지진으로) 갑자기 강하게 흔들리다, 진동하다: die Erde erbebte 땅이 진동했다. ② 〔비유〕 벌벌 떨다, 전율하다: vor Schrecken ~ 무서워서 벌벌 떨다; sie erbebte vor Zorn 그녀는 분노로 몸을 떨었다.

erb≈eigen *a.* 상속〔세습〕의: ein ~es Grundstück 상속받은 부동산. **~eigentum** *n.* 상속 재산(~besitz). **~eingesessen** *a.* 대를 이어 거주하는. **~einsetzung** *f.* 〖法〗 상속인의 지정.

erbeißen* *t.* ① (aufbeißen) 깨물어 열다〔먹다〕. ② 물어 죽이다(totbeißen).

***Erb·ernennung** *f.* ↑ ~einsetzung.

erben [ɛ́rbən] 《<Erbe》 《I》 *t.* ① et. von jm. ~ 누구에게서 무엇을 상속받다, 유전받다, 계승하다: der älteste Sohn erbte den Hof 장남이 농장을 물려받았다; die Begabung hat er von seiner Mutter geerbt 그는 재능을 어머니에게서 이어받았다; 〖구어〗 bei ihm ist nichts zu ~ 그에게는 물려받을 것이 아무것도 없다. ② 〖고어·비유〗 애써서 얻다: 〖聖〗 das Reich Gottes ~ 하느님의 나라에 들어가다; Ehre 〔Ruhm〕 ~ 명성을 얻다; 〖구어〗 hier ist nichts zu ~ 여기서는 얻을 수 있는 것이 아무것도 없다. ③ 〖고어〗 et. ~ 무엇을 유산으로 물려주다, 유전시키다(vererben). ④ 〖방언〗 jn. ~ 누구의 유산을 물려받다(beerben): der Sohn erbt seinen Vater 아들이 아버지 유산을 물려받는다. 《II》 *i.* (s.)/*refl.* (sich) auf jn. ~ 누구에게 전해지다, 상속〔계승〕되다, 유전되다.

Erben·gemeinschaft *f.* 〖法〗 공동 상속자들끼리의 공조 관계.

erbeten *t.* (jm.) et. ~ ① (누구에게) 무엇을 달라고 간청하다. ② (누구에게) 무엇을 간청해 얻다(erbitten).

erbetteln *t.* ① (sich³) et. ~ 무엇을 구걸〔동냥〕하여 얻다: er mußte sich seinen Lebensunterhalt ~ 그는 생계비를 구걸해서 얻어야 했다. ② 끈질기게 졸라 얻다: die Erlaubnis für et. bei den Eltern ~ 부모에게 졸라서 무엇의 허락을 얻다.

erbeuten [ɛrbɔ́ʏtən] *t.* ① et. von jm. ~ 누구에게서 무엇을 노획〔약탈〕하다: das Schiff wurde vom Feinde erbeutet 그 배는 적에게 노획당했다. ② (상품을) 노획하듯이 구입하다.

Erbeutung *f.* -en 노획, 약탈; 획득.

erb≈fähig *a.* 상속권이 있는. **~faktor** *m.* 유전 인자. **~fall** *m.* 〖法〗 피상속인의 사망으로 인한 상속 개시. **~fällig** *a.* 상속권에 따라 귀속하는. **~fehler** *m.* 유전적〔가족적〕 결함. **~feind** *m.* 〖기독교〗 악마, 적그리스도; 불구대천지 원수. **~folge** *f.* ① 상속(순위), 계승. ② 왕위 계승: die ~ wurde vom König verfügt 왕위 계승은 왕에 의해 지시되었다. **~-folge·krieg** *m.* 왕위 계승 전쟁. **~folger** *m.* ① 상속자. ② 왕위 계승자. **~folge·recht** *n.* 상속권. **~forschung** *f.* 유전학. **~fürst** *m.* 세습 군주. **~gang** *m.* 〖生〗 유전 양식; 〖法〗 상속(~folge). **~genoß** *m.* 공동 상속인. **~gerichts·herr** *m.* 세습 영주〔재판관〕. **~gesessen** *a.* 부동산을 소유하고 있는; 세습지 거주의(~eingesessen). **~gesund** *a.* 〖醫〗 유전병질이 없는. **~grind** *m.* 〖醫〗 (Favus) 침윤 두창(頭瘡), 황선(黃癬). **~groß-herzog** *m.* 대공(大公)의 장자. **~gut** *n.* 세습지; 상속 재산; 〖生〗 유전질; (나치스의) 세습 농장. **~herr** *m.* 세습 군주; 영주, 장원주(主). **~herrlich** *a.* 군주〔영주〕의; 영지〔장원〕의. **~hof** *m.* (분할되지 않고 맏아들에게 상속되는) 세습 농장(나치스의 농지 제도). **~hof·buch** *n.* (나치스의) 세습 농지 대장. **~huldigung** *f.* 세습 영주에 대한 충성의 선서.

erbieten* 《I》 〖고어〗 *t.* 제공하다(anbieten). 《II》 *refl.* sich ~, et. zu tun 무엇을 하겠다고 나서다: er erbot sich, diese Aufgabe zu übernehmen 그는 이 과제를 떠맡겠다고 자청했다.

Erbieten *n.* -s 제의, 신청.

Erbin [ɛ́rbɪn] *f.* -nen ↑ Erbe의 여성형.

Erb·information *f.* 〖生〗 유전 정보.

erbitten* *t.* ① et. von jm. ~ a) 누구에게서 무엇을 간청해 얻다, b) 청구하다: ich erbitte es mir von Ihnen zurück 돌려주시기를 간절히 부탁드립니다. ② jn. ~ 간원(懇願)하여 누구의 마음을 움직이다: 〖구식〗 sich (nicht) ~ lassen 누구의 청을 들어주다〔주지 않다〕; laß dich doch ~! 제발 내 부탁 좀 들어주게! ③ 〖雅語〗 (sich³) et. ~ 어떤 일의 허락을 받다: ich erbat mir Urlaub 나는 휴가를 허락받았다.

erbittern [..bɪ́tərn] 《I》 *t.* 격분시키다, 노하게 하다: der Undank erbittert (mich) 배은망덕에 (나는) 분노가 치민다; auf〔gegen, über〕 jn. erbittert sein 누구에 대하여 격분하고 있다; ein erbitterter Kampf 격전. 《II》 *refl./i.* (s.) (sich) ~ 화내다, 격분하다.

Erbitterung *f.* 분노; 증오; voller ~ 분기충천한; in stummer ~ zusehen 격분한 나머지 잠자코 바라만 보다.

erbittlich 《<erbitten》 *a.* 순순히 청을 받아들이는, 유유낙낙한; 관대한.

Erbium [ɛ́rbium] *n.* -s 〖化〗 에르븀(원소의 하나; 기호: Er).

Erb=kaisertum, ~königtum *n.* 세습 군주국. **~krank** *a.* 유전 병(질)이 있는. **~krankheit** *f.* 유전병. **~land** *n.* 세습(영)지.

erblassen *i.* (s.) ①〔雅語〕창백해지다, 새파래지다, 퇴색하다: vor der aufgehenden Sonne ~ die Sterne 떠오르는 해 앞에 별은 빛을 잃는다; sie erblasste plötzlich vor Schreck 너무 놀라 그녀의 얼굴이 갑자기 창백해졌다; 〔비유·구어〕vor Neid ~ 심한 질투를 느끼다; vor jm. ~ 누구보다 열등하다. ②〔시어·비유〕죽다.

Erb=lassenschaft *f.* 유산. **~lasser** *m.* (유산을 물려주는) 상속인; 유언자. **~lasserin** *f.* ↑ Erblasser 의 여성형. **~lasserisch** *a.* 유증(遺贈)의. **~lassung** *f.* 〖法〗 유증. **~lassungs·recht** *n.* (유산에 관한) 유언권. **~legitimation** *f.* 상속의 자격. **~lehen, ~lehens·gut** *n.* 세습 영지; 세습 차지(借地). **~lehens·herr** *m.* 세습 군주(~herr). **~lehre** *f.* 유전학.

erbleichen(*) [ɛrbláɪçən] *i.* (s.) 〔雅語〕(erblassen) ①〔약변화〕창백해지다, 새파래지다, 퇴색하다, (머리가) 하얗게 세다: er ist vor Zorn erbleicht 그는 분노로 얼굴이 하얘졌다. ②〔강변화〕〔시어〕죽다: er ist erblichen 그는 저 세상으로 갔다.

Erb=leiden *n.* 〖醫〗 유전병. **~leihe** *f.* 세습 임차권.

erblich [ɛ́rplɪç] 《<Erbe》 *a.* ① 상속〔세습〕의; 계승될 수 있는: ~er Titel 상속 칭호. ② 유전(성)의: ~e Belastung (대개 병적인) 유전적 소인(素因).

Erblichkeit *f.* ① 상속〔세습·계승〕될 수 있음. ② 유전성.

***erblicken** *t.* ① 보다, 알아보다, 발견하다, 두 눈으로 인지하다: ein Schiff ~ 배를 발견하다; 〔비유〕das Licht der Welt ~ 태어나다. ② 관찰하다, 인식하다: hierin erblicke ich einen Vorteil 나는 이 점이 장점이라고 본다; in ihm erblicke ich meinen Gegner 나는 그를 나의 적으로 간주한다.

erblinden [..blɪ́ndən] 《I》 *i.* (s.) 눈멀다, 소경이 되다, 실명하다; 〔비유〕(거울·유리가) 흐려지다: der Verwundete war auf einem Auge völlig erblindet 그 부상자는 한 쪽 눈을 완전히 실명한 상태였다; erblindete Glasscheiben 흐려진 유리창들. 《II》 *t.* 〔드물게〕눈멀게 하다(blenden).

Erblindung *f.* -en 실명.

erblos *a.* 상속인이 없는; 상속 재산이 없는; 폐적(廢嫡)된.

erblühen *i.* (s.) 활짝 피어나다, 만개하다; 〔비유〕번영하다; (소녀가) 묘령이 되다; 생기다: eine Knospe erblüht 꽃망울이 터지기 시작한다; 〔비유〕sie ist zu voller Schönheit erblüht 그녀는 완전히 성숙한 미인으로 자랐다.

Erb=mangel *m.* 유전적 결함. **~masse** *f.* ① 〖法〗 상속 재산, 유산(일체): die ~ aufteilen 유산을 분배하다. ②〖醫〗 유전(소)질: eine gute ~ besitzen 좋은 유전질을 지니다. **~mäßig** *a.* 유전 인자에 따른. **~monarchie** *f.* 세습 군주국〔정체〕. **~nehmer** *m.* 상속인, 계승자. **~onkel** *m.* (유산을 물려줄 수 있는) 부유한 숙부. **~ordnung** *f.* 상속 순위.

erborgen *t.* 〔雅語〕빌(리)다: sich³ Geld ~ 돈을 빌리다.

erborgt [..kt] *p.a.* 빌린; 꾸민, 인위적인, 본디가 아닌: ~es Licht 반사광; ~e Gedanken 빌려온 사상.

erbosen 《I》 *t.* 화나게 하다: erbost sein 화가 나 있다; ihre Bemerkung erboste ihn sehr 그녀의 지적은 그를 무척 화나게 했다. 《II》 *refl.* sich über et. ~ 무엇에 대하여 화내다.

erbötig [ɛrbǿːtɪç] 《<erbieten》 *a.* 〔서술적 용법뿐임〕 zu et.³ ~ sein 무엇을 하겠다고 나서다: er war ~, ihr zu helfen 그는 그녀를 도와 줄 각오가 되어 있었다; sich ~ machen 〔erklären〕, et. zu tun 무엇을 하겠다고 알리다.

Erbötigkeit *f.* -en 각오가 되어 있음.

Erb=pacht *f.* 세습 임차(권); 세습 용익권. **~pächter** *m.* 세습 임차인〔소작인〕. **~pflege** *f.* 우생학(Eugenik). **~pflicht** *f.* ① 상속〔계승〕 의무. ② (세습 군주에 대한) 충성 선서(~huldigung). **~prinz** *m.* (황)태자.

erbrausen *i.* (s.) 〔雅語〕(바다·폭풍우가) 요란하게 쏴쏴〔윙윙〕거리기 시작하다: 〔비유〕die Orgel erbrauste mächtig 파이프 오르간 소리가 힘차게 울리기 시작하였다.

erbrechbar *a.* 쉽게 부술〔부수어 열〕 수 있는, 부숴지기 쉬운.

erbrechen* [ɛrbrɛ́çən] 《I》 *t.* ① 부수어 열다 (aufbrechen): die Tür ~ 문을 부수어 열다; der Brief war erbrochen worden 편지가 뜯겨져 있었다. ② 토하다: der Betrunkene hat mehrmals erbrochen 그 술취한 남자는 여러 번 토했다. 《II》 *refl.* sich ~ 구토하다: sich ~ wollen 구토가 나다, 메슥거리다.

Erbrechen *n.* -s 부수어 열기; 개봉; 구토: Neigung zum ~ 욕지기; ~ erregen 구토를 일으키다; 〔비유·폄어〕bis zum ~ 역겨울 정도로.

Erb=recht *n.* 상속권〔법〕. **~reich** *n.* 세습국.

erbreitern *t.* 넓히다(verbreitern).

Erbreitung *f.* 넓힘(Verbreiterung).

Erb·rezeß *m.* 상속 계약(~vergleich).

erbringen* *t.* 가져오다, 제출하다: der Test erbringt die gewünschten Erkenntnisse 시험은 기대한 인식을 얻게 해준다; 〖法〗 einen Beweis für et. ~ 무엇에 대한 증거를 제출하다, 증명하다; Leistungen ~ 업적을 내다.

erbs.. ↑ erbsen...

Erb=sälzer *m.* 세습 암염(岩塩) 광산 소유자. **~saß, ~sasse** *m.* 세습 군주(~herr). **~satzung** *f.* 유언서. **~schaden** *m.* 유전적 결함(~fehler).

Erbs·brei *m.* ↑ Erbsenbrei.

***Erbschaft** [ɛ́rpʃaft] *f.* -en 상속, 계승; 상속 재산, 유산: eine ~ antreten〔ausschlagen〕 유산을 상속하다〔거절하다〕.

erbschaftlich *a.* 상속상의, 유산상의.

Erbschafts=angelegenheit *f.* 상속 사건 (~sache). **~anspruch** *m.* 상속 회복 청구권. **~anteil** *m.* 상속분(分). **~antritt** *m.* 재산 상속; 상속의 승인. **~gericht** *n.* 상속 재판소. **~gläubiger** *m.* 상속〔유산〕 채권자. **~klage** *f.* 상속 소송. **~masse** *f.* 상속 재산. **~sache** *f.* 상속 사건. **~steuer** *f.* 상속세. **~teilung** *f.* 유산 분할. **~verfüger** *m.* 유산 처분자. **~verfügung** *f.* 유산의 처분.

Erb=schein *m.* 상속 증명서. **~schichtung** *f.* 상속 재산의 분할; 유산 분배. **~schleicher** *m.* 〔폄어〕 사기 상속인, 유산 횡령자. **~schleicherei** *f.* 사기 상속, 유산 횡령. **~schuld** *f.* 상속 부채.

*__Erbse__ [ɛ́rpsə] *f.* -n ① 〖植〗 완두(콩): er sieht aus, als ob der Teufel ~n auf ihm gedroschen hätte 그는 곰보다〔얽었다〕; durch eine Scheffel ~n mit jm. verwandt sein 누구와는 아주 먼 친척이다; 〔속담〕 drei ~n in der Hülse machen mehr Lärm, als wenn sie voll wäre 빈 수레가 더 요란하다. ②〔구어〕 머리: er hat et. an der ~ 그는 제 정신이 아니다.

Erbsen=arbeiten *pl.* (아이들의) 콩 세공품(細工品). **~bein** *n.* 〖醫〗 손목끝 뼈. **~brei** *m.* 으깬 완두, 완두죽. **~förmig** *a.* 완두 모양의. **~gericht** *n.* 완두 요리. **~groß** *a.* 완두 크기의. **~mehl** *n.* 완두콩 가루. **~mus** *n.* 완두죽. **~prinzessin** *f.* 〖동화〗 완두콩 위의 왕녀; 〔비유〕 호사스런 소녀. **~probe** *f.* 〖동화〗 완두콩(을 이용한 혈통) 시험. **~schote** *f.* 완두 (콩)깍지. **~stein** *m.* 〖광물〗 두석(豆石). **~strauch** *m.* 〖植〗 (콩과의) 골담초. **~stroh** *n.* 완두짚. **~suppe** *f.* ① 완두 수프. ②〔구어〕 짙은 안개. **~zähler** *m.* 〔구어〕 ① 참견하기 좋아하는 사람. ②〔폄어〕 인색〔비열〕한 놈, 구두쇠, 너절한 놈.

Erbsetzer *m.* 유언자.

Erbs·stroh *n.* 완두짚(Erbsenstroh).

Erb=stück *n.* 상속물, 세습된 물건. *__~sünde__ *f.* 〖聖〗 원죄.

Erbs·wurst *f.* (특히 군대의 즉석 수프용) 완두콩 소시지.

Erb=tante *f.* 〔구어·농담〕 (유산을 물려줄 수 있는) 부유한 숙모. **~teil** *n.*/(민법) *m.* 상속분(分); 유산; 유전적 소질: die musikalische Begabung ist sein väterliches ~ 그의 음악적 재능은 부친 쪽에서 물려받은 것이다. **~teilung** *f.* 상속 재산 분할; 유산의 분배. **~tochter** *f.* 여자 상속인. **~tüchtig** *a.* 유전적 결함이 없는.

Erbtum [ɛ́rptu:m] *n.* -(e)s, ..tümer 〔구식〕 상속 재산.

erbtümlich *a.* 상속의: 〔구식〕 ~ und eigentümlich 상속하여 얻은.

Erb=typus *m.* 유전형(Idiotypus). **~übel** *n.* 유전병.

erbuhlen *t.* 미인계로〔아첨하여〕 옭아내다: js. Gunst ~ 누구에게 아첨해 환심을 사다.

Erb=untertan *m.* 대대의 가신(家臣); 〖經〗 세습 노예. **~untertänig** *a.* 세습 농노의. **~untertänigkeit** *f.* 농노의 신분. **~untüchtig** *a.* 상속 능력〔자격〕이 없는. **~unwürdig** *a.* 상속권 실격의. **~unwürdigkeit** *f.* (유언자에 대한 중대 과실로 인한) 상속권 실격. **~verbrüderung** *f.* (귀족 가문끼리의) 상속에 관한 상호 계약. **~vergleich** *m.* 상속 계약. **~vermächtnis** *n.* (제삼자에게 주는) 유산, 유증. **~vertrag** *m.* 상속 계약. **~verzicht** *m.* 상속의 포기. **~verzichts·vertrag** *m.* 상속 포기 계약. **~weisheit** *f.* 유전학. **~wesen** *n.* 상속법〔제도〕. **~wissenschaft** *f.* 유전학. **~zins** *m.* 세습 토지 경작료.

Erbzins=gut *n.* 세습 경작 토지. **~herr** *m.* 세습 토지 소유주. **~mann** *m.* 〔복수: ..männer〕 세습 토지 경작인.

Erch·tag *m.* (obd.) 화요일(Dienstag).

Erd=ableitung [é:rt..] *f.* 〖전기〗 접지(接地). **~abwehr** *f.* 대공 방어. **~achse** *f.* 지축(地軸).

erdacht 《I》 *p.p.* ↑erdenken. 《II》 *p.a.* 꾸며낸.

Erd=alkalien *pl.* 〖化〗 바륨·칼슘·마그네슘·트론튬의 산화물; 알칼리 토양. **~alkalimetalle** *pl.* 〖化〗 알칼리 토류(土類) 금속. **~anschluß** *m.* 〖전기〗 접지. **~antenne** *f.* 〖전기〗 지중〔지표〕(地中〔地表〕) 안테나; 접지〔어스〕 안테나. **~anziehung** *f.* 지구 인력. **~apfel** *m.* ① (특히 südd.) 감자(Kartoffel). ②〖植〗 돼지감자, 뚱딴지. **~arbeiten** *pl.* 토목 공사. **~arbeiter** *m.* 토목 공사 인부. **~art** *f.* 지질, 토질. **~artig** *a.* 흙의, 토양의. **~atmosphäre** *f.* 대기권.

erdauern *t.* (schweiz.) 철저하게 조사하다, 충분히 음미하다.

Erdauerung *f.* -en 철저한 조사, 충분한 음미.

Erd=aufklärung *f.* 〖軍〗 지상 정찰. **~aufwurf** *m.* 쌓아 놓은 흙더미. **~bahn** *f.* 지구 궤도. **~ball** *m.* 지구. **~balsam** *m.* 나프타유(油). **~bau** *m.* 〖건축〗 기초 공사. *__~beben__ *n.* 지진.

Erdbeben=anzeiger *m.* 지진계. **~herd** *m.* 진원지. **~messer** *m.* 지진계. **~warte** *f.* 지진 관측소. **~welle** *f.* 지진파.

Erdbeer=baum *m.* 〖植〗 철쭉과의 상록 관목. **~bowle** *f.* 딸기술.

*__Erd·beere__ *f.* 딸기.

Erdbeer=eis *n.* 딸기(맛) 아이스크림. **~farben** *a.* 딸기색의, 딸기처럼 빨간. **~geschmack** *m.* 딸기맛. **~konfitüre, ~marmelade** *f.* 딸기잼. **~pocken** *pl.* 〖醫〗 (피부병의 일종인) 딸기종(腫). **~rot** *a.* 딸기처럼 빨간. **~torte** *f.* 딸기 케이크.

Erd=beschleunigung *f.* 〖物〗 중력 가속도. **~beschreibend** *a.* 지리학의. **~beschreibung** *f.* 지리학. **~bestattung** *f.* 매장, 장례. **~bevölkerung** *f.* 지구의 주민; 인간. **~bewegung** *f.* ①〖天〗 지구의 회전 운동. ② (토목 공사 때의) 흙의 운반. **~bewohner** *m.* 지상에 거주하는 자; 인간. **~biene** *f.* 〖動〗 땅벌. **~bildungs·lehre** *f.* 지구 형성학, 지질학. **~birne** *f.* ①〔방언〕 감자. ②〖植〗 뚱딴지. *__~boden__ *m.* 대지, 토지, 지면, 토괴: wie vom ~ verschluckt 감쪽같이〔갑자기〕 사라지다; et. dem ~ gleich machen a) 무엇을 지면과 같은 높이로 고르다, b) (완전히) 파괴하다: vom ~ verschwinden 근절되다, 전멸하다, 멸종되다; ich wäre am liebsten in den ~ versunken 수치스러워 쥐구멍에라도 들어가고 싶다. **~bogen** *m.* 〖건축〗 기초벽의 아치 구조물. **~bohrer** *m.* 〖工〗 지중 천공기, 지추(地錘). **~braun** *a.* 흙갈색의. **~brot** *n.* 〖植〗 ① 시클라멘(Alpenveilchen). ② 만나이끼(Mannaflechte). **~damm** *m.* 흙으로 쌓은 제방〔둑〕. **~draht** *m.* 〖전기〗 접지선, 어스선. **~druck** *m.* 〔복수: ..drücke〕 지압(地壓). **~durch·messer** *m.* 지구의 직경.

*__Erde__ [é:rdə] *f.* -n ①〔복수: Erdarten〕 흙, 토양; 먼지, 티끌: (die) Rote ~, das Land der Roten ~ 적토(赤土)의 땅(Westfalen 의 이명

(異名)); wieder zu ~ werden 흙으로 돌아가다, 죽다; in geweihter ~ liegen 묘지에 묻혀 있다; die ~ sei ihm leicht! 그의 영혼에 안식이 있기를!; 〖宗〗 ~ zu ~! 흙은 흙으로 돌아가니! (매장할 때의 말). ② (↔Wasser) 대지, 토지, 땅, 지면: (mit beiden Beinen) auf der ~ bleiben 환상에 사로잡히지 않다; auf die ~ fallen a) 땅〔지상〕에 떨어지다, 쓰러지다, b) 〖비유〗 완전히 실패〔수포〕로 돌아가다; et. aus der ~ stampfen 무엇을 신속하게 만들어내다; in fremder ~ ruhen 이국땅에 묻혀 있다; unter der ~ liegen 죽어 매장되어 있다; jn. unter die ~ bringen a) 누구를 매장하다, b) 죽이다, c) 누구의 수명을 단축시키는 데 일조하다; jn. unter die ~ wünschen 누가 죽기를 바라다; zu ebener ~ wohnen 일층〔아래층〕에 살다. ③ 지구. ④ 세계; 사바(娑婆), 현세, 세상: 〖단수 약변화의 옛 형태; = auf der ~〗 auf ~n 현세에서, 인생에서: er hat bei ihr den Himmel 〔die Hölle〕 auf ~n 그는 그녀와 함께 사는 것이 천당〔지옥〕 같다; er hat Himmel und ~ in Bewegung gesetzt 그는 모든 수단을 다 써 보았다. ⑤ 〖化〗 토류(土類). ⑥ 〖전기〗 접지(接地), 지기(地氣). ⑦ (고대 철학에서 4대 기본 원소의 하나로서의) 지(地).

Erd≈eichel *f.* ~nuß. **~einsturz** *m.* ↑ ~fall.

erden[1] 〔고어〕 *a.* 진흙을 구워 만든(irden, erdig).

erden[2] 《I》 *t.* einen Blitzableiter ~ 피뢰침을 접지하다. 《II》 **geerdet** *p.a.* ↑ geerdet.

Erden≈bahn *f.* 인생 행로. **~bürger** *m.* 인간: ein neuer kleiner ~ 갓 태어난 아이. **≈fern** *a.* ↑ erdfern ②. **~ferne** *f.* 〖天〗 원지점. **~freude** *f.* 현세의 기쁨.

Erd·enge *f.* 지협(地峽) (Landenge).

Erden≈geschöpf *n.* 인간. **~glück** *n.* 현세의 행복; 덧없는 행복. **~gott** *m.* 제왕. **~güter** *pl.* 〖雅語〗 속세의 재물; 부귀. **~jahr** *n.* 지구의 1년(1회 공전에 필요한 기간). **~jammer** *m.* 〔시어〕 현세의 고(苦).

erdenkbar *a.* ↑ erdenklich.

erdenken 《I》 *t.* ① (ausdenken) 고안〔안출〕해내다, 생각해내다. ② (erdichten) 허구〔날조〕하다: das hast du dir bloß erdacht 그것은 네가 조작해낸〔꾸며낸〕 것일뿐이야. 《II》 **erdacht** *p.a.* ↑ erdacht.

Erden·kind *n.* 인간, 사람.

erdenklich *a.* 고안〔생각〕해낼 수 있는 모든: er hat sich[3] alle ~e Mühe gegeben 그는 온갖 노력을 다하였다.

Erden≈kloß *m.* 흙덩이; 〖비유〗 (아담의 후손으로서의) 인간. **~last** *f.* 이 세상의 무거운 짐. **~leben** *n.* 현세(의 생활); 사람의 일생. **~leiden** *n.* 현세의 고뇌.

erdenlos *n.* 현세의 운명, 사람의 운수.

Erden≈mal *n.* 현세의 오점. **≈nah** *a.* 지구와 가까운. **~nähe** *f.* 〖天〗 근지점. **~not** *f.* 현세의 역경. **~rund** *n.* 〔시어〕 지구. **~schoß** *m.* 대지의 품. **~sohn, ~waller** *m.* 인간 (~kind). **~wallen** *n.* 〔시어〕 인생의 여정. **≈wärts** *adv.* (높은 곳에서) 지면을 향하여. **~wurm** *m.* 〔시어〕 가련한 인간.

Erd≈erbse *f.* 〖植〗 판파라콩(열대산(産) 땅콩). **~erkundung** *f.* (인공 위성을 이용한) 지구 탐사〔관찰〕. **~erschütterer** *m.* 대지를 진동시키는 사람; 〖신화〗 바다의 신 포세이돈〔넵툰〕의 별명. **~erschütterung** *f.* 지진 (~beben). **≈fahl** *a.* 흙색의. **~fall** *m.* 토지 함몰(지). **~farbe** *f.* 흙색; 광물 안료. **≈farben, ≈farbig** *a.* 흙색의. **~ferkel** *n.* 〖動〗 개미핥기. **≈fern** *a.* ① 지구에서 먼. ② 〔시어〕 세상과 동떨어진, 황홀경에 빠진. **~ferne** *f.* ① 〖天〗 원지점(遠地點). ② 〔시어〕 세상을 등짐. **~fern·rohr** *n.* 지상 망원경. **~feuer** *n.* 자연 발화한 천연 가스. **~fläche** *f.* 지표면(地表面). **~floh** *m.* 〖動〗 딱정벌레의 일종. **~forscher** *m.* 지질학자. **~forschung** *f.* 지질학. **~frucht** *f.* 땅속 열매 식물, 구근(球根) (감자 등).

Erdg. ① = Erdgeschichte 지질학. ② = Erdgeschoß (건물의) 1층.

Erd≈gang *m.* 〖광산〗 광맥; 터널. **~gas** *n.* 천연 가스. **≈gas·höffig** *a.* 풍부한 천연 가스가 기대되는. **≈geboren** *a.* 〔시어〕 ① 대지에서 태어난. ② 현세〔속세〕의. ③ 토착의. **~gebor(e)ne*** *der/die* 〔시어〕 인간. **≈gebunden** *a.* 대지에 얽매인; 속세의, 세속적인; 토착의. **~gebundenheit** *f.* 속세〔대지〕에 얽매인 상태. **~geist** *m.* 지령(地靈). **~gelb** *n.* 〖광물〗 자토(赭土), 황자석(黃赭石). **~geruch** *m.* 흙 냄새. **~geschichte** *f.* 지질학(약어: Erdg.). **≈geschichtlich** *a.* 지질학의. **~geschmack** *m.* (포도주의) 흙맛. **~geschoß** *n.* 1층(약어: Erdg.): das Zimmer befand sich im ~ 그 방은 1층에 있었다. **~gewächs** *n.* 식물, 야채. **~gleicher** *m.* 적도(Äquator). **~grille** *f.* 땅강아지(~krebs). **~gürtel** *m.* 〖지질〗 지대(地帶).

erdhaft *a.* ① 흙성분의(erdig). ② 토착의, 원시의.

Erd≈halb·messer *m.* 지구의 반경. **~hälfte** *f.* 〖지리〗 반구(半球). **≈haltig** *a.* 흙을 함유하는. **~harz** *n.* 〔구식〕 아스팔트: gelbes ~ 호박(琥珀). **~haue** *f.* 곡괭이. **~haufen** *m.* 흙더미, 퇴토(堆土). **~höhle** *f.* 지하 동굴. **~hörnchen** *n.* 〖動〗 다람쥐의 일종.

erdicht *a.* 흙의(erdig).

***erdichten** [ɛrdíçtən] *t.* ① 꾸며내다, 허구〔날조〕하다; (작가가) 창작하다: eine Krankheit ~ 꾀병을 부리다; sich einen Vorwand ~ 핑계를 꾸미다. ② 〔고어〕 sich[3] et. ~ 시를 지어 무엇(돈·명성 등)을 얻다.

erdichtet *p.a.* 날조된, 허구의; 가공적인: 〖理〗 ~er Stern 가상 별.

Erdichtung *f.* -en 허구, 날조; 창작, 지어낸 이야기; 동화.

erdig [é:rdıç] *a.* 흙(모양)의, 토질의; 흙이 묻은; 흙 냄새가〔맛이〕 나는: seine Schuhe waren ganz ~ 그의 신에는 흙이 잔뜩 묻어 있었다; ~ riechen 흙 냄새가 나다.

Erd≈induktor *m.* ① 지자기(地磁氣) 감응기. ② 접지 유도자(誘導子). **~innere** *n.* 지구의 내부. **~kabel** *n.* 〖전기〗 지하 전선. **~kalk** *m.* 석회암. **~kampf** *m.* 〖軍〗 지상전(투). **~karte** *f.* 세계 지도. **~kern** *m.* 〖지질〗 지핵(地核). **~klumpen** *m.* 흙덩이. **~kohle** *f.* 갈탄. **~körper** *m.* ① 지구. ② 〖軍〗 (보루의) 토대(土臺). **~krebs** *m.* 〖動〗 하늘밥도둑(땅강아지속의 일종). **~kreis** *m.* 지구: auf dem ganzen ~ 전세계에. **~kruste** *f.* 지각

(地殼) (~rinde) : die ~ ist etwa 30 km dick 지각은 약 30 km 두께다. **~kugel** *f.* 지구(의(儀)) : halbe ~ 반구(↑ ~hälfte). **~kunde** *f.* 지리학. **≗kundig** *a.* 지리학에 능통한: der ≗e 지리학자. **~kundler** *m.* 지리학자; 지리 교사. **≗kundlich** *a.* 지리학(상)의. **~lage** *f.* 지층(~schicht). **~läufer** *m.* (ndd.) 도마뱀. **~leitung** *f.* 〖전기〗 지회로(地回路) ; (접)지선((接)地線). **~licht** *n.* 〖天〗 지구 회조광(回照光) (지구가 태양을 반사해 달에 생긴 희미한 빛). **≗magnetisch** *a.* 지자기의. **~magnetismus** *m.* 지자기(地磁氣). **~mandel** *f.* 땅콩(~nuß). **~männchen, ~männlein** *n.* ① 땅 속에 사는 난쟁이, 땅의 요정. ②〖動〗 아프리카에 사는 고양잇과의 일종. **~maus** *f.* ① 들쥐. ② 땅콩(~nuß). **~meßkunst, ~messung** *f.* 기하학; 측지학, 측량술. **~metall** *n.* 〖化〗 토류(土類) 금속. **~mine** *f.* 지뢰. **≗nah** *a.* ①〖天〗 지구와 가까운. ②〔시어〕 속세에 얽매인. **~nähe** *f.* ①〖天〗 근지점(달의 궤도 중 지구에 가까운 점). ②〔시어〕 속세에 얽매임. **~nuß** *f.* 땅콩(열매). **~ober·fläche** *f.* 지구의 표면. **~öl** *n.* 〖化〗 광유(鑛油) ; 석유; 나프타유.

erdolchen [ɛrdɔ́lçən] *t.* 단도로 찔러 죽이다: er wurde von hinten erdolcht 그는 단도에 등을 찔려 죽었다.

Erdolchung *f.* 단도로 찔러 죽임.

erdöl≈exportierend [é:rtlø:l..] *a.* 석유를 수출하는. **≗feld** *n.* 유전. **≗förder·land** *n.* 산유국. **≗leitung** *f.* 송유관. **≗produktion** *f.* 석유 생산. **≗raffinerie** *f.* 정유 공장. **≗verarbeitung** *f.* 석유 가공. **~verbrauchend** *a.* 석유를 사용〔소비〕하는. **≗vorkommen** *n.* 석유 산출. **~höffig** *a.* (풍부한) 석유 산출의 가망이 있는.

Erd≈pech *n.* 아스팔트. **~pfeiler** *m.* ↑ ~pyramide. **~platte** *f.* 〖전기〗 (접)지판, 어스판. **~pol** *m.* 지극(地極). **~pyramide** *f.* 〖지질〗 토주(土柱). **~rauch** *m.* 〖植〗 푸마리아(Fumaria) (양귀비의 일종). **~reich** *n.* ① 지구, 세계. ② (↔ Wasser) 토지, 육지, 지면; 토양. ③〖聖〗 지상의 왕국.

erdreisten [..dráıstən] 《I》〔드물게〕 *t.* 대담하게 만들다, 감행시키다. 《II》 *refl.* sich eines Dinges ~ 대담하게도〔뻔뻔스럽게도〕 무엇을 하다, 감행하다: wie können Sie sich ~, mir das ins Gesicht zu sagen? 어찌 감히 그것을 내 면전에 대고 말할 수 있습니까? 《III》 *i.* (h.) 〔속어〕 대담해지다, 뻔뻔스러워지다.

erdreschen* *t.* 타작〔탈곡〕하여 얻다.

Erd·rinde *f.* 〖지질〗 지각(地殼).

erdröhnen [ɛrdrǿ:nən] *i.* (h./s.) (천둥이) 요란하게 울리다, 굉굉히 울리다.

erdrosseln [..drɔ́səln] 《I》 *t.* 교살하다; 〔비유〕 억압〔묵살〕하다: eine Kritik ~ 비판을 묵살하다. 《II》 *refl.* sich ~ 목매어 자살하다.

Erdrosselung, Erdroßlung *f.* -en 교살; 억압, 묵살; 목매어 죽음.

erdrücken *t.* ① 눌러 죽이다, 압살하다; 질식시키다: zum ≗ voll 숨막힐 정도로 꽉 찬; zwei Arbeiter wurden bei dem Unglück erdrückt 두 명의 노동자가 그 사고로 압사했다. ②〔비유〕 압박하다; (반란을) 진압하다; 침울하게 하다: ~de Beweise 옥죄는 명백한 증거들; er war von der Last der Sorgen erdrückt 그는 걱정의 중압감에 시달리고 있었다.

erdrückend *p.a.* 압도적인; 옴짝달싹못하게 하는: eine ~e Übermacht 압도적인 우세.

Erd≈rücken *m.* 산등성이. **~rund** *n.* 지구(Erdenrund).

Erdrusch [ɛrdrúʃ] 《<erdreschen》 *m.* -es 〖방언〗 타작한 곡식.

Erd≈rutsch *m.* ① 흙〔산〕사태. ②〔비유〕 급변, 변혁; (선거에서의) 대패배: das Wahlergebnis kam einem ~ gleich 선거 결과는 참패였다. **~sack** *m.* 〖軍〗 모래 주머니. **~satellit** *m.* (인공) 위성. **~schatten** *m.* 〖天〗 (달에 드리운) 지구의 그늘. **~scheibe** *f.* ① 지구, 세계. ②〖植〗 시클라멘(Alpenveilchen). **~schicht** *f.* 지층. **~schlipf** *m.* (schweiz.) 사태(~rutsch). **~schluß** *m.* 〖전기〗 어스, 접지, 지기(地氣); 누전. **~schnecke** *f.* 〖動〗 괄태충의 일종. **~schocke** *f.* 〖植〗 엉겅퀴의 일종; 돼지감자(Topinambur). **~scholle** *f.* 흙덩이. **~schwamm** *m.* 〖植〗 들사리버섯; 송로(松露). **~schwein** *n.* 개미핥기(~ferkel). **~sicht** *f.* (비행기에서 내려다본) 지상 시계(視界)〔조망〕. **~sieb** *n.* 〖원예〗 체. **~spalte** *f.* 땅의 틈〔균열〕. **~stern** *m.* 〖植〗 매운버섯속. **~stock** *m.* 땅 속의 그루터기; 낮은 포도나무; 1층(~geschoß). **~stoß** *m.* 대지의 진동. **~strahlen** *pl.* 지구 방사선. **~streitkräfte** *pl.* 육군. **~strich** *m.* 지방, 지대: der heiße ~ 열대. **~ströme** *pl.* 〖전기〗 접지 전류. **~teil** *m.* 대륙, 주(洲).

erdulden *t.* 참고 견디다; (손해를) 입다, (고통을) 당하다: Leid〔Kummer, Demütigungen〕 ~ 고통을〔근심을, 멸시를〕 참고 견디다.

Erduldung *f.* 인고(忍苦), 참고 견딤; 손해를 당함.

Erd≈umfang *m.* 지구의 둘레 길이; 지구 전체. **~umkreisung** *f.* (인공 위성의) 지구 선회. **~umrundung** *f.* (선박으로 하는) 세계 일주. **~umschiffer** *m.* 세계 일주 항해자. **~umschiffung, ~umsegelung** *f.* 세계 일주 항해.

Erdung [é:rduŋ] 《<erden²》 *f.* -en 〖전기〗 접지, 어스.

erdursten *i.* (s.) 〔고어〕 심한 갈증을 느끼다 (verdursten).

erdverbunden *a.* 속세에 매인.

Erdverbundenheit *f.* 속세에 매임.

Erd≈vermessung *f.* 토지 측량. **~wachs** *n.* 〖化〗 지랍(地蠟). **~wahr·sagerei** *f.* (한 줌의 흙을 던져 그 모양을 보고 하는) 흙 점. **~wall** *m.* 흙제방(~damm); 〖軍〗 토루(土壘), 흙벽; 정원 안에 만들어 놓은 작은 산. **~wärme** *f.* 지온(地溫), 지열(地熱). **≗wärts** *adv.* (높은 곳에서) 지상으로. **~weite** *f.* 〖天〗 지구와 태양의 평균 거리. **~wendigkeit** *f.* 〖植〗 땅굽성, 굴지성. **~werk** *n.* 〖軍〗 흙으로 만든 보루; 토루(土壘) 공사. **~winkel** *m.* 땅의 끝, 외딴 곳. **~zeit·alter** *n.* 〖지질〗 지질학상의 연대. **~zone** *f.* 지방, 지대(~strich). **~zunge** *f.* 갑(岬).

Erebos [é(:)rebos], **Erebus** [..bus] 《gr.》 *m.* - ①〖신화〗 암흑의 신(저승의 주인, 혼돈의 아들, 밤의 형제). ② (Unterwelt) 황천, 저승, 지옥. ③ 에러버스(남극의 화산).

Erechteion [erɛçtáıɔn], **Erechtheum** [..

tè:ʊm] *n.* -s (아테네에 있는 이오니아식) Erechtheus 궁전.

Erechtheus [eréçtɔʏs] *m.* 에레크테우스(아테네의 전설적 왕).

ereifern [ɛr|áɪfərn] *refl.* sich ~ ① 열중하다; 열을 올리다, 흥분하다: sich über eine Behauptung ~ 어떤 주장에 대해 흥분하다. ② 격분하다.

Ereiferung *f.* -en 흥분; 격분.

ereignen 《(고어) eräug(n)en, „vor Augen bringen"》 *refl.* sich ~ 일어나다, 생기다, 발생하다: hat sich inzwischen irgend etwas ereignet? 그 동안에 무슨 일이 생겼느냐?

*__Ereignis__ [..áɪgnɪs] *n.* -ses, -se ① 일어난 일, 사건; 현상(現像); 〖法〗 사실: ein freudiges ~ (Geburt) 출산; sie sieht einem freudigen ~ entgegen 그녀는 임신 중이다; 〖속담〗 große ~se werfen ihre Schatten voraus 큰 일이 생기려면 전조가 있는 법이다. ② 감명 깊은 체험: die Aufführung war wirklich ein ~ 그 공연은 정말 감명 깊은 체험이었다. ③ 〖物〗 (시간적·공간적 규모가 작아서 무시해도 좋은) 사건, 경과.

ereignislos *a.* 사고〔사건〕 없는, 지루한: die Reise verlief ~ 그 여행은 별다른 사건 없이 끝났다.

ereignis≈reich, ~voll *a.* 다사(多事)한.

ereilen [ɛr|áɪlən] *t.* 〖雅語〗 jn. ~ 누구에게 (불행한 일이) 닥치다: der Tod hat ihn mitten in seinen Plänen ereilt 그는 한창 계획을 진행시키는 도중에 급사하였다.

Erek ① 에렉(남자 이름). ② 에리히(켈트족의 아르투스 전설에 나오는 인물).

erektil [erɛktí:l] 《<erigieren》 *a.* 발기력(勃起力)이 있는(erigibel).

Erektion [..tsió:n] *f.* -en 〖醫〗 발기: eine ~ haben 발기하다.

Eremit [eremí:t, ..mít] 《gr. érēmos, „einsam"》 *m.* -en, -en ① 은(둔)자, 세상을 등진 사람. ② 〖動〗 소라게.

Eremitage [eremitá:ʒ(ə)] 《gr.》 *f.* -n ① (Einsiedelei) 은자의 암자(庵子), 은거지. ② 프랑스 론 강변의 포도주. ③ (18 세기 공원의) 정자.

Eren *m.* -, - (obd.) 현관(Flur).

ererben *t.* 〖구식〗 상속하여 얻다.

ererbt *p.a.* 상속받은; 유전된, 물려받은: 〖生〗 eine ~e Krankheit 유전병; eine ~e Musikalität (부모에게서) 물려받은 음악성.

erethisch [eré:tɪʃ] 《gr.》 *a.* 〖心·醫〗 (gereizt) 과민성〔자극성〕의; 쉽게 흥분하는.

Erethismus *m.* - 〖醫〗 자극; 병적으로 항진된 흥분성〔과민성〕.

erfahrbar *a.* 경험할〔알〕 수 있는.

__erfahren__ [ɛrfá:rən] *t.* 《I》① (주로 불쾌한 일을) 당하다, 마주치다, 경험하다: er erfuhr in seinem Leben viel Glück〔Böses〕 그는 인생에서 행복〔고약한 것〕을 많이 체험했다. ② 〖수동의 기능 동사로〗 …되다: Berücksichtigung ~ 참작되다; eine Veränderung ~ 변경되다. ③ (간접적으로 듣고) 알게 되다; 배워 알게 되다: hast du Näheres ~? 너는 더 자세한 것을 알고 있니?; durch die Zeitung ~ 신문을 통해 알게 되다. ④〖고어〗 탈것을 타고 뒤쫓아가서 만나다. ⑤〖드물게〗 타는 것을 통해 획득하다: der Bobfahrer X erfuhr sich den dritten Platz 봅슬레이 선수 X 는 3 위를 차지했다. 《II》 *i.* (h.) von et.³ ~ 무엇에 관하여 듣다〔알게 되다〕: sie erfuhr erst gestern von dem Unglück 그녀는 어제야 비로소 그 불행한 사고 소식을 들었다.

erfahren *p.a.* 경험 많은, 숙달된, 노련한; 처세에 능한: ein ~er Arbeiter 숙련공, 노련한 일꾼; er ist wenig ~ in solchen Dingen 그는 이런 일에는 별로 경험이 없다.

Erfahrene* *der/die* 노련한 사람.

Erfahrenheit *f.* 경험(이 많음), 노련; 세상일에 능란함.

*__Erfahrung__ [ɛrfá:rʊŋ] *f.* -en 경험, 연습, 숙련; 경험〔숙련〕에서 얻은 지식, 견문; 〖哲〗 (체험에서 얻은) 현실 인식: et. in ~ bringen 무엇을 (물어서) 알다; berufliche ~ haben 직업에 대한 경험적 지식이 있다; aus ~ 경험에서; er hat mit ihr schlechte ~en gemacht 그는 그 여자에게서 좋지 않은 경험을 했다; 〖속담〗 ~ ist die beste Lehrmeisterin 경험이 가장 좋은 스승이다.

Erfahrungs≈arzt *m.* 경험에만 의존하는 돌팔이 의사. **~austausch** *m.* 경험 교환. **~begriff** *m.* 〖哲〗 경험적 개념. **~bereich** *m.* 경험 영역. **~bericht** *m.* 경험 보고. **~gemäß** 《I》 *a.* 경험에 따른, 경험적인. 《II》 *adv.* 경험상, 흔히. **~kunde** *f.* 경험론.

erfahrungslos *a.* 경험이 없는.

erfahrungs≈mäßig *a.* 경험에 따른(~gemäß). **≈regel** *f.* 경험(에 의한) 법칙. **~reich** *a.* 경험 많은〔을 쌓은〕. **≈sache** *f.* 〖구어〗 경험(에 따른) 지식. **≈satz** *m.* 경험에 따른 원칙. **≈schatz** *m.* (한 사람의) 모든 경험. **≈tatsache** *f.* 경험적 사실. **~voll** *a.* 경험이 많은(~reich). **≈weg** *m.* 〖다음 용법으로〗 auf dem ~ 경험을 통해서. **≈wert** *m.* 경험을 통해 얻은 가치. **≈wissenschaft** *f.* 경험에 기초한 지식〔학문〕, 경험 과학.

erfalben *i.* (s.) 〖고어〗 창백해지다, 퇴색하다.

erfallen* *i.* (s.) 〖고어〗 ① 쓰러져 죽다. ② (소득·수익으로) 들어오다.

erfaßbar *a.* 붙잡을 수 있는; 이해〔파악〕할 수 있는: diese Erscheinung ist mit dem Verstand nicht ~ 이 현상은 오성으로는 이해할 수 없다.

erfassen [ɛrfásən] *t.* ① (붙)잡다; 〖비유〗 고려하다; (법률의 구속력이) 미치다: von einem Auto erfaßt werden 자동차에 치다; 〖비유〗 es erfaßte mich ein Schauder 나는 무서워서 몸이 떨렸다; das Gesetz erfaßt alle Steuerpflichtigen 이 법률은 모든 납세 의무자를 구속하고 있다. ②〖비유〗 포착〔파악·이해〕하다: eine Situation richtig ~ 상황을 올바로 파악하다. ③ 조사하여 기록하다: alle noch nicht schulpflichtigen Kinder statistisch ~ 미학령기의 모든 아동을 조사하여 통계내다.

Erfassung *f.* -en 이해, 고려; 기입.

erfechten* *t.* 쟁취하다: sich³ die Goldmedaille ~ 그는 금메달을 획득하다.

__erfinden__ [ɛrfíndən] *t.* ① **(a)** 〖고어〗 찾아내다. **(b)** 경험〔실험〕의 결과를 알다: jn. als et. ~ 누가 무엇임을 인식하다〔확인하다〕. ② (새로운 것을) 생각해내다, 고안〔발명〕하다: 〖속담〗 das Pulver hat er nicht erfunden 그는 그리 똑똑하지 못하다. ③ 허구〔날조〕하다, 창작하다: diese Geschichte ist von A bis Z

erfunden 이 이야기는 하나부터 열까지 꾸며낸 것이다.
Erfinder *m.* -s, - 발명자, 고안자, 창시자, (창)작자: 〖구어〗 das war (aber) nicht im Sinne des ~s 그것은 원래 의도한 바가 아니었다(그것은 목격과 다르게 사용되었다).
Erfinder·geist *m.* 발명가 능력〔정신〕.
Erfinderin *f.* -nen ↑ Erfinder 의 여성형.
erfinderisch *a.* 발명의 재간이 있는, 독창적인, 상상력이 풍부한; 예민한, 통찰력이 있는: 〖속담〗 Not macht ~ 필요는 발명의 어머니.
Erfinder=recht *n.* 지적 소유권. **~wahn** *m.* 발명광(狂).
erfindlich *a.* 〖다음 용법으로〗 nicht ~ 이해할 수 없는.
erfindsam [..fınt..] *a.* 발명의 재간이 있는 (erfinderisch).
***Erfindung** [ɛrfíndυŋ] *f.* -en 발명(품), 고안, 안출; 허구, 날조; 꾸며낸 일, 창작: sich seine ~ patentieren lassen 발명품의 특허를 출원하다; es ist reine ~, was er erzählt 그가 이야기하는 것은 새빨간 거짓말이다.
Erfindungs=gabe *f.* 발명의 재능, 독창력. **~geist** *m.* 발명의 재능(이 있는 사람). **~-kraft** *f.* ↑ ~gabe. **~patent** *n.* (발명) 특허; 특허장. **~recht** *n.* 발명권. **~reich, ~voll** *a.* 발명의 재능이 있는〔많은〕(erfinderisch). **~wahn** *m.* 발명광(狂).
erflehen *t.* 〖雅語〗 간청하여 얻다; 탄원하다: sich js. Hilfe ~ 누구의 도움을 간청하다.
***Erfolg** [ɛrfɔ́lk] *m.* -(e)s, -e [..gə] 결과, 성과, 효과; 성공: schlechter ~ 실패; 〖연극〗 sensationeller ~ 대성공, 히트; mit ~ 성공적으로; ~ 〔keinen ~〕 haben〔erreichen〕 성공〔실패〕하다; alle Bemühungen waren ohne ~ 〔waren nicht von ~ gekrönt〕 모든 노력이 수포로 돌아갔다.
erfolgen *i.* (s.) ① 뒤이어 발생하다; 결과로 일어나다: was wird daraus ~? 그것은 어떻게 될 것인가? ② 일어나다, 행하여지다, 생기다: es ist noch keine Antwort erfolgt 회답이 오지 않았다; seine Freisprechung ist noch nicht erfolgt 그는 아직 석방되지 않았다.
erfolg=gekrönt [ɛrfɔ́lk..] *a.* 오랜 노력 끝에 성공한. **~hascherei** *f.* 성공에만 초조하게 집착함.
erfolglos 《I》 *a.* 효과 없는, 실패한. 《II》 *adv.* (vergebens) 헛되이, 헛수고로: beruflich ~ sein 직업에 실패하다.
Erfolglosigkeit *f.* 효과 없음, 실패; 헛수고.
erfolg·reich *a.* 효과 있는, 대성공의: ein ~es Mittel 효과적인 수단; er war mit diesem Buch sehr ~ 그는 이 책으로 대단한 성공을 거뒀다.
Erfolgs=aussicht *f.* 성공할 가능성. **~autor** *m.* 성공한 작가. **~autorin** *f.* ↑ ~autor 의 여성형. **~buch** *n.* 베스트 셀러. **~denken** *n.* 성공만을 노리는 생각. **~erlebnis** *n.* 성공 체험. **~erwartung** *f.* 성공의 기대〔열망〕. **~film** *m.* 성공한 영화. **~honorar** *n.* 〖法〗 성과〔실적〕 수당. **~kurve** *f.* 성취 곡선. **~mensch** *m.* (직업에서) 성공한 사람. **~-orientiert** *a.* 성공 지향적인. **~prämie** *f.* 성공에 대한 사례〔보수〕. **~quote** *f.* 성공률. **~rechnung** *f.* 〖經〗 손익 계산. **~schlager** *m.* 히트곡. **~serie** *f.* 잇따른 성공, 연승. **~-sicher** *a.* 성공이 확실한; 성공을 확신하는. **~stück** *n.* 히트한 연극(작품). **~ziffer** *f.* 성공 횟수. **~zwang** *m.* 성공 강박(증).
erfolg·versprechend *p.a.* 성공할 가망이 높은, 유망한: ein ~es Mittel anwenden 성공 가능성이 높은 수단을 쓰다.
erforderlich *a.* (nötig) 꼭 필요한, 필수의: die ~en Schritte 필요한 조처들.
erforderlichen·falls *adv.* 불가피한 경우에는.
erfordern *t.* 필요로 하다, 요(구)하다: 〖문법〗 den Dativ ~ 3격을 지배하다; die Sache erfordert viel Arbeit〔Geld〕 그 일은 많은 노동〔돈〕을 필요로 한다.
Erfordernis *n.* -ses, -se ① 필요, 요구: nach ~ der Umstände 필요〔사정 여하〕에 따라서. ② 필요물; 필요한 자격〔조건 · 전제 · 요소〕.
erforschbar *a.* 연구〔탐구·탐험〕할 수 있는.
erforschen *t.* 연구하다, 탐구〔조사〕하다; 탐험하다: js. wirkliche Meinung ~ 누구의 진의를〔속마음을〕 규명하다; sein Gewissen ~ (고해성사를 받기 전에) 양심을 테스트하다.
Erforscher *m.* -s, - 연구〔탐구〕자; 탐험자.
erforschlich *a.* 〖雅語〗 연구할 수 있는 (erforschbar).
Erforschung *f.* -en 연구; 탐험.
erfragen *t.* ① 신문하다(verhören). ② 물어서 알게 되다, 확인하다; 물어 보다, 조회하다: den Weg zum Museum von jm. ~ 박물관 가는 길을 누구에게 물어서 알아내다; jn. 〔js. Wohnung〕 ~ 누구의 주소를 물어서 알아내다; Näheres zu ~ bei ... 자세한 사항은 …에게 문의하시오.
Erfragung *f.* -en 신문; 물어서 앎, 문의.
erfrechen *refl.* 〖雅語〗 sich ~, et. zu tun 뻔뻔스럽게도 무엇을 하다(erdreisten).
***erfreuen** [ɛrfrɔ́ʏən] 《I》 *t.* 기쁘게〔즐겁게〕 하다; 만족시키다: jn. mit einem Geschenk ~ 누구를 선물로 기쁘게 하다; wann ~ Sie mich mit Ihrem Besuche? 언제 와 주시겠습니까? 《II》 *refl.* 〖雅語〗 ① sich eines Dinges 〔an et.³〕 ~ 무엇을 기뻐하다〔즐거워하다〕; sich am Anblick der Blumen ~ 꽃을 보고 즐거워하다. ② sich eines Dinges ~ 무엇을 향유하다: sich guter Gesundheit ~ 건강을 누리다; sie erfreut sich keines guten Rufes 그 여자의 평은 좋지 않다; 〖농담〗 sich eines gesegneten Appetits ~ 식욕이 매우 좋다. 《II》 **erfreut** *p.a.* ↑ erfreut.
erfreulich *a.* 기쁘게 하는, 형편이 좋은.
erfreulicher·weise *adv.* 기쁘게도, 다행히도.
erfreut 《I》 *p.p.* ↑ erfreuen. 《II》 *p.a.* über et. ~ sein 무엇을 기뻐하고〔무엇에 만족하고〕 있다: sehr ~ 만나서 반갑습니다.
erfrieren* [ɛrfrí:rən] 《I》 *i.* (s.) ① 얼어 죽다; (식물이) 한해(寒害)를 입다: alle Bäume in unserem Garten sind in diesem Winter erfroren 이번 겨울에 우리 정원의 모든 나무들이 얼어 죽었다. ② (손발이) 얼어서 마비되다, 곱다; 동상에 걸리다: ihm sind zwei Zehen erfroren 그의 두 발가락이 동상에 걸렸다; 〖구어〗 ich bin ganz〔halb〕 erfroren 나는 추워서 완전히〔반쯤〕 얼었다. ③ 〖雅語〗 굳어지다, 응고되다: das Lächeln erfror ihm auf den

Lippen 그의 미소짓던 입술이 얼어붙었다. 《Ⅱ》*t.* sich[3] die Füße ~ a) 발이 얼다, b) 발이 동상에 걸리다. 《Ⅲ》**erfroren** *p.a.* ↑ erfroren.

Erfrierung *f.* -en 동사(凍死); 동해(凍害), 한해; (손발이) 곱음, 동상.

Erfrierungs·tod *m.* 동사: den ~ sterben 동사하다.

***erfrischen** [ɛrfríʃən] 《Ⅰ》*t.* 신선하게 하다: jn. ~ a) 누구를 생기〔원기〕가 나게 하다(erquicken), b) 누구의 용기를 북돋우다(ermutigen); 〖工〗 Häute ~ 금박을 입힌 가죽을 빨아서 펴다; das Metall ~ 금속을 개주(改鑄)하다; Seide ~ 견사를 다시 씻다; die Ruhepause hat mich sehr erfrischt 휴식으로 나는 원기가 크게 회복되었다. 《Ⅱ》*refl.* sich an et.[3] 〔durch et.〕 ~ 무엇으로 원기〔생기〕가 나다; wir haben uns zuerst an Getränken, dann durch ein Bad erfrischt 우리는 먼저 시원한 음료를 마신 다음 목욕하여 원기를 회복했다.

erfrischend *p.a.* 기분을 상쾌하게 하는, 원기를 북돋우는: ~ deutlich sprechen 정신이 나게 분명히 말하다.

Erfrischung [..fríʃuŋ] *f.* -en ① 원기 회복; 기분 전환. ② 원기 회복 음식; 청량 음료: ~en zu sich nehmen 다과를 들다〔먹다〕.

Erfrischungs≈getränk *n.* 청량 음료. **~-mittel** *n.* 청량 음료(Erfrischung ②). **~-raum** *m.*, **~stand** *m.* 매점. **~tuch** *n.* 물수건. **~zimmer** *n.* (정거장·열차·극장의) 식당; 요리점, 음식점.

erfroren 《Ⅰ》*p.p.* ↑ erfrieren. 《Ⅱ》*p.a.* 얼어 죽은; 동상을 입은; (손발이) 곱은.

Erft *f.* 에르프트강(라인강의 지류).

erfühlen [ɛrfý:lən] *t.* ① 감정으로 파악하다. ② 만져서 알다.

erfüllbar *a.* 이룰 수 있는.

erfüllen [ɛrfýlən] 《Ⅰ》*t.* ① (가득) 채우다: Rauch erfüllte den Saal 연기가 홀 안에 가득 찼다; jn. 〔js. Herz〕 mit Hoffnung ~ 누구의 마음〔가슴〕을 희망으로 가득 채우다. ② 성취하다, 이행하다, 변제하다; 실현하다; (소원·요구를) 이루어 주다; (…의 마음을) 사로잡다, 몰두하게 하다: eine Pflicht 〔ein Versprechen〕 ~ 의무를 다하다〔약속을 지키다〕; Erwartungen ~ 기대에 부응하다; 〖聖〗 meine Zeit ist noch nicht erfüllt 내 때가 아직 차지 못했으니(요한 7:8); seine Arbeit erfüllt ihn ganz 그는 자신의 일에 완전히 사로잡혀 있다; 〖雅語〗 seine Tat erfüllte mich mit Abscheu 그의 행동은 나에게 혐오감을 불러일으켰다. 《Ⅱ》*refl.* sich ~ 성취〔실현〕되다; (소원·목적이) 이루어지다; (예언이) 들어맞다: seine Prophezeiung hat sich erfüllt 그의 예언이 들어맞았다.

Erfülltheit *f.* 〖雅語〗 내적 충만.

Erfüllung [..fýluŋ] *f.* -en 채움, 충족, 충만; 성취; 이행, 변제; 실현; 적중: in ~ bringen 실현시키다; in ~ gehen 성취되다(↑ erfüllen 《Ⅱ》).

Erfüllungs≈eid *m.* 〖法〗 보충 서약(Ergänzungseid). **~ort** *m.* 〖商〗 이행지; (어음의) 지급지; 인도지(引渡地). **~politik** *f.* (특히 바이마르 공화국 때의) 조약 이행 정책. **~tag** *m.* 〖商〗 약속의 이행일; 지급일; 인도일.

Erfurt [ɛ́rfurt] 에르푸르트(튀링겐주의 주도).

Erfurter 《Ⅰ》*m.* -s, - 에르푸르트 사람. 《Ⅱ》*a.* 에르푸르트의: ~ Programm (1891 년에 채택된 사회 민주당의) 에르푸르트 강령.

erfurtisch *a.* 에르푸르트의.

Erg [ɛrk] 《gr. érgon》 *n.* -s, - 〖物〗 에르그(일 또는 에너지의 절대 단위).

erg. =ergänze! 보충하라!

***ergänzen** [ɛrgɛ́ntsən] 《Ⅰ》*t.* 보충〔보완〕하다, 온전〔완전〕히 하다: eine Summe ~ 어떤 액수의 부족분을 채우다; eine verstümmelte Bildsäule ~ 망가진 조각상을 원상 복구하다; 〖數〗 ein Winkel von 30° (Grad) ergänzt den von 60° zu einem rechten 30° 의 각은 60° 의 각에 대하여 여각이다. 《Ⅱ》*refl.* sich ~ 보충되다, 채워지다; 서로 보완하다: die Truppen ~ sich durch Reservisten 병력이 예비군에 의해 충원된다; Mann und Frau ~ sich〔einander〕 부부는 서로를 보완해 준다.

ergänzend *p.a.* 보충적인; 증보〔부록〕의; 〖數〗 여각〔보각〕의.

***Ergänzung** [..gɛ́ntsuŋ] *f.* -en ① 보충, 보완. ② 부록; 보족물. ③ 〖軍〗 신병 징집. ④ 〖數〗 여각, 보각. ⑤ 〖문법〗 보족어; 목적어.

Ergänzungs≈abgabe *f.* 〖法〗 추가 조세〔공과금〕. **~band** *m.* 〖복수: ..bände〗 (책·서류 따위의) 증보, 부록, 별권. **~bestimmung** *f.* 보충 규정. **~binde·strich** *m.* (합성어나 파생어에서 사용되는) 붙임표(보기: auf- und untergehen). **~blatt** *n.* 부록, 첨가 페이지. **~eid** *m.* 〖法〗 보충 선서. **~farbe** *f.* 〖物〗 보색(補色). **~frage** *f.* ① 부분 의문문(Ja 또는 Nein 의 대답을 요구하지 않는 의문문). ② 보충 질문: darf ich noch eine ~ stellen? 보충 질문을 해도 될까요? **~heft** *n.* ↑ ~band. **~mannschaft** *f.* 〖軍〗 보충병; 예비병. **~-nähr·stoffe** *pl.* 보충 영양분. **~strich** *m.* 대시, 횡선(橫線). **~stück** *n.* 보충품. **~teil** *n.* 보충 부분. **~wahl** *f.* 보궐 선거. **~winkel** *m.* 〖數〗 여각; 보각. **~wörter·buch** *n.* (사전의) 별책 부록.

ergattern *t.* ① 틈을 타서 획득하다, 재빠르게 붙잡다〔구하다〕: noch eine Theaterkarte ~ 잽싸게 연극표를 한 장 더 구하다. ② (진귀한 소문을) 듣다, (비밀을) 탐지하다.

ergaunern [ɛrgáunərn] *t.* 사취(詐取)하다, 속여서 차지하다.

Erg.-Bd. =Ergänzungsband (책·서류의) 증보, 부록.

ergeben[1] 《Ⅰ》*t.* ① 〖고어〗 바치다, 넘겨주다, 맡기다: et. Gottes gnädigem Willen ~ 무엇을 신의 뜻에 맡기다. ② 결과로서 낳다, …으로 입증〔판명〕되다; 증명하다; 밝히다: 4 mal 3 ergibt 12 3 곱하기 4 는 12가 된다; eine reiche Ernte ~ 많은 수확을 올리다; die Untersuchung ergab seine Unschuld 심리(審理)의 결과 그는 무죄로 판명되었다. 《Ⅱ》*refl.* sich ~ ① 몸을 바치다〔맡기다〕, 헌신하다: er ergab sich ihr blind 그는 맹목적으로 그녀에게 헌신했다. ② 항복하다: die Festung hat sich auf Gnade und Ungnade ~ 요새는 무조건 항복을 하였다. ③ …에 몰두하다, 빠지다: sich dem Studium〔Trunk〕 ~ 학업〔음주〕에 전념하다〔빠지다〕. ④ (et.[3] 〔in et.〕) …에 따르다〔순응하다〕, …을 감수하다: sich in sein Schicksal〔Los〕 ~ 운명에 순응하다; er ergab sich drein 그는 상황〔요구〕에 순응하였다. ⑤ 결과로 발생하다; 밝혀지다, 분명해지다: aus der Nachlässigkeit werden sich noch nachteilige Folgen ~ 부주의로 인해 불리한 결과들이 발생할 것이다; aus alledem ergibt sich, daß... 이 모든 것에서 …의 사실이 밝혀진다. 《Ⅲ》 **ergeben** *p.a.* ↑ ergeben².

ergeben² 《Ⅰ》 *p.p.* ↑ ergeben¹. 《Ⅱ》 *p.a.* ① (**a**) 몸을 바친〔맡긴〕; 전심〔몰두〕한; 빠져 있는: er ist leider dem Trunk ~ 그는 딱하게도 음주에 빠져 있다. (**b**) 복종〔심복〕하는; 공손〔충실〕한; 애착〔집착〕하는: er ist mir sehr ~ 그는 내게 대단히 충실하다; in et. ~ sein 무엇(운명 따위)에 따르다, 순응하다. ② Ihr ~er 〔~ster〕... 〔~st Ihr ...〕 (편지 끝에서) 삼가 올림.

Ergebenheit *f.* 복종, 순종; 귀의; 애착, 탐닉; 충성: bedingungslose ~ 무조건적 순종; die ~ in sein Schicksal 운명에의 순응.

ergebenst 《Ⅰ》 *a.* 〖↑ ergeben 의 최상급〗 ↑ ergeben² 《Ⅱ》②. 《Ⅱ》 *adv.* 경의를 표하여, 공손〔정중〕하게.

***Ergebnis** [..géːpnɪs] *n.* -ses, -se 결과, 결말; 성과; 수확, 수익; 〖數〗 (더하기·곱하기 따위의) 답: ein befriedigendes ~ 만족스러운 결과; im ~ 결론적〔결과적〕으로; wir kommen zu folgendem ~ 우리들은 다음과 같은 결론에 도달한다.

ergebnislos *a.* 효과〔성과〕 없는, 무익한: die Verhandlungen wurden ~ abgebrochen 담판은 아무 성과 없이 결렬되고 말았다.

Ergebnislosigkeit *f.* 성과 없음, 무익.

ergebnis·reich *a.* 효과적인, 소득이 많은.

Ergebung [ɛrgéːbuŋ] *f.* -en 복종, 순종; 공손; 귀의; 체념, 단념; 〖軍〗 항복: er trägt sein Los mit ~ 그는 자기 운명에 순응한다.

ergebungs·voll *a.* 아주 순종적인.

ergehen* 《Ⅰ》 *t.* 걸어서 얻다: sich³ Appetit 〔einen Botenlohn〕 ~ 걸어 배고파지다〔심부름하고 심부름 값을 받다〕. 《Ⅱ》 *refl.* sich ~ ① 소요〔산책〕하다: 〖비유〗 die Blicke ~ sich 이리저리 휘둘러보다. ② 〖비유〗 sich in et.³ ~ a) 무엇에 몰입〔전념〕하다, b) 무엇에 탐닉하다: sie erging sich in Schmähungen 〔langen Reden〕 그 여자는 험담을 있는 대로 다 늘어놓았다〔긴 사설을 늘어놓았다〕. 《Ⅲ》 *i.* (s.) ① 반포〔발표·공표〕되다: einen Befehl ~ lassen 훈령〔명령〕을 공표하다; es ergeht eine Verordnung〔Einladung〕 규정〔초대장〕이 공표〔발송〕된다. ② (über jn.) 선고되다: ~ lassen 선고하다; es ist ein scharfes Gericht über ihn ergangen 준엄한 판결이 그에게 내려졌다; Gnade für Recht ~ lassen 관대히 처리하다; eine Beleidigung über sich ~ lassen 수모를 감내하다. ③ 〖고어〗 일어나다, 생기다. 《Ⅳ》 *imp.* es ergeht ihm gut 그는 잘 지내고 있다, 그는 행복하다; wie ist es dir seither ergangen? 그 후 어떻게 지냈느냐?

Ergehen *n.* -s (Befinden) 형편, 안부; 건재.

ergeizen 《Ⅰ》 *t.* 인색하게〔욕심 부려〕 긁어모으다. 《Ⅱ》 *refl.* sich³ ein Vermögen ~ 인색하게 축재하다.

ergetzen [..gɛ́tsən] *t.* ↑ ergötzen.

ergiebig [ɛrgíːbɪç] 《<ergeben》 *a.* ① 수확〔수익〕이 많은, 성과〔효과〕가 많은, 생산적인: ~e Ernte 풍작. ② (fruchtbar) 풍요〔비옥〕한: ~er Boden 기름진 땅, 옥토. ③ 풍부한, 매우 많은: ein ~er Regen 큰비, 폭우. ④ 오래가는, 지속되는.

Ergiebigkeit *f.* 풍부, 풍요, 풍작; 비옥; 다산(多産).

ergießen* [ɛrgíːsən] 《Ⅰ》 *t.* (ausgießen) 쏟아 내다, (퍼)붓다; 범람시키다: der Fluß ergoß seine Gewässer über das Gefilde 강물이 들에 범람하였다; 〖비유〗 Ströme von Schimpfworten über jn. ~ 누구에게 욕설을 퍼붓다; sein Herz seinem Freund ~ 친구에게 속마음을 털어놓다. 《Ⅱ》 *refl.* sich ~ ① (**a**) 흘러나가다, 쏟아지다, 범람하다: die Elbe ergießt sich in die Nordsee 엘베강은 북해로 흘러 들어간다; das Wasser sich über die Wiesen ~ lassen 초원에 물을 대다; ein Strom von Touristen ergoß sich aus dem Schiff 한 무리의 여행객들이 배에서 쏟아져 나왔다. (**b**) 〖비유〗 퍼지다, 넘치다: die sich über ihre Wangen ~de Röte 그 여자의 얼굴에 퍼진 홍조; die Feinde ergossen sich über das Land 적이 국내 전역에 물밀듯이 침입하였다. ② 〖비유〗 (감정을) 털어놓다, 토로하다: sein Zorn ergoß sich über mein Haupt 그의 노여움이 내게 퍼부어졌다; sich in viele Worte ~ 말을 많이 하다; sich in Klagen〔Tränen〕 ~ 하소연을 늘어놓다〔울음을 터뜨리다〕.

Ergießung *f.* -en ① 범람, 흘러넘침; 관개. ② (감정의) 토로, 피력.

erglänzen *i.* (h./s.) 빛나다; 번쩍거리다; (얼굴·눈 따위가) 반짝이다: 〖비유〗 sein Ruhm hat〔ist〕 weithin erglänzt 그의 명성이 널리 세상에 빛났다.

erglimmen* [ɛrglɪ́mən] *i.* (s.) 희미한 빛을 내며 타오르다.

erglühen 《Ⅰ》 *i.* (s.) 작열하다, 달기 시작하다; 〖비유〗 (정열이) 불타오르다: für jn. ~ 〔in Liebe zu jm. ~〕 누구에 대한 연정이 달아오르다; vor Scham ~ 부끄러워 얼굴이 화끈거리다. 《Ⅱ》 *t.* 〖드물게〗 불타오르게〔달아오르게〕 하다.

Erglühen *n.* -s ① 작열, 불타오름. ② (얼굴을) 붉힘: das Gesicht zum ~ bringen 얼굴을 붉히다.

ergo [ɛ́rgo] 《lat.》 *adv.* 그러므로.

Ergograph [ɛrgográːf] *m.* -en, -en 〖醫〗 근육 활동 기록계, 에르고그래프.

Ergographie *f.* -n [..fíːən] 〖醫〗 근육 활동 기록(법).

Ergologie *f.* 도구〔기기·무기〕 연구.

Ergometer *n.* -s, - 근육 활동량 측정기.

Ergonomie *f.* 인간 공학.

Ergonomik *f.* ↑ Ergonomie.

ergonomisch *a.* 인간 공학의.

Ergostat [..stáːt] *m.* -en, -en 근력(筋力) 검사기.

Ergosterin [ɛrgosteríːn] *n.* -s 〖化〗 에르고스테린(맥각 따위의 균에서 추출되는 스테린).

Ergotamin *n.* -s 〖醫〗 맥각(麥角)에서 추출된 알칼로이드.

Ergotin [ɛrgotíːn] *n.* -s 〖醫〗 에르고틴(맥각(麥角)의 유동 진액).

Ergotismus *m.* - ① 〖醫〗 맥각 중독. ② 〖植〗 깜부깃병, 흑수병(黑穗病). ③ 다툼질; 독선, 아집, 완고.

Ergotoxin [ɛrgotɔksíːn] *n.* -s 〖생화학〗 맥각

알칼로이드.

*__ergötzen__ [ɛrgœ́tsən] 《I》 *t.* ①〔고어〕 jn. eines Dinges ~ 누구의 무엇(고뇌·시름 따위)을 잊게 하다. ② (erfreuen) 기쁘게〔흥겹게〕 하다, 달래다: das Auge ~ 눈을 즐겁게 하다. 《II》 *refl.* ①〔고어〕 sich eines Dinges ~ 무엇을 갚다. ② sich an et.³ 〔über et.〕 ~ 무엇을 흥겨워하다, 즐기다; er ergötzte sich höchlich an meiner Verlegenheit 그는 내가 당황해하는 것을 보고 무척 재미있어 했다.

Ergötzen *n.* -s 기쁘게〔즐겁게〕 하기: es ist zum ~ 그거 참 재미있다, 좋은 구경거린데.

ergötzlich *a.* 기쁜, 흥겨운; 재미있는, 유쾌한; 우스운.

Ergötzlichkeit *f.* -en ①〔드물게〕유쾌한 일; 희열. ② 오락, 여흥: öffentliche ~en 여흥, 구경거리.

Ergötzung *f.* -en ① ↑ Ergötzen. ② 즐거움, 위로; 오락(거리).

ergrauen *i.* (s.) ① 회색이 되다; (머리카락이) 세다, 희어지다: 〔비유〕 im Dienste ergraut 오랜 기간 근무한. ②〔비유〕 어둑어둑해지다, 어스레하게 밝다: der Tag ergraut 날이 샌다. ③〔시어·고어〕 공포에 사로잡히다: mir ergraut vor dem Anblick eines Toten 나는 죽은 사람을 보면 소름이 쭉 끼친다.

__ergreifen__ 《I》 *t.* ① 움켜쥐다, 붙잡다; 붙들다: et. mit den Händen ~ 무엇을 두 손으로 붙잡다; jn. bei der Hand ~ 누구 손을 붙잡다; den Dieb auf〔bei〕 frischer Tat ~ 도둑을 현장에서 붙들다. ②〔비유〕들다, 쥐다, 잡다; 골라잡다; 이용하다: den Degen ~ 칼을 쥐다, 군인이 되다; die Feder ~ 펜을 들다, 기고(起稿)하다; die Flucht ~ 도망〔탈주〕하다; die Macht ~ 권력을 장악하다; Besitz von et.³ ~ 무엇을 차지하다; die Gelegenheit ~ 기회를 잡다; die Offensive〔Defensive〕 ~ 공세〔수세〕를 취하다; für jn. Partei ~ 누구를 편들다〔지지하다〕; einen Beruf ~ 어떤 직업을 택하다; das Wort ~ 발언하다; Maßnahmen ~ 조처를 취하다; die Flammen ~ das Haus 집에 불이 붙다. ③〔비유〕 (질병·감정이) 엄습하다, 사로잡다: das Theaterstück hat mich stark ergriffen 그 연극은 나를 강하게 사로잡았다; vom Fieber ergriffen werden 열병에 걸리다; Furcht ergreift mich 나는 공포에 사로잡혀 있다; ich bin durch die Unglücksbotschaft tief ergriffen 나는 이 흉보에 심한 충격을 받았다. 《II》 **ergriffen** *p.a.* ↑ ergriffen.

ergreifend *p.a.* 감동적인; 효과적인, 인상 깊은; 통절한: er hielt eine ~e Rede 그는 감동적인 연설을 하였다; ein ~es Trauerspiel 감동적인 비극.

Ergreifung *f.* -en ① 장악: Macht~ 권력 장악. ② 체포, 포박: die ~ eines Täters 범인 체포.

ergriffen 《I》 *p.p.* ↑ ergreifen. 《II》 *p.a.* 붙잡힌; 사로잡힌, 엄습당한, (병 따위에) 걸린; 충격을 받은, 감동된: wir waren zutiefst ~ 우리는 너무 깊은 감동〔충격〕을 받았다.

Ergriffenheit [ɛrgrífən..] *f.* 감동, 충격.

ergrimmen 《I》 *i.* (s.) 격분〔격노〕하다: gegen〔über〕 jn. ergrimmt sein 누구에 대하여 격분해 있다. 《II》 *t.* 격분하게 하다: die Demütigung hat ihn sehr ergrimmt 굴욕감이 그를 격분하게 만들었다.

ergrübeln *t.* 숙고 끝에 생각해내다: die Lösung eines Problems ~ 숙고하여 문제의 해결책을 찾아내다.

ergründbar *a.* 규명〔해명〕할 수 있는: die Ursachen ihres Verhaltens waren kaum ~ 그녀가 취한 태도의 동기는 거의 해명할 수 없었다.

*__ergründen__ [ɛrgrʏ́ndən] *t.* ① …의 깊이를 재다. ②〔비유〕 …의 근본을 캐다, 천착(穿鑿)〔규명〕하다: ein Geheimnis ~ 비밀을 파헤치다; die Ursache einer Krankheit ~ 어떤 질병의 원인을 규명하다.

Ergründer *m.* -s, - 탐구〔규명〕자.

ergründlich *a.* 측정〔규명〕할 수 있는.

Ergründung *f.* -en 깊이의 측량; 〔비유〕 근본을 캐기, 탐구, 천착(穿鑿), 규명.

ergrünen *i.* (s.) (초목이) 푸르게 되다, 신록이 되다: wenn im Frühling Wiesen und Bäume ~ 봄에 초원과 수목들이 푸르러질 때.

Erguß 《<ergießen》 *m.* ..gusses, ..güsse ①〔지질〕 (용암의) 분출, 분출된 용암. ②〔醫〕 혈종(血腫), 내출혈, 혈액 침출(浸出). ③〔비유〕 (감정의) 토로, 분출, 쏟아냄: ~ von Worten 말을 쏟아냄; ihre Gedichte sind Ergüsse des Herzens 그녀의 시는 진정의 토로다.

Erguß·gestein *n.* 〔지질〕 분출암.

*__erhaben__ [ɛrhá:bən] *a.* ① 높아진, 융기〔돌출〕한; 높은: ~e Arbeit 부조(浮彫); über Wolken ~ 구름 위에 솟은. ②〔비유〕 숭고한, 장엄한; 고귀〔고상〕한: ~er Stil 고상한 문체, 비장한 표현; ein ~er Gedanke 숭고한 사상. ③ 초연한, 초월한: über et. ~ sein a) 무엇 이상이다, b) 무엇에 초연〔초월〕하다, 무엇을 안중에 두지 않다: seine Leistung ist über alles Lob ~ 그의 업적은 이루 다 칭찬할 수 없다; ich bin über seine Beleidigung ~ 나는 그의 모욕에 개의치 않는다.

Erhabene* *das* 숭고(미); 고상, 장엄.

Erhabenheit *f.* -en ① 높아짐, 융기, 돌출; 부조(浮彫). ②〔비유〕 우수, 탁월; 고귀, 고상, 고결; 숭고, 장엄.

erhallen *i.* (s.) 울리기 시작하다; 울리다.

Erhalt [ɛrhált] *m.* -(e)s ① (Empfang) 수령, 영수: nach ~ des Briefes 〔der Ware〕 편지〔상품〕 수취 후. ② 보존, 유지: der ~ historischer Bauten 역사적 건축물의 보존.

erhaltbar *a.* 보존〔유지·획득〕할 수 있는.

__erhalten__ 《I》 *t.* ① 보존〔유지〕하다: (sich³) seine Gesundheit ~ 건강을 유지하다; jn. am Leben ~ 누구를 살려두다; das Buch ist gut ~ 그 책은 잘 보존되어 있다; Gott erhalte den König! 신이여 국왕을 보호하소서, 국왕 만세! ② 부양하다: jn. von et.³ ~ 누구를 무엇으로 키우다; fünf Kinder ~ 다섯 아이를 부양하다. ③ 얻다, 받다, 인수하다: Nachricht 〔Besuch〕 ~ 통지를〔방문을〕 받다; eine Stelle ~ 일자리를 얻다; eine Strafe ~ 벌을 받다; 〔의회〕 das Wort ~ 발언권을 얻다; 〔商〕 einen höhern〔besseren〕 Preis ~ 비싼〔좋은〕 값을 받다; 〔商〕 ich bescheinige, 100 Mark ~ zu haben 일금 100 마르크를 정(正)히 영수함; 〔商〕 Wert ~ 대가(對價) 수취(어음에 기재하는 문구); 〔商〕 Ihren Brief ~ 귀하의 서신을 받고; et. zugeschickt ~ 송달 받다. ④ 얻다, 만들어내다: Sauerstoff erhält man aus der

Luft 산소는 공기에서 얻는다. 《Ⅱ》 *refl.* sich ~ ① 몸을 지탱〔유지〕하다, 보존〔유지〕되다: sich in Kraft ~ 체력을 유지하다; dieser Brauch hat sich bis heute ~ 이 관습은 오늘날까지 유지되어 왔다; 〖商〗 sich im Preis ~ 시세가 유지되다; die Früchte ~ sich gut 과일이 오래가다. ② 생계를 유지하다, 살아나가다: sich von et.[3] ~ 무엇을 호구지책으로 하다, 무엇으로 생활하다.

Erhalter *m.* -s, - 보존자; 부양자; 수취인, 입수자.

erhältlich [..hɛ́lt..] *a.* 손에 넣을 수 있는, 살〔구할〕 수 있는.

Erhaltung *f.* ① 받침, 유지, 보존: der Satz von der ~ der Energie 에너지 보존의 법칙; 〖物〗 ~ der Kräfte 에너지 보존. ② 부양, 양육: sein Lohn ist zu gering zur ~ der großen Familie 그의 임금은 대가족을 부양하기에는 너무 적다. ③ (노력해) 얻음; 영수; 입수.

Erhaltungs=brille *f.* 보호 안경. **~mittel** *n.* ① 생계 수단. ② 〖醫〗 보존〔방부〕제. **~satz** *m.* (에너지) 보존〔불멸〕의 법칙. **~trieb** *m.* 생존 본능, 생활욕. **~würdig** *a.* 보존 가치가 있는. **~zustand** *m.* 보존 상태.

erhandeln *t.* ① 장사하여 벌다: ein Vermögen ~ 장사하여 한 재산 장만하다. ② (교섭하여) 얻어내다: bessere Bedingungen ~ 더 좋은 조건을 얻어내다.

erhängen 《Ⅰ》 *t.* 교살하다, 교수형에 처하다. 《Ⅱ》 *refl.* sich ~ 목매어 죽다.

Erhängte* *der/die* 목매어 죽은 자, 교살된 자.

erharren *t.* 애타게 기다리다, 고대하다: js. Ankunft ~ 누구의 도착을 간절하게 기다리다.

erharschen *i.* (s.) 굳어지다, 거칠어지다; (상처 따위가) 아물다; 응결하다.

erharten *i.* (s.) 단단해지다, 굳어지다.

erhärten [ɛrhɛ́rtən] *t.* ① 단단〔견고〕하게 하다; (신앙·용기 따위를) 굳건히 하다. ② 〖비유〗 시인〔인정〕하다, 확증하다; 증명하다: eine Aussage durch einen Eid 〔eidlich〕 ~ 어떤 진술을 선서로 확인하다.

Erhärtung *f.* ① 단단하게〔굳게〕 함. ② 시인, 확인, 확증, 보증; 증명.

erhaschen *t.* ① 재빨리 붙잡다, 낚아채다: einen Augenblick ~ 기회를 포착하다〔놓치지 않다〕. ② 재빨리 알아듣다, 눈치채다: ich konnte nur noch einige Worte seiner Rede ~ 나는 그의 연설을 겨우 몇 마디밖에 알아들을 수 없었다. ③ 힘들여 얻다, 소유하다: schnell noch das letzte Stück Kuchen ~ 재빨리 마지막 한 조각의 과자를 차지하다.

erheben [ɛrhé:bən] 《Ⅰ》 *t.* ① 들어올리다, 쳐들다, 일으키다; (기념비 등을) 세우다: die Hand zum Schwur ~ 선서하기 위해 손을 들어올리다; den Kopf stolz ~ 당당하게 머리를 쳐들다; die Augen 〔den Blick〕 zu jm. ~ 누구를 쳐다보다; sein Glas ~ 축배를 들다; 〖비유〗 jn. 〔js. Geist〕 ~ 누구를 고무하다, 기운을 돋우어주다. ② 〖비유〗 **(a)** (소리 따위를) 지르다, 높이다, 내다; (싸움 따위를) 시작하다, 일으키다: ein Geschrei ~ 고함치다; einen Lärm ~ 소동을 일으키다; die Stimme ~ a) 발언하다, b) 목소리를 높이다; Zweifel 〔Bedenken〕 ~ 의문〔의구심〕을 제기하다. **(b)** 〖法〗 eine Klage gegen jn. ~ 누구를 상대로 소송을 제기하다; Einspruch gegen et. ~ 무엇에 대해 이의를 신청하다; Anspruch auf et. ~ 무엇을 요구〔청구〕하다. ③ 끌어올리다, 등용〔승진〕시키다: jn. auf den Thron ~ 누구를 왕위에 등극하게 하다; jn. aus dem Staub ~ 누구를 역경〔미천한 처지〕에서 등용하다; jn. aus der Dunkelheit ~ 무명의 신인을 출세시키다; jn. in den Adelsstand ~ 누구에게 귀족 작위를 수여하다; et. zum Beschluß 〔System〕 ~ 무엇을 결의하다〔체계화하다〕. ④ 〖數〗 eine Zahl ins 〔zum〕 Quadrat ~ 어떤 수를 제곱하다. ⑤ (조세·요금 따위를) 받아들이다, 거둬들이다, 징수하다: einen Betrag bei der Bank ~ 어떤 금액을 은행에서 인출하다. ⑥ 〖法〗 조사〔검증〕하다. ⑦ 〖고어〗 찬양〔예찬〕하다: jn. (preisend) in den Himmel ~ 누구를 극구 찬양하다. 《Ⅱ》 *refl.* sich ~ ① 일어서다, 일어나다; (산·탑 따위가) 우뚝 솟다; (파도가) 일다: sich vom Stuhl ~ 자리에서 일어서다; sich in die Lüfte ~ (새·비행기 따위가) 공중에 날아오르다; 〖비유〗 sich stolz ~ 뽐내다; 〖고어〗 sich eines Dinges ~ 무엇을 자만하다; sich über jn. ~ 누구를 얕보다; sich über den Schmerz ~ 고통을 극복하다; sie erhebt sich nie über das Alltägliche 그 여자는 결코 범속을 벗어나지 못한다; sich gegen jn. ~ 누구에게 대들다. ② (전쟁·논쟁·바람 따위가) 일어나다, 생기다; 커지다, 증대하다: es erhebt sich eine Frage 어떤 의문이 일어난다; ein Gerücht erhebt sich 소문이 난다, 퍼진다.

erhebend *p.a.* 마음〔정신·사상 등〕을 고양시키는, 고무적인, 기운을 돋우는: eine ~e Feier 장엄한 의식; ein ~er Augenblick 감격적인 순간.

erheblich [..hé:p..] *a.* 중요〔중대〕한, 두드러진, 현저한; 유력한: ~e Verluste 상당한 손실; die Sache ist von ~er Bedeutung 그 일은 상당한 의미를 가진다.

Erheblichkeit *f.* 중요, 현저, 유력.

Erhebung *f.* -en ① 높임. ② 고양, 고무. ③ 융기, 언덕, 구릉, 산. ④ 종창(腫脹). ⑤ 승급, 승격, 등용. ⑥ 찬양, 칭찬. ⑦ 〖數〗 ~ in eine Potenz 세제곱법, 멱법(冪法). ⑧ 징수. ⑨ 〖法〗 (소송 따위의) 제기; 조사, 검증: ~en über et. anstellen 무엇을 조사〔검증〕하다. ⑩ 반항, 반란; 격변, 동란.

erheiraten *t.* 결혼하여 얻다: er hat ein beträchtliches Vermögen erheiratet 그는 결혼하여 상당한 재산을 얻었다.

erheischen *t.* 요구하다; 필요로 하다.

erheitern 《Ⅰ》 *t.* 밝게 하다, (하늘을) 개게 하다; 기분좋게〔쾌활하게〕 하다, 흥겹게 하다. 《Ⅱ》 *refl.* sich ~ (날씨 따위가) 개다; 마음이 활짝 개다, 명랑해지다, 기분이 좋아지다: sich über et. ~ 무엇으로 흥겨워하다; ihr Antlitz erheiterte sich 그녀의 표정이 밝아졌다.

Erheiterung *f.* 쾌청〔쾌활〕하여짐; 좋은 기분; 기분 전환, 오락.

erheizen [ɛrhái̯tsən] *t.* 충분히 덥게 하다: die Stube 〔der Ofen〕 ist nicht zu ~ 이 방은 〔난로는〕 잘 데워지지 않는다.

erhellen 《Ⅰ》 *t.* ① 밝게 하다, 비추다: das Zimmer ~ 방에 등불을 켜다. ② 〖비유〗 밝히다, 규명하다: eine Frage ~ 문제를 풀다; dunkle Begebenheiten ~ 사건의 진상을 규명

하다; das Lesen guter Bücher erhellt den Geist 좋은 책을 읽으면 정신이 밝아진다. ③ 명랑하게 만들다: ein Lächeln erhellte ihr Gesicht 미소가 그녀의 얼굴을 환하게 만들었다. 《Ⅱ》 *i.* (h.) / *refl.* (sich) ~ ① 밝아지다: der Himmel erhellt sich 하늘이 밝아진다. ② 〖비유〗 규명되다, 밝혀지다: daraus erhellt (sich), daß ... 그 결과 …임이 판명되다.

Erhellung *f.* 밝힘; 규명; 〖사진〗 노출.

erhenken *t.* 〖드물게〗 교수형에 처하다, 목졸라 죽이다.

erheucheln 《Ⅰ》 *t.* …인 체하다, …을 가장하다. 《Ⅱ》 *refl.* sich³ et. ~ 무엇을 속여 얻다: sich³ die Zuneigung seiner Vorgesetzten ~ 아첨하여 상관의 환심을 사다. 《Ⅲ》 **erheuchelt** *p.a.* ↑ erheuchelt.

erheuchelt 《Ⅰ》 *p.p.* ↑ erheucheln. 《Ⅱ》 *p.a.* 거짓의, 위선의, 기만적인.

erhitzen 《Ⅰ》 *t.* ① 뜨겁게 하다, 가열하다: Wasser auf 40 Grad ~ 물을 40° 로 가열하다. ② 〖비유〗 흥분〔열중〕시키다, 화나게 하다: die tollsten Gerüchte erhitzten die Gemüter 터무니없는 소문으로 사람들이 흥분하였다. 《Ⅱ》 *refl.* sich ~ ① 뜨거워지다. ② 〖비유〗 (über et.) 열중하다, 화나다, 흥분하다. 《Ⅲ》 **erhitzt** *p.a.* ↑ erhitzt.

Erhitzer *m.* -s, - 가열기, 히터.

erhitzt 《Ⅰ》 *p.p.* ↑ erhitzen. 《Ⅱ》 *p.a.* ① 가열한; 가열해서 멸균한. ② 흥분한; 상기된; 달아오른; ~e Phantasie 열띤 공상; im Gesicht ~ 얼굴이 상기되어.

Erhitzung *f.* -en ① 가열, 가온. ② 〖비유〗 열중, 흥분; 화남.

Erhobensein *n.* -s 고양된 기분, 행복감.

erhoffen *t.* (et. von jm.) 기대〔열망〕하다.

erhöhen [ɛrhǿːən] 《Ⅰ》 *t.* ① 높이다, (끌어) 올리다; 세우다, 짓다: einen Damm ~ 제방을 높이다; ein Denkmal ~ 기념비를 세우다. ② 〖비유〗 승진시키다; 등용하다; 찬양〔칭찬〕하다; 숭배하다: jn. im Rang ~ 누구를 승급시키다. ③ 〖비유〗 증가시키다; 더하다, (임금·가격을) 올리다: die Leistung einer Maschine ~ 어떤 기계의 능률을 올리다; den Lohn ~ 임금을 올리다; die Preise um das Doppelte ~ 가격을 두 배로 올리다; die Steuern ~ 세금을 올리다; der Schatten erhöht das Licht 그늘은 빛을 돋보이게 한다. ④ 〖음악〗 um halben Ton ~ 반음 높이다. 《Ⅱ》 *refl.* sich ~ 높아지다, 증가〔상승〕하다: die Zahl der Opfer hat sich auf 34 erhöht 희생자 수는 34 명으로 늘었다; 〖聖〗 wer sich selbst erhöhet, der wird erniedrigt (werden) 누구든지 자기를 높이는 자는 낮아지고(마태 23 : 12). 《Ⅲ》 **erhöht** *p.a.* ↑ erhöht.

erhöht 《Ⅰ》 *p.p.* ↑ erhöhen. 《Ⅱ》 *p.a.* 높아진; 증가한: mit ~er Stimme 목소리를 높여; ~e Geschwindigkeit 가속도; ~e Preise 등귀한 물가.

Erhöhung [..hǿːʊŋ] *f.* -en ① 높임, 높아짐, 오름. ② 승격, 승급. ③ 증가, 증대, 등귀. ④ 높은 곳, 언덕, 융기. ⑤ 〖음악〗 (반음) 높임; 〖軍〗 사각(射角), 앙각(仰角); 〖조각〗 부조(浮彫).

Erhöhungs⸗winkel *m.* 〖軍〗 사각(射角), 조준각. **~zeichen** *n.* 〖음악〗 (Kreuz) 올림표, 샤프(기호: #).

***erholen** 《Ⅰ》 *t.* ① 〖고어〗 (holen) 가져오다, 데려오다. ② 〖고어〗 (구하여) 얻다: er hat (sich³) Rat bei ihr erholt 그는 그녀에게 조언을 구했다. ③ 〖고어〗 et. an jm. ~ 누구에게 무엇을 보상하다. ④ 〖대개 과거 분사로〗 ihr seid erholt 너희들은 회복되었다. 《Ⅱ》 *refl.* ① sich eines Dinges ~ 무엇을 입수〔구〕하다. ② sich von 〔nach〕 et.³ ~ (어떤 상태에서) 복구되다, 회복하다: sich von der Krankheit ~ 병에서 회복되다; sich nach〔von〕 einer Ohnmacht ~ 제정신이 들다, 소생하다; sich nach der Arbeit ~ 일하고 난 후에 휴양〔휴식〕하다; 〖商〗 die Preise erholten sich 물가가 회복되었다. ③ sich eines Schadens ~ 손해 배상을 받다; sich auf jn. 〔an jm.〕 für et. ~ 누구에게 무엇을 변상시키다; Sie müssen sich am Braten ~ (다른 요리가 보잘것없으니) 불고기로 보충하셔야 되겠습니다.

erholsam *a.* 회복에 도움이 되는.

Erholsamkeit *f.* ↑ erholsam 의 명사형.

***Erholung** [..hóːlʊŋ] *f.* ① 얻음, 획득: ~ des Rates 조언 구하기, 상담. ② 회복; 휴양; 기분 전환, 위안: die ~ der Preise 물가의 회복.

Erholungs⸗aufenthalt *m.* 휴양 체류. **~bedürftig** *a.* 휴양〔요양〕을 필요로 하는. **~gebiet** *n.* 휴양지. **~heim** *n.* (회복기 환자의) 요양소. **~kur** *f.* 전지 요양, 휴양. **~pause** *f.* 중간 휴식. **~reise** *f.* 휴양 여행. **~stätte** *f.* 휴양지. **~stunde** *f.* 휴식 시간. **~suchend** *a.* 휴양을 원하는. **~suchende*** *der/die* 휴양객. **~urlaub** *m.* 요양 휴가.

erhorchen *t.* 엿듣다, 몰래 듣다.

erhören *t.* ① 듣다: das ist nicht erhört 그것은 일찍이 들어본 적이 없다, 미증유의 일이다. ② 엿듣다, 몰래 듣다. ③ 청을 들어주다: jn. 〔js. Bitte, Wunsch, Gebet〕 ~ 누구의 원을〔청을, 소망을, 기도를〕 들어주다; sie hat ihren Liebhaber erhört 그 여자는 구혼자의 청혼에 응했다. ④ 〖대개 부정으로〗 참고 듣다: ich kann das Geschrei nicht mehr ~ 나는 그 비명 소리를 더 이상 들어줄 수 없다.

Erhörung *f.* -en 들어줌, 청허(聽許): meine Bitte fand keine ~ 내 청원은 전혀 받아들여지지 않았다.

erhungern *i.* (s.) / *refl.* (sich) ~ 굶주려 몸이 쇠약해지다: sich³ et. ~ 굶어 가며 무엇을 이루다; sie hat sich ihr Studium ~ müssen 그녀는 굶주림을 견디며 공부해야 했다.

Erich [éːrɪç] *m.* 에리히(남자 이름).

erigibel [erigíːbəl] *a.* 일으킬 수 있는; 〖醫〗 발기성(勃起性)의.

erigieren 《Ⅰ》 *t.* 발기(勃起)시키다. 《Ⅱ》 *i.* 일어서다, 발기되다.

Erika[1] [éːrika] *f.* 에리카(여자 이름).

Erika[2] [eríːka, éːrika] 《gr.》 *n.* -s 에리카(색소 이름).

Erika[3] [eríːka, éːrika] 《gr.》 *f.* ..ken 〖植〗 히스, 에리카속(진달랫과).

Erikazee [erikatséːə] *f.* -n 〖植〗 진달랫과.

erikoid *a.* 히스 같은(heidekrautartig).

Erinnerer *m.* -s, - 경고〔독촉〕자; 회상자.

erinnerlich *a.* 생각해낼 수 있는; 기억에 남는: es ist mir noch deutlich ~ 나는 아직도 그것을 또렷이 기억하고 있다.

***erinnern** [ɛr|ínərn] 《Ⅰ》 *t.* ① (잊지 않도록) 상기시키다, 생각나게 하다: jn. an et. ~ 〔〖고

어】 jn. eines Dinges ～】 a) 누구로 하여금 무엇을 상기시키다, b) 누구에게 무엇을 (잊지 않도록) 주의시키다, 독촉하다; ein Gedicht, das an Goethe erinnert 괴테(의 작품)를 상기시키는 시; dies erinnert mich, daß ... 이것으로 나는 …의 일이 생각난다; jn. an seine Pflicht ～ 누구에게 의무의 이행을 독촉하다. ②〔방언〕et. ～ a) 생각해내다, 기억하다, b) 무엇(결점 따위)을 지적하다, 나무라다: ich erinnere den Vorfall 나는 그 사건을 기억하고 있다; dazu 〔dagegen, dabei〕 ist nichts zu ～ 그것에 관하여 별로 말할 것이 없다. 《Ⅱ》 *refl.* sich eines Dinges 〔an et.〕 ～ 무엇을 생각해내다, 상기〔회상〕하다; wenn ich mich recht erinnere 내 기억이 틀림없다면.

***Erinnerung** [ɛɾ|ínəruŋ] *f.* -en ① 기억(력): wenn mich meine ～ nicht trügt, war es so 내 기억이 틀리지 않다면 바로 그러했다; in der ～ sieht manches anders aus, als es wirklich war 기억 속에서는 많은 것들이 실제로 일어났던 것과는 달리 보인다; jm. et. in ～ bringen 누구에게 무엇을 생각나게 하다; et. aus der ～ bringen 무엇을 잊어버리다. ② 추억: er hat keine ～ an seine Kindheit 그는 어린 시절의 추억을 전혀 가지고 있지 않다. ③ **(a)** 기념, 기억, 회상: zur ～ an deine Freundin 너의 여자 친구를 회상하며. **(b)** 기념물〔품〕. ④〔복수〕회고〔비망〕록. ⑤ 경고, 주의, 훈계; 독촉. ⑥〖法〗이의, 항변.

Erinnerungs≈bild *n.* 〖心〗 기억 심상(心像). **～buch** *n.* 기념첩(帖); 비망록. **～fest** *n.* 기념일, 기념 축제. **～kraft** *f.* 기억력. **～kunst** *f.* 기억술.

erinnerungslos *a.* 기억(력)이 없는, 생각나지 않는.

Erinnerungs≈lücke *f.* 기억 상실 부분. **～-mal** *n.* 기념비. **～schreiben** *n.* 독촉장; (교회법의) 계고장. **～schwer** *a.* 우울한 추억〔회상〕에 잠긴. **～stätte** *f.* 기념 장소, 추모지. **～stück** *n.* 추억〔기억〕을 상기시키는 물건〔대상〕. **～vermögen** *n.* ↑ ～kraft. **～weise** *adv.* 기억에 따라서; 기념으로. **～werbung** *f.* 〖광고〗 기억 연상 광고. **～zeichen** *n.* 추억의 표시, 기념품.

Erinnye [erínyə] 《gr.》 *f.* -n 〖그리스신화〗 에리니에스(복수의 여신).

Erinnys *f.* ..yen ↑ Erinnye.

Eris [é(:)rɪs] *f.* ① 다툼, 불화. ②〖그리스신화〗 에리스(불화의 여신).

Eris·apfel *m.* 〖그리스신화〗 (트로이 전쟁의 원인이 되었던) 불화의 사과; 싸움의 원인.

Eristik *f.* (Streitkunst) 논쟁의 비결; 〖哲〗 논쟁술.

Eritrea 에리트레아(홍해 남서쪽 연안의 에티오피아 지방).

eritreisch *a.* 에리트레아 주민의.

erjagen *t.* ① 사냥하여〔몰아〕 잡다. ②〔비유〕 노력하여 얻다: das Glück ～ 행복을 붙잡다.

erkahlen *i.* (s.) (머리 따위가) 벗겨지다.

erkalten *i.* (s.) ① 식다, 차가워지다: einen Pudding ～ lassen 푸딩을 식히다. ②〔비유〕 (애정·열성 따위가) 식다: seine Liebe für sie war schon längst erkaltet 그녀에 대한 그의 사랑은 이미 오래 전에 식었다.

***erkälten** [ɛɾkɛ́ltən] 《Ⅰ》 *refl.* sich ～ 감기들다: ich habe mich beim Schwimmen erkältet 나는 수영을 하다가 감기가 들었다. 《Ⅱ》 *t.* ① 식히다, 차게 하다; 차게 해서 탈〔병〕이 나게 하다: ich habe mir den Magen erkältet 나는 배를 차게 해서 배탈이 났다. ②〔비유〕 (감정 등을) 냉각시키다: diese ablehnenden Worte erkälteten mich 이 거절의 말로 인해 내 마음이 싸늘하게 식었다. 《Ⅲ》 **erkältet** *p.a.* ↑ erkältet.

erkältet 《Ⅰ》 *p.p.* ↑ erkälten. 《Ⅱ》 *p.a.* 감기에 걸린: ich bin leicht〔stark〕 ～ 나는 가벼운 〔심한〕 감기에 걸려 있다.

Erkaltung *f.* -en 식음; 차게 됨; 냉각.

***Erkältung** [..kɛ́ltuŋ] *f.* -en ① 식힘; 차게 함. ② 감기; 〖林〗 냉해: sich³ eine ～ holen 〔zuziehen〕 감기 들다; an einer ～ leiden 감기를 앓다; die ～ hat sich auf den Magen gelegt〔geschlagen〕 감기로 위가 나빠졌다.

Erkältungs≈gefahr *f.* 감기에 걸릴 위험. **～krankheit** *f.* 감기 질환〔후유증〕.

erkämpfen 《Ⅰ》 *t.* 쟁취하다, 싸워서 얻다: den Sieg ～ 승리를 쟁취하다. 《Ⅱ》 *refl.* sich³ et. ～ 노력하여 무엇을 얻다.

erkannt *p.p.* ↑ erkennen.

erkaufen *t.* ① 사들이다, 구매하다. ②〔비유〕 희생을 치르고 얻다: einen Sieg mit viel Blut 〔teuer〕 ～ 많은 피를 흘리고〔비싼 대가를 치르고〕 승리를 획득하다. ③〔비유〕 매수하다, 뇌물을 주어 얻다: das ist nicht mit Geld zu ～ 그것은 돈으로 매수될 수 없다.

erkäuflich *a.* 살〔매수할〕 수 있는.

Erkaufung *f.* -en ① 구입. ② 매수, 증회(贈賄).

erkecken *refl.* sich ～ (금지된 일을) 감행하다.

erkennbar *a.* 알아볼 수 있는, 식별〔인식〕할 수 있는: mein Pferd ist an einem weißen Fleck auf der Brust leicht ～ 내 말은 가슴의 흰 얼룩점으로 쉽게 알아볼 수 있다.

Erkennbarkeit *f.* 알아볼 수 있음, 식별 가능성.

erkennen [ɛɾkɛ́nən] 《Ⅰ》 *t.* ① 알다, 인식하다; 식별하다, 분별하다: jn. an der Sprache〔Stimme〕 ～ 말투〔목소리〕로 누구인지를 알다; daran erkenne ich ihn 그것이야말로 그 다운 짓이다; jm. et. zu ～ geben 누구에게 무엇을 암시하다; er gab sein Mißfallen über diese Störung zu ～ 그는 이 방해에 불쾌한 기색을 드러내 보였다; sich jm. zu ～ geben 누구에게 자기 신분〔가문〕을 밝히다. ② 깨닫다; 승인〔인정〕하다: ich erkenne meinen Irrtum 내 잘못을 알겠다; da erkannte er, daß er betrogen war 거기서 그는 속았음을 깨달았다; et. für〔als〕 richtig 〔das Seinige〕 ～ 무엇을 정당한 것으로〔그의 소유물로〕 인정하다; ich erkenne seine Güte 나는 그의 호의를 감사해하고 있다. ③〖商·고어〗 jn. für einen Betrag ～ 어떤 금액을 누구의 계좌에 기입〔이체〕하다. ④〖聖〗 ein Weib ～ 여자를 알다, 여자와 성교하다; 〖聖〗 Adam erkannte sein Weib Eva 아담이 그 아내 하와와 동침하매(창세기 4 : 1). ⑤〖醫〗 진단하다; 〖化〗 검출하다. 《Ⅱ》 *refl.* sich ～ 알다; 인정하다: erkenne dich selbst! 너 자신을 알라!; sich für〔als〕 schuldig ～ 자기의 죄를 인정하다. 《Ⅲ》 *i.* (h.) ①〖法〗 판결을 내리다, 선고하다: auf eine hohe Strafe ～ 중형에 처하다; das

Gericht hat gegen ihn auf Zuchthaus erkannt 법원은 그에게 징역형을 선고하였다; zu Recht ~ a) 합법적으로 재판하다, b) 합법이라고 선고하다. ② 〖스포츠〗 (심판이) 판정〔선언〕하다: der Schiedsrichter erkannte auf Elfmeter 주심이 페널티 킥을 선언했다.

erkenntlich *a.* ① 《고어》 ↑ erkennbar. ② 고맙게 여기는, 감사해하는: sich für et. ~ zeigen〔beweisen〕 무엇에 대하여 고마움을 표하다; er war seinem Wohltäter stets ~ 그는 항상 자기의 은인에게 감사해하고 있었다.

Erkenntlichkeit *f.* -en 감사, 사의(謝意), 답례: jm. eine ~ erweisen 누구에게 사의를 표하다.

***Erkenntnis**[1] [εrkέntnɪs] *f.* -se 앎, 지각, 인지; 인식, 통찰, 깨달음: zur ~ kommen 〔gelangen〕 인식하다, 깨닫다; sich einer ~ verschließen 알고도 모른 체하다, 알려고 하지 않다; 〖聖〗 der Baum der ~ (des Guten und Bösen) (선악을 알게 하는) 지혜의 나무.

Erkenntnis[2] *n.* -ses, -se 〖法〗 판결, 선고.

Erkenntnis⸗fähigkeit *f.* 인식(능)력. **~grund** *m.* ① 〖哲〗 인식 근거. ② 〖法〗 판결 이유. **~kraft** *f.* 인식력. **~kritik** *f.* 〖哲〗 인식 비판. **~lehre** *f.* ↑ ~theorie. **~subjekt** *n.* 〖哲〗 인식 주관〔주체〕. **~theoretisch** *a.* 〖哲〗 인식론의. **~theorie** *f.* 〖哲〗 인식론. **~vermögen** *n.* ↑ ~fähigkeit.

Erkennung *f.* ① 앎; 인식, 식별, 분별; 승인: 〖聖〗 fleischliche ~ 성교. ② 〖醫〗 진단; 〖化〗 검출; 감식.

Erkennungs⸗dienst *m.* 〖法〗 (범인) 감식 작업. **~dienstlich** *a.* 감식 작업의. **~karte** *f.* (학생의) 신분 증명서. **~marke** *f.* 〖軍〗 인식표. **~reaktion** *f.* 〖哲〗 인식 반응. **~wort** *n.* 암호. **~zeichen** *n.* 〖軍〗 기장(記章); 인식표; 식별 신호; 〖空〗 식별표(標); 〖醫〗 진단적 증후.

Erker [έrkər] *m.* -s, - 〖건축〗 (집 위층에서 내다보기 위한) 돌출창(窓); 구석방.

Erker⸗fenster *n.* 툭 튀어나온 창, 돌출창. **~stube** *f.* 퇴창(退窓)이 있는 방; 구석방. **~turm** *m.* 망대(望臺). **~zimmer** *n.* ↑ ~stube.

erkiesen(*) (erkor/erkieste, erkoren/erkiest) 《I》 *t.* 《고어》 가려내다, 선발하다. 《II》 **erkoren** *p.a.* ↑ erkoren.

erklärbar *a.* 설명할 수 있는, 명백한.

Erklärbarkeit *f.* 설명〔해석〕할 수 있음.

***erklären** [εrklέ:rən] 《I》 *t.* ① 밝히다, 명백히 하다; 설명〔해명〕하다: einen Schriftsteller ~ 어떤 작가에 관해 설명하다; das erklärt die Sache 이것으로 그 일의 내용을 알 수 있다; ich erkläre mir die Sache so 나는 이 일〔사건〕을 이렇게 해석한다; das läßt sich leicht ~ 그것은 간단히 설명될 수 있다. ② 천명〔단언〕하다: einem Lande den Krieg ~ 어떤 나라에 대하여 선전 포고하다; einem Mädchen seine Liebe ~ 어떤 소녀에게 사랑을 고백하다; jn. für einen schlechten Menschen ~ 누구를 악인이라고 공언하다; einen Vertrag für ungültig ~ 어떤 계약이 무효임을 선언하다; jn. für schuldig〔frei〕 ~ 누구에게 유죄〔무죄〕의 선고를 내리다; jn. in die Acht ~ 누구를 추방〔파문〕하다; jn. zum Erben ~ 누구를 상속인으로 (지정함을) 공표하다. 《II》 *refl.* sich ~ ① (자기의 생각을) 밝히다, 천명하다: erkläre dich deutlicher! 좀 더 분명하게 네 생각을 밝혀다오!; sich für 〔gegen〕 jn. ~ 누구에게 지지〔반대〕 의사를 밝히다; sich für besiegt ~ 패배를 인정하다; sich über et. ~ 무엇에 관하여 의견을 밝히다. ② 사랑을 고백하다: sie erwartete, daß er sich endlich erklärte 그 여자는 그가 결국 사랑을 고백하기를 기대하고 있었다. ③ 밝혀지다, 해명되다: sich aus et.³ ~ 무엇에서 밝혀지다; daraus erklärt sich sein Benehmen 그 사실로 그의 행동이 해명된다. 《III》 **erklärt** *p.a.* ↑ erklärt.

Erklärer *m.* -s, - 설명〔해설〕자.

erklärlich *a.* 명백〔분명〕한: ein ~er Irrtum 명백한 오류〔오판〕; et. ~ machen 무엇을 분명하게 하다.

erklärlicher·weise *adv.* 명백하게, 당연한 사실로서.

erklärt 《I》 *p.p.* ↑ erklären. 《II》 *p.a.* ① 명백하게 선언된, 분명한: Revolution war das ~e Ziel der Bewegung 혁명은 이 운동이 (표방한) 분명한 목표였다. ② 단호한: ein ~er Gegner der Todesstrafe 사형 제도를 단호하게 반대하는 사람.

Erklärte* *der/die* (떳떳한) 연인, 약혼자; 〖法〗 피(被)표시자; 인기인, (운동 경기의) 유력한 우승 후보.

erklärter·weise *adv.* 단호〔명확〕하게.

***Erklärung** *f.* -en ① 설명, 해명: eine genügende ~ über et. abgeben 무엇에 관해 충분한 설명을 해주다; eine ~ von jm. fordern 누구의 해명〔입장 표명〕을 요구하다. ② 언명, 선언, 성명, 공표, 포고; 고백; 〖法〗 의사 표시, 진술: letzte ~ 최후 통첩; Liebes~ 사랑의 고백; letztwillige ~ 유언.

Erklärungs⸗art *f.* 설명 방식. **~schrift** *f.* 주석서(註釋書). **~versuch** *m.* 설명의 시도.

erklecken 《<klecken ②》 *i.* (h.) (obd.) 충분히 진척하다; 충분하다, 족하다.

erklecklich *a.* 뚜렷한, 현저한, 눈부신; 충분한, 상당한 (금액 따위): er hat auf diesem Gebiete ~es geleistet 그는 이 분야에서 눈부신 업적을 거두었다.

erklettern *t.* (산·나무 따위의) 꼭대기까지 기어오르다; 등반하다.

Erkletterung *f.* -en 기어오름; 등반.

erklimmen(*) *t.* ① 힘들게〔간신히〕 (기어)오르다. ② 힘들게 성취하다.

erklingen* *i.* (s./(드물게) h.) 울려나오다, 울리다: die Gläser ~ lassen 잔을 부딪치다; ein Lied ~ lassen 노래를 부르다; von draußen erklangen Kinderstimmen 바깥에서 아이들의 목소리가 울려왔다.

erklügeln *t.* 궁리해내다, 머리를 짜서 생각해내다; 핑계대다, 궤변을 늘어놓다: ein erklügelter Beweis 궤변을 늘어놓은 증명.

erkor ↑ erküren, erkiesen 의 과거.

erköre [..kǿ:rə] ↑ erküren 의 접속법 II 식.

erkoren 《<erküren, erkiesen》 《I》 *p.p.* ↑ erküren, erkiesen. 《II》 *p.a.* 뽑힌, 선발된, 정선〔엄선〕된.

erkranken *i.* (s.) 병이 나다: an der Grippe ~ 독감에 걸리다.

Erkrankung [..kráŋkuŋ] *f.* -en 발병, 병에 걸림; 질병.

Erkrankungs·fall *m.* 발병 (사례): im ~ 병에 걸린 경우에.
erkriechen* 《I》 *t.* et. ~ 기어서 무엇에 다다르다. 《II》 sich³ et. ~ 알랑거려서 무엇을 얻다.
erkühlen [ɛrký:lən] 《I》 *t.* 식히다, 차게 하다. 《II》 *i.* (s.) 식다, 시원해지다, 차지다. 《III》 *refl.* sich ~ ① 시원해지다; 식다: seine Wut hat sich schon erkühlt 그의 분노는 이미 식었다. ②〔방언〕 감기에 걸리다.
erkühnen *refl.* sich ~, et. zu tun 대담하게 무엇을 하다, 감행하다.
erkunden [ɛrkʊ́ndən] *t.* 탐색〔탐지〕하다; 〘軍〙 정찰하다.
Erkunder *m.* -s, - 정찰자; 〘軍〙 척후병.
erkundigen 《I》 *t.* (물어서) 알다. 《II》 *refl.* sich bei jm. nach et.³ ~ 누구에게 무엇을 묻다, 문의하다; sich über jn. ~ 누구에 관하여 조회하다.
Erkundigung [..kʊndɪɡʊŋ] *f.* -en 심문, 문의, 조회, 조사; 〘軍〙 수색, 정찰: über et. ~en einziehen 무엇을 조사하다.
Erkundigungs≈büro *n.* 문의처, 안내소; 통신소, 흥신소. **~schreiben** *n.* 질문서, 조회장. **~stelle** *f.* ↑ ~büro.
erkundschaften [ɛrkʊ́ntʃaftən] *t.* 샅샅이 탐색하다.
Erkundung [ɛrkʊndʊŋ] *f.* -en 탐색, 탐지; 〘軍〙 정찰: jn. auf ~ ausschicken 정찰을 위해 누구를 파견하다.
Erkundungs≈abteilung *f.* 〘軍〙 정찰 부대. **~dienst** *m.* 정찰 근무. **~fahrt** *f.* 정찰 운행. **~flieger** *m.* 〔구어〕 ↑ ~flugzeug. **~flug** *m.* 정찰 비행. **~flugzeug** *n.* 〘空〙 정찰기. **~gang** *m.* 수색 활동. **~trupp** *m.* 정찰대, 수색대.
erkünsteln 《I》 *t.* 〔폄어〕 짐짓 꾸미다, 가장하다, …인 체하다: Teilnahme〔Gleichgültigkeit〕 ~ 관심 있는〔무관심한〕 체하다. 《II》 **erkünstelt** *p.a.* ↑ erkünstelt.
erkünstelt 《I》 *p.p.* ↑ erkünsteln. 《II》 *p.a.* 거짓의, 가장된, 겉치레〔허식〕의, 부자연스러운: eine ~e Gelassenheit 꾸며낸 태연함.
Erkünstelung *f.* -en 꾸밈, 허식, 구실.
erküren* 《I》 *t.* 뽑다, 선발〔선택·선거〕하다: er hatte sich³ ein einfaches Mädchen zur Braut erkürt 그는 소박한 처녀를 신부로 택했다. 《II》 **erkoren** *p.a.* ↑ erkoren.
..erl *suf.* (obd.) 축소 명사를 만드는 후철(보기: Vogerl＝Vöglein).
Erl. ＝Erlaucht 각하.
erlaben 《I》 *t.* 상쾌하게 하다, 활기를 불어넣다, 원기를 회복시키다. 《II》 *refl.* sich ~ 상쾌해지다, 기운이 나다: sich an einem Glas Wasser ~ 한 컵의 물로 기운을 내다.
Erlag *m.* -(e)s, ..läge [..lɛ́:ɡə] 〘商〙 (öst.) (Depositen) 공탁금; 예금; 납입.
Erlag·schein *m.* 〘經〙 대체 예금 납입표 (Zahlkarte).
erlahmen 《I》 *i.* (s.) ① 절름발이가 되다; 마비되다. ②〔비유〕 피로해지다, 약해지다, 느슨해지다: sein Eifer ist erlahmt 그의 열의는 시들해졌다; erlahmt nie im Guten! 선을 행하는 데 게을리하지 마라! 《II》 *t.* 절름발이로 만들다; 마비시키다; 무기력하게 하다.
Erlahmung *f.* -en 마비; 느슨해짐.

erlangbar *a.* 도달할〔얻을〕 수 있는: mit der Hand ~ 손이 닿는.
Erlangen [ɛ́rlaŋən] 에를랑겐(북바이에른의 대학 도시).
***erlangen** *t.* ① 무엇에 다다르다, 무엇을 달성하다; ein hohes Alter ~ 고령에 달하다. ② 입수하다, 얻다, 획득하다: Zutritt ~ 입장을 허락받다; wieder ~ 되찾다; Gehör bei jm. ~ (누구에게) 귀를 기울이게 하다; seinen Wunsch〔Zweck〕 ~ 소망〔목적〕을 달성하다; man konnte es von ihm nicht ~, daß... 그로 하여금 …을 시킬 수가 없었다.
erlängen *t.* 〘드물게〙 길게 하다; 연장하다.
Erlanger 《I》 *m.* -s, - 에를랑겐 시민. 《II》 *a.* 에를랑겐의: ~ Bier 에를랑겐산(産) 맥주.
Erlangung [..láŋʊŋ] *f.* -en ① 손이 닿음; 도달. ② 입수, 획득; 달성; (권리의) 회복.
Erlass 新정서 ⇦ Erlaß.
Erlaß [ɛrlás] *m.* ..lasses, ..lasse ① (당국의) 지시, 규정, 법령. ② (형벌·채무 따위의) 면제; 사면(赦免), 용서; 경감; 〘法〙 채무 면제; 〘商〙 (Rabatt) 할인, 감가(減價), 가격 인하, 조세 감면. ③ 발령, 발포, (법의) 제정: öffentlicher ~ 공포; allerhöchster ~ 칙명; päpstlicher ~ 교황의 교서.
erlassen* [ɛrlásən] *t.* ① 면제하다; 사면하다: jm. et. ~ 누구에게 무엇(의무·벌 따위)을 면하게 하다; jm. eine Schuld ~ 누구에게 채무를 면제하다; es sei mir ~, darüber zu berichten 그것에 관한 보고는 그만두었으면 좋겠습니다. ② 포고〔공포〕하다: einen Befehl ~ 명령을 발하다; ein Gesetz ~ 법률을 공포하다; ein Manifest ~ 포고를 발하다. ③ (일정한 가격으로) 팔다.
Erlaß≈geld *n.* 면죄금. **~jahr** *n.* 〘聖〙 안식년(유대의 50년제); 〘가톨릭〙 ↑ Ablaßjahr.
erläßlich *a.* 면제〔용서〕할 수 있는: 〘宗〙 ~e Sünde 가벼운 죄.
Erlaß≈sünde *f.* 〘宗〙 용서할 수 있는 죄, 경죄(輕罪). **~urteil** *n.* 무죄 선고.
Erlassung [..lásʊŋ] *f.* -en ① 면제; 사면, 허용: 〘宗〙 ~ der Sünde 면죄. ② 발령, 발포.
Erlassungs≈brief *m.* 사면장. **~jahr** *n.* 〘가톨릭〙 대사(大赦)의 해(옛날에는 100년마다, 지금은 25년마다).
***erlauben** [ɛrláubən] 《I》 *t.* ① 허가〔허락〕하다; 동의하다, 인가하다: ~ Sie! 용서하십시오, 실례입니다만!; meine Mittel ~ mir das 내게는 그만한 여유가〔돈이〕 있다; wenn das Wetter es erlaubt 날씨가 나쁘지 않으면. 《II》 *refl.* sich ~ sich³ et. ~ 감히 무엇을 하다, 제멋대로 무엇을 하다: was ~ Sie sich³ eigentlich? 어떻게 감히 그럴 수가 있습니까?; sich³ Übergriffe ~ 침해하다; ich erlaube mir, ... 실례지만 …; darf ich mir ~, Ihnen einige Fragen vorzulegen? 몇 가지 물어봐도 되겠습니까?; 〘商〙 wir ~ uns, Sie um Ihr Wohlwollen zu bitten 죄송합니다만 선처를 바랍니다. ③ 무엇을 취하다; 어떤 즐거움을 누리다: endlich kann ich mir eine Wohnung ~ 마침내 나는 주택을 마련할 수 있게 되었다. 《II》 **erlaubt** *p.a.* ↑ erlaubt.
***Erlaubnis** [..pnɪs] *f.* -se 허가, 인가; 동의: die ~ haben 허용되어 있다; Bau≈ 건축 허가; Aufenthalts≈ 체류 허가(증); mit Ihrer ~ 허락해 주신다면; obrigkeitliche ~ 관허

(官許); um ~ bitten 허가를 청하다.
Erlaubnis≈brief *m.* 허가증, 전매 특허증. **~karte** *f.* 허가증, 면허장. **~schein** *m.* 허가증, 면허장; 감찰(鑑札). **~weise** *adv.* 허가를 얻어서.
erlaubt [..pt] 《I》 *p.p.* ↑ erlauben. 《II》 *p.a.* 허락된, 정당한: gesetzlich ~ 합법적인; es ist ~, hier zu rauchen 이곳에서 흡연해도 좋다.
Erlaucht [ɛrláuxt] *f.* -en 〖고어〗 각하(백작에 대한 존칭; Durchlaucht 보다 낮음): Seine ~ der Graf 백작 각하.
erlaucht 《<erleuchten》 *a.* 귀현(貴顯)의; 고상한: der ~e Kaiser 황제 폐하; ~er Herr 각하.
erlauen 《I》 *i.* (s.) 미지근하게 되다. 《II》 *t.* 미지근하게 하다.
erlauern *t.* 노리고 있다가 얻다, 노리다, 알아내다: den günstigen Augenblick ~ 호기를 노리다.
erlaufen* 《I》 *t.* 〖드물게〗 달려서 따라잡다; 달려가서 붙잡다. 《II》 *refl.* sich³ ~ 달려서 얻다〔획득하다〕: du hast dir den ersten Preis ~ 너는 달리기에서 1등상을 받았다.
erlauschen *t.* ① 귀담아들어서 알다. ② 엿듣다; 숨어 기다리다, 잠복하다.
Erläuterer *m.* -s, - 해석자, 주석자.
***erläutern** *t.* 밝히다; 설명〔해석·해명〕하다: einen Text ~ 본문에 주석을 달다.
Erläuterung *f.* -en 해명, 해석, 주석; 〖문법〗 뜻풀이: ein Band mit ~en 주해본.
Erläuterungs≈schrift *f.* 주석서. **~urteil** *n.* 〖哲〗 해설적 판단. **≈weise** *adv.* 해명식〔해설식〕으로; 해명을 위하여.
***Erle** [ɛ́rlə] *f.* -n 〖植〗 오리나무.
***erleben** *t.* ① 겪다, 체험〔경험〕하다: vieles ~ 산전수전을 다 겪다; hat man je so etwas erlebt! 일찍이 그런 일이 있었을까!; du kannst etwas Unangenehmes ~ 자네는 어떤 불쾌한 일을 당할지도 모르네; das siebzigste Jahr ~ 70세가 되다; die 10. Auflage ~ 10판을 거듭하다; ich werde den Tag nicht ~ 나는 살아 생전에 그날을 보지 못할 것이다; Freude an seinem Kinde ~ 자식 기쁨을 맛보다; er hat Bismarck noch im Reichstag erlebt 그는 제국 의회에서 비스마르크를 직접 보고 들었다. ② 겪어서 깨우치다〔알다〕, 체득〔감득〕하다: die Dichtung〔Landschaft〕 ~ 시문〔풍경〕을 음미하다; ich habe die deutsche Sprache mehr erlebt als erlernt 나는 독일어를 습득하였다기보다는 오히려 체득하였다; der Mensch erlebt sich als ein Teil der Geschichte 인간은 경험을 통해 자신이 역사의 한 부분임을 알게 된다.
Erleben *n.* -s ① 체험, 경험. ② 체험한 것, 겪은 것.
Erlebens≈fall *m.* 〖보험〗 im ~ 생존할 경우에는. **~weise** *f.* 체험의 양상(樣相).
***Erlebnis** [ɛrlé:pnɪs] *n.* -ses, -se 경험, 체험; 견문, 진담(珍談), 기묘한 사건: ein heiteres 〔trauriges〕 ~ 유쾌한〔슬픈〕 체험; ein ~ aus meinem Leben 내 인생의 어떤 체험; widrige ~se 재액(災厄).
Erlebnis≈aufsatz *m.* (주로 초등 학생들의) 체험 작문. **~bericht** *m.* 체험〔경험〕 보고. **~fähigkeit** *f.* 〖心〗 체험 능력. **~gang** *m.* 경력, 체험 과정. **~hunger** *m.* 체험욕(구). **≈-hungrig** *a.* 체험욕이 강한. **~reich** *a.* 경험〔체험〕이 풍부한. **~roman** *m.* 체험 소설.
erlechzen [..lɛ́çtsən] 《I》 *i.* (s.) 목이 바싹 마르다. 《II》 *refl.* sich ~ 갈망하다.
***erledigen** [ɛrlé:dɪgən] 《I》 *t.* ① (업무를) 처리하다, 끝내다; (문제를) 해결하다: einen Auftrag ~ 맡은 일을 처리하다; eine Bestellung ~ 주문받은 일을 처리하다; kannst du das für mich ~? 내 대신 그 일을 해줄 수 있겠니?; wird erledigt! 결재필, 기결! (서류에 표시하는 문구); die Sache ist erledigt 그 문제는 해결되었다(더 이상 재론할 필요도 없다). ② (jn.) 끝장내다, 파멸시키다; 매장하다: er ist erledigt a) 그는 끝장났다, b) 그는 완전히 뻗었다, 녹초가 되었다. ③ (속박에서) 풀어 주다, 자유롭게 하다. ④ (자리·공간을) 비우다, 치우다. 《II》 *refl.* sich ~ ① sich eines Dinges ~ 무엇을 모면하다. ② 처리되다, 끝나다: die Sache erledigt sich hiermit 이것으로 이 문제는 결말이 났다. 《III》 **erledigt** *p.a.* ↑ erledigt.
erledigt [..dɪçt] 《I》 *p.p.* ↑ erledigen. 《II》 *p.a.* ① 자리가 비어 있는: ~e Stellen〔Ämter〕 공석〔공직(空職)〕; ~ werden 자리가 비다, 결원이 생기다. ② 낙착〔해결〕된. ③ 몹시 지친, 뻗은; 죽은: ich bin völlig ~ 나는 완전히 녹초가 되었다.
Erledigung [..dɪguŋ] *f.* -en ① 해결, 처리, 낙착; 변상: für rasche ~ sorgen 조속한 해결을 위해 애쓰다; 〖官〗 in ~ Ihres Auftrags teilen wir Ihnen mit, daß... 당신이 위임하신 일을 마무리하며 …을 알려드립니다. ② 배려, 돌봄, 주선; 구입.
Erledigungs≈frist *f.* 〖商〗 변상 기한. **~-schein** *m.* 영수증; 〖法〗 권리 포기증.
erlegen[1] *t.* ① 〖방언〗 지급〔납입·예금〕하다: das Eintrittsgeld ~ 입장료를 내다; Abgaben ~ 납세하다. ② (적·야수 따위를) 쓰러뜨리다, 죽이다: der Jäger erlegte zwei Hasen 사냥꾼이 토끼 두 마리를 쏘아 죽였다.
erlegen[2] 《I》 *p.p.* ↑ erliegen. 《II》 *p.a.* 굴복한, 패배한.
Erlegung *f.* -en ① 지급, 납입. ② 〖드물게〗 발사, 발포.
***erleichtern** [ɛrláiçtərn] 《I》 *t.* ① 가볍게 하다; 편하게 하다; 쉽게 하다; 완화하다; 안심시키다: jm. seine Arbeit ~ 누구의 일을 덜어 주다; einem Kranken seine Schmerzen ~ 환자의 고통을 덜어 주다; sein Herz〔Gewissen〕 ~ (고백 따위에 따라) 마음〔양심〕의 무거운 짐을 덜다. ② 〖구어·농담〗 jn. um einen Geldbetrag ~ 누구의 돈을 속여 빼앗다. 《II》 *refl.* sich ~ ① (옷 따위를 벗어서) 편하게 하다: da es im Raum sehr warm ist, habe ich mich ein wenig erleichtert 방안이 매우 더워서 나는 옷을 벗어 조금 시원하게 했다. ② (고통·슬픔에서 벗어나) 홀가분해지다: sich durch Tränen ~ 울어서 마음이 홀가분해지다. ③ 대변〔소변〕을 보다. 《III》 **erleichert** *p.a.* ↑ erleichert.
erleichtert 《I》 *p.p.* ↑ erleichtern. 《II》 *p.a.* 가벼워진, 홀가분해진, 안심한, 완화된: er atmetet erleichtert auf 그는 안도의 한숨을 쉬었다.
Erleichterung [..láiçtəruŋ] *f.* -en ① 경감,

완화; 〖醫〗 진통, 안심. ②〔복수〕 편익, 편의.
Erleichterungs·mittel *n.* ①〖醫〗 완화제, 진정제; 완하제(緩下劑). ②〔복수〕 편법.
erleiden* [ɛrláɪdən] *t.* ① (변경·개정 따위를) 당하다. ② (해·악 따위를) 입다: ich erlitt viel in diesen Tagen 요즈음 나는 좋지 않은 일을 많이 겪었다; Verlust〔Schmach, Niederlage〕 ~ 손해를〔모욕을, 패배를〕 입다〔당하다〕; den Tod auf dem Schlachtfeld ~ 전사하다; Schiffbruch ~ a) 난파하다, b)〔비유〕 실패하다. ③ (dulden) 감수하다, 견디다, 참다. ④ (schweiz.) 미움을 사다.
erlen [ɛ́rlən] *a.* 오리나무(제)의.
Erlen≈baum *m.* ↑ Erle. **~bruch** *m.*/(드물게) *n.* 오리나무 숲이 있는 습지. **~busch** *m.* 오리나무 숲. **~fink** *m.* 〖動〗 검은방울새. **~holz** *n.* ① 오리나무 숲. ② 오리나무의 재목. **~könig** *m.* 요정의 왕, 마왕. **~zeisig** *m.* 〖動〗 검은방울새.
erlernbar *a.* 배울〔습득할〕 수 있는.
Erlernbarkeit *f.* ↑ erlernbar 의 명사형.
erlernen *t.* 익히다, 습득하다.
Erlernung *f.* 학습, 습득, 수업.
Erlernungs·methode *f.* 학습법.
erlesen*[1] 《I》 *t.* 골라내다, 선발〔선택〕하다, 정선(精選)하다. 《II》 *refl.* 〔드물게〕 sich³ et. ~ 읽어서 무엇을 얻다〔알다〕: sie hat sich ihr ganzes Wissen ~ 그녀는 자신의 모든 지식을 독서를 통해 얻었다. 《III》 **erlesen** *p.a.* ↑ erlesen².
erlesen[2] 《I》 *p.p.* ↑ erlesen¹. 《II》 *p.a.* 정선된, 우량의: ~e Kostbarkeiten 정선된 장식품〔보석〕.
Erlesenheit *f.* 정선, 우량.
erleuchten 《I》 *t.* ① 밝게 하다, 비추다: eine Kerze erleuchtet das Zimmer 촛불이 방을 비춘다. ②〔비유〕 깨우치다, 계몽하다: ein erleuchteter Kopf 명민한 사람, 생각이 트인 사람. 《II》 *refl.* sich ~ 밝아지다; 깨닫다.
Erleuchtung [..lɔ́yçtʊŋ] *f.* -en ① 조명; 일류미네이션; 조명 장식. ②〔비유〕 계몽, 계발; 깨달음: göttliche ~ 영감(靈感), 계시.
Erleuchtungs·apparat *m.* 조명 장치.
Erlicht [ɛ́rlɪçt] *n.* -(e)s, -e 오리나무의 숲.
erliegen* 《I》 *i.* (s.) ① 패하다, 굴복하다; 쓰러지다, 죽다: (unter) einer Last 〔der Gewissenslast〕 ~ 무거운 짐〔양심의 가책〕을 견디지 못하다; dem Gram 〔einer Krankheit〕 ~ 비통〔질병〕을 못 이기다; er ist der Versuchung erlegen 그는 유혹을 이기지 못했다. ② (öst.) 어떤 곳에 놓여 있다, 보관 중이다: auf der Post erliegt ein Paket für Sie 우체국에 당신에게 온 소포가 있습니다. 《II》 *refl.* 〖農〗 sich ~ 휴한(休閑)하다. 《III》 **erlegen** *p.a.* ↑ erlegen².
Erliegen *n.* -s 정지, 중단; 가동 정지; 〖광산〗 폐갱: zum ~ kommen 가동이 중단되다, 마비되다; zum ~ bringen 가동을 중지하다, 마비시키다; durch das Unwetter kam der Verkehr zum ~ 악천후로 교통이 마비되었다.
erlischt [ɛrlɪ́ʃt] ↑ erlöschen 의 3인칭 단수 현재형.
erlisten [ɛrlɪ́stən] *t./refl.* (sich³) et. ~ 술책〔계책〕을 부려서 무엇을 얻다: Odysseus erlistete sich³ den Sieg über Troja 오디세우스는 계책을 부려 트로이아를 함락시켰다.
Erlistung *f.* -en 술수를 써서 얻음.
Erlkönig [ɛ́rlkø:nɪç] 《dän. ellerkonge》 *m.* -s, -e 요정의 왕, 마왕.
erlogen 《I》 *p.p.* ↑ erlügen. 《II》 *p.a.* 꾸며낸, 거짓의, 날조된: ein ~er Bericht 허위 보고.
Erlogenheit *f.* 허위, 허구.
Erlös [ɛrlǿ:s] 《<erlösen》 *m.* -es, -e [..zə] 매상〔매출〕고, 수익.
erlöschen [ɛrlœ́ʃən] *i.* (s.) ① (불·빛이) 꺼지다, 사라지다. ② 바래다, 퇴색하다, 광택이 없어지다; (음성 따위가) 희미해지다, 가냘파지다; (쓰여진 것이) 소멸하다; 정열이 식다: mit ~der Stimme 다 꺼져 가는 목소리로; erloschene Augen (죽을 때의) 초점을 잃은 눈; erloschene Vulkane 사〔휴〕화산. ③〔비유〕 없어지다; 소실〔소멸〕하다; (혈통이) 끊어지다; (법률·조약 따위가) 효력을 상실하다: die Mitgliedschaft erlischt nach einem Jahr 1년이 지나면 회원 자격이 소멸된다; die Firma ist erloschen 그 회사는 없어졌다. ④〔시어〕 er ist am ~ 그의 생명의 등불은 바야흐로 꺼지려 하고 있다.
Erlöschen *n.* -s 꺼짐, 사라짐, 소멸.
Erlöschung *f.* -en 꺼짐, 사라짐; 소실, 상실.
erlosen *t.* 〔드물게〕 제비를 뽑아서 얻다.
***erlösen** [ɛrlǿ:zən] *t.* ① (역경·죄악 따위에서) 구해내다, 구원〔구제〕하다: jn. aus großer Not ~ 누구를 역경에서 구해내다; er ist erlöst 그는 구원받았다; Gott 〔der Tod〕 hat ihn von seinem Leiden erlöst 그는 고난에 찬 삶을 마감하였다. ② 갚다, (몸값을 치르고) 낙적(落籍)시키다. ③ (südd.) Geld ~ 물건을 팔아서 돈을 받다. ④〔고어〕 (빵 따위를) 다 굽다; 지나치게 굽다.
Erlöser *m.* -s, - 구제자; 〖宗〗 구세주(그리스도).
Erlöser·bild *n.* ① 그리스도상(像). ② 구세주에 대한 정신적 표상.
Erlösung *f.* -en 구원, 구출; 〖宗〗 구제, 속죄.
Erlösungs≈lehre *f.* 속죄설. **~stunde** *f.* 구제의 시간. **~weg** *m.* 〖宗〗 제도(濟度)〔해탈〕의 길. **~werk** *n.* (그리스도에 의한) 속죄.
erluchsen *t.* 〔구어·농담〕 슬쩍 가로채다.
erlügen* 《I》 *t.* ① 거짓말하다, 날조〔허구〕하다. 《II》 *refl.* sich³ et. ~ 속여서 무엇을 가로채다, 사취하다. 《III》 **erlogen** *p.a.* ↑ erlogen.
erlustieren *t.* ↑ erlustigen.
erlustigen 《I》 *t.* jn. mit et.³ ~ 누구를 무엇으로 즐겁게 하다. 《II》 *refl.* sich an〔mit〕 et.³ ~ 〔sich über et. ~〕 무엇을 즐기다.
Erlustigung *f.* -en 즐김.
ermächtigen [ɛrmɛ́çtɪgən] 《I》 *t.* ① jn. zu et.³ ~ 누구에게 무엇을 할 권한〔자격〕을 부여하다, 전권을 위임하다. ② 차지〔점유〕하다. 《II》 *refl.* sich ~ ① 자진해서 …할 생각이 있다, …을 승낙하다. ② sich eines Dinges ~ 무엇을 차지하다, 횡령하다. ③ 감행하다.
Ermächtigung *f.* -en 권한 부여, 전권 위임; 권능, 전권.
Ermächtigungs≈gesetz *n.* 전권 위임법, 수권법(授權法). **~schreiben** *n.* 수권서(授權書), 위임장.
ermahnen *t.* 경고〔훈계〕하다: jn. zur Vorsicht ~ 누구에게 조심하라고 경고하다.
ermahnend *p.a.* 경고적인.

Ermahner *m.* -s, - 경고하는 사람.

Ermahnung *f.* -en 경고, 훈계.

Ermahnungs≈rede *f.* 경고의 말, 간언(諫言). **~schreiben** *n.* 훈계서, 경고장.

ermangeln [..máŋəln] *i.* (h.) ① eines Dinges ~ 무엇이 없다, 부족하다: seine Behauptung ermangelt jeder Grundlage 그의 주장은 어떠한 근거도 없다. ②〖nicht 와 함께〗es an nichts ~ lassen 전력을 다하다, 노력을 아끼지 않다; ich werde nicht ~, Sie zu verständigen 저는 잊지 않고 반드시 당신께 알려 드리겠습니다. ③〖사물이 주어〗etwas ermangelt mir 나는 무엇을 가지고 있지 않다, 무엇에 궁하다;〖고어〗es ermangelt mir an Geld 나는 돈이 없다.

Ermangelung *f.* 결핍, 부족: in dessen ~ 〔in ~ dessen〕 그것이 없는 경우에는〔없으므로〕, 그것 대신으로; in ~ eines Besseren 달리 더 좋은 방도가 없어서, 부득이.

ermannen 《I》 *t.* 용기를 내게 하다, 기운을 북돋우다. 《II》 *refl.* sich ~ 용기를 내다, 분기(奮起)하다: ermanne dich! 용기를 내라!

Ermannung *f.* -en 용기를 내게 함.

ermäßigen [ɛrmέ:sɪgən] *t.* (비용을) 아끼다; 경감하다; (값 등을) 깎다: zu ermäßigtem Preis 할인 가격으로, 특가로.

Ermäßigung *f.* -en 절약; 경감; 완화; 할인.

ermatten [ɛrmátən] 《I》 *t.* 지치게〔싫증나게〕 하다: die Anstrengungen haben ihn bald ermattet 긴장이 그를 곧 지치게 만들었다. 《II》 *i.* (s.) 피로하다, 지치다, 싫증나다: ermatte nicht in deinem Eifer! 노력을 늦추지 마라!

Ermattung *f.* -en 피로, 쇠약, 권태; 실신.

Ermattungs·strategie *f.* 〖軍〗 피폐 전략; 소모 작전.

ermeldet *a.* 〖드물게〗 앞에서 서술〔언급〕한.

ermessen* 《I》 *t.* ① 재다; 측량하다; 알아내다(absehen). ② 고려〔판단·평가·추측〕하다: das läßt sich leicht ~ 그것은 쉽게 알 수 있다. ③〖드물게〗도달하다. 《II》 *refl.* 〖드물게〗 sich ~ 평가되다: daran ermißt sich die Leistung 그것으로 업적이 평가된다.

Ermessen *n.* -s 고려, 판단, 평가, 견적, 추측; 재량: nach meinem ~ 내 생각으로는; ich stelle es in dein ~ 나는 그것을 자네의 재량에 맡기겠네.

Ermessens≈entscheidung *f.* 자유 재량에 따른 결정. **~frage** *f.* 자유 재량의 허용 문제, 개인적 판단의 문제. **~freiheit** *f.* 자유 재량. **~mißbrauch** *m.* 재량권 남용.

ermeßlich *a.* 잴〔생각할〕 수 있는.

ermittelbar *a.* 탐구〔발견〕할 수 있는.

***ermitteln** [ɛrmítəln] *t.* ① 탐구〔발견〕하다; (범인을) 색출하다, 찾아내다: der Täter ist noch nicht ermittelt 범인은 아직 잡히지 않았다; 〖우편〗 Adressat ist nicht zu ~ 수신인 주소 불명. ② (수치를) 계산해내다, 산출하다: einen Durchschnittswert ~ 평균치를 계산해 내다. ③〖法〗 수사하다.

Ermittelung *f.* -en ↑ Ermittlung.

Ermittlung *f.* -en 탐구, 수사; 조사: über et. ~(en) anstellen 무엇을 조사하다.

Ermittlungs≈arbeit *f.* 〖法〗 수사 활동. **~beamte*** *der* 수사관. **~richter** *m.* 수사 판사. **~verfahren** *n.* 〖法〗 수사〔조사〕 절차.

ermöglichen [ɛrmǿ:klɪçən] *t.* 가능하게 하다, (실행할 수 있도록) 궁리하다.

Ermöglichung *f.* -en 가능하게 함.

ermorden 《I》 *t.* 죽이다, 살해하다: meuchlerisch ~ 암살하다; die ermordete Ehre 유린당한 명예. 《II》 *refl.* sich ~ 자살하다.

Ermordung *f.* -en 살해, 학살.

Ermüdbarkeit *f.* 피로, 피곤 증세.

ermüden [ɛrmý:dən] 《I》 *t.* 지치게〔싫증나게〕 하다, 번거롭게 하다. 《II》 *i.* (s.) 지치다, 싫증나다; (금속이) 약해지다. 《III》 **ermüdet** *p.a.* ↑ ermüdet.

ermüdend *p.a.* 피로하게 하는, 넌더리나는, 권태로운, 지루한: eine ~e Arbeit 짜증나는 일; ~e Darlegungen 지루한 설명.

ermüdet 《I》 *p.p.* ↑ ermüden. 《II》 *p.a.* 피로한, 지친, 싫증난: von der Arbeit ~ 일에 지친; er schloß die ~en Augen 그는 지친 눈을 감았다.

Ermüdung *f.* -en 피로, 권태.

Ermüdungs≈erscheinung *f.* 피로 현상. **~zustand** *m.* 피로〔지친〕 상태.

ermuntern [ɛrmúntərn] 《I》 *t.* ① (잠에서) 깨우다. ② 원기를 북돋우다; 쾌활하게 하다: jn. zur Arbeit ~ 누구를 격려하여 일하게 하다. 《II》 *refl.* sich ~ ① 잠을 깨다. ② 원기가 나다; 열심히 하다.

Ermunterung *f.* -en 자극, 격려, 고무: jm. ein paar ~en sagen 누구에게 몇 마디 격려의 말을 해주다.

Ermunterungs·mittel *n.* 자극물, 흥분제.

ermutigen [ɛrmú:tɪgən] 《I》 *t.* (↔ entmutigen) 기운을 내게 하다, 고무하다: jn. zu einer Tat ~ 누가 어떤 행동을 하도록 격려하다. 《II》 *refl.* sich ~ 분발하다.

Ermutigung *f.* -en 격려, 고무; 고무적인 말.

Ern *m.* -, - ↑ Eren.

ernährbar *a.* 기를〔부양할〕 수 있는.

***ernähren** [ɛrnέ:rən] 《I》 *t.* 먹이다, 기르다; 양육〔사육〕하다; 부양하다: er muß die ganze Familie allein ~ 그는 온 식구를 혼자 부양해야 했다. 《II》 *refl.* sich von et.[3] ~ 무엇을 먹고 살다; sich mit et.[3] 〔durch et.〕 ~ 무엇으로 생계를 이어가다; sich von jm. ~ lassen 누구에게 양육〔부양〕되고 있다.

Ernährer *m.* -s, - 양육〔사육〕자; 부양자.

Ernährerin *f.* -nen ↑ Ernährer 의 여성형.

Ernährung *f.* -en 양육, 사육; 부양, 생계; 먹을 것, 식량; 자양, 영양, 영양 공급: mangelhafte〔schlechte〕 ~ 영양 부족; 〖醫〗 vorgeschriebene ~ 규정식, (의사가 지정한) 특별식; rektale ~ 직장(直腸) 영양법; zur ~ dienend 영양 섭취에 도움이 되는.

Ernährungs≈amt *n.* 식량 관리국. **~basis** *f.* 기본 식량. **~behandlung** *f.* ↑ ~therapie. **~beihilfe** *f.* 양육비 보조금. **~boden** *m.* 배양기(培養基). **~forschung** *f.* 영양학. **~kanal** *m.* 영양〔소화〕관. **~kunde** *f.* 영양학; 섭생법. **~lage** *f.* 영양 상태, 식량 사정. **~lehre** *f.* 영양학. **~organ** *n.* 영양 기관. **~pflicht** *f.* 부양 의무. **~physiologie** *f.* 〖醫〗 영양 생리학. **≈physiologisch** *a.* 영양 생리학의. **~stoff** *m.* 식(료)품. **~störung** *f.* 영양 장애. **~therapie** *f.* 식이 요법. **~weise** *f.* 영양 섭취법, 섭생법. **~zustand** *m.* 영양 상태.

ernennbar *a.* 지명〔임명〕할 수 있는.
ernennen* *t.* 임명〔지명〕하다, 천거〔추천〕하다: jn. zum Minister ~ 누구를 장관에 임명하다; jn. zum Erben ~ 누구를 상속인으로 정하다.
Ernenner *m.* -s, - 임명자.
Ernennung *f.* -en 지명, 임명, 서임(敍任), 천거, 추천.
Ernennungs=brief *m.* 임명장, 사령장. **~recht** *n.* 임명〔서임(敍任)〕권, 선정권. **~schreiben** *n.* 임명장. **~urkunde** *f.* ↑ ~brief.
erneuen [ɛrnɔ́ʏən] 《Ⅰ》 *t.* ↑ erneuern. 《Ⅱ》 **erneut** *p.a.* ↑ erneut.
Erneuer *m.* -s, - ↑ Erneuerer.
Erneuerer *m.* -s, - 개혁가, 수선〔수리〕하는 사람, 부흥〔복구〕시키는 사람.
Erneuerin *f.* -nen ↑ Erneuerer 의 여성형.
***erneuern** [ɛrnɔ́ʏərn] 《Ⅰ》 *t.* ① (손상된 것을) 회복〔복구·수선〕하다: ein Gemälde ~ 그림을 복원하다. ② (낡은 것을) 교체하다. ③ 쇄신하다; 갱신하다: eine Freundschaft ~ 우정을 새롭게 다지다; ein Abkommen ~ 협정을 갱신하다; den Paß ~ 여권을 갱신하다. 《Ⅱ》 *refl.* sich ~ 새로워지다; 원기를 회복하다; 새로〔다시〕 시작하다: die Haut erneuert sich schnell 피부는 금방 다시 생겨난다. 《Ⅲ》 **erneuert** *p.a.* ↑ erneut.
Erneuerung *f.* -en 개혁, 갱신; 수선, 수리; 회복, 재흥, 부흥, 복구.
erneuerungs=bedürftig *a.* 개선〔수선·갱신〕이 필요한. **~bewegung** *f.* 개혁〔쇄신〕운동. **~schein** *m.* 〖法〗 갱신 증서.
erneut [ɛrnɔ́ʏt] 《Ⅰ》 *p.p.* ↑ erneuen. 《Ⅱ》 *p.a.* 쇄신〔갱신〕된, 새롭게 된; 반복된: mit ~er Kraft 다시 힘을 내어; ein ~er Versuch 재(再)시도. 《Ⅲ》 *adv.* 다시; 거듭, 재차: ~ et. anbieten 재차 무엇을 (먹으라고) 권하다.
Erneurung *f.* -en ↑ Erneuerung.
erniedern *t.* ↑ erniedrigen.
erniedrigen [ɛrní:drɪgən] 《Ⅰ》 *t.* ① 낮추다, 내리다; (값을) 깎다, 감하다: die Miete ~ 집세〔임대료〕를 낮추다. ② 〖비유〗 깎아내리다, 무시하다, 욕보이다. ③ 〖음악〗 (가락 특히 반음을) 낮추다. 《Ⅱ》 *refl.* sich ~ ① 제 몸을 낮추다, 겸손〔겸양〕하다; (자기 품위를) 더럽히다, 굴종〔굴복〕하다. ② (가격이) 떨어지다, (압력이) 낮아지다.
erniedrigend *a.* 모욕적인, 깎아내리는: ~e Äußerungen 모욕적인 말.
Erniedrigung *f.* -en ① 낮춤, 내림; 〖商〗 감가(減價); 〖理·工〗 강하. ② 굴욕; 겸양, 겸손; 비열. ③ 〖음악〗 (음조 특히 반음) 낮춤.
Erniedrigungs·zeichen *n.* 〖음악〗 플랫, 반음 내림표(기호: ♭).
Ernolith *m./n.* -en, -en 에르놀리트(상아·뿔·셀룰로이드 따위의 대용품).
***ernst** [ɛrnst] *a.* ① 진지한, 진심의; 근엄한: eine ~e Miene 진지한 표정; ein ~er Film 진지한 주제를 다룬 영화. ② 중대한, 심상치 않은: jn.〔et.〕 ~ nehmen 누구를〔무엇을〕 진지〔중요〕하게 대하다. ③ 진정〔솔직·성실〕한: 〖구어〗 ~e Absichten haben 진심으로 결혼할 의사가 있다. ④ 심각한, 위협적인: die Verluste sind ~ 손해가 막심하다; in eine ~e Situation geraten 위급한 상황에 빠지다.

Ernst[1] *m.* 에른스트(남자 이름).
***Ernst**[2] 《ahd.》 *m.* -es ① 진지, 진심, 엄숙: allen〔alles〕 ~es 〔in allem〔vollem〕 ~〕 아주 진지하게; ist das Ihr ~? 진심으로 하는 말입니까?; das ist doch nicht Ihr ~! 설마 진담은 아니겠지요!; et. für ~ nehmen 무엇을 곧이곧대로〔심각하게〕 받아들이다; mit et.[3] ~ machen 무엇을 진지하게 생각〔취급〕하다; es wird ~ aus dem Spiel 장난이 진담이 되다. ② 심각, 중대: der ~ der Lage zwingt uns zu dieser Maßnahme 사태가 심각하여 우리는 이러한 조처를 취하지 않을 수 없다.
Ernst=fall *m.* 위급〔중대〕한 사태: im ~ 위급한 경우에, 〖軍〗 전시에. **~gemeint** *a.* 진심의, 진지한: ein ~er Vorschlag 진지한 제안.
ernsthaft [ɛ́rnsthaft] *a.* ① 진지〔착실〕한, 진심〔본심〕의; 위엄 있는: et. ~ meinen 무엇을 진지하게 생각하다. ② 심각〔위급〕한: eine ~e Krankheit 심각한 질병.
Ernsthaftigkeit *f.* 진지, 엄정.
ernst=heiter *a.* 진지하면서도 명랑한. **~komisch** *a.* 진지하면서도 익살스러운.
ernstlich [ɛ́rnstlɪç] 《Ⅰ》 *a.* 진지한, 진심의; 열성적인; 단호한; 중대한: ein ~er Befehl 엄명; das ist mein ~er Wille 그것은 내 단호한 의사다. 《Ⅱ》 *adv.* 진지〔심각〕하게: ich meine es ~ 나는 진심이다; ~ beleidigt 심한 모욕을 당한; er ist ~ krank 그는 상당히 중병을 앓고 있다.
***Ernte** [ɛ́rntə] *f.* -n ① 거두어들임, 베어들임, 추수, 수확; 수확기(期). ② 수확물, 수확고; 〖비유〗 수익, 소득: die ~ einbringen 수확하다; eine gute〔schlechte〕 ~ halten 풍작〔흉작〕이다; schreckliche ~ halten 끔찍한 결과를 초래하다; 〖속담〗 ohne Saat keine ~ 뿌리지 않으면 거두지 못한다; wie die Saat, so die ~ 뿌린 대로 거두리라, 인과응보; 〖비유〗 mir ist die ganze ~ verhagelt 내 모든 노력이 물거품이 되었다.
Ernte=arbeit *f.* 수확 작업. **~arbeiter** *m.* 수확하는 일꾼. **~ausfall** *m.* ① 수확량〔고〕. ② 수확량 감소, 감수(減收). **~brigade** *f.* 〖구동독〗 수확 작업조. **~bräuche** *pl.* 추수 때의 옛 풍습.
Erntedank=fest *n.* 추수 감사절, 풍년제. **~tag** *m.* 추수 감사일.
Ernte=einsatz *m.* 수확 작업 돕기〔지원〕: zu einem ~ aufs Land fahren 수확을 돕기 위해 시골로 차를 타고 가다. **~ergebnis** *n.* 수확량. **~göttin** *f.* 〖그리스신화〗 농업·풍요의 여신(그리스 신화의 Demeter; 로마 신화의 Ceres). **~kinder·garten** *m.* 수확기 탁아소. **~königin** *f.* 추수 감사절의 Ceres 여신상(像). **~kranz** *m.* (이삭으로 만든) 추수 감사절 화환(花環). **~krone** *f.* ↑ ~kranz. **~lied** *n.* 추수의 노래. **~mahl** *n.* 추수 감사절의 잔치. **~maschine** *f.* 곡물을 베는 기계. **~monat** *m.* 8 월(August). **~mond** *m.* ↑ ~monat.
***ernten** [ɛ́rntən] 《<Ernte》 *t.* 거두어들이다, 베어들이다, 수확〔추수〕하다; 〖비유〗 (행위의 결과로) 누리다, 얻다, 획득하다: Getreide ~ 곡식을 수확하다; Lob〔Ruhm〕 ~ 칭찬을 받다〔명성을 얻다〕; Dank〔Spott〕 ~ 감사(의 인사)를〔조롱을〕 받다; 〖속담〗 wer Wind säet, wird Sturm ~ 바람의 씨를 뿌리는 자는 폭풍

우를 맞게 된다, 소인대과(小因大果).

Ernte·schmaus *m.* ↑ ~mahl. **~versicherung** *f.* (천재지변 따위에 대비한) 수확 결손 보험. **~segen** *m.* 풍작. **~wagen** *m.* 수확〔곡물〕차. **~wetter** *n.* 수확에 적합한 날씨. **~zeit** *f.* 수확기.

Ernting [ɛ́rntɪŋ] *m.* -s, -e ↑ Erntemonat.

ernüchtern [ɛrnýçtərn] 《I》 *t.* 취기에서 깨우다; 〖비유〗 흥을 깨뜨리다, 각성시키다, 정신 차리게 하다. 《II》 *refl.* sich ~ 취기가 깨다; 〖비유〗 흥이 깨지다, 각성하다, 냉정해지다. 《III》 **ernüchtert** *p.a.* ↑ ernüchtert.

ernüchtert 《I》 *p.p.* ↑ ernüchtern. 《II》 *p.a.* 술이 깬, 흥이 깨진; 각성〔냉정〕한.

Ernüchterung *f.* -en 술에서 깸; 각성, 냉정〔진지〕해짐.

Eroberer *m.* -s - 정복〔약탈·침략〕자.

Eroberin *f.* -nen ↑ Eroberer의 여성형.

***erobern** [ɛr|ó:bərn] *t.* ① 〔고어〕 전쟁에서 이기다. ② 정복하다; 점령하다; 침략〔공략〕하다: eine Festung mit Sturm ~ 급습하여 요새를 점령하다. ③ 〔비유〕 (인심을) 얻다, 사로잡다: die Liebe 〔neue Märkte〕 ~ 사랑을 〔새 시장을〕 획득하다; die Herzen aller Zuschauer ~ 모든 관객의 마음을 사로잡다.

Eroberung *f.* -en ① 정복, 침략; (인심·애정 따위의) 획득: auf ~en ausgehen 여자〔남자·타인〕의 마음을 유혹하려 하다. ② (Beute) 정복하여 얻은 것(점령지·노획품 따위): eine ~(en) machen 누구의 환심을 사다, 마음을 사로잡다.

Eroberungs·absicht *f.* 정복〔침략〕적 의도. **~drang** *m.* 정복 충동. **~durst** *m.* ↑ ~-sucht. **~feld·zug** *m.* 정복을 위한 출정〔출병〕. **~krieg** *m.* 침략 전쟁. **~lust, ~sucht** *f.* 정복욕. **~süchtig** *a.* 정복욕이 강한; 방탕한. **~zug** *m.* 원정〔침략〕군.

erodieren [erodí:rən] *t.* ① 벌레 먹다. ② 〖지질〗 (흙을) 침식〔부식〕하다; 씻어내리다.

***eröffnen** [ɛr|œfnən] 《I》 *t.* ① 〔고어〕 열다: ein Testament ~ (합법적으로) 유언장을 개봉하다. ② 개시〔시작〕하다, 열다; 개업〔개통〕하다; (의회를) 개회하다; (회의·무도회 따위를) 열다: 〖軍〗 das Feuer ~ 포문을 열다; 〖商〗 ein Konto ~ 거래를 개시하다〔트다〕. ③ (마음을) 털어놓다, 알리다: sie hat mir eröffnet, daß sie ein Kind erwartet 그녀는 임신중이라는 사실을 내게 털어놓았다. 《II》 *refl.* sich ~ ① 열리다; 나타나다, 보이기 시작하다: Aussichten ~ sich 전도가 유망하다. ② 〔비유〕 마음속을 털어놓다.

eröffnend *p.a.* 개시〔발단〕의: 〖醫〗 ~es Mittel 완하제(緩下劑).

Eröffnung *f.* -en ① 엶, 펼침; (유언장의) 개봉. ② 개시; 개업, 개점, 개장, 개통, 개회: feierliche ~ 개장〔개점·개업·개통〕식. ③ 고백, 토로; 통지, 고지: ~en machen 속마음을 털어놓다.

Eröffnungs·beschluß *m.* 〖法〗 개시 결정. **~bilanz** *f.* 〖商〗 개시 대차 대조표. **~feier** *f.* 개막 축하 행사. **~feierlichkeit** *f.* 개막〔개업〕식. **~gedicht** *n.* 서시(序詩). **~mittel** *n.* 〖醫〗 완하제. **~rede** *f.* 개회사; 개막식〔개업식〕 연설; 〖연극〗 서사(序詞). **~spiel** *n.* 〖스포츠〗 개막 경기. **~stück** *n.* 〖음악〗 서곡. **~zug** *m.* (장기나 바둑에서) 첫 수.

erogen 《gr.》 *a.* 〖心〗 성감(性感)을 자극하는: ~e Zone 성감대.

eroico [erɔ́:iko] 《it.》 *adv.* 〖음악〗 당당〔웅장〕하게.

Eroika [eró:ika] 《it.》 *f.* 베토벤의 제 3 〔영웅〕 교향악.

***erörtern** [ɛr|œrtərn] 《<Örter》 *t.* (세밀하게) 논(의)하다, 상론하다: eine Frage 〔einen Fall〕 ~ 어떤 문제를〔사건을〕 논하다; 〖法〗 vor Gericht ~ 변론하다.

erörterns·wert *a.* 논의할 가치가 있는.

Erörterung *f.* -en 논구, 논의, 상론: sich in ~en über et. mit jm. einlassen 누구와 함께 무엇에 관하여 토론하다; zur ~ kommen 토론을 시작하다.

Erörterungs·punkt *m.* 논점.

***Eros** [é:rɔs, ɛ́rɔs] 《gr.》 *m.* -, Eroten ① 사랑, 연애; 성애(性愛); 〖신화〗 에로스(사랑의 남신(男神); 로마 신화의 Amor, Kupido). ② 〖哲〗 에로스(진·선·미의 세계를 동경하는 순수애). ③ 〖天〗 에로스(1898 년에 발견된 지구와 화성 사이의 소행성). ④ 에로스(사랑의 신 에로스를 둘러싼 어린이의 상; 소(小)큐피드).

Eros-Center [..sɛntər] *n.* 섹스 센터, 유곽.

Erosion [erozió:n] 《<erodieren》 *f.* -en ① 〖지질〗 침식, 부식. ② 〖醫〗 **(a)** (피부·점막의) 짓무름. **(b)** (치아의) 법랑질 부식. ③ 〖기술〗 (가스·증기에 의한 건축 재료의) 부식.

Erotema [eroté:ma] 《gr.》 *n.* -s, -ta 문제, 의문(문).

Erotematik *f.* 질문〔문답〕법; 질의 응답식 수업.

erotematisch *a.* 문의체〔문답체〕의.

Eroten [eró:tən] *pl.* ↑ Eros ④의 복수형.

Erotesse *f.* -n 〔경박〕 창녀.

Erotik [eró:tɪk] 《<Eros》 *f.* 연애술〔기교〕; 성애(性愛); 연애 (생활); 연애시〔문학〕.

Erotika *pl.* ↑ Erotikon의 복수형.

Erotiker *m.* -s, - ① 연애 시인. ② 관능주의자.

Erotikon *n.* -s, ..ka ① 에로스 문학. ② 최음제, 흥분제.

erotisch *a.* 연애의; 성애(性愛)의; 색정의; 호색의; 육감적인, 요염한.

erotisieren *t.* ① 관능을 자극하다. ② (누구를) 선정적으로 만들다: eine ~de Atmosphäre 선정적인 분위기.

Erotisierung *f.* -en 관능적〔선정적〕 자극.

Erotismus *m.* -, ..men 에로티시즘.

Erotizismus *m.* -, ..men ↑ Erotismus.

Erotologie *f.* ① 성애(性愛) 연구〔학〕. ② 연애술〔론〕.

Erotomane *m.* -n, -n 〖心〗 색광.

Erotomanie [erotomaní:] *f.* 색(정)광, 성욕항진(亢進).

ERP 《engl.》 =European Recovery Program 유럽 부흥 계획(마셜 플랜).

Erpel [ɛ́rpəl] 《ndd.》 *m.* -s, - 〖動〗 수오리.

erpicht [ɛrpíçt] 《<Pech》 *a.* aufs Geld ~ 배금(拜金)의; auf et. ~ sein 무엇에 집착하다, 무엇을 탐하다.

Erpichtheit *f.* 집착, 탐욕, 열광.

erpreßbar *a.* 공갈〔협박〕할 수 있는.

Erpreßbarkeit *f.* 공갈〔협박〕할 수 있음.

erpressen *t.* 짜내다; 협박〔갈취〕하다: 〔비유〕 jm. 〔von jm.〕 et. ~ 누구에게서 무엇을 우려

내다, 강탈〔강요〕하다; ein erpreßtes Geständnis 강요된 자백.
Erpresser *m.* -s, - 강탈〔강요〕자, 공갈 협박자; 〖法〗 갈취범, 공갈범.
Erpresser·brief *m.* 협박장, 협박 편지.
Erpresserin *f.* -nen ↑ Erpresser 의 여성형.
erpresserisch *a.* 강탈〔강요·공갈〕하는.
Erpressung *f.* -en 강탈, 강요, 공갈 협박; 〖法〗 공갈, 갈취.
Erpressungs·versuch *m.* 〖法〗 공갈 미수.
erproben 《I》 *t.* (효용을) 시험해보다, 시험〔검증〕하다: js. Zuverlässigkeit ~ 누구의 신뢰성을 시험해보다. 《II》 **erprobt** *p.a.* ↑ erprobt.
erprobt [..pt] 《I》 *p.p.* ↑ erproben. 《II》 *p.a.* 시험을 거친, 믿을 만한, 검증된: ein ~es Medikament 시험을 거친 의약품; ein ~er Freund〔Kenner〕 믿을 만한 친구〔전문가〕.
erprobter·weise *adv.* 검증된 바와 같이.
Erprobung *f.* -en 시험, 검증, 확인.
erprobungs·halber *adv.* 시험할 목적으로.
***erquicken** [ɛrkvíkən] *t.* …의 원기를 북돋우다, 생기를 불어넣다, 기분을 상쾌하게 하다, 위안하다: sich an et.³ ~ 무엇에서 기운을〔생기를〕 얻다; sich von der Hitze des Tages durch ein kühles Bad ~ 시원한 목욕으로 낮의 열기를 식히다.
erquickend *p.a.* 원기〔생기〕를 돋우는; 상쾌한; 청량한, 기분이 좋은.
erquicklich *a.* ↑ erquickend.
Erquickung *f.* -en 위안(물); 청량제.
Erquickungs·mittel *n.* 청량제; 강장제.
erraffen *t.* 잡아채다, 낚아채다, 빼앗다.
errare humanum est [ɛrá:rə humá:num ɛ́st] 《lat.》〖교양〗 실수는 누구에게나 있다 (Irren ist menschlich).
Errata [ɛrá:ta] *pl.* ↑ Erratum.
erratbar *a.* 추측할 수 있는, 미루어 알 수 있는.
erraten [ɛrrá:tən] *t.* (알아)맞히다, 추측〔짐작〕하다: ein Rätsel ~ 수수께끼를 풀다; js. Gedanken〔Absicht〕 ~ 누구의 속마음을〔의도를〕 알아맞히다; 〖과거 분사로〗 ~ ! 맞았다 !
Erratung *f.* -en 추측, 알아맞힘.
erratisch [ɛrá:tɪʃ] *a.* 부정시(不定時)의, (운동이) 불규칙한; 〖지질〗 표이성(漂移性)의: 〖지질〗 ~er Block 표석(漂石).
Erratum [..tum] *n.* -s, ..ta 오류(Irrtum); 오식(誤植) (Druckfehler).
errechenbar *a.* 산출〔계산〕할 수 있는.
errechnen [ɛrrɛ́çnən] 《I》 *t.* 산출하다, 계산해내다. 《II》 *refl.* sich³ et. ~ 기대〔예측〕하다: er errechnete sich eine gute Chance bei den Wettkämpfen 그는 시합에서 좋은 기회가 올 거라고 기대했다.
erregbar [ɛrré:kba:r] *a.* (reizbar) 흥분〔격앙〕하기 쉬운; 민감한, 신경 과민의.
Erregbarkeit *f.* 흥분, 격앙, 과민.
***erregen** [ɛrré:gən] 《I》 *t.* ① (jn.) 자극하다; 흥분〔격앙〕시키다. ② 자극하여 (전류 등을) 생기게 하다; (현기증·불쾌·노여움을) 일으키다, 유발하다: ich wollte keinen Verdacht ~ 나는 어떠한 의심도 사고 싶지 않다; Aufsehen ~ 주목〔이목〕을 끌다; js. Sinnlichkeit ~ 누구의 관능을 자극하다; Staunen ~ 놀라게 하다; ~de Mittel 흥분제; Schrecken ~d 무서운. 《II》 *refl.* sich ~ 흥분〔분격〕하다: er hat sich stark (darüber) erregt 그는 (그 일로) 몹시 흥분했다. 《III》 **erregt** *p.a.* ↑ erregt.
Erreger *m.* -s, - ① 자극자〔물〕; 고무자(鼓舞者), 선동자. ② 〖醫〗 (Krankheits~) 병원체, 자극 원인. ③ 〖전기〗 여자기(勵磁機).
erregt 《I》 *p.p.* ↑ erregen. 《II》 *p.a.* 흥분한, 격앙된, 격렬한: eine ~e Debatte 격렬한 토론; 〖비유〗 das Meer ist ~ 바다가 몹시 출렁인다.
Erregtheit *f.* 흥분 (상태).
Erregung *f.* -en ① 자극; 야기, 유발. ② 흥분, 격앙. ③ 〖전기〗 여자(勵磁).
Erregungs·zustand *m.* 흥분 상태.
erreichbar *a.* 도달할〔이룰〕 수 있는: jedem ~ 누구나 얻을〔해낼〕 수 있는; mit der Hand 〔für die Stimme〕 ~ 손이〔소리가〕 닿는; ich bin immer ~ 저는 언제든지 연락이 됩니다.
Erreichbarkeit *f.* 도달 가능성: ein Vorteil dieses Ortes ist seine leichte ~ 이 장소의 장점은 쉽게 도달할 수 있다는 것이다.
***erreichen** [ɛrráiçən] *t.* ① 무엇에 닿다, 다다르다: et. mit der Hand ~ 무엇에 손이 닿다; ein hohes Alter ~ 고령에 달하다. ② (뒤)따라잡다; 필적〔비견〕하다: den Zug ~ 기차를 놓치지 않다. ③ 달성하다, 얻다, 획득하다; (어떤 속도·높이에) 달하다: eine Absicht 〔einen Zweck〕 ~ 의도를〔목적을〕 이루다; es ist erreicht ! 됐다, 성공했다 ! ④ …에게 연락하다, 통하다: wie kann man Sie ~ ? 어떻게 당신에게 연락할 수 있나요 ? ; ich bin telefonisch zu ~ 전화로 내게 연락할 수 있습니다.
Erreichung *f.* -en 도달; 달성, 성취; 획득.
erreiten* *t.* 말을 타고 (무엇을) 이루다.
errettbar *a.* 구출할 수 있는.
erretten *t.* 구출〔구조〕하다; 〖宗〗 구제하다: jn. vom Tode 〔aus der Not〕 ~ 누구를 죽음〔곤궁〕에서 구해내다.
Erretter *m.* -s, - 구조자; 〖宗〗 구세주.
Errettung *f.* -en 구조, 구제; 〖宗〗 구세.
***errichten** *t.* ① 세우다, 설치하다: 〖數〗 auf einer Geraden eine Senkrechte ~ 직선 위에 수직선을 긋다. ② (건물·기념비·탑을) 건축하다, 짓다. ③ 창설〔조직·창립〕하다. ④ 〖法〗 (유언장을) 작성하다.
Errichtung *f.* -en ① 건립, 건축. ② 설립, 창립. ③ (유언장의) 작성.
erringen* *t.* 노력하여〔싸워〕 얻다, 성취〔획득〕하다: sich³ einen Beifall〔Erfolg〕 ~ 갈채를 받다〔성공을 거두다〕; den Preis〔Sieg〕 ~ 상을〔승리를〕 획득〔쟁취〕하다.
Erringung *f.* -en ① 획득, 성취, 쟁취. ② 획득〔쟁취〕한 물품.
erröten [ɛrrǿ:tən] *i.* (s.) (기쁨·부끄러움·당황함 등으로) 얼굴이 빨개지다, 낯을 붉히다: sie errötete über diese Bemerkung 그 여자는 이 말에 얼굴을 붉혔다.
Errötung *f.* -en 얼굴을 붉힘, 홍조(紅潮).
errufbar *a.* 소리쳐 부를 수 있는 거리에 있는.
errufen* *t.* 〖방언〗 소리쳐〔큰 소리로〕 부르다.
Errungenschaft [ɛrrúŋənʃaft] 《<erringen》 *f.* -en ① 획득〔취득〕물, 소득; 노력의 대가, 업적; (진보·발달의) 성과, 결과: die ~en der Forschung 연구의 성과. ② 〖法〗 (부

부의) 공유 재산.

Errungenschafts·gemeinschaft *f.* 〖法〗 재산의 부부 공동 소유제.

ersättigen 《<satt》《I》*t.* 배부르게 하다, 만족시키다. 《Ⅱ》*refl.* sich (an et.³) ~ (무엇을) 실컷〔물리도록〕 즐기다〔먹다〕; sich (an et.³) nicht ~ können (무엇에) 싫증나지 않다.

ersättlich *a.* 물리게 할〔만족시킬〕 수 있는.

***Ersatz** [ɛrzáts] 《<ersetzen》*m.* -es, ..sätze ① 대신, 대리, 대체(물), 대용품: als〔zum〕 ~ für et. 무엇의 대신으로; ~ stellen für jn.〔et.〕 누구〔무엇〕의 대리〔대체〕로 삼다. ② 배상, 변상, 보상: ~ des Schadens 손해 배상; ~ beantragen 배상 청구를 하다.

Ersatz=anspruch *m.* 〖法〗 배상 청구권. **~bataillon** *n.* 〖軍〗 보충 대대. **~befriedigung** *f.* 〖心〗 대리 만족. **~behörde** *f.* 징병 관청. **~dehnung** *f.* 〖문법〗 모음 연장(자음 탈락으로 모음이 길어지는 현상). **~dienst** *m.* (Zivildienst) 병역 대체 근무, 공익 근무. **~dienst·pflichtig** *a.* 〖軍〗 공익 근무의 의무가 있는. **~droge** *f.* 대용 마약. **~frau** *f.* 대리〔임시〕 여자 친구. **~geschwächt** *a.* 〖스포츠〗 후보 선수 기용으로 전력이 약화된. **~erbe** *m.* 대리 상속인. **~handlung** *f.* 〖心〗 대리〔보상〕 행동. **~kasse** *f.* 질병 보험 금고. **~kommission** *f.* 〖軍〗 징병 심사 위원회. **~leistung** *f.* 배상, 보상. **~lösung** *f.* 차선의 해결책. **~mann** *m.* ① 대리인, 보결〔보충〕원. ②〔청소년〕 대리〔임시〕 남자 친구. **~mannschaft** *f.* 〖軍〗 보충병. **~mittel** *n.* 대용물; 대용약. **~mutter** *f.* 대리모(母), 엄마 역할을 해주는 여성. **~pflicht** *f.* 배상 의무. **~pflichtig** *a.* 배상 의무가 있는. **~rad** *n.* 예비 바퀴. **~reifen** *m.* 예비 타이어. **~reserve** *f.* 〖軍〗 보충병. **~schau·spieler** *m.* 대역 배우. **~spieler** *m.* 〖스포츠〗 후보 선수; 〖연극〗 대역 배우. **~stück** *n.* 보충〔예비〕 물품, 대체물. **~teil** *n.* (보충) 부품. **~teil·lager** *n.* 부품 창고. **~truppen** *pl.* 〖軍〗 보충 부대. **~wahl** *f.* 보궐 선거. **~ware** *f.* 대용품, 대체 상품. **~wesen** *n.* 〖軍〗 징병 제도.

ersaufen* [ɛrzáufən] *i.* (s.) ① 익사하다. ② (밭·목초지 등이) 물 속에 잠기다, 침수되다: 〔비유〕 in et.³ ersoffen sein 무엇에 푹 빠져 있다, 탐닉하다; der Motor ersäuft 모터가 (연료 과잉으로) 시동이 걸리지 않는다.

ersäufen [..zɔ́ʏfən] 《I》*t.* 물에 빠지게 하다, 익사시키다: 〔비유〕 die Sorgen im Alkohol ~ 술로 근심을 잊어버리다. 《Ⅱ》*refl.* sich ~ 물에 투신 자살하다.

Ersäufung *f.* -en 익사; 물에 빠짐.

erschachern *t.* 〔구식〕 에누리해서 사다.

erschaffen⁽*⁾ *t.* ①〔강변화〕 만들어내다; (특히 신이) 창조하다; 창작하다; 생산하다. ②〔약변화〕〔방언〕 sich³ et. ~ 무엇을 조달〔마련〕하다.

Erschaffer *m.* -s, - 창조자, 창작자, 조물주; 생산자.

Erschaffung *f.* 창조, 창작; 생산.

erschallen⁽*⁾ *i.* (s.) ① 울리다, 울려 퍼지다. ② (명성 등이) 알려지다, 널리 퍼지다: es erscholl ein Gerücht 소문이 퍼졌다.

erschaudern *i.* (s.) 벌벌 떨다, 공포에 사로잡히다.

erschauen *t.* 보다, 알아차리다, 인지〔간파〕하다: Wahrheiten ~ 진리를 알게 되다.

erscheinen [ɛrʃáɪnən] *i.* (s.) ① 나타나다, 보이다, 출현하다: in seiner wahren Gestalt ~ 정체를 드러내다; die Sache erscheint in anderem Licht 사태가 다른 모습으로 나타난다. ② 모습을 드러내다, 출두〔출석〕하다: um pünktliches Erscheinen wird gebeten 제시간에 와 주시기 바람(초대할 때의 말); vor Gericht ~ 출정(出廷)하다. ③ 공포되다, 출판〔발행〕되다: soeben erschienen 최신간의. ④ …으로 보이다, 생각되다: seine Darstellungen ~ mir unvollständig 그의 묘사는 완전치 않은 것으로 보인다; er erscheint (mir) tapfer 그는 용감해 보인다.

Erscheinen *n.* -s ① 출현; 출석, 출두; 〖연극〗 등장. ② (서적) 출판, 발간, 발행.

***Erscheinung** [ɛrʃáɪnʊŋ] *f.* -en ① 현상; 출현; (서적의) 출간: zur ~ bringen 나타내다, 보이다; zur ~ kommen〔in die ~ treten〕 나타나다, 출현〔발현〕하다. ② 외관; 모양(새), 태도: eine stattliche ~ 당당한 풍채(를 가진 사람); sie ist eine liebliche ~ 그 여자는 사랑스러운 여자다. ③ 환상, 환영; 유령: ~en haben (반복적 현상으로) 자주 환상을 보다, 환상에 시달리다. ④〖宗〗 (신의) 현현(顯現): 〖가톨릭〗 das Fest der ~ (Christi) (예수의) 공현(公顯) 대축일.

Erscheinungs=befehl *m.* 출두 명령. **~bild** *n.* (특징적) 외견, 외관; 〖生〗 (Phänotypus) 표현형. **~fest** *n.* 〖宗〗 (예수의) 공현(公顯) 축제. **~form** *f.* 외형, 외관, 형태. **~jahr** *n.* (서적의) 발행〔간행〕 연도. **~lehre** *f.* 현상학. **~ort** *m.* 출판 장소. **~süchtig** *a.* 환각을 일으키는. **~tag** *m.* 〖宗〗 공현 축일; (출판물·유가 증권 등의) 발행일. **~vermerk** *m.* (출판물의) 간기(刊記). **~weise** *f.* ① 현상 양태. ② (출판물의) 간행 방식(주간·월간 등). **~welt** *f.* 현상계.

erschießen* *t.* ① 쏘아 죽이다, 총살하다: sich ~ (권)총으로 자살하다. ② (**a**) sich³ einen Preis ~ 사격에서 상을 타다. (**b**) (거리 등을) 사격하여 확인하다〔알다〕. ③〔구어〕 erschossen sein a) 기진맥진하다, 지치다, b) 극도로 놀라다, 질리다.

Erschießen *n.* -s 사살, 총살: 〔구어〕 zum ~ schön 말할 수 없이 예쁜.

Erschießung *f.* -en ↑ Erschießen.

erschlaffen [ɛrʃláfən] 《I》*i.* (s.) 느슨해지다, 늘어지다, 풀이 죽다〔꺾이다〕. 《Ⅱ》*t.* ① 잠들게〔졸리게〕 하다. ② 무기력〔유약〕하게 하다, 지치게 하다. 《Ⅲ》**erschlafft** *p.a.* ↑ erschlafft.

erschlafft 《I》*p.p.* ↑ erschlaffen. 《Ⅱ》*p.a.* 늘어진, 느슨해진; 이완된; 쇠약한; 무기력한.

Erschlaffung *f.* -en 이완; 쇠약; 무기력, 유약; 〖醫〗 허약.

erschlagen*[1] 《I》*t.* ① 때려죽이다; 격파하다: ein Tier ~ 동물을 때려죽이다; vom Blitz ~ werden 벼락을 맞아 죽다; jn. mit et.³ ~ 누구를 무엇으로 제압하다; er wurde mit Gegenargumenten förmlich ~ 그는 반론을 받아 완전히 제압당했다. ② 때려부수다, 두들겨 망가뜨리다: der Hagel erschlug das Getreide 우박을 맞아 곡식이 절단났다. 《Ⅱ》 **erschlagen** *p.a.* ↑ erschlagen².

erschlagen[2] 《Ⅰ》*p.p.* ↑ erschlagen[1]. 《Ⅱ》*p.a.* ① 맞아 죽은, 박살난, 격파된. ② (육체적·정신적으로) 망가진, 탈진한. ③ 멍한; 난처한, 기가 막힌.
erschleichen* 《Ⅰ》*t.* (sich³) et. ~ 무엇을 슬쩍 손에 넣다, 사취〔절취〕하다; 횡령〔착복〕하다: sich³ js. Gunst ~ 알랑거려 누구의 환심을 사다. 《Ⅱ》**erschlichen** *p.a.* ↑ erschlichen.
Erschleichung *f.* -en 사취, 절취, 횡령; 〖哲〗 궤변.
erschlichen 《Ⅰ》*p.p.* ↑ erschleichen. 《Ⅱ》*p.a.* 슬쩍 손에 넣은, 사취〔횡령〕한.
erschlichener·weise *adv.* 슬쩍, 몰래, 부정한 수단으로.
erschließbar *a.* 추론될 수 있는.
erschließen 《Ⅰ》*t.* ① (**a**) (열쇠로) 열다. (**b**) 〔비유〕 열다; (비밀·의미 등을) 밝히다, 규명하다; (마음 속을) 털어놓다; (토지·판로 등을) 개척하다; (천연 자원을) 개발하다: jm. sein Herz ~ 누구에게 속마음을 털어놓다; neue Absatzmärkte ~ 새로운 판로를 개척하다; das Gebiet ist touristisch noch nicht erschlossen 그 지역은 아직 관광지로 개발되지 않았다; eine Gegend dem Eisenbahnverkehr ~ 어떤 지방에 철로를 내다. ② 추론〔추리〕하다, 연역하다. 《Ⅱ》*refl.* sich ~ ① 열리다; (꽃이) 피다; 속마음을 털어놓다. ② 추론〔연역〕되다.
Erschließung *f.* -en 열기, 개척하기, 추론.
erschmeicheln *t.* sich³ et. ~ 감언이설로〔아부하여〕 무엇을 얻다.
erschnappen *t.* 덥석 물다; 잡아채다, 붙잡다: Neuigkeiten ~ 소식을 듣다.
erschöpfbar *a.* ① 다 퍼낼 수 있는. ② (쉽게) 지치는.
Erschöpfbarkeit *f.* ↑ erschöpfbar 의 명사형.
erschöpfen 《Ⅰ》*t.* ① 다 길어내다〔비우다〕, 다 퍼내다. ② 지치게 하다, 기진맥진하게 하다. ③ 고갈시키다, 다 쓰다, 소모〔소진〕하다; (재산을) 탕진하다; (토지·논밭을) 메마르게 하다: einen Kredit ~ 신용 한도 내에서 다 끌어 쓰다; js. Geduld ~ 누구를 더 이상 참을 수 없게 하다. ④ (연구 주제 등을) 남김없이 파헤치다〔다루다〕. 《Ⅱ》*refl.* sich ~ 고갈되다, 다 해지다; 지칠 대로 지치다, 피폐하다, 메마르다: sich in Entschuldigungen ~ 온갖 말로 변명을 늘어놓다. 《Ⅲ》**erschöpft** *p.a.* ↑ erschöpft.
erschöpfend *p.a.* 빠짐없는, 다하여 남음이 없는: ein Thema ~ behandeln 어떤 주제를 남김없이 다 논의하다.
erschöpflich *a.* ↑ erschöpfbar.
erschöpft 《Ⅰ》*p.p.* ↑ erschöpfen. 《Ⅱ》*p.a.* 다 소모된, 고갈된; 지칠 대로 지친, 기진맥진한; 메마른.
Erschöpfung *f.* -en 다 퍼냄, 비움; 고갈; 피폐; 〖醫〗 쇠약; 다 씀, 소모; 빠짐〔남김〕없음.
Erschöpfungs·tod *m.* 탈진하여 죽음. **~·zustand** *m.* 고갈〔탈진〕 상태.
erschrecken⁽*⁾ 《Ⅰ》〔강변화〕 *i.* (s.) / *refl.* über et. (sich) ~ 무엇에 깜짝 놀라다〔경악하다〕; vor jm. (sich) ~ 누구를 무서워하다〔두려워하다〕. 《Ⅱ》〔약변화〕 *t.* ① (깜짝) 놀라게 하다, 경악시키다, 위협하다, 두려워하게 하다: er ist leicht zu ~ 그는 잘 놀랜다. ② (삶은 달걀 등을) 찬물에 담가서 식히다. 《Ⅲ》**erschrocken** *p.a.* ↑ erschrocken.
Erschrecken *n.* -s 경악, 공포.
erschreckend *p.a.* ↑ erschrecklich.
erschrecklich 《Ⅰ》*a.* ① 놀라운, 무서운. ② 〔구어〕 굉장한, 지독한, 터무니없는. 《Ⅱ》*adv.* 무섭게, 대단히.
erschrocken [..ʃrɔ́kən] 《Ⅰ》*p.p.* ↑ erschrecken. 《Ⅱ》*p.a.* (깜짝) 놀란, 겁낸.
Erschrockenheit *f.* 경악, 깜짝 놀람; 공포; 겁많음.
erschreiben* *t.* sich³ et. ~ 글을 써서 무엇을 얻다.
erschroten *t.* ↑ erschürfen.
erschürfen *t.* 〖광산〗 (광맥·수맥을) 갱도를 파서 발견하다.
erschüttern 《Ⅰ》*t.* ① 뒤흔들다, 진동시키다: das Erdbeben erschütterte den Boden 지진이 지축을 뒤흔들었다; jm. das Zwerchfell ~ 포복절도케 하다. ② 깊이 감동시키다, 충격을〔쇼크를〕 주다; 동요시키다; (희망·확신 등을) 흔들리게 하다; (건강·명예 등을) 해치다; (평화·안정 등을) 교란하다: unser Vertrauen zu dir kann nicht erschüttert werden 너에 대한 우리의 신뢰는 확고하다. 《Ⅱ》*i.* (s.) / (드물게) *refl.* (sich) ~ 흔들리다, 진동하다.
erschütternd *p.a.* 뒤흔드는; 〔비유〕 깊이 감동을 주는, 충격적인: ein ~es Erlebnis 충격적인 체험.
Erschütterung *f.* -en ① 진동, 충격. ② (정신적) 충격, 쇼크: vor ~ brachte er kein Wort heraus 그는 충격 때문에 아무 말도 못했다. ③ (건강·명예의) 손상; 〖醫〗 쇼크.
erschweren [ɛrʃvé:rən] *t.* ① 무겁게 하다. ② 〔비유〕 (**a**) (사태를) 힘들게 만들다, 악화시키다, (부담을) 가중시키다: jm. die Arbeit ~ 누구의 일을 힘들게 하다; sie erschwert sich³ das Leben 그 여자는 사서 고생한다. (**b**) (과실·죄 따위를) 한층 더 무겁게 하다: ~de Umstände 형(刑)을 가중시키는 정상(情狀).
Erschwernis *f.* -se 곤란, 방해, 장해.
Erschwernis·zulage *f.* 특별 근무 수당.
Erschwerung *f.* -en 무겁게 하기, 가중.
erschwindeln *t.* 속여서 가로채다, 사취하다: (sich³) et. von jm. ~ 누구에게서 무엇을 사취하다.
erschwingbar *a.* ↑ erschwinglich.
erschwingen* [ɛrʃvíŋən] *t.* ① (곡식 등을) 까부르다, 키질하다. ② (**a**) die Flügel ~ (새가) 날개치며 날아오르다. (**b**) *refl.* sich ~ 날아오르다, 비약하다. ③ 날아서 …에 다다르다; (노력으로) 획득하다; (돈·비용 등을) 애써서 조달하다; 지급하다: das ist nicht zu ~ 그 돈은 구할 수 없다.
erschwinglich *a.* 조달〔지급〕할 수 있는.
Erschwinglichkeit *f.* 조달〔지급〕이 가능함.
ersehen* 《Ⅰ》*t.* ① 알아채다, 미루어 알다: ich ersehe aus deinem Brief, daß... 네 편지에서 …을 짐작한다. ② 주시하다, 지켜보다, (기회를) 엿보다. ③ 〔방언〕 jn. 〔et.〕 nicht ~ können 누구를〔무엇을〕 견디어낼 수 없다, 싫어하다. ④ 〔고어〕 선발하다, 뽑다: jn. 〔et.³〕 (zu et.³) ~ 누구를〔무엇을〕 (무엇으로) 뽑다; er war dazu ~, diese Aufgabe zu vollenden 그는 이 과업을 완수할 사람으로 선발되었다. ⑤

ich kann mir daran nichts ~ 나는 그것에서 어떠한 장점도 인식할 수 없다. ⑥ sich³ an et.³ seinen Ekel ~ 무엇을 보면 구역질이 난다〔속이 메스꺼워진다〕.

ersehnen *t.* 열망하다, 그리워하다: et. heiß ~ 무엇을 열렬히 고대하다; das ersehnte Ziel 열망하는 목표.

ersessen 《I》 *p.p.* ↑ ersitzen. 《II》 *p.a.* ①〖法〗시효 만기가 되어 취득한. ②〔드물게〕 auf et. ~ 무엇을 열망하는, 무엇에 홀려 있는.

ersetzbar *a.* ↑ ersetzlich.

***ersetzen** *t.* ① **(a)** 대체하다, 대용〔대리〕하다, 보충하다: jn.〔et.〕 durch jn.〔et.〕 ~ 누구를〔무엇을〕 누구로〔무엇으로〕 대체하다; er ersetzte ihr den Vater 그는 그 여자의 아버지 역할을 했다; er ersetzt den Verstorbenen nicht 그는 고인(故人)을 대신하지 못한다(능력·자격에서). **(b)**〖컴〗바꾸다: suchen und ~ 찾아 바꾸다. ② 갚아 주다, 보상하다; (원기를) 회복하다; (입체금 따위를) 돌려주다: Schaden〔Verlust〕 ~ 손해를 배상하다; et. ersetzt erhalten 무엇의 손해 배상을 받다.

ersetzlich *a.* 바꿀 수 있는; 대용〔대리〕할 수 있는, 보충할 수 있는; 보상〔배상〕할 수 있는.

Ersetzung *f.* -en ① 대용, 대리, 보충. ② 배상, 보상; 회복; 반제, 반환.

erseufzen 《I》 *i.* (h.) 긴 한숨을 쉬다, 길게 탄식하다. 《II》 *t.* 그리워하다, 갈망하다.

ersichtlich 《<ersehen》 *a.* 볼 수 있는, 보고 알(아챌) 수 있는; 명백〔분명〕한: daraus ist ~, daß... 이것에 의하여 …임을 알 수 있다.

ersiegen *t.* 이겨서 얻다, 쟁취하다.

ersingen* *t.* (sich³ et.) 노래하여〔시를 지어〕(무엇을) 얻다〔(돈을) 벌다〕.

ersinken* 《I》 *i.* (s.)〔시어〕(배 등이) 가라앉다; (의기가) 소침하다. 《II》 *t.*〖광산〗(광맥 등을) 파 내려가 발견하다.

ersinnen* *t.* 생각해 내다, 고안하다; 상상〔생각〕하다; (계획 등을) 궁리하다; (이야기·거짓말 등을) 날조하다, 지어내다.

ersinnlich *a.* 고안할 수 있는, 생각해 낼 수 있는, 있을 수 있는.

ersitzen* 《I》 *t.* ①〔폄어〕 가만히 앉아서 (무엇을) 얻다: sich³ die Beförderung ~ 때가 되어 승진하다. ②〖法〗시효로 취득하다. 《II》

ersessen *p.a.* ↑ ersessen.

Ersitzung *f.* -en〖法〗취득 시효.

ersorgen *t.* ①〔고어〕 구하다, 조달하다. ② (schweiz.) 걱정하면서 기다리다.

erspähen *t.* ① 염탐하다; (야수를) 겨누다; (적을) 정찰하다; (기회를) 엿보다. ② 주의깊게 보아 알아채다.

***ersparen** 《I》 *t.* ① 절약하여 모으다, 저축하다; 아끼다, 절약하다, 삼가다:〔비유〕 jn. durch einen anderen ~ 누구의 자리에 다른 사람을 채용하다; Sie können sich³ alles Weitere ~ 이 이상 아무것도 하지 않는 것이 좋습니다(아무리 해도 소용없습니다). ② jm. et. ~ 누구에게 무엇을 면하게 하다; sich³ et. ~ 무엇을 면하다; erspare mir deine Klage! 우는 소리 좀 작작 하여라!; es bleibt mir nichts erspart 나는 어떤 것에서도 벗어날 수가 없다(이런 일까지도 감수하지 않으면 안 되는가). 《II》 *refl.* sich³ et. ~ 무엇을 피하다, 삼가다, 그만두다: ~ Sie sich die Mühe! 그런 수고는 하지 마십시오!

Ersparnis *f.* -se〔(öst.) *n.* -ses, -se〕 ① 절약, 절감: ~ an Kosten 비용 절감. ② (öst.) 저금, 저축(액).

Ersparung *f.* -en ① 절약, 검약, 저축; 면제. ② 저축 금액.

erspielen *t.* (sich³ et.) (카드 등의) 노름으로 얻다〔벌다〕, (노래나 연주 따위로) 얻다.

ersprießen* *i.* (s.) ① 싹트다:〖비유〗 aus et.³ ~ 무엇에서 발생하다, 일어나다. ② 잘 자라다; 유리〔유익〕하다.

ersprießlich [..ʃpríːslɪç] *a.* 유익〔유용〕한, 유리한, 효능 있는.

Ersprießlichkeit *f.* ↑ ersprießlich의 명사형.

erspringen* *t.* 뛰어 …에 다다르다, 뛰기 경기에서 …을 얻다〔획득하다〕.

***erst** [eːrst] 《I》 *a.* ① 맨 처음의, 최초의, 첫번째의: das ~e Veilchen 최초로 핀 오랑캐꽃; ~e Hilfe 응급 치료〔처치〕; ~er Stock 2층; der ~e Weltkrieg 제1차 세계 대전; der ~e (Tag) des Monats 그 달의 초하룻날; der ~e Mai 5월 1일; der Erste Mai 노동절(5월 1일); die ~en Menschen (구약의) 아담과 이브; bei ~er Gelegenheit 기회 있는 대로 곧, 조속히; beim ~en Mal〔erstenmal〕 처음에는; zum ~en Mal〔erstenmal〕 처음으로; das ist das ~e, was ich höre 그것은 금시 초문이다; aus der ~en Hand kaufen (중간상을 거치지 않고) 직접 사다; der〔die, das〕 ~e beste (최초의 것이 가장 좋다는 뜻에서) 닥치는 대로의, 임의의; bei der ~en besten Gelegenheit 우선적으로〔먼저〕 주어지는 기회에; der〔die, das〕 ~ere 전자(↔der〔die, das〕 letztere 후자). ②〖서열·위계 등에서〗첫째〔제1〕의; 1위〔1류〕의; 으뜸가는, 우수한: Karl der ∻e 카를 1세; der ∻e〔die beiden ∻en〕 der Klasse 학급의 수석〔쌍벽〕; die ∻en der Stadt 도시의 유지들; der ∻e Minister 국무 총리; die ~en Geister 일류의 사람들; von ~er Güte〔Qualität〕 품질이 아주 좋은, 우량의; ~er Klasse fahren 1등칸을 타고 가다;〖商〗ein Haus ~en Ranges 일류 상점; das ∻e und das Letzte 최초의 것이자 최후의 것, 가장 중요한 것;〔속담〕 lieber der ∻e hier als der Zweite in Rom 용의 꼬리가 되기 보다는 뱀의 머리가 되는 것이 낫다; die ~e Geige spielen 지도적인 역할을 하다, 선도하다. ③ 처음의, 지금까지 없었던: er soll noch sein ~es Solo spielen 그가 자신의 첫 솔로를 들려 주었으면 좋겠다. ④〔전치사와 함께〕 **am** ~en a) 가장 먼저, 최초로, b)〔고어〕 무엇보다, 특히, c) 자칫하면 …하기 쉬운;〔고어〕 **aufs** ~e a) 무엇보다도, 만사 제처놓고, b) 첫째로, 맨 처음에; **fürs** ~e a)〔고어〕 무엇보다도 먼저, b) 첫째로, c) 처음은, 우선, 당분간; **mit** ~em 머지않아;〔고어〕 zum ~en a) 처음에(는), b) (다른 것보다) 먼저, 맨 처음으로, 첫째로, c) 무엇보다도; zum ~en, zum zweiten, zum dritten 사세요, 사세요, 자 낙찰되었습니다(경매할 때 외치는 소리). 《II》 *adv.* ①〔고어〕 (zuerst) 맨 처음에, 맨 먼저. ②〔고어〕 첫째로(erstens). ③ 처음에(는). ④ **(a)** (무엇에) 앞서서, 우선 (첫째로), 먼저, 미리: ~ wollen wir arbeiten, dann spielen 우선 일하고 그리고 나서 놀자;〔속담〕 ~ wägen, dann wagen 숙려단행(熟慮

斷行); das braucht nicht ~ gesagt zu werden 그건 미리 말해 둘 필요는 없다. (**b**) 방금, 지금: ich meinte ~ Schüsse zu hören 방금 총소리가 난 것 같다. ⑤ 비로소, 처음으로; 겨우: ich sah ihn ~ gestern 나는 어제야 비로소 그와 만났다; er kam ~, als alles vorbei war 모든 일이 끝났을 때야 비로소 그는 왔다; ~ der Anblick seines Kindes beruhigte ihn 자기 아이의 모습을 보고서야 그는 겨우 안심하였다; so einer soll noch ~ gefunden〔geboren〕 werden 그러한 인물은 아직 보지 못했다〔나지 않았다〕; er ist tot? ich habe ihn ~ vor einigen Tagen gesehen 그가 죽다니? 불과 며칠 전에 만났는데; ~ jetzt〔jetzt ~〕 a) 지금 막, 지금에야 비로소, b) 이제 겨우, 단지; es ist ~ 7 Uhr 이제 겨우 7시밖에 안 되었다; er ist ~ drei Jahre alt 그는 겨우 3살이다; ich habe ~ die Hälfte gelesen 이제 겨우 반을 읽었을 뿐이다. ⑥〖뜻의 강조〗(**a**)〖müssen 또는 sollen 과 함께〗du solltest ihn ~ nur sprechen hören 글쎄, 너는 그이가 말하는 것을 들어 봤어야 했어. (**b**)〖때를 나타내는 부문(副文)에서〗sobald ich ~ seinen Namen weiß 그의 이름을 알기만 한다면. (**c**)〖원망문(願望文)에서〗wenn jemand ~ ... 누가 …하여야 비로소: wenn du ~ einmal in mein Alter kommst 네가 내 나이가 되어야 비로소; wäre ich doch ~ zu Hause 내가 집에 만 돌아가 있어도. (**d**)〖recht 와 함께〗jetzt tue ich es ~ recht 이제는 정말 해 보겠다; nun ~ recht nicht 지금은 더구나 안 된다〔나쁘다〕; dann ging es ~ richtig los 그리고나서 일이 본격적으로 시작되었다. (**e**) 더 한층, 보다 더: der ist hochmütig, und ~ seine Frau 그 남자도 거만하지만 그의 부인은 더하다.

erstarken [ɛrʃtárkən] *i.* (s.) 강해지다, 힘이 세지다, 견고하게 되다.

Erstarkung *f.* -en 강해짐, (힘의) 강화.

erstarren 《Ⅰ》 *i.* (s.) ① 굳어지다, 딱딱〔뻣뻣〕해지다; 마비되다; 응고〔응결〕하다; (추위로) 곱다: vor Schreck〔Entsetzen〕 ~ 놀란 나머지 몸이 굳어지다. ② 경직되다, 굳어지다: seine Kunst erstarrt zu reiner Routine 그의 예술은 완전히 상투적인 양식으로 굳어지고 있다. 《Ⅱ》 *t.* 굳게 하다, 마비시키다; 응고〔응결〕시키다. 《Ⅲ》 **erstarrt** *p.a.* ↑ erstarrt.

erstarrt *p.a.* 경직〔마비〕된.

Erstarrung [..ʃtárʊŋ] *f.* 경직; 경화; 마비, 무감각; 응고, 응결, 동결(凍結).

Erstarrungs·punkt *m.*〖理〗응고점.

erstatten [ɛrʃtátən] *t.* ①〖고어〗(부족을) 메우다, 보충하다. ② (무엇 대신으로) 보내 주다; 배상〔상환〕하다; (입체금·부채 등을) 갚다; (비용을) 지급하다. ③ (jm. et.) 보복하다; 답례〔보답〕하다. ④〖기능 동사로서〗…하다: Dank ~ 감사하다; Pflicht ~ 의무를 다하다; Bericht ~ 보고하다.

Erstattung *f.* -en 상환, 배상; 갚음: ~ eines Berichtes 보고(하기).

erstattungs·pflichtig *a.* 갚아줄〔배상할〕 의무가 있는.

Erst⸗aufführung *f.*〖연극〗초연. **~aufführen** *t.* (영화·연극을) 초연하다. **~auflage** *f.* (서적의) 초판.

erstaunen 《Ⅰ》 *i.* (s.)/*refl.* (sich) über jn. 〔et.〕 ~ 누구〔무엇〕에 놀라다, 경탄하다; 이상히 여기다, 어안이 벙벙해지다. 《Ⅱ》 *t.* 놀라게 하다, 경악〔경탄〕시키다; 어안이 벙벙하게 하다. 《Ⅲ》 **erstaunt** *p.a.* ↑ erstaunt.

Erstaunen *n.* -s 놀람, 경탄: in ~ setzen 놀라게 하다; zu meinem ~ 놀랍게도.

erstaunens⸗wert *a.* ↑ erstaunlich. **~würdig** *a.* ↑ erstaunlich.

***erstaunlich** [ɛrʃtáunlıç] 《Ⅰ》 *a.* ① 놀라운, 경탄할 만한, 불가사의한. ② 굉장한, 대단한: Der Turm ist von ~er Höhe 그 탑은 대단히 높다. 《Ⅱ》 *adv.* 매우, 굉장히.

erstaunlicher·weise *adv.* 놀랍게도.

erstaunt [ɛrʃtáunt] 《Ⅰ》 *p.p.* ↑ erstaunen. 《Ⅱ》 *p.a.* 놀란, 어안이 벙벙해진: über et. ~ sein 무엇에 놀라다, 경탄하다.

Erst⸗ausgabe *f.* 초판(본). **~best** *a.* 맨 처음〔앞〕에 있는, 임의의: das ~e Restaurant aufsuchen 맨 처음 눈에 띄는 레스토랑을 찾아가다. **~druck** *m.*〖복수: -e〗〖印〗초판쇄(刷).

Erste* *der/die* 제 1 인자, (왕의) 제 1 세: Erster von hinter 꼴찌.

erstechen* *t.* (칼로) 찔러 죽이다.

erstehen* 《Ⅰ》 *i.* (s.) 일어서다;〖宗〗되살아나다, 부활하다; 일어나다, 발생하다. 《Ⅱ》 *t.* ① (시련을) 견디어 내다. ② 사다, 얻다.

Ersteher *m.* -s, - (경매에서) 낙찰시켜 사는 사람; 구매자.

Erstehung *f.* -en〖드물게〗낙찰; 구매.

Erste-Hilfe⸗Ausrüstung *f.* 응급 처치 장비. **~-Leistung** *f.* 응급 처치 실시.

ersteigbar *a.* 올라갈 수 있는.

ersteigen* *t.* (꼭대기에) 오르다, 다 올라가다: die höchste Ehrenstufe ~ 최고의 명예를 얻다.

Ersteiger *m.* -s, - 산을 정복한 사람.

ersteigern *t.* 경매에서 취득하다.

ersteiglich *a.* 오를 수 있는.

Ersteigung *f.* -en 기어오름, 등반;〖비유〗(높은 지위·명예 등의) 획득.

erstellen *t.* ① (건축물을) 짓다, 세우다. ② 만들어내다, 완성하다. ③ 갖춰 놓다, 준비하다, 마련하다.

ersten·mal *adv.* beim ~ 첫번째에(는), 처음에(는); zum ~ 처음으로, 첫번째로.

***erstens** [é:rstəns] *adv.* 첫째로, 최초에, 맨 처음에.

ersterben* 《Ⅰ》 *i.* (s.) ①〖드물게〗죽다; 소멸〔사멸〕하다; (온몸이) 감각을〔생기를〕 잃다; (풀·꽃 등이) 시들어 죽다; (소리가) 점점 잦아들다, 사라지다: das Wort erstarb auf seinen Lippen 그는 말문이 막혀 버렸다. ②〖편지 끝에 써서〗〖고어〗ich ersterbe in tiefster Demut 돈수재배(頓首再拜). 《Ⅱ》 **erstorben** *p.a.* ↑ erstorben.

Erster-Klasse⸗-Abteil *n.* (기차의) 1등 칸. **~-Wagen** *m.* 1등차.

erst⸗erwähnt *p.a.* 맨 처음에 말한〔언급된〕. **~gebärende** *f.* 초산부. **~geboren** *p.a.* 맨 처음에 태어난. **~geborene*** *der/die* 장남, 장녀, 장자. **~geburt** *f.* ① 장자(의 신분). ② (짐승의) 첫배. ③ ↑ ~geburtsrecht. **~geburts·recht** *n.*〖法〗(상속에서) 장자의 특전〔상속권〕. **~gemeldet** *a.* 맨 처음 알린〔신고한〕. **~genannt** *a.* ↑ ~erwähnt.

ersticken 《Ⅰ》 *i.* (s.) 숨이 막히다, 질식해 숨

지다: im Rauch ~ 연기에 질식사하다; in der Arbeit ~ 일에 치이다; ich bin vor Lachen fast erstickt 나는 너무 웃어서 거의 숨이 막힐 지경이 되었다; er ist an dem Kern erstickt 씨가 그의 목구멍에 걸렸다. 《Ⅱ》 *t.* …의 숨통을 막다, …을 질식(사)시키다; (연기·눈물 등으로) 숨막히게〔목메게〕 하다; (잡초가 종묘(種苗)를) 시들게 하다; 〖비유〗(소요나 위험 따위를 초기에) 진압〔제압〕하다; (불을) (비벼) 끄다; (노여움·불쾌감을) 억누르다: ersticktes Lachen 킥킥거리며 참는 웃음; der Aufruhr wurde im Keim erstickt 폭동은 초기에 진압되었다.

Ersticken *n.* -s ↑ Erstickung.

Erstickung *f.* -en 질식(치사); 교살: zur ~ heiß〔voll〕 숨막힐 정도로 더운〔만원인〕.

Erstickungs≠anfall *m.* 질식 발작. **~gefahr** *f.* 질식의 위험. **~tod** *m.* 질식사.

erst·klassig *a.* ① 1 급〔1 등·1 류〕의; 우수한. ②〖스포츠〗 최우수 그룹에 드는, 1 급의.

erstlich *adv.* ① 첫째로. ② 최초에.

Erstling [é:rstlɪŋ] *m.* -s, -e 첫아이, 맏이; (가축의) 첫배; 유아(幼兒), 갓난아이; (곡물·채소 등의) 맏물, 첫 이삭; 첫 작품: der ~ seiner Muse 그의 처녀작.

Erstlings≠arbeit *f.* 첫 작업〔사업〕; 처녀작. **~ausstattung** *f.* (의류등) 신생아 용품(일체). **~druck** *m.* ①〖그래픽〗 시험쇄. ② (한 나라나 도시에서) 가장 오래된 인쇄물. **~film** *m.* 〖영화〗 (감독의) 첫 작품. **~frucht** *f.* 맏물, 첫 이삭. **~liebe** *f.* 첫사랑. **~rede** *f.* 첫 연설. **~reise** *f.* 첫 여행; 처녀 항해. **~roman** *m.* 첫 소설. **~versuch** *m.* 최초의 시도. **~wäsche** *f.* 신생아용 속옷, 배내옷. **~werk** *n.* 처녀작.

erst≠malig *a.* 제 1 회의, 첫번의. **~mals** *adv.* 처음으로; 최초에. **≈plazierte*** *der/die* (경기에서) 1, 2, 3 위를 차지한 운동 선수들.

erstorben 《Ⅰ》 *p.p.* ↑ ersterben. 《Ⅱ》 *p.a.* 사멸한, 소멸된; 사그라든, 생기를 잃은.

Erstorbenheit *f.* 사멸, 소멸; 무감각; 생기 없음.

erstrahlen *i.* (s.) 빛나다, 반짝이다.

erst·rangig *a.* 1 류의, 1 급의; 아주 중요한, 시급한.

erstreben *t.* ① (권력·행운 등을) 얻으려고 노력하다, 추구〔열망〕하다. ② 노력하여 얻다.

erstrebens·wert *a.* 추구〔노력〕할 가치가 있는.

Erstrebung *f.* -en 추구.

erstrecken 《Ⅰ》 *t.* ①〖고어〗 (손·발을) 뻗치다; 펼치다. ② (öst.) (기한 등을) 연장하다. 《Ⅱ》 *refl.* sich ~ (시간적·공간적으로) (…에) 이르다, 미치다: sich **auf** et. ~ 무엇에 이르다〔미치다〕, 무엇에 관계되다; 무엇을 포함하다: diese Verordnung erstreckt sich auf Touristen 이 규정은 여행객들에게도 해당된다; sich **bis** (zu) et. ~ 무엇에 이르다〔미치다〕, …까지 계속하다; sich **über** et. ~ a) 무엇을 초과하다, b) 무엇의 전면에 뻗쳐〔펼쳐져〕 있다, …의 기간에 걸치다.

Erstreckung *f.* -en 신장(伸張), 확장; 범위, 넓이; 연기.

erstreiten* *t.* (sich³ et.) 싸워서 획득하다.

Erst≠semester *m.* 대학 신입생. **≈stellig** *a.* (토지 등기부에서) 일등급인, 제 1 급의. **~stimme** *f.* 〖政〗 제 1 표(독일 의회 제도에서 직접 의석을 선출하는 데 기준이 되는 표).

Ersttags≠brief *m.* (새〔기념〕 우표 발행 당일의 소인이 찍힌) 장식 편지 봉투. **~stempel** *m.* 새 우표 발행일에 찍는 기념 소인.

erstunken [..ʃtʊ́ŋkən] 《< (고어) erstinken》 *p.a.* 〖구어〗 das ist ~ und erlogen 그것은 비열한 거짓말이다.

erstürmen [ɛrʃtʏ́rmən] *t.* 습격하여 얻다, 정복하다; 〖비유〗 졸라대어 얻다.

Erstürmung *f.* -en 습격, 공략.

Erst≠verkaufs·tag *m.* (책 등의) 판매 개시일. **≈veröffentlichen** *t.* 처음으로 출판하다. **~veröffentlichung** *f.* ① 첫 출판. ② 첫 출판 작품. **~versorgung** *f.* 응급 처치. **~verstorbene*** *der/die* (대개 부부 중) 먼저 죽은 사람. **~wagen** *m.* 상용(常用) 승용차, (한 소유주나 가정의) 가장 많이 사용하는 승용차(↔ Zweitwagen). **~wähler** *m.* (규정된 선거 연령에 도달해) 처음 투표하는 사람. **~zulassung** *f.* (자동차의) 첫 등록.

ersuchen *t.* ①〖고어〗 찾아내다. ② jn. um et. ~ 누구에게 무엇을 부탁〔간청〕하다.

***Ersuchen** *n.* -s, - 청원, 간청: an jn. ein ~ stellen〔richten〕 누구에게 빌다, 청원〔간청〕하다; auf sein ~ (hin) 그의 요청〔간청〕에 따라.

Ersuchung *f.* -en ↑ Ersuchen.

Ertag 《lat.》 *m.* -(e)s, -e (bayr.) 화요일.

ertappen *t.* jn. bei et.³ ~ 누구를 현장에서 붙잡다, 현행범으로 체포하다; (갑자기) 깨닫다, 알아차리다, 인식하다: auf frischer Tat ~ 현행범을 체포하다; jn. auf einem Fehler ~ 누구의 잘못을 발견하다; jn. auf einer Lüge ~ 누구의 거짓말을 지적하다; ich ertappte mich bei dem Gedanken 나는 내가 그 생각을 하고 있다는 것을 갑자기 깨달았다.

Ertappung *f.* -en (불시의) 포착, 체포.

ertasten *t.* (손으로) 더듬어 찾아내다〔알아내다〕.

ertauben *i.* ① 귀머거리가 되다, 청력을 잃다. ② 무감각해지다, 감각을 상실하다.

ertauschen *t.* 교환하여 얻다.

erteilen [ɛrtáɪlən] *t.* (jm. et.) 나누어〔베풀어〕 주다; 승낙하다: einen Auftrag ~ 위탁〔주문〕하다; einen Befehl 〔eine Auskunft, einen Unterricht〕 ~ 명령하다〔정보를 주다, 수업하다〕; einen Tadel ~ 질책하다, 꾸짖다; jm. eine Vollmacht ~ 누구에게 전권을 위임하다.

Erteiler *m.* -s, - 주는 사람, 수여자, 시여(施與)자.

Erteilung *f.* -en (나누어) 줌, 수여, 시여; (명령의) 공포; 허용.

ertönen 《Ⅰ》 *i.* (s.) **(a)** 울리다, 울리기 시작하다: ~ lassen 울리게〔들리게〕 하다, (소리 등을) 지르다, 내다, (악기 등을) 소리나게 하다. **(b)** (어떤 장소가) 울리다; 〖雅語〗(소리나 소음 등으로) 가득차다: der Wald ertönt von frohen Liedern 그 숲에서 즐거운 노랫소리가 울려 퍼진다. 《Ⅱ》 *t.* 〖드물게〗 울리게 하다: ertönet sein Lob! 소리 높이 그를 칭송하라!

ertöten *t.* ①〖드물게〗 죽이다. ②〖雅語〗 절멸〔근절〕하다; (격정 등을) 억제하다, 억누르다, 없애다: Begierden durch Askese ~ 금욕을 하여 욕망을 끊다.

Ertötung *f.* -en 절멸, 근절; 금단, 금욕.

***Ertrag** [ɛrtrá:k] *m.* -(e)s, ..träge [..trɛ́:gə] 수익, 이득; 소득; (밭의) 수확(고); (광산의) 산출고; 성과, 결과: reiner ~ 순익; einen ~ liefern 이익을 낳다; dieses Werk ist der ~ langer Überlegungen 이 작품은 오랜 구상 끝에 나온 것이다.

ertragen *t.* ① (짐·고통 등을) 견디어 내다, 참다: den Anblick 〔die Schande〕 nicht ~ können 이 광경을 차마 볼 수 없다〔치욕을 참을 수 없다〕; dieser Mensch ist schwer zu ~ 이러한 인간은 참아내기가 어렵다. ②〖방언·고어〗(이득을) 내다.

ertragbar *a.* ↑ erträglich.

ertrag·fähig *a.* 소득이 있는, 벌이가 되는, 생산적인. **~fähigkeit** *f.* 수익성, (토지의) 수확력. **~gebend** *a.* 이득이〔벌이가〕 되는, 유리〔유익〕한.

erträglich [ɛrtrɛ́:klɪç] *a.* ① 참을 수 있는, 견딜 만한. ② 어지간한, 그럭저럭 봐줄 만한.

Erträglichkeit *f.* ↑ erträglich 의 명사형.

Erträgnis *n.* -ses, -se ↑ Ertrag.

ertrag·reich *a.* 수익이 많은, 생산적인.

Ertrags·anschlag *m.* 매상고의 추정〔추산〕. **~aussicht** *f.* 예상 수익. **~fähig** *a.* ↑ ertragfähig. **~fähigkeit** *f.* ↑ Ertragfähigkeit. **~lage** *f.* 수익 상황. **~minderung** *f.* 수확〔수익〕 감소. **~steigerung** *f.* 수확〔수익〕 증가. **~steuer** *f.* 수익세, 소득세. **~wert** *m.* 수익 가치.

ertränken 《I》 *t.* 물에 빠지게 하다, 익사시키다: 〖비유〗 den Kummer im Wein ~ 술로 근심을 잊다. 《II》 *refl.* sich ~ 물에 빠지다, 익사하다.

Ertränkung *f.* -en 익사.

erträumen [ɛrtrɔ́ʏmən] 《I》 *t.* 꿈꾸다, 몽상하다, 애타게 바라다: sie hatte sich immer einen Künstler zum Mann erträumt 그녀는 남편감으로 늘 예술가를 마음속으로 바랐었다. 《II》 **ertäumt** *p.a.* ↑ ertäumt.

erträumt 《I》 *p.p.* ↑ erträumen. 《II》 *p.a.* 꿈에도 그리던, 애타게 바라던; 몽상〔공상〕의.

ertrinken 《I》 *i.* (s.) 물에 빠지다, 익사하다: 〖비유〗 im Wohlleben ~ 사치〔향락〕에 빠지다; 〔속담〕 der ≈de greift nach einem Strohhalm 물에 빠진 사람은 지푸라기라도 붙잡는다. 《II》 **ertrunken** *p.a.* ↑ ertrunken.

ertrotzen *t.* (von jm. et.) 억지를 써서 빼앗다; 끝까지 버티어 (목적을) 이루다: sie hat sich die Erlaubnis ertrotzt 그녀는 억지를 써서 허락을 얻어냈다.

Ertrotzung *f.* -en 억지를 써서 얻음.

ertrunken 《I》 *p.p.* ↑ ertrinken. 《II》 *p.a.* 익사한.

Ertrunkene* *der/die* 익사자.

ertüchtigen [ɛrtʏ́çtɪgən] *t.* 쓸모 있는〔유능한〕 사람이 되게 하다, (심신을) 단련하다: sich durch ein tägliches Training ~ 매일 연습함으로써 단련하다.

Ertüchtigung *f.* -en 단련.

erübrigen [ɛr|ý:brɪgən] 《I》 *i.* (h.) (…할) 필요〔여지〕가 있다: es erübrigt noch hiervon zu sprechen 이 문제에 관해서는 아직 더 이야기할 여지가 있다. 《II》 *t.* 남기다, (다른 목적에 쓰도록) 남겨두다, 저축하다; (여가를) 만들다: können Sie etwas Zeit für mich ~? 시간을 좀 내주실 수 있습니까? 《III》 *refl.* sich ~ 불필요하다, (…할) 필요가 없다: es erübrigt sich, näher darauf einzugehen 그 점은 더 상세히 다룰 필요가 없다.

erudieren [erudí:rən] 《lat., „entrohen"》 *t.* …에게 교양을 쌓게 하다.

Erudition [eruditsió:n] *f.* 〖구식〗 교양, 학문, 학식.

eruieren [eruí:rən] 《lat., „herausgraben"》 *t.* (특히 öst.) 찾아내다, 탐사〔탐지〕하다.

Eruierung *f.* -en 찾아냄, 탐사.

eruptieren *i.* 분출〔폭발〕하다.

Eruption [eruptsió:n] 《lat. erumpere, „hervorbrechen"》 *f.* -en (화산의) 분화, 폭발; 〖醫〗 발진(發疹); 〖비유〗 발작, 돌발.

eruptiv [..tí:f] *a.* 〖지질〗 분출물〔마그마〕로 된.

Eruptiv·gestein *n.* 〖지질〗 화성암.

Erve [ɛ́rvə] 《lat.》 *f.* -n 〖植〗 연리초(連理草).

erwachen 《I》 *i.* (s.) ① 눈을 뜨다, 잠에서 깨다; 〖비유〗 깨어나다, 소생하다: der Tag erwacht 날이 샌다; aus der Narkose ~ 마취에서 깨어나다. ② (의식이) 각성하다, 정신 차리다: er ist noch nicht zum Leben erwacht 그는 아직 인생에 눈뜨지 못했다. ③ (감정이) 꿈틀대다, 살아나다. 《II》 〖드물게〗 *t.* et. ~ 무엇에 도달할 때까지 눈을 뜨고 있다〔정신을 차리고 있다〕.

Erwachen *n.* -s 잠을 깸, 깨어남; 눈을 뜸, 각성, 소생, 부활.

erwachsen*[1] 《I》 *i.* (s.) ① (충분히) 자라다, 성숙하다: zum Mann〔zur Frau〕 ~ 한 남자〔여자〕로 성숙하다. ② 생기다, 일어나다: der daraus ~de Vorteil 거기에서 생기는 이익; 〖구식〗 zu et.[3] ~ 어떤 것으로 되다. 《II》 **erwachsen** *p.a.* ↑ erwachsen[2].

erwachsen[2] 《I》 *p.p.* ↑ erwachsen[1]. 《II》 *p.a.* ① (다) 자란, 성숙한; 어른이 된. ② 생긴, (이자 등이) 생겨난.

Erwachsene* *der/die* 성인, 어른.

Erwachsenen·bildung *f.* 〖교육〗 성인 교육. **~taufe** *f.* 성인 세례.

erwägen [ɛrvɛ́:gən] *t.* 고려〔숙고·검토〕하다: einen Plan gründlich ~ 계획을 철저하게〔꼼꼼히〕 검토하다; alles wohl erwogen 모든 일을 깊이 따지고 살펴보니, 결국.

erwägens·wert *a.* 고려할 가치가 있는.

Erwägung *f.* -en 고려, 숙고; 음미, 검토: in ~ ziehen 숙고하다; in der ~ dessen, was er gesagt hat 그가 말한 것을 고려하여.

erwählen *t.* 고르다, 뽑다, 선택〔선발〕하다: durch Abstimmung ~ 투표로 선출하다.

Erwählte* *der/die* 당선자, 뽑힌 사람, 선택된 사람.

Erwählung *f.* -en 〖드물게·雅語〗 ① 선출, 선발, 선택. ②〖宗〗 신의 선택; (신이 정한 인간 운명의) 예정.

erwähnen [ɛrvɛ́:nən] 《lat. vox, „Stimme"》 *t.* 〖고어에서는 2 격 목적어를 취하기도 함〗 언급하다; sein Name wurde erwähnt 그의 이름이 언급되었다; wie oben erwähnt 위에 언급한 바와 같이.

erwähnens·wert *a.* 말할〔언급할〕 가치가 있는.

erwähnter·maßen *adv.* 상술한 바와 같이.

Erwähnung *f.* -en 말함, 언급: ehrenvolle ~ 칭찬의 말, 상찬.

erwahren 《I》 *t.* (schweiz.) ① (국민 투표의

결과를) 공식적으로 유효하다고 승인하다. ② 입증하다. 《Ⅱ》 *refl.* (schweiz.) sich ~ 진실임이 밝혀지다.

Erwahrung *f.* -en ↑ erwahren의 명사형.

erwandern *t.*〔드물게〕(어떤 지방을) 편력하여 알게 되다; 두루 체험하다.

Erwanderung *f.* -en ↑ erwandern의 명사형.

erwarmen 《Ⅰ》 *i.* (s.) 따뜻해지다, 더워지다. 《Ⅱ》 *t.* ↑ erwärmen.

erwärmen [ɛrvɛ́rmən] 《Ⅰ》 *t.* 따뜻하게 하다, 데우다: 〔비유〕 jn. für et. ~ 누가 무엇을 하도록 마음을 움직이다. 《Ⅱ》 *refl.* sich ~ ① ↑ erwarmen《Ⅰ》. ② sich für et. ~ 무엇에 흥미를 갖다, 열중하다: ich kann mich für diesen Plan nicht ~ 나는 이 계획에 흥미를 느낄 수 없다.

Erwarmung *f.* 따뜻해짐.

Erwärmung *f.* -en 따뜻하게 함; 가열.

***erwarten** [ɛrvártən] 《Ⅰ》 *t.* ① 기다리다, 고대하다: Gäste〔Besuch〕 ~ 손님〔방문객〕을 기다리다; ein Baby〔Kind〕 ~ 임신 중이다; ich kann die Ferien kaum ~ 나는 (안달이 나서) 방학이 오기를 기다릴 수가 없을 지경이다. ② 예견하다, 기대하다, 희망하다: von ihm ist nicht viel Gutes zu ~ 그에게서 좋은 것을 기대할 수 없다; es steht zu ~, daß... …할 가능성이 높다. ③ 바라다: ich erwarte eine Entschuldigung von dir 나는 네게서 사과받기를 원한다. 《Ⅱ》 *refl.* sich³ et. ~ 무엇을 기대하다. 《Ⅲ》 **erwartet** *p.a.* ↑ erwartet.

Erwarten *n.* -s 기대, 예상: wider ~ 예상과 달리; über alles ~ 기대 이상으로; es ist über ~ gut gegangen 예상보다도 잘 되었다.

erwartet 《Ⅰ》 *p.p.* ↑ erwarten. 《Ⅱ》 *p.a.* 기다렸던, 고대했던, 기대〔예상〕한.

Erwartung *f.* -en 기대; 예기, 예상; 대망(待望): voll(er) ~ 기대에 가득 차서; sich in seinen ~en getäuscht sehen 실망하다, 기대에 어긋나다; in ~ Ihrer gefälligen Antwort 회신을 기다리며.

erwartungs≈gemäß *a.* 기대(한) 대로. **~horizont** *m.* 기대 수준, 기대 지평: den ~ der Zuhörer berücksichtigen 청중의 기대 수준을 고려하다. **~voll** *a./adv.* 기대에 넘치는, 기대에 가득 차서, 잔뜩 기대하여.

erweckbar *a.* 각성〔환기〕시킬 수 있는, 불러일으킬 수 있는.

***erwecken** *t.* ① (잠이나 기절 상태에서) 깨우다, 깨어나게 하다: jn. vom Tode〔von den Toten〕 ~ 누구를 소생〔부활〕시키다. ② 불러일으키다; 일깨우다, 각성시키다, 고무하다: Haß〔Hoffnung〕 ~ 증오심〔희망〕을 일으키다; Neid〔Zweifel〕 ~ 질투를〔의혹을〕 불러일으키다; jn. zum Fleiß ~ 누구를 고무하여 부지런하게 하다.

Erweckung *f.* -en 눈뜨게 함; 일깨움, 각성; 소생, 부활; 환기, 고무; (기독교로의) 개종: religiöse ~ 종교적 각성.

erwehren *refl.* sich eines Dinges ~ a) 무엇으로부터 몸을〔자신을〕 지키다, b) 무엇을 막다, 억제하다; sich des Lachens nicht ~ können〔sich nicht ~ können zu lachen〕 웃지 않을 수 없다.

erweichbar *a.* ① 부드럽게〔누그러지게〕 할 수 있는. ② 쉽게 감동받는〔설득되는〕.

erweichen 《Ⅰ》 *t.* ① 부드럽게 하다, 연화(軟化)하다: Die Hitze erweicht den Asphalt 더위 때문에 아스팔트가 녹을 지경이다. ② 누구의 마음을 눅이다, 감동시키다: sich ~ lassen (마음이) 풀리다, 너그러워지다, 감동되다. 《Ⅱ》 *i.* (s.) / *refl.* (sich) ~ 부드러워지다; 〔비유〕 성질이 누그러지다.

erweichend *p.a.*〖醫〗 ~es Mittel 완화제, 연화(軟化)제.

Erweichung *f.* -en ① 부드럽게 함, 부드러워짐, 연화, 이완, 완화. ②〔비유〕 감동시킴. ③〖醫〗(세포의) 연화(증), 파괴.

Erweis [ɛrváɪs] *m.* -es, -e [..zə] 증명, 입증; 표시, 표명: den ~ bringen 증명하다.

erweisen [ɛrváɪzən] 《Ⅰ》 *t.* ① (jm. et.) 증명〔입증〕하다: es ist eindeutig erwiesen, daß... 무엇이 명백하게 입증된다. ② 표시〔표명〕하다, 실제로 보이다〔나타내다〕, 베풀다: jm. Ehre ~ 누구에게 경의를 표하다; jm. die letzte Ehre ~ 누구의 장례식에 참석하다; jm. Gutes〔eine Wohltat〕 ~ 누구에게 친절〔자선〕을 베풀다. 《Ⅱ》 *refl.* sich als wahr ~ 진실임이 증명되다; sich dankbar gegen jn. ~ 누구에게 고마움을 표하다; sich als guter〔guten〕 Freund ~ 정말 좋은 친구임을 보여주다. 《Ⅱ》 **erwiesen** *p.a.* ↑ erwiesen.

erweislich *a.* 증명할 수 있는.

erweislicher·maßen *adv.* 명백히, 확실히, 널리 알려진 바와 같이.

Erweisung *f.* -en 증명, 입증; 표시, 표명.

erweitern 《Ⅰ》 *t.* 넓히다, 확대〔확장〕하다; 부연하다: einen Geschäftsbereich ~ 영업 범위를 확대하다; seine Kenntnisse〔seinen Gesichtskreis〕 ~ 지식을〔시야를〕 넓히다; sein Ansehen ~ 명성을 올리다; in erweitertem Sinne 넓은 의미로. 《Ⅱ》 *refl.* sich ~ 넓어지다, 확대〔확장〕되다.

Erweiterung *f.* -en ① 확대; 확장, 팽창; 증대: die ~ des Straßennetzes 도로망의 확대. ②〖修〗 부연.

Erweiterungs≈bau *m.* ① 증축. ② 증축된 부분. **~fähig** *a.* 확대〔확장〕 가능한: ein ~es Programm 확장 가능한 프로그램. **~urteil** *n.*〖哲〗 확장적 판단.

***Erwerb** [ɛrvɛ́rp] *m* -(e)s, -e [..bə] ① 취득, 구입; 임금, 수입, 벌이; 습득: der ~ eines Grundstückes 부동산 취득; von seinem ~ leben 자신의 벌이로 살아가다; Sprach~ 언어 습득. ② 생업, 직업: einem ~ nachgehen 생업에 정진하다. ③ 얻은 물건, 취득물.

erwerben 《Ⅰ》 *t.* 얻다, 취득〔구입〕하다, 마련하다: (sich³) das Vertrauen seines Vorgesetzten ~ 상사의 신뢰를 얻다; (sich³) Kenntnisse ~ 지식을 습득하다. 《Ⅱ》 **erworben** *p.a.* ↑ erworben.

Erwerber *m.* -s, - 획득자, 취득자.

erwerblos *a.* 이익이〔벌이가〕 없는; 실업의.

erwerbsam *a.*〔드물게〕 근면한, 일을 좋아하는.

Erwerbs≈beschränkte* *der/die* (불구·정신 장애 등으로 인해) 취업에 제한을 받는 자. **~beschränkung** *f.* (육체적·정신적 장애로 인한) 취업 제한. **~fähig** *a.* 생계를 꾸릴 능력이 있는. **~fähigkeit** *f.* 생계 능력, 생업 능력. **~fleiß** *m.* (직업 활동의) 근면, 정근(精勤). **~genossenschaft** *f.* 직장 조합. **~-**

gesellschaft *f.* 영리 회사〔조합〕. **~kapital** *n.* 영리 자본. **~leben** *n.* 직업 생활, 취업 활동.
erwerbslos *a.* 생업이 없는, 실업의.
Erwerbslose* *der/die* 실직자.
Erwerbslosen≈fürsorge *f.* 실직자 구제책. **~unterstützung** *f.* 실직 수당.
Erwerbslosigkeit *f.* 실직, 실업.
Erwerbs≈minderung *f.* 노동력〔생계 능력〕 감소. **~mittel** *n.* 생계 수단; 생업 자본. **~quelle** *f.* 소득원. **~schule** *f.* 직업 학교. **~sinn** *m.* 사업 감각〔수완〕. **~stand** *m.* 생산〔근로〕 계층. **≈tätig** *a.* 생업에 종사하고 있는; 근면한. **≈tätige*** *der/die* 근로자, 취업자. **~tätigkeit** *f.* 근로; 취업; 영리 행위, 생업. **≈unfähig** *a.* 생계 능력이 없는, 생업 불능의. **~unfähigkeit** *f.* 〖法〗 취업 불능. **~urkunde** *f.* 〖法〗 부동산 권리 증서. **~-wirtschaft** *f.* 영리 경제. **~zweig** *m.* 산업〔생업〕 부문〔종별〕.
Erwerbung *f.* -en ↑ Erwerb.
***erwidern** [ɛrví:dərn] 《I》 *t.* ① 응답하다; 보답〔보복〕하다: js. Grüße ~ 누구에게 답례하다; js. Liebe ~ 누구의 애정에 응답하다; das Feuer ~ 사격에 응수하다; Gutes mit Haß ~ 은혜를 원수로 갚다; jm. Gleiches mit Gleichem ~ 누구에게 똑같은 보답〔보복〕을 하다. ② 대꾸하다, 대답〔답변〕하다. 《II》 *i.* (h.) 대답〔대꾸〕하다: auf seine Frage ~ 그의 질문에 대답하다.
Erwiderung [ɛrví:dərʊŋ] *f.* -en 갚음, 답례; 보답, 보복, 응답, 응수: Ihre Liebe fand keine ~ 그녀의 사랑은 반응을 얻지 못했다(짝사랑이었다).
erwiesen 《I》 *p.p.* ↑ erweisen. 《II》 *p.a.* 입증된; 명백〔확실〕한.
erwiesener·maßen *adv.* 입증된 대로, 명백히, 확실히.
Erwin 에르빈(남자 이름).
erwirken *t.* 힘을 다하여 얻다〔도달하다, 성취하다〕: gegen seinen Schuldner die Pfändung ~ 채무자에게 압류 조치를 취하다; jm. eine Verzeihung〔Unterstützung〕 ~ 누구를 용서〔지원〕해 주도록 영향력을 행사하다.
Erwirkung *f.* -en 도달, 성취, 얻게 해줌.
erwischen *t.* ① (jn.) (금지된〔비밀스런〕 일을 하는 것을) 붙잡다: jn. auf frischer Tat ~ 누구를 현장에서 체포하다. ② 간신히 붙잡다: jn. noch am Kragen ~ 누구의 옷깃〔멱살〕을 간신히 잡다. ③ (불쾌한 일을) 당하다, 만나다: vom Regen erwischt werden 갑작스레 비를 만나다; ihn hat's erwischt 그는 다쳤다〔죽었다·병들었다·파멸하였다〕.
erworben 《I》 *p.p.* ↑ erwerben. 《II》 *p.a.* 획득된; 〖醫〗 후천성의; 〖哲〗 습득된; 〖法〗 기득의.
erwuchern *t.* 고리〔폭리〕로 돈을 벌다.
erwünschen 《I》 *t.* ① 〖고어〗 원하여 얻다. ② 얻기를 바라다, 원망(願望)하다. 《II》 **er-wünscht** *p.a.* ↑ erwünscht.
erwünscht 《I》 *p.p.* ↑ erwünschen. 《II》 *p.a.* 바라던, 바람직한, 환영받는: persönliches Erscheinen ~! (구인 광고 등에서) 본인 내방(來訪) 요망!; du bist hier nicht ~ 너는 여기에 불청객이다.
erwürgen 《I》 *t.* 목졸라 죽이다, 교살하다; 말살하다: die Freiheit ~ 자유를 말살하다. 《II》 *i.* (s.) an einem Dinge ~ 무엇으로 숨이 막히다, 무엇이 목에 걸리다.
Erwürgung *f.* -en 교살; 질식; 말살.
Erysipel [eryzipé:l] 《gr. erythrós, „rot"》 *n.* -s, -e 〖醫〗 단독(丹毒).
Erysipelas [..zí:pelas, ..zípe..] *n.* -, - ↑ Erysipel.
erysipelatös *a.* 〖醫〗 단독의.
Erythem [..té:m] *n.* -s, -e 〖醫〗 피부 홍반 (Hautrötung).
Erythrozyt [..trotsý:t] *m.* -en, -en 〖醫〗 적혈구.
***Erz** [e:rts, ɛrts] *n.* -es, -e ① 광석; 금속광, 원광(原鑛): ~e aufbereiten〔gewinnen, läutern〕 광석을 선광〔채굴·정련〕하다. ② 금속; (특히) 구리. ③ (특히 구리의) 합금; **(a)** 청동. **(b)** 놋쇠, 황동. ④ 구리 합금 기구.
erz.. 《<gr. archi, „der erste, oberste"》 *pref.* "최고·제일·최대·우두머리·최악·극악"의 뜻.
Erz·ader *f.* 광맥.
erzählbar *a.* 이야기할 만한, 이야깃거리가 되는.
***erzählen** [ɛrtsɛ́:lən] 《<Zahl》 *t.* ① 〖구 식〗 하나씩 하나씩 세어 나가다. ② (jm. et.) 이야기하다: den Kindern ein Märchen ~ 어린애들에게 동화를 이야기해 주다; 〖비유〗 er kann etwas ~ 그는 경험〔체험〕이 풍부하다. ③ 〖구어〗 꾸며〔지어〕 내다, 거짓말하다. ④ 전하다, 말하다: sie erzählt alles ihrer Freundin ~ 그녀는 모든 것을 친구에게 말한다.
erzählend *p.a.* 이야기식의, 서사체의: ~e Dichtung 서사 문학.
erzählens·wert *a.* 이야기할 가치가 있는.
Erzähler *m.* -s, - 화자, 이야기하는 사람.
erzählerisch *a.* 이야기(꾼)의, 서사적인.
Erzähl·kunst *f.* 이야기〔서사〕 기법.
***Erzählung** *f.* -en 이야기함; 이야기, (중·단편) 소설, 서사 문학.
erzählungs·weise *adv.* 이야기식으로, 설화체로.
Erzähl·weise *f.* 이야기 방식.
Erz·amt *n.* 중세 독일의 최고 궁내 관직(선제후(選帝候)의 칭호).
erz≈arm *a.* 광석이 부족한, 빈광(貧鑛)의. **~artig** *a.* 광석〔금속·청동·놋쇠〕 모양의. **≈-aufbereitung** *f.* 선광(選鑛). **≈bau** *m.* 〖복수: -e〗 광산; 채광. **≈berg·bau** *m.* 채광.
Erz·betrüger *m.* 큰 사기꾼.
Erz·bild *n.* (청)동상(銅像).
Erz≈bischof *m.* 〖가톨릭〗 대주교 (칭호). **≈-bischöflich** *a.* 대주교의. **~bistum** *n.* 대주교의 직〔교구〕.
Erz·blüte *f.* 녹청(綠青).
erz≈böse *a.* 흉악한, 극악한. **≈böse·wicht** *m.* 흉악한 놈, 대악한.
Erz·bruch *m.* ↑ ~grube.
Erz≈dieb *m.* 큰 도둑, 대도(大盜). **~diözese** *f.* 〖가톨릭〗 대주교구(區). **≈dumm** *a.* 어리석기 짝이 없는. **~dumm·kopf** *m.* 백치.
erzeigen *t.* jm. et. ~ 누구에게 무엇을 입증하다, 보여 주다, 해주다: jm. Gutes ~ 누구에게 선을 행하다; sich dankbar ~ 감사를 표하다; et. als et. ~ 무엇이 무엇임을 입증하다.
Erzeigung *f.* -en 표시, 표명.
erzen[1] [é:rtsən] 《<Erz》 *a.* ① 청동〔놋쇠〕의.

② 분명한, 분명하게 울리는: mit ~er Stimme 쩌렁쩌렁한 목소리로.

erzen[2] [é:rtsən] 《<er》 *t.* 〖고어〗 jn. ~ 누구(아랫 사람)에게 자네라고 부르다.

Erz·engel *m.* 대천사(大天使) (Michael, Gabriel, Raphael; 중세까지는 Uriel 도 포함).

erzeugbar [..tsɔ́ʏk..] *a.* 생산〔산출〕할 수 있는, 낳을 수 있는.

***erzeugen** 《Ⅰ》 *t.* ① 낳다: Kinder ~ 아이를 낳다. ② (특히 농업에서) 생산〔산출〕하다: mehr Milch ~ als im Vorjahr 지난해보다 우유를 더 많이 생산하다; Strom〔Gas〕 ~ 전기〔가스〕를 생산하다. ③ 만들어 내다, 제작〔제조〕하다; 창작하다. ④〖化〗 (증기·가스 등을) 생기게 하다, 발생시키다. ⑤〔방언〕 sich[3] et. ~ 무엇을 손에 넣다, 조달하다. ⑥〖비유〗 (감정·상태를) 불러 일으키다, 야기〔초래〕하다. ⑦〖數〗 ~de Funktion 모(母)함수. 《Ⅱ》 *refl.* sich ~ 생산〔산출〕되다, 생겨나다.

Erzeuger *m.* -s, - ① (친)아버지; 〖복수〗 양친. ② 생산자, 제작〔제조〕자; 창작자. ③〖化〗 (증기·가스) 발생기(器); 〖전기〗 발전기.

Erzeugerin *f.* -nen 어머니, 생모.

Erzeuger≈land *n.* 생산지〔국〕. **~preis** *m.* 〖經〗 생산자 가격.

***Erzeugnis** *n.* -ses, -se 생산물, 생산품; 산(출)물, 농작물; 제조품; 창작물, 작품.

Erzeugung *f.* -en ↑ erzeugen 의 명사형.

Erzeugungs≈kosten *pl.* 생산비. **~kraft** *f.* 생식력; 생산력. **~land** *n.* 생산국, 생산지. **~schlacht** *f.* (히틀러 때의) 농업 생산 투쟁, 증산 운동.

Erz≈farbe *f.* 청동색. **≈farben, ≈farbig** *a.* 청동색의.

erz≈faul *a.* 게을러빠진. **≈feind** *m.* 최대의 적, 철천지원수; 〖聖〗 대마왕, 사탄. **~feindschaft** *f.* (오래된) 증오심, 적개심. **≈-flegel** *m.* 거칠고 무례한 놈, 망나니.

Erz≈förderung *f.* 채광, 채굴량. **~gang** *m.* 광맥.

Erz·gauner *m.* 큰 사기꾼.

Erz≈gebirge *n.* ① 광석을 매장하고 있는 산. ② das Sächsische ~ 작센의 에르츠 산맥(체코와의 국경 지대에 있음). **~gewinnung** *f.* 채광. **~gießer** *m.* 놋쇠〔청동〕 주조자. **~-gräber** *m.* 광원. **~grube** *f.* 광산, 광갱. **≈haltig** *a.* 광석을 함유하는. **~haltigkeit** *f.* ↑ ~haltig 의 명사형.

Erz≈halunke *m.* ↑ ~gauner. **~herzog** *m.* 대공(大公) (옛 오스트리아 황태자의 칭호). **~herzogin** *f.* 대공비(妃). **≈herzoglich** *a.* 대공의, 대공령(領)의. **~herzogtum** *n.* 대공의 영지〔지위〕. **~heuchler** *m.* 큰 위선자.

Erz≈höffig *a.* 광석이 풍부한. **~hütte** *f.* 제련소.

erziehbar *a.* 교육할 수 있는: er ist schwer ~ 그는 가르치기가 힘들다.

Erziehbarkeit *f.* ↑ erziehbar 의 명사형.

erziehen [ɛrtsí:ən] *t.* ① 교육하다, 가르치다, 키우다: ein Kind gut〔schlecht〕 ~ 아이를 잘〔잘못〕 교육하다; jn. zu einem tüchtigen Menschen ~ 누구를 유능한 인물로 키워 내다. ②〖원예〗 (식물을) 기르다, 재배하다. ③〔고어〕 (말이) 끌다.

Erzieher *m.* -s, - 교육자, 교육가; 교육 담당자, (가정) 교사.

Erzieher·gabe *f.* -n 교육자 자질.

Erzieherin *f.* ↑ Erzieher 의 여성형.

erzieherisch *a.* 교육(상)의, 교육적인.

***Erziehung** *f.* -en ① 교육, 양육, 훈육. ② 가정 교육: von guter ~ 가정 교육이 잘된; ihm fehlt jede ~ 그는 막돼먹은 인간이다.

Erziehungs≈anstalt *f.* ① 교육 기관, 학교. ② (문제아·비행 청소년의) 교화〔보호〕시설. **~art** *f.* 교육법〔방식〕. **~beihilfe** *f.* 장학금. **~berechtigte*** *der/die* 〖法〗 친권자. **~fach** *n.* (직업으로서의) 교육 (부문); 교육학(과). **~heim** *n.* ↑ ~anstalt. **~geld** *n.* 〖사회〗 (저소득부모에게 국가에서 지급하는) 양육 보조금. **~kunde** *f.* 교육학. **~kunst** *f.* 교육법〔학〕. **~lehre** *f.* 교육학.

erziehungslos *a.* 교육을 받지 못한.

Erziehungs≈minister *m.* 교육부 장관. **~-roman** *m.* 〖문학〗 교육 소설. **~schwierigkeit** *f.* 교육 (과정)의 어려움. **~system** *n.* 교육 제도. **~urlaub** *m.* 〖사회〗 (유급) 육아 휴가. **~wesen** *n.* 교육에 관한 사항; 교육 제도. **~wissenschaft** *f.* 교육학.

erzielen *t.* 이루다, 달성하다: sie hat große Erfolge erzielt 그녀는 대단한 성공을 거두었다; ein Tor ~ 골을 넣다.

Erzielung *f.* -en 목적 달성, 성취.

erzittern *i.* (s./h.) ① (갑자기) 떨다, 떨리다, 흔들리다: das Haus erzittert 집이 흔들린다. ② 덜덜 떨다, 전율하다: vor Furcht ~ 무서워서 떨다, 공포에 전율하다.

Erz≈jude *m.* 순수한 유대인; 욕심 많은 고리대금업자, 지독한 수전노. **~kämmerer** *m.* 시종장(侍從長). **~kanzler** *m.* (중세 독일 제국의) 대재상(大宰相). **≈katholisch** *a.* 가톨릭 신앙이 몸에 밴. **~ketzer** *m.* 이교도의 우두머리. **≈konservativ** *a.* 지독하게 보수적인.

Erz≈kunde *f.* 야금학. **~lager** *n.* (채굴 타산성이 있는) 광층. **~lager·stätte** *f.* 노천 광층(鑛層).

Erz≈lügner *m.* 터무니없는 거짓말쟁이, 순 사기꾼. **~lump** *m.* 아주 못된 무뢰한. **~marschall** *m.* (고대 로마나 독일 궁정의) 의전 장관.

Erz·mutter[1] *f.* 광석 함유암(岩), 모암(母岩).

Erz≈mutter[2] *f.* 여가장(女家長); 여족장. **~narr** *m.* 구제 불능의 바보.

Erz·ofen *m.* 용광로.

Erz≈pfaffe *m.* ↑ ~priester. **~prahler** *m.* 큰 허풍선이. **~priester** *m.* 〖가톨릭〗 수석 사제, 제사장; 대(大)장로.

Erz≈probe *f.* 광석 시험. **≈reich** *a.* 광석이 풍부한.

Erz≈säufer *m.* 술고래. **~schalk** *m.* 대단한 장난꾸러기; 대악당.

Erz≈scheide·kunst *f.* 광석 감정술; 선광법. **~scheider** *m.* 광석 감정가; 선광부; 선광기.

Erz≈schelm *m.* 대악한; 심한 장난꾸러기. **~schurke** *m.* 대악당. **~spieler** *m.* 큰 노름꾼, 노름꾼의 우두머리. **~spitz·bube** *m.* 대악당. **~stift** *n.* 대주교구.

Erz≈staub *m.* 광분(鑛粉). **~stufe** *f.* 광석의 작은 덩어리, (수집한) 광석 표본.

Erz≈truchseß *m.* (식량 등을) 관장하는 궁내관 장관(고대 독일 제국의 고위직). **~tugend** *f.* 〖哲〗 원덕(元德), 주덕(主德), 기본 도

덕. **~übel** *n.* 최대의 (해)악: ein ~ unserer Zeit 우리 시대의 최대악.
erzürnen [ɛrtsʏ́rnən] 《I》*i.* (s.) 노하다, 성내다, 화내다. 《II》*t.* 노하게〔화나게〕하다. 《III》*refl.* sich ~ 화내다: sich über et. 〔wegen eines Dinges〕 ~ 무슨 일로 화내다; sich mit jm. ~ 누구와 사이가 나빠지다.
Erzürnung *f.* -en 노함, 격분, 성을 냄.
Erz=vater *m.* 가장, (특히 이스라엘 민족의) 족장; 〖宗〗 총대주교. **~väterlich** *a.* 가장〔족장〕의.
Erz=waage *f.* 〖광산〗 광물 중량 측정용 저울. **~wäsche** *f.* 세광(洗鑛); 세광장(場). **~wäscher** *m.* 세광부; 세광기(機).
erzwingen* 《I》*t.* (et. von jm.) 억지로 빼앗다, 강탈하다; 강요하다: jm. Geständnis ~ 누구에게 자백을 강요하다; es läßt sich nicht ~ 그것은 억지로는 안 된다. 《II》**erzwungen** *p.a.* ↑ erzwungen.
Erzwingung *f.* -en 강탈; 강요, 강행.
Erz·wucherer *m.* 욕심 많은 고리 대금업자.
erzwungen 《I》*p.p.* ↑ erzwingen. 《II》*p.a.* 강요된; 억지로 꾸민, 부자연한; 거짓의: ~e Ehe 강제 결혼; ein ~es Lächeln 지어낸 웃음, 억지 웃음.
erzwungener·maßen *adv.* 강제로, 억지로.
es [ɛs] *n.* -, - 〖음악〗 내림 마 음; 내림 마 단조 (es-Moll).
***es** [ɛs] 《I》〖중성 인칭 대명사, 단수 1격 및 4격 es; 2격 seiner; 3격 ihm〗 ①〖선행하는 것을 받음〗 **(a)** 〖명사〗 er machte sich an das Werk, und vollbrachte ~ glänzend 그는 이 일에 착수하여 그것을 훌륭히 해냈다; wer ist dieser Herr? — ~ ist mein Nachbar 이분은 누구십니까? — 저의 이웃 사람입니다. **(b)** 〖부정 대명사〗 da kommt jemand, ~ ist mein Vater 저기 누군가 오고 있는데, 그 분이 바로 제 아버지이십니다. **(c)** 〖형용사〗 er ist arm, du bist ~ auch 그는 가난하며, 너도 그렇다. **(d)** 〖문장 전체 또는 그 주요 부분〗 er ist hier, ich weiß ~ 그는 여기에 있는데, 그것을 나는 알고 있다; ich konnte die Tür nicht öffnen, der Kutscher tat ~ 나는 문을 열지 못했지만 마부가 열었다. **(e)** 〖드물게 전치사와 함께〗 bringst du das Kind mit? — Nein, ich komme ohne ~ 너, 아이를 데리고 올거니? — 아니, 안 데리고 가. ②〖무엇을 가리키는지 상대방에게 분명한 경우에는 부정(不定)의 주어로서〗 ~ ist ein Hund 저건〔저 소리는〕 개입니다; 〖술어로 쓰인 인칭 대명사는 주어 es 에 앞서며 악센트를 가짐〗 ich bin's (그것은) 저입니다. ③〖비인칭 동사의 주어〗 **(a)** 〖날씨·시각·계절 등을 나타냄〗 ~ regnet〔schneit, hagelt, stürmt, donnert, gewittert, tagt, klärt sich auf〕 비가 온다〔눈이 온다, 우박이 내린다, 폭풍이 분다, 천둥이 친다, 소나기가 퍼붓는다, 날이 밝는다, 날씨가 갠다〕; ~ dämmert a) 동이 튼다, b) 날이 저문다; ~ wird kalt 날씨가 추워진다; ~ wird Nacht 밤이 된다; ~ ist fünf (Uhr) 5시다. **(b)** 〖감정·감각을 나타냄; 목적어가 동사 앞에 놓일 때 es 는 보통 생략됨〗 ~ hungert mich 〔mich hungert〕 나는 배가 고프다; ~ friert mich 〔mich friert〕 나는 춥다; ~ graut mir 〔mir graut〕 vor dem Gedanken 그것을 생각하면 겁난다. **(c)** 〖비인칭 동사의 주어로〗 ~ klopft 〔klingelt〕 문을 두드리는 소리가 난다〔초인종이 울린다〕; ~ brennt! 불이야!; ~ zieht hier 이리로 바람〔외풍〕이 들어온다; ~ gefällt mir in Berlin 베를린(생활)은 마음에 든다. ④〖수동의 뜻을 가진 문장의 주어로〗 **(a)** 〖수동형, 특히 자동사의 수동형의 주어로; 어순이 도치되면 es 는 생략됨〗 ~ wurde viel gegessen und getrunken 실컷 먹고 마셨다; ~ wird heute abend getanzt 〔heute abend wird getanzt〕 오늘밤 댄스 모임이 있다. **(b)** 〖재귀적으로 쓰여서 수동의 뜻을 가지는 동사의 주어로〗 ~ spricht sich hier gut 〔~ läßt sich hier gut sprechen〕 여기는 이야기하기가 좋다. ⑤〖존재·발생을 의미하는 es gibt, es hat 형의 주어로〗 **(a)** 〖존재〗 es gibt keinen Gott 신은 존재하지 않는다; ~ hat keinen Zweifel, daß… …임은 의심할 여지가 없다. **(b)** 〖발생〗 was gibt's? 무슨 일이냐, 웬일이냐? ⑥〖형편·상태 등을 의미하는 es geht 〔steht〕 형의 주어로〗 so geht's in der Welt 세상이란 그런 것이다; so steht ~ 사정이〔사태가〕 그러하네, 그런 사연이라네; wie geht's Ihnen? 안녕하십니까? ⑦〖문법상의 주어로서 뒤에 오는 의미상의 주어를 강조할 경우〗 ~ lebe der König! 국왕 만세!; ~ war einmal ein König in Thule 옛날 툴레에 한 임금이 있었다. ⑧〖부문장 또는 zu 를 가진 부정형(不定形)에 앞서서〗 **(a)** 〖주어문; 어순의 도치로 es 가 생략되는 경우가 있음〗 ~ ist offenbar, daß… …은 분명하다; ~ ist töricht, Geschehenes zu beklagen 지난 일을 한탄하는 것은 어리석은 짓이다; mich freut (~), daß du wieder da bist 네가 돌아와서 기쁘다; 〖es 를 생략할 수 없는 경우〗 wie kommt ~, daß…? 어떻게 하여 …이 되는가?, …은 어쩐 일인가? **(b)** 〖목적어문; es 가 생략되는 경우가 있음〗 ich will (~) versuchen, ob… …인지 아닌지 시험해보겠다; ich bereue (~), ein hartes Wort gesprochen zu haben 심한 말을 한 것을 나는 후회한다. **(c)** 〖sein 동사의 주어로서 후속되는 관계문을 지시함〗 ich bin ~, der es getan hat 그것을 한 것은 바로 접니다; die Macht ist's, was sie wollen 그들이 원하는 것은 바로 권력이다. ⑨〖전치사 또는 격지배 동사의 문법상 주어로서〗 ~ liegt an ihm 그 사람의 탓〔책임〕이다; ~ ist an dir 네 차례다; ~ ist um ihn geschehen 그는 이제 끝났다〔볼장 다 봤다〕; ~ fehlt dem Mann an Fleiß 이 남자는 근면성이 모자란다. ⑩〖뜻이 막연한 4격 목적어로〗 ~ mit jm. verderben 누구의 비위를〔기분을〕 상하게 하다; ~ zu bunt treiben 행동이 지나치다; ~ weit bringen 진보〔성공·출세〕하다; ~ gut〔schlecht〕 haben 행복〔불행〕하다; ~ eilig haben 급하다; ~ mit jm. halten 누구의 편을 들다, 누구에게 호감을 가지다. ⑪ **(a)** 〖간결한 표현에서는 생략됨〗 (~) mag sein! 그럴지도 모르지! **(b)** 〖시(詩)에서는 문장 앞의 문법상 주어 es 를 생략하는 일이 있음〗 sah ein Knab' ein Röslein stehn auf der Heide 한 소년이 보았네, 들에 핀 (작은) 장미꽃을. ⑫〖es 의 3격 ihm 의 용례〗 ~ sei nun wie ihm sei 그것은 어떻더라도 좋다, 될 대로 돼라. 《II》(ahd. is, es; mhd. es; 원래는 남성 및 중성 2격의 형태; 지금은 seiner, dessen 또는 da 와 전치사의 융합형이 이 대신 쓰이며, 특수한 용례에서만 볼 수 있

음》①〔지금은 4격으로 해석되는 경우〕(a)〔명사와 결합〕ich habe ~ Ursache 거기에는 까닭이 있다; sie haben's keinen Gewinn 그들은 그것에서 아무런 이익도 얻지 않는다. (b)〔동사와 결합〕ich erinnere mich's noch 나는 아직도 그것을 기억하고 있다. (c)〔형용사와 결합〕ich bin ~ zufrieden〔leid〕나는 그것으로 만족한다〔그것이 유감이다〕. ②〔지금은 1격으로 해석되는 경우〕~ ist zu viel 그것은 너무 많다; ~ ist kein Zweifel 그것에는 아무런 의심도 없다.

Es[1] *n.* - 그것, 어떤 것: das unbestimmte ~ 정해지지 않은 어떤 것.

Es[2] *n.* -, -〖心〗(프로이트 심리학의) 무의식적 욕망, 이드(id).

Es[3] *n.* -, -〖음악〗① 내림 마 음(音). ② 내림 마 장조(의 기본음).

Es[4] ↑ Escudo.

Es[5] =〖化〗Einsteinium 아인시타이늄.

Es[6] *m.* -, - (öst.)〔구어〕↑ Schilling 의 약어.

Es[7] *m.* -, - (öst.)〔구어〕↑ Espresso 의 약어.

ESA 《engl.》〖우주비행〗=European Space Agency 유럽 우주 기구.

Esaias *m.* ↑ Jesaias.

Esau [é:zau] *m.*〔구어·농담〕ein haariger ~ 털북숭이 남자(원래는 구약 성경에 나오는 인물).

Esc ↑ Escudo.

Esch [ɛʃ] *m.* -es, -e (fränk.) 밭, 경지; 동시에 경작·수확이 이루어지는 인접 전답의 총칭; (↔Brachfeld) 경작 중인 밭.

Eschatologie [ɛsçatologí:] 《gr. éschaton》 *f.* -n [..gí:ən]〖宗〗종말론, 종말 신학.

eschatologisch *a.* 종말론의.

Esche [ɛ́ʃə] *f.* -n ①〖植〗물푸레나무. ② 창(槍).

eschen *a.* 물푸레나무의.

Eschen≈baum *m.* ↑ Esche ①. **~holz** *n.* 물푸레나무 재목〔삼림〕. **~lanze** *f.*〔고어〕물푸레나무로 만든 창.

E-Schicht *f.*〖理〗E층(層)(전리층의 하나).

Escudo [ɛskú:do] 《port.》 *m.* -(s), -(s) 에스쿠도(포르투갈과 칠레의 화폐 단위).

Es-Dur [ɛ́sdu:r] *n.* -〖음악〗내림 마 장조.

Es-Dur-Ton·leiter *f.* 내림 마 장조 음계.

*__Esel__ [é:zəl] *m.* -s, - ①〖動〗당나귀;〔비유〕바보: ein ~ in〔unter〕der Löwenhaut 허세를 부리는 멍청한 놈; du alter ~! 이 어리석은 놈아!; vom Pferde auf den ~ kommen 영락(零落)하다; jm. einen ~ bohren 누구를 조롱〔조소〕하다; das hieße den ~ Griechisch lehren 그것은 되지도 않을 소리다, 소귀에 경읽기다;〔속담〕wenn's dem ~ zu wohl wird, geht er aufs Eis (tanzen) 손자를 귀애하면 할아비 상투 잡는다(어리석은 자는 우쭐해지면 터무니없는 짓을 한다);〔속담〕ein ~ schilt den andern Langohr 똥 묻은 개가 겨 묻은 개를 나무란다. ② (물건을) 받치는 틀;〖工〗(발판이 있는) 접는 사다리. ③ 자전거, 오토바이. ④ (a) ↑ Assel. (b) 달팽이. (c) 가뢰과(科).

Eselchen *n.* -s, - 새끼 당나귀.

Eselein *n.* -s, -〔↑ Esel 의 축소형〕↑ Eselchen.

Eselei *f.* -en 우둔(함); 바보짓, 미련한 짓.

eselhaft *a.* 당나귀 같은;〔비유〕고집센, 미련한, 멍청한.

Esel≈füllen *n.* ↑ Eselchen. **~hengst** *m.* 당나귀 수컷.

Eselin *f.* -nen 암당나귀, 당나귀의 암컷.

eseln 《Ⅰ》 *i.* (h.)〔고어〕① 미련하게〔억척스럽게〕공부하다. ② 속다, 속임수에 걸리다. ③ 큰 실수를 저지르다, 바보짓을 하다. 《Ⅱ》 *t.*〔비유〕jn. ~ 누구를 바보라고 욕하다.

Esels≈arbeit *f.* 고역(苦役), 천역(賤役). **~bank** *f.* 열등생이 앉는 걸상. **~brücke** 《lat. pons asinorum》 *f.* ① 힌트. ② (몰래 보는) 자습〔해답〕서. ③ 기억력 보조 수단. **~geschrei** *n.* 당나귀 울음. **~kopf** *m.* 당나귀 머리;〔비유〕멍텅구리, 바보. **~ohr** *n.* ① 당나귀의 귀: jm. ~en deuten〔bohren〕(손가락으로 당나귀의 귀 모양을 해보이며) 누구를 바보라고 놀리다. ② (찾기 쉽게〔부주의로〕) 접은〔접힌〕책장 귀: ~en in einem Buch machen 책장의 모서리를 접다. **~rücken** *m.* ① 당나귀 등. ② (고딕 건축의) 첨두(尖頭) 아치.

Esel≈stute *f.* ↑ Eselin. **~treiber** *m.* 당나귀 몰이꾼.

Es-es [ɛ́s|ɛs]〖음악〗이중 내림 마 음(내림 마 음이 다시 반음 내린 것).

Eskader [ɛská:dər] 《frz.》 *f.* -s〔고어〕소함대, 소규모 전투 함대.

Eskadron [ɛskadró:n] *f.* -en〖軍〗기병(중)대.

Eskadrons·chef *m.* 기병 중대장.

Eskalade [ɛskalá:də] 《lat. scala, „Leiter"》 *f.* -n〖軍〗사닥다리를 이용한 요새 공격.

eskaladieren *t.*〖軍〗(성 공격용 사다리로) 기어오르다, 습격하다.

Eskaladier·wand *f.* 등반(연습)벽.

Eskalation *f.* -en ①〖軍·政〗(군사적·정치적 갈등의) 심화, 고조. ② (단계적) 상승, 확대.

Eskalator *m.* -s, -en〔구식〕에스컬레이터(Rolltreppe).

eskalieren 《Ⅰ》 *i.* (갈등이) 심화〔고조〕되다. 《Ⅱ》 *t.* (단계적으로) 심화〔고조〕시키다: Tarifauseinandersetzungen bis zum Massenstreik ~ 임금 협상을 대파업으로 확대하다.

Eskalierung *f.* -en 확대, 심화, 강화.

Eskamotage [ɛskamotá:ʒə] 《frz. escamotage „Taschenspielerei"》 *f.* -n 마술, 요술.

Eskamoteur [..tǿ:r] *m.* -s, -e 요술쟁이.

eskamotieren *t.* ① 요술로 감추다, 주문을 외어 없어지게 하다. ②〔교양〕슬쩍 넘어가다.

Eskapade [ɛskapá:də] 《frz.》 *f.* -n ① (승마에서) 반회전, 선회; (훈련중의 말이) 옆으로 잘못 뜀. ② 모험적인 기도(企圖), 일탈 행동.

Eskapismus *m.* -s〖心〗현실 도피주의.

eskapistisch *a.* 현실 도피적인.

Eskarpe [ɛskárpə] 《frz.》 *f.* -n〖軍〗(방어 보루의) 참호 안쪽 벽.

Eskarpin [ɛskarpɛ̃́:] *m.* -s, -s ① (앞 끝이 뾰족한) 댄스용 구두. ② (댄스용 구두와 맞춰 입는) 실크 반바지.

eskarpieren *t.* (방어 보루의) 언덕을 가파르게 만들다.

Eskimo [ɛ́skimo:] 《indian., „Rohfleischesser"》 *m.* -(s), -(s) 에스키모인.

eskimoisch *a.* 에스키모(인·어)의.

Eskimo·sprache *f.* 에스키모인의 언어.

Eskompte [ɛskɔ̃́t] 《frz.》 *m.* -s, -s ①〖商·구

식』(현금 지급 때의) 가격 할인, 감가. ②『금융』 어음 할인.
eskomptieren [ɛskɔ̃tí:rən] *t.* (선불·일시불에 의해) 할인하다; (어떤 사건의 영향을) 증권 시세에 미리 참작하다.
Eskorte [ɛskɔ́rtə] 《frz., „Begleitung"》 *f.* -n 호송〔호위〕(대·병); 수행원.
eskortieren *t.* 호송〔호위〕하다.
Eskortierung *f.* -en 호위, 호위를 받음.
Eskudo [ɛskú:do] *m.* -(s), -(s) ↑ Escudo.
Esmeralda *f.* -s 에스메랄다(에스파냐춤).
es-Moll [ɛ́smɔl] *n.* -〔음악〕 내림 마 단조.
es-Moll-Ton·leiter *f.* -n〔음악〕 내림 마 단조 음계.
ESO 〔天〕 =European Space Observatory (칠레에 있는) 유럽 천체 관측소.
Esoterik *f.* ① 비교(祕敎), 비의(祕義). ② 비교적(祕敎的) 정신〔사고〕.
Esoteriker [ezoté:rɪkər] 《gr. esóteros, „der Innere"》 *m.* -s, - 〖교양〗 비교도(祕敎徒) (↔ Exoteriker).
esoterisch *a.* (↔exoterisch) 비교의, 밀교(密教)의.
Espagnolette [ɛspanjolɛ́tə] 《sp.-frz.》 *f.* -n ①〔방직〕 능직 면포〔무명〕의 일종. ② (간단한) 창문의 회전 자물쇠.
Espagnolette·verschluß *m.* 창문의 회전 자물쇠.
Esparsette [ɛsparzɛ́tə] 《-frz.》 *f.* -n〔植〕 잠두(蠶豆), 가시완두.
Esparto *m.* -s, -s ①〔植〕 아프리카나래새. ②〔제지〕 (제지 원료인) 나래새의 잎과 줄기.
Esparto·gras *n.* 아프리카나래새의 건조시킨 잎.
***Espe** [ɛ́spə] *f.* -n〔植〕 백양나무, 사시나무.
espen *a.* 백양나무의, 백양나무로 만든.
Espen·laub *n.* 백양나무의 잎: wie ~ zittern 와들와들 떨다.
Esperantist [ɛsperantíst] 《lat. -frz.》 *m.* -en, -en 에스페란토주의자〔사용자〕.
Esperanto [ɛsperánto] *n.* -(s) 에스페란토.
Esperantologe *m.* -n, -n 에스페란토 학자.
Esperantologie *f.* 에스페란토 및 그 문학에 관한 학문, 에스페란토학.
espirando *a.* 〔음악〕 소리를 점점 죽여 가며.
Esplanade [ɛsplaná:də] 《frz.》 *f.* -n (성채·대건축 등의 전면의) 큰 광장, 공터.
espressivo *adv.* 〔음악〕 표현을 풍부하게.
Espressivo *n.* -s, -s/..vi 표현이 풍부한 구절.
Espresso[1] *m.* -(s), -s/..pressi 에스프레소 커피.
Espresso[2] *n.* -(s), -s 에스프레소 커피를 파는 술집〔카페〕.
Espresso·bar *f.* 에스프레소 커피를 파는 카페. **~maschine** *f.* 에스프레소용 커피 기계.
Esprit [ɛsprí:] 《frz. <lat. spiritus》 *m.* -s, -s [..prí:s] 재기(才氣), 명민.
Esquire [ɪskwáɪə] 《engl. „Schildträger"》 *m.* -s, -s ①〖옛뜻〗 귀족님(귀족에 대한 영국식 호칭). ② 씨, 귀하(편지 주소에서 사용되는 영국식 경칭; 약어: Esq).
Essäer [ɛsɛ́:ər] 《hebr.》 *m.* -s, -〔史〕 에센파(派)의 신도(1-3 세기 팔레스타인에 있던 유대인의 금욕적 비밀 교단; 150 B.C.-70 A.D.).
Essai [ɛ́se:, ɛsé:] 《frz.》 *m./n.* -s, -s ↑ Essay.
Essay [ɛ́se:, ɛsé:] 《engl.》 *m./n.* -s, -s 에세이, 수필.
Essayist [ɛse:ɪ́st] 《engl.》 *m.* -en, -en 에세이스트, 평론〔수필〕가.
Essayistik *f.* ① 에세이 형식〔기법〕. ②〔문학〕 에세이론.
essayistisch [ɛse:ɪ́stɪʃ] *a.* 에세이적인, 수필의.
ess.. 新정서 ⇦ eß..
eßbar [ɛ́sba:r] 《<essen》 *a.* 먹을 수 있는, 식용의.
Eßbarkeit *f.* ① ↑ eßbar 의 명사형. ②〖복수: -en〗 먹거리, 식료품.
Eß≈begier *f.* 식욕. **~besteck** *n.* (스푼·나이프·포크 등의) 식기. **~ecke** *f.* (어떤 공간의 구석에 마련된) 작은 식사 장소.
Esse[1] [ɛ́sə] *f.* -n ① 대장간의 화로. ② (md.) 굴뚝: et. in die ~ schreiben 무엇을(특히 돈을) 잃어버린 것으로 간주하고 단념하다. ③〖농담〗 실크 해트, 원통형 모자.
Esse[2] 《lat., „Sein"》 *n.* -〖다음 용법으로〗 in seinem ~ sein 마음 편히 지내다, 자기 식대로 살다.
essen [ɛ́sən] (aß, gegessen) 《I》 *t.* 먹다: jn. arm ~ 누구를 벗겨〔뜯어〕먹다; die Schüssel leer ~ 사발의 음식을 다 먹어 치우다; et. gern ~ 무엇을 즐겨 먹다. 《II》 *i.* (h.) 식사하다: zu Mittag 〔zu Abend〕 ~ 점심〔저녁〕을 먹다; wir ~ mittags warm 우리는 점심에 따뜻한 음식을 먹는다; bei jm. ~ 누구의 집에서 식사하다; gut ~ und trinken 생활이 유복하다; 〖속담〗 selber ~ macht fett 내 몸〔보신(補身)〕이 제일이다. 《III》 *refl.* sich satt 〔dick〕 ~ 포식하다, 배불리 먹다; sich voll ~ 잔뜩 먹다; sich krank ~ 체하다; Suppe ißt sich am besten heiß 수프는 뜨거울 때 먹는 것이 제일이다.
***Essen**[1] *n.* -s, - 먹기; 식사; 음식, 요리, (1인분의) 음식; 연회, 잔치: ~ und Trinken 음식; zum ~ bleiben 끼니 때까지 눌러앉다; sein ~ verdienen 생계를 해결하다; 〖속담〗 ~ und Trinken hält Leib und Seele zusammen 먹을 것이 족해야 심신이 흐트러지지 않는다.
Essen[2] 에센(Rhein 공업 지대의 중심 도시).
Essen≈ausgabe *f.* -n ① 배식. ② 배식 창구. **~disch** ↑ essensch. **~empfang** *m.* 식사 대접 받음.
Essener[1] [ɛ́sənər] 《I》 *m.* -s, - 에센 시민. 《II》 *a.* 에센의.
Essener[2] [ɛsé:nər] ↑ Essäer.
essensch *a.* 에센(산(産))의.
Essen≈feger *m.* 〖방언〗 ↑ Schornsteinfeger. **~holer** *m.* (한 그룹의) 식사를 나르는 당번. **~karte** *f.* 식권. **~kehrer** *m.* 〖방언〗 ↑ Schornsteinfeger. **~meister** *m.* 대장간 주인, 대장간의 우두머리.
Essens·zeit *f.* 식사 시간.
essential [ɛsɛntsiá:l] 《lat.》 *a.* ↑ essentiell.
essentiell [..tsiɛ́l] 《lat. -frz.》 *a.* ①〔哲〕 본질적인, 본체의. ②〔生·化〕 필수적인, 불가결한. ③〔醫〕 진성의, 특발성(特發性)의.
Essentialien [ɛsɛntsiá:liən] *pl.* 〔法〕 (법률 행위의) 요소.
Essenz [ɛsɛ́nts] 《<Esse[2]》 *f.* -en ① 본체, 본

질; 진수(眞髓), 정수; 기본 개념. ② (**a**) 휘발 성분. (**b**) 향기, 향료, 향유. (**c**)〖요리〗(식물 따위에서 얻은) 추출물, 정수, 진액.

essenzial 新정서 ⇦ essential.

essenziell 新정서 ⇦ essentiell.

Esser [ɛ́sər] 《<essen》 *m.* -s, - 먹는 사람: ein starker〔guter〕 ~ 대식가; ein schwacher 〔schlechter〕 ~ 소식가.

Esserei *f.* -en〖구어·폄어〗① 연회; 향연. ② 탐식, 대식.

Eß≈gelage *n.* 회식, 연회, 향응. **~geschirr** *n.* 식기. **~gier** *f.* 식욕; 탐식, 게걸스러움.

***Essig** [ɛ́sɪç] 《lat.》 *m.* -s, -e 초(醋), 식초: ~ an et.³ tun 〔et. mit ~ anmachen〕 무엇에 (식)초를 치다; et. in ~ einlegen 무엇을 초에 절이다;〖비유〗es ist ~ damit 그것은 소용없다〔끝장났다〕; zu ~ werden a) 초가 되다, 시어지다, b) 수포로 돌아가다, 실패하다: unsere Pläne für den Sommerurlaub sind jetzt zu ~ geworden 우리의 여름 휴가 계획은 이제 수포로 돌아갔다.

Essig≈älchen *n.* 초선충(醋線蟲). **~äther** *m.*〖化〗아세트산 에테르. **~baum** *m.* 옻나무속(屬)의 일종. **~bildung** *f.*〖化〗아세트화(化). **~brauerei** *f.* 식초 제조 공장. **~-essenz** *f.*〖식품〗식초 원액. **~ester** *m.* ↑ ~äther. **~fabrik** *f.* ↑ ~brauerei. **~flasche** *f.* 식초병. **~fliege** *f.* 초파리. **~gärung** *f.* 아세트산 발효. **~gurke** *f.*〖요리〗오이 피클. **~messer** *m.*〖化〗아세트산 비중계. **~mutter** *f.*〖化〗초모(醋母), 아세트산 발효균. **≈sauer** *a.* 초같이 신;〖化〗아세트산의. **~säure** *f.*〖化〗아세트산. **~siederei** *f.* ↑ ~brauerei. **~-und-Öl-ständer** *m.* 양념대(臺).

Eß·kohle *f.* 무연탄.

Eß≈kastanie *f.* 식용 밤나무(열매). **~kultur** *f.* 음식 문화. **~löffel** *m.* ① 큰숟가락, 테이블 스푼. ② 한 숟가락만큼의 양: ein ~ Mehl 밀가루 한 숟가락. **≈löffel·weise** *adv.* 큰 숟가락으로. **~lust** *f.* 식욕. **≈lustig** *a.* 식욕이 있는〔좋은〕. **~saal** *m.* 식당. **~-stäbchen** *n.* 젓가락. **~stube** *f.* (작은) 식당, 다실(茶室). **~tisch** *m.* 식탁. **~unlust** *f.* 식욕 부진. **≈unlustig** *a.* 식욕이 부진한. **~waren** *pl.* 식(료)품. **~zeit** *f.* 식사 시간. **~zimmer** *n.* 식당.

..est *suf.* 형용사의 최상급 어미.

Establishment [ɪstɛ́blɪʃmənt] 《engl.》 *n.* -s, -s ① 지도층, 상층부. ② 지도〔통치〕 체제.

Estafette [ɛstafɛ́tə] 《frz.》 *f.* -n〖고어〗파발꾼, (기마) 급사(急使).

Estamin [ɛstamí:n] *n.* -s ↑ Etamin.

Estampe [ɛstã́:p(ə)] 《frz.》 *f.* -n 복제; 동판화, 목판화; 스탬프.

Estanzia [ɛstántsia, ..nsia] *f.* -s 《span. estancia》 (남아메리카의) 농장.

Este [é:stə, ɛ́stə] *m.* -n, -n 에스토니아 사람.

Ester [ɛ́stər] *m.* -s, -〖化〗에스테르, 복성(複性) 에테르.

Esther [ɛ́stər] 《pers. -hebr.》 *f.* 에스터(여자 이름).

estimieren *t.* ↑ ästimieren.

Estin *f.* -nen ↑ Este 의 여성형.

estinguendo [ɛstɪŋgúɛndo] 《it.》 *adv.*〖음악〗꺼지듯이, 점점 소리 죽여.

Estland [ɛ́:stlant] 에스토니아(발트 3 국 중 한 나라).

Estländer *m.* -s, - 에스토니아 사람.

estländisch *a.* ↑ estnisch.

estnisch *a.* 에스토니아의.

Estomihi [ɛstomí:hi] 《lat.》 *m.* -〔관사 없이〕 오순절의 주일(主日)(사순절 전의 마지막 일요일).

Estrade [ɛstrá:də] 《frz., „Straße"》 *f.* -n ①〖고어〗도로. ②〖건축〗약간 높게 만든 바닥, 연단. ③〖구동독〗민속 축제.

Estraden·konzert *n.* 연예회.

Estragon [ɛ́stragɔn] 《frz.》 *m.* -s〖植〗쑥의 일종.

Estremadura·garn [ɛstremadú:ra..] *n.* 무명 뜨개실.

***Estrich** [ɛ́strɪç] 《gr. -lat.》 *m.* -s, -e ① (시멘트·진흙 따위의) 바닥. ② (schweiz.) (발라서 굳힌) 천장; 지붕밑 방, 다락방.

Eszett [ɛstsɛ́t] *n.* -, - 독일어 자모의 ß.

et [ɛt] 《lat.》 *cj.* 및, 그리고(기호: &).

Eta *n.* -(s), -s 그리스 자모의 일곱째 자(*H*, *η*).

ETA =Euzukadi Ta Azkatasuna 《bask.: 조국 바스크와 자유란 뜻》〖政〗1959 년에 설립된 에스파냐 바스크족이 독립을 위해 만든 지하 조직.

etablieren [etablí:rən] 《frz.》 《Ⅰ》 *t.* ① 확정〔확립〕하다. ② 설치〔개설·창설〕하다: ein Unternehmen ~ 기업을 설립하다. ③ (jn.) (누구를) 어떤 지위에 앉히다, 자리잡게 하다. 《Ⅱ》 *refl.* sich ~ ① 자리잡다, 취직〔개업〕하다: sich als Arzt ~ 의사로 개업하다. ② 거처를 정하다. 《Ⅲ》 **etabliert** *p.a.* ↑ etabliert.

etabliert 《Ⅰ》 *p.p.* ↑ etablieren. 《Ⅱ》 *p.a.* 기초가 튼튼한; 확고한 지위를 가진.

Etablierte* *der/die* (사회적으로) 직업이〔지위가〕 확실한 사람.

Etablierung *f.* -en ① 확립, 확정. ② 거주, 정착. ③ 설립, 개업.

Etablissement [etablɪs(ə)mɑ̃́:, (schweiz.) ..mɛ́nt] *n.* -s, -s/-e ① 설치, 개설, 개점, 창업; 거주지. ② 레스토랑;〖은폐〗유곽, 요정.

Etage [etá:ʒə] 《frz.》 *f.* -n ① 층: erste ~ 2 층. ② 단계, 계층: die höheren ~n der Gesellschaft 사회의 상류층.

Etagen≈bau *m.* ① 계단식 경작지. ②〖林〗(목재의) 파상문(波狀紋). **~bett** *n.* 2 층 침대. **≈förmig** *a.* ① 계단형의. ②〖林〗파상문의. **~geschäft** *n.* 건물의 위층을 사용하는 소규모의 영업. **~heizung** *f.* 층별 중앙 난방. **~kessel** *m.* ↑ ~ofen. **~ofen** *m.*〖工〗몇 층으로 되어 있는 가마〔난로〕. **~tür** *f.* 층별 현관문. **~wohnung** *f.* 한 세대가 한 층을 다 쓰는 아파트.

Etagere [etaʒɛ́:rə] 《frz.》 *f.* -n〖고어〗선반이 여럿 있는 (찬)장; 책장.

Etalage [etalá:ʒə] 《frz.》 *f.* -n 진열(장).

etalieren *t.*〖고어〗진열하다: Waren ~ 상품을 진열하다.

et al. =et alii 등등.

et alii [..á(:)lii] 《lat.》 등등, 따위.

Etalon [etalɔ̃́:] 《frz.》 *m.* -s, -s 표준 도량형, 표준.

Etamin [etamí:n] *n./m.* -(s) ↑ Etamine.

Etamine *f.*〖방직〗에타민직(가는 실로 비쳐

보이게 짠 것).

Etappe [etápə] 《frz.》 *f.* -n ① 〖고어〗 화물 집산지〔창고〕; 〖軍〗 병참 기지; 숙영(宿營)(지). ② (a) 단계, 시기. (b) 구간: von ~ zu ~ fortschreiten 한발 한발〔조금씩〕 전진하다.

Etappen≈anfangs·ort *m.* 〖軍〗 병참 기지. **~dienst** *m.* 병참〔후방〕 근무. **~flug** *m.* 중간 착륙 비행. **~gebiet** *n.* 〖軍〗 병참 지역. **~hase** *f.* ↑ ~hengst. **~hengst** *m.* 〖軍·펌어〗 병참〔후방〕 근무자. **~schwein** *n.* 〖軍·비속〗 병참 근무자. **~sieg** *m.* 〖스포츠〗 (역전 경기의) 구간 우승. **~straße** *f.* 병참〔군용〕 도로. **~weise** *adv.* 병참지마다; 단계적으로, 조금씩, 차례로.

Etat [etá:] 《frz.》 *m.* -s, -s ① (a) 상태, 형편. (b) 생활 상태〔형편〕; 재산 상태; 〖商〗 현재고(高), 결산표; 손익 계산표. ② 〖軍〗 정원(Kopfstärke). ③ 〖法〗 예산(안).

Etat≈aufstellung *f.* 예산 편성. **~beratung** *f.* 예산〔안〕 심의.

etatisieren [etatizí:rən] *t.* 예산에 계상하다; 예산에 넣다.

Etatismus *m.* - ① 〖원뜻〗 (각 주(州)에 대한) 중앙 권력 강화. ② 국가 계획 경제 형태. ③ 국가주의(사기업에 대한 국가의 간섭 따위).

Etat≈jahr *n.* 예산〔회계〕 연도. **~lage** *f.* 예산 상황. **~major** *m.* 〖軍〗 참모부; 참모(관). **~mäßig** *a.* 예산상의; 정원(내)의. **~periode** *f.* 예산 회기. **~posten** *m.* 예산 항목. **~rede** *f.* 예산안 연설. **~stärke** *f.* 〖軍〗 전력(戰力)(인력·무기·장비·차량 등). **~überschreitung** *f.* 예산 초과.

Etazismus [etatsísmus] *m.* - 장음 e 에 해당하는 고대 그리스어 자모 Eta 의 발음.

etc. =et cetera [ɛt tsé:tərа] 《lat., „und so weiter"》 등등, 운운.

etc. pp. =et cetera pp. [..pepé:] 《pp. =lat. perge》 〖구어〗 등등.

etepetete [e:təpəté:tə] 《frz.》 *a.* 〖구어〗 ① 거드름피우는, 점잔 빼는. ② 지나치게 꼼꼼한; 까다로운.

Eternit [etɛrní:t, ..nít] 《lat.》 *m./n.* -s 〖상표명〗 이터닛(내구성 석면 건축재).

Eternit·platte *f.* 이터닛판, 석면 슬레이트.

Etesien [eté:ziən] 《gr.》 *pl.* 〖지리〗 (동지중해 지방의) 계절풍.

Etesien·klima *n.* 계절풍 기후(여름은 건조, 겨울은 다습).

ETH =Eidgenössische Technische Hochschule (스위스의) 국립〔연방〕 공과 대학.

Ethan [ɛtá:n] *n.* -s 〖化〗 에탄(↑ Äthan).

Ethanol [ɛtanó:l] *n.* -s 〖化〗 에탄올(Äthanol).

Ether [ɛ́:tər] *m.* -s 〖化〗 에테르기(基)(Äther).

***Ethik** [é:tɪk] 《<Ethos》 *f.* -en ① 윤리학. ② 윤리학 저서: die ~en der Gegenwart 현대의 윤리학 저서. ③ 〖교양〗 윤리, 도덕.

Ethiker *m.* -s, - ① 윤리학자. ② 도덕가.

ethisch [é:tɪʃ] *a.* 윤리학의; 윤리적〔도덕적〕인.

ETHL =ETH Lausanne 로잔 국립 공과 대학.

Ethnie [ɛtní:] *f.* -n [..ní:ən] 〖인류〗 (단일 문화를 지닌) 종족, 인종.

ethnisch [ɛ́tnɪʃ] 《gr. éthnos》 *a.* ① 인종적〔민족적〕인. ② 이교도의(중세 유대인이 아닌 비그리스도 교도를 그리스어로 éthnē "Völker" 라고 일컬은 데서).

Ethnograph [ɛtnográ:f] *m.* -en, -en 민족학〔인종학〕자.

Ethnographie [..grafí:] *f.* 인종지(人種誌); 민족〔인종〕학.

Ethnographin *f.* -nen ↑ Ethnograph 의 여성형.

ethnographisch *a.* 인종학의.

Ethnologe [..ló:gə] *m.* -n, -n 민족학〔인종학〕자.

Ethnologie [..logí:] *f.* (비교) 민족〔인종〕학.

Ethnologin *f.* -nen ↑ Ethnologe 의 여성형.

ethnologisch *a.* 민족학〔인종학〕의.

Ethologie [etologí:] 《gr.》 *f.* 풍속학; 인성학(人性學); 비교 행동학; 〖動〗 생태학.

***Ethos** [é:tɔs] *n.* - 〖교양〗 ① 풍속, 풍습. ② 민족〔사회〕 정신. ③ 품성, 품격; 본성.

Ethyl [ɛtý:l] *n.* -s 〖化〗 에틸기(基).

ETHZ =ETH Zürich 취리히 국립 공과 대학.

Etikett [etikɛ́t] *n.* -(e)s, -e(n)/-s 〖商〗 (상품 따위의) 라벨, 상표, 꼬리표: ein ~ aufkleben 상표를 붙이다.

***Etikette**[1] [etikɛ́tə] 《frz.》 *f.* -n 〖드물게〗 (schweiz., öst.) ↑ Etikett.

***Etikette**[2] *f.* -n 예의 범절, 예법: die ~ wahren〔verletzen〕 예의 범절을 지키다〔어기다〕.

etikettieren *t.* …에 표를〔라벨을〕 붙이다.

Etikettierung *f.* -en 라벨을〔상표를〕 붙임.

etiolieren [etiolí:rən] *i.* 〖植〗 (햇빛 부족으로) 줄기만 길게 자라다.

etliche [ɛ́tlɪçə] *a./prn.* 《I》 〖부가적〗 몇몇〔약간·소수〕의: nach ~r Zeit 조금 후; es sind ~ Tage her, daß... …후 며칠이 지났다; ~ ähnliche Fälle (그와) 비슷한 몇몇 사례; ~ dreißig Tage 30 일 가량; 20 und ~ Jahre 20 수년; ~ hundert Bücher 수백 권의 서적; ~ Male 몇 번〔차례〕. 《II》 〖명사적〗 ~s 두서넛, 약간: es fiel ihm ~s ein 그에게 몇 가지 생각이 떠올랐다.

etliche·mal *adv.* 몇 차례, 몇 번.

Etmal [ɛ́tma:l] 《ndd.》 *n.* -(e)s, -e 〖海〗 ① 식사 시간. ② 일주야; (Schiffstagereise) 하루 밤낮의 항해 (거리).

Etrurien [etrú:riən] *n.* 에트루리아(로마 북쪽 옛 지명).

Etrurier *m.* -s, - ↑ Etrusker.

Etrusker [etrʊ́skər] *m.* -s, - 에트루리아 사람.

etrurisch *a.* ↑ etruskisch.

etruskisch *a.* 에트루리아의.

Etsch [ɛtʃ] *f.* 에취강(북이탈리아에 있는 강).

Etsch·tal *n.* ↑ Etsch 계곡.

Etter [ɛ́tər] *m./n.* -s, - (südd.) ① 개발된 마을 지역. ② 울타리, 경계.

Etüde [etý:də] 《frz.》 *f.* -n 〖畫〗 습작, 시작(試作); 〖음악〗 연습곡.

Etui [etví:, etyí:] 《frz.》 *n.* -s, -s 작은 함, 상자, 케이스, 봉지: Brillen~ 안경집.

Etui·kleid *n.* 몸에 꼭 끼는 드레스.

***etwa** [ɛ́tva] *adv.* ① 대략(ungefähr): ~ 3 Meter 약 3 미터; ~ um zwölf Uhr 12 시 무렵에. ② (vielleicht) 아마, 혹시, 어쩌다: wenn ~ die Rede davon sein sollte, so... 혹시 그에 관한 이야기라도 나오면; wenn es nicht ~ regnet 비라도 오지 않으면; das ist doch nicht ~ dein Fall 그것이 설마 네 경우는 아니겠지. ③ in ~ a) 어느 정도, 조금, b) 어떤 측면에서는: wir stimmen in ~ überein 어떤 점에서는 우리는 의견이 같다. ④ 가령: wenn wir ~ sagen wollen 가령 우리가 말하고자 한다면. ⑤ nicht ~ 결코 …않다: ich habe es nicht ~ vergessen, sondern hatte keine Zeit dazu 내가 그것을 잊은 게 아니라, 그것에 대해 신경쓸 시간이 전혀 없었다. ⑥ (schweiz.) 가끔: sie sah ihn ~ in der Stadt 그녀는 가끔 시내에서 그를 보았다.

etwaig [ɛ́tvaːɪç, ɛtváːɪç] *a.* 어쩌면 일어날〔있을〕 법한; 불시〔뜻밖〕의: ~e Ausgaben 뜻밖의 지출; melden Sie mir seine ~e Ankunft 혹시 그가 도착하면 알려 주십시오.

etwaigen·falls *adv.* 혹시, 만일, 어쩌다가.

etwan [ɛ́tvan, ɛtvá(ː)n] 《mhd. etewanne》 *adv.* 〔고어〕 아마(etwa).

etwanig *a.* ↑ etwaig.

***etwas** [ɛ́tvas] 〔↔ nichts; (구어)에서는 종종 was 로 단축됨〕《I》 *prn.* 〔부정 대명사〕 ① 어떤 것〔일〕, 그 무엇: so ~ 그런 것〔일〕; ohne ~ zu sagen 아무 말도 없이; ~ auf dem Herzen haben 마음에 걸리는 일이 있다; er ist so ~ wie ein Dichter 그는 시인 같은 사람이다. ② 일부분, 한 조각; 조금, 약간(의 것): ~ von diesen Dingen 〔(고어) dieser Dinge〕 이런 것 중 얼마간; er ist ~ von einem Gelehrten 그는 다소 학자다운 데가 있다; 〔명사화된 형용사의 동격〕 ~ Schönes 어떤 아름다운 것; ~ Neues 어떤 새로운 것, 새로운 일; ~ Passendes 적당한 것; nun zu ~ anderem! 자 다른 이야기로 넘어가자!; ~ anderes wäre es, wenn... …한다면 그건 다른 어떤 것일 것이다; 〔명사와 함께〕 ~ Geld 약간의 돈; mit ~ Geduld 좀 참고 견디어; ~ ist besser als gar nichts 얼마라도 있는 것은 전혀 없는 것보다는 낫다. ③ 중요한 일〔것〕, 이렇다할〔대단한〕 사람: das will ~ sagen 그것은 의미심장하다; sich für ~ halten 자기를 대단한 사람으로 생각하다; aus dem Jungen wird noch einmal ~ 이 소년은 언젠가는 뭔가를 이룰 것이다; er wird es zu ~ bringen 그는 그 일을 제법 해낼 것이다; 〔구어〕 ach, hat sich (et)was! 그런 일이 있을 턱이 있나! ④ 〔고어〕 in ~ 어느 정도. 《II》 *adv.* 조금, 약간, 다소: ~ rot 불그스름한; er spricht ~ Französisch 그는 프랑스어를 약간 한다; ich bin ~ müde 나는 약간 피곤하다.

Etwas *n.* -, - ① 그 무엇, 어떤 것: ein gewisses ~ 어떤 것; dies ~ 이 무엇. ② das ~ 존재(자), 유(有).

etwelche [ɛ́tvɛlçə] *prn.* ① 그 어떤 (것·사람). ② (einige) 두서넛의, 약간의.

Etymologe [etymolóːgə] 《gr.》 *m.* -n, -n 어원학자.

Etymologie [etymologíː] *f.* -n [..gíːən] 〖언어〗 ① 어원학; 어형론(語形論). ② 어원.

etymologisch *a.* 어원학〔어원상〕의.

etymologisieren *t.* 어원을 규명하다: ein Wort ~ 어떤 단어의 어원을 규명하다.

Etymon [éːtymɔ̃n, ɛ́ty..] 《gr. étymos》 *n.* -s, ..ma 〖언어〗 말의 본래의 뜻, 어원; 어근(Wurzelwort).

Et-Zeichen *n.* 〖인쇄〗 & 의 기호(Und-Zeichen).

Etzel [ɛ́tsəl] 《ahd.》 *m.* 에첼(사람 이름; Adal.., Attila 의 옛 형태).

EU = Europäische Union 유럽 연합.

Eu 〖化〗 = Europium 유로퓸.

eu.. 《gr.》 *pref.* "좋은·건강한·완전한·순수한" 등의 뜻(↔ dys..).

EUA = Europäischer Umweltagentur 유럽 환경 기구.

Eubiotik [ɔʏbióːtɪk] 《gr. biōn》 *f.* 〖醫〗 (Diätetik) 섭생법.

***euch** [ɔʏç] 〔편지에는: ⌣〕 ① 〔인칭 대명사 2 인칭 복수 ihr 의 3 격 및 4 격〕 너희들에게〔을〕, 그대들에게〔을〕. ② 〔재귀 대명사〕 너희들 자신에게〔을〕: schämt ~! 부끄러운 줄 알아라! ③ 〔상호 대명사〕 너희들 서로에게〔를〕.

Eucharistie [ɔʏçarɪstíː] 《gr. cháris》 *f.* -n [..tíːən] 〖宗〗 성찬식; 영성체(領聖體).

eucharistisch *a.* 성체의: das ~e Geheimnis 성체(聖體)의 비밀; 〖가톨릭〗 ⌣er Kongreß 성체 대회.

Eudämonie [ɔʏdɛmoníː] *f.* 〖哲〗 행복.

Eudämonismus *m.* - 〖哲〗 행복설〔주의〕.

eudämonistisch *a.* 행복주의의.

Eudiometer [ɔʏdiométːtər] 《gr.》 *n.* -s, - 〖化〗 유디오미터, 가스 성분 측정기.

***euer** [ɔ́ʏər] 《I》 〔인칭 대명사 2 인칭 복수 ihr 의 2 격; 편지에서는: ⌣〕 너희들〔그대들〕의: ihr seid ~ vier 〔es sind ~ vier, ~ sind vier〕 너희들은 4 명이다; ich erinnere mich ~ 나는 너희들의 일을 기억하고 있다. 《II》 〔소유 대명사의 2 인칭 복수형〕 ① 〔명사의 부가어로서〕 너희들〔그대들〕의: ~ Vater 너희들의 아버지; eu(e)re Mutter 너희들의 어머니. ② 〔서술적〕 dieser Stock 〔diese Feder〕 ist ~ 이 지팡이는〔펜은〕 너희들 것이다. ③ 〔명사의 생략〕 dies ist der eure (Stock) 이것은 너희들의 것〔지팡이〕이다; 〔명사로서 흔히 대문자로 씀〕 der〔die〕 Eu(e)re 너희들에게 충실한 사람; das Eu(e)re 너희들의 것〔재산·의무〕; 〔복수〕 die Eu(e)rn 그대들의 가족〔신하·친구〕. ④ 〔대문자로 신분 높은 남성의 존칭에 붙어; 약어: Ew.〕 Eure Majestät 폐하; Eure Hoheit 전하의.

euer·seits *adv.* ↑ eurerseits.

euers·gleichen *prn.* ↑ euresgleichen.

euert=halben, ~wegen, ~willen *adv.* 너희들〔그대들〕을 위하여; 너희들 때문에.

Eugen [ɔʏgéːn, ɔ́ʏgeːn] 《gr.》 *m.* 오이겐(남자 이름).

Eugenetik [ɔygenéːtɪk] *f.* ↑ Eugenik.

Eugenik *f.* 〖醫〗 우생학.

Eugeniker [ɔʏgéːnikər] *m.* -s, - 〖醫〗 우생학자.

eugenisch *a.* 우생학의.

EuGH = Europäischer Gerichtshof 유럽 연합의 사법 기관.

Eukalyptus [ɔʏkalýptus] 《gr.》 *m.* -, ..ten/- 〖植〗 유칼리투스.

Eukalyptus·öl *n.* 유칼리 기름.

Euklid [ɔʏklíːt] 《gr.》 유클리드(고대 그리스의 수학자, 3 세기 B.C.).

euklidisch [..klíːdɪʃ] *a.* 유클리드의: ⌣e Geometrie 유클리드 기하학.

Eule [ɔ́ʏlə] *f.* -n ① 〖動〗 올빼미: ein Gesicht wie eine ~ am Mittag machen 졸리운 표정을 하다; wie eine ~ aussehen 추한 모습을

하고 있다; 〖속담〗 die ~ unter Krähen 웃음거리(조롱의 대상); ~n nach Athen tragen 하지 않아도 될 일을 하다(지혜의 상징으로 아테네에 올빼미를 가져가다); 〖海〗 (불길한 징으로) eine ~ fangen (돛단배가) 갑자기 앞에서 바람을 받다. ② 〖비유〗 **(a)** 밤나방 (Nachtfalter). **(b)** 털로 만든 비. **(c)** 물이 든 흙으로 만든 장난감 피리.

eulen≈äugig *a.* 올빼미 눈을 한; (깜짝 놀라) 눈이 휘둥그레진. **~flucht** *f.* (ndd.) 땅거미, 해질녘. **~flug** *m.* 부엉이의 비상(飛翔).

eulenhaft *a.* 부엉이 같은.

Eulen≈nest *n.* 올빼미 둥지[집]; 〖비유〗 (음침한) 옛 성터. **~spiegel** *m.* Till ~ 14 세기의 익살꾼의 이름; 〖비유〗 장난꾸러기, 익살꾼. **~spiegelei** [ɔʏlən..láɪ] *f.* 장난, 못된 짓. **~spiegel·streich** *m.* ↑ ~spiegelei.

Euler Leonhard ~ 오일러(스위스의 수학자, 1707-83).

Eumel [ɔ́ʏməl] *m.* -s, - 〖경박〗 ① 물건. ② 멍청이. ③ 〖속어〗 남근, 자지.

Eumenide [ɔʏmeníːdə] «gr.» *f.* -n 〖그리스신화〗 복수의 여신(Erinnyen)을 미화하여 완곡히 이른 말.

Eunomia 〖그리스신화〗 유노미아(질서의 여신).

Eunuch [ɔʏnúːx] «gr.» *m.* -en, -en ① 환관(宦官), 내시. ② 거세된 남자.

Eunuche *m.* -n, -n ↑ Eunuch.

eunuchenhaft *a.* 내시 같은, 남자 구실을 못하는.

Eunuchen·stimme *f.* 〖경박〗 높고 가느다란 남자 목소리.

Euphemismus [ɔʏfemísmus] «gr.» *m.* -, ..men 〖修〗 미화법, 완곡 어법; 완곡한 표현(보기: sterben 대신 entschlafen).

euphemistisch *a.* 완곡한, 에둘러 말하는: ein ~er Ausdruck 완곡한 표현.

Euphonie [ɔʏfoníː] «gr., phōnē̂, „Stimme"» *f.* -n [..níːən] 〖음악·언어〗 (↔ Kakophonie) 듣기 좋은 소리, 호음(好音); 좋은 어조.

euphonisch *a.* 〖음악·언어〗 ① 듣기 좋은 소리[어조]의; 어조를 좋게 하기 위해 삽입한.

Euphorbia [ɔʏfɔ́rbia] «gr.» *f.* ..bien [..biən] 〖植〗 대극(大戟).

Euphorbiazee [..tséːə] *f.* -n 〖植〗 대극과(大戟科).

Euphorbie [..biə] *f.* -n ↑ Euphorbia.

Euphorie [ɔʏforíː] «gr.» *f.* -n [..ríːən] ① 유쾌, 낙관적 상태. ② 〖醫·心〗 (↔ Disphorie) 행복감, 쾌감; (죽음의 직전·중병 중의) 일시적인 쾌적감.

euphorisch *a.* 쾌감[행복감]을 느끼는.

euphorisieren *t.* 〖醫〗 행복감[도취 상태]에 빠지게 하다: ~de Rauschgifte 도취 상태에 빠지게 하는 환각제.

Euphrat [ɔ́ʏfrat] *m.* -(s) 유프라테스강.

Euphrosyne [ɔʏfrozýːnə, ..fróːzyne] «gr.» 〖그리스신화〗 우미(優美)의 3 여신(Grazien) 중의 하나.

Euphuismus [ɔʏfuísmus] «gr.» *m.* -, ..men 〖문학〗 ① (바로크 시대 영국 문학에서) 미사여구체. ② 미사여구.

euphuistisch *a.* 미사여구의.

Eurail·paß [juréːl..] *m.* 〖철도〗 유레일패스.

Eurasien [ɔʏráːziən] *n.* 유라시아.

Eurasier *m.* -s, - 유럽인[아메리카 백인]과 아시아인의 혼혈아.

Eurasierin *f.* -nen ↑ Eurasier 의 여성형.

eurasisch *a.* 유라시아의.

Euratom [ɔʏratóːm] *f.* = Europäische Atomgemeinschaft 유럽 원자력 공동체.

eure [ɔ́ʏrə] ↑ euer «II».

Eureka «engl.» = European Research Coordination Agency 유럽 공동 기술 개발 기구.

eurer·seits 〖편지에서는: ∽〗 *adv.* 너희들[그대들] 편에서.

eures·gleichen 〖편지에서는: ∽〗 *prn.* 너희들과 같은 부류[사람들].

euret≈halben, ~wegen, ~willen 〖편지에서는: ∽〗 *adv.* 그대들[너희들]을 위하여; 너희들 때문에.

Eurex 〖증권〗 독일·스위스 합작의 전자 증권 시장.

EuRH = Europäischer Rechnungshof 유럽 감사원(유럽 연합 재정의 적법성·경제성을 감사하는 기관).

Eurhythmie [ɔʏrʏtmíː] «gr.» *f.* ① (댄스에서) 율동적인 움직임. ② (건축물 따위의) 율동적 조화. ③ 〖醫〗 정상 맥박. ④ (교육 철학자 R. Steiner 에 의해 고안된) 율동법.

eurige [ɔ́ʏrɪgə] (*der/die/das* ~, *die* ~n) *prn.* 〖명사로서는 흔히 대문자를 씀〗 그대들[너희들]의 것(소유물·가족·벗·부하·의무 따위): was machen die eurigen [∽]? 너희들의 가족은 무엇을 하고 있느냐?; 〖편지에서는: ∽〗 ich bin ganz der ∽ (편지의 끝말에서) 여불비 상서(餘不備上書), 재배(再拜).

Euripides [ɔʏríːpidɛs] *m.* 에우리피데스(그리스의 비극 시인, 480-406 B.C.).

euripideisch [ɔʏripidéːɪʃ] *a.* 에우리피데스풍(風)의.

Euro *m.* 〖經〗 유로(유럽 연합의 화폐(단위)).

Euro·cheque [ɔ́ʏroʃɛk] «engl.» *m.* -s, -s 유로체크(유럽 공용의 수표).

Eurocheque·karte *f.* 유로체크 신용 카드.

Euro≈dollar *m.* 〖經〗 유로달러. **~fighter** «engl.» *m.* 〖軍〗 유로파이터(독일·영국·이탈리아·에스파냐가 합작한 차세대 유럽형 전투기). **~kommunismus** *m.* 유럽 공산주의. **~kommunist** *m.* 유럽 공산주의자.

***Europa**[1] [ɔʏróːpa] «gr.» *f.* 〖그리스신화〗 에우로페(Zeus 신의 애첩).

Europa[2] *n.* -s 유럽: ~rat 유럽 회의.

Europa·cup *m.* 〖스포츠〗 유럽컵(↑ ~pokal).

Europäer [ɔʏropɛ́ːər] *m.* -s, - ① 유럽인. ② 유럽 통합주의자.

europäid [..pɛíːt] *a.* 유럽풍의.

Europäide* *der/die* 유럽인같이 생긴 사람.

europäisch [..pɛ́ːɪʃ] *a.* 유럽(사람)의: ∽e Union 유럽 연합; ∽es Parlament 유럽 의회; ∽e Währungseinheit 유럽 단일 통화, 유러화(약어: ECU).

europäisieren *t.* 유럽화하다.

Europäisierung *f.* -en 유럽화.

Europa≈meister *m.* 〖스포츠〗 유럽 챔피언. **~meisterschaft** *f.* 〖스포츠〗 ① 유럽 선수권 대회. ② 유럽 선수권 대회에서의 우승. **~parlament** *n.* 유럽 의회. **~pokal** *m.* 〖스포츠〗 ① 유럽 국제 경기의 우승 트로피. ② 유럽컵 쟁탈 국제 경기. **~rekord** *m.* 〖스포츠〗

유럽 신기록. **~straße** *f.* 유럽 자동차 도로. **~union** *f.* 유럽 연합.
europid [ɔʏropí:t] *a.* 〖인류〗 백색 인종의.
Europide* [ɔʏropí:də] *der/die* 백색 인종.
Europium *n.* -s 〖化〗 유로퓸(원소의 하나; 기호: Eu).
Euro·pol *f.* 〖政〗 유럽 경찰청.
Eurovision [ɔʏrovizió:n] *f.* 유러비전(서유럽 공동 텔레비전 방송망).
Eurovisions·sendung *f.* 유러비전 텔레비전 방송.
Eurydike [ɔʏrý:dike, ..rydí:kə, ..ke] 〖그리스신화〗 에우리디케(〖그리스신화〗 여신으로 Orpheus 의 처).
Eurythmie [ɔʏrʏtmí:] *f.* (R. Steiner 가 개발한) 율동법.
Eurythmist *m.* -en, -en 율동법 교사.
eurytop [ɔʏrytó:p] *a.* 〖生〗 널리 퍼진〔분포된〕: ~e Pflanzen 널리 분포하고 있는 식물.
Eustachisch [ɔʏstáxɪʃ] *a.* 〖해부〗 die ~e Röhre〔Tube〕 유스타키오관(管).
Eustreß *m.* ..stresses, ..stresse 〖醫·心〗 도발적 스트레스.
***Euter** [ɔ́ʏtər] *n./*(방언) *m.* -s, - (암소 따위의) 젖.
eutern *i.* (암소 따위의) 젖이 부풀다〔나다〕.
Euterpe [ɔʏtérpe:] 《gr.》 *f.* 〖그리스신화〗 에우테르페(Muse 신의 하나로 음악·서정시의 여신).
Euthanasie [ɔʏtanazí:] 《gr.》 *f.* ① 안락사. ②〖醫〗 난치병 환자를 편안히 죽게 함, 안락사. ③ (나치 때의 은어) (심신 이상자의) 살해.
eutroph [ɔʏtró:f] *a.* ① 부(富)영양의: ~e Seen 부(富)영양의 호수. ② 영양이 풍부한.
Eutrophie 《gr.》 *f.* 영양이 좋음〔풍부함〕.
Eutrophierung *f.* -en 부(富)영양화.
Ev. =Evangelium 복음서.
eV =Elektronenvolt 전자 볼트.
ev. =evangelisch (개)신교의.
E.V., e.V. =Eingetragener Verein 등록 협회.
Eva [é:fa, é:va] 《hebr.》 *f.* ①〖聖〗 이브(Adam 의 아내). ② 여자. ③ 나체의 여성.
Eva·kostüm *n.* ↑ Evaskostüm.
Evakuation [evakuatsió:n] 《lat.》 *f.* -en ① 비우기. ②〖工〗 진공화. ③ 철수, 대피. ④〖醫〗 배설, 뒤보기.
evakuieren [evakuí:rən] *t.* ① 비우다. ②〖工〗 진공 상태로 만들다. ③ (**a**) 철수〔퇴각〕하다: ein Gebiet ~ 어떤 지역에서 철수하다. (**b**) 대피시키다: Bewohner ~ 주민을 대피시키다. ④〖醫〗 배설하다; 뒤보다.
Evakuierte* *der/die* 대피자.
Evakuierung *f.* -en ① 대피, 철수. ②〖工〗 진공화.
Evaluation [evaluatsió:n] *f.* -en 〔교양〕 사정(査定), 평가.
evaluieren [evaluí:rən] *t.* 사정〔평가〕하다.
Evangeliar [evaŋgeliá:r] *n.* -s, -e/-ien [..riən] 〖宗〗 성복음집.
Evangeliarium *n.* -s, ..rien [..riən] ↑ Evangeliar.
Evangelien·buch [evaŋgé:liən..] *n.* 복음서. **~harmonie** *f.* 공관(共觀) 4 복음서.
evangelikal [evaŋgeliká:l] *a.* ① 복음서에 근거한. ② 저(低)교회파의. ③ 복음 중심주의의. ④ 신약의 권위를 신봉하는.
Evagelikale* *der/die* 복음 중심주의자.
Evangelisation [evaŋgelizatsió:n] 《gr.-lat.》 *f.* -en 〖기독교〗 복음 전도〔포교〕.
evangelisch [evaŋgé:lɪʃ] *a.* ① 복음(서)의; 복음을 믿는, 복음주의의(약어: ev.): die ~e Kirche 복음 교회; die Deutsche ∻e Kirche 독일 복음 교회. ② (**a**) (evangelisch-lutherisch) 루터 교파의(약어: ev.-luth.). (**b**) (evangelisch-reformiert) 개신교〔프로테스탄트〕의(약어: ev.-ref.).
evangelisieren *t.* …에 복음을 전하다; (복음을 설명하여) 기독교에 개종시키다.
Evangelisierung *f.* -en ↑ Evangelisation.
Evangelist *m.* -en, -en ① 복음서 저자, 복음 전도자, 복음 사가(史家). ② (프로테스탄트의) 순회 목사. ③ (정교에서) 복음서를 낭독하는 집사.
***Evangelium** [..gé:liʊm] 《gr.》 *n.* -s, ..lien [..liən] ① 복음: das ~ verkünden 복음을 전하다. ② 복음서.
Evaporation [evaporatsió:n] 《lat.》 *f.* -en 증발, 기화, 발산.
Evaporator [..rá:tɔr, ..to:r] *m.* -s, -en [..tó:rən] 증발기.
evaporieren *i.* (s.) / *t.* 증발하다, 증발시키다.
Evasion [evazió:n] 《lat.》 *f.* -en 〔교양〕 탈주, 회피; 핑계, 구실.
evasiv [..zí:f] *a.* 도피적인, 핑계로 꽁무니 빼는.
evasorisch [evazó:rɪʃ] *a.* ↑ evasiv.
Evas·kind *n.* 인간. **~kostüm** *n.* 〔구어·농담〕 벌거숭이, 나체(여성에만 해당됨): im ~ 벌거숭이로, 나체로. **~sohn** *m.* 남자. **~tochter** *f.* 여자(Frau).
Evchen [é:fçən] ① *n.* 〔↑ Eva 의 축소형〕 에프헨(여자 이름). ② *n.* -s, - 〔비유〕 연인, (여자) 애인.
evens.. ↑ evas...
eventual [evɛntuá:l] *a.* ↑ eventuell.
Eventual·antrag *m.* 〖法〗 예비적 신청, 부대(附帶) 제의. **~fall** *m.* 만일의 경우. **~haushalt** *m.* 〖政〗 임시 예산.
Eventualität [..tualitɛ́:t] *f.* -en 만일의 경우, 뜻밖의 일, 우발성.
eventualiter *adv.* 〔고어〕 ↑ eventuell.
eventuell [evɛntuɛ́l] 《Ⅰ》 *a.* 만일의, 우연한, 뜻밖의. 《Ⅱ》 *adv.* 혹시, 어쩌면, 자칫하면; 사정〔경우〕에 따라서는.
Everest [évərɛst] 《engl.》 에베레스트산.
Ever·glaze [évərgle:z] 《engl.》 *n.* -, - 〖방직〗 광택이 나는 직물.
Ever·green [..gri:n] 《engl.》 *m./n.* -s, -s 인기곡.
Evertebrat [evɛrtebrá:t] *m.* -en, -en 〖動〗 무척추 동물(↔ Vertebrat).
EVG =Europäische Verteidigungsgemeinschaft 유럽 방위 공동체(1952 년 5 월 조인; (engl.) EDC).
evident [evidɛ́nt] 《lat.》 *a.* 명백〔명료〕한: ein ~er Fehler 명백한 실수; (öst.) et. ~ halten a) (일람표를) 만들다, b) 등록하다, c) 주의하다.
Evidenz *f.* 명백, 명료; 〖논리〗 명증(明證); 〖法〗 증거; 〔방언〕 (공공의) 등기: et.〔jn.〕 in ~ führen 무엇을〔누구를〕 등록시키다; et. in

~ halten a) (일람표를) 만들다, b) 등록하다, c) 주의하다.

Evidenz·büro *n.* (öst.) 등록국〔처〕.

ev.-luth. =evangelisch-lutherisch.

evoe [é:voe:] 《gr.》 *int.* 술의 신 Bacchus 제(祭)의 환호성.

Evokation [evokatsió:n] 《lat.》 *f.* -en ① 〖교양〗 (문학 작품에서) 비현실적인 존재를 불러냄; (예술 감상 때의) 연상 작용. ② 〖法〗 (Vorrufung) 소환, 호출. ③ 〖史〗 (고대 로마의) 신을 부르는 의식.

evokativ [..tí:f] *a.* 〖교양〗 비현실적인 요소〔연상〕에 근거하는; 상상력을 일깨우는.

Evolute [evolú:tə] 《lat.》 *f.* -n 〖數〗 축폐선(縮閉線); 〖工〗 권부선(卷附線).

Evolution *f.* -en ① 〖哲·生〗 진화. ② 〖數〗 개방. ③ 〖軍〗 기동(機動), 대형(隊形) 변환.

evolutionär [..tsionɛ́:ər] *a.* 〖교양〗 발전〔진화〕의.

Evolutionismus *m.* - 진화론.

Evolutionist *m.* -en, -en 진화론자.

Evolutions·theorie *f.* 진화론.

Evolvente [evɔlvɛ́ntə] *f.* -n 〖數〗 신개선(伸開線).

evolvieren [..ví:rən] 《I》 *t.* (entwickeln) 발전〔전개·진화〕시키다. 《II》 *i.* (s.) 발전〔진화〕하다.

evolvierend *p.a.* 〖數〗 신개(伸開)의.

Evonymus [evó:nymus] *m.* - 〖植〗 참빗살나무.

evozieren [evotsí:rən] *t.* ① 〖法〗 소환하다. ② 〖교양〗 (상상력을) 일깨우다.

ev.-ref. =evangelisch-reformiert 신교의, 프로테스탄트의.

evtl. =eventuell 경우에 따라서는.

EVU =die deutschen Energieversorgungsunternehmen 독일 에너지 공급사.

evviva [eví:va] 《it.》 *int.* 만세.

Ew. ① 《<(고어) Ewer》 =Euer, Eure: ~ Hoheit 폐하, 전하. ② =Einwohner 주민, 거주자.

Ewald [é:valt] 에발트(남자 이름).

Ewe [é:və] 《I》 *m.* -, - 에웨인(人) (수단 흑인의 한 부족). 《II》 *n.* - 어웨어(語).

Ewenke *m.* -n, -n 시베리아의 종족명.

Ewer [é:vər] 《ndd.》 *m.* -s, - 돛대가 한 개 또는 두 개인 작은 범선.

Ewer·führer *m.* ↑ Ewer 의 사공.

E-Werk =Elektrizitätswerk 발전소.

EWG =Europäische Wirtschaftsgemeinschaft 유럽 경제 공동체.

***ewig** [é:vɪç] 《I》 *a.* ① 〖시간적〗 **(a)** 영구〔영원〕한; 끊임없는; 매우 오랜, 장구한: auf ~ 영원히, 언제까지나; 〖시어〗 ~er Schlaf 죽음, 영면; das ~e Leben 영생; der ∼e Jude 영원한 유대인(↑ Ahasver); die ∼e Stadt 영원한 도시(로마); 〖가톨릭〗 die ∼e Lampe 성체등(聖體燈); die ∼e Messe 영대(永代) 미사; ~er Schnee 만년설; der ∼e 영원한 자, 신. **(b)** 한평생의, 종신의: ~e Einwohner 정착 주민들; ~es Gefängnis 종신 징역. ② 〖시간적·공간적〗 (endlos) 끝〔한〕없는, 무한〔무궁〕한: 〖비유〗 in die ~en Jagdgründe eingehen 죽다; seit ~en Zeiten 아득한 옛날부터; 〖광산〗 ~e Teufe 대단히 깊은 곳. 《II》 *adv.* ① 영원히, 끊임없이; 〖구어〗 오랫동안: 〖구어〗 ~ und drei Tage〔Jahre〕 영원히. ② 〖구어〗 대단히: ~ voll 가득 찬; er bleibt ~ lange aus 그는 아주 오랫동안 돌아오지 않고 있다; das ist ~ schade 그것 참 유감이다; ~ nicht 결코 …않다.

Ewige* [é:vɪgə] 《I》 *der* ~ 영원한 자, 신. 《II》 *das* ~ 영원(한 것).

Ewig·gestrige* *der/die* 늘 시대에 뒤떨어진 사람.

***Ewigkeit** [é:vɪçkaɪt] *f.* -en ① 영원, 영겁, 무한: in alle ~ 영원히, 언제까지라도; in ~ nicht 결코 …않다. ② 〖구어〗 긴 시간: seit einer ~ 〔seit ~en〕 오래 전부터; das dauert ja eine ~ 그것 참 오래 걸리는구나. ③ 영생: in die ~ eingehen 죽다.

Ewigkeits·sonntag *m.* 〖기독교〗 사자(死者) 위령일.

ewiglich [..klɪç] *adv.* 〖시어〗 영원〔영구〕히.

Ewig·weibliche* [é:vɪç..] *das* ~ 영원히 여성적인 것(괴테의 Faust 제 2 부 끝머리의 말).

Ew.M. =Eure Majestät 폐하, 전하, 각하.

Ewr. (öst.) =Eurer.

EWS =Europäisches Währungssystem 유럽 통화 체제.

ex[1] 《lat.》 *prp.* ① (aus) …로부터, …에 의해: ~ officio 당국에 의해, 공식적으로. ② (출발지·발송지를 나타내어) …에서(ab).

ex[2] 《lat.》 *ad.* 〖구어〗 ① ~ trinken (단숨에) 다 마시다, 잔을 비우다. ② 끝난: die Freundschaft zwischen den beiden ist längst ~ 두 사람 사이의 우정은 오래 전에 끝났다. ③ 죽은, 사망한: der Patient ist ~ 그 환자는 죽었다.

Ex *n.* -s, - (bair.; schweiz.) =Extemporale 즉석 과제.

ex.. 《gr. -lat.》 *pref.* "유래·결손·완성·제외·전〔앞〕의" 따위의 뜻(보기: Exminister 전직 장관).

Exaggeration [ɛksageratsió:n] *f.* -en (Übertreibung) 과장, 과대, 침소봉대.

exaggerieren [ɛksagerí:rən] 《lat.》 *t.* 과장하다(übertreiben).

***exakt** [ɛksákt] 《lat.》 *a.* 주도 면밀한; 정확〔치밀〕한; 엄격〔꼼꼼〕한: ~e Wissenschaften 정밀 과학(수학·자연 과학 따위); ~ um fünf Uhr war er da 그는 정각 5 시에 왔다.

Exaktheit *f.* 정확, 치밀: mit großer ~ 대단히 정확〔치밀〕하게.

Exaltation [ɛksaltatsió:n] 《lat.》 *f.* -en ① 높임, 고양; 흥분, 열광, 황홀; 〖心〗 (지나친) 흥분 상태. ② 〖化〗 (분자 굴절의) 과초(過超).

exaltiert [..tí:rt] *a.* 흥분〔열광〕해 있는, 황홀 상태인; 신경질적인: ~ reagieren 과민하게 반응하다.

Exaltiertheit *f.* -en 과민 상태〔반응〕.

***Examen** [ɛksá:mən] 《lat.》 *n.* -s, -/..mina ① 시험: das mündliche〔schriftliche〕 ~ 구두〔필기〕 시험; das ~ bestehen 시험에 합격하다; im ~ durchfallen 시험에 떨어지다; 〖경박〗 im 〔beim〕 ~ durchfliegen〔durchrasseln〕 시험에 떨어지다. ② 검사, 조사, 심문.

Examens⸗angst *f.* 시험 공포. **~arbeit** *f.* ① 논술식 시험 답안. ② 시험 문제. **~aufgabe** *f.* 시험 문제. **~kandidat** *m.* 수험생. **~not** *f.* 수험생의 어려움〔곤경〕.

Examinand [ɛksaminánt] *m.* -en, -en [..dən] 수험자, 수험생.

Examinator [..ná:tɔr, ..tɔ:r] *m.* -s, -en [..tó:rən] (Prüfender) 시험관〔위원〕, 심사원.
Examinatorium [..tó:rium] *n.* -s, ..rien [..riən] 〖고어〗 ① 시험 위원회. ② 예비 시험, 시험 준비.
examinieren *t.* ① 시험하다. ② 조사〔검사〕하다; 심문하다: eine Sache scharf und gründlich ~ 어떤 사안을 철저히 조사하다.
Examinier·trupp *m.* 〖軍〗 검문 초소.
Exanthem [ɛksanté:m, ɛks|an..] 《gr.》 *n.* -s, -e 〖醫〗 발진.
Exarch [ɛksárç, ɛks|á..] 《gr.》 *m.* -en, -en ① 〖史〗 (중세 동로마 제국의) 총독, 태수. ② (동방 교회의) 대주교 대리.
Exarchat [..çá:t] *n.* -(e)s, -e 총독직; 〖동방 교회〗 대주교 대리직.
Exartikulation [ɛks|artikulatsió:n] 《lat.》 *f.* -en 〖醫〗 관절 이단술(離斷術); 관절 탈구.
Exaudi [ɛksáudi:, ɛks|áu..] 《lat.》 *m.* - 부활절 후의 제 6 일요일(이날의 입당송(入堂頌)의 첫구; 시편 27 : 7).
exc. ↑ excudit.
ex cathedra [ɛks ká(:)tedra] 《lat.》 *adv.* ① 〖가톨릭〗 교황의 권리로: 〔비유〕 틀림없이 (unfehlbar). ② 〖교양·폄어〗 상부의 의지대로, 위에서의 권위에 따라.
Exchange [ɪkstʃéɪndʒ] 《engl.》 *f.* -n [..ɪndʒən] ① 환전, ② 환전소.
excud. ↑ excudit.
excudit [ɛkskú:dɪt] (누가) 출판〔인쇄〕한(약어: exc.).
Exedra [ɛ́ksedra] *f.* ..dren [ɛksé:drən] 《lat.》 〖건축〗 ① (고대 건축의) 반원이나 정방형으로 된 공간. ② (중세 건축의) 성당 등의 반원형 벽감.
Exegese [ɛksegé:zə] 《gr.》 *f.* -n (Auslegung) (특히 성서의) 해석.
Exeget *m.* -en, -en 해석자, (특히) 성서 해석 학자.
Exegetik [..gé:tɪk] *f.* (성서) 해석학, 훈고학 (訓詁學).
exegetisch *a.* 석의(釋義)의, 해석의.
exekutieren [ɛksekutí:rən] 《lat.》 *t.* ① 수행〔실행·시행〕하다. ② (**a**) 〖法·고어〗 (강제로) 집행하다. (**b**) 처형하다: einen Missetäter ~ 흉악범을 처형하다. ③ 〖음악〗 연주하다(vortragen): ein Musikstück ~ 어떤 곡을 연주하다. ④ (öst.) 압류하다(pfänden).
Exekution [..tsió:n] *f.* -en ① 〖교양〗 수행, 실행, 시행. ② (**a**) 〖法〗 집행, 강제 집행〔징집〕: die ~ eines Urteils 판결의 집행. (**b**) (Hinrichtung) 사형 집행, 처형: die ~ eines Mörders 살인자의 처형. ③ 〔방언〕 압류 (Pfändung). ④ 〖음악〗 연주.
Exekutions≈befehl *m.* 〖法〗 처형 명령. **~-vollstreckung** *f.* (강제) 집행.
exekutiv [ɛksekutí:f] 《lat.》 *a.* 수행〔실행·시행〕의; 〖法〗 (강제) 집행의; 법률 집행상의, 행정(상)의: ~e Funktion 실행 기능.
Exekutive [..və] *f.* 〖政·法〗 ① 집행〔행정〕권. ② 집행〔행정〕 기관.
Exekutiv·gewalt *f.* 〖法〗 집행〔행정〕권(↑ Exekutive).
Exekutor [..kú:tɔr, ..to:r] *m.* -s, -en [..tó:rən] 집행인; 집달관.
exekutorisch *a.* 집행의; 강제 집행〔징집〕의.
***Exempel** [ɛksɛ́mpəl] 《lat.》 *n.* -s, - ① 보기, 선례, 유례; 본보기; 모범, 귀감: zum ~ 예를 들면, 이를테면; ein ~ statuieren (일벌백계를 위해) 시범 케이스를 골라 혼내다〔처벌하다〕; ein ~ an et.³ nehmen 무엇을 (자신의) 교훈으로〔경고로〕 삼다. ② 〖數〗 예제, 산술 문제.
***Exemplar** [ɛksɛmplá:r] *n.* -s, -e (약어: Expl.) ① 보기; 모범, 귀감; 견본, 표본. ② (Stück) 부, (책의) 권.
exemplarisch *a.* 〖교양〗 모범적인; 본보기로서의, 징계의, 엄격한: jn. ~ bestrafen 누구를 본보기로 처벌하다.
exempli causa [ɛksɛ́mpli káuza] 《lat.》 보기로서, 예를 들면(약어: e.c.).
Exemplifikation [..plifikatsió:n] *f.* -en 예시, 예증; 선례를 인용함.
exemplifizieren *t.* 예시〔예증〕하다: Regeln ~ 규칙을 예시하다; auf et. ~ 무엇을 예시하다, 인용하다.
exemt [ɛksɛ́mt, ɛks|ɛ́..] 《<eximieren》 *a.* ① 〖法〗 (병역·납세 따위의 의무가) 면제된, 제외된. ② 〖가톨릭〗 면속(免屬)된.
Exemtion [ɛksɛmtsió:n, ɛks|ɛm..] *f.* -en 〖法〗 (의무의) 면제, 제외; 〖가톨릭〗 면속(免屬).
Exequatur [ɛksekvá:tʊr] 《lat.》 *n.* -s, -en [..tú:rən] ① 〖法〗 (국가가 외국 영사·무역 사무관에게 주는) 인가장, 승인서; 인가, 승인. ② 〖가톨릭〗 교황 교서의 국가(國家) 인가 제도.
Exequien [ɛksé:kviən] *pl.* ① 장례(식). ② 〖가톨릭〗 위령 미사.
exequieren (♧ exekutieren) *t.* ① 집행〔수행〕하다: Urteile〔Befehle〕 ~ 판결〔명령〕을 집행〔수행〕하다. ② 징수〔압류〕하다: Schulden ~ 부채를 징수하다.
exerzieren [ɛksɛrtsí:rən] 《lat.》 (**I**) *t.* ① (üben) 교육〔연습〕시키다. ② 〖軍〗 훈련〔교련〕시키다: Truppen〔Soldaten〕 ~ 부대〔병사〕를 훈련시키다. ③ 〖구어〗 실행〔적용〕하다. (**II**) *i.* 연습하다; 〖軍〗 훈련을 받다.
Exerzier≈halle *f.* 〖軍〗 교련실. **~meister** *m.* 〖軍〗 훈련 교관, 체육 교사; 〔비유〕 엄하게 훈련시키는 사람. **~platz** *m.* 연병장. **~-reglement** [..regləmã:] *n.* 교련 교본.
Exerzitium [ɛksɛrtsí:tsium] *n.* -s, ..tien [..tsiən] ① 〖고어〗 연습; (학교의) 연습 문제; 숙제; 〖軍〗 연습. ② 〖복수〗 〖가톨릭〗 신앙 수련회, 묵상(默想).
Exerzizium *n.* -s, ..zien [..tsiən] ↑ Exerzitium.
exeunt [ɛ́kse:ʊnt] 《lat.》 〖연극〗 퇴장(↑ exit).
Exhalation [ɛks|halatsió:n] 《lat.》 *f.* -en ① 〖생리〗 증발, 발산; (숨을) 내뿜음, 내쉼. ② (Dunst) 증발〔발산〕물, 증기. ③ 〖지질〗 (화산의) 분출물.
exhalieren *t.* ① 〖생리〗 증발〔발산〕시키다; (숨 따위를) 내뿜다. ② 〖지질〗 분출하다: Vulkane ~ Dämpfe 화산이 연기를 내뿜다.
exhaustiv [ɛkshaustí:f] 《lat.》 *a.* 〖교양〗 완전한, 빠짐없는.
Exhaustor [ɛks|háustɔr, ..to:r] 《lat.》 *m.* -s, -en [..tó:rən] 〖工〗 환풍기, 배기기(排氣機).
exhibieren [ɛks|hibí:rən] 《lat.》 (**I**) *t.* 내놓다, 제출하다; 전시〔출품〕하다: 〖商〗 einen

Wechsel ~ 어음을 제시하다. 《Ⅱ》 *refl.* sich ~ 전시되다, 눈에 띄다.

Exhibition [..hibitsió:n] *f.* -en ①〖法〗(서류의) 제출, 제시. ② 박람〔전람〕회. ③〖心〗성기 노출.

Exhibitionismus *m.* - ①〖心·醫〗성기 노출증. ②〔교양〕노출 성향; (감정의) 드러냄.

Exhibitionist *m.* -en, -en ①〖心·醫〗성기 노출증 환자. ② 과시형 인간.

exhibitionistisch *a.* ① 노출증의. ② 과시적인, 전시적인.

Exhortation [ɛks|hɔrtatsió:n] 《lat.》 *f.* -en 충고, 간언; 고무, 장려.

Exhortatorium *n.* -s, ..rien [..riən] 권고문.

Exhorte *f.* -n 훈계, 훈시.

Exhumation [ɛks|humatsió:n] *f.* -en ↑ Exhumierung.

Exhumierung 《lat.》 *f.* -en 〖法〗(부검을 위한) 개관(開棺).

exhumieren 《lat.》 *t.* ①〖法〗(부검을 위해) 시체를 관에서 꺼내다, 개관(開棺)하다. ② (기억을) 환기시키다.

Exil [ɛksí:l] 《lat.》 *n.* -s, -e 추방, 유배; 망명; 귀양지.

exilieren [ɛksilí:rən] 《Ⅰ》 *t.* 추방하다, 귀양보내다. 《Ⅱ》 **exiliert** *p.a.* ↑ exiliert.

exiliert 《Ⅰ》 *p.p.* ↑ exilieren. 《Ⅱ》 *p.a.* 추방〔유배〕된.

Exil·literatur *f.* (특히 독일에서는 나치 때의) 망명 문학. **~politiker** *m.* 망명 정치인. **~regierung** *f.* 망명 정부.

eximieren [ɛksimí:rən] 《lat.》《Ⅰ》 *t.* 제외〔면제〕하다: von et.³ ~ 무엇에서 제외하다, …을 면제하다. 《Ⅱ》 **eximiert** *p.a.* ↑ eximiert.

eximiert 《Ⅰ》 *p.p.* ↑ eximirern. 《Ⅱ》 *p.a.* (exemt) 면제〔제외〕된.

existent [ɛksɪstɛ́nt] 《lat.》 *a.* 〔교양〕 존재하는, 실존의: ~e Erscheinungen 실재(하는) 현상.

existential [..tsiá:l] *a.* 존재에 관한; 〖哲〗 실존의.

Existentialismus [..tsialísmus] *m.* - 〖哲〗 실존주의.

Existentialist *m.* -en, -en 실존주의자, 실존주의 철학자.

Existentialistin *f.* -nen ↑ Existentialist 의 여성형.

Existential·philosophie *f.* 실존 철학.

existentiell [..tiɛ́l] *a.* ①〖哲〗실존의. ② 매우 중요한, 절대절명의: es ist für mich von ~er Bedeutung, daß… …이 내게는 매우 중요하다.

***Existenz** [ɛksɪstɛ́nts] *f.* -en ① 존재, 현존; 생존, 생활, 생계; 〖哲〗 실존: keine sichere ~ haben 생활이 불안정하다, 일정한 수입이 없다. ②〔복수〕사람들: verfehlte ~en (인생의) 패배자들.

Existenz·angst *f.* 〖心〗 실존적 불안. **~bedrohend** *a.* 생존을 위협하는. **~berechtigung** *f.* 생존권, 존재의 근거. **~erhellung** *f.* 〖哲〗 실존 해명. **~fähig** *a.* 생존 능력이 있는(lebensfähig). **~grund·lage** *f.* 생계의 기반: sich³ eine ~ schaffen 생계의 기반을 마련하다.

existenzial 新정서 ⇦ existential.

Existenzialismus 新정서 ⇦ Existentialismus.

Existenz·kampf *m.* 생존 경쟁. **~minimum** *n.* 최저 생계비. **~mittel** *n.* 생계 수단〔물자〕. **~philosophie** *f.* ↑ Existentialphilosophie.

existieren [ɛksɪstí:rən] 《lat.》 *i.* ① 존재하다, 있다; 〖哲〗 실존하다. ② (auskommen) 생존〔생활〕하다, 생계를 이어가다: davon 〔damit〕 kann ja niemand ~ 그것으로는 아무도 생계를 이어갈 수 없다.

exit 《lat.》〖연극〗(ab) 퇴장.

Exitus [ɛ́ksitus] 《lat.》 *m.* - ① 출구. ② 최후, 종말, 결말; 결과, 효과. ③〖醫〗사망.

Exkaiser *m.* -s, - 전(前) 황제.

Exkaiserin *f.* -nen ↑ Exkaiser 의 여성형.

Exkardination *f.* -en 〖가톨릭〗(↔ Inkardination) (성직자의) 사교구(司敎區) 전출.

Exkavation [ɛkskavatsió:n] 《lat.》 *f.* -en ① 파내기; 개착(開鑿); 발굴. ②〖醫〗(신체 기관의) 오목하게 된 곳, 홈. ③ (충치 따위를) 파내기, 빼기.

Exkavator [..vá:tɔr, ..to:*r*] *m.* -s, -en [..tó:rən] ① 충치 등을 파내는 도구. ② 굴착기.

exkavieren 《lat. excavere „aushöhlen"》 *t.* 파내다, 도려내다, 개착〔발굴〕하다.

exkl. =exklusive 배타적인.

Exklamation [ɛksklamatsió:n] 《lat.》 *f.* -en 〔구식·교양〕 외침 (소리), 감탄.

exklamatorisch [..tó:rɪʃ] *a.* 〔교양〕외치는.

exklamieren [ɛksklamí:rən] *i.* (h.) 〔구식·교양〕 외치다, 소리치다.

Exklave [ɛksklá:və] 《frz.》 *f.* -n 타국 영역 내의 자국 영토(↔ Enklave).

exkludieren [ɛkskludí:rən] 《lat.》 *t.* 〔교양〕 (↔ inkludieren) 내쫓다, 제외〔배척〕하다.

Exklusion [..zió:n] *f.* -en (↔ Inklusion) 제외, 배제.

exklusiv [..zí:f] *a.* ① 다른 것을 받아들이지 않는, 배타적〔독점적〕인; 가까이할 수 없는: eine ~e Gesellschaft 배타적 사교 단체. ② 고급의: ~e Kleidung 고급 의류.

exklusive 《Ⅰ》 *adv.* 배타적〔독점적〕으로, 오로지. 《Ⅱ》 *prp.*⁴ᐟ² …을 제외하고(약어: exkl.): ~ Mehrwertsteuer 부가 가치세를 제외하고.

Exklusiv·interview *n.* 독점 인터뷰.

Exklusivität *f.* 배타, 독점, 전유.

Exkommunikation [ɛkskɔmunikatsió:n] 《lat.》 *f.* -en 배척, 제명; 〖가톨릭〗 파문: die ~ über jn. verhängen 누구의 파문을 발표하다.

exkommunizieren 《lat.》 *t.* 제명하다, 〖가톨릭〗 파문하다.

Exkönig *m.* -s, -e 전(前) 국왕.

Exkönigin *f.* -nen ↑ Exkönig 의 여성형.

Exkrement [ɛkskremɛ́nt] 《lat.》 *n.* -(e)s, -e 〔교양〕 배설물, 분뇨.

Exkret [ɛkskré:t] *n.* -(e)s, -e 〖생리〗 배설물, 분비물.

Exkretion [..tsió:n] *f.* -en 〖생리〗 배설, 분비; 분뇨.

exkretorisch [ɛkskretó:rɪʃ] *a.* 〖생리〗 배설〔분비〕의.

Exkulpation [ɛkskulpatsió:n] 《lat.》 *f.* -en 〖法·교양〗 무죄 변명; 해명, 변명.

exkulpieren [ɛkskulpí:rən] 《Ⅰ》 *t.* 〖法·교양〗 누구의 무죄를 변명하다. 《Ⅱ》 sich ~ 자신

의 무죄를 변명하다.
Exkurs [ɛkskṹrs] 《lat.》 *m.* -es, -e 보론(補論), 부설(附說); 부록.
Exkursion [..kʊrzió:n] *f.* -en 소풍, 수학 여행; 연수: archäologische ~ 고고학 답사.
Exkusation 《lat.》 *f.* -en 〔고어〕 변명, 해명, 핑계; 거절.
Exkusations·recht *n.* 〖法〗 거부〔기피〕권.
Exlibris [ɛkslí:brɪs] 《lat.》 *n.* -, - 장서표(票).
Exmatrikel [ɛksmatrí:kəl] 《lat.》 *f.* -n (대학의) 제적〔퇴학·수료〕 증명서.
Exmatrikulation [..kulatsió:n] *f.* -en (↔ Immatrikulation) (대학생의) 제적, 제명; 자퇴; 퇴학, 수료.
exmatrikulieren 《Ⅰ》 *t.* 제적〔제명〕하다. 《Ⅱ》 *refl.* sich ~ lassen 퇴학〔자퇴〕하다.
Exminister *m.* -s, - 전직 장관.
Exministerin *f.* -nen ↑ Exminister 의 여성형.
Exmission [ɛksmɪsió:n] 《lat.》 *f.* -en 〔교양〕 강제 퇴거, 추방; 명도(明渡) 명령.
exmittieren [..tí:rən] *t.* 〔교양〕 내쫓다; 퇴거〔명도〕를 명하다; 〔구어〕 문 밖으로 쫓아내다.
Exmittierung *f.* -en 〔교양〕 강제 퇴거.
exo.. 《gr.》 *pref.* (↔ endo..) "밖의, 외부의, …에서 밖으로의"란 뜻(모음 앞에서는 ex.. 로 바뀜).
Exobiologie *f.* 우주 생물학.
exobiologisch *a.* 우주 생물학의.
Exodus [ɛ́ksodʊs] 《gr. hodós, „Weg"》 *m.* - ① 출발, 출국; 이주; 대탈출, (특히) 이스라엘 사람의 이집트 대탈출. ② 〖聖〗 출애굽기.
ex officio [ɛks ɔfí:tsio] 《lat.》 직무상, 공적(公的)으로.
Exogamie [ɛksogamí:] 《gr.》 *f.* -n [..mí:ən] (↔ Endogamie) ① 족외(族外) 결혼. ② 〖生〗 이종(異種) 생식 세포의 결합; 〖醫〗 외생식(外生殖).
exogen [ɛksogé:n] 《gr.》 *a.* (↔ endogen) ① 〖生·醫·지질〗 외인(外因)의, 외원(外原)의, 외성(外成)의: ein ~er Faktor 외부 요인. ② 〖植〗 외생(外生)의: ~e Blätter 외생엽(外生葉).
Exokarp [ɛksokárp] *n.* -s, -e 〖植〗 과일 외피(↔ Endokarp).
exokrin [ɛksokrí:n] *a.* 〖醫〗 외분비의(↔ endokrin).
Exonymon [ɛksó:nymɔn] *n.* -s, ..ma 〖언어〗 지명의 외래어 명칭.
exorbitant [ɛksɔrbitánt, ɛks|ɔr..] 《lat.》 *a.* 〔교양〕 정상을 벗어난, 지나친, 터무니없는.
Exorbitanz *f.* -en 〔고어·교양〕 지나침, 터무니 없음.
Exordium [ɛksɔ́rdiʊm, ɛks|ɔ́r..] 《lat.》 *n.* -s, ..dia 〖修〗 모두(冒頭); 머리말, 서론.
ex oriente lux [ɛks ɔriɛ́nte lṹks] 《lat.》 빛은 동방에서 오다.
exorzieren [ɛksɔrtsí:rən, ɛks|ɔr..] 《gr.-lat.》 *t.* 〖宗〗 (악마를) 주문(呪文)으로 내쫓다〔물리치다〕.
exorzisieren *t.* ↑ exorzieren.
Exorzismus *m.* -, ..men 〖宗〗 귀신쫓기, 불제(祓除), 굿.
Exorzist *m.* -en, -en 〖宗〗 귀신을 내쫓는 사람, 조복자(調伏者), 무당.
Exosmose [ɛksɔsmó:zə, ɛks|ɔs..] 《gr.》 *f.* 〖생화학〗 삼출, 침출.
Exosphäre *f.* -n 대기의 가장 바깥층.
Exostose [ɛksɔstó:zə, ɛks|ɔs..] 《gr.》 *f.* -n 〖醫〗 골종(骨腫), 외골종(증).
Exot [ɛksó:t] 《gr. éxō》 *m.* -en, -en ① 이국인, 외국인; (동식물의) 외국종. ② 〔복수〕 외국 증권.
Exote *m.* -n, -n ↑ Exot.
Exotarium *n.* -s, ..rien [..riən] 외국산 동식물 사육〔재배〕 시설.
Exoteriker [ɛksoté:rɪkər] 《gr.》 *m.* -s, - 〔교양〕 비법을 전수받지 못한 사람; 초심자, 문외한.
exoterisch 《gr. exōtéros》 *a.* (↔ esoterisch) 일반적인; 공공의(öffentlich); 대중적인(volksmäßig).
exotherm [ɛksotɛ́rm] *a.* 〖物·化〗 발열성의(↔ endotherm).
Exotik [ɛksó:tɪk] *f.* 〔교양〕 이국 정서〔취향〕; 이국풍, 이국적인 모습.
Exotin [ɛksó:tɪn] *f.* -nen ↑ Exot 의 여성형.
***exotisch** [ɛksó:tɪʃ] 《gr.》 *a.* 외국의, 외국산〔종〕의; 이국풍의.
Expander [ɛkspándər] 《engl.》 *m.* -s, - 〖스포츠〗 익스팬더.
expandieren [ɛkspandí:rən] 《lat.》 《Ⅰ》 *t.* 확대〔확장·확충〕하다, 신장하다, 팽창시키다: die Hitze hat das Gas expandiert 열이〔열기가〕 가스를 팽창시켰다. 《Ⅱ》 *refl.* sich ~ 확대〔신장〕되다, 팽창하다. 《Ⅲ》 ① *i.* (h.) 확대〔확장·확충〕되다: ein Unternehmen expandiert 기업이 확장되고 있다. ② *i.* (s.) 〖物〗 팽창하다: ein Gas expandiert 가스가 팽창한다.
expansibel *a.* 확대〔신장·팽창〕할 수 있는.
Expansion [..zió:n] *f.* -en ① 〖政·經〗 확대, 확장, 확충, 신장. ② 〖物〗 (기체의) 팽창.
expansionistisch [..zionístɪʃ] *a.* 팽창주의의, 팽창주의적인.
Expansions=bestrebungen *pl.* 확충〔확장〕 노력. ~**(dampf)·maschine** *f.* 〖工〗 팽창 기관. ~**geschwindigkeit** *f.* 팽창〔확산〕속도. ~**kraft** *f.* 〖物〗 팽창력. ~**kurve** *f.* 〖工〗 팽창 곡선. ~**politik** *f.* 〖政·經〗 팽창(주의) 정책. ~**ventil** *n.* 팽창 밸브〔판(瓣)〕.
expansiv [ɛkspanzí:f] *a.* 확대〔신장·팽창〕(성)의; 〔비유〕 개방적인.
Expansiv·kraft *f.* 〖物〗 팽창력.
Expatriation [ɛkspatriatsió:n] 《lat. patria》 *f.* -en ① 국적〔공민권〕 박탈. ② 국외 추방. ③ 망명.
expatriieren 《Ⅰ》 *t.* 국외 추방하다; 국적을 박탈하다. 《Ⅱ》 *refl.* sich ~ 망명하다, 외국으로 이주하다.
Expediatur [ɛkspediá:tʊr] 《lat.》 *n.* -s, -en 발송 요망 표시.
Expedient [..diɛ́nt] *m.* -en, -en 발송자, 발송계; 운송 취급자.
Expedientin *f.* -nen ↑ Expedient 의 여성형.
expedieren 《lat.》 *t.* 파견하다, 발송하다: Waren ~ 물품을 발송하다.
Expedit *n.* -(e)s, -e (öst.) (회사의) 상품 발송부.
Expedition [..ditsió:n] 《lat.》 *f.* -en ① 촉진. ② 발송〔운송〕부. ③ (신문·잡지 따위의) 광고

부. ④ 파견(단): eine ~ nach China entsenden 파견단을 중국으로 보내다. ⑤ 연구 여행(단), 탐험(대): eine ~ zum Nordpol 북극 탐험대. ⑥ (Feldzug) 원정(대), 출정.

Expeditions≈armee *f.* 원정군. **~gebühr** *f.* 발송료; 운송 수수료. **~leiter** *m.* 조사단장, 탐험대장.

Expeditor [ɛkspedíːtɔr, ..toːr] 《lat.》 *m.* -s, -en [..tóːrən] (öst.) 발송 담당자, 발송인.

Expektorans *n.* -, ..ranzien [..rántsiən]/..rantia [..rántsia] 〖藥〗 거담제, 가래 기침약.

Expektorantium [..rántsium] *n.* -s, ..tia [..tsia] ↑ Expektorans.

Expektoration [ɛkspɛktoratsióːn] 《lat.》 *f.* -en ① 〖醫〗 가래침을 뱉음; 가래, 객담(喀痰); 담. ② 〔비유·고어〕 심정의 토로.

expektorieren 《lat.》 《I》 *t.* 〖醫〗 (가래를) 뱉어내다, 객담하다. 《II》 *refl.* sich ~ 심정을 토로하다.

Expensarium 《lat. expensum „Geldausgabe"》 *n.* -s, ..rien [..riən] 비용〔지출〕 세목.

Expensen [ɛkspɛ́nzən] *pl.* 비용, 지출; (특히) 재판 비용.

expensiv [..zíːf] *a.* 〔드물게〕 돈이 드는, 비싼, 비경제적인.

***Experiment** [ɛksperimɛ́nt] 《lat.》 *n.* -(e)s, -e 실험, 시험; 대담한 시도: ein ~ machen 〔anstellen〕 어떤 실험을 하다.

experimental [..táːl] *a.* ↑ experimentell.

Experimental·chemie *f.* 실험 화학.

Experimentator [..táːtor, ..toːr] *m.* -s, -en [..tóːrən] 실험자.

experimentell [..tɛ́l] *a.* ① 실험〔경험〕을 토대로 한. ② (예술에서) 실험적인: ~e Dichtung 실험 문학.

Experimentier·bühne *f.* 〖연극〗 실험 무대.

experimentieren *i.* (h.) 실험하다: mit et.³ ~ 무엇을 실험하다; mit Fröschen ~ 개구리 실험을 하다.

experinentier·freudig *a.* 실험을 즐기는〔좋아하는〕.

expert [ɛkspɛ́rt] 《lat.》 *a.* 경험 있는, 숙달〔정통〕한, 노련한.

Experte *m.* -n, -n 정통한 사람, 전문가.

Experten·system *n.* 전문가 시스템(인공 지능 연구의 주요 응용 분야).

Expertin *f.* -nen ↑ Experte 의 여성형.

Expertise [..pɛrtíːzə] 《frz.》 *f.* -n (전문가의) 감정(서).

expertisieren [..pɛrtizíːrən] *t.* 감정하다.

Expl. =Exemplar 보기, 견본.

explantieren *t.* 〖醫·生〗 (조직을) 배양하다: Zellen〔Organe〕 ~ 세포를〔조직을〕 배양하다.

Explantation [ɛksplantatsióːn] 《lat.》 *f.* -en 〖生〗 조직〔체외〕 배양.

Explikation [ɛksplikatsióːn] 《lat.》 *f.* -en 설명, 해설, 해석.

explizieren [..plitsíːrən] 《lat. explicare, „entfalten"》 *t.* 설명〔해석〕하다.

explizit [ɛksplitsíːt] *a.* 〔교양〕 명백〔명확〕한: ein ~er Hinweis 분명한 지적.

explizite [..plíːtsite] *adv.* 〔교양〕 (deutlich) 명백〔명확〕히; 명시적으로.

explodierbar 《lat.》 *a.* 〔드물게〕 폭발성의.

***explodieren** [ɛksplodíːrən] 《lat.》 *i.* (s.) ① 파열〔폭발〕하다: der Gasofen ist explodiert 가스 오븐이 폭발하였다. ② (**a**) (감정이) 폭발하다: als ich das hörte, bin ich aber explodiert! 그 소식을 듣자, 나는 감정이 폭발하였다! (**b**) 돌진하다. ③ 〔비유〕 (물가·인구수 따위가) 폭등〔폭발〕하다.

Exploitation [ɛksploatatsióːn] 《frz.》 *f.* -en 이용; 착취.

exploitieren [..ploatíː..] *t.* 이용하다; 착취하다.

Explorand *m.* -en, -en 피조사자.

Exploration [ɛksploratsióːn] 《lat.》 *f.* -en ① 탐색, 탐구; 조사, 검사, 시험. ② 〖醫〗 진찰, 촉진(觸診). ③ 〖광산〗 탐광법(探鑛法).

exploratorisch *a.* 탐색적〔탐구적〕인.

Explorer [ikspló̃rər] 《engl.》 *m.* -s, - 익스플로러(미국의 인공 위성).

explorieren [ɛks..] *t.* (et.) (…을) 탐색〔탐구〕하다; (jn.) (…를) 조사하다.

explosibel 《<explodieren》 *a.* 폭발성〔파열성〕의.

Explosion *f.* -en 파열, 폭발; 〖醫〗 증후(症候) 돌발.

explosions≈artig *a.* 폭발성의. **~fähig** *a.* 폭발력이 있는. **~gefahr** *f.* 폭발 위험. **~herd** *m.* ① 폭발의 진원지. ② 〔비유〕 분규의 진원지(震源地). **~katastrophe** *f.* 대형 폭발 사고. **~krater** *m.* 폭발 분화구. **~motor** *m.* 〖기계〗 내연 기관. **~sicher** *a.* 폭발 위험이 없는.

explosiv [..zíːf] *a.* 쉽게〔잘〕 폭발하는; 화를 잘 내는.

Explosiv *m.* -s, -e [..və] 〖언어〗 파열음.

Explosiv·geschoß *n.* 고성능 포탄, 파열탄.

Explosivität [..vi..] *f.* 폭발성.

Explosiv≈körper *m.* 폭발물. **~kugel** *f.* 폭발탄. **~laut** *m.* ① 폭(발)음. ② 〖언어〗 파열음; 폐색음. **~stoff** *m.* 폭발물; 〖軍〗 폭약.

Exponat *n.* -(e)s, -e 〔교양〕 (박물관 등의) 전시품.

Exponent [ɛksponɛ́nt] 《<exponieren》 *m.* -en, -en ① 〖數〗 지수(指數), 멱수. ② 대표자, 대표적 인물.

exponential [ɛksponɛntsiáːl] *a.* 〖數〗 지수〔멱수〕의.

Exponential≈funktion *f.* 〖數〗 지수 함수. **~gleichung** *f.* 〖數〗 지수 방정식. **~größe** *f.* 〖數〗 지수량. **~röhre** *f.* 〖工〗 음량 감소 자동 조절관.

exponentiell [ɛksponɛntsiɛ́l] *a.* 지수〔멱수〕의: die Kurve steigt ~ an 곡선이 지수적 상승을 하다.

Exponentin *f.* -nen ↑ Exponent ② 의 여성형.

***exponieren** [ɛksponíːrən] 《lat.》 《I》 *t.* ① 드러내다, 노출시키다: einer Gefahr ~ 위험에 드러내놓다. ② 진열〔전시〕하다; 개진〔진술·설명〕하다. ③ 〖사진〗 노출하다(belichten). 《II》 *refl.* sich et.³ ~ 무엇에 노출되다. 《III》 **exponiert** *p.a.* ↑ exponiert.

exponiert 《I》 *p.p.* ↑ exponieren. 《II》 *p.a.* (위험에) 노출된; 논란이 된(umstritten).

***Export** [ɛkspɔ́rt] 《<exportieren》 *m.* -(e)s, -e ① 〖經〗 수출 (무역). ② 〖컴〗 내보내기, 출력하기.

Export≈abhängig *a.* 수출 의존적인. **~abhängigkeit** *f.* 수출 의존성. **~anteil** *m.*

〖經〗(무역에서) 수출의 비중. **~artikel** *pl.* 수출품.
Exportation *f.* -en ↑ Export.
Export·bier *n.* 수출용 맥주.
Exporten *pl.* 수출품.
Exporteur [ɛkspɔrtǿːr] 《frz.》 *m.* -s, -e 수출업자.
Export≠geschäft *n.* 수출 무역, 수출업(무). **~handel** *m.* 수출 무역. **~händler** *m.* 수출업자.
exportieren 《lat.》 *t.* ① 수출하다. ②〖컴〗내보내다, 출력하다.
export≠intensiv *a.* 수출 집약적인. **~-kauf·mann** *m.* 수출 상인. **~prämie** *f.* 수출 장려금. **~quote** *f.* 수출 할당. **~-überschuß** *m.* (수입에 대한) 수출초과. **~-ware** *f.* 수출품.
Exposé [ɛkspozéː] 《frz.》 *n.* -s, -s ① 개요; 진술; 설명(서); 보고(서); 각서, 신청(서). ② (문학 작품이나 논문의 자세한) 초안; dem Professor ein ~ der Doktorarbeit vorlegen 박사 논문의 초안을 교수에게 제출하다. ③ (영화 대본의 간단한) 줄거리.
Exposee 新정서 ⇦ Exposé.
Exposition [ɛkspozitsióːn] *f.* -en ① 드러냄, 폭로. ② 진열(품), 전람(회). ③ 설명, 해설. ④〖연극〗서막, 발단. ⑤〖사진〗노출. ⑥〖음악〗(a) 소나타 제1악장. (b) 푸가의 머리 부분. ⑦〖가톨릭〗성체 현시(聖體顯示). ⑧〖醫〗질병의 외적 발생 조건〔원인〕.
Expositur [..túːr] *f.* -en ① (재외) 지사, 지점; 분교. ②〖기독교·가톨릭〗분교회(分敎會), 지성당(支聖堂).
Expositus [..póːzitus] *m.* -, ..ti〖기독교·가톨릭〗분교회 목사, 지성당 담당 신부.
expreß [ɛksprés] 《lat. exprimere, „ausdrücken"》 *a.* ①〔방언〕명시된, 명확〔명백〕한. ② 속달의; 특히 급한: ~ schicken 급송〔급파〕하다.
Expreß *m.* ..prsses, ..prssezüge 특급 열차.
express.. 新정서 ⇦ expreß...
Expreß·bote *m.* 급사(急使) (Eilbote).
Expresse [..présə] *m.* -n, -n 급사, 특사.
Expreß·gut *n.* (객차편) 소화물, 급행 열차 탁송〔속달〕화물.
Expression [ɛksprɛsióːn] 《lat.》 *f.* -en ① 표현, 표출, 표시, 표정. ②〖畫〗착색, 채색;〖음악〗발상(發想). ③〖醫〗압출법(壓出法).
Expressionismus [..prɛsionísmus] *m.* -〖문예〗표현주의(파).
Expressionist *m.* -en, -en 표현주의자.
Expressionistin *f.* -nen ↑ Expressionist 의 여성형.
expressionistisch *a.* 표현주의(파)의.
expressis verbis [ɛksprésiːs vérbiːs] 《lat.》〔교양〕분명하게: ich hatte ihn ~ darauf hingewiesen, daß... 나는 그에게 그것에 대해서 분명히 …라고 지적했다.
expressiv [ɛksprɛsíːf] *a.* 표현〔표정〕의; 표현이 풍부한; 역연(歷然)한.
Expressivität [..vi..] *f.* ① 풍부한 표현, 표현성. ②〖生〗(유전자의) 발현성, 지배성.
Expreß≠reinigung *f.* 속성 세탁〔드라이 클리닝〕. **~zug** *m.* 특급 열차.
exprimieren [ɛksprimíːrən] 《lat.》 *t.* 표현하다(ausdrücken).
ex professo [ɛks proféso] 《lat.》〔교양〕① 직책상. ② 고의로, 짐짓.
Expromission [ɛkspromɪsióːn] 《lat.》 *f.* -en〖法·고어〗(자발적인) 채무 인수.
Expropriation [ɛkspropriatsióːn] 《lat.》 *f.* -en〖法〗공용 징수, (토지의) (강제) 수용: ~ von Privatbesitz 사유 재산 몰수.
expropriieren 《lat., „enteignen"》 *t.*〖法〗(강제) 수용〔몰수〕하다, 징수〔수용〕하다.
Expulsion [ɛkspulzióːn] 《lat.》 *f.* -en 추방; 제명;〖醫〗배출, 압출.
expulsiv [..zíːf] 《frz.》 *a.* 몰아내는, 배출하는;〖醫〗설사의 효력이 있는(abführend): ein ~es Mittel 하제(下劑).
exquisit [ɛkskvizíːt] 《lat.》 *a.* 특별히 가려낸, 선발〔선택〕된, 우수한: ~e Weine 고급 포도주.
Exquisit·laden *m.*〖구동독〗고급품 판매점.
Exsikkation [ɛkszɪkatsióːn] 《lat.》 *f.* -en〖化〗완전 건조(시킴);〖醫〗전신 건조 상태.
exsikkativ [..katíːf] *a.* 건조시키는.
Exsikkator [..káːtɔr, ..toːr] *m.* -s, -en [..tóːrən]〖化〗건조기.
Exspektant [ɛks|spɛktánt] 《lat.》 *m.* -en, -en〔고어〕(관직 따위의) 취임 예정자, 내정자, 후보자.
Exspektanz *f.* -en (관직·성직에 취임할) 기대, 가능성; 계승권; 후계자.
exspektativ *a.* 기대〔대기〕하는;〖醫〗대기적인: ~e Behandlung 대기적〔자연〕요법.
exspektieren *t.* 기대하다(erhoffen).
Exspiration [ɛks|spiratsióːn] 《lat.》 *f.* -en ① (숨을) 내쉼; 호흡. ② 절명, 숨짐. ③〖商〗만기(Verfallszeit).
exspiratorisch *a.*〖문법〗호식음(呼息音)의, 날숨에 따른;〖醫〗호기(呼氣)(성)의.
exspirieren 《lat., „ausatmen"》 (Ⅰ) *t.* (숨을) 내쉬다, 내뿜다. (Ⅱ) *i.*〔雅語·비유〕(사람이) 죽다, (무엇이) 끝나다.
Exspoliation [ɛks|spoliatsióːn] 《lat.》 *f.* -en 약탈, 강탈.
Exstirpation [ɛks|stɪrpatsióːn] 《lat.》 *f.* -en〖醫〗(병든 장기를) 들어내는 수술.
Exstirpator [..páːtɔr, ..toːr] *m.* -s, -en [..tóːrən] ① 근절〔박멸〕자. ②〖農〗잡초 제거 기구.
exstirpieren *t.* 뿌리째 뽑다, 근절〔박멸〕하다;〖醫〗(병든 장기를) 들어내다: eine Geschwulst ~ 종양을 제거하다.
Exsudat [ɛkszudáːt] 《lat.》 *n.* -(e)s, -e〖醫〗삼출(滲出)액.
Exsudation [..tsióːn] *f.* -en ① 스며 나옴;〖醫〗(장액(漿液) 따위의) 삼출. ②〖지질〗광물에서 나온 추출물.
Extabulation [ɛkstabulatsióːn] 《lat.》 *f.* -en 원부(原簿) 말소.
Extemporale [ɛkstɛmporáːlə] *n.* -s, -〔고어〕즉석 과제.
ex tempore [ɛks tέmporə] 《lat.》 그 자리에서, 즉석에서, 임기응변으로.
Extempore *n.* -s, -s 즉흥;〖연극〗즉흥 연기;〖음악〗즉흥 연주.
extemporieren *t./i.* (연설·시짓기 따위를) 즉석에서 행하다; 즉흥 연기〔연주〕를 하다.
extendieren [ɛkstɛndíːrən] *t.*〔고어〕확장〔확대〕하다: einen Bereich ~ 영역을 넓히다.

Extension [ɛkstɛnzió:n] 《lat.》 *f.* -en ① 신장(伸張); 늘어남, 넓이; 범위; 확장, 팽창. ②〖논리〗 외연(外延). ③〖醫〗 신전(伸展), 견인(법). ④〖음악〗 손가락 펴기(운지법의 하나).

Extensität [..zitɛ́:t] *f.* 〔교양〕 넓이, 범위; 연장, 확장.

extensiv *a.* ① 펼쳐진, 퍼진; 광범위한, 포괄적인; 신전성의. ②〖논리〗 외연적인. ③〖法〗 확장적인 (↔ restriktiv). ④〖農〗 조방(粗放)의: ~e Wirtschaft 조방 농업.

Extensor [..tɛ́nzɔr, ..zo:r] *m.* -s, -en [..zó:rən] 〖해부〗 신근(伸筋).

Exterieur [ɛksteriǿ:r] 《lat.》 *n.* -s, -e 외부; 외관, 외형, 외모.

Exteriorität *f.* -en 외면, 표면; 외면적임.

Extermination [ɛkstɛr..] 《lat.》 *f.* -en ① 내쫓음, 추방, 귀양. ② 근절, 박멸.

exterminieren *t.* ① 추방하다, 내쫓다. ② 근절〔박멸〕하다.

extern [ɛkstɛ́rn] 《lat.》 *a.* 외부〔외래·외국〕의, 통근〔통학〕하는: ein ~er Schüler 통학생.

Externe* *der/die* 통학생; 통근자.

Externat [ɛkstɛrná:t] *n.* -(e)s, -e 기숙사 없는 학교.

Externist *m.* -en, -en ① 외래 환자. ② 외상 환자. ③〔드물게〕 외과 의사. ④ (öst.) 통학생. ⑤〖연극〗 비전속 배우.

Extern·verkehr *m.* 〖철도〗 ① 장거리 운전. ② 외국 무역.

exterritorial [ɛkstɛritoriá:l] 《lat.》 *a.* 〖法〗 치외 법권의; 치외 법권을 누리는.

Exterritorialität *f.* 치외 법권.

Extinkteur [ɛkstɪŋktǿ:r] 《lat.》 *m.* -s, -e 소화기(消火器).

Extinktion [..tsió:n] *f.* -en (Auslöschung) ① 지우기, 끄기. ② (권리·부채 따위의) 소멸. ③〖化〗 (수은의) 소화(消和), 냉각. ④〖광학〗 광선의 흡수〔약화〕; 감광(減光); 소광(消光). ⑤〖교육〗 (어떤 행동 방식의) 약화, 소멸.

extorquieren [ɛkstɔrkví:rən] 《lat.》 *t.* 〔고어〕 협박으로〔공갈로〕 빼앗다, 강탈하다.

Extorsion *f.* -en 〔고어〕 강탈, 공갈 탈취.

***extra** [ɛ́kstra] 《lat.》 *adv.* ① 외부에. ② 그 밖에; 별도로: eine ~ Belohnung 별도의 대가〔보답〕. ③ 특(별)히, 전적으로: ~ mild 특히 부드러운. ④ 일부러: ich bin ~ hierher gekommen 나는 일부러 이곳으로 왔다.

Extra[1] *n.* -s, -s 추가된 것, 추가 부속품: ein Wagen mit vielen ~s 많은 추가 부속품이 딸린 자동차.

Extra[2] *m.* -s, -s (영화의) 엑스트라, 단역〔보조〕 출연자.

Extra≈arbeit *f.* 시간외 근무. **~ausgabe** *f.* 임시비, 특별 지출. **~beilage** *f.* 특별 부록. **~blatt** *n.* (신문의) 호외. **~chor** *m.* (특정 오페라에서) 추가로 삽입된 합창. **≈fein** *a.* 특히 좋은, 특급의. **≈galaktisch** *a.* 〖天〗 은하 외계의. **≈groß** *a.* 특대의.

Extrahent [ɛkstrahɛ́nt] 《lat.》 *m.* -en, -en ①〔구식〕 발췌〔초록(抄錄)〕자. ② 발송인. ③〖法〗 청구〔신청〕자.

extrahieren [..hí:rən] *t.* ①〔구식〕 끄집어내다, 뽑아내다; (이를) 빼다; 〔구식〕 발췌〔초록〕하다: eine Rechnung ~ (장부에서 뽑아서) 계산서를 작성하다. ②〖化〗 추출하다. ③〖法〗 청구〔신청〕하다.

Extra≈klasse *f.* 최고〔최상〕급: ein Wagen der ~ 최고급 차. **≈korporal** *a.* 체외의.

Extrakt [ɛkstrákt] *m.* ① -(e)s, -e 발췌, 초록. ②〔중성 명사로도〕〖化〗 추출물, 진액.

Extraktion [..tsió:n] *f.* -en 빼어냄, 뽑아냄; 발췌; 〖化〗 추출; 〖醫〗 적출(술) (摘出(術)), 중절; (좋은) 가문, 혈통.

extraktiv [..tí:f] *a.* 발췌의; 추출의; 진액의.

Extraktiv·stoff *m.* 진액, 추출 물질.

extran [ɛkstrá:n] 《lat.》 *a.* (extern) 외국의, 낯선.

Extrane* 《lat.》 *der/die* ↑ Extraneer.

Extraneer [ɛkstrá:neər] *m.* -s, - ① 통학생 (Externe); 외국인. ② (타교에서 온) 수험생.

Extraneus [..neus] *m.* -, ..neer 〔교양〕 ↑ Extraneer.

extra≈ordinär [ɛkstra|ɔrdinɛ́:r] 《lat.》 *a.* 보통이 아닌, 비상〔이상·비범〕한; 특별〔임시〕의. **≈ordinariat** *n.* 정원외 교수(직). **≈-ordinarium** *n.* 특별 회계 예산. **≈ordinarius** *m.* 정원외 교수.

Extrapolation *f.* -en 〖數〗 보외법(補外法), 외삽법(外插法).

extrapolieren *t.* ①〖數〗 보외법〔외삽법〕으로 계산하다: einen Wert ~ 보외법으로 값을 계산하다. ②〔교양〕 추론하다.

Extra≈post *f.* 특별〔빠른〕 우편 (마차): mit der ~ fahren 특별 우편 마차를 타고 가다. **~stunden** *pl.* 과외 강의〔수업〕; 규정외 근무 시간. **~systole** [ɛkstra..] *f.* 〖醫〗 자극성 심장 수축. **≈terrestrisch** [ɛkstra..] *a.* 〖天〗 지구 밖의. **~tour** [ɛ́kstratu:r] *f.* ①〔옛뜻〕 자기 파트너 이외의 남자와 춤추는 것. ② 계획〔예정〕에 없는 일: er ist bekannt für seine ~en 그는 엉뚱한 일을 잘 하기로 유명하다.

extravagant [ɛkstravagánt] 《lat.》 *a.* 도에 넘친, 극단적인, 지나친; 바보 같은, 어리석은; 사치한: ~es Benehmen 유별난 행동.

Extravaganz [..gánts] *f.* -en 도에 넘침; 극단, 엉뚱함; 과도, 무절제; 사치.

Extra≈version *f.* 〖心〗 외향성. **≈vertiert** *a.* 〖心〗 외향적인. **~vertiertheit** *f.* 〖心〗 외향성.

Extra≈wurst *f.* ① (öst.) (뜨거운 물에 담갔다가 먹는) 소시지의 일종. ②〔구어·농담〕 예외, 특별한 것: 〔비유〕 sich[3] eine ~ braten lassen 자기만의 특별 대우를 요구하다. **~zug** *m.* 특별〔임시〕 열차.

***extrem** [ɛkstré:m] 《lat.》 *a.* 극단〔극도〕의; 과격한; 비상한; 〔구어〕 몹시 까다로운: ein ~es Beispiel 극단적인 예; die ~e Linke 〔Rechte〕 극좌〔극우〕; ~e Lage 위급한 상태.

Extrem *n.* -s, -e 극단, 극도; 〖理〗 극값(극댓값·극솟값의 총칭): in ~e verfallen 극단에 빠지다; 〔속담〕 die ~e berühren sich 극과 극은 서로 통한다.

Extrem·fall *m.* 극단적인 경우.

Extremismus *m.* -, ..men 과격〔극단〕주의.

Extremist *m.* -en, -en 과격론자, 급진〔극단〕주의자.

Extremistin *f.* -nen ↑ Extremist 의 여성형.

extremistisch *a.* 과격한, 급진적〔극단적〕인.

Extremität [ɛkstremitɛ́:t] *f.* -en ① 말단, 끝; 극단, 극도; 궁지. ② (**a**) 사지, 수족: die oberen〔unteren〕 ~en 팔〔다리〕. (**b**) 과격한 수단. ③ 비정상적〔극단적〕 태도.

Extrem·situation *f.* 극한 상황, 비상 사태.

Extroversion [ɛkstrovɛrzió:n] 《lat.》 *f.* 외전(外轉);〖心〗외향(성).

extrovertiert [..vɛrtí:rt] 《lat.》 *a.* 〖心〗외향 성의.

Extruder *m.* -s, -〖工〗압출 성형기(成形機).

extrudieren [ɛkstrudí:rən] *t.* 압출 성형(成形)하다.

Exulant [ɛksulánt] 《lat.》 *m.* -en, -en 추방자, 망명자.

Exultation [ɛksultatsió:n] 《lat.》 *f.* -en 큰 희열, 환희; 환호.

Exulzeration [ɛks|ultseratsió:n] 《lat.》 *f.* -en〖醫〗궤양 형성.

exulzerieren *i.* (h./s.)〖醫〗궤양이 생기다.

Ex-und-hopp-Flasche *f.* 〔광고〕 1 회용 병.

ex usu [ɛks ú:zu] 《lat.》 수련〔경험〕에 따라; 관습에 따라.

Exuvia [ɛksú:via] 《lat.》 *f.* ..vien [..viən] ① (성유물(聖遺物)로 보존된) 의복〔장구〕의 부분; 잔해, 유품. ②〔구식〕전리품. ③〖動〗(뱀 따위의) 허물.

ex voto [ɛks vó:to] 서약〔선서〕에 따라.

Exvoto [ɛksvó:to] *n.* -s, -s/..ten〖宗〗봉헌물, 공양물.

Exweltmeister *m.* 전(前) 세계 챔피언.

Exz. =Exzellenz 각하.

Exzedent [ɛkstsedɛ́nt] 《lat.》 *m.* -en, -en ①〔고어〕위반자, 범칙자; 행패자. ②〖보험〗보험금 초과액.

exzedieren *t.* (법률 따위를) 위반하다; …에 행패를 부리다, 폭행하다.

***exzellent** [ɛkstsɛlɛ́nt] 《lat.》 *a.* 우수한, 탁월한, 뛰어난, 빼어난; 훌륭한: ein ~e Pianistin 탁월한 여류 피아니스트.

Exzellenz [..lɛ́nts] *f.* -en ① 우수, 탁월, 걸출; 절묘. ②〔존칭〕각하(약어: Exz.): Eure ~ 각하.

exzellieren *i.* 〔교양〕 우수하다, 뛰어나다, 빼어나다, 탁월하다.

exzelsior [ɛkstsɛ́lziɔr] 《lat.》 보다 높이, 더욱더 높이.

Exzenter [ɛkstsɛ́ntər] 《lat. centrum》 *m.* -s, -〖工〗편심륜(偏心輪).

Exzenter·scheibe *f.*〖工〗편심판(偏心板), 편심 내륜(內輪).

Exzentrik ①〔교양〕이상〔기이〕한 물건〔행동〕. ② 익살스럽게 진행되는.

Exzentriker *m.* -s, - ①〔교양〕이상한 사람, 기인(奇人). ② 곡예사.

Exzentrikerin *f.* -nen ↑ Exzentriker 의 여성형.

***exzentrisch** [ɛkstsɛ́ntrɪʃ] *a.* ① 중심에서 벗어난;〖數〗외심(外心)의;〖天〗편심(偏心)의: ~e Kreise 외심원; ~e Scheibe 편심판(偏心板). ② 보통이 아닌; 이상〔야릇·기이〕한: ein ~er Mann 기인.

Exzentrizität [..tristitɛ́:t] *f.* -en ① 중심에서 벗어남; 편심(률), 이심(률);〖工〗편심 거리. ② (**a**) 기이, 기발. (**b**) 기이한 행동.

Exzeption [ɛkstsɛptsió:n] 《<exzipieren》 *f.* -en〔고어〕① 제외, 예외. ② 이의 제기, 항변.

exzeptionell [..tsionɛ́l] 《lat.》《I》 *a.* 〔교양〕 예외적인, 이상한: ~e Regelung 예외 규정. 《II》 *adv.* 예외로서, 특별히, 드물게.

exzeptiv [..tí:f] *a.* 〔구식〕 예외적인; (…을) 제외한.

exzerpieren [ɛkstsɛrpí:rən] 《lat. excerpere „herausnehmen"》 *t.* 〔교양〕 발췌〔초록〕하다: die zentralen Aussagen einer Abhandlung ~ 논문의 핵심 내용을 발췌하다.

Exzerpt [ɛkstsɛ́rpt] *n.* -(e)s, -e 발췌, 초록: ein ~ anfertigen 초록을 작성하다.

Exzeß [ɛkstsɛ́s] 《<exzedieren》 *m.* ..zesses, ..zesse〔교양〕과도(량); 탐닉; 무절제; 폭행: alkoholische Exzesse 과음.

Exzess 新정서 ⇦ Exzeß.

exzessiv [..tsɛsí:f] *a.* 〔교양〕 과도한, 엄청난, 부당한, 무법의: ~ trinken 과음하다; ein Hobby ~ betreiben 취미 생활을 지나치게 즐기다.

exzidieren [ɛkstsidí:rən] 《lat.》 *t.*〖醫〗제거〔절단〕수술하다.

exzipieren [ɛkstsipí:rən] 《lat.》 *t.* 〔구식〕 빼(놓)다, 제외하다;〖法〗…에 이의를 신청하다, 항변하다.

Exzision [ɛkstsizió:n] 《<exzidieren》 *f.* -en〖醫〗제거 수술, 절단.

Exzitation [ɛkstsitatsió:n] 《lat.》 *f.* -en ① 흥분, 촉진, 자극. ②〖醫〗기관의 흥분 상태; (순환기·호흡기·신경 체계 따위의) 약품에 의한 촉진.

Eyeliner [áɪlaɪnər] 《engl.》 *m.* -s, - 아이라이너(눈썹 그리는 화장품).

Eyrir [áɪrɪr] *m./n.* -s, Aurar 아이슬란드 화폐 단위.

EZB =Europäische Zentralbank 유럽 중앙은행.

Ezechiel [etsɛ́çiɛl, etsé:..] *m.* 에스겔(Hesekiel).

EZU =Europäische Zahlungsunion 유럽 결제 동맹(1950 년부터 실시; (engl.) EPU).

E-Zug [é:tsu:k] *m.* =Eilzug (준)급행 열차.

Ezzes [ɛ́tsəs] *pl.* (öst.)〔구어〕힌트, 조언, 충고.

F

F, f [ɛf] *n.* - ① 독일어 자모의 여섯째 자: 〖비유·구어〗nach Schema F 판에 박은 듯이, 형식적으로. ②〖음악〗(**a**) 바음(音). (**b**) 다 장조 음계의 넷째 음. (**c**) 바 장조 음계의 기본음. (**d**) =F-Dur 바 장조. (**e**) =f-Moll 바 단조.

F ① (**a**) =Fahrenheit (온도계의) 화씨. (**b**) = Farad 패럿(전기 용량의 실용 단위). ② (로마 숫자의) 40. ③〖化〗=Fluor 플루오르, 불소. ④ 화폐 기호(독일에서는 Stuttgart 조폐국 표시). ⑤ =französischer Franc 프랑(프랑스의 화폐 단위).

f ①〖物〗=Femto... 천(千)조분의 일...: f^{-15} 천조분의 일 패럿(Femtofarad). ②〖핵물리〗= Fermi 페르미(양자 역학의 길이 단위). ③〖음악〗=forte 세게.

f. ① =folgende Seite 다음 페이지(↑ ff.). ② =für. ③〖商〗=fein 고급의(↑ ff¹). ④〖문법〗=Femininum 여성 명사. ⑤ =fecit(이름 뒤에 붙여 써서) …의 작(作). ⑥〖醫〗=fiat 다음과 같이 조제하도록(처방전에 쓰는 표현).

Fa. =Firma 회사.

***Fabel** [fáːbəl] 《lat. fabula》 *f.* -n ① 우화: Äsopische ~n 이솝 우화. ② 꾸민 이야기, 허구; 거짓말: ~ und Wahrheit gemischt 거짓과 진실을 섞어서. ③ (작품의) 기본 줄거리, 플롯: die ~ des Films 영화의 기본 줄거리.

Fa̱bel≈buch *n.* 우화집. **~dichter** *m.* 우화 작가.

Fabelei [faːbəláɪ] *f.* -en 〖대개 폄어〗① 허무맹랑한 소리(하기), 꾸민 이야기(하기), 허구: seine ständige ~ ist wirklich lästig 그의 끊임없는 허무맹랑한 소리는 정말 지겹다. ② 꾸며낸 이야기, 터무니없는 일〔이야기〕: das sind doch alles nur Hirngespinste und ~en 하지만 그것은 모두 단순히 망상과 꾸며낸 이야기에 불과하다.

fa̱belhaft 《I》 *a.* ①〖고어〗꾸민 이야기의; 도저히 믿기 어려운; ans ~e grenzen 황당무계에 가깝다. ② 대단한, 굉장한: ein ~er Reichtum 어마어마하게 많은 부(富). 《II》 *ad.* 매우, 대단히: er ist ~ geschickt 그는 매우 능수능란하다; das hast du wirklich ~ gemacht! 너는 그 일을 정말 기가 막히게 잘 해치웠구나!

Fa̱bel≈hans *m.* 거짓말쟁이. **~land** *n.* 환상〔꿈〕의 세계; 동화의 나라. **~lehre** *f.* 설화학. **~lese** *f.* 우화집.

fabeln [fáːbəln] 《I》 *i.* (h.)/*t.* ① 꾸며낸 이야기를 하다; 공상하다: er fabelt gern 그는 허황된 이야기를 곧잘한다. ②〔구어·폄어〕터무니없는 말을 하다: was fabelt sie denn schon wieder? 그녀가 또 무슨 얼토당토 않은 소릴 하느냐? 《II》 **gefa̱belt** *p.a.* ↑ gefabelt.

Fa̱bel≈reich *n.* ↑ ~land. **≈reich** *a.* 환상적인. **~sammlung** *f.* 우화집. **~schmied** *m.* 꾸민 이야기를 하는 사람, 거짓말쟁이. **~tier** *n.* 상상의〔전설적인·신화적인〕동물. **~welt** *f.* 동화〔환상〕의 세계. **~werk** *n.* 우화 (작품), 꾸며낸 이야기: bloßes ~ 완전히 지어낸 이야기. **~wesen** *n.* 상상의 동물. **~zeit** *f.* ① (기록 경기의) 경이적인 기록: die Athleten erreichten wirklich ~en 선수들이 정말 경이적인 기록들을 달성했다. ② 전설〔신화〕시대.

Fabler [fáːblər] *m.* -s, - ① 우화 작가. ② ↑ Fabelschmied.

Fabliau [fablióː] 《frz.》 *n.* -s, - (중세 프랑스의) 우화시(詩).

***Fabrik** [fabríːk] *f.* -en ① (큰) 공장: in einer ~ arbeiten 공장에서 일하다; eine ~ stillegen 공장의 가동을 중지하다. ② 공장 (건물·시설): die Arbeiter strömen abends aus der ~ 저녁이면 공장에서 노동자들이 쏟아져 나온다. ③ (전체) 공장 직원: die gesamte ~ streikt 전 직원이 파업 중이다.

Fabri̱k·anlage *f.* 공장 시설.

Fabrikant [fabrikánt] *m.* -en, -en 제조업자; 공장 주인.

Fabri̱k≈arbeit *f.* 공장 노동. **~arbeiter** *m.* 공장 노동자, 직공. **~arbeiterin** *f.* 여공.

Fabrikat [fabrikáːt] 《lat.》 *n.* -(e)s, -e ① (공장) 제품, 공산품: ein gutes, billiges ~ 값싸고 좋은 제품. ② 상표(Marke): das Auto ist ein deutsches ~ 이 차는 독일제다.

Fabrikation [..katsióːn] *f.* -en 제조, 제작; 생산: die ~ läuft auf vollen Touren 생산 라인이 풀 가동되고 있다.

Fabrikatio̱ns≈fehler *m.* 제품 결함, 하자. **~geheimnis** *n.* 제조 비밀, 생산 기밀. **~methode** *f.* 제작 방식. **~prozeß** *m.* 생산 과정, 제작 공정. **~zeugnis** *n.* 〖商〗제품 증명서.

Fabrikatur [..túːr] *f.* -en ↑ Fabrikation.

Fabri̱k≈aufseher *m.* 공장 감독, 직공장. **~besitzer** *m.* 공장주. **~betrieb** *m.* 공장 경영. **~direktor** *m.* 공장장. **~gebäude** *n.* 공장 건물. **~gegend** *f.* 공장 지대. **~gelände** *n.* 공장 부지. **~gesetz** *n.* 공장법. **~gold** *n.* 금박(金箔)의 일종. **~herr** *m.* 〖구식·대개 폄어〗공장주. **~hygiene** *f.* 공장 위생. **~inspektor** *m.* 공장 감독관. **~mädchen** *n.* 〖구식〗여공. **~marke** *f.* 제조 공장의 상표. **≈mäßig** *a.* 공장식의, 대량 생산의; 특색〔독창성〕이 없는. **≈neu** *a.* 공장에서 갓 나온, 아주 신품인. **~ordnung** *f.* 공장 규약. **~ort** *m.* 공장 소재지, 공장 지역. **~preis** *m.* 공장도 가격, 제조 원가.

Fabri̱ks·besitzer *m.* ↑ Fabrikbesitzer.

Fabri̱k·schornstein *m.* 공장 굴뚝.

fabri̱ks·neu *a.* ↑ fabrikneu.

Fabri̱k≈stadt *f.* 공업 도시. **~system** *n.* 공장 체제. **~ware** *f.* ① 공장 제품. ②〖대개 폄어〗(대량 생산된) 싸구려 제품. **~wesen** *n.* 공장〔기계〕산업, 공장 제도. **~zeichen** *n.* ↑

~marke.

fabrizieren [fabritsíːrən] 《lat.》 *t.* ①〔구식〕 공장에서 만들다, 생산하다: Waren ~ 제품을 생산하다. ②〔구어〕 임시 변통으로 만들다, 그럭저럭 만들어내다; 그럴 듯하게 꾸며내다: aus Altem fabriziert er sich stets Neues 그는 언제나 낡은 것을 가지고 그럴싸하게 새 것을 만들어낸다. ③〔대개 폄어〕 저지르다: du fabrizierst nur dummes Zeug! 너는 멍청한 짓만 골라 하는구나!

Fabulant [fabulánt] 《lat.》 *m.* -en, -en ①〔교양〕 상상력이 풍부한 이야기꾼, 우화 작가. ②〔폄어〕 허풍쟁이, 사기꾼: er ist kein Wissenschaftler, eher ein ~ 그는 학자라기보다는 허풍쟁이다.

fabulieren *i.*(h.)/*t.* ① (문학 작품을) 꾸며내다, 창작하다: ein dicht fabulierter Roman 치밀하게 쓰여진 소설. ②〔雅語〕 상상력〔공상〕이 풍부하게 얘기하다: eine romantische Liebesgeschichte ~ 낭만적인 사랑 이야기를 풍부한 상상력으로 말하다. ③〔구어·폄어〕 제멋대로 지어내어 이야기하다: von seinen Zukunftsplänen ~ 자신의 장래 계획에 대해 꾸며낸 말을 하다.

Fabulier·kunst [fabulíːr..] *f.* (상상력을 발휘하여) 이야기를 멋지게 꾸미는 재주.

Fabulist *m.* -en, -en ① ↑ Fabeldichter. ②〔雅語·드물게〕 입심좋은 사람.

fabulös *a.*〔구어〕 환상적인, 비현실적인.

Face [faːs] 《frz.》 *f.* -n 〔고어〕 ① 얼굴 ② (동전·메달·건물 따위의) 앞면.

Facette [fasɛ́tə] *f.* -n ① (보석이나 유리의) 깎은 면, 각면(角面); 〔비유〕 국면, 측면, 특성: die Erkenntnis mit all ihren verschiedenen ~n 여러 가지 측면을 모두 망라한 인식. ②〖印〗 (원판을 고정하는) 전기판의 경사진 면. ③〖動〗 (곤충 복안(複眼)의) 홑눈, 낱눈. ④〖치과〗 (플라스틱 등으로) 의치에 씌운 코팅, 인공 치관(齒冠).

Facetten≈auge *n.*〖動〗 (곤충의) 복안(複眼). **~glas** *n.* 다면체 유리. **~schliff** *m.* 다면(多面)〔각면(角面)〕 연마, (보석) 가공: ein Diamant mit ~ 각면 연마 처리된 다이아몬드.

facettieren [fasɛtíːrən] 《Ⅰ》 *t.* (보석 따위를) 다면체로 깎다. 《Ⅱ》 **facettiert** *p.a.* ↑ facettiert.

facettiert 《Ⅰ》 *p.p.* ↑ facettieren. 《Ⅱ》 *p.a.* (보석 따위를) 다면체로 깎은.

***Fach** [fax] *n.* -(e)s, Fächer [fɛ́çər] ① 칸; 서랍; 함; Brief~ 우편함; das mittlere ~ im Schrank 옷장의 가운데 칸; ein Schreibtisch mit verschiedenen kleinen Fächern 여러 가지의 작은 서랍이 달린 책상. ②〖건축〗 벽 사이의 칸, 사이벽: 〔비유〕 et. unter Dach und ~ bringen 무엇을 마무리하다, 안전하게 보호하다. ③〔복수〕〖직조·드물게〗 씨줄 사이의 북이 통하는 공간. ④ 전문 분야, 활동 분야; 학과: welche Fächer hast du studiert? 너는 어떤 분야를 공부했니?; er ist ein Meister seines ~es 그는 자기 분야의 대가다; hier brauchen wir einen Mann vom ~ 이 문제는 전문가가 필요하다; das schlägt in mein ~ 그것은 내 전공〔소관〕이다.

..fach *suf.* "…배의, 겹의"의 뜻(보기: zehn~ 열 배의; 4~ 네 배의).

Fach≈arbeiter *m.* 숙련공, 기능사. **~arbeiter·brief** *m.* 숙련공〔기능사〕 자격증. **~arzt** *m.* 전문의(醫). **≈ärztlich** *a.* 전문의의: sich ~ beraten lassen 전문의의 상담을 받다. **~ausbildung** *f.* 전문〔직업〕 교육. **~ausdruck** *m.* 전문 용어. **~baum** *m.* ① (물레방아의 수위(水位) 유지용) 봇물 각재(角材). ② ↑ ~bogen. **~bibliothek** *f.* 전문(학술) 도서관. **~bildung** *f.* 전문〔직업〕 교육. **~blatt** *n.* 전문 잡지(~zeitschrift). **~bogen** *m.* 제모용(製帽用) 활(양털을 훑어서 납작하게 하는 도구).

Fächel [fɛ́çəl] *m.* -s, - ①〔고어〕 ↑ Fächer. ② (펄럭이는) 베일. ③〖植〗 부채꼴 꽃차례.

fächeln [fɛ́çəln] *t./i.*(h.) ① (조용히) 부채질하다: in Schlummer ~ 부채질하여 재우다. ② 산들바람이 불다: ein warmes Lüftchen fächelte mein Gesicht 따스한 미풍이 내 얼굴을 스쳤다. ③ (바람에 가볍게) 흔들리다: die Blätter der Linde ~ im Abendwind 보리수 이파리가 저녁 바람에 흔들린다.

fachen[1] [fáxən] 《mhd. fochen》 *t.* ①〔구식〕 (부채질 따위로 불을) 피우다; 부채질하다. ②〔비유〕 선동하다, 부추기다.

fachen[2] 《<Fach》 *t.* 구분〔구획〕하다; (양털 따위를) 훑어 납작하게 엉키게 하다.

***Fächer** [fɛ́çər] 《<fachen[1]》 *m.* -s, - ①〔고어〕 풀무. ② 부채: den ~ entfalten〔aufklappen〕 부채를 펼치다. ③〖動〗 (큰 뇌조(雷鳥)의) 꽁지. ④〖植〗 종려나무의 부채꼴잎.

fächer≈artig *a.* ↑ ~förmig. **≈fenster** *n.* 부채(형의) 창. **≈flügler** *pl.*〖動〗 부채벌레목 곤충; 연시목(撚翅目) 곤충 (갑충류와 막시류(膜翅類)의 중간 형태). **~förmig** *a.* 부채꼴의. **≈frucht·tang** *m.*〖植〗 모자반(마미조(馬尾藻)). **≈gewölbe** *n.*〖建〗 부채꼴 모양의 아치.

fächerig [fɛ́çərɪç] *a.* 부채꼴의.

..fächerig *suf.* "(부채꼴 모양이나 수의) 칸〔서랍·씨방〕을 가진"의 뜻(보기: eng~ 홑씨방의, 칸이 좁은; eine zwei~e Kommode 서랍이 둘 달린 장롱.

Fächer·magen *m.* 겹주름위(胃)(반추류의 셋째 위).

fächern[1] [fɛ́çərn] *t.* (칸으로) 세분하다: den Schrank ~ 장을 칸으로 나누다; 〖교육〗 gefächerter Unterricht (전공별) 분반 수업.

fächern[2] 《Ⅰ》 *t.* (부채 모양으로) 펼치다: er fächerte die Karten 그는 카드를 펼쳤다. 《Ⅱ》 *refl.* sich ~ (부채꼴로) 펼쳐지다, 나뉘다: am Ausgang des Bahnhofs ~ sich die Eisenbahngleise 기차역의 끝머리에는 철도 선로가 부채살 모양으로 펼쳐져 있다.

Fächer≈palme *f.*〖植〗 (종려나무 등의) 선상엽(扇狀葉) 야자나무. **~schüssel** *f.* 칸막이 쟁반. **~schwanz** *m.*〖動〗 딱새의 일종.

Fächerung *f.* -en ↑ fächern[2]의 명사형.

Fächer·werk *n.*〖건축〗 (창문 윗부분·천장 따위의) 부채꼴 모양의 장식〔구조물〕.

Fach≈frau *f.*〔구어〕 전문직 여성. **~gebiet** *n.* 전문 영역〔분야〕, 학과. **~gelehrte*** *der/die* 전공 학자. **≈gemäß** *a.* 전문적인, 전문성 요구에 합당한; 교과목대로의; 전문가다운: eine ~e Ausbildung 전문 교육. **~genosse** *m.* (같은) 전문직의 동료, 동업자. **≈gerecht** *a.* ↑ ~gemäß. **~geschäft** *n.* 전문(상)점:

die Stereoanlage solltest du besser in einem ~ kaufen 스테레오 장치는 (음향 기기) 전문점에서 사는게 더 나을 것이다. **~gruppe** *f.* ① 전문가 집단, 전문 단체. ② 전문 부서. **~handel** *m.* 전문 판매(점).

Fachhoch≈schule *f.* 전문 대학. **~schulreife** 전문 대학 입학 자격.

Fach≈idiot *m.* 〔구어·폄어〕 전문가 바보(자신의 전문 영역밖에 모르는 사람). **~jargon** *m.* 전문 분야의 통용어, 전문 용어, 직업어. **~kenner** *m.* 전문가. **~kenntnis** *f.* 전문 지식. **~kraft** *f.* 전문 인력. **~kreis** *m.* 전문가층, 전문가 집단. **~kunde** *f.* (직업 학교의 특정 분야) 전공 수업, 전문 교과. **≈kundig** *a.* 전문 지식을 갖춘; 노련한, 정통한: jn. ~ beraten 전문 지식으로 누구에게 조언하다. **~lehrer** *m.* 전문 교사. **~leute** *pl.* 전문가들.

fachlich [fáxlıç] *a.* 전문적인: hervorragende ~e Kenntnisse 탁월한 전문 지식.

Fach≈literatur *f.* 전문 서적. **~mann** *m.* 〔복수: ..leute, (드물게) ..männer〕 전문가: ein ~ für Straßenbau 도로 건설 전문가; ~ auf dem Gebiet des Urheberrechts 저작권(법) 분야의 전문가; da staunt der ~ (und der Laie wundert sich) 그것은 전문가가 놀랄 일이다, 믿기〔실현되기〕 힘든 일이다. **≈männisch** *a.* 전문가적인. **≈mäßig** *a.* 〔드물게〕 전문적인 (fachlich). **~minister** *m.* (관장 업무에 정통한) 전문가 장관. **~oberschule** *f.* 전문 고등 학교. **~ordnung** *f.* 전공 분류. **~presse** *f.* 전문지(誌). **~richtung** *f.* (학문의) 전공 분야〔학과〕, (전문 영역의) 분야; 〖軍〗 병과(兵科): er ist Arzt, aber welcher ~ ? 그는 의사지, 그런데 어느 분야더라?

Fachschaft *f.* -en ① 동업자 단체〔조합〕: die medizinische ~ 의사회. ② (같은 분야나 학과에 속하는) 대학생 단체; 학생회.

Fach·schule *f.* 직업 전문 학교: höhere ~ (직업 전문 학교에서 전환된) 전문 대학.

Fachse [fáksə] *f.* -n ↑ Faxe.

Fächser *m.* -s, - ↑ Fechser.

Fach·simpel *m.* -s, -〔구어·폄어〕 자기 전공〔업무〕밖에 모르는 사람.

fachsimpeln [fáxzımpəln] (*p.p.* gefachsimpelt) 〔구어·폄어〕 *i.* (h.) (시도 때도 없이) 자기의 전공〔관심사〕에 관해서만 이야기하다.

Fach≈sprache *f.* 전문어, 전문적인 표현. **≈sprachlich** *a.* 전문어의. **~studium** *n.* 전문 분야의 연구. **~übergreifend** *a.* 학제적(學際的)인, 여러 전공 분야를 포괄하는. **~unterricht** *m.* 전공 수업. **~verkäufer** *m.* (특정 상품 판매에 정통한) 전문 판매원. **~wand** *f.* 〖건축〗 칸막이 벽. **≈weise** *adv.* 구분〔구획〕하여, 칸칸이. **~welt** *f.* 전문가들(의 세계). **~werk** *n.* ①〖건축〗 ① **(a)** 목골조(木骨造) 건축술. **(b)** 목골 골조. **(c)** 〖토목〗 (지붕이나 교량의) 3각 철골 구조, 결구(結構), 형구(桁構). ② 전문 서적. **~werkhaus** *n.* 목골조(木骨造) 건물. **~wissen** *n.* 전문 지식. **~wissenschaft** *f.* 전문 학문; 특수 학문. **~wort** *n.* 〔복수: ..wörter〕 전문어. **~wörterbuch** *n.* 전문(어) 사전: ein ~ für Psychologie 심리학 사전. **~zeitschrift** *f.* 전문 잡지.

***Fackel** [fákəl] 《lat.》 *f.* -n ① 횃불; 〔비유〕 광휘(光輝): die ~ des Genies 천재의 광휘; ~ der Liebe 정염(情炎); die ~ der Revolution 혁명의 불길. ② (태양 표면의) 백반(白斑).

Fackel≈beleuchtung *f.* 횃불의 빛. **~distel** *f.* 〖植〗 선인장; 귀면각(鬼面角).

Fackelei [fakəlái] *f.* -en ①〔고어〕 헤매고 다님, 방황. ② 얼버무림.

Fackel≈feuer *n.* 〖海〗 (선박·비행기에 켜는) 청색 신호등. **~fliege** *f.* 〖動〗 둥근깍지진딧과(科)의 곤충. **~glanz** *m.* ↑ ~schein. **~lauf** *m.* (고대 그리스의) 횃불 이어달리기 경주. **~licht** *n.* 횃불의 빛.

fackeln [fákəln] *i.* (h./s.) ① (불꽃이) 어른거리다, 나불거리다. ②〔구어〕 우물쭈물하다, 주저하다: vorwärts, nicht lange gefackelt! 머뭇거리지 말고 전진하라!

Fackel≈schein *m.* 횃불의 빛. **~tanz** *m.* 횃불춤. **~träger** *m.* 횃불을 드는 사람, (올림픽의) 성화 주자. **~zug** *m.* 횃불 행렬.

Façon [fasɔ̃ː] *f.* -s ↑ Fasson.

Fact [fækt] 《engl.》 *m.* -s, -s 사실.

Factoring [fæktəriŋ] 《engl.》 *n.* -s 〖經〗 채권 매수 금융업(무), 수금 대리업, 팩터링.

Facultas docendi [fakúltas dotsέndi] 《lat.》 *f.* ① (김나지움의) 교사 임명. ②〔구식〕 교사 자격(증).

fad [faːt] *a.* ↑ fade.

Fädchen [fέːtçən] *n.* -s, - 〔↑ Faden 의 축소형〕 가는 실: an einem ~ hängen 몹시 위태롭다.

***fade** [fáːdə] 《lat.》 *a.* ① 맛없는, 김빠진, 싱거운: ~r Wein 김빠진 포도주; die Suppe schmeckt ~ 그 수프는 맛이 없다. ②〔구어〕 무미건조한, 멋없는, 진부한; 얼빠진: ein ~r Mensch 매력 없는 사람; ein ~r Witz 시시한 농담. ③ (südd., öst.) 불안해하는, 소심한.

fädeln [fέːdəln] 《Ⅰ》 *t.* ① (실을) 꿰다: Perlen in Schnüre ~ 진주를 줄에 꿰다. ②〔비유〕 재치있게 해내다: das hast du mal wieder geschickt gefädelt! 너는 그 일을 또 솜씨있게 해냈구나! 《Ⅱ》 *i.* (h.) (옷감의) 실밥이 풀리다. 《Ⅲ》 *refl.* (sich) ~ (액체가) 실같이 가늘게 늘어지다.

***Faden** [fáːdən] *m.* -s, -/Fäden ① 실; 실 모양의 것: ein ~ Seide 한 가닥의 명주실; einen ~ einfädeln〔abschneiden〕 실을 꿰다〔자르다〕; eine Woche nach der Operation die Fäden ziehen 수술 후 일주일만에 실밥을 빼다; sich in Fäden ziehen (액체가) 실같이 늘어지다; man sieht den ~ (옷이 낡아서) 실밥이 보이다; et. zu ~ schlagen 가봉(假縫)하다; auf einen ~ ziehen 실에 꿰다; mit Nadel und ~ umgehen können 바느질할 수 있다; keinen ganzen〔heilen〕 ~ auf dem Leibe haben 완전히 해진 옷을 입고 있다. ②〔비유〕 **(a)** 〔미량(微量)·취약·위험〕 sein Leben hängt an einem (dünnen〔seidenen〕) ~ 그의 목숨이 위태롭다; 〔구어〕 keinen trockenen ~ (mehr) am Leibe haben 함빡 젖다; es ist kein guter ~ an ihm 그는 장점이라고는 전혀 없다; 〔구어〕 keinen guten ~ an jm. lassen 어떤 사람을 여지없이 매도하다〔깎아내리다〕; da beißt keine Maus einen ~ ab 그것은 확고부동하다, 논란의 여지가 없다. **(b)** 〔관련·계속〕 der ~ des Lebens 생명, 운

명(의 실); an einen ~ weg 단숨에, 중단 없이; der ~ des Gesprächs reißt ab 〔wird wieder angeknüpft〕 이야기가 중단되다〔다시 계속되다〕; die Fäden in der Hand halten 뒤에서 조종하다; jn. am ~ haben 누구를 마음대로 조종하다; seinen ~ spinnen 자기 방식으로 편히 살아가다; immer den gleichen ~ spinnen 늘 똑같은 말만 하다; der rote ~ des Buches〔Vortrages〕 그 책〔강연〕의 핵심; den ~ verlieren 이야기의 맥락을 놓치다; 〖구어〗 keinen guten ~ miteinander spinnen 서로 잘 맞지 않는다, 사이가 좋지 않다; alle Fäden laufen in js. Hand zusammen, jemand hat alle Fäden (fest) in der Hand 누가 모든 것의 실권을 쥐고 있다; es ist ihm der ~ ausgegangen 그는 화제가〔돈이〕 떨어졌다; 〖구어〗 nach Strich und ~ 몹시, 철저하게. ③〖구어〗 엉뚱한 생각: du hast einen ~ 자네의 생각은 어리석기 짝이 없군. ④〖복수: -〗 〖海〗 길(물의 깊이를 재는 단위; 약 1.8 m): vier ~ tief 네 길 깊이의. ⑤ 목재량(量)의 단위(절단면이 6 피트 제곱).

fäden [fɛ́:dən] *a.* 실로 된; 실 모양의.

Faden≈alge *f.* 〖植〗 (해캄 따위의) 사상 조류(絲狀藻類). **≈artig** *a.* 실 모양의. **~-drei·eck** *n.* ↑ ~kreuz. **≈dünn** *a.* 실같이 가는. **~ende** *n.* 실끝. **~feder** *f.* 〖動〗 모상(毛狀) 날개. **≈förmig** *a.* 실 모양의. **~führer** *m.* 〖방직〗 사도(絲道), 사로(絲路). **≈gerade** *a.* 솔기에 따른, 일직선의; 〖비유〗 솔직한. **~gold** *n.* 금실. **~heft·maschine** *f.* 〖제본〗 사철기(絲綴機)(실로 제본하는 기계). **~-heftung** *f.* 〖제본〗 실매기 제본법.

..fädenig *suf.* ↑ ..fädig.

Faden≈klee *m.* 〖植〗 클로버의 일종. **~kraut** *n.* 〖植〗 떡쑥. **~kreuz** *n.* 〖광학〗 (렌즈에 표시된) 조준선: mit dem ~ die Bildmitte anvisieren 렌즈에 보이는 물체의 중앙을 조준선에 맞춰 조준하다. **~lauf** *m.* 〖방직〗 날실, (천의) 세로결: den Stoff nach dem ~ zuschneiden 천을 세로결에 따라 자르다. **~leiter** *m.* ↑ ~führer. **≈nackt** *a.* 실오라기 하나 걸치지 않은, 발가벗은. **≈naß** *a.* 함빡 젖은. **~netz** *n.* ↑ ~kreuz. **~nudel** *f.* 실국수. **~pilz** *n.* 〖植〗 사상균(絲狀菌). **≈-recht** *a.* ↑ ≈gerade. **≈scheinig** *a.* ① 실오리가 드러난, 닳아 해진: ein ~er Anzug 닳아 해진 양복. ②〖비유·폄어〗 (구실이) 빤한; (도덕이) 고리타분한: unter einem ~en Vorwand verließ er das Haus 그는 빤히 들여다보이는 핑계를 대며 집을 떠났다. **~schlag** *m.* ① (schweiz.) 시침 바느질, 가봉(假縫). ②〖비유〗 준비. **~seide** *f.* ① 명주실 지스러기. ②〖植〗 새삼. **≈sichtig** *a.* ↑ ≈scheinig. **~silber** *n.* 은실. **~skorpion** *m.* 〖動〗 텔리포누스속(屬)(거미의 일종). **~sommer** *m.* ① (늦여름 공중에 떠도는) 작은 거미의 긴 거미줄. ② 아지랑이. ③ 화창한 늦여름〔초가을〕 날씨. **≈weise** *adv.* 실을 한 오라기씩; (목재를) 한줄한줄. **~wurm** *m.* 〖動〗 선충(線蟲). **~zähler** *m.* 〖방직〗 (실 검사용) 확대경.

Fadheit [fá:thait] 《↑ fade》 *f.* -en 무색 무취, 김빠짐; 우둔; 〖복수〗 하찮은 일.

..fadig *suf.* ↑ ..fädig.

..fädig 《↑ Faden》 *suf.* "…실·가닥의"의 뜻 (보기: grob~ 굵은 실의; zwei~ 두 가닥의).

Fading [fé:dɪŋ] 《engl.》 *n.* -s ①〖전기〗 페이딩(전파의 강도가 주기적으로 변화하는 것). ②〖모터스포츠〗 (브레이크 과열로 인한) 제동 효과 감소.

fadisieren *refl.* (öst.) 〖구어〗 sich ~ 지루해하다.

Fädlein *n.* -s, - 〖↑ Faden 의 축소형〗 가는 실(Fädchen).

Faeces [fɛ́:tse:s] *pl.* 〖醫〗 ↑ Fäzes.

Fafner [fá:fnər], **Fafnir** [..nɪr] 〖북구신화〗 니벨룽겐(Nibelungen)의 보물을 지키는 용.

Fagott [fagɔ́t] *n.* -(e)s, -e 〖악기〗 파곳.

Fagott·bläser *m.* ↑ Fagottist.

Fagottist *m.* -en, -en 파곳 연주자.

Fagott·register *n.* -s, - 파이프 오르간의 리드 음전(音栓).

Fäh [fɛ:] *n.* -(e)s, -e (시베리아산(産)의) 다람쥐 모피(Feh).

Fähe [fɛ́:ə] *f.* -n (여우·늑대의) 암컷.

fahen [fá:ən] *t.* 〖고어〗 잡다(fangen).

***fähig** [fɛ́:ɪç] 《↑ fahen》 *a.* ① 능력 있는, 재능 있는: ich halte ihn für sehr ~ 나는 그가 매우 유능하다고 생각한다. ② …할 능력〔소질〕이 있는; …할 권한이 있는: er ist zu allem ~ 그는 무엇이든 할 수 있다; einer solchen Tat ist er nicht ~ 그는 그런 행동을 할 수 없다; 〖法〗 zu erben ~ 상속권이 있는.

..fähig *suf.* "…할 능력이 있는"의 뜻(보기: lern~ 학습 능력이 있는).

***Fähigkeit** [fɛ́:ɪçkaɪt] *f.* -en ① (Begabung) 능력, 소질, 재능: ein Mann von großen ~en 대단한 재능을 가진 남자; in jm. eine ~ wecken 누구의 재능을 일깨우다. ② 능력, 처지, 입장: Denk≈ 사고력; die ~ zur Abstraktion 추상화 능력.

Fähigkeits·diplom *n.* (자격) 면허증, 기능증명서.

***fahl** [fa:l] *a.* ① (빛깔이) 흐릿한, 빛바랜; 납빛의, 흙빛의 창백한: das ~e Licht des Mondes 희미한 달빛; er wurde vor Schreck ~ im Gesicht 그는 질겁해서 얼굴이 창백해졌다. ②〖비유〗 활기 없는, 힘없는: ein ~es Lächeln 맥빠진 미소.

Fahl≈band *n.* 〖광산〗 유광대(有鑛帶). **≈-braun** *a.* 회갈색의. **~erz** *n.* 〖광물〗 유동광(有銅鑛). **≈gelb** *a.* 담황색의. **≈grau** *a.* 회색을 띤, 납 빛깔의.

Fahlheit *f.* 창백한 빛깔, 납빛.

Fahl≈leder *n.* (구두 상피용(上皮用)) 무두질한 쇠가죽. **≈rot** *a.* 담적색의.

Fähnchen [fɛ́:nçən] *n.* -s, - ①〖↑ Fahne 의 축소형〗 작은 기, 깃발: die ~ schwenken 작은 깃발을 흔들다. ②〖구어〗 값싸고 가벼운 옷. ③〖음악〗 (음표의) 꼬리. ④ (깃발 모양의) 참조 부호.

***fahnden** [fá:ndən] 《♧ finden》 *i.* (h.)/*t.* 찾다, 수색〔추적〕하다: nach einem verschollenen historischen Dokument ~ 실종된 역사적인 자료를 찾아 나서다; die Polizei fahndet nach dem 〔auf den〕 Täter 경찰은 범인을 추적하고 있다.

Fahnder *m.* -s, - 수색자, 추적자.

Fähndrich [fɛ́:ndrɪç] *m.* -(e)s, -e ↑ Fähnrich.

Fahndung [fá:ndʊŋ] *f.* -en 수배, 추적, 수사: die ~ nach dem Mörder setzte ein 살인

F

자에 대한 수사가 시작되었다.

Fahndungs≈apparat *m.* 수사 기구(수사 인원과 장비의 총칭). **~buch** *n.* 수배자 명부. **~foto·liste** *f.* 수배자 사진 리스트.

***Fahne** [fáːnə] *f.* -n ① 기(旗), 깃발: National~ 국기; die ~ hissen〔einhollen〕 기를 게양하다〔내리다〕; die ~n wehen auf Halbmast 조기(弔旗)가 (반기(半旗)로 게양되어) 나부낀다; den Eid auf die ~ schwören 국기에 대한 맹세를 하다; 〚구식〛 zu den ~n eilen 군인이 되다, 자원해서 참전하다; 〚구식〛 zu den ~n rufen 모병(募兵)하다; 〚구식〛 die ~ verlassen 탈영하다; 〚비유〛 die ~ nach dem Wind drehen〔hängen〕 그때그때의 필요〔시류〕에 따라 입장을 바꾸다; mit fließenden ~n zu jm.〔et.³〕 übergehen〔überlaufen〕 갑자기 변절하여 누구에게〔무엇에〕 동조하다; den Sieg an seine ~n heften 승리하다; 〚비유〛 et. auf seine ~ schreiben 무엇을 목표로 설정하다; die weiße ~ heben 백기를 들다(항복하다). ② 〚구어〛 입에서 풍기는 술냄새: eine ~ haben 입에서 술냄새가 나다. ③ 〚印〛 교정쇄(Korrektur~). ④ 〚植〛 (콩과 식물 꽃의) 기판(旗瓣). ⑤ 〚動〛 새의 깃털. ⑥ (간소하고 값싼) 여성복. ⑦ 〚사냥〛 (토끼·다람쥐의) 긴 꼬리털. ⑧ 〚비유〛 기치, 목표, 이상: die ~ der Freiheit vorantragen 자유를 위해 투쟁하다; 〚구어〛 die ~ hochhalten 목표를 고수〔견지〕하다. ⑨ (낚시꾼이 애호하는) 연어속(屬) 물고기의 등지느러미. ⑩ 깃발 모양의 것: Wetter~ 풍향계; Staub~ 강풍에 회오리치는 먼지.

Fahnen≈abzug *m.* 〚印〛 이어짠 교정쇄, 게라쇄. **~artig** *a.* 깃발 모양의. **~band** *n.*, **~binde** *f.* 깃발의 장식띠. **~eid** *m.* 〚軍〛 국기에 대한 맹세. **~flucht** *f.* 〚軍〛 도망, 탈영. **~flüchtig** *a.* 탈영하는: ~ werden 도망〔탈영〕하다; der ~e 탈영병. **~futter** *n.* 국기〔군기〕함(函). **~junker** *m.* ① (17-18 세기 귀족 출신의) 기수(旗手). ② 〚軍〛 사관 후보생. **~korrektur** *f.* 〚印〛 교정(校正). **~lehen** *n.* 군기령(軍旗領)(중세 독일의 황제에게서 직접 받은 봉토; 모병권(募兵權) 수여의 표시로 군기를 줌). **~mast** *m.* 깃대, 깃발 게양대. **~schmied** *m.* (기병 중대 소속의) 편자 제작공. **~schuh** *m.* 깃대 받침. **~schwenker** *m.* 〚구어〛 ↑ ~träger. **~schwingen** *n.* (축제나 행진 때의) 깃발 곡예. **~schwinger** *m.* 깃발로 재주부리는 사람. **~stange** *f.* 깃대: 〚교양〛 das Ende der ~ 한계〔상한〕점. **~stock** *m.* 깃대. **~träger** *m.* 〚軍〛 기수(旗手). **~wache** *f.* 〚軍〛 군기(軍旗) 위병. **~wacht** *f.* ↑ ~wache. **~weihe** *f.* 기(旗) 봉헌식; 군기(軍旗) 수여식.

Fähnlein [fɛ́ːnlaɪn] *n.* -s, - ① 〚↑ Fahne 의 축소형〛 작은 기. ② 〚軍〛 (16-17 세기 독일 군대의) 중대(약 300-600 명의 보병이나 250 명의 기병으로 구성됨).

Fähnrich [fɛ́ːnrɪç] *m.* -(e)s, -e ① (중세의) 기수(旗手). ② (옛날 프로이센 군대의) 중대 최연소의 사관. ③ 사관 후보생: 〚海〛 ~ zur See 해군 소위 후보생.

Fahr [faːr] *f.* -en 〚고어〛 위험(Gefahr).

Fahr≈abteilung *f.* 〚軍〛 수송대. **~ausweis** *n.* ① 차표. ② (schweiz.) 운전 면허증. **~bahn** *f.* 차도; (철도) 선로.

Fahrbahn≈markierung *f.* (교통 안내를 위해 도로 위에 그려 놓은) 도로 표지. **~rand** *m.* 길가, 노변, 갓길. **~verengung** *f.* 차선 축소. **~wechsel** *m.* 차선 변경.

fahrbar *a.* ① (바퀴가 있어) 이동이 가능한: ein ~es Bett 이동식 침대; ~e Bibliothek 이동 도서관. ② 〚구식〛 차가 통행할 수 있는: gut ~e Straßen 차량 통행이 잘 되는 길.

Fahr≈bereich *m.* (선박의) 운항 거리〔범위〕; (1 회 연료 공급으로 가능한) 주행 거리. **~bereitschaft** *f.* ① 운행〔출발〕 준비. ② (차량 정비를 위한) 긴급 출동 대비. **~betrieb** *m.* ① (차량의) 운행, 교통: auf dieser Strecke wurde der ~ eingestellt 이 구간은 교통이 차단되었다. ② 운수업, 운수 회사. **~betriebs·mittel** *pl.* 차량, 교통 수단.

Fähr·boot [fɛ́ːrboːt] *n.* 나룻배.

Fahr≈brücke *f.* 가동교(可動橋). **~bühne** *f.* (공사장의) 간이 승강기. **~damm** *m.* (특히 베를린 지역에서) 차도; 도로.

Fähr·dampfer *m.* 연락 기선.

Fährde [fɛ́ːrdə] *f.* -n 〚시어·구식〛 위험.

fährden *t.* 위태롭게 하다(gefährden).

Fahr·dienst *m.* 〚철도〛 운행〔운수〕 업무.

Fahrdienst≈leiter *m.* 운수 사무장. **~leiterin** *f.* ↑ ~leiter의 여성형.

Fahr·draht *m.* 〚교통〛 (전철 및 전차 위의) 가선(架線).

Fähre [fɛ́ːrə] 《<fahren》 *f.* -n ① 나룻배, 도선: Auto~ 자동차를 실어나르는 배. ② 〚우주 비행〛 Mondlandefähre (달 착륙선)의 약칭.

fahren [fáːrən] (fuhr, gefahren) 《I》 *i.* (s.) ① 〚구식〛 (어디로) 가다: 〚비유〛 gegen Himmel ~ 승천하다; in die Grube ~ a) 〚광산〛 입갱(入坑)하다, b) 〚비유〛 죽다; (schweiz.) zu Berg ~ 산에 있는 목장으로 가축을 몰고 가다; zur Hölle ~ 지옥으로 떨어지다; zu den Vätern〔von hinnen〕 ~ 서거하다. ② **(a)** 재빨리 움직이다〔이동하다〕: der Hund ist ihm an die Kehle gefahren 개가 그의 목덜미로 뛰어올랐다; aus dem Bett ~ 침대에서 벌떡 일어나다; aus der Scheide ~ (검이 칼집에서) 재빠르게 빠지다; aus der Haut ~ 분통이 터지려 하다; eine Kugel fuhr ihm durch den Leib 한 발의 탄환이 그의 몸을 관통했다; ein Gedanke fuhr ihm durch den Kopf 어떤 생각이 문득 그의 뇌리를 스쳤다; der Schreck fuhr mir durch〔in〕 alle Glieder 공포의 전율이 내 온 몸을 휘감았다; erregt in die Höhe ~ 흥분하여 펄쩍 뛰다; jm. in die Haare ~ 누구에게 달려들다; jm. über dem Mund ~ 누구의 말을 자르다; in die Stiefel ~ 급히 장화를 신다; mit der Hand in die Tasche ~ 손을 호주머니에 찌르다. **(b)** (h./s.) (빠른 동작으로) 쓰다듬다, 스치다: mit der Hand über das Gesicht ~ 손으로 얼굴을 쓱 문지르다. ③ **(a)** (탈것이) 달리다, 운행하다, 움직이다: unser alter Wagen fährt noch gut 우리의 낡은 차는 아직도 잘 달린다; der Zug fährt nur sonntags 그 열차는 일요일에만 운행한다; der Fahrstuhl〔Aufzug〕 fährt bis zum achten Stock 그 승강기는 9 층까지만 운행한다. **(b)** (탈것을) 타고〔몰고〕 가다: mit der Eisenbahn ~ 기차로 가다; zu Schiff ~ 배로 가다; wir wollen lieber ~ (anstatt zu gehen) 우리는 (걷기보다는) 차타고 가기를 원한다; lieber schlecht gefahren als gut gelaufen 아

무리 잘 뛰어봤자 고물차 타고 가는 것만 못하다; erster Klasse ~ 일등석으로 가다〔여행하다〕; zur See ~ 배에서 일하다〔선원이다〕. (**c**) 운전하다: er fährt gut 그는 운전을 잘 한다; er ist zehn Jahre unfallfrei gefahren 그는 십년째 무사고 운전이다. (**d**) (탈것으로) 여행하다, 가다, 드라이브하다: wir sind in diesem Sommer an die See gefahren 우리는 이번 여름에 바다로 여행갔다; nach Amerika ~ 미국에 가다. ④〖비유〗일에 진척을 보이다, 겪어내다, (어떤) 상태이다: gut〔wohl〕bei〔mit〕et.³ ~ 어떤 일이 잘 되어 가다, 성공하다; schlecht〔übel〕~ 실패하다; mit dieser Methode ist er immer gut gefahren 그는 이 방법을 써서 언제나 잘 해왔다; fahre wohl! 잘 가거라, 안녕! ⑤ ~ lassen a) (차·배 따위를) 달리게 하다, b) (그물을) 풀어내다, c)〖구어〗포기하다; 놓아주다: alle Sorge ~ lassen 전혀 걱정하지 않다; zornige Worte ~ lassen 불쑥 거친 말투가 나오다;〖구어〗einen (Wind) ~ lassen (방귀를) 한 방 뀌다. ⑥ hoch ~ 거드름을 피우다. 《Ⅱ》 *t.* ① (h.) (차·배 따위로) 운반하다: den Verletzten ins Krankenhaus ~ 부상자를 병원으로 싣고 가다. ② (**a**) (h.) (차·배 따위를) 몰다, 운전하다: können Sie dieses Motorrad ~? 이 오토바이를 타실 수 있습니까? (**b**) (s.) 탈것을 사용하다, 타다: Schlitten〔Ski, Rollschuh〕~ 썰매〔스키, 롤러 스케이트〕를 타다. ③ (h.) 연료로 사용하다: er fährt nur Diesel 그는 디젤 연료만 사용한다. ④ (h./s.) (**a**) (어떤 구간을) 탈것으로〔이〕 달리다: ich bin die Strecke schon oft gefahren 나는 그 구간을 이미 자주 차로 다녔다. (**b**) (차를 타고) (무슨 일을) 해내다: ein Rennen〔einen Rekord〕~ 자동차 경주를 하다〔최고 기록을 수립하다〕. ⑤ 계획〔조직〕하다: Sonderschicht in der Fabrik ~ 공장에 특별조를 구성하다; volles Programm ~ 완벽한 프로그램을 기획하다; (h.) (**a**)〖工〗(기계·장치 따위를) 조작〔조종〕하다: einen Generator im Probelauf ~ 발전기를 시험 가동하다. (**b**)〖방송·영화〗방송〔방영〕하다. ⑥ 탈것을 타서 어떤 결과에 빠뜨리다: das Pferd zuschanden ~ 말을 혹사시켜 죽이다; tot~ 치어 죽이다; den Karren in den Dreck ~ 수레를 진창에 처박다,〖비유〗잘못하여 일을 망치다; ein Schiff in Grund und Boden ~ 배를 좌초시키다. 《Ⅲ》 *refl.* sich ~ (차 따위가 어떤 방식으로) 달리다; (차를) 달린 끝에 (…을) 하다: der neue Wagen fährt sich viel besser als der alte 새 차는 헌 차보다 훨씬 더 잘 달린다; auf dieser Straße fährt es sich gut 이 길은 차가 잘 나간다; sich fest ~ a) 정체하다, 진척하지 않다, b) 좌초하다; sich müde ~ 타서 지치다.

fahrend *p.a.* ① 떠돌아다니는, 유랑하는: ein ~er Ritter 유랑 기사; der ~e Schüler (중세의) 편력 학생; ~es Volk 유랑민; der ~e 방랑자, 뜨내기. ② 움직이는:〖法〗~e Habe 동산(動産) (↔ liegende Habe).

Fahrenheit [fá:rənhaɪt] *m.* ① Daniel Gabreil ~ 파렌하이트(수은 온도계를 발명한 독일의 물리학자, 1686-1736). ② 화씨(온도의 단위; 약어: F): 5°F 화씨 5도.

fahren|lassen* *t.* ↑ fahren 《Ⅰ》⑤.

Fahrens·mann *m.* -(e)s, ..leute/..männer〖海〗선원, 항해사.

Fahrer [fá:rər] *m.* -s, - ① 운전자; 자전거 운전자: neben dem ~ sitzen 운전자 옆에 앉다. ② (직업) 운전(기)사: nicht mit dem ~ sprechen! 운전사에게 말 건네지 마시오!

Fahrerei [fa:rəráɪ] *f.* -en〖대개 평어〗① 서툰 운전. ② 짜증스런 장시간의 운전.

Fahrer≈flucht *f.* (사고 차량의) 뺑소니. **~haus** *n.* (트럭·기중기의) 운전실.

Fahrerin *f.* -nen ↑ Fahrer의 여성형.

fahrerisch *a.* 차량 운전의, 운전 솜씨의: ich bin dir ~ überlegen 내가 너보다 운전 솜씨가 낫다.

Fahr·erlaubnis *f.* ①〖法〗운전 면허, 운행 허가: jm. die ~ erteilen〔entziehen〕누구에게 운전 면허를 주다〔박탈하다〕. ②〖구동독〗운전 면허증.

Fahrer·sitz *m.* 운전석.

Fahr≈gast *m.* (Passagier) 승객, 여객. **~gast·schiff** *n.* 여객선. **~gebühr** *f.* 운임, 승차 요금. **~gefühl** *n.* 승차감. **~geld** *n.* 승차〔승선〕 요금.

Fähr·geld [fɛ́:r..] *n.* 뱃삯.

Fahr≈gelegenheit *f.* 차편; (철도 따위의) 연결: ich konnte nicht kommen, da ich keine ~ hatte 나는 차편이 없어서 갈 수 없었다. **~geleise** *n.* ↑ ~gleis. **~gemeinschaft** *f.* (교통비를 공동 부담하여) 직장이나 학교까지 동승하는 그룹. **~genosse** *m.* 동승〔동선〕자.

Fähr·gerechtigkeit *f.* 도선권(渡船權), 도선 면허.

Fahr≈geschwindigkeit *f.* 주행 속도. **~gestell** *n.* ① 차대(車臺); (비행기의) 다리. ②〖농담〗(사람의) 다리. **~gleis** *n.* 궤도, 선로, 레일. **~gut** *n.*, **~habe** *f.* (schweiz.) 동산(動産).

fahrig [fá:rɪç] 《<fahren》 *a.* 침착하지 못한, 변덕스러운, 산만한: sei nicht so ~! 그렇게 성급하게 굴지 마라!

Fahrigkeit *f.* 경솔, 성급, 변덕.

Fähr·kahn *m.* 나룻배.

Fahr·karte *f.* ① 승차권, 차표: einfache ~ 편도 차표; ~ für die Hin- und Rückfahrt 왕복표; eine ~ nach Köln lösen 쾰른행 차표를 사다. ②〖스포츠〗출전권.

Fahrkarten≈ausgabe *f.* 승차권 발행〔매표소〕. **~ausgeber** *m.* 매표원. **~automat** *m.* 차표 자동 판매기. **~kontrolle** *f.* 차표 검사. **~kontrolleur, ~prüfer** *m.* 검표원. **~schalter** *m.* 승차권 매표 창구.

Fähr·knecht *m.* 나룻배의 사공〔인부〕.

Fahr≈korb *m.* (승강기나 케이블 카의) 탑승실, 적재함. **~kosten** *pl.* 차비, 운임. **~kran** *m.* 가동(可動) 기중기. **~kunst** *f.* ① 운전 기술, (마차) 조종술. ②〖광산〗(갱내) 승강기. **~lässig** *a.* 될 대로 되라는 식의, 등한히 하는; 부주의한; 태만한:〖法〗~e Tötung 과실치사. **~lässigkeit** *f.* 부주의; 태만; 과실: aus ~ einen Unfall verschulden 부주의로 사고를 내다. **~leder** *n.*〖광산〗광원용 가죽 앞치마. **~lehrer** *m.* 운전 교습 강사.

fährlich [fɛ́:rlɪç] *a.*〖구식〗위험한.

Fährlichkeit *f.* -en〖구식〗위험(Gefahr).

Fahr·loch *n.*〖工〗(Mannloch) 큰 용기〔탱크〕의 입구, 맨홀.

Fähr·mann *m.*〖복수: ..männer/..leute〗(나

룻배의) 사공(Schiffer).

Fahr=maus *f.* 〖動〗 땅강아지. **~meister** *m.* 자동차 운전 기사.

Fähr·meister *m.* (나룻배의) 사공.

Fahrnis[1] [fáːrnɪs] *f.* -se ↑ Gefahr.

Fahrnis[2] *f.* -se 동산(動產).

Fährnis [fɛ́ːrnɪs] *f.* -se ↑ Gefahr.

Fahr·ordnung *f.* 교통 규칙.

Fähr=ort *m.* 나루터. **~pächter** *m.* ↑ ~meister.

Fahr=plan *m.* ① (기차·버스의) 시각표. ② (기차·버스의) 시각표 책자〔팸플릿〕. ③〖구어·비유〗계획, 프로그램. **~plan·mäßig** *a.* 시각표대로의, 정시(定時)의: ~e Ankunft 정시 도착. **~post** *f.* 우편 마차. **~preis** *m.* 차비, 운임. **~preis·anzeiger** *m.* (택시의) 요금 표시기. **~prüfung** *f.* 운전 면허 시험: bei der ~ durchfallen 운전 면허 시험에 떨어지다. **~rad** *n.* 자전거.

Fahrrad=reifen *m.* 자전거 바퀴. **~schlüssel** *m.* 자전거 열쇠. **~ständer** *m.* 자전거 주차대.

Fahr=rinne *f.* 수로(水路), (해도상의) 항로. **~schalter** *m.* (전동기 따위의) 제어기. **~schein** *m.* 차표. **~schein·heft** *n.* (차표를 묶어 할인해 파는) 차표첩. **~schiene** *f.* 레일, 궤도.

Fähr·schiff *n.* 카 페리, 차량 도선(渡船).

Fahr=schule *f.* 운전 학원. **~schüler** *m.* ① 운전 학원 교습생. ② (기차·버스) 통학생. **~seil** *n.* (케이블·크레인 따위의) 강철 밧줄.

Fähr·seil *n.* 나룻배를 끄는 줄.

Fahr=sessel *m.* ① 승강기, 엘리베이터. ② (환자용) 이동식 의자, 휠체어. **~sicherheit** *f.* (차량의) 운행 안전성: die ~ erhöhen 차의 안전성을 높이다. **~spur** *f.* (도로의) (주행) 차로: die linke ~ zum Überholen benutzen 왼쪽 차로를 이용하여 추월하시오.

fährst [fɛːrst] ↑ fahren 의 2 인칭 단수 현재형.

Fahr=steiger *m.* ①〖광산〗선임 감독. ②〖등산〗등반대의 선임자. **~stil** *n.* 운전 방식〔태도〕. **~strahl** *m.* 〖數·天〗 동경(動徑). **~straße** *f.* ① 차도; 큰 길. ②〖철도〗운행선. **~stuhl** *m.* ① 환자용 휠체어. ② 승강기, 엘리베이터. ③〖구식〗(기왓장 이용) 비계. **~stuhl·führer** *m.* 엘리베이터 운전원. **~stunde** *f.* 운전 교습 시간.

***Fahrt** [faːrt] 《<fahren》 *f.* -en ① **(a)** 차〔기차·배〕 타고 가기, (차량의) 운행: während der ~ nicht aus dem Fenster lehnen! 차가 달릴 때 몸을 창 밖으로 내밀지 마시오!; 〖비유〗 freie ~ haben 마음대로 원하는 것을 하다; 〖海〗 ein Schiff in ~ setzen 배를 출항시킬 준비를 하다. **(b)** 여행, 드라이브: Auto≈ 자동차 여행; Bahn≈ 기차 여행; gute ~! 좋은 여행이 되기를!; auf der ~ nach Berlin 베를린으로 가는 중에; eine ~ ins Blaue 목적지 없는 여행. **(c)** (차의) 속도: in rascher ~ ging es den Berg hinunter 빠른 속도로 산을 내려왔다; in voller ~ 전속력으로; das Auto gewann an ~ 그 차는 속력이 붙었다. ②〖비유·구어〗(감격·흥분·분노와 같은) 감정의 변화: in ~ kommen〔geraten〕 a) 흥분하다, 신이 나다, b) 화나다, 분노하다; in ~ sein a) 흥분해 있다, 신이 나 있다. b) 화가 나 있다; jn. in ~ bringen a) 누구를 흥분시키다, b) 화나게 하다; 〖구어〗 tolle ~ 미친 짓〔수작〕. ③〖고어〗 동산(動產): mit Hab und ~ 가진 것을 모조리. ④〖광산〗 갱도의 사다리; (갱도의) 출입. ⑤〖海〗 운항 범위: große ~ 오대양을 운항함; kleine ~ (프랑스와 노르웨이 사이의 대서양 연안을 따라) 북해와 동해를 운항함. ⑥ ↑ Fährte.

fährt [fɛːrt] ↑ fahren 의 3 인칭 단수 현재형.

Fahr=tarif *m.* ① 운임, 승차 요금. ② 운임표, 요금표. **~tauglich** *a.* 운전 능력이 있는; 운전하기에 적합한. **~tauglichkeit** *f.* 운전 능력: die geringe Sehkraft mindert seine ~ 나쁜 시력이 그의 운전 능력을 저하시킨다.

Fahrt·ausweis *m.* 차표(Fahrkarte).

Fahr·taxe *f.* (schweiz.) 요금, 운임.

Fahrt=ball *m.* 〖海〗 속력 및 항로 변경 신호용 부표(浮標). **~dauer** *f.* 승차〔주행〕 시간.

Fährte [fɛ́ːrtə] 《<Fahrt》 *f.* -n 〖사냥〗 (짐승의) 발자국; 자취, 흔적: auf eine ~ stoßen (우연히) 짐승의 발자국을 발견하다; von der ~ abkommen 〔die ~ verlieren〕 (쫓던) 발자국을 놓치다; 〖비유〗 jn. auf die richtige ~ bringen 누구를 바른 길로 인도하다; auf der falschen ~ sein 뒤를 잘못 쫓고 있다.

fahr·technisch *a.* 운전 기술의〔에 관한〕.

Fahrten=buch *n.* 여행〔운행〕 일지. **~liste** *f.* 운행 시각표. **~messer** *n.* 하이킹용 나이프. **~plan** *m.* ↑ Fahrplan. **~schreiber** *m.* ↑ Fahrtschreiber. **~schwimmer** *m.* 〖스포츠〗 (30 분간의 수영과 3 m 높이의 다이빙 시험에 합격한) 수영 숙달자.

Fährten·sucher *m.* 짐승 발자국 추적자.

Fahr·test *m.* 시험 주행.

Fahrt=geschwindigkeit *f.* (배·차의) 속력. **~kosten** *pl.* ↑ Fahrkosten. **~messer** *m.* 〖海〗 속도계.

Fahr·treppe *f.* 에스컬레이터(Rolltreppe).

Fahrt=richtung *f.* (차량의) 진행 방향, 진로. **~richtungs·anzeiger** *m.* (자동차의) 방향 지시기〔등〕, 깜박이.

Fahr·truppe *f.* 〖軍〗 수송 부대.

Fahrt·schreiber *m.* 〖車〗 속도 기록계.

fahr=tüchtig *a.* ① (차를) 운전할 수 있는. ② (차량이) 운행 가능한: das Fahrzeug befand sich in keinem ~en Zustand 그 차는 운행할 수 없었다. **~tüchtigkeit** *f.* ① (운전자의) 운전 가능한 상태: seine ~ war durch Alkohol stark eingeschränkt 그의 운전 능력은 술 때문에 현저히 떨어져 있었다. ② (차 따위의) 운행 가능한 상태. **~unterbrechung** *f.* 운행〔여행〕 중지, 도중 하차. **~untüchtigkeit** *f.* ① (알코올·약물의 영향으로 인한 운전자의) 운전 불가능 상태. ② (차량의) 운행 불가능 상태.

Fahr=verbot *n.* 〖法〗 (자동차의) 운행 정지, 면허 정지. **~verhalten** *n.* ① 운전 태도. ② (차량의) 운행 특성. **~vorschrift** *f.* 교통 규칙. **~wasser** *n.* 〖海〗 수로(水路), 항로; 항적(航跡) (Kielwasser): das richtige ~ 올바른 방침; 〖비유〗 in seinem ~ sein 그의 전문 영역이다; der Streit geriet〔glitt〕 in politisches ~ 논쟁은 정치 영역으로 옮겨갔다; in js. ~ schwimmen〔segeln〕 누구의 영향을 많이 받고 있다(누구의 생각에 무비판적으로 물들어 있다). **~weg** *m.* ① 주행 거리〔구간〕. ②

차도. **~weise** *f.* 운전 방식〔태도〕. **~werk** *n.* ①〖車〗차대(車臺), (바퀴와 연결되는) 전후축. ② 비행기의 착륙 장치, 랜딩 기어. **~wind** *m.*〖海〗① 순풍(順風). ② 주행풍(走行風). **~zeit** *f.* 운전〔주행〕 시간. **~zeug** *n.* 탈것, 차량, 선박.

Fahrzeug≈bau *m.* 차량 제조(업). **~führer** *m.*〖法〗운전자. **~halter** *m.* 차량 등록자. **~lenker** *m.* (특히 schweiz.) 운전자. **~park** *m.* (운수 회사·관청·군대 따위의 특정 조직에 속하는) 차량(단), 차량군(群). **~rahmen** *m.* 자동차의 몸체.

Fähwerk [fɛ́:vɛrk] *n.* -(e)s, -e 다람쥐 모피 (Fäh).

Faible [fɛ́:bəl] 《frz.》 *n.* -s 편애, 애착; 약점: ein ~ für et. haben 무엇을 편애하다, 무엇에 약하다.

Faille [fa:j, fáljə] 《frz.》 *f.*〖방직〗(골이 지게 짠) 광택을 없앤 가벼운 비단.

fair [fɛ:*r*] 《engl.》 *a.* ① 아름다운; 훌륭한; 예의 바른. ②〖스포츠〗공정한, 정정당당한, 공평한: ~es Spiel 정정당당한 게임.

Fairneß [fɛ́:*r*nɛs] *f.* (게임·경기 따위에서의) 공정한 태도; 공정, 정직.

Fair play [fɛ́:*r* plé:] 《engl.》 *n.* ①〖스포츠〗공정한 경기; 신사적인 경쟁. ②〖비유〗공정한 태도.

Faiseur [fɛzǿ:*r*] 《frz., „Macher"》 *m.* -s, -e〔고어〕주모자; 음모가, 사기꾼.

Fait accompli [fɛtakɔ̃plí] 《frz., „vollendete Tatsache"》 *n.* - -, -s -s [fɛzakɔ̃plí]〔교양〕기정 사실: et. als ~ anerkennen〔hinnehmen〕 무엇을 기정 사실로 인정하다.

fäkal [fɛká:l] 《lat. faex „Niederschlag"》 *a.* 분뇨의, 배설물의.

Fäkal·dünger *m.* 분뇨 비료, 똥거름.

Fäkalien [fɛká:liən] *pl.*〖醫〗배설물, 분뇨.

Fäkal·stoffe *pl.*〖生〗배설물, 분뇨.

Fakir [fá:kɪ*r*] 《ar.》 *m.* -s, -e ① 이슬람교의 탁발승, 수도자. ② (탁발승으로 등장하는) 마술사, 사기꾼.

Faksimile [fakzí:mile] *n.* -s, -s/..milia 복사, 모사, 팩시밀리.

Faksimile≈ausgabe *f.* 복제본, 복사판. **~druck** *m.* 복사 인쇄(물).

faksimilieren [..lí:rən] *t.* 모사〔복사〕하다; 팩시밀리로 전송하다.

Fakt *m./n.* -(e)s, -en 사실(Faktum).

Fakta *pl.*〔구식〕↑ Faktum 의 복수형.

Faktage [faktá:ʒə] 《frz.》 *f.* -n〖우편〗우송 요금; 포장(包裝).

Fakten [fáktən] *pl.* ↑ Faktum 의 복수형.

Fakten·wissen *n.* 사실〔사안〕에 대한 지식〔이해력〕: er hat ein großes ~ 그는 사실을 대단히 잘 알고 있다; ohne ~ kein Verständnis von Zusammenhängen 사실에 대한 지식이 없이는 맥락을 이해할 수 없다.

Faktion [faktsió:n] 《lat., factio „Partei"》 *f.* -en〔구식〕당파, 당내 파벌, 당내 급진파.

faktiös [..tsiǿ:s] *a.* 당파적인; 소란스러운, 반항적인.

faktisch [fáktɪʃ] 《lat.》 *a.* 사실상의, 실제의: das bedeutet ~ den Zusammenbruch 그것은 사실상 붕괴를 의미한다; es ist ~ unmöglich 그것은 사실상 불가능하다.

Faktitiv [fáktiti:f, ..tí:f] *n.* -s, -e [..və] ↑ Faktitivum.

faktitiv [faktití:f, fák..] *a.* ①〔교양〕(어떤 작용을) 야기하는. ②〖문법〗사역(使役)의.

Faktitivum [..vum] *n.* -s, ..va〖문법〗사역 동사(보기: tränken, säugen).

Faktizität [faktitsitɛ́:t] *f.* -en〖哲·교양〗사실성.

Faktor [fáktɔr, ..to:*r*] 《lat.》 *m.* -s, -en [..tó:rən] ① **(a)**〖數〗인수(因數); 인자(因子): in ~en zerlegen 인수(로) 분해하다. **(b)**〔비유〕요소, 요인, 원동력: Stör≈ 장애 요인; Unsicherheits≈ 불안 요인; in der Erziehung wirken verschiedene ~en zusammen 교육에서는 여러 가지 요인들이 함께 작용한다. ② (인쇄소 등의) 직공장;〖商〗지배인, 매니저.

Faktorei [faktoráı] *f.* -en (식민주의 시대의) 해외 영업소, 지사, 대리점.

Faktotum [faktó:tum] 《lat. fac totum „mach' alles!"》 *n.* -s, -s/..ten 잡역부, 잡일꾼, 막일꾼.

Faktum [fáktum] 《lat. facere》 *n.* -s, ..ten/(구식) ..ta (증명 가능한) 사실: die Fakten sprechen gegen seine Behauptung 그의 주장은 사실과 맞지 않는다.

Faktur [faktú:*r*] 《lat.》 *f.* -en ①〖商〗납품 계산서, 송장(送狀), 탁송품 명세서. ②〖음악〗악곡 구성.

Faktura [..tú:ra] *f.* ..ren〔구식〕(öst.) ↑ Faktur ①.

Faktur·buch *n.* ↑ Fakturenbuch.

Fakturen·buch *n.* 결산 장부.

fakturieren [..rí:rən] *t.* ① 송장(送狀)을 작성하다. ② 가격을 견적하다: eine Ware ~ (송장을 작성하기 위해) 상품 가격을 계산한다.

Fakturier·maschine *f.* 계산서〔견적서〕 작성기.

Fakturist [..turíst] *m.* -en, -en 송장(送狀) 담당인.

Fakturistin *f.* -nen ↑ Fakturist 의 여성형.

Fakultas [fakúltas] 《lat. facultas》 *f.* ..täten〔교양〕중·고등 학교 교사 자격: die ~ für Mathematik verliehen bekommen 수학 교사 자격을 수여받다.

***Fakultät** [fakultɛ́:t] *f.* -en ① (종합 대학의) 단과 대학, 학부; 단과 대학 건물; 교수단 및 학생 (전체): die juristische〔medizinische〕 ~ 법과〔의과〕 대학;〔비유〕er ist von der anderen ~ a) 그는 (세계관적·종교적·정치적) 입장이 다르다, b) 그는 호모다. ②〔고어〕능력, 재능. ③〖數〗계승(階乘): vier ~ 4 계승 (4!=1×2×3×4).

fakultativ [(또는) fá..ti:f] *a.* 《frz. facultatif》 (↔ obligatorisch) 자유로이 선택할 수 있는, 임의적〔자의적〕인: ~e Fächer (자유) 선택 과목;〖醫〗~e Sterilität (불임기에 성관계를 맺는) 선택적 불임.

Falange [faláŋge, faláŋxe] 《sp.》 *f.* 팔랑헤 (1936 년 프랑코(F. Franco)의 주도로 결성된 에스파냐의 파시스트당).

Falangist [..laŋgíst, ..laŋxíst] *m.* -en, -en 팔랑헤 당원.

falb [falp] *a.* 담황색의, 황회색의: ein ≈er 노르스름한 빛깔의 말.

Falbe *m.* -n, -n (노르스름한 빛깔의) 말.

Falbel [fálbəl] 《frz.》 *f.* -n 옷단 장식〔주름〕.

fälbeln [fɛ́lbəln] *t.* 옷단 주름으로 장식하다.

F

Falerner [falέrnər] 《lat.》 *m.* -s, -(이탈리아의) 팔레르노산(產) 포도주(~Wein).
fälisch [fέ:lɪʃ] *a.* 팔렌족(族)의: ~e Rasse 팔렌족(유럽의 한 종족).
Falk[1] [falk] *m.* 팔크(남자 이름).
Falk[2] *m.* -en, -en ↑ Falke[1].
Falkaune 《lat. falco》 *f.* -n (16 세기경의) 소형포(小型砲), 응포(鷹砲).
***Falke**[1] [fálkə] *m.* -n, -n ① **(a)** 매: 〖비유〗 den ~n streichen 남자에게 아양떨다. **(b)** 〖비유〗 매파, 강경파(↔ Taube): der neue Minister wird zu den ~n in der Partei gezählt 새 장관은 당내 강경파에 속한다. ②〖軍〗(옛날의) 소형포(砲).
Falke[2] *m.* -n, -n 담황색의 말.
Falken≈auge *n.* ① 매의 눈. ②〖비유〗날카로운 눈초리, 형안(炯眼). ③〖광물〗장식용 석영(石英). **~beize** *f.* 매사냥. **~blick** *m.* ↑ ~auge ②. **~haube** *f.* (사나운 매를 길들이기 위한) 매의 눈가리개. **~haus** *n.* 매장.
Falkenier [falkəní:r] 《frz.》 *m.* -s, -〖구식〗매사냥꾼, 매 조련사.
Falken≈jagd *f.* 매사냥. **~jäger** *m.* ↑ Falkner ②. **~meister** *m.* ↑ Falkner ①.
Falkland·inseln [fálklant..] *pl.* 포클랜드 제도.
Falkner [fálknər] *m.* -s, - ① 매 조련사. ② 매사냥꾼.
Falknerei [..ráɪ] *f.* -en 매 사냥, 매 기르기, 매 사냥업; 매 사냥터.
Falkonett [falkonέt] 《frz.》 *n.* -(e)s, -e〖軍〗(중세의) 소형포(小型砲) (Falke[1] ②).
***Fall**[1] [fal] *m.* -(e)s, Fälle [fέlə] ① **(a)** 떨어짐, 낙하, 추락, 하강; 쓰러짐, 넘어짐, 전도(顚倒); 조락(凋落); (기온의) 하강; (물가) 하락; (물의) 흘러내림, 낙수; 폭포(Wasser~); 〖비유〗타락: der freie ~ 자유 낙하; jm. ein Bein stellen und ihn dadurch zu ~ bringen 발을 걸어 누구를 넘어뜨리다; der Niagara~ 나이아가라 폭포; einen Antrag zu ~ bringen 의안을 파기하다; ein Mädchen zu ~ bringen 처녀의 정조를 더럽히다. **(b)** 변화, 변동; 인생의 부침; 불행, 재난; 〖商〗파산; 몰락, 멸망, 쇠퇴: jn. mit in seinen ~ hinabziehen〔hinabreißen〕(아무런 관계도 없는) 누구를 걸고 넘어지다〔골탕 먹이다〕; 〖속담〗Hochmut kommt vor dem ~ 교만은 오래가지 못한다; jn. zu ~ bringen 누구를 넘어뜨리다, 망하게 하다; der Alkohol brachte ihn zu ~ 그는 술 때문에 망했다; zu ~ kommen a) 쓰러지다, 넘어지다, b) 망하다, 몰락하다; der Minister ist durch ein Finanzskandal zu ~ gekommen 그 장관은 금전적인 스캔들로 실각했다. **(c)** (동물이) 죽어 쓰러짐; 죽어 쓰러진 들짐승. ② 경우, 사정; 사건: Ernst~ 심각한 경우; Not~ 위급〔긴급〕상황; das ist ein ganz anderer ~ 그것은 전혀 사정이 다르다; dringender ~ 다급한 경우; auf alle Fälle a) 어떠한 경우에도, 꼭, 반드시, b) 만일의 경우에 대비해; sich auf alle Fälle gefaßt machen 모든 경우에 대비해 각오하다; auf jeden ~ 어떻든, 여하간; auf keinen ~ 어떠한 경우에도〔결코〕 …하지 않다; nimm für alle Fälle etwas Geld mit 만약을 대비하여 돈을 좀 가지고 가거라; im ~(e) 〔auf den ~〕, daß... (만약) …의 경우에는(falls); im ~ der Not 위급한 경우에는, 유사시에는; ich bin 〔befinde mich〕 im ~e, zu... 나는 …할 수가 있다; im schlimmsten ~e 〔schlimmsten ~es〕 최악의 경우에; von ~ zu ~ 그때그때에 맞춰, 임기응변으로; das ist (nicht) der ~ 그것은 맞는〔맞지 않는〕 이야기다; das ist nicht mein ~ 그것은 내 마음에 들지 않는다, 내게 맞지 않다; sie ist nicht gerade mein ~ 그녀는 내 취향에 딱 맞지는 않는다; gesetzt den ~ 〔gesetzten ~es〕... (만일) …라면〔…라고 가정한다면〕; für den ~, daß... …의 경우에 대해서; 〖구어〗klarer ~ ! 물론이지, 뻔한 사실이지 ! ; in jedem ~ 어느 경우이든; 〖격언〗man muß nicht alle Fälle vorhersehen wollen 모든 경우를 미리 다 알려고 할 필요는 없다; er ist ein hoffnungsloser ~ 그는 구제 불능이다. ③〖문법〗격(Kasus): dieses Substantiv steht im dritten ~ 이 명사는 3 격이다. ④〖음악·고어〗소리의 억양(Ton~); 종지(終止), 정지법(靜止法). ⑤〖醫〗환자(의 사례): ein ~ von Pest 페스트 환자(의 경우). ⑥〖광산〗갈라진〔쪼개진〕틈. ⑦〖法〗사건, 사안: Kriminal~ 형사 사건; den ~ neu untersuchen 사안을 새로이 조사하다.
Fall[2] 《ndd.》 *n.* -(e)s, -en〖海〗용총줄(돛을 오르내리는 밧줄), (활차의) 고팻줄.
Fäll·axt [fέl..] *f.* 벌목용의 도끼.
fällbar 《＜fällen》 *a.* ①〖林〗벌채할 수 있는. ②〖化〗침전시킬 수 있는.
Fall≈baum *m.* ① (요금을 내어야 열어 주는) 차단봉(遮斷棒). ②〖사냥〗후림 나무(미끼를 매달아 놓고 새를 사냥하는 나무). **~beil** *n.* 단두대(Guillotine). **~beschleunigung** *f.* 〖物〗낙하〔중력〕가속도. **~beugung, ~biegung** *f.* 〖문법〗격변화(Deklination). **~blatt** *n.* (천막의) 현수막. **~block** *m.* 말뚝 박는 기계, 해머. **~bö** *f.*〖空〗수직 기류, 에어 포켓. **~brett** *n.* (함정의) 낙판(落板). **~brücke** *f.* ① (공격용) 도개교(跳開橋), 공성 잔교(攻城棧橋). ② (사람이 서면 떨어지게 만든) 허방다리: auf eine ~ treten 계략에 걸려들다. ③ 도개교(跳開橋).
***Falle** [fálə] 《＜fallen》 *f.* -n ① 덫, 올가미; 〖비유〗계략, 함정: ~n aufstellen 덫을 놓다; jm. eine ~ stellen 누구에게 덫〔함정〕을 놓다; in die ~ gehen 함정에 빠지다; wir sitzen in der ~ 우리는 빠져나갈 길〔방법〕을 모른다. ② 〖구어·농담〗침대: in die ~ gehen 취침하다. ③ (obd.) 문고리(Türklinke).
Fall·ei [fál..] *n.* (요리 위에 깨어 넣은) 달걀.
fallen [fálən] (fiel, gefallen) 《I》 *i.* (s.) ① 떨어지다, 낙하〔추락〕하다; 쓰러지다; (비·눈이) 내리다; (꽃·잎이) 지다; (막이) 내리다; (기온이) 하강하다; (인기·수위가) 떨어지다; (값이) 싸지다; (시세가) 하락하다; (길이) 경사지다; 〖비유〗타락〔영락〕하다; 쇠퇴〔멸망〕하다; 파산하다: ich bin vor Schreck fast vom Stuhl gefallen 나는 깜짝 놀라서 의자에서 떨어질 뻔했다; die Haare ~ ihr bis auf die Schultern 〔ins Gesicht〕 머리카락이 어깨〔얼굴〕까지 내려와 있다; der Weg fällt stark 이 길은 가파르다; der Antrag war gefallen 안건이 부결되었다; ein gefallener Engel 타락한 천사, 윤락 여성; 〖구식〗ein gefallenes Mädchen 윤락 여성, 순결을 잃은 소녀; der Würfel ist gefallen 주사위는 던져졌다; der

Schatten fällt an die Wand 그림자가 벽에 비친다; die Waren sind im Preis gefallen 이 상품들은 가격이 떨어졌다; **auf** den Boden 〔die Erde〕 ~ a) (바닥에) 넘어지다, 떨어지다, b) 실패하다, 수포로 돌아가다; der Länge nach〔lang〕 auf die Erde 〔den Boden〕 ~ 길게 나자빠지다; auf die Füße ~ a) (고양이 따위가) 떨어져서 용하게 서다, b) 용하게 위급을 면하다; aufs 〔auf die〕 Knie ~ 무릎을 꿇다, 꿇어 앉다; 〖비유〗 er ist nicht auf den Kopf gefallen 그는 바보가 아니다; auf den Rücken ~ 벌렁 뒤로 나자빠지다; jm. aufs Herz 〔auf die Seele〕 ~ 누구의 마음에 부담이 되다; 〖비유〗 **aus** allen Himmeln 〔Wolken〕 gefallen 대경실색하여; das fällt völlig aus dem Rahmen 그것은 완전히 상식 밖이다; aus der Rolle ~ 엉뚱한〔무례한〕 짓을 하다; **durch** eine Prüfung ~ 시험에 떨어지다; **gegen** die Tischkante ~ 책상 모서리에 부딪치다; jm. **in** den Arm ~ 누구의 팔을 붙잡다, 누구를 제지하다; mit der Tür ins Haus ~ 경솔하게 입 밖에 내다, 경망스런 행동을 하다, 느닷없이 무슨 요구를 하다; ins Wasser ~ 수포로 돌아가다; in ein Land ~ 어떤 나라에 침입하다; jm. in die Rede 〔ins Wort〕 ~ 누구의 말을 가로막다; in den Rhein ~ 라인강으로 흘러 들어가다; dem Feind in den Rücken ~ 적의 배후를 공격하다; die Tür fällt ins Schloß 문이 철컥 닫힌다; das Licht fällt ins Zimmer 빛이 방으로 비쳐 든다; **über** jn. her ~ 누구를 덮치다; über einen Stein ~ 돌부리에 채어 넘어지다; jm. **um** den Hals ~ 누구의 목을 끌어안다; **unterm** Beil ~ 참수당하다; unter Räuber ~ 강도를〔도둑을〕 만나다; etwas fällt unter den Tisch 무엇이 기각당하다, 고려되지 않다; es fiel ihm wie Schuppen **von** den Augen 그는 눈이 번쩍 뜨였다, 미몽에서 깨어났다; 〖비유〗 von der Bank ~ 사생아로 태어나다, 서출(庶出)이다; es fällt kein Meister vom Himmel 타고난 대가는 없다; mir fiel ein Stein vom Herzen 나는 마음 속의 무거운 짐에서 벗어났다; 〖구어〗 ich bin fast vom Stengel(chen) gefallen 나는 간 떨어질 뻔하였다. ② 갑자기 죽다; 〖軍〗 전사하다; 점령되다, 함몰하다; 〖사냥〗 (짐승이 기아·질병 따위로) 죽어 넘어지다(krepieren) : in der Schlacht ~ 전사하다; er fiel als Held 그는 영웅적인 전사를 했다; eine Feier zum Gedächtnis der Gefallenen veranstalten 전몰자 추도 위령제를 개최하다; auch die Hauptstadt des Landes ist jetzt gefallen 그 나라의 수도도 이제 함락되었다. ③ (treffen) 맞다, (시기가) 일치하다, 해당하다; 일어나다(stattfinden) ; 속하다(gehören) ; 말로 표현되다; 없어지다: die Zahlung fiel gestern 어제가 봉급일〔지급일〕이었다; ein Verdacht fällt auf mich 내가 혐의를 받고 있다; Weihnachten fallen dieses Jahr auf den Sonntag 금년 크리스마스는 일요일이다; die Entscheidung ist noch nicht gefallen 아직 결정이 내려지지 않았다; er fällt mir auf die Nerven 그는 내 비위에 거슬린다; das fällt in dieselbe Kategorie 그것은 같은 범주에 속한다; im Jahr 1919 fiel Elsaß wieder an Frankreich 1919 년에 알자스 지방은 다시 프랑스에 귀속되었다; das Verbot ist gefallen 금지령이 폐지되었다; in der Sitzung fielen scharfe Worte 회의에서는 신랄한 말이 나왔다. ④ (어떤 상태로) 바뀌다, (어디에) 귀결되다, (누구의) 소유가 되다: in Schlaf ~ (갑자기) 잠들다; in eine andere Tonart ~ 어조를 바꾸다; die Erbschaft fiel an eine entfernte Verwandte 상속 재산은 먼 친척의 손에 들어갔다; in js. Besitz ~ 누구의 소유로 귀착하다; in Ohnmacht ~ 실신하다; bei jm. in Ungnade ~ 누구의 총애를 잃다. ⑤ 되다 (werden) : jm. beschwerlich ~ 누구에게 괴로움〔부담〕을 주다; jm. lastig 〔zur Last〕 ~ 누구의 짐이 되다; einem Mordanschlag zum Opfer ~ 살인 음모의 희생자가 되다; es fällt mir schwer〔leicht〕 그것은 내게는 어렵다〔쉽다〕; das Urteil fällt wider Sie (aus) 판결은 당신에게 불리하다; es falle wie es wolle 일이 어떻게 되든; wie 〔je nachdem〕 es fällt 사정에 따라, 임기응변으로. ⑥ 울리다(ertönen) : es fiel ein Schuß 총성이 울렸다; gut in das Ohr〔Gehör〕 ~ 잘 들리다. ⑦ 생기다; (새끼가) 태어나다: von dieser Stute sind zwei Füllen gefallen 이 암말은 새끼를 두 마리 낳았다; es ist köstlicher Wein, fällt aber nur sparsam 이 술은 고급이지만 조금밖에 산출되지 않는다. ⑧ 보이다, 인식되다: eine stark in die Augen ~de Farbe 선명〔강렬〕한 빛깔; jm. ins Auge ~ 누구의 눈에 띄다; diese Farbe fällt ins Gelbe 이 빛깔은 누르스름하다; ins Gewicht ~ 중요하다; bei et.[3] nicht ins Gewicht ~ 어떤 일에 부적당하다, 들어맞지 않다. ⑨ 〖광산〗 der Gang fällt senkrecht 갱도가 수직으로 통하고 있다. ⑩ 〖海〗 (배를) 옮겨 타다: aus dem Schiff ins Boot ~ 본선(本船)에서 보트로 옮겨 타다; fall! fall! 보트로 (옮겨 타라)! ⑪ 〖스포츠〗 (점수가) 나다, 득점되다; wenn kein Tor fällt, wird das Spiel wiederholt 골이 나지 않으면 재시합이 치루어진다. 《Ⅱ》 *t.* 떨어져서 (무엇을〔누구를 어떻게〕) 만들다: ein Loch in die Erde ~ 떨어져서 지면에 구멍을 내다. 《Ⅲ》 *refl.* sich ~ 떨어져서〔넘어져서〕 …하게 되다: sich wund 〔tot, zu Tode〕 ~ 떨어져서 상처를 입다〔죽다〕; sich[3] den Arm aus dem Gelenk ~ 떨어져서 팔을 삐다. 《Ⅳ》 **gefallen** *p.a.* ↑ gefallen.

Fallen *n.* -s ① 낙하, 추락, 하강; 감소; 〖商〗 하락; 타락; 영락; 쇠퇴, 멸망; 파산. ② 즉사, 전사. ③ 〖海〗 der Anker ist zum ~ klar 닻이 닻걸이에 매달려 있다.

fällen [fɛ́lən] 《fallen 의 사역 동사형》 *t.* ① (베어) 넘어뜨리다, 벌채하다: er stürzte wie ein gefällter Baum 그는 베어진 나무처럼 쓰러졌다. ② 〖軍〗 (수평으로) 겨누다: die Lanze ~ 창을 겨누다. ③ 죽이다. ④ (jn.) **(a)** 몰락〔파산〕시키다. **(b)** (여자를) 욕보이다: ein Mädchen ~ 처녀를 능욕하다. ⑤ 〖化〗 침전시키다. ⑥ 〖數〗 ein Lot 〔eine Senkrechte〕 ~ 수선(垂線)을 긋다. ⑦ 〖기능 동사〗 …하다: eine Entscheidung 〔ein Urteil〕 ~ 결정〔판결〕하다; der Richter fällte ein Todesurteil gegen ihn 판사는 그에게 사형 선고를 내렸다.

fallend *p.a.* 떨어지는, 하강하는: 〖醫〗 ~e Sucht 간질병(Fallsucht).

Fall·endung *f.* 〖문법〗 격어미.

fallen·lassen 《Ⅰ》 *t.* ① 떨어뜨리다, 빠뜨리

다, 내리다: eine Masche ~ (뜨개질의) 코를 빠뜨리다; den Vorhang ~ 막을 내리다. ② (aufgeben) 중지〔포기〕하다: einen Plan ~ 계획을 포기하다; eine Forderung ~ 요구를 철회하다; jn. ~ 누구를 방치하다, 누구와의 관계를 끊다: er hat seinen Partner ~ 그는 동업자와 손을 끊었다. ③ 지나가는 말로 언명하다: eine Frage ~ (내친 김에) 질문하다; Andeutungen ~ 암시하다. ④〖商〗(가격을) 인하하다: vom Preis etwas ~ 값을 조금 내리다. 《Ⅱ》 *refl.* sich ~ 부담이 없다, 속마음을 보이다: bei ihm kann ich mich wirklich ~ 그에게는 정말로 마음을 터놓을 수 있다.

Fallen≠leger *m.* ↑ ~steller. **~steller** *m.* 〖사냥〗 덫을〔올가미를〕 놓는 사람.

Fallersleben 팔러스레벤(독일 중부 운하 지역에 위치한 도시).

Fall≠fenster *n.* 내리닫이 창문. **~gatter** *n.* (성곽의 통행을 차단하는) 벼락닫이 격자문. **~geschwindigkeit** *f.* 낙하 속도. **~gesetz** *n.* 〖物〗 낙하 법칙. **~gitter** *n.* ↑ ~gatter. **~grube** *f.* 〖사냥〗 함정. **~hammer** *m.* 〖工〗 내리 달구; 낙하 망치. **~höhe** *f.* ①〖物〗 낙하 구간〔고도〕. ②〖工〗 (물의) 낙차. ③〖연극〗 (몰락의) 낙차(신분이 높은 인물만이 비극적 운명을 경험할 수 있다는 고전주의 연극론의 개념). **~holz** *n.* 〖林〗 (바람에) 떨어진 나뭇가지. **~hut** *m.* (넘어질 때 머리를 보호하도록 안감을 댄) 유아용 모자.

fallibel [falíːbəl] 《lat.》 *a.* 〔교양〕 오류에 빠지기 쉬운; 믿을 수 없는(trüglich).

Fallibilität [falibilitɛ́ːt] *f.* -en 오류 가능성: von der ~ des Menschen ausgehen 인간은 틀릴 수도 있다는 가정에서 출발하다.

fallieren [falíːrən] *i.* (h.) 〖商〗 파산하다.

fällig [fɛ́lɪç] 《<fallen》 *a.* ① 지급 기한이 된, 만기의: ~ werden 만기가 되다; die Zinsen sind am Ende des Monats ~ 이자는 월말에 나간다. ② (일정한 시점에) 예정된, 기대되는; 해야 하는, 필요한: der Zug ist in 5 Minuten ~ 기차는 5분 있으면 도착할 예정이다; die technische Überprüfung des Wagens ist in 2 Monaten ~ 자동차의 기술적인 정기 검사는 두 달내에 해야 한다. ③〔구어〕 (기한이 되어) 처리해야 하는; 차례가 된: die Gardinen sind ~ 커튼이 빨 때가 되었다; du bist wieder mal ~ 다시 네 차례다.

Fälligkeit *f.* -en 만기, 지급 기한.

Fälligkeits≠tag *m.* 지급 (만기)일. **~termin** *m.* 만기일, 변제 기한: den ~ überschreiten 만기일을 넘기다.

Falliment [falimɛ́nt] 《it.》 *n.* -(e)s, -e 〔구식〕 ↑ Fallissement.

Fallinie [..niə] *f.* -n ①〖스키〗 계곡 주행의 최단 코스. ②〖등산〗 수직 등산 방향.

Fallissement [falɪs(ə)mɑ̃ː] 《frz.》 *n.* -s, -s 〔구식〕 지급 불능, 파산.

Fallit [falíːt] 《it.》 *m.* -en, -en 〔구식〕 파산자, 지급 불능자.

fallit *a.* 〔구식〕 지급 능력이 없는, 파산한.

Falliten≠gericht *n.* 파산 판결 법원. **~gesetz** *n.* 파산법.

Fallit·erklärung *f.* 파산 선고.

Fall≠kerb *m.* (벌목할 나무가 쉽게 쓰러지도록) 나무 둥치를 도끼 따위로 찍어내기. **~klappe** *f.* ① (함정의) 낙판(落板). ②〖전기〗 표시기(表示器)(의 셔터). **~klinke** *f.* 고리쇠. **~kraut** *n.* 〖植〗 아르니카풀(Arnik). **~maschine** *f.* 〖物〗 아트우드의 기계(물체 낙하 운동 때 중력의 가속도를 측정하는 기계). **~meister** *m.* 박피공.

Fäll·mittel *n.* 〖化〗 침전제.

Fall≠mütze *f.* ↑ ~hut. **~netz** *n.* 던질 그물; 새그물. **~obst** *n.* 낙과(落果).

Fallott [falɔ́t] *m.* -en, -en (öst.) 사기꾼, 불한당.

Fallout [foláut, fɔːlláut] 《engl.》 *m.* -s, -s 방사성 낙진〔유출〕: nach den letzten Kernwaffentests wurden starke ~s gemessen 지난번 핵무기 실험 이후 강력한 방사성 낙진이 측정되었다.

Fall≠plättchen *n.* 체스용 초읽기 시계에 달린 금속판. **~raum** *m.* 낙하 물체가 통과한 공간. **~reep** *n.* 〖海〗 현제(舷梯), 현문(舷門). **~reeps·treppe** *f.* 현제(舷梯), 트랩. **~rohr** *n.* 〖건축〗 (빗)물받이 홈통, 옥내관(屋內管), 오수관(汚水管). **~rück·zieher** *n.* 〖구기〗 오버헤드 킥.

***falls** [fals] 《<Fall[1] 의 2격》 *cj.* …의 경우에는; 만일 …이라면: ~ er kommen sollte 만일 그가 온다면.

..falls *suf.* "…한 경우에는"의 뜻(보기: jeden~ 어쨌든, 좌우간; nötigen~ 부득이한 경우에는.

Fall·schirm *m.* 〖空〗 낙하산: mit ~ abspringen 낙하산으로 강하하다.

Fallschirm≠jäger *m.* 공수〔낙하산〕 부대원. **~künstler** *m.* ↑ ~springer. **~leuchte** *f.* 낙하산 조명탄. **~springer** *m.* 스카이 다이버. **~truppe** *f.* 공수〔낙하산〕 부대. **~schwert** *n.* 단두대, 기요틴. **~springen** *n.* 뛰어내리기, 낙하.

fällst [fɛlst] ↑ fallen, fällen 의 2인칭 단수 현재형.

Fall≠strick *m.* 덫; 함정: jm. einen ~ legen 누구에게 함정을 파놓다. **~studie** *f.* 〖사회〗 사례 연구, 케이스 스터디: eine ~ über ein verhaltensgestörtes Kind 행동 장애아에 관한 사례 연구. **~sucht** *f.* 〖醫·구식〗 간질병 (Epilepsie). **≈süchtig** *a.* 간질의.

fällt [fɛlt] ↑ fallen, fällen 의 3인칭 단수 현재형.

Fall≠tor *n.* ① ↑ ~tür ①. ② ↑ ~gatter. **~treppe** *f.* 벼락닫이 아래 계단. **~tür** *f.* ① 벼락닫이, (마루·천장 따위의) 들어올리는〔내리는〕 문. ② (바닥을 디디면 꺼지는) 허방문. **~übel** *n.* ↑ ~sucht.

Fällung [fɛ́lʊŋ] 《<fällen》 *f.* -en ①〖林〗 벌목. ② 발언, 단언, 〖法〗 선고. ③〖化〗 침전.

Fall≠verschluß *m.* (사진기의) 셔터. **≈weise** *a.* 경우에 따라, 각각: das muß ~ entschieden werden 그것은 경우마다 다르게 결정되어야 한다. **~werk** *n.* 〖工〗 낙하 시험기; 주화(鑄貨) 제조 기계. **~wild** *n.* 〖사냥〗 (병이나 사고로) 죽은 들짐승, 사냥하기 용이해진 짐승. **~wind** *m.* (아래로 부는) 산바람, 재넘이. **~winkel** *m.* 경사각, (탄도의) 낙각(落角). **~zeit** *f.* 낙하 시간.

Fäll·zeit *f.* 〖林〗 벌채기(期).

Falott [falɔ́t] *m.* -en, -en (öst.) ↑ Fallott.

Falsa [fálza] ↑ Falsum 의 복수형.

***falsch** [falʃ] *a.* ① 가짜의, 위조된, 모조의, 눈

속임의: ~es Geld 위폐; ~e Zähne 의치(義齒); ein ~er Edelstein 인조 보석; ~e Haare 가발; ~er Hase 잘게 저며 구운 고기. ② 그릇된, 틀린, 잘못된; 부적절한: ~e Rechnung 오산(誤算); ~e Bescheidenheit 걸맞지 않은 겸손; ~ aussprechen 틀린 발음을 하다; ~ singen 곡조를 틀리게 부르다; ~ verstehen 오해하다; meine Uhr geht ~ 내 시계는 틀린다; in der ~en Richtung fahren 차를 엉뚱한 방향으로 몰다; 〖구어〗 wir sind hier ~ 우리는 이곳에서 길을 잃었다, 우리는 정도에서 벗어났다; 〖비유〗 et. in den ~en Hals (die ~e Kehle) bekommen 무엇을(원래 악의가 없었지만) 나쁜 뜻으로 받아들이다; an den Falschen (die Falsche) kommen(geraten) (사람 따위를) 잘못 짚다(알다), 잘못 예측하다. ③ 허위의, 불성실한, 거짓의, 교활한, 표리부동한: 〖聖〗 die ~en Propheten 거짓 선지자(마태 7: 15); ~ schwören 거짓으로 맹세하다; gegen jn. ~ handeln 누구를 속이다, 배반하다; (ein) ~es Spiel mit jm. treiben 누구를 속이다; ein ~er Freund 정직하지 않은 친구. ④ 〖방언〗 화난, 노한: auf jn. ~ werden 누구에게 성을 내다.

Falsch *m./n.* -(es) 거짓말, 거짓, 악의: ohne ~ 악의가 없는, 정직한; es ist kein ~ in(an) ihm 그는 아주 정직한 사람이다.

Fạlsch⸗aussage *f.* 〖法〗 위증, 허위 진술. **~buchung** *f.* 〖經〗 위조 부기, 가짜 장부. **~eid** *m.* 〖法〗 (선서 이후의) 과실 위증(Meineid).

fälschen [fɛ́lʃən] *t.* ① 위조(모조)하다; 변조하다: Urkunden (Kunstwerke, eine Unterschrift) ~ 증명서(예술 작품, 서명)를 위조하다; einen gefälschten Paß benutzen 위조 여권을 사용하다. ② 〖고어〗 속이다, 기만하다.

Fälscher [fɛ́lʃər] *m.* -s, - 위조(변조)자.

Fạlsch⸗fahrer *m.* 〖교통〗 (고속 도로에서) 반대 방향으로 달려가는 운전자(Geisterfahrer). **~geld** *n.* 위(조 화)폐. **~gläubig** *a.* 〖宗〗 이단(사교)의.

Fạlschheit *f.* -en 허위, 가짜; 오류, 틀림, 잘못; 거짓말: die ~ des archäologischen Fundes wurde jetzt nachgewiesen 그 고고학적 유물은 이제 가짜임이 증명되었다.

fạlsch⸗herzig *a.* 〖구식〗 불성실한, 허위의. **~klingend** *a.* 〖음악〗 불협화음의.

fälschlich [fɛ́lʃlıç] *a.* 잘못된, 틀린; 허위의, 속이는: et. ~ annehmen(behaupten) 무엇을 잘못 가정(주장)하다; ~ vorgeben …인 체하다, 속이다.

fälschlicher·weise *adv.* 잘못하여, 실수로.

fạlsch⸗|liegen *i.* 잘못 놓여 있다. **~meldung** *f.* 허위 보도, 잘못된 통보. **~münzen** (falschmünzte, falschgemünzt) *i.* (h.) 화폐를 위조하다(참고: falsch münzen 화폐를 잘못 주조하다). **~münzer** *m.* 화폐 위조자, 위폐범. **~münzerei** *f.* 화폐 위조. **~parker** *m.* 주(정)차 위반자. **~schwörer** *m.* 거짓 서약자. **~|spielen** *i.* (h.) 사기 도박하다(참고: falsch spielen 도박에서 지다, 노름에서 잃다). **~spieler** *m.* 사기 도박꾼, 사기꾼.

Fälschung [fɛ́lʃʊŋ] *f.* -en ① (화폐·문서의) 위조, 모조, 변조: 〖法〗 ~ des Personenstandes 신분 사칭; eine ~ begehen 위조하다. ② 위조품, 모조품.

fạlschungs·sicher *a.* 위조 방지가 된, 위조가 불가능한: ~e Autokennzeichen 위조할 수 없게 만든 자동차 번호판.

Falsett [falzɛ́t] 《it.》 *n.* -(e)s, -e 〖음악〗 가성.

falsettieren [falzɛtí:rən] *i.* 〖음악〗 가성으로 노래하다.

Falsettịst *m.* -en, -en 〖음악〗 가성 가수.

Falsẹtt·stimme *f.* 〖음악〗 ↑ Falsett.

Falsifikat [falzifiká:t] 《lat., „Gefälschtes"》 *n.* -(e)s, -e 〖교양〗 위조(모조)품; 위조 화폐.

Falsifikation [..katsió:n] *f.* -en ① 위조, 모조. ② (경험적 관찰을 통한) 반론, 반박.

falsifizieren *t.* ① 위조(모조)하다. ② 반론하다, 반증하다: eine Hypothese (Theorie) ~ 어떤 가설(이론)에 반론을 제기하다.

Falstaff [fálstaf, (engl.) fɔ́:lstɑ:f] *m.* 폴스타프(셰익스피어 극중 인물; 허풍선이 뚱보).

Falstaffiade [falstafiá:də] *f.* -n 폴스타프식의 허장성세(↑ Falstaff).

Falsum [fálzʊm] 《lat.》 *n.* -s, ..sa 〖구식〗 ① 〖法〗 사기; 위조. ② 잘못, 오류.

..falt (⊕ falten) *suf.* "…겹·배"의 뜻(보기: Ein~ 한 겹, 단순; Viel~ 다양).

Fạlt·arbeit *f.* (종이 등의) 접기 수공예(품).

fạltbar *a.* 접을 수 있는.

Fạlt⸗blatt *n.* (신문·책 등에 접어 넣은) 선전용(안내용) 인쇄물. **~boot** *n.* 조립식 보트.

Fältchen [fɛ́ltçən] *n.* -s, - 〖↑ Falte 의 축소형〗 잔주름.

Falte [fáltə] 《<falten》 *f.* -n ① (접은) 금, 주름, 구김살: ~n glätten 주름을 펴다; ~n bügeln 다림질로 주름을 잡다; seine Hosen hatten messerscharf gebügelte ~n 그의 바지는 주름이 칼같이 잡혀 있었다; et. in ~n legen 무엇에 주름을 잡다. ② 주름살: um seine Mundwinkeln haben sich tiefe ~n eingegraben 그의 입가엔 깊은 주름살이 패여 있었다; ~n schlagen(werfen) 주름살이 지다; die Stirn in ~n ziehen(legen) 이맛살을 찌푸리다. ③ 〖지질〗 습곡.

fälteln [fɛ́ltəln] *t.* ① (옷·소맷단에) 잔주름을 잡다. ② (머리를) 곱슬곱슬하게 하다.

*__falten__ [fáltən] (*p.p.* gefaltet, (고어) gefalten) 《I》 *t.* ① 접다; 주름잡다: ein Blatt genau in der Mitte ~ 종이 한가운데를 접다. ② (…에) 주름살을 짓다: die Stirn ~ 이맛살을 찌푸리다. ③ (손을) 깍지끼다; mit gefaltenen(gefalteten) Händen 두 손을 깍지끼고. 《II》 *refl.* sich ~ 주름이 생기다, 구겨지다.

Fạlten⸗balg *m.* 〖철도〗 두 차량을 잇는 주름상자 비슷한 연결 부분. **~bildung** *f.* ① 주름살의 형성. ② 〖지질〗 ↑ Faltung. **~gebirge** *n.* 습곡 산맥. **~kleid** *n.* 주름을 잡은 옷.

fạltlos *a.* 주름이 없는, (의복이) 매끈한; (이마에) 주름이 없는; 〖비유〗 구김살 없는, 마음에 숨긴 것이 없는.

Fạlt⸗magen *m.* ↑ Blättermagen. **~morchel** *f.* 〖植〗 삿갓버섯과의 일종. **~rand** *m.* (침대 따위의 둘레에 늘어뜨린) 주름 있는 휘장. **~reich** *a.* 주름(구김살) 많은. **~rock** *m.* 주름 치마. **~schlag** *m.* ↑ ~wurf. **~voll** *a.* ↑ ~reich. **~weise** *adv.* 주름을 세워(이루어). **~wurf** *m.* (옷의) 주름잡기; 주

름잡힌 옷.

Falter [fáltər] *m.* -s, - 〖동물게〗 나비.

Fạlt·fächer *m.* 접는 부채.

fạltig [fáltıç] *a.* 금〔주름〕이 있는; 주름살이 잡힌: meine Hose ist ~ geworden 내 바지에 주름이 생겼다; ein ~es Gesicht 주름진 얼굴.

..faltig 《<..falt》 *suf.* "겹·배·가지"의 뜻(보기: mannig~ 여러 가지의).

..fältig *suf.* ↑ ..faltig: zwei~ 두 겹〔배〕의; viel~ 다종(多種)의, 다양한.

Fạlt≈karte *f.* 접는 지도. **~karton** *m.* 접는 마분지 상자. **~koffer** *m.* 양개식(兩蓋式) 여행 가방.

Fältlein [fɛ́ltlaın] *n.* -s, - 〖↑ Falte 의 축소형〗 잔주름.

Fạlt≈schachtel *f.* 접는 상자. **~stuhl** *m.* 접의자. **~tor** *n.* 접는 대문. **~tür** *f.* 접는 문.

Faltung [fáltʊŋ] *f.* -en ① 접기. ②〖지질〗 습곡.

Falz[1] [falts] *f.* -en 〖구식〗 ↑ Balz.

Falz[2] 《♧ falten》 *m.* -en, -e ①〖건축〗 (연결용) 홈, 홈파기, 개탕, 쇠시리. ②〖제본〗 **(a)** 책등(背)을 접어서 잡아맨 자리, 복지(褔紙). **(b)** 전지가 접힌 자리. ③ (함석의) 이음자리.

Fạlz≈apparat *m.* 접어 겹치는 장치〔기계〕. **~bein** *n.* 접지(摺紙) 주걱. **~bock** *m.* 가죽을 벗기거나 미는 대(臺).

Fạlze *f.* -n ↑ Falz[2].

Fạlz·eisen *n.* 홈파는 기계.

fạ̈lzeln [fɛ́ltsəln] *t.* 〖제본〗 양모서리에 귀를 내다.

falzen[1] [fáltsən] *i.* (h.) ↑ balzen.

fạlzen[2] 《<Falz[2]》 *t.* ① 접어 겹치다; 〖제본〗 접지하다. ② (널빤지 따위를) 우벼 파다, (…에) 홈을 파다. ③ (가죽을) 깎아내어 두께를 같게 하다.

Fạlzer *m.* -s, - 〖제본〗 접지공(摺紙工).

Fạlz≈gräfin *f.* 〖구어〗 접지 여공. **~hobel** *m.* 홈파기 대패.

falzig [fáltsıç] *a.* 홈이 패인; 접는 선이 있는.

Fạlz≈maschine *f.* ①〖印〗 접지(摺紙) 기계. ②〖건축〗 홈파는 기계. ③〖제혁〗 가죽 다듬는 기계. **~messer** *n.* 가죽의 살을 발라내는 칼. **~säge** *f.* 홈파는 톱. **~schiene** *f.* 광차(鑛車)용〔탄차용〕 궤도, 홈이 파인 선로. **~ziegel** *m.* 이음 기와, 홈이 있는 기와.

Fạlzung *f.* ① 종이 접기(세공). ② 접힌 자리.

Fama [fá:ma] 《gr. phēmē „ich sage"》 *f.* 〖로마신화〗 풍문〔평판〕의 여신; 〖비유〗 풍문, 풍설; 명성: wie die ~ 〔Frau ~〕 sagt 풍문에 따르면.

familiär [familiɛ́:r] 《lat.》 *a.* ① 가족의, 가정의: ~e Angelegenheiten〔Verbindungen〕 가족의 일〔유대〕; ~e Probleme haben 집안 문제가 있다. ② **(a)** 친숙한; 친한, 허물없는: ein ~er Stil 친숙한 스타일; in ~er Weise miteinander umgehen 서로 허물없이 지내다. **(b)** 넉살좋은, 뻔뻔스러운.

familiarisieren [familiarizí:rən] *t.* 〖구식〗 친숙해지게 하다.

Familiarität [..tɛ́:t] *f.* -en 친밀, 친교, 마음 편함; 정통.

***Familie** [famí:liə] *f.* -n ① 가족, 가정, 일가; 자식들; 집안, 가문, 혈통: keine ~ haben 가정이〔아이가〕 없다, 결혼하지 않았다; ein Mann von ~ 가문이 좋은 사람; das liegt in der ~ 그것은 집안 내력이다; 〖구어·농담〗 das kommt in den besten ~n vor 그런 일은 누구에게나 일어난다, 그다지 나쁜 일이 아니다; 〖구어〗 das bleibt in der ~ 그것은 집안일〔우리 끼리의 문제〕이다; diese ~ ist ausgestorben 이 집안은 대가 끊겼다. ②〖動·植〗 과(科). ③ 계열, 종류: ein Gerät aus der ~ der Kleincomputer 소형 컴퓨터 계열의 기기.

Famịlien≈ähnlichkeit *f.* 가족간의 유사성〔닮음〕. **~album** *n.* 가족 사진첩. **~angelegenheit** *f.* (결혼·장례 등의) 집안 일, 가정사. **~anschluß** *m.* 가족 생활에의 편입: er wünscht ~ 그는 가족 같은 대우를 바라고 있다. **~anzeige** *f.* (생일·결혼·장례 등을 알리는) 가족 광고. **~bad** *n.* ①〖구식〗 남녀 공용탕. ② 가족탕. **~bande** *pl.* 가족간의 결속〔유대〕. **~begräbnis** *n.* 가족 묘지, 선영. **~besitz** *m.* 가문〔문중〕의 재산. **~betrieb** *m.* 가족 기업, 족벌 회사. **~bild** *n.* 가족 사진. **~buch** *n.* 〖法〗 (결혼 후 부부와 자식의 인적 사항을 적어 놓는) 가족 등기부. **~chronik** *f.* 족보. **~ehre** *f.* 가문의 명예. **~erziehung** *f.* 가정 교육. **~fehler** *m.* 가계 공통의 결점; 유전적 결함. **~feier** *f.* 집안 잔치, 가족 축제. **~feindlich** *a.* 반(反)가정적인. **~fest** *n.* ↑ ~feier. **~flasche** *f.* 가정용 대형 음료수병. **~forschung** *f.* 가계(家系) 연구. **~fürsorge** *f.* 가족 복지 (사업). **~gemälde** *n.* ↑ ~bild. **~gericht** *n.* ① 가정 법원. ② 가정 상담소. **~geschichte** *f.* 〖계보〗 가족사; 한 집안의 역사. **~gesetz·buch** *n.* 〖구동독〗 가정 법전. **~glied** *n.* 가족의 일원. **~glück** *n.* 가정의 행복. **~grab** *n.* 가족 (공동) 묘지: im ~ besetzt werden 가족 묘지에 묻히다. **~gruft** *f.* ↑ ~grab. **~gut** *n.* 세습 재산. **~haupt** *n.* 가장(家長). **~idyll** *n.* 행복한 가족〔가정〕 분위기. **~kreis** *m.* 가족, 한집안(의 사람들), 가족의 범위. **~kunde** *f.* 계보학, 족보학. **~lasten·ausgleich** *m.* 〖法〗 (국가가 아이 많은 가정에 주는) 자녀 양육 보조금. **~leben** *n.* 가정〔가족〕 생활.

Famịlien≈minister *m.* 가정부 장관(독일 연방 정부의 Bundesminister für Jugend, Familie, Frauen und Gesundheit 의 별칭). **~mitglied** *n.* 가족 구성원. **~nachrichten** *pl.* 가족 소식〔근황〕. **~name** *m.* 성(姓), 씨(氏). **~oberhaupt** *n.* 세대주, 가장. **~packung** *f.* 가정용 대형 포장 상품: eine ~ Toilettenpapier 대형 포장 화장지. **~planung** *f.* 가족 계획. **~politik** *f.* 가족 정책. **~rat** *m.* 가족 회의; 가족 회의 참석자, 가족 회원. **~recht** *n.* 친족법. **~rücksichten** *pl.* 가정 사정. **~sinn** *m.* 가족에의 소속감, 가족 의식. **~stand** *m.* 〖法〗 (미혼·기혼·이혼 등 가족법상의) 혼인 관계. **~stolz** *m.* 가문의 자랑; 집안 자랑. **~stück** *n.* ① 집안에 전해 내려오는 물건, 가보. ②〖연극〗 가정극. **~tag** *m.* (연 1 회의) 친족 모임일. **~tradition** *f.* 가풍, 가문의 전통. **~unterstützung** *f.* 〖軍〗 출정 군인 가족 부조. **~vater** *m.* 가장. **~verhältnisse** *pl.* 가정 형편〔환경〕. **~vermächtnis** *n.* 상속〔세습〕 재산. **~vertrag** *m.* 가족간의 규약, 가헌(家憲). **~vorstand** *m.* 가장. **~wappen** *n.* 가문(家紋), 집안의 문장. **~zulage** *f.* 가족 수

당. **~zusammen·führung** *f.* 이산 가족의 대면(시키기). **~zuschlag** *m.* 가족 수당. **~zuwachs** *m.* 가족 수의 증가; (가정의) 신생아: ~ erwarten 출산을 기다리다. **~zwist** *m.* 가정 불화.

famos [famó:s] 《lat. <Fama》 *a.* 이름 높은, 유명한; 〖구어〗훌륭한, 멋진.

Famula *f.* ↑ Famulus 의 여성형.

Famulatur *f.* -en 〖醫〗 (의대생의) 임상 실습.

famulieren *t.* 〖醫〗 (의대생이) 임상 실습하다.

Famulus [fá:mulus] 《lat., „Diener"》 *m.* -, ..li ① 〖구식·농담〗 교수의 조교. ② 〖醫〗 (병원) 실습 의대생, 레지던트.

Fan [fɛn, fæn] 《engl.》 *m.* -s, -s 팬, 광적인 지지자.

Fanal [faná:l] 《gr. phanós, „Leuchte"》 *n.* -s, -e ① 봉화; 신호등, 등대. ② 〖비유·雅語〗 신호탄, 효시.

Fanatiker [faná:tɪkər] 《lat. fanum》 *m.* -s, - 광신자; 열광자: mit diesem ~ kann man nicht diskutieren 이런 광신자와는 토론할 수 없다.

fanatisch *a.* 광신적인; 열광적인.

fanatisieren [..tizí:rən] *t.* 광신적으로 만들다; 열광시키다.

Fanatismus *m.* - 광신; 열광.

Fanchon [fãʃɔ̃:] 《frz.》 《Ⅰ》 *f.* 〖↑ Franziska 의 축소형〗 팡숑(여자 이름). 《Ⅱ》 *n.* -s, -s ① 여성용 두건. ② 술래잡기.

Fanchon·zeck *m.* 술래잡기.

Fancy·dress [fǽnsi..] 《engl.》 *n.* 가장 무도회 의상, 기발한 의상〔복장〕.

fand [fant] ↑ finden 의 과거형.

Fandango [fandáŋgo] 《sp.》 *m.* -s, -s 판당고 (에스파냐의 민속 무용).

fände [fɛ́ndə] ↑ finden 의 접속법 2 식.

Fanfare [fanfá:rə] 《frz.》 *f.* -n ① 팡파르. ② 팡파르 신호. ③ 팡파르곡.

Fanfaren≠stoß *m.* 팡파르 취주. **~zug** *m.* 팡파르 취주 악대.

Fanfaron [fãfarɔ̃:] 《frz.》 *m.* -s, -s 〖구식〗 큰 소리를 치는 사람, 허풍선이.

Fanfaronade [fanfaroná:də, fãfa..] 《frz.》 *f.* -n 〖구식〗 허풍, 호언장담.

***Fang** [faŋ] 《<fangen》 *m.* -(e)s, Fänge [fɛ́ŋə] ① 잡음, 포획, 포착; 포획법; 포획물: auf den ~ ausgehen 사냥〔낚시〕하러 가다; einen guten ~ tun 많이 잡다. ② 올가미, 덫, 허방다리; 그물; 어살. ③ (개·늑대의) 주둥이; 〖복수〗 송곳니, 어금니; (맹수의) 갈고리 발톱. ④ (사냥칼 따위로) 찌르기: dem Wilde den ~ geben 짐승을 찔러서 죽게 하다.

Fang≠arm *m.* 〖動〗 촉수(觸手), (오징어·낙지 따위의) 다리. **~ball** *m.* 공받기 놀이, 캐치볼.

fangbar *a.* 잡을 수 있는.

Fang≠becher *m.* (장난감) 죽방울. **~damm** *m.* 방수둑, 방조제.

Fange·ball *m.* ↑ Fangball.

Fang·eisen *n.* 〖사냥〗 쇠덫; 사냥용 칼.

Fange·mann *m.* ↑ Fangmann.

fangen [fáŋən] (fing, gefangen) 《Ⅰ》 *t.* ① 잡다, 붙잡다; (공을) 받다. ② 포획하다; 체포하다: Fische〔Vögel〕 ~ 물고기〔새〕를 잡다; einen Dieb〔Verbrecher〕 ~ 도둑〔범인〕을 잡다; der Soldat war lange gefangen 그 군인은 오랫동안 포로 상태였다; 〖비유〗 er war von ihren Reizen gefangen 그는 그녀의 매력에 사로잡혔다; jn. gefangen nehmen 누구를 붙잡다〔체포하다, 포로로 잡다〕; 〖雅語〗 sich gefangen geben 자진해서 체포되다, 투항하다. ③ 〖비유〗 계략에 걸려들게 하다; (범인 따위를) 계략을 써서 자백시키다: er läßt sich nicht leicht ~ 그는 호락호락 넘어가지 않는다. ④ 얻다, 자기 것으로 하다: eine Krankheit ~ 병에 걸리다; eine (Ohrfeige) ~ 따귀를 한 대 얻어맞다; Grillen ~ 변덕을 일으키다, 우울해지다; Feuer ~ 불이 붙다; 〖비유〗 leicht Feuer ~ 쉽사리 흥분하다〔반하다〕; es hat gefangen a) 그것은 발화하였다, b) 효과가 있었다. ⑤ 〖工〗 움직이지 않도록 고착시키다: einen Deichbruch ~ 둑의 무너진 곳을 보수하다. 《Ⅱ》 *refl.* sich ~ ① 잡히다, 붙잡히다: 〖비유〗 sich in seinem eigenen Netz ~ 자승자박하게 되다. ② 막히다: der Wind fängt sich im Schornstein 바람이 굴뚝에서 빠지지 않는다. ③ 균형을 되찾다; 마음의 평정을 되찾다: er stolperte, konnte sich aber noch ~ 그는 비틀거렸지만 겨우 몸의 균형을 잡을 수 있었다. 《Ⅲ》 **gefangen** *p.a.* ↑ gefangen.

Fangen [fáŋən] *n.* -s ① 잡기, 체포. ② 술래잡기: ~ spielen 술래잡기하다.

Fanger *m.* -s, - ↑ Fänger.

Fänger [fɛ́ŋər] *m.* -s, - ① 잡는 사람, 포획자. ② 〖사냥〗 포획기(器); 사냥칼. ③ (짐승의) 송곳니, 어금니. ④ 고정시키는 도구; 〖印〗 종이받이.

Fang≠fäden *pl.* 〖動〗 ↑ ~arm. **~fahrzeug** *n.* 어선. **~frage** *f.* 유도 질문. **~frisch** *a.* 갓 잡은, 신선한. **~garn** *n.* 어망. **~geld** *n.* 현상금. **~gerät** *n.* (덫·그물 따위의) 포획 기구. **~grube** *f.* ↑ Fallgrube. **~heuschrecke** *f.* 〖動〗 버마재비.

fängisch [fɛ́ŋɪʃ] *a.* 〖사냥〗 포획할 준비를 한.

Fang≠korb *m.* 안전망(승객이 바퀴 아래로 들어가지 않도록 전차 아래에 단 바구니 모양의 안전 장치). **~laterne** *f.* 벌레 유인등, 유아(誘蛾)등. **~leine** *f.* 〖사냥〗 개줄; 〖海〗 배를 매는 밧줄. **~mann** *n.* 술래잡기. **~messer** *n.* (최후의 일격용) 사냥칼. **~netz** *n.* ① 어망. ② 〖空〗 (이륙 때 실수에 대비해 활주로 끝에 설치한) 제동망.

Fango [fáŋgo] 《it.》 *m.* -s 〖醫〗 팡고, (더운 찜질용) 천니(泉泥).

Fango≠bad *n.* 팡고욕(浴). **~packung** *f.* 팡고 습포(濕布).

Fang≠schlinge *f.* 올가미. **~seil** *n.* (던지는) 올가미 밧줄. **~schnur** *f.* (기병(騎兵)의) 모자〔옷〕 장식끈〔술〕. **~schrecke** *f.* ↑ ~heuschrecke. **~schuß** *m.* 〖사냥〗 확인 사살. **~spiel** *n.* 술래잡기.

fängst [fɛŋst] ↑ fangen 의 2 인칭 단수 현재형.

Fang≠stahl *m.* 쇠덫(~eisen). **~stoß** *m.* 숨통을 끊는 최후의 일격. **~strick** *m.* ① 올가미, 함정. ② ↑ ~leine.

fängt [fɛŋt] ↑ fangen 의 3 인칭 단수 현재형.

Fang≠tag *m.* 사냥거리가 많은 날. **~tau** *n.* 〖海〗 짧은 밧줄〔닻줄〕, 단삭(短索). **~tuch** *n.* (뛰어내리는 사람을 받는) 화재 때의 구조포(布) (Sprungtuch). **~vogel** *m.* 사냥용의 맹금(猛禽). **~vorrichtung** *f.* (승강기 따위의 추락에 대비한) 안전 장치; 포획 장치. **~zahn**

m. 〖사냥〗 (맹수의) 어금니.
Fan·klub [fɛ́n..] *m.* 팬 클럽.
Fanni [fáni] 《engl.》 *f.* 파니(여자 이름; Franziska 의 애칭).
Fant [fant] 《it.》 *m.* -(e)s, -e 〔구식〕 풋내기, 미성년자, 젊은이; 멋쟁이.
Fantasia [fantazí:a] *f.* -s ① (모로코와 알제리의) 기마 놀이. ② 〖음악〗 ↑ Fantasie.
Fantasie [fantazí:] 《it.》 *f.* -n [..zí:ən] 〖음악〗 환상곡.
fantastisch *a.* ↑ phantastisch.
Fantasy [fɛ́ntəzi] *f.* ↑ Phantasie.
Farad [fará:t, fára:t] 《<Faraday》 *n.* -(s), - 〖物〗 패럿(전기 용량의 단위; 기호: F).
Faraday [fǽrədi] *m.* Michael ~ 패러데이(영국의 물리 화학자, 1791-1867).
Faraday·käfig *n.* 〖物〗 패러데이 상자(정밀 계측기 보호용 금속 상자).
Faradisation [faradizatsió:n] *f.* -en 〖醫〗 (근육·신경 치료용) 감응 전류 요법, 전기 요법.
faradisch [fará:dɪʃ] *a.* 감응(感應) 전기의: ~er Strom 감응〔유도〕 전류.
..farb *suf.* 〔고어〕 "…색의"의 뜻(보기: rosen ~ 장미빛의) (..farben).
Farb·band [fárp..] *n.* 〔복수: ..bänder〕 타자기의 리본: ein neues ~ einlegen (타자기에) 새 리본을 끼우다.
Färbbarkeit [fɛ́rpba:r..] *f.* 염색〔착색〕이 가능함.

Farb=beutel *m.* (시위할 때 던지는) 물감 봉지〔주머니〕. **~bezeichnung** *f.* 색채명. **~bild** *n.* 컬러 사진. **~brühe** *f.* 〖工〗 염료액. **~buch** *n.* (Buntbuch) (정부가 의회에 보고하는) 색표지(色表紙)의 외교 문서집(독일·일본: 백색; 영국: 청색; 프랑스: 황색). **~druck** *m.* ① 컬러 인쇄. ② 컬러 인쇄물.
***Farbe** [fárbə] *f.* -n ① 빛깔, 색, 색채; 채색; 음색(Klang≈): in allen ~n spielen 갖가지 빛깔로 변한다: 〔구어〕 die ~n beißen sich 색깔들이 서로 어울리지 않는다; et.[3] mehr ~ geben 무엇을 더 생생하게〔실감나게〕 표현하다; 〔비유〕 wie der Blinde von der ~ reden 알지도 못하면서 아는 체 말하다; et. in den leuchtendsten〔dunkelsten〕 ~n schildern 무엇을 아주 좋게〔좋지 않게〕 이야기〔묘사〕하다; ihm erscheint alles in der ~ der Hoffnung 그에게는 모든 것이 희망적으로 보인다. ② 안색, 혈색; (특히) 뺨의 붉은 빛깔; 피부색(Haut≈): sein Gesicht verlor plötzlich alle ~n 그의 얼굴에 갑자기 핏기가 사라졌다; wieder ~ bekommen 혈색을 되찾다, 안색이 다시 좋아지다; sie hat ~ 그 여자는 안색〔혈색〕이 좋다; die ~ wechseln a) (공포 따위로) 안색이 변하다, 창백하여지다, b) 〔비유〕 변절하다. ③ 물들인 빛깔: ~ halten a) 빛깔이 바래지 않다, b) 〔비유〕 절개가 굳다. ④ (소속 당파·주의 등의 상징으로서의) 색 리본, 기치; 당파(Partei); 〔비유〕 결단: die ~n eines Landes 국가의 상징색; heraus mit der ~! 기탄 없이 말하시오!; die ~ wechseln 신조를〔당적을〕 바꾸다; bei einer ~ bleiben 절개를 지키다, 신념을 바꾸지 않다; zu js. ~ schwören 누구에게 충성을 맹세하다; die deutschen ~n (경기의) 독일팀; unsere Zeit verlangt ~ 우리의 시대는 결단을 요구한다; die Sache bekommt ~ 사태가 분명해지다. ⑤ 〖카드〗 같은 짝의 패: (die beste) ~ 으뜸패; ~ bekennen a) 같은 짝의 패를 내다, b) 〔비유〕 신념〔의견〕을 말하다, 기치를 선명히 하다. ⑥ 염료, 안료, 채료; 〖印〗 인쇄용 잉크: die ~n stark auftragen a) 채료를 잔뜩 칠하다, b) 화장을 진하게 하다, c) 〔비유〕 기사를 크게 부풀려서 쓰다, 과장하다. ⑦ ↑ Färbe.
Färbe [fɛ́rbə] *f.* -n 염색, 물감들이기; 염색 공장, 염색소.
Färbe·bad [fɛ́rbə..] *n.* ↑ Färbeflotte.
Farbe=ballen *m.* 〖印〗 탐폰(동판화 따위의 염색용 잉크볼). **~brett** *n.* 잉크 개는 판.
Färbe·brühe *f.* ↑ Farbbrühe.
farb=echt *a.* 염색이 바래지 않는, 색이 빠지지 않는. **≈effekt** *m.* 색채 효과.
Färbe=faß *n.* ↑ ~kufe. **~flotte** *f.* ↑ ~flüssigkeit. **~flüssigkeit** *f.* 염료액. **~ginster** *m.* 〖植〗 ↑ Färberginster.
farbe=haltend, ~haltig *a.* 염색이 오래가는, 색이 바래지 않는.
Färbe·holz *n.* 염료재(染料材).
Farb·eisen *n.* 〖印〗 잉크 주걱.
Farbe=kasten *m.* 〖印〗 (인쇄기의) 잉크홈. **~kissen** *n.* ↑ Farbkissen.
Färbe=kufe *f.* 염색통. **~kunst** *f.* 염색법, 염색 기술. **~küpe** *f.* ↑ ~kufe. **~mittel** *n.* 염료, 안료.
..farben *suf.* "…빛의, …색의"의 뜻(보기: gold~ 금빛의).
färben [fɛ́rbən] 《I》 *t.* ① 염색〔채색〕하다; (…색으로) 물들이다: das Haar braun ~ 머리카락을 갈색으로 물들이다; in der Wolle ~ (양털을 직물로 짜기 전에) 염색하다; 〔비유〕 in der Wolle gefärbt 뿌리 깊이 물든, 속속들이 밴, 타고난, (악당 따위가) 처치 곤란한; das Alter färbt das Haar weiß 나이를 먹으면 머리카락이 희어진다. ② 〔비유〕 그럴 듯하게 보이게 하다, 윤색하다: ein gefärbter Bericht 그럴 듯하게 꾸민 보고; durch gefärbte Brillen〔Gläser〕 sehen 색안경을 끼고〔편견을 가지고〕 보다. ③ 색이 빠지다: das dunkelrote Hemd färbt ziemlich 그 진홍색 셔츠는 상당히 물이 빠진다. 《II》 *refl.* sich ~ 색이 들다, 물들다; (사슴 따위가) 털 빛깔을 바꾸다: dieser Stoff färbt sich schwer 이 천은 여간해서 물들지 않는다; sich grün ~ 녹색으로 변하다; sich (rot) ~ 얼굴을 붉히다. 《III》 **gefärbt** *p.a.* ↑ gefärbt.
Farben=abstufung *f.* ↑ ~stufe. **~auftrag** *m.* 〖畫〗 색칠, 착색, 채색. **~bezeichnung** *f.* 색채명. **~bild** *n.* 〖物〗 스펙트럼. **≈blind** *a.* 색맹의. **~blindheit** *f.* 색맹. **~brechung** *f.* 색의 굴절; 〖畫〗 색채의 혼합. **~brett** *n.* 〖印〗 (등사판의) 잉크를 개는 판; 〖畫〗 팔레트, 조색판(調色板). **~bruder** *m.* 같은 학우회의 대학생. **~buch·druck** *m.* 컬러 인쇄. **~chemie** *f.* 색소 화학. **~drei·eck** *n.* 〖物〗 색채 표시 삼각(三角), 색의 3각형. **~druck** *m.* 〖印〗 ↑ Farbdruck(↔ Schwarzdruck). **≈echt** *a.* ↑ farbecht. **≈empfindlich** *a.* 색채에 민감한; 〖사진〗 (컬러 필름 따위가) 감광도가 높은, 정색성(整色性)의. **~empfindung** *f.* 색채 감각. **~erscheinung** *f.* 색채 현상. **~fabrik** *f.* 염료〔안료〕 공장. **~film** *m.* ↑ Farbfilm. **~fotografie** *f.* 컬러 사진. **≈freudig** *a.* ① 밝은 색채의; 다채로운, 가지각

색의. ② 다채로운〔강한〕 색상을 선호하는. **~froh** *a.* ↑ ~freudig. **~gebung** *f.* 〖畫〗 채색, 채색법. **~glanz** *m.* 색채미(美). **~glas** *n.* 스테인드 글라스, 색유리. **~handel** *m.* 염료〔안료〕 장사. **~harmonie** *f.* 색채의 조화. **~holz** *n.* ↑ Farbholz. **~index** *m.* 〖天〗 (별빛의 스펙트럼 분석에 나타난) 색지수(指數). **~kasten** *n.* 물감 상자, 그림 도구함. **~kleckser** *m.* 〔농담·폄어〕 환쟁이, 엉터리 화가. **~körper** *m.* ↑ Farbkörper. **~kreisel** *m.* 〖광학〗 착색 회전반(盤). **~kunde** *f.* ↑ ~lehre. **~lehre** *f.* 색채론. **~leiter** *f.* 색도(色度), 색표(色表).

farbenlos *a.* ↑ farblos.

Farben≈maß·stab *m.* 색도계(色度計). **~messer** 《I》 *n.* 채료칼; 〖印〗 잉크칼. 《II》 *m.* ↑ ~maßstab. **~mischung** *f.* 색채 혼합. **~mühle** *f.* 안료 분쇄기. **~muschel** *f.* 〖動〗 돌조개속(屬)의 일종. **~näpfchen** *n.* 채료〔그림 물감〕 접시. **~pinsel** *m.* 화필(畫筆). **~pracht** *f.* 현란, 화려. **≈prächtig** *a.* 현란한. **~probe** *f.* 시험 염색; 색채견본. **~rand** *m.* 〖해부〗 홍채(虹彩). **~reiber** *m.*, **~reibmaschine** *f.* ① 〖印〗 잉크 개는 기계. ② 연육기(煉肉機). **≈reich** *a.* 색채가 풍부한; 현란한. **~ringe** *pl.* 〖理〗 (뉴턴의) 색환(色環). **~scheibe** *f.* 뉴턴의 원판. **≈schillernd** *a.* 무지개 빛깔의; 현란한; 광선의 배합에 따라 빛깔이 변하는. **~schmelz** *m.* 에나멜. **~sehen** *n.* 〖醫〗 시색증(視色症) (신경이나 뇌의 이상 상태). **~sinn** *m.* 색채 감각. **~skala** *f.* 색도(色度), 색표(色表). **~spiel** *n.* 색채 변화; 무지개 빛깔. **~stein·druck** *m.* 〖印〗 착색 석판(화). **~stift** *m.* ↑ Farbstift. **~stoff** *m.* ↑ Farbstoff. **~strahl** *m.* 〖物〗 색광(色光). **~stufe** *f.* 색의 강도, 농담(濃淡). **~symbolik** *f.* 색채 상징(보기: 흰색은 순결, 붉은색은 사랑과 희생). **~ton** *m.* ↑ Farbton. **~topf** *m.* 페인트통; 〖印〗 잉크통. **≈tragend** *a.* 색 휘장을 단; (학생) 동아리〔단체〕에 소속된. **~walze** *f.* 〖印〗 ↑ Farbwalze. **~waren** *pl.* ↑ Farbwaren. **~wechsel** *m.* ↑ Farbwechsel. **~werk** *n.* ↑ Farbwerk. **~wirkung** *f.* 색채의 효과. **~zelle** *f.* ↑ Farbzelle. **~zerstreuung** *f.* 색의 분산.

Färber [fɛ́rbər] *m.* -s, - 염색업자, 염색공; (3 년간의) 염색 도제직.

Färber≈alkanna *f.* 〖植〗 알칸나(뿌리에서 염료를 채취함). **~baum** *m.* 〖植〗 거망옻나무. **~distel** *f.* 〖植〗 잇꽃(Saflor).

Färberei [fɛrbəráı] *f.* -en ① 염색 처리, 염색술. ② 염색업; 염색 공장.

Färber≈eiche *f.* 〖植〗 떡갈나무속(屬)의 일종. **~flechte** *f.* 〖植〗 리트머스이끼. **~gesell** *m.* ↑ ~geselle. **~geselle** *m.* 염색 공장 직공. **~ginster** *m.* 〖植〗 금작화속(金雀花屬)의 일종.

Färberin *f.* -nen ↑ Färber 의 여성형.

Färber≈kamille *f.* 〖植〗 개꽃속(屬)의 일종 (황색 염료를 채취함). **~knöterich** *f.* 〖植〗 쪽. **~meister** *m.* (장인 자격을 갖춘) 염색업자. **~röte** *f.* 〖植〗 서양꼭두서니. **~waid** *m.* 〖植〗 대청(大靑). **~wau** *m.* 〖植〗 목서초속(木犀草屬)의 염료 식물. **~wurzel** *f.* ↑ ~röte. **~wurz** *f.* ↑ ~wurzel.

Färbe·stoff *m.* ↑ Farbstoff.

Farbe≈teller *m.* 〖印〗 잉크 개는 쟁반. **~tisch** *m.* 〖印〗 잉크 개는 판. **~walze** *f.* 착색〔잉크〕 롤러. **~waren** *pl.* 염색제(劑), 염분(染粉).

Farb≈fern·sehen [fárp..] *n.* 컬러 텔레비전 (방송). **~fern·seher** *m.* 컬러 텔레비전 (수상기). **~fernseh·gerät** *n.* ↑ ~fernseher. **~film** *m.* 컬러 필름; 컬러 영화. **~filter** *m.* 〖사진〗 컬러 필터. **~foto** *n.* ↑ ~fotografie 의 약칭. **~fotografie** *f.* 컬러 사진(촬영). **~gebung** *f.* ↑ Farbengebung. **~holz** *n.* 염료재(材).

farbicht *a.* 〔고어〕 ↑ farbig.

farbig [fárbıç] *a.* ① 빛깔이 있는, 착색된; 컬러의, 다채로운: ein ~er Druck 컬러 인쇄. ② 유색(有色)의: ~es Glas 색유리; ein ≈er 유색인(특히 흑인). ③ 〔비유〕 생기 있는, 화려한: eine ~e Schilderung 생생한 묘사.

..farbig *suf.* "…한 빛깔의, …색의"의 뜻(보기: ein~ 단색의; wein~ 포도주 빛깔의).

färbig [fɛ́rbıç] *a.* (öst.) ↑ farbig.

Farbige* [fárbıgə] *der/die* ① 유색인. ② (미국과 캐나다에서) 백인과 흑인의 혼혈.

Farbigkeit *f.* 다채로움; 유색, 컬러; 생생함.

Farb≈kasten [fárp..] *m.* ↑ Farbenkasten. **~kissen** *n.* 스탬프 패드〔인주〕. **~kombination** *f.* 색채 구성〔배합〕. **~komponente** *f.* 색 구성 성분, 색소. **~kontrast** *m.* 색채 대비. **~körper** *m.* ① 천연 색소. ② 색입체. **~kuchen** *m.* 〖工〗 염료정(錠). **~lehre** *f.* ↑ Farbenlehre.

farblich *a.* 색채의, 색상에 따른.

Farb≈licht·musik *f.* (음과 색을 연관시키는) 색채 음악.

farblos *a.* ① 무색의; 창백한, 빛이〔윤기가〕 없는. ② 〔비유〕 생기〔특색〕 없는, 광채 없는. ③ 불편부당의, 중립의, 공정한.

Farblosigkeit *f.* 무색, 무미건조.

Farb≈mine *f.* (색연필 따위의) 색심(色心). **~monitor** *m.* (텔레비전·컴퓨터의) 컬러 모니터. **~nuance** *f.* 색채 뉘앙스, 색상의 미묘한 차이. **~photographie** *f.* ↑ ~fotografie. **~probe** *f.* ↑ Farbenprobe. **~schicht** *f.* 색채의 층. **~schreiber** *m.* 전신용(電信用) 인자기(印字機). **~spachtel** *f.* 〖印〗 잉크 젓는 주걱. **~stein** *m.* 〖印〗 잉크 개는 판, 석판석(石版石). **~stift** *m.* 색연필, 색분필. **~stoff** *m.* 색소; 염료, 안료. **~stoff·mangel** *m.* 〖醫〗 백색증(白色症), 색소 결핍증. **~substanz** *f.* ↑ ~stoff. **~ton** *m.* 〔복수: ..töne〕 색조; 〖理〗 색상. **≈ton·richtig** *a.* 〖사진〗 정색(整色)의. **~tupfen** *m.* 색소점, 물감 얼룩. **~tupfer** *n.* ↑ ~tupfen.

Färbung [fɛ́rbʊŋ] 《<färben》 *f.* -en 착색, 염색; 채색; 빛깔, 색채; 색조; 경향, 성향: die politische ~ einer Zeitung 어떤 신문의 정치적 성향.

Farb≈walze *f.* 〖印〗 잉크 롤러. **~waren** *pl.* 염료, 채료. **~wechsel** *m.* ① 색채 변화. ② 〖生〗 체색(體色)〔보호색〕의 변화. **~werk** *n.* ① 〖印〗 잉크 칠하는 장치. ② 〔구식〕 염색 공장. **~zelle** *f.* 〖生〗 색소 세포. **~zylinder** *m.* 〖印〗 잉크(를 미는) 롤러.

Farce [fársə] 《frz. <farcire》 *f.* -n ① 〖요리〗 소, 만두속, (소로 쓰는) 다진 고기. ② 〖연극〗 광대극, 익살극, 소극(笑劇). ③ 조롱; 〔비유〕 웃기는 장난, 하찮은〔무의미한〕 짓.

F

Farceur [farsǿ:r] *m.* -s, -e 어릿광대, 익살꾼.
farcieren [farsí:rən] *t.* 〖요리〗 소를〔만두 속을〕 넣다.
Farin [faríːn] *m.* -s 가루 설탕.
Farinade [farináːdə] *f.* -n ↑ Farin.
Färinger [fέːrɪŋər] *m.* -s, - ↑ Färöer ②.
Farin·zucker *m.* 가루 설탕.
Farm [farm] ⟪engl.⟫ *f.* -en 농장, 농원.
Farm·besitzer *m.* 농장주(主).
Farmer [fármər] ⟪engl.⟫ *m.* -s, - 농장주, 농장 경영자, 농민.
Farmers·frau *f.* ① 농장주의 아내. ② 농장 여주인, 여성 농장주.
***Farn** [farn] ⟪engl. fern⟫ *m.* -(e)s, -e 〖植〗 양치류의 일종: Frauen~ 고사리의 일종.
Farnese [farnéːse, ..zə] *m.* -, - 파르네제가(家)(이탈리아 왕족).
farnesisch [..zɪʃ] *a.* 파르네제가(家)의.
Farn·gebüsch *n.*, **Farnicht** [fárnɪçt] *n.* 양치류의 덤불.
Farn=kraut *n.* ↑ Farn. **~pflanze** *f.* 〖植〗 양치 식물, 양치류. **~wedel** *m.* (깃털 모양의) 양치류의 잎새.
Faro[1] [fáːro] ⟪it.⟫ *m.* -s, -s 등대.
Faro[2] *n.* -s 카드 도박의 일종(↑ Pharo).
Färöer [fɛrǿːər, fέːrøər] ⟪Ⅰ⟫ *pl.* (덴마크령) 페로 제도. ⟪Ⅱ⟫ *m.* 페로 제도의 주민. ⟪Ⅲ⟫ *a.* 페로 제도의.
färöisch [fɛrǿːɪʃ, fέːrøɪʃ] *a.* 페로 제도의.
Farre [fárə] *m.* -n, -n (나이 어린) 수소, 종우(種牛).
Färse [fέrzə] *f.* -n 새끼를 낳은 적이 없는 암소.
Farz [farts] *m.* -es, -e 〔비속〕 ↑ Furz.
***Fasan** [fazáːn] ⟪frz.⟫ *m.* -(e)s, -e(n) 〖動〗 꿩.
Fasänchen [fazέːnçən] *n.* -s, - 〖動〗 참새목(目) 금복과(金腹科)에 속하는 작은 새.
Fasanen=gehege *n.* ↑ Fasanerie. **~hund** *m.* 꿩사냥용 개. **~jagd** *f.* 꿩사냥.
Fasanerie [fazanəríː] *f.* -n [..ríːən] 꿩 사육장.
Fasces [fás|tseːs, ..tsɛs] ⟪lat.⟫ *pl.* ↑ Faszes.
Fasche [fáʃə] *f.* -n (öst.) ① 붕대. ② 문틀. ③ 고정 철대(鐵帶).
faschen [fáʃən] *t.* (öst.) 붕대로 감다.
Fäschen [fέːsçən] *n.* -s, - 〔구식〕〔↑ Fase[2]의 축소형〕 작은 섬유〔실〕.
faschieren *t.* (öst.) (기계로 고기를) 갈다, 잘게 썰다.
Faschier·maschine [..ʃíːər..] *f.* (öst.) 고기 가는〔써는〕 기계.
Faschierte *n.* (öst.) 저민 고기.
Faschine [faʃíːnə] *f.* -n 편비내(제방을 견고하게 하는 데 쓰는 섶나무 다발).
Faschinen=messer *n.* (가지치기용) 낫; 〖軍〗 공병도. **~wall** *m.* 편비내 방축. **~werk** *n.* 편비내 공사〔구조물〕.
Fasching [fáʃɪŋ] *m.* -s, -e ① 카니발, 사육제. ② 카니발〔사육제〕의 행사.
Faschings=ball *m.* 사육제의 가장 무도회. **~dienstag** *m.* (südd.) ↑ Fastnachtsdienstag. **~kostüm** *n.* (südd.) ↑ Fastnachtskostüm. **~krapfen** *m.* (südd.) ↑ Fastnachtskrapfen. **~prinz** *m.* (südd.) ↑ Karnevalsprinz. **~prinzessin** *f.* (südd.) 카니발 공주 (Karnevalsprinzessin). **~scherz** *m.* 사육제의 여흥; 가장 무도회. **~zeit** *f.* (südd.) ↑ Fastnachtszeit. **~zug** *m.* (südd.) ↑ Fastnachtszug.
faschinieren *t.* 〖軍〗 편비내로 덮어 가리다.
faschisieren [faʃizíːrən] *t.* 〔폄어〕 파쇼화하다, 파쇼적으로 관철하다.
Faschismus [faʃísmus] ⟪it. fascismo⟫ *m.* - ① 〖史〗 파시즘(무솔리니가 주창한 이탈리아 국수주의). ② 〖政〗 독재 정치 (체제).
Faschist [faʃíst] *m.* -en, -en 파시스트.
faschistisch *a.* 파시즘의, 파쇼적인.
faschistoid [..ʃɪstoíːt] *a.* 〔폄어〕 파시즘과 유사한, 파쇼적인 경향이 있는.
Fascismus [fastsísmus] *m.* - (schweiz.) ↑ Faschismus.
Fase[1] [fáːzə] *f.* -n (모서리를 밀어서 생긴) 사면(斜面), 경사면.
Fase[2] *f.* -n 〔구식〕 ↑ Faser.
Fasel[1] [fáːzəl] *f.* 번식, 사육.
Fasel[2] *m.* -s, - 종축(種畜): ~stier 종우(種牛).
Fasel[3] ⟪gr.⟫ *f.* -n 〖植〗 콩(Bohne).
Fasel·bohne *f.*, **Fasele** *f.* -n 〖植〗 강낭콩.
Fasel·eber *m.* 씨돼지, 종돈(種豚).
Faselei [faːzəláɪ] ⟪<faseln[2]⟫ *f.* -en ① 〔구어·폄어〕 허튼소리, 빈말. ② 방심, 산만, 멍청함, 부주의, 무분별.
Faseler [fáːzələr] *m.* -s, - 허튼소리 하는 사람, 바보, 멍청이.
faselhaft *a.* 어리석은, 멍청한, 지각 없는, 경박한.
Fasel=hans *m.* 〔구어·폄어〕 얼빠진 놈, 멍청이; 수다쟁이. **~hengst** *m.* 종마(種馬).
faselig [fáːzəlɪç] *a.* 생각이 모자라는, 정신이 산만한, 바보 같은.
faseln[1] [fáːzəln] ⟪<Fasel[2]⟫ *i.* (h.) 새끼를 낳다, 번식하다; 열매를 맺다; 번영하다.
***faseln**[2] ⟪Ⅰ⟫ *i.* (h.) 바보 같은 짓을 하다. ⟪Ⅱ⟫ *t.* 〔폄어〕 (바보 같은) 헛소리를 늘어놓다: was faselt er denn da wieder? 그가 또 무슨 헛소리를 하는 거냐?
faseln[3] ⟪Ⅰ⟫ *t.* (실 따위를) 풀다. ⟪Ⅱ⟫ *refl.* sich ~ (실 따위가) 풀리다.
Fasel·schwein *n.* 어린 종돈(種豚).
Fasen [fáːzən] *m.* -s, - 〔방언〕 ↑ Faser.
fasen *t.* 〖제재·목공〗 모서리를 밀어 사면(斜面)으로 만들다.
fasen·nackt *a.* 〔방언〕 ↑ fasernackt.
Faseole [fazeóːlə] *f.* -n 〔방언〕 ↑ Fasel[3].
***Faser** [fáːzər] ⟪<Fase[2]⟫ *f.* -n 섬유, 실; 힘줄: 〔비유〕 mit allen ~n seines Herzens 정성을 다하여, 진심으로.
Faser·bündel *n.* 섬유 다발.
Fäserchen [fέːzərçən] *n.* -s, - 〔↑ Faser의 축소형〕 가는 섬유.
Faser=gewebe *n.* 섬유 조직. **~gips** *m.* 섬유 석고(石膏).
faserig *a.* 실 모양의; 섬유질의.
Faser=kalk *m.* 섬유상(狀) 방해석(方解石). **~kiesel** *m.* 〖광물〗 규선석(硅線石). **~kohle** *f.* 섬유상(狀) 석탄.
Fäserlein *n.* 〔↑ Faser의 축소형〕 가는 섬유.
faserlos *a.* 섬유가 없는.
fasern [fáːzərn] ⟪Ⅰ⟫ *t.* 풀어서 실〔섬유〕로 만들다. ⟪Ⅱ⟫ *i.* (s.) / *refl.* (sich) ~ 올이 풀어지

다, 실〔섬유〕로 풀어지다. 《Ⅲ》 **gefasert** *p.a.* ↑ gefasert.

faser≈nackt *a.* 〖드물게〗 실오라기 하나 걸치지 않은, 벌거벗은. **~pflanze** *f.* 섬유 식물. **~platte** *f.* 건축용 섬유판. **~quarz** *m.* 섬유상(狀) 석영. **~schonend** *a.* 〖광고〗 섬유를 보호하는. **~schreiber** *m.* 섬유촉필기구. **~stoff** *m.* 섬유소(素); 〖복수〗 섬유 물질〔원료〕; 원단(비단 따위).

Faserung [fá:zəruŋ] *f.* -en ↑ fasern 의 명사형.

Fashion [féʃən, fǽʃən] 《engl.》 *f.* -s ① 유행 양식; 복장. ② (좋은) 생활 양식; 예의 범절.

fashionabel [féʃənəbəl, faʃioná:bəl, fǽʃnəbl] *a.* 〖교양〗 유행하는, 유행에 따르는; 우아한.

fashionable [féʃənəbəl, fǽʃnəbl] *a.* ↑ fashionabel.

fasig [fá:zıç] *a.* ↑ faserig.

Fasler [fá:zlər] *m.* -s, - ↑ Faseler.

Fas·nacht [fásnaxt] *f.* 〖방언〗 ↑ Fastnacht.

fasrig *a.* ↑ faserig.

***Faß** [fas] *n.* Fasses, Fässer ① 그릇, 용기; 통, 함지; 〖聖〗 육체: Bier vom ~ 생맥주; zwei Fässer〔~〕 Bier 맥주 2 통; frisch vom ~ 통에서 방금 꺼낸, 신선한 (생맥주); nach (dem) ~ schmecken (술에서) 술통 냄새가 나다; ein ~ aufsetzen〔binden〕 통에 테를 두르다; 〖비속〗 saufen wie ein ~ 술고래다; 〖비속〗 voll wie ein ~ sein 만취했다; 〖비유〗 ein ~ ohne Boden 밑빠진 독, 헛수고; 〖비유·구어〗 das schlägt〔stoßt〕 dem ~ den Boden aus! 그것은 해도해도 너무 한다, 더 이상 참을 수 없다!; 〖농담〗 das schlägt dem ~ die Krone ins Gesicht 그것은 너무 심하다; 〖비유·구어〗 das bringt das ~ zum Überlaufen 그것은 해도해도 너무한다; 〖경박〗 wir machen ein ~ auf 우리는 파티를 연다. ② 뚱보: er ist ein richtiges ~ 그는 진짜 뚱보다. ③ 〖학생〗 달인, 대가: ein ~ im Hürdenlauf 장애물 경주의 대가.

Fass 新정서 ⇦ Faß.

fass.. 新정서 ⇦ faß...

Fassade [fasá:də] 《frz.》 *f.* -n ① 〖건축〗 정면; 전면: die ~ des Theaters 극장의 전면〔정면〕. ② 〖폄어〗 외관, 외양, 겉치레: bei ihr ist alles nur ~ 그녀는 모든 것이 단지 겉치레일 뿐이다. ③ 〖폄어〗 낯짝, 외모: sie hat zwar eine hübsche ~, aber es ist nicht viel dahinter 그녀는 얼굴은 반반하지만 속에 든 것은 별로 없다.

Fassaden≈kletterer *m.* (벽을 타고 창으로 들어오는) 도둑. **~reinigung** *f.* 건물 (전면) 벽 청소.

Faß·band *n.* (통의) 테.

faßbar [fásba:r] *a.* ① 붙잡을 수 있는: 구체적인. ② 〖비유〗 파악할 수 있는.

Faßbarkeit *f.* ↑ faßbar 의 명사형.

Faß≈bauch *m.* 통의 불룩한 부분. **~bier** *n.* 통〔생〕맥주. **~binder** *m.* (südd., öst.) 통장이; 〖구어〗 wie ein ~ laufen 빨리 달리다. **~boden** *m.* 통의 바닥. **~bohrer** *m.* 통에 구멍을 뚫는 송곳. **~brücke** *f.* 〖軍〗 (빈 통을 이어 만든 도하 작전용) 통다리. **~butter** *f.* 통에 든 버터.

Fäßchen [fέsçən] *n.* -s, - 〖↑ Faß 의 축소형〗 작은 통.

Faß≈daube *f.* 통짝, 통널판. **~dauben·holz** *n.* 통널판으로 쓰이는 목재.

***fassen** [fásən] 《<Faß》 《Ⅰ》 *t.* ① (그릇에) 넣다, 채우다; 〖軍〗 수령하다, 보급받다: Most in alte Schläuche ~ 새 포도주를 낡은 가죽부대에 넣다(마태 9: 17); Korn (in Säcke) ~ 곡물을 자루에 담다; 〖軍〗 Essen〔Munition〕 ~ 식량〔탄약〕을 보급받다; 〖비유〗 et. ins Auge ~ 무엇을 주시하다; eine Rede zu Ohren ~ 이야기를 경청하다; et. zu Herzen und in die Seele ~ 무엇을 마음에 간직하다. ② (**a**) 담다; 수용할 수 있다: das Gefäß faßt 2 Liter 그 그릇은 용량이 2 리터다; das Sportstadion faßt 100000 Menschen 그 경기장은 10 만 명을 수용한다; in sich ~ 포괄〔함유〕하다. (**b**) 이해하다: das fasse ich nicht 그것을 나는 모르겠다. (**c**) 마음 속에 품다〔불러일으키다〕: sich³ ein Herz ~ 용기를 내다; eine Meinung ~ 의견을 내세우다; Zuneigung zu jm. ~ 누구에게 호의를 품다; gegen jn. Haß〔Mißtrauen〕 ~ 누구에게 적의를〔불신을〕 품다. (**d**) 〖기능 동사〗 einen Beschluß ~ 결의하다; einen Entschluß ~ 결심하다; einen Plan ~ 계획하다; einen Vorsatz ~ 결심〔작정〕하다, 계획하다. ③ 끼워넣다; 두르다, 둘레를 치다: einen Edelstein in Gold ~ 금에 보석을 박다; ein Bild ~ 그림을 액자에 넣다. ④ (**a**) 〖고어〗 (무엇에) 옷을 입히다; 장비하다(rüsten): 〖비유〗 die Seele mit Geduld ~ 꾹 참고 견디다; auf et. gefaßt sein 어떤 일에 대비하고 있다, 무엇을 각오하고 있다; sich auf et. gefaßt machen 어떤 일에 대한 대비〔각오〕를 하다(↑ gefaßt). (**b**) 표현하다: einen Gedanken in Worte ~ 어떤 생각을 말로 표현하다; sich kurz ~ 자신의 의견을 간단히 피력하다; schriftlich ~ 글로 나타내다; fasse dich kurz! 통화는 간단히! ⑤ 포옹하다. ⑥ 움켜쥐다, 붙잡다; 포박〔체포〕하다; 엄습하다: jn. beim Arm ~ 누구의 팔을 잡다; faß! 잡아, 물어! (개에 대한 명령); hat man den Täter schon gefaßt? 범인을 벌써 체포했습니까?; 〖비유〗 jn. bei seinem Wort ~ 누구의 말꼬리를 잡다, 누구의 언질을 받다; jn. bei seiner schwachen Seite ~ 누구의 약점을 잡다; jn. bei der Ehre ~ 누구의 명예심에 호소하다; Fuß ~ 기반을 잡다; Wurzel ~ 뿌리를 내리다; ihn faßt ein Grauen 그는 공포에 사로잡힌다. 《Ⅱ》 *refl.* sich ~ ① 마음을 가다듬다, 가라앉히다, 자제하다: sich in Geduld ~ 꾹 참다; ~ Sie sich! 진정하세요, 흥분을 가라앉히세요; er konnte sich vor Freude nicht ~ 그는 기뻐서 어쩔 줄 몰랐다. ② sich mit jm. ~ 누구와 드잡이〔실갱이〕하다. ③ ~ Sie sich kurz! 간단히 말씀해 주십시오! (↑ 《Ⅰ》 ④ (b)). ④ etwas faßt sich 〔läßt sich ~〕 무엇은 쉽게 알 수 있다. 《Ⅲ》 *i.* (h.) ① (**a**) 특정 부위를 잡다〔만지다〕: nach einem Glas ~ 잔을 잡다. (**b**) 제 자리에 물리다, 제자리에 맞다: ineinander ~ (톱니바퀴 따위가) 맞물리다; die Pumpe faßt 펌프가 작동한다(물을 빨아 올린다); der Nagel faßt nicht 못이 고정되어 있지 않다(제대로 박혀 있지 않다). ② 이해하다: das Kind faßt leicht 그 아이는 이해가 빠르다; sein Kopf faßt schwer 그는 머리가 둔하다. 《Ⅳ》 **gefaßt** *p.a.* ↑ gefaßt.

F

fassenzen [fásɛntsən] *i.* (h.) (술에서) 통의 맛이 나다, 나무 냄새가 나다.

Fasser *m.* -s, - ① (보석의) 상감공(象嵌工); 〔방언〕 통장이. ② (일시 포획용의) 꿀벌통.

fässer·weise [fɛ́:sər] *adv.* 통으로, 통에 채워서: et. ~ trinken 무엇을 통째 마시다, 무엇을 엄청나게 많이 마시다.

Faß=geschmack *m.* (잘못 만든 포도주에서 나는) 통 맛. **~hahn** *m.* 통마개. **~holz** *n.* 통널용의 재목.

fassig, fässig *a.* (맥주 따위가) 통에 채우기에 적합한, 통에 채울 수 있는.

Fassion [fasió:n] 《lat.》 *f.* -en ① 고백. ② (öst.) 세무 신고.

Fäßlein *n.* -s, - 〖↑ Faß 의 축소형〗 작은 통.

faßlich [fáslıç] *a.* ① 이해할 수 있는, 이해하기 쉬운, 평이한. ②〔고어〕 이해력이 좋은.

Faßlichkeit *f.* 이해 가능함, 평이.

Fasson[1] [fasɔ̃:, (südd., öst., schweiz.) fasó:n] 《frz.》 *f.* -s/(südd., öst., schweiz.) -en [..só:nən] ① 만듦새, 지음새; 꼴, 형; 양식, …풍; 정상 형태〔모양〕; 예의 범절; 의복의 재단: ein Mantel nach neuester ~ 최신형의 외투; aus der ~ 꼴이 이지러진; 〔구어〕 aus der ~ geraten 뚱뚱해지다; nach seiner 〔auf seine〕 ~ 자기 나름으로; ohne ~ 사양〔체면차리지〕 않고. ② 럼주(酒)의 모조품, 합성 럼주.

Fasson[2] [fasɔ̃:] *n.* -s, -s 〖의상·구식〗 (의복의) 접어 젖힌 단.

fassonieren [fasoní:rən] 《I》 *t.* ① 어떤 모양으로 만들다, (음식, 특히 육류에 대해서) 모양을 내다; 가공〔세공〕하다. ② (öst) 단발 머리 스타일로 자르다. 《II》 **fassoniert** *p.a.* ↑ fassoniert.

fassoniert 《I》 *p.p.* ↑ fassonieren. 《II》 *p.a.* 무늬가 있는: ~e Artikel 의장 등록된 물품, 여자의 화장용품.

Fasson·schnitt [fásɔ̃:.., .fasɔ́ŋ..] *m.* (남성의) 단발머리형 컷.

Faß=pech *n.* 통의 틈을 메우는 역청(瀝青). **~reif, ~reifen** *m.* (통의) 테. **~schnecke** *f.* 〖動〗 메추리조개. **~spund** *m.* 통(의) 마개.

***Fassung** [fásuŋ] 《<fassen》 *f.* -en ① 파악, 포착; 상감; 틀, 테, (보석의) 세팅; (전구의) 소켓: die ~ der Brillengläser 안경테; die ~ eines Edelsteins 보석의 테〔세팅〕; die Birne aus der ~ schrauben 전구를 소켓에서 빼내다. ② 어법, 표현 양식; 초안, (문서의) 텍스트; 판(版): die erste ~ 초판(본); der amerikanische Film läuft in der deutschen ~ 미국 영화가 독일어판으로 상영되고 있다. ③ 마음의 평정, 침착, 천연스러움; 자제: jn. aus der ~ bringen 누구를 당황하게 하다, 어쩔 줄 모르게 만들다; aus seiner ~ kommen 마음의 평정을 잃다, 갈피를 잡지 못하다; die ~ bewahren〔verlieren〕 마음의 평정을 유지하다〔잃다〕. ④〔복수없음〕 파악, 이해(력): das übersteigt meine ~ 그것은 내가 알 수 없는 일이다. ⑤〔방언〕 깃털 (넣은) 베개. ⑥〖예술〗 (중세와 바로크 시대에 유행했던) 조각품 채색 (금칠을 함).

Fassungs=gabe, ~kraft *f.* 이해력: das geht über meine ~ 그것은 나로서는 도저히 모르겠다.

fassungslos *a.* 자제력을 잃은, 당황한.

Fassungslosigkeit *f.* 자제력 상실, 당황.

Fassungs·vermögen *n.* ① 수용〔저장〕 능력〔용량〕. ② 이해력.

Faß=waren *pl.* 통에 채운 것. **~wein** *m.* 통에 든 포도주. **~weise** *adv.* 통으로, 한통 한통씩. **~werk** *n.* 〔총칭〕 통류(類).

***fast** [fast] *adv.* ① 거의, 대략: er hat ~ nichts zu essen 그는 먹을 것이 거의 없다; ~ nur (noch) 간신히, 겨우; er wäre ~ entdeckt worden 하마터면 그는 들킬 뻔했다; das Werk ist ~ vollendet 그 작품은 거의 완성되었다. ②〔고어〕 심히, 몹시: nicht so ~ als... …이라기보다는 오히려.

Fastage [fastá:ʒə] 《frz.》 *f.* -n 〔총칭〕 통류(類), 빈 통, 상자.

Fastback [fá:stbæk] 《engl.》 *n.* -s, -s ① 차량의 유선형 고물. ② 필름을 빠르게 되돌리는 영화의 기법, 리와인드 플레이.

Faste [fástə] *f.* -n 〖고어〗 ↑ Fastenzeit.

Fast·ebene *f.* 〖지리〗 준(準)평원.

Fastel·abend [fástəl..] *m.* 〔방언〕 사육제, 카니발.

***fasten** [fástən] *i.* (h.) ① 단식하다, 육식을 끊다; 정진(精進)하다; 〖宗〗 사순절(四旬節) 금식하다. ②〔구어〕 배가 고프다.

Fasten[1] *n.* -s 단식, 절식, 정진.

Fasten[2] 〖↑ Faste 의 복수〗〖宗〗 사순절(四旬節), 대재(大齋) (부활절 전 40 일간의 재기(齋期)).

Fasten=abend *m.* 단식 개시의 전야〔전일〕, 참회 화요일(성회(聖灰) 수요일 전날). **~almosen** *n.* 사순절 자선〔적선〕. **~blume** *f.* 〖植〗 앵초속(櫻草屬). **~brezel** *f.* 사순절에 먹는 하트 모양의 비스켓. **~kur** *f.* 단식 (치료) 요법. **~mäßig** *a.* 사순절다운, 사순절에 적합한〔어울리는〕. **~prediger** *m.* 사순절의 설교자. **~predigt** *f.* 사순절 설교. **~sonntag** *m.* 사순절의 일요일. **~speise** *f.* 사순절에 허용되는 간단한 음식(육식은 안됨), 정진(精進) 요리. **~zeit** *f.* ① 단식 기간. ②〖가톨릭〗 사순절(부활절 전의 40 일간).

Faster *m.* -s, - 단식자(斷食者).

fastidiös [fastidiǿ:s] 《lat.》 *a.* 〔구식〕 혐오스러운; 진저리나는; 지겨운, 지루한.

***Fast·nacht** [fástnaxt] *f.* 참회절(節); 참회화요일(Aschermittwoch 전날); 사육제, 카니발: die ~ feiern 사육제에 참가하다; (pfälz.) alte ~ 사육제 다음의 일요일; (pfälz.) hinterherkommen wie alte ~ 뒷북치다, 뒤늦게 오다.

Fastnachts〔(드물게) **Fastnacht**〕**=aufzug** *m.* 사육제〔카니발〕의 가장 행렬. **~brauch** *m.* 사육제〔카니발〕 풍습. **~dienstag** *m.* 참회 화요일. **~krapfen** *m.* 사육제에 먹는 도넛. **~kostüm** *n.* 사육제 의상. **~montag** *m.* (Rosenmontag) 참회 화요일 전의 월요일. **~narr** *m.* 사육제의 익살꾼. **~spiel** *n.* 사육제극. **~treiben** *n.* 사육제 축제 인파의 야단법석. **~zeit** *f.* 사육제 기간(성회 수요일 전의 몇 주간). **~zug** *m.* 사육제의 가장 행렬.

Fast·tag *m.* 〖宗〗 단식일, 정진일(精進日).

Faszes [fás|tse:s, ..tsɛs] *pl.* 속간(束桿) (고대 로마 집정관·이탈리아 파시스트 등의 권위 표장).

Fasziation [fas|tsiatsió:n] *f.* -en ①〖醫〗 붕대 감기. ②〖植〗 대화(帶化) (식물 기형의 하나).

Faszie [fás|tsiə] *f.* -n 근초(筋鞘), 근막(筋膜); 붕대.
Faszikel [fas|tsí:kəl] *m.* -s, - ①〖교양〗서류〔원고〕 다발〔뭉치〕; (간행물의) 분책(分冊). ②〖醫〗(신경 또는 근육의) 섬유속(束).
Faszination [fas|tsinatsió:n] 《lat.》 *f.* -en 매혹, 고혹, 현혹: seine Stimme übt eine ~ auf die Zuhörer aus 그의 음성이 청중들을 매료한다.
faszinieren *t.* 매혹〔현혹·매료〕하다.
Faszismus *m.* - ↑ Faschismus.
Fata[1] [fá:ta] 《it.》 *f.* ..te ↑ Fata Morgana.
Fata[2] 《lat.》 *pl.* ↑ Fatum 의 복수형.
fatal [fatá:l] *a.* 치명적인; 운명적〔숙명적〕인, 불길한; 불운한; 난처한: er beging einen ~en Fehler 그는 치명적인 실수를 저질렀다; in eine ~e Lage geraten 난처한 상황에 빠지다.
fataler·weise *adv.* 치명적으로, 불행하게도.
Fatalismus [fatalɪsmʊs] *m.* - 숙명론.
Fatalist *m.* -en, -en 숙명론자.
Fatalistin *f.* -nen ↑ Fatalist 의 여성형.
fatalistisch *a.* 숙명론적인.
Fatalität [fatalitɛ́:t] *f.* -en 숙명; 불운; 재화, 재난.
Fata Morgana [fá:ta mɔrgá:na] 《it.》 *f.* - -, - ..nen/-s ①신기루(이탈리아 전설상의 요정 이름에서). ②환영, 망상, 허상.
fatieren [fatí:rən] 《lat.》 *t.* ①〖구식〗 고백하다. ②(öst.) (납세액을) 신고하다.
Fatierung *f.* -en (öst.) 세무 신고.
fatigant [fatigánt] 《frz.》 *a.* 피로하게〔싫증나게〕 하는, 괴로운; 지루한.
Fatige [fatí:gə] 《frz.》 *f.* -n 〖고어〗 피로, 권태.
fatigieren *t.* 피로하게〔싫증나게〕 하다.
Fatigue [fatí:gə] 《frz.》 *f.* -n ↑ Fatige.
Fatum [fá:tʊm] 《lat.》 *n.* -s, ..ta 〖교양〗 운명, 천명, 숙명.
Fatz [fats] 〖고어〗 *m.* -en, -en ↑ Fatzke.
fatzen 《I》 *i.* (h.) 못된 장난을 하다. 《II》 *t.* 우롱하다.
Fatzke [fátskə] 《ndd.》 *m.* -n/-s, -n/-s 거만한〔허황된〕 인간, 잘난척하는 놈.
Faubourg [fobú:r] 《frz.》 *m.* -s, -s (프랑스 도시의) 교외; (특히 파리 근교의) 상제르망.
fauchen [fáʊxən] 《I》 *i.* (h.) (고양이 따위가 화가 나서) 푸우하는 소리를 내다; (기관차 따위가) 칙하고 소리를 내다. 《II》 *t.* 〖구어〗 화가 나서〔흥분하여〕 씩씩거리며 말하다: „'raus hier" fauchte er "이리 나와" 하고 그가 씩씩거렸다.
faukal *a.* 목구멍의, 인후(咽喉)의.
***faul** [faʊl] *a.* ①썩은, 부패한; (공기가) 탁한, 나쁜; 〖방언〗불결한, 더러운: ~es Fleisch a) 썩은 고기, b) 〖醫〗 궂은 살; ~ riechen 썩은 냄새가 나다; ~e Fische a) 썩은 물고기, b) 〖비유〗 거짓말, 핑계; den ~en Fleck berühren 아픈 데를 건드리다. ②무른; 부서지기쉬운: ~e Zähne 충치. ③〖구어·폄어〗 의심스러운, 뭔가 수상한: eine ~e Ausrede 믿기 어려운 변명; ein ~er Friede 거짓 평화; ~e Geschäfte machen 부정 거래〔사기〕를 하다; ~er Zauber 사기, 협잡; das ist alles nur ~er Zauber! 그것은 온통 사기다! ; an der Sache ist etwas ~ 그 일은 뭔가 수상하다; es steht ~ damit 그 일은 신통치 않다; jn. auf dem ~en Pferde finden 누구의 비행 현장을 잡다. ④(늪 등이) 괸, 흐르지 않는; ~e See 잔잔한 바다. ⑤게으른, 굼뜬: stinkend ~ 지독하게 게으른; ~er Strick〔Kerl〕 게으름뱅이; ein ~er Schuldner 돈을 잘 갚지 않는 채무자; 〖哲〗 ~e Vernunft 이성의 태만(숙명론에 사로잡혀 이성의 사용을 포기하는 것); 〖구어〗 auf der ~en Haut liegen 〔sich auf die ~e Haut legen〕 빈둥거리며 지내다; nicht ~ 신속히, 재빠르게. ⑥ ~er Knecht 계산 조견표(早見表); 〖植〗 ~e Magd 홍매동자꽃.
faulbar [fáʊlba:r] *a.* 부패성의, 부패하기 쉬운.
Faul⸗baum *m.* 〖植〗 서양갈매나무; 귀룽나무. **~beere** *f.* 서양갈매나무 열매. **~bett** *n.* 〖구식〗 휴식용 긴 의자; 〖비유〗 나태: sich aufs ~ legen 빈둥거리며 지내다. **~bruch** *m.* 무른 쇠; 연철(鍊鐵)의 무른 성질. **⁓-brüchig** *a.* (연철이) 무른. **~brut** *f.* 어린 벌의 혹사병. **~butte** *f.* (제지(製紙) 과정에서 나오는 부스러기 따위를) 부식시키는 통.
Fäule [fɔ́ʏlə] *f.* ①〖雅語〗 (Fäulnis) 부패, 썩음. ②(양의) 간장병(肝臟病), 디스토마병.
faulen [fáʊlən] 《I》 *i.* ① (s./h.) 썩다, 부패하다: ~d 썩어 가는, 부패성의, 썩기 쉬운. ② (h.) ↑ faulenzen. 《II》 *t.* ↑ fäulen.
fäulen [fɔ́ʏlən] *t.* 부패시키다.
***faulenzen** [fáʊlɛntsən] *i.* (h.) 게으름피우다, 빈둥거리며 지내다.
Faulenzer *m.* -s, - ①〖폄어〗건달, 게으름뱅이. ②〖구어·농담〗안락 의자; 긴 의자; 〖드물게〗도어 체크(문의 자동 잠금 장치); 계산 조견표(早見表). ② (öst.) 괘지(罫紙).
Faulenzerei [faʊlɛntsəráɪ] *f.* -en 〖대개 폄어〗 나태; 나태한 생활.
Faulenzerin *f.* -nen ↑ Faulenzer 의 여성형.
Faul⸗fieber *n.* ①〖醫〗 부패열(熱). ②〖구어〗 나태, 게으름: 〖농담〗 das ~ haben 게으르다. **~fleck** *m.* 부패반(斑). **⁓fräßig** *a.* 〖구어〗 빈둥거리는, 무위도식하는.
Faulheit *f.* -en 나태, 게으름: 〖폄어〗 vor ~ stinken 매우 게을러빠지다.
faulicht [fáʊlɪçt], **fäulicht** [fɔ́ʏ..], **faulig, fäulig** *a.* 부패한; 부패성의, 썩기 쉬운.
Fäulnis [fɔʏlnɪs] *f.* ①부패: Fleisch vor ~ bewahren 고기를 썩지 않게 보관하다. ②〖비유〗 붕괴; 타락: die sittliche ~ 도덕적 타락.
fäulnis⸗bewirkend, ~erregend *a.* 부패성의. **⁓erreger** *m.* 부패균(菌). **~widrig** *a.* 방부성(防腐性)의.
Faul⸗pelz *m.* 〖구어·폄어〗 게으름뱅이, 건달. **~regen** *m.* 곰팡이. **~schlamm** *m.* 썩은 진흙, 부니(腐泥)(동식물의 유기질이 분해되어 생긴 부드러운 진흙). **~tier** *n.* ①〖動〗 나무늘보. ②〖폄어〗 건달, 게으름뱅이. **~weizen** *m.* 〖植〗 깜부깃병(균); 깜부깃병에 걸린 밀.
Faum [faʊm] *m.* -(e)s, Fäume (südd.) 거품.
Faun [faʊn] *m.* -(e)s, -e 〖로마신화〗 (반인반양(半人半羊)인) 숲의 신, 목양(牧羊)신(그리스 신화의 Satyr 에 해당); 〖비유〗 호색한.
Fauna [fáʊna] *f.* ..nen ①동물의 세계, 동물군(群): ~ Afrikas 아프리카 동물의 세계. ②동물지(誌).
Faun·blick, Faunen·blick *m.* 추파.
faunisch *a.* ①육감적인, 음탕한. ②자연적

인, 원초적인.

Faunus 《lat.》 *m.* -, ..nen ↑ Faun.

***Faust**[1] [faust] *f.* Fäuste [fɔ́ystə] ① 주먹: die ~ öffnen〔ballen〕 주먹을 펴다〔쥐다〕; Arbeiter der ~ 장인(匠人), 세공사; jm. eine ~ machen 〔jm die ~ zeigen, jm die ~ unter die Nase halten〕 누구를 위협하다; die ~ in der Tasche ballen 〔die ~ im Sack machen〕 분노를 억누르다, 분을 속으로 삭이다; 〖구어〗 passen wie die ~ aufs Auge a) 전혀 어울리지 않다, b) (부정적인 두 사건이) 나쁜 정도가 똑같다; 〖구어·농담〗 das paßt wie ~ aufs Gretchen 이 도령에 춘향이 격이로군(그레트헨이 등장하는 괴테의 "파우스트"에 나오는 "das paßt wie die ~ aufs Auge"에 따른 농담); **auf** eigene ~ 혼자 힘으로; mit eiserner ~ 폭력적으로; 〖구어〗 mit der ~ auf den Tisch schlagen〔hauen〕 단호하게 말하다, 화를 내다, 과감하게 추진하다; 〖비유·구어〗 die Fäuste hochnehmen 마음 속으로 싸울 준비를 하다; die Fäuste oben haben 마음 속으로 싸울 준비가 되어 있다; sich[3] **in** die ~ 〔ins Fäustchen〕 lachen 고소하게 여기다, 뒤에서 좋다고 웃다; 〖비유〗 die ~ im Nacken spüren 강요받다, 중압감을 느끼다; **mit** der ~ kämpfen 권투하다; **von** der ~ (weg) 준비 없이, 아무렇게나, 냉큼; von〔aus〕 der ~ essen 수저 없이 손으로 먹다, 날름 먹어 치우다. ② 〖工〗 작은 모루. ③ 오스트리아의 옛 척도명(10.5 cm).

Faust[2] *m.* 파우스트(남자 이름): Doktor ~ 파우스트 박사(중세의 연금술사 이름, Goethe의 희곡 "Faust"의 소재가 됨).

Faust≈abwehr *f.* 〖구기〗 (골키퍼의) 펀칭〔주먹으로 쳐내기〕. **~ball** *m.* 〖스포츠〗 파우스트볼(배구와 비슷한 일종의 구기). **~birne** *f.* 배(梨)의 일종; 〖농담〗 ↑ ~schlag. **~büchse** *f.* ↑ ~rohr.

Fäustchen [fɔ́ystçən] *n.* -s, - 〖↑ Faust[1] 의 축소형〗 작은 주먹: 〖비유·구어〗 sich (eins) ins ~ lachen 남의 불행을 보고 좋아서 웃다.

Faust≈degen *m.* 〖구식〗 단도. **≈dick** *a.* 주먹만한; 〖비유·구어〗 아주 큰; 믿을 수 없는: 〖속어〗 er hat es ~ hinter den Ohren a) 그 녀석은 엉큼한 놈이다, 교활한 녀석이다, b) 그는 만만치 않은 녀석이다; ~ lügen 새빨간 거짓말을 하다. **~eisen** *n.* 작은 모루의 일종.

Fäustel [fɔ́ystəl] *n.* -s, - 〖광산〗 (갱부용) 큰 망치.

fausten [fáustən] *t.* ① (공을) 주먹으로 쳐내다. ② 〖드물게〗 die Hände ~ 주먹을 쥐다.

Faust≈fechter *m.* ↑ ~kämpfer. **~feuerwaffe** *f.* 소총, 권총. **~griff** *m.* 움켜쥐기, 장악, 파악. **≈groß** *a.* 주먹 크기의, 주먹만한. **~hammer** *m.* (철물공의) 큰 망치; (전투용) 철퇴. **~hand·schuh** *m.* 벙어리장갑; 〖야구〗 포수의 글러브. **~hieb** *m.* 주먹으로 치기. **~hobel** *m.* 작은 대패.

faustisch [fáustɪʃ] *a.* 〖교양〗 파우스트적인, 새로운 경험과 인식을 무한정으로 추구하는.

Faust≈kampf *m.* 권투, 복싱. **~kämpfer** *m.* 권투 선수. **~keil** *m.* (선사 시대의) 주먹도끼. **~kolben** *m.* 전투용 곤봉. **~legende** *f.* 파우스트 전설〔이야기〕. **~leier** *f.* 〖工〗 타래송곳.

Fäustlein [fɔ́ystlaɪn] *n.* -s, - 〖↑ Faust[1] 의 축소형〗 작은 주먹.

Fäustling [fɔ́ystlɪŋ] *m.* -s, -e ① ↑ Fausthandschuh. ② 굵고 짧은 곤봉; (옛날 기마병들이 사용하던) 권총. ③ 〖광산〗 주먹만한 돌. ④ 주먹 크기만한 것(특히 새끼 잉어); 난쟁이.

fäustlings *adv.* 주먹으로.

Faust≈pfand *n.* 〖法〗 동산 저당(抵當), 저당물; 〖비유〗 압력 수단. **~recht** *n.* ① 강자의 권리, 무단〔폭력〕 정치. ② 자위권, 자구권. **~regel** *f.* 엉성〔단순〕한 규칙, 조잡한 규칙. **~riemen** *m.* (기병(騎兵)의) 칼자루의 띠. **~rohr** *n.* (16-17 세기 기마병용) 권총. **~sage** *f.* 파우스트 전설. **~säge** *f.* (손으로 써는) 큰 톱. **~satz** *m.* 주먹 크기의 새끼 잉어. **~scheidung** *f.* 손으로 부수어서 광석을 골라내기. **~schlag** *m.* 주먹으로 치기, 펀치. **~skizze** *f.* 엉성한〔상세하지 않은〕 스케치. **~spiel** *n.* 〖스포츠〗 ↑ ~ball.

Faustus [fáustus] 《lat.》 *m.* 파우스투스(남자 이름; ↑ Faust).

Faust·voll *f.* 한줌.

Faute de mieux [fotdəmǿ(:)] 《frz.》 〖교양〗 더 좋은 것이 없기 때문에, 달리 도리가 없어서.

Fauteuil [fotǿ:j, fotœ́j] 《frz.》 *m.* -s, -s [..tǿ:js, ..tœ́js] ① (öst.) 안락 의자. ② (특히 프랑스에서) 아카데미 회원석.

Faut·fracht [fáutfraxt, fó:fraxt] 《frz.》 *f.* 용선(傭船)(계약) 위약금, 용선 해약금.

Fauvismus [fovɪ́smus] 《frz.》 *m.* - 〖미술사〗 포비즘, 야수파.

Fauxpas [fopá] 《frz.》 *m.* -, - 실례; 무례, 추태.

Favela [favé:la] *f.* -s 〖교양〗 (남아메리카 대도시의) 빈민가, 빈민굴.

Faveur [favǿ:r] 《frz. favere》 *f.* -s 은총, 은혜; 호의.

favorabel [favorá:bəl] 《lat.》 〖구식〗 *a.* 호의적인, 친절한; 조건 좋은, 유리한.

favorisieren 《frz.》 *t.* ① 〖교양〗 총애하다, 역성들다, 원조하다. ② (어떤 선수나 팀을) 우승 후보로 꼽다.

Favorit [favorí:t] *m.* -en, -en ① 총애를 받는 사람〔물건〕. ② 우승 후보; 우승 예상마.

Favorite *f.* -n 애인.

Favoriten≈rolle *f.* 우승 후보의 활약(에 거는 기대). **~schreck** *m.* 〖은어〗 복병, 다크 호스.

Favoritin *f.* -nen ↑ Favorit 의 여성형.

Favus [fá:vus] *m.* -, ..ven/..vi ① 〖醫〗 사상균(絲狀菌) 피부병. ② 벌집의 밀랍판.

Fax [faks] *m.* -es, -e 〖속어·학생〗 (학생 조합의) 사환.

Faxe [fáksə] 《<fickfacken》 *f.* -n 〖구어〗 ① 찡그린〔찌푸린〕 얼굴: ~n machen〔schneiden, ziehen〕 얼굴을 찌푸리다. ② 〖복수〗 허튼 소리, 바보짓, 난센스; 익살; 핑계, 변명; 〖경박〗 mach keine ~n! 까불지 좀 마라!

Faxen·macher *m.* 〖구어〗 얼굴을 찌푸리는 사람; 익살꾼, 바보짓하는 사람.

Fayence [fajã́:s] 《frz.》 *f.* -n 이탈리아의 Faenza 시산(産)의 도기(陶器), 파엔차 도기; 채색 백도(白陶).

Fayence≈krug *m.* 파엔차 항아리. **~ofen** *m.* 파엔차 사기 난로. **~teller** *m.* 파엔차 접시.

Fäzes [fɛ́:tsɛ:s] ⟪lat.⟫ *pl.* 〖醫〗 똥오줌, 배설물.

Fazetie [fatsé:tsiə] ⟪lat.⟫ *f.* -n ①〖복수〗해학, 익살, 농담. ②〖문학〗(15-16 세기의) 익살스러운 어법; 골계담(滑稽談).

fazial [fatsiá:l] ⟪lat.⟫ *a.* ①〖醫〗 얼굴의, 안면신경의. ②〖지질〗 지층면의.

Fazies [fá:tsiɛs] ⟪lat.⟫ *f.* ①〖지질〗 지층상(地層相). ②〖植〗 (식물군의) 최소 단위.

Fazilität [fatsilitɛ́:t] ⟪lat.⟫ *f.* -en ①〖구식〗경쾌, 민활; 친절, 붙임성. ②〖經〗 (개인의) 신용 융자 (한도).

Fazit [fá:tsɪt] ⟪lat. facit⟫ *n.* -s, -e/-s 총계, 합계; 결과: das ~ aus et.³ ziehen 무엇을 결산하다, 무엇에서 결론을 도출하다.

FBI [ɛfbi:áɪ] ⟪engl.⟫ *m./n.* =Federal Bureau of Investigation 미국 연방 수사국.

FCKW =Fluorchlorkohlenwasserstoff 불염화탄화수소.

FD =Fern-D-Zug 장거리 급행 열차.

FDGB 〖구동독〗 =Freier Deutscher Gewerkschafsbund 자유 독일 노동 조합 동맹.

FDJ [ɛfde:jɔ́t] 〖구동독〗=Freie Deutsche Jugend 자유 독일 청년단.

FDJler [..lər] *m.* -s, - ↑ FDJ 의 단원.

FDJlerin *f.* -nen ↑ FDJ 의 여성 단원.

FDP [ɛfde:pé:] =Freie Demokratische Partei (독일의) 자유 민주당.

F-Dur [ɛ́fdu:r] *n.* 〖음악〗 바 장조.

F-Dur-Tonleiter *f.* 바 장조 음계.

FD-Zug [ɛfdé:..] *m.* =Fern-D-Zug (복도식) 원거리 급행 열차.

Fe [ɛf|é:] 〖化〗 =Ferrum 철.

Feature [fi:tʃər] ⟪engl.⟫ *n.* -s, -s 〔*f.* -s〕 ①〖언론〗특집 기사. ②〖방송〗 (다큐멘터리) 특집 방송. ③〖영화〗 본(本)영화.

Feber [fé:bər] *m.* -s, - (öst.) ↑ Februar.

Febr. =Februar 2 월.

febril [febrí:l] ⟪lat.⟫ *a.* 〖醫〗 열이 있는, 열병과 같은: ein ~er Infekt 열성(熱性) 전염병.

Fẹbris *f.* 〖醫〗 열(熱).

***Februar** [fé:brua:r] ⟪lat.⟫ *m.* -(s), -e 2 월 (약어: Febr.).

fec. [fé:tsɪt] =fecit (아무개) 작(作).

fechsen [fɛ́ksən] *t./i.* (h.) (öst.) ① (곡물을) 수확하다. ② (포도를) 걷어들이다.

Fechser [fɛ́ksər] *m.* -s, - (포도의) 휘묻이할 가지; 묘목.

Fecht≈art [fɛ́çt..] *f.* 검법. **~bahn** *f.* 펜싱 시합장. **~boden** *m.* 검도〔펜싱〕장. **~bruder** *m.* 〖구식〗거지; 부랑자. **~degen** *m.* 펜싱용 검.

fechten [fɛ́çtən] (focht, gefochten) ⟪Ⅰ⟫ *t.* (h.) ① 칼싸움〔펜싱〕하다; 〖雅語〗(전투에서) 싸우다: einen Gang ~ 한 차례 칼싸움〔시합〕을 하다; mit jm. 〔gegen jn.〕 ~ 누구와 칼싸움을 하다; um et. ~ 무엇을 위해 싸우다; er hat unter Napolen gefochten 그는 나폴레옹 휘하에서 싸웠다; wir fochten einen aussichtslosen Kampf 우리는 승산 없는 싸움을 했다. ② 이리저리 휘두르다: mit den Händen ~ 두 손을 휘두르다, 손짓 몸짓을 하다. ③〖고어·방언〗 (도제(徒弟)가) 걸식하며 뜨내기로 돌아다니다. ⟪Ⅱ⟫ *t./refl.* 구걸하다: (sich³) ein paar Zigaretten ~ 담배 몇 개비를 구걸하다.

Fẹchten *n.* -s 전투; 펜싱, 검도.

Fechter [fɛ́çtər] *m.* -s, - ① 검객, 검사(劍士); 펜싱 선수; (고대 로마의) 검투사; 권투 선수. ②〖구식〗거지.

Fẹchter≈abstand *m.* 〖펜싱〗 경기자 사이의 간격. **~flanke** *f.* 〖체조〗 한 손(으로) 버티기. **~gang** *m.* (한 차례의) 펜싱 시합.

Fẹchterin *f.* -nen ↑ Fechter 의 여성형.

fechterisch [fɛ́çtərɪʃ] *a.* 펜싱의.

Fẹchter≈kampf *m.* 펜싱 경기. **~kunst** *f.* ① 검술; 펜싱의 재주. ② ↑ ~streich. **≈mäßig** *a.* 검법에 맞는. **~schule** *f.* 펜싱 도장. **~spiele** *pl.* (고대 로마의) 검투사의 시합. **~sprung** *m.* 〖펜싱〗 뒤로 뛰기; 〖승마·체조〗 한손 짚고 넘기〔내리기〕. **~stellung** *f.* ① 펜싱〔권투〕 자세, 겨눔 자세. ②〖醫〗 엑스선 촬영 때의 표준 자세(환자가 몸의 우측을 앞으로 돌리는 자세). ③ 수유(受乳) 장애 유아의 전형적인 자세. **~streich** *m.* 펜싱의 책략, 치는 체하기.

Fẹcht≈hand·schuh *m.* 펜싱(용) 장갑. **~-harnisch** *m.* (펜싱용) 흉갑(胸甲). **~haus** *n.* ↑ ~boden. **~hieb** *m.* 〖펜싱〗 베기 공격. **~kunst** *f.* 검술, 펜싱 솜씨〔기술〕. **~lehrer** *m.* ↑ ~meister. **~maske** *f.* (펜싱용) 마스크. **~meister** *m.* 검도 사범, 펜싱 교관. **~platz** *m.* ① 투기장; 싸움터. ② ↑ ~boden. **~saal** *m.* ↑ ~boden. **~schule** *f.* 펜싱 도장〔교습(소)〕. **~sport** *m.* 펜싱. **~stock** *m.* 죽도(竹刀), 목도. **~übung** *f.* 검도〔펜싱〕 연습. **~unterricht** *m.* 펜싱 수업〔지도〕.

fecit [fé:tsɪt] ⟪lat. facere⟫ …의 작(作)(제작자 이름 뒤에): ipse ~ (…의) 자작(自作).

Fedajin [fedají:n] *m.* -(s), -s ① 의용병. ② 팔레스타인 지하 조직원.

***Feder** [fé:dər] *f.* -n ① 깃, 깃털; 깃털 장식 (Schmuck≈): ~n bekommen 깃털이 돋다; einem Vogel die ~n ausrupfen 새의 털을 뽑다; 〖비유·구어〗 ~n lassen 손해를 입다; 〖비유〗 sich mit fremden ~n schmücken 남의 업적〔공〕을 빼앗다, 자기의 공인 듯이 허풍떨다. ② (이불에 넣는) 솜털; 새털 이불; 〖복수〗침대: er steckt〔liegt〕 noch in den ~n 그는 아직 자고 있다; von der ~ aufs Stroh kommen 영락하다; zu ~n kommen 유복하게 되다. ③ 펜; 연필; (öst.) 펜대; 〖비유〗필치, 필적: ein Werk aus seiner ~ 그의 저작〔저작품〕; ein Mann von der ~ 문필가, 작가; ein Werk unter der ~ haben 어떤 저작을 집필 중이다; seiner ~ freien Lauf lassen 자기 생각을 자유롭게 글로 표현하다; er weiß die ~ zu führen 그는 문장력〔표현력〕이 좋다; eine scharfe〔spitze〕 ~ führen〔schreiben〕 필봉이 날카롭다; in die ~ diktieren 구술하여 받아 쓰게 하다; von der ~ leben〔sein〕 글을 써서 먹고 살다; es ist nicht aus seiner ~ geflossen〔gestammt〕 그것은 그가 쓴 것이 아니다. ④ 깃 모양의 것; 〖사냥〗 (멧돼지 따위의 등 부위에 난) 억센 털; 가시; 고라니의 늑골; (멧돼지 사냥용) 창; 칼의 날; 〖植〗 (씨 따위의) 꼬리; 어린 싹; 〖動〗 토끼의 꽁지; 물고기 비늘. ⑤ (Sprung≈) 태엽, 용수철, 스프링: die ~ aufziehen 태엽을 감다. ⑥〖대개 복수〗보석의 균열〔흠〕.

Feder≈alaun *m.* (펜촉을 부드럽게 하는 데 쓰는) 명반(明礬) 용액. **≈artig** *a.* 깃털처럼 가벼운; 깃털 모양의. **~ball** *m.* 배드민턴 공, 셔

틀콕; 배드민턴(~ballspiel): 〔농담〕 auf den ~ gehen 자러 가다(아이들에게 하는 말). **~ball·spiel** *n.* 배드민턴. **~barometer** *n.* 아네로이드 기압계. **~bein** *n.*〖기술〗(차나 비행기의) 완충 스프링. **~besen** *m.* 깃털비. **~bett** *n.* 깃털 이불〔요〕. **~blume** *f.* 깃털로 만든 조화. **~boa** *f.* 깃털 목도리. **~büchse** *f.* 펜통, 붓통, 필통. **~busch** *m.* ① (닭 따위의) 볏(~büschel). ② (모자의) 깃털 장식(을 단 사람), 깃털로 만든 모자. ③〖植〗왕관초(백합과). **~büschel** *m./n.* (닭 따위의) 볏. **~busch·polyp** *m.* 〖動〗 우근태선충(羽根苔蘚蟲).

Federchen [féːdərçən] *n.* -s, - 〔↑ Feder 의 축소형〕 ① 작은 깃털. ②〖植〗어린 줄기.

Feder≈deck·bett *n.*, **~decke** *f.* 새털 이불. **~erz** *n.*〖광물〗우모광(羽毛鑛). **~fächer** *m.* 새털 부채. **~fechter** *m.* 논객; 〔폄어〕 ↑ ~fuchser. **≈fertig** *a.* 달필의. **≈förmig** *a.* 깃(털) 모양의. **~fuchser** *m.*〔폄어〕① 좀생원; 현학자. ② 시시한 글쟁이. **≈führend** *a.* 책임 있는; 관할하는: der ~e Ausschuß 관할 위원회; 〔비유〕 ~ in et.³ sein 무엇에 결정적인 위치를 차지하다, 중요한 역할을 하다. **~führung** *f.* 관할, 책임: unter der ~ von Herrn M M 씨의 책임 아래. **~geistchen** *n.* 〖動〗 새깃나방과(科)의 곤충. **~gewicht** *n.* (권투) 페더급; 페더급 선수. **~haken** *m.* 용수철〔태엽〕 갈고리. **~halter** *m.* 펜대. **≈-handel** *m.* 깃털 장사, 우모상(羽毛商). **≈-hart** *a.* (강철 용수철같이) 탄력이 있는. **~härte** *f.* (강철의) 탄력. **~harz** *n.* 탄성 고무. **~haus** *n.* (시계의) 태엽 상자. **~held** *m.* ↑ ~fuchser. **~hut** *m.* 깃털 장식 모자.

federicht *a.* ↑ federig.

federig [féːdərıç] *a.* 깃(털) 모양의; 깃털로 덮인, 깃털 있는.

Feder≈kampf *m.* ↑ ~krieg. **~kernmatratze** *f.* 완충 스프링이 들어간 매트리스. **~kiel** *m.* 깃대; 펜대. **~kissen** *n.* 깃털을 넣은 베개. **~kleid** *n.*〔雅語〕새의 깃털 전체; 〔비유〕새의 옷. **~kolben** *m.* 용수철식〔스프링식〕 피스톤. **~kraft** *f.* 탄력(성). **≈-kräftig** *a.* 탄력 있는. **~krieg** *m.*〔雅語〕지상(紙上) 논쟁: einen ~ (mit jm. wegen eines Dinges.) führen (누구와 무엇 때문에) 지상 논쟁을 벌이다. **~krone** *f.*〖植〗관모(冠毛). **~laus** *f.*〖動〗(새의 깃에 꾀는) 새이. **≈-leicht** *a.* 깃털처럼 가벼운, 경쾌한; 극히 손쉬운.

Federlein *n.* -s - ↑ Feder 의 축소형.

Feder≈lein·wand *f.* 깃털 이불 안감. **~lesen** *n.* ① (옷의) 깃털을 잡아뽑기; 〔비유〕추종, 아부. ② 격식, 형식; 주저: 〔구어〕nicht viel ~(s) (mit jm〔et.³〕) machen (누구를〔무엇을〕) 가볍게 처리해 버리다; viel zu viel ~(s) mit jm〔et.³〕 machen 누구〔무엇〕에 대해 야단법석을 떨다; ohne viel〔langes〕 ~ 주저하지 않고, 거리낌없이.

Federling *m.* -s, -e ↑ Federlaus.

federlos *a.* 깃이 없는.

Feder≈manometer *n.* 용수철 압력계; 〖醫〗 용수철 혈압계. **~mäppchen** *n.* (학생용) 필통. **~messer** *n.* 호주머니칼. **~motte** *f.*〖動〗새깃나방과(科)의 곤충. **~muff** *m.* 깃털 토시.

federn [féːdərn] 《I》 *i.* (h.) ① (새털 이불 따위에서) 깃털이 빠지다; (옷 따위에) 깃털이 붙다. ② *i.* (h.)/*refl.* (sich) ~ a) (새가) 털을 갈다, b) 탄력이 있다, 튀다: ein ~des Bett 탄력 있는 침대. 《II》 *t.* ①〖사냥〗einen Vogel ~ 새의 깃만 쏘아 떨어뜨리다. ② (안감으로) … 에 새털을 대다: ein Bett ~ 담요에 새털을 넣다. ③〔고어〕jn. teeren und ~ 어떤 사람에 타르를 발라 깃털로 싸다(고문의 일종). ④ (alem.) (빚돈을) 청구하다. ⑤ 스프링 장치를 하다: eine Matratze ~ 매트리스에 스프링을 넣다.

federnd *p.a.* 탄력 있는; 〔비유〕기운찬: ~e Waage 용수철 저울; ~er Gang 탄력 있는 걸음걸이.

Feder≈nelke *f.*〖植〗수염패랭이꽃. **~pfühl** *m.* 깃털을 넣은 긴 베개. **~pose** *f.* ↑ ~kiel. **~riß** *m.* ↑ ~skizze. **~rohr** *n.* ↑ ~büchse. **~schloß** *n.* 용수철 자물쇠. **~schmuck** *m.* ①〔시어〕깃털. ② (모자 따위의) 깃털 장식. **~schmücker** *m.* 깃털 세공인. **~schneidemaschine** *f.*, **~schneider** *m.* 깃펜을 깎는 기계. **~schraube** *f.* 용수철 나사. **~skizze** *f.* 펜화(畫) 스케치. **~spanner** *m.* ↑ ~schraube. **~spiel** *n.* ①〔원뜻〕사냥 매를 되부르기 위하여 비둘기 날개로 만든 후림새를 공중에 선회시킴. ② 매사냥. **~spitze** *f.* 펜촉. **~sprung·brett** *n.* 〖스포츠〗 스프링보드, 도약대. **~spule** *f.* 깃대, 펜대. **~stahl** *m.* 용수철 강철. **~staub** *m.* 솜털. **~stiel** *m.* (öst.) 펜대. **~streit** *m.* ↑ ~krieg. **~strich** *m.* 펜놀림, 일필(一筆): 〔비유〕mit einem ~〔durch einen ~〕 곧장, 주저 없이, 가볍게, 경솔히; keinen ~ tun (주로 정신적인) 작업에 착수하지 않다, 빈둥거리다. **~stutz** *m.* ↑ ~busch. **~uhr** *f.* 태엽 시계.

Federung [féːdəruŋ] *f.* -en 탄성(彈性); (마차·자동차의) 스프링 장치.

Feder≈ventil *n.* 용수철 판〔밸브〕. **~vieh** *n.* ①〔구어〕가금(家禽). ②〔폄어〕싸구려〔저속한〕 글쟁이, (특히) 저널리스트. **~volk** *n.* ① 조류(鳥類). ②〔속어〕문인 집단. **~waage** *f.* 용수철 저울. **~wagen** *m.* 스프링 장치가 설치된 마차. **~wechsel** *m.* 새의 털갈이. **~weiß** *n.*〔구식〕광물 가루; 재단용 초크, 석면(石綿). **~weiße*** *der* 페더바이세 포도주(발효 중인 포도를 짜낸 것으로 회백색임). **~wild** *n.*〖사냥〗야생 조류. **~wisch** *m.* 깃털 총채, 깃털 먼지떨이. **~wischer** *m.* 펜을 닦는 헝겊. **~wolke** *f.* 새털구름. **~zange** *f.* 〔구식〕 핀셋. **~zeichnung** *f.* 〖미술〗 ① 펜화 기법. ② 펜화. **~zug** *m.* ① ↑ ~strich. ② 서명.

fedrig [féːdrıç] *a.* federig.

Fedrigkeit *f.* ↑ fedrig 의 명사형.

Fee [feː] 《frz. fée》 *f.* Feen [féːən] ① (동화의) 요정, 선녀: eine gute〔böse〕 ~ 선한〔악한〕 요정; ~ Morgana 신기루(↑ Fata Morgana). ②〔구식〕운명〔예언〕의 여신.

Feedback [fiːdbæk] 《engl.》 *n.* -s, -s ① 피드백, 귀환, 송환. ②〖출판·교육·心〗수용자의 반응〔반작용〕.

Feed-back 新정서 ⇦ Feedback.

feenhaft [féːənhaft] *a.* 요정 같은; 불가사의한; 매혹적으로 아름다운, 고혹적인.

Feen≈könig [féːən..] *m.* 요정(妖精)의 왕.

~königin *f.* 요정의 여왕, 선녀왕. **~land** *n.* 요정의 세계, 동화의 나라. **~märchen** *n.* 요정 동화. **~reigen** *m.* 요정의 윤무(輪舞). **~ring** *m.* 균환(菌環), 요정환(妖精環)(균(菌)의 작용으로 초원 따위에 난 거무스름한 둥근 자리). **~schloß** *n.* 요정의 성(城). **~stück** *n.* ↑ Feerie. **~welt** *f.* 요정의 세계, 동화 속의 세계.

Feerei [fe(:)ərái, fe:rái] *f.* -en ↑ Feerie.

Feerie [fe(:)ərí:, fe:rí:] *f.* -n [..rí:ən] ① 요술; 요정의 세계. ②〖연극〗몽환극.

Feet [fi:t] 《engl.》 *pl.* ↑ Foot 의 복수형.

Feez [fe:ts] 《frz. fête》 *m.* -es (md.) 농담, 심심풀이; 어이없는 일.

Fege [fé:gə] *f.* -n ①〖고어〗청소. ② (곡물용) 체.

Fege≈feuer *n.* 〖가톨릭〗정죄(淨罪)의 불길; 연옥(煉獄). **~hader, ~lappen** *m.* 자루 달린 걸레. **~kraut** *n.* 〖植〗쇠뜨기. **~mühle** *f.* 〖農〗키, 풍구.

***fegen** [fé:gən] 《I》 *t.* ① (비로) 청소하다; 쓸다: den Schornstein ~ 굴뚝을 청소하다; die Nase ~ 코를 풀다; den Magen ~ (하제(下劑)를 써서) 위를 씻어내다; jn. ~ a) 누구를 못살게 굴다, 헐뜯다, b) 누구의 돈을 몽땅 털다〔빼앗다〕; die Feinde aus dem Felde ~ 적을 싸움터에서 소탕하다; jm. den Beutel ~ 누구의 주머니를 털다. ② (금을) 정련하다; (칼 따위를) 갈다, (südd., schweiz.) 번쩍이게 갈다; (곡물을) 키질하다; (옷에) 솔질하다; (우물 따위를) 치다. ③ (나뭇잎 따위를) 날리다; (휩)쓸어 버리다: der Wind fegte die Blätter von Bäumen und 바람이 나무에서 나뭇잎을 날렸다;〖비유〗er hatte den Gegner schon nach drei Gängen vom Platz gefegt 그는 상대방을 3 회전에 벌써 제압해 버렸다;〖아이스하키〗den Puck ~ 한 손으로 스틱을 잡고 비질하듯이 퍽을 치다. 《II》 *i.* (h./s.) ① (바람이) 격렬하게 불다, 급히 움직이다: sie ~ aus dem Zimmer 그들은 방에서 급히 나간다. ② (사슴이) 뿔을 갈다. ③〖비속〗성교하다. ④〖비속·은어〗술 마시다.

Feger [fé:gər] *m.* -s, - ①〖대개 복합어로〗청소부: Schornstein≈ 굴뚝 청소부. ②〖구어〗청소용 솔, 비. ③〖비유〗말괄량이; 멋쟁이; 시건방진〔바람기 있는〕 소녀: ein rechter ~ 물불을 가리지 않는 사람. ④ (schweiz.) 활달한 아이, 개구쟁이.

Fege·teufel *m.* ① (연옥의) 죄를 다스리는 귀신. ② 집을 청소하는 요정; 사나운 계집.

Feg·feuer [fé:k..] *n.* ↑ Fegefeuer.

Feg·nest *n.* (schweiz.) 산만한〔덤벙대는〕 아이, 덜렁쇠.

fegnesten [fé:knɛstən] *i.* (h.) (schweiz.) 덤벙대다.

Fegsel [fé:ksəl] *n.* -s, -〖방언〗먼지, 쓰레기.

Feg·teufel ①〖動〗↑ Fegeteufel.

Feh [fe:] *n.* -(e)s, -e ①〖動〗시베리아산(産) 다람쥐. ② 시베리아산 다람쥐의 모피 (제품); 얼룩얼룩한 모피.

Fehde [fé:də] *f.* ①〖중세〗(합법적인) 결투, 싸움: jm. ~ ankündigen〔bieten〕 누구에게 결투를 선언하다. ②〖雅語〗적대시, 반목, 불화, 분쟁: mit jm. in ~ liegen 누구와 반목하고 있다.

Fehde≈brief *m.* 도전장, 결투장. **~handschuh** *m.* (중세 무사의 손·팔뚝 보호용) 가죽 장갑; (승마용) 긴 장갑:〖雅語〗jm. den ~ hinwerfen 누구에게 도전하다;〖雅語〗den ~ aufnehmen〔aufheben〕 도전에 응하다.

Fehe [fé:ə] *f.* -n (개·여우·늑대 따위의) 암컷 (Fähe).

Fehl [fe:l] 《<fehlen》 *m.* -(e)s, -e ① 실패; 결점, 결함: ohne ~ 나무랄 데 없는; an jm. ist kein ~ 누구는 인격적으로 흠잡을 데 없다. ②〖商〗결손;〖軍〗부족, 결핍.

fehl *adv.* ①〖다음 용법으로〗~ am Platz(e)〔Ort〕 sein 잘못이다, 부적절하다: übertriebene Strenge ist hier ~ am Ort 여기에서 너무 까다롭게 구는 것은 적절치 않다. ②〖동사의 분리 전철로〗잘못해서, 무익하게, 의도와는 달리.

Fehl·anzeige *f.* 부재 통고, 불가 공고;〖軍〗빗나간 사격의 표시〔통지〕:〖구어〗~ ! 아니다, 어림없다 !

fehlbar [fé:lba:r] *a.* ① 잘못할 수 있는. ② (schweiz.) 위반한, 반칙의.

Fehlbarkeit *f.* 그릇됨; 오류 가능성, 법률 위반.

Fehl≈bedienung *f.* -en (기계의) 잘못된 조작, 오작동, 취급 부주의. **~belegen** *t.* (주택을) 적당치 않은 사람에게 임대하다. **~belegung** *f.* (주택을) 적당치 않은 사람에게 임대함. **~besetzen** *t.* (h.) (배역이나 장소를) 잘못 배정하다. **~besetzung** *f.* 잘못된 배역. **~bestand** *m.*〖商〗재고 결손. **~betrag** *m.*〖商〗(Defizit) 결손액, 적자, 부족액. **~bitte** *f.* 헛된 청원:〖雅語〗eine ~ tun 거절당하다;〖雅語〗ich hoffe, keine ~ zu tun 부탁을 들어주기를 기대합니다. **~|bitten*** *i.* (h.)〖雅語〗부탁이 받아들여지지 않다. **~blatt** *n.*〖카드〗공패(空牌). **~boden** *m.*〖건축〗방음판(防音板). **~bogen** *m.*〖印〗낙장. **~deutung** *f.* 그릇된 해석. **~diagnose** *f.* 오진. **~disposition** *f.* 잘못된 배치〔처리〕. **~druck** *m.*〖복수: -e〗〖印〗오식(誤植), 잘못된 인쇄. **~|drucken** *t.*〖印〗오식하다, 잘못 인쇄하다.

Fehle [fé:lə] *f.* -n ↑ Fehl.

Fehl·einschätzung *f.* 잘못된 평가, 오판.

***fehlen** [fé:lən] 《I》 *t.*〖구식〗적중하지 못하다; (짐승 따위를) 빗맞히다, 놓치다; 혼동하다: den Weg〔des Weges〕 ~ 길을 잃다, 잘못 들다;〖雅語〗weit gefehlt ! 그것은 엄청난 실수〔오류〕야 ! 《II》 *i.* (h.) ① 그르치다, 잘못하다; 죄를 범하다: gegen das Gesetz ~ 법률을 위반하다; er hat gefehlt 그는 과오〔죄〕를 저질렀다. ② 실패하다, 성취하지 못하다; (곡물 따위가) 흉작이다: das wird nicht ~ 그것은 틀림없이 일어난다; wenn alles fehlt 자칫 잘못되면; es kann mir nicht ~ 나는 반드시 성공한다; es kann nicht ~, daß... …할 것은 틀림없다. ③ (a) 없다, 모자라다: es fehlt mir an Geld 내게는 (필요한 만큼의) 돈이 없다; an mir soll es nicht ~ 나는 최선을 다할 것이다; es fehlt ihm an nichts 그는 아쉬운 것이 전혀 없다; es an nichts ~ lassen 물건을〔수고를〕 아끼지 않다, 전력을 다하다; es jm. an nichts ~ lassen 누구에게 불편한 것이 없게 하다; bei dir fehlt's wohl (im Kopf) ? 아니 너 무슨 뚱딴지 같은 짓이냐 ? ; wo fehlt's denn ? 무슨 문제가〔걱정이〕 있느냐 ? ; sich^3 nichts ~ lassen 궁색하지 않다, 하고 싶은 대로 다하다. (**b**) 아쉽다, 필요하다: du hast mir sehr gefehlt 네가 없어서 퍽 쓸쓸했단다; fehlt dir etwas? 너 부족한 게 있니?; 〖구어·반어〗 das (der) hat uns gerade noch gefehlt! 그것은 이제 우리에게 전혀 필요치〔마땅치〕 않다!; noch drei Punkte fehlen ihm zum Sieg 그가 승리하려면 3 점이 더 필요하다. ④ 없다; 결석하다: in der Schule ~ 학교를 결석하다; auf eine Vorladung ~ 소환에 응하지 않다; 〖商〗 diese Waren ~ uns 이 물품들은 떨어졌다〔품절이다〕. ⑤〖실현되지 않은 일을 나타냄〗 es fehlte kaum ein Haar, so wäre er getötet 그는 하마터면 살해될 뻔하였다; es fehlte nicht viel, so wäre er ertrunken 하마터면 그는 빠져 죽을 뻔하였다; es fehlt viel bis dahin 거기까지 도달〔달성〕하려면 아직 한참 멀었다; 〖반어〗 jetzt fehlt mir noch, daß ich krank werde 지금 병까지 들면 나는 끝장이다. ⑥ 편찮다, 병이 나 있다: was fehlt dir? 어디가 아프니?; mir fehlt nichts 아무렇지도 않아.

Fehl=entscheidung *f.* 잘못된 결정, 오심(誤審). **~entwicklung** *f.* 바람직스럽지 않은 〔비정상적인〕 발전.

***Fehler** [fé:lər] *m.* -s, - ①〖구식〗 빗맞힘; 〖복권〗 (Niete) 낙첨, 꽝. ② 오류, 잘못, 실책, 실패; 결점; (옷감·보석 따위의) 흠; 〖數〗 오차: jeder hat seine ~ 누구에게나 결점은 있다; einen ~ begehen〔machen〕 오류를 범하다; ~ wiedergutmachen 잘못을 고치다. ③〖法〗 하자(瑕疵). ④〖스포츠〗 규칙 위반; 〖테니스〗 폴트(서브 실패). ⑤〖전문어〗 이론상의 수치와 실제값과의 오차.

fehler=frei *a.* 결점이 없는; 정확한; 잘못이 없는: sie spricht ~ Deutsch 그녀는 독일어를 완벽하게 구사한다. **~freiheit** *f.* 무결점, 완벽, 정확. **~grenze** *f.* 오차의 한계; 〖數〗 근사치; 공차(公差).

fehlerhaft [fé:lərhaft] *a.* 틀린, 잘못된; 결점〔결함〕이 있는; 불완전한; 흠이 있는; 불법〔위법〕의: eine ~e Aussprache 틀린 발음.

Fehlerhaftigkeit *f.* -en 결함, 부정확; 〖醫〗 기형(畸形).

fehlerlos *a.* ↑ fehlerfrei.

Fehlerlosigkeit *f.* 결점 없음, 완전.

Fehler=quelle *f.* 잘못의 원인〔근원〕. **~verzeichnis** *n.* 〖印〗 정오표(正誤表). **~voll** *a.* 결점〔결함〕투성이의. **~zahl** *f.* 틀린 개수.

fehl=|fahren* [fé:l..] *i.* (s.) 길을 잘못 들다, 실수하다. **~farbe** *f.* ① 변색한 엽궐련. ②〖카드〗 손에 가지고 있지 않은 패; 공패. ③ 색상 인쇄가 잘못된 우표. **~|führen** *t.* 나쁜 길로 이끌다, 오도하다, 현혹시키다. **~funktion** *f.* 오(誤)작동. **~gang** *m.* 사도(邪道); 헛걸음, 헛수고. **~|gebären*** *i.* (h.) 〖드물게〗 유산하다. **~geburt** *f.* 유산; 낙태; 유산된 태아. **~|gehen*** *i.* (s.) 〖雅語〗 ① 길을 잘못 들다〔잃다〕; 〖우편〗 잘못 배달되다. ② 빗나가다, 맞히지 못하다. ③ 잘못 생각하다, 실패하다. **~|greifen*** *i.* (h.) 헛쥐다; 〖비유〗 헛짚다, 실수하다, 잘못하다; 〖음악〗 음표를 틀리다. **~griff** *m.* 실수, 실책. **~hieb** *m.* 빗나간〔잘못된〕 후려치기. **~information** *f.* 그릇된 정보. **~interpretation** *f.* 그릇된 해석. **~interpretieren** *t.* 잘못 해석하다. **~investition** *f.* 〖經〗 잘못된〔비경제적인〕 투자; 〖구어〗 비경제적인 투자 대상. **~jahr** *n.* 흉년. **~karte** *f.* ↑ ~blatt. **~kauf** *m.* 〖雅語〗 바가지 구매(품). **~|kaufen** *i.* (h.) 잘못 사다. **~konstruktion** *f.* 결함 있는 구조. **~|laufen*** *i.* (s.) 뛰다가 길을 잃다; 〖비유〗 바람직하지 않은 방향으로 발전하다〔전개되다〕. **~leistung** *f.* 〖心〗 실책, 과오; 실패. **~|leiten** *t.* 잘못 인도하다〔이끌다〕. **~leitung** *f.* 잘못 인도함, 오도: ~en von Kraftfahrzeugen 차량 유도 착오. **~meldung** *f.* ↑ ~anzeige. **~paß** *m.* 〖구기〗 패스 미스. **~planung** *f.* 잘못된 계획, 계획 착오. **~|rechnen** *i.* (h.) 잘못 계산하다, 오산하다. **~|schießen*** *i.* (h.) 빗나가게 쏘다; 〖비유〗 그르치다, 실수하다. **~schlag** *m.* ① 헛치기. ② 실패. **~|schlagen*** *i.* (h./s.) ① 헛치다. ② 실패〔실수〕하다. **~schluß** *m.* 틀린 결론. **~schuß** *m.* ① 빗나간 사격. ②〖구어〗 잘못된 판단. **~sichtigkeit** *f.* 시력 장애. **~spruch** *m.* 〖法〗 잘못된 판결, 오심. **~sprung** *m.* 〖육상〗 도약 실패; (안마의) 실패 동작; 헛뛰기. **~start** *m.* ①〖스포츠〗 부정 출발. ② (비행기의) 이륙 실패. **~stoß** *m.* 〖펜싱·당구〗 잘못 찌르기〔치기〕. **~|stoßen*** *i.* (h.) 잘못 찌르다〔치다〕. **~summe** *f.* 〖商〗 합산 착오; 결손. **~|treten*** *i.* (h.) 헛디디다, 걸려서 넘어지다; 실패〔실수〕하다; 죄를 범하다. **~tritt** *m.* 헛디디기; 차질; 과오. **~urteil** *n.* 잘못된 판단, 오판. **~verhalten** *n.* 잘못된 행동〔태도〕; 〖心〗 일탈 행위. **~wurf** *m.* 〖육상〗 잘못 던짐; 〖독일식볼링〗 핀을 하나도 쓰러뜨리지 못함. **~zug** *m.* 〖체스〗 잘못 두기; 〖복권〗 꽝, 낙첨: einen ~ tun 수를 잘못 두다. **~zündung** *f.* ① (모터 따위의) 시동〔점화〕 이상. ②〖비유〗 적절치 않은 반응; 오해: 〖구어〗 ~ haben (무엇을) 제대로 이해하지 못하다.

Fehm [fe:m] *m.* -(e)s, -e (낟)가리, 볏더미.

Fehn [fe:n] *n.* -(e)s, -e 《ndd.》 ↑ Fenn.

Fehne *f.* -n 소택지 경작.

Fehn=kolonie *f.* 〖史〗 (16 세기 이후 북독일의) 늪지대를 개간한 농촌 부락. **~kultur** *f.* (16 세기 독일에 도입된) 늪지대 경작(법).

Feh·werk *n.* 시베리아산(産) 다람쥐의 모피(제품).

Fei [faı] *f.* -en ↑ Fee.

feien [fáıən] 《I》 *t.* ① 마력을 써서 보호하다: das Amulett soll ihn gegen Krankheit ~ 이 부적이 그를 병에서 보호해줄 것이다. ② (질병·추문을) 막아 주다. 《II》 **gefeit** *p.a.* ↑ gefeit.

***Feier** [fáıər] *f.* -n ①〖구식〗 휴업, 휴식; 휴양; 휴일. ② 축제, 잔치; 축제 행렬, 축하(의 모임); 축일, 축제일(祝祭日): eine hundertjährige ~ 백년제(祭); die ~ das heiligen Abendmahls 성찬식의 봉행; 〖농담〗 zur ~ des Tages 이 날을 축하하기 위하여.

Feier=abend *m.* ①〖고어〗 축제일의 전야. ② (하루 일의) 종결: (일과 후의) 자유 시간: am ~ 근무 시간 후에; ~ machen 하루 일을 끝내다; jetzt ist aber ~! 이제 그만하자!

Feierabend=arbeit *f.* 시간 외 노동, 잔업. **~glocke** *f.* 만종(晩鐘). **~heim** *n.* 〖구동독〗 양로원.

feier=abendlich *a.* 근무 시간 이후의; 조용

한, 여유 있는, 느긋한. ~abend·verkehr *m.* 퇴근 시간의 러시 아워. ~gesang *m.* 축제가; 성가, 송가. ~glocke *f.* 만종.

Feierei [faɪərάɪ] *f.* 〔구어·폄어〕 너무 빈번한 축제.

feierig [fáɪərɪç] *a.* 휴업한; 실직 중의.

Feier≠jahr *n.* 안식년. ~**klang** *m.* ↑ ~gesang. ~**kleid** *n.* 예(식)복; 나들이옷.

***feierlich** [fáɪərlɪç] *a./adv.* 축제의, 축제다운; 장엄한; 경사스러운; 격식을 차린, 엄숙한; 힘주어, 강조하여: ~ begehen 성대히 거행하다; ~ geschmückt 화려하게 장식을 하고, 성장(盛裝)하고; ~ geloben 엄숙히 맹세하다; 〖軍〗 ein ~es Gelöbnis 충성의 맹세; 〔구어〕 das ist schon nicht mehr ~ 그것은 더 이상 참을 수 없다.

Feierlichkeit *f.* -en ① (**a**) 축제 분위기. (**b**) 장엄, 위엄, 엄숙, 격식. ② 〔반어〕 장중한 표현. ③ 축제, 잔치.

***feiern** [fáɪərn] 《<Feier》 《I》 *i.* (h.) ① 〔구어〕 일을 쉬다, 휴업하다; (일이 없어) 놀다: die Arbeiter mußten eine Woche lang ~ 노동자들은 일주일 동안 쉬어야 했다. ③ 함께 모여 놀다. 《II》 *t.* ① 축하하다, 축제를 벌이다: Geburtstag ~ 생일을 축하하다; Abschied ~ 송별연을 열다. ② 찬미〔칭송〕하다: eine gefeierte Sängerin 인기 여가수. 《I》 **gefeiert** *p.a.* ↑ gefeiert.

Feier≠schicht *f.* 작업(조) 감축. ~**stunde** *f.* 예배〔추도식〕 시간. ~**tag** *m.* ① 휴일; 축제일; 기념일; 〔복수〕 휴가: ein halber ~ 반휴일, 반공일. ② 경사로운〔잔치를 벌일 만한〕 날: heute ist für mich ein ~ 오늘은 내게 특별한 날이다. ~**tägig** ↑ ~taglich. ~**täglich** *a.* 일요일〔잔칫날〕 같은. ~**tags** *adv.* 휴일〔공휴일〕에.

Feiertags≠anzug *m.*, ~**kleid** *n.* 예복; 나들이옷. ~**stimmung** *f.* 축제일〔휴일〕 분위기.

Feifel [fáifəl] *m.* -s, -〔*f.* -n〕 말의 악하선(염) (顎下腺(炎)).

feig [faɪk] *a.* = feige.

Feig≠blatter [fáɪk..] *f.* -n ↑ ~warze. ~**bohne** *f.* 〖植〗 루핀, 단풍콩.

***Feige** [fáɪgə] 《lat. fica.》 *f.* -n, ① 무화과, 무화과 나무. ② 〔비속〕 여성의 음부; 창녀; 〖動〗 조개의 일종; 〖醫〗 콘딜로마; 사마귀; 〔비속〕 똥; 따귀: jm. die ~ zeigen〔weisen, bieten〕 (엄지손가락을 둘째 손가락과 가운뎃 손가락 사이에 끼워) 누구를 야유하다.

***feige** [fáɪgə] *a.* ① 〖광산·구식〗 붕괴한, 썩은, (갱도·암석 따위가) 무른. ② (**a**) 나약한, 겁 많은, 줏대가 없는: sich ~ zeigen 비겁하게 굴다. (**b**) 비열〔야비〕한: sie haben uns ~ im Stich gelassen 그들은 야비하게도 우리를 곤경에 내버려 두었다.

Feigen≠apfel *m.* 무화과 열매. ~**baum** *m.* 무화과나무. ~**blatt** *n.* ① 무화과 잎. ② (조각 등의) 음부 가리개(창세기 3: 7 에서). ③ 〖사냥〗 암사슴의 음부. ④ 〔비유〕 (치부를 가리기 위한) 은폐 수단. ~**drossel** *f.*, ~**fresser** *m.* 〖動〗 베카피코(작은 철새의 일종). ~**frucht** *f.* 〖植〗 (무화과 등의) 집합 과실, 복과(複果), 은화과(隱花果). ~**kaffee** *m.* 무화과 커피(커피의 대용품). ~**kaktus** *m.* 〖植〗 (무화과 같은 열매가 열리는) 선인장. ~**korb** *m.* ① 말린 무화과를 담는 광주리. ② 〖商·고어〗 (무화과 한 바구니의) 무게 단위(약 34 kg).

Feigheit [fáɪkhaɪt] *f.* -en 나약, 비겁.

feig≠herzig [faɪk..] *a.* 〔구식·雅語〕 겁이 많은. ~**herzigkeit** *f.* 〔구식〕 비겁, 소심.

Feiglein [fáɪk..] *n.* -s, - ↑ Feige 의 축소형.

Feigling [fáɪklɪŋ] *m.* -s, -e 〔폄어〕 겁쟁이.

Feig≠warze *f.* 〖醫〗 첨형(尖形) 콘딜로마, (항문·음부 따위에 나는) 종양, 종기. ~**wurz** *f.* 〖植〗 미나리아재빗과의 일종.

***feil** [faɪl] *a.* 〔雅語〕 ① 〔구식〕 매물(賣物)인, 팔려고 내놓은: ~ sein 매물이다; ~ haben 팔고 있다; dieses Bild ist mir nicht ~ 나는 이 그림을 팔 수 없다. ② 돈으로 살 수 있는: ~e Dirne 매춘부; ein ~er Mensch 고용인.

feil≠|bieten* *t.* 〔雅語〕 팔려고 내놓다. ~**bieter** *m.* 파는 사람. ~**bietung** *f.* ① 매물로 내놓음. ② (öst.) 경매. ③ 매음, 매춘. ~**block** *m.* 줄질하는 작업대.

Feilchen *n.* -s, - 〔↑ Feile 의 축소형〕 소형 줄.

***Feile** [fáɪlə] *f.* -n ① 〖工〗 줄. ② 〔비유〕 마무리, 조탁(彫琢): die letzte ~ an et. legen 무엇을 끝마무리하다; nochmals unter die ~ nehmen 무엇을 한번 더 꼼꼼히 다듬다.

feilen [fáɪlən] *t./i.* (h.) (et./an et.[3]) (…에) 줄질을 하다; 〔비유〕 다듬다; 마무리하다.

Feilen≠griff *m.* 줄의 손잡이. ~**halter** *m.* 줄 끼우개〔자루〕. ~**hauer** *m.* 줄 제조인; 줄날 세우는 기계. ~**heft** *n.* ↑ ~griff. ~**hieb** *m.* 줄날 세우기. ~**muschel** *f.* 〖動〗 도롱이조개.

feil|halten* *t.* ① 〔구식〕 ↑ feilbieten. ② Maulaffen ~ 입을 벌리고 멍하니 바라보다.

Feilheit [fáɪlhaɪt] *f.* 〔구식〕 판매〔구매〕 가능함.

Feilicht [fáɪlɪçt] *n.* -(e)s, -e 〔구식〕 ↑ Feilstaub.

Feil≠kloben *m.* 수동 바이스. ~**kolben** *m.* 바이스.

***feilschen** [fáɪlʃən] 《I》 *t.* 값을 매기다; (schweiz.) 팔려고 내놓다. 《II》 *i.* (h.) 〔대개 폄어〕 값을 깎다, 흥정하다.

Feilscher *m.* -s, - 〔대개 폄어〕 값을 깎는 사람.

Feilsel [fáɪlzəl] *n.* -s, - ↑ Feilicht.

Feil≠späne *pl.* 줄밥. ~**staub** *m.* 줄밥. ~**strich** *m.* 줄질로 생겨난 미세한 선.

Feilung [fáɪlʊŋ] *f.* 마무리, 조탁(彫琢).

Feim[1] [faɪm] *m.* -(e)s, -e 〔방언〕 거품.

Feim[2] *m.* -(e)s, -e, **Feime** [faɪmə] *f.* -n, **Feimen** [fáɪmən] *m.* -s, - (곡물·볏짚 따위의) 더미, (난)가리, 볏가리.

feimen[1] 《I》 *t.* 거품을 일으키다. 《II》 *i.* (h.) 거품이 나다〔일다〕.

feimen[2] *t.* 볏단을 가리다, 더미로 쌓다.

***fein** [faɪn] 《I》 *a.* ① 순수한, 양질의, 고급의: ~es Gold 순금; ~e Waren 우량품; es ist das Feinste vom Feinen 이것은 최상품이다. ② 정교한: ins ~e malen 세밀히 그리다. ③ (용모·신체가) 아름다운, 훌륭한: ~e Züge 미모; ein ~er Knabe 미소년; 〔고어〕 ein ~er Tag 맑은 날. ④ 아주 작은, 미세한, 가냘픈: ~es Mehl 고운 가루; ein ~er Kamm 살이 가는 빗; ~er Regen 가랑비, 이슬비. ⑤ 기품 있는, 우아한, 상류의, 세련된: ein ~er Herr 말쑥한 신사; die ~e Welt 상류 사회, 사교계; sich ~ machen 멋진 옷차림을 하다; den ~-

en spielen 신사티를 내다, 멋부리다. ⑥ 예민한; 섬세한; 정확한: eine ~e Bemerkung 섬세한 논평; 〖비유·구어〗 eine ~e Nase für et. haben 무엇을 민감하게 감지하다. ⑦ 총명한; 교활한, 빈틈없는: ein ~er Kopf 약삭빠른 사나이. ⑧〖商〗(어음이) 확실한. ⑨ 뛰어난, 훌륭한: er ist ~ heraus 그는 잘해 나가고 있다; das ist aber ~! 그거 근사한데! 《Ⅱ》 *adv.* 〖구어〗 (sehr) 매우, 대단히: ihr Kinder müßt bei Tisch ~ still sein 너희들 아이들은 식탁에서 아주 조용히 해야 한다; 〖비유〗 sei du mal ~ still 너는 (불평하지 말고) 잠자코 있어라.

Fein≈abstimmung *f.* 〖기술〗 (기계·기구의) 미세 조정. **~arbeit** *f.* 정밀 작업; 세공(細工). **~bäcker** *m.* 제과업자. **~bäckerei** *f.* 제과점. **~blech** *n.* 얇은 금속판. **~brennen*** *t.* 정련하다. **~brenner** *m.* 정련하는 사람.

***Feind** [faınt] *m.* -(e)s, -e 적; 〖집합적〗 적병, 적군; 반대자; 〖聖〗 악마; (동물의) 천적: dem ~ übergehen 적에게 항복하다; ein ~ der Arbeit 일하기 싫어하는 사람; der innere ~ 내부의 적; der ~ des Christentums 반기독교도; 〖雅語〗 ein geschworener〔abgesagter〕 ~ von et.[3] sein 무엇을 단호히 거부하다, 무엇과는 상극이다; Freund und ~ achten ihn 만인이 그를 존경한다; (südd.) wie der ~ arbeiten 열심히 일하다; 〖비유·구어〗 ran an den ~! 망설이지 말고 본격적으로 한번 해 보자구!; Feigheit vor dem ~ a) 〖軍〗 투항, b) (어떤 상황에 대한) 두려움; 〖雅語·은폐〗 vor dem ~ bleiben 전사하다.

feind [faınt] *a.* 〖서술적으로만〗 jm.〔et.[3]〕 ~ sein 누구를〔무엇을〕 몹시 싫어하다; jm. ~ werden 누구와 사이가 틀어지다〔나빠지다〕.

Feind≈berührung *f.* 〖軍〗 적군과의 조우. **~einwirkung** *f.* 적군에 의한 손실〔피해〕.

Feindes≈hand [fáındəs..] *f.* 〖구식〗 적의 손아귀: er geriet〔fiel〕 in ~ 그는 적의 손아귀에 빠졌다〔떨어졌다〕. **~heer** *n.* 적군. **~lager** *n.* 적진. **~land** *n.* 〖구식〗 적국. **~liebe** *f.* 원수를 사랑하기.

Feindin *f.* -nen ↑ Feind 의 여성형.

***feindlich** [fáıntlıç] *a.* ① 적대적인; 적의의, 악의의: eine ~e Haltung gegen jn. einnehmen 누구에 대해 적대적 태도를 취하다; ~e Intrigen 악의적인 음모. ② 위험한, 해로운: eine ~e Umwelt 위험한 환경. ③ 화목하지 못한: zwei ~e Brüder 반목하는 두 형제. ④ 적군의: das Abhören ~er Sender 적군 방송의 청취.

Feindlichkeit *f.* -en 적의, 반감; 적대 행위.

Feind·mächte *pl.* 적군.

Feindschaft [fáınt∫aft] *f.* -en 적대 (관계), 불화; 증오, 적개심: sich[3] js. ~ zuziehen 누구의 적개심을 불러일으키다; darum keine ~! a) 그건 악의로 한 일이 아니다!, b) (berl.) 그것 때문에 서로 반목하지 맙시다!

feindschaftlich *a.* 적대적인, 반목하는.

feindselig [..zelıç] *a.* 증오하는, 적의가 있는: ~e Blicke werfen 적개심에 찬 시선을 보내다.

Feind·seligkeit *f.* ① 적의, 증오, 악의. ② 〖대개 복수〗 분쟁, 싸움: die ~en einstellen〔eröffnen〕 적대 행위를 그만두다〔시작하다〕.

Feine [fáınə] *f.* ↑ Feinheit.

Fein≈einstellung *f.* 〖工〗 미세 조정. **~eisen** *n.* 정련철(精鍊鐵).

feinen [fáınən] *t.* 정련하다, 정제하다; 세공하다.

feinern *t.* ↑ feinen.

fein≈fädig *a.* (직물 따위가) 올이 가는. **≈frost·gemüse** *n.* 〖구동독〗 냉동 야채. **~fühlend, ~fühlig** *a.* 민감한. **≈fühligkeit** *f.* 예민. **~geädert** *a.* 모세 혈관이 퍼져 있는. **≈gebäck** *m.* 고급 케이크; 쿠키, 비스킷. **~gebildet** *a.* 교양 있는. **≈gefühl** *n.* 섬세한 감정, 민감. **≈gehalt** *m.* (귀금속의) 순도(純度), (화폐의) 품위. **≈gehalts·stempel** *m.* (금은의) 순도 검인. **~gemahlen** *a.* 곱게 빻은. **~geschnitten** *a.* ① 곱게 썬. ② (윤곽이) 단정한: ein ~es Gesicht 이목구비가 반듯한 얼굴. **~geschwungen** *a.* 곡선이 고운. **~gesponnen** *a.* (실 따위를) 극히 가늘게 자은〔뽑은〕. **~gestreift** *a.* 가는 줄무늬가 있는. **≈gewicht** *n.* (귀금속의) 순중량. **~gliederig, ~gliedrig** *a.* 사지가 가날픈; 날씬한. **≈gold** *n.* 순금. **~haarig** *a.* 〖植〗 솜털로 덮인, 연모(軟毛)의.

Feinheit [fáınhaıt] *f.* -en ① 순도(純度). ② 섬약; 섬세. ③ 예민, 민감. ④ 우아, 고상. ⑤ 정치(精緻), 정교: die ~ dieses Porzellans 이 도자기의 정교함. ⑥ 똑똑함, 영리; 약빠름. ⑦ 〖대개 복수〗 미묘한 차이, 뉘앙스.

Fein≈herd *m.* 정련로(精鍊爐). **≈hörend, ≈hörig** *a.* 귀가 밝은. **~keramik** *f.* 고급 도자기 (제품). **≈keramisch** *a.* 고급 도자기 제품의. **~korn** *n.* ① 〖사격〗 오조준. ② 〖금속〗 (강철의) 미립자 구조. ③ 〖사진〗 (필름의) 미립자 상태. ④ 〖건축〗 직경 0.2 mm 이하의 골재. **≈körnig** *a.* ① 고운 낟알의, 미립자 상태의. ② 〖사진〗 (필름이) 미립자 상태인. **~körnigkeit** *f.* (필름 따위의) 미립자 상태. **~kost** *f.* (Delikatesse) 별미, 진미(珍味); 식(료)품. **~kost·handlung** *f.* 식(료)품점. **~kupfer** *n.* 정련동(銅). **≈|machen** *refl.* sich ~ 성장(盛裝)하다, 잘 차려 입다. **~malerei** *f.* 세밀화. **≈maschig** *a.* (그물의) 코가 촘촘한; ein ~es Netz 코가 촘촘한 그물. **~maschine** *f.* 정밀 기계. **~mechanik** *f.* 정밀 기계 공학. **~mechaniker** *m.* 정밀 기계공. **~messung** *f.* 정밀 측정. **≈nervig** *a.* 신경이 섬세한, 예민한. **≈porig** *a.* 미세한 구멍이 있는〔많은〕. **~probe** *f.* 금속의 순도 검사. **≈sandig** *a.* 가는〔고운〕 모래로 이루어진. **≈|schleifen*** *t.* 〖工〗 연마하다, 다듬다, 마무리하다. **≈schmeckend** *a.* 맛있는. **~schmecker** *m.* 미식가, 식도락가. **~schmied** *m.* 금은 세공사. **~schnitt** *m.* ① 아주 곱게 썬 파이프 담배. ② 〖영화〗 최종 (정밀) 편집. **≈sichtig** *a.* 눈치 빠른. **~silber** *n.* 순은(純銀). **~sinn** *m.* 섬세한 감각. **≈sinnig** *a.* 감각이 예민한. **~sinnigkeit** *f.* 감각의 섬세함, 예민, 민감.

Feins·liebchen [faınslí:pçən] *n.* 〖시 어·구어〗 연인, (여자) 애인.

Feinspinn≈maschine *f.*, **~stuhl** *m.* 〖방직〗 방적 기계.

fein≈|stellen *t.* 〖工〗 정밀 조정하다. **≈stopfer** *m.* 짜깁기 (전문) 수선공. **≈strumpf·hose** *f.* 고급 팬티 스타킹. **≈struktur** *f.* 정밀〔미세〕 구조. **≈tischler** *m.*

소목장이. ~|**vermahlen** *t.* 곱게 빻다. ~-**wasch·mittel** *n.* 가루 비누, 분말 세제. ~-**wollig** *a.* 가는 털로 덮인. ~**zinn** *n.* 순수한 주석. ~**zucker** *m.* 순(純) 설탕.

feirig *a.* ↑ feierig.

feiß *a.* (alem.) 기름진, 살찐.

***feist** [faɪst] 뚱뚱한, 우람한; (obd.) (수프 따위가) 기름기 많은: ein ~es Gesicht 살찐 얼굴; der ~e Sonntag 참회 화요일 전 일요일.

Feist *n.* -(e)s 〖사냥〗 (사슴 따위의) 지방(脂肪).

Feiste [fáɪstə] *f.* ①〔대개 폄어〕 비만, 비대. ② 사슴의 비만기(期), 사냥의 계절. ③ 비만기의 사슴 사냥.

feisten [fáɪstən] 《I》 *t.* (짐승을) 살찌우다. 《II》 *i.* (h.) 살찌다.

Feistheit *f.* 〔대개 폄어〕 비만, 비대.

Feist·hirsch *m.* 〖사냥〗 교미기를 앞둔 사슴.

Feistigkeit *f.* ↑ Feistheit.

Feistling *m.* -s, -e 〔폄어〕 뚱보.

Feist·zeit *f.* (사슴의 교미기 이전의) 비만기.

Feitel [fáɪtəl] *m.* -s, - (obd.) 접는 칼, 주머니칼.

feixen [fáɪksən] *i.* (h.) 〔구어〕 고소하다는 듯이 웃다; 비웃다.

Felbel [fɛ́lbəl] *m.* -s 〖방직〗 플러시 직물.

Felber [fɛ́lbər] *m.* -s, - 〖植〗 버드나무.

Felber·baum *m.* ↑ Felber.

Felbinger [fɛ́lbɪŋər] *m.* -s, - ↑ Felber.

Felch [fɛlç] *m.* -(e)s, -e, **Felche** [fɛ́lçə] *f.* -n, **Felchen** [fɛ́lçən] *m.* -s, - 〖動〗 연어의 일종(알프스 산맥의 호수에 서식함).

***Feld** [fɛlt] *n.* -(e)s, -er ① 들(판): durch Wald und ~ 숲과 들을 지나; über ~ sein 여행〔부재〕 중이다. ② 밭, 경작지; 논밭의 농작물: das ~ (be)bauen 밭을 경작하다; aufs〔ins〕 ~ gehen 논밭으로 나가다; die ~er stehen gut 풍작이다; 〔비유〕das steht〔ist〕 noch im weiten〔weit im〕 ~e 그것은 전도가 아직 요원하다, 아직 불확실하다(추수하지 않은 곡식과 같다); es ist noch viel ~ zur Nachlese da 그것은 논의〔조사·검토〕할 여지가 아직 남았다. ③〔비유〕활동 범위, 영역, (전문) 분야: das ~ der Wissenschaft erweitern 학문의 영역을 확장하다; ein freies ~ haben 자유스럽게 활약할 수 있다; ins ~ führen (안 따위를) 제출하다; ein weites ~ steht uns offen 우리의 전도는 양양하다; das ist ein weites ~! 그것은 아직 조감〔해결〕하기 어려운 영역〔분야〕이다! ④ (Schlacht~) 싸움터, 전장: 〔雅語〕 auf dem ~ der Ehre fallen〔bleiben〕 전방에서 전사하다; gegen〔für〕 jn. ins ~〔zu ~e〕 ziehen 누구에게 맞서〔누구를 위해〕 싸우다; im ~e liegen 야영하다; 〔雅語·고어〕das ~ gewinnen 승리하다; im ~e stehen 전장에 있다, 출정 중이다; 〔비유〕das ~ behaupten 진지를〔의견을〕 고수하다, (토론에서) 이기다; 〔비유〕das ~ beherrschen 주도권을 쥐다, 폭넓게 인정받고 있다; das ~ räumen 자신의 입장을 굽히다, 물러나다; 〔비유·雅語〕 jn. aus dem ~e schlagen 누구를 격퇴〔타도〕하다; 〔비유〕 jm. das ~ streitig machen 누구와 경쟁하다; 〔비유〕jm. das ~ überlassen 누구에게 양보하다, 길을 내어 주다; et. gegen jn.〔et.〕 ins ~ führen 무엇을 누구〔무엇〕에 대한 반대 논거로 대다〔제시하다〕. ⑤〖스포츠〗 경기장; 경기에 참가하는 한 조; 경주마; 사냥 참가자의 한 무리. ⑥ (하나의 평면에 있는) 칸; (장기판의) 눈; (기 따위의) 바탕, 천; 〖건축〗 격자 천장의 한 구획; (벽 따위의) 판벽; 〖空〗 패널; 〖軍〗 (사격할 때) 강선(腔綫) 사이에 남아 있는 금속 부분. ⑦ 〖理〗 장(場); (망원경의) 시역(視域); 〖전기〗 계(界): magnetisches ~ 자기장(磁氣場). ⑧ 〖광산〗 (Gruben~) 채굴 구역, 광구: das ~ abbauen 채광하다. ⑨〖언어〗 ↑ Wortfeld 의 약칭.

Feld=ahorn *m.* 〖植〗 단풍의 일종. ~**altar** *m.* (운반할 수 있는) 야외용 제단. ~**ameise** *f.* 〖動〗 들개미. ~**ampfer** *m.* 〖植〗 애기수영. ~**anger** *m.* 밭둑, 논두렁. ~**anzug** *m.* 〖軍〗 야전복. ~**apotheke** *f.* 야전 약국〔약제부〕. ~**apotheker** *m.* 야전 약제관(官). ~**arbeit** *f.* ① 들일, 경작. ② ↑ ~forschung. ~**artillerie** *f.* 야전 포병(대). ~**arzt** *m.* 〖軍〗 군의(軍醫). ~**aus** [fɛltáʊs] *adv.* 〔다음 용법으로〕 ~, feldein 들을 가로질러서〔지나서〕. ~**ausrüstung** *f.* 〖軍〗 야전 장비. ~**bäckerei** *f.* 야전 빵 제조소. ~**bahn** *f.* (협궤의) 경철도. ~**bataillon** *n.* 야전 대대. ~**batterie** *f.* 야전 포병 중대. ~**bau** *m.* 농경, 농업. ~**befestigung** *f.* 〖軍〗 야전 축성; 야전 보루. ~**beheizung** *f.* 〖農〗 온상. ~**beifuß** *m.* 〖植〗 들다북쑥. ~**bereinigung** *f.* 경지 정리, 토지 개량. ~**bett** *n.* 접는〔야전〕 침대. ~**bewohner** *m.* 농민, 시골뜨기. ~**binde** *f.* ①〖고대·중세〗 어깨에 걸치는 술(전사(戰士)의 장식). ② 장교의 요대(腰帶). ③ 위생병의 완장. ④〖구동독〗 장교의 어깨띠. ~**blume** *f.* 들꽃, 야생화. ~**bluse** *f.* 야전용 군복 상의. ~**brief** *m.* 군사 우편. ~**brücke** *f.* 야전용 다리. ~**brust·wehr** *f.* 〖軍〗 (축성 전면의) 흉장(胸墻). ~**chirurg** *m.* ↑ ~arzt. ~**degen** *m.* 군도(軍刀). ~**dieb** *m.* 농작물 도둑. ~**diebstahl** *m.* 농작물 도둑질〔서리〕. ~-**dienst** *m.* 〖軍·옛뜻〗 야전 근무.

Felddienst=ordnung *f.* 야전 근무 수칙. ~**übung** *f.* 야전 근무 연습.

feld=ein [fɛlt|áɪn] *adv.* 들판으로; 내지(內地)로. ~**eisen·bahn** *f.* ↑ ~bahn. ~**elektron** *n.* 〖物〗 강한 전기장에 의해 금속에서 분리된 전자. ~**erbse** *f.* 〖植〗 붉은 완두.

feldern [fɛ́ldərn] *i.* (h.) (비둘기 따위가) 들판에서 먹이를 찾아다니다.

Felder·wirtschaft *f.* 〖農〗 (농작물의 종류에 따른) 체계적 농지 경영법.

Feld=flasche *f.* 〖軍〗 수통. ~**flucht** *f.* 〖軍〗 탈주, 탈영. ~**flüchter** *m.* ↑ ~taube. ~-**flüchtig** *a.* 〖軍〗 탈주〔탈영〕한. ~**flur** *f.* 경작지. ~**forschung** *f.* 〖사회·언어〗 현장 조사, 현장 사례 수집. ~**frevel** *m.* 경작지 훼손. ~**früchte** *pl.* 논밭의 농작물; 곡물. ~-**geistliche*** *der* 〔옛뜻〕 군목(軍牧). ~-**gemeinschaft** *f.* 경작 공동체. ~**gepäck** *n.* 〖軍〗 야전용 배낭. ~**gerät** *n.* 농기구; 〖軍〗 야전 기구. ~**gericht** *n.* 〖軍〗 야전 군법 회의. ~**geschrei** *n.* 〖軍〗 ① 함성. ② (전투지에서의) 군호, 암호. ~**geschütz** *n.* 야포. ~**gottes·dienst** *m.* ①〖軍〗 진중 예배. ② 야외 미사〔예배〕. ~**gras·wirtschaft** *f.* 〖農〗 곡초식(穀草式) 경작법(곡물과 목초를 교대로 재배함). ~**grau** *a.* (옛날 독일군 제복색인) 회록

색(灰綠色)의: der ~ (제 1 차 세계 대전 당시의) 독일 군인. **~grenze** *f.* 논밭의 경계. **~grille** *f.* 〖動〗 왕귀뚜라미. **~hand·ball** *m.* 실외〔야외〕 핸드볼. **~hase** *m.* 들〔산〕토끼. **~haubitze** *f.* 〖軍〗 야전 유탄포(榴彈砲)(대). **~haupt·mann** *m.* 〘옛뜻〙 용병(傭兵) 대장. **~heer** *n.* 야전군. **~herr** *m.* 〘옛뜻〙 최고 지휘관.

Feldherrn=blick *m.* (장수의) 매서운 눈초리. **~kunst** *f.* 전술, 전략. **~stab** *m.* 〘옛뜻〙 사령관의 지휘봉. **~würde** *f.* 최고 지휘관의 지위.

Feld=hockey *n.* 필드 하키. **~hospital** *n.* 야전 병원. **~huhn** *n.* 〖動〗 자고(鷓鴣). **~hüter** *m.* 전답 관리인; 전답 순찰 경찰. **~hütte** *f.* 들 가운데의 오두막집; 야전 막사.

..feldig *suf.* "…칸으로 나뉜"의 뜻(보기: drei~ 세 칸으로 된).

Feld=jäger *m.* ① 평지 전문의 사냥군. ② 〖軍·옛뜻〗 엽병(獵兵); 연락 장교. ③ 〖구서독〗 헌병. **~kanone** *f.* 〖軍〗 야포. **~kessel** *m.* 〖軍〗 ↑ ~küche. **~koch** *m.* 야전 취사 당번. **~krieg** *m.* 야전(↔ Festungskrieg). **~küche** *f.* 〖軍〗 이동용 조리대; 야전 취사차(車). **~kümmel** *m.* 〖植〗 백리향. **~lager** *n.* 〖軍·옛뜻〗 야영. **~lazarett** *n.* 〖軍〗 (천막의) 야전병원. **~lerche** *f.* 〖動〗 들종다리. **~linie** *f.* 〖物〗 역선(力線). **~magnet** *m.* 〖전기〗 계자(界磁). **~mark** *f.* ① 논밭의 경계. ② (시·읍·면 소속의) 전체 경작지. **~marschall** *m.* 〖軍〗 ① 〘옛뜻〙 원수(元帥) (계급). ② 원수 계급의 장군.

Feldmarschal=leutnant *m.* (오스트리아의) 육군 중장, 사단장. **~stab** *m.* 원수의 지휘봉.

feld·marsch·mäßig *a.* 완전 무장의: ~ antreten 완전 무장으로 출전하다.

Feld=maß *n.* 토지 측량 단위. **~maus** *f.* 〖動〗 들쥐. **~meister** *m.* 〘구식〙 가죽 벗기는 사람; 박피 전문가. **~messen** *n.* 토지 측량. **~messer** *m.* 〘구식〙 측량 기사. **~meß·kunst** *f.* 측량술. **~musik** *f.* 〖음악〗 (18 세기까지의) 야외용 트럼펫 음악. **~mütze** *f.* 〖軍·옛뜻〗 전투모. **~obst** *n.* 야생의 과실. **~ort** *m.* 〖광산〗 수평갱의 끝. **~polizei** *f.* 경작지 순찰〔관할〕 경찰; 〖軍〗 야전 경찰. **~post** *f.* 〖軍〗 야전〔군사〕 우편. **~posten** *m.* 〖軍〗 전초(前哨); 보초. **~prediger** *m.* 〖軍·구식〗 종군 목사, 군목. **~rain** *m.* 논두렁, 밭둑. **~ruf** *m.* ↑ ~geschrei. **~salat** *m.* 〖植〗 들상추. **~schaden** *m.* 농작물의 피해. **~schädling** *m.* 농작물을 해치는 동물(해충·해조 등). **~schanze** *f.* 〖軍〗 야보(野堡) (보병을 위해 축조한 보루). **~scher** *m.* ① (예전의) 외과 군의관. ② 〖구동독〗 군의관 보조. **~scherer** *m.* ↑ ~scher ①. **~scheuche** *f.* 허수아비. **~schlacht** *f.* 〖軍〗 야전. **~schlange** *f.* (15-17 세기에 쓰인) 포신이 긴 대포. **~schmiede** *f.* (포병 병참 소속의) 야전 수리반. **~schütz** *m.* ↑ ~hüter. **~soldat** *m.* 〖軍〗 일선 장병. **~spat** *m.* 〖광물〗 장석(長石). **~spieler** *m.* 〖스포츠〗 필드에서 뛰는 선수(골키퍼 제외). **~stärke** *f.* 〖理〗 자력(磁力). **~stecher** *m.* 쌍안경(Fernglas). **~stein** *m.* ① 들판의 돌; 〖건축〗 막돌. ② 경계의 표석(標石). **~stück** *n.* ① 밭. ② 풍경화. ③ 군악곡. ④ 야포. **~stuhl** *m.* 야외용 접의자. **~taube** *f.* 〖動〗 양비둘기. **~telegraph** *m.* 〖軍〗 야전 전신. **~theorie** *f.* 〖사회·언어·物〗 장(場)이론. **~überlegenheit** *f.* 〖구기〗 경기의 우세(함). **~wache, ~wacht** *f.* 〖軍·구식〗 소초(小哨), 전초. **~wächter** *m.* ↑ ~hüter.

Feld-Wald-und-Wiesen-Ansprache *f.* 〘구어·폄어〙 상투적〔의례적〕인 인사말〔기념사〕.

Feld=webel [..ve:bəl] *m.* ① 〖軍〗 하사; (1918 년까지의) 상사; 〘구어〙 막돼먹은 사람. ② 맥주 거품. **~weg** *m.* 들길. **~weibel** *m.* (schweiz.) ↑ ~webel. **~wicke** *f.* 〖植〗 살갈퀴. **~wirtschaft** *f.* 농업. **~zeichen** *n.* 〖軍·옛뜻〗 군대의 표지; (특히) 군기(軍旗). **~zeug·meister** *m.* (16-17 세기의) 포병 대장; (1908 년까지 오스트리아·헝가리 제국의) 보병〔포병〕 장군; (이전의 독일군에서) 소장〔중장〕. ***~zug** *m.* ① 출정, 원정. ② 대대적인 행사, 캠페인: einen ~ gegen den Alkoholismus starten 알코올 중독 퇴치를 위한 캠페인을 시작하다. **~zulage** *f.* 전시〔전투〕 수당.

Felge[1] [fέlgə] *f.* -n ① 바퀴 테. ② 〖기계체조〗 회전.

Felge[2] *f.* -n 〖農·방언〗 ① (밭을) 두 번 내지 세 번 갈기. ② (갈아놓은) 휴한지, 휴경지.

Felgen [fέlgən] *m.* -s, - ↑ Felge[1].

felgen[1] *t.* (바퀴에) 테를 끼우다: ein Rad ~ 바퀴에 테를 끼우다.

felgen[2] *t.* (쟁기로) 갈아 젖혀 놓다.

Felgen·bremse *f.* 〖工〗 (차량의) 바퀴 제동 장치〔브레이크〕.

Felg·umschwung *m.* ↑ Felge[1] ②.

Felix [fé:lɪks] 펠릭스(남자 이름).

***Fell** [fɛl] *n.* -(e)s, -e ① **(a)** (동물의) 털가죽, 모피; 〖해부〗 막(膜): dem Hasen das ~ abziehen 토끼의 털가죽을 벗기다; Bauch~ 복막; Zwerch~ 횡격막; sein ~ zu Markt tragen (누구를 위해) 위험을 무릅쓰고 힘쓰다; 〘구어〙 jm. sind alle Felle weggeschwommen〔davongeschwommen〕 누구에게 희망이 모두 사라져 버렸다. **(b)** 원피(原皮): ~e gerben 원피를 무두질하다. **(c)** 가죽: eine Mütze aus weichem ~ 부드러운 가죽으로 만든 모자. ② 〘구어〙 (사람의) 피부: 〘경박〙 nur noch ~ und Knochen sein 피골이 상접해 있다; ein dickes ~ haben〔bekommen, kriegen〕 낯짝이 두껍다; 〘경박〙 jm. das ~ gerben 누구를 늘씬하게 패다; jn. beim ~ nehmen〔haben, halten, kriegen〕 누구의 멱살을 쥐다; dir〔dich〕 juckt wohl das ~? 너 맞고 싶으냐?; 〘경박〙 jm. das ~ über die Ohren ziehen 누구에게 바가지를 씌우다, 누구를 속이다; ihm sind die ~e fortgeschwommen 그는 풀이 죽었다; 〘농담〙 nichts als sein eigenes ~ anhaben 발가벗고 있다; 〘구어〙 sich[3] ein dickes ~ anschaffen 뱃심이 두둑하다; 〘경박〙 das ~ versaufen 장례식을 치르고 먹자판을 벌이다.

Fellache [fɛláxə] 《ar.》 *m.* -n, -n ① (이집트·시리아의) 농민. ② 이민족의 지배를 받아 문화가 쇠퇴한 나라의 국민.

Fellachin *f.* -nen ↑ Fellache 의 여성형.

Fellatio [fɛlá:tsio] 《lat. fellatus》 *f.* 펠라치오, (남성에 대한) 구강 성교(↔ Cunnilingus).

Fell=bereiter *m.* 피혁공(工), 피혁 제조업자. **~eisen** *n.* ①〔구식〕(가죽제) 여행 가방, (편력하는 수공업 직인의) 괴나리봇짐, 배낭. ②〔옛뜻〕우편 행랑. **≈gar** *a.* 잘 무두질한. **~händler** *m.* 모피 상인.

Fellow [fɛ́lo:u] 《engl.》 *m.* -s, -s [..z] ① (영국 학술 단체, 특히 왕립 아카데미의) 회원. ② (특히 옥스퍼드와 케임브리지의 대학) 구성원, 동료 교수, 학우. ③ (영미 대학의) 특별 연구원(장학금을 받는 대학원생).

Fell=mütze *f.* 모피 모자. **~werk** *n.* 모피 제품.

Felonie [feloní:] *f.* -n [..ní:ən] ① (봉건 영주에 대한) 불충, 배반. ②〔교양〕배신.

Fels [fɛls] *m.* -en, -en ↑ Felsen.

Fels=bewohner *m.* ↑ Felsenbewohner. **~bild** *n.* 암벽화. **~block** *m.* 바윗덩어리.

*__Felsen__ [fɛ́lzən] *m.* -s, - ① 바위, 암석. ② 절벽, 낭떠러지.

Felsen=abhang *m.* 낭떠러지, 단애(斷崖). **~bein** *n.*〖해부〗측두골(側頭骨)의 추체부(錐體部). **~berg** *m.* 바위산. **~bewohner** *m.* (전문적인) 암벽 등산가. **~burg** *f.* 바위 위에 세운 요새. **~eiland** *n.* (작은) 바위섬. **≈fest** *a.* ① 바위처럼 단단한. ② 확고한: ~ auf jn. 〔et.〕 vertrauen 누구를〔무엇을〕 철석같이 믿다. **~gebirge** *n.* 암석으로 된 산악 (지대). **~geröll** *n.*〖지질〗바위 부스러기. **~grab** *n.* 석굴묘(石窟墓). **~grotte** *f.* 석굴. **~grund** *m.* ① 암반. ② 바위가 많은 계곡. **≈hart** *a.* ↑ ≈fest. **~herz** *n.* 냉혹, 무정(한 사람). **~höhle** *f.* 석굴. **~insel** *f.* 바위섬. **~keller** *m.* 바위에 굴을 파서 만든 (술 창고 따위의) 지하실. **~klippe** *f.* 암벽. **~kluft** *f.* 바위의 갈라진 틈. **~masse** *f.* (거대한) 바윗덩어리. **~nest** *n.* 바위 위에 높이 세운 성(채). **~pfad** *m.* 바위가 많은 작은 길. **~platte** *f.* 바위 위의 편평한 면. **~quelle** *f.* 바위틈의 샘, 석천(石泉). **~riff** *n.* 암초. **~schlucht** *f.* 바위산의 (작은) 협곡. **~spitze** *f.* 바위 꼭대기. **~stück** *n.* 바윗덩어리. **~wand** *f.* 암벽. **~weg** *m.* ↑ ~pfad.

felsicht [fɛ́lzıçt], **felsig** *a.* 바위 같은; 바위가 많은; 바위로 된.

Felsit [fɛlzí:t, ..zít] *m.* -(e)s, -e〖광물〗규장암(硅長岩).

Fels=klettern *n.*〖등산〗암벽 등반, 록클라이밍. **~klippe** *f.*, **~schroffen** *m.* ↑ Felsenklippe. **~schlucht** *f.* ↑ Felsenschlucht. **~spalt** *m.*, **~spalte** *f.* 바위 사이의 틈. **~spitze** *f.* ↑ Felsenspitze. **~stück** *n.* ↑ Felsenstück. **~vorsprung** *m.* 바위의 돌출부. **~wand** *f.* ↑ Felsenwand. **~zeichnung** *f.* 암벽화.

Feluke [felú:kə] *f.* -n ① (두 개의 돛대에 각각 하나의 삼각형 돛을 달고 주로 지중해 연안을 항행하는) 쌍폭 삼각 돛배. ②〔옛뜻〕(그리스·로마 시대의) 갤리선〔노예선〕 형태의 전함.

Feme [fé:mə] *f.* -n ① (중세 때 베스트팔렌주에서 중죄를 다루기 위해 행해진) 비밀 재판. ② (정적(政敵)의 처리를 협의하기 위해 특정 정치 기구 안에 설립한) 비밀 회의.

Feme·gericht *n.* ↑ Feme.

Femel [fé:məl] *m.* -s〖生·農〗삼〔마(麻)〕의 수그루.

Femel·betrieb *m.* ①〖林〗(수령이 다른 나무의) 혼성 영림(營林). ②〖漁〗(종류·연령이 다른 어류의) 혼성 양식(養殖).

Feme·mord *m.* (비밀 재판에 따른) 정치적 암살.

femen 《<Feme》 *t.* 비밀 재판소로 소환하다.

Fem=gericht *n.* ↑ Femegericht. **~graf** *m.* (독일 중세 때) 비밀 재판의 재판장.

Femidon *n./m.* 여성용 콘돔.

feminieren *i.* (s.)〖動·醫〗동물의 수컷〔남성〕을 암컷화〔여성화〕하다.

*__feminin__ [feminí:n, fé:mini:n] 《lat. femina》 *a.* ① 여성의, 여성 같은: ~e Züge aufweisen 여성적인 특성을 나타내다. ② 부드러운, 여성적인 면을 강조하는: ein ~es Parfüm 여성 취향의 향수. ③〔폄어〕유약한, 여자 같은: ein ~er Mann 여자 같은 남자. ④〖언어학〗여성의: ein ~es Substantiv 여성 명사.

Femininum [feminí:nʊm, fé:mininum] *n.* -s, ..na〖문법〗여성; 여성 명사.

Feminismus [..nísmʊs] *m.* -, ..men ① 여성(해방) 운동. ②〖動·醫〗(남성의) 여성화, (수컷의) 암컷화.

Feminist [feminíst] *m.* -en, -en 여성 (해방) 노동가.

Feministin [feminístın] *f.* -nen ↑ Feminist의 여성형.

feministisch *a.* ① 여성(해방)주의적인. ②〖動·醫〗여성적인.

Femme fatale [fam fatál] 《frz.》 *f.* -s -s 〔교양·대개 농담〕매혹적인 여자, 요부.

femto.. *pref.*〔물리학 단위 앞에 붙임〕펨토, 1000 조분의 1, 10^{-15}(기호: f[F]) (보기: ≈meter 1000 조분의 1 미터).

Fench [fɛnç] *m.* -(e)s, -e〖植〗(독일산(産)) 조, 수수.

Fenchel [fɛ́nçəl] *m.* -s〖植〗회향(茴香).

Fenchel=öl *n.* 회향유(茴香油). **~tee** *m.* 회향차. **~wasser** *n.* 회향수(水).

Fendant [fãdã́:] *m.* -s (스위스산(産)의) 맛 좋은 청포도의 일종.

Fender [fɛ́ndər] *m.* -s, -〖海〗방현물(防舷物); (잔교(棧橋)·안벽(岸壁) 따위의) 방호재(防護材).

Fenek [fɛ́nɛk] *m.* -s, -s/-e ↑ Fennek.

Fenier [fé:niər] *m.* -s, - (아일랜드의 독립을 목적으로 하는) 비밀 결사 회원.

Fenn [fɛn] *n./m.* -(e)s, -e 소택지(沼澤地).

Fennek [fɛ́nɛk] *m.* -s, -s/-e〖動〗들여우(북아프리카와 아라비아 사막에서 서식).

Fennich [fɛ́nıç] *m.* -(e)s, -e ↑ Fench.

Fennosarmatia [fɛnozarmá:tsia] *f.*〖지질〗페노사르마치아(북·동유럽의 지층 지대명).

fennosarmatisch *a.* 페노사르마치아의.

Fennoskandia *f.* ① 스칸디나비아 제국과 핀란드(총칭). ②〖지질〗페노스칸디아(북유럽의 지층 지대명).

fennoskandisch *a.* 페노스칸디아의.

Fenrir [fɛ́nrır] *m.* -(e)s〖북구신화〗늑대의 모습을 한 괴물.

Fenris·wolf [fɛ́nrıs..] *m.* ↑ Fenrir.

*__Fenster__ [fɛ́nstər] *n.* -s, - ① (a) 창, 창문; 천창(天窓); (Laden≈) 쇼 윈도, 진열창: zum ~ hinein 창문 안으로;〔비유〕er wirft sein Geld zum ~ hinaus 그는 돈을 물쓰듯 한다;〔비유·구어〕weg vom ~ sein 관심 밖으

로 밀려나 있다, 감옥에 가 있다; zum 〔aus dem〕 ~ hinausreden〔hinaussprechen〕 (들어주는 사람 없이) 혼자 떠들어대다, (국회에서 정치가가) 일반 대중을 염두에 두고 연설하다. (**b**) 유리창: die ~ putzen 유리창을 닦다. ② (봉투의) 창(窓); 〖해부〗 (뼈의) 창 모양의 구멍; 〖비유〗 눈: ein Umschlag mit ~ 창 봉투. ③〖聖〗 die ~ des Himmels 하늘의 창(비가 내리는 곳으로 생각하였음). ④〖지질〗 지창(地窓). ⑤〖컴〗 창, 윈도.

***Fenster=bank** *f.* ① 창가〔창 아래〕의 긴 의자. ② 창문턱. **~beschläge** *pl.* 창의 쇠장식. **~bier** *n.* 〖고어〗 (ndd.) (주택 건축 때) 상량식(Richtfest). **~blei** *n.* 창의 유리를 끼우기 위한 납으로 된 홈. **~bogen** *m.* 창 윗부분의 아치. **~brett** *n.* 창문턱. **~brief** *m.* ↑ ~-briefumschlag. **~brief·umschlag** *m.* 창 봉투. **~brüstung** *f.* 창 아래의 벽.

Fensterchen *n.* -s, - 〖↑ Fenster 의 축소형〗 작은 창; 〖건축〗 천창(天窓).

Fenster=flügel *m.* (여닫이) 창문짝. **~geld** *n.* ↑ ~steuer. **~gitter** *n.* 창살. **~glas** *n.* ① 창유리. ② 도수 없는 안경알. **~kissen** *n.* 창문턱 위에 놓아 두는 팔굼치용 방석. **~kitt** *m.* 창유리 떡밥〔퍼티〕. **~kranz** *m.* 둥근 지붕 아래에 나란히 줄지어 있는 창. **~kreuz** *n.* 십자 창살. **~laden** *m.* 창의 덧문, 블라인드.

fensterlen *i.* (h.) (obd.) ↑ fensterln.

Fenster=laibung *f.*, **~leibung** *f.* (실내에 있는) 창 옆의 벽과의 경계.

fensterln [fέnstərln] *i.* (h.) (südd., öst.) (밤에 애인 방의) 창문을 넘어 들어가다.

Fenster·loch *n.* ↑ ~öffnung.

fensterlos *a.* 창문이 없는.

Fenster·mantel *m.* (외풍을 막는) 창문 커튼.

fenstern [fέnstərn] 《Ⅰ》 *i.* (h.) (밤에 애인 방의) 창문을 넘어 들어가다. 《Ⅱ》 *t.* ① 창을 달다〔내다〕. ② (창문을 통해) 집어던지다: et. auf die Straße ~ 무엇을 (창문을 통해) 도로 위로 던지다. ③〖비유〗 jn. ~ 누구를 집어던지다.

Fenster=nische *f.* 창문 벽감. **~öffnung** *f.* (벽의) 창구멍. **~pfeiler** *m.* 창의 문설주. **~platz** *m.* 창가의 좌석. **~polster** *n.* ↑ ~-kissen. **~putzer** *m.* 유리창 청소부. **~rahmen** *m.* 창틀. **~rede** *f.* 선동적인 연설. **~riegel** *m.* 창의 걸쇠. **~rose** *f.* 〖건축〗 (교회의 둥글고 큰) 장미꽃 모양의 창. **~scheibe** *f.* 유리창. **~schweiß** *m.* 유리창에 서린 김. **~sims** *m./n.* 창문턱. **~spiegel** *m.* ① 두 창 사이에 건 거울. ② (창 밖에 걸어 놓고 거리를 실내에서 내다보기 위한) 창거울. **~steuer** *f.* 창세(窓稅)(창의 수에 따라 부과된 옛날 세제의 일종). **~stock** *m.* ① (sächs.) 창문턱. ② (südd., öst.) 창틀. **~sturz** *m.* ①〖건축〗 문미(門楣). ② 창문에서 떨어짐. **~tür** *f.* (바닥까지 닿는) 대형 창문, 발코니〔베란다〕 유리문. **~vorhang** *m.* 창의 커튼. **~wand** *f.* 창이 있는 벽. **~wirbel** *m.* 창문 손잡이.

..fenstrig *suf.* 〖형용사나 수사 뒤에 붙어서〗 "…(한) 창의"의 뜻(보기: zwei~ 창이 둘 있는).

Fenz [fɛnts] *f.* -en 울타리, 울짱.

Feod [féːɔt] *n.* -(e)s, -e [féːoːdə] (게르만법의) 동산(動産).

Feralien [ferá:liən] *pl.* (고대 로마의) 장례식 마지막 날.

Ferch [fɛrç] *m.* -(e)s, -e 〖광산〗 (갱내의) 폭발〔유독〕 가스.

Ferdinand [fέrdinant] 페르디난트(남자 이름).

Ferdinande ↑ Ferdinand 의 여성형 이름.

Ferge [fέrgə] 《<fahren》 *m.* -n, -n 〖시어·구식〗 나룻배 사공.

ferggen [fέrgən] *t.* (schweiz.) (일을) 처리하다; 나르다, 발송하다.

Fergger *m.* -s, - (schweiz.) 운송업자.

ferial [feriá:l] *a.* (마음이) 홀가분한; 휴가의: eine ~e Laune 홀가분한 기분.

***Ferien** [fé:riən] 《lat. ferīae》 *pl.* 휴가, 방학: die Schüler haben die großen ~ 학생들은 여름 방학 중이다; in die ~ fahren 휴가 여행을 가다.

Ferien=arbeit *f.* ① 방학 중의 아르바이트: sich durch die ~ Geld verdienen 방학 동안 아르바이트해서 돈을 벌다. ② 방학 숙제. **~beginn** *m.* 방학〔휴가〕의 시작. **~dorf** *n.* 휴가촌, 휴양지 (마을). **~ende** *n.* 방학〔휴가〕의 끝. **~häuschen** *n.* 휴가를 보낼 (작은) 집. **~heim** *n.* (휴가객을 위한) 휴양 시설. **~job** [..dʒɔb] *m.* ↑ ~arbeit ①. **~kind** *n.* 방학을 보내는 아이. **~kolonie** *f.* 휴양지 탁아소. **~kurs** *m.* (주로 외국인을 대상으로 한) 방학 특강. **~kursus** *m.* ↑ ~kurs. **~lager** *n.* (청소년을 위한) 방학 야영장. **~ort** *m.* 휴가지. **~paradies** *n.* 이상적인 휴가지. **~park** *m.* (대규모) 휴가 단지. **~reise** *f.* 휴가 여행. **~sache** *f.* 〖法〗 휴가 중이라도 처리해야 할 긴급 법률 사건. **~sonder·zug** *m.* 휴가철 특별 열차. **~tag** *m.* 휴무일. **~wohnung** *f.* 휴가를 보낼 집. **~zeit** *f.* 휴가철, 휴가기(간).

Ferkel [fέrkəl] *n.* -s, - ① (생후 15 주 이내의) 돼지 새끼; 〖욕설〗 더러운 놈. ② 실수; (잉크의) 얼룩. ③〖복수〗〖天〗 히아데스 성단(Hyaden).

Ferkelchen *n.* -s, - 〖↑ Ferkel 의 축소형〗 갓 태어난 돼지 새끼; 〖농담〗 어린아이.

Ferkelei [fɛrkəláɪ] *f.* -en ① 더러운 일〔짓〕. ② 상스러운 말투, 외설스런 언행.

ferkeln [fέrkəln] *i.* (h.) ① (돼지가) 새끼를 낳다. ②〖폄어〗 더러운 짓을 하다, 상스러운 말을 하다. ③〖구어〗 (먹다가 옷이나 식탁보를) 더럽히다.

Ferkel=stecher *m.* 손재주가 없는〔서투른〕 사람; 엉터리 변호사. **~zucht** *f.* 양돈.

ferm [fɛrm] *a.* 〖구어〗 (öst.) 정통한, 능숙한: in et. ~ sein 무엇에 정통〔숙달〕해 있다.

Ferman [fɛrmá:n, fέrman] *m.* -s, -e 〖史〗 터키 황제의 칙령.

Fermate [fɛrmá:tə] *f.* -n 〖음악〗 ① 늘임표(𝄐, 𝄑). ② 늘임표가 붙은 음표.

Ferme [fɛrm] *f.* -n [..mən] 소작지, 농장; 영지.

Ferment [fɛrmέnt] *n.* -s, -e 〖생화학〗 효소.

Fermentation [..tatsió:n] *f.* -en 발효 (처리).

fermentativ [..tí:f] *a.* 효소의, 발효성의.

Ferment·bildung *f.* 효소 형성.

fermentieren [..tí:rən] *t./i.* (h.) 발효시키다, 발효하다.

Ferment=mangel *m.* 효소 결핍. **~produk-**

tion *f.* 효소 생산.

*__fern__[1] [fɛrn] *a.* (↔nah) ①〖공간적〗먼, 멀리 떨어진: ~e Länder 먼 나라들; der ≈e Osten 극동, 동아시아; ~ (von) der Heimat 고향에서 멀리 떨어져서; von nah und ~ 원근에서, 여기저기에서(부터); von ~(e) 멀리서부터, 먼 데서. ②〖시간적〗먼, 오래된: aus ~en Tagen 아주 오래 전에; in ~er Zukunft 먼 미래에; die Zeit ist noch nicht ~, als das geschah 그 일이 일어난 것은 그리 오래 전이 아니다. ③ 관계가 먼: er steht mir ~ 나는 그와 관계가 없다; es liegt mir ~, daran zu denken, das sei ~ (von mir)! 나는 그럴 생각이 없다!

fern[2] *a./adv.* (schweiz.)〖구식〗전년(前年)의 (firn).

fern[3] *prp.*[3] 멀리 떨어진: ~ der Großstadt 대도시에서 멀리 떨어진.

fern·ạb *adv.* 멀리 떨어져서: plötzlich hörte man ~ leise Hilferufe 갑자기 먼 곳에서 도움을 청하는 외침이 나지막히 들려왔다.

Fernambuk·holz [fɛrnambúːk..] *n.* (적색 염료용의) 브라질 소방재(蘇方材).

Fern≈amt [fɛ́rn..] *n.* 장거리〔국제〕전화 교환국. **~anruf** *m.* 장거리 전화. **~anschluß** *m.* ① 장거리 전화 접속. ② 장거리 철도 접속. **~ansicht** *f.* 원경. **~aufnahme** *f.*〖사진〗원거리 촬영; 망원 사진. **~auslösung** *f.*〖醫〗원격 유발(誘發). **~bahn** *f.*〖철도〗장거리 철도. **~beben** *n.* (1000 km 이상 떨어진) 원거리 지진. **~bedienung** *f.* 원격 조종, 리모트 컨트롤. **≈beheizt** *a.* 원격 난방의. **≈|bleiben*** *i.* (s.) 멀리 떨어져 있다, 불참하다, 초연해 있다: dem Schulunterricht ~ 학교 수업에 결석하다.

Fẹrn-D-Zug *m.* 장거리 급행 열차(FD-Zug).

*__Ferne__ [fɛ́rnə] *f.* -n ①〖공간적〗먼 거리; 먼 곳, 떨어져 있는 곳: aus der ~ beobachten 멀리서 관찰하다; in die ~ sehen 먼 곳을 보다. ②〖시간적〗먼 과거, 아득한 옛날: dieses Ereignis rückt immer mehr in die ~ 이 사건은 점점 더 먼 옛날의 일이 되고 있다. ③〖시간적〗먼 미래, 아득한 미래: der Plan liegt noch in weiter ~ 〔zu fern〕이 계획은 아직도 먼 미래의 일이다. ④〖畫〗원경, 배경.

fẹrne *a.* ↑ fern.

Fẹrn·empfang *m.*〖무전·방송〗원거리 수신.

fẹrnen 《I》 *t.* (h.)〖구식〗①〖畫〗(a) 원경으로서 드러나(보이)다. (b) 먼 느낌을 자아내다. ②〖고어〗멀리 떨어져 있다. 《II》 *t.*〖고어〗멀리하다. 《III》 *refl.* sich ~ 멀어지다.

Ferner [fɛ́rnər] *m.* -s, - (südd., öst.) 빙하.

*__fẹrner__ (↑ fern[1]의 비교급) 《I》 *a.* 더 먼; 그 이상의: des ~n darlegen 더 상세히 말하다. 《II》 *adv.* 장차, 앞으로 오랫동안; 계속하여: er wird auch ~ im Amt bleiben 그는 앞으로도 계속 그 직에 머무를 것이다; et. ~ tun 무엇을 계속하여 하다; und so ~ 등등, 따위. 《III》 *cj.* 게다가, 그 밖에: einmal ist das Buch schön, ~ ist es billig 우선 이 책은 예쁘고, 게다가 값이 싸다.

fẹrner≈hịn [(또한) ..hɪn] 《I》 *cj.* ↑ ferner 《III》. 《II》 *adv.* ↑ ferner 《II》. **~weit(ig)** 《I》 *a.* 또 그 이상의. 《II》 *adv.* 더욱이, 장래에도.

Fẹrn≈expreß *m.* 장거리 급행 열차. **~fahrer** *m.* 장거리 화물차 운전사. **~flug** *m.* 장거리 비행. **~fotografie** *f.* 망원 사진(술); 전송 사진(술). **~gas·versorgung** *f.* 원거리의 가스 공급. **≈gelenkt** *a.* 원격 조정의. **~gespräch** *n.* 장거리 통화(↔Ortsgespräch). **≈gesteuert** *a.* ↑ ≈gelenkt. **~glas** *n.* 쌍안경. **≈|gucken** *i.* (h.)〖구어〗텔레비전을 보다. **≈|halten*** 《I》 *t.* 멀리하여 두다, 멀리하다: er hat den Kranken von dem Kind ferngehalten 그는 환자를 아이에게서 격리시켰다. 《II》 *refl.* sich ~ 멀어져〔떨어져〕있다. **~heizung** *f.* 원격 난방. **≈her** *adv.*〖雅語〗멀리서부터, 먼 곳에서. **≈hin** *adv.*〖雅語〗멀리; 장래에. **~hörer** *m.* (전화의) 수화기. **~kauf** *m.* 통신 구매. **≈|kopieren** *t.* 팩스로 보내다. **~kopierer** *m.* 팩스기. **~kurs(us)** *m.* 통신 교육 과정〔강의〕. **~laster** *m.* 장거리 화물차. **~last·zug** *m.* 장거리 화물 열차. **~leihe** *f.* 도서관 상호 대출 (제도). **~leih·verkehr** *m.* 원격 도서 대출. **~leitung** *f.* 장거리 전화선; 장거리 가스 수송관. **≈|lenken** *t.* 무선〔원격〕조종하다. **~lenkung** *f.* 원격 조종. **~licht** *n.* (헤드라이트의) 상향등, 하이빔. **≈|liegen*** *i.* (h.) ① 멀리 떨어져 있다. ② 관심 밖의 일이다: das liegt mir fern 그것은 나의 관심 밖의 일이다 (내 의도와는 다르다). **≈liegend** *p.a.* 멀리 떨어진; 직접적인〔밀접한〕관계가 없는, 관심 밖에 있는.

Fẹrnmelde≈amt *n.* 전신 전화국. **~dienst** *m.* (장거리) 통신 업무. **~gebühr** *f.* 전신 전화 요금.

Fẹrn·melder *m.* (전신·전화의) 송신기.

Fẹrnmelde≈technik *f.* 통신 공학. **~turm** 통신탑. **~wesen** *n.* 통신 제도.

Fẹrn≈meldung *f.* 송화, 송신. **~messung** *f.*〖工〗전파 측량, 원격 측정. **≈mündlich** 《I》 *a.* 전화에 의한. 《II》 *adv.* 전화로. **~ọst** *m.*〖관사없이〗극동. **≈ọ̈stlich** *a.* 동북 아시아〔극동〕의. **~pendler** *m.* 장거리 출퇴근자. **~photographie** *f.* ↑ ~fotografie. **~rohr** *n.* ① 망원경. ②〖天〗망원경자리. **~ruf** *m.* ① 장거리 전화 (접속). ② 장거리 전화 번호. **≈|sagen** *i.* 전화로 말하다. **~schnell·zug** *m.*〖구식〗장거리 급행 열차. **≈|schreiben** *i.* 텔렉스로 보내다. **~schreiber** *m.* 텔렉스; 텔렉스 담당자. **~schreib·netz** *n.* 텔렉스 전송망. **≈schriftlich** *a.* 텔렉스에 따른.

Fernseh≈ansager [fɛ́rnzeː..] *m.* 텔레비전의 아나운서. **~ansagerin** *f.* ~ansager 의 여성형. **~antenne** *f.* 텔레비전 방송 수신 안테나. **~apparat** *m.* 텔레비전 (수상기). **~bild** *n.* 텔레비전 화면. **~empfang** *m.* 텔레비전 (방송) 수신. **~empfänger** *m.*〖구식〗↑ ~apparat.

fern≈|sehen* [fɛ́rnzeːən] *i.* (h.) 텔레비전을 보다: wir sahen den ganzen Abend fern 우리는 저녁 내내 텔레비전을 보았다. **≈sehen** *n.* ① 텔레비전 방송: im〔vom〕~ übertragen 텔레비전 방송으로 중계하다. ② 텔레비전 수상기: das ~ einschalten 텔레비전을 켜다. ③ 텔레비전 방송국: mein Sohn arbeitet beim ~ 내 아들은 텔레비전 방송국에서 근무한다. **≈seher** *m.* ①〖구어〗텔레비전 수상기. ② 텔레비전 시청자.

Fẹrnseh≈film *m.* 텔레비전 방송용 영화. **~gebühr** *f.* 텔레비전 시청료. **~gerät** *n.* 텔레

비전 수상기. **~gespräch** *n.* 텔레비전 대담; 텔레비전 통화. **~leuchte** *f.* 텔레비전조명등. **~leute** *pl.* 방송인. **~projektor** *m.* 텔레비전 영사기. **~reportage** *f.* 텔레비전 르포. **~rundfunk** *m.* 텔레비전 방송. **~schirm** *m.* 텔레비전 수상기의 화면(↑ Bildschirm). **~sender** *m.* 텔레비전 송신기; 텔레비전 방송국. **~sendung** *f.* 텔레비전 방송. **~serie** *f.* 텔레비전 연속(방송)물. **~spiel** *n.* 텔레비전 방송극. **~teil·nehmer** *m.* 텔레비전 수상기 소유자. **~truhe** *f.* 텔레비전 캐비닛. **~turm** *m.* 텔레비전 방송 송신탑. **~übertragung** *f.* 텔레비전 방송 중계.

Fern≈sicht *f.* 원경(遠景); 멀리 볼 수 있는 눈. **~sichtig** *a.* 〖드물게〗 멀리 보는; 선경지명이 있는; 원시안의. **~sichtigkeit** *f.* 〖드물게〗 ① 원시, 노안. ② 선견지명이 있음; 멀리 봄.

Fernsprech≈amt *n.* 전화국. **~anlage** *f.* 전화 가설을 위한 기술 장비. **~anschluß** *m.* 전화 가설. **~apparat** *m.* 전화기. **~auftrags·dienst** *m.* 전화 위탁 업무 처리 부서. **~automat** *m.* (동전으로 거는) 공중 전화. **~buch** *n.* 전화 번호부. **~dienst** *m.* 전화 사무.

fern≈|sprechen* *i.* (h.) 〖드물게〗 전화로 말하다, 전화 걸다. **~sprecher** *m.* 전화기.

Fernsprech≈kabel *n.* 전화용 케이블. **~kabine** *f.* 공중 전화 박스. **~kunst** *f.* 전화 거는 법. **~linie** *f.* 전화선. **~nummer** *f.* 전화번호. **~station** *f.* 전화국. **~stelle** *f.* 공중전화. **~teilnehmer** *m.* 전화 가입자. **~verzeichnis** *n.* 전화 번호부. **~wesen** *n.* 전화 시설; 전화 사업. **~zelle** *f.* 공중 전화 박스〔부스〕.

Fern≈spruch *m.* (전화) 통화. **~|stehen***, *i.* (h.) 관계가 멀다(↑ fern¹ ③): der〔die〕 ~de 국외자(局外者). **~|stehn** *i.* (h.) ↑ ~stehen. **~|steuern** *t.* 무선〔원격〕 조종하다: ein ferngesteuertes Flugabwehrsystem 원격조종 방공 체계. **~steuerung** *f.* 무선〔원격〕 조종. **~straße** *f.* ↑ ~verkehrsstraße. **~student** *m.* 방송 통신 대학생; 〖구동독〗 방송 통신 대학 졸업생. **~studium** *n.* ↑ ~unterricht. **~trauung** *f.* 원격 결혼(제 2 차 세계 대전 때 당사자가 참전으로 부재 중인 상태에서 치른 혼례). **~unterricht** *m.* 방송 통신 교육. **~verbindung** *f.*, **~verkehr** *m.* ① 장거리 교통. ② 장거리 통화. **~verkehrs·straße** *f.* 장거리 교통용 도로. **~wärme** *f.* 원격 (난방에 따른) 난방열. **~weh** *n.* 〖雅語〗 먼 곳을 향한 동경. **~ziel** *n.* 장래의 목표; 멀리 놓인 목표점. **~wirkung** *f.* 〖物〗 원격 작용; 〖心〗 텔레파시, 정신 감응. **~zug** *m.* 장거리〔간선〕 열차.

Ferri·salz [fɛríː..] 《lat. ferrum.》 *n.* 〖化〗 제 2 철염.

Ferrit [fɛríːt, fɛrít] *m.* -(e)s, -e 페라이트(철과 코발트·니켈·망간 따위의 산화물).

ferro.. *pref.* "철·제 1 철의"의 뜻(보기: ~sulfat 황산제 1 철).

Ferrosalz *n.* 제 1 철염.

Ferrotypie *f.* -n [..píːən] 페로타이프, 철판 사진술.

Ferrozyankalium *n.* 〖化〗 페로시안화 칼륨, 황혈염(黃血塩).

Ferrum [fɛ́rum] *n.* -(s) 철(기호: Fe).

***Ferse** [fɛ́rzə] *f.* -n ① 발꿈치: jm. auf den ~n sein〔sitzen〕, jm. auf der ~ folgen 누구를 바짝 뒤따르다; jm. auf die ~n treten a) 누구에게 바짝 따라붙다, b) 〖비유〗 누구의 감정을 해치다, 누구에게 고통을 주다; jm. die ~n zeigen 누구에게서 도망치다; sich an js. ~n 〔sich jm. an die ~n〕 heften〔hängen〕, jm. auf den ~n bleiben 누구를 끈질기게 쫓아다니다; 〖구어〗 jn. auf den ~n haben 누구의 추적을 계속받다. ② 양말의 뒤꿈치 부분: die Socke hat ein Loch an〔in〕 der ~ 양말 뒤꿈치에 구멍이 하나 나 있다.

Fersen≈bein *n.* 〖해부〗 근골(跟骨). **~flechse** *f.* 아킬레스건. **~geld** *n.* 〖구어〗 ~ geben 도주하다. **~leder** *n.* (구두의) 뒤축 가죽(뒤꿈치를 덮는 부분).

***fertig** [fɛ́rtɪç] 《<Fahrt》 *a.* ① 준비〔채비〕가 된: ich bin ~ (zum Ausgehen) 나는 (외출) 준비가 되어 있다; das Schiff ist zur Abfahrt ~ 배는 출항 준비가 되어 있다; sich zur Reise ~ machen 여행 준비를 끝내다; ~! 출발, 발차! ② 재빠른, 민첩한; 숙련된, 능숙한: eine ~e Zunge haben 〔mit der Zunge ~ sein〕 말을 잘하다, 달변이다; in et.³ ~ sein 무엇에 숙달되어 있다, 솜씨가 좋다; ~ Englisch sprechen 영어를 능란하게 구사하다; ein ~er Klavierspieler 피아노의 명수. ③ (준비가) 다 된, 완성된, 끝난: (**a**) 〖사물에 관하여〗 das Essen ist ~ 식사 준비가 되었다; die Arbeit ist ~ 일이 끝났다; sie kann nie rechtzeitig ~ werden 그 여자는 결코 제때에 (일을) 끝낼 수 없다; ~e Kleider 기성복; diese Waren sind nicht ~ auf Lager 이 물건들은 기성품이 아니다. (**b**) 〖사람에 관하여〗 mit et.³ ~ werden〔sein〕 무엇을 마치다, 끝내다; er ist ~ mit seinem Frühstück 그는 아침 식사를 마쳤다; ich bin mit meinem Buch ~ 나는 책을 다 읽었다; er ist ~ mit seinem Geld 그는 돈을 다 써버렸다; wir werden bald mit der Flasche ~ werden 우리는 곧 이 병을 비워〔다 마셔〕 버리겠지; er ist rasch mit der Antwort ~ 그는 척척 대답한다; 〖은폐〗 ~ sein〔werden〕 오르가슴을 느끼다; auf die Plätze, ~, los! 제자리, 준비, 출발! (운동경기의 출발 구령); ich bin mit ihm ~ 나는 그와 손을 끊었다〔이제 아무 관계도 없다〕; mit dem Menschen wird man nie ~ 저 놈은 어찌할 도리가 없는 인간이다(아무리 쫓아내도 또 온다); ich kann nicht ohne ihn ~ werden 나는 그가 없으면 해나갈 수 없다. ④ 기진맥진한, 지친, 녹초가 된: 〖비유·구어〗 ich bin mit den Nerven ~ 나는 신경이 과도하게 혹사당하고 있다; er ist ~ a) 그는 몹시 지쳐 있다, b) 그는 술에 취해 있다, c) 그는 파산했다, d) 그는 매우 놀랐다, 그는 어안이 벙벙하다.

Fertig≈bau *m.* 조립식 건축〔건물〕. **~bau·weise** *f.* 조립식 건축 방법. **~|bekommen** *i.* (h.)/*t.* 끝내다. **~|bringen*** *t.* ① 끝내다, 완성하다: die Arbeit ~ 일을 끝내다. ② 이루다, 해내다, 성취하다; 해낼 수 있다: ich bringe es nicht fertig, ihm die Wahrheit zu sagen 나는 그에게 (차마) 진실을 말할 수 없다.

fertigen [fɛ́rtɪgən] ① 만들다, 제조하다. ② (obd.) 보내다, 발송하다; 〖官〗 (문서를) 작성

하다; (문서에) 서명하다.

Fertig≈erzeugnis *n.*, **~fabrikat** *n.* 기성품, 완성품. **~gericht** *n.* 인스턴트 식품, 통조림(식품).

Fertigkeit [fɛ́rtɪçkaɪt] *f.* -en ① 숙련, 노련: sie hat (eine) große ~ im Klavierspielen 그녀는 피아노 연주 솜씨가 대단하다. ②〔복수〕지식, 기능, 재능: hierzu sind keine besonderen ~en erforderlich 이 일은 특별한 재능을 필요로 하지 않는다.

Fertig≈kleidung *f.* 기성복. **≈|kochen** 《I》 *t.* 다 끓이다〔익히다〕; 요리를 끝내다. 《II》 *i.* (s.) 다 끓다. **≈|machen** *t.* ①〔구어〕끝내다, 완성하다: eine Arbeit rechtzeitig ~ 일을 제때에 끝마치다. ② (심하게) 나무라다, 질책하다. ③〔경박〕성적으로 절정에 오르게 하다. ④ 준비시키다: die Kinder zum Schlafen ~ 아이들에게 잘 준비를 시키다; 〖軍〗 ≈ zum Abmarsch! 출발 준비! ⑤ 지치게 만들다; 고통스럽게 하다: der Lärm hatte ihn ganz schön fertiggemacht 소음이 그를 완전히 녹초로 만들었다. ⑥ 제거하다, 없애다, 죽이다: noch ein Wort, und ich mache dich fertig! 한 마디만 더하면 너를 죽여 버릴 테야! **≈|stellen** *t.* 완성하다, 마무르다. **~stellung** *f.* 완성, 마무리. **~teil** *m./n.* 조립 (건축) 부품.

Fertigung [fɛ́rtigʊŋ] *f.* -en 〖經〗 제조, 제작, 작성.

Fertigungs≈auftrag *m.* 제조〔제작〕 주문. **~betrieb** *m.* 완성〔제조〕 공장, 제작소. **~brigade** *f.* 〖구동독〗 생산 작업조. **~fehler** *m.* 제조상의 결함. **~ingenieur** *m.* 제조 기사. **~jahr** *n.* 제조 연도. **~kosten** *pl.* 제조〔제작〕 비용. **~methode** *f.* 제조〔제작〕 방법. **~programm** *n.* 제조〔제작〕 계획. **~prozeß** *m.* 제조〔제작〕 공정. **~verfahren** *n.* ↑ ~methode. **~straße** *f.* 생산 라인. **~teil** *m./n.* 완성 부품. **~zeit** *f.* 제조 시기.

Fertig·ware *f.* 기성품, 완제품.

fertil [fɛrtíːl] 《lat. ferre》 *a.* 〖生·醫〗 풍요로운, 비옥한, 기름진, 다산의, 임신할 수 있는.

Fertilität [..tilitɛ́ːt] *f.* 풍요, 비옥, 다산; 〖醫〗 가임성(可姙性).

fervent [fɛrvɛ́nt] 《lat.》 *a.* 열렬한.

Fes[1] [fɛs] *n.* -, - 〖음악〗 내림 바음(音).

Fes[2] *m.* (Feses), -(e) 붉은 터키 모자.

fes *n.* ↑ Fes[1].

fesch [fɛʃ, (öst.) feʃ] *a.* ① 멋진, 우아한, 세련된. ② (öst.) 경쾌한; 친절한, 상냥한.

Feschak [féʃak] *m.* -s, -s 〔구어〕 (öst.) 멋진 남자.

Fesen *m.* -s, - 〔방언〕 (곡류의) 껍질; 독일밀.

***Fessel**[1] [fɛ́səl] *f.* -n ①〔대개 복수〕 수갑, 족쇄, 차꼬, 사슬; 〖비유〗 속박, 구속, 질곡, 굴레; jn. in ~n legen〔schlagen〕 누구를 사슬에 얽매다, 속박하다; die ~n sprengen 사슬을 끊다, 속박을 벗어나다; ~n der Liebe 사랑의 굴레. ② (말의) 고삐.

Fessel[2] *f.* -n ① (말·개의) 발목 (관절). ② 무종아리.

Fessel≈ballon 《<Fessel[1]》 *m.* 계류 기구(繫留氣球). **~bein** 《<Fessel[2]》 *n.* 〖해부〗 발목뼈. **≈frei** *a.* 《<Fessel[1]》 *a.* ① 구속이 풀린, 굴레를 벗어난. ② 구속받지 않은, 자유로운, 거리낌없는. **≈frosch** *m.* 〖動〗 아리테스(Geburtshelferkröte). **~gelenk** 《<Fessel[2]》 *n.* 발목 관절.

fessellos ① ↑ fesselfrei. ② 규율 없는, 방자한.

***fesseln** [fɛ́səln] 《<Fessel[1]》 *t.* ① 사슬〔밧줄〕로 묶다; 〖비유〗 속박〔구속〕하다: durch die kleinen Kinder ist sie ans Haus gefesselt 어린아이들 때문에 그녀는 집에 묶여 있다; 〖비유〗 die Gicht fesselt ihn ans Bett 그는 통풍(痛風)으로 자리에서 일어나지 못한다. ② 〖비유〗 매료하다, 사로잡다, 끌다: ein ~der Vortrag 청중을 사로잡는 강연. ③ 〖軍〗 (적을) 한 곳에 묶어 두다. ④ 〖레슬링〗 움직이지 못하게 꽉 죄다.

Fesselung [fɛ́səlʊŋ] *f.* -en ① (사슬로) 묶기, 묶어두기; 수갑; 〖비유〗 속박, 구속; 매료. ② 〖체스〗 (말이) 묶인 상태.

fessel·wund *a.* ① 사슬에 스쳐 벗겨진. ② 《<Fessel[2]》 발목 관절을 다친.

Feßler *m.* -s, - 〖動〗 (Geburtshelferkröte) 아리테스(두꺼비의 일종).

Feßlung *f.* -en ↑ Fesselung.

***fest** [fɛst] 《I》 *a.* ① 딱딱한, 고체의: ~er Körper 고체; ~es Land 육지, 대륙; ~e Nahrung 고체식(食); ~ werden 굳어지다, 응결하다. ② 단단한, 튼튼한; 질긴, 견고한; ~es Gestein 단단한 암석; ~es Gewebe (올이) 질긴 직물. ③ 끄떡없는, 흔들림 없는, 불변의: ein ~er Blick 응시, 노려봄; eine ~e Brücke 고정교(固定橋); ~er Charakter 굳건한 성격; ein ~er Entschluß 굳은 결심; ~en Fuß fassen 확고한 기반을 닦다, 정착하다; ein ~es Gehalt 고정급; eine ~e Gesundheit haben (체질이) 튼튼하다; ~er Glaube 굳은 신념〔신앙〕; der ~en Meinung sein, daß... …이라고 확신하고 있다; ~en Schrittes 흔들리지 않는 발걸음으로; ~er Schlaf 숙면, 깊은(잠); eine ~e Stellung 안정된 지위; ~er Wille 확고한 의지; ~ sein 불사신이다; gegen et. ~ sein 무엇에 견디다; ~es Wissen 확실한 지식; ~er Wohnsitz 고정된 주거지; 〖商〗 ~es Geld 정기 예금; ~er Kauf 정기 매매; der ~e Kunde 단골 손님; ~e Preise 정가; die Ware ist in ~en Händen 이 물건은 팔 물건이 아니다(예약이 되어 있다); die Stimmung war ~ 시황(市況)은 탄탄했다; 〔구어·구식〕 sie hat einen ~en Herrn 그녀는 정해진 남자가 있다. ④ 정통한: in et.[3] ~ sein 무엇에 정통하다; in einer Wissenschaft ~ sein 어떤 학문에 밝다. ⑤ 〖軍〗 (방비가) 견고한, 축성(築城)된: ein ~er Platz 요새; ~e Stellung (보루가 설치된) 요새 진지. ⑥ 구체적인, 명료한: allmählich nehmen meine Vorstellungen ~e Gestalt an 내 생각은 점점 구체적인 형태를 띠어가고 있다. ⑦ 힘 있는, 또렷한: mit ~er Stimme 또렷한 목소리로. 《II》 *adv.* ① 굳게, 단단히, 힘껏: jn. ~ anblicken 누구를 응시하다; ~ angestellt sein 정식으로 고용되어 있다; steif und ~ behaupten 단호히 주장하다; ~ schlafen 푹 자다; ~ überzeugt sein 확신하고 있다; ~ umschlossen 빽빽이 둘러싸여; ~ versprechen 굳게 약속하다; die Tür ~ zumachen 문을 꼭 닫다; immer ~ (zu)! 잘 해라!; 〔구어〕 ~ im Sattel sein 확실하게 자리잡고 있다. ② (nordd.) 대단히, 크게, 세차게: jn. ~ durchhauen 누구를 세게 때리다.

***Fest** [fɛst] *n.* -es, -e ① 축제; 경축; (축제의) 잔치, 향연; (오락을 위한) 모임, 파티; 환희, 기쁨: Sport≈ 체전; ein ~ begehen 〔feiern, geben〕 제전을 열다, 잔치를 베풀다; 〖구어〗 es ist mir ein ~ 그것은 내게는 큰 기쁨이다, 나는 기꺼이 그렇게 한다; 〖속담〗 man muß die ~e feiern, wie sie fallen 명절은 빼놓지 말고 쉬어야 한다. ② (교회의) 축제일: bewegliche ~e 가변 축일(날짜가 해마다 달라지는 축일).

Fest≈abend *m.* 축제일의 밤 (행사). **~akt** *m.* 축제 행사.

Fest≈angestellte* *der/die* 정식 사원. **≈|ankern** *t.* 〖海〗 닻으로 멈추다; (배를) 계류(繫留)하다.

Fest≈ansprache *f.* 축사. **~aufführung** *f.* 축제(에서의) 공연. **~aufzug** *m.* 축제 행렬 (↑ ~zug). **~ausschuß** *m.* 축제 위원회.

fest≈|backen(*) *i.* (h.) 〖요리〗 눌어서 들러붙다〔굳어지다〕.

Fest·bankett *n.* 축연.

fest≈|bannen *t.* 마법으로〔주술로〕 사로잡다. **~beißen** *t./refl.* (sich) ① 꽉 물다. ② 깊이 빠져들다.

Fest·beleuchtung *f.* ① (환하게 밝힌) 축하 조명. ② (낭비에 가까운) 불필요한 조명.

fest≈besoldet *a.* 고정급을 받고 있는. **≈-besoldete*** *der/die* 고정급을 받는 사람. **~|binden*** 《I》 *t.* 단단히 묶다〔매다〕. 《II》 *refl.* sich die Haare ~ 머리를 묶어 두다. **~|bleiben*** *i.* (s.) ① (물가가) 변동하지〔움직이지〕 않다. ② 마음을 바꾸지 않다: bei et.³ ~ 무엇을 고집하다. **≈brenn·stoff** *m.* 고체 연료.

Feste [fέstə] *f.* -n ① 요새, 성채(城砦). ② 〖聖〗 창궁, 천공(天空). ③ 〖광산〗 단단한 암반층. ④ 견고. ⑤ 대륙. ⑥ 〖옛뜻〗 확인(증), 인가(서).

festen¹ [fέstən] *t.* 〖시어〗 단단하게 하다, 굳히다.

festen² *i.* (h.) 〖드물게〗 축제를〔제전을〕 열다.

Festes≈freude *f.* 축제의 환희. **~stimmung** *f.* 축제 분위기.

Fest·essen *n.* (축제의) 향연, 연회.

fest|fahren* 《I》 *t.* 좌초시키다; (차를) 진구렁에 빠뜨리다. 《II》 *i.* (s.)/*refl.* (sich) ~ 좌초하다; 암초에 걸리다; (차가 무엇에) 빠져 꼼짝하지 않다; 〖비유〗 정체되다, 일이 막히다: das Auto ist im Schnee festgefahren 차가 눈 속에 빠져 꼼짝하지 않았다; 〖비유〗 er hat sich festgefahren 그는 진퇴양난에 빠졌다.

Fest·feier *f.* 제전(祭典).

fest·fressen *t./refl.* (sich) ① 걸려〔빠져〕 꼼짝하지 않다: die Räder fraßen sich im Schlamm fest 바퀴가 진흙에 빠져 꼼짝하지 않았다. ② 딱 달라붙다. ③ 〖비유〗 (어떤 생각이) 떠나지〔놓아주지〕 않다: die Meinung frißt sich in jm. fest 그 생각이 누구를 떠나지 않는다.

Fest·freude *f.* 축제의 환희.

fest·frieren *i.* (s.) ① 얼어붙다: die Spuren im Schnee werden morgen festgefroren sein 눈 속의 흔적들은 아침이 되면 얼어붙어 있을 것이다. ② (…에) 얼어붙어 있다: das Papier ist am Eis festgefroren 종이가 얼어 얼음에 달라붙어 있다.

Fest≈gabe *f.* ① 축제〔축하〕 선물. ② (회갑) 기념 논문집. **~gebräuche** *pl.* 축제의 관례〔의식〕. **~gedicht** *n.* 축제의 시가(詩歌).

fest·gefügt *a.* 꽉 끼워진; 흔들리지 않는.

Fest≈gelage *n.* (~essen) 향연, 축연. **~geläute** *n.* 축제의 종소리. **~geld** *n.* 정기 예금. **~genosse** *m.* 축제의 손님. **~gesang** *m.* 축제의 노래; 축송(祝頌).

fest≈geschnürt *p.a.* 줄로 단단히 묶은. **~-gesetzt** *p.a.* 정해진(↑ festsetzen).

Fest≈gewand *n.* 축제 의상; 나들이옷. **≈-gewurzelt** 《I》 *p.p.* ↑ ~wurzeln. 《II》 *p.a.* 깊이 뿌리박은. **~halle** *f.* (축제의) 식장, 연회장.

fest|halten [fέsthaltən] 《I》 *t.* ① 꽉 잡다〔쥐다〕; 〖法〗 구류하다: jn. am Ärmel ~ 누구의 옷소매를 붙잡다. ② 붙들다: er wurde an der Grenze festgehalten 그는 국경에서 억류되었다. ③ 모사하다, 그리다, 설명하다; 포착하다: ein Ereignis in Wort und Bild ~ 어떤 사건을 말과 그림으로 설명하다; eine Szene mit der Kamera ~ 어떤 장면을 카메라로 포착하다. ④ 분명히 밝히다, 확인하다: halten wir fest, daß... …라는 점을 분명히 합시다. 《II》 *i.* (h.) 고집하다; 물러나지 않다: an seiner Meinung 〔seinen Rechten〕 ~ 자기 의견을 〔권리를〕 고집하다; an der Pflicht ~ 의무에 충실하다. 《III》 *refl.* sich an et.³ ~ 무엇에 꽉 달라붙다; 〖구어〗 halt dich fest! 꽉 붙들어! **~|heften** *t.* 묶다, 붙이다: einen Zettel an der Tür ~ 쪽지를 문에 붙이다.

festigen [fέstɪgən] *t.* 굳히다, 강화하다; (통화를) 안정시키다: seine Stellung ~ 자기의 위치를 굳히다; 〖商〗 einen Wechsel ~ 어음의 지급 장소를 지정하다.

Festiger *m.* -s, - (Haarfestiger) 헤어 크림, 무스.

Festigkeit [..tɪçkaɪt] *f.* ① 견고(성), 견실, 튼튼함, 확고(부동), 안정, 불변. ② 단호, 불변성, 지속성. ③ 저항력; 〖工〗 강도(強度); 〖전기〗 저항: Dauer≈ 내구성; Druck≈ 압축 강도.

Festigung [fέstɪgʊŋ] *f.* -en 강화, (통화의) 안정.

***Festival** [fέstivəl, ..val, fɛstivál] *n.*/(schweiz.) *m.* -s, -s (문화적인) 축제 행사, 페스티벌; 〖구동독〗 세계 청소년 학생 축전.

Festivität [..vitέ:t] *f.* -en 축제; 잔치 기분.

Fest·jungfrau *f.* 접대하는 소녀.

fest≈|klammern 《I》 *t.* 죔쇠〔집게〕로 고정시키다. 《II》 sich an et.³ ~ 무엇에 달라붙다. **~|kleben** 《I》 *i.* (h.) 꽉 달라붙다, 접착하다: der Kaugummi ist an der Schuhsohle festgeklebt 껌이 구두창에 달라붙어 있다. 《II》 *t.* (풀로) 고착시키다.

Fest·kleid *n.* 예복, 축제 의상; 나들이옷.

fest≈|knüpfen *t.* 단단히 잡아 매다. **~|kommen*** *i.* (s.) 좌초하다.

Fest·komitee *n.* 축제 (조직) 위원회.

Fest≈körper *m.* 고체; 결정(結晶). **~-körper·physik** *f.* 고체 물리학. ***~land** *n.* 본토; 대륙; 육지. **≈ländisch** *a.* 대륙의. **~land·sockel** *m.* 대륙붕. **≈|laufen** 《I》 *i.* (s.) (방해물에 걸려) 꼼짝을 못하다, 더 이상 나아가지 않다. 《II》 *refl.* sich ~ ① (무엇에 처

박혀) 꼼짝을 않다; 〔비유〕 좌절〔실패〕하다. ②〖구기〗 상대의 방어에 걸리다. **~|legen** 《I》 *t.* ① (움직이지 않게) 고정하다; 〖海〗 계류하다. ② (규칙·계획을) 확정〔확립〕하다: die Tagesordnung ~ 의사 일정을 확정하다. ③ (행동을) 구속〔속박〕하다; (…에 대한) 책임을 지우다; (약속·다짐을) 강요하다: ich wollte ihn darauf ~, daß er pünktlich dasein würde 나는 그가 정각에 오겠다는 다짐을 받고 싶었다. ④〖商〗 장기 투자하다: Geld auf zwei Jahre ~ 돈을 향후 2년 기한으로 투자하다. 《II》 *refl.* sich ~ 분명하게 약속하다.

festlich [fέstlıç] *a.* 축제의; 장중한; 화려한, 성대한: ~ gekleidet 나들이옷차림으로; ~ begehen 축제를 거행하다; ~ bewirten 성대하게 대접하다.

Festlichkeit *f.* 장중; 화려; 축제 기분; 축제, 향연.

Fest·lied *n.* ↑ ~gesang.

fest≠|liegen* *i.* (h.) ① 정해져 있다: der Termin der Abreise liegt schon fest 출발일은 이미 확정되어 있다. ②〖經〗 고정되어 있다, 장기로 예치되어 있다: ~des Kapital 고정 자본. ③ (배가) 좌초되어 있다: auf der Sandbank ~ 모래톱에 걸려 있다. **~|machen** *t.* 고착〔고정〕시키다; (배를) 계류(繫留)하다; (도시의) 방비를 구축하다, 요새화하다; 체포하다; (매매를) 약정하다; 불사신으로 만들다; 보호하다; 안전하게 하다; (사냥감 짐승을) 찾아내다: ein Poster mit Reißzwecke an der Wand ~ 포스터를 압정으로 벽에 고정하다; einen Termin mit jm. ~ 누구와 약속 시간을 정하다. **~mache·tonne** *f.* 〖海〗 계류 부표(浮標).

Fest·mahl *n.* 연회.

fest≠|mauern [fέst..] *t.* 견고한 벽을 두르다. **~meter** *m./n.* 〖林〗 (↔ Raummeter) 목재의 실질 1세제곱미터(실적(實積) 단위; 약어: fm). **~|nageln** *t.* 못으로 고정시키다; 〔비유〕 (약속에 대한) 책임을 지우다; (약속·다짐을) 강요하다: 〔비유〕 jn. mit einem langen Gespräch ~ 긴 얘기로 누구를 잡아두다; jn. auf sein Versprechen ~ 누구에게 약속 이행을 촉구하다. **~nahme** *f.* 체포, 구금. **~|nehmen*** *t.* 체포〔구인〕하다: bei den Ausschreitungen während der Demonstration wurden fünf Teilnehmer festgenommen 시위 도중 폭력 행위에 가담한 다섯 명이 체포되었다. **~offerte** *f.* 〖商〗 고정 공급.

Feston [fɛstɔ̃ː] *n.* -s, -s 꽃줄 장식; 레이스의 꽃무늬, (단춧구멍의) 가장자리 장식; 〖건축〗 현화(懸華) 장식.

festonieren [..toníːrən] *t.* ① 꽃줄 장식을 달다. ② 꽃무늬를 수놓다.

Feston·stich *m.* 꽃무늬 자수 장식.

Fest≠ordner *m.* 축제 행사 진행 요원. **~ordnung** *f.* 축제의 순서〔프로그램〕.

Fest·platte *f.* 〖컴〗 하드 디스크.

Fest≠platz *m.* (축제의) 잔치 마당. **~predigt** *f.* 축제일의 설교.

Fest·preis *m.* 〖經〗 공정〔협정〕 가격(Richtpreis).

Fest·programm *n.* 축제 행사 프로그램.

Fest·punkt *m.* (온도의) 기준점〔물의 어는점·끓는점〕; 〖측량〗 수준점.

Fest≠rede *f.* 식사(式辭), 축사. **~redner** *m.* 축사를 하는 사람.

fest|rennen *refl.* sich ~ ① 빠져서 헤어나지 못하다: sich in〔an〕 et.³ ~ 무엇에 빠져 꼼짝하지 못하다. ②〖구기〗 상대방의 방어에 걸리다: sich an der Deckung ~ (상대팀의) 수비에 걸리다.

Fest·saal *m.* 연회장, 축하회장.

fest≠|saugen *t./refl.* (sich) ~ ① (…에) 달라붙어 빨다: die Zecke saugt sich am Arm fest 진드기가 팔에 착 달라붙어 (피를) 빨고 있다. ② (시선이 …에) 고정되어 있다: seine Augen saugen sich an ihr fest 그의 눈은 그 여자를 응시하고 있다. **~|schlagen*** *t.* (못을) 두드려 박다.

Fest≠schmaus *m.* (축제의) 향연. **~schmuck** *m.* 축제의 의상〔장식〕.

fest≠|schnallen *t./refl.* (sich) ~ 죔쇠로 고정시키다: sich mit dem Sicherheitsgurt ~ 안전 벨트를 매다. **~|schrauben**(*) *t.* 나사로 꽉 죄다. **~|schreiben** *t.* ① (계약을) 문서로 작성〔확정〕하다: ein gesetzlich festgeschriebener Mindestlohn 법에 명시된 최저 임금. ② (불변의 것으로) 승인하다.

Fest·schrift *f.* 기념 논문집.

fest≠|setzen 《I》 *t.* ① 체포〔구금〕하다. ② 확정〔결정〕하다: am festgesetzten Tag 정해진 날에. 《II》 *refl.* sich ~ 정착하다; (관습이) 뿌리내리다; 〖軍〗 진지를 구축하다: der Feind hat sich im Wald festgesetzt 적이 숲 속에 진지를 구축했다. **~setzung** *f.* ① 체포, 구금. ② 확정, 결정, 사정(査定). **~|sitzen*** *i.* ① 달라붙어 있다, 움직이지 않다: der Gedanke hat lange in ihm festgesessen 그는 그 생각에 오랫동안 사로잡혀 있었다. ② (…에 걸려) 움직이지 못하다, 좌초하다. ③ (일에) 진전을 보지 못하다: 〔비유·구어〕 mit einem Problem ~ 어떤 문제에 걸려 꼼짝하지 못하다. ④ 잘 고정되어 있다: die Schrauben sitzen fest 나사가 잘 고정되어 있다.

Fest·spiel *n.* ① 축제극, 축제 기념 공연. ② 〔복수〕 정기 기념 공연, 정기 페스티벌.

Festspiel≠haus *n.* 축제 기념 공연 극장. **~stadt** *f.* 축제 기념 공연 도시.

fest≠|stampfen *t.* 밟아 굳히다, 다지다. **~|stehen*** *i.* (h.) ① 확정〔결정〕되어 있다: der Termin für die Prüfung steht noch nicht fest 시험 일자가 아직 확정되지 않았다. ② 확실하다: es steht fest, daß... …은 확실하다; diese Tatsache steht fest 이 사실은 요지부동이다. **~|stehend** *p.a.* 붙박아 놓은, 부동의; 확실한, 확정된, 확증된. **~stellbar** *a.* ① 분명한, 확인할 수 있는. ② (움직이지 않게) 고정시킬 수 있는. **~stell·bremse** *f.* 고정 브레이크. ***~|stellen** *t.* ① 확인하다, 입증하다; 밝혀내다, 규명하다: es wurde festgestellt, daß... …라는 점이 밝혀졌다. ② 알아차리다, 인지하다: sie stellte fest, daß ihr Plan gelungen war 그녀는 자신의 계획이 성공했음을 깨달았다. ③ 단언〔확언〕하다: der Redner stellte fest, daß... 연설자는 …라고 단언했다. ④ 고정시키다, 제어하다.

Feststell·hebel *m.* 고정시키기 위한 손잡이 〔핸들〕. **~taste** *f.* (타자기의) 대문자(를 치기 위한) 키.

Fest·stellung *f.* ① 확인, 확증. ② 깨달음, 알아차림. ③ 단언, 언급, 진술.

Fest≈stiege *f.* (장식을 한) 호화로운 계단. **~stimmung** *f.* 축제 분위기. **~stoff·rakete** *f.* 고체 연료 로켓. **~tag** *m.* ① 축제일. ②〖복수〗정기 축제일. **~tägig** *a.* 축제일의. **~täglich** *a.* 축제일〔일요일·공휴일〕같은: in ~er Kleidung 축제 의상 차림으로. **~tags** *a.* 축제일〔휴일〕에.

Festtags≈kleidung *f.* 축제일에 입는 의상. **~stimmung** *f.* 축제일 분위기.

fest|treten* *t.* 밟아 다지다〔굳히다〕:〖구어〗das tritt sich fest 밟히면 단단해져요(염려하지 마세요)(물건을 땅에 떨어뜨린 사람에 대한 위로·농담의 말),〖비유〗그것은 머지않아 다시 좋아진다.

Fest·umzug *m.* 축제 행렬.

***Festung** [fɛ́stʊŋ] *f.* -en ①〖軍〗요새, 성채(城砦):〖空〗fliegende ~ 하늘의 요새. ② 성채 감금형.

Festungs≈arbeit *f.* ① 요새 구축 작업. ② 성채 감금 복역 중의 사역. **~arrest** *m.* 성채 감금형. **~artillerie** *f.* ① 요새 포병. ②〖총칭〗성채의 대포. **~bau** *m.* ① 성채, 요새. ② 성채〔요새〕의 건설. ③ 성채〔요새〕건축술, 축성술. **~bereich** *m.* 요새 지대. **~gelände** *n.* 요새 지대〔지형〕. **~geschütz** *n.* 요새의 대포. **~graben** *m.* 요새의 참호. **~gürtel** *m.* 요새 지대. **~haft** *f.* 성채 감금형. **~kommandant** *m.* 요새 사령관. **~krieg** *m.* 요새전(戰). **~mauer** *f.* 요새 방벽. **~rayon** *m.* 요새 지대. **~strafe** *f.* 요새형(刑), 성채 감금형. **~wall** *m.* 성루(城壘). **~werk** *n.* 요새〔축성〕공사, 보루.

Fest≈veranstaltung *f.* 축제의 개최, 축제 행사. **~vortrag** *m.* 축사, 기념 강연.

fest|wachsen *i.* 아물어〔유착하여〕붙다, an et.[3] ~ 무엇에 달라붙어 자라다.

Fest≈wiese *f.* 축제가 열리는〔대목장이 서는〕넓은 초원. **~woche** *f.* 축제 행사 주간.

fest|wurzeln 《I》 *i.* (s.) 깊이 뿌리 박다. 《II》 **festgewurzelt** *p.a.* ↑ festgewurzelt.

Fest≈zeit *f.* 축제 기간〔계절〕. **~zelt** *n.* 축제 천막. **~zug** *m.* 축제 행렬.

fetal [fetá:l] *a.*〖醫〗(임신 3개월 이상된) 태아의: die ~e Entwicklung 태아의 발달.

Fete [fé:tə, fɛ́:tə] 《frz.》 *f.* -n (조촐한) 축제, 연회, (젊은이들의 자발적인) 축하연, 파티.

fetieren [fetí:rən, fɛ..] *t.*〖고어〗① 잔치를 벌여 맞아들이다, 향응을 베풀다. ② 아부하다.

Fetisch [fé:tɪʃ] 《lat.》 *m.* -es, -e ① 주물(呪物)(종교적 숭배의 대상으로서의 나무·돌 따위). ②〖교양〗물신(物神), 우상(偶像): einen ~ verehren〔anbeten〕물신〔우상〕을 숭배하다.

Fetischismus [fetɪʃísmus] *m.* - ① 주물〔물신·우상〕숭배. ②〖醫〗대물성(對物性) 음란증.

Fetischist [..ʃíst] *m.* ① 주물〔우상·물신〕숭배자. ②〖醫〗대물성 음란증 환자. ③ 병적으로 특정 물건에 애착을 갖는 사람.

fetischistisch *a.* 주물〔우상·물신〕숭배의, 대물성 음란증의.

***Fett** [fɛt] *n.* -(e)s, -e ① 지방; 지방질: ~ ansetzen 살찌다; im ~ schwimmen〔sitzen〕풍족하게 살다;〖비유〗das ~ abschöpfen〔das ~ von der Suppe schöpfen〕알짜를 골라 취하다; im eignen ~ ersticken〔schmoren〕사치로 파산하다; jm. sein ~ geben 누구를 나무라다; ~ und Feuer sein 격노하고 있다;〖비유〗sein ~ (ab)kriegen〔(weg)haben, (ab)bekommen〕톡톡히 꾸지람을 듣다, 혼나다; von seinem ~ zehren (자기가) 모아놓은 것을 쓰면서 살아가다;〖속담〗~ schwimmt immer oben 뚱뚱한 사람은 익사할 걱정을 할 필요가 없다, 돈 있는 사람은 망할 리가 없다. ②〖컴〗고딕체, 볼드체.

***fett** 《ndd.》 *a.* ① 살찐, 뚱뚱한(↔ mager): dick und ~ 뚱뚱한. ② 기름진, 지방이 많은: ~e Öle 지방유(脂肪油);〖비유〗das macht das Kraut〔den Kohl〕nicht ~! 그런 일을 하여도 소용 없다. ③ (토지가) 비옥한; (풀이) 무성한: ~e Beute machen 톡톡히 재미를 보다. ④ **(a)**〖비유〗풍부한, 실수입이 많은, 돈벌이가 되는:〖비유〗davon kann man nicht ~ werden 그것으로는 돈벌이가 될 수 없다; ~e Erbschaft 막대한 유산; ~e Pfründe 수입이 많은 성직(聖職). **(b)** (물질적으로) 풍족한: ~e Zeiten erleben (물질적으로) 풍족한 시대를 살다. ⑤〖印〗고딕체의, 굵은 활자의: ~ drucken 고딕체로 인쇄하다;〖畫〗die Farben ~ auftragen 물감을 잔뜩 칠하다. ⑥ (손 따위가) 기름으로 더러워진. ⑦〖방언·구어〗술취한: ~ sein 술에 취해 있다.

Fett≈ansatz *m.* 지방 침착(沈着), 비만; 지방층. **~arm** *a.* 지방이 적은. **~auge** *n.* 고깃국물의 표면에 뜨는 기름 방울;〖醫〗안구 돌출. **~bauch** *m.* ① 살쪄서 불룩한 배. ② 배불뚝이. **~creme** *f.* 지방질이 많은 크림. **~darm** *m.*〖해부〗직장(直腸). **~depot** [..depo:] *n.* 지방 침착〔축적〕. **~druck** *m.*〖印〗고딕체의 인쇄, 굵은 체(體)의 인쇄. **~drüse** *f.*〖生〗피지선(皮脂腺).

Fette[1] [fɛ́tə] *f.* ↑ Fettigkeit ①.

Fette[2] *f.* -n (ndd.) ↑ Pfette.

fetten [fɛ́tən] 《I》 *t.* ① 기름으로 요리하다. ② 기름을 바르다, 기름을 치다. ③〖드물게〗살찌게 하다. 《II》 *i.* (h.) ① 지방을 분비하다, 지방이 나오다. ②〖드물게〗지방을 흡수하다〔통과시키다〕.

Fett≈fleck, ~flecken *m.* 기름 얼룩, 기름때. **~frei** *a.* 지방을 함유하지 않은, 기름기 없는. **~gans** *f.*〖動〗① 살찐 거위. ② 펭귄. **~gas** *n.* 오일 가스. **~gedruckt** *a.* 굵은 활자〔고딕체〕로 인쇄된. **~gehalt** *m.* 지방 함유량. **~geschwulst** *f.*〖醫〗지방종(腫). **~gewebe** *n.*〖해부〗지방 조직. **~glänzend** *a.* 기름〔지방〕이 끼어 번들거리는. **~haltig** *a.* 지방분을 함유한. **~hammel** *m.* 살찐 양(羊). **~härtung** *f.*〖化〗(수소를 첨가해서 하는) 유지(油脂) 경화.

Fettheit *f.* ↑ Fettigkeit ①.

Fett≈henne *f.*〖植〗꿩의 비름(속(屬)). **~herz** *n.*〖醫〗지방심(心).

fettig [fɛ́tɪç] *a.* ① 지방을 함유한. ② 기름〔지방분〕으로 더러워진, 기름때가 묻은, 기름을 바른: sich den ~en Mund abwischen 기름기가 묻은 입을 닦아내다.

fetticht *a.* ↑ fettig.

Fettigkeit *f.* -en ① 비만; 지방이 풍부함. ② 기름짐. ③〖구어〗지방(성의 물질), 기름진 음식물.

Fett≈klumpen *m.* 기름〔비계〕덩어리. **~kohle** *f.*〖광산〗역청탄. **~kraut** *n.* ① 식충

(食蟲) 식물. ②〖植〗 벌레잡이제비꽃. **~lebe** *f.* 부유한 생활: ~ machen 잘 먹고 근심 없이 살다. **~leber** *f.* 〖醫〗 지방간(肝). **~leibig** *a.* 비만한, 살찐. **~leibigkeit** *f.* 비만. **~magen** *m.* 〖動〗 추위(皺胃)〔주름위〕(반추 동물의 제 4 위(胃)). **~masse** *f.* 기름 덩어리, 축적된 지방. **~näpfchen** *n.* 〖다음 용법으로〗〖비유〗 (bei) jm. ins ~ treten 쓸데없는 말〔행동〕을 하여 상대방을 화나게 하다. **~polster** *n.* ① 피하 지방: überflüssige ~ abbauen 불필요한 피하 지방을 빼다. ② (자본의) 여유, 축적: die Firma besitzt ein ausreichendes ~ 그 회사에는 축적 자본이 넉넉하다. **~sack** *m.* 〖구어·폄어〗 뚱뚱〔비만〕한 사람. **~säure** *f.* 〖化〗 지방산(酸). **~schicht** *f.* 지방층. **~schwanz·schaf** *n.* 〖動〗 면양의 일종. **~spaltung** *f.* 〖化〗 지방 분해. **~spritze** *f.* 〖기계〗 그리스〔윤활유〕 주입기. **~stift** *m.* ① 유지(油脂) 크레용. ② 루즈 모양의 입술 크림. **~sucht** *f.* 〖醫〗 지방 과다증, 비만증. **~triefend** *a.* 기름 방울이 뚝뚝 떨어지는. **~tropfen** *m.* 기름 방울. **~vogel** *m.* 〖動〗 큰쏙독새 무리. **~wachs** *n.* 시체 지방, 시랍(屍蠟). **~wanst** *m.* 〖폄어〗 뚱보, 배불뚝이. **~zelle** *f.* 〖生〗 지방 세포.

Fetus [féːtʊs] *m.* -(ses), -se/..ten 〖醫〗 (3 개월 이상된) 태아.

Fetzchen *n.* -s, - ↑ Fetzen 의 축소형.

***Fetzen** [fɛ́tsən] 《⊕ fassen》 *m.* -s, - ① 찢어낸 조각, 넝마 나부랭이; 걸레; 누더기: in ~ 누더기를 걸친, 너덜너덜한; in ~ gehen 누더기가 되다, 너덜나다; et. in ~ reißen 무엇을 갈기갈기 찢다; 〖비유·구어〗 ich habe noch keinen ~ getan 나는 아직 아무것도 하지 않았다; haut ihn, daß die ~ fliegen! 놈을 사정없이 두들겨 패라! ② 일부: ich hatte nur einige ~ des Gesprächs mitbekommen 나는 대화의 일부밖에 듣지 못했다. ③ 싸구려옷: alles Geld für den Kauf von ~ ausgeben 옷을 사는 데 돈을 다 써버리다. ④ (öst.) (작업용) 앞치마. ⑤ 도취 상태.

fetzen 《I》 *t.* 갈기갈기 찢다. 《II》 *i.* ①〖구어〗 재빨리 움직여 가다, 마구 달리다. ②〖경박〗 감동을 자아내다, 마음에 쏙 들다: die Musik fetzt 이 음악은 끝내주는군.

fetzig *a.* ①〖경박〗 감동적인, 끝내주는, 멋진. ② 너덜너덜한.

Fetzlein [fɛ́tslaɪn] *n.* -s, - ↑ Fetzchen.

***feucht** [fɔʏçt] *a.* 축축한; 눅눅한, (날씨가) 구질구질한, 젖은; 눈물젖은: 〖비유〗 eine ~e Aussprache haben 침을 튀기며 말하다; ein ~es Grab finden 익사하다; das geht dich einen ~en Kehricht an 그건 너와 아무런 관계도 없다; 〖구어〗 ein ~er Abend 술을 많이 마시는 저녁; eine ~e Angelegenheit 주연(酒宴); noch ~ hinter den Ohren 아직 귀때기가 새파란, 풋내기인.

Feucht·blatt *n.* 〖사냥〗 (사슴·멧돼지 따위의) 암컷의 음부.

Feuchte [fɔ́ʏçtə] *f.* -n ↑ Feuchtigkeit.

feuchten [fɔ́ʏçtən] 《I》 *t.* 축이다, 적시다. 《II》 *i.* (h.) 축축해지다, 젖다; (말이) 땀을 흘리다; 〖사냥〗 (사슴·멧돼지 따위가) 오줌을 누다. 《III》 *refl.* sich ~ 눈물에 젖다.

feucht=fröhlich *a.* 얼큰하게 취한. **~heiß** *a.* 무더운, 눅눅하고 더운.

Feuchtigkeit [fɔ́ʏçtɪçkaɪt] *f.* -en ① 습기, 물기, 수분: vor ~ schützen! (보관할 때) 습기를 피하시오! ② 습도: die ~ der Luft 대기 중의 습도; Temperatur und ~ messen 온도와 습도를 재다.

Feuchtigkeits=gehalt *m.* 습도. **~grad** *m.* 습도. **~messer** *m.* 〖物〗 습도계.

feucht=kalt *a.* 축축하고 차가운. **~warm** *a.* 축축하고 따스한.

feudal [fɔʏdáːl] 《germ.》 *a.* ① 봉건(제)의: eine ~e Gesellschaftsordnung 봉건제 사회 질서. ② 봉건적인, 반동적인, 복고적인: ein ∼er 복고주의자. ③ 〖구어〗 귀족적인; 고상한, 화려한: eine ~e Gesellschaft 상류 사회; ein ~es Restaurant 품격 있는 식당.

Feudal=herr *m.* 봉건 군주〔영주〕. **~herrschaft** *f.* 봉건 지배〔체제〕.

Feudalismus [fɔʏdalísmʊs] *m.* - ① 봉건제(도); 봉건 주의(시대). ② 반동〔복고〕주의.

Feudalist *m.* -en, -en ① 봉건주의자. ② 반동〔복고〕주의자.

feudalistisch *a.* ① 봉건 제도의: die ~e Gesellschaft 봉건제 사회. ② 봉건(주의)적인, 복고(주의)적인.

Feudalität *f.* ① 봉건 제도; 봉건성. ② 고귀, 호사.

Feudal=recht *n.* 봉건법. **~staat** *m.* ① 봉건 국가. ② 반동〔복고〕 국가. **~system** *n.*, **~wesen** *n.* 봉건 제도. **~zeit** *f.* 봉건 시대.

Feudel [fɔ́ʏdəl] *m.* -s, - (ndd.) 걸레.

feudeln [fɔ́ʏdəln] *t.* 걸레로 닦다.

***Feuer** [fɔ́ʏər] *n.* -s, - ① (**a**) 불; 화재: das olympische ~ 올림픽 성화; ~ (an)legen 방화하다, 불을 지르다; ~ (an)machen〔anzünden〕 점화하다, 불피우다; in ~ aufgehen 소실(燒失)하다; ~ (aus)löschen〔ausmachen〕 불을 끄다; ~ fangen 불이 붙다; an et. ~ legen 무엇에 불을 붙이다; bei gelindem ~ kochen 약한 불로 끓이다; ~ schlagen (부싯돌로) 불씨를 만들다; ~ schüren 불을 돋우어 일으키다; den Topf ans ~ stellen 냄비를 불에 얹다; ~ unterhalten 불씨를 꺼뜨리지 않다; können Sie mir ~ geben? 담뱃불 좀 빌려 주시겠어요?; es war ein großes ~ in der Stadt 시내에 큰 불이 났었다; ~! 불이야!; 〖속담〗 gebranntes Kind scheut das ~ 불에 덴 아이는 불을 무서워한다. (**b**) 〖비유〗 für jn. durchs ~ gehen 누구를 위해서는 물불을 가리지 않는다; Öl ins ~ gießen 불에 기름을 붓다, 사태를 더 악화시키다; wie ~ und Wasser 불과 물처럼, 상극의; das Spiel mit dem ~ 불장난(위험한 일); ~ hinter et.³ machen 무엇을 촉진하다; 〖구어〗 ~ unter dem Dach haben 가정에 불화가 있다; 〖경박〗 jm. ~ unter dem Hintern〔Arsch〕 machen 누구를 심하게 독촉하다. ② 〖軍〗 포화, 발포; 발사, 사격: Griechisches ~ (황·삼부스러기·관솔·기름 따위로) 그리스인이 발명한 발화물; ~ eröffnen 포문을 열다, 사격을 개시하다; ~ geben 발사하다; im ~ stehen 포화에 휩싸여 있다; 〖비유〗 zwischen zwei ~ geraten 진퇴양난에 빠지다; ein Land mit ~ und Schwert verheeren 어떤 나라를 총과 칼로〔무력으로〕 유린하다; ~! 발사!; ins ~ kommen 전선에 나가다; 비난〔공격〕을 받다. ③ 〖비유〗 (**a**) 열광, 열정, 격정: ~ der Liebe 사

랑의 불길; leicht ~ fangen 쉽게 열광하다〔사랑에 빠지다〕; in ~ geraten 벌컥 성을 내다; für et. ~ und Flamme sein 무엇에 열중해 있다; ~ und Flamme speien 격노하다; das Pferd hat viel ~ 이 말은 성질이 불같다. **(b)** (눈의) 광채; (보석의) 광택, 번쩍임: Augen voll ~ 번득이는 눈; ~ von Edelstein 보석의 광택; der Himmel ist wie ~ 하늘이 타듯이 붉다; **(c)** (술 따위의) 독함; (고추 따위의) 매움; 자극적임: der Wein hat ~ 이 포도주는 독하다. ④〖醫〗 das heilige ~ 단독(丹毒). ⑤ (목재의) 부패, 썩음. ⑥〖海〗 표지등(標識燈) (Leucht⁓).

Feuer≠alarm *m.* 화재 경보. **~anbeter** *m.* 배화교도. **~anbetung** *f.* (종교적인) 불 숭배. **~anzünder** *m.* ① 불쏘시개. ② 가스 점화기. ③ 인화 물질. **~assekuranz** *f.* 화재 보험. **~bake** *f.* 〖海〗 등대; 〖空〗 항로 표지등. **~ball** *m.* ① 원자탄 폭발 때의 중심부. ②〘시어〙 작열하는 불의 공; 화구(火球); 태양. **~becken** *n.* 화로. **~befehl** *m.* 발사〔발포〕명령. **~bereich** *m.* 〖軍〗 사격 구역; 사정권. **~bereitschaft** *f.* 발사〔발포〕 준비 상태. **~berg** *m.* 화산. **⁓beständig** *a.* 내화성(耐火性)이 있는, 불에 견디는. **~bestattung** *f.* 화장(火葬). **~blick** *m.* 타는 듯한 시선. **~bock** *m.* (난로 앞의) 장작 선반〔시렁〕. **~bohne** *f.* 〖植〗 붉은강낭콩. **~brand** *m.* 〘고어〙 (불을 피우기 위한) 관솔, 불쏘시개; 〘비유〙 선동자. **~büchse** *f.* (증기 기관의) 연소실; 〘구식〙 총, 총기. **~dienst** *m.* ↑ ~anbetung. **~dorn** *m.* 〖植〗 피라칸타(장밋과 식물). **~eifer** *m.* 열의, 열성. **~eimer** *m.* 소방 물통. **~esse** *f.* 굴뚝. **~fahne** *f.* 화재를 알리는 기. **~falter** *m.* 〖動〗 부전나비. **⁓fangend** *a.* 인화〔발화〕하기 쉬운, 가연성의. **~farbe** *f.* 불꽃색. **⁓farben, ⁓farbig** *a.* 불꽃색의. **⁓fest** *a.* 불에 견디는, 내화성의, 타지 않는: ~er Ton 내화 점토. **~festigkeit** *f.* 내화성〔도〕. **~flamme** *f.* 〘드물게〙 화염. **~fliege** *f.* 〖動〗 홍날개. **~flocke** *f.* 불티. **⁓flüssig** *a.* (불에) 녹은. **~fresser** *m.* 불을 먹는 사람〔마술사〕. **~funke** *m.* 불꽃. **~garbe** *f.* (화재·불꽃놀이의) 불기둥. **~geben** *n.* 〖軍〗 (화기의) 발사. **~gefahr** *f.* 화재 위험. **⁓gefährlich** *a.* 화재 위험이 있는, 인화하기 쉬운. **~gefährlichkeit** *f.* 화재의 위험성. **~gefecht** *n.* 〖軍〗 총격〔포격〕전(戰). **~geist** *m.* ①〘신화〙 불의 정령. ② 정열가, 열렬하고 재기가 번득이는 사람. **~geschrei** *n.* 불이야 하고 외치는 소리. **~gewehr** *n.* 화기, 총. **~glocke** *f.* 〘구식〙 화재의 경종. **~glut** *f.* 열화(烈火). **~gott** *m.* 불의 신. **~hahn** *m.* 소화전. **~haken** *m.* 부집게, 부젓가락. **~haus** *n.* 소방 펌프 창고, 소방 차고. **⁓hell** *a.* 불같이 빛나는. **⁓hemmend** *a.* 잠시 동안만 불에 견디는, 일시적 내화의. **~herd** *m.* (불이 타는) 화덕; 발화 지점. **~himmel** *m.* 타는 듯이 붉은 하늘. **~holz** *n.* 땔나무, 장작.

feuerjo [fɔ́ʏərjo] *int.* ↑ feurio.

Feuer≠käfer *m.* 〖動〗 홍날갯과 딱정벌레. **~kasse** *f.* 화재 금고, 화재 보험 (회사). **~kasten** *m.* (보일러의) 연소실. **~kopf** *m.* 성급한 사람, 불뚱이, 다혈질 인간. **~kröte** *f.* 〖動〗 무당개구리. **~krücke** *f.* 부집게, 부젓가락. **~kugel** *f.* ↑ ~ball. **~kunst** *f.* 꽃불 제조술(術). **~künstler** *m.* 꽃불 만드는 사람. **~kuß** *m.* 뜨거운〔열렬한〕 키스. **~land** *n.* 푸에고섬(남아메리카 남단의 섬). **~länder** *m.* 푸에고섬에 사는 아메리칸 인디언〔주민〕. **~lärm** *m.* 〘고어〙 ~alarm. **~leiter** *f.* ① 화재용 비상 사다리. ② 소방용 (고가) 사다리. **~leitung** *f.* 〖軍〗 사격 지휘. **~lilie** *f.* 〖植〗 백합의 일종. **~loch** *n.* 〘방언〙 (난로 · 아궁이의) 화구(火口).

Feuerlösch≠apparat *m.* 소방 기구, 소화기. **~boot** *n.* 소방선.

Feuer·löscher *m.* 소화기.

Feuerlösch≠gerät *n.* 소방 기구, 소화기. **~mittel** *n.* 소화 재료(물·모래 따위). **~teich** *m.* 소화용 저수 탱크, 방화용 연못. **~wesen** *n.* 소방 (제도). **~zug** *m.* (화재에 투입되는) 소방차 분대.

Feuer≠mal *n.* 〖醫〗 (특히 얼굴의) 불그스름한 점; 모반(母斑). **~mann** *m.* 화부(火夫); 소방관. **~material** *n.* 연료. **~mauer** *f.* 방화벽; 굴뚝. **~meer** *n.* 〘비유〙 불바다. **~melder** *m.* 화재 경보기. **~melde·stelle** *f.* 소방서. **~messer** *m.* 고온계. **~mörser** *m.* 〖軍〗 박격포.

feuern [fɔ́ʏərn] 《Ⅰ》 *i.* (h.) ① 불피우다, 난방하다: mit Holz ~ 장작으로 불을 때다. ② 〖軍〗 발포하다: blind〔scharf〕 ~ 공포를〔실탄을〕 쏘다; auf jn. ~ 누구를 향해 발포하다. ③ 〘구어〙 욱신거리다: die Wunde feuert immer noch 상처가 아직도 계속 욱신거린다. ④ (불같이) 뜨거워지다: mir feuert das Gesicht 나는 얼굴이 화끈거린다. 《Ⅱ》 *t.* ① 불태우다: Holz ~ 장작을 때다. ② 태우다, 가열하다: den Ofen ~ 난로에 불을 피우다. ③〘구어〙 두들기다; 내쫓다, (유예 기간 없이) 해고하다: jm. eine ~ 누구의 뺨을 때리다; er wurde gefeuert 그는 쫓겨났다. ④ (힘껏) 내던지다, 내동댕이치다: der Schuljunge feuert den Ranzen in die Ecke 학생이 가방을 구석에 내던진다.

Feuer≠nelke *f.* 〖植〗 아메리카동자꽃. **~ofen** *m.* (불이 타고 있는) 난로, 가마. **~opal** *m.* 〖광물〗 화단백석(火蛋白石). **~ordnung** *f.* 소방 규칙. **~pause** *f.* (잠정적인) 휴전, 사격 중지. **~pfanne** *f.* 〖工〗 화로. **~pfeil** *m.* 불화살. **~polizei** *f.* 소방 경찰. **⁓polizeilich** *a.* 소방 경찰의, 소방 경찰을 통한. **~probe** *f.* ① (금속의) 내화 시험. ② (중세에 달군 쇠를 손바닥에 대거나 그 위를 맨발로 걸어서 상처가 나지 않으면 결백을 입증받는) 불에 의한 시험: 〘비유〙 die ~ bestehen 가혹한 시험〔시련〕을 이겨내다. ③ 소방 훈련. **~rad** *n.* ① (불꽃이 돌아갈 때 생기는) 불바퀴. ② 짚불 바퀴(신년이나 하지 때 차바퀴에 짚을 감아 불을 붙여서 계곡으로 굴러내리게 함). **~regen** *m.* 빗발처럼 쏟아지는 불꽃(놀이). **~rohr** *n.* 화기, 총포; 〖工〗 화관(火管) **~rost** *m.* 〖工〗 (난로 따위의) 받침쇠, 쇠살판. **⁓rot** *a.* 불처럼 빨간, 선홍색의. **~rüpel** *m.* (obd.) 굴뚝 청소부. **~salamander** *m.* 〖動〗 도롱뇽의 일종. **~säule** *f.* 불기둥.

Feuers·brunst *f.* 〘雅語·구식〙 큰 화재, 큰 불.

Feuer≠schaden *m.* 화재 손실〔피해〕. **~schaufel** *f.* 부삽. **~schein** *m.* 불빛. **~-**

schiff *n.* 등대선; 〖軍〗 (적의 배를 태우기 위한) 화선(火船), 불배. **~schirm** *m.* 난로 주위의 쇠창살〔칸막이〕. **~schloß** *n.* (화승총의) 점화 도구, 부시. **~schlucker** *m.* ↑ ~fresser. **~schlund** *m.* 〖시어〗 포구(砲口); 분화구. **~schröter** *m.* 〖動〗 사슴벌렛과의 갑충. **~schutz** *m.* ① **(a)** 불조심, 방화. **(b)** 방화 설비〔시설〕. ②〖軍〗 엄호 사격: jm. ~ geben 누구를 엄호 사격해주다. **~schwaden** *m.* 〖광산〗 (갱 안의) 폭발성 가스. **~schwamm** *m.* 부싯깃; 〖植〗 영지(靈芝).

Feuers≈gefahr *f.* 화재 위험. **~glut** *f.* 열화(烈火), 빨갛게 타오르는 불.

feuer·sicher *a.* 내화(耐火)의, 불에 견디는; 방화의.

Feuers·not *f.* 화재에 의한 재난.

Feuer≈sozietät *f.* 화재 보험 회사. **~speiend** *a.* 불을 뿜는: ~er Berg 활화산. **~spritze** *f.* 소방 펌프. **~stab** *m.* (ndd.) 탕파(湯婆). **~stahl** *m.* 부시. **~stätte** *f.* 화덕, 취사 장소; 화재가 발생한 곳. **~stein** *m.* 부싯돌; 라이터돌. **~stein·schloß** *n.* ↑ ~schloß. **~stelle** *f.* (불이 타고 있는) 화덕; 화재 현장. **~stellung** *f.* 〖軍〗 사격〔포격〕 진지〔위치〕. **~stoß** *m.* 〖軍〗 집중〔연속〕 사격. **~stuhl** *m.* (스포츠용) 오토바이. **~taufe** *f.* ① 불 세례(마태 3: 11); 〖軍〗 포화의 세례; 첫 출전. ② 제 1 차 관문〔효능 시험〕: der Dirigent hat seine ~ bestanden 그 지휘자는 제 1 차 관문을 통과했다. **~tod** *m.* 소사(燒死); 화형(에 의한 죽음). **~ton** *m.* 내화 점토. **~tür** *f.* 방화문; (난로·아궁이의) 내화성 문. **~turm** *m.* 등대; 화재를 감시하는 망루. **~überfall** *m.* 〖軍〗 기습 사격.

Feuerung [fɔ́ʏərʊŋ] *f.* -en ① 불때기, 연소, 가열, 난방: ~ mit Holz ist zu teuer 나무 난방은 너무 비싸다. ②〖軍〗 발포, 사격. ③ **(a)** 불. **(b)** 난로, 화덕; 연소 장치. **(c)** 연료.

Feuerungs≈anlage *f.* 난방 시설; 난로. **~bedarf** *m.*, **~material** *n.* 연료, 땔감. **~raum** *m.* (보일러의) 화실, 연소실; 벽난로.

Feuer≈verehrung *f.* ↑ ~anbetung. **~vergoldung** *f.* 열 도금. **~versicherung** *f.* 화재 보험.

Feuerversicherungs≈anstalt *f.* 화재 보험 회사. **~schein** *m.* 화재 보험 증서. **~vertrag** *m.* 화재 보험 계약.

Feuer≈versilberung *f.* 열 은도금. **~wache** *f.* ① 소방서, 소방 본부. ② 화재 감시(원). **~waffe** *f.* 화기, 총포. **~warte** *f.* 등대. **~wasser** *n.* 화주, 소주. **~wehr** *f.* ① 소방대. ②〖구어〗 소방대원들: er sauste vorbei wie die ~ 그는 소방대원들처럼 질주해 지나갔다. ③ ↑ ~wehrauto.

Feuerwehr≈auto *n.* ① 소방차. ② 장난감 소방차. **~haus** *n.* 소방 기구 보관소; 소방서. **~mann** *m.* 〖복수: ..männer/..leute〗 소방대원, 소방관. **~übung** *f.* 소방 훈련.

Feuer≈weihe *f.* 〖가톨릭〗 부활절 전 토요일의 촛불 축성식. **~werk** *n.* 불꽃(놀이): 〖비유〗 seine Rede war ein ~ witziger Einfälle 그의 연설은 재기가 불꽃놀이처럼 번득였다. **~werken** *i.* 불꽃을 태워 올리다. **~werker** *m.* 폭죽 제조인; 폭약 전문가; 〖軍〗 총포·화기 기술병. **~werkerei** [fɔʏ..ráɪ], **~werkskunst** *f.* 폭죽 제조술. **~werks·körper** *m.* 폭죽의 폭약통. **~wirkung** *f.* 〖軍〗 사격 효과. **~wurm** *m.* 〖動〗 개똥벌레의 일종. **~zange** *f.* 부집게, 부젓가락. **~zangen·bowle** *f.* 포이어창겐볼(적포도주, 도수 높은 럼주, 과즙을 섞어 만든 뜨거운 칵테일). **~zeichen** *n.* ① 불빛 신호; 화재 신호; 유성, 별똥별. ② 등대; 등부표(燈浮標). **~zeug** *n.* 점화기, 라이터; 성냥갑; 부시 도구. **~zug** *m.* 〖工〗 염관(焰管), 연도(煙道). **~zunder** *m.* ① 불쏘시개. ② 점화기.

Feuillage [fœjá:ʒə] *f.* -n 〖조각·회화〗 잎 장식.

Feuilleton [fœjətɔ̃́:, fœ́jətɔ̃] 《frz.》 *n.* -s, -s ①〖옛뜻〗 신문의 부록. ② 신문의 문예(오락)란: für das ~ schreiben 신문의 문예란에 기고하다. ③ 신문 문예란의 읽을거리(수필·평론·연재 소설 따위). ④ 수필, 잡문.

Feuilletonist [fœjətonɪ́st] *m.* -en, -en ① 문예란의 집필자. ②〖경멸〗 잡문가.

feuilletonistisch [..nɪ́stɪʃ] *a.* ① 문예란〔오락란〕의. ② 잡문투의; 천박한, 피상적인.

Feuilleton≈redakteur [..tɔ̃́:.., ..tɔ̃..] *m.* 문예란 편집자. **~stil** *m.* 문예란 스타일, 잡문체.

feurig [fɔ́ʏrɪç] *a.* ① 불타는; 불처럼 붉은, 불꽃을 튀기는; 〖지질〗 화성(火成)의; 〖비유〗 ~e Kohlen auf js. Haupt sammeln 누구의 머리에 숯불을 쌓아 놓다(누구를 몹시 부끄럽게 하다)(로마서 12 : 20). ② **(a)** 열렬한, 정열적인: ~e Liebe 열렬한 사랑. **(b)** (사람이) 성급한; (말 따위가) 사나운: ~es Temperament 성급한 기질. **(c)** (술 따위가) 독한; 자극적인: ~er Wein 독한〔뜨거운〕 술; ~e Gewürze 매운 양념.

feurio [fɔ́ʏrio] *int.* 불이야.

Feurung *f.* -en ↑ Feuerung.

Fex [fɛks] *m.* -es/-en, -e(n) ① 바보, 천치. ② (무엇에) 미친 사람: Berg≈ 등산광. ③ 맵시꾼. ④ (südd.) (양치기) 개. ⑤ (öst.) 크레틴병 환자.

Fez[1] [fɛs] *m.* -(es), -e ↑ Fes[2].

Fez[2] [fe:ts] *m.* -es 〖구어〗 (berl.) 농담, 장난, 실없는 짓.

FF =Französischer Franc 프랑스 프랑(프랑스 화폐 단위).

ff[1] [ɛf|ɛ́f, ɛ́f|ɛf] =feinfein 매우 가는〔섬세한〕; 최고급의.

ff[2] ↑ Effeff.

ff 〖음악〗 =fortissimo 아주 세게.

FFA =Filmförderungsanstalt 영화 진흥 기관.

ff. =folgende Seiten 다음 페이지 이하.

FFFF =frisch, fromm, fröhlich, frei 힘차게, 경건하게, 명랑하게, 자유롭게(체육 표어).

FGB =Familiengesetzbuch 〖구동독〗 가족 법전.

FH =Fachhochschule 전문 대학.

FHD =Frauenhilfsdienst(leistende) 여성 긴급 구조대(원).

FHO =Fachhandelsorganisation 전문 무역 기구.

fi [fi:] 《frz.》 *int.* 체(혐오·경멸을 나타냄).

Fiaker [fiákər] 《frz.》 *m.* -s, - (öst.) ① 영업용〔전세〕 마차. ② 영업용 마차의 마부.

Fiale [fiá:lə] *f.* -n 〖건축〗 고딕식의 작은 뾰족탑.

Fiasco [fiásko] *m.* -s, -s [..ko:s] (짚이나 거적으로 싼) 술병.
Fiasko [fiásko] *n.* -s, -s 실패, 좌절; 〖연극〗(흥행의) 실패: ~ machen 실패하다.
fiat [fí:at] 《lat.》 *int.* ① ~! 그렇게 하여라! ②〖醫〗 처방전대로 하시오(약어: f.).
Fiat *n.* -(s), -(s) 〔구식〕 동의, 허가.
*__Fibel__[1] [fí:bəl] 《＜Bibel》 *f.* -n ① 안내서, 입문서. ②〖교육〗(초등 학교 1 학년생을 위한) 그림 넣은 독본, 초보자용 교재.
Fibel[2] *f.* -n (고대 의복의) 장식용 핀.
Fiber [fí:bər] *f.* -n ① 섬유: 〔비유〕 mit allen ~n seines Herzens 온 마음으로. ② 인조섬유.
Fibrille [fibrílə] *f.* -n ①〖해부〗(근육·신경의) 근원 섬유, 원섬유. ②〖植〗 소섬유, 미세섬유.
Fibrin [..brí:n] *n.* -s 피브린, 섬유소.
Fibroin [..broí:n] *n.* -s 피브로인(자연 섬유를 구성하는 주요 단백질).
Fibrom [fibró:m] *n.* -s, -e 〖醫〗 섬유종(腫), 결합 조직의 양성 종양.
fibrös [..brǿ:s] *a.* 섬유가 많은, 섬유질의; 〖醫〗 결합 조직으로 구성된.
Fibula *f.* -e [..lɛ:] 비골(腓骨) (Wadenbein).
Fiche[1] [fi:ʃ] *f.* -s 〖카드〗(돈 대신 쓰는) 표, 칩.
Fiche[2] 《engl.》 *m.* -s, -s 〖컴〗 마이크로 피시(필름).
ficht [fɪçt] ↑ fechten 의 3 인칭 단수 현재형.
Fichte[1] [fɪ́çtə] *m.* Johann Gottlieb ~ 피히테(독일의 철학자, 1762–1814).
Fichte[2] *f.* -n 〖植〗 ① 독일가문비나무(재목). ② (nordd.) 가문비나무, 소나무: 〔비유〕 er geht mir nicht von der ~ 그는 나를 가만 내버려두지 않는다. ③ 소나무류(類).
fichten *a.* 가문비나무〔소나무〕 재목의.
Fichtel·gebirge *n.* 피히텔 산맥(독일 바이에른 주의 북동부에 있음; 최고봉은 1051 m).
Fichten=apfel *m.* ↑ ~zapfen. **~baum** *m.* ↑ Fichte². **~hain** *m.* 가문비나무숲; 송림(松林). **~harz** *n.* (가문비나무의) 송진. **~-holz** *n.* 가문비나무〔소나무〕의 재목. **~-kreuz·schnabel** *m.* 〖動〗 잣새속의 일종. **~nadel** *f.* 가문비나뭇잎; 솔잎. **~nadel-bad** *n.* 솔잎액(을 푼 물로 하는) 목욕. **~-spargel** *m.* 〖植〗 수정란(水晶蘭) 풀. **~-spinner** *m.* 〖動〗 얼룩매미나방. **~stamm** *m.* 가문비나무〔소나무〕 줄기. **~wald** *m.* 가문비나무 숲; 송림. **~zapfen** *m.* 솔방울.
fichtst [fɪçtst] ↑ fechten 의 2 인칭 단수 현재.
Fichu [fiʃý:] *n.* -s, -s 삼각보, (여성용) 삼각형 숄〔목도리〕.
Fick [fɪk] *m.* -s, -s 〔비속〕 성교, 씹.
Ficke [fɪ́kə] *f.* -n (ndd.) 호주머니, 포켓.
ficken [fɪ́kən] *t./i.* (h.) ① (호주머니에) 집어넣다; 찔러 넣다. ② 〔비속〕 성교하다, 씹하다: eine [mit einer] Frau ~ 어떤 여자와 자다; fick dir bloß nicht ins [aufs] Knie! 만청부리지 마라! ③ 〔구식〕 긁다, 할퀴다.
fickerig [fɪ́kərɪç] *a.* ① 〔구어〕 흥분한; 안절부절못하는. ② 〔비속〕 꼴린, 성적으로 흥분한.
Fickfack [fɪ́kfak] *m.* -(e)s, -s 핑계, 발뺌, 구실.
fickfacken [..fakən] *i.* (h.) ① 이리저리 달리다, 분주히 돌아다니다. ② 핑계를 대다. ③ 나쁜 일을〔음모를〕 꾸미다. ④ 믿을 수 없게 처신하다〔말하다〕.
Fickfacker *m.* -s, - 사기꾼; 믿을 수 없는 놈; 침착하지 못한 사람.
Fickfackerei [fɪkfakərái] *f.* -en 사기, 간계.
Fick·mühle *f.* (obd.) ↑ Zwickmühle.
fickrig [fɪ́krɪç] *a.* ↑ fickerig.
Ficus [fí:kʊs] 《lat.》 *m.* - ..ci [fí:tsi] 무화과나무; 관상(용) 식물.
Fideikommiß [fideikɔmɪ́s, fí:deikɔmɪs] *n.* ..komisses, ..komisse 〖法〗 신탁 유증(遺贈), 가족〔문중〕 세습 재산.
Fideismus [fideɪ́smus] *m.* - ①〖哲〗 신앙 철학(일종의 반주지주의). ②〖기독교〗(믿음을 중시하는) 신앙 교의(教義).
Fidel [fí:dəl] *f.* -n 피들(중세·르네상스·바로크 시대의 작은 현악기; 바이올린의 전신).
fidel [fidé:l] *a.* 〔학생〕 유쾌〔명랑·쾌활〕한: 〔구어〕 er ist ein ~es Haus 그는 재미있는〔쾌활한〕 사람이다.
Fidelität [fidelitɛ́:t] *f.* ① 유쾌, 명랑, 쾌활. ② 〔학생〕(공식 모임 다음의) 2 차 연회〔술자리〕.
Fides [fí:dɛs] *f.* (고대 로마에서 주종간의) 신의, 믿음.
Fidibus [fí:dibus] *m.* -(ses), -se (파이프 점화용) 불붙이개, 빔지, 지승, 종이 노끈.
Fidschianer [fɪdʒía:nər] *m.* -s, - ① 피지섬 주민. ② 피지섬 출신인 사람.
fidschianisch [fɪdʒía:nɪʃ] *a.* 피지섬 (출신)의.
Fidschi·inseln [fɪ́dʒi.., fí:dʒi..] *pl.* 피지 제도(諸島).
Fiduz [fidú:ts] *n.* -es 〔구어〕 신뢰, 신용; 용기: er hat kein ~ dazu 그는 그것을 전혀 신용하지 않는다, 그는 그것을 할 용기가 없다.
Fiduzit [..tsɪt] *n.* - 〔학생〕 ↑ "fiduzit"라고 외치는 소리.
fiduzit *int.* 〔학생〕 건배(축배의 인사인 schmollis 에 대한 답례의 말).
*__Fieber__ [fí:bər] *n.* -s, - ①〖醫〗 열; 열병: gelbes ~ 황열병; hohes ~ 고열; hitziges ~ 염증열(炎症熱); du hast 39° C ~ 너는 열이 39 도다; vom ~ befallen 열병에 걸리다. ②〔비유〕(병적인) 흥분, 열광, 도취: das ~ des Ehrgeizes 광적인 공명심.
Fieber=anfall *m.* 발열, 열병의 발작. **~-artig** *a.* 열병 같은. **~arznei** *f.* 해열제. **~baum** *m.* 〖植〗 유칼립투스, 기나수(幾那樹), 치열목(治熱木). **~fest** *a.* 열병 면역의. **~frei** *a.* 열이 없는. **~frost** *m.* 오한. **~glut** *f.* 고열.
fieberhaft [fí:bərhaft] *a.* ① 열이 있는〔나는〕. ②〔비유〕 성급〔조급〕한, 열성적인. ③ 이상하게 달아오른, 열광적인.
Fieber·hitze *f.* 고열.
fieberig [fí:bərɪç], **fieberisch** [..rɪʃ] *a.* ↑ fieberhaft.
Fieber=kälte *f.* 오한. **~klee** *m.* 〖植〗 조름나물. **~krank** *a.* 열병에 걸린: der[die] ~e 열병 환자. **~kraut** *n.* 〖植〗 서양쥐오줌풀; 카밀레(국화과 식물). **~kurve** *f.* 〖醫〗 (열병 환자의) 체온 곡선, 열형(熱型).
fieberlos *a.* 열이 없는.
Fieber=messer *m.* 〔구어〕 체온계. **~mittel**

n. 〖醫〗 해열제; 발열제. **~mücke** f. 〖動〗 학질모기.

fiebern [fíːbərn] i. (h.) ① 열이 있다〔나다〕: der Kranke fiebert 그 환자는 열이 있다. ② 흥분〔긴장〕해 있다: er fieberte vor Erwartung 그는 기대에 부풀어 흥분해 있었다. ③ 갈망〔열망〕하다: er fiebert danach, sie kennenzulernen 그는 그녀와 사귀고 싶어 애를 태운다.

Fieber≈phantasie f. 고열 중의 환각. **~rinde** f. 〖藥〗 기나수(幾那樹) 껍질. **~schauer** m. 오한. **~tabelle** f. 체온표. **~tag** m. (간헐열의) 발열일. **~therapie** f. 〖醫〗 (발)열 요법. **~thermometer** n. 체온계. **~traum** m. 고열 중의 환각. **~typus** m. 열형(熱型). **~wahn** m. 〖醫〗 고열로 인한 환각(상태). **~zustand** m. 발열 상태.

fiebrig a. ↑ fieberig.

*__Fiedel__ [fíːdəl] f. -n, ① ↑ Fidel. ② 〔구어·폄어〕 바이올린.

Fiedel·bogen m. 바이올린 활.

fiedeln [fíːdəln] i. (h.)/t. ① (서투르게) 바이올린을 켜다. ② (바이올린 활처럼) 이리저리로 움직이다. ③ 〔비속〕 성교하다: auf fremden Geigen ~ 남의 여자를 건드리다.

Fieder[1] [fíːdər] m. -s, - 〔방언〕 얇게 썬 빵조각.

Fieder[2] 《<Feder》 f. -n 작은 깃털; 〖植〗 작은 솜털잎; 〖植〗 깃 모양의 작은 잎.

Fieder≈blatt n. 〖植〗 깃 모양의 작은 잎. **~blättchen** n. 〖植〗 깃 모양의 작은 잎.

fiederig a. ① 깃이 나 있는. ② 깃 모양의.

fiedern [fíːdərn] 《Ⅰ》 t. ① 깃을 붙이다. ② (판자를) 짜맞추다. 《Ⅱ》 refl. sich ~ 깃이 나다, 털갈이하다. 《Ⅲ》 **gefiedert** p.a. ↑ gefiedert.

fieder≈spaltig a. 〖植〗 깃 모양으로 째진. **~teilig** a. 〖植〗 깃 모양으로 갈라진.

Fiederung [fíːdəruŋ] f. -en ① 깃〔털〕이 나 있음, 깃〔털〕이 난 모양. ② 〖사냥〗 털갈이.

Fiedler [fíːdlər] m. -s, - (서투른) 바이올린 연주가.

fiedrig a. ↑ fiederig.

Fiek [fiːk] m. -(e)s, - (ndd.) (물고기의) 내장 기생충.

fiel [fiːl] ↑ fallen 의 과거형.

fiele [fíːlə] ↑ fallen 의 접속법 2 식.

fiepen [fíːpən] i. (h.) ① 〖사냥〗 (노루가) 구슬픈 소리를 내다. ② (새가) 삐삐 울다; (개가 새되게) 낑낑 짖어대다.

Fierant [fiəránt, fieránt] m. -en, -en (öst.) 시장〔노점〕 상인.

fieren [fíːrən] t. 〖海·방언〗 ① (돛을) 삭구에서 내리다. ② (밧줄을) 풀다.

fies [fiːs] a. (ndd.) ① 메스꺼운, 혐오스러운, 극도로 불쾌한. ② (성격·상황이) 거슬리는, 마음에 들지 않는: ein ~er Charakter 거슬리는 성격. ③ 불편한, 귀찮은: eine ~e Arbeit 귀찮은 일. ④ (음식을) 가리는.

Fiesel [fíːzəl] m. -s, - 음경.

Fiesling [fíːslɪŋ] m. -s, -e 〔구어·폄어〕 역겨운 녀석, 혐오감을 주는 사람.

Fiesta [fiέsta] f. -s (에스파냐·라틴 아메리카의) 민속 축제.

FIFA [fíːfa], **Fifa** 《frz.》 f. = Fédération Internationale de Football Association 국제 축구 연맹(Internationaler Fußballverband).

fifty-fifty [fɪ́ftɪfɪ́ftɪ] 《engl.》 공평하게, 반반씩: 〖구어〗 ~ machen 반반으로 하다; ~ ausgehen〔stehen〕 결정이 나지 않은 채로 끝나다〔있다〕.

Figaro [fíːgaro] ① 피가로(Beaumarchais 의 희극 "세빌리아의 이발사"; W.A. Mozart 가 가극으로 만든 "피가로의 결혼"에 등장하는 이발사). ② m. -s, -s 〖비유〗 이발사; 익살스러운〔말재주가 뛰어난〕 사람.

Fight [faɪt] 《engl.》 m. -s, -s ① 시합, 격전. ② 권투 시합.

fighten [fáɪtən] i. (h.) ① 격전을 벌이다, 분투하다. ② 〖권투〗 치고받으며 싸우다.

Fighter [fáɪtər] 《engl.》 m. -s, -(s) ① 〖경박〗 투사. ② 〖권투〗 (접근전을 펼치는) 권투 선수, 복서.

*__Figur__ [figúːr] 《lat. figura》 f. -en ① 체격, 외관; 꼴, 모습: Bild in ganzer ~ 전신상; eine gute ~ haben 체격이 좋다. ② 〖數〗 도형, 도안, 그림. ③ 무늬; 〖무용·스케이트〗 피겨; 동작, 자세. ④ 〖체스〗 말; 〖카드〗 그림패. ⑤ 상(像): eine ~ aus Stein 석상(石像). ⑥ 사람, (등장) 인물; 역할: er ist eine wichtige ~ 그는 중요한 인물이다; eine traurige ~ spielen 슬픈 역을 맡다; eine gute ~ machen 좋은 인상을 주다; die ~en des Dramas 드라마의 (등장) 인물들. ⑦ 〖음악〗 음형(音型). ⑧ 〖수사학〗 문체, 어법.

Figura f. 〔다음 용법으로〕 wie ~ zeigt 이 예에서 분명히 드러나듯이.

figural [figuráːl] a. 〖음악〗 수식적인; 형상적인, 도형적인.

Figural·musik f. 〖음악〗 음형(音型) 악절(선율이나 화음의 연속을 음형적으로 장식해서 전개하는 음악).

Figurant m. -en, -en 〖연극〗 (대사 없는) 벙어리 단역 배우; 〔비유〕 부수적인 인물.

Figurantin f. -nen ↑ Figurant 의 여성형.

Figuration [..tsióːn] f. -en ① 〖음악〗 (음·선율의) 수식. ② 〖畵〗 형체 부여, 구상화; 비유적 표현; 형상, 형태.

figurativ [figuratíːf] a. ① 형상적인, 조형적인: die ~e Darstellung einer Szene 어떤 장면의 형상적인 묘사. ② 비유적인, 전의(轉義)의: ein ~er Sprachgebrauch 비유적인 언어 사용. ③ 〖음악〗 화음을 넣어 아름답게 꾸민.

Figürchen [figýːr..] n. -s, - ↑ Figur 의 축소형.

Figuren≈laufen n. 피겨 스케이팅. **~tanz** m. 피겨 댄스.

figurieren [figuríːrən] 《Ⅰ》 t. ① 형태로 나타내다, 본뜨다. ② 〖음악〗 (꾸밈음으로) 장식하다; 반주 화음을 표시하다. 《Ⅱ》 i. (h.) 나타나다, 등장하다; (어떤) 역할을 맡다: er figurierte in den Tageszeitungen als der große Held 그는 일간 신문에 위대한 영웅으로 등장했다. 《Ⅲ》 **figuriert** p.a. ↑ figuriert.

figuriert 《Ⅰ》 p.p. ↑ figurieren. 《Ⅱ》 p.a. 모양이 있는, (천에) 무늬가 있는; 〖數〗 (수를) 그림으로 표시한; 〖음악〗 장식된.

Figurierung f. -en ① 〖음악〗 (음·선율의) 수식, 피겨레이션(꾸밈음을 써서 선율이나 화음을 음형화하기〔반주화음을 표시하기〕). ② 〖예술〗 형상화, 구상적인 표현.

Figurine [figuríːnə] f. -n 〖미술〗 작은 입상;

모델 인형; (회화의) 배경 인물; 〖연극〗 무대 의상; 디자인.

figürlich [figý:r..] *a.* ① (**a**) 〔구식〕 비유적인. (**b**) 상(像)을 나타내는, 구상적인. ② 몸매〔자태·체격〕의: eine ~e Ähnlichkeit mit jm. haben 누구와 비슷한 체격을 가지고 있다.

Fiktion [fıktsió:n] *f.* -en ① 허구, 픽션; 〖法〗 의제(擬制): eine literarische ~ 문학적 허구. ② 〖哲〗 가설, 의설(擬說).

fiktional [..tsioná:l] *a.* 허구의.

fiktiv [..tí:f] *a.* 가정적인, 허구의.

Filament [filamέnt] *n.* -s, -e ① 가는 섬유; 그물 세공. ② 〖植〗 화사(花絲), 꽃실. ③ 〔대개 복수〕 〖天〗 (태양의) 홍염(紅焰).

Filanda *f.* ..den 〔구식〕 견사 방적 공장.

File [fail] 《engl.》 *n.* -s, -s 〖컴〗 파일.

Filet [filé:] *n.* -s, -s [..lé:s] ① 〖섬유〗 그물천, 망상(網狀) 직물; 그물 뜨개질. ② 〖요리〗 (소·돼지의 허리 부분이나 늑골 사이의 연한) 고기, (뼈를 발라내고 껍질을 벗긴) 생선 조각; (새의) 가슴살.

Filet≈arbeit [filé:..] *f.* 그물〔네모〕 뜨개질, 사각 편물. **~beef·steak** *n.* 등심 비프스테이크. **~braten** *m.* 등심구이. **~decke** *f.* 사각 편물로 짠 식탁보. **~hand·schuhe** *pl.* 그물장갑.

filetieren *t.* 〖요리〗 (소·생선·새에서) (연한) 살코기를 발라내다.

Filetier·maschine *f.* (연한) 살코기를 발라내는 기계.

Filet≈nadel *f.* 그물 뜨개 바늘. **~spitze** *f.* 사각 편물로 짠 레이스. **~steak** *n.* 등심 스테이크. **~stempel** *m.* 〖제본〗 (책 표지의) 금박 장식 압인(壓印). **~stickerei** *f.* ↑ ~arbeit.

Filiale [filiá:lə] 《lat. filia》 *f.* -n ① (**a**) (식품) 연쇄점, 체인 스토어. (**b**) 지점, 지사, 지부, 지국: die ~ einer Bank 은행 지점. ② ↑ Filialkirche.

Filial·geschäft [filiá:l..] *n.* 지점.

Filialist [filialíst] *m.* -en, -en ① 지점〔지사〕장. ② 여러 지점을 거느린 사업가. ③ 분회당 담당 성직자.

Filial≈kirche *f.* 분회당; 〖가톨릭〗 공소. **~leiter** *m.* 지점〔지사〕장.

Filiation [filiatsió:n] *f.* -en ① 〖法〗 (자식의 입장에서 본) 친자 관계, 혈통 관계(의 확인): legitime ~ 적법 친자 관계, 적출. ② 〖經〗 국가 재정 편성. ③ 〖가톨릭〗 본부 성당과 공소의 종속 관계.

Filibuster [filibástər] 《engl.》 *n.* -(s), - (긴 연설로 하는) 의사 진행 방해.

filieren [filí:rən] 《I》 *i.* ① 사각 편물을 짜다, 그물 뜨개질을 하다: eine Decke 〔ein Netz〕 ~ 이불〔그물〕을 사각 편물로 짜다. ② 〖음성〗 시작한 음을 길게 지속하다. ③ 〖카드〗 두 개의 패를 서로 바꾸다; 패 하나를 숨기다; 패를 천천히 차례차례 까보이다. ④ ↑ filetieren. 《II》

filiert *p.a.* ↑ filiert.

filiert 《I》 *p.p.* ↑ filieren. 《II》 *p.a.* 그물 모양의.

Filigran [filigrá:n] *n.* -s, -e 금실〔은실〕 세공.

Filigran≈arbeit *f.* ↑ Filigran. **~glas** *n.* 실무늬 유리. **~schmuck** *m.* 금실〔은실〕 장신구.

Filipina *f.* -s 필리핀 여자.

Filipino [filipí:no] *m.* -s, -s 필리핀 사람.

Filister *m.* -s, - 속물(Philister).

Filius [fí:lius] *m.* -, ..lii 〔농담〕 청소년 나이의 아들.

fillen [fílən] 《<Fell》 *t.* (ndd.) 가죽을 벗기다.

Fillér [fílər, fíle:r] *m.* -(s), - 필레르(헝가리의 주화; 100 Fillér=1 Forint).

***Film** [fılm] *m.* -(e)s, -e ① 필름: einen ~ (in die Kamera) einlegen 필름을 (카메라에) 넣다; den ~ entwickeln 필름을 현상하다. ② (**a**) 영화: ein ~ nach dem berühmten Roman 유명한 장편 소설을 원작으로 한 영화; Fernseh≈ 텔레비전 영화; Spiel≈ 영화; sich einen ~ ansehen 영화를 보다; 〔구어〕 in einen ~ gehen 영화를 보러 가다; einen ~ drehen a) 영화를 촬영하다, b) 〔경박〕 어떤 여인과 정사를 갖다; einen ~ vorführen〔aufführen〕 영화를 상영하다; welcher ~ läuft in diesem Kino? 이 극장에서는 어떤 영화가 상영 중이지?; (bei) ihm ist der ~ gerissen 그는 어떤 일을 기억해 낼 수 없다, 그는 맥락을 이해하지 못했다; 〖비유·경박〗 Mensch, war das ein ~! 정말, 그것은 대단한 사건이었다구!; der ~ rollt ab 일은 (계획대로) 착착 진행되고 있다. (**b**) 영화계: beim ~ sein 영화 배우로 활동 중이다, 영화계에 몸담고 있다; zum ~ gehen 영화계에 진출하다, 영화 배우가 되다. ③ (기름 따위의) 얇은 막〔층〕; 〖사진〗 감광막.

Film≈amateur *m.* 아마추어 영화인. **~apparat** *m.* ① 영화 카메라. ② 영사기. **~archiv** *n.* 영화 필름 보관소. **~atelier** *n.* (영화) 촬영실, 스튜디오. **~aufnahme** *f.* 영화 촬영. **~autor** *m.* 영화 시나리오 작가. **~ball** *m.* 영화인들의 무도회. **~band** *n.* ↑ ~streifen. **~blut** *n.* (영화에서 쓰이는) 가짜 피. **~branche** *f.* 영화 부문. **~diva** *f.* 〔구식〕 유명 여배우.

Filme·macher *m.* 영화 감독.

filmen [fílmən] 《I》 *t.* ① 영화를 촬영하다, 영화화하다; (무비) 카메라로 찍다: er filmte seine Kinder beim Spielen 그는 자기 아이들이 노는 모습을 카메라로 찍었다. ② 〔구어〕 속이다. 《II》 *i.* ① (취미로) 영화를 찍다. ② (배우로) 영화에 출연하다: wegen seiner Krankheit hat er schon lange nicht mehr gefilmt 그는 병 때문에 이미 오래 전부터 영화에 출연하지 않고 있다.

Film≈fest·spiele *pl.* 영화제. **~freund** *m.*, **~freundin** *f.* 영화팬. **~gesellschaft** *f.* 영화 회사. **~größe** *f.* 영화계의 스타. **~industrie** *f.* 영화 산업.

filmisch [fílmıʃ] *a.* 영화의; 영화에 어울리는.

Film≈kamera *f.* 영화 카메라. **~komparse** *m.* 영화 단역 배우. **~komponist** *m.* 영화 음악 작곡가. **~kopie** *f.* 영화 복사.

Filmo·thek *f.* ↑ Filmarchiv.

Film≈pack *m.* 〖사진〗 필름 다발. **~plakat** *n.* 영화 선전 포스터. **~produzent** *m.* 영화 제작자. **~prüf·stelle** *f.* 영화 검열국. **~regisseur** *m.* 영화 감독. **~rolle** *f.* 〖영화〗 ① 감은 필름, 필름 두루마리. ② 영화에서의 배역. **~schau·spieler** *m.* 영화 배우. **~stadt** *f.* 영화 도시. **~star** *m.* 영화계 스타. **~-**

streifen *m.* 필름 띠. **~studio** *n.* 영화 촬영소〔스튜디오〕. **~szene** *f.* 영화 장면. **~technik** *f.* 영화 기술. **~theater** *n.* 영화관. **~verleih** *m.* ① 영화 배급. ② 영화 배급 회사. **~verleih·gesellschaft** *f.* 영화 배급 회사. **~vorführer** *m.* 영사 기사. **~vorstellung** *f.* 상영. **~welt** *f.* 〖구식〗영화계. **~woche** *f.* ① (특정 주제의 영화를 집중 상영하는) 영화 주간. ②〖복수〗영화제. **~zensur** *f.* 영화 검열.

Filou [filú:] *m./n.* -s, -s ①〖폄어〗협잡군, 사기꾼: er ist ein ~, vor dem du dich hüten mußt 그는 교활한 인간이야, 조심해야 해. ② 소매치기; 악당.

filpen [fílpən] *i.* (h.) (파이프 오르간의 관(管)이) 기초음보다 높은 음을 내다.

Fils [fɪls] *m.* -, - 필스(이라크·요르단·쿠웨이트의 화폐 단위; 100 Fils=1 Dinar).

Filter [fíltər] 《germ.》 *m./n.* -s, - 여과기; 필터;〖전기〗여파기(濾波器);〖사진〗여광기(濾光器), 필터.

filter·fein *a.*〖광고〗(커피를) 곱게 빻은.

filtern [fíltərn] *t.* 여과하다, 거르다.

Filter·papier *n.* 여과지. **~presse** *f.* 압착식 여과기. **~tüte** *f.* (깔때기 모양의) 여과지.

Filterung [fíltərʊŋ] *f.* -en 여과.

Filter·zigarette *f.* 필터 담배.

Filtrat *n.* -(e)s, -e 여과액, 거른 액체.

Filtration [..tsió:n] *f.* -en 여과(작용).

Filtricht *n.* -(e)s, -e ↑ Filtrat.

Filtrier·bassin [..sɛ̃:] *n.* 여과지(池).

filtrieren *t.* ↑ filtern.

Filtrier·papier *n.* ↑ Filterpapier. **~sack** *m.* 거르는 주머니. **~trichter** *m.* 여과용 깔때기. **~tuch** *n.* 여과포(布), 거르는 헝겊.

Filtrierung [fɪltrí:rʊŋ] *f.* -en 여과.

***Filz** [fɪlts] *m.* -es, -e ① 펠트, 모전(毛氈); 펠트 모자; 엉클어진 털;〖植〗솜털;〖印〗블랭킷. ② 시골뜨기, 무지렁이; 구두쇠. ③ 엄한 질책, 꾸지람. ④ (bayr.) 늪. ⑤ ↑ Bierfilz. ⑥ (öst.) 녹이지 않은 돼지 뱃살 지방.

Filz·decke *f.* (주로 탁자 위를 덮는) 펠트 덮개.

filzen[1] [fíltsən] 《I》 *i.* (h./s.) ① 헝클어지다, 수축하여 굳어지다: Sachen aus Wolle ~ beim Waschen 양모 제품은 빨면 줄어든다. ②〖구어〗인색하게 굴다: er filzt mit jedem Pfennig 그는 동전 한 닢에도 인색하게 군다. ③〖구어〗숙면하다. 《II》 *t.* ① (밀수품 따위를 찾아내기 위해) 뒤지다, 철저히 검사하다: der Zöllner haben ihn 〔sein Gepäck〕 gefilzt 세관원이 그를〔그의 짐을〕 수색했다. ② 뒤져 훔치다: Diebe filzten Büroräume 도둑들이 사무실을 뒤져 훔쳐갔다. ③ 만져보다, 더듬어보다.

filzen[2] *a.* 펠트로 만든: ~e Stiefel 펠트 방한화.

Filzer *m.* -s, - ① 펠트 제조인. ② ↑ Filz. ② ③.

Filz·hut *m.* 펠트 모자.

filzig *a.* ① (양모가) 수축하여 굳어진; 헝클어진; 펠트 모양의. ②〖구어〗인색한, 쩨쩨한. ③〖植〗면모(綿毛)의; 솜털이 난.

Filzigkeit *f.* -en ① 펠트질(質), 펠트 같은 상태. ② 인색.

Filz·laus *f.*〖動〗① 사면발이. ②〖구어·폄어〗비열한 자식, 귀찮은 놈. **~pantoffel** *m.* 펠트 슬리퍼. **~schuh** *m.* 펠트 실내화. **~schreiber** *m.* 사인펜. **~sohle** *f.* 펠트 구두창. **~stift** *m.* ↑ ~schreiber.

Filzokratie [fɪltsokratí:] *f.* -n [..tí:ən] 붕당〔파벌〕 정치.

Fimme [fímə] *f.* -n 곡물 다발〔마른 풀〕 따위의 더미, 낟가리.

Fimmel[1] [fíməl] 《lat. femella》 *m.* -s〖植〗(결실하지 않는) 삼의 수그루.

Fimmel[2] *m.* -s, -〖광산〗무거운 쇠망치〔쇠쐐기〕.

Fimmel[3] *m.* -s, -〖농담〗미친 듯한 열정, 열광; 망상; 광(狂): einen richtigen ~ haben 완전히 미쳐 있다, 제정신이 아니다.

fimmelig *a.* 미친 듯한, 제정신이 아닌.

fimmlig *a.* ↑ fimmelig.

FINA, Fina [fí:na] 《frz.》 *f.* =Fédération Internationale de Natation Amateur 국제 아마추어 수영 연맹(Internationaler Amateur-Schwimmverband).

final [finá:l] *a.* 《lat.》 ①〖교양〗최후의, 마지막의, 종국의. ②〖哲·문법〗목적을 나타내는, 목적의: ~e Konjunktion 목적 접속사.

Final *m.* -s, -s ↑ Finale.

Final·abschluß *m.* 최종 결산.

Finale [finá:lə] *n.* -s, -s ①〖음악〗피날레, 끝악장: ein furioses ~ 격정적인 마지막 악장. ②〖스포츠〗(경기의) 최종회, 결승전; 마지막 연주: das ~ erreichen 결승전에 진출하다. ③〖연극〗대단원.

Finalität [finalitɛ́:t] *f.* -en〖哲〗목적〔궁극〕성.

Finalist *m.* -en, -en〖스포츠〗결승전 참가자.

Final·satz *m.*〖문법〗목적 문장. **~produkt** *n.* 최종 생산품, 완성품.

Financier [finãsié:] *m.* -s, - ↑ Finanzier.

***Finanz** [finánts] *f.* -en ① 금융;〖총칭〗금융 자본가; 재무국. ②〖복수〗(공공) 재정〔재원〕, 세입;〖구어〗자금, 호주머니 사정.

Finanz·abteilung *f.* 재무과, 자금과. **~amt** *n.* 세무서. **~anschlag** *m.* 예산. **~ausgleich** *m.* (국가와 지방 자치 단체간의) 재정 조정. **~ausschuß** *m.* 재무 위원회. **~beamte*** *m.* 재무 관리. **~buch·haltung** *f.*〖經〗재정 부기.

Finanzen *pl.* ① **(a)** 공공 금융 제도, 국가 예산, 국가 재정. **(b)** (국가나 공공 단체의) 재원(財源), 세입: die ~ des Staates ordnen 국고 세입을 정리하다. ②〖구어〗재산, 자금 사정: die Mutter verwaltet die ~ der Familie 집안의 돈은 어머니가 관리한다.

Finanzer [finántsər] *m.* -s, - (öst.) 세금 징수원; 세관원.

Finanz·experte *m.* 금융〔재정〕 전문가. **~frage** *f.* 재정 문제. **~gebaren** *n.* 자금 운영, 재정 관리. **~gebarung** *f.* ↑ ~gebaren. **~hoheit** *f.* (국가의) 재정권.

finanziell [finantsiɛ́l, fí..tsiɛl] *a.* 재정상〔금융상〕의; 자금과 관련된: jn. ~ unterstützen 누구를 재정적으로 지원하다.

Finanzier [finantsié:] *m.* -s, -s 재정가; 금융 자본가; 은행가.

finanzierbar *a.* 재정 지원이 가능한.

finanzieren *t.* ① 자금을 대다, 출자하다: jm. das Studium ~ 누구의 대학 학자금을 대다.

②신용 대부를 받아서 구입하다: ein Auto langfristig ~ 장기 신용 대부를 받아 자동차를 구입하다.

Finanzierung *f.* -en ① 금융; 자금 조달. ② 신용 대부, 융자: langfristige ~ 장기 융자.

Finanz=jahr *n.* 회계 연도. **~kapital** *n.* 금융 자본. **~kontrolle** *f.* 재정〔재무〕 감사, 재무〔금융〕 관리. **~kräftig** *a.* 재정이 풍부한, 부유한. **~krise** *f.* 재정 위기. **~lage** *f.* 재정 상태, 자금 사정. **~mann** *m.* 〖복수: ..männer/..leute〗 자산가. **~minister** *m.* 재무부 장관. **~ministerium** *n.* 재무부. **~plan** *m.* 재정 계획. **~politik** *f.* 금융〔재정〕 정책. **~politisch** *a.* 재정〔금융〕 정책의. **~schwach** *a.* 재정이 취약한. **~spritze** *f.* 〖經·은어〗 금융 주사(재정난을 겪는 기업이나 국가에 대한 지원). **~stark** *a.* 재정이 풍부한. **~verwaltung** *f.* 재무 행정. **~welt** *f.* 재계, 금융계. **~wesen** *n.* 재정 (제도), 금융 제도. **~wirtschaft** *f.* 재정 관리. **~wissenschaft** *f.* 재정학. **~zoll** *m.* 재정〔수입〕 관세.

findbar [fíntba:*r*] *a.* 찾아낼 수 있는.

Findel [fíndəl] 《Ⅰ》 *m./n.* -s, - ↑ Findling. 《Ⅱ》 *f.* -n ↑ ~haus.

Findel=anstalt *f.*, **~haus** *n.* 기아 양육원. **~kind** *n.* 〖法〗 버린 아이, 기아. **~mutter** *f.* 기아의 양모. **~vater** *m.* ① 기아의 양부. ② 기아 양육원장.

finden [fíndən] (fand, gefunden) 《Ⅰ》 *t.* ① 발견하다, 찾아내다; 알아내다: er fand mich zu Hause 〔bei Tisch〕 그는 내가 집에 있는 〔식사 중인 것〕을 발견하였다; er ist nicht 〔nirgends〕 zu ~ 그는 어디서도 찾아볼 수 없다; ich fand sie schlafend〔eingeschlafen〕 나는 그녀가 잠자고 있는 것을 발견했다; das ist geradezu gefunden 그것은 정말 횡재야; ich finde nichts Schlimmes dabei 나는 그것이 하등 나쁘다고 생각지 않는다; ich kann nichts dabei 〔daran, darin〕 ~ 나는 그것에 대해 염려할 만한 점을 발견할 수 없다; ich habe's gefunden! 이제 알았다!; 〖경박〗 ein gefundenes Fressen 횡재; das ist ein gefundenes Fressen für ihn 그것은 그에게는 안성맞춤이다; 〖聖〗 suchet, so werdet ihr ~ 찾으라, 그러면 찾을 것이오(마태 7: 7); er ist in einem hohen Baum gefunden 그는 아비 없는 자식이다; in jm. einen Freund〔Feind〕 ~ (뜻밖에도) 누가 친구〔적〕임을 알게 되다. ② 얻다, 받다: Beifall ~ 갈채를 받다; Gehör ~ 들어주는 사람을 만나다, 공감을 얻다; einen Freund 〔seinen Meister〕 ~ 벗〔선생〕을 만나다; seinen Mann ~ 호적수를 만나다; dort fand er den Tod 그는 거기서 죽었다; ich konnte keinen Schlaf ~ 나는 잠을 이룰 수 없었다. ③ 생각하다, 여기다: ich finde, daß du unrecht hast 나는 네가 잘못이라고 여긴다〔생각한다〕; er fand das (für) lustig 그는 그것을 재미있다고 여겼다; wie ~ Sie das Kleid? 이 옷 어떠세요?; die Versammlung fand für gut, daß... 회의는 …을 결정〔승인〕하였다; wie finde ich denn das! 그것에 대해 나는 대체 무슨 말을 해야 할까!; das kann ich nicht ~ 나는 그렇게 여기지 않는다; ich finde das nicht in Ordnung 나는 그것이 제대로 되어 있다고 생각지 않는다; ich fand ihn unerträglich 나는 그를 참을 수 없는 존재로 생각했다. ④ 느끼다: Freude〔Trost, Vergnügen〕 an〔in〕 et.³ ~ 어떤 일에 기쁨〔위로, 만족〕을 느끼다; ich finde keine Kraft dazu in mir 내게는 그럴 만한 기력이 없다; sie kann keine Ruhe ~ 그 여자는 안정을 얻을 수가 없다; ich finde es hier kalt 나는 이곳이 춥(게 느껴진)다. ⑤ 도착하다, 다다르다: sie fanden erst spät nach Hause 그들은 밤늦게서야 집에 도착했다; ich habe noch nicht zur modernen Kunst gefunden 나는 아직 현대 예술을 이해하지 못했다; er fand schon in jungen Jahren zur Musik 그는 젊은 날에 이미 음악을 필생의 업으로 삼았다. 《Ⅱ》 *refl.* sich ~ ① (자신이 …임을) 느끼다; 제정신을 차리다: ich finde mich bewogen〔beleidigt〕 나는 감동〔모욕〕을 느낀다; ich weiß nicht, wie ich mich heute finde 나는 오늘의 내 형편을 모른다; er hat sich selbst gefunden 그는 제정신〔평정〕을 되찾았다. ② 어떤 장소에 있다, 어떤 상태다, 존재하다: am Markt findet sich ein altes Haus 시장 옆에 헌 집 한 채가 있다; sie fand sich heim 그 여자는 집으로 발길을 돌리고 있었다. ③ 발견되다; 나타나다, 발생하다: dieses Wort findet sich nur einmal bei Homer 이 말은 호머의 작품에 단 한 번 나온다; der Irrtum hat sich gefunden 오류가 발견되었다; endlich hat sich das Papier gefunden 드디어 그 서류가 나왔다; so etwas findet sich nicht oft 그런 일은 여간해서는 일어나지 않는다. ④ 순응〔적응〕하다, 익숙해지다: ich finde mich im Spanischen nicht mehr zurecht 나는 에스파냐어를 거의 잊어버리고 있다; er kann sich aus der Sache nicht ~ 그는 그 일을 알 수 없다, 이해할 수 없다; er kann sich nicht in sein Schicksal ~ 그는 자신의 운명에 순응할 수 없다; Sie müssen sich darein〔darin〕 ~ 당신은 그 일에 만족하지 않으면 안 된다. ⑤ 분명해지다, 판명되다: es fand sich, daß ich recht hatte 내가 옳다는 것이 밝혀졌다; das wird sich noch ~ 그것은 곧 밝혀질 것이다; das〔es〕 wird sich alles ~ 그것은 모두 밝혀질〔잘 될〕 것이다. ⑥ (sich treffen) 만나다: wann und wo werden wir uns ~? 언제 어디서 우리는 만날까요?; wir ~ uns 우리들은 마음이 맞는다; sich zu jm. ~ 어떤 사람과 어울리다, 한패가 되다. 《Ⅲ》 *i.* (h.) er kann nicht aus dem Bett ~ 그는 잠자리에서 일어나는 게 힘이 든다; er fand nach Hause 그는 집으로 돌아갔다.

Finder [fíndər] *m.* -s, - 발견자, 습득자.

Finder·lohn *m.* 습득자에게 주는 사례금.

Fin de siècle [fɛ̃:dsjɛ́kl] 《frz., „Jahrhundertende"》 *n.* - - - (특히 19 세기의) 세기말 (사회·예술 전반에 걸쳐 나타난 퇴폐적 몰락 현상에 대한 포괄적 명칭).

findig [fíndıç] *a.* ① 발명〔발견〕을 잘하는, 창의력이 있는, 영리한: ein ~er Kopf 영민한 두뇌. ② eines Dinges ~ werden 무엇을 발견하다; 〖광산〗 einen Gang ~ machen 광맥을 발견하다. ③ 많은 것이 발견되는: 〖광산〗 ~er Gang 풍부한 광맥.

Findigkeit [..kaıt] *f.* 기민성, 창의성.

findlich *a.* 찾아낼 수 있는(findbar).

Findling [fíntlıŋ] *m.* -s, -e ① ↑ Findelkind. ② 〖지질〗 표석(漂石).

Findlings·block *m.* ↑ Findling ②.

Findung [fíndʊŋ] *f.* -en 발견, 찾아냄.
Fines herbes [finzέrb] 《frz.》 *pl.* 〖요리〗 잘게 썬 채소.
Finesse [finέsə] 《frz.》 *f.* -n ① 요령; 섭세, 정교. ② 교활; 술책: diplomatische ~n 외교 술책.
fing [fɪŋ] ↑ fangen 의 과거형.
Fingals·höhle [fíŋgals..] *f.* 핑갈 동굴(스코틀랜드의 Staffa 섬에 있는 현무암 동굴).
finge [fíŋə] ↑ fangen 의 접속법 Ⅱ 식.
*__Finger__ [fíŋər] *m.* -s, - ① 손가락; (동물의) 발가락: der kleine ~ 새끼 손가락; Mittel≈ 〔Ring≈, Zeige≈〕 가운뎃〔약, 집게〕손가락; lange〔krumme〕 ~ machen 훔치다; das ist Gottes ~ 그것은 신의 섭리다; 〖구어〗 jm. 〔jn.〕 jucken die ~ nach et.³ 누가 무엇이 갖고 싶어 안달이 나다; 〖구어〗 die ~ davonlassen 〔die ~ von et.³ lassen〕 거기〔무엇〕에서 손을 떼다; 〖구어〗 den〔seinen〕 ~ darauf haben 그것을〔그의〕 통제 아래 두다; 〖구어〗 klebrige ~ haben 도벽이 있다; den ~ auf die Wunde legen 아픈 데를 손가락으로 찌르다(노골적으로 지적하다); sich³ nicht gern die ~ schmutzig machen 언짢은 일을 피해 가다; 〖구어·농담〗 an jedem ~ eine(n) 〔zehn〕 haben 숭배자가〔애인이〕 많다; keinen ~ rühren 〔keinen ~ krumm machen〕 손가락 하나 까딱하지 않다; 〖비유〗 sich³ die ~ verbrennen (쓸데없는 일에 손대어) 혼나다, 손해보다; sich³ in den ~ schneiden 완전히 오판하다, 스스로 화를 초래하다; er hat überall seine ~ drin 〔dazwischen, im Spiel〕 그는 무슨 일에든 관여한다〔손을 댄다〕; mir sagt's mein kleiner ~ 나는 속지 않아(비밀 따위를 간파했을 때 하는 말); er hat im kleinen ~ mehr, als andere im ganzen Kopf 그는 남보다 더 많이 안다〔재능이 있다〕; sich³ die ~ 〔alle zehn ~〕 nach et.³ lecken 무엇을 열망하다; et. im kleinen ~ haben 무엇을 소상히 알고 있다; jemand braucht nur den kleinen ~ auszustrecken 누가 무엇을 쉽게 얻을 수 있다; 〖속담〗 gibt man ihm den kleinen ~, nimmt er die ganze Hand 봉당을 빌려 주니 안방까지 달란다. ② 〖전치사와 함께〗 man kann es leicht **an** den〔zehn〕 ~n abzählen 그것은 아주 명백한 일이다(쉽게 알〔짐작할〕 수 있다); jm. **auf** die ~ klopfen 누구를 벌하다(엄히 타이르다); jm. (scharf) auf die ~ sehen〔passen〕 누구를 감시하다; den ~ auf den Mund legen (침묵하라고) 손가락을 입에 대다; sich³ et. **aus** den ~n saugen 무엇을 날조하다; (bei.) jm **durch** die ~ sehen 누구의 잘못을 너그럽게 보아 주다; et. **mit** spitzen ~n anfassen 무엇을 마지못해 집다〔조심스레 집다〕; et. mit dem kleinen ~ machen 무엇을 손쉽게 해치우다; auf jn. mit dem ~ weisen 〔zeigen〕 누구를 공공연하게 비웃다; 〖구어〗 jm.〔jn.〕 juckt〔kribbelt〕 es in den ~n (누구를 때리고 싶어) 누구의 손이 근질근질하다; 〖구어〗 jm. in die ~ fallen〔geraten〕 누구의 손아귀에 들어가다; et. in die ~ bekommen 〔kriegen〕 무엇을 우연히 수중에 넣다; jn. in die ~ bekommen〔kriegen〕 누구를 체포하다 〔붙잡다〕; er ist (leicht) **um** den ~ zu wickeln 그는 시키는 대로 움직이는 인간이다; jm. unter die ~ kommen〔geraten〕 누구와 마주치다, 누구에게 들키다〔붙잡히다〕; 〖농담·은어〗 der elfte ~ 자지(Penis). ③ (장갑의) 손가락. ④ 손가락 너비(척도): keinen ~ breit sein 손가락 하나의 폭도 안 되다. ⑤ 〖植〗 바나나 열매(뭉치의 낱개).
Finger·abdruck *m.* 〖복수: ..drücke〗 지문: jm. Fingerabdrücke abnehmen 누구의 지문을 채취하다. **~abdruck·verfahren** *n.* 지문 채취법. **~becken** *n.* 식후에 손가락을 씻는 그릇. **~beere** *f.* 손가락 끝의 안쪽. **≈breit** *a.* 손가락 폭의. **~breit** *m.* 손가락 폭: 〖비유〗 um keinen ~ von et.³ abgehen 무엇에서 조금도 벗어나지 않다. **≈dick** *a.* 손가락 굵기의: ein ~es Seil 손가락 굵기의 밧줄〔자일〕. **~entzündung** *f.* 〖醫〗 표저(瘭疽). **~farbe** *f.* (어린이의) 손가락으로 찍어 바르는 그림 물감. **≈fertig** *a.* 손끝이 여문, 손가락 놀림이 빠른: der Zauberer ist sehr ~ 그 마술사는 손(가락) 놀림이 아주 잽싸다. **~fertigkeit** *f.* 손이 잼; 〖음악〗 손가락의 숙련. **~glied** *n.* 손가락 마디. **~hakeln** *n.* (독일 바이에른과 오스트리아에서 행해지는) 손가락 씨름. **~-hand·schuh** *m.* 장갑. **~hirse** *f.* 〖植〗 바랭이. **~hut** *m.* ① (금속으로 만든) 골무: einen ~ voll 아주 조금; den ~ aufsetzen 골무를 끼다. ② 〖植〗 디기탈리스(Digitalis).
..fingerig *suf.* "손가락이 …한"의 뜻(보기: dick~ 손가락이 굵은; zehn~ 열 손가락이 있는).
Finger·kraut *n.* 〖植〗 양지꽃속(屬). **~-kuppe** *f.* 손가락 끝. **≈lang** *a.* 손가락 길이의: alle ~ 매순간마다, 금방이라도.
Fingerling [fíŋərlɪŋ] *m.* -s, -e (다친 손가락에 끼우는) 끼우개, 골무; 장갑의 손가락.
fingern [fíŋərn] 《Ⅰ》 *i.*(h.)/*t.* ① **(a)** (an et.³) 손가락을 대다, 손가락으로 만지작거리다; 〖음악〗 탄주하다. **(b)** 여자와 희롱하다. **(c)** 손가락으로 꺼내다: er fingerte sich³ eine Zigarette aus der Tasche 그는 손가락으로 주머니에서 담배 한 개비를 끄집어냈다. ② 〖구어〗 잘 해내다: wir werden die Sache schon ~! 우리는 그 일을 솜씨 좋게 해낼 것이다! ③ 훔치다: gestern hat er zwei Brieftaschen gefingert 어제 그는 지갑 두 개를 훔쳤다. 《Ⅱ》 **gefingert** *p.a.* ↑ gefingert.
Finger·nagel *m.* 손톱: die Fingernägel feilen 손톱을 갈아 다듬다. **~ring** *m.* 반지. **~satz** *m.* 〖음악〗 운지법(運指法): Noten mit ~ versehen 악보에 운지법을 표시하다.
fingers·dick *a.* ↑ fingerdick. **≈lang** *a.* ↑ fingerlang.
Finger·spiel *n.* (손가락으로 형상을 만드는) 손가락놀이. **~spitze** *f.* 손가락 끝: 〖구어〗 mir kribbelt es in den ~n 나는 아주 초조하다; bis in die ~n 철두철미, 철저히, 완전히 (durch und durch). **~spitzen·gefühl** *n.* 섬세한 감각. **~sprache** *f.* 수화(手話). **~spur** *f.* 손가락 자국. **~stock** *m.* 가죽 장갑의 손가락을 늘리는 도구. **~strecker** *m.* ① ↑ ~stock. ② 〖해부〗 손가락의 신근(伸筋). **~-tier** *n.* 〖動〗 다람쥐원숭이. **~übung** *f.* 〖음악〗 운지법 연습(곡). **~wurm** *m.* ↑ ~entzündung. **~zeig** *m.* 지시; 암시, 힌트: einen ~ erhalten〔geben〕 힌트를 얻다〔주다〕.
fingieren [fɪŋgí:rən] 《lat.》 《Ⅰ》 *t.* ① 날조하다; 속이다, …인 체하다. ② 가정하다. 《Ⅱ》

fingiert *p.a.* ↑ fingiert.
fingiert 《I》*p.p.* ↑ fingieren. 《II》*p.a.* 허구의, 꾸며낸; 거짓의, 겉치레의; 가정의; 〖法〗의제적(擬制的)인.
..fingrig *suf.* ↑ ..fingerig.
Finis [fí:nɪs] 《lat.》 *n.* 끝, 결미(結尾); 〔고어〕끝내는 글귀, 맺는 말: ~! 이제 끝내자!
Finish [fínɪʃ] 《engl.》 *n.* -s, -s 완성, 마무리; 〖스포츠〗 결승(Endkampf).
finit [finí:t] 《lat.》 *a.* 〖문법〗 정해진: ~e Verbalform 정동사형(定動詞形).
***Fink** [fɪŋk] *m.* -en, -en ①〖動〗 참샛과의 작은 새(되새·방울새 등). ②〔고어〕↑ Finke.
Finke [fíŋkə] *m.* -n, -n 〔고어〕①〔학생〕학생 조합에 가입하지 않은 대학생. ② 경박〔방탕〕한 사람, 건달.
finkeln [fíŋkəln] *i.* (h.) 방울새를 잡다, (참)새를 잡다.
Finken [fíŋkən] *m.* -s, - (schweiz.) 방한용 실내화.
finken *i.* (h.) ① (방울새가) 지저귀다. ② ↑ finkeln.
Finken⸗herd *m.* 〔고어〕되새〔방울새〕 잡는 덫. **~schlag** *m.* 방울새의 지저귐. **~strich** *m.* ① 방울새 떼의 비행; (날아가는) 방울새 떼를 그물로 잡기. ②〔비속〕매춘부의 호객 행위.
Finkler [fíŋklər] 《<Fink》 *m.* -s, - 〔고어〕새 잡는 사람: Heinrich der ~ 새사냥을 즐긴 하인리히 왕(하인리히 I 세의 별명).
Finn-Ding(h)i [fíndɪŋgi] *n.* -s, -s 경주용 1인승 요트.
Finne[1] [fínə] *f.* -n ①〖動〗 촌충의 유충(幼蟲), 낭충(囊蟲). ②〖醫〗 여드름.
Finne[2] *f.* -n ① (상어·고래의) 등지느러미. ② 쇠망치의 노루발, 망치 꼬리: einen Stein mit der ~ zurechtschlagen 돌덩이를 망치 꼬리로 다듬다.
Finne[3] *m.* -n, -n 핀란드 사람.
Finn·fisch *m.* ↑ Finnwal.
finnig [fínɪç] 《<Finne[1]》 *a.* ① 촌충의 애벌레가〔낭충이〕 들어 있는. ② 여드름이 난.
Finnin [fínɪn] 《<Finne[3]》 *f.* -nen ↑ Finne[3]의 여성형.
Finnisch [fínɪʃ] *n.* -(s) 핀란드어.
finnisch *a.* 핀란드(사람·말)의.
Finnische* *das* ① 핀란드어. ② 핀란드적인 것.
finnisch-ugrisch *a.* 피노 우그리아 어족의(핀란드·시베리아 북서부·헝가리 언어의).
Finnland [fínlant] *n.* 핀란드.
Finnländer [..lɛndər] *m.* -s, - 핀란드 사람(Finne[3]).
finnländisch *a.* 핀란드의.
Finn·mark [fínmark] *f.* 핀란드 마르크(화폐 단위).
finnougrisch [fínoú:grɪʃ] *a.* ↑ finnischugrisch.
Finnougristik *f.* 피노 우그리아어학.
Finn·wal *m.* 〖動〗 큰고래.
***finster** [fínstər] *a.* ① 깜깜한, 칠흑같이 어두운; 음울한; 흐린: 〖사진〗 ~e Kammer 암실; im ~n 어둠 속에서; im ~n tappen 암중모색하다. ②〖聖〗 죄악의, 사악한: im ~n wandeln 죄짓는 생활을 하다. ③〔비유〕(**a**) 숨은, 비밀의; 분명치 않은, 알기 어려운: das scheint mir eine ~e Angelegenheit zu sein 그것은 수상한 일인 것 같다. (**b**) 무지몽매한: das ~e Mittelalter 중세의 암흑 시대. (**c**) 슬픈, 우수에 잠긴; (verdrießlich) 불쾌한, 얼굴을 찌푸린; 무서운, 험상궂은; 불길한: ein ~es Gesicht 침울한 얼굴; jn. ~ ansehen 누구를 노려보다; die Angelegenheit sieht ~ für uns aus 그 일은 우리에게 불리하게 보인다.
Finsterkeit [..kaɪt] *f.* 어둠; 음울, 암담: in seinen Blicken war viel ~ 그의 눈빛에는 수심이 가득했다.
Finsterling [..lɪŋ] *m.* -s, -e ① (Obskurant) 계몽에 반대하는 사람, 비개화주의자. ② 무지몽매한 사람, 무식쟁이.
finstern [fínstərn] 〖구식〗《I》*t.* 어둡게〔흐리게〕 하다. 《II》*refl./i.* (h.) ① (sich) ~ 어두워지다, 흐려지다. ② *imp.* (schweiz.) es finstert 어두워지다.
Finsternis *f.* -se ① 칠흑 같은 어둠, 암흑; 〖天〗 식(蝕): eine totale ~ der Sonne 개기일식(↑ Sonnen~, Mond~). ②〖聖〗 고난, 불행, 죄악의 구렁텅이: die Mächte der ~ 암흑의 세력, 악(의 무리); das Reich der ~ 지옥. ③〔비유〕무지몽매, 미개.
Finte [fíntə] 《it.》 *f.* -n ①〖펜싱〗 거짓 동작, 페인팅: eine ~ anwenden 페인팅 동작을 취하다. ②〔비유〕 핑계, 구실: zu einer ~ greifen 핑계를 대다. ③ 속임수, 술책: mit ~n sein Ziel erreichen 속임수로 목적을 달성하다. ④ (길이 40 cm 이하의) 훈제용 청어.
Finten⸗macher *m.* 모사꾼; 책략가. **~reich** *a.* 변명 잘하는, 구실이 많은.
finzelig [fíntsəlɪç] *a.* ① 꼼꼼〔세심〕한: eine ~e Person 꼼꼼한 사람. ② 성가신, 힘든: eine ~e Arbeit 힘든 일. ③ 극도로 작은, 눈을 혹사시키는: eine ~e Schrift 글씨가 잘아서 읽기 힘든 글.
finzlig [..tslɪç] *a.* ↑ finzelig.
Fiorette [fiorɛ́tə] *f.* -n, **Fioritur** [fioritú:r] 《lat.》 *f.* -en 〖음악〗 (가곡의) 장식음.
Fips [fɪps] *m.* -es, -e 〔속어〕① 엄지손가락과 가운뎃손가락으로 튀겨 딱 소리내기; 손가락으로 코를 퉁겨 소리내기. ② 질책, 비난. ③〔방언〕 작고 초라한 사람: 〔농담〕 Meister ~ 재봉사.
fipsen [fípsən] *t.* ① 손가락으로 튀기다. ②〔고어〕동침하다.
fipsig [fípsɪç] *a.* ① 보잘것없는, 초라한. ② (옷의) 마름질이 잘못된. ③ 떨리는.
Firenze 피렌체(이탈리아의 도시).
Fire·wall [fáiərwɔ:l] 《engl.》〖컴〗 방화벽(네트워크에 대한 외부의 무단 침입을 막기 위해 설치한 컴퓨터 보호 프로그램).
Firlefanz [fírləfants] *m.* -es, -e 〔구어·폄어〕① (원래 무용의 일종) 겉치레만의 것, 너절한 것, 허섭스레기. ② 바보짓거리; 허튼소리. ③ 유치한〔허황된〕 인간; 〔드물게〕겉치레만 하려 드는 사람, 젠체하는 사람.
firlefanzen *i.* (h.) 어리석은 짓〔말〕을 하다.
Firlefanzerei [fírləfantsəráɪ] *f.* -en ↑ Firlefanz ②.
firm [fɪrm] 《lat.》 *a.* ① 능숙한; 정통한: in et.[3] ~ sein 어떤 일에 정통〔능숙〕하다. ②〔구식〕견고한, 확고한.
Firma [fírma] 《it.》 *f.* ..men ① (**a**) 회사, 상사(약어: Fa.): bei〔in〕 einer ~ arbeiten 어

느 회사에 근무하다; 〖농담〗 kommst du mit zum Essen? ich lade dich ein — die ~ dankt 식사하러 같이 가겠어? 내가 초대하지 — 고맙지만 사양하겠네; 〖농담〗 er kommt von ~ Klemm〔Klau〕 und Lange 그는 도벽이 있다고〔손버릇이 나쁘다고〕 알려져 있다. (**b**) (등록된) 상호: das Geschäft wird unter der ~ Meyer u. Co. geführt 그 업체는 마이어 회사라는 상호로 운영된다. ② 〔구어·폄어〕 패거리, 일당: 〔반어〕 eine saubere ~ 기분 나쁜〔재수 없는〕 패거리.

Firma·inhaber *m.* ↑ Firmeninhaber.

Firmament [fɪrmamɛ́nt] 《lat.》 *n.* -(e)s, -e 〔시어〕 창공, 하늘.

firmeln [fírməln] *t.* 〔드물게〕 ↑ firmen.

Firmelung [..luŋ] *f.* -en ↑ Firmung.

firmen [fírmən] *t.* 〖가톨릭〗 jn. ~ 누구에게 견진 성사(堅振聖事)를 베풀다.

Firmen≈aufdruck [fírmən..] *m.* (종이·서류에) 인쇄된 상호: Briefpapier mit ~ 상호가 인쇄된 편지지. **~buch** *n.* 회사 명부. **~chef** *m.* 사장. **~inhaber** *m.* 사주, 사장. **~inhaberin** *f.* ↑ ~inhaber 의 여성형. **~-kopf** *m.* 레터 헤드(회사의 상호·주소 따위를 인쇄한 서식). **~register** *n.* ↑ ~buch. **~-schild** *n.* (회사의) 간판. **~stempel** *m.* 회사의 스탬프. **~verzeichnis** *n.* 회사 명부. **~wahrheit** *f.* 〖經〗 상호〔상사〕의 성실 표시의 의무. **~zeichen** *n.* 회사 표지〔마크〕. **~zeichnung** *f.* 〖商〗 (회사의) 서명.

firmieren [fɪrmíːrən] 《it.》 *i.* (h.) 어떤 상호로〔상표로〕 영업〔활동〕하다; (…에) 상호를 써넣다〔붙이다〕: die Fabrik firmiert als〔mit, unter〕 Kutsch & Co. 그 공장은 쿠치 회사라는 상호를 사용한다; als Redakteur ~ 편집인이라는 직함으로 활동하다.

Firmling [fírmlɪŋ] 《lat.》 *m.* -s, -e 〖가톨릭〗 견진 성사를 받는 사람.

Firm≈pate [fírm..] *m.* 견진 성사(堅振聖事)의 입회인〔대부〕. **~patin** *f.* 견진 성사의 여자 입회인〔대모〕.

Firmung [fírmuŋ] *f.* -en 견진 성사: einem Kind die ~ erteilen 아이에게 견진 성사를 베풀다.

firn [fɪrn] *a.* (술·눈이) 여러 해 묵은; (특히) 지난 해의, 해묵은.

Firn *m.* -(e)s, -e ① 여러 해 동안 쌓인 눈; 만년설. ② 〖복수: -en〗 (öst., schweiz.) 만년설이 덮인 고산 지대; 빙하.

Firne [fírnə] *f.* -n 오래 묵은 포도주의 숙성.

Firn·eis *n.* 만년설의 얼음층.

firnen [fírnən] *i.* (h.) (포도주가) 숙성하다.

Firner [..nər] *m.* -s, - ↑ Firn ②.

Firne·wein *m.* 오래된〔숙성한〕 포도주.

Firn·grenze *f.* 〖기상·지질〗 (만년설이 쌓인 고산 지대에서 1년 내내 눈이 녹지 않는) 설선(雪線).

firnig *a.* ① 만년설의, 여러 해 쌓인 눈의. ② 〔고어〕 현명한, 지혜로운.

Firnis [fírnɪs] 《frz.》 *m.* -ses, -se 니스; 〔비유·폄어〕 겉치레, 허식: der ~ bewahrt das Bild vor Verschmutzung 니스가 그림이 더러워지는 것을 방지해 준다; seine Bildung ist nur ~ 그의 교양은 겉치레일 뿐이다.

Firnis≈baum *m.* 니스의 원료가 나는 수목. **~papier** *n.* 코팅한 종이, 유지(油紙).

firnissen [fírnɪsən] *t.* (et.) (무엇에) 니스를 칠하다; 〔비유〕 (무엇의) 겉을 꾸미다.

Firn·schnee *m.* ↑ Firn ①.

First [fɪrst] *m.* -(e)s, -e 〔*f.* -en〕 ① 산등성이, 산꼭대기. ② 용마루(Dach~); 〔드물게〕 집(Haus). ③ 〖광산〗 갱도의 천장.

First·balken *m.* 용마루 도리, 마룻대.

Firste *f.* -n ↑ First ③.

First≈pfette *f.* 용마루의 도리〔마룻대〕. **~-ziegel** *m.* 용마루 기와.

fis [fɪs] *n.* -, - 〖음악〗 (단조의) 올림 바음; 올림바 단조.

Fis[1] *n.* -, - 〖음악〗 (장조의) 올림 바음; 올림바 장조: 〔비유〕 ins ~ kommen 궁지에 몰리다.

Fis[2] *f.* = Fédération Internationale de Ski 《frz.》 국제 스키 연맹.

***Fisch** [fɪʃ] *m.* -(e)s, -e ① (**a**) 물고기, 생선: stumm wie ein ~ 입을 다문 채; gesund wie ein ~ im Wasser 물고기처럼 팔팔하여; 〔구어·농담〕 ein großer〔dicker〕 ~ 중요한 인물, 거물; sie ist kalt wie ein ~ 그녀는 차가운 여자다; weder Fleisch noch ~ 정체를 알 수 없는, 애매한; faule ~e 거짓말; 〔구어〕 ungefangene ~e 단언〔결정〕하기에는 아직 이른 일들; das sind kleine ~e! 그것은 하찮은 일이다!; frische ~e, gute ~e 물 좋은 생선이 좋은 생선이다; 〖경박〗 die ~e füttern (배멀미로) 토하다; 〔구어〕 der ~ will schwimmen 생선 요리를 보면 술 생각이 난다. (**b**) 생선 요리: heute gibt es ~ 오늘 메뉴는 생선 요리다. ② 〖복수〗 〖天〗 물고기자리, 물고기자리에 태어난 사람. ③ 〖印〗 잘못된 칸에 있는 활자. ④ 〖발레〗 파트너의 머리를 받치는 자세. ⑤ 〖海〗 중앙 이음 갑판.

Fisch≈aar *m.* ↑ ~adler. **~adler** *m.* 〖動〗 물수리. **~abdruck** *m.* 〖지질〗 물고기 화석. **~angel** *f.* 낚싯바늘. **≈arm** *a.* 물고기가 적은. **≈artig** *a.* 물고기 같은. **~auge** *n.* ① 물고기의 눈; 멍한 눈. ② 어안 렌즈. ③ 〖광물〗 월장석(月長石)(Mondstein). **≈äugig** *a.* 물고기 눈을 가진. **~band** *n.* 〖工〗 경첩의 일종. **~bank** *f.* 생선 가게의 판매대. **~behälter** *m.* 산 물고기를 담아 두는 통, 활어조. **~bein** *n.* 고래 수염〔뼈〕. **≈beinern** *a.* 고래 수염〔뼈〕의. **~bestand** *m.* (바다〔하천〕의) 물고기 양, 수산 자원. **~besteck** *n.* 생선 요리 식사용의 포크와 나이프. **~blase** *f.* ① 물고기의 부레. ② 〖건축〗 (후기 고딕 양식의) 부레 모양의 장식. ③ (후기 철기 시대 켈트 예술의) 나선형〔화염형〕 장식. **~blut** *n.* 물고기의 피: 〔비유〕 er hat ~ 그는 냉혈한이다. **≈blütig** *a.* 냉혈의, 냉담한. **~braterei** *f.* ↑ ~bratküche. **~brat·küche** *f.* 생선 요릿집. **~-brett** *n.* 목제 생선 접시, 도마. **~brötchen** *n.* 생선을 끼운 빵. **~brut** *f.* (한 배에서 난) 새끼 물고기, 치어.

Fischchen [fíʃçən] *n.* -s, - ① 〔↑ Fisch 의 축소형〕 작은 물고기. ② 〖動〗 반대좀과 곤충.

Fisch·dampfer *m.* 원양 어업용 증기선.

fischeln [fíʃəln] *i.* (h.) 생선 비린내가〔맛이〕 나다: hier fischelt es abscheulich 여기에는 생선 비린내가 역겹게 난다.

fischen [fíʃən] *t.* ① (고기를) 잡다, 낚다; (진주·해산물을) 채취하다; (물속에 있는 것을) 건지다, 찾다: Heringe mit Netzen ~ 그물로

청어를 잡다; 〖海〗 den Anker ~ 닻을 올려 뱃전에 걸다. ② 〔비유〕 nach et.³ ~ 무엇을 얻고자 애쓰다: im trüben ~ 어수선한 틈을 타서 한몫 보려하다; es ist nichts dabei zu ~ 그것은 아무런 득도 되지 않는다.

Fischenz *f.* -en (schweiz.) 어업 임대차 (계약).

Fischer [fíʃər] *m.* -s, - ① 어부; 낚시꾼. ② 낚싯배(Fischerboot).

Fischer≈boot *n.* 소형 어선, 낚싯배. **~dorf** *n.* 어촌.

Fischerei [fɪʃəráɪ] *f.* -en ① 낚시, 고기잡이, 어업, 수산업. ② 어업권. ③ 어장.

Fischerei≈grenze *f.* 〖法〗 어업 전관 수역 경계선. **~hafen** *m.* 출어항. **~recht** *n.* 어업권; 어업법. **~wesen** *n.* 수산업계.

Fischer≈fahrzeug *n.* 어선. **~garn** *n.* 어망. **~gerät** *n.* 어구. **~gerechtsame** *f.* 어업권. **~hütte** *f.* 어부의 오두막집. **~innung** *f.* 수산업 조합. **~kahn** *m.* 고깃배, 작은 어선. **~knabe** *m.* 어린 어부; 바닷가 소년. **~netz** *n.* 어망. **~ring** *m.* 〖가톨릭〗 교황의 반지(성 베드로가 어망을 끄는 모습과 교황의 이름이 새겨진 교황의 인장(印章) 반지). **~stechen** *n.* 어부의 모의 해전(작은 배를 타고 장대로 서로 밀어 떨어뜨리는 민속놀이).

Fisch≈fang *m.* 고기잡이; 어획: zum ~ ausziehen 고기잡이 나가다. **~faß** *n.* 물고기통. **~flosse** *f.* 지느러미. **~gabel** *f.* ① 작살. ② 생선 요리 식사용 포크. **~garn** *n.* 어망. **~gehege** *n.* 가두리, 활어조. **~gerät** *n.* 어구. **~gerechtigkeit** *f.* 어업권. **~gericht** *n.* 생선 요리. **~geruch** *m.* 생선 냄새. **~gift** *n.* 물고기의 독, 어독(魚毒)(물질). **~gräte** *f.* ① 물고기의 뼈. ② 〔구어〕 생선 가시.

Fischgräten≈muster *n.* (직물의) 생선뼈 무늬. **~stich** *m.* 〖수예〗 헤링본 스티치(오리무늬로 뜨기).

Fisch≈gründe *pl.* 어장. **~haken** *m.* 낚싯바늘. **~hälter** *m.* 양어장; 활어조. **~hamen** *m.* 고기잡이 그물. **~händler** *m.* 생선 장수. **~haut** *f.* ① 물고기 껍질. ② 〖醫〗 거칠거칠한 살갗. ③ (무기의) 거친 표면. ④ 비옷.

fischicht [fíʃɪçt] *a.* ↑ fischig.

fischig [fíʃɪç] *a.* ① 물고기 같은, 물고기 냄새가〔맛이〕 나는. ② 멍한.

Fisch≈kalter *m.* 활어를 담아두는 물통. **~kasten** *m.* (상자 모양의) 물고기 통. **~kelle** *f.* 〖요리〗 (주걱 모양의) 생선 뒤집는 기구. **~kessel** *m.* 생선 요리용 냄비. **~kieme** *f.* 아가미. **~köder** *m.* 낚시의 미끼. **~konserve** *f.* 생선 통조림. **~korb** *m.* 생선 바구니. **~körner** *pl.* 〖植〗 방기과 식물의 열매(어류를 마비시켜 잡는 데 씀). **~kunde** *f.* 어류학. **~kutter** *m.* 근해〔원양〕 어선. **~laden** *m.* 생선 가게. **~laich** *m.* ↑ ~rogen. **~lake** *f.* 물고기를 절이는 소금물. **~laus** *f.* 〖動〗 어슬(魚蝨). **~leim** *m.* 어교(魚膠), 부레풀. **~leiter** *f.* 어제(魚梯)(물고기가 상류로 거슬러 오르도록 댐 따위에 설치한 장치). **~markt** *m.* 수산 시장. **~maul** *n.* 물고기 주둥이. **~messer** *n.* 생선 요리 식사용의 나이프. **~milch** *f.* (물고기의) 이리. **~netz** *n.* ↑ Fischernetz. **~mehl** *n.* 어분(魚粉). **~öl** *n.* 어유(魚油). **~otter** *m.* 〖動〗 수달. **≈reich** *a.* 어족〔수산 자원〕이 풍부한. **~reiher** *m.* 〖動〗 왜가리. **~reuse** *f.* 〖漁〗 통발, 어량(魚梁). **~rogen** *m.* 어란(魚卵), 곤이. **~satz** *m.* (양어장의) 치어. **~schuppe** *f.* 물고기 비늘. **~schuppen·krankheit** *f.* 〖醫〗 어린선(魚鱗癬). **~speck** *m.* 훈제한 생선 토막. **~speer** *m.* ↑ ~gabel ①. **~speise** *f.* ① 생선 요리. ② 물고기 사료. **~stäbchen** *n.* 〖요리〗 (네모난 모양의) 생선 튀김. **~strich** *m.* 물고기의 산란. **~suppe** *f.* 생선 수프, 생선탕. **~tag** *m.* 고기잡이 날; 〖가톨릭〗 (짐승 고기는 먹지 않고) 생선을 먹는 날. **~teich** *m.* 양어장. **~torpedo** *m.* ① 고래잡이용 작살. ② 어뢰. **~tran** *m.* 어유, 간유. **≈verarbeitend** *a.* 생선 가공의. **~vergiftung** *f.* 생선 중독. **~wate** *f.* 저인망. **~wehr** *n.* 어살. **~weib** *n.* ① 〔고어·폄어〕 물고기 파는 여자. ② 인어. **~weiher** *m.* (낚시를 위한) 양어장. **~wolle** *f.* 생선의 단백질로 만든 인공 섬유. **~zeit** *f.* 어획기. **~zeug** *n.* 어구. **~zucht** *f.* 양어(養魚): künstliche ~ 인공 양어; natürliche ~ 자연 양어. **~zug** *m.* ① 어망 끌어당기기: ein guter ~ 풍어; auf einen ~ gehen 출어하다. ② 어군(魚群). ③ 한몫 잡기: einen guten ~ machen 한몫 잡다.

Fis-Dur [físdu:r] *n.* - 〖음악〗 올림 바 장조 (기호: Fis).

Fis-Dur-Ton·leiter *f.* 올림 바 장조의 음계.

Fisett·holz [fizɛ́t..] *n.* 황로(黃櫨) 목재(황색 염료를 채취함).

Fisimatenten [fizimatɛ́ntən] *pl.* ① 〔구어〕 허풍; 구실, 핑계: ~ machen 허풍 떨다, 속이다; mach nicht so viel ~! 이 핑계 저 핑계 대지 마!; das sind ~ 그것들은 핑계에 불과하다. ② 허튼생각, 헛수고, 난센스: du hast nichts als ~ im Kopf 네 머리 속에는 허튼 생각밖에 없다.

Fiskal [fɪskáːl] 《lat.》 *m.* -s, -e 〔고어〕 (중세 후기의) 국고 출납관; (18 세기의) 검사(檢事) (Staatsanwalt).

Fiskalat *n.* -(e)s, -e 〔고어〕 국고 출납관〔검사〕의 직위.

fiskalisch [..lɪʃ] *a.* 국고의; 국유의.

Fiskus [fískus] 《lat.》 *m.* -, ..ken/-se ① 국고(Staatskasse): diese Abgaben fließen in den ~ 이 세금들은 국고에 귀속된다. ② (재산권의 주체인) 국가. ③ 〔고어〕 재무부.

fis-Moll [físmɔl] *n.* 〖음악〗 올림 바 단조(기호: fis).

fis-Moll-Ton·leiter *f.* 〖음악〗 올림 바 단조의 음계.

Fisole [fizóːlə] 《lat.》 *f.* -n 〖植〗 강낭콩.

fispern [físpərn] *i.* (h.) 속삭이다(flüstern).

fissil [fɪsíːl] 《lat.》 *a.* 쪼갤 수 있는, 분열성의.

Fissilität [..silitɛ́ːt] *f.* 분열성.

Fission [físioːn] *f.* -en ① 〖物〗 핵분열. ② 〖生〗 (조직의) 분열.

Fissur [fɪsúːr] *f.* -en ① 갈라진〔째진〕 틈. ② 뼈의 균열. ③ 주름, 벤 상처.

Fist [fɪːst] *m.* -(e)s, -e ① 헛방귀. ② 〖植〗 말불버섯(Bofist).

Fistel [fístəl] 《lat. fistula》 *f.* -n ① 〖醫〗 누관(瘻管), 누공(瘻孔): eine ~ aufschneiden 누관을 절개하다. ② 〖음악〗 가성(假聲): in der ~ sprechen 가성으로 말하다.

fisteln [fístəln] *i.* (h.) 가성으로 노래하다.

Fistel·stimme *f.* ① 남자의 가성. ② 높고 가는 목소리.
fistulieren [fıstulí:rən] *i.* (h.) ↑ fisteln.
fistulös [..lǿ:s] *a.* 〖醫〗 누관상(瘻管狀)의, 누공성(瘻孔性)의.
fit [fıt] 《engl.》 *a.* 임무를 완수할 수 있는; 〖스포츠〗 체력〔컨디션〕이 가장 좋은: durch die Gymnastik hält sie sich ~ 그녀는 체조로 몸의 컨디션을 유지한다.
Fitis [fítıs] *m.* -(ses), -se 〖動〗 노랑허리솔새 (휘파람샛과).
Fitneß [fítnεs] *f.* 몸의 컨디션이 좋은 상태.
Fitneß≈center *n.* 헬스 클럽. **~test** *m.* 체력 검사. **~training** *n.* 체력 훈련.
Fitsche [fítʃə] *f.* -n (obd.) ↑ Fischband.
Fittich [fítıç] *m.* -(e)s, -e ①〖시어〗(새의) 날개: die ~e des Adlers 독수리의 날개; jn. unter seine ~e nehmen 누구를 비호하다. ② 옷자락; 〖펌어〗 옷.
fittigen 《I》 *i.* (h.) 날다. 《II》 *t.* (무엇에) 날개를 붙이다.
Fitting [fítıŋ] 《engl.》 *n.* -s, -s 파이프의 이음쇠〔조인트〕.
Fitz [fıts] *m.* -es ① 얽힌 실뭉치. ② 분규, 혼란. ③ 흥분, 초조, 수고.
Fitz·bohne [fíts..] *f.* 〖植〗 강낭콩.
Fitzchen [fítsçən] *n.* -s, - 가는 실; 〖비유〗 약간(ein bißchen).
Fitze [fítsə] *f.* -n ① 자새실; 자새실의 묶음, 타래, 가닥. ② 주름; 엉클어짐. ③ 후려침. ④ (schweiz.) 회초리.
fitzen[1] [fítsən] 《I》 *t.* ① 자새에 감다; (실을) 타래로 가르다. ② (…에) 주름을 짓다. ③ 갈기갈기 찢다, 잘게 가르다. ④〖구어〗 회초리로 때리다. 《II》 *i.* (h.) 엉클어지다.
fitzen[2] *i.* (h.) 흥분해서 아무렇게나〔거칠게〕 일하다.
Fitz·pfeil *m.* (장난감) 화살.
Fiumara [fiumá:ra] 《lat.》 *f.* ..re 피우마라 (이탈리아의 우기에만 흐르는 강).
Fiumare *f.* -n ↑ Fiumara.
Fiume [fiú:mə] 피우메(아드리아해 연안의 이탈리아 도시).
****fix**[1] [fıks] 《frz.》 *a.* ① (a) 고정된, 정해진: ~er Gehalt 고정 봉급; ~e Idee 고정 관념. (b) (öst.) 항구적〔지속적〕인. ② ~ und fertig a) 준비가 다 된; 일을 완전히 끝낸, b) 기진맥진한, 녹초가 된; 〖방언·펌어〗 nicht (ganz) ~ sein (지능이) 약간 모자라다.
fix[2] 《↑ fix[1] 의 대학생 통용어로 추정》 *a.* 〖구어〗 숙달한; 재빠른, 민활〔기민〕한: ~er Kerl 약빠른 녀석.
fix[3] 《↑ Kurzifix 의 단축형》 *int.* (öst.) ~! 제기랄!
Fixateur [fıksatǿ:r] 《frz.》 *m.* -s, -e ①〖化〗 향료 정착액. ② 정착액 분무기.
Fixation [..tsió:n] *f.* -en 〖醫〗 (골절된 뼈의) 고정; 〖고어〗 정착, 고정; 응시; 〖心〗 병적 고착, 고착 심리.
Fixativ [..tí:f] *n.* -s, -e 정착액〔제〕.
fixen [fíksən] *i.* (h.) ①〖商〗 정기 거래하다; 〖증권〗 선매 투기하다. ②〖구어〗 마약을 주사하다: sich zu Tode ~ 마약을 주사해 죽음에 이르다.
Fixer [..sər] *m.* -s, - ①〖증권〗 투기꾼. ② 〖구어〗 마약 중독자.
Fixer·stube *f.* 〖마약〗 마약 중독자들이 위생적으로 헤로인 주사를 놓을 수 있도록 시에서 마련한 공간.
fix≈fertig [fíksfέrtıç] *a.* (schweiz.) 준비 완료된. **~geschäft** *n.* 〖商〗 정기 거래, 선매 계약.
Fixier·bad [fıksí:r..] *n.* 〖사진〗 정착액.
***fixieren** [fıksí:rən] *t.* ① 고정시키다: den Aushang mit Tesafilm an der Wand ~ 벽보를 스카치 테이프로 벽에 붙이다. ② (지워지지 않도록) 정착 처리하다; 〖사진〗 정착하다. ③ (시점을) 고정시키다. ④ 문서화하다, 기록하다. ⑤ 응시하다. ⑥ (석고 붕대로) 고정시키다. ⑦ (세포 조직을) 고정 처리하다. ⑧ (a) 〖역도〗 (역기를 든 채) 정지하다. (b) 〖레슬링〗 (움직일 수 없게 상대를) 제압하다. ⑨〖心〗 sich auf et.〔jn.〕 ~ 무엇에〔누구에게〕 병적으로 집착하다〔매달리다〕: an〔auf〕 jn.〔et.〕 fixiert sein 누구에게〔무엇에〕 집착하고〔매달려〕 있다.
Fixier≈mittel *n.* 〖사진〗 정착제. **~natron** *n.* 정착 소다. **~salz** *n.* 정착염.
Fixierung [fıksí:ruŋ] *f.* -en 확정, 결정; 응시; 〖사진〗 정착.
Fixigkeit [fíksıçkaıt] *f.* 신속, 기민성.
Fixing 《engl.》 *n.* 〖증권〗 (1 일) 환시세.
Fix≈kosten *pl.* 고정 비용; 고정〔확정〕 가격. **~punkt** *m.* 〖物〗 (온도의) 정점(定點); 〖數〗 부동점; 〖측량〗 기준점. **~stern** *m.* 〖天〗 항성.
Fixum [fíksum] 《lat.》 *n.* -s, ..xa 고정된 것; 정액; 고정급.
Fix·zeit *f.* 고정 근무 시간.
Fjäll [fjεl] *m.* -s, -s ↑ Fjell.
Fjeld [fjelt] *m.* -s, -s ↑ Fjell.
Fjell [fjεl] 《norweg.》 *m.* -s, -s 고원; 피엘 (스칸디나비아 지방의 나무가 없는 고원 지대).
Fjord [fjɔrt] 《norweg.》 *m.* -(e)s, -e 피오르드, 절벽에 에워싸인 좁은 만(灣), (노르웨이 해안의) 협만.
FKK [εfka:ká] =Freikörperkultur 나체주의.
FKKler [..ká:lər] *m.* -s, - 나체주의자.
FKK-Strand *m.* 해변의 나체촌.
Fl., fl. =Florin 플로린(네덜란드 금화; 옛 영국 은화).
Fla. =Florida (미국의) 플로리다주.
Flabbe [flábə] *f.* -n 〖방언〗 아래로 처진 입 (Flappe).
***flach** [flax] *a.* ① 평평〔평탄〕한: das ~e Land 평지; auf dem ~en Lande 교외에; es liegt auf der ~en Hand 그것은 명백하다; mit der ~en Klinge schlagen (놀래 주기 위하여) 칼등으로 치다; 〖구어〗 ~ fallen 실패하다, 낭패보다. ② 낮은, 가파르지 않은: eine ~e Nase 납작코; ein ~es Dach 평평한 지붕; Schuhe mit ~en Absätzen 굽이 낮은 구두; eine ~e Stirn 납작한 이마; eine ~e Brust 편평한 가슴; ein ~es Boot 평저선. ③ (a) 얕은, 깊이가 없는: ein ~er Teller 얕은 접시; ~es Wasser 얕은 여울; ein ~ gehendes Schiff 흘수가 얕은 배. (b) 〖비유·펌어〗 천박한, 피상적인; 단조로운: ein ~er Kopf 천박한 두뇌(의 소유자); eine ~e Unterhaltung führen 피상적인 대화를 나누다; da kennst du ihn ~ 그 점에서 자네는 그를 잘못

이해하고 있네.
Flach *n.* -(e)s, -e ① 평평한 것(평지 따위). ② (물수제비를 뜨기 위한) 납작한 돌. ③〖海〗(배의) 평저. ④ 수심이 얕은 물〔곳〕.
..flach *suf.* ↑ ..flächner.
Flach≈bau *m.* (3층 이하의) 저층 건물. **~bild·schirm** *m.* 〖컴〗 평면 화면. **≈blätterig, ≈blättrig** *a.* 편평엽(扁平葉)의. **~brenner** *m.* 평형(平形) 버너; (램프의) 납작한 등구(燈口). **≈brüstig** *a.* ① 민〔납작한〕 가슴의. ② 허약한. **~dach** *n.* 평지붕, 물매가 느린 지붕. **~druck** *m.* 〖印〗 평판〔오프셋〕 인쇄; 평판 인쇄물.
***Fläche** [flέçə] *f.* -n ① 평탄한 면; 〖數〗 평면: in gleicher ~ mit et.³ 무엇과 같은 평면상의. ② 표면; 측면: die ~ eines Kristalls 결정면(結晶面). ③ 평지; 면적: das Hochwasser bedeckte eine ~ von 12 Quadratkilometern 12 km² 의 면적에 홍수가 났다.
Flach·eisen *n.* ① 철판. ② (돌 다듬는) 정.
flachen [fláxən] *t.* 평평하게 하다; 평균하다: Steine ~ 돌을 깎아 반반히 하다.
flächen [flέçən] *t.* ↑ flachen.
Flächen≈ausdehnung *f.* 평면적. **~berechnung** *f.* 면적의 계산. **~blitz** *m.* 〖物〗 막전(幕電). **~brand** *m.* 광범위한 화재. **≈deckend** *a.* (어떤 면적을) 다 커버하는. **~einheit** *f.* 면적의 단위. **~ertrag** *m.* 단위 면적당 수확량. **~größe** *f.* 면적(의 크기).
flächenhaft [flέçənhaft] *a.* ① 평면의, 2차원의. ② 막연한, 평범한.
Flächen≈inhalt *m.* 면적: den ~ eines Rechtecks berechnen 사각형의 넓이를 계산하다. **~maß** *n.* 면적 측정의 단위. **~messer** *m.* 면적계(計). **~meß·kunst** *f.* 면적 측정법; (협의로) 평면 기하학. **~raum** *m.* ↑ ~inhalt. **~winkel** *m.* 면각(面角).
flach|fallen *i.* (s.) 취소되다.
Flach≈feld *n.* 평원, 평야. **~feuer** *n.* 〖軍〗 평사(平射). **~feuer·geschütz** *n.* 〖軍〗 평사포. **~fisch** *m.* 넙치, 가자미. **≈gedrückt** *a.* 눌려서 납작하게 된, 편평한. **~glas** *n.* 판유리.
Flachheit [fláxhaɪt] *f.* -en ① 평평〔평탄〕함. ②〔비유〕 천박, 피상; 진부, 평범(한 언행): das Buch wimmelt von ~en 이 책은 진부한 말들로 가득 차 있다.
flächig [flέçɪç] *a.* ① 납작한, 넓적한. ②〔비유〕 피상적인, 천박한; 평범한.
..flächig *suf.* "…면을 가진"의 뜻(보기: eben~ 평면의; acht~ 8면의).
Flach≈kopf *m.* ① 납작 머리(인 사람); 〔비유〕 멍텅구리. ② 편두인(扁頭人)(북아메리카 인디언). **≈köpfig** *a.* 머리가 납작한; 〔비유〕 어리석은, 멍청한. **~küste** *f.* 경사가 완만한 해안(↔ Steilküste). **~land** *n.* 평지, 저지. **~länder** *m.* 평지〔저지〕의 주민. **~mann** *m.* 〔구어·농담〕 납작병(호주머니에 들어갈 수 있는 납작한 술병): 〔경박〕 er baute einen ~ 그는 뻗었다〔죽었다〕. **~moor** *n.* 〖지리〗 (호수가 메워져 생긴) 얕은 습지, 평지늪. **~nase** *f.* 납작코. **~relief** *n.* 얕은 돋을 새김〔부조(浮彫)·양각〕. **~rennen** *n.* 〖스포츠〗 (↔ Hindernisrennen) 평지 경주〔경마〕.
..flächner *suf.* "…면체"의 뜻(보기: Acht~ 8면체).
***Flachs** [flaks] *m.* -es ① 〖植〗 아마(亞麻): ~ anbauen 아마를 재배하다. ② 아마 섬유. ③〔비유·구어〕 농담, 우스갯소리: hör auf mit dem ~! 농담 그만해라! ④ ↑ Flachsader.
Flachs≈acker [fláks..] *m.* 아마 밭. **~ader** *f.* (근육의) 건(腱)(Sehne). **≈artig** *a.* 아마 같은. **~bart** *m.* 아마색의 수염(을 가진 남자). **~bau** *m.* 아마 재배. **~bleuel** *m.* ↑ ~schwinge. **≈blond** *a.* 밝은 블론드색의: ~es Haar 밝은 블론드빛 머리. **~breche** *f.* 아마 훑는〔분쇄하는〕 기구〔빗〕. **~darre** *f.* 아마의 건조; 아마 건조 장치.
Flachse [fláksə] *f.* -n 〖해부〗 (bayr., öst.) ↑ Flechse.
Flach·see [fláx..] *f.* 깊이 800 m 이하의 얕은 바다(대륙붕을 포함하는 연안 해역).
flachsen [fláksən] *i.* (h.) 허튼소리하다, 장난치다: mit jm. ~ 누구와 시시덕거리다.
flächsen [flέksən] *a.* ↑ flächsern.
Flachserei [flaksəraɪ] *f.* ① 농담하기. ② 농담삼아 하는 말, 허튼 소리.
flächsern [flέksərn] *a.* 아마(亞麻)로 만들어진; 아마 같은, 아마색의.
Flachs≈farbe *f.* 아마(亞麻)색, 담황색. **~feld** *n.* 아마밭. **~garn** *n.* 아마실. **≈gelb** *a.* 아마색의, 담황색의. **~haar** *n.* 아마색의 머리털(금발의 일종). **~hechel** *f.* ↑ ~breche.
flachsicht [fláksɪçt] *a.* ↑ flachsig.
flächsicht [flέks..] *a.* ↑ flachsig.
flachsig [fláks..] *a.* 아마 비슷한, 아마 같은.
Flachs≈kopf *m.* 아마빛 머리의 사람. **~lilie** *f.* 〖植〗 뉴질랜드삼. **~mühle** *f.* 아마 방적 공장. **~röste** *f.* 아마의 침지(浸漬); 아마의 침지 장치〔통〕. **~schwinge** *f.* 아마를 치는 막대. **~seide** *f.* 〖植〗 실새삼의 일종. **~spinnerei** *f.* 아마 방적 (공장). **~stein** *m.* 석면.
Flach·zange [fláx..] *f.* 납작집게. **~ziegel** *m.* 평기와.
flacken[1] [flákən] *i.* (h.) (obd.) 빈둥거리다: in einem Sessel ~ 안락의자에서 빈둥거리다.
flacken[2] *i.* (h.) (불꽃이) 일렁이다.
Flacker·feuer [flákər..] *n.* 〖海〗 신호 등불.
flackerig [..kərɪç] *a.* 깜박거리는; 가물가물 타는; 〔비유〕 불확실한, 불명확한: das Licht ist ~ 불빛이 깜박거린다〔명멸한다〕.
***flackern** [flákərn] *i.* (h.) (불빛이) 깜박거리다, (불이) 가물가물 타다; (음성이) 떨리다, 불안하게 움직이다: die Kerze hat gespenstisch geflackert 촛불이 음산하게 가물거렸다; seine Augen flackerten 그의 눈이 불안하게 움직였다.
flackrig *a.* ↑ flackerig.
Fladen [flá:dən] *m.* -s, - ① 둥글납작한 과자. ② **(a)** 납작하고 물렁물렁한 덩어리. **(b)** 쇠똥(Kuh≈): die Wiese war mit ~ übersät 초원에는 쇠똥이 온통 깔려 있었다. ③〔방언〕 큰 빵〔케이크〕.
Fladen·brot *n.* 둥글납작한 빵.
Flader [flá:dər] 《I》 *f.* -n 나뭇결, 나무의 무늬, 나이테. 《II》 *m.* -s, - 〖植〗 단풍나무.
Flader·holz *n.* (물결) 무늬목.
fladerig [flá:dərɪç] *a.* 나뭇결이 있는; 단풍의.
fladern [flá:dərn] *t.* (öst.) 훔치다(stehlen).
Flader·schnitt *m.* 나뭇결이 보이게 자르기(종축 자르기).

Fladerung *f.* -en 목재의 물결 무늬.
Flädle·suppe *f.* 경단을 넣고 끓인 수프.
fladrig *a.* ↑ fladerig.
Fladuse [fladú:zə] *f.* -n (ndd.) ① 속임수, 허풍; (Schmeichelei) 아첨, 알랑거림: ~n machen 아첨하다. ② (리본이 달린) 여자용 두건〔모자〕.
Flage 《ndd.》*f.* -n 〖海〗 (비바람을 동반한) 돌풍(Bö).
Flagellant [flagɛlánt] 《lat.》 *m.* -en, -en ① 편타(鞭打) 고행자(고행으로 자신을 매질하던 13-14 세기의 수도사). ②〖醫·心〗 편태(鞭笞) 성도착자.
Flagellantentum [..təntu:m] *n.* -s 편타 고행.
Flagellat *m.* -en, -en 〖動〗 편모충(鞭毛蟲).
Flagellation [..latsió:n] *f.* 편태 성도착.
Flageolett [flaʒolét] 《frz.》 *n.* -s, -e/-s 〖음악〗 ① 플라지올레토(고음의 플루트). ② ↑ Flageoletton. ③ 오르간의 플루트 음전(音栓).
Flageoletton *m.* 현악기로 내는 플루트음.
***Flagge** [flágə] *f.* -n 기(旗); 〖비유〗 당파 (Partei): die olympische ~ 올림픽기; die ~ aufziehen 기를 게양하다; die ~ streichen 기를 내리다, 〖비유〗 항복하다; ~ zeigen 견해를 분명히 밝히다: unter falscher〔fremder〕 ~ segeln 타국의 기를 달고 항해하다, 〖비유〗 정체를 숨기고 행동하다.
flaggen [flágən] 《I》 *i.* (h.) ① (기가) 나부끼다. ② 기를 게양하다; 기로 신호하다: zum Besuch des Präsidenten wird geflaggt 대통령의 방문을 맞아 기가 게양된다. 《II》 *t.* 기로 장식하다.
Flaggen≈ehrung *f.* 국기〔군기〕 게양식〔하기식〕; 기를 통한 경의〔존경〕의 표시. **~gruß** *m.* (선박 사이의) 깃발 인사. **~knopf** *m.* 돛대 또는 깃대 머리에 단 목반(木盤)(밧줄을 꿰는 구멍 또는 홈이 있음). **~leine** *f.* 게양대의 밧줄. **~parade** *f.* ↑ ~ehrung 을 위한 행진. **~signal** *n.* 기 신호. **~stange** *f.* 깃대. **~stock** *m.* ↑ ~stange. **~tuch** *n.* 깃발 천. **~zeichen** *n.* 기 신호.
Flagg≈leine [flák..] *f.* ↑ Flaggenleine. **~offizier** *m.* (군함에 제독기를 게양할 수 있는) 해군 장성〔제독〕. **~schiff** *n.* ① (승선 제독의 기를 단) 기함(旗艦). ② (함대의) 최고 함선: 〖비유〗 das 600-Modell ist das ~ dieser Autofirma 모델 600 은 이 자동차 회사의 최고급 신형차다.
flagrant [flagránt] 《lat.》 *a.* 분명한, 명백한: ein ~er Betrug 명백한 사기.
Flair [flɛ:*r*] 《frz.》 *n.* -s ① (schweiz.) 후각; 직감력, 육감. ② 분위기; 기, 기운: ein ~ von Exotik 이국적인 분위기.
Flak [flak] *f.* -(s) =Flug(zeug)abwehrkanone 고사포; 대공 포대.
Flak·batterie *f.* 고사포 중대; 고사포 대(臺).
Flake [flá:kə] 《ndd.》*f.* -n 대〔버들〕 따위로 엮어 만든 세공품; (호안용(護岸用)) 편비내; 〖漁〗 트롤 그물.
Flak·helfer *m.* 고사포대 부사수.
Flakon [flakɔ̃:] 《frz.》 *n./m.* -s, -s 향수병.
Flamänder *m.* -s, - 플랑드르 사람(↑ Flame).
flamändisch *a.* 플랑드르의.
Flambeau [flãbó:] 《frz.》 *m.* -s, -s ①〖구식〗 횃불. ② (초꽂이가 여러 갈래진) 장식용 큰 촛대.
Flamberg [flámbɛrk] 《frz.》 *m.* -(e)s, -e [..gə] 〖옛뜻〗 불꽃 모양의 칼날의 장검(16 세기 보병들이 사용).
flambieren [flambí:rən] *t.* ①〖고어〗 (동물의 털을) 태워 없애다, (새 따위를) 털 있는 그대로 굽다. ②〖요리〗 (음식에) 맛을 내기 위해 브랜디를 붓고 불을 붙이다.
Flamboyant[1] [flãboajã́:] 《frz.》 *n.* -s [..jã́:s] ① (직물의) 불꽃 무늬. ②〖건축〗 플랑부아양 양식(불꽃 무늬 양식).
Flamboyant[2] [..jã́:] 《frz.》 *m.* -s, -s 〖植〗 플랑부아양 나무(마다가스카르산(産) 열대 관상수).
Flame [flá:mə] *m.* -n, -n ① (독일 출신의) 플랑드르어를 쓰는 주민. ② 플랑드르 주민.
Fläming [flɛ́:mɪŋ] *m.* -s, -e ①〖구어〗 ↑ Flame. ② 플레밍(엘베강 중류의 구릉 지대).
Fläminger *m.* -s, - 플랑드르 사람.
Flamin *f.* -nen ↑ Flame 의 여성형.
Flamingo [flamíŋgo] 《port.》 *m.* -s, -s 〖動〗 플라밍고.
flämisch [flɛ́:mɪʃ] *a.* ① 플랑드르(인·어)의. ②〖비유〗 조야한, 버릇 없는; 무뚝뚝한.
Flämisch *n.* -(s), **Flämische*** *das* 플랑드르어.
Flamländer [flá:mlɛndə*r*] *m.* -s, - ↑ Flamänder.
flamländisch [..dɪʃ] *a.* ↑ flamändisch.
Flämmchen [flɛ́mçən] *n.* -s, - 〖↑ Flamme 의 축소형〗 작은 불꽃; 〖광산〗 광석의 미미한 형적(形迹).
***Flamme** [flámə] 《lat. flamma》 *f.* -n ① 불꽃, 화염; (가스 레인지의) 불구멍: auf kleiner ~ kochen 소박하게 살다; in (Rauch und) ~n aufgehen 불타 없어지다, 소진하다; in ~n setzen 불태우다; in ~n geraten 불타기 시작하다; in ~n stehen 불타고 있다, 〖비유〗 홀딱 반하다. ②〖비유〗 격정: die ~n der Leidenschaft 정염; die ~n des Zornes 노염의 불길; ein Raub der ~n werden 불타서 사라지다, 깡그리 불타버리다. ③〖구어〗 (die Geliebte) 애인, 정부(情婦). ④〖사냥〗 (큰 뇌조속(雷鳥屬)의) 홍색 공막(鞏膜).
***flammen** [flámən] 《I》 *i.* (h.) ① 활활 타오르다. ② (불길처럼) 빛나다, 반짝이다, 이글거리다: es flammt 번개가 번뜩인다; da flammte sein Gesicht 그러자 그의 얼굴은 홍조를 띠었다; sein Gesicht flammt vor Zorn 그의 얼굴은 분노로 이글거린다. ③〖비유〗 **(a)** 분개하다. **(b)** 격하다, 열을 띠다: die Leidenschaft flammt 정염이 불타오른다. **(c)** durch die Brust 〔den Sinn〕 ~ 불현듯 감정이 격해지다〔뇌리를 스치다〕. 《II》 *t.* ① 태우다; 굽다. ② 빛내다, 활활 태우다: ihr Auge flammt Liebe 그 여자의 눈은 애정에 빛나고 있다. ③ (무엇에) 화염 무늬를 넣다: 〖건축〗 Säulen ~ 기둥에 화염 무늬를 넣다. ④〖구어〗 사격하다; 가격하다, 치다: 〖속어〗 jm. eine ~ 누구의 귀싸대기를 때리다. 《III》 **geflammt** *p.a.* ↑ geflammt.
flämmen [flɛ́mən] *t.* ① ↑ flambieren ①. ② ↑ flammen 《II》.
Flammen≈auge *n.* 〖시어〗 불타는 눈, 타오르

는 눈빛. **~blick** *m.* ↑ ~auge. **~blume** *f.* 〖植〗 플록스속(屬). **~bogen** *m.* 〖전기〗 아크, 호광(弧光).

flammend *p.a.* 불꽃이 이는; 격렬한: ~es Feuer 이글거리는 불꽃; in ~er Begeisterung 열광하여; mit ~en Worten predigen 열성적으로 설교하다; ~er Protest 격렬한 항의; 〖植〗 ≗es Herz 금낭화(Herzblume).

Flammen≠meer *n.* 〖비유〗 불바다: in Sekundenschnelle verwandelte sich der Wald in ein ~ 순식간에 숲은 불바다로 변했다. **~ofen** *m.* ↑ Flammofen. **~pein, ~qual** *f.* 단근질. **~säule** *f.* 불기둥. **~schrift** *f.* 불로 쓴 문자; 발광(發光) 문자; 〖비유〗 불멸의 글〔문구〕; 엄중한 경고. **~schwert** *n.* ↑ Flamberg. **~stil** *m.* ↑ Flamboyant[1] ②. **~tod** *m.* 불에 타 죽음, 소사(燒死): er starb den ~ 그는 불에 타 죽었다. **~trieb** *m.* 〖시어〗 격정. **~werfer** *m.* 〖軍〗 화염 방사기; 〖농담〗 라이터. **~wort** *n.* 열렬한 말, 열변. **~zeichen** *n.* 〖軍〗 불빛 신호.

Flammeri [flámәri] 《engl.》 *m.* -(s), -s 〖요리〗 플라메리(우유·달걀·곡물 가루·과일 따위로 만든 푸딩〔젤리〕의 일종).

flammern *i.* (h.) 〖방언〗 가물거리며 빛을 내다(flimmern).

flammicht *a.* ↑ flammig.

flammieren *t.* ↑ flammen 《Ⅱ》③.

flammig [flámıç] *a.* ① 불꽃 같은, 번쩍이는. ② (직물에) 불꽃 무늬가 든.

Flamm≠kohle *f.* 유연탄. **~ofen** *m.* 반사로(反射爐). **~punkt** *t./m.* 인화점. **~rohr** *n.*, **~röhre** *f.* (기관의) 화염관(管).

Flandern [flándәrn] 플랑드르(벨기에·프랑스의 두 나라에 속한 북해 연안 지방).

Flandrer *m.* -s, - 플랑드르 사람.

flandrisch [..drıʃ] *a.* 플랑드르(사람)의; 〖비유〗 경박한.

Flanell [flanέl] 《engl.》 *m.* -s, -e 〖섬유〗 플란넬.

Flanell·anzug *m.* 플란넬 양복.

flanellen [..nέlәn] *a.* 플란넬의, 플란넬로 만든.

Flanell≠hemd *n.* 플란넬 셔츠. **~hose** *f.* 플란넬 바지.

Flaneur [flanǿ:r] 《frz.》 *m.* -s, -e 배회하는 사람; 산책자; 빈둥거리는 사람.

flanieren [..ní:rәn] *i.* (h.) 배회하다.

Flanke [fláŋkә] 《germ.》 *f.* -n ① 〖軍〗 측면: dem Feind in die ~ fallen 〔den Feind in der ~ angreifen〕 적의 측면을 습격〔공격〕하다. ② (동물의) 옆구리. ③ 〖체조〗 가로뛰기. ④ (선박·건물·산의) 측면. ⑤ 〖스포츠〗 센터링. ⑥ 〖스포츠〗 좌우의 윙. ⑦ 경기장의 좌우 측면.

flanken [fláŋkәn] *t./i.* (h.) ① 〖구기〗 센터링하다. ② 〖체조〗 가로뛰기를 하다.

Flanken≠angriff *m.* 〖軍〗 측면 공격. **~ball** *m.* 〖구기〗 센터링한 공. **~batterie** *f.* 측사포대(側射砲臺). **~bewegung** *f.* 〖軍〗 측면 운동. **~feuer** *n.* 측면 사격. **~marsch** *m.* 측면 행진. **~wechsel** *m.* 〖구기〗 (한 측면에서 다른 측면으로의) 롱 패스. **~werk** *n.* 측면 보루, 측보(側堡).

Flankerl *n.* -s, -n (öst.) 〖구어〗 (모직물 표면의) 보풀, 보푸라기.

flankieren [flaŋkí:rәn] 《frz.》 《Ⅰ》 *t.* 〖軍〗 ① (…의) 측면을 엄호하다, 양쪽을 둘러싸다〔둘러쌓다〕: 〖비유〗 ~de Maßnahmen 추가적 보완 조치. ② 측면 공격〔사격〕하다: ~des Feuer 측면 사격. ③ 〖체스〗 (말을) 측면에 포진시키다. 《Ⅱ》 *i.* (h.) 배회하다.

Flankierung *f.* -en 〖軍〗 측면 엄호; 측면 보루.

Flansch [flanʃ] *m.* -es, -e 〖工〗 (두 개의 관을 나사로 접합하기 위해 관의 끝에 단) 플랜지, 이음고리.

Flansche *f.* -n ↑ Flansch.

flanschen [flánʃәn] *t.* (관이나 축에) 플랜지〔이음고리〕를 달다.

Flanschen≠dichtung *f.* 플랜지용 패킹. **~verbindung** *f.* 플랜지 연결.

Flantsch *m.* -es, -e ↑ Flansch.

Flantsche *f.* -n ↑ Flansch.

Fla-Panzer [flá:..] *m.* =Flugabwehrpanzer 〖軍〗 대공(對空) 전차.

Flappe [flápә] *f.* -n 〖방언〗 (밑으로 처진) 아랫입술; 부루퉁한〔비뚤어진〕 입: eine ~ ziehen 입을 삐죽거리다; halt die ~! 입 닥쳐!

Flapper [flέpәr] 《engl.》 *m.* -s, - 말괄량이, 당돌한 철부지 소녀.

Flaps [flaps] *m.* -es, -e ① 〖구어〗 버릇 없는 풋내기, 촌놈. ② 〖은어〗 점심.

flapsig [flápsıç] *a.* 버릇없는, 조야한: eine ~e Antwort 버릇없는 대꾸.

Fla-Rakete *f.* =Flugabwehrrakete 〖軍〗 지대공 미사일.

Flarde [flárdә] *f.* -n 〖방언〗 큰 조각.

Fläschchen [flέʃçәn] *n.* -s, - 〖↑ Flasche의 축소형〗 젖병; 향수병.

*__Flasche__ [fláʃә] 《lat.》 *f.* -n ① 병; (유아의) 젖병: auf ~n ziehen a) 병에 담다, b) 〖비유〗 감정을 억누르다; eine ~ Wein trinken 포도주 한 병을 마시다; 〖구어·농담〗 einer ~ den Hals brechen 병마개를 따다; immer wieder zur ~ greifen 술을 많이 마시다; ein Kind mit der ~ aufziehen 아이를 우유로 기르다. ② 〖工〗 도드래. ③ (ost.) 빰〔따귀〕 때리기. ④ 〖농담〗 운동을 못 하는 사람, 변변치 못한〔실패한〕 사람: so eine ~! 이런 바보 같으니라구!

fläscheln (♧ fletschen) *i.* (h.) (obd.) 당황하여〔멋쩍어서〕 빙그레 웃다.

flaschen·artig *a.* 병 모양의.

Flaschen≠baum *m.* 〖植〗 여주, 여지(茘枝). **~bier** *n.* 병 맥주. **~büchse** *f.* 공기총의 일종. **~bürste** *f.* 병 씻는 솔. **≗förmig** *a.* 병 모양의. **~füll·vorrichtung** *f.* (액체를) 병에 담는 기계. **~futter** *n.* 병에 담은 음식물(여행용). **~garten** *m.* 병 속에 가꾼 관상 식물. **~gärung** *f.* (샴페인의) 병속 발효. **~gestell** *n.* 병 선반〔진열대〕; 양념통 선반. **≗grün** *a.* 암녹색의. **~hals** *m.* ① 병목; 〖교통〗 병목 지점. ② 난관, 애로. **~held** *m.* 술고래. **~kapsel** *f.* 병마개에 덧씌운 캡슐(금속박(箔)·합성 수지 따위). **~keller** *m.* ① (병술) 지하 저장 창고. ② ↑ ~futter. **~kind** *n.* 우유로 키운 아이(↔ Brustkind). **~korb** *m.* 병 광주리. **~kühler** *m.* 병 냉각기. **~kürbis** *m.* 〖植〗 호리병박. **~öffner** *m.* 병따개. **~pfand** *n.* (되돌려받는) 빈병 값. **~post** *f.* 〖海〗 (특히 조난 때) 병에 편지를 넣

어 바다에 흘려보내는 통신법; 병 통신 편지. **~reif** *a.* (맥주 따위가) 병에 담아도 좋을 만큼 익은. **~spüler** *m.*, **~spül·maschine** *f.* 병 세척기. **~ständer** *m.* ↑ ~gestell. **~stöpsel, ~verschluß** *m.* 병마개. **~wein** *m.* 병 포도주. **~zug** *m.* 〖工〗 도르래 (장치).

Flaschner [fláʃnər] *m.* -s, - (obd.) 〔고어〕 양철 그릇 제조인; 함석장이.

Flaser [flá:zər] *f.* -n 〔드물게〕 나뭇결; 〖지질〗 돌결.

flaserig [..zərıç] *a.* 나뭇결〔돌결〕이 있는.

flasrig *a.* ↑ flaserig.

Flatsche [flá(:)tʃə] *m.* -n, -n ↑ Flatschen.

Flatschen [flá(:)tʃən] *m.* -s, - 〔방언〕 ① (질척한) 무더기, 덩어리; 찢어진 조각: ein ~ Kot 똥 한 무더기; ein ~ Fleisch 고기 한 덩어리. ② 억수같이 쏟아지는 비.

Flatter [flátər] *f.* 〔다음 용법으로만〕〔경박〕 die ~ machen 사라지다.

Flatter·echse *f.* 〖動〗 날도마뱀.

Flatterer [flátərər] *m.* -s, - ① 경박한〔변덕스러운〕 사람. ② 〖動〗 (a) 박각시나방. (b) ↑ Flattermaki.

Flatter=fuß *m.* 〖動〗 ① 익수(翼手). ② 〔복수: ~füße〕 ↑ ~tier. **~füßer** *m.* ↑ ~tier. **~füßig** *a.* 〖動〗 익수가 있는. **~füßler** *m.* ↑ ~füßer. **~geist** *m.* ① ↑ ~sinn. ② 경박한〔변덕스러운〕 사람. **~gras** *n.* 〖植〗 나도겨풀.

flatterhaft [flátərhaft] *a.* 〔폄어〕 변덕스러운, 경박한: sie ist eine ~e Natur 그녀는 성격이 변덕스럽다.

Flatterhaftigkeit *f.* 변덕, 경박.

Flatter=hörnchen *n.* 〖動〗 날다람쥐. **~hund** *m.* 〖動〗 큰박쥐.

Flatterie [flatərí:] 《frz.》 *f.* -n [..rí:ən] (Schmeichelei) 알랑거림, 아첨, 감언.

flatterig [flátərıç] *a.* ① ↑ flatterhaft. ② 흥분한, 떠는: sei doch nicht so ~! 그렇게 흥분하지 마라! ③ 불규칙적인, 불안한: ein ~er Puls 부정맥(不整脈); ein ~er Blick 불안정한 시선.

Flatter=maki *m.* 〖動〗 날원숭이. **~mann** *m.* 〔경박〕 ① 통닭구이. ② 신경질적인〔불안정한〕 사람. ③ 불안, 흥분: einen ~ haben (무대 위에서) 떨다. ④ 글라이더. **~marke** *f.* 〖印〗 접지선(摺紙線). **~mine** *f.* 〖軍〗 지뢰.

***flattern** [flátərn] *i.* ① (s.) (a) 푸드득〔훨훨〕 날아가다: die Vögel flatterten aus dem Busch 새들이 덤불에서 푸드득 날아갔다. (b) (종이 따위가) 바람을 타고 날아가다: 〔비유〕 eine Einladung ist mir auf den Tisch geflattert 나는 뜻밖의 초대를 받았다. ② (h.) (잇달아) 날개를 푸드덕거리다, (깃발이) 펄럭이다; 〔비유〕 변덕스럽다: die Wäsche flattert auf der Leine 빨래가 빨랫줄에서 나부낀다. ③ (h.) (a) 〖醫〗 (심장이) 빠르고 불규칙적으로 뛰다: sein Herz flatterte unruhig 그의 심장이 불안정하게 고동쳤다. (b) 〔구어〕 (바퀴가) 덜커덩거리다, 흔들거리다; (손이) 떨리다.

Flatter=ruß *m.* 매연, 검댕. **~satz** *m.* (행의 길이가 일정하지 않은) 불규칙 식자. **~sinn** *m.* 경박한 마음, 변덕. **~sinnig** *a.* 변덕스런, 경박한. **~tier** *n.* 〖動〗 박쥐목.

flattieren [flatí:rən] 《frz.》 *t./i.* (h.) 알랑거리다, 아첨하다: er flattiert die〔der〕 Dame 그가 그 여자에게 아첨을 떤다.

flattrig *a.* ↑ flatterig.

Flatulenz [flatuléntS] 《lat.》 *f.* 〖醫〗 (장의) 가스 팽만증, 고창(鼓脹); 방귀를 뀜.

Flatus *m.* -, - 〖醫〗 방귀.

***flau** [flau] 《germ.》 *a.* ① 약한, 쇠약한; 피로한; 느른한, 무력한: ich fühle mich ~ 나는 피곤하다〔약간 메스껍다〕; der Wind wird flauer 바람이 잦아진다; mir wird ~ im Magen 나는 (먹지 못해서) 위가 허전하다. ② 〖海〗 ~ werden (바람이) 자다, 누그러지다. ③ 〖商〗 (상품의) 매상이 좋지 않은; (경기가) 침체〔부진〕한: die Börse ist ~ 거래소는 한산〔부진〕하다; die Geschäfte gehen ~ 장사가 여의치 않다; mit seiner Kasse steht es ~ 그는 자금이 달린다. ④ (술이) 김빠진; (이야기가) 맥빠진, 재미없는: die Suppe hat einen ~en Geschmack 수프 맛이 밍밍하다. ⑤ 〖畫〗 (색이) 희미한, 흐릿한; 〖사진〗 노출 부족의: ~e Farbe (원경(遠景)의) 희미한 빛깔. ⑥ (행동이) 미온적인; (성격이) 우유부단한, 나태한.

Flaue [fláuə], **Fläue** *f.* ↑ Flauheit.

flauen [fláuən] 《I》 *i.* (h.) ① 활기가 없어지다; 〖商〗 (시세가) 부진해지다. ② 〖海〗 (풍파가) 자다. 《II》 *t.* 씻다; (광석을) 흐르는 물로 걸러내다.

Flauheit [fláuhait] *f.* ① 쇠약, 피로, 이완: ein Gefühl von ~ im Magen verspüren 위에 허(虛)한 느낌을 받다. ② 〖商〗 부진, 불황.

Flauigkeit *f.* ↑ Flauheit.

Flaum[1] [flaum] *m.* -(e)s 돼지의 배 및 신장의 지방.

Flaum[2] 《lat. pluma》 *m.* -(e)s (새의) 솜털; (어린아이의) 솜털, (청소년의) 솜털 같은 수염; 배냇머리; 〖植〗 (과일 표피의) 연모(軟毛).

Flau=macher *m.* ① 비관론자, 패배주의자. ② 〖商〗 시세 하락을 예상하고 파는 사람. ③ 혹평가. **~macherei** *f.* 패배주의.

Flaum=bart *m.* 부드러운 수염; 풋내기 소년 (Milchbart). **~bett** *n.* 솜털 이부자리.

Flaumer [fláumər] *m.* -s, - (schweiz.) (긴 자루가 달린) 대걸레(Mop).

Flaum=feder *f.* 솜털. **~haar** *n.* ↑ Flaum[2].

flaumig [fláumıç] *a.* 솜털〔연모(軟毛)〕로 덮인; (öst.) 솜털같이 부드러운.

flaum·weich *a.* ① 솜털같이 부드러운: ihre Haut fühlt sich ~ an 그녀의 피부는 솜털처럼 부드럽다. ② 〔비유·구어〕 남의 말을 잘 듣는, 고분고분한: ein ~er Mensch 남의 말을 잘 듣는 사람.

Flaus [flaus] *m.* -es, -e 〔고어〕 ↑ Flausch.

Flausch [flauʃ] (♧ Vlies) *m.* -es, -e ① (머리털·양털의) 술. ② (두껍고 괴깔이 긴) 성긴 나사(羅紗); 〔학생〕 나사 스커트(~rock).

flauschig [fláuʃıç] *a.* 성긴 나사의.

Flausch·rock *m.* 성긴 나사로 만든 스커트.

Flause [fláuzə] *f.* -n 허튼생각, 잔꾀, 허튼소리; 속임수, 핑계: sie hat nur ~n im Kopf! 그녀는 머리 속에 허튼생각밖에 없다!; das sind nur ~n! 그것은 단지 핑계에 지나지 않아!

Flausen·macher *m.* 허풍선이.

Flaus·rock *m.* 성긴 나사로 만든 스커트.

flautando [flautándo] 《it.》 *adv.* 〖음악〗 플루

트 음색으로.
Flaute [fláutə] 《<flau》 *f.* -n 〖海〗 무풍 상태; 〔비유〕(경기) 불황; 사기 저하, 침체.
Flavin [flaví:n] 《lat.》 *n.* -s 〖化〗 플라빈(황색 색소의 하나; 보기: 비타민 B_2).
flaxen *i.* (h.) ↑ flachsen.
Fläz [flɛ:ts] *m.* -es, -e 〔펌어〕 막된〔상스러운〕 사람, 버릇없는 사람.
fläzen [flɛ́:tsən] *refl.* sich ~ 버릇없이 굴다; 예의 없이 앉다〔드러눕다〕: er fläzt sich auf der Couch 그는 긴 소파에 아무렇게나 늘어져 있다.
fläzig [..tsıç] *a.* 조야한, 버릇없는.
Flebbe [flɛ́bə] *f.* -n ① (미망인이 상중(喪中)임을 나타내는) 이마에 두르는 삼각포(三角布). ②〔구어〕신분 증명 서류. ③〔비속〕지폐.
Flechse [flɛ́ksə] 《lat.》 *f.* -n 〖해부〗 (Sehne) 건(腱), 힘줄.
flechsig [..ksıç] *a.* 힘줄의.
Flecht≈arbeit [flɛ́çt..] *f.* 엮어 짜는 세공; 엮어 짠 것. **~band** *n.* (꼬아 만든) 머리 손질용 리본.
Flechte [flɛ́çtə] 《<flechten》 *f.* -n ① (**a**) (Haar≈) 땋은 머리, 편발(辮髮). (**b**) (버들가지의) 채그릇 세공(품). ②〖植〗 지의(地衣), 이끼. ③〖醫〗 수포진(水疱疹), 포행진(匍行疹).
flechten [flɛ́çtən] (flocht, geflochten) 《I》 *t.* ① 엮다, 꼬다, 땋다: das lange Haar (zu Zöpfen, in Zöpfe) ~ 긴머리를 땋아 늘어뜨리다; einen Korb ~ 바구니를 엮다; die Blumen zu einem Kranz ~ 꽃을 엮어 화환을 만들다. ② einen Verbrecher aufs Rad ~ 죄인을 환형(轘刑)에 처하다. ③〔비유〕(인용문을) 본문에 섞어 넣다. 《II》 *refl.* sich ~ 엮이다, 감기다.
flechten≈ähnlich *a.* ↑ ~artig. **~artig** *a.* 〖植〗 이끼 같은; 〖醫〗 수포진성(水疱疹性)〔포행진성(匍行疹性)〕의. **≈ausschlag** *m.* 〖醫〗 수포진성 발진. **≈kunde** *f.* 〖植〗 지의류학(地衣類學).
Flechter [flɛ́çtər] *m.* -s, - (Korb≈, Stuhl≈) 광주리를〔등나무 제품을〕 엮는 사람.
Flechterin *f.* -nen ↑ Flechter 의 여성형.
Flecht≈korb *m.* (엮은) 바구니. **~stroh** *n.* (바구니의) 세공용 짚. **~weide** *f.* 〖植〗 등(藤), 고리버들. **~werk** *n.* 엮어 짠 물건(채그릇·죽세공·바구니); 〖건축〗 격자(格子) 세공.
***Fleck** [flɛk] 《<flecken》 *m.* -(e)s, -e ①〔구어〕(**a**) 자그마한 땅: ein ~ Land 한 구획의 땅, 땅뙈기. (**b**) 지점, 장소: er steht noch auf dem alten ~ 그는 이전과 같은 장소〔지위〕에 있다, 구태의연하다; auf dem ~ 〔vom ~ weg〕 즉석에서; das Herz auf dem rechten ~ haben a) 인정〔이해심〕이 있다, b) 이성〔분별〕이 있다, 건실하다, c) 대담하다; den rechten ~ treffen 정곡을 찌르다; da hast du den falschen ~ getroffen 그렇다면 자네 예상은 빗나갔네; er hat den Mund 〔das Maul〕 auf dem rechten ~ 그는 임기응변에 능하다; ich komme mit der Arbeit 〔die Arbeit kommt〕 nicht vom ~ 일이 통 진척되지 않는다. (**c**) 반점; 오점, 얼룩; 모반(母斑); 〔비유〕오점, 오욕; 결점, 흠: blauer ~ (타박으로 생기는) 멍; 〔경박〕 mach dir nur keinen ~ ins Hemd! a) 떨 것 없다, b) 그렇게 깨끗한 척하지 마라!; 〔구어〕 einen ~ auf der weißen Weste haben a) 결점이 없지 않다, b) 순결한 양심을 가지고 있지 않다. (**d**) 얼룩무늬가 있는 동물. ② (옷·구두의) 때운 곳, 바대; (구두 따위의 수선용) 가죽〔헝겊〕 조각: er hat einen ~ auf dem Schuh 그의 구두에는 때운 데가 있다; ich muß einen ~ auf das Loch in deiner Hose aufsetzen 나는 네 바지에 난 구멍에 천조각을 덧대어야 한다; 〔비유〕 den ~ neben das Loch setzen 어림없는 짓을 하다. ③〖요리〗 육류의 살점, (특히) 내장: der ~ hat gut geschmeckt 내장 요리가 아주 맛있었다. ④ (obd.) 앞치마; 턱받이.
Fleck≈aufsetzen *n.* 구두 뒤축 붙이기〔대기〕. **~ausmachen** *n.* 얼룩 빼기.
Fleckchen [flɛ́kçən] *n.* 〔↑ Fleck 의 축소형〕 ① 지점, 장소: ein schönes ~ Erde 명승지. ② 아주 작은 조각.
Flecke *pl.* 〔방언〕(특히 소의) 내장 (요리).
***Flecken** [flɛ́kən] *m.* -s, - ① ↑ Fleck ①(c). ②〔고어〕고을, 읍(Dorf 보다 크고 Stadt 보다는 작음). ③〖醫〗 마진(痲疹), 홍역.
flecken 《I》 *t.* ① (무엇에) 얼룩〔반점〕을 붙이다: eine rot gefleckte Blume 붉은 반점이 있는 꽃. ② (구두에) 뒤축을 대다. 《II》 *refl.* sich ~ 더러워지다: die Haut fleckt sich 피부가 더러워진다. 《III》 *i.* (h.) ① 얼룩〔반점〕이 생기다: dieser Stoff fleckt leicht 이 천은 때가 잘 탄다. ② (obd.) 발진(發疹)하다. ③〔구어〕(일이) 진척되다: die Arbeit will heute nicht ~ 오늘은 도무지 일이 진척될 것 같지 않다. 《IV》 **gefleckt** *p.a.* ↑ gefleckt.
Flecken≈entferner *m.* 얼룩 빼는 약. **≈frei** *a.* ↑ fleckenlos.
fleckenlos *a.* 얼룩이〔때가〕 없는; 오점〔결점〕이 없는; 흠잡을 데 없는, 결백한.
Fleckenlosigkeit *f.* 오점〔결점〕 없음, 결백.
Flecken·reiniger *m.* 얼룩 빼는 사람〔도구·세제〕, 클리닝하는 사람; 세척기.
Fleck·entferner *m.* ↑ Fleckenenfterner.
Flecken·wasser *n.* 얼룩 빼는 액, 벤진.
Fleckerl [flɛ́kərl] *n.* -s, -n ① 작은 얼룩. ② 네모진 수제비.
Fleckerl≈suppe *f.* (öst.) 수제비. **~teppich** *m.* (obd.) 조각 양탄자.
Fleck≈fieber *n.* 〖醫〗 발진티푸스: 〔비유·펌어〕 er ist das reinste ~ 그는 정말 번거롭고 귀찮은 녀석이다. **~hering** *m.* 훈제한 청어의 일종.
fleckig [flɛ́kıç] *a.* 얼룩진, 반점 있는; 오점 있는, 흠 있는.
Fleckigkeit [..kaıt] *f.* 오점〔반점〕이 있음.
Fleck≈kugel *f.* 얼룩 빼는 (둥근) 비누. **~leder** *n.* (구두의) 뒤축 가죽. **~lein** *n.* ↑ Fleckchen. **~seife** *f.* 얼룩 빼는 비누. **~typhus** *m.* 〖醫〗 발진티푸스. **~vieh** *n.* 얼룩소, 얼룩점이 있는 가축. **~wasser** *n.* ↑ Fleckenwasser.
Fledderer [flɛ́dərər] *m.* -s, - (Leichenfledderer) 시체털이꾼, 도굴꾼.
fleddern [flɛ́dərn] *t.* 〔구어〕① (죽었거나 의식 없는 사람의) 물건을 훔치다. ②〔구어·농담〕 (지키지 않는 곳의) 물건을 훔치다: den Tisch eines Kollegen ~ 아무도 없을 때 동료의 책상 서랍을 뒤져 훔치다.

***Fleder·maus** [flé:dər..] *f.* 〖動〗 박쥐.

Fleder·maus·fenster *n.* 〖건축〗 (지붕의) 원창(圓窓).

fledern [flé:dərn] 《I》 *i.* (h./s.) (schweiz.) ↑ flattern. 《II》 *t.* ① (깃털로 만든 비로) 청소하다. ② 심하게 때리다. ③ 높이 들어올리다: ein Mädchen beim Tanz ~ 춤추면서 소녀를 높이 들어올리다. ④ (ostmd.) 던지다.

Fleder≈tier *n.* 〖動〗 박쥐목의 동물. **~wisch** 《<Federwisch》 *m.* ① 깃털 방비, 깃털 총채; 〔비유〕 노처녀. ② 〔비유〕 들뜬〔경박한〕 사람: ein rechter ~ 바람난 여자. ③ 〔폄어〕 검(劍).

Fleet [fle:t] 《<fließen》 *n.* -(e)s, -e ① (ndd.) (북독 연안 도시내의) 운하. ② (원양 어업용) 유망(流網).

***Flegel** [flé:gəl] 《lat.》 *m.* -s, - ① 도리깨; 도리깻열. ② 〔폄어〕 버릇없는 놈: er benimmt sich wie ein ~ 그는 촌놈같이 행동한다. ③ 〔고어〕 철가시 달린 쇠몽둥이.

Flegelei [fle:gəlái] *f.* -en ① 버릇〔염치〕없음, 본데없음: sein Verhalten ist eine ~ 그의 태도는 버릇없다. ② 염치없는 행동.

flegelhaft [flé:gəlhaft] *a.* 버릇없는, 조야한; 막돼먹은.

Flegelhaftigkeit [..kaıt] *f.* 거칠고 막돼먹음, 버르장머리없음; 버르장머리없는 언행.

flegelig [flé:gəlıç] *a* ↑ flegelhaft.

Flegel·jahre *pl.* 개구쟁이 시절, 한창 장난할 나이: in den ~n sein 한창 장난할 나이다.

flegeln [flé:gəln] 《I》 *t.* ① 도리깨질하다, 타작하다; 때려눕히다. ② 버릇없는 놈이라고 욕하다. 《II》 *i.* (h.) 버릇없이 굴다. 《III》 *refl.* sich ~ 상스럽게 행동하다, 건방지게 버티어 서다〔앉다〕: sich auf einen Stuhl ~ 아무렇게나 의자에 걸터앉다.

***flehen** [flé:ən] *i.* (h.)/*t.* 탄원〔간청〕하다: zu jm. um et. ~ 누구에게 무엇을 탄원하다; um Hilfe ~ 도움을 간청하다; jn. um Gnade ~ 누구에게 자비를 구하다; zu Gott 〔zum Himmel〕 ~ 신에게〔하늘에〕 간절히 빌다; Gott erhörte sein ≗ 신은 그의 애원을 들어주었다; der〔die〕 ≗de 간청하는 사람, 탄원자.

Flehen *n.* -s 간청, 탄원.

flehentlich [..tlıç] 《I》 *a.* 탄원하는, 애절〔간절〕한: eine ~e Bitte 탄원, 간청. 《II》 *adv.* 간절히: jn. ~ um et. bitten 누구에게 무엇을 간절히 부탁하다.

fleien* [fláıən] (flie, geflieen) *t.* 〔고어·방언〕 정돈하다; 겹쳐 쌓다; 개키다.

Fleier [fláıər] *m.* -s - ① (방적기의) 플라이어. ② 플라이어에서 일하는 사람.

fleihen* (flieh, gefliehen) *t.* ↑ fleien.

Fleiper·verkehr [fláıpər..] *m.* =Flug-Eisenbahn-Personenverkehr 항공 철도 연결 여객 수송.

***Fleisch** [flaıʃ] *n.* -(e)s ① (동물·사람의) 살, 근육: 〖醫〗 wildes ~ (아문 상처의) 군살, 육아(肉芽); ~ ansetzen 살찌다; vom ~ kommen〔fallen〕 살이 빠지다, 야위다; zu ~e kommen 살이 찌다; 〔비유〕 er ist ~ von meinem ~(e) 그는 내 피붙이〔아들〕이다; er ist auch von ~ und Blut 그도 피와 살〔인간성·인정〕을 가진 인간이다; sich ins eigene ~ schneiden a) 자해하다, b) 자신에게 손해되는 짓을 하다; 〔구어〕 auf Rubens' Bildern ist viel ~ zu sehen 루벤스의 그림에는 나체가 많이 보인다; der Gedanke ist ihm in ~ und Blut übergegangen 그 사상은 그의 피가 되고 살이 되었다. ② 〖聖〗 육신, 인간; 육욕, 정욕: ~ und Bein 인간; 〔雅語〕 sein eigen(es) ~ und Blut 혈육, 동포, 육친; Gott, Christus ist ~ geworden 신인 그리스도는 인간이 되었다; das ~ kreuzigen 고행〔금욕〕하다; den Weg alles ~es gehen 죽음의 길을 걷다, 무상하다. ③ (새나 짐승의) 고기: geräuchertes ~ 훈제 고기; 〔속담〕 weder Fisch noch ~ 〔nicht Fisch, nicht ~〕 죽도 밥도 아니다. ④ 〖植〗 (잎의) 유연 세포 조직; 과육(果肉). ⑤ 〖畫〗 살색 (부분). ⑥ 〖印〗 여백: diese Schrift hat viel ~ 이 활자에는 여백이 많다.

Fleisch≈abfälle *pl.* 고기 부스러기; 썩은 고기: ~ als Tierfutter verwenden 고기 부스러기를 동물 사료로 활용하다. **~auswuchs** *m.* 군더더기 살, 육아(肉芽); 혹. **~bank** *f.* 고기 판매대. **~beil** *n.* 정육점의〔도축용〕 손도끼. **~beschau** *f.* ① 식육 검사. ② 〔구어·폄어〕 (해수욕장에서의) 여체 감상. **~beschauer** *m.* 식육 검사관. **~bildung** *f.* 〖醫〗 육아 형성. **~bruch** *m.* 〖醫〗 음낭 육종. **~brühe** *f.* 고기 수프; 고기 수프. **~einlage** *f.* (수프나 야채에 넣은) 고기. **~einwaage** *f.* (통조림 따위의) 순수한 고기 무게. **~eisen** *n.* 〖제혁〗 살을 긁어내는 작은 칼.

fleischen [fláıʃən] 《I》 *i.* (h.) 〖펜싱〗 살을 베다: ein Hieb fleischt 내리친 칼이 살에 베어들다. 《II》 *t.* (무엇의) 살을 발라내다: Fell ~ 모피의 살을 도려내다.

Fleischer [fláıʃər] *m.* -s, - (nordd.) (südd., westd.) 정육점〔푸줏간〕 주인; 도축업자; 〔방언·농담〕 양말 구멍으로 내다보이는 발가락: zum ~ einkaufen gehen 정육점에 고기 사러 가다; 〔구어〕 er hat ~ gelernt 그는 도축업을 배웠다.

Fleischer·beilage *f.* 정육점에서 덤으로 주는 뼈.

Fleischerei [flaıʃərái] *f.* -en 정육업, 도축업; 정육점.

Fleischer≈gang *m.* 〔구어〕 헛수고(Metzgergang). **~gesell(e)** *m.* 정육점 종업원. **~gewerbe** *n.* 도살업. **~gilde, ~innung** *f.* 도축업자 조합. **~haken** *m.* 고기를 매다는 갈고리. **~hund** *m.* 정육점의 개; 마스티프(맹견의 일종). **~laden** *m.* 정육점, 푸줏간. **~meister** *m.* 정육점〔도살장〕 주인. **~messer** *n.* (고기 써는) 큰 칼.

fleischern [fláiʃərn] *a.* 살의, 살 많은; 〔드물게〕 ↑ fleischlich.

Fleischer≈säge *f.* 도축에 쓰이는 톱. **~stand** *m.* 고기 (파는) 대(臺). **~weg** *m.* ↑ ~gang.

Fleisches≈lust *f.* 육욕, 정욕: seiner ~ nachgeben 육욕에 굴하다; seine ~ bezähmen 육욕을 억제하다.

Fleisch≈essen *n.* 육식. **~esser** *m.* 육식하는 사람.

Fleisches·sinn *m.* ↑ ~lust.

Fleisch≈etikettierung *f.* 〖식품〗 판매용 식육의 레테르〔표찰〕 부착. **~extrakt** *m.* 고기 진액. **~farbe** *f.* 살색. **≗farben** *a.* 살색의. **~farbig** *a.* ↑ ~farben. **~faser** *f.* 근육 섬유. **~faß** *m.* 고기를 소금으로 절이는 통. **~fliege** *f.* 〖動〗 쉬파리(고기나 상처에 알을

깜). ~fressend *a.* 〖生〗 육식의: ~e Pflanzen 식충(食蟲) 식물. **~fresser** *m.* 육식 동물. **~gabel** *f.* 고기 포크. **~gericht** *n.* 고기 요리. **~geschwulst** *f.* 〖醫〗 육종(肉腫), 혹. **~gewächs** *n.* 〖醫〗 군살, 육아(肉芽), 육종. **~geworden** *a.* 〖宗〗 인성화(人性化)된, (그리스도가) 육신으로 나타난; 화신이 된. **~gift** *n.* 시독(屍毒), 프토마인. **~hacker** *m.* ① ↑ Fleischer. ② 매너없는〔거친〕 남자. **~hack·maschine** *f.* 고기를 분쇄하는 기계. **~haken** *m.* 고기를 매달아 놓는 갈고리. **~halle** *f.* 고기 시장. **~händler** *m.* 고기 장수. **~hauer** *m.* ↑ ~hacker. **~hauerei** *f.* ↑ Fleischerei.

fleischicht *f.* ↑ fleischig.

fleischig [fláiʃɪç] *a.* 고기 같은; 살이 많은; 〖植〗 과육성(果肉性)의; 비만한: ein ~es Gesicht 살찐 얼굴; die Pfirsiche sind sehr ~ 그 복숭아는 살이 아주 많다.

Fleischigkeit [..kaɪt] *f.* 비만, 살이 많음.

Fleisch≈kammer *f.* 고기 저장실. **~karte** *f.* 식육 구입권. **~käse** *m.* 고기 파이. **~-klopfer** *m.* 고기 다지는 기구. **~kloß** *m.* ① 완자. ② ↑ Frikadelle. ③〖구어·폄어〗 땅딸보. **~klößchen** *n.* 완자. **~klotz** *m.* 정육점의 도마;〖비유·폄어〗 뚱보. **~klumpen** *m.* 고기 덩어리;〖비유·폄어〗 뚱뚱보. **~konserve** *f.* 고기 통조림. **~kost** *f.* 고기 요리. **~kuchen** *m.* ↑ ~käse. **~laden** *m.* 푸줏간. **~laibchen** *n.*, **~laiberl** *n.* (öst.) 고기 만두(Frikadelle). **~lake** *f.* 고기를 절이는 소금물. **~lauch** *m.* 〖植〗 양파. **~lehre** *f.* 〖醫〗 연육학(軟肉學).

fleischlich [fláiʃlɪç] *a.* 살의; 〖雅語〗 육체의; 육욕의, 육감적인: ~e Lüste〔Begierden〕 육욕; ~er Umgang 성교.

Fleischlichkeit [..kaɪt] *f.* 〖구식〗 육욕(에 빠짐).

Fleischling *m.* -s, -e ① 육욕에 빠진 사람. ②〖植〗 버섯의 일종.

fleischlos *a.* ① 살이 없는, 야윈: ~e Arme 야윈 팔. ② (요리에) 고기를 쓰지 않은: ~ kochen 고기를 사용하지 않고 요리하다.

Fleisch≈made *f.* 고기 구더기. **~markt** *m.* 고기 시장; 고기 총공급량. **~maschine** *f.* ↑ ~wolf. **~masse** *f.* ↑ ~klumpen. **~mehl** *n.* (사료용) 고기 가루, 육분(肉粉) 비료. **~messer** *n.* 고기 써는 칼. **~nahrung** *f.* 육식. **~pastete** *f.* 고기 만두〔파이〕. **~rot** *a.* 선홍색의. **~saft** *m.* 육수; 고기에 함유된 수분. **~salat** *m.* 고기 샐러드. **~schau** *f.* ↑ ~beschau. **~schauer** *m.* ↑ ~beschauer. **~schnitte** *f.* 고기 조각. **~seite** *f.* (수피(獸皮)의) 안쪽, 살이 붙어 있는 쪽. **~speise** *f.* 고기 요리. **~suppe** *f.* 고깃국, 고기 수프. **~tag** *m.* 〖가톨릭〗 육식일(肉食日) (↔ Fasttag). **~teile** *pl.* (도살한 짐승의) 고기. **~tomate** *f.* -n (잘 썰어지는 신선한) 요리용 토마토. **~ton** *m.* 〖畫〗 살색. **~topf** *m.* 고기 냄비: 〖聖〗 die Fleischtöpfe 미식, 성찬; sich nach den Fleischtöpfen Ägyptens (zurück) sehnen 과거의 좋았던 시절을 그리워하다(유대인들이 애굽땅에서 잘먹던 시절을 그리워한 데서; ↑ 출애굽기 16: 3). **~vergiftung** *f.* 식육 중독. **~waage** *f.* 고기 저울. **~wage** *f.* ↑ ~waage. **~waren** *pl.* 식육 제품. **~warze** *f.* 〖수의〗 육아(肉芽), 궂은살. **~werdung** *f.* 〖宗〗 (신의) 육화, 화신(化身), 그리스도의 현현(顯現). **~wolf** *m.* 고기 저미는〔가는〕 기계. **~wuchs** *m.* 〖醫〗 육아 발생, 궂은살. **~wunde** *f.* 살에 난 상처. **~wurst** *f.* 살코기 소시지.

Fleiß [flaɪs] *m.* -es ① 부지런함, 근면, 노력: mit ~ 열심히, 부지런히; auf et. ~ anwenden〔verwenden〕 어떤 일을 부지런히 하다〔힘쓰다〕; 〖속담〗 ohne ~ kein Preis 노력 없이는 대가도 없다; 〖속담〗 ~ bricht Eis 정신 일도 하사불성(精神一到何事不成). ②〖방언〗 의도; 배려, 조심: mit ~ 고의로, 일부러.

Fleiß·arbeit *f.* ①〖복수없음〗 힘든 일. ②〖옛뜻〗 근면성을 시험하는 숙제. ③〖폄어〗 (애는 썼지만) 창의성이 부족한 작업.

***fleißig** [fláɪsɪç] *a.* ① 근면한, 부지런한, 열심인. ② 정성 들인: eine ~e Arbeit 꼼꼼히 한 일. ③ 종종, 자주: ~ besuchen 자주 방문하다.

fleißigen *refl.* sich ~ 노력하다.

Flei·verkehr [flái..] *m.* = Flug-Eisenbahn-Güterverkehr 항공 철도 연계 화물 수송.

flektierbar [flɛktí:rba:r] *a.* 〖문법〗 변화시킬 수 있는.

flektieren [flɛktí:rən] 《lat.》 *t./refl.* 〖문법〗 (sich) ~ 어형 변화를 하다: ein Verb ~ 동사를 변화시키다; ~de Sprachen 굴절어.

flennen [flɛ́nən] *i.* (h.) 〖구어〗 (입을 삐죽거리며) 흐느껴〔엉엉〕 울다, 울상짓다; (말이) 아랫입술을 늘어뜨리다: warum flennt denn das Kind? 저 애는 왜 울상이지?; wegen dieser Kleinigkeit brauchst du doch nicht gleich zu ~ 이런 사소한 일 때문에 금새 울상을 지을 필요가 없다.

Flenner *m.* -s, - 울상짓는 사람.

Flennerei [flɛnəráɪ] *f.* 울상짓기, 울부짖기.

flensen[1] [flɛ́nzən] 《ndd.》 *t.* 〖海〗 (고기를) 잘게 썰다, (고래 기름 덩이를) 베어내다.

flensen[2] *i.* (h.) 울상짓다(flennen).

Flesche [flé:ʃə] 《frz.》 *f.* -n 〖軍〗 (Pfeilschanze) 뾰족하게 돌출한 보루〔성루〕.

Flet [fle:t] *n.* -(e)s, -e (ndd.) 작은 운하; 운항 운하(Fleet).

Flete *f.* -n ↑ Flet.

Fletsche [flɛ́tʃə] *f.* -n 투석기(投石器).

fletschen [flɛ́tʃən] *t.* ① (성을 내어 이를) 드러내다; (협박조로 입을) 실룩거리다. ②〖工〗 (망치로) 펴다, 늘이다. ③〖방언〗 밀고하다. ④〖방언〗 사격하다, 쏘다.

fletschern [flɛ́tʃərn] *t./i.* (h.) 천천히 잘 씹다 (미국의 영양학자 H. Fletcher 의 이름에서).

Flett [flɛt] *n.* -(e)s, -e (니더작센 농가의) 거실 부엌.

Flettner [flɛ́tnər] *m.* -s, - 기계 제작자.

Flettner·ruder *n.* (선박·항공기의) 보조타.

Fletz [fle:ts, flɛts] *n./m.* -es, -e (südd.) 마루.

fleucht [flɔʏçt] *t./i.* 〖고어〗 = fliegt(↑ fliegen 의 3 인칭 단수 현재형): alles, was da kreucht und fleucht〔kriecht und fliegt〕 기고 나는 모든 짐승들.

fleugt [flɔykt] *t./i.* 〖고어〗 fliegt(↑ fliegen 의 3 인칭 단수 현재형).

fleußt [flɔʏst] *i.* 〖고어〗 fließt(↑ fließen의 3 인칭 단수형).

Fleuron [flœrɔ̃:] ⟪frz.⟫ *n.* -s, -s ①〚건축·印〛 꽃무늬 (장식). ②〚요리〛 잎 모양 장식.
Fleurop [flɔ́yrɔp, flǿ:..] ⟪lat. Flores Europae의 단축형⟫ *f.* 플뢰롭(꽃선물을 대행하는 유럽 꽃 용역 회사).
Fleute [flǿ:tə] ⟪holl.⟫ *f.* -n 돛대가 셋인 화물선.
flexibel [flɛksí:bəl] ⟪lat.⟫ *a.* 굽히기 쉬운, 잘 휘어지는; 유연한, 융통성 있는; 〚物〛 신축성이 있는: 〚문법〛 변화할 수 있는: dieses Material ist äußerst ~ 이 재료는 신축성이 매우 좋다; flexible Reaktion 유연한 반응.
flexibilisieren *t.* 유연하게 하다.
Flexibilisierung *f.* ① 유연화. ②〚문법〛 어형 변화.
Flexibilität [flɛksibilitɛ́:t] *f.* -en ① 유연성, 융통성; 탄(력)성. ②〚문법〛 어형 변화.
Flexion [flɛksió:n] *f.* -en 〚醫〛 굽히기, 구부러지기; 〚理〛 치우침; 〚문법〛 어형 변화: ~ des Verbs 동사의 어형 변화.
Flexions≈endung *f.* 〚문법〛 변화 어미. **~fähig** *a.* 변화시킬 수 있는. **~lehre** *f.* 〚문법〛 어형론(語形論).
flexionslos *a.* 어형 변화 없는.
flexivisch [flɛksí:vɪʃ] *a.* 〚문법〛 어형 변화의.
Flexor [flɛ́ksɔr, ..so:r] *m.* -s, -en [..só:rən] 〚해부〛 굴근(屈筋).
Flexur [..ksú:r] *f.* -en 〚해부〛 굴곡, 만곡; 치우침; 〚지질〛 지층의 만곡.
Flibustier [flibýstiər] *m.* -s, - (ndl.) (17 세기 카리브해의) 해적.
Flic [flik] ⟪frz.⟫ *m.* -s, -s 〚편어〛 경찰관.
flichst [flɪçst] *t.* 〚속어〛 ↑ flichtst.
flicht [flɪçt] *t.* ↑ flechten 의 3 인칭 단수 현재형.
flichtst [flɪçtst] *t.* ↑ flechten 의 2 인칭 단수 현재형.
Flick [flɪk] *m./n.* -(e)s, -e ↑ Flicken.
Flick·arbeit *f.* 보철(補綴) 세공; 만듦새가 엉성한 것〔일〕; 잡동사니; 깁기, 수선.
Flicke *f.* -n ① ↑ Flicken. ② 수선.
*__flicken__ [flɪ́kən] ⟪<Fleck⟫ *t.* ① (의복을) 깁다, (무엇에) 헝겊을 대다; (구두를) 수선하다, (구멍을) 때우다, 수리하다: die Hose 〔das Dach〕 ~ 바지를〔지붕을〕 깁다〔수리하다〕; (문장을) 고치다; 치료하다; 교화하다; 〚비유〛 jm. et. am Zeuge ~ 누구를 질책하다. ② (obd.) 찢다, 뜯다: 〚사냥〛 dem Hasen das Fell ~ 토끼의 가죽을 잡아뜯다; ein Hund flickt den Jäger 개가 사냥꾼을 잘 문다.
Flicken *m.* -s, - (깁고 때우는) 헝겊 조각〔가죽·쇠〕: seine Hose war voller ~ 그의 바지는 기운 자리 투성이었다.
Flicken≈decke *f.* 조각 이음 이불. **~teppich** *m.* 조각 이음 양탄자.
Flicker [flɪ́kər] *m.* -s, - 수선공; 의복 수선인; 땜장이.
Flickerei [flɪkəráɪ] *f.* -en 수선; 땜질; 기움질, 의복 수선.
Flickerin *f.* -nen ↑ Flicker 의 여성형.
Flick≈fleck *m.* 깁고 때우는 헝겊. **~gedicht** *n.* 발췌하여 짜깁기한 시(詩). **~korb** *m.* 반짇고리. **~lappen** *m.* 깁고 때우는 헝겊. **~reim** *m.* 〚문학〛 허운(虛韻), (억지로 운율을 맞추기 위한) 삽입운. **~schneider** *m.* 수선 전문 재단사. **~schuster** *m.* 구두 수선공; 땜장이; 날림으로 일하는 사람. **~stein** *m.* (돌담 따위를) 메우는 돌. **~werk** *n.* ① ↑ ~arbeit. ② ↑ ~gedicht. ③〚편어〛 대충 맞춘 일〔작품〕. **~wort** *n.* 허사(별 내용 없이 시문 의 행의 길이를 메우기 위한 어구).
Flie·boot [flí:..] ⟪ndl.⟫ *n.* 소형 어선; 모선에 딸린 작은 배(Beiboot).
Flieder [flí:dər] ⟪ndd.⟫ *m.* -s, - 〚植〛 ①〚방언〛 넓은잎딱총나무(Holunder). ② 라일락.
Flieder≈baum *m.* ↑ Flieder. **~beere** *f.* 〚방언〛 넓은잎딱총나무의 열매. **~beer·suppe** *f.* 〚방언〛 넓은잎딱총나무 열매 수프. **~blüte** *f.* 라일락꽃. **~busch** *m.* 라일락 숲. **~farben** *a.* 라일락색의, 담자색의. **~farbig** ↑ ~farben. **~strauch** *m.* 라일락 덤불〔관목〕. **~tee** *m.* 넓은잎딱총나무꽃으로 만든 차(발한제(發汗劑)).
*__Fliege__ [flí:gə] ⟪<fliegen⟫ *f.* -n ① 파리, 집파리: wie die ~n 다수로, 떼를 지어; sie starben wie die ~n 그들은 수없이 죽었다; er tut keiner ~ etwas zuleide 그는 파리 한 마리도 죽이지 못한다; 〚경박〛 die ~ machen 잽싸게 사라지다; matt wie eine ~ sein 기진맥진하다; 〚비유〛 ihn ärgert die ~ an der Wand 그는 사소한 일에도 화를 낸다; zwei ~n mit einem Schlag treffen 〔zwei ~ mit einer Klappe schlagen〕 일석이조, 일거양득. ② 가뢰(파리와 유사한 해충): spanische ~ a) 가뢰, b) 〚醫〛 가뢰로 만든 발포고(發疱膏). ③ 벌새(Fliegenvogel). ④〚天〛 파리자리. ⑤ ~ des Ankers 닻혀. ⑥ 제물낚시. ⑦ (총의) 가늠쇠. ⑧ (좁고 짧게 다듬은) 윗콧수염. ⑨ 까불이, 바람둥이. ⑩〚방언〛 (과일의) 핵(核). ⑪ 나비 넥타이.
__fliegen__ [flí:gən] (flog, geflogen) ⟪I⟫ *i.* (s./h.) ① 날다, 비행〔비상〕하다; 비행기로 가다: auf Bäume ~ 나무에 날아 앉다; in die Höhe ~ 공중으로 날아오르다; nach Berlin ~ 베를린으로 비행하다; geflogen kommen 날아오다; ~ lassen a) (새를) 날리다, b) (연을) 띄우다, c) (말을) 무심코 입 밖에 내다. ② 나는 듯이 가다, 질주하다, 내달리다; (탄환·돌이) 날다; (불꽃이) 날아 흩어지다; 급히 움직이다; 나풀거리다, 나부끼다; 몹시 떨다: an die Wand ~ (날아서) 벽에 부딪치다; sein Blick flog über die Anwesenden 그는 참석자들을 휙 살펴보았다; jm. in die Arme ~ 누구의 품에 뛰어들다; in Stücke ~ 산산이 부서지다; in die Luft ~ 폭발하다; sie drohten damit, das Haus in die Luft fliegen zu lassen 그들은 집을 폭파시키겠다고 협박했다; vom Sitze ~ 자리에서 벌떡 일어나다; ihr Puls fliegt 그녀의 맥박이 고동친다; sie flog am ganzen Körper 그녀는 전신을 부들부들 떨었다; ein Gedanke fliegt mir durch den Kopf 어떤 생각이 내 뇌리를 스쳐 지나간다. ③ (기가) 나부끼다; (머리채가) 바람에 날리다. ④〚구어〛 내쫓기다, 해고〔축출〕당하다: aus seiner Stellung ~ 직위에서 내쫓기다; von der Schule ~ 퇴학당하다. ⑤ 떨어지다, 넘어지다: sie ist von der Leiter geflogen 그녀는 사다리에서 떨어졌다; 〚구어〛 auf die Nase ~ 엎어지다; durchs Examen ~ 시험에 떨어지다. ⑥ (누구에게〔무엇에〕 마음이) 이끌리다: auf ihn ~ alle Mädchen 그는 모든 소녀들의 마음을 끈다. ⟪II⟫ *t.* (비행기를) 날리다, 조종하다: er

hat diese Maschine noch nie geflogen 그는 이 비행기를 아직 조종해 보지 못했다. 《Ⅲ》 *refl.* sich müde ~ 너무 날아 지치다.

Fliegen=angel *f.* 제물〔파리〕 낚시용의 낚싯대. **~baum** *m.* 〖植〗 느릅나무. **~blume** *f.* 파리를 통해 수정되는 꽃.

fliegend *p.a.* ① 날아가는, 비행〔비상〕하는; 나는 듯한, 신속한: in ~er Eile 급히; mit ~em Atem 헐떡거리며; ~e Blätter 전단, 삐라, 팸플릿; ~er Bote 급사(急使); 〖動〗 ~e Drache 날도마뱀; ~er Puls 심하게 뛰는 맥박; mit ~en Händen 손을 벌벌 떨면서; der ~e Fisch 날치, 〖天〗 날치자리; der ~e Hund 큰박쥐; mit ~er Feder 급히 쓰면서; ~e Personalien 비행기 승무원; ~er Wechsel 잦은 교체; eine ~e Untertasse 비행 접시. ② 이동〔부유·편력〕하는: die ~e Brücke 부교(浮橋), 줄로 건너가는 나룻배; ~er Holländer (전설에서) 표류하는 네덜란드 유령선〔네덜란드인〕: ~e Kolonne 유격대, 별동대; ~es Lager 임시 병영; ~es Lazarett 야전 병원; ~e Bauten 이동식 건물. ③ 나부끼는: mit ~en Haaren 머리를 풀어헤치고. ④ 갑자기 발생하는: ~e Gicht 급성 관절 류머티즘; 〖醫〗 ~e Hitze 간헐열(熱); ~e Röte 갑자기 볼을 물들이는 홍조.

Fliegen=dreck *m.* 파리똥 또는 알(의 반점). **~falle** *f.* ① 파리잡이 풀. ② 파리 (잡는) 통. **~fänger** *m.* 파리 잡는 사람; 파리통, 파리 잡는 끈끈이; 〖動〗 ↑ ~schnäpper. **~fenster** *n.* 창문용 방충망; 파리망을 친 창. **~gewicht** *n.* 〖스포츠〗 플라이급; 플라이급 선수; 〔구어·농담〕 작고 약한 사람. **~gewichtler** *m.* 플라이급 선수. **~gift** *n.* 파리약. **~gott** *m.* 〖聖〗 마왕. **~klappe** *f.* ↑ ~klatsche. **~klatsche** *f.* 파리채. **~könig** *m.* ↑ ~gott. **~kopf** *m.* 파리 대가리; 〖印〗 (활자의) 복자(覆字). **~leim** *m.* 파리잡이 끈끈이. **~monat** *m.* 7월. **~netz** *n.* 파리 방어망, 방충망. **~papier** *n.* 파리잡이 끈끈이. **~pilz** *m.* 〖植〗 광대버섯(이 독버섯을 우유와 끓여 파리를 잡는 데 사용했음). **~pulver** *n.* 가루 파리약. **~schimmel** *m.* 반점이 있는 백마. **~schnäpper** *m.* 〖動〗 딱새(파리 잡아 먹는 작은 새). **~schrank** *m.* 방충망을 친 찬장. **~schwamm** *m.* ↑ ~pilz. **~schwarm** *m.* 파리떼. **~stein** *m.* 〖광물〗 비석(砒石). **~vogel** *m.* 〖動〗 벌새. **~wedel** *m.* 파리채.

Flieger [flíːgər] 《<fliegen》 *m.* -s, - ① 날아다니는 것(날짐승 따위); 비행사; 〖空〗 조종사; 공군 (병사). ② 비행기 (모형); 급행 열차; 경주(輕舟); 쾌속선. ③ 쾌속의 경마 말; 단거리 (자전거) 경주자. ④ 〖海〗 앞돛대의 작은 세모돛. ⑤ 가늘고 긴 기(旗), 기드림, 창기(槍旗).

Flieger=absturz *m.* 비행기 추락. **~abteilung** *f.* 비행대. **~abwehr** *f.* 방공(防空). **~abwehr·kanone** *f.* 고사포(약어: Flak). **~abzeichen** *n.* 공군〔항공병〕 휘장. **~alarm** *m.* 공습 경보. **~angriff** *m.* 공습. **~aufnahme** *f.* ① 항공〔공중〕 촬영. ② ↑ ~bild. **~beobachtung** *f.* 공중 관측. **~bild** *n.* 항공〔공중〕 사진. **~bombe** *f.* (전투기의) 투하 폭탄. **~deckung** *f.* 방공 차폐(遮蔽).

Fliegerei [fliːgəráɪ] *f.* 〔구어〕 비행기 타는 일; 비행(술): die ~ wird immer teurer 비행기삯이 점점 더 비싸진다; die ~ satt haben 비행기 타는 데 물리다〔싫증나다〕.

Flieger=geschütz *n.* 고사포. **~halle** *f.* 비행기 격납고. **~horst** *m.* ↑ Flugstation.

Fliegerin [flíːgərɪn] *f.* -nen 여류 비행사.

fliegerisch [..rɪʃ] *a.* 항공(술)의.

Flieger=kampf *m.* 공중전. **~kappe** *f.* 비행사 모자, 비행모. **~krankheit** *f.* 항공병(病). **~nachwuchs** *m.* 차세대 비행사. **~rennen** *n.* ① 〖사이클〗 단거리 경주. ② 〖경마〗 (1400 m 이내의) 단거리 경주. **~schule** *f.* 항공 학교. **~schuppen** *m.* ↑ ~halle. **~sicht** *f.* 비행 정찰. **~sprache** *f.* 조종사의 은어. **~staffel** *f.* 비행 중대. **~station** *f.* 항공〔공군〕 기지. **~truppe** *f.* 비행대.

Flieh·burg [flíː..] *f.* 〖軍〗 피난용 성채.

fliehen [flíːən] (floh, geflohen) 《Ⅰ》 *i.* (s.) ① 달아나다, 도망하다: vor dem Feind ~ 〔der Gefahr ~〕 적에게서 도주하다〔위험을 모면하다〕; zu jm. ~ 누구에게로〔누구 집으로〕 몸을 피하다. ② 〔비유〕 (시간이) 빨리 지나다. 《Ⅱ》 *t.* 피하다, 멀리하다, 돌보지 않다: der Schlaf flieht mich 나는 불면증에 걸려 있다.

fliehend *p.a.* 도주하는; (이마가) 쑥 들어간, 뒤로 젖혀진: der ~e 도망〔도주〕자; ein ~es Kinn 쑥 들어간 턱.

Flieh=kraft *f.* 〖物〗 원심력. **~kraft·kupplung** *f.* 〖工〗 원심력 연결 (장치), 원심력 커플링.

Fliese [flíːzə] *f.* -n (벽면의 마감재로 쓰이는) 석판, 타일; 포석(鋪石), 판기와; 〔방언〕 지방피(脂肪皮): einen Raum mit ~n auslegen 어떤 공간에 타일을 깔다.

fliesen [flíːzən] *t.* 타일을 깔다〔붙이다〕.

Fließ[1] [fliːs] *n.* -es, -e ↑ Vlies.

Fließ[2] 《<fließen》 *n.* -es, -e 시내, 개울.

Fließ=arbeit *f.* 〖工〗 (작업 공정이 서로 연결되어 있는) 일관 작업. **~band** *n.* 〖工〗 컨베이어 벨트: am ~ arbeiten 컨베이어 벨트에서 일하다.

Fließband=arbeit *f.* 컨베이어 벨트에서 하는 일. **~arbeiter** *m.* 컨베이어 벨트 근로자.

Fließ·blatt *n.* 압지(押紙), 흡묵지.

fließen [flíːsən] (floß, geflossen) *i.* (s. 단, 장소의 이동을 의미하지 않을 때는: h.) ① (액체가) 흐르다, 유동하다: ins Meer ~ 바다로 흘러들다; das Bier floß in Strömen (파티에서) 맥주가 굉장히 많이 나왔다; 〔비유〕 alles fließt 만물은 유전한다. ② (초·납이) 녹다. ③ (눈물이) 흐르다, 흘러나오다 : die Wunde fließt 상처에서 피가 난다; die Tränen ~ ihr aus den Augen 그녀의 눈에서 눈물이 흐른다; 〔비유〕 viel Blut ist geflossen 유혈의 참사가 있었다. ④ 액체〔습기〕를 흘려 없애다: 〔구어〕 die Nase fließt 콧물이 나온다. ⑤ (a) 번지다: das Papier fließt 이 종이는 (잉크 따위가) 번진다. (b) 〔비유〕 (군중이) 흩어지다. ⑥ (모래알 따위가) 흐르다. ⑦ 〔雅語〕 (옷·머리가) 날리다, 나부끼다: das Haar floß ihr in weichen Wellen über die Schultern 그녀의 머리칼이 어깨 위에서 부드럽게 물결쳤다. ⑧ 유창하다: seine Rede floß unaufhörlich 그의 연설은 막힘이 없었다; die Verse ~ ihm leicht aus der Feder 시구가 그의 붓끝에서 술술 흘러나온다. ⑨ 결과로 생기다: daraus fließt die Folgerung, daß... 그것에서 …의 결론이 나온다. ⑩ 발생하다, 생기다: woher floß das

Geld? 그 돈의 출처가 어디냐? ⑪ (von et.[3]) (무엇이) 풍부하다: er floß von Freundlichkeit 그는 넘쳐흐르는 호의를 표시하였다. ⑫ (시간이) 흐르다, 경과하다.

fließend *p.a.* ① 흐르는: ~es Wasser 유수(流水); Zimmer mit ~em Wasser 수도 시설이 된 방; der ~e Verkehr 원활한 교통 소통. ② ~es Blei [~e Hitze] 녹은 납[녹이는 열]. ③ 흐르는 듯한, 유창한: der ~e Stil 유려한 문체; die ~e Handschrift 흘려쓴 필체, 초서; ~ sprechen 유창하게 말하다. ④ 유동성의; (경계가) 뚜렷하지 않은: die Grenze zwischen Stolz und Hochmut ist ~ 자부심과 교만의 경계는 애매하다.

Fließ≈gold *n.* 사금(砂金). **~komma** *n.* (전자 계산기의) 유동 소수점. **~laut** *m.* 〖언어〗 (Liquida) 유음(流音)(보기: l, r). **~papier** *n.* 압지. **~pocken** *pl.* 〖醫〗 융합 천연두[두창(痘瘡)]. **~wasser** *n.* 유수(流水); 수돗물; 〖醫〗 림프액.

Fliete [flíːtə] 《lat.》 *f.* -n 〖醫〗 방혈침(放血針).

flimmen [flímən] 《⊕ flammen》 *i.* (h.) ↑ flimmern.

Flimmer [flímər] *m.* -s, - ① (귀금속의) 번쩍거리는[가물거리는] 빛, 미광(微光). ② 〖비유〗 겉만 번지르르한 것, 허식. ③ 금박, 은박, 번쩍이는 물건, 크리스마스 트리의 장식. ④ 〖動〗 섬모. ⑤ 〖방언〗 운모(Glimmer).

Flimmer≈epithel *n.* 〖生〗 섬모 상피(上皮). **~kiste** *f.* 〖농담〗 텔레비전, 영화관.

flimmern [flímərn] 《I》 *i.* (h.) ① (보석이) 번쩍번쩍 빛나다; (별이) 반짝거리다; (화면이) 어른거리다: es flimmert mir vor den Augen 나는 눈앞이 어른거린다. ② (공기·열기가) 진동하다, 흔들리다. 《II》 *t.* 번쩍번쩍 빛나게 만들다; 〖방언〗 윤내다: den Fußboden ~ 바닥을 윤나게 닦다.

Flinder [flíndər] *m.* -s, - [*f.* -n] ① ↑ Flitter. ② 〖사냥〗 (겁을 주기 위해) 펄럭이는 헝겊.

Flinder·haube *f.* (행사 때 사용했던) 화려한 여자용 머리쓰개.

flink [flıŋk] 《ndd.》 *a.* ① 〖고어〗 빛나는, 현란한. ② 재빠른, 날랜, 민첩한: ein bißchen ~! 좀더 서둘러!; et. mit ~en Händen tun 어떤 일을 민첩하게 하다; immer ~ bei der Hand sein 언제나 행동이 민첩하다.

flinken *i.* (h.) 〖고어〗 빛나다, 번쩍이다.

flinkern [flíŋərn] *i.* (h.) ↑ flinken.

Flinkheit [flíŋkhaıt] *f.* 민첩, 기민.

flink·züngig *a.* (말이) 잽싼.

Flinserl [flínzərl] *n.* -s, -n (öst.) ① 번쩍이는 장신구. ② 단시(短詩).

Flint [flınt] *m.* -(e)s, -e 〖구식〗 부싯돌.

Flinte [flíntə] *f.* -n 라이플, 장총; 활강 산탄총; 엽총; 〖고어〗 화승총; 〖경박〗 자지: die ~ abdrücken 엽총을 발사하다; 〖비유〗 die ~ ins Korn werfen 낙담하여 희망[계획]을 버리다.

Flinten≈dolch *m.* 총검. **~hahn** *m.* 소총 공이치기. **~kolben** *m.* 개머리판. **~kugel** *f.* 총알. **~lauf** *m.* 총신. **~rohr** *n.* ↑ ~lauf. **~schaft** *m.* 총대. **~schloß** *n.* 노리쇠뭉치. **~schrot** *m./n.* 산탄(霰彈). **~schuß** *m.* 사격, 장총의 발사. **~schuß·weite** *f.* 장총의 사정 거리. **~stein** *m.* 화승총의 부싯돌. **~weib** *n.* 〖농담·폄어〗 ① 총기를 소지한 여자. ② 폭력적인 여자, 왈가닥.

Flint≈glas *n.* (광학 기계용의) 플린트[납] 유리. **~stein** *m.* ↑ Flint.

Flinz [flınts] *m.* -es, -e ① 〖광물〗 능철광(菱鐵鑛). ② (알프스 북쪽 지역의) 사토(砂土) 침전물. ③ (nordd.) 팬케이크.

Flip [flıp] *m.* -s, -s ① 플립(달걀술). ② 〖스포츠〗 플립, 도약 회전.

Flip·flop [flípflɔp] 《engl.》 *n.* -s, -s ↑ Flipflop-schaltung.

Flip·flop-schaltung *f.* 플립플롭 전자 회로.

Flipper [flípər] 《engl.》 *m.* -s, - 플립(슬롯머신의 일종).

flippern [flípərn] *t.* 〖구어〗 플립 게임을 하다.

flippig *a.* 뻔뻔스러운, 건방진; 신경질적인, 불안해하는.

flirren [flírən] *i.* (h.) ① (빛이) 어리어리하다, 떨리다, 흔들리다: es flirrt mir vor den Augen 나는 눈 앞이 어른어른한다. ② (모기 따위가) 떼지어 날아다니다.

Flirt [flırt, flǝːrt] 《engl.》 *m.* -s, -s ① (남녀의) 시시덕거리기, 희롱짓거리. ② 연애 행각, 바람: einen ~ mit jm. haben 누구와 바람피우다.

flirten [flírtən, flǝrtən] 《engl.》 *i.* (h.) mit jm. ~ 누구와 시시덕거리다, 희롱하다, 누구에게 아양떨다.

flispern [flíspərn], **flistern** *i.* (h.)/*t.* 속삭이다, 중얼거리다; 낮은 소리를 내다.

Flit [flıt] *n.* -s 〖藥〗 살충제.

Flitsche [flítʃə] *f.* -n ↑ Flittchen.

Flitscherl *n.* -s, -n ↑ Flittchen.

Flittchen [flítçən] *n.* -s, - 〖경박〗 천박한 여자, 논다니, 바람둥이 (아가씨).

Flitter [flítər] 《<flittern》 *m.* -s, - [*f.* -n] 번드르르한 물건; (장식·자수용의) 금박, 은박, 모조금(金); 〖비유〗 (겉만 번지르르한) 싸구려 물건, 허식: das ist alles nur billiger ~ 그것은 죄다 싸구려 물건일 뿐이다.

Flitter≈gelehrsamkeit *f.* 사이비 학문. **~glanz** *m.* 번쩍거림. **~gold** *n.* 네덜란드 금(구리·아연의 합금 금박), 금박.

flitterhaft *a.* 겉만 번지르르한; 겉치레의.

Flitter·haube *f.* ↑ Flinderhaube.

flitterig *a.* ↑ flitterhaft.

Flitter≈jahr *n.* 결혼 후의 1년. **~kram** *m.* 겉만 번지르르한 싸구려 물건. **~monat** *m.* 밀월(蜜月).

flittern [flítərn] 《<flattern》 《I》 *a.* 〖드물게〗 금박제(製)[은박제]의. 《II》 *i.* (h.) ① ↑ flimmern. ② 겉을 꾸미다, 번쩍번쩍하다. ③ 〖고어〗 소곤거리다; 시시덕거리다; 애교떨다, 귀여워하다. ④ 〖방언〗 킥킥 웃다. ⑤ 〖구어·농담〗 밀월 중이다. 《III》 *t.* 번지르르한 물건으로 꾸미다.

Flitter≈sand *m.* 금사(金砂). **~schein** *m.* ↑ ~glanz. **~staat** *m.* ↑ Flitter. **~tand** *m.* ↑ Flitter. **~werk** *n.* ↑ Flitter. **~wochen** *pl.* 밀월, 허니문: sie verbringen ihre ~ auf den Kanarischen Inseln 그들은 카나리아 제도에서 밀월을 보낸다. **~wöchner** *m.* 〖구어·농담〗 밀월 중인 남편, 새 신랑.

Flitz [flıtz] *m.* -es, -e ① 〖고어〗 화살. ② 〖폄어〗 (berl.) 짜증, 역정.

Flitz≈bogen *m.* (장난감) 활: 〖비유·구어〗 gespannt sein wie ein ~ 매우 궁금해하다. **~büchse** *f.* (화살을 불어서 쏘는) 바람총.

Flitze·bogen *m.* 〖방언〗 ↑ Flitzbogen.

flitzen [flɪtsən] *i.* (s.) ① 〖구어〗 달리다, 질주하다. ② 스트리킹하다.

Flitzer *m.* -s, - ① 빠른 차, 쾌속정. ② 빠른 주자. ③ 스트리킹하는 사람. ④ 〖권투·폄어〗 공격을 피하기만 하는 선수.

floaten [flóːtən, flóutən] *i.* (h.) 〖經〗 (통화 제도가) 변동 환율로 되다, (경기가) 변하다.

Flobert·gewehr [flóːbɛrt..] *n.* 플로베르총(銃).

F-Loch [ɛ́f..] *n.* -(e)s, ..Löcher [..lœçər] 〖음악〗 (현악기의) f 자형 공명 구멍.

flocht [flɔxt] ↑ flechten 의 과거형.

flöchte [flœ́çtə] ↑ flechten 의 접속법 Ⅱ 식.

***Flocke** [flɔ́kə] *f.* -n ① 눈송이: der Schnee fällt in dichten ~n 함박눈이 내린다. ② (양모 등의) 털뭉치, 솜털 부스러기. ③ 〖대개 복수〗 (곡물의) 박편(薄片), (식품의) 플레이크. ④ 〖광산〗 박편으로 된 단단한 돌. ⑤ 〖醫〗 (소뇌의) 소엽(小葉); 〖動〗 가축의 반점(斑點). ⑥ 〖복수〗〖농담〗 쇠푼, 돈. ⑦ 걸쭉한 침전물.

flocken [flɔ́kən] 《Ⅰ》 *t.* ① 작은 송이〔부스러기〕로 만들다. ② (양털 등을) 두들겨서 곱게 만들다. 《Ⅱ》 *refl.* sich ~ (솜·양털이) 덩이로 나뉘어 뭉쳐지다. 《Ⅲ》 *i.* (h./s.) ① 〖雅語〗 덩어리로 뭉쳐지다. ② *imp.* 〖방언〗 es flockt 일이 잘 진척된다.

flocken·artig *a.* ↑ flockig.

Flocken≈bett *n.* 털지스러기를 넣어 만든 침대용 요. **~blume** *f.* 〖植〗 수레국화. **~feder** *f.* 솜털. **≈förmig** *a.* 눈송이 같은, 얇은 조각의. **~lesen** *n.* 〖醫〗 수의모상(捜衣摸床) (빈사 상태의 뇌막염이나 정신 분열증 환자가 손으로 침구를 잡아뜯거나 허공을 쥐어뜯는 듯한 모습을 보이는 증세). **~stoff** *f.* 겉이 보풀보풀한 직물. **~tuch** *n.* ↑ ~stoff. **≈weise** *adv.* 얇은 조각을 이루어, 털뭉치를 이루어.

flockicht *a.* ↑ flockig.

flockig [flɔ́kɪç] *a.* 얇은 조각(모양)의, 양털〔솜뭉치〕 같은, 솜털로 뒤덮인, 부드러운; 〖광물〗 섬유 모양의.

Flock≈papier *n.* (벽지 등으로 쓰이는) 나사지(羅紗紙). **~seide** *f.* 생사 부스러기; 풀솜. **~tapete** *f.* 모면(毛綿) 벽지.

Flockung *f.* -en ① 〖化〗 박편의 침전물로 응집시키기. ② ↑ flocken 의 명사형.

Flockungs·mittel *n.* 침전제(劑).

Flock·wolle *f.* 양털 지스러기.

Flödel [flǿːdəl] *m.* -s, - 〖음악〗 현악기의 가장자리 장식선.

flog [floːk] ↑ fliegen 의 과거형.

flöge [flǿːgə] ↑ fliegen 의 접속법 Ⅱ 식.

Floge [flóːgə] *f.* -n 소나기.

***Floh** [floː] *m.* -(e)s, Flöhe [flǿːə] ① 〖動〗 벼룩: 〖비유·구어〗 jm. einen ~ ins Ohr setzen 어떤 사람에게 귀가 따가운 말을 하다; 〖비유·구어〗 er hört die Flöhe husten 지나치게 똑똑한 체하다; 〖비유〗 lieber (einen Sack) Flöhe hüten (als diese Arbeit tun) (이 일을 하느니) 차라리 벼룩이나 지키겠다, 이 일이 너무 힘들어하고 싶지 않다. ② 〖복수〗〖경박〗 쇠푼, 돈.

floh [floː] ↑ fliehen 의 과거형.

flöhe [flǿːə] ↑ fliehen 의 접속법 Ⅱ 식.

Floh·biß *m.* 벼룩이 문 자국.

flöhen [flǿːən] *t.* ① 벼룩을 잡아주다: er flöhte einen Hund 그는 개의 벼룩을 잡아 주었다. ② 〖비유·구어〗 돈을 사취하다: beim Pokern geflöht werden 포커판에서 사기를 당하다. ③ 〖비유·구어〗 샅샅이 수색하다: die Zöllner haben ihn tüchtig geflöht 세관원들이 그의 몸을 철저하게 수색했다.

Floh≈fang *m.* 벼룩잡기. **~farbe** *f.* 흑갈색. **~gras** *n.* 〖植〗 흰꽃여름〔화란〕국화. **~kraut** *n.* 〖植〗 여뀌·망초속 등(벼룩을 잡는 데 효과가 있음). **~krebs** *m.* 〖動〗 물벼룩. **~markt** *m.* 벼룩 시장, 중고품 교환 시장. **~stich** *m.* ↑ ~biß. **~zirkus** *m.* 벼룩 서커스.

Flokati *m.* -s, -s 긴 양모로 짠 양탄자.

Flom [floːm] *m.* -(e)s ↑ Flomen.

Flomen [flóːmən] *m.* -s (ndd.) (돼지 등의) 복부 및 콩팥의 지방.

Flop [flɔp] *m.* -s, -s ① 〖스포츠〗 배면뛰기, 포스버리 플롭(Fosbury-Flop). ② 실패, 허탕: der Aktienkauf entwickelte sich zum ~ 주식 구매는 실패작이 되었다.

Floppy-Disk 《engl.》 *n.* -s, -s 〖컴〗 플로피 디스크.

Flor[1] [floːr] 《lat. flos》 *m.* -s, -e 〖雅語〗 ① (**a**) 만발한 꽃; 한창 때: in ~ sein〔stehen〕 활짝 피어 있다; 〖비유〗 ein ~ schöner Mädchen 꽃다운 처녀들. (**b**) 같은 종류의 많은 꽃, 꽃더미: ein ~ duftender Rosen 향기로운 장미꽃더미. ② 〖비유〗 번영, 융성, 전성: in ~ bringen 번창케 하다.

***Flor**[2] 《holl.》 *m.* -s, -e/(드물게) Flöre [flǿːrə] ① 사(紗), 얇고 성긴 천, 가제; 크레이프 천. ② 〖방직〗 괴깔, 보풀. ③ (상복의) 흑사(黑紗); 상장(喪章). ④ 〖雅語〗 면사포, 베일. ⑤ 〖구어〗 머플러.

Flora [flóːra] 《lat. flos》 *f.* ① 〖로마신화〗 꽃과 봄의 여신. ② 〖복수: ..ren〗 〖植〗 식물계〔군(群)〕; 식물지(誌); 화초 전시회.

Flora-Fauna-Habitat-Zone, FFH-Zone *f.* 〖생태학〗 동식물 서식지, 자연 보호 구역.

flor·ähnlich *a.* 사(紗) 같은.

floral *a.* 꽃무늬로 장식된.

Floralien [floráːliən] 《lat.》 *pl.* (고대 로마의) 화신제(花神祭).

flor·artig *a.* ↑ ~ähnlich.

Flor≈band *n.* 〖복수: ..bänder〗 사(紗)로〔깁으로〕 된 리본; 상장(喪章). **~besen** *m.* 〖학생〗 양가(良家)의 처녀. **~binde** *f.* ↑ ~band. **~blume** *f.* 활짝 핀 꽃.

Floreal [floreáːl] 《lat.》 *m.* -(s), -s 프랑스 혁명력의 제 8 월(태양력의 4 월 20/21 일-5 월 19/20 일).

floreat [flóːreat] 《lat.》 *int.* 그에게 영광이 있으라(=er blühe).

Floren [floréːn] 《<Florenz》 *m.* -s, -e/-s (중세) 플로렌스의 금화.

floren [flóːrən] 《<Flor [2]》 *a.* 사(紗)〔실〕로 된.

Florentiner [florɛntíːnər] 《Ⅰ》 *m.* -s, - ① 피렌체 사람. ② 챙이 넓은 여성용 밀짚 모자. ③ 〖요리〗 (호두나 아몬드를 넣고 초콜릿을 입혀 구운) 플로렌스 과자. 《Ⅱ》 *a.* 피렌체의: ~ Flasche 피렌체병(무게가 다른 두 액체를 분리하는 데 씀).
florentinisch *a.* 피렌체의.
Florenz [florɛ́nts] *n.* 피렌체(중부 이탈리아의 도시).
Floreszenz [florɛstsɛ́nts] 《lat.》 *f.* 〖植〗 개화(開花), 개화기; 꽃차례, 화서(花序).
Florett[1] [florɛ́t] 《lat.》 *m.* -s, -e 명주 지스러기; 거친 명주천.
Florett[2] 《frz. fleuret》 *n.* -(e)s, -e ① 플뢰레(펜싱 검의 일종). ② ↑ ~fechten.
Florett·fechten *n.* 플뢰레 펜싱.
Florett·seide *f.* 명주 지스러기(로 짠 직물).
Flor≈fliege *f.* 〖動〗 풀잠자리. **~hut** *m.* 사(紗)로 만든 모자; 상장(喪章)이 달린 모자.
Florian *m.* 플로리안(남자 이름).
Florida *n.* 플로리다(미국 동부의 반도·주).
florieren [florí:rən] 《lat.》 *i.* (h.) 꽃이 피다; 〘비유〙 번영〔번창〕하다; 유행하다.
Florilegium [florilé:giʊm] *n.* -s, ..gien [..giən] 〘구식〙 ① 시가집(詩歌集), 사화집(詞華集). ② 고대 작가의 작품 선집(選集); 잠언집, 격언집.
Florin [florí:n, fló:ri:n, (frz.) florɛ̃:] 《frz.》 *m.* -s, -e/-s 플로린(화폐) ① 옛 피렌체의 금화. ② 네덜란드의 화폐(약어: fl., Fl.) (↑ Gulden). ③ 과거의 영국 은화(=2 실링).
Florist [floríst] 《lat.》 *m.* -en, -en ① 화환 제조인, 꽃 파는 사람. ② 화훼 전문가〔연구자〕. ③〘구식〙 꽃 재배자〔애호가〕.
Floristik [..tɪk] *f.* ① (어떤 지역의) 식물계 연구, 화훼학. ② 화환업자의 작업 분야.
Floristin *f.* -nen ↑ Florist 의 여성형.
floristisch *a.* ① 식물계의, 식물 구계학(區系學)의. ② 꽃(재배)의.
Flor≈schleier *m.* 사(紗)로 만든 베일. **~seide** 얇은 명주. **~weber** *m.* 사(紗)직조공.
Floskel [flɔ́skəl] 《lat., „Blümchen"》 *f.* -n 미사여구, 진부한 문구.
floskelhaft *a.* 미사여구의, 진부한.
floß [flɔs] ↑ fließen 의 과거형.
Floß[1] [flo:s] 《<fließen》 *n.* -es, flöße [flǿ:sə] 뗏목; 낚시찌, 부표.
Floß[2] *m./n.* Flosses, Flosse 〖제련〗 선철(銑鐵).
flößbar [flǿsba:*r*] *a.* 뗏목을 띄울 수 있는.
Flöß≈bau·holz *n.*, **~baum** *m.* 뗏목재(材), 유목(流木).
Floß≈beamte* 뗏목 검사관. **~boot** *n.* 고무보트. **~brücke** *f.* 통나무 부교.
Flosse [flɔ́sə] 《<fließen》 *f.* -n ①〖動〗 지느러미. ②〘경박〙 손, 발. ③ (비행기 등의) 조종날개; 〖수영〗 고무 물갈퀴. ④〖제련〗 선철. ⑤ (어망의) 부표.
Flöße [flǿ:sə] *f.* -n ① 유목(流木). ② 뗏목을 띄우는 권리〔장소〕. ③ 뗏목. ④ 어망의 부표. ⑤〖제련〗 선철.
flösse [flœ́sə] ↑ fließen 의 접속법 Ⅱ식.
flößen [flǿ:sən] *t.* ① 목재를 뗏목으로 만들어 나르다, 뗏목으로 실어 나르다. ② (입에) 떠 넣다; 〘비유〙 (사상을) 주입시키다: dem Patienten den Brei in den Mund ~ 환자 입에 죽을 떠 넣다. ③〘구식〙 유지(乳脂)를 걷어내다. ④ 부망(浮網)으로 고기잡이하다.
flossen≈artig [flɔ́:sən..] *a.* 지느러미 모양의. **≈füßer** *m.* 〖動〗 익족류(翼足類). **≈füßler** *m.* ↑ ≈füßer. **≈kieler** *m.* 〖海〗 용골(龍骨)이 긴 범선.
..flosser 《<Flosse》 *suf.* "…지느러미가 있는 물고기"의 뜻(보기: Schwanz~ 꼬리지느러미가 있는 물고기).
Flößer *m.* -s, - 뗏목꾼, 벌부(筏夫).
Flößerei [flø:sərái] *f.* -en 뗏목을 이용한 (목재) 운반; 뗏목 작업장.
Floß·fahrt *f.* 뗏목 타기.
Floß·feder [flɔ́s..] *f.* 〖動〗 지느러미.
Floß≈führer *m.* 뗏목꾼. **~gasse** *f.* 〖토목〗 (댐의) 뗏목 운반로. **~gehau** *n.*〖林〗 뗏목 목재의 벌채 구역. **~geschäft** *n.* 뗏목업. **~graben** *m.* 뗏목을 띄우는 수로. **~holz** *n.* 뗏목용 목재.
flossig [flɔ́sɪç] 《<Flosse》 *a.* 지느러미가 있는.
..flossig *suf.* "…한 지느러미를 가진"의 뜻(보기: breit~ 지느러미가 넓은).
Floß·loch[1] 《<Floß[1]》 *n.* (강의) 수문(水門).
Floß·loch[2] 《<Floß[2]》 *n.* 〖제련〗 용광로의 주물이 흘러나오는 구멍.
Floß≈platz *m.* 뗏목 집결소. **~recht** *n.* 뗏목을 띄울 권리, 부벌권(浮筏權). **~wasser** *n.* 뗏목을 띄우는 강. **~wiede** *f.* 뗏목 묶는 데 쓰는 버들가지. **~zeit** *f.* 뗏목 띄우는 시기.
Flotation [flotatsió:n] 《lat.》 *f.* -en 〖광산〗 부유 선광(選鑛).
flotativ *a.* 부유 선광(選鑛)의.
Flötchen [flǿ:tçən] *n.* -s, - 〘↑ Flöte 의 축소형〙 작은 피리; (우는 새를 길들이기 위한) 은피리, 새피리.
***Flöte** [flǿ:tə] *f.* -n ① 피리, 플루트: die〔auf der〕 ~ blasen〔spielen〕 피리를 불다. ② (새 따위의) 피리 같은 소리. ③ 실패, 방추(紡錘). ④ 긴 대(臺)가 달린 술잔. ⑤〖카드〗 같은 종류의 패(의 연속). ⑥〘경박〙 좆, 남근.
flöten [flǿ:tən] *i.* (h.) / *t.* ① 피리〔휘파람〕 불다. ② 피리 같은 소리로 노래〔이야기〕하다. ③〘비유〙 알랑거리며 말하다.
flöten·artig *a.* 플루트〔피리〕 같은.
Flöten≈bläser *m.* 피리〔플루트〕 부는 사람. **~gehen*** *i.* (s.) ① 없어지다, 사라지다. ② 두 동강 나다, 망가지다. **~register** *n.* (파이프 오르간의) 스톱. **~spiel** *n.* 피리〔플루트〕 연주. **~spieler** *m.* 피리〔플루트〕 연주자. **~stimme** *f.* 피리의 보(譜); 파이프 오르간의 플루트 스톱; 피리 같은 맑은 음조. **~ton** *m.* 피리〔플루트〕 가락: 〘비유〙 jm. die Flötentöne beibringen 누구에게 훈계하다. **~werk** *n.* 무판(無瓣)의 작은 오르간; 파이프 오르간의 플루트 스톱의 총칭. **~zug** *m.* (파이프 오르간의) 플루트 스톱.
flotieren [flotí:rən] *t.* 〖금속〗 (광물을) 부유선광법(選廣法)으로 선별하다.
Flöter *m.* -s, - ↑ Flötist.
Flötist [føtíst] 《frz.》 *m.* -en, -en 피리 부는 사람; 플루트 연주자.
Flötistin *f.* -nen ↑ Flötist 의 여성형.
Flotow [fló:to] Friedrich von ~ 플로토(독일 경가극 작곡가, 1812-83).
Flott [flɔt] *n.* -(e)s, -e ① 부유물; 개구리밥. ② (ndd.) 뗏목. ③ (ndd.) 유지(乳脂).
***flott** 《ndd.; <fließen》 *a.* ①〘구어〙 민첩한, 잽싼, 경쾌한: eine ~e Musik 경쾌한 음악; 〘경박·비유〙 den ~en Otto〔Heinrich〕 haben 설사하다. ②〘구어〙 걱정 없는; 속편하게 사

는; 경박한: ~ leben 편안히〔빈둥빈둥〕 살다; bei ihm ging es ~ her 그는 태평하게 지내고 있다. ③ 사치스러운, 화려한, (돈 씀씀이가) 헤픈; 경기가 좋은: ~e Geschäfte machen 경기가 좋은 장사를 하다; mit dem Geld ~ umgehen 돈을 헤프게 쓰다. ④ 세련된, 예쁜, 멋진, 매력적인. ⑤〖선원〗물에 뜰 수 있는; 운항준비가 된.

flott|bekommen (차량·선박이) 다시 운행〔운항〕할 수 있다.

***Flotte** [flɔ́tə] *f.* -n ① 함대, 선대(船隊); 일국의 군함〔선박〕 총수; 해군력: auf der ~ dienen 해군에 복무하다. ② 염료. ③〔비유〕 어망의 부표. ④ (배 목수용의) 비계.

flotten *i.*(h.)/*t.* 떠 있다; 띄우다.

Flotten≈abkommen *n.*〖政·軍〗(특히 1937-38년 독영간의) 해군 협정. **~abteilung** *f.* 분(分)함대. **~basis** *f.* 해군〔함대〕 기지. **~begleiter** *m.* 호위함. **~chef** *m.* ↑ ~-führer. **~dienst** *m.* 해군 복무. **~führer** *m.* 함대 사령관. **~kapitän** *m.* 함장. **≈-kommando** *n.*〖軍〗함대 사령부. **~-konferenz** *f.* 해군 군축 회의. **~manöver** *pl.* 함대 기동 훈련. **~offizier** *m.* 해군 장교. **~schau** *f.* 관함식(觀艦式). **~station** *f.* 군항, 함대 정박소. **~stütz·punkt** *m.* 해군 기지. **~verband** *m.* 선단, 함대. **~verein** *m.* 해군 홍보 협회. **~vorlage** *f.* 해군 법안.

Flott≈hafen 《<Flotte》 *m.* 선거(船渠), 독. **~holz** *n.* 《<flott》 유목(流木), 부재(浮材); (어망의) 부목(浮木).

flottieren [flɔtíːrən] *i.*(h.) ① 뜨다, 표류하다; 동요하다; 고정되지 않다: ~de Bevölkerung〔Schuld〕 부동 인구〔일시 차입금〕. ②〖방직〗(실이) 엉키다.

Flottille [flɔtíl(j)ə] 《sp. flottila》 *f.* -n ① 소함대, 정대(艇隊). ② 어로 선단.

flott|machen *t.* (좌초선을) 인양하다:〔비유〕(낡은 기계 등을) 다시 작동 가능케 하다.

flott·weg [flɔ́tvɛ́k] *adv.* 신속하게, 단숨에.

Flötz [flø:ts] *n.* -es, -e ↑ Flöz.

Flotz·maul [flɔ́ts..] *n.* (소·양의) 코의 젖은 부분.

Flöz [flø:ts] *n.* -es, -e ①〖광산〗지(평)층(地(平)層), 광층. ②〔방언〕 현관.

Flöz≈asche *f.* 백악 점토. **~bau** *m.* 지층 채굴. **~erz** *n.* 층상광(層狀鑛). **~formation** *f.*, **~gebirge** *n.*〖지질〗수성암; 제 2 층암. **~lage** *f.* (지)층. **~sand·stein** *m.* 신적사암(新赤砂岩). **~schicht** *f.* ↑ ~lage. **≈wei-se** *adv.* 층을 이루어.

Fluat *n.* -(e)s, -e〖化〗플루오르화규소산염(↑ Fluorsilikat 의 약어).

***Fluch** [flu:x] 《<fluchen》 *m.* -(e)s, Flüche [flý:çə] ① 저주: ein ~ liegt〔ruht〕 auf diesem Volk 이 국민은 저주받고 있다. ② 저주의 말, 악담, 욕설: rohe Flüche ausstoßen 험한 욕을 하다; ~ über dich! 이 벼락맞을 놈! ③〖宗〗파문; 독신(瀆神). ④ 재앙, 천벌: der ~ der bösen Tat 업보. ⑤ 저주받은 자.

fluch≈beladen *a.* 저주받은. **≈belastet** *a.* ↑ ~beladen.

***fluchen** [flúːxən] 《I》 *i.*(h.) ① jm. 〔auf jn.〕 ~ 누구를 저주하다, 비방하다, (신을) 모독하다: wie ein Landsknecht ~ 욕설을 퍼붓다. ②〔속어〕맹세하다: darauf können Sie ~ 그것은 맹세코 사실입니다. 《II》 *t.* 저주하다: jm. alles Böse an den Hals ~ 누구에게 온갖 재앙이 내리라고 빌다.

Flucher [flúːxər] *m.* -s, - 저주하는 사람; 욕설하는 자;〖聖〗독신(瀆神)자, 신성 모독자.

***Flucht** [fluxt] *f.* -en 《I》《<fliehen》 ① (**a**) 도주, 도망, 패주, 뺑소니: wilde ~ 궤주(潰走); die ~ ergreifen〔nehmen〕 달아나다; sich auf die ~ begeben〔machen〕 달아나다; auf der ~ sein 도주 중이다; jn. in die ~ schlagen (누구를) 물리치다. (**b**) 탈출, 회피:〔구어·농담〕an seiner ~ arbeiten 살짝 빼소니칠 작정이다; die ~ nach vorn (antreten) 정면 돌파(에 나서다). ② die ~ der Zeit 세월의 덧없음. ③ (기계 따위의) 운동 범위; 여유 공간: diese Tür muß mehr ~ haben 이 문은 문틀이 더 넓어야 하겠다. ④〖사냥〗달아난 곳. 《II》《<fliegen》 ① 나는 새의 무리. ②〔방언〕 날개;〖사냥〗(사슴 따위의) 도약: in langen ~en 성큼 뛰어서. ③ (늘어선 건물의) 줄, 열(列);〖건축〗건축선(線);〔비유〕연속: drei Häuser in einer ~ 연달아 있는 집 세 채.

flucht≈artig *a.* 달아나는 듯한, 매우 빠른: ~ den Raum verlassen 도망치듯 그곳을 떠나다. **≈bau** *m.*〖사냥〗(여우가) 달아나 숨는 곳. **~bild** *n.* 투시도, 원근화(遠近畫). **≈-burg** *f.*〖軍〗(Fliehburg) 피난용 요새〔성채〕.

fluchten [flúxtən] 《I》 *t.*〖工〗직선으로〔동렬로〕 하다. 《II》 *i.*(h.) 일직선으로 늘어서다.

***flüchten** [flýçtən] 《I》 *i.*(s.)/*refl.* 달아나다, 피난하다: über die Grenze ins Ausland ~ 국경을 넘어 외국으로 도주하다. 《II》 *t.*〔구식〕 jn. ~ 누구를 도주〔피난〕시키다.

Flüchter *m.* -s, - ①〖動〗집비둘기, 양비둘기. ② 못 믿을 소녀.

Flucht≈fahrzeug *n.* 도주용 차량. **~gefahr** *f.* 도주의 위험. **~geschwindigkeit** *f.*〖理〗이탈 속도. **~helfer** *m.* 도주 방조자.

fluchtig [flúxtɪç] *a.*〔구식〕(perspektivisch) 원근법의, 원경의.

***flüchtig** [flýçtɪç] *a.* ① 도주 중인, 달아나는, 빠져 나가는: ~ werden〔sich ~ machen〕 도망하다; der ≈e 도망자. ② 짧은, 일시적인; 무상(無常)한, 덧없는: ~es Glück 순간적인 행복. ③ 날쌘, 신속한; 숙련된, (손놀림이) 잽싼: ein ~er Hirsch〔~es Pferd〕 날쌘 사슴〔준마〕; mit ~er Feder schreiben 술술〔달필로〕 쓰다. ④ 겉핥기의, 피상적인; 거친, 날림의: ~e Arbeit 날림일; das Buch ~ durchblättern 책을 대충 훑어보다. ⑤〖광산〗무른: ~es Gestein 부서지기 쉬운 암석. ⑥〖化〗휘발성의: ~e Öle 휘발유. ⑦〖畫〗어렴풋한, 희미한, (빛깔이) 엷은;〖방직〗가벼운.

Flüchtigkeit *f.* -en ① 피상성, 덧없음;〖化〗기화성: die ~ des Augenblicks bedauern 순간의 덧없음을 애석해하다; die ~ von Alkohol 알코올의 기화성(氣化性). ② 부주의로 인한 과실.

Flüchtigkeits·fehler *m.* 부주의로 인한 실수.

Flüchtling [flýçtlɪŋ] *m.* -s, -e 피난민; 도주자; 망명자, 국외 추방자.

Flüchtlings·lager *n.* 난민 수용소.

Flucht≈linie *f.*〖工〗기준선;〖건축〗동렬선(同列線); (투시화의) 소실선. **~plan** *m.* 도

주〔탈주〕 계획. **~punkt** *m.* (투시화의) 소실점. **~röhre** *f.* ↑ ~bau. **~schnur** *f.* (벽이나 모서리 선의 정확도를 정하는) 경시(經始)줄. **~verdacht** *m.* 도주를 꾀할 우려. **≈-verdächtig** *a.* 도주할 우려가 있는. **~versuch** *m.* 도주 기도. **~wagen** *m.* ↑ ~fahrzeug. **~weg** *m.* 탈출로, 도주로.

fluch≈wert *a.* ↑ ~würdig. **~würdig** *a.* 저주받아 마땅한, 괘씸한.

fludderig *a.* 〔방언〕경박한, 변덕스러운.

Fluder[1] [flú:dər] *m./n.* -s, - (물레방아·광산의) 수로, 도랑.

Fluder[2] *f.* Flüder (südd.) 뗏목.

fludern *t.* 〔방언〕(목재를) 뗏목으로 떠내려보내다.

Flüe [flý:ə] *f.* -n (obd.) ↑ Fluh.

***Flug** [flu:k] 《<fliegen》 *m.* -(e)s, Flüge ① 날기, 비행, 비상; 〔비유〕(사상·감정의) 비약, 약동: ~ der Zeit 세월의 덧없음; im ~e a) 비행 중에, b) 매우 빠르게, c) 순식간에; et. im ~e berühren〔machen〕 무슨 일을 슬쩍 건드리다〔잠깐 취급하다〕; in einem ~e 단숨에, 순식간에. ② 비행기 여행, 비행기편: einen ~ nach Berlin buchen 베를린행 항공편을 예약하다. ③〔방언〕양 날개; (새의) 양 날개 폭. ④ (새의) 떼: ein ~ Wildgänse 기러기 떼. ⑤〖스키〗 도약, 점프.

Flug≈abwehr *f.* 방공(防空). **~abwehrkanone** *f.* 고사포. **~apparat** *m.* 항공〔비행〕기. **~asche** *f.* 분진(공기 속의 미세한 재). **~bahn** *f.* 탄도; 비행 경로. **~ball** *m.* ①〖스포츠〗 공중볼. ②〖테니스〗 발리볼. **~begleiter** *m.* 항공기 승무원. **~begleiterin** *f.* ↑ ~begleiter 의 여성형. **~bereich** *m.* 비행 반경〔거리〕. **≈bereit** *a.* 비행 준비가 된. **~-beutler** *m.* 〖動〗 날다람쥣과의 유대류(有袋類). **~biene** *f.* 〖動〗 일벌. **~blatt** *n.* 선전 삐라; 팸플릿, (광고) 전단. **~boot** *n.* 비행정. **~brand** *m.* 〖植〗 깜부깃병. **~deck** *n.* 비행갑판. **~drache** *m.* ①〖動〗 날도마뱀. ② 연. **~echse** *f.* 〖動〗 익룡(翼龍). **~eidechse** *f.* 〖動〗 ↑ ~drache ①.

***Flügel** [flý:gəl] 《<Flug》 *m.* -s, - ① (새·곤충의) 날개: mit den ~n schlagen 날개치다; 〔비유〕die ~ des Geistes 정신의 비약; auf ~n der Liebe 사랑의 날개를 타고; jm. die ~ beschneiden〔stutzen〕 기를 꺾다, 제재를 가하다; 〔雅語〕sich[3] die ~ verbrennen 좌절하다, 실패를 경험하다; 〔雅語〕 etwas verleiht jm. ~ 무엇이 누구에게 용기〔활기〕를 주다; die ~ hängenlassen 풀이 죽어 있다; die Zeit hat ~ 세월은 쏜살 같다. ② 날개를 닮은 것, 좌우 대칭을 이루는 것: **(a)** 〖해부〗 ~ der Lunge〔der Nase, des Ohres〕 폐엽(肺葉)〔비익(鼻翼), 귓불〕. **(b)** 〖건축〗 퇴(측면 건축); (성당의) 측랑(側廊); 여닫게 된 문짝〔칸막이〕. **(c)** 〖植〗 익판(翼瓣). **(d)** 정당 내의 파벌; 〖軍〗 익(翼), 진영, 측면: der rechte〔linke〕 ~ 우익〔좌익〕. **(e)** (풍차의) 날개, 바람받이; 〖空〗 날개, 보조〔추진〕익. **(f)** 〖음악〗 그랜드 피아노: am ~ X 노래 반주에는 X 씨. **(g)** (상의의) 옷자락; (머리쓰개의) 드리우개: jn. beim ~ erwischen〔nehmen〕 누구의 옷자락을 잡다. **(h)** (수렵대(隊)의) 양측; 양측에 있는 사람. **(i)** 〖海〗 (마스트 꼭대기의) 풍신기(風信旗); 닻가지.

Flügel≈adjutant *m.* 〖軍·옛뜻〗 시종(侍從) 무관; 부관. **≈ähnlich** *a.* ↑ ≈artig. **~altar** *m.* 측면부를 접을 수 있는 제단. **≈artig** *a.* 날개 모양의. **~bauer** *m.* 그랜드 피아노 제작자. **~decke** *f.* (곤충의) 겉날개; 그랜드 피아노의 덮개. **~fenster** *n.* (양쪽으로 열어젖히는) 여닫이 창문. **≈förmig** *a.* 날개 모양의. **~fortsatz** *m.* 〖醫〗 익상돌기(翼狀突起). **~frucht** *f.* 〖植〗 시과(翅果)(껍질이 날개 모양인 열매). **~gerippe** *n.* 〖空〗 날개 뼈대. **~-glas** *n.* 날개 (모양의 다리가 달린) 잔. **~-haube** *f.* (여성용) 큰 리본이 달린 모자. **~-horn** *n.* 〖악기〗(코넷과 유사한) 고음의 금관 악기, 신호 나팔; 〖사냥〗 뿔피리. **~hut** *m.* 〖로마신화〗 (머큐리의) 날개 (있는) 모자.

..flügelig *suf.* "…날개의"의 뜻(보기: ein~ 날개가〔문짝이〕 하나인).

Flügel≈kaktus *m.* 〖植〗 선인장의 일종. **~kleid** *n.* 〔옛뜻〕 긴 소매 달린 소녀복. **≈-lahm** *a.* 날개가 약해진〔마비된·부러진〕.

flügellos *a.* 날개 없는.

Flügel≈mann *m.* ①〖軍〗 향도병(兵)(대열의 양 끝에 선 병사). ②〖구기〗 윙, 좌익〔우익〕수. ③〔구어·농담〕(바 따위의) 피아노 연주자. **~muskel** *m.* 〖해부〗 익상근(翼狀筋).

flügeln [flý:gəln] 《<Flugel》 《I》 *t.* ①〖문학〗 날개를 달다; 날다, 빨리 나아가게 하다: seine Schritte ~ 걸음을 재촉하다; sich zu jm. ~ 누구에게로 달려가다. ②〖사냥〗 (새의) 날개를 쏘다. 《II》 **geflügelt** *p.a.* ↑ geflügelt.

Flügel≈paar *n.* ① 양 날개, 날개 한 쌍. ②〖구기〗 좌우 외곽 공격수. **~pferd** *n.* (날개 달린) 천마; 〖그리스신화〗 페가수스. **~pumpe** *f.* (날개바퀴가 달린 회전식) 윙 펌프. **~roß** *n.* ↑ ~pferd. **~schlag** *m.* 날갯짓. **≈schlagend** *a.* 날갯짓하는. **~schnecke** *f.* 〖動〗 바다고둥의 일종. **≈schnell** *a.* 날 듯이 빠른. **~schraube** *f.* 〖工〗 (손가락으로 돌리게 된) 나비 볼트, 나비 모양의 수나사; 프로펠러. **~spitze** *f.* 날개 끝. **~stürmer** *m.* 〖구기〗 윙 포워드. **~tor** *n.* 쌍바라지문(양쪽으로 열게 된 문). **~tücher** *pl.* (풍차의) 날개. **~tür** *f.* 양쪽으로 여는 문짝. **~weite** *f.* 날개의 폭; 열게 된 문짝의 열리는 폭.

Flug≈feld *m.* 비행장. **~fern·melde·dienst** *m.* ↑ ~meldedienst. **≈fertig** *a.* 비행 준비가 된. **~feuer** *n.* 급히 퍼져 번지는 불; 〖醫〗 단독(丹毒). **~fisch** *m.* 〖動〗 날치. **~funk** *m.* 항공 무전. **~gast** *m.* 비행기 탑승객, 항공 여객. **~gesellschaft** *f.* 〖空〗 항공사.

flügge [flýgə] *a.* (어린새가 자라서) 날 수 있는; 〔비유〕 독립할 수 있는; 혼기에 달한; 성숙한.

***Flug≈hafen** *m.* 공항: sie trafen auf dem Frankfurter ~ ein 그들은 프랑크푸르트 공항에 도착하였다. **~hafer** *m.* 〖植〗 메귀리. **~hahn** *m.* 〖動〗 죽지성대속(屬)의 바다 물고기. **~haut** *f.* (박쥐의) 비막(飛膜). **~höhe** *f.* 비행 고도. **~hörnchen** *n.* 〖動〗 날다람쥐의 일종. **~huhn** *n.* 〖動〗 사막꿩. **~hund** *m.* 〖動〗 큰박쥐속(屬)의 일종. **~kapitän** *m.* 기장(機長), 조종사. **~kilometer** *m.* 운항 거리. **≈klar** *a.* 비행 준비가 된. **~körper** *m.* 〖工〗 비행 물체, 로켓, 우주선. **~kraft** *f.* 비행력(力). **~lage** *f.* 비행 자세. **~lärm** *m.* 항공기 소음. **~lehrer** *m.* 비행 교관. **~-**

leistung *f.* 비행 능력〔성능〕. **~lotse** *m.* 〖空〗 항공 관제사.
..flügler *suf.* "…날개를 가진 것"의 뜻(보기: Hand~ 〖動〗 익수류(翼手類)).
..flüglig *suf.* "…날개를 가진"의 뜻(보기: breit~ 넓은 날개를 가진).
Flug≈linie *f.* ① (정기) 항로; 탄도; 비행 경로: auf dieser ~ verkehren täglich drei Maschinen 이 (정기) 항로에는 비행기가 매일 세 대씩 운항한다. ②〔구어〕↑ ~gesellschaft. **~loch** *n.* (벌통이나 비둘기 집의) 출입 구멍. **~maschine** *f.* ①〔구식〕항공〔비행〕기. ②〖연극〗 (특히 바로크 시대에 애용되던) 물건이나 배우를 무대 위에서 들어올리고 내리는 장치. **~mehl** *n.* 맷돌을 돌릴 때 날리는 가루. **~melde·dienst** *m.* 대공(對空) 경계 근무〔조직〕. **~modell** *n.* 모형 비행기. **~motor** *m.* 항공기 엔진. **~plan** *m.* 항공(기 운항) 시각표. **~platz** *m.* 비행장. **~post** *f.* 항공 우편 (Luftpost). **~reise** *f.* 비행기 여행. **~route** *f.* 항공로, 비행 경로.
flugs [flʊks, flu:ks] *adv.* 날듯이, 신속히, 곧, 즉각.
Flug≈sand *m.* 바람에 날리는 모래. **~saurier** *m.* 〖動〗 익룡(翼龍)(고생물). **~schein** *m.* ①조종사 면허증. ②항공 탑승권. **~schere** *f.* 〖체조〗 안마(鞍馬) 기술의 일종(공중에서 다리를 교차시킴). **~schiff** *n.* 〔고어〕비행선. **~schlag** *m.* 〖테니스〗 발리. **~schnell** *a.* 신속한. **~schrauber** *m.* 헬리콥터. **~schreiber** *m.* 비행 기록기, 블랙박스. **~schrift** *f.* 팸플릿(~blatt). **~schule** *f.* 항공 학교. **~schüler** *m.* 항공 학교 훈련생. **~sicherung** *f.* 〖空〗 항공 안전〔관제〕. **~sport** *m.* 항공〔비행〕 스포츠(행글라이딩·스카이다이빙 따위). **~station** *f.* 항공기 착륙장. **~steig** *m.* (긴 복도처럼 생긴) 비행기 탑승구. **~strecke** *f.* 항공로; 비행 구간〔거리〕. **~stunde** *f.* ① 비행 수업〔교육〕 시간. ② 한 시간 비행한 거리. **~stütz·punkt** *m.* 항공 지점(支點)(캐터펄트선(船) 등); 비행 거점, 항공〔비행·공군〕 기지. **~tauglichkeit** *f.* 비행 적합성〔적격성〕. **~technik** *f.* 항공술. **~touristik** [..tu..] *f.* 비행기 여행. **~verkehr** *m.* 항공 교통〔운수〕. **~weite** *f.* ①〖육상〗 도약〔투척〕 거리. ②비행 거리; (총의) 사정(射程) 거리; 양 날개의 폭. **~werk** *n.* 〖연극〗 배우나 무대 소품을 무대 위에서 들어올리고 내리는 장치. **~wesen** *n.* 비행; 항공(에 관한 일). **~wetter** *n.* 비행에 적당한 날씨. **~wild** *n.* 엽조(獵鳥), 산새, 들새. **~wind** *m.* 〖空〗 상대 기류. **~woche** *f.* 항공 주간. **~zeit** *f.* 비행〔체공〕 시간. **~zettel** *m.* (öst.) ↑ ~blatt.
***Flugzeug** [flúːktsɔʏk] *n.* 항공기, 비행기: das ~ hebt ab 〔landet, ist abgestürzt〕 비행기가 이륙한다〔착륙한다, 추락했다〕.
Flugzeug≈abwehr *f.* 방공(防空). **~abwehr·kanone** *f.* 고사포(약어: Flak). **~bau** *m.* 항공기 제작. **~besatzung** *f.* 항공기 승무원. **~entführer** *m.* 항공기 납치범. **~entführung** *f.* 항공기 납치. **~führer** *m.* 항공기 조종사(Pilot). **~führung** *f.* 항공술, 비행기 조종. **~geschwader** *n.* 비행 대대〔편대〕. **~halle** *f.* 격납고. **~maschinengewehr** *n.* 항공기용 기관총. **~mutterschiff** *n.* ↑ ~träger. **~schleuder** *m.* 캐터펄트, (항공 모함의) 함재기 사출기(射出機). **~schuppen** *m.* ↑ ~halle. **~torpedo** *m.* 공중 투하 어뢰. **~träger** *m.* 항공 모함. **~wache** *f.* 대공 감시. **~wesen** *n.* 비행(술), 항공.
Fluh [flu:] *f.* 암벽, 낭떠러지.
Flüh [fly:] *f.* -e (schweiz.) ↑ Fluch.
Flüh≈lerche *f.* 〖動〗 바위종다리 무리. **~vogel** *m.* 〖動〗 바위종다리.
fluid [fluíːt] 《lat.》 *a.* 유동성의; 자유로운.
Fluid [flúːɪt] *n.* -s, -a ①〖化〗 유동성(Flüssigkeit); 유체(流體), 유동 물질. ②〖工〗(연동 장치에 사용되는) 압력 전달용 유체.
Fluid·extrakt [flúːɪt..] *m.* 유동성 진액(津液), (식물) 추출액.
Fluidität [fluiditɛ́ːt] *f.* 유동성; 〖物〗 유동율; 변이성.
Fluidum [flúːidʊm] *n.* -s, ..da ① 유(동)체, 액(液); 예전에 유동체로 간주되었던 물질(자기(磁氣) 등). ②〖비유〗 기운, 기(氣), 풍취, 분위기: die Sängerin hat〔besitzt〕 ein bezauberndes, künstlerisches ~ 그 여가수는 예술적인 마력을 지니고 있다.
Fluke [flúːkə] *f.* -n (옆으로 갈라진) 고래의 꼬리지느러미.
Fluktuation [fluktuatsióːn] 《lat.》 *f.* -en 동요, 파동, 변동; 〖物〗 요동, 흔들림; 〖醫〗 체액(體液)의 요동.
fluktuieren [fluktuíːrən] *i.* (h.) ①〔교양〕동요〔변동〕하다, 바뀌다: eine stark ~de Zahl von Studenten 변화가 심한 대학생 수. ②〖醫〗 체액이 요동하다.
Flunder [flʊ́ndər] *f.* -n 〖動〗 넙치〔가자미〕류: da werden sich die ~n wundern 그때는 놀라서 어안이 벙벙해질 것이다.
Flunk [flʊŋk] *m.* -(e)s, -e (ndd.) 날개(Flügel); 〔경박〕 발; 손: jn. beim ~ kriegen 누구의 손〔팔〕을 잡다.
Flunker [flʊ́ŋkər] *m.* -s, - 번쩍거리는 빛; 현혹하는 것; 허식.
Flunkerei [flʊŋkəráɪ] *f.* -en 허풍, 호언장담.
Flunkerer *m.* -s, - 허풍선이.
Flunkerin *f.* -nen ↑ Flunkerer 의 여성형.
flunkern [flʊ́ŋkərn] *i.* (h.) ① (ndd.) ↑ flimmern. ② 큰소리치다, 허풍떨다; (악의 없이) 거짓말하다.
Flunsch [flʊnʃ] 《⊕ flennen》 *m.* -(e)s, -e 〖방언〗 샐쭉한 입, 못마땅한 얼굴: einen ~ ziehen〔machen〕 얼굴을 찌푸리다.
Flunsch·gesicht *n.* 찌푸린 얼굴.
Fluor [flúːɔr] 《lat. fluere》 *n.* -s 〖化〗 플루오르(기호: F).
Fluoreszenz [..rɛstsɛ́nts] *f.* 형광.
Fluoreszenz≈lampe *f.* 형광등. **~mikroskop** *n.* 형광 현미경. **~schirm** *m.* 형광판.
fluoreszieren [fluorɛstsíːrən] *i.* (h.) 형광을 발하다.
Fluorid [..ríːt] *n.* -(e)s, -e 〖化〗 플루오르 화합물, 플루오르화수소산염.
fluoridieren *t.* ↑ fluorieren.
fluorieren *t.* ①〖化〗 플루오르를 첨가하다: eine Verbindung ~ 화합물에 플루오르를 넣다. ② 플루오르로 처리하다.
Fluorit [..ríːt, ..rɪt] *m.* -(e)s, -e 형석(螢石).

Fluorophor *m.* -s, -e 〖化〗 형광 물질.
Fluorosilikat *n.* -(e)s, -e 〖化〗 플루오르화규소산염(건축재의 내구성 강화제).
***Flur**[1] [flu:r] *m.* -(e)s, -e ① 현관(Hausflur), 문간; 복도, 낭하, (옥내의) 통로. ② 마루, 바닥마루 타일, 포석(鋪石).
Flur[2] *f.* -en ① 평야, 평지; 초원, 목초지; 〖農〗 논밭, 경작지. ② 전야(田野)의 경계표; 마을의 공동 소유지〔전답〕.
Flur=bereinigung *f.* 경지 정리. **~buch** *n.* 〖法〗 토지 대장. **~decke** *f.* 현관의 깔개.
fluren 《<Flur》 *t.* ① (읍·면 부속 경지의) 경계를 정하다; (경지를) 답사하다; 감시하다; (경계를) 시찰하다. ② (어디를) 포장하다, 자갈을 깔다.
Flurer *m.* -s, - 경지 감시인, 논밭지기.
Flur=fenster *n.* 현관〔복도〕의 창. **~förderer** *m.* (공장) 구내 운반차(지게차 등). **~gang** *m.* 복도, 낭하; (읍·면 소유지 경계의) 순찰, 답사. **~garderobe** *f.* 현관의 옷걸이〔옷 보관소〕.
Flur=grenze *f.* 읍〔면〕 소유지의 경계. **~hüter** *m.* ↑ Flurer. **~karte** *f.* (경지) 지적도, 읍〔면〕 소유지〔전답〕의 지도. **~matte** *f.* ↑ ~decke. **~name** *m.* 경작지 이름. **~schaden** *m.* 〖軍〗 훈련에 따른 경작지 피해. **~schütz** *m.* 경지 감시인(Flurer).
Flur·ständer *m.* 현관의 입식(立式) 옷걸이〔우산꽂이〕, 홀스탠드.
Flur=stein *m.* 논밭의 경계석. **~umgang** *m.* ↑ ~umritt. **~umritt** *m.* 〖가톨릭〗 (성직자와 관헌 그리고 동업인들의) 축제 분위기 속의 경작지 순례. **~ziegel** *m.* 포장용 타일〔기와〕. **~zwang** *m.* 작물 경작 순서의 통제.
fluschen [flúːʃən] 《I》 *i.* (h.) (ndd.) ① 〔구어〕 잘 되어가다〔진척되다〕. ② 불타오르다. 《II》 *imp.* es fluscht 일이 잘 되어간다.
Fluse *f.* -n (ndd.) 실지스러기, 보푸라기.
***Fluß** [flus] 《<fließen》 *m.* Flusses, Flüsse [flʏ́sə] ① 강, 하천: am ~ 강변에; den ~ abwärts〔aufwärts〕 fahren 강 아래쪽〔위쪽〕으로 (배를 타고) 가다. ② 흐름; 유동 (상태), 액상(液狀); 〔비유〕 추이, (시간의) 경과; 유창: die Verhandlungen sind (noch) ~ 협상이 (아직) 진행 중이다; alles ist im ~ 모든 것은 유전(流轉)한다. ③ 〖工·제련〗 (**a**) 용해, 융해: in ~ bringen a) 용해시키다. b) 〔비유〕 (중단된 일을 다시) 진행시키다; in ~ kommen a) 용해되다, b) 〔비유〕 (일이) 본궤도에 오르다. (**b**) 매용제(媒鎔劑); (특히) 형석(螢石). (**c**) (금속 등의) 유동 상태, 용해물; (Glas~) 경도(硬度)가 높은 유리 용괴(溶塊)(로 만든 모조 보석). ④ 〖醫〗 (**a**) der weibliche〔monatliche〕 ~ 월경. (**b**) 류머티즘; 카타르. (**c**) Bauch~ 설사; Ohren~ 이루(耳漏); Speichel~ 유연증(流涎症); der weiße ~ 백대하(白帶下). ⑤ 〔카드〕 같은 종류를 모두 갖춘 패.
fluß=ab *adv.* ↑ ~abwärts. **~abwärts** *adv.* 하천을 따라 아래로.
Fluß=anwohner *m.* 강변 주민. **~arm** *m.* 지류. **~arm** *a.* 하천이 적은. **~auf** [flus|áuf] *adv.* ↑ ~aufwärts. **~aufwärts** [flus|áuf..] *adv.* 강〔하천〕을 거슬러올라. **~bad** *n.* 강에서의 수영, 강변 수영장. **~barsch** *m.* 〖動〗 민물농어. **~beschreibung** *f.* 하천지(誌). **~bett** *n.* 강바닥, 하상(河床).
Flüßchen [flʏ́sçən] *n.* -s, - 〔↑ Fluß 의 축소형〕 시내, 개울.
Fluß=damm, ~deich *m.* 강둑. **~diagramm** *n.* 〖컴〗 흐름도, 순서도. **~eisen** *n.* 용철(溶鐵). **~fahrt** *f.* 하천 항행. **~fahrzeug** *n.* 강배, 하선(河船). **~fieber** *n.* 〖醫〗 류머티즘열: japanisches ~ 쓰쓰가무시병. **~fisch** *m.* 천어(川魚), 담수어. **~fischerei** *f.* 담수 어업, 천렵. **~gebiet** *n.* 유역. **~gold** *n.* 사금. **~gott** *m.* 〖신화〗 하신(河神). **~hafen** *m.* 하항(河港), (하천의) 내륙항.
***flüssig** [flʏ́sɪç] 《<Fluß》 *a.* ① 흐르는; 유동적인; 액상(液狀)의: ~e Nahrung 유동식(食); ~ machen 녹이다. ② (발음 등이) 유창한; (문장 등이) 유려한; 맑은. ③ 〖문법〗 유음의(보기: l, m, n, r 따위). ④ 〖商〗 (자본 등이) 유동적인: sein Vermögen ~ machen 재산을 현금으로 바꾸다. ⑤ 〖醫〗 류머티즘〔코감기〕에 걸린.
Flüssig=ei *n.* 달걀에서 뽑은 끈끈한 물질(서양 국수 제조용 첨가물). **~gas** *n.* 액화 가스.
Flüssigkeit *f.* -en ① 유체; 액체; 용액: Flaschen mit verschiedenen ~en 여러 가지 액체가 담긴 병들. ② 원활한 흐름: die ~ des Verkehrs hindern 교통의 흐름을 방해하다. ③ 유연, 매끈함, 능숙: die ~ dieses Schreibstils 이 서체의 유연성.
Flüssigkeits=bremse *f.* 〖工〗 유압 브레이크. **~maß** *n.* 유체의 측량 단위〔척도〕. **~menge** *f.* 유체의 양.
Flüssig·kristall·anzeige *f.* (투명 유체를 이용한) 눈금 표시계.
flüssig|machen 《I》 *t.* ① (자금을) 조달하다: kannst du bis morgen 100 DM ~? 내일까지 100 마르크를 조달할 수 있겠니? ② (부동산 등을) 현금화하다. 《II》 *refl.* 〔경박〕 sich ~ 슬그머니 사라지다, 가버리다: mach dich ~ flüssig! 조용히 꺼지라구!
Flüssig=machen *n.* 용해, 액화; 〖商〗 (재산 등의) 현금화. **~machung** *f.* ↑ ~machen.
Fluß=kahn *m.* 거룻배. **~krebs** *m.* 〖動〗 가재. **~landschaft** *f.* 강변 지역, 유역; 강변 풍경. **~lauf** *m.* 강줄기, 하류(河流).
Flüßlein *n.* -s, - ↑ Flüßchen.
Fluß=mittel *n.* 〖化·제련〗 용제(溶劑), 액화제(液化劑); 〖醫〗 카타르 치료제. **~mündung** *f.* 하구. **~muschel** *f.* 〖動〗 말조개의 일종. **~netz** *n.* 하천망(網). **~niederung** *f.* 강변의 평지. **~nixe, ~nymphe** *f.* 〖신화〗 하천〔강〕의 요정. **~perl·muschel** *f.* 〖動〗 방합(方蛤). **~pferd** *n.* 〖動〗 하마(河馬). **~regulierung** *f.* 하천〔수로〕 정비, 치수(治水). **~reich** *a.* 하천이 많은. **~sand** *m.* 하천 모래. **~säure** *f.* 〖化〗 플루오르화수소산. **~schiffahrt** *f.* 하천 항행〔운송〕. **~schiffer** *m.* 하천의 뱃사공. **~schlamm** *m.* 하천의 진흙. **~schlauch** *m.* 하천 바닥에 패인 도랑. **~schwämmchen** *n.* 〖動〗 민물 해면(海綿)의 일종. **~spat** *m.* 〖광물〗 형석(螢石). **~stahl** *m.* 용강(溶鋼). **~ufer** *n.* 하안(河岸), 강뚝. **~verkehr** *m.* 하천 교통. **~verunreinigung** *f.* 하천 오염. **~wasser** *n.* 강물, 냇물. **~windung** *f.* 하천 굴절.
Flüsterer [flʏ́stərər] *m.* -s, - 속삭이는 사람.
***flüstern** [flʏ́stərn] *t./i.* (h.) 속삭이다, 귓속

말하다: jm. et. ins Ohr ~ 누구의 귀에 무엇을 속삭이다; Blätter ~ im Wind 나뭇잎이 바람에 팔랑〔살랑〕거린다; 〖구어〗 wer hat ihm denn das geflüstert? 도대체 누가 그에게 그것을 귀뜸해 주었지?; 〖구어〗 das kann ich dir ~ 너는 그것을 믿어도 된다.

Flụ̈ster≈gewölbe *n.* 울림 천장(특정한 곳에서 속삭인 소리를 어느 정도 떨어진 일정한 자리에서만 들을 수 있게 만든 둥근 천장). **~propaganda** *f.* 구전(口傳) 선전, 유언비어. **~stimme** *f.* 낮은〔속삭이는〕 목소리. **~ton** *m.* 속삭이는 어조, 귓속말: im ~ sprechen 소곤소곤 말하다. **~tüte** *f.* 〖구어·농담〗 메가폰. **~witz** *m.* 은밀한 (정치) 재담.

***Flut** [flu:t] 《⊕ fließen》 *f.* -en ① (↔ Ebbe) 밀물, 만조: Ebbe und ~ 조수의 간만; die ~ kommt〔steigt〕 만조가 되다; die ~ geht〔fällt〕 조수가 빠지다. ② 〖雅語〗 홍수, 범람, 파랑(波浪): Sint≈ 노아의 홍수. ③ 〖비유〗 다수, 충일, 과다; 인파; eine ~ von Briefen erreichte ihn 수많은 편지들이 홍수처럼 그에게 게 밀어닥쳤다.

Flụt≈anker *m.* 만조 때 쓰는 닻. **~bett** *n.* ① 〖드물게〗 강바닥, 하상(河床). ② 홍수 지역. **~brecher** *m.* 방파제. **~deich** *m.* 방조제, 홍수 대비용 둑.

Flute *f.* ↑ Flüte.

Flüte [flý:tə] *f.* -n (17-19 세기 폴란드의) 돛대가 셋인 화물선〔포경선〕.

***fluten** [flú:tən] 《< Flut》 《Ⅰ》 *i.* (h./s.) ① 큰물지다, 범람하다; 물이 불어나다: es flutet 밀물이〔만조가〕 되다; das Wasser flutete über Dämme in die Stadt 물이 제방을 넘어 시내로 밀려들었다. ② 도도히 흐르다; 〖비유〗 몰려들다, 쇄도하다: 〖雅語〗 Menschenmassen fluteten in den Saal 사람들의 무리가 홀 안으로 몰려들었다. ③ 표류하다. 《Ⅱ》 *t.* ① 흘려보내다, 밀려오게 하다, 휩쓸어가다. ② (탱크 등에) 물을 가득 채우다; 잠수시키다: ein Dock ~ 독에 물을 가득 채우다; U-Boot ~! 잠함(潛艦)!

Flụter *m.* -s, - 둑의 방수구(放水口).

Flụt≈gerinne *n.*, **~graben** *m.* 물레방아의 수로〔유수구(流水溝)〕. **~hafen** *m.* 고조항(高潮港)(만조 때만 선박이 드나들 수 있는 항구). **~höhe** *f.* 조수의 높이; 고조표(高潮標). **~karte** *f.* 조수 기록표. **~katastrophe** *f.* 수해. **~kraft·werk** *n.* 조력(潮力) 발전소. **~licht** *n.* 투광(投光) 조명; (경기장) 야간 조명. **~messer** *m.* 검조의(檢潮儀)(조수 높낮이 측정기). **~mündung** *f.* (하류의) 삼각지.

flutschen [flʊ́tʃən] *i.* (h.) ① (ndd.) 미끄러지다, 미끄러져 나가다. ② 〖구어〗 잘 진척되다, 순조롭게 진행되다: die Arbeit flutscht wieder 작업이 다시 순조롭게 진행된다.

Flụtscher *m.* -s, - 경박〔경솔〕한 사람.

flụtschig *a.* 미끄러지기 쉬운.

Flụt≈schleuse *f.* ↑ ~tor. **~tor** *n.* 수문, 갑문. **~warnung** *f.* 고조(高潮) 경보, 해일〔파랑〕 경보. **~wasser** *n.* 조수; 물레방아를 돌리는 수류(水流). **~wechsel** *m.* 조수의 간만. **~welle** *f.* 고조(高潮) 때의 거센 파도, 해일. **~wende** *f.* ↑ ~wechsel. **~werk** *n.* 〖광산〗 용광장(鎔鑛場); 세광(洗鑛). **~zeichnen** *n.* 만조표(滿潮標). **~zeit** *f.* 만조 때.

fluvial [fluviá:l] 《lat.》 *a.* ① 하천의; 하천에 서식하는〔생기는〕. ② 〖지질〗 유수 작용의.

fluvioglazial [..vioglatsiá:l] *a.* 빙하의, 빙하류(流)의.

Fluxion [..ksió:n] 《lat.》 *f.* -en 〖구식〗 흐름, 유출, 파동; 〖醫〗 충혈; 〖數〗 미분.

Flyer [flá͜ɪər] 《engl.》 *m.* -s, -s ① 〖구식〗 비행가. ② 단거리 경주마(馬). ③ (방적기의) 플라이어; 플라이어 다루는 사람.

Flysch [flɪʃ] 《schweiz.》 *n.* -(e)s 〖지질〗 플리슈(지향사(地向斜)에 퇴적한 지층의 일종.

FM ① = Feldmarschall 육군 원수. ② 에프엠(방송).

Fm = Fermium 〖化〗 페르뮴.

Fm, fm = Festmeter 세제곱 미터(쌓아올린 목재의(중간 틈을 뺀) 실질 용적 단위).

FMH = Foederatio Medicorum Helveticorum 스위스 의사 연합회.

Fmk = Finnmark 핀란드 마르크(화폐 단위).

f-Moll [ɛ́fmɔl] *n.* 〖음악〗 바 단조.

f-Moll-Tonleiter *f.* [ɛ́f..] 〖음악〗 바 단조 음계.

fob = free on board 《engl.》 〖經〗 본선 인도: ~ Hamburg 함부르크 본선 인도.

Fọb·klausel *f.* 〖經〗 본선 인도 약관(약어: fob, F.O.B.).

focht [fɔxt] ↑ fechten 의 과거형.

föchte [fœ́çtə] ↑ fechten 의 접속법 Ⅱ식.

Fock[1] [la:p] *f.* -en ↑ Focksegel.

Fock[2] *f.* -en (슐레스비히홀슈타인 지방의) 곡식 단을 묶는 짚.

Fọck≈fall *n.* 〖海〗 이물 돛대의 큰 돛을 끌어올리는 밧줄. **~mast** *m.* (뱃머리의) 앞 돛대. **~rahe** *f.* 이물 돛대의 아랫돛 고정 활대. **~segel** *n.* 〖海〗 ① (범선에서) 이물 돛대의 맨 아래쪽 큰 돛. ② (요트의 큰 돛 앞에 있는) 삼각돛. **~stag** *n.* 이물 돛대 받침줄.

FOCUS 〖언론〗 독일 뮌헨에서 발간되는 시사 주간지.

föderal [føderá:l] 《lat. „Bündnis"》 *a.* 연방(제)의: der ~e Aufbau der Bundesrepublik Deutschland 독일연방 공화국의 연방제 구조.

föderalisieren [..ralizí:rən] 《Ⅰ》 *t.* 연합시키다, 연방으로 결합하다. 《Ⅱ》 *i.* (h.) 연방제를 취하다.

Föderalismus [..lísmus] *m.* - 연방주의〔제도〕.

Föderalịst *m.* -en, -en 연방주의자.

föderalịstisch *a.* 연방주의의, 연방주의적.

Föderation [..tsió:n] *f.* -en ① 국가 연합, 연방 국가. ② (조직의) 연합, 연맹.

föderativ [..tí:f] *a.* 연방(제)의.

Föderatịv≈staat *m.* 연방 국가. **~system** *n.* 연방 제도.

föderieren [føderí:rən] 《Ⅰ》 *t.* 〖드물게〗 연합시키다. 《Ⅱ》 **föderiert** *p.a.* ↑ föderiert.

föderiert ① *p.p.* ↑ föderieren. ② *p.a.* 연합된, 동맹을 맺은.

Föderierte* *der/die* 동맹 세력, 연합국.

fodern [fó:dərn] *t.* 〖방언·시어〗 ↑ fordern.

Foen [fø:n] *m.* -(e)s, -e ↑ Fön.

Fog [fɔk, fɔg] 《engl.》 (ndd.) *m.* -s 짙은 안개.

Fogosch [fɔ́gɔʃ] *m.* -(e)s, -e (öst.) 농어의 일종(Zander).

Fohe [fó:ə] 《⊕ Fuchs》 *f.* -n 〖사냥〗 (Fähe) 암여우, (오소리·담비의) 암컷; 〖방언〗 암캐.

Fohle [fó:lə] 《ndd.》 *f.* -n 새끼 암말; 〖비유〗

말괄량이.

Fohlen [fóːlən] *n.* -s, - ① (말·당나귀·낙타의) 새끼. ② 새끼 말 가죽. ③〖스포츠〗팀 내의 어린 선수. ④〔비유〕장난치기, 마구 떠들고 놀기.

fohlen *i.* (h.) (말이) 새끼를 낳다: die Stute hat gefohlt 암말이 새끼를 낳았다.

Fohlen·fuß *m.* 〖植·방언〗 털머위.

Föhn [føːn] 《lat. favonius, „Westwind"》 *m.* -(e)s, -e ① (schweiz.) 푄(알프스를 넘어 부는 건조한 열풍). ② ↑ Fön. ③ (obd.) 교활한 놈.

föhnen [føːnən] 《Ⅰ》 *i.* (h.) / *imp.* es föhnt 푄이 분다. 《Ⅱ》 *t.* (…을) 송풍기의 열풍을 쐬다.

föhnig [føːnɪç] *a.* 푄이 부는 (듯한), 무더운.

Föhn≈krankheit *f.* 푄 질환(두통·무기력·신경질 등). **~mauer** *f.* 푄 구름벽(푄이 불 때 산마루 위에 생기는 강력한 구름층). **~wind** *m.* ↑ Föhn ①.

Föhr 〔고어〕 푀어(북부 프리슬란트의 섬).

Föhrde [føːrdə] *f.* -n ↑ Förde.

Fohre *f.* -n 〖動〗 송어의 일종(Forelle).

Föhre [føːrə] *f.* -n 〖방언〗 소나무.

föhren [føːrən] *a.* 송재(松材)의, 소나무로 만든.

Föhren≈baum *m.* 소나무. **~holz** *n.* 소나무 목재, 송재(松材). **~wald** *m.* 소나무 숲, 송림.

Föhricht [føːrɪçt] 《<Föhre》 *n.* -(e)s, -e 소나무 숲, 송림.

fokal [fokáːl] 《lat.》 *a.* ① 〖광학〗 초점의. ② 〖醫〗 병소(病巢)의.

Fokal≈distanz *f.* 〖광학〗 초점 거리. **~infektion** *f.* 〖醫〗 병소(病巢) 감염. **~länge** *f.* ↑ ~distanz.

Fokus [fóːkʊs] 《lat.》 *m.* -, -(se) ①〖광학〗 초점. ②〖醫〗 병소(病巢).

fokussieren [fokusíːrən] 《lat.》 *t.* ①〖광학〗 광선을 초점에 모으다; (렌즈의) 초점을 맞추다. ②〖物〗 집속(集束)〔집광(集光)〕하다.

Fol., fol. ① = Folio 2 절판(二折判). ② 2 절지(二折紙).

***Folge** [fɔ́lgə] *f.* -n ① 수행; 참례; 회장(會葬). ② 응낙, 수락: einer Einladung ~ leisten 초대에 응하다. ③ (복종의) 의무: Heeres≈ 병역 의무. ④ 계속, 연속; 상속, 계승; 계열, 순서; 조(組), 벌: in einer ~ 잇달아, 끊임없이; es kam zu einer ganzen ~ von Unfällen 사고가 연이어 일어났다; die nächste ~ der Zeitschrift erscheint im Juli 잡지의 다음 호는 7 월에 나온다. ⑤ 다음 시기, 장래: die ~ wird es lehren 그것은 장차 밝혀질 것이다; ich bitte dies in der ~ zu beachten 앞으로(는) 이것에 유념하시기 바랍니다. ⑥〖사냥〗 (남의 구역까지의) 사냥감 추적(권). ⑦〖음악〗 (앞의 음을 변주하여 반복되는) 이음마디. ⑧ 결과, 결말, 귀결: ~ tragen 책임지다; seine Krankheit hatte eine Verzögerung der Arbeit zur ~ 그의 병으로 일이 지연되었다; für jn. von ~n sein 누구에게는 중대한 일이다; das kann böse ~n haben 그것은 화를 부를지도 모른다. ⑨ 결론, 추론, 단안; aus et.³ ~n ziehen 무엇에서 추론하다. ⑩ 논리적 일관성, 수미일관; 〖문법〗 ~ der Zeit 시제의 일치.

Folge≈erscheinung *f.* 후속 여파, 결과, 영향; (간행물의) 속편; 〖醫〗 후유증. **≈gemäß** *a.* 〔고어〕 ≈richtig. **~geschlecht** *n.* 다음 세대 (사람들). **~jahr** *n.* 다음 해. **~kosten** *pl.* 후속 비용. **~lasten** *pl.* ↑ ~kosten. **~leistung** *f.* 응낙, 수락. **~magd** *f.* (귀부인의) 시녀.

***folgen** [fɔ́lgən] 《Ⅰ》 *i.* (s.) ① 수행〔수반〕하다, 뒤를 밟다, 뒤따라가다〔오다〕: jm. unauffällig ~ 누구를 미행하다; einer Leiche ~ 회장(會葬)하다; 〔비유〕 seinem Kopf ~ 고집부리다. ② 뒤따라오다: seine Familie folgte ihm ins Ausland 그의 가족이 그의 뒤를 따라 외국으로 갔다; 〔속담〕 auf Regen folgt Sonnenschein 비온 뒤에 햇빛이 난다, 고진감래. ③ 뒤를 잇다, 후속하다: auf Otto I. folgte Otto II. 오토 1 세 다음에 오토 2 세가 황위를 계승하였다. ④ Brief folgt 자세한 것은 서면으로; Fortsetzung folgt 다음 호〔편〕에 계속; er sprach wie folgt 그는 다음과 같이 말했다; 〖商〗 das Geld folgt anbei 돈을 동봉하여 보내드립니다. ⑤ 귀결되다: aus et.³ ~ 무엇에서 결론이 나오다; daraus folgt, daß... 그것에서 … 결과가〔결론이〕 생기다. ⑥ (놓치지 않고) 따라가다: einem Weg ~ 길을 따라가다; einer Rede ~ 연설의 내용을 이해하다. ⑦ 본뜨다, 모방하다: einem Beispiel 〔einer Regel〕 ~ 본보기를 따르다〔규칙을 좇다〕. 《Ⅱ》 *i.* (h.) 복종〔순응〕하다: seinem Rat ~ 충고에 따르다; seinen Lüsten ~ 정욕에 빠지다. 《Ⅲ》 *t.* ①〔오용〕 von jm. gefolgt 누가 수행하여. ② jm. et. ~ 누구에게 무엇을 교부(交付)하다.

folgend *p.a.* ① 다음에 계속되는: ~e Seite 다음 페이지(약어: f.); ~e Seiten 다음 페이지 이하(약어: ff.); aufeinander ~ 연속하는. ② 다음의, 다음과 같은, 다음에 말하는; ein Brief ~en Inhalts 다음과 같은 내용의 편지; im ~en 〔in ~em〕 다음에, 이어서. ③ der 〔die〕 ≈e 다음 사람, 후계자; das ≈e 다음의 일〔것〕.

folgender≈gestalt *adv.* ↑ ~maßen. **~maßen** *adv.* 다음과 같이, 다음과 같은 방식으로: der Unfall hat sich folgendermaßen ereignet 사고는 다음과 같이 일어났다. **~weise** *adv.* ↑ ~maßen.

folgenlos *a.* 성과〔효과〕 없는; 중요하지 않은.

folgen≈reich *a.* 성과〔효과〕가 큰. **~schwer** *a.* 파장이 큰, 심각한, 중대한: hier liegt ein ~er Irrtum vor 여기 심각한 오류가 있다. **≈schwere** *f.* ↑ ~schwer 의 명사형.

Folger [fɔ́lgər] *m.* -s, - 종자(從者), 수반자; 후계자; 제자; (Leichen≈) 회장자(會葬者).

folge≈recht *a.* ↑ ~richtig. **~richtig** *a.* 일관성 있는, 모순이 없는; 논리에 맞는.

Folge·richtigkeit *f.* 일관성, 논리 정연, 수미일관.

folgern [fɔ́lgərn] 《Ⅰ》 *t.* 추론하다, 결론을 이끌어내다: aus ihren Worfen folgerte man, daß sie einverstanden sei 그녀의 말을 듣고 사람들은 그녀가 동의한 것으로 결론지었다. 《Ⅱ》 *refl.* sich ~ 추론되다: daraus läßt sich ~ daß... 여기서 …이라 추론할〔결론을 얻을〕 수 있다.

folgernd *p.a.* 〖언어〗 ↑ konsekutiv.

Folgerung *f.* -en 추론, 추정, 연역; 결론, 단정: eine ~ aus et.³ ableiten〔ziehen〕 무엇에

서 결론을 도출하다.
folgerungs·weise *adv.* 추론에 따라, 연역적으로.
Folge≈satz *m.* 추단, 결론; 연역; 〖문법〗 결과문; 〖數〗 계(系). **~schaden** *m.* 〔대개 복수〕〖보험〗 간접 손해. **~welt** *f.* 후세, 후대, 자손. **~widrig** *a.* 모순된, 비논리적인. **~widrigkeit** *f.* ↑ ~widrig 의 명사형. **~zeiger** *m.* (옛 책에서 페이지 끝에 인쇄한) 다음 페이지의 첫 낱말. **~zeit** *f.* 다음 시대, 장래, 후세; 자손. **~zustand** *m.* 〖醫〗 후유증.
folglich [fɔ́lklɪç] *adv./cj.* ① 그 결과, 따라서, 그러므로. ② 〔고어〕 다음에, 장래, 금후.
folgsam [..za:m] 《Ⅰ》 *a.* 공손한; 고분고분한, 유순한. 《Ⅱ》 *adv.* 〔고어〕 ↑ folglich ①.
Folgsamkeit *f.* ↑ folgsam 의 명사형.
Folia[1] *f.* -s/..lien [..liən] 폴리아. ① 15 세기 에스파냐의 3 박자 카니발춤. ② ① 에서 발전된 17 세기 프랑스의 사교춤〔무대춤〕. ③ 〖음악〗 저음부가 강조된 간단한 악곡 모델.
Folia[2] ↑ Folium 의 복수형.
Foliant [foliánt] 《lat. folium, „Blatt"》 *m.* -en, -en 2 절판(二折判)의 대형 서적.
***Folie**[1] [fó:liə] *f.* -n ① (금속 등의) 박편(薄片), (책표지에 입힌) 박편층(層); (거울 뒤의) 수은박(箔); 보석의 광휘를 증가시키는 금속 박편; 포일, (포장용) 랩, 비닐: in ~ verpacken 비닐(로) 포장하다. ② 〔비유〕 (무엇을 돋보이게 하는) 배경, 들러리: et.[3] ~ geben 〔als ~ dienen〕 무엇을 돋보이게〔좋아 보이게〕 하다.
Folie[2] [folí:] *f.* -n [..lí:ən] 〔구식·교양〕 바보짓, 어리석은 짓.
Folien≈macher, ~schläger *m.* 박(箔)을 박는 사람. **~schweiß·gerät** *n.* (가정용) 비닐 밀봉 포장 기구. **~verpackt** *p.a.* 비닐로 포장된. **~zahl** *f.* 페이지수(數).
Folies-Bergère [fɔlibɛrʒɛ́:r] 《frz.》 *pl.* 파리의 버라이어티 쇼 및 댄스 카바레.
foliieren [folií:rən] 《lat.》 *t.* ① (종이에) 쪽번호를 매기다. ② 박(箔)을 입히다: einen Spiegel ~ 거울 뒤에 수은(박)을 입히다. ③ (인쇄 전지(全紙)의 양면에) 같은 숫자로 쪽수를 매기다.
Folio [fó:lio] *n.* -s, ..lien [..liən]/-s ① 〖印〗 2 절판(책): Buch in ~ 2 절판 책; 〔비유〕 ein Narr in ~ 바보, 멍청이. ② 〖商〗 영업 장부의 양면: wir haben ein ~ in der Bank 우리는 그 은행과 거래를 하고 있다.
Folio≈band *m.* 2 절판 서적. **~blatt** *n.* 2 절지(약어: Fol.). **~format** *n.* ↑ Folio ①.
Folium [fó:lium] 《lat.》 *n.* -s, ..lien [..liən]/..lia ① 〔대개 복수〕〖藥〗 약초의 잎. ② (장부 등의) 한 장〔페이지〕.
Folk [fouk] 《engl.》 *m.* -s ① 민속 음악; 민요. ② 민요풍의 노래.
Folke 폴케(남자 이름).
Folketing [fɔ́lkətɪŋ, (dän.) fólgətəŋ] *n.* -s 덴마크의 국회(1953 년까지는 하원).
Folklore [fɔ́lklo:r, ..lo:rə, fɔlkló:rə] 《engl.》 *f.* ① (a) 민속, 민간 전승(傳承)(민속춤·의상·문학). (b) 민속학. ② 〖음악〗 (a) 민속 음악. (b) 민속 음악풍의 노래. ③ 〔유행〕 민속 의상풍의 옷.
Folklorist *m.* -en, -en 민속 연구가; 민속학자.
Folkloristik [fɔlklorístɪk] *f.* -en, -en 민속학; (특히) 민요 연구.
Folkloristin *f.* -nen ↑ Folklorist 의 여성형.
folkloristisch *a.* 민속의, 민속적인; 민속학의; 민요의, 민속 음악의.
Folko 폴코(남자 이름) (↑ Folke).
Folksong [fóuksɔŋ] 《engl.》 *m.* -s, -s 〖음악〗 민요, 포크 송(앵글로색슨 계열의 사회 비평적 민요); 포크 송풍의 개별 민요.
Folkwang [fɔ́lkvaŋ] *m.* -s 〖북구신화〗 프레이야(Freyja) 여신의 궁전.
Follikel [fɔlí:kəl] 《lat.》 *m.* -s, - 〖生·醫〗 난포(卵胞); 림프 결절(結節), 모낭(毛囊); 소낭(小囊); 〖植〗 골돌.
Follikel≈hormon *n.* 〖生·醫〗 난포 호르몬. **~sprung** *m.* 배란(排卵).
follikular [fɔlikulá:r] *a.* 난포〔모낭〕 모양의; 난포성(性)의, 모낭성의.
follikulär [..lɛ́:r] *a.* ↑ follikular.
***Folter** [fɔ́ltər] *f.* -n ① 고문대, 고문 기구: jn. auf die ~ legen 누구를 고문하다; jn. auf die ~ spannen (알고 싶어하는 것을 의도적으로 알려 주지 않아) 누구의 애를 태우다. ② 고문: jn. der ~ unterwerfen 누구를 고문하다. ③ 〔雅語〕 (정신적) 고통, 고뇌: die ~ der Langweile 고통스러울 정도의 무료함.
Folter·bank *f.* 고문대.
Folterer [fɔ́ltərər] *m.* -s, - 고문하는〔괴롭히는〕 사람.
Folter≈gerät, ~instrument *n.* ↑ ~werkzeug. **~kammer** *f.* 고문실. **~knecht** *m.* ① 〖중세〗 (직업적) 고문자. ② ↑ Folterer.
foltern [fɔ́ltərn] *t.* ① 고문하다: Gefangene ~ 포로들을 고문하다. ② 〔雅語〕 괴롭히다.
Folter≈pein *f.* ↑ ~qual. **~qual** *f.* 고문의 고통; 〔비유〕 고뇌, 고민.
Folterung [fɔ́ltərʊŋ] *f.* -en 고문; (정신적) 고통: an den Gefangenen wurden Spuren von ~ festgestellt 죄수들에게서 고문의 흔적이 확인되었다.
Folter·werk·zeug *n.* 고문 도구.
Foment [fomɛ́nt] 《lat. fomentum》 *n.* -(e)s, -e 〖醫〗 더운 찜질 (요법), 온엄법(溫罨法).
fomentieren *t.* (더운) 찜질을 하다.
Fön [fø:n] *m.* -(e)s, -e 헤어 드라이어.
foncé [fõsé:] 《frz.》 *a.* (빛깔이) 짙은, 어두운, 칙칙한.
Fond [fõ:] *m.* -s [fõ:s], -s [fõ:s] ① 근저, 기초, 바탕. ② (그림·무대의) 배경; 바탕. ③ (차의) 뒷좌석. ④ 〖요리〗 살코기를 끓인 진한 육수.
Fondant [fõdã:] 《frz.》 *m./n.* -s, -s [..dã:s] ① (향료·염료를 친 제과용) 설탕, 사탕. ② ① 로 만들어낸 초콜렛 과자(Praline).
***Fonds** [fõ:] 《frz.》 *m.* - [fõ:(s)], - [fõ:s] ① 기금, 기본 재산, 자본, 자금. ② 준비〔예비·적립〕금. ③ 〔복수〕 공채, 국채; 유가 증권. ④ 〔비유〕 소질; (지식·경험의) 축적, 구비. ⑤ 청기 가용(可用) 자산.
Fonds≈bericht [fõ:(s)..] *m.* 증권 거래소보(報). **~besitzer** *m.* 공채〔유가 증권〕 소유자. **~börse** *f.* 〖증권〗 (유가) 증권 거래소. **~geschäft** *n.* 공채〔유가 증권〕 거래. **~händler** *m.* 공채〔유가 증권〕 거래인. **~makler** *m.* 공채〔국채·유가 증권〕 중개인. **~markt**

m. ↑ ~börse.

Fondue [fõdý:] (frz.) *f.* -s [..dý:s] 〖요리〗 퐁뒤(치즈에 포도주·향신료를 섞어 만든 스위스의 냄비 요리).

Fondue·gabel *f.* 퐁뒤 식사용 긴 포크.

Fontainebleau [fõtɛnbló:] 퐁텐블로(프랑스의 도시이자 성(城)).

Fontane *m.* Theodor ~ 폰타네(독일의 소설가, 1819-98).

fönen [fǿ:nən] (<Fön) *t.* (머리를) 헤어 드라이어로 말리다.

Fontäne [fɔntɛ́:nə] (frz.) *f.* -n 분수 (시설), 샘.

Fontanelle [fɔntanɛ́lə] *f.* -n ① 〖해부〗 숫구멍, 정문(頂門). ② 〖醫〗 타농법(打膿法), 인공 타농. ③ 〖農〗 배수구.

Fontanelle·erbse *f.* 〖醫〗 타농두(打膿豆).

Fontange [fõtã́:ʒə] (frz.) *f.* -n 퐁탕즈(바로크 시대에 장신구와 댕기로 높이 치켜올려 꾸민 여성용 머리 장식).

Foot [fu:t, fut] (engl.) *m.* -, Feet [fi:t] ·피트 (30.48 cm; 기호: ft).

Foot·ball [fútbɔ:l] (engl.) *m.* -(s) 〖구기〗 미식 축구.

foppen [fɔ́pən] *t.* 〖구어〗 놀리다, 희롱하다, 속여 넘기다.

Fopper *m.* -s, - 놀리는〔조롱하는〕 사람.

Fopperei [fɔpəráı] *f.* -en 조롱, 야유.

Foraminifere [foraminifé:rə] (lat.) *f.* -n 〖動〗 유공충류(有孔蟲類).

Force [fɔ́rsə] (lat.) *f.* -n ① 힘, 세기, 세력, 완력: par ~ 우격다짐으로, 무조건. ② 장점, 역량, 숙련: Mathematik ist seine ~ 수학이 그의 강점이다. ③ 〖카드〗 같은 조의 최고 패.

Force de frappe [fɔrsdəfráp] *f.* - - (frz.) 프랑스의 핵무장 군대.

Force majeure [fɔrsmaʒœ́:r] *f.* - - 〖고어〗 불가항력.

Forche *f.* -n 〖植〗 솔, 소나무.

forcieren [fɔrsí:rən] (lat.) 《Ⅰ》 *t.* ① 억지로 시키다, 강제〔강행〕하다. ② 억지로 뺏다. ③ 무리하다, 도를 지나치다. ④ 〖軍〗 난관을 돌파하다. 《Ⅱ》 **forciert** *p.a.* ↑ forciert.

forciert 《Ⅰ》 *p.p.* ↑ forcieren. 《Ⅱ》 *p.a.* 강제적인, 무리한; 지나친; 부자연스러운: ein ~er Marsch 강행군.

Förde [fǿ:rdə] *f.* -n (ndd.) (발트해 연안 일대의 육지로 깊숙이 들어간 협만) 피오르드.

Förder=anlage [fœ́rdər..] *f.* 〖工〗 운반 장치. **~bahn** *f.* 〖工〗 운반 궤도. **~band** *n.* 〖복수: ..bänder〗 〖工〗 컨베이어 벨트.

förderbar *a.* 운반할〔진행시킬〕 수 있는.

Förder·betrieb *m.* 운반 작업.

Forderer [fɔ́rdərər] *m.* -s, - 요구자, 독촉자; 〖검도〗 도전자.

Förderer [fœ́rdərər] (<fördern) *m.* -s, - ① 후원자: ein ~ der Kunst〔Musik〕 예술〔음악〕 후원자. ② 〖工〗 운반 장치.

Förderer·kreis *m.* 후원 모임, 지원 단체.

Förder=göpel *m.* ↑ ~maschine. **~hund**, **~karren** *m.* 광차(鑛車), 탄차; 손수레, 트럭. **~korb** *m.* 〖광산〗 (수직갱의) 광석 운반용 쇠바구니.

förderlich [fœ́rdərlıç] *a.* ① 촉진적인, 유리한, 유효한, 쓸모 있는; 유익한. ② 신속한: auf das ~ste 아주 신속히, 지급으로.

Förder·maschine *f.* 윈치, 권양기(捲揚機).

***fordern** [fɔ́rdərn] (<vorder) *t.* ① 요구〔청구〕하다: et. von jm. 〔an jn.〕 ~ 누구에게 무엇을 요구하다; zur Rechenschaft ~ 책임을 묻다. ② 〖商〗 가격으로 매기다, 대가로 청구하다. ③ 필요로 하다, 강요하다: viele Opfer ~ 많은 희생을 치르게 하다. ④ 호출하다, 출두를 요구하다: jn. vor Gericht ~ 누구를 법정에 소환하다. ⑤ 도전하다: jn. zum Duell ~ 누구에게 결투를 신청하다. ⑥ 전력을 다하도록 강요하다: du mußt dich ~! 너는 전력을 다해야 한다!

***fördern** [fœ́rdərn] (<fürder) 《Ⅰ》 *t.* ① 후원하다, 지원하다; 장려하다, 진흥하다: junge Künstler ~ 젊은 예술가들을 후원하다; den Handel ~ 무역을 진흥시키다. ② 〖광산〗 채굴하다; 〖비유〗 zutage 〔ans Licht〕 ~ 밝히다, 공개하다. ③ 〖工〗 운송〔운반〕하다. 《Ⅱ》 *refl.* sich ~ 서두르다; 진행하다, 분투하다. 《Ⅲ》 *i.* (h.) 진척〔진행〕하다; 성공하다.

Fördernis [fœ́rdərnıs] *n.* -ses, -se ↑ Förderung.

fördersam *a.* ↑ förderlich.

Förder=schaft *m.* 윈치〔권양기〕의 축. **~schnecke** *f.* 〖工〗 스크루 컨베이어. **~seil** *n.* 〖광산〗 감아올리는 밧줄. **~sohle** *f.* 〖광산〗 수평갱. **~strecke** *f.* 〖광산〗 운반 궤도.

***Forderung** [fɔ́rdəruŋ] *f.* -en ① 요구, 요청, (권리의) 주장; 필요, 명령, 강요: eine ~ erfüllen 〔geltend machen〕 어떤 요구를 충족〔관철〕시키다. ② (대가의) 청구; 채권, 청구권; 외상 판매 대금(貸金), 미수금. ③ ~ vor Gericht 법정 소환. ④ 도전.

***Förderung** [fœ́rdəruŋ] (<fördern) *f.* -en ① 후원, 진흥, 장려: die ~ der wissenschaftlichen Forschung 학문 연구의 지원. ② 〖광산〗 채굴, 반출; 산출(액), 수익. ③ 〖工〗 운송, 운반.

Förderungs·maschine *f.* 윈치, 권양기.

Forderungs=recht *n.* 요구권; 채권. **~satz** *m.* 〖哲〗 공준(公準).

Förder=wagen *m.* 〖광산〗 광차, 탄차. **~werk** *n.* 윈치, 권양기(捲揚機).

Fore·checking [fɔ:rtʃekiŋ] (engl.) *n.* -s, -s 〖아이스하키〗 상대 공격 차단.

Före [fǿ:rə] (schwed.) *f.* 스키타기에 적합한 적설 상태.

Foreign Office [fɔ́rın ɔ́fıs] (engl.) *n.* - - 영국 외무성.

Forelle [forɛ́lə] *f.* -n 〖動〗 (Fohre) 송어, 연어속(屬)의 일종.

Forellen=bach *m.* 송어가 많은 내〔시내〕. **~eisen** *n.* 회색 및 백색 선철(銑鐵)의 혼합철. **~fang** *m.* 송어잡이. **~salat** *m.* 〖植〗 붉은 반점이 있는 상추. **~teich** *m.* 송어 양식장. **~zucht** *f.* 송어 양식.

forensisch [forɛ́nzıʃ] (<lat. forume) *a.* ① 법정의, 재판의: ~e Medizin 법의학. ② 〖고어〗 달변의.

Forint [fó:rınt, fɔ́rınt] *m.* -(s), -s/(öst.) -e 포린트(헝가리의 화폐 단위; 1 Forint=100 Fillér; 약어: Ft).

Forke [fɔ́rkə] (lat.) *f.* -n ① 쇠스랑; 〖방언〗 사슴뿔의 가지. ② 〖폄어〗 식사용 포크.

forkeln [fɔ́rkəln] *t.* 쇠스랑질을 하다, 삼지창으로 찌르다; 〖사냥〗 (사슴이) 가지뿔로 받다

〔싸움을 하다〕.

Forle [fɔ́rlə] *f.* -n (obd.) (Föhre) (유럽산(産)) 소나무, 솔.

Forl·eule *f.* 〖動〗 솔나방의 일종(솔잎 해충).

***Form** [fɔrm] ⟪lat. forma⟫ *f.* -en ① 꼴, 형태, 형상; 윤곽; 틀, 체재; (의복의) 마름새; 치수: der Streit nahm häßliche ~en an 논쟁은 추한 양상을 띠었다; aus der ~ kommen 꼴이 망가지다; 〖구어·농담〗 aus der ~ gehen 너무 뚱뚱해지다; in die ~ bringen 꼴을 만들다, 틀에 끼우다. ② 형식, 방식, 서식; 방법: in aller ~ 정식으로, 모든 형식을 갖추어. ③〖대개 복수〗 행실, 버릇; 의례; 관례; 절차: die ~en gut beherrschen 예절〔격식〕을 잘 알다. ④ 체재, 형식, 허례; die Einladung war bloße ~ 초대는 한낱 형식에 불과했다. ⑤ (모자·구두·과자의) 골; 모형; 거푸집, 주형(鑄型); 〖印〗 (조)판. ⑥〖軍〗 대형(隊形). ⑦〖문법〗 태(態), (어)형: tätige〔leidende〕 ~ 능동형〔수동형〕. ⑧〖哲〗 형식; 〖음악〗 음악 형식, 악식(樂式). ⑨〖스포츠〗 컨디션, 몸〔건강〕 상태: gut in ~ sein 컨디션이 좋다.

formal [fɔrmá:l] *a.* ① 형식의, 외형적〔외면적〕인: ~e Logik 형식 논리학. ② 겉모습만의, 건성의: nur ~ Widerstand leisten 형식적으로만 저항하다.

Form·aldehyd [fɔ́rm|..] *m.* 〖化〗 포름알데히드.

Formalie [fɔrmá:liə] *f.* -n 형식, 형식적인 것, 격식, 관례; 절차.

Formalin [fɔrmalí:n] *n.* -s 〖化〗 포르말린.

formalisieren [fɔrmalizí:rən] ⟪lat.⟫ ⟪Ⅰ⟫ *t.* ① 형식화하다; 정식으로 하다; 격식에 맞추다. ② 도식화하다: eine grammatische Theorie ~ 문법 이론을 도식화하다. ⟪Ⅱ⟫ *refl.* 〖드물게〗 sich ~ (단순히) 형식화되다.

Formalismus [..lísmus] ⟪lat.⟫ *m.* -, ..men ① 형식주의, 격식주의: die Gefahr des ~ 형식주의의 위험. ②〖數〗 (수의 순수 형식 구조에 주목하는) 형식주의. ③〖문학〗 형식주의(20세기 전반 러시아 중심의 문학 운동). ④〖구동독·폄어〗 형식주의(이념보다 형식에 더 큰 의미를 부여하는 문학·예술 경향).

Formalist *m.* -en, -en 형식주의자.

Formalistin *f.* -nen ↑ Formalist 의 여성형.

formalistisch *a.* 형식주의적인.

Formalität [..litɛ́:t] *f.* -en ① 형식, 형식적인 것: das ist nur eine reine, überflüßige ~ 그것은 그저 순전히 쓸데없는 형식일 뿐이다. ② 형식 규정, 절차: alle nötigen ~en erledigen 모든 필요한 절차를 밟다. ③〖드물게〗 형식 준수, 격식차리기, 허례.

formaliter *adv.* 〖교양〗 형식상으로; 공식〔정식〕으로; 격식을 갖추어서, 새삼스럽게.

formal≈juristisch *a.* ↑ ~rechtlich. **~-rechtlich** *a.* 형식상 합법적인, 형식상 법조문에 타당한.

Formamint [fɔrmamínt] *n.* -s 〖藥〗 포르마민트(함수제(含漱劑)).

Forman *n.* -s 포르만(감기약).

Form·anstieg *m.* 〖스포츠〗 컨디션의 호전.

Format [fɔrmá:t] ⟪<Form⟫ *n.* -(e)s, -e ① (책·종이의) 판, 판형, 치수, (편집) 체재; (그림의) 호수, 크기: ein Schreibblock im ~ A 4 (낱장으로 떼어 쓰는) A 4 크기의 메모장. ②〖비유〗 (**a**) (인물·능력의) 뛰어남, 위대, 중요: ein Mann von ~ 뛰어난 큰 인물: er hat als Sportler internationales ~ 그는 운동 선수로서 세계적인 명사다. (**b**) (사물의) 뛰어난 수준, 큰 의의: ein Theater von großstädtischem ~ 대도시 수준급의 극장. ③〖컴〗 포맷, 데이터 배열.

formatieren ⟪engl. format⟫ *t.* 〖컴〗 (디스크를) 포맷〔초기화〕하다.

Formatierung ⟪engl.⟫ *f.* -en 〖컴〗 디스크 포맷하기.

Formation [..tsió:n] *f.* -en ① 형성, 구성, 편성: die ~ einer neuen Ära 새로운 시대의 형성. ② (**a**) 대형(隊形), 편대: eine ~ von motorisierten Polizisten begleitete den Staatsgast 오토바이 경찰 편대가 국빈을 호위해 갔다. (**b**) (특별 편성) 부대: die ~ der Pioniere 공병 부대. ③ (**a**) 단체, 집단. (**b**) 연합, 연맹: die ~ der Jungsozialisten 청년 사회주의자 연합. ④〖지질〗 (**a**) 기(紀) (지질 시대 구분의 단위). (**b**) 지층, 층군(層群): Kreide≈ 석회층. ⑤〖植〗 군락(群落).

Formations≈flug *m.* 편대 비행. **~tanz** *m.* 〖스포츠댄스〗 편성 무도(8 쌍이 동시에 4 분 동안 모두 9 가지의 춤을 추어 우열을 겨룸).

formativ [..tí:f] *a.* 형성하는, 조형의.

formbar [fɔ́rmba:*r*] *a.* 형성할 수 있는, 가소성(可塑性)의, 유연한.

Formbarkeit *f.* ↑ formbar 의 명사형.

form≈beständig *a.* 형태가 일정한〔변하지 않는〕. **~beständigkeit** *f.* 형태 불변, 정형성: ~ bei hohen Temperaturen 고온에서의 형태 불변성.

Form≈blatt *n.* 서식 용지; 〖印〗 견본쇄. **~-brett** *n.* 조형판(造形板). **~einrichtung** *f.* 〖印〗 정판(整板). **~eisen** *n.* (레일 등의) 형강(形鋼), 건축용 강재(鋼材); 조형 철구(鐵具), (화폐 등의) 각인기(刻印機).

***Formel** [fɔ́rməl] ⟪lat.⟫ *f.* -n ①〖數·物·化〗 식, 공식, 화학식: eine ~ aufstellen 공식을 세우다; die chemische ~ für Wasser ist H_2O 물의 화학식은 H_2O 다. ② (일정한) 형식, 양식, 서식; 추형(雛型); 규칙, 규정. ③ 상투어, 판에 박힌 문구: Zauber≈ 주문(呪文). ④〖宗〗 의례; 의식서(儀式書). ⑤〖모터스포츠〗 (경주용 자동차의) 공식 규격. ⑥ 핵심적 표현: et. auf eine ~ bringen 무엇을 (짤막하게) 정곡을 찔러 표현하다.

Formel≈buch *n.* 서식집; 서간 문집, (편지의) 모범 문례집; 공식집.

Formel-1-Rennen *n.* 〖스포츠〗 포뮬러 원 경주(최고의 스포츠 자동차 경주 대회).

Formel-1-Wagen *m.* 〖스포츠〗 포뮬러 원 경주용 자동차.

formelhaft *a.* 형식의, 틀대로의; 정식의.

Formelhaftigkeit *f.* 상투성, 판에 박힘.

Formel·kram *m.* 〖경박·폄어〗 공식투성이의 전문 지식; 허례; 번거로운 절차: jetzt habe ich aber genug von dem ~ 이제 나는 복잡한 공식 나부랭이에 질렸다.

formell [fɔrmɛ́l] ⟪frz.⟫ *a.* ① (**a**) 의례적인, 공식적인: ein ~er Antrittsbesuch 의례적인 취임 인사 방문. (**b**) 형식적인, 딱딱한: er ist immer ~ 그는 언제나 딱딱하다. ② 법〔규정〕에 따른, 공식적인: jm. ~ eine Genehmigung erteilen 누구에게 공식적으로 인가를 통보하다. ③ 외면상의, 겉모습의: nur ~ zu einer

Einigung gelangen 겉으로만 합의하다.
formeln *t.* 정식으로 하다, 공식으로 나타내다; 방식에 맞추다; 형식을 차리게 하다.
Formel≈sprache *f.* ① (자연 과학의) 공식, 공식에 의한 표현법. ②〖컴·인공지능〗 형식 언어. **~wesen** *n.* 〔폄어〕 형식적인 것; 의례; 절차.
formen [fɔ́rmən] 《I》 *t.* ① 모양을 만들다, 형성하다: ein Modell in〔aus〕 Gips ~ 석고로 모형을 만들다. ② 내적으로 변화〔각인〕시키다, (영향을 주어) 형성하다; (정신을) 도야하다; (습관을) 기르다: jn. zum Menschen ~ 누구를 (참)인간으로 만들다. 《II》 *refl.* sich ~ 형성되다, 틀이 잡히다. 《III》 **geformt** *p.a.* ↑ geformt.
Formen≈ausgleich *m.* 〖哲·문법〗 도형의 평준화, 어형의 단순화. **~bildung** *f.* 형태 형성; 〖生〗 형태 발생. **~gießer** *m.* 주형(鑄型) 제조자. **~lehre** *f.* ①〖生〗 형태학. ②〖문법〗 형태(소)론. ③〖數〗 기하학 초보. ④〖음악〗 악곡 형식론, 악식론(樂式論). **~macher** *m.* 주형〔모형〕 제작자. **~mensch** *m.* 형식주의자. **≈reich** *a.* 꼴이〔형태가〕 풍부한. **~reichtum** *m.* 형태의 다양함: Insekten treten in großem ~ auf 곤충들은 다양한 형태로 나타난다. **~reiter** *m.* ↑ ~mensch. **~schneider** *m.* 조형가(造型家), 주형 제작자. **~schönheit** *f.* 형식미. **~sinn** *m.* 〖예술〗 형식 감각, 형식미에 대한 감각. **~wesen** *n.* (극단의) 형식적 존재, 허례; 의례; 관례. **~zwang** *m.* 형식의 구속, 인습적 속박.
Former [fɔ́rmər] 《<formen》 *m.* -s, - ① 주형(鑄型) 제작자. ② 조형가, 도예가. ③ 모자〔편물〕의 골 제작자.
Form·erde *f.* 조형용 점토.
Formerei [fɔrmərái] *f.* -en 주물 공장.
Form≈fehler *m.* ① 형식상〔격식상〕의 실수; 절차상의 하자; 〖法〗 소송 절차의 위반. ② (사육 동물의) 신체 외형상의 결함. **~frage** *f.* 형식 문제, 의례적인 문제. **~fräser** *m.* ① 형식가공〔조형〕 절삭 기계. ② 조형 절삭공. **≈gebend** *a.* 꼴을 만드는, 구성적인. **~gebung** *f.* 조형, 형성, 구성, 주조(鑄造), 소조(塑造); (예술품의) 형상화. **~gefühl** *n.* (예술적인) 형식 감각. **≈gerecht** *a.* 정식의, 격식에 맞는, 형식을 갖춘. **~gestalter** *m.* 디자이너. **~gestaltung** *f.* 디자인. **≈gewandt** *a.* 형식에 밝은, 깍듯한: eine ~e Begrüßung 깍듯한 인사. **~gewandtheit** *f.* 형식에 밝음.
formhaft *a.* 틀이 잡힌, 형식에 맞는.
formidabel [fɔrmidá:bəl] 《frz.》 *a.* 〔교양〕 무서운, 놀라운; 심한, 호된.
formieren [fɔrmí:rən] 《lat.》《I》 *t.* 조직〔편성〕하다; 〖商〗 기장하다: 〖印〗 in Seiten ~ 페이지로 조판하다; die Mannschaft〔Truppen〕 ~ 선수단을〔부대를〕 편성하다. 《II》 *refl.* sich ~ 편성〔조직〕되다; 〖軍〗 정렬하다.
Formierung *f.* -en 형성, 편성, 조판; 〖軍〗 편성.
..förmig *suf.* "…한 꼴의"의 뜻(보기: kreis~ 원형(圓形)의).
Form·krise *f.* 〖스포츠〗 컨디션 난조.
***förmlich** [fœ́rmlıç] 《<Form》《I》 *a.* ① 유형의, 모양 좋은. ② 형식에 맞는, 공식적인, 정식의; 〖法〗 합법적인; 형식을 갖춘. ③ 관례를 지키는, 격식 차린, 정중한. ④ 틀림없는, 진정한, 단호한. ⑤ 형식(주의)적인, 형식을 고집하는, (태도가) 딱딱한. 《II》 *adv.* 참으로, 확실히.
Förmlichkeit *f.* -en ① 형식성, 정식, 공식 절차. ② 형식(주의)적 행위, 격식차리기. ③ 의례, 예법, 격식.
formlos *a.* ① 일정한 형태가 없는. ② 형식을 갖추지 않은. ③ 격식을 차리지 않는, 세련되지 못한, 무례한.
Formlosigkeit *f.* -en ↑ formlos 의 명사형.
Form≈maschine *f.* 주조(鑄造) 기계. **≈obst** *n.* 보기 좋게 다듬은 과일 나무(의 과일).
Formosa [fɔrmó:za] 대만(臺灣).
Form≈presse *f.* 〖工〗 압형기(壓型器). **~rahmen** *m.* 〖제지〗 틀테; 〖印〗 (활자를 죄는) 식자판(版)의 테. **~sache** *f.* 형식적인 사항〔일〕; 의례적인 것, (형식) 절차. **~sand** *m.* 주조용(鑄造用) 모래. **~schneider** *m.* ↑ Formenschneider. **≈schön** *a.* 모양새가 아름다운. **~stein** *m.* 기하학적인 형태의 건축용 석재. **~strenge** *f.* 형식의 엄격성; 전통 예술 형식을 지키려는 노력. **~tief** *n.* 〖스포츠〗 슬럼프 단계. **≈treu** *a.* ① 형식에 충실한: ~e Gestaltung eines Kunstwerks 예술 작품의 (전통) 형식에 충실한 형상화. ② 모양이 변하지 않는.
***Formular** [fɔrmulá:r] 《<Form》 *n.* -s, -e ① 서식〔신청〕 용지, 서식: ~ für Telegramme 전보 용지; ein ~ ausfüllen 서식 용지에 기입하다. ② 정식(定式), 법식; 정식집, 법식서(書); 〖法〗 판례.
Formular≈block *m.* (뜯어 쓸 수 있는) 서식 용지철. **~buch** *n.* 〖法〗 판례집.
***formulieren** [..lí:rən] *t.* ① 공식화하다. ② 명확〔간결〕히 표현하다: eine gut formulierte Aussage 명료하게 잘 표현된 기술. ③ (문건을) 작성하다, 쓰다: Verträge〔Klagen〕 ~ 계약서를〔고소장을〕 작성하다.
***Formulierung** *f.* -en ① 공식〔명료〕화; 작성하기. ② 표현, 작성된 텍스트: einige ~en ändern 몇 가지 표현을 바꾸다.
Formung [fɔ́rmuŋ] 《<formen》 *f.* -en ① 조형; 구성 양식. ② 형성, 도야: die ~ der Persönlichkeit 인격의 형성.
Form≈veränderung *f.* 변형, 형식 변경. **≈vollendet** *a.* 완벽한 형식〔격식〕의. **~wechsel** *m.* 꼴의 변경; 〖生〗 형태 변화; 〖商〗 융통어음. **≈widrig** *a.* 형식에 어긋나는, 예의에 벗어나는. **~wort** *n.* 〔복수: ..wörter〕〖문법〗 형식어(접속사·대명사 따위).
Formyl [fɔrmý:l] 《lat. formica》 *n.* -s 〖化〗 의산기(蟻酸基), 포르밀.
Form·zahl *f.* 〖物〗 형상(形狀) 인자.
Fornix 《lat.》 *m.* -, ..nices [..tse:s] 〖해부〗 (신체 기관의) 불거짐, 불거진 부위.
forsch [fɔrʃ] 《frz. force》 *a.* 〔구어〕 용감한, 대담한, 당찬, 활기찬.
Forsch≈begierde *f.* 탐구욕, 연구욕. **≈begierig** *a.* 연구욕이 왕성한; 호기심이 강한.
Forsche [fɔ́rʃə] 《frz.》 *f.* 〔구어〕 단호, 무모.
förscheln [fœ́rʃəln] *i.* (h.) (schweiz.) 은밀〔면밀〕히 조사하다; 은밀히 조사해서 알아내다.

***forschen** [fɔ́rʃən] 《㊀ fragen》《I》*i.* (h.) ① 연구〔탐구〕하다; 조사하다: er hat jahrelang auf diesem Gebiet geforscht 그는 이 분야를 수년간 연구했다. ② 탐색〔탐문〕하다, 찾다, 꼼꼼히 묻다, 살피다: ~der Blick 살피는 눈빛; bei jm. ~, ob... …인지 아닌지 누구에게 조회하다; nach Wahrheit ~ 진리를 탐구하다; über et. ~ a) 무엇에 관해 심사숙고하다, b) 묻다. 《II》*t.* 〔구식〕 연구하다, 살피다, 재다, 조사하다; jn. ~ 누구에게 질문하다.

Forscher *m.* -s, - 연구자, 학자; 조사자; 탐문자, 탐정.

Forscher=blick *m.* 살피는 눈빛; 학구적인 눈빛. **~geist** *m.* ① 연구〔학자〕 정신. ② 연구열〔학구열〕이 강한 사람.

Forscherin *f.* -nen ↑ Forscher 의 여성형.

forscherisch *a.* 연구자〔학자〕의.

Forscher·sinn *m.* ↑ Forschbegierde.

forschsam 〔고어〕 *a.* 캐묻는, 탐구심이 있는.

***Forschung** [fɔ́rʃʊŋ] *f.* -en 연구, 탐구; 조사; 캐묻기, 탐문; 답사, 탐험.

Forschungs=auftrag *m.* 연구 의뢰. **~bericht** *m.* 연구 보고서. **~ergebnis** *n.* 연구 결과(물). **~gebiet** *n.* 연구 분야〔범위〕. **~geist** *m.* 연구심. **~institut** *m.* 연구소. **~labor** *n.* ↑ ~laboratorium 의 약자. **~laboratorium** *n.* 연구 실험실. **~methode** *f.* 연구 방법. **~rakete** *f.* 연구 목적의 로켓. **~reise** *f.* 탐험〔답사〕 여행. **~reisende*** *der/die* 탐험가, 답사자. **~richtung** *f.* 연구 방향. **~schiff** *n.* 탐사선, 해양 연구선. **~semester** *n.* 연구 학기(대학 교수에게 연구에만 전념하도록 강의와 행정 업무를 면제해 주는 학기). **~station** *f.* (천문학 등의) 연구 기지. **~stipendium** *n.* 연구비, 연구 지원금. **~student** *m.* 〔방언〕 연구 학생. **~studium** *n.* 연구 학업. **~trieb** *m.* 연구열, 탐구심, 탐구 본능. **~zentrum** *n.* 연구 본부. **~zweig** *m.* 연구 부문.

***Forst** [fɔrst] *m.* -(e)s, -e(n) (육림에 따른) 산림 (지대); 조림.

Forst=akademie *f.* 〔옛뜻〕 임업 대학. **~akademiker** *m.* 임업 대학 학생. **~amt** *n.* 영림서, 산림 관리소. **~assessor** *n.* 산림〔임업〕 공무원, 산림관. **~aufseher** *m.* 산지기, 산림 감독. **~bann** *m.* (왕·영주의) 산림 전유권, 금렵구. **~beamte*** *der* 산림 공무원, 산림관. **~beflissene*** *der/die* 임학 연구자, 임학도. **~betrieb** *m.* 산림 경영, 임업, 조림(造林). **~bezirk** *m.* 산림 관리소의 관할 구역, 산림구. **~dieb·stahl** *m.* 도벌. **~dienst** *m.* 산림업〔임업〕 근무.

Forstei [fɔrstáɪ] *f.* -en ↑ Försterei.

forsteilich *a.* 산림구(區)의.

forsten [fɔ́rstən] *t.* ① 〔드물게〕 조림하다. ② jn. ~ 누구에게 산림 관리권을 주다.

Forster *m.* -s, - 산림 관리권 소유자.

Förster [fœ́rstər] *m.* -s, - ① 산림(감독)관; 산지기. ② ↑ Forster.

Försterei [fœrstəráɪ] *f.* -en ① 산림(감독)관의 관사, 산지기의 집. ② 산림(감독)관의 담당 구역; 영림구(區), 보호림구. ③ 산림 재판소(의 회의).

Förster·haus *n.* ↑ Försterei ①.

Försterin *f.* -nen ↑ Förster 의 여성형.

Forst=ertrag *m.* 산림의 수익〔수확〕. **~fach** *n.* 임학과; 임학 분야, 산림학. **~frevel** *m.* 산림 훼손, 산림법 위반. **~frevler** *m.* 산림법 위반자. **~gerecht** *a.* 임업 지식이 있는, 산림 행정에 밝은; 적당히 조림된. **~gerechtigkeit** *f.* ↑ ∻gerecht 의 명사형; 산림 소유권. **~gericht** *n.* 산림 재판소. **~gesetz** *n.* 산림법. **~haus** *n.* ↑ Försterei ①. **~herr** *m.* 산림 소유자. **~hüter** *m.* 산지기. **~inspektor** *m.* 산림 감독관. **~karte** *f.* 삼림도(圖). **~kultur** *f.* ① ↑ ~wirtschaft ①. ② 새로 조성된 산림 지역. **~kunde** *f.* 임학. **~kundig** *a.* 임학에 정통한.

forstlich [fɔ́rstlɪç] *a.* ① 산림의. ② 임업의.

Forst=mann *m.* 산림〔임업〕에 정통한 사람; 산림(감독)관; 산지기. **~meister** *m.* 고급 산림 공무원, 산림 관리소장. **~nutzung** *f.* 산림 이용〔수익〕. **~ordnung** *f.* 산림법. **~politik** *f.* 산림 정책. **~polizei** *f.* 산림 경찰. **~rat** *m.* (1933 년까지) ① (프로이센의) 고급 산림 공무원 (↑ ~meister 의 상위 직급). ② (바이에른 지역의) 산림 관리소 부소장. **~recht** *n.* 산림법; 산림 관리권. **~regal** *n.* ↑ ~bann. **~revier** *n.* 조림 지역. **~sache** *f.* 산림 업무〔일〕, 조림 업무. **~schaden** *m.* 산림 피해〔훼손〕. **~schädling** *m.* 산림에 해를 끼치는 동식물. **~schule** *f.* 임업 전문 학교. **~schutz** *m.* 산림 보호.

Forstung [fɔ́rstʊŋ] *f.* 조림.

Forst=verbrechen, ~vergehen *n.* ↑ ~frevel. **~verwalter** *m.* 산림 관리자. **~verwaltung** *f.* ① 산림 행정〔관리〕. ② 산림 관리소. **~wächter** *m.* 산지기, 임야 순찰인. **~wart** *m.* 중급 산림 공무원. **~wärter** *m.* ↑ ~wächter. **~wesen** *n.* 산림 제도, 임업. **~wiese** *f.* 산림 속의 초지(草地). **~wirt** *m.* ① 예비 산림관, 산림 공무원 실습 예정자. ② 산림 소유자. **~wirtschaft** *f.* ① 임업, 산림 경영. ② 임학. **~wissenschaft** *f.* 임학. **~zeichen** *n.* (베어낼 나무에 표시하는) 벌채 표지. **~zoologie** *f.* 산림 동물학.

Forsythie [fɔrzý:t(s)iə] *f.* -n 〖植〗 ① 개나리속(屬)의 일종(영국 식물학자 W.A. Forsyth 의 이름에서). ② 〔복수〕 개나리 가지.

Fort [fo:r] 《frz.》 *n.* -s, -s 〖軍〗 보루, 요새, 작은 성채.

***fort** 《I》*adv.* ① 앞(쪽)으로: es will damit nicht~ 그 일은 도무지 잘 되지 않는다; es geht ~ mit uns 우리 일은 척척 진척되고 있다. ② 잇달아, 계속하여: immer ~ 끊임없이; 〔준고어〕 ~ und ~ 잇달아, 연이어; weiter ~ 더 나아가서; und so ~ 등등(약어: usf.); in einem (Zug〔Stück〕) ~ 연거푸, 끊임없이; er schafft ~ daran 그는 그 일을 계속하고 있다. ③ 사라진, 가버린; 없는: ~ ist ~ 없어진 것은 없어진 것이다; ich muß ~ 나는 가지 않으면 안 된다; meine Uhr ist ~ 내 시계가 없어졌다; er ist schon ~ 그는 이미 사라져 버렸다. ④ 〔방언〕 앞서, 이전에. 《II》*int.* ~! 사라져라, 비켜라; 앞으로, 계속 …하라!; ~ damit! 그것을 치워라〔가지고 가라〕!; ~ mit dir! 꺼져라!

fort.. *pref.* 《I》〔동사의 분리 전철; 항상 강세를 지님〕 ① "전진"의 뜻(보기: ~schreiten 전진하다; ~kommen 나아가다, 승진하다). ② "계속·속행"의 뜻(보기: ~arbeiten 계속 일하다; ~dauern 지속하다). ③ "제거·소멸"의 뜻

(보기: ~blasen 불어 날리다; ~schaffen 제거하다). ④ "사라짐·부재"의 뜻(보기: ~gehen 떠나가다, 가 버리다; ~bleiben 떠나 있다). 《Ⅱ》〖《Ⅰ》의 동사에서 파생한 명사·형용사의 전철〗보기: ∼bestand 존속; ~dauernd 지속적인.

fort·ab [fɔrt|áp] *adv.* 〖드물게〗 ↑ ~an.

fort|ackern *i.* (h.) (논·밭을) 계속 갈다.

fort·an [fɔrt|án] *adv.* 〖雅語〗 지금부터, 금후; 장차, 잇달아: sein Arzt riet ihm, ~ einen Mittagsschlaf zu halten 그의 의사는 그에게 이제부터 낮잠을 (한숨씩) 자라고 권유했다.

fort|arbeiten 《Ⅰ》 *i.* (h.) 계속 일하다: unermüdlich ~ 지치지 않고 계속 일하다. 《Ⅱ》 *refl.* sich ~ 애써 나아가다. 《Ⅲ》 *t.* 일하여 없애다: Unebenheiten ~ 울퉁불퉁한 면을 고르게 만들다. **~|bannen** *t.* 쫓아내다. **∼bau** *m.* 계속적인 건축, 증축. **~|bauen** *t./i.* (h.) 계속 짓다, 증축하다; 〖광산〗 채굴을 계속하다. **~|-begeben*** *refl.* 〖雅語〗 sich ~ 물러가다, 떠나가다, 사라지다. **~|beißen*** *t.* 물어 떼내다, 물어 쫓다; 〖비유〗 (누구를) 쫓아내다, 밀어 제치고 대신하다.

Fortbestand [fɔ́rtbəʃtant] *m.* -(e)s [..dəs, ..ts] 〖雅語〗 존속, 지속: der ~ der Firma 회사의 존속.

fort|bestehen* *i.* (h.) 〖雅語〗 존속〔지속〕하다: sein Werk wird ~ 그의 작품은 존속하게 될 것이다.

Fortbestehen *n.* -s ↑ ~bestand.

fort|bewegen 《Ⅰ》 *t.* ① 옮기다, 이동시키다: den schweren Stein ~ 무거운 돌을 옮기다. ② 앞으로 나아가게 하다: ~de Kraft 추진력. 《Ⅱ》 *refl.* sich ~ (앞으로) 나아가다, 전진하다: das kranke Tier konnte sich nicht mehr ~ 그 병든 짐승은 더 이상 앞으로 나아갈 수 없었다.

Fortbewegung *f.* -en 이동; 전진, 진행; 〖기계〗 추진, 운전; 이행 운동.

fort|bilden 《Ⅰ》 *t.* 계속 교육〔연수〕시키다: die Mechaniker wurden durch den Betrieb fortgebildet 기계공들은 기업을 통해 계속 교육을 받았다. 《Ⅱ》 *refl.* sich ~ 계속 공부하다; 보습하다.

Fortbildung *f.* -en 교육의 계속; 연수, 재교육; 보습: die ~ der Beamten 공무원 연수.

Fortbildungs≈anstalt *f.* ↑ ~schule. **~-schule** *f.* ①〖고어〗 중등 (실업) 학교. ② (öst., schweiz.) 농업 직업 학교.

fort≈|blasen* 《Ⅰ》 *t.* 불어 없애다〔날리다〕: Staub ~ 먼지를 불어 없애다; 〖비유〗 das Fieber ist wie fortgeblasen 열이 싹 가셨다. 《Ⅱ》 *i.* (h.) (피리 등을) 계속 불다. **~|bleiben*** *i.* (s.) 떠나 있다, 부재하다, (모임 따위에) 오지 않다: er blieb monatelang fort 그는 여러 달 동안 떠나 있었다. **~|blühen** *i.* (h.) 계속 피다: die Rosen haben den ganzen Sommer fortgeblüht 장미들은 여름 내내 계속 피었다. **~|brauchen** 《Ⅰ》 *t.* 계속 사용하다. 《Ⅱ》 *i.* (h.) 〖구어〗 갈 필요가 있다, 가야 하다: er braucht noch nicht fort 그는 아직 갈 필요가 없다.

fort|bringen* 《Ⅰ》 *t.* ① 옮기다, 운반하다, 데려가다: einen Kranken 〔Verletzten〕 ~ 병자〔부상자〕를 데려가다; sie war von dem Schaufenster nicht fortzubringen 그녀를 진열창에서 떼어놓을 수 없었다. ② 가꾸다; 키우다, 배양하다. ③ 부양하다; 후원하다, 출세시키다. 《Ⅱ》 *refl.* sich mit et.[3] ~ 무엇으로 변통해〔생계를 꾸려〕 가다; sich ehrlich ~ 정직하게 살아가다.

Fortbringung *f.* 운반, 이동; 배양; 부양; 후원; 생계, 세상살이.

Fortdauer [fɔ́rtdauər] *f.* 〖雅語〗 지속, 계속, 존속: die ~ der Seele nach dem Tod 영혼의 불멸.

fort|dauern *i.* (h.) 지속〔계속〕하다, 그치지 않다: unsere Freundschaft hat trotz der großen Entfernung fortgedauert 우리의 우정은 멀리 떨어져 있음에도 지속되었다.

fortdauernd *p.a.* 지속하는, 항구성의: ~er Regen 장마; ~e Wachsamkeit 끊임없는 경계.

fort≈|dienen *i.* (h.) 잇달아 근무하다〔섬기다〕. **~|drängen** *t.* 밀어 제치다; 〖비유〗 배척하다. **∼druck** *m.* 〖印〗 인쇄에 부침. **~|drücken** *t.* 밀고 나아가다, 밀어 제치다. **~dürfen*** *i.* (h.) (떠나)가도 괜찮다: jetzt darfst du fort 이제 너는 가도 좋다.

forte [fɔ́rte] 《it.》 *adv.* ①〖음악〗 (stark) 포르테, 힘차게, 세게. ②〖藥〗 (약효가) 세게.

Forte *n.* -s, -s/..ti 〖음악〗 포르테의 음, 강음: das Klavier hat an dieser Stelle ein ~ 그 피아노는 이 부분에서 강음이다.

fort≈|eilen *i.* (s.) 〖雅語〗 급히 사라지다〔떠나다〕. **~|entwickeln** 《Ⅰ》 *t.* 계속 발전시키다: ein Modell ~ 한 모델을 계속하여 발전시키다. 《Ⅱ》 *refl.* sich ~ 계속 발전하다. **∼ent-wicklung** *f.* 지속적인 발전, 가일층의 진전.

fortepiano [fɔrtəpiá:no, fɔrte..] *adv.* 〖음악〗 포르테피아노, 세게 그리고 곧 약하게.

Fortepiano *n.* ①〖음악〗 포르테피아노의 음. ②〖고어〗 피아노(Pianoforte).

Fortepiano·spieler *m.* 피아니스트.

fort≈|erben *i.* (h.)/*refl.* (sich) ~ 상속되다; 계승되다; 유전되다: dieses Schmuckstück erbt sich von Geschlecht zu Geschlecht fort 이 장신구는 몇 세대를 거쳐 계속 이어져내려오고 있다. **~|erhalten*** *refl.* sich ~ 유지되다, 존속하다. **~|fahren*** 《Ⅰ》 *t.* 날라가다, 실어 나르다: er hat den alten Kühlschrank fortgefahren 그는 낡은 냉장고를 실어갔다. 《Ⅱ》 *i.* ① (s.) 차로 출발하다, 차를 몰고 가다; 출범하다: er ist heute vormittag fortgefahren 그는 오늘 오전에 차를 타고 떠났다. ② (h.) (멈추었던 것을) 계속〔속행〕하다: mit Lesen ~ 독서를 계속하다; in einer Erzählung ~ 하던 이야기를 계속하다; bitte, fahren Sie fort! 어서 얘기를 계속하여 주십시오!

Fortfall [fɔ́rtfal] *m.* -(e)s 중지, 정지; 폐지; 탈락, 누락; 〖商〗 부족액: der ~ jener Bestimmung ist für den Handel günstig 그 규정을 폐지하는 것이 무역에 유리하다.

fort≈fallen* *i.* (s.) ① 중지〔폐지〕되다; 탈락하다; 결손나다. ② (눈 등이) 계속 내리다.

fort≈|feuern *i.* (h.) 사격을 계속하다. **~|-finden** *i.* (s.) 떠나가(버리)다. **~|flattern** *i.* (s.) 훨훨 날아가다; (h.) 계속 펄럭이다. **~|-fliegen*** *i.* (s.) 날아가(버리)다; (h.) 계속해서 날다. **~|fließen*** *i.* (s.) 흘러가(버리)다; (s./h.) 계속 흐르다. **~|führen** *t.* ① 데려가다, 운반하여 가다. ② 계속하다: ein Geschäft ~ 장

사를 계속하다. **~führung** *f.* 운반; 계속, 속행.

Fortgang [fɔ́rtgaŋ] *m.* -(e)s ① 출발, 떠남, 퇴거. ② 계속, 속행, 진행, 전진: seinen ~ nehmen 진척되다. ③ 성공, 번영: einen guten ~ haben 성공하다.

fort≠|geben* *t.* ① 맡기다: et. zur Reparatur ~ 무엇을 수선을 맡기다. ② 계속 주다; 〖카드〗 패를 계속 돌리다. **~|gehen*** *i.* (s.) ① 떠나가다, 가버리다: 〔속담〕 wer fortgeht, ist bald vergessen 떠나간 사람은 쉽게 잊혀진다. ② (여행을) 계속하다. ③ 계속〔속행〕되다, 진행〔지속〕되다: ~ lassen 방임하다; das Geschäft 〔sein Gehalt〕 geht fort 사업이 계속된다〔그는 계속 급료를 받는다〕; wenn das so fortgeht 이 상태로 나아가면. ④ 〖聖〗 진척〔실행〕되다. ⑤ seinen Gang ~ 자기의 길을 계속 걷다.

fortgeschritten 《I》 *p.p.* ↑ fortschreiten. 《II》 *p.a.* ① 앞선, 진보한, 선진의; 상급의: ein industriell ~er Staat 산업 선진국. ② 느지막한, 때늦은; zu ~er Tageszeit 느지막한 시간에; sie ist schon in einem ~en Alter 그녀는 벌써 지긋한 나이이다.

Fortgeschrittene* *der/die* 앞선 사람, 상급반의 사람: Englisch für ~ 고급 영어.

fort≠gesetzt 《I》 *p.p.* ↑ fortsetzen. 《II》 *p.a.* 계속되는, 끊임없는: ~e Bemühungen 지속적인 노력. **~|gießen*** 《I》 *t.* 쏟아내다, 흘려버리다. 《II》 *i.* (h.) 계속 쏟아지다〔흐르다〕. **~gleiten*** *i.* (s.) 미끄러져 가다, (기차 등이) 미끄러지듯 사라지다. **~|glimmen*** *i.* (h.) 〔시어〕 계속 희미하게 빛나다. **~|haben*** *t.* ① 제거하다, 멀리하다: ich möchte ihn gern ~ 나는 그가 가 주었으면 좋겠다. ② 터득〔정통〕하다. **~|halten*** *t.* ① 멀리 두다. ② 계속 유지〔간수〕하다; (신문 등을) 계속 받아보다. **~|heben*** 《I》 *t.* 떼(어내)다. 《II》 *refl.* sich ~ 〔시어〕 떠나 버리다; 〖聖〗 heb dich fort! 물러가라! **~|helfen*** 《I》 *i.* (h.) ① jm. ~ 누구를 도와 달아나게 하다. ② jm. 〔(드물게) jn.〕 ~ 누구를 도와 고비를 넘게 하다: sie hatte ihm über seine Schwierigkeiten fortgeholfen 그녀는 그가 어려움을 극복하도록 도와주었다. 《II》 *refl.* sich ~ a) 생계를 꾸려나가다, 자활의 길을 강구하다, b) 나아가다.

fort·hin [fɔrthín] *adv.* 〔드물게〕 (fortan) 앞으로는, 금후, 장차; 어느 시점부터는: ich möchte dich bitten, mich ~ nicht mehr zu besuchen 부탁컨대 네가 앞으로는 더 이상 나를 찾아오지 말았으면 한다.

fort≠|hinken, ~|humpeln *i.* (s.) 절룩거리며 사라지다; (h.) 계속 절룩거리다. **~|hüpfen** *i.* (s.) 깡충깡충 뛰어가다. **~|huschen** *i.* (s.) 급히 사라지다.

Fortifikation [fɔrtifikatsió:n] 《lat. fortis》 *f.* -en 〖軍·고어〗 ① 축성; 보루, 성채. ② 축성술.

fortifikatorisch [..tó:rɪʃ] *a.* ① 축성〔성채〕의; 축성에 관한. ② 축성술의.

fortifizieren [..tsí:rən] *t.* 〔고어〕 견고히 하다; 방비 태세를 갖추다, 축성하다.

Fortis *f.* ..tes 〖음성〗 센소리, 발성 기관이 강하게 긴장되면서 나는 자음(보기: 독일어의 p, t 등).

fortissimo [fɔrtísimo] 《it.》 *adv.* 〖음악〗 포르티시모, 아주 세게.

Fortissimo *n.* -s, -s/..mi 〖음악〗 포르티시모의 음, 매우 센 음: im höchsten ~ spielen 최강음으로 연주하다.

fort≠|jagen 《I》 *t.* 몰아내다; 쫓아내다, 해고하다: die streunenden Hunde ~ 떠돌이 개들을 쫓아내다. 《II》 *i.* ① (s.) 질풍처럼〔급히〕 사라지다. ② (h.) 사냥을 계속하다. **~|kämpfen** *i.* (h.) 계속 싸우다.

fort|kommen *i.* (s.) ① **(a)** 사라지다, 물러가다; 떠나다: mache, daß du fortkommst! 썩 물러가라! **(b)** 옮겨지다, 이송되다: der Patient kam noch am Abend fort 그 환자는 그날 밤에 이송되었다. ② 분실되다: der Hut ist mir fortgekommen 내 모자가 없어졌다. ③ 나아가다, 진척되다; 승진〔출세〕하다: er kommt mit seiner Arbeit gut fort 그는 자기 일을 잘해 가고 있다. ④ (식물이) 무럭무럭 자라다, 무성해지다: die Pflanzen kommen gut fort 식물들이 잘 자란다. ⑤ 생계를 마련하다; 살아가다.

Fortkommen *n.* -s ① 사라짐, 도주, 퇴거; 분실. ② 진보; 승진, 출세, 번영: jn. an seinem ~ hindern 누구의 출세를 가로막다. ③ 생계: er hat sein gutes ~ 그는 살림이 넉넉하다.

fort≠|können* *i.* (h.) 떠날〔나아갈〕 수 있다: ich kann nicht mehr fort 나는 이제 (지쳐서) 더 이상 갈 수 없다. **~|kriechen*** *i.* (s.) 기어가다. **~|kriegen** 《I》 *i.* (h.) 계속 싸우다. 《II》 *t.* ① 이동시키다, 옮기다. ② 〔비유〕 이해하다, 요령을 얻다. **~|lassen*** *t.* ① 가게〔떠나게〕 하다, 놓아주다; 석방하다. ② 빠뜨리다, 누락시키다: in einem Brief et. aus Versehen ~ 편지에서 무엇을 실수로 빠뜨리고 쓰다. **~lassung** *f.* ① 누락. ② 빠뜨린 부분.

fort|laufen* *i.* (s.) ① 떠나가다, 달아나다: der Hund ist mir fortgelaufen 그 개는 내게서 달아났다. ② 계속 달리다; 지속〔계속〕하다, 잇따르다: der Weg läuft am Fluß fort 그 길은 강가를 따라 계속 이어진다; der Sold läuft fort 급료는 계속 지급된다.

fortlaufend *p.a.* 연속적인: ~ erscheinen 속간되다; ~e Nummern 일련 번호.

fort|leben *i.* (h.) 계속 살아 있다, 잔존하다: er lebt in seinen Werken fort 그는 그의 작품 속에 계속해서 살아 있다.

Fortleben *n.* -s 존속; 사후의 생명, 불사(不死); 남은 목숨: an ein ~ nach dem Tod glauben 영생을 믿다.

fort≠|legen *t.* 옮겨놓다, 치우다: du sollst das Buch jetzt ~ 너는 이제 그 책을 치워야 한다. **~|leiten** 《I》 *t.* ① 이끌어〔운반해〕 가다. ② (열·전기 등을) 전달하다, 전도(傳導)하다. 《II》 *i.* (h.) 계속 이끌다.

Fortleitung *f.* 전송, 전도(傳導); 연속 지도.

fort≠|lernen *t.* 계속 배우다; 학업이 진전되다. **~|lesen*** *t.* 계속 읽다. **~|leugnen** *t.* 계속〔끝까지〕 부인하다. **~|loben** *t.* 〔반어〕 칭찬하는 척하며 다른 곳으로 보내다: er hat seine Assistentin in eine andere Stellung fortgelobt 그는 자기 여자 조수를 칭찬하는 척하며 다른 일자리로 보냈다. **~|machen** 《I》 *i.* (h.) 〔구어〕 ① 계속〔속행〕하다: an〔mit〕 et.[3] ~ 무엇을 계속하다. ② 떠나다, 서둘러 가다. ③ (s.) 출발하다. 《II》 *t.* ① 계속해서 하다. ②

떼다, 제거하다: einen Fussel ~ 보풀을 떼다. 《Ⅲ》 *refl.* sich ~ 달아나다, 떠나다, 멀어지다: als die Sache bekannt wurde, machte er sich fort 그 일이 알려지자 그는 달아나 버렸다.

Fortmarsch [fɔ́rtmarʃ] *m.* -es, ..märsche 계속되는 진군〔행진〕.

fort|marschieren *i.* (s.) 행진하여 떠나다; (h.) 행진을 계속하다.

fort≠|mögen* *i.* (h.) 〖구어〗 떠나고 싶어하다. **~|müssen** *i.* (h.) ① 〖구어〗 떠나야 하다; 〖비유〗 죽다: ich muß jetzt von hier fort 나는 이제 여기서 떠나지 않으면 안 된다; er hat früh fortgemußt 그는 요절했다. ② 치워져야〔운반되어야〕 하다. **~|nehmen*** *t.* 빼앗다; 떼다, 제거하다: einem Kind das Messer ~ 아이에게서 칼을 빼앗다; jn. von der Schule ~ 누구를 퇴학시키다. **~|packen** 《Ⅰ》 *t.* 집어가다〔넣다〕, 치우다. 《Ⅱ》 *refl.* 〖경박〗 sich ~ (떠날) 보따리를 싸다. **~|pflanzen** 《Ⅰ》 *t.* ① 번식시키다; (병을) 옮기다, 만연시키다; sein Geschlecht ~ 자신의 종족을 퍼뜨리다. ② (후세에) 전하다; (사상 등을) 퍼뜨리다: et. auf die Nachwelt ~ 무엇을 후세에 전하다. ③ 〖物〗 (소리 등을) 전달〔전파〕하다. 《Ⅱ》 *refl.* sich ~ 번식〔만연〕하다; 전파되다, 전해지다: der Ruf pflanzt sich fort 명성이 퍼져나간다; manche Tiere pflanzen sich in Gefangenschaft nicht fort 많은 동물들이 구금 상태에서는 번식하지 않는다.

Fortpflanzung *f.* 번식, 생식; 이식(移植); 만연; 전파, 전달, 전도; 파급.

Fortpflanzungs≠apparat *m.* 생식기. **~-fähig** *a.* 생식력이 있는; 〖物〗 전달〔전도〕할 수 있는. **~fähigkeit** *f.* 번식력, 생식력; 전달 능력. **~geschwindigkeit** *f.* (소리 등의) 전파 속도. **~organ** *n.* ↑ ~apparat. **~trieb** *m.* 〖生〗 성욕, 성적 충동; 생식 본능.

fort≠|prügeln 《Ⅰ》 *t.* 두들겨 쫓아내다. 《Ⅱ》 *i.* (h.) 계속 두들기다. **~raffen** *t.* (잡아)채다, 빼앗아가다.

FORTRAN [fɔ́rtran] 《engl.》 *n.* -s 〖컴〗 포트란(과학이나 기술에 사용되는 프로그램 언어).

fort≠|räumen *t.* 옮기다, 치우다; (장애 등을) 제거하다: das Spielzeug ~ 장난감을 치우다; 〖비유〗 Schwierigkeiten ~ 어려움을 제거하다. **~|reden** *i.* (h.) 계속 이야기하다. **~|-regnen** 《Ⅰ》 *i.* (h.) 비가 줄곧 내리다. 《Ⅱ》 *t.* 비가 와서 씻어내다: der Gewitterregen hat die Spuren fortgeregnet 뇌우가 그 흔적을 씻어가 버렸다. **~reise** *f.* 출발, 떠남. **~|reisen** *i.* (s.) 여행을 떠나다; (h.) 여행을 계속하다. **~|reißen*** *t.* ① 잡아채다, 잡아찢다〔떼다〕; 일소하다, (물결 등이) 쓸어가다. ② 감동시키다, 마음을 사로잡다: die Begeisterung riß mich (mit sich) fort 감격의 물결이 내 마음을 앗아갔다. **~|reiten*** *i.* (s.) 말을 타고 떠나다; 말타기를 계속하다. **~|rennen*** *i.* (s.) 〖구어〗 달려가다. **~|rinnen*** *i.* (s.) 흘러가 버리다; 줄곧 흐르다. **~rollen** 《Ⅰ》 *t.* 굴려서 가다; 계속 굴리다. 《Ⅱ》 *i.* (s.) ① 굴러가다: der Ball ist fortgerollt 공이 굴러가 버렸다; ② (h.) 계속 구르다; (벼락이) 연이어 치다. **~|rücken** 《Ⅰ》 *t.* 밀어 제치다, 옮기다: den Schrank ~ 장을 밀어 옮기다. 《Ⅱ》 *i.* (s.) ① 움직이다, 철수하다. ② 〖비유〗 진보〔전진〕하다, 승진〔성공〕하다. **~|rudern** 《Ⅰ》 *t.* 노를 저어 옮기다. 《Ⅱ》 *i.* (s.) 노를 저어 가 버리다〔나아가다〕; (h.) 계속 젓다. **~|rufen*** *t.* 불러서 가게 하다; 불러내다. **~|rühren** *refl.* sich ~ (자리에서) 움직이다, 떠나다: ich habe mich vor Schrecken nicht ~ können 나는 깜짝 놀라서 움직일 수가 없었다.

Fortsatz [fɔ́rtzats] 《<fortsetzen》 *m.* -es, ..sätze ① 〖고어〗 계속; 연장. ② 〖生〗 돌기.

fort·schaffbar *a.* 제거할〔옮길〕 수 있는.

fort|schaffen(*) 《Ⅰ》 *t.* 〖약변화〗 ① 옮기다, 가져가다, 치우다. ② aus et.³ ~ 무엇에서 제거하다, 들어내다. 《Ⅱ》 *i.* (h.) ① 〖약변화〗 계속 일하다. ② 〖강변화〗 계속 창작〔생산〕하다.

Fortschaffung *f.* 이동; 철거, 제거; 면직, 면제; 운송, 운반.

fort≠|scheren* *refl.* 〖구어〗 sich ~ 급히 떠나다, 도망하다. **~|scheuchen** *t.* (위협해서) 쫓아버리다: Fliegen ~ 파리를 쫓다. **~|-schicken** *t.* ① 보내다, 쫓아내다: lästige Besucher ~ 귀찮은 방문객들을 내쫓다. ② 부치다, 발송하다: ein Paket ~ 소포를 부치다. **~|schieben*** 《Ⅰ》 *t.* 밀어 옮기다〔제치다〕. 《Ⅱ》 *i.* (h.) 계속 밀다; (볼링공 등을) 계속 굴리다. **~|schießen*** 《Ⅰ》 *t.* 쏘아 쫓아버리다. 《Ⅱ》 ① *i.* (s.) 아주 빨리 사라지다: der Hase war fortgeschossen, so schnell er eben konnte 토끼는 있는 힘을 다해 재빨리 달아나 버렸다. ② (h.) 사격을 계속하다. **~|schiffen** 《Ⅰ》 *t.* 〖고어〗 배로 나르다〔싣고 가다〕. 《Ⅱ》 *i.* (s.) 배로 떠나다, 출범하다. **~|schlafen*** *i.* (h.) 계속 자다. **~|schlagen*** 《Ⅰ》 *t.* 쳐서 떨어뜨리다, 때려서 몰아내다. 《Ⅱ》 *i.* (h.) 계속 두들기다. **~|schleichen*** *i.* (s.) / *refl.* (sich) ~ 슬쩍 사라지다, 몰래 달아나다. **~|schlendern** *i.* (s.) 어슬렁어슬렁 사라지다; (h.) 계속 어슬렁거리다. **~|schleppen** 《Ⅰ》 *t.* (힘들여) 끌고 가다. 《Ⅱ》 *refl.* sich ~ 힘들여 겨우 움직여 가다; 〖비유〗 어떤 일이 계속 이어지다: diese Gewohnheit schleppt sich in neuer Form wieder fort 이 습관은 새로운 형태로 다시 이어져 간다. **~|schleudern** *t.* 내던지다. **~|schlüpfen** *i.* (s.) 미끄러져 가 버리다; 슬쩍 달아나다. **~|schmeißen*** *t.* 던져 버리다. **~|schnellen** 《Ⅰ》 *t.* 튀겨 날리다, 갑자기 던져 버리다, 쏘아 보내다, 팽개치다. 《Ⅱ》 *i.* (s.) (화살 따위가) 날아가다, 솟아오르다. **~|-schreiben** 《Ⅰ》 *t.* ① 〖통계〗 (변동 사항을) 보충 기록하다. ② (부동산 과세 표준 가격을) 새로 책정하다. ③ (기존 계획에 따라) 계속 발전시키다: die Pläne zur Stadtsanierung ~ 도시 재개발 계획을 계속 발전시켜 나가다. 《Ⅱ》 *i.* (h.) 계속 쓰다. **~schreibung** *f.* (통계치의) 보충 기록; 재책정; 개선 추진. **~|schreiten*** 《Ⅰ》 *i.* (s.) ① 성큼 나아가다; 전진하다. ② 〖비유〗 진보하다, 진척되다: in et.³ ~ 무엇이 진척되다; mit der Zeit ~ 시대와 보조를 맞추다. 《Ⅱ》 **fortgeschritten** *p.a.* ↑ fortgeschritten.

fortschreitend *p.a.* 전진〔진보〕하는.

Fortschreitung *f.* -en 전진, 진보; 〖음악〗 성부(聲部)의 진행.

***Fortschritt** [fɔ́rtʃrɪt] *m.* -(e)s, -e **진보**, 발달; 성장, 증진; 개량: ein ~ in den Wissenschaften 학문의 발전; in et.³ ~e machen 무엇에서 진보하다〔성과를 올리다〕.

Fortschrittler *m.* -s, - 진보주의자.
fortschrittlich *a.* 진보적〔진취적〕인.
Fortschrittlichkeit *f.* 진보(성), 발전(성), 발전 상태: die ~ einer Gesellschaft beweist sich nicht an der Höhe des Volkseinkommens 한 사회의 발전 상태가 국민 소득의 높낮이로 증명되는 것은 아니다.
fortschritts⸗feindlich *a.* 진보를 싫어하는. **~freund** *m.* 진보주의자. **~glaube** *m.* 진보에 대한 신념. **~gläubig** *a.* 진보를〔발전을〕 신봉하는. **~mann** *m.* ↑ ~freund. **~partei** *f.* 〖史〗 진보당(프로이센의 정당, 1861-84).
fort⸗|schwatzen *i.* (h.) 계속 잡담하다〔지껄이다〕. **~|schwemmen** *t.* (물결이) 씻어 내리다; 〖비유〗 (격렬한 감정 등이) 몰아치다: die Freude hat sie völlig fortgeschwemmt 그녀는 완전히 기쁨에 휩싸였다. **~|schwimmen*** *i.* (s.) ① 헤엄쳐 (나아)가다. ② 물길에 떠내려가다. **~|segeln** *i.* (s.) ① 돛단배를 타고 떠나가다. ② 〖반어〗 (여러 사람 앞에서) 으스대며 떠나가다. **~|sehnen** 《Ⅰ》 *t.* (다른 어느 곳을) 동경하다. 《Ⅱ》 *refl.* sich ~ 떠나고 싶어하다, 먼 곳〔고향〕을 그리워하다. **~|sein*** *i.* (s.) 사라지고〔가고〕 없다, 부재(不在) 중이다. **~|senden**(*) *t.* 보내다. **~|setzen** 《Ⅰ》 *t.* ① 딴 곳으로 옮기다; 제거하다, 치우다. ② 계속〔속행〕하다; 계승하다: das Spiel ~ 경기를 속행하다; nicht ~ 중지하다. 《Ⅱ》 *refl.* sich ~ 계속〔연장〕되다: derselbe Fehler setzt sich jetzt in anderen Bereichen fort 같은 잘못이 이제 다른 영역에서 계속된다. 《Ⅲ》 **fortgesetzt** *p.a.* ↑ fortgesetzt.
Fortsetzer *m.* -s, - 계승자, 상속자, 계속하는 사람.
***Fortsetzung** *f.* -en 계속, 속행; 확장, 연장; 연속물, 속편: ein Roman in ~en 연재 소설; ~ folgt 다음 권〔호〕에 계속; ~ von Seite 2 2쪽에서 계속.
Fortsetzungs·roman *m.* 연재 소설.
fort⸗|singen* *i.* (h.) 계속 노래하다. **~|sollen*** *i.* (h.) 〖구어〗 떠나지〔가지〕 않으면 안 되다, 가라는 명을 받다: soll ich schon fort? 내가 벌써 가야 됩니까? **~|spielen** *i.* (h.) 계속해서 놀다; 〖음악〗 계속 연주하다. **~|spinnen*** 〖雅語〗 《Ⅰ》 *t.* 풀어나가다; 계속 잣다: ich will den Gedanken jetzt nicht mehr ~ 나는 이제 그 생각을 더 이상 (계속)하고 싶지 않다. 《Ⅱ》 *i.* (h.) 계속 잣다. 《Ⅲ》 *refl.* 〖비유〗 sich ~ (이야기가) 전개〔계속〕되다. **~|sprechen*** *i.* (h.) 계속 이야기하다. **~|sprengen** 《Ⅰ》 *i.* (s.) 〖雅語〗 질주하여 가 버리다: sie schwangen sich auf ihre Pferde und sprengten fort 그들은 날렵하게 말 위에 타더니 질주하여 가 버렸다. 《Ⅱ》 *t.* 폭파하여 제거하다. **~|springen*** *i.* (s.) 뛰어가 버리다. **~|spülen** *t.* ① 휩쓸어가다: ganze Hütten wurden von der Flut fortgespült 오두막집들이 모두 홍수에 휩쓸려갔다. ② 씻어내다: 〖비유〗 die Sorgen durch Alkoholgenuß ~ 근심을 술로 씻어내다. **~|stecken**(*) *t.* (다른 곳에) 감추어 치우다; 호주머니에 넣다. **~|stehlen*** *refl.* sich ~ 슬쩍 사라지다〔달아나다〕. **~|stellen** *t.* 옮기다, 제거하다, 치우다. **~|stoßen*** *t.* ① 밀어 보내다〔제치다〕; 〖비유〗 배척〔반발〕하다, 물리치다. ② 계속 (떠)밀다; 밀어 제치고 나아가다. **~|streben** *i.* (h.) 떠나려 애쓰다. **~|strömen** *i.* (s.) 흘러가 버리다; 계속 흐르다. **~|stürmen** *i.* ① (h.) 〖시어〗 계속 날뛰다, (폭풍이) 휘몰아치다: es stürmt noch fort 폭풍이 맹위를 떨치고 있다. ② (s.) 질주하여 가 버리다. **~|stürzen** *i.* (s.) 허둥지둥 가 버리다; 튀어나오다. **~|taumlen** *i.* (s.) 비틀거리며 떠나가다〔사라지다〕. **~|toben** *i.* (h.) 계속 광란하다〔부르짖다〕. **~|tönen** *i.* (h.) 계속 울리다. **~|traben** *i.* (s.) (말이) 빠른 걸음으로 달려가 버리다; (h.) (말이) 계속 달리다. **~|tragen*** *t.* 운반해 가다; 계속 나르다. **~|träumen** *i.* (h.) 꿈을 계속 꾸다. **~|treiben*** 《Ⅰ》 *t.* ① 쫓아내다, (소·말 등을) 몰아내다; 앞으로 밀어내다, 〖기계〗 추진하다: ihn aus dem Haus ~ 그를 집에서 쫓아내다; die Strömung treibt das Boot fort 물의 흐름을 타고 배가 나아간다. ② 계속하다; 계속해 나가다; die Gruppe trieb ihr Unwesen fort 그 무리는 계속 행패를 부렸다. 《Ⅱ》 *i.* (s.) 물결에 떠가다, 표류해 가다: das Boot treibt auf den Wellen fort 배가 물결에 떠간다.
Forttrieb *m.* -(e)s 몰아냄; 속행.
fort⸗|trinken* 《Ⅰ》 *t.* 깡그리 마시다. 《Ⅱ》 *i.* (h.) 계속 마시다. **~|trollen** *i.* (s.) / *refl.* (sich) ~ ① 급히 사라지다, 도주하다; 종종걸음으로 달려가다. ② 슬며시 사라지다. **~|tun*** *t.* 〖구어〗 제거하다; 치우다: tu deine Bücher fort! 네 책들을 치워라! **~|üben** *t.* 계속 연습하다.
Fortuna [fɔrtúːna] 《lat. fors》 *f.* 〖그리스신화〗 행운의 여신: ihm lächelt ~ 행운의 여신이 그에게 미소짓는다.
Fortune [fɔrtýːn] *f.* 성공, 행운.
Fortüne [..týːnə] *f.* ↑ Fortune.
fort⸗|wachsen* *i.* (s.) 〖雅語〗 계속 자라다, 증대하다; 번영〔번성〕하다. **~|wagen** *refl.* sich ~ 감히 떠나다, 용단을 내려 나아가다. **~|währen** *i.* (h.) 존속〔지속〕하다, 지탱하다.
***fortwährend** 《Ⅰ》 *p.a.* 영속〔지속〕하는, 끊임없는. 《Ⅱ》 *adv.* 지속적으로, 번번이; 영구히.
fort⸗|wälzen 《Ⅰ》 *t.* 굴려 운반하다〔치우다〕: ein Faß ~ 통을 굴려 운반하다. 《Ⅱ》 *refl.* sich ~ 계속 회전하다; 계속 나아가다〔굴러가다·흘러가다〕. **~|wandeln** *i.* (s.) 〖시어·고어〗 계속 거닐다. **~|wandern** *i.* (s.) ① 걸어가 버리다; 출발하다; 이주하다. ② 방랑을 계속하다. **~|wehen** 《Ⅰ》 *t.* 불어 없애다. 《Ⅱ》 *i.* (h.) (바람이) 계속 불다. **~|weinen** *i.* (h.) 계속 울다. **~|weisen*** *t.* 〖雅語〗 쫓아 버리다; 해고하다. **~|werfen*** 《Ⅰ》 *t.* 내던지다, 포기하다. 《Ⅱ》 *refl.* 〖비유〗 sich ~ : 천하게〔값싸게〕 굴다. **~|wirken** *i.* (h.) 활동〔작용〕을 계속하다; 계속 영향을 미치다. **~|wischen** *t.* 닦아 없애다. **~|wollen*** *i.* (h.) 〖구어〗 떠나려 하다; 앞으로 나아가려 하다: es will mit ihm nicht mehr fort 그는 더 이상 꼼짝할 수가 없다. **~|wünschen** 《Ⅰ》 *t.* 떠나주기를 바라다: sie wünschte oft ihre ganze Familie fort 그녀는 자주 자신의 가족이 모두 떠나주기를 바랬다. 《Ⅱ》 *refl.* sich ~ 떠나고 싶어하다: manchmal wünsche ich mich fort 종종 나는 떠나고 싶어진다. **~|wursteln** *i.* (h.) 〖구어〗 날림으로 하다, 어리석은〔졸렬한〕 방법으로 해나가다: sie wursteln immer so fort 그들은 여전히 구태의연한 방법으로 일한다. **~|zerren** *t.* 끌어 가 버리다. **~|zeugen** 《Ⅰ》 *t.* 연이어 낳다; 번식하

다. 《Ⅱ》 *i.* (h.) 〖雅語〗 계속 작용하다, 계속 영향을 미치다. ~|**ziehen*** 《Ⅰ》 *t.* ① 끌고 가 버리다. ② 계속 끌다. 《Ⅱ》 *i.* (s.) ① 떠나다, 출발하다; 이사〔이주〕하다; (새 등이) 이동하다. ② (군대 등이) 전진하다; 계속 행진하다; (구름 등이) 흘러가 버리다: seines Weges ~ (묵묵히) 자신의 길을 가다.

Fortzug *m.* -(e)s 떠남, 출발; 이전.

***Forum** [fó:rum] 《lat.》 *n.* -s, ..ren/..ra ① (고대 로마의) 광장(시장이나 법정으로 이용됨). ② 법원, 법정; 판사석; 재판 관할. ③ (**a**) 〖비유〗 심판, 논단, 재판 기관: vor dem ~ der Öffentlichkeit 여론의 심판 앞에. (**b**) 공개 토론. ④ 〖비유〗 영역, 분야, 직분: das gehört nicht vor mein ~ 그것은 내 직분 밖의 일이다.

Forums=diskussion *f.* 공개 토론. **~gespräch** *n.* ↑ ~diskussion.

Forward [fɔ́:wəd] 《engl.》 *m.* -(s), -s 〖구기〗 (schweiz.) 공격수, 포워드.

forzando [fɔrtsándo] 《it. forza》 *adv.* 〖음악〗 (sforzando) 힘을 주어, 세게(약어: fz.).

forzato [fɔrtsá:to] *adv.* 〖음악〗 (sforzato) 특히 강하게, 세게.

Fosbury-Flop [fɔ́sbəriflɔp] 《engl.》 *m.* -s, -s ① 배면(背面)뛰기(기법): im ~ springen 배면뛰기하다. ② 배면뛰기〔도약〕.

Fose [fó:zə] *f.* -n 〔비속〕 매춘부, 갈보.

Foße [fó:sə] *f.* -n (ndd.) 〖카드〗 약한 패, 껍데기패.

fossil [fɔsí:l] 《lat.》 *a.* 화석의; 태고의; 〔비유〕 낡아 빠진, 시대에 뒤진: ~er Brennstoff 화석 연료; ein ~es Automobil 낡은 자동차.

***Fossil** *n.* -s, -ien [..liən] 화석, 광물; 〔비유〕 시대에 뒤진 사람; 낡은 물건.

Fossilien=beschreibung *f.* 화석학. **~bildung** *f.* 화석화, 화석 형성. **~haltig** *a.* 화석을 함유〔산출〕하는. **~kenner** *m.* 화석학자. **~kunde** *f.* 화석학. **~kundige*** *der/die* ↑ ~kenner. **~lehre** *f.* ↑ ~kunde. **~werden** *n.* ↑ ~bildung.

fossilisieren [fɔsilizí:rən] *i.* (s.) 화석화하다.

fötal [føtá:l] 《lat.》 *a.* 〖醫〗 (특히 3 개월 이상 된) 태아의.

***Foto**[1] [fó:to] *n.* -s, -s 〔(schweiz.) *f.* -s〕 ↑ Fotografie.

Foto[2] *m.* -s, -s 〔구어〕 ↑ ~apparat.

foto.. 新정서 ⇦ photo..

Foto=album *n.* 사진첩. **~amateur** [..trø:r] *m.* 사진 애호가, 아마추어 사진사. **~apparat** *m.* 사진기. **~artikel** *pl.* 사진용품. **~atelier** *n.* 사진 작업실. **~finish** *n.* 〖스포츠〗 (골인 순간의) 사진 판정.

fotogen [fotogé:n] *a.* 사진이 잘 받는.

Fotogenität [..gentitɛ́:t] *f.* 사진이 잘 받음.

Fotograf [..grá:f] *m.* -en, -en 사진사.

***Fotografie** [..grafí:] *f.* -n [..fí:ən] ① (**a**) 사진(기)술. (**b**) (영화의) 촬영술. ② 사진: ~ in Farben 컬러 사진; eine ~ von jm. machen 누구의 사진을 찍다.

***fotografieren** [..grafí:rən] 《Ⅰ》 *t.* ① (…의) 사진을 찍다, 사진 촬영하다: seine ganze Familie ~ 가족 사진을 찍다. ② (사진으로) 제작하다: diese Aufnahme ist besonders gut fotografiert 이 사진은 특히 잘 찍혔다. 《Ⅱ》 *i.* (h.) 사진 찍다: mit Blitzlicht ~ 플래시를 터뜨려 사진 찍다. 《Ⅲ》 *refl.* sich ~ 사진이 잘 받다: dieses Modell fotographiert sich gut 이 모델은 사진이 잘 받는다.

Foto=industrie *f.* 사진 산업. **~kopie** *f.* 사진(에 의한) 복사: von einem Aufsatz eine ~ anfertigen 논문을 한 부 복사하다. **~kopier·automat** *m.* 복사기. **~modell** *n.* ① 사진 모델. ② 〔은폐〕 매춘부. **~montage** *f.* 사진 몽타주; 몽타주 사진. **~realismus** *m.* 〖畫〗 사진 사실주의. **~reporter** *m.* 사진 기자. **~safari** *f.* 사진 촬영 여행. **~satz** *m.* 〖印〗 사진 식자, 사식; 사진 식자 조판.

Fotothek [fo:toté:k] *f.* -en 사진 자료실.

fototrop *a.* 〖物·광학〗 (안경알이) 빛에 의해 변색되는.

Fötus [fǿ:tus] 《lat.》 *m.* -(ses), -se/..ten (3 개월 이상의) 태아.

Fotze [fɔ́tsə] *f.* -n 〔비속〕 ① 씹, 보지. ② (욕설로) 년: diese blöden ~n 이런 멍청한 년들. ③ (bayr., öst.) (**a**) 따귀. (**b**) 주둥이, 아가리.

Fötzel [fœ́tsəl] *m.* -s, - (schweiz.) 건달, 놈팽이.

fotzen [fɔtsən] *t.* 〔비속〕 (bayr., öst) 따귀때리다.

Foucault [fukó:, (frz.) fukó] Léon ~ 푸코 (프랑스의 물리학자, 1819-68).

Foucault-Pendel *n.* 〖역학〗 (지구 자전을 증명하는) 푸코의 추〔진자〕.

Foucaultsch [fú:ko:ʃ] *a.* 〖物〗 der ~e Pendelversuch 푸코 진자의 실험.

Foucault·strom *m.* 푸코〔와동(渦動)〕 전류.

foul [faul] 《engl.》 *a.* 〖스포츠〗 파울〔반칙〕의.

Foul 《engl.》 *n.* -s, -s 〖스포츠〗 파울, 반칙.

Foulard [fulá:r] 《frz.》 *m.* -s, -s ① 〖섬유〗 풀라르(엷은 비단의 일종); 비단 스카프. ② (표백·염색 등을 위한) 직물 (가공용) 기계.

Foulé [fulé:] 《frz.》 *m.* -(s), -s 〖섬유〗 광택 있는 부드러운 모직물.

Foul·elf·meter *m.* 〖축구〗 페널티 킥.

foulen [fáulən] *t./i.* (h.) 〖스포츠〗 반칙하다: der Spieler wurde hart gefoult 그 선수는 심한 반칙을 당했다.

Fourage [furá:ʒə] *f.* 〖軍·구식〗 (Furage) 군량; 말먹이.

Fourgon [furgɔ̃:] 《frz.》 *m.* -s, -s 〔고어〕 짐수레, 화차; 〖軍〗 (schweiz.) 군수 화물차; 〔구식〕 (öst.) 영구차.

Fourier [furí:r] 《engl》 *m.* -s, -e 〖軍·옛뜻〗 보급 하사관(Furier).

Foxterrier [fɔ́kstɛriər] 《engl.》 *m.* -s, - 폭스테리어(영국산(産) 애완용 개의 일종).

Foxtrott [..trɔt] 《engl.》 *m.* -(e)s, -e/-s 폭스트롯(미국에서 유행하기 시작한 4 분의 4 박자의 사교춤).

foxtrotten *i.* (h.) 폭스트롯을 추다.

Foyer [foajé:] 《frz.》 *n.* -s, -s (극장 등의) 휴게실, 로비, 대기실; 문간방.

FPÖ =Freiheitliche Partei Österreichs 오스트리아 자유당(Die Freiheitlichen).

Fr. ① =Francium 〖化〗 프란슘. ② =Freitag 금요일. ③ =Friedrich. ④ 프랑(스위스의 화폐 단위).

fr.[1] ① =frei 무료의. ② =frankiert 우편 요금 지급필의.

fr.[2] =Franc 프랑(화폐 단위).

Fra [fra] 《it. frate, „Bruder"》 *m.* - 수도사(이름 앞에만 붙임): ~ A 수도사 A.

***Fracht** [fraxt] *f.* -en ① (화물) 운송비, 운임: die ~ beträgt 100 DM 운임은 100 마르크다. ② 화물, 짐: die ~ einladen〔ausladen〕 화물을 싣다〔하역하다〕. ③ 짐싣기, 선적, 적화(積貨); 운송: in ~ geben 짐을 싣다; ein Schiff in ~ nehmen 용선(傭船)하다.

Fracht≈aufschlag *m.* 운송비 상승; 할증〔가산〕 운임. **~aufseher** *m.* 선화(船貨) 관리인.

frachtbar *a.* 운송할 수 있는.

Fracht≈bedingungen *pl.* 운송 조건. **~besorger** *m.* 운송업〔해운업〕자. **~brief** *m.* ①〖經〗(운)송장(送狀), 선화 증권. ②〖비유·구어〗(체류지 등을 규정한) 가석방증. **~buch** *n.* 적화 목록. **~dampfer** *m.* 화물선. **~empfänger** *m.* 화물 수취인.

frachten [fráxtən] 《<Fracht》 *t.* 운송하다.

Frachten·ausschuß *m.* 〖經〗 내륙 수로 화물 수송 위원회.

Frachter *m.* -s, - ① 화물선. ② ↑ Frächter.

Frächter [fréç..] *m.* -s, - ① 화주(貨主), 화물 발송인. ② (화물) 운송업자.

fracht·frei *a.* 〖經〗 운송비 무료의; (파는 측의) 운송비 선납의.

Fracht≈fuhre *f.* 짐마차. **~führer** *m.* 화물 운송업자. **~fuhr·mann** *m.* 짐마차꾼. **~fuhr·werk** *n.* 짐마차; (öst.) 화물차. **~gebühr** *f.* ↑ Fracht ①. **~geld** *n.* ↑ Fracht ①. **~geschäft** *n.* 〖經〗 운송업. **~gut** *n.* 화물, 적화(積貨). **~handel** *m.* 운송업. **~kontrakt** *m.* ↑ ~vertrag. **~kosten** *pl.* (화물) 운송비, 운임. **~liste** *f.* 적화〔선화〕 명세서. **~lohn** *m.* 운임. **~makler** *m.* 화물〔해운·선적〕 중개인. **~pferd** *n.* 짐마차 말. **~post** *f.* 소포 우편. **~preis** *m.* ↑ Fracht ①. **~raum** *m.* (배의) 화물실; 적화 용량. **~satz** *m.* 화물 운임(율). **~schein** *m.* ↑ ~brief. **~schiff** *n.* 화물선. **~stück** *n.* 운송〔포장〕 화물, 짐짝.

Frachtung *f.* -en 선적, 적화; 운송.

Fracht≈verkehr *m.* 화물 운송(업). **~versender** *m.* 화물 발송인, 화주. **~vertrag** *m.* 화물 운송 계약. **~wagen** *m.* 짐수레; 화물차; 〖철도〗 화차. **~zettel** *m.* ↑ ~brief. **~zusatz** ↑ ~zuschlag. **~zuschlag** *m.* 할증〔가산〕 운임.

Frack [frak] 《germ.》 *m.* -(e)s, -s/Fräcke 연미복, 남자의 예복: einen ~ tragen 연미복을 입다; 〖구어·농담〗 ein alter ~ 낡은 옷; 〖비유·구어〗 jm. den ~ voll hauen 누구를 두들겨 패다; 〖비유·구어〗 jm. saust der ~ 누가 몹시 두려워하고 있다; 〖비속〗 sich in den ~ machen〔scheißen〕 a) 과장하여 떠벌리다, b) 매우 부지런하다.

Frack≈anzug *m.* 연미복. **~hemd** *n.* 연미복용 셔츠. **~hose** *f.* 연미복 바지. **~sausen** *n.* 〖다음 용법으로만〗〖구어〗 ~ haben〔bekommen〕 두려워하다: als die Polizei kam, hatte er ~ 경찰이 오자 그는 겁에 질렸다. **~schoß** *m.* 연미복의 꼬리. **~weste** *f.* 연미복용 조끼. **~zwang** *m.* 연미복 착용 의무: bei diesem Empfang besteht ~ 이 환영 파티에는 반드시 연미복을 착용해야 한다.

Fra Diavolo [fra: diá:volo] 《it., „Bruder Teufel"》 *m.* ① 프라 디아볼로(이탈리아의 도둑 두목 Michele Pezza [mikεle péttsa]의 별명). ② 프라 디아볼로(주인공이 프라 디아볼로인 Daniel Auber의 오페라).

***Frage** [frá:gə] *f.* -n ① (↔ Antwort) 물음, 질문, 문의, 조회: eine ~ bejahen〔verneinen〕 질문을 긍정〔부정〕하다; an jn. eine ~ richten〔stellen, tun〕 누구에게 질문하다; eine ~ beantworten 〔auf eine ~ antworten〕 질문에 답하다; in Form von ~ und Antwort 문답체로. ② 문제, 현안; 논제, 논쟁점; 의문(점), 의심: die brennende〔soziale〕 ~ 초미의〔사회〕 문제; das ist noch sehr die ~ 그것은 정말 문제다; außer ~ sein〔stehen〕 문제가 되지 않다, 의문의 여지가 없다; nicht bei der ~ stehen 본제를 벗어나 있다; in ~ kommen 문제가 되다, 논의되다; der in ~ stehende Punkt 문제점; in ~ stellen〔ziehen〕 문제삼다, 이의를 제기하다; das kommt nicht in ~ 그것은 문제가 되지 않는다, 고려되지 않는다; ohne ~ 의심없이, 물론, 확실히; es ist keine ~ 확실하다; es ist noch die ~, ob... …은 아직 의문이다. ③〖法〗 (gerichtliche) ~ 신문, 문초. ④〖商〗 (Nachfrage) 수요: es ist viel ~ nach Zucker 설탕의 수요가 많다. ⑤ 카드 놀이의 일종.

Frage≈bogen *m.* 설문지: füllen Sie bitte diesen ~ aus! 이 설문지에 기재 사항을 적어 주시기 바랍니다! **~buch** *n.* 문답서, 문제집. **~für·wort** *n.* 의문 대명사(Interrogativpronomen). **~kasten** *m.* (신문·잡지 등의) 통신란. **~lehrer** *m.* 문답 지침서. **~liste** *f.* ↑ ~bogen.

***fragen**(*) [frá:gən] 《<Frage》《Ⅰ》 *t.* ① 묻다, 질문하다: jn. neugierig ~ 누구에게 호기심에 차서 묻다; jn. 〔von jm.〕 et. ~ 누구에게 무엇을 묻다; jn. nach der Zeit ~ 누구에게 시간을 묻다; jn. wegen der Miete ~ 임대료 때문에 누구에게 문의하다; jn. als Zeugen ~ 누구를 증인(으로) 신문하다. ② 구하다, 청하다, 부탁하다: einen Arzt 〔das Wörterbuch〕 um Rat ~ 의사에게 상담하다〔사전을 찾아보다〕; jn. um Auskunft ~ 누구에게 문의하다. ③〖商〗 수요가 있다: Metalle werden nicht mehr gefragt 금속은 더 이상 수요가 없다; Kritikfähigkeit ist heute nicht mehr gefragt 비판 능력은 오늘날 더 이상 요구되지 않는다. 《Ⅱ》 *i.* (h.) ① (…에 관하여) 문의하다: nach jm. ~ a) 누구를 방문하다, 만나고 싶다고 말하다, b) 누구의 일을 묻다; nach et.³ ~ 무엇에 관하여 묻다; nach dem Preis〔Weg〕 ~ 값〔길〕을 묻다; nach js. Befinden ~ 누구의 안부를 묻다. ②〖비유〗 nach jm.〔et.³〕 ~ 누구를〔무엇을〕 염려하다, 중(요)시하다: ich frage nichts〔viel〕 danach 나는 그것을 아무렇지도 않게 여긴다〔그것이 몹시 꺼림칙하다〕; 〖구어〗 was frag' ich nach ihm? 그에 관해서 내가 아랑곳할 게 무어야? 《Ⅲ》 *refl.* sich ~ ①〖결과를 나타내어〗 sich nach einem Ort hin ~ 길을 물어서 어느 곳에 이르다; sich matt 〔heiser〕 ~ 지치도록〔목이 쉬도록〕 질문하다. ② 자문(自問)〔숙고〕하다: ich frage mich, ob... 나는 …인가 아닌가 자문해 본다. 《Ⅳ》 *imp.* es fragt sich um et. 무엇이 의문이다, 문제다. 《Ⅴ》 **gefragt** *p.a.* gefragt.

fragend *p.a.* 질문의, 의문의: ~e Blicke 묻고 싶어하는 듯한 눈; in ~em Ton 의아스러운

듯한 말투로.

Fragen≈katalog *m.* 질문 사항 목록. **~-komplex** *m.* ↑ ~kreis. **~kreis** *m.* 복합적인 문제, 문제의 범주: dieses Problem gehört zum ~ „Schule" 이 문제는 "학교"라는 문제의 범주에 속한다.

fragens·wert *a.* 질문할 가치가 있는.

Frage·punkt *m.* 의문〔문제〕점; 질문 사항.

Frager *m.* -s, - 질문자; 신문자.

Fragerei [fra:gəráı] *f.* 귀찮은〔성가신〕 질문.

Frage≈recht *n.* 〚法〛 질문〔심문〕권. **~satz** *m.* 〚문법〛 의문문. **≈selig** *a.* 질문하기〔캐어묻기〕 좋아하는. **~steller** *m.* ① 질문자. ② 인터뷰 기자, 면담하는 사람. **~stellung** *f.* 질문, 문제 제기; 〚문법〛 의문체. **~stück** *n.* ↑ ~punkt. **~stunde** *f.* 〚의회〛 질의 시간. **≈-süchtig** *a.* ↑ ≈selig.

Frage-und-Antwort-Spiel *n.* 문답 게임; 퀴즈 콘테스트.

Frage≈unterricht *m.* 문답식 수업. **~weise** *f.* 질문법; 문답 교수법. **≈weise** *adv.* ↑ fragweise. **~wort** *n.* 〚문법〛 의문사. **~-zeichen** *n.* ① 물음표(?): ein ~ setzen 의문부를 붙이다; aussehen wie ein lebendiges ~ 도무지 모르겠다는 표정을 짓다. ② 물음표 모양: 〚비유·구어〛 sitz doch nicht da wie ein ~! 거기서 그렇게 삐딱한 자세로 앉아 있지 마라!

fragil [fragí:l] *a.* 〚교양〛 부서지기 쉬운, 연약한, 유약한.

Fragilität [..gilitɛ́:t] *f.* 〚교양〛 부서지기 쉬움, 연약, 유약.

fraglich [frá:klıç] *a.* ① 문제되는; 불확실한, 미결의: es ist noch ~, ob sie mitkommt 그녀가 같이 올지는 아직 확실치 않다. ② 문제의, 해당된: zur ~en Zeit war er nicht zu Hause 문제된 시간에 그는 집에 없었다.

Fraglichkeit *f.* -en 불확실성, 모호성.

fraglos *adv.* 의심할 바 없이, 확실히.

Fraglosigkeit *f.* 확실, 틀림없음.

Fragment [fragmɛ́nt] *n.* -(e)s, -e ① (Bruchstück) 단편, 조각. ② 미완성 작품, 〚문학〛 단편, 단장(斷章). ③ 〚조각〛 토르소. ④ 〚醫〛 골편(骨片).

fragmentarisch [..mɛntá:rıʃ] *a.* 단편적인; 미완의, 불완전한; 단편〔단장〕의.

Fragmentist *m.* -en, -en 미완성 작품의 작자〔간행자〕.

Fragner [frá:gnər] *m.* -s, - (bayr., öst.) 소매 상인, 식료품 상인.

Fragnerei [fra:gnəráı] *f.* 소매점, 식료품점.

frag≈weise [frá:k..] *adv.* 질문 형식으로, 문답체로; 〚문법〛 의문체로. **~würdig** *a.* ① 의심스러운. ② 수상쩍은, 평이 나쁜. **≈wür-digkeit** *f.* 의심스러움, 수상함.

frais [frɛ:s] 《frz.》 *a.* 딸기색의.

Frais [fraıs] *m.* -es, -en [..zən] 〚醫〛 (obd.) ① (Krampf) 경련, 발작. ② 〚복수〛 (아기의) 경기: in die ~en fallen 매우 놀라다.

Fraisen≈anfall [fráızən..] *m.* 경련〔경기〕의 발작. **~kraut** *n.* 〚植〛 꼬까오랑캐꽃.

fraislich [fráıs..] *a.* 〚고어〛 무서운.

***Fraktion** [fraktsió:n] 《lat. frangere》 *f.* -en ① 〚구식〛 단편, 파편; 부분, 부문. ② 〚數〛 분수; 평균; 〚化〛 (분별 증류의) 유분(溜分); (광선의) 굴절. ③ (a) 〚政·法〛 원내 교섭 단체, 정파, 당파: eine ~ bilden (원내) 교섭 단체를 구성하다. (b) 계파, 분파: eine sozialistische ~ in der Gewerkschaft 노동 조합 내의 사회주의 계파. ④ (öst.) 시골 행정 구역.

fraktionell [fraktsionɛ́l] *a.* 원내 교섭 단체의, 정파〔계파〕의: die ~e Gruppe der regierenden Partei 여당의 원내 교섭 단체.

Fraktionier·apparat [..ní:r..] *m.* 〚化〛 분별증류기.

fraktionieren [..ní:rən] *t.* ① 〚化〛 분별(증류)하다. ② (단체 내에) 분파를 만들다, (단체를) 분열시키다: der Geheimdienst versuchte, die Befreiungsbewegung zu ~ 정보 기관은 독립 운동을 분열시키려는 시도를 했다.

Fraktions≈ausschuß *m.* 원내 교섭 단체 위원회, (조직 내의) 계파 위원회. **~berech-nung** *f.* 평균 계산. **~beschluß** *m.* 〚政〛 원내 교섭 단체의 의결 (사항). **~bildung** *f.* 〚政〛 계파의 형성. **~disziplin** *f.* 〚政〛 원내 교섭 단체의 규율. **~führer** *m.* 〚政〛 원내 총무. **~geist** *m.* 당파심; 도당(徒黨) 근성. **~mitglied** *n.* 원내 교섭 단체 소속 의원. **~sitzung** *f.* 〚政〛 원내 교섭 단체 회의, 의원 총회. **~stärke** *f.* ① 원내 교섭 단체 구성에 필요한 정족 의원수. ② 원내 교섭 단체 소속 의원수. **~vorsitzende*** *der/die* 〚政〛 원내 교섭 단체의 장. **~vorstand** *m.* 원내 교섭 단체의 의장단. **~zwang** *m.* 의원 총회의 결의에 따라 표결해야 하는 소속 의원의 의무.

Fraktur [fraktú:r] *f.* -en ① 〚醫〛 골절. ② 〚印〛 독일식 글자체〔고딕체〕(↔ Antiqua): ~ reden a) 분명하게 말하다, b) 호되게 꾸짖다; in ~ setzen 독일식 고딕체로 식자하다.

Fraktur≈buch·stabe *m.* 독일식 글자체의 문자〔자모〕. **~satz** *m.* ① 독일식 고딕체로 인쇄된 본문. ② 독일식 고딕체 식자. **~schrift** *f.* 독일식 고딕체 문자.

Frambösie [frambøzí:] 《frz.》 *f.* -n [..zí:ən] 〚醫〛 (피부병의 일종인) 딸기종(腫).

Frame[1] [frá:mə] *f.* -n 고대 게르만의 창(槍).

Frame[2] [fre:m, freım] 《engl.》 *m.* -n, -n 〚기계〛 (차량·배 등의) 뼈대, 골격; 틀.

***Franc** [frã:] 《frz.》 *m.* -, -s [frã:] 프랑(화폐 단위; 1 ~ =100 Centimes) (약어: fr; *pl.* frs) (Frank): französischer ~ 프랑스 프랑 (약어: F, FF); belgischer ~ 벨기에 프랑(약어: bfr; *pl.* bfrs); Luxemburger ~ 룩셈부르크 프랑(약어: lfr; *pl.* lfrs).

Française [frãsɛ́:zə] 《frz.》 *f.* -n 프랑세즈(8분의 6 박자의 프랑스 사교춤).

Franchise[1] [frãʃí:zə] 《frz.》 *f.* -n ① 〚구식〛 자유로움; 솔직. ② 〚구식〛 면세; 관세 면제, (항공 여객의) 무임 (휴대) 수화물. ③ 〚보험〛 배상되지 않는 소액 손해(의 비율).

Franchise[2] [frǽntʃaız] 《engl.》 *n.* - ↑ Franchising.

Franchising [frǽntʃaızıŋ] 《engl.》 *n.* -s 〚經〛 독점 판매권; 총판권.

Francium [frántsium] *n.* -s 〚化〛 프란슘(방사성 원소; 기호: Fr.).

frank [fraŋk] 《frz.》 *a.* 자유로운, 개방적인, 솔직한: 〚대개 다음 용법으로〛 ~ und frei 솔직하게, 숨김없이.

Frankatur [fraŋkatú:r] 《it.》 *f.* -en ① 우편 요금 선납. ② (우편물에 붙인) 우표.

Franke [fráŋkə] *m.* -n, -n ① 프랑크족(서게

르만 종족). ② 프랑켄 지방의 주민. ③ (서아시아인이 부르는) 유럽인. ④〔시어〕프랑스인.

Franken[1] [fráŋkən] 프랑켄 지방(라인·마인·네카어강 연안); 〔시어〕 프랑스.

Franken[2] *m.* -s, - 프랑(스위스의 화폐 단위) (1 ~ =100 Rappen) (약어: Fr, sFr, sfr; *pl.* sfrs).

Franken≈land *n.* 프랑켄 지방; 〔시어〕프랑스. **~reich** *n.* 〖史〗 프랑크 제국. **~stück** *n.* 프랑화(貨) 동전.

Frankenwald 프랑켄발트(독일의 산지).

Franken·wein *m.* 프랑켄 지방의 포도주.

Frankfurt [fráŋkfurt] 프랑크푸르트(독일 중부의 도시): ~ am Main 마인 강변의 프랑크푸르트(약어: ~ a.M.).

Frankfurter 《I》 *m.* -s, - 프랑크푸르트 시민. 《II》 *f.* 〔대개 복수〕 프랑크푸르트 소시지. 《III》 *a.* 프랑크푸르트의: die ~ Schule 프랑크푸르트 학파.

Frankfurter Schwarz *n.* -,- 동판용의 흑색 그림 물감.

frankfurtisch *a.* 프랑크푸르트의.

frankierbar [fraŋkí:rba:r] 《it.》 *a.* 우편 요금을 선납해야 하는, 우표를 붙여야 하는.

frankieren [fraŋkí:rən] 《I》 *t.* (freimachen) 우편 요금을 선납하다, 우표를 붙이다: ist der Brief ausreichend frankiert? 그 편지에 우표를 넉넉하게 붙였어요? 《II》 **frankiert** *p.a.* ↑ frankiert.

frankiert 《I》 *p.p.* ↑ frankieren. 《II》 *p.a.* 우편 요금을 선납한, 우표를 붙인: eine ungenügend ~e Sendung 우표를 넉넉하게 붙이지 않은 우편물.

Frankier·maschine *f.* 우편 요금 자동 소인기.

Frankierung *f.* -en 우편 요금 선납, 우표 붙임; 우편 요금 선납증.

Fränkin [fréŋkın] *f.* -nen ↑ Franke 의 여성형.

fränkisch [fréŋkıʃ] 《<Franke》 *a.* ① 프랑크족의. ② 프랑켄 지방의. ③ (서아시아에서 부르는) 유럽의.

franko [fráŋko] 《it.》 *adv.* 〖經〗 ① (frei) (발송자〔판매자〕의) 우송료 선납으로, 운송료 무료로: ~ (bis) Berlin 베를린까지의 우송료〔운송비〕 선납; die Ware wird ~ geliefert 이 물품은 (운송비) 무료로 배달된다. ② (우편 요금) 수취인 부담으로.

frankofon 新정서 ⇦ frankophon.

Frankofonie 新정서 ⇦ Frankophonie.

Franko·kanadier [fráŋkokana:diər] *m.* -s, - 캐나다의 프랑스어 사용 주민.

franko·kanadisch *a.* 캐나다의 프랑스어 사용 주민의.

Frankomanie [fraŋkomaní:] 《lat.》 *f.* 〖雅語〗 프랑스 숭배〔광(狂)〕.

frankophil [fraŋkofí:l] *a.* 친(親)프랑스의.

frankophon [fraŋkofó:n] *a.* 〔교양〕 프랑스어를 모국어로 사용하는.

Frankophonie [fraŋkofoní:] *f.* 〔교양〕프랑스어를 모국어로 사용함.

***Frankreich** [fráŋkraıç] *n.* 프랑스: 〔속담〕 wie Gott 〔der Herrgott〕 in ~ leben 호화롭게 살다.

Franktireur [frãtirø:r, fraŋktirø:r] 《frz.》 *m.* -s, -e/ (frz.) -s (프로이센·프랑스 전쟁 때의) 프랑스 의용병.

Fränschen [frénsçən] *n.* -s, - 〘↑ Franse 의 축소형〙 작은 술(장식).

Franse [fránzə] 《frz.》 *f.* -n 술, 테, 술〔테〕장식: ein mit ~n besetztes Tuch 술 장식이 달린 수건; 〔비유〕 in die ~n gehen 해체되다, 닳아 없어지다.

fransen [fránzən] 《I》 *t.* 술(장식)을 달다. 《II》 *i.* (s.) 보풀이 일다, (천 등의 가장자리가) 너덜거리다: der Stoff franst leicht 그 옷감은 보풀이 쉽게 인다. 《III》 **gefranst** *p.a.* ↑ gefanst.

Fransen≈besatz *m.* 술(장식) 가장자리. **~macher** *m.* 술 장식 제조인.

fransicht *a.* ↑ fransig.

fransig [fránzıç] 《<Franse》 *a.* 술(장식)이 있는; 술 모양의; 보풀이 인, 너덜너덜한: 〔비유·구어〕 sich³ den Mund ~ reden 설득하느라 입만 닳다.

Franz[1] [frants] *m.* 〘↑ Franziskus 의 단축형〙 프란츠(남자 이름).

Franz[2] *m.* -en, -en 〔농담〕 관찰자; 〖空〗 항법사, 정찰 요원.

Franz[3] *n.* 〘↑ Französisch 의 단축형〙〔학생·은어〕 프랑스어(과목).

Franz≈apfel *m.* 사과의 일종. **~band** *m.* 〔복수: ..bände〕〖제본〗 송아지 가죽 장정(의 책); 프랑스식 가죽 장정. **~baum** *m.* 왜(矮)과수, 울타리용 과실 나무. **~brannt·wein** *m.* ① (포도로 만든) 프랑스 브랜디. ②〖醫〗 묽은 알코올과 아세트산 에테르를 혼합하여 류머티즘 등에 바르는 약. **~brot** *n.* 프랑스의 작고 흰 빵. **~brötchen** *n.* 프랑스식 작은 덩어리 빵.

Franze [frántsə] 《I》 *f.* -n 〔고어〕 ↑ Franse. 《II》 *m.* -n, -n 〔폄어〕 프랑스놈, 프랑스인.

franzen [frántsən] *t.* ①〖모터스포츠〗 (조수로 동승하여) 경주 구간의 정확한 상황을 말해주다. ②〔비유·구어〕 데려다주다: ich franze dich durch die Stadt zur Autobahnauffahrt 너를 시내를 통과해서 고속 도로 입구까지 데려다 주마. ③ (비행기 등의) (운행) 방향을 지시하다.

Franzer *m.* -s, - 〖모터스포츠〗 경주 구간에 대해 알려 주는 조수.

Franziska [frantsíska] *f.* ① 프란치스카(여자 이름). ② 프랑스인의 옛 전투용 도끼.

Franziskaner [..ká:nər] *m.* -s, - 〖宗〗 프란체스코 수도회의 수도사.

Franziskanerin *f.* -nen 〖宗〗 ↑ Franziskaner 의 여성형.

Franziskaner≈kloster *n.* 프란체스코 수도회 수도원. **~mönch** *m.* ↑ Franziskaner. **~nonne** *f.* ↑ Franziskanerin. **~orden** *m.* 프란체스코 수도회(약어: OFM); (넓은 의미의) 프란체스코파.

Franziskus [frantsískus] *m.* 〔단축형: Franz〕 ① 프란체스코(남자 이름). ② ~ von Assisi 아시시의 성(聖)프란체스코(프란체스코 수도회의 창시자, 1182-1226).

Franzium *n.* -s ↑ Francium.

Franz≈mann *m.* 〔농담〕 프랑스인. **~männisch** *a.* 프랑스인의. **~obst** *n.* 왜수과(矮樹果), 분재과(盆栽果).

***Franzose** [frantsó:zə] *m.* -n, -n ① 프랑스인(남자). ②〔복수〕〔구어〕 ↑ Franzosenkrankheit. ③〖工·구어〗 멍키 스패너. ④〔속

어』 바퀴벌레.
Französelei [frantsø:zəlái] *f.* 〖폄어〗 프랑스풍에 대한 지나친 모방.
französeln [..tsǿ:zəln] *t.*(h.) 프랑스풍을 심하게 모방하다.
franzosen·feindlich *a.* 프랑스에 적대적인.
Franzosen=fresser *m.* 〖경박〗 반프랑스주의자. **~freund** *m.* 친프랑스주의자. **~-freundlich** *a.* 프랑스에 우호적인. **~holz** *n.* 〖植〗 유창목(癒瘡木). **~krankheit** *f.* 〖구어〗 매독(Syphilis의 옛말; 15세기말에 프랑스에서 유럽으로 퍼진 병). **~sucht** *f.* 프랑스광(狂), 프랑스에 대한 열광.
Franzosentum [frantsó:zəntu:m] *n.* -s 프랑스 민족(성); 프랑스 기질〔풍〕.
französieren [..tsøzí:rən] *t.* 프랑스화하다; 프랑스식으로 하다.
französig [..tsǿ:zɪç] *a.* 매독에 걸린.
Französin *f.* -nen 프랑스 여성.
***französisch** [frantsǿ:zɪʃ] *a.* ① 프랑스의, 프랑스인의: die ~e Revolution 프랑스 혁명(1789); die ~e Sprache 프랑스어; 〖비유〗 (auf) ~ Abschied nehmen, sich (auf) ~ empfehlen〔verabschieden, verdrücken〕 작별 인사도 없이 슬쩍 떠나다; 〖구어〗 ~er Kuß 프랑스식 키스(깊은 키스); ~er Verkehr 구강성교. ② 프랑스어의: auf ~ 프랑스어로; die ~e Schweiz 스위스의 프랑스어 사용 지방; ~ sprechen 프랑스어로 말하다. ③ 매독에 걸린.
***Französisch** *n.* -(s) ① 프랑스어: ihr ~ ist gut 그녀의 프랑스어는 훌륭하다. ② 프랑스어 과목〔문학〕: er unterrichtet ~ 그는 프랑스어를 가르친다.
französisch-deutsch *a.* 프랑스·독일의, 프랑스어·독일어의.
Französische* *das* ① 프랑스어: et. aus dem Deutschen ins ~ übersetzen 무엇을 독일어에서 프랑스어로 번역하다. ② 프랑스적인 것.
französisch=-englisch *a.* 프랑스·영국의, 프랑스어·영어의: ~es Wörterbuch 불영 사전. **~-Indochina** (구)프랑스령 인도차이나. **~-Marokko** (아프리카의) 구프랑스령 모로코.
französisieren *t.* ↑ französieren.
Französling [..tsǿ:slɪŋ] *m.* -s, -e 〖구어〗 프랑스풍 애호가.
Franz·wein *m.* 프랑스산(産) 포도주: roter ~ (보르도산(産)) 붉은 포도주.
frappant [frapánt] 《frz.》 *a.* 눈에 띄는, 현저한; 놀라운: die Ähnlichkeit zwischen ihnen ist wirklich ~ 그것들의 유사성은 정말 현저하다.
Frappé[1] [frapé:] *m.* -s, -s 〖섬유〗 무늬가 새겨진 직물.
Frappé[2] *n.* -s, -s 〖요리〗 프라페(얼음·우유·과일의 혼합 음료).
Frappé[3] *n.* -s, -s 〖발레〗 서 있는 발의 발등을 연기하고 있는 발꿈치로 가볍게 때리는 기술.
Frappee 新정서 ⇦ Frappé.
frappieren [..pi:rən] *t.* 〖교양〗 ① 놀라게 하다; 주의를 끌다; 감동시키다: es frappierte mich 나는 놀랐다. ② (술 등을) 차게 하다: der Wein war gut frappiert 그 포도주는 잘 냉각되었다.
Fräs·dorn [frɛ́:s..] *m.* 〖기계〗 (프레이즈축에 연결하는 가시 모양의) 프레이즈 돌기.
Fräse [frɛ́:zə] 《frz.》 *f.* -n ① 〖기계〗 밀링 머신, 절삭기. ② 〖農〗 경운기. ③ 주름깃, 주름장식. ④ 구레나룻.
fräsen [frɛ́:zən] *t.* ① 밀링 머신으로 깎다, 절삭하다. ② 〖農〗 경운기로 (땅을) 갈다. ③ 둥근 주름을 잡다.
Fräser *m.* -s, - 〖기계〗 프레이즈반(盤), 절삭공구; 프레이즈반 기술자, 절삭공.
Fräs·maschine *f.* ↑ Fräse ①.
Fraß [fra:s] 《< fressen》 *m.* -es, -e ① **(a)** (곤충·쥐 따위의) 갉아먹음. **(b)** 〖고어〗 게걸스럽게 먹기; 폭식; 〖비유〗 탐욕. ② 동물의 먹이, 목초; 형편없는 음식: jm. et. zum ~ hinwerfen〔vorwerfen〕 누구에게 무엇을 내맡기다. ③ 〖醫〗 (Knochen~) 골양(骨瘍), 카리에스.
fraß [fra:s] ↑ fressen의 과거형.
fräße [frɛ́:sə] ↑ fressen의 접속법 Ⅱ식.
Fraß=gift *n.* 먹는 살충제. **~spur** *f.* 갉아먹은 자국.
Frate [frá:tə] *m.* -, Frati 〖가톨릭〗 (대개 모음으로 시작되는 이름 앞에 붙는) 수도사의 호칭(보기: ~ Elia).
Frater [frá:tər] 《lat.》 *m.* -s, ..tres 형제; 〖가톨릭〗 수사, (탁발 수도회의) 수도사; 노동 수사.
fraternisieren [fratɛrnizí:rən] *i.*(h.) mit jm. ~ 누구와 교제하다; (특히 병사가 점령지의 여자와) 관계를 맺다.
Fraternität *f.* -en 형제, 우애, 친목; 〖가톨릭〗 형제단.
fratt *a.* (obd.) 다친; 스쳐 벗겨진.
Fratz [frats] 《< Fratze》 *m.* -es/(öst.) -en, -e/(öst.) -en ① 〖폄어〗 버릇없는 애, 불손한 아이. ② 〖구어〗 장난꾸러기 소녀, 말괄량이: ein süßer ~ 귀여운 말괄량이. ③ 교만한 녀석, 잘난 체하는 녀석. ④ 〖구식〗 ↑ Fratze.
Frätzchen [frɛ́tsçən] *n.* -s, - ↑ Fratz, Fratze의 축소형.
Frätzlein *n.* -s, - ↑ Frätzchen.
***Fratze** [frátsə] *f.* -n ① 추한 얼굴, 역겨운 얼굴. ② 〖구어·폄어〗 **(a)** 낯짝: ich kann seine ~ nicht mehr sehen 나는 그의 낯짝을 더 이상 볼 수 없다. **(b)** (낯짝의) 사람: bist du nicht stärker als all die dünnblütigen bleichen ~n? 너는 저 모든 핏기 없고 창백한 사람들 보다야 더 강하지 않느냐? ③ 〖드물게〗 가면, 안면 마스크. ④ 〖구어〗 찌푸린 얼굴: eine ~ schneiden〔machen, ziehen〕 인상을 찌푸리다. ⑤ 〖고어〗 희화, 만화.
Fratzen=bild *n.* 만화, 캐리커처. **~gesicht** *n.* 찌푸린〔혐오스런〕 얼굴, 찡그린 상; 괴상망측한 사람〔물건〕; 〖건축〗 가면(假面) 장식.
fratzenhaft [frátsənhaft] *a.* (얼굴이) 일그러진; 찌푸린; 기괴한.
Fratzen=kopf *m.* ↑ ~gesicht. **~macher** *m.* 찌푸리는 사람. **~maler** *m.* 만화가. **~-schneider** *m.* ↑ ~macher. **~spiel** *n.* ↑ ~stück. **~stück** *n.* 바보짓, 익살극.
fratzig *a.* ↑ fratzenhaft.
***Frau** [frau] *f.* -en (약어: Fr.) ① 여주인, 마님: die ~ des Hauses 안주인. ② 아내: meine ~ 내 아내〔처〕; (sich³) eine ~ nehmen 아내를 얻다; ein Mädchen zur ~ verlangen 어떤 아가씨를 아내로 삼기를 바라다. ③

(↔ Mädchen) 부인, 기혼 여성: junge ~ 젊은 부인, 색시, 신부. ④〖기혼 여성에 대한 호칭〗 ~ Müller 뮐러 부인(夫人); ~ Gräfin 〔Rätin〕 백작〔고문관〕 부인; gnädige ~! 마님, 부인!; Ihre ~ Gemahlin 댁의 부인; Ihre ~ Mutter 자당(慈堂). ⑤〖미혼 여성에 대한 호칭〗 ~ Heinz 하인츠양; ~ Äbtissin 수녀 원장님; große ~ 옛 오스트리아 제 1 황녀 전하. ⑥〖가톨릭〗 Unsere Liebe ~ 성모 마리아. ⑦〖의인적(擬人的) 호칭〗 ~ Sorge 우수(憂愁) 부인; die liebe ~ Fastnacht 그리운 사육제. ⑧ (↔ Mann) **(a)** 여성, 여자, 부인: alte ~ 노파; adlige ~ 귀부인; die weise ~ 조산원(助產員); 〖구어〗 불법 낙태 시술을 하는 여자; ~ Holle 홀레 부인(설화·민간 신앙에 나오는 인물); 〖농담〗 ~ Holle schüttelt die Betten 눈이 온다(홀레 부인이 이불을 털면 눈이 내린다는 동화에서); alle ~en der Welt 전세계의 여성. **(b)** (샘·내·숲 등의) 요정: Meer≈ 바다의 정령; Weiße ~ 사신(死神). ⑨〖植〗 schöne ~ 벨라도나(가짓과); 〖動〗 junge ~ 나비의 일종.

Frau·base *f.* 〖구식〗 친척 부인; 친한 여자 친구; 소문을 퍼뜨리고 다니는 여자.

Frauchen [fráʊçən] *n.* -s, - 〖↑ Frau 의 축소형〗 ① (몸집이) 작은 여자. ② (개의) 여주인. ③〖애칭〗 귀여운 아내; (남편이 아내에게) 여보; 새댁.

Fraudation [fraʊdatsió:n] *f.* -en 사기, 횡령.

fraudieren *t.* 속이다, 기만하다.

fraudulös [..dulǿ:s] *a.* 사기의, 기만의.

Frauen≈abteil *n./m.* 〖철도〗 여성 전용 객실. **~ader** *f.* 〖醫〗 복재(伏在) 정맥. **~alter** *n.* 성년 여자의 연령. **~anwalt** *m.* 여권론자. **~arbeit** *f.* ① 여자의 일. ② 여성의 취업. ③ 여성의 권익을 위한 일. **~arbeits·dienst** *m.* ① 여성 근로 봉사. ② 여성 근로 봉사단. **~arzt** *m.* 산부인과 의사. **~ärztin** *f.* 산부인과 여의사. **~asyl** *n.* 부녀자 보호소. **~balsam** *m.* 〖植〗 발삼 국화. **~beruf** *m.* 여성의 직업. **~beschäftigung** *f.* ① 여성 고용(의 비율). ② 여성에 적합한 일. **~bewegung** *f.* 여성 운동, 여권 신장 운동. **~bild** *n.* ① 여자 사진. ② 여성상(像): er hat ein konservatives ~ 그는 보수적인 여성상을 갖고 있다. **~bildung** *f.* 여성 교육. **~blatt** *n.* ↑ ~balsam. **~brust** *f.* 유방. **~diener** *m.* 여성에게 알랑대는 사내, 여성 숭배자. **~distel** *f.* 〖植〗 엉겅퀴의 일종. **~doppel** *n.* 〖테니스〗 여자 복식. **~eis** *n.* 〖광물〗 젖빛 유리; 설화 석고(雪花石膏), 백운모(白雲母). **~emanzipation** *f.* 여성 해방. **~fäden** *pl.* (특히 초가을의) 화창한 날씨에 공중에 떠있는 가는 거미줄. **~feind** *m.* 반(反)여성 해방론자. **~feindlich** *a.* 여성에게 적대적인, 여성 해방에 반대하는. **~fest** *n.* 여성 축제; 〖宗〗 주(主)의 탄생 예고 대축일(3 월 25 일); 성모 승천 대축일(8 월 15 일). **~fisch** *m.* 〖動〗 황어의 일종. **~flachs** *m.* 〖植〗 해란초의 일종. **~frage** *f.* 여성 문제. **~gefängnis** *n.* 여자 교도소. **~gemach** *n.* 〖옛뜻〗 규방(閨房). **~geschlecht** *n.* 여자, 여성. **~gestalt** *f.* ① 여자의 모습〔자태〕. ② (문학 작품 속의) 여성 인물, 여성상: Goethes ~en 괴테 작품에 나타난 여성. **~glas** *n.* 〖광물〗 ↑ ~eis. **~gruppe** *f.* 여자 집단〔무리〕; 여성 운동 모임. **~gunst** *f.* 여성의 호의. **~gut** *n.* 아내의 재산; 지참금. **~haar** *n.* ① 여성의 모발; 〖醫〗 (특히 성형 수술에서의 봉합 재료인) 여성 모발. ②〖植〗 공작고사리; 미나리아재비의 일종; 전륜화(轉輪花)의 일종.

frauenhaft [fráʊənhaft] *a.* 여성의, 여자다운.

Frauenhaftigkeit *f.* 여성다움; 정숙.

Frauen≈handel *m.* 여성 인신 매매. **~haß** *m.* 여성 혐오. **~hasser** *m.* 여성 혐오자. **~haus** *n.* ① 여성의 집(학대받는 여성의 보호 시설). ② (특히 중세의) 사창가. **~heilkunde** *f.* 〖醫〗 (산)부인과 의학. **~heim** *n.* ↑ ~asyl. **~held** *m.* 난봉꾼, 바람둥이. **~hemd** *n.* 여성용 속옷〔셔츠〕. **~herrschaft** *f.* 〖인종〗 여성 지배, 모권〔여권〕 통치. **~herz** *n.* 여자 마음, 여심: er hat schon manches ~ gebrochen 그는 이미 많은 여자를 울렸다. **~hut** *m.* 여성 모자, 보닛. **~jäger** *m.* (Schürzenjäger) 호색가, 난봉꾼. **~käfer** *m.* 〖動〗 무당벌레. **~kleid** *n.* 여성복. **~kloster** *n.* 수녀원. **~knecht** *m.* ↑ ~diener. **~krankheit** *f.* 부인병. **~leiden** *n.* ↑ ~krankheit. **~liebe** *f.* 여자의 사랑; 여자에 대한 사랑. **~mann** *m.* 호색가. **~mannschaft** *f.* 〖스포츠〗 여성팀. **~mantel** *m.* 여성 외투; 〖植〗 장미과의 한 종류. **~mensch** *n.* 〖폄어〗 (ndd.) 여편네, 계집; 년. **~milch** *f.* 모유; 〖방언〗 독한 갈색 맥주. **~minze** *f.* 〖植〗 쑥국화의 일종. **~putz** *m.* 〖고어〗 여성의 좋은 옷〔장식품〕. **~quote** *f.* 〖사회〗 여성 할당 비율(일정한 비율의 자리를 여성에게 배당토록 한 규정). **~raub** *m.* 부녀 약탈〔유괴〕. **~rechte** 여권. **~rechtler** *m.* 여권론자. **~rechtlerin** *f.* ↑ ~rechtler 의 여성형. **≈rechtlerisch** *a.* 여권론의. **~regierung** *f.* ↑ ~herrschaft. **~regiment** *n.* ↑ ~herrschaft. **~rock** *m.* (여성) 스커트. **~sattel** *m.* (여성용) 안장.

Frauenschaft [fráʊənʃaft] *f.* -en ① 여성(의 총체); 여성단(團). ② 여성〔아내〕다움.

Frauen≈schmuck *m.* 여성의 장신구. **~schneider** *m.* 여성복 재단사. **~schuh** *m.* 숙녀화; 〖植〗 벌노랑이; 난초의 일종. **~schule** *f.* 여성 직업 학교. **~schutz** *m.* (직업) 여성 보호 규정. **~sinn** *m.* 여심.

Frauens≈leute *pl.* (nd.) 〖고어·방언〗 여자들. **~mensch** *n.* ↑ ~person.

Frauen·sommer *m.* ↑ Altweibersommer.

Frauens·person *f.* 〖폄어〗 여편네.

Frauen≈stand *m.* 여성〔아내〕의 신분〔지위〕. **~stift** *n.* ① (수도원 등의) 독신 여성을 위한 공동체. ② ① 이 사용하는 건물. ③ 수도회의 여성 회원, (귀족) 수녀, (종교 재단 부설) 여학교의 학생. **~stimme** *f.* 여자의 음성; 〖政〗 여성의 투표. **~stimm·recht** *n.* 여성 선거권. **~stimm·rechtler** *m.* 여성 참정권론자. **~studium** *n.* ① 여성의 대학 교육. ② 여성 연구. **~stuhl** *m.* (교회의) 여자석. **~tag** *m.* 〖가톨릭〗 주(主)의 탄생 예고 대축일(3 월 15 일); 성모 승천 대축일(8 월 15 일). **~tracht** *f.* 여성 의상.

Frauentum [fráʊəntu:m] *n.* -s 〖雅語〗 여성〔아내〕임; 아내의 지위〔신분〕.

Frauen≈überschuß *m.* 여성 인구 과잉. **~-**

veilchen *n.* 〖植〗 각시제비꽃. **~verein** *m.* 여성 단체, 부인회. **~volk** *n.* ①〔폄어〕 여자들, 여편네들. ②〖신화〗 여인족(아마존족 등). **~welt** *f.* 여자〔부인〕들. **~werk** *n.* 여성 교육〔복지〕 단체. **~zeitschrift** *f.* 여성 잡지. **~zimmer** *n.* ① (특히 궁정이나 저택의) 부인의 거실. ②큰 저택이나 궁정에 사는 여인들. ③〖구식〗 (특히 18 세기 이후) 귀부인(↑ Dame). ④〔폄어〕 계집, 년: ein dummes ~ 멍청한 년. **~zimmerchen** *n.* 어린 여자, 아가씨. **~zwinger** *m.* (회교국의) 후궁; 규방.

***Fräulein** [frɔ́ʏlaɪn] *n.* -s, -/(구어) -s 〔(westd., öst.) *f.*〕 〖↑ Frau 의 축소형〗 ① 〖聖·고어〗 여자; 암컷. ②〔옛뜻〕 (특히 귀족의) 영양, 영애. ③처녀, 젊은 여자; 〔호칭〕 양, 아가씨: ~ Olga 올가양; gnädiges ~! 아가씨!; ~ Liederlich 바람난 아가씨; 〔雅語〕 Ihr(e) ~ Tochter 댁의 따님. ④ (서비스 업종의) 여종업원, (창구의) 여직원, 보모 겸 가정교사: das ~ vom Amt 전화 교환원; ~, bitte einen Kaffee! 아가씨, 커피 한 잔! ⑤ 〔폄어〕 (1945 년 이후 미군 병사의) 독일 애인.

Fräulein·stift *n.* 미혼 귀족 여성의 신학교 (기숙사).

fraulich [fráʊlɪç] *a.* 여성적인, 어머니 같은: ein sehr ~es Benehmen 매우 여성다운 행동.

Fraulichkeit *f.* 여성다움, 모성적임.

Fraunhofersch [fráʊnho:fərʃ] *a.* 〖物〗 die ~en Linien 프라운호퍼선(線) (태양 스펙트럼의 흡수선; 발견자인 독일의 물리학자 J.v. Fraunhofer 의 이름에서).

Freak [frik] 《engl.》 *m.* -s, -s ①〔원뜻〕 (히피 운동에서 유래한) 젊은 정치 참여자. ② (무엇에) 미친 사람, 광(狂).

***frech** [frɛç] *a.* ① 뻔뻔스러운, 파렴치한; 건방진: 〔비유〕 et. mit ~er Stirn behaupten 무엇을 뻔뻔스럽게 주장〔거짓말〕하다; jm. ~ kommen 누구를 무례하게 대하다; ~ wie Dreck〔Oskar〕 아주 뻔뻔스러운; ~ genug sein, um zu... 뻔뻔스럽게도 …하다. ② (복장·그림 등이) 과감한, 도발적인: eine ~e Frisur 대담한 헤어스타일.

Frechheit *f.* -en 뻔뻔스러움, 불손(한 행위).

Frech·dachs [..daks] *m.* 〔구어·농담〕 뻔뻔스럽고 건방진 (젊은) 사람.

Frechling *m.* -s, -e 파렴치한, 철면피.

Fred [fre:t, frɛt] *m.* (ndd.) 평화(Frieden).

Free·holder [fríːho:ldə] 《engl.》 *m.* -s, -s 〖史〗 (영국의) 자유 토지〔부동산〕 보유자.

Free Jazz [fríːdʒæz] 《engl.》 *m.* 프리재즈 (1960 년대 이후 성행한 전위 재즈의 한 양식).

Freejazz 新정서 ⇦ Free Jazz.

Freesie [fré:ziə] *f.* -n 〖植〗 프리지아, 붓꽃 (과).

Fregatte [fregátə] 《frz.》 *f.* -n ①〔옛뜻〕 프리깃함(〖史〗 대포를 장착한 중세의 목조 쾌속 범선; 잠수함 공격용 소형 구축함): 〔비유〕 eine aufgetakelte ~ 요란하게 치장한 나이든 여자. ② ↑ Fregattvogel.

Fregatten·kapitän *m.* 〖軍〗 해군 중령.

Fregatt·vogel *m.* 〖動〗 군함새 (열대산(産)의 큰 바닷새).

Frei *m.* -en, -en 남작(Freiherr).

***frei** [fraɪ] 《I》 *a.* ① (↑ Freie[1]) 자유민의, 노예가 아닌: jn. (wieder) auf ~en Fuß setzen 누구를 (다시) 석방하다; die Sieben ≈en Künste 자유 7 학예(고대·중세 자유민의 교양을 위한 7 가지 기본 학예: 문법·수사·논리·대수·기하·음악·천문). ② 자유로운, 구속받지 않는, 자발적인; 자유분방한: ~e Stadt 자유도시; er ist sein ~er Herr 그는 자기 맘대로 할 수 있는 몸이다; ~er Schriftsteller 자유 문필가; ~er Wille 자유 의지; ~e Verfügung 자유 처분; ~e Liebe 자유 연애, 동거; aus 〔von〕 ~en Stücken 자발적으로; ~e Verse 자유시; ~e Übersetzung 의역; das ist alles ~ erfunden 그것은 모두 임의로 꾸며낸 것이다; seinen Gefühlen ~en Lauf lassen 감정이 흐르는 대로 내버려두다; jm. ~e Hand 〔~es Spiel〕 lassen 누구에게 행동의 자유를 허락하다; ~ und ledig 방해받지 않고, 자유로이; es steht mir ~ 내 마음대로다; das Mädchen ist noch ~ 저 아가씨는 아직 약혼자가〔애인이〕 없다. ③ 거리낌없는, 솔직한, 대담한: ~e Meinung 솔직한 의견; ~es Benehmen 거리낌없는 행동; et. ~ (heraus)sagen 무엇을 거리낌없이 말하다; ich bin so ~! 외람됩니다만! ④ 남의 손을 빌리지 않는, 보조 수단이 없는: ~ reden 즉석에서 연설하다; ~ schwimmen 구명대 없이 헤엄치다; aus ~er Hand fotografieren (삼각대 등이 없이) 사진 찍다. ⑤ 무료의: ~e Kost 무료 식사; ~e Station 침식 무료; ~er Eintritt 무료 입장; ~ ins Haus 〔~ vor die Tür〕 무료 배달; 30 kg Gepäck ~ haben 수화물 30 kg 까지 무료. ⑥ 비어 있는; 자유로 할 수 있는; 한가한: eine ~e Stelle 빈자리, 공석; wir haben noch zwei Zimmer ~ 우리 집은 방이 아직 두 개 비어 있다; 〖구기〗 der Rechtsaußen steht ~ 오른쪽 윙이 비어 있다; ~er Tag 휴일, 장이 서지 않는 날; ~e Zeit 여가; ich habe heute ~ 오늘은 쉰다; morgen ist ~ 내일은 (학교·일터가) 쉰다. ⑦ (↑ Freie[2]) 가로 막는 것 없는, 트인; 열린, 노출된, 벗은; 옥외의; 넓은: das ~e Feld 평야, 광야; ~e Luft 바깥 공기; unter ~em Himmel 야외〔노천〕에서; bitte den Oberkörper ~ machen! (진찰할 때) 윗옷을 벗으세요! ⑧ (무엇이) 면제된, 없는: ~ vom Dienst 휴무인, 비번의; ~ vom Militärdienst 병역 면제의; ~ von Abgaben 면세의; ~ von Schmerzen〔Fehlern〕 고통〔결점〕 없는; 〔von 대신에 2 격을 지배하는 옛 어법은 복합어로 남아 있음〕 vorwurfs~ 흠잡을 데 없는. ⑨〖法〗 법률의 보호 밖에 놓인 (vogel~): die Werke Storms sind ~ geworden 〔Storm ist ~〕 슈토름의 작품은 저작권을 상실하였다. ⑩ (schweiz.) 싹싹〔친절〕한. ⑪〔비유〕 유리된, 화합하고 있지 않은. ⑫ 허가된: ~e Plätze für Behinderte 장애인석; der Film ist ~ für Jugendliche ab 18 Jahren 이 영화는 18 세 이상 청소년 관람가다. ⑬〔타동사와 함께〕 ~ halten a) 지탱하지 않고 서 있다, b) 즉석 연설을 하다; von et.[3] ~ halten 무엇에서 지키다, 무엇을 면하게 하다; ~ lassen (좌석 등을) 비워 두다; jn. ~ machen a) 누구를 석방하다, b) (의무 등을) 면제해주다: Platz ~ machen 자리를 비워주다; sich von Vorurteilen ~ machen 편견에서 벗어나다. 《II》 (obd.) *adv.* 대단히, 매우; 실제로: das ist ~ hübsch 그것은 아주 멋지다.

Freia [fráɪa] 〖북구신화〗 사랑과 풍요의 여신 (Freyja).

Frei≈aktie *f.*〖증권〗무상주(無償株). **~antwort** *f.*〖우편〗회신 요금 선불 전보〔우편〕. **~arche** *f.* 수문. **~bad** *n.* 야외 수영장. **~ballon** *m.* (타고 다니는) 기구(氣球)(↔ Fesselballon). **~bank** *f.*〖복수: ..bänke〗하등육(下等肉) 판매소; 조상(彫像) 이동대; (집회 때의) 자유 농민의 좌석. **~bauer** *m.* (농노가 아닌) 자유 농민. **~|bekommen*** *t.* ① 휴가〔여가〕를 얻다: einen Tag ~ 휴가를 하루 얻다; eine Stunde ~ 한 시간 자유 시간을 얻다. ② (보석·청원 등으로) 석방시키다, (압류된 것을) 반환 받다: er konnte viele Gefangene ~ 그는 많은 포로들을 석방시킬 수 있었다. ③ (붙은 것을 다시) 떼다. **~berufler** *m.* 프리랜서, 자유 직업인. **~beruflich** *a.* 자유업의. **~betrag** *m.* 비과세액, 면세액. **~beuter** ⟪ndl.⟫ *m.* ①〖옛뜻〗해적(선) (Seeräuber):〖비유〗literarischer ~ 표절자. ②〖비유·폄어〗악덕업자; 해적. **~beuterei** *f.* 해적 행위, 약탈. **~beuterisch** *a.* 해적질의; 약탈적인. **~bezirk** *m.* (도시나 항구의) 자유 관세 구역. **~bier** *n.* ① (노동자 등에 대한) 무료 맥주. ② 면세 맥주. **~billett** *n.*〖고어〗(~karte) 무료 입장권;〖철도〗무임 승차권. **~|bleiben** *i.* 자유로운 상태로 머무르다. **~bleibend** *a.*〖商〗약정 가격이 없는: et. ~ anbieten 무엇을 약정가 없이 공급하다. **~bord** *m.* 건현(乾舷)(상갑판에서 흘수선(吃水線)까지의 부분). **~brief** *m.* ①〖중세〗(국왕·영주 등이 주던) 특별 허가증, 면허장. ②〖중세〗농노 해방 증서, (자유민의) 신분 증명서. ③〖비유〗특별 허가, 특권, 공인: jm. einen ~ für et. ausstellen〔geben〕 누구에게 무엇을 할 특권을 부여하다;〖대개 부정적〗einen ~ für et. haben 무엇을 할 특권을 갖다; et. als ~ für et. ansehen〔betrachten〕 무엇을 무엇에 대한 특권으로 간주하다. ④ 자유 시민. **~bürger** *m.* ① 자유(시)민. ② (Schutzbürger) 시민권 없이 보호만 받는 주민; 조세 면제 시민.

Freiburg. i. Br. =Freiburg im Breisgau 프라이부르크 임 브라이스가우(독일의 도시).

Freiburg i.d.S. =Freiburg in der Schweiz 프라이부르크 인 데어 슈바이츠(스위스의 도시).

Frei≈demokrat *m.* (독일) 자유 민주당 (Freie Demokratische Partei)의 당원. **~demokratisch** *a.* 자유 민주주의의. **~denker** *m.* (특히 종교적인) 자유 사상가, 자유 신앙주의자; 회의론자; 무신론자. **~denkerei** [fraidɛŋkərái] *f.* 자유 사상〔주의〕. **~denkerin** *f.* ↑ ~denker의 여성형. **~denkerisch** *a.* 자유 사상가적인. **~denkertum** *n.* 자유 사상.

freidig [fráidɪç] *a.* (obd.) 대담〔용감〕한; 무모한; 거만〔불손〕한.

Freie*[1] [fráɪə] *der/die*〖史〗자유민(↔ Leibeigene).

Freie[2] *n.* ① 옥외, 야외, 교외: im ~n 야외에서; ins ~ gehen 교외로 나가다. ② 안이(安易), 관대.

frei·eigen *a.* 자유 토지 보유의; 자유를 가진.

freien[1] [fráɪən] ⟪<frei⟫ *t.*〖고어〗↑ befreien.

freien[2] ⟪I⟫ *t.*〖고어〗① 결혼하다. ② (보통 남자가 여자에게) 구혼하다. ⟪II⟫ *i.* (h.) ① 구혼하다: um ein Mädchen ~ 아가씨에게 구혼하다. ② 결혼하다: er ist zu jung, um zu ~ 그는 결혼하기에는 너무 젊다.

Freier *m.* -s, - ① 구혼자. ②〖은폐〗(창녀나 남창의) 고객.

Freierei [fraɪərái] *f.* -en 구혼; 혼담.

Freiers≈fuß *pl.*〖농담〗auf Freiersfüßen gehen 아내될 사람을 구하다. **~mann** *m.*〖복수: ..leute〗청혼자.

Frei≈exemplar *n.* ① 증정본, 무료 견본. ② 저자의 기증본. **~fahr·karte** *f.* 무임 승차권. **~fläche** *f.* (도시의) 공터. **~frau** *f.* 남작 부인(Baronin). **~fräulein** *n.* 남작의 영양(令孃). **~fron** *m.* (중세의) 비밀 재판소의 정리(廷吏). **~gabe** *f.* ① 석방, (노예 등의) 해방; (통제·압류 등의) 해제. ② 반환, 배상; (사체(死體)의) 인도. ③ 팀 이적의 허가. **~gänger** *m.*〖法〗(일반 직장으로 출퇴근하는) 반자유 죄수. **~|geben*** *t.* ① 자유를 주다, 해방하다: einen Sklaven ~ 노예를 해방시키다; einen Spieler ~ 선수의 이적을 허가하다. ② 휴가를 주다: ich habe mir heute von meinem Chef eine Woche ~ lassen 오늘 나는 직장 상사에게서 일주일의 휴가를 허락받았다. ③ (제한·통제 등을) 해제하다: einen Weg ~ 통행 금지를 풀다; der Film ist für Jugendliche nicht freigegeben 그 영화는 청소년 관람 불가다. **~gebig** *a.* 인색하지 않은, 잘 베푸는, 관대한: er ist ~ mit dem Geld 그는 돈 씀씀이가 크다. **~gebigkeit** *f.* 인색하지 않음, 관대. **~geboren** *a.* (노예가 아닌) 자유의 몸으로 태어난. **~gebung** *f.* ↑ ~gabe. **~gehege** *n.* 방목 사육 시설이나 숲지대; 건물 밖의 울타리. **~geist** *m.*〖복수: -er〗↑ ~denker. **~geisterei** [fraigaistərái] *f.* ↑ ~denkerei. **~geisterisch** *a.* ↑ ~denkerisch. **~geistig** *a.* 자유주의적인; 편견 없는, 공평한. **~gelassene*** *der/die* (노예 신분에서 해방된) 자유민. **~gepäck** *n.*〖철도〗(여객의) 무임 (휴대) 수화물. **~gericht** *n.* (중죄인을 다루던 중세의) 비밀 재판(Femgericht). **~gesinnt** *a.* 자유 사상의. **~glaube** *m.* 이성적 종교, 합리적 신앙. **~graf** *m.*〖중세〗비밀 재판의 배심원〔장〕. **~grenze** *f.* ① (세금 정산의) 면세점. ②〖工〗(관청의 승인 없이 작업할 수 있는 방사선의) 허용 한계. **~gut** *n.* ① 면세품. ②〖중세〗자유 보유 부동산; 자유농의 농토. ③ 면세(농)지. ④〖商〗무료 배달 상품. **~|haben** *t.*〖구어〗쉬다, 휴식하다: die Kinder haben gestern freigehabt 아이들은 어제 쉬었다. **~hafen** *m.* 자유항. **~|halten*** *t.* ① (술값 등을) 대신 지급하다: er hielt uns den ganzen Abend frei 그가 그날 저녁 우리의 계산을 모두 치러 주었다. ② **(a)** (장소·진로 등을) 비워 놓다: bitte die Ausfahrt ~ (주차로) 차량의 출구를 막지 마시오. **(b)** (자리를) 잡아놓다: ich werde dir einen Platz ~ 내가 네 자리를 잡아두겠다. ③ (무엇이) 없도록 하다: sich von Krankheiten ~ 병에 걸리지 않도록 하다; der Bürgersteig ist von Schnee freizuhalten 보도 위에는 눈이 없어야 한다. **~hand·bibliothek** *f.* 개가식 도서관. **~hand·bücherei** *f.* ↑ ~handbibliothek. **~handel** *m.*〖商〗자유 무역. **~handelszone** *f.* 자유 무역 지대. **~händig** *a.* ① (도구 없이) 손으로 그린〔만든〕: ~ zeichnen 맨손

으로 그리다. ② 경매에 부치지 않은: 〖法〗 ~er Verkauf (저당물을 경매에 부치지 않고 시가대로 파는) 자유 처분. ③ (자전거 타기·체조 등을) 손을 떼고 하는; (사격의 서서쏘기 등을) 팔을 받치지 않고 하는: ~ radfahren 핸들을 놓은 채 자전거를 타다. **~händler** *m.* 자유 무역주의자. **~hand·zeichnen** *n.* 맨손 도안〔제도〕; 자재화(自在畫). **~haus** *n.* 면세 주택.

***Freiheit** [fráɪhaɪt] *f.* -en ① 자유; 면제: die ~ des Gewissens 양심의 자유; die ~ der Presse 출판의 자유; jn. der ~ berauben 누구에게서 자유를 빼앗다; jm. die ~ schenken 누구를 석방하다; in ~ sein 자유다, (범인이) 잡히지 않고 있다; ~ vom Militärdienst 병역 면제. ② (**a**) (행동의) 자유; 특권; 방종: die dichterische ~ 작가의 특권; in et.³ volle ~ haben 어떤 일에 전적으로 재량권이 있다: sich³ die ~ nehmen, et. zu tun 실례를 무릅쓰고 무슨 일을 하다; er erlaubt sich³ nie ~en 그는 결코 멋대로 하지 않는다. (**b**) (특권을 가진 장소인 성·교회의) 구내, 경내 (Schloß≈); 피난처.

Freiheitler *m.* -s, - 사이비 자유주의자.

freiheitlich *a.* 자유의, 자유에 관한; 자유를 위한; (자기) 멋대로의.

Frei·heitlichen ↑ FPÖ.

Freiheits≈apostel *m.* 〖반어〗 자유의 사도(使徒). **~baum** *m.* 자유의 나무(프랑스 혁명 당시 자유의 상징으로 광장 등에 심던 나무). **~begriff** *m.* 자유 개념. **~beraubung** *f.* 자유의 박탈, 감금. **~brief** *m.* ↑ Freibrief. **~drang** *m.* ↑ ~durst. **~durst** *m.* 자유에 대한 갈망. **~eifer** *m.* ↑ ~durst. **~entzug** *m.* 〖法〗 금고형: jn. zu drei Jahren ~ verurteilen 누구에게 3 년 금고형을 선고하다. **≈-feindlich** *a.* 자유를 억압하는. **~freund** *m.* 자유의 벗〔편〕, 자유의 전사(戰士). **~göttin** *f.* 자유의 여신. **~kampf** *m.* 자유를 위한 투쟁. **~krieg** *m.* ① 자유를 위한 전쟁. ② (↑ Befreiungskrieg) 해방 전쟁(나폴레옹에 대항한 독일의 독립 전쟁: 1813-15). **~liebe** *f.* 자유에 대한 사랑. **≈liebend** *a.* 자유를 사랑하는. **~mütze** *f.* 자유의 모자(프랑스 혁명 당시의 붉은 색 모자). **~prediger** *m.* 자유의 전도자. **~regung** *f.* 자유에의 갈망; 자유주의 운동. **~schwärmer** *m.* 열광적 자유주의자. **~sinn** *m.* 자유 사상. **~statue** *f.* (뉴욕항의) 자유의 여신상. **~stolz** *m.* 자유에 대한 자부심. **~strafe** *f.* 〖法〗 금고형. **~urkunde** *f.* 특허장.

frei·heraus *adv.* 솔직〔정직〕하게, 단도직입적으로: et. ~ sagen 무엇을 솔직하게 말하다.

Frei≈herr [fráɪhɛr] *m.* (Baron) 남작(약어: Frhr). **~herrin** *f.* 남작 부인. **≈herrlich** *a.* 남작의.

Freiherrn≈sitz *m.* 남작의 영지(領地). **~-stand** *m.* 남작의 신분.

Frei≈herrschaft *f.* 남작의 지위〔영지〕. **~-herrscher** *m.* 주권자, 원수(元首). **≈herzig** *a.* 솔직한, 숨김 없는; 쾌히 승낙한. **~hof** *m.* 〖고어〗 면세(농)지. **~hufe** *f.* 〖고어〗 면세(농)지.

Freiin [fráɪɪn] *f.* -nen (Baroneß) ① 남작의 딸. ② 남작의 딸에 대한 호칭.

Frei≈jahr *n.* ① 1 년의 면세〔유예〕 기간. ② 노예 해방의 해. ③ 남편 사망 후 미망인이 남편의 봉급을 받는 1 년(Gnadenjahr). **~karte** *f.* 무료 입장권; 〖철도〗 무임 승차권. **~kauf** *m.* 몸값을 내고 석방시킴. **≈|kaufen** *t.* (인질의) 몸값을 내고 풀려나게 하다. **~kirche** *f.* 자유 교회(국가의 지배에서 독립한 신교의 분파). **≈|kommen*** *i.* (s.) 풀려나다, 자유롭게 되다; 〖空〗 이륙하다: aus dem Gefängnis ~ 감옥에서 석방되다. **~körper·kultur** *f.* 나체주의(약어: FKK). **~korps** [..koːr] *n.* 〖軍〗 의용군, 의용단. **~kugel** *f.* (마법으로 백발백중시킨) 마법의 탄환. **~lade·bahnhof** *m.* 〖철도〗 (도로변이나 선창가의) 자유 적재 화물역. **~land** *n.* 노천 재배지, 노지.

Freiland≈gemüse *n.* 노천 재배 야채. **~-versuch** *m.* 〖農〗 야외 실험.

frei≈|lassen* *t.* ① 석방하다; (새 등을) 놓아주다: jn. gegen eine Kaution ~ 누구를 보석금을 받고 석방하다. ② 면제하다. **≈lassung** *f.* 석방, 방면; 〖法〗 보석(保釋). **~lauf** *m.* 〖工〗 (자전거·자동차 등의) 자유 회전 장치(추진 장치와 바퀴의 연결을 일시적으로 끊는 장치). **~|laufen** *refl.* sich ~ (슈팅을 하기 위해) 수비 선수를 따돌리다. **~lebend** *a.* 야생의: ~e Tiere 야생 동물. **~|legen** *t.* 노출시키다, 발굴하다. **≈legung** *f.* 발굴, 노출. **≈-lehen** *n.* 〖고어〗 자유 보유지; 세습 소유지〔봉토〕. **~leitung** *f.* 〖전기〗 공중 전선(電線).

***freilich** [fráɪlɪç] 《< frei》 *adv.* ① 〖긍정의 강조〗 말할 나위 없이, 확실히, 물론: ja ~! 물론이지요! ② 〖aber, allein, doch 등을 동반하여 양보를 표시함〗 (allerdings) 물론 …이지만, 반면에: sie ist ~ nicht reich, aber... 그 여자는 부자는 아니지만, 그러나….

Freilicht≈bühne *f.* 노천〔야외〕 극장〔무대〕. **~malerei** *f.* 외광파(外光派) 회화. **~mu-seum** *n.* 야외 민속 박물관. **~theater** *n.* ↑ ~bühne.

Freiluft≈behandlung *f.* 〖醫〗 외기(外氣)〔대기〕 요법. **~konzert** *n.* 야외 연주회. **~lie-ge·kur** *f.* 〖醫〗 ↑ ~behandlung. **~schule** *f.* 야외 학교.

frei|machen [fráɪmaxən] 《I》 *t.* ① (frankieren) 편지에 우표를 붙이다, 우송료를 지급하다: den Brief mit 70 Pfennig ~ 편지에 70 페니히의 우표를 붙이다. ② 《II》 *refl.* (진료를 받기 위해) 옷을 벗다; 〖구어〗 sich ~ 시간을 내다: kannst du dich morgen für zwei Stunden ~? 내일 두 시간 동안 시간 낼 수 있겠니?

Frei≈machung *f.* ① 우편 요금 선납, 우표 부착. ② 해방; 개방. ③ (주택 등을) 비워 줌, 반환. **~mann** *m.* ① 자유민; 자유 토지 보유자. ② 〖고어〗 사형 집행 형리. **~marke** *f.* 〖구어〗 우표. **~markt** *m.* 자유〔특허〕 시장. **~-maurer** *m.* 프리메이슨 단원. **~maurerei** *f.* 프리메이슨 운동. **≈maurerisch** *a.* 프리메이슨의.

Freimaurer≈loge *f.* 프리메이슨 연맹, 프리메이슨단의 지부. **~orden** *m.* 프리메이슨단.

Frei≈mut *m.* 솔직, 숨김없음: mit großem ~ sprechen 아주 솔직하게 말하다. **≈mütig** *a.* 솔직한, 숨김없는. **~mütigkeit** *f.* ↑ ~mut. **~paß** *m.* 통행증; 무임 승차권; 무료 입장권.

frein *a.* (schweiz.) 싹싹한, 친절한.

Frei≈plastik *f.* 야외 전시 조각품. **~platz** *m.* ① 무료석. ② 무료 (직업) 교육원의 정원. ③

〖스포츠〗 야외 구장. ≈|**pressen** *t.* (경찰 등을) 공갈·협박하여 (감옥의 동료 등을) 석방시키다.

Freir [fráɪər] *m.* -s 〖북구신화〗 빛과 풍요의 신(Freyr).

Frei≈raum *m.* ①〖사회〗 인격 계발의 여지, 자기 계발의 가능성. ②〖스포츠〗 장외, 코트 밖. **~rechts·bewegung** *f.* 〖法〗 (1900 년경 판사의 재량권 강화를 옹호한) 자유법 운동. **≈-religiös** *a.* (교리 따위에 얽매이지 않은) 자유 신앙의. **~saß** *m.* ↑ ~sasse. **~sasse** *m.* 〖중세〗 자유농, 자작농. **≈schaffend** *a.* 고용되지 않은, 자유업에 종사하는. **~schar** *f.* ①〖옛뜻〗 자유 청소년 운동 집단. ②〖軍〗 의용대. **~schärler** *m.* 의용군(~willige). **~-schein** *m.* 허가증, 면허장; (병역) 면제증; 무료 입장권. **~schießen** *n.* 총을 쏘며 도주로를 확보하기; (공개) 사격 경기 (대회). **~schlag** *m.* 〖하키〗 (벌칙으로 얻은) 자유 타구. **~schule** *f.* 수업료 면제 학교; (영국의) 공립 초등 학교. **~schüler** *m.* 수업료 면제 학생, 공립 초등 학교 학생. **~schulze** *m.* 자유〔자작〕농. **~schütz** *n.* ① 수문(水門). ② (obd.) ↑ ~schütze. **~schütze**[1] *m.* ① 마탄(魔彈)의 사수. ② 공개 사격 대회 사수. ③ 밀렵꾼. **~schütze**[2] *f.* ↑ ~schütz ①. **≈|-schwimmen*** *refl.* sich ~ 〖수영〗 (15 분간의) 기본기 시험에 합격하다. **~schwimmer** *m.* 〖수영〗 기본기 시험 합격자. **~|setzen** *t.* ① 〖物·化〗 분리〔방출〕하다: Energie ~ 에너지를 방출하다. ②〖經〗 (다른 일에 투입하기 위해 기존 업무에서) 벗어나게 하다; 〔은폐〕해고하다: er wurde freigesetzt 그는 해고되었다.

Frei≈sinn *m.* ①〔구식〕 자유주의 사상, 진보적 신념; 공정한 견해. ② (스위스의) 자유 민주주의의 정치 노선. **≈sinnig** *a.* 〔구식〕 자유 사상의; (스위스의) 자유 민주주의 노선의. **~sinnigkeit** *f.* 독립심; 자유주의. **~sitz** *m.* 〖중세〗 자유농의 토지(~gut ②). **≈|spielen** 《I》 *t.* 〖스포츠〗 경기를 거침없이 펼치다. 《II》 *refl.* 〖음악·연극〗 sich ~ (무대에서) 자유롭게 연기〔연주〕하다. **≈|sprechen*** *t.* ① **(a)** 〖法〗 무죄 판결을 내리다, 방면하다: er wurde mangels Beweises freigesprochen 그는 증거 불충분으로 무죄 판결을 받았다. **(b)** (혐의 등을) 벗기다; (의무를) 면제하다; 〖宗〗 면죄하다: ich muß ihn von der Verantwortung für diesen Schaden ~ 나는 이 손해에 대한 책임에서 그를 면제시켜야 한다. ② (수습공에게) 직인 자격을 주다. **~sprechung** *f.* 무죄 판결〔방면〕. **~spruch** *m.* 〖法〗 무죄 판결; 면소. **~staat** *m.* 〔구식〕 공화국(Republik). **~stadt** *f.* 자유(도)시. **~statt** *f.* 〔雅語〕 (Asyl) 피난〔은신〕처. **~stätte** *f.* ↑ ~statt. **≈|stehen*** *i.* (h.) ① 결정에 달려 있다: es steht dir frei, zu gehen oder zu bleiben 가든 안 가든 그것은 네 자유다. ② 비어 있다: ein ~des Zimmer〔Haus〕 빈 방〔셋집〕. **~stelle** *f.* 무료 교육 (자리); 장학금; 식사 무료 제공. **≈|stellen** 《I》 *t.* ① 결정권〔선택권〕을 주다, 위임하다: es wurde uns freigestellt, daran teilzunehmen 거기에 참여하는 것은 우리에게 달려 있었다. ② (의무를) 면제시키다: er wurde vom Wehrdienst freigestellt 그는 병역 의무가 면제되었다. ③ 해고〔면직〕시키다. 《II》 *refl.* 〖구기〗 sich ~ 상대 수비수의 견제에서 벗어나다. **~stempel** *m.* 〖우편〗 우편료 별납〔선납〕의 소인. **~stempler** *m.* 우편 요금 자동 소인기. **~stil** *m.* 〖수영·레슬링〗 자유형.

Freistil≈ringen *n.* 〖레슬링〗 자유형 (경기). **~schwimmen** *n.* 〖수영〗 자유형 (경기).

Frei≈stoß *m.* 〖축구〗 자유축, 프리 킥: einen ~ verhängen〔treten〕 프리 킥을 선언하다〔차다〕; direkter ~ 직접 프리 킥. **~stück** *n.* 증정본, 무료 견본. **~stunde** *f.* 쉬는〔휴식〕 시간: die Kinder dürfen in ihren ~n das Schulgebäude nicht verlassen 애들은 쉬는 시간에 학교 건물을 떠나서는 안 된다. **~tag** *m.* 금요일: der Stille ~ 그리스도 수난일. **≈tags** *adv.* 금요일마다.

Freite [fráɪtə] 《<freien[2]》 *f.* 〔구식〕 구혼, 구애: 〔방언〕 auf die ~ gehen 아내될 사람을 구하러 가다.

Frei≈tisch *m.* 〔구식〕 무료 식사; 장학금. **~tod** *m.* 〔雅語〕 자살. **≈tragend** *a.* 〖건축〗 받침대가〔기둥이〕 없는. **~treppe** *f.* (건물 전면의) 옥외 계단. **~übung** *f.* 맨손 체조: ~en machen 맨손 체조를 하다. **~umschlag** *m.* 우표가 붙어 있는 봉투. **~wache** *f.* (선원의) 비번 시간; (경비 근무가 없는) 휴식 시간; 비번 근무조. **≈weg** *adv.* 〔구어〕 (~heraus) 솔직하게, 단도직입적으로; 주저 없이. **~werber** *m.* 〔구식〕 중매인. **~werden** *n.* 자리가 빔, 결원이 생김; 〖化〗 유리(遊離). **~wild** *n.* ①〔고어〕 야수. ② 의지할 곳 없는 사람: viele Männer betrachten geschiedene Frauen als ~ 많은 남자들이 이혼한 여자를 의지할 데 없는 사람으로 간주한다. ***≈willig** *a.* 자유 의지의, 자발적인; 〖軍〗 자원의: ~e Helfer 자원 봉사자; die ~e Feuerwehr 의용 소방대. **~willige*** *der/die* 〖軍〗 지원병; 의용 대원. **~willigkeit** *f.* 자원, 자발(성). **~wirtschaft** *f.* 〖經〗 자유 경제(스위스에서 비롯된 극단적 자유주의의 경제 형태). **~wurf** *m.* 〖구기〗 자유투. **~zeichen** *n.* ① (등록되지 않고 사용되는) 자유 상표. ② (전화 따위의) 착신음. **~zeit** *f.* ① 자유 시간, 여가; 휴가: in meiner ~ gehe ich viel spazieren 나는 여가 동안에 산책을 많이 한다. ②〖기독교〗 기도회, 성서 모임, 수련회: an einer ~ teilnehmen 기도회〔수련회〕에 참여하다. **~zeit·park** *m.* 놀이 공원. **~zettel** *m.* 면허장, 허가증; 〖商〗 통관 허가증, 세관 증명서. **≈zügig** *a.* ① 이주의 자유가 있는; 한 곳에 머무르지 않는: Artisten führen meist ein ~es Leben 예술가들은 대개 떠돌이 생활을 한다. ②〔비유〕 기존 관념에 얽매이지 않은; 관대한; (약 사용이) 제멋대로인; (성적(性的)으로) 대담한, 개방적인: ~ mit Geld umgehen 돈을 잘 쓰다; Kinder ~ erziehen 아이들을 개방적으로 교육하다. **~zügigkeit** *f.* ①〖法〗 거주·이전의 권리; 떠돌아다님. ② 관대; 개방적임.

***fremd** [frɛmt] *a.* ① 외래의; 외국〔다른 도시·다른 민족〕에서 온: ~e Sprachen 외국어; ~e Waren 외래품; ~e Pflanzen 외래 식물; ~e Personen helfen dir oft eher als deine Verwandten 너의 친척들보다는 오히려 남들이 자주 너를 돕는다; 〔속담〕 ~e Länder, ~e Sitten 지역이 다르면 풍속도 다르다. ② 남의, 다른 사람의: der Besitz ist in ~e Hände übergegangen 그 재산은 남의 손에 넘어갔다;

unter ~em Namen sich vorstellen 가명으로 자신을 소개하다; 〖商〗 für ~e Rechnung 제 3자의 계산〔부담〕으로. ③ 미지의, 익숙〔친숙〕하지 않은: seine Art ist mir völlig ~ 그의 방식은 내게 완전히 낯설다; das war mir bisher ~ 그런 것을 나는 아직 모르고 있었다; ich bin hier ~ 나는 이곳 사정을 잘 모른다. ④ 낯선, 이상한: mit seinem Bart sieht er ganz ~ aus 그는 수염을 기르니 아주 낯설게 보인다. ⑤ 본질에는 없는, 고유의 것이 아닌; 걸맞지〔격에 맞지〕 않은: Untreue ist ihm ~ 그는 성실〔충직〕하다. ⑥ 서먹서먹한; 냉담한, 남남 같은: ~ gegen jn. tun 누구에게 냉담하게 대하다.

Frẹmd≈arbeiter *m.* 외국인 노동자. **≈artig** *a.* 이질적인, 익숙하지 않은: obwohl sie schon zwanzig Jahre hier leben, wirken sie immer noch ~ 그들은 이곳에서 이미 20 년이나 살고 있음에도 여전히 낯선 인상을 준다. **~artigkeit** *f.* 이질적임, 낯섦. **~bestäubung** *f.* 〖植〗 이화 수분〔수정〕(異花受粉〔受精〕). **~bestimmung** *f.* 〖사회〗 외부 세력에 의한 결정: die Kultur aus ihrer ~ lösen 문화를 타율 상태에서 벗어나게 하다.

Fremde*[1] [frέmdə] *der/die* ① 이방인, 외지인, 외국인; 신참자: ein ~r hat es hier schwer, heimisch zu werden 외지인이 여기에서 (원주민처럼) 적응하기는 힘들다. ② 낯선 사람: ein ~r steht an der Tür 낯선 사람이 문 앞에 서 있다.

Frẹmde[2] *f.* 〔雅語〕 외지, 외국, 타향: sich in der ~ aufhalten 외국에 체류하다; in die ~ gehen a) 외국에 가다, b) 길 떠나다.

Frẹmd·einwirkung *f.* 외부의 영향〔개입〕: es konnten bei der Toten keine Spuren von Gewalt durch ~ festgestellt werden 그 여자의 시체에서 누군가가 폭력을 가한 흔적은 확인할 수 없었다.

fremdeln [frέmdəln] *i.* (h.) 수줍어하다, 쭈뼛거리다, 낯을 가리다.

fremden [frέmdən] *i.* (h.) (schweiz.) ↑ fremdeln.

Frẹmden≈amt *n.* 관광국(局), 관광객 안내소. **~bett** *n.* ① 호텔 객실 침대. ② 손님용 침대. **~buch** *n.* ① (호텔 등의) 숙박부; 방문객 명부. ② 여행 안내서. **~bureau** *n.* ↑ ~amt. **≈feindlich** *a.* 외국인에게 적대적인; 배타적인. **~führer** *m.* ① 여행 안내자. ② 여행 안내서. **~gebäude** *n.* (수도원의) 방문객 건물. **~haß** *m.* 외국인 증오〔혐오〕, 배외(排外) 감정: bei der Bevölkerung war ein ausgeprägter ~ zu verspüren 국민들에게서 뚜렷한 배외 감정을 감지할 수 있었다. **~heim** *n.* 민박(하는) 집. **~hof** *m.* 〔고어〕 여관, 호텔. **~industrie** *f.* 관광 산업. **~legion** *f.* (프랑스의) 외인 부대. **~liste** *f.* 투숙객 명단; 숙박부. **~paß** *m.* 〖法〗 (대개 무국적자에게 발행하는) 임시 여권. **~polizei** *f.* (경찰서의) 외국인 담당과, 외사 경찰. **~recht** *n.* 〖法〗 외국인에 관한 법률, 외국인 법. **~steuer** *f.* 숙박세. **~stube** *f.* 객실, 응접실; (여관의) 식당. **~verkehr** *m.* 관광 사업. **~vertreibung** *f.* 외국인〔외지인〕 추방. **~zimmer** *n.* 객실; 손님방.

frẹmd≈geboren *a.* 외국 태생의. **≈gefühl** *n.* 낯섦, 이질감. **~|gehen** 〔구어〕 외도하다, 바람피우다. **≈glaube** *m.* 이민족의 신앙. **≈gut** *n.* 타인 소유〔재산〕; 외국 상품.

Fremdheit [frέmthaɪt] *f.* ① 낯섦, 생소: ~ gegenüber jm. empfinden 누구를 낯설게 느끼다. ② (성질의) 상극. ③ 서먹서먹함, 냉담: zwischen den beiden war mittlerweile eine ~ aufgekommen 그러는 사이에 두 사람 간에 서먹서먹한 감정이 생겨났다. ④ 기이, 진기; 이국풍. ⑤ 〔복수〕 **(a)** 기이〔진기〕한 것. **(b)** (어구의) 딱딱함, 난잡.

Frẹmd≈herrschaft *f.* 외국의 통치〔지배〕. **~körper** *m.* ① 〖醫〗 (인체에 들어간) 이물질: der verschluckte ~ mußte operativ entfernt werden 삼킨 이물질을 수술로 빼내야만 했다. ② 〔비유〕 주위 환경에 맞지 않는 사람〔물건〕: in der neuen Umgebung fühle ich mich als ~ 새로운 환경에서 나는 이방인처럼 느껴진다. **≈ländisch** *a.* 외국의, 외래의; 〔비유〕 이국풍의, 색다른: er sieht sehr ~ aus 그는 아주 이국적으로 보인다.

Fremdling [frέmtlɪŋ] *m.* -s, -e ① 〔고어〕 이방인, 외지인, 외국인; 신참자; 문외한. ② 〖광물〗 표석(漂石).

Frẹmdlings·recht *n.* 〖法〗 외국인에 관한 법률; 외국인 유산 귀속법.

Frẹmd≈mittel *pl.* 〖商〗 외부 자본, 외부 지원 자금. **≈namig** *a./adv.* 다른 이름의〔으로〕, 별명의, 가명의. **≈rassisch** *a.* 다른 인종〔종족〕의. **~sprache** *f.* 외국어: mehrere ~n beherrschen 여러 외국어에 능통하다.

Frẹmdsprachen≈korrespondent *m.* 외국어 통신원. **~korrespondentin** *f.* ↑ ~-korrespondent 의 여성형. **~unterricht** *m.* 외국어 수업〔교육〕.

frẹmd≈sprachig *a.* ① 외국어를 말하는〔쓰는〕: ~e Bevölkerungsteile 외국어를 말하는 주민층. ② 외국어로 씌어진: ~e Bücher 외국어로 씌어진 책들. ③ 외국어로 이루어지는: ~er Unterricht 외국어로 진행되는 수업. **≈sprachlich** *a.* 외국어〔외래어〕의: ~e Wörter im Deutschen 독일어에서 사용되는 외래어; ein ~es Buch 외국어 교재; ~er Unterricht 외국어 수업.

Frẹmd≈stamm *m.* 이민〔이종〕족. **≈stämmig** *a.* 이민족〔이종족〕의. **~stoff** *m.* ① 〖식품〗 첨가물(색소·방부제 등). ② 〖醫〗 이물질, 불순물. **≈stoffig** *a.* 이물질이 첨가된; 이질적인. **~stoffigkeit** *f.* 이물질 첨가; 이질성. **~sucht** *f.* 외국 숭배〔심취〕. **~tümelei** *f.* 지나친 외국 모방〔숭배〕. **≈völkisch** *a.* 이민족의. **~wort** *n.* 외래어. **~wörtelei** *f.* 〔구어·폄어〕 외래어 남용 (버릇): durch seine ~ ist sein Vortrag kaum zu verstehen 그의 강연은 외래어 남용 때문에 거의 이해할 수 없다. **~wörter·buch** *n.* 외래어 사전. **≈wort·frei** *a.* 외래어를 사용하지 않는.

frenetisch [frenéːtɪʃ] *a.* 광란의, 열렬한: ~er Beifall〔Jubel〕 열광적인 갈채〔환호〕.

frequent [frekvέnt] 《lat.》 *a.* ① 〔구식〕 (출입·왕래가) 잦은, 빈번한, 누차의. ② 〖醫〗 (맥박이) 빨라진. ③ 〖商〗 (상품이) 유행하는.

Frequentant [..tánt] *m.* -en, -en 〔구식〕 규칙적인 방문객; 단골.

Frequentation [..tatsióːn] *f.* -en 〔구식〕 잦은 방문.

Frequentativum [..tíːvum] *n.* -s, ..va 〖문

법】 반복(동작) 동사(보기: hüsteln, kränkeln).

frequentieren *t.*〖雅語〗자주 방문하다; 빈번히 왕래하다: die Veranstaltungen sind immer sehr frequentiert 그 행사들에는 방문객이 항상 아주 많다.

Frequenz [frekvɛ́nts] *f.* -en ① 빈도; (참가자 등의) 수: Puls~ 맥박수. ② 왕래, 교통량: eine Straßenkreuzung mit starker ~ 교통량이 많은 교차로. ③ 진동수; 주파수: Hoch~ 고주파. ④〖통계〗빈도. ⑤〖생태〗(동식물의) 분포율.

Frequenz·liste *f.* ① (schweiz.) 방문객〔참여자〕명단; 출석부. ② (어떤 분야의 특정) 어휘 빈도 목록. **~messer** *m.*〖物〗주파수〔빈도〕측정기.

Freske [frɛ́skə] 《it. fresco》 *f.* -n ↑ Fresko ②.

***Fresko** [..ko] *n.* -s, ..ken ①〖방직〗소모사직(梳毛絲織)(하복용 옷감의 일종). ②〖畫〗(**a**)〖드물게〗프레스코화 기법. (**b**) 프레스코 벽화.

Fresko·bild *n.* ↑ ~gemälde. **~gemälde** *n.* 프레스코 벽화. **~maler** *m.* 프레스코화 화가. **~malerei** *f.* 프레스코(마르지 않은 석회칠 벽에 그리는 벽화 기법); 프레스코(벽)화.

fress.. 新정서 ⇦ freß..

Fressalien [frɛsá:liən] *pl.*〖구어·농담〗식료품; 먹을거리.

Freß·begierde [frɛ́s..] *f.*〖구어〗식탐, 먹는 것을 밝힘. **~beutel** *m.*〖구어〗식량 자루, 빵 봉지; (말 입에 거는) 여물 주머니.

Fresse [frɛ́sə] *f.* -n ①〖비속〗아가리, 주둥이: halt die ~! 아가리 닥쳐!; eine große ~ haben 허풍떨다; die ~ weit aufreißen 떠벌리다, 허풍떨다; (ach) du meine ~! 어머나, 깜짝이야!(놀라움의 표시). ② 얼굴: ich hau dir in die ~ 네놈의 낯짝을 한 대 갈겨 주마; jm. die ~ polieren 누구의 얼굴을 때리다; jm. eins vor die ~ geben 누구의 얼굴을 한 대 치다.

fressen [frɛ́sən] (fraß, gefressen) 《I》 *t.* ① (**a**) (동물이) 먹다; (사람이) 게걸스레 먹다: einem Tier zu ~ geben 짐승에게 먹이를 주다; wie ein Scheunendrescher〔Wolf〕 ~ 게걸스럽게 먹다; 대식(大食)하다. (**b**) 마구 먹어서 무엇을 어떻게 만들다:〖비유·구어〗jn. arm ~ 마구 먹어대서 누구를 거덜나게 하다; die Krippe leer ~ 구유의 여물을 다 먹어버리다; Löcher ins Tuch ~ (벌레가) 천을 쏠아 구멍을 내다. (**c**)〖비유·구어〗wie es kommt, so wird es gefressen (형편·사실은) 있는 그대로 받아들여야 한다; friß Vogel, oder stirb! 먹느냐 먹히느냐다! ②〖비유·구어〗(애정 또는 증오로) (누구에게) 어떤 짓을 하다: keine Angst, wir ~ dich nicht 두려워 마라, 우리가 널 잡아먹자는〔어떻게 하려는〕게 아니니까; friß mich nur nicht gleich 내게 신경질 내지〔귀찮게 굴지〕좀 마라; et. in sich ~ (화·격정을) 꾹 참다; ich hätte das Kind vor Liebe ~ mögen 나는 그 애가 어찌나 사랑스러운지 꼭 깨물어 먹고 싶을 정도였다; einen Narren an jm.〔et.³〕 gefressen haben 누구에게〔무엇에〕홀딱 반하다;〖비유·구어〗jn. gefressen haben a) 누구를 몹시 싫어하다, b) 누구의 실상을 파악하다; jetzt habe ich es endlich gefressen 이제야 비로소 나는 그것을 깨달았다. ③ 소모하다: dies Unternehmen frißt viel Geld 이 사업에는 큰 돈이 든다; mein Wagen frißt viel Benzin 내 차는 기름을 많이 먹는다. ④ 파먹다, 잠식하다; 파멸시키다: ihn frißt der Neid 그는 질투로 괴로워하고 있다; Verzweiflung frißt ihn am Herzen 절망감이 그의 마음을 파고 든다; der Krieg hat viele Menschen gefressen 전쟁으로 많은 사람이 죽었다. 《II》 *i.* (h.) ① (동물이) 먹다; (사람이) 게걸스레 먹다;〖비속〗처먹다: er ißt nicht, er frißt 그는 (사람처럼) 먹는 게 아니라 (짐승처럼) 게걸스레 먹는다. ② 파먹다, 잠식하다; (불이) 번지다, 만연하다: der Rost frißt am Metal 금속에 녹이 슨다. 《III》 *refl.*〖결과를 표시하여〗sich satt ~ 배부르게 먹다; sich dick ~ 먹고 살찌다; sich krank ~ (잘못) 먹고 병들다; er fraß sich durchs ganze Buch 그는 그 책을 다 읽어냈다.

Fressen *n.* -s ① (동물의) 먹이, 사료: Haustieren ihr ~ geben 가축에게 사료를 주다. ②〖비속〗먹을 것, 음식: das ist ein ungenießbares ~ 그건 맛대가리 없는 음식이다. ③〖비유〗몹시 좋아함: das Kind ist zum ~ (lieb) 이 아이는 깨물어 먹고 싶을 만큼 귀엽다;〖구어〗jn. zum ~ gern haben 누구를 몹시 좋아하다;〖구어〗sich ein ~ aus et.³ machen 불쾌한 일을 즐거운 마음으로 처리하다; das war ein gefundenes〔gutes〕 ~ für ihn 그것은 그의 몫이나 다름없었다.

fressend *p.a.* 침식하는; 부식성의; 퍼지는;〖醫〗(병이) 조직을 파괴하는: ~er Gram 마음을 파고드는 비통함; ~es Feuer 번지는 불; ~es Geschwür 침식성 궤양; ~e Flechte 낭창(狼瘡).

Fresser *m.* -s, - ① 사료를 먹는 동물: dieses Schwein ist kein guter ~ 이 돼지는 식성이 까다로운 놈이다. ②〖비유·폄어〗대식가, 식충이, 먹보: sie war froh, die unnützen ~ loszuwerden 그녀는 쓸모없는 식충이들에게서 벗어나서 기뻤다.

Fresserei [frɛsəráɪ] *f.* -en〖비속·폄어〗① 탐식, 늘어지게 먹어 치우기. ② 게걸스레 먹는 모습: bei seiner ~ wird mir schlecht 게걸스레 먹는 그의 꼬락서니가 나는 역겹다. ③ 식량, 음식: noch ein paar ~en einkaufen 먹을 것을 한두 가지 더 사다.

Freß·fieber [frɛ́..] *n.*〖醫〗탐식(열), 대식증(大食症). **~gier** *f.* (~begierde) 식탐, 탐식. **~gierig** *a.* 식탐하는, 게걸스러운.

fressig *a.*〖방언〗↑ gefräßig.

Freß·kober *m.* ↑ ~korb. **~korb** *m.*〖구어〗① (식품·주류를 담은) 선물 바구니. ② 소풍용 (음식) 바구니. **~lust** *f.* ↑ ~gier. **~napf** *m.* (새·고양이·강아지의) 먹이 그릇, 모이 접시. **~näpfchen** *n.* ↑ ~napf. **~paket** *n.*〖구어〗식료품 소포. **~sack** *m.* ①〖고어〗(특히 군인의) 식량 배낭. ②〖비속·폄어〗먹보, 식충이. **~spitze** *f.*〖動〗촉수. **~sucht** *f.* 식탐; 다식증(多食症). **~trog** *m.* (가축의) 구유, 여물통. **~wanst** *m.*〖비속·폄어〗먹보, 식충이. **~werk·zeuge** *pl.*〖動〗(곤충의) 먹이 섭취 기관. **~zelle** *f.*〖生〗식(食)세포, 백혈구.

Fretsche *f.* -n (westd.) 개구리(Frosch).

Frett[1] [frɛt] *n.* -(e)s, -e ↑ Frettchen.

Frett² *m.* -(e)s, -e ① 실톱, 작은 톱. ② 송곳.
Frettchen [frɛ́tçən] *n.* -s, - 〖動〗 흰족제비.
Frette *f.* -n (쇠)재갈, 쇠바퀴, 쇠테.
fretten [frɛ́tən] (südd., öst.) 《Ⅰ》 *t.* ① 문지르다, 비비다. ② 뚫다, 파고들다. ③ 괴롭히다, 지치게 하다. 《Ⅱ》 *refl.* sich ~ ① 절약하다; 궁한 살림을 꾸리다, 근근이 지내다. ② 그럭저럭 극복하다. ③ 지칠 대로 지치다. ④ 생채기를 내다, 스쳐 벗겨지다: sich die Zehe ~ 발가락이 스쳐 벗겨지다.
frettieren [frɛtíːrən] 《<Frett¹》 *i.* 〚사냥〛 흰족제비로 사냥하다.
Frett·wiesel *n.* 흰족제비(Frettchen).
Freud [frɔʏt] Sigmund ~ 프로이트(오스트리아의 신경 정신과 의사이며 심리 분석의 창시자, 1856-1939).
***Freude** [frɔ́ʏdə] 《<froh》 *f.* -n ① **(a)** 기쁨, 환희, 즐거움; 기쁨을 주는 것: voller ~ 기쁨에 넘쳐; jm. mit et.³ eine ~ machen〔bereiten〕 무엇으로 누구를 기쁘게 하다; jm. eine ~ verderben 누구의 즐거움을 망치다; die ~ stören 흥을 깨다; es soll mir eine ~ sein, Ihnen zu dienen (당신에게) 도움이 된다면 기쁘겠습니다; ein weiser Sohn ist seines Vaters ~ 머리 좋은 자식은 아버지의 기쁨이다; 〔속담〕 geteilte ~ ist doppelte ~ 기쁨은 함께 나누면 두 배가 된다; 〚聖〛 nach Freud' kommt Leid 즐거움 끝에 근심이 있느니라(잠언 14: 13). **(b)** 〔전치사와 함께〕 (seine) ~ **an** et.³ haben 무엇을 기뻐하다, 즐기다; sie wird an dem Knaben ~ erleben 그 여자는 그 사내아이에게서 즐거움을 느낄 것이다; **in** Freud' und Leid 기쁠 때나 괴로울 때나; herrlich und in ~n leben 호사롭고 즐거운 생활을 하다; **mit** ~n 기꺼이, 기쁘게; ich kann keine ~ dar**über** empfinden 나는 그것에서 아무런 기쁨도 느낄 수 없다; **vor** ~ 기뻐서; vor ~ außer sich³ sein 기뻐서 어쩔 줄 모르다; ich könnte vor ~ an die Decke springen 나는 뛸 듯이 기쁘다; vor ~ weinen 기뻐서 울다; **zur** ewigen ~ gehen 죽다. ② 〔은폐〕 관능적 쾌락: Haus der ~ 유곽(Freudenhaus); Töchter der ~ 매춘부(Freudenmädchen).
freude⸗bebend *a.* 〔雅語〕 기뻐서 몸을 떠는. **~bringend** *a.* 기쁨을 주는; 즐거운: ein ~es Wiedersehen 즐거운 재회. **~gefühl** *n.* 희열의 감정. **~leer** *a.* 즐겁지 않은, 재미 없는, 싱거운.
freudelos *a.* ↑ freudlos.
freuden⸗arm *a.* 기쁨〔즐거움〕이 별로 없는. **~becher** *m.* 〔시어〕 환희의 술잔; 충만한 기쁨: den ~ leeren 환희의 술잔을 비우다, 기쁨〔행복〕을 만끽하다. **~bezeigung** *f.* 〔雅語〕 기쁨의 표시〔표정〕; 축하(의 말). **~blick** *m.* 〔고어〕 ① 행복에 찬 시선. ② 잠깐 동안의 기쁨. **~botschaft** *f.* 기쁜 소식, 희소식, 쾌보. **~feier** *f.* 축제, 축하연. **~fest** *n.* 축제; 축연, 축하회. **~feuer** *n.* (경축 때의) 모닥불. **~geheul** *n.* 환호성. **~geschrei** *n.* ↑ ~geheul. **~haus** *n.* ① 경사가 난 집. ② 〔은폐〕 유곽. **~kelch** *m.* ↑ ~becher. **~kleid** *n.* 나들이옷; 예복. **~leben** *n.* 즐거운〔행복한〕 생활; 환락의 생활. **~leer** *a.* ↑ freudeleer.
freudenlos *a.* ↑ freudlos.
Freuden⸗mädchen *n.* 〔은폐〕 창부, 매춘부. **~mahl** *n.* 〔雅語〕 축연, 향연; 축하 음식. **~opfer** *n.* 감사의 제물. **~post** *f.* 〔고어〕 ↑ ~botschaft. **~rausch** *m.* ↑ ~taumel. **~reich** *a.* 기쁨에 찬. **~ruf** *m.* ↑ ~schrei. **~saal** *m.* (Himmel) 하늘, 창공. **~schießen** *n.* 축포; 사격 대회. **~schrei** *m.* 환호(성): einen ~ ausstoßen 환호성을 내지르다. **~sprung** *m.* 기뻐서 날뜀, 환호작약. **~störer** *m.* 흥을 깨뜨리는 자, 훼방꾼. **~tag** *m.* 기쁜 날; 축제일; 길일: heute ist wirklich ein ~! 오늘은 정말 기쁜 날이다! **~taumel** *m.* 환희, 기쁨의 도취. **~tod** *m.* 기쁨의 충격사; 극락왕생. **~träne** *f.* 기쁨의 눈물: ~n weinen〔vergießen〕 기쁨의 눈물을 흘리다. **~trunk** *m.* 축배. **~trunken** *a.* 〔雅語〕 기쁨에 취한. **~wein** *m.* 축배.
freude⸗strahlend *a.* 희색이 만면한. **~trunken** *a.* 〔雅語〕 기쁨에(도) 취한. **~voll** *a.* 기쁨에 찬, 즐거움에 넘친.
Freudianer [frɔʏdiáːnər] *m.* -s, - 〚心〛 프로이트 학파 사람, 프로이트 학설의 추종자.
freudianisch *a.* 〚心〛 프로이트 학파의, 프로이트의 이론에 따른.
***freudig** [frɔ́ʏdɪç] 《<Freude》 *a.* ① 기뻐하는, 기쁨에 넘친, 즐거운: ein ~es Gesicht machen 기쁜 얼굴을 하다; jn. ~ stimmen 누구를 즐겁게 해주다. ② 기쁨을주는, 즐겁게 하는, 반가운: ein ~es Ereignis 경사, 아이의 출생; bei Familie Müller wird ein ~es Ereignis erwartet 뮐러 씨네 집에는 곧 아이가 태어날 것이다; eine ~e Nachricht 희소식. ③ 흔쾌한: eine Einladung ~ annehmen 초대를 흔쾌히 받아들이다. ④ 〔(고어) freidig〔mutig〕와 혼동하여〕 의연한, 결연한, 서슴지 않은: ~ ging er in den Tod 그는 의연하게 죽음을 맞이했다.
Freudigkeit *f.* 기쁨, 즐거움, 경사: mit ~ 기꺼이, 즐거이.
freud·leer [frɔ́ʏt..] *a.* ↑ freudeleer.
freudlos [..loːs] *a.* 즐겁지 않은, 재미 없는, 싱거운; 슬픈.
Freudsch *a.* 프로이트의 심리 분석에 근거하는, 프로이트의 심리 분석 방법을 따르는: ~e Fehlleistung 프로이트적(的) 실착 행위(프로이트가 지적한, 억압된 무의식적 욕구나 관념에서 비롯된, 말이나 글에서의 실수).
freud·voll *a.* ↑ freudevoll.
***freuen** [frɔ́ʏən] 《<froh》 《Ⅰ》 *t.* ① **(a)** 기쁘게〔즐겁게〕 하다: dein Besuch freut mich 방문해줘서 기쁘다. **(b)** *imp.* es hat mich sehr gefreut 정말 즐거웠습니다(헤어질 때의 의례적인 인사말); es freut mich, dich hier zu sehen 너를 여기서 보게 되어 기쁘다. ② 〔사람이 주어〕〔고어〕 기쁘게 하다(erfreuen): du freust mich 너는 나를 기쁘게 한다. 《Ⅱ》 *refl.* sich ~ ① 기뻐하다, 반기다: sich wie ein Schneekönig〔Kind〕 ~ 몹시 기뻐하다; sie kann sich so nett ~ 그녀는 기쁨을 잘 표현할 줄 안다. ② **(a)** sich über et. ~ (과거의, 일반적인) 무엇을 기뻐하다: ich freue mich über deinen Erfolg 네가 성공했다니 기쁘다. **(b)** sich an et.³ ~ (현재의, 목전의) 무엇을 즐기다, 기뻐하다: er freute sich an seinen Kindern 그는 자기 아이들에게서 기쁨을 느꼈다. **(c)** sich auf et. ~ (미래의) 무엇을 고대하다: wir freuen uns auf den Ausflug 우리는

소풍을 고대하고 있다. ③ ich freue mich für dich, daß... 네가 …하니 (나는) 기쁘다; sich eines Dinges ~ a) 무엇을 향유하다, b) 〖雅語〗 무슨 일을 기뻐하다; er freut sich einer guten Gesundheit 그는 건강을 누리고 있다; ich freue mich sehr, daß es dir wohl〔gut〕 geht 네가 잘 지내니 나는 기쁘다. 《Ⅲ》〖고어〗 *i.* (h.) (sich ~) 기뻐하다, 반기다. 《Ⅳ》 **ge·freut** *p.a.* ↑ gefreut.

***Freund** [frɔʏnt] *m.* -(e)s, -e [frɔ́ʏndə] ① (**a**) 친구, 동무, 벗: ein alter ~ 옛 벗; ein vertrauter〔bewährter〕 ~ 친한〔믿음직한〕 친구; unter ~en ist sie lebendig und gesprächig 친구들과 함께 있을 때 그녀는 활기차고 수다스럽다; 〖구어〗 sie sind dicke ~e 그들은 절친한 친구 사이다; js. 〔mit jm.〕 ~ bleiben 누구와 계속 친구로 지내다; sich³ jn. zum ~ machen 누구를 자기 벗〔편〕으로 삼다; gut ~ werden 친해지다; sie sind wieder gut ~ geworden 그들은 화해했다; mein ~ war er nie 그는 한번도 내 친구인 적이 없었다; 〖반어〗 das ist ja ein feiner〔schöner〕 ~ 그는 정말 대단한 친구시구만; 〖속담〗 wer Geld hat, hat auch ~e 돈이 있으면 벗도 생긴다; 〖속담〗 ein ~ in der Not ist ein ~ in der Tat 〔im Tod〕 어려울 때 친구가 진정한 친구다; 〖비유〗 der beste ~ des Menschen 개; unsere gefiederten Freunde 새; unsere vierbeinigen Freunde 네 발 달린 짐승(특히 개나 고양이). (**b**) 지인(知人); (Geschäfts≈) 거래인〔처〕; 동맹자, 동료; 자기편(↔ Feind) : er war angesehen bei ~ und Feind 그는 누구에게나 존경을 받았다; unsere politischen ~e 정치적인 동지, 당원; 〖軍〗 wer da? —— gut ~! 누구야? —— 아군! (**c**) 〖부를 때 또는 인명 앞에서〗 mein lieber ~! 벗이여, 여보게! (자네) (mein Lieber); guter ~! 여보게, (위협적으로) 이봐!; 〖반어〗 bist du der gute ~, der mir mein Obst gestohlen hat? 그대가 내 과일을 훔친 착한 친군가? (**d**) 〖은폐〗 ~ Hein 죽음. ② 애호가; 지원자, 후원자: ein ~ vom Trinken 술꾼, 애주가; ein ~ der Musik 음악 애호가; ein ~ der Wahrheit 진리를 사랑하는 사람; er ist ein (großmütiger) ~ in der Kunst 그는 예술의 후원자다; ich bin kein ~ von vielen Worten 나는 수다는 싫다. ③ 〖구어〗 (der Geliebte) 애인, 연인: hat sie schon einen ~? 그녀는 벌써 애인이 있느냐? ④ 〖宗〗 (퀘이커 교도의) 교우(教友): Gesellschaft der ~e 교우파(教友派), 프렌즈회(會), 퀘이커파(派) (Quäker).

freund *a.* ① 우정 있는: jm. ~ sein 누구에게 호의적이다; jm. ~ werden 누구와 친해지다. ② (südd.) 친척되는(verwandt).

freund·brüderlich *a.* 〖고어〗 형제처럼 친한, 우애 있는.

Freundes≈dienst [frɔ́ʏndəs..] *m.* 〖雅語〗 우정어린 행위: jm. einen ~ erweisen 누구에게 우정을 베풀다. **~gruß** *m.* 〖雅語〗 우정어린 인사. **~kreis** *m.* 교우 범위〔관계〕: einen großen ~ besitzen 친구들이 많다. **~treue** *f.* 〖雅語〗 친구의 의리.

Freund-Feind-Denken *n.* "동지가 아니면 적"이라는 사고 방식.

Freundin [frɔ́ʏndɪn] *f.* -nen ↑ Freund 의 여성형: sie ist eine ~ von mir 그녀는 내 여자 친구 중 한 사람이다; er hat schon eine feste ~ 그는 벌써 확실한 애인이 있다.

***freundlich** [frɔ́ʏntlɪç] *a.* ① (**a**) 친절한, 상냥한, 공손한, 다정한; 〖聖〗 (하느님이) 자비로우신: kein sehr ~es Gesicht machen 무뚝뚝한 얼굴을 하다; jn. ~ aufnehmen〔empfangen〕 누구를 환영〔환대〕하다; das ist sehr ~ von Ihnen 참으로 친절하시군요; sie war so ~, mich einzuführen 그 여자는 친절하게도 나를 소개하여 주었다; bitte, recht ~! 자, 상냥하게! (사진찍는 사람이 하는 말). (**b**) 우호적인, 호의적인: eine ~e Haltung gegen jn. einnehmen 누구에게 우호적인 태도를 취하다. ② (무엇이) 마음에 드는, 안락한, 쾌적한, 살기 좋은: ~e Wohnung 마음에 드는 집; ~es Wetter 쾌적한 날씨; ~e Farben 밝은 (느낌의) 색.

freundlicher·weise *adv.* 친절하게: sie erbot sich ~, während meines Urlaubs die Blumen zu gießen 그녀는 친절하게도 내가 휴가가 있을 동안 꽃에 물을 주겠다고 제의했다.

Freundlichkeit *f.* -en ① (**a**) 친절, 다정: mit großer ~ 매우 다정하게; js. übertriebene ~ zurückweisen 누구의 과잉 친절을 거절하다. (**b**) 쾌적, 안락: die ~ eines Raumes 공간의 안락함. ② 친절한 행위〔언행〕: erweisen〔haben〕 Sie die ~, zu... 미안합니다만〔부탁드리오니〕 …하여 주십시오.

freundlos *a.* 〖雅語〗 친구가 없는.

freund·nachbarlich *a.* ① 이웃과 친하게 지내는. ② 이웃 친구 같은, 친밀한.

***Freundschaft** [frɔ́ʏntʃaft] *f.* -en ① 우정, 우의, 우호; 친교, 친숙; 친구 관계: für jn. ~ hegen 누구에게 우정〔친밀감〕을 품다; mit jm. ~ schließen〔knüpfen〕 누구와 친교를〔우정을〕 맺다; in Frieden und ~ mit jm. leben 누구와 사이좋게 지내다; dicke ~ 두터운 우정; 〖속담〗 Geld kennt keine ~ 금전에는 인정사정 없다; jm. eine ~ erweisen 누구에게 우정을 베풀다; 〖구어·반어〗 das nennt sich nun ~! 그런 것을 가지고 우정이라고 하는구먼! ② 〖구동독〗 (**a**) 자유 독일 소년단(Freie Deutsche Jugend)의 인사말. (**b**) (중·고등학교의) 개척단(원): die ~ verbrachte auch ihre Ferien gemeinsam 개척 단원들은 방학도 함께 보냈다. ③ 〖드물게〗 친지: sie hatte all ihre ~en eingeladen 그녀는 자신의 친지들을 모두 초대했다. ④ (südd.) 친척, 친족: er gehörte zu ihrer weitläufigen ~ 그는 그녀의 먼 친척이었다.

freundschaftlich *a.* 우정 어린, 우호적인, 친절한: jm. einen ~en Rat geben 누구에게 우정 어린 충고를 하다; auf ~em Fuße mit jm. stehen 누구와 친교가 있다; ~ gegen jn. gesinnt sein 누구에 대하여 호의를 품다.

Freundschaftlichkeit *f.* 우정, 우의, 친분, 친절; 우정의 관계〔행동〕.

Freundschafts≈bande *pl.* 〖雅語〗 우정의 결속: mit jm. ~ knüpfen 누구와 우의를 맺다. **~beteuerung** *f.* 우정의 맹세. **~beweis** *m.* 우정의 증거. **~bezeigung** *f.* 우정의 표시, 친절. **~bund** *m.* 〖雅語〗 우호적인 제휴〔동맹〕. **~bündnis** *n.* 우호 동맹, 맹약: die beiden Staaten schlossen ein ~ 두 나라는 우호 동맹을 맺었다. **~dienst** *m.* 우정의 봉사, 친절: jm. einen ~ erweisen 누구에게 친절을 베풀

다. ~**stück** *n.* 우정 어린 행위, 친절, 호의. ~**versicherung** *f.* 우정의 맹세.

frevel [fré:fəl] *a.* ①〖시어〗불법의, 나쁜, 악한: frevles Tun 불법 행위, 악행. ②〖고어〗무모한, 만용의; 오만불손한.

*__Frevel__ *m.* -s, - ①〖雅語〗신성 모독, 죄악, 악행: ein unerhörter ~ 전대미문의 악행; einen ~ begehen 죄를 범하다. ② (산림법 등의) 법규 위반: Baum≈ 도벌; Forst≈ 불법 산림 훼손. ③〖고어〗벌금, 과태료, 과징금.

frevelhaft *a.* 〖雅語〗불법의, 무도한, 방자한, 모욕적인: eine ~e Tat 무도한 행위; ~e Bibelinterpretation 독신적(瀆神的)인 성경 해석.

Frevel≈mord *m.* 학살, 참살. ~**mut** *m.* 〖교양〗사악; 오만불손.

freveln [fré:fəln] 《I》 *i.* (s.) 나쁜 짓을 저지르다, 죄를 범하다: an jm. 〔gegen jn.〕 ~ 누구에게 폭행을〔불법 행위를〕 가하다; gegen die Gesetze ~ 법을 어기다. 《II》 *t.* ① 나쁜 짓을 하다, 죄를 범하다. ② (벌금을) 물다.

Frevel≈sinn *m.* 〖교양〗악의, 사악; 방자, 불손. ~**tat** *f.* 〖雅語〗악행, 나쁜 짓, 범죄 행위, 포악, 흉악. ~**wort** *n.* 〖복수: -e〗〖雅語〗욕설, 무례한〔모독적인〕 언사.

freventlich [fré:fəntlıç] *a.* 〖雅語〗 ↑ frevelhaft.

Frevler [fré:flər] *m.* -s, - 범죄〔위반·무법〕자; 악인, 악한; 독신자(瀆神者).

Frevlerin *f.* -nen ↑ Frevler 의 여성형.

frevlerisch [fré:flərıʃ] *a.* ↑ frevelhaft.

Frey [fraı] 《„Herr"의 뜻》 *m.* -s 〘북구신화〙 프라이(풍요와 평화의 신).

Freyja [fráıja, frœ́yja] 《„Herrin, Frau"의 뜻》 *f.* 〘북구신화〙 프라이야(사랑의 여신)

Freyr [fráıər, frœyr] 〖고어〗 ↑ Frey.

Frhr. =Freiherr 남작.

Frida [frí:da] ↑ Frieda.

Fridchen [fí:tçən] ①〖↑ Gottfried 의 축소 애칭형〗프리트헨(남자 이름). ②〖↑ Frida 의 축소 애칭형〗프리트헨(여자 이름).

friderizianisch [fri:dəritsiá:nıʃ] *a.* 프리드리히 대왕 시대의.

Frieda [frí:da] *f.* 프리다(여자 이름).

fried·brüchig [frí:t..] *a.* 〖고어〗평화를 깨뜨리는, 평화를 깨뜨려 온.

Friede [frí:də] *m.* -ns, -n 〖고어〗 ↑ Frieden: (in) ~ und Freud 사이좋게, 다정하게.

Friede·fürst *m.* 〖고어〗 ↑ Friedensfürst.

friedelos *a.* ① 평화 없는; 어지러운; 불안한, 번민하는. ② 다투기를 좋아하는. ③ (geächtet) 추방〔파문〕당한.

*__Frieden__ [frí:dən] *m.* -s, - ① (↔ Krieg) 평화, 화평: den ~ aufrechterhalten〔ersehnen〕 평화를 유지〔염원〕하다; den ~ brechen 〔stören〕 평화를 깨뜨리다〔교란하다〕; Krieg und ~ 전쟁과 평화. ② 평화 조약(Friedensvertrag): Westfälischer ~ 베스트팔렌 평화 조약(1648); ~ schließen〔machen〕 평화 조약을 체결하다; den Gegner um ~ bitten 상대방에게 화해를 청하다. ③ 화목, 평안, 안녕; 평온: er hat den ~ innerhalb unserer Familie gestört 그가 우리 가정의 평안을 깨뜨렸다; mit jm. ~ halten 누구와 화목하게 지내다; mit aller Welt in ~ leben 누구와도 사이좋게 지내다; 〖속담〗 ~ ernährt, Unfrieden zerstört 화합은 융성의 근원, 불화는 파멸의 근원; um des lieben ~s willen 다투지 않기 위해서; seinen ~ mit Gott machen 신의 뜻에 순종하다; seinen ~ mit jm. machen 누구와 화해하다; mit sich selber ~ machen 내면의 안정을 찾다; er ruhe in ~ 고이 잠드소서(묘비명); 〖구어〗dem ~ nicht recht trauen (싸우고 난 후에) 평화가 깨질까 염려하다; 〖宗〗 der ewige ~ (죽은 후의) 영원한 안식; zum ewigen ~ eingegangen〔heimgegangen〕 sein 영면하다. ④ 보호; 안전: jm. ~ und Geleit geben 누구를 호위하다. ⑤〖방언〗담, 울타리.

frieden *t.* 〖드물게〗담으로〔울타리로〕 둘러싸다.

Friedens≈abschluß *m.* ↑ ~schluß. ~**antrag** *m.* 평화 제의. ~**bedingung** *f.* 평화 조건. ~**bestand** *m.* 〘軍〙 평시〔상시〕 정원〔편제〕. ~**bewegung** *f.* 평화 운동: sich einer ~ anschließen 평화 운동에 동참하다. ~**bote** *m.* 평화 사절; 〖시어〗평화의 사신. ~**bruch** *m.* 평화 협정 위반; 평화의 파괴〔교란〕. ~**diktat** *n.* (전승국이 강요하는) 가혹한 강화조건. ~**engel** *m.* ① 평화의 천사(월계수 가지를 든 모습으로 평화의 상징). ②〖비유·雅語〗평화의 중개자. ~**fahne** *f.* 강화기, 백기. ~**fahrt** *f.* 〘구동독·사이클〙 평화 기원 아마추어 자전거 대회. ~**feier** *f.* ↑ ~fest. ~**fest** *n.* 평화 기념 축제. ~**flagge** *f.* ↑ ~fahne. ~**forschung** *f.* 평화 연구. ~**freund** *m.* 평화주의자. ~**fürst** *m.* 〘가톨릭〙 평화의 주(主), 그리스도. ~**fuß** *m.* ① 평온한 상태: mit jm. auf ~ leben 누구와 친선을 유지하다. ②〘軍〙평시〔상시〕 정원〔편제〕: auf (den) ~ setzen〔bringen〕 (부대 편제를) 상비군 체제로 하다〔되돌리다〕. ~**gedanke** *m.* 평화 사상. ~**gericht** *n.* 〘法〙 구(區) 재판소; 치안〔중재〕 재판소(정식 재판관이 없기도 한 소규모 재판소; 독일의 경우 1949-60 년에 설치). ~**gespräch** *n.* 평화 회담. ~**hand** *f.* 〖다음 용법으로〗 jm. die ~ bieten 누구에게 화해를 청하다. ~**handlung** *f.* 평화 협상. ~**konferenz** *f.* ① 평화 회의: eine ~ einberufen 평화 회의를 소집하다. ②〘史〙 (1899 년과 1907 년 헤이그에서 있었던) 국제 평화 회의. ~**kongreß** *m.* 평화 회의. ~**kurs** *m.* 평화 노선: einen ~ einschlagen 평화 노선을 밟다. ~**lager** *n.* 〘구동독〙 평화 진영. ~**liebe** *f.* 평화에 대한 사랑. ~**mäßig** *a.* 평화시의, 평화시에 적당한. ~**miete** *f.* 〖옛뜻〗평화 집세(1914 년 7 월-1918 년 6 월 사이에 지어진 낡은 건물들에 의무적으로 부과했던 집세; 1955 년 폐지됨). ~**nobel·preis** *m.* 노벨 평화상. ~**palast** *m.* 평화궁(헤이그의 중재 재판소). ~**partei** *f.* 평화당. ~**pfeife** *f.* 평화의 담뱃대(인디언들이 강화 체결 때 피우던 담뱃대): 〖구어〗 (mit jm.) die ~ rauchen (누구와) 화해하다. ~**pflicht** *f.* 〘法〙 (임금 협상 중의) 쟁의 금지 의무. ~**politik** *f.* 평화 정책. ~**präliminarien** *pl.* 평화 예비 회담. ~**präsenz·stärke** *f.* 〘軍〙 평시〔상시〕 병력, 상비군. ~**preis** *m.* ① (노벨상 따위의) 평화상: ~ des deutschen Buchhandels (독일 출판 협회가 주는) 평화 작가상. ② 평시의 물가. ~**preis·träger** *m.* 평화상 수상자. ~**richter**

m. ① (특히 영·미의) 치안〔중재〕 판사, 치안관. ②〖옛뜻〗중재〔조정〕자. **~schluß** *m.* 평화 조약 체결. **~stand** *m.*〖軍〗평상시 편제. **~stifter** *m.* 중재〔조정〕자. **~störer** *m.* 평화〔치안〕 교란자. **~störung** *f.* 평화〔치안〕 교란. **~taube** *f.* 평화의 비둘기. **~unterhandlung** *f.* 평화 협상. **~verhandlung** *f.* 평화 교섭〔협상〕. **~vermittler** *m.* 평화 중재자. **~vertrag** *m.*〖法〗 평화 조약: einen ~ abschließen 평화 조약을 체결하다. **~vorschlag** *m.* 평화 제의〔제안〕. **~wert** *m.* 평화시의 물가. **~zeichen** *n.* 평화의 표시: eine weiße Fahne als ~ 평화의 표시인 백기. **~zeit** *f.* 평화 시대; 태평기.

Friederike [fri:dəríːkə] *f.* 프리데리케(여자 이름).

fried≈fertig [fríːt..] *a.* 평화를 사랑하는, 평화적인, 온화한:〖聖〗selig sind die ∼en 화평케 하는 자는 복이 있나니(마태 5: 9). **∼fertigkeit** *f.* 평화 애호, 타협적인 자세. **∼fisch** *m.* (풀이나 벌레 등을 먹고사는) 초식어(草食魚)(↔ Raubfisch).

Fried·hof *m.* ① 묘지: er liegt auf dem ~ der Dorfkirche begraben 그는 마을 교회의 묘지에 묻혀 있다. ②〔고어〕(성당 등의) 경내.

Friedhofs≈gärtner *m.* 공동 묘지 관리인. **~gärtnerei** *f.* 공동 묘지 관리(업). **~kapelle** *f.* 공동 묘지 부속 예배당. **~mauer** *f.* 공동 묘지 울타리. **~ruhe** *f.* 공동 묘지의 적막감; (묘지와 같은) 정적.

Friedländer *m.* -s, - ① (보헤미아 지역의 공국(公國)인) 프리틀란트(Friedland) (출신)의 사람. ② (**a**) der ~ 발렌슈타인(Wallenstein) (의 별명). (**b**) 발렌슈타인의 병사.

friedländisch *a.* ① 프리틀란트의. ② 발렌슈타인 부대의.

***friedlich** [fríːtlɪç] *a.* ① 평화적인, 평화를 위한: eine ~e Demonstration 평화적인 시위; eine ~e Außenpolitik 평화적인 외교 정책. ② (**a**) 타협적인, 온건한: ein ~er Charakter 타협적인 성격. (**b**) 평화로운: eine ~e Landschaft 평온한 풍경. ③〔방언〕만족한.

Friedlichkeit *f.* 평화적임, 평화 애호, 온화.

fried·liebend *a.* 평화를 사랑하는; 온화한.

friedlos *a.* ① 평화가 없는, 불안정한. ②〔옛뜻〕(vogelfrei) 법의 보호 밖에 있는, 추방된.

Friedrich [fríːdrɪç] 《„Friedefürst"의 뜻》 *m.* 프리드리히(남자 이름).

Friedrichsdor [fríːdrɪçsdoːr] *m.* -s, -e〔옛뜻〕프리드리히도어(프로이센 금화(金貨)).

Friedrich Wilhelm *m.* --s, --s〔구어·농담〕서명: seinen ~ daruntersetzen 그 아래에 서명하다(Friedrich Wilhelm 은 동명의 프로이센왕의 이름에서 비롯된 것으로 추정되는 아주 흔한 이름).

friedsam [fríːtzaːm] *a.*〔雅語·드물게〕온화한, 타협적인; 평화를 사랑하는: ein ~er Charakter 온화한 성격.

fried|selig *a.*〔고어〕평화를 아주 사랑하는.

frieren [fríːrən] (fror, gefroren) 《Ⅰ》*t.* ① 춥게 하다; 얼어붙게 하다, 결빙시키다;〔비유〕(간담을) 서늘하게 하다. ② *imp.* (**a**) es friert mich 〔mich friert〕 나는 춥다; es friert mich an den Händen 나는 손이 시리다. (**b**) es friert Eis 얼음이 얼다;〔구어〕es friert heute Stein und Bein 오늘은 몹시 춥다. 《Ⅱ》 *i.* ① (h.) (**a**) 춥다, 차다, 시리다;〖비유〗(기분이) 으스스하다: ich friere 나는 춥다; ich friere an den Händen 나는 손이 시리다; mir friert das Herz im Leibe 간담이 써늘하다. (**b**) *imp.* es friert 얼음이 언다. ② (s.) (**a**) 얼다, 결빙하다; 응고하다: das Wasser ist gefroren 물이 얼어붙었다; das Fenster ist gefroren 창에 성에가 끼었다. (**b**) 기온이 영하로 떨어지다: heute nacht hat es gefroren 오늘 밤은 기온이 영하로 떨어졌다. (**c**)〔결과를 표시하여〕die Füße sind mir steif gefroren 내 발이 얼어서 뻣뻣해졌다. 《Ⅲ》 *refl.* sich zu Tode ~ 얼어죽다. 《Ⅳ》 **gefroren** *p.a.* ↑ gefroren.

Frieren *n.* -s ① 추위, 한기, 오한. ② 결빙; 응결.

Frier·punkt [fríːr..] *m.* 어는점, 빙점.

Fries [friːs] 《frz.》 *m.* -es, -e [fríːze] ①〖방직〗프리즈(거칠게 짠 모직물의 일종). ②〖건축〗프리즈(띠 모양의 장식).

Friese[1] [fríːzə] *f.* -n ↑ Fries ①.

Friese[2] *m.* -n, -n 프리슬란트(Friesland) 사람.

Friesel [fríːzəl] 《원뜻 „Hirsekörner"》 *m./n.* -s, -n〖醫〗속립진(粟粒疹).

Friesel·fieber *n.*〖醫〗속립진열(熱).

Friesen·nerz *m.*〔구어·농담〕방수 점퍼.

Friesin [fríːzɪn] *f.* -nen ↑ Friese[2] 의 여성형.

friesisch [fríːzɪʃ] *a.* 프리슬란트(사람)의.

Friesland [fríːslant] *n.* ① 프리슬란트(독일 Niedersachsen 주의 한 지역). ② 프리슬란트 (네덜란드의 북부 주(州)).

Friesländer *m.* -s, - ↑ Friese[2].

friesländisch *a.* ↑ friesisch.

Frigg [frɪk] *f.*〖북구신화〗프리가(혼인의 여신; Odin 의 아내; 옛 독일명은 Frija).

frigid [frigíːt] 《lat.》 *a.* ①〖雅語〗매우 추운, 혹한의. ② 냉혹〔무정〕한. ③〖心·醫〗불감증의: eine ~e Frau 불감증의 여자.

Frigidarium *n.* -s, ..rien [..riən] ① (고대 로마 공중 목욕탕의) 냉탕, 냉탕실. ② (난방되지 않은) 식물 종묘장.

frigide *a.*〖心·醫〗↑ frigid ③.

Frigidität [frigiditɛ́ːt] *f.* ① 혹한. ② 냉혹, 냉담. ③ (여성의) 불감증.

Frija [fríːja] *f.*〔고어〕↑ Frigg.

Frikadelle [frikadɛ́lə] 《frz.》 *f.* -n〖요리〗프리카델레(독일식 비프스테이크).

Frikandeau [..kãdóː, ..kan..] *n.* -s, -s〖요리〗① 프리캉도(굽거나 쪄서 저민 송아지 뒷다리의 연한 고기). ② (돼지 등의) 뒷다리 고기.

Frikassee [frikaséː] *n.* -s, -s〖요리〗프리카세(닭 등의 얇게 저민 고기 조각으로 만든 스튜):〔비유·농담〕ich mache ~ aus dir! 내가 너를 흠뻑 두들겨 주겠다!

frikassieren [frikasíːrən] *t.* ① 프리카세를 만들다; (고기를) 저미다, 잘게 썰다. ②〔구어·농담〕몹시 때리다, 흠뻑 두들기다.

frikativ [frikatíːf] 《lat.》 *a.* 마찰로 생기는.

Frikativ *m.* -s, -e〖언어〗마찰음.

Frikativ·laut *m.* ↑ Frikativ.

Friktion [frɪktsióːn] 《lat. fricare》 *f.* -en ①〖物〗마찰. ②〖雅語〗불화, 마찰, 알력, 충돌: die Mehrheit der täglichen ~en ist überflüssig und lästig 일상적인 불화의 대부분은

불필요하고 성가신 것이다. ③〖醫〗 (a) (연고 등을) 문질러 바름. (b) 손가락으로 원을 그리며 하는 마사지. ④〖經〗 수급 불균형.

Friktions·feuerzeug *n.* ↑ ~zündhölzchen. **~getriebe** *n.* 〖기계〗 마찰 연동(聯動) 장치. **~kupplung** *f.* 〖工〗 마찰 클러치. **~rad** *n.* ↑ ~scheibe. **~scheibe** *f.* 〖工〗 마찰 연동 원반. **~walze** *f.* 마찰 롤러. **~zündhölzchen** *n.* 딱성냥.

Frimaire [frimɛ́ːr] 《frz.》 *m.* -(s), -s 상월(霜月) (프랑스 혁명력의 제 3 월; 11.21.-12.20.).

Frisch [frɪʃ] *m.* Max ~ 프리슈(스위스의 소설가겸 극작가, 1911-91).

***frisch** [frɪʃ] *a.* ① 상쾌한; 시원한: ~e Luft 신선한 공기; ~es Wasser 신선한 물; es ist ~ 시원하다. ② (식품이) 신선〔싱싱〕한; 청결한, 순결한; (기억이) 생생한; (빛깔이) 선명한; 〖제련〗 정련(精鍊)한: ~e Fische 신선한 생선; ~es Fleisch 생고기; ein ~er Teller 깨끗한 접시; ein ~es Hemd anziehen 깨끗한 〔갓 세탁한〕 셔츠를 입다; die Betten ~ beziehen 침대보를 새로 갈아 끼우다; ich habe es noch ~ im Gedächtnis 그것은 아직도 기억에 새롭다; ~e Fische, gute Fische 싱싱한 물고기가 좋은 물고기(지체는 금물). ③ 신규의, 새로운: das Haus ~ verputzen lassen 집을 새로 단장시키다; ~e Truppen 신예 군대; ~e Pferde 새 말, 바꾸어 타는 말; vom ~en 〔aufs ~e〕 새로이, 다시, 재차; mit ~en Kräften 힘을 내어서. ④ 팔팔한, 원기 좋은, 활발〔씩씩〕한; 주저하지 않는: ein ~es Aussehen haben 활기차 보이다; ~er Greis 기운 좋은 노인; ~er Mut 늠름한 용기; ~, fromm, fröhlich, frei 활기차게, 경건하게, 명랑하게, 자유롭게 (체육 표어); ~ drauflos! 덤벼라, 힘차게 해라!; ~ von der Leber weg reden 거리낌없이 말하다; 〖속담〗 ~ gewagt ist halb gewonnen 시작이 반이다. ⑤ 방금 … 한, 갓 만든; 현행의; 최근의: ~e 〔~ angekommene〕 Waren 신착품(新着品); ~er 〔~ gefallener〕 Schnee 방금 내린 눈; ~ gebackener Kuchen 갓 구운 케이크; Bier ~ vom Faß 통에서 방금 따른 맥주; Vorsicht, ~ gestrichen! 칠 주의!; ~e Nachrichten 최신 보도; jn. auf ~er Tat ertappen 누구를 현행범으로 체포하다. ⑥ 서늘한(kühl): das Wetter ist seit gestern ~ 날씨가 어제부터 서늘하다.

Frisch·arbeit *f.* 〖제련〗 정련(精鍊). **~auf** [frɪʃáuf] *int.* 힘내, 잘 해! **~backen** *a.* 갓 구운: ~es Brot 갓 구운 빵. **~blei** *n.* 〖제련〗 정련연(鉛), 순연(純鉛). **~blut** *n.* 〖醫〗 갓 채혈한 피. **~dampf** *m.* 〖기술〗 (보일러에서 갓 나와 압력이 줄지 않은) 싱싱한 증기(↔ Abdampf).

Frische [frɪ́ʃə] *f.* ① 상쾌, 청량; 신선, 싱싱함; (빛깔의) 선명; 건강, 팔팔함, 원기, 발랄, 활발: seine alte ~ wieder erlangen 옛날의 활력을 되찾다; die ~ des Waldes 숲속의 서늘함. ② 보양지, 피서지; 목지(牧地), 풀밭.

Frisch·ei *n.* 신선한 달걀. **~eisen** *n.* 〖제련〗 정련철.

frischen [frɪ́ʃən] 《I》 *t.* ① 〖시어〗 활력을 불어넣다. ② 〖사냥〗 (짐승에게) 물을 먹이다: einen Hund ~ 개에게 하제(下劑)를 쓰다. ③ 〖제련〗 정련하다; 환원하다. 《II》 *refl.* sich ~ (짐승이) 물을 마시다. 《III》 *i.* (h.) ① es frischt 상쾌〔시원〕하다; die Brise frischt 미풍이 시원하게 분다. ② 〖제련〗 (철이) 환원하다. ③ 〖사냥〗 (멧돼지가) 새끼를 낳다; (짐승이) 물을 마시다.

Frischer *m.* -s, - 〖제련〗 정련공.

Frisch·esse *f.* ↑ ~herd. **~feuer** *n.* 〖제련〗 정련 쇠살대〔화상(火床)〕. **~fröhlich** *a.* 명랑한, 쾌활한. **~gebacken** *a.* ① 갓 구운: ~e Brötchen 갓 구운 빵. ② 〖구어〗 갓 된, 초임의: ein ~er Ehemann 새신랑. **~gemüse** *n.* 신선한 야채. **~gewicht** *n.* 가공 이전의 무게: das ~ einer Fleischeinwaage (통조림 따위의) 순 고기 내용물만의 무게. **~haltebeutel** *m.* 식품 보관용 비닐 봉지. **~haltepackung** *f.* 진공 포장. **~haltung** *f.* (식품의) 보존, 저장. **~hammer** *m.* 〖고어〗 대장간. **~herd** *m.* 〖제련〗 정련로(爐). **~hütte** *f.* 〖제련〗 제련소, 주물 공장. **~käse** *m.* (부드럽고 흰색을 띤) 미숙성 치즈. **~kost** *f.* (과일·야채·주스로 만든) 자연식, 건강식.

Frischling [frɪ́ʃlɪŋ] *m.* -s, -e ① 〖사냥〗 한 살 짜리 멧돼지 새끼. ② 〖농담〗 신참, 애송이. ③ 〖고어〗 학교를 갓 졸업한 사람.

Frisch·luft *f.* 신선한 공기. **~milch** *f.* 갓 짜낸 우유. **~ofen** *m.* 정련로. **~schlacken** *pl.* 슬래그, 쇠똥, 광재(鑛滓). **~stahl** *m.* 선철(銑鐵). **~wasser** *n.* ① 맑은 물. ② 담수; (배에서 식수로 이용하는) 증류된 바닷물.

frisch·weg *adv.* 곧, 바로; 시원스럽게, 척척: ~ antworten 거침없이 대답하다.

Frischung [frɪ́ʃʊŋ] *f.* -en 〖고어〗 갱생, 재생.

Frisch·zelle *f.* 〖醫〗 (조직에서 방금 떼어낸) 신선 세포. **~zellen·therapie** *f.* 〖醫〗 세포 주입 요법.

Friseur [frizǿːr] *m.* -s, -e 이발사, 미용사: zum ~ gehen 이발소에 가다; er ließ sich die Haare vom〔beim〕 ~ schneiden 그는 이발소에서 머리를 깎았다.

Friseurin [..ǿːrɪn] *f.* -nen (특히 öst.) ↑ Friseur 의 여성형(Friseuse).

Friseur·salon *m.* 미용실, 이발소.

Friseuse [frizǿːzə] *f.* -n ↑ Friseur 의 여성형.

Frisier·eisen [frizíːr] *n.* 헤어 아이론.

frisieren [frizíːrən] 《frz. friser; ↑ Fries ①》 《I》 *t.* ① 이발하다, 머리를 손질하다: eine modisch frisierte Dame 유행하는 헤어스타일을 한 부인. ② 〖비유〗 (a) 보기좋게 다듬다, 겉모습을 위장하다: einen Bericht ~ 보고서를 그럴 듯하게 꾸미다; eine Bilanz ~ 분식(粉飾) 결산을 하다. (b) (성능을 높이기 위해) 개조하다: sein Motorrad zur Rennmaschine ~ 오토바이를 경주용 오토바이로 개조하다. ③ (천에) 보풀이 일게 하다. 《II》 *refl.* sich ~ 자기의 머리를 다듬다, 머리에 모양을 내다.

Frisier·kamm *m.* 이발용 빗. **~kommode** *f.* 화장대. **~mantel** *m.* 이발용 가운; (헐렁한 여성용) 화장복. **~maschine** *f.* 〖방직〗 보풀 일게 하는 기계. **~salon** [..zalɔ̃] *m.* 이발소, 미용실. **~tisch** *m.* 화장대, 이발대.

Frisko ↑ San Franzisko 의 단축형.

Frisör [frizǿːr] *m.* -s, -e ↑ Friseur 의 순수 독일어형.

friß [frɪs] ↑ fressen 의 2 인칭 단수 명령형.

friss 신정서 ⇦ friß.

frissest [frísəst] ↑ fressen 의 2 인칭 단수 guswo 형.
frissonnieren [frɪsɔníːrən] 《frz. frissonner》 *i.* (schaudern) 전율하다, (부르르) 떨다.
frisst 新정서 ⇦ frißt.
*__Frist__ [frɪst] *f.* -en ① (확정된) 시각, 시점: zu dieser ~ 이 기간에; zu jeder〔aller〕 ~ 언제나, 늘; zu keiner ~ 결코 …하지 않는. ② 기간, 기한: eine ~ bestimmen〔festsetzen〕 기한을 정하다; in Jahres≈ 1 년 동안에; in kürzester ~ 최단시일에, 극히 짧은 동안에; nur noch wenige Tage ~ haben 기한은 앞으로 며칠 안 남았다; eine ~ um zwei Tage verlängern 기한을 이틀 연기하다; 〖商〗 auf kurze ~en ausleihen 단기 대부를 하다; die ~ ist abgelaufen 기한이 끝났다. ③ 연기, 유예: (sich³) eine ~ erbitten 연기〔유예〕를 신청하다; jm. eine ~ gewähren 누구에게 유예를 주다, 누구의 사형 집행을 중지〔연기〕하다; 〖商〗 jm. drei Tage ~ geben 누구에게 3 일간의 유예를 주다.
frißt [frɪst] ↑ fressen 의 2·3 인칭 단수 현재형.
Frist·ablauf *m.* 기한의 만료, 만기.
fristen [frístən] 《I》 *t.* ① (생계 따위를) 근근이 이어가다, 어렵사리 유지해 나가다: ein kärgliches Leben ~ 궁핍한 생활을 이어가다. ②〔드물게〕 유예〔연기〕하다: einen Wechsel ~ 어음의 상환을 연기하다; jm. das Leben ~ 누구의 사형 집행을 연기〔중지〕하다. 《II》 *refl.* sich ~ 살아가다, 목숨을 잇다.
Fristen≈lösung *f.* 기한부 해결안(임신 3 개월까지만 낙태를 허용한 법률안). **~regelung** *f.* ↑ ~lösung. **≈weise** *adv.* 할부로, 분납으로. **~zahlung** *f.* 할부, 분납.
frist≈gemäß *a.* (정해진) 기한에 맞는, 기한 내의. **≈gesuch** *n.* 연기원(願), 유예원. **≈gewährung** *f.* 연기〔유예〕 허가; 기한 연기.
fristlos *a.* (unverzüglich) 유예 없는, 즉시의: er wurde ~ entlassen 그는 즉시 해고되었다.
Frist≈tag *m.* 유예일. **~überschreitung** *f.* 기한 초과〔위반〕.
Fristung *f.* -en 연기, 유예.
Frist≈verlängerung *f.* 기간 연장, 기한 연기. **~wechsel** *m.* 〖商〗 지급일 명시 어음.
Frisur [frizúːr] 《frz.》 *f.* -en ① 머리 모양, 헤어스타일. ②〖섬유〗 (의복의) 가장자리 주름 장식. ③ 단장, 꾸밈; 분식(粉飾). ④ 개량, 개조: die ~ von Motoren 모터의 개량.
Friteuse [fritǿːzə] *f.* -n 전열식 튀김 조리기.
Frit·fliege *f.* 〖動〗 (애벌레 상태에서 곡식에 큰 해를 입히는) 작은 파리의 일종.
Frithjof [frítjɔf] *m.* 프리툐프(노르웨이의 전설적 영웅).
fritieren *t.* 〖요리〗 기름에 튀기다: Fisch ~ 생선을 기름에 튀기다.
Fritt [frɪt] 《<fretten》 *m.* -(e)s, -e ↑ Frittbohrer.
Frittate [frɪtáːtə] 《it.》 *f.* -n 〖요리〗 오믈렛(의 일종).
Frittaten·suppe *f.* 오믈렛을 넣어 만든 쇠고기 수프.
Fritt·bohrer *m.* 톱(Säge); 송곳(Bohrer).
Fritte [frítə] 《frz.》 *f.* -n ① (유리·도자기 가루가) 반쯤 녹은 다공질 재료(필터 따위로 쓰임); 반쯤 녹은 유리 원료, 백옥(白玉). ②〔대개 복수〕〔방언〕 (작은 막대형) 감자튀김.
fritten[1] [frítən] *t.* ① (쇠부스러기·모래 등을) 가열하여 녹이다. ②〖지질〗 (퇴적암이) 분출한 마그마의 열에 녹아 변하다. ③〔구어〕 ↑ fritieren.
fritten[2] *t./refl.* ↑ fretten.
Fritten·porzellan *n.* (무색 투명한) 유리질(質) 자기, 연질(軟質) 도기.
Fritter [frítər] 《<fritten[1]》 *m.* -s, - 〖物〗 (Kohärer) 코히러(구식 수신용 검파기).
frittieren 新정서 ⇦ fritieren.
Fritt≈ofen *m.* 유리 원료 용로(溶爐). **~röhre** *f.* ↑ Fritter.
Frittüre 新정서 ⇦ Fritüre.
Fritüre [fritýːrə] 《frz.》 *f.* -n 〖요리〗 ① 튀김 기름. ② 튀김 요리. ③ ↑ Friteuse.
Fritz [frɪts] *m.* 〔↑ Friedrich 의 단축형〕 프리츠(남자 이름); (외국에서 폄하해서 말하는) 독일인(별명): 〔구어〕 für den Alten ~en 헛되이, 괜히, 쓸데없이.
frivol [..vóːl] 《frz.》 *a.* ① 경박〔경솔〕한: eine ~e Person 경박한 인물. ② 부도덕〔파렴치〕한: ~e Witze 점잖지 못한 농담; ~e Lieder 외설적인 가요. ③ 하찮은, 가치 없는.
Frivolität [frivolitέːt] *f.* -en ① 경박, 경솔; 경솔한 발언: die ~ seines Verhaltens 그의 행동의 경박성. ② 외설, 파렴치; 음담. ③〔복수〕 (북을 사용하는) 뜨개질(Okkiarbeit).
Frivolitäten·arbeit *f.* 〔고어〕 ↑ Frivolität ③.
Frl. =Fräulein.
Fröbel·spiel [frǿːbəl..] *n.* (독일의 교육가 F. W.A. Fröbel 이 고안한) 유아용 교육 완구.
*__froh__ [froː] *a.* ① **(a)** 기뻐하는, 반가워하는: über et. ~ sein 무엇을 기뻐하다; 〖雅語〗 eines Dinges ~ sein 무엇을 반기다. **(b)** 〔구어〕 만족〔안심〕하는: er wird seines Lebens nicht (mehr) ~ 그는 더 이상 자신의 삶에 기쁨을 느끼지 못한다. ② 쾌활한, 명랑한: ~en Mutes sein 명랑한 기분이다. ③ 기쁜, 즐거운; 경사스러운: in ~er Stimmung sein 즐거운 분위기다; ~e Nachricht 기쁜 소식; ~es Fest! 즐거운 축제가 되기를!; 〖聖〗 die ~e Botschaft 복음. ④ (빛깔 등이) 화려〔요란〕한.
Froh≈gefühl *n.* 즐거운 기분, 기쁨, 명랑. **≈gelaunt** *a.* 기분 좋은. **≈gemut** *a.* 기분이 좋은, 명랑한, 즐거운: ~ an die Arbeit gehen 명랑한 기분으로 일에 착수하다. **~botschaft** *f.* 〖가톨릭·雅語〗 복음.
*__fröhlich__ [frǿːlɪç] 《<froh》 *a.* ① 기쁜, 즐거운, 쾌활한; 기분 좋은: eine ~e Gesellschaft 즐거운 모임. ② 유쾌한; 자유 분방한. ③ 번영〔번성〕한: ~e Felder 풍요로운 들판.
Fröhlichkeit *f.* ① 쾌활, 명랑, 기쁨, 만족. ② 오락, 여흥; (Fest) 축전, 축연.
frohlocken [frolɔ́kən, fróːlɔkən] (*p.p.* frohlockt, (고어) gefrohlockt) *i.* ①〖雅語〗 환호하며 기뻐하다, (누구를) 찬미하다: frohlocket dem Herrn! 주를 찬미하라!; eines Dinges 〔über et.〕 ~ 무엇을 무척 기뻐하다. ② (남의 불행에 대해) 쾌재를 부르다: sie haben zu früh frohlockt 그들은 너무 일찍 쾌재를 불렀던 것이다.
Froh≈mut *m.* ↑ ~sinn. **≈mütig** *a.* ↑ ≈sinnig. **~natur** *f.* ① 쾌활한 성질, 낙천적 기

질. ② 쾌활한 사람: sie ist eine richtige ~ 그녀는 아주 명랑한 사람이다. **~sinn** *m.* ① 쾌활, 명랑. ② 합창단 등의 이름 뒤에 붙는 명칭 (보기: der MGV ~). **~sinnig** *a.* 쾌활〔명랑〕한, 신난.

Fromage de Brie [frɔma(:)ʒdəbrí(:)] 《frz.》 *m.* - - -, -s - - ↑ Briekäse.

***fromm** [frɔm] (frommer, frommst; frömmer, frömmst) 《ahd. fruma》 *a.* ① 신앙심이 깊은, 경건한: ein ~er 믿음이 깊은 남자; die ~en 선남선녀; ~ werden 신앙심을 일으키다, 회심(回心)하다. ② 독실한 척하는: ~ tun 신앙이 깊은 체하다. ③ 선의에서 나온, 악의 없는: ein ~er Wunsch 선의의 (그러나 비현실적인) 소망; ~e Lüge 선의의 거짓말. ④ 유순한, 말 잘 듣는: ein ~es Pferd 유순한 말; ~ wie ein Lamm 어린 양같이 순한; 〔비유〕 ein ~es Schaf 호인. ⑤ 〔고어〕 용감한, 부지런한, 정직한.

Fromme [frɔ́mə] *m.* -n 〔고어〕 이익: 〔현재는 다음 용법으로만〕 zu js. (Nutz und) ~n 누구를 위하여.

Frömmelei [frœməlái] *f.* -en 〔폄어〕 신앙심이 깊은 체하기, 위선; 성자(聖者) 행세.

frömmeln [frœ́məln] *i.* 〔폄어〕 신앙이 깊은 체하다; 위선을 행하다.

Frommen 〔고어〕 *n.* -s (öst.) ↑ Fromme.

frommen [frɔ́mən] *i.* (h.) 〔고어〕 (누구에게) 도움이 되다, (무엇에) 이롭다: wem soll es ~? 그게 대체 누구에게 도움이 된다는 건가?

Frommheit *f.* ↑ Frömmigkeit.

fromm·herzig *a.* 경건한, 신앙심 깊은.

frömmig [frœ́mɪç] 〔고어〕 *a.* ↑ fromm.

Frömmigkeit [frœ́mɪçkait] *f.* ① 신앙심이 깊음, 경건, 독실: sie war von tiefer ~ erfüllt 그녀는 깊은 신심으로 충만해 있었다. ② 〔고어〕 인내, 순종.

Frömmler [frœ́mlər] *m.* -s, - 〔폄어〕 신앙이 깊은 척하는 사람; 위선자.

Frömmling *m.* -s, -e ↑ Frömmler.

fron [fro:n] 《ahd. frô》 *a.* 〔고어〕 주의, 그리스도의; 신성〔숭고〕한; 군주〔영주〕의; 공공의, 공적인.

Fron[1] *m.* -(e)s/-en, -e(n) 〔고어〕 ① 재판소의 정리(廷吏). ② ↑ ~arbeiter.

Fron[2] *f.* -en ① 〔옛뜻; 특히 중세〕 부역, 노역: die Befreiung der Bauern von der ~ 농민들의 부역에서의 해방. ② 〔雅語〕 강제 노동; 고역(苦役): gottlob sind wir jetzt von dieser ~ befreit 감사하옵게도 우리는 이제 이 고역에서 해방되었다.

Fron≈acker *m.* 부역전(田). **~altar** *m.* 〔고어〕 본(本)제단, 중앙 제단. **~arbeit** *f.* ① 부역; 강제 노동. ② 고역, 힘드는 일. ③ (schweiz.) 자원 (노력) 봉사. **~arbeiter** *m.* 〔옛뜻〕 부역자; 강제 노동자; 악착같이 일하는 사람.

fronbar *a.* ↑ fronpflichtig.

Fron≈bauer *m.* 〔옛뜻〕 부역 농부. **~bote** *m.* 〔중세〕 ① ↑ Fron[1]. ② 종복.

Fronde[1] [fró:ndə] *f.* -n 〔고어〕 ↑ Fron[2].

Fronde[2] [frɔ̃:də] 《frz.》 *f.* ① (17세기 프랑스의) 프롱드당; 프랑스의 반절대주의 운동 (1648-53). ② 반정부 단체; 야당; 반대파: eine ~ gegen Regierung bilden 반정부 단체를 결성하다.

fronden *i.* 〔고어〕 ↑ fronen.

Frondeur [frɔ̃dø:r] *m.* -s, -e 프롱드 당원, 반정부 인사.

Fron·dienst [fró:n..] *m.* 부역, 강제 노동; 힘드는 일.

frondieren [frɔ̃dí:rən] 《<Fronde[2]》 *i.* (정부 등에) 반대하다: gegen moralische Konventionen ~ 도덕적 관습에 반대하다.

Frone [fró:nə] *f.* -n ↑ Fron[2].

fronen [fró:nən] *i.* ① 〔옛뜻〕 부역〔강제 노동〕하다. ② 〔雅語〕 중노동하다: für seine Familie ~ 그의 가족을 위해 중노동하다.

frönen [frø:nən] *i.* 〔雅語〕 (악덕·정욕에) 빠지다, (무엇의) 노예가 되다: er hat dem Alkohol gefrönt 그는 술독에 빠져 살았다.

Fröner *m.* -s, - 〔옛뜻〕 ↑ Fronarbeiter.

Fron≈fasten *pl.* 〔옛뜻〕 (3개월에 한 번꼴로 있었던) 단식 기간. **~feste** *f.* 〔옛뜻〕 부역 영주의 성채(城砦), 〖중세〗 (폭군의) 성채; 감옥. **~frei** *a.* 부역 면제의. **~fuhre** *f.* (부역으로) 수레 끌기. **~geld** *n.* 부역 면제금. **~gut** *n.* 부역지, 부역 장원(莊園). **~herr** *m.* 〔옛뜻〕 부역을 시키는 영주. **~hof** *m.* 부역 농장. **~hufe** *f.* ↑ ~hof. **~leichnam** [fro:nláiçna:m] *m.* 〖가톨릭〗 ① (그리스도의) 성체(聖體). ② ↑ ~leichnamsfest.

Fronleichnams≈fest *n.* 성체 축일. **~prozession** *f.* 〖가톨릭〗 성체 축일의 행렬.

Fron≈pflicht *f.* 부역 의무. **~pflichtig** *a.* 〔옛뜻〕 부역 의무가 있는. **~pflichtung** *f.* ↑ ~pflicht.

***Front** [frɔnt] 《frz.》 *f.* -en ① 전면(前面), 정면; 〖건축〗 (건물의) 정면: vor seinem 〔gegen seinen〕 Vorgesetzten ~ machen 상관에게 차려 자세를 취하다; Truppen in breiter ~ 횡대로 늘어선 병력. ② 〖軍〗 (최)전선, 전방; (대열의) 전방, 정면: die Soldaten an der ~ 최전선의 병사들; in der ~ dienen 전방에서 근무하다; gegen jn.〔et.〕 ~ machen 누구에게〔무엇에〕 대항하다. ③ (정치 운동의) (투쟁) 전선; 〖스포츠〗 선두: eine revolutionäre ~ 혁명 전선; 〖구동독〗 die Nationale ~ (SED 통치 때의) 인민 전선; eine geschlossene ~ bilden 연합〔공동〕 전선을 형성하다; der Läufer ging〔lag〕 bald nach dem Start in ~ 그 주자는 출발하자마자 선두에 나섰다. ④ 〖기상〗 전선, 불연속선: eine ~ kalter Luftmassen 한랭 전선; Warm~ 온난 전선.

frontal [frɔntá:l] *a.* 전면〔정면〕의: er war ~ gegen die Mauer geprallt 그는 벽에 정면으로 부딪쳤다.

Frontal≈arterie *f.* 〖해부〗 전면 동맥. **~zusammen·stoß** *m.* 정면 충돌.

Front≈angriff *m.* 정면 공격. **~antrieb** *m.* 〖車〗 전륜 구동. **~begradigung** *f.* 〖軍〗 전열 정비. **~bogen** *m.* 정면 아치. **~breite** *f.* ① (건물의) 전면의 폭. ② 전선(前線)의 폭. **~dienst** *m.* 일선〔전방〕 근무.

Fronte [frɔ́ntə] *f.* -n ↑ Front.

Front·einsatz *m.* 〖軍〗 (병력의) 전선 투입.

Frontispiz [frɔntispí:ts] 《lat. spicere》 *n.* -es, -e ① 〖건축〗 건물의 정면; (건물의) 정면 박공. ② 〖印〗 (책의) 속표지; 권두화(卷頭畵). ③ (속표지를 장식하던) 목판(화).

Front≈kämpfer *m.* 전선의 전투원. **~lader**

m. (세탁물을) 앞으로 넣는 세탁기. **~motor** *m.* 〖車〗 전륜 구동 모터. **~linie** *f.* 전선(戰線). **~marsch** *m.* 〖軍〗 정면 행진. **~offizier** *m.* 전투 부대 장교.

Fronton [frɔ̃tɔ̃:] 《frz.》 *n.* -s, -s [..s] 〖건축〗 ↑ Frontispiz ①.

Front≠soldat *m.* 전방의 병사, 일선(의) 병사. **~spitze** *f.* ↑ Frontispiz. **~wechsel** *m.* ① 〖軍〗 전선 교체; (적진으로의) 투항. ② 신념의 변화, (정치적) 변절.

Frönung [frǿ:nʊŋ] *f.* -en 부역.

Fron≠vogt *m.* 〔옛뜻〕 부역 감독관; 〔비유〕 혹사시키는 사람. **≈weise** *adv.* 부역으로.

fror [fro:r] ↑ frieren 의 과거형.

fröre [frǿ:rə] ↑ frieren 의 접속법 Ⅱ 식.

***Frosch** [frɔʃ] *m.* -(e)s, Frösche ① 〖動〗 개구리: die Frösche quakten 개구리들이 개굴개굴 울었다; 〔농담〕 du wirst Frösche in den Bauch kriegen 너는 물을 너무 많이 마신다; sich wie ein ~ aufblasen 과시하다; 〔비유〕 ich habe einen ~ im Hals 〔in der Kehle〕 나는 목소리가 쉬었다; 〔비유〕 die Arbeit ist kein ~ 그 일은 언젠가 해야 될 일이다; sei (doch) kein ~! 흥을 깨지 마, 빼지 말고 함께 해라! ② 여러 종류의 달팽이. ③ 〔비유〕 (a) (소택지에 사는) 베니스 사람. (b) 고등학교를 갓 졸업한 사람. ④ (개구리처럼 튀면서 터지는) 폭죽의 일종(Knallfrosch). ⑤ 〖醫〗 (혀 밑의) 하마종(蝦蟆腫); 〖수의〗 구개종(口蓋腫), 위턱 종양. ⑥ (a) 〖건축〗 (대들보의) 버팀목. (b) (통의) 가장자리, 철변(凸邊); (사다리의) 쐐기. ⑦ 〖악기〗 (현악기 활의) 점쇠. ⑧ 전동 해머; 압착기. ⑨ 〖아이스하키〗 (골키퍼 장갑의) 엄지와 검지를 연결하는 부분.

Frosch≠arten *pl.* 〖動〗 개구리류(類). **≈artig** *a.* 개구리 같은, 양서류의. **~auge** *n.* ① 개구리 눈. ② 〔대개 복수〕 〔평어〕 퉁방울눈. ③ (자동차의 반구형) 전조등. **~biß** *m.* 〖植〗 자라풀의 일종. **~blut** *n.* ① 개구리의 피. ② 〔비유〕 무정열, 무감정: ~ haben 무감각하다.

Fröschchen [frœʃçən] *n.* -s ① 〔↑ Frosch 의 축소형〕 작은 개구리. ② 〖醫〗 ↑ Frosch ⑤.

Frosch·eier *pl.* 개구리 알(Froschlaich).

Fröschel [frœʃəl] *n.* -s, - 마구(馬具)의 점쇠.

Frosch≠esser *m.* 개구리 먹는 사람(프랑스인의 별명으로도 쓰임). **~fisch** *m.* 〖動〗 북아메리카산(産) 농어목의 물고기의 일종. **~-gequak** *n.* 개구리의 울음소리. **~gequake** *n.* ↑ ~gequak. **~geschwulst** *f.* ↑ Frosch ⑤. **~goscherl** *n.* (öst.) 〔구어〕 (민속 의상의) 주름잡힌 (가장자리) 단. **~haut** *f.* 〖방직〗 (얇은 방수) 견직물의 일종. **~hüpfen** *n.* 개구리 뜀(유희의 이름). **~jagd** *f.* 개구리잡이. **~keule** *f.* ↑ ~schenkel. **~klemme** *f.* 펜치, 철사 조이개. **~könig** *m.* 개구리 왕자(마법에 걸려 개구리로 변한 동화의 인물). **~-kraut** *n.* 〖植〗 미나리마름. **~laich** *m.* 개구리 알(덩어리). **~laich·alge** *f.* 〖植〗 민물 홍조류(紅藻類).

Fröschlein [frœʃlaɪn] *n.* -s - ↑ Fröschchen.

Frosch≠löffel *m.* 〖植〗 택사의 일종. **~lurch** *m.* 개구리류(類), 무미(無尾) 양서류. **~mann** *m.* 잠수부. **~maul** *n.* ① 개구리 입: 〔구어〕 mach〔zieh〕 doch kein ~! (불만의 표시로) 주둥이를 내밀지 마라! ② 〖건축〗 반원형의 천창(天窓). **~mäuse·krieg** *m.* 개구리와 쥐의 싸움(Ilias 를 희화(戱化)한 그리스 광시(狂詩)의 이름; 호머가 쓴 것으로 잘못 알려짐). **~perspektive** *f.* ① 앙견(仰見), 밑에서 올려다봄. ② (사회·조직) 하층의 시점; 〔평어〕 폭좁은 견해: er sieht〔betrachtet〕 die Dinge immer nur aus der ~ 그는 항상 우물안 개구리식으로 사물을 바라본다. **~quappe** *f.* 〖動〗 올챙이. **~sattel** *m.* 테없는 안장. **~schenkel** *m.* ① 개구리의 뒷다리. ② 〖요리〗 개구리 뒷다리 요리. **~test** *m.* 〖醫〗 개구리를 이용한 임신 검사법. **~wurm** *m.* ↑ ~quappe.

***Frost** [frɔst] 《<frieren》 *m.* -(e)s, Fröste [frœst] ① (빙점 이하의) 추위: es herrscht strenger ~ 심한 추위가 계속된다. ② 〔비유〕 겨울. ③ 오한, 한기: der Kranke wurde von ~ geschüttelt 그 환자는 오한으로 떨었다. ④ 냉담, 무정, 박정(薄情). ⑤ (a) 서리, 결상(結霜), 결빙; 언 땅. (b) 동상, 동창(凍瘡).

frost≠anfällig *a.* 추위를 잘 타는. **≈aufbruch** *m.* (노면 등의) 동파. **≈beule** *f.* ① 〖醫〗 동상, 동창. ② 〔농담·방언〕 추위를 유난히 잘 타는 사람. **≈biß** *m.* ↑ ≈brand. **≈-brand** *m.* ① 〖醫〗 3도 동상. ② 〖가정〗 냉동 식품 표면의 변색.

fröstelig [frœstəlɪç] *a.* ① 아주 써늘한, 추운. ② 전율이 이는, 오싹한.

frösteln [frœstəln] 《Ⅰ》 *imp.* 오한이 나다, 오슬오슬 춥다: mich fröstelt 〔es fröstelt mich〕 나는 오한이 난다. 《Ⅱ》 *i.* 한기가 나다, 오싹하다: ~d stand sie im Regen 그녀는 비를 맞으며 오들오들 떨며 서 있었다; 〔비유〕 er hat bei diesem Gedanken gefröstelt 이런 생각을 하는 순간 그는 몸이 오싹했다. 《Ⅲ》 *t.* 한기를 느끼게 하다, 오싹하게 하다.

frosten *imp.* ① 냉동시키다. ② 〔雅語〕 es frostet 춥다; 서리가 내린다.

Froster *m.* -s, - ① 냉동기. ② 냉동실〔고〕.

Frost≠fieber *n.* 오한, 한기. **≈frei** *a.* 엄동설한을 면한, 서리가 내리지 않은. **~gefahr** *f.* 한파의 위험. **~grenze** *f.* 〖기상〗 결빙 한계선.

frostig [frɔstɪç] *a.* ① 추운, 서리가 내리는. ② 추위를 잘 타는, 잘 어는. ③ 냉냉한, 쌀쌀맞은: jm. ~ begegnen 누구를 쌀쌀맞게 대하다.

Frostigkeit *f.* ① 추위; 결빙 경향. ② 냉랭, 차가움, 쌀쌀맞음.

Fröstler *m.* -s, - 추위를 타는 사람.

Fröstling [frœstlɪŋ] *m.* -s, -e ↑ Fröstler.

Frost≠mittel *n.* 동상〔동창(凍瘡)〕 약. **~-monat** *m.* 12 월. **~nacht** *f.* 〖기상〗 기온이 영하인 밤; 추운 밤. **~pflaster** *n.* 동상 고약. **~punkt** *m.* 어는점. **~salbe** *f.* 동상 연고. **~schaden** *m.* 동해(凍害), 서리로 인한 피해; 동상. **~schutz·mittel** *n.* 동해〔상해(霜害)〕 방지제; 부동액: dem Kühlwasser des Autos ein ~ zusetzen 자동차의 냉각수에 부동액을 넣다. **~spanner** *m.* 〖動〗 자나방의 일종. **~wetter** *n.* 추운 날씨.

Frotté [frɔte:] *m./n.* -(s), -s 〖방직〗 (schweiz.) ↑ Frottee.

Frottee [frɔté:, frɔ́te:] *m./n.* -(s), -s 〖방직〗 (schweiz.) 테리천(목욕 가운 등을 만드는 굵고 성긴 직물).

Frottee=hand·tuch *n.* ↑ Frottierhandtuch. **~kleid** *n.* 테리천 옷. **~stoff** *m.*〖방직〗↑ Frottee. **~tuch** *n.* ↑ Frottierhandtuch.

Frotteur [frɔtǿːr] *m.* -s, -e ①〖방직〗일련의 테리사(絲) 방적 기계. ②〖醫·心〗프로타주 성욕 도착자(사람들 속에서 타인의 몸에 자신의 성기를 마찰함으로써 성적 쾌감을 느끼는 사람). ③〔고어〕바닥 청소용 솔.

Frottier·bürste [..tíːr..] *f.* 목욕용 솔.

frottieren [frɔtíːrən] *t.* ①(몸을 수건으로) 문지르다. ②(수건으로) 물기를 닦아내다: kannst du mir mal den Rücken ~? 내 등 좀 수건으로 닦아 줄래? ③〔고어〕(마루를) 왁스로 닦다.

Frottier=hand·tuch *n.*〔복수: ..tücher〕테리천 타월. **~stoff** *m.* 테리직, 거친 피륙. **~tuch** *n.* ↑ ~handtuch.

Frotzelei [frɔtsəláɪ] *f.* -en〔구어〕툭하면 놀리기; 잦은 조롱, 비웃음.

frotzeln [frɔ́tsəln] *t.*〔구어〕놀리다, 조롱〔희롱〕하다: er frotzelte sie wegen ihrer Ungeschicklichkeit 그는 그녀의 행동이 세련되지 못한 것을 가지고 놀렸다.

***Frucht** [fʊxt] ⟪lat. frūctus⟫ *f.* Früchte [frÝçtə] ①열매, 과일, 과실; 씨, 핵; (감자 등의) 알뿌리, 덩이줄기: eine reife ~ 익은 열매; Früchte vom Baum pflücken〔auslesen〕나무에서 열매를 따다. ②(a) 농작물, 곡물. (b)〔비유〕die verbotene ~ 금단의 열매(특히 사랑의 향락). ③〔비유〕(a) 이익, 수익, 소득. (b) 결과, 성과, 보답: ~ tragen 열매를 맺다, 성과를 거두다. (c) 산물, 소산. ④ 태아, 아기: die ~ des Leibes 뱃속의 아이;〔고어〕eine ~ der Liebe 사랑의 열매(사생아);〖聖〗ihre ~ 그 여자의 자손. ⑤〖農〗비습(肥濕).

Frucht=abgabe *f.* 곡물세. **~acker** *m.* 논밭. **~ast** *m.* 과실이 여는 가지. **~äther** *m.* 과실산(酸), 에테르. **~auge** *n.* 어린 봉오리; 열매가 되는 싹. **~balg** *m.*〖植〗골돌(蓇葖)(Balgkapsel).

fruchtbar [frúxtbaːr] *a.* ①열매를 맺는, 열매가 많은; 다산(多產)의, 생산력이 있는; 비옥〔풍요〕한: ~er Regen 풍년을 약속하는 비; ein ~es Jahr 풍년; er hatte acht Kinder, ein ~er Mann 그는 자식을 8명 둔, 자손 많은 사람이다; ~ machen 살찌우다, 열매를 맺게 하다. ②〖醫〗임신할 수 있는: die ~en Tage (der Frau) (여성의) 가임(可妊) 기간. ③다작의, 창작력이 풍부한; 효과가 큰; 함축성이 큰, 암시가 풍부한; 성과 있는; 쓸모 있는: eine ~e Phantasie 풍부한 상상(력); ein ~er Schriftsteller 다작의 저술가; an et.³ ~ sein 무엇이 풍부하다. ④〖心·교육〗der ~e Moment 학습 능력이 가장 왕성한 (발전) 단계.

Fruchtbarkeit *f.* ①〖生〗번식 능력, 다산성. ②〖農〗생산력, 비옥성, 수확력. ③〖醫〗임신 능력. ④〔비유〕생산성; 풍부한 효과.

Frucht=bau *m.* 곡식의 경작. **~baum** *m.* 과일 나무. **~becher** *m.* ①〖植〗(도토리 등의) 깍정이, 각두(殼斗). ②과일을 곁들여 담은 아이스크림. **~behälter** *m.* ↑ ~behältnis. **~behältnis** *n.* 깍지, 삭과(蒴果). **~bildung** *f.* 결실. **~blase** *f.*〖해부〗태포(胎胞). **~blatt** *n.*〖植〗과엽(果葉), 심피(心皮). **~blüte** *f.*〖植〗암꽃. **~boden** *m.* ①곡물 창고. ②〖植〗꽃턱. **~boden·ständig** *a.*〖植〗꽃턱이 있는. **~bonbon** *m./n.* 과일맛 사탕. **~bringend** *a.* ①열매를 맺는. ②생산적인, 풍성한; 효과가 있는, 유익한: eine ~e Tätigkeit 생산적인 활동;〖언어〗≗e Gesellschaft 1617년 독일어 보호와 정화를 위해 설립된 단체.

Früchtchen [frÝçtçən] *n.* -s, - ①〔↑ Frucht의 축소형〕작은 열매. ②〔비유·반어〕말썽꾸러기, 건달, 쓸모 없는 사람.

Frucht·decke *f.*〖植〗외과피(外果皮), 열매 겉껍질.

Früchte=brot *n.* 과일이 든 빵. **~fresser** *m.*〖動〗과일 먹고 사는 동물〔곤충〕.

Frucht·eis *n.* 과즙이 든 아이스크림.

fruchten [frúxtən] ⟪I⟫ *i.* 결실을 맺다;〔비유〕효과〔쓸모〕가 있다: alle Ermahnungen haben bei ihm nichts gefruchtet 모든 경고가 그에게는 소용이 없었다. ⟪II⟫ *t.*〔시어〕열매를 맺게 하다, 수정〔수태〕시키다.

Früchten·brot *n.* (öst.) ↑ Früchtebrot.

früchte·reich *a.* ↑ fruchtreich.

Frucht=entwicklung *f.* 결실. **~erde** *f.* 옥토, 기름진 땅. **~ertrag** *m.* 과일 수확(고). **~essenz** *f.*〖식품〗과일 진액. **~essig** *m.*〖식품〗과일 식초. **~ester** *m.* ↑ ~äther. **~feld** *n.* ①곡식 밭. ②비옥한 토지. **~fleisch** *n.*〖植〗과육(果肉). **~folge** *f.*〖農〗돌려짓기, 윤작. **~fresser** *m.* ↑ Früchtefresser. **~garten** *m.*〔드물게〕↑ Obstgarten. **~gehänge** *n.*〖건축〗(아래로) 내려뜨린 과실 무늬 조각, 현과(懸果) 장식. **~gehäuse** *n.*〖植〗과피(果皮). **~gewinde** *n.* ↑ ~gehänge. **~geschmack** *m.* 과일맛: Eis mit ~ 과일맛 나는 아이스크림. **~göttin** *f.*〖로마신화〗과실〔과수(果樹)〕의 여신(Pomona); 곡물의 여신(Ceres). **~handel** *m.* ①곡물상. ②과일 장사〔상점〕. **~haus** *n.* 곡물 창고; 온실. **~haut** *f.*〖植〗내과피(內果皮), 중과피(中果皮). **~holz** *n.*〖植〗꽃과 열매를 맺은 나뭇가지. **~horn** *n.* 과실이나 꽃을 담은 뿔그릇(풍요의 상징). **~hülle** *f.* ①〖植〗과피, 씨껍질. ②〖醫〗난막(卵膜);〖動〗배막(胚膜). **~hülse** *f.* 껍질, 외피; 깍지.

fruchtig [frúxtɪç] *a.* 과일맛이 강하게 나는:〖요식업〗~er Wein 포도향이 강한 포도주.

Frucht=kapsel *f.*〖植〗(과일의) 딱딱한 껍질. **~käse** *m.* 과일맛 치즈. **~keim** *m.* ①〖植〗열매의 싹, 배종(胚種). ②〖生〗배(胚), 태아. **~kelch** *m.*〖植〗과피, 씨껍데기; 꽃받침. **~kern** *m.* (과실 중심부의) 씨. **~knoten** *m.*〖植〗씨방, 씨눈, 자방(子房);〖醫〗난소. **~korb** *m.* (선물) 과일 바구니;〖건축〗받침 나무, 초엽(蕉葉). **~korn** *n.* 씨앗. **~krone** *f.*〖植〗관모(冠毛). **~kuchen** *m.* ①과일이 든 케이크. ②〖해부〗태반(胎盤). **~lager** *n.*〖植〗꽃턱, 자낭반(盤). **~land** *n.* 곡식밭, 과일 재배지. **~lehre** *f.* 과실학(學).

Früchtlein [frÝçtlaɪn] *n.* -s, - ↑ Früchtchen.

Frucht·lese *f.* 과실 채집.

fruchtlos [frúxtloːs] ⟪I⟫ *a.* ①열매를 맺지 않는, 비생산적인, 불모의, 불임의. ②〔비유〕효과가 없는, 무익한. ⟪II⟫ *adv.* 헛되이, 무익하게, 공연히: et. ~ versuchen 어떤 것을 헛되이 시도하다.

Fruchtlosigkeit *f.* 불모성, 비생산성; 헛됨, 효과 없음;〖生〗생식 불능: er sah die ~ seiner Bemühungen ein 그는 자신의 노력이 헛됨을 깨달았다.

Frucht≈mangel *m.* 과실〔곡물〕의 부족. **~mark** *n.* ① 과심(果心). ② (아직 걸쭉한) 중간 단계의 과일잼. **~markt** *m.*〔드물게〕과일 시장; 곡물 시장. **~messer**[1] *m.* 곡물 저울. **~messer**[2] *n.* 과도(果刀). **~monat** *m.* 9 월. **~mus** *n.* 과일 무스〔잼〕. **~nießer** *m.*〖法〗용익권자(用益權者). **~nießung** *f.*〖法〗용익권. **~presse** *f.* 과즙기. **≈reich** *a.* 결실이 많은; 다산의; 과실이 풍부한; 풍요한; 결과가 좋은. **~reife** *f.* 과실의 성숙(기). **~röhre** *f.*〖植〗(꽃의) 암술. **~saft** *m.* 과즙, 과일 주스. **~säure** *f.*〖化〗(레몬산(酸)·포도산 등의) 과일산. **~schale** *f.* ① 과일 껍질;〖植〗깍지. ② 과일 쟁반. **~scheuer** *f.* ↑ ~scheune. **~scheune** *f.* 곡물 창고. **~schiefer** *m.* ↑ ~stein ②. **~schnur** *f.* (~gehänge) 꽃줄(장식). **~schuppen** *pl.*〖植〗인편(鱗片), (솔방울의) 과린(果鱗). **~speicher** *m.* 곡물 창고. **~stand** *m.*〖植〗집합 과일, 꽃차례〔화서(花序)〕에서 나온 열매들의 결합(파인애플 따위). **~staude** *f.* ↑ ~strauch. **~stein** *m.* ① ↑ ~versteinerung. ②〖광물〗점문편암(點紋片岩); 점문 점판암(粘板岩). **~stiel** *m.*〖植〗열매의 꼭지. **~strauch** *m.* 열매 맺는 관목. **~stück** *n.* ① 과일 한 조각. ②〖畫〗과일 정물화(작품). **≈tragend** *a.* 열매를 맺는, 결실이 있는. **~versteinerung** *f.* 과일 화석. **~wasser** *n.*〖醫·生〗양수(羊水), 양막액(羊膜液). **~wechsel** *m.*〖農〗↑ ~folge. **~wein** *m.* 과실주. **~zehnte** *m.* 곡물세(수확고의 10 분의 1 을 냄). **~zins** *m.* 소작료. **~zucker** *m.* 과당(果糖). **~zweig** *m.* 열매가 맺힌 가지.

Fructose [frʊktóːzə] *f.* 과당(Fruktose).

frug [fruːk]〔방언〕↑ fragen 의 과거형.

frugal [frugáːl] *a.*〔교양〕① 소박한, 알뜰한, 검소한: ein ~es Mahl 소박한 식사. ②〔드물게〕식도락〔미식〕의, 풍성한: ein ~ gedeckter Tisch 푸짐하게 차린 식탁.

Frugalität [frugalitɛ́ːt] *f.*〔雅語〕① 검소, 소박. ② 호사, 풍성.

früge [frýːgə] ↑ fragen 의 접속법 Ⅱ식.

***früh** [fryː] (↔ spät) *a.* ① 이른; 조기〔초기〕의: am ~en Morgen 이른 아침에; in ~er Jugend 소년 시절에; in ~(er)en Zeiten 이전〔옛날〕에. ② 조숙한, 올되는: eine ~e Sorte Äpfel 조생종 사과. ③ 때 이른, 때 아닌: eine ~e Geburt 조산(早産); ein ~er Tod 요절;〔비유·雅語〕ein ~es Grab finden 어린 나이에 죽다;〔시어〕ihm war ein ~es Grab bereitet 그는 요절했다. ④ 아침에, 아침 일찍: gestern〔morgen〕~ 어제〔내일〕 아침에; ~ morgens 아침 일찍이; ~ um sechs (Uhr) 아침 6 시에; so früh wie möglich 되도록 일찍; ~ aufstehen〔auf sein〕일찍 일어나다; ~ und spät 언제나; von (morgens) ~ bis (abends) spät 아침부터 밤중까지;〔비유·구어〕da mußt du ~er aufstehen! 그 점에서 너는 좀더 민첩해야〔신경을 써야〕된다!

Früh≈apfel *m.* 조생종 사과, 올사과. **≈auf** *adv.*〔다음 용법으로〕von ~ 어릴 적부터. **~aufsteher** *m.* 일찍 일어나는 사람. **~beet** *n.*〖원예·農〗온상. **~birne** *f.* 조생종 배, 올배. **~blume** *f.*〖植〗데이지. **≈christlich** *a.* 초기 기독교의. **~diagnose** *f.*〖醫〗조기 진단: die ~ ist bei den Krebserkrankungen von entscheidender Bedeutung 암은 조기 진단이 결정적으로 중요하다. **~dienst** *m.* 오전 근무. **~druck** *m.*〔복수: -e〕(1501-50 년 시기의 초기 인쇄술에 따른) 고판본(Inkunabel).

Frühe [frýːə] *f.* 이른 아침, 새벽: in aller ~ 아침 일찍이; in der (ersten) ~ 새벽에; 젊은 시절에.

frühe *a.*〔고어〕↑ früh.

***früher** [frýːər]《früh(e) 의 비교급》《Ⅰ》*a.* ① 보다 이른. ② 먼저〔과거〕의; 원래의: ein ~er Fall 선례; die ~en Minister 전임 장관들; in ~en Zeiten 이전〔과거〕에. 《Ⅱ》*adv.* ① 보다 이르게: je ~, desto besser 이르면 이를수록 좋다; ~ oder später 조만간; acht Tage ~ 1 주일 전에. ② 이전에, 예전에, 원래: wie ~ bemerkt 전술한 바와 같이; ~ besaß er mehrere Häuser 예전에 그는 집을 여러 채 갖고 있었다; es ist alles noch wie ~ 모든 것이 예전 그대로다.

Früh≈erbsen *pl.* 조생종 완두; 올완두. **~ernte** *f.* 조기 수확; 첫 추수; 조생종.

frühest [frýːəst]《früh(e) 의 최상급》*a.* ① 가장 이른: am ~en 가장 이르게; mit dem ~en 새벽에, 첫 번째로, 첫 기차로. ② 맨 먼저의, 최고(最古)〔태고〕의: die ~en Völker 태고의 민족.

frühest·möglich *a.* 되도록 일찍: bitte liefern Sie zum ~en Zeitpunkt 되도록 이른 시간에 배달해 주시기 바랍니다.

frühestens [frýːəstəns] *adv.* ① 가장 이르게. ② 아무리 빨라도: er kommt ~ in einer Woche 그는 일러도 1 주일 후에야 온다.

Früh≈gebet *n.* 새벽〔아침〕기도. **~geburt** *f.* ① 조산(早産): eine ~ haben 조산하다. ② 조산아. **~gemüse** *n.* (온실 재배에 따른) 조기 수확 채소. **~geschichte** *f.* ① (선사 시대 이후의) 초기 역사 시대. ② 초기 역사 단계: die ~ des Sozialismus 사회주의 초기사(史). **≈geschichtlich** *a.* 상고사의, 초기 역사 시대의. **~gotik** *f.* 초기 고딕 시대. **~gotisch** *a.* 초기 고딕 시대의. **~gottes·dienst** *m.* 새벽〔아침〕예배(특히 일요일의 첫 번째 예배). **~infiltrat** *n.*〖醫〗초기 (폐)침윤(浸潤). **~invalidität** *f.* 조기 근무 장애. **~jahr** *n.* 봄(Frühling). **≈jahrs** *adv.* 봄에.

Frühjahrs≈anfang *m.* 초봄. **~kollektion** *f.*〖패션〗봄상품. **~müdigkeit** *f.*〖醫〗춘곤증. **~putz** *m.* 새봄 집단장. **~-tagundnacht·gleiche** *f.* 춘분.

Früh≈kaffee *m.* ↑ Morgenkaffee. **~kartoffel** *f.* 올감자, 조생종 감자. **~kaverne** *f.* (폐의) 초기 공동(空洞). **≈kindlich** *a.* 영아기의, 유아기의. **~kirche** *f.* ↑ ~gottesdienst. **≈klug** *a.* 조숙한, 애늙은이 같은. **~konzert** *n.* 아침 연주회. **~kost** *f.*〔고어〕↑ Frühstück.

***Frühling** [frýːlɪŋ] *m.* -s, -e ① 봄:〔비유〕der ~ des Lebens 청춘. ② (a) 봄에 나는 (양의) 새끼. (b) 조산아.

frühlingen *i.* (h.) ① *imp.* es frühlingt 봄이 되다. ②〔비유〕혼전 성관계를 갖다.

frühlings *adv.* 봄에.

Frühlings≈anfang *m.* 봄의 시작, 춘분. **~äquinoktium** *n.* 춘분. **~bedarf** *m.* 봄상품에 대한 수요. **~blume** *f.* 봄꽃. **~fest** *n.* 봄철 축제. **≈grün** *a.* 신록이 우거진.

frühlingshaft *a.* 봄철 같은: ~es Wetter 봄날 같은 날씨.

Frühlings≈hauch *m.* 〖시어〗 봄의 입김. **~luft** *f.* 봄공기, 봄바람. **≈mäßig** *a.* 봄다운, 봄에 알맞은. **~monat** *m.* ①〖詩語〗춘삼월. ②〖복수〗봄의 달(3·4·5월). **~mond** *m.* 〖시어〗3월(März). **~morgen** *m.* 봄날 아침. **~nacht·gleiche** *f.* 춘분. **~punkt** *m.* 〖天〗 춘분점. **~rolle** *f.* 〖요리〗 (동남 아시아와 중국에서 먹는 원통형) 고기 야채 튀김 만두. **~tag** *m.* 봄날. **~waren** *pl.* 봄철 상품. **~wetter** *n.* 봄 날씨; 화창한 날씨: bei herrlichem ~ spazierengehen 화사한 봄 날씨를 맞아 산책하다. **~zeichen** *pl.* 〖天〗 춘궁(春宮). **~zeit** *f.* 봄철.

Früh≈mensch *m.* 〖고고〗원시인. **~messe** *f.* 〖가톨릭〗 (특히 일요일의) 아침〔새벽〕미사. **~mette** *f.* ↑ ~messe. **≈morgens** [fry:mɔ́rgəns] *adv.* 이른 아침에. **≈-neu·hoch·deutsch** [fry:nɔ́ʏ..] *a.* 초기 신고지 독일어의(1350-1500). **~obst** *n.* 철 이른 과일, 올과일, 조생종 과일. **~predigt** *f.* 아침 설교. **~regen** *m.* 아침 비; 봄비. **~reif** *m.* 아침 서리. **≈reif** *a.* 조숙한, 올된. **~reife** *f.* (청소년 등의) 조숙, 올됨; (농작물의) 조기 숙성. **~rente** *f.* 조기 연금. **~rentner** *m.* 조기 연금 수령자. **~rot** *n.* 〖시어〗 아침 노을(Morgenrot). **~saat** *f.* 〖農〗 봄 파종. **~schicht** *f.* 오전 근무조(원). **~schoppen** *m.* ①아침 음주. ②아침술: er trinkt jeden Morgen seinen ~ 그는 매일 아침 아침술을 마신다. **~sport** *m.* 아침 운동. **~stadium** *n.* (특히 병의) 초기 단계: im ~ dieser Krankheit treten folgende Symptome auf 이 병의 초기 단계에는 다음과 같은 징후들이 나타난다. **~start** *m.* 〖스포츠〗 (부정) 조기 출발. **≈stein·zeitlich** *a.* 구석기 시대의.

***Früh·stück** [frý:ʃtʏk] *n.* ①아침 식사, 조반: das ~ zubereiten〔einnehmen〕 아침 식사를 준비하다〔먹다〕; sich das ~ ans Bett bringen lassen 아침 식사를 침대로 가져오게 하다; heute müssen wir das ~ ausfallen lassen 우리는 오늘 아침 식사를 걸러야 한다. ②식사: das erste ~ 조반; das zweite ~ 오전 간식. ③〖구어〗 아침 식사를 위한 휴식.

frühstücken 《I》 *i.* 아침 식사를 하다: hast du schon gefrühstückt? 벌써 아침 식사를 했느냐? 《II》 *t.* (무엇을) 아침으로 먹다: ein Schinkenbrot ~ 아침 식사로 햄이 든 빵을 먹다.

Frühstücks≈brett *n.* 빵과 베이컨 따위를 얹어놓는 아침 식사용 나무판. **~brettchen** *n.* ↑ ~brett. **~ei** *n.* 아침 식사용 달걀(대개는 반숙). **~tisch** *m.* 아침 식탁, 조반상.

Früh≈stunde *f.* 아침, 새벽. **~tau** *m.* 아침 이슬. **~trunk** *m.* 〖雅語〗 아침술. **≈verstorben** *a.* 〖雅語〗어린 나이에 죽은. **≈-vollendet** *a.* 〖雅語〗일찍 원숙한 경지에 이른. **~warn·system** *n.* 〖軍〗 조기 경보 체제. **≈zeitig** *a.* ①조기의, 약간 이른, 늦지 않은: die Krankheit konnte ~ entdeckt werden 그 병은 조기에 발견할 수 있었다. ②(예상보다) 너무 이른: ein ~er Winter 너무 일찍 온 겨울. **~zug** *m.* 새벽 열차.

Fruktifikation [fruktifikatsió:n] 《lat. fructus》 *f.* -en ①〖고어〗 (토지의) 이용. ②〖植〗 결실.

fruktifizieren *t.* ①〖고어〗이용하다. ②〖植〗 결실을 맺다.

Fruktose [..tó:zə] *f.* 과당(Fruchtzucker).

Frust *m.* -(e)s 〖경박〗좌절, 실망; 좌절케 하는 것.

Frustration *f.* -en 〖특히 心〗 실망, 절망, 좌절(감): seine ~ wuchs von Tag zu Tag 그의 절망은 하루하루 커갔다.

frustratorisch [frustrató:rɪʃ] *a.* 〖드물게〗 ①저지〔방해〕하는. ②기만적인; 실망스러운.

frustrieren *t.* ①〖고어〗 좌절시키다, 수포로 돌아가게 하다: einen Plan ~ 계획을 좌절시키다. ②실망시키다, 기대를 무너뜨리다: die Arbeit frustriert mich 그 일 때문에 나는 실망한다.

Frutti [frúti] 《it.》 *pl.* 과일: ~ di mare (굴·새우 등의) 해산물.

F-Schlüssel [ɛ́f..] *m.* -s, - 〖음악〗 바음 기호.

FSK =Freiwillige Selbstkontrolle der Filmwirtschaft 〖영화〗 자발적 검열; 독일 영화계의 자발적인 검열 기관.

FT 〖고어〗=Funkentelegrafie 무선 전신.

ft [ft] *int.* 〖신속히 사라짐을 나타내는 외침의 소리〗: und ~, weg war er 앗 하는 사이에 그는 사라졌다.

Ft. =Forint 포린트(헝가리의 화폐 단위).

ft. =foot 피트.

FTAA 《engl.》 =Free Trade Area of the Americas 〖經〗 아메리카 자유 무역 연합(2005년에 설치 예정인 전 아메리카의 단일 자유 무역 지역화).

***Fuchs** [fuks] *m.* -es, Füchse [fʏ́ksə] ① **(a)** 〖動〗 여우: 〖속담〗 stirbt der ~, gilt der Balg 여우가 죽으면 관심사는 가죽이다(누군가 죽으면, 대개는 그의 유산만이 중요해진다); den Weg hat der ~ (mit dem Schwanz) gemessen (und den Schwanz dazugegeben) 이 길은 생각보다 훨씬 멀다; 〖비유·구어〗 da kommt der ~ zum Loch heraus 거기서 진정한 이유가 드러난다; 〖농담〗 wo sich die Füchse 〔~ und Hase〕 gute Nacht sagen 오지에서, 멀리 떨어진 곳에서; 〖방언〗 die Füchse brauen 안개가 끼다; Füchse prellen 약은 인간들보다 더 약게 굴다. **(b)** 여우 가죽(~pelz). **(c)** 여우집(여관 따위의 이름). ②〖비유〗 교활한 사람. ③〖여우색의 것〗 **(a)** 〖대개 폄어〗 머리가 붉은 사람; 밤색 말(Rot≈). **(b)** 〖動〗 들신선나비; 붉은색의 들비둘기; 붉은 자패(紫貝)의 일종. **(c)** 〖고어〗 적색 또는 황색 화폐; (특히) 금화. ④〖학생〗 (대학 동아리의) 신입생, 신출내기. ⑤〖당구〗 요행으로 들어맞기, 플루크. ⑥ **(a)** (굴뚝의) 연도(煙道), (보일러의) 흡입관. **(b)** 〖제련〗 슬래그, 광재(鑛滓). ⑦〖天〗 여우자리.

Fuchs≈affe *m.* 여우원숭이(Maki). **~angel** *f.* 여우 덫. **~balg** *m.* 여우 가죽. **~bart** *m.* ①〖植〗 구기자나무. ②여우 수염; 붉은 수염(의 사람). **~bau** *m.* 〖사냥〗 여우 굴. **~-beere** *f.* 〖植〗 삿갓나물, 우산나물.

Füchschen [fʏ́ksçən] *n.* -s, - ①〖↑ Fuchs

의 축소형〕 작은 여우. ②〖天〗 여우 자리.
Fuchs·eisen *n.* ↑ ~falle.
fuchsen [fʊ́ksən] 《I》 *t.* ① 격분시키다, 화나게 하다: seine Kritik hat mich sehr gefuchst 그의 비판이 나를 아주 화나게 했다. ②〔고어〕 괴롭히다; (교사가 학생을) 들볶다. ③ 속이다, 기만하다. ④〖당구〗 einen Ball ~ 우연히〔플루크로〕 맞다. 《II》 *refl.* sich über et. ~ 무슨 일로 화를 내다. 《III》 *i.* ① 여우 사냥하다. ② 교접〔교합〕하다.
Fuchser *m.* -s, - ↑ Füchser.
Füchser *m.* -s, - ①〖商〗 주식 중매인. ②〖당구〗 우연히 맞혀서 이긴 사람.
Fuchs≈falle *f.* 〖사냥〗 여우 덫. **~fell** *n.* 여우 가죽. **~grube** *f.* ① 여우 굴. ② 여우잡이 함정. **~haar** *n.* ① 여우 털. ② 빨간 머리(의 사람). **~hatz** *f.* 〖사냥〗 여우 몰이〔사냥〕. **~höhle** *f.* ↑ ~bau. **~hund** *m.* 여우 사냥용 사냥개. **~hütte** *f.* 여우 사냥용 오두막집.
Fuchsia [fʊ́ksia] *f.* ..sien [..siən] 〖植〗 ↑ Fuchsie.
fuchsicht [fʊ́ksıçt] *a.* 여우색의, 퇴색한.
Fuchsie [fʊ́ksiə] *f.* -n 〖植〗 푸크시아(독일 식물 학자 L. Fuchs 의 이름에서).
fuchsig [fʊ́ksıç] *a.* ① 여우 같은. ② 빨간 머리의, 붉은 기가 있는, 여우색의. ③〔구어〕 (wütend) 격분하는, 화나는, 짜증나는: die Warterei macht mich ganz ~ 기다리기가 정말 짜증난다.
Fuchsin [fuksíːn] 《< Fuchsia》 *n.* -s 〖化〗 푹신(적색 아닐린 염료).
Füchsin [fʏ́ksın] *f.* -nen 《↑ Fuchs 의 여성형》 암여우.
Fuchs≈jagd *f.* ①〖사냥〗 여우 사냥〔몰이〕. ②〖승마〗 여우 사냥식 말타기(기수 한 명이 어깨에 여우 꼬리를 달고 앞서 달리면 다른 기수들은 "사냥개"가 되어 추격함). **~jäger** *m.* 여우 사냥꾼.
Füchslein [fʏ́kslaın] *n.* -s, - 〔雅語〕〔↑ Fuchs 의 축소형〕 ↑ Füchschen ①.
Fuchs≈loch *n.* 여우 굴. **~major** *m.* 〔학생〕 동아리 선배; 대학의 신입생을 지도 감독하는 상급생. **~pelz** *m.* ① 여우 가죽. ② 여우 목도리; 여우 가죽으로 안을 댄 의복: 〔비유〕 den ~ anziehen 계략을〔간계를〕 쓰다. **~prellen** *n.* ①〖사냥〗 여우를 그물에 얹어 던져 올리고 내리기. ②〔학생〕 (미국 대학에서) 신입생 괴롭히기. **~räude** *f.* 〖醫〗 ① 비루(가축의 병). ② 탈모증, 독두병(禿頭病). **~rot** *a.* 여우색의, 붉은 기가 도는, 적갈색의. **~schecke** *f.* 밤색 얼룩 짐승〔말·소〕. **~schrot** *m./n.* 여우 사냥용 산탄. **~schwanz** *m.* ① 여우 꼬리: den ~ streichen 아첨하다. ② 작은 톱. ③〖植〗 비름; 줄맨드라미; 둑새풀. **~schwänzeln** *i.* 〔고어〕 (bei jm.) (누구에게) 아첨하다. **~schwänzen** *i.* 〔고어〕 ↑ ~schwänzeln. **~schwänzer** *m.* 〔고어〕 아첨꾼, 추종자. **~schwänzerei** *f.* 아첨, 추종. **~schwänzerisch** *a.* 알랑거리는, 추종적인. **~schwanz·gras** *n.* 〖植〗 둑새풀. **~stute** *f.* 밤색 암말. **~teufels·wild** *a.* 〔구어〕 (화가 나서) 길길이 뛰는, 광포한. **~traube** *f.* 〖植〗 북아메리카산(産) 머루의 일종. **~wild** *a.* 〔드물게〕 ↑ ~teufelswild.
Fuchtel [fʊ́xtəl] 《♧ fechten》 *f.* -n ①〔옛뜻〕 **(a)** (날이 넓은) 형벌용 군도; 군도로 치는 형벌. **(b)** 도검(刀劍). ②〔구어〕 매; 엄격한 규율〔감독〕: jn. unter der〔seiner〕 ~ halten〔haben〕 누구를 엄격히 감독하다; jn. unter die ~ nehmen 누구를 제어하다; unter js. ~ kommen 누구의 지배를 받게 되다.
fuchteln [fʊ́xtəln] 《I》 *i.* mit et.³ ~ 무엇을 휘두르다. 《II》 *t.* 형벌용 군도로 때려 징계하다; 〔비유〕 징벌하다.
fuchtig *a.* 〔구어〕 격분한(wütend).
Fuchtler *m.* -s, - 검객; 싸움꾼; 매질하는 사람.
fud. =fudit.
Fuder [fúːdər] *n.* -s, - ① 푸더(마차 1 대분의 적재량): drei ~ Heu 마차 3 대분의 건초. ② (특히 술의) 용량 단위(시대와 장소에 따라 다름; 약 780-1856 리터). ③ 옛 고체〔광석〕의 용량 단위. ④〔비유·구어〕 다량: ein ~ Dreck an den Schuhen 신에 묻은 많은 양의 오물.
fuder·weise *adv.* ① 푸더(Fuder) 단위로, 한 마차씩, 마차에 실어. ② 대량으로, 많이.
fudit 《lat.》 …가 주물로 제작했음(주조품의 제작자 뒤에 쓰임).
fuffzehn [fʊ́ftseːn] 〔방언〕 =fünfzehn: 〔구어〕 ~〔eine ~〕 machen (15 분 가량) 휴식하다; 〔경박〕 bei mir ist ~ 나는 더 이상 상관 않겠어.
Fuffziger *m.* 〔방언〕 50 페니히짜리 동전: 〔경박〕 ein falscher ~ 정직〔성실〕하지 않은 사람; mit dem mußt du aufpassen, das ist ein falscher ~ 그 사람은 조심해야 돼, 정직하지 않은 사람이거든.
Fug [fuːk] 《♧ Fuge, fügen》 *m.* -(e)s [..gəs, ..ks] ①〔고어〕 적합, 지당; 호기(회). ②〔다음 용법으로만〕 mit gutem ~e, mit ~ (und Recht) 당연히, 정당하게.
fugato [fugáːto] *a.* 〖음악〗 푸가〔둔주곡〕 형식의.
Fugato *n.* -(s), -s/..ti 〖음악〗 푸가토, 둔주곡 형식의 곡.
Fugazität [fugazitɛ́ːt] 《lat. fugax, „flüchtig"》 *f.* 신속; 무상(無常).
fügbar [fýːk..] *a.* 적합한(geeignet).
Fuge[1] [fúːgə] 《♧ fügen》 *f.* -n ①〖건축〗 이음매, 접합점; 장붓구멍; 째진 틈, 새긴 자리, 홈: die Welt ist aus den ~n 온 세상이 혼란에 빠졌다; aus den ~n gehen〔geraten〕 혼란에 빠지다, 와해되다; aus den ~n bringen 망가뜨리다, 와해시키다; 〔비유·구어〕 in allen ~n krachen 해체의 조짐이 두드러지다. ②〖지질〗 암석의 균열. ③〖언어〗 (형태소 등 두 개의 언어 단위가 만난) 접합부. ④〖해부〗 봉합(선); 관절. ⑤〖植〗 합생면(合生面).
Fuge[2] 《it. fuga》 *f.* -n 〖음악〗 푸가, 둔주곡.
Füge·maschine [fýːgə..] *f.* ① 대패. ② 대패질용 기계.
fugen [fúːgən] 《< Fuge[1]; 본래는 fügen》 《I》 *t.* ① 끼워〔이어〕 맞추다, 조립〔결합〕하다. ② (벽의 틈을) 메워 바르다. 《II》 *i.* 꼭 맞다.
*__fügen__ [fýːgən] 《I》 *t.* ① 결합하다, 짜맞추다; 끼우다: aneinander ~ 이어 맞추다; ineinander ~ 끼워 맞추다; zu et.³ (hinzu) ~ 무엇에 덧붙이다, 첨가하다; et. in wohlklingende Worte ~ 무엇을 어조가 좋은 말로 표현하다; 〖문법〗 ein Wort an ein anderes ~ 어떤 단어를 다른 단어에 붙이다; ein Wort mit dem Genitiv ~ 어떤 낱말을 2 격과 결합시키다. ② (숙명적으로) 발생시키다, 작용하다: wie

Gott es fügt 신의 섭리대로; der Zufall fügte es, daß wir uns wieder begegneten 우연히도 우리는 다시 만날 수 있었다; 〖방언〗 jm. et. zu wissen ~ 누구에게 무슨 일을 알리다. ③〖工〗 대패질하다: ein Brett ~ 널을 대패질하다. 《Ⅱ》 *refl.* sich ~ ① 따르다; 복종하다, 적응하다, 적합하다, 맞다: sich in〔nach〕 et.³ ~ 무엇에 순응〔적응〕하다; er hat sich in den Willen Gottes gefügt 그는 신의 섭리에 순종했다; sich ins Unvermeidliche ~ 불가피한 상황에 순응하다, 운명에 따르다; sich jm. ~ 누구를 좇다; sich in die Umstände ~ 경우에 따라 처신하다. ② *imp.* es fügt sich (무슨 일이 운명적으로) 일어나다: es fügt sich, daß... 공교롭게도 …한 일이 생기다; wie es sich fügt 상황에 따라서, 임기응변으로. 《Ⅲ》〖고어〗 *i.* (h.) ↑ 《Ⅱ》 (↑ fugen 《Ⅱ》).

Fugen≈form *f.* 〖음악〗 푸가 양식. **~komponist** *m.* 〖음악〗 푸가 작곡가.

fugenlos *a.* 이음새가 없는, 매끈한: eine ~e Mauer 균열이 없는 벽; das Fenster schließt ~ 그 창문은 꽉 닫힌다.

Fugen≈-s *n.* 〖언어〗 (복합어의) 접합 표시 s(보기: Geschichtsbuch). **~satz** *m.* 〖음악〗 푸가의 악곡, 악절(樂節). **~schnitt** *m.* 〖工〗 접합꼴로 자르기. **~stil** *m.* 〖음악〗 푸가 양식. **~-verstreichung** *f.* (벽의 틈을) 메워 바르기. **~zeigen** *n.* 〖언어〗 형태소.

Füge·wort [fý:gə..] *n.* 〖복수: ..wörter〗〖문법〗 (접속사·전치사 등의) 결합사.

Fuggerei [fugəráı] *f.* 중세의 호상(豪商) Fugger 일가의 상사(商社); Fugger 상사가 건설한 Augsburg 의 시구역 이름.

fugieren [fugí:rən] 《<Fuge²》 *t.* 〖음악〗 푸가풍으로 작곡하다.

fugitiv 《lat.》《Ⅰ》 *a.* 도주한; 덧없는. 《Ⅱ》 *adv.* 되는 대로, 대강.

füglich [fý:klıç] 《Ⅰ》〖고어〗 *a.* 적합한, 어울리는. 《Ⅱ》 *adv.* ① 정당히. ② 적당히; 안성맞춤으로; 정말은, 사실은, 결국: er hätte ~ schweigen können 그가 침묵했더라면 좋았을 것이다; was nützen ~ die paar Groschen? 이런 푼돈이 사실 무슨 소용 있는가?; er ist ~ nur ein Knabe 그는 결국 어린애에 불과하다. ③〖방언〗 ↑ fügsam.

Füglichkeit *f.* -en 정당, 적당; 적합, 어울림; 형편이 좋음.

fuglos *a.* ① 이유가 없는, 부조리한, 불법의, 무법의. ② 무자격의, 권리가 없는.

fügsam *a.* 잘 따르는, 복종적인; 유순한, 온순한: ein ~es Kind 말 잘 듣는 아이.

Fügsamkeit *f.* 순응, 적응, 복종, 고분고분함.

Fugung *f.* ① 접합, 이음. ② 접합된 자리, 이음매, 관절.

Fügung [fý:guŋ] *f.* -en ① 적응, 순응, 복종. ② 섭리, 운명, 숙명: durch göttliche ~ 신의 섭리에 따라. ③〖언어〗 단어 합성; 어군: eine präpositionale ~ 전치사구.

fühlbar [fý:lba:*r*] *a.* ① 지각할 수 있는. ② 느낄〔인지할〕 수 있는; 눈에 띌 만큼의, 확연한; 호된: ~er Verlust 뚜렷한 손실. ③〖고어〗 느끼는, 느끼기 쉬운.

Fühlbarkeit *f.* ↑ fühlbar 의 명사형.

***fühlen** [fý:lən] 《Ⅰ》 *t.* ① 만져 보다, 만져서 확인하다: jm. den Puls ~ 누구의 맥박을 짚어 보다; eine Beule am Kopf ~ 만져서 머리에 혹이 있음을 알다. ② 느끼다, 체감하다: Hunger ~ 허기를 느끼다; einen Schmerz ~ 고통을 느끼다; 〖구어〗 sein Kreuz ~ 허리의 통증을 느끼다. ③ (감정을) 느끼다; 느껴서 알다, 감지하다: eine große Freude ~ 큰 기쁨을 느끼다; er hat sein Ende kommen ~〔gefühlt〕 그는 자신의 최후가 왔음을 느꼈다. ④〖드물게〗 (누구를) 진심으로 사랑하다. 《Ⅱ》 *refl.* sich ~ ① sich wohin ~ 어떤 곳으로 더듬어 가다; 〖비유〗 sich in js. Lage ~ 누구의 입장이 되어 보다. ② (**a**) 자신이 …하다고 느끼다, 스스로 …한 기분이다: sich krank ~ 몸이 불편하다; sich glücklich ~ 행복을 느끼다; sich schuldig〔unschuldig〕 ~ 죄책감을〔죄가 없다고〕 느끼다; sich verpflichtet ~ 의무감을 느끼다. (**b**) (자기의 존재·가치를) 자각하다; 스스로 (어떻게) 여기다: sich zum Künstler berufen ~ 예술가의 소명을 띠고 태어났다고 느끼다; sich (als) ein〔einen〕 Mann ~ 사나이라는 자각을 갖다. ③ 촉감이 …하다: das fühlt sich weich (an) 이것은 감촉이 부드럽다. ④〖구어〗 자부심을 느끼다, 자신이 중요한 존재인 듯 여기다: der fühlt sich aber! 그자는 자기가 꽤나 잘난 줄로 아는군 그래! 《Ⅲ》 *i.* (h.) ① 더듬다; 더듬어찾다: nach dem Lichtschalter ~ 전등 스위치를 더듬어 찾다; er fühlte nach dem Geld in seiner Tasche 그는 호주머니 속에 있는 돈을 더듬거리며 찾았다; 〖비유〗 jm. auf den Zahn ~ 누구의 마음을 떠보다. ② 감각〔감정〕이 있다, 느끼다: er fühlt sehr fein 그는 참으로 민감하다; ich fühle mit dir 나는 너에게 공감한다; 〖속담〗 wer nicht hören will, muß ~ 말을 듣지 않는 자는 따끔한 맛을 보지 않으면 안 된다.

fühlend *p.a.* 민감한, 감수성이 강한; 인정이 있는: ein ~es Herz 다정다감한 마음, 인정 있는 사람.

Fühler *m.* -s, - ① 느끼는 사람: er ist ein feiner ~ 그는 섬세한 감정의 소유자다. ② (**a**) 〖動〗 더듬이, 촉수(觸鬚), 촉각; 〖醫〗 촉자(觸子). (**b**) 신중한 시도: die〔seine〕 ~ ausstrecken 조심스레 탐색하다.

Fühl≈faden *m.* 〖動〗 촉수(觸鬚), 촉사(觸絲), 지느러미. **~farn** *m.* 〖植〗 야산고사리. **~-hebel** *m.* 〖기계〗 (한 쪽의 팔이 딴 쪽에 비하여 매우 짧은) 미동(微動) 측정을 위한 지레. **~horn** *n.* 〖복수: ..hörner〗〖動·드물게〗 더듬이, 촉각, 촉수.

fühllos *a.* ①〖고어·雅語〗 야멸찬, 무정〔냉담〕한: ein ~er Mensch 무정한 사람. ② 무감각한, 생명력이 없는, 죽은: seine Finger waren eiskalt und ~ 그의 손가락들은 얼음처럼 차고 감각이 없었다.

Fühlung [fý:luŋ] *f.* -en ①〖고어〗 감각, 지각, 감정. ② 접촉, 교섭, 관계, 연결: 〖軍〗 dichte ~ 긴밀한 접촉; die ~ mit dem Feinde verlieren〔halten〕 적과의 접촉이 끊어지다〔접촉을 유지하다〕; 〖비유〗 mit jm. ~ haben〔nehmen〕 누구와 접촉하고 있다〔접촉하다〕.

Fühlung·nahme *f.* 접촉(함), 관계맺음.

fuhr ↑ fahren 의 과거형.

führbar [fý:*r*ba:*r*] *a.* ① 운반할 수 있는. ② 이끌 수 있는.

Fuhre [fú:rə] 《<fahren》 *f.* -n ① 운송, 운수,

운반. ② (짐을 실은) 차량 한 대분: eine ~ Heu 차 한 대분의 건초. ③ 운송료, 운임. ④ 마차, 짐수레, 차편. ⑤ (md.) ↑ Furche.

führe [fýːrə] ① ↑ fahren 의 접속법 Ⅱ 식. ② (**a**) ↑ führen 의 명령형. (**b**) ↑ führen 의 접속법 Ⅰ 식.

*__führen__ [fýːrən] *t.* ① (**a**) 데리고 가다, 인도하다; 안내하다: jn. auf den rechten Weg ~ 누구를 옳은 길로 인도하다; eine Dame zu Tisch ~ 부인을 식탁으로 안내하다; ein Kind an der Hand ~ 아이의 손을 잡고 데리고 가다; 〔비유〕 jn. an der Nase (herum) ~ 누구를 놀리다〔우롱하다〕; jn. hinters Licht ~ 누구를 기만하다; das Angefangene zu Ende ~ 시작한 일을 끝내다; 〖聖〗 führe uns nicht in Versuchung 우리를 시험에 들게 하지 마옵소서(마태 6: 13). (**b**) 지도〔교도〕하다: Schüler streng ~ 학생들을 엄하게 지도하다. (**c**) 야기하다, 동기를 부여하다, (어디에) 이르게 하다: der Wind führte den Staub in die Höhe 바람이 먼지를 일으켰다; das führte mich zur Entdeckung 이것이 내게 발견의 단서가 되었다; was führt Sie zu uns? 우리에게 무슨 일로 오셨습니까? ② (**a**) 이끌다, 통솔〔지휘〕하다: Truppen ~ 군대를 지휘하다; einen Chor ~ 합창에서 선창하다. (**b**) 경영〔운영·관리〕하다: er führt dieses Restaurant seit zehn Jahren 그는 이 식당을 10 년째 경영하고 있다. ③ (**a**) 〔구식·방언〕 운반〔수송〕하다: et. aus dem Lande ~ 무엇을 수출하다; Getreide zur Stadt ~ 곡물을 도시로 운반하다. (**b**) 운전〔조종〕하다: die Berechtigung, einen PKW zu ~ 승용차 운전 면허. (**c**) (상점에서) 팔다, 취급하다: diesen Artikel ~ wir nicht 저희는 이 물품을 팔고 있지 않습니다. ④ (**a**) (무슨 목적을 위하여) 움직이다, 놀리다: den Bogen ~ 바이올린을 켜다; den Pinsel ~ 붓으로 그리다; einem Kind beim Schreiben die Hand ~ 아이의 손을 잡고 쓰기를 가르치다; den Zügel ~ 고삐를 잡다; den Degen zu ~ wissen 검술을 잘하다. (**b**) 〔비유〕 et. im Munde ~ 무엇을 입버릇처럼 말하다; et. im Sinn ~ 무엇을 염두에 두다; et. im Schilde ~ 무슨 (나쁜) 일을 은밀히 계획하다; jm. et. zu Gemüte ~ 누구에게 무엇을 누누이 일러 주다, 명심하게 하다; 〔농담〕 sich³ ein Glas Bier zu Gemüte ~ 맥주를 한 잔 시원하게 들이켜다. ⑤ (**a**) 휴대하다, 지니다: Geld bei sich³ ~ 수중에 돈을 지니다; ~ Sie denn keinen Paß bei sich? 당신은 도대체 여권을 휴대하지 않았다는 겁니까?; drei Kreuze im Wappen ~ 문장(紋章)에 3 개의 십자가를 지니고 있다. (**b**) 갖추다, 함유하다: der Fluß führt Goldsand in〔mit〕 sich³ 이 강에는 사금(砂金)이 있다; das Schiff führt 20 Kanonen an Bord 이 배는 20 문의 포를 탑재하고 있다; 〔비유〕 schlimme Folgen mit sich³ ~ 나쁜 결과를 가져오다; was soll das ~? 그것이 어떻게 된다는 말이냐? ⑥ 짓다, 세우다, 건설하다: ein Gebäude in die Höhe ~ 건물을 세우다; eine Mauer (um et.) ~ (무엇의 둘레에) 담을 쌓다; Laufgräben ~ 참호를 파다. ⑦ (**a**) (공식적인 표지를) 가지고〔달고〕 있다: der Wagen führt die Nummer... 그 차의 번호는 …이다. (**b**) (칭호·직함 따위를) 갖고 있다: den Doktortitel ~ 박사 칭호를 갖고 있다. ⑧ (**a**) (명부·색인 따위를) 작성하다; 관리하다: eine Liste ~ 목록을 작성하다; die Kasse ~ 금전 출납을 관리하다; die Bücher ~ (회계) 장부를 기록하다. (**b**) (카드 따위에) 등재〔등록〕하다: er wird in der Rangliste an dritter Stelle geführt 그는 순위표에 3 등으로 기재되어 있다. ⑨ 〔기능 동사로 쓰여〕 (**a**) (행)하다: einen Krieg ~ 전쟁을 벌이다; 〖法〗 eine Klage gegen jn. ~ 누구를 상대로 소송을 제기하다; ein Gespräch mit jm. ~ 누구와 이야기하다; einen Beweis ~ 증명하다; einen Schlag ~ 일격을 가하다. (**b**) (직무·일 따위를) 맡아보다: ein Amt ~ 어떤 관직의 직무를 맡아보다; Regie ~ (연극·영화를) 연출하다; die Aufsicht über jn. ~ 누구를 감독하다; die Regierung ~ 정권을 쥐고 있다; das Geschäft ~ 장사하다; einen Prozeß ~ 소송을 제기하다; das Wort ~ 대표하여 말하다; js. Sache ~ 누구를 대신하여 소송의 이유를 내세우다. (**c**) (삶 따위를) 영위하다: ein elendes Leben ~ 비참한 생활을 하다; eine glückliche Ehe ~ 행복한 결혼 생활을 하다. 《Ⅱ》 *refl.* sich ~ ① 처신하다: er führt sich gut 그는 행실이 좋다. ② 〔사물이 주어〕 das Geschäft führt sich leicht 이 일은 하기 쉽다. 《Ⅲ》 *i.* (h.) ① (어디로) 통하다, 이어지다: wohin führt dieser Weg? 이 길은 어디로 이어집니까; alle Wege ~ nach Rom 모든 길은 로마로 통한다; solche Erfahrung führt zur Verzweiflung 이러한 경험은 (사람으로 하여금) 절망케 한다. ② 〔비유〕 (**a**) 무슨 결과가 되다: der Krieg führte zum Ruin des Staates 전쟁으로 나라가 폐허가 되었다; Rauchen führt zu Durchblutungsstörungen 흡연은 혈액 순환 장애를 일으킨다. (**b**) (무엇에) 쓰이다, 이바지하다: das führt zu nichts 그것은 아무 쓸모도 없다. ③ 선두에 서다, 수위를 차지하다: im Entscheidungsrennen führte Bender 결승전에서 벤더가 톱을 차지했다; die Mannschaft führt 3: 2 그 (선수)팀이 3: 2 로 이기고 있다; im Pelzhandel führt Leipzig 모피 거래로는 라이프치히가 수위를 차지하고 있다.

führend *p.a.* ① 지도적〔주도적〕인, 중요한; eine ~e Rolle spielen 주도적 역할을 하다; ~e Persönlichkeiten 주요 인물; diese Firma ist ~ auf ihrem Gebiet 이 회사는 자기 분야에서 주도적이다; 〖음악〗 die ~e Stimme (푸가의) 선행 성음(聲音). ② 일류〔굴지〕의: ein ~es Hotel 일류 호텔.

*__Führer__ [fýːrər] *m.* -s, - ① (**a**) 지도〔지휘〕자; 우두머리, 수령, 통솔자: der ~ einer politischen Bewegung 정치 운동의 지도자. (**b**) 〖商〗 지배인; 〖축구〗 주장. (**c**) (나치 독일의) 총통(Hitler 의 칭호). ② (**a**) 인도자; 안내자; 〖등산〗 짐꾼(Berg≈). (**b**) 안내 책자, 〖관광〗 안내서; 입문서: ein ~ für die Schweiz 스위스에 관한 안내서. ③ 운전자, 조종사; 〖海〗 키잡이, 타수(舵手). ④ 〖음악〗 푸가의 주제. ⑤ 〖工〗 유도체, 유도자(誘導子).

Führer≈amt *n.* 안내소; 지도 사무국; 안내인〔지도인·지배인〕의 직무. **~ausweis** *m.* (schweiz.) ↑ ~schein. **~grund·satz** *m.* ↑ ~prinzip. **~hand** *f.* 〖권투〗 잽. **~haus** *n.* (화물차·크레인 따위의) 조종〔운전〕실.

Führerin *f.* -nen ↑ Führer 의 여성형.

führerlos *a.* 지도자〔안내자〕가 없는.

Führer≈natur *f.* ① 지도자적 자질. ② 지도자의 자질을 갖춘 사람. **~prinzip** *n.* ①〖政〗지도자 전권(專權) 원칙. ② (파시즘과 나치즘의) 총통 전권주의.

Führerschaft *f.* ① 지도, 지배, 통솔; 리더십, 통솔력; 지도자〔안내자〕의 임무. ② 지도층, 지도부, 안내자 (집단).

Führer≈schein *m.* 운전 면허증:〘구어〙den ~ machen 운전 면허를 취득하다. **~schein-entzug** *m.* 운전 면허 취소. **~schule** *f.* (나치 시대의) 지도자 양성 학교. **~sitz** *m.* 운전〔조종〕석. **~staat** *m.* 지도자 국가. **~stand** *m.* (기차·전차의) 기관사실, (화물차의) 운전실; 운전대;〖空〗조종사석.

Fuhr≈frone [fú:r..] *f.* (수레와 마소를 동원해서 하는) 노역(勞役). **~geld** *n.*〘고어〙↑ ~lohn. **~gelegenheit** *f.* 운송편. **~geschäft** *n.* ↑ ~unternehmen. **~halter**〘고어〙*m.* 짐마차〔합승 마차〕의 주인; 운수업자. **~herr** *m.*〘고어〙↑ ~halter.

führig [fý:rıç] *a.* ①〖사냥〗(사냥개가) 말을 잘 듣는. ②〘방언〙영양이 되는. ③〘방언〙(눈이) 스키타기에 알맞은.

Führigkeit *f.* ① (개 따위를) 부리기 쉬움. ② 스키타기에 알맞은 눈의 상태.

Fuhr≈knecht *m.*〘구식〙↑ ~mann. **~leute** *pl.* ↑ ~mann. **~lohn** *m.* 마차삯, 운임. **~-mann** *m.* ①〘복수: ..männer/..leute〙마부; 인력거꾼. ②〖天〗마부자리.

Fuhrmanns≈kittel *m.* 마부의 덧옷. **~-peitsche** *f.* 마부의 채찍. **~pferd** *n.* 마차말. **~wagen** *m.* 짐마차.

Fuhr·park *m.*〘드물게〙(운수 회사·관청·군부대 따위의) 소유 차량 전체.

Führung [fý:ruŋ] *f.* -en ① **(a)** 인도, 안내; 지도, 유도; 지시; 지휘, 사령(司令); 신의 섭리; 경영, 운영; 관리, 처리, 취급(법), 사용법; 조작, 조종(술): die ~ haben 지도〔지배〕하고 있다; die ~ an sich reißen 지도권〔지배권〕을 빼앗다; die ~ des Geschäftes〔Unternehmens〕사업〔기업〕의 경영; die ~ des Betriebes übernehmen 기업의 경영권을 인수하다; die ~ der Kamera 카메라의 조작; die ~ eines Kraftfahrzeugs 자동차 운전; ~ der Feder 운필법;〖음악〗~ des Bogens (바이올린 따위의) 활 쓰는 법; ~ des Prozesses 소송 (절차). **(b)** 안내 관람, 안내인 동반 견학: wir haben an einer ~ durch das Nationalmuseum teilgenommen 우리는 국립 박물관을 안내인의 설명을 들으며 관람했다. ② 지도부, 경영진: die ~ der Armee 군의 수뇌부; die ~ hat beschlossen, daß... 지도부는 …을 결정했다. ③ 행실, 품행; 태도: wegen guter ~ wurde er vorzeitig aus dem Gefängnis entlassen 그는 방정한 품행 덕분에 조기 석방되었다. ④〖기계〗조종〔유도〕장치. ⑤〖스포츠〗선두, 우위, 리드: durch ein Tor in ~ gehen 한 골을 넣어 리드하다. ⑥ (칭호 등의) 사용: die ~ dieses Titels 이 칭호의 사용. ⑦ (장부 등의) 기입, 관리: die ~ der Kartei 카드 작성; die ~ der Geschäftsbücher (사업) 장부 기록.

Führungs≈anspruch *m.* 지도〔주도〕권: einen ~ erheben 지도권을 요구하다. **~aufgabe** *f.* 지휘 임무, 지도 과제. **~buch** *n.* 근무 수첩; 고과표(考課表); 성적〔통지〕표. **~kraft** *f.* (회사의) 간부, 중역. **~mannschaft** *f.* ① 경영진, (특히 정당의) 지도부. ②〖海〗승무원, 선원. **~ring** *m.*〖軍〗① (포탄이 대포의 강선(腔線)에 따라 회전하도록 하는) 포탄띠. ②〖工〗베어링의 고리형 프레임. **~schiene** *f.*〖기계〗유도 레일. **~spitze** *f.* 최고 지도층, 수뇌부, 최고 경영진. **~tor** *n.*〖스포츠〗선제골, 선취 득점. **~treffer** *m.* ↑ ~tor. **~wechsel** *m.* 지도부〔수뇌부〕의 교체;〖스포츠〗팀 감독진의 교체. **~zeugnis** *n.* ①〖法〗신원 증명서. ② 인사 고과표, 근무 평가서.

Fuhr≈unternehmen *n.* 운수업. **~unternehmer** *m.* 운수업자. **~weg** *m.*〘고어〙(차가 다닐 수 있는) 넓은 들길. **~werk** *n.* ① 마차, 우마차: eine lange Reihe von ~en 마차의 긴 행렬. ② (öst.) 운송 차량. ③ 운송; 운수. **≈werken** (*p.p.* gefuhrwerkt) *i.* (h.) ① (südd., öst.) 차〔마차〕로 달리다. ②〘구어〙분주하게 움직이다; 부지런히 일하다. **~wesen** *n.* 운송, 운수(업);〘집합적〙차량;〖軍〗병참.

Fuke (ndd.) *f.* -n 어살의 일종.

Fulbe *m.* -(s), -(s) (수단의 중·서부 지역에 사는) 풀라니인(人).

Fulda[1] [fúlda] *n.* -s 풀다(독일 Hessen 주 풀다 강변의 도시).

Fulda[2] *f.* 풀다강(독일 Hessen주의 강).

Fulgurit [fulgurí:t, ..rít] *m.* -s, -e ①〖광물〗섬전암(閃電岩), 풀구라이트, (모래에 벼락이 떨어져서 생기는) 전통(電筒). ② 뇌관. ③ 슬레이트, 석판.

Füll≈ansatz [fýl..] *m.* (기구 (氣球) 등의) 가스 충전구(充塡口), 충전관(管). **~apparat** *m.* 급수 장치; 병조림 기계. **~bier** *n.* 캔 맥주. **~bleistift** *m.* (schweiz.) 샤프펜슬. **~-brett** *n.*〖가구〗판벽의 널빤지, (문·천장 따위에 끼우는) 반반하고 넓은 널빤지.

Full dress [fúl drés] 《engl. full dress.》 *m.* --야회복; 정장, 예복.

***Fülle** [fýlə] *f.* -n ① 《<voll》 충만, 그득함; 많음, 대량, 풍부:〘구식〙Brot〔Brotes〕die ~ 많은 빵; in ~ leben: aus der ~ des Herzens sprechen 충심으로 말하다; aus der ~ seines Geistes hat er es geschafft 온 정신을 집중해서 그는 그 일을 해냈다. ② 비만, 비대: körperliche ~ 비대한 몸집; sein Körper neigt zur ~ 그는 살이 잘 찌는 체질이다. ③ 《<füllen》 **(a)**〘구식〙가득 채우기. **(b)** (südd., öst.) 채워 넣는 물건;〖요리〗소, 속: eine ~ aus Hackfleisch 간 고기로 만든 소;〘비유〙et. in Hülle und ~ haben 무엇을 듬뿍 가지고 있다. ④ (Schöpfkelle) 국자.

***füllen**[1] [fýlən] 《<voll》《I》 *t.* ① 가득 채우다; 채워 넣다;〖요리〗소를〔속을〕넣다: et. mit et.[3] ~〔(시어) et. eines Dinges ~〕무엇에 무엇을 채우다〔담다〕; einen Luftballon mit Gas ~ 풍선에 가스를 충전하다; ein Glas bis oben hin ~ 잔에 가득 붓다; einen hohlen Zahn ~ 충치를 때우다; sich[3] den Bauch〔Leib, Magen〕~ 배를 채우다, 잔뜩 먹다;〘구어〙jm. die Hand ~ 누구를 매수하다;〖聖〗mehret euch, und füllet die Erde! 번성하여 땅에 충만하라! (창세기 1: 28). ② 부어 넣다; 퍼내다: Wasser in den Eimer ~ 물통에 물을 퍼 담다; Wasser aus der Tonne ~ (큰) 통에서 물을 퍼내다; die Tonne leer ~

퍼내어 통을 비우다. ③ (장소 따위를) 차지〔점유〕하다: viele Regale ～ eine Wand des Zimmers 많은 책장이 방의 벽 하나를 차지하고 있다; der Aufsatz füllt fünf Seiten 그 논문은 5 페이지를 차지하고 있다. 《Ⅱ》 *refl.* sich ～ 가득 차다: ihre Augen füllten sich mit Tränen 그 여자의 눈은 눈물로 그득했다; 〖醫〗 sich mit Blut ～ 충혈되다; ich fülle mich 나는 실컷 먹는다〔마신다〕. 《Ⅲ》 **gefüllt** *p.a.* ↑ gefüllt.

füllen² *i.* (h.) ↑ fohlen.

***Füllen** *n.* -s, - ① ↑ füllen¹ 의 명사형. ② (Fohlen) 망아지, (낙타 따위의) 새끼.

Füllen≈stute *f.* 씨받이 암말. **～zahn** *m.* 망아지의 이빨. **～zucht** *f.* 망아지 사육.

Füller [fʏ́lər] 《<füllen¹》 *m.* -s, - ① 〔구어〕 만년필. ② (신문·잡지의) 지면 채우기용 기사. ③ 스포이트, 액즙 주입기, 깔때기. ④ 〖섬유·제지〗 (감촉 따위를 살리기 위한) 첨가제.

Füll≈erde [fʏl..] *f.* 매립용 흙. **～feder** 《<füllen¹》 *f.* (obd.) ↑ ～federhalter. **～federhalter** *m.* 만년필. **～haar** *n.* 쿠션용〔충전용〕 깃털. **～hahn** *m.* 충전용〔주입용〕 꼭지. **～halter** *m.* ↑ ～federhalter. **～horn** *n.* ① 〖그리스신화〗 보각(寶角), 풍요의 뿔(염소뿔 그릇에 꽃·과일·곡식 따위를 담아 풍년과 행운을 상징하는 큰 염소뿔 그릇). ② 〖植〗 트럼펫 모양의 검은색 식용 버섯.

füllig [fʏ́lɪç] *a.* 포동포동한, 풍만한; (성량이) 풍부한; (책이) 대작인; (포도주의 즙과 향이) 풍부한.

Füll≈maschine *f.* 병〔통〕조림 기계. **～mauer** *f.* 〖토목·건축〗 속을 채운 이중 담〔벽〕. **～mauer·werk** *n.* 〖건축〗 ↑ ～werk ① **～ofen** *m.* 연료 자동 공급식 난로. **～ort** *m.* 〔복수: ..örter〕〖광산〗 광석 적치장(積置場).

Füllsel [fʏ́lzəl] *n.* -s, - ① (여백을 메우는) 부차적인 것, 중요하지 않은 것. ② 〖요리〗 소, 속 채워넣는 고기. ③ (신문·잡지의) 여백 채우기용 기사.

Füll≈steine *pl.* 〖건축〗 전석(塡石) (이중 담〔벽〕 사이나 돌담 등에 끼워넣는 돌). **～stift** *m.* 샤프펜슬(Drehbleistift). **～stimme** *f.* 〖음악〗 충전 성음(充塡聲音). **～strich** *m.* 계량컵의 눈금선(線).

Fulltimejob 新정서 ⇦ Full-time-Job.

Full-time-Job [fúltaɪm..] 《engl.》 *m.* 전일제(정식) 일자리.

Füllung [fʏ́lʊŋ] *f.* -en ① 가득 채우기, 채워넣기, 충전(充塡): die ～ durch den Trichter war nicht einfach 깔때기로 채워 넣기가 쉽지 않았다. ② (Füllsel) (음식물의) 소, 속; (베개 따위의) 속; 채워 넣는 내용물. ③ (치아의) 아말감 충전(물). ④ 〖건축〗 (판벽(板壁)·문짝에) 끼우는 반반하고 넓은 널빤지. ⑤ 〖軍〗 장전; 장약(裝藥). ⑥ (시 운율을 맞추기 위한) 강세음 사이의 약음.

Füllungs·planken *pl.* 〖건축〗 (건물 외벽의) 밑동을 채우는 널빤지.

Füll≈wein *m.* 통들이용 포도주. **～werk** *n.* ① 〖건축〗 막돌 쌓기. ② (신문·잡지의) 여백 채우기용 기사. **～wort** *n.* 〔복수: ..wörter〕〖문법〗 허사(虛辭). **～wörtchen** *n.* ↑ ～wort.

fulminant [fulminánt] 《<lat. fulmen》 *a.* 〔교양〕 훌륭한, 탁월한, 주목을 끄는.

Fulminanz [..nánts] *f.* -en 훌륭함, 탁월.

Fulmination [..tsió:n] *f.* -en ① 전광, 섬광; 천둥; 폭발. ② 격렬한 비난, 질책, 질타. ③ 〖宗〗 공개 파문.

Fumarole [fumaró:lə] 《lat. fumus》 *f.* -n ① 솟아오르는 수증기. ② (화산지대의) 분기(噴氣); 분기공(孔).

Fumigation [fumigatsió:n] *f.* -en 훈증(燻蒸), 훈연(燻煙)에 따른 소독.

Fummel [fʊ́məl] 《<Fimmel》 《Ⅰ》 *f.* -n ① 〔고어〕 윤내는 막대기. ② 〔비속〕 여성의 음부; (여성을 낮추어 말하여) 년: die alte ～ 할멈. ③ 〔펌어·방언〕 싸구려 옷. 《Ⅱ》 *m.* -s, - 〔고어·비속〕 (öst.) 음경.

Fummelei *f.* -en ↑ fummeln 의 명사형.

fummelig *a.* 〔구어〕 ① 귀찮은, 까다로운. ② 신경쓰이는, 신경질 나는.

fummeln [fʊ́məln] 《Ⅰ》 *i.* (h.) 〔구어〕 ① (a) 조작하다, 만지작거려 만들다: an dem Radioapparat ～ (고치려고) 라디오를 만지작거리다. (b) (mit jm.) 만지다, 접촉하다: er wollte mit ihr ein bißchen ～ 그는 그녀를 슬쩍 만지려고 했다. (c) (주머니 속을) 여기저기 뒤지다. ② 〖구기〗 공을 너무 오래 드리블하다. 《Ⅱ》 *t.* ① 애무하다; 문지르다, 윤을 내다. ② 뒤져 끄집어내다; 애써 밀어넣다: das Geld aus der Westentasche ～ 조끼 주머니에서 돈을 더듬더듬 꺼내다. ③ 만들어내다: er fummelte mit seinen dicken Fingern die köstlichsten Salate 그는 투박한 손가락으로 아주 맛있는 샐러드를 만들어냈다.

fund [fʊnt] 〔시어〕 ↑ finden 의 과거형.

***Fund** [fʊnt] 《<finden》 *m.* -(e)s, -e [fʊ́ndə] ① 찾아내기, 발견; 발굴, 습득: einen guten 〔glücklichen〕 ～ machen 물건을 습득〔횡재〕하다. ② 발견〔발굴·습득〕물: den ～ bei der Polizei abliefern 습득물을 경찰에 넘겨주다; archäologische ～e 고고학적 발굴물.

Fund·abgabe·stelle *f.* 유실물〔습득물〕 보관소.

***Fundament** [fundamɛ́nt] 《lat.》 *n.* -(e)s, -e ① 기초, 토대, 기반: das ～ für ein Gebäude legen 건물의 기초를 놓다; das Haus steht auf einem schwachen ～ 그 집은 기반이 허약하다. ② (정신적) 기초, 기반, 근본; 〖哲〗 기저(基底): das ～ des Staates 국가의 기반. ③ 〖印〗 판형틀.

fundamental *a.* ① 기초〔기본〕의, 근본적인. ② (실수 따위가) 중대한: ein ～er Irrtum 중대한 오류.

Fundamental·baß *m.* 〖음악〗 기초 저음. **～begriff** *m.* 기본 개념. **～brett** *n.* 〖기계·음악〗 기판(基板).

Fundamentalismus [..talísmʊs] *m.* - 〖宗〗 근본주의.

Fundamentalist *m.* -en, -en 근본주의자.

Fundamentalistin *f.* -nen ↑ Fundamentalist 의 여성형.

Fundamental≈ontologie *f.* 〖哲〗 (M. Heidegger 의) 기초적 존재론. **～satz** *m.* 근본 명제, 원칙. **～stern** *m.* 〖天〗 기준 항성(다른 별의 위치 결정에 기준이 되는 항성). **～stimme** *f.* 〖음악〗 기초 성음(聲音).

fundamentieren [fundamɛntí:rən] 《lat.》 *t.* 기초를 세우다: ein Gebäude ～ 건물의 기초를 놓다; eine Theorie ～ 이론의 기반을 다지다.

Fụnd≈amt *n.* ↑ ~büro. **~büro** *n.* 유실물〔습득물〕 보관소.
Fundation [fundatsió:n] 《lat.》*f.* -en (schweiz.) ① (건물의) 기초, 토대. ② 기초 설치; 창립, 성립. ③〖宗〗 기금, 재단.
Fündchen [fýntçən] *n.* -s, -〘↑ Fund 의 축소형〙 조그마한 발견; 작은 발견물.
Fụnd≈diebstahl *m.*〖法〗 유실물〔습득물〕 횡령. **~gebühr** *f.* ↑ ~geld. **~geld** *n.*〘고어〙 습득자에 대한 사례금(Finderlohn). **~grube** *f.* ①〖광산〗 유망한 광갱. ② 보고(寶庫): diese Gegend ist eine ~ für den Sammler von Keramik 이 지역은 도자기 수집가에게는 일종의 보고다.
Fụndi *m.* -s, -s〘구어〙근본주의자(특히 녹색당의 창당 발기인).
fundieren [fundí:rən] 《lat.》《I》*t.* ① (무엇의) 기초를 세우다, 굳히다;〘비유〙확립〔고정〕하다: ein fundiertes Wissen 기초가 탄탄한 지식. ② 자금을 조달하다: ein gut fundiertes Unternehmen 재정이 튼실한 기업. ③〘고어〙설립〔개설〕하다. 《II》**fundiert** *p.a.* ↑ fundiert.
fundiert 《I》*p.p.* ↑ fundieren. 《II》*p.a.* 기초가 튼튼한, 고정된, 확실한, 재정이 튼튼한: eine ~e Kritik 근거가 확실한 비판; eine ~e Schuld (부동산 따위로) 담보가 있는 채무.
Fundierung *f.* -en ↑ fundieren 의 명사형.
fündig [fýndıç] 《<Fund》*a.*〖광산·지질〗탐사〔발견〕에 성공한; (광맥 따위가) 풍부한, (채굴이) 유망한(↑ findig ②③): ~ werden (오랜 탐사 끝에) 발견에 성공하다; sie sind bei der Suche nach Erdöl noch nicht ~ geworden 그들은 석유 탐사에 아직 성공하지 못했다.
Fündlein [fýntlaın] *n.* -s, - ↑ Fündchen.
Fụnd≈ort *m.* ① 습득지; 출토지. ②〖動·植〗 산지(産地); 서식지. ③ ↑ ~punkt. **~punkt** *m.*〖광산〗 광갱 소재지. **~recht** *n.* 습득물 처리 규정; 습득자의 권리. **~register** *n.* 습득물 목록. **~sache** *f.* 습득물. **~schacht** *m.*〖광산〗 광맥이 처음 발견된 수직갱. **~stätte** *f.* ↑ ~ort ①. **~stelle** *f.* ① ↑ ~ort ①. ②〘방언〙습득물 보관소. **~stück** *n.* ↑ ~sache. **~unterschlagung** *f.*〖法〗 습득물 횡령〔착복〕.
Fundus [fúndus] 《lat.》*m.* -, - ① (고대 로마·중세의) 토지. ②〖연극〗무대에 필요한 모든 도구의 총칭(의상·소품 따위). ③〘교양〙(정신적) 토대, 기반: er besitzt einen reichen ~ an Wissen 그는 풍부한 지적 토대를 가지고 있다. ④〖해부〗 (속이 비어 있는 기관의) 바닥, 기저부.
Fụnd·zettel *m.* ↑ ~register.
Funeralien [funerá:liən] 《lat.》*pl.*〘구식·雅語〙장례, 장례식.
***fünf** [fynf] *num.* 다섯, 5; es ist halb ~ 네 시 반이다; er kann nicht (bis) ~ zählen 그는 다섯까지도 세지 못하는 (바보 같은) 사람이다;〘구어〙~ gerade sein lassen 까다롭게 굴지 않다, 관대히 보다; nimm deine ~ Sinne zusammen! 정신 차려라, 조심해라!
Fünf *f.* -en ① 숫자 5. ② 5 번 노선, 지하철 5 호선: mit der ~ fahren 5 번을 타고 가다. ③ (5 등급으로 된 학교 성적의) 최하점: er hat in Mathematik eine ~ bekommen〔geschrieben〕 그는 수학에서 최하 등급 "가"를 받았다. ④ (카드·주사위의) 5 점: eine ~ würfeln 주사위를 던져 5 점이 나오다.
Fụ̈nf≈akter *m.*〖연극〗 5 막극. **≈aktig** *a.*〖연극〗 5 막으로 된. **≈armig** *a.* 팔이 다섯 있는. **≈blätterig, ≈blättrig** *a.* 5 엽(葉)의; 5 판(瓣)의. **≈doppelt**〘구식〙*a.* ↑ ≈fach. **~eck** *n.* 5 각형. **≈eckig** *a.* 5 각(형)의. **≈-ein·halb** *num.* 5.5.
Fünfer [fýnfər] *m.* -s, - ①〘구어〙5 페니히짜리 동전:〘비유〙das ist keinen ~ wert 그것은 한푼의 가치도 없다. ② 5 개의 숫자가 맞은 복권. ③ (5 등급으로 된 학교 성적의) 최하 등급, 가(可): im Rechnen einen ~ schreiben〔bekommen〕 산수에서 최하 등급 "가"를 받다. ④ (5 의 숫자와 관계가 있는 사람으로서〔사물로서〕) 5 인승 보트; 5 행시; 5 인조. ⑤ (아라비아 숫자의) 5; 5 자형.
fünferlei [fýnfərlaı] *a.* 5 종의: es gab ~ Kuchen 다섯 종류의 케이크가 있었다.
Fụ̈nfer·reihe *f.* 5 열 종대: in ~n marschieren 5 열 종대로 행진하다.
fụ̈nf≈fach *a.* 5 배의, 5 중의; das ≈e 5 배. **~fächerig** *a.*〖植〗 5 포(胞)의, 5 방(房)의. **~fältig** *a.* ↑ ~fach. **≈finger·kraut** *n.*〖植〗 뱀딸기류(類). **≈flach** *n.* ↑ ≈flächner. **≈flächner** *m.*〖數〗 5 면체(Pentaeder). **≈-franken·stück** *n.* (스위스의) 5 프랑짜리 주화. **≈fränkler** *m.* (schweiz.) ↑ ≈frankenstück. **~füßig** *a.*〖문학〗 5 운각의. **≈-füßler** *m.*〖문학〗 5 운각(의 시구). **≈häfen** *pl.* (영국 동남 해안의) 5 항(港). **≈-herrschaft** *f.* 5 두 정치. **~hụndert** *num.* 500: die Reparatur des Autos kostete ~ DM 그 자동차를 수리하는 데 500 마르크가 들었다. **~hundertst** *a.* 500 번째의. **~hundertstel** *num.* 1/500 의. **≈jahres·plan** *m.* 5 개년 계획. **~jährig** *a.* 5 세의; 5 년(간)의. **~jährlich** *a.* 5 년마다의. **≈kampf** *m.*〖스포츠〗 5 종 경기. **≈kant** *n.* 5 모서리, 5 능(稜), 5 각. **~kantig** *a.* 5 각(형)의, 5 능(稜)의. **~kapselig** *a.*〖植〗 5 삭(蒴)의. **~-klappig** *a.*〖植〗 5 판(瓣)의. **~lappig** *a.*〖植〗 5 열편(裂片)이 있는. **≈liber** *m.*〔방언〕 ↑ ≈frankenstück. **~mal** *adv.* 5 회(에), 5 번; 5 배(로). **~malig** *a.* 5 회의, 5 의; 5 배의. **~männerig** *a.*〖植〗 수술이 다섯인.
Funfmark≈stück *n.* 5 마르크짜리 동전. **~stück·groß** *a.* 5 마르크짜리 동전 크기의.
fụnf≈paarig *a.*〖植〗 5 쌍의. **≈paß** *m.*〖건축〗 5 원판 장식, 5 잎 장식(5 개의 둥근 무늬가 맞물린 꽃 모양의 고딕식 장식의 하나). **≈-pfenniger** *m.* ↑ ≈pfennigstück. **≈pfennig·stück** *n.* 5 페니히짜리 동전. **≈pfünder** *m.*〖軍〗 (5 파운드 무게의 포탄을 발사하는) 5 파운드포. **~pfündig** *a.* 5 파운드의. **≈pol·röhre** *f.*〖전기〗 5 극 진공관. **~-prozentig** *a.* 100 분의 5 의, 5 푼의, 5 퍼센트의. **~prozent·klausel** *f.*〖法·政〗 (독일의 지역구 선거에서 유효 득표율이 5% 을 넘은 정당만이 의회의 의석을 얻을 수 있는) 5% 제한 규정. **~reihig** *a.* 5 줄의, 5 열의. **≈ruderer** *m.* ① (고대의) 5 단의 노를 갖춘 군선; 5 인승 보트. ②〖海〗 5 인승 보트의 승무원. **~saitig** *a.*〖음악〗 5 현(絃)의: ein ~es Instrument 5 현 악기. **~säulig** *a.*〖건축〗 5 열 기둥의.

~**schalig** *a.* ↑ ~klappig. ~**seitig** *a.* 5 면의, 5 변의; 5 각형의. ~**silbig** *a.* 〖문법〗 5 음절의. ~**spaltig** *a.* 〖植〗 5 분된, 5 로 나뉜, 5 단의. ≈**spiel** *n.* 〖음악〗 5 중창, 5 중주. ~**stellig** *a.* 〖數〗 5 자리의. ~**stimmig** *a.* 〖음악〗 5 성(聲)의, 5 부 합창의. ~**stöckig** *a.* 5 층의: ein ~es Haus 5 층 건물. ≈**strom-land** *n.* (인도 북서부의) 펀잡 지방. ~-**stündig** *a.* 5 시간의. ~**stündlich** *a.* 5 시간마다의.

fünft [fʏnft] *num.* 〔서수; 형용사적 어미 변화〕 5 번째의, 제 5 의: Heinrich der ≈e 하인리히 5 세; der ~e März 3 월 5 일; 〔비유〕 das ~e Rad am Wagen 군더더기, 무용지물; wir sind zu ~ 우리는 5 명이다; sie kamen zu ~ zu Besuch 그들 5 명이 찾아왔다.

Fünftage≈fieber *n.* 〖醫〗 5 일열, 참호열(塹壕熱). ~**woche** *f.* 주 5 일 근무제.

fünf≈tägig *a.* 5 일간의, 생후 5 일의. ~**tau send** *num.* 5000.

fünfte·halb [fʏ́nftəhálp] *num.* 4.5, 넷 반.

fünf·teilig *a.* 5 부분으로 이루어진.

Fünftel [fʏ́nftəl] *n.* -s, - 5 분의 1: drei ~ 5 분의 3.

fünftel *num.* 5 분의 1.

fünfteln *t.* 다섯으로 나누다.

fünftens *adv.* 제 5 에, 다섯 번째로.

fünft·halb *num.* ↑ fünftehalb.

Fünf≈uhr·tee *m.* 오후 (5 시)의 차(茶)(점심 식사와 저녁 식사 사이의 간식). ≈**undein-halb** *num.* 5.5, 5 개 반. ≈**weibig** *a.* 〖植〗 5 개의 암술을 가진. ≈**winkelig,** ≈-**winklig** *a.* 5 각의. ≈**zackig** *a.* 5 모서리의: ein ~er Stern 5 각별. ~**zahl** *f.* 5 의 수. ≈-**zähnig** *a.* 〖動·植〗 5 치(齒)의. ≈**zehig** *a.* 5 발가락을 가진. *≈**zehn** *num.* 15: 〖테니스〗 ~ beide 피프틴 올; ~ zu Null 피프틴 러브. ~**zehn** *f.* 15 의 수: 〔방언〕 kurze ~ machen 일을 속히 처리하다. ~**zehner** *m.* ① 15 인회의 의원. ② 제 15 연대의 사병. ③ 15 년산(產)의 포도주. ≈**zehnerlei** *a.* 15 종의. ≈-**zehn·jährig** *a.* ① 15 년〔세〕의. ② 15 년 동안의. ≈**zehnt** *a.* 15 번째의, 제 15 의: Ludwig der ≈e 루이 15 세; der ~e Mai 5 월 15 일. ~**zehntel** *n.* 15 분의 1. ~**zehntens** *adv.* 15 번째로. ~**zeilig** *a.* ① 5 행의. ② ↑ ~reihig.

funfzig [fʊ́nf..] *num.* 〔구식〕 ↑ fünfzig.

***fünfzig** [fʏ́nftsɪç] *num.* 50: er ist über ~ (Jahre alt) 그는 나이가 쉰이 넘었다.

Fünfzig *f.* -en 50 의 수: er ist Mitte (der) ~ 그는 50 대 중반이다.

Funfziger *m.* -s, - 〔구식〕 ↑ Fünfziger.

fünfziger *a.* ① 50 년대의: in den ~ Jahren 50 년대에. ② (연령이) 50 세〔대〕의.

Fünfziger *m.* -s, - ① 50 세〔대〕의 사람: er ist ein starker ~ 그는 나이가 60 에 가깝다: er ist in den ~n 그는 50 대다. ②〖商〗 50 페니히 동전; 〔드물게〕 50 마르크 지폐. ③ 제 50 연대의 사병. ④ 50 년산(產)의 포도주. ⑤〔복수〕 50 년대의 연도들.

Fünfziger·ausschuß *m.* 50 인 위원회.

fünfzigerlei *a.* 50 종의.

fünfzig≈jährig *a.* 쉰살의, 50 년이된. ≈**ma-rk·schein** *m.* 50 마르크 지폐.

fünfzigst *a.* 50 번째의, 제 50 의: das ~e Jahr erreichen 나이 50 에 이르다.

Fünfzigstel *n.* -s, - 50 분의 1.

fünfzigstens *adv.* 50 번째로, 제 50 에.

Fünf≈zimmer·wohnung *f.* 방 5 개짜리 주거 공간. ≈**zöllig** *a.* 5 인치의.

fungibel [fʊŋgí:bəl] 《lat.》 *a.* ①〖法〗 대체할 수 있는: die fungible Sache 대체물. ②〔교양·펌어〕 임의로 대체할 수 있는.

Fungibilität *f.* ↑ fungibel 의 명사형.

fungieren [fʊŋgí:rən] *i.* (h.) 직무를 행하다; 기능을 수행하다, 근무하다: als Hausmeister ~ 건물 관리인으로 일하다; als Hilfsmittel ~ 보조 역할을 하다.

Fungizid [fʊŋgitsí:t] *n.* -(e)s, -e 〖化〗 살균제.

fungös [fʊŋgǿ:s] *a.* 〖醫〗 버섯 모양의, 균성(菌性)의; 해면(海綿) 모양의: ~es Gewebe 해면 조직.

Fungus [fʊ́ŋgʊs] 《lat.》 *m.* -, ..gi ①〖植〗 버섯. ②〖醫〗 해면종(海綿腫), 균상종(菌狀腫); 〔복수〕 균류(菌類).

Funikular·bahn [funikulá:r..] *f.* 〔고어〕 케이블 카; 케이블 철도.

***Funk** [fʊŋk] 《<Funke》 *m.* -s ① (**a**) 무선 전신〔전송〕. (**b**) 무선 통신 장치: mit ~ ausrüsten 무전 장비를 갖추다; eine Nachricht über ~ erhalten 소식을 무선으로 수신하다. ② 무선 방송, 라디오: er ist bekannt durch ~ und Fernsehen 그는 라디오와 텔레비전을 통해 널리 알려져 있다.

Funk≈amateur *m.* 아마추어 무선사, 햄. ~-**amt** *n.* 무선 전신국. ~**anlage** *f.* 무선 통신 장치; 무선 방송국〔방송 시설〕. ~**apparat** *m.* 무선 통신 기구, 라디오 세트. ~**ausstellung** *f.* 무선 통신기 (신제품) 전람회. ~**bake** *f.* 지향성 무선 표지국(局), 라디오 비컨. ~**bast-ler** *m.* 라디오 공작〔조립〕 애호가. ~**beam-te*** *der* 무선 통신 공무원. ~**bild** *n.* 무선 전송 사진, 팩스 사진. ~**brief** *m.* 무선 전보.

Fünkchen [fʏ́ŋkçən] *n.* -s, - 〔↑ Funke 의 축소형〕 작은 불꽃; 〔비유〕 사소, 미미: er hat kein ~ (von) Ehrgefühl 그는 명예심이 조금도 없다.

Funk·dienst *m.* ① (**a**) 무선〔공중파〕 방송. (**b**) 무선 중계 방송. (**c**) 무선 통신 서비스: beweglicher ~ 이동 통신 서비스. ②〔구식〕 무선 전신 당번; 무선 통신 시설.

***Funke** [fʊ́ŋkə] 《germ.》 *m.* -ns, -n ① 불꽃, 불티; 섬광: ~n sprühen 불꽃을 튀기다; ein ~ sprang zwischen beiden über 두 사람은 갑자기 열렬한 관계를 맺기 시작했다; ~n ziehen 스파크를 일으키다; er arbeitet (so), daß die ~n stieben〔sprühen, fliegen〕 그는 (불꽃이 튈 정도로) 맹렬한 기세로 일한다; mit et.[3] den ~n ins Pulverfaß werfen (사소한) 무엇으로 뜻하지 않은 큰 일을 벌이다. ② (재치 따위의) 번득임: ein göttlicher ~ 영감. ③〔비유〕 소량, 사소, 근소: bis auf den letzten ~n 남김 없이; ein letzter ~ (von) Hoffnung 최후의 일말의 희망. ④〔대개 복수〕 쾰른의 카니발에 등장하는 옛 병사.

Funk·einrichtung *f.* ↑ ~anlage.

funkeln [fʊ́ŋkəln] *i.* (h.) 불꽃이 튀다, 반짝이다, 번득이다: die Sterne ~ 별이 반짝이다; seine Augen ~ vor Zorn 그의 눈은 분노로 불타고 있다.

funkel·nagel·neu *a.* 새로 만들어, 반짝반짝

빛나는: das Auto ist ~ 이 자동차는 아주 새 것이다.

Funk≈empfang *m.* 무선 수신. **~empfänger** *m.* 무선 수신기.

Funken [fʊ́ŋkən] *m.* -s, - ↑ Funke.

funken [fʊ́ŋkən] 《I》 *t.* ① 무전으로 알리다, 타전하다: SOS ~ SOS 를 타전하다. ②〔방언〕 내던지다. 《II》 *i.* (h.) ① 불꽃이 튀다, 스파크를 일으키다: die Oberleitung funkte (전차의) 공중 가선(架線)이 스파크를 일으켰다. ② 무선 통신사로 근무하다. ③〔구어〕 총격을 가하다, 포격하다: die feindliche Artillerie funkte pausenlos 적의 포대가 쉴새없이 불을 뿜었다. ④〔구어〕 작동되다, 잘 운영되다: der Apparat funkt nicht 그 기계가 작동하지 않는다; der Laden funkt 가게가 잘 된다. 《III》 *imp.* ① 불꽃 튀는 관계가 이루어지다: bei beiden hat es gleich gefunkt 두 사람은 금새 열렬해졌다. ② 티격대다. ③〔구어〕 일이 잘 진행되다: es funkt heute nicht 오늘은 일이 잘 안 된다. ④ 이해하다: hat's jezt bei dir gefunkt? 이제 넌 이해가 되었느냐? ⑤〔구어〕 매맞다: wenn du nicht kommst, wird es gleich ~ 오지 않으면 매맞을 줄 알아라.

Funken≈abteilung *f.* 〖軍〗 무선 통신 부대. **~entladung** *f.* 〖전기〗 스파크 방전. **~-fänger** *m.* (굴뚝·기관차 따위의) 불티막이. **~induktor** *m.* 〖전기〗 스파크 유도 코일. **~kutsche** *f.* 〔농담〕 전차. **~sehen** *n.* 〖醫〗 광시증(光視症). **≈sprühend** *a.* ① 불꽃 튀는. ② 재치가 번득이는. **~station** *f.* 무선 전신국. **~strecke** *f.* 〖전기〗 (스파크가 발생하는) 양(兩) 전극간의 간격. **~telefonie** *f.* 무선 전화. **~telegrafie** *f.* 〔고어〕 무선 전신. **≈-werfend** *a.* ↑ ≈sprühend.

Funker *m.* -s, - 무선 통신사, 무전 기사; 〖軍〗 무선 통신병.

Funker·bude *f.* (배의) 무선 통신실.

Funk≈feuer *n.* 〖海〗 무선 표지, 라디오 비컨. **~frequenz** *f.* 〖전기〗 무선 주파수. **~-geologie** *f.* 무선 지질 탐지(법). **~gerät** *n.* 무선 전신 기기; 라디오 세트. **~haus** *n.* 라디오 방송국. **~kolleg** *n.* (라디오) 방송 통신 대학 강좌. **~meß·gerät** *n.* 레이더, 전파 탐지기. **~navigation** *f.* 전파 항법, 무선 항행. **~orchester** *n.* 라디오 관현악단. **~ortung** *f.* 전파에 의한 위치 탐지. **~peil·einrichtung** *f.* ↑ ~peiler. **~peiler** *m.* 무선 방향 탐지기; 수심(水深) 측정기. **~peilung** *f.* 전파에 의한 방향 탐지. **~recht** *n.* 전파 관리법. **≈|sprechen** *i.* 〔부정형으로만〕 무선 통신〔방송〕하다. **~sprecher** *m.* ↑ ~sprechgerät. **~sprech·gerät** *n.* 무선 전화기, 워키토키. **~spruch** *m.* 무선 통신(문). **~station** *f.* 무선 전신국. **~stelle** *f.* ↑ ~station. **~stille** *f.* ① 무선 통신의 두절(상태). ② 라디오 방송이 없는 시간. ③〔비유·구어〕 끈질긴 침묵. **~störung** *f.* 전파 방해, 교신 장애. **~streife** *f.* 무선 장비를 갖춘 경찰차의 순찰. **~-streifen·wagen** *m.* 무선 장비를 갖춘 경찰차. **~stunde** *f.* 방송 시간. **~taxi** *n.* 무선 장비 택시, 콜 택시. **~technik** *f.* 무선 공학. **~telegramm** *n.* 무선 전보〔전신〕.

***Funktion** [fʊŋktsió:n] 《lat. functio》 *f.* -en ① **(a)** 기능, 작용, 역할: die ~ des Herzens 심장의 기능; eine wichtige ~ ausüben 중요한 역할을 행하다; in ~ 작동 중인; außer ~ 고장난; in ~ treten 작동을 시작하다. **(b)** 직책, 직무, 임무; 직위, 자리: eine leitende ~ in der Partei innehaben 당에서 지도적 임무를 맡고 있다. ②〖數〗 함수: lineare ~ 1차 함수. ③ 컴퓨터의 기본 명령 조작. ④〖음악〗 (화성적) 기능. ⑤〖언어〗 기능.

funktional [fʊŋktsioná:l] *a.* ↑ funktionell.

funktionalisieren [..nalizí:rən] *t.* 〖經〗 기능화하다.

Funktionalisierung *f.* -en 기능화.

Funktionalismus *m.* - 〖건축·논리·문예학〗 기능주의.

Funktionalist *m.* -en, -en 기능주의자.

Funktionär *m.* -s, -e ① (정당·조합 따위의) 간부, 임원. ② 담당자, 직원; 공무원.

funktionell [..tsionɛ́l] *a.* 직무상의; 기능상〔작용상〕의: die ~e Musik 기능 음악; 〖醫〗 ~e Störungen 기능 장애; 〖化〗 ~e Gruppen 작용기(作用基).

funktionieren *i.* (h.) ① 작동하다: die Maschine funktioniert gut 그 기계는 잘 작동한다. ② (어떤) 역할을 수행하다: er funktioniert als Vermittler in diesem Fall 이 사건에서 그는 중재자의 역할을 하고 있다.

funktions≈fähig *a.* 정상적으로 작동하는, 제기능을 하는. **≈prüfung** *f.* 기능〔성능〕 검사. **≈störung** *f.* 〖醫〗 기능 장애. **≈taste** *f.* 〖컴〗 (자판의) 기능키. **≈theorie** *f.* 〖數〗 함수론. **≈verb** *n.* 〖문법〗 기능 동사(보기: zur Entscheidung bringen 의 bringen). **≈zulage** *f.* 직무 수당.

Funk≈turm *m.* 방송〔무선 전신〕탑. **~verbindung** *f.* 무선 접촉〔연락〕. **~verkehr** *m.* 무선 교신〔통신〕. **~wagen** *m.* 무선 순찰차; 무선 장비 장착차; 라디오 방송차. **~werbung** *f.* 방송 광고. **~wesen** *n.* 무선 전신〔통신〕, 방송; 무선 설비.

Funse [fʊ́nzə] *f.* -n ↑ Funzel.

Funsel [fʊ́nzəl] *f.* -n 〔구어〕 ↑ Funzel.

Funzel [..tsəl] 《<Funke》 *f.* -n 〔구어·폄어〕 어둠침침한 램프〔양초〕.

***für** [fy:r] 《I》 *prp.*[4] ①〔연속·교체〕 Schritt ~ Schritt 한 걸음 한 걸음, 점차; Jahr ~ Jahr 연년세세, 해마다: Mann ~ Mann 한 사람 한 사람, 각자; Wort ~ Wort 한 마디 한 마디, 단어 하나 하나. ②〔방지·대항·수단(gegen)〕 ein Mittel ~ das Fieber 해열제; ich kann nichts da~ 그것에 대해 나로서는 어찌할 도리가 없다; 〔예전에는 vor 와 혼용되어 종종 3격을 지배하였음〕 hüte dich ~ den Fallstricken! 함정에 조심하게! ③〔목적·용도·적합〕 Futter ~ das Vieh 가축 사료; ein Buch ~ Kinder 아동용 책; eine Frau ~ dich 네게 어울리는 여자; eine Lehre ~ ihn 그에게 적절한 교훈; Raum ~ viele 많은 사람을 수용할 수 있는 공간; ~ et. passen 무엇에 적합하다; et. ~ sich behalten a) 무엇을 (자기가 쓰려고) 따로 간직하다, b) 무슨 일을 비밀로 해두다. ④〔성능·감정의 방향〕 Sinn ~ Geschäft 사업〔실무〕 감각; Sinn ~ das Schöne haben 미적 감각을 지니다; Sorge ~ die Zukunft 미래에 대한 근심; ~ jn.〔et.〕 fürchten 누구를〔무엇을〕 걱정하다; sich ~ et. interessieren 무슨 일에 관심을〔흥미를〕 가지다. ⑤〔관계·범위〕 es ist das Beste ~ ihn 그것이 그에게는

최선의 방책이다; das ist zu schwer ~ mich 그것은 내게는 너무 어렵다; ~ ihn bin ich nicht zu Hause 그 자가 찾아와도 나는 만나지 않겠다; ich ~ meine Person [mein(en) Teil] 내 개인의 입장에서는;〖(~ sich 의 형태로) 격리·고립〗 ~ sich sein 홀로 있다; das ist eine Sache ~ sich 그것은 전혀 별개의 문제다; die Sache ist an und ~ sich gut 그 일은 그것 자체로는 좋다. ⑥〖기간·시점〗 er hat das Haus ~ zehn Jahre gemietet 그는 그 집을 10년간 빌렸다; ~ einige Wochen verreisen 몇 주 동안 여행하다; er hat mich ~ Montag zu sich bestellt 그는 나와 월요일에 자기 집에서 만나기로 약속했다; ~ heute 오늘은; ~s erste 첫째로, 우선; ~ immer 영구히. ⑦〖이유(wegen)〗 sich ~ seine Verspätung entschuldigen 늦었다고 사과하다; der Angeklagte wurde ~ den Mord hart bestraft 그 피고는 살인죄로 엄한 처벌을 받았다. ⑧〖비교·대비〗 ~ einen Achtziger ist er noch recht rüstig 80 노인치고는 그는 아직 건장하다; ~ die Jahreszeit ist es viel zu kalt 계절에 비해 날씨가 너무 춥다; das ist kein Betragen ~ einen Mann 그것은 남자가 할 짓이 아니다. ⑨〖이익·찬성〗 ~s Vaterland kämpfen 조국을 위하여 싸우다; sich ~ et. erklären 무엇에 찬성함을 밝히다; das Argument hat viel ~ sich 그 논증은 대단히 설득력이 있다; das ≈ und Wider 찬반, 장점과 단점. ⑩〖대리·대체〗 ~ jn. eintreten a) 누구의 대리역을 하다, b) 누구의 편을 들다; ~ jn. zahlen 누구 대신에 돈을 내다; ~ zwei arbeiten 두 사람몫의 일을 하다; ein[einmal] ~ allemal 이번 한 번만, 단연코, 이번을 끝으로. ⑪〖평가·판단(als)〗 et. ~ et. halten 무엇을 무엇으로 여기다[간주하다]; ~ et. gelten 무엇이라고 여겨지다, 무엇으로 통하다; et.[jn.] ~ et. ausgeben[erklären] 무엇을[누구를] 무엇이라고 일컫다[선언하다]; ~ gut[recht] halten 선의로[옳다고] 여기다; nichts ~ ungut! 부디 나쁘게 받아들이지 말기를! ⑫〖교환·대가·보답〗 Gold ~ Papier eintauschen 금을[금화를] 지폐로 교환하다; ~ et. zwei Mark zahlen[geben] 무엇의 값으로 2마르크를 치르다; et. ~ zwei Mark kaufen[verkaufen] 무엇을 2마르크에 사다[팔다]; da~ tue ich es nicht 나는 그만한 대가로 그런 일을 하지는 않는다; ~ nichts und wieder nichts 헛되이, 쓸모없이; das täte ich ~ mein Leben gern 나는 목숨을 걸고라도 (기어이) 그것을 하고 싶다. ⑬〖구식; 3격 지배〗〖원인(vor)〗 ~ Freuden weinen 기뻐서 울다. ⑭〖was für 의 형태로〗 was ~ ein Mensch ist das? 이 사람은 어떤 부류의 사람인가?; was ~ Lügen! 거짓말도 분수가 있지! 《Ⅱ》 *adv.* ①〖구식〗 ~ und ~ 영원히, 언제까지나. ② (obd.) ich hab' nichts ~ 나는 아무것도 남겨 두지 않았다.

Furage [furáːʒə] 《frz.》 *f.* 〖軍·구식〗 (**a**) 군량. (**b**) 말먹이.

furagieren [furaʒíːrən] *i.* (h.) 군량과 말먹이를 징발[수령]하다.

für·baß [fyːrbás] *adv.* 〖시어·구식〗 앞(쪽)으로: ~ schreiten 전진하다.

fürbass 新정서 ⇦ fürbaß.

***Fürbitte** [fýːrbɪtə] *f.* -n 〖雅語〗 ① 중재, 조정; 알선, 주선: meine ~ hat nicht gefruchtet 내 중재는 성과가 없었다; bei jm. für einen andern ~ einlegen[tun, leisten] 다른 사람을 위하여 누구에게 주선[청원]하다. ②〖宗〗 대원(代願), 병자나 죄인을 위한 기도.

für|bitten* *t.* 〖부정형으로만〗 jn. ~ 누구를 위하여 기도[청원·알선·주선]하다.

Für·bitten *n.* -s 알선, 주선.

Für·bitter *m.* -s, - 〖고어〗 ① 대리 청원자, 중재인, 조정자. ② 대원자(代願者), 병자나 죄인을 위해 기도하는 사람.

Für·bitterin *f.* -nen ↑ Fürbitter 의 여성형.

***Furche** [fʊ́rçə] *f.* -n ① (밭 따위의) 고랑, 골: mit dem Pflug ~n ziehen 쟁기로 고랑을 파다. ②〖해부〗 뇌의 주름. ③ (배의) 항적(航跡). ④ (얼굴의) 주름(살): seine Stirn ist von ~n durchzogen 그의 이마는 주름져 있다. ⑤〖工〗 홈, 요선(凹線).

furchen [fʊ́rçən] 《Ⅰ》 *t.* ①〖雅語〗 고랑을 파다: den Acker ~ 밭에 이랑을 만들다. ② 주름짓다: vor Ärger die Stirn ~ 화가 나서 이맛살을 찌푸리다. ③ (배 따위가) 수면에 자국을 남기며 항해하다: das Schiff furchte die ruhige See 그 배가 고요한 바다를 가르며 항해했다. 《Ⅱ》 *refl.* sich ~ 주름이 잡히다. 《Ⅲ》 **gefurcht** *p.a.* ↑ gefurcht.

furchen≈artig *a.* 고랑[홈] 모양의. **≈rain** *m.* 〖農〗 두둑, 두렁. **≈schrift** *f.* (첫 행을 우에서 좌로, 다음 행은 좌에서 우로 써 나가는) 지그재그 서법(書法). **≈wal** *m.* 〖動〗 큰고래, 긴수염고래, 멸치고래. **~weise** *adv.* 고랑 모양으로. **≈zieher** *m.* 〖農〗 이랑을 만드는 쟁기;〖工〗 홈 파기 대패.

furchig [fʊ́rçɪç] *a.* 고랑[두둑]이 있는, 홈이 있는, 주름잡힌.

***Furcht** [fʊrçt] 《<fürchten》 *f.* ① 두려움, 공포, 걱정, 우려, 염려: ~ vor dem Tode 죽음에 대한 공포; aus ~ vor Strafe lügen 처벌을 두려워해서 거짓말을 하다; ~ haben [empfinden, hegen] 두려워하다, 무서워하다; keine ~ kennen 무서움을 모르다; jm. ~ einjagen [jn. in ~ versetzen] 누구에게 겁을 주다; in ~ geraten 겁을 먹다, 두려워하다; von ~ befallen[ergriffen, gepackt] 공포에 사로잡혀, 전전긍긍하여; jn. durch ~ zu et. bewegen[bringen] 누구에게 겁을 주어 무엇을 하게 하다. ②〖구식〗 경외, 외경(畏敬): die ~ Gottes 하느님에 대한 경외심.

furchtbar [fʊ́rçt..] 《Ⅰ》 *a.* ① 무서운, 두려운, 무시무시한: ein ~er Anblick 끔찍한 광경; das ist ja ~! 그것 참 무시무시하다!;〖구어〗 ein ~er Mensch 무서운 녀석; die Seuche wütete ~ 전염병이 무섭게 창궐했다. ②〖평어〗 지독[굉장]한: eine ~e Hitze 지독한 더위. 《Ⅱ》 *adv.* 〖구어〗 매우, 대단히: das ist ~ nett von Ihnen! 매우 친절하시군요!; eine ~ einfache Angelegenheit 지극히 간단한 일.

Furchtbarkeit *f.* -en 공포(의 대상).

Fürchte·gott [fʏ́rçtəgɔt] *m.* 디모데(사도 바울의 제자).

furcht·einflößend *a.* 위협적인: sein Blick war ~ 그의 시선은 위협적이었다.

***fürchten** [fʏ́rçtən] 《Ⅰ》 *i.* (h.) 걱정[근심·염려]하다: ich fürchte für[um] seine Gesundheit 나는 그의 건강을 염려한다. 《Ⅱ》 *t.* ① (**a**) 두려워하다, 무서워하다: er fürchtet seinen

Chef 그는 사장을 어려워한다; den Tod ~ 죽음을 두려워하다. (**b**) 경외하다: Gott ~ 하느님을 경외하다. ② 걱정〔염려〕하다: ich fürchte, wir haben uns verrechnet 우리가 계산을 잘못한 게 아닌가 하는 (걱정스러운) 생각이 든다; ich fürchte, ihn zu wecken 그를 깨울까 봐 염려된다; er fürchtet Unannehmlichkeiten 그는 불쾌한 일이 일어날까 걱정하고 있다. 《Ⅲ》 *refl.* sich ~ 무서워하다, 두려워하다, 꺼리다: er fürchtet sich vor dem Hund 그는 개를 무서워한다; das Kind fürchtet sich im Dunkeln 아이는 어둠을 무서워한다; ich fürchte mich, allein zu gehen 나는 혼자 가는 걸 두려워한다.

fürchterlich [fʏ́rçtərlıç] 《Ⅰ》 *a.* ① 무서운, 가공할 만한, 끔찍한: ein ~er Unfall 끔찍스러운 사고; etwas Fürchterliches erleben 끔찍한 일을 체험하다. ②〔구어·폄어〕지독〔굉장〕한: ~e Hitze 지독한 더위. ③ 역겨운: ein ~er Kerl 혐오스러운 녀석. ④〔구식〕↑ furchtsam. 《Ⅱ》 *adv.* 〔구어〕매우, 대단히: wir hatten ~ viel Spaß 우리는 대단히 재미있었다; ein ~ schöner Mantel 매우 훌륭한 외투.

furcht·erregend [fʊ́rçt..] *a.* 무시무시한: ein ~er Anblick 무시무시한 광경.

furchtlos *a.* 두려워하지 않는, 대담한: ~ für seine Überzeugung eintreten 두려움 없이 자신의 신념을 옹호하다.

Furchtlosigkeit *f.* 대담.

furchtsam [fʊ́rçtza:m] *a.* 두려워하는, 소심한, 겁쟁이의: ein ~es Kind 겁많은 아이.

Furchtsamkeit *f.* 소심, 겁약.

Furchung [fʊ́rçuŋ] 《<furchen》 *f.* -en ① 고랑〔이랑〕만들기. ②〖生〗(수정란의) 분할.

für·der [fʏ́rdər] 《<fort》 *adv.* 〔고어〕① 앞에, 앞으로. ② 금후, 장차. ③ 추가〔보충〕의.

für·derhin *adv.* 〔구식·雅語〕금후, 장차.

für·einander *adv.* 서로를 위하여, 서로: ~ arbeiten 서로를 위해 일하다.

für·erst *adv.* 〔구식〕① (vorerst) 첫째로, 처음에. ② (vorläufig) 우선, 당분간.

Für·gang *m.* (schweiz.) (농부의) 윗옷자락.

Furie [fú:riə] 《lat.》 *f.* -n ①〖로마신화〗푸리아(복수의 여신): wie von ~n gehetzt〔gejagt〕 황급히. ②〔비유〕광포한 여자, 한부(悍婦). ③〔구식〕광포; 격노.

furien≈ähnlich *a.* ↑ furienhaft. **~artig** *a.* ↑ furienhaft.

furienhaft *a.* 복수의 여신처럼 광포한.

Furier [furí:r] 《frz.》 *m.* -s, -e〖軍〗보급 하사, 보급계.

furios [furió:s] 《lat.》 *a.* ① 격렬한, 열띤: ein ~er Streit 격렬한 논쟁. ② 감격적인, 열광적인: der ~e Schlußsatz dieser Sinfonie 이 교향곡의 열광적인 마지막 악장.

furioso [furió:zo] 《it.》 *adv.* 〖음악〗열렬하게, 푸리오조.

Furioso *n.* -s, -s/..si ① 푸리오조. ②〔雅語〕격렬, 광포, 열광.

Für·kauf *m.* (obd.) 거간.

Furke 《lat.》 *f.* -n〔방언〕(Forke) (퇴비용) 갈퀴〔쇠스랑〕; 큰 포크.

Für·leder *n.* (obd.) 구두의 겉가죽, 표피.

fürlieb|nehmen* [fy:rlí:p..] *i.* (h.) 〔구식〕(무엇으로) 만족하다(vorliebnehmen).

fürnehm [fʏ́:rne:m] *a.* ①〔구식〕고상한 (vornehm). ②〔지금은 반어적〕was für ein ~es Dämchen! 이 무슨 고상하신 마나님이람!

Furnier [furní:r] 《lat.》 *n.* -s, -e 얇은 무늬목 (저급 목재의 표면에 붙이는 얇은 장식용 덧씌움 목재).

Furnier·blatt *n.* 합판, 베니어판.

furnieren *t.* 〖工〗무늬목을 대다〔붙이다〕: eine mit Nußbaum furnierte Tür 호두나무를 입힌 문.

Furnier≈holz *n.* 무늬널판 제작용 고급 목재. **~platte** *f.* 합판, 베니어판.

Furnierung *f.* -en ① 합판 작업, 무늬목 붙이기. ② ↑ Furnier.

Furnitur [furnitú:r] *f.* -en ① 붙박이 가구, 부속 가구, 건구(建具). ② 무늬목, 덧씌움용 치장 판자, 합판.

Furor [fú:rɔr] 《lat.》 *m.* -s 〔雅語〕광포; 광란.

Furore [furó:rə] 《it.》 *f.* 〔*n.* -s〕 열광적 갈채, 큰 인기; 열광, 흥분: ~ machen a) 선풍〔센세이션〕을 일으키다, b) 대성공을 거두다.

Furor poeticus [fú:rɔr poé:tikus] *m.* - -〔교양〕시적 도취 (상태).

Furor teutonicus [fú:rɔr tɔytó:nikus] *m.* - -〔교양〕게르만인 특유의 공격성, 독일인 특유의 광포한 행동.

fürs [fy:rs] =für das 의 결합형: ~ erste 우선, 당분간.

***Fürsorge** [fý:rzɔrgə] *f.* ① 배려, 주의, 보호, 돌봄: zärtliche ~ 상냥한 배려; ärztliche ~ 의사의 보살핌; für jn. ~ treffen 누구를 돌보다. ② (빈민·실업자) 구제 사업; 사회 복지 사업. ③ 사회 복지 기관, 사회 복지국(局). ④〔구어〕구호금, 생활 보조금: einen Antrag auf ~ stellen 생활 보조금을 신청하다. ⑤ ↑ Fürsorgeerziehung.

Fürsorge≈amt *n.* 사회 복지국(Sozialamt). **~empfänger** *m.* 생활 보조금 수혜자. **~erziehung** *f.* (불량) 청소년 선도 교육: in ~ kommen (청소년) 선도 교육을 받다.

für|sorgen *i.* (h.) 보살피다, 배려하다.

fürsorgend *p.a.* ↑ fürsorglich.

Fürsorger *m.* -s, - 사회 복지 사업 종사자.

Fürsorgerin *f.* -nen ↑ Fürsorger 의 여성형.

fürsorgerisch *a.* 사회 복지의: eine ~e Institution 사회 복지 기관.

Fürsorge≈tätigkeit *f.* 사회 복지 사업〔활동〕. **~unterstützung** *f.* 사회 복지 보조금, 생계 보조금. **~wesen** *n.* 사회 복지 정책〔제도〕.

fürsorglich [fý:rzɔrklıç] *a.* 잘 보살피는, 배려하는; 사회 사업의.

Fürsorglichkeit *f.* 남을 배려하는 태도〔행위〕.

Für·span *m.* (기사들의) 외투를 졸라매는 끈〔쇠사슬〕.

Fürsprache *f.* -n 대변, 추천, 후원, 주선: bei jm. für jn. ~ einlegen 누구에게 누구를 대변하다; jn. um seine ~ bitten 누구에게 추천〔대변〕을 부탁하다.

Fürsprech *m.* -s, -e 〔雅語〕① 대변자. ② (schweiz.) 변호사, 법률 고문.

für|sprechen* *i.* (h.) 〔현재형·과거형은 비분리〕주선하다.

Fürsprecher *m.* -s, - ① 대변자, 알선자: sich zum ~ religiöser Minderheiten machen 종교적 소수 (집단)의 대변자 역할을 하다. ② (schweiz.) 변호사, 법률 고문.

Für·sprecherin *f.* -nen ↑ Fürsprecher 의 여성형.

***Fürst** [fýrst] *m.* -en, -en ① (고대 게르만 민족의) 지도자, 재판관 겸 군사령관, 우두머리. ②〖중세〗대공, 방백, 성주, 대주교, 수도원장: Kirchen~ 최고위 성직자(추기경·대주교 따위). ③ (16 세기까지 Kaiser, König 다음 서열의) 영주, 제후. ④ (15-16 세기 이후) 후작 (Herzog 과 Graf 의 중간). ⑤ (오늘날) 통치자, 군주. ⑥〖聖〗der ~ der Finsternis 〔Hölle〕 사탄; der ~ dieser Welt 악마. ⑦〖비유〗제 1 인자, 거장(巨匠): ein Sänger~ 가수왕.

Fürst≈abt *m.* 대주교급 수도원장. **~bischof** *m.* 후작(의 작위를 가진) 주교.

fürsten [fýrstən] 〖주로 과거 분사형으로〗 《I》 *t.* 후작의 작위를 주다; (어느 영지를) 후작령〔후국〕으로 하다. 《II》 **gefürstet** *p.a.* ↑ gefürstet.

Fürsten≈bank *f.* (1803 년 이전의) 독일 의회에서 의석과 투표권을 가졌던 영주들(의 좌석). **~bund** *m.*〖史〗(1785 년의) 영주 동맹. **~diener** *m.* 〖폄어〗 영주의 심복. **~geschlecht** *n.* 왕족, 왕조, 왕가. **~gunst** *f.* 군주의 총애. **~gut** *n.* 왕실 소유지; 후작령(領). **~haus** *n.* ① 궁전, 왕궁; 후작의 저택. ② ↑ ~geschlecht. **~hof** *m.* 궁정, 조정. **~hut** *m.* ↑ ~krone. **~knecht** *m.* 〖폄어〗 ↑ ~diener. **~krone** *f.* 군주〔후작〕의 관(冠), 왕관. **~mantel** *m.* (예복으로서의) 군주의 망토. **~mäßig** *a.* 군주에 어울리는, 군주다운. **~recht** *n.* 군주의 대권〔특권〕.

Fürstenschaft [fýrstənʃaft] *f.* -en 〖총칭〗 제후단(團); 제후의 지위 (↑ Fürstenstand).

Fürsten≈schloß *n.* 왕성. **~schule** *f.* ① 제후 왕립 학교(16 세기 영주들이 창립한 김나지움). ②〖드물게〗 왕족〔귀족〕 학교. **~sitz** *m.* ① 제후의 주거지, 궁정. ②〖가구〗(머리 위 덮개가 있는) 고급 안락 의자. **~spiegel** *m.*〖史〗 군주의 교육서, 군주 품행 지침서. **~stamm** *m.* ↑ ~geschlecht. **~stand** *m.* 군주〔후작〕의 지위. **~tag** *m.*〖史〗 영주 회의. **~titel** *m.* 후작의 칭호.

Fürstentum [fýrstəntu:m] *n.* -(e)s, ..tümer [..ty:mər] ① 영주령, 제후국(오늘날의 모나코 따위), 후작령. ② 영주〔후작〕의 지위.

Fürsten·würde *f.* ↑ Fürstentum ②.

Fürst·erzbischof *m.* 후작에 서품(敍品)된 대주교, 영주 대주교.

Fürstin *f.* -nen 여군주; 후작〔제후〕 부인.

Fürstin·mutter *f.* 후작〔제후〕의 모후.

fürstlich [fýrstlıç] *a.* ① 군주의; 후작의: Seine ~e Durchlaucht (제후) 전하. ② 품위 있는, 당당한; 호사스런, 성대한: ein ~es Trinkgeld 두둑한 팁; jn. ~ bewirten 누구를 융숭히 대접하다.

Fürstlichkeit *f.* -en ① 군주다움; 군주의 위엄. ②〖드물게〗 전하(제후에 대한 호칭). ③ 〖대개 복수〗 제후의 가족, 제후, 후작.

Furt [furt] 《<fahren》 *f.* -en (배를 타지 않고도 건널 수 있는) 강의 얕은 부분.

furtbar *a.* (강을) 걸어서〔말을 타고〕 건널 수 있는.

furten [fúrtən] *t./i.* (s.) (강을) 걸어서〔말을 타고〕 건너다.

für·trefflich *a.* ↑ vortrefflich.

Fürtuch *n.* -(e)s, ..tücher (obd.) 앞치마 (Schürze).

Furunkel [furúŋkəl] 《lat.》 *m./n.* -s, - 〖醫〗 (머리에 생기는) 부스럼, 종기.

Furunkulose [..ruŋkuló:zə] *f.* -n (만연된) 부스럼증.

für·wahr *adv.* 〖雅語〗 ① 확실히, 참으로, 정말. ②〖양보〗 과연(…이긴 하지만…).

Für·witz *m.* 〖고어〗 ↑ Vorwitz.

fürwitzig *a.* 〖고어〗 ↑ vorwitzig.

Für·wort *n.* 〖문법〗 대명사(Pronomen).

fürwörtlich *a.* 대명사의.

Furz [furts] *m.* -es, Fürze [fýrtsə] ①〖비속〗 방귀: einen ~ lassen 방귀를 뀌다; einen ~ gefrühstückt 〔im Kopf〕 haben 제정신이 아니다; hin und her sausen〔rasen〕 wie ein ~ auf der Gardinenstange 바삐 돌아다니다. ② 〖비유〗 사소한 일: aus einem ~ einen Donnerschlag machen 침소봉대하다; mit jedem ~ kommt er zu mir gelaufen 그는 사소한 일로도 내게 달려오곤 한다.

furzen [fúrtsən] *i.* (h.) 방귀를 뀌다.

Fuschelei [fuʃəlái] *f.* -en 〖↑ fuscheln 의 명사형〗 분망히 돌아다님; 사기, 기만.

fuscheln [fúʃəln] 《ⓒ pfuschen》 *i.* (h.) (md.) ① 잽싸게〔비밀리에〕 돌아다니다. ② 기만하다; 〖카드〗 속이다. ③ 일을 서투르게〔날림으로〕 하다. ④ (손으로 다급히 더듬으며) 찾다.

fuschen *i.* (h.) 〖방언〗 ↑ fuscheln.

fuschern *i.* (h.) 〖방언〗 ↑ fuscheln.

Fusel[1] [fú:zəl] *m.* -s, - ①〖化〗 (Fuselöl) 퓨젤유(油). ② (퓨젤유를 함유한) 질이 낮은 브랜디. ③〖비유〗 묽은 커피; 품질이 나쁜 담배.

Fusel[2] [fú:zəl] *n./m.* -s, -n 〔*f.* -n〕 (옷·천 따위의) 보풀(Fussel).

fuselig[1] [fú:zəlıç] 《<Fusel[1]》 *a.* ① 퓨젤유를 함유한. ② 질 낮은 브랜디 맛〔냄새〕의. ③ (저급 술에) 얼근히 취한.

fuselig[2] [fú:zəlıç] 《<Fusel[2]》 *a.* ①〖방언〗 보풀로 덮인, 보풀이 이는, (양탄자 따위가) 술이 많은. ② (일 따위가) 고도의 정밀을 요하는. ③ 변덕스러운, 침착하지 못한; 흥분한.

fuseln[1] [fú:zəln] 《<Fusel[1]》 *i.* (h.) ① 싸구려 브랜디를 마시다. ② 퓨젤유 냄새가 나다.

fuseln[2] [fú:zəln] 《<Fusel[2]》 *t./i.* (h.) 〖방언〗 ① (천을) 풀어서 실로 만들다. ② 일을 서투르게〔날림으로〕 하다. ③ 글씨를 서투르게〔잘게〕 쓰다.

Fusel≈öl *n.* 〖化〗 퓨젤유. **~schnaps** *m.* Fusel[1] ②.

Füsilier [fyzilí:r] *m.* -s, -e 〖軍〗 ① (17 세기 프랑스의) 수석총병(燧石銃兵). ② (schweiz.) 경(輕)보병, 저격병. ③ (프로이센의) 보병.

füsilieren *t.* 〖軍〗 (계엄령에 따라) 총살하다.

Füsillade [fyzilá:də] *f.* -n 〖고어〗 즉결 심판에 따른 (대량) 총살.

Fusion [fuzió:n] 《lat.》 *f.* -en 용해; 융합; (정당의) 합당, (기업의) 합병; 〖理〗 핵융합.

fusionieren [..zioní:rən] *t.* 용해하다; 융합하다, 합당〔합병〕하다: der Verlag fusionierte mit einem größeren Unternehmen 그 출판사는 중견 기업과 합병하였다.

Fusionierung *f.* -en (기업의) 합병, 융합.
fusionistisch [..zionístɪʃ] *a.* 합병론의.
*__Fuß__ [fu:s] *m.* -es, Füße [fý:sə] ① (**a**) 발: mein ~ ist eingeschlafen 나는 발이 (일시적으로) 마비되었다. (**b**) (südd., öst., schweiz.) 다리. ② (**a**) 〖형용사·동사와 함께〗 leichten ~es 가벼운 발걸음으로; festen ~es 의연히; stehenden ~es 즉석에서, 당장; festen ~ fassen 확고한 기반을 잡다; jn. Füße machen 누구를 재촉하다; jm. den ~ auf den Nacken setzen 누구를 혼내주다, 누구에게 힘을 느끼게 만들다; sich die Füße in den Bauch stehen 매우 오래 서 있다; 〖구어〗 sich³ kalte Füß holen 실패하다; 〖비유〗 bei diesem Plan bekomme〔kriege〕 ich kalte Füße 나는 이 계획에서 발을 빼려고 한다(나는 이 계획을 우려한다); die Sache hat Hand und ~ 그 일은 제대로 되어 있다; ich werde keinen ~ mehr über seine Schwelle setzen 나는 그의 집에 다시는 가지 않을 것이다; 〖구어〗 er steckt noch die Füße unter seines Vaters Tisch 그는 아직도 부친에게 의지하고 산다; 〖구어〗 mein Radiergummi hat Füße gekriegt〔bekommt〕 내 고무 지우개가 사라져 버렸다; 〖경박〗 etwas schmeckt wie eingeschlafene Füße 무엇이 싱거운 맛이다; sich³ die Füße nach et.³ ablaufen 〔wund laufen〕 무엇 때문에 발이 닳도록 돌아다니다; sich³ den ~ vertreten 잘못 디뎌 발을 삐다; sich³ die Füße vertreten (오래 앉아 있다가) 약간씩 이리저리 걷다. (**b**) 〖전치사와 함께〗 jm. **auf** die Füße 〔auf den ~〕 treten 누구의 감정을 상하게 하다, 누구를 질책〔독촉〕하다; jm. auf die Füße helfen 〔bringen〕 누구를 자립하도록 도와 주다; sich auf die Füße machen 출발하다; immer (wieder) auf die Füße fallen 용케도 매번 어려움에서 벗어나다; jm. auf dem ~e folgen 누구를 바싹 뒤따르다; die Ausführung folgte dem Gedanken auf dem ~ 생각에 이어 곧 실행이 뒤따랐다; auf eigenen Füßen stehen (경제적으로) 자립하다; auf freiem ~ sein 자유의 몸이다; jn. auf freien ~ setzen 누구를 석방하다; auf schwachen〔tönernen, schwankenden〕 Füßen stehen 확실하지 않다, 미덥지 못하다; 〖구식〗 auf den〔seinen〕 letzten Füßen gehen 다 죽어가다; mit jm. auf freundschaftlichem〔gespanntem〕 ~ leben〔stehen〕 누구와 친근한〔긴장된〕 관계다; auf festen Füßen stehen (물질적으로) 확고한 기반 위에 있다; jn.〔et.〕 **mit** Füßen treten 누구를〔무엇을〕 짓밟다, 멸시하다; mit beiden Füßen (fest) auf der Erde 〔im Leben〕 stehen 현실적이다, 안정되어 있다; mit dem ~ stoßen 발로 차다; mit einem ~ im Gefängnis stehen a) 감옥에 갈 짓을 했다, b) 자칫하면 감옥에 갈 수 있는 위험한 직업을 갖고 있다; mit einem ~e schon im Grabe stecken 죽을 지경에 있다; 〖구어〗 mit dem linken ~ zuerst aufgestanden sein 기분이 언짢다; jn. mit Füßen treten 누구를 짓밟다(거칠게 다루다); den Boden **unter** den Füßen verlieren 근거를〔기반을〕 잃다; jm. et. unter den Füßen geben 누구에게 무엇을 몰래 가르치다; er schüttelte den Staub **von** seinen Füßen 그는 다시 오지 않을 작정으로 떠나가 버렸다; 〖구어〗 jm. vor〔über〕 die Füße laufen 누구를 우연히 만나다; jm. et. vor die Füße werfen (화가 나서) 무엇을 누구의 발치에 내던지다; zu ~(e) gehen 걸어서 가다; 〖雅語〗 jm. zu Füßen liegen 누구를 매우 존경하다; 〖雅語〗 jm. et. zu Füße legen 누구에게 무엇을 헌납하다; gut zu ~ sein 잘 걷다; das Garderegiment zu ~ 근위 보병 연대; sich jm. zu Füßen werfen 누구의 발치에 엎드리다(누구에게 간청하다); jm. zu Füßen sitzen 누구에게 가르침을 받다; vom Kopf bis zu den Füßen 머리끝에서 발끝까지. ③ (물건의) 다리〔바닥〕 부분, 받침: der ~ eines Tisches 책상다리; am ~ des Berges 산기슭에. ④ (**a**) 곤충의 다리. (**b**) (달팽이·전복의) 복족(腹足). ⑤ 피트(옛날 길이 단위로 25-30 cm): drei ~ lang 3 피트 길이; nach ~ rechnen 피트 단위로 계산하다. ⑥ 기준; 주화의 귀금속 함량 비율(Münz-~); (군대의) 전시 편제(Kriegs~). ⑦ 처지; 관계, 상태: 〖비유〗 auf großem ~e leben 사치스러운 생활을 하다, 〖농담〗 신발 치수가 크다. ⑧ 〖문학〗 (Vers~) 운각.
Fuß≈abstreicher *m.* (schweiz.) ↑ ~abtreter. **~abtreter** *m.* (문 앞에 놓인) 신발털이 발판, 신발 털개. **~angel** *f.* 발걸이 갈고랑이쇠(침입자를 막기 위하여 정원 따위에 꽂는 철구(鐵具)); 〖軍〗 마름쇠. **~artillerie** *f.* 〖軍〗 보병 소속 중화기 (부대). **~bad** *n.* ① (무릎 아래를 더운 물에 담그는) 각욕(脚浴), 발목욕. ② 〖비유·농담〗 잔에서 잔받침으로 넘친 음료. *__~ball__ *m.* ① 축구: ~ spielen 축구하다. ② 축구공. **~ballen** *m.* 〖해부〗 엄지발가락 아래쪽의 볼록한 부분. **~baller** *m.* 〖구어〗 ↑ ~ballspieler.
Fußball≈fan *m.* 축구팬. **~klub** *m.* 축구 클럽. **~krimi** *m.* 〖구어〗 스릴 있는 축구 경기. **~mannschaft** *f.* 축구팀. **~spiel** *n.* 축구 경기. **~spieler** *m.* 축구 경기자〔선수〕. **~-stadion** *n.* 축구 경기장.
Fuß≈bank *f.* 〖복수: ..bänke〗 (앉을 때 발을 올려 놓는) 발판. **~becken** *n.* 발 씻는 대야. **~bekleidung** *f.* 신, 양말. **~bett** *n.* 〖醫〗 발받침대, 각가(脚架). **~beuge, ~biege** *f.* 발등. **~blatt** *n.* ① 발바닥. ② 〖動〗 (산호충류에서 볼 수 있는) 골격벽(骨隔壁). ③ 〖植〗 승마(升麻)의 일종. **~block** *m.* ① 〖史〗 차꼬, 족쇄. ② (보트의) 발걸이. **~boden** *m.* (실내의) 바닥. **~boden·heizung** *f.* 온돌〔바닥〕 난방. **≈breit** *a.* 발 길이만큼의. **~breit** *m.* 발의〔1 피트의〕 폭: keinen ~ weichen 〔davon abtreten〕 한 발짝도 물러서지 않다. **~-bremse** *f.* (자동차의) 밟는 브레이크: anstatt auf die ~ hat er aufs Gaspedal getreten 그는 브레이크 대신에 액셀러레이터를 밟았다. **~brett** *n.* (테이블 따위의) 발걸이 널; (재봉틀 따위의) 발판.
Füßchen [fý:sçən] *n.* -s, - 〖↑ Fuß 의 축소형〗 작은〔귀여운〕 발.
Fuß≈decke *f.* 〖고어〗 카펫, (침대의) 다리 덮개, 가죽신. **≈dick** *a.* 두께 1 피트의. **~-dienst** *m.* (뛰어다니며 하는) 발심부름; 〖軍〗 도보 훈련〔근무〕. **~eisen** *n.* ① 족쇄, 차꼬. ② ↑ ~angel. ③ 등산용 아이젠〔징〕.
Fussel [fʊ́səl] *f.* -n (직물 표면의) 보풀, 보푸라기.
fusselig [fʊ́səlɪç] *a.* ↑ fuselig².
füßeln [fý:səln] 《I》 *i.* ① (h.) 〖방언〗 (이성에

의 접근 시도로) 식탁 밑에서 발로 건드리다. ② (s.) 종종걸음으로 걷다. 《Ⅱ》 *t.* 발을 걸어 넘어뜨리다.

fußen [fú:sən] 《Ⅰ》 *i.* ① (무엇에) 입각하다, 기반을 두다: diese Theorie fußte auf dem Ergebnis zahlreicher Untersuchungen 이 이론은 수많은 연구 결과에 근거를 두었다. ② 〖사냥〗 (새 따위가) 앉다. ③〘구식〙 (어디에) 서있다.

Fuß·ende *n.* 발치, 발꿈치: am ~ des Bettes 침대의 발치에.

..füßer *suf.* "…한 발을 가진 생물체"의 뜻(보기: Kopf~ 두족류(頭足類); Tausend~ 다족류).

Fuß≠fall *m.* (Kniefall) (누구의 발치에) 엎드림; 무릎꿇음(애원·복종의 표시): einen ~ vor jm. tun 누구 앞에 무릎을 꿇다. **~fällig** *a.* 엎드린, 무릎 꿇은: ~ bitten (무릎을 꿇고) 애원하다. **~fäule** *f.* 〖수의〗 부제증(腐蹄症) (소·양등의 발굽 염증). **~fessel** *f.* ① 족쇄, 차꼬. ② 〖체조〗 발목을 손으로 잡음. **~fest** *a.* 걸음걸이가 안정된; 〘비유〙 기초가 튼튼한. **~frei** *a.* 발이 드러나보이는: ein ~er Mantel 발목까지 내려오는 외투. **~gänger** *m.* 보행자; 〖軍〗 보병: ein Übergang für ~ 횡단 보도. **~gängerin** *f.* ↑ ~gänger 의 여성형. **~gänger·überweg** *m.* 횡단 보도. **~gänger·zone** *f.* 보행자 전용 구역. **~garde** *f.* 〖軍〗 (영국의) 근위 보병. **~gas·hebel** *m.* (자동차의) 액셀러레이터. **~geburt** *f.* 〖醫〗 역산(逆産), 도산(倒産). **~gefecht** *n.* 〖軍〗 도보전(徒步戰). **~geher** *m.* (öst.) ↑ ~gänger. **~gelenk** *n.* 발목 관절. **~gesims** *n.* 〖건축〗 기둥 밑동의 몰딩. **~gestell** *n.* ① 〖건축〗 기둥 받침대, 주춧대. ② 〖工〗 버팀대, 받침대. ③ 〘구어〙 발; 신. **~getäfel** *n.* 〖건축〗 (실내의) 바닥 패널, 패널을 댄 바닥. **~gicht** *f.* 〖醫〗 발의 통풍(痛風), 각통(脚痛). **~haken** *m.* (전신주 따위에 딛고 오르는) 디딤못. **~hebel** *m.* 〖工〗 디딤 레버, 페달. **~hiebe** *pl.* (터키 또는 중국에서 행해졌던) 발바닥을 치는 형벌. **~hoch** *a.* 발목 높이의: fußhoher Schnee 발(목)이 빠질 정도로 쌓인 눈.

..füßig *suf.* "…한 발의, …한 운각(韻脚)인"의 뜻(보기: vier~ 네 다리〔발〕의, 4 운각(韻脚)의; leicht~ 경쾌한 걸음걸이의).

Fuß≠kissen *n.* (기도할 때의) 무릎 방석; (그릇의) 받침. **~kloben** *m.* (대장간에서 쓰는) 바이스의 일종. **~knöchel** *m.* 〖해부〗 복사뼈. **~knochen** *m.* 발뼈. **~kuß** *m.* (존경의 표시로 교황의) 발에 하는 키스. **~lage** *f.* (분만할 때 태아의) 발의 위치. **~lahm** *a.* 절름발이의. **~lang** *a.* 길이 1 피트의. **~lappen** *m.* 〖軍〗 발 싸개(양말의 대용). **~latscher** *m.* 〖軍〗 보병; 보행자. **~leidend** *a.* 발이 아픈. **~leiste** *f.* 〖건축〗 장식 머름(바닥과 벽의 이음매를 감추는 장식).

Fußlein *n.* -s, - ↑ Fuß 의 축소형.

..füßler *suf.* ↑ ..füßer (보기: Acht~ 8 족〔각〕류(足〔脚〕類)(의 동물)).

Füßling [fý:slɪŋ] *m.* -s, -e 양말의 발 부분; 발닦개; 보병.

füßlings *adv.* 발부터 먼저(↔ köpflings): ~ fallen (떨어질 때) 두 발로 착지(着地)하다.

fußlos *a.* 발이〔다리가〕 없는: ~es Tier 무족(無足)〔무각(無脚)〕 동물.

Fuß≠marsch *m.* 도보 행진〔행군〕. **~maß** *n.* ① 피트 척도〔단위〕; 피트자. ② 신발의 치수. **~matte** *f.* (현관의) 신발닦개, 발 매트. **~note** *f.* 각주. **~partie** *f.* 소풍, 피크닉. **~pfad** *m.* 보도(步道), 인도; 좁은 길. **~pflege** *f.* 발 치료; 발 미용. **~pfleger** *m.* 발 미용사. **~pfund** *m.* 〖物〗 피트 파운드(1 파운드의 물건을 1 피트 올리는 일의 양). **~punkt** *m.* (↔ Scheitelpunkt) ① 〖天〗 천저(天底). ② 〖數〗 수선의 아래 접점. **~reiniger** *m.* 구두닦이; 신발털이 매트. **~reise** *f.* 도보 여행. **~rücken** *m.* 발등. **~sack** *m.* (보온용) 발싸개. **~schelle** *f.* 차꼬. **~schemel** *m.* ↑ ~bank. **~schwebe** *f.* 〖醫〗 발을 매다는 끈, 족계대(足繫帶). **~schweiß** *m.* 발에서 나는 땀. **~sicher** *a.* 발걸음이 안정된; 확실한. **~sohle** *f.* 발바닥. **~soldat** *m.* 〖軍〗 보병. **~spange** *f.* (고대인이 장식으로 썼던) 발찌. **~spitze** *f.* 발끝: auf den ~n gehen 발끝으로 걷다. **~sprung** *m.* 〖수영〗 선 자세로 뛰어들기, 〖텀블링〗 두 발로 착지하기. **~spur** *f.* 발자국. **~stapfe** *f.* ↑ ~stapfen. **~stapfen** *m.* 발자취, (눈 위의) 발자국: 〘비유〙 in js. ~ treten 누구를 모범으로 삼고 따르다. **~steig** *m.* ↑ ~pfad. **~stock** *m.* ① 피트자(尺). ② (보트의) 발걸이. **~strick** *m.* (발)올가미. **~stütze** *f.* ① 신발 속에 넣은 받침. ② (발을 얹어 놓고 쉬는) 발판. **~taste** *f.* 〖악기〗 (오르간 따위의) 페달. **~teppich** *m.* (마루·계단의) 양탄자. **~tief** *a.* 발이 잠길 만한 깊이의. **~ton** *m.* (오르간의) 기본 음높이. **~tour** *f.* ↑ ~reise. **~tritt** *m.* ① 〘구식〙 발걸음(소리), 걸음새, 스텝. ② 발길질: jm. einen ~ versetzen 누구를 차다. ③ 〘비유〙 푸대접, 업신여김, 깔봄. ④ 〘구식〙 발판; 페달. **~truppe** *f.* ① 〖軍〗 보병. ② 〘폄어〙 추종자, 졸개. **~volk** *n.* ① 〖軍〗 보병. ② 〘폄어〙 (정당 따위의) 말단 조직원, 졸개: 〘구어〙 unters ~ geraten sein 도덕적으로 타락하다. **~wanderung** *f.* ↑ ~reise. **~wanne** *f.* 발 씻는 대야. **~wärmer** *m.* 발보온 기구. **~waschung** *f.* (옛날 서남아시아에서 손님에 대한 친절의 표시로 행했던) 발을 씻어주기; 〖가톨릭〗 세족식. **~weg** *m.* ① 보도, (포장한) 인도. ② 걸어서 갈 만한 거리: ein ~ von zehn Minuten 걸어서 10 분 거리. **~werk** *n.* ① ↑ ~bekleidung. ② 〘구어〙 (Füße) 발, 다리. **~wund** *a.* 발을 다친. **~wurzel** *f.* 〖해부〗 부골(跗骨), 발목. **~zehe** *f.* 〖해부〗 발가락. **~zeile** *f.* 〖컴〗 꼬리말.

Fustage [fustá:ʒə] 《frz.》 *f.* -n ① 〖海〗 용기, 물통, 식료품통. ② 〖商〗 상품 상자, 포장; 포장비(費).

Fustanella [fustanέla] 《it.》 *f.* ..len 푸스타넬라(알바니아 및 그리스 남자들이 입는 무릎까지 내려오는 흰색의 주름진 민속 상의).

Fusti [fʊ́sti] 《it.》 *pl.* ① 상품의 버리는 부분, 파손품. ② 손상품에 대한 할인.

Fustik [fʊ́stɪk] 《ar.》 *m.* -s ↑ Fustikholz.

Fustik·holz *n.* 황목(黃木) (열대 아메리카산(産)의 뽕나무); 황목에서 뽑은 황색 염료.

futern *t./i.* (h.) 〘방언·구어〙 욕〔저주〕하다.

fütern [fý:tərn] 《frz.》 *t.* 〘고어·비속〙 ein Frauenzimmer ~ 여자와 성교하다.

futil [futí:l] 《lat.》 *a.* 〘구식·교양〙 무가치한, 하찮은.

Futilität *f.* -en 무가치한〔하찮은〕 일.

futsch [futʃ] (obd.) *a.* 〖서술적으로만〗〖구어〗 ① 부서진, 파괴된: die Vase ist ~ 꽃병이 깨졌다. ② 사라진: all mein Geld ist ~ 나는 무일푼이 되었다.

***Futter**[1] [fútər] 《ahd》 *n.* -s, - ① (동물 특히 가축의) 먹이, 사료: dem Vieh ~ geben 가축에 먹이를 주다; trockenes ~ (사료로 쓰는) 건초. ② 〖비속·비유〗 (사람의) 음식물, 양식, 먹을거리: gut im ~ sein〔stehen〕 영양 상태가 좋다; sein ~ verdienen 제 밥벌이를 하다; das ist ja ein (elendes) ~ 이것은 정말 형편없는 음식이군: der Lesezirkel hat ihm neues ~ gebracht 독서 동아리가 그에게 새로운 읽을거리를 주었다.

***Futter**[2] 《ahd. fôtar》 *n.* -s, - ① (옷의) 안감; (구두·가방 따위의) 안: ~ einsetzen 안감을 대다. ②〖건축〗 (문틀·창틀의) 안에 댄 나무, 문얼굴. ③〖工〗 (용기·용광로 따위의) 안쪽 층, 내화벽, 내부 단열재. ④ (선반의) 라이닝.

Futterage [futəráːʒə] 《<Futter[1] ②》 *f.* 〖구어·농담〗 먹을거리, 양식.

Futteral [futəráːl] 《lat.》 *n.* -s, -e (물건의 형태에 맞게 만들어진) 집, 케이스, 주머니: ein ~ für die Brille 안경 케이스.

Futter≈amt *n.* 양초창(糧草廠). **~asche** *f.* ↑ Futterage. **~atlas** *m.* 안감용 공단. **~bank** *f.* 여물 써는 받침대. **~barchent** *m.* 안감용 능직(綾織) 무명. **~bau** *m.* 사료 작물 재배. **~beutel** *m.* (가축의 주둥이 앞에 매다는) 여물 주머니. **~boden** *m.* 사료 창고. **~bohlen** *pl.* ↑ ~brett. **~brett** *n.* ① 여물 써는 받침판. ② (계단의) 디딤판 사이의 수직 널. **~diele** *f.* 〖海〗 내현판(內舷板) (뱃전 안쪽에 대는 널빤지). **~erbse** *f.* 사료용 완두; 〖植〗 붉은 완두. **~flanell** *m.* 안감용 플란넬. **~geld** *n.* 사육〔사료〕비. **~gerste** *f.* 사료용 보리; 〖植〗 겉보리의 일종. **~getreide** *n.* 사료용 곡물. **~gras** *n.* 꼴, 목초. **~hafer** *m.* 사료용 귀리. **~holen** *n.* 〖軍〗 말먹이 징발. **~holz** *n.* 〖工〗 속에 대는 재목, 뼈대 나무, 내장용재. **~kammer** *f.* 사료〔모이〕 저장실. **~kasten** *m.* 사료〔모이〕 상자. **~kattun** *m.* 안감용 면직물. **~klee** *m.* 〖植〗 붉은토끼풀. **~klinge** *f.* 사료 써는 칼, 작두. **~knecht** *m.* 마부, 말구종; 〖軍〗 말 관리병. **~korn** *n.* ↑ ~getreide. **~kosten** *pl.* 사료〔사육〕비. **~kräuter** *pl.* 사료용 풀. **~krippe** *f.* 여물통, 구유: 〔경박〕 ran an die ~! 식사 시작!; 〔비유·경박〕 an die〔der〕 ~ kommen〔sitzen〕 수입이 짭짤한 직책에 앉다. **~krippen·system** *n.* 〖政〗 정당원 엽관(獵官) 제도, 스포일 시스템(이권이 있는 공직의 임면을 선거에 이긴 정당이 마음대로 하는 제도〔관행〕). **~leinen** *n.* 안감용 삼베. **~mangel** *m.* 사료 부족. **~maschine** *f.* 사료 절단기, 작두. **~mauer** *f.* 〖건축〗 옹벽; 〖광산〗 버팀벽. **~mittel** *n.* 사료.

futtern [fútərn] 《<Futter[1]》 *t./i.* (h.) ① 〔농담〕 게걸스럽게 먹다. ② 〔방언〕 먹이를 주다. ③ ↑ futern.

füttern[1] [fÝtərn] 《<Futter[1]》 《Ⅰ》 *t.* ① (동물에게) 먹이〔사료〕를 주다: die Schweine mit Kartoffeln ~ 돼지에게 감자를 먹이로 주다; Hafer ~ 귀리를 사료로 먹이다. ② 음식을 먹여 주다: einen Kranken ~ 환자에게 음식을 먹이다. ③ 〔구어〕 지나치게 많이 주다: ein Kind mit Schokolade ~ 아이에게 초콜릿을 과하게 주다. ④ (**a**) 〖컴〗 입력하다: einen Computer mit einem Programm ~ 컴퓨터에 프로그램을 입력하다; Daten in einen Computer ~ 자료를 컴퓨터에 입력하다. (**b**) 제공하다: einen Automaten mit Groschen ~ 자동 판매기에 동전을 넣다; den Ofen ~ 난로에 석탄을 넣다. ⑤ 〖구기〗 결정적인 어시스트를 여러 번 하다: einen Mitspieler ~ 동료 선수에게 결정적인 어시스트를 여러 번 제공하다. 《Ⅱ》 *i.* (h.) ① 사료를 먹다; 〔학생〕 식사를 하다. ② 사료용으로 이용되다: die Erbsen ~ gut 완두는 좋은 사료다.

füttern[2] 《<Futter[2]》 *t.* ① 안(감)을 대다: ein Kleid mit Seide ~ 옷에 비단 안감을 대다; ein gefütterter Mantel 안감을 댄 외투. ② (벽을) 보강하다: eine Wand mit Holz ~ 벽에 판자를 대다; 〔비유〕 er ist mit einem Fuchsbalg〔Schelm〕 gefüttert 그는 여우〔사기꾼〕 같은 놈이다.

Futter≈neid *m.* ① (다른 동물〔사람〕이 가진) 먹이〔음식〕에 대한 질투. ② 〔경박〕 남의 이익에 대한 시기. **~netz** *n.* 사료 그물, 사료망(網). **~not** *f.* ↑ ~mangel. **~pflanze** *f.* 사료용 작물. **~rahmen** *m.* 창틀. **~raufe** *f.* 사료를 거는 시렁, 건초걸이. **~reich** *a.* 사료가 풍부한. **~rübe** *f.* 〖植〗 사료용 무. **~sack** *m.* (말목에 다는) 여물 주머니. **~schneidemaschine** *f.* ↑ ~maschine. **~schneider** *m.* 〖農〗 작두, 꼴을 잘게 써는 칼. **~schwinge** *f.* 사료용 곡물을 가리는 키. **~seide** *f.* 안감용 비단. **~stätte** *f.* 사료 보급소. **~stoff** *m.* 안감, 안감용 옷감. **~stroh** *n.* 〖農〗 사료용 짚. **~trog** *m.* 〖農〗 (돼지의) 여물통. **~tuch** *n.* 안감. **~turm** *m.* 사료 저장탑, 사일로.

Fütterung[1] [fÝtəruŋ] 《<füttern[1]》 *f.* -en ① 사육; 〖軍〗 군량, 말먹이. ② 〖軍〗 군량〔말먹이〕 징발. ③ 사육 시설.

Fütterung[2] 《<futtern[2]》 *f.* -en ① (옷의) 안감 대기. ② ↑ Futter[2] ①②③.

Fütterungs≈geld *n.* 사료비. **~kosten** *pl.* 사육비. **~wagen** *m.* 〖軍〗 말먹이용 수레.

Futter≈wanne *f.* 사료〔여물〕 통. **~wicke** *f.* 〖植〗 들완두. **~wurzeln** *pl.* (무·감자 따위의) 근채(根菜) 식물. **~zeug** *n.* 안감.

Futur [futúːr] *n.* -s, -e 〖문법〗 미래(형): zweites ~ Tempus 미래 완료 시제.

Futurismus [futurísmus] *m.* - 〖미술·문예〗 미래파, 미래주의.

Futurist [..ríst] *m.* -en, -en ① 미래파 예술가. ② ↑ Futurologe.

futuristisch *a.* 미래파풍의.

Futurologe [..lóːgə] *m.* -n, -n 미래학자.

Futurologie [..logíː] *f.* 미래학.

futurologisch *a.* [..lóːgɪʃ] 미래학의.

Futurum [futúːrum] *n.* -s, ..ra 미래: ~ exaktum 제 2 미래, 미래 완료.

fuzeln [fúːtsəln] *i./t.* (h.) (öst.) ① 글씨를 매우 잘게 쓰다. ② 아주 잘게 썰다.

F-Zug [ɛ́ftsuːk] *m.* 장거리 급행 열차(Fernschnellzug).

G

G, g [ge:] *n.* -, - ① 독일어 자모의 일곱째 자. ②〖음악〗 다장조 음계의 다섯째 음, 솔, 사(대문자는 장조, 소문자는 단조).

G 400 을 나타내는 로마 숫자; (화폐 기호로) 카를스루에 조폐국 기호;〖商〗 매(買)(시세표의 약어(=Geld); 해당 증권이 기재된 가격으로 주문되어 있다는 뜻).

G =Gauß〖物〗 가우스(자기장(磁氣場)의 세기를 표시하는 전자 단위).

g ① =Groschen ③. ② =Gramm. ③ =Grad. ④ =Gon.

Γ, γ =Gamma 감마(그리스어 자모의 셋째 자).

Ga〖化〗 =Gallium 갈륨.

Gäa [gɛ́:a] 《gr.》 *f.* ① 대지(Erde). ②〖지질〗 지학. ③〖그리스신화〗 가이아(땅의 여신).

gab [ga:p] ↑ geben 의 과거형.

Gabardine [gábardi:n, gabardí:n(ə)] 《frz.》 *m.* -s 〔*f.*〕 개버딘천.

G8-Staaten *pl.* 세계 8 대 경제 대국.

Garbardine·mantel *m.* 개버딘 외투.

Gabare [gabá:r] *f.* -n ↑ Gabarre.

Gabarre [gabárə] 《frz.》 *f.* -n 종선(從船); 경비선.

Gabbro [gábro] 《it.》 *m.* -s〖광물〗 반려암, 심성암.

G

***Gabe** [gá:bə] 《<geben》 *f.* -n ① 주어진 것; 선물, 하사품, 증여금; 수당, 팁, 기부금, 희사물, 보시(布施), 공물: eine gute ~ Gottes 〔des Himmels〕 하느님〔하늘〕이 주신 좋은 선물; um eine milde ~ bitten 구걸하다; eine ~ spenden 희사〔기부〕하다. ② (Begabung) 재능, (천부적) 재질: ein Mensch von herrlichen ~n 탁월한 재능을 지닌 사람; die ~ der Rede 뛰어난 언변; große ~n haben 대단한 재능을 갖고 있다. ③ 조세(Abgabe). ④〖醫〗 투약; 1 회분의 투약량. ⑤〖교육〗 은물(恩物)(유치원에서 놀이·작업에 쓰이는 기구나 재료). ⑥ (schweiz.) 복권〔사격 대회〕의 상품〔상금〕.

gäbe[1] [gɛ́:bə] ↑ geben 의 접속법 Ⅱ 식.

gäbe[2] *a.* ↑ gang.

***Gabel** [gá:bəl] *f.* -n ① 포크; 삼지창; 갈퀴: 〖구어·농담〗 mit der fünfzinkigen ~ essen 손으로 먹다; eine gute ~ schlagen 좋은 음식을 배불리 먹다; auf die ~ spießen〔nehmen〕 포크로 찍다. ② 갈림길, (강의) 분류;〖사냥〗 두 갈래의 뿔;〖軍〗 협차(夾叉);〖物·음악〗 소리굽쇠;〖工〗 (소켓 등의) 쌍가지; (수레의) 쌍채; 수화기걸이;〖海〗〖복수〗 두 갈래 노받이;〖植〗 덩굴손, 기는 줄기; 두 갈래 나뭇가지;〖動〗 (새의) 차골(叉骨); Y 자형 십자가;〖체스〗 두 말에 대한 한 말의 공격: den Hörer auf die ~ legen 수화기를 수화기걸이에 걸다.

Gabel≈anker *m.*〖건축〗 꺾쇠;〖海〗 네 갈고리 닻. **~antilope** *f.*〖動〗 (북아메리카산(産)) 가지뿔(을 지닌) 영양. **~arm** *m.* 끌채, 수레채. **~ast** *m.* 두 갈래로 갈라진 나뭇가지. **~baum** *m.* 끌채, 수레채. **~bein** *n.*〖動〗 (새의) 차골(叉骨). **~bissen** *m.* 간식용 진미(珍味)(특히 맛있는 소스에 절인 청어 살코기). **~bock** *m.* ①〖사냥〗 두 갈래진 뿔을 지닌 어린 수노루. ② ↑ ~antilope.

Gäbelchen [gɛ́:bəlçən] *n.* -s, - ↑ Gabel 의 축소형.

Gabel·deichsel *f.* 수레의 쌍채.

Gabeler *m.* -s, - ↑ Gabler.

gabel≈förmig *a.* 두 갈래의, 둘로 갈린, 포크형의:〖植〗 ~e Teilung 두 갈래의 분지(分枝); an dieser Stelle teilt sich der Fluß ~ 이곳에서 강이 두 갈래로 갈린다. **≈früh·stück** *n.* 아침 샛밥. **≈gehörn** *n.*〖사냥〗 ↑ ≈geweih. **≈geweih** *n.*〖사냥〗 가지 모양의 뿔. **≈gemse** *f.*〖動〗 ↑ ~antilope. **≈hebel** *m.*〖工〗 두 갈래 지렛대. **≈hirsch** *m.*〖사냥〗 가지 모양의 뿔을 가진 어린 사슴.

gabelicht *a.* ↑ gabelig.

gabelig *a.* ↑ gabelförmig.

Gabel≈kreuz *n.* Y 자형 십자가. **~mast** *m.*〖海〗 두 갈래로 갈라진 돛대. **~motor** *m.* V 형 엔진. **~mücke** *f.*〖動〗 학질모기.

gabeln [gá:bəln] 《Ⅰ》 *t.* ① 포크로〔쇠스랑으로〕 찍다, 갈퀴로 긁다: Heu ~ 건초를 쇠스랑으로 찍어 나르다; ein Stück Fleisch ~ 고기 한 조각을 포크로 찍다. ②〖사냥〗 뿔로 냅다 찌르다;〖軍〗 협차(夾叉) 사격을 하다. 《Ⅱ》 *refl.* sich ~ (가지·길 따위가) 두 갈래로 갈라지다; wo die Straße sich gabelt, müssen Sie rechts abbiegen 길이 갈라지는 곳에서 우회전해야 합니다. 《Ⅲ》 *i.* (h.) 〔드물게〕(포크로) 먹다, 포크질을 하다; tüchtig ~ 포식하다. 《Ⅳ》 **gegabelt** *p.a.* ↑ gegabelt.

Gabel≈pferd *n.* 멍에 메는 말, (4 두 마차의) 뒷말. **~pflug** *m.* 두 갈래진 쟁기. **~punkt** *m.* 분기점. **~riegel** *m.* 멍에.

Gabelsberger [gá:bəlsbɛrgər] Franz ~ 가벨스베르거(독일 속기술 발명자, 1789-1849): ~sche Stenographie 가벨스베르거식(式) 속기술.

Gabel≈schießen *n.*〖軍〗 협차(夾叉) 사격. **~schwanz** *m.*〖動〗 나방. **~spaltung** *f.*〖植〗 가지가 둘로 갈라짐. **~stange** *f.*〖工〗 두 갈래 막대기. **~stiel** *m.* 포크〔갈퀴〕 자루. **~stück** *n.* 두 갈래진 목재. **~stütze** *f.* 끝이 두 갈래진 버팀목;〖軍〗 기관총의 양각(兩脚). **~teilung** *f.* ↑ ~spaltung. **~ton** *m.*〖음악〗 소리굽쇠의 음.

Gabelung [gá:bəluŋ] *f.* -en ① 분류(分流), 분기(分岐). ② 분류 지점; (길 등의) 분기점: an der ~ biegen Sie rechts ab 길이 갈라진 곳에서 우회전하시오.

Gabel≈wagen *m.* 쌍채 마차〔수레〕. **~weihe** *f.*〖動〗 솔개의 일종. **~winkel·hebel** *m.*〖工〗 두 갈래의 각(角)진 지레. **~zacke** *f.* ↑

～zinke. **～zinke** *f.* 포크〔갈퀴〕의 갈래. **～-zunge** *f.* 두 갈래진 혀.

Gaben≈bringer *m.* 시주(施主), 기부자. **～sammlung** *f.* 기부물품〔희사물〕 수집. **～-spender** *m.* ↑ ～bringer. **～tisch** *m.* (생일이나 크리스마스 때의) 선물용 탁자.

Gabler *m.* -s, - ↑ Gabelhirsch.

gablicht *a.* ↑ gabelicht.

gablig *a.* ↑ gabelig.

Gablung *f.* -en ↑ Gabelung.

Gabriel [gá:briɛl, .. ie:l] 《hebr.》 ①〖聖〗 (대천사) 가브리엘. ② 가브리엘(남자 이름).

Gabriele [gabrié:lə] *f.* 가브리엘레(여자 이름).

Gabun [gabú:n] 가봉(서아프리카의 나라).

Gabuner [..ər] *m.* -s, - 가봉 사람.

Gabunerin *f.* -nen ↑ Gabuner 의 여성형.

gabunisch [..nɪʃ] *a.* 가봉의; 가봉어(語)의, 가봉어로 된.

gach [gax] *a.* (öst.) ↑ gäh.

gack [gak] *int.* 〖의성어〗 꼬꼬댁, 꼬끼오(닭의 울음 소리).

Gackelei [..láɪ] *f.* -en 낄낄대며 수다 떨기.

gackeln [gákəln] *i.* (h.) ①〖구어〗 낄낄대며 수다를 떨다. ②〖방언〗 ↑ gackern ①.

gackern [gákərn] *i.* (h.) ① 닭이 연거푸〔꼬끼오하고〕 울다. ②〖구어〗 ↑ gackeln ①.

gacksen [gáksən] *i.* (h.) ①〖방언〗 ↑ gackern. ② (schweiz.) 〖구어〗 삐걱거리다.

Gad [ga:t] 〖구약〗 갓(야곱의 일곱째 아들).

gad *adv.* (südwestd.) ① (sofort) 즉시, 곧장. ② 정확히(genau).

Gadem [gá:dəm] *m.* -s, - ↑ Gaden ①.

Gademer *m.* -s, - 전답이 없는 농민, 소작인, 영세 농민.

Gaden [gá:dən] *m.* -s, - (obd., ndd.) ① 방이 하나인 집, 단층집; 방. ② 가게, 점포. ③ 바실리카식 건물의 고미 다락. ④ 이층의 침실.

Gaden·steigen *n.* 밤중에 남몰래 연인의 집에 숨어 들어감.

Gadolinium [gadolí:nɪʊm] *n.* -s 〖化〗 가돌리늄(기호: Gd).

Gaffel[1] [gáfəl] 《holl., „Gabel"》 *f.* -n ①〖海〗 기움돛대, 개프. ② (ndd.) (어망을 거는) 두 갈래진 도구.

Gaffel[2] 《lat.》 *f.* -n ① 동업 조합, 길드. ②〖고어〗 조세.

Gaffel≈klaue 《<Gaffel[1]》 *f.* 〖海〗 (턱 모양의) 기움돛대 버팀목. **～schoner** *m.* 기움돛이 있는〔돛대가 둘인〕 돛단배, 종범선(縱帆船). **～segel** *n.* 기움돛, 개프 세일. **～topp·segel** *n.* 꼭대기 돛.

gaffen [gáfən] 《Ⅰ》 *i.* (h.) ①〖고어〗 하품하다. ② 뚫어지게 바라보다; 지켜보다, 구경하다: viele Menschen standen ～d an der Unfallstelle herum 많은 사람들이 사고 현장에 둘러서서 구경하고 있었다. ③〖폄어〗 입을 벌리고 멍하니 바라보다: gaff doch nicht so blöd! 그렇게 멍청히 바라보지 마라! 《Ⅱ》 *refl.* sich blind ～ 눈이 멀 정도로〔뚫어지게〕 바라보다.

Gaffer *m.* -s, -〖폄어〗 멍하니 바라보는 사람; 지켜보는 사람, 구경꾼: die ～ von der Unfallstelle vertreiben 구경꾼들을 사고 현장에서 쫓아버리다.

Gafferei *f.* -en〖폄어〗 줄곧 멍하니 쳐다봄; 줄곧 지켜봄〔구경함〕.

Gag [gæg, gɛg] 《engl.》 *m.* -(s), -s 기발한 착상; 익살, 개그; 〖구어〗 기묘한 우연: ein Film mit vielen ～s 기발한 착상이 많은 영화; ein Auto mit vielen technischen ～s 특이한 기술적 성능을 많이 가진 자동차; das war ein ～, als ich die beiden dort traf! 내가 그 두 사람을 거기서 만난 것은 기묘한 일이었다!

Gagat [gagá:t] 《gr.》 *m.* -(e)s, -e 〖광물〗 흑옥(黑玉), 역청탄.

Gagat·kohle *f.* ↑ Gagat.

gagaten *a.* 흑요암의, 흑옥질〔색〕의.

Gage [gá:ʒə] 《frz.》 *f.* -n ① 출연료: dem Schauspieler wurde 1 Million Dollar ～ angeboten 그 배우는 출연료로 백만 달러를 제의받았다. ②〖구식〗 (öst.) (장교의) 봉급. ③ 저당물.

Gagel [gá:gəl] *m.* -s, -n 〖植〗 소귀나무.

Gagist [gaʒíst] 《<Gagel》 *m.* -en, -en ① 출연료를 받는 예술가〔연기자〕. ② (öst.) 봉급받는 장교.

Gagliarde [galjárdə] 《it.》 *f.* -n 〖음악〗 ① 갈리아르드(15 세기 이탈리아의 경쾌한 4 분의 3 박자의 춤). ② 모음곡 중의 한 악곡.

gäh [gɛ:] *a.* ↑ jäh.

***gähnen** [gɛ́:nən] *i.* (h.) ① 하품하다: herzhaft 〔laut〕 ～ 크게〔소리내어〕 하품하다. ②〖雅語〗 (골짜기 따위가) 입을 쩍 벌리고 있다: vor uns gähnte eine tiefe Schlucht 우리 앞에는 깊디깊은 협곡이 입을 크게 벌리고 있었다; 〖구어〗 es war〔herrschte〕 ～de Leere im Saal 홀은 텅비어 있었다.

Gähnen 《<gähnen》 *n.* -s 하품: ein ～ unterdrücken 하품을 억지로 참다.

Gähner *m.* -s, - 늘어지게 하는 하품: einen lauten ～ tun 큰소리로 늘어지게 하품하다.

Gähnerei *f.* -en 〖폄어〗 계속해서 하품함.

Gähn≈krämpfe *pl.* 〖醫〗 비정상적으로 자주 하는 하품, 경련성 하품. **～laut** *m.* 〖문법〗 접속 모음. **～sucht** *f.* 〖醫〗 하품 중독, 하품병.

Gaillard [gajá:r] 《frz.》 *m.* -s, -s [..já:rs] 쾌활한 사람.

Gaillarde [ga(l)iárdə] *f.* -n 〖음악〗 ↑ Gagliarde.

Gais [gais] *f.* -en ↑ Geiß ①.

gakeln *i.* (h.) ↑ gackeln.

Gala [gála, gá:la] 《sp.》 *f.* ① 예복, 정장: in (großer) ～ 성장하고; 〖구어〗 sich in ～ werfen 성장하다, 예복을 차려 입다. ②〖史〗 (**a**) 궁중 축연. (**b**) 궁중 옷. ③ 축제 공연: zu einer ～ geladen sein 축제 공연에 초대를 받았다.

Gala≈abend *m.* 축제의 저녁 행사. **～anzug** *m.* 축제용 신사복. **～degen** *m.* 예복용 검(劍). **～diner** *n.* (국빈용) 성찬. **～empfang** *m.* (공식적인) 환영〔축하〕 영접; 리셉션. **～-hut** *m.* 예모(禮帽). **～kleid** *n.* 축제 의상, 예복. **～konzert** *n.* 축제 음악회.

galaktisch [galáktɪʃ] 《gr. gála, „Milch"》 *a.* 은하의, 은하계의.

Galaktit [galaktí:t, ..tit] 《gr. gala, „Milch"》 *m.* -(e)s, -e 〖광물〗 유석영(乳石英).

Galakto·meter [galaktomé:tər] *n.* 유즙(乳汁) 농도계.

Galaktorrhö [..tɔrǿ:] *f.* -en [..rǿ:ən] 〖醫〗 유즙(乳汁) 누출, 유루증(乳漏症).

Galaktorrhöe [..tɔrǿ:] *f.* -n [..rǿ:ən] 〖醫〗 ↑ Galaktorrhö.

Galaktose [..tóːzə] *f.* -n 〖化〗 갈락토오스.
Galaktoskop *n.* -s, -e ↑ Galaktometer.
Galalith [galalíːt, ..lít] *n.* -(e)s 갈랄리트(셀룰로이드 대용품).
gala·mäßig *a.* 축제 공연용의, 축제 공연에 적합한〔걸맞은〕.
Galan [galáːn] 《sp.》 *m.* -s, -e ① 〔구식〕 신사다운 애인. ② 〔농담·폄어〕 정부(情夫), 애인.
Galander [galándər] *m.* -s, - 〖動〗 ① 종달새의 일종. ② 바구미.
***galant** [galánt] 《frz.》 *a.* ① (남성이) 여성에게 정중한, 친절한: er bot ihr ~ den Arm 그는 그녀에게 정중히 (팔짱을 끼라고) 팔을 내밀었다. ② 연애의, 정사의, 호색의: ein ~es Abenteuer 정사; ~e Krankheit 화류병; die ~e Zeit 18 세기(로코코 시대); 〖음악〗 ~er Stil 로코코 양식.
***Galanterie** [galantəríː] *f.* -n [..ríːən] ① 여성에 대한 정중한 태도: er verbeugte sich mit großer ~ 그는 대단히 정중하게 몸을 숙였다. ② 정중한 찬사: einer Frau ~n sagen 부인에게 정중한 찬사를 드리다.
Galanterie≈arbeiten *pl.* ↑ ~waren. **~arbeiter** *m.* 유행 장신구 제조자. **~artikel** *pl.* ↑ ~waren. **~handel** *m.* 유행 장신구 장사. **~krämer** *m.* ↑ ~warenhändler. **~sachen** *pl.* ↑ ~waren. **~waren** *pl.* 유행 장신구. **~waren·händler** *m.* 유행 장신구 상인.
Galanthomme [galantɔ́m] 《frz.》 *m.* -s, -s [..tɔ́ms] 〔구식〕 (Ehrenmann) 신용 있는〔존경할 만한〕 남자〔사람〕, 신사.
Galantuomo [galantuɔ́ːmo] 《it.》 *m.* -s, ..mini ↑ Galanthomme.
Galapagos·inseln [galá(ː)pagɔs..] *pl.* 갈라파고스 제도.
Gala·tag *m.* 궁중 축일, 축제일.
Galatea [galatéːa] ① 〖그리스신화〗 갈라테아 (바다의 정령(精靈)). ② 갈라테아(여자 이름).
Galater [gá(ː)latər] *m.* -s, - 갈라디아족〔사람〕.
Galater·brief *m.* 〖신약〗 갈라디아서(書).
Galatien [galáːtsiən] 갈라디아(옛 소아시아의 지역).
Gala≈uniform *f.* 축제용 제복. **~vorstellung** *f.* 축제 공연. **~wagen** *m.* 축제 행렬용 마차.
Galaxie [galaksíː] *f.* -n [..síːən] 〖天〗 (은하계 밖의) 성단(星團), 성운, 항성계; 와상(渦狀) 성운.
Galaxis [galáksɪs] *f.* 〖天〗 ① 은하(계). ② 〔드물게〕 ↑ Galaxie.
Galban [gálban] *n.* -s ↑ Galbanum.
Galban·harz *n.* ↑ Galbanum.
Galbanum [gálbanum] 《gr.-lat.》 *n.* -s (의약·향료용) 갤버넘, 풍지향(楓脂香).
Gäle [gɛ́ːlə] *m.* -n, -n 켈트 사람(스코틀랜드 및 아일랜드에 사는 켈트족 이주민).
Galeasse [galeásə] 《it.》 *f.* -n ① 갤리선과 비슷한 큰 군함. ② (18-19 세기 발트해에서 사용된 선미가 납작한) 연안 화물선.
Galeere [galéːrə] *f.* -n ① 갤리선(船)(중세 지중해에서 주로 노예가 노를 저어 움직이던 군함). ② ↑ Galeerenarbeit, Galeerenstrafe.
Galeeren≈anker *m.* 〖海〗 네 갈고리 닻. **~arbeit** *f.* 갤리선의 강제 노역. **~boot** *n.* 〖海〗 갤리선에 달린 중형 보트. **~sklave** *m.* 갤리선의 노젓는 노예: schuften wie ein ~ 몹시 고되게 일하다. **~strafe** *f.* 갤리선에서 노젓는 형벌. **~sträfling** *m.* 갤리선에서 노젓는 형벌을 받은 범죄자. **~volk** *n.* 갤리선의 선원.
Galen [galéːn] 갈레노스(고대 그리스의 명의(名醫)).
galenisch *a.* 갈레노스파〔학설〕의; 생약의, 본초(本草)의: ~e Mittel 갈레노스 약재, 본초약, 생약.
Galenist *m.* -en, -en 갈레노스 의술 신봉자.
Galenit [galeníːt, .. nít] 《lat.》 *m.* -s, -e 〖광물〗 방연광(方鉛鑛).
Galenus [galéːnus] ↑ Galen.
Galeone [galeóːnə] 《sp.》 *f.* -n 〖海〗 갈레온선 (15-17 세기 에스파냐의 군함〔상선〕; 3 층 갑판의 대형 범선).
Galeote [..tə] *f.* -n (발트해에서 사용된 선미가 뾰족한) 연안 화물선; 소형 쾌속 갤리선(船).
***Galerie** [galəríː, ..le..] 《frz.》 *f.* ..rien [..ríːən] ① 회랑(回廊), 주랑(柱廊), 복도. ② 미술관, 화랑: er will eine ~ eröffnen 그는 화랑을 열려고 한다. ③ 맨 위층의 (가장 싼) 관람석 (에 앉아 있는 관객): für die ~ spielen (수준 낮은 관객의 취향에 맞춰) 속된 연기를 하다. ④ 〖海〗 선미 전망대; 〖軍〗 차폐 통로; 〖광산〗 수평갱. ⑤ (특히 öst., schweiz.) 산비탈 터널. ⑥ 〔농담〕 일단의 같은 종류의 사람〔물건〕들. ⑦ (a) 범죄 세계, 암흑가. (b) (경찰의) 범죄자 카드철. ⑧ (지붕이 유리로 된) 상점가. ⑨ (요새의 위층으로 올라가는) 나선형 통로.
Galerie·wald *m.* (아)열대의 초원의 하천에 연해 있는 띠 모양의 삼림.
Galerist [galərɪ́st] *m.* -en, -en ① 화랑 주인. ② (öst.) 범법자.
Galeristin *f.* -nen ↑ Galerist 의 여성형.
Galette [galɛ́tə] 《frz.》 *f.* -n ① 납작한 케이크〔과자〕. ② 낮은 품질의 고치로 만든 명주실.
Galgant·wurzel *f.* 〖植〗 ① 생강과(科) 식물. ② ①의 (향료 및 약용) 뿌리.
***Galgen** [gálgən] *m.* -s, - ① 교수대: an den ~ kommen 교수형을 당하다; 〔구어〕 jn. an den ~ bringen 누구를 교수형에 처하다; 〔구어〕 reif für den ~ sein 〔an den ~ gehören〕 엄한 (형)벌을 받아 마땅하다; 〔구어〕 am ~ enden 비참한 최후를 맞이하다. ② 두레박틀의 기둥; 〖건축〗 대들보; 〖印〗 수동(手動) 인쇄기 받침; 〖海〗 갑판 위의 통나무 보관용 시렁.
Galgen≈braten *m.* ↑ ~dieb. **~brunnen** *m.* 두레우물. **~dieb** *m.* ↑ ~schwengel. **~förmig** *a.* 교수대 모양의. **~frist** *f.* 교수형이 유예되는 짧은 기간; 〔비유〕 짧은〔마지막〕 유예 기간: jm. noch eine ~ gewähren 누구에게 짧은 유예 기간을 주다. **~gebiß** *n.* 교수형을 당하는 사람에게 물리는 재갈. **~gesicht** *n.* 〔폄어〕 별로 신뢰감을 주지 않는 얼굴〔사람〕. **~holz** *n.* 교수대: frech wie ~ 후안무치한. **~humor** *m.* (절망적 상황에서 부리는) 억지 익살. **~kandare** *f.* ↑ ~gebiß. **~männchen** *n.* 〖植〗 만다라화(華)(교수대의 아래에 나는 식물; 마력이 있다는 미신이 있음). **~männlein** *n.* ↑ ~männchen. **~mäßig** 〔고어〕 *a.* 교수형에 처할 만한〔해야

할]. **~mund·stück** *n.* ↑ ~gebiß. **~physiognomie** *f.* ↑ ~gesicht. **~schelm** *m.* 〔구어·농담〕 ↑ ~strick ②(b). **~schwengel** *m.* 〔방언·폄어〕 쓸모없는 인간, 엉뚱한 생각〔짓〕만 하는 사람, 건달. **~strick** *m.* ① 교수대의 올가미. ② 〔비유·구어〕 (a) 〔폄어〕 건달, 부랑자, 부랑 자제. (b) 〔농담〕 말썽꾸러기, 장난꾸러기. **~vogel** *m.* ① 교수대 주위의 까마귀. ② (a) 〔구어·폄어〕 건달, 사기꾼. (b) 〔드물게〕 ↑ ~strick ②(b).

Galiläa [galilɛ́:a] 갈릴리(팔레스타인 북부 지역).

Galiläer *m.* -s, - 갈릴리 사람; 예수; 〔고어〕 기독교도.

galiläisch *a.* 갈릴리의.

Galilei [galilɛ́:i] Galileo ~ 갈릴레이(이탈리아 물리학자, 1564-1642).

Galimathias [galimatí:as] 《frz.》 *m./n.* 〔폄어〕 헛소리, 황당무계한 말.

Galion [galió:n] 《sp.》 *n.* -s, -e/-s 〖海〗 (장식을 한) 뱃머리.

Galione [galió:nə] *f.* -n ↑ Galeone.

Galions·figur *f.* ① 뱃머리 장식의 형상(대개 여성의 모습임). ② 〔폄어〕 간판 인물〔스타〕.

Galiote [galió:tə] *f.* -n ↑ Galeote.

Galipot [galipó:] *m.* -s 《frz.》 가문비나무의 진.

gälisch [gɛ́:lɪʃ] 《<Gäle》 *a.* ① 켈트 사람의. ② 켈트어(語)의.

Gälisch *n.* -(s), **Gälische** *n.* -n 켈트어.

Galizien [galí:tsiən] 갈리시아(폴란드 남부 지방).

Galizier [..tsiər] *m.* -s, - 갈리시아 사람.

galizisch [..tsɪʃ] *a.* 갈리시아의.

Galjaß [galjás] *f.* ..jassen ↑ Galeasse.

Galjon [galjó:n] *n.* -s, -s ↑ Galion.

Galjot [..ljó:t] *f.* -en ↑ Galeote.

Gall·apfel [gál..] *m.* 〖植〗 몰식자, 오배자.

Gallapfel·aufguß *m.* 몰식자〔오배자〕의 추출물, 몰식자〔오배자의〕 침출액(浸出液).

*__Galle__[1] [gálə] 《<gelb》 *f.* -n 〖醫〗 쓸개즙; 쓸개; 〔비유〕 분노, 불쾌, 악의: das schmeckt bitter wie ~ 그것은 맛이 아주 쓰다; er mußte sich an der ~ operieren lassen 그는 쓸개를 수술해야 했다; ihm läuft die ~ über, ihm steigt〔kommt〕 die ~ hoch, ihm schwillt die ~〕 그는 몹시 화를 낸다, 격노한다; Gift und ~ speien〔spucken〕 분통을 터뜨리다, 격노하다; mit Gift und ~ schreiben 〔seine Feder in ~ tauchen〕 아주 신랄한〔공격적인〕 문체로 쓰다; (seine) ~ verspritzen 격노해서 악의에 찬 말을 내뱉다; jm. die ~ rege machen 누구를 몹시 노하게 만들다; jn. in ~ bringen 누구를 격노케 하다; seiner ~ Luft machen 울분을 터뜨리다; schwarze ~ (중세 의학에서) 우울증을 일으키는 검은색 담즙.

*__Galle__[2] 《lat.》 *f.* -n ① 〖수의〗 (동물의) 관절의 종기. ② 〖植〗 몰식자(沒食子), 오배자. ③ 식물의 혹; 충영(蟲癭); 수지(樹脂)가 괴는 곳. ④ 〖광물〗 혹 모양의 광석; 사암(砂岩)의 단단한 부분. ⑤ 〖軍〗 포신의 작은 홈; 〖農〗 논밭의 습지; 논밭의 돌이 많은 곳. ⑥ 〖工〗 (우둘투둘한) 주물의 기포; 유리의 기포. ⑦ (md.) 이지러진 무지개. ⑧ 〔방언〕 지평선에 나타난 폭풍의 조짐.

Galleiche *f.* -n 〖植〗 밤과(科)의 일종.

gallen [gálən] 《Ⅰ》 *t.* ① ↑ gallieren. ② (물고기의) 쓸개를 빼내다. 《Ⅱ》 *i.* (h.) ① 〖사냥〗 (짐승이) 오줌누다. ② 〔고어〕 새된 소리를 내다.

galle·bitter [gáləbɪtər] *a.* ↑ gallenbitter.

gällen 《<Galle[1]》 《Ⅰ》 *t.* 맛을 쓰게 하다; 〔비유〕 성나게 하다; (흥미 등을) 가시게 하다. 《Ⅱ》 *i.* (h.) 맛이 쓰게 되다; 〔비유〕 성나다.

gallen·artig *a.* 쓸개즙 같은. **~behältnis** *n.* ↑ ~blase. **~bitter** *a.* 쓸개즙처럼 쓴, 몹시 쓴: das Getränk schmeckt ja ~ 그 음료는 매우 쓰다. **~blase** *f.* 〖해부〗 쓸개.

Gallenblasen≈gang *m.* 〖해부〗 쓸개관, 담도. **~stein** *m.* 〖醫〗 담석.

Gallen≈brechen *n.* 〖醫〗 담즙성 구토. **~darm** *m.* 〖해부〗 십이지장. **~ergießung** *f.* 〖醫〗 쓸개즙 다량 분비. **~farb·stoff** *m.* 쓸개즙 색소. **~fett** *n.* 〖化〗 콜레스테롤. **~fieber** *n.* 〖醫〗 담즙열. **~fistel** *f.* 〖醫〗 담즙누관〔누공〕. **~gang** *m.* ↑ ~blasengang. **~kolik** *f.* 〖醫〗 담석통(痛). **~krampf** *m.* ↑ ~kolik. **~leiden** *n.* 담석통〔증〕. **~säure** *f.* 〖化〗 담즙산(酸). **~stein** *m.* ↑ ~blasenstein. **~stein·krankheit** *f.* 〖醫〗 담석증. **~stoff** *m.* 〖化〗 담즙소. **~sucht** *f.* 〖醫〗 황달. **~tee** *m.* 담즙 분비를 억제하는 차. **~treibend** *a.* 담즙 분비를 촉진시키는. **~wege** *pl.* 담도.

Galleotte *f.* -n ↑ Galeote.

Gallerie *f.* -n [..rí:ən] ↑ Galerie.

Gallert [gálərt] *n.* -(e)s, -e ① 젤리, 교질물; 〖化〗 젤라틴. ② 〖植〗 (열대 지방산(産)) 버섯의 일종.

gallert≈ähnlich *a.* ↑ ~artig. **~artig** *a.* 교질(膠質)의.

Gallerte [galɛ́rtə] *f.* -n (특히 öst.) ↑ Gallert.

Gallert≈gewebe *n.* 〖醫〗 교상(膠狀) 조직. **~masse** *f.* 교질(膠質) 덩어리. **~pilz** *m.* 〖植〗 ↑ Gallert ②. **~säure** *f.* 〖化〗 펙틴산. **~schwamm** *m.* 〖植〗 교해면(膠海綿).

gallicht *a.* ↑ gallig.

Gallien [gáliən] 갈리아(고대 프랑스).

Gallier [..liər] *m.* -s, - 갈리아 사람.

Gallierin *f.* -nen ↑ Gallier 의 여성형.

gallieren [galí:rən] *t.* 몰식자(沒食子)의 즙으로 물들이다.

gallig [gálɪç] 《<Galle[1]》 *a.* ① 쓸개즙의, 쓸개즙으로 된. ② 쓸개즙처럼 쓴, 쓰디쓴. ③ 〔비유〕 기분 나쁜, 불퉁거리는, 적개심에 불타는; 악의로 가득 찬, 신랄한.

gällig [gɛ́lɪç] *a.* 〖광물〗 단단한, (결정(結晶)이) 조밀한; 순수한.

gallikanisch [galiká:nɪʃ] 《lat.》 *a.* 갈리아 교회〔주의〕의, 프랑스 가톨릭의.

Gallimathias [galimatí:as] 《frz.》 *m.* - ↑ Galimathias.

gallio.. ↑ galeo.., galio...

gallisch [gálɪʃ] *a.* 갈리아의: ~er Hahn 갈리아닭(프랑스 혁명 기간 중의 프랑스 혁명 정부의 문장(紋章) 동물; 정신과 기지를 상징); ~e Sprache 갈리아어.

gallisieren [galizí:rən] *t.* ① 《<Gallien》 프랑스풍으로 하다. ② Wein ~ (포도주를 만들 때 화학자 Gall 의 방법에 따라) 포도즙에 설탕 용액을 섞다.

Gallitzen·stein [galítsən..] *m.* 〖化〗 황산 아

G

연, 호반(皓礬).
Gallium [gálıum] *n.* -s 〖化〗 갈륨(기호: Ga).
Gallizismus [galitsísmus] 《lat.》 *m.* -, ..men 프랑스어 이외의 언어의 프랑스어식 어법〔표현〕.
Gall≈milbe [gál..] *f.* 〖動〗 충영(蟲癭) 진드기속(屬). **~mücke** *f.* 〖動〗 충영을 짓는 나비속(屬).
gallo.. *pref.* "프랑스의"의 뜻.
Gallomane [galomá:nə] 《lat. +gr.》 *m.* -n, -n 프랑스식을 광적으로 따르는 사람.
Gallomanie [..maní:] *f.* 프랑스식을 광적으로 따름.
Gallone [galó:nə] *f.* -n 갤런(영국 및 미국의 용량 단위).
gallo·romanisch [..romá:nıʃ] *a.* (갈리아 지방에서 쓰이는) 갈로 로망어〔라틴어〕의: ~e Sprache 갈로 로망어.
Gallotine [galotí:nə] *f.* 목재 방부제.
Gall≈stoff *m.* ↑ Gallenstoff. **~sucht** *f.* 〖醫〗 황달; 〖비유〗 성급, 울화. **≈süchtig** *a.* 〖醫〗 황달의; 〖비유〗 성급한, 성마른.
Gallus [gálus] 《lat.》 *m.* - 몰식자, 오배자.
Gallus≈säure *f.* 〖化〗 몰식자산(酸), 갈산(酸). **~tinte** *f.* 몰식자산(酸)으로 만든 청흑색 또는 흑색의 필기용 잉크.
Gall·wespe *f.* 〖動〗 몰식자벌, 어리상수리혹벌.
Galmei [galmáı, gálmaı] 《lat.》 *m.* -(e)s, -e 〖광물〗 ① 이극광(異極鑛). ② 능(菱)아연광.
Galon [galɔ̃:] 《frz.》 *m.* -s, -s (장식용이나 계급 표시용으로 붙이는) 끈 끈; 금몰, 은몰.
Galone [galó:nə] *f.* -n ↑ Galon.
galonieren [galoní:rən] *t.* ① (장식용이나 계급 표시용으로) 끈 끈을 꿰매어 붙이다. ② (모피를) 가죽끈으로 늘리다〔넓히다〕.
G
***Galopp** [galɔ́p] 《frz.》 *m.* -s, -e/-s ① (말의) 갤럽, 질구(疾驅); 〖軍〗 구보(驅步): (im) ~ reiten 전속력으로 말을 몰다; mach ~! 빨리 달려라; ein bißchen ~, bitte! 좀 빨리!; im ~ durch die Kinderstube geritten sein 예절 교육을 제대로 받지 못했다; jn. in ~ bringen 누구를 서두르게 하다. ② 갤럽(4 분의 2 박자로 된 빠른 원무(圓舞)).
Galoppade [galɔpá:də] *f.* -n 〖구식〗 ↑ Galopp ②.
Galopper *m.* -s, - 〖경마〗 경주용 말.
galoppieren [galɔpí:rən] *i.* (h./s.) ① (말이) 내달리다; 질구(疾驅)하다; 〖軍〗 구보하다. ② 갤럽을 추다.
galoppierend *p.a.* (나쁜 쪽으로) 빨리 진행되는, (질병이) 급성인, 빨리 악화되는: 〖구어〗 ~e Schwindsucht 폐결핵의 말기.
Galopp·rennen *n.* 갤럽식 경마.
Galosche [galɔ́ʃə] 《frz.》 *f.* -n ① 덧신. ② 〖방언〗 페티코트.
galsterig [gálstərıç] *a.* ① (ndd.) (굳기름 등이) 썩은 냄새가 나는, 상한 맛이 나는. ② 마법에 걸린.
galstern *i.* (s.) ① 썩은 냄새가 나다, 상한 맛이 나다. ② 마법을 쓰다.
galstrig *a.* ↑ galsterig.
galt[1] [galt] ↑ gelten 의 과거형.
galt[2] *a.* 〖방언〗 (암소 등이) 젖이 나지 않는; (일시적으로) 생식력이 없는.
gälte [gέltə] ↑ gelten 의 접속법 Ⅱ식.
Galt·vieh *n.* (schweiz.) ① 어린 가축(송아지·새끼 돼지 따위). ② 젖이 나지 않는 암소. ③ 거세된 가축.
Galvani [galvá:ni] Luigi [luí:dʒi] Aloisio ~ 갈바니(이탈리아의 해부·생리학자, 1737-98).
Galvanisation [galvanizatsió:n] *f.* 〖醫〗 직류 전기 요법; 〖工〗 전기 도금, 아연 도금.
galvanisch [..vá:nıʃ] *a.* 〖物〗 갈바니〔정상(定常)〕 전류의; 전기 화학적 과정으로 생성되는; 직류 전기의; 갈바니 도금의: ~es Bad 전도〔전해〕조(電鍍〔電解〕槽); ~e Vergoldung 〔Versilberung〕 금〔은〕전기 도금; ~e Batterie 갈바니〔볼타〕 전지.
Galvaniseur [..zǿ:r] *m.* -s, -e 전기 도금 기능공.
galvanisieren *t.* …에 직류 전기를 통하다; 전기 도금하다; 〖醫〗 갈바니 전기 요법을 행하다.
Galvanisierung *f.* -en 전기 도금.
Galvanismus *m.* - 갈바니 학설(화학적 에너지의 전기 에너지로의 전환에 관한 학설).
Galvano [galvá:no] *n.* -s, -s 〖印〗 전기판(版), 전주판(電鑄版).
Galvano≈graphie *f.* 〖印〗 전기 제판술; 동판 제조법. **~kaustik** *f.* ① 〖醫〗 전기 소작(술)(燒灼(術)). ② 〖印〗 (동판의) 갈바니 식각법(蝕刻法). **~kauter** *m.* 전기 소작기(燒灼機). **~meter** *n.* 〖物〗 검류계. **~plastik** *f.* 〖印〗 전기 제판(법). **~plastiker** *m.* 전기 제판공. **≈plastisch** *a.* 전기 제판의. **~skop** *n.* 〖전기〗 검전기, 검류기. **~technik** *f.* 전기 제판; 전기 도금. **~therapie** *f.* 〖醫〗 (정상) 전기 요법. **~typie** *f.* 〖印〗 전기판.
Gamander [gamándər] 《gr.》 *m.* -s, - 〖植〗 개곽향속(屬)의 식물; 개불알풀.
Gamasche [gamáʃə] 《frz. gamache》 *f.* -n ① (가죽 또는 베로 된) 각반. ② 〖다음 용법으로〗 〖구어〗 vor jm. 〔et³.〕 ~n haben 누구를〔무엇을〕 무서워하다.
Gamaschen·dienst *m.* 단조롭고 까다로운 병영 훈련; (궁정에서의) 까다로운 근무. **~held** *m.* 〖軍〗 엄한 교관; 빈틈 없는 사람. **~knopf** *m.* 각반의 단추. **~mensch** *m.* ↑ ~held. **~ritter** *m.* ① 〖농담〗 보병. ② 유약한 귀공자.
Gambe [gámbə] 《it.》 *f.* -n 〖음악〗 비올라 다 감바(발로 받치고 타는 비올라).
Gambia *n.* 감비아(아프리카 서부의 공화국).
Gambier *m.* -s, - 감비아 사람.
gambisch *a.* 감비아(사람)의.
Gambist [gambíst] *m.* -en, -en 비올라 다 감바 연주자.
Gambistin *f.* -nen ↑ Gambist 의 여성형.
Gambit [gambít] 《frz.》 *n.* -s, -s 〖체스〗 신속한 공격을 위해 졸을 하나 죽이고 판을 시작함.
Gambrinus [gambrí:nus] *m.* 감브리누스(맥주를 발명했다고 전해지는 전설의 왕).
Gameboy [gé:mbɔy] 《engl.》 *m.* -(s), -s 전자 오락기의 일종.
Gamelan [gá(:)məlan] *n.* -s, -s 자바와 발리 섬의 토속 음악.
Gameshow [gé:mʃo:] 《engl.》 *f.* -s (텔레비전의) 오락 퀴즈 방송.
Gamet [gamé:t] 《gr.》 *m.* -en, -en 〖生〗 배우자(配偶子), 접합자(接合子).
Gametophyt *m.* -en, -en 배우체(配偶體).

Gamin [gamɛ̃ː] 《frz.》 *m.* -s, -s 〔구식〕 ↑ Gassenjunge.

Gamma [gáma] *n.* -(s), -s ① 그리스어 자모의 셋째자(Γ, γ). ②〖음악〗 감마(중세 음계의 최저음; 오늘날의 G 음); 음계. ③〔고어〕 백만분의 1 그램(오늘날의 마이크로그램). ④ 자속(磁束) 밀도의 단위(십만분의 1 가우스).

Gamma≈eisen *n.* 〖化〗 감마철. **~funktion** *f.* 〖數〗 감마 함수. **~strahlen** *pl.* 〖物〗 감마선.

Gamme [gámə] 《frz.》 *f.* 〖음악〗 음계.

Gammel [gáməl] *m.* -s, - 〔구어〕 잡동사니.

gammelig [gáməlıç] *a.* 〔구어〕 ① 상한: der Fleisch ist ~ 이 고기는 상했다. ② (복장 등이) 제멋대로인, 단정치 못한.

gammeln [gáməln] *i.* (h.) ① 방종한 생활을 하다, 무위도식하다. ② 상하다.

Gammler [gámlər] *m.* -s, - 〔구어·폄어〕 히피족(직업과 거처 없이 빈둥거리는 젊은이).

Gammlerin *f.* -nen ↑ Gammler 의 여성형.

Gammlertum *n.* -s, - 일정한 직업과 거처 없이 빈둥거리는 젊은층(의 인생관·생태).

Gams [gams] *f./m./n.* -, -(en) ↑ Gemse.

Gams≈bart *m.* (모자 장식용) 영양의 등털 다발. **~bock** *m.* 영양의 수컷. **~jäger** *m.* ↑ Gemsjäger. **~leder** *n.* ↑ Gemsleder. **~wild** *n.* 영양(전체).

Gäms≈bart *m.* ↑ Gamsbart. **~bock** *m.* ↑ Gamsbock.

Gämse 新정서 ⇦ Gemse.

Gäms≈jäger *m.* ↑ Gamsjäger. **~leder** *n.* ↑ Gamsleder. **~wild** *n.* ↑ Gamswild.

Ganasche [ganáʃə] 《frz.》 *f.* -n 말의 아래턱.

Gand [gant] *f.* -en 〔*n.* -s, Gänder〕 돌조각으로 뒤덮인 넓은 벌판, 돌더미, 빙퇴석(氷堆石).

Ganeff [gánɛf] 《hebr.》 *m.* -, -e (öst.) ↑ Ganove.

Ganerbe [gáːn|ɛrbə] 〔고어〕 *m.* -n, -n 〖法〗 공동 상속인(Miterbe).

Ganerbschaft *f.* -en (농부·귀족·기사 계급의) 공동 상속 재산; 공동 상속인 전체.

ganfen [gánfən] 《hebr.》 *t.* 훔치다(stehlen).

*__Gang__[1] [gaŋ] (♧ gehen) *m.* -(e)s, Gänge [gɛ́ŋə] ① 보행, 걸음: **(a)** 걸음걸이, 발걸음; (말 등의) 보조, 페이스; 〔비유〕 몸가짐, 품행: jn. am ~ erkennen 걸음걸이를 보고 누구임을 알다; einen schwerfälligen ~ haben 발걸음이 느릿느릿하다; es ist kein Recht in ihren Gängen 그들의 몸가짐에는 도무지 찬성할 수 없다. **(b)** 일보러 감, 감, 심부름; 산책: der ~ zur Kirche 예배 보러 교회에 감; vergebliche Gänge tun 헛걸음하다; ~ eines Arztes 의사의 왕진; er macht alle Gänge für mich 그는 나를 위해 온갖 일을 해 준다; einen schweren〔bitteren〕 ~ tun〔gehen〕 몹시 힘든 일을 해내다; 〔雅語〕 seinen letzten ~ tun 매장되다; 〔雅語〕 jn. auf seinem letzten ~ begleiten 누구의 장례식에 참석하다; Gänge gehen〔machen〕 심부름가다. ② 길 (Weg); 〔비유〕 가는〔하는〕 법: er weiß alle Gänge und Schliche 그는 무엇이나 다 잘 알고 있다. ③ 진행; 활동, 운동; 일의 진행, 경과; 운율: der ~ der Zeiten 시대의 변천; der ~ der Gestirne 천체의 운행; der ~ der Maschine 기계의 가동; ~ der Dinge 일의 진행, 세상의 관례; den Dingen ihren ~ lassen 되어가는 대로 놓아두다; das hat seinen guten ~ 그것은 순조롭게 진행되고 있다; die Sache nimmt einen andern ~ 사태가 변하고 있다; **aus** dem richtigen ~e bringen 톱니바퀴 장치를 풀다, 〔비유〕 혼란시키다; et. **außer** ~ setzen〔bringen〕 무엇의 진행〔움직임·가동〕을 중단시키다; **im** ~ 〔in ~〕 sein a) 진행 중이다, b) (화폐 등이) 통용되다, c) 유행하다, d) (비밀리에) 꾸며지고〔계획되고〕 있다; mit et.[3] im ~ sein 무엇을 진행하고 있다; im ~ bleiben 계속 진행되고〔움직이고, 가동하고〕 있다; et. im ~ erhalten 무엇의 진행〔움직임·가동〕을 계속 유지하다; **in** ~ bringen 〔setzen〕 a) 진행시키다, b) 유행시키다, c) (사업 따위를) 시작하다, d) 가동시키다; die Verhandlungen wieder in ~ bringen 협상을 다시 진행시키다; in ~ kommen 진행하기〔움직이기, 가동하기〕 시작하다; in den ~ eingreifen 진전을 막다; et. in ~ halten 무엇의 진행〔움직임·가동〕이 중단되지 않게 하다; ich kann damit nicht **zu** ~ kommen 나는 그것을 갖고는 도저히 어찌할 도리가 없다; 〔방언〕 zu ~ kommen 끝내다, 해치우다. ④ (작업의) 한 단계; 〖권투〗 1 회전; (결투의) 한 판. ⑤ **(a)** 〖기계〗 (기어의) 단, (나사의) 홈; (자동차 등의) 변속기, 전동 장치; (시계 톱니바퀴의) 지동(止動); 맷돌의 한 벌; (물레방아·전동기 등의) 톱니바퀴(장치); (차량 변속기의) 단: den ersten ~ einlegen 1 단 기어를 넣다; 〔구어〕 einen ~ zulegen 더욱더 서두르다; 〔구어〕 einen ~ zurückschalten (일의) 진행 속도를 늦추다. **(b)** 〖動〗 (달팽이 등의) 나선상의 껍데기; 〖해부〗 외이도(外耳道), 도관(導管). **(c)** 〖음악〗 패시지, 경과구. **(d)** 〖海〗 현문(舷門); 〖건축〗 복도; 현관; 〖원예〗 화단의 통로; 가로수 길. **(e)** 〖요리〗 한 코스(음식): das Diner besteht aus drei Gängen 그 만찬은 세 코스로 되어 있다. **(f)** 〖광산·지질〗 맥상체(脈狀體); 암맥(岩脈); 광맥; 통동(通洞). **(g)** 〖검도〗 찌르기; 시합. **(h)** 〖사냥〗 사냥감의 통로, 발자국.

Gang[2] [gɛŋ] 《engl.》 *m.* -s, -s ① 범죄 조직, 갱단, 악당. ② 불량 청소년 집단.

gang [gaŋ] (♧ Gang[1]) *a.* 〔다음 용법으로〕 ~ und gäbe sein 보통이다, 관습이다.

gäng [gɛŋ] *a.* 〔다음 용법으로〕〔방언〕 ~ und gäbe sein ↑ gang und gäbe sein.

Gang·art *f.* ① 걸음걸이, 보조, 보행법: in eine schnellere ~ verfallen 걸음걸이가 더 빨라지다. ② 〔구어〕 다루는〔처리〕 방식: bei ihm wirst du eine härtere ~ anschlagen müssen 너는 그를 좀더 엄하게 다루어야 할 것이다. ③ 〖스포츠〗 보행법; 경기 방식: sich beim Angriff einer rauhen ~ bedienen 공격 때 거친 경기 방식을 사용하다. ④ 〖장기〗 말들이 움직이는 방식. ⑤ 〖광물〗 맥석(脈石).

gangbar [gáŋbaːr] *a.* ① 통행할 수 있는; (파이프 등이) 잘 통하는; 〖기계〗 운전 상태가 좋은: ein ~er Weg 다닐 수 있는 길. ② 유통되는; 잘 팔리는: ~e Münze 유통 경화(硬貨).

Gangbarkeit *f.* ↑ gangbar 의 명사형.

Gangbar·machung *f.* (도로의) 보수, 복구.

Gang·bord *m.* 〖海〗 선수루(樓)와 선교(船橋) 나 선미루(樓)를 잇는 통로.

Gängel [gɛ́ŋəl] 《<Gang[1]》 *m.* -s, - 〔구식〕 요

G

람이나 흔들목마를 올려놓는 궁형의 널빤지.
Gängel·band *n.* 〔복수: ..bänder〕 (걸음마를 가르칠 때 쓰는) 끄는 끈: 〔비유〕 jn. am ~ führen〔haben, halten〕 누구를 마음대로 조종하다〔부리다〕; am ~ gehen 늘 남에게 끌려 다니다.
Gängelei *f.* -en 사람을 조종하는 일.
gängeln [gɛ́ŋəln] 《Ⅰ》 *t.* ① 끄는 끈으로 걸음마를 가르치다; 〔비유〕 (사람을) 마음대로 부리다, 조종하다, 계속 후견하다: er ist in seinem ganzen Leben gegängelt worden 그는 평생 동안 자기 마음대로 행할 자유를 누리지 못했다. ② 흔들다: die Wiege ~ 요람을 흔들다. ③〖料〗(고기를) 저미다. 《Ⅱ》 *i.* (s.) 아장아장 걷다.
Gängel≈pferd *n.* 〔구식〕 흔들 목마. **~wagen** *m.* 보행기.
Gänger [gɛ́ŋər] *m.* -s, - 〔드물게〕 보행자, 걸어가는 사람: ein guter ~ 잘 걷는 사람; 준마(駿馬).
Gang·erz *n.* 〖광물〗 광맥 속의 광석.
Ganges [gáŋgɛs] *m.* - 갠지스강.
Ganges·delphin *n.* 〖動〗 돌고래속(屬).
Gang·fuß *m.* 〖動〗 보각(步脚).
ganghaft *a.* ① 유통〔유행〕하고 있는. ② 광맥을 이루고 있는: ~ brechen 광맥을 이루어 노출되다.
Gang≈häuer *m.* 갱부(坑夫). **~höhe** *f.* 〖기계〗 피치(톱니 사이의 간격).
***gängig** [gɛ́ŋɪç] 《<Gang[1]》 *a.* ① 유통되는; 잘 팔리는: ~e Münze 유통 경화(硬貨); ~e Waren 잘 팔리는 상품. ② 통용되는, 일상의: eine ~e Methode 통용되는 방법. ③〖방언〗 잘 달리는: ein ~es Gespann 잘 달리는 수레. ④ (제대로) 작동되는, 움직이는: eine Uhr wieder ~ machen 시계를 다시 가게 하다; 〔비유〕 den ~en Tag leben (앞날을 걱정하지 않고) 순탄한 나날을 보내다. ⑤〖사냥〗 (개가) 말 잘 듣는, 양순한.
..gängig *suf.* (“…복도가 있는”의 뜻(보기: viel~es Haus 복도가 많은 집).
Gang·kreuz *n.* 〖광산〗 두 광맥의 교차.
Ganglien≈knoten *m.* ↑ Ganglion. **~nerv** *m.* ↑ ~system. **~system** *n.* 〖해부〗 중추 신경계. **~zelle** *f.* 〖해부〗 신경절 세포.
Ganglion [gáŋliɔn] 《gr.》 *n.* -s, ..lien [..liən] 〖해부〗 신경절(節).
Gang·masse *f.* ↑ Gangart ⑤. **~pfosten** *m.* (복도의) 지주(支柱), 기둥. **~rad** *n.* 페달을 밟아 돌리는 바퀴(차).
Gangrän [gaŋgrɛ́:n] 《gr.》 *n.* -(e)s, -e 〖醫〗 괴저(壞疽), 탈저.
Gangräne *f.* -n 〖醫〗 ↑ Gangrän.
gangräneszieren *i.* (h.) 괴저〔탈저〕에 걸리다.
gangränös 《frz.》 *a.* 괴저〔탈저〕(성)의.
Gang≈schaltung *f.* 기어 변환 장치: die ~ eines Autos betätigen 기어를 변환하다. **~spill** *n.* 〖海〗 양묘기(揚錨機), (닻을 올리는) 윈치. **~steig** *m.* (südd., öst.) 보도(步道). **~stein** *m.* ↑ ~art ⑤.
Gangster [gɛ́ŋstər] 《engl.》 *m.* -s, - 갱, 악한.
Gangster≈bande *f.* 갱단. **~boß** *m.* 갱 두목. **~braut** *f.* 갱의 여자 애인. **~film** *m.* 갱 영화. **~methode** *f.* 〔폄어〕 갱의 수법〔소행·행동 방식〕. **~stück** *n.* 〔폄어〕 악행, 비행.
Gangstertum *n.* -s 갱들의 악행, 비행.
Gang≈trum *m./n.* 〖광산〗 광맥의 지맥; 빈약한 광맥. **~way** [gǽŋwe:] 《engl.》 *f.* -s (배나 비행기로 연결되는) 트랩. **~weise** *adv.* ① einen Arzt ~ bezahlen 의사의 진료비를 왕진 올 때마다 내다. ② 광맥을 이루어서. **~weise** *f.* 걸음걸이. **~werk** *n.* ①〖工〗(물레방아의) 운전 장치; (시계의) 작동 장치: das perfekte ~ einer Uhr 시계의 완벽한 작동 장치. ②〔농담〕 사람의 다리〔발〕. **~woche** *f.* 〖宗〗 기원 주간(예수 승천 대축일 전 3 일간의 기원일 포함).
Ganner *m.* -s, - 〖動〗 비오리.
Ganove [ganó:və] *m.* -n, -n 〔구어·폄어〕 범죄자, 도둑, 사기꾼; 깡패.
Ganoven≈ehre *f.* 범죄자〔도둑·사기꾼·깡패〕의 명예심. **~sprache** *f.* 범죄자〔도둑·사기꾼·깡패〕의 은어.
***Gans** [gans] *f.* Gänse [gɛ́nzə] ①〖動〗 거위; 암거위; 거위 구이: wilde ~ 기러기. ②〔구어·폄어〕 멍청한 (젊은) 여자, 푼수: (so eine) blöde〔dumme, alberne〕 ~! 멍청한 여자 같으니라구! ③ 선철(銑鐵) 덩어리.
Gans·braten *m.* (südd.) ↑ Gänsebraten.
Gänschen *n.* -s, - 《↑ Gans 의 축소형》〔雅語〕 ① 작은〔새끼〕 거위. ② 멍청한 처녀.
gänse≈ähnlich, ~artig *a.* 거위 같은; 〔비유〕 멍청한.
Gänse≈baum *m.* 〖植〗 플라타너스. **~blümchen** *n.* ①〖植〗 데이지. ②〔구어·농담〕 (수줍어하는〔눈에 띄지 않는〕) 소녀. **~blume** *f.* 〖植〗 ① ↑ ~blümchen. ② 프랑스 국화(菊花). ③ 민들레. **~braten** *m.* 거위 구이. **~brust** *f.* (구운) 거위 가슴살; (사람의) 새 가슴. **~distel** *f.* 〖植〗 방가지똥. **~feder** *f.* 거위 깃털; 깃펜용 거위 깃털. **~fett** *n.* 거위의 지방. **~finger·kraut** *n.* 〖植〗 눈양지꽃. **~fuß** *m.* ① 거위 발. ②〖植〗 명아주. **~füßchen** *n.* 〔구어〕 인용부. **~gekröse** *n.* 거위의 내장. **~geschnatter** *n.* 거위의 꽥꽥대는 울음 소리.
gänsehaft *a.* ① 거위 같은. ② 멍청한.
Gänse≈haut *f.* 털을 뽑은 거위의 살갗; 〔비유〕 소름이 돋은 피부: ich kriege eine ~ 〔mir läuft eine ~ über den Rücken〕 나는 소름이 끼친다; etwas verursacht jm. eine ~ 어떤 일이 누구를 소름끼치게 만들다. **~hirt** *m.* 거위지기. **~junge** *m.* 거위지기 소년. **~keule** *f.* 거위 넓적다리. **~kiel** *m.* 거위의 칼깃털; 깃펜용 거위 칼깃털. **~klein** *n.* ① 거위의 각 부위; 내장. ②〔요리〕 ↑ ~klein ① 로 만든 요리. **~kopf** *m.* ① 거위의 대가리. ②〔구식〕 바보. **~kraut** *n.* 〖植〗 ① ↑ ~kresse. ② ↑ Eberraute. ③ ↑ ~fingerkraut. **~kresse** *f.* 〖植〗 ① 털장대. ② 냉이. **~küchlein** *n.* 〔구식·雅語〕 ↑ ~küken. **~küken** *n.* 거위 새끼. **~leber** *f.* 거위 간 (요리). **~leber·pastete** *f.* 거위 간 파이. **~mädchen** *n.* 거위지기 소녀. **~marsch** *m.* 〔대개 다음 용법으로〕 im ~ 일렬 종대로, 한 사람〔대〕씩 차례차례. **~pfeffer** *m.* ↑ ~klein ②.
Ganser [gánzər] *m.* -s, - ↑ Gänserich ①.
Gänserich [gɛ́nzərɪç] *m.* -(e)s, -e ①〖動〗 수거위. ② ↑ Gänsefingerkraut.
Gänse≈schmalz *n.* 거위 기름. **~schwarz** *n.* 거위 선지를 넣은 내장 요리. **~spiel** *n.* 단

체 유희. **~stall** *m.* 거위 우리; 〖농담〗 여학교. **~steige** *f.* ↑ ~stall. **~trift** *f.* 거위 사육장. **~wein** *m.* 〖농담〗 물. **~zucht** *f.* 거위 사육.

gänsig [gέnzıç] *a.* 거위 같은; 어리석은.

Gans·jung *n.* (südd., öst.) ↑ Gänseklein.

Gänslein *n.* -s, - 〘↑ Gans 의 축소형〙 ↑ Gänschen.

Gant [gant] 《lat.》 *f.* -en ① 경매. ② 파산.

Gant·buch *n.* 경매 목록.

ganten *t.* (schweiz.) 경매하다.

Ganter [gántər] *m.* -s, - ①〖방언〗 장(欌); (지하의) 술창고; (네 발이 나무로 된) 맥주통 받침대. ② (ndd.) ↑ Gänserich ①.

Gant≈haus *n.* 경매장, 공매장. **~meister** *m.* 경매인.

Gantner [gántnər] *m.* -s, - 파산자.

Gant·recht *n.* 〖法〗 경매법; 파산법.

Ganymed [ganymé:t] *m.* ①〖그리스신화〗 가니메데스(신들을 위하여 술을 따르던 미소년); 〖구어·농담〗 (젊은) 웨이터. ②〖天〗 목성의 가장 큰 위성.

***ganz** [gants] 《Ⅰ》 *a.* ①〖구어〗 온전한, 성한: der Schuh ist noch ~ 그 구두는 아직 성하다; einen beschädigten Gegenstand wieder ~ machen 망가진 물건을 수선하다. ② 온, 전(全), 총(總), 전체적인: den ~en Tag 온종일; die ~e Nacht 온밤을, 밤새도록; die ~e Welt 전세계; sie haben ihr ~es Vermögen verloren 그들은 전 재산을 잃어버렸다; mit ~er Kraft 총력을 기울여; während der ~en Zeit sagte er kein Wort 그는 내내 한 마디도 말하지 않았다; ich wünsche es von ~em Herzen 나는 온 마음으로 그것을 기원한다; 〖관사가 딸리지 않은 지명 앞에서는 어미 변화 없음〗 ~ Berlin 전 베를린; in ~ Europa 전 유럽에서; im (großen und) ~en 전체적으로 보아, 대체로; auf der ~en Linie 모든 라인에서, 완전히; 〖數〗 ~e Zahl 정수(整數); 〖음악〗 ~e Note 온음표. ③ 빠짐없는, 완전한, 전적인: wir haben drei ~e Flaschen Wein getrunken 우리는 포도주 세 병을 남김없이 다 마셨다; ein ~er Mann 전력을 다하는 사람; er ist ein ~er Kerl 그는 매사를 빈틈없이 처리하는 믿을 만한 사람이다; er ist der ~e Vater 〔er ist ~ der Vater〕 그는 자기 아버지를 쏙 빼어 닮았다; er ist ~ der Mann 그가 적임자다; ~ Ohr sein 아주 주의깊게〔진지하게〕 듣다. 《Ⅱ》 *adv.* ① 완전히, 전적으로, 온통, 전혀: die Zuschauer waren ~ außer sich 관객들은 완전히 제정신이 아니었다; ~ alleine 전적으로 혼자서; das ist etwas ~ anderes 그것은 완전히 다른 것이다; ~ gewiß! 전혀 틀림없다!; er hat ~ recht 그의 말이 전적으로 옳다; er hat den Kuchen ~ aufgegessen 그는 그 케이크를 깡그리 먹어치웠다; er steht ~ auf meiner Seite 그는 완전히 내 편이다; ich bin nicht ~ zufrieden 나는 완전히 만족한 것은 아니다; ich verstehe es nicht ganz 나는 그것을 완전히 이해하지는 못한다; das ist ~ und gar falsch! 그건 완전히 틀렸다!; ~ und gar nicht 결코 …이 아닌; voll und ~ 완전히. ② 〖수사와 함께〗〖구어〗 불과: das Buch hat ~e fünf Mark gekostet 그 책은 불과 5 마르크였다. ③ 아주, 몹시: ein ~ armer Mann 아주 가난한 사람; er sah ~ blaß aus 그는 몹시 창백해 보였다; ein ~ klein wenig 아주 조금; das gefällt mir ~ besonders gut 그것은 아주 내 마음에 든다. ④ 꽤, 어느 정도: das Wetter war ~ schön 날씨가 꽤 괜찮았다; danke, es geht mir ~ gut 고마워요, 나는 꽤 잘 지내고 있어요. ⑤〖구어〗 대단한, 많은: ich habe eine ~e Menge Arbeit gehabt 나는 할 일이 대단히 많았다.

Ganz [gants] *f.* 〖광물〗 무쇠 덩어리; 굳은 암석.

Gänz [gεnts] *f.* 〖광물〗 ↑ Ganz.

Ganze *das* ① 전체, 전부; 총계, 총액; 〖軍〗 총원; 〖數〗 die ~n 〖복수〗 정수(整數); das große ~ 전체; 총계; hier geht es ums ~ 여기서 (승리든 패배든) 판가름이 난다; 〖商〗 im ~n verkaufen 도매하다; das ~ gefällt mir nicht 전부 내 마음에 들지 않는다; 〖軍〗 das ~ halt! 전원 정지!; aufs ~ gehen 목표를 달성하기 위해〔결판을 내기 위해〕 단호하게 행동하다. ②〖남성으로도〗〖구어〗 ein ~s〔~r〕 가득 채운 맥주 한 잔; jm. ein ~s 〔einen ~n〕 vorkommen 누구를 위하여 맥주를 가득 채워 축배를 들다. ③ 수수께끼의 해답.

Gänze[1] *f.* -n 〖광산〗 미채굴 광맥; 〖工〗 주조용(鑄造用) 모래 거푸집.

Gänze[2] *f.* -n (obd.) 전체: zur ~ 전적으로; in seiner〔ihrer〕~ 전체적〔총체적〕으로.

Ganz≈fabrikat *n.* 완성품. **~franz·band** *m.* ↑ ~lederband. **≈gar** *a.* 정제〔정련〕된; 〖요리〗 충분히 익은; 잘 무두질한. **~glas·tür** *f.* 유리문.

Ganzheit [gántshaıt] *f.* -en ① 온전, 완전, 분할되지 않음. ②〖哲〗 전체성. ③〖복수: -en〗 전체, 전부; 통일체: et. in seiner ~ betrachten 무엇을 전체적인 면에서 고찰하다.

ganzheitlich [..lıç] *a.* 전체적인: eine ~e Betrachtungsweise 전체적인 고찰 방식.

Ganzheits≈medizin *f.* 심신(心身) 상관 의학, 정신 신체 의학. **~methode** *f.* 〖교육〗 전습법(全習法) (개별 음이나 낱자가 아닌 전체 단어나 문장에서 출발하는 독서 교육 방법). **~psychologie** *f.* 전체성 심리학. **~theorie** *f.* 〖哲〗 전체론.

Ganz≈holländer *m.* 〖기계〗 펄프찧는 기계. **~holz** *n.* 통나무, 원목. **≈hufig** *a.* 〖動〗 단제(單蹄)의. **≈jährig** *a.* 일년 내내, 연중 무휴의. **~leder·band** *m.* 〖제본〗 완전 가죽 장정본. **≈leinen** *a.* ① 순수 아마포의. ② (책이) 천으로 장정된, 클로스 장정의. **~leinenband** *m.* 천〔클로스〕 장정본.

gänzlich [gέntslıç] 《Ⅰ》 *a.* 완전한; 예외 없는: ~e Enthaltung von geistigen Getränken 완전 금주. 《Ⅱ》 *adv.* 전혀, 완전히: ich habe es ~ vergessen 나는 그것을 까맣게 잊어버렸다.

Ganz·metall·flugzeug *n.* (핵심 골격을) 모두 금속으로 만든 비행기.

ganzrandig *a.* 〖植〗 (잎의) 가장자리가 매끄러운, 전연(全緣)의.

Ganz≈sache *f.* 우표가 인쇄된 봉투〔엽서〕. **~schluß** *m.* 〖음악〗 온마침. **≈seiden** *a.* 완전히 비단으로 된. **~seiten·bild·schirm** *m.* 〖컴〗 전체 보기. **≈seitig** *a.* 전면의, 전 페이지(크기)의. **~stoff** *m.* ↑ ~zeug. **≈tägig** *a.* 전일의, 온종일의. **≈tags** *adv.* 온종일. **~-**

G

tags·schule *f.* 전일(수업)제 학교. **~ton** *m.* 〖음악〗 온음. **~wollen** *a.* 순모의. **~wort·methode** *f.* ↑ Ganzheitsmethode. **~zeug** *n.* 제지용 펄프. **~zeug·holländer** *m.* ↑ ~holländer.

gapsen [gápsən] *i.* (h.) 〖방언〗 헐떡이다.

*__gar__[1] [ga:*r*] *a.* ① 완전히 익은〔삶아진·구워진〕: ~es Fleisch 완전히 다 익은 고기; ~ kochen 푹 삶다; mehr als ~ 너무 삶아진〔구워진〕. ② 무두질이 다 된; 정련된: ~ machen (가죽을) 무두질하다, (광석을) 정련하다. ③ 〖구어〗 (südd., öst.) 끝난; 소모된: das Brot ist ~ 빵이 떨어졌다; es ist ~ mit ihm 그는 죽었다. ④〖農〗 경작하기에 적합한, 비옥한: ~er Boden 경작에 알맞은 토지.

*__gar__[2] *adv.* ① 심지어, 게다가: er beschimpfte sie und bedrohte sie ~ 그는 그녀에게 욕을 했고 심지어 위협까지 했다. ②〖부정의 강조로〗 전혀, 결코: ~ nicht 전혀〔결코〕 …이 아닌; ich habe ~ niemanden gesehen 나는 전혀 아무도 보지 못했다; das hat ~ keinen Zweck 그것은 전혀 아무 소용이 없다. ③〖특히 의문문에서〗 혹시, 어쩌면: hast du es ~ vergessen? 자네 혹시 그것을 잊어버렸나?; er wird es doch nicht ~ vergessen haben? 그가 혹시 잊어버린 것은 아니겠지?;〖반어〗 warum nicht ~〔ich glaube ~〕! a) 당치도 않다, 그럴 수가 있나!, b) 왜 그것이 안 된단 말인가! ④ (특히 südd.) 상당히: ~ oft 꽤 자주; es war ein ~ liebliches Kind 그 아이는 퍽 귀여운 아이였다. ⑤〖zu, so 와 결합해서 이것들을 강조함〗: die Sache ist ~ zu kompliziert 그 일은 너무너무 복잡하다; das ist ~ so unbequem 그것은 지극히 불편하다. ⑥ 한층 더: er ist ja schon frech genug, aber ~ seine Schwester 그는 정말이지 아주 뻔뻔스러운데, 그의 누이는 한술 더 뜬다. ⑦ ganz und ~ ↑ ganz 《I》①.

*__Garage__ [gará:ʒə] 《frz.》 *f.* -n ① 차고. ②〖드물게〗 자동차 정비소.

Garagen≈einfahrt *f.* 차고 입구. **~tor** *m.* 차고문. **~wagen** *m.* 차고에 넣어(잘) 관리한 차.

garagieren [garaʒí:rən] *i.* (h.) (öst., schweiz.) 차를 차고에 넣다.

Garamond [garamɔ̃:] 《frz.》 *f.* (현대적인) 라틴 인쇄체, 가라몽 활자.

Garant [garánt] 《frz.》 *m.* -en, -en 보증인.

*__Garantie__ [garantí:] *f.* -n [..tí:ən] 보증; (상품 등의) 보증 (기간);〖비유〗 신뢰, 확신: unter ~ 틀림없이; das Gerät hat ein Jahr ~ 그 기계의 보증 기간은 1 년이다.

Garantie≈anspruch *m.* 보증 요구〔청구〕. **~betrag** *m.* 보증금. **~fonds** *m.* 보증 기금.

garantieren [..tí:rən] *t.* 보증하다.

Garantie≈schein *m.* 보증서. **~vertrag** *m.* 〖法〗 보증 계약.

Gar≈arbeit *f.*〖제련〗 정련. **~arbeiter** *m.* 정련공.

Gar·aus [ga:*r*|áus, gá:*r*|aus] *m./n.* -〖다음 용법으로〗 jm. den ~ machen 누구를 죽이다; et.³ den ~ machen 무엇을 완전히 없애다; den ~ damit spielen 무엇을 끝맺다, 끝장내다.

Garbe[1] [gárbə] *f.* -n〖農〗 곡식의 단, 볏단;〖工〗 철근 다발;〖軍〗 집속(集束) 탄도, 광선속(光線束).

Garbe[2] *f.* -n〖植〗 서양톱풀.

garben [gárbən] *t.* ① 무두질하다;〖비유〗 (jn.) 늘씬하게 때려 주다. ② (강철 등을) 단접(鍛接)하다. ③ (금속을) 갈다, 닦다, 마무르다. ④ (빵을) 화덕에 넣다.

gärben [gɛ́rbən] *t.* ↑ garben.

garben≈artig 《I》 *a.* 단〔다발〕(모양)의. 《II》 *adv.* 단을 이루어. **~band** *n.* 곡식단을 묶는 끈. **~binde·maschine** *f.* 곡식단을 묶는 기계. **~binder** *m.* 곡식단을 묶는 사람〔기계〕. **~förmig** *a.* ↑ ~artig. **~haufe** *m.* ↑ ~haufen. **~haufen** *m.* 곡식단 더미. **~schichter** *m.* 볏단 따위를 쌓는 사람. **~schober** *m.* ↑ ~haufen.

Gär·bottich *m.* 나무로 만든 발효통.

Gärb·stahl *m.*〖제련〗 단조강(鍛造鋼).

Garçon [garsɔ̃:] 《frz.,》 *m.* -s, -s ① 소년. ② 총각, 독신남. ③ (alem.) 웨이터. ④ 수습생〔공〕.

Garçon·logis [..ʒi:] *n.* 독신남용 주거〔방〕.

Garçonne [garsɔ́n(ə)] *f.* -n [..nən]〖구식·교양〗 ① 사내애 같은 소녀. ② 독신녀, 미혼 여성. ③ 사내애용 같은 여성복.

Garçonniere [garsɔniɛ́:r] *f.* -n (öst.) 원룸 주거.

*__Garde__ [gárdə] 《frz.》 *f.* -n ① 친위대〔병〕. ② 정예 부대. ③ 동호인, 동료: die alte ~ 고참 사원〔회원〕들; noch (einer) von der alten ~ sein 여전히 전통적인 사고 방식을 가진 사람이다. ④ ↑ Fastnachtsgarde.

Garde≈dukorps [gardədykó:*r*] *n.* - [kó:rs], - [kó:rs] 프로이센 친위 기병 연대, 친위대.

Garde≈infanterie *f.* 친위 보병(대). **~kavallerie** *f.* 친위 기병(대).

Garde·korps [gardəkó:*r*] *n.* 친위대.

Garde≈maß *n.*〖농담〗 당당한 체구. **~offizier** *m.* 친위대 장교. **~regiment** *n.* 친위 연대.

*__Garderobe__ [gardəró:bə] 《frz.》 *f.* -n ① (배우의) 의상실, 분장실. ② 소유한〔입고 있는〕 옷(전체): seine ~ pflegen 자기 옷을 손질하다; viel ~ haben 옷이 많다. ③ (호텔·극장의) 옷 보관소; (현관의) 옷 거는 곳: er vergaß, seinen Mantel bei der ~ abzuholen 그는 옷 보관소에서 외투를 찾는 것을 잊어버렸다. ④ 변소, 여자 화장실.

Garderobe(n)≈aufseher *m.*〖연극〗 ↑ Garderobier. **~frau** *f.* ↑ Garderobiere. **~geld** *n.* (배우의) 의상료. **~haken** *m.* 옷걸이못. **~halter** *m.* ↑ ~haken. **~marke** *f.* 옷 보관표. **~meister** *m.*〖연극〗 ↑ Garderobier. **~schrank** *m.* (현관의) 옷장. **~ständer** *m.* (스탠드형의) 옷걸이대. **~zimmer** *n.* (배우의) 의상실; 옷 보관소; 변소.

Garderobier [gardərobié:] 《frz.》 *m.* -s, -s〖연극〗 의상〔옷 보관〕 담당자.

Garderobiere [..bié:rə, ..biɛ́:rə] *f.* -n ↑ Garderobier 의 여성형.

gardez [gardé:] 《frz.》〖체스·구식〗 *int.* 퀸이 위태하니 지켜라!

Gardian [gardiá:n, gárdia:n] *m.* ↑ Guardian.

*__Gardine__ [gardí:nə] 《frz.》 *f.* -n ① 커튼; 침대 휘장;〖연극〗 막: ~n aufziehen〔zuziehen〕 커튼〔침대 휘장·막〕을 열다〔닫다〕. ② hinter schwedischen ~n 감옥에(서).

Gardinen≈arm *m.* 커튼 밴드. **~behang** *m.* (침대의) 휘장, (커튼 상단의) 덧커튼. **~haken** *m.* 커튼 고리. **~halter** *m.* ↑ ~arm. **~predigt** *f.* 〖구어·농담〗(귀가가 늦은 남편에게 아내가 하는) 침실 설교, 바가지 긁기. **~ring** *m.* 커튼 고리. **~rolle** *f.* 커튼대 바퀴. **~schnur** *f.* 커튼 끈. **~stange** *f.* ① 커튼을 여닫는 막대. ② 커튼을 매다는 살대.

Gardist 《frz.》 *m.* -en, -en 〖軍〗 친위병.

Gare [gáːrə] 《<gar》 *f.* ① 준비가 됨; 마무름, 정제(精製). ②〖제혁〗 무두질; 무두질 준비가 완료된 가죽의 한 짝(24 장). ③〖農〗 ↑ Bodengare. ④〖제련〗(금속이) 정련된 상태. ⑤〖요리〗 완전히 익은 상태: mit einer Gabel in den Kuchen stechen, um seine ~ zu prüfen 케이크가 완전히 익었는지 보려고 포크로 찔러 보다.

Gäre [gɛ́ːrə] *f.* ① 발효; 효모. ② (포도주의) 방향(芳香).

garen [gáːrən] 《I》 *t.* 마무르다; 무두질하다; (쇠를) 정련하다; 완전히 익히다. 《II》 *i.* (h.) 완전히 익다.

***gären**(*) [gɛ́ːrən] (gor/gärte, gegoren/gegärt) 《germ.; ♧ Gischt》 《I》 *i.* ① (h./s.) 발효하다; 부글부글 끓다; (반죽이) 부풀다: der Wein hat〔ist〕 klar gegoren 포도주가 맑게 발효했다; der Teig hat〔ist〕 in der Wärme gegoren 반죽이 열로 부풀었다; ~ lassen 발효시키다; gegorener Saft 상한 주스. ② (h.) 〖비유〗 부글부글 끓어오르다; 심각한 동요가 일고 있다: der Haß gärte in ihm 그의 마음 속에서 증오심이 부글부글 끓어올랐다; es gärt in dem Volk 민심이 들끓고 있다. 《II》 *t.* 발효시키다. 《III》 *refl.* sich ~ 발효하다: der Wein hat sich zu Essig gegoren 포도주가 발효해서 초가 되었다.

Gar≈erz *n.* 〖제련〗 배소광(焙燒鑛). **~faß** *n.* (가죽을 무두질하는) 마무리 통. **~feuer** *n.* 〖제련〗 배소(焙燒) 불.

Gär·futter *n.* 발효 사료.

Gar≈gekrätz *n.* 슬래그, 광재(鑛滓). **~herd** *m.* 〖제련〗 배소로(焙燒爐).

Gär≈kammer *f.* 발효실. **~keller** *m.* ↑ ~kammer.

Gar≈koch *m.* 간이 음식점 주인. **~küche** *f.* (빈민) 무료 급식소; 간이 음식점(의 주방). **~kupfer** *n.* 정련 구리. **~kupfer·abgang** *m.* (정련할 때의) 구리똥. **~leder** *n.* 무두질한 가죽. **~machen** *n.* (금속의) 정련; (가죽의) 마무름, 무두질.

Garmisch-Partenkirchen 가르미슈파르텐키르헨(바이에른 주(洲)의 관광지).

Gär·mittel *n.* 효소.

Garmond [garmɔ̃ː] 《frz.》 *f.* 〖印〗 가르몽 활자(10 포인트 크기).

***Garn** [garn] *n.* -(e)s, -e ① 방사(紡絲), 연사(撚絲), 끈실: ~ färben 실을 염색하다; 〖비유〗 ein〔sein〕 ~ spinnen 지어낸 이야기를 하다, 허풍떨다. ② 그물; 〖비유〗 덫, 함정: das Wild ins ~ jagen 사냥감을 포획용 그물 안으로 몰다; jm. ins ~ gehen 누구의 술수에 말려들다; jn. ins ~ locken〔ziehen〕 누구를 술수에 말려들게 유인하다. ③〖動〗(반추 동물의) 벌집위(胃).

Garn·baum *m.* 〖방직〗 날실 감는 막대.

Garnele [garnéːlə] *f.* -n 〖動〗(유럽산(産)의) 보리새웃과의 작은 새우.

garnen 《<Garn》 *a.* 끈실〔방사(紡絲)·연사(撚絲)〕의.

Garn≈ende *n.* 〖방직〗 직물의 귀〔가장자리〕; 〖복수〗 실밥. **~färber** *m.* 실 염색공. **~geschäft** *n.* ↑ ~handel. **~handel** *m.* 실장사. **~händler** *m.* 실 장수. **~haspel** *f./m.* 물레의 가락, 북, 얼레틀.

garnie [garní] 《frz.》 *a.* ↑ Chambre garnie.

garnieren [garníːrən] 《frz. <hd. warnôn, „Sorge tragen"》 *t.* ① 장식하다; 장식을 붙이다: einen Hut mit Blumen ~ 모자를 꽃으로 장식하다. ② 실내 장식을 하다, 설비하다; 〖요리〗(맛이나 모양을 위하여) 곁들이다: Zimmer ~ 방에 가구를 설비하다; eine Fleischplatte mit Petersilie ~ 고기 담은 접시에 파슬리를 곁들이다. ③〖조선〗 Laderäume ~ 화물선 적재실의 측면과 바닥을 대다.

Garnierung *f.* -en ↑ garnieren 의 명사형.

Garnison [garnizóːn] 《frz.》 *f.* -en 〖軍〗 ① (점령군의) 위수지, 주둔지: in ~ liegen 위수지에 주둔하다. ② 수비대, 주둔군: eine ~ an die Front verlegen 주둔 부대를 전선으로 이동시키다.

Garnison≈dienst *m.* 위수 근무. **~kirche** *f.* 위수 교회.

garnisonieren 《I》 *i.* (h.) 위수하다, 주둔하다. 《II》 *t.* 주둔시키다.

Garnison≈lazarett *n.* 〖軍〗 위수 병원. **~stadt** *f.* 〖軍〗 위수 도시.

Garnitur [garnitúːr] (♧ garnieren) *f.* -en ① 장식, 장식 부속품; 설비: eine ~ auf das Brautkleid nähen 신부옷에 장식을 꿰매어 달다. ② 도구〔장비·복장〕 일체, 짝, 벌, 〖軍〗 군장 일체: eine ~ für das Badezimmer kaufen 욕실용품 한 세트를 사다; eine ~ Geschirr 한 벌의 식기. ③〖印〗 활자의 한 벌. ④〖구어〗(어떤 집단의) 대표들; 〖스포츠〗 등급별 그룹: zur ersten ~ einer Partei gehören 당의 최고위 대표들에 속하다; Mannschaften der zweiten ~ 제 2 군〔진〕 팀. ⑤〖경박〗(남성의) 성기.

Garn≈knäuel *m./n.* 실꾸리. **~meister** *m.* 후릿그물로 고기잡는 어부. **~rolle** *f.* 실패, 얼레. **~spule** *f.* 〖방직〗 긴 실패. **~strähne** *f.* 실타래, 타래실. **~weber** *m.* 직공(織工). **~weberei** *f.* 짜기; 직물(織物); 직물 공장. **~winde** *f.* 얼레틀, 물레. **~zug** *m.* (그물을) 한 번 올리기; 한 그물의 어획량.

Gar·ofen [gáːr..] *m.* 〖제련〗 정련로(精鍊爐).

Garrotte 《sp.》 *f.* -n (에스파냐의) 교수형틀.

garrottieren *t.* ↑ Garrotte 로 처형하다.

Gar·schlacke *f.* (정련할 때 나오는) 슬래그, 광재(鑛滓).

Garst [garst] *m.* -es ① 부패; 악취; 오물. ② 더러운 사람.

***garstig** [gárstɪç] 《I》 *a.* ① 싫은, 썩은 냄새 나는, 구역질나는, 역겨운: ~ aussehen 역겹게 보이다; ein ~er Geruch 역겨운 냄새. ② 버릇 없는, 뻔뻔한, 무례한: ~es Benehmen 무례한 행동; sei nicht so ~ (zu mir)! (나에게) 그렇게 버릇없게 굴지 마라! ③ 마음에 들지 않는, 아주 불쾌한. 《II》 *adv.* 호되게, 몹시.

Garstigkeit *f.* -en ① 역겨움. ② 무례한〔뻔

뻔스러운) 행동〔말〕.

Gär·stoff [gɛ́:r..] *m.* ↑ ~mittel.

Gar·stück *n.* 휜 소금 덩어리.

Garst·vogel *m.* 〖비속〗 역겨운 인간.

Gärtchen *n.* -s, - ↑ Garten 의 축소형.

gärteln [gɛ́rtəln] *i.* (h.) ↑ gärtnern.

***Garten** [gártən] *m.* -s Gärten ① 뜰, 정원, 화원; (공원을 겸한) 놀이터: botanischer ~ 식물원; zoologischer ~ 동물원; öffentlicher ~ 공원; einen ~ anlegen 정원을 만들다; der ~ Eden 에덴 동산, 낙원; englischer ~ 영국식 정원〔공원〕; hängende Gärten 산비탈에 만든 고대의 테라스형 정원; quer durch den ~ 〖구어〗 a) 〖농담〗 갖가지 야채가 든, b) 각양각색의. ② 〖비유〗 das ist nicht in seinem ~ gewachsen 그것은 그의 것〔그가 한 일〕이 아니다.

Garten·ammer *f.* 〖動〗 멧새속(屬)의 일종. **~ampfer** *m.* 〖植〗 참소리쟁이속(屬)의 일종. **~anlage** *f.* ① 정원 만들기. ② 정원, (공원을 겸한) 놀이터. **~arbeit** *f.* 정원꾸미기, 원예. **~arbeiter** *m.* 정원사, 원예업자. **~architekt** *m.* 조원(造園)업자; 조경사. **~aster** *f.* 〖植〗 과꽃. **~balsamine** *f.* 〖植〗 봉선화. **~bank** *f.* 〔복수: ..bänke〕 정원용 벤치. **~bau** *m.* 원예.

Gartenbau·ausstellung *f.* 원예 전시회. **~kunst** *f.* 조원〔원예〕술.

Garten·beet *n.* 묘상, 화단. **~bibernelle** *f.* 〖植〗 오이풀. **~blume** *f.* 화훼(花卉). **~buch** *n.* 원예책. **~distel** *f.* 〖植〗 아티초크; 뚱딴지. **~erbse** *f.* 〖植〗 완두류. **~erd·beere** *f.* 〖植〗 양딸기의 일종. **~erde** *f.* 배양토(培養土). **~feld** *n.* 담장에 둘러싸인 밭. **~fest** *f.* 가든 파티. **~fink** *m.* 〖動〗 되새, 검은방울새. **~freund** *m.* 정원 애호가; 아마추어 원예가. **~frosch** *m.* 〖動〗 송장개구리속(屬)의 일종. **~frucht** *f.* 재배 과실. **~gemüse** *n.* 〔집합적〕 재배 야채. **~gerät** *n.* 〔총칭〕 원예 용구. **~gerätschaften** *pl.* 원예 용구 한 벌. **~gewächse** *pl.* 야채; 재배 식물. **~haus** *n.* ① 정자. ② 〔방언〕 뒤채. **~kohl** *m.* 〖植〗 양배추. **~kresse** *f.* 〖植〗 (샐러드용) 다닥냉이 무리의 식물. **~kunst** *f.* 조원〔원예〕술. **~künstler** *m.* 원예가, 정원사. **~kürbis** *m.* 〖植〗 서양 호박, 호박. **~laube** *f.* 정자. **~lokal** *n.* 정원이 딸린 음식점, 비어 가든. **~mauer** *f.* 정원의 돌담. **~messer** *n.* 가지치기 칼. **~mohn** *m.* 〖植〗 양귀비. **~nelke** *f.* 카네이션. **~party** *f.* 가든 파티. **~pflanze** *f.* 화훼 식물. **~platz** *m.* 정원 잔디. **~rapunze** *f.* 〖植〗 금달맞이꽃. **~raute** *f.* 〖植〗 루타(운향과(芸香科)의 다년초). **~recht** *n.* 밭 일부에 울타리를 치는 권리. **~rettich** *m.* 〖植〗 무. **~rhabarber** *m.* 〖植〗 대황. **~ringelblume** *f.* 〖植〗 민들레. **~saal** *m.* 정자의 넓은 마루〔바닥〕, 정원으로 향한 대청. **~säge** *f.* 가지치기 톱. **~salbei** *m.* 〖植〗 샐비어. **~same** *m.* 원예 종자. **~schädling** *m.* 원예 식물의 해충. **~schau** *f.* 원예〔조경〕 전시회. **~schaufel** *f.* 모종삽. **~schach** *n.* 야외 체스. **~schere** *f.* 가지치기 가위. **~schnecke** *f.* 〖動〗 (특히 프랑스의) 식용 달팽이. **~spargel** *m.* 〖植〗 아스파라거스. **~spritze** *f.* 〖원예〗 호스. **~stadt** *f.* 전원 도시. **~stück** *n.* 뜰, 채소밭, 화단. **~stuhl** *m.* 정원 의자. **~vergnügen** *n.* ① 원유회(園遊會). ② 〔구어〕 ↑ ~lokal. **~walze** *f.* 정원용 롤러. **~weg** *m.* 정원의 길. **~werk** *n.* ↑ Gärtnerei; 〔총칭〕 각종의 정원. **~wesen** *n.* 원예, 조원. **~wirtschaft** *f.* ① 원예. ② 공원의 레스토랑. ③ ↑ ~lokal. **~zaun** *m.* ① 정원 울타리. ② 〖승마〗 울타리형 장애물. **~zwerg** *m.* 정원 장식용 난쟁이 인형; 〖비유〗 조그만 사람; 흉칙한 사람.

Gärtlein *n.* -s, - 〔↑ Garten 의 축소형〕 ↑ Gärtchen.

***Gärtner** [gɛ́rtnər] *m.* -s, - 원예가, 정원사; 과수원 주인, 채소밭 주인; (öst.) 가난한 농부.

Gärtner·bursche *m.* 〔고어·방언〕 수습 정원사.

Gärtnerei [gɛrtnəráı] *f.* -en ① 조원(술), 원예. ② 원예업; 수목원.

Gärtnerin *f.* -nen ↑ Gärtner 의 여성형.

Gärtnerin·art *f.* 〔다음 용법으로만〕 nach ~ 여러 가지 야채를 섞어 요리한.

gärtnerisch [..rıʃ] *a.* 정원 재배의, 원예의: ~er Gemüsebau 정원에서의 채소 재배.

Gärtner·kunst *f.* ↑ Gartenkunst.

gärtnern *i.* (h.) 수목원을 경영하다; (취미삼아) 정원일을〔원예를〕 하다.

Gärtners·frau *f.* 정원사의 부인.

Gärung [gɛ́:rʊŋ] *f.* -en ① 발효: in ~ übergehen 발효하다; alkoholische ~ 알코올 발효. ② 〖비유〗 (증오심이) 끓어오름; 격앙, 흥분, 소요: soziale ~ 심각한 사회적 동요.

Gärungs·enzym *n.* 효소. **~erreger** *m.* 〖生〗 발효 생물. **~fähig** *a.* 발효할 수 있는. **~lehre** *f.* 발효학〔론〕. **~mittel** *n.* ↑ Gärmittel. **~pilz** *m.* 효모균. **~prozeß** *m.* 발효 과정. **~stoff** *m.* ↑ ~mittel. **~verfahren** *n.* 발효법.

Gar·zeit [gá:r..] *f.* 음식이 익는 시간.

***Gas** [ga:s, (때로) gas] *n.* -es, -e [gá:zə] ① 가스, 기체; 등화용 가스; 독가스; (비행선의) 부양 가스: bei den Kämpfen wurde auch ~ eingesetzt 전투 때 독가스도 살포되었다; 〖軍〗 ~ abblasen 독가스를 내뿜다. ② 공기와 연료의 혼합물; 생명력: ~ geben 속력을 내다, 서두르다; ~ wegnehmen 속력을 낮추다; 〖비유·구어〗 Mensch, gib ~! 여보게, 기운 내게!; jm. das ~ abdrehen a) 누구를 (목졸라) 죽이다, b) 파멸〔파산〕시키다; 〖청소년·경박〗 kein ~ im Ballon haben 멍청하다. ③ 〔구어〕 가스 버너〔오븐〕. ④ ~ haben a) 〖경박〗 술에 취하다, b) 〖구어〗 운이 좋다. ⑤ 가속 장치〔페달〕: den Fuß vom ~ nehmen 속력을 줄이다. ⑥ 가스실: die Nazis haben sie alle ins ~ geschickt 나치스는 그들을 모두 가스실로 보냈다.

Gas·ableser *m.* (도시) 가스 검침원. **~abwehr** *f.* 〖軍〗 독가스 방어 조치. **~angriff** *m.* 〖軍〗 독가스 공격. **~anlage** *f.* 가스 설비〔시설〕. **~anstalt** *f.* ↑ ~werk. **~anstecker** *m.* 〔방언〕 ↑ ~anzünder. **~anzünder** *m.* 가스 점화기. **~apparat** *m.* 가스 장치. **~arm** *m.* 가스등 받침; (밖에 달아매 둔) 가스등. **~art** *f.* 가스 종류; 기체. **~artig** *a.* 가스〔기체〕 같은. **~äther** *m.* 석유 에테르. **~automat** *m.* 가스 자동 판매기. **~badeofen** *m.* 목욕탕용 가스로(爐). **~behälter** *m.* 가스 저장 탱크. **~beleuchtung** *f.* 가스

조명. **~bereitung** *f.* 가스 제조. **~beton** *m.* 다공질(多孔質) 콘크리트. **~bildung** *f.* 〚化〛 가스〔기체〕 형성; 가스〔기체〕화(化). **~blase** 기포(氣泡). **~blau** *n.* 가스등의 불꽃색, 〚化〛 베를린 청색. **~bombe** *f.* 〚軍〛 가스탄. **~brand** *m.* 〚醫〛 가스 탈저(脫疽). **~brenner** *m.* 가스 버너; (가스등·가스 풍로 등의) 점화구(口).

gäschen [gɛ́sən] *i./t.* 〔방언〕 ↑ gären.

Gäscht [gɛʃt] *m.* -es ↑ Gischt.

Gascogne [gaskɔ́nj(ə), gaskɔ́n] ↑ Gaskogne.

gas≈dicht *a.* 가스가 새지 않는. **≈druck** *m.* 가스 압력. **≈druck·messer** *m.* 가스 압력계. **≈dynamo** *m.* ↑ ~dynamomaschine. **~dynamo·maschine** *f.* 〚工〛 가스 발전기; 〚化〛 가스 발생기. **~einrichtung** *f.* 가스 기구; 가스 장치.

Gasel [gazé:l] 《ar., „Gespinst"》 *n.* -s, -e 〚문학〛 가젤(아라비아·페르시아·터키·인도의 시(詩) 형태).

Gasele *f.* -n 〚문학〛 ↑ Gasel.

gasen [gá:zən] 《I》 *i.* (s.) 〔구어〕 속력을 내다, 아주 빨리 달리다. 《II》 *i.* (h.) / *imp.* es gast 가스 냄새가 나다. 《III》 *i.* (h.) 〔경박〕 방귀뀌다.

Gas≈entladungs·lampe *f.* 가스 방전등(放電燈), 형광등. **~entweichung** *f.* 가스 누출. **~entwicklung** *f.* 가스 제조; 가스 생성; 가스화(化). **~erzeuger** *m.* ① 가스 발생로(爐). ② 가스 생산업〔제조업〕. **~erzeugung** *f.* 가스 제조; 가스화, 기체화. **~explosion** *f.* 가스 폭발. **~fabrik** *f.* 가스 제조 공장. **~fern·versorgung** *f.* ↑ Ferngasversorgung. **~feuerung** *f.* 가스 난방. **~feuerzeug** *n.* 가스 라이터. **~flamme** *f.* 가스 불꽃. **~flasche** *f.* 가스통. **~förmig** *a.* 가스〔기체〕 형태의. **~fuß·hebel** *m.* (자동차의) 가속 페달. **~gebläse** *n.* 가스 용접기. **~-gemisch** *n.* 가스 혼합물〔화합물〕. **~glühlicht** *n.* 가스 백열광. **~granate** *f.* 〚軍〛 가스 유탄(榴彈). **~hahn** *m.* 가스 조절 콕: den ~ aufdrehen a) 가스 조절 콕을 틀다, b) 〔비유〕 가스 자살을 하다; 〔경박〕 jm. den ~ abdrehen 누구를 목졸라 죽이다; 〔비유·경박〕 den ~ zudrehen 천연 가스 수출을 제한〔봉쇄〕하다, 천연 가스 공급을 중단하다. **~haltig** *a.* 가스가 들어 있는. **~heizung** *f.* 가스 난방(시설). **~herd** *m.* 가스 오븐. **~hülle** *f.* 〚軍〛 가스 주머니; 〚天〛 천체 주위의 가스층.

gasieren [gazí:rən] *t.* Garn ~ 가스불로 실끄트머리를 살짝 태워 매끈하게 하다.

gasig [gá:zɪç] *a.* 가스 모양의〔같은〕.

Gas≈indikator *m.* 가스 압력계. **~kammer** *f.* ① (특히 나치 시대의) 독가스실(室). ② 〔학생·농담〕 화학 교실. **~kampf** *m.* 〚軍〛 독가스전. **~kocher** *m.* 가스 버너. **~-koch·ofen** *m.* 가스 오븐.

Gaskogne [gaskɔ́njə] 《frz.》 가스코뉴(프랑스 서남부 지방).

Gaskogner [gaskɔ́njər] *m.* -s, - 가스코뉴 사람; 허풍선이.

Gas≈kohle *f.* 가스가 많이 함유된 석탄, 가스 카본. **~koks** *m.* 가스 코크스. **~kompressor** *m.* 가스 압축기.

Gaskonade [gaskoná:də] *f.* -n 호언장담, 큰소리, 허풍.

Gas≈kraft·maschine *f.* ↑ ~motor. **≈-krank** *a.* 독가스로 인해 병든. **~krieg** *m.* 〚軍〛 독가스전. **~lampe** *f.* 가스등. **~laterne** *f.* 가스(가로)등. **~leitung** *f.* 가스관. **~leitungs·rohr** *n.* 가스관. **~licht** *n.* ① 가스 조명(의 불빛): bei der Straßenbeleuchtung wird heute kaum noch ~ verwendet 오늘날 가스 조명은 가로등에 거의 사용되지 않는다. ② 가스등의 불꽃: das flackernde ~ 나풀거리는 가스등의 불꽃. **~-Luft-Gemisch** *n.* 〚기계〛 (내연 기관의) 가스와 공기의 혼합물. **~mann** *m.* 〔복수: ..männer〕 〔구어〕 ↑ ~ableser. **~maschine** *f.* ↑ ~motor. **~maske** *f.* 가스 마스크, 방독면. **~messer** *m.* ↑ ~zähler. **~monteur** [..tø:r] *m.* 가스 설비공. **~motor** *m.* 가스 내연 기관. **~ofen** *m.* ① 가스로(爐). ② 〔구어〕 가스 오븐.

Gasol [gazó:l] *n.* -s 〚化〛 가솔(약품의 상표명; 혼합 가스의 일종).

Gas·öl *n.* 〚化〛 파라핀유, 경유(輕油).

Gasolin [gazolí:n] *n.* -s 가솔린, 휘발유.

Gasometer [..mé:tər] *m.* -s, - (가스 측량 겸용) 가스 탱크.

Gas≈pedal *n.* (차의) 가속 페달, 액셀러레이터: auf das ~ treten 가속 페달을 밟다, 속력을 높이다; den Fuß vom ~ nehmen 가속 페달에서 발을 떼다, 속력을 줄이다. **~phlegmone** *f.* ↑ ~brand. **~pistole** *f.* 가스총. **~quelle** *f.* 〚지질〛 가스정(井). **~rechnung** *f.* 가스 요금 계산서〔청구서〕. **~regulator** *m.* 가스 조절기. **~rohr** *n.* 가스관.

gaß·aus [gas|áus] *adv.* ~ gaßein 거리마다, 모든 거리에서.

Gäßchen [gɛ́s..] *n.* -s, - ↑ Gasse 의 축소형.

Gas≈schlauch *m.* 가스 호스. **~schmelzschweißung** *f.* 〚工〛 가스 용접. **~schutz** *m.* ① 〚軍〛 독가스 방어. ② 〔구어〕 방독면: einen ~ tragen 방독면을 착용하다.

***Gasse** [gásə] *f.* -n ① (좁은) 거리, 골목; (obd.) 길거리; 〔비유〕 길: 〔폄어〕 das kann man **auf** allen ~n hören 그건 어디서나 들을 수 있다; 〚聖·속담〛 Weisheit (auf) der ~ 길거리에서 외치는 지혜(잠언 1 : 20); das findet man nicht auf der ~ 그것은 흔한 것이 아니다; Hans 〔Hans Dampf, Hansdampf〕 **in** allen ~n 모르는 게 없는 사람, 무슨 일에나 참견하는 사람; ~ **ohne** Ausgang 막다른 골목; **über** die ~ verkaufen (음식·술 등을) 가져갈 수 있도록 포장하여 팔다. ② (숲속의) 오솔길: 〔구식〕 hohle ~ 협곡의 좁은 길, 애로. ③ 좁은 통로: eine ~ bilden (사람들 사이로 지나갈) 좁은 길을 만들다; 〚軍〛 (durch die) ~n laufen 병사들 사이의 좁은 통로를 통과하며 맨등을 막대기로 얻어맞는 벌을 받다. ④ 〚印〛 식자실의 통로; 〚연극〛 소도구와 측벽 사이의 통로; 〚農〛 벌집의 빈 데. ⑤ (사회의) 최하위 계층(↑ Gosse ②). ⑥ 골목의 주민들: die ganze ~ war eingeladen 골목에 사는 주민 모두가 초대되었다. ⑦ 〚印〛 여러 행에 걸친 잘못된 간격. ⑧ 〚볼링〛 핀 사이의 간격; 〚축구〛 공격수가 빠져 나갈 수 있는 통로; 〚럭비〛 라인 아웃.

gaß·ein [gas|áɪn] *adv.* ↑ gaßaus.

gasseln [gásəln] 《<Gasse》 (bayr., öst.) *i.* (h.) (특히 밤에) 거리를 배회하다; 밤에 여자 애인의 방으로 (사다리를 타고) 기어들어 가다.

G

gässeln 《<Gasse》 *i.* (h.) ↑ gasseln.
Gassen≈bettel [gásən..] *m.* 노상 구걸. **~bettelei** *f.* 노상 구걸 행각. **~bettler** *m.* 거리의 거지. **~bube** *m.* 〖방언〗 ↑ ~junge. **~dirne** *f.* ↑ ~mensch. **~dreck** *m.* 〖다음 용법으로〗〖경박〗 frech wie ~ 매우 뻔뻔스러운, 파렴치한. **~hauer** *m.* 〖구어〗 거리의 (속된) 유행가. **~gespan** *m.* 〖印〗 식자공 동료. **~hure** *f.* ↑ ~dirne. **~junge** *m.* 〖펌어〗 거리 불량 소년. **~kehrer** *m.* 〖방언〗 거리 청소부. **~kot** *m.* 거리의 쓰레기. **~laufen** *n.* 〖軍·옛뜻〗 ↑ Spießrutenlaufen. **~läufer** *m.* ① ↑ ~bube. ② 〖옛뜻〗 사람 행렬 사이를 지나며 매맞는 형벌을 받는 자. **~lied** *n.* ↑ ~hauer. **~lokal** *n.* 길가 음식점. **~mädchen** *n.* ↑ ~mensch. **~mensch** *n.* 〖방언·폄어〗 (거리의) 창녀. **~pöbel** *m.* 거리의 하층민; 어중이떠중이. **~rinne** *f.* 길가의 도랑. **~sänger** *m.* 풍각쟁이. **≈seitig** *a.* 거리쪽의. **~treter** *m.* 〖방언〗 빈둥거리는 사람. **~troß** *m.* 거리의 사람〔차〕 행렬. **~verkauf** *m.* 가두 판매. **~witz** *m.* 〖폄어〗 저속한 위트.
Gassi [gási] 〖다음 용법으로만〗 (mit einem Hund) ~ gehen, einen Hund ~ führen 개를 데리고 거리로 나가다.
Gäßlein [gɛ́slaın] *n.* -s, - ↑ Gäßchen.
Gässlein 新정서 ⇦ Gäßlein.
***Gast**[1] [gast] *m.* -(e)s, Gäste ① (**a**) 손님, 방문객: gerngesehener〔willkommener〕 ~ 환영받는 손님; ungebetener ~ 불청객; Gäste haben 손님이 (와) 있다; bei jm. zu ~ sein 누구 집에 초대받아 와 있다; jn. zu ~ laden 〔bitten〕 누구를 (식사 따위에) 초대하다; jn. zu ~ haben 누구를 초대해서 대접하는 중이다; zu ~ gehen 손님으로 가다; Sie sind heute abend mein ~ 당신은 오늘 저녁 제 손님입니다(제가 계산하겠습니다); dasitzen wie der steinerne ~ 꾸어다 놓은 보릿자루처럼〔대화에 끼여들지 않고〕 가만히 있다. (**b**) (음식점의) 손님, 고객; 투숙객: einen ~ bedienen 손님 접대를 하다. ② 타국〔타향〕 사람; 나그네; 〖스포츠〗 ↑ Gastmannschaft. ③ (특히 nordd.) 〖구어〗 녀석, 놈: ein durchtriebener ~ 교활한 놈; ein komischer ~ 이상한 녀석; der Hunger ist ein scharfer ~ 배고픔은 큰 고통이다. ④ ↑ ~hörer. ⑤ 초청〔객원〕 배우〔연주자〕.
Gast[2] *m.* -(e)s, -en 〖海〗 (…담당) 선원: Signal≈ 신호 담당 선원, 신호수.
Gas≈tank *m.* 가스 탱크. **~tanker** *m.* 가스 수송선.
Gast≈anstalt *f.* 여관. **~arbeiter** *m.* ① 외국인 노동자. ② 〖농담〗 임시〔가끔 함께 일하는〕 동업자; 자주 결근하는 동료. **~arbeiterin** *f.* ① ↑ ~arbeiter 의 여성형. ② 〖경박〗 잠시 다른 구역에서 영업하는 매춘부. **~becher** *m.* (손님의 건강을 위한) 축배의 잔. **~bett** *n.* ↑ Gästebett. **~bitter** *m.* 초대인. **~dozent** *m.* 객원 대학 강사. **~dozentin** *f.* ↑ ~dozent 의 여성형.
Gäste≈bett [gɛ́stə..] *n.* 손님용 침대. **~buch** *n.* 숙박부; 방명록.
Gas≈technik *f.* 가스(의 제조·취급·사용에 관한) 기술. **~teer** *m.* 가스 타르.
Gäste≈hand·tuch *n.* 손님용 수건. **~haus** *n.* 손님용 숙소; 영빈관. **~heim** *n.* 손님용 숙소, 기숙사.
Gasterei [gastərái] *f.* -en (함께) 진탕 먹고 마심; 향연, 연회.
gast≈frei *a.* 손님을 환대하는; 대접이 좋은. **≈freiheit** *f.* ↑ ~frei 의 명사형. **≈freund** *m.* 〖구식〗 ① ↑ Gastgeber ①. ② ↑ Gast ① (a). **~freundlich** *a.* 손님을 환대하는. **≈freundlichkeit** *f.* ↑ ~freundlich 의 명사형. **≈freundschaft** *f.* 손님에 대한 환대, 후한 대접. **~freundschaftlich** *a.* 손님을 환대하는. * **≈geber** *m.* ① 주인, 호스트, 초대자. ② 〖스포츠〗 홈팀. **≈geberin** *f.* ↑ ≈geber 의 여성형. **≈gebot** *n.* 향응, 향연. **≈gebräuche** *pl.* 손님 대접에 관한 관습〔예법〕; 손님의 예법. **≈gemach** *n.* 객실. **≈gericht** *n.* 손님용 요리. **≈geschenk** *n.* ① 손님의 선물. ② 〖드물게〗 손님을 위한 선물. **≈halter** *m.* ↑ ~wirt. * **≈haus** *n.* ① 음식점이 딸린 여관, 숙박업소. ② (기관의) 외빈용 숙소.
Gas·theorie *f.* 〖다음 용법으로〗〖物〗 kinetische ~ 기체 분자 운동론.
Gast≈herr *m.* 〖구식〗 ↑ ~geber ①. **~hof** *m.* (시골의) 간이 숙박업소. **~hörer** *m.* (대학의) 청강생.
gastieren [gastí:rən] 《Ⅰ》 *t.* 향응〔접대〕하다. 《Ⅱ》 *i.* (h.) 손님이 되어 있다, 대접을 받다; 〖스포츠〗 원정 경기하다; 원정〔외지〕 공연하다.
Gastierung *f.* ↑ gastieren 의 명사형.
Gast·land *n.* 체재국, 초청국.
gastlich [gástlıç] *a.* ① 손님(으로서)의. ② 손님을 환대〔후대〕하는. ③ ↑ wohnlich.
Gastlichkeit [..kaıt] *f.* -en 손님 환대.
***Gast≈mahl** *n.* 〖雅語〗 향응, 향연. **~mannschaft** *f.* 〖스포츠〗 원정팀. **~mutter** *f.* 수간호사; (빈민·외국인 등의) 접대 담당 수녀. **~ordnung** *f.* ① 투숙객 규정. ② 여관 영업 규칙. **~pflanze** *f.* 〖植〗 기생 식물(↔ Wirtspflanze). **~predigt** *f.* 내방(來訪) 성직자의 설교; 목사 후보자의 수습〔시험〕 설교. **~professor** *m.* 객원 교수.
Gasträa [gastrɛ́:a] 《gr.》 *f.* ..räen 〖動〗 가스트레아(모든 다세포 동물들의 원형(原形); 가설상의 생물), 낭배(囊胚), 장조(腸祖), 생물 원시체.
gastral [gastrá:l] *a.* 위(장(腸))의: ~e Beschwerden 위(장)통, 위(장) 장애.
Gastralgie [gastralgí:] *f.* -n [..gí:ən] 〖醫〗 위경련, 위통.
Gast≈recht *n.* ① 손님으로서의 권리. ② 주인의 접대상의 권리〔예법〕. ③ 체류권; 〖法〗 외국인법; (교전국의 군함에 대해 일정한 조건으로 인정되는) 중립국 항만 체류권. **~redner** *m.* 초청 연사. **~rednerin** *f.* ↑ ~redner 의 여성형. **~reise** *f.* 〖연극〗 순회 공연.
Gastrektasie [gastrɛktazí:] 《gr. gaster, „Bauch, Magen"》 *f.* -n [..zí:ən] 〖醫〗 위확장.
Gastrilogie [..logí:] 《gr.》 *f.* 복화술(腹話術).
gastrisch 《gr.》 *a.* 위(胃)의, 위에서 오는.
Gastritis [gastrí:tıs] *f.* ..tiden [..tí:dən] 〖醫〗 위(점막)염.
Gast·rolle *f.* ① 〖연극〗 객원 배우의 역. ② 〖비유〗 임시 체재; 임시 취직: ich habe dort nur eine ~ gegeben 나는 한동안 그곳에(서) 있었다〔일했다〕.

Gastrologie [gastrologí:] 《gr. gaster, „Magen"》*f.* ① 위장병학(學). ② 미식(美食), 식도락; 요리학.
Gastronom 《gr.》*m.* -en, -en ① 미식가, 식도락가. ② 뛰어난 요리사. ③ 음식점 주인.
Gastronomie [..nomí:] *f.* -n [..mí:ən] ① 미식(美食). ② 뛰어난 요리 기술. ③ 요식업. ④ 식품 가공학.
Gastronomin *f.* -nen ↑ Gastronom 의 여성형.
Gastropode [..pó:də] *m.* -n, -n 〖動〗 복족류(腹足類).
Gastroskop [..skó:p] *n.* -s, -e 〖醫〗 위경(胃鏡), 위내시경.
Gastroskopie [..sko:pí:] *f.* -n [..pí:ən] 내시경 검사.
Gastrotomie [..tomí:] *f.* -n [..mí:ən] 〖醫〗 위절개.
Gastrula [gástrula] *f.* 〖動〗 장배(腸胚), 낭배(囊胚).
Gast≈spiel *n.* ① 출장〔초청〕 공연. ②〔구어·대개 반어〕 (nur) ein kurzes ~ geben 잠시만 머물다〔일하다(모습을 보이다)〕. **~stätte** *f.* 음식점, 레스토랑; 여관겸 음식점, 숙박업소. **~stube** *f.* (시골) 여관의 식당. **~tafel** *f.* 향연, 여관 투숙객용 정식(定食). **~tier** *n.* 〖動〗 기생 동물(↔ Wirtstier). **~tisch** *m.* ↑ ~tafel.
Gas·turbine *f.* 〖기계〗 가스 터빈.
gast≈verwandt *a.* 손님을 잘 모신 인연으로 맺어진. **≈volk** *n.* (↔ Wirtsvolk) 강대한〔다른〕 민족의 보호〔지배〕 아래 있는 소수 민족. **≈vorlesung** *f.* 객원 교수〔강사〕의 강의〔강연〕. **≈vorstellung** *f.* ↑ ~spiel. **≈vortrag** *m.* 초청 강연. **~weise** *adv.* 손님으로(서). **≈wirt** *m.* 음식점〔숙박업소〕의 주인. **≈wirtschaft** *f.* 간이 음식점〔숙박업소〕. **≈wort** *n.* 〖언어학〗 친숙해진 외래어. **≈zimmer** *n.* ① 손님방; (호텔의) 객실. ② (특히 öst.) ↑ ~stube.
Gas≈uhr *f.* ↑ ~zähler. **~verflüssigung** *f.* 가스 액화. **~vergiftung** *f.* 가스 중독. **~verlust** *m.* 가스 누출. **~versorgung** *f.* (도시) 가스 공급. **~wasser** *n.* 〖化〗 암모니아수. **~wechsel** *m.* ① 가스 교환〔대사〕(생물의 호흡에 따른 대사(代謝)). ② 〖工〗 내연 기관 내에서의 실린더 가스 혼합물의 교체. **~werk** *n.* (도시) 가스 제조 공장. **~zähler** *m.* 가스 계량기. **~zelle** *f.* 〖物〗 가스 광전관; 〖工〗 비행선 내부에 있는 부양 가스통.
Gat [gat] *n.* -(e)s, -s/-en ↑ Gatt.
gäten [gɛ́:tən] *t./i.* (h.) 〔방언〕 ↑ jäten.
gätlich [gɛ́:tlıç] 《♧ Gatte, gut》*a.* 〔고어·방언〕 (passend) 적당한, 어울리는.
Gatt [gat] 《ndd.》*n.* -(e)s, -s/-en 〖海〗 ① 선미(船尾), 고물. ② 배 측면의 배수구(멍). ③ 좁은 통로. ④ 선미의 창고. ⑤ 돛의 구멍.
GATT [gat] 《engl.》*n.* -(s) 〖經〗 =General Agreement on Tariffs and Trade 가트(관세와 무역에 관한 일반 협정).
*__Gatte__ [gátə] 《원뜻 „Zusammengehöriges"》*m.* -n, -n ①〔雅語〕 남편, 부군, 배우자(오스트리아 이외의 독일어 사용 지역에서는 타인의 남편에 대해서만 사용): grüßen Sie Ihren ~n von mir 당신 남편께 제 안부 좀 전해 주세요. ②〔복수〕〔고어·雅語〕 부부: die frischvermählten ~n 신혼 부부.
gatten [gátən] 《Ⅰ》*t.* ① 결혼시키다. ② 결합시키다. 《Ⅱ》*refl.* sich ~ ①〔고어〕 결혼하다; 짝짓기〔교미〕하다. ②〔시어〕 짝을 이루다; 결합되다: die Tugend gattet sich mit Schönheit 덕은 미와 짝을 이룬다.
Gatten≈glück *n.* 〔시어〕 부부 생활의 행복. **~liebe** *f.* 〔雅語〕 부부애.
gattenlos *a.* 남편〔배우자〕 없는; 과부인.
Gatten≈mord *m.* 〔雅語〕 배우자 살해. **~recht** *n.* 〖法〗 배우자로서의 권리. **~wahl** *f.* ①〔雅語〕 배우자 선택. ②〖植〗 교배 대상의 선정.
*__Gatter__ [gátər] *n.* -s, - ① 창살: ein ~ am Fenster anbringen 창에 창살을 붙이다. ② 울타리, 격자(문). ③〖재봉〗 실패. ④〖工〗 (제재용) 기계톱. ⑤〖컴〗 게이트 회로. ⑥〖승마〗 (목책) 장애물. ⑦ (사냥·삼림의) 울타리; 사냥구역, 수렵구.
Gatter·balken *m.* 목책의 횡목〔각목〕.
gattern [gátərn] 《Ⅰ》*t.* 〔방언〕 ① …에 울타리를 두르다. ②〖제련〗 정련하다. 《Ⅱ》*i.* (h.) auf et.〔jn.〕 ~ 무엇을〔누구를〕 잡으려고 기회를 노리다.
Gatter≈säge *f.* 〖工〗 (제재용) 기계톱. **~tor** *n.* ① 격자문, 목책문. ② ↑ Gatter ⑦ 의 문. **~tür** *f.* ↑ ~tor. **~werk** *n.* 격자; 격자 세공품.
gattieren [gatí:rən] *t.* ①〖제련〗 (원료를) 정확한 비율로 혼합하다. ②〖방직〗 혼방(混紡)하다.
*__Gattin__ [gátın] 《<Gatte》*f.* -nen 〔雅語〕 아내, 부인(오스트리아 이외의 독일어 사용 지역에서는 타인의 부인에 대한 존칭으로만 사용).
gättlich [gɛ́t..] *a.* ↑ gätlich.
*__Gattung__ [gátʊŋ] 《<gatten》*f.* -en ① (a) 종류, 종속(種屬); 종족: unsere ~ 인류. (b) 기질. (c) 〖문학〗 장르: Roman, Novelle, Märchen gehören zur ~ der Epik 장편 소설, 노벨레, 동화는 서사 문학 장르에 속한다. ②〖動·植〗 속(屬). ③〔드물게〕 결합, 합동. ④〖軍〗 병과(↑ Waffengattung 의 단축어).
Gattungs≈begriff *m.* ①〖논리〗 유(類)개념(↔ Artbegriff). ②〖문학〗 장르 개념. **~bewußt·sein** *n.* 동류 의식. **~charakter** *m.* 유〔종속〕의 특성. **~name** *m.* ① 속명(屬名). ②〖문법〗 보통 명사. **~wort** *n.* 〖문법〗 보통 명사.
Gau [gau] 《원뜻 „Landschaft am Wasser"; ♧ Au》*m.*/(방언) *n.* -(e)s, -e ①〔고어〕 숲과 물이 풍부한 지역. ② 가우(게르만 민족의 주거〔행정〕 지역). ③ (단체·정당의) 지구; (나치 시대의 행정 구역) 대관구. ④ 지방, 지역: Rhein≈ 라인 지역. ⑤〔방언〕 시골; 평원.
gau 《♧ jäh》*a.* (ndd.) 빠른(schnell).
GAU *m.* -s, -s =〖환경〗 größter anzunehmender Unfall 원전(原電) 최악의〔초대형〕 (방사능 유출) 사고.
Gäu [gɔʏ] *n.* -(e)s, -e ① (obd.) ↑ Gau ④. ② (öst.) 관할 구역: 〔비유〕 jm. ins ~ kommen 〔gehen〕 누구의 영역을 침범하다, 누구의 적수로 나서다. ③ (schweiz.) 지방, 시골: das ~ hinauf und hinab 전국 방방곡곡에; 〔비유〕 ins ~ gehen 여자 꽁무니를 쫓아다니다. ④ 〖지리〗 (남서부 독일의) 패각 석회암층과 연결된 지층.

G

Gaube *f.* -n 〖건축〗 ↑ Gaupe.

Gauch [gaux] *m.* -(e)s, -e/Gäuche [gɔ́yçə] 〔고어〕 ①〖動〗 뻐꾸기(Kuckuck). ② **(a)** 〖폄어〗 악한, 사기꾼. **(b)** 바보, 멍청이. ③ 사기. ④ 솜털.

Gauch≈blume *f.* 〖植〗 ① 패랭이꽃과의 식물. ② 꽃황새냉이. **~heil** *m.* 〖植〗 ① 앵초과의 일년초. ② 꿀풀.

Gaucho [gáutʃo] ⟪sp.⟫ *m.* -(s), -s 남아메리카 대초원의 카우보이(에스파냐인과 남아메리카 원주민 사이의 혼혈).

gaud *a.* (ndd.) (gut) 좋은.

Gaudeamus [gaudeá:mus] ⟪lat., „freuen wir uns !"⟫ *n.* - 권주가(원래 옛 대학생 노래의 첫 구절).

Gaudee [gaudé:] *f.* -n 〔경박·폄어〕 (öst.) ↑ Gaudi.

Gaudi [gaúdi] *n.* -s〔(bayr., öst.) *f.*〕〔구어〕 (Spaß) 즐거움, 재미: wir haben viel ~ gehabt 우리는 아주 즐거웠다.

Gau·dieb *m.* 〔고어〕 (Gauner) 악당, (교활한) 도둑, 사기꾼.

gaudieren [gaudí:rən] ⟪lat.⟫ 〔고어〕 ⟪I⟫ *t.* 즐겁게〔기쁘게〕 하다. ⟪II⟫ *refl.* sich ~ 즐기다, 기뻐하다.

Gau·ding *n.* ↑ Gaugericht.

Gaudium [gáudium] ⟪lat.⟫ *n.* -s (Freude) 즐거움, 재미, 희열; (Scherz) 농, 농담.

Gaudi·wurm *m.* 〔구어·농담〕 사육제 행렬.

gaufrieren [gofrí:rən] *t.* (천·종이에) 눌러서 무늬를 박다, 날염(捺染)하다.

Gaufrier·kalander [go..] *m.* 〖工〗 날염기, 무늬 박는 기계.

Gau≈gericht *n.* 〖史〗 (옛 게르만족의) 지방 재판소. **~graf** *m.* 〖史〗 (옛날의) 지방 태수.

Gaukel≈becher [gáukəl..] *m.* 요술쟁이의 잔. **~bild** *n.* 〔雅語〕 환영(幻影), 환각, 환상. **~bude** *f.* (요술쟁이의) 가두 포장 요술대.

Gaukelei [gaukəláı] *f.* -en 〔雅語〕 ① 환상, 현혹. ② 눈속임, 마술, 요술; 〔비유〕 사기, 속임수. ③ 익살극.

gaukelhaft *a.* ① 요술의. ② 속임수의, 사기의.

gaukelig *a.* ↑ gaukelhaft.

Gaukel≈kunst *f.* 요술, 눈속임수. **~mann** *m.* ① 요술쟁이. ② ↑ ~männchen. **~männchen** *n.* 〔고어〕 (뚜껑을 열면) 인형이 튀어나오는 장난감, 깜짝 요술 상자.

***gaukeln** [gáukəln] ⟪I⟫ *i.* ① (s.) 〔시어〕 하늘하늘 날아다니다, 어지러이 떠다니다, 어른거리다: Schmetterlinge ~ von Blüte zu Blüte 나비들이 이꽃저꽃으로 날아다닌다. ② (h.) 〔雅語·드물게〕 현혹시키다, 기만하다. ③ 〔구식〕 요술부리다. ⟪II⟫ *t.* ① 속이다, 기만하다. ② 요술부려 꺼내다. ⟪III⟫ *refl.* sich ~ 몸을 흔들다; 〔비유〕 sich in Illusionen ~ 덧없는 희망을 품다.

Gaukel≈posse *f.* 요술. **~spiegel** *m.* 요술 거울. **~spiel** *n.* 〔雅語〕 ↑ Gaukelei. **~spieler** *m.* 〔雅語·드물게〕 ↑ Gaukler ①②. **~spielerei** *f.* ↑ ~spiel. **~sprung** *m.* 갑작스런 뜀〔뛺〕. **~tasche** *f.* 요술 주머니. **~werk, ~wesen** *n.* ↑ Gaukelei.

Gaukler [gáuklər] *m.* -s, - ① 〔고어·雅語〕 마술사, 요술쟁이; 곡예사. ② 〔雅語·폄어〕 사기꾼, 협잡 노점상. ③ 〖動〗 검은다리회색두루미; 풍뎅이의 일종.

Gaukler≈bande *f.* 요술쟁이 일행. **~blume** *f.* 〖植〗 미물루스, 물꽈리아재비속(↑ Affenblume).

Gauklerei *f.* ① 〔드물게〕 ↑ Gaukelei. ② 〔고어〕 요술부리기, 마술 동작. ③ 〔雅語·폄어〕 눈속임, 속임수.

gauklerhaft *a.* ↑ gaukelhaft.

Gauklerin *f.* -nen ↑ Gaukler의 여성형.

gauklerisch *a.* ↑ gaukelhaft.

Gaukler·truppe *f.* 〔고어·雅語〕 ↑ Gauklerbande.

Gaul [gaul] *m.* -(e)s, Gäule ① 〔폄어〕 형편없는〔비루먹은〕 말. ② 〔고어·방언〕 말: die Gäule einspannen 말들을 마차에 매다; 〔비유〕 das wirft einen〔den stärksten〕 ~ um 그것은 너무 심한 요구다(도저히 견딜 수 없다); den ~ beim Schwanz aufzäumen 본말을 전도하다; 〔속담〕 einem geschenkten ~ sieht〔schaut〕 man nicht ins Maul 거저 주는 물건은 값어치를 따지지 마라; 〔비유·구어〕 jm. geht der ~ durch 누가 자제력을 잃다, 길길이 뛰다; 〔비유·구어〕 jm. zureden wie einem lahmen〔kranken〕 ~ (헛되이) 누구에게 간곡히 권유하다.

Gäulchen *n.* -s, - 〔드물게〕〔↑ Gaul의 축소형〕 작은 말.

Gau·leiter *m.* (나치 시대의) 대관구(大管區) 지도관.

Gaullismus [golísmus] *m.* 〖政〗 드골주의.

Gaullist *m.* -en, -en 드골주의자, 드골파의 사람.

Gault [gɔ:lt] ⟪engl.⟫ *m.* -(e)s 〖지질〗 골트층(녹사층 안의 점토층).

gaumen *t.* (schweiz.) ① (schonen) 잘 보살피다〔돌보다〕. ② (hüten) 지키다, 유지하다.

***Gaumen** [gáumən] *m.* -s, - ① 〖해부〗 구개, 입천장: harter〔weicher〕 ~ 경〔연〕구개. ② 〔비유〕 입맛, 구미; (미각 기관으로서의) 입: den ~ befeuchten 입안을 적시다; er hat einen feinen ~ 그는 미식가다; das ist für meinen ~ 그것은 내 마음에 든다; das kitzelt den ~ 그것은 식욕을 돋군다; den ~ beleidigen 입맛을 잡치다.

Gaumen≈bein *n.* 〖해부〗 구개골. **~bogen** *m.* 〖해부〗 구개궁(口蓋弓). **~buchstabe** *m.* 〖문법〗 구개음의 자모(g, k, n 따위). **~kitzel** *m.* 〔雅語〕 ① 구미를 돋굼; 구미를 돋구는 음식. ② 〔농담·은어〕 구강 성교(Fellatio). **~knochen** *m.* ↑ ~bein. **~laut** *m.* 〖문법〗 구개음([x], [k], [g], [ŋ] 따위). **~lust** *f.* 〔드물게〕 식도락; 〔드물게〕 구미를 돋구는 음식. **~reiz** *m.* 〔드물게〕 구미를 돋구는 음식. **~segel** *n.* 〖해부〗 연구개. **~spalte** *f.* 〖醫〗 구개 파열. **~ton** *m.* 〖음악〗 구개음. **~zäpfchen** *n.* 〖해부〗 목젖.

gaumig *a.* 〔드물게〕 연구개의: ~e Laute sprechen 연구개음으로 말하다.

***Gauner** [gáunər] ⟪hebr.⟫ *m.* -s, - ① 〔폄어〕 사기꾼, 악당, 도둑. ② 〔구어〕 교활한〔약삭빠른〕 사람.

Gauner·bande *f.* 사기단, 사기꾼 일당.

Gaunerei *f.* -en 사기, 협잡; 나쁜 짓.

gaunerhaft *a.* 사기꾼 같은; 사기의.

Gauner·herberge *f.* 〔고어〕 도둑의 소굴.

gaunerisch *a.* 사기꾼〔협잡꾼〕의.

gaunern *i.* (h.) 사기치다(betrügen); 사기꾼〔악당〕 생활을 하다.
Gauner≈sprache 악당〔도둑〕의 은어. **~streich** *m.*, **~stück** *n.* 사기 행위, 협잡질, 나쁜 짓.
Gaunertum *n.* -s ① 사기꾼〔도둑〕 생활; 사기성. ② 사기꾼〔도둑〕 세계.
Gauner≈welt *f.* ↑ Gaunertum ②. **~zinken** *m.* (문·벽에 해놓은) 도둑〔사기꾼〕의 비밀 표지.
Gaupe [gáupə] *f.* -n 〖건축〗 (지붕에서 튀어나온) 수직 채광창〔지붕창〕.
Gaur *m.* -(s), -(s) 〖動〗 인도의 야생소.
Gaus *f.* Gäuse (südwestd., ndd.) ↑ Gans.
Gauß [gaus] *n.* -, - 〖物〗 가우스(자기(磁氣) 유도의 CGS 전자 단위; 기호: G., Gs., *Γ*).
Gautsch≈brett *n.* 〖제지〗 압판(壓板). **~brief** *m.* 〔고어〕 인쇄공〔식자공〕 수습 수료증.
Gautsche [gáutʃə] *f.* -n ① (südd.) (Schaukel) 그네, 시소. ② 〖제지〗 (종이) 압착기.
gautschen 《Ⅰ》 *t.* ① 〖제지〗 (종이를) 압판 위에 놓다. ② (수습 수료식으로 인쇄소 수습공을) 물통 속에 집어넣다. ③ (südd.) (schaukeln) 앞뒤〔좌우〕로 흔들다; 조롱하다. 《Ⅱ》 *i.* (h.) ① 압판 위에 종이를 놓다. ② (südd.) 그네를 타다.
Gautscher *m.* -s, - 〖제지〗 압착공.
Gautsch·fest *n.* (인쇄공·식자공의) 수습 수료 의식.
Gau≈turn·fest *n.* 가우의 체육 대회. **~verband** *m.* 가우 체육 협회. **~wort** *n.* 방언, 사투리.
Gavial [gaviá:l] 《ind.》 *m.* -s, -e 〖動〗 인도 악어.
Gavotte [gavɔ́t(ə)] 《frz.》 *f.* -n 가보트(17-18세기 프랑스의 춤).
Gay [geɪ] 《engl.》 *m.* -(e)s, -s 〔은어〕 동성 연애자.
Gaza·streifen *m.* 〖政〗 가자 지구(팔레스타인 자치 지구).
Gaze [gá:zə] 《frz.》 *f.* -n 〖방직〗 성기고 얇은 천, 망사, 항라; 〖醫〗 거즈.
gaze≈artig *a.* 망사〔거즈〕와 같은. **~band** *n.* 망사 리본.
Gazelle [gatsɛ́lə] 《ar.》 *f.* -n 〖動〗 가젤(아프리카의 초원에 사는 영양).
Gazellen·auge *n.* 영양처럼 서글서글한 담갈색의 눈.
gazellenhaft *a.* 영양 같은; 〔비유〕 발이 빠른, 경쾌한.
Gaze·stuhl [gá:zə..] *m.* 망사〔항라〕 베틀.
Gazette [gazɛ́tə, gatsɛ́tə] 《frz.》 *f.* -n 〔고어·폄어〕 (Zeitung) 신문; 잡지.
Gaze·verband *m.* 거즈 붕대.
GB. =Gesetzbuch 법전.
GB/BHE =Gesamtdeutscher Block/Bund der Heimatvertriebenen und Entrechteten (구서독의 정당 이름).
GBit 《engl. gigabit》 *n.* 〖컴〗 기가비트.
Gbl. =Gesetzblatt 법률 공보(公報).
gbr. ① =gebräuchlich 관용적인, 통용되는. ② =gebraucht 사용된, 중고의.
GByte 《engl. gigabyte》 *n.* 〖컴〗 기가바이트 (자료의 용량 단위; 1GByte=1024 MByte).
Gd =Gadolinium 〖化〗 가돌리늄.
GdA. =Gewerkschaftsbund der Angestellten 사무직 노조 연맹.
G-Dur [gé:du:r] *n.* 〖음악〗 사장조.
G-Dur-Ton·leiter [gé:..] *f.* 〖음악〗 사장조 음계.
Ge =Germanium 〖化〗 게르마늄.
***ge..** *pref.* 《Ⅰ》〔명사·동사의 어간에 붙어서 명사를 만들며, 변모음하는 것이 많음; 강세 없음〕 ①〔집합〕 Gebirge 산맥. ②〔공동·동료〕 Geschwister 형제 자매; Gefährte 반려자. ③〔동작의 과정〕 Geschrei 비명. ④〔동작의 결과〕 Gemälde 그림; Geschenk 선물. ⑤〔동작의 계속·반복〕 Geschwätz 수다. 《Ⅱ》〔형용사의 전철〕 ①〔공동·일치〕 gemein 공통의; gemäß 적합한. ②〔강조〕 gerecht 공정한; geschwind 재빠른. 《Ⅲ》〔동사의 비분리 전철로 언제나 강세 없음〕 ①〔결합·집합〕 gerinnen 응고하다. ②〔일치〕 gefallen 마음에 들다. ③〔성공〕 gelingen 뜻대로 되다. ④〔강조〕 getrauen 감행하다.
Geächtete* [gəlɛ́çtətə] 《<ächten》 *der/die* 법률상의 보호를 박탈당한 사람, 추방〔파문〕당한 자.
Geächz(e) [gəlɛ́çts(ə)] *n.* ..zes (계속적인) 신음(소리).
Geäder [gəlɛ́:dər] *n.* -s ① 〖해부〗 혈관, 맥관(脈管); 〖植·動〗 (잎 또는 곤충 날개의) 맥상(脈狀). ② 맥상의 무늬, 대리석 무늬.
geadert 《Ⅰ》 *p.p.* ↑ adern. 《Ⅱ》 *p.a.* ↑ geädert.
geädert 《Ⅰ》 *p.p.* ↑ ädern. 《Ⅱ》 *p.a.* 〖醫〗 혈관이 나타나 보이는; 〖植〗 엽맥이 있는; 〖生〗 시맥이 있는.
Geäfter [gəlɛ́ftər] *n.* -s, - 〖사냥〗 (개 따위의) 며느리발톱; (사슴 따위의) 뒷발톱.
geährt 《Ⅰ》 *p.p.* ↑ ähren. 《Ⅱ》 *p.a.* 이삭이 있는(ährig).
Gealbere *n.* -s 〔구어·폄어〕 (짜증스럽게 계속하는) 멍청한 짓, 바보 짓거리.
geartet [gəlá:rtət] 《Ⅰ》 *p.p.* ↑ arten. 《Ⅱ》 *p.a.* (어떤) 성질〔기질〕의: ein gut ~es Kind 성질이 양순한 아이.
Geartetheit *f.* 기질, 성질.
Geäs [gəlɛ́:s] 《<äsen》 *n.* -es, - 목초지.
Geäse [gəlɛ́:zə] *n.* -s, - ① 초식 동물의 입 (Äser). ② (Äsung) 초식 동물의 먹이풀, 목초.
Geäß *n.* -es, -e ↑ Geäse.
Geäst [gəlɛ́st] *n.* -(e)s 〔↑ Ast의 집합형〕 나뭇가지 (전체).
geästet [gəlɛ́stət] 《Ⅰ》 *p.p.* ↑ ästen. 《Ⅱ》 *p.a.* 가지가 있는, 가지를 뻗은.
geäugt [gəlɔ́ʏkt] 《Ⅰ》 *p.p.* ↑ äugen. 《Ⅱ》 *p.a.* 눈이 있는.
geb. ① =geboren(↑ gebären 《Ⅰ》). ② =geborene(r) (↑ geboren 《Ⅱ》 ②). ③ =gebunden 제본된.
Gebabbel *n.* -s, - 〔방언〕 끊임없는 재잘거림, 지겨운 허튼소리.
Gebäck [gəbɛ́k] 《<backen[1]》 *n.* -(e)s, -e ① (구워 만든) 과자류: den Gästen Wein und ~ anbieten 손님들에게 포도주와 과자를 내놓다. ② (빵 따위의) 한 번 구울 분량.
gebacken [gəbákən] 《Ⅰ》 *p.p.* ↑ backen. 《Ⅱ》 *p.a.* 구운.
Gebackene* *das* 구워 만든 음식(과자류).

G

Gebäck·schale *f.* 과자 접시.
Gebäcksel *n.* -s ↑ Gebäck ①.
Gebalge [gəbálgə] *n.* -s 끊임없는 치고받음〔싸움·격투〕.
Gebälk [gəbέlk] 《<Balken》 *n.* -(e)s, -e/-s ① (지붕의) 뼈대, 들보; (건축물의) 구재(構材): 〔비유·구어〕 es knistert〔kracht〕 im ~ 기존 질서〔사회〕가 와해될 조짐을 보이다. ② (고대 건축에서) 기둥과 지붕 사이의 횡재(橫材), 돌림띠. ③〖스포츠〗(골대의) 크로스바.
geballt 《I》 *p.p.* ↑ ballen. 《II》 *p.a.* 둥글게 된, 구형(球形)의.
Gebammel [gəbáməl] *n.* -s (매달려) 흔들리는 물건.
Gebände [gəbέndə] 《<Band[1]》 *n.* -s ① ↑ Gebende. ②〖문학〗(Abgesang) 후절(後節) (Minnesang 과 Meistersang 에서 세 부분으로 나뉜 연의 마지막 부분).
gebar [gəbá:*r*] ↑ gebären 의 과거형.
Gebär·anstalt *f.* 조산원(助産院).
*__Gebärde__ [gəbέ:*r*də] 《<gebaren》 *f.* -n ① 몸짓, 손짓, 거동; 제스처: sich durch ~n verständlich machen 몸짓으로 의사 소통하다. ②〔雅語〕표정, 표현; 외모, 용모: mit unnachahmlicher ~ 흉내낼 수 없는 표정으로.
gebärden [gəbέ:*r*dən] *refl.* sich ~ 행동하다, 거동하다: sich wie ein Wahnsinniger ~ 미친 사람인 체하다.
Gebärden≈kunde, ~kunst *f.* 〖연극〗 몸짓 연기, 표정술. **~spiel** *n.* 풍부한 제스처; 〖연극〗 무언극, 팬터마임. **~spieler** *m.* 흉내 내는 광대, 무언극 배우. **~sprache** *f.* 손짓·발짓으로 하는 의사 소통, 몸짓〔동작〕 언어.
gebäre [gəbέ:rə] ↑ gebären 의 접속법 II 식.
gebaren [gəbá:rən] 《<mhd. bern, „tragen"》 《I》〔드물게〕 *i.* (h.) …처럼 보이다. 《II》〔구식〕 *refl.* sich ~ …하게 행동〔거동〕하다.
Gebaren *n.* -s 행동거지, 태도, 거동.
__gebären__ [gəbέ:rən] (gebar, geboren) 《mhd. bern, „tragen"; ♧ Bahre, Gebärde》 《I》 *t.* ① 낳다, 분만하다: ich bin am 2. Nov. geboren (worden) 나는 11 월 2 일에 태어났다; Hans Meyer, geboren (약어: geb.) 1940, gestorben 2000 한스 마이어, 1940 년 출생, 2000 년 사망; sie hat ihm drei Kinder geboren 그 여자는 그와의 사이에서 자식을 셋 낳았다; 〖宗〗 wieder geboren 새 생명을 얻은, 거듭난. ②〔비유·雅語〕 발생〔생성〕시키다, 야기하다: Reichtum gebiert oft Übermut 부유해지면 마음이 교만해진다; Gewalt gebiert neue Gewalt 폭력은 또 다른 폭력을 낳는다. 《II》 **geboren** *p.a.* ↑ geboren.
Gebären *n.* -s 출산, 분만.
gebärend *p.a.* 자식을 낳는, 분만 중인: die ≈e in den Kreißsaal bringen 임산부를 분만실로 데려가다; 〖動〗 lebendige Junge ~ 태생(胎生)의 (↔ eierlegend 난생(卵生)의).
Gebärerin *f.* -nen 〔고어·雅語〕 산모; 〔시어〕 어머니.
Gebär≈haus *m.* 조산원. **~klinik** *f.* (öst.) (병원의) 산부인과. **~mutter** *f.* 〖해부〗 자궁.
Gebärmutter≈blutung *f.* 〖醫〗 자궁 출혈; 월경 과다. **~entzündung** *f.* 〖醫〗 자궁염. **~mund** *m.* 〖해부〗 자궁구(口) (↑ Muttermund). **~schnitt** *m.* 〖醫〗 자궁〔제왕〕 절개술. **~spiegel** *m.* 〖醫〗 자궁 내시경.
Gebär≈organ *n.* 〖해부〗 자궁. **~stuhl** *m.* 〖醫〗 (옛날의) 분만 의자.
gebärtet *a.* 〖植·動〗 수염이 난.
Gebarung *f.* -en ①〔雅語〕 행동, 태도, 거동. ② (öst.) 부기, 회계; 업무 집행, 경영.
Gebär≈wehen *pl.* 진통, 산고(産苦). **~zeit** *f.* 출산 일시.
Gebäu *n.* -(e)s, -e 〔고어〕 ↑ Gebäude.
gebauchkitzelt *a.* 〔구어·농담〕 sich ~ 〔gebauchpinselt, gebauchstreichelt〕 fühlen 우쭐하다, 의기양양해하다.
gebauchpinselt 《I》 *p.p.* ↑ bauchpinseln. 《II》 *p.a.* ↑ gebauchkitzelt.
gebauchstreichelt *a.* ↑ gebauchkitzelt.
gebaucht 《I》 *p.p.* ↑ bauchen[1]. 《II》 *p.a.* 볼록한, 배가 튀어나온(bauchig): eine ~e Flasche 배가 볼록한 병.
*__Gebäude__ [gəbɔ́ʏdə] 《<bauen》 *n.* -s, - ① (대)건축물, 건물, 빌딩: ein öffentliches ~ 공공 건물. ②〔비유〕 구조, 조직: das ~ einer Wissenschaft 학문의 체계. ③〖광산〗 갱도 (전체); 〖動〗 (개미·비버 따위의) 집. ④〖사냥〗 체형, 체격.
Gebäude≈komplex *m.* 건물군〔집단〕. **~steuer** *f.* 가옥세. **~teil** *m.* 건물의 일부.
Gebaue *n.* -s 건물을 계속 지어댐.
Gebauer *n.* -s, - 〔드물게〕 새장.
Gebäulichkeit *f.* -en 〔드물게·방언〕 ↑ Gebäude ①.
Gebaumel *n.* -s ↑ Gebammel.
gebaut 《I》 *p.p.* ↑ bauen. 《II》 *p.a.* 〔다음 용법으로〕 schmal〔kräftig〕 ~ 체격이 날씬한〔건장한〕; ein wohl~er Körper 잘 다듬어진 체격.
Gebe≈apparat *m.* (전신에서) 송신기. **~fall** *m.* 〖문법〗〔고어〕 (Dativ) 3 격, 여격. **≈freudig** *a.* (freigebig) 아낌없이 주는, 관대한.
Gebein [gəbáɪn] *n.* -(e)s, -e 〔雅語〕 ①〔비유〕 사지, 전신, 신체: jegliches ~ 누구든, 모두; der Schreck fuhr ihm ins 〔durchs〕 ~ 공포감이 그의 온몸을 엄습했다. ②〔복수〕 유골, 백골, 해골: erst nach Jahren fand man die ~e des Vermißten 몇 년 후에야 비로소 행방 불명자의 유골이 발견되었다.
Gebelfer [gəbέlfə*r*] *n.* -s, **Gebell(e)** *n.* ..ll(e)s 〔구어〕 ① (개 따위가) 계속 짖어댐, 짖는 소리. ② 부르짖는 소리; 〔비유〕 호되게 꾸짖는 소리.
__geben__ [gé:bən] (gab, gegeben) 《I》 *t.* 〔3·4 격과 함께〕 ① 주다, 내주다; 넘겨 주다, 제공하다: dem Kinde die Brust ~ 어린아이에게 젖을 먹이다; jm. die Hand ~ 누구와 악수하다; dem Vieh Futter ~ 가축에게 먹이를 주다; er mußte dem Räuber seine Börse ~ 그는 강도한테 지갑을 빼앗겼다; geben Sie mir bitte Herrn Müller! (전화에서) 뮐러씨 좀 바꿔 주세요!; jm. et. als Geschenk 〔zum Geschenk〕 ~ 누구에게 무엇을 선물하다; jm. et. zu eigen ~ 누구에게 무엇을 증정하다; sich[3] et. ~ lassen 무엇을 달라고 하다. ②〔추상 명사와 함께〕 jm. Anleitung ~ 누구를 안내〔지도〕하다; jm. Antwort ~ 누구에게 대답하다; jm. Aufklärung über et. ~ 누구에게 무엇에 대해서 설명하다; jm. die Gelegenheit zu et. ~ 누구에게 무엇을 할 기회를 주다; den

Befehl zum Vorrücken ~ 전진 명령을 내리다; jm. ein Beispiel für et. ~ 누구에게 무엇에 대한 모범을 보이다; seine Einwilligung ~ 동의〔승낙〕하다; Erlaubnis ~ 허가하다; eine gute Erziehung ~ 훌륭한 교육을 하다; Frist ~ 연기해 주다; sein Ja ~ 승낙하다; die Macht zu et.³ ~ 무엇을 할 권리를 주다; jm. Nachricht von et.³ ~ 통지하다; jm. einen Rat ~ 누구에게 충고하다; jm. Rechenschaft über et. 〔von et.³〕 ~ 누구에게 무엇에 관하여 변명〔해명〕하다; jm. seine Stimme ~ 누구에게 투표하다; jm. das Versprechen 〔sein Wort〕 ~ 누구에게 약속하다; einen Verweis ~ 비난하다, 꾸짖다; gute Worte ~ 친절한 말을 건네다; Zeugnis ~ 증명〔증언〕하다. ③〘비유〙jm. Fußtritte ~ 누구를 걷어차다; jm. einen Kuß〔Schlag〕 ~ 누구에게 입맞추다〔누구를 때리다〕; dem Kind die Rute ~ 아이를 매질하여 혼내주다; dem Pferd die Sporen ~ 박차를 가하다; jm. Winke ~ 누구에게 눈짓〔손짓〕하다; jm. Gehör ~ 누구에게 귀를 기울이다; jm. eins auf die Finger ~ 누구를 야단치다. ④ (zuschreiben) 돌리다, 지우다: jm. recht ~ 누구의 말이 옳다고 인정하다; jm. alle Schuld ~ 누구에게 모든 죄를 돌리다. ⑤ (erzeugen) 낳다, 만들다; (verursachen) 일으키다, 야기하다: jm. ein Ägernis ~ 누구를 성나게 하다; der Baum gibt uns Schatten 나무가 우리에게 그늘을 준다; das Geschäft gab uns reichen Gewinn 우리는 이 장사로 큰 이익을 보았다. ⑥〘사물의 3격과 함께〙einer Bitte〔Hoffnung〕 Raum ~ 청을 들어주다〔희망을 걸다〕; seinen Gedanken freien Lauf ~ 생각에 잠기다; et.³ Luft ~ 무엇을 잡은 손을 늦추다; einem Werke die letzte Feile ~ 어떤 일에 마지막 손질을 하다; seinen Worten Nachdruck ~ 역설〔강조〕하다. ⑦〘zu 부정법과 함께〙zu bedenken ~ 숙고를 요구하다, 반성하게 하다; jm. zu essen und zu trinken ~ 누구에게 음식물을 주다; jm. zu leben ~ 누구에게 생활비를 주다; jm. zu tun ~ a) 누구에게 일감을 주다, b) 누구에게 폐를 끼치다, 성가시게 하다; das gibt mir zu denken 그것은 생각해 보아야 할 일이다; das wird viel zu reden ~ 그것을 두고 많은 말 들이 오고갈 것이다. ⑧〘수동형〙ihm ist es gegeben 그에게는 그런 자질〔천분〕이 있다; es ist nicht einem jeden gegeben, zu singen 노래 부르는 재주는 누구에게나 있는 것은 아니다. ⑨〘비인칭 목적어 es 와 함께〙〘구어〙es jm. ~ a) 누구를 호되게 야단치다, b) 누구를 심하게 때리다: 〘구어〙gib (es) ihm! 그를 혼내 줘! ⑩〘재귀 대명사 3격과 함께〙sich³ eine Blöße ~ 약점〔허점〕을 보이다; sich³ Mühe ~ 수고하다; sich³ ein Ansehen ~ 위엄을 보이다. 《Ⅱ》*t.* 〘사람을 가리키는 3격이 없이〙 ① 맡기다, 넘기다: das Auto zur Reparatur ~ 자동차를 수리하려고 맡기다; den Mantel in die Reinigung ~ 외투를 세탁소에 맡기다. ②〘商〙(**a**) 팔다(verkaufen): ich gebe die Ware um zwei Mark 그 물건을 2마르크에 팝니다; 〘구어〙 was gibst du, was hast du 아주 급히, 가능한 한 빨리, (**b**) 지급하다(zahlen): er gab für das Buch fünf Mark 그는 그 책값으로 5마르크를 냈다. ③ (veranstalten) 열다, 개최하다: einen Ball ~ 무도회를 열다; eine Party ~ 파티를 열다: ein Freundschaftsspiel ~ 친선 경기를 개최하다. ④〘연극〙(**a**) 상연하다(aufführen): was wird heute im Theater gegeben? 오늘은 어떤 연극이 상연됩니까? (**b**) (역을) 하다, 연기하다: eine Rolle〔den Faust〕 ~ 어떤 역을 〔파우스트역을〕 하다. ⑤ (**a**)〘카드〙(패를) 돌리다, 나누다: wer gibt? 누가 돌리지?; Sie haben zu ~ 당신이 돌릴 차례입니다. (**b**)〘테니스〙(공을) 서브하다. ⑥ 낳다, 산출하다; 내다, 발하다; 일으키다, 야기하다; …이 되다: zwei mal zwei gibt vier 2 곱하기 2는 4다; die Felder ~ reichen Ertrag 이 밭에서는 많은 소득이 나온다; das wird einen Lärm ~ 그 일로 야단법석이 일어날 것이다; was wird das noch ~? 또 어떻게 될까; die Lampe gibt gutes Licht 이 램프는 훌륭한 빛을 발한다; er wird einen trefflichen Maler ~ 그는 뛰어난 화가가 될 것이다. ⑦ 알게 하다, 보여주다: das gibt schon der Augenschein 그것은 보기만 해도 알 수 있다; das gibt die gesunde Vernunft 그것은 상식으로 알 수 있다. ⑧〘宗〙허락하다, 베풀다: alle Tage, die Gott gibt 한평생; Gott gebe es! 신이여 그렇게 해주소서; der Himmel gab es, daß... …은 신의 배려〔섭리〕였다. ⑨ 넣다, 붓다, 섞다: Zucker an die Speise ~ 음식에 설탕을 치다; 〘비유〙seinen Senf dazu ~ 그것에 말참견을 하다. ⑩ (ausdrücken) 말로 나타내다, 표현하다: um es kurz zu ~ 간단히 말하자면; ich gebe nur den ungefähren Sinn 나는 다만 대략의 의미를 이야기할 뿐이다; dieses Wort ist schwer auf deutsch zu ~ 이 말은 독일어로 표현하기가 어렵다; 〘구어〙(das ist) gut gegeben! 대답 잘 했다, 그것 참 명답이구나!; wie gibt man das im Französischen? 그것은 프랑스어로 뭐라고 합니까? ⑪〘비유〙auf et. acht ~ 무엇에 주의하다; Fersengeld ~ 도주하다; Feuer ~ 발포〔사격〕하다, 담뱃불을 빌려주다; Ruhe ~ 쉬게 하다; Gesetze ~ 입법하다. ⑫〘서술적 형용사와 함께〙Gefangene los ~ 포로를 석방하다; seine Freude laut ~ 환호성을 올리다; et. verloren ~ 무엇을 잃은 것으로 치고 단념하다, (승부 따위를) 진 것으로 해두다. ⑬〘전치사와 함께〙et. **an** den Tag ~ 무엇을 드러내다, 공개하다, 간행하다; et. daran ~ 무엇을 포기하다; Gewürz an die Soße ~ 소스에 양념을 치다; sein Leben an et. ~ 무엇에 생명을 걸다; ich gebe alles daran 나는 그것에 모든 것을 건다; Briefe **auf** die Post ~ 편지를 우체통에 넣다; sein Geld auf Zinsen ~ 이자를 받고 돈을 빌려 주다; viel〔wenig〕 auf jn. ~ 누구를 높이〔낮게〕 평가하다; ich gebe viel〔nichts〕 auf sein Urteil 나는 그의 의견을 존중한다〔안중에 두지 않는다〕; etwas auf sich ~ 자기 외모〔체면〕에 신경쓰다; et. nicht **aus** der Hand ~ 무엇을 손에서 놓지 않다; **für**〔**um**〕 et. viel Geld ~ 큰 돈을 내어 무엇을 사다; **in** Druck ~ 출판〔간행〕하다; sein Kind bei jm. in (die) Kost 〔Pension〕 ~ 자식을 누구한테 하숙시키다; jm. et. in die Hände ~ 누구에게 무엇을 맡기다; jn. in die Lehre ~ (일정한 햇수를 정해서) 누구를 도제(徒弟)로 보내다; jn. in Pflege ~ 누구를 남에게 맡겨 기르기 위해 보내다. **von** sich ~ a) (소리·냄새·빛 따위를)

내다, 발하다, b) (의견 따위를) 말하다, c) (먹은 것을) 토하다, d) 놓아 버리다: keinen Laut von sich ~ 한 마디도 하지 않다; sie wollte ihr Kind nicht von sich ~ 그 여자는 아이를 내놓지 않으려고 했다; eine Vorstellung von et.³ ~ 무엇에 관해서 어떤 생각을 품다; sein Wort **zum** Pfand ~ 언질을 주다. 《Ⅲ》 *i.* (h.) gern ~ 주기를 좋아하다, 인색하지 않다; die Nägel ~ los 못 박은 자리가 헐겁다. 《Ⅳ》 *refl.* sich ~ ① 항복〔굴복〕하다, 몸을 바치다〔맡기다〕; 양보하다: sich bloß ~ (위험 따위에) 몸을 내던지다, 무릅쓰다; sich jm. zu eigen ~ 누구에게 항복하다, 몸을 맡기다; sich in js. Gewalt 〔Hände, Macht〕 ~ 누구의 처분에 맡기다, 누구에게 굴복하다; gib dich drein! a) 운명이라고 생각해라, 단념해라! b) 견뎌라! ② (…한) 태도를 보이다, 행동하다: sie gab sich unbefangen 그녀는 당당하게 행동했다; sich als Wissenschaftler ~ 학자처럼 행동하다; sich für einen Ausländer ~ 외국 사람으로 가장〔행세〕하다. ③ (자신이 …하다는 것을) 인정하다: sich besiegt ~ 패배를 인정하다, 졌다고 말하다; sich mit et.³ zufrieden ~ 무엇으로 만족해하다, 무엇을 감수하다. ④ sich zu erkennen ~ 자신의 정체를 드러내다, 본성을 나타내다. ⑤ das gibt sich aus dem Zusammenhang 그것은 전후 관계로 알 수 있다; es gibt sich von selbst 그것은 뻔한 이치이다, 당연한 일이다. ⑥ 시작〔착수〕하다: sich an et. ~ 무엇에 착수하다; sich mit jm. ins Gespräch ~ 누구와 이야기하기 시작하다. ⑦ 〖고어〗 (…을 향하여) 가다 (sich begeben). ⑧ (nachlassen) 멎다, 약해지다, 느슨해지다; (흥분이) 가라앉다; (열성이) 식다; (열이) 내리다: der Schmerz 〔das Tuch〕 gibt sich 고통이 덜해진다〔천이 늘어진다〕; das wird sich schon ~ a) 그것은 곧 끝날 것이다, b) 곧 잘 될 것이다; er wird sich schon ~ a) 그는 곧 고집을 꺾을 것이다, b) 〖구어〗 그는 곧 평판이 떨어질 것이다. ⑨ *imp.* es gibt sich nicht gut, wenn man nichts hat 없는 자가 넉넉히 줄 수는 없다, 광에서 인심난다; wie es sich gerade gibt 사정에 따라서, 되어 감에 따라. 《Ⅴ》 *imp.* **es gibt** 〖남독에서는 es hat 를 씀〗 ① (vorhanden sein) 있다, 존재하다: gibt es einen Gott? 신은 존재하는가?; kann es etwas Schöneres ~? 이보다 더 아름다운 것이 있을 수 있을까?; es gibt viel zu tun 할 일이 많다; es gibt einen guten Grund dafür 그것엔 충분한 이유가 있다. ② (gegeben werden) 나오다, 제공되다, 주어지다: was gibt es heute abend im Fernsehen? 오늘 저녁 텔레비전 프로그램은 무엇이니? was gibt es heute mittag in der Mensa? 학생식당의 오늘 점심 메뉴로는 무엇이 나오나요? ③ (entstehen) 일어나다, 생기다: was gibt's (denn)? (대체) 무슨 일이냐, 어찌된 일이냐?; hier gab es Streit 여기서 싸움이 있었다; was gibt's Neues? 뭔가 새로운 것이라도 있는가?; es wird wieder etwas ~ 또 한번 시끄러울 것이다; das gibt's nicht 그것은 안 돼, 그런 일은 있을 수 없다; 〖구어〗 reiten kann er, da gibt's nichts! 그가 하고 싶은 대로 하게 내버려 둬, 어쩔 도리가 없어!; er ist der Beste, da gibt's nichts 그가 제일이다, 그건 두말할 나위도 없다. 《Ⅵ》 **gegeben** *p.a.* ↑ gegeben.

Gebende *n.* -s, - (중세 여인들의) 턱끈 달린 둥근 이마띠.

gebenedeit 《Ⅰ》 *p.p.* ↑ benedeien. 《Ⅱ》 *p.a.* 축복〔찬양〕받는: die ~e 성모 마리아.

Geber[1] [géːbər] *m.* -s, - ① 주는 사람, 수여자, 기부자; 〖法〗 양도인: Wein, der ~ der Lust 기쁨을 주는 술, 포도주. ② 〖商〗 파는 사람; (어음) 발행인: ~ und Nehmer 파는 사람과 사는 사람. ③ 〖전신·工〗 송신기, 송화기. ④ 자동 판매기. ⑤ 〖카드〗 선(先).

Geber[2] 《pers.》 *m.* -(s), -n 배화교(拜火敎)의 신자.

Geberde [gəbéːrdə] *f.* -en ↑ Gebärde.

Geberin *f.* -nen ↑ Geber 의 여성형.

Geber⸗land *n.* 수여국, 양도국, 발명국. **~laune** *f.* 무엇이든 주고 싶은 기분, 후한〔관대한〕 마음: in ~ sein 후하다, 호탕하다. **~sprache** *f.* 〖언어〗 (외래어의) 원어(Herkunftssprache).

***Gebet** [gəbéːt] 《<beten; ♧ bitten》 *n.* -(e)s, -e 기도, 기도문: das ~ des Herrn 주기도문, 천주경; 〖가톨릭〗 Ewiges ~ 상시(常時) 성체 예배; ein ~ sprechen 기도문을 외다; sein ~ halten 〔verrichten〕 기도하다; in ~ versenkt 기도 삼매에 빠진; 〖비유·구어〗 jn. ins ~ nehmen 누구를 간곡히 타이르다, 누구의 양심에 호소하다.

Gebet·buch *n.* 기도서: 〖농담〗 des Teufels ~ 카드, 트럼프.

gebeten [gəbéːtən] *p.p.* ↑ bitten.

Gebets⸗formel *f.* (상투적인) 기도의 문구. **~mantel** *m.* 다리스(유대교에서 기도할 때 걸치는 외투). **~maschine, ~mühle** *f.* (티베트의 라마교도가 기도할 때 손에 드는 조그마한 회전하는) 기도용 염주(1 회전이 1 회의 기도에 해당됨). **~nische** *f.* 기도 벽감(壁嵌) (회교 사원의 뒷벽에 메카를 향해 있는 벽감; 기도 때 얼굴을 그곳으로 돌림). **~riemen** *m.*, **~schnur** *f.* 호부(護符), 경패(經牌) (구약 성서의 문구를 적어 넣은 양피지를 담은 가죽 상자로 유대인이 기도할 때 몸에 지님; 신명기 6 : 8, 11 : 18). **~stimmung** *f.* 기도하는 심정, 경건한 기분. **~teppich** *m.* (회교도가) 기도할 때 까는 양탄자. **~zeit** *f.* 기도 시간.

Gebettel [gəbɛ́təl] *n.* -s 성가신 구걸; 끈덕지게 졸라댐.

gebeugt 《Ⅰ》 *p.p.* ↑ beugen. 《Ⅱ》 *p.a.* ① 굽혀진, 휘어진: vom Alter ~ 연로하여 허리가 굽은. ② 기가 죽은, 낙담한: (tief) ~ von Sorgen (깊은) 시름에 잠긴.

gebeut [gəbɔ́ʏt] 〖고어〗 gebieten 의 3 인칭 단수 현재형(gebietet).

Gebhard [gɛ́phart] 《ahd., „der kühn Gebende"》 *m.* 겝하르트(남자 이름).

gebier [gəbíːr] ↑ gebären 의 명령형.

gebierst ↑ gebären 의 2 인칭 단수 현재형.

gebiert ↑ gebären 의 3 인칭 단수 현재형.

***Gebiet** [gəbíːt] 《<gebieten; ♧ Gebot》 *n.* -(e)s, -e ① 지역, 지대: ein fruchtbares ~ 비옥한 지역. ② 지배〔관할〕구역, 영토, 영지: auf deutschem ~e 독일 영토에서; einem anderen Staat ein ~ abtreten 다른 나라에 영토를 할양하다. ③ 〖비유〗 (Bereich) 영역, (전문) 분야; 〖數〗 영역: das ~ der Naturwissenschaften 자연 과학 분야; ein Fach-

mann auf dem ~ der Biochemie 생화학 분야의 전문가.

gebieten [gəbíːtən] (gebot, goboten) 《⊕ bieten》〔雅語〕《Ⅰ》*t.* 명하다, 명령〔요구〕하다: jm. Achtung ~ 누구에게 주의할 것을 촉구하다; Stillschweigen ~ 침묵을 명하다; mein Gewissen gebietet mir zu sprechen 내 양심이 내게 말하라고 명령한다; der Ernst der Lage gebietet Vorsicht 상황의 심각성에 비추어 신중한 자세가 요구된다. 《Ⅱ》*i.* (h.) ① 지배하다, 다스리다, 억제하다: über ein Heer ~ 군대를 통솔하다; Sie haben über mich zu ~ 저에게 무엇이든지 분부만 내려 주십시오. ②〔드물게〕jm.〔et.³〕~ 누구를〔무엇을〕지배하다. 《Ⅲ》**geboten** *p.a.* ↑ geboten².

gebietend *p.a.* 명령적인; 요구하는: Ehrfurcht ~ 경외할; 〖문법〗~e Form 명령법.

Gebieter *m.* -s, - 〔고어〕명령(권)자, 지배〔통치〕자; (Herr) 주인, 군주: 〔농담〕mein Herr und ~ 내 남편; ein unumschränkter ~ 독재자, 전제 군주; der ~ über Leben und Tod 생사를 주관하는 신.

Gebieterin *f.* -nen ↑ Gebieter 의 여성형.

gebieterisch [gəbíːtərɪʃ] *a.* 명령조의; 강제적인, 거만한; 단호한, 독재적인: ~er Ton 고압적인 말투; et. ~ fordern 무엇을 강요하다.

Gebietiger *m.* -s, - 〔고어〕① ↑ Gebieter. ② 독일 기사단의 기사단장.

gebietlich *a.* 분야〔영역〕의.

Gebiets≈abtretung *f.* 영토의 할양. **~anspruch** *m.* 영토권 요구〔주장〕. **~erweiterung** *f.* 영토 확장; 분야 확대. **~hoheit** *f.* 〖法〗영토 주권. **~körperschaft** *f.* 〖法〗지방 자치 단체(Gemeinde, Landkreis 따위). **~kranken·kasse** *f.* (öst.) 지역 의료 보험 조합. **~reform** *f.* 〖法〗행정 구역 개편. **~weise** *adv.* 지역마다, 지역별로.

Gebild [gəbílt] *n.* -(e)s, -e ① ↑ Gebilde. ② 〖방직〗무늬 있는 직물, 마름모꼴의 지문(地紋)이 있는 직물.

Gebild·brot *n.* 사람이나 짐승 따위의 모양을 한 빵과자(특정한 축제일에 만듦).

Gebilde 《<bilden》*n.* -s, - 형성물, 구성물; 창작물; 형상, 모습, 모양, 심상(心象), 환상; 〖醫〗구조, 조직; 〖지리〗층, 누층(累層): ein seltsames ~ 기이한 형상(체); ein ~ von Menschenhand 인간의 창조물; ~ der Nacht 도깨비, 요괴.

gebildet [gəbíldət] 《Ⅰ》*p.p.* ↑ bilden. 《Ⅱ》*p.a.* ① 형성된, 형태를 갖춘. ②〔비유〕교양 있는, 교육 받은, 세련된: ein ~er Mensch 교양인; akademisch〔vielseitig〕~ 대학 교육을 받은〔다방면으로 교양을 쌓은〕.

Gebildete* *der/die* 교양인, (고등) 교육을 받은 사람; 〔복수〕지식인 계층; (교양 있는) 상류 계층: ein akademischer ~r 대학 교육을 받은 사람, 대학 출신자.

Gebimmel [gəbíməl] *n.* -s 〔구어〕벨〔종〕이 계속해서 울림.

Gebinde [gəbíndə] 《<binden》*n.* -s, - ① 계속해서 맴〔묶음〕. ② 묶음, 다발; (곡식의) 뭇, 단: ein ~ von Rosen 장미 한 다발. ③ 〖방직〗(일정한 양의) 실타래. ④ (비교적 큰) 통(술 따위의 단위로도 씀). ⑤ 〖건축〗(지붕 따위의) 트러스, 도리 받침대; 지붕 기와의 열. ⑥ (ostnordd.) ↑ Gebündel. ⑦ 〖海〗구명 뗏목 (Notfloß).

Gebind·sparren *m.* 〖건축〗이음보.

Gebirge [gəbírgə] *n.* -s, - ① 산, 산맥; 산악지대, 산간 지역: vulkanisches ~ 화산맥; den Sommer im ~ verbringen 여름을 산에서 지내다; ins ~ fahren 산으로 가다. ② 〔비유〕산처럼 쌓여 있는 더미, 산더미: ein ~ von Akten 서류 더미; auf der Fluten ~ 산더미 같은 파도 위에. ③ 〖광산〗(Gestein) 암석, 암석층, 암반; 맥석(광석 이외의 무가치한 암석): festes ~ 상암(床岩), 암붕(岩棚).

Gebirger *m.* -s, - ↑ Gebirgler.

gebirgig *a.* 산악〔산간〕의, 산골의, 산이 많은.

Gebirgigkeit *f.* 산이 많음.

Gebirgler *m.* -s, - 산간 주민, 산골 사람.

gebirglich *a.* 산의, 산맥의.

Gebirgs≈abhang [gəbírks..] *m.* 산허리. **~art** *m.* 〖지질·광산〗암석의 종류. **~artillerie** *f.* 〖軍〗산악 포병대. **~ast** *m.* (산의) 지맥. **~bach** *m.* 산골의 시냇물, 계류(溪流). **~bahn** *f.* 산악 철도. **~beschreibung** *f.* 산악론, 산악지(誌). **~bewohner** *m.* 산골 주민. **~bildung** *f.* 〖지질〗조산(造山) 운동(작용). **~dorf** *n.* 산촌, 산간 마을. **~fluß** *m.* 산골의 시냇물, 계류(溪流). **~gegend** *f.* 산악지역, 산간 지대. **~grat** *m.* 산등성이. **~jäger** *m.* ① 〖軍〗산악병. ② 〔복수〕산악 전투 부대. **~kamm** *m.* 산등성이, 능선. **~karte** *f.* 산악 지도. **~kette** *f.* 산맥. **~knoten** *m.* 여러 산맥들의 기점. **~krieg** *m.* 산악전. **~kunde** *f.* 산악학. **~kundige*** *der/die* 산을 잘 아는 사람, 산악 학자. **~land** *n.* 산이 많은 나라〔지역〕, 산악 국가. **~landschaft** *f.* 산악의 풍경; 산악 지대. **~lehre** *f.* ↑ ~kunde. **~luft** *f.* 산 공기. **~massiv** *n.* 산맥, 산괴(山塊). **~paß** *m.* 준령의 고갯길, 재; 협곡. **~pflanze** *f.* 고산 식물. **~rücken** *m.* 산등성이. **~schlucht** *f.* 협곡, 산협, 계곡. **~stadt** *f.* 고산〔산악〕도시. **~stock** *m.* 〔복수: ..stöcke〕〖지리〗산맥의 주봉우리; 산괴. **~strom** *m.* 계류, 급류. **~tor** *n.* 두메, 산협. **~truppe** *f.* 〖軍〗산악 부대. **~verein** *m.* 산악회, 등산 클럽. **~volk** *n.* 산골의 주민; 산악〔고산〕민족. **~vorsprung** *m.* 산의 벼랑. **~wand** *f.* (산의) 암벽, 단애(斷崖). **~zug** *m.* 산맥. **~zweig** *m.* ↑ ~ast.

Gebiss *n.* 新정서 ⇦ Gebiß.

Gebiß [gəbís] 《<beißen》*n.* ..bisses, ..bisse ① (Zähne) 이, 치아(전체): ein gesundes ~ haben 건강한 치아를 갖고 있다. ② 의치, 틀니: ein ~ anfertigen lassen 틀니를 맞추다. ③ 재갈: einem Pferd ein ~ anlegen 말에 재갈을 물리다.

Gebiß·abdruck *m.* 〖치과〗치아 압형, 의치 용 본.

gebissen [gəbísən] *p.p.* beißen.

Geblaff *n.* -(e)s, **Geblaffe** [gəbláfə] *n.* -s 계속 짖어댐.

Geblase [gəbláːzə] *n.* -s 〔구어〕끊임없이 불어댐.

Gebläse [gəblɛ́ːzə] *n.* -s, - 〖工〗① 송풍기, 풀무; 송풍식 운반 장치. ② (가스의) 압축 운반 장치: (엔진의) 과급기(過給器). ③ 화염 절단기; 용접 버너.

Gebläse≈maschine *f.* 송풍기, 송풍 장치. **~motor** *m.* 〖車〗과급기가 달린 엔진.

geblasen *p.p.* ↑ blasen.
Gebläse=ofen *m.* 용광로. **~vorrichtung** *f.* 송풍기, 송풍 장치.
geblichen [gəblíçən] *p.p.* ↑ bleichen.
geblieben [gəblí:bən] *p.p.* ↑ bleiben.
Geblödel *n.* -s 어리석은 말을 계속 지껄임.
Geblök [gəblǿ:k] 《<blöken》 *n.* -(e)s, **Geblöke** *n.* -s ① (소·양 따위의) 계속 울부짖는 소리. ②〔비유·폄어〕 고함 소리, 비명.
geblumt *p.a.* (öst.) ↑ geblümt ①.
geblümt [gəblý:mt] 《I》 *p.p.* ↑ blümen. 《II》 *a.* ① 꽃무늬가 있는: ein ~es Kleid〔Porzellan〕 꽃무늬 옷〔도자기〕. ②〔비유〕 현란한, 미사여구의: ~er Stil (특히 13 세기 문학의) 미사여구 문체.
Geblüt [gəblý:t] 《<Blut》 *n.* -(e)s ①〔고어〕 (체내의) 혈액(전량), 피: das ~ wird erhitzt 온몸의 피가 뜨거워진다;〔비유〕 js. ~ in Wallung bringen 누구를 흥분시키다;〔비유〕 etwas liegt in js. ~ 무엇은 누구의 천성적 소질이다. ②〔雅語〕 혈통, 가문, 혈족: ein Mann von edlem ~ 귀족 가문의 남자; zu nahe ins ~ heiraten 근친 결혼을 하다; es steckt im ~ 그것은 유전이다; das ~ verleugnet sich nicht 핏줄은 속일 수 없다, 피는 물보다 진하다. ③〔방언〕 월경.
geblütig *a.* (adelig) 명문의, 귀족 출신의.
gebogen [gəbó:gən] 《I》 *p.p.* ↑ biegen. 《II》 *p.a.* 구부러진, 휜, 만곡된.
gebogt *a.* 〔구어〕 활처럼 굽은, 활 모양의; 활꼴로 재단한〔꿰맨〕.
Gebohre [gəbó:rə] 《<bohren》 *n.* -s 끊임없이 뚫어댐.
*__geboren__ [gəbó:rən] 《I》 *p.p.* ↑ gebären. 《II》 *p.a.* ① …토박이인: er ist ein ~er Kölner 그는 쾰른 토박이다. ② 친정의 성(姓)이 …인(약어: geb.): sie ist eine ~e Fischer 그녀는 친정의 성이 피셔다; Frau Müller, ~e Schmidt 친정의 성이 슈미트인 뮐러 부인. ③ 타고난, 천성적인: er ist der ~e 〔ein ~er〕 Unternehmer〔Musiker〕 그는 타고난 사업가〔음악가〕다; zu et.³ ~ sein 어떤 일에 천부적인 소질을 지니고 있다.
Geboren·zeichen *n.* -s, - (생년월일 앞의) 출생 표시 기호(*).
Geborge [gəbɔ́rgə] 《<borgen》 *n.* -s 끊임없이〔계속〕 빌려 옴.
geborgen [gəbɔ́rgən] 《I》 *p.p.* ↑ bergen. 《II》 *p.a.* 보호받는, 안전한: sich ~ fühlen 안전한 느낌을 받다.
Geborgenheit *f.* 보호받음, 안전.
geborsten [gəbɔ́rstən] *p.p.* ↑ bersten.
*__Gebot__ [gəbó:t] 《♧ gebieten, Gebiet》 *n.* -(e)s, -e ① 명령(Befehl); 지시;〔雅語〕(사태·상황의) 요구, 요청: das ~ der Stunde 현재의 시급한 요구; jm. zu ~e stehen 누구 마음대로 쓸 수 있다, 누구의 명령대로 되다; Not kennt kein ~ 위급시에는 법이 따로 없다. ② (종교적·윤리적) 법칙, 계율, 계명, 신의 명령: das ~ der Nächstenliebe 이웃 사랑의 계명;〔聖〕 die Zehn ~e 모세의 십계명: das oberste ~ meines Handelns 내 행동의 최고 규범. ③ (Aufgebot) 소집, 징집;〔法〕 최고(催告), 공시. ④ (경매·입찰 때) 부르는 값(Preisangebot): ein annehmbares ~ tun 타당한 값을 부르다.
gebot [gəbó:t] ↑ gebieten 의 과거형.
geböte [gəbǿ:tə] ↑ gebieten 의 접속법 II 식.
geboten[1] [gəbó:tən] *p.p.* bieten.
geboten[2] 《I》 *p.p.* ↑ gebieten. 《II》 *p.a.* 권할 만한, 바람직한, 현명한, 적합한, 필요한: es erscheint ~, sich zu beeilen 서두르는 게 좋을 것 같다; hier ist Vorsicht ~ 여기서는 조심할 필요가 있다; es für ~ halten〔erachten〕, ... zu tun …하는 것이 바람직하다고 여기다.
Gebots·schild *n.* 〔교통〕 지시 표지판(↔Verbotsschild).
Gebr. =Gebrüder 형제.
gebr. ① =gebräuchlich 관용적인, 통용되는. ② =gebraucht 사용된, 중고의.
Gebräch [gəbrɛ́:ç] *n.* -(e)s, -e ①〔광물〕 부서지기 쉬운 암석. ②〔사냥〕 멧돼지가 파헤친 자리.
gebräch *a.* 〔광산〕 부서지기 쉬운, 약한, 무른.
Gebräche *n.* -s, - ↑ Gebräch ①.
gebracht [gəbráxt] *p.p.* ↑ bringen.
Gebräme [gəbrɛ́:mə] 《<Bräme》 *n.* -s, -〔고어·방언〕(옷의) 가장자리 장식, 트리밍.
gebrandmarkt 《I》 *p.p.* ↑ brandmarken. 《II》 *p.a.* 낙인 찍힌: als Verbrecher ~ sein 범죄자로 낙인찍히다.
gebrannt [gəbránt] 《I》 *p.p.* ↑ brennen. 《II》 *p.a.* ① (불에) 탄, 구운: ~er Kalk 생석회, 산화칼슘; (schweiz.) ~es Wasser 화주, 브랜디;〔비유〕 ~es Herzeleid 격심한 마음의 고통. ② (불에) 덴, 화상을 입은:〔속담〕~es Kind scheut das Feuer 불에 덴 어린애는 불을 무서워한다(불에 놀란 놈 부지깽이만 봐도 놀란다).
gebraten *p.p.* ↑ braten.
Gebratene* *das* 불고기, 구운 음식.
Gebräu [gəbrɔ́ʏ] 《<brauen》 *n.* -(e)s, -e ① 양조물, 맥주류. ②〔폄어〕 싸구려 술〔음료〕. ③〔醫·드물게〕 물약 1 회분.
*__Gebrauch__ [gəbráux] *m.* -(e)s, ..bräuche [..brɔ́ʏçə] ① (Benutzung) 사용, 이용; (Anwendung) 적용, 응용: falscher ~ 오용(誤用); ~ der Waffen 무기의 사용, 무기 연습; außer ~ kommen (낡아서) 못쓰게 되다; außer ~ sein 사용되지 않다; et. außer ~ setzen 무엇을 사용〔이용〕하지 않다; et. in ~ nehmen 무엇을 사용〔이용〕하기 시작하다; et. in 〔im〕 ~ haben 무엇을 사용〔이용〕하다; in ~ kommen 통용되다; in 〔im〕 ~ sein 사용〔이용〕 중이다, 통용되고 있다; von et. ~ machen 무엇을 사용〔이용〕하다; vor ~ schütteln! (약병 따위를) 흔든 다음 사용하시오; nach ~ zurückzugeben! 사용 후 돌려주기 바람; zu einem besonderen ~ bestimmt 특별한 용도의; bitte, machen Sie keinen ~ von meiner Mitteilung 제발 제가 알려드린 것을 다른 사람에게 이야기하지 말아 주십시오. ②〔복수〕 (Bräuche) 관습, 관례; (Sitte) 풍습, 풍속; (Gewohnheit) 습관, 방식; (Zeremonie) 예식, 의식: alter ~ 구습(舊習); heilige Gebräuche 종교 의식; Sitten und Gebräuche 풍속과 관습; durch langen ~ vorgeschrieben 오랜 관습에 따라.
*__gebrauchen__ 《<brauchen》《I》 *t.* ① 쓰다, 사용〔이용〕하다: Gewalt 〔eine List〕 ~ 폭력〔책략〕을 쓰다; jn. dazu〔dafür〕 ~ 누구를 그 일

에 쓰다; die Krankheit als Vorwand ~ 병을 구실로 삼다; 〖구어〗 zu nichts〔allem〕 zu ~ sein 아무짝에도 쓸모가 없다〔여러 모로 쓸모가 있다〕; et. ~ können 무엇을 필요로 하다. ②〖방언〗 성폭행하다: er hat seine Nachbarin gebraucht 그는 동네 여자를 욕보였다. ③〖때때로 brauchen 의 뜻으로 잘못 쓰임〗 필요로 하다. 《Ⅱ》 **gebraucht** *p.a.* ↑ gebraucht.

gebräuchlich [gəbrɔ́ʏçlɪç] *a.* 행해지고 있는, 통용되는; 관용적〔관습적〕인; (herkömmlich) 전래〔재래〕의; (gewöhnlich) 대개〔보통〕의: ~es Wort 관용어; ~ werden 쓰이다; nicht mehr ~ 더 이상 통용되지 않는.

Gebräuchlichkeit *f.* 관용, 관습.

Gebrauchs≈anmaßung *f.* 〖法〗 불법〔무단〕 사용, 도용(盜用). **~anweisung** *f.* 사용법, 사용 설명서. **~artikel** *m.* 일상 용품. **~diebstahl** *m.* 〖法〗 도용(盜用). **~fähig** *a.* 사용할 수 있는. **~fertig** *a.* 사용할 준비가 된. **~gegenstand** *m.* 일상 용품. **~graphik** *f.* 상업 그래픽〔디자인〕. **~gut** *n.* 〖복수: ~güter〗〖經〗 내구 소비재; 일상 용품. **~literatur** *f.* (특정 목적을 위한) 실용 문학. **~musik** *f.* 실용 음악(영화 음악 따위). **~muster** *n.* 〖法〗 실용 신안 의장: ein getragenes ~ (실용 신안 특허의) 등록 의장. **~muster·schutz** *m.* 〖法〗 실용 신안 보호. **~vorschrift** *f.* 사용 규정, 사용법. **~wert** *m.* (↔ Marktwert) 사용〔실제〕 가치, 진가. **~zettel** *m.* ↑ ~anweisung.

gebraucht 《Ⅰ》 *p.p.* ↑ gebrauchen, brauchen. 《Ⅱ》 *p.a.* ① 사용된, 써서 낡은. ② 중고의: einen ~en Wagen kaufen 중고 자동차를 사다.

Gebraucht≈möbel *n.* 중고 가구. **~wagen** *m.* 중고차. **~wagen·markt** *m.* 중고차 시장. **~ware** *f.* 중고품. **~waren·geschäft** *n.* 중고품 상점.

Gebräude [gəbrɔ́ʏdə] *n.* -s, - ↑ Gebräu.

Gebraus(e) [gəbráus, ..zə] *n.* ..ses 끊임 없이 들려오는 소음: das ~ des Verkehrs〔der Wellen〕 끊임없이 들려오는 차〔파도〕소리.

Gebrech [gəbrέç] *n.* -(e)s, -e ①〖사냥〗 멧돼지의 코; 멧돼지가 코로 파헤친 흔적. ② 끊임없이 부수어댐. ③〖광물〗 ↑ Gebräch ①.

Gebreche *n.* -s, - ① ↑ Gebrech ①. ② ↑ Gebrech ②. ③ 구토, 연거푸 토함. ④〖動〗 자고(鷓鴣)의 똥.

gebrechen* 〖雅語〗《Ⅰ》 *imp.* 부족하다, 모자라다: es gebricht jm. an et.³ 누구에게 무엇이 부족하다; es gebricht mir an Geld 내게는 돈이 없다; es gebricht ihnen an allem 그들은 모든 것〔살림〕이 궁하다. 《Ⅱ》 *i.* (h.) 부족하다, 모자라다: etwas gebricht jm. 누구에게 무엇이 부족하다; dazu gebricht ihm Mut 그에겐 그것을 할 용기가 부족하다.

Gebrechen *n.* -s, - ① 궁핍, 결핍. ② (육체적) 결함, 장애, 불구; 허약, 노쇠, 질병: ein geistiges ~ haben 정신적 결함이 있다; die ~ des Alters 노년기의 질환, 노쇠.

***gebrechlich** [gəbrέçlɪç] *a.* ① 약한, 부서지기 쉬운. ② (특히 사람에 대해) 허약한, 결함이 있는, 불구의; 노쇠한, 무기력한; 불완전한.

Gebrechlichkeit *f.* 허약, 노쇠, 결함.

Gebreit [gəbráɪt] *n.* -(e)s, -e, **Gebreite** 《< breiten》 *n.* -s, -〖시어〗 (Acker, Feld) 전답, 들판; 넓은 땅, 평원.

Gebresten [gəbrέstən] *n.* -s, - (schweiz.) ↑ Gebrechen ②.

***gebrochen** [gəbrɔ́xən] 《Ⅰ》 *p.p.* ↑ brechen. 《Ⅱ》 *p.a.* ① 깨진, 부서진, 쪼개진; 꺾인, 굴절된: eine ~e Linie 꺾어진 선; die dreimal ~e Treppe 세 번 구부러진 계단; 〖음악〗 ~er Akkord 분산 화음; 〖數〗 ~e Zahl 분수. ② (색이) 섞여서 흐려진; (목소리가) 변한, 약해진: ~e Farben 혼합색; ~e Stimme 변성된〔잘 갈라지는〕 목소리. ③ (외국어가) 서투른, 엉터리의: sein ~es Deutsch ist kaum zu verstehen 그의 엉터리 독일어는 거의 알아들을 수가 없다; ~ Deutsch sprechen 서투른 독일어를 하다. ④ 기가 꺾인, 낙담한, 심신이 피폐한: ~en Herzens 풀이 죽어서; an ~en Herzen stirbt man nicht 마음의 상처가 (아무리) 크다 해도 (다) 살아가기 마련이다.

Gebröckel [gəbrœ́kəl] *n.* -s ① 끊임없이 부숨〔부서짐〕. ② 부스러기, 깨진 조각, 파편.

Gebrodel [gəbró:dəl] *n.* -s ① 계속 부글거림, 지속적인 비등(沸騰). ② 부글부글 끓는 것〔액체〕. ③〖비유〗 소란, 흥분.

***Gebrüder** [gəbrý:dər] *pl.* ① (행동을 같이 하는) 형제: das Märchen der ~ Grimm 그림 형제의 동화. ②〖商〗 (공동 사업을 하는) 형제 (약어: Gebr.): die Firma ~ Benda 벤다 형제 회사.

Gebrüll [gəbrýl] *n.* -(e)s (맹수 따위가) 큰소리로 으르렁댐, 포효, 울부짖음.

Gebrumm [gəbrʊ́m] *n.* -(e)s 끊임없이 윙윙〔붕붕〕거림; 투덜댐.

Gebrumme *n.* -s 〖폄어〗 ↑ Gebrumm.

Gebrummel *n.* -s 낮은 소리로 계속 중얼거림〔투덜댐·흥얼거림〕.

geb·schnitzig *a.* (obd.) ① (freigebig) 손이 큰, 대단히 인심이 좋은. ② (verschwenderisch) 낭비하는, 호화판의.

gebuchtet 《Ⅰ》 *p.p.* ↑ buchten. 《Ⅱ》 *p.a.* (안으로) 굽은, 만곡의: eine ~e Küste 만(灣)을 이룬 해안.

Gebück [gəbýk] *n.* -(e)s, -e, **Gebücke** [gəbýkə] *n.* -s, - (중세 때의) 녹채(鹿砦), 가시나무 울타리.

gebuckelt 《Ⅰ》 *p.p.* ↑ buckeln. 《Ⅱ》 *p.a.* (등이) 굽은, 구부정한.

***Gebühr** [gəbý:r] *f.* -en ① (Pflicht) 의무, 책임, 책무. ② 응분, 적합성, 타당성: nach ~ 분수에 맞게, 적당히; über ~ 과도하게, 필요 이상으로. ③ (공공) 요금, 수수료, 사용료: eine ~ für et. entrichten〔bezahlen〕 무엇의 요금을 지급하다; jm. die ~(en) von 2 DM erlassen 누구에게 요금 2 마르크를 면제해주다. ④ 보수, 사례금, 수임료.

***gebühren** [gəbý:rən] 《Ⅰ》 *i.* (h.) jm.〔et.³〕 ~ (권리·공적에 따라) 누구에게〔무엇에〕 마땅히 돌아가야 한다, 당연히 주어져야 하다: ihm gebührt Lob 그는 칭찬받을 만하다; seiner Leistung gebührt Anerkennung 그의 업적은 마땅히 인정받아야 한다. 《Ⅱ》 *refl.* sich³ ~ ① 타당하다, 어울리다, 제격이다: für einen anständigen Menschen gebührt sich das nicht 행실이 올바른 사람에게 그것은 어울리지 않는다. ② *imp.* es gebührt sich³ 마땅하다, 어울리다, 걸맞다: es gebührt sich, vor alten

Leuten aufzustehen 어른들 앞에서는 일어서는 것이 마땅[지당]하다; wie es sich für seinen Stand gebührt 그의 신분[직위]에 맞게; handle immer so, wie es sich gebührt! 항상 분수에 맞게 행동하라.

gebührend *p.a.* 타당한, 마땅한, 당연한, 어울리는, 걸맞는, 적당한: jn. ~ ehren 누구를 당연히 존경하다; die ~e Antwort erhalten 적당한 답변을 받다.

gebührender≈maßen, ~weise *adv.* 적당하게, 알맞게, 제격에 맞게, 당연히.

Gebühren≈einheit *f.* (전화의) 통화료 정산 단위. **~einzugs·zentrale** *f.* (텔레비전·라디오 따위의) 공공 요금 징수 본부(약어: GEZ). **~erhöhung** *f.* 요금 인상. **~erlaß** *m.* 요금[수수료] 면제; 수업료 면제. **~frei** *a.* 요금이[수수료가] 없는, 무료의. **~freiheit** *f.* 무료. **~marke** *f.* 수입 인지. **~ordnung** *f.* 요금[수수료] 규정. **~pflichtig** *a.* 수수료[요금]의 납부 의무가 있는, 유료의. **~-tabelle** *f.*, **~tafel** *f.* 요금표. **~vignette** *f.* (schweiz.) 고속 도로 통행료(납부 스티커).

gebührlich *a.* 〚고어〛 ↑ gebührend.

Gebührnis *f.* -se 〚고어·격식〛 (Gebühr) 수수료, 사용료.

gebumfiedelt *a.* 〚구어·농담〛 sich ~ fühlen 우쭐하다, 의기양양해하다.

Gebumse *n.* -s 〚구어〛 계속 쾅쾅 두드리는 소리.

Gebund [gəbúnt] 《⇨ binden》 *n.* -(e)s, -e [..də] 〚방언〛 다발, 묶음, 단: ~ Schlüssel 열쇠 꾸러미.

Gebündchen *n.* -s, - (ndd.) 무거운 짐 (Last); 고난.

Gebündel *n.* -s, - 생선 내장, (특히) 잉어 알.

gebunden [gəbúndən] 《I》 *p.p.* ↑ binden. 《II》 *p.a.* ① 묶인, 매인; 구속된, 속박된; 정해진, 고정된: mit ~en Händen 양손이 묶인 채로; ~er Preis 고정 가격; ~e Rede 운문체; 〚요리〛 ~e Suppe 되직한 수프; 〚經〛 ~e Aktie 제한주(株); 〚物〛 ~e Wärme 잠열(潛熱); sich ~ fühlen 의무감을 느끼다; an et. ~ sein 무엇에 속박되어 있다, 무엇을 해야 할 의무가 있다; an sein Versprechen ~ sein 약속을 이행해야 할 의무가 있다. ② 〚印〛 제본된, 장정된: in Leinband ~ 아마포로 장정된.

Gebundenheit *f.* 속박, 구속, 제한; (Unterwerfung) 종속, 복종, 굴복.

Gebürste [gəbýstə] *n.* -s 〚구어〛 계속 솔질하기.

*__Geburt__ [gəbúːrt] 《⇨ gebären》 *f.* -en ① (Entbindung) 분만, 출산: leichte[schwere] ~ 순산[난산]; unzeitige ~ 조산, 유산; eine schmerzlose ~ 무통 분만. ② 탄생, 출생: bei seiner ~ 그가 태어났을 때; von ~ an 태어날 때부터, 천성적으로; vor[nach] Christi ~ 그리스도 탄생 전[후], 기원전[후]. ③ (Herkunft) 혈통, 가문, 출신: er ist von ~ Deutscher 그는 독일 태생이다; von hoher [niedriger] ~ 고귀한[미천한] 혈통의. ④ 〚비유〛 (Entstehung) 기원, 발생: ~ und Grab 생성과 사멸; die ~ der Tragödie 비극의 탄생; die ~ eines neuen Zeitalters 새 시대의 개막; in der ~ ersticken 초기에 없애 버리다; 〚비유·구어〛 das war eine schwere ~ 그것은 무척 어렵게 성사되었다. ⑤ 태아 (Leibesfrucht); (Erzeugnis) 산물, 소산: die ~ abtreiben 낙태하다; eine ~ seines Geistes 그의 정신의 소산.

Geburten≈abnahme *f.* 출산율 감소. **~beschränkung** *f.* 산아 제한. **~buch** *n.* 〚法〛 출생 등록부. **~häufigkeit** *f.* 출산율; 출생률. **~kontrolle** *f.* 〚政〛 산아 조절[제한]. **~rate** *f.* 출생률. **~regelung** *f.* (부부에 의한) 임신[출산] 조절. **~reglung** *f.* ↑ ~regelung. **~rückgang** *m.* 출산율 저하. **~schwach** *a.* 출산율이 낮은. **~stark** *a.* 출산율이 높은. **~statistik** *f.* 출산 통계. **~überschuß** *m.* 출산 과잉. **~ziffer** *f.* 출생수.

gebürtig [gəbýrtɪç] *a.* (…) 태생의: aus Hamburg ~ 함부르크 태생인; er ist ~er Berliner 그는 베를린 토박이다.

Geburts≈adel [gəbúːrts..] *m.* 세습 귀족. **~anzeige** *f.* 출생 신고; (신문 따위에) 내는 출생 공고. **~attest** *n.*, **~brief** *m.* ↑ ~urkunde. **~datum** *n.* 생년월일. **~fehler** *m.* 선천적[유전적] 신체 결함[불구]. **~feier** *f.*, **~fest** *n.* 생일 잔치. **~haus** *n.* 생가, 태어난 집; 〚드물게〛 산원(產院). **~helfer** *m.* 조산원, 산파. **~helferin** *f.* ↑ ~helfer의 여성형. **~helferkröte** *f.* 〚動〛 (Alytes) 알리테스(알이 올챙이가 될 때까지 알을 몸 뒤쪽에 붙여 보호하는 수컷 개구리). **~hilfe** *f.* (전문적인) 출산 보조, 산파술, 조산(법). **~jahr** *n.* 생년. **~kunde** *f.* 산파학. **~land** *n.* 출생국. **~liste** *f.* ↑ Geburtenbuch. **~mal** *n.* 모반(母斑) (Muttermal). **~name** *m.* (출생 때의) 성(姓). **~ort** *m.* 출생지. **~recht** *n.* 생득권(生得權). **~register** *n.* 〚法〛 ↑ Geburtenbuch. **~schein** *m.* 〚法〛 ↑ ~urkunde. **~schmerzen** *pl.* 진통. **~stadt** *f.* 출생 도시. **~stern** *m.* (운세를 점치는) 출생 때의 별자리. **~stolz** *m.* 가문의 자랑. **~stunde** *f.* 출생 시각. *__~tag__ *m.* ① 출생일: tragen Sie hier bitte Ihren ~ ein! 이곳에 당신의 생년월일을 기입하세요. ② 생일: heute habe ich ~ 오늘은 내 생일이다; alles Gute [herzlichen Glückwunsche] zum ~! 생일 축하합니다!; et. zum ~ (geschenkt) bekommen 생일에 무엇을 선물로 받다; jn. zum ~ einladen 누구를 생일 파티에 초대하다.

Geburtstags≈feier *f.*, **~fest** *n.* 생일 잔치. **~geschenk** *n.* 생일 선물. **~kind** *n.* 〚구어〛 생일을 맞는[축하받는] 사람. **~torte** *f.* 생일 축하 케이크.

Geburts≈teile *pl.* 생식기. **~urkunde** *f.* 출생 증명서. **~wehen** *pl.* 진통. **~zange** *f.* 〚醫〛 분만 겸자(鉗子). **~zeit** *f.* 출생 일시.

*__Gebüsch__ [gəbʏ́ʃ] *n.* -es, -e 덤불, 수풀, 잡목이 우거진 숲, 관목림.

gebüschelt 《I》 *p.p.* ↑ büscheln. 《II》 *p.a.* 술이 달린; 〚植〛 총생(叢生)의.

gechintzt 《I》 *p.p.* ↑ chintzen. 《II》 *p.a.* (옷감 표면에) 광택을 입힌.

*__Geck__ [gɛk] 《ndl., „Narr"》 *m.* -en, -en ① **(a)** 〚고어〛 바보, 멍청이: mit jm. den ~(en) treiben 누구를 조롱하다; jm. den ~en stechen 누구를 몸짓으로 조롱하다. **(b)** (rhein.) 사육제의 광대. ② 〚폄어〛 (Stutzer) 멋쟁이, 맵씨꾼, 기생 오라비. ③ 송아지[새끼양]의 두개골 봉합. ④ 〚고어〛 (굴뚝의) 회전 통풍 덮개.

⑤〖海〗〘고어〙 배의 펌프 자루.

geck *a.* (rhein.) 머리가 돈, 미친: bist du ~? 너 미쳤니?

gecken (nordwestd.) 《I》 *t.* 우롱〔조롱〕하다. 《II》 *i.* (h.) 바보짓을 하다, 익살부리다.

Gecken·art *f.* 어리석은 짓, 바보짓.

geckenhaft *a.* ①어리석은, 미련한. ②쪽 빼입은, 한껏 멋부리는: sich ~ kleiden 옷을 쪽 빼입다.

Geckenhaftigkeit *f.* 어리석음; 멋부림.

Geckentum *n.* -(e)s, **Geckerei** *f.* -en ①〘폄어〙 너무 멋부리는 일, 허영심에 가득 찬 행동. ② (rhein.) 광대놀음, 광대짓.

geckig *a.* ①〘고어〙 ↑ geckenhaft. ②〘방언〙 auf jn.〔et.〕 ~ sein 누구를〔무엇을〕 유별나게 좋아하다.

Gecko [géko] 《mal.》 *m.* -s, -s/-nen 〖動〗 도마뱀붙이.

gedacht[1] [gədáxt] 《I》 *p.p.* ↑ denken. 《II》 *p.a.* ①상정〔가정〕한: das ist nur ein ~er Fall 그건 단지 한번 가상해본 경우일 뿐이다. ②계획된, 염두에 둔: als et. ~ sein 무엇으로 계획된 것이다; für jn.〔et.〕 ~ sein 누구를〔무엇을〕 위한〔염두에 둔〕 것이다.

gedacht[2] *p.p.* ↑ gedenken.

Gedachte* *das* 가상의 것.

*__Gedächtnis__ [gədέçtnɪs] 《今 (ge)denken》 *n.* -ses, -se ①기억, 기억력: ein gutes〔kurzes〕 ~ haben 기억력이 좋다〔나쁘다〕; kein ~ für et. haben 무엇을 전혀 기억하지 못하다; ein ~ wie ein Sieb haben 건망증이 심하다; wenn mich mein ~ nicht trügt 내 기억이 틀리지 않다면; 〘반어·은폐〙 js. ~ nachhelfen 누구의 기억을 도와주다, (기억나지 않는다는 것을) 강압적으로 이야기하게 하다; aus dem ~ 기억에 의해, 외어서; et. dem ~ einprägen 무엇을 기억하다; jn.〔et.〕 im ~ behalten 누구를〔무엇을〕 기억해 두다; sich³ jn.〔et.〕 ins ~ zurückrufen 누구를〔무엇을〕 생각해내다; es ist meinem ~ entfallen 나는 그것을 잊어버렸다; jn.〔et.〕 aus dem ~ verlieren〔löschen〕 누구를〔무엇을〕 잊다〔애써 잊으려 하다〕. ②기념, 추모, 추도; 기념물〔비〕: jm. ein ~ stiften 누구의 기념비를 세우다; zum ~ an die Gefallenen 전몰자를 기념하기 위하여. ③ (schweiz.) 기념제; 추도식.

Gedächtnis⸗ausstellung *f.* (Gedenkausstellung) 기념〔추도〕 전람회. **~bein** *n.* 〖해부〗 후두골(後頭骨). **~buch** *n.* 비망록, 메모. **~defekt** *m.* 기억 결여. **~fehler** *m.* 기억 착오. **~feier** *f.*, **~fest** *n.* 기념제, 추도식. **~gottes·dienst** *m.* 추모〔추도〕 예배. **~kirche** *f.* 기념 교회. **~konzert** *n.* 기념〔추도〕 음악회. **~kraft** *f.* 〘구어〙 기억력. **~kram** *m.* 잡다한 기억들. **~kunst** *f.* 기억술. **~münze** *f.* 기념 주화(Gedenkmünze). **~protokoll** *n.* 기억에 의한 대화〔회담〕 기록. **~rede** *f.* 기념〔추도〕 연설. **~schwäche** *f.* 건망증, 기억력 감퇴. **~schwund** *m.* 〖醫〗 기억 상실(증). **~stein** *m.* 기념비. **~störung** *f.* 〖醫〗 기억 장애. **~stütze** *f.* 기억 보조 수단. **~tag** *m.* 기념일. **~werk** *n.* ↑ ~kram. **~zeichen** *n.* 기념품.

gedackt [gədákt]《decken 의 옛 과거 분사형 (gedeckt)》 *p.a.* 〖음악〗 (파이프오르간의 파이프 위를) 뚜껑으로 덮은: ~e Pfeifen 폐구관 (閉口管).

*__Gedanke__ [gədáŋkə] 《<denken》 *m.* -ns, -n ①생각, 사고, 상념; 착상, 계획, 의향; 이념, 사상; (Vorstellung) 관념, 표상: ein guter 〔kluger〕 ~ 좋은〔현명한〕 아이디어; ein großer ~ 대사상; der ~ der Emanzipation 해방의 이념; der ~ an die Zukunft 장래에 대한 생각; einen ~n fassen 어떤 생각을 품다; mit einem ~n umgehen 어떤 계획을 세우고 있다; seinen ~n nachhängen 생각에 빠지다, 명상하다; sich³ über et. ~n machen 무엇에 관해 (오랫동안) 숙고하다; ein ~ fuhr 〔schoß〕 mir durch den Kopf 어떤 생각이 내 뇌리를 스치고 지나갔다; 〘속담〙 ~n sind (zoll)frei 무엇을 생각하든 그것은 각자의 자유다. ②〘전치사와 함께〙 jn. **auf** andere ~n bringen 누구의 생각을 바뀌게 하다; jn. auf einen ~n bringen 누구에게 어떤 생각을 품게 하다; auf einen ~n kommen 어떤 생각을 하게 되다; **aus** den ~n kommen 잊혀지다; sich³ et. aus den ~n schlagen 무엇을 기억에서 쫓아내다; es geht ihm zu viel **durch** die ~n 그는 너무나 많은 일을 생각한다; **in** ~n a) 생각에 잠겨, 공상으로, b) 방심하여, 넋을 잃고: in ~n verloren〔versunken〕 sein 깊은 생각에 잠기다; im ~n sein, daß ... …한 생각〔의견〕을 가지고 있다; jm. in den ~n kommen 누구의 마음에 떠오르다; wo waren Sie **mit** Ihren ~n? 무엇을 생각하고 계셨습니까?; mit dem ~n spielen (무엇을 할까) 생각 중이다. ③〘복수〙 (Ansicht) 의견, 소신, 견해: mit jm. ~n austauschen 누구와 의견을 교환하다; auf js. ~n eingehen 누구의 의견에 동의하다. ④ (Erinnerung) 회상, 기억: sie kommt mir nicht aus den ~n 그녀가 내 생각에서 사라지지 않는다, 잊혀지지 않는다. ⑤ (Hoffnung) 희망, 기대: sich³ ~n auf et. machen 무엇에 기대를〔희망을〕 걸다. ⑥〘복수〙 (Sorge) 근심, 우려: sich³ ~n über jn. 〔et.〕 machen 누구를〔무엇을〕 걱정〔근심〕하다; mach dir nicht so viele (unnötige) ~n! 너무 그렇게 (쓸데없이) 염려 마라! ⑦ (Spur) 자국, 흔적; 극소량: 〘구어〙 kein ~ (daran)! (그건) 절대〔말도〕 안 된다; um einen ~n dünner 생각이 얇은; es war kein ~ an Rettung 구조될 가망은 전혀 없었다; 〘방언〙 (um) einen ~n 조금, 약간.

Gedanken *m.* -s, - 〘드물게〙 ↑ Gedanke.

Gedanken⸗arbeit *f.* 정신 노동, 지적 활동. **~arm** *a.* (독창적인) 사상이 빈곤한. **~armut** *f.* 사상의 빈곤〔빈약〕. **~austausch** *m.* 의견 교환. **~bein** *n.* 〖해부〗 노정골(顱頂骨). **~bild** *n.* 심상(心像); 공상(의 산물). **~blitz** *m.* 〘구어·반어〙 느닷없는 생각, 순간적인 착상, 묘안. **~flug** *m.* 생각의 비상, 원대한〔환상적인〕 사상. **~fluß** *m.* 사상의 흐름. **~folge** *f.* 생각의 (논리적) 진행〔연속〕. **~freiheit** *f.* 사상의 자유. **~fülle** *f.* 풍부〔다양〕한 사상. **~gang** *m.* 사상의 단계, 사고 과정. **~gut** *n.* (한 시대·민족의) 사상의 총화. **~kreis** *m.* 사고 범위. **~leer** *a.* (독창적인) 사상이 결여된. **~leere** *f.* 사상의 결여. **~lesen** *n.* 〖심령〗 독심술(讀心術). **~leser** *m.* 〖심령〗 독심술사.

gedankenlos *a.* ① 깊이 생각하지 않은, 경솔한. ②멍한, 넋을 잃은, 정신 나간.

Gedankenlosigkeit *f.* ① 경솔한 언동. ② 부주의, 방심.
Gedanken=lyrik *f.* 〖문학〗 사상시, 명상시. **~punkte** *pl.* 말없음표, 줄임표(…). **~raub** *m.* 표절. **~reich** *a.* (독창적인) 사상이 풍부한; 시사하는 바가 많은, 의미심장한. **~-reichtum** *m.* (독창적인) 사상의 풍부함. **~-schnell** *a.* 생각처럼 빠른, 홀연의, 순식간의. **~schwer** *a.* ① 근심에 잠긴, 우울한, 풀이 죽은. ② 함축성 있는, 의미심장한. **~spä-ne** *pl.* 사상의 편린, 경구, 잠언, 격언. **~spiel** *n.* 사상의 유희. **~splitter** *m.* ① (논문 따위의) 개요. ② (Aphorismus) 격언, 잠언, 경구. **~sprung** *m.* 사고의 비약. **~stille** *f.* 침사(沈思), 묵상. **~strich** *m.* 말바꿈표, 줄표, 대시(—). **~übertragung** *f.* ① 사상의 전달. ②〖구어〗이심전심; 〖심령〗텔레파시, 정신 감응. **~verbindung** *f.* ① 사상의 결합〔연결〕. ② 관념 연합, 연상. **~verloren, ~-versunken** *a.* 골똘히 생각에 잠긴, 생각에 골몰한. **~voll** *a.* ① 사상이 풍부한. ② 사려 깊은; 생각이 많은, 명상적인; 수심에 잠긴. **~vorbehalt** *m.* 〖宗·法〗(진술·선서 등을 할 때) 심중〔의중〕 유보(留保). **~welt** *f.* 사상계, 정신〔관념〕 세계. **~wesen** *n.* 생각 속에만 있는 것, 공상의 산물, 추상물.
gedanklich [gədáŋklɪç] *a.* 사상적인, 정신의; 공상적인, 관념적인.
Gedärm [gədɛ́rm] *n.* -(e)s, -e, **Gedärme** *n.* -(e)s, - 장(腸), 내장.
Gedeck [gədɛ́k] 《<decken》 *n.* -(e)s, -e ①〖드물게〗덮개; 식탁보. ② 한 벌의 식기: ein ~ für 3 Personen auflegen 3 인분의 식기를 차리다. ③ (음식점의) 정식: ein ~ bestellen 정식을 주문하다; ein trockenes ~ 음료가 없는 정식. ④ (바·나이트 클럽의) 기본 음료. ⑤ 〖음악〗(오르간의) 폐구관(閉口管)의 스톱.
gedeckt [gədɛ́kt] 《I》 *p.p.* ↑ decken. 《II》 *p.a.* ① (빛깔이) 야하지 않은, 연한, 바랜. ② 〖軍〗 엄폐된.
Gedeih [gədáɪ] *m.* -(e)s 번영, 성공:〖다음 구문으로〗auf ~ und Verderb 흥하든지 망하든지, 어떤 경우에라도, 무슨 일이 있어도.
__gedeihen__ [gədáɪən] (gedieh, gediehen) *i.* (s.) ① 번성〔번창〕하다, 잘 자라다, 잘 되다: die Pflanze will nicht recht ~ 이 식물은 잘 크지를 못 한다; das Kind ist prächtig gediehen 그 아이는 훌륭하게 성장했다;〖속담〗unrecht Gut gedeiht nicht 부정한 돈은 오래 가지 못한다. ② (…가) 되다: das gedeiht ihm zur Ehre 〔zum Schaden〕 그것은 그의 명예가〔손실이〕 된다. ③ 나오다, 생기다:〖비유·雅語〗 es gedeiht nichts Gutes daraus 그런 일을 해도 좋은 것은 전혀 생기지 않는다. ④ 진척되다, 순조롭게 진행되다: die Arbeit ist schon weit gediehen 그 일은 벌써 상당히 진척되었다; wie weit ist er mit seinem Studium gediehen? 그의 학업은 얼마나 진척되었나요? ⑤〖고어〗jm. ~ 누구에게 주어지다. ⑥ (석회가) 팽창하다, 부피가 늘다.
Gedeihen *n.* -s 번영, 번창, 성공; 성장, 번성; 진척.
gedeihlich *a.* 〖雅語〗 ① 번영하는, 잘 되어가는, 순조로운: ~er Fortgang 순조로운 진행. ② (ersprießlich) 유익한, 유용한; (heilsam) 건강에 좋은, 자양이 되는.
Gedeihlichkeit *f.* 번영; 유익.
gedenk* [gədɛ́ŋk] *a.* 기억〔명심〕하고 있는 (eingedenk): eines Dinges 〔js.〕 ~ sein 무엇을〔누구를〕 잊지 않고 있다; ~ der Würde 체면을 생각해서.
Gedenk·ausstellung *f.* 추모〔기념〕 전람회.
gedenkbar *a.* ↑ denkbar.
Gedenk=blatt *n.* 기념 인쇄지. **~buch** *n.* 〖드물게〗 기념 앨범; 비망〔회고〕록.
Gedenke·mein *n.* -s, - 〖植〗 지칫과의 다년초(물망초와 비슷한 식물).
Gedenken *n.* -s (Gedächtnis) 기념, 기억, 회상: jn. in gutem ~ behalten 누구를 좋게 기억하고 있다;〖구식〗seit Menschen~ 태고적부터; zu Ihrem ~ 당신을 기념하기 위해서.
*__gedenken__** 《I》 *t.* 기억하다, 잊지 않다: jm. et. ~ 누가 무엇을 한 것을 잊지 않다, 마음에 두고 생각하다: das werde ich dir ~ 네가 한 짓을 잊지 않을 것이다(두고 보자). 《II》 *i.* (h.) ①〖雅語〗추모하다, 그리다, 생각하다, 언급하다: js.〔eines Dinges〕 ~ a) (eingedenk sein) 누구를〔무엇을〕 회상하다, 잊지 않다, b) (erwähnen) 누구〔무엇〕에 관하여 말하다, 언급하다; gedenke mein〔meiner〕! 나를 잊지 마라!; gern gedenke ich des Tages 그날은 나의 즐거운 추억이다; der Gefallenen ~ 전몰자를 추모하다; im Testament auch des Dieners ~ 유언장에서 그 하인에 대해서도 언급하다; js. in Ehren ~ 누구를 칭찬해서 말하다; dessen nicht zu ~, daß... …은 제쳐 두기로 하고. ②〖雅語〗〖zu 부정법과 함께〗(vorhaben) (…할) 작정이다, 생각이다: was ~ Sie zu tun? 무엇을 하실 생각이십니까?; ich gedenke, morgen abzureisen 나는 내일 출발할 생각이다. ③ auf et. ~ 무엇을 뜻하다, 노리다;〖사물이 주어〗 sich ~ lassen (무엇이) 상상될 수 있다. ④〖드물게〗an jn.〔et.〕 ~ 누구를〔무엇을〕 생각하다, 기억하다. 《III》 *imp.* es gedenkt mir〔mich〕 lange 내게는 오랫동안 잊혀지지 않는다; es gedenkt mir, daß... 나에겐 …라고 생각된다.
Gedenk=feier *f.* 기념제, 위령제, 추도식. **~-gottes·dienst** *m.* 추도 예배. **~marke** *f.* 기념 우표. **~minute** *f.* 묵념 (시간): eine ~ zu Ehren der toten Sportler einlegen 사망한 선수들을 기리기 위해 묵념하다. **~münze** *f.* 기념 주화. **~rede** *f.* 기념〔추모〕 연설. **~-spruch** *m.* 표어; 격언. **~stätte** *f.* 기념 장소; 추모지. **~stein** *m.* 기념비, 추모비. **~-stunde** *f.* 추도식(의 시간): eine ~ für die Opfer der Flutkatastrophe abhalten 홍수 재해의 희생자들을 위한 추도식을 거행하다. **~tafel** *f.* 기념 편액(扁額)〔현판〕. **~tag** *m.* 기념〔추모〕일.
gedeucht [gədɔ́ʏçt] *p.p.* 〖고어〗 ↑ dünken.
Gedeutel [gədɔ́ʏtəl] *n.* -s 〖고어〗 억지 해석, 견강부회(Deutelei).
__Gedicht__ [gədɪ́çt] 《<dichten²》 *n.* -(e)s, -e ① 시, 운문, 시가: Gelegenheits~ 즉흥시; ein lyrisches〔episches, dramatisches〕 ~ 서정〔서사, 극〕시; ~e machen 시를 짓다. ②〖비유·구어〗 시에 비길 만한 것, 멋진 것: das Kleid ist ein ~! 그 드레스 정말 근사하다! ③〖고어〗 (Erdichtung) 허구, 꾸며낸 이야기.
Gedicht=form *f.* 시 형식, 운문체: in ~ 운문으로. **~interpretation** *f.* 시 해석. **~samm-**

lung *f.* 시집.

***gediegen** [gədi:gən] ⟪gedeihen 의 옛 과거 분사형⟫ *a.* ① (주택·가구가) 튼튼한, 견고한. ② 〖광산〗 (rein) 순수한, 잡것이 섞이지 않은: ~es Gold 순금. ③〔비유〕착실한, 믿을 만한, 건실한, 확실한: ein ~er Charakter 틀림없는 인물; ein ~es Wissen 확실한 지식. ④〔구어〕(prächtig) 훌륭한, 뛰어난; (wunderlich) 기묘한, 이상한: ein ~er Witz 멋진 익살; das ist aber ~! 이것 참 이상하군!

Gediegenheit *f.* (사람의) 건실성, 착실성; (사물의) 견고성; 순수성.

***gedieh** [gədi:] ↑ gedeihen 의 과거형.

gediehen [gədi:ən] *p.p.* ↑ gedeihen.

gedient [gədi:nt] ⟪Ⅰ⟫ *p.p.* ↑ dienen. ⟪Ⅱ⟫ *p.a.* 병역을 마친, 제대한: ein ~er Soldat 제대 군인.

Gedinge [gədíŋə] ⟪<dingen⟫ *n.* -s, - ①〖광산〗 (Akkordlohn) 도급 임금, 성과급. ② (Gesinde) 고용인, 하인.

Gedinge⸗arbeit *f.* 〖광산〗 도급일, 품삯일. **~arbeiter** *m.* 〖광산〗 도급 노동자, 품팔이꾼. **~geld** *n.* 도급 임금.

Gedonner [gədɔ́nər] *n.* -s 계속되는 천둥 소리.

Gedöns [gədǿ:ns] *n.* -es 〔경박〕 (ndd.) 야단법석, 큰 소동.

gedoppelt [gədɔ́pəlt] ⟪Ⅰ⟫ *p.p.* ↑ doppeln. ⟪Ⅱ⟫ *p.a.* 〔고어〕 이중의 (doppelt).

gedrang [gədráŋ] *a.* 〔방언〕 좁은 (eng).

Gedränge [gədrέŋə] *n.* -s ① 쇄도하는 무리; 군중; 붐빔, 혼잡, 쇄도; sich durch das ~ hindurcharbeiten 군중을 헤치고 나아가다; dem ~ ausweichen 혼잡을 피하다. ②〔비유〕 (Not) 어려움, 궁지, 진퇴양난: ins ~ kommen〔geraten〕 궁지에 빠지다. ③ (럭비의) 스크럼: ein ~ bilden 스크럼을 짜다.

Gedrängel *n.* -s 〔구어〕 계속적인 밀치기〔혼잡〕.

gedrängt [gədrέŋt] ⟪Ⅰ⟫ *p.p.* ↑ drängen. ⟪Ⅱ⟫ *p.a.* 압축된; 간명한, 간결한: ein ~er Stil 간결한 문체; et. in ~er Kürze berichten 무엇을 간결하게 보고하다.

Gedrängtheit *f.* 간결, 간명.

gedrechselt [gədrέksəlt] ⟪Ⅰ⟫ *p.p.* ↑ drechseln. ⟪Ⅱ⟫ *p.a.* 공들여 만든, 정교한; 판에 박은 듯한, 꾸며낸 듯한, 부자연스러운.

gedreht [gədré:t] ⟪Ⅰ⟫ *p.p.* ↑ drehen. ⟪Ⅱ⟫ *p.a.* 비틀린; 〖植〗 회선상(回旋狀)의.

gedritt [gədrít] *a.* 3 개가 한 짝인, 세 개〔3 부〕로 이루어진, 3 중〔3 배〕의; 〖天〗 3 분의 1 대좌(對座)의.

Gedritt·schein *m.* 〖天〗 3 분의 1 대좌(對座) (유성이 서로 120 도 떨어진 위치에 있는 것).

Gedröhn *n.* -(e)s, **Gedröhne** *n.* -s 〔구어〕 끊임없이 진동함〔울려퍼짐〕.

gedroschen [gədrɔ́ʃən] *p.p.* ↑ dreschen.

gedruckt ⟪Ⅰ⟫ *p.p.* ↑ drucken. ⟪Ⅱ⟫ *p.a.* 인쇄된; 날염된; 그럴싸한: wie ~ lügen 그럴싸한 거짓말을 하다.

gedrückt [gədrýkt] ⟪Ⅰ⟫ *p.p.* ↑ drücken. ⟪Ⅱ⟫ *p.a.* ① 의기소침한, 풀이 죽은: in ~er Stimmung sein 풀이 죽어 있다, 우울해하고 있다. ② 불경기의, 불황의; 값이 인하된: in ~er Lage sein 어려운 처지에 있다; ~e Preise 인하된 가격.

Gedruckte* *das* 인쇄물, 신문.

Gedrücktheit *f.* 침체된 분위기〔기분〕, 의기소침; 불경기.

gedrungen [gədrúŋən] ⟪Ⅰ⟫ *p.p.* ↑ dringen. ⟪Ⅱ⟫ *p.a.* (체격이) 땅딸막한, 다부진; (문체가) 간결한: ein Mensch von ~er Gestalt 다부진 체구의 사람.

Gedrungenheit *f.* (체격이) 땅딸막함, 다부짐; (문체가) 간결함.

Gedudel [gədú:dəl] *n.* -s 〔구어·폄어〕 서투른 연주; 단조로운 음악.

***Geduld** [gədúlt] ⟪<dulden⟫ *f.* ① 인내, 참을성, 끈기; (Nachsicht) 관용, 용서: hab' ~! 참아라!; die ~ verlieren 인내심을 잃다; 〔구어·비유〕 mit ~ und Spucke 참고 견디며, 끈기있게; sich in ~ fassen〔üben〕 참을성 있게 기다리다; mit jm. ~ haben 누구를 너그럽게 대하다; 〔구어〕 jetzt reißt mir aber die ~! 이제 난 참을 수 없다!; js. ~ auf eine harte Probe stellen 누구의 인내심을 시험하다; js. ~ auf die Folter spannen 누구에게 잔뜩 기대를 갖게 하고는 마냥 기다리게 하다; et. mit〔in〕 ~ ertragen 무엇을 꾹 참다; zu et.[3] keine ~ haben 무엇을 할 끈기가 없다. ②〔고어〕 (소나기 따위를) 피할 곳.

gedulden *refl.* sich ~ 인내하다, 참다, 참고 기다리다: wir müssen uns noch ein paar Tage ~ 우리 며칠 더 참고 기다려야 한다.

***geduldig** *a.* 인내하는, 참을성이 강한, 끈기있는; 관대한, 너그러운: ~ warten 끈기 있게 기다리다; ~ et. über sich ergehen lassen 무엇이 끝날 때까지 참고 견디다; ~ mit jm. sein 누구를 너그럽게 대하다; 〔구어〕 er ist ein ~es Schaf 〔~ wie ein Lamm〕 그는 양처럼 유순한 사람이다; 〔비유·구어〕 Papier ist ~ 어중이떠중이 글도 종이는 다 받아주지.

geduldlos *a.* 인내〔끈기〕가 없는.

geduldsam *a.* (duldsam) 관대한, 너그러운.

Gedulds⸗arbeit *f.* 인내심을 요하는 일. **~faden** *m.* 〔구어〕 인내심의 양〔한계〕: mir reißt der ~ 나는 더 이상 참을 수 없다, 참는 데도 한도가 있다; du hast aber wirklich einen langen ~! 넌 참 참을성도 많구나! **~küchel** *n.* 흰자위 빵과자. **~probe** *f.* 인내의 시험, 인내심 테스트: jn. auf eine harte ~ stellen 누구를 오래 기다리게 하다. **~spiel** *n.* 인내심과 집중력을 요하는 놀이〔일〕.

gedungen [gədúŋən] *p.p.* ↑ dingen.

gedunsen [gədúnzən] ⟪<dunsen⟫ *a.* (aufgedunsen) 부풀어오른, 부은: sein Gesicht war von der Hitze ~ 그의 얼굴은 열로 부어 올랐다.

Gedunsenheit *f.* 팽창, 부기(浮氣).

gedünstet *p.p.* ↑ dünsten.

Gedünstete* *das* 〖요리〗 (öst.) 찐 고기〔야채〕.

gedurft [gədúrft] *p.p.* ↑ dürfen.

geeckt [gəlέkt] ⟪Ⅰ⟫ *p.p.* ↑ ecken. ⟪Ⅱ⟫ *p.a.* 모가 난.

geehrt [gəlé:rt] ⟪Ⅰ⟫ *p.p.* ↑ ehren. ⟪Ⅱ⟫ *p.a.* 〔sehr 와 함께 편지 서두의 호칭에 사용됨〕 존경하는 (…씨): sehr ~er Herr Meyer! 존경하는 마이어씨!; sehr ~e (gnädige) Frau Meyer! 존경하는 마이어 여사!; 〔직함을 쓸 경우에는 성도 생략함〕 sehr ~er Herr Professor! 존경하는 교수님!

Geehrte* *das* 〔고어〕〖商〗 편지, 서한: Ihr ~s

vom 6.7. 7 월 6 일자 귀하의 서한, 귀한(貴翰).

geeignet [gəláɪgnət] 《I》 *p.p.* ↑ eignen. 《II》 *p.a.* 적합한, 적절한, 유용한: ~e Maßnahmen ergreifen 적절한 조처를 취하다; zum Schauspieler〔Lehrer〕 ~ 배우로〔선생으로〕 적합하다; zu nichts ~ sein 아무 쓸모 없다; er ist für diese Arbeit nicht ~ 그는 이 일에 부적합하다.

geeigneten·orts *adv.* 〔고어·격식〕 알맞은 장소〔부서〕에.

Geeignetheit *f.* 〔드물게〕 적합성, 적성; 자격.

Geer [ge:r] *f.* -en, **Geerde** *f.* -n 〖海〗 기움 돛대에 매는 밧줄.

geerdet 《I》 *p.p.* ↑ erden.² 《II》 *p.a.* 〖전기〗 접지된.

Geest [ge:st] 《ndd. gust, „unfruchtbar"》 *f.* -en 〖지리〗 (북독 해안 지대의) 높고 건조한 불모지 (↔ Marsch).

Geest·land *n.* ↑ Geest.

gef. =gefallen 전사한.

Gefabel [gəfá:bəl] *n.* -s 〔구어·폄어〕 끊임없이 지껄여대는 허튼 소리〔황당한 이야기〕.

gefabelt 《I》 *p.p.* ↑ fabeln. 《II》 *p.a.* 꾸며낸, 허구의.

Gefach [gəfáx] *n.* -(e)s, ..fächer 구획, 칸막이; (장이나 서가의) 칸, 서랍.

Gefächel [gəfɛ́çəl] *n.* -s 계속 부채질하기.

Gefackel *n.* -s 앞뒤〔좌우〕로 흔들림; 〔구어·폄어〕 우유부단, 망설임, 주저.

***Gefahr** [gəfá:r] *f.* -en ① 위험, 위난, 위해(危害): Einsturz~ 붕괴의 위험; Kriegs~ 전쟁의 위기; eine ~ heraufbeschwören 위험을 야기시키다; einer ~ entgehen 위험에서 벗어나다; sich einer ~ aussetzen 위험에 몸을 맡기다; ~ laufen 위험을 무릅쓰다; der ~ ins Auge sehen 위험을 직시하다; der ~ trotzen 위험에 맞서다; außer ~ sein 고비를 넘기다, 안전하다; bei ~ 긴급한 경우에; Betätigung der Notbremse nur bei ~ 유사시에만 비상 브레이크를 작동하시기 바랍니다(경고 문구); auf eigene ~ 자신의 책임 아래; jn. in ~ bringen〔setzen〕 누구를 위험에 빠뜨리다, 위태롭게 하다; sich in ~ begeben 위험을 무릅쓰다; in ~ geraten〔kommen〕 위험에 빠지다; 〔방언〕 es hat keine ~ 겁낼 것 없다, 위험한 것은 없다; es besteht ~, daß es hagelt 우박이 내릴 우려가 있다; ~ ist im Verzug 지체하면 위험하다; ~ ist im Anzug 위험이 닥쳐오고 있다. ② 〖法〗 재해〔사고〕 발생의 가능성.

gefähr *a.* (md.) ① ↑ gefährlich. ② ↑ feindlich.

gefahr·bringend *a.* 위험을 초래하는.

Gefährde [gəfɛ́:rdə] *f.* -n 〔시어〕 ① ↑ Gefahr. ② 고의적 위해, 간악, 악의; 기만, 사기: ohne ~ 속이려고 함이 없이. ③ 결핍, 궁핍.

gefährden *t.* 위태롭게 하다, 위험을 끼치다; (건강·신용 따위를) 해치다, 상하게 하다: sein Leben ist gefährdet 그는 생명이 위태롭다. 《II》 *i.* (s.) 〔드물게〕 위험을 무릅쓰다. 《III》 **gefährdet** *p.a.* ↑ gefährdet.

gefährdet 《I》 *p.p.* ↑ gefährden. 《II》 *p.a.* 위험에 처한, (특히 도덕적으로) 위태로운: ein Heim für ~e Jugendliche 비행(非行) 청소년을 위한 집.

Gefährdeten·fürsorge *f.* (비행) 청소년 선도(책).

gefahr·drohend *a.* 위협적인: seine Stimme klang ~ 그의 목소리가 위협적으로 들렸다.

Gefährdung [gəfɛ́:rduŋ] *f.* -en 위험 가능성, 위기: die sittliche ~ der Jugend 청소년의 도덕적 위기.

Gefährdungs·haftung *f.* 〖法〗 위험 책임(무과실 위해(危害)에 대한 책임).

Gefahre [gəfá:rə] *n.* -s 〔구어·폄어〕 ① 빈번한 교통 왕래, 번잡한 교통. ② 짜증나는〔무절제한〕 운전.

gefahren [gəfá:rən] *p.p.* ↑ fahren.

Gefahren·bereich *m.*, **~gebiet** *n.* 위험 지역. **~gemeinschaft** *f.* 〖法·보험〗 재난 보호 조합〔공동체〕. **~herd** *m.* ① 분쟁〔사고〕 다발 지역. ② ↑ ~quelle. **~moment** *n.* 위험 요인. **~quelle** *f.* 위험의 근원. **~zone** *f.* 위험 지대. **~zulage** *f.* 위험 수당.

***gefährlich** [gəfɛ́:rlɪç] 《<Gefahr》 *a.* ① 위태로운, 위험한, 위태위태한, 아슬아슬한: eine ~e Krankheit 중병; ein ~er Mensch 위험 인물; das ~e Alter (유혹에 넘어가기 쉬운) 위험한 연령; die Straße ist ~ glatt 길이 위태롭게 미끄럽다; reize ihn nicht, er kann (dir) ~ werden 그를 건드리지 마라, 그는 (너에게) 위험한 존재일 수 있다. ② 〔비유·구어〕 (bedeutend) 중대한, 만만치 않은; (gewaltig) 과도한, 대단한: das ist nicht so ~ 그건 아무렇지도 않다, 괜찮다; habe dich nicht so ~! 그렇게 대단한 척하지 마라!

Gefährlichkeit *f.* ① 위험성, 위태로움: die ~ ihres Vorhabens 그녀의 계획의 위험성. ② 위험한 사물.

gefahrlos *a.* 위험이 없는, 안전한.

Gefahrlosigkeit *f.* 안전성.

Gefährt [gəfɛ́:rt] 《<fahren》 *n.* -(e)s, -e 〖雅語〗 ① (Fuhrwerk) 탈것, 마차, 차량. ② 〖사냥〗 (obd.) 짐승의 발자국(Spur). ③ 〔방언〕 (Aufruhr) 반란, 폭동.

Gefährte¹ [gəfɛ́:rtə] *n.* -s, - (öst.) ↑ Gefährt.

***Gefährte**² 《<Fahrt》 *m.* -n, -n 〖雅語〗 ① (Begleiter) 동행자, 동반자, 반려; 배우자 (Lebens~); 길 동무(Reise~); (Kamerad) 친구, 벗; (Mitarbeiter) 동료, 협력자. ② 〖음악〗 푸가의 주제에 대한 응답구(句).

Gefährtin *f.* -nen ↑ Gefährte² 의 여성형.

gefahr·voll *a.* 몹시 위험한, 위험 천만한, 위태위태한. **~zone** *f.* 위험 지대.

Gefäll [gəfɛ́l] 《<Fall》 *n.* -(e)s, -e, **Gefälle** *n.* -s, - ① (지붕·도로 등의) 물매, 경사, 기울기; (흐름의) 낙차; 격차, 차이: die Mühle hat ein gutes ~ 이 물레방아는 물 힘이 좋다; 〔농담〕 er hat ein gutes ~ 그는 대주객(大酒客)이 다; die Straße hat ein ~ von 3 % 이 도로의 경사율은 3 %다; ein soziales ~ 사회적 신분의 격차. ② (schweiz.) 경향, 기호: ein ~ zum Faschismus haben 파시즘의 경향을 띠고 있다. ③ 〖광산〗 (채굴한) 원광. ④ 〖數〗 기울기. ⑤ 〔복수〕 〔고어〕 토지세, 토지 부담금. ⑥ (폭풍 등으로) 나무가 넘어짐, 넘어진 나무의 가지. ⑦ 〔방언〕 돌발 사고(Zufall); 행운, 요행.

Gefälle·messer *m.* 〖측량·지질〗 경사계(傾斜計) (Gefällmesser).

__gefallen__[1] (gefiel, gefallen) 《I》 *i.* (h.) ① jm. ~ 누구의 마음에 들다, 누구에게 좋은 느낌을 주다: das Zimmer gefällt mir (gut) 방이 내 마음에 든다; wie gefällt dir das Bild? 이 그림 어떠니?; ich gefalle ihm nicht 그는 나를 좋아하지 않는다; allen zu ~ ist unmöglich 모두의 마음에 들 수는 없는 일이다; es gefällt ihm, alle zu ärgern 그는 남을 화나게 하는 것을 재미있어 한다; es hat Gott gefallen, unseren Vater zu sich zu rufen 하느님께서는 저희 아버님을 당신 곁으로 부르시기를 원했습니다(신문 등의 부고문에서); 〖구어〗 dir gefällt wohl meine Nase nicht 너는 내게 반감을 갖고 있는 것 같다. ② 〖구어〗 jm. nicht ~ 누구 마음에 걸리다: sein Husten gefällt mir nicht 그가 기침하는 게 꺼림칙하다. 《II》 *imp.* gefällt es dir hier? 이곳이 마음에 드니?; es gefällt mir in dieser Stadt 이 도시가 내 맘에 든다; wie es Ihnen gefällt 좋으실 대로; wie es Gott gefällt 신의 뜻대로. 《III》 *refl.* ① 〖폄어〗 sich in et.[3] ~ 무엇을 뻐기다, 우쭐대다, 과시하다: er gefiel sich[3] in dem Gedanken, daß... 그는 …라고 생각하고 우쭐했다; du gefällst dir wohl darin, den Märtyrer zu spielen 순교자 배역을 맡으면 넌 아마 의기양양해 할 것이다. ② 〖구어〗 sich[3] et. ~ lassen 무엇을 받아들이다, 견디다, 감수하다: sich[3] einen Scherz〔Vorschlag〕 ~ lassen 익살〔제안〕을 받아들이다; 〖농담〗 das lasse ich mir ~! 그 정도면 훌륭해!(견딜 만하다); so etwas lasse ich mir nicht ~ 그런 일은 참을 수 없다.

gefallen[2] 《I》 *p.p.* ↑ fallen. 《II》 *p.a.* 전사한; 타락한: ein ~er Engel 타락한 천사.

gefallen[3] *p.p.* ↑ gefallen[1].

Gefallen[1] [gəfálən] *n.* -s ① 좋아함, 기쁨, 맘에 듦: an et.[3] ~ finden〔haben〕 무엇을 기뻐하다, 좋아하다, 즐기다; ich kann am Golfspielen kein ~ finden 나는 골프에 흥미 없다; bei jm. ~ finden 누구의 마음에 들다; jm. zu ~ 누구의 마음에 들게, 누구를 위하여; jm. zu ~ kommen 누구의 마음에 들게 되다; 〖구어〗 jm. zu ~ reden 누구에게 아첨하다, 누가 좋아하는 말을 하다; tun Sie es mir zu ~! 제발 그렇게 해주십시오! ② 〖雅語〗 (Belieben) 임의, 수의(隨意): ganz nach Ihrem ~ 좋으실 대로, 뜻대로.

__Gefallen__[2] *m.* -s, - (Gefälligkeit) 호의, 친절: jm. einen ~ tun〔erweisen〕 누구에게 호의를 보이다, 누구를 친절하게 대하다; ich habe Sie um einen ~ zu bitten 당신에게 한 가지 부탁이 있습니다; würden Sie mir einen (großen) ~ tun? 제 부탁 좀 들어주시겠습니까?; bitte, zu mir den ~ und bring mir das Buch! 미안하지만 그 책 좀 나한테 갖다 줘!

Gefallene* *der/die* ① 전사자, 전몰 장병. ② eine ~ 윤락 여성.

Gefallenen≈friedhof *m.* 전몰 용사 묘지. **~-gedenk·feier** *f.* 전몰 용사 추모제〔위령제〕.

Gefälle·strecke *f.* ↑ Gefällstrecke.

__gefällig__ [gəfɛ́lɪç] *a.* ① (erwünscht) 마음에 드는, 바라는, 뜻에 맞는: wenn's (Ihnen) ~ ist 괜찮으시다면, 좋으시다면; was ist (Ihnen) ~? a) 〖商〗 무엇을 드릴까요?, b) (되물을 때) 무어라 말씀하셨습니까?; (ist Ihnen) Bier ~? 맥주를 드시겠습니까?; (ist) et. zu trinken ~? 마시고 싶으신 것이 무엇인지요?; ist (sonst) noch et. ~? (그밖에) 더 사시고〔드시고〕 싶은 것이 있습니까? ② (angenehm) 기분 좋은, 호감을 주는: ein ~es Äußeres 호감이 가는 외모; die leichte und ~e Musik 경쾌한 음악. ③ (gütig) 친절한, 호의적인, 돌보아 주기를 좋아하는: 〖商〗 Ihr ~es Schreiben 귀한(貴翰); jm. ~ sein〔sich jm. ~ erweisen〕 누구에게 친절히 대하다; er war so ~, mir zu helfen 그는 친절하게도 나를 도와 주었다; ein ~es Mädchen 바람기 있는 처녀〔여자〕. ④ 〖구어〗 da〔hier〕 ist (et)was ~ 무슨 일이 났다, 난리법석이다; im Stau auf der Autobahn war vielleicht was ~! 고속 도로가 정체되어 아마 난리를 치루었겠지! ⑤ 〖고어〗 만기가 된(fällig). ⑥ 〖방언〗 행운의.

Gefälligkeit *f.* -en ① 마음을 끄는 점, 호감, 매력. ② 호의, 가벼운 친절〔도움〕: jm. eine ~ erweisen 누구에게 친절을 베풀다; et. aus ~ tun 호의로 무엇을 하다.

Gefälligkeits≈akzept *n.* 〖商〗 융통 어음. **~politik** *f.* 〖대개 폄어〗 (정치적 관계 때문에 자신의 정치 신조를 포기하는) 거래 정치, 비위 맞추기 정책. **~wechsel** *m.* ↑ ~akzept.

gefälligst [gəfɛ́lɪçst] *adv.* ① (불쾌감의 표시로) 제발 좀, 어서: nehmen Sie ~ Platz! 좀 앉아 주십시오!; mach ~ die Tür zu! 미안하지만 문 좀 닫아 줄래!; verlassen Sie ~ mein Haus! 제발 내 집에서 나가 주세요! ② 〖고어·격식〗 호의를 베풀어, 부탁입니다만(약어: gefl.): wollen Sie ~ zur Kenntnis nehmen, daß... 부탁입니다만 …라는 것을 받아들이시겠습니까?

Gefäll·strecke *f.* (도로나 철로의) 경사 구간.

Gefall·sucht *f.* 〖폄어〗 인기 영합, 허영; (Koketterie) 아양떨기, 교태부리기.

gefall·süchtig *a.* 〖폄어〗 남의 마음에 들려고 하는, 인기 전술을 쓰는, 아양 떠는: merkst du nicht, wie ~ sie ist! 그녀가 얼마나 아양을 떠는지 너는 모르겠니!

Gefältel [gəfɛ́ltəl] *n.* -s 작은 주름(장식).

gefalten [gəfáltən] 〖고어〗 *p.p.* ↑ falten.

gefangen [gəfáŋən] 《I》 *p.p.* ↑ fangen. 《II》 *p.a.* 사로잡힌: sich ~ geben 항복하다; jn. ~ halten 누구를 감금하다; ~ sein〔sitzen〕 감옥에 들어가 있다, 감금되어 있다.

*__Gefangene__** *der/die* ① 포로: Kriegs≈ 전쟁포로; die ~n austauschen 포로를 교환하다. ② 죄수: Straf≈ 기결수; Untersuchungs≈ 미결수; ein politischer ~r 정치범.

Gefangenen≈anstalt *f.* 〖고어〗 감옥, 형무소. **~aufseher** *m.* 간수, 교도관. **~austausch** *m.* (전쟁) 포로 교환. **~befreiung** *f.* 죄수 방면; 〖法〗 (고의적인) 탈옥 방조. **~fürsorge** *f.* 죄수 갱생 보호. **~haus** *n.* (öst.) 구치소, 교도소, 감옥(Gefängnis). **~lager** *n.* 포로 수용소. **~wärter** *m.* ↑ ~aufseher.

gefangen≈halten *t.* ① 가두다, 억류〔감금〕하다. ② 〖雅語〗 사로잡다, 꼼짝 못 하게 하다, 놓아주지 않다: ihr Blick hielt ihn fest 그녀의 시선이 그를 사로잡았다. **≈haltung** *f.* 억류, 구류, 감금. **≈haus** *n.* (öst.) ↑ Gefangenenhaus. **≈nahme** *f.* 체포, 감금; 〖軍〗 체포 및

무장 해제. **~nehmen*** *t.* ① 체포하다; 포로로 붙잡다. ②〖雅語〗매혹시키다, 마음을 빼앗다, 사로잡다: ihr Anblick nahm ihn ganz gefangen 그녀의 모습에 그는 완전히 포로가 되었다. **≈nehmung** *f.* 〖고어〗 ↑ ≈nahme.

Gefangenschaft *f.* -en ① 감금〔억류〕 상태: in ~ geraten 포로가 되다; aus der ~ heimkehren 석방되어 귀향하다. ② (짐승이) 포획된 상태.

gefangen≈setzen *t.* 투옥〔감금〕하다. **~setzung** *f.* 투옥, 감금.

gefänglich [gəfɛ́ŋlɪç] *a.* 〖특히 다음 용법으로〗〖고어〗 jn. ~ einziehen 〔jn. zur ~en Haft bringen〕 누구를 투옥하다.

***Gefängnis** [gəfɛ́ŋnɪs] *n.* -ses, -se ① 교도소, 형무소, 감옥: jn. ins ~ bringen〔werfen, sperren〕 누구를 감옥에 넣다〔가두다〕, 투옥하다; ins ~ kommen 투옥〔감금〕되다; im ~ sitzen 복역 중이다. ② 징역형(Gefängnisstrafe 의 준말): zu 3 Jahren ~ verurteilt werden 3년 징역 선고를 받다; 2 Jahre ~ bekommen 2년 징역형을 받다.

Gefängnis≈arbeit *f.* 교도소〔형무소〕의 사역〔부역〕. **~aufseher** *m.* 교도관, 간수. **~direktor** *m.* 교도소〔형무소〕장. **~haft** *f.* 구류, 금고. **~hof** *m.* 교도소〔형무소〕의 뜰. **~kleidung** *f.* 죄수복. **~schiff** *n.* 뇌옥선(牢獄船). **~strafe** *f.* 징역형; 〖法〗 (1일 이상 5년 이하의) 경징역형(중징역형은 Zuchthausstrafe; 1969년 이후 독일에서는 이 구별이 없어지고 Freiheitsstrafe로 통일됨). **~tracht** *f.* ↑ ~kleidung. **~wärter** *m.* ↑ ~aufseher. **~wesen** *n.* 교도소 제도. **~zelle** *f.* 감방.

gefärbt [gəfɛ́rpt] 《Ⅰ》 *p.p.* ↑ färben. 《Ⅱ》 *p.a.* 물들인, 염색된: ihr rot ~es Haar 그녀의 붉게 염색한 머리.

Gefasel [gəfá:zəl] 《<faseln》 *n.* -s 〖구어·폄어〗 허튼소리, 엉뚱한 이야기: laß das ~, komm endlich zum Thema 사설은 그만 늘어놓고 이제 본론으로 들어가!

gefasert 《Ⅰ》 *p.p.* ↑ fasern. 《Ⅱ》 *p.a.* 섬유로 된, 섬유질의: ~es Holz 섬유성 목재.

***Gefäß** [gəfɛ́:s] (♧ Faß) *n.* -es, -e ① 통, 병, 용기, 그릇: ein ~ aus Glas〔Holz〕 유리〔나무〕 그릇; et. in ein ~ füllen 무엇을 용기에 채우다; 〖聖〗 ~e des Zornes 진노의 그릇(로마서 9:22). ② 〖해부〗 맥관(脈管): Blut≈ 혈관; Lymph≈ 림프관. ③ 〖植〗 유관속(Leitbündel). ④ (펜싱·검 등의) 칼집, 칼자루.

Gefäß≈barometer *n./m.* 수은 기압계. **~beschreibung** *f.* 〖醫〗 맥관 도해. **~bildung** *f.* 맥관 형성. **~bündel** *n.* 〖植〗 ↑ Gefäß ③. **~chirurgie** *f.* 〖醫〗 혈관 전문 외과. **~erweiterung** *f.* 〖醫〗 혈관 확장. **~geschwulst** *f.* 〖醫〗 혈관종(腫). **~haut** *f.* 〖해부〗 맥관막; 맥락막. **~krankheit** *f.* 〖醫〗 혈관 질환. **~lehre** *f.* 맥관학. **~nerv** *m.* 〖해부〗 혈관 신경. **~pflanze** *f.* 〖植〗 관다발 식물. **~system** *n.* 맥관〔혈관〕계.

gefaßt [gəfást] 《Ⅰ》 *p.p.* ↑ fassen. 《Ⅱ》 *p.a.* ① 태연한, 냉정〔침착〕한; 각오한: auf et. ~ sein 무엇을 각오〔고려〕하고 있다; sich auf et. ~ machen 무엇에 대한 각오를 하다; ~ nahm er die Kündigung entgegen 그는 해고통보를 의연히 받아들였다; 〖구어〗 wenn er nach Hause kommt, kann er sich auf etwas ~ machen 그 녀석 집에 오면 혼날 것이다. ② (금속에 보석 따위를) 박은.

Gefaßtheit *f.* 침착, 냉정; 각오; 체념.

Gefecht [gəfɛ́çt] 《<fechten》 *n.* -(e)s, -e ① 전투, 교전, 격투; 언쟁, 논쟁: es kommt zu einem ~ zwischen A und B A와 B 사이에 교전이 벌어지다; 〖海〗 klar zum ~! 전투 준비 완료!; jn. außer ~ setzen a) 누구의 전투력을 잃게 하다, b) (논쟁에서) 누구의 논거를 무력하게 만들다; in der Hitze des ~s a) 격전 중에, b) 〖구어〗 너무 흥분하여, 열중하다가; et. ins ~ führen 토론〔논쟁〕에 무엇을 끌어들이다; ins ~ kommen 전투에 참가하다. ② 〖펜싱〗 두 선수간의 시합.

Gefechte *n.* -s 끊임없는 전투.

Gefechts≈ausbildung *f.* 〖軍〗 전투 훈련〔연습〕. **~befehl** *m.* 〖軍·고어〗 ↑ Operationsbefehl. **~bereich** *m./n.* 전투 지역. **≈bereit** *a.* 〖軍〗 전투 준비가 된, 전투 태세를 갖춘. **~bereitschaft** *f.* 〖軍〗 전투 준비. **~einheit** *f.* 〖軍〗 전투 단위. **~form, ~formation** *f.* 〖軍〗 전투 대형. **≈klar** *a.* 〖海〗 전투 준비를 갖춘. **~kopf** *m.* 〖軍〗 (어뢰·로켓 따위의) 탄두. **~lage** *f.* 전황(戰況). **~lande·platz** *m.* 상륙〔착륙〕 지점. **~lehre** *f.* 전술. **~linie** *f.* ① 〖軍〗 ↑ Kampflinie. ② 〖펜싱〗 서로 앞쪽으로 내민 양 선수의 두 발을 잇는 가상의 선. **≈mäßig** *a.* 실전적(實戰的)인. **~mast** *m.* 〖海〗 (군함의) 마스트. **~ordnung** *f.* 〖軍〗 전투 배치〔대형〕. **~stand** *m.* 〖軍〗 전투 지휘소. **~übung** *f.* 〖軍〗 전투 연습〔훈련〕.

Gefege [gefé:gə] 《<fegen》 *n.* -s ① 계속되는 비질〔청소〕. ② 〖사냥〗 (사슴뿔에서 떨어져 나온) 부드러운 표피.

gefeiert [gəfáɪərt] 《Ⅰ》 *p.p.* ↑ feiern. 《Ⅱ》 *p.a.* 축하〔환영〕받는; 성대한.

Gefeierte* *der/die* 축하받는 사람; 저명 인사.

Gefeilsche [gəfáɪlʃə] 《<feilschen》 *n.* -s 값을 계속 깎음.

gefeit [gəfáɪt] 《Ⅰ》 *p.p.* ↑ feien. 《Ⅱ》 *p.a.* 상처받지 않는, 끄떡없는, 불사신의, 저항력이 있는: durch die Impfung ist sie gegen die Krankheit ~ 그녀는 예방 주사를 맞아서 그 병에 대해 면역이 되어 있다.

Gefelle [gəfɛ́lə] *n.* -s 〖총칭〗 피혁, 모피.

Gefels *n.* -es 〖시어·고어〗 암석 지대, 바위가 많은 지역.

Gefertigte* [gəfɛ́rtɪçtə] *der/die* 〖商·고어〗 서명인(署名人).

Gefiedel [gəfí:dəl] 《<fiedeln》 *n.* -s ① 계속되는 바이올린 연주. ② 〖구어·폄어〗 엉터리 바이올린 연주. ③ 왕복 운동(에 따른 절단).

Gefieder [gəfí:dər] 《ahd., „Federn"》 *n.* -s, - ① (새의) 깃털 전체; 새, 조류. ② 〖고어〗 (화살대의) 깃털; (투구·모자의) 깃털 장식; (깃털 이불의) 깃털.

gefiedert 《Ⅰ》 *p.p.* ↑ fiedern. 《Ⅱ》 *p.a.* ① 깃털이 있는: die ~e Welt 조류(鳥類); die ~en Sänger 노래하는 새들. ② 〖植〗 깃털 모양의.

gefiel [gəfí:l] ↑ gefallen 의 과거형.

gefiele ↑ gefallen 의 접속법 Ⅱ식.

Gefilde [gəfíldə] 《ahd., „Feld"》 *n.* -s, - 〖雅語〗 ① 광야, 들, 들판: 〖그리스신화〗 die ~

der Seligen 낙원. ② 분야, 영역.
gefingert [gəfíŋərt] 《I》 *p.p.* ↑ fingern. 《II》 *p.a.* ① 손가락 모양의. ②〖植〗갈대꽃 형태의.
gefinkelt *a.* 교활한, 닳고닳은, 약아빠진.
Gefion [géːfiɔn] *f.* 〖북구신화〗 게피온(바다의 여신).
Gefitze *n.* -s, - (md.) ① (Durcheinander) 혼란, 분규. ② 주저(Zögern); 저항(Widerstand): da gibt's kein ~! 반대는 용납 않는다!
gefitzt *a.* (schweiz.) ① 닳고닳은, 교활한. ② 영리한, 총명한.
gefl. =gefälligst 제발 좀, 부디.
Geflacker [gəflákər] *n.* -s (촛불·등불이) 끊임없이 흔들거림.
geflammt [gəflámt] 《I》 *p.p.* ↑ flammen. 《II》 *p.a.* 불꽃 모양〔무늬〕의, 끝이 뾰족뾰족한.
Geflatter [gəflátər] *n.* -s 잇따른 날갯짓, 파닥거림.
Geflecht [gəflɛ́çt] 《<flechten》 *n.* -(e)s, -e ① (밀짚·끈·철사 등으로) 엮어 짠 세공품(바구니·광주리 등). ②〖해부〗(Plexus) (혈관·신경 따위의) 신경총(叢), 망상 조직. ③ 정교하게 짜여진 조직: ein ~ verschiedener Theorien 다양한 이론들의 결합 체계.
gefleckt [gəflɛ́kt] 《I》 *p.p.* ↑ flecken. 《II》 *p.a.* 반점〔얼룩〕이 있는, 얼룩무늬의: eine ~e Katze 얼룩 고양이.
Geflenne [gəflɛ́nə] *n.* -s 〖구어·폄어〗 계속 흐느낌, 자꾸 훌쩍댐: da nützt auch das ganze ~ nichts mehr 종일 징징거려봐야 이제는 소용없어.
Geflicke [gəflíkə] *n.* -s 〖폄어〗 고된 바느질, 수선, 계속 잇대어 깁는〔때우는〕 일.
Gefließ *n.* -es, -e ①〖고어〗 하천망(網). ② 작은 개울, 실개천. ③ 끊임없이 흐름.
Geflimmer [gəflímər] *n.* -s 〖폄어〗 깜박거림, 가물거림; 깜박거리는 불빛: vom ~ des Bildschirms bekomme ich Kopfschmerzen 화면이 계속 깜박거려서 나는 머리가 아프다.
geflissen [gəflísən] 《<fleißen》 *a.* 〖고어〗 근면한, 부지런한.
Geflissenheit *f.* 〖드물게〗 ① (Beflissenheit) 근면, 노력. ② mit aller ~ 고의로.
***geflissentlich** *a.* ① (absichtlich) 고의적인, 의도적인, 일부러. ②〖격식·고어〗 친절한.
geflochten [gəflɔ́xtən] *p.p.* ↑ flechten.
geflogen [gəflóːgən] *p.p.* ↑ fliegen.
geflohen [gəflóːən] *p.p.* ↑ fliehen.
geflossen [gəflɔ́sən] *p.p.* ↑ fließen.
Gefluche [gəflúːxə] *n.* -s 〖구어·폄어〗 (끝없는) 저주.
Gefluder [gəflúːdər] *n.* -s, - 〖광산〗 ① (Wassergerinne) (갱도의) 배수 홈통, 방수로(放水路); (광석을 씻는) 홈통. ② (Flitterkram) 번쩍거리는 금속 조각.
Geflügel [gəflýːgəl] 《mhd., „Vogelschar"》 *n.* -s ① (닭·오리·거위·칠면조 등의) 가금(家禽). ② 가금류의 고기. ③〖고어〗 조류. ④〖드물게〗 양날개.
Geflügel≈farm *f.* 가금(家禽) 사육장. **~händler** *m.* 가금 상인. **~haus** *n.* 가금 우리. **~markt** *m.* 가금 시장. **~salat** *m.* 〖요리〗 (닭고기·칠면조 고기등이 들어간) 샐러드. **~schere** *f.* (닭고기·칠면조 고기 등을 자르는) 가위.
geflügelt [gəflýːgəlt] 《I》 *p.p.* ↑ flügeln. 《II》 *p.a.* ① 날개달린: ~e Insekten 날개 있는 곤충; 〖비유〗 ~es Wort 인구(人口)에 회자되는 명구, 명언. ②〖植〗 (씨 따위가) 깃꼴의, 날개가 달린. ③〖사냥〗 날개에 총을 맞은.
Geflügel·zucht *f.* 가금 사육, 양금(養禽).
Geflunker [gəflúŋkər] *n.* -s 〖구어〗 (Aufschneiderei) (습관적인) 허풍떨기, 흰소리.
Geflüster [gəflýstər] *n.* -s 끊임없는 속삭임〔귓속말〕: euer ~ stört doch wirklich den ganzen Unterricht 너희들이 계속 소곤대는 바람에 정말이지 전체 수업이 방해받고 있잖아.
gefochten [gəfɔ́xtən] *p.p.* ↑ fechten.
Gefolge [gəfɔ́lgə] 《<folgen》 *n.* -s, - ① 수행, 호위; 시종, 호위병, 수행원: zu js. ~ gehören 누구를 수행하고 있다; mit einem großen ~ auftreten 대규모의 수행원 무리를 대동하고 나타나다. ②〖비유〗 결과(Folge): im〔in〕 ~ von et.[3] 무엇의 결과로서; et. im ~ haben 어떤 결과를 낳다. ③〖軍〗 (전투 병력에 속하지 않는 종군 기자·전쟁 상인 등의) 수행 참전자.
Gefolgschaft [gəfɔ́lkʃaft] *f.* -en ①〖史〗 **(a)** (고대 게르만 시대에, 전쟁·원정 때 충성 및 신의로 결합된) 왕과 귀족 청년들 간의 군신 관계〔신의(信義) 공동체〕. **(b)** (나치 때 한 기업체의) 전체 종업원. ②〖반어〗 추종자〔지지자〕 전원. ③ (Gehorsam) 충성, 복종: jm. ~ leisten 누구를 충실히 따르다, 모시고 따라다니다.
Gefolgs·mann *m.* 〖복수: ..männer/..leute〗 〖史〗 (고대 게르만 시대에 왕에게 충성 서약을 한 귀족 출신의) 시종, 종자(從者). ②〖반어〗 충성스러운 추종자〔지지자〕.
geformt 《I》 *p.p.* ↑ formen. 《II》 *p.a.* 형식을 갖춘, 틀이 잡힌.
Gefrage [gəfráːgə] *n.* -s 끝없이 계속되는 질문, 자꾸 물어댐; 심문, 힐문.
gefragt 《I》 *p.p.* ↑ fragen. 《II》 *p.a.* 수요가 있는: ein sehr ~er Artikel 매우 인기 있는 품목.
gefranst [gəfránst] 《I》 *p.p.* ↑ fransen. 《II》 *p.a.* 술이 달린.
Gefräß [gəfrɛ́ːs] 《mhd. „das Fressen"》 *n.* -es, -e ①〖사냥〗 (동물의) 먹이. ②〖비어·농담〗 (Maul) 아가리, 주둥이.
gefräßig *a.* 〖폄어〗 끝없이 먹어대는, 대식〔탐식〕하는, 욕심 많은.
Gerfräßigkeit *f.* 〖폄어〗 대식, 탐식, 과식.
gefreit [gəfráɪt] 《<freien》 *a.* 특권이 부여된.
Gefreite* *der/die* ① 상병, 병장. ② (16 세기 특별 임무만 수행한) 특별병.
Gefresse [gəfrɛ́sə] 《<fressen》 *n.* -s 대식, 탐식.
gefressen [gəfrɛ́sən] *p.p.* ↑ fressen.
Gefrett *n.* -s 〖구어〗 (bayr., öst.) 골칫거리, 성가신 일.
gefreundet [gəfrɔ́ʏndət] *a.* 〖고어·시어〗 친한, 혈연〔근친〕의.
gefreut 《I》 *p.p.* ↑ freuen. 《II》 *p.a.* (schweiz.) 즐거운, 기분좋은.
Gefrier·apparat *m.* 냉동 장치, 냉동기; 제빙기.
gefrierbar *a.* 응결〔빙결〕될 수 있는.
gefrieren (gefror, gefroren) 《I》 *i.* (s.) ① 응결〔빙결〕되다, 얼다: der See ist gefroren 호

수가 얼어붙었다; Wasser gefriert bei 0° Celsius 물은 섭씨 영도에서 언다. ②〖비유〗경직되다, 굳어지다: wenn ich so etwas höre, gefriert mir das Blut in den Adern 그런 이야기를 들으면 나는 혈관 속의 피까지 얼어붙는 느낌이 든다. 《Ⅱ》*imp.* (h.) es gefriert 한파가 닥친다, 기온이 (빙점 아래로) 뚝 떨어진다. 《Ⅲ》*t.* 〖드물게〗(식료품을) 냉동 저장하다. 《Ⅳ》**gefroren** *p.a.* ↑ gefroren.

Gefrier≈fach *n.* (냉장고의) 냉동실. **~fleisch** *n.* 냉동육(肉). **~gemüse** *n.* 냉동 (저장된) 야채. **≈getrocknet** *a.* 냉동 건조 공법으로 가공된. **~kette** *f.* 냉동 식품의 유통 체계. **~punkt** *m.* 〖物〗빙점. **~schrank** *m.* 냉동고. **~schutz·mittel** *n.* 부동액. **~trocknung** *f.* 〖기술〗(식료품의) 냉동 건조. **~truhe** *f.* 박스형 냉장고. **~verfahren** *n.* 〖기술〗냉동 처리 과정. **~vorrat** *m.* 냉동 식품 비축분. **~ware** *f.* 냉동 식품.

gefroren [gəfróːrən] 《Ⅰ》*p.p.* ↑ frieren, ↑ gefrieren. 《Ⅱ》*p.a.* ① 얼어붙은, 결빙된; 응고한, 굳은. ② 무감각한, 냉담〔냉혹〕한. ③ 좀처럼 상하지 않는, 불사신의.

Gefrorene* *das* ① 냉동 식품. ② (südd., öst.) 얼음 과자, 아이스크림.

Gefüge [gəfýːgə] *n.* -s ① 이음매, 접합부; 접합, 결합. ② (Struktur) 구조, 조직: das soziale ~ eines Staates 한 국가의 사회적 구조. ③〖지질〗암석의 내부 구조. ④〖해부〗관절.

gefüge *a.* ↑ gefügig.

gefügig 《mhd. „leicht zu fügen"》*a.* 순종〔순응〕하는, 잘 따르는, 온순한: sich jn. ~ machen 누구를 복종시키다, 길들이다; ein ~er Mensch 순종적인 사람.

Gefügigkeit *f.* -en 순종성, 순응성.

***Gefühl** [gəfýːl] *n.* -(e)s, -e ① 감각, 지각; 촉감, 감촉: ein ~ des Schmerzens 고통의 감각; in den Füßen gar kein ~ mehr haben 양발에 더 이상 아무런 감각이 없다; dem Gefühl nach ist es Metall 촉감으로 보아 그것은 금속이다. ② 감정, 느낌, 기분: ein ~ des Hasses 미움의 감정, 증오심; ein ~ der Überlegenheit〔Pflicht〕 우월감〔의무감〕; das ~ der Dankbarkeit〔Reue〕 감사〔후회〕의 마음; hast du denn kein ~ 도대체 넌 감정도 없니?; js. ~e verletzen 누구의 감정을 해치다; seine ~e verbergen〔verraten〕 자신의 감정을 숨기다〔드러내다〕; et. mit gemischten ~en betrachten 무엇을 착잡한 심정으로 바라보다; mit ~ 감정을 넣어서, 감격해서; er ist ganz ~ 그는 아주 민감하다, 감정적이다. ③ 센스, 감각, 이해력, 감수성: ästhetisches ~ 미적 감각; ein feines ~ für et. haben 무엇에 대해 섬세한 감각을 갖고 있다; dies ist gegen mein ~ 이것은 내게 맞지 않는다, 싫다; 〖구어〗das ist das höchste der ~e a) 그것이 내가 허용〔동의〕할 수 있는 최대한의 것이다. b) 그것이 내가 이룰〔상상할〕 수 있는 최고의 성과다. ④ 예감, 직감: et. im ~ haben 무엇을 직감적으로 알다.

gefühlig *a.* 〖종종 폄어〗감정이 지나치게 풍부한, 너무 민감한.

gefühllos *a.* ① 감각이 없는, 무감각한, 둔감한: ~ gegen die Kälte 추위를 모르는. ② 감정이 없는; 냉정한, 무정한, 인정 없는.

Gefühllosigkeit *f.* -en 무감정, 무감각; 냉정한 행동.

gefühls≈arm *a.* 감정이〔정서가〕 결핍된. **≈art** *f.* 기질. **~betont** *a.* 감정적인, 감정이 앞서는. **≈duselei** *f.* 〖폄어〗지나치게 감상적인 태도〔감정 표현〕, 감상벽(癖). **~duselig** *a.* 〖폄어〗자신의 감정에 푹 빠지는, 지나치게 감상적인. **≈krankheit** *f.* 〖醫〗감각 장애. **≈leben** *n.* (한 개인의) 모든 감정적 체험과 표현, 내면 생활. **~mäßig** *a.* 감정에 따른, 감정적인; 감정상의. **≈mensch** *m.* (이성보다는) 감정에 따라 좌우되는 사람, 감성적 인간; 감상(感傷)주의자. **≈organ** *n.* ↑ Sinnesorgan 감각 기관. **≈regung** *f.* 감정적인 흥분〔반응〕. **≈sache** *f.* 감정상의 문제. **≈schwelger** *m.* 감정에 탐닉〔도취〕하는 사람. **~sinn** *m.* 〖醫〗촉각 (Tastsinn). **~stau** *m.* 감정 적체. **≈vermögen** *n.* 감각 능력. **≈wärme** *f.* 다정다감. **~voll** *a.* 감정이〔정서가〕 풍부한; 예민한, 다감한; 상냥한, 정이 많은.

gefü̱hrig [gəfýːrɪç] *a.* 스키타기에 알맞은.

Gefü̱hrigkeit *f.* 스키타기 알맞은 상태.

gefüllt [gəfýlt] 《Ⅰ》*p.p.* ↑ füllen. 《Ⅱ》*p.a.* ① 가득 찬, 만원인: 〖연극〗ein (wohl) ~es Haus 만원인 극장. ② 〖원예〗여러 겹으로 된: eine ~e Blume 겹꽃.

gefunden [gefúndən] *p.p.* ↑ finden.

gefünft [gəfýnft] *a.* 5개의, 5부분으로〔5단위로〕 된: das ≈e 5점형(∴∵).

Gefunkel [gəfýŋkəl] *n.* -s 끊임없이 반짝거림, 섬광.

gefurcht 《Ⅰ》*p.p.* ↑ furchen. 《Ⅱ》*p.a.* 고랑〔주름〕이 있는: ein von Alter ~es Antlitz 나이가 들어 주름진 얼굴.

gefürstet [gəfýrstət] 《Ⅰ》*p.p.* ↑ fürsten. 《Ⅱ》*p.a.* 후작의 작위를 받은.

gegabelt 《Ⅰ》*p.p.* ↑ gabeln. 《Ⅱ》*p.a.* 두 갈래의, 포크 모양의, 둘로 갈린.

Gegacker [gəgákər] *n.* -s 〖폄어〗(거위 등이) 계속해서 꽥꽥 울어댐.

gegangen [gəgáŋən] *p.p.* ↑ gehen.

gegeben [gəgéːbən] 《Ⅰ》*p.p.* ↑ geben. 《Ⅱ》*p.a.* ① 주어진, 현존하는, 사실로 존재하는: et. als ~ ansehen 무엇을 주어진 사실로 간주하다. ② 임의의, 만일의: im ~en Fall 만일의 경우에; 경우에 따라서는; 〖數〗eine ~e Größe 임의의 수. ③ 적절한, 알맞은.

Gegebene* *das* ① 주어진 것; 〖哲〗소여(所與). ② 적당〔적합〕한 것.

gegebenen·falls *adv.* 특정한 경우에는, 사안〔경우〕에 따라서는(약어: ggf.).

Gegebenheit *f.* -en 주어진 사실〔상황〕, 여건, 소여(所與): sich an die ~en halten 주어진 사실들을 판단 기준으로 삼다, 여건에 맞게 행동하다; mit diesen ~en müssen wir uns abfinden 우리는 이러한 상황들을 인정하고 받아들여야 한다.

Gegeige [gəgáɪgə] 《<geigen》*n.* -s 계속〔귀찮게〕 바이올린을 켜댐.

***gegen** [géːgən] *prp.*[4] 〖옛 용법에서는 3격을 지배하기도 함〗① **(a)** 〖방향〗…을 향하여, 쪽으로: ~ den Himmel 하늘을 향하여: ~ den Wald zu 숲을 향하여; die Fenster gehen ~ Norden 창들이 북향이다: mit dem Gesicht ~ die Wand stehen 얼굴을 벽쪽으로 하고 서

있다. (**b**)〔충돌〕 …에 부딪쳐서: ~ einen Baum fahren (차가) 나무에 가서 부딪치다; Regen klatscht ~ die Fenster 비가 창문에 부딪쳐 후드득 소리를 낸다. ②〔시간〕 …쯤〔경〕에, 무렵에: ~ drei Uhr 3시경에; ~ Abend 저녁 무렵에; ~ Ostern 부활절 가까이; ~ Ende der Aufführung 공연〔상연〕이 끝날 즈음에; es geht ~ den Frühling 이제 봄이 다가온다. ③〔관계·태도〕 …에 대해서: seine Abneigung ~ mich 나에 대한 그의 거부감; gütig〔streng〕 ~ jn. sein 누구에게 친절〔엄격〕하다; Ehrfurcht ~ das Alter 노인에 대한 경외심; einen Haß ~ jn. fassen 누구를 미워하다. ④〔반대·적대〕 …에 맞서서, 반대하여, 거슬러: bist du für oder ~ X? 너는 X에 대해 찬성이냐, 반대냐?; ~ den Strom 흐름을 거슬러; ~ die Regel〔den Willen〕 규칙〔뜻〕에 어긋나게; Heilmittel ~ Zahnweh 치통약; das Mittel ist gut ~ Husten 이 약은 기침에 좋다; ~ ein Land Krieg führen 어떤 나라와 전쟁을 치르다; Mann ~ Mann kämpfen 백병전을 벌이다; das ist ~ die Abmachung 그것은 협정 위반이다; ~ die Natur kann man nichts tun 자연을 거역해서는 아무 것도 할 수 없다. ⑤〔비교〕 …에 비하여: ~ früher 이전에 비하여; ~ dich bin ich noch ein Anfänger 너에 비하면 나는 아직도 초보자인 셈이다; Reichtum ist nichts ~ Gesundheit 재물이란 건강에 비하면 아무것도 아니다. ⑥〔교환〕 …와 바꾸어: ~ Bürgschaft 보증〔담보물·저당〕을 받고; ~ Bezahlung arbeiten 돈을 받고 일하다; jm. eine Sache ~ Quittung aushändigen 누구에게 어떤 물건을 영수증을 받고 건네주다; ich wette zehn ~ eins, daß... 십중팔구는 …라고 나는 장담한다. ⑦〔수·양〕 약, 대략, 거의: ~ fünf Mark 약 5마르크; ~ tausend Einwohner 약 1000명의 주민.

*__gegen..__ *pref.* "반응·대립·적대·대항·대치·대응·반대" 따위의 뜻.

Gegen⸗abdruck *m.*〖印〗 반전(反轉) 교정쇄. **~absicht** *f.*〔드물게〕 반대 의향〔의도〕. **~abzug** *m.* ↑ ~abdruck. **~aktion** *f.* 대책; 반격. **~anerbieten** *n.* 반대 제의; 답례로서의 제의. **~angebot** *n.* 맞제안〔제의〕. **~angriff** *m.*〖軍〗 반격, 역습. **~anklage** *f.*〖法〗 맞고소, 반소(反訴). **~anschlag** *m.* 대응 공격, 맞공격. **~anspruch** *m.* 대응 요구, 맞주장. **~antrag** *m.* 반대 제의〔제안〕. **~antwort** *f.* 답변, 항변; 교묘한 대답. **~anzeige** *f.*〖醫〗 ① 특정 의약품을 쓸 수 없는 상황(특히 임신의 경우). ② 금기(Kontraindikation). **~argument** *n.* 반대 논거; 반증, 반론. **~arznei** *f.* ↑ ~gift. **~auftrag** *m.* 반대〔철회〕 명령. **~aussage** *f.*〖法〗 반대 진술, 반박. **~bedingung** *f.* 반대〔대응〕 조건. **~befehl** *m.* 반대〔취소〕 명령. **~behauptung** *f.* 반대 주장. **~bemerkung** *f.* 반박, 말대꾸. **~bericht** *m.* 반대 보고. **~beschuldigung** *f.* 맞고소. **~besuch** *m.* 답례 방문: jm. einen ~ machen 누구를 답례로 방문하다. **~bewegung** *f.* 반대 운동, 반동;〖음악〗 반진행. **~beweis** *m.* 반증;〖法〗 반대 증거. **~beziehung** *f.*, **~bezug** *m.* 상호 관계. **~bild** *n.* ① 반대 형상, 대립상. ② 짝을 이루는 형상, 비슷한〔어울리는〕 모양; 사본, 모형, 원형. **~bitte** *f.* (부탁하는 사람에게) 역으로 하는 부탁: ich habe eine ~ an Sie 그 대신에 나도 당신에게 부탁이 한 가지 있습니다. **~bogen** *m.*〖건축〗 역(逆) 아치. **~böschung** *f.*〖軍〗 반대 사면(斜面). **~buch** *n.*〖經〗 대차 대조부. **~buchung** *f.*〖經〗 (부채·자산의) 상대 항목(자산 항목이나 부채 항목의 명세). **~bürge** *m.* 부(副)보증인. **~bürgschaft** *f.* 부보증.

*__Gegend__ [géːgənt]《<gegen; mhd. gegende》 *f.* -en ① 지방, 지역: in welcher ~ liegt der Ort? 그곳은 어느 지방에 있습니까? ②〔구어〕 지역〔주변〕 주민: die ganze ~ weiß doch schon von diesem Ereignis 이 사건에 대해서는 이미 지역 주민 모두가 알고 있다. ③ 주변, 근방, 부근: in der ~ des Schlosses 성 근처에; in unserer ~ 우리들이 사는 지역 근처에; das Dorf befindet sich in einer schönen ~ 그 마을 부근은 경치가 좋다; die ~ um Frankfurt 프랑크푸르트 근교;〔구어〕 et. in die ~ werfen 무엇을 이리저리 마구 던지다;〔구어〕 die ~ unsicher machen a) 행패를 부리다, b)〔농담〕 술집을 여기저기 전전하다;〔구어〕 in der ~ um Weihnachten 크리스마스 무렵에; der Preis liegt in der ~ um 50 Mark 그 가격은 대략 50마르크쯤 한다. ④ 방면, 방향: aus welcher ~ kommt der Wind? 바람은 어느 방향에서 불고 있는가?; die vier Himmels ~en 사방, 동서남북; sie starrten in die ~, in die er plötzlich verschwunden war 그들은 그가 갑자기 사라진 쪽을 응시하였다. ⑤ (신체의) 부위: die ~ des Herzens 심장 부위; in dieser ~ tut es mir weh 이 부분이 아픕니다.

Gegen⸗darstellung *f.* ①〖法〗 (신문 등의) 해명〔정정〕 기사. ② (기존의 어떤 설명과) 다른 설명〔묘사〕. **~dampf** *m.*〖工〗 역전용(逆轉用) 증기. **~demonstration** *f.* (어떤 시위에 대한) 반대〔맞〕시위. **~dienst** *m.* (타인의 호의에 대한) 보답. **~druck** *m.* ① 대응하여 누르는 힘; 반대 압력, 역압: der feste ~ ihrer Hand tat ihm weh 그녀가 손을 너무 꽉 잡는 바람에 그는 아팠다. ②〔비유〕 저항: Druck erzeugt nicht unbedingt ~ 억압이 반드시 저항을 불러일으키는 것은 아니다. ③ 대응 출판물. ④〖印〗 이면(裏面) 인쇄(Widerdruck). **~ecke** *f.*〖數〗 맞각, 대각(對角).

*__gegen·einander__ *adv.* 서로 맞서서, 서로 마주하여, 서로에 대해: ~ stehen 대립하다; ~ stellen 대립시키다; sie haben etwas ~ 그들은 서로 뭔가 반감을 지니고 있다; die beiden ~ vertauschen 그 둘을 서로 맞바꾸다.

gegeneinander⸗|drücken *t.* 맞대고 누르다. **~|halten** *t.* ① 맞대다, 비교하다. **~haltung** *f.* 비교, 대조. **~|stehen** *i.* ① 대치하다, 적대적 관계다. ② (진술 등이) 상호 모순되다. **~|stellen** *t.* ① 맞세우다. ② 비교하다. **~stellung** *f.* 병치, 대립; 비교, 대조;〖法〗 대질, 대결. **~|stoßen** 《Ⅰ》 *t.* 맞부딪치다, 충돌시키다. 《Ⅱ》 *i.* (s.) 충돌하다.

Gegen⸗einfluß *m.* 반대 영향. **~einladung** *f.* (상대의 초대에 대해) 답례로 하는 초대. **~entwurf** *m.* 반대 계획. **~erbieten** *n.* 보답으로 하는 제의. **~erklärung** *f.* 반대 설명; 반대 선언〔성명〕. **~fahr·bahn** *f.* 맞은편〔반대편〕 차선. **~fall** *m.* 반대의 경우. **~farbe**

f. 보색; 반대색, 대비색. **~flut** *f.* 역조(逆潮). **~forderung** *f.* ① 반대 요구. ②〖經〗반소(反訴), 카운터클레임. **~frage** *f.* 반문. **~fuge** *f.*〖음악〗게겐푸가, 반행(反行) 푸가. **~füßler** *m.* 〖지리〗(Antipode) 대척자(對蹠者)(지구상의 정반대편에 사는 사람); 〖비유〗정반대의 사람. **~gabe** *f.* 〖雅語〗답례품〔선물〕. **~gefälligkeit** *f.* ↑ ~dienst. **~gefühl** *n.* 반대 감정; 반감, 혐오감. **~gerade** *f.*〖육상〗(경기장 트랙의) 백스트레치. **~geschenk** *n.*〖雅語〗~gabe. **~gesuch** *n.* 반대청원. **~gewalt** *f.* 보복〔역〕폭력. **~gewicht** *n.* 평형〔균형〕추; 〖비유〗평형, 균형: jm. das ~ halten 누구와 균형을 유지하다, 누구에게 대항하다. **~gift** *n.* 해독제. **~grund** *m.* 반대 근거〔이유〕. **~gruß** *m.* 답례 인사, 답례. **~hall** *m.* 메아리(Widerhall). **~halt** *m.* 〖드물게·고어〗저항; 지지물(支持物), 지주(支柱). **~halten*** (nordd.) (↑ dagegenhalten) 비교하다; 대꾸하다. **~hieb** *m.* 되치기, 반격. **~hilfe** *f.* 답례로 베푸는 도움, 보답.

Gegen≈kaiser *m.* 대립 황제(기존 황제에 반대하는 측에서 옹립한 황제). **~kandidat** *m.* 경쟁 후보(자). **~kathete** *f.*〖數〗직각 3 각형의 예각에서 마주보는 변. **~klage** *f.*〖法〗맞소송, 반소(反訴). **~kompliment** *n.* (찬사에 대한) 답례로 하는 찬사. **~kraft** *f.* 반대의 힘, 저항력, 대응 세력. **~kritik** *f.* 재반박(Antikritik). **~kultur** *f.* (기존 문화에 대한) 저항 문화. **~kurs** *m.* 역코스; 대립〔반대〕노선. **~leistung** *f.* 보답, 보상; 〖法〗반대 급부. **~|lenken** *i.* 핸들을 반대 방향으로 돌리다. **~|lesen** *t.* 다시 교열보다, 재검토하다. **~licht** *n.* 〖사진·畫〗역광(선). **~lichtaufnahme** *f.*〖사진〗역광 촬영. **~liebe** *f.* ① (상대의 사랑에 대한 응답으로서의) 사랑: Liebe erweckt ~ 사랑은 사랑으로 보답받는다; er findet keine ~ 그는 짝사랑을 하고 있다. ②〖비유〗반향, 인정, 찬동: bei jm. (keine) ~ finden 누구에게서 인정을 받다〔받지 못하다〕; der Plan fand wenig ~ 〔stieß auf wenig ~〕그 계획은 거의 지지를 얻지 못했다. **~list** *f.* 대항책, 맞수. **~lob** *n.* (상대의 칭찬에 대한) 답례로서의 칭찬. **~losung** *f.*〖軍〗응답 암호, 답호(答號). **~lösung** *f.* 맞대안, 새로운 대안〔해결책〕. **~macht** *f.* 대립 권력, 적대 세력; 적대국. **~mann** *m.* 반대자, 상대방, 맞수, 적수. **~marke** *f.* (물건을 맡기고 받는) 번호표, 물표. **~marsch** *m.* 〖軍〗반대 행진.

Gegen≈maßnahme, ~maßregel *f.* (기존의 조처를 무효화하는) 새로운 조처, 다른 대책. **~mauer** *f.* 〖軍〗부벽(副壁). **~meinung** *f.* 반대 의견, 대립 견해. **~mine** *f.* 〖軍〗대응〔방어〕갱도. **~mittel** *n.* 해독제, 치료제. **~muskel** *m.* 〖해부〗길항근(拮抗筋). **~mutter** *f.* 〖工〗조임 나사〔너트〕. **~neigung** *f.* ↑ ~liebe. **~offensive** *f.* 반격, 역습. **~papst** *m.* 대립 교황(기존 교황에 반대하는 측에서 옹립한 교황). **~part** *m.* ① (시합에서의) 상대방, 적수; 짝〔쌍〕을 이루는 것의 한 쪽, 상대물. ②〖음악〗↑ ~stimme ②. **~partei** *f.* 반대당〔파〕, 상대편, 적편: die ~ ergreifen 상대편의 입장을 취하다, 반대파에 동조하다. **~pfand** *n.* 교환 저당물. **~pflicht** *f.* 상호 의무, 보답으로서의 의무. **~plan** *m.* (어떤 계획에 반대해서 내놓는) 맞대안, 새로운 계획. **~pol** *m.* (반)대극: der Südpol ist der ~ zum Nordpol 남극은 북극의 대극이다. **~posten** *m.*〖商〗상쇄, 차감(差減). **~prall** *m.* (총 따위의) 반동. **~probe** *f.* ① (계산·명제 등의) 역방향 검토, 역산. ② (표결에서 찬성하는 수가 너무 많을 때) 반대표〔반대하는 사람〕의 수를 세기. ③〖印〗반전(反轉) 교정대. **~protest** *m.* 맞항의, 맞저항. **~rechnung** *f.* 역산, 검산; 상쇄, 차감. **~rede** *f.* ① 말대꾸, 응답. ②〖雅語〗반론, 이의, 항변. **~|reden** *i.* 항변하다, 반론을 제기하다. **~reformation** *f.* 반종교 개혁(16 세기 후반 종교 개혁에 맞선 구교측의 반대 운동). **~regierung** *f.* 반정부 세력이 세운 정부, 임시 정부. **~reiz** *m.*〖醫〗반대 자극. **~revolution** *f.* (혁명에 대한) 반혁명. **~revolutionär** *a.* 반혁명적인. **~richtung** *f.* 반대 방향. **~rimesse** *f.*〖商〗역환(逆換). **~ronde, ~runde** *f.*〖軍〗장교 순찰.

gegens [gé:gəns] =gegen das.

*__Gegen·satz__ [gé:gənzats] *m.* -es, ..sätze ① 대립, 반대, 대비, 대조: im ~ zu et.³ 무엇과는 달리, 반대로, 대조적으로; die Gegensätze verschärfen sich 대립이 첨예화되고 있다; sich im ~ zu jm. befinden 누구와 대립 관계다, 의견을 달리하다; einen ~ zu et.³ bilden 무엇과 대조를 이루다; et. mit et.³ in ~ stellen 무엇을 무엇과 대조시키다; deine Worte stehen in krassem ~ zu deinen Handlungen 네 말은 네 행동과 아주 모순된다. ②〖논리〗반대〔대립〕개념; (개념·진술들의) 대립 관계. ③ 의견〔견해〕차이. ④〖음악〗대비 주제(Kontrasubjekt). ⑤〖法〗재(再)항변. ⑥〖修〗대조법, 대구. ⑦〖商〗등가물, 대가.

gegensätzlich *a.* 반대의, 대립적인, 모순된.

Gegensätzlichkeit *f.* 대립성, 모순성.

Gegensatz·wort *n.*〖언어〗(Antonym) 반의어, 반대말.

Gegen≈schall *m.* 반향. **~schattig** *a.* ~e Völker 온대 지방에 사는 여러 민족(beidschattig). **~schein** *m.* ①〖天〗반사, 대일조(對日照)(태양과 정반대의 황도상에 보이는 미광 현상). ② 인적 사항 기입 서류(우체국에서 저축 계좌 개설용 서류). ③〖法〗(öst.) 주문 카드의 사본. **~schenkung** *f.* ↑ ~gabe. **~schlag** *m.* ① (맞)받아치기, 반격, 역습. ② 보복 조치. ③〖軍〗응사. **~schmähung** *f.* 맞비방. **~schreiber** *m.*〖商〗(회계 따위의) 감사관. **~schrift** *f.* 서면 답변, 답변서. **~schritt** *m.* 〖비유〗반대 행동, 대응책: ~e tun 대응책을 강구하다. **~schuld** *f.* 반대 채무, 채무자에게 진 빚. **~schwäher** *m.* 〖고어〗자식의 장인〔시아버지〕, 사돈 양반. **~seite** *f.* ① 맞은편, 반대편; (화폐 등의) 뒷면. ② ↑ ~partei. **~seitig** *a.* ①〖고어〗맞은편의; 상대하는, 반대의. ② 서로의, 상호간의; 쌍방간의, 양측 모두의: ~es Vertrauen 상호 신뢰; sich ~ helfen 서로 돕다; ~e Abmachung 쌍무 협정. **~seitigkeit** *f.* 상호성, 상호(적임): Versicherung auf ~ 상호 보험; das beruht ganz auf ~ 그것은 전적으로 상호적인 것이다, 피장파장이다. **~seitigkeits·vertrag** *m.* 쌍무 조약. **~seits** *adv.* 맞은편에, 반대쪽에서; 서로서로. **~sicherheit** *f.* 재보증, 재담보. **~siegel** *n.* 연인(連

印). **~sinn** *m.* 〖다음 용법으로〗 im ~ 반대의 뜻으로, 반대 방향으로. **≈sinning** *a.* ① 반대적 의미의, 반대 방향의. ②〖지질〗 구조 지질학적인 주요 흐름에 반대되는, 반구조 운동적인. **~sonne** *f.* 〖天〗 환일(幻日) (태양과 마주 보는 곳에 나타나는 일종의 해무리 현상). **~spiel** *n.* ①〖스포츠·드물게〗 (2 회의 경기 중) 두 번째 경기(Rückspiel). ②〔고어〕 (Gegenteil) 반대, 역. ③ 음모. **~spieler** *m.* ① (놀이·싸움·논쟁 따위의) 상대, 적수. ②〖연극〗 (주인공과 대립하는) 상대역. **~spielerin** *f.* ↑ ~spieler 의 여성형. **~sprechanlage** *f.* 상호 송수신 장치. **≈|sprechen** *n.* 〔대개 부정형과 과거 분사로〕 상호 송수신 장치로 통화하다. **~sprech·verkehr** *m.* 상호 송수신 통화.

***Gegen·stand** [gé:gənʃtant] 《원뜻 „das Gegenüberstehende"》 *m.* -(e)s, ..stände ① 물품: ein runder〔schwerer〕 ~ 둥근〔무거운〕 물체; Gebrauchs≈ 일상용품. ② 대상, 표적; 주제, 테마: der ~ seines Hasses 그의 증오의 대상; das Buch hat die deutsche Klassik zum ~ 그 책은 독일 고전주의를 주제로 삼고 있다; der Vorfall wurde zum ~ heftiger Diskussionen 그 사건은 격렬한 논쟁의 대상이 되었다. ③ **(a)** 사람: ein schöner ~ 미인; js. ~ 누구의 연인; ~ des Mitleids 동정할 만한 사람. **(b)** 상당〔대단〕한 것: wertloser ~ 하찮은 것; das ist kein ~ 그것은 아무것도 아니다, 문제가 되지 않는다. ④〔농담〕 so ein ~ von sechs Flaschen 거의 여섯 병; 〔방언〕 jm. ~ tun 누구에게 거스르다〔맞서다〕. ⑤ (öst.) 교과 과목.

gegenständig *a.* ①〖植〗 (꽃잎 등이) 대생(對生)의, 마주나기의. ②〖畫〗 (근동의 회화에서) 대칭적인: zwei ~ dargestellte Tiere 서로 마주보고 있는 모습으로 그려진 두 동물.

gegenständlich *a.* 대상〔사물〕에 관한, 물적인; 대상적인, 객관적인; 구체적인, 구상적인: ~e Malerei 구상 회화; ~es Denken 구체적인 사유.

Gegenständlichkeit *f.* -en 구체성, 대상성, 객관성.

Gegenstands≈bereich *m.*, **~gebiet** *n.* 대상 영역, 주제의 범위. **~glas** *n.* 대물 렌즈.

gegenstandslos *a.* ① 대상이 없는, 추상적인: ~e Kunst 추상 미술. ② 맹목적인, 쓸데없는; 근거 없는, 허약한, 공허한: ~e Einwände 근거 없는 항의.

Gegenstandslosigkeit *f.* 대상 없음, 추상성; 근거 없음, 목표 부재.

Gegen≈steigerung *f.* 〖修〗 점강법(漸降法). **~stellung** *f.* 맞세우기, 대조; 〖法〗 대질. **~stimme** *f.* ① 반대 의견의 표명; 반대표: der Vorschlag wurde mit 350 Stimmen gegen 50 ~n angenommen 제안은 찬성 350 표, 반대 50 표로 채택되었다. ②〖음악〗 대성음(對聲音). **~stoß** *m.* ① 맞받아치기, 되찌르기, 카운터블로. ②〖軍·스포츠〗 역습, 반격. **~strahl** *m.* 반사. **~strom** *m.* 역류; 〖理〗 향류(向流); 〖海〗 반류(反流). **≈stromig** *a.* ↑ ≈strömig. **≈strömig** *a.* 역류하는. **~strömung** *f.* ↑ ~strom. **~strophe** *f.* ① 대립연(聯). ② (고대 그리스의) 응답 가장(歌章). ③〖음악〗 대가(對歌). **~stück** *n.* ① 정반대의 인물〔유형〕: er ist das genaue ~ zu seinem Bruder 그는 그의 형과〔아우와〕 정반대다. ② 짝, 한 쌍을 이루는 것; 대응하는 것〔인물〕: ich habe das ~ zu dem Handschuh verloren 나는 이 장갑의 다른 한 짝을 잃어버렸다. **~tausch** *m.* 교환.

***Gegen≈teil** [gé:gəntaɪl] *n.* -(e)s, -e ① 반대되는 것〔인물〕; 반대말: das ~ von „lang" ist „kurz" "긴"의 반대말은 "짧은"이다; er ist das (genaue) ~ seines Vaters 그는 그의 아버지와는 (전혀) 딴판이다; diese Maßnahme würde gerade das ~ bewirken 이러한 조치는 정반대의 결과를 야기할지도 모른다. ② 반대, 역(逆): im ~ 반대로, 거꾸로, 그렇기는 커녕; das ~ behaupten 반대설을 주장하다; bist du müde? — im ~! 피곤하니? — 천만에!; ins ~ umschlagen 반대로 되다. ③〔구어·농담〕 엉덩이(Gesäß): setz dich mal auf dein ~ und lern ein bißchen! 엉덩이 붙이고 앉아서 공부 좀 하려무나! ④〔관사가 남성일 때도 있음〕 (Gegner) 반대자, 상대방, 적. **≈teilig** *a.* 반대의, 역의: ~e Wirkung 역효과; ~er Meinung sein 반대 의견이다. **≈teils** *adv.* (schweiz.) 반대로, 이에 반해서, 그렇기는 커녕. **~tor** *n.* 〖스포츠〗 (이미 골을 넣은 상대팀에 대한) 맞골. **~treffer** *m.* 〖스포츠〗 ↑ ~tor. **~treue** *f.* (상호간의) 성실; 성실에 대한 보답.

***gegen·über** [ge:gən|ý:bər] 《I》 *prp.*³ ① …의 맞은편에, 마주 보고: das Rathaus liegt ~ der Kirche 〔der Kirche ~〕 시청은 교회 맞은편에 있다; er saß mir schräg〔genau〕 ~ 그는 나와 비스듬히〔똑바로〕 마주보고 앉아 있었다. ② …에 대해(서), 관해; …에 직면하여: ihr ~ hat er sich stets gut betragen 그녀에게 그는 늘 친절한 태도를 취해 왔다; er ist allem Neuen ~ aufgeschlossen 그는 새로운 모든 것에 대하여 마음이 열려 있다; diesen Schwierigkeiten ~ 이러한 어려움에 직면하여. ③〔비유〕 …에 비하여: seinem Bruder ~ ist er reich 그는 형〔동생〕에 비하면 부자다. 《II》 *adv.* 맞은편〔건너편〕에, 마주 보고: die Bonbons gibt es im Laden ~ 그 사탕은 건너편 가게에 있다; 〔구어〕 die Leute von ~ 건너편에 사는 사람들; er saß ~ 그는 맞은 편에 앉아 있었다.

Gegen·über *n.* -s, - ① 길 건너편 집 (사람): wir haben kein ~ 길 건너편에는 집이 없습니다. ② 맞은 편 사람, 마주 보고 앉은 사람: mein ~ in der Straßenbahn 전차 안에서 나와 마주 보고 앉은 사람. ③〔雅語〕 대립, 상반: das ~ von Geist und Gefühl 정신과 감정의 대립.

gegenüber≈|liegen* *i.* (h.) 맞은 편에 놓여 있다, 마주 보고있다. **~sehen** *t./refl.* (sich) ~ …에 직면해 있음을 알게 되다: plötzlich sah ich mich einer nicht geahnten Feindseligkeit gegenüber 돌연 나는 전혀 예상치 못했던 적대 관계에 직면해 있음을 알게 되었다. **~|setzen** *t.* 마주〔맞은 편에〕 앉히다: setzen Sie sich mir gegenüber! 저를 마주 보고 앉으십시오! **~sitzen** *i.* 맞은 편에〔마주 보고〕 앉아 있다. **~|stehen*** 《I》 *i.* ① 맞은 편에 있다, 마주 보고 서 있다: unser Haus steht dem Park gegenüber 우리 집은 공원 맞은 편에 있다. ② (어떤 일·사태에) 맞서다, 대결하고〔직면해〕 있다: unangenehmen Problemen ~ 불쾌한

문제들에 봉착해 있다. ③ (…에 대하여) …한 입장〔관계〕이다: ich stehe dem Plan noch skeptisch gegenüber 나는 그 계획에 대해 여전히 회의적이다. 《Ⅱ》 *refl.* sich ∼ ① 서로 대립하다. ②〖스포츠〗 대결하다: die beiden Spieler werden sich bald ∼ 두 선수는 곧 대결을 벌일 것이다. **∼stehend** *p.a.* 대립하는. **∼|stellen** *t.* ① 맞세우다. ② 맞은 편에 세우다〔놓다〕, 마주보게 하다: den Fernseher der Couch ∼ 텔레비전을 소파 맞은 편에 놓다. ③ 서로 비교하다, 대조해 보다. ④〖法〗 대질시키다: dem Angeklagten einen Zeugen ∼ 피고와 증인을 대질시키다. **∻stellung** *f.* 대립, 대항; 대조, 비교;〖法〗 대질;〖修〗 대구(對句). **∼|treten*** *i.* (s.) ① (누구) 앞에 나서다, (누구와) 얼굴을 마주 대하다. ② 맞서다, 대처하다, (어떠한) 태도를 취하다: einem Problem entschlossen ∼ 어떤 문제에 단호히 맞서다.

Gegen≈ufer *n.* 대안(對岸). **∼umwälzung** *f.* 반혁명. **∼unterschrift** *f.* 부서(副署), 연서(連署). **∼verhör** *n.*〖法〗 반대 심문. **∼verkehr** *m.* 맞은편 차선의 교통〔차량〕. **∼verpflichtung** *f.* 상호 의무. **∼verschanzung** *f.*〖軍〗 대루(對壘). **∼verschreibung** *f.*〖商〗 반려(返戾) 증서;〖法〗 반대 증서. **∼versicherung** *f.* ↑ Rückversicherung. **∼versprechen** *m.*, **∼versprechung** *f.* (상대의 약속에 대한) 답례로서의 약속. **∼versuch** *m.* (이미 이루어진 실험·시도에 대한) 확인 실험, 검토. **∼vormund** *m.*〖法〗 후견 감독인. **∼vorschlag** *m.* 반대 제안, 맞제안. **∼vorstellung** *f.*〖法〗 이의 신청; 항의. **∼wand** *f.* 맞은편 벽.

***Gegenwart** [gé:gənvart] *f.* ① (그 자리에) 있음, 눈 앞에〔마주 보고〕 있음; 출석, 참석: in meiner ∼ 내 눈앞에서; in ∼ vieler Zeugen 많은 증인들 앞에서; die Feier fand in ∼ des Präsidenten statt 축제는 대통령이 참석한 가운데 열렸다; seine ∼ ist mir lästig 그와 동석하면 짜증난다. ② 현재, 지금; 현대, 현시점: der größte Dichter der ∼ 현대의 가장 위대한 작가; bis in die ∼ 현재〔오늘날〕에 이르기까지. ③〖문법〗 현재 시제(Präsens). ④〔드물게〕 풍채, 태도: ein Mann von schöner Gestalt und ∼ 풍모가 훌륭한 사람.

***gegenwärtig** [gé:gənvɛrtɪç] 《Ⅰ》 *a.* ①〔드물게〕 그 자리에 있는, 출석〔참석〕하고 있는: bei einer Feier ∼ sein 어떤 의식에 참석하고 있다; ich war bei dem Streit ∼ 나는 싸울 때 그 자리에 있었다. ② 현재〔현대〕의, 지금의: der ∼e Präsident 현 대통령; die ∼en Preise 시가(時價). ③〔드물게〕 의식하는. ④〔雅語〕 지금도 기억하는: ich habe es nicht ∼ 나는 지금 그 일을 기억할 수 없다; die Sache ist mir noch ganz ∼ 그 일은 아직도 내 기억 속에 생생히 살아 있다; sich³ et. ∼ halten 무엇을 눈 앞에 떠올리다. ⑤ 여기 있는, 이: ∼es Schreiben 〔das ∻e〕 이 편지. 《Ⅱ》 *adv.* 지금, 현재; 지금으로서는: ich bin ∼ arbeitslos 나는 지금 실직 중이다.

Gegenwärtigkeit *f.*〔드물게〕 ① 현재성, 현존. ② 참석, 동석. ③ (정신이) 깨어 있음; (기억의) 생생함.

gegenwarts *adv.*〔드물게〕 ∼ der Herren 신사 여러분 앞에서.

gegenwarts≈bezogen *a.* 현재〔현대〕와 관련된, 현재〔현대〕 중심의. **∼form** *f.*〖문법〗 현재형. **∼fremd** *a.* 현재〔현대〕와 무관한〔동떨어진〕, 현재성〔현대성〕이 결여된. **∻kunde** *f.* 현대 사회에 대한 수업, (일반) 사회 과목. **∼nah(e)** *a.* 현재〔현대〕와 밀접히 연관된, 현대〔시대〕 감각에 맞는, 현대적인, 시사적인. **∻sprache** *f.*〖언어〗 현대어. **∻wert** *m.*〖經〗 (부동산 따위의) 현재의 가치.

Gegen≈wechsel *m.* 교환; 재발행 환어음. **∼wehr** *f.*〔드물게〕 방어, 자위, 저항: zur ∼ schreiten 방어에 착수하다. **∼wert** *m.* 등가(물); 상쇄, 보상(물). **∼wert·mittel** *n.*〖經〗 대충 자금. **∼wind** *m.* 맞바람, 역풍. **∼winkel** *m.*〖數〗 맞각, 대각. **∻|wirken** *i.* 반대하다, 반작용을 하다. **∼wirkung** *f.* 반작용, 반응. **∼wohner** *m.*〔고어〕 ↑ ∼füßler. **∼wort** *n.* ① (Widerwort) 반박, 항변. ②〔복수: ..wörter〕 반대말. ③〔복수: -e〕〔방언〕 대답. **∼zeichen** *n.* ① 연서(連署) 부서. ②〖軍〗 군호, 암호. ③〖商〗 보관증, 물표; 부표(副標). **∻|zeichnen** *i.* (h.) 부서〔연서〕하다. **∼zeichnung** *f.* 부서, 연서. **∼zeuge** *m.* ① 반대 증인. ② 반대측 증인. **∼zug** *m.* ① 두 방향에서 불어오는 바람. ②〖철도〗 반대 방향의 열차. ③〖체스〗 상대방의 수, 응수;〔비유〕 대응책. ③〖스포츠〗 역습.

gegessen [gəgɛ́sən] *p.p.* ↑ essen.

Gegirre [gəgɪ́rə] *n.* -s〔폄어〕 (비둘기 등이) 계속 우는 소리.

Gegitter [gəgɪ́tər] *n.* -s, - 창살 세공, 창살.

geglichen [gəglɪ́çən] 《Ⅰ》 *p.p.* ↑ gleichen. 《Ⅱ》 *p.a.* 균형잡힌; 상쇄된.

gegliedert 《Ⅰ》 *p.p.* ↑ gliedern. 《Ⅱ》 *p.a.* 지체(肢體)로〔부분으로〕 나뉜.

geglissen [gəglɪ́sən] *p.p.* ↑ gleißen.

geglitten [gəglɪ́tən] *p.p.* ↑ gleiten.

Geglitzer *n.* -s 반짝〔번쩍〕거림.

geglommen [gəglɔ́mən] *p.p.* ↑ glimmen.

***Gegner** [gé:gnər] *m.* -s, - ① 적수, 경쟁자, 상대방;〖스포츠〗 상대 선수, 상대팀;〖軍〗 적, 적군: ein politischer ∼ 정적(政敵); gleich zu Beginn der zweiten Halbzeit erzielte der ∼ ein Tor 후반전이 시작되자마자 상대팀이 한 골을 넣었다. ② 반대자: ein ∼ der Reform 개혁의 반대자.

Gegnerin *f.* -nen ↑ Gegner 의 여성형.

gegnerisch *a.* 상대의, 적의; 적대적인, 반대하는;〖스포츠〗 상대팀의: die ∼en Waffen 적의 무기들; auf dem ∼en Feld 적진에서, 상대 진영에서.

Gegnerschaft *f.* -en ① 적대적 태도〔관계〕. ②〔드물게·총칭〕 적, 반대자. ③ 반대, 대항, 경쟁.

gegolten [gəgɔ́ltən] *p.p.* ↑ gelten.

gegoren [gəgó:rən] *p.p.* ↑ gären.

gegossen [gəgɔ́sən] *p.p.* ↑ gießen.

gegraben [gəgrá:bən] *p.p.* ↑ graben.

gegriffen [gəgrɪ́fən] *p.p.* ↑ greifen.

Gegrinse *n.* -s〔폄어〕 (계속해서) 히죽히죽 (씩하고) 웃는 웃음, 기분나쁜 미소.

Gegröl *n.* -(e)s ↑ Gegröle.

Gegröle [gəgrø̃:lə] *n.* -s〔구어·폄어〕 연달아 꽥꽥 소리지름〔노래함〕.

gegründet [gəgrʏ́ndət] 《Ⅰ》 *p.p.* ↑ gründen. 《Ⅱ》 *p.a.* 근거 있는; (…에) 기초한; 설립된,

창설된.
Gegrunze [gəgrʊ́ntsə] *n.* -s 〖폄어〗 (돼지 따위가) 꿀꿀거림.
geh. ① =geheftet (책 따위에 가격 표시가) 부착된(heften). ② =geheim 비밀의, 남몰래.
gehaart 《Ⅰ》*p.p.* ↑ haaren. 《Ⅱ》*p.a.* 털이 난〔있는〕.
Gehabe [gəhá:bə] *n.* -s ①〖폄어〗부자연스러운 거동, 억지로 꾸민 듯한 자세. ②〖드물게〗↑ Gehaben ①.
Gehaben *n.* -s ① (Benehmen) 거동, 태도. ②〖드물게·폄어〗↑ Gehabe ①.
gehaben *refl./t.* (sich) ~ ① (특히 öst.) 행동〔처신〕하다: er gehabt sich als reicher Herr 그는 부자 행세를 한다. ②〖다음 용법으로〗〖고어·농담〗 gehab(e) dich wohl! 잘 가거라〔있거라〕!; ~ Sie sich wohl! 안녕히 가세요〔계세요〕! ③〖방언〗 단단히 쥐다〔잡다〕.
gehäbig *a.* 잘 집이 있는; 잘 사는.
gehabt 《Ⅰ》*p.p.* ↑ haben. 《Ⅱ》*p.a.* 〖구어〗 통상적〔관례적〕인, 기존의: wie ~ 언제나 그랬듯이.
Gehacke [gəhákə] *n.* -s (연달아) 쪼아댐.
gehackt 《Ⅰ》*p.p.* ↑ hacken. 《Ⅱ》*p.a.* (고기를) 다진, 잘게 썬.
Gehackte* *das* 다진 고기(Hackfleisch).
Gehader [gəhá:dər] *n.* -s 〖雅語·폄어〗 끊임없이 다툼, 그칠 줄 모르는 불화〔불평〕.
Gehäge [gəhɛ́:gə] ①〖사냥〗 사냥터. ② (야생동물 등의) 보호 구역(↑ Gehege).
***Gehalt**[1] [gəhált] 《＜halten》*m.* -(e)s, -e ① (사상적·정신적인) 내용: moralischer ~ eines Werkes 작품의 도덕적 내용. ② (성분의) 함유량, 함량, 순도: Gold von gutem ~e 순도가 높은 금; der ~ eines Erzes an Metall 어떤 광석의 금속 함유량; der ~ an Alkohol in Bier 맥주의 알코올 함유량. ③ (용기의) 내용(물), 용적, 부피, 용량; 〖海〗 톤수, 적재량: ein Schiff von 300 Tonnen ~ 적재량 300 톤의 배. ④〖방언〗 용기, 화물 적재칸. ⑤〖방언〗 방, 창고.
***Gehalt**[2] *n.* -(e)s, ..hälter (공무원·회사원의) 월급, 봉급, 급료: wie hoch ist Ihr ~? 당신의 월급은 얼마나 됩니까?; stehendes ~ 고정급; 3500 DM ~ 〔ein ~ von 3500 DM〕 beziehen 3500 마르크의 봉급을 받다; bei jm. im ~e stehen 누구에게 고용되어 있다.
gehalt·arm *a.* 내용이 빈약한.
gehalten [gəháltən] 《Ⅰ》*p.p.* ↑ halten. 《Ⅱ》*p.a.* 〖雅語〗 ① (암묵적으로) 의무지워진, (잠자코) 해야 하는: wir sind ~, darüber Stillschweigen zu bewahren 그것에 대해 우리는 침묵을 지킬 의무가 있다; Sie sind ~, mir von Zeit zu Zeit darüber Bericht zu erstatten 당신은 그 일에 대해 제게 가끔씩 보고해 주셔야겠습니다. ② 균형 잡힌, 절제된: ~es Auftreten 신중한 행동; eine Begrüßung mit ~er Distanz 적절한 거리를 유지한 환영〔인사〕.
gehaltig *a.* ↑ gehaltreich.
gehalt·leer, gehaltlos *a.* 내용 없는, 공허한; 실속 없는; (음식이) 맛이 없는.
gehaltlosigkeit *f.* 실속〔내용〕없음; 공허.
gehalt·reich *a.* 내용이 풍부한, 가치 있는, 실질적인; 함유량이 높은, 영양가 있는; (문장 따위가) 함축성 있는.
Gehalts·abzug *m.* 봉급에서의 공제; 감봉. **~aufbesserung** *f.* 봉급 인상. **~auszahlung** *f.* 봉급 지급. **~empfänger** *m.* 봉급 생활자. **~erhöhung** *f.* 봉급 인상. **~konto** *n.* 봉급 지급 계좌. **~kürzung** *f.* 감봉. **~nachzahlung** *f.* 봉급의 추후〔추가〕 지급. **~stufe** *f.* 호봉. **~tarif** *m.* 〖經〗 봉급 액수, 급여율. **~tarif·vertrag** *m.* 〖經〗 급여 협상. **~vorrückung** *f.* (öst.) (공무원의) 임금 인상. **~zahlung** *f.* 봉급 지급. **~zulage** *f.* 수당.
gehalt·voll *a.* 영양가가 풍부한; 내용이 알찬.
Gehämmer *n.* -s 〖폄어〗 지속적인 망치질.
Gehampel *n.* 〖구어·폄어〗 계속 손발을 떨어대는 동작.
gehandikapt [gəhɛ́ndikɛpt] 《Ⅰ》*p.p.* ↑ handikapen. 《Ⅱ》*p.a.* 〖구어〗 약점이 있는, 불리한.
***Gehänge** [gəhɛ́ŋə] 《＜hängen》*n.* -s, - ① 〖고어〗 (öst.) 산비탈, 산허리. ② 내려뜨린〔걸어놓은〕 장식, 귀고리, 목걸이, 현등(懸燈): Uhr~ 시계줄의 장식물. ③〖사냥〗 (a) (총을 메는) 어깨띠, 검대. (b) 〖사냥〗 (개의) 처진 귀. ④〖비속·폄어〗 (a) 여자의 유방. (b) 남자의 성기. ⑤ (obd., md.) 도살한 가축의 내장. ⑥〖방언〗 정사(情事), 방사(房事); (남자에게) 붙어 다님. ⑦〖기술〗 (짐을 올리기 위한) 현가(懸架) 장치. ⑧〖水理〗 (계곡이나 시냇물 속에 말뚝을 박아 걸쳐 놓은) 격자 나무 더미 (강둑을 보호하고 침전물의 침전을 돕는 시설).
gehangen [gəháŋən] *p.p.* ↑ hangen, hängen[1].
Gehängte* *der/die* 교수형을 당한 사람.
geharnischt [gəhárnɪʃt] 《Ⅰ》*p.p.* ↑ harnischen. 《Ⅱ》*p.a.* ①〖고어〗 갑옷을 입은, 무장한. ②〖비유〗 화끈한, 박력 있는; 확실한, 매우 뚜렷한; 격렬한, 격분한: ein ~er Protest 격렬한 항의; jm. eine ~e Abfuhr erteilen 누구를 호되게 나무라다. ③〖구어·드물게〗 엄청난, 대단한: sie aß ~e Portionen 그녀는 무지하게 많이 먹었다.
gehärtet 《Ⅰ》*p.p.* ↑ härten. 《Ⅱ》*p.a.* 딱딱한, 경질의.
gehässig [gəhɛ́sɪç] *a.* ① 증오심〔원한〕에 가득 찬, 악의적인, 비열한: gegen jn. ~ sein 〔(고어) jm. ~ sein〕 누구에게 원한을 품다; sich ~ gegen jn. benehmen 누구에게 야비한 태도를 취하다. ② 미운, 싫은: sich bei jm. ~ machen 누구의 미움〔원한〕을 사다.
Gehässigkeit *f.* -en 야비한 태도, 악의에 찬 말.
Gehau [gəháu] *n.* -(e)s, -e ① 계속해서 베어 넘김. ②〖林〗 벌채 구역.
gehauen [gəháuən] *p.p.* ↑ hauen.
gehäuft 《Ⅰ》*p.p.* ↑ häufen. 《Ⅱ》*p.a.* 쌓인, 누적된.
Gehäuse [gəhɔ́yzə] 《＜Haus》*n.* -s, - ① 그릇, 용기, 케이스, 상자: et. mit einem ~ umgeben 〔in ein ~ stecken〕 무엇을 케이스에 넣다. ② (a) (달팽이의) 집; (누에의) 고치. (b) (사과·배 등의) 과심(果心); (콩의) 꼬투리. ③〖고어〗 (Behausung) 집, 주택. ④〖스포츠〗 골대, 골문.
gehaut 《Ⅰ》*p.p.* ↑ hauen. 《Ⅱ》*p.a.* (öst.) 〖구어〗 교활한, 닳고닳은, 약아빠진.
..gehautet *suf.* "…한 껍질의"의 뜻(보기: rot-

~ 붉은 껍질〔피부〕의).
gehäutet 《Ⅰ》 *p.p.* ↑ häuten. 《Ⅱ》 *p.a.* ① 껍질이 벗겨진, 탈피한. ② …한 피부의: rot~ 붉은 피부의.
Geh·bahn *f.* 〖방언〗 인도, 보도.
gehbar [gé:ba:*r*] *a.* 통행할〔걸어다닐〕 수 있는.
geh≠behindert *a.* 보행에 장애가 있는, 걷기가 어려운. **≈behinderung** *f.* 보행 장애.
Geheck [gəhɛ́k] *n.* -(e)s, -e 〚사냥〛 ① (물새들의) 새끼; (여우·늑대 따위의) 한 배 새끼. ② 연달아 새끼를 낳음〔부화함〕. ③ 〖비유〗 떼, 군집.
geheftet [gəhɛ́ftet] 《Ⅰ》 *p.p.* ↑ heften. 《Ⅱ》 *p.a.* (책 따위에 가격 표시가) 부착된.
***Gehege** [gəhé:gə] 《⊕ Hag》 *n.* -s, - ① 〚사냥〛 사냥터, 사냥 구역. ② (울타리를 쳐놓은) 야생 동물 보호 구역; (동물원의) 사육장, 우리. ③ 울타리, 담: 〖비유〗 jm. ins ~ kommen 〔treten〕 누구의 일에 간섭하다, 누구의 영역을 침해하다. ⑤ 〖고어〗 das ~ der Zähne 입.
Gehege·aufseher *m.* 사냥 구역 감시인.
geheiligt [gəháılıçt] 《Ⅰ》 *p.p.* ↑ heiligen. 《Ⅱ》 *p.a.* 신성한, 성스러운.
***geheim** [gəháım] 《<Heim; mhd. „zum Haus gehörig, vertraut"》 *a.* 비밀의, 은밀한, 남모르는; 감추어진, 눈에 보이지 않는, 신비로운: ~e Zusammenkunft 비밀 회동; ~e Wahl 비밀 선거, 무기명 투표; einen ~en Kummer haben 남모르는 슬픔〔근심〕이 있다; streng ~ 극비의; im ~en a) 가슴속 깊은 곳에서, 속마음으로는, b) 남몰래, 비밀리에; et. vor jm. ~ halten 무엇을 누구에게 비밀로 하다; ~e Krankheit 성병; ~er Ort a) 비밀 장소, b) 변소; ~e Staatspolizei (나치의) 국가 비밀 경찰(약어: Gestapo); eine ~e Kraft 신비로운〔눈에 보이지 않는〕 힘; ≈er Rat 추밀(樞密) 고문관, 추밀원 위원.
Geheim≠agent *m.* 비밀 첩보원, 밀정. **~bote** *m.* 밀사, 첩자. **~brief** *m.* ① 비밀 편지. ② 〖고어〗 (왕이 내리는) 체포장. **~buch** *n.* 비밀 장부. **~bund** *m.* 비밀 동맹〔결사〕. **~bündelei** *f.* 비밀 단체의 결성 및 지원 활용. **~bündler** *m.* 비밀 결사원. **~dienst** *m.* (국가의) 비밀 정보 기관. **~diplomatie** *f.* 비밀 외교. **~dokument** *n.* 비밀〔기밀〕 문서.
Geheime* *der/die* 〖구어〗 ↑ Geheimpolizist.
Geheime·rat *m.* ↑ Geheimrat.
Geheim≠fach *n.* 비밀 서랍, 비밀칸. **~favorit** *m.* 〚스포츠〛 다크호스. **~fonds** *m.* 기밀비, 비자금. **≈|halten*** *t.* 비밀로 하다, 감추다: et. vor jm. ~ 무엇을 누구에게 비밀로 하다; ich möchte das vorläufig noch ~ 나는 그것을 당분간은 밝히고 싶지 않다. **~haltung** *f.* 비밀 유지〔지키기〕. **~konto** *n.* ① 비밀 계좌. ② 무기명 번호 계좌. **~lehre** *f.* 비밀 교의(教義). **~mittel** *n.* 비약(祕藥), 영약(靈藥).
***Geheimnis** [gəháımnıs] *n.* -ses, -se ① 비밀, 기밀: militärische ~se 군사 기밀; 〖구어〗 ein offenes ~ 공공연한 비밀; ein ~ ausplaudern〔bewahren〕 비밀을 누설하다〔지키다〕; jm. ein ~ anvertrauen 누구에게 비밀을 털어놓다; jm. ein ~ entlocken 누구에게서 비밀을 알아내다; ein ~ aus et. machen 무엇을 비밀로 하다〔숨기다〕; jn. in das ~ einweihen 누구에게 비밀을 알려주다; die beiden haben keine ~se voreinander 두 사람 사이에는 서로 비밀이 없다; ein ~ vor jm. haben 누구에게 숨기는 것이 있다; 〖구어〗 ein süßes ~ haben 임신 중이다; 〖고어〗 jn. ins ~ ziehen 누구에게 비밀을 털어놓다. ② 비법, 비결: die ~se des Erfolgs 성공의 비결; jn. in die ~se der Küche einweihen 누구에게 요리의 비법을 가르쳐 주다. ③ 신비, 불가사의, 오의(奧義): das ~ des Lebens 〔der Natur〕 생명〔자연〕의 신비; das ist ein ~ für ihn 그것이 그에게는 수수께끼다.
Geheimnis≠krämer *m.* 〖구어·폄어〗 ① 비밀에 싸인 척하는 사람. ② 중요한 비밀이라도 있는 척하는 사람. **~krämerei** *f.* 〖구어·폄어〗 비밀에 싸여 있는 척하는 행동; 중요한 비밀이라도 있는 척함.
geheimnissen 《Ⅰ》 *i.* (h.) 비밀이라도 있는 듯이 행동하다. 《Ⅱ》 *t.* (비밀이) 숨겨져 있다고 믿다: in Goethes Faust wird viel hineingeheimnißt 괴테의 파우스트에는 많은 비밀이 들어 있다고 사람들은 믿는다.
Geheimnis≠träger *m.* (특히 군사·정치 분야의 전문적인) 기밀 취급자. **~tuer** *m.* ↑ ~krämer. **~tuerei** *f.* ↑ ~krämerei. **≈tuerisch** *a.* 〖구어·폄어〗 비밀에 싸인 인물인 체하는, 중요한 비밀이라도 있는 척하는. **≈voll** *a.* ① 신비에 찬, 비밀에 싸인, 알 수 없는, 불가사의한: eine ~e Geschichte 신비스러운〔수수께끼 같은〕 이야기. ② 비밀이 있는 듯한, 숨기는 듯한: tu doch nicht so ~! 무슨 중요한 비밀이라도 있는 듯이 그러지 마!
Geheim≠nummer *f.* (통장·자물쇠 따위의) 비밀 번호; (전화 번호부에 없는) 비공개 전화 번호. **~polizei** *f.* 비밀 경찰. **~polizist** *m.* 비밀 경찰관. **~rat** *m.* 〖↑ Geheimer Rat 의 약칭〗 추밀 고문관.
Geheimrats≠ecken *pl.* 〖구어·농담〗 (이마 위쪽의) 점점 뒤로 물러나는 머리선: er hat ~ 그는 점점 이마가 벗겨지고 있다. **~viertel** *n.* 추밀 고문관들의 거주 구역.
Geheim≠rezept *n.* 비밀 처방, 비법. **~schloß** *n.* (숫자를 맞추어야 열 수 있는) 비밀 자물쇠. **~schreibe·kunst** *f.* 암호 기법(記法). **~schreiber** *m.* 〖고어〗 비서. **~schrift** *f.* 암호문: Telegramm in ~ 암호 전보. **~sekretär** *m.* 비서(관). **~sender** *m.* 무허가〔불법〕 방송국. **~siegel** *n.* (영국의) 옥새. **~siegel·bewahrer** *m.* 옥새 상서(尙書). **~sprache** *f.* 은어. **~tuer** *m.* ↑ Geheimniskrämer. **~tuerei** *f.* ↑ ~krämerei. **≈tuerisch** *a.* ↑ geheimnistuerisch. **≈|tun*** *i.* (h.) 〖구어·폄어〗 중요한 비밀이라도 있는 체하다. **~tür** *f.* 비밀문. **~versteck** *n.* 비밀 장소, 은신처. **~vorbehalt** *m.* 비밀 유보, 숨겨둠; 〚法〛 심리 유보. **~waffe** *f.* 비밀 무기. **~wissenschaft** *f.* 비술(祕術). **~zeichen** *n.* 비밀 기호〔부호〕, 암호. **~zimmer** *n.* 밀실.
Geheiß [gəháıs] 《<heißen》 *n.* -es 〖雅語〗 분부, 명령, 지시: et. auf js. ~ tun 누구의 지시에 따라 무엇을 하다.
geheißen [gəháısən] *p.p.* ↑ heißen[1].
gehemmt 《Ⅰ》 *p.p.* ↑ hemmen. 《Ⅱ》 *p.a.* 망설임이 많은, 소심한; 거북한, 부자연스러운: das Kind ist vor Fremden sehr ~ 그 아이는 낯

선 사람들 앞에서 몹시 낯을 가린다.

Gehemmtheit *f.* 심리적 압박 상태; 주저주저〔머뭇머뭇〕하는 태도.

gehen [gé:ən] (ging, gegangen) 《I》 *i.* (s.) ①〖사람이 주어〗(**a**) 걷다, 걸어가다: breitbeinig ~ 성큼성큼 걷다; am Stock ~ 지팡이를 짚고 걷다; auf und ab ~ 왔다갔다 하다, 이리저리 걷다; in den Wald ~ 숲 속으로 걸어 들어가다; wir fahren nicht, wir ~ 우리는 차를 타고 가는 것이 아니라 걸어간다. (**b**) 가다, 떠나다: wollt ihr schon ~? 너희들 벌써 가려고 하니?; auf die Reise ~ 여행을 떠나다; ins Ausland ~ 외국으로 가다; er ging, ich blieb 그는 가고 나는 남았다; 〖은폐〗 sie ist von uns gegangen 그녀는 우리 곁을 떠났다(죽었다); jn. lieber ~ als kommen sehen 누가 오는 것보다 가는 것이 반갑다(누구와 얼굴을 마주 하고 싶지 않다). (**c**) 지위를 떠나다, 직장을 그만두다: er geht am 1. März 그는 3월 1일에 그만둔다; 〖구어〗 er ist gegangen worden 그는 해고당했다. ②〖사물이 주어〗(**a**) (탈것이) 떠나다, 출발하다: der Zug geht um drei Uhr 기차는 3시에 떠난다; wann geht das Schiff? 배는 언제 떠나니? (**b**) (기계가) 돌아가다; (시계가) 가다; (오르간이) 울리다; (맥이) 뛰다; (반죽이) 부풀다; (연기가) 나다; (바람이) 불다: die Uhr geht richtig 시계가 제대로〔맞게〕 간다; der Wind geht heute besonders stark 바람이 오늘 특히 심하게 분다; die See geht hoch 파도가 높게 인다; der Puls geht 맥박이 뛴다; der Mund geht 입이 움직인다; der Teig geht 반죽이 부풀어오른다; die Tür geht 문이 열린다; das Eis fängt an zu ~ 얼음이 녹기 시작한다. (**c**) (상품이) 잘 나가다〔팔리다〕: die Ware 〔das Buch〕 geht 그 상품〔책〕은 잘 나가고 있다; in dieser Jahreszeit geht der Artikel nicht 이 계절에는 그 품목이 잘 팔리지 않는다. (**d**) (소문이) 돌다, 퍼지다: es geht das Gerücht, daß... …라는 소문이 돌고 있다. (**e**) 가능하다, 되다: das geht nicht 그것은 안 된다; es wird schon ~ 곧 괜찮아질 거다, 어쨌든 잘 될 거다; das geht einfach〔leicht〕 그것은 간단히〔쉽게〕 할 수 있다; das geht zu ertragen 그것은 참을 수 있다; fünf von vier geht nicht 4에서 5는 뺄 수 없다. (**f**) (일이) 되어가다, 진행되다: das Geschäft geht gut 사업이〔장사가〕 잘 되고 있다; alles geht nach Wunsch 만사가 뜻대로 되어가고 있다; die Sache geht schief 일이 잘 안 된다; das Lied geht so 그 노래는 멜로디가 이렇게 된다〔다음과 같다〕; das geht zu weit 그것은 너무 심하다〔지나치다〕; es mag ~, wie es will 될 대로 되라지. (**g**) 용량이 …이다, …정도 들어가다: in diesen Kessel ~ fünf Liter 이 주전자에는 5리터를 담을 수 있다; es ~ 100 Personen in den Saal 이 홀에는 100 명이 들어갈 수 있다. (**h**) (길·문 등이) 향해 있다, 뻗어 있다: die Straße geht durch den Wald 이 길은 숲 속으로 나 있다; die Tür geht auf die Terrasse 이 문은 테라스로 통한다; seine Blicke ~ in die Ferne 그의 시선은 먼 곳을 바라보고 있다; wohin geht die Reise? 여행은 어디로 가니? ③〖시간〗 …가 되다, …에 접어들다: es geht auf Mitternacht 한밤중이 되어 간다; er geht in das 30. Jahr 그는 이제 30 세가 된다. ④ 달하다, 미치다: das Wasser ging ihm bis an die Knie 물이 그의 무릎까지 찼다; ich gehe ihm bloß bis zur Schulter 내 키는 그의 어깨에 이를 뿐이다; die Gewinne ~ (bis) in die Millionen 수익이 수백만에 이른다. ⑤ …하러 가다: (**a**) 〖um zu 또는 zu 부정법과 함께〗 in den Wald ~, um ein Wild zu schießen 사냥하러 숲속으로 들어가다; er ging ins Zimmer, (um) dort zu schlafen 그는 방에 들어가서 잤다. (**b**) 〖단순 부정법과 함께〗 schwimmen 〔einkaufen〕 ~ 수영〔쇼핑〕하러 가다; betteln ~ 구걸하러 나서다〔가다〕; schlafen ~ 취침하다; spazieren ~ 산책하다. ⑥〖명령법으로 놀라움·짜증·거부·불쾌감·재촉 등을 나타냄〗 (ach,) geh! a) 정말, 그게 사실이란 말이야! (놀라움), b) 나 좀 그냥 내버려둬, 귀찮게 좀 굴지마! c) 그건 말도 안 돼, 그건 너무 심해! (거부·불쾌감); geh, tu's doch! 어서 하라니까!; geh und erzähle weiter! 어서 얘기 좀 계속해 봐! ⑦ (**a**) 〖공간·시간을 나타내는 4격과 함께〗 einen Kilometer ~ 1킬로미터를 걸어가다; eine weite Strecke ~ 먼 거리를 가다; die Uhr geht einen Monat 이 시계의 태엽은 한 달 간다. (**b**) 〖보행·진척을 규정하는 4격과 함께〗 denselben Weg ~ 같은 길을 가다; einen schweren Gang ~ 무거운 걸음을 옮기다; ruhig die Straße ~ 유유히 거리를 걷다; den Weg des Verderbens ~ 멸망의 길을 걷다; das Geschäft geht den Krebsgang 장사가 뒷걸음질친다〔안 된다〕; die Mädchen ~ ihren stillen Schritt 소녀들은 조용히 발길을 옮긴다. (**c**) 〖2격과 함께〗 seines Weges ~ 제 갈길을 가다; geh deiner Wege! 꺼져라! ⑧〖구어〗 …한 옷차림을 하고 있다: in Schwarz ~ 상복〔검정옷〕을 입다; ganz in Weiß ~ 온통 흰 색으로 차려 입다; in Zivil ~ 사복〔평복〕 차림이다; sie geht immer gut gekleidet 그녀는 늘 옷을 잘 차려 입는다. ⑨ 어울리다(↑ stehen《I》①(h)): das geht mir gut 그것은 내게 잘 어울린다. ⑩〖부사와 함께 숙어적으로〗 irre ~ 길을 잃다; müßig ~ 빈둥거리며 지내다; schwanger ~ 임신 중이다; trächtig ~ (짐승이) 새끼를 배고 있다; verloren ~ 없어지다; eines Dinges verlustig ~ 무엇을 잃다; zugrunde ~ a) 서서히 죽어가다, b) 몰락〔멸망〕하다; bankrott ~ 파산〔도산〕하다. ⑪〖lassen 과 함께〗 jn. ~ lassen 누가 무엇을 하는 대로 내버려두다, 누구를 방임하다; et. ~ lassen 무엇을 되어 가는 대로 내버려두다; den Hefeteig zwei Stunden ~ lassen 효모를 넣은 반죽을 두 시간 동안 부풀게 놔두다; laß es dir gut ~! 잘 있어라, 몸조심해라; ich lasse mich ~ 나는 태평이다; 〖구어〗 et. mit sich³ ~ lassen 무엇을 훔치다; 〖비속〗 einen (Wind) ~ lassen 방귀를 뀌다. ⑫〖전치사와 함께〗 **an** die Arbeit ~ 〔ans Werk ~〕 일에 착수하다; an Bord ~ 배에 오르다; an Land ~ 상륙하다; geh nicht an meine Bücher! 내 책에 손대지 마라!; das geht ihm an den Geldbeutel〔Hals〕 그것은 그의 돈지갑에 관련된다〔목숨에 관계된다〕; jm. an die Hand ~ 누구를 원조〔지지〕하다; an Krücken ~ 목발을 짚고 걷다(↑《I》① (a)); an das Gericht ~ 법원에 호소하다; **auf** allen vieren ~ 네 발로 기어가다; aufs Dorf 〔Land〕 ~ 시골로 가다; dieser Spott ging auf dich 이 조롱은 너를 두고 한 것이다; viel drauf ~ lassen 그것에 돈을 많이 쓰다; et. auf den Grund eines Dinges ~ 무엇을 철저히 규명하다; auf die Jagd ~ 사냥하러 가다; auf Freiersfüßen ~ 신부감을 구하다; auf den Hieb ~ 쳐들어가다, 싸우다; das geht auf Leben und Tod 그것은 생사에 관계되는 문제다; es geht hundert Pfennige auf eine Mark 100 페니히는 1 마르크에 해당한다; zwölf Stücke ~ auf ein Dutzend 12 개는 1 타스에 해당된다; der Vorrat geht auf die Neige 모아둔 것이 다 떨어져가고 있다; er geht nur auf seinen Nutzen 그는 제 이익만 따지고 있다; das geht nicht auf dieses Papier 이 종이에는 그것을 쓸 여백이 없다; auf js. Seite ~ 누구의 편을 들다; das Fenster geht auf die Straße 창문은 길 쪽으로 나 있다(↑《I》② (h)); auf die Universität ~ 대학에 입학하다; auf Urlaub ~ 휴가를 얻다; auf den Zehen ~ 발끝으로 걷다; die Uhr geht stark auf zehn 시계는 10 시가 다 되어 간다(↑《I》③); jm. **aus** den Augen ~ 누구의 면전을 떠나다; aus dem Dienste ~ 퇴직하다; aus dem Hause ~ 외출하다; jm. aus dem Wege ~ a) 누구에게 길을 비켜 주다, b) 〘비유〙 누구를 피하다; das Stück geht aus a-Moll 이 곡은 가단조다; für jn. **durchs** Feuer ~ 누구를 위하여 물불을 가리지 않다; dieser Zug geht durch die ganze Familie 이 특징은 가족 전체에 나타나 있다; durch js. Hände ~ 누구의 검토〔평가〕를 거치게 되다; 〘비유〙 alles geht durch seine Hände 그는 모든 일을 자신이 직접 처리한다〔돌본다〕; das ging mir durchs Herz 〔durch Mark und Bein〕 그것은 내 가슴〔골수〕에 사무쳤다; Gedanken ~ durch den Kopf 여러 생각들이 머리에 떠오른다; durchs Leben ~ 한 평생을 지내다; der Rauch geht durch den Schornstein 연기가 굴뚝으로 빠진다; durch dieses Zeug geht kein Wasser 이 천은 물이 스며들지 않는다; der große Tisch geht nicht durch die Tür 그 커다란 책상은 이 문으로 들어가지 않는다; das geht **gegen** mein Gewissen 그것은 내 양심에 어긋난다; der Vorwurf ging gegen ihn 그 비난은 그를 향한 것이었다(↑《I》② (h)); es geht gegen den Winter 겨울이 다가오고 있다(↑《I》③); **hinter** die Schule ~ 학교 수업을 빼먹다; die Wirtschaft geht hinter sich 경영이 안 된다; das Korn geht **in** Ähren 곡식에서 이삭이 나온다; in die Breite ~ 퍼지다; ins einzelne ~ 상세하게 논의하다; in Erfüllung ~ 실현〔이행·완성〕되다; ins Feld ~ 전쟁에 나가다, 출전하다; im Galopp ~ (말이) 질주하다; die Preise ~ in die Höhe 물가가 치솟는다; ins 12. Jahr ~ 곧 열두 살이 되다(↑《I》③); in die fünfte Klasse ~ 5 학년이 되다; 〖商〗 das geht mit in den Kauf 그것은 덤으로 드리는 것입니다; das will mir nicht in den Kopf ~ 내 머리로는 아무리 해도 그것을 알 수가 없다; ins Kloster ~ 수녀〔승려〕가 되다; in sich ~ 자신의 행동에 대해 곰곰이 생각하다, 반성하다; in Stücke 〔in die Brüche〕 ~ 부서지다, 분쇄되다; die Erbschaft geht in drei Teile 유산이 삼등분된다; das geht in die Tausende 그것은 수천에 달한다(↑《I》④); in sein Unglück ~ 불행에 빠지다; ins Wasser ~ 투신하다, 물에 빠지다; 〘방언〙 in die Wicken ~ 없어지다, 수포로 돌아가다; **mit** jm. durch dick und dünn ~ 누구와 희로애락을 함께 하다, 동고동락하다; 〘구어〙 mit jm. ~ 누구와 사귀다; sie geht mit ihm schon drei Jahre 그녀는 벌써 3 년 전부터 그와 연애하고 있다; der Fluß geht mit Eis 강에 얼음장이 떠내려간다; wie geht's mit der Gesundheit? 몸〔건강〕은 어떠한가?; mit einem Kinde ~ 임신하고 있다; mit einem Plan schwanger ~ 어떤 계획을 품고 있다; et. mit sich³ ~ heißen 무엇을 훔치다; mit der Zeit ~ 시대에 뒤지지 않다, 시대의 흐름에 따르다; **nach** et. ~ a) 〘방언〙 무엇을 찾다〔구하다〕, 가지러 가다, b) 무엇을 기준으로 삼다, 무엇에 따라 움직이다〔돌아가다〕; er geht immer nach dem ersten Eindruck 그는 항상 첫인상으로 판단한다; man soll nicht nur nach dem Äußeren ~ 외모〔겉모습〕만으로 판단해서는 안 된다; alles geht nach seinem Kopf 모든 일이 그의 생각에 따라 돌아가고 있다; die Reise geht nach Berlin 여행 목적지는 베를린이다; eine Brücke geht nach dem Dorfe 다리가 마을로 통해 있다; nach Hause ~ 집에 가다; nach der Regel ~ 규칙에 따르다; das Zimmer geht nach Süden 방은 남향이다(↑《I》② (h)); **neben** jm. ~ 누구와 나란히 걸어가다; der Schuß geht daneben 탄환이 빗나가다; **über** et. ~ 무엇을 능가하다, 무엇의 한계를 넘다; das geht über alle Begriffe〔Beschreibung〕 그것은 상상할 수도 없다〔필설로 다할 수가 없다〕; das geht über meine Kräfte 그것은 내 능력을 벗어나는 일이다; Gewalt geht über〔vor〕 Recht 주먹이 법보다 앞선다; das Bier geht ihm über alles 그는 무엇보다도 맥주를 좋아한다; ihm geht nichts über seinen Urlaub an der See 그에게는 단연 바닷가에서의 휴가가 최고다; Unglück geht über jn. 불행이 누구에게 닥치다; der Weg geht über einen Berg 이 길은 산너머로 나 있다(↑《I》② (h)); jm. über sein Geld ~ 누구의 돈을 빼앗다; über Leichen ~ 어떤 수단이라도 가리지 않는다, 인정사정 안 본다; über Feld ~ 시골길을 걷다; et. über sich ~ lassen 무엇을 가만히 참고 당하다; jm. **um** den Bart ~ 누구에게 아첨하다; 〘구어〙 um die Ecke ~ 볼일보러〔화장실에〕 가다; um die Stadt ~ 거리를 쏘다니다; jeder weiß, worum es geht 무엇이 문제인지 누구나 다 알고 있다; es geht ums Leben a) 그것은 사활이 걸린 문제다, b) (환자가) 위독하다; schon ein Jahr geh' ich um sie 이미 1 년 전부터 나는 그녀에게 구혼〔구애〕하고 있다; **unter** Leute〔Menschen〕 ~ 사람들과 사귀다, 사회에 나가다; er geht unter dem Namen A 그는 늘 A 라는 이름을 쓰고 있다; unter Segel ~ 출범하다; unter die Soldaten ~ 군인이 되다; **von** jm. ~ 누구에게서 떠나다; er ist von uns gegangen 그는 죽었다(↑《I》① (b)); von der Arbeit ~ 일을 그만두다; von Hause ~ 집에서 나가다; von Hand zu Hand ~ 이 손에서 저 손으로 전해지다; das Gerücht ging von Mund zu Mund 소문이 입에서 입으로 돌았다; es geht ihm vom Herzen 그것은 그의 충심에서 나온 것이다; **vor**

Anker ~ 정박하다, 닻을 내리다; vors Tor ~ 시외로 나가다; vor sich ~ 일어나다, 생기다; es geht mir **wider** die Natur 그것은 내 성미에 맞지 않는다; **zu** jm. ~ 누구에게 가다, 누구를 향하여 가다; zum Arzt〔Bäcker〕~ 병원〔빵집〕에 가다; zur Beichte ~ 참회하러 가다; zu Besuch〔Bett〕~ 방문〔취침〕하다; zu Ende ~ 끝나다, 다하다; zu Fuß ~ 걸어 가다; zu Gaste ~ 손님으로 가다, 초대받아 가다; zu Grunde ~ a) 망하다, 몰락하다, b) 침몰하다; jm. zur Hand ~ 누구를 원조〔지지〕하다; das geht mir zu Herzen 그것은 나를 감동시킨다〔슬프게 한다〕; geh zum Henker〔Teufel, Kuckuck〕! 꺼져 버려라, 뒈져 버려라, 죽어 버려라!; jm. zu Leibe ~ 누구를 폭행하다; zum Militär ~ 군에 입대하다; mit jm. zu Rate ~ 누구와 의논하다; zur Schule ~ 학교에 가다〔다니다〕; zur See ~ 선원이 되다; zu Stuhle〔Tisch〕~ 변소에 가다〔식탁에 앉다〕; vorsichtig〔behutsam〕 zu Werke ~ 신중히 일에 착수하다. 《Ⅱ》 *i.* (s.) *imp.* ① es geht jm. gut 누가 잘 지내다, 누구의 건강 상태가 좋다; wie geht es (Ihnen)? 안녕하십니까, 어떻게 지내십니까?; es geht ihm schlecht 그는 안 좋다; 〖구어〗 es geht 그럭저럭 지내지요; wie es geht 흔히 있듯이; so geht es in der Welt 세상이란 그런 것이다; wie geht es mit der Sache? 그 일은〔문제는〕 어떻게 되어가고 있습니까?; nach der Spitze ging es dem Patienten gleich wieder besser 고비를 넘긴 후 그 환자는 곧 다시 상태가 좋아졌다; 〖구어〗 wie hat dir der Film gefallen?—es geht! 그 영화 어땠니? —뭐 그저 그래, 시시해!; es ist mir gerade so gegangen 내게 바로 이런 일이 있었다; es geht mit ihm zu Ende 그는 곧 죽을 것이다; Mut, es wird endlich ~ 기운을 내라, 결국엔 될 테니; es geht von selbst 저절로 되어 간다. ② es geht um et. 무엇이 문제되다, 관심사〔관건〕이다; es geht ihm nur ums Geld 그의 관심사는 오직 돈뿐이다; hier geht es ums Ganze 여기서는 전체적인 것이 문제된다; es geht ihm darum, ihre Zustimmung zu bekommen 그의 문제는 그녀의 동의를 얻는 일이다. ③ es ging an ein Tanzen 춤이 시작되었다; es geht ans Leben 생명에 관계되는 문제다. 《Ⅲ》 *t.* 〖결과를 나타냄〗 die Füße wund ~ 너무 걸어서 발이 부르트다; die Absätze unter den Stiefeln schief ~ (너무 걸어서) 장화 뒤꿈치가 비뚤어지다. 《Ⅳ》 *refl.* sich ~ 〖결과를 나타내는 말과 함께〗 sich müde ~ 너무 걸어서 지치다; sich³ Blasen ~ 너무 걸어서 물집이 생기다. 《Ⅴ》 *imp.* es geht sich gut in diesen Schuhen 이 신발은 신기가 편하다; hier geht es sich gut 이곳은 걷기가 좋다.

Gehen *n.* -s 걷기, 보행; 〖스포츠〗 경보; 떠나감: die Goldmedaille im ~ über 10 km gewinnen 10 킬로 경보에서 금메달을 획득하다; es war ein Kommen und ~ 오고 가는 인파가 많았다; ich bin des ~s müde 나는 걷기에 지쳤다. ② (기계 따위의) 작동, 움직임.

gehend *p.a.* 가는, 보행하는; 떠나가는; (차량이) 느린: tief ~ 심원한; ein ~er 걸어가는 사람, 보행자.

Gehenk [gəhέŋk] *n.* -(e)s, -e 〖드물게〗 ↑ Gehänge ②.

gehenkelt 《<Henkel》 *a.* 자루 달린.

Gehenkte* *der/die* 교수형에 처해진 사람.

gehen|lassen 《Ⅰ》 *t.* ① 가만히 두다, 내버려 두다, 건드리지 않다: laß das Kind gehen! 그 애가 하고 싶은 대로 그냥 놔둬! ② 놓아주다, 풀어놓다: die Hundeleine ~ 개줄을 풀어주다. 《Ⅱ》 *refl.* sich ~ 자신을 억제하지〔다스리지〕 못하다, 제멋대로 행동하다.

Gehenna [gəhέna] 《hebr.》 *f.* 〖聖〗 (Hölle) 지옥.

Geher [gé:ər] *m.* -s, - ① 경보 선수. ② 산을 잘 타는 사람. ③ 〖복수〗〖아동〗 발, 다리.

Gehetze [gəhέtsə] *n.* -s 〖폄어〗 자꾸 부추김〔몰아댐〕, 닥달함; 계속 쫓겨다님.

geheuer [gəhɔ́ʏər] *a.* ① 〖고어〗 (특히 유령으로부터) 안전한, 해방된. ② 〖부정적으로만〗 nicht ~ a) 으시시한, 섬뜩한; 기분 나쁜, 마음이 편치 않은; 수상쩍은, 의심스러운; mir ist dieses abgelegene Stadtviertel nicht ~ 이 외진 구역이 내게는 어째 으스스하다(유령이 나올 것 같다); ganz ist (es) mir ja nicht ~ bei diesem Gedanken 이런 생각이 들면 기분이 언짢아진다; die Sache ist mir nicht ~ 그 일은 어쩐지 수상쩍은 데가 있다.

Geheul [gəhɔ́ʏl] *n.* -(e)s ① (짐승의) 끊임없이 울부짖는 소리, 포효; (바람 따위의) 노호(怒號): das ~ der Sirenen 윙윙거리는 사이렌 소리. ② 〖폄어〗 ↑ Geheule.

Geheule *n.* -s 〖구어·폄어〗 계속되는 한탄, 징징거림.

Geh≈falte *f.* 〖유행〗 걸을 때 펼쳐지는 스커트의 주름. **~gips** *m.* 〖醫〗 (다리 골절에 쓰는) 보행 깁스.

Gehilfe [gəhílfə] 《<helfen》 *m.* -n, -n ① (직업상의) 조수, 보조원, 점원. ② (도제 교육을 마치고 수료 시험에 합격한) 보조사. ③ 〖法〗 종범(從犯).

Gehilfen·brief *m.* 보조사 시험 합격증, 보조사 자격증.

Gehilfin *f.* -nen ↑ Gehilfe의 여성형.

***Gehirn** [gəhírn] *n.* -(e)s, -e ① 뇌, 뇌수: das rechte〔linke〕~ 우뇌〔좌뇌〕. ② 〖비유·구어〗 두뇌, 머리: kein ~ im Kopfe haben 머리가 나쁘다, 지혜가 없다; im ~ nicht richtig sein 머리가 비정상이다. ③ 〖요리·방언〗 (짐승의) 머릿골(Hirn).

Gehirn≈akrobatik *f.* 〖농담〗 ① 정신적 곡예, 고도의 두뇌 회전. ② 과도한 정신적 노력〔긴장〕. **~behälter** *m.* ↑ ~schale. **~blutleere** *f.* 〖醫〗 뇌빈혈. **~blutung** *f.* 〖醫〗 (Hirnblutung) 뇌일혈, 뇌출혈. **~bruch** *m.* 〖해부〗 뇌탈출, 뇌헤르니아. **~chirurgie** *f.* 〖醫〗 뇌수술 전문 외과. **~entzündung** *f.* 〖醫〗 뇌염. **~erschütterung** *f.* 〖醫〗 뇌진탕. **~erweichung** *f.* 〖醫〗 뇌연화증. **~haut** *f.* 〖해부〗 뇌막. **~haut·entzündung** *f.* 〖醫〗 뇌막염. **~krankheit** *f.* 〖醫〗 뇌질환. **~lehre** *f.* 뇌수학(腦髓學).

gehirnlos *a.* 뇌수가 없는; 〖비유〗 머리가 나쁜, 지력이 모자라는.

Gehirn≈mark *n.* 〖해부〗 뇌수질. **~schale** *f.* 〖해부〗 두개(頭蓋). **~schlag** *m.* 〖醫〗 뇌졸중. **~schmalz** *n.* 〖비유·경박·농담〗 사고 능력, 이성: ich glaube, dein ~ reicht nicht aus 내 생각엔 자네의 사고력이 모자라는 것 같아. **~schwund** *m.* 〖醫〗 뇌위축. **~wäsche** *f.*

〔비유〕세뇌(洗腦). **~wasser·sucht** *f.*〖醫〗뇌수종(腦水腫).

gehl [ge:l] *a.* (ndd., md.) 황색의(gelb).

Gehlchen *n.* -s, - (md., ndd.) 살구버섯 (Pfifferling).

gehn* [ge:n] ↑ gehen.

gehoben [gəhó:bən] 《I》 *p.p.* ↑ heben. 《II》 *p.a.* ① (지위·신분이) 높은, 고위의: er ist in einer ~en Stellung 그는 고위직에 있다. ② 고상한, 고급스런, 격조 높은, 장중한: eine ~e Ausdrucksweise 고상한 표현법. ③ 고양된, 의기양양한: in ~er Stimmung sein 기분이 들떠 있다, 유쾌하다. ④ 비상한, 탁월한.

Gehöft [gəhǿ:ft, ..hœft] 《< Hof》 *n.* -(e)s, -e, **Gehöfte** *n.* -s, - (Bauernhof) 농장(건물·토지 및 부속물 전부).

Gehöhne [gəhǿ:nə] *n.* -s 자꾸 조롱함〔비웃음〕.

geholfen [gehɔ́lfən] *p.p.* ↑ helfen.

Gehölz [gəhœ́lts] *n.* -es, -e ① 작은 숲, 수풀, 잡목숲, 덤불. ②〔복수〕〖植〗수목 식물. ③〔드물게〕목공품.

Geholze [gəhɔ́ltsə] *n.* -s (특히 축구에서) (Holzerei) 난폭한 경기, 졸렬한 플레이.

Gehops *n.* -es 여기저기 뛰어다님: dieses ~ soll ein Tanz sein? 이런 식으로 폴짝폴짝 뛰는 것이 무용이라는 건가?

Gehopse *n.* -s ↑ Gehops.

Gehör [gəhǿ:*r*] 《< hören》 *n.* -(e)s, -e ① 청각, 청력: gutes〔scharfes〕 ~ 밝은 귀; das ~ verlieren 청력을 잃다, 귀머거리가 되다. ②〖음악〗음감(音感): kein ~ haben 음감이 없다; nach dem ~ spielen 악보 없이 연주하다. ③ 경청, 주목: bei jm. ~ finden 누구에게 주목을 받다; jm. ~ geben〔schenken〕 누구의 말에 귀를 기울이다; der Vernunft ~ geben 도리에 따르다; um ~ bitten 경청해 줄 것을 부탁하다; sich³ ~ verschaffen 자신의 이야기를 경청하게 하다; jm. zu ~ kommen 누구의 귀에 들리다;〔雅語〕zu ~ kommen 연주되다, 낭송되다; et. zu ~ bringen 무엇을 연주하다, 낭송하다;〔고어〕jm. zu ~ reden 누구에게 들리게끔 이야기하다. ④〔고어〕알현(Audienz). ⑤〔복수〕〖사냥〗(여우·멧돼지 등의) 귀.

Gehör·bildung *f.* 음감 훈련, 청음 교육.

***gehorchen** [gəhɔ́rçən] *i.* ① 따르다, 순종〔복종〕하다: jm. blind ~ 누구에게 맹목적으로 복종하다; jm. aufs Wort ~ 누구의 명령에 따르다. ② 뜻대로 되다, 조종〔지배〕되다: das Schiff gehorcht dem Steuer 배는 키에 따라 움직인다; meine Beine wollen mir nicht mehr ~ 내 다리가 이제는 말을 듣지 않는다 (다리에 힘이 없어졌다, 걷기가 힘들다).

***gehören** [gəhǿ:rən] 《< hören》 《I》 *i.* (h.) ①〔고어〕↑ hören. ② jm. ~ 누구의 것이다, 소유이다: gehört das Ihnen? 그것은 당신 것입니까?; das Buch gehört mir nicht 그 책은 내 것이 아니다; dir will ich ~ 너에게 내 사랑을 모두 바치고 싶다. ③ zu et.³ ~ 무엇에 속하다, 무엇의 일부〔일원〕이다: er gehört zu meinen Freunden 그는 내 친구들 중 한 사람이다; die Gartenarbeit gehört zu meinen Pflichten 정원일은 내가 해야 하는 일들 중 하나다; das Bild gehört zu seinen besten Werken 이 그림은 그의 작품들 가운데 가장 뛰어난 것에 속한다; das gehört nicht zur Sache 그것은 그 일과〔문제와〕 관계가 없다;〔구어〕der Junge gehört zu mir! 그 소년은 내가 데리고 왔어! (내가 데리고 다니는 중이야) ④〔특히 남독에서는 jm. gehört etwas 의 형식으로〕(gebühren) 당연〔합당〕하다, 마땅하다: er gehört ins Gefängnis 그는 교도소에 들어가야 할 사람이다; für deine Frechheit ~ dir ein paar Ohrfeigen! 뻔뻔한 짓을 했으니 너는 귀싸대기 몇 대 맞아야 싸!; die Frau gehört zum Manne 여필종부는 당연지사다. ⑤ (passen) 적합하다, 알맞다, 어울리다: das gehört nicht hierher 그것은 여기에 어울리지 않는다; zu diesem Kleid ~ weiße Schuhe 이 드레스에는 흰 구두가 어울린다; das gehört nicht auf den Tisch 그것은 식탁 위에 올릴 만한 것이 못 된다; wohin gehört dieses Buch? 이 책은 어디에 꽂을까? (제 자리가 어디인가); die beiden Handschuhe ~ zusammen 이 두 개의 장갑은 서로 짝이다. ⑥ 필요하다: alles, was dazu gehört 거기에 필요한 모든 것; dazu gehört Mut〔Zeit〕 그 일에는 용기가〔시간이〕 필요하다; in die Suppe gehört Salz 이 수프는 소금을 쳐야 제맛이 난다. 《II》 *refl.* sich³ ~ (예절·관습에) 합당하다, 마땅하다, 어울리다: ein solches Benehmen gehört sich nicht 그런 행동은 예의에 어긋난다; wie es sich〔sich's〕 gehört 예의에 맞게, 훌륭하게, 알맞게.

Gehör≈fehler *m.*〖醫〗난청, 청각 장애. **~gang** *m.*〖해부〗이도(耳道): äußerer ~ 외이도; innerer ~ 내이도. **≈geschädigt** *a.* 청각 장애가 있는. **~halluzination** *f.* 환청.

gehörig [gəhǿ:rıç] 《I》 *a.* ① jm. ~ 누구 소유의: das Haus ist mir ~ 그 집은 내 소유다; die ihm ~en Grundstücke 그에게 속한 토지. ② 딸린, 소속된, 일부분을 이루는, 관련된: der zum Topfe ~e Deckel 냄비에 딸린 뚜껑; nicht zur Sache ~ 본제(本題)를 벗어난, 얼토당토않은; alles dazu ≈e 그것에 관한〔속하는〕 일체; vor ein Gericht ~ 법정에서 심리되어야 할. ③ 어울리는, 마땅한, 알맞은, 적당〔당연〕한, 상응하는, 응분의: zu ~er Zeit 적당한 때에; in ~er Form 정식으로; das ~e Alter 적법한 연령, 성년; seinen ~en Anteil erhalten 응분의 몫을 받다. ④〔구어〕굉장한, 충분한, 심한; 호된, 맹렬한: ~er Lügner 굉장한 허풍쟁이; ~e Mahlzeit 실속 있는 식사; ~e Strafe 엄벌. 《II》 *adv.*〔구어〕굉장히, 상당히, 호되게, 충분히: ~ essen 양껏〔실컷〕 먹다; jn. ~ verprügeln 누구를 흠씬 두들겨 주다; jm. ~ die Meinung sagen 누구에게 충분히 의견을 말하다; es regnet ganz ~ 비가 억수로 퍼붓는다, 굉장한 비다; er hat es ~ bekommen 그는 몹시 혼났다.

Gehörigkeit *f.* ↑ gehörig 의 명사형.

Gehör≈krankheit *f.*〖醫〗귓병. **~lehre** *f.* 음향학.

gehörlos *a.* 귀먹은, 귀가 들리지 않는.

Gehörlose* *der/die* 청각 장애자, 귀머거리.

Gehörlosen·schule *f.* 농아 학교.

Gehörlosigkeit *f.* 귀가 먹음, 청력 상실 상태.

Gehör·mangel *m.* 청력 결여.

Gehörn [gəhœ́rn] *n.* -(e)s, -e ①〖動〗노루의 뿔. ②〖사냥〗수노루의 가지뿔. ③〔드물게〕유

각수(有角獸)의 뿔.

Gehör·nerv *m.* 〖해부〗 청신경(聽神經).

gehörnt [gəhœ́rnt] 《I》 *p.p.* ↑ hörnen. 《II》 *p.a.* 뿔 달린; 뿔 모양의, 각질의: der ~e Siegfried 각질의 피부로 싸인 지크프리트; 〖논리〗 ~er Schluß 양도 논법; 〖비유·구어〗 ~er Ehemann 오쟁이진〔부인이 바람을 피운〕 남편.

Gehör≈organ *n.* 〖해부〗 청각 기관. **~rohr** *n.* 보청기.

*__gehorsam__ [gəhóːrzaːm] 《<hören》 *a.* 말을 잘 듣는, 순종하는, 유순〔공손〕한: den Eltern ~ sein 부모에게 순종하다; ~e Schüler 말을 잘 듣는 학생들; (Ihr) ~ster Diener! 삼가 글을 맺습니다, 돈수(頓首) 재배(편지를 끝맺는 상투적 표현); 〖고어〗 ich bitte ~st 삼가 부탁드립니다, 앙망하나이다.

Gehorsam *m.* -(e)s ① 복종, 순종: jn. zum ~ bringen 누구를 복종시키다; jm. ~ leisten 누구에게 복종하다; blinder ~ 맹목적인 복종; die Pflicht zu unbedingtem ~ 절대 복종의 의무. ② 〖복수: -e〗 〖고어〗 감옥(Gefängnis).

Gehorsamkeit *f.* 복종, 순종; 유순〔고분고분〕한 성격.

gehorsamen 〖고어〗 *i.* (h.) (jm.) 복종하다.

Gehorsams≈pflicht *f.* 〖軍〗 복종의 의무. **~verweigerung** *f.* ① 복종 거부, 불복종. ② 〖法·軍〗 명령 불복종, 항명.

Gehör≈schnecke *f.* 〖해부〗 와우각(蝸牛殼). **~sinn** *m.* 청각. **~störung** *f.* 청각 장애. **~trichter** *m.* 보청기. **~trommel** *f.* 고막. **~werkzeug** *n.* ↑ ~organ. **~zimmer** *n.* 알현실.

Geh·pelz *m.* (안감과 옷깃이 털로 된) 신사용 겨울 외투.

Gehre [géːrə] 《<Ger》 *f.* -n ① 〖工〗 ↑ Gehrung. ② 〖드물게·방언〗 ↑ Gehren. ③ 〖방언〗 쐐기 모양의 물건. **(a)** 쐐기. **(b)** 쐐기 모양의 공간. **(c)** 〖農〗 삼각지. **(d)** 〖재봉〗 보강용(補強用) 삼각천, 덧붙이는 천, 장갑에 덧댄 가죽; 주름(Falte); 자락(Schoß). **(e)** (삐져 나온) 지붕의 삼각벽(壁). **(f)** (Bug) 이물, 고물. ④ (obd.) (Fischspieß) 작살, 창.

Gehren *m.* -s, - ① 쐐기; (쐐기처럼) 끼워 넣는 것. ② 쐐기 모양의 천조각〔옷섶〕; (돛을 펼치기 위한) 삼각천. ③ 삼각형의 토지; 삼각지.

gehren *t.* ① 〖工〗 비스듬히 자르다. ② 〖고어〗 (begehren) 원하다, 갈망하다.

Gehr·fuge *f.* 〖工〗 ↑ Gehrung

Geh·rock *m.* 프록코트.

Gehrung [géːrʊŋ] 《<gehren》 *f.* -en 〖工〗 사접(斜接) (목재 따위의 끝부분을 비스듬히 잘라서 이어 맞추는 방법(액자의 모서리 부분 등).

Gehrungs≈linie *f.* 〖工〗 사접선. **~winkel** *m.* 사접각.

Geh·steig *m.* (Bürgersteig) 보도, 인도.

Gehudel [gəhúːdəl] *n.* -s 〖구어·폄어〗 서둘러〔얼렁뚱땅〕 해치우기, 날림; 날림으로 한 일, 엉터리 과제물: deinem ~ kann ich nicht mehr zusehen 네가 일을 그렇게 얼렁뚱땅 해치우는 꼴을 더 이상은 못 봐주겠다; du willst dieses ~ doch wohl nicht als Hausarbeit abgeben? 이 따위로 얼렁뚱땅 해치운 것을 설마 숙제랍시고 제출하려는 것은 아닐 테지?

Gehülfe [gəhʏ́lfə] *m.* -n, -n 〖고어〗 ↑ Gehilfe.

Geh≈verband *m.* 〖醫〗 ↑ ~gips. **~weg** *m.* ① ↑ ~steig. ② (차가 다니지 못하는) 보행자용 길. **~werk** *n.* ① 〖구어·농담〗 (사람의) 발, 다리. ② (시계의) 톱니 장치(Gangwerk).

Gei [gaɪ] *f.* -en 〖海〗 ① (돛을 올리고 내리는) 용총줄: das Segel hängt in der ~ 돛이 축 늘어져 있다. ② (배에서 기중기의 팔을 고정시키는 데 쓰는) 동아줄.

geien *t.* 〖海〗 (돛을) 용총줄로 감아 내리다.

Geier [gáɪər] 《♧ gierig, gähnen》 *m.* -s, - ① 〖動〗 대머리 독수리, 콘도르. ② 〖비유·구어〗 탐욕스러운 사람. ③ 〖구어〗 zum ~! 빌어먹을, 제기랄!; hol's 〔hol' dich〕 der ~! 꺼져 버려, 죽어 버려!; weiß der ~! 그 따위 것 알게 뭐야! ④ 〖경박·폄어〗 독수리 문장(↑ Adler).

Geier≈adler *m.* 〖動〗 수염수리(Bartgeier). **≈artig** *a.* 독수리류의, 독수리 같은. **~blick** *m.* 〖비유〗 탐욕스러운〔매서운〕 눈초리. **~falke** *m.* (아이슬란드 등의) 큰 매(Gierfalke). **~nase** *f.* 매부리코.

Geifer [gáɪfər] 《♧ gähnen, Geier》 *m.* -s ① (입에서 질질 흘러내리는) 침, (특히 짐승이나 격분한 사람의) 게거품. ② 〖雅語〗 격분, 분노, 울분: Gift und ~ 증오, 격노; seinen ~ gegen jn. 〔an jm.〕 auslassen 누구에게 분통을 터뜨리다. ② 〖방언〗 (땅에 깔린) 얇은 눈.

Geifer·bart *m.* ↑ Geiferer.

Geiferer *m.* -s, - 욕쟁이, 독설가, 비방하기 좋아하는 사람.

Geifer≈läppchen *n.*, **~lappen, ~latz** *m.*, **~lätzchen** *n.*, **~mantel** *m.* 턱받이. **~maul** *n.* ↑ ~bart.

geifern [gáɪfərn] 《I》 *i.* (h.) ① (동물이) 침을 흘리다. ② 〖雅語〗 욕설을 퍼붓다, 격노하다: er geiferte gegen seine Frau 그는 자기 처에게 호통을 치며 격분했다. 《II》 *t.* (침처럼) 뱉어내다.

Geifer≈tuch, ~tüchlein *n.* 턱받이.

*__Geige__ [gáɪgə] *f.* -n ① 바이올린: ~ spielen 바이올린을 켜다; et. auf der ~ spielen 무엇을 바이올린으로 연주하다; die erste ~ spielen a) 〖오케스트라〗 제 1 바이올린을 켜다, b) 〖비유·구어〗 지도적 역할을 하다; der Himmel hängt ihm voller ~n 그에게는 이 세상 모든 것이 기쁨의 샘이다, 그는 환희〔희망〕에 취해 있다; nach js. ~ 〔jm. nach der ~〕 tanzen 누구의 장단에 춤추다, 누구의 뜻에 따라 움직이다. ② (바이올린 모양의) 형구(刑具).

geigen 《I》 *i.* (h.) ① 〖구어〗 바이올린을 켜다. ② (곤충이) 높은 소리를 내다: die Mücken ~ 모기들이 앵앵거린다. ③ 〖海〗 (배가 좌우로 물위를 스치며) 쾌속 질주하다, 롤링하다. 《II》 *t.* ① 〖구어〗 (어떤 곡을) 바이올린으로 연주하다. ② 〖비유·경박〗 낱낱이〔죄다〕 이야기하다: jm. die Meinung ~ 누구에게 기탄 없이 의견을 말하다; es ist ihm nicht gegeigt worden 그는 그것을 아무한테서도 미리 듣지 못했다. ③ 〖비속〗 jn. ~ 누구와 성교하다.

geigen≈artig *a.* 바이올린 풍〔모양〕의. **≈bau** *m.* 바이올린 제조. **≈bauer** *m.* 바이올린 제조자. **≈bogen** *m.* 바이올린의 활. **≈bohrer** *m.* (Drillbohrer) 도래송곳, 나사송곳. **≈harz** *n.* (현악기의 현에 바르는 로진·콜로포니 등) 함유수지(含油樹脂). **≈hals** *m.*

바이올린의 목. **~holz** *n.* 바이올린 용재(用材). **~kasten** *m.* ① 바이올린 케이스. ② 〖비유·경박〗 치수가 아주 큰 신발. **~macher** *m.* 바이올린 제작자. **~sattel** *m.* ↑ ~steg. **~spieler** *m.* 바이올린 연주자(Geiger). **~steg** *m.* 바이올린의 줄받침. **~strich** *m.* 바이올린 탄주(彈奏). **~stück** *n.* 바이올린곡. **~wirbel** *m.* 바이올린의 줄감개.

Geiger [gáɪgər] *m.* -s, - 바이올린 연주자, 바이올리니스트.

Geigerin *f.* -nen ↑ Geiger 의 여성형.

Geiger·zähler *m.* 〖物〗 (방사선 측정에 쓰이는) 가이거 계수관(독일 물리학자 H. Geiger 의 이름에서).

***geil** [gaɪl] *a.* ① (식물이) 웃자란, 우거진, 무성한; (땅이) 기름진, 비옥한. ② 〖폄어〗 정욕으로 가득 찬, 색을 밝히는, 음탕한, 호색의: ein ~er Bock 호색한, 색골; ~e Reden 음담패설; guck mich nicht so ~ an! 그렇게 음탕한 시선으로 나를 쳐다보지 마라! ③ 〖학생〗 auf et. ~ sein 무엇을 꼭 갖고 싶어하다: ich bin ganz ~ auf die Platte 나는 그 레코드판을 미치도록 갖고 싶다. ④ 〖학생〗 굉장한, 대단한, 근사한, 멋있는: der Mantel war wirklich ~ 그 외투는 정말 근사한 것이었다. ⑤ 비계가 많은, 기름투성이인; 기름 냄새 나는: 〖醫〗 ~es Fleisch 군살.

Geile *f.* -n ① (**a**) 〖고어〗 ↑ Geilheit. (**b**) (obd.) 비료(Dung). ② 〖動〗 질(膣)분비액. ③ 〖사냥〗 (짐승의) 불알(Hode).

geilen 《I》 *i.* (h.) ① 〖폄어〗 욕정을 품다, 색을 밝히다; 탐욕스럽다: um et. ~ 무엇을 달라고 떼쓰다〔애원하다〕; nach et.³ ~ 무엇을 갈망하다. ② 〖고어〗 (식물이) 무성하게 자라다. 《II》 *t.* 〖고어·방언〗 ① …에 비료를 주다(düngen). ② 거세하다(kastrieren). 《III》 *refl.* sich ~ 〖사냥〗 사정(射精)하다.

Geilheit *f.* ① 〖植〗 과도한 번성. ② 호색, 정욕, 색욕; 음탕한 생각, 음담, 섹시한 동작.

Geilung *f.* -en ① 〖農〗 (비료 과다로 인한) 이상(異常) 번성. ② 음탕한 생각〔발언·동작〕.

Geisel [gáɪzəl] *f.* -n 〔(고어) *m.* -s, -〕 볼모, 인질: jn. als〔zur〕 ~ nehmen 누구를 인질로 잡다.

Geisel≠befreiung *f.* 인질 석방. **~drama** *n.* 인질극. **~nahme** *f.* 인질로 잡음. **~nehmer** *m.* 인질범.

Geiser [gáɪzər] 《아이슬란드어 Geysir 의 독일어화》 *m.* -s, - 간헐(온)천.

Geisha *f.* 《jap.》 -s 게이샤(일본 기생).

Geison *n.* -s, -s(a) 〖건축〗 (고대 신전의) 처마 돌림띠, 코니스.

Geiß [gaɪs] *f.* -en ① (obd.) 암 염소. ② 〖사냥〗 영양·노루 등의 암컷. ③ 〖폄어〗 말라깽이 여자.

Geiß≠bart *m.* ① (öst.) 긴 턱수염. ② 〖植〗 (**a**) 눈개승마; 터리풀의 일종. (**b**) 왜조팝나무속(屬). **~baum** *m.* 〖방언〗 ① 쇠물푸레나무(Esche). ② 단풍(Ahorn). **~berger·stein** *m.* (schweiz.) 화강암(Granit). **~blatt** *m.* 〖植〗 인동덩굴. **~bock** *m.* ① (obd.) 수 염소. ② 긴 턱수염. **~bub(e)** *m.* 염소치는 목동.

Geißchen *n.* -s, - 〖↑ Geiß 의 축소형〗 새끼 염소.

***Geißel** [gáɪsəl] *f.* -n ① 채찍(Peitsche). ② 〖비유〗 징벌, 화, 재앙: unter der ~ (폭정의) 채찍 아래서; eine ~ Gottes 신이 내린 재앙, 신의 채찍; die ~ über jn. schwingen 누구를 혹평하다, 헐뜯다. ③ 〖生〗 편모(鞭毛).

Geißel≠bruder *m.* 〖宗〗 편태(鞭笞) 고행자 (Flagellant). **~hieb** *m.* 〖방언〗 채찍질.

geißeln [gáɪsəln] 《I》 *t.* ① 채찍질하다. ② 〖비유〗 신랄하게 비난하다, 탄핵〔혹평〕하다: die Korruption der Beamten ~ 공무원들의 부패를 혹독하게 비판하다. ③ 〖비유·雅語〗 괴롭히다. 《II》 *refl.* sich ~ 제 몸에 채찍질하다.

Geißelung *f.* -en ① 채찍질; 태형(笞刑). ② 신랄한 비난, 탄핵.

Geißel·tierchen *n.* 〖生〗 편모충(鞭毛蟲) (Flagellat).

Geißer *m.* -s, - (obd.) 염소치는 사람.

Geiß≠fuß *m.* ① 배척, 장도리, 쇠지레. ② 조각용 삼각끌. ③ 〖植〗 왜방풍. ④ 〖醫〗 치근(齒根) 뽑는 도구. **~herde** *f.* 염소떼. **~hirt** *m.* 염소치는 목동. **~klee** *m.* 〖植〗 금작화속(屬).

Geißlein *n.* -s, - 〖↑ Geiß 의 축소형〗 ↑ Geißchen.

Geißler [gáɪslər] *m.* -s, - ① 채찍질하는 사람; 엄하게 책망하는 사람. ② 〖宗〗 ↑ Geißelbruder.

Geißlersche Röhre *f.* 〖전기〗 가이슬러관(管) (독일의 기술자 H. Geißler 가 발명한 방전관).

Geißlung *f.* -en ↑ Geißelung.

Geiß≠milch *f.* 염소 젖. **~melker** *m.* 〖動〗 쏙독새(Ziegenmelker). **~närrisch** *a.* (obd.) 제정신이 아닌; 오만한. **~raute** *f.* 〖植〗 ① 갈레가 오피시날리스. ② ↑ ~klee.

***Geist** [gaɪst] 《원뜻 „Aufgeregtheit“》 *m.* -es, -er ① 생명(Leben); (Lebenskraft) 생명력, 활력; (Lebenshauch) 기식(氣息), 호흡; 생기, 활기, 정기, 영기: den ~ aufgeben〔aushauchen, fahren lassen〕 숨을 거두다, 죽다 (sterben); das Pferd hat viel ~ 이 말은 원기가 왕성하다. ② (육체에 대한 반대 개념으로서) 정신, 마음; 영혼(↔ Körper): im ~e 마음 속으로; im ~e bin ich immer bei dir 마음으로는 나는 늘 네 곁에 있다; 〖聖〗 die Armen im ~e 마음이 가난한 자(마태 5 : 3); die Augen des ~es 마음의 눈; in js. ~ handeln 누구의 정신을 본받아 행동하다; 〖聖〗 der ~ ist willig, aber das Fleisch ist schwach 마음에는 원이나 육신이 약하도다(마태 26 : 41); sein ~ ist unmutig 그는 화가 나 있다; 〖구어〗 du gehst〔das geht〕 mir auf den ~ 너는〔그것은〕 내게 성가시다, 내 신경을 건드린다. ③ (Denkkraft) 지력(智力), 이지(理智); (Talent) 재능, 재기, 재주, 명민, 총명; (Urteilskraft) 판단력, 지각: Nachahmer ohne ~ 재능 없는 모방자; ein Mann von ~ 재기넘치는〔총명한〕 사람; einen dichterischen ~ haben 시적(詩的) 재능이 있다; keinen ~ haben 무능〔우둔〕하다; seine Unterhaltung ist voller ~ 그의 담화는 재기가 넘쳐 있다. ④ (**a**) … 한 정신의 소유자: ein freier ~ 생각이 자유롭고〔격식에 얽매이지 않고〕 트인 사람(Frei~); führende ~er unserer Zeit 우리 시대의 지도적 인물, 위인; 〖구어〗 ein unruhiger ~ (정신적으로) 불안정한 사람. (**b**) (한 시대·사회를 지배하는) 정신, 기풍, 풍조, 사조; (개인의) 의지, 의도; (인물의) 성향, 기질: der ~ der Zeit 시대 정신(Zeit~); in js. ~e 누구의 정

신을 기려서; sie führt das Werk ihres Vaters in seinem ~e weiter 그녀는 부친의 유업을 그분의 뜻대로 계속 진행시킨다. ⑤ (a) 넋, 얼, 혼백; 망령, 유령: es geht ein ~ in diesem Hause um 이 집에는 유령이 출몰한다. (b) 정(精), 정령, 요정, 마귀; 성령(der Heilige ~); 신(Gott); guter ~ 천사; böser ~ 〔der ~ der Finsternis〕 악령, 악마 (Teufel); wir merkten bald, wes ~es Kind er war 우리는 그가 진정 어떤 인물인지를 곧 알아차렸다; der dienstbare ~ a) 〖聖〗 부리는 영(히브리서 1:14), b) 〔농담〕 사환, 하녀; 〔구어〕 von allen guten ~ern verlassen sein (정신나간듯) 허둥대다, 어리석은 짓을 하다; 〔학생〕 jm. als Heiliger ~ erscheinen 〔jm. den Heiligen ~ schicken〕 밤중에 잠자고 있는 사람을 혼내주기 위해 변장하고 찾아가다. ⑥ 근본 사상〔정신〕; 주요 내용; (Wesen) 본질, 정수; (책의) 발췌: der ~ einer Sprache 언어의 본뜻, 말의 정신; in js. ~e handeln 누구의 진의를 헤아려 행동하다. ⑦ 〔복수: -e〕 〖化·고어〗 (Essenz) 정, 진액; (Wein~) 주정(酒精), 알코올. ⑧ 나방류의 총칭. ⑨ 〔복수〕 〖광학〗 유리 제조 과정 상의 실수로 생긴 금.

geist≈anstrengend *a.* 정신을 긴장시키는〔피곤하게 하는〕. **~begabt** *a.* 천부의 재능이 있는. **~bildend** *a.* 정신 수양이 되는.

geisten *i.* 유령처럼 헤매다(geistern); 생기를 불어넣다; 죽다.

geister≈ähnlich *a.* 유령의, 유령 같은. **~bahn** *f.* (유원지의) 유령 열차. **~banner, ~beschwörer** *m.* 강신술자(降神術者), 무당; 퇴마사(退魔師). **~beschwörung** *f.* 강신; 퇴마(退魔). **~bild** *n.* ① 환영, 허깨비. ②〖TV〗 화면 장애. **~bleich** *a.* 아주 창백한. **~erscheinung** *f.* 유령 출몰; 환영, 허깨비. **~fahrer** *m.* 무법 운전자. **~furcht** *f.* 유령에 대한 공포. **~geschichte** *f.* 귀신 이야기, 괴담. **~glaube** *m.* 정령 숭배, 미신.

geisterhaft [gáistərhaft] *a.* 귀신이 조화를 부리는 듯한; 허깨비 같은; 초자연적인, 무시무시한; 신비한.

Geister≈hand *f.* 〔다음 용법으로〕 (wie) von 〔durch〕 ~ (마치) 보이지 않는 손이 한 듯이. **~harfe** *f.* 〖악기〗 하프의 일종(Windharfe). **~lehre** *f.* 유령학; 〖宗〗 성령학.

geistern *i.* ① (s.) 유령처럼 헤매다; (spuken) 유령이 나오다: 〔비유〕 diese Idee geistert immer noch durch ihre Köpfe 이 생각이 여전히 그들의 뇌리를 유령처럼 스치고 지나간다. ② (h.) 소리없이 민첩하게 이리저리 움직이다: ein Lichtschein geisterte über dem Moor 불빛이 늪지대 위에서 어른거린다. ③ 생기를 불어넣다; 죽다. ④ 유령을 불러내다.

Geister≈reich *n.* 영계, 마계(魔界), 유계(幽界). **~seher** *m.* 환시자; 미래 투시 능력을 믿고 허상을 보는 사람. **~seherei** *f.* 환시, 강신술. **~stadt** *f.* 유령 도시. **~stunde** *f.* 한밤중, 삼경. **~welt** *f.* ① ↑ ~reich. ② ↑ Geisteswelt.

geistes≈abwesend *a.* 얼빠진; 멍한, 방심한. **~abwesenheit** *f.* 방심 (상태). **~anstrengung** *f.* 정신의 긴장, 고심. **~arbeit** *f.* 정신〔두뇌〕 노동; 연구(↔ Handarbeit). **~arbeiter** *m.* 정신〔두뇌〕 노동자. **~arm** *a.* 지능이 박약한, 우둔한, 사상이 빈약한. **~armut** *f.* 정신적〔지적〕 빈곤, 우둔, 무지 몽매. **~bildung** *f.* 정신 교육〔수양〕; 문화 교육. **~blitz** *m.* 사고〔재치〕의 번득임, 영감, 돌연한 착상, 기발한 생각. **~flug** *m.* 정신의 비상(飛翔). **~freiheit** *f.* 사상〔사유〕의 자유. **~funke** *m.* ↑ ~blitz. **~fürst** *m.* 〖雅語〗 위대한 사상가, 천재. **~gabe** *f.* 지적 재능, 천부의 재능. **~gegenwart** *f.* (위급시의) 침착, 냉정. **~gegenwärtig** *a.* 침착〔냉정〕한. **~geschichte** *f.* 정신사, 사상사. **~geschichtlich** *a.* 정신사의, 정신사적인. **~gestört** *a.* 정신적으로 장애가 있는; 미친. **~gestörte*** *der/die* 정신적 장애자, 미친 사람. **~größe** *f.* ① 정신의 위대함; 아량. ② 천재; 탁월한 정신의 소유자, 위인. **~haltung** *f.* 정신적 태도; 견해, 입장. **~kraft** *f.* 정신력, 지적 능력. **~krank** *a.* 정신병의; 미친. **~kranke*** *der/die* 정신병자. **~krankheit** *f.* 정신병; 광기. **~leben** *n.* 정신 생활, 정신 분야의 일. **~nahrung** *f.* 정신의 양식. **~schwach** *a.* 정신이 (박)약한, 우둔〔저능〕한. **~schwäche** *f.* 정신 박약, 저능. **~schwung** *m.* 정신의 비약; 감격, 열광. **~stärke** *f.* ① ↑ ~kraft. ② 강직, 강인. **~störung** *f.* 정신 장애〔착란〕, 정신병. **~träge** *a.* 지둔한, 우둔한. **~verfassung** *f.* 기질; 정신〔심리〕 상태. **~verwandt** *a.* 정신〔기질〕이 비슷한, 유사한 가치관의. **~verwirrung** *f.* 정신 착란, 혼미. **~welt** *f.* 정신〔사상〕계; 정신 노동의 총화. **~werk** *n.* 정신적 산물, 지적 노작(勞作). **~wissenschaft** *f.* (↔ Naturwissenschaft) 정신 과학, 인문학. **~wissenschaftler** *m.* 정신 과학자. **~wissenschaftlich** *a.* 정신 과학적인. **~zerrüttung** *f.* ↑ ~verwirrung. **~zustand** *m.* 정신〔심리〕 상태.

geist·feindlich *a.* 정신을 적대시하는.

***geistig** *a.* ① (↔ körperlich, sinnlich) 정신적인, 마음의; 지성의, 이지적인, 사고력〔분별력〕이 있는: ~e Augen 마음의 눈; das ~e Band 정신적 유대; das ~e Erbe 정신적 유산; ~e Bedürfnisse 정신적 욕구; das ~e Eigentum 〖法〗 지적 소유권(Urheberrecht); ~e Liebe 정신적 사랑, 플라토닉 러브; ein sehr ~er Mensch 매우 지적인 사람; ~ beschränkt 편협〔고루〕한; ~ umnachtet sein 정신이 혼미하다. ② 영적인, 혼령의: ~e Wesen wie Gottheiten und Dämonen 신이나 악마와 같은 영적인 존재들. ③ 알코올을 함유한: ~e Getränke 알코올 음료.

Geistigkeit *f.* -en ① 지성, 오성(悟性), 사유(思惟) 능력. ② 영성(靈性). ③ 알코올 함유(량).

geistig·seelisch *a.* 심령의.

***geistlich** [gáistlıç] *a.* ① 〔고어〕 정신적인 (geistig ①): 〖聖〗 selig sind, die da ~ arm sind 마음이 가난한 자는 복이 있나니(마태 5:3). ② 종교상의; 교회의, 종파의; (↔ weltlich) 성직의, 성직자의: ~e Dichtung 종교 문학; ~e Güter 교회령(領), 사찰령(領); ~e Lieder 찬미가; die ~e Musik 종교 음악; 〖宗〗 ~e Übungen 종교적 수련; ein ~er Orden 교단; der ~e Stand a) 성직자의 신분, b) 〔총칭〕 성직자 계급: das ~e Gewand 성직자의 옷〔가운〕, 승복; der ~e Vorbehalt 교회의 특권; ~ werden 성직자가 되다, 득도

(得道)하다.
Geistliche* *der/die* (↔ Laie) 성직자, 목사, 사제, 승려; 신학자; 설교사.
Geistlichkeit *f.* -en ① 종교성(性). ②〖총칭〗성직자들: diese ~ 이 성직자들.
geistlos *a.* ① 지적 능력이 결여된, 우둔한: ein ~er Mensch 우둔한 사람. ② 활기 없는, 싫증나는, 단조로운, eine ~e Unterhaltung 재미 없는 담화; ~ daherreden 진부한 말을 지절거리다.
Geistlosigkeit *f.* ① 우둔, 무지; 싫증, 단조로움. ② 내용 없는[어리석은] 말.
***geist≈reich** *a.* ① 똑똑한, 총명한; 기지가 많은; 재기 발랄한(~voll): ein ~er Mensch 재치 있는 사람;〖반어〗das war sehr ~! 그것은 너무 어리석었다. ②〖드물게〗ein ~er Wein 알코올 함량이 많은 포도주. ③〖고어〗종교성(性)이 짙은. **≈reichelei** *f.*〖폄어〗① 재주꾼인 체함. ② 재치 있게 보이려는 표현: der Autor hätte besser auf ein paar ~en verzichten sollen 그 작가는 몇몇 재주 부리는 표현들을 그만두는 편이 나았을 텐데. **≈reicheln** *i.* (h.)〖속어〗재치[재간]부리다. **≈reichheit, ≈reichigkeit** *f.* ↑ ≈reichtum. **~reichisieren** *i.* (h.) ↑ ~reicheln. **≈reichtum** *m.* ① ↑ ≈reichelei. ② 다재(多才), 재기 발랄, 기지가 많음. **~tötend** *a.* 정신을 죽이는, 활기를 꺾는; 싫증나는, 무미건조한. **~voll** *a.* ↑ ~reich ①.
Gei·tau *n.* 돛줄(Gei).
***Geiz** [gaɪts] *m.* -es, -e ① (**a**) 째째함, 인색. (**b**) 인색한 사람. (**c**) 인색한 선물. ②〖고어〗욕망, 욕구, 탐욕, 육욕;〖雅語〗열망. ③〖植〗곁가지, 곁눈. ④ (schweiz.) 식욕.
geizen [gáɪtsən] 《I》 *i.* ① 욕심사납다, 인색하다, 아까워하다:〖비유〗mit jeder Minute ~ 촌음을 아끼다; mit Worten ~ 말을 적게 하다. ②〖고어·雅語〗nach et.³ ~ a) 무엇을 탐내다, b) 무엇을 열망하다. 《II》 *t.*〖農〗(Geiz ③) 곁가지를[곁눈을] 내다.
Geiz≈hals, ~hammel, ~hund *m.* 욕심꾸러기, 구두쇠, 수전노.
geizig *a.* ① (habgierig) 탐내는, 욕심부리는; (karg) 인색한, 다라운; 야비한: mit et.³ ~ sein 무엇을 아까워하다. ② (gierig) 갈망[열망]하는: nach et.³ ~ sein 무엇을 갈망하다;〖드물게〗eines Dinges ~ sein 무엇을 구하다.
Geiz≈kragen, ~teufel *m.* ↑ ~hals.
Gejaid [gəjáit] *n.* -(e)s〖雅語〗↑ Jagd.
Gejammer [gəjámər] *n.* -s 끊임없는 탄식, 한없는 비탄.
Gejauchze [gəjáuxtsə] *n.* -s〖구어〗(연이은) 환호, 환성.
Gejaule [gəjáulə] *n.* -s〖구어〗① (계속해서) 슬피 욺. ②〖폄어〗가락이 엉망인 노래.
Gejodel [gəjó:dəl] *n.* -s (연이은) 요들 노래.
Gejohle [gəjó:lə] *n.* -s 끊임 없이 으르렁거림.
Gejubel [gəjú:bəl] *n.* -s ↑ Gejauchze.
Gekälk [gəkélk] *n.* -(e)s〖사냥〗맹금의 분비물.
gekannt [gəkánt] *p.p.* ↑ kennen.
gekehlt [gəké:lt] *p.p.* ↑ kehlen.
Gekeife [gəkáɪfə] *n.* -s 끝없는 욕지거리.
gekerbt 《I》 *p.p.* ↑ kerben. 《II》 *p.a.*〖植〗(잎 가장자리가) 톱니모양인, 둔거치(鈍鉅齒) 모양인.
Gekicher [gəkíçər] *n.* -s 연달아 낄낄거림.
gekiffen [gəkífən] *p.p.* ↑ keifen.
Gekitzel [gəkítsəl] *n.* -s 자꾸 간질임.
Gekläff [gəkléf] *n.* -(e)s 계속 짖어댐.
Gekläffe *n.* -s ↑ Gekläff.
Geklapper [gəklápər] *n.* -s 연달아 달가닥거리는 소리.
Geklatsch [gəklátʃ] *n.* -(e)s ↑ Geklatsche.
Geklatsche *n.* -s ① 끊임 없는 박수 소리. ②〖구어〗지껄임, 수다: das ~ der Nachbarn 이웃 사람들의 수다.
Geklimper [gəklímpər] *n.* -s 동전을 연달아 잘랑대는 소리; 피아노를 서투르게 치는 소리.
Geklingel [gəklíŋəl] *n.* -s (초인종·전화가) 지속적으로 울리는 소리.
Geklirr [gəklír] *n.* -(e)s 연달아 잘가닥거리는 소리:〖비유〗das ~ ihrer Worte 그녀의 잔소리.
Geklirre *n.* -s ↑ Geklirr.
gekloben [gəkló:bən] *p.p.* ↑ klieben.
geklommen [gəklɔ́mən] *p.p.* ↑ klimmen.
Geklöne *n.* -s 수다, 계속되는 잡담.
Geklopf [gəklɔ́pf] *n.* -(e)s〖폄어〗(문 따위를) 연달아 두드림.
Geklopfe *n.* -e ↑ Geklopf.
Geklüft [gəklýft] *n.* -(e)s, -e (Klippen, Klüfte) 절벽; 갈라진 암석.
Geklüfte *n.* -s, - ↑ Gelüft.
geklungen [gəklúŋən] *p.p.* ↑ klingen.
Geknall [gəknál] *n.* -(e)s〖폄어〗(끊임없이) 덜거덕거림, 쾅쾅거림; (계속되는) 총성, 포성.
Geknalle *n.* -s ↑ Geknall.
Geknatter [gəknátər] *n.* -s〖폄어〗연달아 따다닥거림.
geknickt [gəkníkt] 《I》 *p.p.* ↑ knicken. 《II》 *p.a.* 꺾인, 부서진, 실패한: ~er Greis 허리가 굽은 노인; ich bin ganz ~ 나는 아주 기력이 없다.
gekniet [gəkní:t] 《I》 *p.p.* ↑ knien. 《II》 *p.a.* 무릎 모양으로 굽은;〖植〗무릎 같은 마디가 있는.
gekniffen [gəknífən] *p.p.* ↑ kneifen.
geknippen [gəknípən] *p.p.* ↑ kneipen[1].
Geknirsche [gəknírʃə] *n.* -s 연달아 삐걱거림, 부드득거림, 부드득 이를 갊.
Geknister [gəknístər] *n.* -s 연달아 따다닥하는 소리, 연속적인 작은 폭음; 옷이 스치는 소리.
geknüppelt [gəknýpəlt] *a.*〖다음 용법으로만〗〖구어〗~ voll 터질 정도로 가득 채워진.
Geknurre [gəknúrə] *n.* -s 연달아 으르렁대는[불평하는] 소리, 이를 북북 가는 소리.
gekommen [gəkɔ́mən] *p.p.* ↑ kommen.
gekonnt [gəkɔ́nt] 《I》 *p.p.* ↑ können. 《II》 *p.a.*〖구어〗능란한, 숙달된; 탁월한: eine ~e Leistung 탁월한 업적.
Gekonntheit *f.* 능숙, 숙련.
geköpert [gəkǿ:pərt] 《I》 *p.p.* ↑ köpern. 《II》 *p.a.*〖방직〗능직(綾織)의.
gekoren [gəkó:rən] 《I》 *p.p.* ↑ küren, kiesen[2]. 《II》 *p.a.* 선발된, 간택된.
gekörnt [gəkœ́rnt] 《I》 *p.p.* ↑ körnen. 《II》

p.a. 알갱이 모양의, 과립상(顆粒狀)의.

Gekose [gəkó:zə] *n.* -s 애무; 정담(情談).

Gekrach [gəkráx] *n.* -(e)s 연달아 우둑둑 소리를 냄, 계속적인 폭음〔천둥〕.

Gekrächz(e) [gəkrɛ́çts(ə)] *n.* -(e)s 연달아 까옥까옥 욺; 끊임없이 쉰소리로 말함.

Gekrakel [gəkrá:kəl] *n.* -s ↑ Gekritzel.

Gekratz *n.* -es 〖폄어〗 ↑ Gekratze.

Gekrätz(e) [gəkrɛ́ts] *n.* -s 〖제련〗 쇠부스러기; 슬래그.

Gekratze [gəkrátsə] *n.* -s 자꾸 긁음.

Gekräuse [gəkrɔ́ʏzə] *n.* -s 연달아〔곱슬곱슬〕 오므라지게 함.

Gekräusel *n.* -s 〖雅語〗 ① ↑ Gekräuse. ② 주름(잡힌 것); 고수머리. ③ 잔잔한 물결.

Gekräut(e) [gəkrɔ́ʏt(ə)] *n.* -(e)s 〖雅語〗 나물; 우거진 잡초.

Gekreisch(e) [gəkráiʃ(ə)] *n.* -(e)s 연달아 날카롭게 부르짖음; 비명; (급제동 때 브레이크의) 날카로운 소음.

Gekreuzigte* *der/die* ① 십자가에 못박힌 자. ②〖기독교〗 그리스도.

gekreuzt 《I》 *p.p.* ↑ kreuzen. 《II》 *p.a.* 십자형의; 교차한; 〖植〗 교호 대생(交互對生)의, 십자형을 이룬; 〖動·植〗 잡종의.

gekrischen [gəkríʃən] 〖고어〗 *p.p.* ↑ kreischen.

Gekritzel [gəkrítsəl] *n.* -s 끄적거려 씀; 끄적거려 쓴 것, 졸필, 악필.

gekrochen [gəkrɔ́xən] *p.p.* ↑ kriechen.

gekrönt 《I》 *p.p.* ↑ krönen. 《II》 *p.a.* 관을 쓴, 영광을 차지한: 〖기독교〗 der ≃e 가시 면류관을 쓴 예수; ~er Dichter 계관 시인; ~e Häupter 왕후(王侯).

gekröpft [gəkrœ́pft] 《I》 *p.p.* ↑ kröpfen. 《II》 *p.a.* 갈고리 모양〔직각〕으로 굽은.

Gekröse [gəkrǿ:zə] *n.* -s, - ①〖고어〗 주름이 있는 것(Krausfaltiges). ②〖해부〗 장간막(腸間膜)(Darmnetz); (Eingeweide) 내장, 장(腸). ③〖요리〗 (특히 송아지의) 내장.

gekrumpen [gəkrúmpən] *p.p.* ↑ krimpen.

gekünstelt [gəkʏ́nstəlt] 《I》 *p.p.* ↑ künsteln. 《II》 *p.a.* (↔ natürlich) 인공적인; 꾸민, 기교를 부린; 부자연한: ein ~es Verhalten 부자연스런 태도.

gekuppelt [gəkúpəlt] 《I》 *p.p.* ↑ kuppeln². 《II》 *p.a.* 연결〔접속〕한.

Geküsse [gəkʏ́sə] *n.* 연속적인 입맞춤, 퍼붓는 키스.

Gel [ge:l] 《lat.》 *n.* -s, -e 〖化〗 겔, 젤라틴.

gel 《<gelten》 *int.* (obd.) (nicht wahr?) 안 그래?, 내 말이 맞지? (상대방의 동의를〔동감을〕 재촉하는 말).

Gelabber [gəlábər] *n.* -s 〖구어·폄어〗 김빠진〔싱거운·미지근한〕 음료.

Gelaber [gəlá:bər] *n.* -s 〖경박·구어〗 불필요한 쓸데없는 수다, 허튼소리.

Gelach [gəláx] *n.* -(e)s, **Gelache** [..láçə] *n.* -s ① ↑ Gelächter ①. ②〖복수: ..che〗〖사냥〗 웅덩이, 늪, 수렁. ③ ins ~ hinein 별 생각 없이(↑ Gelage ②).

***Gelächter** [gəlɛ́çtər] *n.* -s, - ① (연속적인) 큰 웃음(소리), 폭소, 홍소(哄笑): homerisches 〔schallendes〕 ~ 홍소, 박장대소; in ein lautes ~ ausbrechen 〔ein lautes ~ erheben〕 폭소하다. ② 웃음거리: zum ~ werden 〔sich zum ~ machen〕 웃음거리가 되다.

gelackmeiert [gəlákmaɪərt] 《I》 *p.p.* ↑ lackmeiern. 《II》 *p.a.* 〖농담〗 (betrogen) (장난에) 걸려든, 속은.

Gelackmeierte* *der/die* 장난에 걸려든 사람, 속은 사람.

gelackt [gəlákt] *p.p.* ↑ lacken.

geladen [gəlá:dən] 《I》 *p.p.* ↑ laden¹. 《II》 *p.a.* 〖경박〗 격노한: auf jn. ~ sein 누구에게 격분하다.

Gelage [gəlá:gə] *n.* -s, - ① (Lage) 한 짝〔벌〕의 물건. ② (비용을 추렴한) 연회, 주연; 떠들썩한 술자리: 〖비유〗 ins ~ hinein 아무렇게나, 엉터리로; 〖비유〗 das ~ 〔die Zeche〕 bezahlen müssen 남의 뒤처리를 해야 한다, 책임을 떠맡아야 한다.

Geläger [gəlɛ́:gər] *n.* -s, - (포도주가 발효할 때의) 침전물, 앙금.

gelagert [gəlá:gərt] 《I》 *p.p.* ↑ lagern. 《II》 *p.a.* 설치된, 놓여진: der Fall ist anders ~ 이 경우는 사정이 다르다.

gelähmt [gəlɛ́:mt] 《I》 *p.p.* ↑ lähmen. 《II》 *p.a.* 마비된.

Gelähmte* *der/die* 불구자, 지체 장애인.

gelahrt [gəlá:rt] *a.* 〖고어〗 학식이 있는(gelehrt).

Gelahrtheit 〖고어〗 *f.* 학식(Gelehrtheit).

Gelalle [gəlálə] *n.* -s 계속 종알거림.

***Gelände** [gəlɛ́ndə] 《<Land》 *n.* -s, - ① **(a)** (구획 정리가 된 특정한) 토지, 대지, 부지(敷地); 〖스포츠〗 스키 연습장, 겔렌데; 〖軍〗 지형(Terrain). **(b)** (자연 그대로의) 땅, 토지, 지역; 지대, 산야: durchschnittenes ~ 단절지(斷絶地)(구릉·하천에 의해 단절된 지형); das ~ erkunden 지형을 정찰하다; Sport≃ 운동장; Übungs≃ 연습장. ②〖드물게〗 ↑ Geländer ②.

Gelände≈aufnahme *f.* 〖軍〗 지형 측량(도), 공중 촬영(사진). **~fahrt** *f.* 길이 없는 지역을 차로 운행함. **~fahrzeug** *n.* 크로스컨트리용 차, 지프차. **≃gängig** *a.* (자동차가) 도로가 없는 곳도 달릴 수 있는. **~hindernis** *n.* 〖軍〗 지형 장애물. **~lauf** *m.* 단교(斷郊)〔크로스컨트리〕 경주. **~marsch** *m.* 〖軍〗 산야 행군.

***Geländer** [gəlɛ́ndər] 《mhd. lander, „Stangenzaun"》 *n.* -s, - ① 난간, 보호책; 〖工〗 방호책(柵). ② (Spalier) (포도 따위의) 정자(井字)〔격자〕 시렁, (덩굴을 올리는) 울타리.

Geländer≈docke *f.* 난간 동자(童子)(난간의 세로 기둥), 난간 기둥. **~fenster** *n.* 퇴창(밖으로 내민 창).

Gelände·ritt *m.* ① 야외 승마. ②〖승마〗 크로스컨트리 승마 경기.

Geländer≈pfosten *m.* (층계 난간의) 엄지 기둥, 층대 난간 끝기둥. **~säule** *f.* ↑ ~docke.

geländert [gəlɛ́ndərt] *a.* 손잡이가〔난간이〕 있는.

Gelände≈spiel *n.* 추적 유희(독도법·방향 찾기 따위를 겸한 청소년 놀이). **~sport** *m.* 야외 스포츠. **~übung** *f.* 야외〔훈련〕. **~wagen** *m.* 길이 없는 지역을 다니는 차량; 지프차.

gelang [gəláŋ] ↑ gelingen 의 과거형.

gelänge [gəlɛ́ŋə] ↑ gelingen 의 접속법 II 식.

Gelänge [gəlɛ́ŋə] *n.* -s, - (md.) 띠 모양의 경작지.

***gelangen** [gəláŋən] 《<lang; ♧ langen》 *i.*

(s./(고어) h.) 다다르다, 이르다, 도달하다; 닿다, 도착하다: **an** einen Ort〔ans Ziel〕~ 어떤 장소〔결승점〕에 도달하다; an jn.〔zu jm.〕~ a) (애써서) 누구와 만나다, b) (schweiz.) 누구에게 문의〔호소〕하다; an ein Obergericht ~ 고등 법원에 상소하다; et. an jn. ~ lassen 누구 앞으로 무엇을 보내다; **auf** die Nachwelt ~ 후세에 전해지다; **in** js. Hände〔Hand〕~ 누구의 수중에 들어가다; **nach** Haus ~ 집에 닿다; nach et.³〔an et〕~ 무엇에 이르다; an die Öffentlichkeit ~ 세상에 알려지다; **zu** et.³ ~ 무엇에 도달하다, 무엇을 얻다; zu Ansehen〔Macht〕~ 명망〔세력〕을 얻다; zur Reife ~ 성숙하다; zu einem Schluß ~ 어떤 결론에 이르다; zum Abschluß ~ 종결되다; zum Ziel〔Zweck〕~ 목적을 이루다; zur Ausführung ~ 공연되다; zum Druck ~ 인쇄되다.

gelappt [gəlápt] 《Ⅰ》*p.p.* ↑ lappen². 《Ⅱ》*p.a.* 『植』(잎 가장자리가) 얕게 째진, 갈라진: drei~ 잎이 셋으로 갈라진; 『해부』 엽상(葉狀)의.

Gelärm [gəlɛ́rm], **Gelärme** *n.* -s 떠들썩함, (지속적인) 소음.

Gelaß [gəlás] 《<lassen》*n.* ..lasses, ..lasse ①〔시어〕(Raum) 들이는 곳, 곳간, 헛간; 공간, 실(室), 방. ② 작고 좁은 (어두운) 골방.

gelassen [gəlásən] 《Ⅰ》*p.p.* ↑ lassen. 《Ⅱ》*p.a.* 태연한, 침착한, 냉정한, 참을성이 많은: (ruhig und) ~ bleiben (조용하고) 침착함을 잃지 않고 있다, 태연하다.

Gelassenheit *f.* 태연, 침착, 의젓함, 냉정.

Gelatine [ʒelatíːnə] 《frz. <lat. gelare, „frieren"; Gallerte, kalt》*f.* 젤라틴; (정제 캡슐이나 필름 제조용) 아교.

Gelatine=dynamit *n.* 『광산』 젤라틴 다이너마이트. **~kapsel** *f.* 젤라틴 캡슐.

gelatinieren [ʒelatiníːrən] 《Ⅰ》*t.* (차게 하거나 젤라틴을 첨가해서) 응고시키다. 《Ⅱ》*i.* (s.) 젤라틴이〔교질화〕되다.

gelatinös [ʒelatinǿːs] *a.* 젤라틴〔아교〕 형태의.

Geläuf [gəlɔ́ʏf] *n.* -(e)s, -e ① ↑ Gelaufe. ② 『사냥』 조류의 흔적. ③『승마』 경주로의 바닥. ④『스포츠』 경기장의 바닥, 그라운드.

Gelaufe [gəláufə] *n.* -s 끊임없이 달림, 동분서주.

gelaufen [gəláufən] *p.p.* ↑ laufen.

***geläufig** [gəlɔ́ʏfıç] 《<Lauf》*a.* ① 막힘없는, 유창한; 능숙한: eine ~e Zunge 능변; eine ~e Hand(schrift) 달필, 능서(能書); in ~em Französisch 유창한 프랑스어로; er spricht ~ Deutsch 그는 독일어를 유창하게 한다. ② 잘 알려진, 친숙한, 익히 아는: ein ~er Ausdruck 흔히 듣는 표현.

Geläufigkeit *f.* ① 유창, 능숙. ② 잘 알려져 있음, 친숙.

gelaunt [gəláunt] *a.* …기분인: gut〔übel, schlecht〕~ 기분 좋은〔나쁜〕.

Geläut(e) [gəlɔ́ʏt(ə)] *n.* -(e)s, -(e) ① 종의 울림, 계속 울리는 종소리: Abend~ 저녁 종소리. ②〔총칭〕(교회 종탑의) 종들: der größte Teil des ~s dieser Kirche 이 교회의 종 장치의 대부분. ③『사냥』 사냥개들의 짖는 소리.

***gelb** [gɛlp] *a.* ① 노란색〔황색〕의: 『醫』 ~es Fieber 황열병(黃熱病); 『해부』(망막의) 황반(黃斑): der ~e Fluß 황하; die ~e Gefahr 황인종으로 인해 생길 수 있는 위험; 『축구』 die ~e Karte 옐로 카드; die ~e Presse 옐로프레스(미국의 국수적이고 선정적인 신문); ~e Rasse 황인종; 『植』 ~e Rübe 당근; 〔폄어〕 ~e Gewerkschaften 어용(御用) 조합; 〔구어〕 das ist noch nicht das Gelbe vom Ei 그것은 아직 최선책은 아니다. ② 창백한: vor Neid ~ werden 질투한 나머지 얼굴이 창백해지다.

***Gelb** *n.* -s, -/(구어) -s 황색, 노랑: bei ~ 황색 신호등일 때는.

Gelb=ammer *f.* 『動』 노랑턱멧새(Goldammer). **~beere** *f.* 『植』 갈매나뭇과(科)의 열매. **~blei·erz** *n.* 『광물』 몰리브덴 연광, 황연광. **~braun** *a.* 황갈색의. **~brennen** *n.* 금속 산세척(酸洗滌). **~buch** *n.* 황서(黃書)(표지가 황색인 프랑스의 외교 공보 문서). **~bunt** *a.* 노랑 점박이의.

Gelbe¹ [gɛ́lbe] *n.* -n 노랑, 황색.

Gelbe² *der/die* 황색인, 황인종.

Gelbe³ *der* 〔구어〕 누런 가래(침).

gelben 《Ⅰ》*t.* 노랗게 물들이다. 《Ⅱ》*refl./i.* (h./s.) (sich) ~ 노랑색으로 되다, 노랗게 되다.

Gelb=erde *f.* 『광물』 황토(산화철이 함유된 점토). **~fieber** *n.* 황열병(黃熱病). **~filter** *m./n.* 『사진』 황색 필터. **~gießer** *m.* 황동〔놋〕 주조공. **~gießerei** *f.* 황동〔놋〕 주조(공장). **~grün** *a.* 황록색의. **~guß** *m.* 황동 주조.

Gelbheit *f.* 노랑(임).

Gelb=holz *n.* (황색 염료를 채취하는) 황목(黃木). **~körper·hormon** *n.* (난소의) 황체 호르몬. **~kupfer** *n.* 황동, 놋쇠. **~kreuz** *n.* 황색 십자(독가스의 표시); 독가스.

Gelber Sack *m.* 『환경』(재활용품 수거용) 황색 쓰레기 봉투.

gelblich *a.* 노란 빛을 띤.

gelblich·grün *a.* 연둣빛의.

Gelb·licht *n.* 노란 불빛, 황색신호.

Gelbling *m.* -s, -e ①『植』 장미과(科). ②『植』 살구버섯(Pfifferling).

Gelb=rand *m.* ↑ ~randkäfer. **~rand·käfer** *n.* 『動』 애물방개. **~reif** *a.* (곡식 따위가) 누렇게 익은. **~rot** *a.* 주황색의, 오렌지색의. **~rübe** *f.* (südd.) 당근. **~scheibe** *f.* 황색 필터(~filter). **~schnabel** *m.* 〔비유〕(Grünschnabel) 풋내기, 신출내기. **~stern** *m.* 『植』 중무릇. **~sucht** *f.* 『醫』 황달(Ikterus). **~süchtig** *a.* 황달의. **~veigelein** *n.* (südd.) 『植』 오랑캐꽃, 제비꽃. **~wurst** *f.* 노란색 장기(臟器)로 만든 훈제 소시지. **~wurzel** *f.* 『植』 심황, 울금(鬱金).

***Geld** [gɛlt] 《<gelten》*n.* -(e)s, -er [gɛ́ldər] ① 돈, 금전, 화폐; 〔비유〕 재산, 자산, 부(富): bares ~ 현금; kleines ~ 잔돈, 동전; falsches ~ 위조 화폐; fremdes ~ a) 남의〔꾼〕 돈, b) 외국돈; 〔구어〕 schönes〔gutes〕~ 좋은 벌이, 높은 수입; 〔구어〕 schmutziges〔unehrliches〕~ 부정한 수단으로 번 수입; 〔구어〕(viel) ~ machen 큰돈을 벌다; etwas bringt viel ~ 무엇은 많은 이득을 가져온다; 〔구어·폄어〕 jemand ist nur auf ~ aus 누구에게는 항상 돈벌이가 가장 중요하다; ~ wie

Heu haben 〔im Geld schwimmer〕 돈이 매우 많다; 〖구어·폄어〗 jm. das ~ aus der Tasche ziehen〔locken〕 a) 누가 돈을 쓰도록 만들다, b) 누구에게 바가지 씌우다; 〖雅語〗 ~ und Gut 소유물, 재산; 〖구어〗(ein) unheimliches ~ verdienen 돈을 엄청나게 벌다; 〖구어〗 wer verdient bei euch das ~? 누가 너희(가족)의 주 수입원이냐?; 〖구어〗 ich finde das〔mein〕 ~ nicht auf der Straße 나는 내 생계비를 벌기 위해서 열심히 일해야 한다; et. zu ~ machen 무엇을 팔다; zu ~e kommen 부자가 되다; das läuft〔geht〕 ins ~ 그것에는 돈이 너무 든다; 〖구어〗 ~ stinkt nicht 돈에는 냄새가 없다(돈은 어떤 돈이든 문제가 되지 않는다); da kommt ~ zu ~ 부자와 부자가 결혼하다; der kann sich für ~ sehen lassen 그는 괴짜다; das liebe ~! 돈이 원수다!; 〖구어〗 schade ums ~! 헛돈 날렸군!; 〖경박〗 er hat einen Sack voll ~ 그는 돈이 매우 많다; 〖구어〗 sein ~ (für sich) arbeiten lassen 이자 소득으로 살아가다; 〖구어〗 sein ~ spielen lassen (로비 수단으로) 돈을 투입하다; 〖속담〗 Zeit ist ~ 시간은 금이다; ~ regiert die Welt 황금 만능; mit ~ geht alles 돈이면 무엇이든지 된다; 〖구어·폄어〗 sich für ~ verkaufen 돈 때문에 자신의 의견을 바꾸다; 〖구어〗 hier liegt das ~ auf der Straße 여기에서는 큰 노력 없이 많은 돈을 벌 수 있다; 〖구어〗 nicht für ~ und gute Worte 어떤 경우에도 …하지 않다; 〖구어〗 das〔sein〕 ~ zum Fenster hinauswerfen 〔zum Schornstein hinausjagen, auf die Straße werfen〕 돈을 물쓰듯하다〔탕진하다, 마구쓰다〕; sein ~ unter die Leute bringen 돈을 빨리 써 버리다; sein ~ durch die Gurgel jagen 술로 재산을 탕진하다. ②〖복수〗 자금, 거액의 금액: öffentliche ~er unterschlagen 공금을 횡령하다. ③〖商〗 매도 주식 시세(약어: G)(↔ Briefkurs); (주식의) 매도, 환율: mehr ~ als Brief 매각보다는 매도이다.

Gẹld≈adel *m.* 〖총칭〗(한 나라의) 재력가 집단. **~angelegenheit** *f.* 금전 문제〔관계〕. **~anlage** *f.* 투자; 투자 대상: das Haus ist eine gute ~ 집은 좋은 투자 대상이다. **~anleihe** *f.* 차입금, 부채. **~anweisung** *f.* 환(換); 우편환. **~aristokratie** *f.* ↑ ~adel. **~ausgabe** *f.* 금전 지출, 출금. **~automat** *m.* 현금 자동 인출기. **~bedarf** *m.* 금전의 수요〔필요〕. **~bedrängnis** *f.* 금융 압박. **~beitrag** *m.* 기부금. **~belohnung** *f.* 보수(금), 상금. **~beutel** *m.* ① 돈지갑, 돈주머니. ②〖비유·구어〗 돈, 재정 능력: tief in den ~ greifen 많은 돈을 지출하다; einen kleinen〔mageren〕 ~ haben 가난하다; den Daumen auf den ~ halten 인색하다. **~bombe** *f.* (은행 영업 마감 시간 이후에 사용하는) 금속으로 만든 돈 상자(은행의 야간 금고 투입구에 투입함). **~börse** *f.* ① ↑ ~beutel ①. ②〖經〗 금융 시장. **~brief** *m.* 현금이 든 등기 우편. **~brief·träger** *m.* 현금 동봉 등기 우편 배달부. **~büchse** *f.* 저금통. **~buße** *f.* 벌금, 과태료. **~einheit** *f.* 화폐 단위. **~einlage** *f.* ① (편지에) 돈을 동봉함; 봉입금(封入金). ② 회사 설립 출자금. ③ (저금의) 은행 잔고. **~einnahme** *f.* 금전 수납; 수입 수납자. **~einnehmer** *m.* 금전 수납자, 수납계. **~einwurf** *m.* (자동 판매기 따위의) 동전 투입(구). **~entwertung** *f.* 화폐 가치의 하락. **~ersatz** *m.* 대용 화폐. **~ersatzmittel** *n.* 환, 어음, 수표. **~erwerb** *m.* 돈벌이, 영리; 생계 목적의 직업 활동.

Geldern [gɛ́ldərn] *n.* 겔더른(저지 라인 지방에 있는 도시).

Gẹlderner 《I》 *m.* -s, - 겔더른 사람. 《II》 *a.* 겔더른의.

Gẹldes·wert *m.* ① 금전상의 가치. ② 금전적 가치가 있는 것, 유가물.

Gẹld≈forderung *f.* (채권자의) 금전 청구; 채권, 받을 빚: eine ~ an〔gegen〕 jn. haben 누구에게 받을 돈이 있다. **~frage** *f.* 금전 문제. **~freier** *m.* 〖속어〗 돈을 목적으로 구혼하는 사람. **≈fressend** *a.* 돈〔비용〕이 드는, 값비싼. **~geber** *m.* 자본주; 출자자; 저당권자. **~geberin** *f.* ↑ Geldgeber 의 여성형. **~geschäft** *n.* 금전〔화폐〕 거래; 금융업. **~geschenk** *n.* 현금 증여; 증여금: jm. ein ~ machen 누구에게 돈을 주다. **~gier** *f.* 금전욕. **≈gierig** *a.* 돈을 탐내는. **~gurt, ~gürtel** *m.* 전대(纏帶). **~hahn** *m.* 〖대개 다음 용법으로〗〖비유·경박〗 den ~ zudrehen 〔abdrehen〕 더 이상 돈을 주지 않다. **~handel** *m.* 금전 거래; 금융업, 은행업. **~heirat** *f.* 금전을 목적으로 하는 결혼. **~herrschaft** *f.* 금권 정치. **~hilfe** *f.* 금전상의 보조; 보조금. **~institut** *n.* 금융 기관. **~jude** *m.* 〖폄어〗 고리 대금업자. **~kapital** *n.* 현금 및 유가 증권 자본. **~karte** *f.* 현금카드. **~kasse** *f.*, **~kasten** *m.* 돈궤, 금고. **~katze** *f.* 〖고어〗 전대. **~kiste** *f.* ↑ ~kasten. **~klemme** *f.* 현금 부족, 재정 곤란〔궁핍〕. **~krise, ~krisis** *f.* 경제 위기, 금융 공황. **~kurs** *m.* 화폐〔환〕 시세; 매도 시세(↔ Briefkurs). **~leute** *pl.* ↑ ~mann.

gẹldlich *a.* 금전(상)의.

Gẹld≈macher *m.* 화폐 주조자. **~makler** *m.* 환전업자, 주식 중개업자, 금융업자. **~mangel** *m.* 돈〔금전〕의 부족〔결핍〕. **~mann** *m.* 〖복수: ..männer/..leute〗 자본가, 금융업자. **~markt** *m.* 금융 시장. **~menge** *f.* 〖經〗 통화량. **~mensch** *m.* 수전노. **~mittel** *pl.* 자금. **~muschel** *f.* 〖動〗 자패(紫貝). **~not** *f.* 자금난, 재정난. **~posten** *m.* 금액. **~preis** *m.* 상금; 화폐 가격. **~protz** *m.* 〖속어〗 돈 자랑하는 사람, 벼락 부자. **~quelle** *f.* 재원(財源). **~sache** *f.* 금전 문제(~angelegenheit): in ~n hört die Gemütlichkeit auf 돈문제에서는 인정이 자취를 감춘다. **~sack** *m.* ①〖고어〗 지갑. ② (금융 기관의 돈을 운반하는) 돈자루. ③〖비유〗 큰 부자; 수전노. **~sammlung** *f.* 모금. **~schein** *m.* 지폐. **~schneider** *m.* 바가지 씌우는 상인〔사람〕; 고리 대금업자. **~schneiderei** *f.* 〖구어·폄어〗 바가지 씌우기. **~schrank** *m.* 금고. **~schrank·knacker** *m.* 〖구어〗 금고털이범. **~schuld** *f.* 금전 채무, 꾼 돈, 부채. **~sendung** *f.* 송금(送金). **~sorgen** *pl.* 돈걱정. **~sorte** *f.* 화폐 종류, 특정한 (외국) 화폐. **~spiel** *n.* ① (Spiel um Geld) 도박. ② 큰돈. **~spind** *n./m.* ↑ ~schrank. **~stand** *m.* 금융 상태. **~stolz** *m.* 재산〔돈〕 자랑, 졸부 근성. **≈stolz** *a.* 돈 자랑하는. **~strafe** *f.* 벌금, 과료. **~stück** *n.*

동전. **~sucht** *f.* 금전욕. **∻süchtig** *a.* 금전을 탐내는. **~summe** *f.* 금액. **~tasche** *f.* 돈지갑, 돈주머니. **~tisch** *m.* 계산대, 카운터. **~umlauf** *m.* 화폐 유통, 통화량. **~umsatz** *m.* 통화의 거래(량). **~umtausch** *m.* 환전. **~verkehr** *m.* 화폐 유통. **~verlegenheit** *f.* ↑ ~klemme. **~verlust** *m.* 금전상의 손실. **~verschwendung** *f.* 금전 낭비. **~vorschuß** *m.* 선불, 선금. **~waage** *f.* 돈저울. **~währung** *f.* ① 화폐 본위 제도. ② 통화. **~wasch∻anlage** *f.* 〔구어〕 돈세탁 기관. **~wäsche** *f.* 〔구어〕 돈세탁. **~wechsel** *m.* 환전. **~wechsler** *m.* 환전업자. **~wert** *m.* ① 금전적 가치. ② 〖經〗 화폐의 구매력. **~wesen** *n.* 〔총칭〕 통화〔금융〕 제도. **~wirtschaft** *f.* 〖經〗 화폐 경제(↔ Naturalwirtschaft). **~wucher** *m.* 고리(高利). **~wucherer** *m.* 고리 대금업자. **~zins** *m.* 금리.

Gelecke [gəlɛ́kə] 《<lecken》 *n.* -s 끊임없이 핥음; 〔속어〕 퍼붓는 듯한 키스.

gelẹckt 《I》 *p.p.* ↑ lecken[1]. 《II》 *p.a.* 〔다음 용법으로〕〔구어〕 wie ~ aussehen 매우 깨끗하게 보이다, 매우 단정하게 옷을 입고 있다.

Gelẹcktheit *f.* 〔구어〕(몸·옷 따위가) 더 없이 깨끗함.

Gelee [ʒelé:, ʒə..] 《frz.》 *n./m.* -s, -s [..lé:s] ① (과즙·고기즙의) 젤리, 점질(粘質)의 과즙〔고기즙〕. ② 젤리로 만든 단 음식.

Gelege [gəlé:gə] 《<legen》 *n.* -s, - ① 〖生〗 (새·곤충의) 한 배의 알(전체). ② 〖農〗 (추수한) 곡식의 작은 더미, 볏가리. ③ (ndd.) 질서, 평온: jn. ins ~ bringen 누구를 안심시키다.

gelegen [gəlé:gən] 《I》 *p.p.* ↑ liegen. 《II》 *p.a.* ① 놓여 있는, 있는: ~ sein 놓여 있다; nach Norden ~e Wohnung 북향 집. ② 〔비유〕 **(a)** 적당한, 형편에 알맞은: zu ~er Zeit 좋은 때에, 때에 맞게; das kommt mir sehr ~ 그것은 나에게 적당하다. **(b)** 중요한(angelegen): es ist mir viel〔wenig〕 daran ~ 그것은 내게 중요한〔하찮은〕 일이다.

***Gelegenheit** [gəlé:gənhaɪt] *f.* -en ① 〔고어〕 (장소의) 위치(Lage); (장소의) 배치, 상태, 모양. ② 경우, 계기, 때; nur zu festlichen ~en wird der Saal benutzt 이 홀은 축제 때만 쓰인다; 〔격식〕 bei ~ einer Zusammenkunft 회합이 있을 때에; Kleid für alle ~en 어떤 경우에도 입기 적당한 옷. ③ 기회, 호기, 찬스: günstige ~ 좋은 기회; eine ~ abwarten 기회를 기다리다; eine ~ versäumen 기회를 놓치다; die ~ beim Schopfe fassen〔ergreifen, packen, nehmen〕 기회를 놓치지 않고 잡다; ~ machen (남녀의) 만남을 주선하다, 중매하다; 〔속담〕 ~ macht Diebe 견물생심이다; bei passender ~ 적당한 기회에. ④ 〔장소란 뜻에서〕 **(a)** Schiffs∻ 선박편; Schlaf∻ 취침 장소. **(b)** 화장실. ⑤ 〖商〗 바겐 세일.

Gelegenheits∻arbeit *f.* ① 임시로 하는 일. ② (일정한 동기 없이 이루어진) 예술적 업적. **~arbeiter** *m.* ① 임시 고용 노동자. ② 〔구어〕 (시험 따위와 같은) 특정한 때에 집중적으로 일〔공부〕하는 사람. **~dichter** *m.* (특정한 행사 때에 시를 짓는) 시인; 즉흥 시인. **~gedicht** *n.* 특정한 때에 쓴 시. **~gesellschaft** *f.* 〖商〗 (특수 목적을 위한) 일시적인 조합. **~kauf** *m.* **(a)** 즉흥 구매, **(b)** 즉흥 구매품. **~macher** *m.* (Kuppler) 중매쟁이, 중개인. **~schrift** *f.* 시사 문제에 관한 작은 책자, 소논문. **~ursache** *f.* 유인(誘因), 기회 원인.

gelegentlich [gəlé:gəntlɪç] 《<gelegen》 《I》 *a.* ① 기회가 닿는 경우의, 그때그때의. ② ↑ gelegen 《II》 ② (a). 《II》 *adv.* 때때로, 이따금, 가끔: wir sehen uns (nur) ~ 우리들은 (단지) 가끔 만난다. 《III》 *prp.*[2] …의 기회에, …을 계기로: ~ seiner Anwesenheit 때마침 그가 있을 때; ~ einer Reise 여행을 계기로.

gelehrig [gəlé:rɪç] 《<lehren》 *a.* 쉽게 배우는, 영리한; 배우려고 하는: sehr ~ sein 이해력이 매우 좋다; ein ~er Hund 영리한 개.

Gelehrigkeit *f.* 영리, 이해가 빠름.

gelehrsam *a.* ① ↑ gelehrig. ② 〔고어〕 학식이 많은.

Gelehrsamkeit *f.* 박식, 박학.

***gelehrt** [gəlé:rt] 《I》 *p.p.* ↑ lehren. 《II》 *p.a.* ① 〔고어〕 (über et.) 정통한. ② 학식이 있는, 박학〔박식〕한: 〔비유·구어〕 ein ~er Mensch 박식한 사람. ③ 학자인 체하는, 현학적인: sehr ~ sprechen 매우 현학적으로 말하다. ④ 학문상〔학술상〕의: ~e Gesellschaft 학회, 학술 단체; eine ~e Abhandlung 학술 논문.

Gelehrte *der/die* 학자, 박식한 사람; 〔속담〕 es ist noch kein ~r vom Himmel gefallen 태어나면서부터 학자란 없다; 〔구어〕 darüber streiten sich noch die Gelehrten 그것은 아직 학자들간에 논란이 많다.

Gelehrten∻innung *f.* 학회. **~lexikon** *n.* 학자 인명 사전. **~republik** *f.* 학자 집단; 학계. **~schule** *f.* 김나지움(Gymnasium). **~stand** *m.* 학자의 신분. **~stolz** *m.* 학자로서의 자부심. **~verein** *m.* 학회. **~welt** *f.* 학계. **~wesen** *n.* 학술.

Gelehrtheit *f.* ↑ Gelehrsamkeit.

Geleier [gəláɪər] 《<leiern》 *n.* -s 끊임없는 연주; 단조로운 낭송〔연주〕: das ist immer das alte ~ 그것은 여전히 진부한 이야기〔곡〕이다.

***Geleise** [gəláɪzə] *n.* -s, - (öst.) ↑ Gleis.

Geleit [gəláɪt] *n.* -(e)s, -e, **Geleite** *n.* -s, - ① 〔시어〕 동반, 수행, 안내: jm. das ~ geben 누구를 수행하다; 누구를 호위〔호송〕하다; jm. das letzte ~ geben 누구의 장례식에 참석하다; 〔비유〕 zum ~ (책의) 머리말. ② 〔총칭〕 수행원, 호위자: Leichen∻ 장례식에 참석한 사람들. ③ freies〔sicheres〕 ~ 자유 통행권; 치외 법권적 보호. ④ 〖軍〗 호송 선단.

Geleit·brief *m.* 〖史〗 통행권〔증〕.

geleiten [gəláɪtən] *t.* 〔시어〕 안내〔수행·호위〕하다; 〖軍〗 호위〔호송〕하다: jn. an die Tür ~ 누구를 현관까지 전송하다.

Geleiter *m.* -s, - 안내자; 동행〔수행〕자; 호위병.

Geleit·schutz *m.* 호위, 호송: jm. ~ gewähren〔zusichern〕 누구를 호위하다.

Geleits∻einnehmer *m.* 호송세 징수원. **~herr** *m.* 안전 호송권을 가진 군주. **~mann** *m.* 〔복수: ..leute/(드물게) ..männer〕 호송병; 수행원. **~reiter** *m.* 기마 호송병. **~schein** *m.* 여권; 〖商〗 관세 납부 증서, 운송 허가장. **~schiff** *n.* 호송선. **~zoll** *m.* 호송세.

Geleit∻wort *n.* 〔복수: -e〕 머리말, 서문. **~zug** *m.* 호송선단.

*__Gelenk__ [gəlέŋk] 《⊕ lenken》 *n.* -(e)s, -e ① 〖해부〗 관절: Hand~ 손목 (관절); sich³ den Arm aus dem ~ fallen 넘어져 팔을 삐다; 〔비유〕 keine ~e haben 서투르다. ②〖植〗 (가지·잎의) 옹이, 마디. ③〖기계〗 링크, 연결부; 이음쇠: Ketten~ 쇠사슬 고리.

__gelenk__ 〔고어〕 *a.* ↑ gelenkig ②.

__Gelenk≈band__ *n.* 〔복수: ..bänder〕 ①〖해부〗 관절 인대(靭帶). ②〖기계〗 경첩, 돌쩌귀. __~bruch__ *m.* 〖醫〗 관절 골절. __~ende__ *n.* 〖해부〗 관절두(頭). __~entzündung__ *f.* 〖醫〗 관절염. __~fahrzeug__ *f.* 연결식 차량. __~fügung__ *f.* 〖해부〗 관절 접합. __~höhle__ *f.* 〖해부〗 관절강(腔).

__gelenkig__ *a.* ① **(a)** 〖해부〗 관절이 있는, 관절로 접합된. **(b)** 〖植〗 마디 있는. ② 굽히기 쉬운, 굴절이 자유 자재인; 부드럽고 연한; 민첩한.

__Gelenkigkeit__ *f.* 유연성.

__Gelenk≈kapsel__ *f.* 〖해부〗 관절포(包), 관절낭(囊). __~knorpel__ *m.* 〖해부〗 관절 연골. __~kuppelung__ *f.* 〖工〗 이음쇠 연결〔조인트〕. __~lehre__ *f.* 관절학. __~mann__ *m.* ↑ ~puppe. __~pfanne__ *f.* 〖해부〗 관절와(窩). __~puppe__ *f.* 손발이 움직이는 인형. __~rheumatismus__ *m.* 〖醫〗 관절 류머티즘.

__gelenksam__ *a.* ↑ gelenkig ②.

__Gelenk·schmiere__ *f.* 〖해부〗 (관절의) 활액(滑液).

__Gelenks·entzündung__ *f.* 〖醫〗 (öst.) ↑ Gelenkentzündung.

__Gelenk≈steifheit__ *f.* 〖醫〗 관절 강직. __~verbindung__ *f.* ↑ ~fügung. __~verrenkung__ *f.* 탈구(脫臼). __~wasser__ *n.* 〖해부〗 (관절의) 활액. __~wasser·sucht__ *f.* 관절 수종(水腫). __~welle__ *f.* 〖工〗 자재 전동축(自在傳動軸), 카르단 축.

__Gelerne__ *n.* -s 〔구어〕 쉬지 않고 공부하기.

__Gelese__ [gəlé:zə] *n.* -s ①〔속어〕 다독, 남독. ② (베틀의) 잉아 장치.

__gelesen__ [gəlé:zən] 《I》 *p.p.* ↑ lesen. 《II》 *p.a.* 잘 읽혀지는, 인기 있는: ein ~er Schriftsteller 인기 작가.

__Geleucht__ [gəlɔ́yçt] *n.* -(e)s, -e ①〔시어〕 빛남, 비춤; 〖광산·총칭〗 빛, 등화(燈火). ②〖광산〗 갱내용 램프, 안전등.

__gelfen__ *i.* (h.) 〔구식〕 울부짖다, 큰소리를 지르다, 외치다.

__gelfern__ *i.* (h.) (날카롭게) 부르짖다, 울부짖다; (개가) 짖다, 짖어대다.

__Gelichter__ [gəlíçtər] *n.* -s 〔고어〕 동포, 동류; 〔구어·폄어〕 불량배.

__geliebt__ [gəlí:pt] 《I》 *p.p.* ↑ lieben. 《II》 ~e Eltern 그리운 부모님; ~e Jenny! 사랑하는 제니야!

*__Geliebte__*¹ *der* ①〔관사 없이〕 여보, 자기(남자 애인에 대한 호칭): ~r, hörst du mich? 자기, 내 말 들려요? ② 정부(情夫), 내연의 남자; 남자 애인: ihr ~r weiß nicht, daß sie verheiratet ist 그녀의 애인은 그녀가 유부녀임을 모른다.

*__Geliebte__*² *die* ①〔관사없이〕 여보, 자기(여자 애인에 대한 호칭): ~, ich habe Hunger 자기, 나 배고파. ② (유부남의) 정부(情婦), 내연의 여자; 여자 애인: Er hatte eine ~, von der seine Frau nichts wußte 그 남자는 부인이 모르는 애인이 있었다.

__geliefert__ 《I》 *p.p.* ↑ liefern. 《II》 *p.a.* 〔구어〕 끝장난, 몰락한: er ist ~ 그는 이제 끝장이다.

__geliehen__ [gəlí:ən] 《I》 *p.p.* ↑ leihen. 《II》 *p.a.* 빌린: ~es Geld〔Pferd〕 빌린 돈〔말〕.

__gelieren__ [ʒelí:rən] *i.* 젤리처럼 굳다.

__Gelier≈mittel__ *n.* 〖요리〗 젤리화(化) 촉진제. __~zucker__ *m.* 〖요리〗 젤리화 초진제가 첨가된 설탕.

*__gelind__ [gəlínt], __gelinde__ [gəlíndə] 《< lind(e)》 (↔ streng, hart, rauh) ① 부드러운, (기후 등이) 온화한; (열·추위·고통 등이) (형벌 등이) 경미한; (수량·정도 등이) 알맞은: ein ~er Regen〔Wind〕 보슬비〔산들바람〕; ein ~er Hügel 가파르지 않은 언덕; mit gelindem Grauen 약간 겁먹은 듯이; et. bei ~em Feuer kochen 무엇을 뭉근한 불로 삶다; gelindestens 백보를 양보해서 말해도. ② 신중한: jn. ~ behandeln 누구를 신중하게 다루다; ~ gesagt 조심스럽게 말한다면. ③〔구어〕 격렬한: mich packte eine gelinde Wut 나는 격렬한 분노를 느꼈다.

__Gelindheit, Gelindigkeit__ *f.* 유연, 온화, 관대, 경미.

__Gelingen__ *n.* -s 성공(함), 성취.

__gelingen__ [gəlíŋən] (gelang, gelungen) 《원뜻 „vorwärts gehen“》 《I》 *i.* (s.) ①〔사물이 주어〕 wohl〔übel〕 ~ 잘 되다〔잘 안 되다〕; die Arbeit will mir nicht ~ 그 일은 어쩐지 잘 되지 않는다. ② *imp.* …에 성공하다, …을 성취하다: es gelang mir, ihn zu überreden 나는 기어코 그를 설득시켰다; es ist ihm daneben 〔vorbei〕 gelungen 그는 그것에 실패했다. 《II》 __gelungen__ *p.a.* ↑ gelungen.

__Gelispel__ [gəlíspəl] *n.* -s 끊임없는 속삭임; 재잘거림, 지루하게 이야기함.

__gelitten__ [gəlítən] *p.p.* ↑ leiden.

__gell__¹ [gεl] *a.* 고막이 터질 듯한, 날카로운, 째질 듯한 소리의.

__gell__² *int.* (südd.), __gelle__ *int.* (md.) (nicht wahr?) 그렇지 않아요? (내 말이 맞죠) (↑ gelt²).

__gellen__ [gέlən] 《I》 *i.* (h.) 날카롭게 울리다, 째지는 소리를 내다: das Geschrei gellt mir in den Ohren 〔die Ohren ~ mir von dem Geschrei〕 고함 소리가 내 귀에 쨍쨍 울린다, 고함 소리로 귀가 먹을 것만 같다. 《II》 *t.* 째지는 소리로 외치다.

__gellend__ *p.a.* ↑ gellen.

__gellig__ 《<Galle²》 *a.* (obd.) (암석이) 단단한.

__Gelnhausen__ [gεlnhauzən] 겔른하우젠(Kinzig 강변에 있는 도시).

*__geloben__ [gəló:bən] 《<loben》 《I》 *t.* (jm. et.) 굳게 약속하다, 서약하다: 〖聖〗 das Gelobte Land 약속의 땅(신이 Abraham에게 약속한 Kanaan). 《II》 *refl.* sich³ et. ~ 무엇을 마음에 굳게 맹세하다; ich habe mir gelobt, es nie zu vergessen 나는 그것을 결코 잊지 않겠다고 마음 속으로 굳게 다짐했다; sich jm. ~ 누구에게 몸을 바치다, 성실을 맹세하다.

__Gelöbnis__ [gəlǿ:pnɪs] *n.* -ses, -es 〔雅語〕 맹세, 서약; 약속.

__Gelock__¹ [gəlɔ́k] 《<locken¹》 *n.* -(e)s 〖사냥〗 ① 계속 꾐. ②〔복수: -e〕 유인 도구.

__Gelock__² 《<locken²》 *n.* -(e)s, __Gelocke__ *n.* -s 〔雅語〕 고수머리.

__gelockt__ [gəlɔ́kt] 《I》 *p.p.* ↑ locken². 《II》 *p.a.* 곱슬곱슬한.

gelogen [gəló:gən] *p.p.* ↑ lügen.

Gelos [gəló:s] 《<losen[2]》 *n.* -es 〖사냥〗 짐승의 똥.

geloschen [gəlɔ́ʃən] *p.p.* ↑ löschen[1].

gelöst [gəlǿ:st] 《Ⅰ》 *p.p.* ↑ lösen. 《Ⅱ》 *p.a.* 느슨한, 긴장이 풀린, 자연스런.

Gelöstheit *f.* 긴장이 물린 상태.

Gelse [gɛ́lzə] 《<gellen》 *f.* -n (öst.) 〖動〗 모기.

Gelsenkirchen [gɛlzənkírçən] 겔젠키르헨 (독일의 공업 도시).

Gelsenkịrchener Barock 〔농담〕 바로크 양식으로 된 신형 가구.

gelt[1] [gɛlt] 《obd. galt》 *a.* (md.) (암소 등이) 새끼를 낳지 못하는: das Tier ist in diesem Jahr ~ 그 짐승은 금년에 새끼를 낳지 못한다.

gelt[2] [gɛlt] 《mhd. gelten 의 접속법 Ⅰ 식 3 인칭 단수의 단축형＝es gelte》 *int.* (südd., westd.) 〖상대방의 동의를 재촉하는 감탄사〗 (nicht wahr?) 그렇지 않아요? : du kommst doch mit, ~ 너 함께 갈거지? ; ~, da staunst du? 그것 봐라, 너 지금 놀라는거지?

Gelte [gɛ́ltə] 《lat.》 *f.* -n 〖방언〗 (물)통; (südd.) 젖 짜는 통.

gelten [gɛ́ltən] (galt, gegolten) 《원뜻 „zahlen, vergelten"》 《Ⅰ》 *i.* (h.) ① 가치가 있다: Soldaten gilt die Ehre mehr als das Leben 군인에게는 명예가 생명보다 더 중하다; diese Antwort gilt einer Verweigerung gleich 이 회답은 거절한 것이나 다름 없다; das gilt mir gleich 그것은 내겐 상관없다. ② 중요하다, 세력〔영향력〕이 있다: etwas gilt bei jm. viel 〔wenig〕 무엇은 누구에게 중요하다〔덜 중요하다〕; sein Rat gilt viel bei seinen Vorgesetzten 상관〔상사〕들은 그의 조언을 중요하게 생각한다; bei Hofe viel ~ 궁중에서 세력〔영향력〕이 있다; wer nichts hat, gilt auch nichts 가진 것이 없는 자는 세력도 없다. ③ 유효하다, 통용되다, 행해지다: die Münze gilt bei uns nicht 이 화폐는 우리 나라에서는 통용되지 않는다; da gilt keine Ausrede 거기에는 어떤 변명도 허용되지 않는다; hier gilt kein Zaudern 지금은 일초도 주저할 수 없다; das gilt nicht (도박·경기 등에서) 그것은 반칙이다; ~ lassen 승인하다, 반대하지 않다. diesen Einwand lasse ich nicht gelten 이 이의를 나는 받아들이지 않겠다. ④ (**a**) für et. ~ 무엇에 적용되다, 적합하다, 유효하다: dies Billet gilt für zwei 이 표는 두 사람에게 유효하다; diese Bestimmung gilt für alle 이 규정은 모든 사람들에게 적용된다. (**b**) für et. ~ 〔als et. ~〕 무엇으로 간주되다, 여겨지다: du giltst für einen Dummkopf 〔du giltst als dumm〕 너는 바보로 여겨지고 있다; er gilt für bedeutend 그는 중요시되고 있다. ⑤ von jm.〔et.[3]〕 ~ 누구〔무엇〕에 대해 적용되다, 들어맞다; was von ihm gilt, gilt auch von seinem Sohne 그에게 적용되는 것은 그의 아들에게도 적용된다. ⑥ jm.〔et[3].〕 ~ 누구에게 관계되다〔무엇에 향해 있다〕: dieser Vorwurf gilt ihm 이 비난은 그를 두고 한 것이다; ihr ganzes Leben galt der Sorge um ihre Kinder 그녀의 삶 전체는 아이들에 대한 걱정 바쳐졌다. ⑦ *imp.* es gilt um Leben und Tod 생사에 관한 문제다. 《Ⅱ》 *t.* ① 〖사물이 주어〗 jm. eine Summe ~ 누구에게 어떤 금액만큼의 이익을〔손해를〕 가져오다. ② …의 가치〔값어치〕가 있다: der Taler gilt 3 Mark 1 탈러는 3 마르크에 해당된다; ein Held gilt ein ganzes Volk 영웅 한 사람은 전국민에 필적한다; was gilt die Wette? 내기로 무엇을 〔얼마를〕 걸겠는가? ; die Wette gilt eine Flasche Wein 이 내기에는 포도주 한 병 걸려 있다. ③ es gilt et. 무엇에 관한 것〔문제〕이다: es gilt mein Leben 〔meine Ehre〕 그것은 내 생명〔명예〕에 관한 문제다; es gilt Sieg oder Tod 〔es gilt zu siegen oder zu sterben〕! 승리 아니면 죽음이 있을 뿐이다! ; was gilt's? a) 무슨 내기 할래? , b) 그렇지요? (nicht wahr?). ④ *imp.* (**a**) es gilt et. 무엇이 긴요〔필요〕하다: es gilt Mut 용기가 필요하다; es gilt, einen Entschluß zu fassen 결심이 필요하다〔지금이야말로 결단을 내릴 때다〕. (**b**) 〖목적어 없이〗 es gilt! 좋아, 오케이! (도박·놀이 등에서 내기에 응하는 감탄사) (topp!); jetzt gilt es! 때는 왔다(지금이 고비다).

gẹltend *p.a.* 유효한, 통용되는, 현행의; 중요한: die ~en Ansichten 지배적인 의견; das ~e Recht 현행법; in dem ~en Augenblick 중요한 순간에; ~ machen 내세우다, 관철하고자 하다: Ansprüche〔Rechte〕 ~ machen 청구를 제기하다〔권리를 내세우다〕; sie machte all ihren Einfluß ~ 그녀는 자신의 모든 영향력이 효과를 발휘하도록 했다; sich ~ machen 가치가 나타나다, 세력을 얻다, 대두하다, 효력이 발생하다, 유효하게 되다; die fehlende Kontrolle macht sich nun verhängnisvoll ~ 점검 태만〔소홀〕이 지금에 와서 치명적인 것으로 나타난다.

Gẹltend·machung *f.* (권리·요구·의견의) 주장, 관철; (법률의) 시행.

Gẹlts·tag *m.* (schweiz.) 파산.

***Geltung** [gɛ́ltʊŋ] *f.* -en ① 가치(가 있음); 중요, 세력, 명망; 효력, 통용: et. zur 〔in〕 ~ bringen 무엇을 유효하게 하다, 관철시키다; sich[3] ~ verschaffen 명망을 얻다; an ~ verlieren 신망〔중요성〕을 잃다; zur ~ kommen 효력를 발휘하다, 통용되다; außer ~ sein 통용되지 않다, 효력을 상실하다; in ~ bleiben 유효하다. ② ~ eines Wortes 말의 의미, 어의. ③ 〖哲〗 타당(성).

Gẹltungs⸗bedürfnis *n.* 명예욕, 자기 현시욕(顯示慾), 권세욕. **~bereich** *m.*, **~gebiet** *n.* 효력〔적용〕 범위, 시행 구역. **~trieb** *m.* ↑ ~bedürfnis.

Gelübde [gəlýpdə] 《<geloben》 *n.* -s, - ① 맹세, 서약: sein ~ halten〔brechen〕 서약을 지키다〔깨뜨리다〕. ② 〖宗〗 서원(誓願), 기원(祈願): 〖가톨릭〗 die ewigen ~ ablegen 수도(修道) 서원을 하다.

Gelumpe [gəlʊ́mpə] *n.* -s ① 〖폄어〗 허섭스레기, 잡동사니, 누더기. ② 〖방언〗 쓸모없는 인간, 인간쓰레기.

gelungen [gəlʊ́ŋən] 《Ⅰ》 *p.p.* ↑ gelingen. 《Ⅱ》 *p.a.* ① 성공한, 잘 된: 〖구어〗 das ist wirklich ~! 그것 참 기발하다! ② 기묘한, 우스꽝스러운: ein ~er Kerl 기묘하게 생긴 녀석.

Gelünge [gəlýŋə] *n.* -s, - 〖사냥〗 (사슴 등의) 내장.

Gelüst [gəlýst] 《<Lust》 *n.* -(e)s, -e, **Gelụ̈ste** -s, - (강렬한) 욕망, 욕구, 충동, 정욕;

〖醫〗 병적 식욕.

Gelüsten *n.* -s 〔고어·雅語〕 ↑ Gelüst.

gelüsten [gəlʏ́stən] 〖雅語〗 *i.*(h.)/*t.* (…을) 탐하다: ich gelüste et. 〔nach et.³〕, (*imp.*) es gelüstet mich 〔mich gelüstet〕 nach et.³ 〔eines Dinges〕 나는 무엇이 욕심나서 견딜 수가 없다, 무엇에 굶주려 있다.

gelüstig *a.* 〔방언〕 갈망하는; 음탕한: sie ist auf Süßes ~ 그녀는 단 것을 탐한다.

Gelze [gɛ́ltsə] 《(고어) gelt¹》 *f.* -n 〔방언〕 거세한 암퇘지.

gelzen *t.* (가축을) 거세하다.

Gelzen·leichter *m.* ↑ Gelzer.

Gelzer *m.* -s, - (특히 돼지를) 거세하는 사람.

GEMA [gé:ma] =Gesellschaft für musikalische Aufführungs- und mechanische Vervielfältigungsrechte 음악 저작권 협회.

gemach [gəmá(:)x] 《Ⅰ》 *a.* 〔고어〕 평온한, 편안한: ein ~es Leben 평온한 생활. 《Ⅱ》 *adv.* 유유히; 침착히: (nur) ~! 침착해라, 차분해라!

Gemach 《mhd., „Ruhe, Wohlbehagen"》 *n.* -(e)s, ..mächer [..mɛ́(:)çər]/(雅語) -e ① 〔고어〕 여유, 편안: mit ~ kommt man auch weit 여유를 갖고서도 성공할 수 있다. ② 〖雅語〗 방, (품격 높은) 거실. ③ 〔고어〕 층 (Stockwerk).

gemächlich [gəmɛ́(:)çlɪç] 《Ⅰ》 *a.* 여유 있는, 유유한, 편안〔안락〕한, 차분한, 평온한. 《Ⅱ》 *adv.* ① 편안〔안락〕하게; 유유히. ② 차츰차츰, 점차로.

Gemächlichkeit *f.* -en 쾌적, 유유자적.

gemacht [gəmáxt] 《Ⅰ》 *p.p.* ↑ machen. 《Ⅱ》 *p.a.* ① 몸집이 …인: ein wohl ~er Mann 풍채가 좋은 남자. ② 다 마친, 완성된: ein ~er Mann a) 완결자, b) 성공한 사람, c) 〔구어〕 쓸모 있는 사람. ③ (↔ natürlich) (**a**) 만든, 인공〔거짓〕의: eine ~e Blume 조화. (**b**) 인위적인, 부자연스러운: ~e Begeisterung 짐짓 꾸민 감격. ④ 적당한, 어울리는, 안성맞춤의: für schwere Arbeit ist er nicht ~ 그는 중노동에 어울리지 않는다; das ist wie für Sie ~ 〔das ist für Sie wie ~〕 그것은 당신에게 꼭 어울립니다〔맞습니다〕; er ist zum Redner wie ~ 그는 타고난 웅변가다.

Gemächt¹ [gəmɛ́çt] 《<Macht》 *n.* -(e)s, -e 〔구식·농담〕 남자의 성기.

Gemächt² 《<machen》 *n.* -(e)s, -e 〔구식〕 ① 피조물. ② 형편 없이 만들어진 것, 졸작.

Gemächte¹ 〔구식·농담〕 ↑ Gemächt¹.

Gemächte² 〔구식〕 ↑ Gemächt².

***Gemahl** [gəmá:l] 《Ⅰ》 *m.* -(e)s, -e 〔격식〕 남편, 부군, 주인〔바깥〕 양반(남의 남편에게만 사용함): 〖grüßen Sie Ihren Herrn ~!〗 댁의 주인 양반께 안부 전해 주십시오! 《Ⅱ》 *n.* -(e)s, -e 〔고어·시어〕 처, 부인, 아내.

gemahlen [gəmá:lən] *p.p.* ↑ mahlen.

***Gemahlin** [gəmá:lɪn] *f.* -nen 〔격식〕 부인(자신의 아내에 대해서는 사용하지 않음): Ihre Frau ~ 영부인, 사모님.

gemahnen [gəmá:nən] *t.* 〔격식〕 ① jn. an et. ~ 누구에게 무엇을 상기시키다, 주의시키다. ② 〔사물이 주어〕 연상시키다, 생각나게 하다: Gräber ~ (uns) an den Tod 무덤들은 (우리에게) 죽음을 상기시킨다; es gemahnt mich, als hätte ich ihn schon gesehen 나는 그를 만나본 적이 있는 듯한 느낌이 든다.

***Gemälde** [gəmɛ́:ldə] 《<malen》 *n.* -s, - ① (특히 채색된) 회화; Öl~ 유화: ~ in Wasserfarben 수채화. ② 〔비유〕 생동감 넘치는 묘사: der Roman ist ein ~ des Lebens im 18. Jahrhundert 그 소설은 18 세기의 생활을 생생히 묘사하고 있다.

Gemälde=ausstellung *f.* 회화 전시회〔전람회〕. **~galerie** *f.* 화랑; 미술관. **~sammlung** *f.* 회화 수집; 화집; 화랑.

gemalt 《Ⅰ》 *p.p.* ↑ malen. 《Ⅱ》 *p.a.* 그림으로 그려진: wie ~ 그림같이 아름다운.

Gemansche [gəmánʃə] *n.* -s 〔구어·폄어〕 지속적으로 뒤섞음〔휘저음〕, 교반.

Gemarchen [gəmárçən] *pl.* (schweiz.) (행정 구분의 단위로서의) 마을.

Gemarkung [gəmárkʊŋ] *f.* -en (Grenze) 마을간의 경계; 마을의 전지역, 구역: dieses Waldstück gehört zur ~ Neustadt 이 숲은 노이슈타트 구역에 속한다.

gemasert [gəmá:zərt] 《Ⅰ》 *p.p.* ↑ masern¹. 《Ⅱ》 *p.a.* (나뭇결) 무늬가 있는.

Gemäß [gəmɛ́:s] *n.* -es, -e ① (Maß) 척도, 도량(度量). ② 측량 용기(Meßgefäß).

***gemäß** [gəmɛ́:s] 《<messen》 《Ⅰ》 *a.* 적합한, 적당한 jm.〔et.³〕 ~ sein 누구〔무엇〕에 적합하다, 상응하다: eine seinem Charakter ~e Reaktion 그의 성격에 맞는 반응. 《Ⅱ》 *prp.*³ …에 따라서, …에 의거하여: dem Befehle ~ 〔(드물게) ~ dem Befehle〕 명령에 따라서; seinem Stande ~ leben 자기 신분에 맞게 살다.

..gemäß *suf.* "…에 상응하게"의 뜻(보기: befehls~ 명령에 따라; programm~ 순서에 따라).

Gemäßheit *f.* 적합, 일치, 순응: in ~ Ihres Befehls 당신의 명령에 따라.

gemäßigt [gəmɛ́:sɪçt] 《Ⅰ》 *p.p.* ↑ mäßigen. 《Ⅱ》 *p.a.* 온건한, 적당한, 중용의: die ~en Kräfte 온건 세력들: der ~e Flügel der Partei 당의 온건파; ~e Preise 적당한〔비싸지 않은〕 가격.

Gemäuer [gəmɔ́ʏər] *n.* -s, - 〔총칭〕 벽, 폐허.

Gemauschel [gəmáuʃəl] *n.* -s 〔구어·폄어〕 의도가 불투명한 언행.

Gemecker [gəmɛ́kər], **Gemeckere, Gemeckre** *n.* -s (염소가) 계속 울〔우는 소리〕; 〖비유·학생〗 흠〔트집〕잡기, 계속된 불평.

***gemein** [gəmáɪn] *a.* ① 공통〔공동〕의, 공유의: die ~e Mark a) 공유지, b) 공동 마르크; auf ~e Kosten 공비(公費)로, 단체의 비용으로; et. mit jm. ~ machen 누구와 공동으로 무엇을 하다. ② 일반의, 공공의: der ~e Verstand 상식; ~e Gefahr 공적 위험; das ~e Recht a) (독일의) 보통법, b) 로마법; der ~e Wert a) 일반 (매매) 가격, b) 보편적 가치; das ~e Beste 〔Wohl〕 공익〔공안〕. ③ 보통의; 통례〔일상〕의, 평범한, 예사의; 세속적인(↔ heilig): der ~e Mann 평범한 남자; ein ~es Jahr 평년(↔ Schaltjahr); im ~en Leben a) 일상 생활에서, b) 통례로; das ~e Volk 민중, 서민; ein ~er Soldat 졸병; 〖數〗 ~er Bruch (번분수가 아닌) 보통 분수; die ~e Wirklichkeit (시인의 세계에 대해) 평범한 현실; die ~e Geschichte (교회사에 대

해) 세속사. ④ (a) (↔edel) 신분이 낮은, 비천한, 야비한: von ~er Geburt 〔Herkunft〕 태생이 천한; ein ~er Kerl 속물; sich (mit jm.) ~ machen a) 천한 사람과 교제하다, b) (지금은 일반적으로) 천한 사람과 교제하여 품위를 떨어뜨리다〔더럽히다〕. (b) 천박한, 조야한; 외설스런; 뻔뻔스런; 비열한; 몹시 불쾌한: ~e Gesichtszüge 흉악스런 얼굴 생김새; ~e Worte 음담; das ist eine ~e Lüge! 그것은 파렴치한 거짓말이다!; es war ~ von ihm, ihr vorzuwerfen 그가 그녀를 나무란 것은 파렴치했다. ⑤〖구어〗 매우, 몹시: das tut ~ weh! 그것은 몹시 애석한 일이다.

Gemein≈acker *m.*, **~anger** *m.* 시〔읍·면〕 공유 경작지. **~besitz** *m.* 공유 재산, 공유지. **~betrieb** *m.* 공동 경영. **~bürgschaft** *f.* 연대 보증.

***Gemeinde** [gəmáındə] *f.* -n ① (a) 최소 행정 구역 단위(읍·구에 해당), 지역: die ~ hat 10000 Einwohner 그 지역은 주민이 만 명이다. (b) 지역 주민. ② (a) 교구(敎區). (b) 교구민, 교구의 신도: unsere ~ zählt 3000 Seelen 우리 교구는 신도가 삼천 명이다. (c)〖총칭〗 (교회의) 예배 참석자들: die ~ erhob sich zum Gebet 예배 참석자들은 일어나서 기도를 드렸다. ③ (a) 동우회, 동일한 관심을 가진 사람들의 집단; Sing≈ 노래 동아리; Theater≈ 연극 동우회. (b) 회원(전체). ④ (schweiz.) (투표권을 가진) 주민 총회.

Gemeinde≈acker *m.* 시〔읍·면〕 공유지. **~ammann** *m.* (schweiz.) 시장, 읍〔면〕장. **~amt** *n.* 지방 관청. **~angelegenheit** *f.* 시〔읍·면〕의 일〔사무〕. **~beamte*** *der/die* 시〔읍·면〕 공무원. **~bestimmungs·recht** *n.* 지방 자치권. **~betrieb** *m.* 공영 기업〔사업〕. **~bezirk** *m.* ① 지방 행정 구역. ② (öst.) 대도시의 구(區). **~bürger** *m.* 시〔읍·면〕 주민. **≈eigen** *a.* 시〔읍·면〕 소유의. **~glied** *n.* ① ↑ ~bürger. ② 교구민. **~gut** *n.* 시〔읍·면〕 공유 재산. **~haus** *n.* ①〖드물게〗 시청. ② 교구〔신도〕 회관. **~helfer** *m.* (청소년 문제를 다루는 교구 소속) 사회 봉사 요원. **~kirchen·rat** *m.* 〖복수: ..räte〗〖宗〗 장로회. **~land** *n.* 공유지. **~ordnung** *f.* 시〔읍·면〕 조례. **~pflege** *f.* 교구의 후생 복지 사업. **~rat** *m.* 〖복수: ..räte〗 시〔읍·면〕 참사회(원); 교구 위원(회). **~rätin** *f.* ↑ Gemeinderat 의 여성형. **~schule** *f.* 시〔읍·면〕 설립 초등 학교;〖宗〗 교구 학교. **~steuer** *f.* 지방세. **~tag** *m.*〖宗〗 교구 협의회. **~umlage** *f.* 지방 자치 단체 분담금.

gemein·deutsch *a.* 일반〔일상〕 독일어의.

Gemeinde≈verband *m.* 시〔읍·면〕의 행정 연합체; 구빈(救貧) 협회. **~vertretung** *f.* 시〔읍·면〕 의회. **~verwaltung** *f.* 시〔읍·면〕 행정. **~vorstand** *m.* ① 시청, 읍·면사무소, 지방 행정 위원회. ② ↑ ~vorsteher. **~vorsteher** *m.* 시〔읍·면〕장, 지방 단체장. **~wahl** *f.* 지방 선거. **~wesen** *n.* 시〔읍·면〕 제도. **~zentrum** *n.* ① 지방 자치 단체의 중심지. ② 지방 자치 단체 회관.

gemeindlich [gəmáıntlıç] *a.* 지역의.

Gemeine[1] [gəmáınə] *f.* -n〖고어〗 ↑ Gemeinde ②.

Gemeine*[2] 《<gemein》 ① *der/die* 평민, 시민, 국민. ② *der/die* 하원 의원: das Haus der ~n 하원. ③ *m.* -s, -n〖軍·고어〗 사병(↔Offizier).

Gemeine[3] *m.* -n, -n 소문자(↔Versal).

Gemein≈eigentum *n.* 시〔읍·면〕 공유 재산; 국유 재산. **~faßlich** *a.* ↑ ≈verständlich. **≈gefährlich** *a.* 공안을 해칠 우려가 있는, 공공에 위태로운. **~gefühl** *n.* 기본적인 감각(갈증·피로·배고픔 등). **~geist** *m.* 공공심, 협동정신. **~gläubiger** *m.*〖商〗 파산 채권자. **≈gültig** *a.* 일반적으로 통용되는, 보편 타당한. **~gut** *n.* 공유 재산: das Wissen zum ~ machen 지식을 보급시키다; diese Meinung ist schon ~ geworden 이 의견은 벌써 여론이 되었다.

Gemeinheit *f.* ① (a) 비천, 비열, 야비. (b) 〖복수: -en〗 비열한 행위〔말〕: jn. mit ~en quälen 누구를 비열한 언행으로 괴롭히다. ② 공동체.

gemein·hin [(또는) ..máınhín] *adv.* 일반적으로, 대개.

gemeiniglich [gəmáınıklıç] *adv.* 〖고어〗 ↑ gemeinhin.

Gemein≈interesse *n.* 공동 이해(利害). **~jahr** *n.* 평년(365 일) (↔Schaltjahr). **~kosten** *pl.* 공통〔간접〕 경비. **~nutz** *m.* 공익(公益):〖속담〗 ~ geht vor Eigennutz 공익은 사익보다 우선한다. **≈nützig** *a.* 공익의: ~es Unternehmen 공공 기업; ~es Telefon 공중 전화. **≈nützlich** *a.* ↑ ≈nützig. **~platz** 《lat.; engl. commonplace》 *m.* 흔해 빠진 표현〔말〕, 상투어, 진부한 말: der Aufsatz bestand aus Gemeinplätzen 그 논문은 판에 박힌 말들로 이루어져 있었다. **~recht** *n.*〖法〗 보통〔일반〕법.

***gemeinsam** [gəmáınza:m] *a.* 공동〔공통〕의, 공유의, 상호의: ~er Besitz 공동 소유물; unser ~er Freund 우리의 공동의 친구; ~er Nenner 공통 분모; ~e Verpflichtung 연대 책임;〖法〗 ≈er Ausschuß (국가 비상시에 상원 및 하원의 기능을 통합해 운영하는) 독일 공동 위원회; ~er Markt 공동 시장; der ~e Markt der EG 유럽 공동체의 관세 자유 공동 시장; mit jm. ~e Sache machen 누구와 협력〔제휴〕하다.

Gemeinsame *f.* -n (schweiz.) ① 조합, 단체. ② 조합〔단체〕의 회합.

Gemeinsamkeit *f.* -en ① 공통점. ② 유대, 결속.

gemein·schädlich *a.* 공안을 해치는.

***Gemeinschaft** [gəmáınʃaft] *f.* -en ① (a) 결합, 관계, 연대, 유대: eheliche ~ 혼인 관계; mit jm. ~ haben 누구와 관계가 있다; in ~ mit jm. 누구와 공동으로. (b) 공유: ~ der Güter (부부) 재산의 공유(Güter≈). ② (↔Gesellschaft) 공동체, 공동 사회: die ~ einer Familie 가족 공동체; Arbeits≈ 노동 단체; eine ~ bilden 공동체를 구성하다; die Europäische ~ 유럽 공동체; ~ der Gläubigen 신자의 집단.

gemeinschaftlich *a.* 공동〔공통·공유〕의, 연대의:〖法〗 ~es Testament (부부의) 공동 유언장; ~er Besitz 공유 재산; ~es Leben 공동 생활; auf ~e Kosten 공동 비용으로;〖數〗 ~er Nenner 공통 분모; ~ speisen 회식하다.

Gemeinschaftlichkeit *f.* -en 공동〔공통·공유〕; 연대.

Gemeinschafts⸗antenne *f.* 공동 안테나. **~arbeit** *f.* 〖經〗 협업. **~bewegung** *f.* 〖宗〗 (독일 기독교에서 전개한 일종의) 사회 운동; 〖醫〗 연합 운동. **~ehe** *f.* (종족간의) 집단 혼인, 군혼(群婚). **~erziehung** *f.* 남녀 공학; 단체 교육. **~fähig** *a.* 사회 생활 능력이 있는, 사회적인. **~gefühl** *n.* 연대감. **~geist** *m.* 단체 정신; 협동심. **~haus** *n.* 공공 회관. **~kunde** *f.* 사회 과목. **~praxis** *f.* 사회 현장 실습. **~produktion** *f.* 공동 제작(품), 합작(품). **~raum** *m.* (기숙사 따위의 휴게실과 같은) 공동 이용 공간. **~schule** *f.* ① 종파 혼합학교(Simultanschule). ② 남녀 공학 학교. **~sendung** *f.* 공동 (중계) 방송 (프로그램). **~unfähig** *a.* 비사회적인. **~unternehmen** *n.* 〖經〗 합작 기업. **~verpflegung** *f.* 단체 급식. **~werbung** *f.* 여러 기업체의 집단 광고.

Gemein⸗schuldner *m.* 파산(채무)자. **~sinn** *m.* ① ↑ ~geist. ② 상식. **~sprache** *f.* (방언·전문 용어가 아닌) 일반어, 공통어. **~verständlich** *a.* 누구나 알 수 있는, 평이한. **~weide** *f.* 공유지. **~werk** *n.* (schweiz.) 시를〔읍을·면을〕 위한 근로 봉사. **~wert** *m.* 표준 가격. **~wesen** *n.* 공동(단)체, 사회, 국가, 공공. **~wirtschaft** *f.* 공동 경제. **~wohl** *n.* 공익, 공안.

Gemenge [gəmɛ́ŋə] *n.* -s, - ① **(a)** 혼합; 〖農〗 혼작. **(b)** 혼합물: ein ~ aus Sand und Steinen 모래와 돌의 혼합물. ② 드잡이; 〖軍〗 격투(Hand~): mit jm. ins ~ kommen 〔geraten〕 누구와 맞붙어 싸우다. ③ 소용돌이, 혼란, 어수선함: das ~ des Jahrmarkts 대목장의 (심한) 붐빔.

Gemenge⸗lage *f.* 한 지주의 산재(散在) 농지. **~saat** *f.* 〖農〗 혼작(混作).

Gemengsel [..mɛ́ŋzəl] *n.* -s, - 뒤범벅; 혼합물; 혼란, 혼잡.

Gemerk [gəmɛ́rk] *n.* -(e)s, -e ① (Merkzeichen) 표지, 특징; 〖광산〗 광괴(鑛塊); 〖사냥〗 동물의 핏자국. ② 지각력(Merkvermögen). ③ (중세 노래 경연 대회의) 심판대.

gemessen [gəmɛ́sən] 《Ⅰ》 *p.p.* ↑ messen. 《Ⅱ》 *p.a.* ① **(a)** 〔고어〕 정확한. **(b)** 적절한, 적당한: sich in ~er Entfernung von jm. aufhalten 누구와 적당한 거리를 유지하고 있다. ② 신중한; 위엄 있는; 규칙바른: in ~er Haltung 신중한 태도.

Gemessenheit *f.* -en 정확, 엄밀; 신중; 근엄, 장중.

Gemetzel [gəmɛ́tsəl] *n.* -s, - 도살; 살육, 학살.

gemieden [gəmí:dən] *p.p.* ↑ meiden.

Gemination [geminatsió:n] 《lat., „Verdoppelung"》 *f.* -en 배가(倍加); 〖문법〗 자음 중복 (보기: Stadttor의 tt).

geminieren *t.* 배로 하다, 2중으로 하다.

Gemisch [gəmíʃ] *n.* -es, -e 혼합(물); 〖化〗 화합물.

***gemischt** 《Ⅰ》 *p.p.* ↑ mischen. 《Ⅱ》 *p.a.* ① (여러 종류가) 혼합된, 잡다한; ~er Vertrag (여러 가지 유형의 계약들의) 혼합〔통합〕 계약; 〖軍〗 ~e Marschgruppe (여러 종류의 무기를 휴대한 병사들의) 혼성 행군 집단; ~er Ausbau (나무와 강철 등으로 만드는) 혼합 건축; ~er Verkehr 혼합 교통; ~er Chor 혼성 합창. ② 〔폄어〕 수준 이하의, 저질의, 평범한.

Gemischt⸗bau·weise *f.* 혼합 제작〔건축〕 방식. **~sprachig** *a.* (모국어로) 여러 언어를 사용하는. **~waren·handlung** *f.* 식품·잡화상. **~wirtschaftlich** *a.* ① 민·관 공동 투자의, 혼합 경제적인. ② ~e Betriebe 용역 중개 및 상업을 겸하는 기업들.

Gemma [gɛ́ma] 《lat., „Knospe"》 *f.* 〖天〗 게마성(星) (북쪽 왕관자리의 알파성(星)).

Gemme [gɛ́mə] *f.* -n ① 〖植〗 싹, 눈, 무성아(無性芽). ② 조각을 한 (준)보석: vertieft geschnittene ~ (무늬를) 음각한 (준)보석 (Intaglio).

Gemmen⸗abdruck *m.* 〔복수: ..drücke〕, **~abguß** *m.* 모조 보석; 모조 보석용 정련 유리. **~schneide·kunst** *f.* 보석 세공술. **~schneider** *m.* 보석 세공인.

Gemmo·glyptik [gɛmoglýptɪk] 《gr.》 *f.* 보석〔암석〕 조각술.

Gemmologie *f.* 보석학.

gemocht [gəmɔ́xt] *p.p.* ↑ mögen.

gemolken [gəmɔ́lkən] *p.p.* ↑ melken.

Gemorde [gəmɔ́rdə] *n.* -s 〔폄어〕 (Blutbad) 학살, 살육.

Gems [gɛms] 〔고어〕 *m./n.* -es, -e [..zə] ↑ Gemse.

Gems⸗bart *m.* 알프스 영양의 털. **~bock** *m.* 알프스 영양의 수컷.

Gemse [gɛ́mzə] *f.* -n 〖動〗 알프스 영양.

Gemsen⸗freche *f.* 영양처럼 뻔뻔스러움. **~jäger** *m.* 영양 사냥꾼.

gems·farben *a.* 황갈색의. **~horn** *n.* 알프스 영양의 뿔. **~jagd** *f.* 영양 사냥. **~jäger** *m.* ↑ Gemsenjäger. **~leder** *n.* 무두질한 알프스 영양의 가죽. **~tier** *n.* ↑ Gemse.

Gemüll [gəmýl] *n.* -(e)s (Kehricht) 먼지, 쓰레기, 잡동사니.

Gemunkel [gəmúŋkəl] *n.* -s 쑥덕거림; 소문: es geht ein ~ 어떤 소문이 떠돌고 있다; das ~ um den Rücktritt der Regierung will nicht aufhören 정권 퇴진에 대한 소문은 그칠 것 같지가 않다.

Gemurmel [gəmúrməl] *n.* -s 줄곧 중얼거림, 투덜거림.

Gemurre [gəmúrə] *n.* -s (멀리서 천둥 소리가 또는 뱃속에서) 우르르〔꾸르륵〕 울림; 투덜거림, 불평.

***Gemüse** [gəmý:zə] 《<Mus》 *n.* -s, - ① 채소, 야채, 푸성귀: junges ~ a) 신선한 야채, b) 〔비유〕 젊은 패들, 풋내기들. ② 야채 요리 (~gericht).

Gemüse⸗anbau, ~bau *m.* 채소 재배. **~beet** *n.* 채소의 묘판. **~beilage** *f.* 육류 음식에 곁들인 야채(샐러드). **~eintopf** *m.* 야채 찌개. **~frau** *f.* 〔구어〕 여자 야채 장수. **~garten** *m.* 채원, 채소밭. **~gärtner** *m.* 채소 재배 농부. **~händler** *m.* 채소 장수. **~konserve** *f.* 채소 통조림. **~laden** *m.* 야채 가게. **~mann** *m.* 〔구어〕 야채 장수. **~markt** *m.* 청과물 시장. **~pflanze** *f.* 채소용 식물. **~saft** *m.* 야채 주스. **~suppe** *f.* 야채 수프.

gemüßigt [gəmý:sɪçt] *a.* 〔고어〕 (genötigt) 강요당한, 부득이한: sich ~ sehen, et. zu tun 부득이 무엇을 해야만 한다고 생각하다.

gemußt [gəmúst] *p.p.* ↑ müssen.

gemustert [gəmústərt] 《Ⅰ》 *p.p.* ↑ mustern.

《Ⅱ》*p.a.* 무늬가 있는.

..gemut 《<Mut》*suf.* "…기분인"의 뜻(보기: wohl~ 기분이 좋은, 낙관적인).

***Gemüt** [gəmý:t] *n.* -(e)s, -er ① 심성; 기분: gut von ~ sein 〔ein gutes ~ haben〕 마음씨가 곱다; ein goldenes ~ 아름다운〔순진한〕 마음; ein Mann mit ~ 감수성이 풍부한 사람; 〚구어〛 ein ~ wie ein Engel haben 참을성이 있다, 차분하다; 〚농담〛 ein ~ haben wie ein Veilchen〔Schaukelpferd〕 무사태평하다, 순진하다; ein ~ wie ein Fleischerhund haben 비정하다, 목석같다; ein sonniges ~ haben 순박하다, (지나치게) 거리낌없다; sich³ et. zu ~e führen a) 무엇을 명심하다, 받아들이다, 무엇에 익숙해지다, b) 무엇을 먹다, 마시다; jm. nach dem ~e sprechen 누구와 의기투합하다; 〚구어〛 etwas ist (eher) etwas für das 〔fürs〕 ~ 무엇은 (그다지) 어렵지 않다, 정신적으로 피곤한 일이 아니다; jm. auf das ~ gehen〔schlagen〕 누구의 마음을 짓누르다, 흥분시키다. ② (…한 심성을 지닌) 사람: sie ist ein ängstliches ~ 그녀는 겁이 많은 사람이다.

gemüthaft *a.* 감수성이 풍부한.

***gemütlich** *a.* ①〚고어〛 심정의. ② (**a**) 기분이 좋은, 아늑한, 안락한, 느긋한: ein ~er Tag 유쾌한 하루; ~ werden 기분이 풀리다, 편안해지다; mach es dir ~! 마음을 편히 가져라!; es ist hier sehr ~ 여기는 정말 편안하다. (**b**) 인정미가〔붙임성이〕 있는, 상냥〔친절〕한; 태평한: ein ~er alter Herr 너그러운 노신사; nur immer ~! 뭐 그렇게 화내지 마라! ③ 정을 품은, 정서가 풍부한: ~e Dichtung 정조(情操) 문학.

Gemütlichkeit *f.* 정감, 안락, 쾌적: in aller ~ 마음 편하게; 〚시어〛 es geht nichts über die ~ 안락 이상 가는 것은 없으리; 〚비유·구어〛 da hört aber die ~ auf! 그것은 너무 심하다.

gemütlos *a.* 무정〔냉담〕한, 무감한.

Gemüts≠anlage *f.* 기질, 성정(性情). **~arm** *a.* 인정 없는, 박정한; 감정이 무딘. **~art, ~beschaffenheit** *f.* ↑ ~anlage. **~bewegung** *f.* 감정의 변화; 감동, 흥분. **~eigenheit** *f.* 성벽(性癖). **~krank** *a.* 정서 불안의; 우울증의. **~kranke*** *der/die* 우울증 환자. **~krankheit** *f.* 정서 불안; 우울증; 정신병. **~lage** *f.* ↑ ~stimmung. **~leben** *n.* 정서 생활. **~leiden** *n.* ↑ ~krankheit. **~mensch** *m.* 정취가 풍부한 사람, 낙천적인 사람; 〚구어·대개 반어〛 다른 이의 감정을 상하게 하는 사람. **~neigung, ~richtung** *f.* 성벽, 성향. **~ruhe** *f.* 태연자약, 냉정: in aller ~ 놀랄 정도로 침착하게. **~stimmung** *f.* 기분, 정서(~verfassung). **~störung** *f.* 정서 불안, 감정 장애. **~unruhe** *f.* 불안, 근심, 번민. **~verfassung** *f.* ↑ ~lage. **~zustand** *m.* ↑ ~lage.

gemüt·voll *a.* 감정이 풍부한; 감수성 있는.

gen [gɛn] 《<gegen》 *prp.*⁴ 〚고어〛 …을 향하여: ~ Himmel 하늘을 향하여.

Gen [ge:n] 《gr.》 *n.* -s, -e 〚生〛 유전(인)자.

Gen.[1] =Genitiv 2 격.

Gen.[2] =Genossenschaft 동업 조합.

gen. =genannt.

genabelt 《Ⅰ》 *p.p.* ↑ nabeln. 《Ⅱ》 *p.a.* 배꼽이 있는, 중앙에 돌기가 있는; 〚紋〛 (방패가) 중심점이 있는.

Genack *n.* -(e)s, -e (obd.) 목덜미.

Genage [gəná:gə] *n.* -s 계속 갉음, 갉아 먹음.

Genähe [gənɛ́:ə] *n.* -s 연달아 꿰맴, 바느질; 꿰맨 것.

genannt [gənánt] 《Ⅰ》 *p.p.* ↑ nennen. 《Ⅱ》 *p.a.* ① …라고 불리는, …라는 이름의: Friedrich Ⅱ, ~ „der Große" "대제"라 불리는 프리드리히 2 세. ② 앞서 말한, 전술한: die von Ihnen ~en Bedingungen 말씀하신 조건들: die (oben) ~en Personen (위에) 언급된 사람들.

genant [ʒenánt] 《frz.; <Gene》 *a.* ①〚고어〛 거북한; 거추장스러운; 불쾌한: das war dem alten Mann ~ 그것은 그 노인에게는 거북했다. ②〚방언〛 수줍은, 어색한: der Junge ist sehr ~ 그 소년은 매우 수줍음을 탄다.

Genappe·garn [ʒenáp..] 《frz.》 *n.* (단단하게 꼰) 매끄러운 털실.

genarbt [gənárpt] 《Ⅰ》 *p.p.* ↑ narben. 《Ⅱ》 *p.a.* (가죽·종이 따위가) 오톨도톨한, 껄끄러운.

genas [gəná:s] ↑ genesen 의 과거형.

genäschig [gənɛ́ʃıç] *a.* (naschhaft) 군것질을 좋아하는, 훔쳐 먹기를 즐기는.

genäse [gənɛ́:zə] ↑ genesen 의 접속법 Ⅱ식.

Genäsel [gənɛ́:zəl] *n.* -s 지속적인 콧소리.

***genau** [gənáu] 《Ⅰ》 *a.* ① 딱 들어맞는, 정확한: ein ~es Meßgerät 정확한 측정기; eine ~e Wiedergabe 정확한 재현; der Schlüssel paßt ~ 이 열쇠는 딱 들어맞는다; 〚구어〛 das ~e Gegenteil 정반대; ~ dasselbe 똑같은 것; auf das ~(e)ste 극히 정확하게; ~e Bekanntschaft 잘 아는 사이, 친교; ~er Freund 친우; in der ~esten Freundschaft mit jm. stehen 누구와 무척 친한 사이이다. ② 정밀한, 상세한, 엄격한, 꼼꼼한, 세심한: ~er Bericht 상보(詳報); ~eres 상세, 세목(細目); peinlich〔ängstlich〕 ~ 지나치게 꼼꼼한; ~ genommen 엄밀하게 말하자면; in et.³ 〔in bezug auf et.〕 ~ sein 무슨 일에 꽤 까다롭다; et. 〔es mit et.³〕 ~ nehmen 무엇에 엄격하다, 무엇에 꽤 까다롭게 굴다; es ist nichts ~es mit ihm 그는 믿을 수가 없다. ③ 빡빡한, 빠듯한: mit ~er〔knapper〕 Not 겨우겨우, 간신히. ④ 검소한, 타산적인, 인색한: die Reichen sind oft ~er als die ärmeren Leute 부자들은 종종 가난한 사람들보다 더 검소하다; mit et.³ ~ sein 무엇을 절약하다. 《Ⅱ》 *adv.* ① 바로, 꼭, 딱, 정확히: er ist ~ der Mann für diese Aufgabe 그가 이 과제를 해결할 바로 그 사람이다; ~ um 8 Uhr 8 시 정각에; ~ auf die Minute 일분도 틀리지 않고; es stimmt ~ 그것은 절대로 옳다; er sieht ~ so aus wie ..., 그는 …와 꼭 닮았다; der Brief wiegt ~ 10 Gramm 이 편지는 꼭 10 그램이다. ② 긍정의 표현: ~! (바로) 그래요, 맞아요!

genau·genommen *adv.* 엄밀〔정확〕히 말하면.

Genauheit *f.* ↑ Genauigkeit.

Genauigkeit [gənáuıçkaıt] *f.* -en 정확; 면밀, 엄밀, 정밀; 꼼꼼함, 엄격; 검약, 인색; 〚理〛 정도(精度).

genau≠so *adv.* 바로 그대로, 똑같이: dieses Brett ist ~ lang wie breit 이 판자는 길이가

폭과 꼭 같다. **~so·gut** *adv.* 마찬가지로 잘.

Gen·bank *f.* 유전자 은행.

Gendarm [ʒandárm, ʒãd..] 《frz.》 *m.* -en, -en ① (기마) 헌병; (특히 프랑스의) 선발 근위 기병. ② (öst.) 〖고어〗 (지방) 경찰관.

Gendarmerie [ʒandarmərí:, ʒãd..] *f.* -n [..rí:ən] 지방 경찰(대), 지방 경찰서: et. auf der ~ melden 무엇을 경찰서에 신고하다.

Gene [ʒé:nə, ʒɛ:n] 《frz.; <Gehenna》 *f.* ① 〖고어〗 고문. ② (자기 스스로 가한) 압박, 강제; 장애; 불쾌; 가책, 거리낌: sans gene [sãʒɛ:n] 거리낌없이, 스스럼 없이.

Genealoge [genealó:gə] 《gr. geneá, „Geburt"》 *m.* -n, -n 계통학〔계보학〕자.

Genealogie [..logí:] *f.* ① 계통〔계보〕학. ② 계보도, 계통도, 족보. ③〖드물게〗파생, 유래: die ~ eines Begriffes untersuchen 어떤 개념의 유래를 조사하다.

genealogisch *a.* 계보학상의.

Genecke [gənɛ́kə] *n.* -s 끊임없이 집적거림.

genehm [gəné:m] *a.* 마음에 드는; 형편에 알맞은: jm. ~ sein 누구의 마음에 들다; et. ~ halten 무엇을 허가〔승인〕하다.

genehmigen *t.* (jn.) et. ~ (누구에게) 무엇을 수락〔승인〕하다, 허락하다; 〖法〗 재가〔인가〕하다: den Antrag ~ 제의를 받아들이다〔수락하다〕; den Vertrag ~ 조약을 비준하다; 〖구어〗 sich³ et. ~ 스스로에게 무엇을 즐기는 것을 허용하다; 〖농담〗 (sich³) einen ~ 술을 한 잔하다.

Genehmigung *f.* -en ① 동의, 수락; 〖法〗 재가, 인가, 비준. ② (당국의) 허가서: auf Verlangen ist die ~ vorzuzeigen 요구가 있으면 허가서를 제출해야 된다.

Genehmigungs≈pflicht *f.* 〖法〗 인가를 받을 의무. **≈pflichtig** *a.* 〖法〗 인가를 받을 의무가 있는.

***geneigt** [gənáɪkt] 《Ⅰ》 *p.p.* ↑ neigen. 《Ⅱ》 *p.a.* ① 기울어진, 경사진. ② …의 경향이 있는, 버릇이 있는: zum Zorne ~ sein 성을 잘 내다. ③ 호의가〔애정이〕 있는; 자애가 가득 찬, 친절한: jm.〔et.³〕 ~ sein 누구에게〔무엇에〕 호감을 갖다, 누가〔무엇이〕 좋다; jm. ein ~es Ohr〔Gehör〕 leihen〔schenken, geben〕 누구의 말에 기꺼이 귀를 기울이다; ~er Leser! 친애하는 독자 여러분; ~ sein, et. zu tun 무엇을 할 준비가 되어 있다, 무엇을 할 계획이다; 〖시어〗 sich³ die Götter ~ machen 신들의 가호를 받다.

Geneigtheit *f.* 호의, 친절; 의향, 용의.

Genera [gé:nəra, gɛ́n..] *pl.* ↑ Genus.

***General** [genərá:l] 《lat. -frz》 *m.* -s, -e/..räle [..rɛ́:lə] ①〖軍〗(육군) 장군, 장성, 대장: kommandierender ~ eines Armeekorps 군단장. ②〖가톨릭〗 수도회 총장; 〖기독교〗 총감독; (구세군의) 사령관. ③〖動〗 방귀벌레의 일종.

General≈absolution *f.* 〖가톨릭〗 총사면(總赦免), 완전 사면. **~adjutant** *m.* 〖軍〗 (장성 중에서 임명되는) 고급 부관. **~admiral** *m.* 〖軍〗 (17-18 세기 및 나치 독일의) 해군 대장. **~agent** *m.* 총대리인, 총대표. **~agentur** *f.* 총대리점. **~amnestie** *f.* 일반 사면, 대사면. **~angriff** *m.* 총공격. **~anwalt** *m.* 〖法〗 검찰 총장, (스위스의) 검찰관; (유럽 공동체 법원에 소속된) 특별 검찰관. **~arzt** *m.* 〖軍〗 의무감(監).

Generalat [genəralá:t] 《<General》 *n.* -(e)s, -e ①〖軍〗 장군직, 장군의 지위. ②〖가톨릭〗 수도회장직(분); 수도회장 관저.

General≈auditeur [..auditǿ:r] *m.* 〖軍〗 법무감(監). **~auditoriat** *n.* 〖軍〗 고등 군사 법원. **~baß** *m.* 〖음악〗 통주저음(通奏低音). **~befehl** *m.* 〖軍〗 일반 명령, 장성의 명령. **~beichte** *f.* 〖가톨릭〗 (평생의 죄에 대한) 총고백, 총고해. **~bevoll·mächtigte*** *der/die* 전권 위원; 총대리인. **~bundes·anwalt** *m.* 〖法〗 연방 검찰 총장. **~direktor** *m.* 총지배인; 총재, 총장, 사장.

Generale [genərá:lə] 《lat., „allgemein Gültiges"; ↑ generell》 *n.* -s, ..lien [..liən] 일반 원리, 일반 조항, 통칙; 보편적 사항.

General≈feld·marschall [genəra:lfɛ́lt..] *m.* 〖軍〗 원수. **~feld·zeugmeister** *m.* 〖고어·軍〗 (포병대 출신의) 사령관, 원수. **~fiskal** *m.* 검찰 총장. **~fragen** *pl.* 〖法〗 형식적 예비 심문. **~gouvernement** [..guvɛrnəmã:] *n.* ① 대행정 구역, (식민지의) 총독 관할 구역. ② (제 2 차 세계 대전 때의) 점령된 폴란드. **~gouverneur** [..guvɛrnø:r] *m.* 총독. **~handel** *m.* 총역, 총무역.

Generalin [genərá:lɪn] 《<General》 *f.* -nen 장성〔대장〕의 부인.

General≈inspekteur *m.* 〖軍〗 (독일군의) 참모 총장; 군사 고문 위원장. **~intendant** *m.* 〖軍〗 독일 육군 최고 책임자; 경리감; 〖연극〗 극장 총감독.

Generalisation [genəralizatsió:n] 《lat.; generell》 *f.* -en 일반〔보편〕화, 개괄, 종합; 〖醫〗 범발(汎發).

generalisieren 《Ⅰ》 *t.* ① 일반화〔보편화〕하다. 《Ⅱ》 **generalisiert** *p.a.* ↑ generalisiert.

generalisiert 《Ⅰ》 *p.p.* ↑ generalisieren. 《Ⅱ》 *p.a.* 〖醫〗 널리 퍼진: eine ~e Krankheit 전신에 퍼진 병.

Generalisierung *f.* ① 일반화, 보편화. ② 〖醫〗 범발(汎發).

Generalissimus [..lísimus] *m.* -, ..mi/-se 〖軍·고어〗 총지휘관, 연합군 총사령관.

Generalist *m.* -en, -en 다방면에 능한 사람, 만능 선수.

Generalität *f.* -en ① 〖고어〗 일반, 보편(성). ② 〖軍〗 장군〔장성〕 전체.

generaliter *adv.* 〖교양〗 일반적〔전체적〕으로.

General≈kapitel *n.* 〖가톨릭〗 (수도회) 총회. **~klausel** *f.* 〖法·政〗 일반 조항. **~kommandant** *m.* 〖軍〗 총지휘관. **~kommando** *n.* 〖軍〗 군단〔관구〕 총사령부. **~konsul** *m.* 총영사. **~konsulat** *n.* ① 총영사직. ② 총영사관. **~leutnant** *m.* 육군 중장. **~major** *m.* 육군 소장. **~marsch** *m.* 〖軍〗 비상 경보(로 쓰이는) 연주곡. **~musik·direktor** *m.* 음악 총감독(약어: GMD). **~nenner** *m.* 〖數〗 공통 분모(Hauptnenner): Brüche unter den ~ bringen 분수를 통분하다. **~oberst** *m.* 〖軍〗 원수. **~pardon** [..dɔ̃:] *m.* 〖法〗 총사면(赦免), 대사면. **~pause** *f.* 〖음악〗 게네랄파우제(악기 전체가 동시에 쉬는 마디).

Generalpost≈direktor, ~meister *m.* 우정국장.

General≈probe *f.* (Hauptprobe) 총연습, 시연. **~quartier·meister** *m.* 〖軍〗 ①〖구식〗

(최고 지휘관의) 선임 부관, 참모 본부원. ② 군수감, 병참부장(部長). **~quittung** *f.* 전액 영수증.
Generalschaft *f.* -en 〖軍〗 장성의 관직; 〔총칭〕 장성.
General·sekretär *m.* 사무 총장, 총서기.
Generals·rang *m.* 장군〔장성〕 계급: Offizier im ~ 장군.
General≈staaten *pl.* 네덜란드 의회; 〔고어〕 네덜란드 주(州) 대표 의원. **~staats·anwalt** *m.* 고등 검찰청 검사장. **~stab** *m.* 〖軍〗 참모부: Großer ~ 참모 본부. **~stäbler** *m.* 〖軍〗 참모 장교.
Generalstabs≈arzt *m.* 〖軍〗 의무감(監). **~karte** *f.* 참모 본부 지도, 독일 관용 지도(축적 1 : 100,000). **~offizier** *m.* 참모 장교. **reise** *f.* 참모 여행.
General·streik *m.* 총파업.
Generals·uniform *f.* 장군 제복.
General≈superintendent *m.* 〖기독교〗 관구 총감독. **~tarif** *m.* 일반 관세율. **≈-überholen** *t.* 〔부정형과 과거 분사로만 사용〕 총점검 수리하다. **~überholung** *f.* 총점검 수리. **~versammlung** *f.* (주주) 총회. **~-versicherung** *f.* 〖商〗 (운송 상품에 대한) 종합 보험. **~vertreter** *m.* 〖商〗 총대리인. **~vikar** *m.* 〖가톨릭〗 교구장 총대리. **~vollmacht** *f.* 〖法〗 포괄 대리권, 위임 전권.
***Generation** [genəratsió:n] 《lat.; <generieren》 *f.* -en ① (**a**) 세대, 시대, 1 대(代); 〖生〗 세대: die junge ~ der Gegenwart 현대의 청소년; die ältere ~ 장년 세대의 사람들; die jüngere ~ 신세대(현재의 아동·청소년을 지칭함); 〔비유〕 ein Kernkraftwerk der zweiten ~ 제 2 세대 핵발전소; Nachkriegs≈ 전후 세대. (**b**) 〖컴〗 컴퓨터 기종. ② 〖生〗 (Zeugung) 발생, 출생.
Generationen·vertrag *m.* (젊은 세대가 늙은 세대를 부양하는) 양로 계약〔원칙〕.
Generations≈konflikt *m.* 세대 갈등. **~-wechsel** *m.* 〖生〗 세대 교체〔교번〕: primärer 〔sekundärer〕 ~ 1 차〔2 차〕 세대 교번: in der Führungsspitze der Partei hat ein ~ stattgefunden 당 지도부에 새대 교체가 이루어졌다.
generativ [..tí:f] *a.* 《lat.》 *a.* ① 생산의, 생식의. ② 〖언어〗 (문장) 생성의: ~e Grammatik 생성 문법.
Generator [genərá:tɔr, ..to:r] 《<generieren》 *m.* -s, -en [..tó:rən] 〖工〗 가스 발생로(爐); 〖전기〗 발전기; 〖컴〗 제너레이터.
generell [genərέl] 《원뜻 „zur Gattung gehörig, allgemein"; lat. genus, „Gattung"》 *a.* (↔ speziell) 일반의, 보편적인, 기본적인.
generieren [genərí:rən] 《lat., „erzeugen"; ↑ Genus》 *t.* 산출하다, 생산하다, 발생시키다.
Generikum *n.* -s, ..ka 의약품 표본.
generisch [gené:rɪʃ] *a.* 종〔속〕(種〔屬〕)의, 부류의, 종류의.
generös [genərǿ:s, ʒene..] 《frz., „von edler Geburt"》 *a.* 대범한, 관대한, 도량이 넓은; 고결한.
Generosität [genərozitέ:t, ʒe..] *f.* -en 대범, 관대.
Genese [gené:zə] 《gr., „Werden, Entstehung"》 *f.* -n 생성, 발생, 기원.
genesen [gəné:zən] (genas, genesen) 《⊕ nähren》 *i.* (s.) ① (von et.³ 〔eines Dinges〕) 낫다, 회복하다: von einer Herzenswunde ~ 마음의 상처가 가시다; der ≈e 완치자. ② 〔고어〕 생을 유지하다, 구조되다; (나무 따위가) 우거지다. ③ 〔고어〕 eines Kindes ~ 아이를 낳다.
Genesende* *der/die* 회복기의 환자.
Genesis [gέ:nezis] *f.* ① ↑ Genese; 발생사. ② 〖聖〗 창세기.
Genesung [gəné:zʊŋ] 《<genesen》 *f.* -en 완쾌, 쾌유, 회복: auf dem Wege der ~ sein 회복 중이다.
Genesungs≈heim *n.* 요양소. **~prozeß** *m.* 회복 과정. **~urlaub** *m.* 요양 휴가.
Genetik [gené:tɪk] 《<Genese》 *f.* 발생학; 유전학.
genetisch *a.* 발생〔기원〕에 관한; 유전학의: ~er Kode 유전자 코드; ~e Manipulation 유전자 조작.
Genetiv [genetí:f] 《lat.》 *m.* -s, -e [..və] ↑ Genitiv.
Genette [ʒənέtə] 《frz.》 *f.* -n, **Genett·katze** [ʒənέt..] *f.* 〖動〗 사향고양이의 일종.
Genéve [ʒənέ:v] 제네바(Genf 의 프랑스식 표기).
Genever [ʒəné:vər, ʒe.., ge..] 《ndl.》 *m.* -s, - 제니버(네덜란드의 화주(火酒); 진의 일종).
Genezareth [gené:tsarεt] 게네사렛(팔레스타인 북동부에 있는 호수).
Genf [gεnf] 제네바(네덜란드어형: Genéve).
Genfer 《I》 *m.* -s, - 제네바 시민. 《II》 *a.* 제네바의: ~ Konvention 제네바 협약.
genferisch *a.* 제네바(사람)의.
Genfer·see *m.* 제네바호.
Gen·forschung *f.* 유전자 연구.
genial [geniá:l] *a.* 천재적인.
genialisch 《lat.; <Genius》 *a.* 독창적인, 탁월한; 〔폄어〕 모든 전통과 평범한 것을 무시하는, 과도한.
Genialität *f.* 천재; 독창성.
Genick [gənɪ́k] *n.* -(e)s, -e ① 고개를 연신 끄덕이기. ② 《<Nacken》 목덜미: jm. das ~ brechen a) 누구의 목을 꺾어 죽이다, b) 누구를 파멸시키다, 누구의 기세를 꺾다; 〔비유·구어〕 jm. im ~ sitzen 누구를 압박〔불안하게〕 하다.
Genick≈fang *m.* 〖사냥〗 포획한 짐승의 목을 사냥칼로 찌르기. **~fänger** *m.* 사냥칼. **~-schuß** *m.* 경부(頸部) 사격(사형 방법의 하나); 치명적 일격. **~starre** *f.* ① 경부(頸部) 강직: 〔구어〕 ~ bekommen 목덜미가 뻣뻣해지다. ② 〖醫〗 수막염, 뇌막염.
***Genie** [ʒení:] 《frz》 *n.* -s, -s ① (**a**) 천부의 재능, 독창력. (**b**) 천재. ② 〔속어〕 기인, 괴짜. ③ 〖軍〗 (schweiz.) 공병대(Genietruppe).
Genie≈korps [..ko:r] *n.* (schweiz.) 공병대. **~offizier** *m.* (schweiz.) 공병 장교.
Genien [gé:niən] *pl.* ↑ Genius.
genieren [ʒení:rən] 《frz.; <Gene》 《I》 *t.* 괴롭히다, 성가시게 하다, 방해하다: Ihre Gegenwart geniert mich nicht 당신이 이 자리에 계신 것이 저로서는 불편하지 않습니다. 《II》 *refl.* sich ~ 난처해하다, 부끄러워하다, 수줍어하다: 〔식사 예절〕 bitte, ~ Sie sich nicht! 사양 마시고 어서 드십시오. 《III》 **geniert**

[ʒeníːrt] *p.a.* ↑ geniert.

genierlich [ʒeníːrlɪç] *a.* 거북한, 번거러운 (genant).

geniert 《I》 *p.p.* ↑ genieren. 《II》 *p.a.* 수줍은, 우물쭈물하는; 〖商〗 돈에 궁한, 금융이 핍박한.

Genieß [gəníːs] 〔고어〕 《<genießen》 *m.* -es ① 먹기, 마시기; (Genuß) 향유, 즐김. ② (Nutzen) 유용, 유익. ③ 작업 공동체(Genossenschaft).

genießbar *a.* 마실〔먹을〕 만한; 맛있는: ~e und ungenießbare Pilze 식용 및 비식용 버섯; das Essen ist kaum ~ 그 음식은 맛이 너무 없다. ②〔비유·구어·농담〕 사교적인, 붙임성 있는; 기분이 좋은: er ist heute gar nicht ~ 그는 오늘 기분이 아주 좋지 않다.

Genießbarkeit *f.* ↑ genießbar 의 명사형.

__genießen__ [gəníːsən] (genoß, genossen) 《♧ nutzen》 *t.* ① 먹다, 마시다: Speise und Trank ~ 먹고 마시다; 〔고어〕des Weines ~ 포도주를 마시다; das Essen ist nicht zu ~ 이 음식은 맛이 너무 없다. ②〔雅語〕(유익한 것을) 받(아들이)다, 경험하다: eine gute Erziehung ~ 좋은 교육을 받다; sie genießt mein volles Vertrauen 그녀는 나의 전적인 신임을 얻고 있다. ③ 즐기다, 향유하다: sein Leben ~ 생을 즐기다; 〔농담〕 du bist heute nicht (mit Senf) zu ~ 자네 오늘 몹시 기분이 안 좋군; den Kommunismus 〔diesen Lehrer〕 habe ich gründlich genossen 공산주의(의 나쁜 점)〔이 선생(의 부정적인 면)〕을 나는 철저히 경험했다. ④〖사냥〗 Hunde genossen machen 사냥개에 포획물의 내장 따위를 먹이로 주다.

Genießer *m.* -s, - 즐기는 사람, 향유자; 애호가.

genießerisch *a.* 향락적인, 즐기는, 즐겨 먹는〔마시는〕; 미식가다운, 미식가 같은.

Genießling *m.* -s, -e 향락〔방탕〕아; 이기주의자.

Genie≈streich *n.* ① 독창적 행동, 기발한 착상, 기행(奇行). ②〔반어〕 실패(한 일). **~truppe** *f.* (schweiz.) 공병대. **~wesen** *n.* (schweiz.) 공병 (제도).

Genist [gənɪ́st] *n.* -(e)s, -e 〔구식〕 ① 나뭇잎〔잔가지·짚〕더미. ② 새둥지; 보금자리. ③ 수풀, 덤불, 관목. ④ 무질서, 혼란.

genital *a.* ①〖醫〗 생식기의〔에 관련된〕; 생식기에 속하는. ②〖心〗 ~e Phase 생식기 단계 (성욕을 느끼는 단계로 사춘기임).

Genitale *n.* -s, ..lien [..liən] 〖醫〗 ↑ Genitalien.

Genitalien [genitáːliən] 《lat. genere》 *pl.* 〖醫〗 생식기.

Genital≈tuberkulose *f.* 〖병리〗 생식기 결핵. **~zelle** *f.* 생식 세포.

Genitiv [géːnitiːf] *m.* -s, -e 〖문법〗 제 2 격, 소유격.

Genitiv·objekt *n.* 〖문법〗 2 격 목적어.

Genius [géːniʊs] *m.* -, ..nien [..niən] ①〔교양〕 정령, 수호신: ~ loci 마을〔장소〕의 수호신; 〖醫〗 ~ morbi (질)병의 증상; 〖醫〗 ~ epidemicus 전염병의 주된 특징〔증상〕. ② (a) 〔雅語〕 창조력, 창조적 정신. (b) 창조적 인물, 천재. ③〖예술〗 날개달린 신(의 형상).

Gen·lebens·mittel *n.* 〖식품〗 유전자 변형 식품.

Gen-Lex Paket *n.* 〖法·유전〗 유전자에 관한 일괄 법안(1997 년 스위에서 제정된 법률; 동식물에 관한 규정).

Gen≈manipulation *f.* 〖유전〗 유전자 조작. **~mutation** *f.* 〖유전〗 유전자 변이.

Genocid [genotsíːt] 《lat.》 *m./n.* -s, -e/-ien [..diən] (Völkermord) 〖法〗 ↑ Genozid.

Genocidium *n.* -s, ..dien [..diən] 〖法〗 ↑ Genozid.

Genom [genóːm] 《gr.》 *n.* -s, -e 〖유전〗 총(總)유전 인자, 게놈.

Genom·analyse *f.* 게놈〔총유전자〕 분석 (1988-2005 년까지 인간의 유전자 코드를 해독하려는 계획).

genommen [gənɔ́mən] *p.p.* ↑ nehmen.

Genörgel [gənœ́rgəl] *n.* -s 〔폄어〕 끊임없는 불평.

genoß [gənɔ́s] ↑ genießen 의 과거형.

__Genosse__ [gənɔ́sə] *m.* -n, -n ① (직장) 동료, 동무, 동지, 동반자. ② (좌익 정당의) 당원, 동지. ③〖經〗 조합원, 회원.

genösse [gənœ́sə] ↑ genießen 의 접속법 II 식.

genossen [gənɔ́sən] *p.p.* ↑ genießen.

Genossenschaft [gənɔ́sənʃaft] 《<Genoß》 (약어: Gen.) *f.* -en ①〔총칭〕(협동) 조합, 단체: wirtschaftliche ~ 산업 조합; stille ~ 익명 조합. ② 공식 등록된 조합: Verkehrs≈ 운수 조합; Konsum≈ 소비 조합. ③〖구동독〗 생산 협동 조합(Produktions≈)의 단축형.

Genossenschafter *m.* -s, - ↑ Genossenschaftler.

Genossenschaftler *m.* -s, - 〖經〗 (협동) 조합원, 회원(Genosse ③).

genossenschaftlich *a.* 〖經〗 ① (협동) 조합〔협회〕의〔에 관련되는〕. ② (협동) 조합〔협회〕에 소속된.

Genossenschafts≈bank *f.* 〔복수: -en〕〖經〗 (협동) 조합 은행. **~bauer** *m.* 〖구동독〗 (사회주의 국가의) 농업 협동 조합원. **~bewegung** *f.* 협동 조합 운동. **~gesetz** *n.* (협동) 조합법. **~tag** *m.* (협동) 조합 회의날. **~vertrag** *m.* (협동) 조합 계약. **~wesen** *n.* (협동) 조합 제도.

Genossin *f.* -nen ↑ Genosse 의 여성형.

Genoßsame *f.* -n (schweiz.) ① 지방(행정)구역. ② ↑ Genossenschaft.

Genotyp [genotýːp, génotyːp], **Geno·typus** [..týːpʊs] *m.* 〖유전〗 유전 (인)자형.

genotypisch *a.* 〖유전〗 유전자의〔에 관련된〕; 유전자에 기인하는; 유전자에 따라 결정되는: ~es Milieu 유전 환경(유전자의 발전과 활동에 영향을 끼치는 세포 내 조건).

Genozid *m./n.* -(e)s, -e/-ien [..diən] 〖法〗 대량〔집단〕 학살.

Gen·patent *n.* 유전자 특허.

__Genre__ [ʒɑ̃ːrə] *n.* -s, -s ① 종류. ② (예술상의) 장르, 분야, 양식. ③〔구어〕 취향: der 〔das〕 ist nicht mein ~ 이 사람〔이것〕은 내 마음에 들지 않는다, 내 취향이 아니다.

Genre·bild *n.* ①〖미술〗 풍속화. ②〖문학〗 (일상 생활을 묘사한) 풍속극〔작품〕.

genrehaft *a.* 풍속화(풍)의.

Genre≈maler *m.* 풍속 화가. **~malerei** *f.* 풍속화(풍).

Gent [dʒɛnt] 《engl.》 *m.* -s, -s 〔반어〕 지나치

게 유행을 따라 옷을 입는 사람; 멋쟁이.

Gen≈technik *f.* 유전 공학. **~technisch** *a.* 유전 공학에 관련된〔근거하는〕. **~technologie** *f.* 유전 공학(~technik 보다 포괄적인 개념). **~technologisch** *a.* 유전 공학에 관련된〔근거하는〕. **~therapie** *f.* 〖醫〗 유전자 치료(유전자로 유전병을 치료하는 시도).

Gentiane [gɛntsiá:nə] *f.* -n 〖植〗 용담(龍膽), 용담초, 과남풀(↑ Enzian ②).

gentil [ʒɛntí:l] *a.* 〘구식〙 ① 친절한, 상냥한. ② 가정 교육을 잘 받은, 예의 바른.

Gentil·homme [ʒãtijɔ́m] 《frz.》 *m.* -s, -s 품격 있는 남자, 신사.

Gentleman [dʒɛ́ntlmən] 《engl.》 *m.* -s, ..men [..mən] 신사.

gentleman·like [..laɪk] 《engl.》 *a.* ① 신사다운, 신사적인. ② 고상한, 품위 있는, 예의 바른.

Gentleman's Agreement, Gentlemen's Agreement [dʒɛ́ntlmənz əgrí:mənt] 《engl.》 *n.* -, -(s) ① 신사 협정. ②〖經〗 구두로 행해진 기업 연합.

Gen·transport *m.* 〖生·化〗 유전자 이식.

Gentry [dʒɛ́ntri] *f.* (영국의) 하급 귀족 계층.

Genua[1] [gé:nua] 제노바(이탈리아의 도시).

Genua[2] *f.* 〖海〗 ↑ Genua-Fock.

Genua-Fock *f.* 〖海〗 (주돛에 걸치는 큰 앞돛).

Genuese [genué:zə] *m.* -n, -n 제노바 사람〔남자〕.

Genueser, genuesisch *a.* 제노바(풍)의.

***genug** [gənú:k] *adv.* ① 넉넉히, 충분히: dann hast du eben nicht ~ gelernt 그러면 자네는 충분히 공부를 한 게 아니지; er ist sich selbst ~ 그는 제 일은 제가 처리할 줄 안다; er kann nie ~ bekommen〔kriegen〕 그는 아무리 먹어도 물리지 않는다; danke, es ist ~ 감사합니다, 됐어요(음식을 덜어주거나 술을 따라줄 때); das Beste ist für ihn gerade gut ~ 그는 항상 최고의 것만 가지려 한다. ② 한계에 달한: jetzt ist's aber ~ 이제 그만 해라(이제는 인내심의 한계를 느낀다); jetzt habe ich aber ~! 이젠 나도 더 이상 참을 수 없다!; ~ davon! 그 정도로 됐다, 뭔가 다른 이야기를 해보자!; ~ des Streites! 이제 싸움은 그만둬라!; laß es ~ sein! 그걸로 충분하다!; ~ und übergenug 너무 많은〔지나친〕; ich kann es nicht ~ beklagen, daß .. 나는 …을 아무리 한탄해도 후련치가 않다. ③〘전치사와 함께〙 es ist **an** einem ~ 한 사람으로 충분하다; **von** et.³ ~ haben 어떤 것에 넌더리나다〔싫증나다〕.

Genüge [gəný:gə] *f.* 넉넉함, 충분: 〘다음 용법으로〙 zur ~ 넉넉히, 충분히; 〖雅語〗 jm. 〔et.³〕 ~ tun〔leisten〕 누구를 만족시키다〔무엇을 제대로 처리하다〕; 〘雅語·구식〙 an et.³ ~ finden〔haben〕 무엇에 만족하다; jm.〔et.³〕 geschieht ~ 누구의 요구가 받아들여지다〔무엇이 충분히 고려되다〕.

Genügen *n.* -s ↑ Genugtuung ②.

***genügen** [gəný:gən] *i.*(h.) ① 충분하다, 넉넉하다: sich an et.³ ~ lassen 무엇에 만족하다; das Essen genügt für drei (Personen) 그 음식은 세 사람이 먹기에 충분하다. ② 충족시키다, 따르다, 응하다: seiner Pflicht ~ 의무를 다하다; js. Wünschen ~ 누구의 소원을 들어주다.

genügend *p.a.* ① 충분한, 넉넉한: es ist noch ~ Material da 자료는 아직 충분히 있다; ~es Auskommen 넉넉한 살림; er hat ~ Geld 그는 돈을 여유 있게 가졌다. ②〖구동독〗 (öst.) (성적이) "양"인 (ausreichend): er hat im Zeugnis in drei Fächern die Note ~ 그는 세 과목의 성적에서 "양"을 받았다.

genüglich *a.* 〘구식〙 ↑ genügend.

genugsam [gənú:kza:m] *adv.* 〘구식·雅語〙 ↑ genügend.

genügsam [gəný:kza:m] *a.* 까다롭지 않은, 분수를 아는, 욕심이 적은; 검소한, 절도 있는: ~ im Essen und Trinken sein 먹고 마시는데 까다롭지 않다.

Genügsamkeit *f.* ↑ genügsam 의 명사형.

genugtuend *p.a.* 만족을 주는, 만족시키는.

genug≈tun* 《I》 *i.*(h.) 충족〔만족〕시키다: sie konnte ihrem Vater nicht ~ 그녀는 아버지의 기대에 부응할 수 없었다. 《II》 *refl.* sich³ nicht ~(können), et. zu tun 어떤 일을 그칠 수가 없다〔끝없이 계속하다〕. **~tuung** *f.* ① 만족: mit ~ vernehmen 듣고 만족하다; es gereicht mir zur ~ 나는 그것으로 만족한다. ②〖雅語〗 배상, 보상, 명예 회복: ~ fordern 〔verlangen〕 배상〔명예 회복〕을 요구하다; jm. ~ geben〔gewähren, verschaffen〕 누구에게 배상하다, 명예 회복의 요구(즉 결투)에 응하다; sich³ ~ verschaffen 배상받다, 명예를 회복하다. ③〖宗〗 (인간의 죄를 대신 속죄하는 의미에서의) 그리스도의 고통; 〖가톨릭〗 참회.

genuin [genuí:n] 《lat., „angeboren, echt"》 *a.* ①〘교양〙 진짜의; 자연적인, 모조가 아닌; 순수한: ~e Lebensformen 자연적인 생활 양식. ②〖醫〗 유전적인, 타고난, 선천적인: ~e Krankheiten 유전병.

Genus [gɛ́:nus] 《lat. genus, „Geschlecht, Abstammung"》 *n.* -, ..nera 〘교양〙 ① 종류. ②〖문법〗 성(性) (남성·여성·중성): ~ verbi (능동·수동 따위의) 동사의 태. ③〖生〗 속(屬).

***Genuß** [gənʊ́s] 《<genießen》 *m.* ..nusses, ..nüsse ① (음식·음료 따위의) 섭취, 먹기, 마시기: nach dem ~ von verdorbenen Pilzen erkranken 상한 버섯을 먹고 난 후 탈이 나다; übermäßiger ~ von Alkohol 지나친 음주, 과음. ② 향유, 즐김; 만끽; 행복한 체험; 깊은 만족: in den ~ von et.³ kommen 어떤 것을 누리게〔이용하게, 받게〕 되다; ~ an et.³ finden 무엇을 즐기다.

genuss.. 新정서 ⇦ genuß..

genüss.. 新정서 ⇦ genüß..

genuß≈fähig *a.* 즐길 수 있는. **~freudig** *a.* 즐기기 좋아하는, 향락적인: dieser Philosoph war ein durchaus ~er Mensch 이 철학자는 철저하게 향락적인 인간이었다. **~gift** *n.* 기호품에 들어 있는 건강을 해치는 요소(카페인·니코틴 따위).

genüßlich *a.* 즐기는, 향락적인; 즐거움을 주는.

Genüßling [gəný̆slɪŋ] *m.* -s, -e 향락주의자, 방탕아, 도락자.

Genuß≈mensch *m.* ↑ Genüßling. **~mittel** *n.* ① 향락 수단. ②〖식품〗 (↔ Nahrungsmittel) 기호 식품(차·커피·담배 따위). **~reich** *a.* 많은 즐거움을 주는, 재미있는, 유쾌한. **~sucht** *f.* (육체적인) 향락욕, 지나치게

놀기 좋아함. **~süchtig** *a.* 향락을 좋아하는, 지나치게 놀기 좋아하는.
geo.. 《gr. gê, „Erde, Land"》 *pref.* "땅·지구"의 뜻.
Geobotanik 《gr.》 *f.* 식물 지리학.
geobotanisch *a.* 식물 지리학의〔에 관련된〕.
Geochemie 《gr.》 *f.* 〖化〗 지구 화학.
geochemisch *a.* 지구 화학의〔에 관련된〕.
Geodäsie [geodɛzí:] 《gr.》 *f.* 측지학.
Geodät [geodɛ́:t] *m.* -en, -en 측지학자, 측량 기사.
geodätisch *a.* 측지학의〔에 관련된〕.
Geogenie [geogení:] *f.* 지구 형성론〔발생학〕.
Geognosie [geognozí:] 《gr. gnôsis, „das Erkennen, Kenntnis"》 *f.* 〖구식〗 ↑ Geologie.
Geognost [..gnɔ́st] *m.* -en, -en 〖구식〗 ↑ Geologe.
geognostisch *a.* 〖구식〗 지질학의.
Geogonie *f.* ↑ Geogenie.
geograf.. 新정서 ⇦ geograph...
Geograph [geográ:f] 《gr. gráphein, „schreiben"》 *m.* -en, -en 지리학자, 지리학 전공자.
Geographie [geografí:] *f.* 지리학.
Geographin *f.* -nen ↑ Geograph 의 여성형.
geographisch *a.* ① 지리학의〔에 관련된〕. ② 어떤 지역의 위치〔기후〕에 관련된.
geohrt [gəló:rt] *a.* ① 귀가 있는. ②〖植〗 귀모양의.
geöhrt [gəlǿ:rt] 《Ⅰ》 *p.p.* ↑ öhren. 《Ⅱ》 *p.a.* 바늘 구멍이 있는.
Geologe [geoló:gə] 《gr.》 *m.* -n, -n 지질학자, 지질학 전공자.
Geologie [..logí:] *f.* 지질학.
geologisch *a.* 지질학의, 지질학적인.
geölt 《Ⅰ》 *p.p.* ↑ ölen. 《Ⅱ》 *p.a.* ① 기름칠한. ②〖비유〗 뇌물을 먹은, 매수된.
Geomant [geománt] 《gr.》 *m.* -en, -en 땅 점쟁이.
Geomantie [..mantí:] *f.* 땅 점(占) (땅 속에서 나는 소리나 지진에 따라 미래를 예언하는 점).
geomantisch *a.* 땅 점(占)의〔에 따른〕.
Geomarketing *n.* 디지털화된 지도로 대상 집단을 다루는 마케팅.
Geomedizin *f.* 질병 지리학, 풍토〔환경〕 의학 (토양·기후 조건과 질병을 다루는 의학).
Geometer [geomé:tər] 《gr.》 *m.* -s, - ① 측량사(Landmesser). ②〖구식〗 기하학자.
*__Geometrie__ [geometrí:] *f.* -n [..rí:ən] 기하학: Euklidische ~ 유클리드 기하학; analytische ~ 해석 기하학.
geometrisch *a.* ① 기하학의, 기하학에 관련된〔근거한〕. ② 기하 형상의〔을 나타내는〕, 기하학적인.
Geomorphologie 《gr.》 *f.* 지형학.
Geophage [..fá:gə] 《gr.》 *m./f.* -n, -n 〖인종〗 토식(土食) 인종; 〖醫〗 토식증 환자.
Geophysik 《gr.》 *f.* 지구 물리학.
geophysikalisch *a.* 지구 물리학의, 지구 물리학에 근거한〔관련된〕.
Geoplastik *f.* -en 지표의 입체 모형.
Geopolitik *f.* 지정학.
geopolitisch *a.* 지정학의, 지정학에 근거한〔관련된〕, 지정학적인.
Geopsychologie *f.* 풍토 심리학.
geordnet 《Ⅰ》 *p.p.* ↑ ordnen. 《Ⅱ》 *p.a.* 정돈된, 질서가 잡힌.
Georg [gé:ɔrk] *m.* 게오르크(남자 이름).
Georgette [ʒɔrʒɛ́tə] 《frz.》 《Ⅰ》 조젯(여자 이름). 《Ⅱ》 *f.* 〖방직〗 조젯(Crêpe Georgette).
Georgien [geɔ́rgiən] 그루지아(구소련의 공화국의 하나).
Georgier *m.* -s, - 그루지아인(人).
Georgine [geɔrgí:nə] 《Ⅰ》 *f.* -n 〖植〗 달리아 (식물학자 Georgi 의 이름에서). 《Ⅱ》 게오르기네(여자 이름).
georgisch *a.* 그루지아(어·출신)의.
GEOS 〖컴〗 그림 환경 운영 체계.
Geostatik [geostá:tɪk] 《↑ Statik》 *f.* 〖구식〗 강체(剛體) 역학.
Geotektonik *f.* 〖지질〗 구조 지질학.
geotektonisch *a.* 구조 지질학의, 구조 지질학에 근거한〔관련된·속하는〕.
geothermisch *a.* 〖지구물리〗 지열의.
geotrop *a.* 〖植〗 굴지성의.
geotropisch *a.* ↑ geotrop.
Geotropismus *m.* -, ..men 〖植〗 굴지성(屈地性).
Geowissenschaft *f.* -en 지구 과학.
geozentrisch *a.* 〖天〗 ① 지구 중심의. ② 지구 중심점으로부터 계산된.
Geo Works Ensemble 〖컴〗 ↑ Ensemble.
geozyklisch *a.* 〖天〗 지구 공전의〔에 관한〕.
gepaart [gəpá:rt] 《Ⅰ》 *p.p.* ↑ paaren. 《Ⅱ》 *p.a.* 짝이 된, 두 개씩의; 〖生〗 쌍생의, 대생의.
*__Gepäck__ [gəpɛ́k] 《<Pack》 *n.* -(e)s, -e ① 수화물, 짐: sein ~ aufgeben (여행용) 짐을 맡기다; 〖비유〗 der Minister hatte keine neuen Vorschläge im ~ 장관은 새로운 제안을 가져오지 않았다. ② 〖軍〗 행장, 배낭: Marsch~ 행군용 장비. ③ 〖구어〗 일가 권속, 처자.
Gepäck=abfertigung *f.* ① 수화물 발송. ② 수화물 발송 창구. **~ablage** *f.* 수화물 보관 시설. **~annahme** *f.* ① 수화물 접수〔수령(受領)〕. ② 수화물 접수처. **~aufbewahrung** *f.* 수화물 보관. ② 수화물 보관소. **~aufgabe** *f.* ① 수화물 탁송. ② ↑ ~annahme. **~ausgabe** *f.* ① 수화물 인도. ② 수화물 인도 장소. **~droschke** *f.* 수화물 마차. **~halter** *m.* (자전거 따위의) 짐 싣는 판. **~marsch** *m.* 〖軍〗 완전 무장 행군. **~netz** *n.* (객차 안의) 그물선반. **~schalter** *m.* 수화물 (접수 및 인도) 창구. **~schein** *m.* (수화)물표. **~stück** *n.* (개개의) 수화물. **~träger** *m.* ① 수화물 운반인. ② (자전거의) 짐싣는 판. ③ (자동차 지붕 위에 설치된) 짐싣는 받침대. **~wagen** *m.* 〖철도〗 (기차의) 화차. **~zettel** *n.* ↑ ~schein.
gepanzert 《Ⅰ》 *p.p.* ↑ panzern. 《Ⅱ》 *p.a.* ① 갑옷을 입은, (중)무장한; 〖비유〗 끄떡없는: gegen Beleidigungen ~ 모욕에도 아랑곳않는. ② 〖動〗 갑각에 쌓인.
Gepard [gé:part] 《frz.》 *m.* -(e)s, -e(n) [..də, ..dən] 〖動〗 치타(Jagdleopard).
Gepard·katze *f.* ↑ Gepard.
gepfeffert 《Ⅰ》 *p.p.* ↑ pfeffern. 《Ⅱ》 *p.a.* ① 외설스러운, 음탕한: ein ~er Witz 야한 농담. ② (가격이) 매우 높은; ~e Preise 터무니없이 높은 가격. ③ 신랄한, 가차없는: eine ~e Kritik 신랄한 비판.
Gepfeife [gəpfáɪfə] *n.* -s 〖구어·폄어〗 지속적인 휘파람〔피리〕불기.
gepfiffen [gəpfífən] *p.p.* ↑ pfeifen.

gepflegt [gəpflé:kt] 《Ⅰ》 *p.p.* ↑ pflegen. 《Ⅱ》 *p.a.* ① 잘 손질된, 잘 가꾸어진; 품질이 좋은: eine ~e Wohnung 잘 가꾸어진 집; ~e Weine 품질이 좋은 포도주; ihre Mutter ist eine sehr ~e Erscheinung 그녀의 어머니는 옷매무새가 아주 단정한 모습이다. ② 교양 있는, 세련된: eine ~e Unterhaltung führen 세련된 대화를 이끌다.

Gepflegtheit *f.* 잘 가꿈, 단정, 세련.

gepflogen [gepfló:gən] *p.p.* ↑ pflegen.

Gepflogenheit *f.* -en 관습, 관례.

Gepide [gepí:də] *m.* -n, -n 〖史〗 게피데족(族)(동(東)게르만 민족의 한 종족).

Gepiepe [gəpí:pə] *n.* -s 〔구어·펌어〕 줄곧 삐악삐악〔짹짹〕 울기.

Gepiepse *n.* -s ① 〔펌어〕 줄곧 짹짹거리는 새소리. ② 삑삑하는 소리.

Gepinsel [gəpínzəl] *n.* -s ① 계속된 붓칠. ② 〔펌어〕 서투른 그림.

Geplänkel [gəpléŋkəl] *n.* -s, - ① 〖軍〗 소규모 전투; 작은 총격전. ② 〔비유〕 가벼운 언쟁.

Geplapper [gəplápər] *n.* -s 〔구어·대개 펌어〕 수다, 잡담.

Geplärr [gəplér] *n.* -(e)s 〔구어〕 꽥꽥 지르는 소리; 울부짖음.

Geplärre *n.* -s 〔구어·대개 펌어〕 ↑ Geplärr.

Geplätscher [gəplétʃər] *n.* -s ① (파도 따위가) 철썩거림, 첨벙첨벙하는 물소리. ② 〔구어·대개 펌어〕 객담, 객소리.

Geplauder [gəpláudər] *n.* -s 잡담, 한담; 수다.

Gepoche [gəpɔ́xə] *n.* -s 〔구어·대개 펌어〕 계속해서 두드림; 심장의 고동; 호언 장담(Prahlen).

Gepolter [gəpɔ́ltər] *n.* -s ① 덜커덩거림; 요란한 소음. ② 〔구어〕 큰 소리로 야단침. ③ 귀신이 내는 떠들썩한 소리.

Gepräge [gəpré:gə] 《<prägen》 *n.* -s, - ① (동전이나 메달 등의) 각인(刻印); 명각(銘刻). ② 〔雅語〕 특징, 특색: Goethe hat seiner Zeit das ~ gegeben 괴테는 그의 시대에 특징을 부여했다.

Geprahle [gəprá:lə] *n.* -s 〔펌어〕 호언장담; 허세, 허풍.

Gepränge [gəpréŋə] *n.* -s 〔雅語〕 호화로움, 화려; 낭비; 허식: die Hochzeit wurde mit großem ~ gefeiert 결혼식은 대단히 호화판으로 치뤄졌다.

Geprassel [gəprásəl] *n.* -s 후두둑거리는〔타닥타닥거리는〕 소리: mit ~ belebte sich das Feuer 타닥타닥 소리를 내며 불길이 다시 살아났다.

Geprickel [gəpríkəl] *n.* -s 따금거림.

gepriesen [gəprí:zən] *p.p.* ↑ preisen.

gepunktet [gəpúŋktət] 《Ⅰ》 *p.p.* ↑ punkten. 《Ⅱ》 *p.a.* 물방울 무늬가 있는 (옷감 따위); 점이 찍힌.

Gequake [gəkvá:kə] *n.* -s 〔구어·펌어〕 (개구리·오리 따위가) 꽥꽥 울어댐.

Gequäke *n.* -s 〔구어·펌어〕 성가시게 꽥꽥거리는 소리.

Gequäle [gəkvé:lə] *n.* -s 끊임 없이 괴롭힘, 귀찮게 하기.

Gequassel [gəkvásəl] *n.* -s 〔구어·펌어〕 (끊임없는) 따따부따, 쓸데없는 객소리.

Gequatsche [gəkvátʃə] *n.* -s 〔구어·펌어〕 (끊임없는) 지껄임, 쓸데없는 수다, 허튼소리.

Gequengel *n.* -s 〔구어·펌어〕 (어린아이 등이) 칭얼거림, 투덜거림, 떼쓰기.

Gequengele *n.* -s 〔구어·펌어〕 ↑ Gequengel.

Gequieke [gəkví:kə] *n.* -s 〔구어〕 (쥐 따위가) 계속하여 찍찍 울기; (돼지가) 꽥꽥 내는 소리.

Gequietsche *n.* -s 〔구어〕 (그네 따위가 낡아서) 끽끽하는 소리.

gequollen [gəkvɔ́lən] *p.p.* ↑ quellen[1].

Ger [ge:r] 《◇ Geißel》 *m.* -(e)s, -e ① (옛날 게르만족의) 투창. ② (지금은 경기용의) 투창.

gerad[1] [gərá:t] *a.* ↑ gerade[1].

gerad[2] *a.* ↑ gerade[2].

***gerade**[1] [gərá:də] 《원뜻 „rasch, geschwind"; Rad, rasch》 《Ⅰ》 *a.* ① 직선의; 곧은, 반듯한: in ~r Linie 일직선으로, 똑바로; in ~r Linie von jm. abstammen 누구의 직계 자손이다; eine ~ Haltung 곧은 자세; 〖권투〗 ein ~r Stoß 스트레이트 펀치. ② 〔비유〕 거리낌없는, 솔직한; 단도직입적인: ein ~r Charakter 솔직한 성격; 〔속담〕 der ~ Weg ist der beste 정직이 최선. ③ 정확한: er ist das ~ Gegenteil von seinem Bruder 그는 자기 형〔동생〕과는 정반대다. 《Ⅱ》 *adv.* ① 정확히; 똑바로; 바로; 하필이면: ~ umgekehrt 정반대로; ~ um 8 Uhr 정각 8시에; ~ gegenüber 바로 맞은편에; ~ nach Westen 똑바로 서쪽을 향해서; ~ deshalb〔darum〕 바로 그 때문에; ~ du wirst gesucht 바로 너를 찾는 중이다; das kommt mir ~ recht 그것이야말로 내가 바라던 바다; warum ~ ich? 왜 하필 납니까? ② 방금, (바로) 막; 마침: er ist ~ angekommen 그가 방금 왔다; ich bin ~ beim Lesen 나는 막 책을 읽는 중이다; du stehst ~, mach bitte die Tür zu! 자네 마침 거기 서 있군, 실례지만 문 좀 닫아주게나! ③ 〔대개 강조 용법으로〕 특히, 무엇보다도: ~ alte Leute brauchen unsere Hilfe 특히 노인들이 우리의 도움을 필요로 한다; 〔구어〕 nicht ~ 특별히 …한 것은 아닌; 결코 …아닌: das ist mir nicht ~ angenehm 그것이 내게 특별히 편한 것은 아니다. ④ 이제야 비로소: jetzt tue ich es ~ 이제야 비로소 나는 그것을 한다. ⑤ 겨우, 간신히: von dem Geld können wir ~ (so) leben 그 돈으로 우리는 간신히 살 수 있다. ⑥ 〔구어〕 빨리, 어서: bring doch ~ (mal) das Buch herüber! 어서 책을 가져와!

***gerade**[2] *a.* ① (↔ungerade) 〖數〗 2로 나뉘는, 짝수의: eine ~ Zahl 짝수; ~ oder un~ (도박의) 짝수거나 홀수; 〖음악〗 ~r Takt 짝수 박자; das geht ~ auf 나머지 없이 나뉜다. ② 〖사냥〗 (뿔의) 좌우측 가짓수가 같은.

Gerade[1] *f.* -n ① 〖기하〗 직선: die beiden ~n schneiden sich im Punkt P 두 직선은 P점에서 만난다. ② (경기장·경마장의) 직선 코스: in die ~ einbiegen 직선 코스로 접어들다. ③ 〖권투〗 스트레이트: eine linke〔rechte〕 ~ 왼쪽〔오른쪽〕 스트레이트.

Gerade[2] 〔고어〕 《<Rat; Gerät》 *f.* -n 〖法〗 부인이 상속하는 동산(가구·장식품 따위).

***gerade·aus** *adv.* ① 곧장, 똑바로; 직진해서: ~ fahren 직진하다; immer ~! 계속 똑바로 가세요! ② 〔비유〕 솔직하게. **~aus·rich·tung** *f.* 직진 방향. **~|biegen** *t.* ① (구부러진

것을) 곧게 펴다. ②〖비유·구어〗(일을) 처리〔해결·정리〕하다; 해명하다; (분쟁 등을) 조정하다. ~|**halten** 《I》 *t.* ① 수평으로 유지하다. ② 똑바로 유지하다. 《II》 *refl.* sich ~ 똑바른〔반듯한〕 자세를 유지하다. **~halter** *m.* 〖醫〗(척추 교정용) 보조 기구, 코르셋. **~heraus** *adv.* 〖구어〗솔직히, 단도직입적으로: ~ gesagt, ich bin dagegen 솔직히 말하자면, 저는 그것에 반대합니다. **~hin** *adv.* ① 경솔〔무분별〕하게: et. ~ aussprechen〔sagen〕 무엇을 무분별하게 발설하다〔말하다〕. ~|**legen** *t.* 똑바로 놓다, 정돈하다. ~|**machen** *t.* 일으켜 세우다; (굽은 것을) 펴다, 편편하게 하다, (울퉁불퉁한 것을) 고르게 하다.

geraden·wegs *adv.* 〖구어〗 ↑ geradewegs.

Gerade Parität 〖컴〗 짝수 맞춤.

gerade=sitzen* *i.* (h.) (aufrecht sitzen) 정좌(正座)하다, 똑바로〔꼿꼿이〕 앉아 있다. **~so** *adv.* 똑같이. **~so·gut** *adv.* 똑같이 좋게〔잘〕. **~so·viel** *a.* 꼭 그만큼의. **~stehen** *i.* ① 꼿꼿이〔똑바로〕 서 있다. ②〖비유〗 für jn.〔eine Sache〕 ~ 누구〔무엇〕에 대한 책임을 지다, 떠맡다. **~stellen** *t.* 똑바로 놓다.

gerades·wegs *adv.* (schweiz.) ↑ geradewegs.

gerade=über *adv.* 바로 맞은편에. **~wegs** *adv.* 〖구어〗 ① 똑바로, 곧장, 직접. ② 거리낌 없이, 단도직입적으로, 솔직하게. **~zu** *adv.* ①〖방언〗솔직히, 직설적으로, 꾸밈없이: er sagt seine Meinung immer ~ 그는 자신의 견해를 항상 단도직입적으로 말한다. ② 바로, 정말: das ist ~ Wahnsinn 그것은 정말 미친 짓이다; endlich weinte er ~ 마침내 그는 정말로 울고 말았다.

gerad=flügelig *a.* 〖動〗 직시(直翅)의, 메뚜기 목(目)에 속하는. **~flügler** *m.* 〖動〗 직시류(直翅類), 메뚜기목(目).

Geradheit [gərá:thaɪt] *f.* ①〖數〗 짝수(임). ② 똑바름, 직선적임. ③〖비유〗 솔직, 정직.

gerad·hin *adv.* ↑ geradehin.

Gerad=hobel *m.* 똑바로 된 대패. **~kieferigkeit** *f.* 턱이 곧바름 (Orthognatie). **~lauf** *m.* ① 똑바로 나아감. ②〖海〗 위선〔경선〕 항법. **~läufig** *a.* 〖드물게〗 똑바로, 곧장, 직진의. **~linig** *a.* ① 직선의, 직계의. ②〖비유〗 솔직한, 올바른, 곧은. **~linigkeit** *f.* ↑ ~linig 의 명사형. **~sinn** *m.* 솔직, 정직. **~sinnig** *a.* 솔직〔정직〕한.

gerammelt 《I》 *p.p.* ↑ rammeln. 《II》 *p.a.* 〖다음 용법으로〗〖구어〗 ~ voll 꽉찬, 빽빽한.

Gerangel *n.* -s ① 몸싸움, 격투. ②〖비유·폄어〗 힘겨루기, 암투.

Geranie [gerá:niə] 《gr.》 *f.* -n 〖植〗 ① 양아욱속(屬) (Pelargonie). ② 쥐손이풀〔제라늄〕.

Geranium *n.* -s, ..nien [..niən] 〖植〗 쥐손이풀〔제라늄〕.

Gerank *n.* -s ↑ Geranke.

Geranke [gəráŋkə] *n.* -s 〖雅語〗 덩굴, 넝쿨; 덩굴 식물.

gerannt *p.p.* ↑ rennen.

Gerant [ʒəránt] 《<gerieren》 *m.* -en, -en (schweiz.) ① 지배인, 업무 집행자, 총무, 사무국장. ② (신문·잡지의) 발행인.

Geraschel *n.* -s 〖구어〗 (종이·낙엽 따위의) 바스락거리는 소리.

Gerassel [gərásəl] *n.* -s 〖구어〗 (수레바퀴·쇠사슬·무기 따위가) 덜거덩〔떨렁〕거리기〔거리는 소리〕.

***Gerät** [gərέ:t] 《<Rat》 *n.* -(e)s, -e ① 도구, 기구, 기기, 기재(器材): Haushalts~ 가정용 기기; Radio~ 라디오 수신기; Handwerks~ 공구; Schreib~ 필기 도구; Zeichen~ 제도기; Küchen~ 주방용 기기; Turn~ 체조 기구. ② 도구〔기구〕 전체, 장비.

gerät [gərέ:t] ↑ geraten 의 3 인칭 단수 현재.

***geraten*¹** [gərá:tən] (geriet, geraten) 《< Rat; Gerät》 *i.* (s., obd.: h.) ① 연루되다, 휩쓸리다; (어떤 상태에) 빠지다, 들어가다: **an** eine falsche Adresse ~ 잘못 배달되다; an jn. ~ 누구와 마주치다, …와 우연히 알게 되다; 〖경박〗 wie bist du denn an den ~? 어떻게(해서) 그 사람을 만났니〔알게 되었니〕?; **auf** Abwege〔einen falschen Weg〕 ~ 길을 잘못 들다; auf einen Einfall〔Gedanken〕 ~ 어떤 착상〔생각〕이 떠오르다; **aus** der Bahn〔dem Geleise, den Schienen〕 ~ 탈선하다; **außer** sich〔Fassung〕 ~ 제정신을 잃다, 자신을 제어하지 못하다; **gegen** et. ~ 무엇에 부딪치다; **in** Armut ~ 가난에 빠지다, 영락하다; sich³ in die Haare ~ 드잡이〔싸움〕하다; in eine Sackgasse ~ 막다른 골목〔진퇴유곡〕에 빠지다; in Schulden ~ 빚을 지다; in Angst ~ 불안에 휩싸이다; **über** jn. ~ 누구에게 덤벼들다; über ein Buch ~ 어떤 책을 (우연히) 발견하고 탐독하기 시작하다; **unter** js. Einfluß ~ 누구의 영향을 받다; unter die Mörder ~ 살인자들의 손아귀에 들어가다; jm. **zum** Tod ~ 누구의 죽음을 초래하다. ② 성공하다, 잘되다: ihm gerät alles, was er anfängt 그가 하는 일은 뭐든 잘된다; diese Arbeit ist mir nicht nach Wunsch ~ 이 일은 내가 원하는 대로 되지 않았다; man versucht: es gerät, es mißrät 이판사판 해본다; die Torte ist gut ~ 케이크가 잘 되었다. ③ nach jm. ~ 누구를 닮(아가)다: der Junge ist ganz nach seinem Vater ~ 그 소년은 아버지를 꼭 닮아갔다. ④〖기능 동사〗 in et.³ ~ 어떤 일을 하기 시작하다: in Bewegung ~ 움직이기 시작하다; in Brand ~ 불붙기 시작하다; ins Schwitzen ~ 땀이 나기 시작하다; miteinander in Streit ~ 서로 싸우기 시작하다.

geraten² 《I》 *p.p.* ↑ raten. 《II》 *p.a.* 〖雅語〗 권할 만한, 상책인: er hielt es für ~, nicht zu kommen 그는 가지 않는 것이 상책이라고 생각했다.

Geräte=schuppen *m.* 작업 공구 보관실〔창고〕. **~treiber** *m.* 〖컴〗 장치 드라이버. **~turnen** *n.* 기계 체조 (경기). **~übung** *f.* 기계 체조 연습. **~wart** *m.* 체조용 기계 관리자.

Gerate·wohl [gəra:təvó:l] 《<es gerate wohl!》〖다음 용법으로만〗〖구어〗 auf(s) ~ 운을 하늘에 맡기고, 되는 대로.

Gerät=kammer *f.* 연장 두는 방. **~kasten** *m.* 도구 상자.

Gerätschaft *f.* -en ① 장비를 갖춤. ②〖복수〗 장비〔도구〕 일체.

Geratter *n.* -s 〖구어〗 (기계 따위가 부딪칠 때) 덜커덩거리는 소리; 덜컹거림.

geräuchert [gərɔ́ʏçərt] *p.p.* ↑ räuchern.

Geräucherte* *das* 훈제 고기.

Geraufe *n.* -s 〖구어〗 싸움, 드잡이.

geraum [gəráum] 《<Raum》 *a.* 〖다음 용법으로만〗 ① 〖공간적〗〖고어〗 ↑ geräumig. ② 〖시간적〗〖雅語〗 ~e Weile〔Zeit〕 한 동안, 상당히 오랜 동안.

Geräumde [gərɔ́ʏmdə] *n.* -s, - 숲속의 공지, 벌목지(地).

geräumig *a.* 넓은, 광활〔광대〕한: ein ~es Zimmer 널찍한 방.

Geräumigkeit *f.* ↑ geräumig 의 명사형.

Geräumte* *das* -s, - ↑ Geräumde.

Geraune *n.* -s 웅성〔중얼〕거림.

***Geräusch** [gərɔ́ʏʃ] *n.* -(e)s, -e ① 소음, 잡음: Motoren~ 모터 돌아가는 소리; die ~e des Verkehrs 교통 소음; ein ~ machen 〔verursachen〕 소음을 일으키다; ein ~ wie von zerbrechendem Glas 유리잔이 깨지는 것 같은 소리. ② 〖비유〗 떠들썩함; (Gerücht) 평판, 소문: mit ~ 떠들썩하게; ohne viel ~ zu machen 조용히, 신중하게. ③ 〖사냥〗 (사슴·멧돼지 등의) 내장.

geräusch·arm *a.* 저소음의.

Gerausche *n.* -s 〖폄어〗 시끄러운 잡음, 계속되는 소음.

geräusch≈empfindlich *a.* 잡음〔소음〕에 민감한. **~kulisse** *f.* ① 〖영화·연극·TV〗 음향효과. ② 주위에서 (의식되지 않게) 들리는 소음. **~laut** *m.* 〖언어〗 (↔ Klanglaut) 조음(噪音) (m, n, ng, l, r 이외의 자음).

geräuschlos *a.* ① 소음이 없는, 조용한. ② 〖비유〗 주목을 끌지 않고.

Geräuschlosigkeit *f.* ↑ geräuschlos 의 명사형.

Geräusch≈pegel *m.* 소음의 강도. **~voll** *a.* 시끄러운, 떠들썩한, 시끌시끌한.

Geräusper [gərɔ́ʏspər] *n.* -s 〖폄어〗 자꾸 헛기침하기, 헛기침.

Gerbe≈bank *f.* 〖복수: ..bänke〗 유피대(鞣皮臺). **~brühe** *f.* 무두질용 타닌액. **~eisen,** **Gerb·eisen** *n.* 박피용(剝皮用) 나이프. **~kammer** *f.* (특히 obd.) 성구실(聖具室) (Sakristei). **~mühle** *f.* 맷돌.

***gerben** [gérbən] 《<gar》 《I》 *t.* ① 무두질하다: 〖비유〗 gegerbte Haut (햇볕과 바람에 시달려) 가죽처럼 거친 피부; 〖구어〗 jm. das Fell ~ 누구를 흠씬 두들겨패다. ② et. ~ 어떤 것을 끝내다, 완성하다. 《II》 *i.* (h.) 〖방언·학생〗 구토하다.

Gerber *m.* -s, - 〖고어〗 ① 무두장이, 제혁공. ② 〖動〗 하늘솟과(科).

Gerberin *f.* -nen 〖고어〗 ↑ Gerber 의 여성형.

Gerbera *f.* -(s) 〖植〗 거베라(독일의 의사이자 자연 과학자 T. Gerber 의 이름에서).

Gerberei *f.* ① 무두질, 제혁. ② 〖복수: -en〗 유피(鞣皮)업, 제혁업.

Gerber≈geselle *m.* 무두질공, 유피(鞣皮) 직공. **~grube** *f.* 무두질용 통. **~hof** *m.* 제혁장(場). **~lohe** *f.* (타닌산(酸)이 많은 참나무 따위의) 무두질용 수피(樹皮). **~meister** *m.* (자격증이 있는) 무두장이. **~wolle** *f.* (무두질에서 모근을 화학적으로 처리한) 양모.

Gerb≈mittel [gérp..] *n.* 유피제(鞣皮劑), 무두질약〔재료〕. **~säure** *f.* 〖化〗 타닌산(酸). **~stahl** *m.* 정련강(精鍊鋼). **~stoff** *m.* ① ↑ ~mittel. ② ↑ ~säure. **~stube** *f.* 무두질하는 방.

Gerbung *f.* -en 무두질, 제혁.

Gerebelte* *der* (öst.) 낱알을 가려서 딴 포도로 만든 포도주.

***gerecht** [gəréçt] 《<recht》 *a.* ① 올바른; 공평〔공정〕한, 정의의: ~es Urteil 공정한 판단〔판결〕. ② 타당〔정당·당연〕한: ~e Notwehr 정당 방위; ~e Strafe 당연한 벌; jm.〔et.³〕 ~ werden 누구를〔무엇을〕 올바르게 평가하다; die Kritik wird dem Regisseur 〔dem Film〕 ~ 그 비평은 감독〔영화〕에 대해 올바른 평가를 내리고 있다. ③ 적합한, 알맞은, 부응하는: 〖구어〗 in allen Sätteln ~ sein 무슨 일이든 해내다, 모든 경우에 대비가 되어 있다; et.³ 〔einem Anspruch〕 ~ werden 무엇을 제대로 처리하다〔어떤 요구에 옳게 부응하다〕. ④ 〖사냥〗 사냥에 적합한: ein ~er Hund 유능한 사냥개; eine ~e Waffe 안성맞춤인 사냥 무기. ⑤ **(a)** 독실한, 경건한. **(b)** (신이) 인간의 죄를 사하는, 자비로운, 가엾게 여기는. ⑥ 〖속어〗 건강한(gesund). ⑦ (schweiz.) ↑ zurecht.

Gerechte* *der/die* 올바른〔공정한〕 사람; 〖속어〗 den Schlaf des ~n schlafen (의인처럼 양심이 편안해서) 푹 자다, 숙면하다; 〖聖〗 den ~n gerecht sprechen 의인을 의롭다 하다(신명 25:1).

***Gerechtigkeit** [gəréçtɪçkaɪt] *f.* -en ① 올바름; 공평, 공정, 정의: die ~ eines Urteils 판단의 올바름. ② 정당〔공정〕한 생각〔행동·태도〕. ③ 〖비유·雅語〗 사법(권); 사법 기관, 사직 당국: jn. der ~ ausliefern 누구를 사직 당국에 넘기다. ④ 〖신화·예술〗 정의의 여신 (Justitia). ⑤ (신의) 죄사함. ⑥ 〖고어〗 합법성, 정당성. ⑦ 〖고어〗〖복수: -en〗 특권, 특전.

Gerechtigkeits≈liebe *f.* 정의애(愛), 정의감; 공평 무사. **~pflege** *f.* 〖雅語〗 사법(司法).

Gerechtsame [gəréçtza:mə] *f.* -en ① 〖구식〗 우선권; 특권; 특전. ② (schweiz.) 법원 관할구.

***Gerede** [gəré:də] *n.* -s ① 〖폄어〗 쓸데없는 이야기, 수다, 잡담: sich nicht um das ~ der Leute kümmern 사람들이 하는 쓸데없는 소리에 신경쓰지 않다. ② 소문; 평판; 험담, 악평: ins ~ kommen〔geraten〕 소문나다, 사람의 입에 오르다; jn. ins ~ (der Leute) bringen 누구의 소문〔악평〕을 내다; es geht das ~, daß ... …라는 소문이 떠돌다. ③ (schweiz.) 대화, 회화.

Gereibe [gəráibə] *n.* -s 줄곧 마찰하기.

gereichen [gəráiçən] *i.* (h.) 〖雅語〗 jm. zu et.³ ~ 누구에게 무엇을 가져오다: das wird uns zur Ehre 〔ewigen Schande〕 ~ 그건 우리에게 명예〔영원한 수치〕가 될 것이다.

Gereime [gəráimə] *n.* -s ① 운이 맞게 시를 지음. ② 졸렬한 시구.

Gereimsel *n.* -s, - ↑ Gereime.

Gereiß(e) [gəráis(ə)] *n.* ..ßes 연달아 잡아찢기〔잡아당기기〕; 뺏기 다툼, 쟁탈: es ist ~ (=die Leute reißen sich) um diese Ware 이 상품은 대인기다.

gereizt [gəráitst] 《I》 *p.p.* ↑ reizen. 《II》 *p.a.* ① 성난, 화가 난, 과민한. ② 〖드물게〗 자극된.

Gereiztheit *f.* ↑ gereizt 의 명사형.

Gerenne *n.* -s 〖구어·대개 폄어〗 요란스레〔자

꾸] 뛰어다님: was ist denn das für ein ~ auf dem Flur? 복도에서 왜 이리 시끄럽게 뛰어다니며 난리냐?

gereuen [gərɔ́ʏən] *t.* ①〖雅語〗후회하게 만들다: die Tat wird dich noch ~ 너는 결국 그 행위를 후회할 것이다; es gereut jn., daß ... 누가 …(한 것)을 후회한다. ② 동정하다 (bedauern): mich gereut deine Not 네 고생에 동정이 간다.

Gereut [gərɔ́ʏt] 《<reuten》 *n.* -(e)s, -e (숲 속의) 개간지.

Gerfalke *m.* -n, -n 〖動〗 매의 일종.

Gergel [gɛ́rgəl] 《lat.》 *m.* -s, - 통바닥을 메우는 통판(桶板)에 난 홈; 통판(桶板)에 홈을 파는 도구.

Gerhard [gé:rhart, gɛr..] 《„der Speerstarke"의 뜻》 *m.* 게르하르트(남자 이름).

Gerhardt Paul ~ 게르하르트(독일의 시인, 1607-76).

Geriater *m.* -s, - 노인병학자; 노인병 전문의.

Geriatrie *f.* 노인 의학(Altersheilkunde).

Geriatrikum *n.* -s, ..ka 〖藥〗 노인병 치료제.

geriatrisch *a.* 노인 의학의[적인].

***Gericht**[1] [gərɪ́çt] 《⊕ recht》 *n.* -(e)s, -e 조리한 음식; 요리: Fleisch~ 고기 요리; ein ~ auftragen[bestellen, zubereiten] 어떤 요리를 나르다[주문하다, 준비하다]; Haupt~ 주요리; Vor~ 전채 요리(코스).

***Gericht**[2] *n.* -(e)s, -e 〖法〗 ① 재판, 심판, 판결; 심리(審理): über jn. ~ halten [zu ~ sitzen] a) 누구를 재판하다, b) 누구를 심문하다; 〖비유·구어〗 mit jm. hart[scharf] ins ~ gehen 누구를 신랄하게 비난하다, 누구를 심하게 벌주다; 〖宗〗 das Jüngste[Letzte] ~ 최후의 심판. ②〖총칭〗재판관, 법관; 재판부: das ~ zieht sich zur Beratung zurück 재판부가 심리를 위해 퇴정한다. ③ 법원, 법정; 법원 건물[청사]: 〖雅語〗 jn. vor ~ fordern [laden] 누구를 법정으로 소환하다; jn. wegen eines Dinges vor ~ stellen[bringen] 무슨 일 때문에 누구를 상대로 소송을 제기하다, 제소하다; sich vor ~ stellen [sich dem ~ stellen] 법원[법정]에 출두하다; wo finde ich hier das ~? 여기 어디에 법원 건물이 있습니까? ④ 재판[사법]권. ⑤ 법원 관할구.

gerichtet [gərɪ́çtət] 《I》 *p.p.* ↑ richten. 《II》 *p.a.* ① …로 방향을 잡은. ② (유죄) 판결이 내려진, 처형된. ③ …의 마음을[의사를] 품은. ④ (md.) 준비가 된(bereit).

gerichtlich *a.* 법원의, 재판상의, 법률상(유효)의; 합법의: eine ~e Vorladung 법정 소환, 법정 출두 요구; ~e Medizin 법의학; ~e Hilfe 민사 소송; jn. ~ belangen[verfolgen] 누구를 고소하다; gegen jn. ~ vorgehen 누구를 상대로 소송을 제기하다.

Gerichts=akte *f.* 재판 관계 서류[기록]. **~aktuar(ius)** *m.* 법원 서기.

Gerichtsame [gərɪ́çt|za:mə] *f.* -n 〖고어〗 (schweiz.) 법원 관할구(Gerichtsbezirk).

Gerichts=amt *n.* 법원, 재판소. **~arzt** *m.* 법정 자문 의사, 법의학자. **~assessor** *m.* 수습 사법관, 사법 연수생. **~bank** *f.* 〖복수: ..bänke〗 ① 판사석. ②〖고어〗법원, 법정.

Gerichtsbarkeit *f.* -en 〖法〗 ① 재판권. ② 재판권 행사.

Gerichts=beamte* *der* 법원 직원, 사법 공무원. **~befehl** *m.* (법원이 발부하는) 영장. **~beisitzer** *m.* 배석 판사. **~beschluß** *m.* 판결. **~bezirk** *m.* 법원 관할 지역. **~bote** *m.* (주로 소송 서류의 송달을 담당하는) 법원 직원. **~brauch** *m.* 재판 판례. **~diener** *m.* 정리(廷吏). **~direktor** *m.* ↑ ~halter. **~ferien** *pl.* 〖法〗 (독일의) 휴정(休廷) 기간, 법원의 휴가. **~gang** *m.* 재판 진행; 재판 절차. **~gebäude** *n.* 법원 건물. **~gebühr** *f.* 〖法〗 재판 비용, 소송비. **~halle** *f.* 법정. **~halter** *m.* 재판권을 위임받은 재판관. **~halterei** *f.* 재판권을 위임받은 재판소. **~handel** *m.* 재판 사건; 소송. **~herr** *m.* ①〖옛뜻〗재판권 소유자(영주·국왕 등). ② (나치 때) 군사 법원을 소집할 수 있었던 지휘관. **~herrschaft** *f.* 재판권. **~hof** *m.* ① 법정, 법원. ②〖구식〗(여러 재판관이 있는) 합의 법정. **~kammer** *f.* 법원. **~kanzlei** *f.* 법원 서기과. **~kosten** *pl.* 재판 비용. **~laube** *f.*, **~lokal** *n.* ↑ ~halle. **~medizin** *f.* 법의학. **~mediziner** *m.* 법의학자. **~notorisch** *a.* ①〖法〗법원에서 인증된. ②〖대개 폄어〗잦은 형사 처벌로 이미 잘 알려진, 상습범으로 유명한. **~ordnung** *f.* 법원 조직법. **~ort** *m.* ① 재판[심리] 장소. ② 법원 소재지. **~person** *f.* 법원 직원. **~präsident** *m.* 재판[법원]장. **~rat** *m.* ① 재판관; 판사. ② 법률 고문; 변호사. **~saal** *m.* 법정. **~schöffe, ~schöppe** *m.* ↑ ~beisitzer. **~schreiber** *m.* 〖옛뜻〗 (schweiz.) 법원 서기. **~siegel** *n.* 법원 인장(印章). **~sitzung** *f.* 공판, 개정. **~sporteln** *pl.* ↑ ~gebühren. **~sprache** *f.* 〖法〗 법정[재판] 용어. **~sprengel** *m.* ~bezirk. **~stand** *m.* 재판 관할지; 재판적(籍). **~statt, ~stätte** *f.* 형장(刑場). **~stelle** *f.* ↑ ~stand. **~stil** *m.* 법(률)문체. **~stuhl** *m.* 법관석; 법정. **~tag** *m.* 〖法〗 개정일(開廷日), 공판일. **~urteil** *n.* 법원 판결. **~verfahren** *n.* 재판[소송] 절차. **~verfassung** *f.* 〖法〗 법원 조직. **~verhandlung** *f.* (법원의) 심리. **~verwalter** *m.* ↑ ~halter. **~verwaltung** *f.* 법원의 행정 업무. **~verweser** *m.* ~verwalter. **~verwesung** *f.* ↑ ~verwaltung. **~vollzieher** *m.* 집달관. **~weg** *m.* 〖구어〗 소송 절차, (사)법적 방법. **~wesen** *n.* 법원[사법] 제도. **~zwang** *m.* ↑ Gerichtsbarkeit.

gerieben [gəri:bən] 《I》 *p.p.* ↑ reiben. 《II》 *p.a.* 〖비유·구어〗 영악한, 교활한, 약삭빠른.

Geriebenheit *f.* 〖구어〗 영악, 교활, 약삭빠름.

geriehen *p.p.* ↑ reihen.

gerieren [gerí:rən] 《lat.》〖교양〗 *refl.* sich als jn.[et.] ~ …으로 행동[처신]하다: sich als rechts ~ 우익으로 자처하다.

Geriesel [gəri:zəl] *n.* -s 물이 졸졸 흐르는 소리.

geriet [gəri:t] ↑ geraten[1]의 과거형.

geriete [gərí:tə] ↑ geraten[1]의 접속법 II 식.

***gering** [gərɪ́ŋ] 《ahd. (gi)ringi, „leicht"》 *a.* ① 경미한, 얼마 안 되는; (양이) 많지 않은: ~e Begabung 빈약한 재능; in nicht ~e Verlegenheit kommen 적지 않게 당황하다; 〖고어〗 ein ~es 약간, 조금; um ein ~es a)

적은 돈으로, b) 약간, 조금, c) 거의, 하마터면; 〖雅語〗 er hat das Haus um ein ∼es erworben 그는 싼 값에 집을 구했다; er erschrack schon beim ∼sten Geräusch 그는 아주 작은 소리만 나도 소스라치게 놀랐다; nicht das ∼ste 〔im ∼ sten〕 전혀 …이 아니다. ② (정도·가치 따위가) 보잘것없는, 사소한, 중요치 않은: ∼ schätzen〔achten〕 하찮게 평가하다; es kostet, ∼ 〔wening〕 geschätzt, 3 Mark 적게 잡아도 3 마르크 든다; nichts ∼es als ... 다름 아닌 …(무엇); kein ∼er als... 다름 아닌 바로 …. ③〖雅語〗 신분이 낮은, 천한: von ∼er Herkunft 태생이 미천한. ④〖雅語·드물게〗 품질이 낮은: ∼e Waren 저질품. ⑤〖사냥〗 (짐승이) 작은, 어린.

gering≈achten *t.* 경멸하다, 얕보다. **∼achtung** *f.* 경멸, 얕봄.

geringelt 《Ⅰ》 *p.p.* ↑ ringeln. 《Ⅱ》 *p.a.* 줄무늬가 있는.

geringer [gərɪ́ŋər] ↑ gering 의 비교급.

geringfügig *a.* 미미한, 변변찮은, 사소한, 보잘것없는: 〖法〗 ∼e Beschäftigung〔Tätigkeit〕 경미한 일〔활동〕(기간이 짧거나 수입이 작아서 사회 보험료·세금이 면제되는 생업 활동).

Geringfügigkeit *f.* -en 사소한 것, 중요치 않은 일.

gering·haltig *a.* 〖제련〗 (금·은 따위의) 순도가 낮은.

Geringheit *f.* ↑ gering 의 명사형.

gering|schätzen *t.* 경멸하다, 얕보다.

geringschätzig *a.* 경시하는; 경멸조의, 경멸하는 투의: eine ∼e Bemerkung 경멸하는 투의 발언.

Geringschätzigkeit *f.* 경멸하는〔얕보는〕 태도.

Gering·schätzung *f.* ↑ ∼schätzen 의 명사형.

geringst [gərɪ́ŋst] *a.* ↑ gering 의 최상급.

geringsten·falls *adv.* 〖雅語〗 적어도, 최소한.

gerinnbar *a.* 응고성(性)의.

Gerinnbarkeit *f.* 응고성.

Gerinne [gərɪ́nə] 《<rinnen》 *n.* -s, - ① 아주 작은 시내, 개울, 실개천. ② 가늘게 흐르는 액체. ③〖기술〗 수관(水管), 홈통; 도랑, 수로.

gerinnen [gərɪ́nən] (gerann, geronnen) *i.* 응고〔응결〕하다: Blut〔Milch〕 gerinnt 피〔우유〕가 응고한다. ②〖비유〗 jm. gerinnt das Blut in den Adern 놀라서 혈관의 피가 굳어버리는 듯하다. ③〖雅語〗 zu et.³ ∼ 무엇으로 되다, 축소되다.

Gerinnsel [..rɪ́nzəl] *n.* -s, - ① (모여서) 응고된 것; 〖醫〗 혈전(血栓), 응혈(凝血). ② 작은 실개천(Rinnsal). ③ 가늘게 흐르는 액체.

Gerinnung *f.* -en 응고.

***Gerippe** [gərɪ́pə] 《<Rippe》 *n.* -s, - ① 뼈대, 골격, (특히) 해골; 야윈 사람: 〖구어〗 sie ist ein wahres ∼ 그 여자는 정말로 뼈만 남았다; 〖구어〗 bis zum ∼ abmagern 피골이 상접할 정도로 마르다. ② 골조, 뼈대, 외부 구조, 틀. ③〖書〗 윤곽, 소묘, 초벌 그림; (논문의) 초안.

gerippt 《Ⅰ》 *p.p.* ↑ rippen. 《Ⅱ》 *p.a.* ① 늑골이 있는. ②〖植〗 잎맥이 있는; 〖방직〗 늑골 모양의 줄(무늬)가 있는.

Geriß *n.* ..risses 〖구어〗 (특히 öst.) ① 경쟁. ② bei jm. ∼ haben 누구에게 인정을 받다, 호감을 사다.

gerissen [gərɪ́sən] 《Ⅰ》 *p.p.* ↑ reißen. 《Ⅱ》 *p.a.* 〖비유·구어〗 약아빠진, 교활한; 이재에 밝은, 제 이익만 생각하는.

Gerissenheit *f.* ↑ gerissen 의 명사형.

geritten [gərɪ́tən] *p.p.* ↑ reiten.

geritzt 《Ⅰ》 *p.p.* ↑ ritzen. 《Ⅱ》 *p.a.* 〖다음 용법으로〗 〖구어·경박〗 eine Sache ist ∼ (어떤 일은) 약속이〔합의가〕 되었다.

Germ [gɛrm] *f./m.* -(e)s (südd., öst.) 효모, 이스트.

***Germane** [gɛrmáːnə] 《klt.》 *m.* -n, -n 게르만인.

Germanen·kunde *f.* 게르만학.

Germanentum *n.* -s ① 게르만풍〔민족성·기질〕. ② 게르만 민족(전체).

Germania [gɛrmáːnia] *f.* ① 독일을 상징하는 여신상(像). ② (중세 이후 Deutschland 와 동의어처럼 쓰여서) 독일.

Germanien *n.* -s ↑ Germania ②.

Germanin[1] *f.* -nen ↑ Germane 의 여성형.

Germanin[2] *n.* -s 수면병 약.

***germanisch** [gɛrmáːnɪʃ] *a.* 게르만(민족)의: ∼e Sprachen 게르만어(독일어·영어·네덜란드어·스칸디나비아어 등의 총칭); ∼e 〔erste〕 Lautverschiebung 〖언어〗 (B.C. 500 년경에 있었던) 게르만어〔제 1 차〕 자음 체계의 음운 변화; ∼er Vers 〖문학〗 강약의 원칙에 따르는 시구〔시행〕 (↔ antiker Vers).

germanisieren *t.* 게르만풍으로 하다, 독일화하다: 〖은폐〗 ausländische Kinder ∼ (나치 때) 외국 어린이들을 독일에 보내 교육하다.

Germanismus *m.* -, ..men 〖언어〗 ① (발음·어순 따위에서의) 독일어의 특수성. ② 다른 언어에 차용된 독일어(적 특성) (보기: 영어의 Kindergarten).

***Germanist** *m.* -en, -en 독어 독문학자; 독어독문학 전공자; 〖구식〗 (↔ Romanist) 독일 및 게르만법 분야의 법학자; 게르마니스트(게르만법을 존중하는 일파).

Germanistin *f.* -nen ↑ Germanist 의 여성형.

***Germanistik** *f.* 독어 독문학.

germanistisch *a.* 독어 독문학의.

Germanium *n.* -s 〖化〗 게르마늄(금속 원소명; 기호: Ge).

Germanomanie 《gr.》 *f.* 독일광(狂)〔심취〕.

Germanophobie 《gr.》 *f.* (독일과 관련된 것은 모두 싫어하는) 독일 혐오증.

Germer [gɛ́rmər] *m.* -s, - 〖植〗 박새.

germinal *a.* 〖植〗 어린 싹〔새싹〕의, 배종(胚種)의.

***gern** [gɛrn] (lieber/(고어) gerner, am liebsten/(고어) am gernsten) 《원뜻 „begierig"; ♧ begehren, Geier, Gier》 *adv.* ① 즐겨, 기꺼이, 쾌히, 흔연히; ∼ oder un∼ 〔∼ oder nicht〕 좋든싫든; jn.〔et.〕 ∼ haben 누구를〔무엇을〕 좋아하다; et. ∼ trinken 무엇을 즐겨 마시다; et. ∼ tun〔mögen〕 무엇을 하고 싶어하다; ∼ gesehen sein 환영받다; Sie sind ∼ gesehen 언제라도 와 주십시오; 〖구어·반어〗 du kannst mich ∼ haben 나는 너와 상관하고 싶지 않다. ②〖동의·소망〗 du kannst ∼ auch später anrufen 나중에라도 전화해: ich hätte

~ ein Kilo Trauben 나는 포도 1 킬로그램을 원합니다. ③ es ~ haben〔sehen〕, wenn ... …이면 좋겠다; nicht ~ 〘구어〙 의도적〔고의적〕이 아닌: entschuldigen Sie, das habe ich nicht ~ getan 죄송합니다, 제가 일부러 그런 것은 아니었어요. ④〘구어〙 우선적으로; 보통, 대개; 쉽사리: diese Pflanze wächst ~ am Wasser 이 식물은 물가에서 잘 자란다; diese Blusen werden ~ gekauft 이 블라우스들은 잘 팔린다; wer keine Erfahrung hat, wird ~ betrogen 경험이 없는 사람은 쉽게 속임을 당한다.

gerne *a.* ↑ gern.

gerne≈gesehen *a.* 환영받는. **~groß** *a.* 〘농담〙 잘난 체하는, 뽐내고 싶어하는. **~groß** *m.* 〘농담〙 잘난 체하는 사람, 뽐내고 싶어하는 사람. **~klug** *a.* 〘농담〙 똑똑한 체하는. **~klug** *m.* 〘농담〙 똑똑한 체하는 사람.

Geröchel [gərœ́çəl] *n.* -s 그르렁거림.

gerochen[1] [gərɔ́xən] *p.p.* ↑ riechen.

gerochen[2] 《Ⅰ》 *p.p.* ↑ rächen. 《Ⅱ》 *p.a.* 〘구식·시어·농담〙 보복을 당한, 벌을 받은.

Geroll(e) [gərɔ́l(ə)] *n.* -s 줄곧 구르기〔굴러가기〕; 구르는 소리.

Geröll [gərœl] *n.* -(e)s, -e ① 자갈, 조약돌. ② 암석 파편 더미.

Geröll≈halde *f.* 자갈 더미〔언덕〕. **~masse** *f.* 자갈〔돌〕 더미.

geronnen [gərɔ́nən] *p.p.* ↑ rinnen.

Geront [gerɔ́nt] *m.* -en, -en ① (고대 그리스의) 국정 자문 의원. ② (특히 스파르타의) 원로원 회원.

Gerontologe *m.* -n, -n 〘醫〙 노화 현상 연구가, 노인 의학 전문의.

Gerontologie [gerɔntologí:] 《gr.》 *f.* ① (유기체의) 노화 연구. ②〘醫〙 (인간의) 노화 현상 연구.

*__Gerste__ [gɛ́rstə] 《ahd., „die Stachlige"》 *f.* (품종) -n ①〘植〙 보리(속). ② 보리 낟알, 보리쌀.

Gerstel *n.* -s, -(n) 〘방언〙 (öst.) ① 보리 낟알, 보리쌀; 보리죽. ②〘구어·농담〙 (Geld) 돈; 얼마 안 되는 재산.

Gerstel·suppe *f.* 보리죽〔수프〕.

gersten *a.* 보리의〔로 만든〕.

Gersten≈acker *m.* 보리밭. **~brot** *n.* 〘식품〙 보리빵. **~dieb** *m.* 〘속어〙 참새. **~feld** *n.* 보리밭: 〘비유·구어〙 seine Gedanken immer im ~ haben 정신이 산만하다. **~graupe** *f.* 보리쌀. **~grütze** *f.* ① 찧은 보리. ②〘요리〙 보리로 만든 요리. **~korn** *n.* 〘복수: ..körner〙 ① 보리 낟알. ②〘醫〙 다래끼. **~malz** *n.* 엿기름. **~mehl** *n.* 보릿가루. **~saft** *m.* 〘시어·농담〙 맥주. **~schleim** *m.* ↑ ~trank ①. **~schrot** *n.* 찧은 보리. **~trank** *m.* ① 보리 음료. ②〘시어·농담〙 맥주. **~wasser** *n.* ~trank ①. **~zucker** *m.* 설탕과 맥아정(精)으로 만든 사탕.

Gerte [gɛ́rtə] *f.* -n (나뭇잎을 떼낸) 잘 휘어지는 가지: Weiden~ 버들가지; Reit~ 승마용 채찍; sie ist schlank wie eine ~ 그녀는 나뭇가지처럼 호리호리하다.

Gerten≈hieb *m.* 승마용(말) 채찍으로 후려치기. **~schlank** *a.* 호리호리한; 매우 날씬한.

Gertraud [gɛ́rtraut, gé:r..] *f.* 게르트라우트 (여자 이름).

Gertrud [gɛ́rtru:t, gé:r..] *f.* 게르트루트(여자 이름).

*__Geruch__ [gərúx] 《<riechen》 *m.* -(e)s, ..rüche ① 냄새, 향기: Körper~ 체취; ein ~ von Kaffee 커피향. ② 후각: einen feinen ~ haben 냄새를 잘 맡는다. ③〘비유〙 명성, 평판: in einen schlechten ~ kommen 평판이 나빠지다, 악평이 나다; im ~ eines Lebemannes stehen 한량이라는 평이 있다.

geruchlos *a.* 냄새나지 않는, 향기 없는.

Geruchlosigkeit *f.* ① 냄새〔향기〕 없음, 무취. ② 후각 결핍〔장애〕.

Geruchs≈belästigung *f.* 악취로 인한 고통. **~bindend** *a.* 악취를 제거〔억제〕하는. **~empfindung** *f.* ① 냄새(를) 맡음, 냄새 감지. ② 후각. **~nerv** *m.* 〘전문어의 경우 2격이 -en 으로 됨〙〘해부〙 후각 신경. **~organ** *n.* ①〘해부〙 후각 기관. ②〘구어·농담〙 코. **~sinn** *m.* 후각. **~vermögen** *n.* ↑ ~sinn. **~verschluß** *m.* (하수관 따위의) 방취판. **~werkzeug** *n.* 〘구어〙 후각 기관.

*__Gerücht__ [gərʏ́çt] 《<rufen》 *n.* -(e)s, -e ① 소문, 풍문: es geht〔läuft〕 das ~, daß... …라는 소문이 떠돌고 있다. ②〘고어〙 명성, 평판: jn. in ein böses ~ bringen 누구의 악평을 퍼뜨리다.

Gerüchte≈küche *f.* 〘구어〙 소문의 진원지. **~macher** *m.* 〘구어·폄어〙 소문을 퍼뜨리는 사람.

geruch·tilgend *a.* 냄새를 제거하는: ~e Mittel 방취제.

gerücht·weise *adv.* 소문으로〔에 따르면〕.

Gerufe [gərú:fə] *n.* -s 자꾸 불러댐.

gerufen [gərú:fən] *p.p.* ↑ rufen.

geruhen [gərú:ən] 《ahd. (gi)ruochan, „sorgen"; ♧ ruchlos》 *i.* (h.) 〘雅語·지금은 대개 반어〙 et. zu tun ~ 황송하게도 …하시다: Seine Majestät haben geruht, et. zu tun 폐하께서는 황송하게도 …을 하셨습니다; wann geruhst du, deine Aufgaben zu erledigen? 그대는 맡은 일을 언제쯤 처리하려고 그러시나?

geruhig *a.* 〘구식〙 편안한(ruhig).

geruhsam [gərú:za:m] *a.* 편안한, 안락한; 서두르지 않고; 흥분하지 않고.

Geruhsamkeit *f.* ↑ geruhsam 의 명사형.

Gerüll(e) [gərʏ́l(ə)] *n.* -(e)s, ..rülle ↑ Gerölle.

Gerumpel [gərúmpəl] *n.* -s 〘구어〙 덜컹거리는 소리, 덜커덩거림.

Gerümpel [gərʏ́mpəl] *n.* -s 〘폄어〙 (케케묵은) 잡동사니; 헌 물건.

Gerümpel·kammer *f.* 창고, 헛간.

Gerundium [gerúndium] 《lat. gerere, „verrichten, durchführen"》 *n.* -s, ..dien [..diən] 〘문법〙 동명사.

Gerundiv *n.* -s, -e [..və] 〘문법〙 ↑ Gerundivum.

gerundivisch [..vɪʃ] *a.* 미래 분사의; 미래 분사로 쓰이는.

Gerundivum [..vum] *n.* -s, ..va 〘문법〙 미래 분사.

gerungen [gərúŋən] *p.p.* ↑ ringen.

Gerusia [geruzí:a] 《gr.》 *f.* 〘고대그리스〙 ① 원로 회의; (특히 스파르타의) 원로원.

Gerusie *f.* 〘고대그리스〙 ↑ Gerusia.

*__Gerüst__ [gərʏ́st] 《<rüsten》 *n.* -(e)s, -e ① 구

조물, 뼈대. ② (건축 작업을 위한) 구조물, 비계. ③〔비유〕기본 계획〔구상〕; 기본 이념: das ~ meines Vortrags 내 강연의 기본 구상.
Gerüttel [gərÝtəl] *n.* -s 지속적인 흔들림.
Gervais [ʒɛrvέ:] 《frz.》 *m.* -, - 제르베 치즈(프랑스제 치즈의 일종).
Ger≠werfen *n.*, **~wurf** *m.* 창 던지기.
ges [gɛs] *n.* -, -〔음악〕내림사(단조).
Ges *n.* -, -〔음악〕(반음) 내림사(장조).
Gesabber *n.* -s〔펌어〕①〔구어〕침을 질질 흘림. ②〔구어〕(아기 등이) 질질 흘리는 침. ③〔경박〕멍청한 소리, 헛소리.
Gesäge [gəzέ:gə] *n.* -s ①〔구어·대개 펌어〕(계속된) 톱질. ②〔경박·펌어〕(계속) 코골기.
Gesalbte* *der/die* ①〔史·기독교〕(서품식·즉위식 등에서) 향유를 받는 사람(사제·왕·선지자 등):〔가톨릭〕der ~ 그리스도(Messias에 대한 차용 역어).
gesalzen [gəzáltsən] 《I》 *p.p.* ↑ salzen. 《II》 *p.a.*〔비유·구어〕혹독한, 격렬한; 거친; (가격이) 매우 높은.
Gesalzene* *das*〔요리〕소금에 절인 고기.
Gesäme [gəzέ:mə] *n.* -s〔집합적〕종자류(種子類).
gesammelt 《I》 *p.p.* ↑ sammeln. 《II》 *p.a.* 모은; 집중하고 있는: ~e Werke 주요 작품집, 선집.
***gesamt** [gəzámt] (♧ sammeln) 《I》 *a.* 총체〔전체〕의, 모든: das ~e Vermögen 전 재산. 《I》 *adv.* 통틀어, 모두, 총괄하여.
Gesamt *n.* -s〔드물게〕↑ Gesamtheit.
Gesamt≠ansicht *f.* 전체 조망, 전경(全景). **~ausgabe** *f.*〔음악·출판〕전집판. **~begriff** *m.* 총괄〔일반〕개념. **~betrag** *m.* 총계, 전액. **~bewußtsein** *n.* 전체 의식. **~deutsch** *a.* 전 독일(인)의; 독일 전체의〔에 관련되는〕: ~e Volkspartei (1953-57 년 사이에 존속한 서독의 정당; 중립화에 의한 통독을 추구함). **~deutschland** *n.* 전 독일.
Gesamte* *das* 총체, 전체; 총계, 개괄.
Gesamt≠eigentum *n.* 전재산;〔法〕총유(總有). **~eindruck** *m.* 전체적인 인상〔느낌〕. **~einnahme** *f.* 총수입. **~erbe** *m.* 단독 상속인. **~ergebnis** *n.* 전체 결과. **~ertrag** *m.* 총소득, 총수익, 총수확. **~europäisch** *a.* 전 유럽의〔에 관련되는〕. **~forderung** *f.*〔法〕연대 채권. **~gläubiger** *m.*〔法〕연대 채권자. **~gut** *n.*〔法〕(부부의) 공동 재산.
gesamthaft *a.* (schweiz.) 《I》 *a.* 전체의. 《II》 *adv.* 전체적으로, 통틀어, 전부.
Gesamtheit [gəzámthaıt] *f.* ① (↔ Einzelheit) 총체, 전체, 총계: in der ~ genommen 총계를 내보면, 개괄해보면. ② 전체 사회. ③〔통계〕조사 대상 전체.
Gesamt≠hoch·schule *f.*〔교육〕통합 대학. **~interesse** *n.* (집단이나 민족) 전체의 관심〔이익〕. **~kapital** *n.* 총자본. **~kunstwerk** *n.* 종합 예술 작품. **~länge** *f.* 전체〔총〕길이. **~macht** *f.*〔軍〕총병력. **~masse** *f.* ① 총량. ② 전 재산. ③〔통계〕(조사 대상의) 전체 구성원. **~ministerium** *n.* 전각료. **~note** *f.* 전체 성적, 총점. **~petition** *f.* 합동 청원(서). **~rat** *m.* 총회의 구성원. **~regierung** *f.* 연방 정부, 중앙 정부. **~schaden** *m.* 손해 총액. **~schuldner** *m.* 연대 채무자. **~schule** *f.*〔교육〕통합 중고등 학교(상급 학교 진학 기회의 균등을 위해서 김나지움과 실업 학교의 기능을 통합함). **~sieg** *m.*〔스포츠〕종합 우승. **~sieger** *m.*〔스포츠〕종합 우승자〔팀〕. **~strafe** *f.* 병합형(倂合刑), 총괄형(刑). **~summe** *f.* 총액. **~tonnen·gehalt** *m.* 총톤수. **~übersicht** *f.* 개관. **~unterricht** *m.*〔교육〕통합 수업. **~verband** *m.* (단체들의) 총연합(회). **~werk** *n.* 전작품. **~wertung** *f.* 총평가. **~wille** *m.* 전체 의사, 총의. **~wirtschaft** *f.* 종합 경제. **~wohl** *n.* 공익, 공공 복지. **~zahl** *f.* 총수, 총계.
gesandt [gəzánt] *p.p.* ↑ senden.
Gesandte* [gəzántə] *der/die* ① 외교 사절. ② 공사.
Gesandtin *f.* -nen ↑ Gesandte의 여성형.
Gesandtschaft *f.* -en ① 외교 사절단〔대표부〕. ② 공사관〔대사관〕(건물).
gesandtschaftlich *a.* 외교 사절단의〔에 관련되는〕.
Gesandtschafts≠attaché *f.* (공사·대사의) 수행원, 공사관〔대사관〕직원. **~gebäude** *n.* 공사관, 대사관. **~personal** *n.* 공사관〔대사관〕직원. **~posten** *m.* 공사〔대사〕의 지위. **~sekretär** *m.* 공사관〔대사관〕서기관.
***Gesang** [gəzáŋ] *m.* -(e)s, ..sänge ① 노래하기; 가창;〔動〕우는 소리: der ~ der Vögel 새들의 지저귐;〔시어〕der ~ des Windes 바람의 노랫소리. ② 노래, 가곡; 가요, 시가. ③ 서사시의 장〔절〕. ④〔시어·구식〕시작(詩作), 창작〔시작〕능력.
gesang≠artig *a.*〔음악〕노래풍〔성악·가요풍〕의. **≈buch** *n.* 노래책, 가곡집; 성가집:〔구어·농담〕das falsche ~ haben a) 출세에 불리한 종파에 속하다, b) 지배 세력과 견해가 달라 출세에 지장이 있다. **≈lehrer** *m.* 성악 교사. **≈lehrerin** *f.* ↑ ~lehrer의 여성형.
gesanglich *a.* ① 노래의, 성악의. ② 아름다운 곡조의, 음률이 좋은.
gesanglos *a.* 노래(재간이) 없는.
gesang≠mäßig 《I》 *a.* 가요풍의. 《II》 *adv.* 노래하듯. **~reich** *a.* 노래가 많은; 선율이 풍부한, 가락이 좋은.
Gesangs≠einlage *f.*〔연극〕삽입가(歌). **~kunst** *f.* 가창법. **~pädagoge** *m.* 성악 교사. **~pädagogin** *f.* ↑ ~pädagoge의 여성형.
Gesang≠stück *n.*〔음악〕성악곡, 가곡. **~stunde** *f.* ① 노래 시간. ② 노래〔성악〕수업. ③ (노래 단체 등의) 연습〔리허설〕시간. **~unterricht** *m.* 성악 교습〔수업〕. **~verein** *m.* 노래 클럽, 합창단: mein lieber Herr ~! 맙소사!, 아, 저런! (놀람·경탄을 표현하는 감탄사). **~weise** *f.* ① 노래 부르는 법. ② 노래 선율. **≈weise** *adv.* 가요조로, 노래하듯.
Gesäß [gəzέ:s] (< sitzen) *n.* -es, -e ① 엉덩이, 궁둥이. ② (옷의) 엉덩이 부분. ③ (의자의) 앉는 부분(Sitz).
Gesäß≠arterien *pl.*〔해부〕둔부 동맥. **~bein** *n.*〔해부〕좌골(坐骨). **~falte** *f.* 엉덩이와 대퇴부 사이의 주름. **~muskel** *m.* 엉덩이 근육. **~schwiele** *f.*〔動〕(원숭이 엉덩이에서 볼 수 있는) 둔부 경피, 엉덩이의 굳은살. **~tasche** *f.* 바지 뒷주머니.
gesättigt [gəzέtıçt] 《I》 *p.p.* ↑ sättigen. 《II》 *p.a.*〔化〕포화(상태)의.

Gesätz *n.* -es, -e 〖문학〗 (장인가(匠人歌)의) 연(聯).
Gesaufe [gəzáufə] *n.* -s 〖비속〗 허구한 날 술 마시기.
Gesäuge [gəzɔ́ygə] *n.* -s 〖사냥〗 (포유 동물의) 젖꼭지.
Gesause [gəzáuzə] *n.* -s 끊임없이 촬촬〔쏴쏴〕하는 소리.
Gesäusel [gəzɔ́yzəl] *n.* -s 살랑거리는 소리.
gesch. =geschieden 이혼한.
Geschabte* *das* 발라낸 고기.
geschacht [gəʃáxt] *a.* 서양 장기(판) 모양의.
geschaffen [gəʃáfən] *p.p.* ↑ schaffen[1].
geschafft 《I》 *p.p.* ↑ schaffen[2]. 《II》 *p.a.* 〔구어〕 완전히 지친, 기진맥진한, 녹초가 된.
***Geschäft** [gəʃɛ́ft] 《<schaffen》 *n.* -(e)s, -e ① 용무, 일, 업무: häusliche ~e 가사(家事); ~e halber 볼일 때문에; was für ein ~ führt dich her? 자네가 여기는 어쩐 일로 왔나?; mit ~en überlastet sein 일이 산더미처럼 쌓여 있다; 〔비유·구어〕 sein großes 〔kleines〕 ~ machen〔verrichten, erledigen〕 대변〔소변〕을 보다. ② 직업, 생업: ins ~ gehen 출근하다; aus dem ~ kommen 퇴근하다. ③ (**a**) 상업, 장사, 거래, 무역, 사업, 영업; 판매: wie gehen Ihre ~e? 장사(의 경기)는 어떻습니까?; das ~ mit dem Auslande 〔im Inlande〕 외국 무역〔국내 거래〕; mit jm. ins ~ kommen 누구와 거래를 트다; das ~ mit der Angst (목적 달성을 위한) 공포 분위기 조성. (**b**) 이익, 이윤: er hat mit dem Grundstück ein ~ gemacht 그는 부동산으로 돈을 많이 벌었다. ④ 회사; 가게, 상점, 영업〔사무〕소: ein ~ im großen〔kleinen〕 도매〔소매〕상점; die ~e schließen um 18 Uhr 상점들은 18시에 문을 닫는다.
Geschäfte≈macher *m.* 〔폄어〕 돈벌이에 눈먼 사람. **~macherei** *f.* 〔폄어〕 돈벌이, 이윤 추구.
geschäftig *a.* ① 할 일이 많은, 바쁜, 열심히 일하는, 부지런한: auf dem Markt herrschte ~es Treiben 시장은 바쁘게 돌아가고 있었다. ② 민첩한, 재싼. ③ 일할 준비가 된.
Geschäftigkeit *f.* ↑ geschäftig의 명사형.
Geschaftl·huber *m.* 〔방언·폄어〕 바쁜 체하는 사람; 중요한 인물인 체하는 사람.
geschäftlich *a.* ① 업무상〔거래상·사업상〕의, 상용의. ② 사무적〔형식적·비개인적〕인.
Geschäfts≈abschluß *m.* 사업 계약〔거래〕 체결. **~adreß·karte** *f.* ↑ ~karte. **~angelegenheit** *f.* 사업상의 일; 공적인 용무. **~anteil** *m.* 〖經〗 영업〔출자〕 지분(持分). **~anzeige** *f.* 영업 광고. **~aufgabe** *f.* 폐업, 폐점. **~auflösung** *f.* 폐업. **~aufsicht** *f.* 법정 관리. **~auftrag** *m.* 업무 위탁. **~auto** *n.* 업무용 차량, 회사차. **~bereich** *m.* 업무 범위: Minister ohne ~ 무임소 장관. **~bericht** *m.* ①〖經〗 영업 실적 연간 결산 보고. ② 활동 상황 보고. **~betrieb** *m.* 〖經〗 ① 이윤 추구 행위; 영업 (활동). ② 기업. **~brief** *m.* 상용 편지; 공문. **~buch** *n.* 〖經〗 영업(용) 장부. **≈erfahren** *a.* 실무〔영업〕 경험이 있는. **~erfahrung** *f.* 실무〔영업상의〕 경험. **≈fähig** *a.* 실무〔영업〕 능력이 있는; 〖法〗 업무〔사업〕 능력이 있는: 〔구어·농담〕 nicht (mehr) ~ sein 술에 취해 제정신이 아니다. **~fähigkeit** *f.* 실무〔영업〕 능력; 〖法〗 업무〔사업〕 능력. **~frau** *f.* ① ↑ ~mann의 여성형. ② ↑ ~mann의 아내. **≈frei** *a.* (볼)일이 없는, 한가한. **~freund** *m.* 거래처. **~führer** *m.* 〖經〗 ① 유한 책임 회사(GmbH)의 법적 대표. ② 기업의 실질적인 경영자. ③ 대리 운영자, 지배인. **~führerin** *f.* ↑ ~führer의 여성형. **~führung** *f.* 〖經〗 ① 기업 경영, 사업 운영. ② 기업, 경영진, 임원. ③ ~ ohne Auftrag 〖法〗 위임을 받지 않고〔자격이나 의무 없이〕 하는 업무 집행.
Geschäfts≈gang *m.* ① 업무상 외출, 심부름. ② 업무 진행, 영업 경과. ③ 업무상의 절차. **~gebaren** *n.* 사업상〔영업상·업무상〕의 태도; 영업 방침. **~gebrauch** *m.* 영업상의 관례, 상관습. **~gegend** *f.* 〔구어〕 회사〔상가〕 밀집 지구. **~geheimnis** *n.* 〖經〗 업무상〔거래상〕 비밀. **~geist** *m.* 사업 감각; 사업가 기질. **~grafik** *f.* 사무용 도표. **~grafik·programm** 사무용 도표 프로그램. **~haus** *n.* ① 회사. ② 상가〔업무용〕 건물. **~inhaber** *m.* 업주, 사장. **~inhaberin** *f.* ↑ ~inhaber의 여성형. **~interesse** *n.* 사업상〔영업상〕의 관심〔이익〕. **~jahr** *n.* 〖經〗 사업 연도. **~karte** *f.* 업무용 명함. **~kreis** *m.* 〔복수〕 사업가 그룹; 업계. **≈kundig** *a.* 실무 경험이 많은. **~lage** *f.* ① 경영 상태. ② 상점〔사업장〕의 위치. **~leben** *n.* 실업계; 사업, 거래, 무역. **~leitung** *f.* ↑ ~führung. **~leute** *pl.* ↑ ~mann. **~lokal** *n.* 영업〔사무〕소; 사무실, 가게.
geschäftslos *a.* ① 무직〔실업〕의. ② 거래가 없는, 불경기의, 활기 없는.
Geschäfts≈mann *m.* 〔복수: ..leute/(드물게) ..männer〕 상인; 기업가, 사업가. **≈mäßig** *a.* ① 사무상〔영업상〕의. ② 공적인, 객관적인, 사무적인. ③ ~es Handeln 〖法〗 고정적인 경제〔직업〕 활동으로 만들려는 의도로 반복하는 행동. **~ordnung** *f.* 사무〔업무〕 규정. **~papiere** 업무용 서류; (요금이 할인되는) 업무용 우편물. **~raum** *m.* 영업〔사무〕소, 사무실; 가게. **~reise** *f.* 업무 여행; 출장. **~reisende*** *der/die* 업무 여행자; 출장 중인 사람. **~sache** *f.* 사업상의 일; 업무. **≈schädigend** *a.* 영업 활동에 손해를 끼치는; 기업 이미지를 손상하는. **~schluß** *m.* 폐점, 업무〔영업〕 종료. **~sinn** *m.* ↑ ~geist. **~sitz** *m.* 영업 장소, 사업장 위치. **~sprache** *f.* 상용어. **~stelle** *f.* ① (관청의) 업무 처리실; 사무실; 영업소. ② 〖法〗 법원의 서기과, 민원실. **~stil** *m.* 업무〔사업〕 스타일. **≈still** *a.* 거래가 한산한, 불경기의. **~stille** *f.* 거래가 한산함, 불경기. **~straße** *f.* 상가; 회사 밀집 거리. **~stube** *f.* 사무실, 가게. **~stunden** *pl.* ↑ ~zeit. **~teil·haber** *m.* 주주(株主), 공동 경영자〔출자자〕, 조합원, 사원. **~träger** *m.* 〖法〗 대리 대사〔공사〕. **≈tüchtig** *a.* 사업 능력이 있는. **~übertragung** *f.* 영업 양도. **≈unfähig** *a.* 〖法〗 실무〔영업·사업〕 능력이 없는. **~verbindung** *f.* 거래 관계. **~verhältnisse** *pl.* 경영 상황; 영업 상태. **~verkehr** *m.* ① (상)거래, 통상. ② 영업 행위와 관련된 차량 통행. **~verwaltung** *f.* 사무〔영업〕 관리. **~viertel** *n.* 상가(商街); 회사〔사무실〕 밀집 지구. **~wagen** *m.* 업무용 차량, 회사차. **~welt** *f.*

실업〔상업〕계; 경영 활동. **~zeichen** *n.* 회사 마크. **~zeit** *f.* 영업〔집무〕시간. **~zimmer** *n.* ① 사무실. ② 거래〔교섭〕 장소. **~zweig** *m.* 사업 분야, 업종.

geschah [gəʃáː] ↑ geschehen 의 과거형.

geschähe [gəʃɛ́ːə] ↑ geschehen 의 접속법 Ⅱ 식.

Geschäker [gəʃɛ́ːkər] *n.* -s (끊임없이) 농담〔희롱〕하기; 시시덕〔노닥〕거리기.

Geschaukel [gəʃáukəl] *n.* -s 〖폄어〗 줄곧 흔들기, (끊임없이) 흔들림.

geschamig *a.* (bayr., öst.) 수줍어하는, 부끄러움을 잘 타는.

geschämig *a.* (bayr., öst.) ↑ geschamig.

Gescharre *n.* -s 〖폄어〗 (동물이 발톱으로) 박박 소리내며 긁기〔할퀴기〕; (사람이 발로 땅을) 박박 긁기; 박박 긁는 소리.

gescheckt 《Ⅰ》 *p.p.* ↑ schecken. 《Ⅱ》 *p.a.* 반점이 있는, 얼룩 무늬가 있는: eine ~e Kuh 얼룩소.

geschehen [gəʃéːən] (geschah, geschehen) *i.* (s.) ① (어떤 일이) 벌어지다, 일어나다, 생기다: ein Unglück ist ~ 불행한 일이 벌어졌다, 사고가 생겼다; 〖속담〗 ≈ ist ~ 벌어진 일은 돌이킬 수 없다, 엎지른 물은 다시 담을 수 없다. ② 〖종종 화법 조동사와 함께〗 행해지다, 수행되다: es muß doch etwas ~! 뭔가 조처가 취해져야 한다; was soll jetzt ~? 이제 뭘 해야 되지? ③ et. ~ lassen 무엇을 허용하다: wie konntest du das ~ lassen? 너는 어떻게 그런 일이 생기는 것을 보고도 가만 있을 수 있었니? ④ jm. ~ (무슨 일이) 누구에게 생기다, 닥치다: es wird dir nichts ~ 네게는 아무일도 없을거야; 〖구어〗 das geschieht ihm recht 그가 그렇게 된 것은 당연하다. ⑤ es ist um jn.〔et.〕 ~ a) 누구는 파멸이다, 기회가 더 이상 없다; 누구가 사랑에 빠지다, b) 무엇이 사라지다(더 이상 존재하지 않다): es war um seine Ruhe ~ 그는 마음의 평정을 잃었다.

***Geschehen** *n.* -s ① 사건의 진행〔경과〕: Welt≈ 세계사의 추이. ② 사건; 벌어지는 일: das damalige ~ 당시의 사건.

Geschehnis [gəʃéːnɪs] *n.* -ses, -se 일어난 일, 사건.

Gescheide [gəʃáɪdə] 《<scheiden》 *n.* -s, - 〖사냥〗 사냥물의 위(胃)와 창자.

Geschein [gəʃáɪn] *n.* -(e)s, -e 〖植〗 포도의 꽃차례〔화서(花序)〕.

***gescheit** [gəʃáɪt] 《<scheiden; 원뜻 „geistig trennend"》 *a.* ① 똑똑한, 영리한, 재치 있는: du bist wohl nicht ~? 애가 도대체 무슨 생각을 하는거야, 너 제정신이 아니구나?; ich werde daraus nicht (recht) ~ 나는 그것을 이해하지 못하겠다. ② 이성적인, 분별 있는: sei ~! 이성적으로 행동해라! ③ (obd.) (질이나 양이) 충분한: gib mir eine ~e Portion! 일인분 잘 해서 가져오게나.

Gescheitheit *f.* -en ① 영리, 똑똑함, 머리가 좋음. ② 〖반어〗 쓸데없는 소리, 공허한 상투어; 자칭 똑똑한 사람: erspare dir deine ~en! 헛소리 좀 작작하시지!; die von Professor X und anderen ~en vorgebrachten Einwände X 교수 이하 저 잘난 양반들이 내세운 반론.

Geschell *n.* -(e)s, -e 끊임없이 울리는 소리.

Geschelte *n.* -s 끊임없는 꾸짖음〔질책〕.

***Geschenk** [gəʃɛ́ŋk] 《<schenken》 *n.* -(e)s, -e ① 선물, 증여물: ~e schenkt man nicht weiter (자기가 받은) 선물은 남주는 게 아니다; kleine ~e erhalten die Freundschaft 작은 선물은 우의를 돈독히 한다; jm. et. zum ~ machen 누구에게 무엇을 선사하다. ② 〖비유〗 ein ~ des Himmels 하늘이 주신 선물(예기치 않은 기쁨이나 도움). ③ 뇌물 성격의 선물: Wahl≈ 선거 뇌물; ich darf keine ~e annehmen 나는 뇌물일 수도 있는 선물은 받지 못하도록 되어 있습니다.

Geschenk≈artikel *m.* 선물용품. **~fuß** *m.* mit jm. auf dem ~e stehen 누구와 선물을 주고받는 사이다. **~geber** *m.* 증여자. **~nehmer** *m.* 선물받는 사람. **~packung** *f.* 선물 포장. **~papier** *n.* 선물 포장지. **~sendung** *f.* 선물 소포: 〖우편〗 ~ — keine Handelsware 선물 소포 — 상용(商用) 물품이 아님(외국으로 보내는 소포 중 관세가 면제되는 선물 소포에 대한 우체국 용어). **~vorschlag** *m.* 선물의 제의. **≈weise** *adv.* 선물로.

geschert [gəʃéːrt] *a.* ① 〖경박〗 (südd., öst.) 멍청한, 어리석은, 세련되지 못한, 거친: ein ~er Kerl 멍청한 녀석, 촌놈. ② 〖은어〗 낯선, 수상한.

Gescherte* *der/die* 〖경박〗 (südd., öst.) 멍청한 사람, 세련되지 못한〔거친〕 사람.

Gescherze [gəʃɛ́rtsə] *n.* -s (줄곧) 농담〔희롱〕하기.

gescheut [gəʃɔ́ʏt] 《Ⅰ》 *p.p.* ↑ scheuen. 《Ⅱ》 *p.a.* 〖고어〗 ↑ gescheit.

***Geschichte** [gəʃɪ́çtə] 《<geschehen》 *f.* -n ① 역사, 발전 과정: Kunst≈ 예술사; die deutsche ~ 독일사; man kann das Rad der ~ nicht zurückdrehen 역사의 바퀴를 되돌릴 수는 없다; ~ machen 역사 발전에 결정적인 기여를 하다; du wirst noch in die ~ eingehen 자네도 역사에 남을 만한 인물이 될걸세. ② 벌어진 일, 과거(지사): das gehört schon der ~ an 그건 이미 과거지사다. ③ 〖구어〗 일, 사실: eine dumme〔alte〕 ~ 어리석은〔케케묵은〕 일; mach keine ~n! a) 허세부리지 마라!, b) 어리석은 짓을 하지 마라!, c) 번거롭게 하지 마라!; 〖반어〗 das sind ja schöne ~n! 그것은 어리석은 짓이다!; der X hatte doch die ~ mit der Schauspielerin X는 그 여자 배우와 필시 모종의 관계가 있었다. ④ 사건의 보고; 이야기: Großmutter kann wunderbar ~ erzählen 할머니는 이야기를 기가 막히게 잘 하신다; das sind doch alles nur ~n! 그것들은 모두 꾸며낸 이야기일 뿐이다! ⑤ 역사 서술; 역사학; 역사 과목: Alte ~ 고대사; Mittlere ~ 중세사; Neue ~ 근세사.

Geschichten≈buch *n.* 이야기책. **~erzähler** *m.* 옛날 이야기하는 사람, 이야기꾼.

geschichtlich *a.* 역사상의, 역사적인〔으로 중요한〕.

Geschichtlichkeit *f.* ① 역사성. ② 〖哲〗 (실존 철학에서) (역사적 현존재의 범주로서) 실존적 존재로의 발전 가능성.

Geschichts≈bewußtsein *n.* 역사 의식; (인간) 존재의 역사적 전제〔조건〕에 관한 의식. **~buch** *n.* ① 역사책, 사서(史書); 역사 교과서. ② ↑ Geschichtenbuch. **~erzählung** *f.*

역사 이야기, 사담(史譚). **~forscher** *m.* 역사 연구가, 사학자. **~forschung** *f.* 역사 연구; 사학. **~freund** *m.* 역사 애호가. **~kenner** *m.* 역사학자, 역사에 밝은 사람. **~kenntnis** *f.* 역사적 지식. **~klitterung** *f.* 엉터리 편사(編史); 역사 왜곡. **~kunde** *f.* ↑ ~kenntnis.

geschichtslos *a.* 역사 의식이 없는; 역사와 무관한.

Geschichts≈maler *m.* 역사 화가. **≈mäßig** *a.* 역사적인. **~philosophie** *f.* 역사 철학. **~quelle** *f.* 사료. **~schreiber** *m.* 역사 기록자〔편찬자〕, (역)사가. **~schreibung** *f.* 역사 기록〔편찬〕. **~tabelle, ~tafel** *f.* 역사 연표. **~unterricht** *m.* 역사 과목 수업. **~urkunde** *f.* 역사 기록〔문서〕. **~werk** *n.* 사서(史書). **~wissenschaft** *f.* 역사학. **~wissenschaftler** *m.* (역)사학자.

***Geschick** [gəʃík] 《<schicken》 *n.* -(e)s, -e ①〘雅語〙 운명; 섭리; 숙명: ein böses〔gutes〕~ 악운〔행운〕. ②상황, 생활 환경, 발전: sein ~ selbst in die Hand nehmen 자신의 운명을 스스로 거머쥐다. ③자질; 특수한 재능; 숙련된 솜씨: er hat das nötige ~ für den Umgang mit Menschen 그는 사람들과 사귀는 데 필요한 자질을 갖추고 있다; er zeigt (dabei) viel ~ 그는 (그 점에서) 능숙하다. ④〘방언〙 정돈된 상태, 질서: et. ins ~ bringen 무엇을 정돈하다.

Geschicke *n.* -(e)s 끊임없이 (물건·사람을) 보내기.

geschicklich *a.* ↑ geschickt《Ⅱ》.

Geschicklichkeit *f.* -en 숙련, 숙달.

Geschicklichkeits≈prüfung *f.* 〖모터스포츠〗 기능 경기. **~spiel** *n.* 숙련도 게임.

***geschickt** [gəʃíkt] 《Ⅰ》*p.p.* ↑ schicken. 《Ⅱ》*p.a.* ① 능란한, 숙련된; 재치 있는: ein ~er Arzt 노련한 의사, 명의; in et.³ ~ sein 무엇에 능숙하다; jn. zu et.³ ~ machen 누구를 무엇에 숙달시키다. ②〖비유〗 상황 판단이 빠른; 교활한; 외교적인. ③ (südd.) 적절〔적합〕한; 편한, 실용적인.

Geschicktheit *f.* ↑ Geschicklichkeit.

Geschiebe [gəʃí:bə] *n.* -s, - ①〘구어〙 계속해서 밀기. ②〖지질〗 표석(漂石).

geschieden [gəʃí:dən] 《Ⅰ》*p.p.* ↑ scheiden. 《Ⅱ》*p.a.* 나뉜; 갈라진, 이혼한(약어: gesch).

Geschiedene* *der/die* 이혼한 사람.

geschieht [gəʃí:t] ↑ geschehen 의 3 인칭 단수 현재형.

geschienen [gəʃí:nən] *p.p.* ↑ scheinen.

Geschieße [gəʃí:sə] *n.* -s 〘구어〙 연달아 쏘기.

Geschimpfe [gəʃímpfə] *n.* -s 〘구어〙 끊임없이 욕하기, 욕지거리.

***Geschirr** [gəʃír] 《<schirren》 *n.* -(e)s, -e ①〘총칭〙 주방용 기기; 그릇, 식기; (그릇 따위의) 한 벌〔세트〕: Koch≈ 요리 기구; Eß≈ 식기 세트; das ~ abräumen 먹은 그릇을〔다 쓴 주방 기구를〕 치우다; ~ abtrocknen 식기(의 물기)를 행주로 닦다. ②〘구식〙 통: unsere ~e waren mit frischer Milch gefüllt 우리 통에는 신선한 우유가 담겨 있었다. ③〘총칭〙 도구, 기계, 설비; (도구나 기계 따위의) 한 세트〔벌〕: Anker≈ 닻의 부품 일체. ④짐승을 수레에 매는 끈류, 마구(馬具): sich ins ~ legen a) (말이) 힘차게 끌기 시작하다, b)〘비유〙 (사람이) 열심히 일하다: aus dem ~ schlagen〔treten〕 a) 퇴화〔타락〕하다, b) 배신하다. ⑤마차: mit eignem ~ fahren 제 마차를 타고 가다. ⑥〖직조〗 베틀 부품 일체.

Geschirr≈aufzug *m.* (특히 호텔 따위에서) 식기 운반용 승강기. **~führer** *m.* 마부. **~kammer** *f.* 도구실, 집기실; 마구 보관소. **~macher** *m.* ① 마구 제조인. ②〘방언〙 도기공, 도자기 그릇 만드는 사람. **~meister** *m.* 〖軍〗 자재 주임; 마구 기능장(長); 〖海〗 선원장(長). **~reinigung** *f.* 식기 세척, 용기〔도구·마구〕 청소. **~schrank** *m.* 찬장. **~spüler** *m.* 〘구어〙 ↑ ~spülmaschiene. **~spülmaschiene** *f.* 식기 세척기. **~tuch** *n.* 〘복수: ..tücher〙 행주.

Geschiß *n.* ..schisses 〘대개 다음 용법으로〙 〘비속〙 viel ~ (um et.) nehmen 어떤 것을 지나치게 중요시하다, 어떤 것을 가지고 요란〔야단법석〕을 떨다.

Geschlabber [gəʃlábər] *n.* -s ①〘대개 폄어〙 쩝쩝거리며 먹기: die Suppe mit viel ~ zu sich³ nehmen 수프를 쩝쩝거리며 요란스레 먹다. ②물만 잔뜩 부어 만든〔건더기가 없는〕 음식, 맛없는 음식; 희멀건 수프. ③쓸데없는 소리: ich bin es leid, mir dein ~ anzuhören 네 헛소리를 들어주기가 고통스럽다. ④ (옷자락·천 따위의) 펄럭임; 움직임.

geschlacht 《⇔ Geschlecht》 *a.* 성품〔품행〕이 좋은; 멋진, 화사한; 마음에 드는; 담박한(식사 따위).

geschlafen [gəʃlá:fən] *p.p.* ↑ schlafen.

geschlagen [gəʃlá:gən] *p.p.* ↑ schlagen.

***Geschlecht** [gəʃlɛ́çt] 《⇔ schlagen》 *n.* -(e)s, -er/(시어) -e ① 성(性): das männliche〔starke〕~ 남성; das weibliche〔schöne, schwache, zarte〕 ~ 여성; 〘경박〙 das dritte ~ 동성 연애자들; das andere ~ 이성(異性). ②성기. ③종(種); 류(類): Menschen≈ 인류. ④세대: die kommenden ~er 다음 세대들; von ~ zu ~ 대대로. ⑤가문; 혈족; 일가: aus edlem ~ stammen 귀족 가문 출신이다; das ~ derer von X. erlosch 1592 X 가문은 1592 년을 마지막으로 소멸되었다. ⑥ (schweiz.) 성(姓): ich habe das ~ vergessen, Herr ... 존함을 잊어버렸습니다, 누구시라고 불러야 할지… ⑦〖문법〗 성(Genus).

Geschlechter *m.* -s, - 가문, 문벌.

Geschlechter≈buch *n.* 족보. **~folge** *f.* 혈통, 가계. **~kunde** 계보학. **~rolle** *f.* 〖心·사회〗 (일반적으로 기대되는) 성에 따른 역할. **~wesen** *n.* (중세의) 문벌가, 귀족(의 지위).

..geschlechtig *suf.* "…성(性)의"의 뜻(보기: doppel~ 자웅 동체인; zwei~ 〖植〗 암수 한 그루의; ein~ 단성(單性)의; un~ 무성의).

geschlechtlich *a.* ① 종속(種屬)의. ②성의; 성생활에 관련된: ~e Ausschweifungen 성적 문란; ~e Aufklärung 성교육; ~er Verkehr 성교.

Geschlechtlichkeit *f.* 성이나 성생활에 대한 느낌〔태도〕.

geschlechtlos *a.* ↑ geschlechtslos.

Geschlechts≈adel *m.* 세습 귀족. **~akt** *m.* 성행위. **~alter** *n.* ↑ Geschlecht ④. **~apparat** *m.* 〘전문어〙 성기, 생식기. **~art** *f.* 종의 속성; 성징(性徵). **~baum** *m.* 계보, 계

도. ~**beschreiber** *m.* 계보 학자. ~**bestimmung** *f.* 〖生〗 ① (유기체·태아의) 성의 결정. ~**chromosom** *n.* 〖유전〗 성염색체. ~**endung** *f.* 〖문법〗 성을 나타내는 어미. ~**fall** *m.* 〖문법〗 제 2 격, 소유격. ~**folge** *f.* 〔드물게〕 ↑ Geschlechterfolge. ~**funktion** *f.* 생식 기능. ~**glied** *n.* 한 세대(또는 가족)의 일원, 일가; 〖해부〗 생식기. ~**krank** *a.* 성병에 걸린, 성병 환자인. ~**krankheit** *f.* 성병. ~**kunde** *f.* 계보학. ~**leben** *n.* 성생활. ~**lehre** *f.* ↑ ~kunde. ~**liebe** *f.* 〔구식〕 성애(性愛), 육체적인 사랑. ~**linie** *f.* 혈통, 계통.

geschlechtslos *a.* ① (ungeschlechtig) 무성(無性)의, 남성도 여성도 아닌. ② (ungeschlechtlich) 성생활이 없는; 성적 감정이 없는.

Geschlechts=lust *f.* 성욕. ~**merkmal** *n.* 성징(性徵): Primäre ~e 제 1 차 성징(생식기와 생식선); Sekundäre ~e 제 2 차 성징(체격·키·모발 등 생식과 무관한 성별의 차이). ~**name** *m.* 성(姓); 〖動·植〗 종속명. ~**neutral** *a.* 중성의; 성별과 무관한(↔ ~spezifisch) ~**organ** *n.* 〖生〗 생식기. ~**register** *n.* 계보. ~**reif** *a.* 번식〔생식〕 능력이 있는, 성적으로 성숙한. ~**reife** *f.* 성적 성숙, 사춘기. ~**rolle** *f.* 〖心〗 ↑ Geschlechterrolle. ~**spezifisch** *f.* (↔ ~neutral) 성별에 따른, (특정한) 성에 관련되는. ~**tafel** *f.* ↑ ~register. ~**teil** *n./m.* 외음부, 성기. ~**trieb** *m.* 성적 충동, 성욕. ~**umwandlung** *f.* 〖生·醫〗 성전환. ~**unterschied** *m.* 양성의 구별〔차이〕. ~**verbindung** *f.* ↑ ~verkehr. ~**verkehr** *m.* 성교. ~**wappen** *n.* 가문의 문장(紋章). ~**wort** *n.* 〔복수: ..wörter〕 〖문법〗 관사(Artikel). ~**zelle** *f.* 〖生〗 생식 세포.

Geschleck [gəʃlέk] *n.* -(e)s ↑ Geschlecke.

Geschlecke *n.* -s 〔구어〕 ① 〔대개 폄어〕 계속 군것질하기. ② 군것질거리; 단것, 과자.

Geschleif [gəʃláɪf] *n.* -(e)s 〖사냥〗 ↑ Geschleife.

Geschleife *n.* -s 〖사냥〗 ① 오소리굴의 지하 통로. ② ↑ Geschleppe ③.

Geschlender [gəʃlέndər] *n.* -s 소요(逍遙), 만보(漫步).

Geschleppe [gəʃlέpə] *n.* -s ① 질질 끌기. ② 〖사냥〗 눈 위에 남겨놓은 자취. ③ 〖사냥〗 (사냥꾼이 올가미에 매어) 끌고다니는 짐승 유인용 미끼.

geschlichen [gəʃlɪ́çən] *p.p.* ↑ schleichen.

geschliffen [gəʃlɪ́fən] 《I》 *p.p.* ↑ schleifen. 《II》 *p.a.* ① 흠없는, 완벽한, 세련된. ② 정곡을 찌르는; 신랄한.

Geschliffenheit *f.* ↑ geschliffen 의 명사형.

Geschling[1] *n.* -(e)s, -e ↑ Geschlinge[1].

Geschling[2] *n.* -(e)s, -e ↑ Geschlinge[2].

Geschlinge[1] [gəʃlɪ́ŋə] 《<schlingen[1]》 *n.* -s, - (도살 가축의) 내장(식도·허파·간·염통).

Geschlinge[2] 《<schlingen[2]》 *n.* -s, - (고리·나뭇가지 덩굴 따위의) 뒤엉킴, 뒤죽박죽.

geschlissen [gəʃlɪ́sən] *p.p.* ↑ schleißen.

geschloffen [gəʃlɔ́fən] *p.p.* ↑ schliefen.

geschlossen [gəʃlɔ́sən] 《I》 *p.p.* ↑ schließen. 《II》 *p.a.* ① 닫힌; 〔비유〕 비공개의; 범위가 제한된, 배타적인, 폐쇄적인; 사냥 금지의: ~e Gesellschaft a) 회원제 클럽, b) 〖사회〗 폐쇄 사회; ~e Handwerke 〖史〗 길드 조직의 구성원 중 장인이 될 인원을 제한했던 시기의 수공업; ~e Benutzergruppe 〖컴〗 닫힌 이용자 집단; ~e Zeit a) 사냥 금지기, b) 〖가톨릭〗 금혼기(禁婚期). ② 밀착〔밀집〕한, 빈틈이 없는; 〔비유〕 정연한, 잘 짜여진, 완결〔완성〕된: eine ~e Ortschaft 인가가 밀집된 지역; eine ~e Persönlichkeit 완성된 인격. ③ 〔방언〕 수줍은, 소심한. ④ 〖문법〗 폐음(閉音)의; 자음으로 끝나는; ~er Vokal 폐모음; ~e Silbe 자음으로 끝나는 음절, 폐음절. ⑤ 모두, 하나도 빠짐 없이.

Geschlossenheit *f.* ↑ geschlossen 의 명사형.

Geschluchze [gəʃlʊ́xtsə] *n.* -s 〔구어〕 끊임없이 흐느껴 울기.

geschlungen [gəʃlʊ́ŋən] 《I》 *p.p.* ↑ schlingen[1]. 《II》 *p.a.* 둘둘 만, 얽힌, 물결치는 모양의.

***Geschmack** [gəʃmák] 《<schmecken》 *m.* -(e)s, ..schmäcke/(구어·농담) ..schmäcker ① 미각, (입)맛: einen süßlichen ~ im Munde haben 입 안이 달콤하다. ② 미적 감각, 심미안: einen guten ~ haben 미적 감각이 좋다; sie kleidet sich mit ~ 그녀는 옷을 입는 데 감각이 있다. ③ 취향, 기호; 선호도: an et. ~ finden 무엇이 마음에 든다, 좋다; nach js. ~ sein 누구의 취향에 맞다; et.[3] ~ abgewinnen 〔an et.[3] ~ gewinnen, auf den ~ kommen〕 …의 좋은 면을 점차 발견하다, …을 좋아하게 되다; 〔속담〕 über (den) ~ läßt sich nicht streiten 취향은 사람마다 다를 수 있다; 〔구어·농담〕 die Geschmäcker sind verschieden 취미는 가지각색(남에게 자신의 취향을 강요하면 안 된다). ④ 〔방언〕 (schweiz.) 냄새. ⑤ 〔비유·雅語〕 예의, 예의범절.

geschmack·bildend *a.* ↑ geschmacksbildend.

geschmackig *a.* 〔구어〕 (öst.) ① 맛이 좋은. ② 취향이 세련된, 조화를 이루는; 호감을 주는.

geschmäcklerisch *a.* 〔드물게〕 취향〔미적 감각〕이 지나치게 까다로운.

***geschmacklos** *a.* ① 무미(無味)의, 맛이 없는. ② 〖비유〗 추한, 저속한, 조야한: ~er Schmuck 멋없는 장신구. ③ 〖비유〗 고상하지 못한; 상스러운: ich finde diesen Witz ~ 나는 그 농담이 상스럽다고 생각한다.

Geschmacklosigkeit *f.* -en ① 몰취미; 추함; 저속; 조야. ② 상스러운〔속된〕 언행.

Geschmack·sache *f.* ↑ Geschmackssache.

geschmacks=bildend *a.* 취향〔미적 감각〕을 계발시키는. ~**bildung** *f.* 취향〔미적 감각〕 형성. ~**empfindung** *f.* 감식력.

Geschmack·sinn *m.* ↑ Geschmackssinn.

Geschmacks=kunde, ~**lehre** *f.* 미학. ~**muster** *n.* 〖法〗 (상품의) 등록 의장(意匠), 디자인. ~**nerv** *m.* 〔전문어〕 미각 신경. ~**richtung** *f.* 맛; 기호, 취향. ~**sache** *f.* 취향〔기호〕의 문제: das ist ~ 그것은 취향의 문제다. ~**sinn** *m.* 감식력; 미각. ~**stoff** *m.* 미각 성분(감식력에 의해 인지되는 요소), 조미료. ~**verirrung** *f.* ① 일반적 취향〔미적 감각〕에서 벗어남. ② 미적 감각이 결여된 행동; 추한 물건.

geschmack=voll *a.* 조화를 이루는; 세련된

취미의; ~**widrig** *a.* 몰〔악〕취미한, 상스러운.

Geschmatze [gəʃmátsə] *n.* -s 〖대개 폄어〗 계속해서 쩝쩝거리며 먹기.

Geschmause [gəʃmáuzə] *n.* -s 〖구어〗 계속해서 먹기.

Geschmeichel [gəʃmáɪçəl] *n.* -s 〖구어·대개 폄어〗 끊임없이 아부하기(↑ Schmeichelei).

Geschmeide [gəʃmáɪdə] 《<schmieden; 원뜻 „Geschmiedetes"》 *n.* -s, - (금은의) 장신구.

Geschmeide·händler *m.* 귀금속 상인. ~**kästchen** *n.* 귀금속 상자.

geschmeidig *a.* ① 굽히기 쉬운, (유)연한, 부드러운: ~es Leder 부드러운 가죽. ② 능숙〔노련·날렵·민활〕한: ~e Zunge 잘 구르는 혀, 능변. ③ 〖비유〗 외교적인, 교활한; 재치있는.

Geschmeidigkeit *f.* ↑ geschmeidig 의 명사형.

Geschmeiß [gəʃmáɪs] 《<schmeißen》 *n.* -es ① 〖사냥〗 (맹금류의) 똥. ② (곤충의) 알. ③ 〖폄어〗 구더기, 벌레. ④ 〖폄어〗 버러지 같은 인간.

Geschmetter [gəʃmɛ́tər] *n.* 《<schmettern》 -s 〖구어〗 ① (계속해서 울리는) 날카로운 음향, (트럼펫의) 요란한 소리. ② (끊임없이) 내던짐, 내팽개침.

Geschmier [gəʃmí:r] 《<schmieren》 *n.* -(e)s 〖구어·폄어〗 ① 끈적끈적한〔찐득찐득한〕 것. ② 마구 휘갈겨 쓴 것, 악필. ③ 졸작. ④ 날림으로 그린 그림.

Geschmiere *n.* -s 〖구어·폄어〗 ↑ Geschmier.

geschmiert 《I》 *p.p.* ↑ schmieren. 《II》 *p.a.* 기름 칠한, 매끄러운.

geschmissen [gəʃmísən] *p.p.* ↑ schmeißen.

geschmolzen [gəʃmɔ́ltsən] *p.p.* ↑ schmelzen.

Geschmorte* *das* 〖요리·구어〗 스튜, 고기찜.

Geschmunzel [geʃmʊ́ntsəl] 《<schmunzeln》 *n.* -s 〖구어·폄어〗 연신 빙긋이 웃어댐.

Geschmus *n.* -es ↑ Geschmuse.

Geschmuse [..ʃmú:zə] 《<schmusen》 *n.* -s 〖구어·폄어〗 ① 계속 몸을 비벼댐. ② 〖비유〗 알랑거림, 감언이설.

Geschnäbel [gəʃnɛ́:bəl] 《<schnäbeln》 *n.* -s 〖구어〗 자꾸 부리를 비벼댐; 퍼붓는 듯한 키스.

geschnäbelt 《I》 *p.p.* ↑ schnäbeln. 《II》 *p.a.* (**a**) 부리가 달린. (**b**) 부리 모양의.

Geschnarche [gəʃnárçə] 《<schnarchen》 *n.* -s 〖구어·폄어〗 계속해서 코를 곪.

Geschnatter [gəʃnátər] 《<schnattern》 *n.* -s 〖구어〗 ① 계속해서 꽥꽥 울어대는 소리. ② 〖폄어〗 재잘거림, 수다떨기.

Geschnaub *n.* -es ↑ Geschnaube.

Geschnaube 《<schnauben》 *n.* -s 계속해서 헐떡거림〔씩씩거림〕.

Geschnetzelte* *das* (obd.) (특히 송아지의) 얇게 썰어 구운 고기 요리.

geschniegelt [gəʃní:gəlt] 《I》 *p.p.* ↑ schniegeln. 《II》 *p.a.* 잔뜩 멋부린, 맵시있게 차려 입은.

geschnitten [gəʃnítən] *p.p.* ↑ schneiden.

geschnoben [gəʃnó:bən] *p.p.* ↑ schnauben, schnieben.

Geschnörkel [gəʃnœ́rkəl] *n.* -s 〖구어·폄어〗 당초(唐草) 무늬 장식, 꼬부랑 무늬.

Geschnüffel [gəʃnʏ́fəl] *n.* -s 〖구어·폄어〗 계속 코를 킁킁댐, 여기저기 냄새맡고 돌아다님.

geschoben [gəʃó:bən] *p.p.* ↑ schieben.

geschollen [gəʃɔ́lən] *p.p.* ↑ schallen.

gescholten [gəʃɔ́ltən] *p.p.* ↑ schelten.

***Geschöpf** [gəʃœpf] 《<schöpfen》 *n.* -(e)s, -e ① 피조물, 생물: alle ~e Gottes 신의 모든 피조물들. ② 인간, 사람; 놈, 녀석: sie ist ein reizendes kleines ~ 그녀는 작고 귀여운 여자이다; so ein undankbares ~! 이런 배은망덕한 놈! ③ 산물, 소산; (문학 작품의) 인물, (예술적인) 형상: das ist ein ~ seiner Einbildung 그것은 그의 상상의 산물이다; das Wunder ist des Augenblicks ~ 기적이란 순간의 산물이다. ④ 부하, 추종자.

geschoren [gəʃó:rən] *p.p.* ↑ scheren[1].

Geschoß [gəʃɔ́s] 《<schießen》 *n.* ..schosses, ..schosse ① 〖고어〗 쏘는〔사격〕 무기. ② (**a**) 발사물(총알·탄환·포탄·화살 따위); 〖物〗 포물체: Gewehr∼ 총탄; Artillerie∼ 포탄; 〖비유〗 der Sonne glühendes ~ 작렬하는 태양. (**b**) 〖스포츠〗 강슛. (**c**) 〖경박〗 빠른 자동차, 스포츠카. ③ 〖植〗 햇가지. ④ (건물의) 층: Erd∼ 1층; Ober∼ 위층; Zwischen∼ 가운데층.

Geschoss 新정서 ⇦ Geschoß.

Geschoß·aufschlag *m.* 〖軍〗 탄착(彈着). ~**aufzug** *m.* 〖軍〗 포탄〔어뢰〕 장착 장치. ~**bahn** *f.* 〖軍〗 탄도(彈道). ~**boden** *m.* 〖軍〗 탄저(彈底). ~**einschlag** *m.* ↑ ~aufschlag.

geschossen [gəʃɔ́sən] *p.p.* ↑ schießen.

Geschoß·geschwindigkeit *f.* 〖軍〗 탄환의 속도. ~**hagel** *m.* 포탄〔총탄〕 세례.

..geschossig *suf.* "…층의"의 뜻(보기: drei~ 3층의).

Geschoß·mantel *m.* 〖軍〗 탄피. ~**raum** *m.* 〖軍〗 (총포의) 약실; 탄환 저장고. ~**trichter** *m.* 〖軍〗 탄흔.

geschraubt [gəʃráupt] 《I》 *p.p.* ↑ schrauben. 《II》 *p.a.* 억지로 꾸민, 부자연스러운: ein ~es Benehmen 부자연스런 행동.

Geschraubtheit *f.* -en 부자연스러움, 부자연스러운 말〔행동〕, 무리한 동작.

***Geschrei** [gəʃráɪ] 《<schreien》 *n.* -s, ① (지속적인) 외침, 비명: jn. mit ~ verfolgen 소리를 지르며 누구를 뒤쫓다. ② 법석, 소동: viel ~ um et. machen 무엇을 얻고자 법석을 떨다; 〖격언〗 viel ~ und wenig Wolle 헛소동, 소리만 요란하고 실속은 없음. ③ 〖방언〗 수다, 입방아, 험담: ins ~ kommen 구설수에 오르다, 험담을 듣다.

Geschreibe [gəʃráɪbə] 《<schreiben》 *n.* -s 〖구어·폄어〗 ① 끊임없이 써대기. ② 휘갈겨 쓴 것, 서투른 작문〔글〕.

Geschreibsel *n.* -s ↑ Geschreibe ②.

geschrieben [gəʃrí:bən] *p.p.* ↑ schreiben.

geschrie(e)n [gəʃrí:(ə)n] *p.p.* ↑ schreien.

Geschritt 《<schreiten》 *n.* -(e)s 여러 사람의 발걸음, 일제 행진.

geschritten [gəʃrítən] *p.p.* ↑ schreiten.

geschroben [gəʃró:bən] *p.p.* ↑ schrauben.

geschroten [gəʃró:tən] *p.p.* ↑ schroten.

geschrunden [gəʃrúndən] *p.p.* ↑ schrinden.

Geschühe [gəʃý:ə] *n.* -s (obd.) ① 구두, 신.

②〖사냥〗(사냥용 매의) 발목끈.

geschult 《I》 *p.p.* ↑ schulen. 《II》 *p.a.* 잘 훈련된, 노련한, 적임의.

geschunden [gəʃʊ́ndən] *p.p.* ↑ schinden.

Geschütte [gəʃʏ́tə] 《<schütten》 *n.* -s ① 계속해서 부어댐. ② 쌓아올린 무더기; 〖광물〗 광석 섞인 암석층.

***Geschütz** [gəʃʏ́ts] 《<schießen》 *n.* -es, -e 총포; 대포, 화포: leichtes〔schweres〕~ 경포〔중포〕; ein ~ auffahren 대포를 포진시키다; 〖비유·구어〗 grobes〔schweres〕~ auffahren 누구를 날카롭게 공박하다.

Geschütz=aufstellung *f.* 포의 배치. **~bank** *f.* 〖복수: ..bänke〗 포좌(砲座). **~bedienung** *f.* 〖軍〗 포병(대). **~bettung** *f.* 포의 바닥판, 포상(砲床). **~donner** *m.* (우레 같은) 포성. **~feuer** *n.* 포화. **~führer** *m.* (대포의) 조준수, 포병장. **~gießerei** *f.* 화포 주조소. **~kampf** *m.* 포격전. **~kugel** *f.* 포탄. **~kunst** *f.* 포술(砲術). **~park** *m.* 〖軍〗 쉬고 있는 대포 일체. **~pforte** *f.* (군함의) 포문. **~probe** *f.* (대포의) 시험 발사. **~rohr** *n.* 포신. **~stand** *m.* 포좌(砲座). **~turm** *m.* (탱크·군함 등의) 포탑. **~weite** *f.* 포강(砲腔), 포의 구경; 〖드물게〗 포의 사정 거리. **~wesen** *n.* 포술; 포병 사항.

Geschwader [gəʃváːdər] 《it. squadra, „Viereck"》 *n.* -s, - ① 전투기 편대. ② (해군의) 전투 함대.

Geschwader·flug *m.* 편대 비행.

Geschwafel [gəʃváːfəl] 《<schwafeln》 *n.* -s 〖구어·폄어〗 수다, 잡담.

***Geschwätz** [gəʃvɛ́ts] 《<schwatzen》 *n.* -es 〖폄어〗 수다, 잡담; 소문, 험담; 〖시어〗 잔물결 소리, (시냇물의) 졸졸대는 소리: leeres ~ 공허한 잡담.

Geschwätze *n.* -s 계속해서 수다떨기, (특히 수업 중의) 잡담.

geschwätzig *a.* 수다스러운, 말이 많은.

Geschwätzigkeit *f.* 수다, 요설, 다변.

geschweift [gəʃváɪft] 《I》 *p.p.* ↑ schweifen. 《II》 *p.a.* 활 모양으로 만든; 긴 꼬리 달린: ein ~er Stern 혜성.

***geschweige** [gəʃváɪgə] 《mhd. ich geswic, „ich schweige"》 *cj.* 〖항상 부정적·한정적 발언 뒤에 오며 대개 denn 과 함께〗 하물며, (…은) 말할 것도 없고: du kannst kaum reden, ~ singen 너는 말도 제대로 못 하는 주제에 어떻게 노래를 부르겠는가; ich mag ihn nicht zum Freunde, ~ (denn) zum Geliebten 나는 그를 친구로 삼고 싶지도 않은데, 하물며 애인이라니 당치도 않은 말입니다.

geschweigen* 《I》 *i.* (h.) 〖본래는 강변화 동사였지만 요즘에는 부정형 및 1인칭 현재형만 쓰임〗 ①〖고어〗 말하지 않다, 묵살〔묵과〕하다: eines Dinges ~ 무엇에 대해 말하지 않다; (um) eines Dinges zu ~ 무엇은 말하지 않더라도〔그렇다 치고〕. ② ↑ geschweige. 《II》 *t.* 〖약변화〗 침묵시키다, (우는 아이를) 달래다.

Geschwelge *n.* -s 계속해서 먹고 마셔댐, 향락에 빠짐, 탐닉.

geschwiegen[1] [gəʃvíːgən] *p.p.* ↑ schweigen.

geschwiegen[2] *p.p.* ↑ geschweigen 《I》.

***geschwind** [gəʃvɪ́nt] *a.* 〖방언〗 재빠른, 날랜, 민첩한: mach ~! 어서 서둘러!

***Geschwindigkeit** *f.* -en ① 빠름, 신속, 민첩: in der ~ 신속하게. ② 속도, 속력: volle ~ 전속력; die ~ steigern〔verringern〕 속도를 높이다〔줄이다〕; er fuhr mit einer ~ von 60 Kilometern in der Stunde 그는 시속 60 킬로미터의 속력으로 달렸다.

Geschwindigkeits=begrenzung *f.* ↑ ~beschränkung. **~beschränkung** *f.* 속도 제한. **~grenze** *f.* 제한 속도. **~kontrolle** *f.* 속도 위반 단속. **~messer** *m.* (회전) 속도계 (Tachometer). **~überschreitung** *f.* 속도 위반, 과속.

Geschwind=marsch *m.* 〖軍·구식〗 빠른 행군, 구보(Eilmarsch). **~schreibe·kunst** *f.* 속기술. **~schrift** *f.* 속기 문자. **~schritt** *m.* 〖軍·구식〗 (Eilschritt) 빠른 걸음, 속보.

Geschwirr *n.* -s ↑ Geschwirre.

Geschwirre [gəʃvɪ́rə] *n.* -s 줄곧 윙윙〔휘휘〕 거리는 소리.

***Geschwister** [gəʃvɪ́stər] 《<Schwester》 *n.* -s, - ① 형제 자매: wir sind zu Hause fünf ~ 우리 집은 5 남매입니다. ②〖生·통계〗 (개개의) 형제, 자매.

Geschwister·kind *n.* ①〖고어·방언〗 사촌. ② 조카, 조카딸.

geschwisterlich *a.* 형제 자매의, (형제 자매처럼) 사이 좋은.

Geschwister=liebe *f.* 형제 자매간의 우애, 동기간의 사랑. **~paar** *n.* 오누이.

geschwollen [gəʃvɔ́lən] *p.p.* ↑ schwellen.

geschwommen [gəʃvɔ́mən] *p.p.* ↑ schwimmen.

geschworen[1] [gəʃvóːrən] 《I》 *p.p.* ↑ schwören. 《II》 *p.a.* 〖雅語〗 단호한, 절대적인: ein ~er Feind 불구대천의 원수.

geschworen[2] *p.p.* ↑ schwären.

Geschworene* *der/die* 〖法〗 ①〖고어〗 배심원. ② (öst.) (중죄인이나 정치범에 대한 재판의) 배심 판사.

Geschworenen=bank *f.* ① (법정의) 배심원석. ② 배심원단. **~gericht** *n.* ①〖고어〗 (Schwurgericht) 배심 재판(소). ② (öst.) (중죄인·정치범을 다루는) 배심 법원. **~liste** *f.* 배심원 명부.

Geschworne* 〖法〗 (öst.) *der/die* ↑ Geschworene.

***Geschwulst** [gəʃvʊ́lst] 《<schwellen》 *f.* ..schwülste 종양; 종창, 뾰루지: eine bösartige ~ 악성 종양.

geschwulst=artig *a.* 종양 모양의〔같은〕. **~bildung** *f.* 종양 형성.

geschwunden [gəʃvʊ́ndən] *p.p.* ↑ schwinden.

geschwungen [gəʃvʊ́ŋən] *p.p.* ↑ schwingen.

***Geschwür** [gəʃvýːr] 《<schwären》 *n.* -(e)s, -e 〖醫〗 궤양.

geschwürig *a.* 궤양(성)의, 궤양투성이의.

Geschwür(s)·bildung *f.* 궤양 형성, 궤양화.

Ges-Dur [gɛ́sduːr] *n.* - 〖음악〗 내림 사장조 (기호: Ges).

Gesechst·schein [gəzɛ́kst..] *m.* 〖天〗 서로 60 도(度) 떨어진 두 유성의 위치.

gesegnen [gəzéːgnən] *t.* 〖고어〗 축복하다: Vater und Mutter ~ 부모에게 이별을 고하다; das Zeitliche〔die Welt〕 ~ 세상을 떠나

다, 죽다.

gesegnet 《I》*p.p.* ↑ segnen. 《II》*p.a.* 〖드물게〗 복된, 행복한: einen ~en Schlaf haben 잠을 잘 자다; ~e Mahlzeit! a) 어서 드십시오, b) 잘 먹겠습니다: ein ~es Jahr wünschen 행복한 한 해가 되길 기원하다; wir haben eine ~e Ernte in diesem Jahr 올해는 수확이 풍성하다; im ~en Alter von 90 Jahren entschlief heute ... 오늘 90 세의 고령으로 …가 영면하셨다; ~en Leibes 〔in ~en Umständen〕 sein 임신 중이다.

gesehen [gəzéːən] *p.p.* ↑ sehen.

Geseich *n.* -s 〖경박〗 허풍, 요설.

Geseire [gəzáirə] 《hebr.》 *n.* -s 〖구어〗 (큰소리로) 한탄하는 소리, 쓸데없는 잡담, 수다: mach kein ~! 우는 소리 좀 그만해!

gesełcht 《I》*p.p.* ↑ selchen. 《II》*p.a.* (bayr., öst.) 훈제로 구운.

Gesełchte* *das* (bayr., öst.) 훈제한 고기.

Gesełl 《<Geselle》 *m.* -en, -en 〖고어〗 장인(匠人) (Geselle); 대학생, 젊은이: ein fahrender ~ 유랑하는 장인, 떠돌이.

***Geselle** [gəzέlə] 《원뜻 „Saalgenosse"》 *m.* -n, -n ① (명인 (Meister) 과 도제 (Lehrling) 의 중간에 해당하는) 기능공, 장인, 직인: einen neuen ~n suchen 새 기능공을 구하다. ② 젊은이; 〖폄어〗 놈, 녀석: ein lustiger ~ 재미있는 녀석. ③〖드물게〗 친구, 동료, 동반자.

***gesellen** [gəzέlən] 《I》*t.* 한 동아리에 넣다, 한 패에 붙여주다. 《II》*refl.* ① sich (zu) jm. ~ 누구와 한 패가 되다, 누구와 어울리다: er gesellte sich immer zu ihnen 그는 늘 그들과 어울려 지냈다; darf ich mich (zu) Ihnen ~? 당신과 함께 가도 되겠습니까?; 〖격언〗 gleich und gleich gesellt sich gern 유유상종. ② sich zu et.[3] ~ 무엇에 덧붙여지다, 첨가되다, 겹쳐지다.

Gesełlen≈brief *m.* 기능공 자격증. **~herberge** *f.* 장인 합숙소. **~jahre** *pl.* 장인 수련〔편력〕 기간. **~leben** *n.* 장인 생활. **~prüfung** *f.* 기능공〔장인〕 시험.

Gesełlenschaft *f.* ① 장인의 신분. ②〖복수: -en〗 장인 조합.

Gesełlen≈stand *m.* 장인의 신분. **~stück** *n.* 장인 시험에 도제가 제출하는 작품; 기능공 시험에서 과제로 제작한 작품. **~verein** *m.* 장인 조합. **~zeit** *f.* ↑ ~jahre.

***gesełlig** *a.* ① 어울리기를 좋아하는, 사교적인, 붙임성이 좋은; 〖動〗 모여 살기를 좋아하는, 군거성(群居性)의. ② 사교의, 친교의, 여럿이 모여 즐기는, 즐거운, 유쾌한.

Gesełligkeit *f.* -en ① 사교, 교제. ② 사교성. ③ 부담 없이 즐기는 모임; 즐거움, 유쾌.

Gesełligkeits·trieb *m.* 군서(群棲) 본능.

***Gesellschaft** [gəzέlʃaft] *f.* -en ① (**a**) 어울림, 교제: zur ~ eine Tasse Kaffe (mit) trinken 함께 어울리기 위해 커피 한 잔을 같이 마시다; in ~ mit jm. 누구와 어울려〔더불어〕; jm. ~ leisten 누구의 말상대〔동무〕가 되어주다; ich bin gern in deiner ~ 나는 너와 함께 하는 게 좋아. (**b**) 동아리, 동료; 반려, 동반자: da kommt ~! 저기 같이 갈 사람이 온다!; Bücher sind meine liebste ~ 책은 내가 가장 사랑하는 반려; die ganze ~ 일행 전체. ② (**a**) 사회: Klassen≈ 계급 사회; die bürgerliche ~ 시민 사회; die menschliche ~ 인간 사회. (**b**) 상류 사회, 상류층, 사교계: in die ~ eingeführt werden 상류 사회에〔사교계에〕 발을 들여놓다; sich in vornehmer 〔guter〕 ~ bewegen 상류 사회와 교제하다. ③ 단체, 협회; 〖商〗 회사, 조합: Freiheit der ~ 결사의 자유; wissenschaftliche ~ 학술 단체, 학회; 〖가톨릭〗 die ~ Jesu 예수회; 〖法〗 ~ des bürgerlichen Rechts(약어: BGB-Gesellschaft) 법인; 〖商〗 ~ mit beschränkter Haftung 유한 책임 회사(약어: GmbH); Handels≈ 상사. ④ (**a**) 사교 모임, 회합, 연회, 파티: Abend≈ 야회; eine ~ geben 연회를 베풀다; jn. auf einer ~ treffen 어떤 모임에서 누구를 만나다. (**b**) 한자리에 모인 사람들, 초대된 손님들, 일행.

Gesełlschafter *m.* -s, - ① 사교가, 엔터테이너; 동반자, 말동무. ②〖商〗 동업자, 공동 출자자: stiller ~ (이익 배당만 받는) 익명 출자자〔조합원〕. ③〖은어〗 남성 섹스 파트너; 남창(男娼), 콜보이.

Gesełlschafterin *f.* -nen ① (상류층 사람의) 말상대〔길동무〕를 해주는 여자. ② 여성 사원〔조합원〕. ③〖은어〗 여성 섹스 파트너; 창녀, 콜걸.

***gesełlschaftlich** *a.* ① 공동의, 함께 하는: ~es Essen 회식: ~ lebende Tiere 군서(群棲) 동물. ② 사회의, 사회적인; 상류 사회의, 사교계의: ~e Bildung 상류층〔사교계〕의 교양. ③〖구동독〗 사회에 기여하는, 공익적인.

Gesełlschafts≈anzug *m.* 야회복, 예복. **~bank** *f.* 〖商〗 회사 형태의 은행. **~dame** *f.* 〖고어〗 ↑ Gesellschafterin ①. **≈fähig** *a.* 상류층〔사교계〕의 규범〔취향〕에 맞는, 상류층〔사교계〕에 어울리는, 사교계에 나갈 수 있는. **~firma** *f.* 〖商〗 ① 회사의 상호. ② 상사, 상회. **~fonds** *m.* 회사 자본금. **~form** *f.* 사회 형태〔구조〕. **~glied** *n.* 사회의 일원; 회사〔조합·협회〕원. **~handel** *m.* 공동〔조합·회사〕 거래. **~handlung** *f.* ↑ ~firma ②. **~haus** *n.* 클럽, 마을 회관. **~inseln** *pl.* 소시에테 제도(프랑스령 타이티섬의 별칭). **~kapital** *m.* 회사〔조합〕 자본. **~klasse** *f.* 사회 계급. **~kleid** *n.*, **~kleidung** *f.* 야회복, 이브닝 드레스. **~kreis** *m.* ① 사교계. ② ↑ ~schicht. **~kritik** *f.* 사회 비판. **~lehre** *f.* ① 사회학(Soziologie). ② 사회 과목. **~mitglied** *n.* ↑ ~glied. **~ordnung** *f.* 사회 질서. **~politik** *f.* 사회 (복지) 정책. **~raum** *m.* ① (요양원·휴양소 등의) 사교실; 살롱. ② (큰 저택의) 응접실. **~rechnung** *f.* 〖商〗 손익 할당 계정; 〖數〗 비례 배분. **~reise** *f.* 단체 여행. **~roman** *m.* 사회 소설. **~schicht** *f.* 사회 계층. **~spiel** *n.* 단체〔사교〕 게임. **~sprache** *f.* 사교어, 점잖은 말씨. **~steuer** *f.* 회사 설립세. **~stück** *n.* ①〖연극〗 사회극. ② 사회 풍속도. **~system** *n.* 사회 체제. **~tanz** *m.* 사교 댄스. **~theater** *n.* 소인극(素人劇), 아마추어 연극. **~ton** *m.* 예법에 맞는 행동. **~vertrag** *m.* ① (Rouseau 의 사상에서 유래하는) 사회 계약. ②〖商〗 정관(定款), 조합의 계약. **~wagen** *m.* 관광 버스, 유람 객차. **≈widrig** *a.* 반사회적인; 사교 예법에 어긋나는. **~wissenschaft** *f.* ①〖복수〗 사회 과학(Sozialwissenschaften). ②〖구동독〗 사회주의의 기초 과목(변증법적 유물론·정치 경제학·역사 유물론 등). **~zimmer** *n.* ①

(음식점 등의) 연회실. ② ↑ ~raum ①.
Gesenk [gəzέŋk] 《<senken》 *n.* -(e)s, -e ① 〖광산〗 (통풍용·광물 운반용) 수직갱, 갱정(坑井). ② 그물추. ③〖工〗 거푸집, 주형(鑄型), 프레스형. ④ (포도의) 휘묻이.
Gesenke *n.* -s, - 〖드물게〗 움푹한 땅, 저지, 분지(Mulde).
gesessen [gəzέsən] *p.p.* ↑ sitzen.
***Gesetz** [gəzέts] 《<setzen》 *n.* -es, -e ① 법, 법률; 규정: geltendes〔bestehendes〕 ~ 현행법; ungeschriebene ~e 불문율; 〖비유〗 das ~ des Dschungels 정글의 법칙, 약육강식의 논리; ~e geben〔machen〕 입법하다; ein ~ erlassen 법률을 공포하다; auf dem Boden des ~es stehen 적법하게〔합법적으로〕 행동하다; gegen ein ~ verstoßen 법률을 위반하다, 법에 저촉되다; das ~ anrufen 법에 호소하다; außer dem ~ stehen a) 법의 범위 밖에 있다, b) 법의 보호를 받지 못하다; durch die Maschen des ~es schlüpfen 법망을 빠져나가다; mit dem ~ in Konflikt kommen〔geraten〕 법에 저촉되는 일을 저지르다. ② 〖宗〗 계율, 율법: das ~ Mose 모세의 율법. ③ 법칙: Natur≈ 자연 법칙; das ~ von der Erhaltung der Energie 에너지 보존의 법칙; 〖비유〗 das ~ der Serie 연속의 법칙(과거의 동일한 사건에 근거하여 앞일을 예측하는 것). ④ 규범, 원칙, 준칙, 기본 방침: 〖비유〗 das ~ des Handelns 행동 준칙; das ist ein ehernes ~ in unserer Familie 그것은 우리 가족의 철칙이다.
Gesetz≈auslegung *f.* ↑ Gesetzesauslegung. **~blatt** *n.* 법률 공보(관보의 일종). **~buch** *n.* 법전, 법령집. **~entwurf** *m.* 법(률)안.
Gesetzes≈auslegung *f.* 법(률)의 해석. **~brecher** *m.* 법률 위반자, 범법자. **~entwurf** *m.* (schweiz.) ↑ Gesetzentwurf. **~hüter** *m.* 〖대개 반어적〗 경찰관. **~kraft** *f.* 법의 힘〔효력〕, 법적 구속력. **≈kundig** *a.* ↑ gesetzkundig. **~recht** *n.* (입법부에서 제정된) 성문법. **~sprache** *f.* 법률 용어. **~text** *m.* 법조문. **~vorlage** *f.* 법안, 의안. **~werk** *n.* 관련법 전체.
gesetz≈gebend *a.* 입법(상)의: ~e Gewalt 입법권, 입법부. **≈geber** *m.* 입법자, 입법 기관. **~geberisch** *a.* 입법의, 입법권이 있는. **≈gebung** *f.* 입법. **≈kunde** *f.* 법률학. **~kundig** *a.* 법률에 밝은, 법에 정통한: ein ≈-er 법률가.
***gesetzlich** *a.* 법의, 법적인, 법률상의; 적법한, 합법적인: ein ~er Vertreter 법적 대리인; auf ~em Wege 합법적인 방법으로.
Gesetzlichkeit *f.* 합법〔적법〕성.
gesetzlos *a.* 법률〔법칙〕이 없는, 규칙이 없는; 법률을 무시하는, 법을 지키지 않는.
Gesetzlosigkeit *f.* 무법, 법의 부재; 불법, 법의 무시.
gesetz≈mäßig *a.* ① 합법적인, 정당한. ② 합법칙적인, 규칙적인. **≈mäßigkeit** *f.* 합법성; (합)법칙성, 규칙성. **≈rolle** *f.* (두루마리로 된) 법전. **≈sammlung** *f.* 법령집.
gesetzt [gəzέtst] 《I》 *p.p.* ↑ setzen. 《II》 *p.a.* 신중한, 침착한, 분별 있는: im ~en Alter sein 분별력이 있는 나이이다, 중년이다.
Gesetz·tafel *f.* 법률 고시판: 〖聖〗 die (mosaischen) ~n (모세의) 십계를 새긴 석판; die zwölf ~n (고대 로마의) 12 동판(법).
gesetzten·falls *adv.* ~, (daß)... …라고 가정하면, 만약 …라면.
Gesetztheit *f.* 신중, 분별.
Gesetz≈übertretung *f.* 법률 위반. **~vollstrecker** *m.* 법률 집행자. **~vollzieher** *m.* ↑ ~vollstrecker. **~vorlage** *f.*, **~vorschlag** *m.* 법률안, 법안 제의. **≈widrig** *a.* 법에 저촉되는, 위법의. **~widrigkeit** *f.* 위법(성).
Geseufze [gəzɔ́ʏftsə] *n.* -s (끝없는) 한숨.
ges. gesch. =gesetzlich geschützt 법적으로 보호된.
gesichert 《I》 *p.p.* ↑ sichern. 《II》 *p.a.* 안전한, 안전 보장된; 안전 장치가 된.
***Gesicht**[1] [gəzíçt] 《<sehen》 *n.* -(e)s, -er ① 〖드물게·雅語〗 시력, 시야: das Zweite ~ 예지력; ein kurzes ~ haben a) 근시다, b) 안목이 짧다; das ~ verlieren 실명하다; im ~ bleiben 아직 보이고 있다; et. nicht aus dem ~ lassen 무엇에서 눈을 떼지 않다; et. aus dem ~ verlieren 무엇을 시야에서 놓치다; jm. zu ~ kommen 누구의 눈에 들어오다〔보이다〕; jm. aus dem ~ kommen 누구의 시야에서 벗어나다; et. ins ~ fassen〔nehmen〕 무엇에 주목하다; et. zu ~ bekommen 무엇을 보다, 알아보다; jm. sofort〔direkt〕 ins ~ fallen〔springen〕 누구의 눈에 금방 띄다, 눈에 잘 띄다. ② (**a**) 얼굴, 낯, 안면: ein gut geschnittenes ~ 잘 생긴 얼굴; jm. frech ins ~ lachen 누구를 무례하게 면전에서 비웃다; jm. fest〔voll〕 ins ~ sehen 누구의 얼굴을 똑바로 쳐다보다; einer Gefahr ins ~ sehen 위험을 직시하다, 피하지 않다: jm. nicht mehr gerade〔offen〕 ins ~ schauen können 누구의 얼굴을 더 이상 똑바로 바라볼 수 없다, 누구에게 양심의 가책을 느끼다; das Blut stieg ihr ins ~ (부끄러워〔화가 나서〕) 그녀의 얼굴이 새빨개졌다; 〖구어〗 sich[3] eine (Zigarette) ins ~ stecken 담배 한 대를 꼬나물다; jm. et. ins ~ sagen〔schleudern〕 누구에게 무엇을 대놓고 말하다; jm. ins ~ schlagen a) 누구의 얼굴을 때리다, b) 누구를 모욕하다; 〖구어〗 jm. ins ~ springen 누구에 대해 몹시 분노하다; jm. einen Spiegel vors ~ halten 누구의 잘못을 깨닫게 하다; den Tatsachen ins ~ schlagen 사실과 전혀 어긋나다; den Hut ins ~ drücken 모자를 깊이 눌러 쓰다; übers ganze ~ lachen 파안대소하다; 〖구어·농담〗 das Essen fällt jm. aus dem ~ 누가 음식을 토하다; etwas ist ein Schlag ins Gesicht 무엇은 심한 모욕이다. (**b**) 표정, 안색, 낯빛; 외모, 용모, 인상: ein hippokratisches ~ 중환자의 낯빛; ein amtliches〔erschrockenes, trauriges〕 ~ machen〔ziehen〕 사무적인〔놀란, 슬픈〕 표정을 짓다; das ~ zum Weinen verziehen 울상을 짓다; ein Gesicht machen〔ziehen〕 언짢은 표정을 짓다; ein langes ~ machen 실망한 표정을 짓다; ~er machen〔schneiden〕 얼굴을 찡그리다; ein anderes ~ aufsetzen〔aufstecken, annehmen〕 안색이 밝아지다, 상냥하게 굴다; ein Gesicht wie drei〔acht, vierzehn〕 Tage Regenwetter machen 잔뜩 찌푸린 얼굴을 하다, 몹시 불만스러운 표정을 짓다; du machst ein ~, als ob dir die Petersilie verhagelt wäre 너는 당황한 표정

이 역력하구나; 〖농담〗 er machte ein Gesicht wie die Maus, wenn's donnert 그는 놀란 생쥐와 같은 얼굴을 하였다; jm. wie aus dem ~ geschnitten sein 누구를 쏙 빼 닮다; etwas steht jm. im ~ geschrieben 무엇이 누구의 표정에 역력히 나타나 있다; jm. zu ~ stehen 누구에게 어울리다; der Hut steht ihr nicht zu ~ 이 모자는 그 여자에게 어울리지 않는다; sein wahres ~ zeigen 자신의 본모습을 드러내다. (c) 체면, 위신: das ~ wahren〔retten〕 체면을 유지하다; das ~ verlieren 체면〔면목〕을 잃다. (d) 면모, 양상, 국면: ein anderes ~ bekommen 양상이 바뀌다; der Sache ein anderes ~ geben 사태를 다른 국면으로 전환시키다. ③ 사람, 인물: ich habe dort viele bekannte ~er gesehen 나는 그 곳에서 아는 얼굴들을 많이 만났다. ④〖軍·고어〗 가늠자.

Gesicht[2] *n.* -(e)s, -e 환상, 환영, 헛것: ~e haben 헛것을 보다.

Gesichtchen *n.* -s, - 작은〔귀여운〕 얼굴.

Gesichter·schneider *m.* 상을 찌푸리는 사람.

Gesichts≈achse *f.* 〖醫·理〗 시축(視軸). **~-asymmetrie** *f.* 〖醫〗 안면 좌우 비대칭. **~ausdruck** *m.* 얼굴 표정, 안색. **~bildung** *f.* 얼굴 생김새, 용모. **~chirurgie** *f.* 〖醫〗 성형 외과. **~creme** *f.* 얼굴에 바르는 크림. **~deuter** *m.* 관상가. **~deutung** *f.* 관상술〔학〕. **~eindruck** *m.* 시각 인상. **~erker** *m.* 〖구어·농담〗 코. **~farbe** *f.* 얼굴 빛, 안색. **~feld** *n.* ① 시야, 시계. ②〖광학〗 (관찰 가능한) 가시(可視) 영역〔범위〕. **~halluzination** *f.* 환시(幻視). **~krampf** *m.* 안면 경련. **~kreis** ①〖고어〗 시계, 시야. ②〖고어〗 지평선. ③ 정신적 지평, 안목. **~kunde** *f.* ↑ ~deutung. **~linie** *f.* ① ↑ ~zug. ②〖醫·天〗 시축(視軸). **~maske** *f.* ①〖스포츠〗 마스크. ② (피부 미용을 위한) 얼굴 팩. **~massage** *f.* 안면 마사지. **~nerv** *m.* 안면 신경. **~partie** *f.* 얼굴 부분〔부위〕. **~pfeife** *f.* 〖음악〗 (파이프 오르간의) 전면(前面) 파이프. **~punkt** *m.* 관점, 시점, 견지. **~rose** *f.* 〖醫〗 안면 단독(丹毒). **~schmerz** *m.* 〖醫〗 안면 (신경)통. **~schwäche** *f.* 약시(弱視). **~sinn** *m.* 시각, 시력. **~täuschung** *f.* 착시(錯視). **~wasser** *n.* 미안수(美顔水), 스킨로션. **~weite** *f.* 시력이 미치는 거리, 시계(視界). **~winkel** *m.* ①〖해부〗 안면각(콧구멍과 귀 및 콧구멍과 이마를 잇는 두 선이 이루는 각); 〖物〗 시각(視角). ②〖비유〗 시각, 관점: unter diesem ~ betrachtet 이런 관점에서 보면. **~zug** *m.* 얼굴 윤곽〔모습〕, 인상.

Gesims [gəzíms] 《<Sims》 *n.* -es, -e 〖건축〗 돌림띠(기둥이나 벽 윗부분에 수평으로 둘러친 장식용 돌출부).

Gesinde [gəzíndə] 《<senden》 *n.* -s, - 〖고어〗 (특히 농가의) 하인들.

Gesindel [gəzíndəl] 《본래는 ↑ Gesinde 의 축소형》 *n.* -s, - 〖펌어〗 불량배, 깡패.

Gesinde≈ordnung *f.* 〖고어〗 하인 고용 규정. **~stube** *f.* 〖고어〗 하인방.

Gesinge [gəzíŋə] *n.* -s 끝없이 부르는 (듣기 싫은) 노래.

gesinnt [gəzínt] 《<Sinn》 *a.* ①〖방법 부사와 함께〗 …한 마음〔생각〕을 품은: anders ~ 다른 생각을 품은; irdisch〔liberal〕 ~ 현세〔자유〕주의의; jm. 〔gegen jn.〕 feindlich〔freundlich〕 ~ sein 누구에게 적의〔호의〕를 품고 있다. ② ↑ gesonnen 《Ⅱ》 ②.

***Gesinnung** [gəzínuŋ] *f.* -en 신조, 신념, 주의, 성향: ein Mensch mit liberaler ~ 자유주의적 성향의 인간; seine ~ wechseln 자신의 신조를 바꾸다.

Gesinnungs≈genosse *m.* (정치적) 뜻을 같이 하는 사람, 동지.

gesinnungslos *a.* 줏대〔지조〕 없는.

Gesinnungslosigkeit *f.* 줏대 없음, 무정견.

Gesinnungs≈lump *m.* 〖펌어〗 줏대〔지조〕 없는 사람. **~riecherei** *f.* 〖드물게〗 사람의 의중을 떠보기. **~schnüffelei** *f.* 〖경박·폄어〗 정치적 성향 조사〔염탐〕. **~täter** *m.* (Überzeugungstäter) 사상범, 양심수. **~treu** *a.* 지조 있는, 신념이 투철한. **~tüchtig** *a.* 지조가 굳은; 〖반어〗 고지식한. **~umschwung** *m.* (신조의) 표변(豹變). **~voll** *a.* 신념에 찬. **~wandel** *m.* (정치적) 변절, 변심. **~wechsel** *m.* ↑ ~wandel.

Gesippe [gəzípə] *n.* -s 혈족, 씨족.

gesippt *a.* 혈족 관계에 있는.

gesittet [gəzítət] 《<Sitte》 *a.* ① 예의 바른, 교양 있는, 점잖은. ② 문명화된, 개화된: ein ~es Volk 문화 국민.

Gesittung [gəzítuŋ] *f.* -en 〖雅語〗 ① 예의바름, 좋은 품성, 교양. ②〖고어〗 문명.

ges-Moll *n.* - 〖음악〗 내림 사 단조(기호: ges).

Gesocks [gəzɔ́ks] *n.* - 〖펌어〗 불량배, 건달.

Gesöff [gəzœ́f] 《<saufen》 *n.* -(e)s 〖드물게·폄어〗 ① 술, 음료. ② 맛없는〔질나쁜〕 음료.

gesoffen [gəzɔ́fən] *p.p.* ↑ saufen.

gesogen [gəzó:gən] *p.p.* ↑ saugen.

gesondert [gəzɔ́ndərt] 《Ⅰ》 *p.p.* ↑ sondern[1]. 《Ⅱ》 *p.a.* 분리된, 고립된.

gesonnen [gəzɔ́nən] 《Ⅰ》 *p.p.* ↑ sinnen. 《Ⅱ》 *p.a.* ① …할 생각〔의향〕이 있는: ~ sein, et. zu tun 무엇을 할 작정이다; er scheint nicht ~, sich mit seinen Eltern zu versöhnen 그는 자기 부모와 화해할 마음이 없어 보인다. ② ↑ gesinnt 대신 잘못 쓰임.

gesotten [gəzɔ́tən] *p.p.* ↑ sieden.

Gesottene* *das* 〖방언〗 삶은 고기, 수육.

gespalten [gəʃpáltən] *p.p.* ↑ spalten.

Gespan[1] [gəʃpá:n] 《sl.》 *m.* -(e)s, -e (헝가리의) 지사.

Gespan[2] 《<spannen》 *m.* -(e)s/-en, -e(n) 〖고어·방언〗 동료, 길동무.

Gespänge 《<Spange》 *n.* -s (문·창의 덧문의) 연결쇠, 고리.

Gespann [gəʃpán] 《<spannen》 *n.* -(e)s, -e ① 수레를 끄는 마소; (마소가 끄는) 수레, 마차. ② 한 쌍의 사람, 2인조, 커플; 〖스포츠〗 2인 1조의 팀: die beiden geben ein gutes ~ ab 이 두 사람은 좋은 콤비를 이루고 있다.

gespannt [gəʃpánt] 《Ⅰ》 *p.p.* ↑ spannen. 《Ⅱ》 *p.a.* ① 기대에 부푼, 호기심에 찬, 관심이 많은: ich bin ~, was er berichten wird 나는 그가 무슨 이야기를 할지 몹시 궁금하다; 〖구어·농담〗 ich bin ~ wie ein Regenschirm 〔Flitzebogen〕 나는 일의 결말이 몹시 궁금하다. ② 긴장된, 위험에 찬, 긴박한: eine ~e Lage 긴장된 상황.

Gespanntheit *f.* -en 부푼 기대, 열중, 흥분; 긴장 상태.
Gespanschaft 《<Gespan[1]》 *f.* -en (헝가리의) 지사(知事)의 통치 관구.
Gesparr [gəʃpár] 《<Sparren》 *n.* -(e)s, -e 〖건축〗 지붕틀, 서까래.
Gespärre *n.* -s 〖건축〗 ① ↑ Gesparr. ② (서로 마주 보고 있는) 서까래 한 쌍.
Gespaße [gəʃpáːsə] *n.* -s (심한) 농담〔익살〕.
***Gespenst** [gəʃpɛ́nst] *n.* -es, -er ① 유령, 허깨비: dort gehen ~er um 그곳에는 유령들이 돌아다닌다; du siehst ~er! 넌 허깨비를 보고 있는 거야! (쓸데없는 걱정을 한다는 뜻); die Zeit〔Stunde〕 der ~er 유령이 나타나는 시간 (자정에서 1시 사이). ②〖비유〗 급박한 위험; 망령, 공포: das ~ der Arbeitslosigkeit 실업의 공포; das ~ des Krieges 전쟁의 망령.
Gespenstchen *n.* -s, -/..sterchen 꼬마 유령, 작은 도깨비.
gespenster≈artig *a.* ↑ gespenstig. **≈erscheinung** *f.* 유령의 출현. **≈furcht** *f.* 유령에 대한 공포. **≈geschichte** *f.* 귀신 이야기. **≈glaube** *m.* 유령이 있다는 믿음.
gespensterhaft *a.* ↑ gespenstisch.
gespensterlich *a.* ↑ gespenstisch.
gespenstern *i.* (h.) ① 유령이 되어〔유령 옷을 입고〕 나타나다. ② 유령처럼 돌아다니다.
Gespenster≈reich *n.* 유령의 나라〔세계〕. **~schiff** *n.* 유령선. **~spuk** *m.* 유령의 출현. **~stunde** *f.* 밤 12시와 1시 사이, 축시(丑時).
Gespenst·heuschrecke *f.* 〖動〗 직시류(直翅類)의 곤충(귀뚜라미·여치 등).
gespenstig *a.* ↑ gespenstisch.
gespenstisch *a.* 유령의, 유령 같은, 으스스한, 무시무시한.
gesperbert 《<Sperber》 *a.* 〖사냥〗 새매 모양의.
Gesperr *n.* -(e)s, -e ↑ Gesperre.
Gesperre [gəʃpérə] 《<sperren》 *n.* -s, - ① 〖工〗 제동〔차단〕 장치, 멈춤쇠. ②〖사냥〗 (꿩·뇌조류의) 어린 새와 늙은 새. ③〖고어〗 봉쇄, 폐쇄, 차단; 거리낌, 사양: ohne viel ~ 거리낌 없이.
gespickt [gəʃpɪ́kt] 《I》 *p.p.* ↑ spicken. 《II》 *p.a.* ① 지방질이 채워진. ② (지갑이) 두둑한.
gespieen [gəʃpíːən] *p.p.* ↑ speien.
Gespiele[1] [gəʃpíːlə] *n.* -s 〖구어〗 (심한·짜증나는) 장난, 놀이.
Gespiele[2] *m.* -n, -n ①〖雅語〗 놀이 친구: Jugend≈ 젊은 시절의 친구. ②〖드물게〗 동료, 동지. ③〖평어〗 남자 애인.
Gespielin *f.* -nen ①〖雅語〗 ↑ Gespiele[2] ①의 여성형. ②〖평어〗 여자 애인.
gespien [gəspíːn] ↑ gespieen.
Gespinne [gəʃpɪ́nə] 《<spinnen》 *n.* -s (끝없이 돌아가는) 물레질; (끊임없는) 궁리.
***Gespinst** [gəʃpɪ́nst] 《<spinnen》 *n.* -es, -e ① 실로 자아낸 것, 방적물, 직물: 뽑은 실, 방사(紡絲); 거미줄, 고치. ②〖비유〗 꾸며낸 것: Hirn≈ 망상의 산물; Lügen≈ 거짓투성이의 이야기.
Gespinst≈faser *f.* 방적용 섬유. **~pflanze** *f.* 방적 섬유용 식물(삼·아마·황마 등).
gesplissen [gəʃplɪ́sən] *p.p.* ↑ spleißen.
gesponnen [gəʃpɔ́nən] *p.p.* ↑ spinnen.
Gespons[1] [gəʃpɔ́ns] 《lat.》 〖고어·농담〗 *m.* -es, -e 신랑, 남편.
Gespons[2] *n.* -es, -e 신부, 아내.
gespornt 《I》 *p.p.* ↑ spornen. 《II》 *p.a.* 박차를 가한.
Gespött [gəʃpœ́t] 《<Spott》 *n.* -(e)s 계속해서 놀려댐; 조롱, 조소; 웃음거리, 조소의 대상: sein ~ mit jm. treiben 누구를 조롱하다; jn. zum ~ der Leute machen 누구를 뭇사람의 웃음거리로 만들다.
Gespöttel *n.* -s 〖구어〗 계속적인 조롱.
***Gespräch** [gəʃprɛ́ːç] 《<Sprache》 *n.* -(e)s, -e ① 대화, 대담, 담화, 회화: das ~ wieder aufnehmen 대화를 재개하다; ~ unter vier Augen 둘만의 긴밀한 대화; den Faden des ~s aufnehmen 대화의 실마리를 잡다; mit jm. ins ~ kommen 누구와 대화하다; das ~ auf et. bringen 무엇으로 말머리를 돌리다; ein ~ mit jm. anknüpfen 〔sich in ein ~ mit jm. einlassen〕 누구와 담화를 시작하다; mit jm. im ~ bleiben 누구와 협상 중이다〔접촉을 유지하다〕. ② 통화: ein ~ nach Berlin anmelden 베를린으로 통화를 신청하다; 〖구어〗 ein ~ annehmen 전화를 받다. ③ 화제: Tages≈ 그날의 화제; im ~ sein 의제〔화제〕다, 토론거리다; zum ~ der ganzen Stadt werden 온 시내의 화젯거리가 되다. ④〖방언·평어〗 잡담, 수다, 헛소리.
***gesprächig** *a.* 이야기를 좋아하는, 수다스러운: sehr ~ bist du heute ja nicht 넌 오늘 별로 말이 없구나.
Gesprächigkeit *f.* 수다(스러움).
gesprächs≈bereit *a.* 대화 할 용의가 있는. **≈buch** *n.* 회화책. **≈form** *f.* 대화체, 대화 형식. **≈gegenstand** *m.* ↑ ≈thema. **≈partner** *m.* 대화 상대자, 말상대. **≈partnerin** *f.* ↑ ≈partner의 여성형. **≈stoff** *m.* 이야깃거리, 화제. **~teilnehmer** *m.* 대화〔토론〕 모임 참여자. **~teilnehmerin** *f.* ↑ ≈teilnehmer의 여성형. **≈thema** *n.* 대화 주제, 화제. **~ton** *m.* 대화투〔조〕. **~weise** *adv.* 대화를 통해, 대화체로; 담화 중에. **≈zimmer** *n.* 응접실.
Gespreiz *n.* -es ↑ Gespreize.
Gespreize [gəʃpráɪtsə] 《<spreizen》 *n.* -s 손발을 쭉 뻗음; 허세부리기.
gespreizt [gəʃpráɪtst] 《I》 *p.p.* ↑ spreizen. 《II》 *p.a.* 〖평어〗 과장된, 꾸민, 부자연스런.
Gespreiztheit *f.* ↑ gespreizt의 명사형.
Gesprenge [gəʃpréŋə] 《<sprengen》 *n.* -s ① 지속적인〔잦은〕 폭발. ②〖건축〗 (고딕식 교회 제단의) 탑모양의 구조물. ③〖광산〗 단층(斷層).
gesprenkelt [gəʃpréŋkəlt] 《I》 *p.p.* ↑ sprenkeln. 《II》 *p.a.* 작은 반점들이 있는.
Gespringe [gəʃprɪ́ŋə] *n.* -s 〖구어〗 계속해서 뛰어댐〔날뜀〕.
Gespritze [gəʃprɪ́tsə] *n.* -s 〖구어〗 계속해서 물을 뿌려댐.
Gespritzte* *der* ① (südd., öst.) 소다수를 탄 묽은 포도주. ② (헤센 지방에서) 탄산수를 섞은 사과주.
gesprochen [gəʃprɔ́xən] *p.p.* ↑ sprechen.
gesprossen [gəʃprɔ́sən] *p.p.* ↑ sprießen[2].
Gesprudel [gəʃprúːdəl] *n.* -s 계속해서 솟아나옴, 뿜어나옴, 끊임없는 분출.

gesprungen [gəʃprúŋən] *p.p.* ↑ springen.
Gespuke [gəʃpú:kə] *n.* -s (잦은) 유령 출몰.
Gespür *n.* -s 직감, 육감: er hat kein ~ dafür 그는 그것에 대한 감각이 없다.
Gest [gɛst] 《<gären》 *m.* -(e)s 〔*f.*〕 (ndd.) 효모, 이스트.
gest. =gestorben 죽은, 사망한(기호: †).
Gestade [gəʃtá:də] *n.* -s, - 〖시어〗 물가, 해안.
Gestagen [gɛstagé:n] 《lat.》 *n.* -s, -e 게스타겐(임신에 필요한 여성 호르몬).
***Gestalt** [gəʃtált] 《<stellen》 *f.* -en ① 형태, 형상, 형체, 외형, 모습, 꼴: eine andere ~ annehmen 다른 형태를 띠다, (동화에서) 모습이 변하다: sich in seiner wahren ~ zeigen 자신의 참모습을〔정체를〕 드러내다; allmählich ~ annehmen〔gewinnen〕 (계획 등이) 점점 형태를 갖추다, 구체화되다; einem Gedanken ~ geben 생각을 말로 표현하다; 〖기독교〗 das Abendmahl in beiderlei ~ 〔in den ~en von Brot und Wein〕 빵과 포도주의 성찬; 〖격식〗 in ~ von et.³ 무엇의 형태로, 무엇으로. ② 몸매, 체격: ein Mann von mittlerer ~ 중키의 남자; sie ist von schlanker ~ 그녀는 몸매가 날씬하다. ③ (**a**) (사람의) 형체: eine dunkle ~ näherte sich uns 어떤 알 수 없는 형체가 우리에게 다가왔다. (**b**) (중요한) 인물: die großen ~en der Geschichte 역사의 위대한 인물들. (**c**) 〖구어·폄어〗 거슬리는 존재: was wollen denn diese ~en hier? 이자들은 도대체 여기서 무엇을 원하는 거냐? (**d**) (작품 속의) 인물, 형상: die zentrale ~ eines Romans 소설의 중심 인물. ④ 양상, 상태: nach ~ der Sachen 사태에 따라; der ~ 〔solcher ~〕, daß... …한 방식으로; folgender ~ 다음과 같이. ⑤ 〖心〗 게슈탈트, 형태. ⑥ (schweiz.) 코르셋.
..gestalt *suf.* "…꼴〔모양〕을 한"의 뜻(보기: miß~, un~ 모습이 추한; wohl~ 모습이 고운).
gestaltbar *a.* 형상화할 수 있는, 조형 가능한.
***gestalten** [gəʃtáltən] 《I》 *t.* ① 형성하다, 형상화하다, 형태를 부여하다, 구체화하다: et. dramatisch 〔zu einem Drama〕 ~ 무엇을 드라마로 형상화하다; einen Stoff literarisch ~ 어떤 소재를 문학 작품으로 만들다; Gedanken ~ 생각을 말로 표현하다. ② (공간을) 꾸미다, 장식하다; (행사를) 조직〔구성〕하다; (삶·여가를) 설계〔계획〕하다: den Abend festlich ~ 저녁 모임을 성대하게 차리다; ich gestalte mein Leben so, wie ich will 나는 내가 원하는 대로 내 인생을 만들어갈 것이다. 《II》 *refl.* sich ~ (어떤 형태〔상태〕로) 되다, 발전하다: sich günstig ~ 유리하게 되다; sich zu einem Erfolg ~ 성공을 거두게 되다; die Sache hat sich ganz anders gestaltet, als wir dachten 일이 우리가 생각한 것과 전혀 다른 모양새로 되어 갔다.
gestaltend *p.a.* 형성〔구성〕하는: die ~e Kraft der Natur 자연의 형성력.
gestalten≈reich *a.* 등장 인물이 많은; 천태만상의. **~voll** *a.* ↑ ~reich.
Gestalter *m.* -s, - 형성〔구성〕자; 창조〔창작〕자; 거푸집〔주형(鑄型)〕 제조인; (행사의) 기획자; 디자이너.
gestalterisch *a.* 조형적인, 형성의, 창조적인, 창작의.
gestalthaft *a.* 형태가 있는, 유형의.
..gestaltig *suf.* "…한 형태의"의 뜻(보기: viel~ 천태만상의).
Gestalt·lehre *f.* 형태학.
gestaltlos *a.* 형태가 없는, 무형의; 실체가 없는, 추상적인.
Gestaltlosigkeit *f.* ↑ gestaltlos 의 명사형.
Gestalt≈psychologie *f.* 형태 심리학. **~qualität** *f.* 〖哲〗 형태성. **~rock** *m.* (16 세기 전반 남자용의) 앞이 터지고 주름 잡힌 외투 (Schaube).
Gestaltung [gəʃtáltʊŋ] *f.* -en ① 형성, 형상화; 조형, 구성, 설계, 꾸미기: Raum~ 실내장식; Freizeit~ 여가 선용; Lebens~ 인생 설계. ② 〖드물게〗 형성된 것, 형성〔조형〕물.
gestaltungs≈fähig *a.* 형성력이 있는. **~fähigkeit** *f.* ① 형성〔조형〕력. ② (점토의) 가소성(可塑性). **~kraft** *f.* 형성〔조형〕력. **~lehre** *f.* ↑ Gestaltlehre. **~prinzip** *n.* 형성〔구성〕 원리. **~talent** *n.* 형성〔구성〕하는 재능.
Gestalt≈veränderung *f.* 형태 변화, 변용(變容). **~wandel** *m.* ① ↑ ~veränderung. ② 〖醫〗 (성장기의) 신체적·정신적 변화.
Gestämme [gəʃtɛ́mə] *n.* -s, - ① 삼림. ② 〖사냥〗 사슴의 가지뿔.
Gestammel [gəʃtáməl] 《<stammeln》 *n.* -s ① 말을 계속 더듬기. ② 알아듣기 어려운 말.
Gestampf *n.* -(e)s ↑ Gestampfe.
Gestampfe [gəʃtámpfə] 《<stampfen》 *n.* -s 〖구어〗 계속 발을 구르기.
gestand [gəʃtánt] ↑ gestehen 의 과거형.
Gestände [gəʃtɛ́ndə] 《<Stand》 *n.* -s, - ① 〖사냥〗 (**a**) (맹조류·두루미 등의) 발, 다리. (**b**) (맹조류·두루미 등이 높이 지은) 보금자리. ② 마구간의 한 칸. ③ 〖방언〗 회합, 밀회.
gestanden[1] [gəʃtándən] 《I》 *p.p.* ↑ stehen. 《II》 *p.a.* 노련한, 경험이 풍부한, 정통한; ~e Milch 〖방언〗 산유(酸乳), 발효유, 응유.
gestanden[2] *p.p.* ↑ gestehen.
geständig [gəʃtɛ́ndɪç] 《<gestehen》 *a.* 자백한, 죄를 인정한: der Angeklagte ist ~ 피고는 죄를 자백하였다; eines Vergehens ~ sein 어떤 범죄를 자백하다.
***Geständnis** *n.* -ses, -se (죄·잘못의) 자백, 인정; 고백: ein ~ ablegen 자백하다; jn. zum ~ von et. bringen 누구에게 무엇을 자백시키다; jn. zu einem ~ zwingen 누구에게 자백을 강요하다; jm. ein ~ machen 누구에게 (무엇을) 고백하다.
Gestänge [gəʃtɛ́ŋə] *n.* -s, - ① 짜맞춘 막대, 목책, 울타리. ② 〖사냥〗 사슴의 가지뿔; 〖工〗 지렛대; 〖광산〗 굴착봉 세트.
Gestank [gəʃtáŋk] *m.* -(e)s 악취; 〖비유〗 싫은 것〔일〕; 악평.
Gestänker *n.* -s 〖구어〗 잦은 시비(걸기).
Gestapo [gəʃtá:po] *f.* =Geheime Staatspolizei (나치의) 비밀 국가 경찰, 게슈타포.
***gestatten** [gəʃtátən] 《I》 *t.* ① (**a**) 허락〔허용〕하다: das Fotografieren ist hier nicht gestattet 이곳은 사진 촬영이 금지되어 있다; jm. ~, et. zu tun 누구에게 무엇을 하도록 허락하다. (**b**) 〖정중한 표현〗 ~ Sie mir eine Frage? 질문을 해도 되겠습니까?; ~ Sie, daß ich die Zeitung nehme? 제가 이 신문을

봐도 되겠습니까?; ~ Sie? (남의 앞을 지나갈 경우 따위에) 실례하겠습니다. ② (사정 등이) 허락하다, 가능하게 하다: wenn es die Umstände〔meine Zeit〕~, werde ich ... 사정〔시간〕이 허락한다면, 나는 …하겠습니다; mein Gehalt gestattet mir das nicht 내 봉급으로는 그것을 할 수 없다. 《Ⅱ》*refl.*〖雅語〗sich³ et. ~ 무엇을 할 자유〔여유〕를 갖다, 감히 …하다: ein Glas Wein gestatte ich mir noch 와인 한 잔을 더 마시겠습니다; wir ~ uns, Ihnen mitzuteilen 실례지만 말씀드리겠습니다.

Gestattung *f.* -en 허가, 허용, 허락, 승낙.

Gestäude [gəʃtɔ́ʏdə] *n.* -s, -〖고어〗① 관목. ②〖사냥〗사슴의 가지뿔; 매의 보금자리.

Geste [gέstə] 《lat.》*f.* -n 몸짓, 손짓; 제스처, (간접적인) 표현, 표시, 암시; (가식적인) 행동: eine diplomatische ~ 외교적인 제스처.

Gesteck *n.* -(e)s, -e ① 꽃꽂이, 장식용 꽃. ② (깃털 모양의) 모자 장식.

gestehen [gəʃté:ən] (gestand, gestanden) 《Ⅰ》*i.* (s.)〖고어〗응고하다, 엉기다: die Milch ist gestanden 우유가 굳었다. 《Ⅱ》*t.* 고백하다, 자백하다, 털어놓다, 인정하다: jm. seine Liebe ~ 누구에게 사랑을 고백하다; das Verbrechen ~ 범행을 자백〔실토〕하다; die Wahrheit ~ 진실을 토로하다; offen gestanden 터놓고〔솔직히〕 말하자면; das muß ich ~! 이거 굉장한데, 놀랐는데! 《Ⅲ》*refl.*〖고어〗sich ~ 감히 …하다: ich gestehe mich, dir das zu sagen 나는 감히 네게 이 말을 한다.

Gestehungs·kosten *pl.*〖經〗생산비, 원가.

Gestein [gəʃtáɪn] *n.* -(e)s, -e ① 암석, 암괴; 광석:〖광물〗plutonisches〔vulkanisches〕~ 심성〔화산〕암; taubes ~ 광석이 들어 있지 않은 암석. ②〖시어〗바위.

Gesteins≈art *f.* 암석의 종류. **~block** *m.* 커다란 암석 덩어리, 암괴(岩塊). **~bohrer** *m.* ↑ ~bohrmaschine. **~bohr·maschine** *f.* 착암기. **~gang** *m.* 광맥. **~karte** *f.* ① (암석을 색으로 구별해 놓은) 지질도. ② 숫자 카드. **~kunde** *f.* 암석학. **~kundige*** *der/die* 암석학자. **~lehre** *f.* ↑ ~kunde. **~probe** *f.* 암석 표본〔견본〕. **~schicht** *f.* 암석층.

Gestell [gəʃtέl] 《<Stall》*n.* -(e)s, -e ① (물건을 올려 놓는) 대(臺); 틀, 뼈대, 받침대, 버팀목, 스탠드: Bücher~ 책꽂이, 서가; Fahr~ 차대(車臺); Wäsche~ 빨래 건조대; Brillen~ 안경테. ②〖경박·농담〗(a) 깡마른 체격. (b) 깡마른 사람〔동물〕: ihr Freund ist so ein dürres ~ 그녀의 남자 친구는 말라깽이다. ③〖사냥〗숲속길.

gestellen 《Ⅰ》*t.*〖고어〗① 법정에 출두시키다. ②〖격식〗조달〔공급〕하다. ③〖經〗세관에 제시하다. 《Ⅱ》*refl.*〖고어〗sich ~ 법정에 출두하다; (소집령에 따라) 군에 입대하다.

Gestell≈säge *f.* 틀톱. **~stein** *m.* (난로의) 재받이돌.

gestellt 《Ⅰ》*p.p.* ↑ stellen. 《Ⅱ》*p.a.* ① 강요된, 부자연스러운. ② …한 형편의: gut ~ sein 수입이 좋다.

Gestellung *f.* -n ① (기차 차량의) 운행 대기. ②〖고어〗군 입대; 법정 출두. ③〖經〗(세관에) 물건 제시.

Gestellungs≈befehl *m.* 소집령; 출두 명령. **~pflicht** *f.* ①〖고어〗소집령〔출두 명령〕에 응해야 할 의무, 응소 의무. ②〖經〗해당 세관에 관세 품목을 내보여야 할 의무.

gestelzt 《Ⅰ》*p.p.* ↑ stelzen. 《Ⅱ》*p.a.*〖구어·폄어〗빼기는, 억지로 꾸민, 작위적인: eine ~e Sprache 가식적인〔부자연스러운〕 언어.

gestern [gέstərn] *adv.* ① 어제: ~ abend 어제 저녁에; ~ vor acht Tagen 1 주일 전 어제; die Zeitung ist von ~ 그 신문은 어제 것이다;〖구어·농담〗er ist von ~ übriggeblieben 그는 밤새도록 술을 퍼마셨다. ② 이전, 과거: das Korea von ~ 어제〔과거〕의 한국; Ansichten von ~ 낡은 견해;〖구어〗er ist nicht von ~ 그는 이제 어린애가 아니다 (세상 물정을 안다).

Gestern *n.* -s 어제; 과거: das ~ und das Heute 과거와 현재.

gesternt [gəʃtέrnt] *a.*〖雅語〗↑ gestirnt.

Gestichel [gəʃtíçəl] *n.* -s (줄곧) 비꼼, 빈정댐.

Gestiebe [gəʃtí:bə] *n.* -s (눈·먼지 등이) 계속 흩날림.

gestiefelt [gəʃtí:fəlt] 《Ⅰ》*p.p.* ↑ stiefeln[1]. 《Ⅱ》*p.a.* 장화를 신은: der ~e Kater 장화 신은 고양이(동화의 제목);〖구어〗~ und gespornt sein 출발 준비가 다 되어 있다, 만반의 준비가 되어 있다.

gestiegen [gəʃtí:gən] *p.p.* ↑ steigen.

gestielt [gəʃtí:lt] 《Ⅰ》*p.p.* ↑ stielen. 《Ⅱ》*p.a.* 꽃〔잎〕자루가 있는; (연장 등이) 자루가 달린.

Gestik [gέstɪk] 《lat.》*f.* ① 제스처, (배우의) 동작〔몸짓〕 연기: Mimik und ~ eines Schauspielers 배우의 표정 연기와 동작 연기. ② 제스처를 통한 의사 소통, 동작〔몸짓〕 언어.

Gestikulation [gεstikulatsió:n] 《lat.》*f.* -en 제스처 취하기, 손짓·몸짓하기.

gestikulieren *i.* (h.) 제스처를 취하다, 손짓·몸짓을 하다, 제스처로 의사를 표현하다.

Gestimmtheit *f.* 분위기, 기분.

Gestion [gεstió:n] 《lat.》*f.* -en〖고어〗업무 수행, 관리, 행정.

Gestions·bericht *m.* (öst.)〖官〗업무 보고.

Gestirn [gəʃtírn] *n.* -(e)s, -e〖雅語〗① 천체, 성신(星辰), 별자리, 성좌: der Lauf der ~e 천체의 운행. ② (운명의) 별: js. ~ geht auf 누가 유명하게 되다.

Gestirn≈anbetung *f.*, **~dienst** *m.* 성신(星辰) 숭배. **~kunde** *f.* 천문학, 점성학. **~kunst** *f.* 점성술. **~stand** *m.* 천체의 위치.

gestirnt [gəʃtírnt] 《<Stern》*a.* ① 별이 있는〔많은〕: der ~e Himmel 별이 반짝이는 하늘. ②〖시어〗별자리〔성좌〕로 빛나는: der ~e Bär 큰〔작은〕 곰자리; im ~en Fracke 성장(星章)을 단 연미복을 입고.

..gestirnt 《<Stirn》*suf.* "…의 이마를 가진"의 뜻(보기: breit~ 이마가 넓은).

gestisch *a.* 제스처의, 제스처에 따른: et. ~ andeuten 무엇을 제스처로 암시하다.

gestoben [gəʃtó:bən] *p.p.* ↑ stieben.

Gestöber [gəʃtǿ:bər] *n.* -s, - 흩날림; 흩날리며 떨어지는 것, (특히) 눈보라.

gestochen [gəʃtɔ́xən] 《Ⅰ》*p.p.* ↑ stechen. 《Ⅱ》*p.a.* 아주 세심한, 정확한.

gestockt 《Ⅰ》*p.p.* ↑ stocken[1]. 《Ⅱ》*p.a.* (obd.) 엉긴, 시큼한: ~e Milch 응유, 발효유.

gestohlen [gəʃtóːlən] *p.p.* ↑ stehlen.
Gestöhn [gəʃtǿːn] *n.* -(e)s 〖구어〗 (계속되는) 신음〔탄식〕 소리.
Gestöhne *n.* -s 〖구어〗 ↑ Gestöhn.
Gestolper [gəʃtɔ́lpər] *n.* -s (계속) 비틀거림.
Gestör [gəʃtǿːr] *n.* -(e)s, -e ① 혼란, 소요, 폭동. ② (obd.) 뗏목의 통나무 (연결).
gestorben [gəʃtɔ́rbən] *p.p.* ↑ sterben.
Gestöre [gəʃtǿːrə] *n.* -s (끊임없는) 방해.
gestört 《I》 *p.p.* ↑ stören¹. 《II》 *p.a.* 결함〔이상〕이 있는: geistig ~ 정신 장애가 있는; ein ~es Sexualleben haben 성생활이 원만하지 못하다.
gestoßen [gəʃtóːsən] *p.p.* ↑ stoßen.
Gestotter [gəʃtɔ́tər] *n.* -s 〖구어·폄어〗 말을 계속 더듬거림, 더듬거리는 어투.
gestowt [gəʃtóːft] 《I》 *p.p.* ↑ stowen. 《II》 *p.a.* (nordd.) 삶은, 끓인, 스튜로 찐.
Gestrampel [gəʃtrámpəl] *n.* -s (계속) 발버둥쳐댐, 허우적거림.
***Gesträuch** [gəʃtrɔ́yç] *n.* -(e)s, -e 무성한 관목〔덤불〕, 총림(叢林); 관목의 가지들.
Gestreichel [gəʃtráiçəl] *n.* -s 지속적인 애무.
gestreift [gəʃtráift] 《I》 *p.p.* ↑ streifen. 《II》 *p.a.* 줄무늬가 있는: eine schwarzweiß ~e Bluse 흑백 줄무늬의 블라우스.
Gestreite [gəʃtráitə] *n.* -s 〖구어·폄어〗 (계속되는〔잦은〕) 싸움질.
gestreng [gəʃtréŋ] *a.* ① 〖고어〗 엄한, 엄격한: ~er Herr! 각하, 전하! (중세 때의 경칭). ② 〖방언〗 die drei ≗en Herren 빙성자(氷聖者)의 날(늦서리가 내리는 5월 11-13일 사이의 3일간; ↑ die Eisheiligen).
Gestreu *n.* -(e)s (외양간에) 깔려 있는 짚.
gestrichen [gəʃtríçən] 《I》 *p.p.* ↑ streichen. 《II》 *p.a.* 가득 찬: der Topf ist ~ voll mit Suppe 냄비는 수프로 가득 차 있다; 〖비유〗 das Maß meiner Geduld ist ~ voll 내 인내심이 한계에 달했다(더 이상 참을 수 없다); 〖구어〗 die Nase ~ voll haben 나쁜 일을 질리도록 경험하다.
Gestrick [gəʃtrík] *n.* -(e)s, -e 짠〔뜨개질한〕 물건, 편물.
gestrig [gέstriç] 《<gestern》 *a.* ① 어제의: am ~en Abend 어제 저녁에; 〖商〗 unser ≗es 우리의 어제 날짜 서한; unterm ≗en 어제 날짜로. ② 유행이 지난, 구식의, 보수적인: die ewig ≗en 고루한 사람들.
gestritten [gəʃtrítən] *p.p.* ↑ streiten.
Geströh *n.* -s 짚(더미).
Geströhde [gəʃtrǿːdə] *n.* -s ↑ Geströh.
Geström [gəstrǿːm] *n.* -s 부단한 흐름, 끝없이 밀려옴.
gestromt *p.a.* (동물의 털가죽에) 줄무늬가 있는.
Gestrudel [gəʃtrúːdəl] *n.* -s 소용돌이.
Gestrüpp [gəʃtrʏ́p] *n.* -(e)s, -e (우거진) 덤불숲: sich³ einen Weg durch das ~ bahnen 덤불숲을 헤치며 길을 터 나가다.
Gestübe [gəʃtýːbə] 《<stieben》 *n.* -s 〖제련〗 분탄(粉炭)과 점토의 혼합물, 소회(素灰).
Gestüber *n.* -s 〖사냥〗 야생 조류의 똥.
Gestühl [gəʃtýːl] 《<Stuhl》 *n.* -(e)s, -e (한 공간의) 좌석 전체; 좌석의 열.
Gestümper [gəʃtʏ́mpər] *n.* -s 〖구어·폄어〗 서투른 솜씨, 서투른 연주〔작품〕, 졸작.
gestunden [gəʃtúndən] 《<Stunde》 *t.* 〖드물게〗 (지급 등을) 미루다, 연기하다.
Gestundung *f.* (지급 등의) 연기.
gestunken [gəʃtúŋkən] *p.p.* ↑ stinken.
Gestürm [gəʃtʏ́rm] *n.* -(e)s (schweiz.) 떠들썩한 잡담, 소란.
Gestus [gέstus] 《lat.》 *m.* -, ..sten ① ↑ Gestik ①. ② 〖연극〗 (한 작품에서) 배우들의 연기 일체(대사·동작·표정). ③ 표정; 태도, 거동.
Gestüt [gəʃtýːt] 《<Stute》 *n.* -(e)s, -e ① 말 사육장; 말 사육업. ② 사육장의 말, 종마(種馬) 무리. ③ (특정 종류의) 말의 혈통적 특징.
Gestüts≈brand *m.* 종마〔사육말〕의 낙인. **~hengst** *m.* 종마〔사육말〕의 수컷. **~meister** *m.* 말 사육장 관리인. **~pferd** *n.* 종마, 사육말. **~stute** *f.* 종마〔사육말〕의 암컷. **~zeichen** *n.* ↑ ~brand.
***Gesuch** [gəzúːx] 《<suchen》 *n.* -(e)s, -e 청원(서), 진정(서), 신청(서), 지원(서): ein ~ einreichen〔stellen〕 청원서를 제출하다, 청원하다; ein ~ abschlagen〔abschlägig bescheiden〕 청원을 기각하다.
Gesuch·steller *m.* 〖격식·고어〗 청원자, 신청자.
gesucht [gəzúːxt] 《I》 *p.p.* ↑ suchen. 《II》 *p.a.* ① 부자연스러운, 가식적〔인위적〕인. ② 몹시 탐내는, 수요가 많은, 구하기 힘든: er ist ein ~er Architekt 그는 인기 있는 건축사다.
Gesudel [gəzúːdəl] *n.* -s 〖구어·폄어〗 ① 마구 처발라댐, 떡칠. ② 휘갈겨씀. ③ 대충 일하기; 너절한 솜씨.
Gesumm *n.* -(e)s 〖구어〗 ↑ Gesumme.
Gesumme [gəzúmə] *n.* -s (벌·모기 등이) 끊임없이 윙윙거림.
Gesums *n.* -es 〖구어〗 잡담; 불평.
***gesund** [gəzúnt] 《ahd. gisunt, „unverletzt"》 *a.* ① 건강한, 튼튼한; 건전〔온전〕한, 정상적인, 올바른; (나무 등이) 벌레먹지 않은, 썩지 않은: eine ~e Farbe 건강한 혈색; ein ~er Schlaf 숙면; einen ~en Appetit haben 식욕이 왕성하다; ein ~es Unternehmen 건실한 기업; ~e Ansichten 온당한 견해; der ~e Menschenverstand 건전한 이성; ~ wie ein Fisch im Wasser 원기발랄한; 〖속담〗 ein ~er Geist in einem ~en Körper 건강한 신체에 건전한 정신이 깃든다; 〖구어·반어〗 aber sonst bist du ~? 그런데 너 어디가 아픈 거 아냐? (제정신이 아닌 것 같다); jn. ~ schreiben (의사가) 누구의 몸 상태가 좋다고 진단하다, 건강을 증명하다. ② 건강에 좋은; 유익한, 약이 되는, 교훈적인: Obst essen ist ~ 과일 먹는 것은 건강에 좋다; 〖구어〗 das ist dir ganz ~ 이것이 네겐 좋은 교훈〔약〕이 될거야.
Gesund≈bad *n.* 탕치(湯治)(장). **~beten** *n.* 기도 치료. **~beter** *m.* 기도 치료자. **~brunnen** *m.* ① 〖고어〗 광천, 요양 온천. ② 〖雅語〗 건강의 샘〔원천〕, 건강법.
gesunden [gəzúndən] 〖雅語〗 *i.* (s.) 건강해지다, 완쾌되다; 다시 좋아지다, 복구되다.
***Gesundheit** [gəzúnthait] *f.* ① 건강: Volks≗ 국민 건강; öffentliche ~ 공중 보건〔위생〕; ~! 몸조심하세요! (재채기했을 때); auf Ihre ~! 당신의 건강을 위하여! (술마실 때); auf js. ~ trinken〔js. ~ ausbringen〕 누구의 건

강을 기원하며 잔을 들다; mit seiner ~ Raubbau treiben 건강을 돌보지 않고 일하다. ② 건강 상태: bei guter ~ sein 건강이 좋다; sie ist von zarter ~ 그녀는 체질이 약하다, 약골이다. ③ 건강에 좋음.

gesundheitlich *a.* 건강(상)의, 건강에 관한; 건강을 위한: wie geht es Ihnen ~? 건강이 어떠세요?; aus ~en Gründen zurücktreten 건강상의 이유로 물러나다.

Gesundheits≈amt *n.* 보건 위생국, 보건소. **~apostel** *m.* 〖구어·농담·폄어〗 건강 제일주의자, 보신주의자. **~attest** *n.* 건강 진단서〔증명서〕. **~brief** *m.* ↑ ~attest. **~dienst** *m.* ↑ ~wesen. **~erziehung** *f.* 건강 교육. **~-geschirr** *n.* 위생 도구. **~göttin** *f.* 《그리스 신화》 건강을 관장하는 여신(Hygieia). **≈-halber** *adv.* 건강을 위하여, 건강상의 이유로. **~kommission** *f.* 보건 위원회. **~kunde** *f.* ↑ ~lehre. **~lehre** *f.* 위생학. **~paß** *m.* (스포츠 전문의의) 건강 증명서. **~pflege** *f.* 건강 관리. **~polizei** *f.* 〖고어〗 위생 경찰; 《海》 검역관. **~probe** *f.* 《海》 검역. **~reform** *f.* 의료 (보험) 제도의 개혁. **~regel** *f.* 건강 수칙, 섭생법. **~rücksichten** *pl.* 건강 고려: aus ~ 건강을 고려하여. **≈schädigend** *a.* ↑ ≈schädlich. **≈schädlich** *a.* 건강에 해로운. **~schutz** *m.* 건강 보호(책). **~vorschrift** *f.* 위생 법규. **~wesen** *n.* 공중 위생(시설), 국민 보건 시설. **~zeugnis** *n.* ↑ ~attest. **~zustand** *m.* 건강 상태.

gesund≈|machen *refl.* sich ~ 〖구어〗 (교묘한 조작 등으로) 돈을 벌다. **~|schrumpfen** *t./i.* 〖구어〗 (채산성·수익성 있는 규모로) 감량〔감축〕하다: ein Betrieb hat (sich) gesundgeschrumpft 기업이 적정 규모로 축소되었다. **~|stoßen** *refl.* 〖구어〗 ↑ ~machen.

Gesundung *f.* 건강해지기, 회복.

gesungen [gəzʊ́ŋən] *p.p.* ↑ singen.

gesunken [gəzʊ́ŋkən] *p.p.* ↑ sinken.

get. =getauft 세례를 받은.

Getadel [gətá:dəl] *n.* -s (잦은) 비난, 질책.

Getäfel [gətέ:fəl] 《<Tafel》 *n.* -s (벽이나 천장을 덮는) 널빤지, 벽판, 천장널.

Getäfer *n.* -s (schweiz.) ↑ Getäfel.

getan [gətá:n] *p.p.* ↑ tun.

Getändel [gətέndəl] *n.* -s 〖폄어〗 (줄곧) 시시덕거림, 희롱.

Getanze [gətántsə] *n.* -s 〖구어〗 끊임없이 춤을 추어댐.

Getaumel *n.* -s (계속해서) 비틀거림.

geteilt 《Ⅰ》 *p.p.* ↑ teilen. 《Ⅱ》 *p.a.* 나누어진, 분할된; 분단된: mit ~en Gefühlen 복잡한 심정으로.

Gethsemane [getsé:mane] 《hebr.》 겟세마네 동산(예루살렘 근방의 감람 동산으로 예수 그리스도가 체포된 곳).

Gethsemani ↑ Gethsemane.

Getier [gətí:r] *n.* -(e)s 〖총칭〗 동물, (특히) 작은 동물; (불특정한) 동물.

getigert [gətí:gərt] 《Ⅰ》 *p.p.* ↑ tigern. 《Ⅱ》 *p.a.* (호랑이처럼) 얼룩〔줄〕 무늬가 있는.

Getobe [gətó:bə] *n.* -s (미쳐) 날뜀, 야단법석.

Getön [gətǿ:n] 《<Ton》 *n.* -(e)s ① 지속적인 울림. ② 〖구어·폄어〗 잘난 체하며 떠들어댐, 과시적인 수다.

Getose [gətó:zə] *n.* -s (바람·파도 등이) 세차게 몰아치는〔불어오는〕 소리〔노호〕.

Getöse *n.* -s 지속적인 굉음(대포·천둥·폭포·눈사태 등의 소리).

Getrabe [gətrá:bə] 《<traben》 *n.* -s (말이) 속보로 달림; 지속적인 말발굽 소리.

getragen [gətrá:gən] 《Ⅰ》 *p.p.* ↑ tragen. 《Ⅱ》 *p.a.* (음악·목소리 등이) 장중〔근엄·신중〕한.

Getrampel [gətrámpəl] *n.* -s 계속해서 발을 굴러댐.

*__Getränk__ [gətrέŋk] 《<Trank》 *n.* -(e)s, -e ① 마실것, 음료: ein erfrischendes ~ 청량 음료; ein alkoholisches ~ 알코올 음료; ein starkes ~ 알코올 함량이 높은 음료. ② 《醫》 물약, 탕약.

Getränke≈automat *m.* 음료 자판기. **~-karte** *f.* (음식점의) 음료 메뉴〔차림표〕. **~-steuer** *f.* 주세, 주류세.

Getrappel [gətrápəl] *n.* -s 총총걸음; 다그닥거리는 말발굽 소리.

Getratsch *n.* -(e)s ↑ Getratsche.

Getratsche [gətrá:tʃə] *n.* -s 〖구어·폄어〗 수다, 잡담; 험담.

getrauen [gətráuən] *refl.* sich⁴/³ ~, et. zu tun 〔sich eines Dinges ~, sich³ et. ~〕 감히 무엇을 하다, 무엇을 감행할 용기가〔자신이〕 있다: ich getraue mir den Schritt nicht 나는 차마 발걸음을 내디딜 수가 없다; ich getraue mich nicht hinein 나는 들어갈 용기가 나지 않는다: getraust du dich, hier hinunterzuspringen? 너 이 아래로 뛰어내릴 수 있어?

Getreibe [gətráıbə] 《<treiben》 *n.* -s 〖구어·폄어〗 ① 끊임없이 몰아쳐댐〔움직여댐〕, 부산한 움직임. ② 복적거리는 군중.

*__Getreide__ [gətráıdə] 《<tragen》 *n.* -s, - 곡물, 곡식, 곡류: ~ anbauen〔dreschen〕 곡식을 재배〔타작〕하다.

Getreide≈acker *m.* 전답. **~anbau** *m.* 곡물 재배. **≈arm** *a.* (곡류의) 수확이 적은, 흉작인. **~art** *f.* 곡물의 종류, 곡류. **~ausfuhr** *f.* 곡물 수출. **~bau** *m.* 곡물 경작〔재배〕. **~-boden** *m.* ① 곡물이 잘 자라는 토양. ② ↑ ~speicher. **~börse** *f.* 곡물 거래소. **~brand** *m.* 《農》 (맥류의) 깜부기병. **~einfuhr** *f.* 곡물 수입. **~ernte** *f.* 곡물 수확. **~feld** *n.* 전답. **~geschäft** *n.* 곡물 가게. **~grube** *f.* 《農》 사일로, 땅광. **~handel** *m.* 곡물 거래〔장사〕. **~händler** *m.* 곡물상(인). **~kümmel** *m.* 순곡 화주(火酒). **~land** *n.* ① 곡물 생산지, 곡창 지대. ② 전답. **~magazin** *n.* 곡물 창고. **~mähe·maschine** *f.* ↑ ~-mähmaschine. **~mäh·maschine** *f.* 곡물 수확기. **~makler** *m.* 곡물 중개인. **~mangel** *m.* 곡물 부족. **~markt** *m.* 곡물 시장. **~maß** *n.* 곡물의 양, 건량(乾量). **~mühle** *f.* 맷돌; 제분기〔소〕. **~preis** *m.* 곡물 가격. **~probe** *f.* 곡물 검량. **≈reich** *a.* 곡물이 풍부한, 풍작인. **~reinigungs·maschine** *f.* 《農》 (곡물에서 돌 등을 걸러내는) 곡물 분리기. **~rost** *m.* 《植》 깜부깃병. **~schwinge** *f.* 《農》 키. **~speicher** *m.* 곡물 창고, 헛간. **~-sperre** *f.* (적대국에 대한) 곡물 봉쇄〔수출금지〕. **~steuer** *f.* 곡물세. **~vorrat** *m.* 곡물 비축(량). **~zins** *m.* 곡물로 내는 소작료. **~zoll** *m.* 곡물 (수입) 관세.

getrennt≈blumig [gətrέnt..] *a.* 《植》 자웅 이

주〔이체〕(異株〔異體〕)의. **~geschlechtig** *a.* 〖植〗 자웅 이화(異花)의. **~lebend** *a.* 별거 중인. **~schreibung** *f.* 〖문법〗 (합성어의) 띄어 쓰기, (분리 동사의) 띄어 쓰기.

getreten [gətréːtən] *p.p.* ↑ treten.

***getreu** [getrɔ́ʏ] *a.* ①〖雅語〗 충실한, 충성스런, 믿음직한: ein ~er Diener 충직한 하인. ② (원칙·규정·서약 등을) 충실히 따르는; (사실·실제에) 정확히 일치하는: seinem Worte ~ 약속에 충실한; der Wahrheit ~ berichten 사실대로 보고하다; ~e Wiedergabe 있는 그대로의 재현.

Getreue* *der/die* 충실한 벗, 추종자, 심복, 신하: seine letzten ~n um sich scharen 남은 추종자들을 주위에 모으다.

getreulich 〖雅語〗《Ⅰ》 *a.* ↑ getreu. 《Ⅱ》 *adv.* 사실 그대로, 원문에 충실하게.

Getriebe [gətríːbə] 《<treiben》 *n.* -s, - ① (다수의) 활발한 움직임, 분주히 오고감: aus dem ~ der Stadt herauskommen 도시의 번잡함을 벗어나다. ②〖기계〗 전동 장치, 변속기, 기어. ③〖광산〗 (갱도의 붕괴를 막기 위한) 지주(支柱).

Getriebe=bremse *f.* 〖工〗 기어브레이크. **~kasten** *m.* 기어 상자〔함〕. **~lehre** *f.* 〖理〗 기계 운동학, 운전학.

getrieben [gətríːbən] 《Ⅰ》 *p.p.* ↑ treiben. 《Ⅱ》 *p.a.* ① 양각된: ~e Arbeit 양각 세공, 부조(浮彫). ②〖체조〗 몸을 깊게 숙여 민첩하게 움직이는.

Getriebe=öl *n.* 기어 오일. **~schaden** *m.* 기어 손상〔고장〕.

Getrippel [gətrípəl] *n.* -s ① 잰 걸음, 총총걸음 (소리). ② 가랑비, 이슬비.

getroffen[1] [gətrɔ́fən] *p.p.* ↑ treffen.

getroffen[2] *p.p.* ↑ triefen.

getrogen [gətróːgən] *p.p.* ↑ trügen.

Getrommel [gətrɔ́məl] *n.* -s 끊임없이 북을 쳐댐〔두들김〕; 북치는 소리.

***getrost** [gətróːst] 《<Trost 또는 trösten 의 옛 과거 분사》 *a.* ① 확신에 찬, 자신 있는, 기운 찬: sei nur ~, bald wird alles gut! 자 기운을 내라, 곧 모든 게 잘 될거야! ② 안심한, 침착〔태연〕한: du kannst ~ nach Haus gehen 넌 이제 안심하고 집에 가도 돼.

getrösten 《Ⅰ》 *refl.* sich eines Dinges ~ 무엇을 기대하다〔믿고 기다리다〕. 《Ⅱ》 *t.* 〔고어〕 위로하다.

getrübt [gətrýːpt] 《Ⅰ》 *p.p.* ↑ trüben. 《Ⅱ》 *p.a.* ① 어두운, 흐린, 탁한. ② (심정이) 침울한.

Getrümmer [gətrýmər] *n.* -s, - 폐허.

getrunken [gətrʊ́ŋkən] *p.p.* ↑ trinken.

Getsemani ↑ Gethsemane.

***Getto** [gέto] 《it.》 *n.* -s, -s ① **(a)** 〔원뜻〕 유대인 거주 지역, 게토. **(b)** (사회적으로 차별받는) 소수 인종〔민족〕 거주 지역. **(c)** 〔반어〕 특권층〔특수층〕 거주 지역. ②〔비유〕 (정신적) 고립〔격리〕 상태.

gettoisieren *t.* 〔교양〕 고립〔격리〕시키다; 따돌리다, 멀리하다.

Getu [gətúː] *n.* -s ↑ Getue.

Getue [gətúːə] *n.* -s 〔구어·폄어〕 ① 부자연스러운 행동. ② 싸돌아다님; 분주.

Getümmel [gətʏ́məl] 《<tummeln》 *n.* -s, - 야단법석, 혼잡, 소동.

getüpfelt [gətʏ́pfəlt] 《Ⅰ》 *p.p.* ↑ tüpfeln. 《Ⅱ》 *p.a.* 〖植〗 반점〔얼룩점〕이 있는.

getupft [gətúpft] 《Ⅰ》 *p.p.* ↑ tupfen. 《Ⅱ》 ↑ getüpfelt 《Ⅱ》.

getürkt [gətʏ́rkt] 《Ⅰ》 *p.p.* ↑ türken. 《Ⅱ》 *p.a.* 〔구어〕 위조된, 날조된.

Getuschel [gətʊ́ʃəl] *n.* -s 〔구어〕 속삭임, 밀담.

Getute [gətúːtə] *n.* -s (나팔·경적 등의) 지속적인 울림.

geübt [gəlýːpt] 《Ⅰ》 *p.p.* ↑ üben. 《Ⅱ》 *p.a.* 숙련〔숙달〕된, 정통한.

Geübtheit *f.* 숙련, 숙달.

Geuse [gɔ́ʏzə] 《ndl. geus, „Bettler"》 *m.* -n, -n (1566 년 이후 에스파냐에 맞서 싸운) 네덜란드 자유 투사단의 일원.

***Gevatter** [gəfátər] 《lat. compater, „Mitvater"》 *m.* -s/-n, -n 〔고어〕 ① 대부: jn. zu ~ bitten 누구에게 대부가 되어 달라고 부탁하다; bei jm. (zu) ~ stehen a) 누구의 대부가 되다, b) 누구의 후견인 노릇을 하다; bei et.[3] (mit) ~ stehen 어떤 일에 참여하다, 돌보다; 〔학생〕 meine Uhr steht ~ 내 시계는 전당포에 가 있다. ② 친구, 친지, 이웃(특히 부르는 말로).

Gevatter·brief *m.* 〔고어〕 대부〔대모〕 의뢰장; 〔구어〕 (채무) 지급 독촉장.

Gevatterin *f.* -nen 〔고어〕 ① 대모. ② 친한 여자, 친척 부인; 〔비유〕 수다쟁이 여자 손님: Frau ~ 아주머니(호칭어로).

Gevatterschaft *f.* ① 〔고어〕 대부〔대모〕의 관계; 대부 대모들; 친구〔친척〕 관계, 잘 아는 사이. ② 〖폄어〗 패거리, 일당.

Gevatter·schmaus *m.* 세례 축하 파티.

Gevatters·mann *m.* 〔복수: ..leute〕〔고어〕 ↑ Gevatter.

Gevier [gəfíːr] *n.* -(e)s, -e ① (기둥 또는 벽으로 둘러싸인) 네모난 공간: im eigenen ~ 〔Geviert〕 제 집에서. ②〖광산〗 (수직갱의 측벽에 댄) 4 각 테두리.

geviert 《Ⅰ》 *p.p.* ↑ vieren. 《Ⅱ》 *p.a.* 〔고어〕 ① 네모난, 4 각형의; 〖數〗 제곱의, 2 차의. ② 4 등분된; 4 부분으로 이루어진; 〖軍〗 민가에 숙영(宿營) 중인.

Geviert [gəfíːrt] *n.* -(e)s, -e ① ↑ Gevier. ② (정)4 각형: ins ~ bringen 4 각형이 되게 하다; 7 Meter im ~ 7 제곱미터. ③〖印〗 공목(空木).

Gevierte *n.* -s, - ↑ Geviert.

gevier·teilt *a.* 4 등분된.

Geviert=fuß *m.* 〔드물게〕 제곱피트. **~maß** *n.* 각목의 두께. **~meile** *f.* 〔드물게〕 제곱마일. **~meter** *m./n.* 〔드물게〕 제곱미터. **~schein** *m.* 〖天〗 구상(矩象)(한 천체에서 본 다른 천체의 각도가 90°일 때 이 두 천체는 구상을 나타낸다고 함). **~wurzel** *f.* 〖數〗 〔드물게〕 제곱근, 평방근.

Gevögel [gəfǿːgəl] *n.* -s ① 온갖 새들, 조류. ②〖폄어·비속〗 (잦은) 성교, 교접.

GEW =Gewerkschaft Erziehung und Wissenschaft 독일 교원 노조.

***Gewächs** [gəvέks] 《<wachsen》 *n.* -es, -e ① **(a)** 식물: tropische ~e 〔Tropen~〕 열대 식물. **(b)** 농산물, 재배 식물, (특히 특정 연도의) 포도주: 〖聖〗 das Land soll sein ~ geben 땅은 그 산물을 낼지라(레위기 26:4); ein ~ des Jahrgangs 1980 1980 년산(産) 포

도주. ②〔고어〕 재배, 사육: das ist Korn von meinem ~e 이것은 우리 밭에서 난 곡식이오; ein Schwein seines eigenen ~es 자기 집에서 기른 돼지. ③ (a)〔비유〕 자손, 후예. (b)〔구어〕 인간, 녀석: er ist ein seltsames ~ 그 녀석은 별난 놈이다. ④〔드물게〕 몸매, 체격: von schönem ~e 몸매가 고운. ⑤〖醫〗 종기, 종양: ein bösartiges ~ 악성 종양.

gewachsen [ɡəváksən] 《I》 *p.p.* ↑ wachsen[1]. 《II》 *p.a.* 자란, 성장〔성숙〕한; 토착의; 필적〔감당〕할 수 있는: jm.〔et.[3]〕 ~ sein 누구와 상대가 될 만하다〔무엇을 감당할 능력이 있다〕: er war dem Gegner an Körperkraft nicht ~ 그는 힘으로는 도저히 상대를 당할 수가 없었다; jeder schwierigen Lage ~ sein 어떤 어려운 상황에도 대처할 능력이 있다; gegen den Tod ist kein Kraut ~ 죽음을 막을 약초〔도리〕는 없다.

Gewächs=erde *f.* 비옥한 땅, 옥토. **~haus** *n.* 온실. **~haus·pflanze** *f.* 온실 재배 식물. **~kunde** *f.* ↑ ~lehre. **~lehre** *f.* 재배학. **~reich** *n.* 식물계. **~reich** *a.* 식물이 많은. **~sammlung** *f.* 식물 채집; 식물 표본집.

gewachst 《I》 *p.p.* ↑ wachsen[2]. 《II》 *p.a.* 왁스를 바른.

Gewackel [ɡəvákəl] *n.*, -s〔구어〕 흔들거림, 진동, 동요.

Gewackele *n.* -s〔구어〕 ↑ Gewackel.

Gewackle *n.* -s〔구어〕 ↑ Gewackel.

Gewaff [ɡəváf] *n.* -(e)s〖사냥〗(멧돼지·곰·늑대의) 송곳니, 엄니.

Gewaffen *n.* -s〔시어·총칭〕 무기, 무기류.

gewagt [ɡəvá:kt] 《I》 *p.p.* ↑ wagen. 《II》 *p.a.* 대담한; 아슬아슬한; 돌출하는; 도발적인: ein ~es Unternehmen 대담한 시도; eine ~e Farbe 튀는 빛깔; ~e Witze 도발적인 재담.

gewählt 《I》 *p.p.* ↑ wählen. 《II》 *p.a.* 엄선한; 고상한, 세련된; (문법상·문체상) 나무랄 데 없는; ~e Kleidung 세련된 옷차림; ein ~es Deutsch sprechen 독일어를 나무랄 데 없이 잘 하다.

***gewahr** [ɡəvá:r] *a.* 〔다음 용법으로만〕 jn. 〔et.〕~ werden, js. 〔eines Dinges〕 ~ werden 누구를〔무엇을〕 알아보다, 지각하다, 발견하다: plötzlich wurden wir seiner〔ihn〕 ~ 우리는 즉시 그를 알아봤다; wir wurden die 〔der〕 Gefahr zu spät ~ 우리는 위험을 너무 늦게 깨달았다.

***Gewähr** [ɡəvɛ́:r] *f.* 보증, 보장, 담보: ohne ~ 보장〔담보〕 없이; für et. ~ leisten〔bieten〕 무엇을 보증하다.

gewahren [ɡəvá:rən] 〖雅語〗《I》 *t./i.* (h.) jn. 〔et.〕 ~ werden, 〔고어〕 js. 〔eines Dinges〕 ~ 누구를〔무엇을〕 알아보다, 지각〔주목·발견〕하다: in der Menschenmenge ein bekanntes Gesicht ~ 군중 속에서 아는 얼굴을 발견하다; er gewahrte sie auf sich zukommen 그는 그 여자가 자기 쪽으로 오는 것을 보았다. 《II》 *refl.* 〔2격과 함께〕 sich eines Dinges ~ 주의〔조심〕하다: gewahrt euch jeder List! 무슨 계략이 있을지 모르니 조심들 해라!

***gewähren** [ɡəvɛ́:rən] 《I》 *t.* ① 베풀다, 제공하다, 허락〔승낙〕하다: jm. einen Kredit ~ 누구에게 신용 대부를 해주다; Obdach〔Unterstützung〕 ~ 숙소〔원조〕를 제공하다; 〖雅語〗 jm. Trost〔Schutz〕 ~ 누구를 위로〔보호〕하다. ②〖雅語〗(소원·부탁 등을) 들어주다: js. Bitte〔Wunsch〕 ~ 누구의 부탁〔소원〕을 들어주다. 《II》 *i.* (h.) ①〔드물게〕 보증하다. ② (a)〔고어〕 계속되다. (b) jn. ~ lassen (하고 싶은 것을 하도록) 누구를 내버려 두다, 방해하지 않다: lassen Sie ihn ruhig ~! 그를 가만히 내버려 두세요!

Gewähr=frist *f.* 보증 기간. **~leisten** *t.* 보장하다: der Erfolg ist gewährleistet 성공이 보장되어 있다. **~leistung** *f.* ① 보증, 보장. ②〖法〗(계약 때의) 하자 보증.

Gewahrsam [ɡəvá:rza:m] 《I》 *m.* -s 보관, 보존, 보호: et. in ~ bringen〔geben〕 무엇을 보관하도록 맡기다; et. in ~ nehmen〔haben〕 무엇을 보관하다. ② 감금, 유치, 구류: sich in polizeilichen ~ befinden 경찰 유치장에 있다. 《II》 *n.* 〔고어〕 -s, -e 교도소, 유치장.

Gewährschaft [ɡəvɛ́:rʃaft] *f.* 〔고어〕 ↑ Gewährleistung ②.

Gewährs·mann *m.* -(e)s, ..männer/..leute 증인, 보증인, 믿을 만한 소식통〔정보 제공자〕.

Gewahrung *f.* -en 알아차림, 지각.

Gewährung *f.* -en 허락, 승낙, (청 등을) 들어줌, (소원의) 성취: er hat die ~ seines Wunsches erlangt 그는 소원을 풀었다.

gewalmt 《I》 *p.p.* ↑ walmen. 《II》 *p.a.* ~es Dach 귀마루 지붕.

***Gewalt** [ɡəvált] 《<walten》 *f.* -en ① 힘, 권력, 권능: die ~ Gottes 신의 권능; die ~ ausüben〔besitzen〕 권력을 행사〔소유〕하다; die gesetzgebende〔vollziehende, rechtsprechende〕 ~ 입법〔행정, 사법〕권; die Teilung der drei ~en 삼권 분립; die väterliche〔elterliche〕 ~ 부권〔친권〕; jn. in seiner ~ haben 누구를 마음대로 하다; et. in seine ~ bekommen 무엇을 마음대로 하게 되다; in js. ~ geraten 누구의 세력권에 들어가다; ~ über Leben und Tod haben 생사여탈권을 가지고 있다; unter js. ~ sein〔stehen〕 누구의 지배를 받고 있다; sich〔et.〕 in der ~ haben 자신〔무엇〕을 통제〔제어〕하다, 다스리다; seine Leidenschaften nicht in der ~ haben 자신의 열정을 다스리지 못하다. ② 폭력, 강제력, 완력: ~ anwenden〔leiden〕 폭력을 사용〔감수〕하다; jm. ~ antun 누구에게 폭력을 가하다; sich[3] ~ antun a) 자살하다, b) 자제〔극기〕하다; 〔은어〕 einer Frau ~ antun 여자를 성폭행하다; 〔비유·雅語〕 der Wahrheit ~ antun 진실을 왜곡하다; mit ~ 억지로, 무리하게; mit ~ wirst du nichts erreichen 억지로 해서는 아무 일도 이루지 못할 것이다; 〔격언〕 ~ geht vor Recht 법보다 주먹이 앞선다. ③ 위력, 맹위, 격렬: die ~ der Explosion 폭발의 위력; höhere ~ 초자연적인 힘, 불가항력; mit aller ~ a) 온 힘을 다하여, 맹렬하게, b) 〔구어〕 무슨 일이 있어도, 기필코.

Gewalt=anmaßung *f.* 권력 찬탈. **~anwendung** *f.* 폭력 행사〔사용〕, 강행. **~brief** *m.* 집행 위임장. **~einwirkung** *f.* 폭력〔힘〕의 영향.

Gewalten·teilung *f.* 삼권 분립.

gewalt=frei *a.* 폭력에서 해방된, 폭력 없는. **~gericht** *n.* 〔고어〕 형사 재판소. **~haber** *m.* ① 권력자, 지배자. ② (obd.) 대리인, 수임자. **~handlung** *f.* 폭력 행사, 권력 남용. **~herr** *m.* ↑ ~herrscher. **~herrschaft** *f.* 전

제 정치, 독재. **~herrscher** *m.* 전제 군주, 독재자.

***gewaltig** [gəváltıç] 《I》 *a.* ①〖구식〗 강력한, 권력을 쥔: 〖聖〗 die ~e Hand Gottes 하느님의 능하신 손(베드로전서 5:6). ② 거대한, 엄청난, 대단한, 굉장한: ~e Felsen 거대한 바위, 거암; eine ~e Kälte 혹독한 추위; eine ~e Lüge 새빨간 거짓말; mit ~er Kraft 엄청난 힘으로. 《II》 *adv.* 〖구어〗 몹시, 대단히, 심하게: sich ~ irren 크게 잘못 생각하다; er hat sich ~ in meine Schwester verknallt 그는 내 여동생한테 푹 빠져 버렸다.

Gewaltige* *der/die* 권세가, 권력자.

gewältigen *t.* ①〖고어〗 ↑ bewältigen. ②〖광산〗 (장애물을) 제거하다: die Grubenwasser ~ 갱내의 물을 빼내다.

Gewaltigkeit *f.* 강력, 거대, 막강.

gewaltlos *a.* 폭력을 사용하지 않는, 비폭력의: ~er Widerstand 비폭력 저항.

Gewaltlosigkeit *f.* 비폭력.

Gewalt≈marsch *m.* 〖軍〗 강행군. **~maßnahme** *f.* 강제 조처, 강압 수단. **~mensch** *m.* 난폭한 사람. **~raub** *m.* 강탈. **~räuber** *m.* 강탈자, 강도.

***gewaltsam** [gəváltza:m] *a.* 폭력적인, 강제적인, 강압적인, 억지의: eines ~en Todes sterben 비명횡사하다; ~ verfahren 폭력을 행사하다, 강제 수단을 쓰다; eine Tür ~ aufbrechen 문을 무리하게 부수어 열다; eine ~e Auslegung 억지 해석, 견강부회.

Gewaltsamkeit *f.* -en 폭력, 강제성, 억지.

Gewalt≈schritt *m.* 강제 조처, 탄압. **~schuß** *m.* 〖스포츠〗 장거리슛, 강슛. **~streich** *m.* 전격적인 기습 공격, 강습. **~tat** *f.* 폭력 행위, 폭행, 테러. **~tätig** *a.* 폭력적인, 난폭한. **~tätigkeit** *f.* 폭력성, 난폭성; 폭행. **~verbrechen** *n.* 폭력 범죄. **~verbrecher** *m.* 폭력범(죄자). **~verzicht** *m.* 무력 행사 포기. **~verzichts·abkommen** *n.* 무력 불행사 협정.

***Gewand** [gəvánt] 《<wenden》 *n.* -(e)s, ..wänder/(시어) -e ①〖雅語〗 의상, 의복, 복장; 예복, 법복, 제의: Arbeits≈ 작업복; geistliches ~ 성직자의 옷〔가운〕. ②〖비유〗 외양, 외관; 겉치레, 가장: das Buch in neuem ~ 새로운 장정의 책. ③〖고어〗 직물, 피륙.

Gewände [gəvɛ́:ndə] *n.* -s, - ①〖건축〗 (문·창 등의) 문설주. ② (öst.) 암벽.

gewanden *t.* 〔고어·雅語·농담〕 옷을 입히다: die Braut in ein langes weißes Kleid ~ 신부에게 흰색의 긴 드레스를 입히다.

Gewand·haus *n.* ①〖옛뜻〗 (포목상들의) 직물 창고〔진열소〕. ② (Leipzig 의) 콘서트홀.

Gewandhaus≈konzert *n.* 라이프치히 교향악단의 콘서트〔연주회〕. **~orchester** *n.* 라이프치히 교향악단.

Gewand≈maler *m.* 의상 디자이너, 의상 화가. **~malerei** *f.* 의상 디자인, 의상화(畫). **~meister** *m.* (연극·영화·텔레비전의) 의상 책임자〔담당〕. **~nadel** *f.* 〖고어〗 브로치. **~schneider** *m.* 〖고어〗 신사복 재단사, 옷감도 파는 양복점 주인. **~spange** *f.* 옷핀, 버클.

***gewandt** [gəvánt] 《I》 *p.p.* ↑ wenden. 《II》 *p.a.* 잽싼, 기민〔능숙·노련〕한: ein ~er Diplomat 노련한 외교관; er ist ~ im Schreiben 그는 달필이다.

Gewandtheit *f.* 기민, 능숙, 노련.

Gewandung [gəvánduŋ] *f.* -en ①〖고어·雅語·농담〗 의상, 의복; 옷매무새. ② 옷과 옷주름의 예술적 표현〔구성〕, 드레이퍼리.

gewann [gəván] ↑ gewinnen 의 과거형.

Gewann 《<wenden》 *n.* -(e)s, -e 〔(고어) *f.* -en〕 (특히 südd.) (마을의) 공동 경작지.

Gewanne *n.* -s, - 〔(고어) *f.* -n〕 〖드물게〗 ↑ Gewann.

gewarten 《<warten》 *t./i.* (h.) 〖고어〗 ↑ gewärtigen.

gewärtig [gəvɛ́:rtıç] *a.* 각오〔예상〕한: des Todes ~ 죽음을 각오한; eines Dinges ~ sein 무엇을 각오하고 있다; 〖고어〗 jm. ~ sein 누구의 분부를 기다리고 있다.

gewärtigen *t./i.* (h.) 〖雅語〗 기대〔각오〕하다: et. ~〔(sich) eines Dinges ~〕 무엇을 기대〔각오〕하다; von jm. nichts zu ~ haben 누구에게 기대할 것이 아무것도 없다; du mußt ~, daß... 너는 …을 각오해야 한다.

Gewäsch [gəvɛ́ʃ] *n.* -(e)s 〖구어·폄어〗 쓸데없이 지껄여댐, 수다, 잡담.

gewaschen [gəváʃən] *p.p.* ↑ waschen.

Gewässer [gəvɛ́sər] *n.* -s, - ①〖고어〗 큰물, 홍수. ② 강, 바다, 호수, 운하: fließende ~ 하천; stehende ~ 호소(湖沼).

Gewässer≈kunde *f.* 수리학(水理學). **~schutz** *m.* 하천〔호수·해양〕 보호 (정책).

***Gewebe** [gəvɛ́:bə] *n.* -s, - ① 직물, 천, 피륙: baumwollenes〔wollenes〕 ~ 면직물〔모직물〕. ②〖生〗 조직: ~ der Nerven 신경 조직. ③〖비유〗 복잡하게 얽혀 있는 것, 그물, 올가미: Lügen≈ 거짓말의 올가미; ein ~ aus Ablehnung und Mißtrauen 거부와 불신의 그물.

Gewebe≈bank *f.* (인체·동물의) 조직 은행〔저장소〕. **~breite** *f.* 〖직조〗 직물 폭. **~lehre** *f.* 〖生·해부〗 조직학(↑ Histologie). **~transplantation** *f.* 조직 이식(술).

Gewebs·flüssigkeit *f.* 림프액.

geweckt [gəvɛ́kt] 《I》 *p.p.* ↑ wecken. 《II》 *p.a.* 생기 있는, 활발한; 이해가 빠른, 영리한; 개방적인, (정신이) 깨어 있는: ein ~es Kind 영리한 아이.

Gewecktheit *f.* ↑ geweckt 의 명사형.

***Gewehr** [gəvé:r] *n.* -(e)s, -e ① (총신이 긴) 총, 소총; 〖고어〗 총검: das ~ laden 총을 장전하다; das ~ abfeuern 발포하다, 쏘다; das ~ über! 어깨총!; ~ ab! 세워총!; präsentiert das ~! 받들어총!; setzt die ~e zusammen! 걸어총!; das ~ strecken (항복할 때) 총을 버리다; ~ bei Fuß stehen a) 쉬어 자세로 있다, b) 〖비유〗 공격할 태세가 되어 있다; die Truppen stehen ~ bei Fuß und können jederzeit losschlagen 군대는 공격 준비가 끝났고 언제라도 기습할 수 있다; an die ~e! 전투 준비!; 〖비유·구어〗 ran an die ~e! 자 이제 시작합시다!; ~ in Ruh! 사격 중지! ②〖사냥〗 (멧돼지의) 송곳니.

Gewehr≈fabrik *f.* 무기 공장. **~feuer** *n.* 사격, 총화(銃火). **~gestell** *n.* 총가(銃架). **~kammer** *f.* 소총고(庫), 무기고. **~kolben** *m.* 개머리판. **~kugel** *f.* (소)총탄. **~lauf** *m.* 총신. **~magazin** *n.* 소총고, 무기고. **~pulver** *n.* 소총 탄약. **~pyramide** *f.* 걸어

총. **~riemen** *m.* 총의 멜빵. **~salve** *f.* 소총 일제 사격. **~schaft** *m.* 총대. **~schloß** *n.* 총의 노리쇠뭉치. **~schmied** *m.* 〖軍〗 총 만드는 기술자.

Geweih [gəváɪ] *n.* -(e)s, -e (수사슴·수노루 등의) 가지뿔: 〘비속〙 dem Ehemann ein ~ aufsetzen 남편 얼굴에 먹칠하다, 부정을 저지르다.

gewe͟iht 《<Geweih》 *a.* 〖사냥〗 가지뿔이 있는.

Geweine [gəváɪnə] *n.* -s 〘구어·폄어〙 줄곧 울어댐.

Gewe̜lsch *n.* -es ↑ Gewelsche.

Gewelsche [gəvɛ́lʃə] *n.* -s 알 수 없는 외국어 〔사투리〕로 지껄임.

Gewende [gəvɛ́ndə] *n.* -s, - 《Ⅰ》①〘고어〙 (경작 면적 단위로서 두렁으로 둘러싸인) 밭. ②〘방언〙 밭의 경계, 두렁. 《Ⅱ》↑ Gewände.

***Gewerbe** [gəvɛ́rbə] *n.* -s, - ① (벌이로서의) 직업, 생업, 영업: ein ~ betreiben〔ausüben〕 영업 행위를 하다; ein ehrliches〔dunkles〕 ~ 정당한〔정당치 못한〕 영업; aus et.³ ein ~ machen 무슨 일을 생업으로 삼다; 〘구어〙 aus allem ein ~ machen 아무 일이나 벌이로 삼다, 닥치는 대로 이득을 취하다; 〘구어〙 das ist ein undankbares ~! 그것은 달갑지 않은〔이득이 안 되는〕 일이야!; 〘경박〙 das horizontale 〔das älteste〕 ~ der Welt 매춘, 매음. ②〖경제〗 (2차 산업 위주의) 산업, 제조업, 공업: Handel und ~ fördern 상공업을 진흥시키다. ③ (제조업 중심의) 중소 기업: im ~ beschäftigt sein 중소 기업에서 일하고 있다. ④ (schweiz.) 농가, 농장. ⑤〘고어〙 **(a)** 관절. **(b)** 돌쩌귀.

Gewe̜rbe=abfall *m.* 〖환경〗 산업 쓰레기. **~aufsicht** *f.* (감독 관청의) 영업 감사, 중소 기업 감독. **~aufsichts·amt** *n.* (국가의) 영업 감독 관청, 영업 감찰국. **~ausstellung** *f.* 산업 박람회. **~betrieb** *m.* 영업. **~fleiß** *m.* 근면한 직업 활동. **~freiheit** *f.* 영업의 자유. **~gebiet** *n.* 영업 구역〔지역〕. **~gericht** *n.* 〘고어〙 노동 재판(소). **~inspektor** *m.* 영업 감독관〔감찰관〕. **~kammer** *f.* 동업 조합(상공 회의소의 전신). **~krankheit** *f.* 직업병. **~kunde** *f.* 경영학. **~lehrer** *m.* 실업 학교 교사. **~lehrerin** *f.* ↑ ~lehrer 의 여성형. **~ordnung** *f.* 〖法〗 영업 조례, 상공 조례(약어: GewO). **~recht** *n.* 영업 법규. **~schein** *m.* 영업 허가증. **~schule** *f.* 실업〔직업〕 학교. **~steuer** *f.* 영업세. **~treibend** *a.* 영업 활동을 하는. **~treibende*** *der/die* 자영업자, 중소 기업 경영자. **~verein** *m.* 영업자 협회, 중소 상공인 조합. **~zweig** *m.* 산업 부문.

gewerblich [gəvɛ́rplɪç] *a.* 영업(상)의, 생업(상)의, 산업의.

gewe̜rbsam *a.* 〘고어〙 장사에 열심인.

gewe̜rbs·mäßig *a.* 영리를 위한, 직업적인: ~e Unzucht 매춘.

gewe̜rb·tätig *a.* 〘고어〙 ↑ gewerbsam.

Gewerk [gəvɛ́rk] *n.* -(e)s, -e 〘고어〙 ① 기계 〔톱니〕 장치; 공장. ② 생업, 영업; 수공업. ③ 생산물, 제품. ④ 조합, 동업 조합.

Gewe̜rke *m.* -n, -n ① 광업 주식 회사의 주주. ② (öst.) 제조업자, 공장주.

Gewe̜rken·tag *m.* 광산 노동 조합 회의.

***Gewerkschaft** [gəvɛ́rkʃaft] *f.* -en ① 노동 조합, 노조: einer ~ beitreten 노조에 가입하다. ② (광산 소유주들의) 광업 주식 회사.

Gewe̜rkschafter *m.* -s, - (특히 öst.) ↑ Gewerkschaftler.

Gewe̜rkschaftler *m.* -s, - 노동 조합원.

gewe̜rkschaftlich *a.* 노동 조합의.

Gewe̜rkschafts=apparat *m.* 노동 조합 기구. **~bewegung** *f.* 노동 조합 운동. **~boß** *m.* 〘구어·폄어〙 노조 지도자〔위원장〕. **~bund** *m.* 노동 조합 연맹: Deutscher ~ 독일 노동 조합 총연맹(약어: DGB). **~funktionär** *m.* 노조 간부. **~mitglied** *m.* 노동 조합원. **~versammlung** *f.* 노동 조합 집회. **~vorsitzende*** *der/die* 노동 조합 위원장.

Gewe̜rk·verein *m.* (1933 년 이전의) 노동 조합(조직).

Gewese [gəvé:zə] *n.* -s, - ① (ndd.) 큰 저택 〔농가〕. ②〘구어〙 과장된〔요란한〕 행동; 잘난 체함: mach nicht solch ein ~ darum! 그런 일로 너무 야단법석 떨지 마라!

***gewesen** [gəvé:zən] *p.p.* ↑ sein.

Gewette[1] [gəvɛ́tə] *n.* -s (상습적인) 도박.

Gewe̜tte[2] *f.* -n 〘고어〙 배상금, 벌금.

gewichen [gəvíçən] *p.p.* ↑ weichen[1].

***Gewicht**[1] [gəvíçt] 《<wiegen》 *n.* -(e)s, -e ① 추, 분동(分銅): 100-Gramm-~ 100 그램짜리 (저울)추; die ~e sind geeicht 이 추들은 검인을 받은 것이다. ② 무게, 중량, 체중: spezifisches ~ 비중; Brutto~ 총중량; Netto~ 순중량, 실제 무게; sein ~ halten 체중을 유지하다; er hat viel ~ verloren 그는 몸무게가 많이 빠졌다; Waren nach ~ verkaufen 상품을 무게로 팔다. ③〘비유〙 중요성, 의미, 영향력: auf et. ~ legen 무엇을 중시하다; et.³ viel ~ beilegen〔beimessen〕 무엇에 큰 의미를 부여하다, 큰 비중을 두다; nicht ins ~ fallen 중요하지 않다, 의미가 없다; sein ganzes ~ in die Waagschale werfen 자신의 역량을 모두 발휘하다, 전력을 기울이다; ein Argument von ~ 중요한 논거; er ist von ~ 그는 중요한 인물이다. ④〖物〗 중력; 〖數〗 가중(치).

Gewi̜cht[2] *n.* -(e)s, -er 〖사냥〗 숫노루의 뿔.

gewi̜chten *t.* (중요도에 따라) 등급화〔서열화〕하다; 가중치를 주어 산정하다: Lernziele ~ 학습 목표의 중요도를 정하다.

Gewi̜cht=heben *n.* 〖스포츠〗 역도. **~heber** *m.* 역도 선수.

gewi̜chtig *a.* ① 무거운, 육중한. ②〘비유〙 중요〔중대〕한, 의미 있는, 영향력 있는: eine ~e Persönlichkeit 영향력 있는 인물.

Gewi̜chtigkeit *f.* 무거움, 중요성.

Gewi̜cht·macher *m.* 분동 제조자.

Gewi̜chts=abgang *m.* 〖商〗 (물건을 분배하거나 무게를 잴 때의) 중량 부족. **~abnahme** *f.* 체중〔중량〕 감소. **~analyse** *f.* 〖化〗 중량 분석. **~klasse** *f.* 〖스포츠〗 체급. **~kontrolle** *f.* (정기적인) 체중 검사.

gewi̜chtslos *a.* ① 중량이 없는. ② 중요치 않은, 의미 없는.

Gewi̜chts=manko *n.* ↑ ~abgang. **~satz** *m.* 한 벌의 분동〔추〕. **~tabelle** *f.* 중량〔체중〕 표. **~verlagerung** *f.* ① 체중〔중심〕 이동. ② 중점의 전이〔변화〕. **~verlust** *m.* 중량 손실〔감소〕.

Gewi̜chtung *f.* -en (중요도에 따른) 등급 결

정, 중요도 판정.
Gewicht·werfen *n.* 〖스포츠〗 투포환.
gewieft *a.* 〖구어〗 교활한, 간교한, 닳아빠진.
gewiegt [gəvíːkt] 《Ⅰ》 *p.p.* ↑ wiegen[1]. 《Ⅱ》 *p.a.* 노련한, 숙달된; 교활한, 간교한.
Gewieher [gəvíːər] *n.* -s ① 말의 울음 소리. ② 〖경박〗 떠들썩한 웃음.
gewiesen [gəvíːzən] *p.p.* ↑ weisen.
gewillt [gəvílt] 《<Wille》 *a.* 〖고어〗 (…할) 생각〔의향〕이 있는: ich bin nicht ~, mit dir zu gehen 난 너와 같이 갈 마음이 없어.
Gewimmel [gəvíməl] *n.* -s 우글거림, 혼잡.
Gewimmer [gəvímər] *n.* -s 계속해서 흐느낌, 지속적인 신음 소리.
Gewinde [gəvíndə] *n.* -s, - ① 〖구식〗 (꽃·가지 등을) 엮어 놓은 것, 화환. ② 〚工〛 (원통의 외면 또는 내면에 새긴) 나선형 홈, 나사의 골: eine Schraube mit rechtsgängigem ~ 오른나사. ③ 휘감긴 것, 꼬불꼬불한 것〔길〕.
Gewinde≈bohrer *m.* 〚工〛 나선형 홈을 깎는 기계, 나사 만드는 기계. **~gang** *m.* 〚工〛 나사〔나선〕의 피치.
***Gewinn** [gəvín] *m.* -(e)s, -e ① 이익, 소득, 이윤: Börsen≈ 증권 수익; Rein≈ 순익; ~ abwerfen〔bringen〕 이윤을 내다; et. mit ~ verkaufen 무엇을 이익을 남기고 팔다; aus et.[3] seinen ~ ziehen〔schlagen〕 무엇을 이용하다; 〖구어〗 den ~ einheimsen〔einstreichen〕 이익을 보다, 횡재하다. ② 〖비유〗 유익, 득이 됨; ich habe dieses Buch mit großem ~ gelesen 이 책을 읽는 것이 내겐 매우 유익했다. ③ (경기·놀이의) 상금, 상품: ein ~ in der Lotterie 복권의 상금, 당첨 복권; 〖구어〗 er ist mit einem großen ~ im Lotto herausgekommen 그는 복권에서 큰 돈을 벌었다.
Gewinn≈anteil *m.* 〚經〛 이익 배당. **~anteilschein** *m.* 〚經〛 이익 배당 증권. **~ausschüttung** *f.* 이익 배당금 지급. **~beteiligung** *f.* 〚經〛 (근로자의) 기업 이윤 배당 참여. **≈bringend** *p.a.* ① 수익성 있는. ② 〖비유〗 유익한: eine ~e Lektüre 유익한 독서. **~chance** [..ʃãːsə] *f.* ① 승리의 가능성. ② 이윤 획득의 기회; (복권의) 당첨 확률.
gewinnen [gəvínən] (gewann, gewonnen) 《Ⅰ》 *t.* ① (경기·내기·논쟁에서) 이기다: das Endspiel mit 3:1 ~ 결승 경기를 3 대 1 로 이기다; einen Prozeß ~ 소송에 이기다; 〖비유〗 bei jm. gewonnenes Spiel haben 누구에게서 자신이 목표한 것을 성취하리라는 것을 미리 알고 있다. ② (노력해서) 얻다, 획득하다: Ansehen〔Ruhm〕 ~ 명성을 얻다; über jn. einen Vorteil 〔die Oberhand〕 ~ 누구에 비해 우위를 점하다; die Herzen des Publikums ~ 관객〔독자〕의 마음을 사로잡다; jn. zum Freund ~ 누구를 친구로 만들다; jn. als Abonnenten ~ 누구를 정기 구독자로 확보하다; Zeit ~ 시간을 벌다; 〖비유〗 mit dieser Frau hat er das Große Los gewonnen 그녀를 얻은 것은 마치 복권 당첨된 듯한 행운이다; 〖雅語〗 einen Ort ~ 어떤 곳에 힘들여서 도달하다; 〚軍〛 ein Ziel ~ 목표 지점을 점령하다. ③ (확신·통찰을) 얻다, (어떤 모습을) 띠게 되다: die Überzeugung ~, daß... …라는 확신을 갖게 되다; es gewinnt den Anschein, als ob ... …인 것처럼 보인다. ④ **(a)** 채굴하다: Erz ~ 철광석을 채굴하다. **(b)** 제조하다: aus diesen Trauben wird ein edler Wein gewonnen 이 포도로 고급 와인이 만들어진다. ⑤ etwas gewinnt jm. et. 무엇〔사물〕이 누구에게 무엇을 얻게 해주다: seine Uneigennützigkeit gewann ihm viele Sympathien 그의 희생심으로 그는 많은 동정을 받게 되었다. ⑥ 〖雅語〗 es über sich ~ 감당해내다: ich kann es nicht über mich ~, ihm so etwas zu sagen 나는 그에게 도저히 그런 말을 할 수 없다. 《Ⅱ》 *i.* (h.) ① 이기다, 이익을 내다: 〖비유〗 wir haben gewonnen 우리가 이겼다; bei dem Handel haushoch ~ 장사에서 엄청나게 이익을 보다. ② 더 나아 보이다, 더 효과적으로 되다: bei anderer Beleuchtung würde das Bild sicher ~ 조명을 달리하면 그 그림은 분명 더 나아 보일 것이다; das Zimmer gewinnt durch die neuen Tapeten 그 방은 도배를 새로 하니 나아 보인다. ③ 〖전치사 an 과 함께〗 얻다: an Kenntnissen〔Weisheit〕 ~ 지식을〔지혜를〕 얻다; das gewinnt durch seine Schilderung an Klarheit 그것은 그의 묘사를 통해 한층 명료해진다. 《Ⅲ》 *refl.* 〖속담〗 nur von dem Tod gewinnt sich nichts 죽지만 않으면 이득을 볼 것이다.
gewinnend *p.a.* ① (einnehmend) 남의 마음을 끄는, 매력 있는: ein ~es Lächeln 매력적인 미소. ② ~e Pferde 우승한 말; die ~en Nummern 당선 번호.
Gewinner *m.* -s, - 승자, 수상자; 당첨된 제비, 당첨권; 우승한 말; 〚광산〛 발굴자.
Gewinnerin *f.* -nen ↑ Gewinner 의 여성형.
Gewinner·straße *f.* 승리의 가도: auf der ~ sein 승리를 눈앞에 두고 있다.
Gewinn≈klasse *f.* 당첨 등급. **~konto** *n.* 〚經〛 이익 계산.
Gewinnler *m.* -s, - 〖폄어〗 (전쟁 등 위기 상황에서 수단 방법을 가리지 않고) 폭리를 취하는 사람: Kriegs≈ 전쟁 모리배.
Gewinn≈liste *f.* 복권 당첨자 목록; 수상자 명단. **~los** *n.* 당첨된 제비〔복권〕.
gewinnlos *a.* 이익이 없는, 무익한.
Gewinn≈nummer *f.* 당첨 번호. **~rechnung** *f.* 〚商〛 이익 계산. **≈reich** *a.* 이윤이 많은, 유익한. **~sucht** *f.* 이익을 탐내는 마음, 이윤 추구욕. **≈süchtig** *a.* 이익을 탐내는, 탐욕적인. **≈trächtig** *a.* 이익을 낼 만한. **~überschuß** *m.* 초과 이윤.
Gewinn-und-Verlust≈-Konto *n.* 〚商〛 손익 계산. **~-Rechnung** *f.* 〚商〛 손익 계산(표).
Gewinnung *f.* -en ① ↑ Gewinn ①. ② (재화의) 제조; (지하 자원의) 채광(採鑛).
Gewinn≈verteilung *f.* 〚經〛 이윤 분배. **~vortrag** *m.* 〚商〛 전기(前期) 이월금. **~zahl** *f.* 당첨 번호.
Gewinsel [gəvínzəl] *n.* -s ① (개가) 깽깽거림. ② (끊임없이) 흐느낌, 신음; 〖폄어〗 비굴한 하소연.
Gewinst [gəvínst] *m.* -(e)s, -e 〖구식〗 ↑ Gewinn.
Gewirbel [gəvírbəl] *n.* -s (끊임없이) 선회함, 소용돌이침: ~ von Schneeflocken 눈송이가 휘날림.
Gewirk [gəvírk] *n.* -(e)s, -e, **Gewirke** *n.* -s, - ① 〚방직〛 메리야스 직물. ② 벌집(의 밀방).
Gewirr [gəvír] *n.* -(e)s, -e, **Gewirre** *n.* -s,

-① 뒤엉킨 (실)뭉치. ②〔비유〕(조망하기 힘든) 혼잡, 혼란, 분규: in dem ~ entgegengesetzter Empfindungen 상반된 감정의 혼돈 속에.

***gewiß** [gəvís] 《mhd. „(als sicher) gewußt"》《Ⅰ》*a.* ① 알고 있는; 확신하는, 의심할 나위가 없는: **(a)**〔주관적〕ich bin des Sieges ~ 나는 승리를 확신하고 있다; ich bin 〔davon bin ich〕 ~, daß... 나는 …임을 의심하지 않는다. **(b)**〔객관적〕es ist ganz ~, daß ... …임은 확실하다. ②〔부가어로서〕**(a)**〔강세가 있음〕확실한, 틀림없는, 일정한, 정해진: die gewisse Hoffnung 확실한 희망; ein gewisses Einkommen 고정 수입; er hat nichts Gewisses 그에게는 고정 수입이 없다. **(b)**〔상대방이 알고 있어서 더 자세히 말할 필요가 없거나 표현하기 어려울 경우에 강세 없이〕어떤, 일종의, 모(某): ein gewisses Etwas 어떤 것, 그 무엇; ein ~er anderer 다른 어느 누구; gewisse Leute, die ich nicht nennen will 내가 거명하기 원치 않는 어떤 사람들; Frauen in einem gewissen Alter 어떤 나이의 여성들; in gewissen Fällen 어떤 경우에; ich fühle eine gewisse Furcht 나는 일종의 공포를 느낀다; ein gewisser Ort 변소; ein gewisser Herr Schulz möchte dich sprechen 슐츠라고 하는 분이 너와 이야기하고 싶어한다. 《Ⅱ》*adv.* 확실히, 틀림없이: das glaub' ich ganz ~ 나는 그것을 전적으로 믿는다; ~ und wahrhaftig! 꼭!, 틀림없이!

gewiss 新정서 ⇦gewiß.

***Gewissen** [gəvísən] 《♧ Wissen》 *n.* -s, - ①〔구식〕앎, 의식. ② 양심, 도덕 의식: ein gutes〔böses, schlechtes〕 ~ haben 양심에 거리낌이 없다〔양심의 가책을 받다〕; sein ärztliches ~ 의사로서의 그의 양심; das ~ erleichtern 마음의 짐을 덜다; der Stimme des ~s folgen 양심의 소리에 따르다;〔속담〕ein gutes ~ ist ein sanftes Ruhekissen 양심이 바르면 편히 잘 수 있다;〔전치사와 함께〕et. **auf** dem ~ haben 무엇 때문에 양심의 가책을 받다; er hat einen Mord auf dem ~ 그는 살인으로 가책을 받고 있다; sagen Sie es mir auf Ihr ~ 당신의 양심에 따라 내게 말해 주시오; et. auf sein ~ nehmen 무엇의 책임을 지다; jm. aufs ~ fallen 〔jm. ins ~ reden〕 누구의 양심에 호소하다; sich³ ein ~ **aus** et.³ 〔**über** et.〕 machen 무엇이 마음에 걸리다; er macht sich³ kein ~ daraus zu lügen 그는 태연히 거짓말을 한다; **mit** gutem ~ antworten 양심껏 답변하다; **um** des ~s **willen** 양심상; das mußt du **vor** deinem ~ verantworten 너는 양심에 따라 그 일의 책임을 져야 한다.

gewissenhaft *a.* 양심적인, 성실한, 믿을 만한: ein ~er Arbeiter 성실한 근로자; eine Angelegenheit ~ prüfen 어떤 일을 양심적으로 조사하다.

Gewissenhaftigkeit *f.* 양심적임, 성실.

gewissenlos *a.* 양심이 없는, 성실치 못한, 부정(不貞)한.

Gewissenlosigkeit *f.* ① 비양심적임, 불성실. ② 비양심적 행위.

Gewissens≈angst *f.* 양심의 가책: von ~ geplagt sein 양심의 가책에 시달리다. **~bedenken** *n.*〔드물게〕↑ ~skrupel. **~biß** *m.* 양심의 가책, 죄의식, 죄책감. **~ehe** *f.* (혼인 신고를 하지 않은) 동거 생활. **~entscheidung** *f.* 양심의 결정. **~erforschung** *f.* (특히 가톨릭 신자의) 양심 조회. **~fall** *m.* 양심(에 따라 결정할) 문제. **~frage** *f.* 양심의 문제. **~freiheit** *f.* 양심의 자유(양심대로 생각·행동하는 자유, 특히 종교 선택의 자유). **~freund** *m.* 정신상〔신앙상〕의 지도자. **~gründe** *pl.* 양심상의 이유: et. aus ~n verweigern 무엇을 양심상의 이유로 거부하다. **~halber** *adv.* 양심 때문에, 양심상. **~konflikt** *m.* 양심의 갈등. **~not** *f.* ↑ ~konflikt. **~pein** *f.*, **~qual** *f.* 못 견딜 정도로 극심한 양심의 가책. **~rat** *m.* ↑ ~freund. **~richter** *m.* ↑ ~freund. **~ruhe** *f.* 양심의 평정. **~sache** *f.* 양심상의 일. **~skrupel** *m.* 옳은 행동인가 하는 의혹〔의구심〕, 번민, 고뇌. **~übung** *f.* 양심의 수련〔수양〕. **~wurm** *m.*〔구어〕양심의 가책. **~zwang** *m.* 양심에 대한 압박: unter ~ stehen 양심에 어긋나는 행동을 하도록 강요받다. **~zweifel** *m.* ↑ ~skrupel.

gewisser·maßen *adv.* 어느 정도(는); 대체로(는); 말하자면: er ist ~ ihr Freund 말하자면 그는 그녀의 남자 친구다.

***Gewißheit** [gəvíshaɪt] *f.* ① 확신, 확증: mit ~ 확실히, 틀림없이; sich³ ~ über et. verschaffen 무엇에 대해 확신을 얻다. ②〔복수: -en〕확실한 일, 확실성: nach empirisch nachprüfbaren ~en suchen 경험적으로 검증 가능한 확실한 것들을 찾다.

gewißlich *adv.* ↑ gewiß《Ⅱ》.

***Gewitter** [gəvítər] 《<Wetter》 *n.* -s, - ① **(a)** (천둥·번개·폭우를 동반하는) 거친 날씨, 악천후, 뇌우(雷雨): ein ~ droht 〔ist im Anzuge〕 뇌우가 닥쳐 온다; vom ~ erschlagen 소나기〔뇌우〕맞은. **(b)**〔비유〕격렬한 싸움; 노여움의 폭발: ein häusliches ~ 집안 싸움; ein ~ entlud sich über uns 우리는 심하게 야단을 맞았다. ② (schweiz.) 날씨 (Wetter).

Gewitter≈front *f.* 뇌우 전선. **~furcht** *f.* 뇌우에 대한 공포. **~gewölk** *n.* 뇌운(雷雲).

gewitterhaft *a.* 뇌우 같은; 뇌우가 올 듯한.

gewitterig *a.*〔드물게〕↑ gewittrig.

Gewitter≈himmel *m.* 뇌우가 곧 올 것 같은 〔뇌우가 올 때의〕하늘. **~kunde** *f.*, **~lehre** *f.* 뇌우 기상학. **~luft** *f.* (뇌우가 오기 전의) 후덥지근한 공기.

gewittern [gəvítərn] *i.* (h.) / *imp.* es gewittert ① 천둥·번개가 치다, 뇌우가 퍼붓다. ②〔비유〕심하게 싸우다; 노여움이 폭발하다.

Gewitter≈nacht *f.* 뇌우가 쏟아지는 밤. **~neigung** *f.* 뇌우의 조짐. **~regen** *m.* 뇌우. **~schauer** *m.* 짧은 뇌우〔소나기〕. **≈schwanger** *a.* ① 뇌우가 올 듯한. ②〔비유〕(분위기가) 한바탕 싸움이 벌어질 듯한. **≈schwer** *a.* ↑ ≈schwül. **≈schwül** *a.* 뇌우가 곧 올 듯이 후덥지근한. **~schwüle** *f.* 뇌우가 곧 올 것 같은 무더위. **~stimmung** *f.* 뇌우가 올 것 같은 기운. **~wolke** *f.* 뇌운(雷雲).

gewittrig *a.* ① 뇌우가 닥칠 듯한, 뇌우가 있을 법한: es sieht ~ aus 뇌우가 닥칠 것처럼 보인다. ② 뇌우에 수반한, 뇌우로 생긴.

Gewitzel [gəvítsəl] 《<Witz》 *n.* -s (끊임없

는) 빈정거림, 익살, 농담.
gewitzigt [gəvítsıçt] *a.* (손해를 보거나 경험을 통해) 약아진, 영악한.
gewitzt *a.* 영악한, 약아 빠진.
GewO =Gewerbeordnung 영업〔상공업〕 조례.
gewoben [gəvó:bən] *p.p.* ↑ weben.
Gewoge [gəvó:gə] *n.* -s ① (끊임없이) 파도가 침, 요동; 큰 파도. ②〔비유〕 ein ~ von Menschen 인파, 군중.
gewogen [gəvó:gən] 《I》① *p.p.* ↑ wägen. ② *p.p.* ↑ wiegen². 《II》*p.a.* 〖雅語〗(zugetan) 호의적인, 친절한: er ist mir sehr ~ 그는 내게 대단한 호의를 가지고 있다; sich³ jn. ~ machen 누구의 환심을 사다; bleiben Sie mir ~! a) 앞으로도 잘 돌보아 주십시오!, b) 안녕히 계십시오!
Gewogenheit *f.* 호의, 친절, 환심: haben Sie die ~, mir zu folgen 죄송합니다만 저를 따라 오십시오; sich um js. ~ bemühen 누구의 환심을 사려고 노력하다.
gewohn [gəvó:n], **gewohne** *a.* 〔구식〕 ↑ gewohnt.
gewohnen 《⊕ wohnen》 *i.* (h./s.)/*t.* 〔구식〕 eines Dinges 〔et.〕 ~ 무엇에 익숙하다.
*__gewöhnen__ [gəvǿ:nən] 《I》*t.* 익숙하게 하다, 길들이다: Kinder an Pünktlichkeit ~ 아이들이 시간을 잘 지키는 데 익숙해지도록 하다. 《II》*refl.* sich an et. ~ 무엇에 익숙해지다: sich an ein neues Klima ~ 새로운 기후에 적응하다; sich ~, früh aufzustehen 일찍 일어나는 데 익숙해지다. 《III》**gewöhnt** *p.a.* ↑ gewöhnt.
*__gewöhnt__ 《I》*p.p.* ↑ gewöhnen. 《II》*p.a.* (의식적인 노력을 통해) 익숙해진: ich bin an diese Arbeit ~ 나는 이 일에 익숙하다; das stundenlange Lesen bin ich nicht ~ 나는 장시간 독서하는 데 익숙하지 않다.
*__Gewohnheit__ [gəvó:nhaıt] *f.* -en 습관, 버릇; 관습, 풍습: eine ~ annehmen 어떤 습관에 젖다; eine ~ ablegen〔abstreifen〕 어떤 습관을 벗어버리다; aus der ~ kommen 관례에서 벗어나다; der Spaziergang ist ihm zur ~ geworden 산책은 그의 습관이 되어 버렸다; sich³ et. zur ~ machen 무엇을 습관으로 하다; 〔속담〕 ~ ist eine andere Natur 습관은 제 2 의 천성.
gewohnheits≈mäßig *a.* 습관적인, 무의식적인. **≈mensch** *m.* 습관에 따라 행동하는 사람, 습관의 노예. **≈recht** *n.* 〖法〗 관습법. **≈säufer** *m.* 상습적으로 폭음하는 사람, 술꾼. **≈sünde** *f.* 습관적인 죄악. **≈tier** *n.* 〔경박〕 (인간에 대한 비유로) 습관의 동물. **≈trinker** *m.* ↑ ~säufer. **≈verbrecher** *m.* 〖法〗 상습범.
*__gewöhnlich__ [gəvǿ:nlıç] 《I》*a.* ① 일상적인, 평범한, 보통의: im ~en Leben 일상 생활에서; unter ~en Umständen 일반적 상황에서; 〔반어〕 der ~e Sterbliche 보통 사람; 〖法〗 ~e Fahrlässigkeit 가벼운 과실(過失). ② 비열한, 저속한: sich ~ benehmen 저급하게 행동하다. 《II》*adv.* 일반적으로, 보통, 대개: er kam wie ~ zu spät 그는 여느 때처럼 너무 늦게 왔다; für ~ 대개의 경우에.
Gewöhnlichkeit *f.* -en 저속, 저급: die ~ seines Benehmens 그의 행동의 저속함.
*__gewohnt__ *a.* ①〔서술적〕 습관이 되어 버린, 익숙한: ich bin es ~, allein zu sein 나는 혼자 있는 것에 익숙하다; harte Arbeit ~ sein 힘든 일에 익숙하다; 〔속담〕 jung ~, alt getan 세살 버릇 여든까지 간다. ②〔부가적〕 (gewöhnlich) 보통의, 익숙한; 통례의, 관례의: ein ~er Anblick 익숙한 광경; et. in ~er 〔in der ~en〕 Weise erledigen 무엇을 여느 때와 같은 방식으로 처리하다.
Gewohnt·sein *n.* -s 익숙해〔습관되어〕 있음.
Gewöhnung *f.* -en 익숙〔친숙〕해짐, 적응: langsame ~ an ein neues Klima 새로운 기후에 서서히 적응함.
*__Gewölbe__ [gəvœ́lbə] 《<wölben》 *n.* -s, - ① **(a)** 〖건축〗 둥근 천장, 궁륭형 아치; 둥근 지붕, 돔. **(b)** 지하실; (obd.) 물품 창고, 상점; 여관, 음식점. ②〔비유〕 das ~ des Schädels 두개골; das ~ der Wissenschaft 학문의 전당.
Gewölbe≈bogen *m.* 둥근 천장의 아치. **~gang** *m.* 아치형의 통로〔복도〕. **~pfeiler** *m.* 둥근 천장을 받치는 기둥, 홍예 기둥. **~rippe** *f.* 궁륭 천장의 들보, 궁릉(穹稜). **~schluß·stein** *m.* (홍예 꼭대기의) 종석(宗石). **~stein** *m.* 홍옛돌. **~stütze** *f.* ↑ ~pfeiler.
gewölbt 《I》*p.p.* ↑ wölben. 《II》*p.a.* 궁륭형의, 활처럼 둥근, 아치형의: ein ~es Fenster 월창(月窓); ein ~er Weg 가운데가 불룩한 도로; er hat eine ~e Stirn 그는 이마가 툭 튀어나와 있다; mit hoher, ~er Brust 가슴을 쑥 내밀고; eine ~e Decke 둥근 천장.
Gewölk [gəvœ́lk] *n.* -(e)s 구름장, 적운(積雲); 구름 같은 덩어리: dunkles ~ 먹구름; ~ von Staub 자욱한 먼지.
Gewölle [gəvœ́lə] *n.* -s, - (부엉이나 맹금의) 소화되지 않은 배설물(뼈·깃털 따위).
gewollt 《I》*p.p.* ↑ wollen. 《II》*p.a.* 일부러 하고자 한, 의도한, 고의적인: die ~e Tat 고의적 행위; mit ~er Heiterkeit 일부러 명랑한 척하고; seine Lässigkeit wirkte ~ 그의 느긋한 태도는 억지로 꾸민 듯이 보였다; das ≈e vollbringen 뜻한 바를 달성하다.
gewonnen [gəvɔ́nən] *p.p.* ↑ gewinnen.
geworben [gəvɔ́rbən] *p.p.* ↑ werben.
*__geworden__ [gəvɔ́rdən] *p.p.* ↑ werden.
geworfen [gəvɔ́rfən] *p.p.* ↑ werfen.
Geworfenheit *f.* 〖哲〗 피투성(被投性).
gewrungen [gəvrʊ́ŋən] *p.p.* ↑ wringen.
Gewüchs [gəvʏ́ks] *n.* -es, -e ↑ Gewächs.
Gewüchse *n.* -s, - ↑ Gewächs.
Gewühl [gəvý:l] *n.* -(e)s ① 끊임없이 뒤적임〔파헤침〕. ② 혼잡, 혼란, 소란: im ~ der Menge 혼잡한 군중 속에서; Verkehrs≈ 교통 혼잡.
gewunden [gəvʊ́ndən] *p.p.* ↑ winden.
gewürfelt [gəvʏ́rfəlt] 《I》*p.p.* ↑ würfeln. 《II》*p.a.* ① 주사위 모양의, 네모진; 체크 무늬의: den ~en Speck ausbraten 네모진 베이컨을 충분히 굽다; ~er Bettüberzug 바둑판 무늬가 있는 침대 시트. ②〔방언〕 영리한, 교활한: ein ~er Kerl 교활한 녀석.
Gewürge [gəvʏ́rgə] *n.* -s ① **(a)** 교살. **(b)** 〔비유〕 매우 힘든 일, 고역: ein grauenhaftes ~ 끔찍스럽게 힘든 일. ② 구토(Erbrechen). ③ 〖醫〗 연하(嚥下).

Gewürm [gəvŸrm] 《< Wurm》 *n.* -(e)s, -e ①〖총칭〗 벌레류; (낱낱의) 벌레. ② 가련한 인간; 못된 아이.
***Gewürz** [gəvŸrts] 《< Wurz》 *n.* -es, -e 양념, 향료, 조미료.
gewürz=artig *a.* 향기가 있는, 향기로운. **∼-büchse** *f.* 양념통. **∼essig** *m.* 향신료(를 섞은) 식초. **∼gurke** *f.* (향신료로 가미한) 식초에 절인 오이, 오이 피클.
gewürzhaft *a.* ↑ gewürzig.
gewürz=haltig *a.* ↑ gewürzig. **∼handel** *m.* 향료 장사〔무역〕. **∼händler** *m.* 향료 상인. **∼handlung** *f.* 향료 상점.
gewürzig *a.* 맛이나 향이 강렬한.
Gewürz=kram *m.* ↑ ∼handlung. **∼krämer** *m.* ↑ ∼händler. **∼kuchen** *m.* (계피·레몬 따위를 넣은) 생과자. **∼mischung** *f.* 혼합 양념(카레 따위). **∼laden** *m.* 향료 상점. **∼nägelein** *n.* ↑ ∼nelke. **∼nelke** *f.* (향료로 쓰이는) 정향나무 꽃봉오리. **∼nelkenbaum** *m.* 정향나무. **∼pflanze** *f.* 향료 식물. **∼reich** *a.* 양념을〔향료를〕 듬뿍 넣은. **∼stoffe, ∼waren** *pl.* 향료류, 양념류. **∼wein** *m.* 방향(芳香) 포도주.
Gewusel [gəvú:zəl] *n.* -s〖방언〗 혼잡, 소란.
gewusst 新정서 ⇦ gewußt.
gewußt [gəvŭst] *p.p.* ↑ wissen.
Geysir [gáɪzɪr] *m.* -s, -e ↑ Geiser.
gez. 〖약어〗 =gezeichnet 표기된.
gezackt [gətsákt] 《Ⅰ》 *p.p.* ↑ zacken. 《Ⅱ》 *p.a.* 톱니 모양의.
Gezäh *n.* -(e)s, -e ↑ Gezähe.
Gezähe [gətsɛ́:ə] *n.* -s, - (광원나 제련공의) 공구.
gezähnelt [getsɛ́:nəlt] 《Ⅰ》 *p.p.* ↑ zähneln. 《Ⅱ》 *p.a.* ↑ gezahnt 《Ⅱ》.
gezahnt [gətsá:nt] 《Ⅰ》 *p.p.* ↑ zahnen. 《Ⅱ》 *p.a.* 톱니 모양의, 가장 자리가 톱니꼴로 된: ein ∼es Blatt 톱니 잎.
gezähnt [gətsɛ́:nt] 《Ⅰ》 *p.p.* ↑ zähnen. 《Ⅱ》 *p.a.* ↑ gezahnt 《Ⅱ》.
Gezänk [gətsɛ́ŋk] *n.* -(e)s 끊임없는 말다툼, 싸움.
Gezanke [gətsáŋkə] *n.* -s ↑ Gezänk.
Gezappel [gətsápəl] *n.* -s 〖구어〗 흔들거림, 안절부절못함, 안달: ∼ eines Käfers 딱정벌레의 바둥거림.
Gezauder [gətsáudər] *n.* -s (한없이) 망설임, 주저.
Gezeit [gətsáɪt] 《⇨ Zeit》 *f.* -en ① 밀물과 썰물, 조수 간만. ②〖비유〗 die ∼en eines Lebens 인생의 기복, 흥망 성쇠.
Gezeiten=buch *n.* 〖가톨릭〗 성무(聖務) 일과서, 일독(日讀) 기도서. **∼kraft·werk** *n.* 조력(潮力) 발전소. **∼strömung** *f.* 조류. **∼tafel** *f.* 간만표. **∼wechsel** *m.* 간만의 변화.
Gezelt [gətsɛ́lt] *n.* -(e)s, -e 〖시어〗 (Zelt) 장막, 천막, 텐트; 창공.
Gezerr *n.* -s ↑ Gezerre.
Gezerre [gətsɛ́rə] *n.* -s 〖구어〗 (끊임없이 과격하게) 잡아당김.
Gezeter [gətsé:tər] *n.* -s (끊임없이) 비명을 지름, 고함을 침, 욕지거리함.
Gezeug [gətsɔ́ʏk] *n.* -(e)s 공구, 도구; 용구.
Geziefer [gətsí:fər] *n.* -s, - ①〖구식〗 해충. ②〖방언〗 (염소·양 따위의) 작은 가축.
geziehen [gətsí:ən] *p.p.* ↑ zeihen.
gezielt 《Ⅰ》 *p.p.* ↑ zielen. 《Ⅱ》 *p.a.* 일정한 목적을 지닌: ∼e Fragen 겨냥한 질문.
***geziemen** [gətsí:mən] 《Ⅰ》 *i.* (h.) jm. ∼ 누구에게 합당〔온당〕하다, 도리다: dieses Benehmen geziemt ihm nicht 이런 행동은 그에게 어울리지 않는다. 《Ⅱ》 *refl.* sich ∼ 알맞다, 어울리다, 당연하다: so geziemt es sich 그래야만 당연하다; wie es sich geziemt 온당히, 알맞게; er weiß nie, was sich geziemt 그는 전혀 예절을 모른다.
geziemend *p.a.* 적합한, 알맞은; 품위에 맞는: in ∼er Distanz bleiben 적당한 거리를 유지하다.
geziemlich *a.* 〖구식·雅語〗 ↑ geziemend.
Geziere [gətsí:rə] *n.* -s 겉치레, 허식, 꾸민 행동.
geziert 《Ⅰ》 *p.p.* ↑ zieren. 《Ⅱ》 *p.a.* 〖폄어〗 자연스럽지 못한, 꾸민: ∼es Benehmen 부자연스런 행동.
Geziertheit *f.* -en 〖폄어〗 점잔뺌; 위선, 가식.
Gezimmer [gətsímər] *n.* -s, - ① (집의) 목조부(木造部); 나무짜기, 목수일. ②〖집합적〗 목재.
Gezirp [gətsírp] *n.* -(e)s (벌레가) 끊임없이 찌륵찌륵 울어댐: das ∼ der Grillen 귀뚜라미 우는 소리.
Gezirpe *n.* -s ↑ Gezirp.
Gezisch [gətsíʃ] *n.* -(e) 쉿쉿 소리를 냄, 칫칫 소리를 내며 야유함.
Gezische *n.* -s ↑ Gezisch.
Gezischel [gətsíʃəl] *n.* -s 〖폄어〗 줄곧 속삭임, 귓속말: das ∼ im Nebenzimmer ließ ihn Böses ahnen 옆방의 쏙닥거리는 소리가 그에게 불길한 예감이 들게 했다.
gezogen [gətsó:gən] *p.p.* ↑ ziehen.
Gezücht [gətsŸçt] 《< Zucht》 *n.* -(e)s ①〖총칭·교양〗 한 배에서 난 것들, (짐승의) 한 배 새끼들. ②〖폄어〗 한패, 도당, 패거리.
Gezüngel [gətsŸŋəl] *n.* -s (뱀이) 혀를 날름거림; 〖비유〗 (불길이) 활활 타오르는 모양.
Gezweig [gətsváɪk] *n.* -(e)s [..gəs, ..ks] 〖집합적〗 나뭇가지.
gezweit [gətsváɪt] *a.* 2부로 된, 둘로 갈라진.
Gezwerg [gətsvɛ́rk] *n.* -(e)s, -e [..gə] ①〖집합적〗 난쟁이족, 키가 작은 사람들. ②〖구식〗 (Zwerg) 난쟁이, 땅딸보.
Gezwitscher [gətsvítʃər] *n.* -s (새의) 끊임없는 지저귐.
gezwungen [gətsvŭŋən] 《Ⅰ》 *p.p.* ↑ zwingen. 《Ⅱ》 *p.a.* 강제적인, 무리한; 부자연스러운, 억지로 꾸민: 〚心〛 ∼e Assoziation 제약연상(制約聯想); 〚物〛 ∼e Bewegung 속박 운동; ∼ lachen 억지로 웃다.
gezwungener=maßen *adv.* 강제로, 무리하게. **∼weise** *adv.* ↑ ∼maßen.
Gezwungenheit *f.* 강제, 무리, 부자연스러움: die ∼ seiner Sprechweise war störend 억지로 꾸며 댄 그의 말투가 거슬렸다.
GFK =Gesellschaft für Konsum-, Markt- und Absatzforschung 소비·시장·매출 연구소.
GFZ =Geoforschungszentrum 지질 연구소.
GG =Grundgesetz 독일 헌법.
ggf. =gegebenenfalls 경우에 따라서.

Ghana [gá:na] 가나(서아프리카의 공화국).
Ghanaer *m.* -s, - 가나 사람.
Ghanaerin *f.* -nen ↑ Ghanaer 의 여성형.
ghanaisch *a.* 가나의, 가나 출신의.
Ghasel [gazé:l] *n.* -s, -e 〖문학〗 ↑ Gasel.
Ghasele *f.* -n 〖문학〗 ↑ Gasel.
Ghetto [géto] *n.* -s, -s 〖구식〗 ↑ Getto.
Ghibelline [gibɛlí:nə] *m.* -n, -n (↔ Guelfe, Welfe) 기벨린 당원(중세 이탈리아 호엔슈타우펜 황제의 추종자).
Ghost·writer [gó:straɪtər] 《engl., „Geistschreiber"》 *m.* -s, - 유명 인사를 대신해서 글을 써 주는 익명의 작가, 대필가.
GHK =Gewerkschaft Holz und Kunststoff 목재·플라스틱 노동 조합.
GI [dʒí:áɪ, dʒɪ:áɪ] 《engl.》 *m.* -(s), -(s) = Government〔General〕 Issue 〖구어〗 미국 군인.
G.I. *m.* -(s), -(s) 〖구어〗 ↑ GI.
Giaur [giáur] 《türk.》 *m.* -s, -s (이슬람에서 경멸적으로) 비신도, 비회교도.
gib [gi:p] ↑ geben 의 2 인칭 단수 명령형.
gibbeln *i.* (h.) (ostd.) 킥킥 웃다(kichern).
Gibbon [gíbɔn] 《frz.》 *m.* -s, -s (동남 아시아 산(産)의) 긴팔원숭이.
Gibelline [gibɛlí:nə] 《it.》 *m.* -n, -n ↑ Ghibelline.
Gibraltar [gibráltar, gibraltá:r] 《ar.》 지브롤터(에스파냐 남단의 반도).
gibst [gi:pst] ↑ geben 의 2 인칭 단수 현재형.
gibt [gi:pt] ↑ geben 의 3 인칭 단수 현재형.
Gicht[1] [gɪçt] *f.* -en 〖제련〗 ① (용광로의) 투입구. ② (용광로의) 상부(上部). ③ (용광로의) 상부 발판. ④ (용광로의) 1 회의 급광(給鑛)(량).
Gicht[2] *f.* ①〖醫〗 통풍(痛風), 요산성(尿酸性) 관절염. ②〖복수〗〖방언〗 ~er (=Krämpfe) 경련, 어린아이의 경풍(驚風)〔경기(驚氣)〕. ③〖植〗 (선충류에 따른) 보리병의 일종.
Gicht≈anfall *m.* 〖醫〗 통풍 발작. **~aufzug** *m.* 〖제련〗 용광로용 승강기. **~bruch** *m.* 〖구식〗 통풍. **≈brüchig** *a.* 〖구식〗 통풍을 앓는.
gichterisch [gíçtərɪʃ] *a.* 통풍 같은, 경련성의.
Gicht≈fieber *n.* 통풍열. **~fluß** *m.* 통풍성 이질. **~geschwür** *n.* 통풍 궤양.
gichtig *a.* ↑ gichtisch.
gichtisch *a.* 통풍에 걸린, 통풍의.
Gicht≈knoten *m.* 〖醫〗 통풍 결절(結節). **≈krank** *a.* 통풍을 앓는. **~kranke*** *der/die* 통풍 환자. **~krankheit** *f.* 통풍, 관절염. **~mittel** *n.* 통풍약. **~papier** *n.* 통풍지(紙). **~pflaster** *n.* 통풍 고약. **~pulver** *n.* 통풍산(散). **~rose** *f.* 〖植〗 ① 네덜란드 작약. ② 노랑 만병초. **~schwamm** *m.* (용광로의 투입구에 생기는) 산화아연.
Gickel [gíkəl] *m.* -s, - ①〖의성어〗 꼬꼬(소아어). ② 수탉; 〖비유〗 성마른 사람.
gickeln *i.* (h.) 〖구어〗 ↑ gickern.
gickern *i.* (h.) 〖구어〗 낄낄대고 웃다.
Gick·gack [gíkgak] *n.* -s ① 꽥꽥(거위 울음 소리); 〖비유〗 쓸데없는 수다. ② 거위; 〖비유〗 바보, 멍청이.
gicks [gɪks] *int.* ① ~! 끼익(갑작스런 날카로운 소음). ② ~ und gacks 어중이떠중이, 세상 모든 사람: das weiß ~ 그것은 세상이 다 안다. ③ weder ~ noch gacks sagen 전혀 대꾸가 없다; er weiß nicht ~ und nicht gacks 그는 낫놓고 ㄱ자도 모른다, 매우 어리석다.
gicksen [gíksən] 《I》 *i.* (h.) 고성을 지르다, 깩깩〔빽빽〕 소리를 내다: das Kind gickste vor Vergnügen 그 아이는 기분이 좋아서 빽 하는 고성을 질렀다. ② (장난삼아) 쿡 찌르다: jm. in die Seite ~ 누구의 옆구리를 쿡 찌르다. 《II》 *t.* (장난삼아) 쿡 찌르다: sie gickste ihn in die Seite 그녀가 그의 옆구리를 쿡 찔렀다.
Giebel[1] [gí:bəl] 《gr. -lat.》 *m.* -s, - 〖動〗 붕어.
***Giebel**[2] 《ahd., „Gipfel"》 *m.* -s, - ①〖건축〗 **(a)** 합각 머리, 박공. **(b)** 합각 머리 벽. **(c)** 합각 머리형의 장식. ②〖시어〗(Gipfel) 정상, 절정, 첨단; 〖비유〗 코. ③〖醫〗 극기(極期), 고비.
Giebel≈balken *m.* 박공의 서까래, 마룻대. **~dach** *n.* 합각머리 지붕. **~feld** *n.* 합각머리의 삼각 벽면. **~fenster** *n.* 합각머리에 낸 창, 박공창. **≈förmig** *a.* 합각머리 모양의. **~haus** *n.* 합각머리 벽면이 길쪽으로 나 있는 집, 뱃집.
giebelig *a.* 합각머리 모양의.
Giebel≈mauer *f.* 합각머리 벽, 합각머리꼴 담장. **~seite** *f.* 합각머리가 있는 쪽. **~spieß** *m.* ↑ ~spitze. **~spitze** *f.* 합각머리의 정점(頂點). **~stube** *f.* 합각머리의 다락방. **~verzierung** *f.* 합각머리의 장식. **~wand** *f.* ↑ ~mauer. **~zinne** *f.* ① 박공의 첨두. ② (그리스 건축에서) 박공 위의 주각(柱脚), 대좌(臺座).
gieblig *a.* ↑ giebelig.
Giek [gi:k] *n.* -s, -e ↑ Giekbaum.
Giek≈baum *m.* 삼각돛의 하부를 켕기는 활대. **~segel** *n.* 고물 돛대의 삼각돛.
Giemen[1] [gí:mən] *m.* -s, - (alem.) (빙하의) 갈라진 틈, 균열.
Giemen[2] *n.* -s 〖醫〗 (Luftröhrengeräusch) (호흡기 질환에 걸렸을 때 나는) 쌕쌕 소리, 신알음(呻軋音).
Gien [gi:n] 《lat.》 *n.* -s, -e 〖海〗 고패, 녹로, 확력(擴力) 장치, 겹도르래, 삼각 기중기.
Gien·block *m.* 겹도르래 뭉치.
gienen[1] *t.* 겹도르래로 끌어올리다.
gienen[2] *i.* (h.) (obd.) ↑ gähnen.
Gien·muschel *f.* 〖動〗 조개의 한 속(屬).
Gieper [gí:pər] *m.* -s (nordd.) 욕망, 욕구; 식욕(Gier): sie hatte einen ~ auf etwas Süßes 그녀는 뭔가 단 것이 먹고 싶었다.
giepern *i.* (h.) (nordd.) ↑ gieren[1].
gieprig *a.* (nordd.) ↑ gierig.
***Gier** [gi:r] 《♧ gern, begehren》 *f.* 욕망, 욕구; 탐욕: ~ nach Macht 권력욕; von einer ~ nach et.[3] befallen sein 무엇에 대한 욕망에 사로잡혀 있다.
Gierde [gí:rdə] *f.* 〖시어〗 ↑ Gier.
gieren[1] [gí:rən] *i.* (h.) 욕망하다: nach Anerkennung ~ 인정받기를 욕망하다.
gieren[2] 《ndd.》 *i.* (h.) ①〖海〗 (항해 중 배가 조류의 영향으로) 좌우로 흔들리다. ② 침로(針路)에서 벗어나다, 편주(偏走)하다. ③〖空〗 (비행기가) 좌우로 흔들리다.
Gieren·ziegel *m.* 삼각기와.
Gier·falke *m.* 〖動〗 (아이슬란드 등의) 큰 매.
gierig [gí:rɪç] *a.* 욕망〔욕구〕하는; 탐욕적인:

~e Blicke 탐욕적인 시선.

Gierigkeit *f.* ↑ gierig 의 명사형.

Giersch *m.* -(e)s 〖植〗 ① (Geißfuß) 왜방풍 (미나릿과). ② 흰색 또는 붉은색 산형화가 피는 흔한 잡초.

Gier·schlund *m.* 〔폄어〕 대식가, 탐식가.

Gieß⸗bach [gí:s..] *m.* (산의) 급류, 계류(溪流). **~bad** *n.* 샤워, 관수욕(灌水浴): der Arzt verordnete Gießbäder 의사는 관수욕 처방을 내렸다.

gießen [gí:sən] (goß, gegossen) 《I》 *t.* ① (액체를) 붓다. (**a**) Öl ins Feuer ~ a) 불에 기름을 붓다, b) 〔비유〕 일을 악화시키다, 선동하다; Öl in die Lampe ~ 램프에 기름을 부어 넣다; einen〔eins〕 hinter die Binde ~ 한 잔 들이켜다; die Brühe auf das Tischtuch ~ 국물을 식탁보에 엎지르다; sie hat sich³ den Kaffee versehentlich übers Kleid gegossen 그녀는 커피를 실수로 자기 옷에 쏟았다. (**b**) 〔구어〕 (begießen) …에 물을 주다〔뿌리다〕: die Blumen ~ 꽃에 물을 주다; das Beet ~ 화단에 물을 뿌리다. ② (**a**) (용융된 금속·왁스를) 거푸집에 부어 넣어 (어떤 형태로) 만들다: Zinn in die Form eines Soldaten ~ 주석으로 병정 인형을 주조하다. (**b**) (어떤 제품을) 주조(鑄造)하다: Glocken ~ 종(鍾)을 주조하다; der Künstler goß die Statue aus Erz 예술가는 청동으로 상(像)을 주조했다. 《II》 *refl.* sich ~ 부어지다, 쏟아지다: es gießt sich schlecht aus diesem Topf 이 단지는 붓기 어렵다; aus Blei läßt sich vieles ~ 납으로는 여러 가지 것을 주조할 수 있다. 《III》 *i.* (h.) 붓다, 쏟다, 뿌리다: im Garten ~ 정원에 물을 뿌리다; 〔구식〕 der Himmel gießt 큰비가 내린다. ② *imp.* 〔구어〕 es gießt 비가 억수로 퍼붓는다.

Gießen [gí:sən] 기센(독일 Hessen 주 Lahn 강변의 도시).

Gießener *m.* -s, - 기센 사람.

Gießer [gí:sər] *m.* -s, - ① 〖工〗 주조공, 주물공. ② 물주전자, 샤워용 꼭지, 물뿌리개. ③ 〖海〗 (돛에 물을 뿌리는) 자루가 긴 기구.

Gießerei *f.* -en ① 주조술, 주물 기술. ② 주물 공장, 주조소.

Gieß⸗form *f.* 주형(鑄型), 거푸집. **~grube** *f.* (주조 공장의) 쇳물을 붓는 구덩이, 주갱(鑄坑). **~haus** *n.* ↑ ~hütte. **~hütte** *f.* 주조소. **~kanne** *f.* ① 물뿌리개. ② 〔속어〕 남성 성기. **~kannen·prinzip** *n.* 〔폄어〕 (사회 복지 정책에서) 자의적으로 행해지는 예산 할당 방식. **~kelle** *f.* ↑ ~löffel. **~kunst** *f.* 주조술. **~löffel** *m.* 주물용 국자. **~mutter** *f.* 〖印〗 자모(字母), 자형(字型), 모형(母型). **~ofen** *m.* 주물 공장의 화로, 주로(鑄爐). **~rinne** *f.* (부엌의) 수채; 용선로(鎔銑爐)의 파인 홈. **~sand** *m.* (주물용의) 거푸집 모래. **~tafel** *f.* 거푸집판. **~tiegel** *m.* 주물 제조용 도가니. **~zange** *f.* 주조용 집게.

***Gift** [gɪft] 《<geben》 《I》 *f.* 〔구식〕 (Gabe) 선물, 증여물, 하사물(↑ Mitgift). 《II》 《„die tödliche Gabe"》 *n.* -(e)s, -e ① (**a**) 독, 독약; 〖醫〗 독물, 독소: Arsenik ist ein gefährliches ~ 비소는 위험한 독이다; jm. ~ beibringen〔eingeben〕 누구를 독살하다; ~ nehmen 음독하다; 〔비유〕 darauf kannst du ~ nehmen 그것은 절대로 틀림없다(맹세하는 말). (**b**) 〔비유〕 해로운 것; 해독, 해악: Alkohol ist ~ für Leberkranke 알코올은 간 환자에겐 매우 해롭다; das ~ der Sittenlosigkeit 풍기 문란의 해악; 〔속어〕 blondes ~ 매혹적인 금발 미인. ② 〔비유〕 (Wut) 격노, 분노; 악의(Bosheit): er ist (voll) ~ und Galle, er speit ~ und Galle 그는 매우 분개하고 있다; der Kerl steckt voll ~ 저녀석은 적개심으로〔악의로〕 가득 차 있다; er hat sein ~ verspritzt 그는 독설을 퍼부었다. 《III》 *m.* -(e)s (südd.) 화, 분노: einen ~ auf jn. haben 누구를 괘씸하게 여기다.

gift⸗abtreibend *a.* 해독(解毒)(성)의. **~-artig** *a.* 유독한, 독성의. **≈arznei** *f.* ↑ ~arzenei. **≈arzenei** *f.* 해독약. **≈baum** *m.* ① 유퍼스(독성이 있는 나무의 일종). ② ↑ ≈-sumach **≈becher** *m.* (특히 고대 그리스의) 독배(毒杯). **≈beere** *f.* 청백색 꽃이 피는 가짓과 식물. **≈bissen** *m.* 독을 넣은 음식. **≈-bläschen** *n.* ↑ ≈blase. **≈blase** *f.* (뱀의) 독포(毒胞). **≈dunst** *m.* 독기(毒氣).

giften 《I》 *t.* 몹시 화나게 하다. 《II》 *i.* (h.) 매우 화내다: er giftete gegen seine Nachbarn 그는 이웃 사람들에게 심한 욕설을 했다. 《III》 *refl.* sich ~ 화내다.

gift⸗fest *a.* 독극물에 견디는, 내독성(耐毒性)의. **≈festigkeit** *f.* 내독성, 면역. **~frei** *a.* ↑ giftlos. **≈gas** *m.* 독가스. **~geschwollen** *a.* 독으로 부어오른. **≈gewächs** *n.* 유독 식물, 독초. **~grün** *a.* 청록색의. **~haltig** *a.* 독이 든, 유독한. **≈hauch** *m.* 독기. **≈-hütte** *f.* 〖광물〗 비석(砒石) 정련소; 〔구어〕 술집.

***giftig** *a.* ① 유독한, 독성의: ~e Insekten 독충. ② 〔비유〕 악의가 있는, 독살스러운, 화난: eine ~e Bemerkung 악의에 찬 지적; auf jn. ~ sein 누구에 대해 몹시 화가 나있다; eine ~e Zunge haben 독설가다. ③ (색이) 눈부신, 야한: ~ grüne Farbe 야한 초록색. ④ 〖스포츠〗 투지에 불타는, 악착스런.

Giftigkeit *f.* ↑ giftig 의 명사형.

Gift⸗kies *m.* 〖化〗 비소를 함유한 철 화합물. **~kraut** *n.* 독초; 〔비유〕 담배. **~krieg** *m.* 독가스전. **~kugel** *f.* 독탄환. **~kunde** *f.* 독물학(毒物學). **~lattich** *m.* 〖植〗 독상추. **~lehre** *f.* ↑ ~kunde.

giftlos *a.* 독이 없는; 〔비유〕 해가 없는.

Gift⸗mehl *n.* 〖化〗 비소 독가루, 비독분(砒毒粉). **~mischen** *n.* 독을 섞음; 〔비유〕 음해. **~mischer** *m.* 독살자; 음해자, 음모가; 〔속어〕 약사. **~mischerin** *f.* ↑ ~mischer 의 여성형. **~mischerei** *f.* ↑ ~mischen. **~mittel** *n.* 해독제(Gegen≈). **~mord** *m.* 독살. **~mörder** *m.* 독살자. **~müll** *m.* 유독성(산업) 폐기물. **~nudel** *f.* 〔구어〕 (값싼) 궐련, 여송연; 〔폄어〕 악의에 찬 여자. **~-pflanze** *f.* 유독 식물. **~pille** *f.* ① 해독제. ② 독이 든 환약. **~pilz** *m.* ① ↑ ~schwamm. ② 〔비유〕 심술궂은 사람. **~pulver** *n.* ↑ ~mehl. **~schlange** *f.* 독사. **~schrank** *m.* (약국·병원 따위의) 극약 보관장(櫥). **~-schwamm** *m.* 독버섯. **~stachel** *m.* (전갈·벌 등의) 독침. **~stoff** *m.* 독소, 독물. **~sumach** *m.* 〖植〗 덩굴옻나무의 일종. **~trank** *m.* 〔雅語〕 유독 음료, 사약. **~zahn** *m.* (뱀의) 독이빨. **~zunge** *f.* 〔비유〕 독설(毒

舌). **~zwerg** *m.* 〖폄어〗 악당(특히 작은 체구에 대한 콤플렉스 때문에 사악한 행동을 하는 사람).

Gig [gɪk] 《engl.》 *n.* -s, -s 〔*f.* -s〕 ① 경쾌한 1두(一頭) 2륜 마차. ②〖海〗(배에 실은) 선장용〔함장용〕경(輕)보트. ③〖스포츠〗경기용〔연습용〕보트.

giga.. *pref.* "10억 배"의 뜻(보기: ~hertz 10억 헤르츠).

Gigant [gigánt] 《gr.》 *m.* -en, -en ①〖그리스 신화〗(신들과 전쟁을 한) 거인족 사람; 〖雅語〗 거인. ②〖비유〗 거물: ~en der Erdölindustrie 석유 산업계의 거물들.

***gigantisch** *a.* 거인 같은, 거대한; 놀라운: ein ~es Bauwerk 거대한 건축물; eine ~e Leistung 위대한 업적.

Gigantismus 《gr.》 *m.* -, ..men ①〖醫〗 거인증(症). ② ↑ Gigantomanie.

Gigantomachie [..tomaxí:] *f.* 〖그리스신화〗 제우스에 대한 거인족의 싸움.

Gigantomanie *f.* 거대광(巨大狂).

Gigerl [gí:gərl] 《<Gickel》 *m./n.* -s, -n ① (südd.) 수탉(Hahn). ② (südd., öst.) 〖속어〗 멋쟁이, 맵시꾼.

gigerlhaft *a.* (südd., öst.) 〖속어〗 멋부리는, 잘 차려입는, 겉만 번지르르한.

Gigerltum *n.* -s (öst.) 맵시내기, 멋내기.

Gigolo [ʒígolo] 《frz.》 *m.* -s, -s ① (Eintänzer) 여자 손님의 댄스 상대를 하는 남자. ② 〖폄어〗 제비족, 기둥서방.

Gigot [ʒigó:] *n.* -s, -s ① (schweiz.) 양의 허벅다리 고기. ② (16 및 19세기에 유행한 여성복의) 위쪽은 넓고 손목은 좁은 소매.

Gigue [ʒi:k] 《frz.》 *f.* -n [..gən] ① 아일랜드와 영국의 빠른 춤(4분의 3 또는 8분의 6박자). ② (특히 17-18세기에) 위의 춤에 맞추어 작곡한 소나타의 마지막 소절.

Gilb [gɪlp] *m.* -(e)s ↑ Gelb.

Gilbe [gílbə] *f.* -n ① 노란색; 노란 것; 〖醫〗 황달. ②〖복수: -n〗 황토. ③〖植〗 물푸레나무.

gilben *i.* (s.) 노란색으로 되다.

Gilbhard *m.* -s, -e 〖구식〗 ↑ Gilbhart.

Gilbhart *m.* -s, -e 〖구식〗 10월(Oktober).

Gilb≈holz *n.* 〖총칭〗 황색 염료를 추출할 수 있는 목재 종류. **~kraut** *n.* 〖植〗 물푸레나무. **~vogel** *m.* 〖動〗 꾀꼬리.

***Gilde** [gíldə] 《ndd.》 *f.* -n ① (중세의) 동업 조합, 길드. ② (Genossenschaft) 협회, 조합.

Gilde≈bruder *m.* 조합원. **~haus** *n.* 조합 회관. **~herr** *m.* ↑ ~meister. **~meister** *m.* 조합장. **~mitglied** *n.* ↑ ~bruder. **~vorsteher** *m.* ↑ ~meister.

Gilden≈halle *f.* ↑ Gildehaus. **~haus** *n.* ↑ Gildehaus.

Gildenschaft *f.* -en 길드의 전체 조합원.

Gilden·sozialismus *m.* 〖史〗 (20세기 초 영국에서 발생한) 길드〔조합〕 사회주의.

Gilet [ʒilé:] 《frz.》 *n.* -s, -s [..lé:s] (schweiz.) 조끼(Weste).

Gilgamesch [gílgamɛʃ] *m.* -es, - 수메르 신화에 나오는 영웅신.

Gilge [gílgə] *f.* -n (obd.) 〖植〗 백합.

Gilka [gílka] *m.* -s, -s 길카(퀴멜 열매로 빚은 화주(火酒)의 상표명).

Gillette·klinge [ʒilɛ́t..] *f.* (발명자의 이름에서 유래한) 안전 면도날.

Gilling *f.* -s 〖海〗 ① 고물 돌출부의 아래쪽 측면. ② 사다리꼴 활대돛의 만입부(彎入部).

Gillung *f.* -en ↑ Gilling.

gilt [gɪlt] ↑ gelten 의 3인칭 단수 현재형.

giltig *a.* 〖구식〗 ↑ gültig.

giltst [gɪltst] ↑ gelten 의 2인칭 단수 현재형.

Gimmick [gímɪk] *m./n.* -s, -s 〖광고〗 기발한 광고 트릭〔기술〕.

Gimpe [gímpə] *f.* -n 〖재봉〗 (비단 따위로 만들어진) 장식용 끈; 가장자리 장식, 레이스.

Gimpel [gímpəl] *m.* -s, - ①〖動〗 피리새. ② 〖폄어〗 바보, 멍청이.

Gimpelei *f.* -en 어리석은 행동, 바보짓.

gimpelhaft *a.* 우둔한, 멍청한.

Gin [dʒín] 《engl.》 *m.* -s, -s 진(브랜디 이름).

Gin-Fizz [dʒínfɪs] *m.* -, - (진·레몬·설탕 및 소다수를 섞어 만든) 칵테일.

ging [gɪŋ] ↑ gehen 의 과거형.

Gingan [gíŋgan] 《mal. gingan, „gestreift"》 *m.* -s, -s 〖섬유〗 (동인도 원산의) 줄 무늬 또는 바둑판 무늬가 있는 면포.

Gingang [gíŋaŋ] *m.* -s, -s 〖재봉〗 ↑ Gingan.

ginge [gíŋə] ↑ gehen 의 접속법 Ⅱ식.

Ginger [dʒíndʒə] 《engl.》 *m.* -s, - ↑ Ingwer.

Ginger-Ale [..e:l] 《engl.》 *n.* -s 청량 음료의 일종(생강맛이 나는).

Gingham [gíŋəm, gíŋham] 《engl.》 *m.* -s, -s ↑ Gingan.

Gingko [gíŋko] *m.* -s, -s ↑ Ginkgo.

Ginkgo [gíŋko] 《chin.》 *m.* -s, -s 〖植〗 은행나무.

Ginkjo [gíŋkjo] *m.* -s, -s ↑ Ginkgo.

Ginko 新정서 ⇦ Gingko.

Ginseng [gínzɛŋ] 《chin.》 *m.* -s, -s 〖植〗 삼(參); 인삼.

Ginst 《lat.》 *m.* -(e)s, -e ↑ Ginster.

Ginster [gínstər] *m.* -s, - 〖植〗 금작화속(屬).

giocoso [dʒokó:zo] 《it.》 *adv.* 〖음악〗 경쾌하게, 익살스럽게.

***Gipfel** [gípfəl] *m.* -s, - ① **(a)** 꼭대기. **(b)** 산꼭대기, 봉우리. **(c)** 〖드물게〗 나무 꼭대기, 우듬지. ② 〖비유〗 절정, 정점: auf dem ~ des Glücks sein 행복의 절정에 있다; ~ der Geschmacklosigkeit 촌스러움〔몰취미〕의 극치; 〖구어〗 das ist (doch) der Gipfel! 뻔뻔스럽기 짝이 없군! ③ 정상 회담(Gipfelkonferenz). ④ (schweiz.) 세모지게 돌돌 만 빵.

Gipfel≈bruch *m.* 〖林〗 우듬지의 부러짐. **≈förmig** *a.* 〖植〗 (가지가) 평행 직립 총상(總狀)의. **~höhe** *f.* 〖空〗 (특정 비행기의) 상승 한도. **~konferenz** *f.* 정상 회담, 영수 회담.

..gipfelig *suf.* "…정점을 가진"의 뜻(보기: zwei~ 두 개의 꼭대기를 가진).

Gipfel·leistung *f.* 최대 업적; 최고 성적.

gipfeln *i.* (h.) 절정에 이르다: Goethes Lebenswerk gipfelt im „Faust" 괴테의 필생의 최고 걸작은 파우스트다; Berge, welche über 4000 Meter ~ 높이 4000미터 이상의 산들.

Gipfel≈punkt *m.* (그래프 곡선·탄도(彈道) 따위의) 최고점, 정점. **≈reich** *a.* 봉우리가 많은; 우듬지가 많은. **≈ständig** *a.* 〖植〗 (꽃대 따위가) 우듬지에 나 있는.

..gipflig *suf.* ↑ ..gipfelig.
Gipfel·treffen *n.* ↑ ~konferenz.
***Gips** [gɪps] 《gr.》 *m.* -es, -e 〖광물〗 석고; 〖化〗 황산칼슘; 〖工〗 회(灰), 백회모르타르; 〖醫〗 깁스; 〔구식〕 석고상(像): gebrannter ~ 소(燒)석고; ~ gießen 석고물을 붓다, 소상(塑像)을 만들다; in ~ liegen 깁스를 한 상태다; das Standbild ist in ~ fertig 그 입상(立像)은 석고로 되어 있다.
Gips≈abdruck *m.* ① (물체에 직접 대고 눌러 성형한) 압인(押印) 석고상. ② 압인 석고상 제작(방법). **~abguß** *m.* ① 주형 석고상. ② 주형 석고상 제작(방법). **~arbeiter** *m.* 석고 세공사; 미장이. **~artig** *a.* 석고 같은. **~bein** *n.* 〔구어〕 깁스를 한 다리. **~beton** [..betɔ̃:] *m.* 회 콘크리트. **~bett** *n.* 〖醫〗 석고상(床). **~bild** *n.* 석고상(像). **~binde** *f.* 〖醫〗 석고대(帶). **~brei** *m.* 석고 반죽. **~brenner** *m.* 석고를 굽는 장인(匠人). **~brennerei** *f.* ① 석고굽기, 석고 제조. ② 석고 굽는 가마솥. **~bruch** *m.* ↑ ~grube. **~büste** *f.* 석고 반신상〔흉상(胸像)〕. **~decke** *f.* 석회 천장. **~druse** *f.* 결정(結晶) 석고.
gipsen [gɪ́psən] *t.* ① 회칠하다, 석고를 바르다. ② (포도주의 산도를 유지하고 빛깔을 좋게 하기 위해) 황산칼슘으로 처리하다. ③〖農〗 Boden ~ 토지에 (토질 개선을 위해) 석고를 시비(施肥)하다.
Gipser *m.* -s, - ↑ Gipsarbeiter.
gipsern *a.* 석고로 되어 있는.
Gips≈figur *f.* 석고상. **~form** *f.* 석고 거푸집. **~gießer** *m.* 주물 석고 예술가〔기술자〕. **~grube** *f.* 석고 채굴장. **~guß** *m.* 주물 석고상(제작). **~haltig** *a.* 석고를 함유한.
gipsig *a.* 석고처럼 보이는; 석고로 만든.
Gips≈kalk *m.* 소(燒)석고. **~malerei** *f.* 프레스코화〔화법〕. **~marmor** *m.* 석고로 만든 인조 대리석. **~mehl** *n.* 석고 가루. **~mörtel** *m.* 회반죽, 석고 모르타르. **~mühle** *f.* 석고 가루 제조소. **~ofen** *m.* ↑ ~brennerei ②. **~spat** *m.* 석고질 이석(泥石); 투명 석고. **~statue** *f.* 석고 입상(立像). **~stein** *m.* 석고석(石). **~verband** *m.* 〖醫〗 석고 붕대: einen ~ anlegen〔abnehmen〕 깁스를 대다〔떼다〕. **~wand** *f.* 석회벽.
Gipür·arbeit *f.* 성긴 레이스 세공.
Gipüre [gipý:rə] 《frz.》 *f.* -n 성긴 레이스.
Giraffe [giráfə] 《it.》 *f.* -n 〖動〗 기린; 〖天〗 기린자리.
Giral·geld [ʒirá:l..] 〖은행〗 (언제라도 인출 또는 이체할 수 있는) 당좌 예금 금액, 대체금.
Girande [ʒirã́:də] 《frz.》 *f.* -n ↑ Girandola ①②.
Girandel [ʒirã́..] *n.* -s, - ↑ Girande 의 축소형.
Girandola [dʒirándola] 《it.》 *f.* ..len ① (동시에 솟아오르는) 분수의 물길. ② (연달아 폭발하는) 꽃불, 회전 꽃불. ③ 샹들리에. ④ 보석이 박힌 귀고리.
Girandole [ʒiradó:lə] *f.* -n ↑ Girandola.
Girant [ʒiránt] 《it., „Giro"》 *m.* -en, -en 〖商〗 (어음) 배서인, 양도인 (Indossant).
Girat [ʒirá:t] *m.* -en, -en 〖商〗 (어음) 피(被) 배서인, 양수인(讓受人) (Indossatar).
Giratar [ʒiratá:r] *m.* -en, -en 〖商〗 ↑ Girat.
girierbar [ʒirí:rba:r] *a.* 배서〔양도〕 가능한.
girieren [ʒirí:rən] *t.* 배서〔양도〕하다: einen Scheck ~ 수표에 배서하다.
Girl [gə:rl] 《engl.》 *n.* -s, -s ① 소녀(Mädchen). ② 무용수, 댄서.
Girl-Group 《engl.》 *n.* 여성 보컬 그룹.
Girlande [gɪrlándə] 《fr.》 *f.* -n 꽃장식, 화환; 〖건축〗 현화(懸花) 장식.
Girlitz *m.* -es, -e 〖動〗 방울새과의 새.
***Giro** [ʒí:ro] 《it.》 *n.* -s, -s/(öst.) ..ri 〖은행〗 ① (현금 또는 유가 증권의) 대체, 지로: durch ~ weiterleiten 지로로 송금하다. ② (어음·수표의) 거래, 배서, 이서, 양도: einem Wechsel sein ~ geben 어음에 배서하다, 어음을 양도하다. ③〖스포츠〗 ~ d'Italia (프로사이클의) 이탈리아 일주 대회.
Giro≈bank *f.* 〔복수: -en〕 대체 은행. **~geschäft** *n.* 대체 업무, 지로 업무. **~kasse** *f.* ↑ ~bank. **~konto** *n.* 대체〔당좌〕 계좌.
Gironde [ʒirɔ̃́:d] 《frz.》 *f.* 〖史〗 지롱드당(프랑스 혁명기의 온건 공화파).
Girondist [ʒirɔ̃dɪ́st] 《frz.》 *m.* -en, -en 지롱드당원.
Giro≈verkehr *m.* 대체 거래. **~vertrag** *m.* 지로 계좌 개설 계약. **~zentrale** *f.* (은행 간의) 어음〔대체 거래〕 결제소.
girren [gɪ́rən] *i.* (h.) 〔의성어〕 ① (비둘기가) 구구하고 울다. ② 교태를 부리며 말하다〔웃다〕.
gis [gɪs] *n.* -, - 〖음악〗 ① ↑ Gis ①. ② 올림 사 단조(gis-Moll)를 나타내는 기호.
Gis *n.* -, - 〖음악〗 ① 올림 사. ② 올림 사 장조(Gis-Dur)를 나타내는 기호.
gischen [gɪ́ʃən] 《ahd. „gären"》 *i.* (h.) 발효하다; 거품이 일다; 끓어오르다.
Gischt [gɪʃt] *m.* -es, -e 물거품, 끓어오르는 물.
Gis-Dur [gɪ́sdu:r] *n.* - 〖음악〗 올림 사 장조.
Gis-Dur-Ton·leiter [(또는) gɪsdú:r..] *f.* -n 〖음악〗 올림사 장조 음계.
gis-Moll [gɪ́smɔl] *n.* - 〖음악〗 올림 사 단조.
gis-Moll-Ton·leiter *f.* 〖음악〗 올림 사 단조 음계.
Giß *f.* Gissen 〔*m.* Gisses, Gisse〕 배〔비행기〕의 위치 추정: auf ~ 어림잡아.
gissen [gɪ́sən] 《ndd.》 *i.* (h.) 〖海〗 배〔비행기〕의 위치를 추정하다.
Gissung *f.* -en 〖海·空〗 ↑ Giß.
***Gitarre** [gitárə] 《gr.》 *f.* -n 〖음악〗 기타.
Gittaren·spieler *m.* 기타 연주자.
Gittarist *m.* -en, -en (직업적) 기타 연주자.
Gittaristin *f.* -nen ↑ Gittarist 의 여성형.
***Gitter** [gɪ́tər] (♧ Gatter) *n.* -s, - ① 창살, 격자, 울타리: das ~ eines Käfigs 우리의 창살; hinter ~(n) sitzen 감옥에 있다. ②〖전기〗 (진공관의) 차폐 격자, 그리드. ③〖物·化〗 회절 격자, 결정 격자.
gitter≈artig *a.* 격자 모양의. **~bett** *n.* (유아용의) 격자 난간 침대. **~brücke** *f.* 〖工〗 래티스 다리. **~fenster** *n.* 격자 창. **~förmig** *a.* 격자 모양의. **~füllung** *f.* 격자 밑에 붙인 널벽. **~gang** *m.* 격자 난간이 있는 통로. **~mast** *m.* 〖전기〗 격자탑(송전선의 철탑); 〖海〗 (군함의) 강철 타워.
gitterig *a.* ↑ gitterartig.
gittern [gɪ́tərn] 《I》 *t.* (무엇에) 격자를 붙이다, 격자 울타리를 두르다. 《II》 **gegittert**

p.a. ↑ gegittert.
Gitter≈netz *n.* (지도상에 종횡으로 그은) 바둑판 모양의 눈금. **~netz·linie** *f.* 격자 모양의 눈금선. **~schrank** *m.* 격자 (찬)장. **~-spektrum** *n.* 〖理〗 격자 분광기. **~stoff** *m.* 자수용 캔버스. **~tor** *n.* 격자 대문. **~tür** *f.* 격자 문. **~werk** *n.* 격자 구조물. **~zaun** *m.* 격자 울타리.
GKV =gesetzliche Krankenversicherung 국민 의료 보험.
Glace [gla:s] 《frz.》 *f.* -s [gla:s] ① (schweiz.) 아이스크림. ② (과자에 입힌) 당의(糖衣). ③ 고기 젤리.
Glacé [glasé:] 《frz.》 *n.* -(s), -s [..sé:s] ① 광택 복지(服地). ② 광택 가죽. ③〔복수〕광택이 나는 가죽 장갑.
Glacé≈hand·schuh [glasé:..] *m.* ↑ Glacé ②: jn. mit ~en anfassen 누구를 정중하게 대접하다. **~leder** *n.* ↑ Glacé ②. **~(leder)-schuh** *m.* 윤이 나는 가죽 구두.
glacieren [glasí:rən] *t.* ①〖요리〗 고기 젤리를 입히다. ②〔구식〕 얼리다.
Glacis [glasí:] 《frz.》 *n.* - [..sí:s], - [..sí:s] 〖軍〗 (요새 앞의 방어용) 노출 경사 지대, 사제(斜堤).
Glacis≈böschung *f.* 사제(斜堤)의 경사면. **~kamm** *m.* 사제의 능성이, 능선.
Gladiator [gladiá:tɔr, ..to:r] 《lat.》 *m.* -s, -en [..tó:rən] (고대 로마의) 검투사(대부분 노예 신분임).
Gladiatoren·spiele *pl.* 검투사의 시합.
gladiatorisch *a.* 검투사의; 검투사 같은.
Gladiole 《lat.》 *f.* -n〖植〗 글라디올러스.
glagolitisch [glagolí:tɪʃ] *a.* 고대 슬라브의: ~e Schrift 고대 슬라브 문자.
Glagoliza [glagɔ́litsa] *f.* 고대 슬라브 문자.
Glamour [glɛ́mə] 《engl.》 *m./n.* -s 눈부신 아름다움, 매혹적인 외모.
Glamour·girl 《engl.》 *n.* 글래머걸, 매혹적인 여자; (포스터 등의) 모델 여성.
Glandel [glándəl] 《lat., „Eichel"》 *f.* -n〖해부〗 선(腺) (Drüse); 편도선(Mandel).
glandulös *a.*〖해부〗 선(腺)의.
***Glanz** [glants] *m.* -es, -e ① 빛남, 광채; 광택, 윤: der ~ der Sterne 별들의 광채; der ~ der Haare 머리카락의 윤기; welcher ~ in meiner Hütte! 이 누추한 곳에 웬 영광인지! (기대하지 않은 방문객에 대한 농담조의 인사말). ② 미관, 장관(壯觀), 화려, 호화로움: der ~ des Ruhmes 화려한 명성; in vollem ~e 현란하게, 성장(盛裝)을 하고. ③〔비유〕 훌륭함, 탁월: eine Prüfung mit ~ bestehen 탁월한 성적으로 시험에 합격하다;〔반어〕 er flog mit ~ und Gloria hinaus 그는 냉혹하게 쫓겨났다.
Glanz≈bürste *f.* 윤내는 솔. **~eisen·erz** *n.*〖광물〗 휘철광(輝鐵鑛) (적철광의 일종).
***glänzen** [glɛ́ntsən] 《<Glanz》《I》 *i.* (h.) ① 빛나다, 번쩍거리다:〔속담〕 es ist nicht alles Gold, was glänzt 번쩍거린다고 모두 금은 아니다; seine Augen ~ vor Freude 그의 눈은 기쁨으로 빛나고 있다. ②〔비유〕 눈에 띄다, 훌륭하다, 뛰어나다: er glänzt im Reiche der Dichtkunst 그는 시 분야에서 탁월하다;〔농담〕 er glänzt durch Abwesenheit 그는 결석이다. 《II》 *t.*〔시어〕 빛내다, 광택을 내다, 닦다: Papier ~ 종이에 광을 내다, 종이 표면을 광택처리하다.
glänzend *p.a.* ① 광택이 나는, 빛나는, 찬란한: ~es Elend 겉은 화려하나 내용은 빈약한 것, 외화내빈. ②〔구어〕 뛰어난, 훌륭한: eine ~e Begabung 탁월한 재능.
glänzend·schwarz *a.* 검게 윤이 나는.
glanz·erfüllt *a.*〔雅語〕 광채로 가득한.
Glanz≈farbe *f.* 윤나는 색, 광택; 래커. **~-firnis** *m.* 광택용 니스. **~gold** *n.*〖工〗 수금(水金). **~gras** *n.*〖植〗 휘갈대풀. **≈hell** *a.* (leuchtend) 빛나는, 번쩍이는. **~idee** *f.*〔구어〕 훌륭한 아이디어〔생각〕. **~kobalt** *n.*〖광물〗 휘코발트광(鑛). **~kohle** *f.* 무연탄. **~leder** *n.* 윤나는〔에나멜〕 가죽. **~lein-wand** *f.* 윤나는 마포(麻布). **~leistung** *f.* 훌륭한 업적, (선수의) 빛나는 기록, (배우의) 훌륭한 연기. **~licht** *n.* ① 매끄러운 물체에서 나오는 반사광. ②〖畫〗 (작은 반점을 이용한) 광선 효과. ③〔비유〕 (뉴스·공연 프로그램의) 하이라이트.
glanzlos *a.* ① 윤기 없는, 탁한: ~es Haar 윤기 없는 머리털. ②〔비유〕 맥빠진: ein ~es Fest 단조로운 축제.
Glanzlosigkeit *f.* 무광택.
Glanz≈nummer *f.* 하이라이트 레퍼토리. **~-papier** *n.* 광택지, 유광지. **~pappe** *f.* 광택 판지(板紙). **~periode** *f.* 전성 시대. **~-presse** *f.* 광택 내는 기계. **~punkt** *m.*〔비유〕 정점, 절정, 극치. **≈reich** *a.* ↑ ≈voll. **~rolle** *f.* ① (어느 배우의) 가장 적합한 역. ② (어느 배우의) 성공한 역: der Mephisto war seine ~ 메피스토역은 그에게 성공을 가져다 주었다. **~seide** *f.* ↑ ~taffet. **~stärke** *f.* (다림질할 때) 윤내는 풀. **~stück** *n.* ① 걸작, 명작. ② 가장 값진 것, 보물. **~taffet, ~taft** *m.* (윤이 나는) 비단의 일종. **≈voll** *a.* ① 화려한: ein ~es Fest 화려한 축제. ②〔구어〕 훌륭한: eine Prüfung ~ bestehen 훌륭한 성적으로 시험에 합격하다. **~wichse** *f.* 가죽 윤내는 약, 구두약. **~winkel** *m.*〖物〗 조각(照角) (입사각의 여각(餘角)). **~zeit** *f.* 전성기. **~zwirn** *m.* 윤나는 실.
***Glas** [gla:s] 《I》 *n.* -es, Gläser [glɛ́:zər] ① 유리: buntes〔farbiges, gefärbtes〕 ~ 색유리, 스테인드 글라스; trübes〔milchiges〕 ~ 흐린〔젖빛〕 유리; ein Teeservice aus ~ 유리로 된 찻잔 세트;〔속담〕 Glück und ~, wie leicht bricht das! 행복과 유리는 얼마나 쉽게 깨지는가!;〔구어〕 geh weg, du bist doch nicht aus ~!〔bist du aus ~?〕 앞에서 내 시야를 가리지 마라! ② 유리 용기; 유리컵, 유리잔: geschliffenes ~ 커트 글라스; ein ~ voll 한 컵 가득히; bei einem ~ 한 잔 하면서; gern ins ~ gucken 술을 좋아하다; zu tief ins ~ gucken 과음하다; keine vollen Gläser leiden können〔kein leeres ~ sehen können〕 술을 매우 좋아하다;〔구어〕 er hat ein ~ über den Durst getrunken 그는 약간 취했다; mit den Gläsern anstoßen (건배를 위해) 잔을 부딪치다; ein volles ~ auf Ihr Wohl! 당신의 행복을 위하여 건배!;〔양의 단위로는 항상 단수형〕 zwei ~ Wein 두 잔의 포도주. ③ 안경알(Brille): er trägt dicke Gläser 그는 돗수가 높은 안경을 쓰고 있다; 망원경(Fernglas);〔시어〕 거울(Spiegel). ④ 얼음; 거울

같은 수면; 『사냥』 (말 눈의) 각막; 『광산』 유리 모양의 광석. ⑤〔구식〕 글라스(액체의 양을 재는 단위; 약 10분의 1리터). 《Ⅱ》〔원래 모래시계의 뜻〕 *n.* -es, -en 『海』 30분마다 치는 종: es schlägt 3 ~(en) 3점종(點鐘)이 울리고 있다〔9시 30분이다〕(배에서 하루 일과는 8시부터 시작함).

Glas≈abfall *m.* 유리 부스러기. **≈ähnlich** *a.* 유리 같은. **~arbeit** *f.* 유리 제조; 유리 제품. **~arbeiter** *m.* 유리공(工). **≈artig** *a.* 유리 모양의. **~auge** *n.* (유리로 만든) 의안(義眼). **~ballon** *m.* (아래가 불룩한) 커다란 유리 용기. **~bau·stein** *m.* 유리 벽돌. **~-bereitung** *f.* 유리 제조. **~bild** *n.* 『사진』 음화 건판; (환등기의) 슬라이드, 그림판. **~-blasen** *n.* (불어서) 유리 제품을 만들기. **~-bläser** *m.* (불어서 유리 제품을 만드는) 유리 기술자. **~bläserei** *f.* (부는 대롱을 이용한) 유리 가공 (공장). **~bläserin** *f.* ↑ ~bläser의 여성형. **~brocken** *pl.*, **~bruch** *m.* 유리 조각.

Gläschen [glέ:sçən] *n.* -s, - 〔↑ Glas의 축소형〕 작은 컵: er hat ein ~ über den Durst getrunken 그는 좀 과음했다.

Glas≈dach *n.* 유리 지붕. **~deckel** *m.* 유리 뚜껑. **~diamant** *m.* ① 모조 다이아몬드. ② 유리 칼. **≈elektrisch** *a.* 양(陽)전기의. **~elektrizität** *f.* 『理』 양전기.

glasen[1] [glá:zən] 《Ⅰ》 *i.* (h.) ①《♧ Glas《Ⅱ》》『海』 (30분 간격의) 점종(點鐘)을 울리다. ② 유리 가공을 하다. 《Ⅱ》 *t.* ① (…에) 유리를 끼우다: die Fenster ~ 창에 유리를 끼우다. ② 잔잔한 눈초리로 응시하다.

glasen[2] *a.* 〔드물게〕 ↑ gläsern.

Glaser [glá:zər] 《<Glas》 *m.* -s, - ① 유리 가공인, 유리공(工): ist dein Vater ~? 내 시야를 가리지 마라! ② ↑ Gläser.

Gläser *m.* -s, - ↑ Glasbläser.

Glaser≈arbeit *f.* 유리 가공 작업. **~blei** *n.* ↑ Fensterblei. **~diamant** *m.* 유리 자르는 다이아몬드.

Glaserei [gla:zərái] *f.* -en ① 유리 가공 작업. ② 유리 공장.

Glaser≈handwerk *n.* ↑ ~arbeit. **~kitt** *m.* 유리를 (창틀에) 고착시키는 접착제.

Gläser≈klang *m.* (건배할 때) 컵이 부딪치는 소리. **~korb** *m.* 유리 그릇 담는 바구니.

Glaser·meister *m.* 명인〔대가〕의 자격증을 가진 유리공; 유리 가게 주인.

glasern *i.* (h.) 유리공의 일을 하다.

*__gläsern__ *a.* ①〔비교급·최상급 없음〕 유리로 만든. ②〔비유〕 고정된, 움직임이 없는: ein ~er Blick 뚫어지게 쳐다보는 시선. ③ 유리 소리의: das klingt ~ 이것은 유리처럼 맑은 소리가 난다.

Glas≈erz *n.* 『광물』 휘은광(輝銀鑛). **~fabrik** *f.* 유리 공장. **~faden** *m.* 유리실. **≈-farbig** *a.* 투명한. **~faser** *f.* 유리 섬유. **~-faser·kabel** *n.* 『통신』 광케이블. **~fenster** *n.* 유리창. **~feuchtigkeit** *f.* 『해부』 (안구(眼球)의) 유리액(液). **~flasche** *f.* 유리병, 플라스크. **~fluß** *m.* (특히 모조 보석용) 유리의 용괴(溶塊). **~flüssigkeit** *f.* ↑ ~feuchtigkeit. **~fotografie** *f.* ↑ ~bild. **~fritte** *f.* ↑ ~satz. **~galle** *f.* 떠 있는 유리 찌끼. **~gefäß** *n.* 유리 그릇. **~gehäuse** *n.* 유리 (진열) 상자. **~gemälde** *n.* (특히 교회 유리창의) 유리 그림. **~geschirr** *n.* 유리 기구〔제품〕. **~gespinst** *n.* ↑ ~wolle. **~-glocke** *f.* ① 유리 종. ② (치즈 따위를 덮어 두는) 종 모양의 유리 뚜껑.

Glasgow [glásgo:] 글래스고(스코틀랜드의 항구 도시).

Glas≈griff *m.* 유리 손잡이; 유리를 부풀리는 데 쓰는 쇠막대기. **≈grün** *a.* 밝은 녹색의. **~hafen** *m.* 유리 용해용 도가니. **~handel** *m.* 유리 장사. **~händler** *m.* 유리 장수. **~-harmonika** *f.* 『음악』 유리 하모니카(물 담은 여러 개의 컵 가장자리를 젖은 손가락으로 문질러 울리게 하는 18-19세기의 악기). **≈-hart** *a.* 유리처럼 딱딱한: ~es Eis 딱딱한 얼음; ein ~er Schlag 강펀치. **~haus** *n.* 온실, 유리를 끼운 철골 건물: 〔속담〕 wer (selbst) im ~ sitzt, soll nicht mit Steinen werfen 누워서 침뱉기. **~haut** *f.* 『해부』 (눈의) 유리막(膜). **~häutchen** *n.* ↑ ~haut. **≈hell** *a.* 유리처럼 투명한. **~hütte** *f.* 유리 공장.

glasicht *a.* ↑ glasig ②.

glasieren [glazí:rən] *t.* ① (토기에) 유약을 바르다, 에나멜을〔니스를〕 칠하다, 윤을 내다. ②『요리』 (음식〔과자〕에) 당의(糖衣)를 입히다.

glasig *a.* ① 유리 같은, 유리처럼 투명한; 유리질(質)의: Zwiebeln ~ braten 양파를 유리빛이 될 때까지 볶다; ~e Kartoffeln 점착질(粘着質)이 많은 감자; ~e Getreidekörner 전분이 결핍된 곡식 알갱이. ②〔비유〕 무표정한, 생기 없는: ~ anstarren 무표정하게 응시하다.

Glas≈industrie *f.* 유리 공업. **~inkrustation** *f.* 유리로 덮기. **~kasten** *m.* 유리 상자. **~kolben** *m.* 『化』 플라스크. **~kopf** *m.* 『광물』 휘철광(輝鐵鑛). **~körper** *m.* 『해부』 (안구의) 수정체. **~kram** *m.* ↑ ~laden. **~-krämer** *m.* 유리 상인. **~krug** *m.* 유리 항아리. **~kruke** *f.* (목이 긴) 유리 술병. **~-kugel** *f.* (장식용) 유리공: den Christbaum mit farbigen ~n schmücken 크리스마스 트리를 다채로운 유리공으로 장식하다. **~laden** *m.* 유리 상점. **~lava** *f.* 『광물』 흑요석(黑曜石), 옥적석(玉滴石).

Gläslein *n.* -s, - 〔↑ Glas의 축소형〕 ↑ Gläschen.

Glas≈linse *f.* 『物』 렌즈. **~macher** *m.* 유리 제조자, 유리공(工). **~maler** *m.* 유리 화공(畫工). **~malerei** *f.* 유리 채색법; 스테인드 글라스. **~malerin** *f.* ↑ ~maler의 여성형. **~masse** *f.* 용해 유리. **~mehl** *n.* 유리 가루. **~meister** *m.* 유리 공장의 공장장.

Glasnost *f.* 정치적 개방.

Glas≈nudel *f.* (쌀가루 따위로 만든) 가는 국수, 당면. **~ofen** *m.* 유리 용해용 화로. **~palast** *m.* (동화에 나오는) 유리성; 유리창이 많은 건물. **~papier** *n.* 사포(砂布). **~paste** *f.* ↑ ~fluß. **~perle** *f.* 유리 구슬. **~photographie** *f.* ↑ ~fotografi. **~platte** *f.* 유리판, 판유리. **~porzellan** *n.* 투명 자기. **~preß·form** *f.* 유리 주형〔압형〕. **~pulver** *n.* 유리 가루. **~rahmen** *m.* 유리테. **~-reiniger** *m.* 유리 세척제(劑); 유리 청소부. **~röhre** *f.* 유리관. **~satz** *m.* 유리 제조 원료의 혼합물(↑ ~masse). **~scheibe** *f.* 유리판; 창유리. **~scherbe** *f.* 유리 파편. **~-**

schleifen *n.* 유리 세공, 유리 연마. **~schneider** *m.* 유리칼. **~schrank** *m.* 유리 진열장; 유리 그릇 찬장. **~schüssel** *f.* 유리 대접. **~seife** *f.* 이산화망간. **~spinnerei** *f.* 유리 섬유 제조〔공장〕. **~splitter** *m.* 유리 파편. **~stein** *m.* ① 모조 다이아몬드. ②〖광물〗부석(斧石) (Axinit). ③ 유리 벽돌. **~sturz** *m.* (obd.) ↑ ~glocke ②.

Glast [glast] 《⇔ Glanz》 *m.* -es, -e ①〖시어〗(obd.) ↑ Glanz. ②〖방언〗↑ Glasur.

Glas≈tafel *f.* 유리판. **~tränen** *pl.* (녹은 유리를 물속에 떨어뜨려서 만드는) 유리 방울. **~trichter** *m.* 유리 깔때기. **~tropfen** *pl.* ↑ ~tränen. **~tür** *f.* 유리문.

Glasur [glazúːr] *f.* -en ① 광택제; 에나멜; 니스. ②〖요리〗(과자의) 당의(糖衣), 아이싱 (설탕 입힌 것).

Glas≈veranda *f.* 유리 창문이 달린 베란다. **~vergoldung** *f.* 유리의 금도금. **~verschlag** *m.* 유리벽. **~versicherung** *f.* 유리 보험. **~wand** *f.* 유리벽. **~waren** *pl.* 유리 제품. **~weise** *adv.* 컵으로, 컵으로 한 잔씩. **~werk** *n.* ①〔구식〕유리 제품. ② 유리 공장. **~wolle** *f.* (절연용·보온용·방음용의) 유리 섬유, 유리솜.

***glatt** [glat] (glatter/glätter, glattest/glättest) 《Ⅰ》 *a.* ① (↔ rauh) 미끄러운; 매끄러운, 평탄한: es ist sehr ~ auf der Straße 길이 매우 미끄럽다; eine ~e Haut 주름살 없는 피부; eine ~ Wasseroberfläche 잔잔한 수면; eine ~e Fassade 장식이 없는 건물 전면(前面); ~es Haar (고수머리가 아닌) 직모;〖방직〗~er Stoff 〔~es Zeug〕 평직; ~es Deck 평갑판(平甲板);〖印〗~er Satz 같은 호수의 활자 조판; ~es Gesicht 매끈한〔수염이 나지 않은〕 얼굴, 말쑥한 얼굴; ein ~er Stil 매끄러운〔유려한〕 문체; ~ bürsten 솔질로 매끈하게 하다;〔비유〕Schulden ~ machen 빚을 갚다; sich³ die Federn ~ machen (새가) 깃을 가다듬다. ② (가축이) 토실토실하게 살찐 (wohlgenährt): ~e Kühe 토실토실하게 살찐 암소. ③ (hübsch) 아름다운, 살빛이 고운, 싱싱한. ④ 순조로운; 원활한, 원만한: ein ~es Geschäft 원활한 거래; die Arbeit ging ~ vonstatten 그 일은 순조롭게 진행됐다. ⑤ (einschmeichelnd) 지나치게 능숙한, 알랑거리는, 아첨하는: ein ~er Mensch 꾀 많은 사람; mit ~en Worten locken 감언이설로 꾀다. ⑥ 의심할 바 없는, 명백한; 단호한: eine ~e Absage 단호한 거절; das ist eine ~e Erfindung〔Lüge〕 그것은 새빨간 거짓말이다; das kostet ~e 5000 Mark! 그것은 에누리없는 5 천 마르크다! ⑦ (schwäb.) 웃기는, 장난스런: eine ~e Geschichte 재미나는 이야기; eine ~e Marke 익살스런 사람, 녀석. 《Ⅱ》 *adv.* ① 미끄럽게, 평평하게, 미끈하게; ~ anliegen〔sitzen〕 (옷이) 딱 들어맞다. ② 순조롭게, 원활하게, 쉽게. ③ 솔직하게, 딱 잘라서: et. ~ heraussagen 무엇을 솔직히 털어 놓다; jm. et. ~ abschlagen 누구에게 무엇을 딱 잘라 거절하다.

Glätt≈bank *f.* 〔복수: ..bänke〕 연마대(研磨臺). **~bein** *n.* ↑ ~holz.

Glätte [glɛ́tə] *f.* -n ① 매끈함, 평활(平滑); 광택, 유광층: die ~ des Spiegels 거울의 매끄러운 표면. ②〔부정적〕〔비유〕민첩, 유려: die ~ seines Benehmens 그의 행동의 능숙함. ③〖化·工〗일산화납.

Glatt·eis *n.* 빙판: Vorsicht, ~! 빙판길 조심!;〔비유〕jn. aufs ~ führen 누구를 속이다; aufs ~ geraten 궁지에 빠지다.

glatteisen (glatteiste, geglatteist) *i.* (h.)/*imp.* es glatteist 땅이 얼어 미끄럽다.

Glatt·eis·gefahr *f.* 빙판길이 될 위험.

Glätt·eisen *n.* ↑ ~stahl.

glätten [glɛ́tən] 《< glatt》 《Ⅰ》 *t.* ① 미끄럽게 하다; 갈다, 닦다; 광을 내다. ②〔비유〕**(a)** Falten ~ 주름을 펴다; die Stirn ~ 이맛살을 펴다. **(b)** (문장을) 조탁하다; (미술품 따위를) 마무르다. ③ (schweiz.) 다리미질하다 (plätten). 《Ⅱ》 *refl.* das Meer glättete sich 바다는 잔잔해졌다.

glatterdings *adv.* 단호히, 딱 잘라 말해서, 솔직하게: ~ unmöglich 절대 불가능한.

Glätter *m.* -s, - 연마공(研磨工), 윤내는 직공; 윤내는 기구〔기계〕, 연마기.

Glätterin *f.* -nen (schweiz.) 다리미질하는 여자 (Plätterin).

Glatt≈feile, Glätt·feile *f.* 〖工〗 마무리하는 줄, 고운 줄. **~|gehen** *i.* (s.) 〔구어〕순조롭게 진행되다. **~haarig** *a.* 윤이 나는 털을 가진, 머릿결이 좋은.

Glattheit *f.* -en ↑ Glätte ①.

Glatt·hobel, Glätt·hobel *m.* 〖工〗 마무리 대패, 고운 대패.

glatt≈|hobeln *t.* 대패질해서 매끄럽게 하다. **~|kämmen** *t.* 단정하게 빗질하다.

Glätt≈holz *n.*, **~keule** *f.* 윤내는 나무.

glatt≈köpfig *a.* 대머리의. **~|legen** *t.* (주름지지 않게 옷을) 평평하게 놓다. **~|machen** *t.* ① 매끄럽게 하다, 다지다. ②〔구어〕청산하다; 지급하다.

Glätt≈maschine *f.* 〖工〗 광택기(機), 윤내는 장치. **~platte** *f.* 〖工〗 광택판; (제지용의) 광택기. **~presse** *f.* 윤내는 압축기.

glatt≈randig *a.* 가장자리가 매끄러운. **~rindig** *a.* 껍질이 반들반들한. **~|rühren** *t.* (밀가루 따위를) 덩어리가 없어질 때까지 젓다.

Glätt·scheibe *f.* 윤내는 널빤지.

glatt≈|schleifen *t.* 매끈매끈하게 갈다. **~schuppig** *a.* 미끄러운 비늘을 가진.

Glätt≈stab *m.* 윤내는 막대기. **~stahl** *m.* 〔방언〕다리미. **~stein** *m.* 연마석(研磨石).

glatt≈|stellen *t.* 〖商〗 청산하다. **~stellung** *f.* 청산, 차감(差減) 계산. **~|streichen*** *t.* 쓰다듬어 매끄럽게 하다. **~weg** *adv.* ① 솔직하게, 딱 잘라, 단호히: et. ~ ablehnen 무엇을 딱 잘라 거절하다. ② 완전히: das ist ~ gelogen 그것은 순〔새빨간〕 거짓말이다.

Glätt·werkzeug *n.* 연마 연장.

glatt≈|ziehen* *t.* 잡아당겨서 평평하게 하다. **~züngig** *a.* 〔雅語〕아부〔아첨〕하는. **~züngigkeit** *f.* 아부, 아첨.

Glatz 글라츠(독일 Schlesien 의 도시).

Glatze [glátsə] 《⇔ glatt》 *f.* -n 머리의 벗어진 곳; 대머리 (Kahlkopf): eine ~ bekommen 대머리가 되다;〖가톨릭〗신부의 면도질한 정수리 부분.

glatzig *a.* 머리가 빠진, 대머리의.

Glatz≈kopf *m.* 대머리;〔구어〕대머리인 사람. **~köpfig** *a.* 대머리의.

glau [glau] 《germ.》 *a.* ① (ndd.) 밝은, (대기

가) 맑은, 갠; (눈동자가) 빛나는; (눈빛이) 날카로운, 총명한. ②〖광산〗 광석을 함유하지 않은.

glau·äugig *a.* 눈이 빛나는; 형안(炯眼)의.

***Glaube** [gláubə] 《<glauben》 *m.* -ns, -n ① 믿음, 신용, 신뢰; 신념: blinder ~ 맹신(盲信); der ~ an das Gute im Menschen 인간의 선함에 대한 믿음; et.[3] 〔jm.〕 Glauben beimessen〔schenken〕 무엇을〔누구를〕 믿다; 〖구어〗 laß ihn doch in dem ~n! 그를 그냥 그렇게 (잘못) 믿고 있게 놔둬라(너에게 유리하니까)!; den ~ an jn. verlieren 누구에 대한 신뢰를 잃다; bei jm. Glauben finden 누구의 신뢰를 얻다; er lebt des sicheren Glaubens, daß ..., 그는 …라는 것을 굳게 믿고 있다; keinen Glauben verdienen 신뢰받을 자격이 없다; et. im guten 〔in gutem〕 Glauben tun 무엇을 성의 있게 하다; auf Treu und Glauben 성실하게, 신용 본위로; seinem Glauben treu bleiben 신념에 충실하다, 신념을 바꾸지 않다. ②〖복수: -n〗 (종교적) 믿음, 신앙, 신조; 종교, 종파: 〖聖〗 ~, Hoffnung, Liebe 믿음, 소망, 사랑(고린도전서 13 : 13); der christliche ~ 기독교; einen Glauben annehmen〔bekennen〕 어떤 종교에 귀의하다; er ist seines Glaubens ein Kalvinist 그의 종파는 칼뱅교다; der ~ macht selig a) 믿는 자는 구원을 얻으리라, b) 〖농담〗 그런 것을 믿는 바보가 있겠는가; für seinen ~n sterben 순교하다.

***glauben** [gláubən] 《원뜻 „vertraut machen"; ♧ lieb, Lob》 《I》 *t.* ① 믿다, 진실이라고 여기다, 신뢰하다: ich glaube den Bericht nicht 나는 그 보고를 믿지 않는다; es ist kaum zu ~, daß ... …라는 것은 도무지 믿어지지 않는다; 〖구어〗 ich glaube, du spinnst! 내 생각에 너는 돌았다!; 〖구어〗 glaubst du, du könntest ...? 너는 …할 수 있다고 생각하면 오산이다; jn. et. ~ machen 누구로 하여금 무엇을 믿게 하다; jn. et. ~ lassen 누구로 하여금 무엇을 믿게 놔두다; jm. et. ~ 누가 말하는 것을 믿다; ich glaube es Ihnen 말씀하시는 그대로라고 믿습니다; er wollte es meinem 〔mir auf meinen〕 Schwur nicht ~ 그는 내 맹세를 믿으려고 하지 않았다. ② jn. 〔et.〕 ... ~ (**a**) 누구를〔무엇을〕 …하다고 여기다, 추측〔추정〕하다: jn. reich ~ 누가 부자라고 생각하다; jn. im Rechte ~ 누가 옳다고 여기다; jn. in Berlin ~ 누가 베를린에 있다고 생각하다. (**b**) 누구를〔무엇을〕 …하다고 잘못 여기다: ich glaubte mich verraten 나는 발각되었다고 오해했다. 《II》 *i.* (h.) ① 믿다, 신뢰하다, 신용하다: jm.〔et.[3]〕 ~ 누구를〔무엇을〕 믿다; ich glaube dir aufs Wort 나는 네 말을 믿는다; wir ~ dem Gerede nicht 우리들은 수다를 믿지 않는다; wie ich glaube 내가 생각하기에는; ich glaube gar! 그런가, 그럴까(의혹), 그런 어리석은 짓을 하다니!; ich glaube wohl 아마 그렇겠지요(주저하면서 동의를 표시함); ich glaube an seine Fähigkeit 나는 그의 능력을 믿는다. ② an et.〔jn.〕 ~ 무엇의 존재를〔가능성을·인물됨을〕 믿다; 종교를 갖다: an Gott ~ 신의 존재를 믿다; sie kann nicht mehr ~ 그녀는 더 이상 종교를 갖고 있지 않다. ③ daran ~ müssen 〖구어〗 죽다; 손해보다, 망하다: bei dieser Altstadtsanierung haben viel alte Häuser daran ~ müssen 이번 구시가지 재건발에서 많은 옛 가옥들이 헐려야 했다. 《III》 *refl.* sich soundso ~ 자기를 …이라고 믿다: er glaubt sich klug 그는 자기가 영리하다고 믿고 있다.

Glaubens⸗abfall *m.* 배교(背教). **~abtrünnige*** *der* 배교자. **~änderung** *f.* 개종(改宗). **~artikel** *m.* 교리 (항목). **~bekenntnis** *n.* ① 신앙 고백: das ~ sprechen 신앙 고백하다. ② 신조, 세계관: politisches ~ 정치적 신조. **~bote** *m.* 사도; 선교사. **~bruder** *m.* 교우(教友). **~eifer** *m.* 열성적인 신앙; 광신. **~ding** *n.* 〖복수〗 신앙 문제: in ~en übereifrig sein 신앙 문제에 광적이다. **~eiferer** *m.* 광신자. **⸗fest** *a.* 믿음이 굳은. **~formel** *f.* 신조, 신경(信經). **~freiheit** *f.* ① 신앙의 자유. ② ↑ Gewissensfreiheit. **~gemeinschaft** *f.* 신앙 공동체. **~genoß, ~genosse** *m.* ↑ ~bruder. **~gericht** *n.* (Inquisition) 종교 재판(소). **~heilung** *f.* 신앙 요법. **~held** *m.* 순교자. **~krieg** *m.* 종교 전쟁. **~lehre** *f.* 신앙을 갖게 하는 가르침; 교의.

glaubenslos *a.* 신앙 없는, 신념이 없는.

Glaubens⸗partei *f.* 종파. **~punkt** *m.* 교의. **~regel** *f.* 신앙의 규정, 종규(宗規). **~richter** *m.* 종교 재판관. **~sache** *f.* 신앙에 관한 일. **~satz** *m.* ① 교의, 교리. ② 고정 관념. **~schwärmer** *m.* 광신자. **~schwärmerei** *f.* 광신. **~spaltung** *f.* 종파 분열. **⸗stark** *a.* 믿음이 굳은. **~streit** *m.*, **~streitigkeit** *f.* 종파간의 싸움. **~verbesserung** *f.* 종교 개혁. **~verleugner** *m.* 배교자, 믿음이 없는 사람. **⸗voll** *a.* 믿음이 깊은. **~vorschrift** *f.* 종규(宗規). **~wahrheit** *f.* 종교상의 진리, 교리. **~wechsel** *m.* 개종. **⸗wert** *a.* 믿을 만한 가치가 있는. **~wut** *f.* 광신. **~zeuge** *m.* 순교자. **~zunft** *f.* 종파. **~zwang** *m.* 신앙의 강요. **~zweifel** *m.* 신앙상의 의문〔의혹〕. **~zwist** *m.* 종교상의 논쟁〔이견〕.

Glauber·salz [gláubər..] *n.* 〖化〗 글라우버염(17 세기의 독일 화학자 J.R. Glauber 의 이름에서), 황산나트륨.

glaubhaft [gláuphaft] *a.* ↑ glaubwürdig.

Glaubhaftigkeit *f.* 믿을 만함, 확실성.

gläubig [glɔ́ʏbɪç] *a.* 신앙을 가진; 믿음이 깊은, 경건한.

Gläubige* *der/die* 신자(信者).

Gläubiger *m.* -s, - 〖商〗 (↔ Schuldner) 채권자, 빚쟁이.

Gläubigerin *f.* -nen ↑ Gläubiger 의 여성형.

Gläubiger·versammlung *f.* 〖經〗 (파산자에 대한) 공동 채권단, 채권자 회의.

Gläubigkeit *f.* 신심이 깊음, 경건.

glaublich [gláuplɪç] *a.* 〖주로 부정 어구와 함께〗 믿을 만한, 있을 법한: es ist kaum ~ 그것은 있을 법하지 않다.

Glaublichkeit *f.* ↑ glaublich 의 명사형.

glaub⸗willig *a.* 〖구식〗 쉽사리〔즐겨〕 믿는. **~würdig** *a.* 믿을〔신용할〕 만한: ~e Aussage 믿을 만한 진술; ~er Zeuge 신뢰할 만한 증인. **⸗würdigkeit** *f.* 신빙성, 신뢰성.

glauch [glaux] *a.* ① (ndd.) ↑ glau. ②〖광산〗 (**a**) (weißblau) 창백한, 해록색(海綠色)의. (**b**) 빈광(貧鑛)의.

Glaukom [glaukó:m] 《gr., „grüner Star"》

n. -s, -e 〖醫〗 녹내장.

Glaukonit [..ní:t, ..nít] *m.* -(e)s, -e 〖광물〗 해록석(海綠石).

gläunig *a.* (ndd.) ↑ glühend.

Glaut *f.* -en (ndd.) ↑ Glut.

glazial [glatsiá:l] 《lat. glacies, „Eis"》 *a.* ① 빙하기의, 빙하기에 형성된: ~e Ablagerungen 빙하층. ② 빙원(氷原)의.

Glazial=fauna *f.* 빙하 시대의 동물군(群). **~flora** *f.* 빙하 시대의 식물상(相). **~kosmogonie** *f.* 대빙하설, 세계 빙하설. **~zeit** *f.* 빙하기.

Glaziolog *m.* -en, -en ↑ Glaziologe.

Glaziologe [glatsioló:gə] *m.* -n, -n 빙하학자.

Glaziologie *f.* 빙하학(學).

glaziologisch *a.* 빙하학의.

Glb =Ganzlederband 완전 가죽 장정의 책.

***gleich** [glaıç] 《I》 *a.* ① 같은, 동일한, 한 가지의, 동등한; 아주 비슷한, 꼭 닮은: eine andere Lyrik des ~en Autors 동일한 작가의 다른 서정시; er ist nicht mehr der ~e 그는 이제 옛날의 그가 아니다; 〖數〗 drei mal drei ist ~ neun 3×3=9; 〖數〗 zwei ~e Dreiecke 합동인 2개의 삼각형; 〖음악〗 ~er Kontrapunkt 등시(等時) 대위법; ~en Namens 이름이 같은; ~es Recht für alle! 만인에게 동등한 권리를!; ~es Fußes springen 두 발을 모아 뛰다; 〔전치사와 함께〕 Karl ist seinem Bruder **an** Größe ~ 카를은 자기의 형과〔아우와〕 키가 같다; ~ an Jahren 같은 나이의; **auf** ~er Höhe sein〔stehen〕 같은 수준이다; auf ~e Weise 동일한 방식으로; ~er Lohn **für** ~e Arbeit! 동일한 노동량에 대해서는 동일한 임금을 주어야 한다!; **in** ~em Werte stehen 값이〔가치가〕 같다; ~e Meinung **mit** jm. haben 누구와 같은 의견을 가지고 있다; jm. mit ~er Münze zahlen 누구에게 받은 대로 똑같이 앙갚음을〔답례를〕 하다; **von** ~er Ansicht sein 같은 의견이다; **zu** ~er Zeit 동시에; zu ~en Teilen 균등하게; wir tragen zufällig die ~en Hüte 우리는 우연히 똑같은 모자를 쓰고 있다; 〔속담〕 ~e Brüder, ~e Kappen 같은 신분〔단체〕의 사람에게는 같은 대접을 해야 한다; 〔반어〕 alle Menschen sind ~, nur einige sind ~er 모든 인간이 평등하지만, 실제로는 몇몇 사람이 특권을 누린다; ≗es mit ≗em vergelten 받은 대로 똑같이 앙갚음을〔답례를〕 하다; es kommt aufs ~e hinaus (어떤 식으로든) 결과는 똑같다; 〔속담〕 ~ und ~ gesellt sich gern 끼리끼리 모인다, 유유상종(類類相從). ② …와 다름없는, (누구)의 수준에 부합하는 (↑ gleichsehen): diese Antwort ist ~ einer Verweigerung 이 대답은 거절이나 다름없다; das sieht ihm nicht ~ 그것은 그에게 안 어울리는 일이다. ③ (gleichgültig) 무관한, 상관없는: es ist mir ganz ~, ob du willst oder nicht 네가 원하든 않든 내게는 전혀 상관이 없다; ich brauche einen Schirm, ganz ~ welcher Farbe 나는 빛깔에 상관 없이 우산이 하나 필요하다. ④ 변함 없는, 한결같은(↑ gleichbleiben): Stimmung, die sich[3] immer ~ bleibt 늘 변함 없는 기분. ⑤ (gerade) 똑바른; 평평한(↑ gleichmachen): in ~er Linie 똑바로, 일직선으로; et. dem Erdboden ~ machen 무엇을 지면과 같은 높이로 하다, 허물다. ⑥ 〖雅語〗 ins ~e bringen〔setzen, stellen〕 정돈〔해결〕하다. 《II》 *adv.* ① 같게, 마찬가지로, 똑같이: ~ alt 나이가 같은; mit jm. ~ denken 누구와 의견이 같다; das ist ~ viel 그것은 마찬가지다. ② (eben, gerade) 흡사, 마치 (gleichwie): 〔wie 와 함께〕 ~ wie eine Schäferin 마치 여자 양치기처럼; 〔wie 없이〕 er ist ~ mir eingeladen worden 그는 나와 마찬가지로 초대받았다; ~ als ob... 〔~ als wenn ...〕 흡사 …처럼, 마치 …같이. ③ (sogleich, sofort) 곧, 바로, 즉시: ich komme ~ 곧 갑니다; ich bin ~ fertig 곧 (일을) 마칩니다; ~ nachdem ich davon erfuhr 내가 그 소식을 듣고 나서 곧바로; das muß ja nicht ~ sein 지금 당장은 그럴 필요가 없다; ich bin sehr nachlässig, aber nicht ~ undienstfertig 나는 매우 게으르지만 그렇다고 쓸모가 없지는 않다. ④ 애당초; 즉각적으로: ~ anfangs 맨 처음부터; das habe ich (doch) ~ gesagt! 내가 이미 말했잖아! ⑤ 〔수사 앞에서〕 동시에, 단번에: ~ zwei Kleider kaufen 한꺼번에 옷을 두 벌 사다. ⑥ 아주 가까운 곳에: ~ bei der Hand sein (언제든지 쓸 수 있도록) 준비되어 있다; der Besen steht ~ neben der Tür 빗자루는 바로 문 옆에 있다. ⑦ 〔수사 의문문에서 별 뜻 없는 허사(虛辭)로〕 대관절, 도대체 wie heißt er doch ~? 그의 이름은 도대체 뭐냐?; 〔명령문·평서문에서 불쾌하다는 뜻의 허사로서〕 das dacht' ich (doch) ~ 그런 것쯤은 나도 생각했다. ⑧ 〔대개 접속사 wenn, ob 와 함께 양보의 뜻으로〕 (obgleich) 설령, …일지라도: wenn 〔ob〕 ich ~ stürbe 비록 내가 죽을지라도.

gleich.. *pref.* "동등·유사"의 뜻(보기: ~alterig 나이가 같은).

gleich=abständig, ~abstehend *a.* 등간격의. **~alterig, ~altrig** *a.* 같은 나이의. **~artig** *a.* 동종의, 동질의; 동성(同性)의. **≗artigkeit** *f.* ↑ ~artig 의 명사형. **~auf** *adj.* 〖스포츠〗 같은 수준〔순위〕의: der Amerikaner lag nach der zweiten Runde ~ mit dem Engländer 미국 선수는 2 세트 후에 영국 선수와 점수가 같았다. **~bedeutend** *a.* 같은 뜻의: das ist ~ mit einer Absage 그것은 거절이나 다름없다. **≗behandelung** *f.* 동등한 대우. **~berechtigt** *a.* 동등한 권리를 가진. **≗berechtigung** *f.* 동등한 권리. **~|bleiben*** *i.* (s.)/*refl.* 변함없다, 마찬가지다: ich bin mir gleichgeblieben 나는 변함이 없다; das bleibt sich völlig gleich 그것은 변함이 전혀 없다. **~bleibend** *p.a.* 한결같은, 변함없는: er ist von ~er Höflichkeit 그는 언제나 정중하다. **~denkend** *a.* ↑ gleichgesinnt. **~deutig** *a.* 의미가〔뜻이〕 같은.

Gleiche [gláıçə] *f.* ① 균형, 수평: 〔다음 용법으로만〕 in die ~ bringen 정돈하다, 해결하다(↑ ins gleiche bringen). ② (öst.) 상량식.

gleich·empfindend *a.* 동감의.

***gleichen**(*) [gláıçən] (glich/(구식) gleichte, geglichen/(구식) gegleicht) 《<gleich》 《I》 *i.* (h.) ① 닮다, 비슷하다: jm. im Aussehen ~ 누구와 외모가 비슷하다; sie ~ einander aufs Haar 〔wie ein Ei dem anderen〕 그들은 구별하기 힘들 정도로 닮았다; sie ~ sich wie Tag und Nacht 그들은 전혀 닮은 데가 없다.

② 필적하다: nichts gleicht diesem Erlebnis 이 체험에 견줄 만한 것은 아무것도 없다. 《Ⅱ》
geglichen *p.a.* ↑ geglichen.
..gleichen *suf.* "…같은 것〔사람〕(들)"의 뜻 (보기: der~ 그와 같은 것〔사람〕; meines~ 나와 같은 사람들).
gleichen·tags *adv.* (schweiz.) 같은 날에.
gleich·entfernt *a.* 등거리의.
Gleicher *m.* -s ①〔구식〕적도(Äquator). ②〔복수: -〕(obd.) 양기(量器) 검사관(Eichmeister).
gleicher≈gestalt, ~maßen, ~weise *adv.* (ebenso) 같게, 같은 정도로.
gleich≈falls *adv.* 마찬가지로, 같게; 또, 게다가. **~farbig** *a.* 빛깔이 같은. **~flügler** *m.* 〖動〗흰개미목(目). **~förmig** *a.* ① 같은 모양의: ~e Schrauben 같은 모양의 나사. ② 단조로운, 지리한: ~es Leben 단조로운 삶. **~-förmigkeit** *f.* ↑ ~förmig 의 명사형. **~fühlend** *a.* 동감의. **~geartet** *a.* ↑ ~artig. **~gelagert** *adj.* 형편〔사정〕이 비슷한. **~geltend** *a.* 등가의, 같은 값의. **~geschlechtlich** *a.* 성(性)이 같은, 동성(同性)의. **~gesinnt** *a.* 의견〔뜻〕이 같은. **~gesinnte*** *der/die* 동지. **~gestaltet** *a.* 모양이 같은. **~gestellt** *a.* 동등한 위치의. **~gestimmt** *a.* ①〖음악〗같은 음조의: ~e Instrumente 음조가 같은 악기. ②〔비유〕의견이 같은, 뜻이 같은.
***Gleich·gewicht** *n.* ① 평형, 균형, 밸런스: 〖物〗 stabiles〔labiles〕 ~ 안정〔불안정〕; politisches ~ 정치적 세력의 균형; das ~ halten〔verlieren〕 균형을 유지하다〔잃다〕; ins ~ bringen 균형을 이루게 하다; sich im ~ halten〔im ~ sein〕 균형이 잡혀 있다, 안정되어 있다; jm.〔et.³〕 das ~ halten 누구와〔무엇과〕 균형을 유지하다, 맞서다. ②〔비유〕(내면의) 안정, 평정: seelisches ~ 마음의 안정; aus dem ~ kommen 평정을 잃다. ③ (a) 저울추: Kilo-~ 1kg 짜리 추; 100-Gramm-~ 100g 짜리추; ~e für Apothekerwaagen 약국 천칭 저울용 추. (b) 시계추. (c) 누르개, 밸러스트: die Ballonfahrer mußten ~ abwerfen, um an Höhe zu gewinnen 기구(氣具) 조종사는 높이 올라가기 위해 밸러스트를〔바닥짐을〕 버려야 했다. ④〔비유〕중요성, 의의: et.³ viel ~ beilegen 무엇을 중시하다; ein Argument von ~ 중요한 주장; dieser Umstand fällt nicht ins ~ 이 상황은 중요하지 않다; sein ganzes ~ in die Waagschale werfen 온 힘을 다 기울이다. **~gewichtig** *adj.* 균형 잡힌.
Gleichgewichts≈gefühl *n.* 평형 감각. **~-künstler** *m.* 줄타는 사람, 곡예사. **~lage** *f.* 평형〔균형〕상태. **~lehre** *f.*〖理〗정역학(靜力學)(Statik). **~organ** *n.*〖해부〗평형 기관. **~sinn** *m.* 평형 감각. **~störung** *f.*〖醫〗평형 장애. **~theorie** *f.* ①〖理〗평형론. ②〖經〗균형 이론. **~zustand** *m.* ↑ ~lage.
gleich≈giltig *a.* ↑ ~gültig. **~gradig** *a.* 같은 수준의. **~gültig** *a.* ①〔구식〕↑ ~geltend. ② 무관심한, 냉담한: ~ reagieren 냉담하게 반응하다. ③ 중요하지 않은, 상관없는: das ist doch in diesem Zusammenhang völlig ~ 이 맥락에서 그것은 전혀 중요하지 않다; mir ist ~, was du davon hältst 그것에 대해 네가 어떻게 생각하든 내겐 상관없다. **~-gültigkeit** *f.* ↑ gleichgültig 의 명사형. **~gut** *a.*〖방언〗↑ einerlei.
Gleichheit *f.* -en ① (a) 일치, 동일: ~ der Ansichten 견해의 일치;〖哲〗상등성(相等性). (b) 평등, 균등: die ~ aller vor dem Gesetz 법 앞에서의 만인의 평등. ② 유사(점);〖數〗등식.
Gleichheits·zeichen *n.*〖數〗등호(=).
gleich≈jährig *a.* 연배가 같은. **~klang** *m.*〖음악〗화음;〔비유〕일치, 조화. **~klappig** *a.*〖動〗(조개 따위가) 등각(等殼)인. **~|kommen** *i.*(s.) ① jm. ~ 누구에 필적하다: keiner kann ihm ~ 그에게 대적할 사람은 아무도 없다. ② et.³ ~ 무엇과 다름없다: ein Sieg, der fast einer Niederlage gleichkommt 패배와 다를 바 없는 승리. **~lauf** *m.*〖工〗동시에 움직임, 동시 작동;〖數〗평행. **~|laufen*** *i.*(s.) ①〖工〗(기계들이) 동시에〔실시간으로〕 작동하다. ② (여러 일이) 동시에 진행되다: die beiden Projekte laufen gleich 그 두 프로젝트는 나란히 진행되고 있다. **~laufend** *p.a.*〖공간적·시간적〗평행하는: ~e Handlungsstränge (드라마·소설에서) 나란히 진행되는 여러 가닥의 줄거리; ~e Linien 평행선. **~läufig** *a.* ↑ ~laufend. **~läufigkeit** *f.* 〖工〗동시 작동. **~laut** *m.* ① ↑ ~klang. ② 동음 이의;〔비유〕동률(同律). **~lautend** 《I》*a.* ①〖언어〗동음 이의의. ② 본문이 똑같은: ~e Abschrift 사본, 등본. 《Ⅱ》*adv.*〖商〗동문(同文)으로. **~|machen** *t.* 같게 하다; 평평하게 하다, 고르다(단: gleich machen *t.* 곧 하다): eine Stadt dem Boden ~ 도시를 폐허로 만들다; der Tod, der alles gleichmacht 모든 것의 차이를 없애는 죽음. **~macher** *m.*〖폄어〗무차별주의자, 획일주의자. **~macherei** [glaıç..ráı] *f.*〖폄어〗무차별주의, 획일주의. **~macherisch** *a.*〖폄어〗무차별주의의. **~machung** *f.* 고르게 하기; 평등화; 평준화; 등분. **~maß** *n.* ① (a) 균형, 균제. (b) 평정: inneres ~ 내면의 평정. ② 단조로움: das ~ von Bewegungen 단조로운 운동. **~mäßig** *a.* 균형 잡힌; 대칭의; 균일한;〖數〗~e Konvergenz 일양 수렴(一樣收斂). **~-mäßigkeit** *f.* ↑ ~mäßig 의 명사형;〖物〗일양성(一樣性). **~mittig** *a.* (원들이) 동심(同心)인, 중심이 같은. **~mut** *m.* 태연, 침착, 냉정. **~mütig** *a.* 태연한, 침착한, 냉정한. **~mütigkeit** *f.* ↑ ~mütig 의 명사형. **~namig** *a.* 동명(同名)의;〖數〗공통 분모의; 〖物〗같은 성질의: ~ Pole 같은 극(極). **~-namigkeit** *f.* 동명(同名); 공통 분모를 가짐; 같은 극임.
***Gleichnis** [glaıçnıs] 《<gleich》*n.* -ses, -se ① 비유; 우의(寓話), 우화: ein biblisches ~ 성경의 비유; in ~sen reden 비유적으로 말하다. ②〔구식〕초상, 화상; 비유 그림.
gleichnishaft *a.* 비유적인: ~ darstellen 비유적으로 서술하다.
Gleichnis≈rede *f.* ↑ Gleichnis ①. **~weise** *adv.* 비유적으로; 우의적〔우화적〕으로. **~-wort** *n.* 비유; 비유적인 말〔표현〕.
gleich≈rangig *a.* 같은 등급의: diese beiden Fälle sind von der Dringlichkeit her ~ 이 두 사건은 절박성에 있어 똑같다. **~|richten** *t.*〖전기〗정류(整流)하다. **~richten** *n.*〖전기〗정류(整流). **~richter** *m.*〖전기〗정류

기. ~richter·röhre *f.* 〖전기〗 정류관.

***gleichsam** [gláɪçzaːm] *adv.* 〘雅語〙 (sozusagen) 말하자면, 보기를 들면; (ganz wie) 흡사, 마치.

gleich≈schalig *a.* ↑ ~klappig. **~|schalten** *t.* 《Ⅰ》 ① (특히 나치 때에) 통제하다, 획일화하다, 관제화하다: Wissenschaft und Kunst ~ 학문과 예술을 어용화하다. ② 〖電〗 동기화(同期化)하다. 《Ⅱ》 *refl.* sich ~ 시류에 편승하다. **~schaltung** *f.* 통제, 획일화, 어용화. **~schenkelig, ~schenklig** *a.* 〖數〗 2등변의. **~schritt** *m.* 발맞추어 걷기: im ~ marschieren 발맞추어 행진하다. **~|sehen*** *i.* (h.) jm. ~ ① 누구를 닮다: er sieht seinem Vater gleich 그는 그의 아버지와 꼭 닮았다. ② 누구에게 평범한 일이다: das sieht ihm gleich, erst etwas zu versprechen und es dann nicht zu halten 우선 뭔가를 약속하는 것 그리고 나서 그것을 지키지 않는 것이 그에게는 아무렇지 않은 일이다. **~seitig** *a.* 〖數〗 등변의. **~seitigkeit** *f.* 등변. **~|setzen** *t.* et.〔jn.〕 mit et.³〔jm.〕 ~ 무엇을〔누구를〕 무엇과〔누구와〕 대등하게 취급하다, 동일시하다: Eigenliebe mit Selbstsucht ~ 자기애와 이기심을 동일시하다. **~setzung** *f.* 동일시, 동등 취급. **~silbig** *a.* 〖문법〗 음절 수가 같은. **~sinn** *m.* ① ↑ ~mut. ② 동지(同志). **~stand** *m.* ① 〖스포츠〗 동점: den ~ herstellen 동점을 만들다. ② 〖政〗 세력 균형. **~|stehen*** *i.* (h.) jm.〔et.³〕 ~ 누구와〔무엇과〕 동등〔대등〕하다: sozial stehen sie sich gleich 사회적으로 그들은 대등하다. **~stehende*** *der/die* (지위·계급 따위가) 대등〔동등〕한 사람. **~|stellen** *t.* 대등〔동등〕하게 하다. **~stellung** *f.* 대등하게 함, 동렬에 놓음. **~stimmig** 《Ⅰ》 *a.* 〖음악〗 같은 음조의; 〔비유〕 조화로운, 화합한. 《Ⅱ》 *adv.* 이구동성으로. **~strom** *m.* 〖전기〗 직류.

Gleichstrom≈dynamo *m.* 직류 발전기. **~maschine** *f.* 직류 전기(電機). **~motor** *m.* 직류 전동기.

gleich≈teilig *a.* 등분의. **~tritt** *m.* ↑ ~schritt. **~|tun*** *t.* 〔다음 용법으로만〕〔구어〕 es jm. ~ **(a)** 누구를 모방하다. **(b)** 누구에 필적하다: er hat es seinem Freund im Trinken gleichgetan 그는 술마시는 데는 그의 친구에 뒤지지 않았다.

Gleichung [gláɪçʊŋ] 《<gleichen》 *f.* -en 〖數〗 방정식: einfache ~en 〔~en des ersten Grades〕 1차 방정식; quadratische ~en 〔~en des zweiten Grades〕 2차 방정식 ; kubische ~en 〔~en des dritten Grades〕 3차 방정식; ~en mit mehreren Unbekannten 연립 방정식; eine ~ lösen 방정식을 풀다; chemische ~ 화학 방정식; 〔비유〕 er wollte seine Ideale in die Praxis umsetzen, aber die ~ ging nicht auf 그는 자신의 이상을 실천에 옮기려 했으나, 뜻대로 되지 않았다. ② 〖天〗 균시차(均時差).

gleich≈viel *adv.* 매한가지로; 어쨌든, 어떻든: ~, ich werde ihn einladen 어쨌든 그를 초대한다; es gilt〔ist〕 mir ~, ob ..., …이건 아니건 마찬가지다〔단: diese Münzen gelten beide gleich viel 이 화폐는 둘 다 같은 액수다〕. **~weit** *a.* 거리가 같은. **~wertig** *a.* 가치가 같은; 대등한: ein ~er Gegner 맞수; 〖理〗 등가(等價)의 (äquivalent). **~wertigkeit** *f.* 등가(等價). **~wie** [gláɪçviː, glaɪçvíː] *cj.* (ebenso wie) 마치 …같이. **~winkelig, ~winklig** *a.* 〖數〗 등각의. **~wohl** [glaɪçvóːl, gláɪçvoːl] *cj./adv.* 그럼에도 불구하고 〔단: wir befinden uns alle gleich wohl 우리는 다 같이 건강하다〕. ***~zeitig** 《Ⅰ》 *a.* 동시의; 동시에 일어나는. 《Ⅱ》 *adv.* ① 동시에: ~ mit Beginn des Studiums 학업을 시작함과 동시에. ② 또한: ich freue mich darauf und habe ~ Angst davor 그것이 기다려지기도 하지만 또한 두렵기도 하다. **~zeitigkeit** *f.* ↑ ~zeitig 의 명사형. **~|ziehen** *i.* (h.) 〖스포츠〗 따라잡다, 동점이 되다.

Gleime *f.* -n (md.) ↑ Glühwurm.

***Gleis** [glaɪs] *n.* -es, -e ① 레일, 철도, 선로: Überschreiten der ~e verboten! 선로 횡단 금지!; der Zug läuft auf ~ 9 ein 기차는 제 9번 선로로 진입한다. ② 〔비유〕 상궤, 상도(常道), 질서, 정신적 균형: jn.〔et.〕 auf ein totes ~ schieben 누구를〔무엇을〕 무기력하게 만들다, 무력화시키다; aus dem ~ geraten 갈피를 못 잡게 되다, 우왕좌왕하게 되다; aus dem ~ bringen〔werfen〕 갈피를 못 잡게 만들다, 우왕좌왕하게 만들다; im ~ sein 정상이다; wieder ins (rechte) ~ kommen 정상화되다; wieder ins (rechte) ~ bringen 정상화시키다; sich in ausgefahrenen ~en bewegen 전혀 달라진 것이 없다.

Gleis≈anschluß *m.* ① 선로의 연결. ② (항만·공단으로 들어가는) 레일 인입선(引入線), 측선(側線). **~arbeiter** *m.* 선로 보수반원. **~bau** *m.* 선로 건설. **~bettung** *f.* 〖철도〗 선로의 토대. **~drei·eck** *n.* 〖철도〗 3각선(線), 삼각형꼴의 선로.

Gleise[1] [gláɪzə] *f.* -n 평행선.

Gleise[2] 《<gleisen》 *f.* -n 기만, 위선.

Gleis·eck 《<Gleise[1]》 *n.* 평행 4변형.

Gleisel *m.* -s, - 평행 6면체.

gleisen *i.* (h.) 〔고어〕 ↑ gleißen ②.

..gleisig "선로가 …개인"의 뜻(보기: ein~ 단선의; zwei~ 복선의).

gleislos *a.* (기차가) 무궤도(無軌道)인.

Gleisner [gláɪsnər] 《<gleisen》 *m.* -s, - 〔구식〕 위선자; 표리부동한 사람.

Gleisnerei *f.* 〘雅語〙 위선(僞善).

gleisnerisch *a.* 〘雅語〙 위선의.

Gleiß[1] [glaɪs] *m.* -es 〔구식〕 ↑ Gleisnerei.

Gleiß[2] *m.* -es ① 〔시어〕 광휘, 빛. ② 〔은어〕 우유; 은.

Gleiße [glaɪsə] *f.* -n 〖植〗 독미나리.

gleißen(*) [gláɪsən] (gleißte/(고어) gliß, gegleißt/(고어) geglissen) *i.* (h.) ① 빛나다, 번쩍이다. ② 속이다; 거짓 꾸미다.

Gleis≈waage *f.* 〖철도〗 궤도(에 설치된) 중량계(重量計). **~weite** *f.* 〖철도〗 궤도의 폭, 궤간(軌間).

Gleit≈bahn [gláɪt..] *f.* 활강로; 〖工〗 활구(滑溝); 비탈진 조선대(造船臺). **~boot** *n.* 수상 활주 보트. **~bügel** *m.* 〖工〗 (전차의) 집전(集電) 장치.

Gleiten *n.* -s 활주; 〖物〗 미끄럼; 〖空〗 공중 활공; 〖음악〗 글리산도.

***gleiten**(*) [gláɪtən] (glitt/gleitete, geglitten/gegleitet) *i.* (s.) ① (일부러) 미끄러지다, 활주〔활공〕하다: mit dem Auge über et. ~ 무엇

을 힐끔 훑어보다; durch die Luft ~ 공중을 미끄러지듯이 날아가다. ② (무심코) 미끄러지다, 발을 미끄러뜨리다: hier glitt sein Fuß 여기서 그의 발이 미끄러졌다. ③ (h.) 〖구어〗 (근무 시간을) 마음대로 조정하다: ~de Arbeitszeit 탄력 근무 시간제; wir ~ schon ein halbes Jahr 우리는 이미 반년간이나 자유롭게 출퇴근하고 있다.

gleitend *p.a.* 미끄러지는, 유동하는; 슬라이드제의: 〖經〗 der ~e Lohn 물가 연동 임금제; 〖문학〗 ~er Reim 활운(滑韻); ~e Skala a) 〖理〗 계산용 자, b) 〖經〗 물가 연동제.

Gleiter *m.* -s, - (얼음) 지치는 사람, 활주자; 〖空〗 글라이더; 〖문학〗 시형(詩形)의 일종.

Gleit≈fläche *f.* 〖理〗 (결정의) 미끄럼면(面). **~flieger** *m.* 〖空〗 글라이더; 글라이더 조종사. **~flug** *m.* 〖空〗 공중 활공: im ~ niedergehen 활강(滑降)하다. **~flugzeug** *n.* 글라이더. **~klausel** *f.* (변동 사항에 대비하여 계약 조건을 명시한) 조정 조항(Wertsicherungsklausel). **~schiene** *f.* ① 레일; 스케이트 날. ② 〖기계〗 미끄럼 막대. **~schuh** *m.* ① 〖工〗 (레일 위의) 이동 장치의 활주판(Gleitbacke). ② 설상화. **~schutz** *m.* 미끄럼 방지 장치(보기: 스노 체인). **~schutz·reifen** *m.* 미끄럼 방지 타이어. **≈sicher** *a.* 미끄러지지 않는; 미끄럼막이를 댄. **~stange** *f.* ↑ ~schiene ②. **~stil** *m.* (구식의) 장애물 경주. **~ventil** *n.* 〖기계〗 활판(滑瓣). **~zeit** *f.* ① (탄력 근무 시간제의) 출퇴근 시간대(帶). ② 〖구어〗 탄력 근무 시간제. ③ 초과〔부족〕 근무 시간.

Gletscher [glɛ́tʃər] *m.* -s, - 빙하, (고산에 뒤덮인) 거대한 얼음판. **≈artig** *a.* ↑ gletscherhaft. **~bildung** *f.* 빙하의 형성. **~brand** *m.* 〖醫〗 (빙설면에 반사된 자외선에 의한) 빙하 화상(火傷), 괴저(壞疽). **~brille** *f.* 스키 안경. **~bruch** *m.* 〖지질〗 빙폭(氷瀑). **~eis** *n.* 빙하(氷河) 얼음. **~feld** *n.* 빙하의 넓은 표면.

gletscherhaft *a.* 빙하 같은; 피라미드 모양의; 거대한.

Gletscher≈lehre *f.* 빙하학. **~milch** *f.* 〖지질〗 빙하수. **~moräne** *f.* 〖지질〗 빙퇴석(氷堆石). **~mühle** *f.* 빙하 구혈(甌穴); (빙하에 의한) 돌개구멍. **~periode** *f.* 빙하기. **~schliff** *m.* (암벽의) 빙하에 긁힌 자국(Kritzung). **~spalte** *f.* 빙하의 균열〔갈라진 틈〕. **~sturz** *m.* 빙하 붕괴. **~tisch** *m.* 〖지질〗 빙하탁(卓). **~topf** *m.* ↑ ~mühle. **~tor** *n.* 빙하구(氷河口).

Gleve [glé:fə] 《lat.》 *f.* -n ① (중세의) 창 모양의 무기. ② (14-15 세기) 기사단의 최소 단위. ③ (문장(紋章)에 쓰인) 백합꽃의 상단 부분.

Gliadin [gliadí:n] 《gr.》 *n.* -s, - 〖化〗 글리아딘(쌀·보리 등에 함유된 Prolamin 의 일종).

Glibber *m.* -s, - (ndd.) ① 젤리(Gelee). ② (Schmiere) 윤활유, 그리스; 연고.

glibberig *a.* (ndd.) (glatt) 미끄러운; 반들반들한.

glich [glɪç] ↑ gleichen 의 과거형.

gliche [glɪ́çə] ↑ gleichen 의 접속법 Ⅱ 식.

***Glied** [gli:t] *n.* -(e)s, -er [glí:dər] ① (신체의) 지체: (**a**) 〖복수〗 ~er 사지: seine gesunden ~er haben 신체가 건강하다; sich³ ein ~ verrenken 관절을 삐다; kein ~ rühren können 몸을 전혀 움직일 수 없다; der Schreck fuhr mir in alle ~er 나는 소스라치게 놀랐다; das liegt mir so in den ~ern 그것은 내 버릇이다. (**b**) 마디, 지절(肢節), 관절. (**c**) männliches ~ 음경; weibliches ~ 음문. ② (쇠사슬의) 고리. ③ 일원, 구성원, 멤버. ④ 〖雅語·고어〗 세대: Vettern im dritten ~e 재종〔육촌〕 형제. ⑤ (문장의) 구, 절; 〖문법〗 명사(名辭). ⑥ 〖數〗 항: äußere〔innere〕 ~er 외항〔내항〕. ⑦ 〖건축〗 (장식의) 부분. ⑧ 〖植〗 마디; 〖動〗 환절(環節), 고리마디. ⑨ 〖軍〗 열(列): das zweite ~ 제 2 열; in Reih und ~ 정렬하여; in zwei ~ern 2 열로; aus dem ~ treten 대열에서 이탈하다.

Glieder≈abstand *m.* 〖軍〗 열과 열 사이의 간격. **~band** *n.* 〖복수: ..bänder〗 〖動·해부〗 인대. **~bau** *m.* ① 사지의 (연결) 구조. ② 〖문법〗 문장 구조. **~beschwerde** *f.* 〖醫〗 관절통, 통풍. **~feuer** *n.* 〖軍〗 2 열 윤번 사격. **~fluß** *m.* 〖醫〗 류머티즘. **~fuge** *f.* 관절. **~füßer, ~füßler** *m.* 〖動〗 절지 동물. **~geschwulst** *f.* 사지의 종창. **~gicht** *f.* 〖醫〗 관절염, 통풍. **~hülse** *f.* 〖植〗 (콩과 식물에서 볼 수 있는) 협과(莢果) (깍지).

glied(e)rig *a.* ↑ gegliedert.

..glied(e)rig *suf.* "…한 지체를 지닌"의 뜻(보기: fein~ 손발이 가냘픈; 〖數〗 vier~ 4 항(項)의).

Glieder≈kaktus *m.* 〖植〗 공작 선인장. **~kette** *f.* 〖工〗 링체인. **~krankheit** *f.* 〖醫〗 관절 질환. **≈lahm** *a.* 〖醫〗 사지가〔수족이〕 마비된. **~lähmung** *f.* 사지〔수족〕 마비. **~länge** *f.* ① 지체의 길이. ② 〖植〗 체꽃 종류: gelbe ~ 갈퀴덩굴. **~mann** *m.* 〖복수: ..männer〗 인체 모형, 마네킹.

***gliedern** [glí:dərn] 《I》 *t.* ① 마디로 나누다; 〖軍〗 정렬시키다. ② (계통을 세워서) 정리하다, 분류〔구분〕하다: einen Aufsatz ~ 논문의 목차를 작성하다; das Heer gliedert sich in Landstreitkräfte, Marine und Luftwaffe 군대는 육·해·공군으로 나뉜다. 《Ⅱ》 **gegliedert** *p.a.* ↑ gegliedert.

Glieder≈puppe *f.* ① ↑ ~mann. ② 팔·다리가 움직이는 인형, 인형 극용 인형; 〖비유〗 어색한 동작을 되풀이하는 사람〔동물〕. **~reißen** *n.* 〖醫〗 류머티즘성 동통(疼痛). **~satz** *m.* 〖문법〗 순환문(Periode), 쌍대문(雙對文).

Glied·ersatz *m.* (의지(義肢)·의안·의치 등) 신체의 결함 보충물.

Glieder≈schmerz *m.* 〖醫〗 관절통, 류머티즘성 동통(疼痛). **~spinnen** *pl.* 〖動〗 원환충류(圓環蟲類). **~sucht** *f.* (schweiz.) 〖醫〗 관절염, 류머티즘. **~tier** *n.* 환형 동물.

***Gliederung** [glí:dərʊŋ] *f.* -en ① 관절; 분절(分節). ② 계통적 분류, 정리, 조직, 구성; 〖軍〗 편성, 배열; 구분; (글귀·어구의) 구조, 짜임; 〖음악〗 조(調)바꿈; 〖건축〗 쇠시리.

Glieder≈wasser *n.* ↑ Gliedwasser. **~weh** *n.* ↑ ~reißen. **≈weise** *adv.* ① 관절마다, 마디마디, 고리마다. ② 〖軍〗 대오마다, 대오를 이루어, 2 열 종대로. **~zucken** *n.*, **~zuckung** *f.* 〖醫〗 관절 경련.

Glied·kraut *n.* 〖植〗 꿀풀과 식물.

gliedlos *a.* 관절이〔지체(肢體)가〕 없는; 절지가 없는.

Glied≈maßen *pl.* 사지, 손발. **~satz** *m.* 〖언어〗 부(副)문장, 종속문(↔ Hauptsatz). **~schwamm** *m.* 〖醫〗 백종(白腫), 관절 종양.

~staat *m.* (연방을 구성하는) 개별 국가. **~wasser** *n.*〖해부〗관절액(液), 활액(滑液). **~weise** *adv.* ↑ gliederweise.

***glimmen**(*) [glímən] (glimmte/glomm, geglimmt/geglommen) *i.* (h.) 희미하게 빛나다, (불꽃이 일지 않고) 타다: ~de Asche 희미하게 빛나며 타고 있는 재; im Dunkeln sah man seine Zigarette ~ 어둠 속에서 그의 담배가 희미하게 타오르는 것이 보였다;〖비유〗die Hoffnung glimmt nur noch 실낱 같은 희망이 있을 뿐이다.

Glimmen *n.* -s 미광; 박명(薄明), 땅거미;〖비유〗열정, 열심;〖전기〗백열.

***Glimmer** [glímər] *m.* -s, - ① 미광(微光), 박명(薄明). ②〖광물〗운모.

glimmer=artig *a.* 운모 같은. **~blättchen** *n.* 운모의 얇은 조각. **~brille** *f.*〖醫〗운모 안경. **~haltig** *a.* 운모가 함유된.

glimmerig *a.* ①〖드물게〗반짝이는, 번쩍이는. ② ↑ glimmerhaltig.

glimmern [glímərn] *i.* (h.) 반짝이다.

Glimmer·schiefer *m.*〖광물〗운모 편암(片岩).

Glimm=käfer *m.*〖動〗개똥벌레. **~lampe** *f.*〖전기〗백열(전)등. **~licht** *n.*〖복수: -er〗미광(微光);〖전기〗글로(캐소드 방전에 따른 약한 불빛). **~stengel** *m.*〖구어〗염궐련.

Glimpf[1] [glımpf] *m.* -(e)s〖구식〗① 예의 범절, 위신, 체면: mit ~ 체면을 잃지 않고, 무사히. ② 관대, 보호; 온건, 온화: mit ~ 관대히, 부드럽게. ③ 공정, 공평: mit Fug und ~ 공명 정대하게.

Glimpf[2] *m.* -(e)s (끝을 꿰는) 바늘; 구두끈의 끝부분.

glimpflich *a.* ① 관대한, 부드러운, 온화한: ein ~es Urteil 관대한 판결; jn. ~ behandeln 누구를 부드럽게 대하다. ② 큰 손해〔피해〕없는, 무사한: ~ davonkommen 이렇다 할 피해 없이 위기에서 벗어나다; ~ abgehen (일이) 무사히 끝나다.

Glimpflichkeit *f.* 관대, 관용.

glinstern *i.* (h.) ↑ glinzen.

glinzen *i.* (h.) (ndd.) ① 빛나다. ② ↑ glitzern.

glinzern *i.* (h.) ↑ glinzen.

Gliom [glió:m] 《gr.》 *n.* -s, -e〖醫〗신경 교종(膠腫).

gliß [glıs] ↑ gleißen의 과거형.

Glissade [glısá:də] 《frz.》 *f.* -n〖발레〗글리사드(미끄러지듯 발을 옮기는 기술).

glissando [glısándo] 《it.》 *adv.*〖음악〗(gleitend) 글리산도, 활주법(滑奏法)으로.

Glissando *n.* -s, -s/..di〖음악〗활주법〔부〕.

glisse [glísə] ↑ gleißen의 접속법 Ⅱ식.

Glitsch·bahn [glítʃ..] *f.*〖방언〗(스케이트·썰매의) 활주로(滑走路), 스케이트장.

Glitsche *f.* (ndd.) ① 미끄럼. ②〖복수: -n〗↑ Glitschbahn.

glitschen ① *i.* (s.)〖구어〗미끄러지다: etwas glitscht jm. aus der Hand 무엇이 누구의 손에서 미끄러져 떨어지다. ② *i.* (s./h.)〖방언〗썰매를 타다.

glitscherig *a.* ↑ glitschrig.

glitschig *a.*〖구어〗① 미끄러운, 미끈거리는. ②〖방언〗(케이크·빵이) 덜 구워진.

glitschrig *a.* ↑ glitschig ①.

glitt [glıt] ↑ gleiten의 과거형.

glitte [glítə] ↑ gleiten의 접속법 Ⅱ식.

Glitzer [glítsər] *m.* -s, - 반짝임, 반짝거림; 반짝이는 곳〔빛〕.

glitzerig *a.* ↑ glitzrig.

glitzern *i.* (h.) 반짝이다, 반짝거리다.

glitzrig *a.* 반짝이는, 반짝거리는.

***global** [globá:l] 《lat.》 *a.* ① 지구 표면의; 전세계적인: eine ~e Verständigung zwischen Völkern suchen 민족들 사이의 전세계적인 이해를 추구하다. ② 전체적인, 전반적인: ~er Überblick 전체적인 시각. ③ 대략의, 대체적인: ~ betrachtet 대체적으로 보아.

Global=funk *m.*〖통신〗(인공 위성을 이용한) 장거리 통신. **~summe** *f.* (대략의) 총계.

Globe·trotter [gló:b(ə)trɔtər] *m.* 세계 일주 여행자.

Globin [globí:n] 《lat.》 *n.* -s〖生·醫〗글로빈(헤모글로빈의 단백질 부분).

Globulin [globulí:n] 《lat.》 *n.* -s, -e〖生·醫〗글로불린(혈청의 단백질).

Globus [gló:bus] 《lat.》 *m.* -(ses), ..ben/-se ① 공; 지구. ② 지구의(儀), 천체의(儀).

Glock [glɔk]〖다음 용법으로만〗(ndd.) 정각: ~ halb zwei 정각 1시 반에; es ist Glock drei 정각 3시다.

Glöckchen [glœ́kçən] *n.* -s, -〖↑ Glocke의 축소형〗작은 종; 방울, 요령(搖鈴), 벨.

***Glocke** [glɔ́kə] *f.* -n ① 종, 큰 방울: die ~n läuten a) 종〔방울〕이 울리다, b) 종〔방울〕을 울리다;〖비유〗et. an die große ~ hängen 〔bringen, binden〕무엇을 소문내다, 떠벌리다;〖비유〗er hat die ~ läuten hören, weiß aber nicht, wo sie hängt 그는 그 일에 대해 잘 알지도 못하면서 수다를 떨고 있다; was ist die ~? 몇 시냐?; die ~ schlägt zehn (Uhr) 시계가 10시를 치고 있다; jm. sagen, was die ~ geschlagen hat 누구에게 사태가 얼마나 심각한지〔어떤 일이 벌어질지〕알려 주다. ②〖구식〗초인종, 벨: die ~ schrillte 초인종이 날카롭게 울렸다. ③ 종〔방울〕모양의 것: **(a)**〖植〗꽃받침. **(b)** (버터 등을 덮는) 둥근 유리 뚜껑;〖理〗배기종(排氣鐘); (램프의) 둥근 갓. **(c)** (종 모양의) 잠수정. **(d)** (주름 잡는) 인두. **(e)** 자고새 그물. **(f)**〖펜싱〗칼자루 끝의 보호 갓. **(g)** 염소 목의 군살. **(h)** 해파리의 몸체. **(i)** 종모양의 중산(中山) 모자〔망토·스커트〕.

glöckeln *i.* (h.) (방울이) 울리다.

Glocken=apfel *m.* (크고 단단한) 종 모양의 사과. **~apparat** *m.* 벨 장치. **~balken** *m.* 종도리. **~becher** *m.* (선사 시대의) 종형 토기. **~blume** *f.*〖植〗풍령초(風鈴草), 초롱꽃. **~boje** *f.*〖海〗종이 달린 부표. **~bronze** *f.*, **~erz** *n.* 종청동(鐘靑銅)(구리와 주석의 합금). **~form** *f.* 종형(型). **~förmig** *a.* 종 모양의. **~gehäuse** *n.* ↑ ~haus. **~geläut, ~geläute** *n.* 종소리. **~gießer** *m.* 종 주조공. **~gießerei** *f.* ① 주종(鑄鐘) 공장. ② 주종술(術). **~guß** *m.* 종의 주조, 주종(鑄鐘). **~gut** *n.* ↑ ~bronze. **~hammer** *m.* 종의 불알, 당목(撞木). **~haus** *n.* 종루(鐘樓), 종각. **~hell** *a.* 종소리처럼 맑은: mit ~er Stimme 종소리처럼 맑은 목소리로.

Glockenist *m.* -en, -en〖음악〗철금(鐵琴) 연주자; 차임벨 연주자.

Glọcken-klang *m.* 종의 음향. **~klöppel** *m.* 종〔방울〕의 추. **~läuten** *n.* ↑ ~geläut. **~läuter** *m.* 종지기. **~magnet** *m.*〖전기〗종형(鐘形) 자석. **~mantel** *m.* ① 종의 주형(鑄型) 틀. ② 종 모양의 외투. **~metall** *n.* ↑ ~bronze. **~ring** *m.* 종의 추의 고리. **~rock** *m.* 〖의상〗종 모양의 스커트〔치마〕. **~schlag** *m.* 시계〔시종〕 치는 소리: auf den ~ 〔mit dem ~〕 정시에. **~schnur** *f.* 벨을 울리는 줄. **~schwengel** *m.* ① ↑ ~klöppel. ② 종의 굽은 자루. **~seil** *n.* 종추에 매단 밧줄. **~signal** *n.* 종〔벨〕의 신호, 경종, 경보. **~-speise** *f.* 종 주조용 쇳물. **~spiel** *n.* 〖樂〗 ① (교회 등의) 종악(鐘樂): die Besucher versammelten sich, um das ~ zu hören 방문객들은 종악을 듣기 위해 모여들었다. ② (Zymbal) 철금(鐵琴), 편종(編鐘). ③ (가게 문에 매단) 종에서 나는 (차임 벨) 소리. **~stimme** *f.* 종소리처럼 맑은 목소리. **~stube** *f.* (종루(鐘樓)의) 종이 설치된 방. **~stuhl** *m.* 종가(鐘架). **~stunde** *f.* 꼭 찬 한 시간: alles mit der ~ machen 모든 일을 규칙적으로 하다. **~taufe** *f.* 헌종(獻鐘)식. **~tierchen** *n.*〖動〗종벌레. **~ton** *m.* 종소리. **~tonne** *f.* ↑ ~boje. **~turm** *m.* 종탑, 종루. **~ventil** *n.* 〖工〗 종형 밸브. **~weihe** *f.* ↑ ~taufe. **~zug** *m.* ① 종〔벨〕을 울리기. ② ↑ ~seil.

glọckig *a.* 종(鐘) 모양의: ein ~er Rock 종 모양의 치마.

Glọ̈cklein *n.* -s, - 〖↑ Glocke 의 축소형〗 ↑ Glöckchen.

Glọ̈ckner *m.* -s, - (교회의) 종지기.

glomm [glɔm] ↑ glimmen 의 과거형.

glömme [glœ́mə] ↑ glimmen 의 접속법 Ⅱ식.

Gloria[1] [gló:ria] 《lat.》 *n.* -s 〔*f.*〕 〖구어·반어〗 영광, 영예.

Gloria[2] *n.* -s, -s 〖가톨릭〗 글로리아(미사곡의 일종).

Gloria[3] *f.* (광택을 낸) 견사 교직(交織)천.

Gloria[4] *n./m.* -s, -s 〖요리〗 글로리아(브랜디를 탄 달고 진한 커피).

***Glorie** [gló:riə] *f.* -n ① 영광, 영예; (신의) 영광; 영화. ②〖畫〗 (금빛으로 그린) 후광(後光). ③ 후광(後光).

Glorien·schein *m.* ↑ Glorie ③.

Glorifikation [glorifikatsió:n] *f.* -en 영광을 돌림, 찬미.

glorifizieren *t.* 찬미하다.

Glorifizierung *f.* -en 찬미, 칭송.

Gloriole [..rió:lə] *f.* -n ↑ Glorie ③.

glorios [..rió:s] *a.* ↑ glorreich ②.

glorreich *a.* ① 영광스러운, 찬란한. ②〖구어·대개 반어〗 멋진, 굉장한.

glorwürdig *a.* ↑ glorreich.

glosen (du glost 〔glosest〕) *i.* (h.) (obd.) ↑ glühen, glimmen.

Glossar [glɔsá:*r*] *n.* -s, -e 주해서, 어휘; 전문어〔특수어〕 사전; 용어 색인(부록).

Glossarium *m.* -s, ..rien [..riən] 〖구식〗 ↑ Glossar.

Glossator [..sá:tɔr, ..to:*r*] *m.* -s, -en [..tó:rən] 주해자; 어휘 편찬자.

***Glosse** [glɔ́sə] *f.* -n ① (고대그리스·로마의) 이해하기 어려운 구식 표현. ② 혹평; 코멘트, 시사 촌평: über jn.〔et.〕 ~ machen 누구를〔무엇을〕 비꼬다. ③〖가톨릭〗성서 주해; 방주(傍註). ④〖문학〗 글로세(에스파냐의 서정시형).

Glọssen·macher *m.* ① ↑ Glossator. ② 혹평가.

glossieren *t.* ① 주해〔방주(傍註)〕를 달다. ② 〖비유〗 혹평하다, 비꼬다.

Glossịtis *f.* ..tiden [..tí:dən] 〖醫〗 설염(舌炎).

Glossolale* [glɔsolá:lə] *der/die* 〖종교〗 방언(方言)하는 사람.

Glossolalie [glɔsola:lí] *f.* 〖종교〗 방언(方言) (무아지경에서 나오는 내용 불명의 말).

glosten [glɔ́stən] *i.* (h.) 〖고어〗 ↑ glimmen.

glọstern *i.* (h.) 〖방언〗 ↑ glotzen.

Glottal [glɔtá:l] *m.* -s, -e 〖음성〗 목청소리.

Glottis [glɔ́tɪs] 《gr. glotta, „Zunge"》 *f.* ..ides 〖해부〗 (후두의) 성문(聲門).

Glọttis·schlag *m.* 〖음성〗 성문 폐쇄음.

Glottogonie *f.* 언어 기원론.

Glọtz-auge *n.* ① 눈딱부리; 〖醫〗 안구 돌출. ② (놀라서) 휘둥그레진 눈. ③〖動〗 잉어과의 작은물고기. **~augen·krankheit** *f.* 〖醫〗 바제도(씨)병(病). **~äugig** *a.* 눈딱부리의, 눈이 부리부리한.

Glotze [glɔ́tsə] *f.* -n 〖경박〗 텔레비전 수상기, 바보상자.

***glotzen** [glɔ́tsən] *i.* (h.) auf jn. ~ 누구를 뚫어지게 바라보다, 놀란 눈으로 쳐다보다; was gibt's denn da zu ~? 별난 일이라도 있나?

Glọtzer *m.* -s, - ①〖구어·폄어〗 놀란 눈으로 쳐다보는 사람. ②〖경박〗 눈.

Glọtz·kopf *m.* (눈을 부릅뜬) 얼간이.

glọtzig *a.* 응시하고 있는, 눈이 휘둥그레진.

Gloxinie [glɔksí:niə] *f.* -n 〖植〗 글록시니아.

glu *int.* 꼬꼬댁(암탉 우는 소리).

glụbschen *t.* ↑ glupschen.

gluchsen [glʊ́ksən] *i.* (h.) ↑ glucken ①.

gluchzen [glʊ́xtsən] *i.* (h.) ↑ gluchsen.

gluck [glʊk] *int.* ① ↑ glu. ② 꿀꺽(마시는 소리), 콸콸(병에서 흘러나오는 소리): ~, ~ machen 꿀꺽꿀꺽 마시다.

***Glück** [glʏk] *n.* -(e)s, (드물게) -e ① 행운, 운, 요행, 다행: das ist dein ~, daß du kommst 네가 오기를 잘했다; 〖속담〗 kein ~ ist von Dauer 열흘 붉은 꽃이 없다; wo das ~ hinkommt, kommt's in Haufen 좋은 일은 겹쳐 온다; Unglück im Spiel, ~ in der Liebe 도박에서 잃고 사랑에서 얻는다; ~ muß der Mensch haben! 운이 좋아야 해!; auf gut ~ 운을 하늘에 맡기고; von ~ sagen können 운이 좋았다고 말할 수 있다; zum ~ 다행히도; zu js. Glück 누구에게 다행스럽게도; ~ ab! 무사히 착륙하시길, 무사 비행을! (탑승자에게 하는 인사말); ~ auf! 무사하시길(갱내에 들어가는 광원에게 하는 인사말); 〖고어〗 ~ zu! 축하합니다, 안녕하시길 빕니다, 성공을 빕니다. ② 운수, 운명, 우연, 요행; 운명〔행운〕의 여신: wechselndes ~ 새옹지마(塞翁之馬); ein (Schoß)kind des ~s 행운아; das ~ ist blind 운명의 여신은 눈이 멀었다; jeder ist seines ~es Schmied 누구나 자기 운명의 개척자다; das ~ ist gegen mich 나는 운이 나쁘다; das ~ ist ihm günstig〔geneigt, hold〕 그는 운이 좋다〔트였다〕; das ~ hat ihm den Rücken gekehrt 운은 그에게서 떠났다; alles auf das ~ ankommen lassen 만사를 운에 맡기다. ③ 행복, 기쁨, 행복감, 쾌적: ~ und Glas, wie leicht〔bald〕 bricht das! 행복과 유리는 얼마나 깨지기 쉬운가!; 〔반어〕 du hast mir gerade noch zu meinem ~ gefehlt 너는 나한테 더 이상 필요가 없다; js. ~ im Wege stehen 누구의 행복을 가로막다; im ~ 행복한 때에; Freunde im ~ 좋을 때만의〔어려울 때는 못 믿을〕 친구들; jm. seinem ~ verhelfen 누구를 도와서 행복하게 해 주다〔출세시키다〕. ④〔타동사와 함께〕 ~ haben a) 운이 좋다, b) 성공〔번영〕하다, c) (승부에) 이기다; 〔속담〕 wer das ~ hat, führt die Braut heim 만사는 운이다; sein ~ machen 성공〔출세〕하다; 〔속담〕 verscherztes ~ kehrt nicht wieder 엎지른 물은 다시 담을 수 없다; ich wünsche Ihnen ~ zum neuen Jahre〔zum Geburtstag〕 새해에 복 많이 받으십시오〔생일을 축하합니다〕.

Glück≈ab *n.* -s 무사 이륙(이륙하는 탑승원에게 무사 비행을 비는 인사): ~! 무사하시기를! **~auf** *n.* -s (갱에 들어가는 광원에게) 무사귀환을 비는 인사. **~begünstigt** *a.* 축복받은. **~bringend** *a.* 행운〔행복〕을 가져오는, 경사스러운, 행복한, 상서로운.

Glucke [glʊ́kə] *f.* -n ① 알을 품고 있는 암탉 (Bruthenne): künstliche ~ 부란기(孵卵器). ② 병아리를 거느린 암탉. ③〔植〕 꽃잎버섯(싸리버섯과). ④〔動〕 배버들나방과. ⑤〔天〕 플레이아데스 성단, 묘성(昴星).

glucken *i.* (h.) ① (암탉이) 꼬꼬댁 하고 울다; 알을 품다. ② 꿀꺽꿀꺽 소리를 내다〔마시다〕. ③〔구어〕 꼼짝 않고 앉아 있다: zu Hause ~ 집에 틀어박혀 있다.

glücken [glʏ́kən] *i.* (h./s.)/*imp.* 잘되다, 성공〔번영〕하다: alles ist ihm geglückt 그는 무슨 일에나 성공했다; das ist〔hat〕 schlecht geglückt 그것은 실패였다.

gluckern [glʊ́kərn] 《I》 *i.* (h.) 꾸르륵 소리를 내다: das Bier gluckert aus der Flasche in die Gläser 맥주가 병에서 술잔 속으로 꿀꺽 소리를 내며 따라진다. 《II》 *t.* 〔구어〕 (음료수를) 마시다.

glückhaft *a.* ↑ glücklich.

Gluck·henne *f.* ↑ Glucke ①②⑤.

***glücklich** [glʏ́klɪç] 《<Glück》 《I》 *a.* ① 성공한, 운이 좋은: heute war ein ~er Tag für mich 오늘은 내게 운이 좋은 날이었다; jm. eine ~e Reise wünschen 누구에게 편안히 여행하기를 빌다. ② 이로운, 유리한; 적절한: diese Zusammenstellung ist nicht ~ 이 조합은 별로 적절하지 못하다; ein ~er Einfall 묘안. ③ 행복한, 만족한, 기뻐하는: eine ~e Familie 행복한 가족. 《II》 *adv.* 〔《I》에 대응하는 뜻 이외에〕 다행스럽게도(endlich); 마침내, 드디어; 가까스로, 겨우: er ist nun ~ fort 그는 지금 막 떠났다.

glücklicher·weise *adv.* 운좋게도, 다행히도.

Glück·sache *f.* ↑ Glückssache.

Glücks≈bahn *f.* 행복에의 길. **~ball** *m.* 운명의 꼭두각시〔놀잇감〕, 운명에 좌우되는 인간. **~beutel** *m.* 복주머니. **~bote** *m.* 희소식〔복음〕의 사자(使者). **~botschaft** *f.* 희소식, 복음. **~bringer** *m.* 마스코트; 행운을 가져다주는 사람. **~bude** *f.* 복권 판매소.

glück≈selig [glʏkzé:lɪç, glʏ́k..] *a.* 지복(至福)의, 기쁨이 넘치는, 행복에 겨운. **~seligkeit** *f.* 행복, 기쁨. **~seligkeits·lehre** *f.* 〔哲〕 공리주의, 행복주의.

glucksen [glʊ́ksən] *i.* (h.) ① 꿀꺽꿀꺽 소리를 내다. ② 딸꾹질하다; 트림하다.

Glücks≈fall *m.* 요행, 행운, 우연; 뜻밖의 행운, 횡재. **~fee** *f.* 행운을 가져다 주는 여인〔요정〕. **~gefühl** *n.* 행복감. **~göttin** *f.* 행운의 여신. **~güter** *pl.* 재물, 부(富). **~hafen** *m.* ① ↑ ~topf. ② 피난처. **~hand** *f.* 행운을 가져오는 손; 손 모양의 난초 뿌리(행운을 붙잡는다고 믿어짐). **~haube** *f.* 〔해부〕 대망막(大網膜)(아이가 태어날 때 간혹 머리에 쓰고 나오는 양막(羊膜); 길조로 여겼음): 〔구식〕 mit der ~ geboren sein 번번이 아주 재수가 좋다. **~jäger** *m.* ↑ ~ritter. **~käfer** *m.* 무당벌레(Marienkäfer)의 속칭. **~karte** *f.* 〔카드〕 행운의 카드. **~kauf** *m.* 헐값으로 언은 좋은 물건. **~kind** *n.* 행운아. **~klee** *m.* 네잎 클로버. **~männchen** *n.* 만다라화(曼荼羅華)(Mandragora)의 뿌리(행복을 가져온다는 사람 모양의 뿌리). **~pfenning** *m.* 1 페니히 주화. **~pilz** *m.* 〔구어〕 행운아; 갑자기 성공〔출세〕한 사람, 벼락 부자. **~puppe** *f.* 마스코트. **~rad** *m.* ① 운명의 수레바퀴, 새옹지마(塞翁之馬). ② 회전식 추첨기, 룰렛. **~ritter** *m.* 〔폄어〕 행운을 찾는 사람, 모험가. **~sache** *f.* etwas ist ~ 무엇은 운에 좌우되는 일이다. **~schwein** *n.* 행운의 돼지(행운을 가져다 준다는 돼지 모형). **~sohn** *m.* ↑ ~kind. **~spiel** *n.* 노름, 도박; 〔法〕 도박죄. **~stand** *m.* 순경(順境), 번영. **~stern** *m.* 행운의 별: unter einem ~ geboren sein 운이 좋다. **~strähne** *f.* 행운의 연속(↔ Pechsträhne). **~stunde** *f.* 행복한 시간. **~tag** *m.* 길일(吉日), 행복한 날.

Glück·stifter *m.* 행복을 가져다주는 사람, 은인.

Glücks≈topf *m.* (제비뽑기용) 항아리: in den ~ greifen 행운을 잡다. **~treffer** *m.* 요행, 당첨된 복권.

glück·strahlend *a.* 행복〔기쁨〕으로 빛나는.

Glücks≈umstand *m.* 운좋은 여건, 행복한 상황. **~verträge** *pl.* 〔法〕 사행(射倖) 계약. **~vogel** *m.* 〔구어〕 ① ↑ ~kind. ② ↑ ~bote. **~wahn** *m.* 몽상(夢想)의 행복. **~wechsel** *m.* 새옹지마(塞翁之馬). **~wurf** *m.* 요행수, 행운. **~zahl** *f.* 행운의 수. **~zufall** *m.* 좋은 기회, 행운.

glück≈verheißend *a.* 길조(吉兆)의, 상서로운. **~versprechend** *a.* 〔雅語〕 ↑ ~verheißend. **~weissagend** *a.* ~verheißend. ***~wunsch** *m.* 축하, 축사; 행운을 기원하는 말: Glückwünsche aussprechen〔darbringen〕 축사를 하다. **~|wünschen** *i.* (h.) 축하하다, 행운을 빌다.

Glückwunsch≈karte *f.* 축전, 축하 카드. **~schreiben** *n.* 축하장.

Glück·zu *n.* - 〔고어〕 무사하시길(인사말).

Glucose [glukó:zə] *f.* ↑ Glykose.

Glufe [glú:fə] *f.* -n (südd.) 핀(Stecknadel).

glüh [glý:] *a.* ↑ glühe.

Glüh≈asche *f.* 벌겋게 타고 있는 재. **~birne** *f.* 전구; 〔비유〕 딸기코.

glühe [glý:ə] *a.* 〔시어〕 ↑ glühend.
Glüh·eisen *n.* 열철(熱鐵).
***glühen** [glý:ən] 《I》 *i.*(h.) 백열〔작열〕하다; (등불이) 눈부시게 빛나다; 〖비유〗(감정이) 고조되다, 열중하다; (얼굴이) 상기되다: für jn. in Liebe ~ 누구를 열렬히 사랑하다; nach et.³ ~ 무엇을 열망하다; vor Wonne ~ 기뻐 흥분하다; vor Wut ~ 노발대발하다; er glüht fürs Vaterland 그는 조국애에 불타고 있다. 《II》 *t.* 백열〔작열〕시키다, (쇠를) 불리다, (유리를) 달구다, 달구어 서서히 식히다, (술을) 데우다; 〖비유〗 Rache ~ 복수심에 불타다.
glühend *p.a.* 달아오른; 〖비유〗(감정이) 불타는 듯한, 열렬한, 열심인: 〖비유〗 wie auf ~en Kohlen sitzen 안절부절못하다; 〖비유〗 ~e Kohlen auf js. Haupt sammeln 악을 선으로 갚아 누구를 무안하게 만들다.
Glüh≈faden *m.* (전구의) 필라멘트. **~farbe** *f.* 불꽃색, 적황색. **~feuer** *n.* 뭉근한 불; 열화(烈火), 이글이글 타는 석탄불. **≈frischen** (*p.p.* ≈gefrischt) *t.* 〖제련〗 (tempern) Gußstahl ~ 주철을 가열하여 가공하기 쉽게 만들다, 가단화(可鍛化)하다. **≈heiß** *a.* 작열하는, 백열의. **~hitze** *f.* 〖物〗 백열. **~kathode** *f.* 〖전기·物〗 열(熱)음극. **~kopf·motor** *m.* 〖工〗 세미디젤 엔진. **~körper** *m.* 〖전기〗 발광체(~strumpf). **~lampe** *f.* 백열등. **~licht** *n.* 백열광. **~licht·faden** *m.* 백열 필라멘트. **~ofen** *m.* 가열로; 〖제련〗 대장간의 도가니; 난로. **~span** *m.* 〖제련〗 철재(鐵滓), 철설(鐵屑), 쇠똥. **~strumpf** *m.* 백열 맨틀. **~wein** *m.* 설탕·꿀·향료를 넣어 데운 적(赤)포도주. **~wurm** *m.* ↑ ~würmchen. **~würmchen** *n.* 〖動〗 개똥벌레.
Glukose [glukó:zə] *f.* ↑ Glykose.
glum *a.* 〔방언〕 (trübe) (액체가) 흐린.
Glumpert [glúmpərt] *n.* -s ↑ Klumpert.
Glumse *f.* ↑ Quark.
glumsen *i.*(h.) (obd.) (glimmen) 희미하게 빛나다; 가물거리며 타다.
Glup·auge *n.* ① ↑ Glotzauge. ② 〖비유〗 악의에 찬 눈; 시기하는 사람.
glupen [glú:pən] *i.*(h.) (nd.) 악의에 찬 눈초리로 들여다 보다.
glupisch *a.* (ndd.) 악의에 찬, 음험한; 언짢은(mürrisch).
glupsch *a.* ↑ glupisch.
Glupsch·auge *n.* (ndd.) 딱부리눈: ~n machen 호기심을 가지고 보다.
glupschen [glúpʃən] *i.*(h.) 엿보다, 훔쳐보다.
***Glut** [glu:t] *f.* -en ① 백열, 작열; 열화, 염열(炎熱); 잉걸불: die ~ der 〔auf den〕 Wangen 뺨의 홍조. ② 〖비유〗 열정, 격정: die ~ der Liebe 사랑의 격정; in ~ bringen〔geraten〕 격노시키다〔격노하다〕.
Glutamat [glutamá:t] *n.* -(e)s, -e ① 글루타민산염. ② 글루타민산 중성염.
Glutamin [glutamí:n] 《<Gluten》 *n.* -s 〖化〗 글루타민(결정성 아미노산의 일종).
Glutamin·säure *f.* 〖化〗 글루타민산(酸).
Glut≈asche *f.* 빨갛게 타고 있는 재. **~auge** *n.* 불타는 눈동자, 열정적인 눈. **≈äugig** *a.* 이글거리는 눈빛의.
gluten 《I》 *i.*(h.) ↑ glühen 《I》①. 《II》 *t.* 〔드물게〕 백열〔작열〕시키다.
Gluten [glutέ:n] 《lat.》 *n.* -s 〖化〗 (Kleber) 글루텐(식물의 종자에 함유된 식물성 단백질).
Glut·hitze *f.* ① 작열 온도(대략 400℃ 이상). ② 〖비유〗 작열하는 더위: in der ~ des Sommers 여름의 무더위에.
glutig *a.* 작열〔백열〕된, 시뻘겋게 달아오른; 열렬한, 열심인.
Glutin [glutí:n] 《lat.》 *n.* -s 〖化〗 젤라틴, 아교.
glutinös *a.* 아교질의, 점성(粘性)의.
Glut≈meer *n.* 불바다. **~messer** *m.* 〖物〗 고온 온도계. **~pfanne** *f.* 숯불 그릇, 화로; 부삽. **≈rot** *a.* 타는 듯이 빨간. **~strom** *m.* 작열하는 용암〔재·금속〕류(流): ein ~ bewegte sich den Berg hinab 작열하는 용암류(熔岩流)가 산 아래로 흘러 내려갔다. **~wind** *m.* 열풍; 시로코(지중해 연안의 동남풍).
Glycerin *n.* -s ↑ Glyzerin.
Glykämie [glykεmí:] 《gr.》 *f.* 〖醫〗 당혈증(糖血症).
Glykogen [glykogé:n] *n.* -s 〖化〗 글리코겐.
Glykokoll [..kɔ́l] *n.* -s 〖化〗 글리코콜.
Glykol *n.* -s, -e 〖化〗 글리콜.
Glykose *f.* 글루코오스, 포도당.
Glykose·test *m.* 〖醫〗 혈당 검사.
Glykosid *n.* -(e)s, -e 〖化〗 배당체(配糖體).
Glykosurie [glykozurí:] *f.* -n [..rí:ən] 〖醫〗 당뇨.
Glypte [glýptə] 《gr.》 *f.* -n (조각을 위해) 대강 다듬어 놓은 석재.
Glyptik [glýptɪk] *f.* ① (석재·금속의) 재단 기술. ② 조각술.
Glyptothek *f.* -en 조각 미술관〔박물관〕.
Glysantin [glyzantí:n] 《gr.》 *n.* -s 자동차의 부동액(상품명).
Glyzerin [glytsərí:n] 《gr.》 *n.* -s 글리세린.
Glyzerin·seife *f.* 글리세린 비누.
Glyzine *f.* -n 〖植〗 참등.
Glyzinie *f.* -n ↑ Glyzine.
G-Man [dʒí:mæn] 《engl.》 *m.* -(s), G-Men 미국 연방 수사국의 요원(Government-Man 의 약칭).
GmbH =Gesellschaft mit beschränkter Haftung 유한 (책임) 회사.
GMD =Generalmusikdirektor 음악 총감독.
g-Moll [gé:mɔl] *n.* - 〖음악〗 내림 사 단조.
g-Moll Tonleiter [gé:..] *f.* 〖음악〗 내림 사 단조 음계.
***Gnade** [gná:də] *f.* -n ① 은혜, 은총, 자비, 신의 가호; 호의, 호감, 총애; 동정, 은총; 관대, 용서; 감형, 사면, 은사(恩赦); 〖軍〗 항복자의 구명: die ~ Gottes 신의 자비; jm. eine ~ gewähren〔erweisen, angedeihen lassen〕 누구에게 은총〔관용〕을 베풀다, 누구를 총애하다; 〖반어〗 die ~ haben, et. zu tun 자신을 낮춰 무엇을 하다; wollen Sie die ~ haben, mir zu sagen? 아무쪼록 말씀해 주십시오!; js. ~ gewinnen 〔jm. zu ~n kommen〕 누구의 마음에 들다; auf ~ und〔oder〕 Ungnade 무조건; sich auf ~ und Ungnade ergeben 무조건 항복하다; aus ~ (und Barmherzigkeit) 순전히 동정심 때문에; ~ für〔vor〕 Recht ergehen lassen 관대하게 처리하다, 관용을 베풀다; jn. in ~n entlassen 누구를 관대하게 석방하다; 〖雅語〗 bei jm. in (hohen) ~n stehen 누구의 총애를 받다; ohne ~ 무자비하게;

um ~ bitten〔flehen〕 자비를 빌다; von js. ~n 누구의 호의로, 누구 덕택에; von Gottes ~n 신의 은총으로; vor jm. 〔vor js. Augen〕 ~ finden 누구의 마음에 들다〔인정을 받다〕; 〖구식〗 halten zu ~n! 용서하십시오, 실례합니다만! (=entschuldigen Sie!); 〖학생〗 ~! 질색이다, 싫다!; 〖방언·구식〗 die Sonne geht zu ~n 해가 지고 있다. ② 〖구식〗 〖칭호·호칭〗 Euer〔Ihro, Ihre〕 ~n! 각하, 전하, 폐하!

gnaden *i.* (h.) 은혜〔자비〕를 베풀다; 〖현재는 다음 용법으로만〗 gnade dir〔mir〕 Gott! a) 신이 너〔나〕와 함께 하시길!, b) 〖반어〗 가만두지 않겠다, 혼날 줄 알아라!

Gnaden≈akt *m.* 자비스러운 행위; 사면, 은사(恩赦). **~beruf** *m.* 〖宗〗 신의 부름, 소명(召命). **~beweis** *m.* 은총〔총애·관용〕의 표시. **~bewilligung** *f.* 〖가톨릭〗 특전(교황이 법률상의 의무를 면제하는 은전). **~bezeigung** *f.* ↑ ~beweis. **~bezeugung** *f.* ↑ ~bezeigung. **~bild** *n.* 〖가톨릭〗 성화상(聖畫像), (영험이 충만한) 성모상. **~brief** *m.* 〖가톨릭〗 (교황의) 특혜 답서. **~brot** *n.* ① (생애의 업적을 치하해서 노년에 베푸는) 시미(施米): der alten Dienerin das ~ geben 나이 먹은 하녀를 죽을 때까지 돌보아 주다. ② ↑ ~gehalt. **~bund** *m.* 〖宗〗 (신이 이스라엘 민족에게 준) 신약(神約), 성약(聖約). **~erlaß** *m.* 감형, 사면; 사면법. **~frist** *f.* 마지막 유예 기간. **~gabe** *f.* 은총의 선물; 사물(賜物); 시물(施物). **~gehalt** *n.* 유가족에게 지급되는 고인의 급여〔수당〕. **~geld** *n.* ↑ ~gehalt. **~geschenk** *n.* 하사품; 자선 금품, 구제품. **~gesuch** *n.* 감형원(願), 사면원(願). **~hochzeit** *f.* 결혼 70주년 기념일. **~jahr** *n.* ① 유예〔면세〕해 주는 1년. ② 유가족에게 고인의 급여나 수당이 지급되는 기간 중의 1년. **~kette** *f.* 은총(의 표지로 하사하는) 사슬. **~kraut** *n.* 〖植〗 등에풀속(屬)의 일종(현삼과). **~lohn** *m.* ↑ ~gehalt.

gnadenlos *a.* ① 무자비한, 가차없는: der neue Herrscher ist ~ 새 통치자는 무자비하다. ② 극심한, 참을 수 없는: unter der ~en Sonne 사정없이 내리쬐는 태양 아래.

Gnaden≈mittel *pl.* 〖가톨릭〗 은총 수단(신의 말씀, 미사·기도 등). **~monat** *m.* ① 유예〔면세〕해 주는 한 달. ② 유가족에게 고인의 급여나 수당이 지급되는 기간 중의 한 달. **~ordnung** *f.* 〖法〗 ↑ ~recht ①. **~ort** *m.* 〔복수: -e〕 〖가톨릭〗 순례지. **~quartal** *n.* ① 유예〔면세〕해 주는 3개월. ② 유가족에게 고인의 급여나 수당이 지급되는 기간 중의 3개월. **~recht** *n.* 〖法〗 사면법〔권〕. **≈reich** *a.* 은혜와 자비가 풍성한. **~schuß** *m.* 안락 사살: jn. den ~ geben 누구를 안락 사살하다. **~sold** *m.* 은급(恩給), 은금(恩金). **~stand** *m.* 〖가톨릭〗 은총을 입은 상태. **~stoß** *m.* 자비의 일격〔자살(刺殺)〕: jm. den ~ geben 누구에게 자비의 일격을 가하다. **~stuhl** *m.* 〖구약〗 (Deckel der Bundeslade) 하느님의 법궤〔언약의 궤〕의 금뚜껑(신의 자비가 머무는 곳); 〖가톨릭〗 중세 성당의 성(聖)삼위일체도(圖). **~tage** *pl.* 〖商〗 은혜일(통상 3일간의 어음 지급 유예일). **~thron** *m.* 하느님의 보좌. **~tisch** *m.* 〖시어〗 성찬식 식탁(Abendmahlstisch). **~tod** *m.* 〖雅語〗 안락사. **~verheißung** *f.* 〖가톨릭〗 은총〔속죄〕의 약속. **≈voll** *a.* ↑ ≈reich. **~wahl** *f.* 〖가톨릭〗 구원의 선택; 〖신학〗 예정설. **~weg** *m.* 〖다음 용법으로만〗 auf dem 〔über den〕 ~ 사면으로, 특사로. **≈weise** *adv.* 자비를〔관용을〕 베풀어. **~werk** *n.* 〖신학〗 신의 성업(聖業), 은총. **~zeichen** *n.* 은총〔총애〕의 표지. **~zeit** *f.* 유가족에게 고인의 급여나 수당이 계속 지급되는 기간.

***gnädig** [gnɛ́:dɪç] 《<Gnade》 *a.* ① 자비로운; 관대한; 호의 있는, 친절한: der ~e Gott 자비로운 신; ein ~es Urteil 관대한 판결; 〖반어〗 du bist aber ~! 너는 참 고약하구나!; 〖반어〗 er lächelte ~ 그는 업신여기는 기색으로 미소지었다; wir sind noch einmal ~ davongekommen 우리는 또 다시 이렇다할 피해 없이 위기를 모면했다. ② 〖경칭〗 ~er 〔~ster〕 Herr! 나리, 대감, 전하, 각하!; ~e〔~ste〕 Frau! 마님!; ~es〔~stes〕 Fräulein! 아가씨!

Gnagi [gná:gi] *n.* -s (schweiz.) 소금에 절인 돼지고기(특히 척추·다리·귀 부분).

gnaren *i.* (h.) ↑ gnarren.

gnarren *i.* (h.) (ndd.) ① (knarren) 삐걱거리다, 끽끽거리다. ② (knurren) (개가) 으르렁거리다.

Gnatz [gnats] *m.* -es, -e 〖방언〗 ① 부스럼딱지; 옴. ② 신경질적인 사람, 불평가.

Gnatze *f.* -n ① ↑ Gnatz. ② 〖動〗 진디등에의 일종.

Gnätze *f.* -n ↑ Gnatze ①.

gnatzen *i.* (h.) 〖방언〗 심기가 편치 않다; 투덜거리다; 입씨름하다.

gnatzig *a.* 〖방언〗 ① 딱지가 앉은; 옴에 걸린. ② (mürrisch) 투덜대는, 불평하는.

gnätzig *a.* ↑ gnatzig.

Gnatz·kopf *m.* 〖방언〗 ① 대머리, 백선(白癬) 걸린 머리. ② 불평가; 구두쇠.

gnauen *i.* (h.) 〖방언〗 (어린애가) 징징거리다, 우는 소리로 지껄이다; (개가) 낑낑거리다.

Gneis [gnaɪs] *m.* -es, -e ① 〖지질〗 편마암(片麻岩). ② 부스럼, 옴.

gneisig *a.* 편마암이 들어 있는, 편마암질의.

gneißen [gnáɪsən] *t.* (öst.) 인지하다, 깨닫다.

Gnitte [gnítə] *f.* -n ↑ Gnitze.

Gnitze *f.* -n 〖動〗 (ndd.) 진디등에의 일종.

Gnom [gno:m] 《gr.》 *m.* -en, -en ① (땅속의 보배를 지킨다는) 땅의 정령(精靈). ② 〖구어·폄어〗 난쟁이(Zwerg).

Gnome [gnó:mə] *f.* -n 〖문학〗 격언, 금언; 경구.

Gnomen·dichtung *f.* 잠언시(詩).

gnomenhaft *a.* 땅의 정령(精靈) 같은; 난쟁이의〔같은〕; 보기 흉한, 추악한.

Gnomiker [gnó:mikər] *m.* -s, - 〖문학〗 잠언(箴言) 시인.

gnomisch *a.* 잠언〔금언〕의: ~er Dichter ↑ Gnomiker.

Gnomon [gnó:mɔn] 《gr.》 *m.* -s, -e [..mó:mə] 〖天〗 해시계; 해시계의 바늘.

Gnomonik *f.* 해시계 제작술; 해시계 측시법(測時法).

Gnosis [gnó:zɪs] 《gr., „Erkenntnis"》 *f.* ① 〖宗〗 신의 인식; 영지(靈知), 신비적 직관; 신비 체험에 따른 신적 계시의 인식. ② ↑

Gnostizismus. ③ 영지주의 철학〔세계관〕.
Gnostik [gnɔ́stɪk] *f.* 그노시스파(派)〔설〕.
Gnostiker [gnɔ́stɪkər] *m.* -s, - 그노시스파(派)의 사람.
gnostisch *a.* 그노시스파의.
Gnostizismus [gnɔstitsísmus] *m.* - ① 그노시스설, 영지주의. ② 고대 그리스 후기의 다양한 통합주의적 종교 운동 및 그 단체.
Gnu [gnu:] 《ndl.》 *n.* -s, -s 〖動〗 누(암소와 비슷한 남아프리카산(産) 영양의 일종).
gnug [gnu:k] *a.* ↑ genug.
Go [go:] 《jap.》 *n.* - 바둑.
Goa [gó:a] 고아(1961 년까지의 인도 서해안의 옛 포르투갈 식민지).
Goal [go:l] 《engl.》 *n.* -s, -s 〖스포츠〗 결승선, 결승점; 〖구기〗 골.
Goal≈getter [..gɛtər] 《engl.》 *m.* -s, - 〖구기〗 골 게터. **~keeper** [..ki:pər] 《engl.》 *m.* -s, - 〖구기〗 골키퍼. **~mann** *m.* 〖드물게〗 골키퍼.
Goanese [goané:zə] 《<Goa》 *m.* -n, -n 고아의 주민.
Gobelin [gobəlɛ̃́:, (독어식) goblí:n] 《frz.》 *m.* -s, -s/(독일어식) -e [..lí:nə] 〖방직〗 고블랭직(織)(벽장식용 양탄자).
Gobi [gó:bi] *f.* (중앙 아시아의) 고비 사막.
Gockel [gɔ́kəl] *m.* -s, - 〖구어·농담〗 (südd.) 수탉: er geht über die Straße wie ein ~ 그는 길 위를 뽐내며 걸어간다.
Gockel·hahn *m.* 〖구어·농담〗 ↑ Gockel.
Gode [gó:də] *m.* -n, -n ① (고대 아이슬랜드의) 성직자. ② 대부(代父), 교부(敎父).
Göde *m.* -n, -n ↑ Gode.
Godel *f.* -n 대모(代母) (Patin).
Godemiché [go:dmiʃé:] *m.* -, -s (여성의 성적 만족을 위한) 인조 남성 성기.
Goder [gó:dər] *m.* -s, - (öst.) 이중턱.
Goderl [gó:dərl] *n.* -s, -n 〖↑ Goder 의 축소형〗〖다음 용법으로만〗 (öst.) jm. das ~ kratzen 누구에게 아첨하다.
Godl *f.* -n ↑ Godel.
Godron [godrɔ̃́:] 《frz.》 *n.* -s, -s 〖건축〗 쇠시리 장식, 쇠시리용 철재(鐵材); 〖금세공〗 주름 모양의 돋을새김.
*__Goethe__ [gǿ:tə] *m.* Johann Wolfgang von ~ 괴테(독일의 시인, 1749-1832): ~s Gedichte 괴테의 시; der junge ~ 젊은 (시절의) 괴테.
Goetheana [gø:teá:na] *pl.* 괴테에 관한 저작물, 괴테 관련 논문집.
Goethe≈haus *n.* 괴테의 집(Frankfurt a.M.의 생가 또는 Weimar 의 저택). **~-Institut** *n.* 독일 문화원(1951 년 설립).
goethesch *a.* 괴테식의, 괴테풍의.
Goethesch *a.* 괴테의, 괴테가 쓴.
goethisch *a.* ↑ goethesch.
Goethisch *a.* ↑ Goethesch.
Gof [go:f] *m./n.* -s, -en (schweiz.) (버릇없는) 아이, 어린이.
Go-go-Girl [gó:go..] 《engl.》 *n.* -s, -s 여자 무용수.
Goi [gó:i] 《hebr.》 *m.* -(s), Gojim [gó:jim, gojí:m] 비(非)유대인, 비(非)신앙자.
Go-in [go:ín] 《engl.》 *n.* -s, -s (시위대의) 무단 진입.
Go-Kart [gó:kart] *m.* -(s), -s ① 소형 경주용 자동차. ② 어린이용 네발 자전거.
Gökel·mann *m.* 〖복수: ..männer〗 재담꾼, 익살꾼; 꼭두각시.
gokeln [gó:kəln] *i.* (h.) (md.) 불장난을 하다, 불을 함부로 다루다.
Golatsche [golá:tʃə] 《tschech.》 *f.* -n (öst.) 건포도 빵(Kolatsche).
*__Gold__ [gɔlt] *n.* -(e)s ① 금, 황금(기호: Au): ~ in Barren 금괴; einen Edelstein in ~ fassen 금붙이에 보석을 박다; treu wie ~ sein 대단히 충성스럽다; von ~ essen 호화롭게 지내다; et. mit ~ aufwiegen 무엇에 대해 고액의 대가를 치르다; 〖속담〗 es ist nicht alles Gold, was glänzt 번쩍거린다고 모두 금은 아니다; 〖속담〗 Morgenstunde hat〔führt〕 ~ im Munde 일찍 일어나는 새가 먹이를 얻는다. ② 금화; 금제품; 금메달: etwas ist nicht mit ~ zu bezahlen〔aufzuwiegen〕 무엇은 값을 매길 수 없을 만큼 귀중하다; von ~ und Silber speisen 금·은 식기로 식사하다; olympisches ~ 올림픽 금메달. ③ 돈, 재산, 보배: im ~ schwimmen 매우 부유하다; ~ in der Kehle haben 목소리가 매우 아름답다, 노래를 아주 잘 한다(그래서 돈을 많이 번다). ④ 금빛: das seidige ~ ihres Haares 그녀 머리의 비단결 같은 금빛.
Gold≈abfluß *m.* 금(화) 유출. **~ader** *f.* ① 〖광산〗 금광맥. ② 〖해부〗 치(痔)정맥; 〖醫〗 치핵(痔核). **~adler** *m.* 〖動〗 검둥수리의 일종(머리와 목에 금빛 털이 있음). **~agio** [..dʒo, ..ʒio] *n.* 〖經〗 금프리미엄 (정책). **≈ähnlich** *a.* 금 같은, 금 비슷한. **~amalgam** *n.* 〖제련〗 금아말감(수은과 금의 합금). **~ammer** *f.* 〖動〗 멧새속의 일종. **~amsel** *f.* 〖動〗 꾀꼬리의 일종. **~anleihe** *f.* 금(화) 차관. **~apfel** *m.* 〖植〗 ① 토마토. ② 오렌지의 일종. **~arbeit** *f.* 〖工〗 금세공. **~arbeiter** *m.* 금세공인(人). **≈artig** *a.* 금 같은, 금빛의. **~auge** *n.* 〖動〗 ① 흰뺨오리. ② (지중해산(産)의) 먹도미. ③ 풀잠자리. **~ausbeute** *f.* 금산출량. **~ausfuhr** *f.* 금(화) 수출. **~bach** *m.* 사금(砂金)이 나는 개천. **~barren** *m.* 금괴. **~barsch** *m.* 〖動〗 (~auge) 먹도미(시장에서 쓰는 명칭). **~bergwerk** *n.* 금갱, 금광. **~blatt** *n.* 금박. **~blättchen** *n.* ↑ ~blatt 의 축소형. **~blatt·elektroskop** *n.* 〖物〗 금박 검전기(檢電器). **~blech** *n.* 금박; (치과용) 금판(金板). **≈blond** *a.* 금색의; 금발의. **~blume** *f.* 〖植〗 ① 밀짚꽃. ② 수박풀. **~borte** *f.* 금줄, 금몰. **≈braun** *a.* 금갈색의, 밤색의. **~brokat** *m.* 〖방직〗 금란(金襴). **~bronze** *f.* ① 금도금한 청동. ② (채색용) 금분. **~buchstabe** *m.* 금문자. **~butt** *m.*, **~butte** *f.* 〖動〗 (유럽산(産)) 넙치.
Goldchen [gɔ́ltçən] *n.* -s, - 〖↑ Gold 의 축소형〗 애인(Liebling), 마음에 드는 사람.
Gold≈chlorid *n.* 〖化〗 염화(제 2)금. **~chlorür** *n.* 〖化〗 염화 제 1 금. **~doublé** [duble:] *n.* 금박을 입힌 값싼 금속. **~draht** *m.* 금철사, 금선(金線). **~druck** *m.* 〖복수: -e〗〖제본〗 금박 인쇄. **~dublee** *n.* ↑ ~doublé. **≈durchwirkt** *a.* 금실을 짜 넣은. **~durst** *m.* 황금욕(欲), 배금(拜金).
*__golden__ [gɔ́ldən] 《<Gold》 *a.* ① 금의, 금으로 된; 금빛의, 금빛 찬란한; 금도금한: ~e Medaille 금메달; die ≈e Bulle (1356 년 카를 4 세가 내린) 황금 문서; 〖그리스신화〗 das ≈e Vlies 황금 수양의 모피; 〖구약〗 das ≈e

Kalb 금송아지(Aaron이 시내산 아래에 세운 우상; 출애굽기 32 : 3-4) ; 〖비유〗 das ~e Kalb anbeten 부를 숭배하다; jm. ~e Berge versprechen 누구에게 꿈 같은 일을 약속하다; dem Gegner ~e Brücken bauen 적〔상대〕에게 타협〔화해〕할 수 있는 길을 터주다, 퇴로를 남겨 주다. ②〖비유〗 값비싼, 귀중한; 호화로운; 아름다운; 훌륭한, 유쾌한; 마음에 드는: ~e Adern a) 〖해부〗 치(痔)정맥, b) 〖醫〗 치핵(痔核) ; ~e Hochzeit 금혼식; der ~e Mittelweg 중용; 〖聖〗 ~e Regel 황금률; 〖數〗 der ≁e Schnitt 황금 분할; der ≁e Sonntag (크리스마스 직전의) 황금의 일요일; ~e Worte 금언; 〖天〗 ~e Zahl 황금수(數) (부활절 날짜를 산출하는데 쓰임) ; er ist noch ~, verglichen mit ihr 그녀와 비교하면 그래도 그는 좋은 사람이야; das ≁e Zeitalter a) 〖그리스신화〗 황금 시대, b) 〖비유〗 전성기; ~es Buch der Stadt 시(市) 명사 방명록; ~e Bankregel 은행의환전 기준값.

Golden Delicious [góʊldən dɪlíʃəs] 《engl.》 *m.* - -, - - 골든 딜리셔스(바나나맛이 나는 황색 사과).

Golden Twenties [góʊldən twέntɪz] 《engl.》 *pl.* (미국과 서유럽의) 풍요의 1920 년대.

Gold·erde *f.* 금을 함유한 흙.

Golderling [gɔ́ldərlɪŋ] *m.* -s, -e 〖植〗 황금색 사과의 품종.

Gold≈erz *n.* 〖광산〗 금광. **~faden** *m.* 금실, 금줄. **~farbe** *f.* 금빛. **≁farben** *a.* ↑ ≁-farbig. **≁farbig** *a.* 금빛의. **~fasan** *m.* 〖動〗 ① 금계(金鷄) (중국산(産) 꿩). ②〖구어·폄어〗 나치스 고관에 대한 명칭. **~feder** *f.* 금펜. **~fieber** *n.* 황금광(狂), 금광에 미친 사람. **~finger** *m.* (특히 왼손의) 새끼손가락. **~fink** *m.* 〖動〗 (깃털이 황금빛인) 되새속의 새. **~firnis** *m.* 금빛 니스. **~fisch** *m.* ① 〖動〗 금붕어. ②〖구어·농담〗 돈 많은 처녀. **~fliege** *f.* 〖動〗 금파리. **~flimmer, ~-flitter** *m.* 번쩍번쩍 빛나는 금제품〔쇠붙이〕. **~folie** *f.* 금박. **~forelle** *f.* 〖動〗 ↑ Forelle의 일종. **~fuchs** *m.* ①〖動〗 밝은 금빛 털을 가진 여우. ②〖動〗 금갈색의 말. ③〖구어·농담〗 금화. **≁führend** *a.* 금을 함유한. **~gang** *m.* ↑ ~ader ①. **~gefäß** *n.* 금으로 만든 식기〔용기〕. **~gehalt** *m.* 금 함유량. **≁-gelb** *a.* (황)금빛의. **~geld** *n.* 금화. **≁-gelockt** *a.* 금빛 고수머리의. **~gerändert** *a.* 금테를 두른. **~geschirr** *n.* ↑ ~gefäß. **~geschmeide** *n.* 금 장신구. **≁gestickt** *a.* 금실로 수를 놓은. **~gewicht** *n.* 캐럿(순금 함유도를 나타내는 단위). **~gewinn** *m.* 금 채취(량). **~gewinnung** *f.* 금 채취, (모래에서의) 사금 선광(選鑛). **~gier** *f.* ↑ ~durst. **~glanz** *m.* 찬란한 금빛. **≁glänzend** *a.* 금빛 찬란한. **~glätte** *f.* 〖광물〗 일산화납, 금밀타유(金密陀油) (일산화납을 들기름에 녹여 만든 유화용 황금빛 채료). **≁gleich** *a.* 금 같은. **~glimmer** *m.* ①〖광물〗 금성석(金星石). ② 찬란한 금빛. **~gräber** *m.* 금 채굴자. **~gras** *n.* 〖植〗 향기풀(벼과). **~grube** *f.* ① 금갱(金坑). ②〖비유〗 재원(財源), 보고(寶庫) ; 수익이 좋은 사업〔가게·술집〕. **~grund** *m.* ① 금박 밑에 바르는 니스. ② (비잔틴풍(風) 모자이크의) 금빛 바탕. ③ (하천의) 금 산출지. **~gulden** *m.* 피렌체 금화. **~haar** *m.* ① 금발. ②〖植〗 솔이끼. ③〖植〗 미역취속(屬)의 일종; 미나리아재비의 일종. **≁haarig** *a.* 금발의. **~hafer** *m.* 〖植〗 잠자리피. **~hähnchen** *n.* 〖動〗 상모솔새속(屬)의 새. **≁haltig, ≁hältig** *a.* 금이 들어 있는. **~hamster** *m.* 〖動〗 황금빛 털의 햄스터(큰 쥐의 일종). **~handel** *m.* 금괴 거래. **~hase** *m.* 〖動〗 기니피그의 일종(Aguti). **~haufen** *m.* ① 금(화) 더미. ②〖비유〗 거름, 똥. **≁hell** *a.* 금빛으로 빛나는.

goldig [gɔ́ldɪç] 《<Gold》 *a.* ①〖드물게〗 금 같은, 금빛으로 빛나는. ②〖비유〗 매우 아름다운, 훌륭한; 귀여운. ③ 친절한; 유쾌한.

Gold≈junge *m.* ①〖구어·애칭〗 총아. ②〖스포츠〗 금메달 수상자. **~käfer** *m.* ①〖動〗 꽃무지. ②〖구어〗 돈많은 처녀(~fisch). **~-kern·währung** *f.* 〖經〗 금핵(金核) 본위제. **~kies** *m.* 〖광산〗 함금(含金) 황철광. **~kind** *n.* 귀염둥이; 애완 동물, 페트. **~klumpen** *m.* 금괴, 금덩이. **~könig** *m.* 〖제련〗 순금. **~korn** *n.* 금알갱이. **~körnchen** *n.* ↑ ~korn의 축소형. **~krätze** *f.* 금부스러기. **~krone** *f.* ① 금관. ② 금화(특히 독일의 10 마르크짜리). ③〖치과〗 금 치관(齒冠). **~-kupfer** *n.* 〖제련〗 모조금(구리와 아연의 합금). **~küste** *f.* (기니만에 있는) 황금 해안. **~lack** *m.* ① 금빛 니스. ②〖植〗 꽃무(십자화과의 다년생 초본). **~lager** *n.* 금광상(鑛床). **~lahn** *m.* 납작하게 만든 금사(金絲), 금띠. **~land** *n.* 산금국(產金國). **~legierung** *f.* 금 합금. **~leiste** *f.* 〖건축〗 금색 돌림띠. **≁-lockig** *a.* 금빛 고수머리의. **~macher** *m.* 연금술사. **~macherei** *f.* 〖폄어〗 ↑ ~macher-kunst. **~macher·kunst** *f.* 연금술. **~mann** *m.* 〔복수: ..männer〕 사랑하는 남편〔남자〕. **~mark** *f.* 금 마르크(약어: GM) (제 1 차 세계대전 이후 통화 팽창 때 독일 화폐 가치의 기준). **~markt** *m.* 금시장. **~masse** *f.* 금괴. **~medaille** *f.* 금메달. **~mensch** *m.* 재산가, 부자. **~mine** *f.* 금광. **~mull** *m.* 금두더지. **~münze** *f.* 금화. **~münz·system** *n.* 〖經〗 금본위제(도).

Gold≈niederschlag *m.* 〖化〗 금의 침전(물). **~onkel** *m.* (유산을 남겨 줄 듯한) 부자 숙부. **~papier** *n.* 금(을 칠한) 종이. **~parmäne** *f.* (유럽산(產)) 사과의 일종. **~platte** *f.* 판금(板金). **~plattierung** *f.* 금도금. **~pool** *m.* 〖經〗 유럽 금값 조정 위원회. **~preis** *m.* 금값. **~probe** *f.* 시금(試金) (금 함유량 검사). **~pulver** *m.* 금가루; 사금(砂金). **~punkt** *m.* 〖經〗 ① 금 수송점(금본위제에서 화폐가 통용되는 한계점). ②〖物〗 금의 용융점(1063°C). **~purpur** *m.* 카시우스 자금(紫金) (스테인드 글라스, 도자기용 홍색 안료). **~quarz** *m.* 〖광물〗 금이 들어 있는 석영. **~rand** *m.* (안경·찻잔의) 금테. **~rausch** *m.* 골드러시, 황금열풍. **~regen** *m.* ①〖그리스신화〗 황금비; 수만금의 부. ②〖植〗 나도싸리, 골든 샤워(부활절 장식용). ③ 꽃불(의 일종). **~regen-pfeifer** *m.* 〖動〗 검은가슴물떼새. **≁reich** *a.* 금이 많은〔함유된〕. **~reif** *m.* (이마에 두르는 장식용) 금고리; 금가락지. **~reserve** *f.* 〖經〗 (~vorrat) 금 보유고(중앙 은행이 보유하는 정화). **≁richtig** *a.* 〖구어〗 최적의: dein Verhalten war einfach ~ 네 행동은 정말로 적절한 것이었다. **~ring** *m.* ↑ ~reif. **≁rot**

a. 금홍색의. **~sachen** *pl.* 금제 장식품. **~salz** *n.* 〖化〗 금염(金塩), 클로로금산염. **~sand** *m.* 사금. **~säure** *f.* 〖化〗 금산(金酸), 수산화(제 2)금. **~schale** *f.* 금 그릇. **~schaum** *m.* 〖化〗 네덜란드 황동(黃銅); 〔비유〕 금빛으로 번쩍거리는 물건. **~scheider** *m.* 금 제련(업)자. **~scheide·wasser** *n.* 〖化〗 왕수. **~schläger** *m.* 금박 기술자. **~schlägerhaut** *f.* 소의 장으로 만든 얇은 막 (금박을 제조할 때 이것으로 감싸서 두들김).

Gold≈schmied *m.* ① 금세공사. ② 〖動〗 딱정벌렛과의 곤충류. **~schmiedin** *f.* 여자 금세공사. **~schnitt** *m.* 〖제본〗 (절단면의) 금박칠. **~schwamm** *m.* ① 〖醫〗 〖치과〗 충전 금박. ② 〖植〗 말불버섯. **~schwefel** *m.* 〖化〗 제 5 황화안티몬. **~seife** *f.* 〖광물〗 사금 광상(鑛床). **~sohn** *m.* 〔구어·애칭〕 귀염둥이 아들, 총아. **~spinner** *m.* 금사(金絲) 방적공. **~spitze** *f.* 금실 레이스; 금몰. **~standard** *m.* 〖經〗 금본위. **~staub** *m.* 금가루; 사금. **~stein** *m.* 〖광물〗 사금석; 금을 함유한 돌. **~stern** *m.* 〖植〗 중무릇(백합과 식물의 일종). **~sticker** *m.* 금실로 수놓는 사람. **~-stickerei** *f.* 금실로 놓은 자수. **~stoff** *m.* 금실이 든 직물, 금란(金襴). **~stück** *n.* ① 금괴. ② 금화. **~stufe** *f.* 〖광물〗 금광석 덩이(견본용). **~tochter** *f.* 금지옥엽 같은 딸. **~topas** *m.* 〖광물〗 황옥. **~tresse** *f.* 금몰. **~überzug** *m.* 금도금. **~waage** *f.* 귀금속용 정밀 저울; 〔비유〕 jedes Wort 〔alles〕 auf die ~ legen 깊이 생각해서 말하다; 모든 말을 곧이곧대로 듣다. **~währung** *f.* 〖經〗 금본위 제도. **~waren** *pl.* 금제품. **~wäsche** *f.* 〖광산〗 금세광(洗鑛); 금세광소. **~wäscher** *m.* 금세광부(洗鑛夫). **~wäscherei** *f.* ↑ ~wäsche. **~wasser** *n.* 〖양조〗 단치히(Danzig) 산(產) 브랜디. **~wert** *m.* 금값. **~wespe** *f.* 〖動〗 청벌. **~wirker** *m.* 금실 직물 직공. **~wirkerei** *f.* 금실 직조. **~wolf** *m.* 〖動〗 재칼(여우와 늑대의 중간). **~wurz** *f.* 〖植〗 아기똥풀. **~zahn** *m.* 〔구어〕 금니. **~zieher** *m.* 금선(金線) 제조공. **~zierat** *m.* 금장식.

Golem [gó:lɛm] 《hebr.》 *m.* -s, -s (박해받는 유대인에게 도움을 준다는) 유대 밀교(密敎)의 토우(土偶); 〔비유〕 모양 없는 덩어리.

Golf[1] [gɔlf] 《engl.》 *n.* -s 〖스포츠〗 골프: ~ spielen 골프를 치다.

*__Golf__[2] 《gr.》 *m.* -(e)s, -e 〖지리〗 만(灣), 내해(內海).

Golfer *m.* -s, - ① 골프 선수. ② 골프 조끼.

Golf≈krieg *m.* 걸프(만) 전쟁. **~krise** *f.* 걸프(만) 위기. **~-Kooperations·rat** *m.* 걸프 지역 협력 회의.

Golf≈platz *m.* 골프장. **~schläger** *m.* 골프채. **~spiel** *n.* 골프 경기.

Golf·strom *m.* 멕시코만 난류.

Golgatha [gɔ́lgata] 《hebr.》 ① 〖聖〗 골고다(예루살렘 부근의 언덕; 예수가 십자가에 못박힌 곳). ② 〔雅語〕 고통의 장소; 커다란 고통.

Goliath [gó:liat] ① *m.* 〖聖〗 골리앗(다윗에게 죽은 블레셋족의 거인). ② *m.* -s, -s (Riese) 거인.

Göller [gœ́lər] 《<Koller[1]》 *n.* -s, - (schweiz.) (넓은) 칼라; 여성복의 목부분.

gölte [gœ́ltə] ↑ gelten 의 접속법 Ⅱ 식.

Gomorra ↑ Gomorrha.

Gomorrha [gomɔ́ra] 〖聖〗 고모라(사해 북방 평원의 전설적인 퇴폐 도시(창세기)).

Gon [go:n] *n.* -s, -e 〖측량〗 직각(90°)의 100 분의 1.

Gonade [goná:də] *f.* -n 〖生〗 생식선, 성선(性腺).

Gonagra [gó:nagra] *n.* -s 〖醫〗 무릎 관절의 통풍.

Gondel [gɔ́ndəl] 《it.》 *f.* -n ① 곤돌라(베니스의 날렵하게 생긴 배). ② 〖空〗 (사람이나 짐을 싣기 위한) 기구·비행선에 부착된 선실〔바구니〕. ③ 매달아 놓은 화분. ④ 〔방언〕 의자. ⑤ (백화점의) 판매대.

Gondel≈fahrer *n.* ↑ ~führer. **~führer** *m.* ↑ Gondoliere.

Gondelier [gɔndəlí:r] *m.* -s, -e ↑ Gondoliere.

Gondel·lied *n.* 곤돌라의 뱃노래.

gondeln 《Ⅰ》 *i.* (s./h.) 곤돌라를 타고〔저어〕 가다; (일반적으로) 배로 물 위를 가다. 《Ⅱ》 *t.* 곤돌라로 나르다.

Gondel·schiffer *m.* ↑ Gondoliere.

Gondolier [gɔndolí:r] *m.* -s, -e ↑ Gondoliere.

Gondoliere [..lié:rə] *m.* -, ..ri 곤돌라 사공.

Gonfaloniere [gɔnfalonié:rə] 《it.》 *m.* -s, ..ri ① 기수(旗手). ② 중세 이탈리아 도시의 수장. ③ 로마 교황령 내 각 주의 경찰관.

Gong [gɔŋ] 《mal. -engl》 *m.*/(드물게) *n.* -s, -s 징; 꽹과리.

gongen *i.* (h.) 징을〔꽹과리를〕 울리다〔치다〕.

Gong·schlag *m.* 징〔꽹과리〕치기, 징〔꽹과리〕 소리.

..gonie 《gr.》 *suf.* "…발생·생성"의 뜻(보기: Kosmo~ 우주의 생성).

Goniometer [goniomé:tər] 《gr.》 *n./m.* -s, - 각도계(角度計), 측각기(測角器); 〖통신〗 방향 탐지기.

Goniometrie *f.* 〖數〗 각도 측정, 측각술.

goniometrisch *a.* 측각술의.

*__gönnen__ [gœ́nən] *t.* ① 기꺼이 주다〔허락하다〕, 베풀다: jm. das Leben ~ 누구의 목숨을 건져주다; jm. die Ehre des Wortes 〔das Wort〕 ~ 누구에게 이야기를 걸다, 인사하다; ~ Sie mir die Ehre Ihres Besuches! 꼭 좀 방문해 주십시오!; sich[3] keine Ruhe ~ 조금도 쉬지 않다; nicht ~ 아끼다, 인색 떨다; 〔반어〕 diese Enttäuschung gönne ich ihm 나는 그가 실망하게 되어서 참 고소하다. ② (사람의 행·불행을) 빌다: wir ~ es ihm von Herzen 우리는 마음에서 그가 그렇게 되기〔그것을 얻기〕를 빌고 있다.

Gönner *m.* -s, - 후원자, 후견인, 스폰서; 은인.

gönnerhaft *a.* 후원자 티를 내는, 생색내는, 거만한.

Gönnerhaftigkeit *f.* 생색냄.

Gönnerin *f.* -nen ↑ Gönner 의 여성형.

gönnerisch *a.* 〔드물게〕 ↑ gönnerhaft.

Gönner·miene *f.* 생색내는 태도, 후원자연하는 태도.

Gönnerschaft *f.* ① 후원, 후견. ② 〔총칭〕 후원자들, 후견인들.

Gonokokkus [gonokɔ́kus] 《gr.》 *m.* -, ..kokken 〖醫〗 임균(淋菌).

Gonorrhö [gonɔrø̂:] *f.* -en [..rø̂:ən] 〖醫〗 임질

(Tripper).
Gonorrhöe [..rǿ:] *f.* -n [..ən] ↑ Gonorrhö.
gonorrhoisch *a.* 임질의.
Good·will [gúdwil] 《engl.》 *n./m.* -s ①〖商〗(회사의) 영업 신용권, 영업권; 신용. ② (정치적) 명성, 명망. ③ (정치적) 호의, 응대.
Goodwill·reise *f.* 친선 방문 (여행).
Göpel [gǿ:pəl] *m.* -s, - ①〖기계〗권양기(捲揚機), 윈치;〖광산〗양광(揚鑛) 활차. ②〖구어·농담〗(schweiz.) 낡아서 못쓰게 된 재봉틀〔자전거·자동차〕.
Göpel·werk *n.*〖기계〗권양 장치〔기계〕.
gor [go:r] ↑ gären 의 과거형.
Gör [gø:r] *n.* -(e)s, -en ↑ Göre.
Gording [gɔ́rdɪŋ] *f.* -s〖海〗돛을 서로 묶는 밧줄.
gordisch [gɔ́rdɪʃ] *a.* (프리지아의 왕) 고르디우스(Gordius)의: der ∼e Knoten 고르디우스의 매듭(고르디우스가 묶은 매듭을 풀면 왕이 된다는 신탁을 듣고 알렉산드로스 대왕이 한칼에 끊은 고사에서 유래);〖비유〗ein ∼er Knoten 극히 어려운 일, 난문제; einen ∼en Knoten zerhauen 쾌도로 난마(亂麻)를 끊다.
Göre [gǿ:rə] *f.* -n ① (ndd.) (작은) 아이. ② (되바라진) 계집애.
göre [gǿ:rə] ↑ gären 의 접속법 Ⅱ 식.
Gorgo [gɔ́rgo] *f.* -nen [..gó:nən]〖그리스신화〗고르곤(보는 사람이 돌로 변했다는 세 자매 괴물 중 하나; Medusa 도 이 중의 하나임).
gorgonen·artig *a.* ↑ gorgonenhaft.
gorgonenhaft *a.* 고르곤 같은, 무서운 얼굴을 가진.
Gorgonen·haupt *n.* ①〖그리스신화〗고르곤의 머리. ②〖雅語〗섬뜩한〔경악스런〕광경: das ∼ der Revolution 혁명의 경악스런 광경. ③〖動〗거미불가사리.
Gorgonzola [gɔrgɔntsó:la] 《Ⅰ》 고르곤촐라(북이탈리아의 도시). 《Ⅱ》 *m.* -s, -s 고르곤촐라산(產) 치즈.
Gorilla [gorí:la] *m.* -s, -s ①〖動〗고릴라. ②〖구어·평어〗(우악스럽게 생긴) 호위병; 갱단의 일원.
Gösch [gœʃ] 《ndl.》 *f.* -en〖海〗함〔선〕수기(艦〔船〕首旗)(정박 중 국적을 나타내고 또 항구의 일요일·축제일에 올리는 작은 국기).
Gosch [goʃ] *f.* -n ↑ Gosche.
Gosche [gɔ́ʃə] *f.* -n〖평어〗(südd., öst.) 입: eine große ∼ haben 허풍치다; eine freche ∼ haben 뻔뻔스럽다; die ∼ halten 입을 다물다.
Goschen [gɔ́ʃən] *f.* ↑ Gosche.
Goscherl [gɔ́ʃərl] *n.* -s, -(n) ① (bayr., öst.) 입(Gosche). ②〖경박〗(öst.) 귀여운 소녀. ③ (schweiz.) 민속 의상의 깃장식.
Gose [gó:zə] *f.* -n 작센산(產)의 맥주.
Go-slow [go:slό:] 《engl.》 *m./n.* -s, -s 태업(怠業), 사보타주.
Gospel [góspəl] 《engl.》 *n./m.* -s, -s 흑인 영가(Gospelsong).
Gospel·song *m.* ↑ Gospel.
Gospodar [gɔspodá:r] *m.* -s/-en, -e(n)〖史〗호스포다르(유고슬라비아 몬테네그로 지방을 통치한 슬라브 영주의 칭호 또는 그 칭호를 가진 사람) (Hospodar).
Gospodin [gɔspodí:n] *m.* -s, ..da …씨, …선생(러시아에서 남자를 부를 때 쓰던 칭호; 오늘날에는 외국인, 특히 서유럽인을 가리킴).
goß [gɔs] ↑ gießen 의 과거형.
Gösschen 新정서 ⇦ Gößchen.
goss 新정서 ⇦ goß.
Gößchen [gœ́sçən] *n.* -s, - ↑ Gosse 의 축소형.
Gosse [gɔ́sə] *f.* -n ① 길 옆의 하수 도랑. ②〖평어〗최하위 계층; 슬럼가, 타락의 온상: jn. 〔js. Namen〕 durch die ∼ ziehen 누구에 대해 험담을 늘어놓다;〖비유〗누구를 인생의 밑바닥에서 구해주다.
gösse ↑ gießen 의 접속법 Ⅱ 식.
Gössel *n.* -s, -(n)〖動〗(ndd.) 새끼 거위.
Gösseling *m.* -s, -e〖動〗(ndd.) ↑ Gössel.
Gossen·stein [gɔ́sən..] *m.* (부엌의) 수채.
Got[1] *m.* -en, -en ↑ Gote[1].
Got[2] *f.* -en ↑ Gote[2].
Gote[1] [gó:tə] *m.* -n, -n 대부(代父) (Pate).
Gote[2] *f.* -n 대모(代母) (Patin).
***Gote**[3] [gó:tə] *m.* -n, -n 고트 사람(게르만족의 한 갈래).
Gotha [gó:ta] *m.* - 유럽 귀족의 족보를 써놓은 달력이나 소책자.
***Gotik** [gó:tɪk] *f.*〖건축〗고딕(양)식.
***gotisch** *a.* ① 고트인〔어〕의. ②〖건축〗der ∼e Baustil 고딕식 양식;〖印〗die ∼e Schrift 고딕 자체(字體), 고딕체.
Gotisch ① *n.*〖印〗고딕체. ② *n.* -(s) 고트어(語).
Gotische *n.* -n ① das ∼ 고트어. ② 고딕식 특징.
***Gott** [gɔt] *m.* -es, Götter [gœ́tər] ① 신, 조물주, 천주(天主);〖비유〗숭배의 대상; 최고의 존재, 지배자: der allmächtige ∼ 전능의 신; der liebe ∼ 하느님; der dreieinige ∼ 삼위일체이신 하느님; ∼es Wort 성서; ∼es Sohn 하느님의 아들 그리스도; ∼ der Vater〔Herr〕 아버지〔주〕 하느님; die Mutter ∼es 성모 마리아; an ∼ glauben 신을 믿다; auf ∼ bauen〔vertrauen〕 신을 의지하다; bei ∼ schwören 신을 걸고 맹세하다; beim lieben ∼ sein 하늘 나라에 가 있다(죽었다); mit ∼es Hilfe 신의 도움으로; zu ∼ beten 신에게 빌다. ②〖비유〗du bist (wohl) ganz (und gar) von ∼ verlassen! 너 정신나갔구나, 도대체 무슨 소리를 하는거야!; wie ∼ jn. geschaffen hat 벌거벗고, 실오라기 하나 걸치지 않은 채로; et. um ∼es Willen〔Lohn〕 tun 보수를 받지 않고 무엇을 하다;〖구어〗jn. hat ∼ im Zorn erschaffen 누구라면 진절머리가 난다;〖구어〗den lieben ∼ 〔unsern Herr∼〕 einen guten Mann sein lassen 무사태평이다, 세월을 허송하다; js. ∼ sein 누구의 우상이다; jn.〔et.〕 zu seinem ∼ machen 누구를〔무엇을〕 신처럼 떠받들다;〖구어〗wie ∼ in Frankreich leben 풍족하게 생활하다, 호의호식하다; dem lieben ∼ den Tag 〔die Tage〕 stehlen〔abstehlen〕 빈둥거리며 하루를〔나날을〕 보내다; ∼ und Welt 이런저런 모든 것〔일〕; 이런저런 모든 사람; ∼ hab' ihn〔sie〕 selig (고인(故人)의 이름 뒤에 덧붙이는 형식적인 말) 그도〔그녀도〕 이제 고인이 되었다; seinen Frieden mit ∼ machen 죽기 전에 하느님께 귀의하다. ③ ach〔o〕 (du lieber〔mein〕) ∼!, mein ∼ (im Himmel)! ach du lieber ∼!, allmächtiger〔großer, guter, gerechter〕 ∼ (im

Himmel)! 아아, 원, 이런, 아이고, 야단났는데!; (ach) ~ (생각하면서 말을 하는 경우에) 글쎄, 그런데; 〖구어〗 ~ sei Dank 다행히(도); 〖구어〗 ~ sei (Lob und) Dank!, ~ Lob! 다행이다; 〖구어·농담〗 ~ sei's getrommelt und gepfiffen! 천만다행이다!; um ~es willen a) 부디, 제발!, b) 원 세상에, 아니 이럴 수가!; 〖구어〗 in ~es Namen! 나는 상관 없으니 마음대로 하시오!; 〖구어〗 daß ~ erbarm' 아주 형편 없는; 〖구어〗 leider ~es! 유감스럽게도!; 〖구어〗 ~ sei's geklagt 유감스럽게도; ~ geb's!, ~ gebe es! 제발 그렇게 되었으면; wollte〔gebe〕 ~, daß ... 부디 …이기를 바란다; ~ verhüte es! 그건 딱 질색이다!; gnade dir ~! 가만두지 않겠다, 혼날 줄 알아라!; bei ~! 맹세코!; ~ bewahre!, ~ behüte!, da sei ~ vor!, das wolle ~ nicht! 하느님 맙소사, 그건 있을 수 없는 일이다, 무슨 그런 당치도 않은 말을!; ~ steh' mir〔uns〕 bei! 아이고 큰일났다, 아뿔싸!; ~ sei mit euch! 행복〔성공〕하기를 빈다!; 〖雅語·구식〗 ~ befohlen! 안녕히 가십시오〔계십시오〕!; (südd., öst.) behüt' dich ~! 안녕히 가십시오〔계십시오〕!; 〖방언〗 grüß (dich 〔euch, Sie〕) ~!, ~ grüße dich 〔euch, Sie〕! 안녕하십니까!; 〖구식〗 ~ zum Gruß! 안녕하십니까!; helf' ~! 몸조심하십시오! (재채기하는 사람에게 하는 말); so wahr ein ~ lebt!, wahrhaftigen ~es! 맹세코!; ~ ist mein Zeuge! 신을 걸고 맹세한다!; 〖비속〗 ~es Donnerwetter!, ~ verdamm' mich 제기랄, 빌어먹을!; weiß ~! 틀림없이, 맹세코!; ~ weiß, wann sich das ändert 그것이 언제 변할지 아무도 모른다; das weiß der liebe ~! 하느님밖에〔아무도〕 모른다!; so ~ will 모든 게 계획대로 된다면; wie ~ will 하느님 뜻대로. ④ (다신교에서) 숭배의 대상, 최고의 존재; (Gottheit) 신성, 신(神); 우상 (Götze): wie ein junger ~ 젊은 신처럼(초인적인 아름다움과 민첩함으로); das wissen die Götter 그건 아무도 모른다〔아주 불확실하다〕; 〖폄어〗 Götter in Weiß (주임) 의사들.

gott≈ähnlich *a.* 신과 같은, 거룩한. **~ähnlichkeit** *f.* 신과 같음, 거룩함. **~begeistert** *a.* 성령에 감동된, 천래의. **~begnadet** *a.* 신의 은총을 받은; (재능이) 천부적인; (예술가가) 천분이 풍부한. **~begnadigt** *a.* ↑ ~begnadet. **~bewahre** *int.* 〖구어〗 결코, 절대로: du darfst ~ nicht alles ernst nehmen, was er sagt 너는 결코 그가 말하는 것을 모두 진지하게 받아들여서는 안 된다.

Gottchen[1] [gɔ́tçən] *n.* -s, - 〖↑ Gott 의 축소형〗〖다음 용법으로만〗 (ach) ~! 원 세상에 (이럴 수가), 아이쿠!

Gottchen[2] *n.* -s, - 〖↑ Gotte 의 축소형〗 (schweiz.) 대자(代子), 대녀(代女).

Gotte *f.* -n (schweiz.) ↑ Gote[2].

Gott·erbarmen 〖다음 용법으로만〗〖구어〗 zum ~ 가련하게: er spielt zum ~ 그는 아주 형편없이 연주한다.

Götter≈baum *m.* 〖植〗 가죽나무. **~berg** *m.* 〖그리스신화〗 올림포스산(山). **~bild** *n.* ① (숭배의 대상이 되는) 신상(神像), 성상. ② 성스러운 자태. **~bote** *m.* 신의 사자; 〖그리스신화〗 헤르메스. **~botin** *f.* 〖그리스신화〗 이리스. **~brot** *n.* (Ambrosia) 신의 음식, 신찬(神饌). **~burg** *f.* 〖북구신화〗 전사자의 혼령이 사는 천당. **~dämmerung** *f.* 〖북구신화〗 신들의 황혼(옛 신들과 세계의 멸망). **~dichtung** *f.* 신화. **~dienst** *m.* ① 제신(諸神) 숭배. ② 다신교. **~funke** *m.* 신들의 불꽃; 신들의 선물, 타고난 재주. **~funken** *m.* ↑ ~funke. **~gatte** *m.* 〖구어·농담〗 남편, 지아비.

gott·ergeben *a.* 믿음이 독실한, 경건한.

Gott·ergebenheit *f.* 독실, 경건.

Götter≈geschlecht *n.* 신족(神族). **~gestalt** *f.* 신의 자태, 성스러운 자태. **~gleich** *a.* 신 같은, 거룩한. **~hain** *m.* 신들이 사는 숲. **~himmel** *m.* (그리스 민족의) 올림포스; (게르만족의) 발할(Walhall). **~könig** *m.* 〖시어〗 신들의 왕; 〖그리스신화〗 제우스, 〖로마신화〗 주피터. **~kunde** *f.* 신화학(學). **~leben** *n.* 신들의 생활; 즐거운 생활. **~lehre** *f.* ↑ ~kunde. **~mahl** *n.* 신들의 향연. **~sage** *f.* 신화; 신들에 관한 전설.

Götterschaft *f.* ① 신성(神性), 신격, 신의 위엄. ② 〖총칭〗 여러 신.

Götter≈sitz *m.* 신의 주거(住居); 신전, 올림포스. **~speise** *f.* ① 〖그리스신화〗 신들의 음식 (Ambrosia). ② 〖농담〗 맛있는 음식. ③ 〖요리〗 (젤라틴을 섞어 만든) 디저트. **~spruch** *m.* (Orakel) 신탁(神託). **~trank** *m.* 〖그리스신화〗 (Nektar) 신주(神酒); 〖농담〗 감로(甘露), 미주(美酒).

Göttertum *n.* -s ↑ Götterschaft.

Götter≈verehrung *f.* ↑ ~dienst. **~versammlung** *f.* 신들의 모임. **~welt** *f.* (올림포스의) 여러 신. **~zeit** *f.* 신화 시대.

Gottes≈acker *m.* 〖방언·雅語〗 묘지. **~anbeter** *m.* 신자, 기도하는 사람. **~anbeterin** *f.* ① ↑ ~anbeter 의 여성형. ② 〖動〗 사마귀. **~beweis** *m.* 신의 존재 증명. **~diener** *m.* 신부, 목사. **~dienst** *m.* 〖宗〗 예배(식), 제식(祭式), 미사. **~dienstlich** *a.* 예배의, 제식의; 경건한. **~erde** *f.* 세계, 우주. **~friede** *m.* ① (중세 교회가 명한) 전투 행위 정지 기간. ② 신〔하늘〕의 평화. **~furcht** *f.* 외경심, 경건. **~fürchtig** *a.* 독실한, 경건한. **~gabe** *f.* 신의 선물; 뜻밖의 행복; 천부의 재능. **~gebärerin** *f.* 성모 마리아. **~geißel** *f.* 천벌, 하늘의 채찍(5세기에 유럽을 휩쓴 훙노족의 왕 Attila 의 별명). **~gelehrsamkeit** *f.* ↑~gelehrtheit. **~gelehrte*** *der/die* 신학자. **~gelehrtheit** *f.* 〖고어〗 신학. **~gericht** *n.* ↑ ~urteil. **~glaube** *m.* 믿음; 〖비유〗 종교. **~gnade** *f.* 신의 은총. **~gnadentum** *n.* 왕권 신수설. **~haus** *n.* 교회, 성당, 예배당. **~jämmerlich** *a.* 〖구어〗 아주 비참한. **~kasten** *m.* 〖宗〗 보시함(布施函); (교회의) 연보궤(捐補櫃). **~kind** *n.* 신의 피조물, 인간; 예수 그리스도; 신이 일으킨 사건; 〖방언〗 무당벌레. **~kindschaft** *f.* 신의 (양)아들임. **~lamm** *n.* 〖宗〗 하느님의 어린 양, 그리스도. **~lästerer** *m.* 독신자(瀆神者). **~lästerlich** *a.* 신성 모독의. **~lästerung** *f.* 독신. **~lehre** *f.* ① 종교. ② 신학. **~leugner** *m.* 무신론자. **~leugnerisch** *a.* 무신론의. **~leugnung** *f.* 무신론(Atheismus). **~lohn** *m.* 신의 보상: um (einen) ~ 무보수로. **~mann** *m.* 〖복수: ..männer〗 ① 〖雅語〗 성직자. ② 〖종종 반어적〗 경건한 신자. **~mutter**

f. 성모 마리아. **~reich** *n.* ① 천국. ② 신권 정치 국가. **~sohn** *m.* 하느님의 아들(그리스도). **~staat** *m.* (지상에서 실현되는) 신국. **~-tisch** *m.* 〖宗〗 성찬상; 제단. **~urteil** *n.* ① 신의 심판. ②〖法〗 신명(神明) 재판(중세에 불로 시험하거나 결투를 하여 그 결과를 신의 뜻으로 삼은 재판). **~verächter** *m.* 신을 경멸하는 사람. **~verachtung** *f.* 신을 경멸함. **~verehrung** *f.* 신을 섬김. **~vergessen** *a.* 신을 믿지 않는, 불경한. **~weisheit** *f.* 〖哲〗 신지학(神智學); 접신(接神)술, 접신론. **~-welt** *f.* 세계, 우주. **~wort** *n.* 하느님의 말씀, 성서(Bibel).

Gottfried ① *m.* 고트프리트(남자 이름). ② *m.* -s 〔구어〕 낡은 잠옷; 낡은 윗도리.

gott≈gefällig *a.* 신의 뜻에 맞는. **~gesandt** *a.* 신이 보낸. **~geweiht** *a.* 신에게 바친; 신성한. **~gewollt** *a.* 신의 뜻에 따른. **~-gläubig** *a.* 〔구식〕 경건한, 신앙심이 깊은.

Gotthard [gɔ́tart, ..thart] *m.* ① 고트하르트(남자 이름). ②〖지리〗 Sankt ~ 상크트 고트하르트(스위스의 산 및 고개).

Gottheit *f.* -en ① 신성(神性), 신격. ② (특히 기독교의) 신.

Götti [gœ́ti] *m.* -s, - (schweiz.) 대부(代父).

Göttin [gœ́tɪn] *f.* -nen 여신; 〔비유〕 연인.

Göttingen [gœ́tɪŋən] 〖지리〗 괴팅겐(독일 중부의 도시).

Göttinger 《I》 *m.* -s, - 괴팅겐 사람. 《II》 *a.* 괴팅겐의.

*__göttlich__ [gœ́tlɪç] *a.* ① 신의, 신 같은, 거룩한, 신성한: ~e Gnade 신의 은총; ~e Einrichtung 하늘의 섭리; ~es Recht 신의 계율; ein ~es Leben führen 경건한 생활을 하다; die ~e Komödie (단테의) 신곡. ② 〔비유〕 이 세상 같지 않은; 숭고한; 훌륭한; 더없이 아름다운; 〔구어〕 우스꽝스러운; 즐거운(ergötzlich): ~e Dummheit 지독한 어리석음; ~e Grobheit 호방하고 활달함; 〔구어〕 ein ~er Fraß! 굉장한 성찬이다!

Göttliche* *das* 신성(神性); 해학미(味): das ~ im Menschen 인간이 지니는 신성; 〔구어〕 das Göttlichste an der Sache 이 일의 가장 우스꽝스러운 점.

Göttlichkeit *f.* ① 신성(神性). ② 〔반어〕 Ihre ~! 나리, 각하!

gott·lob *int.* 고맙게도, 다행스럽게도: ich war krank, aber ~ nicht ernsthaft 나는 아팠지만 다행히 심하지는 않았다.

gottlos *a.* ① 신을 부인하는, 신앙이 없는, 무신론의. ② 패덕한, 타락한; 사악한. ③ 경박한; 방자한; 교활한.

Gottlose* *der/die* 무신론자; 배교자.

Gottlosen·bewegung *f.* 무신론 운동.

Gottlosigkeit *f.* 패덕, 신성 모독; 신 부정.

Gott·mensch *m.* 〖宗〗 신인(神人), 그리스도.

Gottsched [gɔ́tʃeːt] *m.* Johann Christoph ~ 고트셰트(독일의 문학 이론가, 1700-66).

Gott·sei·bei·uns *m.* - 악마(Teufel).

gott·selig [gɔtzéː.., gɔ́tzeː..] *a.* ① 법열에 넘친, 신에 귀의한; 경건한. ② (verstorben) 죽은, 고(故) ….

Gottseligkeit *f.* 법열, 경건.

gotts≈erbärmlich *a.* ① 〔구어〕 아주 가련한, 매우 불쌍한. ② 〔부사적〕 아주 심하게: es war ~ kalt 아주 혹독하게 추웠다. **~jämmerlich** *a.* ↑ ~erbärmlich.

Gott≈sucher *m.* 구도자(求道者). **~vater** *m.* 〔관사없이〕 아버지 하느님. **~verdammt** *a.* ① 〔구식〕 신의 저주를 받은: eine ~ Seele 저주받은 영혼. ② 〔비속〕 빌어먹을, 경악스런: warum läuft alles so ~ schief? 무엇 때문에 모든 것이 이렇게 엉망진창이 되고 있는가? **~-verflucht** *a.* 신의 저주를 받은; 〔비속〕 대단히 괘씸한. **~vergessen** *a.* 신을 잊은, 불경의, 무도한. **~verhaßt** *a.* 신의 미움을 산, 괘씸한. **~verlassen** *a.* 신의 버림을 받은; 저주받을; 비참한; 황량한. **~vertrauen** *n.* 신앙. **~voll** *a.* ① 성신에게 감화된; 영감을 받은. ② (köstlich) 훌륭한, 굉장한; 〔반어〕 익살맞은: du bist ja ~! 자넨 참 굉장하네 그려!; du siehst ~ aus in diesem Auszug! 이 옷차림을 하니 자네 정말 익살스러워 보이는군!

Gott·wesen *n.* 신(Gott).

Götz [gœts] *m.* 괴츠(남자 이름): 〔구어〕 ~! 말도 안 되는 소리, 싫어!; 〔경박〕 ~ von Berlichingen! 귀찮게 굴지 마라, 날 좀 괴롭히지 마라!

Götze [gœ́tsə] *m.* -n, -n ① (Abgott) 우상; 거짓 신: ~n dienen 우상을 숭배하다. ② 〔雅語·폄어〕 (맹목적) 숭배의 대상: das Geld ist sein ~ 돈이 그의 우상이다.

Götzen≈altar *m.* 우상을 위한 제단. **~bild** *n.* 우상. **~diener** *m.* 우상 숭배자. **~-dienerisch** *a.* 우상 숭배의. **~dienst** *m.* 우상 숭배. **~priester** *m.* 우상의 사제(司祭). **~tempel** *m.* 우상의 신전.

Götzentum *n.* -s ↑ Götzendienst.

Gouache [guáʃ] 《frz.》 *f.* -n 〖畫〗 ① 구아슈 화법(畫法). ② 고무 수채화.

Gouache·malerei *f.* 〖畫〗 ↑ Gouache ①.

Gouda [gáuda] 《ndl.》 *m.* -s, -s ↑ ~käse.

Gouda·käse [gáuda..] *m.* 고다 치즈(치즈의 일종; 네덜란드의 도시명에서).

Gourde [gurd] *m.* -, -s 구르드(아이티의 화폐 단위).

Goudron [gudrɔ̃ː] 《lat.》 *m./n.* -s 〖化〗 타르.

Gourmand [gurmɑ̃ː] 《frz.》 *m.* -s, -s 미식가, 식도락가.

Gourmandise [gurmɑ̃díːzə] 《frz.》 *f.* -n ① 식도락, 포식, 군것질. ② 미식(美食), 별식(別食).

Gourmet [gurméː, ..mɛ́] 《frz.》 *m.* -s, -s ① 미식가. ② 포도주 감식가(Weinkenner).

Gout [guː] 《frz.》 *m.* -s, -s [guːs] ① (Geschmack) 미각, 맛, 풍미. ② (Neigung) 기호(嗜好), 취미.

goutieren [gutíːrən] *t.* 〔교양〕 ① 시식(試食)하다; 맛보다, 음미하다. ② (gutheißen) 시인하다, 찬성하다. ③ (Geschmack finden) 좋아하다, …에 취미를 가지다.

Gouvernante [guːvɛrnántə] 《frz.》 *f.* -n 여자 가정 교사(Hauslehrerin).

gouvernantenhaft *a.* 훈계하기 좋아하는; 일일이 간섭하는.

Gouvernement [guvɛrnəmɑ̃ː] 《frz.》 *n.* -s, -s ① (Regierung) 통치, 지배, 관리; 통치 기관. ② (Verwaltungsbezirk) 행정〔관리〕 구역. ③ (Regierungsform) 정체(政體).

gouvernemental [guvɛrnəmɑ̃táːl] 《frz.》 *a.* (schweiz.) ① 친(親)정부적인. ② 정부의.

Gouverneur [guvɛrnǿːr] ⟪frz.⟫ *m.* -s, -e ① (식민지의) 총독, 지사; (요새의) 사령관. ② (왕세자의) 부육관(傅育官), 스승, 가정 교사. ③ (미국의) 주지사.

GPS ⟪engl.⟫ =Global Positioning System 〚통신〛 위성 항법 장치.

G.P.U. [geːpeːúː] ⟪russ.⟫ =Gosudarstvennoje političkoje upravlenije (구소련의) 국가 비밀 경찰(1923-34) (staatliche politische Verwaltung).

Gr.[1] =Greenwich 그리니치(자오선의 기점).

Gr.[2] ① =Grad 도(度). ② =Gran (그란 중량 단위). ③ =Gros 그로스(12 다스). ④ = Groschen 그로센(화폐 단위).

gr. =groß 크기의.

Gr.-2° 〚印〛 =Großfolio 전지 2 절판.

Gr.-4° 〚印〛 =Großquart 전지 4 절판.

Gr.-8° 〚印〛 =Großoktar 전지 8 절판.

***Grab** [graːp] ⟪<graben⟫ *n.* -(e)s, Gräber [grɛ́ːbər] 묘혈, 묘, 무덤, 묘석; 〔비유〕 임종, 죽음: 〔雅語〕 ein frühes ~ finden 요절하다; das Heilige ~ (예루살렘에 있는 예수 그리스도의) 성묘(聖墓); bis ins 〔ans〕 ~ 〔bis über das ~ hinaus〕 죽을 때까지, 영원히; 〔雅語〕 ins ~ sinken 죽다; 〔雅語〕 jm. ins ~ folgen 누구의 뒤를 따라 죽다; 〔雅語〕 et. mit ins ~ nehmen 무엇을(비밀 따위를) 무덤까지 가지고 가다, 끝내 밝히지 않다; jn. ins ~ legen〔senken〕 누구를 매장하다; jn. zu ~e geleiten 누구를 장송(葬送)하다; jn. zu ~e tragen 누구를 매장하다; et. zu ~e tragen 무엇에 대한 희망을 완전히 버리다; et. zu ~e läuten 무엇의 종말을 고하다; 〔구어〕 verschwiegen wie ein〔das〕 ~ sein 입이 아주 무겁다; sein ~ auf dem Schlachtfeld finden 전사하다; 〔雅語〕 sein ~ in den Wellen finden 〔ein feuchtes〔nasses〕 ~ finden〕 익사하다; 〔구어〕 er würde sich im ~ (her)umdrehen, wenn er das wüßte 그가 그것을 안다면, 크게 분노할 것이다; jn. ins ~ bringen 누구를 죽음에 이르게 하다, 누구를 절망의 구렁텅이에 빠뜨리다, 누구를 분통터지게 만들다; mit einem Fuß〔Bein〕 im ~e stehen, 〔雅語〕 am Rande des ~es stehen 죽음의 문턱에 서 있다; 〔雅語〕 jn. an den Rand des ~es bringen 누구를 빈사 상태에 빠뜨리다; er gräbt 〔schaufelt〕 sich[3] selbst sein ~ 그는 스스로 무덤을 판다, 파멸을 자초한다.

grab≈ähnlich *a.* 무덤 같은. **≈beigabe** *f.* 〚고고〛 부장품(副葬品).

Grabbelei *f.* -en 〔구어〕 (ndd.) 더듬어 찾기.

grabbeln [grábəln] ⟪I⟫ *i.* (h.) 〔구어〕 (nordd.) nach et.[3] ~ a) 무엇을 더듬어 찾다, b) 무엇을 잽싸게 붙잡다. ⟪II⟫ *t.* 〔구어〕 간질이다(kitzeln).

Grabbel≈sack *m.* 〔복수 ..säcke〕 (산타클로스의) 선물 자루. **~tisch** *m.* 〔구어〕 (ndd.) (손님이 직접 고르도록 해놓은) 판매대.

Gräbchen [grɛ́ːpçən] *n.* -s, - 〔↑ Grab 의 축소형〕 작은 무덤〔묘비〕.

Grab·denkmal *n.* 묘석, 묘비.

Grabe·land *n.* 채소밭용의 토지.

graben [gráːbən] (grub, gegraben) ⟪I⟫ *i.* (h.) ① 파다; 캐다: in die Erde ~ 땅을 파다; nach Kohlen〔Schätzen〕 ~ 석탄〔보물〕을 캐다. ②〚工〛 새기다: in Metall ~ 금속에 새기다. ⟪II⟫ *t.* ① (우물·무덤 등을) 파다: einen Schacht ~ 수직갱을 파다; einen Grund 〔ein Fundament〕 zum Bau ~ 건축의 기초 공사를 하다; 〔비유〕 jm. eine Grube ~ 누구를 함정에 빠뜨리려고 획책하다. ② 박다: jm. den Dolch ins Herz ~ 누구의 가슴에 비수를 꽂다; 〔비유〕 jm. et. ins Herz ~ 누구에게 무엇을 명심시키다. ③ (광석·보물·뿌리를) 캐다; 채굴〔발굴〕하다: Kartoffeln ~ 감자를 캐다; 〚사냥〛 einen Fuchs ~ (굴에서) 여우를 몰아내다. ④ 파묻다(begraben): et. in die Erde ~ 무엇을 땅 속에 파묻다. ⑤ 땅을 갈다, 경작하다: das Land 〔den Acker〕 ~ 전답을 갈다. ⑥〚工〛 (gravieren) 조각하다, 새기다: Kupfer ~ 구리에 새겨넣다. ⟪III⟫ *refl.* ① sich müde ~ 지치다. ② sich in die Erde ~ (동물이) 땅에 굴을 파고 들어가다. ③ ihr Bild hat sich tief in mein Gedächtnis gegraben 그 여자의 모습은 내 기억에 깊이 아로새겨졌다.

***Graben** ⟪<graben⟫ *m.* -s, Gräben ① 도랑, 배수로: 〔구어〕 er landete im ~ 그는 도랑에 빠졌다; 〔비유〕 über den ~ sein 곤란을 벗어나 있다. ② 굴, 호; 〚軍〛 산병호(散兵壕), 참호; 해자. ③〚지질〛 해구(海溝), 지구(地溝), 지구 분지(地溝盆地).

Graben≈böschung *f.* 〚軍〛 참호의 경사면. **~bruch** *m.* 〚지질〛 지구(地溝). **~damm** *m.* 호(壕)의 둑; 〚軍〛 방축. **~füller** *m.* 〚軍〛 총알받이 (병사). **~geschütz** *n.* 〚軍〛 박격포. **~kampf, ~krieg** *m.* 참호전(戰). **~sohle** *f.* 참호 바닥. **~sprung** *m.* 〚스포츠〛 (장애물 경주의) 도랑 뛰어넘기. **~ziehen** *n.*, **~zug** *m.* 호 파기.

Gräber [grɛ́ːbər] *m.* -s, - ① 파는 사람, 도랑 파는 사람; 무덤을 파는 일꾼(Toten≈). ② 조각용 칼. ③〚動〛 굴을 파는 동물(토끼·여우·두더지 따위).

Gräber≈feld *n.* 선사 시대의 무덤이 모여 있는 곳. **~fund** *m.* 무덤에서 나온 유물, 발굴물.

Grabes≈dunkel *n.* 〔시어〕 무덤 속의 암흑; 〔비유〕 칠흑 같은 어둠. **~kälte** *f.* 〔雅語〕 으스스한 냉기〔추위〕. **~kammer** *f.* 현실(玄室). **~kirche** *f.* (예루살렘의) 성묘(聖墓) 교회. **~moder** *m.* 무덤 속의 진창〔곰팡 냄새〕. **~nacht** *f.* ↑ ~dunkel. **~rand** *m.* 무덤 가장자리: 〔비유〕 am ~e sein 죽음의 문턱에 서 있다. **~ruhe** *f.* 깊고 영원한 휴식; 묘지의 정적. **~schlummer** *m.* 죽음(Tod). **~stille** *f.* ↑ ~ruhe. **~stimme** *f.* 음산한 소리.

Grab≈geläut *n.* ↑ ~geläute. **~geläute** *n.* 장례의 종(소리), 조종(弔鐘). **~gerüst** *n.* (Katafalk) 관대(棺臺), 상여. **~gesang** *m.* ↑ ~lied. **~gewölbe** *n.* 묘혈; 지하 납골당. **~hügel** *m.* 무덤의 봉분. **~legung** *f.* 매장, 장례. **~lied** *n.* 만가(輓歌); 조가(弔歌). **~-mal** *n.* 〔복수: -e/..mäler〕 묘석, 묘비: das ~ eines unbekannten Soldaten 무명 용사의 비〔묘비〕. **~meißel** *m.* 석판 조각용 끌. **~platte** *f.* 평토장(平土葬)한 묘를 덮는 대리석판〔청동판〕. **~rede** *f.* 조사(弔辭). **~-schändung** *f.* 도굴. **~scheit** *n.* 〔복수: -e〕 (ostd.) 삽(Spaten).

grabschen *i.* (h.)/*t.* 〔구어〕 (grapschen) 낚아채다; 꽉 붙잡다.

Grab≈schrift *f.* 묘비명. **~spruch** *m.* 묘비

문; 애도사.
gräbst [grɛ:pst] ↑ graben 의 2 인칭 단수 현재형.
Grab≈stätte *f.* 묘지. **~stein** *m.* 묘비석(石). **~stelle** *f.* 묘지터, 매장 장소. **~stichel** *m.* 동판 조각용 끌, 조각 칼.
gräbt [grɛ:pt] ↑ graben 의 3 인칭 단수 현재형.
Grab·tuch *n.* 〖복수: ..tücher〗 수의(壽衣).
Grabung [grá:buŋ] *f.* -en ① 파기, 삽질하기; (고대 유물의) 발굴; 채굴; 경작; 조각. ② 패인 것, 구멍, 굴, 도랑.
Grabungs·fund *m.* 발굴물.
Grab≈urne *f.* 납골 단지. **~wespe** *f.* 〖動〗 구멍벌과의 곤충.
Gracht [graxt] *f.* -en (ndd.) 개천, 운하.
grad[1] [gra:t] *a./adv.* 〖구어〗 (gerade) 바로, 똑바로: das Bild hängt nicht ~ 그림이 똑바로 걸려 있지 않다; ich bin ~ erst gekommen 나는 막 도착했다.
grad[2] 〖數〗 =Gradient 경사도, 기울기.
grad. =graduiert 대학 졸업의.
***Grad** [gra:t] *m.* -(e)s, -e ① 눈금; 도: bei 30 ~ 〔30°〕 Wärme 30 도의 열로; ein Winkel von 90 ~ 〔90°〕 90 도의 각; unter dem 20 ~e nördlicher Breite 북위 20 도 아래에서; es ist heute um einige ~(e) wärmer als gestern 오늘은 어제보다 2-3 도 가량 따뜻하다; sich um hundertachtzig ~ drehen 종전과 정반대의 입장을 취하다. ② 등급, 계급, 위계: akademischer ~ 학위. ③〖法〗 촌수: ein Verwandter zweiten ~es 2 촌 (형제); Vettern zweiten ~es 재종 형제, 6 촌 형제. ④〖비유〗 정도: in gewissem ~e 어느 정도, 얼마간; in hohem ~e 크게, 매우, 대단히; im höchsten ~e 극도로; bis zu einem gewissen ~e 어느 정도까지, 얼마간은; dem ~e nach 등급에 따라서. ⑤〖문법〗 비교의 등급 (보기: breit, breiter, breitest). ⑥〖數〗 차: Gleichung des zweiten ~es 2 차 방정식. ⑦〖음악〗 (악보의) 도. ⑧〖고어〗 (계단의) 단.
Grad≈abteilung *f.* 〖지리〗 2 개의 위선(緯線)과 경선(經線)이 교차하여 생기는 4 각형 부분 〔지역〕; 〖軍〗 계급의 구분. **~abzeichen** *n.* 〖軍〗 견장.
gradatim [gradá:tɪm] 《lat.》 *adv.* 단계를 이루어, 차례차례로, 조금씩.
Gradation [gradatsió:n] *f.* -en ① 단계, 등급. ②〖修〗 점층법. ③〖畫〗 농담(濃淡)법.
Grad·bogen *m.* 〖數〗 분도기, 측각기.
grade[1] [grá:də] *a.* ↑ gerade[1].
grade[2] *a.* ↑ gerade[2].
Grad·einteilung *f.* ↑ ~abteilung.
Gradel [grá:dəl] *m.* -s, - (südd., öst.) ① (작업복·자루용) 마대천. ② 자갈, 굵은 모래.
Gradient [gradiɛ́nt] 《lat.》 *m.* -en, -en 〖理〗 경사도, 물매, 기울기.
Gradiente *f.* -n 〖철도〗 기울기, 경사도.
Gradienten·zeiger *m.* 〖철도〗 기울기표(標).
gradieren *t.* 〖工〗 ① 도를 높이다; 농축시키다, 진하게 하다: die Sole ~ (증발시켜) 염수를 정제하다; Gold ~ 금의 순도를 높이다. ② 눈금을〔도수를〕 매기다. ③ 합금하다. ④ 등급을 매기다.
Gradier≈haus *n.* 〖工〗 가조법(架條法) 제염장. **~herd** *m.* ↑ ~ofen. **~ofen** *m.* (제염용의) 농축 가마솥.
Gradierung *f.* -en ①〖工〗 농축; 가조법(架條法) 제염. ②〖지질〗 (위로 갈수록 퇴적물의 알갱이가 작아지는) 점층 퇴적.
Gradier≈waage *f.* 〖工〗 염수 비중계. **~wasser** *n.* 〖化〗 (합금 표면의) 불순물 제거 용해제. **~werk** *n.* ① 가조법(架條法) 제염 장치. ② 냉각 장치.
..gradig *suf.* "…도(度)의"의 뜻(보기: hundert~ 100 도의).
Grädigkeit *f.* -en 〖化〗 농도.
Graditzer *m.* -s, - (토르가우의 동남쪽에 위치한) 그라디츠산(産) 말(馬).
Gradl *m.* -s, - ↑ Gradel.
Grad≈leiter *f.*, **~messer** *m.* 〖數〗 분도기, 측도기. **~mäßig** *a.* 각도〔농도〕의. **~messung** *f.* 측도(測度). **~netz** *n.* (지구의(儀) 상의) 경·위도선망(網).
gradual [graduá:l] 《lat.》 *a.* 순서가 있는; 등급의 (graduell).
Graduale *n.* -s, ..lien [..liən] 〖가톨릭〗 ① 층계송(層階誦). ② 미사 성가집.
Graduation *f.* -en ① ↑ Gradabteilung. ② ↑ Gradation ②. ③ 학위 수여. ④ 전류계에 따른 측정.
graduell [..duɛ́l] 《Ⅰ》 *a.* 등급이 있는; 점차적인. 《Ⅱ》 *adv.* 단계적으로, 점차로.
graduieren [graduí:rən] 《Ⅰ》 *t.* ① 눈금을〔도수를〕 매기다. ② jn. ~ 누구에게 학위를 주다, 대학을 졸업시키다. 《Ⅱ》 **graduiert** *p.a.* graduiert.
graduiert 《Ⅰ》 *p.p.* ↑ graduieren. 《Ⅱ》 *p.a.* 학위를 취득한, 대학을 졸업한.
Graduierte* *der/die* 대학 졸업생.
Graduierung *f.* ① 눈금, 도수. ② 대학 졸업, 학위 수여.
Grad·unterschied *m.* ① 각도차. ②〖비유〗 정도의 차이.
Gradus ad Parnassum [grá:dus at parnásum] 《lat.》 *m.* - - - 파르나소스에의 계제(階梯) (라틴어 운율 사전의 이름; 음절의 길이와 동의어가 표시된 시작법서).
Grad≈waage *f.* 용수철 저울. **~weise** *adv.* 점차로, 서서히. **~zahl** *f.* 〖數〗 지수.
Graecum [grɛ́:kʊm] *n.* -s 그리스어 시험.
***Graf** [gra:f] *m.* -en, -en ① 백작: 〖경박·농담〗 ~ Koks (von der Gasanstalt) 고상한 의상을 입은 남자; 〖경박·폄어〗 ~ Rotz (von der Backe) 거만한 남자. ② 태수(옛날 Gau 의 장관; 재판관도 겸함). ③ (ndd.) 조합의 임원, (특히) 제방 감독관.
graf.. 新정서 ⇦ graph...
Grafen≈krone *f.* 백작의 관(冠). **~sitz** *m.* 백작령(領), 백작의 저택. **~stand** *m.* 백작 신분; (일국의) 백작 전체. **~titel** *m.* 백작 칭호.
Grafentum *n.* -s, ..tümer ↑ Grafschaft.
Grafen·würde *f.* 백작 신분.
Graffel *n.* -s 〖구어〗 (öst.) 쓸모 없는 것, 잡동사니.
Graffito *n.* ..ti 거리·공공 시설 벽의 그림 낙서.
..grafie 新정서 ⇦ ..graphie.
Gräfin [grɛ́:fɪn] *f.* -nen 백작의 부인〔딸〕.
Grafit 新정서 ⇦ Graphit.
gräflich *a.* 백작의; 백작 같은.
Grafschaft *f.* -en ① 백작령(領). ② 백작의

신분. ③ (특히 영국의) 행정 및 사법 관할 구역.

Grafik 新정서 ⇦ Graphik.

Grafiker 新정서 ⇦ Graphiker.

Grafik≈format *n.* 그래픽 포맷. **~karte** *f.* 그래픽 카드. **~modus** *m.* 그래픽 모드. **~programm** *n.* 그래픽 프로그램.

Graham·brot [grá:ham..] *n.* 겨가〔밀기울이〕 든 밀가루로 만든 빵(창시자인 미국 의사 S. Graham 의 이름에서).

Grain[1] [greɪn] 《lat.》 *m.* -s, -s ① 그레인(보석의 옛 중량 단위; 4 분의 1 캐럿). ② 그레인(약량의 최저 단위: 0.0648 그램).

Grain[2] [grɛ̃:] *n.* -s, -s 무명 옷감.

grainieren *t.* 〖전문어〗 Papier ~ 종이의 한 쪽면을 두툴두툴하게 만들다.

gräko-lateinisch [grɛ́kolatáinɪʃ] *a.* 그리스·라틴의.

Gräko·manie [grɛkomaní:] *f.* 그리스 광(狂)〔숭배〕.

Gral [gra:l] 《lat.》 *m.* -(e)s ① (중세 기사 전설에 나오는) 기적의 잔: der Heilige ~ 성배(聖杯)(그리스도가 최후의 만찬에 쓰고, 후에 십자가에 못박힌 그리스도의 마지막 피를 받은 잔). ② (Wolfram 의 „Parzival“에 나오는) 성석(聖石).

Grals≈burg *f.* (성배가 보존되어 있는) 성배(聖杯)의 성. **~hüter** *m.* 성배 수호자. **~ritter** *m.* 성배 수호 기사. **~sage** *f.* 성배 전설. **~suche** *f.* 성배 찾기.

gram [gra:m] *a.* 〖다음 용법으로〗 jm. ~ sein 누구에게 화나 있다; jm. ~ bleiben 여전히 누구에게 화를 내고 있다; jm. ~ werden 누구에게 화를 내게 되다.

***Gram** *m.* -(e)s 원망, 원통, 번민, 깊은 슬픔: Stunden des ~s 번민의 시간; vor ~ sterben〔vergehen〕 원통한 나머지 죽다; sich vor ~ verzehren 슬픔에 여위어 가다.

grämeln [grɛ́:məln] *i.* 뚱하다, 언짢아하다.

grämen [grɛ́:mən] 《Ⅰ》 *t.* 원통하게 하다, 몹시 슬프게〔괴롭게〕 하다. 《Ⅱ》 *refl.* sich um〔über〕 et. ~ 무엇을 한탄하다; 몹시 슬퍼하다〔괴로워하다〕; sich zu Tode ~ 죽도록 괴로워하다.

gram·erfüllt *a.* ↑ ~voll.

Gram-Färbung *f.* 〖세균〗 세균 염색(법).

gram·gebeugt *a.* 애타는, 비통한, 상심한.

Gramineen [graminé:ən] 《lat.》 *pl.* 〖植〗 화본(禾本)과의 식물.

Grämler [grɛ́:mlər] *m.* -s, - 기분이 언짢은〔뿌루퉁한〕 사람.

grämlich 《<gram》 *a.* 기분이 언짢은〔나쁜〕, 뿌루퉁한.

Grämlichkeit *f.* 역정, 언짢음.

Grämling *m.* -s, -e ↑ Grämler.

***Gramm** [gram] 《gr.》 *n.* -s, -e 그램(미터법의 무게 단위; 기호: g): 2 ~ 2 그램.

***Grammatik** [gramátɪk] 《gr. grámma, „Buchstabe, Schrift“》 *f.* -en ① 문법(책): deskriptive〔historische〕 ~ 기술〔역사〕 문법; gegen die ~ verstoßen 문법에 어긋나다. ② 〖哲·논리〗 형식 언어의 구조〔구성〕: logische ~ (학문 언어와 형식 언어의) 언어 표현들의 논리적 분석에 관한 이론.

grammatikalisch [..tiká:lɪʃ] *a.* 문법에 관한; 문법적인, 문법상의.

Grammatiker [gramátɪkər] *m.* -s, - 문법가, 문법학자.

Grammatik·theorie *f.* 문법 이론.

grammatisch *a.* 문법상의; 문법에 맞는: ~ falsch〔korrekt〕 문법상 틀리는〔맞는〕.

Gramm·atom *n.* 〖物〗 그램 원자.

Grammel *f.* -n (obd.) ① 기름〔지방〕 찌꺼기, 비계. ② 〖구어〗 창녀, 갈보.

..grammig 《<Gramm》 *suf.* “…그램의”의 뜻 (보기: fünfzig~es Papier 50 그램의 종이).

Gramm·kalorie *f.* 〖理〗 (열량의 단위로) 그램 칼로리(기호: cal).

Grammol *n.* -s, -e 〖化〗 ↑ Grammolekül.

Grammolekül *n.* -s, -e 〖化〗 몰, 그램 분자.

Grammophon [gramofó:n] 《gr.》 *n.*/(schweiz.) *m.* -s, -e 그라모폰(옛 축음기의 상품명).

Grammophon·platte *f.* 축음기 음반.

gram≈negativ *a.* 〖세균〗 세균 음성 (반응)의. **~positiv** *a.* 〖세균〗 세균 양성 (반응)의. **~versunken** *a.* 비탄에 빠진, 시름에 잠긴. **~voll** *a.* 한맺힌, 비통한.

Gran [gra:n] 《lat. granum, „Korn“》 *n.* -(e)s, -e ① 〖옛뜻〗 그란(옛 약량(藥量)의 단위: 약 66 mg). ② ↑ Grän.

Grän [grɛ:n] 《frz.》 *n.* -(e)s, -e 〖옛뜻〗 그렌(귀금속·보석류의 무게 단위 : 0.02 g).

Granadille *f.* -n 〖植〗 ↑ Grenadille.

Granat[1] [graná:t] 《lat.》 *m.* -(e)s, -e 〖動〗 유럽산(産)의 작은 새우.

Granat[2] *m.* -(e)s, -e 〔(öst.) -en, -en〕 〖광물〗 석류석.

Granat≈apfel *m.* 〖植〗 석류 열매. **~apfelbaum** *m.* 〖植〗 석류나무. **~baum** *m.* 〖植〗 ↑ ~apfelbaum.

Granate [graná:tə] 《lat.》 *f.* -n ① 〖드물게〗 ↑ Granat[1]. ② 〖植〗 석류(의 열매). ③ 〖軍〗 유탄(榴彈): Bomben und ~n! 왕창 박살내 버려라(저주의 표현)! ④ 〖축구〗 강슛.

Granat≈fels *m.* 〖광물〗 석류암(岩). **~feuer** *n.* 〖軍〗 유탄 사격. **~hagel** *m.* 〖軍〗 (우박처럼 쏟아지는) 유탄. **~kartätsche** *f.* 〖軍〗 유산탄(榴散彈). **~kugel** *f.* 〖軍〗 유탄(榴彈). **~rot** *a.* 암홍색의. **~schmuck** *m.* 석류석 장식(물). **~splitter** *m.*, **~stück** *n.* 〖軍〗 유탄 파편. **~stein** *m.* 〖광물〗 석류석(石). **~trichter** *m.* 〖軍〗 유탄에 패인 자국. **~werfer** *m.* 〖軍〗 유탄 발사기.

granatig [graná:tɪç] 《<Granat》 《Ⅰ》 *a.* 〖방언〗 혹심한, 강한, 대단한. 《Ⅱ》 *adv.* 몹시, 호되게: ~ verhauen 호되게 때리다.

grand [grɑ̃:] 《frz.》 *a.* 큰: der ≈ Prix [..prí:] 대상; die ≈e Nation [..grɑ̃:dnasjɔ̃] 위대한 국민(나폴레옹 이래 프랑스 국민의 자칭).

Grand[1] [grant] *m.* -(e)s ① (ndd.) 자갈. ② (obd.) 밀기울. ③ (obd.) 언짢음.

Grand[2] *m.* -(e)s, -e (obd.) (양조장의) 물통, 양념〔향료〕통.

Grand[3] [grɑ̃:] 《frz.》 *m.* -s, -s 〖카드〗 그랑(스카트 놀이의 최고 단계).

Grande [grándə] 《sp.》 *m.* -n, -n 대공(大公)(에스파냐의 최고 귀족); 〖비유〗 고관.

Grandel *f.* -n 〖사냥〗 붉은 사슴의 윗송곳니.

Grandeur [grɑ̃dǿ:r] 《frz.》 *f.* 〖교양〗 위엄, 위용.

Grandezza [grandɛ́tsa] *f.* ① (에스파냐의) 대공의 신분. ② 고귀, 위엄, 위용.

Grand·hotel [grɑ̃:..] 《frz.》 *n.* -s, -s (대형)

고급〔호화〕 호텔.
grandicht *a.* ① 자갈의, 자갈이 많은. ②〖방언〗(mürrisch) 기분이 언짢은, 부루퉁한.
grandig[1] 《lat.>it.》 *a.* 〖방언〗 큰, 웅대한.
grandig[2] *a.* ↑ grandicht.
grandios [grandió:s] 《it.》 *a.* 아주 훌륭한〔멋진〕; 장엄한, 웅대한; 압도적인.
Grand Old Lady [grǽnd ó:ld lé:di] 《engl.》 *f.* - - -, - - -s 〔- - ..dies〕 여성 원로.
Grand Old Man [..mǽn] 《engl.》 *m.* - - -, - - Men (남성) 원로.
Grand ouvert [grã: uvé:r] *m.* - -(s), - -(s) 〖카드〗 그랑우베르(자기 패를 내보여야 하는 그랑).
Grand Prix [grãprí:] 《frz.》 *m.* - -, -s -[..prí:(s)] 대상(大賞), 그랑프리.
Grand·seigneur [grãsɛnjǿ:r] 《frz.》 *m.* -s, -s/-e 〖교양〗 귀족; 귀인.
Grand-Tourisme Rennen [grãturísm..] 《frz.》 *n.* -s, - GT 자동차 경주(약어: GT-Rennen).
Gräne *f.* -n 〖사냥〗 ↑ Grandel.
granieren [graní:rən] 《lat.》《I》 *t.* ① ↑ grainieren. ② ↑ granulieren《I》①. 《II》 **graniert** *p.a.* ↑ graniert.
graniert 《I》 *p.p.* ↑ granieren. 《II》 *p.a.* 알갱이로 된, 입상(粒狀)의; 오톨도톨한.
Granit [graní:t, ..nít] 《lat.》 *m.* -(e)s, -e 〖광물〗 화강암: hart〔fest〕 wie ~ 가차없는, 단호한; bei jm. auf ~ beißen 누구의 완강한 저항에 부딪히다, 누구에게 아무리 부탁해도 통하지 않다.
granit≈artig *a.* 화강암 같은. **≈block** *m.* 화강암 덩어리.
graniten *a.* 화강암의, 화강암같이 단단한.
Granit≈pflaster *n.* 화강암의 포석(鋪石). **~porphyr** *m.* 〖광물〗 화강 반암(斑岩). **~quader** *m./f.* 화강암의 조각돌. **~sand** *m.* 화강암 모래.
Granne [gránə] *f.* -n ①〖植〗 까끄라기. ② (특히 돼지의) 뻣뻣한 털.
grannig *a.* 까끄라기가 있는; 강모(剛毛)를 지닌.
Granny Smith [grǽnı smíθ] 《engl.》 *m.* - -, - - 그래니 스미스 사과.
Grans [grans] *m.* -es, Gränse [grɛ́nzə] ↑ Gransen.
Gransen [gránzən] *m.* -s, - 〖海〗 뱃머리, 이물.
Grant *m.* -s (bayr., öst.) 언짢음, 불만.
grantig *a.* (bayr., öst.) 기분이 언짢은, 부루퉁한.
Grantigkeit *f.* 언짢음.
Granulat *n.* -(e)s, -e 〖전문어〗 잘게 부순 물질.
Granulation [granulatsió:n] 《lat.》 *f.* -en ① 잘게 부수기〔빻기〕. ②〖醫〗 육아(肉芽)(발생). ③ (장식품에 부착한) 금〔은〕의 알갱이. ④〖天〗 (태양 표면의) 입상(粒狀) 반점.
Granulations·gewebe *n.* 〖醫〗 육아 조직.
granulieren 《lat. granum, „Korn"》 《I》 *t.* ① 알갱이로 만들다, 잘게 부수다. ② (장신구 등에) 구슬 장식을 하다. 《II》 *i.* 〖醫〗 육아(肉芽)가 형성되다.
Granulit [granulí:t, ..lít] *m.* -(e)s, -e 〖광물〗 백립암(白粒岩).
Granulom *n.* -s, -e 〖병리〗 육아종(肉芽腫).
granulös [..lǿ:s] *a.* (körnig) 과립상(顆粒狀)의, 과립을 가지는.
Granulose *f.* ①〖化〗 전분 과립질. ②〖醫〗 입성(粒性) 결막염.
Grapefruit [gré:pfru:t] 《engl.》 *f.* -s 〖植〗 그레이프프루트.
Graph[1] [gra:f] *m.* -en, -en 〖數〗 그래프.
Graph[2] *n.* -s, -e 〖언어〗 (Buchstabe) 철자(뜻을 지니지 않는 문자의 최소 단위).
..graph *suf.* ① "필기 도구"의 뜻(보기: Tele~ 전신기). ② "쓰여진 것"의 뜻(보기: Auto~ 자필). ③ "…학자"의 뜻(보기: Geo~ 지리학자). ④ "계측기"의 뜻(보기: Seimos~ 지진계).
Graphem [grafé:m] *n.* -s, -e 〖언어〗 문자소(素)(의미를 지니는 문자의 최소 단위).
..graphie 《gr.》 *f.* 〔복수: -n〕 *suf.* "…기(記)·…지(誌)·…학"의 뜻(보기: Geo~ 지리학).
***Graphik** [grá:fık] *f.* -en 인쇄술(목판 인쇄·석판 인쇄·동판 조각·에칭 등의 총칭); 제도법; 그래픽 (작품).
Graphiker *m.* -s, - 그래픽 예술가.
***graphisch** *a.* ① 그래픽의: ~e Künste 그래픽 예술. ②〖數〗 그래프〔그림·도식〕의; ~es Rechnen 그래프 계산. ③〖언어〗 (문자) 기호의.
Graphit [grafí:t, ..fít] 《gr.》 *m.* -(e)s, -e 〖광물〗 흑연.
graphit≈grau *a.* 흑연색의. **≈stift** *m.* 연필.
Graphologe [grafoló:gə] *m.* -n, -n 필적 감정가.
Graphologie *f.* 필적(감정)학.
graphologisch *a.* 필적 감정에 관한.
Graphostatik *f.* 〖토목〗 도식 정역학(圖式靜力學).
Grappa 《it.》 *f.* 그라파(이탈리아산(産) 브랜디의 일종).
grappen *t./i.* 〖방언〗 ↑ grapschen.
grapschen [grápʃən] 〖구어〗《I》 *t.* 재빨리 붙잡다〔움켜쥐다〕, 낚아채다. 《II》 *i.* 붙잡으려고〔움켜쥐려고〕 재빨리 손을 뻗다: das Kind grapschte nach dem Spielzeug 그 아이는 장난감을 움켜 쥐려고 재빨리 손을 뻗었다.
grapsen [grápsən] *t./i.* ① ↑ grapschen. ② (öst.) 〖구어〗 훔치다.
Graptolith [graptolí:t, ..lít] 《gr.》 *m.* -s/-en, -e(n) 〖고생물〗 필석(筆石)(강장(腔腸) 동물에 속하는 화석 동물).
***Gras** [gra:s] *n.* -es, Gräser [grɛ́:zər] ① 풀, 목초; 풀〔잔디〕 밭, 초지, 목장: 〖경박〗 ins ~ beißen 죽다; darüber ist längst ~ gewachsen 그것은 이미 오래 전에 잊혀졌다; 〖구어〗 das ~ wachsen hören 지레짐작하다; 〖경박〗 das ~ von unten besehen 〔betrachten, wachsen hören〕 (können) 무덤 속에 묻혀 있다; es wächst ~ in den Straßen 거리가 쓸쓸하다〔한적하다〕; wo er hintritt, da wächst kein ~ mehr 그가 디딘 자리에는 풀도 나지 않는다(그는 아주 거친 인간이다). ② 화본과(禾本科) 식물. ③〖은폐〗 마리화나, 대마초.
Gras≈affe *m.* 〖폄어〗 풋내기. **~ähre** *f.* 〖植〗 작은 수상화(穗狀花). **~anger** *m.* 초지, 잔디밭; 목장. **~art** *f.* 풀의 종류; 〖복수〗〖植〗 화본과 식물. **≈artig** *a.* 풀 같은; 화본과의. **~bahn·rennen** *n.* 잔디밭 코스 오토바이 경

주. ~**bank** *f.* (걸터앉기 편한) 잔디로 덮인 흙더미; 풀로 덮인 강 어귀의 사주(砂洲). ≈**-bewachsen** *a.* 풀이 무성하게 자란. ≈**-blätterig** *a.* 〖植〗 풀잎이 있는. ~**blume** *f.* 〖植〗 ↑ ~nelke. ~**boden** *m.* 풀밭, 초지. ~**büschel** *n.* 풀 덤불. ~**butter** *f.* 〖農〗 (↔ Stoppelbutter) 생풀을 먹는 암소의 젖으로 만든 버터.

Gräschen [grɛ́:sçən] *n.* -s, -/Gräserchen 〔↑ Gras 의 축소형〕 작은 풀, 풀잎.

Gras≈decke *f.* 잔디. ~**ebene** *f.* 초원, 풀밭.

grasen [grá:zən] 《I》 *i.* ① (짐승이) 풀을 먹다: ~ lassen 방목하다. ②〔방언〕 풀을 베다. ③〔구어〕 nach et.³ ~ 무엇을 뒤적이다〔찾다〕. ④〔고어〕(탄환이) 바닥에 부딪혀 튕겨오다. 《II》 *t.* ① (곡물 등을) 베다. ② (풀을) 먹다.

Graser *m.* -s, - 〖사냥〗(멧돼지를 제외한) 우제류(偶蹄類)에 속한 동물의 혀.

Gräser *m.* -s, - 풀 베는 사람.

Gräserei *f.* -en ① 풀 베기. ② 풀을 베는 권리. ③ 목초지. ④ 풀, 목초.

Gras≈eule *f.* 〖動〗 나방의 일종. ~**feld** *n.* 초원, 목장. ~**fläche** *f.* 풀밭, 잔디밭. ~**fleck** *m.* ① 초지. ② 풀을 깔고 앉아 묻은 얼룩. ≈**-fressend** *a.* 초식의: ~e Tiere 초식 동물. ~**fresser** *m.* 〖動〗 초식 동물. ~**frosch** *m.* 〖動〗 북방산(産)개구리. ~**futter** *n.* 〖農〗 목초 사료. ~**fütterung** *f.* 목초 재배. ~**garten** *m.* 잔디 정원; 초지로 된 과수원; 울타리를 둘러친 목장. ≈**grün** *a.* 풀빛(깔)의. ~**halm** *m.* 풀의 줄기. ~**hecht** *m.* ①〖動〗 작은 창꼬치(물고기). ②〔비유〕 왜소한 청년. ~**hopper** *m.* 〖動〗 (nordd.) ↑ ~hüpfer. ~**hüpfer** *m.* 〖動·구어〗 메뚜기.

grasicht *a.* ↑ grasig.

grasig *a.* ① 풀로 뒤덮인. ② 풀 같은.

Gras≈land *n.* 초지; 목장. ~**leinen** *n.* 〖방직〗 모시. ~**lilie** *f.* 〖植〗 나릿과의 일종. ~**-mäher** *m.* 풀을 베는 사람. ~**mähmaschine** *f.* 제초기(除草機). ~**mücke** *f.* 〖動〗 바위종다릿과〔휘파람샛과〕의 새. ~**narbe** *f.* 땅에 바싹 붙어 자란 잔디. ~**nelke** *f.* 〖植〗 각시 패랭이꽃, 아르메리아. ~**pferd** *n.* ↑ ~-pferdchen. ~**pferdchen** *n.* ↑ ~hüpfer. ~**-platz** *m.* 초원; 잔디〔풀〕밭. ≈**reich** *a.* 풀이 무성한.

graß [gras] (grasser, grassest) *a.* 〔고어〕 ① 무서운, 매서운, 소름이 끼치는. ② 심한; 극단적인.

Gras≈samen *m.* 풀의 씨. ~**sense** *f.* 풀 베는 큰 낫. ~**sichel** *f.* 풀 베는 낫.

grassieren [grasí:rən] 《lat.》 *i.* (질병이) 창궐〔유행〕하다.

gräss.. 新정서 ⇦ gräß..

***gräßlich** [grɛ́slıç] 《I》 *a.* ① 무서운, 소름끼치는. ② 지독한: ~e Hitze〔Kälte〕 혹서〔혹한〕; ein ~ langweiliger Mensch 지독하게 따분한 사람. 《II》 *adv.* 몹시: ~ leiden 몹시 괴로워하다.

Gräßlichkeit *f.* -en ① 소름끼치는 것; 혹독. ②〔복수〕 포악한 짓, 잔혹한 행위.

Gras≈steppe *f.* 대초원. ~**streifen** *m.* 띠〔줄〕잔디. ~**stück** *n.* 초지; 잔디〔풀〕밭.

Grasung *f.* -en ① 풀먹이기, 목양. ② 풀베기.

Gras≈wachsen *n.* 풀의 생장. ~**weide** *f.* 목장. ~**wuchs** *m.* ① 풀의 생장. ② 생장한 풀. ~**wurzel** *f.* 풀 뿌리; 〖植〗 참밀의 일종.

***Grat** [gra:t] *m.* -(e)s, -e ① 산등, 산마루. ② 〖건축〗 지붕의 당마루(Dach≈): 〔비유〕 er wandelt auf schmalem ~ 그는 위태로운 짓을 하고 있다. ③〖기술〗 주물 이음매. ④〖방직〗 봉합선. ⑤〖해부〗 (a) 척추(Rück≈). (b) 견갑골(肩胛骨)〔경골(脛骨)·콧마루〕의 돌출부.

Grat≈balken *m.* 〖건축〗 대들보. ~**bogen** *m.* 〖건축〗 교차 궁륭(穹窿).

Gräte [grɛ́:tə] *f.* -n ① (물고기의) 가시: 〔구어·농담〕 er hat ~n im Gesicht 그는 면도를 하지 않았다. ②〔복수〕〔경박〕 뼈: nur noch in den ~n hängen a) 기진맥진해 있다, b) 자금난을 겪고 있다. ③ 장애(물): er hat eine ~ darin gefunden 그는 그 일에 숨은 어려움을 발견하였다.

grätenlos *a.* 가시가 없는.

Grat·hobel *m.* 〖목공〗 개탕〔홈〕대패.

Gratia [grá:tsia] 《lat.》 *f.* 은총, 은혜; 〖가톨릭〗 거룩한 은총; 감사: ≈s! 고맙습니다!

Gratial *n.* -s, -e 〔구식〕 ↑ Gratiale.

Gratiale [..tsiá:lə] 《lat. gratia, „Gnade, Dank"》 *n.* -s, ..lien [..liən] ① 감사 (기도). ② 선물; 사례; 팁.

Gratias [grá:tsias] *n.* -, - 〖가톨릭〗(식사 후에 드리는) 감사 기도.

Gratifikation [..tifikatsió:n] *f.* -en 〔교양〕 보너스, 상여금, 수당, 증여품.

gratifizieren *t.* 〔구식〕 사례〔보상〕하다, 팁을 주다.

grätig 《<Gräte》 *a.* ① (물고기의) 가시가 많은. ②〔구어〕 퉁명스러운, 심술부리는.

Gräting [grɛ́:tıŋ] 《engl. grating》 *f.* -e/-s 격자(格子); 〖海〗 보트 바닥에 깐 격자목(目)의 바닥널.

gratis [grá:tıs] 《lat.》 *adv.* 무료로, 공짜로: Eintritt ~! 무료 입장!; 〔구어·강조〕 ~ und franko 완전 무료로, 한 푼도 받지 않고.

Gratis≈aktie *f.* 〖商〗 증여〔무상〕주. ~**beilage** *f.* 부록. ~**exemplar** *n.* 증정본. ~**-probe** *f.* 무료 견본(품). ~**vorstellung** *f.* 무료 공연. ~**zugabe** *f.* 경품, 사은품.

Grat·leiste *f.* 〖목공〗(홈에 끼우는) 살.

grätsch·beinig *a.* 다리를 벌린〔로 버틴〕.

Grätsche [grɛ́:tʃə] *f.* -n 〖체조〗 ① 두 다리 벌려 뛰어오르기. ② ↑ Grätschstellung.

grätschen [grɛ́:tʃən] *i.* 두 다리를 옆으로 벌리다, 두 다리로 버티다; 두 다리를 벌린 자세로 걷다〔뛰다〕; 〖체조〗 두 다리를 동시에 벌리다.

Grätsch·stellung *f.* 〖체조〗 두 다리를 동시에 벌린 자세.

Grat≈sparren *m.* 〖건축〗 당마루, 너새. ~**-tier** *n.* 〖사냥〗 알프스의 영양(羚羊). ~**turm** *m.* 산등성이의 우뚝 솟은 바위.

Gratulant [gratulánt] 《lat.》 *m.* -en, -en (축)하객.

Gratulantin *f.* -nen 여성 하객.

Gratulation [..latsió:n] *f.* -en 축하; 축사.

Gratulations≈besuch *m.* 축하의 방문. ~**-cour** [..ku:r] *f.* 축하식, 축연. ~**schreiben** *n.* 축하 편지.

gratulieren [gratulí:rən] 《lat.》 *i.* 축하하다: jm. zur Verlobung〔Beförderung〕 ~ 누구의 약혼〔승진〕을 축하하다; sich³ ~ können 기뻐

할 만하다.
Grätzel [grɛ́tsəl] *n.* -s, -(n) 〖구어〗 (öst.) (도시의) 주거 구역, 주택가.
Grat·ziegel *m.* 〖건축〗 너새기와.
***grau** [grau] *a.* ① 잿빛의, 회색의; (머리가) 센: ~e Augen 회색의 눈; 〖動〗 ~er Bär 큰곰, 회색곰; ~e Haare 센머리; 〖醫〗 der ~e Star 백내장; ~es Geld 은화; 〖가톨릭〗 das ≈e Kloster 프란체스코회 수도원; die ≈en Schwestern 프란체스코 교단의 수녀; bei〔in〕 et.³ ~ werden 무슨 일로 늙다, 고참이 되다; sich³ über〔um〕 et. ~e Haare wachsen lassen 무엇으로 속썩이다, 노심초사하다. ② 먼, 아득한, 까마득한: ~es Altertum 태고; vor ~en Jahren 아득한 옛날에. ③ 늙은, 낡은; 무색의; 불투명〔불확실〕한; 몽롱〔막연〕한; 단조로운, 생기 없는; 어두운; (날씨가) 흐린; 음침〔음울〕한: der ~e Alltag 암울한 나날; das ewige ~e Einerlei 천편일률; alles ~ in ~ sehen〔malen〕 모든 것을 비관적으로 보다〔판단하다〕, 모든 것에 대해 비관적으로 말하다. ④ 〖방언〗 곰팡이가 핀.
***Grau** *n.* -s 회색: in ~ gekleidet 회색옷을 입은; das ~ des Abends 황혼.
grau≈äugig *a.* 회색 눈의. **≈bart** *m.* 수염이 흰 사람, 노인. **~bärtig** *a.* 수염이 흰. **~blau** *a.* 회청색의. **~braun** *a.* 암갈색의. **≈brot** *n.* 호밀과 밀가루를 섞어 만든 빵.
Graubünden [graubʏ́ndən] 그라우뷘덴(스위스의 주(州)).
Graubündner 《Ⅰ》 *m.* -s, - 그라우뷘덴 사람. 《Ⅱ》 *a.* 그라우뷘덴의.
graubündnerisch *a.* 그라우뷘덴의.
Grauchen [gráuçən] *n.* -s, - 〖↑ Graue 의 축소형〗 작은 당나귀.
Grau·drossel *f.* 〖動〗 지빠귀속(屬).
Graue* *der/die* ① (백발의) 노인, 노파. ② der ~ (Esel) 당나귀.
grauen[1] [gráuən] 《<grau》 *i.* ① 회색〔백발〕이 되다, 나이 들다. ② der Tag〔Morgen, Himmel〕 graut, es graut 날이 새다, 날이 밝아오다.
grauen[2] *i. imp./refl.* 무섭다, 두렵다: es graut mir〔mir graut〕 vor et.³, ich graue mich vor et.³ 나는 무엇이 무섭다〔두렵다·섬뜩하다〕; mir graut's vor dir 나는 네가 무섭다.
Gräuel 新정서 ⇦ Greuel.
Grauen[1] [gráuən] 《<grauen¹》 *n.* -s 새벽, 여명: beim ~ des Tages 새벽녘에.
Grauen[2] 《<grauen²》 *n.* -s 공포, 전율: es ergreift〔erfaßt, überläuft, überkommt〕 ihn ein ~ 공포가 그를 엄습한다.
grauen·erregend *a.* 전율을 일으키는, 끔찍한, 섬뜩한: ein ~er Anblick 끔찍한 광경.
grauenhaft 《Ⅰ》 *a.* ① ↑ grauenerregend. ② 〖구어〗 견디기 힘든, 지독한: eine ~e Hitze 지독한 더위. 《Ⅱ》 *adv.* 〖구어〗 지독하게, 굉장히: hier ist es ja ~ kalt 여기는 정말이지 지독하게 춥다.
grauen·voll *a.* ↑ grauenhaft.
grau≈farben *a.* 회색의. **~farbig** *a.* ↑ ~farben. **≈fink** *m.* 〖動〗 되새속(屬)의 일종. **≈fuchs** *m.* ① (북아메리카산(産)의) 회색 여우. ② 흰 바탕에 흑색 무늬진 말. **≈gans** *f.* 야생 거위. **~grün** *a.* 회록색의. **~harrig** *a.* 백발의. **≈kehlchen** *n.* 바위종다리의 일종. **≈kopf** *m.* 백발 머리(의 사람). **~köpfig** *a.* 백발의.
graulen [gráulən] 《<grauen²》 *i. imp./refl.* 〔다음 용법으로〕 es grault mir vor et.³ 〔ich graule mich vor et.³〕 나는 무엇에 공포를 느낀다.
graulich[1] [gráulıç] 《<grau》 *a.* 회색빛을 띤, 회색이 섞인; 〔비유〕 음울한.
graulich[2] 《<grauen²》 *a.* 전율을 일으키는, 섬뜩한: jn. ~ machen 누구를 섬뜩하게 만들다.
gräulich *a.* ↑ graulich¹.
Grauling *m.* -s, -e 회색빛 나는 동물〔것〕(당나귀·굴뚝나비 등).
Gräuling *m.* -s, -e ↑ Grauling.
Grau≈meise *f.* 〖動〗 박새속(屬)의 일종. **~meliert** *a.* ① (머리가) 약간 센. ② (옷 등이) 회색 (줄)무늬가 있는.
Gräupchen *n.* -s, - ↑ Graupe 의 축소형.
Graupe [gráupə] 《sl.》 *f.* -n ① (찧은) 곡식 알갱이, 찧은 보리, (맷돌에) 간 보리: 〖구어〗 (große) ~n im Kopf haben 황당무계한〔비현실적인〕 생각을 품고 있다. ② 〖구어〗 싸락눈. ③ 〖광물〗 부순 광석. ④ 보리〔귀리〕 수프.
Graupel *f.* -n 싸락눈.
graupeln *i./imp.* es graupelt 싸락눈이 내린다.
Graupel≈schauer *m.* 내리다가 곧 그치는 싸락눈. **~wetter** *n.* 싸락눈이〔진눈깨비가〕 오는 날씨.
Graupen≈grütze *f.* 껍질을 깐〔거칠게 빻은〕 보리. **~mühle** *f.* 정맥기(精麥機), 맷돌. **~schleim** *m.* ↑ ~suppe. **~suppe** *f.* 보리 미음, 오트밀.
Grau≈rock *m.* 회색 옷을 입은 남자; 늑대. **≈rot** *a.* 적회색의; (말이) 흰 바탕에 암갈색 털이 섞인. **≈rötlich** *a.* 적회색 빛을 띤.
Graus[1] [graus] 《<Grieß》 *m.* -es 쇄석(碎石), 자갈.
Graus[2] 《<grauen²》 *m.* -es 공포, 경악, 전율(시키는 것).
graus *a.* 무서운.
***grausam** [gráuza:m] 《<Graus²》 *a.* ① 잔혹〔잔인〕한; 무자비한; 사나운: ein ~er Herrscher 폭군. ② 혹독한, 심한, 대단한: ~e Kälte 혹한; ~ gescheit 몹시 영리한.
Grausamkeit *f.* -en ① 무자비, 잔혹. ② 잔인〔잔혹〕한 행위. ③ 〖드물게〗 잔인〔냉혹〕한 사람.
grau≈scheckig *a.* 회색 얼룩이 있는, (말이) 점박이의. **≈schimmel** *m.* ① 회색 말. ② 버섯의 일종. **≈schleier** *m.* ① 엷은 잿빛〔회색〕. ② 안개; 매연층.
grauselig *a.* ↑ grauslig.
grausen [gráuzən] 《Ⅰ》 *i./imp.* 〔다음 용법으로〕 es graust mir〔〖드물게〗 mich〕, mir〔mich〕 graust (es), ich grause 나는 무서워 소름이 끼친다. 《Ⅱ》 *refl.* sich ~ 무서워서 소름끼치다.
Grausen 《<grausen》 *n.* -s 공포의 전율.
grausen·erregend *a.* 전율을 일으키는, 끔찍한.
grausenhaft *a.* 〔드물게〕 ↑ grausig.
grausen·voll *a.* 〔드물게〕 ↑ grausig.
grausig 《Ⅰ》 *a.* ① 전율을 일으키는, 끔찍한,

섬뜩한: ein ~es Verbrechen 끔찍한 범죄. ② 〔구어〕 아주 심한, 지독한: eine ~e Kälte 지독한 추위. 《Ⅱ》 *adv.* 〔구어〕 굉장히, 지독히: der Vortrag war ~ langweilig 그 강연은 굉장히 지루했다.

grauslich *a.* 〔구어〕 (특히 bayr., öst.) ↑ grauslig.

grauslig *a.* 〔구어〕 (특히 bayr., öst.) 혐오감을 일으키는.

Grau=specht *m.* 〖動〗 청딱따구리. **~-spieß·glanz** *m.* 〖광물〗 휘안광(輝安鑛).

Grauß [graus] *m.* -es ↑ Graus[1].

Grau=stein *m.* 〖광물〗 회색의 화산암. **~tier** *n.* 〔구어·익살〕 당나귀. **~wacke** *f.* 〖광물〗 경사암(硬砂岩). **~werk** *n.* 시베리아다람쥐의 모피. **~zone** *f.* ① (법의 통제가 미치지 않는) 사각 지대. ② (판단하기 힘든) 애매한 현상.

Gravamen [gravá:mən] 《lat.》 *n.* -s, ..mina 부담, 무거운 짐; 불평, 고충.

Gravation [..vatsió:n] *f.* -en 〔고어〕 부담〔무거운 짐〕을 지우기; 성가신〔귀찮은〕 일.

grave [grá:və] 《it.》 *adv.* 〖음악〗 장중하게.

Gravensteiner [grá:vənʃtaɪnər] *m.* -s, - ① (덴마크의 도시인) 그라벤슈타인 사람. ② 그라벤슈타인산(産) 사과.

Graves [gra:v] 《frz.》 *m.* - 보르도산(産) 흰 포도주.

Graveur [gravǿ:r] 《frz.》 *m.* -s, -e 동판〔석판〕 조각공.

Graveur·arbeit *f.* 동판〔석판〕 조각 작업.

Graveurin *f.* -nen ↑ Graveur 의 여성형.

gravid [graví:t] 《lat.》 *a.* 임신한.

Gravidität *f.* -en 〔醫〕 임신.

Gravier=anstalt *f.* 조각 작업장. **~arbeit** *f.* 조각 작업; 조각품, 조각판(版).

gravieren[1] [graví:rən] 《<frz. graver <d. graben》 *t.* 새겨넣다, 판각〔조각〕하다.

gravieren[2] 《lat. gravis, „schwer"》 *t.* 무거운 짐을 지우다, 귀찮게 굴다; 죄를 돌리다〔지우다〕: 〖法〗 sich stark ~ 중한 혐의를 받다.

gravierend *p.a.* 〔교양〕 심각한, 아주 중대한: ein ~er Fehler 심각한 과오: ~de Umstände 불리한〔가중적(加重的)〕 정상(情狀).

Gravier=kunst *f.* 조각〔조판〕술(術). **~meißel** *m.* 조각용 끌.

Gravierung *f.* -en 조각(품).

Gravimeter [gravimé:tər] 《lat. +gr.》 *n.* -s, -. 〖物〗 비중계, 중력계.

Gravimetrie [..metrí:] *f.* 중력〔중량·밀도〕 측정; 〖化〗 중량 분석.

gravimetrisch [..mé:trɪʃ] *a.* 비중〔중력〕 측정의; 중량으로 측정된.

Gravis [grá:vɪs] 《lat.》 *m.* -, - 〖문법〗 악상그라브(보기: à).

Gravität *f.* 장중, 위엄.

Gravitation [gravitatsió:n] 《lat.》 *f.* 〖物〗 중력: allgemeine ~ 만유 인력.

Gravitations=feld *n.* 중력장(場). **~gesetz** *n.* 중력〔만유 인력〕의 법칙.

gravitätisch *a.* 엄숙한, 장중한, 위엄 있는.

gravitieren 《lat.》 *i.* 〖物〗 중력의 작용을 받다, 인력에 끌리다.

Gravur [gravú:r] 《<gravieren[1]》 *f.* -en (금속판·석판 등의) 파서 새긴 글자〔장식〕.

Gravüre [..vý:rə] 《frz.》 *f.* -n ① ↑ Gravur. ② 동판(화), 강판(鋼版)(화), 목판(화).

Graz [gra:tz] 그라츠(오스트리아의 도시).

Grazer 《Ⅰ》 *m.* -s, - 그라츠 사람. 《Ⅱ》 *a.* 그라츠의.

Grazie [grá:tsiə] 《lat.》 *f.* -n ① 우아, 고상. ② 〖로마신화〗 die (drei) ~n 우아미를 상징하는 세 자매의 여신(〖그리스신화〗 Chariten). ③ 우아한 숙녀.

grazil [..tsí:l] *a.* 가날픈, 연약한.

graziös [..tsiǿ:s] *a.* 우아한, 애교 있는.

grazioso [gratsió:zo] 《it.》 *adv.* 〖음악〗 우아하게, 애교 있게.

Grazioso 《it.》 *n.* -s, -s/..si 〖음악〗 grasioso 풍의 악곡.

gräzisieren [grɛtsizí:rən] 《lat.》 *t.* ① 고대 그리스를 모범으로 하여 만들다. ② 고대 그리스인들을 모방하다.

Gräzismus [grɛtsísmʊs] *m.* -, ..men ① 고대 그리스어적 특성. ② 고대 그리스어를 본떠서 만든 표현 형태.

Gräzist *m.* -en, -en 고대 그리스의 언어와 문화를 연구하는 학자.

Gräzistik *f.* 고대 그리스학.

Gräzität *f.* 〔교양〕 (언어·문화 등에 나타나는) 고대 그리스 정신.

Grebe 《ndd., „Graf"》 *m.* -n, -n 〔방언·고어〕 촌장(村長).

Green·horn [grí:nhɔ:n] 《engl.》 *n.* -s, -s (미국에) 새로 건너간 자; 신참〔초보〕자.

Green·peace [grí:npi:s] 《engl.》 그린피스(국제 환경 보호 단체).

Greenwich [grínɪtʃ, ..ɪdʒ] 그리니치(런던의 한 구역; 옛 천문대가 있고 자오선의 기점임).

Greenwicher [grínɪtʃər] *a.* 그리니치의: ~ Zeit 그리니치시(時).

Grège [grɛ:ʒ] 《frz.》 *f.* -s [grɛ́:ʒə] 고치에서 방금 뽑아낸 생사(Rohseide).

Gregor [gré:gɔr] *m.* 그레고르(↑ Gregorius).

Gregorianisch[1] [gregoriá:nɪʃ] *a.* ~er Choral〔Gesang〕 그레고리우스 송가(교황 Gregor 1세의 이름에서).

Gregorianisch[2] *a.* (교황) 그레고리우스의: ~er Kalender 그레고리우스력(曆), 신력(新曆)(교황 Gregor 13 세가 1582 년에 제정함).

Gregorius *m.* 그레고리우스(남자 이름).

Greif [graɪf] *m.* -(e)s/-en, -(n) ① 〖그리스신화〗 독수리 머리와 날개에 사자 몸을 한 괴물. ② 〖動〗 맹금류(猛禽類).

Greif=arm *m.* 〖기술〗 집게 팔. **~bagger** *m.* 〖기술〗 집게 굴착기.

greifbar [gráɪfba:r] *a.* 잡을〔붙들〕 수 있는; 구체적인; 사용할 수 있는; 명료한: ~ machen 알아듣기 쉽게 설명하다; ~e Ware 즉시〔언제라도〕 넘겨 줄 수 있는 상품, 재고품.

greifen [gráɪfən] (griff, gegriffen) 《Ⅰ》 *t.* ① 잡다, 쥐다: et. aus der Luft ~ 어떤 일을 꾸며대다〔날조하다〕; et. mit Händen ~ können 무엇을 가까이에 갖고 있다; das ist doch mit Händen zu ~! 그것은 명백한 일〔사실〕입니다!; der Berg ist zum ~ nahe 산이 바로 눈앞에 있다; die Zahl ist zu hoch gegriffen 이 수치는 너무 높게 잡혀〔책정되어〕 있다; Platz ~ 일어나다, (어떤 일이) 생기다. ② 붙잡다; 체포하다: ich werde ihn mir schon ~! 그 친구를 따끔하게 혼내 주겠다! ③ 〖음악〗 (음정을) 잡다, 정하다, (음을) 치다. ④ (신체의 일부를) 잡다, 붙들다: jn. am Ärmel ~ 누구

의 옷소매를 잡다; 〖비유〗 jm. unter die Arme ~ 누구를 도와 주다〔지원하다〕; jm. ans Herz ~ 누구의 심금을 울리다, 감동시키다; jm. an die Ehre ~ 누구의 명예를 훼손하다. 《Ⅱ》 *refl.* sich (einander) ~ 맞붙잡다, 실랑이를 벌이다; 〖비유〗 sich³ an die Stirn 〔den Kopf〕 ~ (고통·번민·당혹의 몸짓으로) 머리를 움켜쥐다, 어쩔 줄 몰라하다; das greift sich mit Händen 그건 명백〔자명〕한 일이야; ein Pferd greift sich 말이 (보행 때) 뒷다리의 굽으로 앞다리의 뒤꿈치를 차다. 《Ⅲ》 *i.* ① (붙들려고·잡으려고) 손을 내밀다〔뻗다〕: falsch ~ (악기의 음을) 잘못 켜다〔치다〕; fehl ~ 헛짚다; zu hoch〔weit〕 ~ 과대 평가하다; zu niedrig ~ 과소 평가하다. ② 〖전치사와 함께〗 **an** den Hut ~ (인사하려고) 모자를 쥐다; der Künstler muß **aus** dem Leben ~ 예술가는 실제 인생에서 소재를 구해야 한다; **hinter** sich ~ müssen a) 〖구기·은어〗 한 골을 허용하다, b) 〖비유〗 반갑지 않은〔불쾌한〕 일을 겪다; **in** et.⁴ (hinein) ~ 무엇에 손(가락)을 집어넣다; 〖비유〗 tief in die Tasche 〔den Sack, Beutel〕 ~ 돈을 많이 지급(해야) 하다; in js. Beutel ~ 누구에게 돈을 지급하게 하다; 〖기술〗 ineinander ~ (톱니바퀴가) 맞물리다; 〖비유〗 in ein Wespennest ~ 귀찮은 일에 손을 대다; ins Leere ~ 허공을 잡다, 붙잡을〔의지할〕 데가 없다; den Pferden in die Zügel ~ 말(馬)을 멈추다; **nach** et.³ ~ 무엇을 향하여 손을 뻗다, …을 붙잡으려고 하다; 〖속담〗 ein Ertrinkender greift nach einem Strohhalme 물에 빠진 자는 지푸라기라도 잡는다; **um** sich ~ (불길·전염병 등이) (빨리) 번지다, 퍼지다; **zu** et.³ ~ 무엇을 손에 잡다〔시작하다〕; zum Äußersten ~ 극단으로 치닫다, 비상 수단을 취하다; zur Feder ~ 펜을 잡다, 집필하다; zu den Waffen ~ 무기를 잡다, 무력에 호소하다; zur Flasche ~ a) 병을 잡다, b) 〖비유〗 술에 빠지다; zum letzten Mittel ~ 최후의 수단을 사용하다; das Lied greift zum Herzen 그 노래는 심금을 울린다. ③ (닻이 바다 속에) 박히다; (톱·줄 등이) 잘 들다; 작용하다, 효과가 있다.

Greifen 《<greifen》 *n.* -s 움켜쥠, 붙잡음: zum ~ nah(e) 아주 가까운, 아주 가까이에 있는; ~ spielen 술래잡기를 하다.

Greifer *m.* -s, - ① 붙잡는〔붙드는〕 사람; 〖은어〗 경찰. ② 못뽑이, 집게; (토사(土砂)를 퍼올리는) 버킷.

Greifer·seil *n.* 움켜잡는 밧줄.

Greif≈fuß *m.* 〖動〗 갑각류의 집게발. **~klaue** *f.* 〖動〗 맹금의 발톱.

greiflich *a.* ↑ greifbar.

Greif≈schnabel *m.* (맹금의) 주둥이. **~schwanz** *m.* 〖動〗 (나뭇가지 따위를) 잡을 수 있는 꼬리. **~spiel** *n.* 술래잡기. **~vogel** *m.* 〖動〗 맹금류. **~zange** *f.* 펜치, 집게. **~zirkel** *m.* 〖기술〗 캘리퍼스, 측경기(測徑器).

greinen [gráınən] *i.* ① (흐느껴) 울다, 애통해하다. ② 〔고어〕 싸우다, 말다툼하다.

Greiner *m.* -s, - 쉽게 우는 사람; 말다툼하는 사람.

greis [graıs] *a.* ① 회색의, 백발의, 늙은: ein ~er Mann 노인. ② (ndd.) ↑ grau.

Greis *m.* -es, -e (백발의) 노인.

greisen [gráızən] *i.* 늙다, 낡게 되다.

Greisen *m.* -s, - 〖광물〗 그라이젠(석영과 운모로 된 입상암(粒狀岩)·주석 광맥의 모암).

Greisen≈alter *n.* 고령. **~blödsinn** *m.* 노인성 치매, 노망. **~brand** *m.* 〖醫〗 노인성 괴저(壞疽). **~lähmung** *f.* 〖醫〗 노인성 마비. **~stimme** *f.* 노인의 가늘고 쉰 목소리. **~tuberkulose** *f.* 노인 결핵.

greisenhaft *a.* 노인 같은, 노년의, 노쇠한.

Greisenhaftigkeit *f.* 노쇠, 노인성 증상.

Greisentum *n.* -(s) ↑ Greisenalter.

Greisin *f.* -nen ↑ Greis 의 여성형.

Greisler *m.* -s, - (öst.) ↑ Greißler.

Greislerei *f.* -en (öst.) ↑ Greißlerei.

Greißler *m.* -s, - (öst.) ① 식료품 소매상. ② 〖비유〗 옹졸한〔잔소리가 심한〕 사람.

Greißlerei *f.* -en (öst.) 식료품 소매상점.

***grell** [grɛl] 《♧ Groll》 *a.* ① (소리가) 날카로운, 귀청이 찢어질 듯한; (빛이) 번쩍이는, 눈부신; (빛깔이) 야한, 현란한. ② 〖비유〗 두드러진, 튀는, 눈에 번쩍 띄는; 과장된: ein ~er Gegensatz 뚜렷한 대조; gegen et. ~ abstechen 무엇과 뚜렷한 대조를 이루다.

Grelle *f.* ① 눈부시게 밝은 빛, 색의 강렬함. ② 과장, 극단. ③ 소리의 날카로움.

grellen *i.* 날카롭게 울리다.

grelleuchtend *a.* 눈부시게 빛나는.

Grellheit *f.* ↑ Grelle.

Gremium [gré:mium] 《lat., „Schoß"》 *n.* -s, ..mien [..miən] ① 〖고어〗 무릎. ② 위원회, 협의회; 단체: ein wissenschaftliches ~ 학술 단체. ③ 영업 조합, 상인 조합.

Grempel 《♧ Krempel》 *m.* -s, - (obd.) ① 고물, 골동품, 잡동사니. ② 소매업.

Grempler *m.* -s, - 고물상인.

Grenadier [grenadí:*r*] 《frz.》 *m.* -s, -e 〖軍〗 (예전의) 수류탄으로 무장한 병사; (지금의) (근위) 보병.

Grenadille *f.* -n 〖植〗 시계초의 열매.

Grenadin [grənadɛ̃:] 《frz.》 *m./n.* -s, -s 〖요리〗 버터에 굽고 베이컨을 곁들인 생선〔고기〕 요리.

Grenadine¹ *f.* -n 〖방직〗 그레나다 직물.

Grenadine² 《frz.》 *f.* 사과 진액.

Grendel [grέndəl] *m.* -s, - ① (건널목 등의) 차단기. ② 〖農〗 쟁기 자루. ③ 윗쪽 수문.

Grengel *m.* -s, - ↑ Grendel.

Grenz≈acker *m.* 경계 전답. **~aufseher** *m.* (국경의) 세관〔감시〕원. **~ausgleich** *m.* (유럽 공동체 내에서의) 타국 농업 생산물에 과하는 관세. **~bahnhof** *m.* 국경 지대의 역. **~baum** *m.* ① 토지 경계 표시로 심은 나무. ② (특히 국경 지역에 세워진) 차단목(기). **~beamte(r)*** *der/die* 국경 근무 요원〔경찰관·세관원〕. **~befestigung** *f.* 국경 요새. **~begriff** *m.* 〖哲〗 한계 개념. **~berechtigung** *f.* 월경(越境) 허가서. **~berichtigung** *f.* 국경〔경계〕 수정(修正). **~bevölkerung** *f.* 국경 지역의 전(全)주민. **~bewohner** *m.* 국경 지역의 주민. **~bezirk** *m.* 국경의 관세 행정 구역. **~dorf** *n.* 변경의 마을.

***Grenze** [grέntsə] *f.* -n 한계, 한도, 극한; 경계(선); 국경(Landes≈); 변두리, 가장자리; 끝: die ~ überschreiten 경계를 넘(어서)다; die ~n der Erkenntnis 인식의 한계; eine ~ ziehen 경계짓다; et.³ ~n setzen 무엇을 제한

〔국한〕하다; ohne ~n 무한히; sich in ~n halten 절제〔자제〕하다; et. hält sich in ~ 그리 대단하지 않다; alles hat seine ~n 모든 것에는 제각기 한도〔한계〕가 있다; jn. in seine ~n verweisen 누구에게 분수를 깨우쳐 주다; die Begeisterung überstieg alle ~n 감격은 그칠 줄을 몰랐다.

grenzen *i.* an et. ~ 무엇에 경계를 맞대고 있다, 인접하다, …에 근사하다; der Garten grenzt an den Teich 뜰은 연못에 면해 있다; sein an Unverschämtheit ~des Benehmen 파렴치에 가까운 그의 행실.

grenzenlos *a.* 경계〔한계〕가 없는; 무한한; 대단한, 엄청난.

Grenzenlosigkeit *f.* -en 무제한, 과도.

Grenzer *m.* -s, - ① 국경 주민. ② 국경 세관원. ③〖軍〗 국경 감시병〔수비병〕.

Grenz≈fall *m.* ① 경계가 모호한 경우. ② 특수한 경우, 특별 케이스. **~festung** *f.*〖軍〗국경 요새. **~fluß** *m.* 경계천(川). **~formalität** *f.* 국경 통과 절차. **~gänger** *m.* 월경자(越境者); (이웃 나라에 일하러 다니는) 국경 지대의 노동자; 월경 안내자; 밀수꾼. **~gebiet** *n.* ① 변경, 국경 지방. ② (인접 학문 사이의) 경계 영역. **~gebirge** *n.* 경계를〔국경을〕 이루는 산맥. **~gott** *m.*〖로마신화〗 경계의 수호신. **~jäger** *m.* ↑ ~posten. **~kette** *f.*〖軍〗 ↑ ~kordon. **~kohlenwasser·stoff** *m.*〖化〗파라핀. **~kontrolle** *f.* 국경〔세관〕 검사(원). **~kordon** *m.*〖軍〗 국경의 저지선〔보초선〕. **~krieg** *m.* 국경전(戰). **~land** *n.* 국경 지방, 변경 지역. **~land·deutsche*** *der/die* 국경 지방의 독일인; 독일어권 경계 지대의 독일인. **~linie** *f.* 경계〔국경〕선. **~mal** *n.* 경계 표지. **~mark** *f.* ↑ ~land. **~mauer** *f.* (두 토지 사이의) 경계벽. **~moral** *f.* (경제 경쟁에서) 법을 교묘히 악용하는 태도. **~nachbar** *m.* 이웃(집) 사람. **≗nah** *a.* 국경에 인접한. **~nutzen** *m.*〖經〗 한계 효용. **~nutzen·theorie** *f.*〖經〗 한계 효용설. **~ort** *m.*〔복수: -e〕 경계지(地). **~pfahl** *m.* 경계표〔푯말〕. **~polizei** *f.* 국경 경찰. **~posten** *m.* 국경 경비병. **~punkt** *m.* 한계〔극한〕점. **~rain** *m.* 경계짓는 (밭)두렁. **~säule** *f.* 경계 표지. **~scheide** *f.* ↑ ~linie. **~schloß** *n.* 변경의 성(城). **~schutz** *m.* 국경 수비(대). **~situation** *f.* 한계〔극한〕 상황. **~soldat** *m.*〖軍〗 국경 수비병. **~sperre** *f.* ① 국경의 차단기. ② 국경 폐쇄. **~stadt** *f.* 국경 도시. **~station** *f.* 국경역. **~stein** *m.* 경계석. **~streit** *m.* ↑ ~streitigkeit. **~streitigkeit** *f.* 경계〔국경〕 분쟁. **~truppe** *f.* (특히 구동독의) 국경 수비대. **~übergang** *m.* 국경 통과, 월경. **≗überschreitend** *a.*〔격식〕 국경을 통과하는〔넘나드는〕. **~übertritt** *m.* 월경(越境). **~verkehr** *m.* 국경 왕래 교통. **~verletzung** *f.* 국경 침범. **~vertrag** *m.* 국경 조약. **~wache** *f.*〖軍〗 국경 감시대〔위병〕; 국경 (관세) 감시. **~wächter** *m.* ①〖軍〗 국경 감시병. ② ↑ ~aufseher. **~wall** *m.* 국경 방벽(防壁). **~wehr** *f.* 국경 방비〔방어〕. **~wert** *m.*〖數〗 극한(치). **~winkel** *m.*〖物〗 임계각(角). **~zaun** *m.* 경계짓는 울타리. **~zeichen** *n.* 경계 표지. **~zoll** *m.* 국경 관세. **~zoll·amt** *n.* 국경 세관. **~zwischen·fall** *m.* 국경에서 일어나는 정치적·군사적 돌발 사건. **~wissenschaft** *f.* (인접 학문 사이의) 경계 학문.

Greta 〖↑ Margarete 의 단축형〗 그레타(여자 이름; ↑ Grete).

Gretchen [gré:tçən] 〖↑ Margarete 의 애칭〗 그레트헨. ① 여자 이름. ② "파우스트"의 여주인공.

Gretchen·frage *f.* 〔괴테의 "파우스트"에서 그레트헨이 파우스트에게 던지는 "Wie hast du's mit der Religion?" 라는 물음에서〕 ① 신앙에 관한 질문. ② 대답하기 곤란한 질문.

Grete [gré:tə] 〖↑ Margarete 의 단축형〗 그레테(여자 이름): Hans und ~ 젊은 남녀, 갑돌이와 갑순이.

Gretel 〖↑ Margarete 의 애칭〗 그레텔(여자 이름).

Gretelein 〖↑ Margarete 의 애칭〗 그레텔라인(여자 이름; ↑ Gretel).

***Greuel** [grɔ́Yəl] 《<grauen²》 *m.* -s, - ① 공포, 전율; 혐오: ein ~ kommt mich an 나는 공포〔혐오〕에 사로잡힌다. ② (**a**) jm. ein ~ sein 누구에게 혐오의 대상이다, 누구에게 반감〔불쾌감〕을 불러일으킨다. (**b**) 만행, 잔학한 짓〔행위〕: die ~ des Krieges 전쟁의 참상.

greulich [grɔ́Ylıç] 《I》 *a.* ① 소름 끼치는, 혐오스러운. ②〔구어〕 아주 나쁜, 고약한. 《II》 *adv.* 참을 수 없게, 몹시.

Greuel≈hetze *f.* ↑ ~propaganda. **~märchen** *n.* 만행에 대한 낭설. **~nachricht** *f.* 참사의 보도, 끔찍한 소식. **~propaganda** *f.* 무자비한 흑색 선전. **~tat** *f.* 만행.

Greyhound [gréıhaund] 《engl.》 *m.* -(s), -s 그레이하운드(영국산(産) 사냥개의 일종).

Griebe [grí:bə] *f.* -n 지방(脂肪)의 찌꺼기.

Grieben *m.* -s ↑ Griebs.

Grieben≈fett 《<Griebe》 *n.* 지방 찌꺼기를 포함한 돼지 기름. **~schmalz** *m.* ↑ ~fett. **~wurst** *f.* 지방 찌꺼기로 만든 소시지.

Griebs [gri:ps] *m.* -es, -e ①〖植〗 과심(果心). ② (md.) 멱: jn. am ~ packen 누구의 멱을 움켜잡다.

***Grieche** [grí:çə] *m.* -n, -n ① 그리스 사람. ② 그리스(언어·문학) 학자. ③〖宗〗 그리스 정교(正教) 회원.

griecheln *i.* 고대 그리스식을 모방하다.

Griechen·freund *m.* 그리스 지지자〔애호가·독립 원조자〕.

Griechenland *n.* 그리스.

Griechentum *n.* -(e)s ① 그리스 정신〔식·문화〕. ② 그리스인 전체.

Griechen·volk *n.* 그리스 국민〔민족〕.

Griechin [..çın] *f.* -nen 그리스 여성.

***griechisch** [grí:çıʃ] *a.* 그리스(어·인)의; 그리스풍의: das ≗(e) 그리스어; ~er Baustil (고대) 그리스 건축 양식; das ~e Kaisertum 동로마〔비잔틴〕 제국; ~e Kunst (고대) 그리스 예술; ~e Kirche 그리스 정교.

griechisch≈katholisch *a.*〖宗〗 그리스 가톨릭의(약어: gr.-kath.). **~lateinisch** *a.* 그리스·라틴어의. **~orthodox** *a.* 그리스 정교(회)의. **~römisch** *a.* 그리스·로마의. **~uniert** *a.* ↑ ~katholisch.

Griefe [grí:fə] *f.* -n 지방(脂肪)의 찌꺼기.

griemeln *i.* (경멸조로) 킥킥거리다.

grienen [grí:nən] 《♧ greinen》 *i.* (ndd.) (남의 불행을) 고소해하며 웃다, 냉소하다.

gries [gri:s] *a.* (ndd., obd.) 회색의; 백발의.
Gries *m.* -es, -e ↑ Grieß.
grieselig *a.* ↑ grießig.
grieseln 《I》 *i.* ① 모래처럼 잘게 부서지다, 부슬부슬 (흘러)내리다. ② 전율하다, 공포에 싸이다: mich grieselt 나는 몸서리가 난다〔섬뜩해진다〕. 《II》 *t.* 갈다, 찧다, 빻다.
Griesgram [grí:sgra:m] 《원뜻 „Zähneknirschen"》 *m.* -(e)s, -e 〖폄어〗 불평가, 기분이 나쁜〔뿌루퉁한〕 사람.
griesgrämig *a.* 기분이 나쁜, 뿌루퉁한.
griesgrämisch *a.* 〖드물게〗 ↑ griesgrämig.
griesicht *a.* ↑ grießig.
Griesig *n.* -(e)s ↑ Grießig.
griesig *a.* ↑ grießig.
Grieß [gri:s] *m.* -es, -e ① 자갈, 모래; (모래처럼 생긴) 굵은 설탕. ② 〖醫〗 결석(結石), (신장·방광 등의) 요석(尿石). ③ 거칠게 빻은 곡물. ④ 〖광산〗 분탄.
Grieß·brei *m.* 〖요리〗 거칠게 빻은 밀죽.
grießeln *i.* ① 알갱이 모양으로 되다, (잘게) 부숴지다. ② 작은 알갱이 모양으로 떨어지다: es grießelt 우박이 내리다.
Grießig *n.* -(e)s 벌의 똥.
grießig *a.* ① 낟알 모양의. ② 〖醫〗 결석〔요석〕의.
Grieß≈kleie *f.* 거칠게 간 곡물의 겨. **~kloß** *m.* 버터·우유 등에 버무려 소금물에 익힌 밀가루 경단. **~koch** *n.* (südd., öst.) ↑ ~brei. **~mehl** *n.* 거칠게 간 곡식 가루. **~mittel** *n.* 〖醫〗 결석(結石) 용해제. **~schmarren** *m.* (bayr.) 거칠게 빻은 곡식을 우유·달걀·설탕 등에 버무려 볶은 단 음식. **~suppe** *f.* 고기 국물을 곁들인 거칠게 간 곡물 수프. **~wart, ~wärtel** *m.* (중세 마상(馬上) 시합의) 입회인, 감독자.
griff [grɪf] ↑ greifen의 과거형.
***Griff** 《<greifen》 *m.* -(e)s, -e ① (붙)잡음, 쥠: mit einem ~ 단번에, 간단히, 잽싸게; einen ~ nach et.³ tun 무엇을 (붙)잡으려 하다, …에 달려들다; einen ~ in die Tasche tun 돈을 내다, 지급하다; einen ~ in die Kasse〔Ladenkasse〕 tun 카운터의 돈을 훔치다; mit jm.〔et.³〕 einen guten〔glücklichen〕 ~ tun 누구를〔무엇을〕 제대로 선택하다; einen glücklichen ~ haben 운이 좋다; einen falschen ~ tun 잘못〔실수〕하다; der ~ zu et.³ (기호품·약물·마약 등의) 상습적인 복용〔섭취〕. ② 쥐는〔잡는〕 법, 다루는〔취급〕 법; 악수: den richtigen ~ heraushaben 요령〔비결〕을 알고 있다; et. im ~ haben 무엇을 능수능란하게 다루다; jn. im ~ haben 누구를 꼼짝 못하게 하고 있다, 손아귀에 넣고 있다; et. in den ~ bekommen〔kriegen〕 무엇을 잘 다루게〔다스리게, 해결하게〕 되다; jn. in den ~ kriegen 누구를 꼼짝하지 못하게 만들다, 손아귀에 넣다. ③ 〖軍〗 ~e kloppen〔klopfen〕 총 다루는 법을 연습하다. ④ 〖음악〗 터치법, 운지법(運指法): einen falschen ~ tun 잘못 연주하다. ⑤ 〖복수〗 간계, 술책: mit ~en und Kniffen 간계와 술책을 써서. ⑥ 자루, (문·서랍 등의) 손잡이; (칼의) 자루; 〖기계〗 손잡이; 〖음악〗 ↑ ~brett. ⑦ 〖복수: -〗 〖양의 단위〗 (**a**) 한 줌, 한 움큼. (**b**) 〖林〗 뼘. ⑧ 〖사냥〗 (맹금류의) 발톱. ⑨ 〖직조〗 (옷감의) 감촉.
griff≈bereit *a.* 곧 손에 쥘 수 있는, 즉시 사용할 수 있게 된. **~brett** *n.* 〖음악〗 (현악기의) 지판(指板); (피아노의) 건반.
Griffel [grífəl] *m.* -s, - ① (옛 납판용) 철필; 붓, 펜. ② 석필. ③ 조각용 칼. ④ 〖植〗 암술대, 화주(花柱). ⑤ 〖해부〗 줄기 모양의 조직. ⑥ 〖경박〗 손가락.
griffel≈artig *a.* (무른) 석필 같은. **~förmig** *a.* 〖해부〗 줄기 모양의; 〖植〗 암술대 모양의.
..griffelig 《<Griffel》 *a.* ↑ ..grifflig.
Griffel·kunst *f.* ↑ Graphik.
griffellos *a.* 〖植〗 무화주(無花柱)의.
Griffel≈schiefer *m.* 〖광물〗 석필〔석반〕석(石筆〔石盤〕石). **~spitzer** *m.* 석필 깎는 기계.
griffest *a.* (나이프 따위의) 손잡이가 고정된〔접는 식이 아닌〕; 다루기 편한.
griffig *a.* ① 다루기 쉬운. ② (천이) 감촉이 좋은. ③ (밀가루 등이) 입자가 굵은〔거친〕. ④ 쥐기 좋은; 미끄럽지 않은. ⑤ (구호·표현이) 눈에 확 들어오는: ein ~er Ausdruck 눈에 확 들어오는 표현.
Griffigkeit *f.* 다루기 쉬움; 좋은 감촉.
..grifflig 《<Griffel》 *suf.* 보기: viel~ 다화주(多花柱)의.
Griff·loch *n.* (피리의) 손구멍.
grifflos *a.* 손잡이가 없는.
Griffon [grɪfõ:] 《frz.》 *m.* -s, -s 그리퐁(사냥개의 일종).
grifförmig *a.* 자루 모양의.
Griff·technik *f.* ① 〖레슬링〗 클린치 기술. ② 〖음악〗 운지법. ③ (작업 때) 도구·기계를 다루는 기술.
Grill [grɪl] 《engl.》 *m.* -s, -s 석쇠, 그릴.
***Grille** [grílə] 《lat.》 *f.* -n ① 〖動〗 귀뚜라미. ② 변덕; 엉뚱한〔기이한〕 생각〔착상〕; 우수, 기우(杞憂): 〖구식〗 ~n fangen 〔sich³ ~n machen〕 변덕부리다, 우수에 잠기다, 기우에 빠지다; ~n im Kopf haben 망상에 사로잡혀 있다, 엉뚱한〔기이한〕 생각을 하고 있다; 〖구식〗 jm. die ~n vertreiben 누구를 슬픈 생각에서 벗어나게 해 주다, 즐겁게 해 주다.
grillen 《<Grill》 *t.* 석쇠로 굽다.
Grillen≈fänger *m.* 변덕쟁이; 망상가; 이상한 사람; 〖醫〗 우울증 환자. **~fängerei** *f.* 변덕, 망상, 우울. **~fängerisch** *a.* 〖구어〗 변덕스러운; 침울한.
grillenhaft *a.* 변덕스러운, 기이한, 우울한, 언짢은.
Grillenhaftigkeit *f.* -en 변덕, 망상, 우울.
Grill≈fest *n.* (야외에서의) 그릴 파티. **~gerät** *n.* 그릴용 도구. **~gericht** *n.* 그릴 요리.
grillen≈krank *a.* 우울증의. **~krankheit** *f.* 우울증.
grillieren [grilí:rən] 《frz.》 *t.* 석쇠로 굽다.
grillig *a.* 〖드물게〗 ↑ grillenhaft.
Grilligkeit *f.* 변덕, 기이, 우울.
Grillparzer [grílpartsər] *m.* Franz ~ 그릴파르처(오스트리아의 희곡 작가, 1791-1872).
Grill≈platz *m.* (야외의) 그릴 장소. **~restaurant** [..torã:, ..rán] *n.* 그릴 전문 음식점. **~room** [..ru:m] 《engl.》 *m.* (호텔의) 그릴 식당.
***Grimasse** 《frz.》 *f.* -n 얼굴을 찌푸리기; 찡그린 얼굴: jm. ~n machen〔ziehen, schneiden〕 누구에게 상을 찡그리다.
grimassieren *i.* ① 〖드물게〗 상〔얼굴〕을 찌푸리다. ② 〖醫〗 안면 경련을 일으키다.

Grimbart [grímba(:)rt] *m.* 그림바르트(우화 "Reineke Fuchs"에 나오는 오소리의 이름).

Grimm[1] [grɪm] *m.* Jakob ~ (1785-1863) und Wilhelm ~ (1786-1859) 그림 형제(독일의 언어학자·동화 작가 형제).

*__Grimm__[2] *m.* -(e)s 분노, 분격; 원한; (자연의) 맹위: in ~ geraten 격노하다.

grimm 《(고어) gram》 *a.* 〔부가적으로만〕〔시어〕 ↑ grimmig.

Grimm·darm *m.* 〖해부〗 결장(結腸).

Grimmelshausen [grímәlshauzәn] *m.* Hans Jakob Christoph v. ~ 그리멜스하우젠 (독일의 작가, 1621?-76).

Grimmen [grímәn] 《<grimmen[2]》 *n.* -s 〔구식〕 복통(腹痛).

grimmen[1] 《<grimm》 *t.* 화나게 하다: die Niederlage grimmte ihn ungemein 패배 때문에 그는 대단히 화가 났다.

grimmen[2] 《<mhd. krimmen》 *t.* 통증을 일으키다: es grimmt mich〔mir〕 im Bauch 나는 배가 아프다.

grimmig 《<Grimm[2]》 *a.* ① 격노〔분격〕한; 잔인한: ~es Tier 맹수. ② 격렬한, 심한, 지독한: der ~e Schmerz 심한 통증; eine ~e Kälte 혹한.

Grimmigkeit *f.* 격분; 격렬.

Grimmsch [grɪmʃ] *a.* 그림(형제)의: die ~en Märchen 그림 동화; das ~e Wörterbuch 그림(형제)의 독일어 사전.

Grimpe *f.* -n ↑ Gründling.

Grind [grɪnt] *m.* -(e)s, -e [gríndә] ①〖醫〗 부스럼 딱지. ②〖植〗 일종의 기생 식물; (식물의) 진균성 질병. ③〖動〗 거두(巨頭) 고래(이마가 튀어나온 돌고래의 속칭). ④〔방언·편어〕 머리; 〖사냥〗(사슴 등의) 머리.

Grindel *m.* -s, - ↑ Grendel.

grindicht *a.* ↑ grindig.

grindig *a.* 부스럼 딱지로 덮인.

Grind·kopf *m.* 두부 백선(頭部白癬)(을 앓는 사람). **~kraut** *n.* 〖植〗 체꽃.

Gringo [gríŋgo] 《span.》 *m.* -s, -s 〔폄어〕 그링고(라틴 아메리카의 비라틴계 주민; 특히 영·미인에 대한 경멸조의 호칭).

Grinsel *n.* -s, -(n) (öst.) (총의) 가늠자 구멍.

grinsen [grínzәn] 《♧ greinen》 《Ⅰ》 *i.* (조롱하듯) 입을 비죽이며 웃다. 《Ⅱ》 *t./refl.* 〔구어〕 sich[3] eins ~ (고소해하며) 히죽히죽 웃다.

grippal [grɪpá:l] 《<Grippe》 *a.* 유행성 감기의: ein ~er Infekt 가벼운 유행성 감기.

*__Grippe__ [grípә] 《frz.》 *f.* -n ①〖醫〗 유행성 감기, 독감: die ~ bekommen〔haben〕 독감에 걸리다〔걸려 있다〕. ② (소택지의) 배수로.

Grippe·anfall *m.* 유행성 감기의 (돌발적) 발병. **~epidemie** *f.* 유행성 감기. **~krank** *a.* 유행성 감기에 걸린. **~virus** *n./m.* 유행성 감기 바이러스. **~welle** *f.* 짧은 기간 동안의 유행성 감기.

grippös [grɪpǿ:s] *a.* 감기와 유사한.

Grips [grɪps] 《ndd.; ♧ greifen》 *m.* -es, -e ①〔구어〕 두뇌, 지력, 이해력: er hat nicht viel ~ im Kopf 그는 머리가 모자란다. ② (nordd.) 목, 목덜미: jn. am ~e (und Kragen) packen 누구의 멱살을 붙잡다.

gripsen *t.* 〔방언〕 훔치다.

Grisaille [grizá:j] 《frz.》 *f.* -n [..jәn] 〖畫〗 (회색·갈색의) 단색 화법(의 그림).

Grisette [grizέtә] 《frz.》 *f.* -n ① (회색옷 입은) 파리의 재봉사·모자 제조공 아가씨; 바람기 있는 아가씨. ② 파리의 학생〔예술가〕들의 정부(情婦). ③〖요리〗 파이의 일종.

Grisli·bär 新정서 ⇦ Grislybär.

Grisly·bär [grísli..] *m.* 〖動〗 북아메리카산(産)의 갈색곰.

Grit [grɪt] 《engl.》 *m.* -s, -e 〖광물〗 그릿(영국산(産) 사암(砂岩)).

Grizzly·bär 新정서 ⇦ Grislybär.

gr.-kath. 〖宗〗 =griechisch-katholisch 그리스 가톨릭의.

*__grob__ [gro:p] (gröber, gröbst) *a.* ① 거친, 조야한; 두꺼운, 굵은, 굳은; 큰; 강한, 튼튼한: eine ~e Arbeit 거친 일, 날림일; ~e Geschütz 중포(重砲); 〔비유〕 ~es Geschütz auffahren 강력한 조처를 취하다; ~e Stimme 거친〔쉰〕 소리; ~e Hände 살결이 거친 손; ein ~es Sieb 굵은 체. ② 난폭한, 우악스러운, 막된; 버릇없는, 무례한, 뻔뻔스러운: ein ~er Kerl 막된〔무례한〕 놈; mit ~en Worten 상스러운 말로; ~es Benehmen〔Verhalten〕 조야한 태도〔행동〕; jn. ~ behandeln 누구를 마구 다루다; gegen jn. ~ sein〔werden〕 누구에게 무례하다〔무례하게 굴다〕; jm. ~ kommen 누구에게 무례한 짓을 하다; jn. ~ anfahren 누구를 호되게 꾸짖다. ③ 중대한, 큰: ~er Betrug 큰 사기; eine ~e Lüge 중대한 거짓말; ein ~er Fehler 큰 잘못. ④ 〔명사적〕 das ~e 거친 것; aus dem Gröbsten heraus sein 최대의 난관에서 벗어나다, 가장 힘든 고비를 넘기다. ⑤ 대략, 정확하지 않은: dazu kann ich nur ~e Angaben machen 그것에 대해서 나는 대략적인 진술만을 할 수 있을 뿐이다.

Grob·blech *n.* 두꺼운 함석(4.75 mm 이상). **~draht** *m.* 굵은 (전)선〔철사〕.

Gröbe *f.* 〔드물게〕 거칢, 조야.

grob·fädenig *a.* ↑ ~fädig. **~fadig** *a.* ↑ ~fädig. **~fädig** *a.* 올이 굵은, 굵은 올로 된. **~fahr·lässig** *a.* 중과실(重過失)의. **~faserig** *a.* 섬유가 거친. **~feile** *f.* 〖기술〗 거친 줄. **~futter** *n.* (질이) 나쁜 사료. **~gemahlen** *a.* 거칠게 빻은〔찧은〕. **~gewicht** *n.* 〖商〗 대략의 중량. **~gliederig** *a.* ↑ ~gliedrig. **~gliedrig** *a.* 사지(四肢)가 굵은; (팔찌 등이) 굵은 부속들로 연결된. **~haarig** *a.* 강모(剛毛)의, 머리칼이 드센〔뻣뻣한〕. **~häutig** *a.* 살갗이 거친.

Grobheit [gró:p..] *f.* -en ① 조잡, 조악. ② 조야, 난폭; 버릇없음; 상스러움; 욕: jm. ~en sagen 누구에게 욕을 하다.

Grobian [gró:bia:n] 《<grob》 *m.* -(e)s, -e 거친〔야만스러운〕 사람, 무례〔무분별〕한 사람.

grobianisch [grobiá:nɪʃ] *a.* 거친, 야만스러운, 무례한, 무분별한: ~e Dichtung〔Literatur〕 그로비안 문학((특히 식사 중의) 거칠고 무례한 태도를 풍자적으로 묘사한 15-16 세기의 문학).

Grobianismus *m.* - 〖문학〗 그로비안 문학에서 묘사되는 거칠고 무례한 태도.

grob·jährig *a.* 〔전문어〕 굵은 나이테가 있는 (↔ kleinjährig). **~kalk** *m.* 〖지질〗 거친 석회암. **~knochig** *a.* 뼈(대)가 굵은. **~körnig** *a.* 낟알이 거칠고 굵은. **~kost** *f.* ↑ ~futter.

gröblich [grǿ:plıç] *a.* ① 심한: ein ~er Betrug 심한 사기; jn. ~ beleidigen 누구를 심하게 모욕하다. ②〔구식〕 거친.

grob≈maschig *a.* (그물·직물의) 올이 성긴. **~mörtel** *m.* 〖토목〗 콘크리트.

Gröbs [grø:ps] *m.* -es, -e〔방언〕 ①〖植〗 과심(果心). ②〖해부〗 후두(喉頭).

grobschlächtig *a.* 조잡〔조야〕한.

Grobschlächtigkeit *f.* 조잡, 조야.

Grob≈schleifen *n.*, **~schliff** *m.* 거칠게 깎기. **~schmied** *m.* 대장장이, 철공(鐵工). **~schnitt** *m.* 거칠게 썬 파이프 담배. **~-sinnig** *a.* 야비한, 상스러운. **~sinnlich** *a.* 육감적인, 육욕의, 천한. **~waren** *pl.* 조악한 제품. **~zeug** *n.* 〔속어〕 비속한 무리, 룸펜.

Groden [gró:dən] (ndd.) *m.* -s, - (북해안의) 제방 바깥에 충적되어 생긴 땅.

Grog [grɔk] 《engl.》 *m.* -s, -s 그로그주(酒) (럼주에 뜨거운 설탕물을 탄 것).

groggy [grɔ́gi] 《engl.》 *a.* 〖권투〗 그로기 상태의; 〔구어〕 피로해서 몸을 가누지 못하는, 탈진 상태의.

gröhlen *i.* (h.)/*t.* ↑ grölen.

grölen [grǿ:lən] *i.* (h.)/*t.* 〔평어〕 고함지르다, 고래고래 소리지르며 노래하다〔떠들다〕.

Gröler *m.* -s, - 고함지르는〔악쓰는〕 사람.

Grölerei *f.* -en 〔구어·평어〕 마구 떠드는 소리, 악다구니.

***Groll** [grɔl] 《⊕ grell》 *m.* -(e)s 원한, 앙심; 집념: einen ~ auf〔gegen, wider〕 jn. haben〔hegen〕 누구에게 원한〔앙심〕을 품다.

grollen [grɔ́lən] *i.* ① 굉음이 울리다: der Donner grollt 먼 데서 천둥이 울리다. ② 원망〔불평〕하다: (mit) jm. über〔um〕 et. ~, (mit) jm. wegen eines Dinges ~ 무엇 때문에 누구를 원망하다.

Gromatik 《lat.》 *f.* ① 로마의 야영(野營) 건축술 및 토지 측량술. ②〖軍〗 포진법.

gromatisch *a.* ① 로마의 야영지 측량술의. ②〖軍〗 포진법의.

Grönland [grǿ:nlant] 《nordisch, „Grünland"》 그린란드(북아메리카 북동쪽의 큰 섬).

Grönländer 《I》 *m.* -s, - 그린란드 사람. 《II》 *a.* 그린란드의.

Grönland·fahrer *m.* 고래잡이꾼; 포경선.

grönländisch *a.* 그린란드(말)의.

Grönland·wal *m.* 북극 고래.

Groom [gru:m] 《engl.》 *m.* -s, -s 마부; 시동(侍童).

Groppe [grɔ́pə] *f.* -n 〖動〗 둑중갯과(민물고기의 일종).

Gros[1] [gro:] *n.* - [gro:(s)], - [gro:s] ① (구성원의) 대부분, 다수; 〖軍〗 주력, 본대(本隊); 총체. ②〔남성으로도〕 -, - 〖商·고어〗 무거운 견직(물). ③〖商〗 en gros [ãgró:] 도매로.

Gros[2] [grɔs] 《ndl.》 *n.* -ses, -se 12 다스, 그로스(수량의 옛 단위; 약어: Gr.): 2 ~ Eier 2 그로스〔24 다스〕의 달걀.

***Groschen** [grɔ́ʃən] 《lat. grossus》 *m.* -s, - ① 옛 독일의 소은화(약 1/24 Taler). ②〔구어〕 10 페니히 동전. ③ 오스트리아의 소화폐 단위 (1/100 Schilling; 기호: g). ④〔비유〕 약간의 돈〔저금〕: meine paar ~ 몇 푼 안 되는 내 저금; 〔구어〕 der ~ ist (bei jm.) gefallen (누가) 무엇을 드디어 이해하다〔알아듣다〕; 〔구어〕 bei ihm fällt der ~ pfennigweise〔in Pfennigen〕, bei ihm klemmt der ~ 그는 이해력이 뒤떨어진다, 이해의 속도가 느리다; nicht bei ~ sein 제정신이 아니다; keinen (müden) ~ haben 한푼도 없다; einen hübschen〔schönen〕 ~ verdienen 많이〔잔뜩〕 벌다.

Groschen≈blatt *n.* 〔평어〕 싸구려 신문. **~grab** *n.* 〔농담〕 ① 특정 시간 동안 돈을 넣어야 하는 기계(오락 기계·공중 전화 등). ② 낭비물. **~heft** *n.* 〔평어〕 (통속 소설 따위가 실린) 싸구려 잡지. **~roman** *m.* ①〔고어〕 1 그로셴짜리 소설. ②〔평어〕 통속 소설. **~-schreiber** *m.* 삼류 문인.

***groß** [gro:s] (größer, größt) 《⊕ Grieß, Grütze》 《I》 *a.* ① **(a)** …의 크기〔길이·높이·넓이·수량〕의: einen Fuß ~ 1 피트 크기〔길이〕의; wie ~ ist der Baum? 이 나무 높이는 어느 정도냐? **(b)** 큰, 높은, 긴, 굵은, 넓은: ein ~er Teil des Ganzen 전체의 대부분; ein ~er Garten 넓은 정원; eine ~e Pause 긴〔오랜〕 휴식; ~e Fahrt a) 긴 여행, b)〖海〗 대(大)〔원양〕항해, c)〖海〗 쾌속의 항행; eine ~e Meile 1 마일 남짓; der ∼e Ozean 태평양; ~e Augen machen (놀라서) 눈을 크게 뜨다; auf ~em Fuße leben 호화롭게 지내다; ~ machen, ein〔sein〕 ~es Geschäft machen 대변을 보다; 〔속담〕 kleine Diebe hängt man, ~e läßt man laufen 좀도둑은 죽고 큰도둑은 빠져 나간다; ~ und breit 아주 상세히, 조목조목. ② 성장한, 어른이 된: meine ~e〔größere〕 Schwester 내 손위 누이; ~ und klein 아이 어른 모두, 누구나; die ∼en und die Kleinen a) 어른과 아이, b) 신분이 높은 사람과 낮은 사람들, 빈부귀천; ~ werden 크다, 성장하다; ~ ziehen 양육하다, 기르다. ③ 많은, 다수의, 다량의: ~e Beträge 많은 금액; der ~e Haufen〔die ~e Masse〕 des Volks 대중, 민중; im ~en verkaufen 대량으로〔도매로〕 팔다. ④ 가치 있는, 비싼: das ∼e Los 1등 복권의 당첨; ein ~es Geschenk 값비싼 선물; ~es Geld a) 큰 돈, b) 고액의 돈〔통화〕. ⑤ 부유〔유력·고귀〕한, 고위〔고관〕의: ~er Mann 유력자, 위인; klein und ~ 빈부귀천, 누구라도; die ~e Welt a) 상류〔귀족〕 사회, b) 대우주; eine ~e Dame 귀부인; ~er Name 고명(高名); 〔익살〕 ein ~es Tier 거물, 명사, 유력자; der ∼e Kurfürst 브란덴부르크 대선제후(大選帝侯) 프리드리히 빌헬름(1620-88); Friedrich der ∼e 프리드리히 대왕(약어: d.G.); 〔구어〕 den ~en Herrn spielen 잘난 체하다, 분에 넘치는 생활을 하다; 〔명사적〕 der〔die〕 ∼e 위인; 유력자, 재산가. ⑥ 뽐내는, 으스대는, 허풍떠는: sich[3] ein ~es Ansehen geben〔eine ~e Miene annehmen〕 잘난 체하다, 뽐내다; ~e Töne reden 허풍떨다; sich ~ machen 뻐기다; sich ~ tun 뻐기다, 허풍떨다. ⑦ 고귀한, 위대한, 뛰어난, 탁월한: ~e Taten 위업; in einer ~en Zeit leben 위대한 시대에 살다; ein ~er Geist a) 고매한 정신, b) 총명한 사람; ein ~es Herz 고귀한 심성. ⑧ 강한, 심한, 지독한: ~e Kälte 혹한; ~e Freude 큰 기쁨. ⑨ 본질적인, 주요한: et. in ~en Zügen darstellen〔schildern〕 무엇을 주요한 부분들만 간추려 서술하다; im ~en (und) ganzen 전

체적으로 보아, 대체로; 〖명사적〗 im Kleinen wie im ～en 중요한 일에서든 아니든, 매사에. 《Ⅱ》〖구어〗 특별히: er kümmert sich nicht ～ darum 그는 그것에 별로 신경 쓰지 않는다; niemand freute sich ～ 아무도 특별히 기뻐하지는 않았다.

Groß≠abnehmer *m.* 대량 구매자. **～admiral** *m.* 해군 대장. **～aktionär** *m.* 〖經〗 대주주. **～alarm** *m.* 대경보. **～angelegt** *a.* 대규모의. **～artig** *a.* ① 대규모의, 웅대한. ② 특별한. ③ 우수한, 훌륭한. ④〖구어·폄어〗 거만한. **～artigkeit** *f.* 대규모, 웅대, 숭고. **～aufnahme** *f.* 〖사진·영화〗 클로즈업. **～auftrag** *m.* 대량 주문. **～äugig** *a.* 눈이 큰. **～bank** *f.* 대은행. **～bauer** *m.* 대농(大農). **～bau·stelle** *f.* 대규모 건축 공사장. **～Berlin** 대(大)베를린(베를린과 그 주변). **～berliner** *m.* ① 대베를린의 주민. ② 대베를린의. **～betrieb** *m.* 〖商〗 대기업. **～bild·stelle** *f.* 텔레비전 방송국. **～blätterig** *a.* 〖植〗 잎이 큰. **～blättrig** *a.* ↑ ～blätterig. **～blumig** *a.* 〖植〗 꽃이 큰. **～bourgeoisie** *f.* 대부르주아, 대자본가 계급. **～brand** *m.* 대형 화재, 큰불. **～britannien** [gro:sbritá..] 대(大)브리튼(잉글랜드와 스코틀랜드·웨일스를 포함한). **～britannisch** [gro:sbritá..] *a.* 대(大)브리튼(주의)의. **～buchstabe** *m.* 대문자. **～bürger** *m.* 상류층 시민. **～bürgerlich** *a.* 상류 시민 계급의. **～bürgertum** *n.* 상류 시민 계급. **～denkend** *a.* 고결한, 헌신적인. **～deutsch** *a.* 대독일의: ～es Bund 대독일 연맹. **～deutschland** *n.* (전독일 민족, 특히 오스트리아를 포함하는) 대(大)독일국.

***Größe** [grǿ:sə] 《＜groß》 *f.* -n ① 큼, 광대, 거대; 크기, 신장, 키; 부피, 용적; (모자·장갑·구두 등의) 사이즈, 치수; 정도, 등급: ein Mann mittlerer ～ 중키의 남자; ein Stern erster ～ 1등성(星); in natürlicher ～ 실물 크기로; Dichter erster ～ 일류 시인. ② 위대, 숭고, 고귀; 권력, 권세. ③ 거물, 대가, 명사: neue ～ 신흥 거물. ④〖數〗 양; bekannte 〔gegebene〕 ～ 기지량(既知量)〔수〕; unbekannte ～ a) 미지량〔수〕, b) 〖익살〗 무명의 대가〔실력자〕.

Groß≠einkauf *m.* 대량 구입. **～einsatz** *m.* (인원·물자의) 대규모 투입〔동원〕. **～eltermutter** *f.* 증조모. ***～eltern** *pl.* 조부모. **～elter·vater** *m.* 증조부. **～enkel** *m.* 증손. **～enkelin** *f.* ↑ ～enkel 의 여성형.

Größen≠lehre *f.* 〖數〗 기하학; 수학. **～reihe** *f.* 〖數〗 급수.

großen·teils *adv.* 대부분.

Größen≠unterschied *m.* 크기〔규모〕의 차이. **～verhältnis** *n.* 크기의 균형〔비례〕. **～wahn** *m.* 과대 망상(증). **～wahnsinn** 〖드물게〗 *m.* ↑ ～wahn. **～wahnsinnig** *a.* ① 과대 망상증의. ②〖폄어〗 허풍떠는, 주제넘은.

größer *a.* ↑ groß 의 비교급.

größeren·teils *adv.* 대개는, 주로.

größern·teils *adv.* ↑ größerenteils.

Größer·werden *n.* 생장, 증대.

Groß≠fahndung *f.* 현상〔지명〕 수배. **～familie** *f.* 대가족. **～feuer** *n.* 큰불, 대화재. **～figurig** *a.* 대형의. **～flächig** *a.* 면적이 넓은. **～flugzeug** *n.* 대형 항공기. **～folio** *n.* 전지 2절판(의 책) (약어: Gr.-2°). **～format** *n.* 대형, 큰 사이즈. **～fürst** *m.* ① 대공(러시아 및 동유럽 지역 황족의 칭호). ② (오스트리아·헝가리 이중 왕국의) 폐하, 전하. **～fürstentum** *n.* 대공국. **～fürstin** *f.* ↑ ～fürst의 여성형. **～fürstlich** *a.* 대공의. **～gemeinde** *f.* 광역 지방 자치구. **～gemustert** *a.* 큰 무늬의. **～gesinnt** *a.* ↑ ～denkend. **～gewachsen** *a.* 키가 큰, 껑충한. **～gewerbe** *n.* 〖商〗 제조 도매업. **～gewicht** *n.* 〖商〗 총량. **～gliederig** *a.* 수족이 큰. **～gliedrig** *a.* ↑ ～gliederig. **～griechenland** [(보통) gro:sgríːçən..] 대(大)그리스(남부 이탈리아의 동해안과 시칠리아를 합친 고대 그리스의 식민지).

Groß≠grund·besitz *m.* 대소유지, 대농장. **～besitzer** *m.* 대지주.

Groß≠handel *m.* 〖商〗 도매상. **～handels·preis** *m.* 도매 가격. **～händler** *m.* 도매 상인. **～handlung** *f.* 큰 상점, 도매점.

Großheit [gró:shaɪt] *f.* ① 큼. ② 위대, 웅대; 고귀.

Groß≠herr *m.* (회교국의) 군주, 술탄(오스만 제국의 술탄에 대한 유럽식 명칭). **～herrlich** *a.* (회교국) 군주의, 술탄의. **～herzig** *a.* 관용의; 고결한. **～herzigkeit** *f.* 관용, 관대. **～herzog** *m.* (독일의) 대공. **～herzogin** *f.* 대공비. **～herzoglich** *a.* 대공의, 대공 관할의. **～herzogtum** *n.* 대공국. **～hirn** *n.* 〖해부〗 대뇌. **～hirn·rinde** *f.* 대뇌피질(皮質). **～hundert** *n.* (옛 단위에서) 120개. **～industrie** *f.* 대규모 산업. **～industrielle*** *der/die* 대기업가.

Grossist [grɔsíst] *m.* -en, -en 도매 상인.

groß≠jährig *a.* 성년의. **～jährigkeit** *f.* 성년. **～kaliberig** *a.* (총기류에서) 큰 구경의. **～kalibrig** *a.* ↑ ～kaliberig. **～kämmerer, ～kammer·herr** *m.* 시종장(侍從長); (영국의) 궁내(宮內) 대신.

Groß≠kampf·schiff *n.* 〖海〗 대형 전함. **～tag** *m.* ①〖軍〗 일대 격전의 날. ②〖구어〗 일이 고된〔폭주하는〕 날.

groß≠kariert *a.* ① 큰 체크 무늬의. ②〖구어〗 거만〔불손〕한. **～katze** *f.* 〖動〗 고양잇과(호랑이·표범 등). **～kaufmann** *m.* 대상인, 도매상인. **～kind** *n.* 손자, 손녀. **～klima** *n.* 〖기상〗 광역(廣域) 기후. **～knecht** *m.* 〖고어〗 (농장의) 일꾼 우두머리. **～kopf** *m.* ① 큰 머리, 머리가 큰 사람; 허풍선이. ②〖動〗 숭어. ③〖動〗 (유럽산(産)의) 매미나방. **～kopfeрte** *der/die* ↑ ～kopfete. **～kopfete*** *der/die* (obd.) 〖폄어〗 ① 거물(급 인사). ② 대학물 먹은 사람, 먹물. **～köpfig** *a.* 머리가 큰. **～kophta** *m.* 〖옛뜻〗 프리메이슨의 우두머리. **～kordon** [..kɔrdɔ̃:] *m.* 기사단의 가장 높은 계층. **～kotz** *m.* 〖경박·폄어〗 허풍선이. **～kotzig** *a.* 〖폄어·익살〗 잘난 체하는, 뽐내는. **～kotzigkeit** *f.* 허풍. **～kraftwerk** *n.* 대단위 발전소. **～kreuz** *n.* 대십자 훈장. **～kundgebung** *f.* 대규모 시위. **～|machen** *refl.* 〖구어·대개 폄어〗 sich ～ 뽐내다, 허풍 떨다. ***～macht** *f.* 대국, 강국: ～mächte 열강. **～mächtig** *a.* 〖雅語·구식〗 세도가 당당한, 권세 있는; 거대한, 강대한: 〖칭호〗 ～ster König 국왕 폐하. **～macht·politik** *f.* 강대국의 정책. **～magd** *f.* 〖옛뜻〗 (농가의) 고참

하녀. ~mama f. 〔구어〕 할머니. ~manns·sucht f. 과대망상. ~manns·süchtig a. 과대망상의. ~maschig a. 그물눈이 성긴. ~maul n. ① 큰 입, 입 큰 사람〔동물〕. ② 허풍선이. ~mäulig a. ① 입이 큰. ② 허풍떠는. ~mäuligkeit f. 허풍, 허세. ~meister m. 〖가톨릭〗 기사단장. ~meistertum n. 기사단장의 직위. ~mögend a. ↑ ~mächtig. ~mogul m. 무굴 대제(인도의 무굴 제국의 황제). ~mut f. 관용, 아량; 고결, 고매. ~mütig a. 고결한, 아량이 넓은. ~mütigkeit f. 아량, 관대. *~mutter f. 조모, 할머니. ~mütterlich a. 할머니의〔같은〕. ~nasig a. ① 코가 큰. ② 건방진, 콧대가 센. ~näsig a. ↑ ~nasig. ~neffe m. 조카의 아들. ~nichte f. 조카의 딸. ~oheim m. 〔구식〕 ↑ ~onkel. ~oktav n. 〖印〗 대 8 절판(약어: Gr.-8°).

grosso modo [grɔ́so mó:do] 《lat.》〔교양〕 대충 말하자면, 전체적으로 보아, 대체로.

Groß=onkel m. 종조부(從祖父). ~packung f. 종합 포장, 멀티팩. ~papa m. 〔구어〕 할아버지. ~prahler m. ↑ ~sprecher. ~prahlerei f. ↑ ~sprecherei. ~prahlerisch a. ↑ ~sprecherisch. ~prior m. 기사단의 부단장. ~quart n. 〖印〗 대 4 절판(折判)(약어: Gr.-4°). ~rat m. 〔복수: ..räte〕 (스위스의) 주(州)의회 의원.

Großraum=büro n. 대형 사무실. ~flugzeug n. 대형 항공기. ~rechner m. 대형 컴퓨터. ~wagen m. ① 여러 개의 차량을 연결한 전차. ② (열차에서) 칸막이가 없는 객실.

Groß=rechner m. ↑ ~raumrechner. ~reine·machen n. 대청소; 〔비유〕 대숙정,〔대숙청〕. ~russen pl. 대러시아인(러시아 민족의 주요 종족)(↑ Kleinrusse). ~rußland 대러시아. ~satz m. 〖문법〗 복합문. ~schiffahrts·weg m. 대운하. ~schnauze f. 〔경박·폄어〕 허풍선이. ~schnauzig a. 허풍떠는. ~schnäuzig a. ↑ ~schnauzig. ~schreiben t. 〔대개 다음 용법으로〕 etwas wird (bei jm.) großgeschrieben 무엇이 (누구에게는) 특별한 가치가 있다: bei mir werden Ordnung und Sauberkeit großgeschrieben 내게는 질서와 청결이 아주 중요하다. ~schreibung f. 첫 글자를 대문자로 쓰기. ~segel n. 〖海〗 대형 돛. ~siegel·bewahrer m. 〔구식〕 국새 상서(國璽尙書). ~sinnig a. 너그러운; 고결한. ~sohn m. 〔구식〕 손자. ~sprecher m. 〔폄어〕 허풍선이. ~sprecherin f. ↑ ~sprecher 의 여성형. ~sprecherei f. 〔폄어〕 허풍, 호언장담. ~sprecherisch a. 〔폄어〕 허풍치는, 호언장담의. ~spurig a. 〔대개 폄어〕 오만〔방자〕한. ~spurigkeit f. 오만, 방자. ~staat m. 강대국. *~stadt f. 대도시. ~städter m. 대도시민. ~städtisch a. 대도시(풍)의; 〔비유〕 유행하는; 세련된. ~stein·leute pl. 〖고고〗 거석 문화 시대의 사람. ~sultan m. ↑ ~herr. ~tante f. 종조모(從祖母). ~tat f. 대업, 위업, 숭고한 행위. ~tausend n. 1200(옛 수량 단위). ~teleskop n. 〔天〕 천체 관측 구경 망원경.

größten·teils adv. 대부분은, 대개는.

Größt=maß n. ① 허용 최대치. ② 최대분. ~möglich a. 최대한의.

Groß=tuer m. 〔폄어〕 잘난 체하는 사람, 허풍선이. ~tuerei f. 뻐기기, 굉장한 허풍. ~tuerisch a. 뻐기는, 허풍떠는. ~|tun* i./refl. 〔폄어〕 뻐기다, 자랑하다, 허풍떨다: (sich) mit et.³ ~ 무엇을 자랑하다〔뻐기다〕. ~türke m. ↑ ~herr. *~vater m. 조부, 할아버지. ~väterlich a. 조부의〔같은〕. ~vater·stuhl m. 등받이가 높은 안락 의자. ~verkehr m. 〖商〗 대규모〔도매〕 거래. ~vezier m. ↑ ~wesir. ~vieh n. 큰 가축(소·말). ~wesir m. (회교국의) 재상(宰相). ~würden·träger m. 고위 고관. ~ziehen n. 육성; 양육; 사육. ~|ziehen* t. 육성하다; 양육하다; 사육하다. ~zügig a. ① 아량이 있는, 관대한. ② 인색하지 않은, 인심이 좋은; 넉넉한. ③ 대규모의. ~zügigkeit f. 아량, 관대; 넉넉함.

Grot [gro:t] 《원뜻 „dick"》 m. -(e)s, -e (옛 북독일, 특히 Bremen, Hamburg 에서 사용되던) 소화폐.

Grotesk [grotɛ́sk] f. 〖印〗 그로테스크체(體) (볼드 활자의 일종).

***grotesk** a. 그로테스크한, 기괴한, 이상한; 우스꽝스러운, 어처구니없는: was du sagtest, war einfach ~ 네가 말한 것은 정말 우스꽝스러웠다.

Groteske f. -n ① 〖예술·문학〗 그로테스크풍(風)의 작품〔춤〕. ② 그로테스크 무늬(사람·동물·초목 따위를 배합한 당초(唐草) 무늬).

Grotesken·maler m. ↑ Groteskmaler.

Grotesk=film m. 황당한 코미디 영화. ~maler m. 그로테스크풍의 화가. ~tanz m. 그로테스크풍의 춤.

Grotte [grɔ́tə] f. -n (르네상스와 바로크식 정원에서 조가비 따위로 아름답게 장식한) 인공 동굴.

Grotten=arbeit f. ↑ ~werk ①. ~olm m. 〖動〗 동굴 도롱뇽. ~werk n. ① 인공 동굴 장식. ② 인공 동굴.

Grotzen[1] [grɔ́tsən] m. -s, - 〔방언〕 ① (사과의) 속, 과심(果心): den Apfel bis auf den ~ aufessen 사과를 속까지 다 먹어치우다. ② 침엽수의 우듬지 잔가지.

Grotzen[2] m. -s, - 모피의 등 부분에 있는 어두운 선.

Groupie [grú:pi] 《engl.》 n. -s, -s 〔구어·은어〕 (극성스러운) 젊은 여성팬.

grub [gru:p] ↑ graben 의 과거형.

grubben [grúbən] 《Ⅰ》 i. 교토기(攪土器)로 작업하다. 《Ⅱ》 t. (밭을) 교토기로 갈다.

Grubber [grúbər] m. -s, - 〖印〗 교토기(攪土器) (Kultivator).

grubbern t. ↑ grubben.

Grübchen [grý:pçən] n. -s, - 〔↑ Grube 의 축소형〕 ① 작은 구덩이〔구렁〕. ② 보조개: ~ haben〔bekommen〕 보조개가 지다.

Grübchen·spiel n. 작은 구멍에 버찌의 씨〔동전·단추〕 따위를 던져 넣는 놀이.

***Grube** [grú:bə] 《<graben》 f. -n ① 구멍, 구덩이, 움푹한 곳; 〖광산〗 탄갱(炭坑), 광갱(鑛坑); 〖사냥〗 함정, 허방다리; 동물의 굴; (변소의) 변기; jm. eine ~ graben〔machen〕 누구를 함정에 빠뜨리다; 〔구어〕 in die ~ fahren 손가락으로 콧구멍을 후비다; 〔속담〕 wer andern eine ~ gräbt, fällt selbst hinein 남 잡이가 제 잡이. ② 〖해부〗 와(窩) (신체 기관 상

부의 움푹한 부분); 동식물 표면의 요부(凹部); 〖醫〗 두흔(痘痕). ③〘고어·시어〙 묘(Grab): in die〔zur〕 ~ fahren 죽다. ④ (한 광산에서 일하는) 갱부 전체. ⑤〖聖〗 감옥.

grübe [grý:bə] ↑ graben 의 접속법 Ⅱ식.

Grübelei [gry:bəláɪ] *f.* -en 오랫동안 천착하기, 골똘히 생각하기: laß doch diese ~! 그만 좀 골똘히 생각하게!

***grübeln** 《<graben》 *i.* (h.) ① 파헤치다. ② 천착하다, 골똘히 생각하다; 오랫동안 심사숙고하다: er hat tagelang über dieses〔diesem〕 Problem gegrübelt 그는 며칠 동안 이 문제에 대해 골똘히 생각했다; ins ∼ kommen 심사숙고하다.

Grübel≈kopf *m.* ↑ Grübler. **~sucht** *f.* 천착증.

Gruben≈anteil *m.* 광산 지분(持分). **~arbeit** *f.* 갱내 작업, 광산 일. **~arbeiter** *m.* 갱부(坑夫). **~ausbau** *m.* 〖광산〗 갱내 버팀목 공사. **~axt** *f.* 갱부용 곡괭이. **~bahn** *f.* 갱내 운반용 궤도. **~bau** *m.* 갱도나 막장 따위의 갱내 시설. **~betrieb** *m.* **(a)** 갱내의 전체 시설. **(b)** 노천 채굴 때의 지하 시설들. **~blende** *f.* 갱내용 차단 장치. **~brand** *m.* (석탄이 저절로 발화해서 일어나는) 갱내 화재. **~explosion** *n.* 갱내 폭발. **~fahren** *n.* 입갱(入坑). **~feld** *n.* ① 광구; (미국·오스트리아의) 광구의 매각 청구지(請求地). ② 광산 지방. **~förderung** *f.* 갱내 채굴. **~gas** *n.* ① 갱내 가스. ②〖化〗 메탄 가스. **~gebäude** *n.* 갱도(坑道)나 막장 등의 갱내 시설 전체. **~gezäh, ~gezähe** *n.* 갱부의 작업 도구. **~grund** *m.* 갱바닥. **~holz** *n.* 갱목(坑木). **~junge** *m.* 소년 갱부. **~kittel** *m.* 갱부의 덧옷. **~kohle** *f.* 갱내에서 채굴된 석탄. **~lampe** *f.* 갱부의 휴대용 안전등. **~licht** *n.* ↑ ~lampe. **~mütze** *f.* 갱부의 안전모. **~sohle** *f.* 갱도나 막장 따위의 바닥〔하부 경계면〕. **~steiger** *m.* 갱내의 갱부 감독. **~unfall** *m.* ↑ ~unglück. **~unglück** *n.* 갱내 사고〔재난〕. **~wasser** *n.* 갱내의 물, 황산구리를 함유한 물. **~wehr** *f.* 〖광산〗 갱내 사고 처리반. **~wetter** *pl.* 갱내 공기, 갱내 가스 혼합물. **~wurm** *m.* 〖動〗 구두충(鉤頭蟲) (Hakenwurm).

grubig *a.* ① 구멍이 많은; 〖植〗 작은 구멍이 많은. ② 보조개가 진.

Grüblein *n.* -s, - 〘雅語〙 ↑ Grübchen.

Grübler [grý:blər] 《<grübeln》 *m.* -s, - 천착하는〔골똘히 생각하는〕 경향이 있는 사람; 종종 너무 생각에 잠기는 사람; 몽상가.

Grüblerin *f.* -nen ↑ Grübler 의 여성형.

grüblerisch *a.* 천착하는〔골똘히 생각하는〕 경향이 있는; 종종 너무 생각에 잠기는.

Grübling *m.* -s, -e 〖植〗 (작은 구멍이 많은 것) ① 사과의 일종. ② 감자. ③ 자라버섯(버섯의 일종); 송로(松露)의 일종.

Grude [grú:də] *f.* -n ① ↑ Grudekoks 의 축소형. ② (ndd.) 열회(熱灰). ③〘고어〙 ↑ ~herd, ~ofen 의 축소형.

Grude≈herd *m.* 갈탄 코크스 레인지. **~koks** *m.* 갈탄 코크스. **~ofen** *m.* 갈탄 코크스 화로〔난로〕.

Gruft [grʊft] 《<graben》 *f.* Grüfte ① 천정이 둥근 지하 납골실; 현실(玄室); 능; 〘시어〙 무덤(Grab). ② 굴, 동굴. ③ 감옥.

Gruft≈gewölbe *n.* ↑ Gruft ①. **~kirche** *f.* 성당의 지하 납골당(Krypta).

grummeln [grʊ́məln] 〘방언〙 《Ⅰ》 *i.* (h.) 나지막이 우르릉거리다〔쿵쾅거리다〕. 《Ⅱ》 *t.* 중얼거리다: er grummelte etwas Unverständliches vor sich hin 그는 알아들을 수 없는 말을 혼자 중얼거렸다.

Grummet [grʊ́mət] *n.* -s 〖農〗 재생초, 두 번째 벤 건초.

grummeten *i.* (h.) 두 번째 건초를 만들다〔베다〕.

Grummet·ernte *f.* 일 년 중 두 번째의 건초 수확.

Grumpen [grʊ́mpən] *pl.* 〘구어〙 파편; 담뱃잎 부스러기; 빵 부스러기.

Grumt [grʊmt] *n.* -s ↑ Grummet.

grumten *i.* (h.) ↑ grummeten.

Grumt·ernte *f.* ↑ Grummeternte.

***grün** [gry:n] *a.* ① 녹색의, 초록색의: 〖宗〗 der ∼e Donnerstag ↑ ∼donnerstag; das ∼e Gewölbe 드레스덴의 미술관(명칭); die ∼e Insel 아일랜드; der ~e König 스페이드 킹; der ~e Tisch a) 녹색보를 깐 관청의 책상; 〘비유〙 실정에 맞지 않는 결정〔이론〕, b) 도박대(臺); et. vom ~en Tisch aus entscheiden 실정에 맞지 않게〔독단적으로〕 무엇을 결정해 버리다; ~e Weihnachten 눈이 오지 않는 성탄절; 〘구어〙 die Ampel ist ~ 푸른 신호등이 켜졌다; ~ und blau〔gelb〕 vor Neid〔Zorn〕 werden 질투〔분노〕로 창백해지다; sich ~ und blau〔gelb〕 ärgern 〘구어〙 몹시 화를 내다; es wurde mir ~ und blau〔gelb〕 vor den Augen 나는 속이 메스꺼워졌다(나는 현기증이 났다, 나는 갑자기 아주 비참한 느낌이 들었다); jn. ~ und blau〔gelb〕 schlagen 누구를 흠뻑 두들겨패다. ② **(a)** 미숙한, 날것인: ~e Ware 풋것; ~e Bohnen 풋콩; ~es Fleisch 날고기. **(b)** 싱싱한, 신선한: ~es Obst 청과; ~e Heringe 싱싱한 청어. ③ (unerfahren) 경험이 없는, 서투른, 풋내기인: ~er Junge a) 풋내기 청년, b) 무람없는 사람; der ∼e 신출내기, 풋내기. ④ **(a)** 호의적인(gewogen): jm. nicht ~ sein 누구에게 호의적이 아니다(누구를 싫어하다). **(b)** 〘구어·농담〙 komm an meine ~ Seite! (친밀감·호감 따위의 표시로) (심장이 있는) 내 왼쪽으로 오게. ⑤ 녹색당 소속의. ⑥ (이념·정치 따위가) 환경 보호적〔친화적〕인. ⑦ 〘비유〙 auf den ~en Zweig kommen 성공〔출세〕하다; jn. über den ~en Klee loben 누구를 지나치게〔덮어놓고〕 칭찬하다; ihn deckt der ~e Rasen 그는 고인(故人)이다.

***Grün** *n.* -s ① 녹색, 초록색. ② 녹색의 것 **(a)** 풋것. **(b)** 새싹, 새잎, 새 풀: bei Mutter ~ schlafen〔kampieren〕 야영하다. **(c)** 녹색 옷: eine Dame in ~ (gekleidet) 녹색 옷을 입은 부인; 〘구어〙 (das ist) dasselbe in ~ (그것도) 역시 마찬가지(다), 차이가 없다. ③〖골프〗 그린. ④ 〘관사없이〙〖카드〗 (트럼프의 스페이드에 해당하는) 독일식 트럼프의 패.

Grün≈alge *f.* 녹조류. **~anlage** *f.* (공원처럼 꾸민) 녹지 시설. **∼äugig** *a.* 푸른 눈의. **∼belaubt** *a.* 푸른 잎으로 덮인. **∼bewachsen** *a.* 온통 푸른 식물로 뒤덮인. **∼blätterig, ∼blättrig** *a.* 잎이 푸른. **~blau** *a.* 녹청색의. **∼blind** *a.* 녹색 색맹인. **~blindheit** *f.* ↑ ∼blind 의 명사형. **~buch**

n. 〖政〗 (표지가 녹색인) 이탈리아·루마니아·멕시코 등의 외교 문서집.

***Grund** [grunt] *m.* -(e)s, Gründe [grʏ́ndə] ① 토지, 땅, 지면; 〖農〗 토양: ~ und Boden 소유 토지; auf eignem ~ (und Boden) 자기 땅에서. ② (건물의) 토대, 기초, 밑바닥, 근저: sich in ~ und Boden schämen 몹시 부끄러워하다; jn. in ~ und Boden reden 누구를 말로 꼼짝 못하게 하다, 누구의 말 문을 막다; jn. 〔et.〕 in ~ und Boden verdammen 누구를 〔무엇을〕 혹평하다; et. in ~ und Boden wirtschaften 경영을 잘못하여 무엇을 망치다; in den ~ hinein zerstören 완전히 파괴하다; von ~ auf〔aus〕 근본적으로, 완전히, 철저히; den ~ zu et.³ legen 무엇의 기초를 세우다, 무엇의 토대를 마련하다; et.³ zu ~e〔zugrunde〕 liegen 무엇의 기초가 되어 있다; et.³ auf den ~ gehen〔kommen〕 무엇의 실태를 규명하다; im ~e (genommen) 엄밀히 말하자면, 실제로는, 사실은. ③ **(a)** (강·호수·바다 따위의) 바닥; 저지(低地), 골짜기; (숲 따위의) 속: keinen ~ finden 바닥을 알 수 없다; 〖海〗 auf (den) ~ geraten 좌초하다; 〖雅語〗 ein Schiff in (den) ~ bohren 배를 침몰시키다; vom ~ des Herzens 〔der Seele〕 마음속에서; zu ~e gehen 파멸하다(↑ zugrundegehen); zu ~e richten 파멸시키다(↑ zugrunderichten). **(b)** 그릇의 바닥: ein Glas bis auf den ~ leeren 잔을 완전히 비우다. ④ **(a)** 〖畫〗 바탕(색), 배경. **(b)** 〖방직〗 바탕, 결: eine Stickerei auf blauem ~ 푸른 바탕의 자수. ⑤ 이유; 동기; 원인, 까닭: keinen ~ zum Klagen haben 불평할 까닭이 없다; ~ zu einer Annahme haben, daß ... …이라고 가정〔추측〕할 만한 이유가 있다; ich habe ~, zu glauben, daß ... 나는 …이라고 믿을 만한 이유〔근거〕가 있다; auf ~ eines Dinges 〔auf ~ von et.³〕 무엇을 토대로; 무엇 때문에; auf ~ seiner Aussage 그의 진술을 토대로; aus einfachem ~, weil ... 단지 …이라는 이유로; Gründe für et. anführen〔vorbringen〕 무엇에 대한 근거를 대다; nicht ohne ~ 까닭이〔근거가〕 있어서; ohne ~ 까닭〔근거〕 없이; aus diesem kühlen ~e 바로 이런 이유로, 그 때문에. ⑥ (Anfangsgründe) 기초, 기본; 기초〔기본〕 지식.

Grund≈abgabe *f.* 토지세. **~akkord** *m.* 〖음악〗 기본 화음. **~angel** *f.* 미끼가 물바닥에 놓이도록 장치한 낚시 도구. **~angeln** *n.* 미끼가 물바닥에 놓이도록 장치해서 하는 낚시질. **~anschauung** *f.* ↑ ~einstellung. **≈anständig** *a.* 행실〔근본〕이 바른: er ist ein ~er Mann 그는 행실이 매우 바른 사람이다. **~anstrich** *m.* ↑ ~farbe ②. **~artikel** *m.* 기본 조항. **~ausbildung** *f.* 〖軍〗 신병 기초 훈련. **~ausstattung** *f.* 〖軍〗 기본 장비. **~baß** *m.* 〖음악〗 기초 저음(Fundamentalbaß). **~bau** *m.* 〖건축〗 ① 기초 공사. ② 〔복수: -ten〕 건축물의 기초 부분. **~bau·stein** *m.* 초석, 본질적〔근본적〕인 구성 요소. **~bedarf** *m.* 기본 수요품. **~bedeutung** *f.* ① 기본〔주〕 의미. ② 〖언어학〗 단어의 원뜻. **~bedingung** *f.* 기본 조건. **~begriff** *m.* 기본 개념. **~besitz** *m.* ① ↑ ~eigentum. ② 소유지. ③ 〔드물게〕 토지 소유자〔지주〕 전체. **~besitzer** *m.* 토지 소유자, 지주. **~bestand·teil** *m.* 주요 구성 요소, 주성분. **~birne** *f.* ① 〖植〗 ↑ Topinambur. ② 〔방언〕 감자. **~blei** *n.* 〖海〗 측연(測鉛). **~boden** *m.* (마루) 바닥. **≈böse** *a.* 극악한. **≈brav** *a.* 매우 얌전한; 매우 성실한. **~buch** *n.* 〖法〗 토지 등기부〔대장〕. **~buch·amt** *n.* 〖法〗 토지 등기소. **~deutsch** *n.* 〖언어학〗 기초〔기본〕 독일어. **≈deutsch** *a.* 철저히 독일적인. **≈ehrlich** *a.* 지극히 정직한. **~eigenschaft** *f.* 본질적인〔기본〕 특성, 주특성. **~eigentum** *n.* 토지 재산. **~eigentümer** *m.* 토지 소유자, 지주. **~einheit** *f.* ① 〖理〗 기본 단위. ② 〖구동독〗 ↑ ~organisation. **~einkommen** *n.* 토지 수입. **~einstellung** *f.* 기본 입장. **~eis** *n.* ① 하천 바닥에 형성된 얼음, 저빙(底氷). ② 〔비유·비속〕 ihm geht der Arsch 〔der Hintere, der Steiß〕 mit ~ 그는 겁에 질려 있다.

Grundel [grʊ́ndəl] *f.* -n 〔*m.* -s, -〕 〖動〗 (Meer≈) 문절망둑(망둑어과의 물고기).

Gründel [grʏ́ndəl] *f.* -n 〔*m.* -s, -〕 〖動〗 ↑ Grundel.

Grund·element *n.* 기본 요소, 본질적인 구성 요소; 〖數·化〗 근(根), 기(基).

gründeln [grʏ́ndəln] 《<Grund》 *i.* (오리·거위 따위가) 먹이를 찾기 위해 물 밑으로 머리를 담그다.

***gründen** [grʏ́ndən] 《<Grund》 《I》 *t.* ① (건물 따위의) 기초를 닦다; 건설하다; 창건〔창립〕하다, 창업하다: der Dom wurde um 1200 gegründet 그 성당은 1200년경에 세워졌다. einen Verein ~ 협회를 창설하다; eine Partei ~ 창당하다. ② 무엇을 근거로 삼다: auf et. gegründet sein 무엇에 기초하다; ich gründe meine Behauptung auf langjährige Erfahrungen 나는 여러 해의 경험을 근거로 내 주장을 펴는 것이다. ③ …의 깊이를 재다; 〔비유〕 탐구하다. ④ 〖畫〗 ↑ grundieren. 《II》 *refl.* sich auf et. ~ 무엇에 근거하다〔기반을 두고 있다〕. 《III》 *i.* (h.) ① 유령 회사를 설립하다. ② 〖海〗 바다 밑에 닿다. 《IV》 **gegründet** *p.a.* ↑ gegründet.

Gründer *m.* -s, - ① 건설자; 창설자; 회사의 발기인; 〖宗〗 개조(開祖). ② 유령 회사의 발기인.

Gründerin *f.* -nen ↑ Gründer 의 여성형.

Gründer≈jahre *pl.* ↑ ~zeit. **~periode** *f.* ↑ ~zeit. **~schwindel** *m.* 유령 회사의 사기.

Gründertum *n.* -(e)s ① 유령 회사의 사기. ② 유령 회사 설립광(狂).

Grund≈erwerb *m.* 토지 취득. **~erwerb(s)·steuer** *f.* 〖法〗 토지 취득세.

Gründer≈vater *m.* ↑ Gründer ①. **~wesen** *n.* 유령 회사의 사기. **~zeit** *f.* 〖史〗 ① 창업 시대(1871-73 년의 독일의 경제 도약기). ② 제국 창건기(1871 년 이후의 몇 십년).

grund≈falsch *a.* 완전히 틀린〔거짓인〕. **≈farbe** *f.* ① 원색. ② 〖畫〗 애벌칠용 물감. **~faul** *a.* 극히 태만한; 완전히 부패한. **≈fehler** *m.* 근본적〔결정적〕인 오류〔실수〕. **~fest** *a.* 아주 견고한: ~es Eigentum 토지 재산. **≈feste** *f.* 〔복수〕 기초, 기반: an den ~n von et.³ rütteln 무엇을 근본적으로 개혁하려고 하다; et. in seinen 〔bis in seine〕 ~n erschüttern 무엇의 기반을 뒤흔들다.

~**fläche** *f.* 밑면; 〖數〗 저면(底面). ~**form** *f.* ① 기본 형태〔형식〕; 기본형, 원형; 〖化〗 근(根), 기(基). ② 〖문법〗 (**a**) (Lemma) 원형, 기본형. (**b**) 부정형(Infinitiv). ~**frage** *f.* 본질적〔근본적·결정적〕인 문제. ~**freiheiten** *pl.* 〖政〗 기본적 자유. ~**funktion** *f.* 기본적인〔주된〕 기능. ~**gebirge** *n.* 〖지질〗 원성암층(原成岩層). ~**gebühr** *f.* 기본 요금. ~**gedanke** *m.* 기본 사상, 주지(主旨). ~**gehalt**[1] *m.* 본질적〔근본적〕인 내용, 주내용. ~**gehalt**[2] *n.* (월정) 기본급, 본봉. ~**gelehrt** *a.* 해박한. ~**gerechtigkeit** *f.* 〖法〗 지역권(地役權). ~**gescheit** *a.* 매우 똑똑한. ~**gesetz** *n.* ① 근본 법칙. ② 〖法〗 기본법. ~**gewebe** *n.* ① 〖生·醫〗 실질(實質) 조직 (Parenchym ①). ② 〖섬유〗 기초 직물. ~**gut** *a.* 지극히 좋은〔훌륭한〕. ~**gütig** *a.* 지극히 선량〔관대〕한.

grundhaft [grʊ́nthaft] *a.* ① 기초〔근거〕가 있는. ② 근본의, 기초의.

Grund≈haltung *f.* ① 기본 자세; 최초 동작. ② 기본〔원칙적인〕 입장〔견해〕: ein Mensch von konservativer ~ 기본적〔원칙적〕으로 보수적 입장을 취하는 사람. ~**häßlich** *a.* 지독히 보기 싫은, 매우 추한. ~**herr** *m.* 영주(領主). ~**herrlichkeit** *f.* ↑ ~herrschaft. ~**herrschaft** *f.* 영주권. ~**hold** *m.* ↑ ~holde. ~**holde** *m.* 장원에 예속된 농민, 농노. ~**idee** *f.* 기본 이념.

grundieren [grʊndíːrən] 《<Grund》 *t.* …에 초벌칠을 하다.

Grundierung *f.* -en 초벌칠(하기).

Grundig 그룬디히(독일 전자 회사).

grundig 《<Grund》 *a.* ① 이토질(泥土質)의, 진흙 투성이의. ② 진흙맛이 나는.

Grund≈irrtum *n.* 근본적〔결정적〕인 오류. ~**kapital** *n.* ① 〖經〗 주식 자본. ② 창립〔창업〕 자본. ~**kenntnis** *f.* 기본〔기초〕 지식. ~**konzeption** *f.* 기본 개념. ~**kraft** *f.* 원동력; 근본 세력. ~**krankheit** *f.* 〖醫〗 원병(原病). ~**kredit** *m.* 토지 담보 대부. ~**kurs** *m.* 기본〔기초·초급〕 과정〔코스〕.

***Grund≈lage** *f.* ① 토대, 기초, 기반, 근거: et. auf eine neue ~ stellen 무엇을 새로운 토대 위에 세우다; 〔구어〕 iß zuerst einmal tüchtig, damit du eine gute ~ hast 술이 받도록 우선 충분히 먹어 두게. ② 원료. ③ 토양: die ~n für et. schaffen〔erwerben〕 무엇을 위한 토양을 마련하다. ④ 〖음악〗 ↑ ~stellung ①. ~**lagen·forschung** *f.* (학문의) 기초 연구. ~**lasten** *pl.* ① 토지에 부과되는 부담금〔세금〕. ② 〖史〗 농노가 영주에게 바치는 조세와 노역(勞役). ~**legend** 《Ⅰ》 *a.* 기초의, 기본적〔근본적·결정적〕인. 《Ⅱ》 근본적으로, 완전〔굉장〕히: er hat sich ~ verändert 그는 완전히 변했다. ~**legung** *f.* 터닦기, 기초닦기, 기초 공사; 토대 마련; 설립, 창건. ~**lehre** *f.* ① 기본〔기초〕 원리〔이론·학설·규칙〕. ② 〔복수〕 초보.

***gründlich** [grʏ́ntlɪç] 《<Grund》 *a.* ① (↔ oberflächlich) 근본적인, 철저한, 아주 꼼꼼〔세심〕한; (학식 따위가) 심원한: ~e Kenntnisse in et.[3] haben 〔et. ~ kennen〕 무엇에 정통하고 있다. ② (tüchtig) 심한, 대단한: ~er Regen 억수로 쏟아지는 비; jn. ~ vornehmen 〔es jm. ~ geben〕 누구를 심하게 꾸짖다.

Gründlichkeit *f.* -en 철저.

Gründling [grʏ́ntlɪŋ] 《<Grund》 *m.* -s, -e ① 〖動〗 (**a**) 물 밑바닥에 무리지어 사는 고기. (**b**) 잉어과의 작은 고기. (**c**) 다문절망둑. ② 〔농담〕(극장의) 저급한 관람객.

Grund·linie *f.* ① 기선(基線), 주선(主線); 〖數〗 밑변, 저선(底線). ② 〔비유〕 본질적〔근본적〕인 특징, 주특징; 윤곽, 개요; 초고(草稿). ③ 〖테니스·배구〗 엔드 라인.

Grundlinien≈duell, ~spiel *n.* 〖테니스〗 엔드 라인 접전.

Grund·lohn 〖法〗 *m.* 기본 임금.

grundlos *a.* ① 바닥이 없는 (것처럼 보이는), 측정할 수 없을 정도로 깊은. ② 발이 푹푹 빠지는, 진흙 투성이의, 진흙탕의: ~e Wege 진흙탕 길. ③ 〔비유〕 근거〔이유〕 없는, 터무니없는.

Grundlosigkeit *f.* 근거 없음: die ~ seines Verdachtes einsehen 그의 혐의가 근거가 없음을 깨닫다.

Grund≈mauer *f.* 〖건축〗 기초벽; 지하실, 아래층. ~**norm** *f.* 기본 규격.

Grün·donnerstag *m.* 세족(洗足)〔성(聖)〕 목요일(부활절 전의 목요일; 그리스도가 최후의 만찬 때에 사도들의 발을 씻어 준 것을 기념하는 날).

Grund≈moräne *f.* 〖지질〗 (빙하에 의해 퇴적된) 저빙퇴석, 저퇴석. ~**nahrungs·mittel** *n.* 기본 식료품〔식량〕, 주식. ~**ordnung** *f.* 기본 질서. ~**organisation** *f.* 최하부의 조직 단위. ~**pfahl** *m.* 〖건축〗 (기초) 말뚝. ~**pfeiler** *m.* ① 〖건축〗 지주(支柱), 지지대. ② 〔비유〕 기초, 주석(柱石), 버팀목; 핵심 요소〔성분〕: die ~ einer Wissenschaft 한 학문의 핵심 요소들. ~**platte** *f.* 〖工〗 저판(底板), 기판(基板); 〖건축〗 토대; 〖전기〗 접지판(接地板). ~**prinzip** *n.* 기본 원칙, 근본 원리〔주의〕. ~**problem** *n.* 근본〔핵심〕 문제, 본질적인 문제. ~**quelle** *f.* 원천. ~**rechen·art** *f.* 〖數〗 기본 연산: die vier ~en 4칙(則) 연산. ~**rechnungs·art** *f.* 〖數〗 ↑ ~rechenart. ~**recht** *n.* 〖法〗 ① 토지 소유권. ② 기본권. ~**regel** *f.* 기본 규칙, 원칙, 원리, 공리. ~**rente** *f.* ① 〖經〗 지대(地代), 토지 수입. ② 〖法〗 기본〔최저〕 연금.

Grund·riß *m.* ① 약도, 스케치. ② 〖측량〗 부지도(敷地圖). ③ 〖건축〗 평면도, 수평 단면. ④ 〖數〗 평면도. ⑤ 요강, 개요; 개설(서).

***Grund·satz** *m.* 원칙, 주의; 원리, 법칙; 〖哲·宗〗 교의; 〖數〗 공리: feste Grundsätze haben 확고한 원칙을〔주의를〕 갖다; von seinen Grundsätzen nicht abgehen〔abweichen〕 자기의 원칙을 어기지 않다, 자기의 주의를 굽히지 않다.

Grundsatz≈debatte *f.* 원칙 논쟁. ~**entscheidung** *f.* 원칙 결정. ~**erklärung** *f.* 원칙 선언.

***grundsätzlich** 《Ⅰ》 *a.* 원칙상〔주의상〕의; 원칙적〔근본적〕인. 《Ⅱ》 *adv.* 원칙으로서, 주의로서; 원칙적〔기본적〕으로; 일반적으로.

Grundsatz≈programm *n.* 기본 프로그램〔계획〕. ~**rede** *f.* 기조 연설. ~**referat** *m.* 기조 보고〔연설〕. ~**urteil** *n.* 〖法〗 결정적 판결.

Grund≈säule *f.* 〖건축〗 지주(支柱); 〔비유〕 주석(柱石), 버팀목; 핵심 요소〔성분〕. ~**schlecht** *a.* 극악한; 아주 형편 없는. ~**schlepp·netz** *n.* 〖漁〗 트롤망, 저인망. ~-

schnelligkeit *f.* 〖스포츠〗 기본 속력(일정 거리를 같은 속도로 빨리 달릴 수 있는 능력). **~schoß** *m.* 지조(地租). **~schuld** *f.* 토지 채무. **~schule** *f.* ① 4개년 과정의 독일의 초등 학교. ②〖구동독〗 8개년 과정의 초등 학교. **~schwelle** *f.* ①〖건축〗 기초판(板). ②〖철도〗 침목. **~see** *f.* 〖해양〗 얕은 바다에서 이는 큰 물결. **~seite** *f.* 〖기하〗 밑변, 밑면. **≈-sicher** *a.* ① 기초가 견고한. ② [grʊ́ntzíçər] 지극히 확실한; 자신만만한. **~sicherheit** *f.* 토지 담보. **≈solide** *a.* 대단히 견고한. **~sprache** *f.* 〖언어학〗 조어(祖語), 근원어, 기원어. **≈ständig** *a.* ①〖植〗 (잎이) 밑동에서 자라는. ② ~e Schule 초등 학교 4년을 마친 후 진학하는 상급 학교. **~stein** *m.* 〖건축〗 주춧돌, 초석: den ~ legen〔setzen〕 초석을 놓다; 〖비유〗 der ~ zu et.³ 〔für et.〕 sein 무엇의 발판이다; den ~ zu et.³ 〔für et.〕 legen 무엇의 발판을 마련하다. **~stein·legung** *f.* 기공식, 초석을 놓는 행사. **~stellung** *f.* ①〖음악〗 화음의 기본 위치〔기본(배열) 상태〕. ②〖스포츠〗 기본 자세. ③〖체스〗 말의 기본 위치. **~steuer** *f.* 〖法〗 토지세, 지조(地租). **~stimme** *f.* 〖음악〗 기본 저음, 베이스. **~-stock** *m.* 기반, 근간, 밑천; 기금. **~stoff** *m.* ①〖化〗 원소(元素); 〖物〗 물질; 〖비유〗 초보; 원리. ② 원료. **~stoß** *m.* 〖海〗 좌초. **~-strich** *m.* ①〖畫〗 서투르게 칠하기. ②〖문자〗 글씨를 쓸 때 대개 강조해서 아래로 긋는 선 (↔ Haarstrich). **~stück** *n.* ① (구획) 토지, 대지(垈地). ② 주요 부분.

Grụndstücks·eigentümer *m.* 토지 소유자, 지주. **~makler** *m.* 토지 중개인.

Grụnd≈studium *n.* 〖학제〗 (독일 대학에서) Hauptstudium에 들어가기 전의 기초 과정. **~stufe** *f.* ① 기초〔초급〕 과정〔단계〕. ②〖문법〗 (형용사의) 원급. **≈stürzend** *a.* 기초〔근저〕를 뒤흔드는; 파괴적인. **~stütze** *f.* 주지주(主支柱). **~substanz** *f.* 기초 물질, 원료; 기질(基質). **~suppe** *f.* 〖구어〗 침전물, 앙금, 찌꺼기. **~taxe** *f.* ↑ ~gebühr. **~teilchen** *n.* 〖化〗 원자. **~tendenz** *f.* 기본〔본질적인〕 경향. **~text** *m.* 〖언어학〗 원전, 원본. **~thema** *n.* 〖음악〗 주(主)주제. **~ton** *m.* ①〖物·음악〗 기음(基音), 원음. ②〖畫〗 기본색, 바탕색. ③ 지배적 분위기. **~trieb** *m.* 본능. **~tugend** *f.* 기본 도덕. **~übel** *n.* 근본악, 화근. **~um-satz** *m.* 〖醫〗 기초 대사.

Gründung [grʏ́ndʊŋ] *f.* -en ① 건설, 창립, 창업, 설립: die ~ eines Unternehmens 기업의 설립. ②〖건축〗 ↑ Grundbau.

Grün·dünger *m.* 〖農〗 풋거름, 녹비.

Grụndungs≈feier *f.* 창립 축하연. **~fieber** *n.* 창업열. **~jahr** *n.* 창립한 해. **~kapital** *n.* 〖經〗 ↑ Grundkapital ②. **~kosten** *pl.* 창립 비용. **~mitglied** *n.* 창업 회원〔위원〕. **~plan** *m.* 창립 계획. **~schwindel** *m.* 유령 회사의 사기. **~versammlung** *f.* 〖經〗 창립 총회.

Grün·düngung *f.* 〖農〗 풋거름을〔녹비를〕 줌.

Grụnd≈unterschied *m.* 결정적〔근본적〕 차이. **~ursache** *f.* 근본적 원인. **~verkehrt** *a.* 완전히 잘못〔전도〕된. **~vermögen** *n.* ① 고정 재산. ②〖生〗 근본 능력. **≈ver-schieden** *a.* 근본적으로 틀리는, 완전히 다른. **~verschiedenheit** *f.* 근본적 차이. **~-waage** *f.* 수준기(水準器). **~wage** *f.* ↑ ~waage. **~wahrheit** *f.* 근본 진리. **~-wasser** *n.* 〖理〗 지하수.

Grụndwasser·absenkung *f.* 지하수 수위의 하락. **~spiegel** *m.* 지하수 수위(水位). **~stand** *m.* ↑ ~spiegel.

Grụnd≈wehr·dienst *m.* 기본 병역, 병역 의무자의 1단계 병역. **~wert** *m.* (윤리 영역에서의) 근본 가치, 모든 윤리적 태도의 기반. **~werk** *n.* 기초 공사. **~wesen** *n.* 본성, 본질, 정수. **~wissenschaft** *f.* 기초 과학; 〖哲〗 (J. Rehmke가 주창한) 근본학(根本學). **~wort** *n.* 〖문법〗 (복합어의) 기근어(基根語), 기반어. **~wort·schatz** *m.* 〖언어학〗 기본 어휘. **~zahl** *f.* ① 기수(基數). ② 제곱의 밑수. **~zins** *m.* 차지료(借地料), 지대(地代). **~zug** *m.* ① 특징, 특색; 〖動·植〗 형(型), 유(類); 〖印〗 굵은 선. ②〖복수〗 (성격의) 특질; 본질; 개요: in den Grundzügen 〔den Grundzügen nach〕 개요는, 요점은, 본질상.

Grüne* [grýːnə] 《Ⅰ》 *das* 푸른 풀; 초원, 잔디; 푸른 들; 목장: im ~n 야외에(서), 자연에(서); ins ~ 야외로, 자연으로. 《Ⅱ》 *f.* 녹색, 초록색. 《Ⅲ》 *der/die* 푸른 옷을 입은 사람; 〖구어〗 경찰관, 헌병; 국경 세관원. 《Ⅳ》 *m.* 〖경박〗 20 마르크 지폐. 《Ⅴ》 *der/die* 녹색 당원, 녹색당 지지자. 《Ⅵ》〖복수〗 die ~n 녹색당.

gruneln [grúːnəln] *i.* (h.)/*imp.* es grunelt 푸른 풀〔잎〕의 냄새가 난다.

grüneln *i.* (h.)/*imp.* es grünelt (자연물이) 푸르러진다.

grünen *i.* (h.) ① 푸른 싹을 내다, 푸르게 되다: ~de Bäume 푸르러지는 나무들. ②〖비유〗 번성하다; 다시 살아나다: auch im Alter kann die Liebe wieder ~ 노년기에도 사랑이 다시 살아날 수 있다.

Grüner Punkt *m.* 〖환경〗 재활용 포장 용기임을 표시하는 녹색 심볼〔표시〕.

Grün≈erde *f.* 〖광물〗 녹토(綠土). **~fink** *m.* 〖動〗 되새속(屬)(녹색 방울새의 일종). **~-fläche** *f.* 녹지(대). **~futter** *n.* ① (동물에게 주는) 청초(青草) 사료. ②〖구어·농담〗 샐러드용 야채, 푸른 채소. **≈gelb** *a.* 황록색의. **≈-grau** *a.* 회록색의. **~gürtel** *m.* 〖환경〗 그린벨트. **~horn** *n.* 〖↑ Greenhorn의 독일어식 표기〗 (Neuling) 신출내기, 풋내기.

Grünitz *m.* -es, -e 〖動〗 잣새속(屬).

Grün≈kern *m.* (수프에 넣는) 설익은 채로 수확해서 말려 껍질을 벗긴 밀(따위의 곡류). **~kohl** *m.* 〖植〗 녹엽 감람, 양배추의 일종. **~korn** *n.* ↑ ~kern. **~kram** *m.* 〖구어·방언〗 채소; 채소상(商).

Grünkram≈händler *m.* 채소 장수. **~-laden** *m.* 〖방언〗 채소 가게.

Grün≈kraut *n.* 야채. **~kreuz** *n.* 〖史〗 (제1차 세계 대전 당시 사용된) 화학 무기. **~land** *n.* 〖農〗 초지(草地), 목지(牧地).

grünlich *a.* 녹색을 띤, 초록빛이 도는.

Grün·lilie [grýːnliliə] *f.* 백합의 일종.

Grünling *m.* -s, -e ①〖植〗 들살이버섯속(屬). ②〖動〗 ↑ Grünfink. ③〖구어〗 미숙한 사람, 풋내기.

Grün≈markt *m.* 야채 시장. **~pflanze** *f.* 녹

엽(綠葉) 식물. **~rock** *m.* 녹색 옷을 입은 사람; 사냥꾼; 산림 간수. **~rot·blindheit** *f.* 적록 색맹. **~schnabel** *m.* 〖멸어〗 신출내기, 풋내기. **~span** *m.* 〖化〗 녹청(綠靑). **~-specht** *m.* ①〖動〗 청딱따구리. ② 풋내기. **~-stein** *m.* 〖광물〗 녹석(綠石), 휘록암. **~-streifen** *m.* 잔디나 나무가 심어져 있는 차도 사이의 분리대. **~wurzel** *f.* 〖植〗 푸마리아초(草)(현호색과).

grunzen [grúntsən] *i.* (h.) 〖의성어〗 ① (돼지 따위가) 꿀꿀거리다; 〖비유〗 투덜투덜 불평하다. ② 〖구어〗 분명치 않게 말하다.

Grunzer *m.* -s, - 〖구어〗 꿀꿀거리는 소리; 돼지; 투덜대는 사람.

Grün·zeug *n.* 〖구어〗 ① (a) 푸른 야채〔과일〕; 수프용 야채. (b) 양념용 풀〔채소〕. ② 〖비유〗 풋내기.

Grunzochs *m.* 〖動〗 (Jak) 야크(티베트 및 중앙 아시아의 고지에 사는 얼룩소).

Grupp [grup] *m.* -s, -s (은행의) 송금용 행낭.

Grüppchen *n.* ↑ Gruppe 의 축소형.

***Gruppe**[1] [grúpə] *f.* -n 떼, 조(組), 반(班), 유(類); 〖林〗 군상지(群狀地); 〖軍〗 분대, 무리; 집단, 군단; (미술의) 군상(群像); 〖언어〗 어파: in ~n 그룹을 이루어, 떼를 지어.

Gruppe[2] *f.* -n 〖방언〗 ① 고랑, 배수로; 하수구. ② 가축의 똥거름을 받는 축사내 배수로.

grüppeln [grýpəln] *t.* ↑ gruppen.

gruppen [grúpən] *t.* 고랑을〔배수구를〕 파다.

Gruppen≈arbeit *f.* ① 집단 공동 작업. ② 〖교육〗 그룹 작업. **~aufnahme** *f.* 단체 사진 (촬영). **~bild** *n.* 〖사진〗 단체 사진; 군상(群像). **~bildung** *f.* 집단 형성, 결사; (동물의) 무리 형성. **~dynamik** *f.* 〖사회·心〗 집단 역학. **~egoismus** *m.* 집단 이기주의. **~ehe** *f.* 집단 결혼, 군혼(群婚). **~foto** *n.* ↑ ~aufnahme. **~führer** *m.* 〖軍〗 분대장; 〖經〗 분과 위원장, 조장. **~leiter** *m.* 조장, 집단의 지휘자〔지도자〕. **~pädagogik** *f.* 〖교육〗 (그룹 작업을 통해서 공동체 의식의 고양을 꾀하는) 집단 교육(학). **~psychologie** *f.* 집단 심리학. **~-reise** *f.* 단체 여행. **~sex** *m.* 그룹 섹스. **~sieg** *m.* 〖스포츠〗 조(組)(내에서의) 우승. **~sozialismus** *m.* 길드〔조합〕 사회주의. **~-spiel** *n.* 〖스포츠〗 조별 경기. **~sprache** *f.* 〖사회·언어〗 집단어. **~start** *m.* 〖스포츠〗 단체 출발. **~therapie** *f.* ①〖醫〗 집단 요법(↔ Einzeltherapie). ②〖心〗 집단 심리 요법. **~training** *n.* 〖스포츠〗 단체 훈련. **~unter-richt** *m.* ① (↔ Einzelunterricht) 집단 교습〔수업〕. ②〖교육〗 그룹별 교육. **~versiche-rung** *f.* 단체 보험. **~weise** *adv.* 그룹을 이루어, 떼를 지어, 그룹별로; 〖軍〗 분대별로.

gruppieren [grupí:rən] 《I》 *t.* 떼짓다, 한데 모으다; 떼지어 분류〔배열〕하다. 《II》 *refl.* sich ~ 떼를 이루다, 집단이 되다, 한데 모이다, 결속하다.

Gruppierung *f.* -en ① 무리지음; 그룹 편성. ② 그룹, 집단.

Grus [gru:s] *m.* -es, -e [grú:zə] ① 쇄석(碎石), 자갈. ②〖광물〗 분탄(粉炭) (~kohle).

Grusel[1] [grú:zəl] *m.* -s 〖방언〗 오싹〔섬뜩〕한 느낌.

Grusel[2] *m.* -s 〖구어〗 (schweiz.) 자갈; 거친 모래.

Grusel≈effekt *m.* 등골을 오싹하게 하는 효과. **~film** *m.* 공포 영화. **~geschichte** *f.* 공포 이야기.

gruselig *a.* (grauselig) 기분 나쁜, 무서운, 섬뜩한.

gruseln [grú:zəln] *i.* (h.) / *refl.* / *imp.* 〖구어〗 ich grusele (mich), es gruselt mir〔mich〕, mich gruselt's 나는 몸서리난다, 등골이 오싹한다.

Grusical [grú:zikəl] *n.* -s, -s 〖농담〗 뮤지컬 형식의 공포 영화.

grusicht [grú:zɪçt] 《<Grus》 *a.* ↑ grusig.

grusig [grú:zɪç] 《<Grus》 *a.* ① 쇄석(碎石) 같은; 쇄석으로 이루어진. ② 분탄(粉炭) 같은; 분탄으로 이루어진.

Grusinien 그루지야(흑해 동안(東岸) 남부의 공화국).

Grusinier [gruzí:niər] *m.* -s, - 그루지야 사람.

Grus·kohle *f.* ↑ Grus ②.

gruslig *a.* ↑ gruselig.

***Gruß** [gru:s] *m.* -es, Grüße [grý:sə] ① 인사, 목례, 절, 탈모: 〖軍〗 militärischer ~ 경례; Deutscher 〔der Deutsche〕 ~ 나치식 경례 (오른팔을 들고 "Heil Hitler!"라고 말하는); 〖가톨릭〗 Englischer 〔der Englische〕 ~ (Engelsgruß) a) 천사의 성모 마리아에 대한 축사, b) 성모송, 아베 마리아. ② 안부; 경의: jm. Grüße sagen lassen 누구에게 안부를 전해 달라고 하다; meine besten Grüße an Ihre Frau! 부인께 안부 전해 주십시오!; (편지의 끝맺음말로) mit freundlichem〔herzlichem〕 ~ (verbleibe ich) Ihr (ergebener) ... 모모 재배(再拜). ③ 환영(Willkommen); (Botschaft) 심부름꾼의 용무, 알림: Gott zum ~! a) 군의 성공을 비네!, b) 안녕하십니까!

Gruß·adresse *f.* 공식적인 인사문, 경축문, 격려문.

***grüßen** [grý:sən] 《I》 *t.* ① 인사하다, 목례하다: sie ~ sich〔einander〕 nicht mehr 그들은 이제 서로 인사하지 않는다; Gott grüße dich 〔grüß Gott〕! 안녕(하십니까)! (남부 독일 지방의 인사); 〖구어〗 grüß dich! 안녕(하십니까)! ② 누구에게 안부를 전하다: ~ Sie ihn (von mir)! 그에게 제 안부 좀 전해 주십시오!; jn. ~ lassen 누구에게 안부를 전해 달라고 하다. ③ 환영하다: sei mir gegrüßt! 어서 오십시오!; 〖반어〗 sei gegrüßt! 요놈의 자식! ④ 청하다: jn. um et. ~ 누구에게 무엇을 청하다; 〖반어〗 du kannst mich ~ 네 마음대로 해라. 《II》 *i.* (h.) 〖시어〗 (풍경 따위가) 보이다, 나타나다: das Meer grüßt aus der Ferne 멀리서 바다가 나타난다.

Gruß·formel *f.* 인사말 문구, 의례적인 인사말.

Grüß·fuß *m.* 〖다음 용법으로만〗 〖구어〗 mit jm. auf dem ~ stehen 누구와 인사 정도는 하고 지내는 사이다.

Gruß·karte *f.* 인사장, 안부 엽서.

grußlos *a.* 인사 없이: er ging ~ vorbei 그는 인사도 없이 지나쳤다.

Gruß·wort *n.* ① ↑ ~adresse. ② 인사말, 환영의 말.

Grütz≈beutel *m.* 〖醫〗 분류(粉瘤). **~brei** *m.* 알곡이나 곡물 가루로 만든 죽.

Grütze [grʏ́tsə] *f.* -n ① (**a**) (수프·죽 따위의 원료로 쓰이는) 알곡이나 곡물 가루(특히 귀리·보리·메밀 등의). (**b**) 걸죽한 죽(↑Grützbrei): rote ~ (특히 후식으로 먹는) 붉은 과일(즙)으로 만든 단 음식. ②〖구어〗(Verstand) 이해력, 지능: ~ im Kopf haben 영리하다, 머리가 꽉 차다; keine ~ im Kopf haben 우둔하다, 머리가 텅 비다. ③〖방언〗우둔(Dummheit).
Grụ̈tz≈händler *m.* 곡물 가루 장수. **~kopf** *m.* ①〖구어·폄어〗바보. ②〖구어〗이해력, 지능. **~mühle** *f.* 곡식을 (거칠게) 빻는 데 쓰이는 방아. **~müller** *m.* 곡식을 (거칠게) 빻는 사람. **~suppe** *f.* 알곡이나 곡물 가구로 만든 수프. **~wurst** *f.* 주로 알곡이나 곡물 가구를 채워 넣은 순대.
G-Saite [gé:..] *f.* -n〚음악〛(현악기의) G현.
gschamig [kʃámɪç] *a.* (südd., öst.) ↑ geschamig.
gschämig [kʃɛ́mɪç] *a.* (südd., öst.) ↑ geschamig.
gschert *a.* (südd., öst.)〖경박〗↑ geschert《I》.
Gschnas·fest [kʃná:s..] *m.* (öst.) (특히 빈에서) 예술가들의 가장 무도회.
gschupft [kʃʊpft] *a.* (öst., schweiz.)〖구어〗정신 나간, 터무니없는, 도에 넘친.
Gspusi [kʃpú:zi] *n.* -s, -s (öst., schweiz.)〖구어〗① 연애, 정사(情事). ② 애인, 연인.
GSM《engl.》〚통신〛=Global System for Mobile Communication 국제 이동 통신 시스템, 또는 이를 위해 협약된 표준.
GTB =Gewerkschaft Textil-Bekleidung 섬유·의류 노동 조합.
Guajak [guajá:k]《sp.》*m.* -s ↑ ~baum.
Guajạk≈baum *m.*〚植〛유창목. **~harz** *n.* 유창목의 진. **~holz** *n.* 유창목 목재.
Guajakol [guajakó:l] *n.* -s〚化·醫〛(유창목 진에서 추출된 향기가 있는) 소독용 알코올.
Guanako [guanáko]《südam.》*m.* -s, -s 야생 야마(남아메리카 산악 지대에 사는 낙타의 일종).
Guanin *n.*〚生·化〛구아닌(유전자 코드를 구성하는 기본 염기 중 하나).
Guano [guá:no]《sp.》*m.* -s〚醫〛(Vogeldünger) 분화석(糞化石)(페루의 태평양 연안에 많은 해조의 똥; 비료로 쓰임).
Guarani [guará:ni] *m.* -, - ① 과라니(남아메리카 인디언족의 구성원). ② 과라니(파라과이의 화폐 단위).
Guardian [guardiá:n]《lat.》*m.* -s, -e (프란체스코파 및 카푸친파의) 수도원장.
Guasch [guáʃ]《frz.》*f.* -en〚畫〛↑ Gouache.
Guạsch·malerei *f.*〚畫〛↑ Gouachemalerei.
Guatemala [guatemá:la] (중앙 아메리카의) 과테말라.
Guatemalteke [guatemalté:kə] *m.* -n, -n 과테말라인.
guatemaltekisch *a.* 과테말라의, 과테말라 출신의.
Gubernal [gubɛrná:l]《lat.》(öst.) *n.* -(e)s, -e 자전거의 핸들(Fahrradlenkstange).
Gubernator [..ná:tɔr, ..to:*r*] *m.* -s, -en [..tó:rən] ① 키잡이. ② (구러시아의) 총독, 통감, 지사.
Guck [gʊk]《<gucken》*m.* -(e)s, -e〖구어〗일별, 일견.
Gụck≈auge *n.*〖아동〗(어린이의) 눈. **~äugelchen** *n.* ↑ ~äuglein. **~äuglein** *n.*〖아동〗↑ ~auge.
***gucken** [gʊ́kən]《I》*i.* (h.) ① 들여다보다, 살피다: auf et. 〔nach et.[3]〕 ~ a) 무엇을 훔쳐보다, b) 응시하다; zu tief ins Glas ~ 술을 과하게 마시다, 만취하다. ② 나타나다; (성질 따위가 얼떨결에) 나오다: der Schelm guckt ihm aus den Augen 그의 악당 근성이 눈매에 나타나 있다.《II》*t./refl.* sich[3] (fast) die Augen aus dem Kopf ~ 〔sich blind ~〕 눈이 빠지도록 응시하다.
Gụcker *m.* -s, - ① 엿보는 사람; 꼬치꼬치 알기 좋아하는 사람. ②〖비유〗(**a**) 눈. (**b**) 안경. (**c**) 망원경. (**d**) 엿보는 창〔구멍〕.
Gụcker·schecken *pl.* (öst.) 주근깨.
Gụck≈fenster *n.* 엿보는 창; 창구. **~glas** *n.* 망원경. **~guck** *m.* 뻐꾸기(Kuckuck).
Gucki [gʊ́ki] *m.* -s, -s ① 트럼프패 바꾸기. ②〚사진〛(슬라이드용) 확대경.
Gụck≈in·die·luft *m.*〖구어〗Hans ~ 길조심하지 않는 남자. **~in·die·welt** *m.*〖구어〗① 신출내기, 풋내기, 애송이. ② 파노라마. **~kasten** *n.* ① 요지경. ②〖구어·대개 폄어〗텔레비전 수상기.
Gụckkasten·bühne *f.*〚연극〛요지경 무대. **~mann** *m.* 요지경 장수.
Gụck≈kästner *m.* ↑ ~kastenmann. **~loch** *n.* ① 엿보는 구멍. ② (양말이나 신에 난) 구멍.
Güdel·montag [gʏ́:dəl..] *m.* (schweiz.) 사육제 직전의 월요일.
Gụ̈dis·montag *m.* ↑ Güdelmontag.
Gudrun [gú:dru:n] *f.* ① 구드룬(여자 이름). ② 구드룬(13 세기의 독일 서사시 및 그 여주인공(Kudrun)).
Guelfe [guɛ́lfə]《it.》*m.* -n, -n 교황당원(중세 이탈리아에서 독일 황제파(Ghibellinen)에 대항한 교황 옹호파);〖복수〗교황당.
Gueridon [geridɔ̃́:]《frz.》*m.* -s, -s 촛대.
Guerilla[1] [gerɪ́lja]《frz.》*f.* -s〚軍〛① 게릴라전, 유격전. ② 게릴라 부대, 유격대.
Guerịlla[2] *m.* -(s), -s〖구식〗↑ ~kämpfer.
Guerịlla≈bande *f.* ↑ Guerilla[1] ②. **~führer** *m.* 게릴라 부대장, 유격대장; 게릴라 지도자. **~kampf** *m.* 게릴라 전투. **~kämpfer** *m.* 게릴라병〔전사〕, 유격병 **~krieg** *m.* ↑ Guerilla[1] ①.
Gụfer *m.* -s, - ↑ Guffer.
Gụffer *m.* -s, -〚지질〛빙퇴석(氷堆石)(Moräne).
Gugel [gú:gəl] *f.* -n (중세의) 어깨까지 덮히는 모자(Kapuze).
Gụgel≈hopf *m.* (schweiz.) ↑ ~hupf. **~hupf** *m.* (obd.) (뾰족한 모자 모양의) 카스텔라.
Güggel [gʏ́gəl] *m.* -s, - (schweiz.) 수탉.
Güggeli [gʏ́gəli] *n.* -s, - (schweiz.) 통닭구이.
Guilloche [gɪljɔ́ʃ, gijɔ́ʃ]《frz.》*f.* -n 물결 무늬, 어자문(魚子紋); 물결 무늬를 새기는 도구.
Guillocheur [gɪljɔʃǿ:*r*, gijɔ..]《frz.》*m.* -s, -s 물결 무늬를 새기는 직공.
guillochieren [gɪljɔʃí:rən, gijɔ..] *t.* 무엇에 물결 무늬를 새기다〔만들어 넣다〕.

Guillotine [gɪljotí:nə, gijotí:nə] 《frz.》 *f.* -n (Fallbeil) 단두대, 기요틴(발명자 J.J. Guillotine 의 이름에서).

guillotinieren [gɪljotiní:rən, gijɔti..] *t.* 단두대에서 목을 자르다.

Guinea ① [giné:a] 기니(서아프리카 중부 해안 지방). ② [gínɪ] *f.* -s ↑ Guinee.

Guinea·fahrer *m.* 〖海〗 기니 무역선.

Guinee [giné:(ə)] *f.* -n [..né:ən] 기니(옛날의 영국 금화; (현재는) 화폐 단위로 21 Schilling).

Guineer [ginié:ər] *m.* -s, - 기니 사람.

guineisch [giní:ɪʃ] *a.* 기니의.

Guipure [gipý:rə] *f.* -n 〔섬유〕 ↑ Gipüre.

Guirlande [gɪr..] *f.* -n 〔구식〕 ↑ Girlande.

Guitarre [gi..] *f.* -n 〔구식〕 ↑ Gitarre.

Gulasch [gú:laʃ] 《ung.》 *n./m.* -es, -e 〖요리〗 (헝가리식) 매운 쇠고기 스튜.

Gulasch≠kanone *f.* 〔농담〕 야전 취사장〔차〕 (Feldküche). **~suppe** *f.* 굴라슈 수프.

***Gulden** [gúldən] 《<Gold》 *m.* -s, - 굴덴 (14-19 세기의 독일 금화 및 은화; (현재의) 네덜란드 화폐 단위=100 cent).

gülden [gýldən] *a.* 〔시어·고어〕 (golden) 금의, 금으로 만든, 금빛의.

güldisch *a.* 〖광산〗 금을 함유한.

Güldisch·silber *n.* 금을 함유한 은광.

Gülle [gýlə] *f.* ① (westobd.) 괸 물, 구정물. ② 〖農〗 (Jauche) 액비(液肥), 똥거름.

güllen *t.* 물거름을〔액비를〕 주다.

Güllen·faß *n.* 거름통.

Gully [gúli] *m./n.* -s, -s 하수구; 하수 구멍 (길 위의 하수를 땅 밑 하수도로 흘러가게 하는 쇠살 뚜껑을 한 구멍).

Gült *f.* -en ↑ Gülte.

Gült·brief *m.* (schweiz.) 채무〔차용〕 증서, 채권.

Gülte [gýltə] *f.* -n ① 〔고어〕 토지 세입, 지대 (地代). ② (schweiz.) 토지 저당권의 일종. ③ 〔고어〕 가치.

gülten *i.* (h.) 지대를 지급하다.

***gültig** 《<gelten》 *a.* 유효한, 가치 있는; (화폐 따위가) 통용되는; 구속력이 있는; 적법〔합법〕의, 정당한: 〖哲〗 allgemein~ 보편 타당한; für jn. ~ sein 누구에게 적용되다; et. für ~ erklären 무엇을 유효하다고 선언〔선고〕하다; et. als ~ anerkennen 무엇을 유효하다고 인정하다; wie lange ist diese Fahrkarte ~? 이 승차권은 며칠간 통용됩니까?

Gültigkeit *f.* 유효, 효력, 통용; 적법, 합법; 〖哲〗 타당(성).

Gültigkeits≠dauer *f.* 유효〔통용〕 기간. **~-erklärung** *f.* 유효성 인정〔선언〕.

Gültig·machen *n.* 유효로 하기, 합법화하기; 재가, 비준.

Gulyas [gu:láʃ] *n./m.* -, - 〖요리〗 (öst.) ↑ Gulasch.

Gumma [gúma] *n.* -s, -ta/..mmen 〖병리〗 고무종(腫), 매독종.

***Gummi** [gúmi] 《lat.》 《I》 *n.* -s, -(s) 나무의 진, 수지(樹脂). 《II》 *m.* -s, -(s) ① 고무; 아라비아 고무; 고무 지우개. ② 〔구어〕 콘돔.

Gummi≠adler *m.* 〔구어·농담〕 질긴 통닭구이. **~arabikum** *n.* 아라비아 고무. **~artig** *a.* 고무 모양의; 고무 같은 성질의. **~ball** *m.* 고무 공. **~band** *n.* 고무 띠. **~bärchen** *n.* 곰 모양의 젤리 과자. **~baum** *m.* 〖植〗 고무나무. **~begriff** *m.* 〔구어〕 모호한 개념. **~bein** *n.* 〔다음 용법으로〕〔구어〕 ~e haben 〔bekommen〕 a) 기력이 없어 (잘) 서거나 걸을 수 없다, b) (몹시) 두려워하다, 불안해하다, (심한) 두려움〔불안감〕에 사로잡히다. **~-bonbon** *n.* 젤리 사탕. **~dichtung** *f.* 고무 패킹.

gummicht *a.* ↑ gummig.

Gummi≠druck *m.* ① 아닐린 인쇄. ② 〔드물게〕 오프셋 인쇄. **~druck·verfahren** *n.* ↑ ~druck. **~elastikum** *n.* 탄성(彈性) 고무.

gummieren [gumí:rən] 《I》 *t.* ① 아라비아 고무를 접착제로 바르다〔입히다〕. ② 라텍스나 합성 수지를 발라서 방수 처리하다. 《II》 **gummiert** *p.a.* ↑ gummiert.

gummiert 《I》 *p.p.* ↑ gummieren. 《II》 *p.a.* (봉투 따위) 아라비아 고무를 접착제로 바른〔입힌〕.

Gummi≠erz *n.* 〖化〗 산화 우라늄. **~fisch** *m.* (물고기 모양의) 고무 미끼. **~fluß** *m.* 〖植〗 과상(果狀) 수지 분비증.

gummig [gúmɪç] *a.* 고무 모양〔고무질〕의.

Gummi≠geschwulst *f.* 〖병리〗 ↑ Gumma. **~gewächs** *n.* 〖병리〗 ↑ Gumma. **~gutt** *n.* 〖藥〗 자황(雌黃); 〖畫〗 갬부지. **~haltig** *a.* 고무를 함유한. **~handschuh** *m.* 고무 장갑. **~harz** *n.* 고무 수지. **~knüppel** *m.* (경찰의) 고무 곤봉. **~linse** *f.* 줌렌즈. **~lösung** *f.* 〖化〗 고무 접착제. **~löwe** *m.* 종이 호랑이. **~mantel** *m.* 고무를 입힌 망토. **~paragraph** *m.* 〔비유·구어〕 이현령비현령식 법규〔조항〕. **~pfropfen** *m.* 고무 마개. **~reifen** *m.* 고무 바퀴, 타이어. **~ring** *m.* ① 고무 링. ② (던져서 막대에 끼우는 놀이에 사용하는) 고무 고리. ③ 고리 모양의 고무 패킹. **~rock** *m.* 고무를 입힌 비옷. **~röhrchen** *n.* 고무관. **~sauger** *m.* 젖병의 고무 꼭지. **~schlauch** *m.* 고무 호스. **~schnur** *f.* 고무 끈. **~schuh** *m.* 고무신; 덧신. **~schürze** *f.* 고무 앞치마. **~sohle** *f.* 고무창. **~tier** *n.* ① 고무로 만든 장난감 동물. ② (바람을 불어 넣어 형태를 만드는) 고무 풍선 동물 장난감. **~stempel** *m.* 고무인(印). **~überschuh** *m.* 고무로 만든 덧신. **~waren** *pl.* 고무 제품. **~wäsche** *f.* 방수 처리된 속옷〔시트 따위〕. **~wasser** *n.* 고무 용액. **~wischer** *m.* 고무 지우개. **~zelle** *f.* (발광증 환자를 위한) 고무벽 방. **~zug** *m.* 고무 장화의 고무포(布); 고무줄, 고무띠. **~-zug·stiefel** *m.* 고무 장화. **~zylinder** *m.* 〖기계〗 (오프셋 인쇄기의) 고무 원통.

Gummose [gumó:zə] *f.* -n ↑ Gummifluß.

Gummosis *f.* ..sen ↑ Gummifluß.

Gumpe [gúmpə] *f.* -n ① 〖광산〗 세광조(洗鑛槽) (Schlammkasten). ② (obd.) (수로 따위의) 깊은 곳; 웅덩이; 수렁.

Gundel·rebe [gúndəl..] *f.* ↑ Gundermann.

Gunder·mann [gúndər..] *m.* -(e)s 〖植〗 적설초.

gunksen [gúŋksən] *t.* 〔방언〕 (stoßen) (팔로) 찌르다, 밀다, 치다.

Günsel [gýnzəl] *m.* -s, - 〖植〗 금란초속(屬).

***Gunst** [gunst] 《<gönnen》 *f.* ① 은혜, 총애; 호의, 친절; 편애; in js. ~ stehen 〔bei jm. in ~ stehen〕 누구의 총애를 받다; jm. eine ~ erweisen 누구에게 호의를 보이다; eine ~

verlieren 총애를 잃다; sich bei jm. in ~ setzen 누구에게 빌붙다; sich bei jm. wieder in ~ setzen 재차 누구의 총애를 받다; nach ~ urteilen 정실 판정을 하다; zu js. ~en, zu ~en〔zugunsten〕 js., jm. zu ~en 누구를 위하여, 누구에게 유리하게〔하도록〕; 〔속담〕 Kunst macht〔bringt〕 ~ 재주는 스스로를 돕는다. ② 허가, 인가: mit ~(en) 실례합니다만, 외람됩니다만.

Gunst≈bemühung *f.* 총애를 받으려 애씀. **~beweis** *m.* 호의〔총애〕의 표시. **~bezeigung** *f.* 호의〔총애〕의 표시. **~gewerblerin** *f.* 〔구어〕 창녀.

*__günstig__ [gʏ́nstɪç] 《<Gunst》 *a.* ① 호의 있는, 친절한; 자비 깊은: jm. ~ sein 누구에게 호의를 갖고 있다; ~ beurteilen 호평하다. ② 유익〔유효〕한; 유리한, 형편이 좋은; 길조의: ein ~er Wind 순풍; eine ~e Gelegenheit 호기(好機); ~e Entscheidungen 유리한 판결; bei et.³ ~ abschneiden 어떤 일(경쟁·시험 따위)에 이기다, 성공하다; das Glück ist uns nicht ~ 우리는 불운하다; in ~stem Falle 아주 잘 됐을 경우; sich in ~em Lichte zeigen 좋은 면을 보이다.

günstigen·falls *adv.* 잘해야, 기껏해야.

günstigsten·falls *adv.* 아주 잘해봤자, 결국.

Günstling [gʏ́nstlɪŋ] *m.* -s, -e 마음에 드는 사람, 총아; 인기 있는 사람; 〔폄어〕 측근, 빌붙는 놈.

Günstlings≈regierung *f.* ↑ ~wirtschaft. **~unfug** *m.* ↑ ~wirtschaft. **~wirtschaft** *f.* 정실 인사, (측근 발탁의) 편파적 인사(정책).

Gunther [gʊ́ntər] *m.* 군터(Nibelungenlied에 나오는 부르군트왕의 이름).

Gupf [gʊpf] *m.* -(e)s, Güpfe ① (obd.) (Gipfel) 꼭대기; 꼭지. ② (그릇이나 가장자리 위로) 우뚝 솟은 부분: der ~ eines Eis 아이스크림의 뾰족한 윗 부분. ③ 초과량(Überschuß).

Guppy [gʊ́pi] *m.* -s, -s 구피(남아메리카산(產) 물고기).

Gur [guːr] *f.* -en 바위 틈에 물의 작용으로 괸 진흙 모양의 침전물(보기: Kiesel~ 규조토).

Gürckchen *n.* -s, - ↑ Gurke의 축소형.

*__Gurgel__ [gʊ́rgəl] 《lat.》 *f.* -n ① 멱: jm. die ~ zudrücken〔zudrehen〕 누구의 목을 조르다〔비틀다〕; jn. an〔bei〕 der ~ packen 누구의 멱을 움켜쥐다; jm. an die ~ fahren〔springen〕 누구를 목졸라 죽이려고 덤벼들다; jm. das Messer an die ~ setzen a) 누구의 목에 칼을 들이대다, b) 〔비유〕 누구를 위협해서 시키는 대로 하도록 강요하다; 〔비유〕 jm. die ~ zuschnüren〔zudrücken, abdrehen, zudrehen〕 누구를 파산에 이르게 하다; das Wasser steht mir bis an die ~ a) 나는 빚이 많다, b) 나는 큰 어려움을 겪고 있다. ② 목구멍, 인두(咽頭), 후두(喉頭): die ~ spülen a) 양치질하다, b) 술을 마시다; 〔경박·농담〕 sich³ die ~ schmieren〔ölen〕 목(구멍)을 축이다, 술 마시다; 〔구어〕 et. durch die ~ jagen 상습적인 과음으로 무엇을 탕진하다.

Gurgel≈ader *f.* 〖해부〗 경정맥(頸靜脈). **~geräusch** *n.* 목을 고롱고롱 울림, 목 가시는 소리. **~klappe** *f.* 〖해부〗 목젖. **~mittel** *n.* 양칫물.

gurgeln [gʊ́rgəln] 《I》 *i.* (h.) ① (소리내어) 양치질하다, 목을 가셔내다: 〔구어〕 einen ~ 한잔하다. ② (비·냇물 따위가) 줄줄〔콸콸〕 소리를 내다. ③ 고롱고롱거리면서 말하다. 《II》 *t./refl.* sich³ (den Hals) ~ 목가심하다.

Gurgel≈schnitt *m.* 〖醫〗 기관(氣管) 절개. **~ton** *m.* 목의 골골 울리는 소리. **~wasser** *n.* 〔복수: ..wässer〕 〖醫〗 목가심 물; 〔구어〕 화주(火酒) (Branntwein).

*__Gurke__ [gʊ́rkə] *f.* -n ① 〖植〗 오이: saure ~n 초에 절인 오이; 〔농담〕 sich³ ~n herausnehmen 제멋대로 행동하다; ein Gesicht machen wie saure ~n 찡그린 얼굴을 하고 있다; Zeit der sauren ~n 불경기(↑ Gurkenzeit). ② 〔구어·비유〕 납작코. ③ 익살꾼: du bist mir eine ~! 〔농담〕 넌 장난꾸러기구나! ④ 〔경박〕 자지, 좆. ⑤ 〔비유·구어〕 낡은 자동차. ⑥ 〔구어〕 다 해진 구두, 낡은 신발. ⑦ 〔폄어〕 질이 나빠 잘 팔리지 않는 의류.

gurken≈artig *a.* 오이와 같은, 오이 모양의. **≈beet** *n.* 오이 묘상(苗床). **~förmig** *a.* 오이 모양의. **≈gewürz** *n.* 오이 저장을 위한 양념. **≈hobel** *m.* 오이 써는 도구. **≈kern** *m.* 오이씨. **≈kraut** *n.* 〖植〗 서양지치(미나릿과에 속하며 잎·열매는 향료용). **≈salat** *m.* 오이 샐러드. **≈zeit** *f.* 오이가 한창인 때; 〖商〗 (saure) ~ 한산할 때, 여름의 경기가 나쁠 때.

Gurkha [gʊ́rka] 《ind.》 *m.* -(s), -(s) (네팔의 호전적인) 구르카 종족; 네팔 출신 정예병.

Gürklein *n.* -s, - ↑ Gurke의 축소형.

Gurre [gʊ́rə] *f.* -n ① 〔방언·폄어〕 노마(駑馬); 헐떡거리는 말. ② 〔비유〕 닳아빠진 여자, 창부.

gurren [gʊ́rən] *i.* (h.) ① 〖의성어〗 (비둘기가) 꾸꾸 울다; es gurrt ihm im Bauch 그의 배가 꾸루룩거린다. ② 알랑거리면서〔교태를 부리며〕 말하다.

Gurt [gʊrt] *m.* -(e)s, -e ① (폭넓은) 띠, 끈, 허리띠, 장식띠; (말의) 배띠; 〖軍〗 탄띠. ② 〖건축〗 (벽에 두른 장식) 돌림띠. ③ 안전띠〔벨트〕.

Gurt≈band *n.* ① 〖건축〗 장식 돌림띠. ② 허리띠. ③ 〖방직〗 납작한 고무줄. **~bett** *n.* 매단 침상. **~bogen** *n.* 〖건축〗 (장식) 홍예문, 횡단 아치. **~förderer** *m.* 〖工〗 (광석·토사 따위를 수송하는) 벨트 컨베이어.

Gurte *f.* -n ↑ Gurt.

*__Gürtel__ [gʏ́rtəl] *m.* -s, - ① 벨트, (장식용) 가는 띠, (특히 여성용의) 허리띠〔끈〕: geweihter ~ (훈장의) 장식 띠; 〔비유〕 den ~ enger schnallen 절약하다, 내핍 생활을 하다; den ~ lösen〔aufschnüren〕 a) (처녀의) 허리끈을 풀다, b) 〔비유〕 처녀성을 빼앗다, 아내로 삼다. ② 복부, 요부. ③ 〖天·지리〗 대(帶). ④ 〖軍〗 (포의) 권대(圈帶); 지대: ~ von Festungswerken 요새 지대. ⑤ 〖醫〗 대상 포진(帶狀疱疹). ⑥ 〖海〗 열 돛자락을 치켜올리는 밧줄 (Gording).

Gürtel≈ausschlag *m.* 〖醫〗 대상 포진(帶狀疱疹). **~bahn** *f.* 〖철도〗 환상(環狀) 철도. **~flechte** *f.* 〖醫〗 대상 포진. **≈förmig** *a.* 띠모양의. **~kette** *f.* 띠에 장식으로 다는 사슬. **~kind** *n.* 결혼식 전에 낳은 아이(Brautkind). **~linie** *f.* ① 허리: den Gegner unterhalb der ~ treffen 상대방의 허리 아래를 치

다; 〖비유〗 jn. unter die ~ treffen 야비한 수단으로 누구와 싸워 이기려고 하다. ②〖구어〗 ein Schlag unter die ~ a) 야비〔파렴치〕한 말이나 행동, b) 수준 낮은 업적〔작품〕. ③〖구어·은어〗 das liegt unterhalb der ~ 그것은 성(性)의 문제〔영역〕이다. **~reifen** *m.* 레이디얼 타이어. **~rose** *f.* 〖醫〗 대상 포진. **~schloß** *n.* 띠의 멈춤쇠. **~schnalle** *f.* 띠의 죔쇠, 버클. **~spange** *f.* ↑ ~schloß. **~tasche** *f.* 허리띠에 연결하는 지갑. **~tier** *n.* 〖動〗 아르마딜로속(屬). **~weite** *f.* 허리둘레.

gurten [gʊ́rtən] *t./i.* (h.) ①〖軍〗 탄띠에 (탄약을) 집어 넣다. ② (자동차나 비행기에서) 안전띠를 매다. ③ 말안장을 띠로 고정시키다. ④〖건축〗 교차시키다.

gürten [gʏ́rtən] 《<Gurt》 *t./refl.* ① 띠로〔끈으로〕 감다, …에 띠를〔끈을〕 죄다: das Schwert um den Leib ~ 〔sich mit dem Schwerte ~〕 검을 차다; die Lenden ~ 〖聖〗 허리를 동이다(열왕기 상 18 : 46), 〖비유〗 단단히 준비하다. ② sich ~ 띠를 죄다, 준비하다, 무장하다: sich zur Reise ~ 여행 준비를 하다.

Gurt≈förderer *m.* 〖工〗 벨트 컨베이어. **~gehenk** *n.* 대검 띠. **~gesims** *n.* 〖건축〗 벽에 두른 돌림띠.

Gürtler [gʏ́rtlər] *m.* -s, - ①〖고어〗 허리띠〔죔쇠〕 제조인. ② 황동 주조공, 놋쇠 세공사.

Gurt≈riemen *m.* 허리띠. **~schnalle** *f.* 허리띠의 죔쇠; 버클. **~sims** *n.* ↑ ~gesims.

Guru [gʊ́ru] *m.* -s, -s ① (힌두교의) 스승. ② 힌두교 종파의 지도자. ③〖경박〗 (사회적·정치적 운동의) 지도자.

GUS =Gemeinschaft Unabhängiger Staaten 〖政〗 독립 국가 연합.

gusch *int.* 돼지를 부르는 소리.

Gusche [gʊ́ʃə] *f.* -n 〖방언〗 ↑ Gosche.

***Guß** [gʊs] 《<gießen》 *m.* Gusses, Güsse [gʏ́sə] ① (액체의) 흘러나옴, 쏟아져 나옴, 유출. ② (액체를) 한 번 따르기. ③〖구어〗 소나기(Regen≈). ④ 당의(糖衣)(Zucker≈). ⑤〖工〗 주조; 주물: aus einem ~ (gemacht) 한 번에 주조된, 동형(同型)의; 〖비유〗 (wie) aus einem ~ 완벽한. ⑥ 주철(鑄鐵). ⑦ **(a)** 거푸집의 주입구. **(b)** 용광로의 주출구(注出口). **(c)** 부엌의 수챗구멍. ⑧〖印〗 ~ Lettern 활자의 한 벌.

Guss 新정서 ⇦ Guß.

Guß≈abdruck *m.* 〖印〗 연판, 스테로판. **~arbeit** *f.* 주조; 주물. **~asphalt** *m.* 〖토목〗 아스팔트 포장 재료(아스팔트와 모래의 혼합물). **~eisen** *n.* 주철. **~eisen·waren** *pl.* 주물. **~eisern** *a.* 주철(제)의. **~form** *f.* 거푸집, 주형. **~loch** *n.* 거푸집의 주입구. **~messing** *n.* 〖제련〗 델타 메탈(특수 놋쇠). **~metall** *n.* 주조용 금속. **~modell** *n.* 주조용 목형(木型), 거푸집. **~mörtel** *m.* 콘크리트. **~mutter** *f.* 거푸집. **~regen** *m.* 억수, 소나기. **~rinne** *f.* ① 용광로의 주출구. ② (부엌의) 수챗구멍. **~schale** *f.* 〖工〗 냉각 주형. **~stahl** *m.* 주강(鑄鋼). **~stein** *m.* (부엌의) 수챗구멍. **~stück** *n.* 주물. **~waren** *pl.* 주물. **≈weise** *adv.* es regnet ~ 비가 억수같이 퍼붓는다. **~werk** *n.* ① 주물. ② 주물하는 곳. **~zwieback** *m.* 당의(糖衣)를 입힌 비스킷.

güst [gy:st] *a.* 〖방언〗 (unfruchtbar) 불임(不姙)의; 열매를 맺지 않는; 젖이 나오지 않는.

Gustav [gʊ́staf, ..ta:f] *m.* 구스타프(남자 이름).

gustieren [gʊstí:rən] 《lat.》 *t.* ① 맛보다; 좋아하다, 즐겨하다. ② 시인〔찬성〕하다.

gustiös [gʊstiǿ:s] *a.* 〖구어〗 (öst.) 맛있는, 식욕을 자극하는.

Güstling *m.* -s, -e 새끼를 낳지 못하는 짐승.

Gusto [gʊ́sto] 《lat.》 *m.* -s, -s ① (Geschmack) 기호, 취미: nach ~ 마음 닿는 대로. ② 욕망; (öst.) 식욕(Appetit).

Gusto·stückerl *n.* 〖구어〗 (öst.) 아주 우수한 작품; 아주 맛있는 것, 진미.

***gut** [gu:t] *a.* (↔ böse, schlecht) ① 좋은, 선량한; 사람 좋은, 착실한; 경건한; 품위 있는: ein ~er Mensch a) 선인, b) 호인; ~en Glaubens 〔in ~en Glauben〕 선의의, 사람을 의심하지 않는; er ist ein ~er Kerl 그는 사람이 좋다; ~er Wille 선의; ein ~es Werk tun 선행을 하다; in ~em Rufe stehen 평판이 좋다; ~er Ton 기품있는 예법〔태도〕; mit ~er Manier 예절바른; sich ~ aufführen 품행이 훌륭하다; von〔aus〕 ~er Familie 양가의 소생인; ein ~er Kampf 정의의 싸움; im ~en wie im bösen 강온 양면으로. ② 우수한, 상등의, 훌륭한: ~er Arzt 명의; ~e Augen haben a) 눈이 밝다, b) 〖비유〗 혜안이다; der Ofen brennt ~ 이 난로는 잘 탄다; ~es Deutsch 올바른 독일어; ~es Gedächtnis 좋은 기억력; ~e Gelegenheit 좋은 기회; ~es Jahr 풍년; ein ~er Witz 기지; die ~e Stube 객실; im Turnen hat er (die Note, die Zensur) „gut" 체조에서 그의 점수는 "우"이다; das hast du ~ gesagt 네 말대로다; ~er Hoffnung sein 임신 중이다; 〖반어〗 das ist aber ~! 하찮은 일이다; 〖반어〗 das kann ja ~ werden! (이거) 꼴좋게 되겠군! ③ 호의 있는, 친절한, 온순한, 정중한: jm. ~e Worte geben a) 누구에게 친절하게 말하다, b) 싹싹하게 말하다; ~e Miene zum bösen Spiel machen 져도 싫은 기색을 나타내지 않다; sei so ~ und hole mir ein Glas Wasser 미안하지만 물 한 잔만 주시오; jm. ~ sein 누구에게 호의를 가지고 있다, 누구를 사랑하고 있다; mit jm. ~ sein〔stehen〕 누구와 사이가 좋다; wieder ~ werden 화해하다; gegen jn. ~ sein 누구에게 친절하다; von jm. ~ sprechen 누구를 좋게 말하다; für Geld und ~e Worte a) 금력과 친절로, b) 이럭저럭하여; im ~en 싸우지 않고, 우호적으로, 좋은 말로. ④ 확실한, 신용 있는, 빈틈없이 착실한: aus ~er Quelle 확실한 근거에서; ich bin〔sage〕 dir ~ für ihn 나는 네게 그 사람을 보증한다; das hat ~e Wege 그것은 걱정 없다; er ist 〔steht〕 mir ~ für 5000 Mark 그는 내게 5000 마르크의 빚이 있다; es liegt in ~er Hand 그것은 확실한 사람에게 맡겨져 있다. ⑤ 기분 좋은, 유쾌한; 행복한; 건강한: die Speise schmeckt ~ 이 요리는 맛이 좋다; in ~en Verhältnissen leben 유복하게 지내다; ~er Dinge 〔~en Mutes〕 sein 기분이 좋다, 원기 왕성하다; es ~ haben 행복하다; ~ leben 〔~e Tage haben〕 안락한〔영화로운〕 생활을 하다; sich³ ~e Tage machen 유쾌하게 날을 보내다; das tut ~〔wohl〕 그것은 기

분이 좋다; er ist ~ davongekommen 그는 그럭저럭 무사히 모면했다; der Junge tut nicht ~ 저 젊은이는 건달이다; mir geht es gesundheitlich ~ 나는 건강합니다; ~en Tag! 안녕하십니까!; ~e Besserung! (병자에게) 몸조리 잘 하십시오!; bei jm. ~ angeschrieben sein 누구에게서 좋은 평을 받고 있다, 인정을 받다. ⑥ 유익〔유용〕한, 적합한, (약 따위가) 듣는: wozu ist das ~? 그것은 무엇에 유익하니?; ~e Lehren geben 좋은 교훈을 주다; diese Arznei ist ~ gegen Fieber 이 약은 열병에 좋다; diese Birnen sind ~ zum Einkochen 이 배는 통조림에 적당하다; es ~ treffen〔haben〕 운이 좋다; 〖구어〗 jemand ist immer ~ für et. 누가 언제나 무엇을 할 만반의 준비를 갖추고 있다, 누구에게서 언제나 무엇을 기대할 수 있다; ~ daran tun 잘 하다〔행동하다〕; du hast ~ daran getan, sofort zu kommen 너는 당장에 오길 잘 했다. ⑦ 확실〔충분〕한: ~en Appetit! 많이 드십시오!; der Kaufmann wiegt ~ 저 장사는 저울 눈을 잘 준다; ~es Geld 양화; ~ eine Stunde 〔eine ~e Stunde〕 족히 한 시간; ein ~er Teil 담뿍; ~ und gern 적어도, 족히; einen ~en Schluck tun 듬뿍 한 모금 마시다; das hat ~e Zeit〔Weile〕 아직 시간이 이르다; 서두를 것 없다; ein ~es Jahr 1 년 남짓. ⑧ 만족하는, 충분한: es ~ sein lassen (어떤 일을) 그 정도로 해 두다, 그 정도에서 끝내다; laß es ~ sein! 이제 됐네, 그만 잊어버리게〔말하게〕!; es ist ~! 좋아, 그만!; schon ~! 그만하면 됐다!; also ~! 좋아!; kurz und ~! 간단히, 손쉽게!; und damit ~! 그것으로 좋아, 알았어! ⑨ so ~ wie… …나 마찬가지인, 거의; der Prozeß ist so ~ wie gewonnen 이 소송은 이긴 거나 마찬가지다; das ist so ~ wie sicher 그것은 거의 틀림없다. ⑩〖특별한 뜻이 없이〗 eines ~en Morgens〔Tages〕 kam er 어느 아침〔날〕 그가 왔었다; zu ~er Letzt 최후에. ⑪〖haben 또는 sein 과 함께〗 헐하게, 쉽게; 〖속담〗 Gelehrten ist ~ predigen 학자에겐 설교가 쉽다; es ist hier ~ wohnen 여긴 살기가 좋다; Sie haben ~ lachen 당신은 웃어 넘길 수 있겠지요; Sie haben ~ reden a) (입으로는) 무엇이나 말할 수 있소, b) 아무리 말해도 소용 없소; hinterdrein ist 〔hat man〕 ~ reden 뒤에서 논하기란 쉽다; mit ihm ist ~ auskommen 그는 붙임성 있는 사람이다.

***Gut** [gu:t] 《<gut》 *n.* -(e)s, Güter ①〖구식〗 선: das höchste ~ 지고선(至高善), 신(Gott). ② 재산, 소유물: Hab und ~ 전재산; bewegliche〔fahrende〕 Güter 동산; liegende〔unbewegliche〕 Güter 부동산; geistige Güter 정신적 재산; Gesundheit ist das höchste ~ 건강은 최고의 재산이다. ③ 대농장. ④ 〖宗〗 das hochwürdigste ~ 축성(祝聖)된 제병(祭餠), 성병(聖餠); das liebe ~ 나날의 양식. ⑤〖복수〗〖經〗 재(財), 재화; 〖商〗 상품; 〖철도·海〗 화물. ⑥〖工〗 (종·포의) 바탕쇠; (제염의) 염수; 〖건축〗 건축 재료; 준설되는 진흙. ⑦ 재료, 원료: irdenes ~ 토기, 도기. ⑧〖海〗 삭구 (장비).

Gut≈achten *n.* 감정, 심사; 감정서, 심사 보고서, 소견서: ein ärztliches ~ 의사의 소견서. **~achten** *i.* 감정〔심사〕하다; 감정서〔심사 보고서·소견서〕를 작성하다. **~achter** *m.* 감정인, 심사인. **~achterin** *f.* ↑ Gutachter 의 여성형. **≈achterlich** *a.* 감정인〔심사인〕의, 감정인〔심사인〕에 따른; 감정인〔심사인〕으로(서). **≈achtlich** *a.* 감정〔심사〕에 따른; 감정서〔심사 보고서·소견서〕 형식의. **~artig** *a.* (↔bösartig) ① (아이·동물이) 온순한, 마음씨 순한. ②〖醫〗 양성(良性)의: die Krankheit verläuft ~ 병이 차도가 있다. **~artigkeit** *f.* ① 온순, 양순. ②〖醫〗 (질병·종양 따위의) 양성(良性). **≈aussehend** *a.* 외모가 보기 좋은. **~befinden** *n.* ① 판단, 의견, 생각. ② 무사, 건강. **≈besetzt** *a.* ① (임면·보충·사용 따위의) 허락을 맡은. ②〖연극〗 만원의; 배역이 좋은. **≈bezahlt** *a.* 대우가 좋은. **≈|bringen*** *t.* 〖商〗 대변에 계상〔기입〕하다(단: gut bringen 훌륭하게 해내다). **≈bürgerlich** *a.* 전형적인 시민 계급의, 견실한, 양가(良家)의; (크게 넘치지는 않지만) 넉넉한, 여유 있는.

Gütchen[1] [gý:tçən] *n.* -s, - ①〖↑ Gut 의 축소형〗 소(小)농장. ② 착한 작은 요정(Kobold).

Gütchen[2] *n.* -s ①〖↑ Güte 의 축소형〗 작은 선행. ②〖다음 용법으로〗〖농담〗 sich[3] an et.[3] ein ~ tun 무엇을 충분히 (먹고) 즐기다.

gut≈denkend *a.* 성질이 순한, 친절한; 호의를 갖는. **~dotiert** *a.* 보수〔대우〕가 좋은: eine ~e Stelle 보수가 좋은 일자리. **≈dünken** *n.* 판단, 의견, 생각: nach ~ 마음대로; nach meinem ~ 내 생각으로는.

Gute* 《I》 *der/die* 선인: mein ~r! 자네! 《II》 *n.* 선, 좋은 물건〔일〕: ~s tun 선행을 하다; des ~n zuviel tun a) 쓸데없는 일을 하다, b) 과하게 마시다〔먹다〕; was bringst du ~s? 무슨 좋은 소식이 있나?; et. zum ~n lenken 무엇을 좋은 방향으로 돌리다; ~s mit Bösem vergelten 은혜를 원수로 갚다; etwas ~s essen 맛있는 것을 먹다; von jm. ~s sagen 누구를 칭찬하다; um ein ~s näher 훨씬 가깝게; 〖전치사와 함께〗 im ≈n 〔〖드물게〗 in ≈m〕 호의로, 평화적으로, 온건히; im ~n oder im Bösen 좋든 나쁘든; jm. zum ~n reden 누구를 타이르다; alles zum ~n auslegen 모든 것을 선의로 해석하다.

***Güte** [gý:tə] 《<gut》 *f.* 〔드물게 복수: -n〕 ① 품질; 품종: 〖구어〗 erster ~ (=Klasse) fahren 1 등칸을 타고 가다; der Wein ist von besonderer ~ 이 포도주는 특등품이다. ② 좋음, 우량, 상급. ③ 친절, 돈독, 호의; 자비, 동정; 관용: die ~ des Herzens 선량; er ist die ~ selbst gegen mich 그는 내게 매우 친절하다; wenn Sie die ~ haben wollen 외람됩니다만, 미안합니다만, 제발; haben Sie die ~, mir den Weg zu zeigen! 길 좀 가리켜 주십시오!; durch (die) ~ des Herrn Dr. W. (편지 겉봉에) W 박사님 전교(轉交); (ach) du meine〔liebe〕 ~! ((깜짝) 놀랐을 때) 원 세상에, 저런, 맙소사! ④ 평화적〔호의적〕 수단, 화해; in (aller) ~ 〔mit ~, auf dem Wege der ~〕 화평하게, 호의적으로.

Gut·edel *m.* 〖植〗 맛이 좋은 청포도의 일종(고급 품종).

Güte≈grad *m.*, **~klasse** *f.* 품질의 등급. **~kontrolle** *f.* 품질 (등급) 검사. **≈mäßig** *a.* 질(質)의, 질적인.

guten *i.* (h.) (obd.) ① jm. ~ 누구에게 유익하다. ② 좋아지다; (고통이) 덜해지다.
güten *t.* (토지를) 개량하다; 개선하다.
Gutenacht≠gruß *m.* (취침 전의) 잘자라는 인사. **~kuß** *m.* (잠자리에 들기 전의) 키스. **~lied** *n.* 자장가.
Gutenberg [gú:tənbɛrk] Johannes ~ 구텐베르크(독일의 인쇄술 발명자, 1394-68).
Guten·morgen·gruß *m.* 아침 인사.
Güter≠abfertigung *f.* ① 철도 화물의 접수와 교부. ② 철도 화물 취급소. **~abtretung** *f.* 〖經〗 재산 양도. **~agent** *m.* 화물 관리인. **~agentur** *f.* 화물 관리(소). **~annahme** *f.* 철도 화물의 접수. **~anschlag** *m.* 재산 평가. **~austausch** *m.* 외국과의 교역. **~bahnhof** *m.* 〖철도〗 화물역. **~ballen** *m.* 〖商〗 둥그스름하게 단단히 포장된 화물 뭉치. **~beförderung** *f.* 화물 운송. **~beschauer** *m.* 화물 검사인. **~bestätiger** *m.* ↑ ~bestätter. **~bestätter** *m.* 화물 운송업자. **~besteller** *m.* ↑ ~bestätter. **~dienst** *m.* 〖철도〗 화물 담당〔처리〕 직무. **~expedition** *f.* 〖철도〗 ↑ ~abfertigung. **~fern·verkehr** *m.* 차량에 의한 (50 km 넘는) 원거리 화물 운송(↔ ~nahverkehr). **~gemeinschaft** *f.* 부부간의 재산 공유(↔ ~trennung). **~halle** *f.* 화물 창고. **~handel** *m.* 교역. **~hof** *m.* ↑ ~halle. **~makler** *m.* 상품 중개인. **~nahverkehr** *m.* (50 km 이내의) 근거리 화물 운송(↔ ~fernverkehr). **~recht** *n.* 부부간의 재산에 관한 법규. **~schlächter** *m.* 〖구어〗 ↑ ~makler. **~schuppen** *m.* 〖철도〗 화물 임시 보관소. **~speicher** *m.* 〖철도〗 화물 창고. **~stück** *n.* 화물 낱개. **~transport** *m.* 화물 운송. **~trennung** *f.* 〖經〗 (부부간의) 재산 분유(分有), 별산제(別產制) (↔ ~gemeinschaft). **~verkehr** *m.* 화물 운송. **~verladung** *f.* 화물 적재. **~versicherung** *f.* 화물〔적하〕 보험. **~verwaltung** *f.* 〖철도〗 ① 화물 운송 사무소. **~wagen** *m.* 〖철도〗 화물 차량. **~zug** *m.* 〖철도〗 화물 열차.
Güte≠verfahren *n.* 〖法〗 (기소 전의) 화해 절차. **~zeichen** *n.* 품질 (검사필의) 표지, 마크.
Gut·finden *n.* (schweiz.) ↑ ~dünken.
gut≠geartet *a.* ↑ ~artig ①. **~gehen** *i.* (s.) ① (일이) 잘 진행되다: die Prüfung ist gutgegangen 시험은 잘 치뤄졌다. ② *imp.* es geht jm. gut 누가 잘 지낸다, 누가 건강하다: nach dem Krieg ist es uns nicht gutgegangen 전쟁 후에 우리는 상황이 어려웠다. ③ es geht mit jm. gut 누가 잘 지낸다, 누구에게 아무런 문제가 없다: mit uns ist die ganze Zeit gutgegangen 우리는 내내 아무런 문제 없이 보냈다. **~gehend** *p.a.* 벌이가 좋은, 운영이 잘 되는: ein ~es Restaurant 장사가 잘 되는 레스토랑. **~gekleidet** *a.* 옷을 잘 입은. **~gelaunt** *a.* 기분 좋은. **~gemeint** *a.* 선의〔호의〕의. **~gepflegt** *a.* 잘 돌보아진, 손질이 잘 된. **~gesinnt** *a.* 고결한, 정직한; 친절한, 호의 있는. **≁gesinnte*** *der/die* 고결〔고상〕한 사람. **≁gewicht** *n.* 〖商〗 덤, 덧붙이. **~gläubig** *a.* 선의〔성의〕의, 사람을 의심치 않는. **≁gläubigkeit** *f.* ↑ ~gläubig 의 명사형. **~haben*** *t.* bei jm. ~ 누구에게 꿔 준 돈이 있다. **≁haben** 《<guthaben》 *n.* 〖商〗 ① 받을 돈, 예금액. ② (부기의) 대(貸). **~heißen*** *t.* (billigen) 시인하다, 허가〔인가〕하다; (bestätigen) 비준〔재가〕하다. **≁heißen** 《<gutheißen》 *n.* ↑ ≁heißung. **≁heißung** *f.* 시인, 비준, 재가.
Gutheit *f.* ① ↑ Güte. ② 〖방언〗 (Behagen) 쾌적, 안락, 위자(慰藉).
gut≠herzig *a.* 선량한, 성품이 순한, 동정심이 많은. **≁herzigkeit** *f.* ~herzig 의 명사형: ihre ~ kannte keine Grenzen 그녀의 선량함에는 한계가 없었다.
***gütig** [gý:tɪç] 《<gut》 *a.* 선량한, 온화한; 친절한, 호의 있는; 관대한: sich gegen jn. ~ (er)zeigen 누구에게 친절을 베풀다; mit Ihrer ~en Erlaubnis 당신의 허락을 받고, 외람됨을 무릅쓰고; seien Sie so ~, es ihm zu geben 〔und geben es ihm〕 제발 그것을 그에게 주십시오; erlauben Sie ~st! 제발 용서하여 주십시오!; zu ~! 〖반어〗 원, 고맙기도! Ihr ~er Brief 〔Ihr ~es Schreiben〕 귀한(貴翰), 보내신 편지; 〖구어〗 ~er Himmel! 터무니없군, 큰 일이구나!
Gütigkeit *f.* 온화, 선량, 친절, 관대.
gut·launig *a.* 기분이 좋은.
Gütler [gý:tlər] *m.* -s, - 소지주.
Gutleut·haus [gu:tlɔ́ʏt..] *n.* (südd.) (Armenhaus) 구빈원; 〖醫〗 나병 환자 요양소.
gütlich [gý:tlɪç] 《<gut》 *a.* ① 호의적인, 화해적인: ~er Vergleich 화해, 조정; den Streit ~ beilegen〔schlachten〕 싸움을 원만하게 끝내다. ② sich³ an et.³ ~ tun 무엇을 맛있게 배불리 먹다.
Gütlichkeit *f.* 화해, 조정.
***gut≠|machen** *t.* ① (과실을) 보상하다, 개선하다: das ist nicht wieder gutzumachen 그것은 다시 보상받을 수 없다. ② 만회하다: der Läufer kann den Abstand nicht mehr ~ 그 주자(走者)는 간격을 좁힐 수가 없다. ③ 이익을 얻다, 흑자를 보다: bei diesem Geschäft hat er 200 Mark gutgemacht 그는 그 장사에서 200 마르크의 이익을 보았다. **≁machung** *f.* 보상, 배상; 만회; 회복. **~mütig** *a.* 선량한, 성품이 순한, 친절한. **≁mütigkeit** *f.* 선량, 친절. **~nachbarlich** *a.* 이웃과 사이가 좋은: ~e Beziehungen 선린 관계. **≁punkt** *m.* 〖체조〗 (기술적인 완성도·위험도·독창성 따위에 부여하는) 가산점. **~sagen** *i.* (h.) (bürgen) 보증하다〔서다〕: er wird für meine Schwester ~ 그는 내 누이를 위해 보증을 설 것이다. **≁sagung** *f.* ↑ ~sagen 의 명사형.
Guts≠besitzer *m.* 대농장 소유주.
Gutsche *f.* -n ① 〖조각〗 구멍 뚫는 정 (Stecheisen). ② (Faulbett) 휴식용의 긴 의자.
Gut·schein *m.* 금전〔물품〕 교환권, 쿠폰. **≁schreiben*** *t.* jm. et. ~ 무엇을 누구의 대변에 기입하다. **≁schrift** *f.* 대변(↔ Lastschrift).
Guts≠frau *f.* ↑ ~herrin. **~haus** *n.* 대농장 소유주 가족의 거처. **~herr** *m.* 대농장 소유주. **~herrin** *f.* ① 여성 대농장 소유주. ② 대농장 소유주의 부인. **≁herrlich** *a.* 대농장 소유주의, 대농장 소유주와 관련된. **~herrschaft** *f.* 대농장 소유주 가족. **~hof** *m.* 대농장.
gut≠situiert *a.* 유복한(wohlhabend). **~-**

sitzend *a.* ① 어울리는, 몸에 맞는: ein ~es Kleid 어울리는 옷. ②〖구어〗(목표물을) 적중시키는: das war eine ~e Antwort 그것은 적중하는 대답이었다.

Guts≈kauf *m.* 대농장 구입. **~pachter** ↑ ~pächter. **~pächter** *m.* 대농장의 임차인〔소작인〕.

gut≈|sprechen* *i.* (h.) ↑ ~sagen. **~|stehen*** *i.* (h.) 〖방언〗 ↑ ~sagen.

Guts≈verwalter *m.* 대농장 관리인. **~verwaltung** *f.* 대농장 관리 사무소.

Guttapercha [gutapɛ́rça] *f.* 구타페르카(고무질 물질로서 절연체 등의 재료로 쓰임).

Guttapercha·baum *m.* 〖植〗 구타페르카나무.

Gut≈tat *f.* 선행, 자선〔호의적〕 행위. **~täter** *m.* 선행을 하는 사람, 자선가. **~tätig** *a.* 선행을〔자선 행위를, 호의적 행위를〕 베푸는. **~templer** *m.* 국제 금주 협회원. **~templer-orden** *m.* 국제 금주 협회(1852 년 New York 에 창설; 약어: I.O.G.T.).

Guttiole [gutío:lə] *f.* -n (상표에서) 물약병.

gut|tun* *t./i.* (h.) (단: gut tun 훌륭하게 해내다) ① 온순하다; 말을 잘 듣다. ② 효력이 있다, 이롭다; jm. ~ a) (약이) 누구에게 잘 듣다, b) 누구를 이롭게 하다: deine Teilnahme hat mir gutgetan 자네의 참여가 내게 이로웠다. ③ 의무를 다하다: jm. et. ~ 누구에게 무엇을 배상하다.

guttural [guturá:l] *a.* 후두(喉頭)의, 후음(喉音)의.

Guttural *m.* -s, -e 후음(喉音).

Guttural·laut *m.* ↑ Guttural.

Gutturalis *f.* ..len/..les ↑ Guttural.

Gütung 《<güten》 *f.* -en (토지의) 개량.

gut≈unterrichtet *a.* 잘 알고 있는, 정통한. **~willig** *a.* 호의적인; 자발적인 (freiwillig): et. ~ tun 무엇을 자발적으로 하다. **~willigkeit** *f.* 호의, 친절, 자발. **~willigkeit-zettel** *m.* 수령증(Quittung).

Guyana [gujá:na] 가이아나(남아메리카 북동부의 공화국).

Guyaner *m.* -s, - 가이아나 사람.

guyanisch *a.* 가이아나의.

GVP =Gesamtdeutsche Volkspartei 전독(全獨) 인민당(구서독의 정당).

Gymkhana [gymká:na] 《gr.》 *n.* 오락 경기 (달걀을 숟가락에 얹고 달리는 따위).

Gymnaestrada [gymnɛstrá:da] *f.* -s (4 년 주기) 세계 체조 대회(1951 년 네덜란드인 H. Sommer 가 창시).

Gymnasial≈abiturient [gymnaziá:l..] *m.* 김나지움 졸업 시험의 수험생(김나지움을 졸업할 수 있는 생도). **~bildung** *f.* 김나지움의 교육; 고전 교육. **~direktor** *m.* 김나지움의 교장. **~lehrer** *m.* 김나지움의 교사. **~lehrerin** *f.* ~lehrer 의 여성형. **~professor** *m.* (öst.) 김나지움 교사. **~professorin** *f.* ~professor 의 여성형. **~schüler** *m.* 김나지움 학생. **~unterricht** *m.* 김나지움의 수업.

Gymnasiarch 《gr.》 *m.* -en, -en 김나지움의 교장.

Gymnasiast [gymnaziást] *m.* -en, -en 김나지움의 학생.

Gymnasist *m.* -en, -en 〖방언〗 ↑ Gymnasiast.

*__Gymnasium__ [gymná:zium] 《gr. gymnásion, „Turnplatz"》 *n.* -s, ..sien [..ziən] ① (고대 그리스의) 체조장; 체육 학교. ② (독일의) 김나지움(초등 학교와 대학교를 연결하는 9 년제 중·고등 학교): aufs ~ gehen 김나지움에 진학하다.

Gymnast *m.* -en, -en ① (고대 그리스의) 체육 교사. ② (현재는) 치료 체조 교사.

*__Gymnastik__ *f.* (Turnkunst) 체조, 체육: ~ treiben〔machen〕 체조하다.

Gymnastik·unterricht *m.* 체조 수업.

Gymnastiker *m.* -s, - ↑ Gymnast.

gymnastisch *a.* 체조〔체육〕의.

Gymnosperme [gymnospɛ́rmə] 《gr.》 *f.* -n 〖植〗 겉씨 식물(↔ Angiosperme).

Gymnotus [gymnó:tus] 《gr.》 *m.* -, ..ten 〖動〗 전기뱀장어.

Gynäkeion [gynɛkáiɔn] 《gr.》 *n.* -s, ..keien 고대 그리스의 부인방〔규방〕.

Gynäkolog [gynɛkoló:k] *m.* -en, -en ↑ Gynäkologe.

Gynäkologe [gynɛkoló:gə] 《gr., „Frauenarzt"》 *m.* -n, -n 〖醫〗 부인과 의사.

Gynäkologie *f.* 〖醫〗 부인과.

Gynäkologin [gynɛkoló:gın] *f.* -nen ↑ Gynäkologe 의 여성형.

gynäkologisch *a.* 부인과 의학의, 산과의.

Gynäkophobie *f.* -n [..bí:ən] 〖心〗 여성 혐오증.

Gynander *m.* -s, - 〖生〗 양성 생물.

Gynandrie [gynandrí:] *f.* -n [..rí:ən] ① 〖生〗 (동식물·인간의) 자웅 동시 발현 현상. ② (남성의) 반음양(半陰陽) 현상.

Gynandrismus [gynandrísmus] *m.* -, ..men ↑ Gynandrie.

Gynanthropos *m.* -, ..pen (Zwitter) 남녀추니, 반음양.

Gynäzeum [gynɛtsé:um] 《lat.》 *n.* -s, ..zeen [..tsé:ən] ① ↑ Gynäkeion. ② 〖植〗 암꽃술.

Gyps [gıps] *m.* -es, -e ↑ Gips.

Gyromantie 《gr.》 *f.* 권복(圈卜) (권내 또는 권주(圈周)를 몇 번 돌아 어지러워 넘어진 장소와 방향에 의하여 길흉을 점침).

Gyrometer *n./m.* -s, - 〖기계〗 회전 속도 측정기, 회전계.

Gyrorektor [..rɛ́ktɔr, ..to:r] 《gr.》 *m.* -s, -en [..tó:rən] (비행기의) 수평 안전 장치, 자이로렉터.

Gyros *n.* 기로스(그리스의 고기구이 음식).

Gyroskop [gyrɔskó:p] *n.* -s, -e 〖理〗 자이로스코프, 회전의(回轉儀); 〖海〗 종타기(縱舵機).

Gyrostat [..stá:t] *m.* -en, -en 〖理〗 자이로스타트.

Gyrotrop [gyrɔtró:p] *n.* -s, -e 〖전기〗 전류기(轉流器).

Gyrovage [gyrová:gə] *m.* -n, -n 방랑하는 수도사.

H

H, h [haː] *n.* -, - 독일어 자모의 여덟째 자.
H, h *n.* -, -〖음악〗나음, 장음계의 제 7 음; 나조(調)(대문자는 장조, 소문자는 단조).
H ① =Hydrogenium 수소. ② 독일 화폐에 표시된 기호(다름슈타트 조폐국을 나타냄). ③ 로마 숫자의 200. ④〖전기〗=Henry 헨리(전도계수의 단위).
h ① =Hora《lat.》시(時); $8^h\ 30'$ 8 시 30 분. ② =Heller 헬러(오스트리아의 화폐). ③〖物〗플랑크 상수.
ha [haː] *int.* ① 하, 아하(기쁨·놀람·공포·조소·불만을 나타내는 감탄사): ~ ~ ~! 하하하! (웃는 소리). ② (↔hi, hott) 저라, 왼편으로! (마부가 마소 모는 소리)
ha [hɛktáːr, hɛ́ktaːr] =Hektar 헥타르(면적의 단위).
h.a. ① =huius anni 금년의. ② =hoc anno 금년에.
Ha =Hahnium 하늄(화학 기호; Dubnium 의 옛 명칭).
hä [hɛ, hɛː] *int.* ① 하, 원(놀람·경멸을 나타내는 소리). ②〖방언〗뭐라고(wie bitte?).
Haag [haːk] *m.* -s (Den Haag [deːn haːk]) 헤이그(네덜란드의 도시; 언제나 정관사를 동반함): in〔im〕~ 헤이그에서.
Haager [háːgər] 《Ⅰ》*a.* 헤이그의: ~ Abkommen 헤이그 조약; ~ Friedenskonferenzen 헤이그 평화 회의; ~ Schiedeshof 헤이그 국제 재판소. 《Ⅱ》*m.* -s, - 헤이그 사람.
***Haar**[1] [haːr] *n.* -(e)s, -e ① 털, 머리털: blondes〔graues, krauses, glattes〕~ haben 금발이다〔백발이다, 고수머리다, 빗질을 곱게 했다〕; falsches ~ 가발; sich³ die ~e (aus)raufen (절망하여) 머리털을 쥐어뜯다; sich³ die ~e kämmen〔brennen, schneiden lassen〕머리를 빗질하다〔지지다, 자르다〕;〖속담〗lange ~e, kurze Gedanken 소견 없는〔믿지 못할〕여자의 마음. ②〖비유·구어〗ein ~ in et.³ finden 사소한 결점을 찾아내다; ~e auf den Zähnen haben (대개 여자가) 드세다; jm. kein ~ krümmen 누구를 조금도 해치지 않다, 누구를 성가시게 하지 않다; es fehlte kaum ein ~, so wäre sie getötet 그 여자는 하마터면 죽을 뻔했다; kein gutes ~ an jm. lassen 누구를 혹평하다; kein gutes ~ ist an ihm 그에게는 아무런 장점도 없다; er hat mehr Schulden als ~e auf den Kopf 그는 빚에 쪼들려 꼼짝달싹 못한다; ~e lassen (müssen) 대가를 톡톡히 치르다; ~e spalten〔klauben〕사소한 것을 따지다; das ~ richtet sich ihm empor, das ~ steht〔steigt〕ihm zu Berge, das macht ihm die ~e sträuben, das treibt ihm die ~e zu Berge 그는 무서워서 머리털이 곤두선다〔소름이 끼친다〕; sich³ um et. keine grauen ~e wachsen lassen 무엇에 대해 쓸데없는 걱정을 하지 않다. ③〖전치사와 함께〗〖비유·구어〗**an** einem ~ hängen 바람 앞에 등불〔위험천만〕이다; **aufs** ~〔auf ein ~〕세밀하게, 정확히; **bei** einem ~e 거의, 하마터면; et. an〔bei〕den ~en herbeiziehen 무엇을 억지로 끌어다 대다, 견강부회하다; sich³〔einander〕**in** die ~e fahren〔geraten, kriegen〕서로 드잡이를 하다; sich³〔einander〕in den ~en liegen 격투하다; (ndd.) in ~en 모자 없이; **mit** Haut und ~ 완전히, 빠짐없이; **um** ein ~〔ums ~〕하마터면; um ein ~ hätte er sich geschnitten 그는 하마터면 (손을) 벨 뻔했다; um ein ~ besser 대동소이한; um kein ~ besser 조금도 나은 점이 없는; nicht um ein ~ (breit) weichen 조금도 양보하지 않다;〖농담〗jm. die ~e **vom** Kopf fressen a) 누구의 돈으로 포식하다, b) 거의 싫증이 나지 않다. ④〖植〗모용(毛茸), 관모(冠毛), 갓털;〖방직〗섬유, 보풀, 세모(細毛). ⑤ (obd.) 아마(亞麻). ⑥〖動〗포유 동물의 가죽〔털〕.
Haar[2] [haːr] *f.* (md.) 언덕, 구릉.
Haar·ader *f.*〖해부〗모세 혈관. **~ansatz** *m.* (특히 이마 주변의) 머리털이 자라나기 시작하는 부분. **~arbeit** *f.* 모발 세공. **~aufsatz** *m.* 가발, 머리 장식. **~ausfall** *m.* 탈모(증). **~balg** *m.*〖해부〗모낭(毛囊). **~ballen** *m.* 털뭉치(소나 양의 위장 내에 음식물과 함께 섞여 들어간 털이 뭉쳐 있는 것). **~band** *n.* 댕기; 머리띠. **~besen** *m.* 털(로 만든) 비. **~beutel** *m.* (18 세기의 남자용) 모대(毛袋), 모대 가발(가발의 뒷머리를 주머니로 쌌음);〖비유〗미취(微醉): jm. einen ~ anhängen 어떤 사람을 취하게 하다. **~boden** *m.* 두피(頭皮). **~breit** *a.* 털끝만한 폭의, 간발의: er stand schon ~ vor dem Ruin 그는 이미 파멸 직전에 있었다. **~breit** *n.* 털 한 올의 폭, 간발: nicht (um) ein ~, (um) kein ~ 조금도〔털끝만큼도〕…하지 않다. **~bürste** *f.* ① 머리 빗는 솔, 솔빗. ② (특히 남성의) 짧게 깎은 머리. **~busch, ~büschel** *m.* 머리털 뭉치; (모자·동물 머리의) 장식털. **~decke** *f.* 모포. **~dünn** *a.* 모발처럼 가느다란. **~eisen** *n.* ① 머리 지지는 인두. ②〖전문어〗무늣대.
haaren[1] [háːrən] 《Ⅰ》*i.* (h.) / *refl.* (sich) ~ 머리털이 빠지다, 털갈이를 하다:〖구어〗sich mit jm. ~ 누구와 몹시 다투다. 《Ⅱ》*t.* 털을 뽑다. 《Ⅲ》**gehaart** *p.a.* ↑ gehaart.
haaren[2] *t.* die Sense ~ (망치로 때려) 낫의 날을 세우다.
Haar·ersatz *m.* 가발. **~erz** *n.*〖광물〗모상광(毛狀鑛). **~erzeugungs·mittel** *n.* 양모제(養毛劑).
Haares·breite [háːrəsbraɪtə] *f.* 털 한 올의 넓이: um ~ 가까스로; um keine ~ 조금도 …하지 않다.
Haar·farbe *f.* ① 머리색. ② 머리 염색약. **~färbe·mittel** *n.* 머리 염색약. **~farn** *f.*

〖植〗 공작고사릿과 식물. **~feder** *f.* (Flaumfeder) 솜털, (시계의) 유사(遊絲). **~fein** *a.* 머릿결처럼 부드러운; 매우 얇은, 섬세한. **~festiger** *m.* (머리 모양을 내기 위한) 헤어크림. **~flechte** *f.* ① 변발(辮髮). ②〖醫〗 머리 버짐, 모발 태선(笞癬). **~förmig** *a.* 털〔모세관〕 모양의. **~frisur** *f.* 이발, 조발. **~garn** *n.* 양모와 소털〔염소털〕의 혼방사(絲). **~garn·teppich** *m.* 모전(毛氈), 털양탄자. **~gefäß** *n.*〖해부〗모세관. **~genau** *a.*〖구어〗 매우 정확한: eine ~e Beschreibung 아주 정확한 기술〔묘사〕; die Beschreibung trifft ~ auf ihn zu 그 묘사는 그에게 딱 들어맞는다; jm. et. ~ erklären 누구에게 무엇을 매우 정확하게 설명하다.

haaricht *a.* 〖고어〗 ↑ haarig ①.

haarig [há:rıç] 《Ⅰ》*a.* ① 머리털 모양의; 털이 난, 털투성이의; 털로 만든. ②〖비유·구어〗 까다로운, 몹쓸: eine ~e Angelegenheit 골치아픈 일. ③〖海〗 안개가 짙은. 《Ⅱ》*adv.*〖비유·구어〗 심히, 대단히.

..haarig *suf.* "…한 머리의" 뜻(보기: blond~ 금발의).

Haar≈kamm *m.* 빗. **~klammer** *f.* 머리핀. **~klauber** *m.* ↑ ~spalter. **~kleid** *n.* 가죽, 모피. **~klein** *a.* 자세한, 상세한: jm. et ~ mitteilen 누구에게 무엇에 관해 상세히 전달하다. **~klemme** *f.* ↑ ~klammer. **~krankheit** *f.* 〖醫〗 모발병. **~kranz** *m.* ① 편발(머리 둘레에 둥그렇게 땋은 머리). ② 정수리 가장자리에 화환 모양으로 난 머리털. **~kräusler** *m.* 이발사, 미용사. **~krone** *f.* 왕관 모양으로 땋아올린 여자 머리. **~künstler** *m.* 이발사, 미용사.

Haarlem [há:rlɛm] 하를렘(네덜란드의 도시).

Haarlemer *m.* -s, - 하를렘 사람.

Haarling [há:rlıŋ] *m.* -s, -e〖動〗 짐승털〔새털〕의 이.

Haar≈linie *f.*〖컴〗가장 가는 선. **~locke** *f.* 고수머리.

haarlos *a.* 털없는, 대머리의.

Haar≈mantel *m.* 이발용 겉옷〔덧옷〕. **~matratze** *f.* 털매트리스. **~mensch** *m.* 털 많은 사람. **~mücke** *f.*〖動〗 털파리. **~nadel** *f.* 머리핀. **~nadel·kurve** *f.* (머리핀 모양의) 급커브 길. **~nest, ~nestel** *n.* 묶은 머리. **~netz** *n.* 머리 그물, 헤어네트. **~öl** *n.* 머릿기름. **~pflege** *f.* 머리 손질, 이발, 이용. **~pflege·mittel** *n.* 헤어 토닉. **~pfleger** *n.* 이발사. **~pinsel** *m.* 모필, 귀얄. **~pracht** *f.*〖구어·농담〗아름답고 숱이 많은 머리. **~puder** *m.* (옛날의 화장용) 머리분(粉). **~putz** *m.* 머리 장식; 이발.

Haar·rauch 《< Haar²》 *m.* 연무(煙霧).

Haar≈riß *m.* (도자기의 깨진) 금. **~röhrchen** *n.*, **~röhre** *f.*〖醫·生〗 모세관.

Haarröhrchen≈anziehung *f.* 모세관 인력(引力). **~wirkung** *f.* 모세관 현상.

Haar≈salbe *f.* 머릿기름. **~salz** *n.*〖광물〗모상염광(毛狀塩鑛). **~scharf** *a.* ① 몹시 날카로운; 매우 정확한, 엄밀한. ②〖구어〗 아주 가까운: das Auto fuhr ~ an mir vorbei 자동차가 아슬아슬하게 내 곁을 스쳐 지나갔다. **~scheitel** *m.* 가르마. **~schere** *f.* 이발용 가위. **~schleife** *f.* 머리 리본. **~schmuck** *m.* (핀·리본 등의) 머리장식. **~schneide·kabinett** *n.* ↑ ~schneidesalon. **~schneiden** *n.* 이발. **~schneider** *m.* 이발사. **~schneide·salon** *m.* 이발소. **~schnitt** *m.* 이발; 헤어스타일. **~schnur** *f.* ① (낚시용·제본용) 털실. ②〖醫〗 (가는 구조물을 이용하여 농·담즙 따위를 흘러내리게 하는) 관선법(串線法). **~schopf** *m.* 머리술, 머리털 뭉치, 털다발; 〖植〗 씨 가장자리의 솜털. **~schuppen** *pl.* 비듬. **~schweif** *m.* 〖天〗 혜성의 꼬리. **~schwund** *m.* 탈모. **~seil** *n.* 털실로 꼰 밧줄; 〖醫〗 ↑ ~schnur ②. **~seite** *f.* ① 모피의 털이 난 면. ② 천의 거친 면. **~sieb** *n.* 말총이나 가는 철망으로 만든 체. **~spalter** *m.* 〖비유·폄어〗 사소한 것을 따지는 사람, 꼬치꼬치 캐는 사람. **~spalterei** [ha:rʃpaltəráı] *f.* 사소한 것을 따지기, 꼬치꼬치 캐는 것: eine solche ~ 그처럼 쓸데없이 따지는 것. **~spange** *f.* (땋은 머리를 고정시키는) 장식용 핀, 비녀. **~spitze** *f.* 머리카락의 끝: gespaltene ~n 끝이 갈라진 머리털. **~spitzen·katarrh** *m.*〖구어·농담〗과음으로 인한 두통. **~spray** [..spre:] *m./n.* 헤어 스프레이. **~stern** *m.*〖天〗 혜성; 〖動〗 (깊은 바다에 사는 극피 동물인) 바다나리의 일종. **~strang** *m.* 털실을 꼬아 만든 밧줄; 〖植〗 바디나물속. **~sträubend** *a.* 머리털이 곤두서는, 소름끼치는. **~strich** *m.* ① 가느다란 선(↔ Grundstrich). ② (특히 동물의) 털이 자라나는 방향. **~teil** *n.* 부분 가발. **~tour** *f.* 가발, 머리다리. **~tracht** *f.* (특정한 시대에 유행한) 헤어스타일. **~trockner** *m.*, **~trocken·gerät** *n.* 헤어드라이어. **~tuch** *n.* (말 따위의 털로 만든) 모직물. **~wachs** *n.* 포마드; 〖요리〗 질긴 고기. **~wäsche** *f.* 머리감기: eine regelmäßige ~ 규칙적으로 머리감기. **~waschmittel** *n.* 세발제, 샴푸. **~wasser** *n.* 세발(洗髮) 향수. **~wickel** *m.* (머리를 감아올릴 때 쓰는) 클립. **~wild** *n.* (네발) 짐승. **~wuchs** *m.* 모발의 성장; 두발: einen kräftigen〔spärlichen〕 ~ haben 머리숱이 많다〔적다〕. **~wuchs·mittel** *n.* 모발 성장 촉진제. **~wulst** *m.* 고수머리; 머리다리. **~wurm** *m.* 침금충(針金蟲). **~wurzel** *f.* 〖醫·植〗 모근(毛根). **~zange** *f.* 족집게. **~zirkel** *m.* 정밀 컴퍼스. **~zopf** *m.* (처녀들의) 땋은 머리; (중국인의) 변발. **~zwiebel** *f.* 모구(毛球) (모근의 맨 아랫부분).

Hab [ha:p] *n.* -〖다음 용법으로만〗〖雅語〗 ~ und Gut 전 재산.

Habakuk [há:bakuk] *m.* 〖聖〗 하박국(구약성서에 나오는 예언자).

Habanera [habané:ra] *f.* -s 하바네라(4 분의 2 박자의 쿠바 춤).

Habchen [há:pçən] *n.* 〖↑ Habe 의 축소형〗〖농담〗 ~ und Babchen 〔~Babchen〕 전재산.

Hab·dank *m.* ↑ Habedank.

Habe [há:bə] *f.* 〖雅語〗 재산, 소유물: bewegliche〔fahrende〕 ~ 동산; unbewegliche〔liegende〕 ~ 부동산.

Habeas·korpus·akte [ha:beaskɔ́rpus..] 《lat. habeas corpus, „habe deinen Leib"》 *f.* (1679 년에 공포된 영국의) 인신(人身) 보호령.

Habe≈dank *m.* 〖구어〗 감사, 사례: ein herzlicher ~ 마음에서 우러나온 감사. **~gern** *m.* 탐욕가.

haben [há:bən] (hatte, gehabt) 《I》*t.* ① (**a**) 가지(고 있)다, 소유〔보유〕하다: ein Haus ~ 집을 가지고 있다; blaue Augen ~ 눈이 푸르다; ein Datum ~ 일부인(日附印)이 찍혀 있다; was für ein Datum ~ wir heute? 오늘은 며칠이지? — wir ~ den 9. Mai 오늘은 5월 9일이다; Eile ~ 서두르다; Geduld ~ 인내하다; Glück ~ 운수가 좋다; Grund ~ 이유가 있다; Grund und Boden ~ 토지를 소유하다; gute Nahrung und Kleidung ~ 호의호식하다; Schuld ~ 죄가 있다; wir ~ Winter 지금은 겨울이다; man hat wieder lange Haare 긴 머리가 다시 유행한다; 〖구어〗 da〔jetzt〕 hast du's, da〔jetzt〕 haben wir's, habt ihr's! 그것 보려무나, 이젠 야단났어!; da ~ wir's, da ~ wir die Bescherung〔den Braten〕 이거 야단났군, 어쩌면 좋담. (**b**) 느끼다, 감득하다: das Fieber ~ 열이 있다; Zahnweh ~ 치통이 나다; Durst〔Hunger〕 ~ 목이 마르다〔배가 고프다〕; was hast du? 무슨 일이냐?, 어디가 아프냐?; 〖구어〗 dich hat's wohl! 너 미쳤구나!; es im Hals〔auf der Brust〕 ~ 목구멍〔가슴〕이 아프다; er hat etwas (Kummer) 그는 근심거리가 있다; Schnupfen ~ 코감기에 걸리다. (**c**) 포함하다: eine Mark hat 100 Pfenning 1 마르크는 100 페니히다. (**d**) 얻다, 취득하다: Schaden ~ 손해 보다; morgen sollst du es ~ 내일 네게 그것을 주겠다; es ist überall zu ~ 그것은 어디서든지 얻을 수 있다; das Buch ist schwer zu ~ 그 책은 구하기 힘들다; 〖구어·폄어〗 sie ist der Typ, der für jeden zu ~ ist 그녀는 누구나 다 건드릴 수 있는 그런 여자다, 정조 관념이 없는 여자다; 〖구어〗 sie ist noch zu ~ 그녀는 미혼이다; für solches Unternehmen ist er nicht zu ~ 그는 그런 사업에는 끼지 않는다; für ein gutes Glas Wein ist er immer zu ~ 그는 좋은 포도주 한잔이면 그만이다. ②〖명사와 결합하여〗 acht ~ 주의〔조심〕하다; recht〔unrecht〕 ~ 옳다〔그르다〕; teil ~ 관여〔관계〕하다. ③〖형용사 또는 부사와 함께〗 jn. zum besten ~ 누구를 조롱하다; et. bereit ~ 무엇을 준비하고 있다; et. zu Ende〔fertig〕 ~ 어떤 일을 끝내 놓고 있다; jn.〔et.〕 gern ~ 누구를〔무엇을〕 좋아하다; die Seite herunter ~ 그 페이지를 읽어 버리다〔다 썼다〕; et. im Gang(e) ~ 어떤 일을 순조롭게 진행시키다; jn. lieb ~ 누구를 좋아하다; et. los ~ a) 무엇을 풀어 놓고 있다, b) 어떤 일에 아는 것이 많다, 능숙하다; et. nötig ~ 무엇을 필요로 하다; den Stein oben ~ 돌을 밀어올리다; ich habe frei 나는 휴무〔휴가〕다; Gott hab' ihn selig! 하느님이 그를 축복해 주시기를! (고인을 애도하는 뜻으로). ④〖부정법과 함께〗 (**a**) 〖zu 없는 부정법과 함께〗 Wein im Keller liegen ~ 포도주를 광에 저장해두고 있다; Sie ~ leicht fragen, ich aber habe schwer antworten 당신이 묻는 것은 쉽지만 내가 대답하기는 힘듭니다. (**b**) 〖zu 있는 부정법과 함께〗 ich habe nichts zu essen 나는 먹을 것이 없다; das hat viel〔nichts〕 zu sagen 그것은 중요한〔하찮은〕 것이다; ich habe einen Brief zu schreiben 나는 편지를 한 장 써야 한다; ich habe zu tun 나는 할 일이 있다; ich habe Geld von ihm zu bekommen 나는 그에게 돈을 받을 권리가 있다; du hast nicht dafür zu sorgen 너는 그 일을 걱정할 필요가 없다; was hat das zu bedeuten? 그것은 무엇을 뜻하는가, 그래 어쨌단 말인가?; er hat uns nichts zu befehlen 그가 우리에게 명령할 권리는 조금도 없다. ⑤ et. ~ wollen 무엇을 가지고 싶어하다, 탐내다, 요구하다; ich will es so ~ 나는 그러기를 바란다; wollen Sie dieses Buch ~? 이 책을 원하십니까?; wer will das ~? 누가 그것을 명령했는가?; er will es nicht wahr ~ 그는 그걸 인정하려고 않는다; er will es selbst gesehen ~ 그는 그것을 직접 보았다고 주장한다; ich will ihn damit nicht geschimpft ~ 내가 그를 비난하려고 그런 말을 했던 것은 아니다. ⑥〖부정(不定)의 es를 목적어로 사용하여〗 (**a**) es bequem〔leicht〕 ~ 편안하다; es gut ~ 행복하다; es schlecht〔schwer〕 ~ 괴롭다, 곤란하다; es weit ~ 앞길이 멀다; Sie ~ es hier heiß 더우시죠. (**b**) es auf der Brust〔im Magen〕 ~ 가슴이〔배가〕 아프다. (**c**) es mit jm. ~ 누구와 관계가 있다; 〖방언〗 wie hast du's mit der Religion? 너는 종교를 어떻게 생각하느냐? (**d**) 〖동사를 생략하는 경우〗 jetzt hab' ich's (erraten, herausgefunden) 이제 알았다; ich hab's (gefunden) 내가 찾았어, (수수께끼 따위를) 풀었어. ⑦〖전치사와 함께〗 einen Freund **an** jm. ~ 누구를 친구로 여기다; sie hat etwas Liebenswürdiges an sich³ 그 여자는 애교가〔사랑스러운 점이〕 있다; ein Auge **auf** jn. ~ 누구를 마음에 두고 있다, 누구에게 눈독을 들이다; auf alles etwas ~ 무엇에나 트집을 잡다; viel〔nichts〕 auf sich³ ~ 중요하다〔중요하지 않다〕; et. auf dem Herzen ~ 무엇이 마음에 걸리다; ich habe die Nachricht **aus** guter Hand 나는 이 소식을 믿을 만한 소식통에서 얻었다; **bei** sich³ ~ 가지고 있다, 소지하다; jn.〔et.〕 bei der Hand ~ 누구를 수하에 두다〔무엇을 준비해 두다〕; etwas **für** sich ~ 중요하다, 장점이 있다; dieser Vorschlag hat etwas für sich 이 제안은 장점이 있다; etwas **gegen** jn. ~ 누구에게 화를 내다; et. **im** Auge ~ 무엇을 주시하다; in sich³ ~ 함유하다; diese Aufgabe hat es in sich³ 이 과제는 어렵다; Leute **um** sich ~ 사람〔지지자〕들에게 둘러싸여 있다; jn. **unter** sich³ ~ 누구를 자기 밑에 두고 있다; die Kasse unter sich³ ~ 금전 출납을 맡아보다; ich habe es **von** ihm 나는 그것을 그에게서 받았다〔들었다〕; jn.〔et.〕 **vor** sich³ ~ 누구의 면전에 있다〔무엇이 전도(前途)에 있다〕; jn. **zur** Frau ~ 누구를 아내로 삼고 있다. ⑧〖명령형〗 habe acht! 조심하라!; habe Dank! 고맙습니다!; habe nur Geld, so bist du klug 돈만 벌면 영리해지는 법; 〖완료적 명령〗 Freund, habe nichts gehört! a) 벗이여, 아무 것도 듣지 않았으면 좋았을걸!, b) 아무것도 듣지 않은 것으로 하세! 《II》*imp.* **es hat**... ① es hat den Anschein, als ob〔daß〕... …처럼 보이다〔생각되다〕; es hat Eile 사태가 급박하다; es hat seine Richtigkeit 그것은 지당하다; da(mit) hat es gute Wege a) 서두를 것 없다, b) 그것은 걱정 없다; es hat gute Weile damit〔die Sache hat Zeit〕 아직 여유가 있다. ② (obd.) es hat gar keinen Zweifel, daß ... …함은 조금도 의심할 여지가 없다. ③〖구어·반

어》 es hat sich was〔wohl〕! 그런 일이 있을 수 있는가; es hat sich was zu lachen 그것은 웃을 일이 아니다. 《Ⅲ》 *refl.* 〖구어〗 sich ~ 행동하다; 뻐기다: wie er sich hat! 별꼴 다 보겠다!; habe dich nur nicht (so)! 그렇게 행동하지 마라, 그렇게 소란을 피우지 마라!; die haben sich vielleicht wieder gehabt! 그들은 또 싸운 모양이군!; gib mir 50 Mark dafür, und die Sache hat sich 내게 50 마르크만 주면 일은 해결된 거야. 《Ⅳ》〖시칭 조동사〗 ①〖현재 완료〗(**a**) ich habe den Brief geschrieben 나는 편지를 다 썼다; Gott hat die Welt geschaffen 하느님이 이 세상을 창조하셨다. (**b**)〖최근 사건의 보고〗er hat mich gestern besucht 어제 그가 나를 찾아왔다. (**c**)〖미래 완료의 대용〗 warten Sie, bis ich diesen Brief geschrieben habe! 내가 이 편지를 다 쓸 때까지 기다리십시오! (**d**)〖haben 에 강세를 붙여〗er hat gelebt 그는 예전에 살아 있었다(지금은 죽었다). (**e**)〖생략〗glaubst du, daß er es gesehen (hat)? 그가 그것을 보았다고 생각하느냐?; haben Sie „kommen“ (geschrieben)? “kommen”이란 글자를 썼습니까? ②〖과거 완료〗 als er das gehört hatte, erschrak er 그것을 들었을 때 그는 깜짝 놀랐다; ich hatte gemalt, ehe er kam 나는 그가 오기 전까지 그림 그리기를 끝냈다; vor ihm hatte niemand das getan 그 사람 이전에는 그것을 한 사람은 없었다. ③〖접속법으로〗(**a**)〖원망(願望)〗 O, hätte er nur einige Jahre länger gelebt! 아, 그 사람이 몇 년만 더 살았더라면 좋았을걸! (**b**)〖의혹〗das hättest du getan? 네가 그것을 했단 말인가? (**c**)〖추정적 결과〗mit deiner Hilfe hätte ich mein Ziel erreicht 네가 도와주었더라면 나는 목적을 달성하였을 텐데. (**d**)〖화법 조동사와 함께〗 du hättest in die Schule gehen sollen 너는 학교에 갔어야만 했다; er hätte sorgsamer arbeiten müssen 그는 좀더 신중히 일을 했어야만 했는데. ④〖미래 완료〗Sie werden mich bedauern, wenn Sie alles gehört haben werden 당신이 제 이야기를 다 들으시면 저를 가엾게 생각하실 겁니다. 《Ⅴ》 **gehabt** *p.a.* ↑ gehabt.

Haben *n.* -s〖商〗① 총자산. ② 대변(貸邊): Soll und ~ 대차(貸借), 지출과 수입.

Habe·nichts 《<(ich) habe nichts》 *m.* 무일푼, 빈털터리.

Haben≈seite *f.*〖商〗(부기의) 대변. **~zins** *m.* 예금 이자.

Haber[1] [háːbər] *m.* -s (obd., md.) ↑ Hafer.

Haber[2] *m.* -s, -〖動·방언〗 수산양(山羊) (Bock).

Habe·recht [háːbərɛçt] 《<(ich) habe recht》 *m.* 독선가.

Haberer *m.* -s, -〖구어〗(öst.) ① 신봉자. ② 동료, (술)친구. ③ 민중 재판 가담자.

Haber≈feld·treiben *n.*〖방언〗(바이에른 지방 농민들 사이에 행해지던 풍속 사범 등에 대한) 자체 민중 재판. **~geiß** *f.* ① (südd.) 유령. ② (alemann.) (윙윙거리는) 팽이. ③〖動〗 메추리; 도요새. ④ (추수 후) 들판에 남은 마지막 볏단.

Habesch [háːbɛʃ] 에티오피아(Abessinien).

Hab≈gier *f.* 탐욕. **~gierig** *a.* 탐욕스런, 욕심 많은.

habhaft [háːphaft] *a.* ①〖雅語〗eines Dinges 〔js.〕 ~ werden 누구를〔무엇을〕 붙잡다〔손에 넣다〕. ②〖방언〗(음식 따위가) 물리는, 기름진: die Mahlzeit war ~ 식사가 기름졌다.

Habich [háːbɪç] 《<hab ich》 *n.*〖속담〗 ein ~ ist besser als ein〔zehn〕 Hättich 내일의 천 냥보다 오늘의 한 푼이 낫다.

***Habicht** [háːbɪçt] *m.* -s, -e〖動〗 매, 보라매.

Habichts≈auge *n.*〖雅語〗 매처럼 날카로운 눈. **~brust** *f.* 말의 흉골(胸骨) 기형. **~inseln** *pl.* (대서양의 포르투갈령) 아조레스 제도(Azoren). **~knorpel** *m.* (말 앞발의) 연골 돌기(突起). **~korb** *m.*〖사냥〗 매 사냥용 바구니. **~kraut** *n.*〖植〗 조밥나물속(Hieracium). **~nase** *f.* 매부리코.

habil [habíːl] *a.*〖구식·교양〗 교묘한, 노련한, 숙달된, 능수능란한.

Habilitand [habilitánt] *m.* -en, -en [..dən] 교수 자격 취득 지원자.

Habilitation [..bilitatsióːn] *f.* -en 대학 교수 자격 취득〔수여〕.

Habilitations·schrift *f.* 대학 교수 자격 취득 논문.

habilitatus Dr. (박사 과정 이후) 대학에서 강의할 자격을 취득한 박사.

habilitieren 《Ⅰ》 *refl.* sich ~ 대학 교수 자격을 취득하다. 《Ⅱ》 *t.* …에게 대학 교수 자격을 부여하다.

Habit[1] [habíːt] 《lat.》 *n./m.* -s, -e 의복, 의상; 제복, 수도복.

Habit[2] [hǽbit] 《engl.》 *n./m.* -s, -s〖心〗 습관, 버릇.

Habitat [habɪtáːt] *n.* -s, -e ① (동식물의) 산지(産地), 서식지, 자생지. ② 체류지, 거주지. ③ (캡슐 모양의) 수중 정거장.

Habitchen *n.* -s, -〖농담〗 의복, 복장.

habitualisieren [habitualizíːrən] *t.*〖心〗 습관화시키다, 길들이다.

Habitue [(h)abityéː] *m.* -s, -s [..tyéːs] (öst.) 단골 손님(Stammgast).

habituell [habituɛ́l] *a.* 상습적〔습관적〕인.

Habitus [háːbitus] 《lat.》 *m.* - ① 용모, 외관; 자세; 태도, 거동. ②〖生〗 체질, 외형, 외관. ③〖醫〗(병의) 소인(素因).

hablich *a.* ① (schweiz.) (reich) 부유〔유복·풍부〕한. ②〖구식〗 재산에 관계되는.

HABM = Harmonisierungsamt für den Binnenmarkt 유럽 상표청.

Habsburg [háːpsburk] 《<Habichtsburg》 ① 합스부르크성(스위스의 고성(古城)). ② 합스부르크가(독일과 오스트리아를 지배했던 왕가).

Habsburger [..burgər] *m.* -s, - 합스부르크가(家)의 사람.

habsburgisch *a.* 합스부르크가의.

Habschaft [háːpʃaft] *f.* -en 재산, 소유물.

Habseligkeit *f.* -en〖총칭〗 소유물; 자질구레한 소유물.

Hab≈sucht *f.* 탐욕, 욕심. **~süchtig** *a.* 탐욕스러운.

Habt·acht·stellung *f.* (öst.) 차렷(자세): in ~ stehen〔sein〕 차렷 자세로 있다, 주목하고 있다.

Háček [háːtʃɛk] *n.* -s, -s (특히 슬라브어에서) 치찰음 또는 유성 마찰음을 나타내는 발음부호(ˇ) (보기: č [tʃ], ž [ʒ]).

H

hach [hax] *int.* 하, 하(놀람이나 기쁨을 나타냄).

Haché [aʃé:, haʃ..] 《frz.》 *n.* -s, -s [..ʃé:s] 다진 고기 (요리).

Hachel[1] [háxəl] *f.* -n 〖植〗 (Granne) 까끄라기; 가시, 바늘.

Hachel[2] *n.* -s, -〔*f.* -n〕 (öst.) (오이·호박 따위를 깎을 때 쓰는) 부엌용 채칼.

hacheln *t.* (öst.) (오이·호박 따위를) 깎다.

Hachse [háksə], **Hächse** *f.* -n (특히 말의) 무릎 관절; 〖구어·폄어〗 (사람의) 다리.

Hack [hak] 《Ⅰ》 *n.* ~ und Pack〔Mack〕 쓸모없는 물건, 잡동사니; 천민. 《Ⅱ》 *m.* -(e)s (도끼로) 쳐서 자름. 《Ⅲ》 *n.* -s 〖구어〗 (ndd.) 저민 고기.

Hack≈bank *f.* 도마. **~bau** *m.* 괭이로 밭을 일구는 일. **~beil** *n.* (정육점용) 도끼; 식칼. **~block** *m.* ↑ ~klotz. **~bord** *m.* 〖海〗 선미(船尾), 고물. **~braten** *m.* 간 고기 요리의 일종. **~brett** *n.* 도마; 〖음악〗 고대의 타악기.

Häckchen [hɛ́kçən] *n.* -s, - 〖↑ Hacke[2] 의 축소형〗 작은 괭이〔곡괭이·도끼〕.

Hacke[1] [hákə] *f.* -n ① (발·구두·양말의) 뒤축: sich an js. ~n〔sich jm. an die ~n〕 hängen〔heften〕 누구를 끈질기게 쫓아다니다; jm. auf den ~n sein〔sitzen〕 누구의 뒤를 바짝 쫓다, 따라잡다; jm. nicht von den ~n gehen 누구에게 끈덕지게 따라붙다; sich[3] die ~n nach et.[3] ablaufen〔abrennen〕 무슨 일을 하느라 분주하게 돌아다니다; 〖구어〗 sich auf die ~n machen 도망치다; 〖비유·구어〗 die ~n voll haben 〔einen im ~n haben〕 (술에) 만취하다; 〖軍〗 ~n zusammen! 차렷!: die ~n zusammenschlagen〔zusammenklappen〕 뒤꿈치를 딱하고 맞붙이다. ②〖海〗 돛대 밑부분. ③ 말 뒤축의 관절.

Hacke[2] [hákə] *f.* -n ① 괭이, 곡괭이, 갈퀴, 가래. ② 가래로 밭을 가는 일〔시기〕. ③ (öst.) 도끼.

hacke.. ↑ hack...

Hacke·beil *n.* ↑ Hackbeil.

***hacken** [hákən] 《Ⅰ》 *t./i.* (h.) ① 찌르다, 쪼다: der Hahn hat mir in die Hand gehackt 닭이 내 손을 쪼았다; ich habe mich〔mir〕 in den Finger gehackt 나는 손가락을 다쳤다; nach jm.〔et.[3]〕 ~ 누구〔무엇〕의 흠을 잡다. ② (잘게) 썰다, 저미다: Fleisch zu Wurst ~ 고기를 잘게 다져서 순대의 소로 쓰다; 〖비유〗 er läßt Holz auf sich ~ 그는 어떤 대우를 받아도 불평하지 않는다. ③ (도끼로) 빠개다; 쪼아 구멍을 내다; 괭이질을 하다가 누구를 다치게 하다: Holz ~ 장작을 빠개다. ④ (괭이 따위로) 갈다, (괭이로) 땅을 일구다. ⑤〖스포츠·은어〗 거칠게 플레이하다. ⑥〖비유·구어〗(피아노 건반을) 거칠게 두들기다. 《Ⅱ》 *refl.* sich ~ (주먹다짐하며) 싸우다. 《Ⅲ》 *i.* (h.) 〖구어〗 (kleben) 착 달라붙다. 《Ⅳ》 **gehackt** ↑ gehackt.

Hacken [hákən] *m.* -s, - ↑ Hacke[1].

Hacken≈leder, ~stück *n.* (구두의) 뒤축 가죽. **~schuh** *m.* 뒷굽이 높은 구두, 하이힐. **~trick** *m.* 〖축구〗 발뒤꿈치로 공을 다루는 트릭〔속임수〕.

Hacke·peter *m.* -s (ndd.) 육회(肉膾) 요리.

Hacker[1] [hákər] *m.* -s, - 〖컴〗 해커, 컴퓨터 침입자.

Hacker[2] *m.* -s, - ① 써는〔새기는〕 사람, 괭이로 파 일구는 사람. ② (obd.) 포도밭 노동자. ③〖방직〗 바디. ④〖스포츠·은어〗 난폭한 선수.

Häcker [hɛ́kər] *m.* -s, - (obd.) 포도밭 노동자.

Häckerling [hɛ́kərlɪŋ] *m.* -s 여물: 〖비유〗 ~ im Kopf haben 우둔하다, 어리석다.

Hack≈fleisch *n.* 다진〔저민〕 고기: 〖구어〗 aus jm. 〔jn. zu〕 ~ machen 누구를 마구 때리다. **~früchte** *pl.* 괭이로 재배되는 야채(캐비지·감자·고구마 따위). **~klotz** *m.* 도마. **~mack** *m.* 쓰레기; 천민. **~maschine** *f.* ① 흙을 바수는 기계. ② 고기나 짚을 써는 기계. **~messer** *n.* 고기용 칼, 식칼. **~ordnung** *f.* (조류, 특히 닭의) 서열(서열이 높은 닭은 낮은 닭을 일방적으로 쪼음).

Hacksch *m.* -es, -e 수퇘지; 음탕한 이야기를 즐겨 하는 사람.

hackschen *i.* (h.) 음담패설을 하다.

Häcksel [hɛ́ksəl] 《<hacken》 *m./n.* -s 잘게 썬 여물.

Häcksel·bank *f.* 작두판.

Häckseler [hɛ́ksələr] *m.* -s, - ↑ Häcksler.

Häcksel≈lade *f.* ↑ ~bank. **~maschine** *f.* 작두.

häckseln *i.* (h.) 짚을 썰다.

Häcksler *m.* -s, - 〖방언〗 작두.

Hack≈steak *n.* 다진 고기로 만든 스테이크. **~stock** *m.* ① 도마. ②〖방언〗 바보; 무뚝뚝한 사람.

Hack und Pack〔**Mack**〕 ↑ Hack 《Ⅰ》.

Hader[1] [há:dər] *m.* -s, -n ① 누더기, 넝마, 못쓰는 천〔헝겊〕 조각. ② 깡패, 부랑자.

***Hader**[2] *m.* -s 언쟁, 반목, 불화: in ~ mit sich und der Welt leben 제 자신과 세상에 불만이다.

Haderer *m.* -s, - ① 불평 불만자. ②〖사냥〗 멧돼지 수컷의 송곳니. ③〖구식〗 넝마주이.

Hader≈balg *m.*, **~geist** *m.*, **~katze** *f.* ↑ Haderer.

Hader≈lump *m.* 〖폄어〗 (öst.) 부랑자. **~mann** *m.* 넝마주이.

hadern [há:dərn] 《<Hader[2]》 *i.* (h.) ① 언쟁하다, 다투다, 싸우다: um eine Heringsnase ~ 아무것도 아닌 일로 언쟁하다; hadere nicht mit deinem Schicksal 운명을 순순히 받아들여라. ②〖聖〗 불만을 품다, 원망하다: mit Gott ~ 신을 원망하다.

hadern·haltig *a.* (종이 원료에) 넝마가〔천조각이〕 들어 있는.

Hader≈sucht *f.* 싸우기 좋아하는 버릇. **~süchtig** *a.* 싸우기 좋아하는.

Hades [há:dɛs] 《gr.》 *m.* - 〖그리스신화〗 저승, 명부(冥府), 황천: 〖시어·구식〗 jn. in den ~ schicken 누구를 죽이다.

Hadrer *m.* -s, - ↑ Haderer.

Hadschi [há:dʒi] *m.* -s, -s 이슬람교의 메카 순례자.

Hafen[1] [há:fən] (obd.) *m.* -s, - (흙으로 만든) 단지, 항아리, (유리)병.

***Hafen**[2] [há:fən] *m.* -s, Häfen 항구; 〖비유〗 피난처, 안식처; 목적지: aus einem ~ auslaufen 출항하다; einen ~ anlaufen〔antun〕 기항(寄港)하다; in einen ~ einlaufen 입항하다; 〖비유〗 in den ~ der Ehe 〔den letzten ~〕 einlaufen 결혼하다〔죽다〕; den ~ der

Ehe ansteuern 결혼하려고 하다; im sicheren ~ sein 안정된 생활을 하다; kurz vor dem ~ scheitern 다된 죽에 코 빠뜨리다.

Häfen [hɛ́:fən] *m.* -s, - (öst.) ↑ Hafen¹.

Hafen≈amt *n.* 항만청. **~anlage** *f.* 항만 시설. **~arbeiten** *pl.* 〖海〗 부두 노동. **~arbeiter** *m.* 부두 노동자. **~bahn** *f.* 입항선(臨港線). **~bau** *m.* ①〖복수없음〗항구 축조, 항만 공사. ② 항만 부속 건물. **~baum** *m.* (항구 폐쇄용) 방책목, 부책(浮柵). **~damm** *m.* 방파제. **~einfahrt** *f.* 기항, 입항. **~gebühren, ~gelder** *pl.* 입항〔정박〕세. **~kneipe** *f.* 항구의 선술집. **~kommandant** *m.* 군항의 지휘관. **~lotse** *m.* 수로 안내인. **~meister** *m.* 항만의 장(長). **~ort, ~platz** *m.* ↑ ~stadt. **~polizei** *f.* 항만〔해양〕 경찰. **~räumer** *m.* 준설기(浚渫機). **~rund·fahrt** *f.* 항구 순회. **~schenke** *f.* ↑ ~kneipe. **~sperre** *f.* 항만 봉쇄, 선박 출입 금지. **~stadt** *f.* 항구 도시. **~umschlag** *m.* 항구의 물동량. **~viertel** *n.* 항구 지역〔구역〕. **~wache** *f.* 항만 감시대〔경비대〕. **~zeit** *f.* 만조시(滿潮時). **~zoll** *m.* ↑ ~gebühren.

***Hafer** [há:fər] *m.* -s 〖植〗 메귀리: 〖구어〗 ihn sticht der ~ 그는 오만하다.

Hafer≈bau *m.* 귀리 재배. **~boden** *m.* 귀리 재배지; 귀리 저장 곳간. **~brei** *m.* 귀리죽.

Haferei [ha:fərái] *f.* ↑ Havarie.

Hafer≈ernte *f.* 귀리 수확〔추수〕. **~grieß** *m.*, **~grütze** *f.* ① 납작 귀리. ② 묽은 귀리죽.

haferiert *a.* ↑ havariert.

Hafer≈kakao *m.* 귀리 코코아. **~korn** *n.* 귀리의 낟알.

Haferl [há:fərl] *n.* -s, -(n) 〖구어〗 (öst.) ① 찻잔. ② 요강.

Häferl [hɛ́:fərl] *n.* -s, -(n) ↑ Haferl.

Haferl·schuh *m.* (öst.) 하펄 구두.

Häferl·schuh *m.* ↑ Haferlschuh.

Hafer≈mehl *n.* 귀리 가루, 오트밀. **~mus** *n.* 귀리죽(오트밀). **~rohr** *n.* 귀리 피리. **~sack** *m.* (말 목에 걸어놓은) 먹이 자루. **~schleim** *m.*, **schleim·suppe** *f.* ↑ ~grieß ②. **~stück** *n.* 귀리밭. **~suppe** *f.* 귀리죽 국물.

Haff [haf] 《ndd.》 *n.* -(e)s, -s/-e (특히 발트 해안의) 석호(潟湖).

Haffischer *m.* -s, - 석호의 어부.

Hafis [há:fɪs] 《ar.》 *m.* - 하피스(이슬람교 경전 코란을 암기하는 사람에 대한 경칭).

Haflinger [há:flɪŋər] *m.* (아랍과 남부 티롤 지방의 산악 지대의) 조랑말, 작달막한 말.

Hafner, Häfner 《obd.》 *m.* -s, - (Töpfer) 도공(陶工), 도자기 숙련공.

Hafnerei, Häfnerei *f.* -en 도자기 제조술〔제조업〕.

Hafnium [háfniʊm] *n.* -s 〖化〗 하프늄(화학 기호: Hf).

Haft¹ [haft] *m.* -(e)s, -e(n) ① 고리, 버팀목, 죔쇠. ②〖化·物〗 점착력(粘着力).

***Haft**² *f.* ① 구류, 금고, 감금; 구류〔금고〕형: strenge ~ 중금고(重禁錮); ungesetzliche ~ 불법 감금; in ~ halten 감금시켜 놓다; sich in ~ befinden 감금당하다; in ~ nehmen 〔setzen〕〔zur ~ bringen〕 구치〔구인(拘引)〕하다; aus der ~ entlassen 석방하다; er wurde zu lebenslänglicher ~ verurteilt 그는 종신 금고형에 처해졌다; eine schwere〔leichte〕 ~ verhängen 무거운〔가벼운〕 금고형에 처하다. ② 담보, 저당.

Haft³ *m./n.* -(e)s, -(e)n 〖動〗 하루살이(Eintagsfliege).

..haft *suf.* 형용사나 부사를 구성하는 후철로서 "구비·경향·습성·유사·자극·가능·작용" 따위의 뜻을 나타냄.

Haft≈anstalt *f.* 교도소, 감옥. **~aussetzung** *f.* 〖法〗 (잠정적인) 구속 정지.

haftbar *a.* 책임 있는: für den Schaden ~ sein 그 손해에 대해 책임이 있다; jn. für et. ~ machen 무슨 일에 대하여 누구에게 책임을 지우다.

Haftbarkeit *f.* 배상 책임〔의무〕.

Haftbar·machung *f.* 〖法〗 책임지우기.

Haft≈bedingung *f.* 구속 요건. **~befehl, ~brief** *m.* 구인장, 구속 영장: einen ~ gegen jn. ausstellen 누구에 대한 구속 영장을 발부하다. **~dauer** *f.* 형기(刑期).

Häftchen [hɛ́ftçən] *n.* -s, - 〖↑ Haft¹ 의 축소형〗 작은 고리, 작은 걸쇠.

Hafte *f.* -n 고리, 걸쇠.

Haftel *m./n.* -s, - ↑ Häftchen.

häfteln [hɛftəln] *t.* 고리〔걸쇠〕로 채우다.

***haften** [háftən] *i.* (h.) ① an〔auf, in〕 et.³ ~ 무엇에 달라붙다, 밀착하다, 부착하다: all sein Denken haftet an materiellen Dingen 그의 모든 생각은 물질적인 것에만 집착되어 있다; es haftet Verdacht auf ihm 그는 혐의를 받고 있다; es haftet nichts in seinem Kopf 〔bei ihm〕 그의 기억〔인상〕에는 아무것도 남아 있지 않다; ~de Eindrücke 오래도록 남는 인상. ② 보증하다, 책임지다: ich hafte mit meinem Kopf dafür 나는 그것을 내 생명을 걸고 보증한다; die Versicherung hat für den Schaden nicht gehaftet 보험 회사는 그 손해에 대해 책임을 지지 않았다.

haften|bleiben* *i.* (s.) ① 부착되어〔달라붙어〕 있다: der Schmutz ist an dem Stoff haftengeblieben 천에 오물이 달라붙어 있다. ②〖비유〗 기억 속에 남아 있다: das Erlebnis wird in meiner Erinnerung ~ 그 체험은 내 기억 속에 남아 있을 것이다.

Haft≈entlassung *f.* 석방, 출옥: vorläufige ~ verfügen 임시 석방〔가출옥〕을 명하다. **~entschädigung** *f.* 〖法〗 (불법) 구류 보상〔배상〕. **≈fähig** ① 점착성의: auf et³ ~ sein 무엇에 달라붙다. ② *a.* 〖法〗 구류를 감당할 수 있는. **~fähigkeit** *f.* ① 점착성(이 있음). ② 〖法〗 구류를 감당할 능력. **~frist** *f.* 보증 기간. **~geld** *n.* 보증금. **~genosse** *m.* 감방 동료. **~glas** *n.* 〖醫〗 콘택트 렌즈.

..haftig *suf.* ↑ ..haft.

..haftigkeit *suf.* ..haft, ..haftig 의 명사화에 쓰임.

Haft·kraft *f.* 점착력, 부착력.

Häftling [hɛ́ftlɪŋ] *m.* -s, -e 죄수, 수감자.

Haft≈lokal *n.* 유치장, 교도소. **~organ** *n.* 〖動·植〗 고착 기관(문어의 다리나 식물의 덩굴손 따위). **~pflicht** *f.* 배상 의무〔책임〕: die ~ der Versicherung erstreckt sich nicht auf Glas und Silber 그 보험 회사의 배상 책임은 유리와 은제품에는 해당되지 않는다; ich bin in keiner ~ 나는 어떠한 배상 책임도 없다. **~pflicht·gesetz** *n.* 〖法〗 고용주 배상 책

임법. ~pflichtig *a.* 배상 책임이 있는.
Haftpflicht⸗versichert *a.* 〖法〗 책임 보험에 가입한. ~**versicherung** *f.* 책임 보험.
Haft·prüfung *f.* 〖法〗 구속 적부 심사.
Haftprüfungs⸗termin *m.* 구속 적부 심사일. ~**verfahren** *n.* 〖法〗 구속 적부 심사 절차.
Haft⸗psychose *f.* 〖醫〗 구금성 정신병. ~**reibung** *f.* 〖物〗 접촉 마찰. ~**reifen** *m.* 접지력이 좋은 타이어. ~**richter** *m.* 〖法〗 (구속) 영장 심사 판사. ~**schale** *f.* 콘택트 렌즈. ~**scheibe** *f.* ① 〖動〗 빨판, 흡반. ② 〖植〗 해초의 고착 기관. ~**spannung** *f.* 〖物〗 부착응력(應力). ~**strafe** *f.* 구류형, 금고형. ~**unfähig** *a.* 〖法〗 구류를 감당할 능력이 없는. ~**unfähigkeit** *f.* 〖法〗 구류를 감당할 능력이 없음.
***Haftung** [háftuŋ] *f.* -en ① 점착, 부착. ② 보증, 대리 책임: für Ihre Garderobe übernehmen wir keine ~ 당신이 맡기신 옷에 대해서는 책임을 지지 않습니다; Gesellschaft mit beschränkter ~ 유한(有限) 책임 회사(약어: G.m.b.H.).
Haft⸗unterbrechung *f.* 〖法〗 ↑ ~aussetzung. ~**urlaub** *m.* 〖法〗 복역 중 휴가. ~**verschonung** *f.* 〖法〗 불구속.
Haft·zeher *m.* -s, - 〖動〗 도마뱀.
***Hag** [ha:k] *m.* -(e)s, -e [há:gə] 〔雅語〕 (schweiz.) ① 산울타리; (산울타리로 둘러싼) 목장. ② (울타리가 있는) 수풀, 숲.
Hag·apfel *m.* 야생 사과.
Hage⸗buche *f.* 〖植〗 서양소사나무(서나무속(屬)의 일종). ~**buchen** *a.* ① 서나무로 만든. ② 울퉁불퉁한, 거친. ~**büchen** *a.* ↑ ~buchen ②. ~**butte** *f.* 〖植〗 들장미의 열매; 〔구어〕 들장미.
Hagebutten⸗rose *f.*, ~**strauch** *m.* 들장미.
Hage·dorn *m.* 〖植〗 산사나무.
***Hagel** [há:gəl] *m.* -s ① 싸라기눈, 우박: Blitz, Donner und ~! 〔alle ~!〕 이런, 염병할!; 〔비유〕 ein ~ von Vorwürfen〔Geschossen〕 빗발치는 듯한 비난〔총탄〕. ② 〖사냥·軍〗 산탄(霰彈). ③ 〖醫〗 (눈꺼풀의) 다래끼, 맥립종(麥粒腫).
hagel⸗dicht *a.* 빗발치는. ~**gans** *f.* 〖動〗 흰기러기. ~**geschoß** *n.* 〖軍〗 산탄(霰彈). ~**korn** *n.* 싸라기눈〔우박〕의 낟알; 〖醫〗 다래끼. ~**kugel** *f.* ↑ ~geschoß.
hageln [há:gəln] *i.* (h.) *imp.* es hagelt 우박이 내린다; 〔비유〕 es hagelte Scheltworte auf uns 우리는 지독한 꾸지람을 들었다; die Vorwürfe hagelten von allen Seiten 사방에서 비난이 쏟아졌다.
Hagel⸗regen *m.* 우박 같은〔우박이 섞인〕 비. ~**schaden** *m.* 우박 피해. ~**schauer** *m.* (잠깐 동안) 퍼붓는 우박. ~**schlag** *m.* 심한 우박. ~**schloße** *f.* ↑ ~korn. ~**schrot** *m./n.* 〖사냥〗 산탄. ~**sturm** *m.* 우박과 함께 몰아치는 폭풍. ~**versicherung** *f.* 우박 피해 보험. ~**wetter** *n.* ↑ ~sturm. ~**zucker** *m.* (과자에 뿌리는) 낟알이 굵은 설탕.
Hagen[1] [há:gən] *m.* -s, - ↑ Hag.
Hagen[2] *m.* 하겐(남자 이름; 독일 전설 Nibelungenlied 에 나오는 장군).
***hager** [há:gər] *a.* 마른, 수척한.
hager·dürr *a.* 깡마른.
Hagerkeit *f.* 마름, 수척.
Hage⸗rose *f.* 〖植〗 들장미. ~**stolz** *m.* 늙은 홀아비; 골수 독신주의자.
Hagiograph [hagiográ:f] *m.* -en, -en 성인전(聖人傳) 저자.
Hagiographen [hagiográ:fən] *pl.* 구약 성서 제 3 부의 그리스어 표기.
Hagiographie *f.* -n [..fí:ən] 성인전(聖人傳).
Hagiolatrie [..latrí:] *f.* -n [..rí:ən] 성인 숭배.
haha [hahá:] *int.* ① 아하(놀라움과 알겠다는 뜻을 나타내는 감탄사). ② 하하(웃음 소리).
Häher [hɛ́:ər] *m.* -s, - 〖動〗 어치(속의 조류).
***Hahn** [ha:n] *m.* -(e)s, Hähne ① 수탉: 〔비유〕 wie der ~ auf dem Mist stolzieren 득의만만하다, 의기양양하다; (der beste) ~ im Korb sein 인기가 있다, 총애를 받다; es kräht kein ~ 〔nicht Hund noch ~〕 danach 아무도 그 일에 관심을 보이지 않는다; 〔비유〕 wenn der ~ kräht 아주 이른 아침에; 〔구어·농담〕 wenn der ~ Eier legt 수탉이 알을 낳는다면(절대로 불가능함을 나타냄); von et.[3] so viel verstehen wie der ~ vom Eierlegen 무엇에 대해 전혀 모르다; jm. den roten ~ auf das Dach setzen 누구의 집에 불을 놓다; 〔구어〕 du bist wohl vom ~ betrampelt 〔beflattert〕? 너 아마도 제정신이 아니지? ② 〔복수: -en〕 〖사냥〗 (들소·산토끼·꿩 따위의) 수컷; 〖農〗 삼의 수포기〔웅주(雄株)〕; 〔구어〕 음경(陰莖). ③ (**a**) 〔복수: -en〕 〖工〗 (통·수도·가스관 따위의) 마개, 꼭지, 콕: den ~ aufdrehen〔zudrehen〕 꼭지를 열다〔잠그다〕. (**b**) 〖軍〗 공이: den ~ an der Flinte spannen 총의 공이를 세우다. ④ (수탉 모양의) 풍향기, 바람개비. ⑤ 〔비유〕 용감한 사람; 교만한 사람; 호인(好人). ⑥ 프랑스인의 별명: der welsche〔gallische〕 ~ 프랑스(의 상징).
Hähnchen [hɛ́:nçən] *n.* -s, - 〔↑ Hahn 의 축소형〕 수평아리.
hahne⸗büchen *a.* ↑ hagebüchen. ~**butte** *f.* ↑ Hagebutte.
Hahnen⸗balken *m.* 〖건축〗 (서까래를 얹는) 도리; 닭장의 홰. ~**bart** *m.* (조류의) 아랫볏. ~**brust** *f.* ↑ Habichtsbrust. ~**ei** *n.* ① 부화되지 않는 작은 달걀. ② 〔비유〕 망상(妄想). ~**feder** *f.* 닭의 깃털. ~**fuß** *m.* 닭발; 〖植〗 미나리아재빗과; 〔복수〕 못쓴 글씨. ~**geschrei** *n.* ↑ ~schrei. ~**gewicht** *n.* 〖권투〗 밴텀급 (Bantamgewicht). ~**kamm** *m.* (닭의) 볏; 〖植〗 맨드라미. ~**kampf** *m.* ① (특히 에스파냐·멕시코의) 닭싸움. ② 닭싸움놀이. ~**ruf** *m.* ↑ ~schrei. ~**schlüssel** *m.* 마개, 꼭지. ~**schrei** *m.* (새벽의) 닭울음. ~**sporn** *m.* (닭의) 며느리발톱; 〖植〗 산사나무류. ~**tritt** *m.* 달걀의 배반(胚盤), 노른자위 위의 눈; (말의) 파행증(跛行症), 절뚝거리는 걸음.
Hahnepot [há:nəpo:t] *m./n.* -s, -en 〔(드물게) *f.* -en〕 〖海〗 끝이 두세 갈래로 나뉜 밧줄.
Hahnium [há:nium] *n.* -s 〖化〗 하늄(Dubnium 의 옛 명칭; 원소 기호: Ha).
Hähnlein *n.* -s, - ↑ Hähnchen.
Hahnrei [há:nraı] *m.* -s, -e 〔雅語〕 간부(姦婦)의 서방: jn. zum ~ machen 남편의 눈을 피해 간통하다.
Hahnrei·feder *f.* ~n tragen 아내가 간통을 하다, 오쟁이를 지다.

H

Hahnreischaft *f.* 간부(姦婦)의 남편임.
*__Hai__ [haɪ] 《ndl.》 *m.* -(e)s, -e ①〖動〗 상어. ②〖구어〗 이익에 눈먼 사업가.
Haide *f.* -n, **Haiduck** *m.* -en, -en ↑ Heide, Heiduck.
Hai≈fisch *m.* ①〖動〗 ↑ Hai ①. ②〖은어〗 포주, 뚜쟁이. **~fisch·flossen·suppe** *f.* 상어 지느러미 수프.
Haikai [háɪkaɪ], **Haiku** [háɪku] *n.* -(s), -s 하이쿠(17 음절로 이루어진 일본의 3 행시).
Haimons·kinder *pl.* (프랑스 전설에서) 하이몬 백작의 (우애 있는) 네 아이들.
*__Hain__ [haɪn] *m.* -(e)s, -e 〖시어·구식〗 (울타리를 두르고 손질한) 작은 숲, 임원(林苑).
Hain≈buche *f.* ↑ Hagebuche. **~bund** *m.* 삼림파(18 세기 독일의 시인 유파). **~butte** *f.* ↑ Hagebutte.
Hair-Stylist [hɛ́:rstailist] 《engl.》 *m.* -en, -en 헤어 스타일리스트.
Haiti [haí:ti] (서인도 제도의) 아이티(공화국).
Haitianer *m.* -s, - 아이티 사람〔원주민〕.
haitianisch *a.* ↑ haitisch.
Haitier [haí:tiər] *m.* -s, - ↑ Haitianer.
haitisch *a.* 아이티의.
Häkchen [hɛ́:kçən] *n.* -s, - 〖↑ Haken 의 축소형〗 ① 작은 고리. ②〖문법〗 (**a**) (Apostroph) 약자 부호('). (**b**) (Cedille) 세디유(프랑스어의 c 자 밑의 부호(ç)). (**c**) (Anführungszeichen) 따옴표, 인용부(„ "). ③〖비유〗 ein ~ auf jn. haben 누구에게 원한을 품다; ein ~ im Kopf haben 정신이 나간 듯하다, 약간 미친 것 같다; 〖속담〗 was ein ~ werden will, krümmt sich beizeiten 될성부른 나무는 떡잎부터 알아본다.
Häkel≈arbeit *f.* 코바늘 뜨개질. **~garn** *n.* 코바늘 뜨개질용 실.
Hakelei [ha:kəláɪ] *f.* -en 〖스포츠·은어〗 (심판 몰래) 발을 거는 반칙.
Häkelei [hɛ:kəláɪ] *f.* -en ① 코바늘 뜨개질. ②〖비유〗 빈정대기, 비꼼, 조롱; 허물잡기, 헐뜯기.
häkelig *a.* ① 갈고리가 있는, 갈고리 투성이의. ②〖비유〗 (사물이) 다루기 힘든, 귀찮은; (사람) 까다로운, 신경질적인.
Häkeligkeit *f.* 다루기 곤란함, 까다로움.
Häkel·muster *n.* 코바늘 뜨개질〔편물〕 표본.
häkeln [hɛ́:kəln] *t./i.* (h.) ① 코바늘로 뜨개질하다. ② 코바늘로 만들다. ③〖비유·구어·농담〗 만들다, 완성하다: er häkelt wieder an einem neuen Roman 그는 다시 새 소설을 쓰고 있다. ④〖비유·구어〗 (sich) mit jm. ~ 누구를 놀리다, 비꼬다. ⑤〖스포츠〗 스틱으로 걸다, 공격을 방해하다. ⑥ (갈고리·가시 따위가) 무엇에 걸리다.
Häkeln *n.* -s ↑ Häkelei.
Häkel·nadel *f.* (편물용·자수용) 코바늘.
*__Haken__ [há:kən] *m.* -s, - ① 갈고리, 옷걸이; 멈춤쇠; 꺽쇠, (배의) 쇠갈고리; 낚싯바늘; (등산용) 하켄: den Mantel auf einen ~ hängen 외투를 옷걸이에 걸다; (ein Fahrzeug) auf den ~ nehmen (자동차를) 견인하다; 〖비유〗 einen ~ auf jn. haben 누구에게 적의를 품다; die Sache hat einen〔ihren〕 ~ 그 일에는 난점이 있다; die Sache ist ganz ohne ~ und Ösen 그 일에는 함정이 없다; ein Angebot ohne ~ und Ösen 조건이〔단서가〕 없는 제의; einen ~ irgendwo anschlagen 시비〔딴지〕를 걸다. ②〖사냥〗 (추격을 피하기 위한) 급회전: einen ~ schlagen (토끼 따위가) 급히 방향을 바꾸다. ③〖권투〗 훅: 〖구어·은어〗 mit ~ und Ösen 수단 방법을 가리지 않고. ④〖軍〗 걸어총. ⑤〖農〗 수레바퀴 없는 쟁기. ⑥〖動〗 (멧돼지의) 엄니.
haken 《I》 *t.* ① 갈고리로 고정시키다. ② (무엇을) 갈고리 모양으로 걸치다〔꽂다〕: den Daumen in die Westentasche ~ 엄지를 조끼 주머니에 꽂다. 《II》 *i.* (h.) ① 걸려 있다: 〖구어〗 da hakt es 그것이 난점이다; es hakt 일에 진척이 없다. ②〖스포츠〗 (특히 아이스 하키에서) 스틱으로 걸다.
Haken≈band *n.* 돌쩌귀의 축받이. **~bein** *n.* 〖해부〗 갈고리 모양의 뼈. **~büchse** *f.* 〖고어〗 휴대용 화기, 화승총. **≈förmig** *a.* 갈고리 모양의. **~fortsatz** *m.* 〖해부〗 오훼 돌기(烏喙突起). **~kreuz** *m.* 갈고리 십자(卍) (나치스의 휘장). **~kreuz·fahne** *f.* 갈고리 십자기(十字旗). **~leiter** *f.* (끝에 고리가 달린) 소방용 사다리. **~nagel** *m.* 갈고리 모양의 못. **~nase** *f.* 매부리코. **~pflug** *m.* 바퀴 없는 (원시적인) 쟁기. **~schlüssel** *m.* 곁쇠; 〖工〗 훅〔갈고리〕 스패너. **~schnabel** *m.* 〖動〗 갈고리 모양의 부리. **~schütze** *m.* 〖軍〗 휴대용 화기병(兵). **~spieß** *m.* 작살. **~stock** *m.* 갈고리 모양의 손잡이를 가진 지팡이; 〖하키〗 타구봉, 배터. **~wurm** *m.* 〖醫〗 구충(鉤蟲). **~zahn** *m.* 〖動〗 엄니. **~zange** *f.* (대장간의) 갈고리 모양의 집게.
Häker [hɛ́:kər] 《ndd.》 *m.* -s, - ① 농민, 소작인. ② ↑ Höker.
Hakett 《frz.》 *n.* -(e)s, -e 〖軍〗 (가교(架橋) 수송용의) 차량.
hakicht *a.* ↑ hakig.
hakig [há:kɪç] *a.* 고리가 있는; 갈고리 모양의.
Hakim [hakí:m] 《ar.》 *m.* -s, -s ① (근동(近東) 지역의) 의사. ② 학자; 현인.
Häkler [hɛ́:klər] *m.* -s, - 코바늘 뜨개질 세공(업)자; 〖비유〗 비꼬는〔헐뜯는〕 사람, 험구가.
häklig *a.* ↑ häkelig.
Häkligkeit *m.* ↑ Häkeligkeit.
Halali [halalí:] 《ar.》 *n.* -s, -(s) 〖사냥〗 사냥감을 잡았을 때 하는 신호: zum ~ blasen 사냥이 끝났음을 각적(角笛)으로 알리다.
*__halb__ [halp] 《I》 *a.* ① 절반의, 2 분의 1 의: (**a**) ein ~er Tag 한나절; eine ~e Stunde 반시간, 30 분; ein ~es Dutzend 반 다스(6 개); zwei und ein ~es 〔zwei(und)ein~, dritt~〕 Prozent 2.5 퍼센트; für ~e Rechnung 절반씩 분담하여; um den ~en Preis 〔zum ~en Preis〕 반값〔반액〕으로; ~ entzwei brechen 반으로 쪼개다, 반분하다; ~ so viel 그것의 반 정도. (**b**) 〖지명 앞에서는 흔히 관사 및 어미 변화 없이 쓰임〗 ~ Berlin 베를린 (사람들)의 절반. ② 중앙〔한가운데·중간〕의: (**a**) bis in den ~en Tag schlafen 한나절이 될 때까지 잠자다; im ~en Mai 5 월 중순경; hier ist der ~e Weg 여기까지가 갈 길의 절반이다; auf ~em Weg stehen bleiben 중도에서 멈추다〔포기하다〕; 〖海〗 auf ~er Stange flaggen 반기(半旗)〔조기(弔旗)〕를 달다; die

H

Frau ist auf der ~en Zeit 이 여자는 임신 5-6 개월이다. **(b)** 〖시간〗 um ~ neun (Uhr), um acht(und)ein~ Uhr 8시 30분에; (um) voll und ~ jeder Stunde 매시각 및 30분마다; es 〔die Uhr〕 ist〔schlägt〕 ~ 시계가 30분을 친다. ③ **(a)** 과반수의, 태반의; 거의, 다름없는: ein ~er Gelehrter〔Arzt〕 거의 학자〔의사〕라고 부를 만한 사람; die ~e Stadt spricht davon 그 도시 사람들 대다수가 그 일에 대해 이야기한다; eine ~e Ewigkeit 아주 오랫동안. **(b)** 가운데〔중간〕의: ~e Trauer 약식 상복(喪服); 〖음악〗 ~e Note 2분 음표; ~er Ton 반음; 〖畫〗 ~e Farbe 중간색, 바림; 〖軍〗 ~ rechts, marsch! 반우향우, 앞으로 가! **(c)** 불완전〔불충분〕한: ~e Maßregeln 어중간한 조치〔처리〕; ~ gar〔gekocht〕 반숙의, 설익은; ~ reif 설익은, 반숙의; ~ tot 초주검이 된, 녹초가 된; die Tür stand ~ offen 문이 반쯤 열려 있었다; ~ unterrichtet 풋내기의, 어설픈; ~ glauben 반신반의하다; er ist nur mit ~em Herzen dabei 그는 그 일에 내키지 않아 한다; ein ~es Zimmer 매우 작은 방(대략 10제곱미터의 넓이까지); nach der Krankheit ist er nur noch ein ~er Mensch 앓고 난 후 그는 아직 완전히 회복되지 않았다. **(d)** 〖부정(否定) 또는 제한을 나타내는 불변화사와 함께〗 nur ~ so groß 겨우 그 절반의; nur ~ 〔mit ~em Auge〕 sehen 제대로 보지도 않다; nur ~ tun 대충해 두다; (alles) nur ~ wissen 얼치기로 알다; er ist kaum〔nicht〕 ~ so klug wie sein Bruder 그는 형의 절반만큼도 영리하지 않다; das hilft nicht ~ 그것은 그다지 쓸모가 없다; das ist weder ~ noch ganz 그것은 좋지도 나쁘지도 않다〔어중간하다〕. **(e)** ~..., ~... 반은〔일부는〕… 반은〔일부는〕…; ~ kniend, ~ sitzend 반쯤은 무릎 꿇고 반쯤은 앉아서. **(f)** ~ und ~ 거의; ich bin ~ und ~ fertig 나는 거의 다했다; 〖구어〗 (mit jm.) ~ und ~ 〔halbe und halbe〕 machen (누구와) 손익을 반분하다. ④ 한쪽(에서)의: ~e Geschwister 이복 형제 자매; das Schiff hat ~en Wind 배가 측면에서 바람을 받고 있다. 《Ⅱ》 *num.* 〖어미변화 없음〗 ein ~ 2분의 1; 1/6 und 1/3 ist zusammen ein ~ 〔~〕 1/6에다 1/3을 더하면 1/2이 된다; 〖명사화하여 어미변화 없는 채로〗 1/6 von ein ~ 1/2의 1/6. 《Ⅲ》〖명사적〗 ① das ~e 〔ein ~es〕 (절)반(半), 2분의 1; das ist nichts ~es und nichts Ganzes 그것은 어중간하다; vier ~e machen zwei Ganze 1/2의 4배는 2이다. ② 〖명사의 생략에 따라〗 der 〔die〕 ~e a) 미숙한 사람, b) 얼치기; einen ~en (Schoppen) (포도주) 반 잔; eine ~e (Flasche) 반 병; ein ~es (Glas) trinken 반 잔을 마시다.

..halb *suf.* ① 《<halb》 보기: andert~ 한 개 반의; dritt(e)~ 두 개 반의; mutter~ ist er edel 그는 모계가 귀족이다. ② 《<Halbe》 보기: inner~ 안 쪽에, 내부에; außer~ 외부에, 바깥쪽에. ③ 〖대명사 2격 뒤에〗 des~ 그 때문에; wes~ 무슨 까닭에.

Halb≈affen *pl.* 〖動〗 원원류(原猿類). **~amtlich** *a.* 공식적으로 확인되지 않은. **~ärmel** *m.* 반소매. **~atlas** *m.* 무명 섞인 비단. **~bad** *n.* 반신욕(半身浴). **~batzig** *a.* (schweiz.) 미진〔어중간〕한: ~e Lösung 흡족하지 못한 해결. **~bauer** *m.* (↔ Vollbauer) 소농; 수확의 절반을 소작료로 내는 농부. **~bier** *n.* 약한 맥주. **~bild** *n.* 반신상(像). **~bildung** *f.* 얼치기 교양, 수박 겉핥기의 지식. **~bitter** *a.* (초콜릿 따위가) 달콤하면서도 씁쓸한. **~blind** *a.* 반맹(半盲)의. **~blut** *n.* (특히 말의) 튀기, 잡종. **~blütige*** *der/die* 잡종, 튀기; 혼혈아. **~bogen** *m.* 궁형, 반원. **~bruder** *m.* 이복 형제. **~bürtig** *a.* 이복 형제의, 배다른. **~chor** *m.* 소규모 합창곡〔단〕. **~dach** *n.* 〖건축〗 차양. **~damast** 교직 단자(交織緞子). **~dunkel** *n.* 어스름; 박명(薄明). **~dunkel** *a.* 어스름한. **~durch·sichtig** *a.* 반투명의. **~dutzend** *n.* 반 다스. **~edel·stein** *m.* ① 〖고어〗 (별 가치가 없는) 자연산 보석. ② 보석.

Halbe [hálbə] *f.* -n ① 〖구어〗 (맥주 따위의) 반 리터, 반 조끼. ② (ndd.) 한 쪽, 옆.

halben [hálbən] *prp.*[2] 〖후치〗 ① (von Seite) …의 측〔쪽〕에서, …의 편에서: des Geistes ~ ist er fromm 정신적인 면에서 그는 경건하다. ② …때문에, …에 관하여.

..halben *suf.* 〖발음상 앞에 (e)t를 삽입함〗 "…때문에, …에 관하여"의 뜻(보기: meinet~ 나 때문에; allent~ 도처에).

halber [hálbər] *prp.*[2] 〖후치〗 …때문에: der Freundschaft ~ 우정 때문에; vieler Ursachen ~ 여러 가지 원인 때문에.

..halber *suf.* "…때문에, …까닭으로"의 뜻(보기: krankheits~ 병 때문에; beispiels~ 예를 들면).

Halb≈erbe *m.* 공동 상속인. **~erhaben** *a.* 반부각(半浮刻)의. **~erwachsen** *a.* 거의 성인이 된. **~erzeugnis, ~fabrikat** *n.* 〖商〗 반제품. **~fein** *a.* 좀 점잖은, 약간 나은. **~fenster** *n.* 창 높이가 폭과 같거나 폭의 3분의 2 정도의 창. **~fett** *a.* ① 〖印〗 반고딕체 활자의. ② 지방 함량이 20% 이상인. **~finale** *n.* 〖스포츠〗 준결승. **~flügler** *m.* 〖動〗 (매미·잠자리 따위) 매미목(目), 반시류(半翅類). **~franz** *n.*, **~franz·band** *m.* 〖제본〗 가죽 장정본, 배혁(背革) 장정본. **~gar** *a.* 〖제혁〗 반무두질한; 〖요리〗 반숙의, 설익은, 설구은. **~gebildet** *a.* 교양이 부족한. **~gebildete*** *der/die* 〖폄어〗 얼치기〔사이비〕 교양인. **~gefrorene** *n.* 반쯤 언 아이스크림. **~gelehrt** *a.* 학식이 얕은, 얼치기로 배운. **~gelehrte*** *der/die* 얼치기〔사이비〕 학자. **~geschoß** *n.* 〖건축〗 1층과 2층 사이의 중간층. **~geschwister** *pl.* 이복 형제 자매. **~gott** *m.* ① 〖신화〗 (부모 중 한 쪽이 신인) 반신(半神), 신인(神人). ② 〖구어〗 영향력 있는 인물: 〖반어〗 Halbgötter in Weiß 수석 의사.

Halbheit [hálphaɪt] *f.* -en ① 〖폄어〗 어중간함, 불완전, 불충분. ② 어중간〔불충분〕한 것: er ist nicht für ~en 그는 일을 대충 하지 않는다; mach keine ~en! 일을 대충 하지 마라.

halb≈herzig *a.* 내키지 않는: ~e Antwort 마지 못해 하는 대답. **~herzigkeit** *f.* 내키지 않음. **~hoch** *a.* 〖스포츠〗 중간 높이의: den Ball ~ abspielen 공을 어깨높이로 패스하다.

halbierbar *a.* 2등분할 수 있는.

halbieren [halbí:rən] 《Ⅰ》 *t.* 양분하다, 절반으로 나누다; 〖數〗 2등분하다. 《Ⅱ》 *refl.* sich ~ 2등분되다. 《Ⅲ》 **halbiert** *p.a.* ↑ halbiert.

halbiert 《Ⅰ》 *p.p.* ↑ halbieren. 《Ⅱ》 *p.a.* 2 등분된.
Halbierung *f.* -en 2 등분, 양분.
Halbierungs·linie *f.* 〖數〗 2 등분선.
halbig [hálbɪç] 《Ⅰ》 *a.* 〖구어〗 반분의; 어중간〔불완전〕한. 《Ⅱ》 *adv.* (teilweise) 부분적으로, 나눠서.
***Halb=insel** *f.* 반도. **~jahr** *n.* 반년; (독일 대학의) 학기: im ersten 〔zweiten〕 ~ 상반기〔하반기〕에. **~jahres·kurs** *m.* 반년 (학과) 과정. **≈jährig** *a.* 반년이 지난, 반년간의: im ~en Wechsel 반년마다 바뀌는. **≈jährlich** *a./adv.* 반년마다(의). **~kanton** *m.* (스위스에서) 2 개의 행정 구역으로 나뉜 주(州)의 반쪽 부분(보기: Obwalden 과 Nidwalden). **~kenntnis** *f.* 얼치기 지식. **~kreis** *m.* 반원(半圓). **≈kreis·förmig** *a.* 반원형의. **~kugel** *f.* 반구(半球): nördliche〔südliche〕 ~ 북반구〔남반구〕. **≈kugel·förmig, ≈-kugelig** *a.* 반구형의. **~kutsche** *f.* 반개(半蓋) 마차. **≈lang** *a.* 중간 길이의: 〖비유·구어〗 (nun) mach mal ~! 과장하지 마라, 거들먹거리지 말게! **≈laut** *a./adv.* 낮은 목소리의〔로〕: 〖비유〗 수줍은, 수줍게; 〖음악〗 약간 강하게. **~laut, ~lauter** *m.* 〖문법〗 반모음. **~leder** *n.*, **~leder·band** *m.* ~franz, ~franzband. **≈leer** *a.* 반쯤 비어 있는. **≈-leinen** *a.* 면모 교직(綿毛交織)의, 반마(半麻)의. **~leinen** *n.* ① ↑ ~leinwand. ② [hálplaɪnən] 〖제본〗 반마철(半麻綴). **~-leinen·band** *m.* 반마(半麻) 장정의 책. **~-lein·wand** *f.* 반마(半麻) 직물. **~leiter** *m.* 〖物〗 반도체. **~leiter·technik** *f.* 반도체 기술〔공학〕. **~licht** *n.* ↑ ~dunkel.
Halbling [hálplɪŋ], **Hälbling** *m.* -s, -e ① 튀기, 잡종; 사생아. ② 우유부단한 사람. ③ (obd.) 빠갠 통나무.
Halb·linke* *der* 〖축구〗 레프트 하프: die ≈ Abzweigung〔Straße〕 (두 갈래 길의) 왼쪽 길.
halb·links *adv.* 〖軍〗 반좌향으로.
Halb=linnen *n.* ↑ ~leinen. **~mann** *m.* (선박의) 사환; 거세한 남자. **~mantel·geschoß** *n.* ↑ Dumdumgeschoß. **≈mast** *adv.* 〖海〗 반마스트를 올려: die Flagge ~ hissen 〔~ flaggen〕 (조의의 표시로) 반기를 올리다. **~meister** *m.* 〖고어·방언〗 박피공 (Abdecker). **~mensch** *m.* ① 〖펴어〗 야만인, 미개인. ② 〖신화〗 반인반마(半人半馬)의 괴물, 켄타우로스. ③ 유인원(類人猿). **~messer** *m.* 〖數〗 반지름. **~metall** *n.* 〖印〗 반(半) 금속. **≈meter·dick** *a.* 반미터 두께〔폭〕의. **≈militärisch** *a.* 반(半)군대식의. **≈monatlich** *a.* 보름마다의. **~mond** *m.* ① 반달; 반달 모양의 것: bei ~ 반달일 때; wir haben ~ 반달이다; der türkische ~ 이슬람의 기장(旗章). ② 〖軍〗 반달 모양의 보루. **≈-mond·förmig** *a.* 반월형의. **~muschel-glas** *n.* 〖物〗 요철(凹凸) 렌즈. **≈nackt** *a.* 반나체의. **≈offen** *a.* ① 반쯤 열린. ② 〖官〗 조건부로 외출이 허용되는. **≈offiziell** *a.* 반공식적인. **~pacht** *f.* 수확의 반을 지주에게 바치는 소작. **≈part** *adv.* 반으로 나누어: mit jm. ~ machen 누구와 절반씩 나누다. **~-pension** *f.* 아침 식사를 포함하여 두 끼만을 제공하는 하숙(↔ Vollpension). **~pfünder** *m.* 〖軍〗 0.5 파운드포. **~rechte*** *der/die* 〖축구〗 라이트 하프: die ~ Abzweigung 〔Straße〕 (두 갈래로 난 길의) 오른쪽 길. **≈-rechts** *adv.* 〖軍〗 반우향으로: ~ abbiegen 오른쪽 길로 꺾다; die Straße ~ 오른쪽 길. **≈-reif** *a.* 반숙의, 설익은. **≈roh** *a.* 덜익은; 〖비유〗 미개한, 야만적인. **~rund** *n.* 반원형: im ~ 반원의. **≈rund** *a.* 반원형의. **~schatten** *m.* 〖理〗 ① 〖天·광학〗 (월식 등의) 반(半)그림자. ② 희미한 그림자: er genoß den Spaziergang im ~ des Waldes 그는 숲 속 그늘에서 산책을 즐겼다. **~scheid, ~schied** *f.* (obd.) 반분. **~scheid·wirtschaft** *f.* ↑ ~pacht. **≈schlächtig** *a.* ① 잡종의. ② 〖雅語〗 불분명〔불완전〕한. **~schlaf** *m.* 가수(假睡), 비몽사몽. **~schluß** *m.* 〖음악〗 반(半)마침. **~schuh** *m.* 단화; 슬리퍼. **≈schürig** *a.* (양모를) 1 년에 2 번 깎는; 〖고어·비유〗 품질이 좋지 않은, 2 류의. **~schwer·gewicht** *n.* 〖권투〗 라이트 헤비급: ein Boxkampf im ~ 라이트 헤비급의 권투 시합. **~schwester** *f.* 이복 자매. **~seide** *f.* 교직물(交織物). **≈-seiden** *a.* ① 반견(半絹)의. ② 〖구어·펴어〗 믿음이 가지 않는, 남자답지 못한; 동성애 경향이 있는: ≈es Milieu 〔≈e Kreise〕 화류계. **~seidene*** *der/die* 동성 연애자. **~seiten-lähmung** *f.* 〖醫〗 반신불수. **≈seitig** *a.* ① 반 페이지의, 한 쪽 면의. ② 〖醫〗 반신(半身)의: ~e Lähmung 반신불수; er ist ~ gelähmt 그는 반신불수다. **~sold** *m.* 〖軍〗 급료 반감. **~spänner** *m.* ↑ ~bauer. **≈staat-lich** *a.* 〖구동독〗 반(半)국영의. **~starke*** *der/die* 〖펴어〗 불량 청소년, 반항아. **≈-starr** *a.* 거의 뻣뻣한〔마비된〕. **~steige** *f.* 〖방언〗 10 개. **~stiefel** *m.* 반장화, 편상화(編上靴). **~stock** *m.* (1 층과 2 층 사이의) 중간층. **≈stocks** *adv.* ↑ ≈mast. **~stoff** *m.* 〖제지〗 반〔중간〕 제품. **≈stündig** *a.* 반시간의, 반시간이 걸리는. **≈stündlich** *a./adv.* 반시간마다(의). **~stürmer** *m.* 〖축구〗 링커. **~tag** *m.* 반나절. **≈tägig** *a.* 반나절의, 반나절이 걸리는. **≈täglich** *a./adv.* 반나절마다(의).
Halbtags=arbeit *f.* 반나절〔오전〕 근무. **~-schule** *f.* 오전 수업만 하는 학교.
Halb=tax·abonnement *n.* (schweiz.) (기차표의) 반액 정기 승차권. **~teil** *m.* (절)반. **~ton** *m.* ① 〖음악〗 반음. ② 〖畫〗 명암 사이의 중간 채색. **~ton·ätzung** *f.* 〖印〗 망판(網版). **≈tot** *a.* 초주검이 된, 기진맥진한. **~tota-le** *f.* 〖영화〗 근접 촬영, 근접 초점 맞추기. **~trauer** *f.* (첫 상복 기간이 지난 후에 입는) 약식 상복. **~tuch** *n.* 모직 양복감의 일종. **≈-verhungert** *a.* 굶어서 죽을 지경에 이른. **~vers** *m.* 시(詩)의 반 구절. **~vetter** *m.* 재종 형제. **~vokal** *m.* 〖문법〗 반모음. **≈voll** *a.* 반쯤 채워진: er trank das noch ~e Glas mit einem Zug aus 그는 아직 반쯤 남은 잔을 단숨에 비웠다. **≈wach** *a.* 비몽사몽의: in ~em Zustand 비몽사몽간에. **~wahrheit** *f.* 반쯤의 진실. **~waise** *f.* (↔ Vollwaise) 한쪽 부모가 없는〔결손 가정의〕 아이: er ist ≈ 그는 한쪽 부모를 잃었다. **≈wege, ≈wegs** *adv.* 〖구식〗 중도〔중간〕에서; 어느 정도: wenn es dir wieder ~ besser geht 네 기분이 좀 나아지면. **~welt** *f.* 화류계. **~welt·dame** *f.* 화류계 여성. **~welter·gewicht** *n.* 〖권투〗 주니

어웰터급 (선수). **~werts·zeit** *f.* 〖物〗 (방사능의) 반감기. **~wild** *a.* 미개한: wie die ~en 미개인〔야만인〕들처럼. **~wissen** *n.*, **~wisserei** [halb..ráı] *f.* 얼치기 학식. **~wisser** *m.* 얼치기 학자. **~wolle** *f.* 혼방 모직물. **~wollen** *a.* 혼방 모직의. **~wüchsig** *a.* 충분히 자라지 못한, 나이 어린. **~wüchsige*** *der/die* 미성년자, 청소년. **~wüste** *f.* 사막과 초원의 중간 지대. **~zeit** *f.* 〖축구〗 하프타임. **~zeit·pfiff** *m.* 〖축구〗 (심판의) 하프 타임 호각 소리. **~zeug** *n.* ↑ ~fabrikat. **~zirkel** *m.* ↑ ~kreis. **~zug** *m.* 〖軍〗 소대.

Halde [háldə] *f.* -n ① 산비탈, 산허리; 언덕, 구름. ② 〖광산〗 돌조각〔슬래그〕의 더미. ③ 재고품: auf ~ 재고품의; et. auf ~ legen 무엇을 저장하다.

Halden·vorrat *m.* 〖광산〗 갱구 저탄(貯炭).

Haléř [hálɛːrʃ] *m.* -, - 할레슈(체코의 화폐 단위; =1/100 Krone).

half [half] ↑ helfen 의 과거형.

Halfa [hálfa] *f.* 〖植〗 나래새의 일종.

Halfa·gras *n.* 〖植〗 아프리카띠(Alfagras).

hälfe [hɛ́lfə] 〖드물게〗 ↑ helfen 의 접속법 Ⅱ식(대개 hülfe 가 쓰임).

Halfen *m.* -s, - 〖방언〗 ↑ Halbbauer.

Halfer *m.* -s, -/Halfleute 말로 배를 끄는 인부.

***Hälfte** [hɛ́lftə] *f.* -n ① 반절, 절반; 중간, 중앙: eine gute〔volle〕 ~ 과부족이 없는 절반; die größere ~ 태반, 과반; auf der ~ des Weges 중도에서; die ~ ist gelogen 반은 거짓말이다; um die ~ mehr〔weniger〕 절반만큼 많은〔적은〕; zur ~ 반만, 절반 정도; bis zur ~ 중간까지; 〖비유〗 mit jm. zur ~ gehen 누구와 타협하다; es ist zur ~ fertig 절반은 끝났다; das werde ich zur ~ bezahlen 내가 절반을 지급하겠다; Kinder bezahlen die ~ 어린이는 반액. ② 2인 1조를 이룰 때의 한쪽(배우자 등): 〖구어〗 meine bessere ~ 내 아내, 〖드물게〗 내 남편; meine schönere ~ 내 아내; die ~ abstreichen (müssen〔können〕) 다 믿을 수는 없다.

hälften [hɛ́lftən] *t.* ↑ halbieren.

Halfter[1] [hálftər] *m./n.* -s, - ↑ Halfer.

Halfter[2] *f.* -n 〔(드물게) *n.* -s, -〕 (말안장 양쪽에 있는) 권총집.

Halfter[3] *m./n.* -s, - 〔(고어) *f.* -n〕 말고삐; 굴레.

Halfter·kette *f.* 굴레 사슬.

halftern *t.* 굴레를 씌우다, 고삐를 매다.

Halfter≈riemen, ~strick, ~zügel *m.* (말의) 고삐.

hälftig [hɛ́lftıç] *a.* 반의, 절반의.

Hälftung [..tuŋ] *f.* -en 반분, 양분.

hälft·wegs *adv.* 중도에서, 중간에서.

Hal·gans *f.* 마른 거위; 흰기러기.

halkyonisch [halkyóːnıʃ] 《gr.》 *a.* 온화한; 한적한, 한가한: ~e Tage 날씨가 포근한 동지 전후의 2주일간.

***Hall** [hal] *m.* -(e)s, -e (소리의) 울림, 메아리, 반향.

Hall·amt *n.* (südd.) 세무서, 세관.

***Halle**[1] [hálə] *f.* -n ① 공회당, 강당; 홀: in der ~ 실내에서; Fußball in der ~ 실내 축구; 〖비유〗 in diesen heiligen ~n 이러한 엄숙한 상황에서. ② (공공 건물의) 현관, (호텔의) 로비. ③ (Kauf≗) 백화점, 큰 상점; (Markt≗) 시장(의 건물); 〖空〗 격납고. ④ 제염(製塩) 공장.

Halle[2] 할레(구동독 잘레(Saale) 강변의 도시; 구동독의 행정 구역; 베스트팔렌주의 도시).

halleluja [halelúːja], **hallelujah** *int.* 할렐루야(신을 찬미하는 외침).

Halleluja *n.* -s, -s 〖가톨릭〗 여호와를 찬송하는 노래〔악곡〕: das ~ aus Händels „Messias" 헨델의 "메시아" 중 할렐루야 합창.

Halleluja·mädchen *n.* 〖구어·농담〗 구세군의 여사관(女士官).

***hallen** 《<Hall》 *i.* (h.) 울리다, 메아리치다.

Hallen≈bad *n.* 〖스포츠〗 실내 수영장. **~bau** *m.* 회관 양식의 건축물. **~fuß·ball** *m.* 실내 축구. **~hand·ball** *m.* 실내 핸드볼. **~hockey** *n.* 실내 하키. **~kirche** *f.* 〖건축〗 좌·우·중랑(中廊)의 높이가 같은 교회. **~sport** *m.* 실내 경기. **~turnen** *n.* 실내 체조.

Hallenser [halɛ́nzər], **Haller** 《Ⅰ》 *m.* -s, - 할레(↑ Halle²)의 시민. 《Ⅱ》 *a.* 할레시의.

hallesch, hallisch *a.* 할레식〔풍〕의.

Halley [háleː, (engl.) hǽlı] *m.* Edmund ~ 핼리(영국 천문학자, 1656-1742).

Halley-Komet *m.*, **Halleyscher Komet** *m.* 〖天〗 핼리 혜성.

hallig [hálıç] *a.* 반향이 있는, 울림이 있는.

Hallig *f.* -en 할리히(특히 북해 해안의 만조 때 물에 잠기는 작은 섬).

Hallig·leute *pl.* 할리히섬 주민.

Hallimasch [hálimaʃ] *m.* -(e)s, -e 〖植〗 식용 버섯의 일종(Honigpilz).

Hall·jahr [hál..] *n.* (50년에 한 번 있는 유대의) 안식년.

hallo [halóː, hálo] *int.* ① (남을 부를 때) 어이, 여보시오; (전화에서) 여보세요. ② 야, 어이(기쁨이나 놀람의 표현). ③ 안녕(만났을 때의 인사).

Hallo [halóː, hálo] *n.* -s, -s ① 야, 와(기뻐서 크게 외칠 때) ② 법석, 소동.

halloen *i.* (h.) ↑ hallo 하고 부르다.

Hallore [halóːrə] *m.* -n, -n 할레의 암염(岩塩) 갱부.

Hallstatt≈kultur [hálʃtat..] *f.* 〖고고〗 할슈타트 문화(고대 철기 시대의 중부 유럽 문화; 오스트리아의 할슈타트에서 발굴된 유적 이름에서). **~zeit** *f.* (중부 유럽) 고대 철기 시대의 초기(700-450 B.C.).

Halluzination [halutsinatsıóːn] 《lat.》 *f.* -en 환각: ich leide wohl an ~en 나는 환각에 시달린다.

halluzinativ [..tíːf] *a.* 환각에 따른.

halluzinieren *i.* (h.) 환각을 일으키다.

Halluzinogen [..nogéːn] *n.* -s, -e 〖醫〗 환각제.

halluzinogen *a.* 〖醫〗 환각을 일으키는: eine ~e Droge 환각제.

***Halm** [halm] *m.* -(e)s, -e 줄기, 짚: das Getreide 〔die Ernte〕 auf dem ~ verkaufen 입도 선매하다; die Herren von Ar und ~ 대지주들.

Halma [hálma] *n.* -s 장기의 일종.

Hälmchen [hɛ́lmçən] *n.* -s, - 〖↑ Halm 의 축소형〗 작은 줄기: 〖비유〗 das ~ ziehen 제

비를 뽑다.
Halmen·dach *n.* 초가 지붕.
Halm·fliege *f.* 〖動〗 (곡식의 줄기를 갉아먹는) 마디충. **~frucht** *f.* 화곡류(禾穀類).
halmig *a.* 줄기 모양의; 줄기가 있는.
Halm·ziehen *n.* (길고 짧은 지푸라기를 이용한) 점(占), 제비.
Halo [há(:)lo] 《gr.》 *m.* -(s), -s/-nen ①〖物〗(해·달의) 무리, 헤일로. ②〖醫〗(**a**) 눈자위. (**b**) 무사마귀.
halo.. 《gr. háls, „Salz"》 *pref.* "염(塩)"의 뜻.
Halo-Effekt *m.* 〖心〗 선입견 유발.
Halogen [..gé:n] *n.* -s, -e 〖化〗 (브롬·염소·요오드·플루오르·아스타틴의 5가지) 할로겐족 원소.
Halogenid [halogení:t] *n.* -(e)s, -e 〖化〗 할로겐염(塩), 할로겐 화합물.
halogenieren *t.* 〖化〗 할로겐화하다.
Haloid [..í:t] *n.* -(e)s, -e 할로겐화물(化物).
Haloid·salz *n.* 할로겐염.
Halophyt [..fý:t] *m.* -en, -en 염생(塩生) 식물.
Halon *f.* -en [..ó:nən] ↑ Halo.
***Hals** [hals] *m.* -es, Hälse [hɛ́lzə] ① 목: ~ über Kopf 당황해서, 허겁지겁; der starre ~ 뻣뻣한 목(완고·고집의 상징); er läuft immer mit bloßem ~ 그는 언제나 넥타이를 매지 않고 다닌다; jm. um den ~ fallen 누구의 목을 부둥켜 안다; sich nach jm〔et.³〕 den ~ verrenken 기대〔호기심〕에 부풀어 누구를〔무엇을〕 기다리다; einen langen ~ machen 목을 길게 빼고 넘겨다보다; bis an den ~ in Liebe〔Schulden〕 stecken 홀딱 반하다〔빚 때문에 옴짝달싹 못하다〕; barfuß bis an den 〔bis zum〕 ~ 벌거숭이로, 알몸으로; bis über den ~ 완전히; sich jm. an den ~ werfen 누구에게 추근대다. ② jn.〔et.〕 am 〔auf dem〕 ~ haben 누구에게〔무엇에〕 시달리고 있다; jm. auf dem ~ liegen〔sitzen〕 누구의 신세를 지고 있다; et. auf den ~ bekommen 〔sich³ et. auf den ~ laden〕 무엇(귀찮은 것)을 떠맡다〔짊어지다〕; bis an den ~ in Geschäften stecken 사업에 몹시 바쁘다; 〔비유〕 das Wasser steht ihm am 〔bis zum〕 ~ 그는 빚 때문에 꼼짝 못할 지경이다; jm. die Gerichte 〔Polizei〕 auf den ~ schicken〔hetzen〕 누구를 재판소〔경찰〕에 고소하다; sich³ die Schwindsucht〔Pest〕 an den ~ ärgern 원한이 사무쳐 병이 되다; jm. einen Prozeß an den ~ werfen 누구를 상대로 소송을 제기하다; jm. Übles an den ~ wünschen 누구에게 재앙이 내리길 바라다; jm. über den ~ kommen 누구에게 달려들다, 누구를 습격하다; sich³ jn.〔et.〕 vom ~(e) halten 누구를〔무엇을〕 멀리하다; sich³ et. vom ~ schaffen 〔schütteln, wälzen〕 무엇(성가신 것)에서 벗어나다; bleib mir damit vom ~ 그런 성가신 일로 나를 괴롭히지 마라; einen ~ haben 화를 내다. ③〔구어〕 jm. den ~ abschneiden〔umdrehen, brechen〕 누구를 (경제적으로) 파멸시키다; sich³ ~ und Beine brechen 치명상을 입다; es geht ihm an den ~, das kostet ihm〔ihn〕 den ~ 그것이 그를 파멸시킨다; sich um den〔seinen〕 ~ reden 말을 잘못하여 화를 입다; den ~ daran wagen 목숨을 걸고 시도하다. ④ 목구멍, 인후; 성대: es 〔Schmerzen〕 im ~ haben 목구멍이 아프다; es hängt〔steht〕 mir zum ~ heraus 〔ich hab's satt bis an den ~, es wächst mir schon zum ~(e) heraus〕 나는 이젠 물려서 진저리난다; den ~ nicht voll〔genug〕 kriegen (können) 욕심이 끝이 없다; aus vollem ~(e) lachen〔rufen〕 큰소리로 웃다〔목청껏 부르다〕; 〖비유〗 et. in den falschen〔unrechten, verkehrten〕 ~ kriegen 터무니없는 오산을 하다; in seinen ~ hinein lügen 뻔뻔스럽게 거짓말하다; das Wort blieb ihm im ~ stecken 그는 말문이 막혀 말이 나오지 않았다. ⑤ 옷깃, 칼라: ~ der Hunde 개의 목줄. ⑥ ~ einer Flasche 병목; 〖음악〗 ~ einer Geige 바이올린의 목; einer Flasche den ~ brechen 술병을 따다. ⑦〖海〗 ↑ Halse ②. ⑧〖건축〗 주두(柱頭) 바로 밑부분. ⑨〖사냥〗 사냥개의 짖음.
Hals·abschneider *m.* 〔폄어〕 목을 베는 사람; 〔비유〕 고리 대금업자. **~abschneiderisch** *a.* 모리배 같은, 고리 대금업자 같은. **~ader** *f.* 〖醫〗 경정맥(頸靜脈). **~ausschnitt** *m.* (옷의) 패인 목 부분: der Pullover hat einen ~ in V-Form 그 스웨터는 목 부분이 V자 모양으로 패였다. **~band** *n.* 목걸이; 목에 매는 리본; (개의) 목줄. **~bein** *n.* 〖醫〗 목뼈. **~berge** *f.* (옛날 갑옷의) 목가리개. **~berger** *m.* 〖動〗 (목을 감출 수 있는) 거북. **~binde** *f.* 〔고어〕 넥타이; (옛 제복의) 목깃 받침. **~bräune** *f.* 〖醫·구어〗 (후두염 등의) 목염증. **~brechend, ~brecherisch** *a.* 목숨을 건, 몹시 위험한. **~bund** *m.* (셔츠의) 옷깃.
Hälschen [hɛ́lsçən] *n.* -s, - 〔↑ Hals의 축소형〕 ① 작은 목. ② 목도리, 목걸이.
Hals·drüse *f.* 〖醫〗 경부(頸部) 림프선.
Halse [hálzə] *f.* -n ① (개의) 목줄. ②〖海〗 돛을 돌려 배의 방향을 조절하는 것.
Hals·eisen *n.* 〔고어〕 (죄인의 목에 씌우는) 칼, 목을 감는 쇠고리.
halsen *t.* ① 《<Hals》 목을 부둥켜 안다. ② 《<Halse》〖海〗 (배를) 바람을 잘 받을 수 있는 방향으로 돌리다. ③〔방언〕 성공을 빌다.
Hals·entzündung *f.* 〖醫〗 인후염(咽喉炎). **~fern** *a.* (옷의 칼라가) 느슨한. **~gericht** *n.* 〔고어〕 (중세의) 중죄인 형사 재판(소). **~geschmeide** *n.* 목걸이 장식.
..halsig *suf.* "…한 목의, 목이 …인"의 뜻(보기: lang~ 목이 긴).
Hals·kette *f.* (개의) 사슬 목줄; (장식용) 목걸이. **~koppel** *f.* 마구(馬具)의 목줄. **~kragen** *m.* ① 옷깃, 칼라. ② (상처를 핥지 못하게 동물의 목에 거는) 넓고 뻣뻣한 칼라. **~krankheit** *f.* 인후병. **~krause** *f.* ① 옷깃의 주름 장식. ② (새의 수컷 목에 난) 깃털. **~länge** *f.* 〖경마〗 말의 목길이: um eine ~ 말의 목길이만큼의 차이로. **~leiden** *n.* ↑ ~krankheit. **~lein** *n.* 〔雅語〕 ↑ Hälschen. **~recht** *n.* 형법, 형벌권. **~riemen** *m.* ↑ ~koppel. **~röhre** *f.* 기관(氣管). **~sache** *f.* 형사 사건: 〔구어〕 ~n vorhaben 요기를 하다. **~schild** *m.* 〖動〗 (곤충의) 앞가슴. **~schlag·ader** *f.* 경동맥(頸動脈), 목동맥. **~schleife** *f.* (여자용) 옷깃의 장식, 목 리본. **~schmerzen** *pl.* 인후통(咽喉痛). **~schmuck** *m.* 목장식, 목걸이. **~schnur** *f.*

목장식용 레이스. **~schwind·sucht** *f.* 〖醫〗 후두(喉頭) 결핵. **~starre** *f.* 〖醫〗 경부(頸部) 강직. **~starrig** *a.* 고집 센, 완고한. **~starrigkeit** *f.* 고집 불통, 완고. **~strafe** *f.* 사형. **~streif** *m.* (셔츠가) 주름이 잡혀 있는 것. **~stück** *n.* (소·양 따위의) 목 부근의 살; (의복의) 목부분; (갑옷의) 목가리개 부분; (곤충의) 앞가슴. **~tuch** *n.* 목도리, 숄; (여자용) 흉의(胸衣).

Hals-und Bein·bruch *m.* ↑ Beinbruch.

hals-und bein·brechend *a.* ↑ halsbrecherisch.

Halsung *f.* -en (개의) 목줄.

Hälsung *f.* -en ① 포옹. ② (개의) 목줄. ③ 말의 목 모양 교정(矯正)하기.

Hals≈wärmer *m.* 목도리. **~weh** *n.* ↑ ~schmerzen. **~weite** *f.* 목둘레의 길이. **~wirbel** *pl.*, **~wirbel·beine** *pl.* 〖해부〗 경추(頸椎), 목뼈.

***Halt** [halt] 《<halten》 *m.* -(e)s, -e ① (**a**) 정지, 중지; 〖철도〗 정차(停車): ~ machen 정지하다; jm. ~ gebieten 누구를 저지〔방해〕하다: 〖비유·雅語〗 dem Fortschreiten der Seuche ~ gebieten 전염병의 만연을 방지하다; mit den Füßen keinen ~ finden 발 붙일 곳이 없다. (**b**) (schweiz.) 정류장, 정거장. ② 〖음악〗 ↑ Fermate. ③ 받침, 지지; 붙잡을 곳〔것〕, 발판; 근거; 안정, 불변, 확고: ohne ~ 근거 없는, 불안정〔불확실〕한; ohne inneren ~ 줏대 없는; einen ~ an jm.〔et.³〕 haben 누구를 의지하다〔무엇을 근거로 하다〕; jm.〔et.³〕 ~ geben 누구를〔무엇을〕 지지하다; jeden ~ verlieren 근거를 잃다〔상실하다〕, 비틀거리다; auf dem Eis den ~ verlieren 얼음판 위에서 발을 헛딛다. ④ 〖사냥〗 야외 식사. ⑤ (schweiz.) 규모; 용량: ein Faß von großem ~ 용량이 큰 통.

halt¹ 《ahd. halto, „besser, mehr, vielmehr"의 뜻》 *adv.* 〖방언〗 정말로; 아마도, 어쩌면: das ist ~ so und nicht anders 그것은 정말 어쩔 도리가 없구나; und so ~ 등등; er wird ~ nicht kommen 그는 아마 오지 않을 것이다; komm ~ her! 이리 오라니까!

***halt**² *int.* 정지, 서: ~! was machst du da? 야〔이봐〕! 거기서 무얼 하고 있나?; 〖軍〗 das Ganze ~! 부대 서!; ~! wer da? 정지! 누구야?

hält [hɛlt] ↑ halten의 3인칭 단수 현재형.

haltbar 《<halten》 *a.* ① 버틸〔지킬〕 수 있는; 〖軍〗 방어할 수 있는; 근거가 있는, 확실한. ② 안정된, 견고한, 오래 지속되는, 불변의: ~e Farbe 바래지 않는 빛깔; im Kühlschrank ist der Fisch noch etwa zwei Tage ~ 냉장고에 생선을 이틀 정도 더 보관할 수 있다; et. ~ machen 무엇을 보존하다; ~ bis 6. 11. 11월 6일까지 유효한; nur begrenzt〔schlecht〕 ~ (대단히) 상하기 쉬운.

Haltbarkeit *f.* 지속성, 안정성.

Halte [háltə] *f.* -n ① 〖구어〗 정류장, 정거장. ② 〖스포츠〗 (체조의) 정지 동작. ③ 〖구어〗 개(목)줄.

Halte≈bogen *m.* 〖음악〗 붙임줄. **~bucht** *f.* 〖교통〗 (노변의) 정차 구역. **~frau** *f.* ↑ ~mutter. **~gesellschaft** *f.* 지주 회사. **~griff** *m.* ① 〖스포츠〗 (상대방을 제압하기 위한) 붙잡기. ② (버스·전철의) 승객용 손잡이. **~gurt** *m.* 안전 벨트. **~kind** *n.* 탁아, 맡아 기르(게 하)는 아이. **~kraft** *f.* 〖物〗 응집력. **~linie** *f.* 〖교통〗 (신호등 앞의) 정지선. **~mutter** *f.* 양모(養母).

halten [háltən] (hielt, gehalten) 《I》 *t.* ① 붙잡다, 놓지 않다: das Steuer richtig ~ 운전대를 바로잡다; haltet den Dieb! 도둑 잡아라!; der Tormann hält den Ball 골키퍼가 공을 잡는다; jm. den Daumen ~ 누구의 성공을 빌다; jn. **an**〔bei〕 der Hand〔am, beim Arm〕 ~ 누구의 손〔팔〕을 잡다; jm. eine Pistole **auf**〔vor〕 die Brust ~ 누구의 가슴에 권총을 들이대다; et. **im** Gedächtnis (fest) ~ 무엇을 (단단히〔꽉〕) 기억〔명심〕하다. ② (어떤 위치·방향·관계·상태를) 유지하다; 받치다, 지지하다: einen Rekord ~ 기록을 지키다; aufrecht ~ 지지〔유지〕하다; Sport hält jung 스포츠는 젊게 해준다; die Plastikverpackung hält frisch 플라스틱 포장은 신선함을 유지해 준다; (mit jm.) Freundschaft〔Frieden〕 ~ (누구와) 우정을〔평화를〕 유지하다; et. bereit〔vorrätig, verschlossen〕 ~ 무엇을 준비〔저축, 저장〕해 두다; jn. fern ~ 누구를 멀리하다; et. geheim ~ 무엇을 비밀에 부치다; seine Dienstboten gut〔schlecht〕 ~ 하인을 후대〔박대〕하다; jn. knapp〔kurz〕 ~ a) 누구에게 돈을 충분히 주지 않다, b) 누구를 속박하다; der Ofen hält die Glut lange 이 난로는 불길이 오래 간다; Farbe ~ a) 빛깔이 바래지 않다, b) 〖비유〗 신용〔신뢰〕할 수 있다; 〖軍〗 das Feld ~ 진지를 사수하다; 〖海〗 Kurs ~ 예정 항로를 유지하다; Luv ~ 뱃머리를 바람 부는 방향으로 유지하다; jm. den Rücken〔die Stange〕 ~ 누구의 뒤를 돌봐주다, 후원하다; Schritt ~ 보조를 맞추다; Schule ~ 학교를 경영하다; Wochen ~ 산후조리 중이다; Waren **auf** (dem) Lager ~ 상품을 구비해두다; et. **in** Ordnung ~ 무엇을 정리〔정돈〕해두다; den Feind in Schach ~ 적의 진출을 막다; jn. in Zaum ~ 누구를 속박하다; Freundschaft **mit** jm. ~ 누구와 우정을 맺고 있다; seine Hände **über** jn. ~ 누구를 비호〔두둔〕하다; jn. zum besten ~ a) 누구를 놀리다, b) 누구를 속이다. ③ 붙잡다; 누설하지 않다; 방해〔저지〕하다: was hält dich eigentlich noch in dieser Stadt? 너는 도대체 무엇 때문에 아직도 이 도시에 머물러 있느냐?; ~ Sie mich nicht! 말리지 말아주세요!; dicht ~ 입 밖에 내지 않다; den Atem an sich ~ 숨을 죽이고 있다; den Hund ~ 개를 붙잡아두다; das Lachen〔die Tränen〕 ~ 웃음〔울음〕을 참다; den Mund〔das Maul, den Rand〕 ~ 잠자코 있다, 비밀을 누설하지 않다; das Faß hält Wasser 이 통은 새지 않는다. ④ …을 가지고 있다, 소유하다: Dienerschaft ~ 사환을 고용하고 있다; Kostgänger ~ 하숙을 치다; einem Kind einen Lehrer ~ 아이를 위해서 (가정) 교사를 두다; Vieh ~ 가축을 사육하다; 〖구어〗 Zeitschriften〔Zeitungen〕 ~ 잡지를〔신문을〕 구독하다. ⑤ 포함하다; 수용하다: wieviel hält der Topf? 이 단지에는 얼마나 들어가느냐?; der Wagen hält sechs Personen 이 마차는 6인승이다; das Schiff hält 500 Tonnen 저 배의 적재량은 500톤이다; den Harn〔das Wasser〕 nicht mehr ~ können 소변을 더 이상 참을 수 없다. ⑥

(거)행하다: Auktion ~ 경매하다; Buch ~ 부기하다; einen Feiertag ~ 명절을 즐기다; ein Gespräch 〔eine Unterredung〕 mit jm. ~ 누구와 면담하다; Hochzeit ~ 결혼식을 거행하다; 〖商〗 Inventur ~ (상품 따위의) 목록을 작성하다; Mahlzeit 〔eine Rede〕 ~ 식사〔연설〕하다; mit jm. über et. Rat ~ 누구와 무엇에 관해서 의논하다; Siesta ~ 낮잠 자다; eine Sitzung〔Versammlung〕 ~ 회의〔집회〕를 열다; eine Stunde ~ 수업하다; einen Vortrag 〔eine Vorlesung, ein Seminar〕 ~ 강연〔강의, 세미나〕하다; ein Wettrennen ~ 경주하다; über jn.〔et.〕 Gericht ~ 누구〔무엇〕에 대해 판결하다; misch' dich nicht ein, das halte ich, wie ich will 간섭하지 마라, 나는 내가 원하는 대로 한다. ⑦ 지키다, 준수하다; 수호하다: Diät ~ 섭생〔다이어트〕하다; Disziplin ~ 규율을 지키다; einen Eid ~ 맹세를 지키다; sein Wort 〔Versprechen〕 ~ 약속을 지키다; Gottes Gebote ~ 신의 계율을 지키다; Stimmung 〔Ton〕 ~ 가락이 맞다; 〖구어〗 das Produkt hält nicht, was es verspricht 그 제품은 기대에 못미친다. ⑧ 평가하다; …라고 생각하다, 간주하다: viel 〔große Stücke〕 **auf** jn. ~ 누구를 높이 평가하다; sie hält etwas auf mich 그 여자는 나를 존경하고 있다; auf sich ~ a) 무뚝뚝하다, b) 자신의 평판〔이미지〕에 신경을 쓰다; jn. **beim** Wort ~ 누구의 말을 곧이듣다; **für** et. ~ 무엇으로 간주하다; man hält mich oft für meinen Bruder 사람들은 때때로 나를 내 형으로〔아우로〕 잘못 안다; jn. für närrisch 〔einen Narren〕 ~ 누구를 바보로 여기다; er hält sich schon für einen Dichter 그는 벌써 시인으로 자처한다; ich halte es für eine Lüge 나는 그것이 거짓말이라고 생각한다; 〖구어〗 wofür ~ Sie mich? 도대체 저를 어떻게 생각하시는〔뭘로 보시는〕 겁니까? (특히 격분하여 거절하는 표현); et.〔A〕 **gegen** et.〔B〕 ~ 무엇을〔A 를〕 무엇과〔B 와〕 비교〔대비〕하다; zwei Dinge **gegeneinander** ~ 양자를 비교하다; viel 〔wenig〕 **von** jm. ~ 누구를 중히〔하찮게〕 여기다; ich weiß nicht, was ich von ihm ~ soll 나는 그를 어떻게 생각해야 할지 모르겠다; nichts von et.³ ~ 무엇을 조금도 중요시하지 않다. ⑨ (**a**) es **mit** jm. ~ 누구의 편이 되다, 누구에게 가담하다; es mit einem Frauenzimmer ~ 어떤 여자와 교제하다. (**b**) es mit et.³ ~ a) 무엇을 좋아하다〔즐기다〕: ich halte es lieber mit dem Wein (als mit Bier) 나는 (맥주보다는) 포도주를 더 즐긴다, b) 무엇을 처리하다, 다루다: wir ~ es mit der Verteilung der Aufgaben folgendermaßen... 우리는 작업 분배를 다음과 같이 (처리)한다. (**c**) **vom** Leib ~ a) (적·재난을) 방어하다, 근접하지 못하게 하다, b) 떨어져 있다, 근접하지 않다. (**d**) jm. et. **zu** gute ~ 누구의 무엇을 관대하게 취급하다. ⑩ 〖기능 동사로 쓰여〗 Nachfrage ~ 문의하다; eine Predigt ~ 설교하다; Rast ~ 휴식하다; Wache ~ 당직〔감시〕하다. 《Ⅱ》 *i.* ① 지속〔유지〕하다: die Farbe hält 색(깔)이 바래지 않는다; das gute Wetter wird sich ~ 좋은 날씨가 지속될 것이다; die Stiefel ~ (gut) 이 장화는 오래 간다 〔질기다〕; dicht ~ 물이 새지 않다; 〖구어〗 er kann nicht dicht ~ a) 그의 말은 조리가 없다, b) 〖비유〗 그는 비밀을 지키지 않는다. ② 정지하다(stehen bleiben): halt! 서라!; der Schnellzug hält nicht an dieser Station 급행열차는 이 역에 정차하지 않는다. ③ **an** et.³ ~ 무엇을 고집하다; an sich ~ 억누르다, 삼가다, 억제하다; woran hält es, daß ...? …라고 하는데 어떻게 된 거냐?; **auf** et. ~ a) 무엇에 집착하다, 무엇을 고수하다, b) 무엇을 준수하다, c) 무엇에 유의하다, 무엇을 중요시하다, d) 무엇을 주장〔단언〕하다; auf seine Gesundheit ~ 건강에 유의하다; auf eine Karte 〔ein Pferd〕 ~ 카드〔경마〕에 내기를 걸다; auf Träume ~ 꿈을 믿다; auf seine Ehre ~ 체면을 중히 여기다; auf et. los〔zu〕 ~ 무엇을 향해〔무엇의 방향으로〕 가다; 〖海〗 dicht **beim** Wind ~ 바람을 받으며 항해하다; ich halte **dafür**, daß ... 나는 …라고 여긴다〔믿는다〕; **gegen** ein Pferd (auf die andern) ~ 어느 한 필의 말을 상대로 (다른 전부의 말에) 내기를 걸다; mit seiner Meinung nicht **hinter** dem Berg ~ 소견〔의견〕을 숨김없이 말하다; **mit** den Pferden ~ 말을 멈추다; 〖海〗 dicht **unter** Land ~ 육지에 아주 접근해서 항해하다; unter das Ziel ~ 낮게 겨냥하다; ~ **zu** Gnaden! (다른 사람의 앞을 지날 때) 잠깐 실례합니다!; (sich) zu einer Partei ~ 어떤 당파에 가담하다. ④ es hält leicht〔schwer〕 그것은 쉽다〔어렵다〕. 《Ⅲ》 *refl.* sich ~ ① 지속되다, 견디다, 유지되다: etwas läßt sich ~ a) 무엇이 유지될 수 있다, b) 무엇에 견디어 낼 수 있다; die Mode wird sich nicht ~ 이 유행은 오래가지 못할 것이다; du hast dich wunderbar gehalten 너는 조금도 늙지 않았다 (젊음을 유지하고 있다); die Festung kann sich nicht ~ 요새는 견디어 낼 수가 없다; ich kann mich nicht mehr ~ 나는 더 이상 참을 수가 없다; das Wetter hält sich 이 날씨는 계속된다. ② 오래 견디다, 질기다; 썩지 않다; die Farben ~ sich 빛깔이 바래지 않는다; der Wein hält sich nicht 이 포도주는 오래 못 간다; 〖구어·농담〗 gute Ware hält sich 건강한 사람은 나이가 들어도 능력이 있다. ③ (**a**) (어떤 상태·자세를) 유지하다: sich bereit 〔in Bereitschaft〕 ~ 준비〔채비〕하고 있다; sich eingeschlossen ~ (집 안에) 죽치고 있다; sich fern ~ 거리를 두고 있다, 가까이 가지 않다; sich gut ~ a) 몸가짐이〔태도가〕 훌륭하다, b) 오래가다; du hast dich in der Diskussion tapfer gehalten 너는 토론에 대담하게 임했다; sie hält sich gut für ihr Alter 그 여자는 나이에 비하여 늙지 않았다; sich krumm ~ 허리를 구부리고 있다; du mußt dich aufrecht ~ 너는 바른〔꼿꼿한〕 자세를 유지해야 한다; ~ Sie sich erst links, dann bei der Straßenkreuzung rechts 먼저 왼편으로 가다가 교차로에서 오른편으로 가십시오; sich rein 〔reinlich〕 ~ 몸을 청결하게 유지하다, 자기의 주위를 깨끗이하다; sich **an** jn. ~ a) 누구에게 의뢰하다〔묻다〕, b) 〖비유〗 누구에게 책임을 묻다; sich an et. ~ a) 무엇을 고수하다, b) 무엇에 의지하다, 무엇을 신용〔신뢰〕하다; sich an die Wahrheit ~ 진실의 편에 서다; sich an die Spielregeln ~ 게임 규칙을 지키다; 〖海〗 sich dicht an der Küste ~ 해안에 아주 근접해서 항행하다; er hält sich zu sehr **für** sich 그는 교제하기를 싫어한다; sich

gegen jn. ~ 누구에게 양보〔굴복〕하지 않다; 〘海〙 sich **in** der See ~ a) 바다 멀리 나와 있다, b) (배가) 내해성(耐海性)이 있다; sich mit jm. ~ 누구와 교제하다; sich **nach** et.³ ~ 무엇에 따르다; sich **zu** jm. ~ 누구의 편이 되다; sich dazu ~ 서두르다. ④ sich nicht ~ können …하지 않을 수 없다: ich kann mich nicht ~ zu lachen 나는 웃지 않을 수 없다. ⑤ sich nicht (zurück) ~ lassen 억제할 수 없다: er läßt sich nicht ~ zu sprechen 그는 말을 하지 않을 수 없다(할 말은 한다); er muß sich ~ 그는 검소하게 생활해야 한다. 《Ⅳ》 **gehalten** *p.a.* ↑ gehalten.

Halten *n.* -s ↑ halten 의 명사형: ~ der Handelsbücher 부기; ~ eines Landtages 국회의 소집; das ~ von Reden war verboten 연설〔강연〕 행위는 금지되어 있었다; ~ eines Versprechens 약속의 이행; ~ von Vieh 가축의 사육.

Halte≈platz *m.* (택시) 정류장; 〘철도〙 정거장. **~punkt** *m.* ① 지점(支點). ②〘철도〙 정거장. ③〘軍〙 (사격의) 조준점.

Halter [háltər] *m.* -s, - ① 관리인; (öst.) 목자(牧者); 마부; 장부계(Buch≈); (Gerichts≈) 영주(領主) 재판관, 판사; (Post≈) 역마차의 말 주인; 자동차 소유자(Kraftfahrzeug≈). ② 버팀목〔대〕, 펜대, 자루, 손잡이; 대님, 브래지어. ③〘방언〙 권총의 혁대. ④〘방언〙 (물고기를 담는) 용기.

halter *adv.* (öst.) 정말로; 어쩌면.

Hälter [hɛ́ltər] *m.* -s, - ↑ Behälter.

Haltere [haltéːrə] 《gr.》 *f.* -n ①〘動〙 평균곤(棍). ② (고대 그리스의) 근육 단련용 아령.

Halterin *f.* -nen ↑ Halter 의 여성형.

haltern [háltərn] *t.* 고정시키다.

Halterung *f.* -en 고정 장치: sich aus der ~ lösen 고정 장치에서 풀어지다.

***Halte≈stelle** *f.* 정류장; 〘철도〙 정거장. **~tau** *n.* 고정용 끈〔밧줄〕. **~verbot** *n.* 〘교통〙 정차 금지 (구역): absolutes〔uneingeschränktes〕 ~ 절대 정차 금지 (구역); eingeschränktes ~ 정차 금지 (구역); hier ist ~ 여기는 정차 금지(구역)이다. **~verbots·schild** *n.* 〘교통〙 정차 금지 표지. **~zeichen** *n.* ①〘철도〙 정차 신호. ②〘음악〙 정지 부호.

haltig [háltɪç] *a.* 〘광물〙 (광석을) 함유한.

..haltig *suf.* "…을 함유한"의 뜻(보기: kalk~ 석회가 포함된; stark alkohol~ 알코올 함유량이 높은).

haltlos *a.* 불안정한; 근거 없는, 박약한, 줏대 없는, 절제 없는.

Haltlosigkeit *f.* 불안정; 무절제; 근거없음.

halt|machen *i.* 정지하다: das Auto machte vor dem Bahnhof halt 그 자동차는 역 앞에서 멈추었다; 〘비유〙 vor jm.〔et.³〕 ~ 누구를〔무엇을〕 두려워하다. **≈machen** *n.* 정지. **≈nagel** *m.* 쐐기. **≈seil** *n.* 팽팽하게 하는 밧줄, 고정용 끈.

hältst [hɛltst] ↑ halten 의 2 인칭 단수 현재형.

***Haltung** [háltʊŋ] *f.* -en ① ↑ halten 의 명사형: ~ eines Tagebuchs 일기를 쓰는 일; ~ einer Zeitung 신문 구독; ~ des Viehs 가축의 사육. ② **(a)** 몸가짐, 태도, 자세; 침착성: in majestätischer〔würdiger〕 ~ 근엄한〔위엄 있는〕 태도로; eine aufrechte〔schlechte〕 ~ haben 자세가 곧다〔나쁘다〕; keine ~ haben 행실이 단정치 못하다; feste ~ bewahren 침착성을 잃지 않다; ~ beim Gehen 걸음걸이; ~ annehmen 차렷 자세를 취하다. **(b)** 〘비유〙 품행, 마음씨; 입장: eine sittliche ~ 도덕적 입장〔성품〕; eine politische ~ 정치적 입장〔주의〕. ③ 조화, 균형, 통일; 〘畵〙 명암의 조화〔균형〕, 색조; 〘商〙 ~ der Börse 주식 시세; matte ~ 불경기, 시황 침체; feste ~ 호경기, 시황 호조.

Haltungs·fehler *m.* ①〘醫〙 (근육 약화에 따른) 자세 결함. ②〘스포츠〙 잘못된 자세.

haltungslos *a.* 불안정한; 근거 없는, 박약한.

Haltungs·note *f.* 〘스포츠〙 자세 평점.

Halt·verbot *n.* ↑ Halteverbot.

Halunke [halʊ́ŋkə] 《tschech.》〘폄어〙 *m.* -n, -n 악한, 무뢰한; 불량 소년, 개구쟁이; 〘복수〙 하층민; 무능자, 깡패.

Halunken·streich *m.* 비열〔난폭〕한 짓.

Ham¹ [ham] *m.* 함(노아의 아들; 함족의 선조).

Ham² [hæm] 《engl.》 *m.* -s, -s 햄, 아마추어 무선사.

Häm [hɛːm] 《gr.》 *n.* -s 〘生·醫〙 헤모글로빈에 들어 있는 색소 성분.

häm.. 《gr.》 *pref.* "피"의 뜻.

Hamadryade [hamadryáːdə] 《gr., „Baumnymphe"》 *f.* 〘그리스신화〙 수목(樹木)의 여신.

Hamamelis [hamaméːlɪs] 《gr.》 *f.* 〘植〙 조롱나무의 일종.

Hamann [háːman] *m.* Johann Georg ~ 하만(독일의 사상가, 1730-88).

Hamas =Harakat al-muquwama al-islamia (1987 년 조직된) 팔레스타인의 이슬람 근본주의 조직.

Hämatin [hɛmatíːn] 《gr.》 *n.* -s 〘化〙 헤마틴 (산소 함유 헤모글로빈 색소).

Hämatinon [hɛmatinóːn] 《gr.》 *n.* -s 〘畵〙 (모자이크 등에 쓰이는 검붉고 투명한) 색유리.

Hämatit [..tíːt] *m./n.* -s, -e 〘광산〙 적철광.

hämatogen [..togéːn] *a.* 〘醫〙 혈행성(血行性)의, 조혈의, 혈액원의.

Hämatogen *n.* -s 〘藥〙 헤마토겐(혈액에서 추출해 만든 철분제(鐵分劑)).

Hämatologie [..logíː] *f.* 〘醫〙 혈액(병)학.

Hämatom [..tóːm] *n.* -s, -e 〘醫〙 혈종(血腫).

Hämatozoon [..tsóːɔn] *n.* -s, ..zoen 혈액 기생충.

Hämaturie [..turíː] *f.* -n [..ríːən] 〘醫〙 혈뇨.

Hamburg [hámbʊrk] 함부르크(독일 최대의 무역항).

Hamburg-Amerika-Linie *f.* 〘海〙 함부르크-아메리카 항로.

Hamburger [..bʊrgər] *m.* -s, - 《Ⅰ》 함부르크 사람. 《Ⅱ》 ① *a.* 함부르크의. ② [hǽmbəːrgər] *m.* -s, -(s) 햄버거, 독일식 비프스테이크.

hamburgern *i.* ① 함부르크 사투리로 말하다. ② 독일식 볼링을 함부르크풍으로 하다.

hamburgisch *a.* 함부르크의.

Hambutte [hámbʊtə] *f.* -n 들장미 (열매).

Hämchen¹ *n.* -s, - 〘요리·방언〙 (소금에 절인) 돼지의 족.

Hämchen² *n.* -s, - ① ↑ Hamen². ②〘방언〙

↑ Heimchen.
Häme [hɛ́:mə] *f.* 악의, 원한.
Hameln [há:məln] 하멜른(베저 강변의 도시).
Hameler 《I》 *m.* -s, -s 〚드물게〛 하멜른 사람. 《II》 *a.* 하멜른 사람의.
Hamelner 《I》 *m.* -s, - 하멜른 사람. 《II》 *a.* 하멜른의.
hamelnsch *a.* 하멜른의.
Hamen[1] [há:mən] 《ahd. hamo, „Hülle"; Hemd》 *m.* -s, - ①〚漁〛(낚은 고기를 끌어올리기 위한) 그물. ②〚사냥〛 새그물. ③〚방언〛 멍에.
Hamen[2] 《lat.》 *m.* -s, - 〚漁·방언〛 낚싯바늘; 낚싯대.
Hämin [hɛmí:n] *n.* -s, -e 〚생화학〛 포르피린의 3가 철착염(鐵錯塩).
*__hämisch__ [hɛ́:mɪʃ] 《mhd. hemisch》 *a.* 음흉한, 악의 있는, 성미가 고약한: er hat sich ~ gefreut 그는 고소해했다.
Hamit(e) [hamí:t(ə)] *m.* -(e)n, -(e)n (북아프리카에 사는) 햄족.
Hämitis 《gr.》 *f.* 〚醫〛 패혈증.
hamitisch *a.* 햄족의.
Hämling [hɛ́mlɪŋ] *m.* -s, -e 〚드물게〛 거세된 사람, 내시.
Hamm 함(라인강 지류 리페 강변의 도시).
Hamme *f.* -n 〚구식〛(특히 돼지의) 뒷다리.
Hammel [háməl] 《mhd. hamel, „verschnittener Widder"》 *m.* -s, -/Hämmel ① **(a)** 거세된 숫양: 〚비유〛 um (wieder) auf besagten ~ zu kommen (다시) 본론으로 돌아가면. **(b)** 양고기. ②〚욕설〛 답답한 사람, 어리석은 인간: du ~! 이 어리석은 인간아! ③ 옷자락의 더러움.
Hammel=beine *pl.* 〚다음 용법으로〛〚구어〛 jm. die ~ langziehen 누구를 엄하게 꾸짖다; jn. bei den ~n nehmen〔kriegen, packen〕 누구에게 책임을 묻다. **~braten** *m.* 구운 양고기. **~fett** *n.* 양고기의 기름기. **~fleisch** *n.* 양고기. **~keule** *f.* 양의 허벅지 고기.
hammeln *t.* 양〔사람〕을 거세하다.
Hammel=rippchen *pl.* 양갈비(살). **~schlegel** *m.* ↑ ~keule. **~sprung** *m.* (의회의 찬반과 기권을 표시한 3개의 문으로 들어오는 의원수로 결정하는) 재입장 표결 방식.
*__Hammer__ [hámər] *m.* -s, Hämmer [hɛ́mər] ① **(a)** (쇠)망치, 해머: ~ und Sichel 망치와 낫(공산주의에서 노동자와 농민의 연대를 나타내는 상징); ~ des Tors 문 앞에 있는 마치(초인종의 일종); unter den ~ kommen 경매에 부쳐지다; et. unter den ~ bringen 무엇을 경매에 부치다; zwischen ~ und Amboß sein 몹시 곤궁하다; 〚경박〛 einen ~ haben 미치다, 제정신이 아니다; das ist ein ~! 그건 얼빠진 소리다!; das neue Buch von Y. ist ein ~ 새로 나온 Y의 책은 굉장하다. **(b)** 〚음악〛(피아노의) 해머. **(c)** 〚해부〛 망치뼈. ② 〚工〛 철공장. ③〚육상〛 해머던지기. ④〚구기·은어〛 강한 슛. ⑤〚구어〛 큰〔중대한〕 실수. ⑥ 남자의 성기.
Hammer=auge *n.* 망치의 자루 끼는 구멍. **~bahn** *f.* 망치의 두드리는 면.
hämmerbar [hɛ́mərba:r] *a.* 망치로 때려서 늘일 수 있는, 전성(展性)이 있는.
Hämmerbarkeit *f.* 가단성(可鍛性), 전성.
Hammer=block *m.* (쇠 불릴 때 받침으로 쓰는) 모루, 철침(鐵砧). **~brecher** *m.* (광석이나 암석의) 파쇄기.
Hämmerchen *n.* -s, - 〚↑ Hammer의 축소형〛 작은 망치.
Hammer=eisen *n.* 담금질한 쇠; 연철(錬鐵). **~fisch** *m.* 〚動〛 ↑ ~hai. **~förmig** *a.* 망치 모양의, 망치형의. **~hai** *m.* 〚動〛 귀상어의 일종. **~herr** *m.* ↑ ~meister. **~hütte** *f.* 대장간. **~klavier** *n.* 〚구식〛 ↑ Pianoforte. **~kopf** *m.* 망치 대가리.
Hämmerlein *n.* -s, - ①〚雅語〛 작은 망치. ② ↑ Hämmerling.
Hämmerling *m.* -s, -e 요괴; 악마; (인형극의) 익살꾼: Meister ~ 형리.
Hammer·meister *m.* 대장간 주인.
hämmern [hɛ́mərn] 《I》 *t.* ① 망치로 치다〔때리다〕, 망치질하여 늘이다〔가공하다〕: Metall ~ 금속을 망치로 때려 가공하다; 〚비유〛 man muß es ihm ordentlich ins Gewissen 〔Bewußtsein〕 ~ 그것을 그의 양심〔의식〕에 깊이 박아 놓아야 한다. ② **(a)** 〚구기〛 einen Ball ~ 강슛을 날리다. **(b)** 〚권투〛 연타를 날리다. 《II》 *i.* ① 망치로 치다; 강타하다: es hämmert 망치 소리가 들린다; im Fieber ~ die Schläfen 열병으로 관자놀이가 욱신거리다. ② **(a)** (여러 차례 세차게) 때리다, 두드리다: (mit den Fäusten) an die Tür ~ (주먹으로) 문을 쾅쾅 두드리다. **(b)** (심장·맥박이) 빠르게 뛰다.
Hammer=schlacke *f.* 쇠부스러기. **~schlag** *m.* ① 망치질. ②〚工〛 쇠부스러기. ③ **(a)** 〚권투〛 상대방의 머리 윗부분을 때리는 파울. **(b)** (파우스트볼에서) 주먹의 바깥면으로 공을 치는 것. ④〚방직〛(망치질한 철판처럼 광택나는) 직물. **~schmied** *m.* 〚구식〛 대장장이. **~stiel** *m.* 망치 자루. **~werfen** *n.* 〚육상〛 ↑ ~wurf. **~werfer** *m.* 〚육상〛 투해머 선수. **~werk** *n.* 대장간. **~wurf** *m.* 〚스포츠〛 해머던지기. **~zehe** *f.* 〚醫〛(아래로) 휘어진 발가락. **~zeichen** *n.* ① 제품에 부착하는 철공장의 표시. ② 벌채의 표시로 나무에 표시해 놓은 망치 자국.
Hämmling *m.* -s, - ↑ Hämling.
Hammond·orgel [hǽmənd-] *f.* 해먼드 오르간.
hämo.. 《gr.》 *pref.* "혈액"의 뜻.
Hämoglobin [..globí:n] *n.* -s 〚生〛 헤모글로빈, 혈색소.
Hämolyse [..lý:zə] 《gr.》 *f.* 용혈 (반응).
Hämophilie [..filí:] *f.* -n [..lí:ən] 〚醫〛 혈우병.
Hämorrhagie [hɛmɔragí:] *f.* -n [..gí:ən] 〚醫〛 출혈.
hämorrhoidal [hɛmɔroidá:l] 《gr.》 *a.* 〚醫〛 치질의.
Hämorrhoidal=beschwerden *pl.* 〚醫〛 치질. **~blutung** *f.* 치(痔)출혈. **~knoten** 《gr.》 *m.* 〚醫〛 치핵. **~leiden** *pl.* 치질.
Hämorrhoidarius [hɛmɔroidá:riʊs] 《gr.》 *m.* -s, ..rien [..riən] 〚醫〛 치질 환자.
Hämorrhoide [hɛmɔroí:də] 〚醫〛 치질.
Hämorride 新정서 ⇦ Hämorrhoide.
Hämostase [..stá:zə] *f.* -n 〚醫〛 지혈.
Hämostatikum *n.* -s, ..ka 〚藥〛 지혈제.
hämostatisch *a.* 지혈하는; 울혈(鬱血)의:

~e Mittel 지혈제.

Hämotypus *m.* -, ..pen 혈액형.

Hämozyt [..tsý:t] *m.* -en, -en 혈구(血球).

Hampel·mann [hámpəl..] *m.* 〖복수: ..männer〗 ① 꼭두각시: er ist gelenkig wie ein ~ 그는 꼭두각시처럼 몸이 유연하다. ② 〖비유·구어〗 허수아비, 괴뢰: jn. zu einem ~ machen 〔einen ~ aus jm. machen〕 누구를 예속시키다〔꼭두각시로 만들다〕. ③ (핸드볼의) 골키퍼의 방어 동작.

hampeln [hámpəln] *i.* (산만하게) 발〔손〕을 흔들다〔떨다〕: nach et.³ ~ 끊임없이 무엇을 움켜잡으려 하다.

Hamster [hámstər] *m.* -s, - ① 〖動〗 햄스터. ② 햄스터 모피. ③ 〖비유〗 **(a)** 탐욕스러운 사람, 욕심쟁이. **(b)** 은둔자.

Hamster≈backe *f.* ① 햄스터의 볼 주머니. ② 〖대개 복수〗 포동포동한 뺨. **~bau** *m.* 햄스터의 굴.

Hamsterei [hamstəráɪ] *f.* -en 사재기, 매점(買占).

Hamsterer [hámstərər] *m.* -s, - 〖구어〗 매점매석꾼.

Hamster≈fell *n.* 햄스터 모피. **~höhle** *f.* 햄스터의 굴. **~kauf** *m.* 〖구어〗 매점 매석: Hamsterkäufe machen 매점매석하다.

hamstern [hámstərn] *t./i.* ① 매점하다, 사재기하다. ② 부지런히 일하다〔벌다〕. ③ 마구 먹다.

Han [ha:n] 《türk., „Herberge"》 *m.* -s, -s/-e 숙사(宿舍); 대상(隊商)의 숙사.

***Hand** [hant] *f.* Hände [héndə] ① 손; 손바닥; (네발 짐승의) 앞발; 〖海〗 닻가지: die flache ~ 손바닥; die hohle ~ 손바닥의 우묵한 곳; die umgekehrte〔verkehrte〕 ~ 손등; Pflege der Hände 매니큐어; Hände weg! 손대지 마라! ② 4 인치(손바닥 넓이); das Pferd ist 15 ~〔Hände〕 hoch 이 말의 키는 5 피트다. ③ 사람; 일손; 선원: Brief von lieber ~ 좋아하는 사람에게서의 편지; aus erster ~ a) 첫번째 소유자에게서, b) 직접적으로, c) 확실한 곳에서; aus zweiter ~ a) 중고의, b) 두 번째 소유자에게서, c) 간접적으로; aus〔von〕 privater ~ 개인에게서; aus sicherer〔guter〕 ~ 확실한 곳에서; es fehlt uns an Händen 우리들은 일손이 모자란다; 〖속담〗 viele Hände machen bald ein Ende 백지장도 맞들면 낫다; sie ist in festen Händen 그 여자에게는 정해진 임자가 있다(결혼했다); das Haus ist in festen Händen 그 집은 팔 집이 아니다; 〖海〗 es sind zwölf Hände an Bord 12 명의 선원이 승선하고 있다; alle Hände auf Deck! 전원 갑판으로! ④ 필적: eine gute ~ schreiben 글씨를 잘 쓴다, 필치가 좋다; eine fließende ~ 흘림 글씨, 초서(草書); ein Brief von eigener ~ eines Fürstens 군주의 친서. ⑤ 편, 쪽, 방향: zur rechten〔linken〕 ~ 우측〔좌측〕에; rechter〔linker〕 ~ 우편〔좌편〕에. ⑥ 〖동사와 함께〗 die Hände falten 합장하다, 두 손을 모으다; die Hände auflegen (축복하기 위해서) 안수하다; die ~ aufhalten〔hinhalten〕 팁을 좋아하다; reine Hände haben 결백하다, 무죄다; alle Hände über jn. halten 누구를 두둔하다; alle Hände voll zu tun haben 몹시 바쁘다〔분주하다〕; (bei et.³) seine Hände im Spiel haben 무엇에 은밀히 참여하고 있다; die Hände über dem Kopf zusammenschlagen (놀란 나머지) 말문이 막혀 버리다; ich wasche meine Hände in Unschuld 나는 결백을〔무죄를〕 증명한다; js. Händen entkommen 누구의 손아귀에서 벗어나다; die ~ gegen jn. erheben 누구를 협박하다; die Hände in den Schoß legen a) 쉬다, b) 수수방관하다; ihm sind die Hände gebunden 그는 뜻대로 행동하지 못한다; freie ~ haben 자유롭게 행동하다; eine grüne ~ haben 식물을 잘 돌본〔키운〕다; eine hohle ~ haben 매수할 수 있다; keine ~ rühren 수수방관하다; ohne eine ~ zu rühren 돕지 않고서; er hat eine lockere〔lose〕 ~ 그는 툭하면 때린다; jm. freie ~ lassen〔geben〕 누구에게 행동의 자유를 허락하다; schlanker ~ 주저하지 않고, 경솔하게; eine offene〔milde〕 ~ haben 적선하기를 좋아하다; er hat immer die ~ in der Tasche 〔im Beutel〕 그는 항상 적선하기를 좋아한다; die ~ auf die Tasche 〔den Beutel〕 haben〔halten〕 인색하다; sich die ~ für jn〔et.〕 abhacken〔abschlagen〕 lassen 누구를〔무엇을〕 전적으로 신임〔보증〕하다; die ~ in den Taschen anderer haben 다른 사람을 이용〔착취〕하다; ~ anlegen a) 일하다, b) (an et.) …에 손을 대다, …을 붙잡다, c) (an et.) …에 착수하다; eine bessernde ~ anlegen 개선〔개량〕하다; die letzte ~ anlegen 완성하다; ~ an sich legen 자살하다; ~ an jn. legen 누구에게 폭행하다; letzte ~ an et. legen 완성하다; jm. auf et. die ~ geben 누구에게 무엇을 확인하다; die〔seine〕 ~ auf et. halten 무엇을 절약하다; seine ~ auf et. legen 무엇을 점유하다; jm. die ~ (zum Bund) fürs Leben reichen 누구와 결혼하다; sich〔einander〕 die ~ reichen können 하는 짓이 서로 같다; die (helfende) ~ von jm. abziehen 누구에게서 (도움의) 손길을 떼다; seine〔die〕 ~ nach et.³〔jm.〕 ausstrecken 무엇을〔누구를〕 탐내다; seine Hände über jn.〔et.〕 halten 누구를〔무엇을〕 보호하다〔지키다〕; jm. die ~ drücken a) 누구와 악수하다, b) 누구에게 인사〔감사〕하다, c) 누구와 같은 의견이다; jm. die ~ geben 누구와 악수하다, (여자가) 누구에게 결혼을 승낙하다; jm. die ~ drücken〔schütteln〕 누구와 악수하다; wir können uns die ~ geben 우리는 처지가〔입장이〕 비슷하다; jm. die ~ bieten〔reichen〕 누구에게 악수를 청하다; sich³ die ~ reichen 서로 악수하다; jm. die ~ zur Versöhnung 〔Hilfe〕 bieten 누구에게 화해를 청하다〔도움의 손길을 주다〕; die Hände in Wut ballen 분격하여 주먹을 쥐다; die Hände erheben 손을 올리다〔들다〕(기도·투표·서약·축복 따위를 할 때); zwei linke Hände haben 손재주가 없다; klebrige Hände haben 도벽이 있다; schmutzige Hände haben 불법적인 일에 말려들다, 죄를 저지르다; jm. in die Hände laufen 누구를 우연히 만나다; sein Vorschlag hatte ~ und Fuß 그의 제안은 비난할 점이라고는 없었다; 〖비유·구어〗 sich³ et. an den 〔beiden〕 Händen abzählen〔abfingern〕 können 무엇을 미리 내다보다〔헤아리다〕; jm. die ~ küssen (감사·인사의 표시로) 누구의 손에 입맞추다; sich die Hände reiben (기뻐서 또는 추위를 막기 위해서) 손을 비비다; sich³ die

H

Hände fürs Leben reichen 결혼하다; 〖雅語〗 um die ~ einer Frau anhalten〔bitten〕 여자에게 청혼하다; 〖雅語〗 js. ~ ausschlagen 누구의 청혼을 거절하다; die Hände ringen (절망하여) 양 손을 비비다; seine Hände sinken lassen 낙담하다, 맥〔힘〕이 빠지다; 〖비유〗 jm. die Hände schmieren〔versilbern〕 누구에게 뇌물을 주다; die〔seine〕 ~ für et.〔jn.〕 ins Feuer legen 무엇을〔누구를〕 확신〔보증〕하다; die ~ ist mir ausgerutscht 나는 따귀를 때렸다; ~ ans Werk legen 일에 착수하다; die Hände in die Tasche stecken 수수방관하다; 〖구어〗 man sieht die ~ nicht vor (den) Augen 아무것도 보지 못하다; wie〔ehe〕 man eine ~ umdreht 잠깐 동안에(손바닥을 뒤집는 사이에); jm. hilfreiche ~ leisten 누구를 돕다; hohle Hände machen 손바닥을 우묵하게 하여 내밀다, (…을) 탐내다; weder ~ noch Fuß regen〔rühren〕 손가락하나 까딱하지 않다, 무위 도식하다; 〖속담〗 eine ~ wäscht die andere 가는 정 오는 정; die öffentliche ~〔die öffentlichen Hände〕 공공 재산의 관리자로서의 국가. ⑦〖전치사와 함께〗 jn. **an** der ~ haben 누구를 장악하고 있다〔잘 알고 있다〕; an Händen und Füßen gebunden sein 손발이 묶여 있다, 무력하다; jm. et. an ~ geben a) 무엇을 누구 손에 넘기다〔맡기다〕, b) 누구에게 무엇을 조언〔암시〕하다; ein Kind an der ~ führen〔leiten〕 아이 손을 잡고 이끌다; jm. an die 〔zur〕 ~ gehen 누구를 도와주다; an der ~ haben 수중에 있다, 준비하고 있다; an ~ 〔anhand〕 무엇의 도움으로: et. an ~ von Beispielen erläutern 예를 들어 설명하다; das liegt klar **auf** der ~ 그것은 명백하다; auf den Händen stehen 물구나무서다; jn. auf (den) Händen tragen 누구를 소중히 하다〔애무하다〕; auf die (flache) ~ 현금으로, 즉시; jm. auf die Hände sehen 누구를 엄중히 감시〔관찰〕하다; auf eigene ~ unternehmen 본인 책임 아래 일을 계획하다; jm. et. auf die ~ geben 누구에게 무엇을 주다; **aus** der ~ fressen 손으로 집어 먹다; 〖비유〗 er frißt aus der ~ 그는 매우 비굴하다, 다른 사람의 뜻대로 한다; et. aus der ~ geben 무엇을 포기하다, 기권하다; jm. et. aus der ~ 〔den Händen〕 nehmen 누구에게서 무엇을 빼앗다〔박탈하다〕; et. aus der ~ vortragen (정확한) 근거 없이 말하다; aus freier ~ zeichnen〔malen〕 자유화(畫)를 그리다; aus freier ~ gemacht 맨손으로〔도구 없이〕 만들어진; (jm.) aus der ~ lesen〔wahrsagen〕 (누구의) 손금을 보다; jm. die Waffe aus der ~ schlagen 누구 손을 쳐서 무기를 떨어뜨리게 하다; (aus der) ~ spielen (덮어둔 패를 이용하지 않고) 카드놀이하다; aus〔von〕 der ~ in den Mund leben 그날그날 근근이 살아가다; jn. **bei** der ~ fassen 누구를 인도하다; et. bei der ~ haben 무엇이 수중에 있다, 무엇을 준비하고 있다; er ist gleich mit der Antwort bei der ~ 그는 곧장 대답할 수 있다; **durch** js. Hände gehen 누구의 손을 거치다; **hinter** der ~ sein〔sitzen〕 〖카드〗 맨끝 차례다; hinter vorgehaltener ~ 비공식적으로, 비밀리에; **in** die Hand〔Hände〕 bekommen 손에 넣다; 〖비유·구어〗 in die Hände spucken (힘을 내어) 일을 시작하다, 일에 착수하다; in die Hände klatschen 박수치다; alle Fäden einer Angelegenheit in der ~ haben 어떤 사건의 전모를 알고 있다; sein Herz in die ~ nehmen 용기를 내다, 결심을 하다; mit jm. ~ in ~ gehen a) 누구와 손을 맞잡고 가다, 제휴하다, b) 누구와 같은 의견이다; jm. in die Hände arbeiten 누구를 돕다; jm. et. in die Hände spielen 우연을 가장하여 누구에게 무엇을 주다; die Beine in die ~ nehmen 급히 사라지다, 도망치다; et. in die ~ nehmen a) 무엇을 손에 넣다, b) 무엇의 주도권을 잡다; sein Herz in die ~ nehmen 용기를 불러일으키다; jm. in die Hände fallen 누구에게 사기당하다; in Gottes ~ stehen 신의 보호 아래 있다; 〖구어·폄어〗 jm. et. in die ~ drücken (누구를 떨쳐버리기 위해서) 누구 손에 무엇을 쥐어 주다; jm. et. in die ~ geben 누구에게 무엇을 위임하다; in js. Hände übergehen 누구의 수중으로 넘어가다; in js. ~ geraten〔gelangen〕, jm. in die Hände fallen 누구의 수중에 들어가다; jm. et. in die ~ geloben〔versprechen〕 (악수로) 누구에게 무엇을 굳게 약속하다; jn.〔et.〕 in der ~ haben 누구를〔무엇을〕 손아귀에 넣고〔소유하고〕 있다; die Regierung hat die Polizei fest in der ~ 정부는 경찰을 장악하고 있다; sich in der ~ haben 자신을 제어하다; in js. ~ liegen 누구의 결정에 달려 있다; jn.〔et.〕 in js. ~ legen 누구를〔무엇을〕 누구에게 맡기다〔위임하다〕; nicht in die ~ 결코 …이 아니다〔…하지 않는다〕; 〖비유〗 **mit** beiden Händen 열심히; das ist mit Händen zu greifen 그것은 명백한 사실이다; 〖구어〗 mit den Händen 〔mit Händen und Füßen〕 reden a) 손짓〔손짓발짓〕으로 말하다, b) 손짓으로 무엇을 강조하여 말하다; et. mit geschmatzten Händen nehmen 무엇을 기꺼이 받다; sich gegen et. mit Händen und Füßen sträuben〔wehren〕 온 힘을 다하여 무엇에 저항하다; mit ~ und Mund versprechen 서약하다; mit leeren Händen a) 빈손으로 b) 별 소득 없이; mit leichter ~ 쉽사리; et. mit der linken ~ machen〔erledigen〕 무엇을 쉽게 처리하다; mit starker 〔fester〕 ~ 강력〔엄격〕하게; mit vollen Händen a) 듬뿍, 풍부히, b) 아낌없이; mit der ~ gemacht 수공의, 손으로 만든; **nach** der ~ abschätzen 손으로 무게를 달아 보다; ~ **über** ~ schwimmen 두 손을 교대로 물 위로 내면서 헤엄치다; jn. **um** js. ~ bitten 누구 딸과 결혼하기 위해 그 양친의 허락을 구하다; jm. **unter** die Hände kommen 누구 손아귀에 들어가다; unter der ~ des Arztes 의사의 치료를 받으면서; et. unter der ~ tun 무엇을 비밀리에〔남모르게〕 행하다; unter der ~ kaufen 비밀리에 사다; et. unter den Händen haben 무엇을 제작 중이다, 무엇에 종사하고 있다; die Erbschaft zerrann〔schmolz〕 ihm unter den Händen 유산이 그의 수중에서 점점 사라졌다; et. **von** der ~ weisen 무엇을 퇴짜 놓다, 거절하다; sich nicht von der ~ weisen lassen 〔nicht von der ~ zu weisen sein〕 (부정할 수 없을 정도로) 명백하다; der Wechsel geht von ~ zu ~ 어음은 손에서 손으로 넘어간다; die Arbeit geht ihm gut 〔flott〕 von der ~ 그는 일을 빨리 잘한다; et. von langer ~ vorbereiten 무엇을 신중히 준

비하다; **vor** der ~ 〔vorder≈〕 당분간, 일시적으로; et. vor die ~ nehmen 무엇에 착수하다; jm. **zur** ~ gehen 누구를 도와주다; sich eine Frau zur linken ~ antrauen lassen (왕이) 신분이 낮은 여자와 결혼하다; zur ~ sein 가지고〔준비하고〕 있다; et. zur ~ haben 무엇이 손 닿을 만한 곳에 있다; et. zur ~ nehmen 무엇을 손에 들다; zu Händen 〔zu Handen〕 des Herrn N. N 씨에게, N 씨 귀하.

Hand≈amboß *m.* 〚工〛 작은 쇠모루. **~änderung** *f.* (schweiz.) (토지 대장의) 소유주 변경. **~anlegung** *f.* ① 착수. ② 체포, 포박, 압류. **~antrieb** *m.* 수동 (장치) : mit ~ 손으로 작동되는. **~apparat** *m.* ① (전화의) (송)수화기. ②〚도서관〛 특정 연구 분야의 참고 서적. **~arbeit** *f.* ① 수작업(↔ Maschinenarbeit) : et. in ~ herstellen 무엇을 수작업으로 생산하다. ② 뜨개질, 자수. ③ 수공(예)품: diese Tischdecke ist ~ 이 테이블 덮개는 수제품이다. **≈arbeiten** 《I》 *t.* 수공하다: sie hat dies selbst gehandarbeitet 이것은 그녀가 손으로 직접 짠 것이다. 《II》 *i.* (h.) 수예를 하다. **~arbeiter** *m.* ① 육체 노동자(↔ Kopfarbeiter). ② 수공업자. **~atlas** *m.* 휴대용 지도. **~aufheben** *n.* 거수(찬성 또는 발언의 표시) : sich durch ~ zu Wort melden 손을 들어 발언권을 신청하다. **~auflegung** *f.* 〚宗〛 안수(按手). **~ausgabe** *f.* 〚印〛 (책의) 문고판. **~ball** *m.* ① 핸드볼. ② 핸드볼 공. **~ballen** *m.* 〚해부〛 손바닥의 살찐 부분. **~baller** *m.* 핸드볼선수. **~becken** *n.* 세숫 대야. **~beil** *n.* 손도끼. **~besen** *m.* 청소용비, 브러시. **~betrieb** *m.* ① 수공업(↔ Dampfbetrieb) : für〔mit〕 ~ 손으로 운전되는. ② 〔농담〕 자위 행위. **~bewegung** *f.* 손운동; 몸짓, 손짓. **~bibel** *f.* 소형〔포켓판〕 성경. **~bibliothek** *f.* ① ↑ ~apparat ②. ② (도서관 열람실의) 열람용 도서. **~blatt** *n.* 소맷부리(의 주름 장식). **~bohrer** *m.* 작은 송곳. **~brause** *f.* (샤워실의) 물뿌리개. **≈breit** *a.* 손 너비의(약 4 인치). **~breit** *f.* 손 너비(약 4 인치). **~bremse** *f.* 〚工〛 사이드〔수동〕 브레이크. **~brief** *m.* ① 자필 편지, 친서. ② 삐라. **~buch** *n.* ① 중형본(中型本). ② 편람, 안내서, 개론: ~ für Reisende 여행 안내서. **~büchse** *f.* 〚軍〛 휴대 화기.

Händchen [hɛ́ntçən] *n.* -s, - 〘↑ Hand 의 축소형〙 작은 손: für et. ein ~ haben 무엇에 능숙하다; ~ halten 손을 잡고 있다.

händchen·haltend *a.* 〔구어·농담〕 손을 잡은 채의.

Hand≈creme *f.* (손에 바르는) 크림. **~decke** *f.* 작은 말안장. **~dienst** *m.* 손으로 하는 부역. **~druck** *m.* ①〚방직〛 목판 염색, 목판 인쇄(↔ Maschinendruck). ② 〔드물게〕 악수(↑ Händedruck).

Hände·druck *m.* 악수: einen ~ wechseln 악수하다.

Hand≈eimer *m.* 양동이. **~eisen** *n.* 수갑.

Hände·klatschen *n.* 박수 (갈채).

***Handel**[1] [hándəl] 《< handeln》 *m.* -s ① 용무, 용건; 사건: ein böser ~ 재미 없는 일, 불상사; sich in einen ~ einlassen 어떤 사건에 끼어들다. ② 소송: einen ~ gewinnen 소송에 이기다. ③〚商〛 (**a**) 거래, 매매 계약: einen ~ abschließen 거래 계약을 맺다; einen guten ~ machen 수지 맞는 거래를 하다; mit jm. in den ~ kommen 누구와 상거래하다, 무엇에 합의하다. (**b**) 상업; 무역: ~ im großen〔kleinen〕 도매〔소매〕; ~ mit Zucker 사탕 판매; ~ und Gewerbe 상공업; ~ und Wandel 상업, 실업; den ~ an sich reißen 매점하다; mit et.³ ~ treiben 무슨 장사를 하다. ④〚방언〛 상점: einen ~ aufmachen 가게를 열다.

Handel[2] *m.* -s, Händel 〚雅語〛 다툼, 분규, 싸움: Händel mit jm. suchen 누구에게 싸움을 걸다.

Händel·macher *m.* 싸움꾼.

***handeln** [hándəln] 《< Hand》《I》 *t.* ① …의 값을 깎다, 싸게 사다. ② 팔다, 매각하다: Kartoffeln wurden gestern für 0.50 DM das Kilo gehandelt 감자가 어제 킬로그램당 50 페니히에 팔렸다. 《II》 *i.* (h.) ① 행하다, 행동하다: gütig ~ 친절하게 행동하다; an jm. gut 〔schlecht〕 ~ 누구에게 좋게 〔나쁘게〕 대하다; gegen ein Gebot ~ 명령을 거역하다; als es zu ~ galt 드디어 결행〔실행〕하려던 참에. ② von et.³ 〔über et.〕 ~ 무엇을 논하다, 다루다, (연구의) 제목으로 하다: wovon ~ die Aufsätze? 그 논문의 제목은 무엇이냐? ③ 담판〔의논〕하다; 〚商〛 상담〔흥정〕하다, 값을 깎다: um den Frieden ~ 평화 협상을 벌이다; mit jm. um et. ~ 누구와 무엇에 대해 흥정하다; er läßt mit sich ~ a) 그는 값을 곧잘 깎아준다, b) 〔비유〕 남의 말을 곧잘 듣는다. ④〚商〛 장사하다, 거래하다: mit et.³ ~ 무슨 장사를 하다; er handelt mit Gemüse 그는 야채 장사를 한다; er handelt in Gebrauchtwagen 그는 중고차를 판다; im großen〔kleinen〕 ~ 도매〔소매〕하다. 《III》 *refl.* ① *imp.* es handelt sich um et. 무엇이 문제다〔중요하다〕; um was 〔worum〕 handelt es sich? 무엇이 문제냐? ②〘결과를 나타내어〙 sich reich〔arm〕 ~ 장사해서 돈을 벌다〔밑지다〕.

Handels≈abkommen *n.* 무역 협정. **~adreß·buch** *n.* 거래 명부. **~agent** *m.* 대리점. **~akademie** *f.* (öst.) (5 년제) 상업 고등학교. **~amt** *n.* 상무국. **~angelegenheit** *f.* 상사(商事). **~artikel** *m.* 상품. **~attaché** [..ʃeː] *m.* 상무관(官). **~ausdruck** *m.* 상업용어. **~ausschuß** *m.* 무역〔상업〕 위원회. **~bank** *f.* 상업 은행. **~beflissene*** *der* 수습 상인, 점원. **~befugnis, ~berechtigung** *f.* 영업 면허. **~bericht** *m.* 상업 보고. **~betrieb** *m.* 상업 (경영). **~betriebslehre** *f.* 경영학. **~beziehungen** *pl.* 거래〔무역〕 관계. **~bilanz** *f.* ① 무역 수지: aktive〔passive〕 ~ 무역 수지 흑자〔적자〕. ② 영업 대차 대조표. **~blatt** *n.* 경제 신문. **~brauch** *m.* 상(업상의) 관례. **~brief** *m.* 상용 서신. **~buch** *m.* 상업 장부; 회계부. **~bündnis** *n.* 통상 조약.

Handelschaft [hándəlʃaft] *f.* ① 상업. ② 상업 단체; 상인 계급; 상업계.

Handels≈diener *m.* 점원. **~dünger** *m.* 화학 비료, 금비(金肥). **≈einig, ≈eins** *a.* ≈einig 〔≈eins〕 werden 거래 계약이 성립하다, 값이 결정되다. **~embargo** *n.* 〚經〛 (특정 국가에 대한) 교역〔통상〕 금지. **~erlaubnis** *f.* 영업 허가. **~fach** *n.* 상거래 분야; 상과. **~firma** *f.* 상회, 상점, 회사. **~flagge** *f.* (국

H

적 표시를 위한) 상선기(旗). **~flotte** *f.* 〖海〗 상선대(隊). **~frau** *f.* 여(자) 상인. **~freiheit** *f.* 자유 무역. **~freund** *m.* 거래선. **~fürst** *m.* 거상(巨商). **~gärtner** *m.* 원예 재배가. **~gebrauch** *m.* ↑ ~brauch. **~geist** *m.* 상혼(商魂), 상인 근성〔기질〕. **~genoß** *m.* 상사 조합원. **~genossenschaft** *f.* 상사 조합; 합명 회사, 상사 회사. **~geographie** *f.* 상업 지리. **~gericht** *n.* 상사(商事) 재판소. **~gerichtlich** *a.* 상사 재판상의. **~geschäft** *n.* ① 상행위, 영업. ② 상점. **~geschichte** *f.* 상업사(史). **~gesellschaft** *f.* 상사 회사, 상사. **~gesellschafter** *m.* 상사원; 출자자. **~gesetz** *n.* 상법. **~gesetz·buch** *n.* 상법전(약어: HGB). **~gewächs** *n.* 판매할 농작물, 공업 원료. **~gewerbe** *n.* ①〖총칭〗 상업. ② 영업. **~gewicht** *n.* 〖經〗 ① 상형(常衡)(중량 단위; 16 온스를 1 파운드로 함). ② 상관행상의 중량. **~gewohnheit** *f.* ↑ ~brauch. **~gewölbe** *n.* 창고. **~gut** *n.* 상품. **~hafen** *m.* 무역항. **~haus** *n.* 대형 상점; (오래된) 점포. **~herr** *m.* ① 점포 주인. ② 호상(豪商). **~hochschule** *f.* 상경 대학. **~innung** *f.* 상업 조합. **~interessen** *pl.* 상업상의 이해. **~jude** *m.* 〖고어〗 유대 상인. **~kammer** *f.* 상공 회의소. **~kapital** *n.* 상업 자본. **~klasse** *f.* 〖商〗 (농수산물의) 상품 등급: Heringe der ~ 1 1등급의 청어. **~kollegium** *n.* ↑ ~kammer. **~kompanie** *f.* 무역 상사. **~korrespondent** *m.* ① 상업〔무역〕 통신원. ② 거래선. **~korrespondenz** *f.* 상업〔무역〕 통신. **~krieg** *m.* 무역 전쟁, 경제 전쟁. **~krise, ~krisis** *f.* 통상 위기. **~kunde** *f.* 상업학. **~lehrer** *m.* 상업 교사. **~lehrling** *m.* 상업 수습생, 점원. **~makler** *m.* 상업 중개인, 거간꾼. **~mann** *m.* 〖복수: ..männer/..leute〗 상인. **~marine** *f.* ↑ ~flotte. **~marke** *f.* 상표. **~mäßig** *a.* ① 팔 수 있는, 팔리는. ② 상업(상)의. **~minister** *m.* 통상〔상무〕 장관. **~ministerium** *n.* 통상부. **~nation** *f.* 상업을 주로 하는 국민. **~niederlassung** *f.* (해외의) 영업소, 출장소, 대리점. **~organisation** *f.* ① 상업 조합; 무역 기구. ② 〖구동독〗 국영 판매점(약어: HO). **~ort** *m.* 상업 중심지. **~papier** *n.* 〖經〗 상업 증권. **~platz** *m.* ↑ ~ort. **~politik** *f.* 무역 정책. **~rat** *m.* ① 상공 회의소. ② 상업 고문관 (칭호). **~politisch** *a.* 무역 정책(상)의. **~recht** *n.* 〖法〗 ① (상업) 경영의 권리. ② 상법. **~rechtlich** *a.* 〖法〗 상법(상)의. **~register** *n.* 상업 등기. **~reise** *f.* 상용 여행. **~reisende*** *der/die* ↑ ~vertreter. **~richter** *m.* 〖法〗 (명예직) 상사(商事) 배석 판사. **~sache** *f.* 교역에 관한 문제; 〖대개 복수〗 상사 소송 사건. **~schiff** *n.* 상선. **~schiffahrt** *f.* 해운. **~schule** *f.* 상업 학교. **~spanne** *f.* 〖經〗 가격차(제조가와 판매가 또는 판매가와 매입가의 차이). **~sperre** *f.* ↑ ~embargo. **~staat** *m.* 상업〔무역〕 국가. **~stadt** *f.* 상업 도시. **~stand** *m.* 상인 계층, 실업계. **~statistik** *f.* 상업 통계. **~straße** *f.* 〖經〗 무역〔통상〕로. **~system** *n.* 상업〔통상〕 조직. **~tag** *m.* ① (유대인의) 영업일(↔ Festtag). ② 상업 회의. **~teil** *m.* (신문의) 상업란.

Händel·stifter *m.* ↑ ~macher.

handels·üblich *a.* 상관례상의: et. zu den ~en Preisen kaufen 무엇을 정상적인 가격에 사다.

Händel=sucher *m.* ↑ ~macher. **~sucht** *f.* 싸움을 좋아함, 논쟁벽. **~süchtig** *a.* 싸움질 잘 하는, 성급한.

Handels=unternehmen *n.* 상업적 기업; 투기. **~verbindung** *f.* ① 거래〔통상〕 관계. ② 상업 조합. **~verbot** *n.* 통상 금지. **~verein** *m.* 상업 조합. **~verkehr** *m.* 상거래; 교역. **~vertrag** *m.* 통상 조약, 상사 계약. **~vertreter** *m.* 대리상, 대리점. **~vertreterin** *f.* ↑ ~vertreter 의 여성형. **~vertretung** *f.* 무역〔통상〕 대표부. **~volk** *n.* 상업 국민. **~volumen** *n.* 〖經〗 교역량, 무역 총액. **~ware** *f.* 상품. **~weg** *m.* 무역로. **~welt** *f.* 상업계, 무역업계. **~wert** *m.* 〖經〗 거래 시세, 시장 가격〔가치〕. **~wesen** *n.* (일반적으로) 상업 경영. **~wissenschaft** *f.* 무역학. **~zeichen** *n.* 상표. **~zeitung** *f.* 상업 신문. **~zweig** *m.* 상업〔거래〕 부문.

Handel=treiben *n.* 상행위, 상거래. **~treibend** *a.* 장사하는.

Händel·wurz *f.* 〖植〗 뿌리가 손바닥 모양인 난의 일종.

Hände=ringen *n.* (곤란 또는 절망의 표시로) 손을 깍지낌. **~ringend** *a.* 탄원〔애원〕하는. **~spiel** *n.* 손짓; 과장된〔흥분한〕 몸짓. **~waschen** *n.* 손씻기; jn. zum ~ schicken 누구를 손씻으러 보내다; 〖가톨릭〗 세수식(洗手式).

Hand=exemplar *n.* 개인용 책; 저자 보존본. **~fäustel** *m.* 석공용의 정. **~feger** *m.* 브러시; 청소용 작은 비: herumlaufen wie ein wild gewordener ~ a) 봉두난발로 돌아다니다, b) 흥분해서 돌아다니다. **~fertig** *a.* 손재주가 좋은. **~fertigkeit** *f.* 손재주. **~fessel** *f.* 수갑: jm. ~ anlegen 누구에게 수갑을 채우다. **~fest** *a.* ① **(a)** 단단한. **(b)** 완력이 있는, 힘이 센. ② 〖고어〗 jn. ~ machen 누구를 체포하다. ③ 명백한, 분명한: eine ~e Lüge 새빨간 거짓말. ④ (음식이) 기름진, 영양이 풍부한. **~feste** *f.* ① (약혼식에서) 악수로 하는 보증; 약혼식. ② 서명한 증서, (특권을 부여하는) 증서. ③ 〖방언〗 제 2 저당권. **~feuer·löscher** *m.* 휴대용 소화기. **~feuer·waffe** *f.* 〖軍〗 휴대 화기(↔ Geschütz). **~fläche** *f.* 손바닥. **~flügler** *pl.* 〖動〗 박쥐. **~förmig** *a.* 손(바닥) 모양의. **~fütterung** *f.* 사육. **~galopp** *m.* 〖승마〗 (말의) 느린 갤럽. **~gearbeitet** *p.a.* 수제의, 손 세공의. **~gebrauch** *m.* 상용(常用): Ausgabe zum ~ (책의) 중형〔소형〕판. **~gebunden** *p.a.* 손으로 제본한. **~geknüpft** *p.a.* 손으로 짠. **~geld** *n.* ① 계약금, 첫회 납입금; 착수금. ② 〖軍〗 입대 장려금; 부상 수당. **~gelenk** *n.* 손목 관절: ein lockeres〔loses〕 ~ haben 걸핏하면 때리다; ~ mal Pi 〔aus dem ~ (heraus)〕 쉽사리; 〖구어〗 et. aus dem ~ machen〔schütteln〕 무엇을 즉각〔손쉽게〕 해내다. **~gelöbnis, ~gelübde** *n.* 악수로 나타내는 서약. **~gemein** *a.* 〖다음 용법으로〗 (mit jm.) ~ werden (…와) 격투를〔접전을〕 벌이다. **~gemenge** *n.* 격투, 접전; 〖럭비〗 스크럼. **~gepäck** *n.* 〖철도〗 휴대용 수하물.

∼gerecht *a.* 잡기에 편한; 간편한. **∼geschöpft** *a.* 〖제지〗 손으로 떠서 만든. **∼geschrieben** *a.* 손으로 쓴: ein ∼es Manuskript 필사본. **∼gestrickt** *a.* 손으로 뜬. **∼gewebt** *a.* 손으로 짠. **∼gewehr** *n.* 〖軍〗 ① 휴대 화기. ② 패검(佩劍), 총검. **∼gewirkt** *a.* 손으로 짠. **∼gicht** *f.* 〖醫〗 수통풍(手痛風). **∼granate** *f.* 〖軍〗 수류탄. **∼greiflich** *a.* ① 손으로 잡을 수 있는; 알기 쉬운, 명백한: eine ∼e Lüge 새빨간 거짓말; et. ∼ vor Augen führen 무엇을 명백하게 증명해 보이다; 〔구어〕 ∼ reden 있는 대로 말하다. ② 맞붙어 싸우는: ∼ werden 붙잡고 싸움질하게 되다. **∼greiflichkeit** *f.* ① 분명, 명백. ② 싸움, 격투. **∼griff** *m.* ① 취급 (방법), 다루는 법, 비결, 솜씨: die richtigen ∼e lernen〔üben〕 올바른 취급법을 배우다〔연습하다〕; mit einem ∼ öffnen 단번에 열다. ② 꽉 쥠, 파악. ③ (칼 따위의) 손잡이, 자루; 핸들. **∼groß** *a.* 손크기만한. **∼habbar** *a.* 조작할〔다룰〕 수 있는. **∼habbarkeit** *f.* 조작 가능성. **∼habe** *f.* ① 핸들, 손잡이; (칼 따위의) 자루. ② 개입 가능성, 구실. **∼haben** (handhabte, gehandhabt) *t.* ① (무기·악기를) 취급하다, 다루다; (상점을) 경영〔관리〕하다. ② (법을) 집행하다; 관리하다. **∼habung** *f.* ① 취급, 조종, 사용. ② 관장(管掌), 집행; 관리.

handhaft [hánthaft] *a.* 〔다음 용법으로〕 auf ∼er Tat betreffen 현행범을 체포하다.

Hand≈harmonika *f.* 〖악기〗 손풍금, 아코디언. **∼hebel** *m.* 〖工〗 수동 레버. **∼hoch** *a.* 손 너비만큼 높은(약 4 인치).

..händig 《<Hand》 *suf.* "…한 손이 있는"의 뜻(보기: zwei∼ 두 손의, 손이 둘 있는; 〖음악〗 vier∼ spielen 둘이서 연탄(聯彈)하다).

Handikap [hɛ́ndikɛp] 《engl. handicap》 *n.* -s, -s ① 〖스포츠〗 핸디캡(경주·경마·골프에서 우열을 고르게 하려고 우세한 사람에게 지우는 부담). ② 〔비유〕 불리한 조건.

handikapen [hɛ́ndikɛpən] (*p.p.* gehandikapt) 《I》 *t.* ① 〖스포츠〗 핸디캡을 주다. ② jn. ∼ 누구를 불리하게 하다, 방해하다. 《II》 **gehandikapt** *p.a.* ↑ gehandikapt.

Hand-in-Hand≈-Arbeiten *n.* 협력, 공동 작업. **∼-Gehen** *n.* 제휴.

händisch [hɛ́ndɪʃ] *a.* (öst.) 손의, 수공의.

Hand≈kanten·schlag *m.* 〖스포츠〗 (태권도 등에서) 손날로 치기. **∼karre** *f.*, **∼karren** *m.* 손수레, 작은 짐수레. **∼käse** *m.* 손으로 만든 치즈: Handkäs' mit Musik 시큼한 소스를 넣은 치즈. **∼kauf** *m.* ① 계약금. ② 눈대중으로 물건을 사는 일. ③ 직접 매매, 소매. **∼kehrum** *adv.* (schweiz.) 갑자기, 뜻밖에. **∼kehrum** 〔다음 용법으로〕 im ∼ 잠깐 사이에, 순식간에. **∼klapper** *f.* 〖악기〗 캐스터네츠(Kastagnette). **∼koffer** *m.* 손가방: jm zum ∼ schlagen (특히 협박으로) 누구를 때리다. **∼koloriert** *a.* 손으로 색칠한. **∼kommunion** *f.* 〖가톨릭〗 (성체(聖體)를 손에 놓아주는) 성찬 예식. **∼korb** *m.* ① ↑ ∼körbchen. ② (칼·목검 따위의) 손잡이, 검도용 장갑. **∼körbchen** *n.* 손바구니. **∼krause** *f.* 소매 끝의 주름 장식. **∼kurbel** *f.* 손으로 돌리는 크랭크. **∼kuß** *m.* 손등에 입맞추는 일: et. mit ∼ (an)nehmen〔tun〕 무엇을 기꺼이 받다〔행하다〕; zum ∼ kommen (öst.) a) (무엇에) 추가 지급하다, b) 보충하다, c) (신자가 존경의 표시로 주교나 교황의) 손반지에 입맞추다. **∼lampe** *f.* 손전등. **∼lang** *a.* 손 길이의. **∼langen** (*p.p.* gehandlangt) *i.* (h.) ① (일하는 사람에게 필요한 물건을) 손으로 건네주다. ② 막일하다, 일손을 거들다. **∼langer** *m.* ① 미숙련 인부, 잡역부, 막일꾼. ② 〔펌어〕 하수인, 앞잡이. **∼langer·dienst** *m.* 〔펌어〕 보조 업무; 하수인〔앞잡이〕 노릇. **∼langerin** *f.* ↑ ∼langer의 여성형. **∼langern** *i.* (h.) ↑ ∼langen ②. **∼laterne** *f.* 초롱, 휴대용 등. **∼lauf** *m.* (계단의) 난간. **∼lein** *n.* 〔雅語〕 ↑ Händchen. **∼leiter** 《I》 *f.* 작은 사닥다리. 《II》 *m.* 손을 잡고 인도하는 사람; 〖음악〗 피아노를 연주할 때 손이 바른 위치에 놓이게 하고 그것에 익숙케 하기 위한 도구. **∼leitung** *f.* 손을 잡고 인도하기, 선도(先導), 안내.

***Händler** [hɛ́ndlər] *m.* -s, - (소매) 상인: ein ambulanter〔fliegender〕 ∼ 행상, 노점상.

..händler *suf.* "…장수"의 뜻(보기: Fisch∼ 생선 장수).

Händlerin *f.* -nen ↑ Händler의 여성형.

Hand≈lese·kunst *f.* ① 수상술(手相術). ② 수화법(手話法). **∼leser** *m.* 손금보는 사람. **∼leserin** *f.* ↑ Handleser의 여성형. **∼leuchter** *m.* 초롱. **∼lexikon** *n.* 중형 사전.

handlich [hántlɪç] *a.* ① 다루기〔사용하기〕 쉬운; 편리한. ② 〔비유〕 상당한; 적당한. ③ (obd.) 건장한, 힘찬; 활발한, 민활한; 친절한, 붙임성 있는, 다정한. ④ 손에 닿을 만큼 가까운: in ∼er Nähe 손에 닿을 만큼 가까운 거리에 있는.

Handlichkeit *f.* ↑ handlich의 명사형.

Handling [hɛ́ndlɪŋ] 《engl.》 *n.* -s 〖컴〗 조작, 처리.

Hand·lohn *m.* 착수금; 품삯.

***Handlung** [hándlʊŋ] 《<handeln》 *f.* -en ① 행위, 동작; 행실: feindliche ∼en gegen einen Nachbarstaat 이웃 나라에 대한 적대적 행동; die heilige ∼ a) 미사, b) 세례. ② 〖연극〗 (a) 사건의 진행, 줄거리. (b) 몸짓, 제스처. ③ 〖商〗 (a) 상업, 거래: die ∼ erlernen 장사를 배우다, 점원이 되다. (b) 상점.

Handlungs≈ablauf *m.* 줄거리의 전개. **∼agent** *m.* 대리점. **∼art** *f.* ① ↑ ∼weise. ② 〖문법〗 (동사의) 양태(↑ Aktionsart). **∼beflissene*** *der/die* 수습 상인, 점원. **∼bevollmächtigte*** *der/die* 업무 대리인. **∼buch** *n.* 장부. **∼diener** *m.* 점원. **∼fähig** *a.* ① 행위 능력이 있는. ② 〖法〗 법적 권리 행사의 능력이 있는. **∼fähigkeit** *f.* ① 행위 능력. ② 〖法〗 권리 행사 능력. **∼freiheit** *f.* ① 행동의 자유. ② 〖法〗 자유 재량권. **∼gehilfe** *m.* 점원. **∼herr** *m.* 상점 주인. **∼lehrling** *m.* 수습 점원. **∼personal** *n.* 〔총칭〕 점원. **∼reisende*** *der/die* ① 〖商〗 외판원, 세일즈맨; 출장 점원. ② 〔고어〕 대리점 운영자. **∼spesen, ∼unkosten** *pl.* 거래상의 비용. **∼weise** *f.* 다루는 법; 하는 방식; 행동; 절차: eine selbstlose〔edelmütige〕 ∼ 사심이 없는〔품위 있는〕 행동.

Hand≈mal *n.* ① 손의 사마귀. ② ↑ Hausmarke. **∼malerei** [hant..ráɪ] *f.* ① 손으로 그리기. ② 손으로 그린 그림. **∼mehr** *n.* (schweiz.) 거수로 확인된 다수. **∼meißel** *m.*

끌. ~**messer** *n.* 주머니칼. ~**mörser** *m.* ① 작은 절구, 손절구. ②〖軍〗 구포(臼砲). ~**mühle** *f.* 손절구. ~**orgel** *f.* (schweiz.) 손풍금. ≈**orgeln** *i.* (h.) (schweiz.) 손풍금을 연주하다. ~**out** [hɛ́ndaut] 《engl.》 *n.* -s, -s (연구 발표회에서의) 배포 자료.

Hand-out 新정서 ⇦ ~out.

Hand≈pauke *f.* 〖악기〗 탬버린. ~**pferd** *n.* ① (a) 갈아탈 말. (b) (쌍두 마차의) 오른편 말. ② 손으로 끄는 말. ~**pflege** *f.* 손톱 손질, 매니큐어. ~**presse** *f.* 수압기(水壓機); 〖印〗 수동 인쇄기. ~**pumpe** *f.* 수동 펌프. ~**puppe** *f.* 손가락 인형. ~**quehle** *f.* 〔방언〕 ↑ ~tuch. ~**rad** *n.* 〖工〗 핸드휠. ~**ramme** *f.* 〖토목〗 달구. ~**reichung** *f.* 원조, 부조; 〖聖〗 시물(施物). ~**rücken** *m.* 손등.

Hands [hɛnts] 《engl.》 *n.* -, - (schweiz., öst.) (축구의) 핸들링.

Hand·säge *f.* (손으로 켜는) 톱.

handsam *a.* 〔방언〕 ① 다루기 쉬운, 편리한. ② 원만한, 온순한.

Handschar [handʒáːr] 《ar.》 *m.* -s, -e (터키의) 단검, 반월도.

Hand≈scheiden *n.* 손으로 선광(選鑛)하기. ~**schein** *m.* 〖商〗 약속 어음. ~**schelle** *f.* 수갑: in ~n 수갑을 차고서; jm. ~ anlegen 누구에게 수갑을 채우다. ~**schlag** *m.* ① 손으로 치기. ② 악수(약속의 표시): mit〔durch, per〕 ~ 악수를 하고서. ③ 〔구어·비유〕 keinen ~ tun 손가락 하나 까딱하지 않다. ~**schreiben** *n.* ① 친서. ② 추천장, 소개장.

***Hand·schrift** *f.* ① 필적: ich kann deine ~ kaum lesen 나는 네 필체를 거의 읽을 수 없다; 〖비속·비유〗 eine gute〔kräftige〕 ~ schreiben〔haben〕 거칠게 때리다. ②〖商〗 (차용) 증서. ③ 수기; 원고; 필사본.

Handschriften≈deutung *f.* 필적 감정. ~**kunde** *f.* ① 필적 감정학. ② 고문서학, 육필 문헌학. ~**kundige*** *der* 고문서학자, 육필 문헌학자.

hand≈schriftlich *a.* ① 필적〔자필〕의: einen Brief ~ beantworten 편지에 자필로 회답하다. ②〖法〗 sich ~ verpflichten 증서를 제출하다. ③ 필사본으로 전해 내려오는, 고문서의.

* ≈**schuh** *m.* ① 장갑: die ~ sitzen〔passen〕 nicht 장갑이 잘 맞지 않는다. ② jm. den ~ hinwerfen 〔jm. vor die Füße werfen, jm. ins Gesicht schleudern〕 누구에게 도전하다; den ~ aufnehmen〔aufheben〕 도전에 응하다; 〖비유〗 jn. mit (seidenen) ~en anfassen 누구를 신중하게 다루다.

Handschuh≈ausweiter *m.* 장갑의 손가락을 넓히는 도구. ~**fach** *n.* (자동차 앞좌석의) 글러브 박스. ~**knöpfer** *m.* 장갑의 단추걸이. ~**macher** *m.* 장갑 제조업자. ~**nummer** *f.* 장갑 사이즈〔치수〕: etwas ist js. ~ 무엇이 누구의 마음에 든다.

Hand≈schuld·schein *m.* 〖商〗 약속 어음. ~**schütteln** *n.* 악수. ~**seite** *f.* (말 또는 마차의) 오른편. ~**setzer** *m.* 〖印〗 식자공. ~**siegel** *n.* 친서의 사인(私印). ~**signiert** *a.* (작가·예술가가) 자필로 서명한. ~**spake** *f.* 〖海〗 나무 지레. ~**spiegel** *m.* 손거울. ~**spiel** *n.* 〖축구〗 핸들링. ~**spritze** *f.* 수동 펌프. ~**stand** *m.* 〖스포츠〗 물구나무서기. ~**stein** *m.* ①〖지질〗 (일정 형태로 만든) 암석 표본. ② (부엌의) 개수대. ~**steuerung** *f.* 〖工〗 ① 수동 제어. ② 수동 장치. ~**streich** *m.* ①〔방언〕 ↑ ~schlag. ②〖軍〗 급습, 기습. ~**stück** *n.* 〖지질〗 주먹 크기의 광석 표본. ~**tasche** *f.* (여자용) 손가방, 핸드백. ~**taschen·raub** *m.* 소매치기. ~**teller** *m.* 손바닥. ~**trommel** *f.* 탬버린, (손으로 치는) 작은 북. ~**tuch** *n.* ① 수건, 타월: 〔구어·농담〕 ewiges ~ a) 회전식 걸이에 감긴 수건, b) 오랫동안 빨지 않은 수건; 〔구어·농담〕 schmales ~ 깡마른 사람; das ~ werfen 〔schmeißen〕 〖권투〗 기권하다. ②〔구어〕 좁고 긴 공간〔토지〕. ~**tuch·halter** *m.* 수건걸이. ~**umdrehen** *n.* 〔다음 용법으로〕 im ~ 잠깐 사이에, 즉석에서. ~**verkauf** *m.* ① 소매. ② (처방전이 필요 없는) 의약품 판매(↔ Rezeptur). ≈**verlesen** *a.* 손으로 수확한. ~**voll** *f.* ① 한 움큼, 한줌. ②〔비유〕 소량, 소수: eine ~ Leute 적은 인원. ~**waffe** *f.* 〖軍〗 휴대용 무기. ~**wagen** *m.* 손수레. ~**wahrsager** *m.* 손금보는 사람, 수상가(手相家). ≈**warm** *a.* (물 따위가) 미지근한: et. ~ waschen 무엇을 미지근한 물로 씻다. ~**wasser** *n.* 세숫물. ~**weberei** *f.* ① 수직(手織), 수직업. ② 수직 제품. ~**web·stuhl** *m.* 베틀. ~**wechsel** *m.* 〖商〗 ① 환전. ② 약속 어음. ③〔고어〕 (부동산의) 소유 변경. ~**weiser** *m.* 길잡이.

***Hand≈werk** [hántvɛrk] *n.* ① (a) 수공업, 손일: das lederverarbeitende ~ 피혁 가공업; 〔속담〕 ~ hat goldenen Boden 손으로 하는 일은 먹고살 걱정을 덜어준다. (b) 직업, 장사: sein ~ verstehen〔beherrschen〕 자신의 직업에서 유능하다; jm. das ~ legen 누구의 장사를 그만두게 하다; jm. ins ~ pfuschen 누구의 분야에 손을 대다, 누구의 장사를 그대로 모방하다. ② 장인(匠人) 조합〔신분〕, 동업 조합: das ~ grüßen (뜨내기 장인이) 동업자의 구원을 청하다. ~**werker** *m.* 수공업자, 세공업자; 직공: 〖비유〗 ein guter ~ sein 뛰어난 재주꾼이다.

Handwerker≈bildungs·verein *m.* 수공업자〔직공〕 양성 협회. ~**schule** *f.* 직업 학교. ~**stand** *m.* 수공업자〔장인〕 신분. ~**verein** *m.* ① 직인(職人) 클럽; 직인 조합. ② ↑ ~bildungsverein.

hand·werklich *a.* ① 손일의, 수공업의; 직업(상)의; 전문의, 숙련된; ein ~er Beruf 숙련된 직업; ein ~es Können 수공적 재능; 손재주. ② 기계적인, 기술적인: ~ ist der Fotograf perfekt 그 사진사는 기술이 완벽하다.

Handwerks≈arbeit *f.* 수공업. ~**betrieb** *m.* 수공업 공장. ~**brauch** *m.* 장인(匠人)의 관습. ~**bursche** *m.* ↑ ~geselle. ~**geselle** *m.* (도제와 장인 중간의) 직인. ~**kammer** *f.* 수공업자 회의소. ~**mann** *m.* 〖복수: ..leute〗 〔구식〕 ↑ Handwerker. ≈**mäßig** *a.* 손일〔수공업〕의; 직업상의; 장인다운, 장인 기질〔근성〕의; 〖비유〗 기계적인: et. ~ betreiben a) 무엇을 직업으로 하다, b) 기계적으로 행하다. ~**meister** *m.* 기능장. ~**neid** *m.* 상업상의 질시. ~**rolle** *f.* 수공업자 명부. ~**volk** *n.* 〔총칭〕 장인. ~**zeug** *n.* 연장, 공구. ~**zunft** *f.* 〔구식〕 장인〔수공업자〕 조합.

Hand≈winde *f.* 〖工〗 수동식의 작은 물레, 수동 윈치. ~**wörter·buch** *n.* 중(형) 사전.

~**wurzel** *f.* 손목 관절.
Handy [hɛ́ndɪ] 《engl.》 *n.* 핸드폰, 휴대폰.
Hand≠zeichen *n.* ① 수신호: ein ~ geben 수신호를 보내다; durch ~ 손짓을 통해; er gab mir durch ein ~ zu verstehen, daß ich still sein sollte 그는 내가 조용히 있어야 된다고 손짓으로 신호를 보냈다. ② (표결에서의) 거수. ③〖印〗지표(指標). ④ (문맹인의) 서명 대신의 십자표. ⑤ (소유물에 붙이는) 표장(標章). ~**zeichnen** *n.*, ~**zeichnung** *f.* 자필 소묘, 스케치. ~**zettel** *m.* 전단, 광고지. ~**zirkel** *m.* 소형 컴퍼스. ~**zwehle** *f.* 〔방언〕 ↑ ~tuch.
hane≠buchen [há:nə..], ~**büchen** 《<Hainbuche》 *a.* 조야한, 버릇없는; 터무니없는; 소름끼치는: ~er Unsinn 터무니없는 헛소리; eine ~e Lüge 새빨간 거짓말.
Hane·butte *f.* 들장미.
Hanf [hanf] *m.* -(e)s ①〖植〗삼, 대마(大麻): 〔비유〕(wie der Vogel) im ~ sitzen 유복하다. ② 삼실. ③ 삼씨.
Hanf≠acker *m.* 삼밭. ~**anbau** *m.* 삼 재배. ≗**artig** *a.* 삼 모양의. ~**bau** *m.* 삼 재배. ~**breche** *f.* 〖農〗 삼껍질을 벗기는 기구. ~**brecher** *m.* 삼껍질을 벗기는 사람. ~**darre** *f.* ① 삼 건조용 가마(솥). ② 삼 건조.
hanfen [hánfən], **hänfen** [hɛ́n..] *a.* 삼의, 삼으로 만든.
Hanf≠feld *n.* 삼밭. ~**garn** *n.* 삼실, 베실. ~**hechel** *f.*, ~**kamm** *m.* ↑ ~breche. ~**korn** *n.* ↑ ~samen. ~**leinen** *n.*, ~**leinwand** *f.* 삼베, 마포(麻布). ~**liderung** *f.* 〖工〗 삼 패킹〔충전재〕.
Hänfling [hɛ́nflɪŋ] *m.* -s, -e ①〖動〗홍방울새, 되새. ②〔폄어〕마르고 허약한 사람.
Hanf≠öl *n.* 대마유(大麻油). ~**pflanze** *f.* 삼. ~**samen** *m.* 삼씨. ~**schwinge** *f.* 삼 치는 기구. ~**seil** *n.*, ~**strick** *m.* 삼으로 꼰 끈〔줄〕, 삼노끈.
***Hang** [haŋ] 《<hangen》 *m.* -(e)s ① 매달리기; 〖스포츠〗 턱걸이. ② (심적) 경향, 성향; 소질; 편애, 애착: ein ~ zum Spiel 도박벽; ein ~ zur Übertreibung 과장하는 경향〔버릇〕; den ~ haben, et. zu tun ~ 하는 경향이 있다. ③〔복수: Hänge〕경사, 비탈, 경사도, 경사면: Berg≗ 산비탈.
hang·abwärts *adv.* 비탈 아래쪽으로.
Hangar [haŋgá:r, háŋga:r] 《frz.》 *m.* -s, -s ①〖農〗사방 벽이 탁 트인 광. ②〖空〗격납고; 차고.
Hangard [ãgá:r] *m.* -s, -s ↑ Hangar.
Hänge≠arsch [hɛ́ŋə..] *m.* 〔비속〕 처진 엉덩이. ~**backe** *f.* 처진 뺨. ~**bahn** *f.* 공중 케이블; 〖工〗 델파; 고가 철도. ~**balken** *m.* 〖건축〗 매단 도리. ~**bank** *f.* 〖광산〗 (수직갱의) 갱 입구. ~**bauch** *m.* 축 늘어진 배, 하복부 팽만. ~**bauch·schwein** *n.* 배가 축 처진 돼지. ~**baum** *m.* 가지가 늘어진 나무. ~**boden** *m.* ① (매단) 선반. ② 건조장. ~**brücke** *f.* 현수교, 적교(吊橋). ~**busen** *m.* 처진 유방. ~**dach** *n.* 지붕 차양. ~**gerüst** *n.* 매단 발판, 비계. ~**kleid** *n.* (품이 넓은) 일자형 윗옷. ~**kommission** *f.* (미술 전람회의) 심사 위원회. ~**lampe** *f.* 매다는 등. ~**leuchter** *m.* 샹들리에. ~**lippe** *f.* 처진 입술.
Hangel·leiter *f.* 〖스포츠〗 평행봉.
hangeln [háŋəln] 《<hangen》 *i.* (h./s.) (밧줄 등에) 매달려 건너다: er hangelte (sich) an einem Tau über den Fluß 그는 밧줄을 타고 강을 건넜다.
Hänge≠locke *f.* 늘어뜨린 머리. ~**matte** *f.* 해먹. ~**maul** *n.* 처진 입; 〔구어〕 두꺼운 입술.
hangen [háŋən] (hing, gehangen) *i.* (h./(때로) s.) 〔고어·방언〕 ↑ hängen[1].
hangend *p.a.* ↑ hängend.
Hangen *n.* -s 〔다음 용법으로〕 mit ~ und Bangen 몹시 근심하여, 우려하여.
Hängen *n.* -s 〔다음 용법으로〕 ① Tod durch ~ 교수형에 의한 죽음. ② mit ~ und Würgen 간신히, 가까스로.
hängen[1] [hɛ́ŋən] (hing, gehangen) 《I》 *i.* (h./(때로) s.) ① (**a**) (an et.[3]) …에 걸려〔드리워〕 있다; am Galgen ~ 교수대에 걸려 있다, 교수형에 처해져 있다; das Bild hängt an der Wand 그림이 벽에 걸려 있다; alles, was (drum und) dran hängt 그것에 속하는 모든 것; an einem Haar〔Faden〕 ~ 위기일발이다, 풍전등화다; 〔비유·구어〕 das hängt mir zu hoch 나는 그것을 이해하지 못하겠다; die Zuhörer hingen an seinen Lippen 청취자들은 그의 말에 귀기울이고 있었다. (**b**) 매달려 있다: der Bergsteiger hing in dieser Felswand 등반객이 이 암벽에 매달려 있었다; an js. Halse ~ 누구 목에 매달리다; an der Strippe 〔am Telefon〕 ~ (오래) 전화통에 매달려 있다; 〔구어·폄어〕 in einem Sessel ~ 안락 의자에 축 늘어진 채 앉아 있다. ②〔시어〕 떠 있다: Wolken ~ über den Bergen 구름이 산 위에 떠 있다. ③ 달라붙어 있다; 집착하다: am Geld ~ 금전에 집착하다; an jm. ~ 누구에게 매달리다〔집착하다〕; aneinander ~ 서로 사랑하고 있다. ④ ~ bleiben ↑ hängenbleiben. ⑤ ~ lassen ↑ hängenlassen. ⑥ 정지〔정체〕해 있다; 현안(懸案)으로 남아 있다, 진척〔진행〕되지 않다: die Maschine hängt schon wieder 기계가 또 멈춰 서 있다; der Prozeß hängt 소송이 계류 중이다; er hängt bei der Brigade〔Behörde〕 그는 처분을 각오해야만 한다; wo(ran) hängt es denn? 도대체 뭐가 문제지? ⑦〔비유〕 an jm.〔et.[3]〕 ~ 누구〔무엇〕에 달려 있다, 좌우되다; die ganze Sache hängt jetzt nur noch an ihm 이제 모든 일이 오로지 그에게 달려 있다. ⑧ 기울어져 있다: der Wagen hängt nach einer Seite 그 마차는 한쪽으로 기울어 있다. ⑨〔구어〕 von et.[3] voll ~ 무엇이 잔뜩 걸려 있다; die Bäume ~ voller Früchte 〔voll von Früchten〕 나무에 열매가 잔뜩 열려 있다; 〔비유〕 der Himmel hängt ihm voller Geigen a) 그는 희망에 부풀어 있다, b) 대단히 쾌활하다; 〔비속〕 er hängt! 그는 함부로 다룰 수 없다!; hier hängt er! 내가 바로 여기에 있다! ⑩〖사냥〗 교미하고 있다. ⑪ bei jm. ~ 누구에게 무시당하다; 누구에게 빚을 지다: ich hänge bei ihm mit 100 DM 나는 그에게 100 마르크 빚졌다. 《II》 *t./refl.* (sich) ~ ↑ (sich) hängen[2].
***hängen**[2] [hɛ́ŋən] 《I》 *t.* ① (**a**) 걸다, 매달다: jn. ~ 누구를 교수형에 처하다; ein Bild an die Wand ~ 그림을 벽에 걸다; 〔비유〕 et. an den Nagel ~ (장사 등을) 그만두다. (**b**) 늘어뜨리다, 내려뜨리다; 떨구다. ②〔비유〕 jm.

den Brotkorb höher ~ 누구의 알량한 보수를 다시 깎다, 박봉으로 혹사하다; et. an die große Glocke ~ 무엇을 퍼뜨리다; sich³ alles an〔auf〕 den Leib ~ 재산을 옷치레에 탕진하다; den Mantel nach dem Wind ~ 시류를 따르다. ③ et. an einen Gegenstand ~ 무엇을 무엇과 결부시키다; sein Herz an et. ~ 무엇에 집착하다. 《Ⅱ》 *refl.* ① sich ~ 스스로 목을 매다. ② sich an jn.〔et.〕 ~ 누구와〔무엇과〕 결합하다, 누구〔무엇〕에 집착하다; er hängt sich an ihn 그는 그 사람을 쫓아다닌다. ③ 매달리다.

hạ̈ngen|bleiben* *i.* (s.) ① **(a)** 걸려〔드리워져, 매달려〕 있다: an einem Nagel ~ 못에 걸려 있다; 〖비유〗 der Schüler blieb hängen 그 학생은 낙제했다. **(b)** 고착되다, (달라)붙어 있다; 문젯거리가 되고 있다: der Verdacht ist an ihm hängengeblieben 그는 혐의를 받았다; der Staub bleibt an den Gardinen hängen 먼지가 커튼에 끼어 있다; etwas bleibt (im Gedächtnis) hängen 무엇이 기억에 남아 있다; von dem Gelernten ist wenig hängengeblieben 배운 것은 거의 잊어버렸다. ② 장기 체류하다, 밀질기다; 미적거리다, 진척되지 않다: bei einer Nebensächlichkelt ~ 곁길로 빠지다. ③ 미혼이다; 혼인할 낌새가 보이지 않다. ④ 〖구어〗 멈추다, 작동하지 않다: die Schallplatte ist wieder hängengeblieben 레코드판이 또 다시 멈추었다. ⑤ 〖스포츠〗 der Angriff blieb vor dem Strafraum hängen (축구에서) 공격은 페널티 에어리어를 뚫지 못하였다; die Mannschaft blieb schon in der ersten Runde hängen 그 팀은 첫 게임을 이기지 못하였다. ⑥ 낙제〔유급〕하다.

hạ̈ngend *p.a.* 걸려〔매달려〕 있는: ~e Gärten (앗시리아 여왕 Semiramis 의) 계단식 가공(架空) 정원; mit ~er Zunge kam er angelaufen 그는 헐떡거리며 달려왔다; 〖비유〗 mit ~em Kopf 의기소침하여, 풀이 죽은; 〖기계〗 ~e Ventile 오버헤드 밸브.

Hangende* [háŋəndə] 《<hangen》 *das* 〖광산〗 상반(上盤), 천반(天盤) (암맥·광맥의 위쪽 암반).

hạ̈ngen|lassen* 《Ⅰ》 *t.* ① 매달린〔드리워진, 걸어둔〕 채로 두다: den Kopf 〔die Flügel, die Ohren〕 ~ 의기소침해 있다, 기가 꺾여 있다; das Maul 〔die Lippe〕 ~ 불만에 차〔뾰로통해〕 있다; 〖속담〗 wer lang hat, läßt lang ~ 좋은 것을 가진 자는 자랑하고픈 법. ② 미결인 채로 남겨 두다, 중지〔포기〕하다. 《Ⅱ》 *refl.* sich ~ 기가 죽다, 의기소침해지다: laß dich nicht so hängen! 그렇게 의기소침해 있지 말게나!

hạ̈ngens·wert *a.* ① 걸어둘〔진열할〕 만한 가치 있는. ② 교수형감인.

Hạ̈nge≈ohren *pl.* 늘어진 귀. **~partie** *f.* 〖장기〗 일시 중단된 장기.

Hanger [háŋər] *m.* -s, - 〖海〗 (늘어진) 짧은 밧줄.

Hạ̈nger *m.* -s, - (품 넓은) 여성용 코트.

Hạ̈nge≈riemen *m.* 가죽띠. **~säule** *f.* 〖건축〗 동자기둥. **~schloß** *n.* 맹꽁이 자물쇠. **~seil** *n.* 〖사냥〗 (개 등을 매어 두는) 밧줄. **~schrank** *m.* 붙박이장. **~weide** *f.* 〖植〗 수양버들. **~werk** *n.* 〖건축〗 트러스 보.

Hangerl [háŋərl] 《<hängen》 *n.* -s, -(n) (obd.) ① (어린아이용) 턱받이. ② (웨이터의) 냅킨.

hängig [hɛ́ŋɪç] 《<hangen》 *a.* ① 기울어진; 험한. ② 〖法〗 (schweiz.) 계류 중인, 미결의.

Hạng≈lage *f.* (토지나 집의) 물매진 위치. **~täter** *m.* 〖法〗 우범자.

Hängsel [hɛ́ŋzəl] *n.* -s, - 거는 것; (의복의) 거는 고리.

Hanke [háŋkə] *f.* -n 허리 부분, (특히 말의) 후퇴부(後腿部).

Hạnna 하나(여자 이름).

Hannake [hanáːkə] *m.* -n, -n 하나크족(체코의 민족).

Hannelore [hánəloːrə] 하넬로레(여자 이름).

Hanne·mann [hánə..] *m.* -s, ..männer 덴마크 사람을 업신여겨 부르는 말: ~, geh du voran (내키지 않은 일을 먼저 하도록 요구할 때) 자네가 앞장 서게.

Hannibal [hánibal] *m.* 한니발(카르타고의 장군, 247-183 B.C.).

Hannover [hanóːfər, ..vər] 하노버(독일 Niedersachsen 주의 주도).

Hannoveraner [hanovəráːnər], **Hannoverer** *m.* -s, - 하노버 사람.

hannoverisch, hannöverisch, hannoversch, hannöversch *a.* 하노버 (출신)의.

Hanoi [hanɔ́ʏ, hánɔʏ] 하노이(베트남의 수도).

Hanomag [hánomak] *m.* ① =Hannoversche Maschinenbau AG 하노버 기계 제조 주식 회사. ② -s, -s 이 회사 제품의 자동차.

***Hans** [hans] ① *m.* 〖↑ Johannes 의 약칭〗 한스(남자 이름). ② *m.* -en, -en/Hänse [hɛ́nzə] (보통 명사처럼 쓰여) 사내, 놈, 바보: dummer ~ 바보; großer ~ 훌륭한 사람; ~ Dampf 허풍선이; ~ Guckindieluft (주의하지 않아) 잘 넘어지는 사람; ~ Liederlich 방탕아; ~ Ohnesorge 낙천가; ~ und Grete 평범한 남녀; ~ und Kunz 어중이떠중이; ~ im Glück 행운아; ~ in allen Gassen 참견쟁이; ich will ~ heißen, wenn das anders ist 그것이 틀린다면 나를 바보라고 해도 좋다; 〖속담〗 jeder ~ findet seine Grete 짚신도 짝이 있다.

Hạnsa [..za] *f.* ..sen ↑ Hanse 의 라틴어형.

Hạnsa≈bund *m.* 한자 동맹. **~plast** *n.* 반창고. **~stadt** *f.* 한자 (동맹 가입) 도시.

Hans-Böckler-Stiftung *f.* 한스 뵈클러 재단(독일의 친노조 성향의 사회·경제 연구소).

Hänschen [hɛ́nsçən] *n.* 〖↑ Hans 의 축소형〗 〖속담〗 was ~ nicht lernt, lernt Hans nimmermehr 배움에는 때가 있다.

Hans·dampf [hansdámpf] *m.* 참견쟁이, 허풍선이.

Hanse [hánzə] 《원뜻 „Schar"》 *f.* -n 한자 동맹.

Hanseat [hanzeáːt] *m.* -en, -en 한자 동맹 도시의 시민.

Hanseaten·geist *m.* 한자 동맹의 정신.

Hanseatin *f.* -nen ↑ Hanseat 의 여성형.

hanseatisch *a.* 한자 동맹 (도시)의; (한자 동맹의 시민처럼) 침착한.

Hạnse≈bund *m.* ↑ Hanse. **~kogge** *f.* 한자 동맹 도시 상인의 대형 선박.

Hạnsel, Hänsel ↑ Hans 의 축소형.

Hansel·bank *f.* ↑ Heinzelbank.
Hänselei [hɛnzəlái] *f.* -en 조롱, 우롱.
hänseln [hɛ́nzəln] *t.* 우롱〔조롱〕하다.
Hanse⸗stadt *f.* ①〖史〗한자 동맹 도시. ② 북독일 7 도시(Bremen, Hamburg, Lübeck 등을 일컫는 말). **~städtisch** *a.* 한자 동맹 도시의.
hansisch *a.* ↑ hanseatisch.
Hans·narr [hansnár, hánsnar] *m.* 바보.
Hansom [hɛ́nzəm, hǽnsəm] *m.* -s, -s 핸섬(말 한 필이 끄는 2륜 마차).
Hans Taps *m.* 버릇 없는 사람, 촌뜨기.
Hans⸗wurst [hansvúrst, hánsvurst] *m.* -(e)s, -e/..würste ① (중세와 18 세기 독일 연극의) 어릿광대. ②〔구어·폄어〕바보, 멍청이. **~-wursterei** *f.* 익살, 바보짓. **~wurstiade** *f.* ① 어릿광대극. ② 익살, 바보짓.
Hantel [hántəl] 《ndd.》 *f.* -n〖스포츠〗아령; 역기.
hanteln *i.* (h.) 아령 체조를 하다.
hantieren [hantí:rən] 《I》 *i.* (h.) ① 일하다: geschäftig ~ 장사하다; emsig ~ 분망하다. ② 다루다, 취급하다: mit einem Messer ~ 칼질하다. 《II》 *t.* 취급하다, 쓰다, 조종하다.
Hantierung *f.* -en 일, 장사; 취급, 처리.
hantig *a.* (obd.) ① 쓴, 씁쓸한. ② 불친절한, 무뚝뚝한; 호전적인.
Hapag [há(:)pak] = Hamburg-Amerikanische Paketfahrt-Aktien Gesellschaft 함부르크 아메리카 화물 운송 주식 회사.
haperig [há:pərɪç] 《ndd.》 *a.* 잘막히는, 정체되는; (말을) 더듬는; 곤란한, 뒤섞인, 울퉁불퉁한, 조잡한.
hapern [há:pərn] *i.* (h.) / *imp.* ① 정체하다, 진행되지 않다; 서투르다: es hapert bei 〔in, mit〕 et.³ 어떤 일이 진척되지 않는다; mit der Grammatik hapert es bei ihm 그는 문법에 약하다. ② 부족하다, 결핍되다: es hapert an et.³ 무엇이 부족하다〔없다〕.
haploid [haploí:t] *a.*〖生〗단일 유전질의.
Häppchen [hɛ́pçən] 《ndd.》 *n.* -s, -〖↑ Happen 의 축소형〗① 한입(의 음식);〔비유〕사소〔근소〕. ② (ndd.) 장과류(漿果類).
happen [hápən] *i.* (h.) 한입 베어먹다, 덥석 먹다.
Happen *m.* -s, - 한입(의 음식): einen ~ essen 한 술 뜨다; sie war schon nach ein paar ~ satt 그녀는 몇 숟가락 먹지 않아서 배가 불렀다;〔비유〕ein fetter ~ 좋은 결혼 상대.
Happening [hɛ́pənɪŋ] 《engl.》 *n.* -s, -s 해프닝.
Happenist [hɛpəníst] *m.* -en, -en 해프닝을 연출하는 예술가.
happig [hápɪç] *a.* ① 게걸스레 먹는, 탐욕스러운. ② 도가 지나친, 터무니없는.
Häpplein *n.* -s, - ↑ Happen 의 축소형.
happy [hɛ́pi] 《engl.》 *a.*〔구어〕기뻐하는, 기쁜.
Happy·end 新정서 ⇦ Happy-End.
Happy-End [hɛpiˈɛ́nt] 《engl.》 *n.* -(s), -s 해피엔드: ein Film〔Buch〕mit ~ 해피엔드로 끝나는 영화〔책〕.
haprig [há:prɪç] *a.* ↑ haperig.
haps *int.* 덥석, 넙죽, 잽싸게!
Haps *m.* -es, -e mit einem ~ 한입에, 덥석.
Haptik [háptɪk] *f.*〖心〗촉각학.
haptisch [háptɪʃ] *a.*〖心〗촉각학의.
har [ha:r] *int.* (↔ hott) 이랴, 저라(말을 왼편으로 모는 소리).
Harakiri [harakí:ri] 《jap.》 *n.* -(s), -s 할복자살.
harangieren [haraŋgí:rən, arã..] 《frz.》 *t.* ① 장광설을 늘어놓다. ② 말을 걸다.
Haraß [háras] 《frz.》 *m.* ..rasses, ..rasse (유리·도자기를 싸는) 포장 상자.
Härass 新정서 ⇦ ↑ Haraß.
Härchen [hɛ́:rçən] *n.* -s, -〖↑ Haar 의 축소형〗솜털.
Hardanger·arbeit [hárdaŋər..] *f.* 단색의 그물눈 자수 세공(노르웨이의 지명에서).
Hard cover [há:dkʌvə] 《engl.》 *n.* - -s, - -s〖출판〗두꺼운 표지.
Hard-cover-Einband *m.*〖출판〗양장본.
Harde [hárdə] 《< Heer》 *f.* -n〖史〗(여러 개의 마을로 이루어지는) 행정 구역.
Hardes·vogt *m.*〖史〗(여러 개의 마을로 이루어지는) 행정 구역의 장.
Hardliner [há:dlaɪnə] 《engl.》 *m.* -s, - 강경파.
Hardt [ha:rt, ha:rt] 《< Hart》 *f.* 하르트(독일 특히 Pfalz 지방의 삼림 지역).
Hardtop [há:dtɔp] 《engl.》 *n.* / *m.* -s, -s ① (스포츠 카에서) 떼어낼 수 있는 덮개. ② 떼어낼 수 있는 덮개가 달린 스포츠 카: ein Cabrio mit ~ 덮개가 달린 차.
Hardware [há:dwɛə] 《engl.》 *f.* -s〖컴〗하드웨어.
Harem [há:rɛm] 《türk.》 *m.* -s, -s ① 하렘, (이슬람교도의) 여자 방, 규방. ② **(a)** 규방 부인. **(b)** (이슬람교에서) 한 남편에 딸린 부인들. ③〔농담〕한 남자를 에워싸고 있는 여인들.
hären [hɛ́:rən] 《I》 *a.* 털로 만든〔짠〕: ~es Gewand 모직 셔츠. 《II》 *i.* (h.) / *refl.* (sich) ~ 털갈이하다.
Häresie [hɛrezí:] 《gr., „das Erwählte"》 *f.* -n [..zí:ən]〖가톨릭〗이교, 이단; 사교(邪教).
Häretiker [hɛré:tɪkər] *m.* -s, - 이교도, 이단자.
Häretikerin *f.* -nen ↑ Häretiker 의 여성형.
häretisch *a.* 이교의, 이단의.
***Harfe** [hárfə] *f.* -n ①〖악기〗하프: die 〔auf der〕 ~ spielen 하프를 연주하다. ② (하프 모양의) 곡식 건조기.
harfen [hárfən] *i.* (h.) ① 하프를 연주하다. ② 곡식을 건조기에 말리다.
Harfen·baß *m.*〖음악〗분해 화현(和絃)의 저음부.
Harfenett *n.* -(e)s, -e〖악기〗작은 하프.
Harfenist [harfəníst] *m.* -en, -en 하프 연주가; 민요 가수.
Harfenistin *f.* -nen ↑ Harfenist 의 여성형.
Harfen⸗klang *m.* 하프음(音). **~schlüssel** *m.* 하프 조율용 악기. **~schnecke** *f.*〖動〗달팽이의 일종. **~spiel** *n.* 하프 연주. **~-stück** *n.* 하프곡.
Harfner [hárfnər] *m.* -s, -〔구식〕하프 연주가.
härig *a.*〔구식〕털이 난(haarig).
Häring [hɛ́:rɪŋ] *m.*〔고어〕청어(Hering).
Harke *f.* -n (nordd.) ① 갈퀴:〔구어·비유〕ich werde ihm zeigen, was eine ~ ist 내가

그를 혼내 주겠다. ②〔구어〕 옥외 안테나.

harken [hárkən] *t./i.* (h.) 갈퀴로 긁다〔고르다〕.

Härlein *n.* 〖↑ Haar 의 축소형〗〔雅語〕 솜털.

Harlekin [hárleki:n] 《it.》 *m.* -s, -e ① (이탈리아 희극의) 어릿광대. ②〖植〗 난초의 일종. ③〖動〗 (구스베리 나무에 서식하는) 자벌레나방.

Harlekinade [..kiná:də] *f.* -n 소극(笑劇), 광대극.

harlekinisch *a.* 어릿광대의.

Harlekins≈posse *f.*, **~streich** *m.* ↑ Harlekinade.

*__Harm__ [harm] *m.* -(e)s 〔구식·雅語〕 ① 비탄, 비통, 원한: Freude und ~ 기쁨과 슬픔. ② 해, 모욕, 무례: jm. ~ zufügen 누구에게 해를 입히다.

Harmattan [harmatá:n] *m.* -s (북서부 아프리카의) 열사풍(熱砂風).

härmen [hɛ́rmən] 《Ⅰ》 *t.* 비탄스럽게〔슬프게〕 하다: ihr Tod härmte ihn 그녀의 죽음이 그를 슬프게 했다. 《Ⅱ》 *refl.* sich über et. ~ 무엇을 비탄하다, 슬퍼하다.

*__harmlos__ *a.* ① (약이) 무해한; (병 등이) 대수롭지 않은: dieses Schlafmittel ist ~ 이 수면제는 무해하다; eine ~e Grippe 대단치 않은 유행성 감기. ② 악의 없는; 무고한: ein ~er Scherz 악의 없는 농담. ③ 순진한, 소박한: ~ lächeln 천진난만하게 미소짓다.

Harmlosigkeit *f.* 무해(성); 순진; 소박: die ~ dieses Medikaments ist noch nicht erwiesen 이 약의 무해성은 아직 증명되지 않고 있다; in aller ~ 아주 순진하게, 천진난만하게.

*__Harmonie__ [harmoní:] 《gr.》 *f.* -n [..ní:ən] ① 〖음악〗 화성, (협)화음. ② 조화: ~ zwischen Leib und Seele 심신의 조화; in ~ bringen 조화〔일치〕시키다. ③ 화합, 일치: in ~ miteinander leben 서로 화목하게 살다.

Harmonie≈lehre *f.* 〖음악〗 화성학. **~musik** *f.* 취주악(단).

harmonieren [harmoní:rən] 《gr.》 *i.* (h.) ① (a) 〖음악〗 화성〔화음〕을 이루다. (b) 〔비유〕 조화를 이루다: Farben ~ 색들이 조화를 이룬다. ② 사이좋게 지내다.

Harmonik [harmó:nɪk] *f.* 〖음악〗 화성학, 화음론.

Harmonika [..nika] *f.* ..ken/-s 손풍금; 하모니카; 유리제(製) 마찰 악기.

Harmonika≈tür *f.* 접어 미는 문. **~zug** *m.* 〖철도〗 복도가 통해 있는 열차.

Harmoniker *m.* -s, - (고대 그리스의) 음악 이론가.

harmonisch [harmó:nɪʃ] *a.* ①〖음악〗 화성적인, 화음을 이루는: das klingt nicht sehr ~ 그것은 썩 화음이 전혀 맞지 않는다. ② 조화로운: ~e Farben 조화를 이루는 색; ~er Wein 분위기에 어울리는 포도주; 〖數〗 ~e Reihe 조화 수열(數列). ③ 화목한, 화기애애한: eine ~e Familie 화목한 가정; sie leben ~ zusammen 그들은 화목하게 함께 산다.

harmonisieren [..nizí:rən] 《Ⅰ》 *t.* (a) 〖음악〗 화음을 이루게 하다. (b) 조화〔일치〕시키다. 《Ⅱ》 *i.* (h.) 조화〔일치〕하다: Farben ~ 색들이 조화를 이룬다.

Harmonisierung *f.* ① 조화〔일치〕시킴, 화합. ②〖經〗 (경제 정책의) 조정.

Harmonium [..mó:nɪʊm] *n.* -s, ..nien [..niən] 하모늄(풍금의 일종).

harm·voll *a.* 비탄에 싸인; 원한을 품은.

*__Harn__ [harn] *m.* -(e)s, -e 〖생리〗 오줌, 소변: den ~ lassen 오줌을 누다, 방뇨하다.

Harn≈abfluß *m.* 배뇨. **~absonderung** *f.* 이뇨, 배뇨. **~beschwerde** *f.* 배뇨 장애, 요(尿)질환. **~blase** *f.* 〖해부〗 방광. **~blasenbruch** *m.* 방광 헤르니아. **~brennen** *n.* 요림력(尿淋瀝), 배뇨 곤란. **~cylinder** *m.* 요원주(尿圓柱). **~drang** *m.* 오줌 소태.

harnen [hárnən] 《Ⅰ》 *i.* (h.) 〔드물게〕 오줌누다. 《Ⅱ》 *t.* Blut ~ 피 오줌을 누다.

Harn≈entzündung *f.* 방광염. **~fluß** *m.* 요실금(尿失禁); 당뇨병. **~gang** *m.* 요도. **~glas** *n.* 변기. **~grieß** *m.* 요석.

*__Harnisch__ [hárnɪʃ] 《frz.》 *m.* -s, -e 〖중세〗 갑옷, 투구, (특히) 흉갑(胸甲): 〔비유〕 im ~ sein 화내고 있다; jn. in ~ bringen 누구를 화나게 하다; über et. in ~ geraten〔kommen〕 무엇에 화내다.

harnischen [hárnɪʃən] 《Ⅰ》 *t.* 갑옷을 입히다. 《Ⅱ》 *refl.* sich ~ 갑옷을 입다. 《Ⅲ》 **geharnischt** *p.a.* ↑ geharnischt.

Harn≈kraut *n.* 〖植〗 (이뇨제로 쓰이는) 패랭이속. **~lassen** *n.* 방뇨. **~leiter** *m.* 〖해부〗 수뇨관(輸尿管). **~mittel** *n.* 이뇨제. **~röhre** *f.* 〖해부〗 요도.

Harnröhren≈katarrh *m.* 〖醫〗 요도 카타르, 요도염. **~verengerung** *f.* 〖醫〗 요도 협착.

Harn≈ruhr *f.* 〖醫〗 당뇨병, 다뇨증. **~sand** *m.* 〖醫〗 요석, 석림(石淋). **~säure** *f.* 요산. **~sediment** *n.* 요침사(尿沈渣). **~stein** *m.* 〖醫〗 요석. **~stoff** *m.* 〖생화학〗 요소(尿素). **~strenge** *f.* 배뇨 장애, 동통성 요림력(疼痛性尿淋瀝). **≈treibend** *a.* 이뇨(성)의. **~untersuchung** *f.* 소변 검사. **~vergiftung** *f.* 〖醫〗 요독증. **~verhaltung** *f.* 요폐(尿閉). **~wege** *pl.* 〖해부〗 요로. **~winde** *f.*, **~zwang** *m.* 배뇨 장애, 요림력.

Harpagon [hárpagɔn, arpagɔ̃:] 《frz.》 *m.* -s, -s 구두쇠(몰리에르의 희극 "수전노"의 주인공에서).

Harpune [harpú:nə] 《gr.》 *f.* -n ① (포경용(捕鯨用)) 작살. ②〖직조〗 방추(紡錘).

Harpunen·kanone *f.* 포경포(捕鯨砲).

Harpunier [harpuní:r] *m.* -s, -e 작살 던지는 사람, 포경포 사수.

harpunieren *t.* 작살을 던지다, 포경포를 쏘다: einen Fisch ~ 작살로 물고기를 잡다.

Harpunierer *m.* -s, - ↑ Harpunier.

Harpyie [harpý:jə] *f.* -n ①〖그리스신화〗 날개와 발톱을 가진 괴물. ②〔비유〕 욕심꾸러기. ③〖動〗 (라틴 아메리카에 서식하는) 큰수리의 일종.

*__harren__ [hárən] *i.* (h.) 〔雅語〕 (eines Dinges 〔auf et.〕) (무엇을) 기다리다, 고대하다: auf ein Wort von jm. ~ 누구의 말을 기다리다; geduldig einer Nachricht ~ 참을성있게 소식을 기다리다.

harsch [harʃ] *a.* ① 거친, 꺼칠꺼칠한; 딱딱한. ②〔비유·雅語〕 붙임성이 없는, 무뚝뚝한: eine ~e Stimme 무뚝뚝한 목소리.

Harsch *m.* -(e)s 얼어붙은 딱딱한 눈.

harschen [hárʃən] *i.* (s./h.) 단단해지다, 단단

히 얼어붙다; (상처에) 딱지가 앉다, 아물다.

Harst[1] [harst] *m.* -(e)s, -e 〖軍〗 (옛 스위스의) 군대; 전위대(前衛隊).

Harst[2] *m.* -es (obd.) ↑ Harsch.

Hart [hart] 《슴 Harz[1]》 *f.* ① 〔고어〕 산의 숲, 삼림(때때로 Harz, Spessart 처럼 삼림명으로 쓰임). ② 자갈밭, 모래땅. ③ (schweiz.) (시·읍·면의) 공유지.

***hart** [hart] (härter, härtest) (↔ weich, mild) 《I》 ① *a.* 굳은, 딱딱한, 견고한: ~e Eier 삶은 달걀; ~e Währung 안정된 통화, 경화(硬貨); in ~en Dollars 안정된 달러로; er hat einen ~en Leib 그는 변비에 걸렸다; ~e Farben 칙칙한〔조화되지 않은〕 색채; 〖醫〗 ~er Puls 경맥(硬脈); ~e Verse 딱딱한 시; 〖문법〗 ~e Konsonanten 무성(無聲) 자음 (p, t, k); 〖음악〗 ~e Tonart 장조(長調); 〔비유〕 das ist eine ~e Nuß (zu knacken) 그것은 어려운 문제다. ② 조야(粗野)한; 엄격한; 가혹한; 불친절한; 불굴의: ein ~er Despot 폭군; ein ~er Schlag 통렬한 가격〔구타〕; ~e Worte a) 버릇 없는 말, 욕설, b) 무뚝뚝한 말; es geht ~ auf ~ 점점 더 힘들고 중대한 문제들과 대결해야 한다; ~e Tatsachen 엄연한 사실; ~ gegen sich sein 자기 자신에게 엄격히 하다; es sind ~e Zeiten 고달픈 시절이다; es weht ~ 바람이 심하게 분다. ③ 강건한, 거친, 힘센: dieser Boxer ist sehr ~ 이 권투 선수는 아주 거칠다; ~ im Nehmen sein 맷집이 좋다; ~ aneinandergeraten 거칠게 싸우다; ~ gewöhnt sein 단련되어 있다. ④ 완고한; 둔한: einen ~en Kopf〔Sinn, Nacken〕 haben a) 우둔하다, b) 완고하다; eine ~e Stirn haben 후안무치하다. ⑤ 곤란한, 괴로운, 힘든: ein ~er Kampf 고전; ~e Krankheit 난치병; ein ~er Stand 곤경; oh, das war ~! 오, 그건 괴로운 일이었지!; ~er Verlust 심한 손해. ⑥ (obd.) (소리가) 높은. 《II》 *adv.* ① 〔형용사 때의 뜻으로〕 엄격히, 심하게; 괴롭게, 힘들여서: jn. ~ anfassen 누구를 거칠게 다루다; jn. ~ anfahren 누구에게 호령하다, 야단치다; jn. ~ behandeln 누구를 학대하다; es fällt ihm ~ 〔es kommt ihm ~ an〕 그것은 그에게는 괴로운 일이다. ② 〔부사로만〕 밀접하게(dicht); 바로 옆에〔가까이〕: ~ am Wege 바로 길가에; jm. ~ auf dem Fuße folgen 누구의 바로 뒤를 추격하다; das ist ~ an der Grenze zum Kriminellen 그것은 거의 범죄에 가깝다; 〖海〗 ~ am Wind segeln 바람을 안고 항해하다; ~ auf ein Ziel zuhalten 목적지를 향해 똑바로 나아가다.

Hart·blei *n.* 경질연(硬質鉛).

***Härte** [hɛ́rtə] *f.* -n ① 딱딱함, 강도(強度); (물체·액체의) 경도(硬度); (엑스선의) 투과도; 〖제련〗 벼림; (색채·소리의) 강도: ~ des Stiles 문체의 딱딱함; ~ des Körpers 신체의 강인함; sie spielten mit größter ~ 그들은 매우 거칠게 시합했다. ② 엄격, 완고; 무정, 냉혹: eine Auseinandersetzung in großer ~ führen 격한 논쟁을 벌이다; mit großer ~ diskutieren 열띤 토론을 하다; ~ des Klimas 혹독한 기후. ③ 부담스러운 상황; 불의: wir wollen unnötige ~n vermeiden 우린 쓸데없이 부담스러운 경우는 피하고 싶다.

Härte·ausgleich *m.* 〖法〗 재해〔피해〕 보상.

Harte·beest [hártəbe:st] 《ndl.》 *n.* 〖動〗 영양(羚羊).

Härte=fall *m.* ① (법이나 규정의 엄격한 준수에 따라 생긴) 선의의 피해. ② 〔구어〕 선의의 피해자. **~fonds** [..fɔ̃:] *m.* (어려움에 처한 사회적 약자를 위한) 구제 기금. **~grad** *m.* 경도(硬度), 강도(強度). **~klausel** *f.* 〖法〗 세금 감면 조항(~paragraph).

härten [hɛ́rtən] 《I》 *t.* ① 딱딱하게 하다, 굳히다. ② 〖제련〗 (강철 따위를) 불리다, 단련하다. 《II》 *i.* (s.) / *refl.* (sich) ~ 굳어지다, 딱딱해지다; 응결하다. 《III》 **gehärtet** *p.a.* ↑ gehärtet.

Härte·paragraph *m.* 〖法〗 세금 감면 조항.

Härter [hɛ́rtər] *m.* -s, - ① 〖제련〗 벼리는 사람. ② 경화제(硬化劑).

Härte=probe, ~prüfung *f.* 경도 시험.

Härterei *f.* -en 〖제련〗 (강철 제조 과정의) 담금질 부서.

Hart·erz *n.* 〖광물〗 자철광.

Härte·skala *f.* 〖物〗 경도계(硬度計).

Hartes Return 〖컴〗 하드리턴.

Härte·stufe *f.* 경도.

Hart=flügler *m.* 〖動〗 갑충류. **~futter** *n.* (가축의) 낟알 사료. **~gebrannt** *a.* (기와·도자기 따위가) 구워서 딱딱해진. **~gefroren** *a.* 딱딱하게 얼어붙은. **~gekocht** *a.* 완숙하여 단단한. **~geld** *n.* 경화. **~gesinnt** *a.* (~herzig) 냉정한, 인정 사정 없는. **~gesotten** *a.* ① 〔고어〕 삶아서 딱딱해진(~gekocht). ② 〔비유·구어〕 (**a**) 냉혹〔무자비〕한. (**b**) 완고한, 반성하지 않는: ein ~er Sünder 개전의 정이 없는 죄인. **~glas** *n.* 경질(硬質) 유리. **~gummi** *n.* 경화 고무, 에보나이트. **~guß** *m.* 〖제련〗 표면 경화 주철. **~häutig** *a.* 굳은 가죽의; 무감각한. **~herzig** *a.* 냉정한, 냉혹한. **~herzigkeit** *f.* 냉정, 냉혹. **~heu** *n.* 〖植〗 고추나물(속). **~holz** *n.* 딱딱한 나무, 경재(硬材). **~hörig** *a.* ① 〔고어〕 귀가 먼(schwerhörig). ② 일부러 못 들은 척하는; 쇠귀에 경읽기 격의. **~hörigkeit** *f.* 난청; 마이동풍. **~käse** *m.* 딱딱한 치즈(↔ Weichkäse). **~kautschuk** *m./n.* 경화 고무(~gummi). **~köpfig** *a.* 아둔, 완고. **~köpfigkeit** *f.* 아둔, 완고. **~korn** *n.* 딱딱하고 매끄러운 낟알. **~laub·gehölz** *n.* 〖植〗 상록 경엽수(硬葉樹). **~leibig** *a.* 변비증이 있는. **~leibigkeit** *f.* 변비.

härtlich *a.* 조금 딱딱한, 약간 굳은.

Härtling *m.* -s, -e ① 〖지질〗 (단단한 물질로 되어 있어 침식되지 않은) 구릉. ② 〖광물〗 슬래그, 광물 부스러기. ③ 〔고어〕 설익은 포도(Herling).

Hart=lot *n.* 〖광물〗 경질 백랍(硬質白鑞). **~löten** *t.* 경질 땜을 하다.

Hartmann *m.* 〔속어〕 중산모.

hart=mäulig *a.* (말 따위가) 부리기 어려운, 고집이 센. **~mäuligkeit** *f.* 고집 불통. **~metall** *n.* (경도(硬度)가 큰) 코발트 합금. **~monat** *m.* 〔고어〕 1월(Januar). **~mond** *m.* (ndd.) 정월. ***~näckig** *a.* 완고한, 고집이 센, 집요한: er bestand ~ darauf 그는 완강하게 그것을 주장했다. **~näckigkeit** *f.* 완고, 집요. **~papier** *n.* (합성 수지와 종이를 가공하여 압착시킨) 경지(硬紙). **~platz** *m.* 〖테니스〗 하드코트. **~riegel** *m.* 〖植〗 층층나

뭇과. **~rindig** *a.* 딱딱한 거죽의. **~schalig** *a.* 껍질이 단단한.
Hartschier [hartʃí:r] 《lat.》 *m.* -s, -e (옛 오스트리아의) 친위병.
hart≈schlächtig *a.* (말이) 헐떡거리는, 숨찬. **≈spiritus** *m.* (연료용) 고체 알코올.
Hartung [hártʊŋ] *m.* -s, -e 〖Januar 의 옛독일어〗 정월, 1 월.
Härtung [hέrtʊŋ] *f.* -en ① 굳히기, 경화(硬化). ②〖제련〗 벼림.
Hart·wasser *n.* 〖제련〗 (강철의) 담금질에 쓰는 물.
Hart·weizen *m.* 〖農〗 참밀.
Hartwig 하르트비히(남자 이름).
Hart≈wurst *f.* (저장용의) 딱딱한 소시지. **~zinn** *n.* 백랍(白鑞).
Haruspex [harʊ́spεks] 《lat.》 *m.* -, -e/..spizes (고대 로마에서 제물로 바친 짐승의 내장으로 신의(神意)를 점치던) 점술가.
Harz[1] [ha:rts] 하르츠(독일 북부에 있는 산).
***Harz**[2] *n.* -es, -e 수교(樹膠), 수지(樹脂), 송진.
harz≈artig *a.* 송진(모양)의. **≈baum** *m.* 수지(樹脂)를 내는 나무. **≈drüse** *f.* 수지선(腺). **≈elektrizität** *f.* 〖전기〗 음(陰)전기.
harzen [há:rtsən] 《Ⅰ》 *i.* (h.) ① 수지(樹脂)를 채취하다; (나무가) 진을 내다. ②〖속어〗 진득거리다. ③〖비유〗 지지부진하다, 정체하다. 《Ⅱ》 *t.* ① …에서 수지를 채취하다. ② …에 수지를 바르다.
Harzer [há:rtsər] 《Ⅰ》 *m.* -s, - 하르츠 산지 주민. 《Ⅱ》 *a.* 하르츠의: ~Roller 카나리아새(의 일종); ~ Käse 하르츠산(産) 치즈.
Harz≈fluß *m.* 수지(樹脂) 누출. **~galle** *f.* 목재의 수지가 나오는 부분. **≈gebend** *a.* 진을 내는. **≈haltig** *a.* 수지를 함유한.
harzicht [há:rtsɪçt], **harzig** *a.* ① 수지(樹脂) 모양의, 수지질(質)의. ② 끈적거리는.
Harz≈kappe *f.* ① 수지 채취자의(삼베로 된) 짧은 윗도리. ② (16 세기 후반기에 유행한) 짧은 외투. **~kohle** *f.* 흑탄, 역청탄. **~kuchen** *m.* 원통형의 수지덩이. **~öl** *n.* (윤활용·인쇄용) 수지 기름, 로진유. **~säure** *f.* 수지산. **~seife** *f.* 수지 비누.
Hasard [hazárt] 《frz.》 *n.* -s ①〖비유〗 요행, 행운. ② (주사위로 하는 일종의) 도박: mit et.[3] ~ spielen 무엇을 거는 도박〔모험〕을 하다.
Hasardeur [hazardǿ:r] *m.* -s, -e 노름꾼.
hasardieren [hazar..] *i.* (h.) / *t.* 노름〔도박〕하다.
Hasard·spiel *n.* ① 노름, 도박: der Kauf dieser Aktien ist ein ~ 이 주식의 매입은 모험이다. ② 불안한 행위: glatte Fahrbahnen machen das Autofahren zum ~ 미끄러운 길에서 자동차 운전은 위험하다.
Hasch [haʃ] *n.* -s 〖구어〗 ↑ Haschisch 의 단축형.
hasch *int.* 급히 붙잡을 때 하는 소리.
Haschee [haʃé:] 《frz.》 *n.* -s, -s 다진 고기(요리).
***haschen** [háʃən] 《Ⅰ》 *t.* 날쌔게 붙잡다: das Glück läßt sich nicht ~ 행복은 단박에 붙잡을 수는 없다. 《Ⅱ》 *i.* (h.) 붙잡으려고 하다; 노력하다: nach et.[3] ~ 무엇을 붙잡으려고 하다, 얻으려고 애쓰다; nach Beifall〔Anerkennung〕 ~ 갈채를〔인정을〕 받으려고 애쓰다; nach Neuigkeiten ~ 새 소식을 얻어듣는 데 급급하다. 《Ⅲ》 *refl.* sich ~ 술래잡기하다.
Haschen *n.* -s 술래잡기.
Häschen [hέ:sçən] *n.* -s, - 〖↑ Hase 의 축소형〗 작은〔어린〕 토끼.
Hascher[1] [háʃər] *m.* -s, - 〖구어〗 대마초 흡연자.
Hascher[2] *m.* -s, - (öst.) 불쌍한 사람.
Häscher [hέʃər] *m.* -s, - 〖고어〗 (고약한) 추적자: er entkam endlich seinen ~n 그는 마침내 추적자들을 뿌리쳤다.
Hascherei *f.* -en 무엇을 얻는 데 급급하기, 갈망.
Häscherei *f.* -en (범죄자를) 추적하기.
Hascherl [háʃərl] *n.* -s, -(n) (öst.) 불쌍한 아이; 가련한 사람.
haschieren [haʃí:rən] 《frz.》 *t./i.* (h.) ① (고기를) 다지다. ② (제도·동판 따위에) 선화(線畫)를 그리다.
Haschisch [háʃɪʃ, haʃí:ʃ] 《ar.》 *n.* - 하시시, 대마초(대마로 만든 마약).
Haschisch≈raucher *m.* 대마초 흡연자. **~rausch** *m.* 환각 상태: im ~ 환각 상태의.
Hasch·mich *m.* 〖다음 용법으로만〗〖경박〗 einen ~ haben 제정신이 아니다.
***Hase** [há:zə] *m.* -n, -n ① (산)토끼: sehen 〔wissen〕, wie (der) ~ läuft 일의 되어감을 관망하다〔사태를 알다〕; ein Ort, wo ~n und Füchse sich gute Nacht sagen 마을에서 멀리 떨어져 외진 곳; er ist auch kein heuriger ~ mehr 그는 이제는 애송이가 아니다; alter ~ 노련한 전문가; 〖구어〗 den ~n laufen lassen 많은 돈을 지출하다; 〖평어〗 einen ~n machen 도망치다; 〖구어〗 mein Name ist ~ 나는 아무것도 모른다; 〖속담〗 da liegt der ~ im Pfeffer 바로 그곳이 어려운 점이다; 〖속담〗 viele Hunde sind des ~n Tod 중과부적이다; 〖요리〗 falscher ~ 다진 고기로 만든 길쭉한 빵 모양의 요리(Hackbraten). ②〖비유〗 겁쟁이; 멋쟁이; 바보. ③ 토끼구이. ④ 토끼 가죽. ⑤〖天〗 토끼 자리.
***Hasel**[1] [há:zəl] *f.* -n 〖植〗 개암나무.
Hasel[2] *m.* -s, - 황어.
Haselant [hazəlánt] 《frz.》 *m.* -en, -en ① 농담하는 사람, 익살꾼. ② 바보; 겁쟁이.
Hasel≈busch *m.* 개암나무 덤불〔관목〕(↑ ~nuß ①). **~erde** *f.* 붉은 점토. **~gerte** *f.* 개암나무 회초리. **~grund, ~herd** *m.* ↑ ~erde. **~holz** *n.* 개암나무 목재. **~huhn** *n.* 〖動〗 들꿩.
haselieren [hazəlí:rən] 《frz.》 *i.* (h.) 희롱하다, 약올리다.
Hasel≈kätzchen *n.* 개암나무의 수꽃. **~maus** *f.* 〖動〗 산쥐. **~nuß** *f.* ① 개암나무. ② 개암. **~strauch** *m.* 개암나무. **~wurz** *f.* 〖植〗 개족두리풀.
haseln [há:zəln] *a.* 개암나무로 된.
Hasen≈art *f.* 토끼의 종류〔성질〕: nach ~ 겁먹고, 비겁하게. **~auge** *n.* ① 토끼의 눈. ②〖醫〗 토끼눈(눈초리가 짧은 눈). **~balg** *m.* 토끼 가죽. **~braten** *m.* 구운 토끼 고기. **~brot** *n.* ①〖植〗 참새피(Feldhainsimse). ②〖구어〗 (여행이나 저녁 식사 때 먹고) 남아서 말라 버린 빵. **~fell** *n.* 토끼 모피. **~fuß** *m.* ① 토끼 발. ②〖구어·농담〗 겁쟁이: (Hans) ~ 겁쟁

이. ∼**füßig** *a.* ① 토끼 발의. ② 겁쟁이의. ~**gehege** *n.* 토끼 사육장.
hasenhaft *a.* 토끼 같은; 겁이 많은.
Hasen≈herz *n.* ① 토끼의 심장. ② 겁쟁이. ∼-**herzig** *a.* 토끼 가슴의, 겁쟁이의(~füßig). ~**hetze** *f.* ↑ ~jagd. ~**jagd** *f.* 토끼 사냥: das ist ja keine ~ 그것은 서두를 필요가 없다. ~**jung(e)** *n.* ↑ ~klein. ~**klein** *n.* 〖요리〗 토끼 내장 요리. ~**lager** *n.* 토끼 굴. ~**lippe** *f.* ↑ ~scharte. ~**ohr** *n.* ① 토끼 귀. ②〔비유〕 예민한 귀. ~**öhrl** *n.* -s 푸딩의 일종. ~**panier** *n.*〔다음 성구로〕 das ~ ergreifen 빨리 도망치다. ~**pfeffer** *m.* ↑ ~-klein. ∼**rein** *a.* ①〖사냥〗(사냥개가) 토끼 따위는 거들떠보지 않는. ②〔비유·구어〕 분명〔솔직〕한: die Sache ist nicht ganz ~ 그 일은 의심스럽다〔수상하다〕. ~**scharte** *f.* 언청이 입술. ~**schlaf** *m.* 토끼잠, 선잠. ~**schrot** *n./m.* 토끼 사냥용 산탄(霰彈). ~**wolle** *f.* 토끼털.
häsieren [hɛzí:rən] 《lat.》 *t./i.* (h.) 십자형으로 선을 긋다.
Häsin [hέ:zɪn] *f.* -nen 암토끼.
Häsitation [hɛzitatsió:n] 《lat.》 *f.* -en 〔고어〕 ① 주저, 망설임. ② 말더듬기.
häsitieren *i.* (h.) ① 주저하다, 망설이다. ② 말을 더듬다.
Häslein *n.* -s, - 어린 토끼 (Häschen).
Haslinger [háslɪŋər] *m.* -s, - (öst.) 〔구어〕 개암나무로 만든 매.
Haspe [háspə] *f.* -n 경첩〔돌쩌귀〕의 축; 꺾쇠.
Haspel [háspəl] *f.* -n 〔(드물게) *m.* -s, -〕 ①〖방직〗 물레, 실 감는 틀. ②〖광산·海〗 감아 올리는 기계, 권양기(捲揚機). ③〖제혁〗 물레바퀴에 가죽을 담아 돌리는 염색기. ④〖農〗 탈곡기의 회전통.
Haspel·achse *f.* 물레의 축.
Haspelei *f.* -en 연달아 감기; 성급한 일처리; 빠른 말로 지껄이기.
Haspeler *m.* -s, - 물레를 돌리는 사람, 감아 올리는 사람.
haspeln [háspəln] *t./i.* (h.) ① 물레로 감다; 감아 올리다. ②〔속어〕 서두르다, 성급하게 지껄이다〔일하다〕.
Haspen [háspən] *m.* -s, - ↑ Haspe.
***Haß** [has] *m.* ..sses 미움, 증오; 원한: ~ gegen〔auf〕 jn. hegen〔haben〕 누구에게 증오심을 품다〔갖다〕; sich³ js. ~ zuziehen 〔js. ~ auf sich ziehen〕 누구의 미움을 사다; 〔구어〕 wenn ich so etwas sehe, könnt' ich einen ~ kriegen 그런 걸 보게 된다면 나는 정말 화가 날 거야.
Hass *m.* 新정서 ⇦ Haß.
hass.. 新정서 ⇦ haß...
***hassen** [hásən] *t.* 증오〔싫어〕하다; 원망하다: jn. bis auf〔in〕 den Tod ~ 누구를 철저하게 미워하다; et. ~ wie die Pest 무엇을 매우 싫어하다.
hassen≈wert, ~würdig *a.* 미워할 만한, 혐오스러운.
Hasser *m.* -s, - ① (누군가·무언가를) 미워하는 사람: Frauen∼ 여성 혐오자. ② 적, 원수.
haß≈erfüllt [hás..] *a.* 증오심으로 가득 찬. ~**erregend** *a.* 밉살스러운, 혐오감을 일으키는.

hässig *a.* (schweiz.) (화나서) 투덜거리는.
***häßlich** [hέslɪç] *a.* 흉한, 추한, 못생긴, 모양새 없는; 싫은, 불쾌한: ~ wie die Nacht〔Sünde〕 지독히 추(잡)한; das war ~ von ihm 그는 비열했다; gegen jn. ~ sein 누구에게 불친절하게 굴다.
hässlich *a.* 新정서 ⇦ häßlich.
Häßlichkeit *f.* -en 흉함, 추함; 불쾌.
Hässlichkeit *f.* -en 新정서 ⇦ Häßlichkeit.
Haß≈liebe *f.* 애증(의 감정): für jn. ~ empfinden 누구와 애증 관계다. ~**tirade** *f.* 〔폄어〕 격렬한 증오의 말. ∼**verzerrt** *a.* 증오로 일그러진.
***Hast** [hast] *f.* 서두름, 조급, 성급: in größter 〔voller, wilder〕 ~ 황급히, 당황해서; mit fliegender〔rasender〕 ~ 매우 급하게; nur keine (jüdische) ~! 서두르지 마라!
hast [hast] ↑ haben 의 2인칭 단수 현재형.
haste [hástə] 《<hast du》〔구어〕 (was) ~ was kannste 잽싸게, 민첩하게; 〔구어〕 ~ was, biste was 부자는 존경도 받는다.
hasten [hástən] 《I》 *t.* 서두르게 하다, 재촉하다. 《II》 *i.* (s./h.) / *refl.* (sich) ~ 서두르다.
hastig *a.* ① 서두르는, 성급〔황망〕한: nicht so ~! 서두르지 마라!; er schlag sein Essen ~ hinunter 그는 음식을 게걸스레 먹었다. ② 화를 잘 내는, 경솔한.
Hastigkeit *f.* -en 서두름; 성급: sie ißt mit einer solchen ~ 그녀는 급히 먹는다.
hat [hat] ↑ haben 의 3인칭 단수 현재형.
Hatschek [hátʃɛk] *n.* -s, -s ↑ Háček.
Hätschelei *f.* ① (어린아이를) 어르기. ② 아부하기.
Hätschel·kind *n.* 〔구어·폄어〕 응석받이 아이.
hätscheln [hέ:tʃəln] 《<hatschen》 *t.* ① (어린아이를) 귀여워하다, 어르다: das Jüngste wird von allen gehätschelt 막내는 모든 사람들의 귀여움을 받는다. ② 아부하다, 꼬드기다.
hatschen [há:tʃən] *i.* (h.) 〔방언〕 아장아장 걷다; 발을 질질끌며 걷다, 힘겹게 걷다: durch die Berge ~ 산속을 발을 질질끌며 걸어가다.
hatschi [hatʃí:, hátʃi] *int.* 에취(재채기 소리): ~ machen 재채기하다.
Hatschier [hatʃí:r] *m.* -s, -e ↑ Hartschier.
hatte [hátə] ↑ haben 의 과거형.
hätte [hέtə] ↑ haben 의 접속법 Ⅱ식.
Hättich [hέtɪç] 《<hätte ich》 *n.* 소유욕(구).
Hat-Trick, Hattrick [hættrik] 《engl.》 *m.* -s, -s 〖스포츠〗 ①〔축구〕 해트 트릭(혼자서 3골을 넣는 것). ② 3연승; 3관왕.
Hatz [hats] *f.* -en ①〖사냥〗 몰이 사냥(Hetzjagd). ②〔구어〕 서두름, 달려감. ③〔구어·폄어〕 (특정한 사람들에 대한) 비방, 탄압: Kommunisten∼ 공산주의자 탄압.
hatzi [hatsí:, hátsi] *int.* ↑ hatschi.
Hau [haʊ] *m.* -(e)s, -e ①〔고어〕 (Hieb) 치기, 때리기, 베기: 〔속어〕 ~e bekommen 얻어맞다; einen ~ haben 〔mit der Wichsbürste haben〕 약간 모자라는 사람이다, 정상이 아니다. ② **(a)** 벌목, 벌채. **(b)** 벌채가 허용된 나무; 벌채 구역, 공유림 벌채권. ③〔방언〕 건초(베기). ④ 덤불, 관목 숲.
Hau·bajonett *n.* 〖軍〗 베기용(用) 총검.
haubar *a.* 벌채할 수 있는.
Haubarg *m.* -(e)s, -e ① 건초 창고. ② 프리

지아의 (건초 창고가 있는) 큰 농가(農家).

Haubarkeits·alter *n.* 〖林〗 벌채 (가능) 수령(樹齡).

Häubchen [hɔ́ʏpçən] *n.* -s, - 〖↑ Haube 의 축소형〗 작은 모자.

***Haube** [háʊbə] 《„Wölbung"》 *f.* -n ① (여자·아이의) 모자, 두건; 〖軍〗 (중세 때의) 투구; 수영모, 럭비 선수 모자: ein Mädchen unter die ~ bringen 딸을 결혼시키다; unter die ~ kommen 결혼하다; unter der ~ sein 결혼한 상태다. ② 〖기계〗 (자동차의) 보닛, (증류기·보일러 따위의) 둥근 덮개; 〖건축〗 (탑 또는 수차(水車) 따위의) 돔, 반구형의 지붕; 종의 상반부; (커피 포트 따위의) 보온 커버. ③ 〖動〗 (새의) 볏, 머리깃; 〖植〗 선모(蘚帽); 뿌리골무, 근관(根冠); 〖漁〗 두건 모양의 그물.

häubeln *t.* (매에) 두건을 씌우다.

hauben *t.* 두건을 씌우다.

Hauben≠band *n.* 모자〔두건〕의 리본. **~geschoß** *n.* 모의탄(模擬彈). **~huhn** *n.* 관모, 닭볏. **~kopf** *m.* ↑ ~stock. **~lerche** *f.* 〖動〗 볏이 있는 종달새. **~schleife** *f.* ↑ ~band. **~stock** *m.* ① 모자걸이(머리 모양의 틀로서 모자의 모양이 일그러지지 않게 하기 위한 것). ② 〔비유〕 바보. **~taucher** *m.* 〖動〗 볏이 달린 물새.

Hauberg *m.* -(e)s, -e ↑ Haubarg.

Haubitze [haubítsə] 《tschech.》 *f.* -n 〖軍〗 유탄포(榴彈砲): 〔비속〕 voll wie eine ~ 잔뜩 취한.

Haubitz(en)≠batterie *f.* 〖軍〗 유탄포대(臺). **~feuer** *n.* 유탄포 사격.

Häublein [hɔ́ʏplaɪn] *n.* -s, - ↑ Häubchen.

Hau·block *m.* 도마, (통 만들 때 받치는) 받침대.

***Hauch** [haux] *m.* -(e)s, -e ① 〔雅語〕 입김, 숨(결), 호흡; 미풍; 향기: es ist so kalt, daß man den ~ vor dem Mund sehen kann 입김나는 것을 볼 수 있을 정도로 날씨가 춥다; den letzten ~ von sich geben 마지막 숨을 거두다. ② 〖문법〗 마찰음(h 음). ③ (거울에 서린) 김, 흐림, 그늘. ④ 조용한 정신적 감흥, 분위기: ihr Haus hat den ~ des Exotischen 그녀의 집은 이국적인 분위기를 풍긴다; ein ~ von Schwermut umgibt sie 우울한 분위기가 그녀를 에워싸고 있다.

hauch·dünn *a.* 매우 엷은.

***hauchen** [háuxən] 《I》 *i.* (h.) 숨을 내쉬다; 속삭이다: gegen〔auf〕 et. ~ 무엇에 입김을 불다. 《II》 *t.* ① 숨과 함께 뱉어내다; 불어넣다; 풍기게 하다: die Finger warm ~ 손가락에 입김을 불어 따뜻하게 하다; jm. Beharrlichkeit in die Seele ~ 누구에게 불요불굴의 정신을 고취하다; jm. einen Kuß auf die Stirn ~ 누구의 이마에 가볍게 입맞추다; er hauchte mir den Zigarettenrauch ins Gesicht 그는 내 얼굴에 담배 연기를 내뿜었다. ② 〖문법〗 마찰음을 내다.

Haucher *m.* -s, - ① 숨을 내쉬는 사람. ② ↑ Hauchlaut.

hauch·fein *a.* 매우 미세한. **~laut** *m.*, **~lauter** *m.* 마찰음(h 음). **~zart** *a.* 입김처럼 부드러운. **~zeichen** *n.* 마찰음 부호.

Hau·degen [háude:gən] *m.* ① (찌르는 칼에 대해) 내리쳐 베는 (양날의) 칼(↔ Stoßdegen). ② 〔비유〕 노련한 검사(劍士).

Hauderer [háudərər] *m.* -s, - ① 전세 마차의 마부; 전세 마차. ② 느릿느릿한 사람; 경솔한 사람.

haudern *i.* (h.) ① 전세 마차를 몰다〔타고 가다〕. ② 〔속어〕 느릿느릿하다; 경솔히 일을 처리하다. ③ (칠면조가) 울다.

Haue[1] [háʊə] *f.* -n 곡괭이, 돌 깨는 망치.

Haue[2] *f.* 때림, 두들김: ~ kriegen 얻어맞다.

hauen [háuən] (hieb/haute, gehauen/gehaut) 《I》 *i.* (h.) 때리다, 치다, 칼을 휘두르며 덤비다: nach jm. ~ 누구에게 (칼을 휘두르며) 덤벼들다; er hieb nach seinen Verfolgern 그는 추적자들에게 덤벼들어 싸웠다; um sich ~ 여기저기 마구 칼〔몽둥이·주먹〕을 휘두르다; jm. ins Gesicht ~ 누구의 얼굴을 치다; 〔속어〕 in den Sack ~ 해약을 통고〔예고〕하다; über die Schnur 〔den Strang〕 ~ 방자한〔엉뚱한〕 짓을 하다; 〔비유·구어〕 das ist nicht gehauen und nicht gestochen 그것은 불확실하다; hier weiß man nicht, was gehauen und gestochen ist 이렇게 해서는 도무지 뭐가 뭔지 모르겠다; 〔비유·구어〕 das ist gehauen wie gestochen 그것은 매일반이다, 그게 그거다; auf Hauen und Stechen mit jm. stehen …와 대적하다; da gibt es Hauen und Stechen 이제 (말)다툼이 시작된다; etwas haut jn. auf den Magen 〔auf das Gemüt〕 무엇 때문에 위가〔기분이〕 불쾌하다. 《II》 *t.* ① 때리다, 치다, 베다: einen Hieb ~ 일격을 가하다; ich haue keine Kinder 나는 어린 아이는 때리지 않는다; jn.〔jm.〕 hinter die Ohren ~ 누구의 따귀를 갈기다; jn. krumm und lahm 〔zum Krüppel〕 ~ 누구를 때려서 불구자가 되게 하다; in Stücke ~ 난도질하다, 잘게 썰다; jn. übers Ohr ~ 누구를 속이다; sich[3] die Zeit mit et.[3] um die Ohren ~ 무엇으로 시간을 보내다〔때우다〕. ② (나무를) 베다; (장작을) 패다; (광석을) 채굴하다; (곡물·풀을) 베다; (밭을) 갈다; (고기를) 썰다. ③ 〔도구를 4 격으로〕 치다, 베다: die Klauen ins Fleisch ~ 살을 할퀴다; das Schwert in den Helm ~ 칼로 내리쳐 투구에 흠집내다; das Schwert entzwei ~ 칼을 동강내다〔산산조각내다〕. ④ 〔결과를 나타내는 명사를 4 격으로〕 때려서〔쳐서·베어서〕 …을 만들다: ein Loch ins Eis ~ 얼음에 구멍을 뚫다; Stufen in den Fels ~ 암벽을 깎아 계단을 만들다; die Gruppe in Marmor ~ 대리석으로 군상(群像)을 조각하다; einen Weg durch den Feind ~ 적군의 포위망을 뚫고 혈로를 내다. 《III》 *refl.* ① sich (selbst) ~ 자기 자신을 때리다, 상처를 내다; sich durch die Feinde ~ 적의 포위망을 뚫다, 혈로를 열다; sich matt und müde ~ 칼을 휘둘러 기진맥진하다. ② sich (einander) ~ 서로 싸우다, 격투하다; sich mit jm. ~ 누구와 결투하다; die beiden haben sich grün und blau gehauen 둘은 만신창이가 되도록 서로 싸웠다. 《IV》 **gehaut** *p.a.* ↑ gehaut.

Hauer [háuər] *m.* -s, - ① 포도원 일꾼; 나무꾼. ② 〖動〗 수퇘지, 멧돼지; 〔복수〕 멧돼지의 어금니. ③ 〖광산〗 광원, 갱부.

Häuer [hɔ́ʏər] *m.* -s, - (특히 öst.) 갱부 (Hauer).

Hauerchen *pl.* 어린아이의 이(애칭).

Hauf [hauf] *m.* 다수; 군중, 무리.

Häufchen [hɔ́ʏfçən] *n.* -s, - 〖↑ Haufen 의 축소형〗 작은 더미; 작은 무리: 〖구어〗 dastehen〔aussehen〕 wie ein ~ Unglück 낙담한 모습이다, 풀이 죽어 보이다; nur noch ein ~ Unglück〔Elend〕 sein (나이 들어, 병으로) 완전히 쇠진된 상태다.

häufeln [hɔ́ʏfəln] *t.* ① 〖農〗 복토(覆土)하다, 조금씩 흙을 쌓아 북돋우다. ② 쌓아 작은 더미로 만들다.

***Haufen** [háʊfən] *m.* -s, - ① 더미, 쌓아올린 것; 덩어리, 무더기: ein ~ Holz 쌓아올린 장작; ein ~ Geld 큰돈, 많은 돈; ein ~ Arbeit〔Schulden〕 많은 일〔빚〕; 〖전치사와 함께〗 **auf** einen〔einem〕 ~ 포개져서, 한 덩어리로 뭉쳐, 운집하여; et. auf einen ~ schichten〔legen〕 무엇을 한 무더기로 쌓아올리다〔한 곳에 모아 두다〕; das Geld auf einen ~ haben 돈을 한 묶음으로 해 두다, 함께 모아 두다; **in**〔**zu**〕 ~ 한 덩어리가 되어; das Heu in ~ setzen〔schichten〕 건초를 한 무더기로 쌓아올리다; et. **über** den ~ werfen〔stoßen〕 무엇을 무너뜨리다, 허물어뜨리다; 〖비유〗 einen Plan über den ~ werfen 계획을 파기하다; über den ~ fallen 허물어지다; jn. über den ~ rennen〔fahren, reiten〕 누구를 밀어〔차로 치어, 말로 받아〕 넘어뜨리다; über den ~ schießen〔knallen〕 (잔인하게) 총격을 가해 쓰러뜨리다; 〖비유〗 sie saß da wie ein ~ Unglück 그 여자는 초췌한 모습으로 그곳에 앉아 있었다; 〖비속〗 einen ~ machen〔setzen〕 대변 보다. ② 다수; 무리, 군중, 떼: 〖경멸〗 der (große) ~ 군중, 우중(愚衆), 대중; der gemeine ~ 서민, 천민; 〖구어〗 ein ~ Kinder sammelte sich an 한 무리의 아이들이 모여들었다; 〖전치사와 함께〗 **auf** einen ~ 밀집하여; **in** (ganzen, dichten, hellen) ~ 떼를 지어서; zu ~ 떼를 지어서, 함께. ③ 한 무리의 병사: 〖구식〗 zum alten ~ fahren 죽다. ④ 〖구어·폄어〗 (끼리끼리 모이는) 사람들, 그룹: ich war froh, diesem ~ entronnen zu sein 이런 치들에게서 벗어나서 기뻤다.

häufen [hɔ́ʏfən] 《I》 *t.* 쌓아올리다, 무더기를 만들다; 모으다: Getreide〔Reichtum〕 ~ 곡물을 쌓아올리다〔부를 축적하다〕; Verbrechen auf Verbrechen ~ 죄를 거듭 짓다; 〖비유〗 Lob auf jn. ~ 누구를 몹시 칭찬하다. 《II》 *refl.* sich ~ 쌓이다; 모이다. 《III》 **gehäuft** *p.a.* ↑ gehäuft.

Haufen≈dorf *n.* 가옥이 집단을 이루고 있는 마을. **~drüse** *f.* 〖해부〗 집합선(腺), 바이어씨(氏) 선(腺). **~frucht** *f.* 〖植〗 집합과(果). **≗weise** *adv.* 떼를 지어서, 더미를 이루어; 쌓여, 많은 양으로: er hat ~ Geld 그는 돈을 많이 가지고 있다. **~wolke** *f.* 〖物〗 적운(積雲) (Kumulus).

Hauff [hauf] *m.* Wilhelm ~ 하우프(독일의 소설가·동화 작가, 1802-27).

***häufig** [hɔ́ʏfɪç] 《I》 *a.* 빈번한, 잦은; 통례적인: ~es Vorkommen 빈발, 자주 일어남. 《II》 *adv.* 빈번하게, 자주; 통례적으로: nicht ~ 드물게; ~ besuchen 자주 방문하다.

Häufigkeit *f.* 빈번, 빈발.

Häuflein *n.* -s, - ↑ Häufchen.

Häufung [hɔ́ʏfʊŋ] *f.* -en ① 쌓기, 집적; 무더기, 더미; 증가, 증식; 덩어리(가 되기). ② 반복, 빈번: eine ~ von Fällen 사건의 빈발.

Häufungs≈punkt *m.*, **~stelle** *f.* 〖物〗 집적점(點).

Hauf·werk *n.* 퇴적물.

Hau≈gerechtigkeit *f.* 벌채권. **~hammer** *m.* 〖광업〗 곡괭이. **~hechel** *f.* 〖植〗 (지중해 연안산(産)의) 토끼풀과 비슷한 콩과 식물: die dornige ~ 토끼풀 비슷한 뿌리가 질긴 잡초. **~holz** *n.* 벌채 수목.

häuig *a.* (수목 따위가) 벌채할 수 있을 만큼 자란.

..hauig *suf.* "…벨 수 있는"의 뜻(보기: drei~ (목초지가) 1 년에 3 번 풀을 베는).

Hau≈klotz *m.* ↑ Hackklotz. **~land** *n.* 개발지, 개간지. **~länderei** *f.* (18-19 세기에 황무지 개발을 장려하기 위한) 영대(永貸) 소작지.

haulen [haʊlən] *i.* (h.) (비둘기가) 꾸륵꾸륵 울다.

Häunel [hɔ́ʏnəl] *n.* -s, -n (öst.) (작은) 곡괭이.

***Haupt** [haʊpt] 《<mhd. houbet》 *n.* -(e)s, Häupter [hɔ́ʏptər] ① 머리, 목: das ~ sinken lassen 머리를 숙이다; verzweifelt sein ~ schütteln 절망하여 머리를 흔들다; entblößten ~es 맨 머리로, 모자를 벗고; mit gesenktem ~〔gesenkten ~es〕 고개를 숙여서; dem Verbrecher wurde das ~ abgeschlagen 범인은 단두형에 처해졌다; 〖雅語〗 zu Häupten 머리 위에, 머리맡에; 〖비유〗 er sammelt feurige Kohlen auf mein ~ 그는 나를 창피하게 만든다, 얼굴이 빨개지게 만든다; er weiß nicht, wo sein ~ hinlegen sollte 그는 어디서 자야 할는지 모른다; 〖비유〗 eins aufs ~ kriegen〔bekommen〕 야단맞다, 질책당하다; jn. aufs ~ schlagen 누구를 이기다〔정복하다〕. ② 〖시어〗 두뇌, 정신, 사고력, 오성, 이성, 지능: mit sinnendem ~ 명상에 잠겨. ③ 생명: ich hafte dir mit meinem ~ dafür 나는 목숨을 걸고 네게 그것을 보증한다. ④ 우두머리, 지도자, 지배자; 〖속어〗 교장: das Haupt der Familie〔des Staates〕 가장〔국가 수반〕; das ~ der katholischen Christenheit 교황; ein gekröntes ~ 군주; ein graues ~ 백발 노인; 〖학생〗 bemoostes ~ 늙은 학생; die greisen Häupter der Stadt 시의 원로; 시의회 의원. ⑤ 주요부(분), 주력: an ~ und Gliedern 완전히, 전(면)적으로; eine Reform an ~ und Gliedern 전면적인 개혁; den Feind aufs ~ schlagen 적의 주력을 제압하다, 적을 격퇴하다. ⑥ 〖드물게〗 (가축 특히 소·말 따위의) 마릿수, 필: zwanzig ~〔Häupter〕 Vieh 20 마리의 가축; 〖法〗 das beste ~〔Best≗〕 차지권(借地權) 상속자가 영주에게 바치는 세금(가축 중 가장 좋은 것을 바쳤음). ⑦ 〖물건의 가장 높은 부분을 뜻함〗 산봉우리; 우듬지; (집의) 대들보; 〖植〗 화관(花冠); 초목의 꼭대기(꽃·잎); (못·지팡이의) 머리; 〖건축〗 기둥머리; 〖軍〗 교두보: von ferne sah man die Häupter der Berge 멀리 산봉우리들을 볼 수 있었다.

haupt.. *suf.* "머리의·중요한"의 의 뜻(보기: ≗arbeit 주요 업무; ≗thema 주요 테마).

Haupt≈abschnitt *n.* 주요 부문; 가장 중요한 시기; 〖法〗 관항(款項). **~absicht** *f.* 주요 의도, 취지. **~achse** *f.* 〖數〗 주축. **~ader** *f.* 〖해부〗 주정맥. **~agent** *m.* (상행위 따위의) 총대리인. **~akzent** *m.* ① 제 1 강세. ② 강조

점, 중점: auf et. den ~ legen 무엇에 중점을 두다. **~altar** *m.* 본제단(本祭壇). **~amtlich** *a.* (↔ nebenamtlich) 주업(主業)의, 상임의: was tut er ~? 그는 주업무가 무엇입니까?; ~ tätig sein 주업으로 종사하다. **~angeklagte*** *der/die* 〖法〗 주피고(인). **~angriff** *m.* 〖軍〗 주공격. **~anker** *m.* 〖海〗 주닻. **~anschluß** *m.* 전화국과 직결된 접속선; 대표 전화. **~arbeit** *f.* 중요한 사업; 주저(主著). **~arm** *m.* (하천의) 큰 지류. **~armee** *f.* 〖軍〗 주력군, 본대. **~arterie** *f.* 〖해부〗 대동맥. **~artikel** *m.* 주요 조항; (신문의) 주요 기사, 사설. **~aufgabe** *f.* 주임무. **~augenmerk** *n.* 특별한 주의〔주목〕. **~bahn** *f.* 〖철도〗 간선. **~bahnhof** *m.* 〖철도〗 (도시의) 중앙 정거장, 본역(약어: Hbf.). **~balken** *m.* 〖건축〗 대들보, 도리. **~bank** *f.* 은행의 본점. **~basis** *f.* 〖軍〗 근거지. **~begriff** *m.* 주요 개념, 강령. **~behälter** *m.* 〖空〗 주연료 탱크. **~beruf** *m.* (↔ Nebenberuf) 본업. **~beruflich** *a.* 본업상의: ~ tätig sein 본업으로 종사하다. **~beschäftigung** *f.* 주업무. **~bestand·teil** *m.* 주성분. **~betrag** *m.* 총액. **~blatt** *n.* (신문의) 주요면. **~buch*** *n.* 〖商〗 원부, 원대장(元臺帳). **~buchstabe** *m.* 대문자, 머리 글자. **~bureau** [..byro:] *n.* 본사, 본점, 본부. **~darsteller** *m.* 〖연극·영화〗 주연 배우. **~darstellerin** *f.* ↑ ~darsteller 의 여성형. **~daten** *pl.* 주요 사항. **~eingang** *m.* 정문, 출입구. **~eingangs·halle** *f.* 현관. **~erbe** *m.* 〖法〗 제 1 〔일반〕 상속인. **~erzeugnis** *n.* 주요 생산품(~produkt).

Häuptel [hɔ́ʏptəl] *n.* -s, -(n) (südd.) 채소의 꼭지 부분, 둥근 채소.

Häuptel·salat *m.* ↑ Kopfsalat.

Hauptes·länge *f.* 머리 하나의 길이: 〔비유〕 jn. um ~ überragen 누구보다 훨씬 낫다.

Haupt=fach *n.* 주요 부문; 전공 분야〔과목〕; (연구의) 주제. **~farbe** *f.* 주요색, 원색. **~fehler** *m.* 주된 결점; 중대한 오류. **~feld·webel** *m.* 〖軍〗 상사(上士); 상사의 직위. **~fest** *n.* 본축제, 대제(大祭). **~festung** *f.* 〖軍〗 본부 요새. **~figur** *f.* 주요 인물, 주인공. **~film** *m.* 본영화. **~fluß** *m.* 본류. **~form** *f.* ① 주요 형식. ② 〖문법〗 명사로 쓰여진 동사 부정형. **~frage** *f.* 주요 문제. **~gebäude** *n.* 〖건축〗 본관; 본부 건물. **~gedanke** *m.* ① 근본 사상. ② 〖음악〗 주제. **~gegenstand** *m.* (사고·담론(談論) 따위의) 주요 대상, 중심 주제: was ist der ~ dieser Auseinandersetzung? 이 논쟁의 중심 테마는 무엇인가? **~geld** *n.* 〖法〗 인두세(人頭稅). **~gericht** *n.* 〖요리〗 (풀코스 식사에서) 주요리, 메인 메뉴. **~geschäft** *n.* ① 주요한 업무. ② 〖法〗 본계약; 본점. **~geschäfts·zeit** *f.* (상점들이) 특히 붐비는 시간: in der Innenstadt kann man zur ~ keinen Parkplatz bekommen 시내에서는 붐비는 시간엔 주차할 자리가 없다. **~gewicht** *n.* 강조〔주안〕점: der Autor legte das ~ auf die Personendarstellung 그 작가는 인물 묘사에 중점을 두었다. **~gewinn** *n.* (복권·경품에서) 1등 당첨; 주이득. **~gewinner** *m.* 1등 당첨자. **~gläubiger** *m.* 정(正)채권자. **~grund** *m.* 주된 이유. **~grund·satz** *m.* 주요 원칙, 중심 원리. **~gut** *n.* 기본 재산, 자본; 소유지. **~gut** *a.* (obd.) 가장 좋은, 최상의. **~haar** *n.* 두발. **~hahn** *m.* ① 가장 힘센 수탉. ② 〔비유〕 (친구들 사이의) 우두머리, 대장; 〔학생〕 (경기·싸움의) 대장; 멋쟁이. ③ (가스관·수도관의) 중심 꼭지. **~handels·artikel** *m.* 주요 수출입〔거래〕 품목. **~handlung** *f.* ① 〖法〗 주된 행위. ② 〖연극〗 주요 줄거리. ③ 〖商〗 본점. **~hirsch** *m.* (12개 이상의 가지뿔이 돋힌) 힘세고 사나운 사슴. **~hof** *m.* 앞뜰.

hauptig *a.* (schweiz.) 고집이 센, 완고한.

Haupt=inhalt *m.* ① 주요 내용, 주성분. ② 대략, 개요. **~intervention** *f.* 〖法〗 주(主)참가적 공동 소송. **~kampf** *m.* ① 주(主)전투. ② 〖권투〗 본경기. **~kasse** *f.* 중앙 금고. **~kassier(er)** *m.* 현금 출납계장. **~kerl** *m.* ① 두목, 수령; 〔속어〕 왕초, 짱. ② 익살꾼, 주요 배우. ③ 교활한 사람. **~kirche** *f.* 〖가톨릭〗 중앙 회당, 본산(本山); 주교좌 성당. **~klage** *f.* 〖法〗 본소(本訴). **~kräfte** *pl.* 〖軍〗 주력. **~lager** *n.* 〖건축〗 대들보. **~lehre** *f.* ① 중심 학설, 주요 이론, 기본 교의(教義). ② 〖法〗 주론(主論). **~lehrer** *m.* 교장 대리; 수석 교사, 교감. **~leid·tragende*** *der/die* 상주(喪主). **~leiter** *m.* ① 지도자. ② 〖전기〗 주도선(主導線). ③ 주음계(c 장조, a 단조). **~leitung** *f.* 〖전기〗 주도선(主導線). **~leute** *pl.* ↑ Hauptmann 의 복수형.

Häuptling [hɔ́ʏptlɪŋ] 《< Haupt》 *m.* -s, -e ① 〔반어·폄어〕 괴수, 수령. ② 부족의 장, 추장; (유랑 극단·학생 조합의) 단장, 우두머리. ③ 〖植·방언〗 옆가지가 없는 포도 덩굴.

häuptlings [..lɪŋs] *adv.* ① 거꾸로(kopfüber): er stürzte ~ vom Pferd 그는 말에서 거꾸로 떨어졌다. ② 머리맡에.

Haupt·linie *f.* ① 본선. ② 〖철도〗 간선. ③ 〖畫〗 주선.

hauptlos *a.* ① 머리가 없는. ② 〖動〗 무두류(無頭類)의. ③ 〔비유〕 우두머리가 없는: 〖法〗 ein ~es Haus 절가(絕家).

Haupt=macht *f.* ① 주력 (부대). ② 강대국. **~mahlzeit** *f.* 주된 식사; 정찬. **~mangel** *m.* 주요한 결함〔결핍〕. ***~mann**[1] *m.* ① 〔복수: ..leute〕 (보병〔공병〕의) 중대장, 대위. ② (단)장, 우두머리.

Hauptmann[2] *m.* Gerhart ~ 하우프트만(독일의 극작가·소설가, 1862-1946).

Haupt=mannschaft *f.* 중대장의 직〔지위〕. **~markt** *m.* 중앙 시장. **~masse** *f.* ① 〖軍〗 (행군 중의) 본대. ② 대부분, 다수. **~mast** *m.* 〖海〗 메인 마스트. **~merkmal** *n.* 주요 목표, 특색, 특징. **~mieter** *m.* 〖法〗 (주인과 직접 계약을 한) 주세입자(↔ Untermieter). **~mittel** *n.* 주요 수단. **~narr** *m.* 지독한 바보. **~nenner** *m.* 〖數〗 최소 공통 분모; 기초. **~niederlage** *f.* ① 본점; 상업 중심지. ② 〖軍〗 대패배. **~niederlassung** *f.* 〖法〗 본점. **~noten** *pl.* 〖음악〗 본음. **~ort** *m.* ① 요충지. ② 〖지리〗 주횡도갱(主横導坑). **~papier** *n.* 〖法〗 본증권. **~person** *f.* ① 주요〔중심〕 인물. ② 〖연극〗 주역, 주인공. **~pfosten** *m.* 〖건축〗 본주(本柱). **~plan** *m.* ① 주요 계획. ② 〖건축〗 기본 설계도, 주평면도. **~platine** *f.* 〖컴〗 (Systemplatine) 주회로 기판, 머더보드. **~portal** *n.* ↑ ~eingang. **~post** *f.*, **~post·amt** *n.* 중앙 우체국. **~preis** *m.* 1등

상. **~probe** *f.* 〖음악·연극〗 총연습, 일반 시연(試演). **~produkt** *n.* 주요 생산물. **~punkt** *m.* 주안점, 요지. **~quartier** *n.* 〖軍〗 사령부, 본부; 〔총칭〕 사령관과 참모들. **~quelle** *f.* 근원, 본원(本源). **~rechnung** *f.* 총결산. **~regel** *f.* 주요 규칙. **~register** *n.* ① 총목록. ②〖악기〗(오르간의) 주음전(主音栓). **~reise·zeit** *f.* (주로 여름 방학 기간의) 여행 성수기, 여행 시즌. **~reserve** *f.* 〖軍〗 총(總)예비군. **~rohr** *n.* 주도관(主導管). **~rolle** *f.* ①〖연극·영화〗 주역. ②〖비유〗 가장 중요한 역할: bei jedem Fest muß er die ~ spielen 어느 축제에서나 그가 주도적 역할을 해야 한다.

*__Haupt=sache__ *f.* ① 가장 중요한 일, 주안점, 요지: und nun zur ~! 자 이제 본론으로 들어갑시다!: in der 〔zur〕 ~ 요체를 말하면, 일반적〔본질적〕으로. ②〖法〗 본안(本案), 본건. **~sächlich** 《Ⅰ》 *a.* 주요한. 《Ⅱ》 *adv.* 주로, 특히, 무엇보다도. **~saison** *f.* (여행·상업의) 성수기 (Hochsaison, ~reisezeit). **~sänger** *m.* 〖음악·연극〗 (오페라 등의) 주연 가수. **~-sängerin** *f.* ↑ ~sänger 의 여성형. **~satz** *m.* ①〖음악〗 주요 주제〔악절〕. ②〖문법〗 (↔ Nebensatz) 주문장. ③ 주명제, 주요 법칙. **~schiff** *n.* ① 본선. ②〖海〗 기함(旗艦). ③〖건축〗 (교회의) 중랑(中廊). **~schlacht** *f.* 〖軍〗 결전, 주전. **~schlag·ader** *f.* 〖해부〗 대동맥. **~schlüssel** *m.* (한 건물의 모든 자물쇠에 맞는) 열쇠, 마스터 키. **~schmuck** *m.* ① 머리 장식품. ② 중요한 장식품. **~-schrift·leiter** *m.* 주필, 편집장. **~schuld** *f.* 〖法〗 주된 죄과〔책임〕, 주채무: die ~ an den gegenwärtigen Zuständen 현상황에 대한 주된 책임. **~schuldige*** *der/die* 〖法〗 주범, 정범. **~schuldner** *m.* 〖法〗 주〔원〕채무자. **~schule** *f.* (Grundschule 를 마친 다음 Gymnasium 이나 Realschule 에 진학하지 않은 학생이 다니는 5-9 학년의) 중등 학교(형태). **~schwein** *n.* 〖사냥〗 (7 년이 넘은) 멧돼지. **~segel** *n.* 〖海〗 중앙돛, 주범(主帆). **~-seite** *f.* ① 주요면. ②〖건축〗 전면, 정면. **~-siegel** *n.* 실인(實印).

Haupt=spaß *m.* 멋진 익살. **~speicher** *m.* 〖컴〗 주기억 장치. **~stab** *m.* 〖軍〗 참모 본부. ***~stadt** *f.* 수도. **~städtisch** *a.* 수도의. **~stamm** *m.* ①〖植〗 본줄기. ② (한 민족 또는 씨족의) 주류, 직계, 본가. **~stärke** *f.* 특기, 장기. **~steuer** *f.* 〖法〗 인두세(人頭稅). **~stimme** *f.* 〖음악〗 ① (Kopfstimme) 두성; 가성(假聲). ② (합창의) 주성부(主聲部) (↔ Nebenstimme). **~straße** *f.* 간선 도로, 큰거리. **~strecke** *f.* 〖철도〗 간선 구간. **~streich** *m.* 대담한 필치; 절묘한 기지; 대결, 결전. **~strom** *m.* ① (강의) 본줄기; 주류. ②〖전기〗 주전류. **~strom·kreis** *m.* 〖전기〗 주회로. **~stück** *n.* (Kernstück) ① 주요 부분, 핵심부. ②〖기독교〗 (특히 루터교의) 중심 교리, 주요 신조. **~sturm** *m.* 〖軍〗 총돌격. **~stüt-ze** *f.* ① (이론 따위의) 주된 근거. ② 주된 생업. **~summe** *f.* 총계, 총액. **~teil** *m.* ① 주요부. ②〖軍〗 본대. **~thema** *n.* 〖문학·음악〗 주테마. **~ton** *m.* ①〖음악〗 주조(主調). ②〖문법〗 주(主)강세. **~treffer** *m.* 1 등 당첨자: den ~ machen 1 등상을 타다, 대성공하다. **~treppe** *f.* 본〔주〕계단. **~trumpf** *m.* 〖카드〗 끗수가 가장 높은 패. **~trupp** *m.* 〖軍〗 주력 부대, 본대. **~tugend** *f.* 기본 도덕. **~tür** *f.* 현관, 정면 출입문. **~uhr** *f.* 표준 시계. **~umstand** *m.* 주요 사정. **~-und Staats·aktion** *f.* ① (독일 유랑 극단(1680-1740)의) 환상적 모험극. ②〔오늘날에는 다음 용법으로만〕 떠벌리기, 과장: aus et.³ eine ~ machen 무엇을 침소봉대하다. **~unterneh-men** *n.* 〖軍〗 본행동. **~unternehmer** *m.* 주사업자. **~ursache** *f.* 주요 원인. **~ver-antwortung** *f.* 주요〔근본〕 책임. **~ver-diener** *m.* (한 가정의) 주수입자, 가계 주도자. **~verfahren** *n.* 〖法〗 (형사 소송의) 주심리. **~verhandlung** *f.* 〖法〗 공판.

Hauptverkehrs=straße *f.* 대로, 주도로. **~stunde** *f.*, **~zeit** *f.* 러시 아워, 출퇴근 시간.

Haupt=verlesen *n.* (schweiz.) 〖軍〗 점호. **~versammlung** *f.* ① 총회. ② 주주 총회에 모인 주주단. **~verzeichnis** *n.* 〖컴〗 주(主) 자료방(Stammverzeichnis). **~wache** *f.* 〖軍〗 경비 본대. **~wall** *m.* 〖軍〗 주루벽(主壘壁). **~verwaltung** *f.* 최고 (중앙) 관리 본부. **~weg** *m.* 주도로(~straße). **~welle** *f.* 주회전축. **~werk** *n.* 주저(主著), 걸작, 대작. **~wert** *m.* 주요 가치. **~witz** *m.* 절묘한 기지. **~wohn·sitz** *m.* 〖法〗 주거주지. **~wort** *n.* ① 주요한 말. ②〖문법〗 명사. **~wörtlich** 《Ⅰ》 *a.* 명사의. 《Ⅱ》 *adv.* 명사적으로. **~zahl** *f.*, **~zahl·wort** *n.* 〖문법〗 기수(基數). **~-zeuge** *m.* 주요 증인. **~zeug·haus** *n.* 〖軍〗 주무기고. **~ziel** *n.* 주목표, 주표적. **~zug** *m.* ① 특성, 특질; 특색. ②〖軍〗 본대, 주력. ③〖철도〗 주요〔간선〕 열차. **~zweck** *m.* 주목적. **~zweig** *m.* ① 으뜸 가지. ② 주요 분야.

hau ruck [háu rúk] *int.* 영차(무거운 짐을 옮길 때 내는 소리).

Hauruck *n.* -s, -s "영차"의 외침.

Hauruck·fußball *m.* 〖스포츠〗 (기술 없이) 몸으로 때우는 축구.

*__Haus__ [haus] 《< mhd. hûs》 *n.* -es, Häuser [hɔ́yzər] ① 집, 주택, 살림집: einstöckiges 〔zweistöckiges〕 ~ 단층〔2 층〕집; das ~ hüten 집을 (꼭) 지키다, 집에 틀어박혀 있다; 〔전치사와 함께〕 ~ **an** ~ wohnen 이웃해서 살다; 〔비유〕 Häuser **auf** jn. bauen 누구를 아주 신뢰하다; jm. ins ~ stehen 누구에게 임박해 있다; nicht **aus** dem ~(e) kommen 집 밖에 나오지 않다, 외출하지 않다; jn. aus dem ~(e) jagen 누구를 집에서 몰아내다, 내쫓다; **außer** dem ~(e) (집) 밖에서; **bei** ~(e) (schweiz.) 집에서(zu ~e); **im** ~e 집 안에, 옥내에: Herr im ~e sein 한 집안의 가장이다; 〔비유〕 mit der Tür ins ~ fallen 무심코 입을 놀리다, (소원·요구 따위를) 불쑥 끄집어내다; **nach** ~e kommen 귀가하다; **von** ~e 〔von zu ~e〕 내 집에서부터; 〔비유〕 von ~ aus 선천적으로, 원래부터; von ~ aus Vermögen haben 상속 재산이 있다; von ~ zu ~ 집집마다; **zu** ~e 집에 (있으면서), 〔비유〕 본심〔진정〕으로; nirgends zu ~e sein 거주할 집이 없다; tun Sie, als ob Sie zu ~e wären! 편히 지내십시오!; wenn man Unterstützung verlangt, ist niemand zu ~e 동냥 얻으러 가면 주인 없다고 따돌린다; ich bin für niemand zu ~e 나는 누구에게나 면

회 사절이다; jm. das ~ einrennen〔einlaufen〕 누구를 자주 방문하여 귀찮게 하다; jm. ins ~ schneien 〔geschneit kommen〕 예고 없이 누구를 방문하다, 누구 앞에 갑작스레 나타나다; mit et.³ zu ~e bleiben 무엇을 혼자 간직하다, (남에게) 쓸데없이 고해바쳐 번거롭게 하지 않다; damit bleib mir zu ~e! 그건 딱 질색입니다! ; in einem Fache zu ~e sein 어떤 (전문) 분야에 정통하다; etwas kommt jm. zu ~e 〔etwas wird jm. zu ~ gebracht〕 누가 어떤 일을 당하다, 무슨 변을 당하다. ② 고향, 모국, 본국: **nach** ~(e) zurückkehren 귀향〔귀가〕하다; nach ~(e) schreiben 고향에 소식을 전하다; **von** ~e weg sein 집을 떠나와 있다, 여행 중이다; bei mir **zu** ~e 내 고향에서는; hier bin ich zu ~e 나는 이 고장 출신이다. ③ (공공의) 건물: das ~ des Herrn 교회, 성전; das ~ der Abgeordneten 국회 의사당, 의원(議院); das ~ der Gemeinen 〔Lords〕 (영국의) 하원〔상원〕; die beiden Häuser vertagten sich 상하 양원이 휴회했다; Handels≈ 상사(商社), 상점; das ~ ist ausverkauft 이 극장의 입장권은 매진됐다; vor leerem〔vollem〕 ~ spielen (이 연극은) 인기가 없다〔대만원의 성황을 이루다〕; Gast≈ 여관; ein gastfreies〔offenes〕 ~ haben 손님을 환영〔환대〕하다; das Weiße ~ 백악관. ④ 유숙하는 곳: **(a)** (가축·가금(家禽) 따위의) 축사: Hühner≈ 닭장. **(b)** (Schnecken≈) 달팽이의 집(껍데기). **(c)** 과실의 심(Kern≈). **(d)** (물품을) 넣어 두는 곳, 광: Leichen≈ 관을 안치해 두는 곳, (묘지의) 납골당. ⑤〔주택에 사는 사람의 총칭으로〕 가정; 가족, 일가; 가계(家系); (특히) (Dynastie) 왕족, 왕조: das ganze ~ 전가족; das ~ ist ausgestorben 이 가문은 손이 끊어져 버렸다; das ~ Österreich 오스트리아 왕조; das königliche ~ 왕조, 왕족; des Kaisers hohes ~ 황족, 황실; aus gutem ~e sein〔stammen〕 명문가 출신이다; von ~e aus begabt sein 타고난 재주가 있다; ~ und Herd 가정. ⑥ 가사, 살림: ~ und Hof 가옥, 전재산; ~ halten 살림을 차리다; 〖고어〗 sein〔das〕 ~ bestellen (죽음에 임박한 사람이) 가사를 정리하다, 유언장을 만들다; das ~ verwalten 살림을 관리하다; ein eigenes ~ begründen 가정을 갖다, 살림을 차리다; ein (großes) ~ machen 화려하게 지내다, 손님을 잘 대접하다; offenes ~ halten 누구라도 거절하지 않고 환영하다; ins ~ schlachten (집안에서 먹기 위해 짐승 특히 돼지를) 도살하다. ⑦ 사람, 놈, 녀석: 〖농담·학생〗 ein fideles〔kreuzbraves〕 ~ 재미있는〔믿음직스러운〕 녀석; altes ~, was machst du? 야, 너 어떻게 지내고 있니? ⑧〖밝혀서 말하기를 꺼릴 때〗 변소(Abtritt). ⑨〖天〗 (하늘을 12 분한 하나의) 궁(宮), 수(宿): die zwölf Häuser der Sonne 태양의 12 궁(宮). ⑩ (nordd.) 현관: im ~ warten 현관에서 기다리다.

Hausa [háusa] *m.* -(s), -(s) ↑ Haussa.

Haus≈altar *m.* 가정용 제단(祭壇). **~andacht** *f.* 가정 예배. **~angelegenheiten** *pl.* 집안일, 가사. **~angestellte*** *der/die* 가정부, 하녀, 하인. **~anschluß** *m.* 〖工〗 옥내 배선. **~anzug** *m.* (집에서 입는) 평상복. **~apotheke** *f.* ① 가정용 상비약 상자. ② 병원의 약국. ***~arbeit** *f.* ① 가사. ② (학생들의) 숙제(↔Klassenarbeit). **~arbeits·tag** *m.* (가정을 가진 직업 여성에게 주어지는 매달 하루의) 가사 휴가일. **~arrest** *m.* 자택 연금. **~arznei** *f.* 가정 상비약. **~arzt** *m.* 주치의, 가정의(醫). **~ärztin** *f.* ↑ ~arzt 의 여성형. **~aufgabe** *f.* (학생들의) 숙제. **~ausgaben** *pl.* 가계비. **~backen** 《I》 *a.* ① (빵·과자가) 집에서 구운, 수제(手製)의. ② 〔비유〕 평범한, 일상적인, 고루한, 무미건조한: ein ~er Ehemann 고루한 남편. 《II》 *refl.* sich ~ kleiden 평범하게 차려입다. **~bank** *f.* 주거래 은행. **~bar** *f.* ① (집에서 준비한) 술. ② 집에 설치한 작은 바. ③ 술을 보관하는 가구. **~bau** *m.* 〖건축〗 주택 건축. **~baum** *m.* (풍차의) 축간(軸幹). **~bedarf** *m.* 가정 필수품. **~beobachter** *m.* 〖軍〗 옥상 관측자. **~besetzer** *m.* 가옥 점거자. **~besitzer** *m.* 가옥 소유자, 집주인. **~besitzerin** *f.* ↑ ~besitzer 의 여성형. **~besorger** *m.* (öst.: Pförtner) 문지기, 수위. **~bettelei** *f.* 문전 걸식, 탁발(托鉢). **~bewohner** *m.* 거주자, 세입자. **~bewohnerin** *f.* ↑ ~bewohner 의 여성형. **~bibliothek** *f.* 가정의 서재, 개인 장서. **~bier** *n.* 집에서 만든 맥주; 도수가 낮은 맥주. **~boot** *n.* 수상 가옥, 지붕이 있는 살림배. **~brand** *m.* 가정용 연료.

Hausbrand≈kohle *f.* 가정 연료용 석탄〔숯〕. **~versorgung** *f.* 가정용 연료의 조달.

Haus≈brauch *m.* 가풍; 가정용. **~brief** *m.* 가옥 양도 증서. **~brot** *n.* 집에서 구운 빵. **~buch** *n.* ① 가옥 대장(臺帳), 등기부. ② 가계부. ③ 가정 도서. ④〖구동독〗 가옥 거주자 등록부. **~bursche** *m.* ① 심부름꾼, 사환. ② 동거하는 단짝.

Häuschen [hɔ́ʏsçən] *n.* -s, -/Häuserchen 〖↑ Haus 의 축소형〗 ① 작은 집; 경비소(철도의 신호 막사·사냥 움막), 경비〔수위〕실. ② 〖속어〗 (Abtritt) 화장실, 변소. ③〖비유〗 (ganz〔rein〕) aus dem ~ geraten〔fahren〕 제정신을 잃다; jn. aus dem ~ bringen 누구를 화나게〔안절부절못하게〕 하다; aus dem ~ sein a) 어쩔 줄 모르고 있다, b) 제정신이 아니다, c) 기분 나빠하고 있다.

Haus≈dame *f.* (상류 가정에서 가사일을 총괄하는) 여집사; (귀부인의 직업적인) 말 상대부인. **~dieb** *m.*, **~diebin** *f.* 훔치는 버릇이 있는 집안 사람(주로 하인·하녀를 말함). **~diele** *f.* ↑ ~flur. **~diener** *m.* 하인, (여관·상점의) 사환. **~drachen** *m.* 사나운〔심술궂은〕 여자〔아내〕; 앙칼진 계집. **~durch·suchung** *f.* 가택 수색. **~ehre** *f.* ① 집안의 명예. ②〖고어·농담〗 마누라, 주부(현재는 대개 경멸적으로 쓰임). **~eigen** *a.* 집에 부속된; 집에서 직접 만든: ~e Würste (차림표 따위에서) 집에서 만든 소시지. **~eigentümer** *m.* ↑ ~besitzer. **~einfahrt** *f.* (집으로 들어가는) 진입로. **~einrichtung** *f.* 집안의 설비, 가재 도구.

Häusel [hɔ́ʏzəl] *n.* -s, - (obd.) 〖↑ Haus 의 축소형〗 작은 집(Häuschen ①).

Hausen [háuzən] *m.* -s, - 〖動〗 철갑상어.

hausen 《<Haus》 *i.* (h.) ① (비참한 상황, 비인간적인 환경에서) 살다, 거주하다: sie müssen in einer Baracke ~ 그들은 판잣집에서 살아야 한다; 〖구어·농담〗 hier hause ich

jetzt 나는 지금 여기 산다. ②〔구어·폄어〕 소란을 피우다, 행패를 부리다: die Truppen haben in der Stadt übel〔schlimm〕 gehaust 군부대가 도시에서 만행을 저질렀다; wie die Wandalen ~ 파괴자처럼 행동하다. ③ (schweiz.) 절약하다, 살림을 잘 꾸려가다. ④〔구어〕 체류하다, 머물다.

..hausen 《Haus 의 복수 1 격의 옛 형태; 지명에 그 형(形)이 많이 남아 있음》 *suf.* "…집·취락"의 뜻(보기: Walters~).

Hausen·blase *f.* 철갑상어의 부레.

Haus≈ente *f.* 〖動〗 집오리. **~erb·folge** *f.* 〖法〗 가독(家督) 상속, 호주 상속.

Hauser [háuzər] 《< Haus》 *m.* -s, - (bayr., öst.) (Haushälter) 집안 관리인, 집사.

Häuser·block *m.* (4 개의 가로(街路)에 둘러 싸인 한 구역 안의) 가옥군(群), 주거 단지.

Häuserchen *pl.* ↑ Häuschen 의 복수형.

Haus·er(e)n *m.* 〔방언〕 현관.

Häuser·front *f.* 늘어선 건물들의 전면.

Häuserin [hɔ́yzərɪn] *f.* -nen (bayr., öst.) ↑ Hauser 의 여성형.

Häuser≈makler *m.* 가옥 중개인, 부동산 소개업자. **~meer** *n.*〔비유〕 빽빽하게 들어선 집들. **~reihe** *f.* 들어선 집들. **~vier·eck** *n.* 주택가(~block).

Haus≈erziehung *f.* 가정 교육. **~flagge** *f.* 〖海〗 사기(社旗). **~fliege** *f.* 집파리(Stubenfliege). **~flur** *m.* 현관. **~franzose** *m.* (18 세기의) 프랑스인 가정 교사. **~frau** *f.* ① 주부. ② 가정부장(家政婦長), 하녀의 우두머리. ③ 여주인. **~frauen·art** *f.*〔다음 용법으로〕 Wurst nach ~ 집에서 만든 소시지. **≈fraulich** *a.* 주부의〔다운〕: mit ~em Geschick 주부다운 솜씨로. **~freund** *m.* ① 가족과 친밀한 사람, 가족의 벗. ② 유부녀의 정부(情夫). **~frieden** *m.* ① 가정의 평화. ② 〖法〗 가정의 안녕. **~friedens·bruch** *m.* 〖法〗 주거 침입(죄). **~gang** *m.* ↑ ~flur. **~gans** *f.* 집거위. **~gebrauch** *m.* ① 가풍(家風). ② 가정용: für den ~ 가정용의, 사용〔소비〕할 만한; sein Französisch reicht für den ~ 그의 프랑스어는 그런 대로 쓸만하다. **~geflügel** *n.* 가금(家禽). **~gehilfin** *f.* 하녀. **~geist** *m.* ① 가풍. ② (민간 신앙에서) 집의 요정 (Kobold). ③〔비유·구어〕 (활동적이고 성실한) 하녀. **~geld** *n.* 집세, 가옥세, (보험금으로 지급되는) 부양 가족 급부금. **≈gemacht** *a.* 손으로 만든, 수제의; 국산의. **~gemeinschaft** *f.* 가족 공동체, 가정, 가족: mit jm. in ~ leben (한 가정에서) 누구와 같이 살다. **~genosse** *m.*, **~genossin** *f.* 집안 사람; 한 집에서 사는 사람, 동거인. **~gerät** *n.* 가구, 집기, 살림살이. **~geschäft** *n.* (↔ Marktgeschäft) ① 구멍 가게. ② 집안일, 가사. **~gesetz** *n.*〔고어〕 가법(家法); 가헌(家憲): kaiserliches ~ 황실 전범(典範). **~gesinde** *n.* 시종, 하인. **~gespinst** *n.* 손으로 짠 편물. **~gewand** *n.* 집안에서 입는 옷, 허드레옷. **~gewerbe** *n.* 가내 공업. **~glocke** *f.* 현관의 초인종. **~glück** *n.* 가정의 행복. **~gott** *m.* 〖로마신화〗 가정의 수호신. **~götze** *m.* 집의 우상(偶像). **~grille** *f.* 〖動〗 귀뚜라미 (Heimchen).

Haus≈hahn *m.* 〖動〗 닭, 수탉. ***~halt** *m.* ① 가정 살림, 가계(家計); 가사: Geräte für den ~ 가정용품; den ~ führen 가계를 꾸리다; seinen eigenen ~ einrichten 자신의 가정을 꾸리다; monatlich 800 DM für den ~ ausgeben 생활비로 매달 800 마르크를 쓰다; im ~ helfen 집안일을 도와 주다. ② 식구, 가족 세대: wir sind ein sehr großer ~ 우리는 대식구다. ③ (국가·시의) 재정, 예산: der öffentliche ~ 공공 재정; über den ~ beraten 예산을 심의하다. **~halt·bügel·eisen** *n.* 가정용 다리미.

haus|halten* *i.* (h.) ①〔고어〕 살림을 맡아보다, 한 집안을 꾸려 나가다: jm. ~ 누구를 위해서 살림을 맡아보다; das hilft ~ 그것은 살림에 도움이 된다. ② 절약하다, 조리 있게 (아껴서) 쓰다: du mußt mit deinem Einkommen gut ~ 너는 수입을 규모있게 써야 한다; 〔비유〕 ich muß mit meinen Kräften jetzt ~ 나는 지금 힘을 아껴야 한다.

Haus≈halten *n.* (~haltung) 가정 살림; 절약. **~halter** *m.* ↑ ~hälter. **~hälter** *m.* ① 호주, 세대주. ② 가사 관리인, 집사. ③ 절약가. ④〔방언〕 문지기, 경비(원), 수위. **~hälterin** *f.* ① 주부. ② 가정부; (부잣집의) 하녀 우두머리. **≈hälterisch** *a.* 살림을 잘 하는, 절약할 줄 아는: mit et.[3] ~ umgehen 무엇을 절약하다.

Haushalts≈auflösung *f.* (사망·이사·이혼 따위로 인한) 세대〔가정〕 해체. **~ausgleich** *m.* 〖經·政〗 예산 조정, 세입·세출의 균형. **~ausschuß** *m.* 〖의회〗 예산 위원회. **~buch** *n.* 가계부: ein ~ führen 가계부를 쓰다. **~debatte** *f.* 〖經·政〗 (의회에서의) 예산 논의. **~defizit** *n.* 〖經·政〗 재정 적자. **~etat** *m.* 예산. **~frage** *f.* 가계 문제; 예산 문제: der Ausschuß berät ~n 위원회는 예산 문제를 논의한다; für ~n ist meine Frau zuständig 집안 살림은 아내가 책임지고 있다. **~führung** *f.* 가계 운영; 예산 운영. **~geld** *n.* 가계비. **~gerät** *n.* 가정〔생활〕 용품. **~gesetz** *n.* 〖法〗 (연방 정부나 주정부의) 예산 회계 법규. **~hilfe** *f.* 가정부, 파출부. **~jahr** *n.* ① 〖經·政〗 회계 연도. ② 가사 실습 연도. **~kasse** *f.* ① 가계 경비 비축금. ② 가계비 보관함. **~mittel** *pl.* 〖經·政〗 재정 자금. **~pflegerin** *f.* 가정부. **~plan** *m.* 예산안 (budget). **~plannung** *f.* 〖經·政〗 예산 계획. **~politik** *f.* 〖經·政〗 재정 정책. **~summe** *f.* 〖經·政〗 예산 총액. **~tag** *m.* 〖구동독〗 ↑ Hausarbeitstag. **≈üblich** *a.* 〖商〗 살림 규모에 맞는. **~voranschlag** *m.* 〖의회〗 (재무 장관이 의회에 제출하는) 세출입 예산. **~vorstand** *m.* 가장, 호주. **~ware** *f.* 살림용품.

Haus·haltung *f.* 가정, 가계, 가사돌보기(~halt ①).

Haushaltungs≈buch *n.* 가계부. **~geld** *n.* 가계비. **~kosten** *pl.* 가계비. **~kunde, ~kunst** *f.* 가정 경제학, 가정학. **~liste** *f.* 가족 동거인 명부, 세대 조사표. **≈mäßig** *a.* 검약하는; 실용적인. **~schule** *f.* 가정(家政) 학교. **~seife** *f.* 실용 비누. **~statistik** *f.* 가계 통계. **~vorstand** *m.* (Haushaltsvorstand) 호주, 세대주.

Haus-Haus-Verkehr *m.* 택배.

Haus≈herd *m.* 가정용 화덕. **~herr** *m.* ① 가옥 소유자, 집주인. ② 한 집의 주인, 가장. ③

〖드물게〗 지도적 인물. ④〖스포츠〗 홈팀. **~herren·recht** *n.* 가장권(家長權). **~herrin** *f.* ①호주의 처; 여자 집주인. ②여자 호주; 안주인, 주부. **≈hoch** *a.* 집 높이만한; 거대한: der haushohe Favorit (경마의) 인기 있는 말; 〖스포츠〗 den Gegner ~ schlagen 상대를 대파하다; jm. ~ überlegen sein 누구를 월등히 능가하다. **~hof·meister** *m.* 청지기, 집사(執事). **~huhn** *n.* (집)닭. **~hund** *m.* 〖動〗(집에서 기르는) 집개.

hausieren [hauzíːrən] 《<Haus》 *i.* (h.) ①행상하다: mit et.³ ~ 무엇을 집집마다 돌아다니며 팔다; ~ gehen 행상하다. ②〔비유·폄어〕 떠벌리고〔자랑하고〕 다니다: mit einer Geschichte ~ gehen 늘 똑같은 이야기를 떠들어댄다〔자랑하고 다닌다〕.

Hausieren *n.* -s 행상: ~ verboten! 행상인(출입) 금지!

Hausierer *m.* -s, - 행상인.

Hausier·handel *m.* 행상.

..häusig *suf.* "집을 가진"의 뜻(보기: 〖植〗 ein~ 자웅 동주(雌雄同株)의).

Haus≈industrie *f.* 가내 공업. **≈intern** *a.* 가정〔직장〕 내의. **~jungfer** *f.* 〔고어〕 가정부; 시녀(侍女). **~jurist** *m.* (회사나 재단 따위의) 전속 법률가, 고문 변호사. **~kapelle** *f.* ①(성이나 건물 따위에 딸린) 부속 교회: das Kind wurde in der ~ des Krankenhauses getauft 그 아이는 병원 부속 교회에서 세례를 받았다. ②(**a**) 〔옛뜻〕 궁정 악단. (**b**) (카페나 술집의) 전속 악단. **~kaplan** *m.* 부속 교회의 사제, 목사. **~kasse** *f.* (Schatulle; ↔ Staatskasse) 왕의 사재(私財), 내탕금(內帑金). **~katze** *f.* 〖動〗 집고양이. **~kleid** *n.* 실내복, 평상복. **~knecht** *m.* 머슴. **~knochen** *m.* 〔농담〕 (~schlüssel) 출입구〔현관〕 열쇠. **~kost** *f.* 가정 음식. **~kreuz** *n.* 〔구어·농담〕 ①가정의 걱정거리〔불행〕. ②악처. **~krieg** *m.* ①가정 불화. ②왕위 계승전. **~krone** *f.* ①왕가 세습의 관(冠). ②〔비유〕 가정 주부, 마누라. **~laub** *n.*, **~lauch,** **~lauf** *m.* 〖植〗 돌나물과의 잡초.

Häusl [hɔ́ʏzəl] *n.* -s, -(n) ↑ Häusel.

Haus·lehrer *m.* 가정 교사.

Häuslein *n.* -s, - ↑ Häuschen.

Haus·leitung *f.* 가정용 하수관.

Häusler [hɔ́ʏslər] *m.* -s, - ①(전답을 소유하지 못하고) 집만 있는 농부, 소작인. ②(Einlieger) 토지와 주택이 없는 농부, 머슴.

Haus·leute [háus..] *pl.* ①집을 세놓으면서 같은 건물에 사는 부부. ②(schweiz.) 세입자. ③〔드물게〕 한 건물의 동거인. ④건물 관리인 부부.

häuslich [hɔ́ʏslɪç] *a.* ①집안의, 집안일의, 가정의: der ~e Herd 가정; ~e Angelegenheiten 집안일, (학생의) 숙제; die ~en Arbeiten 집안일, 사사로운 일; ~es Leben 가정 생활; sich an einem Orte ~ niederlassen 어떤 곳에 정주하다, 어떤 곳에 정하다; sich ~ einrichten 거처를 정하다; den ~en Frieden stören 가정의 평화를 깨다. ②(haushälterisch) 살림 잘하는; 알뜰한; 검소한: ein ~es Mädchen 살림 잘하는 처녀. ③외출을 즐기지 않는, 즐겨 집에 틀어박히는: er ist ein ~er Typ 그는 집에 틀어박혀 있기를 좋아하는 타입이다.

Häuslichkeit *f.* -en ①살림을 잘함, 검약; 집에 있기를 좋아함, 가정적임. ②〔고어〕 가사. ③가정 상태〔생활〕: eine sehr angenehme ~ haben 가정이 매우 단란하다.

Häusling *m.* -s, -e 동거인, (특히) (강제 노동 수용소 따위의) 동숙자.

Haus≈liste *f.* (납세 의무자 따위의) 가택(家宅) 명부. **≈machen** *a.* 자가 제품의, 수제(手製)의.

Hausmacher≈art *f.* (음식·과자 따위의) 집에서 만드는 방식: Bratkartoffeln nach ~ 집에서 만드는 방식으로 조리한 부친 감자. **~kost** *f.* ↑ Hausmannskost. **~leinen** *n.* 집에서 만든 마직천. **~wurst** *f.* (가게 따위에서) 직접 만든 소시지.

Haus≈macht *f.* ①왕조의 권력〔재산〕. ②(조직 내에서의) 개인적 권력, 세력. **~mädchen** *n.*, **~magd** *f.* 하녀, 여사환. **~mann** *m.* ①〔고어〕 집안〔건물〕 관리인, 집사. ②가사를 돌보는 남자; (특히) 가사를 맡은 실업자 남편.

Hausmannit *m.* -s 〖광물〗 흑망간광(독일의 광물학자 J.F.L. Hausmann 의 이름에서).

Haus≈manns·kost *f.* 집에서 만든 간편하고 맛있는 식사. **~märchen** *n.* 가정 동화: ~ und Kindermärchen (특히 그림 형제의) 가정과 어린이를 위한 동화. **~marder** *m.* 〖動〗 흰담비. **~marke** *f.* ①(소유물에 붙이는) 가계 또는 단체 표지, 표식. ②(소매상의) 간판 상품. ③〔구어〕 애호 식품: dieses Bier ist meine ~ 이 맥주는 내 애호품이다. **~mast,** **~mästung** *f.* (돼지 따위의) 사육. **~maus** *f.* (↔ Feldmaus) 집쥐, 생쥐. **~meier** *m.* (중세, 특히 프랑켄 왕조의) 궁내성 장관. **~meister** *m.* ①건물 관리인. ②(schweiz.) 건물 소유자. **~miete** *f.* 집세. **~mittel** *n.* 가정 처방(약): ein altes ~ gegen Schnupfen 감기에 대한 옛 비방. **~musik** *f.* 가정 음악. **~mutter** *f.* ①주부. ②(기숙사 등의) 여사감. ③〖動〗 (뒷날개에 뚜렷한 줄무늬가 있는) 나방의 일종. **~mütterchen** *n.* 〔구어·반어〕 가사에 각별한 애착을 보이는 주부〔처녀〕. **≈mütterlich** *a.* 주부다운, 차분한. **~nummer** *f.* 번지, (집의) 번호. **~orden** *m.* ①〔원뜻〕 왕가의 휘장, 가장(家章). ②(왕가가 수여하는) 훈장. **~ordnung** *f.* 거주자 주의 사항: das ist ein Verstoß gegen die ~ 그것은 거주자 준수 사항에 대한 위반이다. **~pflege** *f.* ①가사를 돌봄; (특히 사회 보장의 일환으로 주부의 와병〔부재〕 때의) 가사 보조. ②(사회 보험에 따른) 자가 요양. **~plage** *f.* 〔구어〕 악처(~kreuz). **~platz** *m.* ①(집의) 대지; 현관. ②〖스포츠〗 전용 구장. **~postille** *f.* ①가정(용) 설교집. ②〔농담〕 (남의 일에) 수고를 잘하는 노파. **~rat** *m.* ↑ ~gerät. **~rat·versicherung** *f.* 〖보험〗 가재(家財) 손상 보험. **~recht** *n.* 주택〔가옥〕 불가침권: von seinem ~ Gebrauch machen 누구를 내쫓다〔나가라고 말하다〕. **~regel** *f.* ↑ ~ordnung. **~regiment** *n.* 가정 관리. **~rock** *m.* 실내복 상의.

Haussa [háusa] *m.* -(s), - 하우사인(人) (북서 아프리카의 흑인 종족의 하나).

Haus≈sammlung *f.* (선거 때의) 가정 방문을 통한 모금. **~sasse** *m.* 집주인. **~schabe** *f.* 바퀴벌레. **~schatz** *m.* ①가보(家寶). ②가정 시가집(詩歌集). **≈schlachten** *a.* ①자가

도살의. ②〔드물게〕 집에서〔손으로〕 만든. **~schlachtung** *f.* 자가 도살. **~schlüssel** *m.* 대문〔현관〕 열쇠. **~schneider** *m.* 단골〔출장〕 재단사. **~schuh** *m.* (집에서 신는) 실내화. **~schuhe** *pl.* 실내화, 슬리퍼. **~-schwalbe** *f.* 제비속(屬). **~schwamm** *m.* 〖植〗 눈물버섯(목재 부식균). **~schwelle** *f.* 문지방.

Hausse [hó:s(ə), o:s] 《frz.》 *f.* -n [(h)ó:sən] ① 〖經〗 호황, 경기 상승. ② (증권 시세의) 상승 (↔ Baisse): ~ haben 증권 시세가 올라간다; wenn man ~ hat 증권 시세가 강세이면; auf ~ spekulieren 시세 상승을 예상하여 투기하다.

Haus≈segen *m.* (집의 문이나 벽에 붙여 놓은) 가정 축복문: 〔비유·구어〕 der ~ hängt bei jm. schief 누구의 집안에 부부 싸움으로 불화가 있다. **~seife** *f.* 가정용 비누.

haußen [háusən] 《<hier außen; ↔ draußen》 *adv.* 〔속어〕 (südd.) (집) 바깥 여기에서: es hängt ~ 그것 야단 났군, 그거 귀찮은데.

Hausse≈spekulant [hó:(sə)‥, ó:s‥] *m.* ↑ Haussier. **~spekulation** *f.* 〖經〗 증권 투기.

Haussier [(h)osié:] 《frz.》 *m.* -s, -s [‥sié:s, ‥sjé:s] (증권 시세 상승을 예상한) 증권 투기자.

haussieren [(h)osí:rən, osí:‥] *i.* (h.) (증권 시세가) 상승하다, 강세를 보이다.

Haus≈speise *f.* 집에서 먹는 식사. **~spinne** *f.* 〖動〗 집거미. **~stand** *m.* ① (a) 세대(世帶), 가정(家庭): einen eigenen ~ gründen 가정을 이루다. (b) 살림, 가정(家庭). ②〔총칭〕 가족. **~statt** *f.* ① 자택, 내 집. ② 주거, 주택. **~stätte** *f.* ① 내집. ② (농촌의) 가옥. **~steuer** *f.* 가옥세. **~strecke** *f.* 〔스포츠·구어〕 집 근처에서 조깅할 때 늘 달리는 구간. **~suchung** *f.* 〖法〗 가택 수색: bei jm. eine ~ halten〔vornehmen〕 누구의 가택을 수색하다. **~suchungs·befehl** *m.* 가택 수색 영장. **~tage** 《Austage 의 와전》 *pl.* 〔방언〕 봄. **~taube** *f.* 〖動〗 집비둘기. **~taufe** *f.* 가내 세례.

Hau·stein *m.* 〔건축〕 (벽 장식용의) 다듬은 돌.

Haus≈telefon *n.* 옥내 전화. **~telegrafie** *f.* 실내 개인용 전신. **~telegraphie** *f.* ↑ ~telegrafi. **~telephon** *n.* ↑ ~telefon. **~teufel** *m.* 〔고어〕 ① 집안의 악귀. ② 앙칼진 안주인〔여편네〕. **~tier** *n.* 가축(↔ wilde Tiere). **~tochter** *f.* 가족 대우의 하녀. **~trank** *m.* (가정의) 상용 음료. **~trauer** *f.* 가족의 상(喪). **~trauung** *f.* (신부의) 집에서 치르는 혼례. **~trunk** *m.* (자가 음료용) 찌꺼기 포도주. **~truppen** *pl.* 〖軍〗 친위대. **~tür** *f.* 집의 출입문, 대문: 〔비유〕 gleich vor der ~ 누구를 다그쳐서. **~tyrann** *m.* 〔구어〕 가정의 폭군. **~unke** *f.* 〖動〗 율모기(뱀의 하나). **~vater** *m.* ① 가장, 호주. ② (어떤 시설의) 관리자. **~verbot** *n.* 집안〔건물〕 출입 금지 명령: sie erteilte ihm ~ 그녀는 그에게 자기 집의 출입 금지령을 내렸다. **~verstand** *m.* 상식. **~vertrag** *m.* 가족간의 계약. **~verwalter** *m.* 건물 관리인. **~verwaltung** *f.* ① (임대) 주택의 관리. ② 주택〔건물〕 관리 사무소. **~vögel** *pl.* 가금, 집에서 기르는 새. **~vogt** *m.* 집사; 간수. **~wanze** *f.* 빈대. **~wappen** *n.* 가문(家紋). **~wart** *m.* ① 경비(원), 수위. ② 건물 관리인. **~wäsche** *f.* 가정용세탁물; 자택 세탁. **~werk** *n.* 가내 부업. **~wesen** *n.* 집안일 일체. **~wirt** *m.* ① 집〔건물〕 주인. ② 가장, 호주. **~wirtin** *f.* ↑ ~wirt 의 여성형. **~wirtschaft** *f.* ① 가정 경제〔관리〕. ② 가정, 가계. **~wirtschaftlich** *a.* 가정 경제의, 가계의.

Hauswirtschafts≈meisterin *f.* 가사 관리인 양성 자격을 가진 주부. **~schule** *f.* 가사〔가정 경제〕 학교.

Haus≈wurz *f.* 〖植〗 돌나물과의 잡초. **~zins** *m.* 집세. **~zins·steuer** *f.* 〖法〗 임대세.

***Haut** [haut] 《<mhd. hût》 *f.* Häute ① 피부, 살갗, 표피: **(a)** nur ~ und Knochen sein 피골이 상접하다, 야위다; die Jacke auf der bloßen ~ tragen 맨몸에 재킷을 입다; bis auf die ~ durchnäßt 함빡 젖은; Einspritzung unter die ~ 피하 주사; jm. die ~ gerben 누구를 구타하다; seine ~ zu Markte tragen a) (남을 위하여) 큰 모험을 하다, b) 매음하다; 콜걸〔스트립 댄서〕로 일하다; juckt dich die ~? 어디가 근질근질하니, 맞고 싶으냐?; eine dicke〔dünne〕 ~ haben 둔감〔민감〕하다; es gilt ~ und Haar 그것은 생명에 관계된다; seine ~ verkaufen 용병이 되다; seine ~ so teuer wie möglich〔möglichst teuer〕 verkaufen 전력을 다해 방어하다; jm. die ~ voll〔tüchtig〕 schlagen 누구를 흠씬 때리다; sich³ die ~ voll schlagen 실컷 먹다; seine ~ an et. setzen 어떤 일에 생명을 걸다; sich seiner ~ wehren 죽을 힘을 다해 저항하다; 〔속담〕 die ~ ist allweg näher als das Hemd 팔이 들이굽지 내굽나, 제 몸보다 귀한 것은 없다. **(b)** 〔전치사와 함께〕 sich **auf** die faule ~ legen 빈둥빈둥 세월을 허송하다; **aus** heiler ~ 아무런 이유 없이, 갑자기; aus der ~ fahren 매우 분노하여 노발대발하다; nicht aus seiner ~ (heraus) können 제 버릇을 못버리다; aus fremder ~ ist gut Riemen schneiden 남의 것을 이용하여 제 속셈 차리기는 쉽다; sich³ et. nicht aus der ~ schneiden können 무엇을 할 돈이 없다; **in** keiner guten〔gesunden〕 ~ stecken 곤란을 겪고〔병들어〕 있다; es steckt ihm in der ~ 그것은 그의 천성이다; ich möchte nicht in deiner ~ stecken 네 입장에 서고 싶지 않다; **mit** der ~ bezahlen 몸으로 보상하다; mit heiler ~ davonkommen 무사히 모면하다; jm. die ~ **über** die Ohren ziehen 누구를 속이다; jm. unter die ~ gehen〔dringen〕 누구를 자극하다, 감동을 자아내다. ② (짐승) 가죽, 수피, 모피: mit ~ und Haaren 가죽이나 털째로; 〔비유〕 모조리, 남김없이; auf der faulen ~ liegen 빈둥거리며 지내다; sich auf die faule ~ legen 빈둥거리기 시작하다. ③ 〖植〗 껍질, 외피. ④ (액체의 표면에 생기는) 얇은 막: die ~ auf der Milch 우유의 얇은 막. ⑤ 〔비유〕 (Hülle) 보자기, 덮어씌우는 것; 비옷; 〖海〗 (배 바깥쪽의) 외판(外板). ⑥ 〔구어〕 사람, 녀석: eine gute alte ~ 선량한 노인; eine ehrliche ~ 정직한 사람, 착한 녀석.

haut.. *pref.* "피부·외피"의 뜻.

Haut≈abschürfung *f.* 〖醫〗 찰과상. **~-ähnlich, ~artig** *a.* 껍질 같은, 피부 모양의, 막과 같은. **~arzt** *m.* 피부과 의사(Dermatologe). **~atmung** *f.* 〖醫〗 피부 호흡. **~ausdünstung** *f.* 피부 발한(發汗). **~ausschlag** *m.* 〖醫〗 피부 발진(發疹). **~bank** *f.* 〖醫〗 (이식 수술용 피부를 보관해 두는) 피부 은행. **~bläschen** *n.* 〖醫〗 피부 소포(小疱). **~bräune** *f.* 〖醫〗 인후염(咽喉炎), 크루프. **~bürste** *f.* 피부 마찰용 솔〔브러시〕.

Häutchen [hɔ́ʏtçən] *n.* -s, - 〘↑ Haut 의 축소형〙 엷은 껍질; 피막.

Haut≈creme [..krɛ:m] *f.* 피부 크림. **~drüsen** *pl.* 〖해부〗 (피부에서 나는 땀·냄새·지방 따위의) 피부선(腺).

Haute Couture [(h)o:tkuty:r] 《frz.》 *f.* (특히 파리의) 최고급 첨단 의상점; 완벽한 재단술.

Hautefinance [(h)o:tfinã́:s] 《frz.》 *f.* 재계의 거물들; 재벌.

Hautelisse [(h)o:tlís] 《frz.》 *f.* -n [..sən] 〖방직〗 (↔ Basselisse) 수직(竪織), 날실.

Hautelisse≈stuhl *m.* 수직기(機). **~weberei** *f.* 수직기로 짠 직물.

häuten [hɔ́ʏtən] 《< Haut》 《Ⅰ》 *t.* ① 껍질을 벗기다. ② 껍질을 씌우다. 《Ⅱ》 *refl.* sich ~ (뱀·번데기 따위가) 허물을 벗다, (껍질이) 벗겨지다; (딱지가) 떨어지다. 《Ⅲ》 **gehäutet** *p.a.* ↑ gehäutet.

Häuten *n.* -s 껍질벗기기(Häutung).

haut≈eng *a.* (옷 따위가) 살〔몸〕에 착 달라붙는: ~ tanzen 꼭 붙어서 춤추다. **~entzündung** *f.* 피부염.

Hautevolee [(h)o:tvolé:] 《frz.》 *f.* 〘대개 평어〙 상류 사회, 명사 사교계, 저명 인사들.

Haut≈falte *f.* 주름살. **~farbe** *f.* 피부색; 얼굴색, 안색. **~fetzen** *m.* 닳아버린 피부 조각. **~flügler** *pl.* 〖動〗 (개미·벌 따위의) 막시류(膜翅類). **~freundlich** *a.* 피부에 좋은: die Seife ist besonders ~ 그 비누는 특히 피부에 좋다. **~gefühl** *n.* 촉각.

Hautgout [ogú:] 《frz.》 *m.* -s [..gú:s] ① (썩기 시작한 짐승 고기의) 탁 쏘는 맛. ② 〔비유〕 퇴폐 취미; (Anrüchigkeit) 악평, 불명예.

häutig [hɔ́ʏtıç] 《< Haut》 *a.* ① 피부가〔껍질이〕 있는. ② 껍질의, 피부 모양의, 막과 같은. ③ 〖植〗 피막이 있는; 〖醫〗 디프테리아성의.

..hautig *suf.* "…한 껍질이〔피부가〕 있는"의 뜻(보기: dick~ 두꺼운 껍질의).

Haut≈jucken *n.* 피부 가려움증: eine Creme gegen ~ (가려움증 치료용) 피부 크림. **~klinik** *f.* 피부 전문 병원. **~krampf** *m.* 좁쌀 같은 것이 돋은 까칠까칠한 피부. **~krankheit** *f.* 피부병. **~krebs** *m.* 〖醫〗 피부암. **~kultur** *f.* ↑ ~pflege. **~lehre** *f.* 피부학. **~leim** *m.* 가죽 자투리로 만든 아교.

hautlos *a.* 가죽이 없는, 피부가 벗겨진.

haut≈nah *a.* ① 〔스포츠〕 근접의, 밀착의: einen Gegner ~ decken 상대를 밀착 수비하다; ~ tanzen 바짝 붙어 춤을 추다. ② 〔구어〕 친숙한, 감정에 직접 호소하는: eine ~e Darstellung 가슴에 와 닿는 (감각적인) 묘사; ~ in Kontakt mit et.³ kommen 무엇과 직접 접촉〔관계〕하다. ③ 피하(皮下)의. **~pflege** *f.* 피부 위생; 피부 손질. **~reinigend** *a.* 피부를 깨끗하게 하는.

Hautrelief [(h)ó:reliɛf, oreliɛ́f] 《frz.》 *n.* -s, -s 〖조각〗 (Hochrelief) 고부조(高浮彫), 양각.

Haut·röte *f.* 〖醫〗 피부 홍반(紅斑).

Haut-Sauternes [osotɛ́rn] *m.* -s (프랑스 보르도 지역의 도시 Sauternes 에서 생산되는) 매우 단 백포도주.

Haut≈schmiere *f.* 피부 기름, 피지(皮脂). **~schonend** *a.* 피부를 보호하는: ~e Waschmittel 피부 보호 세제. **~schrift** *f.* ↑ Dermographie. **~sinn** *m.* 피부 감각. **~sympathisch** *a.* ↑ ~freundlich. **~talg** *m.* 피지(皮脂). **~transplantation** *f.* 〖醫〗 피부 이식.

Häutung [hɔ́ʏtʊŋ] 《< häuten》 *f.* -en ① 껍질 벗기기, 박피(剝皮). ② 〖醫〗 낙설(落屑). ③ 〖動〗 허물벗기, 탈피: die ~ einer Schlange 뱀의 허물벗기.

Haut≈verpflanzung *f.* 〖醫〗 ↑ ~transplantation. **~wasser·sucht** *f.* 〖醫〗 부종, 피부 수종(水種). **~wirkung** *f.* 〖전기〗 표피 효과. **~wurm** *m.* 〖醫〗 피부 기생충. **~zäpfchen** *n.* 〖醫〗 피부 돌기물; 피부 유두(乳頭).

Hauw *f.* (ndd.) 농가(Bauernhof).

Hau≈werk *n.* ↑ Haufwerk. **~zahn** *m.* 어금니.

Havanna [havána] 아바나(쿠바의 수도).

Havanna·zigarre *f.* 쿠바산(產) 여송연.

Havarie [havarí:] 《frz. avari》 *f.* -n [..rí:ən] ① 〖海〗 (선박에 실은 하물 따위의) 해손(海損) (Seeschaden): ~ (er)leiden 해손을 입다. ② (배나 항공기의) 사고. ③ (öst.) 자동차 사고: er ist bei der ~ nur leicht verletzt worden 그는 자동차 사고에서 가벼운 부상만을 입었다.

havarieren 《Ⅰ》 *i.* (h.) ① (배나 비행기가) 사고를 당하다, (사고로) 손상되다: der große Öltanker havarierte vor der Küste 거대한 유조선이 해안에서 파손되었다. ② (öst.) (자동차가) 사고로 파손되다. 《Ⅱ》 *t.* (배 따위를) 파손시키다. 《Ⅲ》 **havariert** *p.a.* ↑ havariert.

havariert 《Ⅰ》 *p.p.* ↑ havarieren. 《Ⅱ》 *p.a.* (배나 비행기가) 사고로 손상된(beschädigt).

Havarist *m.* -en, -en 〖海〗 ① 해손(海損)을 입은 선박. ② 해손 선박 주인.

Havel [há:fəl] *f.* 하펠강(엘베강 지류).

Havelock [há:vəlɔk] 《engl.》 *m.* -s, -s (소매 대신 어깨 망토를 단) 남자용 긴 외투(영국의 장군 H. Havelock 의 이름에서).

Haverei [havərái, hafə..] *f.* -en, **Haverie** [..rí:] *f.* -n [..rí:ən] (Havarie) 해손; (배나 비행기의) 사고.

Hawaii [haváii, havái] 하와이.

Hawaiianer *m.* -s, - 하와이 주민.

Hawaii·gitare *f.* 하와이언 기타.

Hawaii-Inseln *pl.* 하와이 군도.

hawaiisch *a.* 하와이의〔에 관한〕.

Haxe [háksə] *f.* -n ↑ Hachse.

Haydn [háidən] *m.* Franz Joseph ~ 하이든 (오스트리아의 작곡가, 1732-1809).

Haydn(i)sch *a.* 하이든의.

Hazienda [hatsiɛ́nda] 《sp.》 *f.* ..den (남아메리카의) 대농장(Landgut).

HB[1] 〖物〗 =Brinellhärte 브리넬 금속의 경도.

HB[2] =Herri Batasuna 바스크당의 (공식) 이름.

Hb =Hämoglobin 헤모글로빈, 혈색소.

H.B. =Helvetisches Bekenntnis 헬베티아 신조서(信條書).

Hbf. =Hauptbahnhof 중앙역.
Hbf(r)bd. =Halbfranzband 배피철(背皮綴)(의 책).
H-Bombe [há:..] *f.* 수소 폭탄.
HBV =Handel, Banken und Versicherungen 독일 금융 노조.
HC (Kohlenwasserstoff) 탄화수소.
h.c. =honoris causa《lat.》명예를 위해서.
hd. =hochdeutsch 고지〔표준〕 독일어의.
HD-Diskette *f.*〖컴〗고밀도 저장판.
H-Dur [há:du:r, há:dú:r] *n.* -〖음악〗나 장조.
H-Dur-Ton·leiter *f.*〖음악〗나 장조 음계.
he [he:] *int.* ①〔주의를 환기시킴〕여보, 야: ~ da! 여보시오, 야!; ~ halt! 어이 잠깐, 이봐!;〔사냥할 때의 신호〕어이 어이!. ②〔물음에 대한 답의 재촉〕(**a**) 응, 어서! (**b**)〔의구·주저의 뜻〕뭐, 뭐라구요! ③〔놀람·체념의 뜻〕~ ja! 할 수 없지 뭐! ④〔기쁨을 나타낼 때〕야아, 됐어! ⑤〔마부의 말 모는 소리〕이랴! ⑥〔가벼운 비웃음〕헤에, 히히, 그것 봐, 꼴 좋다! ⑦〔웃음소리〕~ ~ ~! 하하하, 헤헤헤!
he *prn.* (ndd.) 그는, 그가(er).
He〖化〗=Helium 헬륨.
h.e. =hoc est《lat.》즉, 다시 말하면.
Header *m.*〖컴〗머리말, 표제.
Head·line [hɛ́dlaɪn]《engl.》*f.* -s (신문의) 머릿기사, 표제어.
Hearing [hí:ərɪŋ]《engl.》*n.* -s, -s〖政〗(Anhörung) 청문회, 공청회.
Heaviside·schicht [hɛ́visaɪd..] *f.* -en〖物〗헤비사이드층, 전리층(영국의 물리학자 O. Heaviside 의 이름에서).
Heavy metal [hɛ́vɪ mɛ́tl]《engl.》*n.* - -(s) 중금속.
***Hebamme** [hé:plamə, (때때로) hé:bamə]《원뜻 „die Hebende"》*f.* -n 산파, 조산원.
Hebammen≈anstalt *f.*, **~institut** *n.* 산파〔조산원〕양성소. **~kunst** *f.* 조산술(助産術). **~ordnung** *f.* 산파 수칙. **~schwester** *f.* ↑ Hebamme.
hebbar 《<heben》*a.* 올릴 수 있는.
Hebbel [hɛ́bəl] *m.* Friedrich ~ 헤벨(독일의 극작가, 1813-63).
Hebdomadar [hɛpdomadá:r] *m.* -s, -e, **Hebdomadarius** [..dá:rius] *m.* -, ..rien [..riən]〖가톨릭〗주무자(週務者), 주번 수도사.
Hebe[1] [hé:bə]《gr., „Jugend"》*f.* ①〖그리스 신화〗청춘의 여신(Olymp 신들의 주연에서 술을 따르는 여신). ②〔비유〕(바의) 여종업원.
Hebe[2] *f.* -n ① (옛날의 법률 용어로) 세금 징수. ② (자진해서 바치는) 유대인의 공물.
Hebe≈apparat *m.* 기중기(~maschine, ~zeug). **~arm** *m.*〖工〗↑ ~baum. **~balken** *m.*〖工〗↑ ~baum. **~baum** *m.*〖工〗지레. **~bock** *m.*〖工〗(주로 자동차를 들어올리는) 지레, 잭. **~bühne** *f.*〖工〗(자동차나 짐을 들어올리는) 평평한 리프트. **~daumen** *m.*〖工〗캠. **~eisen** *n.* 쇠지레. **~fahrzeug** *n.* 구조선. **~figur** *f.*〖스케이팅〗복식 피겨에서 남성 파트너가 여성 파트너를 머리 위로 들어올리는 연기. **~garn** *n.*〔방언〕어망. **~kran** *m.* 기중기.
***Hebel** [hé:bəl]《⊕ heben》*m.* -s, - ①〖物·工〗지레: ein einarmiger〔zweiarmiger, doppelarmiger〕~ 1원(元)〔2원〕지레;〖구동독〗ökonomischer ~ 경제 촉진책;〔비유·구어〕den ~ ansetzen 일에 착수하다;〖政·비유〗den richtigen ~ ansetzen 적절한 조치를 취하다; am ~ sitzen 권력을 잡고 있다, 결정권을 갖다; am längeren ~ sitzen 상대방보다 더 영향력이 있다〔우월하다〕. ② 레버, 손잡이:〔비유·구어〕alle ~ in Bewegung setzen 모든 수단을 강구하다.
Hebe·lade *f.*〖건축〗덧문의 일종, 셔터.
Hebel≈arm *m.* 지레의 자루: am längeren ~ sitzen 상대방보다 더 영향력이 있다〔우월하다〕. **~bremse** *f.* 지레 브레이크. **~gesetz** *n.*〖物〗지레의 법칙. **~griff** *m.* ① (유도 따위 격투기에서) 팔돌리기. ②〖레슬링〗잡아돌리기 기술. **~kraft** *f.* 지레의 힘〔작용〕.
hebeln [hé:bəln]《<Hebel》*t.* (지레를 걸어) 움직이다, 들어올리다.
Hebel≈presse *f.* 지레 압축기. **~schalter** *m.* (기계의) 지레 개폐기. **~stange** *f.* 지레의 자루. **~ventil** *n.* 지레 밸브. **~verhältnis** *n.* 지레의 균형. **~vorrichtung** *f.* ↑ ~werk. **~werk** *n.* 지레 장치. **~wirkung** *f.* 지레의 작용.
Hebe≈maschine *f.* 기중기, 승강기. **~muskel** *m.*〖生〗(고환) 올림근(筋).
Heben [hé:bən] *m.* (ndd.; der hohe Himmel) 하늘, 고공(高空).
heben [hé:bən] (hob/hub, gehoben)《원뜻 „fassen, ergreifen"》(↔ senken)《I》*t.* ①〔고어〕일으키다, 시작하다: Klagegeschrei ~ 비명을 지르다. ② (**a**) 올리다, 일으키다, 들어올리다; 높이다; (취미·생활 수준 따위를) 향상시키다: ein Kind aufs Pferd ~ 아이를 말 위에 태우다; die Hand zum Schwur ~ 손을 들어 맹세하다; die Waage hebt 1000 Pfund 이 저울은 천 파운드를 달 수 있다; die Stimme ~ 목소리를 높이다. (**b**) 들어올리다: ein Kind aus der Taufe ~ 어린아이의 세례에 입회하다(옛날에는 유아 세례를 할 때 어린아이를 물에 넣었다가 들어올렸음); ein Kind ~ (산파가) 갓난아기를 받다. (**c**) (금전·세금·이자를) 받아들이다, 징수하다: Geld aus der Bank ~ 은행에서 돈을 찾다; mit jm. ~ und legen (지급·이익·손해를) 누구와 분담하다, 고락을 같이하다. (**d**) (가옥을) 짓다, 상량하다. (**e**) 파내다: einen Schatz ~ a) 보물을 발굴하다, b) 당첨 제비를 뽑다. (**f**) 들어내다, 끄집어내다: Wein aus den Fassen ~ 술통에서 술을 퍼내다. (**g**) (희생 제물을) 바치다. (**h**) 무엇을 한층 두드러져 보이게 하다, (빛깔을) 한층 선명하게 하다: der dunkel Hintergrund hebt die Farben 어두운 배경은 색채를 한층 두드러지게 한다. ③ (**a**) 들어 움직이다, 옮기다: eine Dame aus dem Wagen ~ 부인을 마차에서 부축해 내리다; jn. aus dem Sattel ~ a) 누구를 밀어 말에서 떨어지게 하다, b)〔비유〕누구를 이기다. (**b**) (wegräumen) 제거하다, 없애다, 치우다; (이의·오류·의혹·분쟁·곤란 따위를) 해결〔정정〕하다; (병을) 고치다: einen Streit ~ 논쟁을 조정하다; eine Schwierigkeit ~ 어려움을 제거하다; eine Tür aus den Angeln ~ 문의 돌쩌귀를 벗기다,〔비유〕(무엇의) 평형을 깨뜨리다, (무엇을) 혼란시키다. (**c**)〖數〗(미지수 따

위를) 제거하다(eliminieren); (분수를) 약분하다(aufheben). ④〖속어〗(술잔을) 비우다, 마시다: einen ~ gehen 술 마시러 가다; er hebt gern einen 그는 한잔 하기를 즐긴다. ⑤(학문·예술 등을) 장려〔보호〕하다; (fördern) 촉진〔조장〕하다. ⑥〖비유〗jn. in den〔bis zum〕Himmel ~ 누구를 극찬하다; bei bestimmten Speisen hebt er die Zähne 그는 어떤 음식을 잘 먹으려 하지 않는다, 편식한다; jn. aus der Nuß ~ 누구를 야단치다. ⑦(obd.)〖haben과 혼동되어〗: es hebt ihm kein Hemd mehr am Leibe 그는 내복 한 벌도 남아 있지 않다, 알몸뚱이뿐이다. 《Ⅱ》*imp.* alles hebt mich〔es hebt mich alles, es hebt sich alles bei mir〕나는 구역질이 난다, 토하고 싶다; es hebt jn.〔jm. den Magen〕누구를 메스껍게 하다. 《Ⅲ》*refl.* sich ~ ①시작하다, 일어나다: da hub sich ein Donner und Blitzen 그때 천둥과 번개가 치기 시작했다; ein Klingen hebt sich 초인종이 울린다. ②(부풀어)오르다: der Teig hebt sich 반죽이 부풀다; der Boden hebt sich 땅이 융기한다; ihr Busen hob sich 그 여자의 가슴이 부풀어올랐다;〖비속〗mein Magen hebt sich 나는 가슴이 답답하다, 뭉클해진다; Seufzer hebt sich 한숨이 나온다; er hob sich mühsam auf die Füße 그는 겨우 일어섰다. ③〖비유〗(행위·감정·사상이) 고양되다, 활기를 띠다; (바람이) 사나워지다; (색채가) 뚜렷해지다, 선명해지다; (물가가) 오르다; (목소리가) 높아지다; (장사가) 번창하다: sein Geschäft hat sich gehoben 그의 사업은 번창했다; sich wieder ~ (실패·손해에서) 회복〔재기〕하다. ④떠나다, 물러가다: hebe dich weg! 물러가라, 꺼져! ⑤(양자 또는 양수(兩數)가) 상쇄되다, 플러스 마이너스 0이 되다; (서로의 대차(貸借)가) 상쇄되다;〖數〗약분되다, 나눠다: das hebt sich gegen das andere 상호간에 손해도 이익도 없다, 서로 반반이다; 5 von 5 hebt sich (auf) 5에서 5를 빼면 0이 된다; 15 läßt sich durch 3 ~ 15는 3으로 나눌 수 있다. ⑥〖명사적 부정형 또는 형용사적 현재 분사로 쓰일 때는 sich를 생략하는 일이 많음〗das ≈ des Busens a) (젖)가슴의 부풂, b)〖비유〗감정의 고양; der ~de Busen 부푸는 가슴, 설레는 마음. 《Ⅳ》**gehoben** *p.a.* ↑ gehoben.

Hebe·opfer *n.*〖유대교〗(기도드릴 때 쓰는) 희생 제물.

Hebephrenie [hebefrení:] *f.* -n [..ní:ən]〖醫〗사춘기 우울증, 사춘기의 정신 착란.

Hebe≈prahm *m.* 선박을 들어올리는 데 쓰는 평저선(平底船). **~pumpe** *f.* 빨아올리는 펌프. **~punkt** *m.* 지레목, 지레점.

Heber [he:bər] *m.* -s, - ①기중기, 잭. ②〖化〗사이펀(공기 압력으로 액체를 끌어올리는 기구). ③〖스포츠〗역사(力士)(Gewichtheber).

Hebe·rad *n.* 물 긷는 바퀴(Schöpfrad).

Heber·barometer *n./m.*〖物〗만곡(彎曲) 기압계, 흡상 청우계(吸上晴雨計). **~drainage** [..drɛná:ʒə] *f.*〖醫〗(복강·흉강에서의) 흡인 배농법(排膿法).

Hebe·register *n.* 징세부(徵稅簿). **~rolle** *f.*〖工〗도르래.

Heber≈pumpe [hé:bər..] *f.* 빨아올리는 펌프. **~rohr** *n.* 사이펀관(管). **~schenkel** *m.* 사이펀 각(脚).

Hebe≈satz *m.*〖法〗(토지세·영업세의) 세율. **~schein** *m.* 쿠폰(떼어 쓰는 표); (공채 증서·채권 따위의) 이자표. **~schmaus** *m.* 상량식. **~stange** *m.* 나무 지레. **~stelle** *f.* 세무서. **~tür** *f.* 셔터. **~vorrichtung** *f.* ↑ ~werk. **~werk** *n.*〖海〗(배의 화물 운반용의) 기중기; 승강기. **~winde** *f.* (들어올리는) 잭. **~zapfen** *m.*〖工〗↑ ~daumen. **~zeug** *n.*〖기술〗(매달아올리는) 기중기. **~zylinder** *m.* 승강 원통(圓筒).

Hebräer [hebrɛ́:ər]《hebr. ibhrî, „der Jenseitige"》*m.* -s, - 히브리 사람(고대 이스라엘 사람); 유대인.

Hebräer·brief *m.*〖聖〗(신약의) 히브리서.

Hebraicum [hebrá:ikum] *n.* -s (신학 대학생의) 히브리어 시험.

***hebräisch** *a.* 히브리인의, 히브리어의.

Hebraismus *m.* -, ..men (그리스어 등 다른 언어에 나타나는) 히브리 어법.

Hebraist *m.* -en, -en 히브리(어) 학자.

Hebraistik *f.* 히브리학, 히브리 언어·문화학.

Hebriden [hebrí:dən] *pl.* 헤브리디스 군도.

Hebung [hé:buŋ]《<heben》*f.* -en ①올림, 일으킴, 높임. ②〖지질〗(땅의) 융기. ③(물가·가격의) 등귀. ④〖문법〗강음: ~ und Senkung 억양. ⑤(세금 따위의) 독촉 징수, 징수; 세금. ⑥장려, 촉진; 개량: die ~ der Sitten 풍습의 개선; seine Fröhlichkeit trug zur ~ der gedrückten Stimmung bei 그의 쾌활함은 침체된 분위기를 바꾸는 데 도움이 되었다. ⑦(보물의) 발굴; (침몰한 배의) 인양. ⑧제거, 철폐; (병의) 치유. ⑨〖數〗약분, 소거.

***Hechel** [hɛ́çəl]《<mhd.》*f.* -n ①삼빗, 삼을 훑는 기구. ②〖구어·폄어〗혹평; 독설:〖구어·폄어〗jn. durch die ~ ziehen 누구를 헐뜯다, 혹평하다. ③〖植〗꺼끄러기(Granne).

Hechel≈bank *f.*, **~bock** *m.* 삼을 훑는 판.

Hechelei [hɛçəlái] *f.* -en ①삼훑기〔빗질하기〕. ②〖비유〗흠잡기, 비난, 험담: die ~en der Nachbarinnen sind unerträglich 이웃 여자들의 험담은 참을 수 없다.

hecheln[1] [hɛ́çəln]《Ⅰ》*t.* ①(삼을) 빗질하다, 훑다. ②〖비유〗헐뜯다, 비난하다, 중상 모략하다: er hechelt gerne über andere 그는 남의 험담을 잘 한다. 《Ⅱ》*i.* (h.) miteinander ~ 서로 험담하다.

hecheln[2] *i.* (h.) (개가) 숨을 헐떡이다: der Hund kam ~d auf uns zugelaufen 그 개가 헉헉거리며 우리쪽으로 달려왔다.

Hechel·zahn *m.* 삼빗의 빗살.

Hechler *m.* -s, - ①삼을 훑는 사람. ②〖비유〗험구가, 혹평가.

Hechlerin *f.* -nen ↑ Hechler의 여성형.

Hechse [hɛ́ksə] *f.* -n ↑ Hachse.

***Hecht** [hɛçt]《♧ Haken》*m.* -(e)s, -e ①〖動〗곤들매기속(屬)(날카로운 이빨을 가진 탐식성(貪食性) 민물고기):〖비유〗ein ~ im Karpfenteich sein 굼뜬 사람들 사이에서 주도적 역할을 하다. ②〖구어·농담〗(Kerl) 녀석, 자식, 놈: ein toller ~ 멋쟁이 (남자). ③〖학생〗자욱한 담배 연기: bei diesem ~ im Zimmer kann man ja kaum etwas sehen 방이 이렇게 담배 연기로 자욱해서 거의 아무것도 볼 수 없다. ④ ↑ ~sprung.

hecht [hɛçt] *a.* (ndd.) 〖다음 용법으로〗 dicht und ~ 물이 새지 않는, 방수의.

Hẹcht≈angel *f.* 곤들매기용 낚시. **~barsch** *m.* 〖動〗 농어의 일종. **~blau** *a.* 곤들매기처럼 파란, 청회색의.

hechten [hɛ́çtən] 《<Hecht》 *i.* (h.) ① 다이빙하다. ② 뛰어오르다, 달려가다: der Torwart hechtete nach dem Ball 골키퍼는 볼을 향해 몸을 날렸다.

Hẹcht≈gebiß *n.* ① 주걱턱. ② (이빨이 뒤로 향해 있는) 곤들매기의 이. ③〖수의〗(특히 말에서) 윗니보다 앞으로 나 있는 아랫이 전체. **~grau** *a.* 담회색의. **~könig** *m.* 어미〔큰〕 곤들매기. **~rolle** *f.* ↑ ~sprung. **~satz** *m.* 곤들매기의 새끼. **~schimmel** *m.* 회백색의 말. **~sprung** *m.* ①〖스포츠〗몸을 뻗쳐 뛰어 오르기. ②〖수영〗잭나이프(도약판에서 뛰어 내린 순간에 몸을 굽혀, 물에 들어가기 직전에 펴는 다이빙의 한 형(型)). **~suppe** *f.* 〖다음 용법으로만〗 es zieht wie ~ 통풍이 세다.

Heck [hɛk] 《ndd.; ♧ Hecke[1]》 *n.* -(e)s, -e ① 울타리, 목책(木柵); (ndd.) 울타리의 출입구, 나무 문, (통행을 금지하는) 격자 목책, 횡목; (ndd.) (울타리를 친) 목초지(Koppel): zu ~ kommen a) 귀향〔귀가〕하다, b) 목적을 달성하다. ②〖海〗고물, 선미(船尾): am ~ wehte eine Flagge 배의 뒷부분에 깃발이 나부꼈다. ③〖空〗비행기의 후미. ④ 자동차의 뒷부분: der Wagen hat einen großen Gepäckraum im ~ 이 자동차에는 뒤쪽에 큰 트렁크가 있다.

heck.. *suf.* 〖은어〗 "몰래 하는, 위법의"의 뜻 (보기: ~jäger 밀렵자).

Hẹck≈antrieb *m.* (자동차의) 후륜 구동(後輪驅動)(장치). **~balken** *m.* 〖海〗 고물〔선미〕 횡재(橫材). **~bauer** *n.* (카나리아의) 부화용 새장. **~bord** *m.* 〖海〗 고물의 난간.

*__Hecke__[1] [hɛ́kə] 《♧ Hag》 *f.* -n ① 산울타리, 생(生)울타리: lebendige ~ 산(나무) 울타리; dichte ~ 무성한 생(生)울타리; tote ~ 마른 나무 울타리, 목책; um den Garten eine ~ anlegen〔anpflanzen〕 정원에 생울타리를 두르다; die ~ beschneiden 울타리를 다듬다. ② 덤불, 총림; 가시나무 덤불(Dornengestrüpp): sich einen Weg durch die ~n schlagen 가시 덤불을 헤치고 나아가다. ③ 울타리의 입구 (Heck): 〖비유〗 bei der ~ sein (일을) 대기〔준비〕하고 있다. ④〖고어〗 사람 울타리 (Spalier): für jn. ~ bilden 누구를 보호하기 위해서 사람들로 에워싸다. ⑤〖승마〗 허들, 장애물.

Hẹcke[2] *f.* -n ① 부화(孵化). ② 부화기(期). ③ 부화용 둥지〔보금자리〕; 새집, 새 사육장: die Vögel haben ihre ~ verlassen 그 새들이 보금자리를 떠났다. ④ 한배 새끼(병아리): eine ~ Kinder 한 무리의 어린이들. ⑤〖방언〗 (Quecke) 갯보리류(類).

Heckel [hɛ́kəl] *m.* -s, - (ndd.) 종자 돼지.

hecken [hɛ́kən] 《Ⅰ》 *i.* (h.) ① (erzeugen) (조류·작은 포유 동물 등이) 많은 새끼를 낳다〔까다〕; 〖농담〗 (부인이) 다산하다: die Mäuse haben geheckt 쥐들이 엄청나게 번식했다. ② (이자·자산이) 증식하다, 불어나다: sein Kapital begann zu ~ 그의 자본이 불어나기 시작했다; 〖농담〗 das Geld soll bei der Sparkasse ~ 돈이란 은행에서 늘어나는 법이다. 《Ⅲ》 *t.* 왕성하게 번식시키다, (계획을) 짜내다, 안출하다.

Hẹcken≈baum *m.* 생(生)울타리 나무. **~beere** *f.* 〖植〗 야생 구스베리. **~beschneider, ~binder** *m.* 생울타리를 손질하는 사람. **~dickicht** *n.* 가시나무 덤불; 무성하게 자란 생울타리. **~feuer** *n.* ↑ Heckfeuer. **~gang** *m.* 생울타리를 이루는 관목의 열(列); 생울타리 사이에 있는 오솔길. **~kirsche** *f.* 〖植〗 인동덩굴. **~macher** *m.* 생울타리를 만드는 사람. **~mark** *n.* 〔방언〕 들장미의 열매로 만든 잼. **~reiter** *m.* 말탄 강도, 약탈자. **~rose** *f.* 〖植〗 (생울타리에 쓰이는) 들장미의 일종. **~schere** *f.* 전정용(剪定用)〔가지치기〕 가위. **~schütze** 《frz. franc-tireur 의 독어역》 *m.* 저격수, 빨치산, 게릴라. **~sichel** *f.* (생울타리 손질용) 자루 긴 낫. **~welsch** *n.* (südd.) (여러 나라 말이 섞인) 알아듣기 힘든 말(Kauderwelsch). **~winde** *f.* 〖植〗 메꽃류. **~wirt** *m.* 밀매 주점 주인. **~zaun** *m.* 생울타리. **~zucht** *f.* 부화.

Hẹck≈fenster *n.* (자동차의) 뒤창. **~feuer** *n.* 〖海〗 함미(艦尾) 사격. **~flagge** *f.* 〖海〗 선미기(船尾旗). **~flosse** *f.* (자동차의) 후미 돌출부, 테일핀: bei dem Unfall wurde die linke ~ beschädigt 사고 때 좌측 테일핀이 파손되었다. **~galerie** *f.* 선미 복도. **~geld** *n.* ↑ ~pfennig. **~geschütz** *n.* 〖海〗 함미포(艦尾砲), 선회포(旋回砲). **~groschen** *m.* ↑ ~geld.

Heckicht [hɛ́kıçt] *n.* -s, -e (Heckendickicht) (가시나무) 덤불, 수풀.

hẹckicht *a.* 생울타리〔덤불〕 같은.

heckig [hɛ́kıç] *a.* ① 생울타리가〔덤불이〕 있는, 관목이 총총히 자란: ein ~er Strauch 총총히 자란 덤불; ein ~es Grundstück 관목이 무성한 토지. ② ↑ heckicht.

Hẹck≈jagd *f.* 〖海〗 함미(艦尾) 추격. **~jäger** *m.* 〔방언〕 밀렵꾼. **~klappe** *f.* (자동차 트렁크의) 덮개문. **~klüse** *f.* 〖海〗 고물에 있는 닻줄 구멍. **~kran** *m.* 항공 모함의 함미 기중기. **~lastig** *a.* 뒤쪽이 가라앉은, 뒤쪽으로 기운: das Boot ist ~ 그 보트는 뒤쪽으로 기울어 있다. **~laterne** *f.* 〖海〗 고물의 가장 높은 갑판에서 올리는 신호 등화. **~loch** *n.* (ndd.; Koppeleinfahrt) 생울타리의 입구. **~männchen** *n.* ①〖植〗 만드라고라(Glücksmännchen, Alraun). ② (민간 신앙에서) 돈을 가져다 준다는 요정(妖精). **~meck** *m.* 〔구어〕 ① 사족. ② 수다, 잡담: mach doch keinen ~ 쓸데없는 소리 하지 마라. **~motor** *n.* 후미 엔진: ein Auto mit ~ 후미에 엔진이 있는 자동차. **~münze** *f.* ①〔고어〕 위조 화폐. ② ↑ ~pfennig. **~pfennig** *m.* 영복전(迎福錢) (돈복이 트인다 하여 항상 지니고 다니는 돈). **~pforte** *f.* 〖海〗 선미 포문(砲門). **~scheibe** *f.* (자동차의) 뒤창 유리. **~schur** *f.* (ndd.) ① 생울타리 가지 베기. ② 지붕이 있는 문. **~stütze** *f.* 〖海〗 선미 지주(支柱). **~taler** *m.* ↑ ~pfennig. **~tau** *n.* 〖海〗 선미 계삭(船尾繫索). **~zeit** *f.* ① 부화기(期). ② (여우·족제비가) 새끼를 갖는 시기.

heda [hé:da(:)] *int.* 〔방언〕 (주의를 환기시키거나 멀리 떨어진 사람을 부를 때) 여보, 어이!; 이봐!: ~! niemand da? 어이! 거기 아무도 없어(요)?

Hede[1] [hé:də] 《ndd.》 *f.* -n ① (Flachs) 아마

(亞麻); (obd.) (삼을 빗으로 훑을 때 나오는) 삼밥 찌꺼기. ②〖海〗 뱃밥.
Hede² *f.* ↑ Hedwig의 애칭형.
heden [hé:dən] ⟪ndd.⟫ *a.* 삼밥으로 만든.
Hederich [hé:dərɪç] ⟪lat.⟫ *m.* -s, -e 〖植〗 적설초(積雪草), 개구리자리, 말냉이.
Hedoniker [hedó:nɪkər] ⟪<gr.⟫ *m.* -s, - 쾌락〔향락〕주의자.
Hedonismus *m.* - 쾌락설, 쾌락〔향락〕주의.
Hedonist *m.* -en, -en ↑ Hedoniker.
Hedschas [hέdʒas] ⟪ar.⟫ 헤자즈(서아라비아의 옛 왕국).
Hedschas·bahn *f.* 헤자즈 철도.
Hedschra [hέdʒra] ⟪ar., „Loslösung, Auswanderung"⟫ *f.* 〖宗〗 헤지라, 성천(聖遷); 이슬람교 기원(서력 622년에 해당).
Hedwig [hé:tvɪç] *f.* 헤드비히(여자 이름).
heel *adv.* (ndd.) ① 치유된(heil). ② 높은(hoch). ③ (sehr) 매우, 아주.
Heemske *f.* -n (ndd.) ① 개미(Ameise). ② (Schwächling) 약골, 겁쟁이.
***Heer**¹ [he:r] *n.* -(e)s, -e ① (a) 군, 군대, 육군: aktives〔stehendes〕 ~ 현역군〔상비군〕; beim ~(e) stehen〔im ~(e) dienen〕 군 복무 중이다; den Oberbefehl über das ~ haben 군 통수권을 갖다; in ein ~ eintreten 입대하다. (b) 〖북구신화〗 das wilde〔wütende, wütige〕 ~ 비바람 치는 밤에 사냥을 하는 마왕의 군대. ② 대군(大群), 떼, 큰 무리: ein ~ von Arbeitern 많은 노동자들; ein ~ von Sorgen 갖가지의 걱정, 많은 근심거리.
Heer² -(e)s, -e ⟪ndd.⟫ *m.* 목사(Pfarrer).
Heer≈bahn *m.* ① (국왕의) 총동원령. ② 동원된 군대: ein mächtiger ~ 강력한 군대. ③ (총동원에 불응한 대가로 치르는) 벌금. **~buße** *f.* 소집에 응하지 않는 벌금. **~dienst** *m.* 군복무.
heeren [hé:rən] ⟪<Heer⟫ *t.* 〔고어〕 황폐화시키다; 약탈하다.
Heeres≈abteilung *f.* 군부대. **~artillerie** *f.* (참모부 직속의) 포병. **~bedarf** *m.* 군수품. **~bericht** *m.* 군사 보도〔정보〕. **~bestand** *m.* 군수품. **~dienst** *m.* 군복무, 병역. **~einrichtung** *f.* 군조직, 군제. **~ergänzung** *f.* 신병 보충, 모병. **~flucht** *f.* 탈영. **~flüchtling** *m.* 탈영병. **~folge** *f.* 종군, 응소(應召): ~ leisten 출정〔응소〕하다. **~führung** *f.* 통수(統帥). **~gattung** *f.* 병종(兵種). **~gefolge** *n.* 비전투 종군자; 군수품 수송(대). **~gruppe** *f.* 병단, 군집단. **~haufen** *m.* ↑ Heerhaufe. **~kraft** *f.* 병력; 군대. **~leitung** *f.* 용병(用兵), 통수; 군 사령부. **~macht** *f.* ↑ ~kraft. **~menge** *f.* 병력, 군세(軍勢). **≈pflichtig** *a.* 병역 의무가 있는, 징병 적령의. **~verwaltung** *f.* 육군 행정부. **~zucht** *f.* 군기(軍紀). **~zug** *m.* ① 원정(Heerzug). ② 행군 대열.
Heer≈fahrt *f.* 출정. **~flucht** *f.* 탈영, 탈주. **~folge** *f.* ↑ Heeresfolge. **~führer** *m.* 군 사령관, 장수(將帥). **~gepäck** *n.* 군용 화물. **~gerät** *n.* ① 군수품. ② 남편의 유품. **~haufe** *m.* 〔구식〕 군대: feindliche ~ marschierten auf die Stadt zu 적군들이 그 도시를 향해 행군하였다. **~kuh** *f.* (schweiz.) 앞장 서는 소. **~lager** *n.* 진영: 〔비유〕 die Arbeiter teilten sich in zwei ~ 노동자들이 두 개의 파벌로 갈라졌다. **~liste** *f.* 병적(兵籍).
Heern *m.* (ndd.) 청어(Hering).
Heer·ordnung *f.* 징병령(令).
Heer·rauch *m.* 〔방언〕 안개, 아지랑이(Herauch, Höhenrauch).
Heer≈schar *f.* 〔구식〕 (Heer) 군대, 군세(軍勢); 무리: ~en von Besuchern 수많은 방문객들; 〖聖〗 die himmlischen ~en 천사의 무리; 〖聖〗 der Herr der ~en 만군의 주(主), 하느님, 여호와. **~schatz** *m.* 군용 금궤. **~schau** *f.* 열병(식): ~ anhalten 열병하다. **~spitze** *f.* 선봉대. **~straße** *f.* 군용 도로, 대로, 국도: der Krieg durch den Bau von ~n 군용 도로의 건설. **~strom** *m.* 〔고어〕 ① (한 나라의) 큰 강. ② 한 무리의 부대. **~verpflegung** *f.* 병참부, 군대의 급양부〔식량 경리부〕. **~wagen** *m.* 군수품 수송차, 병참 보급차; 〖天〗 북두칠성. **~wesen** *n.* 군제; 군사(軍事): das Preußische ~ 프로이센의 군제. **~wurm** *m.* 〖動〗 (긴 줄을 지어 먹이를 찾아다니는) 떼 구더기; 군대의 행렬; 〔비유〕 장사진. **~zug** *m.* ↑ Heereszug.
heesch *a.* (ndd.) 목 쉰(heiser).
Heese *f.* ↑ Hachse.
Heet *f.* (ndd.) ① 더위. ② 고열.
***Hefe** [hé:fə] ⟪⊕ heben⟫ *f.* -n ① (Gärstoff) 효모, 이스트: Kuchen mit ~ backen 이스트를 넣은 과자를 굽다; die Partei ist die ~ der Erneuerungsbewegung 그 정당은 혁신 운동의 원동력이다. ② (Bodensatz) 침전물, 찌꺼기: den Kelch bis auf die ~ leeren 남김없이 잔을 비우다, 철저하게 불쾌감을 맛보다. ③ 〔비유〕 밑바닥, 쓰레기: ~ des Volkes 미천한 백성, 천민; 부랑민; hier verkehrt nur die ~ des Volkes 여기에는 하층민만이 다닌다.
Hefe≈brot *n.* 효모(를 넣어 부풀려 구운) 빵. **~kloß** *m.* 경단(요리): aufgehen wie ein ~ 갑작스레 살이 찌다, 뚱뚱해지다. **~gebäck** *n.* 효모(로 부풀려 구운) 빵 또는 비스킷. **~kranz** *m.* (효모를 넣어 구운) 둥근 고리 모양의 케이크. **~kuchen** *m.* 효모가 든 케이크. **~pilz** *m.* 〖植〗 발효균(菌). **~schnaps** *m.* 술 찌꺼기로 만든 화주. **~stück** *n.* 효모를 넣은 밀 반죽 덩어리. **~stückchen** *n.* ↑ ~stück. **~teig** *m.* 효모 반죽: 〔비유〕 wie ein ~ auseinandergehen 살찌다. **~wein** *m.* (찌꺼기를 거르지 않아) 흐릿한 포도주. **~zopf** *m.* 꽈배기모양의 빵.
heficht [hé:fɪçt] *a.* ↑ hefig.
hefig [hé:fɪç] *a.* ① 효모 같은, 효모의; 효모를 함유한; 거품이 이는: der Teig schmeckt etwas ~ 이 반죽은 효모 맛이 약간 난다; ein ~er Bodensatz 효모 깡치〔침전물〕. ② 재강〔앙금〕이 많은; 재강으로 흐려진.
Hefner≈kerze [hé:fnər..] *f.* 〖物〗 광도의 단위 (독일의 공학자 F. v. Hefner-Alteneck의 이름에서 기호: HK). **~lampe** *f.* 헤프너 등(燈) (독일의 표준등).
Heft¹ [hεft] ⟪⊕ heben, Haft⟫ *n.* -(e)s, -e ① (Griff) 자루, 손잡이. ② 〔비유〕 권력, 지배권: das ~ ergreifen 〔in die Hand nehmen〕 지배권을 장악하다; das ~ aus der Hand geben 지배권을 양도하다; et. am〔beim〕 rechten ~e fassen 무엇을 요령 있게 처리하다; das ~ in der Hand haben〔behalten〕 권력을 쥐고 있

다〔유지하다〕; jm. das ~ aus der Hand nehmen〔entwinden〕 누구의 손에서 권력을 탈취하다. ③ (md.) (Heftel) 고리, 걸쇠. ④〖구어〗 사람, 놈: ein gelungenes ~ 이상한 놈, 괴짜.

*__Heft__[2] 《♧ heften》 *n.* -(e)s, -e ① 가철본(假綴本); 공책, 메모장, 노트: et. in ein ~ eintragen 무엇을 노트에 적다. ② (정기 간행물의) 호, 권; (출판물의) 한 부, 편(編); 분책: das Buch erscheint in einzelnen ~en 그 책은 분책으로 간행된다; ~ 3 des 5. Jahrgangs der Zeitschrift „Muttersprache" 정기 간행물 "모국어"의 5 차년도 간행본의 제 3 호. ③ 소책자, 팜플렛: von diesem Autor erschien kürzlich ein ~ mit Gedichten 이 작가의 소시집이 최근에 발간되었다. ④ 전지(全紙) 10 매.

Heft≈ahle *f.* 〖제본〗 송곳, 돗바늘. **~apparat** *m.* 〖제본〗 지철기(紙綴器). **~ausgabe** *f.* 분책 출판.

Heftchen [héftçən] *n.* -s, - 〖↑ Heft[2] ①③ 의 축소형〗 ① 얇은 공책. ②〖펌어〗 가제본한 인쇄물, (코믹물·탐정물·서부극을 담은) 소책자: ~ schmökern 가벼운 읽을거리를 재미나게 읽다. ③ (공책 모양의) 증서, 우표 묶음. ④〖방언〗 봉지, 봉투: ein ~ Backpulver 베이킹 파우더 한 봉지.

Hefte [héftə] *f.* -n 〖農〗 포도 덩굴을 버팀목〔시렁〕에 매기.

Heftel [héftəl] *n.* -s, - 〖↑ Haft 의 축소형〗 ① (Haken und Öse) 단추와 단춧구멍, 호크와 멈춤쇠. ② (obd.) 핀(Stecknadel). ③ (obd.) 〖植〗 (Ausläufer) 덩굴, 기는 가지, 복지(匐枝). ④ 죔쇠(Spange). ⑤〖사냥〗 고리 달린 말뚝.

Heftel·macher *m.* (obd.) ① 행상인(Hausierer). ② 바늘 제조업자; (금은) 세공인: 〖비유〗 aufpassen wie ein ~ 매우 조심하다.

hefteln [héftəln] *t.* 고리〔멈춤쇠·핀 따위〕로 걸다〔채우다〕; 가철(假綴)하다.

*__heften__ [héftən] 《♧ Haft》 《I》 *t.* ① 부착시키다, 붙이다, 못박아 두다, 핀으로〔호크로〕 채우다, 끈으로 동여매다, 철(綴)하다: ein Plakat an die Wand ~ 플래카드를 벽에 붙이다; jm. einen Orden an die Brust ~ 누구의 가슴에 훈장을 달다. ② (nähen) **(a)** 가철〔가봉(假縫)〕하다: das geheftete Kleid 가봉한 옷. **(b)** (책을) 가철하다. **(c)** 〖醫〗 (상처를) 꿰매다, 봉합(縫合)하다. ③〖비유〗 die Augen 〔den Blick〕 auf jn. ~ 누구를 응시하다. 《II》 *i.* (h.) 〖드물게〗 ↑ haften. 《III》 *refl.* sich ~ 부착하다, (달라)붙다; 〖비유〗 집착하다: sich an js. Spur 〔Fährte〕 ~ 누구의 뒤를 쫓다; 〖비유〗 sich an js. Fersen〔Sohlen〕 ~, sich jm. an die Fersen〔Sohlen〕 ~ 누구에게서 떨어지지 않다. 《III》 **geheftet** *p.a.* ↑ geheftet.

Hefter [héftər] *m.* -s, - 서류 꽂이, 편지 꽂이; 지철기, 호치키스; 클립.

Heft≈faden *m.* 〖재봉〗 가봉용(假縫用)〔가철용(假綴用)〕 실. **~haken** *m.* 〖제본〗 철하는 고리; 지철용(紙綴用) 호크.

*__heftig__ [héftıç] 《♧ Haft》 《I》 *a.* ①〖고어〗 참을성 있는, 강인한, 불굴의: ein ~er Kriegsmann 견인불발의 군인. ② (↔mäßig) 격렬한, 맹렬한, 강렬한; 광포한, 혹독한; ein ~er Sturm 격렬한 폭풍우; der Regen schlug ~ gegen die Scheiben 비가 세차게 유리창에 부딪쳤다; ~er Kampf〔Schmerz〕 격전〔격통〕; mit einer ~en Handbewegung 격렬하게 손을 흔들며; ~er Streit 격렬한 논쟁. ③ 벌컥 화내는, 성미가 급한; 격정적인, 열렬한; 과격한: er wird leicht〔gleich〕 ~ 그는 곧잘 성을 낸다; sei doch nicht gleich so ~! 그렇게 성급하게 화를 내지 마라! 《II》 *adv.* 격렬하게, 심하게, 사납게, 거칠게; 몹시, 매우: es fror ~ 강추위였다; der Wind wehte ~ 강풍이 몰아쳤다; ~ erschrecken 몹시 놀라게 하다〔몹시 놀래다〕; ~ lieben 열렬히 사랑하다.

Heftigkeit *f.* -en ① 강렬, 격렬; 열렬; 광포(狂暴); 성급, 과격: mit ~ 격렬히, 강렬하게; die Kämpfe nahmen an ~ zu 전투가 더욱 격렬해졌다; durch die ~ des Aufpralls wurde der Fahrer aus dem Auto geschleudert 세게 충돌하여 그 운전자는 차 밖으로 내동댕이쳐졌다. ② 과격한 언행: durch seine ~ hat er sich schon oft in Schwierigkeit gebracht 과격한 언행으로 그는 종종 어려운 일을 당했다.

Heft≈klammer *f.* 〖제본〗 멈춤쇠, 클립, 지철기(紙綴器). **~lade** *f.* 〖제본〗 제철하는 기구. **~mappe** *f.* 서류 끼우개〔파일〕. **~nadel** *f.* 〖제본〗 돗바늘; 〖醫〗 수술용 바늘. **~pflaster** *n.* 반창고; 고약: ein ~ (auf die Wunde) auflegen 반창고를 (상처에) 붙이다. **~schnur** *f.* 〖제본〗 제본용 실. **~stich** *m.* 〖재봉〗 가봉. **~weise** *adv.* 분책(分册)으로: ~ erscheinend 분책으로 발간되는. **~zwecke** *f.* 핀, 제도용 핀. **~zwirn** *m.* ↑ ~faden.

Heftung [héftuŋ] 《<heften》 *f.* -en 꿰어맴; 〖재봉〗 가봉; 〖제본〗 가철: Faden~ 실제본.

Hegau *m.* 헤가우(Nodensee 주변 지역).

Hege [hé:gə] 《<hegen》 *f.* -n ① (Schutz) 보존, 보호, 손질: ~ und Pflege 보호 육성; die ~ des jungen Baumbestandes 어린 수목의 보호; diese Baumart bedarf ganz besonders der ~ 이런 종류의 나무는 아주 특별히 보호할 필요가 있다. ②〖林〗 (Schonung) 보육림, 묘목 보호 지역, 벌채 금지 구역; 〖사냥〗 사냥 금지 구역; 수렵 금지 기간(Schonzeit).

Hegel[1] [hé:gəl] *m.* -s, - (obd.) ① (멧)돼지의 수컷(Eber); 종축(種畜) (Zuchttier). ② 잘 들지 않는 나이프.

Hegel[2] Georg Wilhelm Friedrich ~ 헤겔(독일의 철학자, 1770-1831).

Hegelianer [he:gəliá:nər] *m.* -s, - 헤겔 학파, 헤겔주의자, 헤겔파 철학자.

hegelianisch [..nıʃ] *a.* 헤겔파의, 헤겔식의: ~e Gedanken 헤겔식 사상; ~ argumentieren 헤겔식으로 논증하다.

Hegelianisch *a.* 헤겔에서 유래하는, 헤겔 철학의, 헤겔학파의.

Hegelsch [hé:gəlʃ] *a.* ↑ Hegelianisch.

hegelsch *a.* ↑ hegelianisch.

Hegeling 《♧ Hag, hegen》 *m.* -s, -e ① (울타리용의) 어린 전나무. ②〖動〗 황어속의 일종.

Hege·meister *m.* ↑ Förster.

hegemonial [hegemoniá:l] *a.* 패권을 쥔〔추구하는〕: ~e Ansprüche〔Vorrechnung〕 패권주의적인 요구〔계산〕.

*__Hegemonie__ [hegemoní:] 《gr.》 *f.* -n [..ní:ən] (Führerschaft) ① 맹주(盟主)의 지위, (정치적) 지배권, 패권, 헤게모니: die westliche Welt unter der ~ der USA 미국의 패권 아래

있는 서방 세계; nach ~ streben 패권을 추구하다; um die ~ ringen 패권을 차지하려고 노력하다. ② (우월성에 기초한) 영향〔통제〕력: die wirtschaftliche ~ einer gesellschaftlichen Schicht 어떤 사회 계층의 경제적 영향력.

hegemonisch *a.* 패권을 쥐고 있는.

*__hegen__ [hé:gən] 《← Hag》 *t.* ① (**a**) 보호하다, 돌보다, 간호하다, 부양하다: das Wild ~ 사냥감을 보호하다; ~ und pflegen 보호 육성〔양육〕하다; sie hegt und pflegt ihre Pflanzen sehr sorgfältig 그녀는 식물을 성심 성의껏 보호 육성한다. (**b**) 포함〔포괄〕하다. ② (감정을) 가슴 속에 품다, 가지다: Achtung〔Hoffnung, Meinung, Vertrauen, Zuneigung〕 ~ 존경심〔희망, 의견, 믿음, 애착심〕을 품다: ich hege den starken Verdacht, daß... 나는 …에 대한 의심을 강하게 품고 있다; ich hege schon lange den Plan auszuwandern 나는 오래 전부터 이민갈 계획을 갖고 있다; eine Schwäche für et. ~ 무엇을 편애하다; eine tiefe Abneigung gegen jn. ~ 누구에 대해 심한 반감을 갖다. ③ (einfriedigen) 둘러싸다, …에 담을 두르다: ein Tal ~ (언덕 따위가) 계곡을 둘러싸다. ④〖法·고어〗(옛날에 법정을 둘러막은 데서) Gericht〔Ding〕 ~ 재판하다; Urteil〔Recht〕 ~ 판결하다. ⑤ (ndd.) 저축하다(sparen).

Heger *m.* -s, - ① (Pfleger) 보호자, 양육자, 간호인. ② 삼림〔수렵〕 감시원, 산지기. ③ (봉건 시대의) 소작인. ④ (ndd.) 저축자(Sparer). ⑤ (강어귀에 생기는) 사주(砂洲), 개흙. ⑥〖動〗어치(Häher).

Hege⸗reis [hé:gə..] *n.*〖林〗벌채하지 않은 어린 나무. **~reiter** *m.* (말 타고 순시하는) 산지기.

hegerig 《md.》 *a.* ① 안개 같은, 엷은 연기 같은. ② 몽롱한, 희미한.

Hege⸗ring *m.* 최소의 사냥 구역. **~schlag** *m.* 보육림, 벌채 금지 구역. **~wald** *m.* ① 보호림. ② 사냥 금지 구역. **~wasser** *n.*〖漁〗어로 금지 구역. **~wiese** *f.* 보호 목장, 목초 보호지. **~wisch** *m.*, **~zeichen** *n.* 보호림〔사냥 금지 구역〕 표지. **~zeit** *f.* 금렵기(期).

hehl *a.* ① (obd.) 미끄러지기 쉬운, 매끄러운; 숨겨진; 흐린. ② (ndd.) 여윈.

Hehl [he:l] 《← hehlen》 *n.*/(드물게) *m.* -(e)s 은폐, 은닉, 비밀: aus et.[3] 〔eines Dinges〕 kein(en) ~ machen 무엇을 숨기지 않다, 비밀로 하지 않다; er macht kein(en) ~ daraus, daß er geschieden ist 그는 이혼했음을 숨기지 않는다; et. ohne ~ gestehen〔sprechen〕 숨기지 않고 털어놓다〔말하다〕.

Hehle *f.* -n (obd.) (항아리·바구니·약탕관의) 손잡이, 귀(Henkel).

*__hehlen__ [hé:lən] 《lat.》 *t.* 감추다, 숨기다: Diebesgut ~ 장물을 은닉하다;〔속담〕 ≈ ist schlimmer als Stehlen 장물 은닉은 도둑질보다 더 나쁘다; ich kann es dir nicht ~, was ich getan habe 나는 내가 한 일을 너에게 숨길 수 없다.

Hehler [he:lər] *m.* -s, - 장물 은닉자;〖法〗장물아비, 절도 방조자.

Hehlerei [he:lərái] *f.* -en ① 은닉. ②〖法〗범인 은닉죄, 장물죄: der Antiquitätenhändler wurde wiederholt der ~ überführt 그 골동품 상인은 또 다시 장물 은닉죄를 범했다.

Hehlerin *f.* -nen ↑ Hehler 의 여성형.

hehr [he:r] 《ahd.》 *a.* 숭고한, 고귀한: ein ~er Augenblick in seinem Leben 그의 생애에서 숭고한 순간; der Name des Herrn ist heilig und ~ 주의 이름은 성스럽고 숭고하다.

Hehre *f.* ↑ Hehrheit.

Hehrheit *f.* 숭고.

Hei [haɪ] *m.* -s, - 신.

hei[1] *a.* (obd., md.) 마른, 시든.

hei[2] *prn.* (ndd.) 그, 그 사람(↑ er).

hei [haɪ], **heia** [háɪa] *int.* ① 야, 어마! (기쁨의 소리): ~, das macht Spaß! 야, 그거 재미있구나! ② 어! (놀라는 소리). ③ 으응, 끙끙! (고통의 소리). ④ ~ machen 잠자다; es ist schon spät, du mußt jetzt wirklich ~ machen 늦었으니까 이젠 정말 자러 가려무나.

Heia [háɪa] *f.* 〔아동〕 잠자리(Kinderbettchen): in die ~ gehen 잠자다; jetzt aber ab in die ~! 이젠 자러 가라!

Heia·bett *n.* 〔아동〕 잠자리: ins ~ gehen 잠자러 가다; ich will in meinem eigenen ~ schlafen 나는 내 잠자리에서 자고 싶어요.

heiapopeia [haɪapopáɪa] *int.* 자장자장.

heida [haɪdá:, háɪda] *int.* ↑ hei ①.

*__Heide__[1] [háɪdə] *f.* -n ① 황야, 황무지, 광야;〖문학〗Röslein auf der ~ 들(에 핀) 장미; im Wald und auf der ~ 숲과 황야에서; 〔경박〕 wenn du wieder nicht hörst, bekommst du Prügel, daß die ~ wackelt 다시 말을 듣지 않으면 호되게 매를 맞을 거야. ②〔방언〕 (Kiefernwald) 침엽수림; 삼림. ③〖植〗↑ ~kraut. ④〖動〗(부채 모양의) 산호의 일종.

*__Heide__[2] *m.* -n, -n ① (↔ Christ) 이교도, 비예수교도; 다신교도: die ~n zum Christentum bekehren 이교도를 기독교로 개종시키다. ②〖가톨릭〗(Nichtjude) 이방인, 비유대교도. ③ (Ungläubiger) 불신자; 세례 받지 않은 어린이. ④ stark wie ein ~ 대단히 강한. ⑤ (obd.) (Zigeuner) 집시, 유랑민.

Heide⸗bauer [háɪdə..] *m.* 뤼네부르크 황무지로 이주한 독일인 농민. **~bereiter** *m.* 황무지 감시 기마대원. **~besen** *m.* 히스제(製) 비. **~blume** *f.* 히스꽃. **~boden** *m.* 히스가 무성한 황야. **~feld** *n.* ↑ ~boden. **~grieß** *m.*, **~grütze** *f.* 메밀 박력분. **~honig** *m.* 야생꿀. **~knecht** *m.* 황무지 하급 감시원. **~korn** *n.* 메밀(Buchweizen). **~kraut** *n.*〖植〗히스(황무지에 무성하는 관목). **~kultur** *f.* 황무지 개간. **~land** *n.* 황무지. **~läufer** *m.* ↑ ~knecht.

Heidegger [háɪdɛgər] *m.* Martin ~ 하이데거(독일의 철학자, 1889-1976).

Heidel⸗beere [háɪdəl..] *f.* ①〖植〗월귤나무. ② 월귤나무의 열매: in die ~n gehen 월귤을 따러 가다; zum Nachtisch gab es ~n mit Schlagsahne 후식으로 크림을 얹은 월귤이 나왔다. **~beer·kraut** *n.* ↑ ~beere.

Heidelberg [háɪdəlbɛrk] 하이델베르크.

Heidelberger [..bɛrgər] 《I》 *m.* -s, - 하이델베르크 시민. 《II》 *a.* 하이델베르크의: ~ Katechismus 하이델베르크 신앙 문답서.

Heidelberg·mensch *m.*〖인류〗하이델베르크인(Heidelberg 부근에서 뼈가 발견된 원시인).

Heide⸗lerche *f.*〖動〗(유럽의 황야에 사는)

종달새의 일종. **~mehl** *n.* 메밀가루.

Heiden [háidən] *m.* -s, - (obd.) ↑ Heidekorn.

heiden.. ⟪<Heide²⟫ *pref.* ①"대단히, 몹시"의 뜻(보기: ~angst). ②"이방인의, 이교도의"의 뜻.

Heiden≈angst *f.* 〖구어〗 심한 불안〔공포〕: wir haben eine ~ ausgestanden 우리는 심한 공포를 견뎌냈다. **~apostel** *m.* 이방인 사도(使徒) (바울). **~bekehrer** *m.* 이교도의 나라에서 포교하는 전도사. **~bekehrung** *f.* ① 이교도의 개종. ② 이교국의 전도. **~bild** *n.* 우상. **~christ** *m.* 이방인 기독교도. **~christentum** *n.* 이방인 기독교도 소속. **~geld** *n.* 거액의 돈: das kostet ein ~ 그것에는 막대한 돈이 든다; er hat bei diesem Geschäft ein ~ verdient 그는 이 사업에서 막대한 돈을 벌었다. **~glaube** *m.* 이교. **~haar** *n.* 갓난아기의 머리털. **~korn** *n.* ↑ Heidekorn. **~lärm** *m.* 큰 소란, 대소동: einen ~ machen 큰 소란을 피우다. **~mäßig** *a.* ① 이교의, 사교의, 이교풍의. ②〖구어〗 비상한, 엄청난: eine ~e Anstrengung 엄청난 노력; ~ 매우 큰 소리를 지르다; ~ viel Geld verdienen 막대한 돈을 벌다. **~röschen** *n.* ↑ Heideröschen ①. **~röslein** *n.* 〖↑ Heiderose 의 축소형〗 ↑ Heideröslein. **~schreck** *m.* 경악, 놀람: einen ~ bekommen 깜짝 놀라다. **~skandal** *m.* ↑ ~lärm. **~spaß** *m.* 대단한 즐거움, 큰 장난: an et.³ seinen ~ haben 무엇에 큰 재미를 느끼다; das macht ihm einen ~ 그는 그것을 대단한 재미라고 생각한다.

Heidentum [háidəntu:m] *n.* -(e)s ① 이교, 사교: jn. vom ~ bekehren 누구를 이교에서 개종시키다. ②〖총칭〗 이교도, 이교국: eine im ~ weitverbreitete Vorstellung 이교도들 사이에 만연된 생각.

Heiden≈volk *n.* 이교민(異教民). **~wetter** *n.* 〖구어〗 사나운 날씨, 폭풍우.

Heide≈rauch *m.* (obd., md.) 안개(Herauch). **~reiter** *m.* ↑ ~bereiter. **~röschen** *n.* 〖↑ Heiderose 의 축소형〗 ① 들장미. ② 서양닥나무. **~rose** *f.* 들장미. **~röslein** *n.* ↑ Heideröschen ①. **~schnucke** ⟪ndd.⟫ ↑ Heidschnucke.

heidi [haidí:, háidi] *int.* ① 와, 만세(환호·놀라움의 표현): sie setzten sich auf den Schlitten und ~ ging's den Berg hinunter 그들은 썰매에 앉아서 와 하면서 산을 내려갔다. ② ~ gehen〔sein〕 잃어버리다〔없어졌다〕, 망가지다〔망가졌다〕: 〖구어〗 mein Regenschirm ist ~ 내 우산이 없어졌다; der alte Plattenspieler ist ~ 그 낡은 레코드 플레이어가 망가졌다; das ganze Vermögen ist ~ gegangen 전 재산을 잃었다. ③ 빨리(schnell): und ~ geht's los 자, 시작이다.

heidideldumdei *int.* 야호 기분 좋다, 만세, 만만세.

heidig [háidıç] ⟪<Heide¹⟫ *a.* 히스(Heidekraut)의; 히스가 무성한, 황무지 같은: ein ~er Landstrich 황무지로 덮인 지대.

Heidin [háidın] *f.* -nen ① ↑ Heide 의 여성형. ② 신앙심이 없는 여자.

Heidjer [háidjər] *m.* -s, - 황무지(특히 Lüneburger Heide 의) 거주자.

heidnisch [háidnıʃ] *a.* ① 이교의, 이교도의: der Tannenbaum als ~es Symbol 이교도의 상징인 전나무; ~e Bräuche 이교도의 관습. ② 신앙심이 없는.

Heid·schnucke [háıt..] *f.* ⟪ndd.⟫〖動〗 황무지에서 놓아먹이는 양(특히 Lüneburger Heide 에서).

Heiduck [haıdúk] ⟪ung.⟫ *m.* -en, -en ①〖고어〗 헝가리 인종의 한 부족. ②〖고어〗 헝가리의 가축지기, 목동. ③ 16 세기 헝가리의 경(輕)보병, (헝가리식 복장을 한) 시종; (귀족·관청의) 사환, 경호병. ④〖농담〗 개구쟁이: das sind vielleicht ~en 이 녀석들 개구쟁이들 같군.

Heie [háiə] *f.* -n 〖工〗 망치; 달구.

Heie *f.* (Bett) 잠자리, 침대.

heie-heie *int.* 〖아동〗 자장자장.

heien ⟪I⟫ *t.* ① 망치로 치다. ② (어린아이를) 흔들어 잠재우다. ③ (obd.) (**a**) 던지다(werfen). (**b**) 불쾌하게 하다(verdrießen). ⟪II⟫ *i.* (h.) 〖海〗 피칭하다(stampfen).

***heikel** [háikəl] *a.* ① (wählerisch) 몹시 가리는, 매우 까다로운: er ist im Essen sehr ~ 그는 음식에 무척 까다롭다. ② 다루기 힘든, 난처〔미묘〕한: eine heikle Angelegenheit 미묘한〔다루기 힘든〕 사건; das Thema ist äußerst ~ 그 주제는 다루기가 극히 힘들다.

***Heil** [hail] *n.* -(e)s ① (Wohlergehen) 안전, 무사, 행복; (Gesundheit) 건전, 건강(의 회복); 이익(Nutzen): jm. ~ und Segen wünschen 누구의 행복〔건강〕을 기원하다; zu js. ~ 누구를 위해서; auf js. ~ bedacht sein 누구의 건강을 염두에 두다; für sein ~ sorgen 그의 건강을 돌보다; es geschah zu deinem ~ 그 일은 너에게 이로운 쪽으로 일어났다; ~ von et.³ erwarten 무엇에서 이익을 기대하다. ② (Glück) 행복, 행운; 도움, 도피처: sein ~ versuchen 운수를 시험해 보다, 점쳐 보다; sein ~ in der Flucht suchen 도망치다; sein ~ im Alkohol suchen 알코올에서 도피처를 찾다. ③〖宗〗 (Rettung) 구원, 구제, 영생의 행복: das ewige ~ 영원한 행복; das ~ der Welt 구세주(예수); im Jahre des ~s (nach Christi Geburt) 2001 서기 2001 년에. ④〖인사말〗 ~! 만세!; dreimal ~ rufen 만세 삼창하다; ~ dir! 너의 건강을 빈다!; ~ dem Präsidenten! 대통령 만세!; ~ und Sieg! 플레이 플레이! (응원할 때).

***heil** *a.* ① (unverletzt) 완전한, 온전한, 이상적인, 흠이 없는: wieder ~ machen 고치다, 수선하다; der Topf ist noch ~ 이 항아리는 아직은 흠이 없다; ich habe jetzt wirklich keine ~en Socken mehr 내게 이제 성한 양말이라고는 정말 하나도 없다; der Roman spiegelt eine ~e Welt vor 그 소설은 이상적인 세상을 그리고 있다; et. ~ überstehen 무엇(사고 등)을 다치지 않고〔무사히〕 넘기다, (시험에) 합격하다. ② (gesund) 건전한, 건강한; (병이) 나은, 회복한: noch seine ~en Glieder haben 아직 사지가 온전하다; mein Finger ist wieder ~ 내 손가락은 다 나았다; ~ werden 낫다, 원상 복귀하다; ~ 〔mit ~en Gliedern〕 am Ziel ankommen 무사히 목적지에 도착하다; mit ~er Haut davonkommen 위기를 모면하다; aus ~er Haut 아무런 이유 없이, 불쑥. ③ (ndd.) 심한, 대단한: ~e Angst 심한 공포; ich bin ~ froh 나는 몹

시 기쁘다; ~ und deil 완전히(ganz und gar). ④ heil! ↑ Heil ④.

Heiland [háılant] *m.* -(e)s, -e [..də] 구원자; 대속자(代贖者), 구세주, 예수: der gekreuzigte ~ 십자가에 못박힌 구세주; Herr und ~! 주 예수여!; hilf uns Christus, unser ~! 주 예수 그리스도여, 우리를 도와 주소서!

Heil≈anstalt *f.* 의료 시설, 병원; 요양소; 정신 병원: eine ~ für Tuberkulosekranke〔Alkoholiker〕 결핵〔알코올 중독자〕 요양소; in eine ~ eingeliefert werden 요양소에 수용되다. **~anzeige** *f.* 〖醫〗 처방〔처치〕(서). **~art** *f.* 치료법. **~bad** *n.* ① 온천, 광천: ein ~ besuchen 온천장에 가다. ② (치료를 위한) 온천욕, 약탕욕: ein ~ nehmen 치료 목욕을 하다.

heilbar [háılba:r] *a.* 치료할 수 있는; 구제〔교정〕 가능한: diese Krankheit ist nur selten ~ 이 병은 완치가 드물다.

Heilbarkeit *f.* 치료할 수 있음.

Heil≈bock *m.* (obd.) 거세된 숫염소〔숫양〕. **≈bringend** *a.* 행복을 가져다주는; 치료 효과가 있는; 건강에 좋은: sie warteten auf den ~en Regen 그들은 생기를 줄 비를 기다렸다. **~bringer** *m.* ↑ Heiland. **~brunnen** *m.* 온천, 광천. **~butt** *m.* 〖動〗 넙치의 일종. **~butte** *f.*, **~christ** *m.* (obd.) 크리스마스.

***heilen** [háılən] 《<heil》《I》 *i.* (h./s.) (병이) 낫다, 치유되다. 《II》 *t.* ①〖고어〗(파손된 것을) 수리하다. ② (병을) 고치다, 치료하다: jn. von der Krankheit ~ 누구의 병을 고치다; eine Wunde〔Krankheit〕 ~ 상처를〔병을〕 치료하다; vorbeugen ist besser als ~ 예방이 치료보다 낫다; eine Entzündung durch Penizillin ~ 페니실린으로 염증을 치료하다; als geheilt entlassen werden 완치되어 퇴원하다; das läßt sich wieder ~ 그것은 다시 회복될 수 있다; Jesus heilt uns von unseren Sünden 예수는 우리들의 죄를 치유한다; 〖비유〗 von jm.〔et.³〕 geheilt sein 아무의 일을 잊다〔무엇을 이겨내다〕; 〖속담〗 die Zeit heilt alle Wunden 세월이 약이다. ③〖비유〗(나쁜 버릇·결점을) 교정〔제거〕하다: ein Übel ~ 악폐를 바로잡다; jn. von seiner Einbildung ~ 누구의 망상을 깨우치다; jn. von seiner Angst ~ 누구의 불안감을 해소시켜 주다; jetzt bin ich für immer geheilt 이제 나는 두 번 다시 실수를 하지 않는다. ④ (obd.; kastrieren) (동물을) 거세하다. 《III》 *refl.* sich ~ (병·상처·악폐가) 치유되다, 낫다, 교정되다; (손실이) 만회〔회수〕되다: sich durch Diät ~ 식이 요법으로 병이 낫다.

heilend *p.a.* 효과 있는, 치료가 되는; 교정하는; 구제하는.

Heiler *m.* -s, - ① 치료자, 의사; 교정자; 구제자. ② (obd.) (**a**) 거세 수술자. (**b**) 거세된 짐승.

Heil≈erde *f.* 치료용 흙. **~erfolg** *m.* 치료 효과.

Heilermann *m.* 〖구어〗 5 마르크짜리 동전.

Heil≈erziehung *f.* (불구자를 위한) 특수 치료 교육. **~fasten** *n.* 단식〔절식〕 요법. **~fieber** *n.* 〖醫〗 (말라리아 병원체 등을 주사하여 발생시키는) 치료열: in der Fieberhitze eines künstlich gesetzten ~s sterben die Krankheitserreger ab 인위적으로 발생시킨 치료열의 고열 속에서 병원체는 죽는다. **~fleisch** *n.* 잘 아무는 살〔피부〕: ich habe gutes ~ 내 피부는 잘 아문다.

heil·froh *a.* 〖서술적으로만〗 대단히 기쁜(↑ heil ③).

Heil≈gehilfe *m.* 〖옛뜻〗 외과 조수, 간호사; 안마장이; 〖구어〗 접골의(接骨醫); 간병인(看病人). **~gott** *m.* 〖그리스신화〗 의신(醫神) (Asklepios; 아폴로의 아들). **~gymnast** *m.* 치료 체조 교사. **~gymnastik** *f.* 체조 요법, (근육) 운동 요법, 보건 체조. **~gymnastin** *f.* ↑ ~gymnast 의 여성형.

***heilig** [háılıç] (약어: hl., 복수: hll.) *a.* 《I》 ①〖신·사람에 관해〗 (**a**) 거룩〔신성〕한, 성스러운; (göttlich) 하느님의, 신 같은; (fromm) 경건한, 믿음이 깊은: der ≈e Christ a) 거룩한 그리스도, b) 성탄절, c) 성탄절 선물; die ≈en Drei Könige (예수의 탄생을 알고 찾아온) 동방의 세 박사; die ≈e Familie 성(聖)가족(예수와 그의 부모); der ≈e Geist 성령(聖靈); die ≈e Jungfrau〔Mutter〕 성모 마리아; der ≈e Vater 교황의 존칭(Papst); 〖인명에 첨부시켜〗 der ~e Augustinus 성아우구스티누스; jn. ~ sprechen 누구를 성자의 계보에 넣다, 누구를 성〔세인트〕의 칭호로 호칭하다. (**b**) (scheinheilig) 거짓 믿음의, 신앙심이 깊은 체 하는: ~ tun〔eine ~e Miene machen〕 신앙심이 깊은 체하다, 믿음이 강한 체하다. ② 〖사물에 대해서〗 성스러운, 신성한; (gottesgeweiht) 신에게 바친; (unverletzlich) 신성하여 범하기 어려운; (↔ weltlich) 종교상의, 교회의, 탈속한: die ~en Stätten (예수의 행적과 관련이 있는) 성지; der ≈e Abend 크리스마스 이브, 성탄절 전야; das ~e Abendmahl 성찬(聖餐); ~e Gesänge 성가; die ≈e Allianz 신성 동맹(1815 년에 맺은 러시아·프로이센·오스트리아의 3 국 동맹); die ≈e Dreifaltigkeit 삼위 일체; ~e Festtage 성축일; das ≈e Grab 성묘(聖墓) (예수의 무덤); der ≈e Gral 성배(聖杯); ~e Handlung 성사(聖事); der ≈e Krieg a) 십자군 전쟁(Kreuzzug), b) 마호메트교도의 타교도에 대한 종교 전쟁, c) 그리스 종교 전쟁; die ~e Kuh 성스러운 소; das ≈e Land 성지(Palästina); die ≈e Nacht 크리스마스 밤, 성야(聖夜); das ≈e Römische Reich Deutscher Nation 독일 신성 로마 제국; der ≈e Rock (십자가 아래에서 로마 병사들이 제비뽑던 예수의) 성의; die ≈e Schrift 성서(Bibel); die ≈e Stadt 성도(聖都) (Jerusalem); der ≈e Stuhl 성좌(聖座), 교황좌, 교황청; die ~e Woche 성주일, 수난주(부활절 전 1 주간); hoch und ~ versprechen〔geloben, schwören〕 엄숙하게 서약하다; schwören bei allem, was ~ ist 천지신명께 맹세하다; sein Wort ist uns ~ 그의 말은 신성하다〔범하기 어렵다〕; nichts ist ihm ~ 그는 안하무인이다. ③ (ehrfurchtsvoll) 존경할 만한, 엄숙한, 신성한: ~e Scheu 외경; eine ~e Stille 엄숙한 정적; es ist mein ~er Ernst 그것은 내 진심입니다; er hat ein ~es Leben geführt 그는 경건한 생활을 했다. ④ (wichtig) 중대〔귀중〕한; (groß) 큼직한: ~e Pflicht 신성한 의무; et. ~ halten 무엇을 존중하다; das ist mir ~ 그것은 내게 매우 중요〔소중〕하다. ⑤ 지독한, 심한: ein ~er Zorn packte ihn 커다란 분노가

그를 사로잡았다; mit jm.〔et.³〕 seine ~e Not haben 누구에게〔무엇에〕 혼나다, 곤란을 당하다; ~e Angst 심한 공포;〖海〗~er Anker 으뜸닻, 주묘(主錨) (Hauptanker);〖해부〗das ~e Bein 천골(薦骨), 엉치뼈(Kreuzbein); das ~e Ding 단독(丹毒) (Rotlauf); ~e Krankheit 간질병; eine ~e Scheu hielt ihn davon ab 그는 너무 수줍어 그것을 하지 못했다; (drei) ~e Eide schwören 호언장담하다;〖구어〗~er Bimbam〔Strohsack〕!, ~es Kanonenrohr! 이런! (경악의 표현); ~er Himmel! 이런 젠장!; ~es Kreuz! 제기랄, 아차!; ~e Einfalt! 바보! (지나치게 단순한 사람에 대한 경악의 표현); da soll doch gleich ein ~es Donnerwetter dreinschlagen〔dreinfahren〕! 이런 염병할 일이 있나! ⑥〖고어〗(heilsam) 건강에 좋은, 병에 잘 듣는.

Heilig *n.* -(e)s, -e〖고어〗찬미가(Lobgesang).

Heilig·abend *m.* 크리스마스 이브.

Heilige* [háilɪgə]《I》*das* ~ 신성한 물건〔장소〕.《II》*der/die* ① 성자, 성인; 덕이 높은 사람; 천사: den ~n spielen 성인인 체하다, 독신자연(篤信者然)하다;〖농담〗ein wunderlicher〔sonderbarer, komischer〕~r 괴짜, 기인(奇人). ② 신(Gott).

Heilige·drei·königs·tag *m.* (2격 des Heilige(n)dreikönigstag(e)s,〖복수〗die Heilige(n)dreikönigstage; ein Heilige(r) dreikönigstag)〖宗〗3성왕절(三聖王節), 공현축일.

heiligen [háilɪgən]《I》*t.* ① 신성하게 하다, 깨끗이하다; 숭상〔숭앙〕하다; 성렬(聖列)에 넣다; 신에게 바치다, 봉헌하다: unser Vater im Himmel, dein Name werde geheiligt! 하늘에 계시는 우리 아버지, 이름이 거룩하게 여김을 받으시며! (마태 6:9); frag du mal, ob du sein geheiligtes Auto benutzen darfst! 그가 애지중지하는 차를 네가 이용해도 되는지 한번 물어보렴! ②〖비유〗정당화〔시인〕하다: der Zweck heiligt die Mittel 목적이 수단을 정당화한다; durch die Zeit geheiligt 전통이 있는, 유서 깊은.《II》**geheiligt** *p.a.* ↑ geheiligt.

Heiligen≈bein *n.* ①〖해부〗천골(薦骨), 엉치뼈. ② 성도의 유골. **~bild** *n.* 성자의 초상화, 성상(聖像). **~biographie** *f.* 성도전(聖徒傳). **~buch** *n.* ↑ ~kalender. **~dienst** *m.* 성인(聖人) 숭배. **~fest** *n.* 성인 축일. **~figur** *f.* 성자상, 성녀상: ~en füllen das Gewände des Kirchenportals 교회 입구의 문설주에는 성자상으로 가득 차 있다. **~gebein** *n.* ↑ ~bein ②. **~geschichte** *f.* 성도전(傳), 열성(列聖) 문학지; 고대 유대인이 구분한 구약 성서 3부 중의 최종부. **~glanz** *m.* ↑ ~schein. **~holz** *n.*〖植〗유창목(癒瘡木). **~kalender** *m.* (성인 축일이 기록된) 가톨릭 교회의 달력. **~leben** *n.* 성인(聖人)의 삶〔생애〕. **~legende** *f.* 성인 전설, 성담(聖譚). **≈-mäßig** *a.* 성인다운. **~sage** *f.* ↑ ~legende. **~schein** *m.* (Nimbus) ① 운무(雲霧). ② (성상의 주위에 그려진) 후광, 윤광(輪光), 광륜(光輪);〖비유〗위엄; 매력; sich³ einen ~ umhängen〔umgeben〕성인인 체하다, 믿음이 두터운 체하다; jn. mit einem ~ umgeben 누구를 지나치게 예찬하다. **~schrein** *m.* 성유물함; 성물 안치소. **~statue** *f.* 성상(聖像). **~verehrung** *f.* 성인 숭배.

Heilig·geist·kirche *f.* 성령 교회.

heilig≈|halten* [háilɪç..] *t.* (feiern) 신성하게 받들다, 식을 올리다; (안식일을) 지키다: das Geschenk eines Verstorbenen ~ 고인의 선물을 신성하게 받들다. **≈haltung** *f.* (종교상의 의식의) 준수: ~ des Sonntags 안식일 엄수.

Heiligkeit [háilɪçkaɪt] *f.* 신성; 성덕(聖德); 존엄; 불가침(성): die ~ Gottes 하느님의 존엄성; die ~ der Ehe 결혼의 신성함; Eure〔Seine〕~ 교황 성하(聖下); im Geruch der ~ stehen 신성한 분위기에 둘러싸여 있다.

heilig≈|sprechen* *t.* (교권으로) 성인(聖人)임을 선언하다, 성인 명부에 올리다: der Papst spricht einen Verstorbenen heilig 교황이 고인을 성인 명부에 올린다. **≈sprechung** *f.* 성인 명부에 올림.

Heiligtum [háilɪçtu:m] *n.* -s, ..tümer ① 신성한 장소, 성전: Schändung eines ~s 신성〔성물〕모독(죄);〖聖〗예루살렘;〖비유〗사실(私室), 밀실: js. ~ sein 누구의 사실〔서재〕이다. ② 신성한 것; (성인·순교자의) 유물, 유골;〖비유〗귀중한 물건, 보물. ③〖비유〗(윤리적 가치가 있는) 고귀한 사항.

Heiligtums≈entweihung *f.* 성소〔성물〕의 모독, 독신(瀆神); 성물 절취. **~raub** *m.* 성물 절취(죄). **~schänder** *m.* 신성〔성물〕모독자; 성물 절취자. **~schändung** *f.* ↑ ~-entweihung.

Heiligung [háilɪgʊŋ] *f.* -en 신성하게 하기, 성화(聖化), 성렬 가입, 숭상; 정결하게 함, 정화; 봉헌: die ~ des Sonntags 주일(主日) 준수; die ~ des Sabbats 안식일 준수.

Heil≈klima *n.* 치료〔건강〕에 좋은 기후. **≈-klimatisch** *a.* 건강에 좋은 기후의. **~kraft** *f.* 치유력, 약효: die Heilkräfte der Natur 자연의 치유력. **≈kräftig** *a.* 치유력이〔약효가〕있는: ein ~es Mittel 치료제. **~kraut** *n.* 약초. **~kunde** *f.* 의학, 의술: die ~ erlernen 의술을 익히다; in der ~ bewandert sein 의술에 능통하다. **≈kundig** *a.* 의학〔의술〕에 정통한. **~kundige*** *der/die* 의사. **≈kundlich** *a.* 의학의, 의술의. **~kunst** *f.* 의술, 치료법. **~künstler** *m.* 개업의,〖폄어〗돌팔이 의사.

heillos *a.* ① 난치〔불치〕의; 절망적인: sich ~ verirren 절망하여 방황하다. ②〖고어〗신앙심이 없는; 무도〔사악·무뢰〕한: ein ~er Mensch 무뢰한. ③〖구어〗터무니없는, 엄청난; 놀라운: ~ viel Geld 엄청나게 큰 돈; ~ verschuldet sein 빚에 쪼들려 꼼짝 못하다; in seinem Zimmer herrschte eine ~e Unordnung 그의 방은 매우 어질러져 있었다.

Heillosigkeit *f.* 치명적임, 불치.

Heil≈magnetismus *m.*〖醫〗치료적 자기(磁氣), 동물 자기; 자기 최면술. **~methode** *f.* 치료법: moderne ~n anwenden 현대적인 치료법을 사용하다. **~mittel** *n.* 약제, 치료제; 치료법: ein ~ gegen Fieber 해열제. **~mittel·lehre** *f.* 약학. **~monat** *m.* 12월. **~mond** *m.* ↑ ~monat. **~pädagoge** *m.* 장애자·정신 박약아 치료 교사. **~pädagogik** *f.* 치료 교육. **~pädagogin** *f.* ↑ ~pädagoge 의 여성형. **≈pädagogisch** *a.* 치료 교육의.

~pflanze *f.* 약용 식물. **~pflaster** *n.* 고약. **~praktiker** *m.* (정규 교육을 받지 않았지만 시술 자격이 있는) 의사, 민간 요법 치료사. **~praktikerin** *f.* ↑ ~praktiker 의 여성형. **~prozeß** *m.* 치료 경과. **~quell** *m.* ↑ ~quelle. **~quelle** *f.* 온천, 광천. **~ruf** *m.* 만세 소리. **~salbe** *f.* 연고.

heilsam [háılza:m] *a.* 〖고어〗 치료 효력이 있는, 건강에 좋은; 위생적인; 유익한: die ~e Wirkung dieses Tees 이 차의 치료 효과; diese Erfahrung war für mich ~ 이 경험은 나에게 유익했다.

Heilsamkeit *f.* 건강에 좋음.

Heils≈armee [háıls..] *f.* 구세군. **~botschaft** *f.* 구원의 복음.

Heil≈schlaf *m.* 수면 요법. **~schlamm** *m.* 치료용 진흙. **~serum** *n.* 〖醫〗 치료 혈청.

Heils·geschichte *f.* 그리스도 수난사.

heils·gewiß *a.* 효험이 있는, 효과가 확실한.

Heils≈lehre *f.* 구원의 교의(敎義), 그리스도 구원론. **~mittel** *n.* 구원 수단. **~ordnung** *f.* 구원의 길: göttliche ~ 신의 섭리.

Heil·stätte *f.* (결핵 환자의) 요양소〔원〕.

Heils≈verfahren *n.* 치료법. **~wahrheit** *f.* (구원 받기 위한) 믿음의 진리.

Heil≈trank *m.* 물약. **~trunk** *m.* 건강을 비는 건배, 축배.

Heiltum [háıltu:m] *n.* -s, ..tümer ↑ Heiligtum ①.

Heilung [háılʊŋ] *f.* -en ① 치료; 치유: die ~ der Krebsgeschwüre 암 종양의 치료; die ~ schritt rasch voran 병의 치유가 급격히 진척되었다. ② 정신적 해방, 안도감: ~ in et.³ finden 무엇에서 안도감을 느끼다. ③〖法〗 ~ eines fehlerhaften Rechtsgeschäftes 잘못된 법적용으로부터의 구제.

Heilungs·prozeß *m.* 치료 과정〔경과〕.

Heil≈verfahren *n.* 치료법. **≈voll** *a.* ① 건강에 좋은, 유익한. ② 크게 복된. **~wirkung** *f.* 치료 효과. **~wissenschaft** *f.* ↑ ~kunde. **~wurz** *f.* 약초 뿌리. **~ziest** *m.* 〖植〗 꿀풀과의 초본. **~zweck** *m.* 치료 목적: zu ~en 치료 목적으로.

heim [haım] *adv.* 〖주로 합성어로〗 ① (nach Hause) 집〔고향〕으로, 본국으로: ~gehen 집으로 가다; ~, bitte 집으로 가자. ② (zu Hause) 집에, 고향에.

***Heim** *n.* -(e)s, -e ① 주거, 집; 자택; 고향; 본국: ~ und Herd 가정; in ein neues ~ einziehen 새 집으로 이사하다; kein richtiges ~ besitzen 일정한 거처가 없다. ② 집회소; (클럽·단체의) 회관; 수용소, 보육원, 요양소, 기숙사: wir treffen uns im ~ des Tennisklubs 우리는 테니스 클럽의 회관에서 만난다.

Heim≈abend *m.* (식구끼리의) 단란한 저녁 한때: morgen haben wir doch wieder unseren ~ 내일 우리는 다시 저녁 모임이 있다. **~arbeit** *f.* 가내 노동; 가내 공업 제품: et. in ~ herstellen 무엇을 가내 공업으로 생산하다. **~arbeiter** *m.* 가내 노동자. **~arbeiterin** *f.* ↑ ~arbeiter 의 여성형.

***Heimat** [háıma:t] *f.* -en 고향, 고국; 〖法〗 본국, 본적지; 〖動·植〗 원산지: 〖宗〗 die ewige ~ 저승, 내세, 피안(彼岸): die ~ dieser Pflanze ist Südamerika 이 식물의 원산지는 남아메리카다.

heimat≈berechtigt *a.* ① 거주권이 있는. ② 시민권이 있는. **≈berechtigung** *f.* 시민권. **≈bewegung** *f.* (프랑스 통치에 대한 알자스 지방의) 향토애 운동. **≈dichter** *m.* 향토 시인〔작가〕. **≈dichtung** *f.* 향토 문학. **≈erde** *f.* 고향땅; 고향: die ~ wieder betreten 고향땅을 다시 밟다. **≈fest** *n.* 향토제(祭). **≈film** *m.* 향토 영화. **≈forscher** *m.* 향토 사학자. **~genössig** *a.* (schweiz.) ↑ ~berechtigt. **≈gesetz** *n.* 본국〔본적·귀화〕법. **≈hafen** *m.* 〖海〗 선적〔영업〕항. **≈krieger** *m.* 재향 군인. **≈kunde** *f.* (특히 지리·역사에 관한) 향토 연구. **~kundlich** *a.* 향토 연구의: er hat ~e Interessen 그는 향토 연구에 관심이 있다. **≈kunst** *f.* 향토 예술. **≈land** *n.* 고국, 모국, 출생국; 〖法〗 본국: Frankreich ist jetzt mein neues ~ 프랑스는 이제 나의 새 고국이다.

heimatlich [háıma:tlıç] *a.* 고향〔향토〕의; 고향 같은: ~e Bräuche〔Sitten〕 고향의 관습〔윤리〕; das mutet mich ~ an〔das kommt mir ~ vor〕 그것은 내게 고향 생각이 나게 한다; ~er Boden 고향, 고국.

Heimat·liebe *f.* 향토애.

heimtatlos *a.* 고향〔국적〕이 없는; 유랑하는; 망명의: die ~en Flüchtlinge 나라 잃은 난민들.

Heimatlose* *der/die* 부랑인, 무국적자, 망명자.

Heimat≈museum *n.* 향토 박물관. **~ort** *m.* 〖복수: -e〗 ① 출생지, 고향. ② (schweiz.) 시민권 소유지. ③ 선적항, 모항. **~recht** *n.* 거주〔시민〕권. **~schein** *m.* 국적 증명서, 여권; 〖商〗 원산지 증명서. **~schuß** *m.* 〖軍〗 본국 귀환을 필요로 하는 총상. **~schutz** *m.* 향토 천연 기념물〔예술품〕 보호. ② 향토 방위. **~staat** *m.* 모국, 본국. **~vertriebene*** *der/die* (1945 년 이후 동유럽 지역에서) 추방당한 독일인. **≈zuständig** *a.* nach einem Orte ~ 어떤 지방 토착의, 어떤 지방에 본적이 있는.

heim≈|begeben* 〖고어〗 *refl.* sich ~ 귀향〔귀국〕하다. **~|begleiten*** *t.* ① 집까지 바래다 주다. ② 고향에 데리고 가다. **~|bringen*** *t.* ① 집에 바래다주다. ② 집〔본국·고향〕으로 가지고 가다.

Heim≈bürge *m.* ①〖고어〗 (Dorfrichter) (재판관도 겸하는) 면장, 이장. ② (중부 독일의) 장의사. **~bürgin** *f.* (md.) 여자 염(殮)쟁이 (Totenfrau).

***Heimchen** [háımçən] 《< Heim》 *n.* -s, - ① 귀뚜라미: 〖비유〗 ein rechtes Heimchen 작은 사람, 난쟁이. ② 〖폄어〗 가정 주부: ~ am Herd(e) 부엌데기.

Heim·computer *m.* 〖컴〗 가정용 컴퓨터.

Heimdal 〖북구신화〗 하임달(신들의 거처를 지키는 빛의 신).

Heimdall ↑ Heimdal.

Heime *f.* -n 〖動〗 귀뚜라미.

heim|eilen *i.* (s.) 집〔고향〕으로 달려가다.

heimelig [háıməlıç] *a.* (südd.) 가정의, 친숙한, 낯익은, 제집 같은, 정다운; (짐승 따위가) 길든.

heimeln *imp.* (schweiz.) es heimelt mich 이 곳은 내 집처럼 편안하다.

Heimen [háımən] *n.* -s, - **Heimet** [..mət]

n. -s, -e (schweiz.) 농장.

heim≠|fahren* *i.* (s.) 귀가〔귀향〕하다. **~fahrt** *f.* ① 귀향: die ~ antreten 고향길에 오르다. ②〖聖〗 죽음. **~fall** *m.*〖法〗 토지의 귀속(소유자·소작농이 죽거나 중죄를 범했을 때 그 토지가 국왕·지주에게 귀속되는 일). **~|fallen*** *i.* (s.) (토지가 국가·지주에) 귀속되다. **~fällig** *a.* 귀속되는. **~falls·recht** *n.*〖法〗 귀속법. **~|finden*** *i.* (h.) / *refl.* (sich) ~ 집〔고향〕으로 돌아갈 길을 찾아내다〔알다〕: finden Sie sich heim? 집으로 가는 길은 아십니까? **~|führen** *t.* 집으로 데리고 가다: einen Blinden ~ 눈먼 사람을 집으로 바래다주다; die Braut ~ 아내를 얻다. **~gang** *m.* ① 귀향. ②〖聖〗 죽음: nach dem ~ unseres lieben K 우리가 사랑하는 K 가 사망한 후에; beim ~ meiner Mutter 내 어머니가 돌아가셨을 때. **~garten** *m.* (obd.) ① (울타리로 둘러친) 마을 정원, 공동 목장. ② 잡담, 요설. **~|geben*** *t.* jm. et. ~ 누구에게 무엇을 앙갚음하다. **~gegangen** *p.a.* 죽은. **~gegangene*** *der/die* 사망자, 고인: unser lieber ~r 고인이 되신 분. **~|gehen*** *i.* (s.) ① 귀가하다: jetzt geht's aber heim! 이제 집에 돌아가야 한다! ② 죽다: nach schwerer Krankheit ist er vergangene Nacht heimgegangen 중병으로 그는 지난 밤 사망했다. **~|geigen** 《I》 *t.* 〖경박〗① (누구를) 내쫓다: laß dich ~! 우스운 짓 그만해라, 포기해라! ② 질책하다. 《II》 *i.* (h.) 〖경박〗 퇴짜놓다: dem habe ich aber heimgegeigt 나는 그의 부탁을 딱 잘라 거절했다. **~|holen** *t.* 집으로 데려오다〔가져오다〕: er muß das Kind aus dem Kindergarten ~ 그는 아이를 유치원에서 집으로 데려와야 한다; Gott hat ihn heimgeholt 그는 사망했다. **~industrie** *f.* 가내 공업.

***heimisch** [háɪmɪʃ] *a.* ① 고국〔고향〕의: ~e Mundart 고향의 사투리; ~e Waren 국산품. vom ~en Herd weg sein 집을 떠나 있다; diese Pflanzen waren ursprünglich nur in Indien ~ 이 식물들은 원래 인도에서만 자라는 것이었다. ② 고향〔집〕같이 편안한: sich ~ fühlen 아늑한 기분에 젖다, 마음이 편하다; ~ werden (풍토 따위에) 익숙해지다, 적응되다, 정착하다; et. ~ machen 풍토에 익숙하게 하다, 길들이다; sich ~ machen〔es sich³ ~ machen〕 편안한 자세를 취하다. ③ 능통한, 잘 아는: 〔비유〕 in einer Wissenschaft〔Sprache〕 ~ sein 어떤 학문〔언어〕에 통달해 있다.

Heim≠kehr** *f.* 귀가, 귀향: die ~ der Kriegsgefangenen 전쟁 포로들의 귀향; die ~ von der Reise 여행에서 돌아옴. **~|kehren** *i.* (s.) 귀가〔귀향〕하다: mit leeren Händen ~ 빈털터리로 귀향하다; als Sieger ~ 승리자로 귀향하다; aus dem Krieg ~ 전쟁에서 돌아오다. **~kehrer** *m.* 귀향〔귀가〕자; 출옥자;〖軍〗 귀향병. **~kino** *n.* 가정용 영사기. **~|kommen *i.* (s.) 귀가〔귀향〕하다. **~kunft** *f.* ↑ ~kehr. **~|leuchten** *i.* (h.) jm. ~ a) 누구의 귀로를 불을 비추어 주며 전송하다, b) 누구를 호되게 꾸짖다, 쫓아보내다: dir werd' ich ~! 너를 내쫓겠다! **~leiter** *m.* 숙소 책임자; 양로원장, 기숙사 사감. **~leiterin** *f.* ↑ ~leiter 의 여성형. **~leitung** *f.* (숙박 시설의) 관리부: ihr wurde die ~ übertragen 그녀는 관리부를 맡게 되었다.

***heimlich** [háɪmlɪç] *a.* ① 은밀한, 비밀의; 내밀한; 알려지지 않은, 숨은: ~es Gemach 변소; ~, still und leise 남의 눈에 띄지 않게; ~e Wege gehen 금지된 일을 하다; das ~e Gericht 비밀 재판; er blickte sie ~ an 그는 그녀를 몰래 훔쳐 보았다; sich ~ entfernen 몰래 가 버리다〔빠져나오다〕; et. ~ halten 무엇을 숨기다, 비밀에 붙이다; ~ lachen 남몰래 웃다; sich ~ aus dem Staub machen 남몰래 도망치다. ②〖방언·고어〗 가정의(heimelig). ③ 입이 무거운, 과묵한, (누구와) 어울리지 않는. ④ (obd.) (동물이) 길든. ⑤ (öst.) 지내기가 좋은.

heimlich·feiß *a.* (schweiz.) 재산·능력을 숨기는, 가난·무능력을 가장하는.

Heimlich·haltung *f.* 비밀에 부침, 숨김.

Heimlichkeit *f.* -en ① 비밀, 내밀, 은밀, 숨기기: in aller ~ 아주 은밀하게; nur keine ~en! (그걸) 숨길 필요 없어! ② 비밀스러운 행동; 음모.

Heimlich≠tuer [..tu:ər] *m.* 비밀이 있는 체하는 사람, 넌지시 암시하는 사람. **~tuerei** [haɪm..tu:ərάɪ] *f.* 비밀이 있는 체하기, 넌지시 나타내기. **~tuerin** *f.* ↑ ~tuer 의 여성형. **~|tun*** *i.* (h.) 비밀이 있는 척하다.

heimlos *a.* 고향〔집〕이 없는, 떠돌이의.

Heim≠mannschaft *f.* 홈팀. **~|müssen** *i.* (h.) 귀가해야 하다. **~mutter** *f.* (친절한) 숙박 시설 여자 관리자. **~niederlage** *f.* 홈 경기 패배. **~reise** *f.* 귀향길, 귀항(歸航): die ~ antreten 귀로에 오르다. **~|reisen** *i.* (s.) 귀향〔귀국〕하다. **~ritt** *m.* 말을 타고 집으로 돌아옴. **~|schaffen** *t.* 집으로 가져오다. **~|schicken** *t.* ① 집〔고향〕으로 돌려보내다. ② 되쫓아보내다, 거절하다. **~schule** *f.* 기숙 학교. **~|sehnen** *refl.* sich ~ 고향〔집〕을 그리워하다. **~sieg** *m.* 홈 경기 승리. **~spiel** *n.* 홈 경기.

Heim≠statt *f.* ↑ ~stätte. **~stätte** *f.* -n ① 정착지: es war ihm noch unklar, ob Berlin seine neue ~ werden könnte 베를린이 그의 새로운 정착지가 될 수 있을지는 미지수였다. ② (입주자에게 토지를 분배해 준) 정착 농장.

heim|suchen *t.* ①〖고어〗(südd.) 방문하다: heute wollen wir unseren Onkel ~ 오늘 우리는 삼촌을 방문하려고 한다. ② 갑자기 찾아가다; 엄습하다: von einer Krankheit〔einem Unglück〕 heimgesucht werden 병에 걸리다〔재난을 당하다〕; ein Krieg suchte das Land heim 전쟁이 그 나라를 덮쳤다; von Dürre〔Streik〕 heimgesucht 가뭄〔파업〕에 시달린. ③ 괴롭히다, 성가시게 하다. ④ 벌하다,〖宗〗(벌·시련을) 내리다: die Prüfungen, mit denen uns Gott heimsucht 신이 우리에게 내리는 시련; der Väter Missetat an den Kindern ~ 조상의 죄를 자손에게 벌하다; jn. für et. ~ 누구에게 무엇에 대한 벌을 주다.

Heim≠sucht *f.* 향수병. **~suchung** [..zu:xʊŋ] *f.* -en ①〖고어〗 방문;〖가톨릭〗 ~ Maria 성모 마리아 축일(7월 2일). ② 불행, 재난; 시련; 벌, 시험: die ~en nehmen einfach kein Ende 재난이 도무지 끝나지 않는다; sie verstand den Tod ihrer Kinder als ~ Gottes 그녀는 자식들의 죽음을 하느님의 벌로 이해했다. ③〖法〗 가택 수색. **~tier** *n.* 가정에서 키우는 동물, 애완 동물. **~|tragen*** *t.* 집으로

운반하다. **~trainer** *m.* 가정용 운동 기구. **~|treiben*** *t.* (가축을) 집으로 몰고 가다.

Heim≈tücke [háɪmtʏkə] 《⊕ hämisch》 *f.* 음흉, 악의; 교활; 흉계. **~tücker** *m.* 음흉한 사람. **≈tückisch** *a.* 악의 있는; 교활한; 음흉한; 배신의: ~er Streich 간계.

Heim≈volks·hoch·schule *f.* (기숙사 형태의) 시민 학교, 성인 대학. **~vorteil** *m.* 〖스포츠〗 홈 경기의 이점. **≈wärts** *adv.* 집으로, 고향〔본국〕으로: wir gingen gerade ~ 우리는 곧장 집으로 갔다. **~weg** *m.* 귀로: sich auf den ~ machen 귀로에 오르다, 귀향〔귀국〕하다. ***~weh** *n.* 향수(병); 그리움: das ~ haben〔bekommen〕 향수병에 걸려 있다; krank vor ~ 향수병에 걸린; der kleine Junge hat vor ~ nach seiner Mutter den ganzen Tag geweint 그 꼬마는 어머니가 보고 싶어 종일 울었다. **≈wehkrank** *a.* 향수병에 걸린. **~werker** *m.* 가내 수공업 종사자. **~wesen** *n.* (schweiz.) ① 토지. ② 가정(家庭); 가정(家政), 가계(家計), 살림살이, 세대. **≈|wollen*** *i.* (h.) 귀가〔귀향〕을 원하다. **≈|zahlen** *t.* (jm. et.) ~ a) 〖商〗 상환〔변제〕하다, b) 보복〔앙갚음〕하다: das werde ich ihm ~ 나는 그것에 대해 그에게 보복할 것이다. **~zahlung** *f.* 상환. **≈|ziehen*** *i.* (s.) 귀가〔귀향〕하다: es zog ihn heim 그는 귀향하고 싶어졌다. **≈zu** *adv.* ↑ ≈wärts. **~zug** *m.* 귀국〔귀향〕 여행.

Hein [haɪn] 〖↑ Heinrich 의 애칭형〗 *m.* 하인 (남자 이름): Freund ~ 사신(死神).

Heine [háɪnə] *m.* Heinrich ~ 하이네(독일의 시인, 1797-1856).

Heinisch [háɪnɪʃ] *a.* 하이네의.

heinisch *a.* 하이네풍의.

Heini *m.* -s, -s 〖구어·펌어〗 멍청이, 우둔한 남자: so ein doofer ~! 이런 지독한 얼간이!

Heinrich [háɪnrɪç] *m.* ① 하인리히(남자 이름): 〖구어〗 sanfter ~ 호인(好人), 숙맥; langer ~ 마스터 키, 곁쇠; der grüne ~ 죄수차; 〖속어〗 blauer ~ 묽은 보리죽; 〖경박〗 den flotten ~ haben 설사하다; 〖구어〗 den müden ~ spielen 게으름피우다. ② 〖植〗 böser ~ 초종용(草蓯蓉); großer ~ 목향; guter〔roter〕 ~ 명아주속(屬).

Heinrichs·orden *m.* 작센의 고급 훈장(장교에게 수여됨).

heint [haɪnt] 《<hie nacht》 *adv.* (obd.) ① 간밤; 오늘 밤, 이 밤. ② 오늘.

Heinz [haɪnts] 《↑ Heinrich 의 단축형》 ① *m.* 하인츠(남자 이름). ② *m.* -es/-en, -en 〖비유〗 얼간이: ~ und Kunz 어중이떠중이, 너도 나도.

Heinze [háɪntsə] *m.* -n, -n 〖農〗 풀 건조용 막대기〔십자봉〕.

Heinzel [háɪntsəl] (obd.) ① 수송아지. ② 수망아지. ③ 꼭두각시.

Heinzen *m.* -s, - ↑ Heinzel.

Heinzel·bank *f.* 〖農〗 작두.

Heinzel·männchen *n.* (ndd.) (밤에 몰래 농가의 일을 대신해 주는) 작은 요정.

heiopopeio [haɪopopáɪo] *int.* ↑ heiapopeia.

***Heirat** [háɪra:t] *f.* -en 결혼; 〖法〗 혼인; 혼례: eine ~ (mit jm.) eingehen (누구와) 결혼하다; eine ~ zwischen Blutsverwandten 근친 결혼; auf die ~ gehen 신부감을 물색하다; an ~ denken 결혼할 생각을 하다; eine reiche ~ machen 부자와 혼인하다; eine ~ stiften〔vermitteln〕 혼인을 중매하다.

***heiraten** [háɪra:tən] 《I》 *t.* ① 결혼하다: einen Rechtsanwalt ~ 변호사와 결혼하다; sie hat ihn gegen den Willen ihrer Eltern geheiratet 그녀는 부모의 반대를 무릅쓰고 그와 결혼하였다; Geld ~ (erheiraten) 돈을 노리고 결혼하다. ② 〖카드〗 (누구와) 협조하다. 《II》 *i.* (h.) 결혼하다: jung 〔spät〕 ~ 조혼〔만혼〕이다; zum zweiten Mal ~ 재혼하다; sie mußten ~ 〖구어〗 그들은 아이가 생겨서 결혼했다; nach Geld ~ 돈을 보고 결혼하다; in eine reiche Familie ~ 부유한 집안으로 시집〔장가〕가다; unter seinem Stand ~ 자기보다 신분이 낮은 사람과 결혼하다; in die Stadt 〔aufs Land〕 ~ 도시〔시골〕로 시집〔장가〕가다; sie hat nach Amerika geheiratet 그녀는 미국으로 시집갔다.

Heirats≈absicht *f.* 결혼 의사: sich mit ~en tragen 결혼할 의사가 있다. **~alter** *n.* 결혼 연령: im besten ~ sein 결혼 적령기다; das ~ erreichen 결혼 연령에 이르다. **~annonce** *f.* ↑ ~anzeige. **~antrag** *m.* 청혼, 구혼: einem Mädchen einen ~ machen 어떤 소녀에게 청혼하다. **~anzeige** *f.* (신문의) 결혼 공고; 청첩장; 구혼 광고. **~büro** *n.* 결혼 소개소. **~erlaubnis** *f.* 결혼 허가(증). **≈fähig** *a.* 결혼할 수 있는, 결혼 적령의: eine ~e Tochter haben 결혼 적령기의 딸이 있다; im ~en Alter sein 결혼 적령기다. **~freudig** *a.* ↑ ~lustig. **~gebräuche** *pl.* 결혼 의식〔관습〕. **~gedanke** *m.* ↑ ~absicht. **~gesetz** *n.* 혼인법. **~gesuch** *n.* (군인의) 결혼 허가 신청(서). **~gut** *n.* 지참금, 결혼 자금. **~-kandidat** *m.* 구혼자. **~kontrakt** *m.* 결혼 계약. **~lust** *f.* ↑ ~gedanke. **≈lustig** *a.* 결혼할 뜻이 있는. **~markt** *m.* 〖농담〗 ① (신문·잡지의) 구혼 광고란. ② 결혼 적령기의 남녀가 만날 수 있는 곳: der Arbeitsplatz ist immer noch der beste ~ 직장은 여전히 미래의 짝을 만날 수 있는 가장 좋은 곳이다. **~ring** *m.* 결혼〔약혼〕 반지. **~schein** *m.* 결혼 증명서; 결혼 허가증. **~schwindler** *m.* 결혼 사기꾼. **~stifter** 결혼 중매인. **~urkunde** *f.* 결혼 증명서. **~vermittler** *m.* 결혼 중매인. **~vermittlerin** *f.* ↑ ~vermittler 의 여성형. **~versprechen** *n.* 약혼: jm. ein ~ geben 누구에게 결혼 약속을 하다. **~vertrag** *m.* ↑ ~kontrakt. **~verwandtschaft** *f.* 인척 관계. **~wut** *f.* 결혼광(狂).

heisa [háɪza, háɪsa] *int.* ↑ heißa.

heisch *a.* 〖방언〗 목쉰(heiser).

***heischen** [háɪʃən] *t.* ① 요청〔요구〕하다, 명령하다: sie heischte eine Erklärung von ihm 그녀는 그의 해명을 요구했다; nach Beifall ~ 박수를 강요하다. ② 부탁하다; 간청〔구걸〕하다: Almosen〔Hilfe〕 ~ 동냥하다〔도움을 간청하다〕.

Heische·satz [háɪʃə..] *m.* ① 〖哲〗 (Postulat) 공준(公準), 요청. ② 〖문법〗 명령문.

Heischung *f.* -en 요구, 명령.

***heiser** [háɪzər] *a.* 목쉰, 목소리가 잠긴: mit ~er Stimme sprechen 쉰 목소리로 말하다;

sich ~ schreien〔reden〕 소리를 질러〔말을 많이 하여〕 목이 쉬다.

Heiserkeit *f.* 쉰 목소리: ein Mittel gegen Husten und ~ 기침과 목잠김 치료약; bei andauernder ~ den Arzt aufsuchen! 계속 목이 쉬면 의사를 찾아가시오!

***heiß** [haɪs] *a.* ① (↔kalt) 더운, 뜨거운: glühend〔brennend, siedend〕 ~ 타는 듯이 더운, 작열하는; drückend ~ 숨막힐 듯이 더운; mir ist ~ 덥다; 〖비유〗 sich (die Köpfe) ~ reden 말을 계속하여 흥분하게 되다; es überläuft jn. ~ und kalt 〔es läuft jm. ~ und kalt den Rücken hinunter〕 누가 공포심에 몸을 오싹하다; jm. den Kopf 〔die Hölle〕 ~ machen 누구에게 걱정을 끼치다; 〖속담〗 was ich nicht weiß, macht mich nicht ~ 모르는 게 약이다; es wird ihm der Boden 〔das Pflaster〕 zu ~ 그의 입지가 위태롭게 된다, 도망쳐야 한다; 〖속담〗 man muß das Eisen schmieden, solange es noch ~ ist 쇠뿔도 단김에 빼랬다; du bist (wohl) zu ~ gebadet worden! 너 미쳤구나, 그래 봐야 소용 없어!; es wird nichts so ~ gegessen, wie es gekocht wird 보기만큼 그렇게 나쁘지는 않다; weder ~ noch kalt sein 이것도 저것도 아니다〔만족스럽지 못하다〕; ~e Tränen weinen 하염없이 울다; mit der ~en Nadel genäht (누구를) 우연히 만난; eine 〔ein paar〕 ~e 뜨거운 소시지 한〔몇〕 개. ② 〖비유〗 열정적인, 열중한, 흥분한; 격렬〔강렬〕한: eine ~e Debatte 격렬한 논쟁; ~en Dank! 정말 고맙습니다!; jn.〔et.〕 ~ und innig lieben 누구를〔무엇을〕 미치도록 사랑〔좋아〕하다; sich ~ nach et.³ sehnen 무엇을 열렬히 동경하다; da ging es ~ her 거기서 격전〔격론〕이 있었다; ~es Blut haben 기질이 억세다. ③ 흥분하게 하는, 선정적인: ~e Musik 열광적인 음악; ~e Höschen 핫 팬츠. ④ 위태로운, 까다로운: die Zeitung hat ein ~es Thema aufgegriffen 그 신문은 까다로운 주제를 다루었다; 〖비유〗 ein ~es Eisen 뜨거운 감자; ein ~es Eisen anfassen 까다로운 일·주제를 다루다. ⑤ 〖핵물리〗 고도의 방사능 물질을 지닌: eine ~e Zelle (원자력 발전소의) 방사능 물질 보관소; ~er Raum 방사능 물질 처리 공간, 원자로; ~e Chemie 핵화학. ⑥ 〖구어〗 유망한, 기대를 모으는: ein ~er Favorit 유력한 우승 후보; : ein ~er Ofen 강한 모터의 자동차; ~er Draht 핫라인. ⑦ (개·고양이가) 발정한.

Heiß [haɪs] *n.* -es, -e 〖海〗 기중기, 크레인.

heißa [háɪsa] (↑ hei) 〖구식〗 (기쁨·격려의 표현) 자: ~, jetzt geht's los! 자, 이제 시작이다〔한다〕!

heißassa [háɪsasa] *int.* ↑ heißa.

Heiß≠behandlung *f.* 〖醫〗 온열 요법, 증기 치료. **~blütig** *a.* 온혈의; 〖비유〗 열혈의, 흥분하기 쉬운. **~blütigkeit** *f.* 열혈. **~dampf** *m.* 뜨거운 증기. **~dampf·maschine** *f.* 〖工〗 증기 열기관.

***heißen*¹** [háɪsən] (hieß, geheißen) 《I》 *t.* ① (nennen) …이라고 부르다, 일컫다, 칭하다, 이름붙이다; …라고 평가하다: jn. einen Betrüger ~ 누구를 사기꾼이라 말하다; jn. willkommen ~ 누구를 환영하다; et. gut ~ 무엇을 시인하다; sie hat ihn albern geheißen 그녀는 그가 어리석다고 말했다; das heiße ich Humor, Lebensklugheit, Mut 나는 그것을 유머, 삶의 지혜, 용기라고 평가한다. ② 의미〔뜻〕하다 (bedeuten): was heißt das auf deutsch? 그것은 독일어로 무슨 뜻이냐?; das will (schon) etwas 〔nichts〕 ~ 그것은 제법 중요한〔하찮은〕 일이다; ich weiß, was es heißt, Verantwortung zu tragen 나는 책임을 진다는 것이 어떻다는 것을 알고 있다; das heißt eine Frage 그것이 문제다; das heißt 즉, 다시 말하자면, 이를테면 (약어: d. h.). ③ (befehlen) 명령〔분부〕하다, 시키다: jn. weggehen ~ 누구에게 나가라고 명령하다; ich hieß ihn antworten〔schweigen〕 나는 그에게 답변〔침묵〕시켰다; er hat es mich tun geheißen 그는 나에게 그것을 하라고 명령했다; tu(e), wie man dir geheißen hat 너에게 시킨 대로 하라; et. mitgehen ~ 무엇을 훔치다, 빼앗다. 《II》 *i.* (h.) ① …이라고 불리다: ich heiße Karl 저는 카를이라 합니다; sie heißt jetzt anders 그녀는 이름을 바꾸었다. ② *imp.* es heißt (**a**) …라는 소문이다, …라고들 말하고 있다: es heißt, er sei ins Ausland gegangen 그는 외국으로 갔다고들 한다; er kommt, wie es heißt, morgen 그는 내일 온다고 한다; es heißt in der Bibel 성경에 이르기를; bei Hegel heißt es 헤겔에 따르자면. (**b**) 해야 한다, 할 필요가 있다: noch heißt es abwarten 더 기다려야 한다; da heißt's aufgepaßt 〔aufpassen〕! 조심해야 된다!

heißen² *t.* (hissen) 게양하다, 끌어올리다.

heiß≠erfleht *a.* 애타게 탄원하는. **~ersehnt** *a.* 열망하는: nach Wochen endlich kam der ~e Brief 몇 주가 지난 후 마침내 애타게 기다리던 편지가 왔다. **~geliebt** *a.* 열렬한 사랑을 받는. **~hunger** *m.* 갑작스런 강렬한 식욕; 〖비유〗 갈망, 탐욕: einen ~ auf saure Gurken haben 오이피클을 매우 먹고 싶어하다. **~hungrig** *a.* 매우 배가 고픈: 〖비유〗 nach et.³ ~ sein 무엇을 갈망하다. **~kühlung** *f.* (과열 내연 기관의) 냉각. **~|laufen*** *i.* (s.) / *refl.* (sich) ~ (기계가) 회전하여 과열되다; der Motor läuft sich heiß 엔진이 과열된다. **~luft** *f.* 인공 열풍: Kochen mit ~ (뜨거운 바람을 이용한) 오븐 요리.

Heißluft≠bad *n.* 열풍욕(浴). **~dusche** *f.* 모발 건조기, 헤어 드라이어. **~heizung** *f.* 열풍 난방. **~herd** *m.* 열풍 전기 오븐〔레인지〕. **~maschine** *f.* 열기 기관. **~motor** *m.* 〖구식〗 열풍〔열기〕 기관.

Heiß≠mangel *f.* 증기 다리미. **~sporn** *m.* 성급한 사람. **~spornig** *a.* 쉽게 노하는, 성마른. **~umkämpft** *a.* 격전을 벌인. **~umstritten** *a.* 격렬하게 다투는, 격론이 벌어진. **~wasser** *n.* 온수.

Heißwasser≠bereiter *m.* 온수〔급탕〕기. **~heizung** *f.* 온수 난방 장치. **~speicher** *m.* 〖전기〗 자동 온수기〔온수조(槽)〕.

Heister [háɪstər] *m.* -s, - 〔*f.* -n〕 ① 〖林〗 어린 나무, 묘목. ② 〖植〗 (ndd.) 너도밤나무. ③ 〖動〗 (ndd.) 까치.

..heit *suf.* 형용사·명사에 붙어 여성 추상 명사·집합 명사를 만듦 (보기: Freiheit 자유; Menschheit 인류).

***heiter** [háɪtər] *a.* ① (날씨가) 갠, 맑은, 청명〔청랑〕한, 밝은: ~es Wetter 맑은 날씨; wie ein Blitz aus ~em Himmel 청천벽력같이.

② 명랑한, 쾌활한, 즐거운; 얼근히 취한: ein ~es Gesicht machen 명랑한 표정을 짓다; ein ~er Abend 즐거운 저녁; er kam sehr spät und recht ~ nach Hause 그는 아주 늦게 얼근히 취해 집에 왔다. ③〖구어·반어〗불쾌한: das kann ja ~ werden 〔das wird ~〕 이거 재미있게 되겠군; das ist ja eine ~e Geschichte! 그것은 아주 불쾌한 이야기다!; das hört sich ja ~ an 그것은 정말 불쾌하게 들린다; das ist ja ~! 이거 야단났군, 재미 없게 되었는데!

Heitere *f.* -n ① ↑ Heiterkeit. ② 맑은 날씨.

Heiterkeit *f.* 유쾌, 명랑, 즐거움; 맑음; 쾌활; 홍소(哄笑): der Witz löste große ~ aus 그 익살은 폭소를 자아냈다.

Heiterkeits·erfolg *m.* 폭소를 자아냄.

heitern [háɪtərn] 《Ⅰ》*t.* 유쾌하게 하다. 《Ⅱ》*i.* (h.) 유쾌해지다.

Heiz≈anlage [háɪts..] *f.* 난방 장치, 난방기. **~apparat** *m.* ↑ ~gerät.

heizbar *a.* 가열〔난방〕할 수 있는; 난방 장치가 있는: der Saal ist schwer ~ 이 홀은 난방하기가 어렵다.

Heiz≈batterie *f.* 〖전기〗 필라멘트 전지, A 전지. **~decke** *f.* 전기 담요. **~effekt** *m.* 〖物〗 열효과, 열력(熱力).

***heizen** [háɪtsən] 《<heiß》《Ⅰ》*t./i.* (h.) 데우다, 뜨겁게 하다: der Ofen heizt gut 이 난로는 열을 잘 낸다; mit Holz〔Strom〕 ~ 나무〔전기〕로 난방하다; den Ofen mit Steinkohlen ~ 난로에 석탄을 때다; es ist heute gut geheizt 오늘은 난방이 잘 되어 있다; vom 1. Oktober an wird geheizt 10월 1일부터 난방이 된다; nur zwei Zimmer ~ 방 두 개만 난방하다. 《Ⅱ》*refl.* das Zimmer heizt sich gut 이 방은 난방이 잘 된다; das Zimmer läßt sich schwer ~ 그 방은 난방이 어렵다.

Heizer [háɪtsər] *m.* -s, - ① 화부, 난방 기사. ② 가열기.

Heiz≈faden *m.* 필라멘트. **~fläche** *f.* 〖工〗 난방기의 방열면(放熱面). **~gas** *n.* 연료 가스. **~gerät** *n.* 난방 기구. **~kammer** *f.* 기관실(汽罐室). **~kanal** *m.* 〖工〗 (난방 장치의) 열기 송관(送管). **~kessel** *m.* 난방용 보일러. **~kissen** *n.* 전기 방석(das elektrische ~). **~körper** *m.* 방열체, 라디에이터. **~kosten** *pl.* 난방비. **~kraft** *f.* 화력, 열률(熱率). **~loch** *n.* (기관의) 화구(火口), 아궁이. **~material** *n.* 연료. **~öl** *n.* 연료유, 난방유. **~periode** *f.* (연중) 난방 기간. **~platte** *f.* (전기 오븐의) 전열판. **~raum** *m.* 보일러실, 〖海〗 (기선의) 기관실, 화실(火室); 벽로(壁爐). **~rohr** *n.*, **~röhre** *f.* ↑ Heizungsrohr. **~schlange** *f.* 방열(放熱)〔발열〕 코일. **~sonne** *f.* (특히 반사용 갓이 달린) 원형 전기 스토브; 태양등. **~stoff** *m.* 연료. **~strom** *m.* 〖전기〗 코일 난방 전류.

***Heizung** [háɪtsʊŋ] *f.* -en ① 가열; 난방. ② ↑ Heizmaterial. ③ 난방 장치: eine elektrische ~ 전기 난방; Miete mit ~ 난방비를 포함한 집세; die ~ ist angestellt〔abgestellt〕 난방 장치가 켜져〔꺼져〕 있다. ④ 방열체.

Heizungs≈anlage *f.* ↑ Heizanlage. **~keller** *m.* 지하 보일러실. **~monteur** *m.* 난방 장치 설치 기술자. **~rohr** *n.* 온수 파이프. **~tank** *m.* 난방 탱크.

Heiz≈vorrichtung *f.* ↑ ~gerät. **~wert** *m.* 〖物〗 발열량, 연소가(燃燒價).

Hekate [hé:kate] *f.* 〖그리스신화〗 헤카테(하늘과 땅과 하계(下界)를 지배하는 여신).

Hekatombe [hekatɔ́mbə] 《gr.》*f.* -n ① (고대 그리스에서 신에게 바친) 산 황소 백 마리의 제물. ②〖비유〗 다수의 희생, 대학살: dem Erdbeben fielen ~n von Menschen zum Opfer 지진으로 수많은 사람들이 희생되었다.

hekt.. ↑ hekto..

Hektar [hɛktá:r, hɛ́kta:r] 《gr.》 *n./m.* -s, -e 헥타르(면적 단위), 100 아르(약어: ha).

Hektare [hɛ́kta:rə] *f.* -n (schweiz.) ↑ Hektar.

Hektar·ertrag *m.* 〖農〗 헥타르당 수확고.

Hektik [hɛ́ktɪk] 《gr.》*f.* ①〖고어〗 쇠약, (만성) 소모. ② 분망, 성급: die ~ des modernen Lebens 현대 생활의 분망함; in der ~ habe ich meinen Paß vergessen 서두르다가 나는 여권을 잊어버렸다; nur keine ~! 좀 서두르지 마라!

Hektiker *m.* -s, - ①〖고어〗 소모성 환자. ②〖폄어〗 정신없이 서두는 사람.

hektisch [hɛ́ktɪʃ] *a.* ① 성급한, 분망한: ich lebe zur Zeit ~ 내 생활은 요즈음 매우 분주하다; nur mal nicht so ~! 그렇게 좀 서두르지 마라! ②〖고어〗 소모성〔결핵성〕의: ~es Fieber 소모열(熱) (결핵성 열 따위).

hekto.. 《gr.》 *pref.* "백(百)"의 뜻.

Hekto≈gramm [(또는) hɛ́ktogram] *n.* 100 그램(약어: hg). **~graph** *m.* 〖印〗 (Vervielfältigungsgerät) 젤라틴판(板). **~graphieren** *i.* 젤라틴판으로 찍다. **~liter** [(또는) hɛ́ktoli:tər] *n.* 100 리터(약어: hl). **~meter** [(또는) hɛ́ktome:tər] *n./m.* 100 미터(약어: hm.). **~pascal** [(또는) hɛ́ktopaskal] *n.* 100 파스칼.

Hektor [hɛ́ktɔr, ..to:r] *m.* 〖그리스신화〗 헥토르(트로이 전쟁의 용사): 〖경박〗 rangehen wie ~ an die Buletten 어떤 계획을 앞뒤 가리지 않고 밀어부치다.

Hekto≈ster [(또는) hɛ́kto..] 《gr.》 *m.* 100 세제곱미터. **~watt** [(또는) hɛ́kto..] *n.* 〖전기〗 100 와트.

Hekuba [hé:kuba] 〖그리스신화〗 헤쿠바(트로이의 영웅 Hektor의 어머니): es ist ihm ~ 그에게는 그 따위 것은 아무래도 좋다.

Hel [he:l] *f.* 〖북구신화〗 ① 죽음의 여신. ② 저승, 명부(冥府).

Helanca [helánka] *n.* - 신축성이 뛰어난 나일론사(絲).

***Held** [hɛlt] *m.* -en, -en [hɛ́ldən] ① 영웅, 용사, 호걸: die ~en der germanen Sage 게르만 전설의 영웅들; namenlose ~en des Weltkriegs 세계 대전의 무명 용사들; unsere gefallenen ~en 우리의 전몰 장병들; 〖농담〗 du bist mir (ja) ein rechter〔netter, schöner〕 ~ a) 넌 겁쟁이야, b) 자네가 한 일은 칭찬할 만한 게 아니야; spiel doch nicht immer den ~en 그렇게 막무가내로 행동하지 마라; die ~en sind müde (geworden) 의욕이 식다, 체념하다. ② (소설·연극의) 주인공, 주역; 〖비유〗 거물, 인기 있는 사람: der ~ des Tages 당대〔그날〕의 인기인; 〖구동독〗 ~ der Arbeit 노동 영웅; ein ~ im Saufen 술고래; er ist kein ~ im Latein 그는 라틴어에는 그

다지 자신이 없다; den ~en spielen 〔sich als ~ aufspielen〕 뻐기다, 자랑하다.

Held·bock *m.* 〖動〗 하늘소.

Helden≈alter [hέldən..] *n.* 영웅 시대. **~bahn** *f.* 영웅적 삶, 영웅의 일생. **~brust** *f.* 〖농담〗(영웅처럼 느끼는) 남자의 가슴. **~buch** *n.* (중세 독일의) 영웅 서사시집. **~darsteller** *m.* 주연 배우. **~dichter** *m.* 서사시인(Epiker). **~dichtung** *f.*, **~epos** *n.* 영웅 서사시. **~fried·hof** *m.* ↑ Soldatenfriedhof. **~gedicht** *n.* 영웅 서사시. **~gedenk·tag** *m.* (독일의) 현충일(3월 16일); (미국의) 전몰 장병 기념일(5월의 마지막 월요일). **~geist** *m.* 영웅적 정신, 뛰어난 용기. **~gesang** *m.* ↑ ~lied. **~gestalt** *f.* ① 영웅의 모습. ② 영웅적 인물. **~größe** *f.* 영웅적 위대함.

heldenhaft [hέldənhaft] *a.* 영웅다운, 용맹〔호탕·씩씩〕한: ein ~er Kampf 영웅적 투쟁; eine ~e Entscheidung 과단성 있는 결단.

Helden≈herz *n.* 영웅적 정신, 용감. **~kraft** *f.* 강한 힘. **≈kühn** *a.* 대담〔용맹〕한. **~lied** *n.* 영웅 찬미가; 서사시. **~mädchen** *n.* 용감한 소녀. **≈mäßig** *a.* 영웅다운, 대담한, 씩씩한. **~mut** *m.* 영웅다운 기백. **≈mütig** *a.* 용맹한: eine ~e Tat 영웅적 행위; ~ kämpfen 용감하게 싸우다. **~rolle** *f.* 〖연극〗 주역. **~sage** *f.* 영웅 전설. **~seele** *f.*, **~sinn** *m.* 영웅적 정신. **~spieler** *m.* 〖연극〗 주연 배우. **~stück** *n.* 〖구어〗 ein echtes ~ 눈부신 수훈; dieses Lied handelt von den ~en von X 이 노래는 X의 영웅적 행위에 관해 다루고 있다. **~tat** *f.* 영웅적 행위, 무훈: was du dir da geleistet hast, war keine ~ 자네가 한 일은 그렇게 대단한 일이 아니야; 〖반어〗 einen schwächeren Mitschüler zu schlagen, das ist ja wahrhaftig eine ~! 약한 동급생을 때리는 것은 참 용감한 짓이다! **~tenor** *m.* (주역에 적합한) 멋진 테너 음성(의 성악가): er hat einen strahlenden ~ 그는 주인공 역할에 적합한 아주 멋진 테너 음성을 갖고 있다. **~tod** *m.* 장렬한 죽음〔전사〕: den ~ sterben 〔finden〕 장렬히 전사하다.

Heldentum [hέldəntu:m] *n.* -s ① 영웅임, 영웅적 정신, 장렬, 의협: echtes〔unbekanntes〕 ~ 진정한〔알려지지 않은〕 영웅적 정신. ② 〖총칭〗 영웅〔용사〕들. ③ 영웅〔신화·전설〕 시대.

Helden≈verehrung *f.* 영웅 숭배. **~weib** *n.* 여장부, 여걸. **~zeit** *f.* 영웅 시대. **~zug** *m.* ① 용사의 출정. ② 영웅의 모습, 영웅적 성격.

Helder [hέldər] 《ndd.》 *m./n.* -s, - 〖토목〗 둑을 쌓아올리지 않은 소택지(↔ Polder).

Heldin [hέldɪn] *f.* -nen ① 여장부, 여걸. ② (연극·소설의) 여주인공.

heldisch [hέldɪʃ] *a.* ① 영웅의〔에 관한〕. ② ↑ heldenhaft.

Helena [hé:lena, hél..] *f.* 〖그리스신화〗 헬레나(Sparta의 왕비로 Troja의 왕자에게 잡혀가서 Troja 전쟁의 원인이 됨).

Helene [helé:nə] *f.* 헬레네(여자 이름).

Helenen·kraut *n.* 〖植〗 ↑ Alant².

Helfe [hέlfə] *f.* -n (베틀의) 잉아.

helfen [hέlfən] (half, geholfen) *i.* (h.) ① jm. ~ 누구를 돕다, 거들다, 원조하다, 조력하다: kann ich dir ~? 도와줄까?; im Haushalt ~ 가사일을 돕다; ihm ist nicht zu ~ 그를 도울 수 있는 방법은 없다; jm. ist nicht mehr zu ~ 누구는 구제불능이다; hilf Gott〔Himmel〕! a) 하느님이시어 구원해주소서!, b) 아차, 어마, 이크!; so wahr mir Gott helfe! 천지신명께 맹세코!(법정 선서의 마지막 문구); man könnte〔möchte〕 dir (gerade) ~ 네 행동은 허용될 수 없다!; 〖구어〗 ich werde〔will〕 dir ~! 그만두지 못하겠니!; 〖속담〗 hilf dir selbst, so hilft dir Gott 하늘은 스스로 돕는 자를 돕는다; 〖속담〗 wem nicht zu raten ist, dem ist nicht zu ~ 충고를 듣지 않는 자는 도움을 받지 못한다. ② 〖보통 zu 없는 부정법과 함께〗 jm. arbeiten ~ 누구의 일손을 거들다; ich hab' ihm das Buch suchen ~ 나는 그 사람이 책 찾는 것을 도왔다. ③ (nützen) 도움이 되다, 유용하다, 유익하다; 효과가 있다(heilsam sein): es hilft (zu) nichts 그것은 아무짝에도 소용없다; da hilft mir alles nicht(s) mehr 이제 나는 속수무책이다; die Kur hat ihm gar nicht geholfen 요양이 그에게 전혀 도움이 되지 않았다; dein Leugnen hilft dir nichts 네가 부정해도 소용 없다; da hilft kein Jammern und kein Klagen 한탄하고 불평해봤자 아무런 소용 없다; die Zeit wird dir ~, den Schmerz zu überwinden 시간이 지나면 너는 그 고통을 극복하게 될 것이다; (zu) was hilft das mir? 그것이 내게 무슨 도움이 되느냐?; in solch einer Situation hilft nur ein Mittel 그런 상황에서는 한 가지 방법만 효과가 있다; das Mittel hilft rasch〔gut, wenig〕 이 약은 효과가 빠르다〔좋다, 적다〕; diese Arznei hilft bei Kopfweh 이 약은 두통에 좋다; jetzt kann nur noch eine Operation ~ 이제 도움이 될 수 있는 건 수술뿐이다. ④ sich³ (selbst) ~ 자기 힘으로 해 나가다: sich³ nicht mehr zu ~ (und zu raten) wissen 속수무책이다, 더 이상 어떻게 해볼 방도가 없다; sich³ nicht anders zu ~ wissen 다른 도리가 없다, 어쩔 수 없다; 〖구어〗 ich kann mir nicht helfen, aber da bin ich mißtrauisch 아무리 생각해봐도 그 일은 신뢰가 가지 않는다. ⑤ 〖전치사와 함께〗 jm. **auf** die Beine ~ 누구를 부축해 일으키다; einem Unternehmen auf die Beine ~ 기업을 재정적으로 지원하여 자립시키다; jm. auf die Sprünge〔Spur〕 ~ 누구에게 암시를 주다; dieser Hinweis half der Polizei auf die Spur der Verbrecher 이 지적은 경찰이 범죄자들을 추적하는 데 도움을 주었다; jm. **aus** der Not〔Verlegenheit〕 ~ 누구를 곤경에서 구출하다; jm. **bei** der Arbeit ~ 누구의 일을 거들다; jm. **durch** den Sumpf ~ 누구를 도와 곤경을 극복하게 하다; das Mittel hilft **gegen** Schnupfen 이 약은 감기에 효과가 있다; jm. **hinter** die Geheimnisse ~ 누구에게 비밀을 누설하다; jm. **in** den Mantel ~ 누구에게 코트를 입혀 주다; jm. in den Wagen ~ 누가 차에 타도록 도와주다; jm. ins Grab ~ 임종의 고통을 덜어주다; jm. **mit** Geld ~ 누구를 돈으로 돕다; jm. **über** die Straße ~ 누가 길을 건너도록 도와주다; jm. über den Berg 〔eine Schwierigkeit〕 ~ 누구를 도와 역경을 딛고 일어서게 하다; jm. **von** et.³ ~ 누구를 무엇에서 빠져 나오게 하다; jm. vom Brot ~

누구의 직장을 빼앗다; jm. von seinem Vermögen ~ 누구의 재산을 한통속이 되어 탕진하다; jm. **zu** et.³ ~ 누구를 도와서 무엇을 얻게 하다; jm. zu einem Amte〔zu Brot〕~ 누구의 임용〔취직〕을 돌봐주다; er hat sehr dazu geholfen 그는 그 일에 많은 공헌을 했다.

Helfer [hɛ́lfər] *m.* -s, - ① 돕는〔거드는〕사람, 원조자: freiwillige ~ 자원 봉사자; ~ in Steuersachen 세무 상담자; ein ~ in der Not 어려울 때의 친구. ② 조수, 협력자; 보좌관; 보조 수단;〖法〗공범: der Dieb muß einen ~ gehabt haben 그 도둑에게는 공범이 있었음에 틀림없다. ③〖宗·방언〗부목사.

Helfer·amt *f.* 조수직(職).

Helferin [hɛ́lfərın] *f.* -nen ↑ Helfer 의 여성형.

Helfers·helfer *m.*〖폄어〗(부당한 일의) 가담자, 연루자;〖法〗종범(從犯), 교사자, 방조자.

Helfgott *m.* 헬프고트(남자 이름).

helfgott (öst., südd.) 몸조심하세요(재채기할 때 건강을 비는 감탄사).

Helga [hɛ́lga]《schwed.》*f.* 헬가(여자 이름).

Helge¹ [hɛ́lgə] *f.* -n (schweiz.) (Heiligenbild) 성도상(像); (일반적으로) 상(像).

Helge²《ndd.》*f.* -n〖海〗진수대(Helling).

Helgen *m.* -s, - ↑ Helge.

Helgoland [hɛ́lgolant] 헬골란트(북해에 있는 독일의 섬).

Helgoländer [..lɛndər]《I》*m.* -s, - 헬골란트섬의 사람.《II》*a.* 헬골란트섬의.

helgoländisch *a.* 헬골란트섬(사람)의.

Heliand [hé:liant]《altsächs, „Heiland"》*m.* -s ① 복음 문학(9 세기의 종교시(詩)): der Dichter des ~s war ein Geistliche 그 복음 문학의 작가는 성직자였다. ② 독일 가톨릭 여자 대학생 연맹(1923 년에 창설).

Helianthus [heliántus]《gr.》*n.* -, ..then〖植〗해바라기(Sonnenblume).

Helicase〖생화학〗유전 형질의 분할을 위한 세포 분열을 관장하는 효소.

Helicobacter pylori〖生〗헬리코박터 필로리(위염·위궤양·위암을 일으키는 박테리아).

Helikon¹ [hé:likɔn] *n.* -s, -s〖음악〗헬리콘(어깨에 걸치고 연주하는 취주 악기).

Helikon²《gr.》*m.* -(s) 헬리콘산(山)(Apollo 와 Musen 이 살던 곳).

Helikopter [helikɔ́ptər]《gr.》*m.* -s, - 헬리콥터(Hubschrauber).

helio..《gr.》*pref.* "태양의"의 뜻.

Heliochromie *f.* -n [..mí:ən] 컬러 사진.

Heliodor [heliodó:r] *m.* -s, -e〖광물〗대황녹주석(帶黃綠柱石).

Heliograph [..grá:f] *m.* -en, -en 일광 (반사) 신호기; 일광 광도계; 태양 사진기.

Heliographie [..grafí:] *f.* 일광 (반사) 신호법; 태양 사진술; 태양면학(面學).

heliographisch *a.* 태양 사진기의; 일광 (반사) 신호법의.

Heliogravüre [..gravý:rə] *f.* -n ① 사진 요판술(凹版術), 그라비어. ② 사진 요판술 인쇄.

Heliometer *n.* -s, -〖天〗태양의(儀).

heliophil [..fí:l] *a.*〖生〗햇빛을 좋아하는, 향일성(向日性)의.

heliophob [..fó:p] *a.*〖生〗햇빛을 싫어하는, 배일성(背日性)의.

***Helios** [hé:liɔs] *m.*〖그리스신화〗헬리오스, 태양신(Sonnengott).

Helioskop [helioskó:p, ..iɔs..] *n.* -s, -e〖天〗태양 관측용 망원경.

Heliostat [..stá:t] *m.* -(e)s/-en, -en〖天〗헬리오스타트, 일광경.

Heliotherapie *f.*〖醫〗일광 요법.

Heliotrop [..tró:p]《I》*n.* -s, -e〖植〗헬리오트로프, 양꽃마리; (향수나 요오드팅크 제조에 쓰이는) 양꽃마리 추출물.《II》*m.* -s, - ①〖광물〗혈석(血石), 혈옥수(血玉髓). ②〖天〗태양 반사기. ③ 엷은 자줏빛.

heliotropisch *a.*〖고어〗↑ heliophil.

Heliotropismus *m.* -〖植〗〖고어〗(↔ Geotropismus) 해굽성, 향일성(向日性), 굴일성(屈日性), 주일성(走日性).

heliozentrisch *a.*〖天〗태양 중심의: ~es Weltbild 태양 중심의 세계상.

Heliozoon [..tsó:ɔn] *n.* -s, ..zoen〖動〗태양충(원생 동물의 일종).

Heliport *m.* -s, -s 헬리콥터 착륙장.

Heli·skiing [hé:liski:ıŋ, ..ʃi:ıŋ]《engl.》*n.* 헬리스키잉(헬리콥터가 주자를 출발선으로 데려가는 스키).

Helium [hé:lium]《gr.》*n.* -s〖化〗헬륨(불활성 가스류(類) 원소의 하나; 기호: He).

Helium·röhre *f.*〖전기〗헬륨관(管).

Helix [hé:lıks] *f.* ..lices [..tse:s]《gr., lat.》〖化〗나선형 분자 구조.

Helkose [hɛlkó:zə], **Helkosis**《gr.》*f.* ..kosen〖醫〗궤양 형성.

***hell** (♧ hallen) *a.* ① (↔ dumpf) 맑은; 명쾌〔낭랑〕한, 날카로운: eine ~e Stimme 맑은 목소리; ein ~es Geräusch 날카로운 소음; ~ auflachen 소리 높이 웃다. ② (↔ dunkel) 밝은; 엷은 (빛깔); 투명한, 맑은; 청명〔화창〕한: die Lampe ist mir zu ~ 이 등불은 내게 너무 밝다; ~e Farbe 밝은 빛깔, 엷은 색; ~es Bier (흑맥주에 대해 엷은 색의) 보통 맥주; ~es Haar 금발; es geschah am ~en Tag(e) 그 일은 백주 대낮에 일어났다; ~es Blut 선혈; es liegt am ~en Tag(e) 그것은 명백하다; es wird ~ 날이 샌다, 동이 튼다; ~es Wetter 맑은 날씨; bis in den ~en Morgen schlafen 늦게까지 자다; in ~en Flammen 불길에 휩싸여; ~e Tränen weinen 구슬 같은 눈물을 흘리면서 울다; eine Sache im ~sten Licht erscheinen lassen 어떤 일의 장점을 과장하다. ③ 명석〔명민·총명〕한: ~e Augen 형안(炯眼); ein ~er Kopf 두뇌가 명석한 사람; sie hat einen ~en Verstand〔kopf〕그녀는 명석한 두뇌를 지녔다; sie ist recht ~ 그녀는 꽤 총명하다. ④〖비유〗(unverkennbar) 명백〔확실·진정〕한; 대단한: eine ~e Wahrheit 명백한 진리; er hat es in ~er Verzweiflung getan 그는 대단히 절망한 나머지 그렇게 했다; in ~er Verwunderung 매우 놀라서; in ~en Haufen〔Scharen〕떼를 지어, 큰 무리를 지어; von et.³ ~ begeistert〔entzückt〕sein 무엇에 대해 대단히 열광하다; an et.³ seine ~e Freude haben 무엇을 진정으로 기뻐하다; das ist ja ~er Wahnsinn! 그것 정말 미친 짓이다!

Hell [hɛl] *n.* -s (↔ Dunkel) 밝기, 투명, 청명; 빛(Licht).

Hellas [hɛ́las] 그리스, (특히) 고대 그리스.

hell·auf [hɛlǀáuf] *adv.* ① 큰 소리로: ~ lachen 큰 소리로 웃다. ② 매우, 대단히: ~ begeistert an die Arbeit gehen 매우 감동하여 일에 착수하다.

hell≈äugig [hέl..] *a.* 눈매가 시원한, 눈동자가 반짝이는〔맑은〕; 〖비유〗 눈매가 날카로운, 형안의. **~blau** *a.* 담청색의. **~blickend** *a.* ↑ ~äugig. **~blond** *a.* ① 밝은 금빛의. ② 밝은 금발의: ein ~er Junge 밝은 색 금발의 소년. **~braun** *a.* 담갈색의; 엷은 밤색의(말 따위). **~denkend** *a.* 명석〔총명〕한. **~dunkel** *a.* 어스름한, 어둑어둑한, 명암이 교차하는. **≈-dunkel** *n.* 어둑함; 〖畫〗 명암법. **≈-Dunkel-Adaption** *f.* ↑ ≈-Dunkel-Adaptation. **≈-Dunkel-Adaptation** *f.* 〖생리〗 (눈의) 명암 적응. **≈dunkel·malerei** *f.* 명암법으로 그린 회화. **~durchsichtig** *a.* 투명한.

Helle[1] [hέlə] *f.* 밝음, 밝은 빛; 광도, 명도, 투명도: blendende〔flimmernde〕 ~ 눈부신〔반짝거리는〕 빛; eine rötliche ~ steht am Horizont 불그스레한 빛이 지평선에 퍼져있다.

Helle*[2] *das* ① ↑ Hell; ~s und Dunk(e)les 명암. ② 보통 맥주: ein kleines ~s trinken 작은 잔의 맥주를 마시다.

Helle[3] 《<Hölle》 *f.* -n ① ↑ Hellegatt. ② 악당〔불한당〕의 은신처.

helle *a.* 〖방언〗 눈치 빠른, 머리가 좋은, 총명한: Mensch, sei ~! 여보게, 머리를 쓰게!

Hellebarde [hεləbárdə] *f.* -n 〖軍〗 극(戟) (쌍날 칼과 창이 함께 붙은 중세의 무기).

Hellebardier [..dí:r] *m.* -s, -e Hellebarde 로 무장한 병사.

Hellegatt [hέləgat] *n.* -s, -en/-s 〖海〗 창고, 격납고, (갑판 밑의) 식량 저장고, 용구고(用具庫).

hellen [hέlən] 《<hell》 《Ⅰ》 *t.* 밝히다, 환하게 하다. 《Ⅱ》 *refl.* sich ~ 밝아지다: der Himmel hellt sich 하늘이 밝아진다.

Hellene [hεlé:nə] 《gr.》 *m.* -n, -n (고대) 그리스인(人).

Hellenentum *n.* -s ① 그리스 기질〔문화·민족성〕. ② 그리스 민족.

Hellenen·volk *n.* 그리스 국민.

Hellenin *f.* -nen ↑ Hellene 의 여성형.

hellenisch *a.* ① 고대 그리스(사람·언어)의. ② 현대 그리스의.

hellenisieren [hεlenizí:rən] *t.* ① 그리스 문화·예술·어문학을 모방하다. ② 그리스화하다.

Hellenismus [hεlenísmus] *m.* - 후기 그리스 문화(4-1 세기 B.C.), 헬레니즘.

Hellenist *m.* -en, -en ① 그리스어를 사용한 사람(특히 유대인). ② 고대 그리스 문화 연구자, 헬레니즘 학자.

Hellenistik *f.* 헬레니즘 어문학.

hellenistisch *a.* 헬레니즘의: die ~en Staaten 고대 그리스 제국.

Heller [hέlər] *m.* -s, - ① 은화(銀貨). ② (18 세기 이후 독일의) 헬러 동전(반(半) Pfennig). ③ (1924 년까지 구오스트리아의) 헬러 동전. ④ 〖비유〗 적은 돈: keinen (roten, lumpigen) ~ haben〔besitzen〕 한 푼도 없다; das ist keinen (lumpigen) ~ wert 그것은 한 푼의 가치도 없다; alles bis auf den letzten ~ bezahlen 한 푼도 남김없이 지급하다; die Rechnung stimmt auf ~ und Pfennig 계산서가 꼭 들어맞는다.

Helles·pont [hεlεspɔ́nt] *m.* -(e)s 다르다넬스(Dardanellen) 해협의 옛 명칭.

helleuchtend *a.* 밝게 빛나는: ~e Flammen 밝게 빛나는 화염.

hell≈farbig *a.* 밝은 빛깔의, 엷은 색의. **≈-fuchs** *m.* 담갈색의 말. **≈gatt** *n.* ↑ Hellegatt. **~gelb** *a.* 엷은 황색의. **~glänzend** *a.* 찬란〔찬연〕한. **~grau** *a.* 담회색의. **~grün** *a.* 엷은 녹색의. **~haarig** *a.* 금발의 (↔ dunkelhaarig). **~hörig** *a.* ① 귀가 밝은; 총명한: ~ werden 주목〔경청〕하다; jn. ~ machen 누구의 주목을 끌다. ② 방음이 안 되는(schalldurchlässig): ~e Wände 방음이 안 되는 벽.

hellicht [hέllíçt, hέllıçt] 《<hell》 *a.* 밝은; 높은 소리의: es ist ~er Tag 대낮이다; am〔beim〕 ~en Tage 백주 대낮에.

hellig[1] *a.* ↑ hellicht.

hellig[2] *a.* ① 기갈에 허덕이는. ② 피로한.

Helligen *pl.* ↑ Helling.

Helligkeit [hέlıçkaıt] *f.* 밝음; 광도; (밝기에 따른 별의) 등급, 명도(明度), 투명도: die blendende ~ des Tages 낮의 눈부신 광명; die ~ des Himmels 하늘의 밝기; die ~ der Lampe 등의 광도; die ~en der Sterne bestimmen 별들의 밝기 등급을 정하다.

hellila [hέlli:la] *a.* 엷은 자색의.

Helling [hέlıŋ] 《ndd.》 *f.* -en/Helligen 〔*m.* -s, -e〕 〖海〗 ① 조선대(造船臺); 진수대(進水臺). ② 조선소.

Hell·kammer *f.* 〖物〗 카메라 루시다, 사생기(寫生器).

hell≈klingend *a.* 낭랑한, 맑은 소리의, 잘 울리는. **~leuchtend** *a.* ↑ helleuchtend.

helllicht 新정서 ⇦ hellicht.

hell·lodernd *a.* ↑ hellodernd.

hellodernd [hέllo:dərnt] *a.* 활활 타오르는.

hell≈rot *a.* 연분홍(빛깔)의. **~sehen** 〖부정형으로만〗 투시하다, 천리안으로 보다, 미래를 내다보다: 〖반어〗 ich kann doch nicht ~! 내가 그것을 어떻게 간파한단 말인가! **≈sehen** *n.* 투시, 천리안. **~sehend** *p.a.* 혜안의, 투시력이 있는. **≈seher** *m.* 투시(술)자, 천리안, 예언자: 〖대개 반어〗 ich weiß es nicht, bin ich vielleicht ein ~? 나는 모른다, 내가 천리안이라도 가지고 있단 말인가?; bei der Suche nach dem Mörder befragte die Polizei auch einen ~ 살인자를 찾으면서 경찰은 예언자에게도 물어보았다. **≈seherei** [hεlze:ərái] *f.* ↑ ≈sehen. **~seherin** *f.* ↑ ≈seher 의 여성형. **~seherisch** *a.* 천리안의, 투시 능력이 있는: ~e Fähigkeiten haben 천리안의 투시 능력을 지니다. **~sichtig** *a.* ① 〖醫〗 시력이 좋은. ② 투시 능력이 있는. **≈sichtigkeit** *f.* 꿰뚫어 봄, 투시 능력이 있음. **~stimmig** *a.* 맑은 목소리의, 낭랑한. **~strahlend** *a.* 휘황찬란한. **~wach** *a.* ① (의식이) 또렷한, 머리가 맑은. ② 총명한.

Hellweg *m.* -(e)s Westfalen 의 비옥한 평야; Rhein 에서 Elbe 로 통하는 군용 도로.

***Helm**[1] [hεlm] 《♧ hehlen》 *m.* -(e)s, -e ① 〖軍〗 투구, (소방관·경관·잠수부의) 헬멧; 철모(Stahl≈): ein Ritter mit ~ 투구를 쓴 기사; der ~ des Bauarbeiters 건설 노동자의 안전모; ~ tragen〔abnehmen〕 헬멧을 쓰다

〔벗다〕. ② (방패형 문장(紋章)의 윗부분에 씌운) 투구 모양 장식. ③〖건축〗 원뿔형 지붕; (배연용) 굴뚝의 갓. ④〖化〗 증류기 덮개.

Helm² 《㊥ Halfter》 *m.* -(e)s, -e ① (망치·도끼의) 손잡이, 자루. ②〖海·드물게〗 키자루, 타륜(舵輪); 타기(舵機).

Helm≈biene *f.* 〖動〗 꿀벌의 수컷. **~binde** *f.* 투구의 끈. **~busch** *m.* 투구 앞의 장식물, 상모(象毛). **~dach** *n.* 〖건축〗 둥근 지붕〔덮개〕, 돔. **~decke** *f.* 투구의 뒷덮개.

helmen¹ [hɛ́lmən] 《<Helm¹》 *t.* …에 투구를 씌우다; 〖건축〗 둥근 덮개를 붙이다.

helmen² 《<Helm²》 *t.* …에 자루를 달다.

Helm≈feder *f.* ↑ ~busch. **~förmig** *a.* 투구 모양의: ein ~er Berggipfel 투구 모양의 산 정상. **~gewölbe** *n.* 〖건축〗 둥근 덮개, 궁륭(穹窿). **~gitter** *n.* 투구의 격자 마스크.

Helminthe [hɛlmíntə] 《gr., „Wurm"》 *f.* -n 〖醫〗 기생충.

Helminthiasis [hɛlmıntí:azıs] *f.* 기생충병.

Helminthologie [..tologí:] *f.* 기생충학.

Helm≈kamm *m.* 투구의 닭벼슬 모양 장식. **~kleinod** *n.* ↑ ~schmuck. **~schmuck** *m.* ① 투구의 장식(품). ②〖紋〗 (방패형 문장(紋章)의) 윗 장식.

Helmstedt 헬름슈테트(북독일의 브라운슈바이크 동쪽의 도시).

Helmstedter 《Ⅰ》 *m.* -s, - 헬름슈테트의 사람. 《Ⅱ》 *a.* 헬름슈테트(사람)의.

Helm≈stock *m.* 〖海〗 키자루. **~sturz** *m.*, **~visier** *n.* ↑ ~gitter. **~zeichen** *n.*, **~zier(de)** *f.*, **~zierat** *m.* ↑ ~schmuck.

Heloise [heloí:zə, eloí:z] 《frz.》 헬로이제(여자 이름).

Helot [heló:t] 《gr.》 *m.* -en, -en 옛 스파르타의 노예; 〔비유〕 노예: die ~en Amerikas 미국의 노예들.

Helote [heló:tə] *m.* -n, -n 〖드물게〗 ↑ Helot.

Helotentum *n.* -s ① 옛 스파르타의 노예 제도; 노예 신분. ②〔비유〕 예속, 굴종.

helotisch *a.* 노예적인, 노예의.

Helsingfors [hɛ́lzıŋfɔrs] 《schwed.》 ↑ Helsinki.

Helsinki [hɛ́lzıŋki, ..siŋki] 헬싱키(핀란드의 수도).

Helvetien [hɛlvé:tsiən] 《lat.》 스위스의 옛 명칭.

Helvetier [..tsiər] *m.* -s, - 스위스인.

helvetisch [..tıʃ] *a.* 스위스(인)의: die ≃e Republik 헬베치아 공화국(1798-1815 년까지 스위스의 공식 국명).

Helvetismus *m.* -, ..men 〖언어〗 스위스 (특유의) 어법.

hem [həm] *int.* ① 에헴(기침 소리). ② 흥(불찬성·불만·부인을 나타내는 소리).

***Hemd** [hɛmt] *n.* -(e)s, -en 셔츠, 내의, 슈미즈: das ~ aufknöpfen 셔츠의 단추를 끄르다; er trug sein ~ über der Brust geöffnet 그는 셔츠를 풀어헤친 채 입고 있었다; 〔농담〕 tritt dir nicht aufs ~! (너무 짧은 셔츠를 입은 것을 말할 때) 셔츠를 밟지 마라!; er saß nur im ~ 그는 셔츠만 입고 앉아 있었다; 〖구동독〗 die blauen ~en der FDJ 자유 독일 청년단의 푸른 단원복; ich bin aus Wien geflohen vor der Brutalität brauner ~en 나는 (갈색 제복을 입은) 나치 당원의 잔악성 때문에 비엔나에서 도망쳐 나왔다; wir waren naß bis aufs ~ 우리는 속옷까지 완전히 젖었다; ein halbes ~ 잘난 체하는 젊은이; jn. bis aufs ~ ausziehen〔ausplündern〕 누구에게서 돈을 몽땅 옭아내다; er wechselt seine Meinung〔Freunde〕 wie sein ~ 그는 자기의 견해를〔친구를〕 자주 바꾼다; kein (ganzes) ~ am 〔auf dem〕 Leib haben〔tragen〕 극히 가난하다, 완전히 몰락했다; sein letztes ~ hergeben 〔sich³ das letzte ~ vom Leib reißen, sich³ bis aufs (letzte) ~ ausziehen〕 자기가 가진 것을 몽땅 내주다; jm. das ~ über den Kopf ziehen 누가 가진 것을 모조리 빼앗다; sich³ das ~ ausziehen lassen 자신을 마음대로 이용해 먹게 하다; ich trete dir ins ~! 난 네 엉덩이를 걷어 차겠다, 너를 엄히 꾸짖을거야!; mach dir nicht 〔mach dir bloß keinen Bonbon〕 ins ~! 그렇게 흥분하지 마라!; 〔속담〕 das ~ ist mir näher als der Rock 남의 일보다 내 일이 더 소중하다, 팔이 들이굽지 내굽나.

Hemd≈ärmel *m.* ↑ Hemdsärmel. **~ärmelig** *a.* ↑ hemdsärmelig. **~bluse** *f.* 블라우스. **~blusen·kleid** *n.* 여성 캐쥬얼 셔츠.

Hemdchen *n.* -s, - 《↑ Hemd 의 축소형》 ① 아동용 셔츠. ② (부드러운 천으로 만든) 셔츠.

Hemde [hɛ́mdə] *n.* -s, -n ↑ Hemd.

Hemden·einsatz *m.* 셔츠의 가슴 (부착물).

Hemd·hose *f.* 아래위가 붙은 내의, 콤비네이션.

Hemden≈knopf *m.* 셔츠 단추. **~kragen** *m.* 셔츠의 깃. **~krause** *f.* (레이스·주름 따위의) 셔츠 깃장식. **~matz** *m.* 〔농담〕 셔츠 바람의 어린아이: unser ~ muß jetzt heia machen 우리 애기 이제 코자자. **~nadel** *f.* 셔츠의 핀. **~schnitt** *m.* 셔츠 재단 모양.

Hemds≈ärmel [hɛ́mts..] *m.* 셔츠 소매: in ~ 셔츠 바람으로; sich³ die ~ hochkrempeln 소매를 걷어올리다. **~ärmelig** *a.* ① 셔츠 차림의, 윗도리를 벗은: an der Theke standen ~e Männer 술집 테이블에 셔츠 차림의 남자들이 서 있었다. ② 꾸밈이 없는, 자연스러운, 강요받지 않은: seine ~e Redeweise spricht die einfachen Leute an 그의 자연스런 말투가 소박한 사람들의 마음을 끈다. **~mauge** *f.* 〔구어〕 in ~n a) 윗도리를 벗고, 편안한 자세로, b) 급히, 황급히, c) 〖海〗 파도를 일으키며.

hemi.. 《gr.》 *pref.* "반(半)"의 뜻.

Hemikranie [..kraní:] *f.* -n [..ní:ən] 〖醫〗 편두통(Migräne).

Hemiplegie [..plegí:] *f.* -n [..gí:ən] 반신불수, 반신 마비.

Hemiptere [hemıpté:rə] *m.* -n, -n 〖動〗 반시목(半翅目), 매미목.

Hemisphäre [hemisfɛ́:rə, ..mıs..] *f.* -n ① 반구. ② (정치적·경제적) 진영: östliche〔westliche〕 ~ 동구〔서구〕 진영. ③〖醫〗 대뇌〔소뇌〕의 절반. ④ (천체의) 반구.

hemisphärisch *a.* 반구(半球)의.

Hemistichion [..stíçiɔn] *n.* -s, ..chien [..siən] 〖印〗 시의 반구절.

Hemistichium [..stíçiʊm] *n.* -s, ..chien [..çiən] ↑ Hemistichion.

hemizyklisch [..tsý(:)klıʃ, ..tsʏk..] *a.* ① 반원형의, 반구의. ②〖植〗 (꽃잎에서) 반윤생(半輪生)의.

Hemlock·tanne [hέmlɔk..] *f.* 미국 솔송나무.

Hemme [hέmə] *f.* -n 브레이크, 제동기.

***hemmen** [hέmən] 《I》 *t.* ① 멈추다, 제지하다; 방해하다, 저지하다; 지체시키다: einen Strom ~ 강을 막다; der Lauf des Flusses wird durch eine Staumauer gehemmt 강의 흐름이 제방으로 인해 막힌다; ein Rad ~ 바퀴〔자전거〕를 멈추다; einen Wagen ~ 자동차를 세우다; die rasche Fahrt des Wagens ~ 자동차의 과속을 막다; js. Rede ~ 누구의 말을 가로막다. ②〖비유〗(정욕 따위를) 억제하다; 속박하다; 억압하다: die Entwicklung 〔den Fortschritt〕 ~ 발전을〔진보를〕 저해하다; ~d auf die Produktion einwirken 생산을 저해하다; seine Tränen ~ 눈물을 억제하다. 《II》 **gehemmt** *p.a.* ↑ gehemmt.

Hemm=kette *f.* 사슬 브레이크. **~klotz** *m.* ↑ ~schuh.

Hemmnis [hέmnɪs] *n.* -ses, -se ① 방해, 저지; 장애: seinem Plan standen einige ~se im Weg 그의 계획에 몇 가지의 장애가 있었다; auf ~se stoßen 장애물에 부닥치다; alle ~se überwinden 모든 장애를 극복하다. ② 〖골프〗(보호책·벤치와 같은) 인공 장애물.

Hemm=schuh *m.* 〖工〗 바퀴 멈춤 장치; 바퀴 멈춤판; 제동기; 〖비유〗 방해물: jm. einen ~ in den Weg legen 누구를 방해하다. **~schwelle** *f.* 〖心〗(폐쇄적·부정적인) 심리 규범, 윤리 통념. **~stoff** *m.* ① 생화학 반응 억제 물질. ② (세포·미생물의) 성장 장애 물질. **~tau** *n.* 멈춤 밧줄; 〖軍〗 잡아 끄는 밧줄.

***Hemmung** [hέmʊŋ] *f.* -en ① 제지, 저지, 방해, 정지, 제동; 억제, 억압: eine ~ des Wachstums 성장의 저해. ② 〖工〗(시계 톱니바퀴의) 규칙적 제동자, 역회전 방지 장치; 브레이크, 제동 장치. ③ 심리적 압박, 주저, 망설임: nur keine ~en! 주저하지만 마라!; schwere seelische ~en haben 심한 정신적 압박감을 가지다; unter ~en leiden 심리적 압박에 시달리다; er ist ein Mensch voller ~en 그는 대단히 소심한 사람이다; sie haben keinerlei ~en, sich auf offener Straße zu kissen 그들은 대로상에서 키스하는 것을 주저하지 않는다. ④ 〖法〗(소멸 시효의) 정지.

Hemmungs=bildung *f.* 〖醫〗 발육〔형성〕 부전(증). **~laut** *m.* 〖문법〗 (Verschlußlaut) 폐색음, 파열음(보기: b, p, d, t, q, k 따위).

hemmungslos *a.* 제지〔방해〕 받지 않는, 구속 없는, 거리낌 없는: ~ weinen 목놓아 울다.

Hemmungslosigkeit *f.* 구속〔자제력〕이 없음.

Hemm=vorrichtung *f.* 〖工〗 제동 장치. **~wirkung** *f.* 제동 효과.

Hendekagon [hɛndekagó:n] 《gr., „Elfeck"》 *n.* -s, -e 11 변형, 11 각형.

Hendeka·syllabus [..zÝlabʊs] *m.* 〖문학〗 11 음절 시구.

Hendel [hέndəl] 《♧ Hahn》 *n.* -s, -(n) (öst.) ① 영계, 치킨, 통닭구이. ② 약한 말. ③ 행상인.

Hendiadyoin [hɛndiadyɔ́ʏn] 《gr.》 *n.* -s, -(n) 〖修〗 ① 이사일의(二詞一意) (형용사와 명사 대신에 두 개의 명사를 und 로 연결하여 나타냄; 보기: aus goldenen Bechern 대신에 aus Bechern und Gold). ② 동의어의 강조적 병렬(보기: Hilfe und Beistand).

Hendiadys [..dÝs] *n.* -, - ↑ Hendiayoin.

***Hengst** [hɛŋst] *m.* -(e)s, -e ① (↔ Stute) 말의 수컷, 종마(種馬). ② 단제(單蹄) 동물의 수컷. ③〖비유〗 호색한(漢); 남자.

Hengst=fohlen *n.* 망아지(수컷). **~füllen** *n.* ↑ ~fohlen.

***Henkel** [hέŋkəl] 《<hängen》 *m.* -s, - ① (항아리·냄비의) 손잡이: der ~ der Tasse ist abgebrochen 이 찻잔의 손잡이가 떨어져 나갔다; et. am ~ anfassen 무엇의 손잡이를 잡다. ② 〖방언〗 옷걸이용 고리: den ~ des Rockes annähen 상의에 걸이용 고리를 달다.

Henkel·glas *n.* 손잡이가 달린 컵〔술잔〕.

henkelicht *a.* 손잡이가 달린.

..henkelig 《<Henkel》 "…손잡이가 달린"의 뜻(보기: zwei~ 손잡이가 두 개 달린).

Henkel=korb *m.* 손잡이가 달린 바구니. **~krug** *m.* 손잡이가 달린 단지〔잔〕. **~mann** *m.* 〖구어〗 뜨거운 음식을 나르는 그릇.

henkeln [hέŋkəln] *t.* …에 손잡이를 달다; 손잡이로 걸다〔달다〕.

Henkel=tasse *f.* 손잡이가 달린 찻잔: 〖농담〗 die große ~ 요강. **~topf** *m.* 손잡이 달린 단지. **~töpfchen** *n.* 〖↑ Topf 의 축소형〗 ↑ ~topf.

henken [hέŋkən] 《♧ hängen》 *t.* 교수형에 처하다; 교살하다: der Gehenkte 교수형을 받은 사람; der Mörder wurde gehenkt 그 살인자는 교수형에 처해졌다.

***Henker** [hέŋkər] *m.* -s, - 사형〔교수형〕 집행인; 형리; 〖비유〗 학대하는〔괴롭히는〕 사람: zum〔beim〕 ~!〔geh zum ~, scher dich zum ~!, weiß der ~!, hol dich der ~!, hol's der ~!〕 염병할 놈〔것〕, 젠장할!; zum ~ gehen 〔sich zum ~ scheren〕 사라지다; ich frage den ~ danach〔ich schere mich den ~ darum〕! 그 따위는 내게는 아랑곳없다!; daraus werde der ~ klug! 통 영문을 모르겠다, 무슨 뜻인지 알 수 없다!

Henker=beil *n.* ↑ Henkersbeil. **~block** *m.* ↑ Henkersblock. **~mäßig** *a.* 형리 같은; 〖비유〗 잔인한, 혹독한.

Henkers=beil *n.* 목 베는 칼, 단두용 도끼. **~block** *m.* 단두대.

Henker·schwert *n.* 목 베는 칼.

Henkers=dienst *m.* 형리의 직무. **~frist** *f.* 잠시의 사형 유예; 〖비유〗 잠깐 동안의 유예: jm. eine ~ geben 누구에게 유예 기간을 주다. **~hand** *f.* 〖다음 용법으로〗 durch〔von〕 ~ sterben 처형당하다; willst du etwa durch ~ sterben? 너 처형당하고 싶니? **~knecht** *m.* ① 형리의 부하, 망나니. ② 〖비유·구어·농담〗 잔인한 독재자의 하수인: sie ließen 500 Oppositionelle durch ihre ~e entführen, foltern und ermorden 그들은 그들의 하수인들로 하여금 500 명의 반체제 인사를 납치, 고문, 살해하게 했다. **~mahl** *n.* ↑ ~mahlzeit. **~mahlzeit** *f.* ① 〖옛뜻〗 처형 전의 마지막 식사. ② 〖비유·구어·농담〗 이별 잔치.

Henker·strick *m.* 교수형용 밧줄.

..henklig *suf.* ↑ ..henkelig.

Henna [hέna] 《ar.》 *f.* ① 〖植〗 헤너(부처꽃속). ② (피부·손톱·머리 염색에 쓰이는) 헤너 염료: mit ~ färben 헤너로 물들이다.

Henna·strauch *m.* 〖植〗 헤너.
Hennchen [hɛ́nçən] *n.* -s, - 〖↑ Henne 의 축소형〗 작은 암탉: mein ~! 내 예쁜 아기〔마누라〕! (아이·아내에 대한 애칭)
***Henne** [hɛ́nə] 《<Hahn》 *f.* -n ① 암탉; 새의 암컷: 〖속담〗 eine blinde ~ findet auch wohl ein Korn 쥐구멍에도 볕들 날이 있다. ② 〖天〗 7 요성(七曜星), 묘성(昴星). ③ 〖植〗 fette ~ 자주꿩의비름.
Henne·gat [hɛ́nəgat] *n.* 〖海〗 노를 거는 고리. **~gatt** 《ndd.》 *n.* ↑ ~gat.
Henning [hɛ́nɪŋ] 《<Hahn》 *m.* -s ① 헤닝 (남자 이름). ② 동물 우화에 나오는 수탉.
Heno·theismus [heno..] 《gr.》 *m.* - 단일신교(單一神敎).
Henry [hɛ́nri] 《engl. <d. Heinrich》 《Ⅰ》 헨리 (남자 이름). 《Ⅱ》 *n.* -, - 〖전기〗 헨리(전도(傳導) 계수의 실용 단위; 기호: H).
Heortologium [heɔrtoló:gium] 《gr.》 *n.* -s, ..gien [..giən] 〖宗〗 교회 축제력(祝祭曆).
Hepar [hé:par] *n.* -s 《lat.》 〖醫〗 간.
Heparin [heparí:n] *n.* -s 〖醫〗 헤파린(폐·간에서 추출되는 혈액 응고 억제제).
Hepatalgie *f.* -n [..gí:ən] 간의 통증.
hepatisch *a.* 간의.
Hepatitis [hepatí:tɪs] 《gr.》 *f.* ..titiden [..tití:dən] 〖醫〗 간염.
Hepatologie *f.* 〖醫〗 간학(肝學).
Hephaistos, Hephäst [hefɛ́:st] *m.* 〖그리스신화〗 헤파이스토스(불과 대장간 일의 신) (〖로마신화〗 Vulkan).
hepp *int.* ~, ~! 이랴! (말 또는 소를 몰 때 지르는 소리); 유대인을 욕할 때 지른 소리.
hepta.. 《gr.》 *pref.* "일곱"의 뜻.
Heptachord [hɛptakɔ́rt] *m./n.* -(e)s, -e 〖음악〗 ① 칠현 악기. ② 7 도 음정.
Heptaeder [..é:dər] *n.* -s, - 7 면체.
Heptagon [..gó:n] *n.* -s, -e 7 각형, 7 변형.
Heptameron [hɛptá:merɔn] *n.* -s 7일 이야기 (Margarete v. Navarra 의 소설집).
Heptameter *m.* -s, - 〖문학〗 7 운각(韻脚)의 시구.
Heptan *n.* -s, -e 〖化〗 헵탄.
Heptandria [..dria] *f.* 〖植〗 7 웅예(雄蕊) 식물.
Heptarchie [hɛptarçí:] *f.* -n [..çí:ən] ① 7 두(頭) 정치. ② (고대 영국의) 7 왕국.
Heptateuch [..tɔ́ʏç] *m.* -s 〖聖〗 구약 성경의 처음 7 서(書).
Heptode [..tó:də] *f.* -n 〖전기〗 7 극 전관.
***her** [he:r] (⇔ hier) *adv.* ① 〖말하고 있는 사람 쪽으로의 움직임을 나타냄〗 (↔ hin) 이쪽으로, 이곳으로: ~ zu mir! 내게로 오너라; Geld ~! 돈 내놔!; ~ mit dem Brief! 그 편지 이리 줘; 〖구어〗 ~ mit ihm 〔er soll sofort ~〕 그는 즉시 내게〔여기로〕 와야 한다; aus der Tiefe ~ 깊은 곳에서; von da 〔dort〕 ~ 그곳에서; wo kommt er ~? 그는 어디서 왔는가?; von Norden ~ weht ein kalter Wind 북쪽에서 찬바람이 불어온다; wo hat er das ~? 그는 그것을 어디서 얻었는가?; sein Wissen ist nicht weit ~ 그의 지식은 대수롭지 않다; es ist nicht weit ~ mit ihm 그는 그렇게 대단한 인물은 아니다; an der Küste ~ fahren 해안을 따라서 항해하다; **über** et.³ ~ sein 무엇에 열중하다, 열심히 종사하다; **um** jn. ~ sein a) 누구의 주위에 몰려 있다, b) 누구에게 주의를 기울이다. ② 〖두 개의 물체가 같은 방향으로 움직일 때〗 **hinter** jm. ~ gehen 누구의 뒤를 따라가다; hinter jm. ~ sein 누구를 뒤쫓다, 추격하다; 〖구어〗 hinter et.³ ~ sein 무엇을 추구하다; **vor** jm. ~ gehen 누구의 앞에 가다. ③ 〖시간적〗 (**a**) **bis** (jetzt) ~ 지금까지; **von** früher ~ 전부터; von alters ~ 예부터, 종래; von je ~ 옛날〔이전〕부터. (**b**) die ganze Zeit ~ 처음부터 죽; das ist ja schon einen Monat 〔lange Zeit〕 ~ 그것은 벌써 한 달〔오래〕 전의 일이다. ④ 〖그다지 중요하지 않다는 뜻으로〗 ... hin, ... ~ 〔... ~, ... hin〕 …이든 아니든: Freund hin, Freund her, er hat mich beleidigt 친구든 아니든 어쨌든 그는 나를 모욕했다. ⑤ hin und ~ 이리저리, 오락가락. ⑥ 어떤 점〔측면〕에서 (보아): er argumentiert von der Theologie ~ 그는 신학적인 견지에서 논리를 전개한다; vom Inhalt ~ spricht mich dieses Buch sehr an 이 책은 내용면에서 무척 내 맘에 든다.
her.. *pref.* 동사의 분리 전철로서 "말하는 사람으로의 방향이나 기원(起源)·정리·기계적 암송" 따위를 뜻함.
Hera [hé:ra] *f.* 〖그리스신화〗 헤라(Zeus 의 처 (〖로마신화〗 Juno)).
***her·ab** [hɛráp] *adv.* 아래로, 아래쪽으로: den Berg ~ 산 아래로; ~ mit euch! 너희들 이리로 내려와!; von den Bergen ~ bis ins Tal war das Land mit Schnee bedeckt 산에서 계곡에 이르기까지 대지는 눈으로 뒤덮여 있었다; von oben ~ 위쪽에서부터; 〖구어·폄어〗 von oben ~ ansehen 멸시하다.
herab.. *pref.* "아래로"의 뜻.
herab=|begeben* *refl.* sich ~ 내려오다. **~|bemühen** 《Ⅰ》 *t.* jn. ~ 누구에게 아래로 내려와 달라고 부탁하다. 《Ⅱ》 *refl.* sich ~ 몸소 내려오다. **~|beugen** 《Ⅰ》 *t.* 아래로 굽히다: den Kopf ~ 머리를 숙이다. 《Ⅱ》 *refl.* sich ~ 몸을 굽히다. **~|bewegen** 《Ⅰ》 *t.* 아래쪽으로 이동시키다. 《Ⅱ》 *refl.* sich ~ 아래로 내려오다. **~|biegen*** 《Ⅰ》 *t.* 아래로 굽히다. 《Ⅱ》 sich ~ 아래로 굽다. **~|blicken** *i.* (h.) ① 〖雅語〗 내려다보다. ② 〖비유〗 auf jn.〔et.〕 ~ 누구를〔무엇을〕 경시〔과소평가〕하다: mit Verachtung blickte er auf diese Geschöpfe herab 그는 이 사람들을 경멸적으로 내려다보았다. **~|blinken** *i.* (h.) (별 따위가) 내리비치다, 아래로 빛나다. **~|bringen*** *t.* ① 아래로 내려놓다. ② 〖비유〗 몰락시키다. **~|drücken** 〖雅語〗 *t.* ① 아래로 누르다, 밀어내리다. ② 〖商〗 (시세를) 하락시키다, 떨어뜨리다. **~|eilen** *i.* (s.) 〖雅語〗 급히 내려오다〔내리다〕. **~|fahren*** *i.* (s.) 〖雅語〗 (차를 타고) 아래로 내려가다. **~|fallen*** *i.* (s.) 〖雅語〗 떨어지다, 내리다: Tropfen fallen herab 물방울이 떨어진다; 〖비유〗 Finsternis〔Nacht〕 fällt auf die Stadt herab 어둠〔밤〕이 도시에 내린다. **~|flehen** *t.* 〖雅語〗 Gottes Segen auf jn.〔et.〕 ~ 누구〔무엇〕에게 신의 은총이 내리기를 기원하다. **~|fliegen*** *i.* (s.) 〖雅語〗 뛰어내리다; (탄환이) 낙하하다. **~|gehen*** *i.* (s.) 내리다, 내려가다; 〖商〗 하락하다. **~gekommen** 《Ⅰ》 *p.p.* ↑ ~kommen. 《Ⅱ》 *p.a.* 영락한; 몰락한. **~gestimmt** 《Ⅰ》 *p.p.* ↑ ~stimmen. 《Ⅱ》 *p.a.* 가락을 낮춘; 의기소침한. **~|hängen***[1] i. (h.)

① 매달려 있다: die Wolken hängen tief herab 구름이 낮게 드리워져 있다. ② (아래로) 처지다, 늘어지다: er stand mit herabhängenden Schultern vor uns 그는 축처진 어깨를 하고 우리 앞에 서 있었다. ~|**hängen**[2] *t.* 매달다, 드리우다. ~|**holen** *t.* 가지고 내려오다. ~|**kommen*** 《I》 *i.* (s.) 〔雅語〕 내리다, 내려오다; 〔비유〕 몰락하다. 《II》 ~**gekommen** *p.a.* ↑ ~gekommen. ~|**langen** 《I》 *i.* (h.) 아래에 닿다. 《II》 *t.* 아래로 내밀다.

herab|lassen* 《I》 *t.* 내려놓다, 내리다, 낮추다: den Vorhang〔Rolladen〕 ~ 막〔덧문〕을 내리다; einen Korb an einem Seil ~ 광주리를 밧줄에 매어 내리다. 《II》 *refl.* ① sich an einem Seil ~ 밧줄을 타고 내려가다. ② 〔비유〕 (**a**) 〔드물게〕 sich zu jm. ~ 누구와 동등하게 몸을 낮추다, 누구의 입장에 서다. (**b**) 〔반어〕 sich zu et.[3] ~〔sich (dazu) ~, et. zu tun〕 겸손하게 자기를 낮추고 무엇을 하다; er ließ sich dazu herab, mit seinen Angestellten zu sprechen 그는 자기를 낮추어 부하 직원과 이야기했다.

herab·lassend *p.a.* 거만〔교만〕한, 주제넘은: ein ~er Gruß 거만한 인사; er war sehr ~ zu uns 그는 우리에게 대단히 거만했다.

Herab·lassung *f.* ① 아래로 내리기, 낮추기. ② 거만한 태도; 깔봄

herab⸗|laufen* *i.* (s.) 〔雅語〕 ① 달려 내려가다: ich sah ihn die Straße ~ 나는 그가 거리를 달려 내려가는 것을 보았다. ② 흘러내리다: seine Tränen liefen lautlos die Backen herab 그의 눈물이 소리없이 뺨에 흘러내렸다.

herab·laufend *p.a.* 달려 내려가는; 비탈진; 아래로 퍼진.

herab⸗|mindern *t.* ① 감하다, 줄이다: die Geschwindigkeit ~ 속도를 줄이다. ② 과소평가하다: er versuchte damit, die Leistungen seines Vorgängers herabzumindern 그는 그의 전임자의 업적을 과소평가하려 했다. ~|**müssen*** *i.* (h.) 내려가야〔떨어져야〕 하다. ~|**nehmen*** *t.* 들어내리다, 내려놓다. ~|**schießen*** 〔雅語〕 《I》 *t.* ① 쏘아 떨어뜨리다: der Jäger schoß den Adler aus der Luft herab 사냥꾼이 독수리를 공중에서 쏘아 떨어뜨렸다. ② Strahlen ~ 빛을 아래로 비치다. 《II》 *i.* ① (h.) 아래로 쏘다〔사격하다〕. ② (s.) 급히 아래로 내려오다〔떨어지다〕: der Falke schoß auf den Reiter herab 매가 기사(騎士)를 향해서 달려들었다. ~|**sehen*** *i.* (h.) auf jn.〔et.〕 ~ 누구를〔무엇을〕 내려다보다, 〔비유〕 경멸하다. ~|**senden*** *t.* 아래로 (내려) 보내다.

***herab|setzen** *t.* ① 내려놓다; 내리다; (속도를) 늦추다. ② 〖商〗 den Preis ~ 가격을 낮추다. ③ 〔비유〕 경멸〔멸시〕하다; 과소평가하다: js. Verdienste〔Fähigkeiten〕 ~ 누구의 업적〔능력〕을 과소평가하다. ④ jn.〔et.〕 ~ 누구를〔무엇을〕 비난〔비방〕하다.

herab·setzend *p.a.* 〔비유〕 경멸적인; 명예를 훼손하는: in ~er Weise von jm. sprechen 누구에 대해 경멸적으로 말하다.

Herab·setzung *f.* ① 내려놓는〔내리는〕 일. ② 〖商〗 (가격의) 인하, 감액, 할인. ③ 과소 평가, 경멸.

herab|sinken* *i.* (s.) ① 〔雅語〕 떨어지다, 침하〔침강〕하다: der Ballon sinkt herab 기구(氣球)가 떨어진다; die Nacht sinkt herab 밤이 된다. ② 〖商〗 im Preis ~ (값이) 내리다. ③ 〔비유〕 타락하다; 몰락하다: du bist zu einem ekelhaften Materialisten herabgesunken 자네는 구역질나는 유물론자로 타락했군. ~|**steigen*** *i.* (s.) 〔雅語〕 ① (말에서) 내리다; (산에서) 내려오다. ② 〔비유〕 (**a**) 몰락하다. (**b**) zu jm. ~ 누구와 대등한 신분으로 자신을 낮추다. ~|**stimmen** 《I》 *t.* ① 〖음악〗 (악기의) 음정을 낮추다. ② 〔비유〕 (mäßigen) 소리를 낮추다; 경감하다; 기를 꺾다, 낙담시키다: seine Sprache ~ 음성을 낮추다, 말소리를 부드럽게 하다. 《II》 *refl.* sich ~ 완화되다, 풀리다. 《III》 ~**gestimmt** *p.a.* ↑ ~gestimmt. ~|**stürzen** 〔雅語〕 《I》 *t.* 떨어뜨리다, 밀쳐 넘어뜨리다. 《II》 *i.* (s.)/*refl.* (sich) ~ 낙하〔추락〕하다: Felsbrocken stürzten herab 바위덩이가 떨어졌다. ~**wärts** *adv.* 아래로, 아래쪽으로. ~|**wünschen** *t.* den Segen des Himmels auf jn. ~ 누구에게 신의 은총이 내리기를 빌다. ~|**würdigen** 《I》 *t.* 경멸하다, 조롱하다, 비방하다; (명예를) 더럽히다: jn. in aller Öffentlichkeit ~ 모든 사람이 보는 앞에서 누구를 조롱하다; zum Tier ~ 짐승으로 타락시키다. 《II》 *refl.* sich ~ 스스로 품위를 떨어뜨리다, 타락하다. ~**würdigung** *f.* 지위〔품위〕를 떨어뜨림; 타락(시킴); 비방; 경시, 멸시. ~|**ziehen*** 《I》 *t.* ① 끌어내리다; die Mundwinkel ~ (거부·경멸의 표시로) 입을 비죽거리다; 〔비유〕 jn. zu sich ~ 누구를 자기와 동등한 지위로 끌어내리다. ② 타락시키다; 비방하다. 《II》 *i.* (s.) 내려오다.

Herakles [hé:raklɛs] ↑ Herkules.

Heraklide [heraklí:də] *m.* -n, -n 헤라클레스의 자손.

Heraklit [heraklí:t] *m.* 헤라클레이토스(고대 그리스의 철학자, B.C. 500 년경).

Heraldik [heráldɪk] 《frz.》 *f.* 문장학(紋章學) (Wappenkunde).

Heraldiker *m.* -s, - 문장(紋章) 학자.

heraldisch *a.* 문장학의.

***her·an** [hɛrán] 〔(구어) **'ran**〕 *adv.* 이쪽으로, 가까이로; kommt ~!, nur ~!, immer ~! 자, 이쪽으로(오십시오)!; 〔방언〕 bis ~ 오늘까지; es standen nur ein paar Häuser bis an das Wasser ~ 물가까지는 집이 몇 채 밖에 없었다.

heran.. *pref.* "말하는 사람 쪽으로의 접근이나 성장·발전"을 뜻함.

heran⸗|arbeiten *refl.* sich ~ 애써 목표에 접근하다: die Rettungsmannschaft arbeitete sich an das abgestürzte Flugzeug heran 구조대는 추락한 비행기에 힘들게 접근했다. ~|**bilden** *t.* 《I》 (특정한 목적을 위해) 양성하다, 훈련시키다: wissenschaftliche Nachwuchs ~ 후진 학자를 양성하다. 《II》 *refl.* sich ~ ① 양성되다: ein Talent bildet sich heran 재능은 양성되는 것이다. ② 수양하다. ~**bildung** *f.* 수련, 양성. ~|**blühen** *i.* (s.) 성숙〔성장〕하다; 발전하다: sie ist zu einem schönen Mädchen herangeblüht 그녀는 아름다운 처녀로 성장하였다. ~|**bringen*** *t.* ① (이쪽으로) 가져오다, (가까이) 가져가다, 접근시키다; (auflegen) 붙이다, 대다. ② 〔비유〕 jn. an et. ~ 누구를 무엇에 익숙하게 만들다, 접근시키다: wie können wir diese Fragen an die Jugend ~? 우리가 어떻게 청소년들을 이 문제에 접근시킬 수 있을 것인가? **~|drängen** 《I》*t.* 밀어붙이다. 《II》*i.*(s.)/*refl.* (sich) ~ 몰려오다: die Feinde drängten heran 적들이 몰려왔다; die Besucher drängten sich neugierig heran 관람객들이 호기심을 갖고 몰려들었다. **~|dürfen** *i.*(h.) 접근해도 좋다: wir durften nicht an den Wagen des Präsidenten heran 우리는 대통령의 차에 접근하면 안 되었다. **~|fahren*** *i.*(s.) (차를 타고) 이쪽으로 오다. **~|führen** *t.* ① (사람이나 짐승을) 가까이 데려오다. ② 가까이 갖다 대다: die Lupe an die Augen ~ 확대경을 눈에 갖다 대다. ③ 가까이에 이르다: der Weg führt an die Bucht heran 그 길은 만(灣)으로 나 있다. ④ jn. an et. ~ 누구를 무엇에 익숙하게 만들다, 무엇에 접하게 하다. **~|gehen*** *i.*(s.) 접근하다: 〖비유〗 an eine Sache ~ 어떤 일을 시작하다; bei jm. ~ 누구를 방문하다. **~|holen** *t.* 이쪽으로 가져오다; 〖사진·영화〗 (망원 렌즈를 이용하여) 확대 촬영하다; 애쓰게 하다; die jungen Leute müssen herangeholt werden 젊은이는 힘써 공부하게 하지 않으면 안 된다. **~kommen** *i.*(s.) ① 가까이 다가오다, 접근하다: der Hund kam ganz nahe an mich heran 그 개가 내게 아주 가까이 접근했다; nun wird Weihnachten bald ~ 이제 곧 크리스마스가 다가온다. ② an jn.〔et.〕 ~ 손대다, 접근하다, 도달하다; 손에 넣다: es ist sehr schwer, an den Chef heranzukommen 사장을 만나기는 아주 어렵다; 〖비유〗 an jn. ist nicht 〔nur schwer〕 heranzukommen 누구는 가까이하기 어려운 사람이다(지위), 누구는 폐쇄적인 사람이다(성격); 〖비유·구어〗 et. an sich ~ lassen 느긋하게 기다리다; 〖비유·구어〗 nichts an sich ~ lassen 어떤 일에도 영향을 받지 않다. **~kommen** *n.* ↑ ~kunft. **~|können** *i.*(h.) 〖구어〗 접근할 수 있다: der Arzt konnte vor lauter Schaulustigen nicht an die Unfallstelle heran 의사는 수많은 구경꾼들 때문에 사고 지점에 접근할 수 없었다. **~|kriegen** *t.* 〖구어〗 ① 가까이 끌어당길 수 있다. ② jn. zu et.[3] ~ 누구를 꾀어 어떤 일을 하게 하다: ich weiß nicht, ob ich ihn zu dieser Arbeit herankriege 내가 그에게 이 일을 하게 할 수 있을지 모르겠다. **~kunft** *f.* 접근, 도착. **~|lassen** *t.* jn. (an et.) ~ 누구에게 (무엇에) 접근하는 것을 허용하다, 누구에게 (무엇을) 맡기다: an diesen Fall läßt er keinen heran 그는 이 사건에 아무도 접근하지 못하게 한다; 〖경박〗 das Mädchen läßt niemanden heran 그 소녀는 누구하고도 성적인 접촉을 갖지 않는다; niemanden〔keinen〕 an jn.〔sich〕 ~ 누구〔자기〕와의 접촉을〔교제를〕 허용하지 않다. **~|machen** *refl.* sich an et. ~ 어떤 일에 착수하다; 〖구어·폄어〗 sich an jn. ~ a) (어떤 목적을 가지고) 누구에게 접근하다, b) 윗사람에게 아첨하다, 어떤 여자에게 구애하다. **~|müssen** *i.*(h.) ① 접근해야만 한다. ② (an et.) ~ (무엇을) 맡아야만 한다: schon als Kind mußte ich im Haushalt heran 어린 아이로서 이미 나는 집안일을 맡아야만 했다. **~|nahen** *i.*(s.) 접근하다; (위험 따위가) 들이닥치다: ich sah die Bewaffneten ~ 나는 무기를 든 사람들이 접근하는 것을 보았다; der ~de Abend 다가오는 저녁. **~|nahen** *n.* 접근, 임박. **~|pirschen** *refl.* 〖사냥〗 sich an et. ~ 무엇에 몰래 접근하다. **~|reichen** *i.*(h.) ① an et. ~ 무엇에 도달하다, 닿다: das Kind kann noch nicht an das Regal ~ 그 아이는 아직 선반에 (손이) 닿지 못한다. ② an jn.〔et.〕 ~ 누구〔무엇〕만큼 키가 커지다〔자라다〕. ③ an jn.〔et.〕 ~ 누구와〔무엇과〕 대등해지다, 필적하다; das reicht schon ans Verbrecherische heran 그것은 이미 범죄에 가깝다. ④ 충분하다, 넉넉하다: diese Schnur reicht nicht heran 이 끈의 길이가 충분하지 못하다. **~|reifen** *i.*(s.) 성숙〔성장〕하다: Getreide〔Früchte〕 reifen heran 곡식〔과일〕이 익어간다; zum Erwachsenen ~ 성인〔어른〕이 되다; ein Plan reift heran 계획이 구체화된다. **~|rücken** 《I》*t.* 당기다, 다가오게 하다. 《II》*i.*(s.) 다가오다, 다가가다: dicht an jn. ~ 누구 곁으로 바짝 다가가다. **~|rudern** *t./i.*(s.) 노를 저어 접근〔근접〕하다. **~|schaffen** *t.* ① 이쪽으로 날라오다〔운송하다〕. ② 애써 마련하다, 조달하다. **~|schlängeln** *refl.* sich an jn. ~ 누구에게 한걸음한걸음 다가가다, 〖비유〗 누구에게 알랑거리다, 아첨하다. **~|schleichen*** *i.*(s.)/*refl.* (sich) ~ 몰래 다가오다. **~|schwimmen*** *i.*(s.) 헤엄쳐 다가오다. **~|sein** *i.*(s.) 〖구어〗 (an et.) ~ (…에) 다가와 있다: die Wölfe waren bis an den Waldrand heran 늑대들이 숲 가장자리까지 접근해 있었다. **~|tasten** *refl.* sich an et. ~ (**a**) 더듬어 무엇에 접근하다: ich tastete mich in der Dunkelheit an die Leiter heran 나는 어둠 속을 더듬어서 사다리로 다가갔다. (**b**) 〖비유〗 (무엇에) 신중히 접근〔조사〕하다. **~|tragen** *t.* 운반해오다: 〖비유〗 et. an jn.〔et.〕 ~ 누구에게〔어디에〕 무엇을 제시〔청원〕하다: an die Regierung herangetragene Wünsche 정부에 제기된 청원들. **~|treten*** *i.*(s.) 접근하다: 〖비유〗 an jn. mit einer Bitte 〔Frage〕 ~ 누구에게 부탁〔질문〕하다; an ihn trat die Aufgabe heran 그에게 그 과제가 주어졌다. **~|wachsen*** *i.*(s.) 성장하다, 어른이 되다: das ~de Geschlecht 젊은이들, 청년층. **~wachsende*** *der/die* 〖法〗 18 세 이상 21 세 미만의 젊은이. **~|wagen** *refl.* sich an jn. ~ 감히 누구에게 직언〔접근〕하다; sich an et. ~ 감히 무엇을 할 엄두를 내다. **~|wollen** *i.*(h.) 〖구어〗 ① 다가가려 하다. ② an et. ~ 무엇을 맡으려 하다. **~|ziehen*** 《I》*t.* ① 끌어오다, 끌어당기다, 초치하다. ② 〖비유〗 jn. zu et.[3] ~ 누구를 무엇에 관련을 맺게 하다; 동원하다, 가입시키다; 〖軍〗 zum Kriegsdienste ~ 군대에 복무시키다. ③ (식물을) 재배하다, (동물을) 사육하다. ④ 양성하다, 훈련시키다. ⑤ 인용하다: wir können zum Vergleich einen früheren Text des Schriftstellers ~ 우리를 비교를 위해 그 작가의 이전 텍스트를 인용할 수 있다. 《II》*i.*(s.) 다가오다, 접근하다, 접근해오다.

Herauch [hé:raux] 《ahd. hei, „trocken"》 *m.* -(e)s 아지랑이, 연무(煙霧).

***her·auf** [hεráuf] 〔(구어) **'rauf**〕 *adv.* 이 위로, 위쪽으로, 이쪽으로 올라와서: ~! 올라와라!; den Fluß ~ 상류쪽으로; die Treppe ~ 계단을 올라와서; (von) dort ~ 그곳에서 위쪽으로; wir kommen zu euch ~ 우리가 너희 있는 쪽으로 올라간다(구어체에서 hinauf 와

혼동해서 쓰이기도 함).

herauf|arbeiten *refl.* sich ~ 노력하여 성공〔출세〕하다: er hat sich in die Spitze des Unternehmens heraufgearbeitet 그는 노력하여 그 기업에서 최고의 자리에 올랐다. ~|**bemühen** 《I》 *t.* (수고롭게) 올라오게 하다: darf ich Sie kurz zu mir ~? 잠시 저에게 올라와 주시겠습니까? 《II》 *refl.* sich~ 친절하게도 올라오다: ich danke Ihnen, daß Sie sich heraufbemüht haben 수고롭게도 올라와 주셔서 감사합니다. ~|**beschwören** *t.* ① (귀신·유령을) 주문(呪文)을 외어 불러내다. ② (재앙·갈등을) 야기시키다: Unheil ~ 재난을 일으키다; einen Streit ~ 다툼을 야기시키다. ③ 상기〔회상〕하다: Kindheit ~ 어린 시절을 회상하다. ~|**bringen*** *t.* ① 들어올리다, 위로 나르다: sie hat mir das Päckchen heraufgebracht 그녀는 소포를 내게 가지고 올라왔다. ② 집으로 데려오다: sie durfte ihre Freundin nicht mit ~ 그녀는 여자 친구를 집으로 데려와서는 안 되었다. ~**dämmern** *i.* (s.) (아침〔날〕이) 밝아오다: 〖비유〗 eine neue Zeit dämmert herauf 새 시대가 밝아온다. ~|**fahren*** 《I》 *i.* (s.) (차를 타고) 오르다: den Berg 〔zur Burg〕 ~ (차를 타고) 산을〔성으로〕 올라가다. 《II》 *t.* 차에 태워 올리다: wer hat dich denn heraufgefahren? 도대체 누가 너를 차에 태워 올라왔느냐? ~|**führen** 《I》 *t.* 위로 안내하다, 안내하여 올라가다: bitte führen Sie den Herrn zu uns herauf 저분을 우리에게로 안내해서 올라오십시오. 《II》 *i.* (s.) (길이) 위로 나〔향해〕 있다: die Straße führt direkt (zu unserem Haus) herauf 그 길은 곧바로 (우리 집 쪽으로) 향해 있다. ~|**holen** *t.* 가지고 올라오다. ~|**kommen** *i.* (s.) ① (**a**) 올라오다: kommt (doch) herauf! 위로 올라와! (**b**) 〖비유〗 승진〔출세〕하다. ② 다가오다, 임박하다. ~**kömmling** *m.* 벼락 부자, 신흥 재벌. ~|**lassen** *t.* 〖구어〗 올라오게 하다. ~|**setzen** *t.* ① 올려 앉히다: Preise〔Zinsen〕 ~ 가격을〔이자를〕 올리다; das Mindestalter für die Bewerbung ~ 응모 최저 연령을 높이다. ~|**steigen*** *i.* (s.) 올라가다, 오르다: 〖비유·雅語〗 der Tag will ~ 동이 트려 한다. ~**wärts** *adv.* 위로, 위쪽에. ~|**ziehen*** 《I》 *t.* ① 끌어올리다; 걷어올리다, 말아올리다, 접어올리다: ihr müßt das Boot noch weiter auf den Strand ~ 너희들은 그 보트를 해안가에 더 끌어올려야 한다. ② 〖비유〗 zu sich ~ (신분이 낮은 사람을) 자기와 동등한 지위까지 끌어올리다. 《II》 *i.* (s.) ① 등장하다, 나타나다, 서서히 다가오다: ein Gewitter zieht herauf 폭풍이 다가온다. ② 위층으로 이사하다, 옮기다.

***her·aus** [hɛráus] 〔〈구어〉 **'raus**〕 *adv.* (↔ hinein, hinaus) ① 이쪽 밖〔바깥〕으로: 〖구어〗 ~ aus dem Bett 〔den Federn〕! 기상!; aus dem Haus ~ sehen 집에서 내다보다; von innen ~ 안에서 (밖으로). ② da〔hier〕 ~ 거기〔여기〕서 (밖으로); oben〔unten〕 ~ 위〔아래〕에서 (밖으로). ③ ~! (〖구어〗 'raus!) a) 밖으로 나오라!, b) 〖軍〗 풀어총! (걸어총한 것을 다시 풀 때의 구령); ~ mit dem Geld! 돈 내놔!; ~ mit dem Degen! 칼을 빼라!; ~ damit!, ~ mit der Sprache! 숨김없이 말하라, 털어놓아라!; frei〔gerade, offen, rund〕 ~ 솔직하게, 숨기지 않고, 거리낌없이; nun ist's ~ a) 이것으로 명백해졌다, (비밀 따위가) 풀렸다, b) 고백해 버렸다. ④ 〖구어〗 fein ~ sein 잘〔편안히〕 지내고 있다. ⑤ aus sich ~ 자발적으로.

heraus.. *pref.* ① "저 안에서 이쪽 밖으로"의 운동을 나타냄. ② "심층에서 표면으로"의 뜻에서 특정한 인상이나 인식의 획득을 나타냄.

heraus|arbeiten 《I》 *t.* ① 만들어내다: aus dem Groben〔Gröbsten〕 ~ 대충 만들어내다; ein Relief aus dem Marmor ~ 대리석에 양각하다. ② (특정 부분을) 눈에 뜨이게 강조하다: eine Idee 〔ein Problem〕 ~ 어떤 이념을〔문제를〕 부각시키다. ③ 고심하여 성취하다. ④ 애써〔고생하여〕 없애다, 제거하다. ⑤ 〖구어〗 Zeit ~ 특정한 날 쉬기 위해 미리 연장 근무를 하다. 《II》 *refl.* sich ~ (힘들여) 빠져나오다, 벗어나다; er konnte sich nur mühsam aus dem Schnee ~ 그는 간신히 눈 속에서 빠져나올 수 있었다. ~**arbeitung** *f.* 성취, 달성; (특정 부분을) 부각시킴. ~|**beißen*** 《I》 *t.* ① 물어뜯다, 물고 끌어내다: der Marder hat dem Tier am Hals ein Stück Fleisch herausgebissen 담비는 그 짐승의 목에서 살점을 뜯어내었다: 〖비유〗 jn. aus einer Stelle ~ 누구의 지위를 빼앗다. ② 〖속어〗 den Vorgesetzten ~ 우두머리 행세를 하다. 《II》 *refl.* sich ~ ① 물어뜯고 나오다, 물어뜯어내다; 〖비유〗 (역경에서) 탈출하다, 벗어나다. ② 〖속어〗 고상한 체 뻐기다, 잘난 체하다. ③ sich einen Zahn ~ 딱딱한 것을 씹어 이빨이 부러지다. ~|**bekommen*** *t.* ① 끄집어내다, 잡아내다; 빼내다: einen Nagel aus dem Holz ~ 나무에서 못을 뽑다; eine schlechte Eigenschaft aus jm. 〔einem Tier〕 ~ 누구〔짐승〕에게서 나쁜 습성을 없애다; ein Geheimnis aus jm. ~ 누구에게서 비밀을 캐내다. ② 〖비유〗 이해하다, (수수께끼·수학 문제를) 풀다. ③ (누구를 감옥이나 곤경에서) 벗어나게 하다, 해방시키다. ④ (돈을) 돌려 받다, (거스름돈을) 받다. ~|**bilden** 《I》 *t.* (변화를) 야기시키다. 《II》 sich ~ 생성되다. ~**bildung** *f.* 생성, 발전. ~|**brechen*** 《I》 *t.* ① (이를) 뽑다; 빼내다: aus einer Mauer einen Stein ~ 담벼락에서 돌 하나를 빼내다. ② 〖구어〗 토하다: er hat alles, was er gegessen hat, sofort wieder herausgebrochen 그는 먹었던 것 모두를 즉시 다 토했다. 《II》 *i.* (s.) ① 터져나오다: Zorn brach aus ihm heraus 그는 분노를 터뜨렸다. ② (어떤 말이) 갑자기 튀어나오다: mit Worten ~ 갑자기 말을 꺼내다. ~|**bringen*** *t.* ① 끄집어내다, 빼내다: Flecke aus einem Anzug ~ 옷에 묻은 얼룩을 빼내다; die Brust ~ 가슴을 내밀다. ② 공개〔공연〕하다; (신상품을) 시장에 내놓다: ein neues Automodell ~ 새 자동차 모델을 출시하다. ③ 〖비유〗 (문제를) 이해하다, 풀다: das Rätsel ~ 수수께끼를 풀다. ④ 〖비유·구어〗 알아내다, 탐지하다: es ist nichts aus ihm herauszubringen 그에게서는 아무것도 알아낼 수 없다. ⑤ 말하다, 표현하다: er brachte vor Schreck kein Wort heraus 그는 놀라서 한 마디도 할 수 없었다. ~|**drängen** 《I》 *t.* (어떤 장소 또는 지위에서) 몰아내다, (부당하게) 쫓아내다. 《II》 *i.* (s.)/*refl.* sich ~ 몰려나오다; 밀려나오다: die Besucher drängten (sich) aus dem Saal heraus 방문객들이 홀에서 몰려 나왔다. ~|**dürfen** *i.* (h.) 〖구어〗 (이쪽으로) 나와도 좋다; 가지고 나와도 좋다: darf das Mädchen nicht heraus? 그 소녀가 밖으로 나와서는 안 되나요? ~|**fahren*** 《I》 *t.* ① 빼내다: das Auto aus der Garage ~ 자동차를 차고에서 내오다. ②〖구어〗 einen Rekord 〔Sieg〕 ~ (레이스에서) 기록을 세우다〔승리를 거두다〕. 《II》 *i.* (s.) ① (배·차를 타고) 나오다; 빠져나오다: gerade ist der Zug aus dem Tunnel herausgefahren 지금 막 기차가 터널을 빠져 나왔다. ② 튀어나오다: aus dem Bett ~ 침대에서 뛰쳐나오다. ③〖비유·구어〗 (의도하지 않은 말이) 불쑥 튀어나오다: das unüberlegte Wort war ihm nur so herausgefahren 깊이 생각지도 않은 말이 그의 입에서 불쑥 튀어나왔다. ~|**fallen*** *i.* (s.) ① (밖으로) 굴러 떨어지다〔내려오다〕: das Kind ist aus dem Bett herausgefallen 그 아이가 침대에서 굴러 떨어졌다; aus der Rolle ~ 분수에 맞지 않는 일을 하다. ② (aus et.³) ~ (무엇에서) 벗어나다, (무엇에) 저촉하지 않는다: nur diejenigen, die schon die Hochschulreife haben, fallen aus dieser Regelung heraus 이미 대학 입학 자격이 있는 사람만 이 규정에 해당되지 않는다. *~|**finden*** 《I》 *t.* ① (많은 것 중에서) 찾아내다, 발견하다: er fand sie aus dem Gewühl sofort heraus 그는 군중 속에서 그 여자를 곧 찾아냈다. ②〖비유〗 이해〔인식〕하다: er konnte lange den Sinn dieser Worte nicht ~ 그는 오랫동안 이 말의 뜻을 이해하지 못했다. 《II》 *i.* (s.)/*refl.* (sich) ~ ① (나갈 곳을 발견하여) 밖으로〔피해〕 나오다, 탈출하다: er hat (sich) aus dem Wald nicht ~ können 그는 숲에서 빠져나올 수 없었다. ②〖비유〗 해결책을 발견하다. ~**forderer** *m.* 도전자. ~**forderin** *f.* ↑ ~forderer 의 여성형. ~|**fordern** *t.* ① (무엇의) 배상〔반환〕을 요구하다. ② 도발〔자극〕하다: jn. zum Zweikampf ~ 누구에게 결투를 신청하다;〖비유〗 die göttliche Allmacht ~ 하느님을 시험하다. ~**fordernd** 《I》 *a.* (말·태도가) 도전적〔도발적·유혹적〕인: einen ~en Blick zuwerfen 유혹적인 눈길을 보내다. 《II》 *adv.* 도전적으로, 대담하게: jn. ~ ansehen 누구를 도전적으로 바라보다. ~**forderung** *f.* 도전; 도발; 유발; 〖스포츠〗 도전 경기, 설욕전: die ~ wird im Fernsehen übertragen 그 도전 경기가 텔레비전에 방영된다. ~|**fressen*** 《I》 *t.* (쥐·고양이가) 파먹다, 구멍을 내다. 《II》 *refl.* sich ~ ① 이빨로 쏠아 뚫고 탈출하다, (동물이) 갉아먹어 구멍을 내다: das Insekt frißt sich aus seiner Larve heraus 그 곤충은 유충에서 탈피한다. ② 잘 먹어 살이 찌다. ~|**fühlen** *t.* 만져서 알아내다, 감지하다: ich fühle es heraus, daß er Kummer hat 나는 그가 걱정이 있다는 것을 감지한다. ~**gabe** *f.* ① 인도(引渡); 반환. ② (책의) 발행, 출판: die ~ eines neuen Romans planen 새 소설의 출판을 계획하다. ③〖商〗 (사채·주식의) 발행. *~|**geben*** 《I》 *t.* ① 내어 주다, 인도하다. ② 반환하다; (거스름돈을) 내주다; (포로를) 인도〔송환〕하다: die Beute ~ 노획물을 돌려주다; geben Sie mir bitte zwei Mark heraus, das übrige ist für Sie 내게 2 마르크를 돌려주시고 나머지는 당신이 가지십시오. ③ 출판〔발행〕하다. ④ 〖속어〗 das〔es〕 gibt etwas heraus 주먹다짐이 일어나다, 싸움이 일어나다. 《II》 *i.* (h.) 〖방언〗 말대꾸〔응수〕하다. ~**geber** *m.* 출판〔발행〕자, 편집인. ~**geberin** *f.* ↑ ~geber 의 여성형. *~|**gehen*** *i.* (s.) ① (밖으로) 나오다: aus dem Zimmer ~ 방에서 나오다;〖비유〗 aus sich ~ a) 쾌활해지다, b) 서로 속을 터놓다; mit der Sprache ~ 숨기지 않고 말하다. ② das Zimmer geht auf die Straße heraus 이 방은 거리 쪽에 면하고 있다. ③ 돌출하다, 툭 튀어 나와 있다. ④ (못이나 얼룩이) 빠지다: der Fleck geht nicht aus dem Stoff heraus 얼룩이 천에서 빠지지 않는다. ⑤ (상품이) 출시되다. ~|**greifen*** *t.* 끄집어내다, 뽑아내다; 가려내다: um nur ein Beispiel herauszugreifen 예를 하나만 들자면. ~|**gucken** *i.* (h.) 밖을 내다보다: er guckte aus dem Fenster heraus 그는 창문에서 밖을 내다보았다. ~|**haben*** *t.* ① 빼내다, 빼들고 있다: den Korken aus der Flasche ~ 코르크 마개를 병에서 빼내다. ② 알아내다, 이해하다, (문제를) 해결하다: ich hab's heraus! 찾았다, 알았다!;〖경박·폄어〗 es (gut〔fein〕) ~ 〔den Bogen ~〕 요령이 좋다. ~|**halten** *t.* ① (깃발 따위를) 밖으로 내밀다. ② 멀리 떨어져 있게 하다, 개입하지 못하게 하다: meine Familie möchte ich da ~ 내 가족을 그 일에 개입시키고 싶지 않네. ~|**hangen*** *i.* (h.) ↑ ~hängen 《II》. ~|**hängen** 《I》 *t.* ① (빨래를) 밖에다 걸다. ②〖경박·폄어〗 (지위를) 내세우다: den Fachmann ~ 전문가임을 내세우다, 전문가 티를 내다. 《II》 *i.* (h.) 밖에 내걸려 있다: die Zunge hängt mir vor Durst zum Hals heraus 나는 목이 몹시 마르다;〖비유·구어〗 mit ~der Zunge 기진맥진하여; das hängt mir zum Hals heraus 나는 그것이 지긋지긋하다〔싫다〕. ~|**hauen*** 《I》 *t.* 끊어내다, 베어내다; (곤경에서) 구해내다: Zweige aus einem Baum ~ 나무에서 가지를 베어내다. 《II》 *refl.* sich ~ 활로를 뚫다. ~|**heben*** 《I》 *t.* ① 끄집어내다: ein Kind aus dem Wasser ~ 아이를 물에서 들어올리다; eine Dame aus dem Wagen ~ 한 부인을 차에서 부축해 내리다. ②〖비유〗 (특정 부분을) 강조하다. 《II》 *refl.* sich ~ 두드러지다: das Muster hebt sich (aus dem dunklen Untergrund) gut heraus 무늬가 (어두운 바탕에서) 잘 드러난다. ~|**helfen*** 《I》 *i.* (h.) 나오도록 도와주다: jm. aus einer Grube ~ 누구를 구렁에서 구출해내다;〖비유〗 jm. aus der Not ~ 누구를 곤궁에서 구출하다. 《II》 *refl.* sich³ aus et.³ ~ 무엇(곤경)을 헤치고 나가다. ~|**holen** *t.* ① (물건을) 끄집어내다; (사람을) 데리고 나오다, 구해내다: bitte hol mir doch meinen Mantel (aus dem Haus) heraus (집에서) 내 외투를 내게 갖다 줘; den Arzt nachts aus dem Bett ~ 밤에 잠자는 의사를 불러내다; die Menschen aus dem brennenden Haus ~ 불난 집에서 사람들을 구조하다. ②〖비유〗 (이익을) 쟁취하다; (성능·능력을) 발휘시키다: einen Sieg ~ 승리를 쟁취하다; Geld aus jm. ~ 누구에게서 돈을 우려내다; aus einem Menschen das Letzte 〔Äußerste, alles〕 ~ 한 인간의 능력을 최대한으로 발휘시키다. ③ (정보·답변을) 알아내다, 캐내다: die Polizei konnte aus dem Tatverdächtigen nicht viel ~ 경찰은 피의자

에게서 그리 많은 것을 알아낼 수 없었다. ④ 드러내 보이다, 표현하다. ~|**hören** *t.* ① (뒤섞인 소리 중에서) 알아듣다, 식별하다: ihr Lachen konnte man deutlich ~ 그녀의 웃음 소리는 또렷이 분간하여 들을 수 있었다. ② (어떤 기분·감정을) 눈치채다, 간파하다: ich konnte nichts Feindseliges aus ihrer Äußerung ~ 나는 그녀의 발언에서 아무런 적대감도 느낄 수 없었다. ~|**ixen** *t.* 〖방언〗 숙고하여 알아내다〔찾아내다〕. ~|**kehren** *t.* ① 쓸어내다. ②〖대개 펌어〗(betonen) 과시하다, 숨김없이 나타내다: er kehrt immer den Pädagogen heraus 그는 항상 교육자 티를 낸다. ③ (주머니·지갑을) 뒤집다. ~|**klopfen** *t.* ① (두드려) 털어내다: den Staub aus et.^{3} ~ 무엇을 두드려 먼지를 털다. ② (문·창문을 두드려) 불러내다: wir mußten sie mitten in der Nacht ~ 우리는 한밤중에 문을 두드려 그녀를〔그들을〕 불러내야 했다. *~|**kommen*** *i.* (s.) ① 밖으로 나오다: aus dem Zimmer ~ 방 밖으로 나오다; aufs Land ~ 시골로 떠나가다; 〖비유〗 aus dem Krankenhaus ~ 퇴원하다; aus dem Grübeln nicht mehr ~ 골머리를 앓다; aus dem (alten) Trott nicht mehr ~ 천편일률적이다. ② 어떤 결과가 되다; 〖구어〗 das kommt alles auf dasselbe 〔eins〕 heraus 그것은 모두 매한가지다, 차이가 없다; die Rechnung kommt richtig heraus 계산이 꼭 들어맞는다; 〖구어〗 groß ~ 위대〔유명〕해지다. ③ (무엇이) 결과로 생겨나다, 귀결되다: bei dem Geschäft kommt nichts heraus 이 장사를 해서는 아무것도 벌지 못한다; es kommt nichts dabei heraus 그것으로는 아무 도움도 되지 않는다, 소용이 없다. ④ (신상품이) 출시되다, (연극이) 초연되다, (영화가) 개봉되다, (책이) 발행〔출판〕되다: ein neues Automodell kommt heraus 신차(新車) 모델이 출시된다; der Verlag ist mit einem neuen Werk herausgekommen 그 출판사는 새로운 작품을 출판했다. ⑤ (비밀·범인이) 드러나다: es ist bis jetzt nicht herausgekommen, wer der Täter war 누가 범인인지 지금까지 밝혀지지 않았다. ⑥〖구어〗(특정한 방식으로) 표현되다, (…처럼) 보이다〔들리다·생각되다〕: ich glaube, der Vorwurf kam etwas zu scharf heraus 제 생각으로는 그 비난은 좀 지나치게 신랄했습니다; ihre Worte kamen drollig heraus 그 여자의 말은 우스꽝스럽게 들렸다; es kommt so heraus, als ob ich unrecht hätte 마치 내가 잘못한 것처럼 보인다. ⑦〖구어〗 복권에 당첨되다: ich bin bei der Lotterie wieder nicht, nur mit dem Einsatz herausgekommen 내 복권은 이번에도 실패하고 다만 본전을 찾았을 뿐이다. ⑧ (망설인 끝에) 말하다: mit einem Wunsch ~ 드디어 소원을 말하다. ⑨ 잘〔뚜렷이〕 드러나다, 감지〔인식〕되다: das eigentliche Anliegen des Autors kam nicht heraus 작가의 본래 관심사는 드러나지 않았다. ⑩ (일정한 흐름에서) 벗어나다, (춤추다가) 박자를 놓치다. ⑪〖카드〗 시작하다, 첫 패를 내다. ~|**können*** *i.* (h.) 나올 수 있다: mach ihm die Tür auf, er kann nicht heraus 그에게 문을 열어 줘, 그가 나올 수 없어. ~|**kriegen** *t.* 〖구어〗 ↑ ~bekommen. ~|**kristallisieren** 《I》 *t.* 〖드물게〗 (핵심을) 부각시키다; (간명하게) 요약하다: den Grundgedanken eines Aufsatzes ~ 작문의 요지를 부각시키다. 《II》 *refl.* sich ~ 형성되다, 드러나다, 분명해지다. ~|**lassen*** 《I》 *t.* ① 밖으로 나오게 하다, (죄수를) 석방하다: Luft〔Dampf〕 ~ 공기〔증기〕를 빼다. ② 누설하다, (감정을) 내보이다. ③ 생략하다: die Landschaftsbeschreibung kannst du beim Vorlesen ~ 너는 낭독할 때 풍경 묘사를 생략할 수 있다. 《II》 *refl.* sich über et. ~ 어떤 것에 대해서 자기 소견을 말하다; sich gegen jn. ~ 누구에게 자기의 마음속〔울분〕을 터놓다. ~|**legen** *t.* 내어 놓다, (상품을) 진열하다. ~|**lesen*** *t.* ① 가려내다: Beeren aus der Schüssel ~ 대접에서 좋지 않은 딸기를 가려내다. ② 알아내다, (해석·분석에 의해) 찾아내다, 인식하다: et. aus einem Buch ~ 어떤 책을 읽고 무엇을 발견하다, 알다; aus seinem Brief habe ich herausgelesen, daß er große Sorgen hat 그의 편지에서 나는 그가 큰 걱정이 있음을 알게 되었다. ~|**locken** *t.* ① 꾀어내다, (적을) 유인하다: ein Tier aus seinem Bau ~ 짐승을 굴에서 꾀어내다. ② Geld aus jm. ~ 누구에게서 돈을 우려내다; ein Geheimnis aus jm. ~ 누구에게서 비밀을 탐지하다. ~|**lügen*** 《I》 *t.* 거짓말로 (곤경·혐의에서) 벗어나게 해주다: den Freund ~ 거짓말로 친구를 구해 주다. 《II》 *refl.* sich ~ 속이고 도망치다. ~|**machen** 《I》 *t.* 빼내다, 제거하다: ein Staubkörnchen aus dem Auge ~ 눈에서 티를 집어내다. 《II》 *refl.* sich ~ ① 나가다; 여행을 떠나다; 시골로 가다. ② 성공〔출세〕하다. ③ 건강해지다. ④ 훌륭해지다, 나아지다: er hat sich sehr herausgemacht a) 그는 매우 훌륭해졌다, b) 그는 세상 물정에 환해졌다. ⑤ ↑ ~arbeiten 《II》. ~|**mausern** *refl.* sich ~ 〖속어〗 원기를 회복하다, 회복되다. ~|**müssen*** *i.* (h.) 〖구어〗 ① 나와야 한다; 잠자리에서 일어나야 한다: morgen muß ich früh heraus 내일 아침 일찍 나는 일어나야 한다. ② (힘들더라도) 털어놓고 얘기되어야 한다: es muß heraus! 비밀〔심중〕을 털어놓아야 한다! ③ 제거되어야 한다: der Zahn muß heraus 그 이는 뽑아야 한다. ~|**mustern** *refl.* sich ~ 출세〔영달〕하다. *~|**nehmen*** 《I》 *t.* ① 집어내다, 끌어내다: einen Zahn ~ 이를 빼다; jm. ein Organ ~ (수술로서) 누구의 장기를 제거하다. ② (누구를) 쫓아내다, 제외하다: jn. aus der Schule ~ 누구를 퇴학시키다. 《II》 *refl.* sich^3 et. ~ 감히 무엇에 손대다; sich^3 Freiheiten ~ 제멋대로 행동하다; sich^3 (zu)viel ~ 지나친 짓을 하다. ~|**pauken** *t.* 〖구어〗 (곤경에서) 구해내다. ~|**platzen** *i.* (s.) ① 폭발하다; 웃음보를 터뜨리다. ② mit et.^{3} ~ 갑자기 무슨 말을 꺼내다; mit einer Frage ~ 갑자기 질문하다. ~|**poltern** *i.* (s.) ① 왁자지껄하며〔쿵쾅거리며〕 나오다: er kam aus dem Zimmer herausgepoltert 그는 떠들어대면서 방에서 나왔다. ②〖비유〗 mit et.^{3} ~ 무엇을 지껄여대다. ~|**pressen** *t.* 눌러 짜내다: Träne gewaltsam ~ 눈물을 억지로 짜내다; et. aus jm. ~ 누구에게서 무엇을 강탈하다. ~|**putzen** 《I》 *t.* 요란하게 꾸미다. 《II》 *refl.* sich ~ 몸치장하다: die Mädchen haben sich festlich herausgeputzt 젊은 여자들이 화려하게 차려 입었다. ~|**ragen** *i.* (h.) 튀어나오다, 우뚝 솟아오르다; 뛰어나다, 탁

월하다: eine ~de Leistung 탁월한 업적. ~|**reden** 《I》 *i.* (h.) frei ~ 거리낌없이 말하다. 《II》 *refl.* sich ~ (구실을 붙여) 발뺌〔변명〕하다. ~|**reißen*** 《I》 *t.* ① 뜯어내다, 찢어내다, 뽑아내다. ② 구출하다: jn. aus seinen Gewohnheiten ~ 누구로 하여금 구태〔습관〕에서 벗어나게 하다. ③〖비유·구어〗(결점을) 보완〔보충〕하다: mit Steuersenkungen möchte der Präsident seine Position wieder ~ 대통령은 세금 인하로 인기를 만회하려 한다. 《II》 *refl.* sich ~ (노력하여) 탈출하다: du mußt dich durch Fleiß wieder ~ 너는 노력을 통해 다시 곤경에서 벗어나야 한다. ~|**rücken** 《I》 *t.* ① 밀어내다. ②〖비유〗내어놓다: Geld ~ 돈을 내놓다. ③ 활자체를 달리하여 강조하다: ein Wort ~ 한 단어를 강조하다. 《II》 *i.* ① (s.) 밖으로 나오다;〚軍〛출동하다. ② (h.) mit et.³ ~ (오랜 주저 끝에) 무엇을 꺼내다, 털어놓다: mit der Wahrheit ~ 진실을 털어놓다. ~|**rufen*** *t.* ① 이쪽 바깥을 향해 소리치다: er hat es zum Fenster zu mir herausgerufen 그는 내가 있는 창쪽으로 그 말을 외쳤다. ② (**a**) 불러내다: jn. aus einer Sitzung ~ 누구를 회의장 밖으로 불러내다. (**b**)〚연극〛(배우·가수를) 막 앞으로 불러내다: das Publikum rief den Schauspieler noch dreimal heraus 관중은 그 배우를 세 번이나 막 앞으로 불러내었다. ~|**rutschen** *i.* (s.) ① 미끄러져 나오다: das Hemd ist ihm aus der Hose herausgerutscht 셔츠가 그의 바지에서 밀려나와 있었다. ② (말이) 무심결에 나오다: das Wort ist mir einfach so herausgerutscht 그 말은 그냥 무심코 내 입에서 흘러나온 말이었다. ~|**sagen** *t.* 숨김없이 말하다; 고백하다: offen und frei ~ 숨김없이 실토하다; rund herausgesagt, ich kann dir das Geld nicht geben 솔직하게 말해서 너에게 돈을 줄 수 없다. ~|**schaffen** *t.* 《I》 밖으로 내가다, 반출하다; 제거하다. 《II》 *refl.* sich ~ ①〖방언〗사회적인 명망을 얻다. ② (schweiz.) 풀리다. ~|**schälen** 《I》 *t.* ① 껍질을 벗겨 꺼내다, 적출하다. ② 터놓고 말하다, 폭로하다. 《II》 *refl.* sich ~ 서서히 드러나다, 판명되다: nach und nach schälte sich heraus, was sie wirklich beabsichtigte 그녀의 진짜 의도가 서서히 드러났다. ~|**schauen** *i.* (h.) ① 내다보다: zum Fenster ~ 창 밖을 내다보다. ②〖구어〗이익이 생기다〔기대되다〕: es schaut nichts dabei heraus 그것은 아무 소용이 없다. ~|**schicken** *t.* 내보내다: bitte schicken Sie mir Frau A heraus, ich möchte sie sprechen A 부인을 밖으로 내보내 주세요, 나는 그녀와 말하고 싶습니다. ~|**schießen*** 《I》 *t.* 총을 쏘아 몰아내다. 《II》 *i.* ① (h.) 안에서 밖을 향해 사격하다. ② (s.)〖구어〗급히 뛰쳐나오다〔솟아나오다〕: aus der Wunde schoß ein Strahl Blut heraus 상처에서 한 줄기 피가 솟아나왔다. ~|**schinden** *t.* 감쪽같이 가로채다, (이득을) 취하다: er gehört zu denjenigen, die aus allem Vorteil für sich ~ 그는 매사에 사리사욕을 채우는 그런 유의 사람이다. ~|**schlagen*** 《I》 *t.* ① 두드려 털어내다〔만들다〕: Funken aus dem Stein ~ 돌을 쳐서 불꽃이 나게 하다; jm. den Degen aus der Hand ~ 누구 손에서 검을 쳐서 떨어뜨리다. ②〖구어〗능숙〔교묘〕하게 획득하다: Geld aus et.³ ~ 무엇으로 돈을 벌다; Gewinn〔Vorteile〕 aus et.³ ~ 무엇으로 이익을 얻다; seine Kosten ~ 비용을 회수하다. 《II》 *i.* (s.) 뻗어나오다, 뿜어나오다: die Flammen schlugen zum Dach heraus 화염이 지붕 위로 솟구쳤다. ~|**schleichen*** *i.* (s.) / *refl.* (sich) ~ 살며시 빠져나오다: er ist zur Tür herausgeschlichen 그는 문으로 살며시 빠져나왔다. ~|**sein*** *i.* (s.)〖구어〗① 나와 있다; (일자가) 확정되어 있다; 출판〔발행〕되어 있다; (비밀이) 알려져 있다; (싹〔꽃〕이) 나와〔피어〕 있다. ② …에서 벗어나 있다: aus der Übung ~ 쓰이지 않고 있다; 한물가다, 솜씨가 무디어지다; aus den Schulden ~ 빚을 다 갚았다. ③ 빠져 있다; der Zahn ist heraus a) 이가 빠졌다, b) 빼드렁 이빨이다. ④〖비속〗er ist schön〔fein〕 heraus 그는 잘 지내고 있다, 그는 잘 산다.

her·außen [hɛráusən] *adv.* (bayr. , öst.) 여기 밖에(서).

heraus|setzen *t.* 바깥에 내놓다, 진열하다. ~|**spielen** *t.*〚스포츠〛① den Ball ~ 선수들이 밀집된 상태에서 공을 빼내다. ② 선전(善戰)하여 달성하다: die Mannschaft hat ein Tor herausgespielt 그 팀은 선전하여 한 골을 얻었다. ~|**springen*** *i.* (s.) ① 튀어나오다; 급히 달려나오다; 빠져나오다, (기차가) 탈선하다; (불꽃이) 흩어지다, (액체가) 솟아나오다; (목젖이) 튀어나와 있다: aus dem Fenster ~ 창을 넘어 뛰어나오다. ②〖구어〗(유리한 결과가) 나오다, 돈벌이가 되다: es ist fraglich, ob dabei ein Nutzen herausspringt 그것이 돈벌이가 될지 어떨지 의문이다. ~|**sprudeln** 《I》 *i.* (s.) 솟아나오다, 용솟음쳐 나오다. 《II》 *t.* (말을) 황급히〔생각없이〕 내뱉다. ~|**staffieren** *t.* / *refl.* ↑ ~ putzen. ~|**stecken** 《I》 *t.* 밖에 내놓다, 내밀다, 내걸다: sie steckte ihren Kopf zu uns heraus 그녀는 머리를 우리쪽으로 내밀었다. 《II》 *i.* (h.) (특정 신체 부위가) 튀어나오다, 돌출해 있다. ~|**stehen*** *i.* (h.) 밖에 나와 있다, (눈·광대뼈가) 튀어나와 있다: der linke obere Schneidezahn steht etwas heraus 왼쪽 위 앞니가 약간 앞으로 튀어나와 있다. *~|**stellen** 《I》 *t.* ① 밖에 세우다, 밖에 놓다〔내다〕: stell die Blumen hier auf den Balkon heraus! 꽃들을 여기 발코니로 내다 놓아라! ② (생각을) 명시하다; 강조하다, 부각시키다: besondere Merkmale einer Person ~ 어떤 사람의 유별난 특징을 강조하다. 《II》 *refl.* sich ~ 밝혀지다, 판명되다: es stellte sich heraus, daß es ein Irrtum war 그것은 오류로 밝혀졌다. ~|**stoßen*** *t.* ① 밀쳐내다; 내던지다. ② (말을) 격하게 내뱉다. ③ (사냥감을) 놀라 달아나게 하다. ~|**strecken** *t.* 내뻗치다, 내밀다: jm. die Zunge ~ 누구에게 혀를 내밀다. ~|**streichen*** 《I》 *t.* ① (말·문구를) 삭제하다. ② (누구를) 칭송하다, (무엇을) 강조하다. 《II》 *refl.* sich ~ 뽐내다, 뻐기다. ~|**strömen** *i.* (s.) ① (눈물이) 흘러나오다, 흘러내리다. ② (사람들이) 쏟아져나오다, 몰려나오다: sobald die Sirene ertönt, strömen viele Arbeiter aus den Fabriktoren heraus 사이렌이 울리자, 수많은 노동자들이 공장 문에서 몰려나온다. ~|**stürzen** 《I》 *t.* 밀어 떨어뜨리다. 《II》 *refl.* sich ~ 떨어지다: sich aus dem Fenster ~ 창에서 떨어지다. 《III》 *i.* (s.) ① 밖

으로 떨어지다: aus dem Wagen ~ 차에서 떨어지다. ②〔구어〕 허둥지둥 밖으로 나오다. **~|tragen*** *t.* 실어내다: bitte trag mir den Stuhl hier in den Garten heraus 그 의자를 여기 정원에 있는 내게로 가져와. **~|treiben*** *t.* 쫓아내다, 몰아내다: die Pferde aus der Koppel ~ 말들을 울타리 친 목초지에서 몰아내다. **~|treten*** 《I》 *i.* (s.) ① 걸어나오다; 돌출하다, 부풀어오르다: 〔비유〕 aus sich ~ 원기를 회복하다; aus dem Dunkel ~ 출세하다, 유명해지다. ② mit et.³ vor die Welt ~ 무엇을 세상에 내놓다, 여론에 호소하다. ③ 〖醫〗 (내장이) 탈장하다. 《II》 *t.* 〖사냥〗 Niederwild ~ (토끼와 같은) 작은 사냥감을 의도적으로 덤불에서 내몰다. **~|tun*** *t.* 밖으로 내놓다, (쓸데없는 것을) 가려내다: tu doch das Bild aus dem Album heraus 그 사진을 앨범에서 꺼내라. **~|wachsen*** *i.* (s.) ① 생겨나다, 싹트다, 움트다. ②〔비유·구어〕 몸집이 커지다, 성장하다: er ist aus seinen Kleidern herausgewachsen 그는 몸집이 커져서 옷이 몸에 맞지 않는다. ③〔비유·구어〕 das wächst mir schon zum Hals heraus 나는 이제 그것에 대해서 염증이 난다; er ist aus den ärmlichen Verhältnissen herausgewachsen 그는 비참한 처지에서 벗어났다. **~|wagen** *refl.* sich ~ 감히 밖으로 나오다; 〔비유〕 sich mit der Sprache ~ 용감하게 말하다. **~|wickeln** *t.* 포장을 풀고 꺼내다. **~|winden*** 《I》 *t.* 구해내다. 《II》 *refl.* sich ~ 빠져나오다: wie soll ich mich aus diesem Teufelskreis ~? 내가 어떻게 이 악순환에서 빠져나가야 할까? **~|wirtschaften** *t.* (이윤을) 내다, 창출하다: hohe Profite aus einem Unternehmen ~ 어떤 사업에서 많은 이윤을 내다. **~|wollen*** *i.* (h.) ① 나오려 하다: der Hund heult, er will zu uns heraus 그 개가 짖으며, 우리에게로 오려고 한다. ②〔비유〕 nicht mit der Sprache ~ 말하려 하지 않다. **~|zahlen** *t.* 〔구어〕 ① (돈을) 갚다, 상환하다. ② 지급하다. **~|zerren** *t.* 끄집어내다, 끌어내다. **~|ziehen*** 《I》 *t.* ① 끌어내다, (못·바늘을) 뽑아내다: einen Verletzten aus dem Auto ~ 부상자를 차에서 끌어내다. ② (인부를) 차출하다; (책에서) 발췌하다: aus einem Drama wichtige Zitate ~ 어떤 드라마에서 중요한 인용문을 발췌하다. 《II》 *refl.* sich ~ 몸을 빼다, (곤경에서) 벗어나다. 《III》 *i.* (s.) 나오다, 나가다, 철수하다.

***herb** [hɛrp] 《Harm》 *a.* ① (포도주·과일의 맛·향이) 시큼털털한, 씁쓸한, 떫은: herbe Schokolade 달지 않은 초콜릿. ②〔비유〕 (말이) 신랄한, (추위가) 혹독한, (운명이) 가혹한, (판결이) 준엄한: ~e Kritik 신랄한 비판; eine ~e Enttäuschung〔Niederlage〕 고통스러운 환멸〔패배〕. ③ 밉살스러운, 통명스러운, 냉담한: er hat eine etwas ~e Art 그는 좀 통명스런 사람이다.

Herbarium [hɛrbá:rium] 《lat. herba, „Gras, Pflanze"》 *n.* -s, ..rien [..riən] 말린 식물 표본; 식물 표본실〔관〕.

Herbe [hɛ́rbə] *f.* ① 떫은맛, 쓴맛. ②〔비유〕 신랄, 준엄, 가혹.

her|begeben* *refl.* sich ~ 이쪽으로 오다.

***her·bei** [hɛrbái] *adv.* 이쪽으로, 이곳으로: alles ~! 모두 이쪽으로 오시오!

herbei.. *pref.* "이쪽으로"의 뜻.

herbei=|bringen *t.* ① 이쪽으로 가져오다, 데려오다: kannst du bitte das Buch von dem Tisch dort ~? 너는 저기 저 책상의 책을 갖다 줄 수 있니? ② 마련하다, 제공하다; (증거를) 제출하다: kannst du für unser Fest die Getränke ~? 너는 우리의 축제를 위해 음료수를 마련할 수 있니? **~|führen** *t.* ① (누구를) 이쪽으로 데려오다, 인도하다: die Neugier hat ihn herbeigeführt 호기심 때문에 그는 이리로 왔다. ②〔비유〕 야기〔초래·유도〕하다: durch seine Fahrlässigkeit hat er einen Unglück herbeigeführt 그는 조심성이 없어서 불행을 초래하게 되었다. **~|holen** *t.* 가져오다, 데려오다, 불러오다. **~|kommen*** *i.* (s.) 가까이〔이리로〕 오다. **~|lassen*** 《I》 *t.* 접근을 허용하다. 《II》 *refl.* 〔雅語〕 sich zu et.³ ~ 무엇을 마지못해 승낙하다. **~|locken** *t.* 꾀어내다, 꾀어오다. **~|reden** *t.* (걱정이나 불행을) 자꾸 말해서 자초하다(말이 씨가 된다는 뜻). **~|rufen*** *t.* 불러들이다, 초청하다: die Kinder zum Essen ~ 아이들을 밥 먹으라고 불러들이다. **~|schaffen** *t.* ① 이쪽으로 나르다〔데려오다〕; 제시하다: Beweise ~ 증거를 제시하다. ② 모으다. ③ 얻다, (자금을) 조달하다. ④ 발견하다. **~|schleppen** *t.* 질질 끌고 오다. **~|sehnen** *t.* (누가〔무엇이〕) 오기를 고대하다: die Schüler sehnen den letzten Schultag, die Sommerferien herbei 학생들은 종업식날 즉 여름 방학이 오기를 고대한다. **~|strömen** *i.* (s.) (한꺼번에) 흘러오다; (사람들이) 몰려오다, 떼지어오다: von allen Seiten strömten die Neugierigen herbei 사방에서 호기심 있는 사람들이 몰려왔다. **~|wünschen** *t.* 어떤 사람이 오기를 바라다, (무엇을) 얻기를 바라다. **~|ziehen*** 《I》 *t.* ① (이쪽으로) 끌어오다: jn. am Ärmel gewaltsam ~ 누구의 소맷자락을 억지로 당기다. ②〔비유〕 et. an〔bei〕 den Haaren ~ 무엇을 억지로 꾸며 맞추다, 견강부회(牽強附會)하다. 《II》 *i.* (s.) 진군해오다. **~|zitieren** *t.* 소환〔호출〕하다.

her=|bekommen* *t.* 입수하다, 얻다; 데려오다: wo soll ich denn mitten in der Nacht etwas zu essen ~? 도대체 이 한밤중에 어디서 먹을 것을 구해야 하나? **~|bemühen** 《I》 *t.* (누구를) 일부러 오게 하다: ich mußte Sie leider zu dieser Besprechung ~! 이것을 상의하기 위해 유감스럽게도 당신을 일부러 오시게 했습니다. 《II》 *refl.* sich ~ 일부러 오다. **~|beordern** *t.* 소환하다, 호출하다, 출두시키다.

***Herberge** [hɛ́rbɛrgə] 《원뜻 „ein das Heer bergender Ort"》 *f.* -n ① 여인숙; 유스 호스텔 (Jugendherberge), 합숙소, 숙소: in einer ~ einkehren 유스 호스텔에 숙박하다. ②〔고어〕 숙식 제공, 손님 접대.

herbergen 《I》 *i.* (h.) bei jm. 〔in einem Gasthaus〕 ~ 누구의 집〔여관〕에 묵다. 《II》 *t.* 묵게 하다, 숙박시키다: das Haus kann höchstens zehn Personen ~ 그 집에서 고작해야 10명 정도 묵을 수 있다.

Herbergs=eltern [hɛ́rbɛrks..] *pl.* 유스 호스텔의 남녀 관리인(대개 부부). **~mutter** *f.* 여인숙〔유스 호스텔〕의 안주인. **~vater** *m.* 여인숙〔유스 호스텔〕의 바깥주인〔관리인〕.

Herbert [hérbɛrt] *m.* 헤르베르트(남자 이름).

her≈|bestellen *t.* ① 사람을 시켜 오게 하다, 불러들이다, 소환하다: ich habe das Taxi für 15 Uhr herbestellt 나는 오후 3시에 택시를 오게 했습니다. ② …와 만날 약속을 하다. **~|beten** *t.* (기도문을) 기계적으로 암송하다: einen Text 〔ein Gedicht〕 ~ 어떤 텍스트〔시〕를 (생각없이) 줄줄 암송하다.

Herbheit [hérphaɪt], **Herbigkeit** [hérbɪç..] *f.* -en ↑ Herbe.

her|bitten* *t.* 초청하다.

Herbivore [hɛrbivóːrə] 《lat.》 *m.* -n, -n 초식 동물.

herbizid *a.* 잡초를 제거하는.

Herbling *m.* 설익은 열매, 늦과일.

her|bringen* 《I》 *t.* 가져오다, 데려오다. 《II》 **hergebracht** *p.a.* ↑ hergebracht.

***Herbst** [hɛrpst] *m.* -es, -e ① 가을: den ~ im Süden verbringen 남쪽에서 가을을 보내다; es wird ~ 가을이 된다; der ~ bricht an 가을이 시작된다. ②〖방언〗포도〔과일〕따기, 수확물: den ~ einbringen 포도를 수확하다. ③〖비유〗초로기(初老期): den ~ des Lebens genießen 인생의 황혼기를 즐기다.

Herbst≈abend *m.* 가을 저녁: ein milder〔regnerischer〕 ~ 온화한〔비가 오는〕 가을 저녁. **~anfang** *m.* 가을의 시작, 추분(9월 23일). **~blume** *f.* 가을 꽃.

herbsteln [hérpstəln] *i.* (h.) / *imp.* (südd., öst.) es herbstelt 가을이 된다, 가을다워진다.

herbsten *i.* (h.) ① *imp.* es herbstet 가을이 된다. ② 포도 수확을 하다: ~ gehen 포도를 수확하러 가다.

Herbstes·anfang *m.* ↑ Herbstanfang.

Herbst≈fäden *pl.* (Altweibersommer) 화창한 초가을날. **~färbung** *f.* 단풍, 추색(秋色), 홍엽(紅葉). **~ferien** *pl.* 가을 휴가〔방학〕. **~kollektion** *f.* 가을 의상 신작품 전시회, 추계 의상 컬렉션.

herbstlich [hérpstlɪç] *a.* 가을의; 가을다운: es wird schon ~ kalt 벌써 가을답게 날이 시원하다.

Herbstling *m.* -s, -e ① 가을의 과실. ② 가을에 (뒤늦게) 난 송아지. ③ 식용 버섯의 일종.

Herbst≈luft *f.* 가을 바람〔기운〕: in der klaren ~ spazierengehen 맑은 가을 바람을 맞으며 산책하러 가다. **~meister** *m.*〖축구〗추계 우승팀, 프로 리그의 전반기 우승팀. **~messe** *f.* 가을에 서는 박람회. **~mode** *f.* 가을 패션〔유행〕: hier präsentieren wir Ihnen die neue ~ 여기서 우리는 여러분들에게 새로운 가을 패션을 선보이겠습니다. **~monat, ~mond** *m.*〖고어〗9월; 가을달(9, 10, 11월 중의 한 달). **~nacht·gleiche** *f.* 추분. **~nebel** *m.* 가을 안개. **~obst** *n.* 가을 과실. **~punkt** *m.*〖天〗추분점. **~rose** *f.*〖植〗접시꽃. **~saat** *f.*〖農〗가을의 파종; 가을에 파종하는 곡식. **~sonne** *f.* 가을 해〔햇살〕: die letzten Strahlen der ~ 가을 해의 마지막 햇살. **~sturm** *m.* 가을의 폭풍우. **~tag** *m.* 가을날: an einem regnerischen ~ 비가 내리는 어느 가을날에. **~-Tag-und·nacht·gleiche** *f.*〖天〗추분. **~wetter** *n.*, **~witterung** *f.* 가을 날씨. **~wind** *m.* 가을 바람. **~zeit** *f.* 가을철; 수확기. **~zeitlose** *f.*〖植〗콜키쿰(그 씨와 땅속 줄기에서 콜히친을 채취함).

herbsüß *a.* 떫고 달콤한: ~er Wein 떫고 단 포도주.

her|buchstabieren *t.* 한자 한자 떠듬거리며 읽다〔외다〕; 한자 한자 애써 가르치다.

Herculaneum [hɛrkuláːneum], **Herculanum** [hɛrkuláːnum] 나폴리 근처의 로마 시대의 도시(서기 79년 화산 폭발로 매몰됨).

***Herd** [heːrt] *m.* -(e)s, -e ① 아궁이; 화덕, 풍로, (가스·전기) 레인지: Gas≈ 가스 레인지; ein elektrischer〔zweiflammiger〕 ~ 전기〔화구가 두 개 있는〕 레인지; das Feuer im ~ anzünden 아궁이〔가스 레인지〕에 불을 붙이다. ②〖工〗(증기 기관의) 화실(火室), (용광로의) 화상(火床); den Topf auf den ~ stellen 냄비를 레인지에 올려놓다; am ~ stehen 조리 중이다;〖구어〗ich habe gerade das Essen auf dem ~ 지금 요리 중이다(식사가 곧 준비된다). ③〖비유〗집, 가정, 살림: (sich³) einen eigenen ~ gründen 살림을 차리다;〖속담〗eigener ~ ist Goldes wert 초가삼간도 내 집이 제일이다. ④〖사냥〗새그물을 쳐놓은 언덕. ⑤ 중심, 중심지, 발생지: ~ eines Erdbebens 진원지(震源地);〖醫〗Krankheits≈ 병소(病巢); ~ des Brandes 화원(火源).

Herd≈asche *f.* 아궁이의 재. **~besen** *m.* 부엌비. **~buch** *n.* 종축(種畜) 혈통 증명서: im ~ eingetragen sein 혈통 증명서에 기재되다. **~buch·gesellschaft** *f.* 축산 조합.

***Herde** [héːrdə] *f.* -n ① 가축〔짐승〕의 무리: Schaf≈ 양떼; Rinder≈ 소떼; diese Tiere leben in ~n 이 동물은 떼지어 산다. ②〖비유〗대중; 우민(愚民):〖폄어〗mit der ~ laufen〔folgen〕 군중 심리에 휘말리다; aus der ~ ausbrechen 다른 사람과 다르게 행동하다, 다른 의견을 말하다. ③〖시어〗피보호민, 교구민: wie ein Hirte sorgte er für seine ~ 목자처럼 그는 자신의 교구민들을 돌보았다.

Herd·eisen *n.*〖제련〗(용광로의) 화상(火床); (쇠로 만든) 부지깽이.

Herden≈glocke *f.* 가축의 목에 단 방울. **~-hammel** *m.* 목에 방울 단 양(양떼를 인도하는 거세된 숫양). **~mensch** *m.* 어리석은 군중(니체가 만든 말로 평범하고 나약한 인간들을 가리킴) (↔ Herrenmensch). **≈reich** *a.* 가축떼가 많은. **~tier** *n.* ① 군거(群居) 동물. ②〖폄어〗↑ ~mensch. **~tier·moral** *f.* 가축〔노예〕 도덕(니체의 용어). **~trieb** *m.* ① 군거 본능. ② (인간의) 군집 본능〔충동〕, 군중 심리. **~vieh** *n.* 군거 가축;〖비유〗어리석은 군중. **≈weise** *adv.* 떼지어, 무리지어.

Herder [hérdər] Johann Gottfried ~ 헤르더(독일의 사상가, 1744-1803).

Herd≈feuer *n.* 아궁이 불: das ~ schüren 아궁이 불을 지피다. **~frischen** *n.*〖제련〗평로(平爐) 정련. **~geld** *n.* ① ↑ ~steuer. ② (집을 산 사람이 판 사람의 처나 딸에게) 정표로 주는 약간의 금전. **~guß** *m.* 개방 주형법(鑄型法). **~infektion** *f.*〖醫〗병소(病巢) 감염. **~ochs** *m.* (Zuchtstier) 종우(種牛), 씨소. **~platte** *f.* 전기 레인지의 열판: eine ~ einschalten〔ausschalten〕 전기 레인지의 스위치를 켜다〔끄다〕. **~steuer** *f.* 노세(爐稅)(각 가정에 부과한 세금). **~vogel** *m.*〖사냥〗(Lockvogel) 미끼로 쓰는 새, 후림새.

her|dürfen* *i.* (h.) 와도 좋다〔된다〕: hast du so spät noch hergedurft? 너는 그렇게 늦게 와도 되었니?
Here [hé:re] *f.* ↑ Hera.
heredieren 《lat., „erben"》 *t.* 〖고어〗 (유전적 소질로서) 이어받다; (유산으로) 물려받다, 상속받다.
hereditär [hereditɛ́:r] *a.* ① 〖醫〗 유전(성)의. ② 〖法〗 세습의, 상속상의.
Heredität *f.* ① 유전. ② 세습; 상속(재산).
her|eilen *i.* (s.) 급히〔서둘러〕 오다.
***her·ein** [hɛráɪn] 〔(구어) **'rein**〕 *adv.* (↔ hinaus) ① (이쪽의) 안으로, 내부로: von (dr)außen ~ 밖에서 안으로. ② ~! (노크에 대한 대답으로) 들어오시오!; immer ~, meine Herrschaften 여러분 언제든지 들어오세요!
herein.. *pref.* "이쪽 안으로"의 뜻.
herein=|bekommen *t.* 조달하다: neue Ware ~ 새 상품을 입하하다. **~|bemühen** 《Ⅰ》 *t.* 수고롭게 들어오게 하다: darf ich Sie ~? 들어가실까요? 《Ⅱ》 *refl.* sich ~ 수고롭게〔힘들여〕 들어오다. **~|bitten*** *t.* 청해〔모셔〕 들이다: darf ich Sie für einen Augenblick ~? 당신을 잠깐 안으로 모셔도 되겠습니까? **~|brechen*** *i.* (s.) ① 왈칵 들이닥치다, 침입하다. ② 갑자기 시작되다: die Nacht bricht herein 갑자기 밤이 오다. ③ (재앙·불행이) 덮치다: eine Katastrophe brach über die Bewohner dieser Region herein 이 지역의 주민들에게 재앙이 덮쳤다. **~|bringen*** *t.* ① 가지고 들어오다: bring das Brot mit herein! 그 빵을 가지고 들어와! ② 〖구어〗 보충〔벌충〕하다, (투자금을) 회수하다. **~|dringen*** *i.* (s.) 침입하다: der Regen drang durchs Dach ins Zimmer herein 비가 지붕을 통해 방안으로 들어왔다. **~|dürfen*** *i.* (h.) 들어와도 좋다: du darfst noch nicht herein! 너는 아직 들어와서는 안 돼! **~|eilen** *i.* (s.) 급히 들어오다. **~|fahren** 《Ⅰ》 *i.* (s.) 타고 들어오다. 《Ⅱ》 *t.* 안으로 실어 나르다: der Patient wurde auf einer Bahre hereingefahren 그 환자가 들것에 실려 들어왔다. **≈fall** *m.* 함몰, 추락; 〖비유〗 (Mißgeschick) 불행, 재난; 사기. **~|fallen*** *i.* (s.) ① 빠지다, 빠져 들다; (빛이) 쏟아져 들어오다: das Licht fiel durch einen Spalt herein 빛이 틈새로 들어왔다. ② 속다, 사기당하다: 〖구어〗 auf jn.〔et.〕 ~ 누구에게〔무엇에〕 속다, 사기당하다; jn. ~ lassen 누구를 속이다; da bin ich schön hereingefallen! 나는 멋지게 사기당했다! **~|führen** *t.* 이끌어들이다, 안내하다: führen Sie den Herrn herein! 그분을 안으로 모시세요! **≈gabe** *f.* 〖구기〗 센터링. **~|geben** *t.* ① 안으로 넣어주다: das Essen von der Küche in den Speisesaal ~ 음식을 주방에서 식당홀로 들이다. ② 〖구기〗 안쪽으로 센터링하다. **~|gehen*** *i.* (s.) 〖구어〗 ① 들어오다. ② 들어가 박히다, 들어갈 자리가 있다. **≈geschmeckte*** *der/die* (특히 schwäb.) 타지 출신 정착민. **~|holen** *t.* ① 가지고 (들어)오다: die Zeitung〔Post〕 ~ 신문〔우편물〕을 가지고 들어오다. ② 보충〔벌충〕하다. ③ 벌어들이다. **~|kommen*** *i.* (s.) ① 들어오다: kommen Sie doch herein! 들어오세요! ② (상품이) 반입〔납품〕되다. ③ (돈이) 들어오다, (수입이) 생기다. ④ (투자가) 가치 있다. **~|können*** *i.* (h.) 〖구어〗 들어올 수 있다. **~|lassen*** *t.* 입장을 허용하다, 들어오게 하다. **~|legen** 《Ⅰ》 *t.* 안으로 넣다; 〖구어〗 속이다; 해치다, 그르치다: man hat ihn gründlich hereingelegt 그는 철저하게 속았다. 《Ⅱ》 *refl.* sich ~ (잠자리에) 들다. **~|müssen*** *i.* (h.) 들어와야만 하다: du mußt jetzt herein! 너는 지금 들어와야 해; die Pflanzen müssen über Nacht herein 그 식물은 밤에 들여놓아야 한다. **~|nehmen*** *t.* ① 들여놓다; (단체에) 입회를 허용하다, 수용하다, (목록에) 넣다. ② 〖商〗 (차기 결산으로) 이월하다. **~|nötigen** *t.* 들어오도록 강요하다. **~|platzen** *i.* (s.) 갑자기 뛰어들다. **~|rasseln** *i.* (s.) 〖경박〗 곤경에 빠지다; 사기를 당하다: bei der letzten Klausur bin ich ganz schön hereingerasselt 지난번 시험 때 나는 정말 혼이 났다. **~|regnen** *i.* (h.) ① *imp.* 비가 들이치다: es regnet ins Zimmer herein 비가 방안까지 들이친다. ② 〖비유〗 Einladungen regneten von allen Seiten herein 이곳저곳에서 초대장이 날아들었다. **~|reichen** 《Ⅰ》 *t.* 이쪽 안으로 넘겨주다. 《Ⅱ》 *i.* (h.) 이 안까지 미치다: die Zweige des Baumes reichen bis in unser Zimmer herein 나뭇가지가 우리 방까지 들어온다. **~|reiten*** 《Ⅰ》 *i.* (s.) 말을 타고 들어오다: sie kamen in die Manege hereingeritten 그들은 원형 경기장에 말을 타고 들어왔다. 《Ⅱ》 *t.* 〖구어〗 (누구를) 곤경에 빠뜨리다: das neue Unternehmen hat ihn mächtig hereingeritten 그는 새로 계획한 사업으로 큰 손해를 입었다. 《Ⅲ》 *refl.* sich ~ 곤경에 빠지다: damit hat er sich hereingeritten 그 일 때문에 그는 (심한) 곤경에 빠졌다. **~|rufen** 《Ⅰ》 *i.* 이쪽 안을 향해 부르다〔소리치다〕: „Guten Morgen!" rief sie durch das Fenster herein "안녕하세요!"라고 그녀는 창문을 통해 소리쳤다. 《Ⅱ》 *t.* 불러들이다. **~|schaffen** *t.* 안으로 나르다〔운반하다〕. **~|scheinen*** *i.* (h.) 비쳐 들어오다; (빛이) 들어오다. **~|schicken** *t.* (안으로) 들여보내다. **~|schlagen*** 《Ⅰ》 *t.* 때려 박다: 〖속어〗 Speisen ~ 음식물을 그냥 삼키다. 《Ⅱ》 *i.* (h.) (번개가) 번쩍이다. **~|schleichen*** *i.* (s.)/*refl.* (sich) ~ 남몰래 들어오다: die Katze ist hereingeschlichen 고양이가 살금살금 들어왔다. **~|schneien** *i.* ① (h.) *imp.* es schneit zum Fenster herein 눈이 창으로 들이친다. ② (s.) 〖비유〗 갑자기 찾아들다: gestern kam er (zu uns) hereigeschneit 그가 어제 (우리를) 갑자기 찾아왔다. **~|spazieren** *i.* (s.) 〖구어〗 불쑥 들어가다; 서슴없이 안으로 들어가다: hereinspaziert! 들어들 오시오! (들어와 구경하라고 권유하는 말). **~|strömen** *i.* (s.) ① (물이) 흘러들어오다. ② 물밀듯이 들어오다: Tausende strömten in das Stadion herein 수천명의 사람들이 경기장으로 물밀듯이 들어왔다. **~|stürzen** *i.* (s.) ① (구덩이 따위에) 떨어지다, 빠지다. ② 황급히 뛰어들다: bei jm. herein gestürzt kommen 누구 집으로 뛰어 들어오다. ③ über jn. ~ (불행이) 누구를 엄습하다. **~|treten*** *i.* (s.) 걸어 들어오다. **~|wagen** *refl.* sich (in et.) ~ 어디에 감히 들어오다, 감히 들어오려 하다: sie hat sich nicht in die Höhle hereingewagt 그녀는 감히 동굴 안으로 들어오려 하지 않았다.

~wärts *adv.* 안으로, 내 쪽으로. **~|wollen** *i.* (h.) 〖구어〗 들어오려 하다, 들어오고 싶어하다: mach ihm die Tür auf, er will herein! 그에게 문을 열어주세요, 그는 들어오고 싶어합니다! **~|ziehen*** 《I》 *t.* 끌어들이다. 《II》 *refl.* sich ~ 들어오다: der Geruch zieht sich in das Zimmer herein 냄새가 방안으로 들어온다. 《III》 *i.* (s.) 들어오다; (거창하게) 입장하다; 이사오다, 옮겨오다. 《IV》 *imp.* (h.) es zieht herein! 바람이 들어온다, 역습이다!

Herero [hérero, heré:ro] *m.* -(s), -(s) 헤레로인(人) (서남 아프리카 반투족의 일족).

her≈|erzählen *t.* 차례차례로 이야기하다; 상세히〔지루하게〕 이야기하다; 무덤덤하게〔담담하게〕 이야기하다: er erzählt das so her, als sei es nichts 그는 마치 아무렇지도 않은 듯이 담담하게 이야기한다. **~|fahren*** 《I》 *i.* (s.) ① 타고 오다〔가다〕: vor〔hinter〕 jm. ~ 누구를 앞서〔뒤쫓아〕 달리다. ② über jn. ~ 누구를 덮치다. 《II》 *t.* 차로 태워 주다; 차로 운반하다. **≈fahrt** *f.* (탈것을 타고) 이쪽으로 옴; 귀로 (↔ Hinfahrt). **~|fallen*** *i.* (s.) ① 습격〔기습〕하다: über jn.〔et.〕 ~ 누구를〔무엇을〕 기습하다; mit Fragen über jn. ~ 누구에게 갑자기 질문 공세를 퍼붓다; über die Schüssel〔das Essen〕 ~ 황급히 식사를 하다, 음식을 급히 먹다. ② über jn. ~ a) 누구를 몹시 때리다, b) 누구를 욕〔비판〕하다: alle Zeitungen fielen über den Politiker her 모든 신문들이 그 정치가를 비난하였다. **~|finden*** *i.* (s.)/*refl.* (sich) ~ 이리로 오(는 길을 찾아내)다: hast du gleich hergefunden? 너는 이리로 오는 길을 곧바로 찾았니? **~|fließen*** *i.* (s.) ① 흘러오다. ② 〖비유〗 von et.³ ~ 무엇에서 유래하다. **~|fordern** *t.* 불러내다, 호출하다; 〖法〗 소환하다.

Herfracht [hé:ɾfraxt] *f.* 〖商〗 입하(入荷) (↔ Hinfracht).

her·für [hɛrfý:r] *adv.* 〖고어〗 앞으로, 밖으로 (↑ hervor).

her|führen 《I》 *t.* 이쪽으로 인도〔안내〕하다: mich hat die Neugier hergeführt 나는 호기심에 끌려 여기에 왔다; was führt Sie her? 무슨 일로 이곳으로 오셨습니까? 《II》 *i.* (길이나 도로가) 이쪽으로 향해 있다.

Hergabe [hé:ɾga:bə] *f.* 인도(引渡), 양도, 교부: ~ des Namens 명의 대여.

Hergang [hé:ɾgaŋ] (<hergehen) *m.* -(e)s, ..gänge ① 이쪽으로 오는 일; 이쪽으로 오는 길. ② (사건의) 과정, 경과; 사건: den ~ des Verbrechens rekonstruieren 범죄 과정을 재구성하다.

her|geben 《I》 *t.* ① 내어 주다, 내놓다; 공급하다; 돌려주다, 양도하다, 포기하다: gib das Buch bitte her! 그 책 좀 이리 주게!; 〖구어〗 gib mal her! 한 번 (해)보자; 〖구어〗 dich gebe ich nicht mehr her! 너와 더 이상 헤어지고 싶지 않아!; 〖비유〗 alles〔sein Letztes〕 ~ 최선을 다하다; der Sportler gab bei dem Wettkampf alles her 그 선수는 경기에서 최선〔전력〕을 다했다; seinen Namen zu et.³ ~ 어떤 일에 명의를 빌려 주다; die Mutter hat zwei Söhne ~ müssen 모친은 두 아들을 전쟁터에 바치지 않을 수 없었다(전쟁으로 두 아들을 잃었다). ② 소용이 있다: das Buch gibt wenig her 그 책은 별로 도움이 되지 않는다. 《II》 *refl.* sich zu et.³ ~ 무엇(미심쩍은 일)에 관여〔협력〕하다: dazu gebe ich mich nicht her 그 일에 나는 관여하지 않겠다.

hergebracht 《I》 *p.p.* ↑ herbringen. 《II》 *p.a.* 관습적〔인습적〕인: in ~er Weise 관습대로.

hergebrachter·maßen *adv.* 습관에 따라서, 전통적〔인습적〕으로.

her|gehen* *i.* (s.) ① (앞뒤 또는 곁에 서서) 함께 가다; (südd., öst.) 이쪽으로 오다: dicht hinter jm. ~ 누구의 뒤를 바짝 따라가다; geh her! 이리 와! ② 주저〔지체〕없이 어떤 일을 하다. ③ 신랄하게 비난하다, 욕하다: über andere ~ 다른 사람들을 욕하다. ④ (과도하게) 먹어치우다: sie gingen über das Essen her, als hätten sie seit Tagen gehungert 그들은 마치 며칠간 굶은 것처럼 엄청난 양의 식사를 했다. ⑤ *imp.* **(a)** 발생하다, 일어나다; so geht es in der Welt her 세상이란 그런 것이다; es geht hoch〔heiß〕 her 신나는〔열띤〕 분위기다; es ging scharf her 일대 격전〔격론〕이 벌어졌었다. **(b)** 〖구어〗 es geht über jn. her 누가 공격을 받다〔욕먹다〕; 〖구어〗 es geht über et. her 무엇을 너무 많이 소비하다.

her|gehören *i.* (h.) 이쪽에 속하다, 관계가 있다: das gehört hier nicht her 그것은 이것과는 아무런 관계가 없다.

hergehörig *a.* 소속되는, 관계되는; 적절한.

hergelaufen 《I》 *p.p.* ↑ herlaufen. 《II》 *p.a.* 외래의, 떠도는, 떠돌이의: ein ~er Kerl 건달; du willst doch nicht etwa diesen ~en Habenichts heiraten! 너는 이 무일푼의 떠돌이와 결혼하려는 건 아니겠지!

Hergelaufene* *der/die* 떠돌이, 건달.

her≈|geraten* *i.* (s.) 우연히 찾아오다. **~|-haben*** *t.* ① 얻다: wo hast du das neue Kleid her? 너 그 새옷을 어디서 산 거니? ② 알다: wo hast du diese Neuigkeit her? 너 이 소식을 누구에게 들은 거니? **~|halten*** 《I》 *t.* (말하는 사람 쪽으로) 내밀고 있다: er hielt mir das Buch her 그는 그 책을 내게 내밀었다: 〖비유〗 den Kopf ~ 고통을 겪다, 죽다. 《II》 *i.* (h.) (leiden) 고통을 감수〔인내〕하다: sie muß immer für die Fehler anderer ~ 그녀는 늘 다른 사람들의 잘못 때문에 욕을 먹어야 한다(뒤치다꺼리를 해야 한다); als Sündenbock ~ müssen 속죄양 신세를 감수해야만 하다. **~|holen** *t.* 들고 오다, 가지고〔데리고〕 오다: soll ich die andern noch ~? 다른 사람들을 데려와야 합니까?; dieser Gedanke ist weit hergeholt 이 생각은 억지다〔사리에 맞지 않는다〕. **~|hören** *i.* (h.) (이쪽에) 귀를 기울이다, 경청하다: alles mal ~! 모두들 잘 들어봐요!

***Hering** [hé:rɪŋ] *m.* -s, -e ① 〖動〗 청어: geräucherter ~ 훈제 청어; gesalzener ~ 소금에 절인 청어; 〖구어·농담〗 wie die ~e (zusammengepreßt) (좁은 공간 속에) 빽빽이 들어찬. ② 〖구어·농담〗 마른 사람: ein wahrer ~ sein 피골이 상접하다. ③ 천막의 말뚝. ④ 〖속어〗 비난, 힐책, 질책.

Herings≈bändiger *m.* 〖구어·농담〗 식료품 상인〔점원〕; 수입 식료품 상인. **~büse** *f.* 〖漁〗 청어잡이 배. **~fang** *m.* 청어잡이: auf ~ gehen 청어잡이 가다. **~fänger** *m.* ① 청어잡이 어부. ② 청어잡이 배. **~faß** *n.* 청어 저장통. **~filet** *n.* 청어 필레(뼈를 발라내고 토막

낸 생선 살). **~fischer** *m.* ↑ ~fänger. **~fischerei** *f.* ↑ ~fang. **~könig** *m.* 〖動〗 달고깃과의 생선. **~lake** *f.* 청어 절이는 소금물. **~milch** *f.* 청어의 이리〔정액〕. **~rogen** *m.* 청어 알. **~salat** *m.* 청어 샐러드. **~seele** *f.* ① 청어의 부레. ② 〖폄어〗 비천한 사람. **~tonne** *f.* 청어통. **~zeit** *f.* 청어잡이 철.

herinnen *adv.* 이곳 안에: es ist schön gemütlich ~ 이곳 안은 정말 아늑하다.

Heris *m.* -, - 헤리스 양탄자(페르시아의 도시 이름에서 유래).

her|jagen 《I》 *t.* 이쪽으로 몰다, 추격해 오다: jag den Hund zu mir her! 그 개를 내게로 몰고 와!; den Feind vor sich³ ~ 적을 바짝 추격하다. 《II》 *i.* (s.) 쫓아가다: hinter jm. ~ 누구를 추격하다; hinter et.³ ~ 무엇을 오랫동안 찾아다니다.

her|kommen 《I》 *i.* (s.) ① 이쪽으로 오다: könntest du bitte für einen Augenblick ~? 잠깐만 이리로 와줄 수 있니? ② 〖비유〗 유래하다; 전래하다: wo kommen diese Apfelsinen her? 이 오렌지는 원산지가 어디냐?; das kommt von etwas ganz anderem her 그것은 무언가 아주 다른 원인이 있다.

Herkommen *n.* -s, - ① ↑ Herkunft ①. ② 유래; 혈통, 가계(家系): er ist von gutem ~ 그는 좋은 가문 출신이다. ③ 구습, 습관, 관례, 인습: nach allgemeinem〔altem〕 ~ 일반적인〔옛〕 관습에 따라.

herkömmlich [héːrkœmlıç] *a.* 관습적〔관례적·인습적〕인: das ist ~ 그건 항상 그렇게 해온 것이다.

herkömmlicher·weise *adv.* 관습적으로, 관례에 따라: die Gehälter ~ am Ende des Monats auszahlen 봉급을 관례에 따라 월말에 지급하다.

her|können* *i.* (h.) 이쪽으로 올 수 있다.

her|kriegen *t.* ① 〖구어〗 입수하다. ② (nordd.) 손에 쥐다〔들다〕: krieg dein Heft her, wir üben ein Diktat! 네 공책을 들어라, 우린 받아쓰기를 한다.

Herkules [hέrkulεs] ① *m.* 〖그리스신화〗 헤라클레스(Herakles의 라틴명); 힘센 사람, 장사: das ist ein echter ~ 이 사람은 정말 헤라클레스 같은 장사다. ② *m.* - 〖天〗 헤라클레스좌.

Herkules=arbeit *f.* die zwölf ~en 헤라클레스의 열두 가지 일; 〔비유〕 초인적인 노력이 필요한 대사업〔과업〕. **~käfer** *m.* 〖動〗 헤라클레스장수풍뎅이. **~keule** *f.* 〖植〗 ① 두릅나무(낙엽 활엽 관목). ② 초피나무. **~pulver** *n.* 〖광산〗 강력한 폭약. **~säulen** *pl.* 헤라클레스의 기둥(지브롤터 해협 양안의 두 바위).

herkulisch [hεrkúːlıʃ] *a.* ① 헤라클레스 같은. ② 〖비유〗 장사의, 장사 같은, 괴력을 지닌; 초인적인; 지극히 어려운: ~e Kräfte 초인적인 힘.

Herkunft [héːrkʊnft] 《<herkommen》 *f.* ..künfte ① 도래. ② 유래, 출처, 출생: von niedriger ~ 비천한 출신의; ~ eines Wortes 단어의 어원.

Herkunfts=angabe *f.* ① 출신〔혈통〕의 기재. ② (상품의) 원산지〔생산지〕 표시: auf dieser Verpackung fehlt die ~ 이 포장에는 원산지가 기재되어 있지 않다. **~bezeichnung** *f.* 원산지〔생산지〕 표시, 제조 회사 표시: ~en sind besonders bei Wein üblich 원산지 표시는 특히 포도주에서 흔한 일이다. **~ort** *m.* (상품의) 생산지, 취득지.

her|laden(*) *t.* 초청하다; 소환하다. **~|lallen** *i.* (h.) 말을 더듬다. **~|langen** 《I》 *t.* 이쪽에 넘겨 주다, 교부하다: kannst du mir bitte das Buch ~? 그 책 좀 내게 건네주겠니? 《II》 *i.* (h.) (끈·손이) 이쪽에 닿다; 충분하다. **~|lassen*** *t.* 이쪽으로 오게 하다: lassen dich deine Eltern her? 네 부모님이 너를 이리로 데려올거니? **~|laufen*** 《I》 *i.* (s.) 달려오다; (누구와) 함께 달리다: ich bin hergelaufen 나는 달려서 이리로 왔다; hinter jm. ~ 누구를 뒤쫓아 달리다. 《II》 **~gelaufen** *p.a.* ↑ ~gelaufen.

her|legen *t.* 여기에 놓다, 이쪽에 두다. **~|leiern** *t.* 〖구어·폄어〗 단조롭게 말하다; 기계적으로 암송하다: ein Gedicht ~ 시를 주절주절 외다. **~|leihen** *t.* 〖구어〗 (특히 öst.) 빌려주다(ausleihen): er leiht nichts her 그는 아무것도 빌려 주지 않는다. **~|leiten** 《I》 *t.* ① 이쪽으로 인도하다; 끌어오다: das Wasser ~ 물을 끌어오다. ② 〔비유〕 **(a)** 소급시키다, 근원을 찾다: ein Wort aus einer Sprache ~ 어떤 말의 기원을 어떤 나라의 말에서 찾아내다. **(b)** 도출하다; 추론하다; 연역(演繹)하다: Folgerungen ~ 귀결을 구하다, 결론을 이끌어내다. 《II》 *refl.* sich von et.³ ~ 무엇에서 유래〔파생〕하다: das Wort „Fenster" leitet sich vom lateinischen „fenestra" her 단어 Fenster는 라틴어 fenestra에서 유래한다. **~leitung** *f.* ① 출처; 유래; 기원; 파생. ② 추론; 연역(演繹): die ~ einer Formel 한 공식의 도출.

her|lesen* *t.* 단조롭게 읽다, 낭독하다.

Herling [hέrlıŋ] *m.* -s, -e 맛이 신 포도, 덜 익은 포도.

Herlitze [hεrlítsə] *f.* -n 〖植〗 서양 산수유 나무(Kornelkirsche).

her=locken *t.* 유인〔유혹〕하다: sie lockte die Katze mit einem Teller Milch her 그녀는 한 접시의 우유로 고양이를 유인했다. **~|machen** 《I》 *refl.* ① sich über et. ~ a) 무엇을 힘차게 시작하다, b) 무엇을 게걸스럽게 먹다. ② sich über jn. ~, 누구를 습격〔공격〕하다. 《II》 *t.* ① (긍정적인) 작용을 하다, 인상적이다: das Geschenk macht etwas her 그 선물은 마음에 든다〔인상적이다〕. ② viel von et.³〔jm.〕 ~ (사소한) 무엇〔누구〕에 대해 야단법석을 떨다, 설왕설래하다: man machte von diesem Buch viel her 사람들은 이 책에 대해 야단법석을 떨었다.

Hermandad [hεrmandáːt, (sp.) εrmandá(ð)] 《sp., „Bruderschaft"》 *f.* 에르만다(드) (옛 에스파냐의 도시 동맹): die Heilige ~ 〖고어〗 경찰.

Hermann [hέrman] 〖고어〗 *m.* 헤르만(남자 이름).

Hermanns·denkmal *n.* 헤르만 전투 기념비. **~schlacht** *f.* 〖문학〗 헤르만의 전투(독일 시인 F.G. Klopstock의 3부작 희곡의 하나).

Hermaphrodismus *m.* - ↑ Hermaphroditismus.

Herm·aphrodit [hεrm|afrodíːt, hεrma..] *m.* -en, -en (〖그리스신화〗에서 Hermes와 Aphrodite의 아들로 남녀추니가 되었다는

Hermaphróditos에서 유래)〖醫〗 남녀추니, 반음양(半陰陽);〖動·植〗 암수〔자웅〕 동체〔동주〕.

hermaphroditisch *a.* 반음양(半陰陽)의; 자웅 동체의.

Hermaphroditismus *m.* - 반음양, 양성체(兩性體); 암수 동체.

Hermarsch *m.* -(e)s, ..märsche ① (↔ Hinmarsch) 이쪽으로의 행진〔행군〕. ② (Rückmarsch) 퇴각, 후퇴, 뒤로 물러감.

Herme [hɛ́rmə] 《gr.》 *f.* -n 헤르메스(Hermes) 신의 주상(柱像); (일반적으로) 주상.

Hermelin[1] [hɛrməlí:n] 《mhd. harme, „Wiesel"의 단축형》 *n.* -s, -e〖動〗 ① 어민(족제비속(屬)의 일종; 영어: ermine). ② 어민 토끼(모피용 흰 토끼).

Hermelin[2] *m.* -s, -e ① 어민 모피; der Purpurmantel des Kaisers war mit ~ besetzt 황제의 자주빛 외투는 어민 모피로 장식되었다; 〘비유〙 ~ tragen 〔mit dem ~ bekleidet sein〕 왕이다. ②〖紋〗 흰색.

Hermelin≈fell *n.* ↑ Hermelin[2] ①. **~kragen** *m.* 어민 모피 칼라〔옷깃〕. **~mantel** *m.* 어민 모피로 만든 외투.

***Hermeneutik** [hɛrmenɔ́ʏtɪk] 《gr.》 *f.* ①〖문헌·예술〗 해석술〔학〕;〖宗〗 성서 해석학. ② (학문적 방법론으로서의) 해석학.

hermeneutisch *a.* 해석학의: die ~e Methode 해석학적 방법.

Hermen·säule *f.* ↑ Herme.

Hermes [hɛ́rmɛs]〖그리스신화〗 헤르메스(신의 사자(使者)로 상업·웅변·과학 따위의 신 (〖로마신화〗 Merkur)).

Hermes·bürgerschaft *f.*〖經〗 헤르메스 보증(외국과의 무역을 촉진하기 위한 국가 차원의 위험 보증 제도).

hermetisch [hɛrmé:tɪʃ] 《gr.》 *a.* ① 연금술의 (alchimistisch); (chemisch) 화학적인, 화학의. ② (luftdicht) 밀폐〔밀봉〕된; 봉쇄된: ~e Kabine 우주선 탑승실. ③〘교양〙 비밀〔신비〕스러운, 불가사의한; 애매모호한: er schreibt ~e Lyrik 그는 불가사의한 시를 쓴다. ④〖哲〗 ~e Literatur〔Schriften〕 비술적(祕術的) 문학(3세기경에 Hermes Trismegistos가 편찬한 신비적인 저술).

Hermine [hɛrmí:nə] (♀ Hermann) *f.* 헤르미네(여자 이름).

Herminone *m.* -n, -n〖史〗 헤르미노네스족(고대 게르만족의 3대 부족 가운데 하나); 그 부족의 사람.

herminonisch *a.* 헤르미노네스족에 속하는.

Hermitage [(h)ɛrmitá:ʒə] *m.* -, -s 에르미타주 포도주(프랑스의 Tain-l'Hermitage 지방산(産)).

Hermundure *m.* -n, -n〖史〗 게르만의 부족 가운데 하나; 그 부족의 사람.

her≈|murmeln *t.* 중얼거리다, 불평하다, 종알거리다. **~|müssen*** *i.*(h.) (이쪽으로) 오지 않으면 안 되다; 마련〔장만〕되어야 한다: es muß ein neuer Kühlschrank her 새 냉장고를 장만해야 한다.

her·nach [hɛrná:x] *adv.* 그 후에; 나중에; 이 다음에: den Tag ~ 다음날에: das kannst du ~ auch noch tun 그것을 너는 나중에도 할 수 있다.

her≈|nehmen* *t.* ① 가져오다, 조달하다: ich weiß nicht, wo ich das Geld ~ soll? 나는 어디서 돈을 구해야 할지 모르겠다. ②〔구어〕 야단치다: du mußt (dir) die Kinder einmal ~ 너는 아이들을 한번 야단쳐야 한다. ③ (육체적·심리적으로) 압박하다: sie haben ihn in der Ausbildung ganz schön hergenommen 그들은 교육 과정에서 그를 엄격하게 훈련시켰다. **~|nennen*** *t.* 낱낱이 열거하다.

Hernie [hɛ́rniə] 《lat.》 *f.* -n〖醫〗 헤르니아, 탈장(脫腸);〖植〗 혹.

her·nieder [hɛrní:dər] *adv.* (이쪽의) 아래로, 밑으로.

her·nieder.. *pref.* "이쪽 아래로"의 뜻.

hernieder|gehen* *i.*(s.) 하강하다, 내려오다: Feuerzungen gingen auf sie hernieder 날름대는 불꽃이 그들에게로 내려왔다.

Herniotomie *f.* -n [..mí:ən]〖醫〗 헤르니아 수술, 탈장(脫腸) 수술.

her|nötigen *t.* 오도록 강요하다.

Heroa ↑ Heroon의 복수형.

her·oben *adv.* (südd., öst.) 여기 위에.

Herodes [heró:dɛs] *m.* 헤롯왕(유대의 왕); 〘비유〙 폭군(Tyrann).

Herodot [herodó:t, ..dɔ́t], **Herodotos, Herodotus** *m.* 헤로도토스(기원전 5세기경의 그리스 역사가).

Heroe [heró:ə] 《gr.; <Heroen》 *m.* -n, -n ① 반신(半神)(부모 중 한 사람이 신인 사람) (Heros). ②〘교양〙 영웅.

Heroen≈alter *n.*, **~ära** *f.* ↑ ~zeit. **~kult, ~kultus** *m.* 〘교양·대개 폄어〙 영웅 숭배: mit jm. einen ~ treiben 누구를 영웅으로 떠받들다. **~sage** *f.* 영웅 전설.

Heroentum [heró:əntu:m] 《gr.》 *n.* -(e)s 〘교양·폄어〙 ① 영웅의 위업〔명예〕; 영웅적 태도〔정신〕. ②〘총칭〙 영웅. ③ 영웅 시대.

Heroen≈zeit *f.*, **~zeit·alter** *n.* 영웅 시대.

Heroide [heroí:də] 《gr.》 *f.* -n ① 반신녀(半神女); 여걸, 여장부; (시·연극·소설의) 여주인공. ②〖문학〗 (영웅과 그 애인 사이의) 허구적인 연애 편지.

Heroik *f.* 〘교양〙 영웅적임, 영웅적인 행위.

Heroin[1] [heroí:n] *n.* -s〖藥〗 헤로인.

Heroin[2] [heró:ɪn] *f.* -nen, **Heroine** [heroí:nə] *f.* -n ↑ Heroide ①.

heroin·süchtig *a.* 헤로인 중독의.

***heroisch** [heró:ɪʃ] *a.* 영웅적인, 장렬한; 고상한, 숭고한: sie führten einen wahrhaft ~en Kampf gegen ihre Unterdrücker 그들은 압제자에 대항하여 실로 영웅적인 투쟁을 전개하였다; ~e Poesie 영웅시; ~e Landschaft 〖畫〗 (고대 신화의 인물들이 등장한) 풍경화(자연 자체보다는 이상화된 자연을 묘사함); ~er Vers 영웅시의 시행(詩行) (6각운(Hexameter); 단, 게르만어의 무운시에서는 5각운 (Blankvers)임).

heroisch·komisch *a.*〖문학〗 영웅 희극적인 (영웅성과 해학을 혼합한).

heroisieren *t.* 〘교양·폄어〙 영웅화하다.

Heroismus [heroísmus] *m.* - ① 영웅주의; 영웅적 정신〔행동〕, 용맹, 장렬: der ~ der Soldaten 군인들의 영웅적 행동〔행위〕. ② 고귀, 고결.

Herold [hé:rɔlt] *m.* -(e)s, -e ①〖史〗 전령관(傳令官), 문장관(紋章官); 의전관(儀典官); 군사(軍使). ②〔비유·雅語〕 포고자(布告者),

사자(使者); 전령; 선구자.

Herolds≈amt *n.* 〖史〗 문장원(紋章院)(신분 및 귀족 문제를 관장한 관청; 1919 년까지 존속). **~figur** *f.* 문장(紋章). **~kunst** *f.* 문장학(紋章學)(Heraldik).

Herolds≈stab *m.* ① 전령관〔문장관·의전관·군사〕의 지팡이. ② 신사(神使) Hermes 의 지팡이. **~wissenschaft** *f.* 문장학.

Herons≈ball [hé:rɔns..] *m.* 〖物〗 헤론의 기력구(汽力球)(반동 증기 터빈의 원형). **~brunnen** *m.* 〖物〗 헤론의 분수기(噴水器).

Heroon [heró:ɔn] *n.* -s, ..roa 성역, 신전, 신전의 묘비.

***Heros** [hé:rɔs] 《gr.》 *m.* -, ..roen 〖그리스신화〗 신인(神人), 반신(半神); 〖교양〗 영웅, 용사: sie sind die Heroen unsrer Zeit 그들은 우리 시대의 영웅이다.

Herostrat [herɔstrá:t] *m.* -en, -en 〖교양〗 유명해지고 싶어 죄를 짓는 범죄자(자신의 이름을 영구히 남기려고 기원전 356 년에 Artemis 신전을 불태운 그리스인 Herastratos 의 이름에서).

Herostratentum *n.* -s 죄를 지으면서까지 명성을 얻으려는 행위; 무분별한 공명심〔명예욕〕.

herostratisch *a.* 헤로스트라토스 같은, 공명심이 강한.

Herpes [hɛ́rpɛs] 《gr.》 *m.* - 〖醫〗 헤르페스, (바이러스에 의한) 포진(疱疹).

Herpetologie *f.* 파충류학.

her|plappern *t.* 무의미하게〔마구〕 지껄이다, 재잘거리다: ein paar politische Sprüche ~ 몇 마디의 정치적 구호를 지껄이다.

***Herr** [hɛr] *m.* -(e)n, -(e)n (약어: Hr.) ① 주인; 군주, 지배자; 소유주; 상점의 주인; 호주; 고용주: der junge ~ 도련님, 젊은 주인〔나리〕(주인의 아들); gnädigster König und ~! 국왕 폐하!; 〖雅語·반어〗 ~ des Hauses 가장; ~ im Hause sein 결정권을 갖다; 〖구어·농담〗 mein ~ und Meister〔Geliebter〕 내 남편; 〖雅語〗 aus aller ~en Länder(n) 세계 도처에서; sein eigener ~ sein 독립해 있다; ~ seiner Sinne〔über seine Sinne〕 sein 욕망을 억제하다; ~ der Lage〔Situation〕 sein〔bleiben〕 (위기 상황에서) 통제력을 확보하고 있다; eines Dinges〔über et.〕 ~ werden 무엇을 극복〔제압·지배〕하다; des Feuers ~ werden 불을 끄다, 진화하다; ~ über Leben und Tod sein 생살(生殺) 여탈권을 쥐고 있다; ~ über sich sein 극기〔자제〕하다; sich zum ~n über et. machen 무엇을 지배하다; den ~n spielen a) 주인 행세를 하다, b) 신사인 체하다; den ~n herauskehren 대장이 누구인지 보여 주다; als großer ~ leben 호화롭게 살다; 〖聖〗 niemand kann zwei〔zweien〕 ~en dienen 한 사람이 두 주인을 섬기지 못하느니라(어느 하나를 선택해야 한다)(마태 6:24); wie der ~, so's Geschirr〔so der Knecht〕 윗물이 맑아야 아랫물도 맑다, 그 주인에 그 하인; 〖속담〗 mit großen ~en ist nicht gut Kirschen essen 정승댁 더부살이 배 곯는다. ② 〖기독교〗 der ~ 주님, 하느님; der ~ der Heerscharen 만군(萬軍)의 주(主)(여호와); das Haus des ~n 성전(聖殿), 교회; der Tag des ~n 주일, 일요일; Geliebte im ~n! 신도들이여!; selig im ~n sterben〔entschlafen〕 극락왕생하다, 주의 품 안에 잠들다; (der) ~ Jesus 주예수; ~ des Himmels!, ~ je!, ~ Jesus!, ~ du meine Güte! 야 이거 야 단났군, 아 고마워라!; im Jahr des ~n 2000 서기 2000 년에. ③ 〖고어〗 (제국 직속의) 귀족; 영주; (중세기의) 신분이 높은 신하에 대한 칭호: gnädiger ~!, gestrenger ~! 각하, 나리! ④ 남자; 신사, 서방님: alter ~ a) 노신사, b) 〖학생〗 (학우회의) 졸업 회원, 선배; 〖학생〗 mein alter ~ 부친, 아버지; 〖반어〗 ein sauberer ~ 밉살스러운 녀석, 얼간망둥이; ein großer ~ 신사; die ~en der Schöpfung 〖구어·농담〗 남자들, 남정네들; 〖방언〗 der geistliche ~ 성직자, 목사; (für) ~en 신사용(화장실의 표시); der Schneider arbeitet nur für ~en 그 재단사는 남자 옷만 전문으로 한다. ⑤ 〖남자에 대한 경칭 [hɛr, hər]〗 씨, 님, 선생: ~ Schmidt 슈미트씨; ~ Hauptmann! 중대장님; Ihr ~ Vater 춘부장; ~ Baron! 남작 각하; 〖다른 사람을 부를 때〗 mein ~! 여보세요!; meine ~en! a) 여러분!, b) 어마 깜짝이야! (놀랐을 때 지르는 소리); meine Damen und ~en! 신사 숙녀 여러분! ⑥ 약혼자: sie hat einen festen ~n 그 여자에게는 정해진 남자가 있다. ⑦ (schwäbisch) 할아버지.

Herrchen [hɛ́rçən] *n.* -s, - 〖↑ Herr 의 축소형〗〖구어·농담〗 ① 젊은 주인, 도련님, 서방님; 청년 신사. ② 멋쟁이(Stutzer). ③ 개주인: wo ist denn dein ~? 네 주인은 어디 있느냐? (개에게 하는 말)

her≈|rechnen *t.* 낱낱이 열거하다. **~|reichen** 《I》 *t.* 넘겨 주다, 제출하다: kannst du mir die Schrauben ~? 내게 나사를 건네 주겠니? 《II》 *i.* (h.) 도달하다, 닿다.

Herreise *f.* -n 이쪽으로의 여행; 귀로; 돌아옴(↔ Hinreise): auf der ~ kam ich an Hannover vorbei 여행에서 돌아오는 길에 나는 하노버를 경유했다.

her|reisen *i.* (s.) 이리로 여행하다〔오다〕.

her|reiten* *i.* (s.) 이쪽으로 말을 타고 오다.

Herren≈abend *m.* 남자들만이 모이는 저녁 모임. **~anzug** *m.* 신사복: er kaufte sich einen grauen ~ 그는 회색 신사복 한 벌을 샀다. **~arbeit** *f.* ① 부역. ② dieser Schneider macht nur ~ 이 재단사는 남자 옷만 전문으로 한다. ③ 남자의 일. **~artikel** *pl.* 신사용품: ein Geschäft mit ~n 신사용품 상점. **~ausstatter** *m.* 신사용품 전문점. **~bad** *n.* 남탕. **~bank** *f.* 〖복수: ..bänke〗 (옛 독일 법정 및 의회의) 귀족석. **~begleitung** *f.* 남자 파트너 동반: in ~ 남자 파트너와 함께. **~bekanntschaft** *f.* (여성의) 남자 관계: ~en suchen〔machen〕 남자 친구를 구하다〔사귀다〕. **~bekleidung** *f.* 남성복. **~besuch** *m.* 남성의 방문: ~e sind nicht gestattet! 남성 방문 금지! **~bier** *n.* 독한 맥주. **~birne** *f.* 고급 품종의 배. **~brot** *n.* ① 품질이 좋은 흰 빵. ② 주인이 하인에게 하사하는 빵: ~ essen 고용살이〔머슴살이〕하다. **~dienst** *m.* ① 봉사. ② 부역. **~doppel, ~doppelspiel** *n.* 〖스포츠〗 남자 복식 경기. **~einzel, ~einzelspiel** *n.* 〖스포츠〗 남자 단식 경기. **~essen** *n.* ① 미식(美食). ② 신사들만의 연회, 회식(會食). **~fahrer** *m.* 자기 차로 출전하는 자전거〔자동차〕 경주자. **~fahrrad** *n.* 남성용

자전거. **~gesellschaft** *f.* ① 남자들만이 모이는 연회〔집회〕. ② in ~ 남자(들)를 동반하여. **~gewalt** *f.* 주권, 지배권. **~gunst** *f.* 군주의 총애; 귀인의 총애. **~hand** *f.* 주권. **~haus** *n.* ① 귀족의 저택. ②〖史〗귀족원(프러시아: 1854-1918; 오스트리아: 1861-1918). **~haus·mitglied** *n.* 귀족원 의원. **~hof** *m.* 귀족〔영주〕의 저택〔장원〕. **~hut** *m.* 남자용 모자, 신사모. **~krankheit** *f.* 〖속어〗 통풍(痛風). **~leben** *n.* 귀족 생활; 호사스러운 생활: ein ~ führen (일하지 않고) 호사스러운 생활을 하다.

hẹrrenlos *a.* ① 임자 없는. ② (애완 동물이) 사육주(飼育主)가 없는: ein ~er Hund 주인 없는 개; ~es Gut 유실물, 습득물,〖法〗무주물(無主物).

Hẹrrenlosigkeit *f.* 주인 없음.

Hẹrren⸗magazin *n.* 남성 잡지. **~mensch** *m.* 군주적 인간(Nietzsche 가 만든 말) (↔ Herdenmensch). **~mode** *f.* 남성 패션. **~moral** *f.* 군주〔초인〕 도덕(Nietzsche 가 만든 말) (↔ Sklavenmoral). **~partie** *f.* 남성들만의 모임. **~pilz** *m.*〖植〗달걀버섯(품질이 좋은 식용 버섯의 일종). **~recht** *n.* ① 주인의 권리, 지배권: der Fürst sah sein ~ gefährdet 군주는 자신의 지배권이 위태롭다는 것을 알았다. ②〖史〗초야권(初夜權). **~reiten** *n.* (자기 말을 타고 출전하는) 아마추어 경마. **~reiter** *m.* (자기 말을 타고 출전하는) 아마추어 기수(騎手). **~salon** *m.* 이발관〔소〕. **~schneider** *m.* 신사복 재단사. **~schnitt** *m.* (여자의) 단발: eine Frau mit ~ 단발머리의 여자. **~sitz** *m.* ① ↑ ~hof. ② (다리를 벌리는) 남자식 말 타기 자세: ~ reiten (여자가) 남자식으로 말을 타다. **~stand** *m.* ① 귀족〔영주〕 신분. ②〖집합적〗 귀족〔영주〕들. **~stube** *f.* ① (여관·음식점의) 남자용 방. ② 회의실. **~tafel** *f.*, **~tisch** *m.* 신사용 식탁. **~toilette** *f.* 남자 화장실.

Hẹrrentum *n.* -s 〖雅語〗 군주〔주인·신사〕다움.

Hẹrren·zimmer *n.* (집주인의) 사랑방, 서재; 흡연실: die Gäste wurden im ~ empfangen 손님들은 사랑방에서 대접을 받았다.

***Herr·gott** [hέrgɔt] *m.* ① (주되신) 하느님; 그리스도: zum ~ beten 하느님께 기도하다; 〖비속〗 ~ noch mal! 제기랄, 빌어먹을!; 〖비유〗 wie der ~ in Frankreich leben 호화롭게 살다. ②〖복수: ..götter〗 신상(神像); 그리스도의 십자가상(像): über der Tür hängt ein ~ 문 위에 십자가 상이 걸려 있다.

Hẹrrgotts⸗frühe *f.* in aller ~ 꼭두새벽에. **~händchen** *n.* 〖植〗 인경(鱗莖)(백합·튤립·수선화의 땅속줄기). **~händler** *m.* 그리스도의 십자가상(像)을 파는 사람. **~käfer, ~kühlein** *n.* 〖動〗 무당벌레. **~schnitzer** *m.* 목각 십자가상 조각사(師). **~winkel** *m.* (특히 가톨릭을 믿는 농가의) 성상을 모신 구석.

her̲|richten *t.* ① 이쪽으로 돌리다. ② 정돈〔정비〕하다: ein Lager ~ 잠자리를 준비〔정리〕하다; eine Wäsche ~ 빨래를 (입기 좋게) 마무리하다. ③〖경박〗 (누구를) 치료하다. ④ (누구를) 차려 입히다, 꾸미다: sich für das Theater ~ 연극 관람을 위해 차려입다.

He̲rrichtung *f.* -en 정리, 정돈.

Herrin [hέrɪn] *f.* -nen 여주인, 주부; 마님.

herrisch [hέrɪʃ] *a.* 고압적〔위압적〕인; 교만한; (barsch) 우악스러운, 무뚝뚝한; (용모·풍채가) 의젓한, 당당한: in ~er Ton sprechen 위압적인〔당당한〕 목소리로 말하다; ~ verfahren 제멋대로 행동하다, 횡포부리다.

Herritt [hé:rrɪt] *m.* -(e)s 말을 타고 돌아옴.

herrje̲(mine) [hɛrjé:(mine:)], **herrje̲rum, herrje̲(se)s** 《＜Herr Jesus Domine!》 *int.* 아아, 이크 맙소사, 어마(놀람·두려움·동정을 나타내는 감탄사).

Hẹrrlein *n.* -s, - ↑ Herrchen.

***herrlich** [hέrlɪç] 《＜hehr》 *a.* 남자다운, 기백 있는; 훌륭한, 호화로운, 장려한; 광대한; 찬란한, 영광스러운; 화창한: eine ~e Musik 훌륭한 음악; ~er Einfall 절묘한 착상; ~es Wetter 화창한 날씨; wir verbrachten hier ~e Tage 우리는 여기서 멋진 날을 보냈다.

Hẹrrlichkeit *f.* -en ① 훌륭함, 장려, 영광, 장엄, 영화: die ~ der Landschaft 풍경의 웅장함: die ~ Gottes 신의 영광〔존엄〕. ②〖대개 복수〗 장려한 것, 훌륭한 것, 멋있는 것: die ~en des Lebens 인생의 화려한 것들; 〖비속〗 das ist die ganze ~! 그것이 전부일세, 그것뿐일세. ③ (Herrschaft) 주권, 통치권; 재판(관할)권; 관할 구역; 영지(領地). ④ **(a)** 〖고어〗 Eure〔Seine〕 ~ 전하, 각하(2 인칭 및 3 인칭). **(b)** 〖농담〗 ~en 남자분들, 신사 양반들 (Herren).

Herrnhut [hέrnhu:t] 헤른후트(Sachsen 의 지명; Zinzendorf 백작이 경건주의의 한 종파인 헤른후트파를 일으킨 곳).

Hẹrrnhuter 《Ⅰ》 *m.* -s, - 헤른후트파의 회원. 《Ⅱ》 *a.* 헤른후트(파)의: ~ Brüdergemeinde 헤른후트파.

hẹrrnhutisch *a.* ↑ Herrnhuter 《Ⅱ》.

her̲|rollen 《Ⅰ》 *t.* 이쪽으로 굴려오다. 《Ⅱ》 *i.* (s.) 굴러 오다.

***Herrschaft** [hέrʃaft] *f.* -en ① 주인 행세; 주권, 지배(권); 통치(권), 치세; 권세, 패권; 통제(력); 결정(권); 우세, 우월: die ~ antreten 통치하기 시작하다; unter deutscher ~ 독일의 통치 아래; die ~ des Geistes über den Körper 육체에 대한 정신의 지배〔우위〕; über jn.〔et.〕 die ~ führen〔haben〕 누구를〔무엇을〕 지배하다; unter grausamer ~ stehen 압제 아래 놓여 있다; unter seine ~ bringen 정복〔억압〕하다; die ~ zur See haben 제해권을 장악하다. ②〖고어〗 영주 및 그의 일가. ③ 주인(부처), 고용주; 주인집 식구: die junge ~ 젊은 주인; ist die ~ zu Hause? 주인이 집에 계십니까. ④〖복수〗 **(a)** 신분이 높은 사람들: hohe ~en 고귀한 사람들, 귀현(貴顯); fürstliche ~en 왕후(王侯)(의 일가); königliche ~en 왕족. **(b)** 신사 숙녀 여러분: meine sehr verehrten ~en! 존경하는 신사 숙녀 여러분; 〖구어〗 alte ~en 부모님; die alten ~en gehen immer schon sehr früh zu Bett 부모님은 항상 매우 일찍 취침하신다. ⑤〖고어〗 영지, 소유 영토. ⑥〖구어〗 ~ (noch mal)! 아이고 야단났군! (놀라움이나 본의가 아님을 나타냄): ~, das habe ich ganz vergessen! 아이고, 내가 그것을 깜박 잊었구나!

hẹrrschaftlich *a.* ① 주인(영주·신사·귀족)의; 주인〔영주〕에게 고용된: ein ~er Diener

주인에게 고용된 하인. ② 주인다운, 영주〔신사·귀족〕다운, 지체 높은 신분에 걸맞은, 고상한; 도량이 넓은; 화려한, 고급의: ~e Wohnung 고급 주택.

Herrschafts≈anspruch *m.* (어느 지역에 대한) 통치권 (요구): einen ~ geltend machen 통치권 요구를 관철시키다. **~bereich** *m.* 관할권의 범위: der ~ eines Staates 한 국가의 통치권 범위. **~form** *f.* 통치 형태. **~gebiet** *n.* 영토, 통치 범위. **~haus** *n.* 영주의 저택. **~ordnung** *f.* 〖사회〗 통치 질서. **~recht** *n.* 지배권, 통치권; 영토권. **~struktur** *f.* 통치 구조: ~en analysieren 통치 구조를 분석하다. **~wissen** *n.* 〖사회〗 제왕〔통치〕학. **~wohnung** *f.* 영주의 저택.

Herrsch≈begier(de) *f.* 권력욕, 야심, 패기. **≈begierig** *a.* 권력욕이 강한, 야심만만한.

***herrschen** [hέrʃən] 《<Herr》 *i.* (h.) ① 지배하다, 통치〔통어〕하다; 다스리다, 관리하다; 군림하다: in einem Land ~ 한 나라를 통치하다; über ein Volk ~ 한 국민을 다스리다; 〖비유〗 über seine Leidenschaften ~ 정욕을 자제하다. ② (장소를) 굽어 보다, 내려다보다, 우뚝 솟아 있다. ③ 유행하다; 우세하다, (어떤 분위기·의견이) 지배적이다; (전염병이) 창궐하다: es herrschte Schweigen 침묵이 감돌고 있었다; hier herrscht Ordnung 이곳은 질서가 유지되고 있다; zur Zeit herrscht in der Stadt eine Seuche 현재 그 도시에 전염병이 널리 퍼지고 있다. ④ 고함〔호통〕치다; (herrisch gebieten) 엄명하다, 명령조로 말하다: „komm her", herrschte er "이리 와" 하고 그는 거만하게 명령했다.

herrschend *p.a.* ① 지배하는, 통치권을 가진: der ~e König 현왕(現王), 금상(今上); die ~en Klassen 지배 계급; das ~e Gesetz 현행법; 〖經〗 ~es Unternehmen (다른 기업에 지배적인 영향력을 행사하는) 지배 기업. ② 지배적인, 우세한, 성황을 이루는, 일반적인, 으뜸가는, 세상에 널리 퍼지고 있는; ~e Ansichten 여론; ~e Partei 여당; die z. Z. ~e Mode 현재 널리 퍼진 유행.

***Herrscher** [hέrʃər] *m.* -s, - 통치〔주권〕자, 지배자, 군주, 원수(元首): willkürlicher ~ 전제 군주, 폭군; als ~ über ein Land gebieten 통치자로서 한 나라를 다스리다.

Herrscher·blick *m.* 위압적인 눈초리; 위엄 있는 안광(眼光).

Herrscherei *f.* 불법적 지배(욕); 불법적인 독재(정권).

Herrscher≈familie *f.* 왕실, 왕가; 왕조. **~gabe** *f.* 통치자로서의 자질. **~geist** *m.* 통치자의 정신; 통치자의 도량. **~geschlecht** *n.* 왕족, 왕조. **~gewalt** *f.* 지배권, 통치권: die absolute ~ (inne)haben 절대적인 통치권을 잡고 있다. **~haus** *n.* ↑ ~familie.

Herrscherin [hέrʃərɪn] *f.* -nen 여자 군주, 여통치자, 여왕.

herrscherisch, herrscherlich *a.* 지배자의; 군주다운; 군주 행세를 하는, 고압적인, 뻐기는.

Herrscherling *m.* -s, -e 소왕국의 국왕〔군주〕.

Herrscher≈macht *f.* ↑ ~gewalt. **~miene** *f.* 군주의 위용〔풍채〕. **~stab** *m.* 왕홀(王笏). **~stuhl** *m.* 옥좌, 용상(龍床), 왕위. **~ton** *m.* 고압적〔위압적〕인 어조; 명령조의 어투. **~wille** *m.* 주권자의 의지. **~willkür** *f.* 전제(專制). **~wort** *n.* 지배자의 명령, 칙어. **~würde** *f.* 통치자의 위엄, 왕위. **~zeichen** *pl.* 권력의 상징, 주권의 표장(標章).

Herrsch·gier *f.* (과도한) 권력욕.

Herrschling *m.* -s, -e ↑ Herrscherling.

Herrsch≈lust, ~sucht *f.* ↑ ~gier. **≈süchtig** *a.* 권력 지향적인; 교만〔거만〕한: ~es Verhalten 권력 지향적인 처신.

her≈|rücken 《Ⅰ》 *t.* 이쪽으로 오게 하다. 《Ⅱ》 *i.* (s.) 이쪽으로 오다: rück doch etwas näher zu mir her! 내게 좀 가까이 와! **~|rufen*** *t.* 불러들이다: der Chef hat den neuen Mitarbeiter hergerufen 고용주가 신입 사원을 불러들였다. **~|rühren** *i.* (h.) von et.³ ~ 무엇에 기인하다〔근거를 두다〕, 무엇에서 생기다: aus Korea ~d 한국제의, 한국 전래의; seine Krankheit rührt von einer Erkältung her 그의 병은 감기가 원인이다. **~|sagen** *t.* ① (시 따위를) 암송하다, 읊다: das Kind kann schon sämtliche Gedichte aus diesem Buch ~ 이 아이는 이 책의 모든 시들을 다 암송할 수 있다. ② 건성〔습관적〕으로 말하다. **~|schaffen** *t.* 실어오다, 가져오다; (돈을) 조달하다: wie soll ich den schweren Koffer denn allein ~? 제가 어떻게 혼자 그 무거운 가방을 가져와야 합니까? **~|schauen** *i.* (h.) ① 이쪽을 보다: schaut (einmal) alle her! 모두들 이쪽을 봐요!; 〖구어〗 (da) schau her! 이것 봐라! (놀라움이나 만족의 표현). ② 잠시 이쪽으로 와서 살펴보다. **~|scheren**(*) *refl.* sich ~ 곧 오다. **~|schicken** *t.* 이리로 부치다〔보내다〕: könnten Sie ein Taxi ~? 택시 한 대를 이리로 보내주시겠습니까? **~|schieben*** *t.* ① 이쪽으로 밀(치)다: den Tisch〔Stuhl〕 ~ 책상을〔의자를〕 이쪽으로 밀다. ② 밀고가다: et. vor sich³ ~ 어떤 일을 미루다〔연기하다〕. **~|schießen*** 《Ⅰ》 *t.* ① 이쪽으로 쏘다. ② 선지급〔선불〕하다. 《Ⅱ》 *i.* (s.) 이쪽으로 돌진하다: hergeschossen kommen 돌진해오다. **~|schleichen*** *i.* (s.) / *refl.* (sich) ~ 살금살금 접근해오다: sie hat sich unbemerkt hergeschlichen 그는 남의 눈에 띄지 않게 몰래 다가왔다. **~|schleppen** *t.* 끌어오다, 끌어당기다. **~|schreiben*** 《Ⅰ》 *t.* ① 〖목적어 없이〗 er hat hergeschrieben 그는 이쪽으로〔여기로〕 편지를 보냈다. ② seinen Namen ~ 서명하다. 《Ⅱ》 *refl.* sich von et.³ ~ 무엇에서 유래〔기인〕하다: dieser Familienname schreibt sich von einem früheren Berufsstand her 이 성(姓)은 과거의 직종에서 유래한다. **~|sehen*** *i.* (h.) 이쪽을 보다: könntet ihr mal für einen Moment ~? 너희들 잠깐만 이쪽을 보겠니? **~|sehnen** 《Ⅰ》 *t.* 누가〔무엇이〕 이쪽으로 오기를 바라다. 《Ⅱ》 *refl.* sich ~ 이쪽으로 오기를 간절히 바라다, 동경하다. **~|sein*** *i.* (s.) ① 유래하다: wo bist du her? 너는 어디서 왔니? ② hinter jm. ~ 누구를 추적하다: die Polizei ist hinter ihr her 경찰이 그녀를 추적하고 있다. ③ hinter et.³ ~ 무엇을 갖고 싶어하다, 동경하다. **~|senden*** *t.* 부쳐 보내다. **~|setzen** 《Ⅰ》 *t.* 이쪽으로 앉히다〔놓다〕: setz das Tablett her 쟁반을 이리로 내려놓아라; (이름 따위를) 여기에다 기입하다. 《Ⅱ》 *refl.* sich ~ 이쪽에 앉다, 접근

하다: setz dich her zu mir 내 곁에 앉아라. **~|singen*** *t.* 기계적으로〔단조롭게〕 노래하다; 기계적으로 읊다, 암송하다. **~|sollen*** *i.* (h.) er soll her(kommen) 그는 이곳으로 와야만 된다. **~|sprechen*** *t.* 암송하듯이〔외듯이〕 말하다. **~|springen*** *i.* (s.) 이쪽으로 뛰다; hergesprungen kommen 뛰어오다. **~|stammeln** *t.* 더듬으며 말하다.

her|stammen *i.* (h./s.) 무엇〔어디〕에서 유래하다, …의 출신이다; wo stammen Sie her? 당신은 어디 출신입니까?; wo stammen diese Kisten her? 이 상자는 어디에서 온 것이냐?; 〖문법〗 파생하다.

Herstammung *f.* -en 혈통, 계통; 기원, 유래; 〖문법〗 (언어의) 파생.

her|stehlen* *refl.* sich ~ 몰래 다가오다, 살금살금 접근하다.

herstellbar *a.* 만들〔산출할〕 수 있는; 회복〔수선〕할 수 있는; 〖醫〗 치료할〔나을〕 수 있는.

***her|stellen** [hé:rʃtɛlən] 《I》 *t.* ①〔구어〕 이쪽에 세우다. ② (wieder~) 복구하다, 재건하다, 수선하다; 〖醫〗 치유시키다; endlich waren Ruhe und Ordnung hergestellt 마침내 안녕과 질서가 복구되었다. ③ (상품을) 제조〔생산〕하다; (약을) 조제하다; 〖化〗 환원하다 (wieder~): Autos ~ 자동차를 생산하다; in Massenproduktion ~ 대량 생산 방식으로 생산하다. ④ (관계를) 이루다, 맺다, 조성하다; (전화를) 연결하다: ein gutes Verhältnis zu jm. ~ 누구와 좋은 관계를 이루다; einen Kontakt ~ 접촉하다; telefonisch eine Verbindung ~ 전화로 연결하다. 《II》 *refl.* sich ~ 회복하다: er ist wieder ganz hergestellt 그는 건강을 완전히 회복했다.

Hersteller [hé:rʃtɛlər] *m.* -s, - 제조자, 생산자: Auto~ 자동차 생산자; 〖印〗 (출판사의) 인쇄 담당 직원.

Hersteller·firma *f.* 생산 업체〔회사〕.

Herstellerin *f.* -nen ↑ Hersteller 의 여성형.

***Herstellung** *f.* -en 복구; 수선, 수리; 재건, 갱신, 회복; 제작, 생산, 제조; 조립; 〖醫〗 치료, 쾌유: die serienmäßige ~ von Waren 대량 생산 방식의 상품 생산; die ~ wirtschaftlicher Beziehungen 경제 관계의 수립; die ~ eines dauerhaften Friedens anstreben 지속적인 평화의 구축을 위해 애쓰다; 〖化〗 제조, 제조 방법; 〖印〗 (출판사의) 인쇄·제본부서.

Herstellungs≈arbeiten *pl.* 부흥〔재건〕 사업; 생산 작업. **~kosten** *pl.* 생산비; 원가. **~land** *n.* 생산국, 원산지. **~mittel** *n.* 〖醫〗 강장〔보강〕제; 회복제. **~preis** *m.* 생산가.

her≈|stottern *t.* 더듬으며 말하다. **~|strecken** *t.* 이쪽으로 뻗다, (손을) 내밀다; 〔비유〕 선급하다. **~|streichen*** *i.* ① (s.) 날아오다. ② (s./h.) (über et.) 슬쩍 훔치다, 날치기하다; (바람이) 스쳐 지나가다, 미끄러져 가다. **~strich** *m.* (철새의) 돌아옴; 〖음악〗 내림활, 다운보(운궁법(運弓法)의 하나). **~|strömen** *i.* (s.) 흘러오다. **~stürzen** 《I》 *i.* (s.) 이쪽으로 돌진해오다: mit lauten Geschrei stürzte er zu uns her 큰 소리를 지르며 그는 우리에게로 달려왔다. 《II》 *refl./i.* (s.) (sich) über jn. ~ 누구에게 덤벼들다; sich über et. ~ 성급하게 무엇을 시작하다; sich über das Essen ~ 허겁지겁 먹다.

Hert(h)a [hέrta] *f.* ① 헤르타(여자 이름). ② 〖게르만신화〗 헤르타(대지〔풍요〕의 여신).

Hertie (1882 년에 설립된) 독일 백화점 체인.

her≈|tragen* *t.* 이쪽으로 운반하다〔가져오다〕: er hat das Kind auf dem Arm hergetragen 그는 그 아이를 팔에 안고 왔다. **~|treiben*** *t.* ① 이쪽으로 몰아오다: treib die Hühner zu mir her! 닭들을 내게로 몰고 와! ② 몰고 가다: vor sich ~ 뒤쫓아가다, 앞세워 몰고 가다; etwas treibt jn. her 무엇이 누구를 이리로 오게 하다, 무엇으로 인해 누가 이리로 오다. **~|treten*** *i.* (s.) 이쪽으로 걸어오다〔다가오다〕.

Hertz [hɛrts] *n.* -, - 〖理〗 헤르츠(약어: Hz) (진동수·주파수 단위; 독일 물리학자 H.R. Hertz 의 이름에서).

her·üben [hɛrý:bən] *adv.* (südd., öst.) 여기 이쪽에(서).

***her·über** [hɛrý:bər] *adv.* 이쪽으로, 이편으로: ~! 넘어오너라!; ~ und hinüber 여기저기로; er konnte nicht den Fluß ~ 그는 강을 건너올 수 없었다.

herüber.. *pref.* "(경계를 넘어) 이쪽으로"의 뜻.

herüber≈|bemühen 《I》 *t.* (누구를) 이쪽으로 오도록 청하다. 《II》 *refl.* sich ~ 수고롭게〔애써〕 이쪽으로 오다: würden Sie sich bitte hier ~? 이쪽으로 좀 오실 수 있겠습니까? **~|bitten** *t.* 이쪽으로 오도록 청하다: darf ich Sie einen Augenblick zu mir ~? 잠깐만 저에게로 와 주시겠습니까? **~|bringen*** *t.* 이쪽으로 가지고 오다: bring mir bitte meine Jacke herüber 저고리 좀 이리 건네 줘. **~|geben*** *t.* 이쪽으로 넘겨주다: würden Sie bitte die Speisekarte ~? 메뉴판을 이쪽으로 건네주시겠습니까? **~|helfen*** *i.* (h.) jm. ~ (누구를) 도와서 데리고 오다. **~|holen** *t.* 이쪽으로 가지고〔데려〕 오다: das Kind weint, hol es doch zu uns herüber! 아이가 울고 있으니, 우리에게 데려와! **~|kommen*** *i.* (s.) 이쪽으로 건너오다: kommen Sie doch heute abend zu uns herüber 오늘 저녁에 저희 집으로 건너오십시오; sie ist vor drei Jahren zum erstenmal nach Europa herübergekommen 그녀는 삼년 전에 처음으로 유럽으로 건너왔다. **~|reichen** 《I》 *t.* 이쪽으로 넘겨주다. 《II》 *i.* 이쪽에 닿다〔미치다〕. **~|ziehen*** 《I》 *t.* 끌어오다, 끌어들이다: die Leiter über die Mauer ~ 사다리를 담벽 너머로 끌어오다. 《II》 *i.* (s.) 이사〔이주〕하다: der Wind zieht über das Gebirge zu uns herüber 바람이 산을 넘어 우리에게 불어온다.

***her·um** [hɛrúm] *adv.* ①〔전치사 um 과 함께 쓰여〕 …의 둘레에, 주위에(rum): um den Tisch ~ sitzen 탁자 주위에 빙 둘러 앉다; die Gegend um Berlin ~ 베를린 주변 지역; 〔구어〕 er wohnt gleich um die Ecke ~ 그는 엎어지면 코 닿을 데 산다; 〔비유〕 immer um jn. ~ sein 언제나 누구 곁에 붙어 있다. ② (빙) 돌아서(rum): einmal rechts, einmal links ~ 한번은 오른쪽으로, 한번은 왼쪽으로 돌아서. ③ (umher) 이리저리, 곳곳에, 사방에: überall ~ 도처에; das Gerücht ist schon in der ganzen Stadt ~ 소문이 온 시내에 퍼져 있다. ④〔수·공간·시간적으로〕 약, 대략, 경, 무렵:

so um 100 Mark ~ 약 100 마르크; dort ~ muß das Haus liegen 저기쯤에 그 집이 있음에 틀림없다; um Weihnachten ~ 크리스마스 무렵에; um fünf Uhr ~ 5 시경에. ⑤ 경과〔완료〕하여: das Probejahr ist noch nicht ganz ~ 견습 기간이 아직 만료되지 않았다.

herum.. *pref.* 〖동사의 분리 전철로서〗 ① "…의 주위를 돌아서, …의 주위에서"의 뜻(보기: ~hangen 둘레에 매달려 있다; sich ~drehen 회전하다). ② "정처 없이, 방향을 정하지 않고, 이리저리"의 뜻(보기: ~bummeln 배회하다; ~reisen 정처 없이 여행하다). ③ "(상당 기간) 이리저리 시도해보거나, 불확실한 일에 매어달려"의 뜻(보기: ~stehen 빈둥빈둥 서 있다; ~suchen 여기저기 찾아 헤매다).

herum=|albern *i.* 〖구어〗 멍청한 짓만 계속하다. ~|**ärgern** *refl.* 〖구어〗 sich ~ 계속 화를〔짜증을〕 내다; 계속 어려움을 겪다. ~|**balgen** *refl.* 〖구어〗 sich ~ ① 계속 맞붙어 싸우다; 짓궂게 굴다. ② 〖드물게〗 누구와〔무엇과〕 씨름하다. ~|**beißen*** *refl.* sich ~ (서로) 물어 뜯다, 〖비유〗 물어뜯으며 싸우다. ~|**bekommen*** *t.* 〖구어〗 (자동차 따위를) 돌리다, 방향을 바꾸다; 〖비유〗 설득하다, (누구의) 의견을 변경시키다; (시간을) 보내다. ~|**bessern** *i.* (h.) 〖구어〗 an〔in〕 et.³ ~ 무엇을 이리저리〔때때로〕 수정하다, 개선하다. ~|**betteln** *i.* (h.) 구걸하며 돌아다니다. ~|**bieten*** *t.* 사방으로 내밀다, 돌려주며 다니다. ~|**blättern** *i.* (h.) in einem Buch ~ (목적 없이 대충) 책장을 넘기다, 책을 군데군데 읽다. ~|**bringen*** *t.* 〖구어〗 ① 들고 돌아다니다. ② 회전시키다, 방향을 바꾸다. ③ (누구의) 결심을 바꾸다, 설득하다; (처녀를) 꾀다, 유혹하다. ④ (소문을) 퍼뜨리다, 유포시키다. ⑤ (시간을) 보내다, 허비하다. ~|**deuteln** *i.* (h.) 〖구어〗 an et.³ ~ 무엇에 대해 장황하게 설명하다. ~|**doktern** *i.* (h.) 〖구어·폄어〗 ① an jm. ~ 누구를 의학적 지식 없이 치료하려고 하다, 이리저리 치료해 보다. ② an et.³ ~ 무엇을 고치려고 온갖 시도를 다하다; lange am Motor ~ 모터를 고치기 위해 오랫동안 (여기저기) 만지작거리다. ~|**drehen** 《I》 *t.* ① 회전시키다, 돌리다: die Matratzen ~ 매트리스를 뒤집다; den Schlüssel im Schloß mehrmals ~ 열쇠를 자물쇠에 넣고 여러 번 돌리다; 〖비유〗 seine Worte im Munde ~ 코먹은 소리로 뽐내며 말하다; er dreht mir die Worte im Munde herum 그는 내 말을 곡해한다. ② 〖구어〗 (사람을) 전향시키다: zwei Agenten von der anderen Seite wurden herumgedreht 다른 측 첩자 두 명이 전향했다. 《II》 *refl.* sich ~ 빙빙 돌다, 회전하다; (잘 때) 돌아눕다: sich im Schlaf herumdrehen 자면서 돌아눕다; alles dreht sich mit mir herum 나는 눈앞이 빙빙 돈다. 《III》 *i.* (h.) (조절용 다이얼을) 이리저리 돌리다: er dreht dauernd am Radio herum 그는 계속해서 라디오 다이얼을 이리저리 돌린다. ~|**drücken** 《I》 *t.* 눌러서 돌리다: den Hebel ~ 지렛대를 눌러서 돌게 하다. 《II》 *refl.* ① 〖구어·폄어〗 sich ~ 빈둥거리며 지내다: sich im Hause ~ 집에 죽치고 있다. ② 〖구어〗 회피하다: er drückt sich um ein Problem herum 그는 문제를 피해 간다. ~|**drucksen** *i.* (h.) 〖구어〗 ① 빈둥거리며 일하다. ② 선뜻 말하지 않다. ~|**experimentieren** *i.* (h.) an〔mit〕 et.³ ~ 무엇을 오랫동안 무계획적으로 (성과 없이) 실험하다. ~|**fahren*** 《I》 *i.* (s.) ① um jn.〔et.〕 ~ 누구〔무엇〕의 주위를 차를 타고 돌다: um die Stadt ~ 차를 타고 도시를 한 바퀴 빙돌다; um die Ecke ~ (차를 타고) 모퉁이를 돌다. ② 이리저리 차타고 다니다, 드라이브하다: in der Stadt ~ 시내를 드라이브하다; 〖구어〗 in der (Welt)geschichte ~ (세계) 도처를 두루 돌아다니다, 세상 구경을 하며 돌아다니다. ③ 〖구어〗 (**a**) 빠른 동작으로 이리저리 움직이다, 휘젓다: mit den Händen in der Luft ~ 손짓을 하다, 별 뜻 없이 손을 흔들어대다. (**b**) 문지르다, 쓰다듬다, 갖다 대다: (sich) mit der Hand 〔den Händen, Fingern〕 im Gesicht ~ 무심코〔별 뜻 없이〕 손(가락)으로 얼굴을 쓰다듬다. ④ 〖구어〗 갑자기 몸을 돌리다. 《II》 *t.* 차에 태워 돌아다니다: ich habe ihn in der Stadt herumgefahren 나는 그를 태우고 시내를 이곳저곳 돌아다녔다. ~|**fechten*** *i.* (h.) 집집마다 찾아다니며 밥을 빌어먹다; 몸짓하다, (말 대신) 손짓발짓을 하다: mit den Händen ~ 두 손을 휘두르다. ~|**fliegen*** 《I》 *i.* (s.) ① a) 날아다니다: wir lassen den Vogel frei im Zimmer ~ 우리는 그 새가 방안을 자유롭게 날아다니게 둔다, b) 주위를 선회하다. ② 〖구어〗 여기저기로 내던져지다〔사격되다〕: ein paar Gläser flogen im Zimmer herum 유리잔 몇 개가 방 안에서 여기저기로 날아갔다. ③ 〖구어·폄어〗 (어딘가에) 죽치고 있다, 널브러져 있다. 《II》 *t.* 〖구어〗 비행기로 이곳저곳에 운송〔수송〕하다. ~|**fragen** *t.* 〖구어〗 여기저기 가서 묻다. ~|**fuchteln** *i.* (h.) 〖구어〗 휘두르다: mit den Armen ~ 팔을 (마구) 휘두르다. ~|**führen** 《I》 *t.* ① 데리고 돌아다니다, 안내하다; 곁에서 시중을 들다: einen Gast in der Stadt ~ 손님에게 시내 구경을 시키다. ② jn. an〔bei〕 der Nase ~ 누구를 속이다, 우롱하다. ③ 둘러싸다: einen Graben um den Garten ~ 뜰의 주위에 호(壕)를 빙 둘러파다. 《II》 *i.* (h.) (길 따위가) 무엇의 주위로 나 있다: der Weg führt um den Wald herum 길은 숲을 빙 둘러싸고 나 있다. ~|**fuhrwerken** *i.* (h.) 〖구어〗 mit et.³ ~ 정력적으로 무엇을 경영하다, 무엇을 갖고 요란하게 일하다: mit dem Rasenmäher ~ 잔디깎는 기계로 장시간 잔디를 깎다. ~|**geben*** *t.* 차례차례 돌리다; 〖카드〗 패 따위를 배부하다: das Buch wurde herumgegeben 그 책은 (여럿이 읽기 위해) 회람되었다. ~|**gehen*** *i.* (s.) ① (**a**) 걸어서 돌아다니다; 순회하다. (**b**) (무엇의 주위를) 빙 돌다, 순환하다: um die Stadt ~ 도심의 주위를 순환하다; 〖비유〗 jm. um den Bart ~ 누구의 비위를 맞추다, 누구에게 아첨하다. (**c**) (무엇을) 피해서 돌아가다: um die Gefahr ~ 위험을 피해 돌아가다. ② 둘러싸다: eine Mauer geht um die Stadt herum 성벽이 도시 주위를 둘러싸고 있다; 〖비유〗 um den Brei ~ 넌지시 물어 보다, 망설이다. ③ 맴돌다, 배회하다: 〖비유〗 das geht mir im Kopf herum 나는 그것이 마음에 걸린다; ich lasse mir die Sache im Kopf ~ 나는 그 일을 자꾸 되풀이하며 생각한다; es geht alles mit mir im Kreise herum 나는 눈앞이 뱅뱅 도는 것만 같다. ④ (소문이) 퍼지다, 유포되다. ⑤ 건네지다: ein Gericht ~ lassen (덜어 먹도록) 음식

을 돌리다. ⑥ (시간이) 지나가버리다, 경과하다: die Ferien sind schnell herumgegangen 방학이〔휴가가〕 빨리 지나갔다. **~|geistern** *i.* (s.) ① (유령이) 여기저기서 출몰하다. ② 〖구어〗 갑자기 나타나서 돌아다니다. **~|greifen*** *i.* (h.) ① 손으로 두루 더듬다. ② 움켜잡다, 껴안다: nach et.³ ~ 무엇을 붙잡으려 애를 쓰다. **~|hauen*** *refl.* sich mit jm. ~ 누구와 주먹질하다〔칼부림하다〕, 격투하다. **~|holen** *t.* 애써서 가져오다: aus dem Nachbarhause ~ 이웃집에서 가져오다; 〖비유〗 (누구를) 설득해 자기편으로 만들다. **~|horchen** *i.* (h.) 〖구어〗 여기저기서 많은 사람의 의견을 듣다. **~|hüpfen** *i.* (s.) ① 여기저기 껑충껑충 뛰어다니다. ② um et. ~ 무엇의 주위를 뛰어다니다, 껑충껑충 뛰어서 무엇을 우회하다. **~|irren** *i.* (s.) 〖구어〗 배회하다, 떠돌아다니다, 헤매다. **~|jagen** 《Ⅰ》 *t.* 이리저리 몰다; 재촉〔닦달〕하다. 《Ⅱ》 sich ~ (잡으려고) 서로 쫓아다니다. 《Ⅲ》 *i.* (s.) 이곳저곳 쫓아다니다; 말을 몰아 길모퉁이를 돌다. **~|knaupeln** *i.* (h.) 갉아먹으며 돌아다니다: 〖비유〗 an et.³ ~ 무엇을 끈기있게 하다. **~|kommen*** *i.* (s.) ① (**a**) 돌아서 오다. (**b**) um et. ~ 무엇을 돌아서 오다, 무엇을 돌다. ② 두루두루 여행하다, 주유(周遊)하다: er ist weit herumgekommen 그는 여러 곳을 편력했다. ③ (소문이) 퍼지다: bei den Leuten ~ 세상 사람들 입에 오르내리다. ④ (회)피하다: um die Prüfung ~ 시험을 모면하다. ⑤ mit der Arbeit ~ 일을 끝내다. ⑥ (두 팔로) 껴안을 수 있다; 감아서 닿다: ich komme mit meiner Hand um sein Gelenk nicht herum 그의 손목은 내 손으로 감아 잡을 수 없다. **~|kriechen*** *i.* (s.) 〖구어〗① (**a**) 기어 돌아다니다. (**b**) in allen Winkeln ~ 구석구석 샅샅이 뒤지다. ② um jn.〔et.〕 ~ 기어서 누구〔무엇〕의 주위를 돌다, 우회하다. **~|kriegen** *t.* 〖구어〗 ① 설득시키다, 설복하다; (처녀를) 꾀어내다(~bringen ③). ② 어렵게 (틀어서) 돌리다. ③ (시간을) 보내다. **~|langen** 《Ⅰ》 *i.* (h.) 한 바퀴 돌기에 족하다: das Band langt nicht um den Hut herum 이 끈은 모자를 한 바퀴 감기에 족하지 않다. 《Ⅱ》 *t.* 차례차례로 돌리다, 돌리며 돌아다니다. **~|laufen*** *i.* (s.) ① 돌아서 달리다; (차가) 순환하다: um die Ecke ~ 모퉁이를 뛰어서 돌아가다. ② 피해서 돌아가다. ③ 떠돌아다니다, 헤매고 다니다. ④ 에워싸고 있다: um die Baracken läuft ein Zaun herum 막사들 주위를 울타리가 에워싸고 있다. ⑤ (특정 옷차림·머리 모양을 하고) 돌아다니다: wie ein Hippie ~ 히피처럼 하고 돌아다니다. **~|legen** 《Ⅰ》 *t.* ① 다른 쪽으로 뒤집어〔돌려〕 놓다. ② 주위에 (여기저기) 놓다. ③ (군대를) 야영시키다. 《Ⅱ》 *refl.* sich ~ 주위에 진을 치다: sich um eine Stadt ~ 어떤 도시를 포위하다. **~|liegen*** *i.* (h.) ① um et. ~ 무엇의 주위에 놓여 있다, 무엇을 둘러싸다. ② 산재하다, 흩어져 있다: Spielzeuge lagen in der Küche herum 장난감들이 부엌에 흩어져 있었다. ③ 하는 일 없이 누워 있다. **~liegend** *p.a.* 주위〔부근〕에 놓여 있는, 흩어져 있는. **~|lungern** *i.* (h.) 〖구어〗 배회하다, 빈둥거리다. **~|prügeln** *refl.* sich ~ 치고 받으며 싸우다. **~|reichen** 《Ⅰ》 *t.* (여러 사람에게) 차례차례로 돌리다〔건네다〕: Bilder ~ 그림들을 차례차례로 돌리다; 〖비유·구어〗 er wird (überall) herumgereicht 그는 (여러 사람에게 소개되기 위해) 여기저기 끌려다닌다. 《Ⅱ》 um et. ~ 무엇의 주위를 한 바퀴 돌 만큼 충분히 길다: das Band reicht um den Blumentopf herum 그 끈은 화분을 감기에 충분하다. **~|reisen** *i.* (s.) 여행하며 돌아다니다, 주유(周遊)하다: um die Erde ~ 세계를 일주하다. **~|reißen*** 《Ⅰ》 *t.* ① (자동차 핸들·선박키를) 갑자기 돌리다, 급선회시키다, (무엇의) 방향을 갑자기 변경시키다. ② 〖비유·구어〗 (누구에게) 큰 충격을 주다: die Nachricht hat mich (sehr) herumgerissen 나는 그 소식에 큰 충격을 받았다. 《Ⅱ》 *i.* (h.) 〖구어〗 계속 잡아당기다〔뜯다〕: der Wind riß an den Haaren herum 바람에 머리카락이 자꾸 흩날렸다. **~|reiten*** *i.* (s.) ① um et. ~ 무엇의 주위를 말을 타고 돌다. ② 말을 타고 돌아다니다. ③ 〖비유〗 auf et.³ ~ 한 가지 얘기를 끈질기게 되풀이하다. ④ auf jn. ~ 누구를 계속 귀찮게 하다〔비난하다〕. **~|rühren** *i.* (h.) ① (무엇을) 계속 젓다, 교란시키다: gelangweilt rührte sie im Kaffee herum 그녀는 지루해서 커피를 휘저었다. ② 〖비유〗 (무엇을 불필요하게) 계속 언급하다. **~|sagen** *t.* 말하며 돌아다니다. **~|scharwenzeln** *i.* (h.) 〖구어〗 um jn. ~ 누구를 추종하다, 누구에게 아첨하다. **~|schauen** *i.* (h.) ↑ ~sehen. **~|schicken** *t.* 회람시키다; (물건을) 돌려보내다; (사람을) 여기저기 심부름 보내다. **~|schiffen** *i.* (s.) ① 이곳 저곳으로 항해하다. ② um et. ~ (배를 타고) 무엇을 돌아가다. **~|schlagen*** 《Ⅰ》 *t.* 싸다, 감다: den Mantel um sich ~ 외투를 입다. 《Ⅱ》 *refl.* sich ~ ① 배회〔방랑〕하다. ② 맞붙어 싸우다, 서로 때리다. **~|schlendern** *i.* (s.) 〖구어〗 떠돌아다니다, 배회〔방랑〕하다. **~|schleppen** *t.* 〖구어〗 ① 끌고〔가지고·데리고〕 돌아다니다. ② (**a**) (일 따위를) 끝내지 못해 골머리를 앓다: einen Kummer ~ 어떤 근심거리를 떨쳐버리지 못하다. (**b**) 오랫동안 (병에) 감염되어 있다. (**c**) 오랫동안 (병을) 달고 다니다: eine Erkältung mit sich ~ 오랫동안 감기에 시달리다. **~|schnüffeln** *i.* (h.) 〖구어〗 냄새 맡으며〔염탐하며〕 돌아다니다. **~|schnuppern** *i.* (h.) (개가) 킁킁 냄새 맡으며 돌아다니다; 〖비유〗 여기저기서 캐묻다, 염탐하다. **~|schwärmen** *i.* (s.) ① 〖구어〗 (곤충이) 떼지어 날아다니다. ② um et. ~ 무엇의 주위를 떼지어 날아다니다. ③ 〖구어〗 여러 술집을 돌아다니다. **~|schweifen** *i.* (s.) 편력〔방랑·배회〕하다: seine Gedanken ~ lassen 이것저것에 대해 생각하다. **~schweifend** *p.a.* 방랑〔배회〕하는; 침착하지 못한, 변하기 쉬운. **~|schwenken** 《Ⅰ》 *i.* (s.) 방향을 바꾸다; 〖軍〗 선회하다. 《Ⅱ》 *t.* 이리저리 흔들다; 다른 방향으로 돌리다. **~|sehen*** *i.* (h.) 주위를 돌아보다〔살피다〕; 뒤돌아보다, 다시 돌아보다. **~|sein*** *i.* (s.) 〖부정형과 분사형에서만 붙여 씀〗〖구어〗 ① (시간이) 만료되다, 경과하다: die schlimmste Zeit ist jetzt herum 최악의 시기는 이제 지났다. ② 알려지다, (소문이) 퍼지다. ③ um jn. ~ 누구의 곁에 머무르다, 누구를 보살펴 주다. ④ um eine Sache ~ 어떤 일을 모면하다. ⑤ 〖구식〗 돌아서 있다; 돌아다니다: um die Ecke ~ 모퉁이를 돌아서 있다; er ist weit in der Welt herumgewesen 그는 세계를 널리 여행〔편력〕했다. ~|**sitzen*** *i.* (h.) ① um jn. ~ 누구의 둘레에 앉아 있다. ②〔구어〕 아무것도 하지 않고 앉아 있다;〔비유〕 느릿느릿 걷다, 무위도식하다. ~|**spazieren** *i.* (s.) ①〔구어〕 이리저리 돌아다니다, 산책하다. ② um et. ~ 무엇을 빙 돌아 산책하다. ~|**sprechen*** 《I》 *t.* (소문을) 퍼뜨리다, 폭로하다. 《II》 *refl.* sich ~ (소문이) 퍼지다. ~|**springen*** *i.* (s.) ① (**a**) 뛰어 돌아다니다: Kinder wollen nicht stillsitzen, sondern ~ 아이들은 가만히 앉아 있지 않고 뛰어 돌아다니려고 한다. (**b**) schnell zu jm. ~ 누구에게 잠깐 들르다. (**c**) der Wind springt herum 바람의 방향이 바뀐다. ② um jn.〔et.〕 ~ 누구〔무엇〕의 주위를 뛰어다니다. ③〔구어〕 mit jm. ~ 누구를 무자비하게 다루다, 누구에게 이런 저런 명령을 하다. ~|**stehen*** *i.* (h.) ① 멀거니 서 있다, 어슬렁거리고 있다. ②〔구어〕 um jn.〔et.〕 ~ 누구〔무엇〕의 주위에 서있다. ③〔구어〕 널려 있다, 산재하다: die Sessel stehen im Zimmer herum 걸상들이 방 안에 이리저리 놓여 있다. ④〔구어〕 빈둥거리고 있다. ~|**stieren** *i.* (h.) (öst.)〔구어〕 ↑ ~stöbern. ~|**stöbern** *i.* (h.) 샅샅이 찾다〔뒤지다〕: in einer Kiste ~ 상자 속을 샅샅이 뒤지다. ~|**stören** *i.* (h.) ↑ ~stöbern. ~|**streichen*** 《I》 *t.* um et. ~ 무엇의 둘레에 바르다〔칠하다〕. 《II》 *i.* (s.) ① 돌아다니다, 배회〔방랑〕하다. ② um jn.〔et.〕 ~ 누구〔무엇〕의 주위를 맴돌다, (조심스럽게 기어서) 돌아가다. ∼**streicher** *m.* 부랑자, 유랑인. ~|**streifen** *i.* (s.)〔구어〕 유랑〔방랑〕하다. ~|**streiten*** *i.* (h.) / *refl.*〔구어〕 (sich) (mit jm.) über〔um〕 et. ~ (누구와) 어떤 일로 끈질기게 싸우다, 몹시 다투다. ~|**strolchen** *i.* (s.) 배회하다, 이리저리 돌아다니다. ~|**suchen** *i.* (h.)〔구어〕 찾아 헤매다. ~|**tanzen** *i.* (s.) ① 춤추며 돌아다니다, 껑충껑충 뛰다:〔비유〕 sich auf der Nase ~ lassen 놀림감이 되다, 무례한 대우를 받다. ② um jn.〔et.〕 ~ 누구〔무엇〕의 주위에서 춤추다. ~|**tappen** *i.* (s.) (어둠 속에서) 더듬으며〔헤매고〕 돌아다니다. ~|**tasten** *i.*〔구어〕 ① (h.) (손으로) 이리저리〔여기저기〕 더듬다. ② (s.) 더듬으며 (찾아)가다. ~|**tigern** *i.* (s.)〔구어〕 이리저리 뛰어다니다. ~|**tollen** *i.* (s./h.) 쿵쾅거리며 뛰어다니다. ~|**tragen*** *t.* ① um et. ~ 무엇을 돌아서 운반하다. ② (아이를) 데리고 돌아다니다, 여기저기로 운반하다:〔비유〕 et. im Kopf ~ 무엇을 잊지 않고 있다, 언제나 염두에 두고 있다. ③ ein Gerücht ~ 소문을 퍼뜨리다. ④ 지니고〔가지고〕 다니다; 마음 속에 늘 간직하다: den Ausweis mit sich ~ 신분증을 지니고 다니다. ~|**treiben*** 《I》 *i.* (h./s.) 떠돌다, 떠돌아다니다: auf dem Wasser ~ 표류하다. 《II》 *t.* ① (동물을) 이리저리 몰다, 뒤쫓아다니다; 닦달하다. ② 돌게 하다, 맴돌게 하다. 《III》 *refl.*〔구어〕 sich ~ 배회하다, 빈둥거리며 살다. ∼**treiber** *m.*〔구어·폄어〕 ① 유랑인, 방랑자. ②〔농담〕 밤의 환락을 쫓는 사람. ~|**trinken*** *i.* (h.) 술잔을 돌려가며 마시다. ~|**tummeln** 《I》 *t.* (말을) 훈련〔조련〕시키다, 타고 돌다;〔비유〕 (하인을) 혹사하다. 《II》 *refl.* sich ~ 뛰어다니다, 분주하게 돌아다니다. ~|**wandern** *i.* (s.) ① 방랑〔편력〕하다, 배회하다. ② um et. ~ 무엇을 빙 돌아 도보 여행하다: um den Berg ~ 걸어서 산을 한 바퀴 돌다. ~|**werfen*** 《I》 *t.* ① 던져서 흐트러뜨리다, 뿌리다. ② 휙 돌리다, (키 따위를) 급히 회전시키다. ③〔비유〕 사방으로 던져 어지럽히다. 《II》 *i.* (h.)〔구어〕 im Reden mit et.[3] ~ 무엇을 뽐내다, 자랑하다. 《III》 *refl.* sich ruhelos im Bett ~ 깊은 잠을 못이루고 뒤척이다. ~|**wickeln** *t.* et. um et. ~ 무엇을 무엇에 휘감다. ~|**wühlen** *i.* (h.)〔구어〕 in et.[3] ~ 무엇을 파헤치다: in der Tasche ~ 주머니 속을 샅샅이 뒤지다; in js. Vergangenheit ~ 누구의 과거를 들추어내다. ~|**zanken** *refl.*〔구어〕 sich ~ 계속 말다툼하다, 싸우다. ~|**zausen** *t.* ↑ ~zerren. ~|**zerren** 《I》 *t.* ① 억지로 잡아당겨 돌리다. ② 이리저리 끌고 다니다. 《II》 *i.* (h.) an jm.〔et.[3]〕 ~ 누구를〔무엇을〕 계속 무리하게 잡아끌다. ~|**ziehen*** 《I》 *t.* ①〔구어〕 이리저리 옮기다:〔비유〕 jn. mit schönen Versprechungen ~ 누구를 감언이설로 속이다. ② et. um et. ~ 무엇을 무엇에 감다〔두르다〕: einen Graben um ein Feld ~ 밭 주위에 도랑을 파다. ③〔방언〕 eine Angelegenheit ~ 어떤 일을 연기하다, 질질 끌다. 《II》 *i.* (s.) ① 돌아다니다, 배회〔편력〕하다: mit dem Zirkus ~ 서커스단과 함께 여기저기 옮겨다니다;〔구어·폄어〕 sie zieht immer mit diesen Leuten herum 그녀는 항상 이 사람들과 붙어 다닌다. ② 주위를 돌다: um einen Ort ~ 어느 곳의 주위를 돌다. ③ (자주) 이전하다: er ist zu mir herumgezogen 그는 내 집으로 이사했다. 《III》 *refl.* sich ~ 빙 둘러싸고 있다: sich um einen Ort ~ 어떤 지역을 빙 둘러싸고 있다. ~**ziehend** *p.a.* (연예인이) 순회〔유랑·편력〕하는; (사람이) 유목 생활하는.

her·unten [hɛrúntən] *adv.* (bayr., öst.) 이 아래(쪽)에.

***her·unter** [hɛrúntər] *adv.* 〔구어: runter〕 ① (herab) (이쪽) 아래로, 밑으로: von oben ~ 위에서 이쪽 아래로; ~! 내려 오너라!; die Hüte ~! 탈모!; ~ mit ihm! 그를 넘어뜨려라, 타도하라! ② (일정한 장소를 떠나서) 아래로: ~ von dem Sessel! 의자에서 내려와!;〔비유〕 mein Gewicht hat sich verringert, bis ~ auf 55 kg 내 몸무게는 줄어서 55 kg 까지 내려갔다. ③〔비유〕 (신체적으로) 쇠약한; (경제적으로) 몰락한: ich bin mit meinen Nerven ganz ~ 내 신경은 지칠 대로 지쳤다.

herunter.. *pref.*〔분리 전철〕 ① "저 위쪽에서 이 아래쪽으로"의 뜻(보기: ~fallen 아래로 떨어지다; ~gehen 내려가다). ② "표면에서 제거하여"의 뜻(보기: ~kratzen 긁어내다; ~nehmen 내려놓다). ③〔폄어〕 단조롭고 습관적인 행위를 나타냄(보기: ~spielen 감정 없이 기계적으로 연주해 내려가다).

herunter·|bekommen *t.*〔구어〕 ① 애써서 아래로 가져오다〔내려오다〕, 밑으로 데려오다: den schweren Schrank vom fünften Stockwerk ~ 무거운 장을 6층에서 아래로 내려오다. ② 없애다. ③〔구어〕 (음식물을) 삼키다. ~|**brennen** *i.* ① (s.) 다 타서 붕괴하다, 전소되다. ② (h.) 불볕이 내려쬐다. ~|**bringen*** *t.* ① (**a**) 아래로 가져오다〔데려오다〕; (현관까지) 데리고 내려가다. (**b**) (가격·온도를) 떨어뜨리다. ②〔비유·구어〕 쇠약하게 하다; 몰락

시키다. ③〖구어〗(해로운 일을) 하지 못하게 하다: ihn vom Alkohol ~ 그가 술을 그만 두게 하다. ④〖구어〗삼키다. **~|drücken** *t.* ① 아래로 밀어내리다. ② 내리누르다, 낮게 하다. ③ (값·시세를) 낮추다, 내리다. **~|dürfen** *i.*(h.)〖구어〗① 밑으로 내려와도 된다. ② 아래로 가져와도 된다. **~|fallen*** *i.*(s.) ① 떨어지다; 넘어지다: vom Baum ~ 나무에서 떨어지다. ② 내려쬐다, 내리비치다. **~|fließen*** *i.*(s.) 흘러내리다. **~|führen** 《I》 *t.* 아래로 데리고 가다. 《II》 *i.*(h.) (길이) 아래쪽으로 나있다. **~|gehen*** *i.*(s.) ① 아래쪽으로 내려가다: sie gingen vorsichtig den Berg herunter 그들은 조심스럽게 그 산을 내려갔다; ein Weg geht herunter 길이 아래로 경사지다. ② (열·기온이) 떨어지다. ③〖구어〗(속도·고도를) 낮추다, (가격을) 내리다: mit dem Preis ~ 가격을 내리다; im Kurse ~ 시세가 떨어지다. ④〖구어〗mit et.³ ~ (높은 곳의) 무엇을 치우다: mit seinen Sachen vom Tisch heruntergehen 책상에서 그의 물건들을 치우다. ⑤ 제거되다: der Fleck geht nicht mehr herunter 얼룩이 지워지지 않는다. ⑥ 몸을 숙이다. **~gekommen** 《I》 *p.p.* ↑ ~kommen. 《II》 *p.a.* ① 경영부진에 빠진, 몰락한; 황폐해진. ② (신경이) 쇠약해진. ③ (사람이) 타락〔몰락·쇠약〕한, 의기소침해진. **~|gießen*** *t.* ① 쏟아 붓다. ②〖구어〗(술을) 단숨에 들이키다. ③〖구어〗es gießt herunter 비가 억수같이 온다. **~|handeln** *t.*〖구어〗et. vom Preis ~ 흥정을 해서 무엇의 가격을 낮추다. **~|hangen*** *i.*(h.) 축 늘어지게 매달려 있다. **~|hängen***[1] *i.*(h.) 늘어지게 매달려 있다: von der Decke ~ 천장에 매달려 있다; die Flügel ~ lassen 날개를 늘어뜨리다. **~|hängen**[2] *t.* 매달다, 걸어 늘어뜨리다. **~|hauen*** *t.*〖구어〗① 베어 쓰러뜨리다. ② jm. eine〔eins〕~ 누구의 따귀를 때리다. ③ 휘갈겨 쓰다. **~|helfen*** *i.*(h.) jm. ~ 누구를 부축해 내려오게 하다. **~|holen** *t.* ① 아래로 가져오다, 아래로 데려오다. ② (새 또는 비행기를) 쏘아 떨어뜨리다;『空』하강시키다. **~|klappen** 《I》 *t.* (옷깃 따위를) 밑으로〔아래로〕접다. 《II》 *i.*(s.) 아래로 펼쳐지다. **~|kommen*** 《I》 *i.*(s.) ① 내려오다, 떨어지다: von den Schienen ~ 탈선하다; er ist vier Plätze heruntergekommen 그는 순위가 네 단계 떨어졌다. ②〖구어〗쇠약하다; 쇠퇴하다, 몰락하다; 타락하다: die Firma ist völlig heruntergekommen 그 회사는 완전히 망했다. ③〖구어〗(나쁜 버릇·상태에서) 벗어나다: von einem schlechten Ruf ~ 나쁜 평판에서 벗어나다. 《II》 **~gekommen** *p.a.* ↑ ~gekommen. **~|können** *t./i.*(h.)〖구어〗밑으로 내려올〔내릴〕수 있다. **~|krempeln** *t.* (바지·소매의) 접었던 단을 펴서 길이를 늘이다. **~|kriegen** *t.*〖구어〗① 아래로 가져오다〔데려오다〕. ② 삼키다, 마시다. ③ 없애다. **~|langen** 《I》 *t.* ① 아래로 내려주다. ② jm. eine ~ 누구의 따귀를 때리다. 《II》 *i.*(h.) bis (auf) et. ~ 아래쪽 무엇에까지 닿다. **~|lassen*** *t.* ① 내려놓다, 내리다, 드리우다, 낮추다; (값을) 깎다;『연극』(막을) 내리다: die Fensterscheibe ~ (자동차의) 창문을 내리다;〖비유·경박〗jetzt muß er die Hasen ~ 이제 그는 틀림없이 정체를〔본색을〕드러낼 것이다. ②〖구어〗내려오게 하다. **~|leiern** *t.* ① (무엇의) 손잡이를 돌려 아래로 내리다. ②〖경박〗빠르게 지껄이다; (기도문 따위를) 기계적으로 암송하다. **~|machen** *t.*〖구어〗① 내려놓다, 내리다, 드리우다, 낮추다; (서있는 옷깃을) 접다. ② 헐뜯다, 깎아내리다; 꾸짖다: ihn vor allen Gästen ~ 손님들이 모두 있는 앞에서 그를 혹평하다. ③ et. von et.³ ~ 무엇에서 무엇을 제거하다. **~|möbeln** *t.* 야단치다, 혹평하다. **~|müssen** *i.*(h.)〖구어〗① 밑으로 내려와야 하다. ② 밑으로 내려보내져야 하다. ③ 제거되어야 하다. **~|nehmen*** *t.* ① 아래로 내리다. ②〖구어〗내려놓다, 치우다. **~|purzeln** *i.*(s.) ① 굴러 떨어지다. ②〖구어〗전락하다. **~|putzen** *t.*〖구어〗① 닦아 내리다. ② 꾸짖다, 욕설을 퍼붓다. **~|reißen*** *t.* ① **(a)** 휙 끌어내리다, 낚아채어 넘어뜨리다; (집을) 철거하다, 헐어버리다. **(b)** 떼어내다: ein Plakat von der Wand ~ 벽보를 벽에서 떼어내다. ②〖방언〗(의복을) 입어 해어지게 하다, 찢어 버리다. ③〖구어〗꾸짖다, 비방하다, 혹평하다. ④〖구어〗아주 빨리 연주하다. ⑤〖구어〗(병역을) 마치다. ⑥ (südd., öst.)〖다음 용법으로〗wie heruntergerissen 똑같이 닮은, 빼닮은. **~|rücken** *i.*(s.) 아래로 밀쳐 내려오다. **~|rutschen** *i.*(s.) 미끄러져 떨어지다〔내려오다〕:〖구어〗du kannst mir den Buckel ~ 너 따위는 상대하지 않는다. **~|schießen*** 《I》 *t.* 쏘아 떨어뜨리다. 《II》 *i.*(s.) ① 아래로 사격하다. ② 아래로 돌진하다, (새가) 곧게 날아 내려오다. **~|schlagen*** 《I》 *t.* ① 쳐서〔두들겨서〕떨어뜨리다. ② (포장을) 내리다. ③ (세운 옷깃을) 아래로 접다. 《II》 *i.*(s.)〖방언〗떨어지다. **~|schlucken** *t.* 삼키다;〖비유〗(노여움을) 꾹 참다. **~|schrauben*** 《I》 ① 나사를 돌려 낮추다: die Lampe ~ 램프 심지를 낮춰 불꽃을 작게 하다. ②〖비유〗(요구·기대 수준을) 낮추다. 《II》 *refl.* sich ~ (비행기가) 선회하며 내려오다. **~|sehen*** *i.*(h.) ① **(a)** (위에서) 이 아래로 내려다보다. **(b)** an jm. ~ (누구를) 머리끝에서 발끝까지 훑어보다. ② 깔보다, 경멸하다: auf〔zu〕jn. ~ 누구를 깔보다. **~|sein*** *i.*(s.)〖구어〗〖부정형과 분사에서만 붙여 씀〗① (산에서) 내려와 있다. ② **(a)** 쇠약해져 있다: er ist völlig mit den Nerven herunter 그는 신경이 완전히 쇠약해져 있다. **(b)** 몰락한 상태이다: die Firma ist total herunter 그 회사는 완전히 몰락했다. ③ (열이) 내려가 있다: der Vorhang ist herunter 막이 내려져 있다. ④ von et.³ ~ 무엇에서 벗어나 있다. **~|setzen** *t.* ① (순위·물가를) 내리다, 낮추다. ② (높은 곳에서) 내리다. ③〖비유〗(품위를) 떨어뜨리다; 경멸하다(herabsetzen). **~|sinken*** *i.*(s.) 가라앉다, 침몰하다;〖비유〗쇠퇴〔타락〕하다. **~|spielen** *t.* ① 감정 없이 기계적으로 빨리 연주하다. ② 대수롭지 않은 일로 왜곡하다. **~|steigen*** *i.*(s.) 내려오다, (말에서) 내리다: vom Berg ~ 산에서 내려오다. **~|tragen*** *t.* 실어내리다. **~wärts** *adv.* 아래쪽으로. **~|werfen*** *t.* (저) 위에서 (이) 아래로 던지다. **~|wirtschaften** *t.*〖구어〗(기업·재산을 잘못 관리하여) 망쳐놓다, 값을 떨어뜨리다. **~|wollen** *i.*(h.)〖구어〗아래로 내려 오려고 하다. **~|ziehen*** 《I》 ① (저) 위에서 (이) 아래로 끌어내리다: ihn vom Pferd ~ 그를 말에서 끌어내리다;〖비유·구어〗jn. in eine schlechte Gesellschaft ~ 누구를 나쁜 패거리에 끌어넣다. ② (모자를) 벗다; (가락지를) 빼다. ③〔구어〕 jn. in den Dreck〔Schmutz〕 ~ 누구를 혹평하다.《Ⅱ》*i.* (s.) 내려오다, 낮은 곳으로 이사하다: die Musikkapelle zog die Straße herunter 악대가 길을 따라 내려왔다.

her|versetzen *t.* (관리를) 이쪽으로 전출시키다: 〔비유〕 sich im Geist ~ 입장을 바꿔 생각해 보다.

***her·vor** [hɛrfóːr] *adv.* (저) 뒤에서 (이) 앞으로; (저) 안에서 (이) 밖으로: aus et.³ ~ 무엇에서 밖으로; ~ mit euch! 너희들 밖으로 나오너라!; hinter dem Baum ~ 나무 뒤에서 (불쑥) 밖으로.

hervor.. *pref.* ① "뒷쪽에서 앞쪽으로"의 뜻 (보기: ~locken 꾀어내다; ~strecken 밖으로 내뻗다). ② "안에서 바깥으로"의 뜻(보기: ~keimen 싹트다; ~schimmern 희미한 빛을 내다).

hervor≠|arbeiten《Ⅰ》*t.* 힘들여 만들어내다; 발굴하다; 해방시키다; 드러내다, 나타내다. 《Ⅱ》*refl.* sich ~ 애써 나오다, 이탈하다, 면하다; 〔비유〕 두각을 나타내다, 입신출세하다. **~|blicken** *i.* (h.) ① 내다보다: hinter einem Baum ~ 나무 뒤에서 엿보다. ② 나타나다, 보이다: die Sonne blickt hinter den Wolken hervor 태양이 구름 뒤에서 모습을 보인다. **~|blühen** *i.* (h./s.) 꽃이 피다, 피어나다; 〔비유〕 발전하다. **~|brechen*** *i.* (s.) ① 갑자기 나타나다, 불쑥 튀어 나오다; 〖軍〗 출격〔진출〕하다. ② 분출〔표출〕되다. **~|bringen*** *t.* ① 끄집어내다, 내어보이다, 나타내다. ② 생산〔산출〕하다, 만들어내다; (새끼를) 낳다; (열매를) 맺다, (잎을) 내다; (사상을) 창시하다; (작품을) 창작하다; (인상을) 주다; (결과를) 낳다. ③ (힘들게) 말하다; (악기로) 소리를 내다: kein Wort ~ 아무 말도 하지 못하다. **≈bringung** *f.* ① 산출, 생산; 제조; 제출, 제시; (열·범죄의) 발생, 야기; 창작, 창조; 발성, 발언. ② 산물, 제작품. **~|drängen**《Ⅰ》*i.* (s.) aus et.³ ~ (어디에서) 밀고 나오다.《Ⅱ》*t.* 밀어내다, 밀어제치다.《Ⅲ》*refl.* sich ~ 밀고 나오다; 주제넘다, 남의 눈에 뜨이게끔 행동하다. **~|dringen*** *i.* (s.) 갑자기 나타나다, 돌출하다; (물이) 분출하다, 솟아나오다. **~|gehen*** *i.* (s.) ①〖雅語〗 태어나다. ② 기인〔유래〕하다. ③ 분명해지다, 유추할 수 있다: daraus geht hervor, daß... 거기에서 …라는 결론이〔결과가〕 나온다. ④ (결과적으로) …이 되다: als Sieger aus dem Kampf ~ 싸움에서 승리자가 되다. **~|gucken** *i.* (h.) ① 내다보다, 기웃거리다. ② (살짝) 나타나다, 드러나 보이다. **~|heben***《Ⅰ》*t.* ① 들어올려서 꺼내다, 들어올리다. ② 눈에 뜨이게 하다, 두드러지게 하다; 주장하다, (어구를) 강조하다; (공적을) 찬양하다; (과오를) 지적하다; (무엇에) 중점을 두다. ③〖조각〗 부조(浮彫)하다.《Ⅱ》*refl.* sich ~ ① 일어서다, 일어나다. ② 눈에 뜨이다: 〖畫〗 sich vor dem Hintergrund ~ (배경보다) 두드러져 보이다. **≈hebung** *f.* 강조; 〖문법〗 강세. **~|holen** *t.* 끌어내다, 집어내다. **~|kehren** *t.* ① 쓸어내다. ② 과시하다, 강조하다, 노골적으로 드러내다. **~|keimen** *i.* (s.) 싹트다, 발아하다. **~|kommen*** *i.* (s.) 나오다, 나타나다; 생겨나다, 일어나다. **~|kriechen*** *i.* (s.) 기어나오다. **~|leuchten** *i.* (h.) ① 빛을 내다. ② 이채를 띠다; 뚜렷하다, 두드러지다. ③ 뚜렷해지다: es leuchtet hieraus hervor, daß... 이 점에서 …은 명백해진다. **~|locken** *t.* ① 꾀어내다, 유인하다. ②〔비유〕 et. bei jm. ~ 누구에게서 무엇을 유발시키다. **~|machen** *refl.* sich ~ 나타나다, 눈에 뜨이게 되다, 뛰어나다. **~|quellen*** *i.* (s.) ① 솟아나오다, 용솟음치다; 〔비유〕 (무엇에서) 유래하다. ② 불거져나오다, 튀어나오다. ***~|ragen** *i.* (h.) ① 돌출하다, 우뚝 솟다. ② 탁월하다, 뛰어나다. **~ragend** *p.a.* ① 솟아난. ② 뛰어난, 탁월〔현저〕한, 발군의: ein ~er Kopf 수재, 걸물(傑物); ~e Persönlichkeiten 저명 인사들. **≈ragung** *f.* 돌출, 돌기; 탁월, 우수, 현저; 돌출부, 돌출물: 〖天〗 ≈en an der Sonne 태양의 홍염(紅焰). **~|rauschen** *i.* (s.) 졸졸〔콸콸〕 흘러나오다; (샘물이) 콸콸 솟아오르다. **~|rücken**〔드물게〕《Ⅰ》*t.* 앞으로 밀치다.《Ⅱ》*i.* (s.) 앞으로 성큼 나아가다, 전진하다. **≈ruf** *m.* 〖연극〗 커튼 콜. **~|rufen*** *t.* ① 불러내다, 소환하다; (배우 따위에게) 커튼 콜을 하다: einen Schauspieler ~ 배우를 (박수로) 무대로 불러내다. ② 일어나게 하다, 야기시키다; (정서를) 불러일으키다; (귀신·혼령을) 불러내다; (생각을) 나게 하다: Bewunderung ~ 놀라움을 자아내다; ein Bild ~ 사진을 현상하다; Schweiß ~d 땀나게 하는. **~|schauen** *i.* (h.) ① 내다보다. ② 보이다. **~|schießen*** *i.* ① (h.) 숨어서 밖으로 사격하다: hinter der Hecke ~ 울타리 뒤에서 쏘다. ② (s.) (쏜살같이) 튀어나오다; 힘차게 움트다; (불꽃이) 튀겨나오다. **~|schleichen*** *i.* (s.) 몰래 빠져나오다, 살그머니 걸어나오다. **~|sehen*** *i.* (h.) (살짝) 내다보다. **~|sprießen*** *i.* (s.) 싹트다. **~|springen*** *i.* (s.) ① 뛰어나오다. ② 돌출하다. **~springend** *p.a.* 돌출한; 현저한, 우수한, 눈에 뜨이는. **~|sprossen** *i.* (s.) 싹트다, 발아하다. **~|sprudeln**《Ⅰ》*i.* (s.) 부글부글 솟아오르다, 용솟음치다: 〔비유〕 die Worte sprudeln nur so hervor (사람이) 말을 쉴새없이 내뱉는다.《Ⅱ》*t.* (말을) 급히 내뱉다. **~|stammeln** *t.* 더듬으며 말하다. **~|stechen*** *i.* (h.) ① (끝이) 뾰족하게 나와 있다; 돌출하다. ② 눈에 뜨이다, 현저하다. **~stechend** *p.a.* 돌출한, 뚜렷한: ~e Merkmale 두드러진 특징. **~|stehen*** *i.* (h.) 튀어나와 있다, 돌출해 있다. **~stehend** *p.a.* 튀어나온, 불룩하게 나온, 빼어난. **~|stürzen** *i.* (s.) 튀어나오다, 분출하다. **~|suchen** *t.* 찾아내다, 파내다. **~|tauchen** *i.* (s.) (물속에서) 떠오르다, 갑자기 나타나다; 〔비유〕 두드러지다, 입신출세하다. **~|trauen** *refl.* sich ~ 용기를 내어 밖으로 나오다. **~|treten*** *i.* (s.) ① 걸어나오다, 나타나다: aus dem Dunkel ~ 어둠 속에서 나타나다. ② 튀어나오다, 돌출하다: an den Schläfen ~de Adern 관자놀이에 불거진 혈관. ③ 빼어나다, 두드러지다, 뛰어나다: ~ lassen 눈에 뜨이게 하다, 현저하게 하다. ④ mit et. ~ 무엇을 대중 앞에 내놓다: der junge Autor ist mit einem neuen Roman hervorgetreten 그 젊은 작가는 새 소설을 발표하였다. **~|tun***《Ⅰ》*refl.* sich ~ ① (durch et.³) (무엇을 통해) 두각을 나타내다, 입신출세하다. ② (mit et.³) (무엇을) 잘난 체하다, 능력을 뽐내다: er tut sich sehr mit seinem Wissen hervor 그는 자신의 지식을 아주 뽐낸다. 《Ⅱ》 *t.* 〚드물게〛 꺼내다. ~|**wachsen*** *i.* (s.) 자라나오다, 신속히 자라다; (씨앗이) 싹트다; 발생하다. ~|**wagen** *refl.* sich ~ 과감하게 나오다, 단호히 걸음을 내딛다. ~|**zaubern** *t.* 마법을 써서 나타나게 하다, 불러내다. ~|**ziehen*** *t.* 끌어내다, 끄집어내다; 잡아당겨 들이다: 〔비유〕 aus dem Dunkel ~ 백일하에 드러내다, 규명해내다.

her=|wagen *refl.* sich ~ 과감하게 이곳으로 다가오다. **~wärts** *adv.* 〚구식〛 이쪽으로, 이쪽으로 오는 도중에: ~ mußte ich im Bus stehen 여기로 오는 동안 나는 버스에서 서서 와야했다. **≈weg** *m.* 이쪽으로 오는 길. ~|**winken** 《Ⅰ》 *i.* (h.) 이쪽으로 손짓하다. 《Ⅱ》 *t.* 이쪽으로 오도록 손짓〔신호〕하다. ~|**wünschen** *t.* 이쪽으로 오기를 바라다〔원하다〕.

***Herz** [hɛrts] *n.* 〚2 격 -ens/〚醫〛 -es, 3 격 -en/〚醫〛 -, 4 격 -, 복수 -en〛 ① 심장, 염통: das ~ schlägt〔klopft, pocht〕 심장이 뛴다; jm. den Dolch ins ~ stoßen 누구의 심장에 비수를 꽂다; 〚구어〛 mit dem ~en zu tun haben 심장병을 앓고 있다; jn. auf ~ und Nieren prüfen 누구를 매우 철저하게 검사〔시험〕하다; mir stand beinahe das ~ still (vor Schreck) (놀라서) 내 심장이 거의 멎을 뻔했다. ② 가슴 (Brust): jn. ans ~ drücken 누구를 껴안다; die Hand aufs ~ legen (맹세하기 위하여) 가슴에 손을 얹다; ein Kind unter dem ~en tragen 임신하고 있다. ③ 마음, 감정, 정서; 동정, 애정; 영혼; 의지; 감각; 용기, 기력; 신뢰; 결의; 〚聖〛 오성, 지력(知力); 심중, 충정, 속마음; …한 마음의 소유자: ein feiges ~ 비겁자, 겁 많은 인간; ein hartes ~ 가혹한 마음씨〔사람〕; das gebrochene ~ 상심한 마음, 고뇌; leichten〔schweren〕 ~ens 가벼운〔우울한〕 마음으로; sein ~ verlieren (누구에게) 마음을 빼앗기다, 반하다; jm. das ~ abdrücken 누구를 괴롭히다, 속상하게 하다; jm. sein ~ ausschütten 누구에게 자신의 심중을 털어놓다, 흉금을 터놓다; alles, was das ~ begehrt 하고〔갖고〕 싶은 모든 것; jm. das ~ brechen 누구의 마음을 아프게 하다, 애타게 하다; das ~ blutet mir 내 마음이 찢어질 듯이 아프다; jm. ein ~ einsprechen 누구에게 기운을〔용기를〕 내게 하다; sein ~ für jn. 〔et.〕 entdecken 누구〔무엇〕에 대한 열정〔애정〕이 솟다〔생기다〕; sich³ das ~ erleichtern (속마음을 털어놓아) 고민을 덜다; die ~en der Menschen〔Frauen〕 im Sturm erobern 사람들〔여자들〕의 선풍적인 인기를 얻다; ihm fiel das ~ in die Hose 그는 용기를 잃었다, 겁먹었다; sich³ ein ~ fassen 용기를 내다, 결심하다; zu jm. ~ fassen 누구를 신뢰하다; jm. gehört sein ganzes ~ 누구에게 푹 빠져 있다; seinem ~en einen Stoß geben 오랜 망설임 끝에 결심하다; alle ~en gewinnen 만인의 신뢰를 얻다; ein gutes ~ haben 선량한 사람이다, 친절하다; kein ~ haben a) 무정〔냉정〕하다, b) 용기가 없다; ihr ~ hängt an jm. 〔et.³〕 그녀는 누구를〔무엇을〕 몹시 좋아한다; da lacht jm. das ~ im Leibe herum 이제 누가 기뻐하다, 환호하다; seinem ~en Luft machen 속마음을 털어놓다, 우울한 마음을 떨치다; sie stand seinem ~en nahe 그녀는 그와 가까운 사이였다; sein ~ in beide Hände nehmen 용기를 내다; sein ~ rühren 그의 동정을 얻다, 그를 감동시키다; jm. sein ~ schenken 누구를 몹시 사랑하다; jm. das ~ schwer machen 누구의 마음을 우울하게〔슬프게〕 하다; ein ~ und eine Seele sein 일심동체다, 의기가 투합해 있다; das ~ war ihm schwer 그는 마음이 무거웠다; sie hat ihm sein ~ gestohlen 그는 그녀에게 반했다; ihm fliegen alle ~en zu 많은 사람들〔여자들〕의 사랑〔동정〕이 그에게 쏠린다. ④ 〚전치사와 함께〛 jm. **ans** ~ greifen 누구의 마음을 사로잡다, 누구의 마음을 비통하게 만들다; jm. et. ans ~ legen 누구에게 무엇을 간절히 권하다; sein ~ an et. hängen 무엇에 집착〔집념〕하다; es liegt mir am ~en 그것이 내 마음에 걸린다, 나의 큰 관심사다; es ist mir ans ~ gewachsen 그것이 나에게는 소중한 것이다, 나는 그것에 대한 애착을 버릴 수 없다; Hand **aufs** ~! 솔직히 말하라!; das ~ auf der Zunge haben 느낌이나 생각을 즉시 표현하는 능력을 갖고 있다, 생각을 숨김없이 토로하다; etwas auf dem ~en haben 말하고 싶은 것이 있다, 소원이 있다; schwer aufs ~ fallen 마음을 무겁게〔괴롭게〕 하다; **aus** dem Grund meines ~ens 충심〔진심〕으로; was du da sagst, ist mir (ganz) aus dem ~en gesprochen 네 말이 내 생각과 (똑)같다; sich **bis** ins ~ hinein schämen 마음속 깊이 부끄러워하다; es geht **durchs** ~ 그것은 마음속 깊이 새겨진다; **im** ~en 내심으로, 은근히; im Grunde seines ~ens 그의 실제 마음〔본심〕에 따르면; jm. ins ~ sehen〔greifen〕 누구의 마음을 꿰뚫어보다〔감동시키다, 감정을 상하게 하다〕; jn. ins ~ schließen 〔geschlossen haben〕, jn. im ~en tragen 누구를 총애하다; sich in sein ~ stehlen 그의 호감을 얻다; das gibt mir einen Stich ins ~ 그것은 내 마음을 아프게 한다; jn. tief im ~en treffen 누구를 매우 상심시키다; **mit** ~ und Hand a) 기꺼이, 진심으로, b) 몸과 마음을 바쳐; mit schwerem ~en 무거운 마음으로, 괴로운 마음으로; mit allen Fasern seines ~ens an jm. 〔et.³〕 hängen 누구를〔무엇을〕 몹시 사랑하다; mit halbem ~en 별로 내키지 않는 심정으로; **nach** ~ens Wunsch 희망대로, 바라는 대로; ein Mann nach meinem ~en 내 마음에 드는 남자; **ohne** ~ a) 무정〔냉정·무심〕한〔하게〕, b) 용기〔기백〕 없는〔없이〕; es nicht **übers** ~ bringen, et. zu tun 차마 무엇을 하지 못하다; wie ist dir **ums** ~? 기분이 어떠십니까?; es ist mir schwer ums ~ 나는 마음이 무겁다, 우울하다; **von** ~en 진심〔충심〕으로; von ganzem ~en lieben 진심으로 사랑하다; vom 〔von〕 ~en kommen 진심에서 우러나다; frisch vom ~en weg reden 생각나는 대로 말하다; 〚雅語〛 sich³ et. vom ~en reden 마음속의 고민을 후련하게 털어놓다; mir ist ein Stein vom ~en gefallen 나는 마음의 걱정을 벗었다, 한 시름 놓았다; **zu** ~en gehen〔zum ~en dringen〕 심금을 울리다, 폐부를 찌르다; zum ~en sprechen 마음〔감정〕에 호소하다; sich³ et. zu ~en nehmen 무엇을 명심하다〔마음에 두다〕. ⑤ 사랑하는 사람, 애인: mein ~! 여보, 사랑하는 그대여, 내 사랑!; er hat schon viele ~en gebrochen 그는 이미 많은

여자들을 울렸다. ⑥ 중심부, 심장부; 정곡; 급소; 〖植〗 핵, 수(髓); (재목의) 홍육재(紅肉材)(적갈색의 심재(心材)에서 켜낸 목재), 유심재(有心材); (배·사과 따위의) 과심(果心): im ~en Berlins 베를린의 중심부에; jn. ins ~ treffen 누구의 마음을 찌르다, 심금을 울리다. ⑦ 하트 모양의 물건(과자·장식품·조개껍질 따위): 〖植〗 flammendes〔hangendes〕 ~ 금낭화(錦囊花). ⑧ 〖카드〗 (a) 하트 그림〔문양〕. (b) 〔복수: -〕 하트가 으뜸패인 카드놀이. (c) 〔복수: -〕 하트의 카드. ⑨ 〔방언〕 (체리) 브랜디.

Herz≈ader *f.* 〖해부〗 대동맥; 관상(冠狀) 정맥. **~affektion** *f.* 심장병.

her|zählen *t.* 하나하나 세다, 열거하다, 일일이 따지다, 계상(計上)하다.

Herzählung *f.* 열거, 계상(計上).

herz≈allerliebst *a.* 매우 사랑하는; 매혹적인. **≈allerliebste*** *der/die* 애인; 여보, 당신(부르는 말). **≈anfall** *m.* 심장 마비〔발작〕. **≈anomalie** *f.* 심장 이상. **≈arterie** *f.* 〖해부〗 대동맥. **≈as** *n.* 〖카드〗 하트의 에이스(A). **≈asthma** *n.* 〖醫〗 심장 천식. **≈attacke** *f.* 심장 마비〔발작〕(~anfall).

her|zaubern *t.* 마법으로 불러내다, 마술로 나타나게 하다.

Herz≈balsam *m.* (가슴에 바르는) 강심 연고. **~beben** *n.* 심장의 고동, 심박(心搏). **~bein** *n.* 흉골(胸骨). **≈beklemmend** *a.* 가슴 조이게 하는, 근심시키는. **~beklemmung** *f.* 〖心〗 가슴 졸이는 불안; 〖醫〗 심장 협착. **≈beklommen** *a.* 마음 아픈, 우울한. **~beutel** *m.* 〖해부〗 심낭(心囊).

Herzbeutel≈entzündung *f.* 〖병리〗 심낭염. **~wasser·sucht** *f.* 심낭 수종(水腫).

herz≈bewegend *a.* 고무하는; 감동시키는, 비장한: et. ~ erzählen 무엇을 감동적으로 이야기하다. **≈blatt** *n.* ① 〖植〗 떡잎; 어린 잎사귀; 물매화. ② 〖해부〗 심낭엽. ③ 〖카드〗 하트. ④ 애인, 가장 사랑하는 사람; 총아. **≈blättchen** *n.* ↑ ~blatt(특히 ④)의 축소형). **≈blut** *n.* 〖雅語〗 ① 생명: sein ~ für jn.〔et.〕 hingeben 누구를〔무엇을〕 위해 몸과 마음을 바치다. ② 정열: er hat dieses Buch mit seinem ~ geschrieben 그는 이 책을 온갖 정성을 다 바쳐 썼다. **≈bräune** *f.* 〖醫〗 ① 협심증. ② (디프테리아 후유증인) 심근염. **≈brechend** *a.* 〖雅語〗 가슴을 갈가리 찢는 듯한, 비통한. **≈bruder** *m.* ① 특히 가까운 형〔동생·오빠〕. ② 친우, 마음의 벗. **≈bube** *m.* 〖카드〗 하트의 잭(J).

Herzchen [hɛ́rtsçən] *n.* -s, - 〖↑ Herz 의 축소형〗 ① 심장 모양의 작은 물체(과자·초콜릿 따위). ② 〖카드〗 애인. ③ 〔농담〕 순진한 사람, 귀가 엷은 사람.

Herz≈chirurgie *f.* 심장 외과. **~dame** *f.* 〖카드〗 하트의 퀸. **~drücken** *n.* ↑ ~beklemmung: 〔비유〕 er stirbt nicht an ~ 그는 무엇이든지 숨김없이〔터놓고〕 말한다.

Herze [hɛ́rtsə] *n.* -ns, -n ① 〔시어〕 ↑ Herz. ② 〔방언〕 연인, 아가씨: mein ~! 여보, 당신!

Herzegowina [hɛrtsegó:vina, ..goví:na] 헤르체고비나(유고슬라비아의 한 지방).

Herzegowiner 《I》 *m.* -s, - 헤르체고비나 사람. 《II》 *a.* 헤르체고비나의, 헤르체고비나 사람의.

Herze·leid *n.* 〖雅語〗 상심, 수심, 애통, 번민: jm. ein ~ antun 누구의 마음을 상하게 하다, 괴롭히다.

herzen [hɛ́rtsən] *t.* ① 껴안다, 포옹하다; 〖비유〗 애무하다, 사랑하다: sie herzten und küßten sich 그들은 서로 껴안고 키스했다. ② 〔고어〕 ein hartgeherzter Mann 박정한 남자. ③ 〔방언〕 기쁘게 하다, (누구에게) 신뢰하는 마음을 일으키다, 친밀감을 고취하다.

Herzen≈bändiger, ~brecher, ~feßler *m.* (여자의 마음을 사로잡는) 바람둥이.

Herzens≈adel *m.* 고결한 마음씨, 의협심. **~andacht** *f.* 열렬한 믿음. **~angelegenheit** *f.* ① 중대한 관심사, 절실한 문제. ② 정사(情事), 연애 사건. **~angst** *f.* 〔雅語〕 큰 걱정, 큰 두려움. **~bedürfnis** *n.* 진정한 욕구〔필요〕: es ist mir ein ~, Ihnen zu danken 저는 충심으로 당신께 꼭 감사드리고 싶습니다. **~brecher** *m.* 〔구어〕 여자의 마음을 사로잡는 남자, 바람둥이. **~bruder** *m.* ① 가장 사랑하는 형〔남동생·오빠〕. ② 절친한 친구, 단짝. **~dieb** *m.* 〔농담〕 남의 마음을 빼앗는 사람. **~einfalt** *f.* 소박, 순진, 순박. **~ergießung** *f.* ↑ ~erguß. **~erguß** *m.* 〔雅語〕 심정의 토로, 흉금을 털어 놓음. **~freude** *f.* 큰 기쁨. **~freund** *m.* 단짝 친구, 아주 친한 친구, 마음의 벗. **~freundin** *f.* ↑ ~freund 의 여성형. **≈froh** *a.* 진심으로 기쁜, 정말 즐거운. **~gedanke** *m.* 심중, 충심. **~geheimnis** *n.* 마음속의 비밀. **~glaube** *m.* 진정한 신앙, 마음속에서 우러나오는 신념. **~grund** *m.* 마음속, 충심, 심중: aus ~ 충심으로. **≈gut** *a.* 마음이 착한, 인정 많은. **~güte** *f.* 〔雅語〕 (진심에서 나오는) 친절, 성의, 온정. **~härte, ~härtigkeit** *f.* 〔구식〕 박정(薄情), 무자비, 냉혹. **~jammer** *m.* 〔雅語〕 비탄, 비참한 기분. **~junge** *m.* 사랑하는 남자. **~kind** *n.* 가장 사랑하는 아이: mein ~! 이 귀여운 것! **~königin** *f.* 애인, 정부. **~kummer** *m.* 〔雅語〕 고뇌, 상심, 번민. **~kündiger** *m.* 〖聖〗 마음을 관찰하시는 하느님(로마서 8 : 27). **~lust** *f.* 〔다음 용법으로〕 nach ~ 하고 싶은 대로, 마음껏. **~mann** *m.*, **~männchen** *n.* 애인; 남편. **~meinung** *f.* 진정, 충정(衷情). **~mutter** *f.* 사랑하는 어머니. **~not** *f.* 〔雅語〕 심적 고통, 번민, 고뇌. **~pein, ~qual** *f.* 〔雅語〕 고민, 번민, 가슴아파함. **~reinheit** *f.* 순진, 순박, 청렴. **~reue** *f.* 진심어린 후회. **~ruhe** *f.* 마음의 평화, 침착; 〖醫〗 (심장의) 후축기(後縮期). **~sache** *f.* (~angelegenheit) ① 중대사, 관심사, 절실한 문제. ② 연애, 정사. **~sprache** *f.* 진심으로 하는 말. **~wärme** *f.* 〔雅語〕 온정, 동정심. **~wunsch** *m.* ① 열망, 갈망. ② nach ~ 마음껏.

herz≈entzückend *a.* 아주 매혹적인. **≈entzündung** *f.* 〖醫〗 심장염(Karditis). **≈erfreuend** *a.*, **~erfreulich** *a.* 〔구식〕 마음을 즐겁게 하는, 정말 기쁜. **~erfrischend** *a.* 마음을 상쾌하게 하는, 원기를 북돋우는. **~ergreifend** *a.* 감동시키는; 비참한, 가련한. **~erhebend** *a.* 마음을 고무시키는; 도량을 넓게 하는. **~erleichternd** *a.* 〔雅語〕 마음을 가볍게 하는, 경쾌하게 하는. **≈eroberer** *m.* (여자들의) 마음을 사로잡는 자, 바람둥이. **~erquickend** *a.* ↑ ~erfrischend. **~erschütternd** *a.* 〖雅語〗 마음을 뒤흔드는, 비통한, 처참한. **~erweichend** *a.* 마음을 녹이는, 감동적인. **≈erweiterung** *f.* 〖醫〗 심장 확장증. **≈fehler** *m.* 〖醫〗 심장 결함, 심장병, 심장 판막증. **≈fell** *n.* 〖해부〗 심낭(心囊). **≈finger** *m.* 〖시어〗 약손가락, 약지. **≈flimmern** *n.* 〖醫〗 불규칙적 심장 박동; 심장 세동(細動). **≈form** *f.* 심장 모양, 하트형. **~förmig** *a.* 하트형의. **≈frequenz** *f.* 〖醫〗 (1 분간의) 맥박수. **≈gegend** *f.* 심장부. **≈geliebte*** *der/die* 애인, 연인. **≈-geräusch** *n.* 〖醫〗 심장 잡음. **≈gespiel** *n.* 연인, 애인. **~gewinnend** *a.* 〖雅語〗 사람의 마음을 끄는, 애교 있는. **≈grube** *f.* 〖해부〗 심와(心窩), 명치.

herzhaft [hértshaft] *a.* ① 용감한, 믿음직스러운; 대담한, 겁없는. ② 단호〔결연〕한; 힘센, 억센; 왕성한, 충분한: ~er Appetit 왕성한 식욕; ~er Entschluß 단호한 결의; ~er Kuß 열렬한 키스; ~e Mahlzeit 실속 있는 식사; ~ lachen 호탕하게 웃다; ~ trinken 실컷 마시다. ③ 강렬한 맛이 있는; 〖방언〗 강심 작용이 있는(herzstärkend); 신 맛이 있는.

Herzhaftigkeit *f.* 용감, 대담; 단호, 결연; 왕성.

Herz≈haut *f.* 〖해부〗 심막(心膜). **~höhle, ~höhlung** *f.* 심장강(腔). **~hypertrophie** *f.* 〖醫〗 심장 비대.

her|ziehen* 《I》 *t.* ① 〖구어〗 끌어당기다: sich den Stuhl ~ 의자를 자기 앞으로 끌어당기다. ② 끌고 가다: er zog einen Handwagen hinter sich her 그가 손수레를 끌고 갔다. 《II》 *i.* ① (s.) 이사하다, 이전해 오다: sie sind vor ein paar Jahren hergezogen 그들은 몇 년 전에 이곳으로 이사해 왔다. ② (s.) 함께 행진해가다, 함께 따라가다: vor den Fackelträgern zog eine Musikkapelle her 횃불을 든 사람들 앞에는 악대가 행진해 가고 있었다. ③ (h./s.) 〖구어·폄어〗 über jn.〔et.〕 ~ 누구를〔무엇을〕 뒤에서 헐뜯다. 《III》 *imp.* es zieht von dort her 그곳에서 바람이 불어온다.

herzig [hértsıç] *a.* ① (herzlich) 진심에서 우러나는, 간절한; 성실〔충실〕한. ② 사랑스러운, 애교가 있는, 매혹적인: mein ~es Mädchen 나의 사랑하는 아가씨. ③ (나무가) 심(芯)이 있는, 고갱이가 있는.

..herzig *suf.* "…한 마음을 갖고 있는"의 뜻(보기: hart~ 무정한, 무자비한).

Herz≈infarkt *m.* 〖병리〗 심근 경색. **≈innig** 〖구식〗 《I》 *a.* 진정〔간절〕한. 《II》 *adv.* 진정으로, 간절히. **~inniglich** *adv.* 마음속 깊은 곳에서 우러나는, 충심으로, 진심으로. **~insuffizienz** *f.* 〖병리〗 심장 기능 부전, 심부전. **~kammer** *f.* 〖해부〗 심실(心室). **~katheter** *m.* -s, - 〖醫〗 심장 내시용(內視用) 카테터〔도관〕. **~kirsche** *f.* 〖植〗 하트버찌(앵두의 일종으로 달고 보드라움). **~klappe** *f.* 〖해부〗 심장 판막. **~klappen·fehler** *m.* 〖병리〗 심장 판막증. **~klee** *m.* 〖植〗 수영. **~klopfen** *n.* ① 〖醫〗 심계증(心悸症). ② 심장의 빠른 고동: er sah den entscheidenden Stunden mit ~ entgegen 그는 결정적인 시간들을 가슴 졸이며 기다렸다. **~kohl** *m.* 〖植·방언〗 꽃양배추. **~könig** *m.* 〖카드〗 하트의 킹. **~krampf** *m.* 심장 경련. **≈krank** *a.* 심장병의; 〖비유〗 번민〔비관〕하는. **≈kränkend** *a.* 마음 아프게 하는, 모욕감을 느끼게 하는. **~krankheit** *f.* 심장병, 심장 질환. **~kränkung** *f.* 굴욕, 억울함; 상심. **~kranzgefäß** *n.* (심장의) 관상 혈관. **~lähmung** *f.* 심장 마비. **~leiden** *n.* 고민; 심장병.

Herzlein *n.* -s, - 〖↑ Herz 의 축소형〗 ↑ Herzchen.

***herzlich** [hértslıç] 《I》 *a.* ① 진심의, 간절한; 성의 있는, 성실한: ~(st)es Beileid 심심한 애도를 표합니다; ~(st)e Grüße 정중한 인사를 드립니다; ~en Dank〔Glückwunsch〕 정말 고맙습니다〔진심으로 축하합니다〕. ② 인정이 많은, 자애로운: sie ist ein ~er Mensch 그녀는 인정 많은 사람이다. 《II》 *adv.* ① 진심으로, 성실하게, 간절히: ~ willkommen 진심으로 환영합니다; ~ gern 아주 기꺼이, 즐겨. ② (ganz) 대단히, 전혀, 몹시: ~ wenig 아주 적은; ein ~ schlechtes Gedicht 몹시 서투른 시; wir sind es ~ satt 우리들은 그것이 지긋지긋하다.

Herzlichkeit *f.* 진심, 간절, 성실; 온정, 친절.

herz≈lieb *a.* 진심으로 사랑하는, 사랑스러운. **≈liebchen** *n.* 〖雅語〗, **≈liebste*** *der/die* 애인, 가장 사랑하는 아이〔사람〕.

herzlos *a.* 심장이 없는; 〖비유〗 무정〔냉혹〕한.

Herzlosigkeit *f.* ① 무정, 냉혹. ② 냉혹한 말〔행동〕.

Herz≈Lungen-Maschine *f.* 〖醫〗 인공 심폐기. **~massage** *f.* 〖醫〗 심장 마사지. **~mittel** *n.* 〖藥〗 심장약, 강심제. **~muschel** *f.* 〖動〗 유럽산(産) 새조개. **~muskel** *m.* 〖해부〗 심근. **~muskel·schwäche** *f.* 〖병리〗 심근 쇠약〔부전〕. **≈nagend** *a.* 마음을 괴롭히는, 가슴 아프게 하는. **≈nah** *a.* 심장 바로 옆〔근처〕의. **~neurose** *f.* 심장 신경증.

***Herzog** [hértso:k] 《원뜻 „Heerführer"》 *m.* -(e)s, ..zöge/-e ① (**a**) 〖史〗 (게르만의) 장군, 사령관. (**b**) 공국왕(公國王), 대공. ② (**a**) 공작 (작위): der Besitz ~ Meiningens 마이닝겐 공작 영지. (**b**) 공작(작위 소유자): mit mehrerer Herzögen Europas zusammentreten 유럽의 여러 공작들과 회동하다.

Herzogin [..gın] *f.* -nen ① 〖↑ Herzog 의 여성형〗 여공작. ② 공작 부인〔딸〕, 공비(公妃).

Herzogin·mutter *f.* 대공〔공국왕〕의 모친.

herzoglich [..tso:klıç] *a.* 공작(령)의, 공작 같은.

Herzogs≈krone *f.* 공작의 관(冠). **~titel** *m.* 공작의 칭호. **~würde** *f.* 공작의 신분.

Herzogtum [hértso:ktu:m] *n.* -(e)s, ..tümer ① 공작령(領); 대공국. ② 공작의 지위〔신분〕.

Herz≈ohr *n.* 〖해부〗 심이(心耳). **~pochen** *n.* ↑ ~klopfen. **~rhythmus** *m.* 〖醫〗 심장 박동 박자〔리듬〕. **~rhythmus·störung** *f.* 심장 박동 리듬의 장애. **~sack** *m.* 심낭(心囊). **≈schlächtig** *a.* 숨가빠하는; (개·말이) 숨가쁜. **~schlag** *m.* ① (**a**) 심장의 고동: 〖雅語〗 einen ~ lang 한순간. (**b**) (규칙적인) 심장 박동: 〖비유〗 der ~ einer Großstadt 대도시의 활기. ② 심장 마비: an einem ~ sterben 심장 마비로 죽다. **~schmerz** *m.* 심장통, 심장 부위의 통증. **~schritt·macher** *m.* ① 〖해부〗 심장 박동 조절 신경. ② 〖醫〗

(künstlicher ~) 심박 조정기. **~schwäche** *f.* 심부전; 심장 쇠약. **~spender** *m.* 심장 기증자. **~spenderin** *f.* ↑ ~spender 의 여성형. **~spitze** *f.* 〖해부〗 심첨(心尖). **~-stärkend** *a.* 〖醫〗 강심제의, 심장(기능)을 강화시키는: ein ~er Trank a) 강심제, b) 〔구어〕 즐거움을 느끼게 하는 것. **~stärkung** *f.* 심장 기능 강화; 강심주(酒)〔제〕. **~stich** *m.* 심장통(通). **~still·stand** *m.* 〖醫〗 심장 박동 정지. **~stoß** *m.* ① 심박동(心搏動). ② 〔비유〕 치명적인 타격, 최후의 일격. **~stück** *n.* ① 〔雅語〕 핵심(부), 중심(부). ② 〖철도〗 철차(轍叉), 레일의 교차 부분. **~tätigkeit** *f.* 〖醫〗 심장 기능. **~tod** *m.* 심장사(死). **~ton** *m.* 〖醫〗 심음(心音), 심장 박동음. **~transplantation** *f.* 〖醫〗 심장 이식 (수술). **~tropfen** *pl.* (몇 방울씩 복용하는) 심장약.

her·zu [hɛrtsú:] *adv.* 〔雅語〕 이쪽으로.

herzu.. *pref.* "이쪽으로"의 뜻.

herzu|eilen *i.* (s.) 급히 다가오다.

Her·zug [hé:rtsu:k] *m.* 이쪽으로의 행진〔이주〕; (철새의) 귀환; (이쪽으로) 돌아오는 기차.

herzu|kommen* *i.* (s.) 〔雅語〕 이쪽으로 오다, 다가오다; 그 곳에 닿다, 그 곳에 나타나다.

Herz=verfettung *f.* 〖醫〗 심지방화(心脂肪化), 심장 지방 변성(變性). **~vergrößerung** *f.* 심장 비대(증). **~verknöcherung** *f.* 〖醫〗 심장 경화. **~verpflanzung** *f.* 〖醫〗 심장 이식(수술). **~versagen** *n.* 심부전(心不全). **~vorhof** *m.*, **~vorkammer** *f.* 심이(心耳), 심방(心房). **~wasser** *n.* ① 심낭액(心囊液). ② 〖수의학〗 (양의) 간장병. ③ 강심(强心) 음료. **~weh** *n.* ① 〔구식〕 심장통(痛). ② 〔雅語〕 비탄. **~wunde** *f.* 심장의 상처; 〔비유〕 상심. **~wurm** *m.* 〔비유〕 양심의 가책. **~wurzel** *f.* 〖植〗 큰 뿌리, 직근(直根). **~zergliederung** *f.* 심장 해부. **~zerreißend** *a.* 가슴을 찢는 듯한, 비통한: eine ~e Abschiedsszene 가슴을 에는 듯한 이별 장면. **~-zerschneidend** *a.* ↑ ~zerreißend.

Hes [hɛs] *n.* - 〖음악〗 내림 나 장조.

Hesekiel *m.* 에스겔(구약 성서의 예언자).

Hesiod [hezió:t], **Hesiodos** [hezí:odɔs] *m.* 헤시오도스(기원전 8세기경의 그리스의 시인).

Hesperide [hɛsperí:də] 《gr.》 *f.* -n 〔보통 복수로〕 〖그리스신화〗 헤스페리데(헤스페루스의 딸들; 헤라의 황금 사과를 수호함).

Hesperien [hɛspé:riən] *pl.* (Abendland) 서쪽 나라(그리스 사람이 말하는 이탈리아, 로마인이 말하는 에스파냐).

hesperisch *a.* 서쪽 나라의.

Hesperos [hɛ́sperɔs], **Hesperus** [..rus] 《gr., „Abendstern"》 *m.* - ① 저녁. ② 서방(西方) (Abendgegend). ③ 초저녁별, 금성, 샛별.

Hesse[1] [hɛ́sə] 〔↑ Hechse 의 별형〕 *f.* -n 〔방언〕 (말 따위의 뒷다리의) 무릎, 무릎 관절.

Hesse[2] *m.* -n, -n ① 헤센(지방) 사람. ② 〔비속〕 blinder ~ 바보, 얼간이.

Hesse[3] Hermann ~ 헤세(독일 작가, 1877-1962).

Hessen [hɛ́sən] 헤센(독일 중서부의 주).

Hessen-Darmstadt 헤센·다름슈타트(독일 중서부의 한 지방).

Hessen=fliege *f.* 〖動〗 파리의 일종(애벌레는 밀의 해충임). **~land** *n.* 헤센 지방.

Hessen-Nassau 헤센·나사우(옛 프러시아의 주).

Hessin [hɛ́sɪn] *f.* -nen 헤센 지방의 여자.

hessisch *a.* 헤센 지방의.

Hessit [hɛsí:t] *m.* -(e)s, -e 〖광물〗 텔루르 은광.

Hestia [hɛ́stia] 《gr., „Herd"》 *f.* 〖그리스신화〗 헤스티아(아궁이를 주재하는 여신) (〖로마신화〗 ↑ Vesta).

Hetäre [hetɛ́:rə] 《gr., „Freundin"》 *f.* -n ① 〔교양〕 창부, 매춘부. ② (옛 그리스의) 창녀.

Hetärie [hetɛrí:] *f.* -n ① (고대 그리스의) 남성 동지회(정치 단체); 호색회(好色會). ② 19세기에 그리스 독립을 목적으로 했던 비밀 결사.

Hetero *m.* -s, -s 〔구어〕 Heterosexuelle(r) 이성애(異性愛)를 하는 남자(↔ Homo).

hetero *a.* 〔구어〕 이성애(異性愛)를 하는 (heterosexuell).

hetero.. 《gr.》 *pref.* "다른·별개의·틀리는"의 뜻.

heterodox [heterodɔ́ks] 《gr.》 *a.* 〖宗〗 비정통의, 이교의; 이단의, 이설(異說)의.

Heterodoxie [..dɔksí:] *f.* -n [..sí:ən] 비정통설, 이교; 이단, 이설.

heterogen [..gé:n] *a.* ① 이질적인, 이종적(異種的)인. ② 잡다한; 균일하지 않은.

Heterogenität [..genitɛ́:t] *f.* 〔교양〕 (Ungleichartigkeit) 이종, 이질(성).

Heterogonie *f.* 〖生〗 (교미와 처녀 생식을 번갈아 하는) 이상(異狀) 생식, 이태(異態) 세대 교번.

heteromorph *a.* 이형의, 이상(異狀) 형태의.

Heteronomie *f.* ① 〔교양〕 (↔ Autonomie) 타율(성); 외국의 통치를 받음. ② 〖植〗 비동질성, 상이성.

Heterophyllie [..fylí:] *f.* 〖植〗 이형엽성(異形葉性).

Heterosexualität *f.* 이성애(異性愛) (↔ Homosexualität).

heterosexuell *a.* 이성애의(↔ homosexuell): der ~e 이성을 사랑하는 남자.

Heterosphäre *f.* (약 120 km 이상 높이의) 대기 상층권.

heterotroph *a.* 〖生〗 종속(從屬) 영양의, 유기 영양의: ~e Pflanzen 유기 영양 식물.

Heterotrophie *f.* 〖生〗 (↔ Autotrophie) 종속 영양, 유기 영양.

heterözisch *a.* 〖植〗 자웅 이주(雌雄異株)의.

heterozygot [..tsygó:t] *a.* 〖生〗 이종(異種) 교배의, 상이한 유전자들을 가진.

Hethiter *m.* -s, - 히타이트인(1700-1200 B.C. 에 소아시아에 살았던 문화 민족).

hethitisch *a.* 히타이트인의, 히타이트어의.

Hetiter *m.* -s, - ↑ Hethiter.

Hetman [hɛ́tman] 《poln., „Hauptmann"》 *m.* -s, -e/-s ① (옛 폴란드의) 군사령관. ② 카자흐의 수장(首長).

Hetz *f.* -en (öst.) 농담, 재미.

hetz *int.* 〖사냥〗 쫓아라(사냥감을 추격하라고 개를 부추기는 소리).

Hetz=bahn *f.* 〖사냥〗 짐승을 몰아 넣는 길. **~blatt** *n.* 〔폄어〕 선동적 신문〔잡지〕, 황색지.

Hetze [hɛ́tsə] *f.* -n ① 몰이, 사냥개를 써서 하

는 사냥; 추적, 추격. ②〖폄어〗선동, 사주, 비방: eine wilde ~ gegen jn. betreiben 누구에 대해 거칠게 비방하다. ③조급, 당황, 분주; 역경(逆境), 딜레마: in der ~ sein a) 몹시 급하다, b) 흥분해 있다, c) 딜레마에 빠져 있다. ④사냥터. ⑤한 줄에 맨 한 떼의 사냥개, 사냥개의 무리;〖비유〗군중, 떼, 무리: ~ Kinder 수많은 아이들.

***hetzen** [hɛ́tsən] 《ⓐ Haß》《I》*t.* ①부추겨 뒤쫓게 하다, 덤벼들게 하다: Hunde auf〔an〕einen Hirsch ~ 사슴을 쫓아가도록 개를 부추기다. ②사주〔선동〕하다: Leute aneinander〔widereinander〕~ 사람들을 꼬드겨 서로 다투게 하다, 사이를 나쁘게 하다. ③(사냥감을) 추격하다, 사냥하다; 뒤쫓다: der Hund hetzt einen Fuchs 개가 여우를 뒤쫓는다; Polizei hetzte den Verbrecher 경찰이 범인을 뒤쫓았다; er ist mit allen Hunden gehetzt 그는 상당히 교활하고 노련한 사람이다. ④독려하다, 혹사하다: fast zu Tode gehetzt 기진맥진하여; seine Diener halb tot ~ 하인들을 혹사시켜 반쯤 죽게 만들다; ein Gleichnis tot ~ 같은 비유를 너무 자주 되풀이하다; ein gehetztes Treiben 분망한 생활, 몹시 몰린 일. 《II》*i.* ①(h.) 몰이〔사냥〕하다. ②(h.)〖폄어〗선동〔비방·사주〕하다: gegen seine Kollegen ~ 자기 동료들에게 반감을 갖도록 선동하다; zum Krieg ~ 전쟁을 하도록 사주하다. ③(s.) 서둘러 가다: zur Post ~ 바삐 서둘러 우체국에 가다. ④(h.) 서둘러 급히 처리하다: bei dieser Arbeit braucht niemand zu ~ 이 일에서는 누구도 서두를 필요가 없다. 《III》*refl.* sich ~ 몹시 서두르다; 서둘러 처리하다; 악착같이 일하다.

Hetzer *m.* -s, - ①〖사냥〗몰이꾼, 사냥개. ②〖폄어〗교사자, 선동자; 이간하는 사람.

Hetzerei [hɛtsəráɪ] *f.* -en ①황급, 몹시 분주함. ②〖구어·폄어〗**(a)** 몰아 세움, 부추김, 선동, 교사, 사주. **(b)** 선동적인 말이나 행동.

hetzerisch *a.* 꼬드기는, 선동적인, 부추기는.

Hetz≈garten *m.* ↑ ~bahn. **~halber** *adv.* (öst.) 재미로. **~hund** *m.* 사냥개. **~jagd** *f.* ①몰이 사냥, 몰이, 사냥개를 거느리고 하는 사냥: eine ~ veranstalten 몰이 사냥 대회를 개최하다. ②〖폄어〗(정치적) 박해, 선동. ③〖구어〗조급, 분망: einen Tag ohne ~ verbringen 하루를 조용히 지내다. **~kampagne** *f.*〖폄어〗선동적인 캠페인〔운동〕. **~peitsche** *f.* 사냥 채찍:〖비유〗mit der ~ hinter jm. her sein 누구를 독려〔사주〕하다. **~presse** *f.* ↑ ~blatt. **~rede** *f.* 선동 연설. **~redner** *m.* 선동 연설가. **~zeit** *f.* 사냥 기간.

***Heu** [hɔʏ] *n.* -(e)s ①말린 풀, 건초, 꼴: ~ machen 풀을 베어 말리다; ~ wenden 건초를 뒤집다;〖비유〗wie ~ und Stroh 몹시 어수선하게; kein ~ im Kopf haben 바보가 아니다; er hat sein ~ herein〔im Trocknen〕그는 일을 마쳤다, 이젠 아무 걱정 없다. ②〖구어〗많은 돈: der hat vielleicht ~! 그는 아마 큰 돈을 가지고 있을 것이다!; Geld wie ~ haben 큰 부호다, 돈을 많이 가지다. ③〖植〗griechisches ~ 거여목(콩과 식물). ④〖은어〗마리화나.

Heu≈asthma *n.*〖병리〗↑ ~fieber. **~baum** *m.* (건초차(車)의) 건초 고정용 난간 막대기. **~bazillus** *m.* 고초균(枯草菌). **~binder** *m.* 건초를 다발로 묶는 사람〔기계〕. **~boden** *m.* ①(~bühne) 건초 저장용 헛간 시렁. ②〖경박·농담〗(극장의) 가장 높은 관람석〔좌석〕. **~bühne** *f.* (schweiz.) ↑ ~boden ①. **~bund, ~bündel** *n.* 건초 묶음〔다발〕.

Heuchel·buße [hɔ́ʏçəl..] *f.* 위선적인 참회, 거짓 뉘우침.

***Heuchelei** [..láɪ] *f.* -en ①위선, 허위, 기만, 사기; 허구, 신앙심이 깊은 체하기; 꾸며대기. ②위선적인 말〔행동〕.

Heuchel·glaube *m.* 거짓 믿음, 위신(僞信).

heucheln 《I》*i.* (h.) 위선적으로 행동하다, 속임수를 쓰다; 신앙심이 깊은 체하다. 《II》*t.* (없는 감정이나 특성을) 있는 체하다: Reue ~ 후회하는 체하다; jm. Liebe ~ 누구를 사랑하는 체하다.

Heuchel≈rede *f.* 위선적인 연설, 허언(虛言). **~schein** *m.* 위선, 가식, 가면. **~träne** *f.* 거짓 눈물. **~wort** *n.*〖복수: -e〗꾸며대는 말, 거짓말.

Heuchler [hɔ́ʏçlər] *m.* -s, - 꾸며대는 사람, 위선자, 독실한〔점잖은〕체하는 사람, 사기꾼.

Heuchlerin *f.* -nen ↑ Heuchler 의 여성형.

heuchlerisch 《I》*a.* 거짓의, 속임수를 쓰는, 위선의. 《II》*adv.* 위선자같이.

Heuchler·miene *f.* 위선자의 표정.

Heu·diele *f.* (schweiz.) ↑ Heuboden ①.

heuen [hɔ́ʏən] 《< Heu》*i.* (h.)〖방언〗풀을 베어 말리다, 건초를 만들다.

heuer [hɔ́ʏər] 《ahd., „in diesem Jahr"》*adv.* (obd.) 금년에; 지금 당장, 현하, 목하.

Heuer[1] 《< heuen》*m.* -s, -〖방언〗건초 만드는 사람.

Heuer[2] 《ndd.》*f.* -n ①임대료(Miete), 소작료(Pacht); 임대, 임차. ②(선원의) 급료: die ~ zahlen 선원의 급료를 지급하다. ③선원 고용 (계약): die ~ wird auf eine bestimmte Fahrt festgelegt 이번의 선원 고용은 특정한 항해에 국한된다.

Heuer≈baas *m.*〖구식〗선원 중개인; 선원 유괴자〔모집자〕. **~brief** *m.* 용선(傭船) 계약(서); 선원 고용 계약(서). **~büro** *n.* 선원 중개 사무소.

Heuerling[1] 《< Heuer[2]》*m.* -s, -e ①고용된 사람; 날품팔이. ②소작인, 임차인, 세입자.

Heuerling[2] 《< heuer》*m.* -s, -e (붕어·양 따위의) 1년생.

heuern [hɔ́ʏərn] 《< Heuer[2]》*t.* ①임차(賃借)하다; 소작(小作)하다: ein Schiff ~ 배를 빌리다. ②(선원을) 고용하다, 모집하다.

Heu·ernte *f.* 건초 수확; 건초 만드는 계절(7월).

Heuert, Heuet[1] *m.* -s, -e〖구식〗7월(Juli의 독일식 이름).

Heuet[2] *m./f.* -s (obd.) ↑ Heuernte.

Heuer·vertrag *m.* 용선 계약; 선원 고용 계약.

Heu≈falter *m.*〖動〗공작나비. **~feim** *m.*, **~feime** *f.*, **~feimen** *m.* (nordd., md.) 건초더미. **~fieber** *n.*〖醫〗건초열, 꽃가루병(↑ Heuschnupfen). **~forke** *f.* ↑ ~gabel. **~fuhre** *f.* 건초(마)차. **~gabel** *f.* 건초용 쇠스랑. **~haufen** *m.* 건초 더미. **~hüpfer** *m.* 메뚜기(~schrecke). **~hütte** *f.* (들판의) 건초 창고.

heukeln *t.* (ndd.) …의 응석을 받아주다; 애

무하다.

Heul≈affe *m.* 〖動〗 울부짖는 원숭이. **~boje** *f.* 〖海〗 자동 경적이 달린 부표; 〔구어〕 큰 소리로 노래하는 서툰 가수. **~bruder** *m.* 〔구어〕 ① 잘 우는 남자, 울보; 불평가; 성질이 까다로운 남자. ② 반동주의자(Reaktionär) (↑ Heuler ⑦).

heulen [hɔ́ʏlən] (⊕ Eule) *i.* (h.) ① (개·늑대가) 울부짖다, 포효하다; (부엉이가) 부엉부엉 울다; (바람이) 윙윙 소리내다, (폭풍우가) 쏴쏴 소리내다. ② 〔구어〕 (사람이) 큰 소리로 울다, 대성 통곡하다; 고함치다: hör auf zu ~ 그만 울어라.

Heulen *n.* -s 울음, 포효; 통곡: es ist zum ~ 매우 슬프다; 〖비유〗 ~ und Zähneklappern〔Zähneknirschen〕 통곡하며 이를 갊(마태 8 : 2).

Heuler *m.* -s, - ① 〔구어〕 울보. ② 〔경박〕 멋진 것, 멋진 사람: das ist der letzte ~ ! a) 그건 정말 멋져, b) 그건 도저히 믿을 수가 없어(실망의 뜻), c) 놀라운 사람이야(경탄의 뜻). ③ (어미가 버려서 울고 있는) 새끼 물개. ④ 〔구어〕 경보기, 사이렌. ⑤ (쉭 소리가 나며 터지는) 폭죽, 폭음탄. ⑥ 〔구어〕 울부짖는 소리. ⑦ (1848 년 3 월 혁명의) 반동 보수주의자. ⑧ 불평가, 비관론자.

Heulerei [hɔʏlərái] *f.* 〔폄어〕 (끊임없는) 울부짖음, 울부짖으며 울어댐.

Heul≈kreisel *m.* 윙윙 소리가 나는 팽이. **~meier, ~michel** *m.* ↑ ~bruder. **~pfeife, ~sirene** *f.* 사이렌, 경적. **~suse** *f.* 〔구어〕 (여자) 울보. **~ton** *m.* 울부짖는 소리.

Heu≈machen *n.* 건초만들기. **~macher** *m.* 건초를 만드는 사람. **~magazin** *n.* 건초 창고. **~mahd** *f.* ① 목장, 목초지. ② 건초 만들기〔베기〕. **~mähen** *n.* ↑ ~mahd ②. **~mäher** *m.* ↑ ~macher. **~markt** *m.* 건초 시장. **~miete** *f.* 건초 더미(~schober). **~monat, ~mond** *m.* 〔구식〕 건초 만드는 달, 7 월.

Heune *m.* -n, -n ① (Hüne) 거인, 대장부. ② (Hunne) 훈족(族), 흉노; 야만족.

Heu≈ochs *m.* 〔욕설〕 멍청이, 바보. **~ochse** *m.* ① (건초만으로 사육할 수 있을 만큼) 성장한 황소. ② 〔욕설〕 바보, 얼간이. **~pferd** *n.* ① 〖動〗 메뚜기의 일종. ② 〖動〗 잠자리. ③ 〔욕설〕 바보. **~raufe** *f.* 건초 보관용 시렁, 건초대. **~rechen** *m.* 건초용 쇠스랑. **~reiter** (öst.) *m.* 풀 말리는 나무 시렁, 건초용 시렁.

heureka [hɔ́ʏreka] (gr., „ich hab('s) gefunden!") *int.* 나는 찾아냈다〔알아냈다〕 (어려운 문제를 풀었을 때의 환성; 아르키메데스가 부력의 법칙을 발견했을 때 외친 소리에서).

Heurer (<heuern) *m.* -s, - 고용선(雇用船), 화물선.

Heu·reuter *m.* (südd.) ↑ Heureiter.

heurig [hɔ́ʏrɪç] *a.* (obd.) 금년의(heuer): unser ~er Urlaub 우리의 올해 휴가; 〔비유·구어〕 ~er Hase 신참자, 신출내기, 풋내기.

Heurige* [..gə] *der* (특히 öst.) ① (금년에 만든) 햇포도주. ② 햇포도주 술집. ③ 햇감자〔고구마〕.

Heurigen·abend *m.* 햇포도주 주점에서의 저녁 모임. **~lokal** *n.* 햇포도주 술집.

Heuristik [hɔʏrístɪk] (gr.; >heureka !) *f.* (새로운 과학적·학문적) 발견술; 발견 방법론, 발견적 교수법.

heuristisch *a.* 발견적인, 발견을 돕는: die ~e Methode 발견적 방법.

Heu≈same *m.* (건초용) 풀의 씨앗. **~scheuer, ~scheune** *f.* 건초 헛간. **~schnupfen** *m.* 〖醫〗 건초 알레르기, 건초성 비염(鼻炎). **~schober** *m.* (야외) 건초 더미. **~schreck** *m.* (öst.) 메뚜기. **~schrecke** *f.* 〖動〗 메뚜기(목). **~schrecken·schwarm** *m.* 메뚜기 떼. **~schuppen** *m.* (대개는 한쪽 벽면이 탁 트인) 곳간, 헛간, 광. **~seil** *n.* 건초 다발용 새끼줄. **~speicher** *m.* ↑ ~boden ①. **~stadel** *m.* (obd.) (들판의) 건초 창고. **~stock** *m.* (schweiz.) 건초 더미.

heut *adv.* (obd.) 〔구어〕 ↑ heute.

***heute** [hɔ́ʏtə] *adv.* ① 오늘, 금일: ~ morgen〔abend, nacht〕 오늘 아침〔저녁, 밤〕에; noch ~ a) 오늘 중으로, b) 오늘까지도, 아직도; ~ oder morgen 오늘 내일 안으로, 금명간에; 〔구어〕 lieber ~ als morgen 가능한 한 즉시, 내일이랄 것도 없이 오늘 당장; ~ und hier 당장, 즉시; ~ den ganzen Tag 오늘 하루 동안 내내; ~ und nie mehr〔wieder〕 오늘만; welchen Tag〔Wochentag〕 haben wir ~? 오늘이 무슨 요일이냐?; den wievielten haben wir ~? 오늘이 며칠이냐?; 〔구식〕 was schreiben wir ~? 오늘이 며칠입니까? (월·일·요일에 대한 물음); 〔속담〕 ~ mir, morgen dir 〔구어〕 흥망성쇠는 속세의 상사(常事); 〔속담〕 ~ rot, morgen tot 아침에는 홍안(紅顔) 저녁에는 백골(白骨), 제행무상(諸行無常); **bis** ~ 오늘까지; **für** ~ ist es genug 오늘 할 것은 이것으로 충분합니다, 오늘은 그만합니다; ~ **über** acht〔vierzehn〕 Tage 다음 주〔다다음 주〕의 오늘; **von** ~ ab〔an〕 오늘부터; 〔구어〕 er kann von ~ auf morgen kommen 그는 예기치 않게〔갑자기〕 올 수 있다; er ist nicht von ~〔gestern〕 그는 어제 오늘 태어난 어린애가 아니다〔바보가 아니다〕; ~ **vor** acht Tagen 지난 주의 오늘. ② 요즘, 오늘날: das Deutschland von ~ 오늘날의 독일; ~ zu Tage 오늘날에는, 요즘은.

Heute *n.* 〔어미변화 없음〕 (Gegenwart) 현금(現今), 금일, 현재, 현대: das ~ und das Morgen 현재와 미래; im Hier und ~ leben 현재에 살다; ein Mensch von ~ 현대적인〔오늘날의〕 사람.

heutig *a.* ① 오늘의: die ~e Zeitung 오늘 신문; mit der ~en Post 오늘의 우편으로; 〖商〗 mein ≃es 오늘 날짜의 편지; am ≃en〔unter ≃em, unter dem ~en〕 Datum 오늘 날짜로. ② 현대의, 오늘날의; 현실의; die ~e Zeit 현대; ~en Tages 현금, 요즈음; das ~e London 오늘날의 런던.

heutigentags *adv.* 오늘날, 요즈음.

heutigestags *adv.* 〔구식〕 ↑ heutigentags.

heut·zu·tage *adv.* 요즈음, 오늘날, 근자에.

Heu≈wage *f.* 건초용 저울. **~wagen** *m.* 건초 운반차. **~wender** *m.* 건초를 뒤집는 농기계. **~wiese** *f.* 목초장. **~zeit** *f.* 건초 (만드는) 시기, 풀 베는 시기.

hexa.. (gr. héx, „sechs") *pref.* "6"의 뜻(모음 앞에서는 통상적으로 hex..).

Hexachord [hɛksakɔ́rt] *m./n.* -(e)s, -e 〖음악〗 6 도 음정; 6 현(絃) 악기.

Hexaeder [..é:dər] *n.* -s, - 6 면체.

hexaedrisch *a.* 6 면체의.
Hexaemeron *n.* -s 6 일 이야기(소설 따위의 제목); 〖기독교〗 6 일간의 창세 이야기.
Hexagon [..gó:n] *n.* -s, -e 6 각형.
hexagonal *a.* 6 각형의.
Hexagramm *n.* -s, -e (3 각형 둘이 교차한) 6 선성형(線星形), 다윗의 별, 유대인의 별.
Hexameron [hɛksámərɔn] 《gr., „Erzählungen der sechs Tage"》 *n.* -s 6 일 이야기.
Hexameter [hɛksá:metər] *m.* -s, -〖문학〗 6 운각의 시구.
hexametrisch *a.* 6 운각 시구의.
Hexan [hɛksá:n] *n.* -s, -e〖化〗 헥산.
Hexateuch [..tɔ́ʏç] *m.* -s 6 서(書)(구약 성서의 첫 6 편; 모세 5 경과 여호수아서).
***Hexe** [hɛ́ksə] *f.* -n ① 마녀, 여자 마술사. ② (악마와 통한다고 여겨져 이단시한 중세의) 마녀: noch im 18. Jh. wurden Frauen als ～n verbrannt 18 세기에도 여전히 여자들이 마녀라고 화형당했다. ③ **(a)** 〔구어·욕설〕 악녀, 요부; 추악한 노파. **(b)** 매혹적인 여자, 예쁜 아이: du kleine ～! 요 예쁜〔깜찍한〕 것아!; die arme ～! 가련한 여인이여! ④ **(a)**〖動〗 쏙독새. **(b)** 꾸정모기. **(c)** 고둥의 일종.
hexen [hɛ́ksən] 《Ⅰ》 *i.* (h.) ① 요술을 부리다; 〔비유〕 요술같이 일을 빨리 처리하다: wie gehext a) 마치 홀린 것같이, b) 재빠르게, 날렵하게; ich kann nicht ～ 나는 요술쟁이가 아니다, 시간을 더 달라. ② 빗살뜸으로〔오늬무늬로〕 바느질하다. 《Ⅱ》 *t.* 요술로 …을 불러내다〔일으키다〕; 홀리게 하다: Regen ～ 요술을 부려 비가 오게 하다.
Hexen≈bann *m.* 주문(呪文), 주술, 마력. **～baum** *m.*〖植〗 귀룽나무. **～besen** *m.* ① 마녀의 빗자루. ②〖植〗 위치스병(싹이나 가지가 비처럼 마구 많이 생김). ③〖植〗 겨우살이. ④ 황새풀속(屬). **～brut** *f.* 마녀의 한 패〔무리〕. **～butter** *f.* 우유가 든 버터. **～ei** *n.* 노른자위가 없는 알;〖植〗 자라버섯의 애버섯. **～einmal·eins** *n.* (숫자·단어의) (마)방진((魔)方陣). **～fahrt** *f.* 마녀가 (비를 타고 브로켄산으로) 날아가기. **～fest** *n.* 마녀들의 잔치. **～finger** *m.*〖광물〗 시석(矢石). **～geschichte** *f.* 마녀 이야기. **～glaube** *m.* 마녀 신앙.
hexenhaft [hɛ́ksənhaft] *a.* 마녀 같은.
Hexenheit *f.* -en 마녀.
Hexen≈jagd *f.* ① 마녀 사냥〔박해〕. ②〔폄어〕 무자비한 박해. **～kessel** *m.* 마녀의 냄비; 〔비유〕 혼란, 소요: unsere Stadt ist ein ～ geworden! 우리의 도시는 혼란의 도가니가 되었다! **～kraut** *n.*〖植〗 ① 털이슬. ② 석송(石松). **～kreis** *m.* 마녀의 원(圓)(풀밭의 풀이 둥글게 죽은 장소를 마녀가 춤을 추었기 때문이라 믿은 데서 비롯됨). **～küche** *f.* 마녀의 부엌; 대혼란, 소요. **～kunst** *f.* 마술, 요술. **～mehl** *n.*〖植〗 석송의 포자(胞子)〔홀씨〕, 석송자(石松子). **～meister** *m.* 마술사, 요술쟁이. **～milch** *f.*〖생리〗 ① 마유(魔乳)(갓난아이의 젖에서 나는 젖 같은 분비물). ② 대극초의 액즙. **～pilz** *m.*〖植〗 그물버섯. **～probe** *f.* (마녀 재판에서) 마녀 여부를 가리기(고문). **～prozeß** *m.* 마녀 재판. **～ring** *m.* ① ↑ ～kreis. ②〖사냥〗 노루가 발정기에 밟아 풀밭을 짓밟아 생긴 둥근 자리. **～ritt** *m.* ↑ ～fahrt. **～sabbat** *m.* ① (특히 발푸르기스 밤의) 마녀들의 모임. ②〔교양〕 대소란.
Hexenschaft *f.* -en 마녀.
Hexen≈schuß *m.*〖醫〗 요통. **～segen, ～spruch** *m.* 마녀의 주문. **～steig** *m.* (들판의) 토끼길. **～stich** *m.* ① ↑ ～schuß. ②〖재봉〗 빗살뜸(바느질), 청어가시 모양으로 짜기〔뜨기〕. **～tanz** *m.* ① 마녀춤. ② 도깨비불. ③ 〔비유〕 떠들썩함, 대소동. **～tanz·platz** *m.* (특히 브로켄산 위의) 마녀의 집회 장소. **～verbrennung** *f.* (14-18 세기의) 마녀 화형. **～wahn** *m.* 마녀(라는) 망상(누구를 마녀로 잘못 믿음). **～werk** *n.* 요술, 마술. **～zunft** *f.* 마녀의 종족.
Hexer *m.* -s, - (남자) 마술사, 요술쟁이.
Hexerei [hɛksəráɪ] *f.* -en 마술, 요술: ～ treiben 마술을 부리다; das ist keine ～ 그건 대수롭지 않다, 별것 아니다.
Hexerich *m.* -s, -e〔드물게〕 ↑ Hexer.
Hexode [hɛksó:də] 《gr.》 *f.* -n (라디오의) 6 극 진공관(Sechspolrohr).
Hf〖化〗 = Hafnium 하프늄(원소 기호).
hfl. = holländischer〔Hollands〕 Florin 네덜란드 플로린(네덜란드 화폐의 약어).
hg = Hektogramm 100 그램.
hg. = herausgegeben 편집한.
Hg〖化〗 = Hydrargyrum 수은.
Hg. = Herausgeber 편집자.
HGB. = Handelsgesetzbuch 상법전(商法典).
hi *int.* 히히(고소해하는 웃음 소리).
Hiat *m.* -s, -e〖언어학〗 ↑ Hiatus ①.
Hiatus [hiá:tus] 《lat., „Kluft"》 *m.* -, - ①〖언어학〗 (따로 발음되는 2 개의) 모음 중복(보기: „sagte er", „ja aber"). ②〖지질〗 지층의 부정합(不整合), 퇴적 휴지 기간. ③〖해부〗 열공(裂孔). ④〖心〗 사고 과정 중의 허점. ⑤〖고고〗 유물이 없는 시기.
Hibernakel [hibɛrná:kəl] 《lat. hiems, „Winter"》 *n.* -s, -(n)〖植〗 (물밑에서) 월동하는 수초의 싹〔겨울눈〕.
hibernal *a.* (winterlich) 겨울의, 겨울다운.
Hibernation [..natsió:n] *f.* -en ①〖動〗 동면, 겨울잠. ②〖醫〗 인공 동면(법).
Hibernien [hibɛ́rniən] 히베르니아(아일랜드의 라틴 명칭).
Hibiskus [hibɪ́skus] 《gr.》 *m.* -, ..ken〖植〗 (Eibisch) 하이비스커스(아욱과의 일종); 부용속의 총칭.
Hibride [hibrí:də] *f.*〖生〗 잡종(Hybride).
hick *int.* 딸꾹(딸꾹질의 의성어).
hickeln *i.* (h.) 〔방언〕 ① 절뚝거리다. ② (외발 뛰기로) 돌차기 놀이를 하다.
Hickhack [hɪ́khak] *m./n.* -s, -s〔구어〕 쓸모없는 논쟁〔다툼〕.
Hickory[1] [hɪ́kɔri] *m.* -s, -s 〔*f.* -s〕〖植〗 히코리, 페칸나무(북아메리카산(產) 가래나뭇과 식물).
Hickory[2] *n.* -s (단단한) 히코리 목재.
Hickory·holz *n.* (가구·스키용) 히코리 목재.
hicksen *i.* (h.) 〔방언〕 딸꾹질하다.
Hidalgo [hidálgo] 《sp.》《Ⅰ》 *m.* -s, -s ① 에스파냐의 하급 귀족. ② (과거) 멕시코의 10 페소짜리 금화. 《Ⅱ》 *m.* -s〖天〗 소유성(小遊星)의 이름.
Hiddensee [hɪ́dən..] *n.* 뤼겐(Rügen) 섬 주위의 사주(砂州).

hidrotisch [..dró:..] 《gr. hidrōs, „Schweiß"》 *a.* 땀을 흘리게 하는: ein ~es Mittel 땀 분비 촉진제.

hie [hi:] *adv.* (südd., öst.) ① ~ und da 여기 저기에, 산발적으로. ② ~ und da 가끔씩, 때때로: ~ Tradition, da〔~〕 Fortschritt 한편으로는 전통, 다른 한편으로는 진보.

hieb [hi:p] ↑ hauen 의 과거형.

***Hieb** [hi:p] 《<hauen》 *m.* -(e)s, -e ① (검으로) 베기, 휘두르기, 내려침; 〖검도〗 치기; 구타, 따귀 때리기: ~e bekommen 매를 맞다, 자상(刺傷)을 입다; ein ~ mit der Peitsche 채찍으로 때리기; 〖검도〗 auf ~ und Stoß fechten 〔gehen〕 내리쳤다 찔렀다 하다; der ~ sitzt a) 〖검도〗 일격이 성공하다, b) (비꼬기가) 급소를 찌르다; 〖구어〗 es hat ~e gesetzt 칼침〔주먹〕이 날아 왔다, 결투가 벌어졌다; 〖비유〗 auf einen 〔den ersten〕 ~ fällt kein Baum 한 칼에 넘어가는 나무는 없다. ② 칼 맞은 상처, 흉터: er hat vom Duell einen ~ im Gesicht 그의 얼굴에는 결투 때 칼에 맞은 흉터가 남아 있다. ③〖工〗 세워진 줄날; 줄로 쓴 홈. ④〖林〗 (산림의 보전관리를 위한) 벌채; 벌채 구역〔권〕. ⑤〖구어〗 거나하게 취함; 광기(狂氣): einen ~ haben 술 취해 있다, 머리가 약간 돌다. ⑥ (ndd.) (술을) 한 모금 마시기(Schluck): einen ~ nehmen 한잔 마시다. ⑦〖비유〗 비꼼, 헐뜯음, 혹평: der ~ galt mir 그것은 나를 비꼬는 것이었다.

hie·bei [hí:báı, hi:báı] *adv.* (südd., öst.) ↑ hierbei.

Hieber [hí:bər] *m.* -s, - 대검(大劍); 가벼운 결투용 검.

Hieb≠fechten *n.* 〖스포츠〗 (대검으로 벌이는) 격검, 사벨 펜싱. **~fest** *a.* ① 상처를 줄 수 없는, 불사신의. ②〖다음 용법으로〗 ~ und stichfest 반박할 수 없는.

Hiebs·art *f.* 〖林〗 벌채 방식.

Hieb≠satz *m.* 연간 표준 벌채량. **~waffe** *f.* (Hieber) 대검, 참격(斬擊) 무기. **~wunde** *f.* 칼에 베인 상처, 절상(切傷).

hie·durch *adv.* (südd., öst.) ↑ hierdurch.

Hief [hi:f] *m.* 〖고어〗(Hift) 뚜우(사냥할 때 쓰는 나팔〔호각〕 소리).

Hiefe *f.* -n (md., obd.) 들장미의 열매(Hagebutte).

Hiefen·mark *n.* (obd.) 들장미 열매 잼.

Hiefer *f.* -n (obd.) 엷은 판자, 벤 토막.

hief(e)rig *a.* 〖방언〗 빈약한, 보잘것없는, 사소한.

hie·für *adv.* (südd., öst.) ↑ hierfür.

hie·gegen *adv.* (südd., öst.) ↑ hiergegen.

hie·her *adv.* (südd., öst.) ↑ hierher.

hielt [hi:lt] ↑ halten 의 과거형.

hie·mit *adv.* (südd., öst.) ↑ hiermit.

hie·nach *adv.* (südd., öst.) ↑ hiernach.

hie·neben *adv.* (südd., öst.) ↑ hierneben.

hie·nieden [hi:ní:dən] *adv.* 〖雅語〗 지상〔현세〕에서.

***hier** [hi:r] *adv.* ①〖공간적〗 이곳에(서), 여기에(서): ~! 예! (호명할 때의 대답); ~! 여기에 있음! (화장실 따위의 소재를 밝히는 게시); (전화 통화에서) ~ (ist) N! 여기는 N입니다!; ~ Amt! 여긴 전화국입니다!; ~ oben 여기 위에서; ~ herum 이 부근에; ~ in der Stube 여기 이 방에서; 〖방언〗 kommen Sie einmal nach ~! 이곳으로 한번 오시겠습니까?; von ~ ab 여기서부터; von ~ abreisen 이곳을 떠나다; von ~ sind es noch zwei Stunden 여기서 두 시간 거리다; ~ zu Lande 여기 우리 나라에서는; 〖商〗 Wechsel auf ~ 이곳으로 보낸 어음; auf ~ verladen 이곳으로 보내기 위해서 짐을 싣다; für ~ bestimmt 이곳으로 오기로 결정된; willst du Geld haben? ~ nimm! 돈이 필요한가? 자 여기 있다(가져라)!; er ist nicht von ~ a) 그는 이곳 사람이 아니다, b) 〖구어〗 그는 약간 모자란다, 멍청하다. ② ~ auf Erden 현세에서(hienieden); ~ beigefügt 여기에 덧붙여서; ~ folgend 이 다음에; hie(r) und da a) 여기저기에, 곳곳에, b) 때때로; ~ und dort 여기저기에, 곳곳에. ③ Herrn N. ~ 〔hie(r) selbst〕 (편지의 주소 성명으로) 이 고장의 N 씨에게. ④ lieber Doktor ~ und lieber Doktor da (여기저기서) 선생님 선생님하고 떠받들기. ⑤ 이 때, 이 대목에서; 이것과 관련해서, 이 점에서: ~ mache ich keine Kompromisse 나는 이 일에 관해서 타협하지 않겠다; ~ haben Sie recht 이 점에 있어서 당신은 정당합니다; ~ ist nicht zu scherzen! 이건 농담이 아니다! ⑥〖시간적〗 지금, 현재; von ~ an 금후, 차후에, 이 시각 이후; 〖雅語〗 ~ und jetzt〔heute〕 바로 이 순간, 즉각; binnen ~ und einer halben Stunde 지금부터 30 분 이내에; ~ wurde mir klar, daß ... 이제는 …이 나한테 분명해졌다.

hie.., hier.. *pref.* "여기·지금·이것"의 뜻(보기: hierbleiben, hiernach, hierzu); 강세의 위치는 일정하지 않음(보기: hie(r)her [hí:(r) hé:r, hi:(r)hé:r, hí:(r)he:r]).

hier·amts [hí:r|amts] *adv.* 〖격식〗 (öst.) 본 관청에서, 여기 당국에서: der Fall wurde ~ behandelt 그 사건은 이 관청에서 다루어졌다.

hieran [hí:rán, hi:rán] *adv.* ① 이 곳에, 이 곳으로, 여기서; 여기까지. ② (지금 말한) 이것에 대해서, 이것에 의하여, 이것을 보고〔듣고〕, 이것으로: ~ habe ich nicht gedacht 나는 이것에 대해서는 생각하지 않았다; ~ kehre ich mich nicht 나는 이런 것엔 아랑곳〔집착〕하지 않는다.

Hierarch [hierárç] 《gr.》 *m.* -en, -en (고대 그리스의) 최고 성직자.

***Hierarchie** [hierarçí:, hir..] 《gr. hierarchía, „Priesteramt"》 *f.* -n [..çí:ən] ① **(a)** 성직자 정치. **(b)** 교권 제도. **(c)** 성직 계급, 전(全)성직자, 수도단(團). ② **(a)** 위계 질서, 서열, (관리의) 계급 제도: eine staatliche ~ 국가의 위계 질서; in der sozialen ~ ganz oben stehen 사회 계층의 최상층에 있다. **(b)** 특정의 위계 질서내에 속한 모든 사람.

hierarchisch [..rárçıʃ] *a.* ① 위계적인, 계급〔계층〕구조의; 특정의 위계 질서에 속하는: ~e Strukturen 위계 구조; in ~er Reihenfolge 서열 순서로. ②〖가톨릭〗 성직 계급의; 교권 제도의.

hieratisch [..rá:tıʃ] *a.* ①〖교양〗 (priesterlich) 성직자〔사제〕의: ~e Schrift (고대 이집트의) 사제가 쓰던 성문자(聖文字). ② (특히 고대 그리스 미술 기법에서) 엄격한.

hier≠auf [hí:rauf, hi:ráuf] *adv.* ①〖공간적으로〗 이 위에, 여기 위에. ②〖시간적으로〗 이것 다음에, 이 뒤에, 이어서: ~ begann sie, bitterlich zu weinen 그리고 나서 그녀는 비통하게 울기 시작했다. ③ 이 일에〔로〕: ~ bezog sich seine Kritik 그의 비판은 이 일과 관련이 있다. ④ 그래서, 따라서: er gewann fast jedes Spiel, ~ verdoppelte er den Einsatz 그는 거의 모든 판에서 이기게 되자 판돈을 두 배로 올렸다. **~auf·hin** [hí:raufhín, hi:..hín] *adv.* 이것에 힘입어, 그 결과로서, 그러자. **~aus** [hí:ráus, hi:ráus] *adv.* ① 이곳〔이것〕에서부터, 여기에서. ② 이 재료로〔천으로〕: ~ will ich mir Marmelade kochen 이 재료로 나는 과일잼을 만들려고 한다. ③ 이 책〔작품〕에서. ④ 이 때문에.

hier⸗|behalten* *t.* ① 붙들어두다, 억류하다. ② 돌려주지 않다. **~bei** [(또는) hí:rbáɪ] *adv.* ① 이것과 함께; 동봉〔첨부〕하여. ② (방금 말한) 이것과 관련하여. ③ 바로 이 장소〔대상〕곁에. **~|bleiben*** *t.* (s.) 이곳에 머무르다. **≈-bleiben** *n.* 이곳에서의 체류. **~durch** [(또는) hí:rdúrç] *adv.* ① 이 길〔곳〕을 지나서: wir müssen ~ gehen 우리는 여기를 지나가야 한다. ② 이 까닭으로〔때문에〕. ③ 이것으로, 이 증서에 의해. **~ein** [(또는) hí:ráɪn] *adv.* ① 이 안으로, 이리로. ② 이 것〔점〕에: ~ werde ich nicht einwilligen 이 점에 나는 동의하지 않겠다. **~für** [(또는) hí:rfý:r] *adv.* ① 이 목적으로, 이를 위해. ② 이것과 관련해서. ③ 이것에 대한 대가로. ④ 이것 대신에. **~gegen** [(또는) hí:rgé:..] *adv.* 이 곳〔이것〕을 향하여; 이것에 반대해서; 이것에 비해서.

hierher [(또는) hí:rhé:r] *adv.* 여기 이쪽으로: bis ~ und nicht weiter 여기〔지금〕까지 그리고 더 이상은 안 된다.

hierher⸗auf *adv.* ① 이 위로, 여기 이 위까지. ② 여기서 위로: komm ~, dort ist der Boden glitschig 이쪽으로 해서 올라오너라, 그곳은 노면이 미끄럽다.

hierher|gehören *i.* (h.) ① 여기〔이곳〕에 속하다: die Schuhputzpaste gehört hierher 그 구두약은 여기 것이다. ② (여기) 이것과 관련되다: das gehört nicht hierher 그것은 여기 이것과 별로 관련이 없다. **~gehörend** *p.a.* (여기) 이것과 관련이 있는, 적절〔적당〕한. **~gehörig** *a.* ① 이것〔이곳〕과 관련이 있는: ~e Fragen 이것과 관련이 있는 문제들. ② 여기 이 범주에 속하는: die ~en Pflanzen 여기 이 부류에 속하는 식물들. **~kommen** *i.* 이쪽으로 오다: kommen Sie hierher! 이쪽으로 오십시오! **~um** *adv.* 이 부근으로, 이 근처로. **~wärts** *adv.* 이쪽으로.

hier⸗hin [(또는) hí:rhín] *adv.* 이쪽〔이곳〕으로; 이 순간까지: bald ~, bald dorthin 여기 저기로, 곳곳으로; bis ~ 여기까지, 지금까지. **~in** [(또는) hí:rín] *adv.* 이 안〔가운데〕에; 이 점에서는: ~ hast du recht 이 점에서는 네가 옳다. **~innen** *adv.* 〔고어〕 (hierin) 이 속〔안〕에. **~ländisch** *a.* 이 지방〔나라〕의. **~lands** *adv.* 〔구식〕 (hierzulande) 이 나라〔곳〕에서는. **~mit** *adv.* ① 이것을 가지고, 이것으로. ② 이것에 의해서, 이런 식으로(는): ~ machst du dir nur Feinde 이런 식으로는 네가 적만 만든다. ③ (hierdurch) 이렇게 말〔행동〕함으로써. **~nach** *adv.* ① 이 다음에, 그리고 나서. ② 이것에 따라서; 여기에 따르면: ~ zu urteilen 이것에 따라서 판단하면. **~nächst** *adv.* 〔구식〕 ① 바로 곁에, 이웃에. ② 바로 이 다음에, 그 직후에. ③ 그 밖에. **~neben** *adv.* 이것과 나란히; 바로 곁에; 이 밖에도, 동시에, 더 나아가서. **~nieden** [hi:rní:dən] *adv.* ↑ hienieden.

Hierodule [hierodú:lə] 《gr. hierós, „heilig"》 *m.* -n, -n (고대 그리스의) 사원 노예; 불목하니.

Hieroglyphe [..glý:fə] 《gr. „heiliges Zeichen"》 *f.* -n ① 상형 문자(의 문서). ② 〔복수〕 〔농담〕 난해한 문자〔문서〕; 해독하기 어려운 글씨(체); 불가사의한 표현.

hieroglyphisch *a.* ① 상형 문자(풍)의. ② 해독하기 어려운, 신비적인, 불가사의한.

Hierokratie [..kratí:] *f.* -n [..tí:ən] 신권〔교권〕 정치.

Hieromant *m.* -en, -en 산 제물(祭物) (동물)로 점을 치는 사람.

Hieromantie [..tí:] *f.* 산 제물로 치는 점.

Hieronymus *m.* 히에로니무스(남자 이름).

Hierophant [..fánt] *m.* -en ① 종교상의 비밀 의식을 전수하는 성직자, 밀교(密教)의 해설자. ② (고대 그리스의) 비교(秘教)의 사제, 주교.

hier·orts [hí:r|ɔrts, hi:r|ɔ́rts] *adv.* 〔격식〕 이곳에서, 여기에.

Hieroskopie [hieroskopí:] 《gr., „Opferschau"》 *f.* 〔宗〕 ↑ Hieromantie.

hier|sein* *i.* (s.) 이곳〔여기〕에 있다: er müßte eigentlich schon ~ 사실 그는 이미 여기 와 있어야 하는데(아직 오지 않아서 유감스럽다는 뜻).

Hier·sein *n.* -s 이곳〔여기〕에 있음, 이곳에 머무름.

hier⸗selbst *adv.* 〔구식〕 이곳에서, 당지에서. **~über** *adv.* ① **(a)** 여기 위에: ~ hängte ich ein Bild 여기 위에 내가 그림을 걸어 놓았다. **(b)** 여기를 넘어서. **(c)** 여기 이곳 너머로: traust du dich ~ zu springen? 네가 이쪽 너머로 건너뛸 작정이냐? ② 이것에 관하여. ③ 이것을 위해서. ④ 〔雅語〕 그러는 사이에〔동안〕. **~um** *adv.* ① 이 주위〔근처〕에. ② 이것에 관하여: ich werde mich ~ nicht im geringsten kümmern 나는 이 일에 관하여 조금도 개의치 않을 것이다. **~unter** *adv.* ① 이 아래〔밑〕에; 여기 이 아래로. ② (dazwischen) 그 새에, 이 중에: ~ fallen folgende Beispiele 여기에는 다음과 같은 예가 해당된다. ③ (방금 말한) 이것 때문에, 이 일로. **~von** *adv.* ① 이곳〔이것〕에서부터. ② 이 중에서: ~ ist nichts übrig 이 중에서는 아무것도 남지 않는다. ③ 이것에 관해서: die Kenntnis ~ 이것에 관한 지식. ④ 이것으로 인해: ~ bekommst du mehr Durst 너는 이것 때문에 목이 더 마른 거야. ⑤ 이것에서부터, 이것을 재료로. **~vor** *adv.* ① 여기〔이것〕 앞에; 이 전에, 이보다 앞서. ② 이것에 대해서: ~ hat er großen Respekt (방금 말한) 이것에 대해 그는 큰 존경심을 갖고 있다. **~wider** *adv.* 〔구식〕 ① 여기 이곳〔이것〕을 향하여. ② 이것에 반대〔거역〕해서. **~zu** *adv.* ① 이것에 대해서: ~ möchte ich bemerken, daß ... 이 점에 대해 …을 언급하고 싶다. ② (überdies) 그 위에, 덧붙여서, 더욱이, 또한. ③ 이 목적을 위해: ~ brauchen wir Mehl 이를 위해 밀가루가 필요하다. ④ 이 그룹에: ~ möchte ich nicht gehören 이 그룹에는 속하고 싶지 않다. **~zulande** *adv.*

이〔우리〕 나라에서(는). **~zwischen** *adv.* 이(것들) 사이에: ~ ist noch viel Platz 이 사이에 아직 자리가 많이 있다.

Hiesel [hí:z(ə)l] (obd.) ① *m.* 히젤(남자 이름 Matthias 의 축약형). ② *m.* -s, - 농가의 젊은이; 바보; 시골 사람.

hie·selbst *adv.* ↑ hierselbst.

hiesig [hí:zıç] *a.* 이곳의, 이 도시〔지방〕의: ~er Wein 당지산(産) 포도주; ~en Ort(e)s 이곳에서는; auf ~em Platz 여기서는.

Hiesige* *der/die* 이 지방 사람, 이곳 주민.

Hiesl *m.* ↑ Hiesel.

hieß [hi:s] ↑ heißen 의 과거형.

hieße [hí:sə] ↑ heißen 의 접속법 Ⅱ식.

hieven [hí:fən, ..vən] 《ndd., „heben"》 *t.* ① 〖海〗(짐·닻을) 감아올리다, 인양하다: die Anker ~ 닻을 올리다. ②〖구어·농담〗(끌어) 올리다〔내리다〕: et. ins Auto ~ 무엇을 자동차 안으로 끌어 올려놓다; jn. aus dem Sattel ~ 누구를 안장에서 내려주다.

hie·von *adv.* 〖구식〗(südd., öst.) ↑ hiervon.

hie·vor *adv.* 〖구식〗(südd., öst.) ↑ hiervor.

hie·wider *adv.* 〖구식〗(südd., öst.) ↑ hierwider.

hiez *int.* 〖의성어〗 고양이를 부르거나 부추기는 소리.

Hiez *m.* -es, -e 〖방언〗 수고양이(Kater).

hie·zu *adv.* 〖구식〗(südd., öst.) ↑ hierzu.

hie·zu·lande *adv.* 〖구식〗(südd., öst.) ↑ hierzulande.

hie·zwischen *adv.* 〖구식〗(südd., öst.) ↑ hierzwischen.

hif(e)rig *a.* ↑ hief(e)rig.

HiFi [háifi, háıfí, háıfáı] 《engl.》 *f.* ↑ High-Fidelity.

HiFi-Anlage *f.* 하이파이〔고성능〕 음향 기기.

Hift [hıft] *m.* -(e)s, -e (사냥) 나팔〔호각〕 소리〔신호〕.

Hift·horn *n.* 사냥용 나팔〔호각〕. **~stoß** *m.* 포획물의 죽음을 알리는 나팔 소리.

high [haı] 《engl.》 *a.* ① (마약으로) 황홀경에 빠져 있는. ②〖경박〗황홀한, 고무된: ich war unheimlich ~ 굉장히 황홀했다.

High Church [háıtʃə:rtʃ] 《engl.》 *f.* (영국 성공회의) 고(高)교회파.

High-Fidelity [háıfıdélıti:] 《engl.》 *f.* ① (음향 기기의) 고충실도(高忠實度), 하이파이. ② 고성능〔고충실도〕 음향 기기. **~life** [háilaif] 《engl.》 *n.* 상류 사회 (생활): 〖구어〗 bei uns ist heute ~ 오늘 우리는 멋지게〔마음껏〕 즐긴다. **~light** [háılaıt] 《engl.》 *n.* 〖교양〗하이라이트, (문화 행사의) 절정. **~riser** [háıraızər] 《engl.》 *m.* 어린이용 자전거. **~-Society** [háısɔsáıətı] 《engl.》 *f.* 상류 사회 (계층). **~way** [háıweı] 《engl.》 *m.* ① (미국의) 고속도로. ② (영국의) 간선 도로, 국도.

hihi [hihí:] *int.* 히히(고소해하는〔악의에 찬〕 웃음소리).

Hijacker [háıdʒækər] 《engl.》 *m.* -s, - 공중〔비행기〕 납치범.

Hilarien [hılá:riən] 《lat.》 *pl.* (Freudenfeste) 축하연, 기념 축전.

Hilarität *f.* 〖고어〗 쾌활, 유쾌, 명랑.

hilb *a.* (schweiz.) (기후가) 온화한, 햇볕을 잘 받는; 바람막이가 있는.

hild [hılt] *a.* 〖고어·방언〗 급(박)한: eine ~e Arbeit〔Zeit〕 급박한 용무〔시간〕; es ~ haben 몹시 바쁘다.

Hilda [hílda] *f.* 힐다(여자 이름).

Hildchen [híltçən] *n.* 힐트헨(여자 이름).

Hilde [híldə] *f.* 《ahd. „Kampf"》 힐데(여자 이름).

Hildebrand [híldəbrant] 《ahd., „Kampfschwert"》 *m.* 힐데브란트(남자 이름).

Hildegard [híldəgart] 《ahd. gart, „Stab"》 *f.* 힐데가르트(여자 이름).

hilf [hılf] ↑ helfen 의 2인칭 단수 명령형.

***Hilfe** [hílfə] 《< helfen》 *f.* -n ① 도움, 원조, 후원; 보좌, 보조, 부조; 구제; 구조; 구출; 교정(矯正), 구치(법), 치료: ~ nötig haben 구조를 요하다; jm. ~ leisten 누구를 원조하다, 구제하다; Erste ~ 응급 처치; **auf** ~ hoffen 구조를 바라다; **bei** jm. ~ suchen 누구에게 도움을 구하다; bei der Arbeit keine ~ brauchen 그 일에 도움을 필요로 하지 않다; **in** et.³ ~ finden 무엇으로 구조되다; **mit** Gottes ~ 신의 도움으로; mit ~ von et.³ 무엇을 써서, 무엇의 도움으로; mit ~ der Nacht 야음을 타서, 어둠을 이용하여; jn. **um** ~ bitten 누구의 도움을 간청하다; **(zu)** ~! 사람 살려!, 도와줘요!; zur ~ dienend 보조〔보좌〕하는; jm. zu ~ kommen〔eilen〕 누구를 도우러 가다〔달려가다〕; jn.〔et.〕 zu ~ nehmen 누구를〔무엇을〕 이용하다; jm. Truppen zu ~ schicken 누구에게 구원군을 파견하다. ② **(a)** 조력자; 원병: sie braucht eine ~ für ihre Kinder 그녀는 자기 아이들을 돌보아줄 사람을 필요로 하고 있다. **(b)** 보조물〔기구〕: das Geld ist meine ~ 이 돈은 내 구세주다. ③ (ndd.) 허리띠, 바지 멜빵. ④〖승마〗(기수가 고삐·박차로) 말에 가하는 신호: einem Pferde die ~n geben 말에게 박차를 가하다.

hilfe·bittend *a.* 도움을 바라는〔청하는〕. **~-bringend** *a.* 도움을 주는, 도움이 되는. **~-ersuchen** *n.* 지원〔원조〕 요청. **~flehend** *a.* 도움을 비는. **~funktion** *f.* 〖컴〗 도움말 기능.

Hilfe·leistung *f.* 원조, 부조; 구조: materielle ~ 물질적 지원. **~ruf** *m.* 도움을 요청하는 절규; 조난 신호. **~rufen** *n.* ↑ ~ruf. **~-rufend** *a.* 도와달라고 외치는. **~stellung** *f.* ①〖스포츠〗**(a)** (기계 체조 연습 때의 위험 방지를 위한) 보조 배치. **(b)** (기계 체조 연습 때의 위험 방지) 보조원. ② 원조, 도움: jm. ~ geben〔leisten〕 (특히 알려지지 않게) 누구를 돕다. **~suchend** *a.* 도움을 구하는. **~tätig** *a.* 원조〔구조〕 활동을 하는.

hilflich *a.* ① 유용한, 도움이 되는. ②〖방언〗 구할〔치유할〕 수 있는.

hilflos *a.* 의지할 데 없는, 도움을 받을 수 없는; 곤궁한; 어찌할 바를 모르는: drei ~e Waisen 의지할 데 없는 세 명의 고아; sie sah ihn ~ an 그녀는 속수무책으로 그를 바라보았다.

Hilflosigkeit *f.* 의지할 데 없음; 속수무책.

hilf·reich *a.* ① 남을 돕기 좋아하는, 자비심이 많은. ② 도움이 되는; 유용한: jm. ein ~es Angebot machen 누구에게 유용한 제안을 하다.

Hilfs·aktion *f.* 구조 활동. **~amt** *n.* 조역(助

役), 보좌역. **~arbeiter** *m.* 보조 직공, 조수; (정원 외의) 비숙련 노동자. **~arbeiterin** *f.* ↑ ~arbeiter의 여성형. **~armee** *f.* 지원군. **~arzt** *m.* 〚醫〛 대진(代診) 의사. **~bedürftig** *a.* 도움을 요하는; 의지가 없는; 빈궁한. **~bedürftigkeit** *f.* 궁핍, 빈궁. **~begriff** *m.* 〚哲〛 보조 개념. **~bereit** *a.* 남을 돕기 좋아하는, 자비심이 많은. **~bereitschaft** *f.* 친절, 협조심. **~bischof** *m.* 〚宗〛 (Weihbischof) 보좌 주교, 부감독, 감독보(補). **~boot** *n.* 구명 보트. **~buch** *n.* ①〚商〛 보조 장부. ② 참고서. ③ 편람, 입문서. ④ 해설서, 개론서. **~dienst** *m.* ① 구조 활동, 자원 봉사; 보조 근무. ② 구조대, 구조 대책반: einen ~ für die von der Überschwemmung Betroffenen einrichten 홍수 피해자들을 위해 구조 대책 본부를 설치하다. **~gelder** *pl.* 보조금, 구제금: an jn. ~ zahlen 누구에게 보조금을 지급하다. **~genoß** *m.* 맹방(Bundesgenoß). **~handbuch** *n.* 참고서. **~heer** *n.* 구원군. **~kasse** *f.* 구제〔구조〕 기금, 돕기 성금. **~kirche** *f.* 간이 예배당. **~kraft** *f.* 조력자, 보조원; (대학의) 조교: wissenschaftliche ~ 연구 보조원〔조교〕. **~kreuzer** *m.* 보조 순양함. **~lehrer** *m.* 보조 교사. **~lehrerin** *f.* ↑ ~lehrer의 여성형. **~leistung** *f.* ↑ Hilfeleistung. **~linie** *f.* 〚數〛 보조선; 〚음악〛 덧줄. **~macht** *f.* 동맹군; 원군. **~maschine** *f.* 보조 기관〔장치〕. **~mittel** *n.* ① (보조) 수단, 구조책, 방책; 참고서; 보조약(藥): zum letzten ~ greifen 최후 방책을 강구하다. ②〚복수〛 보조금, 보조 물자. **~motor** *m.* 보조 모터. **~organisation** *f.* 재해 대책반, 구제 기관. **~polizei** *f.* 보조 경찰. **~prediger** *m.* 부목사. **~programm** *n.* ①〚컴〛 도움〔유틸리티〕 프로그램(utility program). ② 원조 계획: ein ~ für die Armen 빈민 구제 계획. **~quelle** *f.* ① 자금원: neue ~n suchen 새로운 자금원을 찾다. ② 참고 문헌. ③ (천연) 자원: das Land ist reich an natürlichen ~n 그 나라는 천연 자원이 풍부하다. **~satz** *m.* 〚數〛 보조 정리(定理), 부명제. **~scheriff** *m.* 보조 보안관. **~schiff** *n.* ↑ ~kreuzer. **~schule** *f.* (정신 박약아를 위한) 특수 학교. **~sprache** *f.* (에스페란토 따위) 보조 언어.

hilfst ↑ helfen의 2인칭 단수 현재형.

Hilfs≈truppen *pl.* 지원군, 증원군; 예비 부대. **~verb, ~verbum** *n.* 〚문법〛 (~zeitwort) 조동사(보기: haben, werden). **~verein** *m.* 자선회〔단체〕. **~vertrag** *m.* ① 보조 조약. ② 동맹 조약. **~völker** *pl.* ↑ ~truppen. **~weise** *adv.* 응급책으로서, 대용으로. **~werk** *n.* 구호 사업(단체). **~wissenschaft** *f.* 보조 학문. **~wort** *n.* 〚복수: ..wörter〛〚문법〛 어조사. **~wörter·buch** *n.* 전문 어휘집, 특수 사전. **~zeit·wort** *n.* 〚문법〛 조동사(~verb). **~zug** *m.* 임시 열차; (사고 때의) 응급 비상 열차.

hilft [hɪlft] ↑ helfen의 3인칭 단수 현재형.

Hillbillimusik 新정서 ⇦ Hillbilly-Musik.

Hillbilly Music [hílbɪlɪ mjúːzɪk], **Hillbilly-Musik** 《engl.》 *f.* 힐빌리〔컨트리〕 뮤직(미국 남부의 민속 음악; 상업화된 미국 남부 민속 음악).

Hille[1] [hílə] *f.* -n (ndd.) 느렁이(노루의 암컷) (Ricke).

Hille[2] 《ndd.; Helle》 *f.* -n 건초 저장 헛간〔시렁〕.

Hillebille *f.* -n (ndd.) ① (광부들이 두드려 사용하던) 신호용 목판. ② 심야 음악회; 상량 축하연.

Hilum [híːlʊm] 《lat.》 *n.* -, ..la 〚植〛 (과일의) 배꼽(꽃받침이 붙었던 자리).

Hilus *m.* -, ..li 〚해부〛 문(門) (폐·심장에 신경과 혈관이 연결되어 표면이 들어간 부분).

Hilus≈drüse *f.* 〚해부〛 폐문(肺門) 림프선. **~schatten** *m.* 〚醫〛 폐문 음영(陰影). **~tuberkulose** *f.* 〚醫〛 폐문 결핵.

Himalaja [himáː(ː)laja] 《skt., „Schneewohnung"》 *m.* -(s) 히말라야 산맥.

Himation 《gr.》 *n.* -s, ..tien [..tiən] (고대 그리스의) 어깨에 걸쳐 입는 헐거운 겉옷.

Himbeere [hímbeːrə] *f.* -n 〚植〛 ① 나무딸기(의 열매). ② ↑ Himbeerstrauch.

Himbeer≈eis *n.* 나무딸기 아이스크림. **~essig** *m.* 나무딸기 식초. **~farben** *a.* 나무딸기 색의, 검붉은 색의. **~geist** *m.* 나무딸기 브랜디〔화주〕. **~gelee** [..ʒe.., ..ʒə..] *m.* 나무딸기 젤리. **~saft** *m.* 나무딸기 주스(청량 음료). **~strauch** *m.* 나무딸기(의 나무). **~zunge** *f.* 〚醫〛 딸기혀(성홍열의 증상).

***Himmel** [hɪ́məl] *m.* -s, - ① (↔ Erde) 하늘, 창공: blauer〔klarer〕 ~ 푸른〔맑은〕 하늘; soweit der ~ blau ist 곳곳에, 어디든지; der ~ ist heiter 〔bezieht sich mit Wolken〕 날씨가 청명하다〔하늘이 구름으로 뒤덮인다〕; der ~ öffnete seine Schleusen 세차게 비가 내리기 시작했다; 〚구어〛 eher hätte ich gedacht, der ~ stürzt ein 나는 그런 일이 벌어지리라고는 꿈에도 생각지 못했다; den ~ für eine Baßgeige 〔einen Dudelsack〕 ansehen 완전히 취하다; **am** westlichen ~ 서쪽 하늘에; ein Blitz **aus** heiterem ~ 청천벽력; 〚고어〛 **gen** ~ schauen 하늘을 우러러보다; **in** den ~ ragen 하늘 높이 우뚝 솟다; 〚구어〛 jn.〔et.〕 in den ~ heben 누구를〔무엇을〕 과장된 칭찬으로 비행기 태우다; **unter** freiem ~ 야외에서; **vom** ~ fallen 갑자기 나타나다; wie vom ~ gefallen 갑자기, 돌연히; 〚속담〛 es fällt kein Meister vom ~ 태어나면서부터 명인은 없다; das Blaue vom ~ herunterlügen 새빨간 거짓말을 하다; **zum** ~ 하늘을 향하여; **zwischen** ~ und Erde schweben〔hängen〕 a) 허공에 떠 있다, b) 근거가 불확실하다. ② (**a**) 우주; 천체; 하늘: ~ und Erde a) 천지, 만유(萬有), b) 감자와 사과 퓌레에 선지 및 간 소시지를 넣어 만든 요리; die Wunder des ~s 우주의 경이; die Sterne leuchten **am** ~ 별이 하늘에서 빛나고 있다. (**b**) 〚비유〛 (활동) 영역: am literarischen ~ als Sterne glänzen 문학계에서 별처럼 빛나다. ③ (Zone, Klima) 지대, 지역; 풍토, 기후: **unter** diesem ~ 이러한 기후〔풍토〕에서. ④〚宗〛 (↔ Hölle) 천상계(天上界), 천국, 극락; 환희: ~ aller ~ 천국 중의 천국; ~ und Hölle 천국과 지옥놀이(어린애들의 놀이의 일종); ~ und Hölle 〔Erde〕 in Bewegung setzen 사력을 다하다, 가능한 모든 것을 시도하다; hier ist des Volkes wahrer ~ 여기가 국민의 진정한 낙원이다; 〚雅語〛 sie gelobte sich dem ~ an 그녀는 수녀원에 들어갔다; Großvater ist nun im ~ 할아버지는 이제 하늘 나라에 가 계신다;

〚雅語〛 den ~ auf Erden haben 근심 걱정 없이 살아가다; 〚雅語〛 den ~ offen sehen 소망이 성취되어 몹시 기뻐하다; jm. hängt der ~ voller Geigen 누구는 (미래를 낙관하며) 몹시 마음이 들떠 있다; jm. den ~ (auf Erden) versprechen 누구에게 천국 같은 삶을 약속하다; **aus** allen ~n fallen 크게 실망하다; **gen** ~ fahren 승천하다; **im** ~ sein a) 천당에 있다, 죽었다, b) 행복의 절정에 있다; in den ~ kommen a) 죽다, b) 천당에 가다, 구제받다; wie im siebenten ~ sein 천국에 간 것 같은 기분이다, 기뻐서 어쩔 줄 모르다; (bis) in den ~ (er)heben 지나치게 칭찬〔찬미〕하다; das schreit **zum** ~ 그건 벌받을 일이다(너무나 부당하다); et. stinkt zum ~ 〚경박〛 무엇이 너무나 혐오스럽다. ⑤〚宗〛 (Gott) 하느님, 신; 신의 섭리, 신의 뜻: der Zorn des ~s 하느님의 노여움; weiß der ~, wo〔was, wer〕... 언제〔무엇을, 누가〕 …인지 아무도 모른다; der ~ beschütze dich! 하느님이 너를 보호하시기를!; der ~ weiß es! 그건 하느님이나 알고 계신다, 나는 전혀 모른다!; der ~ sei mein Zeuge! 하느님도 굽어 살피소서!(무죄임을 주장할 때); 〚구어〛 gerechter 〔gütiger, du lieber〕 ~! 아이구, 맙소사 하느님!(놀라움·분노의 표현); dem ~ sei Dank! 주여 감사합니다!(안도의 표현); **beim** ~! 맹세코, 틀림없이!; Gott im ~! 주여!(놀라움의 표현); **um** des 〔um's〕 ~s willen! a) 제발, 바라건대!, b) 이런, 저런! ⑥ (**a**) (용상·침대의) 천개(天蓋); (마차의) 포장, 지붕. (**b**) 〚사냥〛 새그물의 윗부분. (**c**) 〚광산〛 갱도의 천장(First). (**d**) (schweiz.) (우유·포도주의) 막(膜), 표막. (**e**) 〚畫〛 (Luft) 공간〔대기〕의 느낌, 하늘 모양.

hịmmel≈ạb [(또는) hɪməl|áp] *adv.* 〚고어·시어〛 하늘에서. **~ạn** [(또는) hɪməl|áp] *adv.* 〚고어·시어〛 하늘로, 하늘을 향하여. **~ạngst** *a.* 〚구어〛 es ist mir ~ 나는 무서워 죽겠다. **≈angst** *f.* 지독한 공포. **~ạuf** *adv.* ↑ ~an. **≈bett** *n.* 천개(天蓋)가 달린 침대. **~blau** *a.* 하늘색의. **≈brand** *m.* 〚植〛 현삼과의 일종(Königskerze). **≈brot** *n.* 〚聖〛 만나(Manna). **≈dọnner·wẹtter** *int.* 〚대개 다음 용법으로〛〚경박〛 ~ noch (ein)mal! 이런 빌어먹을!(초조·불쾌·저주의 표현). **~empor** *adv.* ↑ ~an.

Himmelei [hɪməláɪ] *f.* -en 〚구어〛 열광, 심취, 광신; 광신적인 찬양.

Hịmmel≈faden *m.* (초가을의) 공중에 떠도는 거미줄(Altweibersommer). **~fahrt** *f.* ① 승천: Christi〔Mariä〕 ~ 예수〔성모 마리아〕의 승천. ②〚관사 없이〛 예수 승천일〔제〕. ③ 목숨을 건 시도〔모험〕.

Hịmmelfahrts≈fest *n.* ↑ ~tag. **~kommando** *n.* 〚軍〛 ① 목숨을 건 임무〔사명〕. ② 결사대. **~nase** *f.* 〚농담〛 들창코. **~tag** *m.* 예수 승천제(昇天祭).

hịmmel≈hẹr *adv.* 하늘로부터. **≈hẹrr·gott** *int.* 〚대개 다음 용법으로〛〚경박〛 ~ noch (ein)mal! 이런 빌어먹을! (초조·불쾌·저주의 표현) **~họch** *a.* 하늘같이 높은, 하늘 높이 솟은: 〚비유〛 ~ jauchzend 하늘을 찌를듯이 커다란 환호성을 지르며. **≈hund** *m.* ①〚욕설〛 개자식, 나쁜놈. ② 무모한 놈.

himmeln [hímәln] 《I》 *i.* (h.) ① (obd.) es himmelt 번개가 번쩍거리다. ② (총을 맞은 새가) 하늘 높이 날아올라가다. ③〚농담〛 (sterben) 죽다, 승천하다. ④ 열광하는 눈으로 바라보다; 열광하다: ~de Augen 열광하는 눈. ⑤ 신앙심이 깊은 체하다(frömmeln). 《II》 *t.* (무엇에) 천개(天蓋)를 달다: gehimmelte Bettstelle 천개가 달린 침소(寢所).

hịmmel≈nah *a.* 천국에 가까운, 하늘 높이 솟은, 하늘에 닿을 것 같은. **≈reich** *n.* 〚宗〛 천국, 낙원; 극락: des Menschen Wille ist sein ~ 행복은 사람 마음먹기에 달려 있다. **~rein** *a.* 천국과 같이 청결한. **≈saal** *m.* ↑ Himmelssaal.

Hịmmels≈achse *f.* 〚天〛 지축; 우주의 축. **~angel** *f.* 〚天〛 천극(天極). **~äquator** *m.* 천구(天球)의 적도. **~bahn** *f.* 천체의 궤도. **~beschreibung** *f.* 천문〔천체〕학. **~besen** *m.* 바람. **~bewohner** *m.* ↑ ~bürger. **~bild** *n.* 천국을 그린 그림; 별자리, 성좌. **~bläue** *f.* (하늘의) 푸른 빛, 하늘색. **~bogen** *m.* ① 무지개. ② 창궁(蒼穹), 하늘. **~bote** *m.* 신의 사자, 천사. **~braut** *f.* ① 수녀. ② die ~ 성처녀 마리아. **~breite** *f.* 〚天〛 황위(黃緯). **~brief** *m.* 하늘이 보낸 편지, 부적. **~brot** *n.* 〚聖〛 만나(Manna). **~burg** *f.* 천성(天城). **~bürger** *m.* 고인(故人); 천사.

Hịmmel≈schlüssel *m.* ↑ Himmelsschlüssel. **≈schreiend** *a.* 천인공노할, 천벌받을.

Hịmmels≈erscheinung *f.* (무지개·오로라·유성·북극광 같은) 하늘〔천계〕의 현상. **~feste** *f.* 천공(天空), 궁창(穹蒼). **~feuer** *n.* 〚고어〛 (태양·번개와 같은) 하늘의 불빛; 〚비유〛 영감, 타고난 정열. **~fotografie** *f.* 천체 사진. **~gabe** *f.* 천부의 재능. **~gegend** *f.* ① 방위: die vier ~en 사방, 동서남북. ② 지대, 지방. **~gerste** *f.* 〚植〛 참밀. **~gewölbe** *n.* 천공(天空), 천개(天蓋). **~globus** *m.* 천구의(天球儀). **~haus** *n.* 〚점성술〛 (하늘을 12 궁으로 나눈) 궁(宮). **~heer** *n.* 천군 천사, 천사의 무리. **~höhe** *f.* 하늘의 높이. **~karte** *f.* 천체도, 천구도(天球圖). **~königin** *f.* 하늘의 여왕; 〚신화〛 (Jupiter 의 처) Juno; 〚宗〛 성모 마리아. **~körper** *m.* 천체, 별. **~kost** *f.* 신들의 양식; 감로(甘露). **~kratzer** *m.* 마천루. **~kugel** *f.* ① 천구. ② 천구의(儀). **~kunde** *f.* 천문학; 천체학. **~länge** *f.* 〚天〛 황경(黃經). **~lauf** *m.* 천체의 운행. **~lehre** *f.* 천체학; 천문학. **~leiter** *f.* ①〚聖〛 (하늘에 이르는) 야곱의 사다리(창세기 28 : 12). ②〚植〛 꽃고비. **~licht** *n.* 하늘〔태양〕의 빛; 〚시어〛 태양; 하늘의 계시. **~luft** *f.* 하늘의 영기(靈氣), 에테르. **~mechanik** *f.* 천체 역학. **~pferd** *n.* 〚動〛 잠자리. **~pforte** *f.* 천국의 문. **~pol** *m.* 〚天〛 천극(天極). **~punkt** *m.* 〚天〛 천정(天頂), 천저(天底). **~rand** *m.* 지평선, 수평선. **~raum** *m.* 우주 공간. **~richtung** *f.* 방위, 방향: die vier ~en 사방, 동서남북. **~saal** *m.* 〚宗〛 천당. **~schlüssel** *m.* 천국의 열쇠; 〚植〛 앵초(櫻草). **~schreiber** *m.* ① 공중에 연기로 광고 문자를 그리는 비행기. ② 구름에 광고문을 비추는 사광기(射鑛器). **~schrift** *f.* 공중〔구름〕의 광고 문자. **~schwertel** *m.* 〚植〛 붓꽃. **~speise** *f.* ↑ ~kost. **~strich** *m.* 지대, 지역, 지방: unter jedem ~ 어느 지역에서도. **~stürmer** *m.* ①〚雅語〛 이상주의자, 급진적

개혁자. ②〔농담〕 우주 비행사. **~tau** *m.* 감로(甘露). **~tochter** *f.* 여신. **~tor** *n.* 천국의 문. **~tür** *f.* 천국의 문.

himmel·stürmend *a.* 모든 한계를〔제약을〕 뛰어넘는, 과도한.

Himmels≈wagen *m.* 〖天〗 큰 곰자리, 대웅좌. **~weg** *m.* 천국으로 가는 길. **~wonne** *f.* 천국의 환희. **~zeichen** *n.* ①〖天〗 황도 십이궁(黃道十二宮). ②〖사냥〗(사슴이 지나가서) 꺾여진 나뭇가지, 사슴이 지나간 흔적. **~zelt** *n.* 천공, 창궁(蒼穹). **~ziege** *f.* ①〖動〗(누른) 도요새. ②〔농담〕 단순〔우직〕한 여자.

himmel≈wärts *adv.* 하늘을 향해서, 하늘 쪽으로. **~weit** *a.* 끝없이 넓은, 무한히 큰; ein ~er Unterschied 아주 큰 차이; ~ verschieden 아주 큰 차이가 있는.

***himmlisch** [hímlɪʃ] *a.* ① 하늘의, 우주의: das ~e Licht 햇빛; ~e Körper 천체. ② 천국의, 하늘에 있는: unser ~er Vater 하느님, 신; die ≃en 신들, 천사들; das ~e Reich 천국; der ~e Bräutigam 그리스도. ③〔비유〕 절묘한; 훌륭한, 멋진: eine ~e Musik 멋진 음악. ④ 영원한; 내세의: eine ~e Sehnsucht 천국을 향한 동경. ⑤〔비유·구어〕 대단한, 크나큰: eine ~e Geduld 대단한 인내심.

Himmlische* *der* 신, 천사: die ~n (그리스 신화의) 신들.

Himten [hímtən] 《lat.》 *m.* -s, - (ndd., md.) 힘텐(북·중부 독일에서 쓰이던 곡물 양의 단위).

***hin** [hɪn] *adv.* ①〔방향을 나타내는 단어와 함께 사용하여, 화자쪽에서 멀어짐을 뜻함〕(↔ her) 저리로, 저쪽으로: dort~ 저쪽으로; rechts~ 오른편으로; überall~ 사방 팔방으로; geh ~! (저리) 가라!; auf den Berg ~ 산 위로; 〔비유〕 ins Blaue〔Unbestimmte〕 ~ 닥치는 대로, 함부로; vor sich ~ sprechen 혼잣말을 하다; es ist noch weit ~ 거기까지는 아직도 멀다; wo ist er ~? 그는 어디로 갔지?; das Haus hat drei Fenster auf die Straße ~ 이 집은 도로쪽으로 창문이 셋이 나 있다. ② (…에) 따라, (…에) 면하여; 펼쳐져서: der Weg läuft am Fluß〔Ufer〕 ~ 이 길은 강〔강기슭〕을 따라서 나 있다; der Weg geht durch blühende Wiesen ~ 길은 꽃이 만발한 초원을 지나 뻗어 있다; der Efeu breitet sich über die ganze Wand ~ aus 담쟁이 덩굴이 벽 전체에 뻗어 있다; das geht so in einem ~ 그것은 그냥 계속하면 된다; still vor sich ~ weinen 조용히 혼자 울고 있다. ③〔시간적〕 내내, 줄곧. (a) vom Morgen bis zum Abend ~ 아침부터 밤까지 (줄곧); es ist noch lange ~ 아직도 상당한 시간이 남아 있다; gegen Weihnachten ~ 크리스마스까지; zum Sommer ~ 여름까지 (b)〔사물이 주어〕 sich ~ dehnen〔ziehen, schleppen〕 (어떤 일이) 길어지다, 질질 끌다; sich nur so ~ behelfen 〔sich ~ fristen〕 이럭저럭 살아가다. ④〔구어〕(fort, weg) 사라져서, 없어져서, 소멸하고: ganz ~ sein 기진맥진해 있다; 〔비속〕 er ist ~ 그는 죽었다; meine Ruhe ist ~ 나는 마음의 안정을 잃어버렸다; mein ganzes Geld ist ~ 나는 돈을 몽땅 날렸다, 잃어버렸다; 〔속담〕 ~ ist ~, verloren ist verloren 이왕 잃은 것은 어쩔 수 없다; wo sind die Stunden ~? 그 시절은 어디로 가버렸나? ⑤ auf et. ~ 무엇을 근거로 삼고, 무엇에 유념하여, 무엇을 목표로: auf die Gefahr ~ 위험을 무릅쓰고; auf einen Verdacht ~ 어떤 혐의를 근거로; auf Ihr Wort ~ 당신의 약속을 믿고; auf den Befehl ~ 명령에 따라서; aufs Ungewisse ~ 하늘에 운을 맡기고; ein Wort auf seine Herkunft ~ untersuchen 어떤 단어의 유래를 조사하다. ⑥ (a)〔구식〕 ~ und ~ 끝없이, 영구히. (b) ~ **und her** 여기저기; 오락가락, 갈팡질팡: ~ und her gehen 여기저기 돌아다니다, 오락가락하다; ~ und her streiten 이러쿵저러쿵 논쟁하다; ~ und her denken 이것저것 생각에 잠기다; ~ und her gerissen sein 마음의 갈피를 못 잡고 있다; ein ewiges ≃ und Her 끝없는 망설임. (c) **nicht ~, nicht her** 이도 저도 아닌, 어찌할 바를 모르는. (d) ~ **und wieder** 여기저기로; 때때로. (e) ~ **und zurück** 왕복: Fahrschein für ~ und zurück 왕복 차표. (f) ~ **oder her** 〔구어〕 다소간, 안팎, 내외: drei Tage ~ oder her 3일 안팎. (g)〔구어〕 das ist ~ wie her 그것은 결국은〔어떻게 해도〕 똑같다.

***hin..** *pref.* 〔분리 동사의 전철〕 ① 화자쪽에서 멀어짐을 나타냄(보기: ~fahren (어디로) 차를 타고 가다). ② 특정한 방향으로의 지속적인 움직임을 나타냄(보기: ~fließen (어디로) 끊임없이 흘러가다). ③ "사라져·끝나서, 없어져"의 뜻(보기: ~sterben 죽어 없어지다). ④ "멍하니·아무렇게나"의 뜻(보기: ~sagen 무심코 말하다).

***hin·ab** [hɪnáp] *adv.* 〔雅語〕 (저기) 아래로, 아래로 내려가서: den Fluß ~ 강을 따라 내려가며.

hinab≈|bringen* *t.* (hinunterbringen) 내려 놓다, 내리다. **~|fahren*** 《I》 *i.* (s.) 차를 타고 내려 가다. 《II》 ① 차에 태워〔실어〕 아래로 보내다. ② (차를) 아래로 몰다. **≃fahrt** *f.* (차를 타고) 내려가기; 강하. **~|fallen** *i.* (s.) 아래로 떨어지다(hinunterfallen). **~|gehen*** *i.* (s.) 내리다, 내려가다; (길이) 내리막 길이 되다. **~|lassen*** *t.* 내려 놓다, 내리다, 낮게 하다. **~|reißen** *i.* (h.) / *t.* 아래로 잡아채다 (hinunterreißen). **~|sehen*** *i.* (h.) ① auf et. ~ 무엇을 내려다보다. ②〔비유〕 auf jn. ~ 누구를 멸시하다. **~|senken** 《I》 *t.* 〔雅語〕 아래로 내리다. 《II》 *refl.* sich ~ 내려가다; der Pfad senkt sich allmählich zum Tal hinab 이 오솔길은 점차 계곡쪽으로 내려간다. **~|sinken** *i.* (s.) 〔雅語〕 가라앉다. **~|steigen*** *i.* (s.) ↑ hinuntersteigen. **~|stürzen** 《I》 *i.* (s.) 떨어지다, 추락하다. 《II》 *t.* 밀어 떨어뜨리다, 넘어뜨리다. **~wärts** *adv.* 아래 쪽으로. **~|ziehen** 《I》 *t.* ① 아래로 잡아당기다. ② 끌고 내려오다. 《II》 *i.* (s.) 아래로 내려가다.

hin|altern *i.* (s.) 늙어가다, 노쇠해지다.

***hin·an** [hɪnán] 〔시어〕 *adv.* (hinauf) (저기) 위로, (높이) 올라가서: den Hügel ~ 언덕을 올라가서; zum Himmel ~ 하늘을 향해; ~! 올라가라!; frisch ~! 기운을 내라, 기운내서 해라!

hin·an.. *pref.* 〔시어〕 "위로"의 뜻(보기: ~steigen 위로 올라가다).

hinan≈|fahren* *i.* (s.) (차를 타고) 올라가다 (hinauffahren). **~|gehen*** *i.* (s.) (hinaufgehen) 올라가다, 위로 접근하다. **~|klettern** *i.* (s.) 기어오르다(hinaufklettern): den Berg

~ 산을 기어오르다, 등산하다. ~|**kommen*** *i.* (s.) 올라가다, 오르다. ~|**steigen*** *i.* (s.) (hinaufsteigen) 오르다; 올라가다.

hin|arbeiten 《Ⅰ》 *i.* (h.) auf et. ~ 무엇을 추구하다, 무엇을 목표로 노력하다. 《Ⅱ》 *refl.* sich ~ ① sich nach et.³ ~ 무엇을 목적으로 노력하다. ② 과로하다, 과로로 병들다.

***hin·auf** [hɪnáuf] *adv.* (저기) 위쪽으로, 위로 올라가서: (bis) zum Himmel ~ 하늘까지; die Treppe ~ 계단을 올라가서; den Fluß ~ 강을 거슬러 (올라가서).

hin·auf.. *pref.* "위(쪽으)로"의 뜻(보기: ~-gehen 위로 올라가다).

hinauf⸗|arbeiten *refl.* sich ~ 힘들여 올라가다; 〖비유〗 노력하여 출세하다. ~|**blicken** *i.* (h.) 올려다보다, 우러러보다. ~|**bringen*** 《Ⅰ》 *t.* 들어 올리다, 위로 나르다. 《Ⅱ》 *refl.* sich ~ 지위가 높아지다. ~|**dürfen** *i.* 〖구어〗 ① 위로 올라가도 좋다: auf diesen Berg darf man wegen der Lawinengefahr noch nicht hinauf 눈사태 위험 때문에 이 산은 아직 올라가면 안 된다. ② 위로 올려놓아도 좋다. ~|**fahren*** 《Ⅰ》 *i.* (s.) 차를 타고 올라가다: mit dem Lift ~ 엘리베이터를 타고 올라가다; einen Fluß ~ 강을 거슬러 올라가다. 《Ⅱ》 *t.* ① 위로 운반하다. ② (차량을) 위로 몰다. ~|**führen** 《Ⅰ》 *t.* 위로 데리고 가다. 《Ⅱ》 *i.* (h.) (길이) 위로 나 있다: führt dieser Weg zum Aussichtsturm hinauf? 이 길은 저 위쪽 전망대로 이어집니까? ~|**gehen*** *i.* (s.) ① 올라가다, 오르다. ② 〖음악〗 (현악기를 연주할 때 왼손의 위치를 변경시켜) 가락을 높이다. ③ 〖商〗 (물가가) 상승하다: mit dem Preis ~ 가격을 올리다. ~|**klettern** *i.* (s.) ① 위로 기어 올라가다. ② 상승하다: seit Januar sind die Preise stark hinaufgeklettert 1월 이후 물가가 급등했다. ~|**kommen*** *i.* (s.) 올라가다; 출세하다. ~|**können** *i.* (h.) 〖구어〗 ① 위로 올라갈 수 있다. ② 위로 올려 놓아도 좋다. ~|**lassen*** *t.* 올라가게 하다, 올라가도록 허락하다. ~|**markten** *t.* 〖드물게〗 (값을) 올리다, 비싸게 하다. ~|**müssen** *i.* 〖구어〗 ① 위로 올라가야 하다. ② 위로 올려 놓아야 하다. ~|**reichen** 《Ⅰ》 *t.* 위로 올려놓다, 위로 건네주다. 《Ⅱ》 *i.* (h.) 닿다, 도달하다. ~|**schrauben**^(*) *t.* ① 나사못을 죄어 높이다; 〖비유〗 (세금 등을) 올리다: den Docht der Lampe ~ 조절 나사를 돌려 등의 심지를 높이다. ② *refl.* sich ~ (비행기·새가) 선회하며 상승하다. ~|**schwingen*** *refl.* sich ~ 뛰어오르다, 올라가다: sich aufs Pferd ~ 말에 올라타다. ~|**setzen** *t.* ① 올려놓다. ② (물가 따위를) 인상하다. ③ (좌석의 순서를) 높이다. ~|**sollen** *i.* (h.) 〖구어〗 ① 위로 올라가야 하다. ② 위로 올려놓아야 하다. ~|**steigen*** *i.* (s.) ① 올라가다, 타고 오르다. ② (솟아) 오르다. ~|**stimmen** *t.* (악기의) 음을 높이다: 〖비유〗 seine Ansprüche ~ 요구의 수준을 높이다. ~|**tragen*** *t.* 들어올리다, 위로 나르다. ~|**treiben*** *t.* ① (가축을) 위로 몰다, 밀어올리다. ② (값을) 인상하다. ~|**wagen** *refl.* sich ~ 감히 올라가다. **~wärts** *adv.* 위로, 상부로. ~|**wollen** *i.* (h.) 〖구어〗 위로 올라가려 하다. ~|**ziehen*** 《Ⅰ》 *t.* (위로) 끌어올리다; 위로 올라가게 하다. 《Ⅱ》 *i.* (s.) ① 올라가다, 오르다. ② 위로 이사〔이동〕하다. 《Ⅲ》 *refl.* sich ~ 위로 뻗다.

***hin·aus** [hɪnáus] *adv.* ① (↔hinein, heraus) (저기) 밖으로, 바깥으로: nach hinten ~ 뒤쪽 바깥으로; zum Fenster ~ sehen 창밖을 내다보다; auf Tage〔Woche〕 ~ 여러 날〔주〕 동안. ② (hinausgehen) 밖으로 나가다: (geh) ~! 나가라!; ~ mit euch! 너희들 꺼져!, 나가!; nicht wissen, wo ~ 어찌할 바를 모르다; ich muß ~ a) 나는 집 밖으로 나가야만 하겠다, b) 변소에 가야만 하겠다; wo will das ~? 그것은 어떻게 되어갈 것인가. ③ über et. ~ 무엇을 넘어서, 지나서: darüber ~ 그것을 넘어서, 그 외에; über den Termin ~ 기한을 넘겨서, 때를 놓치고; über seine Mittel ~ 분에 넘쳐; über die Dreißig ~ 30세가 넘은.

hinaus⸗|befördern *t.* 밖으로 수송〔운반〕하다. ~|**begeben*** *refl.* sich ~ 밖으로 나가다, 떠나다. ~|**begleiten** *t.* jn. ~ 누구를 밖으로 데리고 나가다〔전송하다〕. ~|**beißen*** *t.* 물어서 밖으로 몰아내다. ~|**beugen** 《Ⅰ》 *t.* 밖으로 굽히다. 《Ⅱ》 *refl.* sich ~ 밖으로 몸을 굽히다〔내밀다〕. ~|**blicken** *i.* (h.) 밖을 내다보다. ~|**bringen*** *t.* ① 밖으로 데리고 나가다. ② 밖으로 운반하다. ③ es über et. ~ 무엇을 벗어나다; so wirst du es nie über die Anfangsstufe ~! 그렇게 해서는 너는 결코 초보 단계를 벗어나지 못할거야! ~|**denken*** *i.* (h.) über et. ~ 무엇을 넘어서 생각하다; über die gegenwärtigen Probleme ~ 현재의 문제들을 넘어서 (폭넓게) 생각하다. ~|**drängen** 《Ⅰ》 *t.* 밀어내다. 《Ⅱ》 *refl.* sich ~ 서로 밀치며 밖으로 나가다. ~|**dürfen** *i.* (h.) 〖구어〗 ① 밖으로 나가도 좋다. ② 내놓아도 된다: darf der Ledersessel in den Garten hinaus? 이 가죽의자를 정원에 내놓아도 됩니까? ③ über et. ~ 무엇을 넘어도 되다. ~|**ekeln** *t.* 싫은 표정을 지어 쫓아내다. ~|**fahren*** 《Ⅰ》 *i.* (s.) ① (차를 타고) 나가다; (마차를) 몰고 나가다; 출항〔발차〕하다. ② über et. ~ (배·차로) 무엇을 앞질러 가다, 〖비유〗 무엇을 능가〔초월〕하다. ③ (서둘러) 밖으로 나가다. ④ über et. ~ 무엇을 지나쳐 달리다; der Wagen fuhr über das Stoppschild hinaus 자동차가 멈춤 표시판을 무시하고 지나쳤다. 《Ⅱ》 *t.* (배·차로) 실어내다. ~|**finden** *i.* (h.) 출구를 찾다. ~|**führen** 《Ⅰ》 *t.* ① 밖으로 데리고 나가다. ② 〔구식〕 et. gut ~ 무엇을 좋게 끝내다. 《Ⅱ》 *i.* (h.) ① (길·문이) 바깥으로 통하다: die Tür führt auf den Hof hinaus 이 문은 마당으로 통한다. ② über et. ~ 무엇을 넘어서다, 벗어나다. ~|**gehen*** *i.* (s.) ① 밖으로 나가다: in den Garten ~ 정원으로 나가다. ② (…쪽으로) 향해 있다: das Zimmer geht auf den Garten ~ 이 방은 정원쪽으로 나 있다. ③ *imp.* 밖으로 통하다: es geht hier durch diese Tür hinaus 출구는 여기에 있다. ④ auf et. ~ 무엇을 목표로 삼다. ⑤ über et. ~ 무엇을 넘어서다, 능가하다: das geht über meine Kräfte ~ 그것은 내 힘에 벅차다. ~|**geleiten** *t.* 〖雅語〗 (밖으로) 데리고 나가다. ~|**graulen** *t.* ↑ ~ekeln. ~|**greifen** *i.* (h.) (한계·범위를) 넘어서다, 벗어나다. ~|**jagen** *t.* 쫓아내다, 몰아내다. ~|**katapultieren** *t.* ① 캐터펄트로 사출〔발사〕하다: eine Rakete ~ 로켓을 발사하다. ② (가차 없이) 내쫓다, 해고하다.

~|**kommen*** ① 밖으로 나오다. ② auf. et. ~ 어디에 이르다; das kommt auf dasselbe hinaus 그것은 같은 결과에 이른다. ③ über et. ~ 무엇을 벗어나다, 넘어서다; er ist nie über die Anfänge hinausgekommen 그는 결코 초보 단계를 벗어나지 못했다. ~|**komplimentieren** *t.* ① 예의를 갖춰 밖으로 데리고 나가다. ② 예의를 갖추되 단호하게 내쫓다. ~|**können** *i.* (h.) 〖구어〗 ① 밖으로 나갈 수 있다. ② 밖으로 내놓아도 좋다. ③ über et. ~ 무엇을 넘어도〔벗어나도〕 좋다. ~|**lassen** *t.* 〖구어〗 나가게 하다. ~|**laufen*** *i.* (s.) ① 달려 나가다. ② auf et. ~ 어떤 결과가 되다; auf eins 〔dasselbe〕 ~ 동일한 결과가 되다; auf nichts ~ 아무런 결과도 가져오지 못하다, 실패하다. ③ 목표로 삼다: der Plan läuft darauf hinaus, Obdachlosen ein Heim zu geben 이 계획은 부랑자들에게 거처를 제공하는 것이 목적이다. ④ über et. ~ 무엇을 넘어서다〔초과하다〕. ~|**legen** *t.* 밖에 두다, 밀어내다: sich zum Fenster ~ 창밖으로 몸을 내밀다. ~|**lehnen** *refl.* sich ~ 몸을〔상체를〕 창 밖으로 내밀다. ~|**machen** *refl.* sich ~ 외출하다, 나가다. ~|**müssen** *i.* (h.) 〖구어〗 ① 밖으로 나가야 하다. ② 밖에 내놓아야 하다. ③ über et. ~ 무엇을 넘어서야〔벗어나야〕 하다. ~|**ragen** *i.* (h.) ① 우뚝 솟아 있다, 돌출하다. ② über jn. ~ 누구보다 뛰어나다, 누구를 능가하다. ~|**reichen** 《Ⅰ》 *t.* 밖으로 내밀다, 건네다: jm. die Hand aus dem Fenster ~ 누구에게 창 밖으로 손을 내밀다. 《Ⅱ》 *i.* (h.) ① (무엇이) 밖에까지 닿다. ② über et. ~ 무엇을 넘기다; der Vorrat an Munition reicht nicht über drei Tage hinaus 탄약 비축량은 3일을 넘기지 못한다. ~|**rücken** 《Ⅰ》 *t.* ① 밀어내다. ② 연기〔지연〕하다. 《Ⅱ》 *i.* (s.) 밖으로 움직이다〔나가다〕. ~|**schaffen** *t.* 밖으로 들어내다, 운반해 나가다. ~|**schieben*** *t.* ① 밀어내다. ② 〖비유〗 미루다, 연기하다. ~|**schießen*** *i.* ① (h.) 밖으로 쏘다. ② (s.) 급히 밖으로 나가다. ③ (s.) über et. ~ 무엇을 벗어나다〔넘어서다·초과하다〕. ~|**schleichen*** *i.* (s.) / *refl.* (sich) ~ 몰래 빠져나가다, 슬그머니 떠나다. ~|**schmeißen*** *t.* ↑ ~werfen. ~|**segeln** *i.* (s.) 돛을 달고 포구 밖으로〔먼 바다로〕 나아가다. ~|**sehen*** *i.* (h.) 밖을 내다보다. ~|**sein*** *i.* (s.) ① 넘(어 있)다: über die 60 ~ (나이가) 60세가 넘다; über solche Kindereien bin ich längst hinaus 나는 그런 유치한 짓을 할 나이는 오래 전에 지났어. ② 〖구어〗 밖에 나와 있다. ~|**setzen** 《Ⅰ》 *t.* 밖에 두다. 《Ⅱ》 *refl.* sich ~ 밖에 나가 앉다. ~|**sollen** *i.* (h.) ① 나가지 않으면 안 되다. ② 어떤 결과를 가지다: wo soll das hinaus? 그것은 어떻게 될 것인가? ③ (밖에) 내다놓아야 하다: wo stehen die Kisten, die ins Lager ~? 창고에 내놓아야 할 상자들은 어디 있지? ④ über et. ~ 무엇을 넘어서야 하다. ~|**springen** *i.* (s.) ① 밖으로 뛰어나가다. ② 〖구어〗 서둘러 밖으로 나가다. ~|**stehlen*** *refl.* sich ~ 몰래 떠나다, 슬그머니 도망치다. ~|**stellen** *t.* ① 밖에 내놓다: Blumen auf den Balkon ~ 꽃들을 발코니에 내놓다. ② (선수를) 퇴장시키다: den Verteidiger ~ 수비수를 퇴장시키다. ~**stellung** *f.* 〖스포츠〗 퇴장. ~|**stoßen*** *t.* 밀어내다, 몰아내다; 〖비유〗 jn. in die Welt ~ 누구를 세상에 내보내다. ~|**tragen** *t.* ① 밖으로 운반하다: aus einer Kurve hinausgetragen werden 커브길에서 벗어나다. ② 확산시키다, 유포하다: sein Ruhm wurde in alle Welt hinausgetragen 그의 명성은 온 세상에 알려졌다. ~|**treiben*** 《Ⅰ》 *t.* 밖으로 몰다; 떠날 것을 강요하다: Vieh aus dem Stall auf die Weide ~ 가축을 마구간에서 풀밭으로 몰아내다; es treibt ihn in die Welt hinaus 그는 넓은 세상으로 나가고 싶은 충동을 느낀다. 《Ⅱ》 *i.* (s.) 강변〔해변〕에서 멀리 떠내려가다. ~|**wagen** *t.*/*refl.* ① sich ~ 외출할 엄두를 내다, 감히 외출하다: bei diesem Wetter wage ich mich nicht hinaus 이런 날씨에 나는 감히 외출할 엄두가 나지 않는다. ② sich über et. ~ 감히 무엇을 벗어날〔넘어설〕 엄두를 내다. ~**wärts** *adv.* (저기) 밖으로, 바깥쪽으로. ~|**weisen*** 《Ⅰ》 *t.* 추방하다, 쫓아내다. 《Ⅱ》 *i.* (h.) 먼 곳을 가리키다. ~|**werfen*** *t.* ① 밖으로 내던지다, 쫓아내다: zum Fenster ~ 창 밖으로 내던지다; 〖비유〗 Geld zum Fenster ~ 흥청망청 돈을 쓰다. ② 내버리다, 밖에 내놓다. ~|**wollen*** *i.* (h.) ① 밖으로 나가고 싶어하다. ② hoch ~ 높은 야망을 품다. ③ auf et. ~ 무엇을 의도하다. ~|**ziehen*** 《Ⅰ》 *i.* (s.) ① 밖으로 나가다, 이동해 나가다: ins Feld ~ 전선으로 나아가다. ② 옮기다, 이사가다: aufs Land ~ 시골로 이사가다. 《Ⅱ》 *t.* ① 끌어내다: es zieht mich hinaus 나는 나가고 싶은 충동이 인다. ② 지연시키다. ③ 연기하다, 미루다. 《Ⅲ》 *refl.* sich ~ 오래 걸리다, 오래 가다; 지연〔지체〕되다. ~|**zögern** 《Ⅰ》 *t.* 주저하여 늦추다, 미루다, 연기하다. 《Ⅱ》 *refl.* sich ~ 연기되다, 늦춰지다.

hịn|bannen *t.* 추방하다; 마술로 사로잡다. ~|**bauen** 《Ⅰ》 *t.*/*i.* (h.) (어디에) 세우다, 짓다: wer hat hier das Haus hingebaut 누가 여기에 이 건물을 건축했느냐? 《Ⅱ》 *refl.* sich ~ 떡 버티고 서다: sich vor jn. ~ 누구 앞에 가서 버티고 서다. ~|**befördern** *t.* (어디로) 운반하다. ~|**begeben*** *refl.* sich ~ (어디로) 가다. ~|**begleiten** *t.* (어디로) 동행하다. ~|**bekommen*** *t.* 〖구어〗 해내다, 끝마치다. ~|**bestellen** *t.* (어디로) 오게〔가게〕 하다. ~|**biegen** *t.* ① (어떤 형태로) 휘다, 구부리다: wir müssen den Draht so ~, daß er durch die Öffnung paßt. 우리는 철사를 구멍으로 빠져 나가도록 구부려야 한다. ② 〖비유·구어〗 능숙하게 처리〔해결〕하다. ③ 〖비유·구어〗 시키는 대로 하도록 교육시키다. ~|**blättern** *t.* 〖구어〗 (상당액을) 지급하다: dafür mußte er hundert Mark ~ 그 대가로 그는 100마르크를 지급해야 했다.

***Hin·blick** [hínblɪk] *m.* -(e)s, -e ① 둘러봄, 일별, 얼핏 보기. ② (Rücksicht) 고려, 유의, 관계: im〔in〕 ~ auf et. 무엇을 고려하여, 무엇에 관하여.

hịn|blicken *i.* (h.) 쳐다보다: nach et.[3] ~ 무엇에 눈길을 돌리다, 무엇을 얼핏 보다; auf et. ~ 무엇을 기대하다. ~|**bringen*** *t.* ① (어디로) 가지고〔데리고〕 가다, 보내다. ② (시간을) 보내다: sein Leben kümmerlich ~ 궁색하게 살아가다; die Stunden müßig ~ 빈둥빈둥 놀며 세월을 허송하다. ③ (재산을) 탕진하다. ④ 〖비유〗 해내다, 마무리하다: ich weiß noch nicht, ob ich das hinbringe 내가 그 일

을 해낼지 아직 모르겠어. ~|**brüten** *i.* (h.) (vor sich) ~ 멍하니 생각에 잠겨 시간을 보내다. ~|**dämmern** *i.* (h.) 비몽사몽간에 세월을 보내다.

hin·dann(en) 〖고어〗 *adv.* 뒤에 (hintan).

Hinde [hɪ́ndə] *f.* -n ↑ Hindin.

Hindenburg [hɪ́ndənbʊrk] Paul von ~ 힌덴부르크(독일의 참모 총장·대통령, 1874-1934).

hin|denken* 《I》 *i.* (h.) (어디로) 생각이 뻗어가다, 공상하다; wo denkst du hin? 너 무슨 생각하고 있는 거니? (그런 생각 하지도 마라). 《II》 *refl.* sich an einen Ort ~ 자기가 어디에 가 있다고 상상하다.

hinderlich [hɪ́ndərlɪç] *a.* (↔ förderlich) 방해가 되는, 거추장스런: jm. 〔für jn.〕 ~ sein 누구에게 방해가 되다; jm. in seinem Glück ~ sein 누구의 행복을 가로막다.

*__hindern__ [hɪ́ndərn] 《<hinter》 *t.* (↔ fördern) 방해하다, 훼방놓다; 저지하다, 예방하다: jn. an〔bei, in〕 et.³ ~ 누구의 무엇을 방해하다.

*__Hindernis__ [hɪ́ndərnɪs] *n.* -ses, -se ① 방해, 훼방, 장애; 저지, 억제; 장애물, 방해물: auf ~se stoßen 장애물에 부닥치다; jm. ~se in den Weg legen 누구를 방해하다. ②〖스포츠〗 장애물.

Hindernis⸗bahn *f.* 〖육상〗 장애물 경주로〔트랙〕. ~**lauf** *m.* 〖육상〗 장애물 경주, 허들(레이스). ~**rennen** *n.* 〖경마〗 장애물 경주. ~-**renn·reiter** *m.* 장애물 경마 기수(騎手).

Hinderung [hɪ́ndərʊŋ] *f.* -en ① 방해, 훼방, 지장. ②〖구식〗 저지, 예방.

Hinderungs·grund *m.* 방해 사유〔이유〕.

hin|deuten *i.* (h.) ① (무엇을) 가리키다: auf ein Bild in der Ferne ~ 멀리 있는 그림을 가리키다. ② 암시하다. ③ 징후를 보이다: das deutet auf nichts Gutes hin 그것은 좋은 징후는 아니다.

Hindeutung *f.* -en ↑ hindeuten 의 명사형.

Hindi [hɪ́ndi] *n.* -(s) 신(新)힌두어, 인도의 공용어.

Hindin [hɪ́ndɪn] *f.* -nen 암사슴; 〖비유〗 애인.

Hindostan [hɪ́ndɔsta:n] ↑ Hindustan.

Hindostani *n.* -s 힌두스타니어(인도의 옛 공용어) (↑ Hindustani).

Hindostani·sprache *f.* ↑ Hindostani.

hin|drängen 《I》 *i.* (어디로) 밀려가다, 몰려가다: alle drängen (sich) zu ihm hin 모두가 그에게 몰려간다. 《II》 *t.* ① 충동을〔욕구를〕 느끼게하다: seit frühester Jugend hat es sie zum Theater hingedrängt 아주 어렸을 적부터 그녀는 연극에 마음이 끌렸다. ② 떠밀다; 몰고가다: die Tiere zum Stall ~ 짐승을 우리로 몰고가다.

Hindu [hɪ́ndu] *m.* -(s), -(s) 인도인 (Inder).

Hinduismus *m.* - 힌두교.

hinduistisch *a.* 힌두교의.

Hindukusch 《pers.》 *m.* 힌두쿠시(아프가니스탄 북동부의 산맥).

hin·durch *adv.* ①〖공간적〗 …을 관통하여; 지나서, 가로질러: mitten ~ 한 가운데를 지나서; die Stadt ~ 도시를 가로질러; durch die Lungen ~ 폐를 관통하여〔뚫고〕. ②〖시간적〗 처음부터 끝까지, …내내, 줄곧: den ganzen Tag ~ 온 종일; sein ganzes Leben ~ 그의 전 생애 동안.

hindurch⸗müssen *i.* (s.) 지나가야〔통과해야〕 하다. ~|**zwängen** 《I》 *t.* 무리하게 들이밀다〔집어 넣다〕: seine Hand durch das Gitter ~ 자기 손을 창살에 무리하게 집어 넣다. 《II》 *refl.* sich ~ 무리하게 통과하려 하다.

hin|dürfen* *i.* (h.) (어디로) 가도 좋다.

Hindustan [hɪ́ndusta:n] 힌두스탄(북인도의 옛 이름; 인도의 별칭).

Hindustani *n.* -(s) 힌두스타니어(서부 인도 방언의 일종; 인도의 옛 공용어).

hin·eilen *i.* (s.) ① (어디로) 급히 가다, 바삐 떠나다. ②〖비유〗 Zeit eilt hin 시간은 빨리 흐른다.

hin·ein [hɪnáɪn] *adv.* (↔ hinaus, herein) (거기) 속으로, 안으로: bis tief in die Erde ~ 땅속 깊은 곳까지; sich in die Seele ~ schämen 마음속 깊이 부끄러워하다; zur Tür ~ (대)문 안으로; nur ~! 그 안으로 들어가기나 해라!; ~ und hinaus 들락날락; ins Blaue ~ 아무렇게나, 구체적인 계획 없이; bis in die Nacht ~ 밤이 깊도록; in den Tag ~ leben 빈둥거리며 살아가다.

hinein.. *pref.* "저쪽 안으로"의 뜻(보기: ~-bringen 저기 안으로 집어넣다).

hinein⸗|arbeiten [hɪnáɪn..] 《I》 *t.* ① 새기어 넣다, 세공해 넣다; 끼워넣다: Taschen in ein Kleid ~ 의복에 주머니를 붙여 넣다. ② (약 등을) 혼합하다, 섞어넣다. 《II》 *refl.* sich in et. ~ ① 무엇에 익숙해지다〔숙달되다〕. ② (드릴이) 무엇 안으로 뚫고 들어가다: der Bohrer arbeitete sich in die Wand hinein 천공기가 힘겹게 벽에 구멍을 뚫고 들어갔다. ~|**begeben*** *refl.* sich ~ 들어가다. ~|**bekommen*** *t.* (크기가 맞아서) 집어넣을 수 있다: den Schlüssel nicht ins Schloß ~ 열쇠를 자물쇠에 넣을 수가 없다. ~|**bemühen** 《I》 *t.* 들어가 달라고 부탁하다: darf ich Sie einen Moment mit ~? 잠시 함께 안으로 들어가자고 부탁드려도 될까요? 《II》 *refl.* sich ~ 수고롭게도 들어가다, 들어가려고 애쓰다. ~|**bringen*** *t.* ① 갖다 넣다, 운반해 넣다. ②〖비유〗 궁지에 몰아넣다, 곤란을 겪게 하다. ③〖구어〗 먹을 수 있다: danke, ich bringe nichts mehr hinein 감사합니다만 저는 더 이상 못 먹겠는데요. ④ 암기할 수 있다. ⑤〖구어〗 ↑ ~ bekommen. ~|**denken*** *refl.* sich in et. ~ 무엇을 곰곰이 생각하다; sich in js. Lage ~ 누구의 입장이 되어 생각하다. ~|**dringen*** *i.* (s.) 파고 들어가다, 뚫고 들어가다. ~|**dürfen** *i.* (h.) 〖구어〗① 들어가도 되다: die Stadt ist gesperrt, es darf niemand hinein 도시는 폐쇄되었다, 아무도 들어가서는 안 된다. ② 안에 두어도 되다. ~|**fallen*** *i.* (s.) ① (어디에) 빠지다: ich ließ mich in den Sessel ~ 나는 푹신한 의자에 앉았다〔누웠다〕. ② 속다, 기만당하다. ③ (햇살이) 스며들다. ~|**finden*** 《I》 *i.* (h.) 들어가는 길을 찾아내다. 《II》 *refl.* sich in et. ~ 무엇 안에 들어가다; 〖비유〗 무엇에 익숙해지다, 숙달되다, 순응하다. ~|**fressen*** 《I》 *t.* et. in sich ~ ① 탐욕스럽게 먹다. ②〖비유〗 (노여움·슬픔을) 마음 속에서 삭이다: seinen Ärger in sich ~ 노여움을 꾹 참다. 《II》 *refl.* sich ~ 파먹어 들어가다: Würmer haben sich tief ins Holz hineingefressen 벌레들이 나뭇속 깊이 파먹어

들어갔다. ~|**führen** 《Ⅰ》 *t.* (안으로) 데리고 들어가다. 《Ⅱ》 *i.* (h.) (길이 …안으로) 나 있다: führt diese Straße in die Stadt hinein? 이 길은 시내로 통합니까? ~**geboren** *a.* (어떤 환경·상황에서) 태어난. ~|**geheimnissen** *t.* (없는 의미·의도를) 억지로 끌어대다, (엉뚱한 뜻을) 부여하다. ~|**gehen*** *i.* (s.) ① 들어가다; 들어갈 자리가 있다, 들어갈 수 있다: in den Saal gehen zehn Betten ~ 이 홀에는 열 개의 침대를 넣을 수 있다. ② 〖구기〗 몸으로 밀어붙여 공격하다: in den Gegner ~ 상대 선수를 몸으로 밀어붙여 공격하다. ~|**geraten*** *i.* (s.) in et. ~ 무엇에 빠지다, 휩쓸려 들다. ~|**grätschen** *i.* (s.) 〖스포츠〗 태클하다: in einen Paß ~ 상대방의 패스를 태클로 막아내려 하다; in den Gegner ~ 상대 선수에 태클하다. ~|**greifen** *i.* (h.) (어디에) 손을 집어넣어 무엇을 붙잡다: bitte, greifen Sie hinein in die Konfektschachtel 과자 상자에 손을 넣어 집으세요. ~|**interpretieren** *t.* (없는 뜻을) 집어넣어 해석하다. ~|**knien** *refl.* 〖비유〗 sich in et. ~ 무엇에 몰두하다. ~|**kommen** *i.* (s.) ① (…안에) 들어가다. ② 들어가 있다: wie konnte denn so viel Schmutz in den Vergaser ~? 어떻게 기화기(氣化器)에 이렇게 많은 오물들이 들어가 있지? ③ (어디에) 있어야 하다: wo kommen denn die Handtücher hinein 손수건들은 어디에 두어야 하니? ④ (어떤 자리·지위에) 오르다. ⑤ (어떤 상황·처지에) 빠지다. ~|**können** *i.* (h.) 〖구어〗 ① 들어갈 수 있다. ② 넣어 둘 수 있다. ~|**lassen*** *t.* 들어가게 하다. ~|**leben** 《Ⅰ》 *i.* (h.) in den Tag ~ 무위도식하다, 그날그날 살아가다. 《Ⅱ》 *refl.* sich in et. ~ 무엇에 익숙해지다, 숙달되다. ~|**legen** *t.* ① (안에) 집어넣다. ② 〖구어〗 속이다. ③ (감정을) 집어넣다. ④ (없는 의미를) 집어넣어 읽다. ~|**lesen*** 《Ⅰ》 *t.* (없는 의미를) 집어 넣어 읽다: viele lesen in das Werk einen Pessimismus hinein 많은 사람들이 이 작품에 비관주의가 담겨 있다고 잘못 읽는다. 《Ⅱ》 *refl.* sich (in einen Text) ~ (어떤 텍스트를) 정독하다. ~|**mischen** 《Ⅰ》 *t.* 섞어 넣다. 《Ⅱ》 *refl.* sich in et. ~ 무엇에 간섭〔개입〕하다. ② 섞이다, 혼합되다. ~|**müssen*** *i.* (h.) ① 들어가야 되다. ② (안에) 들여다 놓아야 하다. ~|**passen** 《Ⅰ》 *i.* (h.) ① (무엇에) 들어 맞다, 적합하다: der Schlüssel paßt nicht in das Schloß hinein 이 열쇠는 자물쇠에 맞지 않는다. ② (무엇과) 조화를 이루다, 어울리다: in die Umgebung ~ 주변 환경에 어울리다. 《Ⅱ》 *t.* (무엇에) 어울리게〔적합하게〕 하다. ~|**pfuschen** *i.* (h.) 참견하다, 끼어들다. ~|**platzen** 불쑥 나타나다. ~|**ragen** *i.* (h.) ① 튀어나오다: in die Straße ~ 도로로 튀어나와 있다. ② (…에) 뻗치다. ~|**reden** 《Ⅰ》 *i.* (h.) ① 간섭하다, 끼어들다: jm. in alles ~ 누구의 일에 사사건건 간섭하다. ② 설득하다, 훈계하다: er redete in sie hinein, aber sie gab nicht nach 그는 그녀를 타일렀으나 그녀는 굴복하지 않았다. ③ 안에 대고 말하다: ins Leere ~ 허공에 대고 말하다: ins Blaue 〔in den Tag〕 ~ 아무렇게나〔되는 대로〕 말하다. 《Ⅱ》 *refl.* sich ~ 말하면서 어떤 상황에 이르다: sich in Wut ~ 말하다가 흥분하다. ~|**reiten*** 《Ⅰ》 *i.* (s.) 말을 타고 들어가다. 《Ⅱ》 *t.* 〖구어〗 (어려운 상황에) 말려들게 하다: jn. schön in et. ~ 누구를 무엇에 빠져들게 하다, 떨어뜨리다. 《Ⅲ》 *refl.* 〖구어〗 sich in et. ~ 무엇에 빠져 들어가다. ~|**rennen** *i.* (s.) 안으로 달려들어가다. ~|**schaffen** *t.* 운반해 넣다〔들여가다〕. ~|**schauen** *i.* (h.) ① 안을 들여다보다. ② 잠깐 들르다〔방문하다〕. ~|**schlittern** *i.* (s.) ① 안으로 미끄러져 들어가다. ② 〖구어〗 (모르는 사이에) 서서히 빠져들다: in eine unangenehme Sache ~ 자기도 모르게 불쾌한 일에 휩쓸리다. ~|**schütten** *t.* (안에) 쏟아붓다. ~|**stecken** *t.* ① 쑤셔넣다; 삽입하다. ② (자금을) 투자하다, 쏟아넣다. ~|**steigern** *refl.* sich ~ 어떤 감정〔생각〕에 점점 빠져들다: sich in einen Gedanken ~ 어떤 생각에 빠져들다. ~|**stellen** *t.* ① (안에) 들여놓다. ② eine Sache in eine andere ~ 어떤 것을 다른 것과 연관짓다. ~|**stopfen** *t.* ① 안에 채워 넣다. ② et. in sich ~ 무엇을 꾸역꾸역 먹다. ~|**stoßen*** 《Ⅰ》 *t.* ① 찔러 넣다: in et. ~ 무엇을 칼로 찌르다. ② 밀어넣다. 《Ⅱ》 *i.* ① (h.) 〖악기〗 불다: in ein Horn ~ 호른을 불다. ② (s.) 돌진해 들어가다. ~|**tappen** *i.* (s.) 〖구어〗 ① 더듬거리며 들어가다. ② (부주의하여) 빠지다, 빠져들다: in eine Falle ~ 함정에 빠지다. ~|**treten** *i.* ① (s.) 들어가다. ② (h./s.) 발을 들여놓다. ~|**tun*** *t.* (안에) 넣다; 섞다: 〖비유〗 einen Blick ~ 들여다보다; ein paar Schritte in einen Raum ~ 어느 공간으로 몇 걸음 걸어 들어가다. ~|**versetzen** 《Ⅰ》 *t.* (작품의 시대 배경을 다른 곳으로) 옮기다. 《Ⅱ》 *refl.* sich in jn. ~ 누구의 입장이 되어 생각하다. ~|**wagen** *refl.* sich ~ 대담하게 안으로 들어가다. ~**wärts** *adv.* 안으로, 내부로. ~|**wollen*** *i.* (h.) 들어가고 싶어하다. ~|**ziehen*** 《Ⅰ》 *t.* 끌어넣다; 합치다, 편입하다: 〖비유〗 jn. in et. ~ 누구를 어떤 일에 끌어넣다, 개입시키다. 《Ⅱ》 *i.* (s.) ① 들어가다. ② 입주하다, 이사해 들어가다: sie wollte schon immer in die Stadt ~ 그녀는 벌써부터 늘 도시로 이사가고 싶어했다. ~|**zwängen** *t.* 억지로〔무리하게〕 쑤셔넣다.

hịn|fahren* 《Ⅰ》 *i.* (s.) ① (어디로) 차〔배〕를 타고 가다. ② an et. ~ 무엇을 따라서 차〔배〕를 몰다. ③ 문지르다, 쓰다듬다: zärtlich fuhr sie ihm über das Haar hin 그녀는 부드럽게 그의 머리를 쓰다듬었다. ④ 〖雅語〗 떠나가다(fortgehen): fahre hin! (떠나갈 테면) 가시오, 안녕히 가시오! ⑤ 〖구식〗 죽다(sterben). 《Ⅱ》 *t.* (탈것을 이용하여) 운반하다, 태워다 주다.

Hịnfahrt *f.* -en (탈것을 이용한 어느 장소로의) 여행; 가는 길; 〖비유·드물게〗 사망, 서거: ~ und Rückfahrt 왕복.

Hinfall [hínfal] *m.* -(e)s, ..fälle [..fɛlə] 전락(轉落), 몰락; 실효, 무효; 〖醫〗 쇠약.

hịn|fallen* *i.* (s.) ① 넘어지다, 무너지다, 붕괴되다. ② vor jm. ~ 누구 앞에 엎드리다.

hịnfällig [..fɛlıç] *a.* ① 연약한, 노쇠한, 쇠약한. ② 무효의, 효력이 없는.

Hịnfälligkeit *f.* ① 허약, 쇠약. ② 무효, 실효.

hịn=|finden* *i.* (h.)/*refl.* (sich) ~ (거기로) 가는 길을 찾아내다. ~|**fläzen** *refl.* 〖구어〗 sich ~ 단정치 못한 자세로 앉다. ~|**flegeln** *t./refl.* sich ~ 비딱하게 앉다. ~|**fliegen*** 《Ⅰ》 *i.* (s.) ① (어디로) 날아가다; 날아가 버리

다. ②〖구어〗 넘어지다. ③ über et. ~ 무엇을 넘어서 날아가다. ④ 급히 (어디로) 가다. 《Ⅱ》 *t.* 비행기로 수송하다. ~|**fliehen*** *i.* (s.) (어디로) 도망치다; (시간이) 흘러가다, 경과하다. ~|**fließen*** *i.* (s.) ① (어디로) 흘러가다. ②〖드물게〗 (시간이) 경과하다.

Hịnflug *m.* -(e)s, ..flüge [..fly:gə] (목적지로의) 편도 비행(↔ Rückflug).

hin·fort [hɪnfɔ́rt] *adv.* 〖雅語〗 금후, 지금부터, 장차.

Hịn·fracht *f.* 〖商〗 ① 출하(出荷). ② 가는 편도 화물(료).

hịn≈|fristen *t.* (시간을) 보내다; sein Leben ~ 그럭저럭 살아가다. ~|**führen** 《Ⅰ》 *t.* ① jn. nach〔zu〕 einem Ort ~ 누구를 어떤 곳으로 데리고 가다. ② 인도하다, 이끌다: die Bekanntschaft mit diesem Maler führte ihn zur modernen Kunst hin 이 화가와의 교분으로 그는 현대 미술에 입문했다. 《Ⅱ》 *i.* (길이 어디로) 나 있다: wo soll das ~? 그게 어떤 결과를 낳을까?

hin·für [hɪnfý:r] *adv.* 〖고어〗 ↑ hinfort.

hing [hɪŋ] ↑ hangen, hängen[1] 의 과거형.

Hingabe [hínga:bə] 《<hingeben》 *f.* ①〖드물게〗 (Abgeben) 제출, 양도: die ~ der Aktien 서류의 제출. ② 포기, 체념. ③ 헌신, 귀의; 몰두, 탐닉: mit ~ lieben 헌신적으로 사랑하다; ~ an das Studium 연구에의 몰두. ④〖雅語〗 (여자가) 몸을 바침〔내어줌〕.

hịngabe·fähig *a.* 희생할 준비가 된; 헌신〔몰두〕할 수 있는.

Hingang [híngaŋ] 《<hingehen》 *m.* -(e)s 〖雅語〗 ① (저쪽으로) 감: beim ~ 가는 길에. ② (Tod) 사망, 서거.

hinge [híŋə] ↑ hangen, hängen[1] 의 접속법 Ⅱ식.

hịn|geben 《Ⅰ》 *t.* ① 내어주다, 건네주다, 넘겨주다. ② 포기하다; 희생하다; 바치다: sein Leben ~ 생명을 내던지다, 희생하다. 《Ⅱ》 *refl.* ① sich jm. ~ 누구에게 몸을 바치다, 헌신하다. ② sich et.[3] ~ 무엇에 귀의〔몰두〕하다. ③ sich einem Gedanken ~ 어떤 생각에 잠기다: sich der Verzweiflung ~ 절망에 빠지다; sich einem wüsten Leben ~ 방탕한 생활에 빠져들다. ④〖은폐〗 sich einem Mann ~ (여자가) 남자에게 몸을 허락하다.

hịngebend *p.a.* 헌신적인.

Hịngebung *f.* 헌신, 몰두.

hịngebungs·voll *a.* 아주 헌신적인.

hin·gegen [hɪngé:gən] *adv.* 이와 반대로.

hịngegossen 《Ⅰ》 *p.p.* ↑ hingießen. 《Ⅱ》 *p.a.* 〖다음 용법으로〗 ~ auf et.[3] sitzen〔liegen, ruhen〕 편안한 자세로 어디에 앉아〔누워, 쉬고〕 있다.

hịn|gehen *i.* (s.) ① (…로) 가다: wo geht es hier hin? 이 길은 어디로 이어지지? ② 떠나다. ③ 죽다. ④ 방문하다: wir wollen zu ihm ~ 우리는 그를 찾아가려 한다. ⑤ 스쳐지나 가다: sein Blick ging über die Felder hin 그는 들판을 훑어보았다. ⑥ (시간이) 흐르다, 경과하다: das Jahr ging hin, ohne daß etwas geschah 그 해는 별일 없이 지나갔다. ⑦ 아쉬운 대로 허용되다: diese Leistungen gehen gerade noch hin 이 정도의 성적이면 그럭저럭 봐줄 만하다; ich will es noch einmal ~ lassen 나는 다시 한번 그것을 봐주겠다.

hịn≈gehören *i.* (h.) (어디에) 속하다, 알맞다, 적합하다: wo gehört das hin? 그것은 어디에 속하는 것이냐?; das Kind weiß gar nicht, wo es hingehört 그 아이는 마땅한 집이 없다. ~|**gelangen** *i.* (s.) (어디에) 도착〔도달〕하다. **~genommen** 《Ⅰ》 *p.p.* ↑ hinnehmen. 《Ⅱ》 *p.a.* 사로잡힌, 압도된. ~|**geraten*** *i.* (s.) 우연히 (어디에) 오다. **≈gerichtete*** *der/die* 사형당한 자. **~gerissen** 《Ⅰ》 *p.p.* ↑ hinreißen. 《Ⅱ》 *p.a.* 황홀한. **~geschieden** 《Ⅰ》 *p.p.* ↑ hinscheiden. 《Ⅱ》 *p.a.* 죽은. **≈geschiedene*** *der/die* 고인(故人). **~gestreckt** 《Ⅰ》 *p.p.* ↑ hinstrecken. 《Ⅱ》 *p.a.* 길게 드러누운, 뻗은. **~geworfen** 《Ⅰ》 *p.p.* ↑ hinwerfen. 《Ⅱ》 *p.a.* ① 대강〔마구〕 쓴: eine ~e Skizze 급히 그린 스케치. ② 느닷없이 새어나온: ein ~es Wort 느닷없이 새어나온 말, 정신 없이 해버린 말. **~gezogen** 《Ⅰ》 *p.p.* ↑ ~ziehen. 《Ⅱ》 *p.a.* 매혹당한. ~|**gießen*** 《Ⅰ》 *t.* (어디에) 끼얹다, 붓다. 《Ⅱ》 **hịngegossen** *p.a.* ↑ hingegossen. ~|**gleiten*** *i.* (s.) 미끄러져 가다. ~|**gucken** *i.* (h.) 〖구어〗 똑바로 응시하다.

hịn|halten* *t.* ① 내밀다: jm. die Hand ~ 누구에게 손을 내밀다. ②〖비유〗 기다리게 하다, 질질 끌다, 연기하다; (중환자의 생명을) 연장시키다: ~d 지구적(持久的)인. ③ (남을 속여) 기대를 갖게 하다, 미해결 상태로 버려두다: jn. mit Hoffnung ~ 누구를 속여 희망을 갖게 하다. ④〖軍〗 (적을) 저지하다: ~der Kampf 저지〔방어〕전(戰).

Hịnhalte·taktik *f.* 지연 전략.

Hịnhaltung *f.* -en ↑ hinhalten 의 명사형.

hịn≈|hängen *t.* (어디에) 걸다: et. ~ lassen 무엇을 미해결 상태로 남겨 놓다. ~|**hauchen** *t.* ① (가볍게) 숨을 내뿜다; 〖비유〗 wie hingehaucht 부드럽게, 〖畫〗 부드러운 필치로. ②〖雅語〗 속삭이다. ~|**hauen*** 《Ⅰ》 *i.* ① (h.) 〖구어〗 서두르다: hau hin! 빨리 해! ② (h.) 치다, 때리다: mit dem Hammer ~ 망치로 치다. ③ (s.) 〖속어〗 쓰러지다, 넘어지다. ④ 잘 되다, 성공하다: das haut hin 그 일은 잘 되고 있어; das wird aber ~! 그것은 힛트칠 거야! 《Ⅱ》 *t.* ①〖구어〗 (hinwerfen) 내던지다, 내팽개치다. ②〖비유〗 (어떤 일을) 재빨리 하다, 얼른 해치우다. ③〖비유〗 깜짝 놀라게 하다: das haut einen hin! 이것 참 사람 놀라게 하네! ④〖경박〗 (누구를) 내동댕이쳐 쓰러뜨리다. ⑤〖경멸〗 급히 휘갈겨 쓰다. 《Ⅲ》 *refl.* sich ~ ① 푹 쓰러지다, 엎드리다. ② 쉬기〔잠자기〕 위해 눕다. ~|**helfen*** *t./i.* (h.) jn.〔jm.〕 ~ 누구를 부축하여 (어디로) 가게 하다. ~|**hocken** *refl.* sich ~ ① 쪼그리고 앉다. ② 〖구어〗 얼른 앉다: hock dich hin! 앉아라! ~|**holen** *t.* 가지러 가다. ~|**horchen** *i.* (h.) 〖구어〗 귀기울여 듣다. ~|**hören** *i.* (h.) (어디에) 귀를 기울이다.

Hịnke≈bein [híŋkə..] *n.* 〖구어〗 ① 절뚝거리는 다리. ② 절름발이. **~fuß** *m.* 절름발이.

Hinkel [híŋkəl] 《ahd.》 *n.* -s, - (südwestd.) ① 병아리(Hühnchen). ②〖비유·욕설〗 단순한 놈, 맹꽁이, 바보.

Hịnkel·stein *m.* 입석, 선돌.

***hinken** [híŋkən] 《Ⅰ》 *i.* (h./s.) ① 절뚝거리다, 절뚝거리며 걷다: auf einem Fuß ~ 한 쪽 다리를 절다. ② auf dem rechten Fuß ~ 오른

쪽 다리로 껑충껑충 뛰다. ③〖비유〗불완전하다, 결함이 있다: der Vergleich hinkt 그 비교는 적절하지 않다. ④〖드물게〗다리를 질질 끌며 천천히 걷다. ⑤〖드물게〗〖기계〗운전이 고르지 않다. ⑥〖드물게〗진척되지 않다; 꾸물거리다: die Sache hinkt 〔es hinkt damit〕 일이 잘 진척되지 않는다; auf beiden Seiten ~ 결단을 내리지 못하다.

hinkend *p.a.* 절뚝거리는, 불완전한, 결함이 있는, 편협한: der〔die〕 ∼e 절름발이; der ~e Bote 불길한 소식; ~e Urteile 공평하지 못한〔편파적인〕 판단〔판결〕; ~e Verse 운율이 고르지 않은 시구; einen ~en Gang haben 절뚝거리며 걷다; 〖海〗 ~es Inhaberpapier 요건을 갖춘 자격 증서.

hin≠|knien *i.* (s.)/*refl.* 무릎을 꿇다: er kniete (sich) hin und betete 그는 무릎을 꿇고 기도했다. **~|kommen*** *i.* (s.) ① 어디에 가다, 도착하다: wo kommen〔kämen〕 wir hin, wenn ... 만일 …하면 우리는 어떻게 될까?; wo ist die Uhr hingekommen? 시계가 어디 갔지? ② (ausreichen) 충분하다, 족하다; 꾸려갈 만하다: ich komme mit dieser Summe gut hin 나는 이 액수의 돈으로 충분히 꾸려갈 수 있어. ③ (대체로) 맞다, 정확하다: das Datum müßte ungefähr ~ 이 자료는 대충 맞을거야. **~|können** *i.* (h.) ① (거기로) 갈 수 있다. ② (어디에) 닿을 수 있다. **~|kränkeln** *i.* (h.) 수척〔초췌〕해지다, 파리해지다. **~|kriechen*** *i.* (s.) 천천히 걸어가다. **~|kriegen** *t.* ①〖구어〗해내다, 완성하다. ② 회복시키다: einen Kranken wieder ~ 환자를 치료하다. **~|kritzeln** *t.* 마구 갈겨 쓰다, 끄적거리다.

Hink·stand [híŋk..] *m.* 〖스포츠〗 한 발로 서기, 한 발로 선 자세.

Hin·kunft *f.* 〔구식〕 ① 도착, 도달. ② in ~ 장차, 장래에.

Hink·vers *m.* 〖문학〗 불완전 시구(운율이 고르지 않은 시구).

hin|langen 《I》 *t.* jm. et. ~ 누구에게 무엇을 넘겨 주다, 내밀다. 《II》 *i.* (h.) ① nach et.³ ~ 무엇에 손을 내밀다〔뻗다〕, 무엇을 얻으려고 애쓰다. ② (bis) zu et.³ ~ 무엇에까지 미치다, 확대되다. ③ 충분하다, 족하다: die Vorräte langen nicht hin 비축량이 충분치 못하다. ④〖경박〗덤벼들다: er langt ganz schön hin 그는 맹렬히 덤벼든다. ⑤ 쓰다, 사용하다: hemmungslos ~ 거리낌 없이 쓰다.

hinlänglich [hínlɛŋlɪç] *a.* 충분한, 부족함이 없는.

Hinlänglichkeit *f.* 충분.

hin≠|lassen* *t.* (…로) 가게 허락하다. **~lässig** *a.* 〖방언〗 대충대충하는(nachlässig). **~|laufen*** *i.* (s.) ① (…로) 달려가다, 걸어가다; 방문하다, 찾아가다. ② 퍼지다, 걸치다, 뻗다: längs〔neben〕 et. ~ 무엇을 따라서 뻗어있다. ③ über et. ~ 무엇의 위를 지나가다〔넘쳐 흐르다〕. **~|leben** *i.* (h.) 태평하게 살아가다, 유유자적하다: still für sich ~ 은둔 생활을 하다. **~|legen** 《I》 *t.* ① (…에) 놓다, 내려놓다; (거기에) 치워 두다; (돈을) 지급하다: für dieses Haus mußte er 500000 Mark ~ 이 집값으로 그는 오십만 마르크를 지급해야 했다. ②〖경박〗훌륭히 연기〔연주〕하다. ③ 잠자리에 눕히다: ich lege das Kind abends um sieben Uhr hin 나는 아이를 저녁 7시면 재운다. ④〖軍〗 ~! 엎드려! ⑤ 쓰러뜨리다, 넘어뜨리다: es hätte mich beinah hingelegt! 이것 참 깜짝 놀랐는걸! 《II》 *refl.* sich ~ ① 눕다, 자리에 누워 쉬다; 잠자리에 들다, 앓아 드러눕다. ②〖구어〗쓰러지다:〖구어〗 da legst du dich (lang) hin! 너도 놀라서 자빠질거야! **~|leiten** *t.* (…로) 이끌어가다, 운반하다. **~|lenken** *t.* ① (…로) 조종하다, (…로) 향하게 하다. ② (…로) 이끌다, 유도하다: das Gespräch auf et. ~ 무엇에 화제를 돌리다. **~|locken** *t.* (…로) 꾀어내다, 유인하다. **~|lümmeln** 〔폄어〕 *refl.* sich ~ 털버덕 주저앉다, 벌렁 눕다. **~|machen** 《I》 *t.* ① (어디에) 고착시키다, 설치하다, 붙이다. ② et. so ~ 무엇을 아무렇게나 하다. ③〔구어〕망가뜨리다, 파괴하다. ④〔욕설〕죽이다. 《II》 *refl.* sich ~ ① (거기로) 가다, 향하다. ② 몸을 망치다. 《III》 *i.* ① (h.) 서두르다, 서둘러 일하다; mach ~! 빨리 해라! ② (h.) 〔구어·경박〕 (아이·개가) 대소변을 보다. ③ (s.) 〔경박〕 여행하다: die machen jeden Sommer nach Kreta hin 이 사람들은 여름마다 크레타로 여행간다.

Hinmarsch [hínmarʃ] *m.* -(e)s, ..märsche [..mɛrʃə] (특정한 목적지로의) 행진, 진군.

hin|marschieren *i.* (s.) (어디로) 행진〔진군〕하다. **~|metzeln** *t.* ↑ ~morden. **~|morden** *t.* (대량으로) 학살하다. **~|müssen*** *i.* (h.) ① (어디로) 가지 않으면 안 되다. ② (어디에) 갖다 놓아야만 하다.

Hinnahme [hínna:mə] *f.* -n 받아들이기, 감수, 수용, 인종(忍從).

hin|nehmen* 《I》 *t.* ① 받아들이다, 인수하다: er nahm das Geld hin, als sei es selbstverständlich 그는 당연하다는 듯이 그 돈을 받았다. ② (dulden) (모욕을) 참고 견디다; 감수하다. ③ jn. mit ~ 누구를 (…로) 데리고 가다. ④〖드물게〗얽매다, (마음을) 사로잡다: er war von den Ereignissen völlig hingenommen 그는 이 사건들에 완전히 마음이 사로잡혔다. 《II》 **hingenommen** *p.a.* ↑ hingenommen.

hin|neigen 《I》 *i.* (h.) zu et.³ ~ 무엇쪽으로 기울다: ich neige zu der Auffassung hin, daß... 나는 …라는 견해에 기울고 있다. 《II》 *t.* et. zu jm.〔et.³〕 ~ 무엇을 누구〔무엇〕 쪽으로 기울이다; den Kopf zum Kind ~ 머리를 아이쪽으로 기울이다. 《III》 *refl.* sich zu jm. 〔et.³〕 ~ 누구〔무엇〕 쪽으로 기울어지다.

Hinneigung *f.* 기울기; 경향, 취미, 성향, 편애.

hinnen [hínən] *adv.* 〖고어〗 (von) ~ 여기에서(부터), 이 세상에서; von ~ gehen 떠나다; 〖비유〗 von ~ scheiden 죽다.

hin≠|opfern *t.* 희생하다, 제물로 바치다. **~|passen** *i.* (h.)/*refl.* (sich) ~ (…에) 적합하다〔어울리다〕. **~|pflanzen** 《I》 *t.* (…에) 심다, (기(旗)를) 세우다. 《II》 *refl.* sich ~ (어디에) 우뚝 서다, 자리를 차지하다. **~|plappern** *t.* (어떤 말을) 생각없이 나불대다. **~|purzeln** *i.* (s.) 나자빠지다, 곤두박질치다. **~|quälen** *refl.* sich ~ 고통스럽게 살아가다. **~|raffen** *t.* 잡아채다, 빼앗다; 죽이다: die Krankheit hat ihn hingerafft 병이 그의 생명을 앗아갔다. **~|reden** *t.* 제멋대로 지껄이

다. ~|**reichen** 《Ⅰ》 *t.* jm. et. ~ 누구에게 무엇을 건네다, 내어놓다; (손을) 내밀다. 《Ⅱ》 *i.* (h.) 충분하다, 족하다. **~reichend** *p.a.* 충분한: ~e Bedingung 충분 조건.

Hinreise [hínraɪzə] *f.* -n (↔ Ruckreise) 가는 길, 가는 여행.

hịn|reisen *i.* (s.) (어디로) 여행하다.

hịn|reißen* 《Ⅰ》 *t.* ① 낚아채다, 가로채다. ②〔비유〕홀리다; 열광시키다, 황홀하게 하다: seine Rede riß alle Zuhörer hin 그의 연설은 청중 모두의 마음을 사로 잡았다. ③ sich vom Zorn ~ lassen 몹시 화가 나 어쩔 줄 모르다. 《Ⅱ》 **hịngerissen** *p.a.* ↑ hingerissen.

hịnreißend *p.a.* 매혹적〔감동적〕인, 마음을 사로잡는.

***hịn|richten** *t.* ① (어디로) 돌리다, 향하게 하다: das Geschütz auf den Feind ~ 적군 쪽으로 포문을 돌리다, 적을 조준하다. ② 파멸시키다, 손해를 입히다, 파괴하다. ③ 죽이다, 사형하다. ④ 준비하다, 마련해 주다: ich habe ihm das Frühstück hingerichtet 나는 그에게 아침 식사를 마련해 주었다.

Hịnrichtung *f.* -en 사형 집행, 처형.

hịn⸗rücken 《Ⅰ》 *t.* (어디로) 옮기다, 이동하다. 《Ⅱ》 *i.* (s.) (어디로) 이동〔행진〕하다. **~runde** *f.* 〖스포츠〗 ① (한 시즌의) 전반기 경기. ② (2 차전 경기의) 1 차전. ~|**sagen** *t.* 무심코 내뱉듯이 말하다: das ist nur so hingesagt 그것은 아무 생각없이 한 말이야. ~|**sausen** *i.* (s.) 휙 가다〔움직이다〕. ~|**schaffen** *t.* (…로) 운반하다, 나르다. ~|**schauen** *i.* (h.) ↑ ~sehen. ~|**schaukeln** *t.* 〖경박〗 재빨리〔능숙하게〕 해치우다.

hịn|scheiden* 《Ⅰ》 *i.* (s.) 세상을 떠나다, 죽다. 《Ⅱ》 **hịngeschieden** *p.a.* ↑ hingeschieden.

Hịnscheiden *n.* -s ↑ Hinschied.

hịn⸗scheren(*) *refl.* 〖구어〗 sich ~ (…로) 떠나다, 도망치다. ~|**schicken** *t.* (…로) 보내다. ~|**schieben** 《Ⅰ》 *t.* ① (…로) 밀다. ② jm. et. ~ 누구에게 무엇을 내밀다. 《Ⅱ》 *refl.* sich ~ 밀며 움직이다. **~schied** *m.* 사망, 서거. ~|**schießen*** 《Ⅰ》 *t.* (…로) 사격하다. 《Ⅱ》 *i.* (s.) (…로) 돌진하다; 쏜살같이 달려가다〔떠나다〕. ~|**schiffen** 《Ⅰ》 *i.* (s.) ① (…로) 항행하다. ② (무엇을) 따라서 항해하다. 《Ⅱ》 *t.* 배로 운반하다. ~|**schlachten** *t.* 학살〔도살〕하다. ~|**schlagen*** 《Ⅰ》 *i.* ① (h.) 때리다. ② (s.) 〖구어〗 푹 쓰러지다; (말 위에서) 거꾸로 떨어지다: 〖비유〗 da schlage einer lang hin! 이거 정말 놀랐는데! 《Ⅱ》 *t.* jm. den Ball ~ 누구에게 공을 쳐 보내다. ~|**schlängeln** *refl.* sich ~ (어디로) 물결쳐가다. ~|**schleichen*** *i.* (s.)/*refl.* (sich) ~ ① (어디로) 몰래 가다, 살그머니 떠나다. ② (시간이) 서서히 경과하다; (강물이) 완만하게 흘러가다. ~|**schlendern** *i.* (s.) (어디로) 어슬렁어슬렁 걷다. ~|**schleppen** 《Ⅰ》 *t.* (어디로) 질질 끌고가다; 〖구어〗 설득하여 (어디로) 데리고 가다. 《Ⅱ》 *refl.* sich ~ ① 질질끌며 (어디로) 가다〔이동하다〕. ② (어떤 일이) 지연되다, 질질 끌다. ~|**schleudern** *t.* (어디로) 내던지다, 팽개치다. ~|**schlüpfen** *i.* (s.) (어디로) 미끄러져 가다. ~|**schmachten** *i.* (s.) 여위다, 초췌해지다. ~|**schmeißen** 《Ⅰ》 *t.* 〖구어〗 ① (…로) 내동댕이치다, 내던지다. ② 차일피일 뒤로 미루다. 《Ⅱ》 *refl.* sich ~ 쓰러지다. ~|**schmieren** *t.* 마구 칠하다, 휘갈겨 쓰다. ~|**schreiben*** 《Ⅰ》 *t.* ① (어디로) 써 보내다, 편지로 알리다. ② 적다, 기입하다. ③ 휘갈겨 쓰다: flüchtig ~ 대충 갈겨 쓰다. 《Ⅱ》 *i.* (h.) 〖구어〗 (문의·조회를 위해 관청·회사로) 편지를 보내다: er hat zweimal hingeschrieben, aber keine Antwort bekommen 그는 두 번 편지를 냈으나 답신을 받지 못했다. ~|**schütten** *t.* (어디에) 붓다, 쏟아 버리다. ~|**schwinden*** *i.* (s.) 사라지다, 소멸하다; 줄어들다. **~schwindend** *p.a.* 사라지는, 덧없는. ~|**segeln** *i.* (s.) ① 항해하다. ② über et. ~ 무엇 위를 지나 날아가다: Vögel segelten über die Lichtung hin 새들이 벌목지 위를 날아갔다. ③ 〖비유·구어〗 벌렁 나자빠지다, 쾨당 쓰러지다. ~|**sehen*** *i.* (h.) (어디를) 바라보다: fest auf et. ~ 무엇을 주목〔유의〕하다. ~|**sehnen** *refl.* sich ~ 그리워하다: sich nach der Heimat ~ 고향을 그리워하다. ~|**sein*** *i.* (s.) ① 사라지고〔잃어버리고〕 없다; 망가져 못쓰게 되어 있다; 끝장〔파멸〕이다: hin ist hin 한번 잃어버린〔망가진〕 것은 어쩔 수 없다. ② 〖경박〗 죽었다, 죽은 상태다: noch ein Schritt vorwärts und du bist hin! 한 발만 더 접근하면 너는 죽는다! ③ 사로잡혀〔매혹되어〕 있다: er ist ganz hin von ihr 그는 그 여자에게 완전히 빠져 있다. ④ 술 취해 있다. ⑤ (시간이) 경과하다: bis es soweit ist, dürfte es noch eine Weile hin 일이 그 정도 되려면 아직도 한참 더 시간이 필요할거야. ~|**senden**(*) *t.* ↑ hinschicken. ~|**setzen** *t.* ① (어디에) 두다, 놓다. ② (자리에) 앉히다; 〖비유〗 감금〔구속〕하다. 《Ⅱ》 *refl.* sich ~ ① 착석하다, 앉다. ② 〖구어〗 깜짝 놀라다: da hab' ich mich vielleicht hingesetzt, als ich das gestern gehört hab' 어제 그걸 들었을 때 나는 깜짝 놀랐다.

***Hinsicht** [hínzɪçt] 《< hinsehen》 *f.* -en ① 바라보기, 둘러봄, 주시. ② 〖비유〗 고려, 참작; 관계, 관점: in vieler ~ 여러 가지 점에서; in ~ auf et. a) 무엇을 고려〔참작〕하여, b) 무엇과 연관해서.

hịnsichtlich *prp.*² (wegen, für) …와 관련하여, …에 관해서(는).

hịnsichts *prp.*² 〖고어〗 ↑ hinsichtlich.

hịn⸗siechen *i.* (s.) 쇠약〔초췌〕해지다, 서서히 죽어가다. ~|**singen*** *i.* (h.) 노래를 부르다: leise vor sich ~ 나지막히 홀로 노래를 부르다. ~|**sinken*** *i.* (s.) 넘어지다, 쓰러지다: tot〔ohnmächtig〕 ~ 쓰러져 죽다〔기절하다〕. ② 붕괴하다, 부서지다. ③ 소멸하다; 〖문학〗 (해가) 지다. ~|**sollen*** *i.* (h.) ① (어디로) 가야만 하다. ② (어디에) 갖다 놓아야 하다. **~spiel** *n.* 〖스포츠〗 (↔ Rückspiel) 원정 경기; (2 차전 시합의) 제 1 차전. ~|**sprechen*** *t.* 아무 생각 없이 말하다〔뇌까리다〕. ~|**stellen** 《Ⅰ》 *t.* ① (어디에) 세우다, 놓다; jn. ~ 누구를 어떤 자리에 앉히다; das Gepäck ~ 짐꾸러미를 내려놓다〔치우다〕. ② 〖비유〗 주장하다, 제출하다; (이론을) 내세우다: eine Behauptung ~ 어떤 주장을 내세우다; jn. als Muster〔Verräter〕 ~ 누구를 본보기로 내세우다〔배반자라고 부르다〕. ③ 평가하다: et. als falsch ~ 무엇을 틀린 것이라고 평가하다〔말하다〕; er hat die Sache so hingestellt, als habe er alles allein getan 그는 마치 모든 것을 혼자서 한 것처럼 그 일을 설명했다. 《Ⅱ》 *refl.* sich ~ ① (어디에) 서다, 일어서다. ② sich als et. ~ 무엇을 자칭하다.

hin≠|sterben* *i.* (s.) 서서히 죽어 가다; 〔비유〕 소멸하다; (말소리가) 점차 사라지다. **~|streben** *i.* (h.) ① 추구하다, 얻으려 노력하다: die Pflanze strebt zum Licht hin 식물은 빛을 향해 나가려고 한다. ② nach〔auf〕 et.³ ~ 무엇을 얻으려 노력하다. **~|strecken** 《Ⅰ》 *t.* ① (손을) 내밀다. ② 때려눕히다, 타도하다; 살해하다. 《Ⅱ》 *refl.* sich ~ ① 드러눕다, 몸을 쭉 펴다. ② 펼쳐지다: die Sümpfe strecken sich am rechten Ufer hin 오른편 강가에 늪이 펼쳐져 있다. 《Ⅲ》 **hingestreckt** *p.a.* ↑ hingestreckt. **~|streichen*** 《Ⅰ》 *t.* 쓰다듬다, 비비다; (버터를) 바르다. 《Ⅱ》 *i.* (s.) ① (시간이) 경과하다. ② an et. ~ 무엇을 스쳐 지나가다. **~|streuen** *t.* (어디에) 뿌리다. **~|strömen** *i.* (s.) ① (어디로) 흘러가다. ② 무리를 지어 (어디로) 움직이다. **~|stürzen** 《Ⅰ》 *i.* (s.) ① (어디로) 서둘러 가다: nach einem Ort ~ 어떤 곳으로 돌진하다. ② 쓰러지다. 《Ⅱ》 *t.* 쓰러뜨리다. **~|sudeln** *t.* ↑ ~schmieren.

hint·an [hɪntǀán] *adv.* 〔雅語〕 (hintenan) 뒤로, 뒤에, 최후에, 최후로; 저쪽으로, 떠나서; 곁에, 옆에.

hintan.. *pref.* ① "뒤에, (…의) 뒤에 이어"의 뜻(보기: ~bleiben 뒤에 남아 있다). ② 〔비유〕 "무시하는"의 뜻(보기: ~setzen 무시하다).

hin|tändeln *t.* (시간을) 허송하다, 빈둥빈둥 세월을 보내다.

hintan≠|geben* *t.* 양도하다, 팔아 치우다. **~|halten** *t.* 〔雅語〕 제지하다, 억제하다. **≈-haltung** *f.* 제지, 억제. **~|lassen*** *t.* 뒤에 남겨 두다, 무시하다. **~setzen** *t.* ① 맨 끝에 놓다. ② 〔비유〕 무시하다, 소홀히 하다, 제쳐 놓다, 뒤로 미루다. **~setzung** *f.* 제쳐놓음, 뒤로 미룸, 무시: mit ~ seiner Pflicht 의무를 소홀히 하여; unter ~ seiner Person 그의 신분을 무시하여. **~stehen*** *i.* (h.) 끝〔맨 뒤〕에 서다, 끝자리에 있다; 〔비유〕 무시당하다. **~stellen** *t.* 〔雅語〕 ① 맨 뒤에 세우다〔두다〕. ② 무시하다, 소홀히 하다; 제쳐 두다. **≈-stellung** *f.* 맨 뒤에 둠; 무시.

hin≠|tappen *i.* (s.)/*refl.* (sich) ~ (어디로) 손으로 더듬으며 가다. **~|taumeln** *i.* (s.) 비틀거리며 가다.

***hinten** [hɪ́ntən] *adv.* (↔ vorn) 뒤에, 배후에; 깊숙한 안쪽에; 〚海〛 고물에: ~ anfügen 뒤에 덧붙이다, 첨가하다; ~ Augen haben 모든 것을 다 보다〔알아차리다〕, 눈치가 빠르다; ich kann doch ~ nichts sehen! 난 뒤에 눈이 없어요(뒤에서 받쳤을 때 쓰는 말); 〔비유〕 ein Stich von ~ 험담, 비방; ~ ausschlagen (말이) 뒷발로 차다; ~ bleiben 맨 뒤에 있다, 뒤처져 있다; ~ im Garten 뜰 뒤에; ~ lassen 〔구어〕 능가하다, 뛰어나다; ~ sein (정신이) 지친 상태다; jm. ~ hineinkriechen 누구에게 알랑거리다; ~ nicht mehr hochkönnen (심신이) 녹초가 되어 있다; 〔구어〕 ~ runter fallen 불이익을 당하다, 운이 나쁘다; jn. von ~ ansehen 누구에게 등을 돌리다, 누구를 경멸하다; 〔구어〕 ~ und vorn(e) 모든 면에서; das ist vorne wie ~ 그것은 어떻게 되어도 상관없다; 〔구어〕 weder ~ noch vorn(e) 어떤 면에서도 …하지 않다; nicht wissen, wo ~ und vorn(e) ist 도저히 갈피를 잡을 수 없다; 〔폄어〕 es jm. vorn(e) und ~ reinstecken 누구에게 과다하게 선물하다; et. von vorn(e) bis ~ lesen 처음부터 끝까지 읽다, 통독하다; et. ~ haben 무엇을 준비해 두다; nach ~ gehen 변소에 가다; (nach) ~ hinaus wohnen 뒷방에서 살다; von ~ 배후〔후미〕에서; von ~ durch die Brust (ins Auge) 빙 둘러서, 남 몰래, 뒷거래로; von ~ und von vorn 앞뒤〔사방〕에서; von ~ her 후천적으로(a posteriori).

hinten·an [hɪntənǀán] *adv.* 뒤에, 배후에.

hintenan|setzen *t.* ↑ hintansetzen.

hinten·drauf *adv.* 〔구어〕 ① 뒤에, 뒤쪽 위에. ② 엉덩이에: jm. eins 〔ein paar〕 ~ geben 〔구어〕 누구의 엉덩이를 때리다.

hinten≠drein *adv.* 〔드물게〕 (nachher) 뒤이어서, 후에; 뒤에서: ~ ist man immer schlauer 나중에는 사람들이 점점 영악해진다. **~herum** [hɪ́ntənhɛrum] *adv.* 〔구어〕 ① 뒤로 돌아서, 뒷문으로. ② 엉덩이 부분에. ③ 은밀히; 간접적으로. ④ 불법적으로, 뒷거래로. **~hin** [hɪ́ntənhɪn] *adv.* 뒤쪽으로. **~-nach** *adv.* 뒤이어서, 그 후에: und dann kommt die Reue ~ 그 다음에는 후회가 뒤따른다. **~rum** [hɪ́ntənrum] *adv.* 〔구어〕 ↑ ~herum. **~über** *adv.* 뒤쪽으로, 등 뒤로; 몸을 뒤로 젖히고, 거꾸로.

hintenüber≠|fallen* *i.* (s.) 뒤로 자빠지다. **~kippen** *i.* (s.) 뒤로 벌렁 자빠지다. **~|-stürzen** *i.* (s.) 뒤로 넘어지다.

hinten·vorn *adv.* 거꾸로, 반대로.

***hinter** [hɪ́ntər] 《Ⅰ》 *prp.*³ ① 〔공간적〕 뒤에(서) (↔ vor): ~ dem Haus 집 뒤에; ~ meinem Rücken a) 내 등 뒤에서, b) 〔비유〕 내게 숨기고; jn. ~ sich lassen a) 누구를 앞질러 가다, b) 〔비유〕 누구를 능가하다; die Stadt liegt ~ dem Gebirge 그 도시는 산 뒤에 있다. ② 〔시간적〕 뒤에, 후에: ~ der Zeit 〔Mode〕 zurückbleiben 시대〔유행〕에 뒤떨어져 있다; er hat eine schwere Zeit ~ sich 그는 어려운 시절을 보냈다; eine Arbeit ~ sich³ haben 어떤 일을 해치우다. ③ 〔비유〕 뒤에, 배후에: ~ dem Mond sein 뒤떨어져 있다; ~ der Sache ist etwas 그 사건의 배후에는 뭔가 있다; es steckt nicht viel ~ ihm 그는 그렇게 영리〔대단〕하지 않다; er hat mehr ~ sich, als man meint 그는 생각보다 훨씬 세상 경험이 많은 인물이다; er hat es (dick) ~ den Ohren 그는 교활하다, 그는 권모술수를 잘 쓴다; sich ~ Ausflüchten verschanzen 자꾸만 핑계를 대다; ~ jm. stehen 누구를 지지하다. ④ 〔drein 또는 her 등의 부사와 함께 쓰여 추구·추적의 뜻을 나타냄〕 ~ jm. her laufen 누구를 추적하다; er ist ~ dem Geld her 그는 돈벌이에 열중하고 있다; der Hund fuhr wie besessen ~ dem Tier drein 개가 미친 듯 짐승을 쫓아갔다. 《Ⅱ》 *prp.*⁴ ① (무엇의) 뒤로, 배후로: ~ die Tür stellen 문 뒤에 두다; sich ~ et. verstecken 무엇의 배후에 숨다; sieh vorwärts, nicht ~ dich! 뒤를 보지 말고 앞을 보라!; jm. eins 〔einen Schlag〕 ~ die Ohren geben 누구의 따귀를 한 대 때리다; er brachte die Strecke in einer Stunde ~ sich 그는 그 구간을 한 시간에 돌파했다. ②〖비유〗 sich ~ jn. stecken 누구를 이용〔조종〕하다; ~ et. kommen 무엇의 진상을 파악하다; ~ js. Schliche kommen 누구의 간계를 알아채다; jn. ~ das Licht führen 누구를 속이다; jn. ~ Schloß und Riegel bringen 누구를 감금〔투옥〕하다; sich³ et. ~ die Ohren schreiben 무엇을 명심〔기억〕하다; der Schüler geht ~ die Schule 학생이 학교를 결석하고 놀다; die Heirat ist ~ sich gegangen 결혼은 실패로 돌아갔다. 《Ⅲ》*adv.* 뒤쪽으로, 배후로, 깊숙이, 안쪽으로.

***hinter..** *pref.* ① 동사의 분리 전철로서는 항상 강세를 가지며, "배후에〔로〕·뒤에〔로〕"의 뜻으로 쓰임(보기: ~bringen 뒤로 가져가다). ② 동사의 비분리 전철로서는 강세를 가지지 않으며 비유적인 뜻으로 쓰임(보기: ~gehen 속이다). ③ 명사·형용사의 합성 용어로서 강세를 가지며 "배후의·뒤편의·안쪽의"의 뜻. ④ 부사의 전철로서 강세를 갖지 않으며 ① 의 뜻을 나타냄.

Hinter=absicht *f.* 숨은 의도. **~achse** *f.* (자동차의) 뒷바퀴축. **~ansicht** 〖건축〗 배면도(圖); 〖畫〗 배경. **~ausgang** *m.* 뒤쪽의 출구. **~backe** *f.* 엉덩이, 볼기. **~bänkler** *m.* (의사당의 뒷좌석에나 앉는) 별 볼 일 없는 국회의원. **~bein** *n.* (네발짐승의) 뒷다리: 〖비유·구어〗 sich auf die ~e stellen 저항하다; 〖비유·구어〗 sich auf die ~e setzen 힘들여 노력하다. **~|bleiben***[1] [hɪ́ntər..] *i.* (s.) 뒤에 남다, 잔류하다. **~bleiben***[2] [hɪntər..] *i.* (s.) 〖고어〗 유족으로 남다. **~bliebene*** [hɪntər..] *der/die* 유가족(의 한 사람).

Hinterbliebenen=fürsorge *f.* 유가족 연금〔구호금〕. **~rente** *f.* 유족 연금.

hinter|bringen* *t.* ① 뒤로 가지고 가다. ② (ostmd.) 삼키다.

hinterbringen* *t.* 고자질하다, 밀고하다.

Hinterbringer *m.* -s, - 밀고자, 고자질장이.

Hinterbringung *f.* -en 밀고, 고자질.

Hinter=bug *m.* (동물의) 오금. **~deck** *n.* 〖海〗 후갑판(後甲板).

hinter·drein [hɪntərdráɪn] *adv.* 〖공간적〗 배후에서, 뒤에서; 〖시간적〗 뒤에, 나중에.

hinterdrein|laufen* *i.* (s.) 뒤를 쫓다, 추적하다.

***hintere** *a.* 〔비교급 없음; 최상급 hinterst〕 뒤의, 배후의, 후위(後位)의.

Hintere* ① (a) *der/die* 배후의 인물. (b) *das* 배후의 물건. ② *der* 〖구어〗 엉덩이(Hintern).

hinter·einander *adv.* 잇달아, 차례차례로; 계속해서, 연이어: zweimal ~ 2 회 연속하여; ~ hergehen 차례로 줄서서 가다; mit jm. ~ kommen 누구와 싸우다.

hintereinander=|fahren *i.* (s.) 연이어〔일렬로 줄지어〕 차를 타고 가다. **~|gehen** *i.* (s.) 일렬로 서서 걸어가다. **~her** *adv.* 〖구어〗 앞뒤로 서서. **~|schalten** *t.* 〖전기〗 직렬로 접속하다. **~schaltung** *f.* 〖전기〗 직렬 접속. **~weg** *adv.* 〖구어〗 단숨에, 단번에.

Hinter=eingang *m.* 뒤쪽 입구. **~|essen*** *t.* (ostm.) (꿀꺽) 삼키다, 억지로 먹다. **~fotzig** *a.* 은밀한, 악의 있는, 음험한. **~fotzigkeit** *f.* ① 음험, 교활. ② 음험한〔악의 있는〕 행동〔말〕. **~fragen** [hɪntər..] *t.* et. ~ 무엇의 배경을〔배후를〕 묻다〔탐구하다〕. **~front** *f.* ① (건물의) 뒷면. ②〖경박〗 등: jm. seine ~ zuwenden 누구에게 등을 돌리다. **~fuß** *m.* (네 발 짐승의) 뒷발. **~gangene*** *der/die* 속은 사람. **~gäßchen** *n.*, **~gasse** *f.* 골목길, 뒷길. **~gaumen** *m.* 〖해부〗 연구개(軟口蓋). **~gaumen·laut** *m.* 연구개음. **~gebäude** *n.* 뒤채, 뒷건물. **~gedanke** *m.* 속심, 내심; 간계.

hinter|gehen* *i.* (s.) 뒤로 가다; 〖구어〗 변소에 가다.

hintergehen* *t.* ① 속이다, 기만하다: seine Frau ~ (바람을 피워) 아내를 배신하다. ② 회피하다: er hinterging die Antwort auf meine Frage 그는 내 질문에 답변을 회피했다.

Hintergehung *f.* -en 기만, 사기.

Hinter=geschirr *n.* 밀치(말의 꼬리 밑으로 통과시켜 안장에 매는 혁대). **~gestell** *n.* ① (자동차의) 후부 차체. ②〖농담〗 엉덩이. **~getreide** *n.* (곡식의) 싸라기.

hinter|gießen* *t.* (ostmd.) 단숨에 들이키다.

hintergießen* *t.* 〖印〗 ein Galvano 〔eine Mater〕 ~ 전기판〔식자된 활자판〕의 뒷면을 납으로 안받침하다.

Hinter=glas·malerei *f.* ① (유리판 뒷면에 그림을 그린) 글라스화. ② 글라스화 기법. **~glied** *n.* 뒷다리, 후부; 〖軍〗 후열(後列); 〖數〗 후항(後項); 〖논리〗 후명제.

***Hinter·grund** *m.* ① 배경, 원경: im ~ werden Türme sichtbar 배경에 탑들이 보인다. ② 중요하지 않은 공간, 주변 영역: in den ~ treten 〔rücken, geraten〕 주변으로 물러나다; im ~ stehen 별로 주목을 받지 못하다; jn. in den ~ drängen 누구를 뒷전으로 몰아내다; sich im ~ halten 소극적이다, 나서기를 싫어하다; im ~ bleiben 뒷전에 머무르다. ③ (사건의) 배경, 배후 관계: die Angelegenheit hat politische Hintergründe 이 일은 정치적 배경을 가지고 있다; der Roman spielt vor dem ~ der Bauernkriege 이 소설은 농민전쟁을 배경으로 하고 있다; noch et. im ~ haben 무엇을 은밀히 준비해 놓고 있다.

hintergründig *a.* 의미심장한, 난해한; 사려깊은.

Hintergründigkeit *f.* -en ① 의미심장. ② 의미심장한 발언.

Hintergrund=information *f.* (어떤 사건의) 배경에 관한 정보. **~musik** *f.* 배경 음악.

Hinter·haar *n.* 후발(後髮).

hinter|haken *i.* (h.) 〖구어〗 뒤를 캐다, 정확하게 조사하다.

Hinterhalt [hɪ́ntərhalt] *m.* -(e)s, -e ① 숨을 곳, 잠복처, 〖軍〗 매복소; 복병; im ~ lauern 매복 장소에서 (적을) 기다리다; et. im ~ haben 무엇을 준비〔비축〕해놓고 있다. ② 함정, 올가미. ③ (Hintergedanke) 속셈, 저의: ohne ~ 딴 마음 없이, 저의 없이. ④〖軍〗 예비대; 〖비유〗 엄호; 뒷받침, 지지: einen starken ~ haben 강력한 뒷받침을 받다. ⑤〖구식〗 주저, 자제.

hinterhalten* *t.* 〖고어〗 jm. et. ~ 누구에게 무엇을 허락하지〔내주지〕 않다.

hinterhaltig *a.* ↑ hinterhältig.

hinterhältig *a.* 악의 있는, 교활〔음험〕한.

Hinterhältigkeit *f.* -en ① 악의, 음험. ② 악의 있는〔음험한〕 행위.
Hinter≈hand *f.* ① (말이나 개의 엉덩이를 포함한) 뒷다리 부분. ②〔구식〕(손가락 첫마디와 손목 사이의) 손바닥과 손등 부분. ③〖카드〗 회두리, 후수: in der ~ sein〔sitzen〕(어떤 패가) 뒷 사람 수중에 있다;〔비유〕et. in der ~ haben 무엇을 비장의 카드로 준비해 놓다. **~haupt** *n.*〖해부〗후두부. **~haupts·bein** *n.*〖해부〗후두골(後頭骨). **~haus** *n.* (집의) 뒤채; (도로에서 멀리 떨어진) 이면 가옥.
hinter·her *adv.* ① 뒤에서, 후미에서;〔비유〕sehr ~ sein 열심히 추구하다. ② 후에, 나중에, 뒤늦게.
hinterher≈|laufen* *i.* (s.) ① 뒤쫓다. ②〔구어〕뒤꽁무니를 쫓아다니다: einem Mädchen ~ 아가씨의 뒤꽁무니를 쫓아다니다; Gutachten ~ 추천서를 받으려 분주히 뛰어다니다. **~|sein** *i.* (s.)〔구어〕① 뒤처져 남아 있다: das Kind ist in seiner Entwicklung etwas hinterher 그 아이는 성장 속도가 약간 처진다. ② 추적하다: einem Dieb ~ 도둑을 추적하다. ③ 뒤꽁무니를 따라다니다. ④ 염두에 두다, 주의하다: ich bin sehr hinterher, daß das Kind rechtzeitig schlafen geht 나는 아이가 제때에 잠자리에 들도록 신경을 많이 쓴다. **~|werfen** *t.* 뒤에서 던지다.
Hinter·hof *m.* 뒤뜰; 양계장.
Hinter·indien *n.* 인도차이나 반도.
Hinter≈kammer *f.* 뒷방, 안방. **~kastell** *n.*〖해부〗후갑판(後甲板);〔경박〕엉덩이, 볼기. **~keule** *f.* (양·닭의) 뒷다리 고기. **~-kopf** *m.* 후두부:〔구어〕et. im ~ haben〔behalten〕무엇을 기억하고 있다. **~korn** *n.* (곡식) 싸라기. **~lader** *m.*〖軍〗(↔ Vorderlader) 후장총(後裝銃), 후장포(砲). **~lage** *f.* (schweiz.) 저당잡힌 동산(動産). **~land** *n.* ① (중심지에 의존하는) 배후〔내륙〕지역, 판로, 세력권. ②〖軍〗후방 (지역).
hinter|lassen* *t.* 뒤로 보내다; 뒤로 가는 것을 허락하다.
hinterlassen*[1] *t.* ① 뒤에 남기다, (말을) 남기다; er hat ~, daß er wiederkommt 그는 다시 온다는 말을 남겼다. ② 유산으로 남기다, 유증(遺贈)하다. ③ 남기다: sein Wagen hinterließ tiefe Spuren 그의 자동차가 깊숙이 바퀴자국을 남겼다. 《Ⅱ》**hinterlassen** *p.a.* ↑ hinterlassen[2].
hinterlassen[2] 《Ⅰ》*p.p.* ↑ hinterlassen[1]. 《Ⅱ》*p.a.* 남겨진, 사후의: ~e Werke 유작(遺作).
Hinterlassene* *der/die* 유족(의 한 사람).
Hinterlassenschaft *f.* -en 유산, 상속 재산, 남긴 것: die ~ unter die Kinder aufteilen 유산을 자식들에게 분배하다; js. ~ antreten 누구의 유산을 상속받다, 누가 남긴 미완의 작품을 계속 이어 작업하다.
Hinterlassung *f.* 남김: unter ~ von Schulden 빚을 남기고.
Hinter≈last *f.*〖海〗선미 적하(船尾積荷). **~-lastig** *a.* 고물에 짐을 너무 많이 실은. **~lauf** *m.* (짐승의) 뒷다리. **~leder** *n.* (구두의) 뒤축 가죽;〖광산〗(바지의) 엉덩이받이 가죽.
hinter|legen *t.* 뒤에 두다.
***hinterlegen** *t.* ① 맡기다, 보관시켜 두다, 기탁하다, 공탁하다: Schmuck bei der Bank ~ 장신구를 은행에 맡기다; hinterlegtes Geld 공탁금. ②〔드물게〕et. mit et.³ ~ 무엇을 무엇의 배경으로 갖다 대다: eine Glasmalerei mit weißer Pappe ~ 글래스화(畫)의 배경으로 흰 마분지를 뒤에 대다.
Hinterleger *m.* -s, - 기탁자, 공탁자.
Hinterlegung *f.* -en 기탁, 공탁.
Hinterlegungs≈schein *m.* 공탁〔기탁〕증서. **~stelle** *f.* 공탁소.
Hinter≈leib *m.* ① (짐승의) 후반신(後半身), 둔부 고기, (곤충의) 복부. ② (의복의) 등판. **~list** *f.* ① 간계, 술책, 속셈. ② 음흉한 행동. **~listig** *a.* 교활한, 솔직하지 못한:〖은어〗et. zu ~en Zwecken〔für ~e Zwecke〕verwenden 무엇을 뒷물하는 데 사용하다. **~listigkeit** *f.* ↑ ~list.
hinterm [hɪ́ntɐm]〔구어〕=hinter dem.
Hinter≈mann *m.*〔복수: ..männer〕① 뒷 사람, 다음 사람;〖軍〗후열병(後列兵);〖海〗후속선(後續船): wer ist mein ~?〖카드〗내 다음 차례가 누구냐? ②〖商〗(어음의) 나중의 소지인, 배서인. ③〖法〗(Gewährsmann) 보증인, 담보 공여자. ④ 교사자(教唆者). ⑤ 상대편 수비 선수. ⑥ 은밀한 협조자, 뒤를 봐주는 사람. **~mannschaft** *f.*〔스포츠〕수비진, 후위(後衛). **~mast** *m.*〖海〗고물 돛대. **~|-mauern** *t.* …의 뒤쪽을 벽돌로 튼튼히 쌓다: eine Wand ~ 벽을 (돌·벽돌 따위로) 보강하다. **~mauerung** *f.* ① 뒷벽쌓기. ② 뒤를 보강한 벽.
hintern [hɪ́ntɐn]〔구어〕=hinter den.
Hintern *m.* -s, -〔구어〕① 엉덩이: jm. den ~ versohlen 누구의 엉덩이를 철썩철썩 때리다; du bekommst den ~ voll 너 매맞는다; sich auf den ~ setzen a) 뒤로 넘어지다, b) 열심히 공부하다, c) 몹시 놀라다. ②〔다음 용법으로〕jm. in den ~ kriechen〔jm. den ~ lecken〕누구에게 아부하다; sich³ mit et.³ den ~ abwischen 무엇을 아무 쓸모없는 것으로 여기다; den ~ betrügen 토하다; jm.〔jn.〕in den ~ treten 누구를 (분발시키기 위해서) 닦달하다; jm. mit dem (nackten) ~ ins Gesicht springen 누구에게 심하게 화내다; alles an den ~ hängen 옷을 사는 데 돈을 다 써 버리다;〔경박〕jm. an den ~ wollen 누구에게 나쁜 짓을 하다; jn. in den ~ beißen 누구를 뒤에서 공격하다.
Hinter≈pferd *n.* 멍에에 맨 말. **~pforte** *f.* 뒷문;〖海〗선미 현창(船尾舷窓). **~pfote** *f.* 뒷다리. **~quartier** *n.* 뒷방;〔구어〕궁둥이, 엉덩이. **~rad** *n.* 뒷바퀴. **~rad·antrieb** *m.*〖車〗후륜 구동. **~reifen** *m.* 뒷바퀴 타이어. **~reihe** *f.*〖軍〗후열(後列).
hinter·rücks *adv.* ① 뒤에서(부터);〔비유〕슬그머니, 음험하게: jn. ~ erstechen 누구를 뒤에서 칼로 찔러 살해하다. ②〔방언〕등부터 먼저, 뒤로: er fiel ~ zu Boden 그는 벌렁 땅에 자빠졌다.
hinters [hɪ́ntɐs]〔구어〕=hinter das.
Hinter≈saß *m.* ↑ ~sasse. **~sasse** *m.* ①〔드물게〕자손. ②〖중세〗(지주에게 예속된) 농노. ③ (ndd., md.) 소작농, 소농(가옥, 정원, 약간의 경지만 소유하고 농장을 갖지 않은). ④ (schweiz.) (시민권이 없는) 이주자. **~-satz** *m.* ①〖기악〗(후기 고딕식 파이프 오르간에서) 주음 파이프, 뒤에 위치한 파이프 장치. ②〖논리〗(삼단 논법의) 결(론)문. ③〖문법〗

귀결문, 후문장(보기: 조건문 다음에 오는 주문장). **~schanze** *f.* 〖海〗 고물 망대. **~schenkel** *m.* (짐승의) 넓적다리의 뒷부분. **~schiff** *n.* 선미(船尾), (배의) 고물.

hinter≂schlingen* *t.* 급히 먹다, 꿀꺽 삼키다. **~|schlucken** *t.* 삼키다.

Hinter≂segel *n.* 〖海〗 뒷돛. **~seite** *f.* ① 뒤쪽, 이면, 배후. ②〖구어〗 엉덩이. **~sinn** *m.* ① 숨은 뜻, 드러나지 않은 의미. ② 심오〔의미심장〕한 뜻〔의미〕.

hintersinnen* *refl.* sich ~ 골똘히 생각하다; 우울해지다.

hintersinnig *a.* ① 부수적인〔숨은〕 뜻이 있는. ② 의미심장한. ③ 우울〔침울〕한; 미친.

Hinter≂sitz *m.* 뒷자리. **~spinning** *a.* 〖방언〗 교활하고 음흉한.

***hinterst** [hɪ́ntərst] 《hinter 의 최상급》 *a.* 최후〔최종〕의; 〖海〗 고물에 가장 가까운; zu ~ 최후에.

Hinterste* ① *der/die* 최후의 사람. ② *der* 〖구어〗 (Hintern) 궁둥이, 엉덩이.

Hinter≂steven *m.* 선미재(船尾材). **~stich** *m.* 누비질, 박음질. **~stübchen** *n.* ↑ ~stube 의 축소형. **~stube** *f.* 뒷방. **~stück** *n.* 뒷부분. **~teil** *n.* ①〖구어〗 엉덩이, (동물의) 허리 아랫부분. ②〖옛날에는 남성으로도 쓰임〗〖드물게〗 뒷부분. **~treffen** *n.* ① 불리한 입장: sich im ~ befinden 〔im ~ sein〕 불리한 상황에 처해 있다; ins ~ geraten〔kommen〕 불리한 상황에 처하다; jn. ins ~ bringen 누구를 불리한 상황에 빠뜨리다. ②〖軍〗 후방 전열(戰列), 후위.

hinter|treiben* *t.* 뒤로 쫓아 보내다.

hintertreiben* *t.* (누구의 계획을) 방해〔저지〕하다, 무산시키다.

Hintertreibung *f.* -en 방해, 저지.

Hinter·treppe *f.* 뒷계단, 뒤쪽에 있는 층계.

Hintertreppen≂politik *f.* 비밀 정치, 권모술수 정치. **~roman** *m.* 저속한 소설, 삼류 소설.

hinter≂|trinken* *t.* 꿀꺽〔들이〕 마시다. **~tückisch** *a.* 〖방언〗 교활한, 음흉한.

Hinter≂tür *f.* 뒷문; 〖비유〗 탈출구, 비상구; sich³ eine ~ offen halten 탈출구를 마련해 두다; durch die〔eine〕~ 간접적으로, 빙둘러서, 불법으로; durch die ~ wieder hereinkommen 물러서지 않다, 다른 방법으로 계속 시도하다. **~verdeck** *n.* 〖海〗 후갑판(後甲板). **~viertel** *n.* 〖구어〗 엉덩이. **~wagen** *m.* 4 륜차의 뒤쪽. **≈wälderisch** *a.* 촌놈 같은, 세상물정 모르는. **~wäldler** *m.* 촌놈, 세상물정 모르는 사람. **~wand** *f.* 뒷벽; 〖연극〗 배경.

hinter·wärts *adv.* 〖고어〗 ① 뒤쪽으로: den Feind ~ stürzen 적을 뒤로 밀어내다. ② 뒤에서부터: er schlug mich ~ 그는 나를 뒤에서 때렸다. ③〖海〗 고물에서; 뒤에서(hinterrücks).

Hinter·zeug *n.* ↑ Hintergeschirr.

hinter|ziehen* 《Ⅰ》 *t.* 뒤로 잡아 끌다. 《Ⅱ》 *i.* (s.) (건물) 뒤로 돌아가다, 후퇴하다.

hinterziehen* *t.* (위탁금·공금을) 착복하다, 횡령하다.

Hinterziehung *f.* -en 횡령, 착복.

Hinter·zimmer *n.* ① 뒷방. ② (가게 뒤에 주인이 거주하는) 별실.

hin≂|traben *i.* (s.) (어디로) 달려가다. **~|tragen*** *t.* (어디로) 운반해 가다. **~|trauern** *t.* sein Leben ~ 한탄하며 세월을 보내다. **~|träumen** *refl.* vor sich ~ 꿈꾸듯이 세월을 보내다. **~|treiben*** 《Ⅰ》 *t.* (어디로) 몰고 가다, 쫓아보내다. 《Ⅱ》 *i.* (s.) 〖海〗 표류하다. **~|treten*** *i.* ① (s.) (어디로) 걸어가다; 다가가다: vor jn. ~ 누구 앞으로 나아가다. ② (h.) auf et. ~ 무엇을 밟다, 발을 내딛다; 차다. **≈tritt** *m.* 사망, 서거. **~|tun*** *t.* ①〖구어〗 (어디에) 두다: 〖비유〗 ich weiß nicht, wo ich ihn ~ soll 그를 알긴 하지만 어디서 만났는지는 모르겠어. ②〖드물게〗 가지고 가다, 치우다, 정리하다

***hin·über** [hɪnýːbər] *adv.* ① 저 너머로: über die Berge ~ 산넘어 저쪽으로. ② 건너가 버린, 죽은: er ist ~ a) 그는 저쪽으로 갔다, b) 그는 죽었다; das Kleid ist ~ 이 옷은 이제 못 입게 됐다.

hinüber.. *pref.* "저쪽으로 넘어〔건너〕…"의 뜻(보기: ~kommen 저쪽으로 넘어가다).

hinüber≂|begeben* *refl.* sich ~ 저쪽으로 건너 가다, 넘어 가다. **~|blicken** *i.* (h.) 저쪽을 건너다 보다. **~|bringen*** *t.* 저쪽으로 넘겨 주다, 운반해 가다: 〖數〗 auf die andere Seite einer Gleichung ~ 이항(移項)하다. **~|dürfen** *i.* (h.) 〖구어〗 ① (저쪽으로) 건너가도 좋다. ② 저쪽으로 가져다 놓아도 된다. **~|fahren*** 《Ⅰ》 *i.* (s.) 저편으로 (차를 타고) 가다. 《Ⅱ》 *t.* 저편으로 나르다〔데려다주다〕. **~|führen** 《Ⅰ》 *t.* 건너편으로 인도〔안내〕하다. 《Ⅱ》 *i.* (h.) 저편으로〔건너편으로〕 통하다, 뻗어 있다. **~|gehen*** *i.* (s.) ① 저편으로 가다, 건너가다: über die Alpen ~ 알프스 산맥을 넘어가다. ②〖비유〗 죽다. **~|gelangen** *i.* (s.) 저쪽 너머에 도달하다. **~|greifen*** *i.* (h.) ① 저편으로 손을 내밀다. ② 연관〔관련〕되다: dieses Problem greift in die Politikwissenschaft hinüber 이 문제는 정치학과도 연관된다. **~|helfen*** *i.* (h.) ① 건너가게 도와주다. ②〖비유〗 jm. über eine Krise ~ 누구를 도와 위기를 벗어나게 해주다. **~|kommen*** *i.* (s.) ① 건너가다, 저쪽으로 가다. ②〖구어〗 방문하다. **~|können*** *i.* (h.) ① 저편으로 (넘어·건너) 갈 수 있다. ② 저편으로 옮겨놓아도 된다. **~|lassen*** *t.* 건너가게 하다, 보내주다. **~|laufen*** *i.* (s.) 저편으로 달려가다〔넘어가다〕. **~|müssen*** *i.* (h.) ① 저편으로 가야 하다. ② 저편으로 옮겨놓아야 하다. **~|reichen** 《Ⅰ》 *i.* (h.) 저 건너편에까지 미치다〔펼쳐지다〕: bis in das nächste Jahr ~ 내년까지 계속되다. 《Ⅱ》 *t.* 저편으로 건네주다: jm. et. über den Tisch ~ 누구에게 무엇을 책상 너머로 건네다. **~|retten** 《Ⅰ》 *t.* ① 구출하여 저쪽으로 옮겨놓다, 안전하게 하다: seine Wertsachen ins Ausland ~ 자신의 귀중품을 구해내 외국으로 반출하다. ② 보존하다. 《Ⅱ》 *refl.* sich ~ ① sich in ein neutrales Land ~ 중립국으로 무사히 탈출하다. ② 보존되다: der alte Brauch hat sich in die Gegenwart hinüber gerettet 이 옛 풍습은 오늘까지 보존돼왔다. **~|schaffen** *t.* 저편으로 옮기다, 건네주다. **~|schauen** *i.* (h.) ① 건너편 쪽을 보다. ② 건너가 살펴보다: ich will rasch einmal zum Kind ~, ob es auch schläft 나는 얼른 건너가서 아이가 자는지 한번 살펴봐야겠어. **~|-**

schicken *t.* 건너편으로 보내다. ~|**schwimmen*** *i.* (s.) 저편으로 헤엄쳐 건너가다. ~|**sein** *i.* (s.) 〖구어〗 ① 망가져 있다, 못쓰게 되어 있다: die Schuhe sind hinüber 신발이 다 닳아 못 신게 되어 있다. ② 죽어 있다, 죽었다: wenn der so weitermacht, ist er auch bald hinüber 그 녀석이 계속 그런 식으로 한다면 곧 죽고 말거야. ③ 만취해 있다. ④ 건너가 있다, 저쪽으로 건너가고 없다. ~|**setzen** 《I》 *t.* 저편으로 건네주다; 저쪽으로 놓다. 《II》 *i.* (s.) 저편으로 건너가다〔넘어가다〕. ~|**spielen** 《I》 *t.* einen Ball ~ 공을 건너편으로 보내다〔패스하다〕. 《II》 *i.* (빛깔이) 바뀌다, 변하다: ins Bläuliche ~ 푸르스름해지다. ~|**springen*** *i.* (s.) 뛰어넘다; 건너편으로 뛰어가다. ~|**tragen*** *t.* 저편으로 운반하다. ~|**wechseln** *i.* (s.) ① 다른 곳으로 들어가다: das Wild ist ins Nachbarrevier hingewechselt 짐승이 이웃 사냥 구역으로 들어갔다. ② 옮기다, 이적하다: in eine andere Konfession ~ 개종하다. ~|**werfen** *t.* 건너편으로 내던지다. ~|**wollen*** *i.* (h.) 저편으로 (건너)가려고 하다. ~|**ziehen*** 《I》 *i.* (s.) ① 저편으로 옮겨가다, 넘어가다. ② 이사가다. 《II》 *t.* (어디로) 끌다; 〖문법〗 (말을) 연결하다: die Sehnsucht zog ihn immer zu ihr hin 그는 자꾸만 그녀가 그리워졌다. 《III》 *refl.* sich ~ 퍼지다, 펼쳐지다; 저쪽으로 뻗치다.

hin und her [hín unt hé:*r*] ↑ hin ⑥.

Hịn und Hẹr *n.* 왔다갔다 함; 〖비유〗 동요, 망설임, 우유부단.

hịn- und hẹr|fahren 《I》 *i.* (s.) 왕복 운행하다. 《II》 *t.* 왕복으로 차에 태워다〔실어다〕 주다.

Hịn- und Hẹrfahrt *f.* 왕복 여행〔운행〕.

Hịnundhẹr·gerede *n.* 〖폄어〗 갈피를 못잡는 긴 이야기, 쓸데없는 말.

Hịn- und Hẹr·reise *f.* 왕복 여행.

Hịn- Und Hẹr·weg *m.* 왕복길.

Hịn- und Rụ̈ck·fahrt *f.* 왕복 여행〔항해〕.

Hịn- und Rụ̈ck·flug *m.* 왕복 비행.

hin·unter [hınúntər] *adv.* (↔ herauf) (저기) 아래로, 아래쪽으로 향하여: den Hügel ~ 언덕을 내려가; die Treppe ~ 계단 아래로; ~ mit ihm! 저놈을 끌어 내려라!

hinunter.. *pref.* "저 아래로"의 뜻(보기: ~eilen 저 아래로 서둘러 내려가다).

hinụnter≈|begleiten *t.* 아래로 데리고 내려가다. ~|**blicken** *i.* (h.) 아래를 내려다보다. ~|**bringen*** *t.* ① 가지고〔데리고〕 내려가다. ② 〖구어〗 먹을〔삼킬〕 수 있다: ich bringe heute keinen Bissen hinunter 난 오늘 한 입도 삼킬 수 없다. ~|**eilen** *i.* (s.) 서둘러 내려가다. ~|**fließen** *i.* (s.) 흘러내려가다. ~|**gehen*** *i.* (s.) 내려가다, 내리다; (길이) 내리막 길이다. ~|**gießen*** *t.* 내려 붓다; (술을) 쭉 들이키다. ~|**kippen** 《I》 *t.* ① (쓰레기통을) 아래로 기울여 비우다. ② 단숨에 마시다: ein Bier ~ 맥주 한 잔을 쭉 들이키다. 《II》 *i.* (s.) 〖구어〗 아래로 떨어지다: paß auf, daß du nicht hinunterkippst 아래로 떨어지지 않도록 조심해. ~|**laufen*** *i.* (s.) 달려 내려가다. ~|**reichen** 《I》 *t.* 아래로 건네주다〔넘겨주다〕. 《II》 *i.* (h.) ① 아래쪽으로 손을 내밀다, 뻗다. ② 아래쪽에까지 닿다, 미치다. ~|**reißen** *t.* 아래쪽으로 잡아채다, 아래로 나꿔채다. ~|**rollen** 《I》 *i.* (s.) 〖雅語〗 (저기) 아래로 구르다. 《II》 *t.* (저기) 아래로 굴리다. ~|**schauen** *i.* (h.) 아래쪽을 내려다보다, 조감하다. ~|**schlucken** *t.* ① 꿀꺽 삼키다. ② 〖비유〗 (노여움을) 참다. ③ (비판·비난을) 감수하다. ~|**spülen** *t.* ① 씻어 내리다. ② 급히 마시다. ③ 물과 함께 복용하다〔먹다〕: seinen Ärger ~ 술로 화를 달래다. ~|**stürzen** 《I》 *i.* (s.) ① 추락하다, (굴러) 떨어지다: die Treppe ~ 계단에서 굴러 떨어지다. ② 급히 달려 내려가다. 《II》 *t.* ① 아래로 쓰러뜨리다, 차서〔밀어서〕 넘어뜨리다. ② 급히 마시다: ein Glas Bier ~ 맥주 한 잔을 단숨에 마시다. 《III》 *refl.* sich ~ 추락하다; 아래로 몸을 던지다. ~|**tauchen** 《I》 *i.* (s.) 잠수하여 가라앉다. 《II》 *t.* 물속에 가라앉히다. ~|**tragen*** *t.* 운반해 내리다. ~**wärts** *adv.* 아래쪽으로. ~|**werfen*** *t.* 아래로 던지다; 쓰러뜨리다. ~|**würgen** *t.* 애써서 삼키다.

hịn≈|wagen *refl.* sich ~ 위험을 무릅쓰고 (…로) 가다. ~|**wandern** *i.* (s.) (…로) 도보 여행 가다, 방랑하다. ~**wärts** *adv.* (…로) 가는 길에; 그쪽으로, 그곳으로. ≈**weg** *m.* (목적지로) 가는 길.

***hin·weg** [hınvέk] *adv.* ① 〖雅語〗 저쪽으로, 저 멀리: ~ mit euch! 꺼져라, 가버려!; ~ mit den Sorgen! 걱정〔근심〕하지 마라! ② über et. ~ 저 너머로, 저 건너편으로: über die Dächer ~ 지붕 너머로; sich über alle Meinungsverschiedenheiten ~ verbünden 일체의 의견 차이를 넘어서 단결하다. ③ über et. ~ 무엇〔어느 기간〕에 걸쳐: wir waren über viele Jahre ~ Freunde 우리는 여러 해 동안 친구였다.

hinwẹg≈|bringen *t.* ① 〖雅語〗 (어디로) 데리고〔가지고〕 가다. ② jn. über et. ~ 누가 무엇을 이겨내도록〔벗어나도록〕 도와주다. ~|**eilen** *i.* (s.) 〖雅語〗 급히 떠나가다; 〖비유〗 über et. ~ 무엇을 넘어서 앞으로 나아가다. ~|**fegen** 《I》 *i.* (s.) über et. ~ 무엇 위를 휩쓸고 지나가다. 《II》 *t.* ① (폭풍이) 휩쓸고 지나가다, 파괴하다. ② (전염병이) 휩쓸어가다, (인명을) 앗아가다: so hat die Pest Tausende von Menschen hinweggefegt 페스트가 그렇게 해서 수천명의 목숨을 앗아갔다. ~|**gehen*** *i.* (s.) ① 저쪽으로 떠나가다, 출발하다. ② 〖비유〗 über et. ~ 무엇을 경솔히 처리하다, 간과하다, 빠뜨리고 넘어가다: lachend über et. ~ 무엇을 일소에 부치다. ③ (길이 무엇 너머로) 나 있다. ④ (무엇 위를) 통과하다, 지나가다. ~|**heben*** *refl.* sich ~ 〖고어〗 사라지다, 물러가다. ~|**helfen** *i.* (h.) jm. über et. ~ 누구를 도와 무엇을 극복하게 해주다. ~|**kommen*** *i.* (s.) über et. ~ 무엇을 넘어서다: über eine Schwierigkeit ~ 곤란을 극복하다; über den Berg ~ a) 고개를 넘다, b) 〖비유〗 위험을 무사히 넘어가다. ~|**können** *i.* (h.) ↑ ~kommen. ~|**raffen** *t.* 빼앗다: die Krankheit hat ihn hinweggerafft 질병이 그의 생명을 앗아갔다. ~|**räumen** *t.* 치우다, 제거〔처분〕하다. ~|**sehen*** *i.* (h.) ① 무엇을 건너다보다: über jn.〔et.〕 ~ 누구〔무엇〕 너머로 건너다보다. ② 〖비유〗 über et. ~ 무엇을 (일부러) 무시하다; 못 본 척하다, 관대히 봐주다. ~|**sein*** *i.* (s.) über et. ~ 무엇을 넘어서〔벗어나, 지나쳐〕 있다. ~|**setzen** 《I》 *i.* (h.) 뛰어넘다: über den Zaun ~ 울타리를 뛰어넘다.

《Ⅱ》*refl.* sich über et. ~ 무엇을 간과〔무시〕하다. ~|**springen*** *i.*(s.) 뛰어 저리로 가다, 뛰어넘다. ~|**spülen** *t.* 씻어내다. ~|**täuschen** 《Ⅰ》*t.* 속여서 알지 못하게 하다: versuche nicht, ihn über seine Lage hinwegzutäuschen 그를 속여서 자신의 처지를 잊어버리게 하려고 하지 마라. 《Ⅱ》*refl.* sich über et. ~ 일부러 무엇을 간과하다. ~|**trösten** *t.* jn. über et. ~ 누구를 위로하여 무엇을 잊게 하다. ~|**tun*** *t.* 제거하다.

Hinweis [hɪ́nvaɪs] *m.* -es, -e ① 충고, 조언; 지시, 암시, 힌트: einen ~ auf et. geben 무엇을 지적하다; unter ~ auf et. 무엇과 관련하여, 무엇을 지적하면서. ② 주의, 경고: ~e für die Bedienung 사용상의 주의점들.

hịn|weisen* 《Ⅰ》*t.* (손가락으로) 가리키다, 지시하다; 〔비유〕 알려주다, 보여주다: jn. auf den rechten Weg ~ 누구에게 바른길을 알려주다, 지시하다; jn. auf seine Fehler ~ 누구에게 그의 결점을 지적해 주다. 《Ⅱ》*i.*(h.) 가리키다, 언급하다: mit dem Finger auf et. ~ 무엇을 손가락으로 가리키다.

hịnweisend *p.a.* 지시하는: 〖문법〗 ~es Fürwort 지시 대명사.

Hịnweisung *f.* -en 지시, 가리킴: unter ~ auf et. 무엇을 지적하면서.

hịn=|welken *i.*(s.) 시들어가다, 메말라지다; 소멸해〔쇠하여〕 가다. ~|**wenden*** 《Ⅰ》*t.* zu 〔nach〕 et.³ ~ 무엇 쪽으로 방향을 돌리다, (정신을) 기울이다. 《Ⅱ》*refl.* sich ~ (어느쪽으로) 향하다, 몸을 돌리다. ~**wendung** *f.* 〔雅語〕 (어느 쪽으로) 몸〔방향〕을 돌림.

hịn|werfen* 《Ⅰ》*t.* ① (어디로) 던지다, 내동댕이치다: 〔비유〕 einen Blick ~ 힐끗 보다; den Vögeln Brotkrumen ~ 새들에게 빵부스러기를 던져주다. ② 예정보다 빨리 끝내다; 도중에 집어치우다, 그만두다: ich möchte diese Arbeit am liebsten ~ 나는 이 일을 그만두었으면 정말 좋겠다; sein Leben ~ 자살하다; die Karten ~ 카드놀이를 중지하다. ③ 약기(略記)〔메모〕하다: schnell ein paar Sätze ~ 급히 몇 문장을 메모하다. ④ 툭 내뱉듯이 말하다: nachlässig eine Frage ~ 아무렇게나 질문을 하나 던지다. 《Ⅱ》*refl.* sich ~ 몸을 내던지다: sich vor jm. ~ 누구 앞에 무릎꿇다. 《Ⅲ》**hịngeworfen** *p.a.* ↑ hingeworfen.

hinwie̲der *adv.* 〔고어〕 ↑ hinwiederum.

hin·wie̲derum *adv.* 〔고어〕 ① (hingegen) 이와는 반대로, 다른 한편으로는, 이쪽에서도. ② (wieder) 재차, 다시 한 번, 새로.

hịn=|wirken *i.*(h.) auf et. ~ ① 무엇에 영향을 끼치다〔미치다〕. ② 무엇이 이루어지도록 노력하다, 무엇을 목표로 활동하다. ~|**wollen*** *i.*(h.) ① (…로) 가고 싶어하다: 〔비유〕 ich weiß, wo Sie ~ 나는 당신이 무엇을 노리고 있는지 알고 있다. ~|**wünschen** 《Ⅰ》*t.* jn. ~ 누구를 (…로) 보내고 싶어하다. 《Ⅱ》*refl.* sich ~ (…로) 가고 싶어하다.

Hinz [hɪnts] 《<Heinrich》 *m.* 힌츠(중고(中古) 독일어에서 빈번히 사용되었던 남자 이름; Heinrich 의 약칭): 〔구어·폄어〕 ~ und Kunz 모든 평범한 사람들, 너나할 것 없이 누구나, 어중이떠중이; 〔구어·폄어〕 von ~ zu Kunz 모든 사람들에게로, 사방으로.

hịn=|zahlen *t.* (대금의 잔액을) 지급〔완불〕하다. ~|**zählen** *t.* (jm.) ~ (돈을) 하나하나 세어 (누구의) 테이블 위에 올려놓다. ~|**zaubern** *t.* 마술부리듯이 (손쉽게) 만들어내다: ein Essen ~ 뚝딱 음식을 만들어내다. ~|**zeigen** 《Ⅰ》*t.* 지시〔지적〕하다. 《Ⅱ》*i.*(h.) 가리키다, 지시〔지적〕하다: auf wen zeigt er hin? 그는 누구를 가리키고 있지? ~|**ziehen*** 《Ⅰ》*t.* ① (어디로) 끌어가다: am Boden ~ 땅 위로 질질 끌다. ② 지연시키다, 오래 끌다; 미해결 상태로 남겨두다. ③ 〔비유〕 (마음을) 끌다, 매혹시키다: sich zu jm. hingezogen fühlen 누구에게 마음이 끌림을 느끼다, 매혹되다. 《Ⅱ》*i.*(s.) ① (어디로) 움직여가다, 이동하다: dunkle Wolken ziehen am Abendhimmel hin 저녁 하늘에 어두운 구름이 흘러간다. ② 이사하다: nach Berlin ~ 베를린으로 이전하다〔이사가다〕. 《Ⅲ》*refl.* sich ~ ① 지연되다, 오래 끌다. ② 펼쳐지다, (길이 어디로) 나 있다. 《Ⅳ》**hịngezogen** *p.a.* ↑ hingezogen. ~|**zielen** *i.*(h.) auf et. 〔nach et.³〕 ~ 무엇을 노리다, 추구하다: die Worte zielen auf uns hin 그 말은 우리를 두고 하는 말이다.

***hin·zu** [hɪntsúː] *adv.* ① 그 가까이로, 그쪽으로. ② (그것에) 덧붙여서, 게다가, 그 위에, 그 밖에.

hinzu̲=|bauen *t.* 증축하다. ~|**bekommen*** *t.* 추가로〔덤으로〕 받다. ~|**denken*** *t.* 덧붙여 생각하다, 기억에 덧붙이다; 추정하다: das übrige können Sie sich³ ~ 그 나머지 것들은 당신이 추측할 수 있을 겁니다. ~|**dichten** *t.* ① 지어서〔창작하여〕 덧붙이다. ② 상상〔짐작〕해서 덧붙이다. ~|**fügen** *t.* 첨가하다, 덧붙여 끼워넣다; 보충 설명하다, 부언하다. ~**fügung** *f.* ① 추가, 부가, 첨가, 첨부. ② 추기(追記), 부언, 보충 설명. ③ 〔드물게〕 부가물, 부록.

Hiob [híːɔp] 《hebr.》 *m.* 〖구약〗 욥; 〔비유〕 수난을 겪는 사람.

Hiobs=bote *m.* 흉보의 사자. ~**botschaft** *f.* 비보, 흉보. ~**geduld** *f.* 욥의 인내, 대단한 인내심. ~**post** *f.* 〔고어〕 ↑ ~botschaft.

hipp [hɪp] *int.* ~! ~! a) (영국 사람의) 만세 만세!, b) 양떼를 부르는 소리.

hipp.., hippo.. 《gr. híppos, „Pferd"》 *pref.* "말(馬)"의 뜻.

Hippanthro̲p 《gr.》 *m.* -en, -en 반인반마(半人半馬)의 괴물(Zentaur).

Hipparch [hɪpárç] *m.* -en, -en 고대 그리스의 기병 대장.

Hippa̲rion *n.* -s, ..rien [..riən] 〖고생물〗 말의 원종(原種), 원시 말.

Hippe[1] [hípə] *f.* -n ① (obd., md.) (암)염소 (Ziege). ② 〔폄어〕 (nordd., md.) 늙고 추한 여자, 못된 계집.

Hippe[2] *f.* -n ① (원예용의) 굽은 칼. ② 큰 낫 (죽음의 상징).

Hippe[3] *f.* -n (md.) 둥글 납작한 과자.

hịppeln *i.*(h.) (md.) ① 깡충깡충 뛰다. ② 두근거리다.

hipp, hipp, hurra [hɪ́p hɪ́p hurá:] *int.* ① 〔원뜻〕 조정 선수들의 인사말. ② 힙, 힙, 후라 (한 사람이 선창으로 "힙, 힙"하면 "후라"하고 응답함).

Hipp·hipp·hurra̲ *n.* -s, -s "힙, 힙, 후라" 소리.

Hippiater [hɪpiáːtər] 《gr.》 *m.* -s, - 마의(馬醫).

Hippiatrie *f.* -n [..ríːən] 마의학.
Hippiatrik [hipiáːtrɪk] *f.* 마의술.
Hippie [hípi] 《engl.》 *m.* -s, -s 히피(족).
Hippodrom [hɪpodróːm] 《gr.》 *m./n.* -s, -e ① (고대 그리스·로마의) 경마장, 전차(戰車) 경주장. ② 곡마장.
Hippogryph [..grýːf] *m.* -s/-en, -e(n) 천마(天馬), 히포그리프(독수리의 머리와 말의 몸을 지닌 날개 달린 전설상의 괴물).
Hippokamp [..kámp] *m.* -en, -en 말의 몸과 물고기의 꼬리를 지닌 전설상의 괴물.
Hippokras [hɪpokrás] *m.* - 향료를 넣은 포도주.
Hippokrates [hɪpóːkratɛs, ..pɔ́k..] 히포크라테스(고대 그리스의 의사, 460-377 B.C.).
Hippokratiker *m.* -s, - 히포크라테스의 추종자.
hippokratisch *a.* 히포크라테스의: ~er Eid 히포크라테스 선서; 〖醫〗 ~es Gesicht 중환자나 죽어가는 자의 얼굴.
Hippokrene [hɪpokréːnə] 《gr., „Roßquelle"》 *f.* 〖그리스신화〗 시신(詩神)의 샘(페가수스의 발굽 자국으로 생겼다고 함); 〔비유〕 시적 영감.
Hippologie [..logíː] *f.* 마학(馬學).
hippologisch *a.* 마학의.
Hippomanie *f.* 애마광(愛馬狂).
Hippopotamus [hɪpopóːtamus, ..pɔ́ta..] *m.* -, - 〖動〗 하마(Flußpferd).
Hippurit [hɪppuríːt] *m.* -en, -en 〖고생물〗 백악기의 대형 조개.
Hippur·säure [hɪpúːr..] *f.* 〖化〗 마뇨산(馬尿酸), 히푸르산(酸).
Hippus [hípus] *m.* - 〖醫〗 동공 변동〔동요〕.
Hiragana [hiragáːnə] 《jap.》 *n.* -s 〔*f.*〕 히라가나(일본어 문자).
*__Hirn__ [hɪrn] *n.* -(e)s, -e ①〔드물게〕 뇌(↑ Gehirn ①). ②〖요리〗 (짐승의) 머릿골 요리: Kalbs≈ 송아지골(요리). ③〔구어〕 두뇌: sein ~ anstrengen 머리를 쓰다; ihm fehlt das ~ im Kopfe 그는 골이 비었다. ④ (수목의) 횡단면.
Hirn≈anhang *m.* 〖醫〗 뇌하수체. **~anhangs·drüse** *f.* 〖醫〗 뇌하수체선(腺). **~blutung** *f.* 뇌출〔뇌일〕혈. **~bohrer** *m.* 〖醫〗 두개골 절개용 드릴. **≈brütig** *a.* (obd.) 간질병의. **~entzündung** *f.* 뇌염. **~erschütterung** *f.* (schweiz.) 뇌진탕. **~erweichung** *f.* 뇌연화(腦軟化) (증). **≈geschädigt** *a.* 〖醫〗 뇌를 다친, 뇌가 손상된. **~gespinst** *n.* 망상, 몽상, 환영(幻影). **~gewebe** *n.* ↑ ~gespinst. **~haut** *f.* 뇌막. **~hautentzündung** *f.* 뇌막염. **~holz** *n.* 나이테가 보이게 자른 목재. **~kasten** *m.* 〔경박·농담〕 두뇌, 머리. **≈krank** *a.* 뇌병의.
hirnlos *a.* 〔구어〕 저능〔멍청〕한.
Hirn≈mark *n.* 뇌수. **~pfanne** *f.* ↑ ~schädel. **~rinde** *f.* 〖醫〗 뇌피질. **≈rissig** *a.* 〔구어·폄어〕 터무니없는, 제정신이 아닌. **~schädel** *m.*, **~schale** *f.* 두개(頭蓋). **~schlag** *m.* 뇌졸중. **~seite** *f.* 엇비스듬하게 잘린 나뭇결. **~strom·bild** *n.* 뇌전도. **~syphilis** *f.* 뇌매독. **~tod** *m.* 〖醫〗 뇌사. **≈verbrannt** 〔구어·폄어〕 정신나간, 말도 안 되는. **≈verletzt** *a.* 뇌를 다친. **≈verrückt** *a.* ↑ ≈verbrannt. **~windung** *f.* 〖醫〗 뇌피의 나선형 융기. **~wurst** *f.* 돼지의 골을 넣은 순대. **~wut** *f.* 〖醫〗 뇌염; 〔비유〕 광란. **≈wütig** *a.* 미쳐 날뛰는.
Hirsch [hɪrʃ] 《원뜻 „der Gehörnte"》 *m.* -es, -e ① (수)사슴. ② (여관·음식점의 이름으로) Zum Goldenen ~ 금록관(金鹿館). ③ fliegender ~ ↑ ~käfer.
Hirsch≈antilope *f.* 〖動〗 아프리카 영양. **~art** *f.* 사슴류(類). **≈artig** *a.* 사슴 같은, 사슴류의. **~bock** *m.* 수사슴. **~brunft, ~brunst** *f.* 사슴의 교미기. **~dorn** *m.* 〖植〗 갈매나무. **~eber** *m.* 〖動〗 멧돼짓과의 일종. **~fährte** *f.* 사슴의 발자국. **~fänger** *m.* ① 사냥칼. ②〖軍〗 (1914 년 이전 독일군의) 총검. **~farbe** *f.* 엷은 황갈색. **~garten** *m.* 사슴 농장. **≈gerecht** *a.* 사슴 보호와 사냥에 능숙한. **~geweih** *n.* 사슴의 뿔. **~hals** *m.* 녹두(鹿頭) (지나치게 가늘고 굽은 말의 목). **~hatz** *f.* ↑ ~jagd. **~haut** *f.* 사슴 가죽. **~horn** *n.* (단추·칼 손잡이 등의 재료로 쓰이는) 사슴뿔. **~horn·salz** *n.* 〖化〗 탄산 암모늄. **~hund** *m.* 사슴 사냥개. **~jagd** *f.* 사슴 사냥. **~käfer** *m.* 〖動〗 하늘가재. **~kalb** *n.* 어린 수사슴. **~keule** *f.* 〖요리〗 사슴의 허벅지살. **~kolben** *m.* 녹용(鹿茸). **~krankheit** *f.* 〖醫〗 개구(開口) 불능, 교경(咬痙). **~kuh** *f.* 암사슴. **~lager** *n.* 사슴의 잠자리〔은신처〕. **~lauf** *m.* 사슴의 발. **~leder** *n.* (무두질한) 사슴 가죽. **≈ledern** *a.* 사슴 가죽의.
Hirschling *m.* -s, -e 〖植〗 송이버섯과의 일종(Reizker).
Hirsch≈losung *f.* 사슴 똥. **~park** *m.* ↑ ~garten. **~ruf** *m.* 사슴의 울음 소리. **~schröter** *m.* ↑ ~käfer. **~schweiß** *m.* 사슴의 피. **~sprung** *m.* ① (말의) 높은 도약(Kapriole). ②〖植〗 패랭이꽃의 일종. **~talg** *m.* 사슴 기름(연고의 기초 재료). **~ziemer** *m.* 사슴의 안심살. **~zunge** *f.* 〖植〗 골고사리.
Hirse [hírzə] *f.* 〖植〗 기장: indische ~ 수수.
Hirse≈brei *m.* 기장죽. **~fieber** *n.* 속립종(粟粒腫). **≈förmig** *a.* 좁쌀 모양의. **~grütze** *f.* 맷돌에 간 기장. **~korn** *n.* 기장의 낟알. **~mehl** *n.* 기장 가루.
*__Hirt__ [hɪrt] 《<Herde》 *m.* -en, -en 목동, 목자: Schaf≈ 양치기; 〔속담〕 wie der ~, so die Herde 그 상사〔지도자〕에 그 수하.
Hirte *m.* -n, -n ①〔고어〕 ↑ Hirt. ② 신앙의 보호자〔인도자〕, 목자; 목사, 성직자: 〖聖〗 der Herr ist mein ~, mir wird nichts mangeln 주는 나의 목자시니 내게 부족함이 없으리로다(시편 23 : 1); 〖聖〗 der Gute ~ 선한 목자, 그리스도(요한 10 : 11).
hirten *i.* (h.) (schweiz.) 가축을 지키다.
Hirten≈amt *n.* 목사〔사제〕의 직. **~brief** *m.* 〖가톨릭〗 주교의 교서. **~dichter** *m.* 목가(牧歌) 시인. **~dichtung** *f.* 목가〔전원〕 문학. **~flöte** *f.* 목동의 피리, 목적(牧笛). **~gedicht** *n.* 목가, 전원시. **~gott** *m.* 〖그리스신화〗 (Pan) 목양신(牧羊神), 판.
hirtenhaft [hírtənhaft] *a.* 목자 같은.
Hirten≈haus *n.* 목동의 움막. **~hund** *m.* 목양견(牧羊犬). **~junge, ~knabe** *m.* 목동. **~leben** *n.* 목자(牧者) 생활; 〔비유〕 목가적 생활. **~lied** *n.* 목가.
hirtenlos *a.* 〔시어〕 목자〔보호자〕 없는.
Hirten≈mädchen *n.* 양치는 소녀. **≈mäßig**

a. 목자 같은; 전원풍의. **~pfeife** *f.*, **~rohr** *n.* ↑ ~flöte.
Hirtenschaft *f.* ① 목자들; 목자 생활. ② 〖비유〗 통치, 통제, 관리.
Hirten≈stab *m.* 목자의 지팡이; 〖가톨릭〗 주교의 권장(權杖). **~stand** *m.* 목자의 신분〔처지〕. **~tasche** *f.* 어깨에 메는 (가죽) 가방, 걸낭, 바랑. **~täschel** *n.* 〖植〗 냉이. **~volk** *m.* 유목민.
Hirtin [hírtın] *f.* -nen 〖드물게〗 양치는 여자.
hirtlich *a.* 양치는 사람의, 목자다운; 전원(풍)의.
His [hıs] *n.* -, - 〖음악〗 올림 나음.
Hisbollah *f.* 《ar.》 히스볼라(이슬람 근본주의자들의 과격 무장 조직).
Hispanien [hıspáːniən] 《lat.》 히스파니아(에스파냐의 라틴어 명칭).
hispanisch *a.* 히스파니아의, 에스파냐의.
hispanisieren *t.* 에스파냐에 동화시키다, 에스파냐화하다.
Hispanist *m.* -en, -en 에스파냐 어문학자.
Hispanistik *f.* 에스파냐 어문학(↑ Romanistik 의 부분 영역).
Hisse [hísə] 《ndd.》 *f.* -n 고패, 윈치, 도르래.
hissen *t.* (기·돛 따위를) 올리다, 게양하다: die Nationalflagge ~ 국기를 게양하다.
Hiß·tau *n.* (기·돛 따위를 감아올렸다 내렸다 하는) 밧줄.
hist [hıst, hiːst] *int.* ① (↔ hott) 이러(마소를 왼쪽으로 모는 소리): nicht ~ noch hott wissen 어쩔 줄을 모르다. ②〖드물게〗 ↑ vorwärts!
Histamin 《<Hist(idin)+Amin》 *n.* -s 〖생화학〗 히스타민.
Histogramm *n.* -s. -e 〖통계〗 도수 분포도.
Histologe *m.* -n, -n 〖醫〗 조직학자.
Histologie [hıstologíː] 《gr., „Gewebelehre"》 *f.* 〖醫〗 조직학.
histologisch *a.* 조직학의.
Histörchen [hıstǿːrçən] *n.* -s, - 〖↑ Historie 의 축소형〗 (재미있는) 짧은 이야기, 일화.
***Historie** [hıstóːriə] 《lat.》 *f.* -n ① 역사. ② 보고; (지어낸) 이야기.
Historien≈bild *n.* 역사화(畫). **~maler** *m.* 역사 화가. **~malerei** *f.* 역사화(畫). **~-stück** *n.* 역사물〔극〕.
Historik [hıstóːrık] *f.* 역사학(방법론).
Historiker [..rıkər] *m.* -s, - 역사학자, 역사학과 학생.
Historiograph [hıstoriográːf] *m.* -en, -en 역사 서술가, 사료 편찬자.
historisch [hıstóːrıʃ] *a.* 역사(상)의, 역사적인; 역사적 사실에 따른; 역사적으로 중요한: ~es Drama 사극; ~e Entwicklung〔Mission〕 역사적 발전〔사명〕; ~er Materialismus 사적 유물론.
historisieren *t.* 〖교양〗 역사화하다, 역사성을 부각시키다〔강조하다〕.
Historismus *m.* -, ..men ① 역사주의. ② 역사성의 과도한 강조. ③ 과거의 양식을 모방하는 예술 경향.
historistisch *a.* 역사주의적인.
Histrione [hıstrióːnə] 《lat.》 *m.* -n, -n (고대 로마의) 배우; (중세의) 어릿광대.
Hit [hıt] 《engl.》 *m.* -(s), -s ① 히트곡(曲). ② 인기 상품. ③ 마약 1 회분.
Hit≈liste *f.* 히트곡 목록. **~parade** *f.* ① 인기 가요 방송 프로그램. ② ↑ ~liste.
Hitler≈bewegung *f.* 히틀러〔나치즘〕 운동. **~gruß** *m.* 히틀러식 경례(오른손을 눈높이까지 쳐들고 "Heil Hitler!" 라고 외침). **~-jugend** *f.* 히틀러 청소년단(약칭: HJ). **~-junge** *m.* 히틀러 청소년단의 남자 단원. **~-mädel** *n.* 히틀러 청소년단의 여자 단원.
Hitsche [hítʃə] 《<hutschen》 *f.* -n ① (md.) 발판. ② (md.) (아이들의) 작은 썰매. ③〖농담〗 작고 느린 자동차.
Hitte *f.* -n 염소(Ziege).
Hitz≈bank *f.* ↑ Sandbank. **~blütig** *a.* ↑ hitzig. **~draht·instrument** *n.* 〖電〗 열선(熱線) 전류계.
***Hitze** [hítsə] 《<heiß》 *f.* ① 열, 열기, 더위; fließende ~ 용해열; drückende ~ 찌는 듯한 더위; bei schwacher ~ 30 Minuten backen 약한 불로 30 분간 구우시오; bei dieser ~ kann man nicht mehr arbeiten 이런 더위에서는 더 이상 일을 할 수가 없다. ②〖醫〗 (신체의) 열: fliegende ~ 간헐열; in der ~ reden 열에 들떠 헛소리하다. ③〖비유〗 격정, 흥분, 격분: ugendliche ~ 젊음의 열기〔열정〕; in ~ geraten 화내다, 격분하다; jn. in ~ bringen 누구를 격분시키다; in der ~ des Gefechts 격전 중에, 흥분하여. ④ (암캐의) 발정기. ⑤ 열이 지속되는 시간; 한 가마분의 빵.
hitze≈abweisend *a.* 열을 막아주는, 방열(防熱)의. **~ausschlag** *m.* 속립진(粟粒疹), 발진, 땀띠. **~beständig** *a.* 내열성(耐熱性)의. **~beständigkeit** *f.* 내열성. **~bläschen** *n.*, **~blatter** *f.* ↑ ~ausschlag. **~blatt(e)-rig** *a.* 땀띠 같은, 발진성의. **~ferien** *pl.* 폭서(暴暑)로 인한 방학〔휴가〕. **~frei** *a.* 폭서로 인해 휴무인〔쉬는〕. **~frei** *n.* 폭서 휴무〔휴가〕: gestern gab's ~ 어제는 폭서로 휴무였다. **~grad** *m.* 열도(熱度).
Hitze(grad)≈messer *m.* 〖物〗 열도계. **~-messung** *f.* 열도 측정.
hitzen *t./i.* (h.) 〖고어〗 가열하다.
Hitze≈periode *f.* ① 폭서기(暴暑期). ② (암캐의) 발정기. **~schild** *m.* 〖法〗 (우주선의) 열막이판. **~welle** *f.* ① 폭서(기), 열파(熱波). ② 갑작스런 신열.
***hitzig** [hítsıç] *a.* ①〖고어〗 뜨거운, 신열이 있는: eine ~e Krankheit 열병. ② 열렬한, 격정적인; 성격이 불같은: eine ~e Auseinandersetzung 열띤 논쟁; ~ werden 발끈 화내다; ~ hinter et.³ her sein 무엇에 골몰〔열중〕하다; (nur) nicht so ~! 그렇게 흥분하지 마라! ③ (술 따위가) 독한, 강렬한. ④〖農〗 비옥한, 생장에 적합한. ⑤ (암캐가) 암내를 내는, 발정한.
Hitzigkeit *f.* -en 불같은 성격〔행동〕.
Hitz≈kopf *m.* 벌컥 화내는〔경솔한〕 사람. **~-köpfig** *a.* 벌컥 화내는〔경솔한〕. **~pickel,** **~pocken** *pl.* 〖醫〗 속립진열(粟粒疹熱) (Friesel). **~schlag** *m.* 〖醫〗 일사병, 열사병.
HIV [haːiːfáu] 《engl.》 *n.* -(s), -(s) =human immunodeficiency virus 에이즈균.
HIV≈-negativ *a.* 에이즈 검사에서 음성 반응을 보이는. **~-positiv** *a.* 에이즈 검사에서 양성 반응을 보이는.
Hiwi [híːvi] *m.* -s, -s 〖구어〗 ① (제 2 차 세계대전 때) 대독 협력자(Hilfswilliger 의 약어).

②〖학생〗 대학 조교(wissenschaftliche Hilfskraft 의 약어).
HJ =Hitler-Jugend 히틀러 청소년단.
HK =Hefnerkerze 광도의 단위.
hl =Hektoliter 100 리터.
hl. =heilig 신성한, 성(聖)….
h.l. =hoc loco 여기에, 이곳에.
hll. =↑ heilige(*pl.*)
hm =Hektometer 100 미터.
hm [hm:, hm] *int.* 흠, 에헴, 으흠(헛기침, 주의의 환기, 마지못한 동의, 미심쩍음을 나타낼 때, 말을 시작하거나 흐릴 때의 소리).
h.m. =huius mensis 이달, 금월(今月).
HMD 《engl.》〖컴〗 =Head Mounted Display 머리에 착용할 수 있게 고안된 작은 화면.
H-Milch [há:..] *f.* 장기 보존 우유(haltbare Milch 의 약칭).
HNO-Arzt [ha:|ɛn|ó:..] *m.* 이비인후과 의사(Hals-Nasen-Ohren-Arzt 의 약칭).
HNO-ärztlich *a.* 이비인후과 의사의.
ho [ho:] *int.* 어, 앗, 아니(놀라움 또는 방어적 자세를 나타내는 소리).
HO [ha:|ó:] =Handelsorganisation〖구동독〗 국영 소매점(백화점·호텔·음식점 따위).
Ho〖化〗 =Holmium 홀뮴.
Hoangho [hoaŋhó:] *m.* -(s) (중국의) 황허.
hob [ho:p] ↑ heben 의 과거형.
höbe [hǿ:bə] heben 의 접속법 Ⅱ식.
Hobbock *m.* -s, -s 원통형의 대형 밀폐 용기(치즈 따위를 운반할 때 씀).
Hobby [hɔ́bi] 《engl.》 *n.* -s, -s 취미: welche ~s hast du? 너는 취미가 뭐니?: mein Hobby ist Kochen 내 취미는 요리야.
Hobby·gärtner *m.* 아마추어 원예가, 원예가 취미인 사람.
Hobbyist *m.* -en, -en 취미 생활자.
Hobby≈keller *m.* 취미 생활용 지하실(방). **~koch** *m.* 요리가 취미인 사람. **~raum** *m.* 취미 생활용 방.
*__Hobel__ *m.* -s, - ① 대패. ② 주방용 채칼.
Hobel≈bank *f.* 대패질용 작업대. **~eisen** *n.* 대팻날. **~maschine** *f.*〖기계〗 평삭반(平削盤); 플레이너.
hobeln [hó:bəln] *t./i.* (h.) ① 대패질하다, 대패로 매끈하게 깎다:〖속담〗 wo gehobelt wird, (da) fallen Späne 대패질하는 곳에 대팻밥 떨어지기 마련이다(사소한 불편이나 불이익은 감수해야 한다); er ist noch nicht recht gehobelt 그는 아직 충분히 숙달되지 못했다(아직 단련이 덜 됐다). ② 채칼로 잘게 썰다〔깎다〕.
Hobel·span *m.* 대팻밥.
Hobler *m.* -s, - 평삭반 공원(工員);〔구어〕 평삭반(Hobelmaschine).
Hoboe [hobó:ə] 《frz.》 *f.* -n〖음악〗 ↑ Oboe.
Hoboist [hoboíst] *m.* -en, -en ↑ Oboist.
hoc anno [hó:k áno] 《lat.》〔고어〕 금년(에) (약어: h.a.).
hoc est [hɔ́k ɛ́st] 《lat.》〔교양·고어〕 즉, 다시 말하면(약어: h.e.).
*__hoch__ [ho:x] 《Ⅰ》 *a.* 〔어미 e 가 붙으면 ch 가 h 로 됨〕(höher, höchst) ① 높은: ein hoher Berg 높은 산; eine hohe Stirn 넓은 이마; hohe Schuhe a) 부츠, 장화, b) 굽높은 구두, 하이힐; es liegt hoher Schnee 눈이 깊게 쌓여 있다; auf hoher See 먼 바다〔원양〕에서; im hohen Norden 북극 지방에서; ein Mann von hohem Wuchs 키 큰 남자. ② …의 높이의: das Haus ist zehn Meter ~ 그 집은 높이가 10 m 다; wie ~ ist der Tisch? 그 책상은 높이가 얼마입니까?; ein 8 Stockwerke hohes Haus 8층 건물. ③ (신분·지위가) 높은, 고귀한, 고위층의: eine hohe Stellung einnehmen〔bekleiden〕 높은 지위에 오르다; ein hoher Beamter 고관; hohe Obrigkeit 고위 당국; auf höheren Befehl (hin) 고위층의 명령에 따라; das Hohe Haus 국회;〔구어〕 ein hohes Tier 높은 사람, 높으신 분; ~ und niedrig 신분의 고하를 막론하고, 누구나. ④ (질·정도 등이) 높은, 대단한: hoher Lebensstandard 높은 생활 수준; hohe Bildung 수준 높은 교양; hohe Auflösung 고선명도(高鮮明度); hohes Glück 큰 행복; in hohem Maße〔Grade〕 고도로, 몹시, 대단히; ein hohes Maß von Geduld 대단한 인내심; hohe Strafe 엄벌; eine hohe Forderung machen 과도〔대단〕한 요구를 하다; in hohem Ansehen stehen 명망이 높다; in hoher Blüte stehen 만발해 있다, 전성기이다; das ist mir zu hoch 그것은 내게는 너무 (감당·이해하기) 어렵다; eine hohe Meinung von jm. haben 누구를 높이 평가하다. ⑤ 때가 찬, 한창인: hoher Mittag 한낮, 대낮; hohe Schwangerschaft 만삭(滿朔); es ist hoher Sommer 한 여름이다; ein hohes Alter erreichen 고령(高齡)에 달하다, 장수하다; es ist hohe〔höchste〕 Zeit 지금이야말로 절호의 시기다. ⑥ 숭고한, 고상한; 초인간적인, 신적인: hoher Eid 엄숙한 선서; ein hohes Fest 큰 축제; hoher Gedanke 고매한 사상; hoher Geschmack 고상한 취미; höhere Gewalt 불가항력; hoher Stil 고상〔장중〕한 문체; einen hohen Sinn haben 높은 뜻을 지니고 있다, 생각이 고결하다. ⑦ (수량·가격 따위가) 많은, 큰, 비싼: hoher Preis 고가(高價); ein hohes Spiel 많은 돈을 건 도박; eine hohe Summe 거액; eine hohe Temperatur 고온; eine hohe Zahl von Besuchern 수많은 방문객들; mit hoher Geschwindigkeit fahren 고속으로 달리다; wie ~ ist die Summe? 총계〔합계〕가 얼마냐?; die Kurse sind ~ 주가가 올랐다. ⑧ 상급의, 고등의; hohes Gericht 상급 법원; die höheren Klassen 상급반: höhere Schule 대학 입학 자격을 취득할 수 있는 학교; die Hohe Schule 상급자 코스, 고급반; höhere Mathematik 고등 수학; (schweiz.) Höhere Töchterschule 여학생 김나지움. ⑨ (소리가) 높은, 맑게 울리는; (빛깔이) 선명한, 뚜렷한: eine hohe Stimme haben 높은 목소리를 지니고 있다, 소프라노다; hohe Töne 높은 음조; hohe Farbe 선명한 빛깔; ein hohes Gelb 선명한 황색;〔비유〕 jn. in den höchsten Tönen loben 누구를 한껏 칭찬하다. ⑩〔비유〕 교만한, 호화로운: auf hohem Fuße leben 호화롭게 살다; auf dem hohen Pferd sitzen 뽐내다, 거드름피우다; in einem hohen Ton reden 건방지게 말하다. ⑪〖數〗 제곱수의, …곱의: zwei ~ drei 2 의 3 제곱(2^3). 《Ⅱ》 *adv.* ① 위(쪽)으로, 높이: Hände ~! 손들어!; Kopf ~! 머리를 들어라, 기운을 내라!; ~ in der Luft 하늘 높이; die Sonne steht ~ 해가 중천에 떠 있다; er wohnt eine Treppe hoch 그는 한 층 위에 살

고 있다; 4000 m hoch fliegen 4000 미터 고도로 날다; ~ nach Norden 멀리 북쪽으로, 북극쪽으로. ② 한창, 후반기에: es ist ~ am Tage 한낮이다; er ist ~ in den Fünfzigern 그는 50 대 후반이다; ~ schwanger 만삭의. ③ 매우: er ist ~ begabt 그는 재능이 뛰어나다; ich bin ~ erfreut, Sie kennenlernen zu dürfen 당신을 뵙게 되어 대단히 기쁩니다. ④ 〔농담〕 모두, 다: drei Mann ~ 모두 셋이서. ⑤ 〔동사와 함께〕 ~ achten 매우 존경하다; bei jm. ~ angeschrieben sein 누구의 신임을〔총애를〕 받고 있다; jm. et. ~ anrechnen 누구의 무엇을 높이 평가하다; eine Ware ~ aufbieten 물건을 비싼 값에 내놓다; ~ aufnehmen 특히 명예로 여기다; höher bieten (경매에서) 더 높은 값을 부르다; es in et.³ ~ bringen 무엇에 숙달하다, 뛰어나다; jn. ~ erheben 누구를 추켜 세우다; die See geht ~ 파도가 높다, 물결이 몹시 거칠다; höher geht's nicht mehr 뻔뻔스럽기 짝이 없다; ~ und heilig versprechen〔versichern〕 엄숙〔단단〕히 약속〔다짐〕하다; den Kopf ~ halten a) 머리를 쳐들다, b) 위엄을 과시하다; ~ hergehen 신나다: heute geht es bei uns ~ her! 오늘 우리는 정말 신나는구나!; ~ hinauswollen〔hinaufwollen〕 출세하려고 애쓰다, 야심이 크다; 〔구어〕 wenn es ~ kommt a) 많으면, 잘하면, b) 많아야, 잘 해야; jn. ~ leben lassen 누구의 건강을 위해 건배하다, 누구의 만세를 부르다; ~ lebe der Präsident! 대통령 만세; das Herz schlägt ~ 심장이 심하게 뛴다; die Saiten ~ spannen a) 줄을 팽팽하게 당기다〔매다〕, b) 큰 뜻을 품다; ~ spielen 큰 돈을 걸다, 큰 도박을 하다; die Nase ~ tragen 콧대가 높다.

Hoch *n.* -s, -s ① 만세 (소리), 축배 (의 외침): ein ~ auf jn. ausbringen 누구를 위하여 축배를 들다; ein ~ für unsere verehrte Gastgeberin! 우리를 초대해 주신 이 집 안주인을 위해 건배! ② 고기압권(↔ Tief): das ~ über Mitteleuropa wandert langsam westwärts 중부 유럽에 머물러 있던 고기압권이 서서히 서쪽으로 이동하고 있다. ③ 〔방언〕 ↑ ~deutsch.

hoch≈achtbar *a.* 〔드물게〕 매우 존경〔존중〕할 만한. **~|achten** *t.* 매우 존경〔존중〕하다. **~achtend** *a.* 〔고어〕 ↑ ~achtungsvoll. **≈achtung** *f.* 존경, 존중: ~ vor jm. haben 누구를 존경하다; mit vorzüglicher ~ 경의를 표하며(편지의 맺음말). **≈achtungs·voll** *adv.* 경의를 표하며(격식을 갖춘 편지의 맺음말).

Hoch≈äcker *pl.* 〔고어〕 깊은 골짜기에 있는 밭. **~adel** *m.* 명문 귀족 (가문). **≈adlig** *a.* 명문 귀족(가문)의. **≈adelig** *a.* ↑ ~adlig. **≈aktuell** *a.* 첨예〔긴박〕한, 최신의. **~alpen** *pl.* 알프스 고산 지대. **≈alpin** *a.* 알프스 고산 지대의. **~altar** *m.* 대제단, 중앙 제단. **~amt** *n.* 〖가톨릭〗 장엄〔대〕미사. **≈ansehnlich** *a.* 매우 존경할 만한. **≈anständig** *a.* 매우 예의바른〔점잖은〕. **~antenne** *f.* 옥상〔옥외〕 안테나. **≈|arbeiten** *refl.* sich ~ 출세하다, 승진〔진급〕하다. **~bahn** *f.* 고가 철도. **~bau** *m.* 지상 건축(물) (↔ Tiefbau). **≈bedeutsam** *a.* 매우 의미심장한, 대단히 중요한. **≈begabt** *p.a.* 재능이 탁월한, 영재의. **≈beglückt** *p.a.* 다복한. **~behälter** *m.* 고가(高架) 물탱크. **≈beinig** *a.* 다리가 긴. **≈bejahrt** *a.* 〖雅語〗 ↑ ~betagt. **≈|bekommen** *t.* ① 〔구어〕 들어올릴〔끌어올릴〕 수 있다. ② 〔경박〕 einen〔keinen〕 ~ 발기하다〔하지 않다〕. **≈berühmt** *a.* 저명한. **≈besteuert** *a.* 중과세된, 고액 납세의. **≈betagt** *a.* 고령의. **~betrieb** *m.* 대활기, 호황. **≈bewegt** *a.* 물결이 거친, 파도가 센; 〔비유〕 크게 감동받은. **≈bezahlt** *a.* 고액의 보수를 받는. **~bild** *n.* (Relief) 돋을새김, 양각. **≈|binden** *t.* 묶어〔엮어〕 올리다. **≈blau** *a.* 짙푸른. **~blüte** *f.* 만개(滿開); 전성기. **~boots·mann** *m.* 〔고어〕 해군 상사(Hauptbootsmann). **~bord** *m.* 〖海〗 상갑판. **≈|bringen*** *t.* ① 위로 들어올리다. ② 〔구어〕 집에 데리고 가다. ③ 건강하게 만들다: ein Unternehmen ~ 기업을 회생시키다. ④ 키우다, 양육하다. ⑤ 〔구어〕 화나게 하다. ⑥ 〔경박〕 ↑ ~bekommen ②. **≈brüstig** *a.* ↑ ≈busig. **~burg** *f.* 산성(山城), 고지에 있는 성; 〔비유〕 중심지, 아성(牙城). **≈busig** *a.* 젖가슴이 불룩솟은. **~decker** *m.* 〖空〗 고익 단엽기(高翼單葉機)(주날개가 동체 위에 달린 비행기). **~dero(selbe), ~derselbe** *prn.* 〔고어〕 (↑ dero) 폐하, 전하.

hoch·deutsch *a.* ① 고지 독일의. ② 고지 독일어의; 표준 독일어의. **≈deutsch** *n.* 고지 독일어; 표준 독일어. **~deutsche*** *das* 고지 독일어; 표준 독일어. **~|dienen** *refl.* sich ~ (겸손한 처신으로) 출세〔승진〕하다. **~dotiert** *a.* ↑ ~bezahlt. **~|drehen** *t.* ① (회전 손잡이·크랭크를 돌려서) 올리다. ② (모터의) 회전수를 높이다. ③ (라디오의) 볼륨을 높이다.

Hoch≈druck[1] *m.* -(e)s, ..drücke ① 고압. ② 고기압. ③ 〔비유〕 다급; mit ~ arbeiten 급히 일하다. ④ 〖醫〗 고혈압(Bluthochdruck). **~druck**[2] *m.* -(e)s, -e 〖印〗 철판(凸板) 인쇄(물).

Hochdruck≈dampf *m.* 고압 증기. **~gebiet** *n.* 고기압권〔지역〕. **~karte** *f.* 철판(凸板) 지도. **~krankheit** *f.* 고혈압(질환). **~verfahren** *n.* 철판(凸板) 인쇄법〔술〕.

hoch≈dunkel·rot *a.* 진홍빛의. **≈ebene** *f.* 고원. **~edel** *a.* 〔고어〕 아주 고귀한. **~edel·geboren** *a.* 〔고어〕 ↑ ~geboren. **≈ehr·würden** *pl.* 〔관사없음〕〔고어〕 Ew. ~! 목사님! **~ehr·würdig** *a.* 〔구식〕 존경해 마지 않는(특히 호칭에 쓰임): ~er Herr! 나리! **~elegant** *a.* 매우 우아한. **~empfindlich** *a.* (특히 공구·재료 등이) 매우 민감한, 고감도의. **~entwickelt** *a.* 고도로 발달된, 선진의. **~entzückt** *a.* 몹시 황홀한. **~erfreut** *a.* 매우 기뻐하는. **~erhitzt** *a.* 고온으로 가열된. **~explosiv** *a.* 폭발성이 매우 강한. **~|fahren*** 《I》 *i.* (s.) ① 〔구어〕 (승강기 따위를) 타고 올라가다. ② (놀라서·화가 나서) 벌떡 일어나다. ③ 벌컥 화를 내다, 분개하다. 《II》 *t.* 〔구어〕 (승강기 등으로) 올려보내다. **~fahrend** *a.* 교만한, 주제넘은. **≈fahrenheit** *f.* 거만, 거드름. **~farbig** *a.* 빛깔이 선명한, 야한. **~fein** *a.* 매우 세련된〔정교한〕, 일류의. **≈finanz** *f.* 재계〔금융계〕의 수뇌부, 금융 자본가. **≈fläche** *f.* ↑ ≈ebene. **~|fliegen** *i.* 날아오르다. **~fliegend** *a.* 높이 나는; 〔비유〕 포부가 큰, 야심찬. **≈flut** *f.* ①

만조(滿潮). ②〖비유〗 공급 과잉, (물자의) 범람: die ~ der Werbeschriften 광고 전단의 홍수. **~form** *f.* 〖스포츠〗 최상의 컨디션. **~format** *n.* (↔ Querformat) 세로가 가로보다 더 긴 포맷(의 그림·사진·도서). **~frequent** *a.* 〖理〗 고주파의. **~frequenz** *f.* 〖理〗 고주파.

Hochfrequenz≈dynamo *m.* 고주파 발전기. **~strom** *m.* 고주파 전류. **~verstärkung** *f.* 고주파 증폭.

Hoch≈frisur *f.* 부풀려 세운〔묶어 올린〕 헤어스타일, 업스타일. **~fürstlich** *a.* 〖다음 용법으로〗〖고어〗 Seine ~e Durchlaucht 폐하, 전하. **~garage** *f.* 고층〔타워〕 주차장. **~gebietend** *a.* 〖고어〗 경외하는: ~er Herr! (편지·연설의 호칭으로) 나리. **~gebildet** *a.* 교양이 높은, 세련된. **~gebirge** *n.* 고산 지대. **~gebirgs·pflanze** *f.* 고산 식물. **~geboren** *a.* 〖고어〗 상류 가문의, 귀족 출신의: Ew. ~ 각하(호칭어). **~geehrt** *a.* 매우 존경하는. **~gefühl** *n.* 고양된 감정, 감격, 환희. **~|gehen*** *i.* (s.) ①〖구어〗 올라가다; (값이) 오르다. ② 터지다, 폭발하다. ③〖구어〗 화를 내다, 격분하다. ④〖경박〗 들통나다: jn. ~ lassen 누구를 경찰에 신고하다. **~gehend** *p. a.* 물결이 높은, 사나운. **~gelb** *a.* 샛노란. **~gelegen** *a.* 고지대의. **~gelehrt** *a.* 학식이 높은. **~gelobt** *a.* 높이 칭송받는. **~gemut** *a.* 발랄한, 의기양양한. **~geneigt** *a.* 매우 친절한, 자애로운. **~genuß** *m.* 큰 기쁨〔쾌락〕: das ist mir ein ~ 그건 내게 큰 기쁨이다. **~gepriesen** *p.a.* 높이 찬양받는, 칭송이 자자한.

Hoch≈gericht *n.* 〖史〗 ① 중죄 재판(소). ② 처형장, 교수대. **~gerötet** *a.* 몹시 붉어진, 새빨개진. **~gerüstet** *a.* 중무장한: ~e Staaten 군사 대국. **~gesang** *m.* 찬미가, 송가(頌歌). **~geschätzt** *a.* 매우 높이 평가된. **~geschlossen** *a.* (옷이) 목까지 가리는〔덮는〕. **~geschürzt** *a.* (옷자락이) 높이 걷어 올려진. **~gesinnt** *a.* 〖雅語〗 고매〔고결〕한. **~gespannt** *p.a.* ①〖工〗 고압의. ②〖비유〗 몹시 긴장된, 과도한: ~e Erwartungen 과도한 기대. **~gesteckt** *a.* 원대한, 야심찬; 수준 높은. **~gestellt** *a.* 지위가 높은, 고위층의: eine ~e Persönlichkeit 고위층 인사. **~gestimmt** *a.* 〖雅語〗 의기양양한, 들뜬. **~gestochen** *a.* 〖구어·폄어〗 ① 고답적인, 이해하기 어려운: ein ~er Stil 고답적인 문체. ② 우쭐하는. **~getürmt** *a.* ① (탑처럼) 높이 솟은. ② 높은 탑이 딸린. **~gewächs** *n.* 고급 포도주. **~gewachsen** *a.* 키 큰, 늘씬한. **~gewilde** *n.* 〖시어〗 ↑ ~wild. **~gewölbt** *a.* 〖건축〗 높은 홍예의, 높은 아치가 있는. **~gezüchtet** *a.* ① 품종이 개량된. ②〖폄어〗 품종〔성능〕은 우수하나 지나치게 민감한. **~giftig** *a.* 맹독성의. **~glanz** *m.* 고광택. **~glänzend** *a.* 고광택의.

Hochglanz≈papier *n.* 고광택 인화지. **~poliert** *a.* 몹시 번쩍이는.

Hoch≈glut *f.* 고열, 고온. **~gradig** *a.* 고도의, 극도의. **~grün** *a.* 밝은〔선명한〕 녹색의. **~hackig** *a.* (구두의) 뒷굽이 높은. **~halten*** *t.* ① 높이 쳐들다. ②〖雅語〗 존중하다, 높이 평가하다, 소중히 간직하다. **~haus** *n.* 고층 건물〔빌딩〕. **~haus·apartment** *n.* 고층 아파트. **~|heben*** *t.* (높이) 들어올리다.

Hochheimer [hó(:)x..] *m.* 호흐하임(Hochheim)산(産) 포도주.

hochher *adv.* 위〔높은 곳〕에서.

hoch≈herrschaftlich *a.* 매우 품격이 높은, 매우 지체 높은. **~herzig** *a.* 대범한; 도량이 넓은; 기품 있는. **~herzigkeit** *f.* 아량, 대범. **~|holen** *t.* 〖구어〗 위로 가져오다, 위로 올라오게 하다.

Ho-Chi-Minh-Stadt *f.* (베트남의) 호치민시(옛 사이공시).

hoch≈industrialisiert *a.* 고도로 산업화된. **~intelligent** *a.* 매우 지적인. **~interessant** *a.* 흥미진진한. **~jagd** *f.* 큰 짐승의 사냥. **~jagen** *t.* ① (놀라게 하여) 쫓아버리다. ②〖구어〗 (잠에서) 깜짝 놀라 일어나게 하다. ③ (모터의) 회전수를 갑자기 높이다. **~jubeln** *t.* 〖구어〗 ① 지나치게 칭찬하다, 과찬하다. ② (가격을) 올리다. **~kant** 《I》 *a.* 모서리가 아래로 향한: ~ stellen 모로 세우다. 《II》 *adv.* 〖구어〗 즉각, 단호히: jn. ~ hinauswerfen 〔rauswerfen〕 누구를 즉각 내쫓다; ~ hinausfliegen〔rausfliegen〕 즉각〔당장〕 내쫓기다. **~kantig** *adv.* ↑ ~kant 《II》. **~karätig** *a.* ① (보석의) 캐럿 단위가 높은; (합금의) 귀금속 함량이 높은. ②〖비유〗 고급의, 우수한. **~kirche** *f.* 고(高)교회파(영국 국교의 한 파) (High-Church). **~klappen** *t.* 위로 젖히다. **~klettern** *i.* 〖구어〗 기어오르다. **~klingend** *a.* 소리가 큰; 과장된.

hoch|kommen *i.* 〖구어〗 ① 올라오다, 상승하다; 떠오르다; 일어서다. ② 출세〔승진〕하다. ③ 건강해지다, 회복되다: er kommt schnell hoch 그는 회복이 빠르다. ④ (먹은 것이) 올라오다, 구역질나다: es kommt mir hoch, wenn ich so etwas sehe 그런 것을 보면 나는 구역질이 난다. ⑤ (의식 속에) 떠오르다: Verzweiflung kam in ihr hoch 그녀에게 절망감이 떠올랐다.

Hoch≈konjunktur *f.* 〖경제〗 호경기, 호황. **~|krempeln** *t.* 걷어올리다. **~kultiviert** *a.* ① 교양이 높은. ② 문화 수준이 높은. **~kultur** *f.* 고급〔고도〕 문화. **~land** *n.* (↔ Tiefland) 산악〔고원〕 지대. **~länder** *m.* ↑ ~land 의 주민. **~ländisch** *a.* ↑ ~land 의. **~lautung** *f.* 〖언어〗 (독일어의) 표준 발음. **~|leben** *i.* (h.) jemand〔etwas〕 lebe hoch! 누구〔무엇〕 만세!; die Demokratie lebe hoch! 민주주의 만세!; jn. ~ lassen 누구의 건강을 위해 건배하다. **~|legen** *t.* 올려놓다; (신체의 일부를) 높이 올려놓다. **~leistung** *f.* 매우 큰 성과, 대기록; 고성능.

Hochleistungs≈motor *m.* 고성능 엔진. **~sport** *m.* 고도의 훈련을 필요로 하는 스포츠. **~training** *n.* 〖스포츠〗 고도의 성적을 올리기 위한 체계적 훈련.

höchlich [hǿːçlɪç] *adv.* 〖고어〗 대단히, 몹시, 아주.

hoch≈löblich *a.* 〖고어〗 찬탄해 마지 않을. **~|machen** *t.* (사냥감을) 몰이〔추격〕하다. **~meister** *m.* (독일) 기사단의 장(長). **~messe** *f.* ↑ ~amt.

Hochmittel≈alter *n.* 〖史〗 중세 전성기(11-13세기 무렵). **~alterlich** *a.* 중세 전성기의.

hoch≈modern *a.* 최신의, 최신식의, 첨단

의. ~**modisch** *a.* 최신 유행의. ~**mögend** *a.* 〖고어〗 영향력이 큰, 강력한. ~**molekular** *a.* 〖化〗 고(高)분자의. ≈**moor** *n.* 〖지리〗 고층 습원(濕原) (↔ Flachmoor). ≈**mut** *m.* 오만, 자만: ~ kommt vor dem Fall 건방을 떨면 언젠가 꺾이게 마련이다. ~**mutig** *a.* 매우 용감한, 의기 충천한. ~**mütig** *a.* 오만한, 건방진. ≈**mütigkeit** *f.* 교만, 건방짐. ≈**muts-teufel** *m.* 오만〔교만〕이라는 놈(↑ ≈mut 의 의인화). ~**näsig** *a.* 콧대높은, 방자한. ≈-**nebel** *m.* 높게 낀 안개, 층운(層雲). ~|**nehmen*** *t.* ① 집어올리다, 쳐들고 있다. ②〖구어〗 놀리다. ③〖구어〗 사취하다. ④〖경박〗 붙잡다, 체포하다. ≈**neujahr** *n.* 〖가톨릭〗 주의 공현 대축일(1월 6일). ~**not·pein-lich** *a.* ①〖농담〗 매우 엄격한. ②〖고어〗 중죄의: ~es Gericht 중범죄 재판소. ≈**ofen** *m.* 용광로. ~**offiziell** *a.* 까다롭게〔거창하게〕 격식을 갖춘. ≈**öfner** *m.* 용광로 인부. ~**organisiert** *a.* 고도로 조직화된. ~-**päppeln** *t.* 〖구어〗 (정성스럽게 보살펴) 건강을 회복시키다. ≈**parterre** *n.* 중이층(中二層) (1층의 한켠 중턱에 만든 중간층). ≈-**plateau** *n.* 고원. ~**poetisch** *a.* 매우 시적인. ~|**preisen*** *t.* 격찬하다. ~**prozentig** *a.* 비율이 높은; 알코올 도수가 높은. ~**quali-fiziert** *a.* 매우 질〔수준〕이 높은. ~**rädrig** *a.* 바퀴가 큰. ~**rangig** *a.* 등급이〔지위가〕 높은. ~**rappeln** *refl.* sich ~ 〖구어〗 벌떡 일어나다, 기운을 차리다. ~**rechnen** *i.* (h.) (표본조사를 통해) 전체 수치를 산출〔예측〕하다. ≈-**rechnung** *f.* (특히 선거의) 예상 최종 득표수. ≈**relief** *n.* 고부조(高浮彫), 높은돋을새김. ≈**reservoir** *n.* 급수탑(給水塔). ≈-**rippe** *f.* 소등심. ≈**romantik** *f.* 낭만주의 전성기. ~**rot** *a.* 새빨간, 시뻘겋게 달아오른. ≈**ruf** *m.* 만세 소리, 환호성. ~**rund** *a.* 볼록면의, 철면(凸面)의. ≈**rüstung** *f.* 중무장. ≈**saison** *f.* 성수기. ~|**schätzen** *t.* 높이 평가하다, 존중〔존경〕하다. ≈**schau·bahn** *f.* (öst.) (고산지의) 승강 철도(Achterbahn). ~|**schaukeln** 《I》 *t.* 〖구어〗 지나치게 전면에 부각시키다, 과도하게 의미를 부여하다. 《II》 *refl.* sich (an et.³) ~ 지나치게 흥분하여 격분하기에 이르다. ~|**scheuchen** *t.* ↑ ~jagen ①②. ~|**schieben** *t.* 밀어올리다. ~|**schla-gen** 《I》 *t.* 위로 젖히다. 《II》 *i.* (s.) (불꽃·물결 등이) 솟구치다. ≈**schrank** *m.* 천장까지 닿는 장농. ≈**schul·abschluß** *m.* 대학 졸업. ≈**schule** *f.* ① 대학(교). ② 단과 대학: technische ~ 공과 대학; ~ für Musik 음악 대학. ~**schüler** *m.* 대학생.

Hochschul≈lehrer *m.* 대학 교원(교수·강사). ~**rahmen·gesetz** *n.* 대학 개혁을 위한 외곽 법규. ~**reform** *f.* 대학 개혁. ~**reife** *f.* 대학 입학 자격.

hoch≈schult(e)rig *a.* 어깨가 딱 벌어진. ≈-**schul·wesen** *n.* 대학 제도, 대학에 관한 제반 사항. ~**schwanger** *a.* 만삭의, 산달이 가까운. ≈**see** *f.* 먼바다, 외해, 원양.

Hochsee≈angeln *n.* 바다 낚시. ~**fischerei** *f.* 원양 어업. ~**flotte** *f.* 원양 어선단.

Hoch≈seil *n.* (줄타기 곡예용) 공중 밧줄. ≈-**selig** *a.* 고인이 된: der ~e König 선왕(先王). ~**sicherheits·trakt** *m.* (교도소에서 탈옥 방지를 위한) 보안 구역. ≈**sinnig** *a.* 〖드물게〗 ↑ ~herzig. ~**sitz** *m.* ① 높은 좌석. ②〖사냥〗 나무 위의 망보는 자리(Kanzel ③). ~**sommer** *m.* 한여름, 성하(盛夏). ≈-**sommerlich** *a.* 한여름 같은. ~**spannung** *f.* 〖전기〗 고압; 〖비유〗 고도의 긴장〔기대〕, 일촉즉발의 상황〔분위기〕.

Hochspannungs≈leitung *f.* 고압(전)선. ~**mast** *m.* 고압선 전주. ~**strom** *m.* 고압 전류.

hoch≈|spielen *t.* (지나친 강조·잦은 언급으로 부당하게) 전면에 부각시키다, 공론화시키다, 관심이 쏠리게 하다. ≈**sprache** *f.* ①〖언어〗 표준어. ②〖컴〗 ↑ Programmiersprache. ~-**sprachlich** *a.* 표준어의. ~|**springen** *i.* (s.) ① 훌쩍 뛰어오르다: an jm. ~ 누구에게 뛰어오르다. ②〖스포츠〗 높이뛰기하다. ~-**sprung** *m.* 〖스포츠〗 높이 뛰기.

***höchst** [hø:çst] 〖hoch 의 최상급〗 《I》 *a.* ① 최고〔극도〕의: ~e Not 극도의 궁핍. ② aufs ~e a) 최고도로, 절정에, b) 극도로, 몹시: wenn es aufs ~e kommt 일단 유사시에는. 《II》 *adv.* 지극히, 몹시: ~ schädlich 극히 유해한.

Höchst *n.* -(e)s ↑ ~leistung.

Höchste* *der* 지고의 존재, 최고〔절대〕자, 신.

Höchste* *das* 최고의 것〔경지〕, 극치.

Hoch≈stamm *m.* 〖원예〗 (특수 재배법으로 기른) 높은〔긴〕 줄기; 줄기가 긴 식물. ≈**stäm-mig** *a.* (수목의) 줄기가 긴. ~**stand** *m.* 〖사냥〗 ↑ ~sitz ②. ~**stapelei** *f.* ①〖옛뜻〗 상류층 사칭 사기. ② 허풍. ≈|**stapeln** *i.* (h.) ① 상류층을 사칭해 사기치다. ② 허풍치다. ~-**stapler** *m.* ①〖고어〗 상류층을 사칭하는 사기꾼. ② 허풍쟁이.

Höchst≈belastung *f.* 최대 적재량〔하중〕. ≈-**besteuert** *a.* 고액 과세의. ~**betrag** *m.* 최고액. ~**bietende*** *der/die* (경매에서) 최고가 입찰자. ≈**dero** *prn.* 〖고어〗 폐하, 전하: ~ Sohn 황태자 전하. ≈**derselbe** *prn.* 〖고어〗 전하, 폐하.

hoch≈stehend *p.a.* 고위직에 있는, 상류층의; 수준 높은: geistig ~ 교양이 높은, 박식한. ~|**steigen** *i.* (s.) ① (높이) 올라가다. ② (감정이) 일다, 치밀어오르다.

höchst≈eigen *a./adv.* ①〖고어〗 스스로의. ②〖농담〗 몸소, 친히. ~**eigenhändig** *a./adv.* 〖고어·농담〗 몸소 행하는, 친필의; 몸소, 친히.

hoch|stellen *t.* ① 올려놓다. ② (모로) 세우다: die Ohren ~ (짐승이) 귀를 쫑긋 세우다. ③〖구어〗 (기계의) 출력을 높이다: die Heizung tagsüber ~ 난방 장치를 하루 종일 세게 틀어놓다.

höchstens [hø:çstəns] *adv.* 기껏해야, 고작해야.

Höchst≈fall *m.* 〖다음 용법으로〗 im ~ 기껏해야. ~**form** *f.* 〖스포츠〗 최상의 컨디션 (Bestform). ~**gebot** *n.* (경매 때) 최고 가격 제시, 최고 입찰가. ~**geschwindigkeit** *f.* 최대 속력; (허용) 최고 속도. ~**grenze** *f.* 최대 한계〔한도〕.

Hoch≈stift *n.* (대)주교구〔직〕, (대)주교구의 사제 회의. ≈|**stilisieren** *t.* 부당하게 격상시키다, 지나치게 의미를 부여하다, 과대 평가하다: man versuchte, den Vorfall zu einem

Politikum hochzustilisieren 그 사건을 터무니 없이 정치 쟁점화하고자 했다. **~stimmung** *f.* 유쾌한 분위기, 들뜬 기분.

Höchst≈kommandierende* *der* 〖軍〗 최고 지휘관, 총사령관. **~kurs** *m.* (주식의) 상한가, 최고 시세. **~leistung** *f.* 최고 능률, 최대 출력, 최고 기록. **~lohn** *m.* 최고 임금. **~maß** *n.* 최고도, 최대한. **≈möglich** *a.* 가능한 한 최대한의, 최대한으로 가능한. **≈persönlich** *a./adv.* ①〖농담〗 몸소, 친히. ②〖法〗 전속의. **~preis** *m.* 최고 가격.

Hoch≈straße *f.* 고가 도로. **≈|streben** *i.* (h.) 우뚝 솟다. **≈strebend** *a.* 포부가 대단한, 야심찬.

höchst≈richterlich *a.* 최고〔대〕법원에 따른: ~e Entscheidung 최상급 법원의 결정. **≈satz** *m.* 최고 금액〔임금·요금〕. **~selbst** *adv.* 〖고어〗 몸소, 친히. **≈stand** *m.* 최고 수준. **≈strafe** *f.* (법정) 최고형. **≈studiendauer** *f.* (대학의) 수업 연한. **≈stufe** *f.* ① 최고 등급〔단계〕. ②〖드물게〗 (문법의) 최상급 (Superlativ). **≈temperatur** *f.* 최고 기온. **~wahrscheinlich** 《I》 *a.* 아주 그럴싸한, 매우 있을 법한. 《II》 *adv.* 십중팔구. **≈wert** *m.* 최고가(치). **≈zahl** *f.* 최고치. **~zulässig** *a.* (법률에 따라) 최대로 허용되는: die ~e Geschwindigkeit 최대 허용 속도.

Hoch≈tal *n.* 고지의 골짜기. **≈technisiert** *a.* 첨단 기술〔공법〕에 따른. **~technologie** *f.* 첨단 공학. **~temperatur·reaktor** *m.* 〖핵물리〗 고온로(흑연 감속재를 사용하고 헬륨으로 냉각되는 원자로의 일종). **~tiere** *pl.* 고등 동물, 영장류. **~ton** *m.* 〖음성〗 제 1 강세. **≈tönend** *a.* 허풍떠는, 큰소리치는. **≈tonig** *a.* 〖음성〗 강세가 있는. **~tour** *f.* ① 산악 여행. ②〖다음 용법으로〗〖복수〗 auf ~en laufen 〔sein〕 a) 최고의 능률〔능력〕에 도달하다, b) 격분하다: jn. auf ~en bringen a) 능력을 최대한 발휘하게 독려하다, b) 격분시키다. **≈tourig** *a.* 〖工〗 고속 회전하는. **~tourist** *m.* 등산가. **~touristik** *f.* 등산. **≈trabend** *a.* ① (말이) 다리를 높이 쳐들며 걷는. ② 허풍떠는, 큰소리치는. **~traber** *m.* 다리를 치켜 들며 걷는 말. **≈|treiben** *t.* ① 밀어올리다. ② (가격·임금을) 대폭 인상하다. **≈verdient** *a.* 공적이 많은, 포상〔칭찬〕받아 마땅한. **≈verehrt** *a.* 매우 존경하는. **~verrat** *m.* 대역죄, 내란죄, 국가 전복죄. **~verräter** *m.* 대역 죄인, 국사범. **≈verräterisch** *a.* 대역죄의: ≈e Umtriebe 내란 음모. **≈verzinslich** *a.* 〖금융〗 고금리의, 이자율이 높은. **~wald** *m.* (최소 80 년 이상 된) 교목림(喬木林). **~warte** *f.* (산위의) 전망대. **~wasser** *n.* 범람, 홍수; 만조(기): ~ haben a) 홍수가 나다, b) 〖농담〗 너무 짧은 바지를 입고 있다. **~wasser·marke** *f.* 고수위선(線); 만조선(滿潮線). **~weg** *m.* (약간 높게 포장된) 간선 도로, 국도. **≈weise** *a.* 매우 현명한; 〖반어〗 아는 체하는. **≈|werfen** *t.* 던져올리다. **≈wert** *m.* 〖지리〗 적도와의 실제 거리. **≈wertig** *a.* 대단히 가치있는. **≈wichtig** *a.* 매우 중요한. **~wild** *n.* (높은 지위의 사람들이 사냥하도록 남겨두는) 사냥감. **≈|winden** *t.* 감아올리다. **≈willkommen** *a.* 크게 환영받는. **≈|wirbeln** *t.* (바람 따위로) 날아 올라가게 하다. **≈wirksam** *a.* 매우 효과적인.

hochwohl≈geboren *a.* 〖고어〗 태생이 고귀한, 존귀하신(호칭으로, 특히 서신의 시작말로): Euer ≈ ! 귀하, 각하 ! **~löblich** *a.* 〖고어〗 존경해 마지 않는(이름·호칭 앞에 붙이는 존칭).

hoch|wölben *t.* 위쪽으로 휘게〔불룩하게〕 하다. **≈würden** *pl.* 가톨릭의 사제 및 기독교의 고위 목사에 대한 호칭. **~würdig** *a.* 존엄한(가톨릭 성직자에 대한 호칭). **≈würdigst** *a.* 지극히 존엄한(추기경·주교 등 가톨릭의 고위 성직자에 대한 호칭). **≈zahl** *f.* 〖數〗 지수(指數).

***Hoch·zeit** *f.* 《I》 [hɔ́xtsaɪt] ① 결혼식, 혼례: jm. zur ~ gratulieren 누구의 결혼을 축하하다; ~ feiern〔halten, machen〕 결혼식을 올리다; grüne ~ 결혼식날; papierne ~ 지(紙)혼식(결혼 1 주년); kupferne ~ 동(銅)혼식(결혼 7 주년); hölzerne ~ 목(木)혼식(결혼 10 주년); silberne ~ 은혼식(결혼 25 주년); goldene ~ 금혼식(결혼 50 주년); diamantene ~ 다이아몬드혼식(결혼 60 주년); eiserne ~ 철(鐵)혼식(결혼 65 주년); steinerne ~ 석(石)혼식(결혼 70 주년); nicht auf zwei ~en tanzen können 두 가지 일을 동시에 할 수는 없다; 〖구어〗 auf der falschen ~ tanzen 잘못된 결정을 내리다, 헛다리 짚다. ② (오식으로 인한) 활자 겹침. 《II》 [hóːxtsaɪt] 〖雅語〗 전성기, 절정, 황금기.

hochzeiten *i.* (h.) 〖드물게〗 결혼하다.

Hochzeiter *m.* -s, - 〖드물게〗 신랑.

Hochzeiterin *f.* -nen 〖드물게〗 신부.

hochzeitlich *a.* 결혼(식)의, 혼례의: ~es Kleid 혼례복.

Hochzeits≈anzug *m.* 결혼 예복, 혼례복. **~bett** *n.* 신방(의 잠자리). **~bitter** *m.* 〖고어〗 결혼식 초대를 전하는 사람. **~bitterin** *f.* ↑ ~bitter 의 여성형. **~brauch** *m.* 결혼 풍습. **~brief** *m.* 결혼 청첩장. **~fackel** *f.* (특히 고대 그리스에서) 결혼 행렬시 횃불. **~feier** *f.*, **~fest** *n.* 결혼식, 결혼식 피로연〔잔치〕. **~gast** *m.* 결혼식 하객. **~gedicht** *n.* 결혼 축시. **~geschenk** *n.* 결혼 선물. **~gott** *m.* 〖그리스신화〗 결혼의 신(Hymen). **~kleid** *n.* ① 웨딩 드레스, 혼례복. ②〖動〗 교미색(동물이 교미기에 띠는 빛깔). **~kranz** *m.* 신부의 화관(花冠). **~kuchen** *m.* 결혼 케이크. **~kutsche** *f.* 혼례용 마차. **~leute** *pl.* 결혼식 하객. **~mahl** *n.* 결혼식 피로연. **~mutter** *f.* 신부 어머니. **~nacht** *f.* 신혼 첫날밤. **~paar** *n.* 신랑 신부. **~reise** *f.* 신혼 여행. **~schmaus** *m.*, **~tafel** *f.* ↑ ~mahl. **~tag** *m.* 결혼식날, 혼례일; 결혼 기념일. **~vater** *m.* 신부의 아버지. **~woche** *f.* 신혼 첫주. **~zug** *m.* (교회로 가는) 결혼식 하객 행렬.

hoch≈|ziehen 《I》 *t.* ① 끌어올리다, 치켜올리다: die Augenbrauen ~ 눈썹을 치켜올리다; 〖구어〗 die Nase ~ 콧물을 들이마시다〔훌쩍이다〕. ②〖구어〗 급상승시키다: das Flugzeug ~ 비행기를 급상승시키다. ③〖구어〗 (건물을) 짓다; (벽을) 쌓다. ④〖구어〗 놀리다, 조롱하다. 《II》 *i.* (s.) ①〖구어〗 높은 층으로 이사가다. ②〖구어〗 (연기 따위가) 위로 퍼지다. ③ (소나기 등이) 발생하다, 다가오다. **≈ziel** *n.* 〖드물게〗 높은〔원대한〕 목표. **≈zins·politik** *f.* 〖經〗 고금리 정책. **~zuverehrend** *a.* 〖고어〗 존경해 마지 않는(높은 사람에 대한 호칭).

Hock¹ [hɔk] *m.* -s, Höcke [hœ́kə] (schweiz.) 사교 모임.
Hock² 《engl.》 *m.* -s, -s 라인산(產) 포도주 (Hochheimer Wein 의 이름에서).
Hocke [hɔ́kə] *f.* -n ① (벤 곡식을 말리기 위한) 낟가리. ② 쪼그리고 앉은 자세; 토끼뜀. ③ ↑ Hucke. ④ 장기판의 귀퉁이.
hocken 《I》 *i.* ① 쪼그리고〔웅크리고〕 앉다: am Boden ~ 바닥에 쪼그리고 앉아 있다. ② (h.) 〔구어·폄어〕 죽치고 앉아 있다, 눌러 앉다: er hockt den ganzen Tag vor dem Fernseher 그는 온 종일 텔레비전 앞에 죽치고 있다; (immer) zu Hause ~ 집 안에만 틀어박혀 있다. ③ (h.) 〔구어〕 장시간 몰두하다: über den Büchern ~ 책만 들여다보고 있다. ④ (s.) 〖스포츠〗 쪼그린 자세로 뛰어오르다: über die Hochsprunglatte ~ 무릎을 가슴에 붙인 채 높이뛰기 바를 뛰어넘다. 《II》 *t.* ① (곡식 단을) 가리다, 볏가리를 짓다. ② 짊어지다, 메다. 《III》 〔구어·폄어〕 *refl.* sich ~ (웅크리고, 쪼그리고) 앉다: hock dich mit deiner schmutzigen Hose nicht auf den Polsterstuhl! 그 더러운 바지로 안락 의자에 앉지 마라!
Hocker *m.* -s, - ① 〔구어〕 엉덩이가 질긴 사람, 바깥 출입을 싫어하는 사람; 낙제생, 유급생. ② 등받이 없는 의자, 보조 의자: 〔비유·구어〕 vom ~ fallen 놀라 자빠지다; etwas reißt jn. nicht vom ~ 누구에게 무엇이 시시하게 여겨지다; locker vom ~ 별 생각 없이, 되는 대로. ③ 낟가리를 짓는 사람. ④ 〖고고〗 굴장(屈葬)된 시체.
Höcker [hœ́kər] *m.* -s, - ① (낮은) 언덕. ② (낙타의) 육봉; 혹, 곱사등: das Kamel mit zwei ~n 쌍봉 낙타; er hat einen ~ 그는 곱사등이다. ③ 〖醫·植〗 돌기; 결절(結節). ④ (ndd., md.) ↑ Höker.
Hocker·grab *n.* 굴장묘(屈葬墓).
höckerig [hœ́kərıç] *a.* 구상(丘狀)으로 융기한; 혹 모양의, 곱사등의; 울퉁불퉁한.
Höcker·ochs *m.* 〖動〗 제부(Zebu), 인도소.
Hocker·steuer *f.* 법정 시간 외의 유흥세.
Hockey [hɔ́kı] 《engl.》 *n.* -s 〖스포츠〗 하키.
Hockey⸗schläger *m.* 하키 스틱. **~spieler** *m.* 하키 선수. **~spielerin** *f.* ↑ ~spieler 의 여성형.
Hock·stellung *f.* -en ↑ Hocke ②.
hoc loco [hó:k ló:ko] 《lat.》 〔고어〕 여기(약어: h.l.).
Hode [hó:də] *m.* -n, -n 〔*f.* -n〕 ↑ Hoden.
Hodegetik [hodegé:tık] 《gr. hodós, „Weg"》 *f.* -en ① 연구 입문서〔지침서〕. ② 〖교육〗 지도론〔법〕, 교육론〔법〕.
hodegetisch *a.* 입문(서)에 해당되는; 교육 방법(론)상의.
Hoden [hó:dən] *m.* -s, - 불알, 고환.
Hoden⸗bruch *m.* 〖醫〗 음낭수종(水腫), 함수(含水) 헤르니아. **~entzündung** *f.* 고환염(炎). **~sack** *m.* 음낭(陰囊).
hodig *a.* 불알이 있는.
Hodler 《<hudeln》 *m.* -s, - 〖방언〗 곡물상.
Hodometer [hodomé:tər] 《gr. hodós》 *n.* -s, - 노정계(路程計); 측보기(測步器).
Hödr [hǿ:dər], **Hödur** [hǿ:dʊr] 〖북구신화〗 오딘(Odin)의 눈먼 아들
Hodscha [hɔ́dʒa] 《pers.》 *m.* -s, -s 회교의 성직자〔스승〕.

***Hof** [ho:f] *m.* -(e)s, Höfe [hǿ:fə] ① 뜰, 안마당: Haus und ~ 가옥; auf dem ~ spielen 뜰에서 놀다. ② (Bauernhof) 농가, 농장. ③ (**a**) (영주·군주의) 저택, 궁성, 궁정: jn. bei ~e vorstellen 누구를 궁중에 소개하다; an den ~ gehen 입궐하다. (**b**) 조신(朝臣), 신하: der König erschien mit seinem ganzen ~ 왕이 대소 신료들을 모두 거느리고 나타났다; 〔비유〕 jm. den ~ machen 누구의 비위를 맞추다, 아첨하다; einer Frau den ~ machen 어떤 여인에게 구애하다, 추근대며 따라다니다. ④ 〖天〗 (해·달 등의) 무리, 광관(光冠). ⑤ 〖해부〗 젖꽃판, 유륜(乳輪). ⑥ (ndd.) 발굽.
Hof⸗amt *n.* 궁정 관직. **~apotheke** *f.* 왕실 약방, 내의원(內醫院). **~arbeit** *f.* 궁중의 일. **~arzt** *m.* 시의(侍醫), 전의(典醫). **~ball** *m.* 궁중 무도회. **~bauer** *m.* 농장주, 지주. **~beamte** *m.* 궁정 관리. **~besitzer** *m.* ↑ ~bauer. **~brauch** *m.* 궁중 예식〔관습〕. **~buch·händler** *m.* 왕실 전용 서적상. **~burg** *f.* 궁성, 왕궁.
Höfchen [hǿ:fçən] *n.* -s, - 〖↑ Hof 의 축소형〗 작은 뜰, 작은 안마당.
Hof⸗dame *f.* 궁녀, 시녀, (궁정의) 여관(女官). **~dichter** *m.* ① 궁정 시인; 계관 시인. ② 〔반어〕 어용 문인〔작가〕. **~diener** *m.* 신하, 조신(朝臣). **~dienst** *m.* 궁정 봉직.
Hofe·gänger *m.* ① 〔고어〕 부역 노동자. ② 날품팔이꾼.
Höfe⸗recht *n.* 농지 특별 상속권. **~rolle** *f.* (상속법에 따른) 세습 농장의 등록부.
hof⸗fähig *a.* ① 궁정 사회에 어울릴 자격과 위엄이 있는. ② 어떤 사회(집단)에 어울릴 수 있는. **~fähigkeit** *f.* 입궐 자격, 상류 사회의 법도〔규범〕.
Hoffart [hɔ́fa:rt] 《<Hochfahrt》 *f.* 〖雅語〗 교만, 오만.
hoffärtig [hɔ́fɛ:rtıç] *a.* 〖雅語〗 교만〔오만〕한.
hoffen [hɔ́fən] *t./i.* (h.) 바라다, 희망하다, 믿다, 기대를 걸다: et. von jm. ~ 누구에게 무엇을 기대하다; auf et. ~ 무엇이 오기〔나타나기〕를 바라다; auf eine bessere Zukunft ~ 보다 나은 미래가 올 것을 믿고 기다리다; ich hoffe auf baldigen Bescheid 곧 회답해 주기를 바란다; auf jn. ~ 누구에게 희망을 걸다; es steht zu ~, daß... …은 기대해 볼 만하다, …할 가망이 있다; ich will es ~! 믿어보겠어! (약속에 대한 응답으로); ich will nicht ~, daß du das machst 난 네가 그것을 하지 않기를 바란다; der gehoffte Erfolg 기대에 어긋나지 않는 성공; die zu ~den Vergnügungen 기대되는 여흥〔오락〕; 〔격언〕 ~ und Harren macht manchen zum Narren 희망은 사람을 바보로 만든다; 〔격언〕 der Mensch hofft, solange er lebt 인간은 살아 있는 한 희망을 버리지 않는다.
hoffentlich [hɔ́fəntlıç] *adv.* 바라건대, 아마도: ob der Zug wohl Verspätung hat? — ~ nicht! 기차가 혹시 연착하는 것은 아닐까? — 그렇지 않았으면 좋겠어!
Hof⸗fenster *n.* 뜰을 향한 창. **~fest** *n.* 궁중 축제, 궁중 연회.
..höffig *suf.* (주로 광업 용어에서) "…매장량이 풍부한"의 뜻(보기: erz~ 광석 매장량이 풍

부한: erdöl~ 석유 매장량이 풍부한).
höfflich *a.*〖광업〗수익성이 높은, 유망한.
Hoffmann [hɔ́fman]《<Hofman》*m.* ① 호프만(남자 이름). ② Ernst Theodor Amadeus ~ 호프만(독일 작가, 1776-1822).
***Hoffnung** [hɔ́fnʊŋ] *f.* -en ① 희망, 기대, 믿음, 가망: vergebliche〔falsche〕~ 헛된 희망; getäuschte ~ 실망; die ~ aufgeben〔hegen〕 희망을 버리다〔품다〕; guter ~ sein 〔in ~ sein〕 a) 희망에 넘쳐 있다, b)〖비유〗임신 중이다; von der ~ leben 희망을 품고 살다; seine ~ auf jn.〔et.〕 bauen〔setzen〕 누구에게〔무엇에〕 희망을 걸다, 믿고 의지하다; jm. ~ auf et. machen 누구에게 무엇에 대한 희망을 갖게 하다; in jm. ~en erwecken 누구에게 희망을 일깨우다; jn. mit leerer ~ abspeisen 허황된 희망을 갖게 하여 누구를 속이다; sich mit der ~ tragen〔schmeicheln〕, daß ... …한 희망을 품고 있다〔…한 희망에 들떠 있다〕; zu schönen ~en berechtigt sein 유망하다; für den Kranken besteht keine ~ mehr 그 환자는 이제 가망이 없다; es besteht keine ~ mehr, daß ... 더 이상 …할 가망이 없다; das Vorgebirge〔Kap〕 der Guten ~ 희망봉(아프리카 남단의 곶);〖구어〗seine ~en wurden zu Wasser 그의 희망은 물거품이 되었다. ② 유망주, 기대주: er ist meine letzte ~ 그는 내 마지막 희망이다.
Hoffnungs≈anker *m.*〖비유〗버팀목. **~kauf** *m.*〖商〗시세 차익을 겨냥한 구매. **~lauf** *m.*〖스포츠〗패자 부활전.
hoffnungslos *a.* ① 가망 없는, 절망적인:〖폄어〗er ist ein ~er Fall 그 친구는 구제 불능이야. ②〖부사적 강조어〗〖구어〗완전히: ~ veraltet 완전 구식인.
Hoffnungslosigkeit *f.* 희망 없음, 절망적 상황.
hoffnungs≈reich *a.*〖雅語〗희망에 넘치는, 유망한, 장래성이 있는. **~schimmer** *m.* 희미한 희망의 빛. **~strahl** *m.* 희망의 빛, 서광. **~voll** *a.* ① 희망에 찬, 기대감에 충만한. ②〖대개 농담〗유망한, 앞날이 촉망되는.
Hof≈fräulein *n.* 어린 궁녀. **~furier** *m.* 궁정의 심부름꾼. **~gänger** *m.* ↑ Hofegänger. **~gebrauch** *m.* ↑ ~brauch. **~geflügel** *n.* 가금(家禽). **~gericht** *n.* (국왕·영주 등이 관할하던 중세의) 고등〔상급〕 재판소. **~gesinde** *n.* ① (궁정의) 신하, 조신. ② (농가의) 머슴, 마당쇠. **~gunst** *f.* 군주〔왕실〕의 총애. **~günstling** *m.* 군주〔왕실〕의 총신(寵臣). **~gut** *n.* 영지(領地); 왕실의 재산. **~halt** *m.* ↑ ~haltung. **~|halten*** *i.* (h.) (군주가) 궁정에 거주하다, (신하들과 어느 곳에 머물며) 정사를 돌보다. **~haltung** *f.* 궁정 생활, 정사. **~herr** *m.* ① (조정) 대신, 대관(大官). ② 지주. **~hund** *m.* ① 경비견, 집 지키는 개. ②〖비유〗간신배.
hofieren [hofí:rən]《<Hof》*t.* (jn.) 정성껏 섬기다; 아첨하다, 비위를 맞추다.
höfisch [hǿ:fɪʃ] *a.* ① 궁정의: ~e Dichtung (중세의) 궁정 문학. ② 궁정 생활〔예법〕에 맞는, 궁정식의. ③ 고상한, 세련된.
Hof≈jäger *m.* 궁정 소속의 사냥꾼. **~junker** *m.* 시종. **~kammer** *f.* 왕실 재산 관리청. **~kanzlei** *f.* ① 궁정 사무국. ② (옛날 오스트리아의) 사법국, 최고 법원. **~kapelle** *f.* 궁정 예배당; 궁정 악단. **~kaplan** *m.* 궁정 목사〔신부〕. **~kasse** *f.* 왕실 금고. **~kavalier** *m.* 궁정 기사. **~keller** *m.* 궁정 지하 창고〔포도주 저장소〕. **~kleid** *n.* 궁정 예복, 조복(朝服). **~knicks** *m.* 궁정식 무릎절(특히 여자들이 몸을 숙이고 무릎을 굽히며 하는 절). **~koch** *m.* 궁정 요리사. **~kunst** *f.* 궁정 예술. **~künste** *pl.*〖고어〗권모 술수. **~lager** *n.* 군주의 임시 체류지, 행궁(行宮). **~lakai** *m.* 궁정 하인. **~leben** *n.* 궁정 생활. **~leute** *pl.* ↑ ~mann.
höflich [hǿ:flɪç]《<Hof》*a.* 공손한, 정중한, 예의바른: in ~em Ton 점잖은 어조로.
Höflichkeit *f.* -en ① 예의, 예절, 공손한 태도, 친절한 행동: aus ~ 예의상, 의례적으로; jm eine ~ bezeigen 누구에게 예의를 표하다. ② 인사치레로 하는 말, 의례적인 말.
Höflichkeits≈besuch *m.* 의례적인 방문, 예방: jm. einen ~ machen〔abstatten〕 누구를 예방하다. **~bezeigung** *f.* 예의(의 표시); 인사 치렛말. **~floskel** *f.* 의례적인 상투어. **~formel** *f.* ↑ ~floskel. **~formen** *pl.* 예의범절. **≈halber** *adv.* 예의상.
Hof·lieferant *m.* 궁정〔왕실〕 출입 상인.
Höfling *m.* -s, -e ① 궁정 사회의 일원, 궁신(宮臣). ②〖폄어〗간신, 아첨꾼.
Hof≈luft *f.*〖비유〗우아, 정중, 궁중식(宮中式). **~macher** *m.*〖고어〗(세련된 매너를 갖춘) 바람꾼. **~manier** *f.* 궁중의 예의 범절. **~mann** *m.*〖복수: ~leute〗① ↑ Höfling. ② 세련된 매너를 갖춘 사람. ③ 농노. ④ 농장주. **≈männisch** *a.* 조관〔궁신〕다운, 궁정풍의, 예절이 몸에 밴;〖폄어〗굽실대는, 아첨하는. **~mark** *f.*〖복수: -en〗영주의 사법 관할 구역. **~marschall** *m.* 시종장, 의전관(儀典官); (영국의) 궁내 대신. **≈mäßig** *a.* 궁정식의, 우아한, 정중한.
Hof·meister [hó:fmaɪstər] *m.* ① 농장 관리인; 집사. ② (상류 가정의) 가정 교사.
Hofmeisterei *f.* 교육자인 체하는 일, 선생티 내기.
hofmeisterisch *a.* 선생 티를 내는.
hofmeisterlich *a.* 가정 교사의.
hofmeistern *t.*〖고어〗가정 교사로서 가르치다, 후견인 노릇을 하다, 훈계〔훈육〕하다.
Hof≈mund·schenk *m.* (궁중의) 주류〔음료〕 담당관. **~musikant** *m.* 궁정 악사. **~narr** *m.* 궁정의 익살 광대. **~partei** *f.* 왕당, 궁정당(宮廷黨). **~poet** *m.* ↑ ~dichter. **~prediger** *m.* 궁정 목사〔사제〕. **~rat** *m.* ① 추밀원(樞密院) 회의, 궁중 회의. ② 궁정〔추밀〕 고문관. ③〖폄어〗관료적인 사람. **~raum** *m.* 뜰, 안마당. **~recht** *n.* (중세의) 장원법(莊園法). **~reite** *f.* (중세의) 부속 건물이 딸린 농장. **~richter** *m.* 궁정 재판관. **~schatz·meister** *m.* 왕실 재무청장, (영국의) 왕실 회계 주임. **~schau·spieler** *m.* 왕실 전속 배우, 궁정 극장 배우. **~schranze** *f.*/(드물게) *m.*〖폄어·고어〗간신(배). **~sitte** *f.* ↑ ~brauch. **~sprache** *f.* 궁정 용어; 사교적인 어투. **~staat** *m.* 궁정의 대소 신료, 조신(朝臣). **~statt** *f.* (schweiz.) ↑ ~stätte. **~stätte** *f.* (부속 건물을 포함한) 농장.
Höft [hø:ft]《ndd., „Haupt"》*n.* -(e)s, -e (ndd.) ① 곶, 갑(岬). ② 방파제.
Hof≈tag *m.* ① (중세 때 국왕이 소집한) 제후

회의. ②궁정 재판소의 소환일. **~theater** *n.* 궁정 극장. **~tor** *n.* 안마당으로 통하는 대문. **~tracht** *f.* 조복(朝服), 궁정복. **~trauer** *f.* 왕실상(王室喪), 구중상(喪); 〖농담〗 손톱의 때: ~ haben 손톱에 때가 끼어 있다. **~tür** *f.* 중문, 안마당의 문. **~welt** *f.* 궁정(사람들), 궁정 사회. **~wesen** *n.* 궁정 사무; 궁정풍. **~zimmer** *n.* 안마당을 향해 있는 방. **~zirkel** *m.* 궁정 사람들. **~zug** *m.* 군주 전용 열차. **~zwang** *m.* 궁중 예식.

högen ① *i./refl* (ndd.) (sich) ~ 기뻐하다. ②기쁘게 해주다.

HO-Geschäft *n.* [há:ɔ́:..] 〖구동독〗 국영 상점.

hohe [hó:ə] ↑ hoch.

Höhe [hǿ:ə] *f.* -n ① (**a**) 높이: die ~ eines Berges 산높이; die ~ von 500 m 500 m의 높이; in die ~ 위로, 공중으로; in der ~ 높은 곳에서, 공중에서. (**b**) 고도, 해발: an ~ gewinnen〔verlieren〕 고도를 높이다〔낮추다〕; die Stadt liegt in 300 m (NN) ~ 그 도시는 해발 300 미터에 위치하고 있다. (**c**) 〖구어〗 in die ~ fahren〔schießen〕 뛰어오르다, 벌떡 일어서다; in die ~ gehen a) (반죽 따위가) 부풀어오르다, b) (열·값 등이) 오르다, c) 〖구어〗 흥분하다, 열받다; in die ~ heben 들어 올리다, (옷을) 걷어올리다; in die ~ kommen a) 올라가다, 높아지다, b) 〖비유〗 번영〔출세〕하다; sich in die ~ richten 일어서다; 〖구어〗 in die ~ schießen 쑥쑥 자라다; in die ~ treiben (물가를) 올리다, 앙등시키다; jn. wieder auf die ~ bringen 누구의 건강을 회복시키다; den Kopf in die ~ werfen 머리를 치켜들다. ②꼭대기, 정점, 절정: in der ~ des Sommers 한여름에; auf der ~ seines Glückes 행복의 절정에서; auf der ~ seiner Zeit stehen 시대의 첨단을 걷고 있다; ich bin nicht auf der ~ 나는 컨디션이 좋지 않다; 〖구어〗 das ist doch die ~ 그건 뻔뻔스럽기 짝이 없다. ③규모, 액수, 수준: die ~ des Schadens 피해의 정도; die ~ der Ausgaben berechnen 지출의 크기를 계산하다; es entstand ein Verlust in ~ von 3 Millionen Mark 3백만 마르크 규모의 손실이 발생했다. ④ (**a**) 고지, 언덕, 높은 곳: in der ~ wohnen 고지〔고층〕에 거주하다; 〖비유〗 die ~n und Tiefen des Lebens 인생의 기복. (**b**) 높은 자리, 상층, 고위층. (**c**) 하늘: Ehre sei Gott in der ~! 지극히 높은 곳에는 하느님께 영광이! (누가 2:14). ⑤ (**a**) 〖天〗 고도, 앙각. (**b**) 위도: auf der gleichen ~ wie X liegen X와 같은 위도상에 놓여 있다. (**c**) 간격: die Autos fuhren auf〔in〕 gleicher ~ 그 자동차들은 서로 나란히 달렸다. (**d**) 〖畫〗 (색의) 농도. (**e**) 〖음악〗 (음의) 높이. (**f**) 〖數〗 (삼각형의) 높이.

***Hoheit** [hó:haɪt] 《<hoch》 *f.* -en ①숭고, 기품, 위엄. ② (Souveränität) 주권, 통치권: Kultur∼ 문화 주권; das Gebiet ist der ~ des Staates X unterstellt 그 지역은 X국의 통치 아래 있다. ③ (**a**) 영주, 군주, 영주〔군주〕 일행. (**b**) (칭호로) 전하, 폐하: (Seine) Kaiserliche ~ 황태자〔대공〕 전하(독일의 황태자, 오스트리아의 대공에 대한 칭호).

hoheitlich *a.* ①주권〔국권〕에 따른, 통치권의. ②군주다운, 기품〔위엄〕 있는.

Hoheits≈abzeichen *n.* 국장(國章)이 새겨진 배지〔휘장〕. **~adler** *m.* 나치의 국장(國章)인 독수리(↑ Bundesadler, Reichsadler). **~akt** *m.* 통치 행위. **~gebiet** *n.* 영토. **~gewalt** *f.* 주권, 국권, 통치권. **~gewässer** *n.* 영해. **~recht** *n.* 주권. **∼voll** *a.* 장중한, 위엄에 찬; 〖폄어〗 고자세의. **~zeichen** *n.* 주권의 상징(국기·국장(國章)·국쇄 등).

Hohe·lied [hǿ:əli:t, ho:əlí:t] *n.* 〔2격: Hohenlied(e)s〕 〖구약〗 아가서(雅歌書); 찬가.

höhen [hǿ:ən] *t.* ①〖고어〗 높이다, 올리다. ②〖畫〗 (빛깔을) 두드러지게 하다.

Höhen≈angabe *f.* 고도 표시. **~angst** *f.* 〖심리〗 고소 공포증. **~atmer** *m.* 고공 비행용 산소 마스크. **~flug** *m.* 〖空〗 고공 비행. **∼gleich** *a.* 고도가 같은. **~klima** *n.* 고산 기후. **~krankheit** *f.* 고산병(高山病). **~kreis** *m.* 〖天〗 수직권(垂直圈); 〖지리〗 위도권(緯度圈). **~kultus** *m.* 산악 숭배. **~kur·ort** *m.* 고지 요양소. **~lage** *f.* 고도, 해발; 고지대. **~leit·werk** *n.* 〖空〗 (비행기의) 승강타(舵)〔키〕. **~linie** *f.* 〖지리〗 등고선. **~luft** *f.* (산소가 부족한) 고산 공기〔대기〕. **~luft·kur·ort** *m.* ↑ ~kurort. **~marke** *f.* 고도표(標), 수준점(水準點). **~maß** *n.* 고도. **~messer** *m.* 고도계. **~messung** *f.* 고도 측정. **~punkt** *m.* ↑ Höhepunkt. **~rauch** *m.* ↑ Heiderauch. **~rekord** *m.* 〖空〗 고도 기록. **~richtung** *f.* 〖軍〗 (대포의) 조준각, 발사각도. **~rücken** *m.* 산등성이, 연산(連山). **~ruder** *n.* 〖空〗 승강 키. **~sonne** *f.* ①〖기상〗 (자외선이 많은) 고산 지대의 태양 광선. ②〖醫〗 석영등(자외선 치료 기구).

Hohenstaufen [ho:ənʃtáufən] *pl.* 호엔슈타우펜가(家)(중세 독일의 왕가).

Höhen≈steuer *n.* 〖空〗 승강키, 조종기. **~strahlung** *f.* 〖理〗 우주선(線). **~unterschied** *m.* 고도차(差). **~verhältnisse** *pl.* 〖음악〗 음정. **~wanderung** *f.* 고지 산행. **~weg** *m.* 산등성이 길.

Hohenzoller [ho:əntsɔ́lər] *pl.* 호엔촐레른가(家)(프로이센 왕족).

hohenzollerisch, hohenzollernsch *a.* 호엔촐레른가의.

Hohenzollern *m.* -s 호엔촐레른성(Schwaben 지방 Zoller 산에 있음).

Höhen·zug *m.* 낮은 산맥, 구릉대(帶).

Hohe≈priester *m.* 〔Hohe 부분은 형용사의 어미 변화를 함〕 (고대 유대교의) 대제사장. **∼priester·amt** *n.* -(e)s/Hohenpriesteramtes, ..ämter 대제사장직. **∼priesterlich** *a.* 대제사장의.

Höhe·punkt [hǿ:əpuŋkt] *m.* ①최고점, 절정, 정점, 클라이맥스; (병의) 고비: den ~ erreichen 절정에 달하다. ②〖天〗 천정(天頂).

***höher** [hǿ:ər] *a.* 〔hoch의 비교급〕 보다 높은, 상위의, 고급의: ~e Gewalt 초인간적인 힘, 불가항력(천재 지변·전쟁 등); eine ~e Mädchenschule 여자 고등 학교; ~e Mathematik 고등 수학; ~er Offizier 고급 장교.

Höher·entwicklung *f.* (상승) 발전.

höherer·seits *adv.* 더 높은 곳에서, 상급 기관에서.

höher≈gestellt ↑ hochgestellt의 비교급. **~rangig** *a.* 더 높은 등급〔지위〕의. **~schrauben** *t.* 〖구어〗 (가격 따위를) 점점 올리다. **~stufen** *t.* 승진〔승급〕시키다.

Hohe Schule *f.* - -n ① 상급자 코스, 고급 과정. ② (말의) 고난도 훈련, 고등 승마술.

*__hohl__ [ho:l] *a.* ① 속이 빈, 공동(空洞)의: ein ~er Baum 속이 빈 나무; ein ~er Zahn 충치. ②〖비유〗공허한, 헛된: ~e Worte 공허한 말, 헛소리; er ist ein ~er Kopf 그는 골빈 인간이다. ③ 우묵한, 움푹 패인: ~e Augen 움푹 들어간 눈; eine ~e Linse 오목 렌즈; ~e Gasse 협곡; die ~e Hand a) (오목하게) 오무린 손, b)〖구어〗탐욕스런 손(수뢰(收賂)의 상징);〖비속〗besser als in die ~e Hand geschissen 전혀 없는 것보다 낫다. ④ (소리·음성이) 둔탁한, 울리는 듯한.

Hohl *n.* -(e)s, -e ① 공동(空洞), 움푹 들어간 곳, 구덩이. ②〖海〗배의 밑바닥.

Hohl≈ader *f.*〖해부〗대정맥. **≈äugig** *a.* 눈이 움푹 들어간. **≈backig** *a.* 뺨이 움푹 들어간. **~beil** *n.* (선사 시대의) 도끼의 일종. **~beitel** *m.* ↑ ~eisen. **~block·stein** *m.* 공동(空洞) 블록, 속이 빈 블록. **~bohrer** *m.* 나사 송곳; 암나사 깎이.

Hohle *f.* -n (md.) ↑ Hohlweg.

*__Höhle__ [hǿ:lə] *f.* -n ① 동굴, 구덩이; (짐승의) 굴:〖구어〗sich in die ~ des Löwen begeben 제 발로 사자굴로 들어가다. ②〖구어·폄어〗허름한 집, 초라한 거처. ③ 움푹 들어간 곳, 구멍, 강(腔): Mund≈ 구강; Achsel≈ 겨드랑이. ④〖광업·고어〗광차(鑛車).

Hohl·eisen *n.* 둥근 끌.

höhlen [hǿ:lən]〖고어〗《I》*t.* 움푹 들어가게 하다, 파내다, 후벼 파다:〖속담〗steter Tropfen höhlt den Stein 낙수물이 바윗돌을 뚫는다. 《II》*refl.* sich ~ 패이다, 움푹 들어가다.

Höhlen≈bär *m.* (빙하기의) 동굴곰. **~bewohner** *m.* ① (특히 구석기 시대의) 동굴 인간, 혈거(穴居) 주민. ② 동굴 동물. **~bildung** *f.*〖醫〗공동(空洞) 형성. **~ente** *f.*〖動〗혹부리오리. **~fauna** *f.* 동굴 동물상(相). **~flora** *f.* 동굴 식물상(相). **~fund** *m.* 동굴 속의 발견물〔발굴품〕. **~gleichnis** *n.*〖哲〗(플라톤의) 동굴의 비유. **~hyäne** *f.* (빙하기의) 동굴 하이에나. **~löwe** *m.* (빙하기의) 동굴 사자. **~malerei** *f.* 동굴 벽화. **~mensch** *m.* ↑ ~bewohner ①. **~tempel** *m.* 동굴 사원. **~tiere** *pl.*〖動〗혈거(穴居) 동물. **~wohnung** *f.* 혈거(穴居), 동굴 주거지.

hohl≈erhaben *a.* 들쭉날쭉한, 요철(凹凸) 양면의. **≈fläche** *f.* 오목면. **≈fuß** *m.* ①〖醫〗오목발(↔ Plattfuß). ② 식용 버섯의 일종. **≈gehen** *n.* 물결, 파도. **~geschliffen** *a.* 오목하게 간(면도칼·렌즈 등). **≈geschoß** *n.*〖軍〗공포탄, 탄통(彈筒). **≈geschwür** *n.*〖醫〗↑ Kaverne. **≈gießen** *n.*〖제련〗요면 주조(凹面鑄造). **≈glas** *n.* ① 오목 렌즈. ② (↔ Tafelglas) 속이 깊은 유리 그릇(포도주잔·꽃병 등). **≈hand** *f.* 손바닥.

Hohlheit [hó:lhaɪt] *f.* -en ① 속이 빔, 오목함. ②〖비유〗공허, 천박.

Hohl≈hippe *f.* 동그랗고 얇은 와플 과자. **~kehle** *f.* ①〖건축〗요선(凹線) 홈. ②〖지질〗(파도·바람으로 인한) 절벽 밑부분의 만곡부. **~kehl·hobel** *m.* 홈파는 대패. **~klinge** *f.* 가운데에 홈을 판 칼. **~kopf** *m.*〖폄어〗바보, 얼간이. **≈köpfig** *a.*〖폄어〗우둔〔멍청〕한. **~körper** *m.* 속이 빈 물체; (수상 비행기의) 플로트(float). **~kugel** *f.* ↑ ~geschoß. **~leiste** *f.* ↑ ~kehle ①. **~linse** *f.* 오목 렌즈. **~maß** *n.* ① 체적 측정 단위(리터·세제곱미터 등). ② (눈금이 새겨진) 체적 측정용 그릇〔통〕. **~meißel** *m.* 둥근 끌. **~nadel** *f.*〖醫〗카뉠레, 투관침(套管針). **~naht** *f.* ↑ ~saum. **~raum** *m.* 공동(空洞). **~raumversiegelung** *f.*〖工〗(부식 방지를 위한) 차체의 공동(空洞)의 코팅 처리. **~rinne** *f.* ↑ ~kehle ①. **~saum** *m.*〖재봉〗공그르기, 감침질. **≈schleifen** *t.*〖기술〗가운데가 오목하게 갈다〔연마하다〕. **~schliff** *m.*〖기술〗오목하게 갈기. **~schlüssel** *m.* 축(軸) 내부가 비어 있는 열쇠. **~spat** *m.*〖광물〗공정석(空晶石)(↑ Chiastolith). **~spiegel** *m.* 오목 거울. **~tier** *n.*〖動〗강장(腔腸) 동물.

Höhlung [hǿ:lʊŋ] *f.* -en ①〖드물게〗움푹하게 파내기, 오목하게 만들기. ② 움푹 패인 곳, 오목하게 들어간 자리, 구덩이, 홈.

Hohl≈vene *f.*〖해부〗대정맥. **~walze** *f.* 속이 빈 원통. **≈wangig** *a.* ↑ ≈backig. **~weg** *m.* 절벽 사이의 길, 협곡. **~welle** *f.*〖기술〗중공축(中空軸). **~werk** *n.*〖建〗암키와로 이은 지붕. **~zahn** *m.*〖植〗섬광대수염(꿀풀과). **~ziegel** *m.* 속빈 벽돌; 암키와. **~zirkel** *m.*〖工〗안지름 측정용 컴퍼스.

*__Hohn__ [ho:n] *m.* -(e)s 경멸, 조소, 비웃음: jm. zum ~e 누구를 경멸하여; jn. mit ~ überschütten 누구에게 조소를 퍼붓다; zum ~ und Spott werden 웃음거리가 되다; es ist der reinste ~ 그것은 매우 몰상식한〔터무니없는〕 짓이다.

hohnecken [hó:nɛkən] *t.* 빈정대다, 놀리다.

Hohneckerei *f.* -en 빈정댐, 놀림.

höhnen [hǿ:nən] *t./i.* (h.)〖雅語〗(verhöhnen) 비웃다, 조소〔경멸〕하다; 모욕하다.

Hohn·gelächter *n.* 비웃음: unter dem ~ der Umstehenden 주위 사람들의 비웃음을 받으며.

höhnisch [hǿ:nɪʃ] *a.* 비웃는, 경멸하는, 모욕적인: ~e Bemerkungen machen 모욕적인 말을 하다.

höhnischer·weise *adv.* 조롱조로, 경멸적으로.

hohn≈|lächeln *i.* (h.) 냉소하다: er hohnlächelte〔lächelte hohn〕 그는 비웃었다. **~|lachen** *i.* (h.)〖현재와 과거에서는 비분리 동사로도 씀〗비웃다, 코웃음치다: ~d haben sie den Vorschlag abgewiesen 그들은 코웃음치며 그 제안을 거부하였다. **~|necken** ↑ hohnecken. **≈rede** *f.* 빈정대는 말, 모욕적인 언사. **~|sprechen*** *i.* (h.) 무시〔멸시〕하다, 정면으로 반대하다: das spricht dem Gesetz hohn 그것은 법을 우롱하는 처사다.

hoho [hohó:] *int.* 호오, 이런(놀람·거부의 소리).

Hoh·ofen *m.* ↑ Hochofen.

hoi [hɔʏ] *int.* 야, 와(놀라움의 외침 소리).

Hoist [hɔʏst] 《engl.》 *m.* -es, -e 기중기; 승강기.

hojanen [hó:ja:nən] 《ndd.》 *i.* (h.) ① (당나귀가) 울다. ② 큰 하품을 하다.

höken [hǿ:kən] *i.* (h.) ↑ hökern.

Höker *m.* -s, - 소매 상인, 노점 상인.

Hökerei *f.* -en〖고어〗소매상〔노점상〕하기.

Höker·frau *f.*〖고어〗↑ ~weib. **~karren** *m.*〖고어〗노점상의 손수레. **~kram** *m.* 소매

상〔노점상〕의 상품. **~laden** *m.* 구멍가게, 노점.
hökern *i.* (h.) 〖고어〗 소매상〔노점〕을 벌이다.
Höker·ware *f.* 〖고어〗 ↑ ~kram. **~weib** *n.* 〖고어〗 여자 노점상인.
Hokuspokus [ho:kuspó:kus] *m.* - ① 마술사의 주문. ② 요술, 마술; 눈속임, 사기. ③ 못된〔허튼〕 짓, 짓궂은 장난: ~ treiben 못된 짓을 하다, 장난을 치다.
Hol·arktis 《gr.》 *f.* 〖지리〗 전(全) 북극권(북극과 북회귀선 사이의 동식물 분포 지역).
hold [hɔlt] 〖雅語〗 *a.* ① 호의를〔애정을〕 품은: jm. ~ sein 누구를 좋아하다; das Glück ist ihm ~ 그는 운이 좋은 사람이다. ② 〖시어〗 사랑스러운, 애교 있는, 마음씨 고운: ihr ~es Antlitz 그녀의 귀여운 얼굴; meine ~e! 내 님이여!
Holda [hɔ́lda] ① ↑ Holle². ② ↑ Hulda.
Holder [hɔ́ldər] *m.* -s, - (obd.) ↑ Holunder.
Holder·baum *m.* (obd.) ↑ Holunder ①.
Hölderlin [hœ́ldərlin] *m.* Friedrich ~ 횔덜린(독일의 시인, 1770-1843).
Holdin [hɔ́ldɪn] *f.* -nen ① 여자 유령. ② 〖복수〗〖북구신화〗 die ~nen 귀신〔유령〕들. ③ 〖농담〗 여자 친구, 애인.
Holding·gesellschaft [hó:ldɪŋ..] 《engl.》 *f.* 〖經〗 (Dachgesellschaft) 지주〔모(母)〕회사.
holdrio *int.* (südd.) 야호(특히 목동들의 환호성).
Holdrio¹ *n.* -s, -s 환호성.
Holdrio² *m.* -(s), -(s) 〖농담〗 경박한 인간, 날라리.
hold·selig [hɔ́ltze:lɪç, hɔltzé:lɪç] *a.* 〖시어〗 아리따운, 매혹적인. **~seligkeit** *f.* 매혹적인 모습, 아리따운 자태.
***holen** [hó:lən] 《I》 *t.* ① **(a)** 가져오다, 꺼내다; 〖구어〗 사오다: Kartoffeln aus dem Keller ~ 감자를 지하실에서 가져오다; wo ~ Sie Ihr Brot? 당신은 어디서 빵을 삽니까?; et. aus der Tasche ~ 무엇을 호주머니에서 꺼내다; ein Buch aus dem Regal ~ 책을 책꽂이에서 꺼내다; 〖구어〗 bei ihm ist nichts zu ~ 그에게서는 아무 것도 기대할 만한 것이 없다(특히 돈 따위와 관련해서); bei solchen Geschäften ist kaum noch etwas zu ~ 그런 장사는 별로 돈벌이가 안 된다. **(b)** 데려오다, 불러오다: den Arzt ~ lassen 의사를 불러오게 하다. **(c)** 〖구어〗 데려가다, 잡아가다: er wurde in der Nacht von der Polizei geholt 그는 그날 밤 경찰에 연행되었다; der Tod hat ihn geholt 그는 죽었다; 〖비속〗 hol dich der Teufel! 뒈져라!; hol's der Teufel! 그건 딱 질색이다. **(d)** 〖비유〗 Atem〔Luft〕 ~ 한 숨 돌리다, 숨통이 트이다; Seufzer tief herauf ~ 깊이 한숨을 쉬다. ② 〖海〗 (밧줄로) 끌어당기다. ③ 〖방언〗 (가축 따위를) 소리쳐 불러모으다. 《II》 *refl.* sich³ ~. ① 얻다, 받다, 구하다: ich holte mir seine Erlaubnis 나는 그의 허락을 얻었다; sich³ bei jm. Trost〔Rat〕 ~ 누구에게서 위안〔조언〕을 받다. ② 〖구어〗 (경기·시합에서) 얻다, 획득하다: (sich³) eine Goldmedaille ~ 금메달을 따다; unsere Mannschaft hat 2 Punkte geholt 우리 팀은 2점을 얻었다. ③ 〔sich³ 와 함께〕 〖구어〗 (화를) 자초하다, 얻어 걸리다: sich³ einen Schnupfen ~ 코감기에 걸리다; sich³ Prügel ~ 얻어맞다, 매맞다; sich³ den Tod ~ 죽음을 자초하다.
Holfter [hɔ́lftər] *f.* -n 권총집.
Holismus [holísmus] 《gr.》 *m.* - 〖哲〗 전체론, 전체주의.
Holk *m.* -(e)s, -e(n) 〔*f.* -e(n)〕 ↑ Hulk.
holla [hɔ́la] *int.* ① 어이, 이봐(사람을 부르는 소리). ② 에이, 어럽쇼(금지·제지·가벼운 놀라움의 뜻): ~, das geht zu weit! 에이, 그건 너무 심하다!
***Holland** [hɔ́lant] 네덜란드: 〖구어〗 nun ist ~ in Not〔Nöten〕 야단 났다, 큰일 났다.
Holländer [hɔ́lɛndər] 《I》 *m.* -s, - ① 네덜란드 사람: der Fliegende ~ 방황하는 네덜란드인(유령선을 타고 표류하는 전설상의 인물; 특히 W.R. Wagner 의 오페라 제목에서). ② 네덜란드산(產) 치즈. ③ 목장〔농장〕 관리인, 낙농업자. ④ 〖工〗 제지 원료 분쇄기. ⑤ 네발 자전거(어린이용). 《II》 *a.* 네덜란드의: ~ Käse 네덜란드산(產) 치즈(Edamer, Gouda 등).
Holländerei *f.* -en 〖방언·고어〗 낙농업.
Holländerin *f.* -nen 네덜란드 여자.
Holländer·mühle *f.* ① 네덜란드 풍차. ② 제지 원료 분쇄기.
holländern 《I》 *t.* ① (제지 원료를) 빻다, 찧다. ② 〖제본〗 가제본하다. 《II》 *i.* (h./s.) 〖고어〗 둘이서 팔을 끼고 스케이트를 타다.
holländisch *a.* 네덜란드(인·어)의.
Holländisch *n.* -(s) 네덜란드어.
Holländische das 네덜란드어.
Holle¹ [hɔ́lə] *f.* -n (새의) 관모(冠毛), 도가머리.
Holle² *f.* 홀레 아주머니(중부 독일의 전설·동화 속의 인물): Frau ~ schüttelt die Betten 눈이 내리다.
***Hölle** [hœ́lə] *f.* -n ① **(a)** 지옥: der Fürst der ~ 악마; Ausgeburt der ~ 괴물; 〖격언〗 der Weg zur ~ ist mit guten Vorsätzen gepflastert 좋은 의도라도 실행하지 않으면 파멸에 이른다; 〖경박〗 fahr 〔scher dich〕 zur ~! 지옥에나 떨어져라, 꺼져라!; zur ~ mit den Verrätern! 배신자들은 꺼져라!; 〖雅語〗 jn. zur ~ wünschen 누구를 저주하다; Himmel und ~ in Bewegung setzen 온갖 방법을 다 써보다, 백방으로 애쓰다. **(b)** 생지옥, 괴로운 장소〔상황〕: die grüne ~ 녹색의 지옥(열대 원시림의 별칭); jm. das Leben zur ~ machen 누구의 삶을 지옥처럼 고통스럽게 만들다; die ~ auf Erden haben 지옥 같은 생활을 하다; er hat dort die ~ 그곳에서 그는 지옥 같은 나날을 보내고 있다; 〖구어〗 dort ist die ~ los a) 그곳에서 난장판〔대소동〕이 벌어지고 있다, b) 그곳에 폭풍우가 몰아치고 있다; 〖구어〗 jm. die ~ heiß machen 누구에게 겁을 주다, 누구의 양심에 집요하게 호소하다. ② 〖재봉〗〖구어〗 (실밥·헝겊 조각을 버리는) 재단대 옆의 구멍. ③ 대장간. ④ (südd.) 난로와 벽 사이의 따뜻한 공간.
Höllen·angst *f.* 〖구어〗 몸서리처지는 공포. **~brand** *m.* ① 지옥의 불길. ② 〖구어〗 참기 힘든 갈증〔욕구〕. **~braten** *m.* 〖욕설〗 흉악무도한 놈. **~brut** *f.* 〖욕설〗 악마의 무리, 악당. **~drache** *m.* 악마; 〖욕설〗 나쁜 놈, 악당. **~fahrt** *f.* 지옥 순례, 지옥에 떨어짐, 저승 행차: 〖신약〗 ~ Christi 그리스도의 지옥 순례(마태 12:40). **~feuer** *n.* 지옥불, 저주스런 고통. **~fluß** *m.* 〖그리스신화〗 저승으로 건너

가는 강. **~fürst** *m.* 악마, 마왕. **~gegend** *f.* 지옥계. **~gestank** *m.* 〖구어〗 지독한 냄새〔악취〕. **~heiß** *a.* 지독하게〔타는 듯이〕 뜨거운. **~hund** *m.* 〚그리스신화〛 (머리가 셋인) 지옥을 지키는 개 (Zerberus). **~kunst** *f.* 마법, 요술. **~lärm** *m.* 〖구어〗 야단법석, 대소란. **~maschine** *f.* 〖고어〗 (범죄용) 시한 폭탄. **~mäßig** *a.* 지옥과 같은. **~pein** *f.* 〖구어〗 지옥 같은 고통. **~pfuhl** *m.* 지옥의 연못; 지옥의 밑바닥. **~qual** *f.* ↑ ~pein. **~rachen** *m.* ①〖시어〗 지옥의 입구. ②〖비유〗 분화구. ③〖구어〗 하품할 때 벌어진 입. **~reich** *n.* 저승, 명부(冥府). **~schlund** *m.* 〖雅語〗 심연, 나락. **~schmerz** *m.* ↑ ~pein. **~spektakel** *m.* 〖구어〗 ↑ ~lärm. **~stein** *m.* 〚化〛 질산은 (염증 치료제로 사용). **~stein·lösung** *f.* 질산은 용액. **~strafe** *f.* 〚기독교〛 지옥의 형벌, 영원한 저주. **~tempo** *n.* 〖구어〗 굉장한 속력. **~zwang** *m.* ① 악마의 영향력〔세력〕. ② Fausts ~ 파우스트의 주문서(呪文書).

Holler *m.* -s, -, **Holler·baum** *m.* (obd.) ↑ Holunder ①.

Hollerith·maschine [hɔ́lerɪt.., hɔlerít..] *f.* (컴퓨터용) 펀치 카드 기계 (발명가 H. Hollerith 의 이름에서).

hollerithieren *t.* 펀치 카드에 입력하다.

höllisch [hœ́lɪʃ] *a.* ① 지옥의, 지옥 같은. ②〖구어〗 무서운, 지독한: ~er Durst 타는 듯한 갈증; ~ fluchen 몹시 저주하다; es ist ~ kalt 날씨가 몹시 춥다.

Hollywood [hɔ́lɪwʊd] 《engl.》 할리우드.

Hollywood·schaukel *f.* (정원·테라스의) 그네식 흔들의자.

Holm[1] [hɔlm] 《ndd., „Erhebung"》 *m.* -(e)s, -e ① 작은 섬. ②〖드물게〗 (ndd.) 조선소.

Holm[2] 《< Helm[2]》 *m.* -(e)s, -e ① 도끼 자루. ②〚건축〛 가름대, 들보. ③〚조정〛 노의 손잡이. ④ 평행봉의 수평대; 사닥다리의 세로대. ⑤〚空〛 (날개의) 뼈대. ⑥ (수레의) 채.

Holm·gang 《< Holm[1]》 *m.* (고대 게르만 시대에 행해졌던) 단 둘의 결투.

Holmium [hɔ́lmium] *n.* -s 〚化〛 홀뮴 (기호: Ho) (Stockholm 의 라틴어 이름 Holmia 에서).

***Holocaust** [hɔ́lokɔːst, holokáust] 《gr.》 *m.* -(s), -(s) (특히 나치의 유대인) 대학살.

Holocaust-Denkmal *n.* (베를린에 설치된) 유대인 대학살 추모비.

Hologramm *n.* -s, -e 〚理〛 홀로그램, 입체〔레이저〕 영상.

Holographie *f.* -n [..fiːən] 〚理〛 홀로그래피, 입체〔레이저〕 영상술.

holographieren [holografiːrən] *t.* 자필로 쓰다.

holographisch ①〖고어〗 자필로 쓴, 자필의. ②〚理〛 홀로그래피에 따른.

holokristallin *a.* 〚지질〛 완전 결정(結晶)의.

Holosterik [..ste..] 《gr.》 *n.* -s, -e 아네로이드 청우계(晴雨計), 무액(無液) 청우계.

Holothurie [holotúːriə] 《gr.》 *f.* -n 〚動〛 해삼 (Seewalze).

Holotypus *m.* -s, -en 〚動〛 (온전히 보존된 화석을 모방한) 완전 표본.

Holozän *n.* -s 〚지질〛 충적세(沖積世).

Holper *m.* -s, - 〖드물게〗 (바닥이) 울퉁불퉁함; 비틀거림.

holperig [hɔ́lpərɪç] *a.* ① 울퉁불퉁한, 평탄하지 않은: ein ~er Weg 울퉁불퉁한 길. ②〖비유〗 서투른, 세련되지 못한, 더듬거리는: ~e Verse 서투른 시구; ~ lesen 더듬거리며 읽다.

holpern [hɔ́lpərn] *i.* (h./s.) ① 덜커덕거리며 가다; 비틀거리다: der Wagen ist über das Pflaster geholpert 차가 포장 도로 위를 덜커덕거리며 나아갔다. ②〖드물게〗 비틀거리며 걷다. ③ (문장 따위가) 서투르다, 매끄럽지 못하다. ④ 더듬거리며 말하다: 〖비유〗 die Sache holpert 일이 잘 진척되지 않는다.

Holschuld *f.* 〚法〛 추심(推尋) 채무 (↔ Bringschuld).

Holste [hɔ́lstə] *m.* -n, -n ↑ Holsteiner.

Holstein [..ʃtaɪn] 홀슈타인.

Holsteiner 《I》 *m.* -s, - 홀슈타인 사람; (승마용) 홀슈타인 말. 《II》 *a.* 홀슈타인의.

holsteinisch *a.* 홀슈타인(사람·어)의.

Holster *n.* -s, - 〚사냥〛 엽낭, 사냥 배낭.

holterdiepolter [hɔ́ltərdipɔ́ltər] 《holpern + poltern》 *adv.* 〖구어〗 허둥지둥, 후다닥, 우당탕.

hol·über [hoːl|ýːbər] *int.* 어어이 (건너편 사공에게 강을 건네달라고 고함치는 소리).

***Holunder** [holúndər, hɔ..] *m.* -s, - 〚植〛 ① 딱총나무: blauer ~ 엘더베리. ② ↑ ~beere 의 약칭.

Holunder≈baum *m.* ↑ Holunder ①. **~beere** *f.* 딱총나무 열매. **~blüte** *f.* 딱총나무 꽃. **~mark** *n.* 딱총나무의 속. **~mus** *n.* 딱총나무 열매로 만든 잼. **~strauch** *m.* 딱총나무 숲. **~tee** *m.* 딱총나무 꽃으로 끓인 차. **~wein** *m.* 딱총나무 열매로 만든 술.

***Holz** [hɔlts] *n.* -es, Hölzer [hœ́ltsər] 〖물질명사로 쓰일 때는 복수 없음〗 ① **(a)** 목재; (Bau≈) 건축용 목재; (Brenn≈) 장작, 땔감: 〖구어〗 dastehen〔dasitzen〕 wie ein Stück ~ 장승처럼 묵묵히 서 있다〔앉아 있다〕; versteinertes ~ 목재의 화석, 갈탄; ~ fällen 〔hauen〕 나무를 베다, 벌목하다; (ein Stück) ~ sägen a) 나무에 톱질하다, b) 〖비유〗 코를 몹시 골다; 〖구어〗 auf sich[3] ~ hacken 〔spalten〕 lassen 너그럽게 보아 넘기다; 〖구어〗 ~ in den Wald tragen 쓸데없는 일을 하다; 〖구어〗 das ist nicht von ~ 그것은 생기발랄하다; 〖구어〗 ich bin doch nicht aus ~! a) 나는 목석 같은 사람이 아니다, b) 나도 자극에 대해 무감각하지 않다!; 〖경박〗 (viel) ~ vor der Hütte haben 유방이 크다. **(b)** … 나무, …수(樹): Laub≈ 활엽수; Nadel≈ 침엽수. ②〚원예〛 (나무의) 큰 가지: 〖구어〗 ins ~ schießen 열매는 맺지 않고 잔가지만 무성하다. ③ **(a)** 목제품, 나무로 된 부분〔물건〕 (↑ Bürsten≈, Nudel≈, Schlag≈); 성냥개비 (Streich≈): 〚축구〛 nur ~ treffen 골문만 맞히다; das (verfluchte) ~ 교수대, 교수목. **(b)** 〖복수〗 들보. **(c)** 〚海〛 돛대·마스트로 쓰이는 목재. **(d)** 〚음악〛 목관 악기의 총칭. ④ 목질, 목재〔나무〕의 종류: edle Hölzer 고급 목재; 〖비유〗 aus dem ~ sein 직책〔임무〕에 적합하다; aus gutem ~ sein 유능한 인물이다; Männer aus anderem ~ 성격이 다른 남자들; aus hartem〔feinem〕 ~ geschnitten sein 천성적으로 강인하다〔섬세하다〕. ⑤〚植〛 ewiges ~ 유향나무; heiliges〔indianisches〕

~ 유창목(癒瘡木). ⑥〖사냥·고어〗 삼림, 수풀: ins ~ fahren 〔gehen〕 숲으로 가다. ⑦〔복수: Holz〕〖독일식볼링〗 핀; 〖독일식볼링·당구〗 득점: ~ werfen 핀을 넘어뜨리다, 득점하다; gut ~! 잘 치세요, 잘해요! (볼링 경기 전의 인사말). ⑧〔구어〕 금전: das ist viel ~ 그것은 값이 비싸다. ⑨〔복수: Holze〕〔구어·농담〕 후려때림, 매: ~e besehen〔bekommen〕 매를 맞다.

Holz=abfall *m.* 나무 부스러기. **~acker** *m.* 숲, 삼림. **~alkohol** *m.* 〖化〗 목정(木精), 메틸알코올(↑ ~geist). **~amt** *n.* 산림청. **~-anlage** *f.* 조림(지). **~apfel** *m.* 〖植〗 야생 능금. **~arbeit** *f.* ① 나무 세공; 초부(樵夫)의 일. ② 목제품. **~arbeiter** *m.* 목수; 초부. **≈-arm** *a.* 수목이 적은: ein ~es Gebirge 수목이 적은 산. **~art** *f.* 목재의 종류: tropische ~en 열대산(産) 목재. **≈artig** *a.* 나무로 된, 목질의. **~asche** *f.* 나무가 탄 재. **~ast** *m.* 큰 가지. **~axt** *f.* 벌목용 도끼; 장작 패는 도끼.

holzbar *a.* 벌목하기 알맞은.

Holz=bau *m.* 목조 건축(물). **~bauer** *m.* 삼림을 경영하는 농부. **~bearbeitung** *f.* 목재 가공, 목세공. **~bein** *n.* 나무 의족. **~beize** *f.* 재목의 염색제〔부식제〕. **~bekleidung** *f.* 벽판, 판자벽. **~bestand** *m.* (삼림의) 목재량; (한 나라의) 목재 재고량. **~biene** *f.* 〖動〗 호박벌. **~bild·hauer** *m.* 목조사, 목판 조각가. **~bild·hauerei** *f.* 목조술(木彫術), 목각. **~birne** *f.* 〖植〗 ① 야생의 배. ② 서양 배. **~bläser** *m.* 〖음악〗 목관 악기 연주자. **~blas-instrument** *n.* 〖음악〗 목관 악기. **~block** *m.* ① 통나무. ②〖악기〗 통나무 북. **~bock** *m.* ① (**a**) 목가(木架). (**b**) 〖軍〗 목마. (**c**) (난로 속에 있는) 땔감 받침쇠. ②〔비유·속어〕 산골 촌놈, 무무(貿貿)한 사람. ③〖動〗 진드기; 딱정벌레(특히 하늘소). **~boden** *m.* ①〖林〗 식림〔조림〕지. ② 땔감을 보관하는 곳. ③ 마룻바닥. **~bohrer** *m.* ① 목공용 드릴. ②〖動〗 나무좀벌레. ③〖動〗 나무좀과의 곤충. **~-brand·malerei** *f.* (나무에 인두로 그리는) 낙화(烙畫)(술). **~brand·technik** *f.* 낙화술(烙畫術). **~bündel** *n.* 나뭇단.

Hölzchen [hœ́ltsçən] *n.* -s, - 〖↑ Holz 의 축소형〗 ① 작은 목재. ② 작은 숲: 〔비유·구어〕 vom ~ aufs Stöckchen kommen 너무 상세하게 파고들어 주제에서 벗어나다. ③〔방언〕 ↑ Holzbirne. ④ 성냥개비.

Holz=destillation *f.* 〖化〗 ↑ ~verkohlung. **~dieb** *m.* 장작 도둑. **~diebstahl** *m.* 목재〔장작〕 절도, 삼림 도벌. **~draht** *m.* 〔전문어〕 (특히 바구니 엮는 데 쓰는) 가는 나무, 목사(木絲). **~drechsler** *m.* 갈이장이. **~druck** *m.* 목판 인쇄. **~einschlag** *m.* 〖林〗 벌채, 벌목.

holzen [hɔ́ltsən] 《I》 *i.* ①〔드물게〕 나무를 베다; 벌목하다. ② (h./s.) 〖사냥〗 나무에 기어오르다: Raubwild〔Federwild〕 holzt 야생 동물이〔새가〕 나무에 기어오른다. ③〖스포츠·펌어〗 (특히 축구에서) 반칙을 범하다, 거친 경기를 하다. ④〖비유·구어〗 일을 대충하다. 《II》 *t.* ① (**a**) 목재〔장작〕을 공급하다: den Ofen ~ 난로에 장작을 넣다. (**b**) (둑을) 목재로 튼튼하게 하다; 〖광산〗 (갱도를) 목재·말뚝 따위로 받치다: die Deiche ~ 목재를 써서 제방을 견고하게 하다. ②〔학생·속어〕 구타하다, 막대기로 갈기다: sich ~ (막대기로) 서로 때리다, 맞붙어 싸우다.

Holzer [hɔ́ltsər] *m.* -s, - ①〔구식〕 벌목꾼. ②〖축구·폄어〗 거친 선수.

Holz·erde *f.* 썩은 나무를 섞어 넣은 흙.

Holzerei [hɔltsəráɪ] *f.* -en ①〔속어〕 난투. ②〖스포츠·폄어〗 (규칙을 어긴) 거친 경기.

***hölzern** [hœ́ltsərn] *a.* ① 목제〔목조〕의: eine ~e Brücke 목조 교량. ②〔비유〕 무뚝뚝한; 어설픈, 서투른: er schreibt sehr ~ 그의 글은 매우 딱딱하다; ein ~er Mensch 무뚝뚝한 사람; seine Bewegungen sind ~ 그의 동작은 어설프다〔어색하다〕.

Holz=ertrag *m.* 삼림 소득. **~essig** *m.* 〖商〗 유자〔자두〕 따위에서 뽑은 초; 〖化〗 목초산. **~fach·schule** *f.* 임업 전문 학교. **~fackel** *f.* 횃불. **~fäller** *m.* 벌목〔나무〕꾼. **~fäl-lung** *f.* 벌목, 벌채. **~faser** *f.* ①〖植〗 목질 섬유. ②〖化〗 섬유소, 셀룰로오스. **~faser-platte** *f.* 〖건축〗 목섬유판(木纖維板). **~-fäule** *f.* 목재의 부식〔건식(乾蝕)〕. **~feue-rung** *f.* 목재 연소. **~firnis** *m.* 목재용 니스. **~floß** *n.*, **~flöße** *f.* 뗏목. **~flößer** *m.* 뗏목을 조종하는 사람. **≈frei** *a.* 〖제지〗 (종이 따위에) 목질 섬유가 섞이지 않은(↔ ~haltig). **~fresser** *m.* 〖動〗 나무좀벌레. **~frevel** *m.* 〔구식〕 도벌. **~fuhre** *f.* 목재 운송〔수송〕. **~geist** *m.* 〖化〗 목정(木精), 메틸알코올. **~gerät** *n.* 목재 기구. **~gerechtigkeit** *f.* ①〖法〗 벌목권. ② 산림 소유권. **~gerüst** *n.* 목재 비계: ein ~ aufstellen 목재 비계를 설치하다. **~gewächs** *n.* 〖植·총칭〗 수목. **~gewe-be** *n.* 목질 조직; 〖植〗 목질부(部). **~gleite** *f.* 목재 운반용 활로(滑路). **~hacker** *m.* ① (öst.) ↑ ~fäller. ②〖스포츠〗 ↑ Holzer ②. ③〔구어·폄어〕 서투른 음악가〔피아노 연주자〕. **~häher** *m.* 〖動〗 (유럽산(産)) 언치. **~-hammer** *m.* 나무 망치: 〖경박〗 er hat eins mit dem ~ (ab)gekriegt 그는 머리가 좀 이상하다; 〖비유·구어〗 jm. et. mit dem ~ bei-bringen 누구에게 무엇을 억지로 가르치다.

Holzhammer=methode *f.* 〔농담〕 우격다짐: mit der ~ unterrichten 우격다짐으로 가르치다. **~narkose** *f.* 〔경박〕 얻어맞고 멍해짐.

Holz=handel *m.* 목재상. **~harmonika** *f.* 〖음악〗 실로폰, 목금(木琴). **~hauer** *m.* 〔방언〕 ↑ ~fäller. **~haus** *n.* 목조 가옥. **~hof** *m.* ① 목재를〔장작을〕 쌓아 두는 곳. ② 목재 시장.

holzicht 〔고어〕 *a.* ↑ holzig.

holzig *a.* 나무와 같은, 목질의: eine ~e Frucht 경목질과(硬木質果).

Holz=imprägnierung *f.* 목재 방부(防腐). **~käfer** *m.* 〖動〗 나무좀과의 곤충(Borken-käfer). **~kammer** *f.* 목재를〔장작을〕 쌓아 두는 곳. **~kiste** *f.* ① 나무 상자. ② 땔나무를 넣어 두는 상자. **~klammer** *f.* (빨래를 말릴 때 쓰는) 나무 집게. **~klasse** *f.* 목재의 상품 등급. **~klotz** *m.* ① 통나무. ②〔비유·구어〕 거칠고 무뚝뚝한 사람(↑ ~bock ②). **~-knecht** *m.* 〔구식〕 벌목꾼. **~kohle** *f.* 목탄, 숯. **~konservierung** *f.* 목재 방부〔방충〕. **~kopf** *m.* ① 나무로 조각한 머리. ②〔비유·구어·폄어〕 이해가 느린 사람, 아둔한 사람: du hast aber wirklich einen ~! 너는 정말로 이해가 더디구나! **~krähe** *f.* 〖動〗 ① 까마귀

의 일종. ② 흑딱따구리. **~lack** *m.* ① 고무 수지(樹脂). ② 목재용 니스. **~lager** *n.* ① ↑ ~hof. ② 나무 침대. **~laus** *f.* 〖動〗 등각류(等脚類)에 속하는 벌레(쥐며느리·갯강구).

Hölzlein [hœ́ltslaın] *n.* -s, - 작은 목재 (Hölzchen).

Hoḷz≠malerei *f.* 목판화 (그리기). **~markt** *m.* 〖商〗 ① 목재 시장. ② 목재 거래. **~maß** *n.* 목재 용적의 단위. **~masse** *f.* 〖제지〗 목재 펄프(~stoff). **~mast** *f.* (특히 돼지의) 사료용 나무 열매. **~meise** *f.* 〖動〗 진박새무리. **~messer** *m.* 목재를 계량하는 사람. **~mosaik** *f.* 목재 모자이크. **~nagel** *m.* 나무못. **~obst** *n.* 야생 과일. **~öl** *n.* 〖化〗 오동(나무) 기름. **~opal** *m.* 〖광물〗 목질 단백석. **~pantine** *f.* 〖방언〗 나막신. **~pantoffel** *m.* 나무샌들, 나막신(~schuh). **~papier** *n.* 펄프로 만든 종이. **~pflaster** *n.* 나무 말뚝으로 박아 포장한 도로. **~pflock** *m.* 나무못, 쐐기. **~pilz** *m.* 〖植〗 눈물버섯(~schwamm). **~platte** *f.* (목판 인쇄용) 판목. **~platz** *m.* 목재 하치장(~hof). **~puppe** *f.* 나무 인형. **~raspel** *f.* (제재용으로 쓰이는 눈이 거친) 줄. **~raum** *m.* 목재 하치장(~hof). **≈reich** *a.* 나무가 많은, 산림이 우거진. **~reifen** *m.* 통(桶) 바닥에 까는 널빤지; 나무 바퀴: eine Karre mit ~ 나무 바퀴가 달린 손수레. **~riese** *f.* (süddt., öst.) 목재 운반용 활로(滑路)(~gleite). **~säge** *f.* 톱. **~säure** *f.* 〖化〗 목초(木醋). **~scheit** *n.* (땔감용) 나무토막, 나뭇조각. **~schiene** *f.* 목재 운반용 레일. **~schiff** *n.* 〖海〗 ① 목선. ② 목재 운반선. **~schlag** *m.* ① 벌목, 벌채. ② 벌목지, 채벌지, (삼림 속의) 개간지. ③ 채벌권. **~schläger** *m.* ① 〖방언〗 벌목꾼, 나무꾼. ② 〖테니스〗 테두리를 나무로 만든 라켓. ③ 〖골프〗 나무로 만든 골프채. **~schlegel** *m.* 나무망치. **~schliff** *m.* 〖제지〗 목재 펄프. **≈schliffrei** *a.* 〖제지〗 목재 펄프가 섞이지 않은. **~schneide·kunst** *f.* 목판 조각술. **~schneider** *m.* ① 목판 조각사. ② 벌목꾼 (~fäller). **~schnitt** *m.* 〖조각〗 ① 목판 조각; 목판화. ② 목판 인쇄. **~schnitzer** *m.* ↑ ~schneider ①. **~schnitzerei** *f.* ① 목공예. ② 목공예품. **~schraube** *f.* ① 목재용 금속 나사. ② 목재 나사. **~schreier** *m.* 〖動·속어〗 (유럽산(産) 언치(Häher). **~schuh** *m.* 나막신, 바닥이 나무로 된 신. **~schuppen** *m.* ① 나무로 만든 창고. ② 목재 창고. **~schutzmittel** *n.* 목재 보호제. **~schwamm** *m.* 〖植〗 (나무를 부식하는) 눈물버섯(Hausschwamm). **~schwelerei** *f.* ↑ ~verkohlung. **~schwelle** *f.* 〖철도〗 침목(枕木). **~span** *m.* ① 나무토막, 나뭇조각. ② 대팻밥. **~spiritus** *m.* 〖化〗 목정(木精), 메틸알코올 (~geist). **~splitter** *m.* 나무토막, 나뭇 조각. **~stab** *m.* 나무 막대기: dünner ~ (발 모양의 덧문 따위에 쓰이는) 엷은 나무판. **~stall** *m.* ↑ ~schuppen. **~stapel** *m.* 장작더미. **~stein** *m.* 나무의 화석. **~stengel** *m.* 〖植〗 목질경(木質莖). **~stich** *m.* 〖조각〗 ↑ ~schnitt. **~stift** *m.* (구두 바닥에 박는) 나무못. **~stock** *m.* ① 나무 지팡이: sich auf einen ~ stützen 나무 지팡이에 몸을 의지하다. ② 〖조각〗 (목판 인쇄용) 판목(~platte). **~stoff** *m.* ① 〖제지〗 ↑ ~schliff. ② 〖化〗 섬유소(纖維素), 리그닌(Lignin), 셀룰로오스. **~stoß** *m.* 나무 판자, 장작 더미. **~tafel** *f.* 나무 판자, 목판: in ~n geschnittene Bilder 목판 조각상. **~täfelung** *f.* 미장용 판자를 붙이는 일. **~taube** *f.* 〖動〗 산〔들〕비둘기. **~tee** *m.* 이뇨제의 일종. **~teer** *m.* 〖化〗 목타르. **~teller** *m.* 나무 접시, 쟁반. **~treppe** *f.* 나무 계단. **~trift** *f.* 삼림 속의 목장 및 그 방목권.

Hoḷzung *f.* -en ① 벌목, 벌채. ② 〖드물게〗 삼림.

hoḷz·verarbeitend *a.* 목재를 가공하는.

Hoḷz≠verband *m.* ↑ ~verbindung. **~verbindung** *f.* 〖工·건축〗 목재 접합; 나무짜기. **≈verkleidet** *a.* 널빤지를 댄: eine ~e Tür 널빤지를 댄 문. **~verkleidung** *f.* ↑ ~täfelung. **~verkohlung** *f.* 〖工〗 목재 탄화(炭化), 숯굽는 일. **≈verschlag** *m.* ① 나무 선반. ② 나무 보관용 선반. ③ ↑ ~wand. **~wagen** *m.* 목재 운반차. **~wand** *f.* 판자벽. **~ware** *f.* 목제품. **~weg** *m.* (재목을 운반하기 위한) 숲속의 길; 〖비유〗 그릇된 길, 오류: auf dem ~ sein 〔sich auf dem ~ befinden〕 큰 오류를 범하고 있다. **~werk** *n.* 목공물, (건물의) 목조부; 판자 벽; 〖海〗 (배의) 목재 뼈대. **~wespe** *f.* 〖動〗 나무벌. **~wirtschaft** *f.* 목재업, 제재업. **~wolle** *f.* 엷고 가느다란 대팻밥. **~wurm** *m.* ① 〖動〗 나무를 갉아먹는 곤충류. ② 〖구어·농담〗 소목장이, 목수. **~zahn** *m.* (풍차 따위의) 톱니바퀴. **~zapfen** *m.* 나무 마개, 쐐기. **≈zeit** *f.* 벌목기. **~zucht** *f.* 조림(造林), 식수(植樹). **~zucker** *m.* 〖化〗 (Xylose) 크실로스, 목당(木糖).

Homburg [hɔ́mbʊrk] *m.* -s, -s (검거나 회색빛의 뻣뻣한 펠트로 만든) 신사용 모자.

Home Banking 《engl.》 *n.* 홈 뱅킹.

Home·land [hó:mlɛnd, hóʊmlænd] 《engl.》 *n.* -(s), -s (옛 남아공의) 흑인 자치 지역.

Homer [homé:r] *m.* 호메로스(B.C. 9세기의 그리스 시인).

Homeride [homerí:də] *m.* -n, -n 호메로스파의 시인.

homerisch *a.* 호메로스(풍)의: ~es Gelächter 박장대소, 홍소(哄笑).

Homeros [homé:rɔs] *m.* ↑ Homer.

Home·rule [hó:mru:l] 《engl.》 *f.* 〖史〗 (아일랜드의) 자치.

Home·spun [hó:mspu:n] 《engl.》 *n.* -s, -s 수직물(手織物); 〖방직〗 홈스펀(양복감의 일종).

Home·trainer [hó:mtrɛ:nər, hóʊmtreınə] 《engl.》 *m.* -s, - 가정용 운동 기구.

Homilet [homilé:t] 《gr.》 *m.* -en, -en ① 설교사. ② 설교학 전문가.

Homilẹtik [..tık] *f.* 설교학, 신학.

homilẹtisch *a.* 설교학의.

Homilie [..lí:] 《gr.》 *f.* -n [..lí:ən] 설교; 성서의 해설.

Hominide [hominí:də] *m.* -n, -n 〖인류〗 (과거와 현재에 걸친) 인류의 총칭.

Hommage [ɔmá:ʒ] 《frz.》 *f.* -n 〖교양〗 존경, 경의.

***Homo**[1] [hó(:)mo] 《lat.》 *m.* -, ..mines ① 〖인류〗 인간: ~ erectus [erɛ́ktus] 직립 원인(直立猿人). ② 〖교양〗 ~ faber 기술적 인간, 호모 파베르; ~ ludens 유희적 인간, 호모 루

덴스; ~ oeconomicus 경제적 인간, 호모 에코노미쿠스; ~ novus 벼락 부자; 〖속담〗 ~ homini lupus 인간의 가장 위험한 적은 인간이다(영국 철학자 T. Hobbes의 말).

***Homo²** [hó:mo] *m.* -s, -s 〖구어〗 = Homosexueller 동성 연애자.

homo.. 《gr. homós》 *pref.* "동일"의 뜻.

homö.. 《gr. hómoios》 *pref.* "유사"의 뜻.

Homoerotik [..eró:tɪk] *f.* 〖교양〗 동성애.

homoerotisch *a.* 〖교양〗 동성애의: eine ~e Beziehung 동성 연애 관계.

Homofon 新정서 ⇦ Homophon.

***homogen** [..gé:n] 《gr.》 *a.* (↔ heterogen) 동질적인, 같은 종류의.

homogenisieren *t.* ① 〖교양〗 동질화하다. ② 〖化〗 균질화하다: homogenisierte Milch 균질 우유. ③ 〖제련〗 (열처리를 통해 금속을) 균질 조직으로 만들다.

Homogenisierung *f.* -en 〖교양〗 동질〔균질〕화.

Homogenität *f.* 동종, 동질성: die ~ einer Sprachgemeinschaft 언어 공동체의 동질성.

homolog [..ló:k] *a.* ① 발생학적으로 일치하는, 상동(相同)의: Flossen und Flügel der Wirbeltiere sind ~e Organe 척추 동물의 지느러미와 날개는 상동 기관이다. ② 〖數〗 상응〔일치〕하는: ~e Stücke 상응점〔면·각〕. ③ 〖化〗 동위(同位)의: ~e Elemente 동위 원소.

homologieren [..gí:rən] *t.* 〖스포츠〗 ① (모터 스포츠 경기 출전 차량을) 규격에 따라 등급을 매기다. ② 공인하다: einen Rekord ~ 기록을 공인하다. ③ 〖스키〗 (구간을) 국제 스키 규정에 맞게 시설하다.

homonym [..ný:m] *a.* 〖문법〗 동음 이의어의.

Homonym [..ný:m] 《gr. ónoma》 *n.* -s, -e 〖문법〗 동음 이의어.

homöo.. *pref.* "유사·동일"의 뜻.

Homöopath [homøopá:t] 《gr.; ↑ Pathos》 *m.* -en, -en 동종 요법(을 쓰는) 의사(↔ Allopath).

Homöopathie [..patí:] *f.* (동일 병을 유발하는 약제를 최소량 사용하는) 동종 요법.

Homöopathin *f.* -nen ↑ Homöopath의 여성형.

homöopathisch *a.* 동종 요법의: ~e Mittel 유사 치료제; ~e Dosis 극소량(geringe Dosis).

homophil [homofí:l] *a.* 〖교양〗 동성애의.

Homophilie [..filí:] *f.* 〖교양〗 동성애.

homophon [homofó:n] 《gr. phōnḗ》 *a.* 〖문법〗 동음(同音)의; 〖음악〗 단음적인(주선율에 대해 다른 선율이 반주의 역할을 하는).

Homophonie [..foní:] 《gr.》 *f.* -n [..ní:ən] 〖음악〗 단성(單聲) 음악.

Homo sapiens [hó:mo zá:piɛns] 《lat.》 호모 사피엔스, 인간(의 학명).

Homosexualität 《gr.-lat.》 *f.* 동성애.

***homosexuell** *a.* 동성애의.

Homosexuelle *der/die* 동성애자(↔ Heterosexuelle).

homozentrisch 《gr.》 *a.* 동일 중심의, 동심(同心)의.

homozygot *a.* 〖生〗 동형 접합의, 동종 유전의.

Homozygotie *f.* 〖生〗 동형 접합자가 생기는 현상; 동형〔동질〕 집합체.

Homunkulus [homúŋkulus] 《lat.》 *m.* -, ..li/-se ① 〖고어〗 초라한〔볼품없는〕 인간. ② 인조 인간: im „Faust Ⅱ" verwertete Goethe das Motiv des ~ 괴테는 "파우스트 Ⅱ부"에서 인조 인간의 모티프를 사용했다.

Honan [hó:nan] *m.* -s, -s, **Honan·seide** *f.* -n 〖방직〗 (중국의) 허난(河南)산 견직물.

Honduraner [hɔndurá:nər] *m.* -s, - (중앙 아메리카에 있는) 온두라스 공화국 사람.

honduranisch *a.* 온두라스(사람)의.

Honduras [hɔndú:ras] 온두라스(중앙 아메리카에 있는 공화국).

Honecker [hɔ́nɛkər] Erich ~ 호네커(구동독의 마지막 공산당 서기장, 1912-94).

honen [hó:nən] 《engl.》 *t.* 〖工〗 결이 곱게 갈다, 숫돌로 갈다.

honett [honɛ́t] 《frz.》 *a.* 〖雅語〗 존경할 만한; 정직한; 예의 바른, 근엄한; 단정한.

Honettität *f.* 예의 바름, 단정.

Hongkong [hɔ́ŋkɔŋ] 홍콩.

Honiara [hɔniára] 호니아라(뉴기니 동쪽에 위치한 솔로몬 군도의 수도).

***Honig** [hó:nɪç] *m.* -s, -e 벌꿀; 단맛(↔ Galle): türkischer ~ (꿀·젤라틴·호도 따위를 넣은) 터키 사탕; 〖비유·구어〗 jm. ~ ums Maul 〔um den Bart〔Mund〕〕 schmieren 〔streichen〕 누구에게 (감언이설로) 아첨하다; außen ~, innen Galle 인면수심(人面獸心), 양가죽을 쓴 이리; 〖속어〗 sie ist der reine ~ 저 아가씨는 정말 귀엽다.

Honig≈ameise *f.* 〖動〗 꿀개미. **~apfel** *m.* 꿀사과. **≈artig** *a.* 꿀같이 단, 꿀 같은. **~bär** *m.* 〖動〗 (유럽산(産)의) 갈색곰. **~bau** *m.* 양봉. **~bauer** *m.* 양봉가. **~behälter** *m.*, **~behältnis** *n.* 꿀통; 〖植〗 밀선(密腺). **~bereitung** *f.* 꿀 제조; 밀분비(密分泌). **~biene** *f.* 〖動〗 꿀벌. **~birne** *f.* 단맛이 나는 배. **~blase** *f.* (꿀벌의) 꿀주머니. **~blume** *f.* 〖植〗 ① 꿀을 분비하는 꽃. ② 쥐엄나무의 일종. **~dachs** *m.* 〖動〗 (남아프리카산(産)) 오소리의 일종. **~drüse** *f.* 〖植〗 밀선(蜜腺). **~erzeugung** *f.* ↑ ~bereitung. **~essig** *m.* 〖藥〗 초밀(酢蜜). **~farbe** *f.* 벌꿀색. **≈farben** *a.* 벌꿀색의: ~e Locken 벌꿀색의 고수머리. **≈farbig** *a.* ↑ ~farben. **≈fließend** *a.* 꿀같이 흐르는; 〖비유〗 유창한. **~fresser** *m.* 〖動〗 밀식조과(蜜食鳥科)의 새. **~gefäß** *n.* 꿀단지; 〖植〗 밀선. **≈gelb** *a.* 벌꿀색의. **~geschmack** *m.* 꿀맛. **~glas** *n.* 꿀을 담는 유리병. **~kelch** *m.* ↑ ~drüse. **~klee** *m.* 〖植〗 진동싸리. **~kuchen** *m.* ① 꿀과 향료를 섞어 만든 케이크. ② ↑ ~scheibe. **~kuchen·pferd** *n.* 〖구어·농담〗 약간 순박한 사람: wie ein ~ grinsen〔strahlen〕 파안대소하다. **~lecken** *n.* 〖다음 용법으로〗 kein ~ 〔~schlecken〕 sein 간단한 일이 아니다. **~lese** *f.* 벌꿀 채집〔수확〕. **~monat** *m.* ↑ ~mond. **~mond** *m.* 신혼 기간, 허니문. **~motte** *f.* 〖動〗 벌꿀나방(유충은 벌집을 뜯어먹음). **~mund** *m.* 감언(甘言); 유창한 말. **~saft** *m.* 〖植〗 화밀(花蜜). **~sauger** *m.* ↑ ~fresser. **~säure** *f.* 〖藥〗 ↑ ~essig. **~scheibe** *f.* 꿀이 찬 벌집. **~schlecken** *n.* ↑ ~lecken. **~schleuder** *f.* 벌꿀 여과기. **~seim** *m.* 꿀, 생청(生淸). **~stein** *m.* 〖광물〗 밀랍석(蜜蠟石). **≈süß** *a.* 꿀같이 단.

~tau *m.* 〖植〗 (식물의 잎·줄거리에서 나오는) 단물. **~trank** *m.* 밀수(蜜水); 감주(甘酒). **~wabe** *f.* ↑ ~scheibe. **~wein** *m.* 발효한 꿀로 만든 술(Met). **~wochen** *pl.* ↑ ~monat. **~worte** *pl.* 〔구식〕 감언, 교언(巧言). **~zelle** *f.* (벌집의) 밀방(蜜房).

Honneur [(h)ɔnǿːr] 《frz., „Ehre"》 *m.* -s, -s ①〔대개 복수〕〔구식〕 존경, 경의: jm. ~ erweisen 누구에게 경의를 표하다; 〔雅語〕 die ~s machen (손님을) 맞이하여 인사하다. ② 〔복수〕〔카드〕 최고 카드. ③〔복수〕〔볼링〕 가운데 줄의 핀을 맞히기.

Honolulu [honolúːluː] 호놀룰루(하와이주의 주도).

honorabel [honoráːbəl] 《lat.》 *a.* 〔구식〕 명예로운, 존경할 만한, 훌륭한.

*__Honorar__ [..ráːr] 《lat.》 *n.* -s, -e (연사·변호사 등이 받는) 사례(금), 보수: ein angemessenes ~ erhalten 적당한 사례를 받다; gegen ~ arbeiten 사례를 받고 일하다.

Honorar·professor *m.* 객원 교수(약어: Hon.-Prof.).

Honoratioren [..tsióːrən] *pl.* (지역의) 명망가, 유지.

honorieren [honoríːrən] *t.* ① (…에게) 경의를 표하다. ② 사례하다, 보수를 지급하다: einen Schriftsteller für seine Beiträge ~ 작가에게 원고료를 지급하다. ③〖經〗 einen Wechsel ~ 어음을 인수〔지급〕하다.

Honorierung *f.* -en 사례 지급, 보수: eine angemessene ~ 적절한 사례.

honorig *a.* 〔학생·구식〕 존경할 만한; 예의 바른; 관대한, 너그러운.

honoris causa [honóːrɪs káuza] 《lat.》 (ehrenhalber) 명예상의, 명예를 위하여(약어: h.c.): Doktor ~ 명예 박사.

Honved [hɔ́nveːd] 《ung., „Vaterlandsverteidiger"》 〖史〗 *f./m.* -s, -s ① 헝가리의 의용병(1848-67). ② 헝가리의 국방군〔예비군〕(1867-1918). ③ 헝가리의 육군(1919-45).

Honvéd *f./m.* -s, -s ↑ Honved.

Hooligan [húːlɪgən] 《engl.》 *m.* -s, -s ①〖드물게〗 깡패, 무뢰한. ② (미국·영국 등의) 불량 청소년, 훌리건.

hop [hɔp] *int.* ↑ hopp.

Hopfen [hɔ́pfən] *m.* -s, - 〖植〗 홉(의 열매): 〔비유·구어〕 an〔bei〕 ihm ist ~ und Malz verloren 그는 전혀 쓸모없는 놈이다〔망나니다〕.

hopfen *t.* (맥주에) 홉을 넣어 쓴맛을 내다.

Hopfen≈bau *m.* 홉 재배. **~bauer** *m.* ↑ ~züchter. **~baum** *m.* ↑ ~buche. **~bier** *n.* 홉을 넣은 맥주. **~bitter** *n.* 홉의 쓴맛. **~buche** *f.* 〖植〗 서양 새우나무. **~darre** *f.* 〖工〗 홉 건조 난로. **~ernte** *f.* 홉 수확. **~feld** *n.* 홉밭. **~garten** *m.* 홉 재배원. **~handel** *m.* 홉 매매. **~klee** *m.* 〖植〗 잔개자리. **~mehl** *n.* 홉의 열매 또는 껍질에 붙은 끈적거리는 분말. **~öl** *n.* 홉기름. **~ranke** *f.* 홉덩굴. **~stange** *f.* 홉의 덩굴을 떠받치는 막대기; 〔비유·농담〕 키다리. **~züchter** *m.* 홉 재배인.

Hopi [hóːpi] *m.* -(s), -(s) 〖인종〗 (북아메리카 남부에 거주하는) 인디언 종족의 하나.

Hoplit [hoplíːt] 《gr. hóplon, „Waffe"》 *m.* -en, -en 〖軍〗 (고대 그리스의) 중무장한 보병.

hopp [hɔp] *int.* 〔↑ hoppen 의 명령형〕〔구어〕 (높이 뛰라는 뜻에서 유래하여 신속한 행동을 요구하는 말로 쓰임) los, ~ 자, 출발! ~, ein Glas Bier 자, 한 잔 마셔!; ein bißchen ~! 약간 빨리!; jn. ~ nehmen 누구를 잡다.

Hopp *m.* -(e)s, -e 도약; 빠른 템포의 무용.

hoppadatschig *a.* 〔방언〕 거만한.

Hoppas *m.* -, -se 도약.

hoppeln *i.* (h./s.) (토끼처럼) 깡충깡충 뛰다.

Hoppel·poppel [hɔ́pəlpɔpəl] *n.* -s 〖요리〗 ① 달걀주(酒). ② (달걀·감자·햄 따위를 섞은 북독일의) 요리.

hoppen 《♧ hüpfen》 *i.* (s.) ↑ hopsen.

hopphopp [hɔphɔ́p] *int.* 〔hopp 의 의미를 강조하는 외침〕: bei ihm muß alles ~ gehen 그에게는 모든 것이 빨리 진행되어야 한다.

hoppla [hɔ́pla] *int.* ① 이크, 아이구(걸려 넘어질 뻔했을 때 또는 넘어졌을 때): ~, jetzt wäre ich aber beinahe hingefallen 아이구, 하마터면 넘어질 뻔했다. ② 아이구 이런(등을 밀거나 발을 밟고도 뻔뻔스러운 태도를 보일 때): ~, passen Sie doch etwas besser auf 아이구 이런, 좀더 조심하십시오. ③ 어이(다른 사람의 주의를 환기시킬 때): ~, da kommt der Ball 어이, 공이 온다.

hopp|nehmen [hɔ́pneːmən] *t.* 〔경박〕 체포하다: die Diebe wurden gleich nach der Tat hoppgenommen 도둑들은 범행 직후 체포되었다.

hops[1] [hɔps] *int.* 뛰어라(높이 뛰라고 요구하는 외침); (hopp) 빨리빨리, 어서(신속한 움직임이나 진행을 뜻하는 소리): ~ war der Stapel Kleider umgeräumt 순식간에 옷 더미가 옮겨졌다.

hops[2] *a.* 〔구어〕 ① 없어진, 사라진: ~ gehen 없어〔사라〕지다; das Geld ist ~ 돈이 없어졌다. ② 죽은: er ist ~ 그는 죽었다.

Hops *m.* -es, -e 도약.

hopsa [hɔ́psa] *int.* 〔아동〕 ① 높이 뛰라고 요구하는 소리. ② 아이를 높이 들어올리거나 안을 때 외치는 소리.

hopsala [..sala] *int.* ↑ hopsa.

hopsasa [..sasa] *int.* ↑ hopsa.

hopsen [hɔ́psən] *i.* (h./s.) 〔구어〕① (한 발로) 껑충 뛰다: das ist gehopst wie gesprungen 그것은 완전히 똑같다. ② 서투르게 춤추다.

Hopser *m.* -s, - ① 뛰는 사람; 도약, 뛰어 오르기. ② 급템포의 무도. ③〖체조〗 신속한 도약.

Hopserei [hɔpsəráɪ] *f.* -en 〔구어〕 ① 계속 껑충껑충 뛰어다님. ②〔폄어〕 서투른 춤.

hops≈|gehen *i.* (s.) 〔경박〕 ① 없어지다, 분실되다: das ganze Geld ist hopsgegangen 돈이 모두 없어졌다. ② 죽다: er ist beim Unfall hopsgegangen 그는 사고로 죽었다. ③ 체포되다: gleich nach der Tat ist er hopsgegangen 그는 범행 직후 체포되었다. **~|nehmen** *t.* ↑ hoppnehmen.

Hora [hóːra] 《lat., „Jahreszeit, Stunde"》 *f.* Horen 〖가톨릭〗 매시간 올리는 기도(시간), 성무(聖務) 일과(시간).

Hör·apparat *m.* 보청기.

Horatius [horáːtsius], **Horaz** [horáːts] *m.* 호라티우스(로마의 시인, 65-8 B.C.).

horazisch *a.* 호라티우스풍〔류〕의.

hörbar [hǿ:rba:r] *a.* 들을〔청취할〕 수 있는; 이해〔납득〕할 수 있는.

Hörbarkeit *f.* ① 가청성. ② 청력.

Hör=bereich *m.* ①〖음향〗 가청 범위. ② 수신〔청취〕 가능 지역. **~bericht** *m.* ① 실황 보도. ② 목격담(談). **~buch** *n.* 〖출판〗 (CD나 카세트의) 청취용 책.

***horchen** [hɔ́rçən] 《⇔ hören》《I》*i.* ① (**a**) 귀 기울여 듣다, 경청하다: horch, es klopft! 쉿, 누군가 문을 두드린다!; auf die Atemzüge eines Kranken ~ 환자의 숨소리를 주의 깊게 듣다. (**b**)〖방언〗 누구의 말을 듣다, 따르다: horch nicht auf ihn! 그의 말을 따르지 마라! ②〖구어〗 엿듣다: an der Tür ~ 문밖에서 엿듣다; nach et.³ ~ 무엇을 (비밀 따위를) 알아내려고 하다. 《II》*t.* das Lied ~ 노래에 귀를 기울이다;〖고어〗 ↑ behorchen.

Horcher *m.* -s, - 엿듣는 사람, 도청자, 염탐꾼:〖속담〗 der ~ an der Wand hört seine eigene Schand' 벽에 귀를 대어 엿듣는 자는 공교롭게도 자기 흉보는 소리를 듣는다.

Horcherin *f.* -nen ↑ Horcher 의 여성형.

Horch=gang *m.* 〖軍〗 척후(斥候) 갱도. **~gerät** *n.* 〖空·海〗 음파 탐지기. **~posten** *m.* ①〖軍〗 매복〔정찰〕 초소. ②〖농담〗 염탐 장소. **~rohr** *n.* 〖物〗 음향관;〖醫〗 청진기.

horchsam [hɔ́rçza:m] *a.* 〖구식〗 주의 깊은.

Horch·winkel *m.* 염탐 장소.

Horde[1] [hɔ́rdə] 《ndd.; md.》*f.* -n (왕골 따위로 엮은) 장방형의(과일) 바구니.

Horde[2] *f.* -n ① 유목민의 무리. ② 떼, 무리; 집단: eine ~ von Kindern 한 무리의 아이들. ③〖動〗 (특히 나비의) 과(科).

horden·weise *adv.* 떼를 지어.

Hore [hó:rə] *f.* -n ↑ Hora.

Horen [hó:rən] 《gr.; Hora》*pl.* ①〖그리스신화〗 호렌(계절과 질서의 여신). ② 호렌지(紙) (쉴러(F. Schiller)가 편집한 문학 잡지(1795-97)).

***hören** [hǿ:rən] 《I》*i.* ① 들리다: scharf〔schwer〕 ~ 귀가 밝다〔어둡다〕; auf diesem Ohre höre ich nicht 나는 이쪽 귀가 들리지 않는다〔먹었다〕;〖구어〗 jm. vergeht Hören und Sehen 누가 기절하다. ② (**a**) 듣다, 청취하다:〖구어·반어〗 hört, hört! 들어봐요!; wie ich höre 내가 듣기로, 듣건대; er hört nur mit einem Ohre 그는 한 쪽 귀로만 듣고 있다; man höre und staune! 믿을 수 없다! (놀라움의 표현);〖구어〗 hör〔hören Sie〕 mal! (질문·부탁·명령 따위를 시작할 때) 이봐요, 들어봐요! (**b**) auf jn.〔et.〕 ~ 누구의 말〔무엇〕을 듣다, …에 따르다: höre nicht auf ihn 그의 말에 귀를 기울이지 마라; der Hund hört auf den Namen Leo 이 개는 레오라는 제 이름을 알아듣는다;〖軍〗 alles hört auf mein Kommando! 모두 내 명령을 들어라! (**c**) bei einem Professor ~ 어떤 교수의 강의를 듣다(↑《II》② (a)). ③ 순종하다(gehorchen): wer nicht ~ will, muß fühlen 말을 듣지 않는 사람은 따끔한 맛을 보아야 한다. ④ (alem.; gehören) das hört mir 그건 내 것이다(↑ hörig). ⑤〖방언〗(aufhören) 그만두다, 중지하다. 《II》*t.* ① 듣다, 귀를 기울이다: einen Lärm ~ 떠드는 소리가 들리다; eine Lerche〔die Uhr〕 ~ 종달새의 지저귐을〔시계 치는 소리를〕 듣다;〖부정법과 함께〗 sagen ~ 소문으로 듣다; ich höre schreien 외침 소리가 들린다; ich habe ihn singen ~ 나는 그가 노래하는 것을 들었다;〖lassen 과 함께〗 laß ~! 말해; seine Stimme ~ lassen 소리를 지르다〔내다〕;〖결과를 나타내어〗 seine Freude an et.³ ~ 무엇을 듣고 기뻐하다. ② (**a**) 경청하다: eine Predigt ~ 설교를 듣다; eine Vorlesung (bei Prof. Kim) ~ (김 교수의) 강의를 듣다; die Messe ~ 미사에 참석하다; Radio〔Rundfunk〕 ~ 라디오(방송)를 듣다. (**b**) 들어주다: jm. die Beichte ~ 누구의 참회를 듣다; man muß beide Parteien ~ 양쪽 말을 다 듣지 않으면 안 된다. (**c**) 듣고 따르다: höre meinen Rat! 내 충고를 들어라. (**d**) 들어주다: die Bittsteller wurden vom Minister gehört 장관이 청원자들의 말을 들어주었다;〖聖〗 Gott, höre mein Gebet 하느님이여 내 기도를 들어주소서(시편 54:2). ③ (**a**) (얻어)듣다, 들어 알다: eine Nachricht ~ 소식을 듣다; et. von jm. 〔durch jn.〕 ~ 무엇을 누구에게서 듣다; et. von jm. 〔über jn.〕 ~ 누구에 관해 무엇을 듣다; Sie werden noch von mir ~! 또 연락드리겠습니다!; ich höre, daß er krank ist 그가 병이 났단다; er läßt gar nichts mehr von sich³ ~ 그는 소식을 완전히 끊고 산다. (**b**) 듣고 알다: am Schritt höre ich, daß es mein Freund ist 발자국 소리를 들어보니 내 친구로군. 《III》*refl.* sich ~ ① (**a**) er hört sich (selbst) gern (reden) 그는 말하기를 좋아한다, 잘 지껄인다. (**b**)〖결과를 나타내어〗 sich an et.³ satt ~ 무엇을 지겹도록 듣다. ② das hört sich hübsch (an) 그것은 듣기가 좋다. ③ sich ~ lassen a) 말하다, 노래〔연설·연주〕하다: er läßt sich vor einem Publikum ~ 그는 청중 앞에서 노래〔연주·강연〕한다, b) (노래 따위가) 들리다: das läßt sich ~ 그것은 들을 만하다, 그럴 듯하다.

***Hören** *n.* -s 듣기; 청력;〖醫〗 청진; beim ~ der Musik schlief er ein 음악을 들으며 그는 잠들었다;〖구어〗 es verging ihm ~ und Sehen 그는 실신〔기절〕했다.

Hören·sagen *n.* 들어서 앎, 전문(傳聞); 소문, 풍문:〖法〗 Zeuge vom ~ 소문의 증인; nach dem ~ 소문에 따르면; et. nur vom ~ wissen 무엇을 그저 소문으로 들어 알고 있다; aufs ~ geb' ich nicht so viel 나는 소문을 그다지 신용〔높이 평가〕하지 않는다.

hörens·wert *a.* 들을 만한(가치가 있는): diese Oper ist ~ 이 오페라는 들을 만하다.

***Hörer** *m.* -s, - ① (**a**) 듣는 사람; 청취자, 방청객; (복수) 청중. (**b**) (대학의) 청강생; 라디오 청취자(Rundfunk~). ② 수화기, 수신기: den ~ abnehmen〔auflegen〕 수화기〔수신기〕를 들다〔내려놓다〕.

Hörerin *f.* -nen ↑ Hörer 의 여성형: meine ~nen und Hörer! 남녀 청취자 여러분!

Hörer·kreis *m.* 청취자층.

Hörerschaft *f.* -en 청중;〖총칭〗 수강자, 청취자.

Hör=fehler *m.* ① 잘못 듣기. ② 청력 장애 (Gehörfehler). **~folge** *f.* 라디오 방송 프로. **~frequenz** *f.* 가청(可聽) 주파수. **~funk** *m.* 소리만을 전달하는 방송, 라디오. **~gerät** *n.* ↑ ~apparat. **~geräte·akustiker** *m.* 보청기 제작공. **~geschädigt** *a.* 청각 장애가 있는.

hörig [hǿːrıç] 《<hören 《I》③》 *a.* ①〖史〗 지주에게 예속된. ② 예속적인: jm. (sexuell) ~ sein 누구에게 (성적으로) 예속되어 있다.
Hörige* [..gə] *der/die* 예속자, 노예, 농노.
Hörigkeit *f.* -en ①〖史〗 농노〔노예〕 상태: die letzten Reste der ~ 농노 제도의 마지막 잔재. ② 예속: eine von ~ geprägte Beziehung 예속 관계.
Hörigkeits·verhältnis *n.* 예속 관계.
***Horizont** [horitsɔ́nt] 《gr. horízein》 *m.* -(e)s, -e ① (**a**) 지평선, 수평선: die Sonne berührte den ~ 태양이 지평선〔수평선〕에 닿았다; am ~ 지평선〔수평선〕에. (**b**) 영역, 지평: seine Untersuchungen eröffnen neue ~e 그의 연구는 새로운 지평을 열고 있다; neue ~e taten sich vor ihm auf 그의 앞에 새로운 영역이 열렸다. ②〖지질〗 지평층. ③ (지식 및 이해의) 폭, (정신적인) 시야: einen weiten 〔engen〕 ~ haben 시야가 넓다〔좁다〕; das geht über meinen ~ 그것은 내 인식의 한계를 넘어선다.
horizontal [horitɔntáːl] *a.* 수평의(waagerecht): 〖經〗 ein ~er Zusammenschluß von Betrieben 기업체들의 수평적 결합; 〖경박〗 das ~e Gewerbe 매음.
Horizontale *f.* -n 수평(선): 〖구어·농담〗 sich in die ~ begeben 눕다.
Horizontal⸗ebene *f.* 평면. **~linie** *f.* 수평선. **~pendel** *n./m.* 〖理〗 수평 진자(振子), 수평 흔들이. **~projektion** *f.* 〖數〗 수평 투영. **~schnitt** *m.* 수평 단면. **~schuß** *m.* 〖軍〗 수평 사격. **~waage** *f.* 수준기(水準器), 수평기(水平器).
Hör⸗kapsel *f.* ↑ ~muschel. **~machine** *f.* 보청기.
***Hormon** [hɔrmóːn] 《gr. hormáein》 *n.* -s, -e 〖醫〗 호르몬: Mangel an ~en 호르몬 결핍; mit ~en behandelt werden 호르몬 치료를 받다.
hormonal [..monáːl] *a.* 호르몬의: ~e Steuerung 호르몬 조절.
Hormon⸗behandlung *f.* 〖醫〗 호르몬 치료. **~drüse** *f.* 〖해부〗 내분비선.
hormonell [..monɛ́l] *a.* ↑ hormonal.
Hormon⸗fleisch *n.* 〖印〗 호르몬 처리가 된 육류. **~forschung** *f.* 호르몬 연구. **~haushalt** *m.* 〖생리〗 (체내의) 호르몬 조절: Störungen des ~s 호르몬 조절 체계의 장애. **~präparat** *n.* 〖藥〗 호르몬제. **~spiegel** *m.* 혈액 속의 호르몬 함유량. **~spritze** *f.* 〖醫〗 호르몬 주사.
Hör·muschel *f.* (탁상 전화기의) 수화기(↔ Sprechmuschel).
***Horn** [hɔrn] 《lat. cornu》 *n.* -(e)s, Hörner [hœ́rnər]/(종류) -e ① (**a**) (짐승의) 뿔: spitze〔gebogene〕 Hörner 뾰족한〔구부러진〕 뿔. (**b**) 〖비유〗 jm. die Hörner bieten〔zeigen〕 누구에게 반항하다; Hörner einziehen (우쭐대던 사람이) 움츠러들다, 코가 납작해지다, 기가 꺾이다〔죽다〕; den Stier bei 〔an〕 den Hörnern nehmen〔packen〕 문제에 대담하게 대처하다; 〖비유·구어〗 sich³ die Hörner abstoßen〔ablaufen〕 따끔히 맛을 보고나서야 비로소 정신차리다; sich³ den Strick 〔das Seil〕 über〔um〕 die Hörner werfen lassen 농락당하다, 항복하다; et. auf seine 〔die eigenen〕 Hörner nehmen 무엇을 떠맡다〔도맡다〕, 무엇의 책임을 지다; Hörner tragen〔bekommen〕 오쟁이지다, 아내에게 배신당하다; 〖비유·구어〗 dem Ehemann Hörner aufsetzen (아내가 간음하여) 남편을 배신하다. (**c**) 〖聖〗 (힘·영광의 상징) js. Horn erhöhen〔erheben, wachsen lassen〕 누구를 굳세게 하다. ② (**a**) (옛날의) 뿔로 만든 술잔; 〖전설〗 das ~ des Überflusses 풍요의 뿔, 보각(寶角) (↑ Füllhorn). (**b**) 각적(角笛), 호각; 〖음악〗 호른(지금은 대개 금속성): auf dem ~ blasen 〔ins ~ stoßen〕 각적을 불다; 〖비유·구어〗 mit jm. in ein〔dasselbe〕 ~ blasen〔tuten〕, in js. ~ blasen 누구와 뜻을 같이하다, 한통속이 되다. ③ (**a**) 각질: Kämme aus ~ 뿔로 만든 빗. (**b**) 각질물(物) (짐승의 발굽·부리·티눈·(살가죽의) 못 따위; 그 밖에 일반적으로 딱딱한 물질). ④ ("뿔처럼 생긴 돌기·물체"를 가리킴) (**a**) 초승달의 양끝; 모루의 뾰족한 끝; 갑(岬), 반도, 활 모양으로 굽은 만(灣); 산의 뾰족한 봉우리: Matter⁓ 마터호른(알프스의 봉우리 이름). (**b**) 혹; 〖動〗 (특히 달팽이의) 촉각; 〖植〗 거(距); 〖軍〗 익각(翼角). (**c**) ↑ Hörnchen ②.
Horn⸗amboß *m.* 뿔 모양의 모루. **~arbeiter** *m.* 뿔 세공사. **⁓artig** *a.* 뿔 모양의; 각질(角質)의. **~baum** *m.* 〖植〗 서나무속(屬)의 일종(Hagebuche). **~becher** *m.* 뿔로 만든 술잔. **~bereiter** *m.* ↑ ~arbeiter.
Hornberger [hɔ́rnbɛrgər] 〖다음 용법으로만〗 〖구어〗 etwas geht aus wie das ~ Schießen 무엇이 허사로 끝나다.
Horn⸗bläser *m.* 〖음악〗 호른 연주자; 나팔수. **~blatt** *n.* 〖植〗 수초. **~blende** *f.* 〖광물〗 각섬석(角閃石). **~brille** *f.* 뿔테 안경.
Hörnchen [hœ́rnçən] *n.* -s, - 〖↑ Horn 의 축소형〗 ① 작은 뿔. ② 뿔 모양의 빵. ③〖動〗 다람쥐류(類).
Hörndl·bauer [hœ́rndəl..] 《öst.》 *m.* -n, -n 목축업자.
Horn⸗drechsler *m.* 뿔세공사. **~dreher** *m.* ↑ ~drechsler.
hornen [hɔ́rnən] *a.* 〖구식〗 뿔로 만든(hörnern): der ~e Siegfried 뿔같이 단단한 지크프리트(Nibelungen 전설의 1 부에 나옴).
hörnen[1] [hœ́rnən] 《I》 *t.* ① …에 뿔을 달다: 〖비유·구어〗 den Ehegatten ~ 남편 몰래 간통하다(↑ Horn ① (b)). ② 딱딱하게 하다, 각질(角質)로 만들다. ③〖고어〗 jn. aus dem Schlaf ~ 각적(角笛)을 불어 누구의 잠을 깨우다. 《II》 *refl.* sich ~ (사슴 따위가) 뿔갈이하다. 《III》 *i.* ① 뿔로 찌르다. ② 각적〔호른〕을 불다. 《IV》 **gehörnt** *p.a.* ↑ gehörnt.
hörnen[2] *a.* ↑ hörnern.
Hörner·klang *m.* 〖음악〗 호른의 음(향).
hörnern *a.* ① 뿔로 만든, 각제(角製)의. ② 각질의, 딱딱한.
Hörner⸗schall *m.* ↑ ~klang. **~schlitten** *m.* (미끄럼 나무가 뿔 모양으로 돌출한) 운반용 썰매. **~schluß** *m.* 〖논리〗 (Dilemma) 양도(兩刀) 논법, 딜레마. **~träger** *m.* ①〖動〗 뿔이 있는 동물. ②〖비유·구식〗 부정한 아내를 둔 남편.
Hör·nerv *m.* 〖해부〗 청(聽)신경; 내이(內耳)신경.
Horn⸗erz *n.* 〖광물〗 각은광(角銀鑛); 〖化〗 염화은(銀). **~eule** *f.* 〖動〗 수리부엉이의 일종.

~fasan *m.* 〖動〗 꿩의 일종. **~fäule** *f.* 〖수의〗 말발굽 궤양. **~fisch** *m.* 〖動〗 동갈치, 실고기. **~förmig** *a.* 뿔 모양의. **~füßig** *a.* 굽이 있는, 유제(有蹄) 동물의. **~hart** *a.* 뿔같이 단단한. **~haut** *f.* ① 각질의 피부, 굳은살: sich die ~ an den Füßen abschneiden 발에 생긴 굳은살을 도려내다; 〔비유·구어〕 sich eine ~ zulegen 무관심〔무감각〕해지다. ② 〖해부〗 각막.

Hornhaut·entzündung *f.* 〖醫〗 각막염. **~fleck** *m.* 〖醫〗 각막반(角膜斑).

horn·häutig *a.* 각질의, 굳은, 경화된, 티눈 모양의; 각막의.

hornicht *a.* ↑ hornig.

hornig *a.* ① 뿔 모양의, 각질의: ~e Bauernhände 굳은 살이 박힌 농부의 손. ② 뿔이 있는.

..hörnig *suf.* "…한 뿔을 가진"의 뜻(보기: zwei~ 뿔이 둘인; lang~ 뿔이 긴, 장각(長角)의).

Hornis [hɔ́rnɪs, hɔrnɪ́s] *m.* -, -se 〔*f.* -se〕 ↑ Hornisse.

Hornisse [hɔ́rnɪsə, hɔrnɪ́sə] *f.* -n 〖動〗 말벌속.

Hornissen·nest [hɔ́rnɪsən.., hɔrnɪ́..] *n.* 말벌의 집. **~schwärmer** *m.* 〖動〗 작은 나비의 일종.

Hornist [hɔrnɪ́st] 《＜Horn》 *m.* -en, -en 각적(角笛)을 부는 사람; 〖음악〗 호른 연주자; 〖軍〗 나팔수.

Hornistin *f.* -nen ↑ Hornist 의 여성형.

Horn·käfer *m.* 〖動〗 하늘가재(Hirschkäfer). **~kamm** *m.* 뿔로 만든 빗. **~kirsche** *f.* 〖植〗 서양 산수유나무(의 열매) (Kornelkirsche). **~klee** *m.* 〖植〗 벌노랑이. **~kluft** *f.* 〖수의〗 (말)발굽의 갈라진 틈. **~klüftig** *a.* 발굽에 갈라진 틈이 있는, 우제(偶蹄)의. **~koralle** *f.* 〖動〗 뿔산호 무리. **~kraut** *n.* 〖植〗 점나도나물. **~krebs** *m.* 〖醫〗 각암(角癌). **~kümmel** *m.* 〖植〗 비연초(飛燕草).

Hörnlein [hœ́rnlaɪn] *n.* -s, - 〔↑ Horn 의 축소형〕〔雅語〕 작은 뿔(Hörnchen).

Hörnling *m.* -s, -e 〔다음 용법으로만〕〖植〗 klebriger ~ 싸리버섯류(類).

Horn·mehl *n.* (비료로 쓰이는) 뿔 부스러기. **~mohn** *m.* 〖植〗 양귀비의 일종. **~musik** *f.* 〖음악〗 호른 취주악, 금관악(대). **~ochse** *m.* 〔욕설〕 바보, 멍청이(↑ ~vieh ②). **~rabe** *m.* 〖動〗 코뿔새. **~ruf** *m.* ↑ ~signal. **~schlange** *f.* ↑ ~viper. **~schröter** *m.* 〖動〗 하늘가재 (Hirschkäfer). **~schwiele** *f.* 못, 티눈. **~signal** *n.* 각적〔나팔〕 신호. **~silber** *n.* 〖광물〗 각은광(~erz). **~spalte** *f.* ↑ ~kluft. **~späne** *pl.* ↑ ~mehl. **~spitze** *f.* 뿔의 끝. **~stein** *m.* 〖광물〗 각암(角岩). **~stoß** *m.* ① 뿔로 들이받기. ② 각적〔호른〕 불기. **~strauch** *m.* 〖植〗 서양 산수유나무. **~tier** *n.*, **~träger** *m.* 〖動〗 뿔 달린 짐승, 유각수(有角獸).

Hornung [hɔ́rnʊŋ] *m.* -s, -e 〔구식〕 2월.

Hornuß [hɔ́rnu:s] 《schweiz.》 *m.* -es, -e (스위스의 구기(球技)인) 호르누스의 공〔퍽〕: 〔비유〕 den ~ (sicher) treffen 급소를 찌르다, 제대로 평가하다.

hornußen 《schweiz.》 *i.* 호르누스 경기를 하다.

Horn·vieh *n.* ① 뿔 달린 가축. ② 〔욕설〕 멍청이, 바보. **~viper** *f.* 〖動〗 (북아프리카산(産)) 살무사과의 뱀, 각사(角蛇). **~wand** *f.* 〖수의〗 (말의) 발굽벽(壁), 제벽(蹄壁). **~waren** *pl.* ↑ ~werk ①. **~werk** *n.* ① 뿔세공품, 각제품. ② 〖軍〗 각보(角堡).

Horolog [horolǿ:k] 《gr.; ↑ Hora》 *n.* -s, -e 〔구식·총칭〕 시계, 시진의(時辰儀).

Hör·organ *n.* 청각 기관, 귀.

Horoskop [horɔskó:p] 《gr.》 *n.* -s, -e 〖점성술〗 12 궁도, 천궁도; 별점, 점성: jm. das ~ stellen (별로) 누구의 운명을 점치다.

horrend [hɔrɛ́nt] *a.* 《lat.; ↑ Horror》 *a.* ① 〔구식〕 무시무시한, 소름끼치는: eine ~e Idee 무시무시한 생각. ② 터무니없는, 지독한, 대단한: das ist doch ~er Unsinn 그것은 터무니없는 난센스다; das ist ~ teuer 그것은 지독히 비싸다.

horribel [hɔrí:bəl] *a.* ↑ horrend.

horribile dictu [hɔrí:bile dɪ́ktu] 〔교양〕 말하기조차 무서운.

Horrido [hɔridó:] 《＜ho Rüd, ho!》 *n.* -s, -s 건배(사냥 후 축배를 들 때 내는 소리).

horrido *int.* 야호, 만세, 건배(사냥꾼이 축배를 들거나 기쁠 때 외치는 소리).

Hör·rohr *n.* ① 보청기. ② 청진기. **~roman** *m.* 〖출판〗 청취용 책 형태의 소설.

Horror [hɔ́rɔr] 《lat.》 *m.* -s 전율, 공포; 혐오, 반감: er hat einen ~ vor der Arbeit 〔Prüfung〕 그는 일〔시험〕이 딱 질색이다.

Horror·film *m.* 공포 영화. **~trip** *m.* (환각제 복용 후 겪는) 공포감을 동반한 도취 상태.

Horror vacui [..vá:kui] 《lat.》 *m.* - - (아리스토텔레스 물리학에 근거한 자연의) 진공 혐기(嫌忌)〔충전(充塡) 현상〕.

Hör·saal *m.* ① 대형 강의실. ② 〔구어〕 대형 강의실에 모인 수강생.

Hörsamkeit *f.* 음향 효과(Akustik).

Hör·schlauch *m.* 보청기.

hors concours [ɔrkõkú:r] 《frz.》〔교양〕 심사가 면제된, 절대적인 인정을 받는: ihre Interpretation dieser Sonaten ist zur Zeit ~ 이 소나타에 대한 그녀의 해설은 현재 절대적인 권위를 인정받고 있다.

Hors-d'oeuvre [(h)ɔrdǿ:vər, ..ɔrdœ́:vr] 《frz. hors》 *n.* -s, -s ① 〖요리〗 (Vorspeise) 오르되브르, 전채(前菜). ② 부속물; (책의) 주제 이외의 부분; (건물의) 별채.

Hörselberg [hœ́rzəlbɛrk] *m.* -(e)s 회르젤베르크산(Thüringen 주와 Hessen 주에 있는 산; ↑ Venusberg ②).

Hör·spiel *n.* ① 방송극, 라디오 드라마. ② 방송 극본. ③ ↑ ~spielabteilung. **~spiel·abteilung** *f.* 방송극 제작부.

Horst [hɔrst] *m.* -es, -e ① 〖林〗 수풀, 덤불; 산림. ② (높은 곳의) 맹금(猛禽)의 둥지; 〔비유〕 산적의 소굴: Adler~ 독수리 집. ③ 〖지질〗 지루(地壘). ④ (Fliegerhorst) 군용 비행장, 공군 기지.

Hör·stein *m.* 〖해부〗 이석(耳石).

horsten [hɔ́rstən] *i.* 높은 곳에 둥지를 틀다; 〔비유〕 고지대에 살다.

Hör·störung *f.* 청각 장애. **~stunde** *f.* 방송 시간. **~sturz** *m.* 〖醫〗 갑작스런 청력 저하.

Hort [hɔrt] 《＜indogerm., „verbergen"; ♧ Hose》 *m.* -(e)s, -e ① 〔시어〕 (a) 재보(財寶);

der Nibelungen∼ 니벨룽겐의 보물. (**b**) 소중한 것, 애인. ②〖雅語〗(**a**) 안전한 곳, 피난처; 성곽: ein ∼ der politisch Verfolgten 정치적으로 박해받은 자들의 피난처. (**b**) (방과 후의) 탁아소, (어린이) 놀이집: ein Kind in den ∼ geben 아이를 놀이집에 맡기다. ③ 의지할〔기댈 수 있는〕 것; 보호; 방패; 〖聖〗 보호자로서의 신: Herr, mein ∼ und mein Erlöser 나의 반석이시요 나의 구속자이신 여호와(시편 19:14).

hört ↑ hören의 2인칭 복수 명령형.

Hortation [hɔrtatsió:n] 《lat.》 *f.* -en 경고, 격려.

hortativ [hɔrtatí:f] *a.* 경고성의; 격려하는.

Horten =Horten AG 백화점 체인명.

horten [hɔ́rtən] 《<Hort》 *t.* 모으다, 축재하다; 비축하다: Gold ∼ 금을 모으다; Lebensmittel aus Furcht vor Notzeiten ∼ 비상시에 대비해서 식료품을 비축하다.

Hortensia [hɔrtɛ́nzia] 《lat.》 *f.* 호르텐지아(여자 이름).

Hortensie [..ziə] *f.* -n 〖植〗 수국.

Hortikultur [hɔrtikultú:*r*] 《lat. hortus, „Garten"》 *f.* 원예.

Hortnerin *f.* -nen (방과 후 탁아소의) 보모.

Hortolog [hɔrtoló:k] 《lat. hortus, „Garten"》 *m.* -en, -en 원예가.

Hortologie [..logí:] *f.* 원예학.

Hör·trichter *m.* ① 보청기. ② 청진기(∼-rohr).

Hortung [hɔ́rtʊŋ] *f.* -en 축적, 비축.

Horváth [hɔ́rva:t] *m.* Ödön von ∼ 호르바트(오스트리아의 작가, 1901-38).

Hör≈vermögen *n.* 청력. **∼weite** *f.* 가청〔청취〕 범위: in〔außer〕 ∼ 소리가 미치는 범위 안에〔밖에〕. **∼werk·zeug** *n.* 청취 기구.

hosanna [hozána] *int.* 〖기독교〗 호산나(예수를 찬미하는 감탄사)(↑ hosianna).

Hosche [hɔ́ʃə] *f.* -n (곡물·목재 따위를) 미끄러뜨려 내리는 장치, 활로(滑路).

Höschen [hǿ:sçən] *n.* -s, - 〖↑ Hose의 축소형〗 ① 작은 바지, 반바지: Baby∼ 아기 바지; Gummi∼ 고무 바지; 〖구어〗 heiße ∼ 핫 팬츠. ② 〖動〗 ↑ Hose ④ (b).

***Hose** [hó:zə] 《♧ Hort》 *f.* -n ① 〖고어〗 (schweiz.) 긴 양말. ② 〖대개 복수〗 바지: weite ∼n 통이 넓은 바지; die ∼(n) anziehen〔ausziehen〕 바지를 입다〔벗다〕; lange ∼n bekommen (아이가 자라서) 긴 양복 바지를 입게 되다; 〖구어·농담〗 die ∼n auf Halbmast tragen 단이 짧아서 다리가 나온 바지를 입고 있다. ③ (**a**) 〖비유·구어〗 sich³ auf die ∼n setzen 열심히 공부하다; 〖비유·구어〗 jm. die ∼n stramm〔straff〕ziehen 누구를 혼내 주어 다시 그러지 않게 하다; 〖구어〗 die Frau hat die ∼n an (가정에서) 여자가 실권을 쥐다, 내주장하다; 〖구어〗 das Herz fiel ihm in die ∼(n) 그는 용기를 잃었다, 기가 꺾였다: 〖경박〗 eine Sache geht in die ∼n 어떤 일이 실패하다; eine tote ∼ sein (특히 청소년이) 실패하다; 〖경박〗 js. ∼n sind voll 누가 겁에 질려 있다; 〖경박〗 sich (vor Angst) in die ∼n machen (두려워) 바지에 오줌을 지리다, 몹시 두려워하다; (schweiz.) mit jm. in die ∼n müssen 누구와 싸움으로 결판내게 되다; (schweiz.) in die ∼n steigen (스위스식 레슬링을 할 때) 싸울 준비를 끝내다; 〖구어〗 ein Kind kriegt die ∼n voll 아이가 벌로 엉덩이를 맞다; 〖경박〗 er hat die ∼n (gestrichen) voll, seine ∼n sind voll 그는 겁에 질려 있다; 〖구어〗 das ist Jacke wie ∼ 그것은 매한가지다(↑ Jacke ②); 〖구어·농담〗 die ∼ über der〔die〕 Tonne gegügelt (getrocknet) haben O자형 다리를 하고 있다; 〖구어〗 nicht aus der ∼ kommen können 변비로 괴로워하다. (**b**) Stand der geflickten ∼n 결혼 생활, 아내를 거느리는 신분; die roten ∼n 프랑스 병정(빨간 바지를 입은 것에서 유래). ④ (**a**) 〖動〗 (동물의) 정강이, 하퇴. (**b**) 〖動〗 꿀벌의 다리에 묻은 꽃가루. (**c**) 〖植〗 엽초(葉鞘). ⑤ 바다회오리(Wasser∼). ⑥ 상자: (md.) zwei ∼ Butter 버터 두 상자.

Hosea [hozé:a] 《hebr., „Rettung"》 *m.* 〖聖〗 호세아(구약 성서 예언자).

hosen [hó:zən] *t.* 바지를 입히다.

Hosen≈anzug *m.* 긴 바지와 상의로 이루어진 숙녀용 정장. **∼band** *n.* 〖복수: ..bänder〗 (반바지의) 가랑이 끝을 졸라매는 끈. **∼-band·orden** *m.* (영국의) 가터 훈장. **∼bein** *n.* 바지의 가랑이 부분: die ∼e umschlagen 가랑이를 접어올리다. **∼boden** *m.* 〖구어〗 바지의 엉덩이 판: einem Kind den ∼ strammziehen〔versohlen〕 벌로 아이의 엉덩이를 때리다; den ∼ voll kriegen 벌로 엉덩이를 맞다; sich auf den ∼ setzen 부지런히 배우다. **∼bund, ∼gurt** *m.* 양복 바지의 허리띠. **∼klappe** *f.* (어린이용 개구멍바지의) 터놓은 엉덩판. **∼knopf** *m.* 양복 바지 단추. **∼laden** *m.* ① 바지 가게. ② 〖구어〗 ↑ ∼schlitz. **∼-latz** *m.* (öst.) ↑ ∼schlitz.

hosenlos *a.* 양복 바지가 없는, 정장 바지를 입지 않은: ein ∼er (프랑스 혁명 당시 정장바지가 아닌 판탈롱을 입은) 과격 공화당원(frz. sans-culotte의 독역).

Hosen≈lupf *m.* (schweiz.) ① 레슬링의 일종. ② 〖비유〗 (정치적인) 힘겨루기. **∼matz** *m.* (양복 바지를 입을 만큼 큰) 사내아이, 소년. **∼naht** *f.* 양복 바지의 솔기. **∼rock** *m.* 치마바지. **∼rolle** *f.* 〖연극·농담〗 (여배우의) 남자역. **∼scheißer** *m.* 〖비속〗 겁쟁이. **∼schlitz** *m.* (신사용 바지의) 앞부분의 터진 곳. **∼schnalle** *f.* 혁대쇠. **∼stall** *m.* 〖구어〗 ↑ ∼schlitz. **∼stoff** *m.* ↑ ∼zeug. **∼strecker** *m.* 바지의 주름을 펴는 기구. **∼tasche** *f.* 바지 주머니: 〖비유〗 die Hände in den ∼n haben 수수방관하다; 〖구어〗 et. wie seine ∼ kennen 무엇을 훤히 알고 있다; et. aus der linken ∼ bezahlen 무엇을 큰 부담 없이 지급하다; 〖경박·농담〗 jm. fällt das Herz in die ∼ 누가 갑자기 공포에 휩싸이다. **∼träger** *m.* 양복 바지 멜빵. **∼zeug** *n.* 양복 바지감.

hosianna [hoziána] 《hebr., „hilf doch, gib Heil"》 *int.* 호산나(하느님과 예수를 찬미하는 소리).

Hosianna *n.* -s, -s 호산나(하느님과 예수에 대한 찬양); 환호성(Jubelruf).

Höslein [hǿ:slaɪn] *n.* -s, - 〖↑ Hose의 축소형〗 작은 바지(Höschen).

***Hospital** [hɔspitá:l] *n.* -s, -e/..täler (공공) 병원; 〖구식〗 병약자 요양소; 양로원.

Hospital≈arzt *m.* 병원 의사. **∼brand** *m.* 〖醫〗 병원(이 불결하여 생기는) 괴저(壞疽).

~fieber *n.* 〖醫〗 장티푸스.
hospitalisieren [hɔspitalizí:rən] *t.* 〔격식〕 입원시키다.
Hospitalismus [..lísmus] *m.* - ①〖醫·心〗 입원 증후군(병원이나 요양소에 장기간 머무름으로써 발생하는 정서 장애). ②〖醫〗 원내 감염(입원 환자·의료 요원이 병원 내에서 감염되는 현상).
Hospitalit [..talí:t] 《lat. hospes, „Gast"》 *m.* -en, -en 〔구식〕 입원 환자.
Hospitalität [..litɛ́:t] *f.* 〔구식〕 환대, 후대.
Hospital·schiff *n.* 병원선.
Hospitant [..tánt] 《lat. hospes, „Gast"》 *m.* -en, -en ①〔교양〕(대학의) 청강생. ②〖政〗 무소속 의원.
Hospitantin *f.* -nen ↑ Hospitant 의 여성형.
hospitieren *i.* 〔교양〕 청강하다: bei Professor X. ~ X 교수의 강의를 청강하다.
Hospiz [..pí:ts] *n.* -es, -e ①순례자 숙박 수도원; (병자·극빈자) 수용소. ②(기독교 정신으로 운영하는) 숙박 시설. ③학생의 주연(酒宴).
Hospodar [hɔspodá:r] 《sl., „Herr"》 *m.* -s/-en, -e(n) 〖史〗 루마니아 옛 군주의 칭호; 군주; 집 주인, 호주.
Hosteß [hɔstɛ́s, hɔ́..] 《engl.》 *f.* ..tessen ①(여행사·호텔 등의) 여안내원, 호스티스. ②(항공사의) 여자 안내원. ③(미국에서의) 바의 여종업원. ④〔은어〕 창녀.
Hostess 新정서 ⇦ Hosteß.
***Hostie** [hɔ́stiə] 《lat., „Opfertier"》 *f.* -n 〖가톨릭〗 성체(聖體)(그리스도의 육체를 상징하는 성찬용 떡).
Hostien=erhebung *f.* 성체 봉대(奉戴). **~gefäß** *n.* 성체를 담는 그릇, 성합(聖盒). **~häuschen** *n.* 성체를 담는 궤(櫃), 성궤(聖櫃). **~teller** *m.* 성체를 담는 접시.
Hostilität [hɔstilitɛ́:t] 《lat. hostis, „Feind"》 *f.* -en 〔구식〕 적의, 적개심; 〔복수〕 적대 행위.
Hot [hɔt] 《engl.》 *m.* -s, -s 〖음악〗 ①(재즈의) 열렬조(熱烈調). ②핫 재즈.
Hot dog [hɔ́t dɔ́:g] 《engl.》 *n.* - -s, - -s 핫 도그.
Hotdog 新정서 ⇦ Hot dog.
***Hotel** [hotɛ́l] 《frz.; ♧ Hospital》 *n.* -s, -s ①호텔: im ~ absteigen〔übernachten〕 호텔에서 묵다. ②〔고어〕 대저택.
Hotel=bar *f.* 호텔 바. **~besitzer** *m.* 호텔 주인. **~besitzerin** *f.* ↑ ~besitzer 의 여성형. **~betrieb** *m.* ①호텔. ②호텔 운영. **~bett** *n.* ①호텔 침대. ②호텔 숙박 시설. **~detektiv** *m.* 호텔 경비원. **~dieb** *m.* 호텔 도둑. **~diebin** *f.* ↑ ~dieb 의 여성형. **~direktor** *m.* 호텔 지배인. **~direktorin** *f.* ↑ ~direktor 의 여성형. **~fach** *n.* ↑ ~gewerbe. **~fach·schule** *f.* 호텔 전문 학교: auf die ~ gehen 호텔 전문 학교에 다니다. **~führer** *m.* ↑ ~verzeichnis.
Hotel garni [..garní:] 《frz.》 *n.* - -, -s -s [..ní:] 아침 식사만 제공하는 호텔.
Hotel=gewerbe *n.* 호텔업. **~halle** *f.* 호텔 로비.
Hotelier [..lié:] *m.* -s, -s ↑ Hotelbesitzer.
Hotel=kauf·frau *f.* 직업 교육을 받은 호텔 여직원. **~kauf·mann** *m.* 직업 교육을 받은 호텔 직원. **~kette** *f.* 호텔 체인. **~lerie** [hotɛlərí:] 《schweiz.》 *f.* 호텔업, 숙박업. **~nachweis** *m.* ↑ ~verzeichnis. **~rechnung** *f.* 호텔 계산서: sich die ~ ausstellen lassen 호텔 계산서를 발급받다. **~verzeichnis** *n.* 호텔 안내서〔목록〕. **~zimmer** *n.* 호텔 방.
Hotjazz 新정서 ⇦ Hot Jazz.
Hot Jazz [hɔt dʒǽz] 《engl.》 *m.* - - 핫 재즈(1920-30 년대 미국의 강렬한 재즈 음악).
Hot·musik [hɔ́t..] 《engl.》 *f.* ↑ Hotjazz.
hott [hɔt] *int.* 〔마부가 말을 몰 때 내는 소리〕 ①이랴, 어디여. ②앞으로〔우로〕(가), 이러(가): 〔비유〕 nicht ~ und nicht har wissen 어찌할 바를 모르다, 허둥대다.
Hotte [hɔ́tə] *f.* -n (südwestdt.) 망태, 짊어지는 광주리〔통〕.
Hottehü [hɔtəhý:] *n.* -s, -s 〔아동〕(작은) 말.
Hottentotte [hɔtəntɔ́tə] 《holl.》 *m.* -n, -n 남 호텐토트족(남아프리카의 혼혈 종족); 〔비유〕 미개인.
Hottentotten·brot *n.* 〖植〗 참마속 식물의 뿌리.
hottentottisch *a.* 호텐토트 사람〔말〕의.
Hotter [hɔ́tər] *m.* -s, - (öst.) 논밭의 경계.
Hotto 《<hott》 *n.* -s, -s 〔아동〕(작은) 말.
Hotzel [hɔ́tsəl] *f.* -n 〔방언〕 그네.
Hovawart [hó:favart] *m.* -s, -e 호파바르트(긴 털이 있는, 집 지키는 개의 일종).
HP 〔구식〕, **h.p.** = horse-power 〖工〗 마력.
hPa = Hektopascal 《gr.》 헥토파스칼(기압의 단위).
Hptst. = Hauptstadt 수도.
HR = Hessischer Rundfunk 헤센 방송(국).
Hr. 〔구식〕 = Herr …씨, 미스터….
Hrn. 〔구식〕 = Herrn(↑ Herr 의 3 격과 4 격형).
Hrsg. hrsg. = Herausgeber, herausgegeben.
HTL = Höhere Technische Lehranstalt (스위스와 오스트리아의) 공업 전문 학교.
HTML = Hypertext Markup Language 〖컴〗 웹 페이지를 작성하는 데 사용하는 프로그램 언어.
hu [hu:] *int.* ①(추위·공포를 나타낼 때) 으으, 어이구: ~, wie kalt! 어이구, 아주 춥군! ②(누구를 장난삼아서 놀라게 할 때) 탁, 우아.
hü [hy:] *int.* (마부가 외치는 소리) 이랴, 워: einmal ~ und einmal hott sagen 어찌할 바를 모르다.
Hub [hu:p] 《<heben》 *m.* -(e)s, Hübe [hý:bə] ①(끌어) 올리는 일, 인상; 올라간 높이; 〖海〗 밀물의 높이; 〖工〗 피스톤의 1 행정(行程). ②펌프 1 행정으로 끌어올릴 수 있는 액체의 양.
hub 〔시어·고어〕 ↑ heben.
Hubbel [húbəl] *m.* -s, - 〔방언〕 평탄하지 않음; 작은 언덕.
hubbelig *a.* 평탄하지 않은, 언덕진.
Hubble-Weltraum·teleskop *n.* 〖天〗 허블 우주 망원경.
Hub·brücke *f.* 〔구식〕 도개교(跳開橋), 승개교(昇開橋).
Hube [hú:bə] *f.* -n (obd.) ↑ Hufe.
hübe [hý:bə] ↑ heben 의 접속법 Ⅱ 식.
Hubel [hú:bəl], **Hübel** [hý:bəl] *m.* -s, -

(obd., md.) 작은 언덕.

hüben [hý:bən] *adv.* 이쪽에 (↔ drüben) : ~ und drüben 이쪽 저쪽에.

Huber *m.* -s, - ↑ Hüfner.

Hubert [hú:bɛrt], **Hubertus** [hubɛ́rtus] 《ahd. Hugbert, „Geistesglänzender"》 *m.* 후버트, 후베르투스(남자 이름).

Hubertus·burg *f.* 후베르투스부르크(작센에 있는 성). **~jagd** *f.* (성후베르투스를 기념하여) 후베르투스의 날(11월 3일)에 열리는 사냥. **~mantel** 《öst.》 *m.* 거친 모직물로 만든 외투(전형적인 사냥꾼의 복장). **~tag** *m.* 성후베르투스 기념일(11월 3일).

Hub≠geschwindigkeit *f.* 상승 속도. **~höhe** *f.* 끌어올릴 수 있는 높이; 〖海〗 간만의 차. **~länge** *f.* 〖工〗 (피스톤의) 1행정(行程)의 길이. **~magnet** *m.* 〖工〗 자석 기중기. **~pumpe** *f.* 물을 자아올리는 펌프(Saugpumpe).

Hübner [hý:bnər] *m.* -s, - ↑ Hüfner.

Hub≠raum [hú:praum] *m.* 〖工〗 (내연 기관의) 실린더 용적〔배기량〕. **~raum·steuer** *f.* 배기량에 따른 자동차세.

*__hübsch__ [hʏpʃ] *a.* ① (a) 예쁜, 귀여운, 애교있는, 매력적인: ein ~es Gesicht 예쁜 얼굴; sich ~ anziehen 옷을 예쁘게 차려 입다. (b) 아름다운, 아름답게 들리는: eine ~e Melodie 아름다운 선율. ② (a) 마음에 드는, 인상이 좋은: die Gegend ist sehr ~ 이 지역은 아주 마음에 든다. (b) 친절한, 예의 바른: es ist ~ von Ihnen, daß Sie mich besuchen 찾아와주셔서 감사합니다. (c) 〔반어〕 불쾌한, 괘씸한: das ist ja eine ~e Angelegenheit! 기분 나쁜 일이군! ③ 〔구어〕 꽤 큰, 적지 않은, 상당한: ein ~es Vermögen 상당한 재산; der Koffer ist ~ schwer 트렁크가 매우 무겁다. ④ 〔구어〕 잘, 훌륭하게: sie spielt ganz ~ Klavier 그녀는 피아노를 매우 잘 친다.

Hübschheit *f.* 예쁨, 귀여움.

Hub≠schrauber *m.* 헬리콥터. **~stapler** *m.* 지게차. **~volumen** *n.* 〖工〗 ↑ ~raum. **~zähler** *m.* 〖工〗 피스톤 행정(行程)의 계기.

Huch [hu:x] 《südd.》 *m.* -(e)s, -e ↑ Huchen.

huch [hu:x, hux] *int.* (기쁨·놀람을 나타낼 때) 와, 허: ~! du bist auch hier? 와!, 너도 여기에 있구나?

Huchen *m.* -s, - 〖動〗 (도나우강 또는 그 지류에 서식하는) 연어.

Huckaback [hʌ́kəbæk] 《engl.》 *m.* -s 허커백천(삼베나 무명; 타월감).

Hucke [húkə] 《ⓐ hocken》 *f.* -n 〔구식〕 ① 짊어진 짐. ② 〔구식〕 (행상인의) 등에 지는 통. ③ 〔구어〕 잔등: jm. die ~ voll hauen 누구를 호되게 때리다; 〔구어〕 die ~ voll kriegen 호되게 두들겨맞다; 〔구어〕 jm. die ~ voll lügen 누구에게 새빨간 거짓말을 하다; 〔구어〕 sich³ die ~ voll lachen 실컷 깔깔대고 웃다. ④ 건초더미.

Hucke·bein *n.* 〔시어·구어〕 Hans ~ 불행한 사람, 불운아(Unglücksrabe).

hucken 〔방언〕 《I》 *t.* 짊어지다. 《II》 *i.* (h.) 쭈그리고 앉다.

huckepack [kúkəpak] *adv.* 등에 짊어지고〔업고〕: ein Kind ~ nehmen 아이를 업다; eine Last ~ nehmen 짐을 지다; wir machen ~ 내가 너를 등에 업어서 데려가겠다.

Huckepack≠flugzeug *n.* 모자(母子) 비행기(Zwillingsflugzeug). **~verkehr** *m.* 〖교통〗 기차를 이용한 자동차 운송.

Hude [hú:də] *f.* -n (obd.) 가축의 떼; 목장.

Hudel [hú:dəl] 《I》 *m.* -s, -(n) (obd.) ① (Lumpen) (재단하고 남은) 지스러기, 천조각, 넝마; 〔비유〕 사소한 것. ② (Lump) 불량배, 건달. 《II》 *f.* -n 낡은 수레.

Hudelei *f.* -en 〔구어〕 ① 성의 없는 작업 방식. ② 날림일: eine solche ~ kann ich nicht akzeptieren 그런 날림일은 받아들일 수 없다. ③ 번거로움, 귀찮음: mit et.³ viel ~ haben 무엇 때문에 매우 번거로워하다.

Hudeler *m.* -s, - 〔구어〕 ① 단정치 못한 사람. ② 일을 날림으로 하는 사람, 서투른 장인(匠人). ③ (남을) 괴롭히는 사람.

hudelig *a.* 〔구어〕 ① 초라한; 단정치 못한. ② 날림의, 서투른: eine ~e Arbeit 날림 작업.

hudeln [hú:dəln] 《I》 *i.* 〔방언〕 ① 단정치 못하다; 게으름부리다, 빈둥거리다. ② 곡물을 팔다. 《II》 *t.* ① 날림으로 하다, 아무렇게나〔대충〕 해치우다. ② 괴롭히다, 들볶다. 《III》 *refl.* sich ~ 도망치다, 모습을 감추다.

hudern [hú:dərn] 《I》 *i./refl.* (sich) ~ (닭이) 모래 목욕을 하다, 토욕(土浴)하다. 《II》 *t.* 병아리를 품다: eine Henne hudert die Jungen 암탉이 병아리들을 품는다.

Hudler *m.* -s, - ↑ Hudeler.

hudlig *a.* ↑ hudelig.

Hudson·bai [hátsɔnbaɪ, hʌ́dsn béɪ] 《engl.》 *f.* (북아메리카에 있는) 허드슨만.

*__Huf__ [hu:f] *m.* -(e)s, -e ① (특히 말의) 발굽: mit dem ~ schlagen 발굽으로 차다. ② 편자: Pferde≈ 말편자. ③ 유제(有蹄) 동물.

huf *int.* 뒤로(마부가 지르는 소리).

hüf [hy:f] *int.* ↑ huf.

Huf≠bein *n.* 〖수의〗 제골(蹄骨). **~beschlag** *m.* 편자박기; (한 벌의) 말편자.

Hufe [hú:fə] *f.* -n 〖중세〗 (한 농가가 농사짓기에 적당한) 농지의 규모〔단위〕(약 10 헥타).

Huf·eisen *n.* 편자: einem Pferde die ~ auflegen 말발굽에 편자를 박다; sich ein ~ an den Türpfosten nageln (마스코트로) 말편자를 문기둥에 박다.

hufeisen≠förmig *a.* 편자 모양의, 말발굽 모양의. **≈magnet** *m.* 〖物〗 말굽 자석. **≈niere** *f.* 〖醫〗 마제신(馬蹄腎)(기형 신장의 일종). **≈(spitz)·bogen** *m.* 〖건축〗 말굽형 아치.

hufen [hú:fən] 〔방언〕 《I》 *i.* (s./h.) (말·소 따위가) 뒷걸음질치다; 〔비유〕 (말을) 취소하다. 《II》 *t.* (말을) 후퇴시키다, 물러서게 하다.

..hufer *suf.* "…발굽을 가진 동물"의 뜻(보기: Ein~ 단제류(單蹄類)).

Huf≠gänger *pl.* 〖動〗 유제류(有蹄類). **~hammer** *m.* 제철(蹄鐵) 해머. **~krebs** *m.* 〖수의〗 말의 발굽병. **~lattich** *m.* 〖植〗 머위. **~nagel** *m.* 말편자를 박는 못.

Hüfner, Hufner 《< Hufe》 *m.* -s, - 1 Hufe (약 10 헥타)의 전답을 소유한 농부, 소농.

Huf≠schlag *m.* ① 말편자를 박기, 장제(裝蹄). ② 말발굽으로 차기: einen ~ abbekommen 말에 채이다. ③ 〔드물게 복수〕 말발굽 소리: aus dem Tal waren Hufschläge zu hören 계곡에서 말발굽 소리가 들렸다. ④ 경마로; 〖海〗 예선로(曳船路). **~schmied** *m.* ① 편자 대장장이. ② 〔비유〕 서투른 장인(匠人).

Hụ̈ft≈ader *f.* 장골(腸骨) 정맥. **~bein** *n.* 〖해부〗 좌골, 무명골(無名骨). **~bild** *n.* 반신상.
***Hüfte** [hʏ́ftə] 《indogerm., „biegen"》 *f.* -n ① 〖해부〗 좌골부; 허리, 엉덩이; 〖비유〗 생식 능력을 가진 곳: sich (beim Gehen) in den ~n wiegen (걸을 때) 허리〔엉덩이〕를 흔들다; schmale ~n haben 허리가 날씬하다; 〖비유·구어〗 aus der ~ schießen (총대를) 허리에 대고 어림으로 쏘다, 경솔하게 행동하다. ② 〖요리〗 (소 따위의) 허릿살.
hụ̈ften≈lahm *a.* ↑ hüftlahm.
Hụ̈ft≈gelenk *n.* 〖해부〗 좌골 관절. **~gürtel** *m.* (고무 밴드가 있는 가는) 허리띠. **~halter** *m.* 거들. **~hoch** *a.* 허리 높이의: hüfthohes Gras 허리 높이만큼 자란 풀. **~horn** *n.* 〖사냥〗 (소뿔로 된) 사냥용 나팔(Hifthorn).
Hụf·tier *n.* 〖動〗 유제(有蹄) 동물.
Hụ̈ft≈knochen *m.* ↑ ~bein. **~lahm** *a.* 고(股)관절을 삔, 허리를 못 쓰는, 절름발이의. **~leiden** *n.* 〖醫〗 좌골 신경통, 요통. **~nerv** *m.* 좌골 신경. **~pfanne** *f.* 〖해부〗 관골구(寬骨臼), 비구(髀臼). **~schmal** *a.* 허리가 날씬한. **~schmerz** *m.* ↑ ~weh. **~stück** *n.* (짐승의) 허리의 살. **~tuch** *n.* 허리띠. **~weh** *n.* 〖醫〗 요통, 좌골 신경통.
Hụf≈zeug *n.* 편자 기구. **~zwang** *m.* 〖수의〗 제종(蹄踵) 협착증. **~zwangig, ~zwängig** *a.* 제종 협착증의.
***Hügel** [hýːgəl] 《⇨ hoch》 *m.* -s, - ① 언덕, 구릉, 작은 산; (광의로) 고지; 경사지(傾斜地); 무덤; 사구(砂丘)(Sand≈): Kohlen≈ 석탄 더미. ② 〖해부·고어〗 융기, 결절(結節); 혹.
hügel≈ab [hyːgəl|áp] *adv.* 〖雅語〗 언덕 아래로. **~abhang** [hýːgəl..] *m.* 산허리. **~an, ~auf** *adv.* 〖雅語〗 언덕 위로.
hụ̈gelicht, hụ̈gelig *a.* ① 구릉의, 언덕과 같은. ② 구릉이 많은: eine ~e Landschaft 구릉이 많은 지역.
Hụ̈gel≈kette *f.* ↑ ~reihe. **~land** *n.* 구릉 지대. **~reihe** *f.* 구릉맥(丘陵脈). **~rücken** *m.* 구릉의 등성이. **~zug** *m.* 구릉대(帶).
Hugenotte [hugənɔ́tə] 《frz.; 원뜻 „Eidgenosse, Verschwörer"》 *m.* -n, -n 위그노파의 사람(16 세기 프랑스의 칼뱅파의 신교도).
Hugenọttin *f.* -nen ↑ Hugenotte 의 여성형.
hugenọttisch *a.* 위그노파의.
Hughes·telegraf [hjúːs..] *m.* 텔레타이프(영국의 발명가 D.E. Hughes 의 이름에서).
hüglig [hýːglɪç] *a.* ↑ hügelig.
Hugo [húːgo] *m.* 후고(남자 이름) (↑ Hugwald 의 단축형).
huh [huː] *int.* ↑ hu.
hüh [hyː] *int.* (hü) 이랴(마소를 모는 소리); 저라(왼쪽으로 모는 소리); 워(마소를 멈추게 하는 소리): 〖구어〗 das ist (doch) nicht ~ und nicht hott 그것은 불확실하다; 〖구어〗 der eine sagt ~, der andere sagt hott 한 사람은 이렇게, 다른 사람은 저렇게 말한다.
***Huhn** [huːn] 《⇨ Hahn, Henne》 *n.* -(e)s, Hühner ① 〖動〗 **(a)** 닭(암탉·수탉의 구별 없이): Hühner halten 닭을 기르다〔치다〕; 〖농담〗 mit den Hühnern aufstehen 〔zu Bett gehen〕 일찍 일어나다〔자다〕; das Ei unterm ~ verkaufen 가재 도구를 급히 팔다; 〖구어〗 da lachen ja die Hühner! 바보 같은 소리하지 마라; 〖속담〗 ein blindes ~ findet auch einmal ein Korn 능력 없는 사람도 한 번은 성공한다; 〖구어〗 er sieht aus, als hätten ihm die Hühner das Brot weggefressen 그는 매우 어처구니없다는 표정을 짓고 있다; 〖구어〗 sein ~ im Topf haben 무엇을 안전하게 보관하다; 〖구어〗 nach jm.〔et.[3]〕 kräht kein ~ und kein Hahn 아무도 누구에게〔무엇에〕 관심을 갖지 않다; 〖구어〗 das ~, das goldene Eier legt, schlachten 황금알을 낳는 닭을 잡다, 제 복을 마다하다. **(b)** 암탉. ② 〖動〗 **(a)** 〖복수〗 가금류(家禽類). **(b)** (türkisches ~) 칠면조(특히 암컷); 자고(Reb≈). ③ 〖요리〗 gebratenes ~ 구운 통닭. ④ 〖속어〗 미친 사람; 바보 같은 여자; 〖농담〗 명랑하고 유쾌한 사람(Spielmann).
Hühnchen [hýːnçən] *n.* -s, - 〖↑ Huhn 의 축소형〗 ① 어린 닭, 영계: 〖구어〗 mein ~! (애칭으로) 귀여운 아가야! ② 〖비유〗 ein ~ im Salz haben 양심의 가책을 느끼고 있다; 〖구어〗 ein ~ mit jm. zu rupfen〔pflücken〕 haben 누구와 해결해야 할 일이 있다.
Hụ̈hner≈aar, ~adler *m.* 〖動〗 소리개. **~ähnlich, ~artig** *a.* 닭과 비슷한, 가금(家禽)의; 순계류(鶉鷄類)의. **~auge** *n.* ① 닭의 눈. ② 〖醫〗 티눈: ein ~ entfernen lassen 티눈을 없애게 하다; 〖구어·농담〗 jm. auf die ~n treten 누구의 아픈 데를 찌르다, 감정을 상하게 하다.
Hụ̈hneraugen≈pflaster *n.* 티눈 빼는 고약. **~ring** *m.* 티눈의 가장자리.
Hụ̈hner≈blindheit *f.* 〖醫〗 야맹증. **~braten** *m.* 통닭구이. **~brühe** *f.* 〖요리〗 닭고기 수프. **~brust** *f.* 닭의 가슴(살); 〖醫〗 새가슴. **~cholera** *f.* 닭 콜레라. **~darm** *m.* ① 닭 내장. ② 〖植〗 별꽃. **~dieb** *m.* ① 닭도둑. ② 〖구어·농담〗 말썽꾼: wie geht's, du alter ~? 이 말썽꾼아 어떻게 지내느냐? ③ 〖動〗 소리개. **~dreck** *m.* 〖구어·폄어〗 닭똥. **~ei** *n.* 달걀. **~falke** *m.* ↑ ~habicht. **~farm** *f.* ↑ ~hof. **~frikassee** *n.* 〖요리〗 치킨프리커시. **~geier** *m.* ↑ ~aar. **~glaube** *m.* (nordd.) 미신. **~habicht** *m.* 〖動〗 저광수리, 참매. **~haltung** *f.* 양계. **~händler** *m.* 닭장수. **~haus** *n.* ↑ ~stall. **~hof** *m.* 양계장. **~hund** *m.* 〖사냥〗 자고, 사냥에 쓰이는 개(포인터·세터 따위). **~jagd** *f.* 자고 사냥. **~korb** *m.* 닭둥우리. **~krampe** *f.* 눈 가장자리의 주름살. **~latte** *f.* 횃대. **~leiter** *f.* 닭이 둥우리로 올라가는 사닥다리; 〖비유·구어〗 좁고 위험한 계단. **~markt** *m.* 가금 시장. **~milbe** *f.* 〖動·醫〗 개선충(疥癬蟲)의 일종. **~netz** *n.* 자고를 잡는 그물. **~pastete** *f.* 〖요리〗 치킨 파이. **~pest** *f.* 〖수의〗 닭 페스트. **~ruf** *m.* 자고의 울음소리. **~schrot** *n./m.* 〖사냥〗 자고 사냥용 산탄. **~schwarm** *m.* 〖植〗 별꽃(↑ ~darm ②). **~stall** *m.* 닭장. **~stange** *f.* ↑ ~latte. **~steige, ~stiege** *f.* ↑ ~leiter. **~vieh** *n.* 가금(家禽). **~vögel** *pl.* 〖動〗 순계류. **~volk** *n.* 닭의 무리, 군계(群鷄). **~weh** *n.* 〖醫〗 백일해, 인플루엔자. **~weih** *m.*, **~weihe** *f.* ↑ ~aar. **~zucht** *f.* 양계.
Hühnlein [hýːnlaɪn] *n.* -s, - 〖↑ Huhn 의 축소형〗 (Hühnchen) 어린 닭, 병아리.
huhu [huhúː] *int.* (↑ hu) 〖구어〗 ① 어이, 이봐(멀리서 주의를 환기시키는 소리): ~! hier

bin ich! 이봐, 나 여기 있어! ② 어이쿠(누구를 놀라게 하거나 자신의 놀라움을 나타내는 소리): ~! ein Geist! 어이쿠, 유령이야!

hui [huɪ] 《I》 *int.* ① (바람 부는 소리에서) 재빨리, 순식간에: im 〔in einem〕 Hui 재빨리, 곧. ② 〘기쁨을 나타내어〙 야아!: ~! wie schön! 야, 참 좋구나! ③ 《II》 *a./adv.* du bist immer zu ~ 너는 여전히 덜렁거리는구나.

huius anni [hú:jus áni] 《lat.》 (dieses Jahres) 올해(의).

huius loci [..lố:tsi] (dieses Ort(e)s) 이곳의〔에서〕.

huius mensis [..mɛ́nzɪs] (dieses Monats) 이 달(의) (약어: h.m.).

Huka [hú:ka] 《pers.》 *f.* -s (인도식의) 물담뱃대.

Huk·boot [hú:k..] *n.*, **Huker** [hú:kər] 《ndl.》 *m.* -s, - 〘漁〙 (네덜란드의) 대형 원양 어선.

Hula [hú:la] *f.* -s 〔*m.* -s, -s〕 〘민속〙 하와이 원주민의 춤, 훌라춤.

Hula=-Hoop [..hú:p] *m.* -s, -s ① 훌라후프. ② 〘복수없음〙 훌라후프 체조. **~-Hoop-Reifen** *m.* 훌라후프(↑ Hula-Hoop ①). **~-Mädchen** *n.* 훌라춤을 추는 무희.

***Huld** [hult] (♎ hold) *f.* 〘雅語〙 ① 은혜, 은총; 자애, 총애; 애정; 호의, 친절: wir stehen in Gottes ~ 우리는 하느님의 은총을 받고 있다. ② 충성, 충절; 충성의 맹세. ③ (Holdseligkeit) 우아, 우미.

Hulda [húlda] 《„die Holde"의 뜻》 *f.* 훌다 (여자 이름) (↑ Holda ②).

Huld·göttinnen *pl.* 〘신화〙 우미(優美)의 3 여신(Grazien 의 독일어역).

huldigen [húldɪgən] *i.* ① 〘옛뜻〙 jm. ~ 신하로서 누구를 섬기다, 누구에게 충성을 맹세하다: sich³ von jm. ~ lassen 누구에게 충성의 맹세를 받다. ② 〘비유〙 jm. ~ 누구에게 경의를 표하다; einer Dame ~ 어떤 여자에게 구애하다; einer Ansicht〔Anschauung〕 ~ 어떤 견해를 신봉하다; der Spielleidenschaft ~ 놀기〔도박〕에 열중하다; dem Alkohol 〔Weine〕 ~ 술을 즐겨 마시다; der Mode ~ 유행을 따르다〔좇다〕.

Huldigung *f.* -en ① 〘옛뜻〙 충성의 맹세. ② 〘雅語〙 경의(를 표하기), 친절(을 다하기), 구애: jm. seine ~ darbringen 누구에게 경의를 표하다.

Huldigungs=eid *m.* 충성의 맹세. **~feier** *f.*, **~fest** *n.*, **~tag** *m.* 서충식(誓忠式); (관리의) 선서식.

Huldin [húldɪn] *f.* -nen ① 〘복수〙 ↑ Huldgöttinen. ② 우아한 여인.

huld=reich, ~voll *a.* 〘구식·雅語〙 은혜가 충만한, 자비로운; 친절한: 〘반어〙 du bist ja ~ 자네는 퍽도 다정하군(실은 냉정함).

hülfe [hʏ́lfə] ↑ helfen 의 접속법 Ⅱ식.

Hülfe [hʏ́lfə] *f.* -n 〘고어〙 ↑ Hilfe.

Hulk [hulk] 《gr.》 *f.* -e(n) 〔*m.* -(e)s, -e(n)〕 ① 폐선, 폐함(廢艦) (숙사·창고 따위로 쓰는 선체). ② 거룻배(Holk).

Hüll·blatt *n.* 〘植〙 총포엽(總苞葉).

Hulle *f.* -n (ndd.) ① (Dünung) (폭풍 후의) 놀, 큰 물결. ② 〘중세〙 (얼굴만 나오게 하는 여성용) 머릿수건.

***Hülle** [hʏ́lə] (♎ hehlen) *f.* -n ① 싸개, 보; 상자, 함; 칼집; 주머니; 〘物〙 (원자의) 각(殼); 〘植〙 총포(總苞), 깍지; 〘해부·動〙 외피, 포피(包被): abgestreifte ~ (뱀 따위의) 허물; 〘비유〙 irdische〔sterbliche〕 ~ 육신; entseelte ~ 시신, 유해; 〘시어〙 die sterbliche ~ ablegen 죽다; in ~ und Fülle 대량으로, 많이. ② 베일, 복면, 마스크; 안대(眼帶): in der ~ der Nacht 야음을 틈타; mir fällt eine ~ von den Augen a) 나는 진상을 깨닫는다, b) 실망한다. ③ 〘구어〙 의복, 옷: alle ~n fallen lassen 발가벗게 하다. ④ 〘植〙 산형 꽃차례〔화서(花序)〕(의 잎(전체)). ⑤ (obd.) 여자의 두건.

***hüllen** [hʏ́lən] 《I》 *t.* 싸다, 덮다, 씌우다: einen Blumenstrauß in Papier ~ 꽃다발을 종이에 싸다; ein Kind in eine Decke ~ 아이를 포대기에 싸다; jm. einen Schal um die Schultern ~ 숄을 누구의 어깨에 두르다; das ganze Gebäude war in Flammen gehüllt 건물 전체가 화염에 싸여 있었다; 〘비유〙 et. in Dunkel ~ 무엇을 비밀로 하다. 《II》 *refl.* sich ~ 싸이다, 씌워지다: sich in seinen Mantel ~ 외투를 둘러 입다; 〘비유〙 sich in Schweigen ~ 침묵을 지키다.

hüllenlos *a.* ① 〘구어〙 몸을 가리지 않은, 벌거숭이의. ② 〘비유〙 노출된, 공공연한.

Hüll=kelch *m.* 〘植〙 총포(總苞). **~wort** *n.* 〘修〙 완곡어법(Euphemismus).

Hulman [húlman] *m.* -s, -s 〘動〙 (인도산(産)) 원숭이의 일종.

Hülschen *n.* -s, - 〘↑ Hülse 의 축소형〙 작은 통; 작은 깍지.

***Hülse** [hʏ́lzə] (♎ hehlen, hüllen) *f.* -n ① 껍질, 껍데기; 〘植〙 깍지, 꼬투리, 협과(荚果). ② 함, (칼)집, 통, 케이스; 〘軍〙 탄피, (총검의) 자루, (총의) 개머리판; 〘工〙 소켓; 투입구, 접수 상자. ③ 〘植〙 서양참호랑가시나무(Hulst). ④ 〘출판〙 책 표지.

hülsen 《I》 *t.* 껍질을〔깍지를〕 벗기다. 《II》 *refl.* sich ~ ① 껍질이 벗겨지다. ② 〘植〙 깍지〔꼬투리〕가 생기다, 깍지가 되다.

hülsen=artig *a.* 껍질〔깍지〕 모양의; 〘植〙 콩과의. **~frucht** *f.* 〘植〙 (↔ Ährenfrucht) 협과(荚果); 〘복수〙 깍지가 있는 열매(완두·콩·팥 등의 콩과 식물). **~früchtler** *pl.* 〘植〙 콩과 식물. **~gewächs** *n.*, **~pflanze** *f.* ↑ ~früchtler.

hülsicht *a.* 〘고어〙 ↑ hülsig ②.

hülsig [hʏ́lzɪç] *a.* ① 깍지〔꼬투리〕가 있는. ② 깍지〔꼬투리〕 같은, 깍지 모양의.

..hülsig *suf.* "껍질이 한"의 뜻(보기: dick-~ 껍질이 두꺼운).

Hülslein [hʏ́lslaɪn] *n.* -s, - 〘↑ Hülse 의 축소형〙 작은 통; 작은 깍지.

Hulst [hulst], **Hülst** [hʏ̆..] *m.* -es, -e (nordd.) 〘植〙 서양참호랑가시나무.

hum *int.* 〘고어〙 ① ↑ hm. ② (마부가 지르는 소리) 돌앗(herum!).

***human** [humá:n] *a.* ① 인간다운, 인정이 있는; 친절한: die Gefangenen ~ behandeln 포로를 인도적으로 다루다. ② 〘醫〙 인간(특유)의.

Human·genetik *f.* 인체 유전학.

Humaniora [..nió:ra] *pl.* 〘고어〙 인문 학예, (특히 고대 그리스·로마의) 고전 언어 및 문학(연구).

humanisieren *t.* 인간답게 만들다; 교화하

다: den Strafvollzug ~ 형집행을 인도적으로 개선하다.

Humanisierung *f.* 인간화, 교화: 〖政·經〗 ~ der Arbeit(swelt) 노동(계)의 인간화.

***Humanismus** [..nísmus] *m.* - ① 인본주의, 인도주의. ② 인문주의; 인문주의적 교양.

Humanist [..níst] *m.* -en, -en ① 휴머니스트, 인도주의자. ② 인문주의자, 고전 학자(연구가). ③ 김나지움 교육을 받은 사람.

Humanistin *f.* -nen ↑ Humanist 의 여성형.

humanistisch *a.* ① 인도(인간)주의적인. ② 인문주의의, 고전 문학의, 고전(주의)의: ein ~es Gymnasium 그리스어 및 라틴어 과정이 있는 김나지움(인문계 고등 학교).

humanitär [..nité:r] *a.* 인도적인, 박애주의의.

Humanitarier [..tá:riər] *m.* -s, - 인도주의자.

***Humanität** *f.* 인도주의 정신, 인간성.

Humanitäts⸗denken *n.* 인도주의(박애) 사상. **~duselei** *f.* 〔폄어〕 감상적 인도주의. **~ideal** *n.* 〖哲〗 인도주의 이상. **~studien** *pl.* 고전 연구.

Human⸗medizin *f.* 인간 의학(수의학의 상대적 개념). **~wissenschaft** *f.* 인문학.

Humboldt [húmbɔlt] *m.* ① Alexander von ~ 알렉산더 폰 훔볼트(독일의 자연 과학자, 1769-1859). ② Wilhelm von ~ 빌헬름 폰 훔볼트(독일의 언어학자 겸 정치가; ①의 형, 1767-1835).

humboldt(i)sch *a.* 훔볼트의.

Humbug [húmbuk, hʌ́mbʌg] 《engl.》 *m.* -s 〔폄어〕 사기, 거짓, 속임수; 익살, 허풍.

Humerale [humerá:lə] 《lat. humerus, „Schulter"》 *n.* -s, ..lien [..liən]/..lia 〖가톨릭〗 (신부가) 어깨에 걸치는 천.

humid [humí:t] 《lat.》 *a.* 〖지리〗 습성의, 다습한, 비가(눈이) 잦은.

Humidität [..midité:t] *f.* 〖지리〗 습도.

Humifikation [humifikatsió:n] 《lat.》 *f.* 〖生〗 부식(腐蝕); 부식토화(腐植土化).

humifizieren [humifitsí:rən] *t.* 〖生〗 썩게 하다, 부식시키다; 부식토가 되게 하다.

Humifizierung *f.* 〖生〗 부식화.

humil [humí:l] 《lat.》 *a.* 〔고어〕 다소곳한, 겸손한.

Humilität *f.* 〔고어〕 겸손, 겸양.

Hummel [húməl] 《I》 *f.* -n ①〖動〗 어리뒤영벌: 〔구어〕 eine wilde ~ 말괄량이; 〔경박〕 ~n im〔unterm〕 Hintern haben a) 안절부절 못하다, b) 무엇에 쫓기고 있다. ②〖음악〗 풍적(風笛)의 일종. 《II》 *int.* ~, ~! (함부르크 사람들끼리 서로 동향인임을 알리는) 인사말. 《III》 *m.* -s, - 〔방언〕 종우, 씨소.

hummen [húmən] *i.* (h.) (벌이) 윙윙거리다.

Hummer [húmər] 《ndd.》 *m.* -s, - 〖動〗 바닷가재.

Hummer⸗fleisch *n.* 〖요리〗 바닷가재의 살. **~mayonnaise** *f.* 〖요리〗 바닷가재 마요네즈. **~salat** *m.* 바닷가재 샐러드. **~suppe** *f.* 〖요리〗 바닷가재 수프.

***Humor**[1] [humó:r] *m.* -s, -e ① 익살, 유머: et. mit ~ nehmen 무엇을 유머로 받아들이다; er hat keinen ~ 그는 유머가 없다; (öst.) das Fenster hat keinen ~ 이 문은 아주 빽빽하다. ② (좋은) 기분, 마음: schlechter ~ 언짢은 기분; den ~ behalten〔nicht verlieren〕 좋은 기분을 유지하다.

Humor[2] [hú:mɔr] *m.* -s, -es [humó:re:s] 물기; 〖醫〗 체액(體液).

humoral *a.* 〖醫〗 체액의; 체액에서 생기는.

Humoral·pathologie *f.* 〖醫〗 체액 병리학.

Humoreske [..rɛ́skə] *f.* -n ①〖문학〗 유머(해학) 소설. ②〖음악〗 유머레스크.

humorig *a.* 유쾌한, 재미나는, 유머가 있는.

Humorist *m.* -en, -en 유머 작가, 해학 소설가; 익살꾼, 재담가.

humoristisch *a.* 우스꽝스러운, 유머가 있는, 익살맞은.

humorlos *a.* 유머가 없는.

Humorlosigkeit *f.* 유머가 없는 언행.

humor·voll *a.* 유머가 풍부한, 익살맞은.

humos [humó:s] 《lat.》 *a.* 부식질의, 부식토가 많은; 비옥한, 기름진.

Hümpel [hýmpəl] *m.* -s, - (ndd.) (Haufen) 더미, 무더기, 덩어리.

Humpelei *f.* 〔구어〕 절뚝거림.

humpelig *a.* 〔방언〕 ① 다리를 저는. ② 울퉁불퉁한, 평탄하지 못한.

humpeln [húmpəln] 《ndd.》 *i.* (h./s.) ① 다리를 절다, 절뚝거리다, 비틀거리다: 〔비유〕 das Geschäft humpelt 사업이〔장사가〕 잘 안 된다. ②〔고어〕 일을 서투르게 하다.

Humpen [húmpən] 《md.》 *m.* -s, - (손잡이가 있는) 큰 술잔: den~ schwingen 술을 퍼마시다.

Hümpler [hýmplər] 《<humpeln》 *m.* -s,- 서투른 사람, 재주 없는 사람.

humplig *a.* ↑ humpelig.

Humus [hú:mus] 《lat., „Boden"》 *m.* - 〖農·지질〗 부식질, 부식토.

Humus⸗boden *m.* 부식토(층). **~erde** *m.* 〖生·지질〗 부식토(양). **~pflanze** *f.* 〖生〗 사체기생 식물(곰팡이류). **⸗reich** *a.* 부식질이 많은, 기름진.

***Hund** [hunt] *m.* -(e)s, -e [..də] ① 개(특히 수컷), 강아지: Hunde an die Leine nehmen! 개를 개줄에 매시오! (공원 따위의 게시문); Vorsicht, bissiger ~! 맹견 주의!; müde wie ein ~ 기진맥진한; 〔구어〕 wie ein begossener〔geprügelter〕 ~ stehen 아주 풀이 죽어 있다; 〔구어〕 wie ein (junger) ~ frieren 몸이 꽁꽁 얼어 있다; 〔구어〕 er ist in der Stadt bekannt wie ein bunter〔scheckiger〕 ~ 온 마을에서 그를 모르는 사람이 없다; 〔구어〕 wie ein ~ leben〔ein Leben führen wie ein ~〕 개같이 살다, 비참한 생활을 하다; 〔구어〕 wie ~ und Katze 사이가 매우 나쁜, 견원지간의; einen dicken ~ haben 〖카드〗 패가 좋다; 〔구어〕 auf den ~ kommen a) 몰락(타락)하다, b) 쇠약해지다; 〔구어〕 jn. auf den ~ bringen 누구를 몰락시키다; 〔구어〕 das könnte〔möchte〕 einen ~ erbarmen 그것은 참으로 비참하다; vor die ~e gehen 파멸하다; et. vor die ~e werfen 무엇을 내팽개치다; von ihm nimmt kein ~ ein Stück Brot 개조차 그를 상대하지 않는다; damit lockt man keinen ~ hinter dem Ofen hervor 그렇게 해봤자 아무런 소용이 없다; 〔구어〕 jn. wie einen ~ behandeln 누구를 푸대접하다; 〔구어〕 das ist ein dicker ~ 그것은 대실책이다,

파렴치한 일이다; 〖구어〗 ganz auf dem ~ sein a) 건강이 나쁘다, b) 형편이 말이 아니다; das ist kein ~ 그것은 무시할 수 없는 일이다, 중요한 일이다; das ist unter allem ~! 그것은 아무짝에도 쓸모없다, 언급할 필요조차 없다!; da liegt der ~ begraben 그것이 문제의 핵심〔근원〕이다; 〖구어〗 er ist mit allen ~en gehetzt 그는 산전수전 다 겪은 사람이다, 세상물정에 아주 밝다; 〖속담〗 ~e, die bellen, beißen nicht! 짖는 개는 물지 않는다; 〖속담〗 kommt man über den ~, kommt man auch über den Schwanz 어려운 고비를 넘기면 뒷일은 쉬운 법; 〖속담〗 viele ~e sind des Hasen Tod 중과부적이다. ②〖폄어〗(개 같은) 놈, 개새끼: du ~! 개자식! ③〖天〗 개자리: der große ~ 큰개자리; der kleine ~ 작은개자리. ④〖動〗 개속(屬)(개·늑대·여우 등): der fliegende ~ (머리가 여우같이 생긴) 큰 박쥐. ⑤ 손수레, 광차(鑛車). ⑥ 작은 쇠난로; (난로 속의 탄을 받치는) 받침쇠. ⑦ 통 메우는 도구. ⑧〖건축〗 der laufende ~ 나선형 장식의 일종. ⑨〖海〗 die weißen ~e 흰물마루. ⑩〖醫〗 roter ~ (Scharlachfriesel) 속립성 성홍열진(粟粒性猩紅熱疹). ⑪ (ndd.) 면적의 단위(6 분의 1 Morgen). ⑫〖植〗 식물명과 합성될 때는 보통 그 소속을 나타냄(보기: ~s-beere).

Hündchen [hʏ́ntçən] *n.* -s, - 〖↑ Hund 의 축소형〗 작은 개, 강아지.

Hunde≈abteil *n.* 〖철도〗 개 전용칸(화물차의 일부). **~arbeit** *f.* 고역, 천한 일. **~art** *f.* 개의 종류: nach ~ 개처럼, 비굴하게. **≈-artig** *a.* 개 같은. **~bett** *n.* (집안의) 개의 잠자리. **~blaff** *m.* 개짖는 소리: 〖비유〗 einen ~ weit 그렇게 멀지 않은 (곳에). **~blume** *f.* 〖植〗 민들레. **~brot** *n.* 개 먹이로 주는 빵. **≈-elend** *a.* 비참하기 짝이 없는. **~floh** *m.* 개벼룩. **~flöhen** *n.* 개의 벼룩 잡기; 〖비유〗 난처〔곤란〕한 일: 〖경박〗 das kommt gleich nach dem ~ 그것은 곤란한 일이다. **~fraß** *m.* 〖폄어〗 형편없는 음식. **~fressen**, **~-futter** *n.* 개의 먹이. **~geld** *n.* 부정한 돈; 푼돈. **~haar** *n.* 개털: 〖비유〗 ~e auflegen 독을 독으로 제압하다, (특히 숙취했을 때) 해장하다. **~hals·band** *n.* 개 목걸이. **~halter** *m.* 개 주인〔소유자〕. **~haus** *n.* ↑ ~hütte. **~hütte** *f.* 개집; 〖비유〗 좁고 누추한 집. **~junge** *m.* 개 지키는 젊은이; 〖비유〗 비열한 사람, 무뢰한, 건달. **~kälte** *f.* 〖구어〗 혹한(酷寒). **~koppel** *f.* 개 목걸이. **~kot** *m.* 개똥. **~kuchen** *m.* 개먹이 비스킷. **~lager** *n.* 개의 잠자리; 〖비유〗 너절한 침상〔숙소〕. **~-laus** *f.* 개의 이. **~leben** *n.* 〖비유〗 비참한 생활. **~leine** *f.* 개줄. **~lieb·haber** *m.* 애견가. **~loch** *n.* 개집; 〖비유〗 좁고 누추한 집; 감옥. **~marke** *f.* ① (세금 납부 표시로 개목걸이에 매단) 개의 표찰. ②〖경박〗 군번표, 개목걸이; (사복 경관의) 배지. **≈mäßig** *a.* 개 같은; 〖비유〗 비참한: ~ wohlfeil 터무니없이 값이 싼. **≈müde** *a.* 녹초가 된, 몹시 지친. **~-peitsche** *f.* 개 길들이는 회초리. **~rasse** *f.* 개의 품종. **~rennen** *n.* 개의 경주.

***hundert** [hʊ́ndərt] 《I》 *num.* ① 백(100): einige ~ Bäume 수백 주의 나무; viel ~ Menschen 수백의 사람들; 〖비유〗 ~ gegen eins wetten 1 대 100 의 내기를 걸다, 절대 확신〔장담〕하다, 목숨이라도 걸다; jn. auf ~ bringen 누구를 격분시키다; 〖구어〗 (mit) ~ fahren 시속 100 km 로 달리다; 〖구어〗 da war ich auf ~ 나는 화가 머리끝까지 치밀었다. ②〖비유〗 셀 수 없이 많은: dazu hätte ich ~ Beispiele gewußt 그에 대한 예를 저는 수없이 많이 알고 있습니다; 〖속담〗 was drei wissen, erfahren ~ 발 없는 말이 천리 간다. 《II》 *a.* 〖고어〗 ↑ hundertst.

Hundert[1] *n.* -s, -e/(부정 수사 뒤) - ①〖복수: -〗 100 개〔명〕: das ~ kostet 20 DM 100 개의 가격은 20 마르크다; vom ~ 퍼센트(%) (약어: v.H.). ②〖복수〗 수백: (viele) ~e von Menschen 수백 명; zu ~en 수백의.

Hundert[2] *f.* -en 100 의 숫자: eine römische ~ schreiben 로마 숫자 100 을 쓰다.

Hunderter *m.* -s, - ①〖數〗 100 자리수. ② 100 의 수. ③〖구어〗 100 마르크 지폐. ④ 100 명으로 된 단체의 일원.

hunderterlei *a.* 100 가지의, 가지각색의.

hundert≈fach *a.* 100 배의. **≈fache** *n.* 100 배. **~fältig** *a.* 100 배의: ~ vermehren 100 배로 늘이다. **~fünfzig·prozentig** [hʊn-dərtfʏ́nf.., hʊ́ndərtfʏ́nf..] *a.* 〖구어·폄어〗 극단적인, 광신적인: ein ~er Nationalist 광신적 민족주의자. **≈füßer** *m.* 〖動〗 지네. **~-gradig** *a.* 〖物〗 100 도의, 100 도로 올라간. **≈jahr·feier** [hʊndərtjá:r..] *f.* 백년제. **~jährig** *a.* ① 100 년(간)의, 100 살의: der ≈e Kalender 만세력(萬歲曆); der ≈e Krieg 백년 전쟁(1331-1431). ② ↑ ~jährlich. **~-jährlich** *a.* 100 년째의, 100 년마다의. **≈-kilometer·tempo** *n.* 〖구어〗 시속 100 km. **~mal** *adv.* ① 100 번; 100 배로. ②〖비유〗 매우 빈번하게. **~malig** *a.* 100 번〔배〕의. **≈-mark·schein** [hʊndərtmárk..] *m.* 100 마르크 지폐. **≈meter·lauf** [hʊndərtmé:tər..] *m.* 〖육상〗 100 m 경주. **≈pfünder** *m.* 〖軍〗 100 파운드포(砲). **~prozentig** *a.* ① 백 퍼센트의. ②〖비유〗 완전 무결한, 완벽한. **≈satz** *m.* 〖商〗 백분율, 퍼센트.

Hundertschaft *f.* -en ① 백인조(組)(고대 게르만의 행정 관할 구분). ② (경찰·군대 부대의 단위로서) 백인대(隊).

hundertst *a.* 100 번째의: ~er Teil 100 분의 1; vom ≈en ins Tausendste kommen 이야기 주제에서 점점 벗어나다, 밑도끝도없이 이야기하다; das weiß nicht der ≈e 그것을 아는 사람은 백에 한 명도 없다, 아무도 모른다.

hundertstel *num.* 100 분의 1 의.

Hundertstel *n.* -s, - 100 분의 1.

Hundertstel·sekunde *f.* 100 분의 1 초.

hundertstens *adv.* 100 번째로.

hundert≈tägig *a.* 100 일간의. **~tausend** *num.* 10 만(의): ≈e 〖복수〗 수십만. **≈tau-send·mann·heer** *n.* 〖軍〗 10 만 군대(1919 년 베르사유 조약에 의해 10 만 명의 직업 군인으로 제한된 독일의 국방군). **~teilig** *a.* ① 100 부분으로 나뉜〔구성된〕. ② ↑ ~gradig. **~-(und)eins** *num.* 101 의. **~weise** *adv.* 100 씩; 수백씩.

Hunde≈salon *m.* 애완견 미용실. **~scheiße** *f.* 〖비속〗 ↑ ~kot. **~schlag** *m.* ① 개의 품종. ② 들개를 때려죽임. **≈schlecht** *a.* 몹시 나쁜: es ist mir ~ 나는 몸이 몹시 불편하다. **~schlitten** *m.* 개썰매. **~schnauze** *f.* 개의 코: 〖비유〗 kalt wie ~ 몹시 냉정〔냉담〕한.

~**sperre** *f.* 축견 계류령(畜犬繫留令)(광견병이 있을 때 개끈과 입마개 없이 개를 집밖으로 데리고 나오는 것을 금한 법령). ~**stall** *m.* 개집; 〔비유〕 누추한 집, 움막. ~**staupe** *f.* 개의 질환. ~**steuer** *f.* 축견세(畜犬稅). ~**trab** *m.* 〖승마〗 단절(短節) 속보. ~**wache** *f.* 〖海〗 (0-4 시 사이의) 야간 당직. ~**wärter** *m.* 개 기르는 사람. ~**wetter** *n.* 아주 고약한 날씨. ~**zeichen** *n.* ↑ ~marke. ~**zucht** *f.* 개의 사육〔훈련〕; 〖비유·반어〗 방종, 부도덕, 문란.

Hündin [hʏ́ndɪn] *f.* -nen 암캐; 〖펌어〗 개 같은 년, 상년.

hündisch *a.* 개 같은; 〔비유〕 비굴한, 비열한, 아양떠는; 뻔뻔스러운; 음란한, 품행이 좋지 않은.

Hündlein *n.* -s, - ↑ Hündchen.

Hundred·weight [hʌ́ndrədweɪt] 《engl.》 *n.* -, -s (영국의 무게 단위로) 112 파운드(약 51 kg)(약어: cwt=cent weight).

Hunds≈affe [hʊ́nts..] *m.* 〖動〗 비비(狒狒), 개코원숭이(속). ~**auge** *n.* 개의 눈; 〔비유〕 탐욕스런〔뻔뻔한〕 눈초리. ~**beere** *f.* 〖植〗 말채나무나 산수유나무(의 열매). ~**blume** *f.* 〖植〗 민들레속. ~**fisch** *m.* 〖動〗 돔발상어. ~**fott** *m.* -(e)s, -e/..fötter ① 〖욕설〗 개자식, 무뢰한, 비겁자. ② 암캐의 음부. ~**fötterei** *f.* -en 〔비속〕 비열, 비겁. ~**föttisch** *a.* 〔비속〕 개 같은, 개차반의, 비열한. ≈**gemein** *a.* 〔구어〕 ① 〖펌어〗 비열한, 파렴치한. ② 대단한, 심한: eine ~e Kälte 혹한. ~**gemeinheit** *f.* 〔구어·펌어〕 비열한 짓, 파렴치한 행동. ~**gras** *n.* 〖植〗 갯보리의 일종. ~**hai** *m.* 〖動〗 상어의 일종. ~**kamille** *f.* 〖植〗 카밀레류(類). ~-**kopf** *m.* ① 개의 머리. ② 〖動〗 박쥐. ~-**kopf·affe** *m.* 〖動〗 비비(狒狒). ≈**ledern** *a.* 개 가죽의〔으로 만든〕. ~**loden** *pl.* (md.) 잔소리, 꾸지람, 비난. ≈**miserabel** *a.* 〔구어〕 비참하기 짝이 없는, 형편이 말이 아닌. ≈-**müde** *a.* 〔구어〕 몹시 피로한, 지칠 대로 지친, 기진맥진한. ~**petersilie** *f.* 〖植〗 (마늘냄새를 풍기는) 미나릿과의 유독 식물. ~-**pflaume** *f.* 〖植〗 서양 자두의 일종. ~**rose** *f.* 〖植〗 들장미의 일종. ~**schierling** *m.* ↑ ~petersilie. ≈**schlecht** *a.* 몹시 나쁜. ~-**stern** *m.* 〖天〗 (Sirius) 시리우스성, 천랑성(天狼星). ~**tage** *pl.* 한여름, 삼복(7 월 23 일-8 월 23 일). ~**tags·ferien** *pl.* 한여름 휴가. ~**veigerl** *n.* (öst.) 〔구어〕, ~**veilchen** *n.* 〖植〗 왜졸방제비꽃(제비꽃과). ~**wut** *f.* 〖醫〗 광견병, 공수병(恐水病). ≈**wütig** *a.* ① 〖醫〗 광견병〔공수병〕으로 날뛰는. ② 미쳐 날뛰는. ~**zahn** *m.* ① 개 이빨; 〖해부〗 견치(犬齒); 〔구어〕 송곳니. ② 〖植〗 얼레지(가제무릇)(나릿과). ③ 〖動〗 각패류(角貝類). ④ 〖工〗 날카로운 끝. ⑤ 〖건축〗 송곳니 장식. ~**zecke** *f.* 〖動〗 진드기. ~**zunge** *f.* ① 개의 혀. ② 〖植〗 지칫과의 일종.

Hüne [hýːnə] (◇ Hunne) *m.* -n, -n (전설에 나오는) 거인; 대장부.

Hünen≈bett *n.* ↑ ~grab. ~**gestalt** *f.* 거인상(像), 거대한 체구. ~**grab** *n.* ① 거석묘(巨石墓). ② 〔방언〕 (선사 시대의) 구릉 묘지. ~**stein** *m.* ① (선사 시대의) 거석총(塚). ② 기암 괴석.

hünenhaft *a.* 거인 같은, 거대한; 힘이 대단히 센.

hünen≈mäßig *a.* ↑ hünenhaft. ≈**weib** *n.* 〖펌어〗 몸집이 큰 여자, 힘센 여자; 여장부.

***Hunger** [hʊ́ŋər] *m.* -s ① (**a**) 배고픔, 허기; 굶주림, 공복: ~ haben〔bekommen〕 배고프다〔배고파지다〕; ~ leiden 굶주리다; (mit et.³) den ~ stillen (무엇으로) 허기를 달래다; vor ~ sterben〔umkommen〕 a) 굶어 죽다, b) 〔구어〕 배고파 죽을 지경이다; 〖雅語〗 ~s sterben 굶어 죽다; 〖구어·농담〗 guten ~! 많이 드세요!; 〖구어·농담〗 der ~ treibt's rein〔hinein〕 배가 고프면 무엇이든 잘 먹힌다, 기갈이 감식; 〖속담〗 ~ ist der beste Koch 시장이 반찬이라; 〔구어〕 ihm guckt der ~ schon aus den Augen 배고파서 그의 눈에는 헛것이 보인다. (**b**) 〔비유·雅語〕 갈망, 열망: ~ nach Gold 금전욕. ② 기근: in diesem Lande herrscht großer ~ 이 나라에는 대기근이 휩쓸고 있다. ③ 〖醫〗 단식 요법.

Hunger≈blockade *f.* 〖政〗 식량 (수입) 봉쇄. ~**blume** *f.* 〖植〗 꽃다지. ~**brunnen** *m.* ↑ ~quelle. ~**empfindung** *f.* 허기, 시장기. ~**folter** *f.* 금식〔굶기기〕 고문. ~**gefühl** *n.* ↑ ~empfindung. ~**gestalt** *f.* 굶주려 여윈 모습〔사람〕. ~**harke** *f.* 〔고어〕 이삭을 긁어 모으는 갈퀴. ~**jahr** *n.* 기근이 든 해, 흉년. ~**korn** *n.* ① 맥각(麥角). ② 〖農〗 맥각병(病), 깜부기. ~**krankheit** *f.* 〖醫〗 기아역(飢餓疫); 괴혈병, 부종병(浮腫病). ~-**künstler** *m.* ① (흥행을 목적으로) 오래 단식하는 사람; 〔농담〕 단식 전문가. ② 굶기를 밥 먹듯 하는 사람. ~**kur** *f.* 〖醫〗 절식〔단식〕 요법. ~**leider** *m.* 〔구어·펌어〕 ① 굶주림에 시달리는 사람; 극빈자. ② 벌이가 신통치 않은 사람, 무일푼. ~**leiderei** *f.* 기아; 극빈.

Hungerling *m.* -s, -e 일찍 익는 저질 포도.

Hunger≈lohn *m.* 〔펌어〕 쥐꼬리만한 보수〔임금〕, 박봉: für einen ~ arbeiten 박봉을 받고 일하다. ~**mahl·zeit** *f.* 소찬(素饌), 초라한 식사.

***hungern** [hʊ́ŋərn] 《I》 *imp.* ① 〖雅語〗 mich hungert 〔es hungert mich〕 나는 배가 고프다. ② 〔비유〕 ihn hungert 〔es hungert ihn〕 nach et.³ 그는 무엇을 갈망한다. 《II》 *i.* (h.) ① 굶주리다: in der dritten Welt ~ viele Kinder 제 3 세계에서는 많은 아이들이 굶주리고 있다. ② 절식〔단식〕 하다: 〔비유〕 nach et.³ ~ 무엇을 갈망하다; nach Liebe ~ 사랑을 갈망하다. 《III》 *refl.* sich ~ 굶어서 …하게 되다: sich tot 〔zu Tode〕 ~ 굶어죽다; sich wieder gesund ~ 단식 요법으로 건강을 회복하다.

Hunger≈ödem *n.* 〖醫〗 기아 부종(飢餓浮腫). ~**pfote** *f.* 〔다음 용법으로〕 an den ~n saugen〔nagen〕 굶주림에 시달리다, 곤궁을 겪고 있다. ~**quelle** *f.* 간헐천(間歇泉). ~**rechen** *m.* 이삭 긁는 큰 갈퀴. ~**schmerz** *m.* 〖醫〗 (위궤양 따위에 나타나는) 허기통(痛).

Hungers·not *f.* ① 〔드물게〕 극심한 굶주림. ② 흉년, 기근, 식량난.

Hunger≈stein *m.* ① 소금 가마에 생긴 때. ② 〖지질〗 가뭄에 물이 말라 드러난 바위. ~**stelle** *f.* 〔펌어〕 박봉을 받는 직책〔일자리〕. ~**streik** *m.* 단식 동맹 파업: in den ~ treten 단식 동맹 파업에 들어가다. ~**tod** *m.* 굶어 죽음, 아사(餓死): den ~ sterben 〔sich³ ~ geben〕 굶어 죽다. ~**tuch** *n.* (18 세기까지) (4 순절의 단식 기간 중 제단 앞에 거는) 단식포(布): am

~(e) nagen 굶주림에 시달리다, 곤궁을 겪다. **~turm** *m.* (죄수를 굶겨 죽이는) 성내(城內)의 감옥, 아사탑(餓死塔). **~typhus** *m.* 〖醫〗 발진티푸스.

***hungrig** *a.* ① 굶주린, 배고픈; 갈망하는; 탐욕스런: ~ wie die Wölfe 이리처럼 먹이에 주린; nach et.³ ~ sein 무엇을 먹고 싶어하다, 〔雅語〕 무엇을 갈망하다; ~e Augen haben 갈망하는 눈빛을 보이다; ein ~er Kerl 욕심쟁이; 〔속담〕 einem ~en Magen ist schlecht zu predigen 수염이 석 자라도 먹어야 양반이다. ② 쪼들리는, 빈곤한: ~er Boden 척박한 땅.

Hünkel *n.* 〖↑ 원래는 Huhn 의 축소형〗 ↑ Hinkel.

Hunne [húnə] 《gr.》 *m.* -n, -n 훈족; 흉노; 〔폄어〕 야만인; 〔비유〕 강인한 사람.

Hunnen≈könig *m.* 흉노족〔훈족〕의 왕. **~zug** *m.* 약탈 행렬.

hunnisch *a.* 훈족의, 흉노의.

Hunsrück [húnsrʏk] *m.* (라인 지방의) 훈스뤼크 산맥.

Hunsrücker *a.* 훈스뤼크(지역)의.

Hunt [hʊnt] *m.* -(e)s, -e 〖광산〗 광차.

hunten 《<hie unten》 *adv.* (md.) 아래에, 아래쪽에.

Hunter [hántər, hún..] 《engl.》 *m.* -s, - 영국산(産) 사냥 말〔개〕.

hunzen [húntsən] 《<Hund》 *t.* 〔고어〕 욕설을 퍼붓다, 모욕하다; 학대하다.

Hupe [hú:pə] *f.* -n 나무 껍질로 만든 피리; (자동차의) 경적: die ~ betätigen 〔auf die ~ drücken〕 경적을 울리다.

hupen *i.* (h.) 경적을 울리다.

Huperei [hu:pərái] *f.* 짜증나게 계속 울려대는 경적 소리.

Hupf [hʊpf] *m.* -(e)s, -e (obd.) 뛰기, 도약.

Hupf·dohle *f.* 〔경박〕 ① 댄서, 무희, 레뷰 댄서. ② 스트립 댄서.

hupfen *i.* (s.) (obd.) (↑ hüpfen) das ist gehupft wie gesprungen 피장파장이다.

***hüpfen** [hýpfən] (⊕ hopfen, hoffen) *i.* (h./s.) ① (높이) 뛰다, 깡충깡충 뛰다, (분주히) 뛰어 돌아다니다: das kleine Mädchen hüpft auf einem Bein 그 어린 소녀가 한 발로 깡충깡충 뛴다. ② 〔비유〕 jm. hüpft das Herz vor Freude 기뻐 누구의 가슴이 뛰다. ③ 〔구어·농담〕 춤을 어설프게 추다.

Hupfer *m.* -s, - ↑ Hüpfer.

Hüpfer *m.* -s, - ① 〔구어〕 깡충깡충 뛰는 사람. ② 〖動〗 톡톡 튀는 (풀)벌레(벼룩·메뚜기 등). ③ 뜀, 도약.

Hüpferling *m.* -s, -e ① 〖動〗 물벼룩속. ② 〔방언〕 봉선화의 일종.

Hüpf·maus *f.* 뜀새앙쥐(과(科)).

Hup·konzert *n.* 〔구어〕 경적의 합주(동시 다발로 경적을 울림).

Huppe [húpə] *f.* -n 〔방언〕 ↑ Hupe.

Hürchen *n.* -s 〖↑ Hure 의 축소형〗 〔폄어〕 어린 창녀, 풋내기 창녀.

Hurde *f.* -n ① 나뭇가지로 엮어 만든 울타리. ② (schweiz.) 나뭇가지로 엮어 짠 건조대 (Horde, Hürde).

Hürde *f.* -n ① (왕골·대·갈대로) 엮어 짠 것; 발; (가지·철사로 엮은) 장방형의 대(臺). ② 엮어 짠 세공품; 엮어 만든 울타리. ③ (가축, 특히 양의) 우리; 우리 속의 가축 떼〔양 떼〕: die Schafe in die ~ stellen〔treiben〕 양을 우리에 몰아넣다. ④ (육상·승마의) 장애물, 허들: 〔비유〕 eine ~ nehmen 장애를〔어려움을〕 극복하다.

hürden *t.* (가축을) 우리에 몰아넣다.

Hürden≈geflecht *n.* 나뭇가지로 엮는 세공품, 갈자리. **~lauf** *m.* 〖육상〗 장애물 경주. **~läufer** *m.* 장애물 경주자. **~läuferin** *f.* ↑ ~läufer 의 여성형. **~rennen** *n.* (승마의) 장애물 경주. **~schlag** *m.* 양을 우리 속으로 몰아넣기. **~wand** *f.*, **~werk** *n.* ↑ ~geflecht.

***Hure** [hú:rə] *f.* -n ① 〔폄어〕 (a) 창녀, 탕녀, 매춘부; 간부(姦婦): ein Mädchen zur ~ machen 처녀를 범하다; ein Werkzeug zur ~ machen 도구〔기구〕를 망가뜨리다. (b) 〔욕설〕 갈보, 상년. ② 〖動〗 (a) 〔구어〕 잠자리. (b) 조개. ③ 〖植〗 nackte ~ 콜키쿰; stinkende ~ 명아줏과(科).

huren 《Ⅰ》 *i.* (h.) ① 간통〔간음〕하다; 매음하다; 오입하다. ② 〖聖〗 우상을 숭배하다. 《Ⅱ》 *t.* ① …와 간음하다. ② 탕녀〔창녀〕라 욕하다.

Huren≈balg *n.*/(구어) *m.* 〔비속〕 사생아. **~bock** *m.* 〔비속〕 오입쟁이. **~haus** *n.* 사창가. **~kind** *n.* ① 사생아; 후레자식. ② 〖印〗 다음 페이지로 넘어가는 글귀의 마지막 행. **~sohn** *m.* 〔비속〕 창녀의 자식, 후레자식. **~weibel** *m.* 〖軍〗 용병대(傭兵隊)의 병참 감독. **~wirt** *m.* 포주, 뚜쟁이.

Hurer [hú:rər] *m.* -s, - 〔비속〕 남창(男娼); 오입쟁이, 방탕자.

Hurerei [hu:rərái] *f.* -en ① 〔비속〕 간음, 오입질; 매음. ② 〖聖〗 우상 숭배.

Huri [hú:ri] 《ar. ahwar》 *f.* -s 〖이슬람교〗 천국에 있는 영원한 처녀.

hürnen [hýrnən] *a.* 〔고어〕 ↑ hörnern.

Hurone [huró:nə] 《frz., „Wuschelkopf"》 *m.* -n, -n 휴런족(族)(휴런호(湖) 서쪽에 사는 북아메리카 인디언).

huronisch *a.* 휴런족(어)의; 〖지질〗 휴런계(系)의.

hurr [hʊr] *int.* 획, 휭(급속 운동을 나타냄).

hurra [hʊrá:, húra] *int.* 만세; 와(돌격할 때 지르는 소리).

Hurra *n.* -s, -s 만세(의 외침), 환호: ein dreifaches ~ 만세 삼창; ~ rufen 만세 부르다.

Hurra≈geschrei *n.* ↑ ~ruf. **~patriotismus** *m.* 〔구어·폄어〕 맹목적〔열광적〕 애국심. **~ruf** *m.* 만세의 외침, 환호 소리.

hurren *i.* (h./s.) (ndd.) 빠르게 움직이다, 서두르다.

Hurrikan [hárıkən, húrikan] 《sp.》 *m.* -s, -e/(영어식) -s 태풍, (특히) 허리케인.

Hurte *f.* -n 〔방언〕 ↑ Hürde.

hurten [húrtən] 《altfrz. hurt, „Anprall"》 *t.* 〖스포츠〗 반동을 이용하여 밀치다.

***hurtig** *a.* ① 민첩한, 신속한, 재빠른: mach ~! 빨리빨리 해라, 서둘러라! ② (schweiz.) 활발한, 원기 있는.

Hurtigkeit *f.* 신속, 민첩; 활발.

Hus [hus] *m.* Johann ~ 후스(보헤미아의 종교 개혁자, 1369-1415).

Husar [huzá:r] 《ung.》 *m.* -en, -en ① (15 세기의) 헝가리의 기병. ② (16 세기 이후의) 경기병(輕騎兵). ③ (obd.) 여장부; 말괄량이. ④ 〔구어〕 brauner〔schwarzer〕 ~ 벼룩.

Husaren≈affe *m.* 〖動〗 (아프리카산(産)) 긴

꼬리원숭이의 일종. **~jacke** *f.* 여성용 망토(원래는 경기병 제복). **~(pelz)·mütze** *f.* 경기병용 모피 모자. **~ritt** *m.* ↑ ~streich. **~streich** *m.* 과감한 습격, 저돌적인〔대담한〕행동. **~stück(chen)** *n.* ↑ ~streich. **~tasche** *f.* 경기병용 배낭.

husch [huʃ] *int.*〘의성어〙① 휙, 재빨리, 순식간에: ~, ~, ins Bett! 빨리빨리 잠자리에 들어라! ② 쉿, 조용히. ③ 아, 추워.

Husch *m.* -es, -e ① 잽싼 움직임: im〔in einem〕~ 재빨리, 순식간에; jn. auf einen ~ besuchen 누구에게 잠깐 들르다. ② ↑ Husche.

Husche *f.* -n (ostmd.) ① 소낙비, 지나가는 비〔눈〕. ② 따귀 때리기; 찌르기; 치고받기.

huschelig *a.* ①〘평어〙성급한, 경솔한, 천박한. ② 아늑한, 허물없는.

Huscheligkeit *f.* 천박성, 칠칠맞음, 경솔.

huscheln 《I》 *i.* ① (s./h.) 성급하게 굴다, 서둘다, 허둥지둥하다. ② (h.) (pfuschen) 건성〔날림〕으로 일하다. 《II》 *refl.* sich in et. ~ 무엇을 걸치다〔두르다〕.

huschen [húʃən] 《I》 *t.* ① 따귀를 (철썩) 갈기다: sich mit jm. herum ~ 누구와 치고받으며 싸우다. ② 잡아채다, 휙 낚아채다; 슬쩍 훔치다. ③ 몰아내다. 《II》 *i.* (s.) 휙 스치고 가다: nach et.[3] ~ 무엇을 재빨리 붙잡다; eine Libelle huschte übers Wasser 잠자리가 수면 위를 스치고 갔다;〔비유〕ein Lächeln huschte über ihr Gesicht 그녀의 얼굴에 미소가 살짝 스쳐갔다; er huscht nur so darüber hin 그는 일을 그저 건성건성 해치운다.

Huscher *m.* -s, - ① 소나기. ② 지나가는 바람, 약한 돌풍.

huschig *a.* ↑ huschelig.

huschlig *a.* ↑ huschelig.

Huschligkeit *f.* ↑ Huscheligkeit.

Hüsing [hý:zɪŋ] *f.* -e ① (ndd.) 주거, 거처. ②〘海〙(굵은 밧줄이나 쇠사슬을 감기 위하여 타르를 칠한) 삼노.

Husky [hʌ́ski] 《engl.》 *m.* -s, -s/..kes (썰매를 끄는) 에스키모 개.

Huß [hus] ↑ Hus.

hussa [húsa] *int.* 쉿쉿(사냥개나 말 등을 부추기는 소리).

hussasa [húsasa] *int.* ↑ hussa.

hussen *t.* (bair., öst.) 부추기다, 사주하다.

Hussit [husí:t] *m.* -en, -en〘宗〙후스파 교도.

Hussiten·krieg *m.* 후스 전쟁(1420-34).

hüst [hʏst] *int.* (südwestd.) (↔ hott) 저라(소나 말을 왼쪽으로 몰 때 지르는 소리): nicht ~ noch hott wissen 어찌할 바를 모르다, 이러지도 저러지도 못하다.

hüsteln [hý:stəln] *i.* (h.) 가벼운 기침을 하다, 잔기침하다.

***husten** [hú:stən] 《I》 *i.* (h.) 기침하다: stark ~ 심하게 기침하다; hinter vorgehaltener Hand ~ 손으로 가리고〔막고〕기침하다; diskret ~ 헛기침하여 신호를 보내다;〘구어〙der Motor hustet 엔진 작동이 자꾸 멈춘다;〘경박〙auf et. ~ 무엇을 안중에 두지 않다, 질색이다; er hört die Flöhe ~ a) 그는 매사에 눈치가 빠르다, b) 뭐든지 아는 체한다. 《II》 *t.* ① 기침을 하여 토하다: Blut ~ 각혈하다. ②〘결과를 나타내어〙jm. die Ohren voll ~ 누가 못 견딜 만큼 기침을 하다, 기침 소리로 누구에게 폐를 끼치다. ③〘비유·구어〙ich werde dir (et)was〔eins〕~ 네 부탁 따위는 들어줄 수 없다; der bekommt etwas〔eins〕gehustet 그의 요구는 받아줄 수 없다. 《III》 *refl.*〘결과를 나타내는 말과 함께〙sich halb tot ~ 숨이 넘어갈 듯 기침을 하다.

Husten *m.* -s, - 기침;〘醫〙해수(咳嗽): ein chronischer ~ 만성 기침; (den) ~ bekommen〔haben〕해수병에 걸리다.

Husten·anfall *m.* 해수〔기침〕발작. **~bonbon** *m.*/(öst., schweiz.) *n.* 기침에 먹는 사탕〔드롭스〕. **~fieber** *n.* 카타르성(性) 열, 기침을 수반하는 열증상. **~mittel** *n.* 진해제(鎭咳劑), 기침약. **~reiz** *m.* 기침을 일으키는 자극. **~saft** *m.* 기침 물약〔시럽〕. **~stillend** *a.* 기침을 가라앉히는.

***Hut**[1] [hu:t] *m.* -(e)s, Hüte [hý:tə] ① (테 있는) 모자: ~ ab! 탈모!; den ~ ziehen〔abnehmen〕모자를 쓰다〔벗다〕; den ~ (vor jm.) abnehmen (누구 앞에서) (인사로) 모자를 벗다, (누구에 대해) 존경심을 표시하다; den ~ ins Gesicht〔in die Augen〕drücken〔ziehen〕모자를 푹 눌러 쓰다;〘속담〙mit dem ~e in der Hand kommt man durch das ganze Land 처신이 바르면 어디서나 대접받는다; viele Köpfe〔Leute〕unter einen ~ bringen 중론을 통일하다;〘구어〙unter einen ~ kommen 의견 일치를 보다; ein alter ~ 진부한 것;〘구어〙da geht einem ja der ~ hoch! 자제력을 잃다, 격분하다;〘구어〙eins auf den ~ bekommen 혼나다, 질책〔비난〕받다;〘구어〙jm. eins auf den ~ geben 누구를 나무라다, 질책하다;〘구어〙et. aus dem ~ machen 무엇을 즉흥적으로 하다;〘구어〙das kannst du dir an den ~ stecken! 그것은 너한테나 중요하겠지!;〘아동〙er ist nicht mehr richtig〔er hat eine Meise〕unter dem ~ 그는 제정신이 아니다; mit jm. unter einem ~ spielen 누구와 결탁하다, 한 패가 되다; mit et.[3] etwas am ~ haben 무엇과 관계가 있다; mit jm.〔et.[3]〕nichts am ~ haben 누구와〔무엇과〕무관하다, 누구를〔무엇을〕염려하지 않다;〘구어〙seinen ~ nehmen (müssen) 문책으로 사임(해야)하다, 물러나(야 하)다. ②〘모자 모양의 것〙(**a**) 탑의 원개(圓蓋); 술통의 뚜껑;〘植〙버섯의 갓. (**b**) ein ~ Zucker 막대형 설탕. (**c**) 산꼭대기에 낀 자욱한 안개.

***Hut**[2] *f.* -en ① 감독, 감시, 보호; in〔unter〕js. ~ sein〔stehen〕누구의 감독을〔보호를〕받고 있다; in guter〔sicherer〕~ sein 안전하게 보호를 받다. ② 주의, 경계;〘軍〙위병(대), 보초; 파수(꾼): vor〔bei〕jm.〔et.[3]〕auf der ~ sein 누구를〔무엇을〕경계하고 있다, 누구〔무엇〕에 주의하다. ③ (**a**)〘고어〙가축의 감시〔보호〕. (**b**) (md.) 방목장; 방목권. (**c**) (보호받는) 가축 무리: eine ~ Schafe 한 떼의 양.

Hut·abnehmen *n.* 탈모. **~abteilung** *f.* (백화점의) 모자부(部). **~abziehen** *n.* 탈모. **~band** *n.* 모자의 리본. **~besatz** *m.* 모자의 테 장식. **~bürste** *f.* 모자용 솔.

Hütchen [hý:tçən] *n.* -s, -〘↑ Hut[1]의 축소형〙① 작은 모자. ② (병 등의) 마개. ③〘軍·드물게〙뇌관(雷管) (Zünd~).

Hüte·hund *m.*〘動〙양을 지키는 개. **~junge** *m.* 목동, 양치기 소년.

***hüten** [hý:tən] 《<Hut²》《I》*t.* ① 감시〔경계〕하다, 지키다, 망보다: das Vieh〔des Viehs〕~ 가축을 지키다; et. wie seinen Augapfel ~ 무엇을 자기의 눈동자처럼 보호하다; jn. vor et.³ ~ 누구를 무엇에서 지키다. ②〖비유〗das Bett ~ 병상에 누워 있다; das Zimmer〔Haus〕~ 방〔집〕에 틀어박혀 있다, 죽치고 있다. ③〖목적어 없이〗Gott soll ~! 그런 일이 있어서는 안 된다, 있을 수 없다. 《II》*refl.* sich ~ ① sich vor jm.〔et.³〕~ 누구를〔무엇을〕경계〔조심〕하다: ich werde mich ~, das zu tun 나는 그것을 하지 않도록 주의하겠다, 그런 일은 결단코 하지 않겠다; hüte dich, daß du fällst! 넘어지지 않도록 조심해라! ② sich selbst ~ 자신을 지키다, 자위(自衛)하다. ③ Schafe ~ sich leichter als Ziegen 양은 염소보다 지키기가 훨씬 수월하다.

Huter 《<Hut¹》*m.* -s, - ① 모자 만드는 사람. ② ↑ Hüter.

Hüter [hý:tər] 《<Hut²》*m.* -s, - ① 감독, 감시인; 목동; 수호자, 보호자: ~ des Gesetzes 법의 수호자, 경찰관. ②〖스포츠〗골키퍼.

Hüterin *f.* -nen ↑ Hüter 의 여성형.

Hut≈fabrik *f.* 모자 공장. **~feder** *f.* 모자에 꽂는 깃털 장식. **~filz** *m.* 모자용 펠트. **~form** *f.* 모자의 모양〔모형〕. **~futter** *n.* 모자의 안(감). **~futteral** *n.* ↑ ~schachtel. **~gebühr** *f.*, **~geld** *n.* 목동〔목자〕의 급료. **~gerechtigkeit** *f.* 방목권. **~geschäft** *n.* 모자 가게. **~gestell** *n.* 여성용 모자의 틀. **~handel** *m.* ↑ ~geschäft. **~haus** *n.*〖광산〗광원의 도구 두는 곳, 광원 대기실. **~koffer** *m.* 모자용 가방. **~kopf** *m.* 모자의 꼭대기. **~krempe** *f.* 모자테, 차양.

Hütlein *n.* -s, -〖↑ Hut¹의 축소형〗작은 모자.

hutlos¹ *a.* 모자를 쓰지 않은, 맨 머리의.

hutlos² *a.* 조심성이 없는, 부주의한; 지키는 사람이 없는.

Hut≈macher *m.* 모자 제조인. **~macherin** *f.* ↑ ~macher 의 여성형. **~nadel** *f.* 모자 고정 장식핀. **~putz** *m.* ↑ ~besatz. **~rand** *m.* 모자의 테두리. **~schachtel** *f.* 모자 보관용 상자.

Hutsche [hútʃə] *f.* -n ①〖방언〗↑ Hitsche. ② (öst.) 그네 (Schaukel).

Hütsche [hý..] *f.* -n〖방언〗↑ Hitsche.

hutschen 《I》*i.* (s./h.)〖방언〗① 기다, 미끄러지다. ② (öst.) ↑ schaukeln. 《II》*t.* (obd.) ① 흔들다. ② 매혹하다, 유인하다; 꼬드기다.

Hut≈schlange *f.*〖動〗코브라의 일종. **~schleife** *f.* 모자테의 나비 매듭; 꽃 모양의 모표. **~schnalle** *f.* ↑ ~spange. **~schnur** *f.* 모자끈:〖구어〗das geht (mir denn doch) über die ~! 그것은 지나치다, 너무하다!

Hutsch·pferd *n.* (öst.) 흔들목마.

Hut≈spange *f.* 모자핀. **~ständer** *m.* 모자걸이.

Hüttchen [hýtçən] *n.* -s, -〖↑ Hütte 의 축소형〗작은 오두막.

Hutte *f.* -n (schweiz.) 등에 지는 바구니.

***Hütte** [hýtə] *f.* -n ① (**a**) 오두막, 움막; 대피소, 산장: eine strohgedeckte ~ 초가(집); eine ~ aus Holz 판잣집;〖비유〗hier laßt uns ~n bauen! 여기서 초막을 짓고 지내게 하소서(마태 17 : 4);〖농담〗welch ein Glanz in meiner (armen) ~! 누옥을 찾아주셔서 영광입니다. (**b**)〖비유·성경〗(영혼의 일시적인 거처로서의) 육신. ②〖工〗(**a**) 야금 공장, 정련소; 유리 공장(Glas≈). (**b**) (갱 앞의) 움막집. (**c**) 건축 현장의 가건물(Bau~). ③〖海〗선미 최상 갑판, 선미루(樓).

Hütten≈amt *n.* 제련〔주조〕감독실. **~arbeiter** *m.* 제련〔주조〕공. **~bau** *m.* ① 오두막을 짓는 일. ② 제련업, 주조업, 야금 처리 작업. **~beamte*** *der* 제련소 직원. **~besitzer** *m.* ↑ ~herr. **~betrieb** *m.* 제련소. **~bewohner** *m.* 오두막집에 사는 사람. **~deck** *n.*〖海〗(군함의) 후부 최상 갑판. **~glas** *n.* 도가니에서 용해 중인 색유리. **~herr** *m.* 야금〔제련〕공장 주인. **~industrie** *f.* 철강〔제철〕산업〔공업〕. **~käse** *m.* 응유(凝乳) 치즈. **~koks** *m.*〖제련〗주물용(鑄物用) 코크스. **~kunde** *f.* 야금학. **~kundige*** *der/die* 야금학자. **~lager** *n.*〖軍〗임시 막사. **~mann** *m.*〖복수: ..leute〗① ↑ ~bewohner. ② ↑ ~arbeiter, ~herr. **~meister** *m.* 제련소 현장 주임. **~rauch** *m.* 야금 공장 연기; (특히) 용광로의 광독연(鑛毒煙), 비독분(砒毒粉). **~schuh** *m.* (펠트나 털실로 만든) 바닥이 부드러운 실내화(원래는 스키 산장에서 사용함). **~steiger** *m.* 제련소 감독. **~werk** *n.* 야금 공장, 제련소. **~wesen** *n.* 야금, 용광, 제련.

Hüttlein *n.* -s, - ↑ Hüttchen.

Hüttner *m.* -s, -〖고어〗소농(小農), 소작농, 빈농.

Hüttrach *n.* -s (öst.)〖구어〗비소(砒素).

Hut·tresse *f.* 모자에 두르는 장식 끈.

Hutung 《<Hut²》*f.* -en 방목지; 방목권.

Hütung 《<hüten》*f.* -en ① 감독, 감시, 파수. ② 방목, 목축.

Hut·weide *f.* 방목장(放牧場).

Hutzel [hútsəl] 《<verhutzeln, „einschrumpfen"》*f.* -n ① (obd.) 말린 과일(특히 배). ②〖방언〗쪼그랑 할멈. ③〖방언〗솔방울.

Hutzel·brot *n.* (obd.) 말린 과일을 넣은 빵.

hutzelig *a.*〖구어〗시든, 말라빠진; 쭈글쭈글한.

Hutzel·männchen *n.*〖구어〗① 요정(Heinzelmann). ② 쪼그랑 할아버지.

hutzeln 《I》*t.* (obd.) (과일을) 말리다. 《II》*i.* (s.) 쭈글쭈글해지다, 주름살 잡히다.

hutzlig *a.* ↑ hutzelig.

Hut·zucker *m.* 막대형〔원추형〕설탕.

Huy [hy:] *m.* -s 휘 산지(Harz 지방 북쪽의 고원).

Huy·wald *m.* ↑ Huy.

Huzule [hutsú:lə] *m.* -n, -n ① 후출레족(우크라이나의 한 종족). ② 루마니아산(産) 말.

Hyaden [hyá:dən] 《gr.》*pl.* ①〖그리스신화〗히아데스(아틀라스의 딸들). ②〖天〗히아데스 성단(星團).

hyal.. 《gr.》*pref.* "유리"의 뜻.

hyalin [hyalí:n] *a.*〖醫·지질〗유리 같은, 수정체의, 투명한.

Hyalit [..lí:t, ..lít] *m.* -(e)s, -e〖광물〗옥적석(玉滴石)(오팔의 일종).

Hyalographie [..lografí:] 《gr., „Glasschrift"》*f.* -n [..fí:ən] 유리 조각술.

Hyalophan [..fá:n] *m.* -s, -e〖광물〗중토장석(重土長石).

Hyäne [hyɛ́:nə] 《gr.》*f.* -n ①〖動〗하이에나.

②〔구어·폄어〕(하이에나 같은) 잔인한 사람: ~ des Schlachtfeldes 전사자의 소지품을 훔치는 도둑.
Hyazinth [hyatsínt] 《gr.》 ①〖그리스신화〗 히아킨토스(아폴로가 총애한 미소년). ② *m.* -(e)s, -e〖광물〗 풍신 자석(風信子石), 녹석류석(綠石榴石);〔고어〕 사파이어.
Hyazinthe [..tsíntə] *f.* -n〖植〗 히아신스.
hybrid[1] [hybrí:t] *a.* 잡종의, 혼혈(교배)의, 혼성의:〖언어〗 ~e Wörter〔Bildungen〕 혼성어(보기: 그리스어의 auto 와 라틴어의 mobil 이 결합된 Automobil).
hybrid[2] *a.*〔雅語〕오만한, 주제 넘은, 방약무인의.
Hybrid≈computer 《engl.》 *m.* 혼성 전산기. **~computer·system** *n.* 혼성 전산기 체계.
Hybride [hybrí:də] 《gr.》 *f.* -n 〔*m.* -n, -n〕〖動·植〗① 잡종. ② 잡종 사육〔재배〕.
Hybriden·züchter *m.*〖生〗 잡종 사육자〔재배자〕.
Hybridisation *f.*〖生〗 잡종 재배〔교배〕.
hybridisch *a.* 잡종의.
hybridisieren *t.*〖生〗 잡종 재배〔교배〕하다.
Hybrid-KFZ *n.*〖車〗 하이브리드 자동차.
Hybrid≈rechner *m.*〖컴〗 혼성 전산기. **~-schwein** *n.* 잡종 사육 돼지. **~züchtung** *f.* ①〖生〗 잡종 재배〔사육〕. ② 잡종 재배〔사육〕 품종.
Hybris [hý:brís, hýb..] 《gr., „Übermut"》 *f.* (비극의 원인이 되는) 오만, 불손.
hyd.. 《gr.》 *pref.* "물"의 뜻.
Hydarthrose [hydartró:zə] *f.* -n ↑ Hydrarthrose.
Hydarthrosis 《gr.》 *f.* ..sen ↑ Hydrarthrose.
Hydatide [..tí:də] *f.* -n〖動〗 포충(胞蟲); 낭포(囊胞).
Hyder *f.* -n/..dren ↑ Hydra[1].
Hydra[1] [hý:dra] *f.* ..dren ①〖動〗 히드라, 물뱀. ②〖그리스신화〗 히드라(Herakles 가 죽인 머리 아홉의 괴물 뱀).
Hydra[2] 히드라도(島) (그리스의 섬).
Hydrämie *f.* -n [..mí:ən]〖醫〗 수혈증(水血症).
Hydrant [..ránt] *m.* -en, -en 급수〔소화〕전.
Hydrargyrum *n.* -s〖化〗 수은(기호: Hg).
Hydrat [..rá:t] *n.* -(e)s, -e〖化〗 함수물, 수산화물, 수화(水化)물.
Hydratation *f.* ①〖化〗 수화(水化) 작용. ②〖지질〗 수화(水和) 작용. ③〖건축〗 (시멘트를 응고시키는) 수화(水和) 작용.
Hydrarthrose *f.* -n〖醫〗 관절 수종(水腫).
Hydration *f.*〖化〗 ↑ Hydratation ①.
hydratisieren 《I》 *i.*〖化〗 수화물로 되다. 《II》 *t.*〖化〗 수화물로 변화시키다.
Hydraulik [..ráulık] *f.* -en〖物〗 수력학.
hydraulisch *a.* 수력의, 수압의: eine ~e Presse 수압기.
Hydrazin [..tsí:n] *n.* -s〖化〗 히드라진.
Hydrier·benzin *n.* 수소 첨가 휘발유.
hydrieren *t.*〖化〗 수화(水化)시키다, 수소를 첨가하다.
Hydrierung *f.* -en 물로 만들기, 수소 첨가.
Hydrier≈verfahren *n.*〖化〗 수소 첨가 처리. **~werk** *n.* 수소 첨가 공장〔시설〕.
Hydriot 《gr.》 *m.* -en, -en ↑ Hydra[2] 섬 사람.
hydro.. 《gr.》 *pref.* "물의, 수(水)의"의 뜻.
Hydrobiologie *f.* 수생(水生) 생물학.
Hydrochinon [hydroçinó:n] 《gr.》 *n.* -s 하이드로키논(사진 현상약).
Hydrodynamik *f.*〖物〗 유체 동역학.
hydrodynamisch *a.* 유체 동역학의.
Hydrogen *n.* -s ↑ Hydrogenium.
Hydrogenium *n.* -s〖化〗 수소.
Hydrographie *f.* ① 수리학(水理學). ② 수로학, 수로 측량.
hydrographisch *a.* 수로학의: eine ~e Karte 수로 측량도(圖).
Hydrokultur *f.* -en ① 수경(水耕) 재배. ② 수경 재배 식물.
Hydrologie [..logí:] *f.* 수리학(水理學).
hydrologisch *a.* 수리학의.
Hydrolyse [..lý:zə] *f.* -n〖化〗 가수 분해.
hydrolytisch *a.*〖化〗 가수 분해의.
Hydromechanik *f.*〖物〗 유체 역학.
Hydrometer *n.* -s, - ①〖物〗 액체 비중계(計). ② 유속계(流速計).
Hydrometrie *f.* 액체 비중 측정, 유속 측정.
hydrometrisch *a.* 측류계의.
Hydrooxygen(gas) *n.* ↑ Knallgas.
Hydropath [..pá:t] *m.* -en, -en〖醫〗 (Wasserheilkundiger) 수치의(水治醫).
Hydropathie [..patí:] *f.* 수치(료)법.
hydropathisch *a.* 수치(료)법의.
hydrophil *a.* ① 물을 좋아하는, 친수성(親水性)의; 물속에 사는, 수생(水生)의. ②〖化·工〗 물을 빨아들이는.
hydrophob *a.* ① 물을 기피하는, 소수성(疎水性)의; 공수병의. ②〖化·工〗 물을 배척하는, 물에 용해되지 않는.
Hydrophobie [..fobí:] *f.*〖醫〗 (Wasserscheu) 공수병, 광견(狂犬)병.
Hydrophthalmus *m.* -, ..mi〖醫〗 (유아기에 나타나는) 안구 확대(증), 수안(水眼).
Hydrophyt *m.* -en, -en〖植〗 수생(水生) 식물, 수초.
hydropisch *a.*〖醫〗 수종성(水腫性)의.
Hydroplan [..plá:n] *m.* -s, -e 수상 비행기; 수상 활주정(滑走艇).
hydropneumatisch *a.* 물과 공기〔액체와 기체〕의 작용에 따른.
Hydrops *m.* - ↑ Hydropsie.
Hydropsie [hydrɔpsí:] *f.*〖醫〗 (Wassersucht) 수종, 부종(浮腫).
Hydrosphäre [..dro..] *f.* 대기 중의 수기(水氣)층; 수계(水界), 수권(水圈).
Hydrostatik [..stá:tık] *f.*〖物〗 유체 정역학(靜力學), 정수학(靜水學).
hydrostatisch *a.* 정수학의: ~er Druck 정수 압력; ~e Waage 정수 비중계.
Hydrotechnik *f.* 수력 공학; 수리 건축학; 하천 공학.
hydrotherapeutisch *a.* 수치료법의.
Hydrotherapie *f.* -n [..pí:ən]〖醫〗 수치료법 (Wasserheilkunde).
Hydroxyd [hydrɔksý:t] 《gr.》 *n.* -(e)s, -e〖化〗 수산화물.
Hydroxyl·gruppe *f.* 수산기(水酸基) (OH-Gruppe).
Hydrozele [hydrotsé:lə] 《gr., „Wasserbruch"》 *f.* -n〖醫〗 음낭 수종(水腫).
Hydrozephale [..tsefá:lə] *m.* -n, -n〖醫〗

뇌수종(腦水腫) (Wasserkopf).
Hydrozephalus *m.* -, ..len 〖醫〗 뇌수종.
Hydrozoon [..tsó:ɔn] *n.* -s, ..zoen 〖動〗 히드로 충류(蟲類).
Hyetographie [hyetografí:] *f.* 〖기상〗 우량학(雨量學), 우량도(雨量圖).
Hyetometer [..mé:tər] 《gr. hyetós, „Regen"》 *n.* -s, - 〖기상〗 우량계, 측우계.
Hygiea [hygié:a], **Hygieia** [..giáıa] 《gr. hygiēs, „gesund"》 *f.* 〖그리스신화〗 히게이아(건강을 주재하는 여신).
***Hygiene** [..gié:nə] *f.* ①〖醫〗 건강법, 위생학. ② 보건, 위생, 청결.
Hygieniker *m.* -s, - 위생학자.
hygienisch *a.* ① 위생학적인, 보건상의. ② 청결한, 위생적인.
Hygrometer [hygromé:tər] 《gr. hygrós, „naß"》 *n.* -s, - 〖기상〗 습도계.
Hygrophyt [..fý:t] *m.* -en, -en 〖植〗 습생(濕生) 식물.
Hygroskop [..grɔskó:p] *n.* -s, -e 〖기상〗 습도 표시기, 검습계.
hygroskopisch *a.* 〖化〗 흡습성의: ~es Wasser 습기.
Hyksos [hýksɔs] *pl.* 힉소스(고대 이집트를 정복한 아시아 민족).
Hylozoismus [hylotsoísmus] *m.* - 〖哲〗 물활론(物活論).
Hymen[1] [hý:mɛn] 《gr.》 ① *m.* 〖그리스신화〗 히멘(결혼의 신). ② *m.* -s, - 결혼 축가; 결혼.
Hymen[2] 《gr. hymēn, „Haut"》 *n./m.* -s, - 〖해부〗 처녀막.
Hymenaios *m.* ↑ Hymenaeus.
Hymenäos *m.* -, ..näen ↑ Hymenaeus.
Hymenaeus [hymené:us] *m.* -, ..naei [..nɛ́:i] 결혼 축가.
Hymenoptere *f.* -n 〖動〗 (Hautflügler) 막시류(膜翅類) (개미·벌 등).
Hymne [hýmnə] 《gr.》 *f.* -n ①〖문학〗 (고대 그리스) 송가, 찬가. ②〖宗〗 찬송가, 성가. ③ 국가(↑ Nationalhymne 의 축약형).
Hymnen·buch *n.* 찬미가집. **~dichter** *m.* 송가〔송시·찬가〕 작가. **~dichtung** *f.* 찬가〔송가〕 문학. **~sammlung** *f.* 송가〔찬가〕집.
Hymnik *f.* 찬가〔송가〕 장르, 찬가 문학.
hymnisch [hýmnıʃ] 《gr.》 *a.* 찬가〔송가〕의.
Hymnologie [..nologí:] 《gr.》 *f.* 찬미가학(學), 성가학.
hymnologisch *a.* 찬송가학의, 성가학의.
Hymnus 《gr.》 *m.* -, ..nen ↑ Hymne.
Hyoscyamin [..stsyamí:n] *n.* -s ↑ Hyoszyamin.
Hyoszyamin *n.* -s 〖藥〗 히오시아민(진정제·동공 확대제).
hyp.. *pref.* ↑ hypo...
Hypallage [hypalagé:] *f.* 〖修〗 ① 2 격 명사구가 부가어적 형용사로 교체되는 현상(또는 그 반대의 경우) (보기: Segen des Himmels 와 himmlischer Segen). ② (단어나 문장 성분의 관계를 바꾸는) 전구법(轉句法) (Enallage).
Hypästhesie [hypɛstezí:] *f.* -n [..zí:ən] 〖醫〗 지각(知覺) 감퇴.
hyper.. 《gr. hypér, „über"》 *pref.* "위·초(超)·과(過)"의 뜻.
Hyperacidität *f.* ↑ Hyperazidität.
Hyperalgesie *f.* -n [..zí:ən] 〖醫〗 통각 과민(증).
hyperalgetisch *a.* 통각 과민(증)의.
Hyperämie [hypɛrɛmí:] 《gr.》 *f.* 〖醫〗 충혈.
Hyperästhesie [..ɛstezí:] *f.* -n [..zí:ən] 〖醫〗 지각(知覺) 과민(증) (Überempfindlichkeit).
hyperästhetisch *a.* 지각 과민(증)의.
Hyperazidität *f.* 〖醫〗 위산 과다.
Hyperbel [hypɛ́rbəl] 《gr.》 *f.* -n ①〖修〗 과장(법): in ~n reden 과장해서 말하다. ②〖기하〗 쌍곡선 (Kegelschnitt).
hyperbolisch *a.* ①〖修〗 과장적인. ②〖기하〗 쌍곡선의.
Hyperboloid [..boloí:t] *n.* -(e)s, -e [..də] 〖기하〗 쌍곡면.
Hyperboreer [hypɛrboré:ər] *m.* -s, - ① 〖그리스신화〗 극북(極北) 지역에 사는 전설적 주민. ②〔비유〕 기인, 괴인.
hyperboreisch *a.* 극북(極北)의; 극북 지역에 사는 사람의.
Hypercard 《engl.》 *f.* 〖컴〗 ① 하이퍼카드. ② 미국 애플사의 매킨토시용 소프트웨어 패키지.
Hyperdaktylie *f.* -n [..lí:ən] 〖醫〗 다지증(多指症).
Hyperemesis *f.* 〖醫〗 심한 구토 증세: ~ gravidarum 입덧.
Hyperfunktion *f.* -en 〖醫〗 기능 항진.
hypergolisch *a.* 〖化·工〗 자연 발화성의.
Hyperion [hypé:riɔn, hyperí:ɔn] 《gr.》 *m.* 히페리온(〖그리스신화〗 태양의 신 Helios 의 아버지; Helios 의 다른 이름).
hyperkatalektisch *a.* 〖문학〗 시행(詩行)의 음절이 과다한.
hyperkorrekt *a.* 지나치게 정확한〔꼼꼼한〕; 〖언어〗 과잉 교정의.
hyperkritisch *a.* 혹평하는.
Hyperkritik *f.* -en 혹평.
Hyperkultur *f.* -en 지나치게 세련된 문화, 지나친 세련.
hypermangan·sauer *a.* 〖化〗 과망간산의.
Hypermedia *pl.* 하이퍼 미디어.
Hypermeter *m.* -s, - 〖문학〗 음절 과잉 시구.
hypermetrisch *a.* 음절 과잉 시구의.
hypermetrophisch *a.* 〖醫〗 원시(遠視)의.
Hypermetropie [hypɛrmetropí:] 《gr.》 *f.* -n [..pí:ən] 〖醫〗 원시(遠視).
hypermodern *a.* 초현대적인.
Hyperon *n.* -s, -en 〖핵물리〗 하이페론, 중핵자(重核子).
Hypertext 《engl.》 *m.* 〖컴〗 하이퍼텍스트.
Hyperplasie *f.* -n [..zí:ən] 〖醫〗 (세포의 비정상적 증가로 인한 조직·기관의) 과대 증식.
hyperplastisch *a.* 과대 증식의.
hypersensibel *a.* 과민한; 과민성의.
hypersonisch *a.* 〖物〗 (음속의 5 배를 상회하는) 극초음속의.
Hypertonie [..toní:] *f.* -n [..ní:ən] 〖醫〗 고혈압; 과도한 근육 긴장; 고안압(高眼壓).
hypertroph *a.* ①〖醫〗 비대한, 영양 과잉의. ②〔雅語〕 과도한.
Hypertrophie [..trofí:] 《gr.》 *f.* -n [..fí:ən] 〖醫〗 (Überernährung) 비대, 영양 과잉.
Hyphe [hý:fə] 《gr.》 *f.* -n 〖植〗 균사(菌絲) (Zellfaden).
Hyphen *n.* -(s), - 하이픈 (Bindestrich).
Hypnopädie *f.* 수면(睡眠) 학습.
hypnopädisch *a.* 수면 학습의.

Hypnos [hÝpnɔs] 《gr.》 *m.* 〖그리스신화〗 히프노스(수면〔잠〕의 신).
Hypnose [..pnó:zə] *f.* -n 최면 상태.
Hypnotik *f.* 최면술.
Hypnotikum [..tikum] *n.* -s, ..ka 최면제.
hypnotisch *a.* 최면(술)의, 최면술에 걸린.
Hypnotiseur [..notizǿ:r] *m.* -s, -e 최면술사.
hypnotisieren *t.* 최면술을 걸다.
Hypnotismus [..tísmus] *m.* - 최면술.
hypo.. 《gr. hypó, „unter"》 *pref.* "하(下)·차(次)·열등·불완전"의 뜻.
Hypochlorit [hypoklorí:t, ..rít] *m.* -s, -e 〖化〗 차아(次亞)염소산염.
Hypochonder [hypoxɔ́ndər] 《gr.》 *m.* -s, - 〖醫〗 히포콘드리아 환자, 우울증 환자.
Hypochondrie [..xɔndrí:] *f.* -n [..rí:ən] 〖醫〗 우울증.
hypochondrisch *a.* 우울증의.
Hypochondrist *m.* -en, -en ↑ Hypochonder.
Hypogastrium *n.* -s, ..rien [..riən] 〖해부〗 하복부.
Hypogäum [..gɛ́:um] *n.* -s, ..gäen (아치형 천장의) 지하 공간(보기: 카타콤의 내부).
hypogyn [hypogý:n] 《gr.》 *a.* 〖植〗 자방 상위(子房上位)의.
hypokaustisch *a.* (온돌과 비슷한) 마루 밑 난방(장치)의.
Hypokaustum [..káustum] 《lat.》 *n.* -s, ..sten 〖고대로마〗 (온돌 같은) 마루밑 난방.
Hypokotyl [hypokotý:l] *n.* -s, -e 〖植〗 (떡잎 아래의) 배축(胚軸).
Hypokrisie [hypokrizí:] 《gr.》 *f.* 위선.
Hypokrit [..krí:t] *m.* -en, -en 위선자.
hypokritisch *a.* 위선적인.
Hypophyse [hypofý:zə] 《gr.》 *f.* -n 〖해부〗 뇌하수체(Hirnanhang).
Hypostase [hypostá:zə] 《gr.》 *f.* -n ① 기초; 〖哲〗 본질, 실체. ② (개념의) 실체화, 구체화. ③〖신화·宗〗 신성(神性)의 의인화; 의인화된 신성. ④〖문법〗 (통사 구조에서의) 어휘 형성 (보기: übernachten＜über Nacht; Gesetzgebung＜Gesetze geben). ⑤〖醫〗 혈액 침강, 침강성 울혈. ⑥〖生〗 (유전자 효과의) 하위.
hypostasieren *t.* ① 실체화〔구체화〕하다. ② 의인화〔인격화〕하다. ③ 기초로 삼다.
hypostatisch *a.* ① 본질의, 실체의, 구체적인. ② 신성(神性)을 의인화한. ③〖醫〗 혈액 침강성의, 침강성 출혈의. ④〖生〗 (유전자 효과의) 하위의.
Hyposthenie [..stení:] 《gr.》 *f.* -n [..ní:ən] 〖醫〗 쇠약.
Hypostylon 《gr.》 *n.* -s, ..la 〖건축〗 ① 지붕이 있는 주랑(柱廊). ② 신전.
Hypostylos *m.* -, ..loi ↑ Hypostylon.
hypotaktisch [hypotáktɪʃ] 《gr. taktós, „geordnet"》 *a.* 〖문법〗 종속적인.
Hypotaxe *f.* -n ①〖醫·心〗 의지〔통제력〕 감퇴 증상. ②〖문법〗 (문장의) 종속 (관계) (↔ Parataxe).
Hypotaxis *f.* ..xen ↑ Hypotaxe.
Hypotenuse [hypotenú:zə] 《gr.》 *f.* -n 〖기하〗 직각 3각형의 빗변.
Hypothalamus *m.* -, ..mi 〖해부〗 시상(視床) 하부.
Hypothek [hypoté:k] 《gr., „Unterpfand"》 *f.* -en ①〖法〗 저당권, 저당, 담보: eine ~ auf ein Haus aufnehmen 집을 담보로 융자를 얻다. ②〔비유〕 짐, 부담; 걸림돌.
Hypothekar [..teká:r] *m.* -s, -e ↑ Hypothekengläubiger.
hypothekarisch *a.* 저당권(상)의: ~e Sicherheit 저당 담보.
Hypotheken≈bank *f.* 〖經〗 부동산 (저당) 은행. **~brief** *m.* 저당 증권, 저당권 증서. **~buch** *n.* 저당 등기부. **~gläubiger** *m.* 저당권자. **~pfand·brief** *m.* ↑ ~brief. **~register** *n.* ↑ ~buch. **~schuldner** *m.* 저당권 설정자, 담보 제공자. **~urkunde** *f.* 저당(권) 증서. **~wesen** *n.* 저당(권) 사항.
Hypothermie *f.* -n [..mí:ən] 〖醫〗 ① 저체온(증). ② (인위적인) 체온 저하(법).
Hypothese [hypoté:zə] 《gr.》 *f.* -n (Annahme) 가정; 가설: eine ~ aufstellen〔widerlegen〕 어떤 가설을 세우다〔반박하다〕.
hypothetisch [..té:tɪʃ] *a.* 가정의; 가설의.
Hypotonie *f.* -n [..ní:ən] 〖醫〗 ① 근육 긴장 저하; 저안압(低眼壓). ② 저혈압.
Hypotrachelion *n.* -s, ..lien [..liən] 〖건축〗 (기둥 머리 아래쪽의) 도리아식 기둥 장식.
Hypotrophie *f.* -n [..fí:ən] 〖醫〗 ① 영양 불량, 발육 부전. ② 영양 실조.
Hypozentrum *n.* -s, ..tren 진원지(震源地).
Hypozykloide *f.* -n 〖기하〗 하이포사이클로이드.
Hypsiphobie *f.* -n [..bí:ən] 〖醫〗 고소(高所) 공포증.
Hypsometer [hʏpsomé:tər] 《gr.》 *n.* -s, - 끓는점에 따른 측고계(測高計).
Hypsometrie [..metrí:] *f.* 측고술, 측고법.
hypsometrisch *a.* 측고법의.
Hyrkanien 히르카니아(카스피해 남동 연안).
hyrkanisch *a.* das ~e Meer 카스피해(옛 이름).
Hysteralgie *f.* -n [..gí:ən] 〖醫〗 자궁 통증.
Hysterektomie *f.* -n [..mí:ən] 〖醫〗 자궁 절제〔제거〕(술).
Hysterese [hʏsteré:zə] 《gr.》 *f.* 〖物〗 (자기·전기·탄성 등의) 히스테리시스, 이력(履歷) 현상, 후(後)작용.
Hysteresis *f.* ↑ Hysterese.
Hysterie *f.* -n [..rí:ən] 〖醫〗 히스테리.
Hysteriker *m.* -s, - ①〖醫·心〗 히스테리 환자. ② 신경 과민 반응자.
Hysterikerin *f.* -nen ↑ Hysteriker 의 여성형.
hysterisch [..té:rɪʃ] *a.* 히스테리의.
Hysteromanie *f.* -n [..ní:ən] 〖醫〗 (여성의) 성욕 이상 항진(증), 색정증.
Hysteron-Proteron [hÝsterɔn-pró(:)terɔn] 《gr.》 *n.* -s, Hystera-Protera 〖修〗 역치〔전치〕법; 〖논리〗 도역(倒逆) 논법.
Hysteroptose *f.* -n 〖醫〗 자궁 이탈, 자궁 하수(下垂)(증).
Hysteroskopie *f.* -n [..pí:ən] 〖醫〗 (내시경에 의한) 자궁 검진.
Hysterotomie *f.* -n [..mí:ən] 〖醫〗 자궁 절개(술).
Hz ＝Hertz 〖物〗 헤르츠.

I

I, i [i:] *n.* -, - 독일어 자모의 아홉째 자: der Punkt (das Tüpfelchen) auf dem i, i 위의 점(點), 〖비유〗 최후의 한 점, 화룡점정(畫龍點睛).

I ① 로마 숫자 1 의 기호. ② 요오드(Jod) (의 화학 기호).

I [i:] *int.* 〖구어〗 (경악·경탄·의아·거절 따위를 나타냄; ↑ ei!) 이크, 에그머니, 아이고, 어머나, 뭐, 아니, 응: ~ freilich! 그야 물론!; ~ bewahre! 아유, 어림도 없다!; ~ wo! 원, 천만에!; ~ sehen Sie mal! 아이, 이것 좀 보시오!

i 〖數〗 허수(虛數) 1 을 나타내는 기호.

i. ① = im, in (지명에 써서): Freiburg i. Br. 브라이스가우의 프라이부르크. ② = ist: d.i. = das ist 즉.

Ia = eins a 제일급(등)의, 특상의.

i.A. = im Auftrag 위임(위탁)을 받아(i는 서명 앞에 쓰일 때는 대문자로 적음).

IAA = Internationale Automobile Ausstellung 〖車〗 국제 자동차 박람회.

IAEA 《engl.》 = International Atomic Energy Agency 국제 원자력 기구.

iah [i:á:, iá:] *int.* 히힝(당나귀의 울음소리).

iahen [i:á:ən, iá:ən] *i.* (h.) (당나귀가) 히힝하고 울다.

i. allg. = im allgemeinen 일반적으로, 보통.

Iambe [jámbə], **iambisch** *a.*, **Iambus** [..bus] *m.* ↑ Jambe, jambisch, Jambus.

Iatrik [iá:trık] *f.* 〖醫〗 의학, 의술.

iatrisch [iá:trıʃ] *a.* 의학(의술)의.

iatrogen [iatrogé:n] *a.* 의사(의료 행위) 때문에 생긴.

ib., ibd. = ibidem.

Iberer [ibé:rər] 《gr.》 *m.* -s, - 이베리아인.

Iberien [ibé:riən] 이베리아(에스파냐 및 포르투갈의 고대 명칭).

iberisch *a.* 이베리아의.

Ibero·amerika [ibé:ro..] 라틴 아메리카.

ibero·amerikanisch *a.* 라틴 아메리카의.

ibid. = ibidem.

ibidem [ibí:dɛm, í:bidɛm] 《lat.》 *adv.* 같은 곳(책·페이지)에.

IBIS = Integriertes Börsenhandels- und Informationssystem 통합 증권 거래 정보 시스템.

Ibis [í:bıs] 《ägypt.》 *m.* -ses, -se 〖動〗 따오기속(屬)의 새.

IBM-Kompatibel 〖컴〗 ↑ IBM-Kompatibler PC.

IBM-Kompatibler PC *m.* 〖컴〗 IBM 호환성 개인용 컴퓨터.

Ibisch [í:bıʃ] ↑ Eibisch.

Ibiza [ißíθa] (span.) 이비사섬(지중해의 에스파냐령 Balearen 제도의 제 3 의 섬).

Ibizenker *m.* -s, - 이비사섬의 주민.

IBM-PC *m.* 〖컴〗 IBM 개인용 컴퓨터(미국 IBM 사의 1981 년도 산(産) PC 의 상품명).

Ibn [íbən] 아들(아랍어의 인명 앞에 붙는 말).

Ibsen [ípsən] Henrik ~ 입센(노르웨이의 극작가·시인, 1828-1906).

IC = Intercity-(Zug) 도시간 급행 열차.

ICBM 《engl.》 = intercontinental ballistic missile 대륙간 탄도탄.

ICE = Inter City Expreß (독일의) 도시간 특급 열차.

***ich** [ıç] 《lat. ego; got. ik; ahd. ih》 《I》 *prn.* 〖인칭 대명사 1 인칭 단수 1 격형; 2 격 mein(er), 3 격 mir, 4 격 mich〗 나: ~ für meine Person 나 개인으로는, 나만으로는; ~ bin's 나야, (그건) 저입니다; ~ bin es 그것은 저입니다, 제가 그랬습니다.

***Ich** *n.* -(s), -(s) 나, 자아: mein zweites (anderes) ~ a) 제 2 의 나, 나의 분신(친구·애인 꼭 닮은 사람 등), b) 새 사람이 된 나.

ich≈bezogen *a.* 자기 중심의: er ist sehr ~ 그는 매우 자기 중심적이다. **≈-Erzähler** *m.* 1 인칭 화자(서술자). **≈form** *f.* (소설의) 1 인칭 형식, 자서체(自敍體): Erzählung in der ~ 1 인칭(자서체) 소설.

Ichheit *f.* ① 〖哲〗 나, 자아(성), 개성. ② 아욕(我慾), 이기(利己).

Ich-Laut *m.* 〖문법〗 ich 의 "ch"의 음(기호: ç).

Ichling *m.* -s, -e 이기주의자.

Ichneumon [ıçnɔ́ymɔn] 《gr.》 *m./n.* -s, -e/-s 〖動〗 ① 이집트 몽구스. ② 맵시벌.

Ichnogramm [ıçnográm] *n.* -s, -e 〖醫〗 ① 발의 석고 모형. ② (보행 장애 확인을 위한) 발자국 도면(圖面).

Ich-Roman *m.* 〖문학〗 1 인칭 소설, 자서체 소설.

Ich≈sucht *f.* (Egoismus) 이기(주의), 자기 본위, 자기 중심. **≈süchtig** *a.* 이기적인, 자기 중심적인.

..icht *suf.* ① 명사에서 형용사를 만들며 "…와 같은"의 뜻, 지금은 보통 ..ig(보기: tör~ 바보 같은). ② 식물을 나타내는 집합 명사를 만듦(보기: das Tann~ 전나무 숲). ③ 부정적인 의미의 명사를 만듦(보기: das Aufklär~ 거짓 계몽, 거짓 문명).

ichthy.. [ıçty..], **ichthyo..** [ıçtyo..] 《gr. ichthýs, „Fisch"》 *pref.* "물고기"의 뜻.

Ichthyodont [..dɔ́nt] *m.* -en, -en 물고기의 이빨 화석.

Ichthyographie 《gr.》 *f.* 물고기 분류학.

Ichthyol [..ó:l] 《lat. oleum, „Öl"》 *n.* -s 〖藥〗 이히티올(피부병 외용약: 상표명).

Ichthyolith [..lí:t] 《gr. líthos, „Stein"》 *m.* -s/-en, -e(n) 물고기 화석.

Ichthyologe [..ló:gə] *m.* -n, -n 어류학자.

Ichthyologie [..logí:] *f.* (Fischkunde) 어류학.

Ichthyophage [..fá:gə] *m.* -n, -n 물고기를

주식으로 하는 사람.

Ichthyophthalm [..ɔftálm] *m.* -s, -e 〖광물〗 어안석(魚眼石).

Ichthyosaurier [ɪçtyozáurɪər] *m.* -s, -, **Ichthyosaurus** [..rus] *m.* -, ..rier 〖고생물〗 어룡(魚龍)(태고의 거대한 파충류).

Ichthyose [..tyó:zə] *f.* -n, **Ichthyosis** *f.* ..sen/..ses 〖醫〗 어린선(魚鱗癬)(피부병의 일종).

Ichthyotoxin [..tɔksí:n] *n.* -s, -e (Fischgift) 물고기의 독, 어독(魚毒); 부패어(腐敗魚) 독소.

Icing [áɪsɪŋ] 《engl.》 *n.* -(s), -s 〖아이스하키〗 아이싱(허용되지 않은 원거리 슛).

Id [i:t] *n.* -(s), - ① 〔복수없음〕〖心〗 이드(무의식 속에 있는 본능적 에너지의 원천). ② 이슬람교의 축제일.

id. = idem. 동일 저자; 동일한 책.

Ida [í:da] *f.* 이다(여자 이름).

ide. = indoeuropäisch.

***Ideal** [ideá:l] *n.* -s, -e 이상(理想); 모범, 전형, 극치; 〖數〗 이데알: ein ~ an Schönheit 미의 극치.

***ideal** *a.* ① 관념〔이념〕상의, 이상의, 가공의. ② 이상적인, 모범적인, 완전 무결한. ③ 정신적인, 개념적인.

Ideal≠bild *n.* 이상상(理想像): sie entsprach nicht seinem ~ von einer Frau 그녀는 그의 이상적인 여성상에 부합되지 않았다. **~fall** *m.* 이상적인 상황〔경우〕. **~figur** *f.* ① 이상적인 인물. ② 이상적인 몸매〔체격〕. **~gestalt** *f.* 이상적인 모습〔인물〕. **~gewicht** *n.* (건강과 미를 고려한) 이상적인 체중.

idealisieren [idealizí:rən] *t.* 이상화하다; 미화하다.

Idealismus [idealísmus] *m.* - 〖哲〗 관념론 (↔ Materialismus); 이상주의.

Idealist *m.* -en, -en 관념론자; 이상주의자; 공상가.

Idealistin *f.* -nen ↑ Idealist의 여성형.

idealistisch [..lístɪʃ] *a.* 이상주의적인, 관념론적인.

Idealität [..litɛ́:t] *f.* ① 이상적임, 완전무결; 관념성. ② 〔복수: -en〕〔드물게〕 이상주의적인 사물.

Ideal≠konkurrenz *f.* 〖法〗 (Tateinheit) 일행위(一行爲) 수범(數犯), 상상적 경합(競合)(한 가지 행위가 몇 가지 죄에 해당하는 것). **~linie** *f.* 〖스포츠〗 (출발점과 결승점 사이의) 이상적인 주로(走路). **~maß** *n.* 이상적인 척도. **~realismus** *m.* 〖哲〗 관념적 실재론. **~staat** *m.* 이상 국가. **~typ** *m.* 〖사회〗 이상형(의 인간). **~typus** *m.* 이상형. **~vorstellung** *f.* 이상적 관념〔상〕. **~wert** *m.* 이상적〔예술적〕 가치.

***Idee** [idé:] 《gr.》 *f.* -n [idé:ən] ① 〖哲〗 이념, 표상(表象), 의식 내용, (순수·이성) 개념; 원상(原像)(Urbild), 이데아. ② 관념, 사고, 생각: eine fixe ~ 고정 관념. ③ 아이디어, 착상: 〔구어〕 das ist eine ~ von Schiller 그것은 좋은 생각〔제안〕이다. ④ 사상, 이상: die ~n von Freiheit und Gleichheit 자유 평등 사상. ⑤ 〔비유〕 약간, 조금: eine ~ mehr Zucker 약간 많은 양의 설탕; keine ~ davon haben 그런 생각〔일〕은 털끝만큼도 없다.

Idée fixe [ide: fíks] 《frz.》 *f.* --, -s -s [ide:fíks] ① 〖교양〗 고정〔고착〕 관념. ② 〖음악〗 핵심 주제, 기본 사상.

ideell [ideɛ́l] *a.* ① (↔ reell, real) 관념상의, 상상〔공상〕의. ② (↔ materiell) 정신적〔개념적〕인, 형이상(形而上)의.

ideen·arm [idé:ən] *a.* 사상이 빈약한, 아이디어가 부족한.

Ideen≠armut *f.* 사상의 빈곤〔빈약〕. **~assoziation** *f.* 관념 연합, 연상. **~drama** *n.* ① (장르 명칭으로서) 이념극. ② (개별 작품으로서의) 이념극. **~flucht** *f.* 〖心〗 관념분일(증)(奔逸(症)). **~folge** *f.*, **~gang** *m.* 관념〔사상〕의 진행. **~fülle** *f.* 사상의 충일. **~gehalt** *m.* 사상 내용. **~geschichte** *f.* 정신사. **~gut** *n.* (현존하는) 사상 전체. **~kreis** *m.* 사상의 범위. **~lehre** *f.* 관념론, (플라톤의) 이데아론.

ideenlos *a.* 사상〔생각〕이 없는.

ideen≠reich *a.* 사상〔이념·생각〕이 풍부한. **≈reichtum** *m.* 사상의 풍요. **≈verbindung** *f.* ↑ ~assoziation. **≈welt** *f.* 관념〔이상〕 세계.

Idem [í:dɛm] ① 동일 저자(약어: id.). ② [ídɛm] 동일 책.

Iden [í:dən] 《lat.》 *pl.* 〖史〗 (고대 로마력(曆)의 보름 무렵) 3·5·7·10 월의 15 일 및 나머지 달의 13 일(Cäsar가 살해된 3 월 15 일이 유명함).

Identifikation [idɛntifikatsió:n] 《lat.》 *f.* -en ↑ Identifizierung.

identifizieren [..tsí:rən] 《< lat. idem, „dasselbe"》 《Ⅰ》 *t.* ① et. mit et.³ ~ 무엇을 무엇과 동일시하다: die öffentliche Meinung mit der Meinung des Bürgertums ~ 여론을 시민 전체의 견해라고 생각하다; man kann nicht einfach Wissen und Bildung ~ 지식과 교양을 단순하게 동일시할 수는 없다. ② 동일성을 확인하다; 신원을 확인하다: identifiziert werden 신원이 확인되다. 《Ⅱ》 *refl.* sich mit et.³ ~ 자신을 무엇과 동일시하다.

Identifizierung *f.* -en ① 동일시; 일치. ② 동일성〔신원〕 확인.

identisch [idɛ́ntɪʃ] *a.* 동일한, 동의(同義)의, 같은 모양의.

***Identität** [idɛntitɛ́:t] *f.* ① 동일(성), 정체성(正體性). ② 일치; 〖法〗 동일한 사람〔물건〕임.

Identitäts≠karte *f.* (öst., schweiz.) 신분증. **~krise** *f.* 정체성〔자아 의식〕의 위기: 〔비유〕 die Partei geriet in eine ~ 그 정당은 자기 정체성의 위기에 빠졌다. **~nachweis** *m.* 〖法·商〗 신원 증명, 동일성 증명; 원산지 증명. **~philosophie** *f.* 〖哲〗 동일설, 동일 철학. **~verlust** *m.* 정체성〔자아 의식〕의 상실.

Ideogramm [ideográm] 《gr.》 *n.* -s, -e 표의〔상형〕 문자.

Ideographie [..grafí:] *f.* -n [..fí:ən] 표의 문자로 쓴 글; 표의 문자법.

ideographisch *a.* 표의 문자를 사용한.

Ideologe [..ló:gə] 《gr.》 *m.* -n, -n ① 이데올로기 주창자, 이념 제공자. ② (Schwärmer) 공론〔공상〕가. ③ 〔복수〕 (19 세기 프랑스의) 관념학파.

***Ideologie** [..logí:] *f.* -n [..gí:ən] 이념, 이데올로기.

ideologie≠frei *a.* 이데올로기가 없는. **~gebunden** *a.* 이데올로기에 얽매인. **~-**

kritik *f.* ①『사회』 이데올로기 비판. ②『문학』 (작품 해석에서) 사회적 토대에 대한 비판.
ideologisch *a.* 이데올로기의; 공리공론의.
ideologisieren [..logizí:rən] *t.* 이데올로기를 불어넣다, 이념화하다.
ideomotorisch [..motó:rɪʃ] 《gr.》 *a.* 『心』 의지의 작용 없이〔무의식적으로〕 진행되는: ~e Handlungen 무의식적 행동.
id est [ít ɛ́st] 《lat., „das ist"》 즉, 환언하면 (약어: i.e.).
idg. =indogermanisch.
idio.. [idio..] 《gr. ídios, „eigen, eigentümlich"》 *pref.* "자기·자발·특수"의 뜻.
Idioblast [..blást] *m.* -en, -en 『植』 특이〔이형(異型)〕 세포.
idiographisch [..grá:fɪʃ] *a.* ①〔교양·구식〕 자필의; 자서(自署)의. ②『心』 개별〔특수〕 사례의, 개성 기술(記述)의.
Idiolatrie [..latrí:] *f.* 자기 숭배.
Idiolekt [..lɛ́kt] *m.* -(e)s, -e 『언어』 개인어〔개인 고유의 언어 습관〕.
idiolektal *a.* 『언어』 개인어의.
***Idiom** [idió:m] *n.* -s, -e ①〔고어〕 특성, 독자성. ② (Spracheigenheit) 말투, 어법. ③ 어떤 지방의 말투; 방언, 사투리. ④ 특수한 어법; 관용어, 숙어.
Idiomatik [idiomá:tɪk] *f.* ①『언어』 관용어 법론. ② 관용어 표현; 관용어 (전체). ③『哲』 개성학.
idiomatisch *a.* 관용어법에 맞는, 관용적인; 어떤 국어에 독특한.
idiomatisieren [..matizí:rən] *t.* 관용어화〔숙어화〕하다.
Idiomatisierung *f.* -en 관용어화, 숙어화.
idiomorph [idiomɔ́rf] 《gr.》 *a.* 『광물』 독특한 결정형을 가진.
Idioplasma *n.* -s 『生』 유전질.
Idiosynkrasie [..zʏnkrazí:] 《gr.》 *f.* -n [..zí:ən] ①『醫』 특이 체질; 병적 혐기(嫌忌). ②〔구식〕 개인적 성벽.
idiosynkratisch *a.* ①『醫』 특이 체질의; 과민한. ②『心』 병적 혐기의.
Idiot [idió:t] 《gr.》 *m.* -en, -en ①〔고어〕 (국정에 무지한) 하층 계급 사람. ②〔구어·폄어〕 바보; 『醫』 정신 박약자, 백치.
Idioten·anstalt [idió:tən..] *f.* 〔폄어〕 정신 병원; 정신 박약자 보호소.
idiotenhaft *a.* 백치의, 백치 같은.
Idioten≠hügel *m.* 〔농담〕 (경사가 완만한) 초심자용 스키 슬로프. **~sicher** *a.* 〔구어〕 바보도 다룰 수 있는; 아주 간단한. **~test** *m.* 〔비속〕 (자동차 면허 재발급을 위해 거쳐야 하는) 정신과 전문의와의 면담.
Idiotie [idiotí:] *f.* -n [..tí:ən] 정신 박약; 바보 같은 언행.
Idiotikon [idió:tikɔn] 《<Idiom》 *n.* -s, ..ka/..ken 방언 사전(Mundartwörterbuch).
Idiotin [idió:tɪn] *f.* -nen 백치 여자.
idiotisch *a.* 백치의, 어리석은, 우둔한.
Idiotismus [idiotísmus] 《gr.》 *m.* -, ..men ① 백치 같은 언행. ② 관용 어법.
Idiotypus [..tý:pus] *m.* -, ..pen 『生』 (Erbbild) 유전자형.
Idiovariation [idiovariatsió:n] *f.* -en 『生』 (Mutation) 돌연 변이, 유전자의 변화.
Ido [í:do] *n.* -(s) 이도어(語) (에스페란토를 모방해서 만든 국제어).
Idokras [idokrá:s] *m.* -, -e 『광물』 이도크라스석(石) (수정을 만드는 녹갈색 광석), 베스비어스석(石).
Idol [idó:l] 《gr., „Trugbild"》 *n.* -s, -e ①〔고어〕 환상. ② 우상.
Idolatrie *f.* -n [..rí:ən] 〔교양〕 ↑ Idololatrie.
Idololatrie [idololatrí:] 《gr.》 *f.* -n [..rí:ən] 〔교양〕 우상 숭배.
idolisieren [..lizí:rən] *t.* 우상화하다.
I-Dotz [í:dɔts] *m.* -es, ..Dötze, **I-Dötzchen** [í:dœtsçən] *n.* -s, - 초등 학교 일년생(Abcschütze).
Iduna [idú:na] *f.* 『북구신화』 이두나(영원한 청춘의 여신).
i. Durchschn. =im Durchschnitt 평균하여, 대개.
Idyll [idʏ́l] 《gr.》 *n.* -s, -e 소박하고 평화로운 정경, 목가적 분위기〔생활〕.
***Idylle** [idʏ́lə] *f.* -n ① 전원시; 목가(Hirten~). ②〔드물게〕 ↑ Idyll.
Idyllen·dichter [idʏ́lən..] *m.* 전원〔목가〕 시인.
Idyllik [idʏ́lɪk] *f.* 목가적 분위기.
idyllisch [idʏ́l..] *a.* 전원(시)의, 목가적인; 소박한; 평화로운.
..ie [..í:] *suf.* 외래어의 후철로서 ..heit 처럼 추상 명사를 만듦(보기: Infamie).
i.e. =id est 즉.
i.-e. =indoeuropäisch 인도게르만(어족)의.
I.E. [i:é:] 『醫』 Internationale Einheit (항생물질 따위의) 국제 단위.
..ieren [..i:rən] *suf.* 주로 외래어 동사의 후철 (보기: stud~).
i.f. =ipse fecit 자필.
IFA =Internationale Funkausstellung 국제 방송 박람회.
I-förmig [í:fœrmɪç] *a.* I 자 형의.
IG, I.G. [i:gé:] ① =Industriegewerkschaft 산업 노동 조합. ② =Interessengemeinschaft 이익 공동체.
..ig [..ɪç] *suf.* 주로 형용사를 만드는 후철로서 "소유·성질·상태·능력" 따위를 나타냄(보기: mutig 용감한; steinig 돌투성이인).
***Igel** [í:gəl] *m.* -s, - ①『動』 고슴도치. ②〔비유〕 싫은 사람, 눈총 맞는 사람. ③『農』 잡초 제거용 써레. ④『軍』 사위(四圍) 방어 자세. ⑤ (뾰족뾰족하게 아몬드를 박아 넣은) 고슴도치 모양의 과자〔빵〕. ⑥『植』 (밤송이 따위의) 가시 있는 열매 껍질. ⑦ 병닦이 솔.
igel≠artig *a.* 고슴도치 같은, 가시 있는. **~fisch** *m.* 『動』 가시복.
Igelit [igelít] 《<IG-Farben》 *n.* -s 이겔리트 (독일제 합성 수지 이름; 상표명).
Igel≠kaktus *m.* 『植』 (멕시코산의) 성게 선인장. **~stellung** *f.* 『軍』 (위험에 처한 고슴도치의 모습에서 유래한) 사위(四圍) 방어 자세.
IG-Farben =Interessen-Gemeinschaft der deutschen Farbenindustrie AG 독일 염색 공업 주식 회사(1925 년 창립, 53 년 해체: 전에는 독일 최대의 화학 공업 회사).
igitt·(igitt) [igít(igít)] 《<o Gott!》 *int.* (혐오를 나타내는 감탄사) 첫, 이게 뭐람, 이런 제기랄.
Iglu [í:glu] 《eskimon.》 *m./n.* -s, -s (에스키모의) 원형 눈 움막집, 이글루.

I

ignorant [ɪgnoránt] *a.* 〖교양·폄어〗 무지한, 못 배운.
Ignorant 《lat., „Unwissender"》 *m.* -en, -en 무지한〔배우지 못한〕 사람, 문맹자; 어리석은 사람.
Ignorantentum [..təntu:m] *n.* -s 〖교양·폄어〗 무지〔무식〕한 언행.
Ignoranz [..ránts] *f.* 무지, 무학, 무식.
ignorieren [..rí:rən] *t.* ① 모르다; 모르는 체하다. ② 무시하다, 고려하지 않다, 불문에 붙이다.
Iguana [igúa:na] *f.* ..nen 이구아나.
Iguanodon [iguá:nodɔn] 《indian+gr.》 *n.* -s, -s/-ten 〖고생물〗 이구아노돈, 금룡(禽龍) (백악기의 공룡의 하나).
i.H. =im Hause.
IHK ① =Internationale Handelskammer 국제 상업 회의소(engl. ICC). ② =Industrie- und Handels-Kammer 상공 회의소.
Ihle [i:lə] 《ndd.》 *m.* -n, -n 산란 후의 청어.
*__ihm__ [i:m] *prn.* er, es 의 3 격.
*__ihn__ [i:n] *prn.* er 의 4 격.
*__Ihnen__ *prn.* 존칭(단수 및 복수) Sie 의 3 격.
*__ihnen__ *prn.* 복수 sie 의 3 격.
*__ihr__ [i:r] *prn.* 《I》〖인칭 대명사〗 ① 3 인칭 여성 단수 sie 의 3 격. ②〖2 인칭 복수 1 격〗 너희〔그대〕들. 《II》〖소유 대명사〗 ①〖명사의 부가어〗 **(a)** 〖3 인칭 여성 단수〗 그 여자의, 그것의: ∼e Majestät 황후 폐하. **(b)** 〖복수〗 그(여자)들의, 그것들의. ②〖서술적으로: 어미변화 없음〗 dieser Schirm ist nicht ∼ 이 양산은 그 여자의 것이 아니다. ③〖명사적으로〗 **(a)** der ihre 그 여자〔그들〕에게 충실한 남자, 그 여자의 남편; die ihre 그 여자〔그들〕에게 충실한 여자; das ihre 그 여자〔그들〕의 것〔재산·의무 따위〕; die ihren 〖복수〗 그 여자〔그들〕의 가족〔친구·부하 따위〕. **(b)** **ihrer** *m.*, **ihre** *f.*, **ihres** *n.*, **ihre** *pl.* 그 여자〔그들〕의 것.
Ihr *prn.* 《I》〖고어〗〖인칭 대명사 2 인칭 단·복수 1 격〗 당신(네들); 〖현재〗 제군, 자네(들). 《II》〖소유 대명사 2 인칭 존칭의 단·복수〗 ①〖명사의 부가어〗 당신(네들)의: ∼ Herr Vater 춘부장(님). ②〖명사적으로〗 der〔die, das〕 **Ihre,** *pl.* die **Ihren** 당신(들)의 것; **Ihrer, Ihre, Ihres,** *pl.* **Ihre** 당신(들) 것; ↑ Ihrige, die Ihrigen: ich bin〔verbleibe〕 stets der Ihre 돈수(頓首), 경구(敬具).
*__ihrer__ *prn.* 〖인칭 대명사 3 인칭 여성 단수 및 3 인칭 복수 sie 의 2 격〗 그 여자의; 그들의.
Ihrer *prn.* 2 인칭 단·복수 존칭 Sie 의 2 격.
ihrer≈seits *adv.* 그 여자〔그들〕의 쪽에서. **∼-seits** *adv.* 당신〔들〕의 쪽에서.
ihres *prn.* ↑ ihr 《II》 ③ (b).
Ihres *prn.* ↑ Ihr 《II》 ②.
ihres≈gleichen *prn.* 그 여자와〔그들과〕 같은 사람. **∼gleichen** *prn.* 당신(들)과 같은 사람. **∼teils** *adv.* 그 여자〔그들〕의 쪽에서. **∼-∼teils** *adv.* 당신(들) 쪽에서.
ihret≈halben *adv.* ↑ ∼wegen. **∼halben, ∼wegen** *adv.* 당신(들)을 위하여, 당신(들) 때문에. **∼wegen** *adv.* 그녀를〔그들을〕 위하여, 그녀〔그들〕 때문에. **∼willen** *adv.* um ∼ ↑ ∼wegen.
__ihrige__ [i:rɪgə] *prn.* *der/die/das, pl.* die -n 〖종종 명사로서 대문자를 씀〗 그 여자〔그들〕의 것(가족·친구·부하·소유물·의무 따위; ↑ ihr 《II》 ③ (a): sie und die ∼n 〔die ∼n〕 그 여자와〔그들과〕 그 가족〔부하·친구〕.
Ihrige* *der/die/das, pl.* die -n 당신(들)의 것(↑ ihr 《II》 ②): tun Sie das ∼ 당신의 의무를 다하시오.
Ihro [i:ro] *prn.* 〖官·고어〗 ∼ Gnaden 각하, 전하.
ihrzen [í:rtsən] *t.* (누구를) Ihr 라고 부르다.
IHS [i:ha:|és] =Jesus(그리스어로 표기했을 때 첫 두 자와 끝 글자 하나를 딴 것), 예수.
I.H.S. =① in hoc salus(=darin ist das Heil) 여기에 구원이 있다. ② in hoc signo(=in diesem Zeichen) 이 표시 아래.
I.I.M.M. =Ihre Majestäten 양위분 폐하.
i.J. =im Jahre …년(年)에.
Ijob [ijó:p] ↑ Hiob.
Ikaros [í:karɔs] ↑ Ikarus.
Ikarus [í:karus] 〖그리스신화〗 이카로스(밀랍 날개를 달고 Kreta 섬을 탈출하려다 태양열에 녹아 바다에 추락했음).
Ikebana [ikebá:na] *n.* -(s) 일본식 꽃꽂이.
Ikon *n.* -s, -e 〖기호학〗 아이콘, 유사적(類似的) 기호.
Ikone [ikó:nə] 《gr., „(Ab)bild"》 *f.* -n; 〖宗〗 성화상(聖畫像); 모상(模像); 초상.
Ikonen·malerei *f.* 성상화(聖像畫).
ikonisch *a.* ① 성상(화)의. ② 비유적인, 구상적인, 유사 기호적인.
Ikonodulie [ikonodulí:] *f.* 우상 숭배.
Ikonograph [..grá:f] *m.* -en, -en ① 초상 연구자. ② (석판화에서) 조각 도구.
Ikonographie [..grafí:] *f.* -n [..fí:ən] 초상학, (특정인에 관한) 초상 연구; 조형 예술품 연구; 성화상학(聖畫像學).
Ikonoklasmus [..klásmus] *m.* -, ..men 성상〔우상〕 파괴.
Ikonoklast [..klást] *m.* -en, -en 성상〔우상〕 파괴자.
ikonoklastisch *a.* 성상〔우상〕 파괴주의의.
Ikonolatrie [..latrí:] *f.* 우상 숭배.
Ikonologie [..logí:] *f.* ① (조형 예술의) 예술 작품의 의미 및 상징 내용을 다루는 학문, 성상〔초상〕학. ② 성상〔초상〕의 상징적 의미.
Ikonoskop [ikonoskó:p] *n.* -s, -e 아이코노스코프, 텔리비전의 촬상관.
Ikosaeder [ikoza|é:dər] 《gr., „Zwanzigflächner"》 *n.* -s, - 〖數〗 20 면체.
ikr. =isländische Krone.
IKRK [i:ka:|ɛrká:] =Internationales Komitee vom Roten Kreuz 국제 적십자 위원회.
ikterisch *a.* 〖醫〗 황달의.
Ikterus [íkterus] 《gr.》 *m.* - 황달.
Iktus [íktus] 《lat., „Schlag, Stoß"》 *m.* -, -/..ten ① 〖음운〗 악센트, 양음(揚音), 강음. ② 〖醫〗 발작 증상.
Il =Illinium 일리늄(원소).
il.. 《lat.》 *pref.* (전철 in 의 변형). ① (un..) "불(不)·무(無)·비(非)"의 뜻(보기: illegal). ② (ein, hinein) "안으로"의 뜻(보기: illuminiert).
Ilang-Ilang [í:laŋ|í:laŋ] 《mal.》 *n.* -s, -s 〖植〗 일랑일랑나무(꽃에서 향유를 추출함).
ilen [í:lən] *t.* (빗의 재료가 되는 뿔 따위를) 깎아내다(abschaben).
Iler [í:lər] *m.* -s, - 빗의 제작에 사용되는 깎아내는 도구(칼·줄·강판 따위).

I

Ileus [í:leʊs] *m.* -, Ileen [í:leən] 〖醫〗 장(腸) 폐색.
Ilex [í:lɛks] 《lat.》 *f.* 〖植〗 서양 감탕나무(크리스마스 장식용으로 씀).
Iliade [iliá:də], **Ilias** [í:lias] *f.* ..den [..a:dən] 일리아드(Troja 전쟁을 읊은 Homer 의 영웅 서사시).
Ilion [í:liɔn] 일리온(Troja의 그리스 명칭).
Ilium [í:liʊm] 일리움(Troja 의 라틴 명칭).
Ilk *m.* -s, -e ↑ Iltis.
ill. =illustriert 그림이 있는.
Ille *f.* -n (md.) 순경, 경관.
illegal [ílega:l, ɪlegá:l] *a.* 불법의, 위법의.
Illegalität [ílegalitɛ:t, ɪlegalitɛ́:t] *f.* -en 불법, 위법.
illegitim [ílegiti:m, ɪlegití:m] *a.* ① 위법의, 정당하지 않은. ② 사생의, 서출의.
Illegitimität [ílegitimitɛ:t, ..tɛ́:t] *f.* ① 위법, 부당. ② 사생, 서출.
Iller *f.* 일러(도나우강의 지류).
illern [ílərn] *i.* (h.) / *t.* (md.) 엿보다, 망보다; (erblicken) 보다, 인정하다.
illiberal [ílibəra:l, ɪlibərá:l] *a.* ① 옹졸한, 마음〔도량〕이 좁은, 인색한. ② 비자유주의의.
Illiberalität [íliberalitɛ:t, ..tɛ́:t] *f.* ① 편협, 인색. ② 비자유주의적임.
illimitiert [ɪlimití:rt] *a.* 끝없는, 무한한.
Illinium [ɪlí:niʊm] *n.* -s 〖化〗 일리늄(기호: Il; Promethium 구칭).
illiquid [ílikvi:t, ɪlikví:t] 《lat.》 *a.* 〖商〗 유동자금〔자산〕이 없는, 지급 불능의.
Illiquidität [ílikviditɛ:t, ..tɛ́:t] *f.* 유동 자금의 부족, 지급 불능: kurzfristige ~ 단기 지급 불능.
illiterat [ílitəra:t, ɪlɪtərá:t] *a.* 〔교양〕 무학의, 교육받지 못한.
Illiterat *m.* -en, -en 못 배운 사람, 무학자.
Illokution [ɪlokutsió:n] *f.* -en 〖언어〗 발화(發話) 수반 행위.
illokutionär *a.* 발화 수반 행위의: ~er Akt ↑ Illokution.
illokutiv *a.* ↑ illokutionär.
illoyal [íloja:l, ɪlojá:l] 《lat.》 *a.* 불성실한, 불충(不忠)의; 계약 위반의.
Illoyalität [ílojalitɛ:t, ..tɛ́:t] *f.* -en 불충, 불성실; 계약 위반.
Illuminat [ɪluminá:t] 《lat.》 *m.* -en, -en 〖宗〗 ① 광명파(16-17 세기 에스파냐의 기독교 신비주의의 한 파). ② (기성 종교 반대의) 계명(啓明) 결사(1776 년 독일).
Illuminaten·orden *m.* ↑ Illuminat ②.
Illumination [..natsió:n] *f.* -en ① 조명; 〔비유〕 명백히 함, 계몽, 계발. ② 조명 장식, 전기 장식, 일루미네이션. ③ (동〔석〕판화 따위의) 착색, 채식(彩飾).
Illuminator [..ná:tɔr, ..to:r] *m.* -s, -en [..tó:rən] ① 조명기. ② 필사본 채식사(彩飾師).
illuminieren *t.* ① 비추다, 조명하다; 〔비유〕 명백히 하다, 계몽〔계발〕하다. ② 전기 장식을 하다; 〖畫〗 착색하다, 채식하다; 세밀화를 그려 넣다. ③ 〔농담〕 취하게 하다(berauschen).
***Illusion** [ɪluzió:n] *f.* -en ① 환상, 망상, 공상. ② 〖心〗 환각, 착각. ③ 환상적 예술 작품. ④ 〖예술〗 관찰자에 의해 느껴지는 예술 작품의 내면상(內面像).
illusionär [ɪluzionɛ́:r] *a.* 〔교양〕 환상적인, 공상적인, 착각〔환각〕의.
Illusionismus *m.* - ① 〖哲〗 환상주의, 미망설(迷妄說). ② 〖예술〗 착각〔환각〕주의.
Illusionist *m.* -en, -en ① 공상〔망상〕가, 환상주의자. ② 마술사.
illusionistisch *a.* ① 착각〔망상〕의, 환상주의의. ② 〖예술〗 환각적 공간 표현의.
illusionslos *a.* 환상에 빠지지 않는, 냉철〔냉정〕한.
illusorisch [..zó:rɪʃ] *a.* ① 망상의, 착각의. ② 헛된, 불필요한: unsere Verabredung ist damit ~ geworden 우리의 약속은 이로써 헛된 것이 되고 말았다.
illuster [ɪlʊ́stər] 《lat.》 *a.* ① 빛나는, 눈부신, 현저한; 저명한. ② 고귀한.
Illustration [ɪlustratsió:n] *f.* -en ① 설명; 예증. ② 도해, 삽화.
Illustrations·programm *n.* 〖컴〗 도형 프로그램.
illustrativ *a.* 삽화〔도해〕에 의한.
Illustrator [ɪlustrá:tor, ..to:r] *m.* -s, -en [..tó:rən] 도해가, 삽화가.
illustrieren [ɪlustrí:rən] *t.* ① 설명〔해명〕하다. ② 도해하다; 삽화를 그려넣다: illustrierte Zeitung 삽화가 들어있는 신문. ③ 〖요리〗 고명을 곁들이다.
Illustrierte* *die* 화보, 그림 잡지(그림이 많이 든).
Illyrer [ɪlý:rər] *m.* -s, - ↑ Illyrier.
Illyrien [ɪlý:riən] 일리리아(지금의 Dalmatien 및 Albanien 지방의 옛 이름).
Illyrier [..riər] *m.* -s, - (고대) 일리리아인.
illyrisch *a.* 일리리아(풍)의.
Ilm [ɪlm] *f.* 일름강(Thüringen 의 Saal 강 지류).
Ilm-Athen [..ate:n] *n.* 〔방언〕 일름강가의 아테네(Weimar 를 가리킴).
Ilme *f.* -n 〖植·방언〗 느릅나무.
Ilmenau [ílmənau] 일메나우(Thüringen 의 도시).
Ilmenit [ɪlmení:t] *m.* -s, -e 〖광물〗 티탄 철광.
Ilona [í:lona, iló:na] ↑ Helena.
ILO 《engl.》 =International Labour Organization 국제 노동 기구.
Ilsa [ílza], **Ilse** [ílzə] 《<ahd. ilisa(물의 요정의 이름)》 *f.* 일자, 일제(여자 이름).
Iltis [íltɪs] *m.* -ses, -se 〖動〗 ① 스컹크. ② 스컹크의 모피.
I.M. =Ihre Majestät 황후 폐하.
***im** [ɪm] =in dem(약어: i.).
im.. 《lat.》 *pref.* (m, b, p 로 시작되는 말의 전철 in 의 변형). ① (un..) "비(非)·무(無)". ② (ein.., hinein..) "안으로"의 뜻(보기: immanent 내재(內在)의).
Image [ímɪtʃ, ímɪdʒ] 《engl.》 *n.* -(s), -s [ímɪtʃs, ímɪdʒɪz] 이미지, 표상, 심상.
Image·pflege *f.* 이미지 관리.
imaginabel [imaginá:bəl] *a.* 상상할〔생각해낼〕 수 있는.
imaginär [..ginɛ́:r] *a.* 상상 속의, 공상의, 가상의, 실제가 아닌; 〖數〗 허(虛)의(↔ reell): ~e Zahl 허수.
Imagination [..ginatsió:n] *f.* -en 상상(력), 공상.

imaginieren [..giníːrən] *t./refl.* 〖교양〗 상상하다, 공상하다.

Imago [imáːgo] *f.* ..gines [..gineːs] 《lat.》 ① 〖心〗 상(像), 잠재 의식 속에 존재하는 다른 사람의 모습: Vater ~ 아버지상(像). ② 〖動〗 (곤충의) 성충. ③ (고대 로마에서) 밀랍으로 만든 선조들의 데드마스크.

Imam [imáːm] 《ar.》 *m.* -s, -s/-e ① (이슬람교 사원에서의) 기도 선도자(先導者). ② 시아파(派)의 최고 지도자. ③ 이맘(1963 년 이후 예멘 통치자의 칭호). ④ 이맘(이슬람의 학자에 대한 명예 호칭).

Iman *n.* -s 이슬람교 신앙(Glaube).

imbezil [ɪmbetsíːl], **imbezill** [..tsíl] 《lat.》 *a.* ① 신체 박약한, 허약한. ② 정신이 박약한, 저능한.

Imbezillität [..tsɪlitɛ́ːt] *f.* 정신 박약.

Imbibition [ɪmbibitsióːn] 《lat.》 *f.* -en 〖醫〗 (수분의) 흡수, (병균의) 침염; 〖化〗 흡수·팽윤.

***Imbiß** [ímbɪs] *m.* ..bisses, ..bisse 가벼운 식사, 간식; (schweiz.) 점심.

Imbiss 新정서 ⇦ Imbiß.

Imbiß=halle *f.* 스낵 코너, 간이 식당. **~stand** *m.* (서서 먹는) 간이 식당. **~stube** *f.* ↑ ~halle.

Imitat [imitáːt] *n.* -(e)s, -e ↑ Imitation.

Imitation [imitatsióːn] *f.* -en ① 흉내, 모방; 모조. ② 모조품. ③ 〖음악〗 모방 반복.

Imitator [..táːtor, ..toːr] *m.* -s, -en [..tóːrən] 모방〔모조〕자.

imitatorisch *a.* 모방하는, 모조의.

imitieren [imitíːrən] *t.* 흉내내다, 모방〔모조〕하다.

imitiert *p.a.* 모조의, 인조의, 가짜의.

Imker [ímkər] 《<Imme》 *m.* -s, - 양봉가.

Imkerei [..kəráɪ] *f.* -en 양봉(장).

imkern [ímkərn] *i.* 꿀벌을 기르다, 양봉하다.

Immaculata conceptio [ɪmakuláːta kɔntsɛ́ptio] 《lat.》 *f.* 성모 마리아의 무염수태.

immakulat [ɪmakuláːt] *a.* 더럽혀지지 않은, 무구의; 결점이 없는.

immanent [ɪmanɛ́nt] *a.* 〖哲〗 내재(內在)하는, 고유의; 인간의 의식 영역 내에서 일어나는(↔ transzendent) : et.³ ~ sein 어떤 것에 내재하다, 어떤 것의 본질에 속하다.

Immanenz [ɪmanɛ́nts] *f.* 〖哲〗 내재(성), 고유(성).

Immanuel [ɪmáːnuɛl *m.* 임마누엘(남자 이름).

Immaterial·güterrecht [ɪmateriáːl..] *n.* 〖經〗 무형 재산권(저작권, 특허권 따위).

Immaterialismus [ɪmaterialísmus] 《lat.》 *m.* - 비물질주의, 유심론(唯心論).

Immaterialität *f.* 〖哲〗 비물질성, 비실체성.

immateriell [ɪmateriɛ́l] *a.* 〖哲〗 비물질적인, 무형의; 정신적인, 심적인.

Immatrikulation [ɪmatrikulatsióːn] 《lat.》 *f.* -en ① 대학 등록, 대학 입학 허가. ② (schweiz.) (자동차의) 등록, 운행 인가.

immatrikulieren [..líːrən] *t.* ① 대학에 등록하다, (누구에게) 대학 입학을 허가하다: sich ~ lassen 대학에 등록하다. ② (schweiz.) 자동차를 등록하다.

Immatrikulierung *f.* 대학 (학적) 등록, 대학 입학 허가.

immatur [ɪmatúːr] *a.* 〖醫〗 미(성)숙한.

Imme [ímə] *f.* -n 〖시어〗 (alem.) 꿀벌.

immediat [ɪmediáːt] *a.* 직접의.

Immediat=eingabe *f.*, **~gesuch** *n.* 직소(直訴).

immediatisieren [..diatizíːrən] 《lat.》 *t.* 직속으로〔직할로〕 하다(↔ mediatisieren), 국영(國營)으로 하다.

immens [ɪmɛ́ns] *a.* 헤아릴 수 없는, 무한(량)의, 막대한: ~er Lärm 야단법석.

Immensität [ɪmɛnzitɛ́ːt] *f.* 헤아릴 수 없음, 무한.

Immenstock *m.* -(e)s, ..stöcke 〖방언〗 (꿀)벌집.

immensurabel [ɪmɛnzuráːbəl] *a.* 헤아릴〔잴〕 수 없는.

Immensurabilität *f.* 〖교양〗 헤아릴 수 없음.

***immer** [ímər] *adv.* ① 늘, 항상; 끊임없이, 줄곧, 언제까지나: auf〔für〕 ~ 영원〔영구〕히; die Augen für ~ schließen 죽다; (~ und) ~ wieder 몇 번이고 되풀이하여; noch ~〔~ noch〕 여전히, 변함없이; es regnet noch ~ 지금도 비가 온다; nicht ~ zu Hause sein 항상 집에 있지는 않다; ~ nicht zu Hause sein 언제나 집에 없다〔집에 있은 적이 없다〕. ② 매번, 번번이: 〖구어〗 ~ ich! 번번이 내 책임이라니!; wenn man ihn mahnt, findet er ~ eine Ausrede 그는 경고를 받을 때마다 핑계를 댄다. ③ 〖비교급과 함께〗 더욱 더, 점점 더: ~ mehr 점점 더 많이. ④ 〖가급적 최대한을 나타냄〗 sobald als nur ~ möglich 될 수 있는 대로 빨리; nimm davon, soviel du ~ (nur) kannst! 그 중에서 될 수 있는 대로 많이 들어라〔가져라〕! ⑤ 〖양보·허용·무관심〗 (a) 어쨌든, 좌우간: grob darfst du nicht gegen ihn sein, er ist (doch) ~ dein Vorgesetzter 너는 그에게 무례하게 굴어서는 안 된다, 어쨌든 그는 너의 상관이니까. (b) 여하간: er kommt doch wohl nicht mehr, wir wollen ~ anfangen 그는 이제는 올 것 같지 않다, 여하간 상관 말고 우리끼리 시작하자. (c) (= ~hin) laß ihn nur ~ kommen! 어쨌든 그를 보내다오! (오고 싶다거든 오게 하여라); laß es nur ~ gut sein! 이것으로〔이 정도라면〕 잘된 셈이야!; das mag er ~ tun 그가 그것을 하겠다고 하면 하라지, 상관없어. ⑥ 〖was, wer, wie 따위를 동반하는 양보문에서〗 설령: wie groß auch ~ die Not sein mag, wir wollen nicht verzagen 설사 아무리 고난이 클지라도 우리는 겁내지 않으련다; wo ~ ich ihn treffe 어디서 그를 만나든지. ⑦ 〖의문문〗 도대체: wie ~ kam es? 도대체 웬〔어떻게 된〕 일이냐? ⑧ 〖명령문〗 fang nur ~ an! 자아 시작하라!; (tu's) nur ~ zu! 자 해라! ⑩ 예(berl.; ja).

immer=dar [ímərdáːr] *adv.* 언제까지나, 영원히. **~fort** *adv.* 줄곧, 끊임없이, 잇달아. **~grün** *a.* 상록의. **≗grün** *n.* ① 〖植〗 협죽도과의 다년초. ② 상록(常綠) 식물. **~hin** [ímərhín] *adv.* ① 항상, 끊임없이. ② 적어도, 어느 경우든; 물론, 그렇지만; 드디어, 아무튼: sei still! er ist ~ dein Vater! 잠자코 있어! 그분은 어쨌든 네 아버지니까!; darf ich? — ~! 해도 좋습니까? — 네! (해도) 좋습니다!; mag das ~ so sein, so gebe ich doch nicht nach 설령 그렇다손치더라도 나는 양보하지 않겠다; es ist ~ möglich 혹 그럴지도 모르겠는걸.

Immersion [ɪmɛrzió:n] *f.* -en ① 담그기, 적심. ②〖天〗(항성 또는 행성이 달의 배후로 들어가는) 잠입(潜入). ③〖醫〗장시간의 목욕(요법). ④〖지질〗해진(海進). ⑤〖宗〗전신 침례.

immer≠während *a.* 영속하는, 끊임없는, 영원〔영구〕한: der ~e Kalender 만세력(萬歲曆). **~zu** *adv.* ① ↑ ~fort: es regnet ~ 계속해서 비가 온다. ② 앞으로 앞으로; (geh) nur ~! (자아) 가거라 가!

Immigrant [ɪmigránt] *m.* -en, -en (타국에서 온) 이주민〔자〕.

Immigrantin *f.* -nen ↑ Immigrant 의 여성형.

Immigration [..tió:n] *f.* -en 이주, 이민.

immigrieren [..grí:rən] *i.* (s.) (외국에서) 이주해오다(↔emigrieren).

imminent [ɪminɛ́nt] 《lat.》 *a.* 닥친, 절박한, 초미의.

Immission [ɪmɪsió:n] 《lat.》 *f.* -en ①〖고어〗임용, 서임(敍任). ②〖法〗(매연·음향·진동·냄새 따위가) 환경에 미치는 영향.

Immissions·schutz *m.* 환경 오염 방지, 환경 보호.

immobil [ímobi:l, ɪmobí:l] 《lat.》 *a.* ① 움직이지 않는, 부동의, 고정된. ②〖軍〗동원되지 않는, 평시 상태의.

Immobiliar≠kredit [ɪmobiliá:r..] *m.* 〖商〗부동산 담보 대출〔대부〕. **~pfand·recht** *n.* 부동산 질권(質權). **~vermögen** *n.* 부동산. **~versicherung** *f.* 부동산 보험.

***Immobilie** [ɪmobí:liə] *f.* -n 부동산;〖商〗고정 자산.

Immobilien≠handel *m.* 부동산〔매매〕. **~-händler** *m.* 부동산(매매)업자.

immobilisieren [..bilizí:rən] *t.* ① (동산을) 부동산처럼 취급하다. ②〖醫〗관절 따위를 고정시키다.

Immobilismus *m.* -〖교양〗(정신적인) 불감증, 타성.

Immobilität *f.* (군대의) 기동성〔기동력〕상실 상태.

immoralisch [ímora:lɪʃ, ɪmorá:lɪʃ] *a.* 부도덕한, 품행이 나쁜.

Immoralismus *m.* -〖哲〗비도덕주의.

Immoralität *f.* 부도덕.

Immortalität [ɪmɔrtalitɛ́:t] 《lat. mortalis, „sterblich"》 *f.* 불사(不死), 불후, 불멸.

Immortelle [..tɛ́lə] 《frz.》 *f.* -n〖植〗시들지 않는 꽃: rote ~ 천일초(千日草).

immun [ɪmú:n] *a.* ① (외교관이나 국회 의원 등이) 면책 특권을 지닌. ②〖醫〗면역성의; 영향을 받지 않는, 무감각한.

Immun·biologie *f.* 면역 생물학.

immunisieren *t.* 면역시키다.

Immunisierung *f.* -en 면역성 부여(예방 주사·접종 따위),〖醫〗면역성.

Immunität [ɪmunitɛ́:t] *f.* -en ①〖法〗(납세·병역 의무 따위의) 면제, 면세; (교회의) 부담 면제; (국회 회기 중 의원의) 면책 특권, 치외 법권. ②〖醫〗면역(성).

Immunitäts·forschung *f.* 면역 연구, 면역학.

Immun·körper *m.*〖醫〗항체(抗體)(Antikörper).

Immunologe [ɪmunoló:gə] *m.* -n, -n 면역학자.

Immunologie [..logí:] *f.* 면역학.

immunologisch *a.* ① 면역학(상)의. ② 면역(성)의.

Immun·system *n.* 면역 체계.

Imp. =Imperativ, Imperator, Imperfekt.

imp. =imprimatur 교정 완료(druckfertig).

Impala [ɪmpá:la] *f.* -s 임팔라(아프리카 열대 초원 지대에 사는 영양(羚羊)의 일종).

Imparität [ɪmparitɛ́:t] *f.* 부동(不同), 불평등, 불균형.

impassibel [ɪmpasí:bəl] 《frz.》 *a.* (ndd.) 무감각의; 냉정한; 무신경의.

impastieren *i.* (h.)〖畫〗그림물감을 두텁게 칠하다.

Impasto [ɪmpásto] 《it.》 *n.* -s, -s/..sti〖畫〗그림 물감을 두텁게 칠하는 화법.

Impedanz [ɪmpedánts] 《lat.》 *f.* -en〖전기〗임피던스(Scheinwiderstand).

Impediment 《lat.》 *n.* -(e)s, -e 장애(물), 장애 요인,〖法〗(혈연·연령 미달 따위에 따른) 혼인의 장애.

Imperativ [ímperati:f, ɪm..tí:f] *m.* -s, -e ①〖문법〗명령법(약어: Imp.). ②〖哲〗(도덕적) 명령, 요구: kategorischer ~ (칸트의) 정언(定言的) 명령.

imperativ [ɪmperatí:f] *a.* ① 명령적인;〖문법〗명령법의. ② 어쩔 수 없는, 강제적인.

imperativisch [ɪm..tí:vɪʃ, ím..ti:..] ① 명령법의. ② 명령적인.

Imperativ·satz *m.* 명령문(Befehlssatz).

Imperator [ɪmperá:tɔr, ..to:r] *m.* -s, -en [..tó:rən] (고대 로마의) ① 원수(元帥), 대장군(개선 장군에 대한 존칭). ② 지배자, (Augustus 대제 이후의) 황제.

imperatorisch *a.* ① 원수의, 최고 사령관의, 황제의. ② 명령적인, 오만한.

Imperator Rex 황제 겸 국왕(빌헬름 2세 등이 사용한 통치자의 칭호).

Imperfekt [ímpɛrfɛkt, ɪm..fɛ́kt] 《lat.》 *n.* -s, -e〖문법〗(미완료) 과거, 반(半)과거(보기: ich schrieb)(약어: Imp.).

imperfekt *a.* 미완료의, 불완전한.

imperfektisch *a.*〖언어〗미완료 시제의, 과거(시칭)의.

Imperfektum [ɪm..fɛ́k.., ím..fɛk..] *n.* -s, ..ta ↑ Imperfekt.

Imperial [ɪmperiá:l] 《I》 *m.* -s, -e 임페리알 금화(제정 러시아 금화; 15 루블). 《II》 *n.* -(s) 임페리얼판(判)(대형 종이; 57×78 cm). 《III》 *f.* 임페리얼 활자(약 4.5 mm 높이의 대활자).

imperial [ɪmperia:l] *a.* 황제의; 훌륭한, 당당한.

Imperial·fraktur *f.* 대형 독일 활자체의 하나.

Imperialismus *m.* - 제국주의.

Imperialist *m.* -en, -en 제국주의자.

imperialistisch *a.* 제국주의의.

Imperial·schrift *f.* 임페리얼 활자(대형 활자의 이름).

Imperium [ɪmpé:rium] *n.* -s, ..rien [..riən] ① 최고〔절대〕권, 주권; 명령권. ② 제국, 로마제국. ③〖교양〗대국, 초강대국.

I

impermeabel [ɪmpɛrmeá:bəl, ímpɛr..] 《lat.》 *a.* (물 따위를) 투과시키지 않는; 내수성의.

Impermeabilität *f.* 〖生·化〗 비침투성, 불투과성.

Impersonale [ɪmpɛrzoná:lə] *n.* -s, ..lien [..liən]/..lia ① 〖문법〗 비인칭 동사. ② 〖복수·구식〗 비인칭적 판단, 무주(無主) 판단.

impertinent [ɪmpɛrtinɛ́nt] 《lat.》 *a.* 부적당한, 어긋난; 주제넘은, 뻔뻔스러운, 무례한: manche Männer haben eine ∼e Art, Frauen anzuschauen 많은 남자들은 여자들을 뻔뻔스럽게 쳐다본다; 〔구어〕 ∼ blond 엷은 다갈색의.

Impertinenz *f.* -en 부적당, 건방짐, 무례; 염치없는 언행.

impetiginös [ɪmpetiginǿ:s] *a.* 〖醫〗 농가진(膿痂疹)의, 딱지가 앉은(borkig).

Impetigo *f.* 〖醫〗 농가진.

Impetuosität *f.* 극렬, 맹렬.

impetuoso [ɪmpetuó:zo] *adv.* 〖음악〗 격정적으로, 맹렬히.

Impetus *m.* - ①〔교양〕 충격, 자극. ② 활기; 격렬, 격정.

Impf≈anstalt *f.* ① 예방 접종 기관. ② 혈청〔백신〕 제조소. **∼arzt** *m.* 종두의(醫).

***impfen** [ímpfən] 《lat.》 *t.* ① 〖林·고어〗 접목하다. ② 〖醫〗 (예방) 접종하다, 종두(種痘)하다: ein Kind gegen Pocken ∼ 아이에게 천연두 예방 접종을 하다. ③ 〖農〗 토양에 박테리아를 공급하다. ④ 〖生〗 (액체나 고체 영양소에서 배양하기 위해) 미생물을 집어 넣다. ⑤ 〖化〗 (비가 오도록 구름에) 요오드은(銀)〔탄산 결정〕을 뿌리다. ⑥ 〖理〗 특정한 물질을 넣어 빛의 방출을 강화시키다. ⑦ 〔비유〕 jm. das Laster ins Herz ∼ 누구의 마음에 죄악의 씨를 뿌리다.

Impfer *m.* -s, - 종두의(醫); 〔고어〕 접목하는 사람.

Impf≈gegner *m.* 예방 접종〔종두〕 반대자. **∼gesetz** *n.* 〖法〗 종두법. **∼kalender** *m.* 접종 계획표.

Impfling *m.* -s, -e ① 〖林〗 접수(接穗), 접지(接枝). ② 접종자; 접종을 필한 자.

Impf≈lymphe *f.* 〖醫〗 두묘(痘苗), 백신. **∼paß** *m.* 예방 접종 증명서. **∼pflicht** *f.* 접종 의무. **∼pistole** *f.* (권총 모양의) 예방 접종기. **∼reis** *n.* ↑ Impfling ①. **∼schein** *m.* 예방 접종 증명서. **∼stelle** *f.* ↑ ∼anstalt. **∼stoff** *m.* ↑ ∼lymphe.

***Impfung** [ímpfuŋ] *f.* -en ① 〖林〗 접목. ② 〖醫〗 예방 주사, 접종, 종두.

Impf≈wunde *f.* 우두 맞은 자국; 접목한 자국. **∼zwang** *m.* 접종 의무.

Impietät [ɪmpietɛ́:t] *f.* 불경(건), 신앙심 결여; 냉혹, 무자비; 무분별.

Implantat [ɪmplantá:t] *n.* -(e)s, -e 〖醫〗 이식 조직.

Implantation [ɪmplantatsió:n] 《lat.》 *f.* -en ① 〖醫〗 이식. ② 배자 착상(胚子着床).

implantieren [..tí:rən] *t.* 〖醫〗 (조직을) 이식하다; 배자(胚子)를 착상시키다.

Implikat [ɪmpliká:t] *n.* -(e)s, -e 〔교양〕 포함되는 것; 연관〔연루〕되는 것.

Implikation [..katsió:n] *f.* -en ① 〔교양〕 포함, 연루. ② (Implikat) 포함되는 것, 관련 있는 것. ③ 〖논리〗 (wenn..., dann... 으로 연결되는) 논리적 관계.

implizieren [ɪmplitsí:rən] *t.* ① 엉키게〔얽히게〕 하다, (…의 뜻을) 포함하다. ② 포괄〔포함〕하다. ③ 휩쓸리게〔연루되게〕 하다.

***implizit** [ɪmplisí:t] *a.* 암시적인, 함축성 있는; 〖数〗 음(陰)의, 음함수 표시의: eine ∼e Funktion 음함수.

implizite [ɪmplí:tsite] *adv.* 포함〔포괄〕하여; 함축성 있게; 넌지시.

implodieren [ɪmplodí:rən] *i.* (h.) (외부의 과중한 압력 때문에 안쪽으로) 파열되다, 부서지다(↔ explodieren).

Implosion [..zió:n] *f.* -en 〖工〗 (↔ Explosion) 파열, 내파(內破).

imponderabel [ɪmpɔnderá:bəl] 《lat.》 *a.* 〔교양·고어〕 잴〔계량할〕 수 없는, 헤아릴 수 없는.

Imponderabilien [..rablí:liən] *pl.* 〖理〗 계량〔계측〕할 수 없는 것(열·빛 따위).

Imponderabilität *f.* 〔교양〕 계량 불가능(성).

imponieren [ɪmponí:rən] 《lat.》 *i.* (h.) jm. ∼ 누구에게 깊은 감명을 주다, 누구의 감탄을 자아내다.

imponierend *p.a.* 눈을 끄는; 위엄 있는, 위풍당당한, 장엄한.

Imponier·gehabe *n.* ① (동물이 교미 직전이나 경쟁자에게 보이는) 위압적 행동. ② 〔비유·폄어〕 뽐내는〔으스대는〕 행동.

***Import** [ɪmpɔ́rt] 《lat.》 *m.* -(e)s, -e ① 수입(무역). ② 〖컴〗 읽어오기(한 프로그램이 다른 프로그램의 데이터 파일을 읽어들이는 것).

import≈abhängig *a.* 수입에 의존하는. **∼-abhängigkeit** *f.* 수입 의존.

important [ɪmpɔrtánt] *a.* 중요〔중대〕한.

Importanz *f.* 중요, 중대.

Importe *f.* -n 수입품; (특히 아바나산(産)의) 수입 엽궐련.

Importeur [ɪmpɔrtǿ:r] 《frz.》 *m.* -s, -e 수입상인〔업자〕.

importieren *t.* ① 수입하다. ② 〔드물게〕 중대하게 만들다: es importiert nichts 그것은 중요한〔대수로운〕 일은 아니다.

importun [ɪmpɔrtú:n] 《lat.》 *a.* 부적당한, 불편한; 귀찮은, 성가신.

imposant [ɪmpozánt] *a.* ↑ imponierend.

Impost [ɪmpɔ́st, ímpɔst] 《lat.》 *m.* -(e)s ① 상품세; 간접세. ② 〖건축〗 (아치의) 홍예, 내륜(內輪)의 기점.

impotent [ímpotɛnt, ɪmpotɛ́nt] 《lat.》 *a.* 불능의, 무능〔무기력〕한; 〖醫〗 성교 불능의.

***Impotenz** [ímpotɛnts, ɪmpotɛ́nts] *f.* ① 성교 불능(증). ② 생식 불능. ③ 무기력, 무능.

impr. = imprimatur 교정 완료.

Imprägnation [ɪmprɛgnatsió:n] 《lat.》 *f.* -en ① 〖生〗 수태〔수정〕. ② 〖化〗 삼투(목재에의 방부제 주입 따위). ③ 〖광물〗 광염(鑛染).

imprägnieren [..ní:rən] *t.* ① 잉태〔수태〕시키다. ② 〖化〗 삼투: et. mit et.[3] ∼ 무엇에 무엇을 침투시키다; feuerfest imprägnierte Wand 내화(耐火) 처리한 벽.

Imprägnierung *f.* -en ↑ Imprägnation.

impraktikabel [ímpraktika:bəl, ..ká:bəl] 《lat.》 *a.* 실행 불가능한; 수행 불가능한; (도로 따위가) 통행할 수 없는; 다루기〔제어하기〕 어

려운; 사용할 수〔써먹을 곳〕 없는.

Impresario [ɪmprezá:rio] 《lat.》 *m.* -s, -s/..ri(en) [..ri(ən)] 주최자, 흥행자; (배우·연주가 따위의) 매니저.

Imprẹssen *pl.* ↑ Impressum 의 복수형.

***Impression** [ɪmprɛsió:n] 《lat.》 *f.* -en (마음에 받은) 느낌, 감명, 인상; 〖고어〗(도장 따위를) 누르기, 날인.

impressionabel [..sioná:bəl] *a.* 예민한, 흥분을 잘하는.

***Impressionismus** [..sionísmus] 《lat.》 *m.* - 〖문예〗 인상주의(19 세기 후반의 회화·문학·음악의 유파).

Impressionịst *m.* -en, -en 인상파의 예술가.

impressionịstisch *a.* 인상주의의.

Impressum [ɪmprɛ́sum] 《lat.》 *n.* -s, ..pressen 〖印〗 간행 요목(발행처·연월일·인쇄자·간행자 따위를 명시하는 일), 간기(刊記).

Imprimatur [ɪmprimá:tur] 《lat.》 *n.* -s ① 〖가톨릭〗 인쇄 허가〔검정필·검열〕. ② (교정 완료 후 저자·발행자에 의한) 인쇄 허가.

imprimi̱eren *i.* (h.) 인쇄 허가를 하다.

Impromptu [ɛ̃prɔ̃tý:] 《lat.》 *n.* -s, -s 즉석 연설, 즉흥시; 즉흥적인 재담 ; 〖음악〗 즉흥곡, 즉흥 연주.

Improvisation [improvizatsió:n] 《lat.》 *f.* -en 즉석 연설, 즉흥시; 〖음악〗 즉흥곡; 즉석 처리.

Improvisatio̱ns·talent *n.* ① 즉석 처리 능력. ② 임기 응변가.

Improvisator [..zá:tɔr, ..to:r] *m.* -s, -en [..tó:rən] 즉흥 시인, 즉석 연설〔연주〕자.

improvisi̱eren *t.* 준비 없이 행하다, 즉석에서 하다; 즉흥적으로 연주하다.

impudent [ɪmpudɛ́nt] *a.* 뻔뻔스러운, 염치없는.

Impuls [ɪmpʊ́ls] *m.* -es, -e ① 충격, 자극. ② 추진력, 동인(動因); (마음의) 충동: seinem (ersten〔plötzlichen〕) ~ folgen (일차적인〔급작스런〕) 충동에 따르다. ③〖전기〗 전기 충격, 임펄스. ④〖理〗 충격량.

impulsiv [..pulzí:f] *a.* 자극하는, 충동적인, 우발적인.

Impulsivitä̱t [..zivi..] *f.* 충동성; 충동적 행동.

Impunität [ɪmpunitɛ́:t] *f.* 형(벌)의 면제; 무사.

imputabel [ɪmputá:bəl] *a.* 셈에 넣을 수 있는, 돌릴 수 있는, 탓으로 할 수 있는.

Imputation [ɪmputatsió:n] *f.* -en 셈에 넣음. ②〖구식·교양〗 책임 전가, 죄의 전가.

imputi̱eren *t.* (죄·과실 따위의) 책임을 돌리다; (죄를) 지우다.

I̱mse *f.* -n (schweiz.) 개미.

imstand [ɪmʃtánt] *a.* (südd.) ↑ imstande.

***imstande** [ɪmʃtándə] 《<im Stande》 *a.* 할 수 있는: ~ sein, et. zu tun 무엇을 할 수 있다: er ist nicht ~, diese Aufgabe zu lösen 그는 이 숙제를 풀 수 없다; jemand ist ~ und ... 누가 …짓을 할까 염려된다; sie ist ~ und plaudert alles aus 그녀가 마구 떠들어댈까 두렵다.

***in**[1] [ɪn] 〖3 격(위치를 나타낼 때) 및 4 격(운동의 방향을 나타낼 때)을 지배하는 전치사〗《I》 *prp.*[3] ① 무엇의 안〔가운데〕에 : ~ der Schule 학교에서; ~ der Natur 야외에서; ~ Berlin 베를린에서; ~ einem Buch lesen 책을 탐독하다; er hat ein Schwert ~ der Hand 그는 칼을 손에 들고 있다. ②〖비유〗 bis über die Ohren ~ Schulden stecken 빚으로 꼼짝달싹 못하다; ~ Gedanken 마음 속에; ~ allem Bescheid wissen 무엇이나 다 알고 있다; ~ der Zukunft lesen 앞일을 점치다. ③〖시간적〗 **(a)** (시각·기간) ~ meiner Jugend 나의 소년 시절에; im vorigen Jahre 작년에; ~ dieser Zeit 요즈음; ~ der Frühe 이른 아침에; ~ einem Monat 한 달 동안에; ~ der Vergangenheit 과거에; ~ der Nacht 밤중에. **(b)** (기한) ich werde ~ einer Stunde wiederkommen 나는 한 시간 내에 돌아온다; heute ~ vierzehn Tagen 2 주 후의 오늘. **(c)** (연·월·계절 따위의 앞에) im Jahre 1945 1945 년에; im (Monat) Februar 2 월에; im Sommer 〔Winter〕 여름〔겨울〕에. ④〖방법·상황〗 ~ großer Eile 대단히 급히; im Namen seines Vaters 아버지의 이름으로; im Scherz 〔Ernst〕 농담〔진심〕으로; in gewisser Hinsicht 어떤 점에서 보면; ~ kurzen Worten 간단히 말하면; ~ dem Maße〔Grade〕 그 정도로; im allgemeinen 일반적으로; im besonderen 특별히; im großen und ganzen 대체로; nicht im geringsten〔mindesten〕 조금도〔결코〕 …아니다; ~ der Tat 실제로; ~ hohem Grade 대단히, 몹시; ~ Wahrheit 실은; im Grunde 근본에 있어서, 요컨대, 필경; er kam ~ eigner Person 그가 몸소〔직접〕 왔다; ~ Bausch und Bogen 통틀어, 대체로; er spricht ~ Rätseln 그는 애매하게 말한다. ⑤〖상태〗 ~ Armut〔Not〕 sein 가난〔곤궁〕하다; im Schlafe sein 잠자고 있다; ~ Verlegenheit sein 어찌 할 바를 모르고 있다. ⑥〖관계〗 ~ Anbetracht dessen 그것을 고려하여; ~ (der) Mathematik ist er sehr gut 그는 수학을 아주 잘 한다; ~ et.[3] recht〔unrecht〕 haben 무엇에 있어서 옳다〔그르다〕; ~ etwas 조금, 약간. ⑦〖원인·이유〗 ~ ihrer Angst lief sie zum Arzt 걱정한 나머지 그 여자는 의사에게 달려갔다; ~ Geschäften ausgehen 상업상의 용무로 외출하다. ⑧〖복장〗 ~ Stiefeln 장화를 신고; im Mantel sein 망토를 입고 있다. ⑨〖동작 또는 상태의 실질·내용〗 er handelt ~ Konserven 그는 통조림 장사를 한다; ~ ihm habe ich sehr viel verloren 그를 잃은 것은 내게는 크나큰 손실이다; seine Krankheit besteht ~ der Einbildung 그의 병은 공상에 불과하다; 100 Mark ~ Papier 지폐로 100 마르크. 《II》 *prp.*[4] ①〖무엇·어느 장소 안으로의 운동〗 ~ die Schule gehen 학교에 가다; ~ die Schweiz reisen 스위스로 여행가다; ~s Zimmer treten 방으로 들어가다; den Stock ~ die Hand nehmen 지팡이를 손에 들다; sich ~s Bett schlüpfen 침대 속으로 기어들다; sich ~ den Finger schneiden 손가락을 베다. ②〖비유〗 jm. et. ins Gesicht sagen 누구에게 무엇을 대놓고 말하다; sein Vertrauen ~ jn. setzen 누구를 신용하다; ~ (die) See stechen 출범하다. ③〖방향·연장〗 ~ die Höhe steigen 오르다; etwas geht ~ die Länge〔Breite〕 무엇이 세로〔가로〕로 뻗다〔미치다〕; zehn Fuß ~ die〔der〕 Länge 〔Breite〕 길이〔폭〕 10 피트. ④〖시간적〗 **(a)**

er geht ins dreißigste Jahr 그는 서른 살이 된다; ~ die Nacht hinein 밤늦게까지. **(b)** (bis 와 함께) bis ins nächste Jahr 내년까지. ⑤〔상태의 변화〕 ~ Wut geraten 격노하다; ein Kind ~ den Schlaf singen 노래를 불러 아이를 재우다; ~ Schweiß kommen 땀을 흘리다; jn. ~ Staunen setzen 누구를 놀라게 하다; jn. ~ Schutz nehmen 누구를 보호하다. ⑥〔공작(工作)의 재료〕 et. ~ Holz schneiden〔schnitzen〕 나무에 무엇을 새기다; ~ Kupfer stechen 동판(銅版)에 조각하다; ~ Gold〔Silber〕 arbeiten 금〔은〕 세공을 하다. ⑦〔결과·목적〕 Haare ~ einen Zopf flechten 머리를 땋아 늘이다, 변발로 땋다; ein Buch ~ drei Bände binden 책을 3 권으로 제본하다; ~s Deutsche übersetzen 독일어로 번역하다; ~ die Binsen gehen 무(無)로 되다, 멸망하다.

in² *a.* 〔구어〕 ① 유행의 첨단을 걷는: sie war einfach ~ 그녀는 유행의 첨단을 걸었다. ② 관심을 끄는: dieser Schlagersänger ist zur Zeit ~ 이 유행가 가수는 현재 인기 절정이다. ③ 대단히 유행하는: weite Hosen sind jetzt nicht mehr ~ 폭넓은 바지는 이제 더 이상 인기가 없다.

In 〖化〗 =Indium 인듐.

in..¹ *pref.* 〔라틴어의 전철로 보통 강세가 있음; l 의 앞에서는 il..; b, m, p 의 앞에서는 im..; r 의 앞에서는 ir.. 로 됨〕(un..) "불(不)·무(無)·비(非)·반대"를 나타냄(보기: inakkurat, intolerant, illoyal).

in..² *pref.* 〔라틴어·이탈리아어의 전치사에서〕 in.., ein.. 및 an.., bei.. 의 뜻(보기: influieren 흘러 들어가다(einfließen)).

..in *suf.* 남성 명사를 여성 명사로 만드는 후철(보기: Häsin 암토끼; Schneiderin 여자 재봉사).

in absentia [ɪn apzέntsia] 《lat.》 부재 중, 결석하여: jn. ~ verurteilen 누구에게 궐석 판결을 내리다.

in abstracto [ɪn apstrákto] 《lat.》 (↔in concreto) 개괄적〔추상적〕으로 (보아), 개념적으로.

inadäquat [ín|adɛkva:t, ín|at|ɛ..; ɪn..vá:t] 《lat.》 *a.* 불충분한, 불완전한; 부적당한.

Inadäquatheit [(또는) ɪn|..kvá:t..] *f.* -en 〔교양〕 ① 불충분, 부적합: eine deutliche ~ zwischen dem Inhalt und der Form 내용과 형식 사이의 명백한 부적합. ② 부적당한 것, 격에 맞지 않는 것.

inakkurat [ín|akura:t, ɪn..rá:t] *a.* 부정확한, 부정밀(不精密)한; 태만한, 부주의한.

inaktiv [ín|akti:f, ɪn|..tí:f] 《lat.》 *a.* ① 활동하지 않는, 활발치 않은. ②〖軍〗 퇴역한; 졸업한. ③〖化〗 비(非)활성의, 방사능이 없는. ④〖醫〗 비활동성의.

inaktivieren [ɪn|..ví:rən, ín|..vi:..] *t.* ①〖化·醫〗 비활성화시키다, 무기력하게 만들다. ② 퇴역〔퇴직〕시키다.

Inaktivierung *f.* -en 퇴직시킴; 비활성화.

Inaktivität [(또는) ín|..tɛ:t] *f.* 비활동성, 활동 정지; 퇴역.

inaktuell [(또는) ín|..ɛl] *a.* 〔교양〕 현안이 아닌, 시급하지 않은.

inakzeptabel [(또는) ín|..ta:..] 《lat.》 *a.* 받아들일 수 없는, 승인〔승낙〕할 수 없는.

inalterabel [ɪn|altərá:bəl, ín|..ra:..] 《lat.》 *a.* (unveränderlich) 불변의, 변경할 수 없는.

inan [iná:n] *a.* 공허한, 무의미한, 허무한.

In·angriff·nahme [ɪn|ángrɪfna:mə] *f.* 착수, 개시; 실행; 〖건설〗 기공(起工).

Inanition [ɪn|anitsió:n] 《<inan》 *f.* 공허; 공복; 〖醫〗 소모, 쇠약; 기아(饑餓), 영양 불량.

In·anspruch·nahme [ɪn|ánʃprux|na:mə] *f.* ① 사용, 이용. ② 요구, 청구; 〖軍〗 징발: ~ seiner Zeit 그의 시간을 빼앗는 것. ③ 과도한 사용〔이용〕: auch bei häufiger ~ hat das Gerät eine lange Lebensdauer 그 기구는 빈번한 사용에도 불구하고 오래 간다.

inartikuliert [ɪn|artikulí:ɐt, ín|..li:ɐt] 《lat.》 *a.* ① 관절〔음절〕이 없는. ② 말〔발음〕이 똑똑치 않은, 혀가 돌지 않는. ③ 생각 따위가 명료하지 않은.

inästimabel [ɪn|ɛstimá:bəl] *a.* 평가할 수 없는, 측량할 수 없는, 더없이 귀한.

In·augenschein·nahme *f.* 시험, 점검, 음미.

Inaugural≈dissertation [ɪn|augurá:l..] *f.* 박사 학위 논문. **~rede** *f.* 취임사, 취임 연설. **~schrift** *f.* ↑ ~dissertation.

Inauguration [ɪn|auguratsió:n] 《lat.》 *f.* ① 취임(식), 즉위식, 낙성식. ② 박사 학위 수여, 교수 서임(敍任).

inaugurieren [ɪn|augurí:rən] *t.* 〔교양〕 ① jn. ~ 임명하다, 누구의 취임식을 거행하다. ② (öst.) 개통식〔낙성식〕을 거행하다. ③ 무엇을 도입하다, 시작하다.

In·begriff [ínbəgrɪf] *m.* -(e)s, -e ① 총괄, 포함: mit ~ von et.³ 무엇을 포함하여; mit ~ der Spesen 잡비를 셈에 넣어. ② 화신, 모범: der ~ von einem Spießer 속물의 전형. ③ **(a)** 총체, 전체, 일체; 〖哲〗 총괄 개념. **(b)** (Wesen) 본질, 진수(眞髓). **(c)** 발췌, 적요.

in·begriff *a.* ~ 〔im Begriff(e)〕 sein ↑ Begriff ⑤.

inbegriffen *adv.* …을 가산〔포함〕하여: Nebenkosten sind nicht ~ 부대 비용은 포함되어 있지 않다.

In·besitz·nahme *f.* 점유, 점거, 점령: die gewaltsame ~ der dem Nachbarstaat zugehörigen Küstengebiete 이웃 국가에 속하는 해안 지역의 강제 점령.

In·betracht≈nahme, ~ziehung *f.* 고려, 참작.

inbetreff *prp.*² …와 관련하여: ~ Ihres Schreibens 당신의 서한과 관련하여.

In·betrieb≈nahme, ~setzung, ~stellung *f.* (운전·작업 따위의) 개시, 개업; 〖철도〗 개통(開通).

Inbild *n.* -(e)s, -er 〔雅語〕 이상, 모범.

Inbrunst [ínbrʊnst] *f.* 열정, 열심, 열렬: mit ~ 열심히.

inbrünstig [..brʏnstɪç] *a.* 정열적인, 일심불란한.

Inc. =incorporated 주식 회사의(회사명 위에 붙임).

Inch [íntʃ] 《engl.》 *m.* -, -es 인치(길이의 단위: 2.54 cm; 약어: in.; 기호: ").

Inchoativ [ɪnkoatí:f, ín..ti:f] 《lat.》 *n.* -s, -e,

Inchoativum [..vʊm] *n.* -s, ..va 〖문법〗 기동(起動) 동사(보기: aufstehen, erblühen, erwachen 따위).

incl. ↑ inkl.
in concreto [ɪn kɔnkréːto, ..kɔŋ..] 《lat.》 실제로, 구체적으로.
in contumaciam [ɪn kɔntumáːtsiam] 《lat.》 〖法〗 피고 궐석의, 피고 불출두의.
in corpore [ɪn kɔ́rpore] 《lat.》 개괄하여, 함께, 공동으로.
Ind. ① =Indiana. ② =Indikativ.
I.N.D. =① in nomine Dei 신의 이름으로. ② in nomine Domini 주(主)의 이름으로.
Indamin [ɪndamíːn] *n.* -s, -e 〖化〗 인다민.
Indanthren [ɪndantréːn] *n.* -s, -e 인단트렌(염료의 일종).
indanthren≈farbig *a.* (햇빛이나 세탁으로 색이 바래지 않는) 합성 색소의. **~farbstoff** *m.* ↑ Indanthren.
indefinit [ɪndefiníːt, ɪ́ndefiniːt] *a.* 부정(不定)의.
Indefinit·pronomen [ɪndefiníːt, ɪ́ndefiniːt] *n.* -s, -/..mina 〖언어〗 부정(不定) 대명사(jemand, jeder 따위).
Indefinitum [..níːtʊm] 《lat.》 *n.* -s, ..ta 〖문법〗 부정 대명사(unbestimmtes Fürwort).
indeklinabel [ɪndeklináːbəl, ɪ́n..naːbəl] 《lat.》 *a.* 〖문법〗 변화하지 않는(명사·형용사 따위) (undeklinierbar).
indelikat [ɪ́ndelikaːt, ɪn..káːt] 《lat.》 *a.* (unzart) 자상스러운 마음씨가 없는, 섬세〔민감〕하지 못한.
***in·dem** [ɪndéːm] 《Ⅰ》 *cj.* ① (inzwischen) …하는 사이에, …하고 있으려니까: ~ er dies sagte, trat sein Freund ein 그가 이 말을 하는데 그의 친구가 들어왔다. ② (während) …하면서: er diktierte den Brief, ~ er im Zimmer umherging 그는 방안을 왔다갔다 거닐며 편지를 받아쓰게 하였다. ③ (dadurch, daß) …함으로써: er gewann, ~ er einen kühnen Zug tat 그는 대담하게 행동하여 승리하였다. ④ (weil) …하기 때문에: ich kann es dir nicht mitteilen, ~ ich nichts davon weiß 나는 그것에 관해 전혀 알지 못하기 때문에 그것을 너에게 알려줄 수 없다. 《Ⅱ》 *adv.* 이 순간에, 그 때에, 그 동안에: ~ trat er herein 그때 그가 들어왔다.
Indemnisation [ɪndɛmnizatsióːn] 《lat.》 *f.* -en 〖法〗 (Entschädigung) 배상, 보상.
indemnisieren [ɪndɛmnizíːrən] *t.* ① 배상〔보상〕하다. ② …의 형벌〔책임〕을 면하게 하다.
Indemnität *f.* ① 배상, 보상; 배상금. ② 사면; 면책 (특권). ③ (의회의) 사후 승인.
In-den-Tag-hinein-Leben *n.* 낙천적인 생활, 되는 대로 사는 생활; 무분별한 생활.
Indent·geschäft [ɪndɛ́nt..] 《engl.》 *n.* 〖商〗 (해외 무역의 위탁 매매에서) 매입 위탁 거래.
Independence Day [indipɛ́dəns dei] 《engl.》 *m.* - - 미국의 독립 기념일(7 월 4 일).
Independent [ɪndepɛndɛ́nt] *m.* -en, -en ① 〖의회〗 무소속 의원. ② 〔대개 복수〕 〖宗〗 (독립 교파를 주장한 17 세기 영국의) 청교도.
independent *a.* 독립〔자립〕의; 자주의, 자유의.
Independentismus *m.* - 독립주의; 독립 교파주의.
Independenz [..dɛ́nts] *f.* 독립, 자립, 자주, 자유.
Inder [ɪ́ndər] *m.* -s, - 인도 사람.
Inderin *f.* -nen ↑ Inder 의 여성형.
***indes** [ɪndɛ́s], ***indessen** [ɪndɛ́sən] 《Ⅰ》 *cj.* ① 〔시간적 동시성을 나타냄〕 …하는 동안: er erledigte seine Arbeit, ~ die anderen auf ihn warteten 다른 사람이 그를 기다리는 동안에 그는 그의 일을 처리했다. ② 〔상황의 대비를 나타냄〕 …하는 데 반해: die einen gingen spazieren, ~ die anderen zu Mittag aßen 어떤 사람들은 산책을 했는데 반해 어떤 사람들은 점심 식사를 했다. 《Ⅱ》 *adv.* ① 〔동시성을 나타냄〕 그 동안에, 그 사이에: es hatte ~ angefangen zu regnen 그 사이에 비가 내리기 시작했다. ② 〔대비를 나타냄〕 그럼에도 불구하고, 그러나: man machte ihm ein verlockendes Angebot, er lehnte ~ alles ab 그는 유혹적인 제의를 받았음에도 불구하고 모든 것을 거부했다.
indeterminabel [ɪndetɛrmináːbəl, ɪ́n..] *a.* 결정〔확정〕하기 어려운, 해결할 수 없는.
Indetermination [ɪndetɛrminatsióːn, ɪ́n..] *f.* ① 미결정, 불확정, 미해결. ② 우유부단.
indeterminiert *a.* 미결정의; 우유부단한, 결심이 서지 않는.
Indeterminismus *m.* - 〖哲〗 (↔ Determinismus) 비결정론, 자유 의지론.
***Index** [ɪ́ndɛks] *m.* -(es), -e/..dizes ① 색인. ② 〖해부〗 집게손가락. ③ 〖數〗 지수(指數), 율(率). ④ 〖가톨릭〗 금서 목록: auf den ~ setzen (책을) 금서 목록에 올리다. ⑤ (측정기 따위의 눈의) 지침(指針). ⑥ 어깨번호(보기: x^1, x^2 따위에서 ^{1} 과 ^{2}). ⑦ 〖經〗 지수, 물가 지수 (Preisindex).
Index≈währung *f.* 〖經〗 (화폐 가치를 전체 통화량의 조절에 의해 결정하는) 지수 본위제(本位制). **~zahl, ~ziffer** *f.* 〖통계〗 지수, (특히) 물가 지수.
indezent [ɪ́ndetsɛnt] *a.* ① 부적당한, 볼썽사나운; 무례한: eine ~e Frage 무례한 질문. ② 〔드물게〕 야비한, 음탕한, 외설스런.
Indezenz *f.* 부적당, 무례; 야비; 음탕.
Indiaca[1] [ɪndíːaka] *f.* 〖스포츠〗 인디아카볼.
Indiaca[2] *n.* -s 〖스포츠〗 인디아카 경기.
India·faser *f.* 용설란(龍舌蘭)의 섬유.
Indian [ɪ́ndiːan] 《< Indianer》 *m.* -s, -e (öst.) 칠면조.
Indiana [ɪndiáːna] 인디애나(미국 중부의 주).
Indianer *m.* -s, - ① 아메리칸 인디언. ② (öst.) ↑ Indianerkrapfen. ③ 〔은어〕 스파이, 간첩.
Indianer≈buch *n.* 인디언 이야기 책. **~geschichte** *f.* 인디언 이야기. **~häuptling** *m.* 인디언 추장. **~krapfen** *m.* (öst.) (초콜릿·크림 따위를 채운) 둥근 과자〔비스킷〕. **~reservation** *f.* 인디언 특별 보호 구역. **~sommer** *m.* 따뜻한 늦가을 날씨. **~sprache** *f.* 인디언 말. **~stamm** *m.* 인디언 부족.
indianisch *a.* 아메리칸 인디언의.
Indianist *m.* -en, -en 인디언 연구가.
Indianistik *f.* 인디언 연구〔학〕.
Indices *pl.* ↑ Indizes.
***Indien** [ɪ́ndiən] 인도.
Indien·fahrer *m.* 〖海〗 인도 무역선; 동인도 회사 소속의 대형 무장 상선.
Indienne [ɛ̃djɛ́n] 《frz.》 *f.* 인도 사라사.

I

Indienst≈nahme *f.* 〖官〗 채용, 고용. **~stellung** *f.* 임용; 소집; 고용; 동원; (선박의) 취역, 취항.

Indier *m.* -s, - ↑ Inder.

indifferent [ɪ́ndɪfərɛnt, ɪn..rɛ́nt] *a.* ①〖化〗 중성의, 비활성의: eine ~e Substanz 비활성 물질. ②무관심한, 냉담한; 무차별의: er ist politisch ~ 그는 정치에 관심이 없다.

Indifferentismus *m.* - 〖哲〗 무관심주의; 무관심설; 〖宗〗 신앙무차별론.

Indifferenz [ɪ́ndɪfərɛnts, ..rɛ́nts] *f.* -en ① 무차별; 무관심, 냉담. ②〖化〗 무반응, 무작용.

Indifferenz≈lehre *f.* 〖哲〗 무차별설. **~punkt** *m.* 〖物·化〗 영점(零點); 무반응점.

Indig *n.* -s, -e ↑ Indigo.

indigen [ɪndigéːn] 《lat.》 *a.* 토산의, 토착의; 자국의, 내국(內國)의.

Indigenat [..genáːt] *n.* -(e)s, -e 〖法·고어〗 국적, 시민〔공민〕권.

Indigestion [ɪndigɛstióːn, ɪ́n..] *f.* -en 〖醫〗 소화 불량.

Indignation [ɪndɪgnatsióːn] 《lat.》 *f.* (Entrüstung) 분개, 격노; 불만(Unwille).

indignieren 《I》 *t.* ① 분개〔격노〕시키다, 불만을 일으키다: über diese Bemerkung schien er etwas indigniert zu sein 이 말을 듣고 그는 약간 분개한 것처럼 보였다. ②모욕하다. 《II》 **indigniert** *p.a.* ↑ indigniert.

indigniert 《I》 *p.p.* ↑ indignieren. 《II》 *p.a.* 분개〔격노〕한; 모욕당한: sich ~ abwenden 분개하여 돌아서다.

Indignität *f.* ①〖法〗 상속권 상실. ②〔고어〕 자격 없음, 무자격.

Indigo [ɪ́ndigoː] *m./n.* -s, -s 쪽빛, 인디고, 인도남(藍): 〖植〗 gemeiner ~ 인도쪽; deutscher ~ 대청(大青).

Indigo≈bau *m.* 쪽 재배. **~bereitung** *f.* 쪽 제조. **≈blau** *a.* 남색의, 쪽빛의. **~blau** *n.* ① 남색, 쪽빛. ②〖化〗 청람(青藍), 인디고. **~farbe** *f.* 남색 염료. **~karmin** *n.* 인디고 카르민(식품 착색용 염료). **~lith** *m.* 〖광물〗 남색 전기석(石). **~pflanze** *f.* 〖植〗 인도쪽.

Indigotin [ɪndigotíːn] *n.* -s 〖化〗 (Indigoblau) 남색소, 남청.

Indigo·weiß *n.* [ɪ́n..] 〖化〗 백람(白藍).

Indik *m.* [ɪ́n..] -s〔고어〕 인도양.

Indikation [ɪndikatsióːn] *f.* -en ① 지시, 표시; 특징, 징후; 암시. ②〖醫〗 적응(증). ③〖法〗 (의학적〔사회적〕 근거에 의한) 임신 중절 요건.

Indikations·modell *n.* 〖法〗 임신 중절 요건 모델.

Indikativ [(또는) ɪn..tíːf] *m.* -s, -e 〖문법〗 직설법(약어: Ind.).

indikativ [(또는) ɪn..tíːf] *a.* 지시하는.

indikativisch [ɪ́n..tiːvɪʃ, ..tíː..] *a.* 직설법의.

Indikativus *m.* -, ..ve ↑ Indikativ.

Indikator [..káːtɔr, ..toːr] *m.* -s, -en [..tóːrən] ①〖化〗 (반응) 지시약. ②〖기계〗 지시 계기, 표시기. ③ 척도, 지표.

Indikator≈diagramm *n.* 〖工〗 계수 표시 도표. **~papier** *n.* 〖工〗 시약용(試藥用) 종이.

Indikatrix [ɪndikáːtrɪks] *f.* 〖數·지리〗 곡면 표시선.

Indiktion [ɪndɪktsióːn] 《lat.》 *f.* -en ① 포고. ②〖宗〗 (교회의) 공시. ③〖史〗 (중세의 연도 표시 단위로서의) 15 년기(期).

Indio *m.* -s, -s 중부〔남〕아메리카의 인디언.

***indirekt** [ɪ́ndirɛkt, ɪndirɛ́kt] 《lat.》 *a.* 간접의; (대답·비난 따위가) 우회적인, 완곡한; 〖法〗 부수적인: 〖문법〗 ~e Rede 간접 화법.

Indirektheit *f.* 간접(성), 우회(성).

indisch [ɪ́ndɪʃ] 《<Indien》 *a.* 인도(인)의: der ≈e Ozean 인도양.

Indisch·rot 인도 적색(赤色).

indiskret [ɪ́ndɪskreːt, ..krét] *a.* 분별 없는, 경솔한; 입이 가벼운.

Indiskretion [..tsióːn, ɪ́n..tsioːn] *f.* -en 무분별, 경솔; 비밀누설, 실언(失言).

indiskutabel [ɪ́ndɪskutaːbəl, ..táːbəl] *a.* 논의할 필요도 없는, 명백한.

indispensabel [ɪ́ndɪspɛnzaːbəl, ..záːbəl] *a.* (unerläßlich) (의무·약속 따위) 면하기 어려운; 없어서는 안 될, 필수의.

indisponibel [ɪ́ndɪsponiːbəl, ..níːbəl] 《lat.》 *a.* (unverfügbar) 정리〔처리〕할 수 없는; 매각〔양도〕하기 어려운.

indisponiert [ɪ́ndɪsponiːrt, ..níːrt] *a.* …을 싫어하는; 기분이 언짢은, 컨디션이 나쁜: der Sänger war ~ 그 가수는 노래할 기분이 아니었다.

Indisposition [ɪ́ndɪspozitsioːn, ɪn..tsióːn] *f.* -en 불쾌, 언짢음, 컨디션 저조.

indisputabel [ɪ́ndɪsputaːbəl, ɪn..táːbəl] *a.* 다툴〔논쟁할〕 여지 없는, 명백한.

Indisziplin [ɪ́ndɪstsipliːn, ɪn..plíːn] *f.* (Zuchtlosigkeit) 무훈련, 무질서, 규율 부재.

indiszipliniert [ɪ́ndɪstsi.., ɪn..níː..] *a.* 훈련이 안 된, 무질서한, 규율이 없는.

Indium [ɪ́ndiʊm] *n.* -s 〖化〗 인듐(기호: In).

individualisieren [ɪndividualizíːrən] 《lat.》 *t.* ① 개별화하다. ② …에 개성을 부여하다, 개성〔개체〕화하다.

Individualisierung *f.* -en 개성 부여; 개체화.

Individualismus [..lísmʊs] *m.* - 〖哲〗 개인주의, 개체주의.

Individualist *m.* -en, -en ① 개인주의자. ②〔폄어〕 이기주의자.

individualistisch *a.* 개인주의의, 이기주의의.

Individualität *f.* -en 〖哲〗 개성; 인격; 개인.

Individual·psychologie *f.* 〖心〗 개인 심리학. **~sphäre** *f.* 〖心〗 개인 영역.

Individuation [ɪndividuatsióːn] *f.* -en (Vereinzelung) 개체〔개별〕화, 개성화.

individuell [..duɛ́l] *a.* ① 개인의, 개체의, 개개의. ② 개성의, 독특한. ③ 개인 소유의.

Individuum [..víːduʊm] *n.* -s, ..duen ① 개체, 개인. ②〔폄어〕 놈, 녀석. ③〖化〗 최소 단위.

Indiz [ɪndíːts] 《lat.》 *n.* -es, -ien [..tsiən] ①〔대개 복수〕〖法〗 (범죄의) 간접 증거, 정황 증거. ② 징후, 표시.

Indizes *pl.* ↑ Index.

Indizien≈beweis *m.* 〖法〗 간접 증거. **~kette** *f.* 〖法〗 일련의 간접 증거: der Fingerabdruck auf der Tatwaffe bildet das letzte Glied in einer ~ 범행 무기에 나타난 지문은 일련의 간접 증거 중 최종적인 것이다. **~prozeß** *m.*

〖法〗 간접 증거에 의거한 소송.

indizieren [ɪnditsíːrən] 《Ⅰ》 *t.* ① 지시하다, 표시하다. ②〖醫〗(병의 징후가) 특별한 요법이 필요함을 보이다. ③〖가톨릭〗금서(禁書)로 지정하다. 《Ⅱ》 **indiziert** *p.a.* ↑ indiziert.

indiziert 《Ⅰ》 *p.p.* ↑ indizieren. 《Ⅱ》 *p.a.* 지〔표〕시된: 〖工〗 ~e Pferdestärke (가스 또는 증기 기관의) 표시 마력(馬力).

Indizierung *f.* -en 지시, 표시.

Indizium *n.* -s, ..zien [..tsiən] ↑ Indiz.

Indo≈arier [índo..] *m.* 인도 아리안 사람, 인도·게르만 어족(語族)에 속하는 사람. **~china** 인도차이나. **~europäer** *m.* 인도·게르만(족의) 사람. **≗europäisch** *a.* ↑ ≗germanisch. **~germane** *m.* 인도·게르만(족의) 사람. **≗germanisch** *a.* 인도·게르만(어족)의(≗europäisch 와 같음; 독일에서는 ≗germanisch 를 많이 사용). **~germanist** *m.* 인도·게르만 어문학자. **~germanistik** *f.* 인도·게르만 어학.

Indoktrination *f.* -en 〘폄어〙(특정한 이념의) 주입, 교화: ~ betreiben 교화하다.

indoktrinieren *t.* 〘폄어〙 교화하다, 주입하다: die Regierung benutzt die Medien, um das Volk zu ~ 정부는 국민을 교화하기 위해 대중 매체를 이용한다.

Indol [ɪndóːl] *n.* -s, -e 〖化〗 인돌.

indolent [índolɛnt, ..lɛ́nt] *a.* ①〘교양〙 무관심한, 게으른, 나태한: seien Sie nicht so ~! 그렇게 게으름피우지 마시오! ②〖醫〗 무감각한; 무통성(無痛性)의.

Indolenz [índolɛnts, ..lɛ́nts] *f.* ① 무관심, 게으름, 나태. ② 무감각, 무통성.

Indolog(e) [ɪndolóːgə, ..lóːk] 《gr.》 *m.* ..gen, ..gen 인도학 학자.

Indologie [..logíː] *f.* 인도학.

Indonesien [ɪndonéːziən] ① 인도네시아 제도. ② 인도네시아 공화국(Republik ~).

Indonesier *m.* -s, - 인도네시아인.

indonesisch *a.* 인도네시아인의, 인도네시아어의.

indo·pazifisch *a.* 인도양 및 태평양의.

in dorso 《lat., „auf dem Rücken"》 이면에.

indossabel [ɪndɔsáːbəl] *a.* 〖法〗 배서(背書)할 수 있는; 보증할 수 있는.

Indossament [ɪndɔsamɛ́nt] 《lat.》 *n.* -(e)s, -e 〖法〗 (어음의) 배서.

Indossant *m.* -en, -en 〖法〗 (어음의) 배서인, 배서 양도인.

Indossat *m.* -en, -en, **Indossatar** *m.* -s, -e 피배서인, 배서 양수인(讓受人).

Indossement *n.* -(e)s, -e 〖法〗 ↑ Indossament.

Indossent *m.* -en, -en 〖法〗 ↑ Indossant.

indossieren *t.* (어음에) 배서하다.

Indossierung *f.* -en 배서.

Indosso *n.* -s, -s/..ssi ↑ Indossament.

Indra 〖宗〗 인타라(因陀羅), 인드라(베다 신화에 나오는 최고 신).

in dubio [ɪn dúːbio] 《lat.》 의심스러운 경우에: in dubio pro reo [..proːréːo] 〖法〗 의심만으로는 벌할 수 없다(는 형사 소송 법상의 원칙) (im Zweifel für den Angeklagten).

Induktanz [ɪndʊktánts] 《lat.》 *f.* 〖전기〗 자기 유도〔감응〕, 인덕턴스; 자기 유도 계수.

Induktion [..tsióːn] *f.* -en ①〖논리〗 귀납(법) (↔ Deduktion). ②〖전기·生〗 유도(誘導), 감응.

Induktions≈apparat *m.* 〖전기〗 유도〔감응〕 코일, 감응 장치; 유도자; 고압 변압기(트랜스). **~beweis** *m.* 〖논리〗 귀납적 논증. **~elektrizität** *f.* 〖전기〗 유도 전기. **~krankheit** *f.* 〖心〗 감응성 질환. **~motor** *m.* 유도 전동기. **~ofen** *m.* 〖기계〗 유도식 전기로. **~rolle, ~spule** *f.* 〖전기〗 유도 코일. **~strom** *m.* 〖전기〗 감응〔유도〕 전류.

induktiv [ɪnduktíːf, ín..] 《lat.》 *a.* ①〖哲〗 귀납적 (↔ deduktiv): die ~e Methode 귀납(적 방)법. ②〖전기〗 감응성〔유도성〕의.

Induktivität [..tivitɛ́ːt] *f.* -en 〖전기〗 유도성 인덕턴스, 자기 유도 계수, 감응률.

Induktor [..dʊ́ktɔr, ..toːr] 《lat.》 *m.* -s, -en [..tóːrən] ①〖전기〗 감응〔유도〕 장치, 유도 코일. ②〖化〗 감응〔유도〕 물질.

in dulci jubilo [ɪn dʊ́ltsiː júːbilo] 《lat., „in süßem Jubel"》 즐거운 환호 속에서; 〘비유〙 진탕 마시고 떠들어대며, 방탕하며.

indulgent [ɪndulgɛ́nt] 《lat.》 *a.* 관대한, 후한; 하자는 대로 하는.

Indulgenz *f.* -en ① 관대, 관용. ② 면제, 형벌의 사면〔특사〕; 〖가톨릭〗 대사(大赦), 속죄.

Indult [ɪndʊ́lt] *m./n.* -(e)s, -e ①〖商〗 지불 유예〔연기〕. ②〖가톨릭〗 교황의 사면. ③ (전쟁 개시 전 적국 상선에 주는) 유예 기간.

in duplo [ɪn dúːplo] 《lat.》 〘고어〙 2중의; 2통 작성하여.

Induration [ɪnduratsióːn] 《lat.》 *f.* -en 〖醫〗 경결(硬結), 경화.

Indus [índʊs] *m.* 인더스강.

Indusi [ɪndúːzi] *f.* 〖철도〗 열차 자동 정지 장치(induktive Zugsicherung 의 단축형).

Indusium [ɪndúːzium] *n.* -s, ..sien [..ziən] 〖生〗 포막(包膜), 포피(包皮).

Industrial Design [ɪndʌ́striəl dɪzáin] 《engl.》 *n.* --s, --s 산업 디자인.

Industrial Designer 《engl.》 *m.* 산업 디자이너.

industrialisieren [ɪndʊstrializíːrən] 《lat.》 *t.* 산업화〔공업화〕하다.

Industrialisierung *f.* 산업화, 공업화.

Industrialismus *m.* - 산업주의, 공업주의.

***Industrie** *f.* -n [..ríːən] 산업, 공업: die chemische ~ 화학 공업.

Industrie≈anlage *f.* 산업〔공업〕 시설. **~arbeiter** *m.* 산업 노동자. **~archäologie** *f.* (산업 기술상의 기념비적 유물들을 다루는) 산업 고고학. **~ausstellung** *f.* 산업 박람회. **~bank** *f.* 〘복수: -en〙 산업 은행. **~bau** *m.* ①〘복수: ..ten〙 공장 건물. ② 공장 건축. **~betrieb** *m.* 공장. **~bezirk** *m.* 공업〔공장〕 지대. **~-Design** *n.* ↑ Industrial Design. **~erzeugnis** *n.* 공업 생산물. **~gebiet** *n.* 공업 지대. **~gesellschaft** *f.* ① 공업〔제조〕 회사. ② 산업 사회. **~gewerkschaft** *f.* 산업별 노동 조합. **~kapital** *n.* 산업 자본. **~kapitän** *m.* 〘비유〙 큰 공장의 우두머리, 공장장; 산업계의 보스. **~kaufmann** *m.* 산업체 관리 담당 직원. **~kombinat** *n.* 〖구동독〗 공업〔산업〕 콤비나트. **~laden** *m.* 〖구동독〗 국영 기업 직영 판매소. **~land** *n.* 산업 국가, 선진 공업국. **~landschaft** *f.* 공업 지대.

***industriell** [ɪndustriɛ́l] 《lat.》 *a.* 산업의, 공

I

업의:〖經〗die ~e Reservearmee 산업 예비군(실업 근로자 대중); die ~e Revolution 산업 혁명.

Industrielle* *der/die* 공업 경영인, 기업가, 실업가.

Industrie≈magnat *m.* 대규모 산업 자본가. **~müll** *m.* 산업 폐기물. **~papiere** *pl.*〖商〗공업주(株). **~produkt** *n.* 공업 제품. **~ritter** *m.*〔고어·농담〕고등 사기꾼, 대협잡꾼; 대실업가. **~roboter** *m.* 산업 로봇. **~schule** *f.* 공업〔실업〕학교. **~staat** *m.* 산업〔공업〕국가.

Industrie- und Handels·kammer *f.* 상공 회의소.

Industrie≈unternehmen *n.* 산업체, 기업체. **~zeitalter** *n.* 산업화〔공업화〕시대(보통 18세기 말-19세기 초). **~zweig** *m.* 산업〔공업〕부문.

industriös 《lat.》 *a.* 근면한; 활동적인; 재치 있는.

induzieren [ɪndutsí:rən] 《lat.》 *t.* ① 유발〔유인〕하다; 야기하다. ②〖전기〗유도하다: induzierter Strom 유도 전류. ③〖논리〗귀납하다 (↔ deduzieren).

Ineditum [ɪn|é:ditʊm] 《lat.》 *n.* -s, ..ta 미간행(未刊行)〔미발표〕문서.

ineffektiv [ín|ɛfɛkti:f, ..tí:f] *a.* 효과〔효험〕없는, 무효한.

in effigie [ɪn ɛfí:giə] 《lat.》 상징적으로: ~ hinrichten 누구를 상징적으로 처형하다, 누구의 초상화를 처형하다.

ineffizient [ín|ɛfitsiɛnt, ..ɛ́nt] *a.*〔교양〕효과적이 아닌, 비능률적인, 비경제적인.

Ineffizienz [ín|ɛfitsiɛnts, ..ɛ́nts] *f.*〔교양〕효과가 없음, 비능률, 비경제성.

inegal [ín|ega:l, ..gá:l] 《lat., „ungleich"》 *a.* 같지 않은, 불평등한, 불균형한.

***in·einander** [ɪn|aɪnándər] *adv.* 서로 상대방의 속으로, 서로 뒤섞여.

ineinander≈|bringen* *t.* 뒤섞다, 섞다. **~|flechten*** *t.* 서로 엮어〔얽어〕짜맞추다. **~|fließen*** *i.* (s.) 흘러가서 합치다; 합류하다; (색 따위가) 섞이다. **~|fügen** *t.* 딱 들어맞도록 짜맞추다. **~|greifen*** *i.* (h.)〖기계〗(톱니바퀴 따위가) 서로 맞물리다;〔비유〕서로 밀접한 관련을 맺다, (일치 단결하여) 협력하다. **~|münden** *i.* (h.) (강이) 합류하다. **~|schieben*** *t.*〖工〗박아 넣다, 끼우다. **~|stecken** *t.* 서로 안으로 맞추어 (박아) 넣다. **~|weben**(*) *t.* 섞어〔합쳐〕짜다. **~|winden*** *t.* 감아 넣다, 얽다.

Ineins·setzung *f.* 똑같게 만들기, 동일화.

In·empfang·nahme *f.* 수리, 수령; 영접, 접대.

inept [ɪn|ɛ́pt] 《lat.》 *a.* 부적당한, 부조리한; 어리석은.

inert [ɪn|ɛ́rt] 《lat.》 *a.* ①〔교양〕비활동적인, 게으른; 관심이 없는. ②〖化〗비활성의.

Inert·gas *n.*〖化〗비활성 기체.

inessentiell [ín|ɛsɛntsiɛl, ..tsiɛ́l] 《lat.》 *a.* 본질적이 아닌, 중요하지 않은.

inexakt [ín|ɛksakt, ..sákt] *a.* ① 부정확한. ② 단정치 못한.

inexistent [ín|ɛksɪstɛnt, ..tɛ́nt] *a.* 존재하지 않는.

Inexistenz [ɪn|ɛksɪstɛ́nts, ín..tɛnts] 《lat.》 *f.* ① (↔ Existenz) 비현존(非現存), 비(非)존재. ② 내재(內在).

inexpressibel [ɪn|ɛksprɛsí:bəl] *a.* 말로 표현할 수 없는, 필설로 다할 수 없는.

Inexpressibles 《engl.》 *pl.* 말로 표현할 수 없는 것.

in extenso [ɪn ɛksténzo:] 《lat.》 (ausführlich) 상세히, 자세히, 충분히; (ausgedehnt) 널리: die Einzelheiten sollen ~ behandelt werden 세부 사항들은 상세하게 다루어져야 한다.

infallibel [ɪnfalí:bəl] *a.* 오류가〔과실이〕없는, 확실한.

Infallibilität [..libilitɛ́:t] *f.* 무과실;〖가톨릭〗~ des Papstes 교황의 무오류성.

infam [ɪnfá:m] *a.* (ehrlos) 불명예스러운, 비열한, 파렴치한;〔구어〕지독한: ~ kalt 지독하게 추운.

Infamie [..famí:] *f.* -n [..mí:ən] ① 비열, 파렴치. ② 비열한〔추잡한〕행동〔언행〕. ③〖가톨릭〗명예〔성직〕박탈.

Infant [ɪnfánt] 《lat.》 *m.* -en, -en (에스파냐 또는 포르투갈의) 왕자.

Infanterie [ínfantəri:, ɪn..ri:] 《frz.》 *f.* -n [..rí:ən]〖軍〗보병(부대·병과);〔집합적〕보병. **~offizier** *m.* 보병 장교. **~regiment** *n.* 보병 연대.

Infanterist [ínfantərɪst, ɪn..rɪ́st] *m.* -en, -en〖軍〗보병.

infanteristisch [(또는) ín..rɪs..] *a.* 보병의.

infantil [..tí:l] 《lat.》 *a.* 어린애 같은, 미숙한; 발육 부진의.

Infantilismus [..tilɪ́smʊs] *m.* -, ..men〖醫〗유치증(幼稚症), 발육 부전; 소아적 행동.

Infantilität [..tilitɛ́:t] *f.* ①〖醫〗미숙, 유치. ②〔교양〕어린애 같은 태도〔말〕.

Infantin [..tɪn] *f.* -nen (에스파냐 및 포르투갈의) 공주.

Infarkt [ɪnfárkt] 《lat.》 *m.* -(e)s, -e〖醫〗경색(梗塞) (Verstopfung): ein ~ in der Lunge 폐(肺) 경색.

Infaulenzia [ɪnfaulɛ́ntsia] *f.*〔농담〕태만, 나태.

Infekt [ɪnfɛ́kt] 《lat.》 *n.* -(e)s, -e ①〖醫〗전염병. ② ↑ Infektion.

Infektion [..tsió:n] *f.* -en〖醫〗전염, 감염.

Infektions≈gefahr *f.* 감염〔전염〕위험. **~herd** *m.* 감염의 진원지. **~krankheit** *f.* 전염병.

infektiös [..tsiǿ:s] *a.* 전염(성)의, 감염(성)의.

Infel [ínfəl] *f.* -n ↑ Inful.

inferior *a.* 열등한, 하등의; 지위가 낮은, 하급의.

Inferior [ɪnferió:r] *m.* -s, -en 손아랫사람, 하급〔하위〕자; 후배.

Inferiorität [..rioritɛ́:t] *f.* ① 열등, 하등. ② 하위, 하급. ③ 무력, 약함.

infernal [ɪnfɛrná:l] *a.*〔드물게〕↑ infernalisch.

infernalisch [ɪnfɛrná:lɪʃ] 《lat.》 *a.* ① 지옥의, 지옥 같은; 악마적인, 극악무도한, 흉악한. ②〔구어〕참을 수 없는, 견디기 어려운: ~er Gestank 역한 냄새.

Infernalität [..nalitɛ́:t] *f.*〔드물게〕극악무도, 흉악.

I

Inferno 《lat.》 *n.* -s ① 지옥; 명계(冥界). ② 지옥 같은 곳, 생지옥; 아비규환: ein ~ durchmachen 생지옥을 겪다.
infertil [ɪnfɛrtí:l, ín..] 《lat.》 *a.* 불모의; 〖醫〗 불임의.
Infertilität [ínfɛrtilitɛ:t, ɪn..tɛ́:t] 《lat.》 *f.* 불모, 황폐, 메마름; 〖醫〗 불임.
Infight [ínfaɪt] 《engl.》 *m.* -(s), -s, **Infighting** [ínfaitɪŋ] 《engl.》 *n.* -(s), -s 〖권투〗 접근전, 인파이팅.
Infiltration [ɪnfɪltratsió:n] 《lat.; ♧ Filter》 *f.* -en 침입, 침투; 〖醫〗 침윤(浸潤).
Infiltrations·anästhesie *f.* 〖醫〗 침윤 마취.
infiltrieren 《Ⅰ》 *i.* 스며들다, 침투하다; 침윤이 생기다. 《Ⅱ》 *t.* 침투시키다; 침윤을 일으키다, …에 침입〔침투〕하다.
Infiltrierung *f.* -en 침윤, 침투.
infinit [ínfini:t, ɪnfiní:t] 《lat.》 *a.* ① 무한〔무궁〕한. ② 부정(不定)의: die ~e Verbform 동사의 부정형.
Infinität *f.* -en 무한(성).
infinitesimal [..tezimá:l] *a.* 〖數〗 무한소(無限小)의, 극소한, 미분의.
Infinitesimal·rechnung *f.* 〖數〗 미적분.
Infinitiv [ínfiniti:f] *m.* -s, -e 〖문법〗 (동사의) 부정법, 부정형.
infinitivisch [..vɪʃ] *a.* 부정법〔형〕의.
Infinitiv=konjunktion *f.* 〖문법〗 (zu, um zu, ohne zu 와 같은) 부정사 접속사. **~satz** *m.* 〖문법〗 부정사구.
Infinitivus [..tí:vus] *m.* -, ..ve ↑ Infinitiv.
Infinitum *n.* -s, ..ta 〘교양〙 무한한 것; 무한대.
Infirmität [ɪnfɪrmitɛ́:t] *f.* 〖醫〗 허약, 무기력.
Infix [ɪnfíks, ínfɪks] 《lat.》 *n.* -es, -e 〖문법〗 삽입사(辭).
infizieren [ɪnfitsí:rən] 《lat.》 *t.* 전염〔감염〕시키다(anstecken): 〘비유〙 sich von der allgemeinen Unruhe ~ lassen 전반적인 소요에 영향을 받다.
Infizierung *f.* -en 〖醫〗 전염, 감염.
in flagranti [ɪn flagránti] 《lat.》 〘교양〙 현행범으로: jn. ~ ertappen〔erwischen〕 누구를 현행범으로 체포하다.
inflammabel [ɪnflamá:bəl] 《lat.》 *a.* (entzündbar) 불붙기〔타기〕 쉬운, 가연성의; 〘비유〙 쉽게 화를 내는.
Inflammation [..tsió:n] *f.* -en ① 연소, 발화; 〘비유〙 흥분, 격앙; 감격. ② 〖醫〗 염증.
inflammatorisch *a.* ① 가연성의; 〘비유〙 격하게 하는, 선동적인. ② 〖醫〗 염증성의.
***Inflation** [ɪnflatsió:n] 《lat.》 *f.* -en ① 팽창, 과잉. ② 〖經〗 인플레이션, 통화 팽창: die ~ dämpfen〔bekämpfen〕 인플레이션을 완화〔극복〕하다.
inflationär [ɪnflatsionɛ́:r] *a.* ① 인플레이션의; 인플레이션을 일으키는, 화폐 가치를 하락시키는: ~e Preisanstiege 인플레이션으로 인한 물가 상승. ② 〘비유〙 가치〔의미〕를 상실하는: ein ~er Gebrauch des Wortes „Humanität" "인간애"라는 말의 과다 사용.
inflationistisch [..tsionístɪʃ] *a.* ① ↑ inflationär. ② 통화 팽창론의, 인플레이션 정책의.
Inflations·zeit *f.* 인플레이션 시대〔시기〕.
inflatorisch *a.* ↑ inflationär.
inflexibel [ínflɛksi:bəl, ..sí:bəl] 《lat.》 *a.* ① 굽혀지지 않는, 경직된; 꾸준한. ② 〘비유〙 불굴의, 불요불굴한; 가차없는; 완고〔완강〕한. ③ 〖문법〗 불변의, 불변화의.
Inflexibile *n.* -s, ..bilia 〖문법〗 불변화사(보기: denn, gestern, mit).
Inflexibilität *f.* ① 뻣뻣함; 불굴: wegen seiner ~ kann dieses Material dafür nicht verwendet werden 이 재료는 뻣뻣해서 그것에는 사용될 수 없다. ② 〘비유〙 경직성: aufgrund der ~ des Systems sind Reformen nicht möglich 체제의 경직성 때문에 개혁이 불가능하다. ③ 〖문법〗 불변화.
Inflexion [..ksió:n] 《lat.》 *f.* -en ① 굴곡; 〖物〗 (광선의) 굴절. ② 음조의 변화〔높고 낮음〕; 〖문법〗 (명사·형용사 따위의) 어미 변화, 활용.
Infloreszenz [ɪnflorɛstsɛ́nts] 《lat.》 *f.* -en 개화(開花); 〖植〗 꽃차례, 화서(花序).
Influenz [ɪnfluɛ́nts] 《lat.》 *f.* -en ① 〘교양〙 영향, 작용, 감화(感化); 세력, 권위. ② 〖전기〗 감응, 정전 유도.
Influenza [..tsa] 《it.》 *f.* 〖醫〗 인플루엔자, 유행성 감기.
Influenz·maschine *f.* 〖전기〗 유도 기전기(起電機).
influieren 《lat.》 *i.* (s./h.) 흘러들어가다: auf jn.〔et.〕 ~ 누구에게〔무엇에〕 영향〔작용〕을 미치다, 감화를 주다.
Info *n.* -s, -s =Informationsblatt 정보 안내지.
***infolge** [ɪnfɔ́lgə] *prp.*[2] …의 결과로서; …때문에, …에 의하여; …에 기인하여〔근거를 두고〕; …의 힘으로; …에 따라서: ~ eines Umstandes 어떤 사정 때문에; ~ Ihres Anerbietens 당신의 제의에 따라; ~ Hungers 배가 고프기 때문에.
infolge·dessen *adv.* 그 결과로서, 그 때문에, 그에 의하여, 따라서.
Infomobil [ɪnfomobí:l] *n.* -s, -e 〘구어〙 이동 정보 안내소〔안내 차량〕.
Informand [ɪnfɔrmánt] *m.* -en, -en 정보 수용자.
Informant *m.* -en, -en ① 정보 제공자. ② 〖언어〗 (언어에 관한) 자료 제공자.
Informatik [ɪnfɔrmá:tɪk] *f.* 〖컴〗 전산학, 정보 처리학, 정보 과학, 전산 정보학.
Informatiker *m.* -s, - 〖컴〗 전산학자, 정보처리학자, 전산 정보학자.
***Information** [ɪnfɔrmatsió:n] 《lat.》 *f.* -en ① 통보, 보도, 알림: das Recht des Bürgers auf ~ 시민의 알 권리. ② 정보, 통지, 보고: 〖生〗 genetische ~ 유전 정보. ③ 안내소.
informationell *a.* 정보의: ~e Mängel 정보 부족.
Informations=austausch *m.* 정보 교환. **~bedürfnis** *n.* 정보에 대한 욕구〔수요〕. **~blatt** *n.* 정보 안내지. **~büro** *n.* 안내소. **~fluß** *m.* 정보의 흐름. **~gehalt** *m.* 정보 내용. **~material** *n.* 정보 자료. **~quelle** *f.* 정보원(源). **~theorie** *f.* 정보 이론. **~verarbeitung** *f.* 〖컴〗 정보 처리.
informativ *a.* 정보〔안내〕를 제공하는, 유익한: der Vortrag war sehr ~ 그 강연은 매우 많은 정보를 제공〔유익〕했다.

Informator [..má:tɔr, ..to:r] *m.* -s, -en [..tó:rən] ① 정보 제공자. ②〔고어〕(가정) 교사.

informatorisch *a.* 정보를 주는: ein rein ~es Gespräch 순전히 정보를 교환하기 위한 대화.

Informel [ɛ̃fɔrmɛ́l] 《frz.》 *n.* - 【畫】(1950 년대 미술의) 비구상주의.

informell[1] [ínfɔrmɛl, ɪnfɔrmɛ́l] *a.* ① 비공식적인: ein ~es Treffen 비공식적인 만남; ~e Gruppe 비공식적인 집단. ② 비구상주의의: ~e Kunst〔Malerei〕 비구상주의 예술〔회화〕.

informell[2] *a.* 정보를 제공하는(↑ informatorisch).

*__informieren__ 《lat.》《Ⅰ》 *t.* ① 가르치다, 교수〔교시〕하다. ② 통지〔보고〕하다, 알리다, 정보를 제공하다: die Presse ~ 언론에 알리다. 《Ⅱ》 *refl.* sich ~ 조회하다; 조사하다, 정보를 수집하다: ich habe mich in der Zeitung informiert 나는 신문에서 정보를 얻었다.

Informiertheit *f.* 정보가 있음, 정보에 밝음.

Informierung *f.* -en 정보 제공, 통지, 알림; 정보를 제공받음.

infra... 《lat.》 *pref.* "(unterhalb) 아래에, 하부에"의 뜻(보기: ≈struktur).

Infraktion [ɪnfraktsió:n] 《lat.》 *f.* -en ① 위반, 위법, 위약. ②【醫】 균열 골절; 골(骨)굴절(술).

infra·rot [ínfra..] *a.*【物】 적외선의.

Infrarot≈film *m.*【사진】 적외선 필름. **~heizung** *f.* (적외선 전구를 이용한) 적외선 가열. **~strahler** *m.* 적외선 방사 건조 기구. **~strahlung** *f.*【物】 적외선 영역에서의 (열) 복사. **~teleskop** *n.*【天】(천체 관측용) 적외선 망원경.

Infra≈schall *m.*【物】 초저주파음(들을 수 없는 16 헤르츠 이하의 음파). **~struktur** *f.* ① 사회 기반 시설, 사회 간접 자본. ② 군사 시설 전반. **≈strukturell** *a.* 사회 기반 시설의, 사회 간접 자본의.

Inful [ínful] 《lat.》 *f.* -n ①【宗】(고대 로마의 미트라(Mithra)교 제관이 쓰던) 제관(祭官) 모자, (붉은 줄무늬가 있는) 흰 머리띠. ②【가톨릭】 주교관(主教冠).

infulieren [ɪnfulí:rən] *t.*【가톨릭】 …에게 주교관을 수여하다, 주교에 임명하다: ein infulierter Abt 주교에 임명된 수도원장.

infundieren [ɪnfundí:rən] 《lat.》 *t.* 붓다, 주입하다; 침윤하다.

Infus [..fú:s] *n.* -es, -e [..zə]【醫】 침제(浸劑), 달인 액체.

Infusion [..zió:n] *f.* -en 주입, 유입; 침윤;【醫】 침제.

Infusions·tierchen *pl.* ↑ Infusorium.

Infusorien [..zó:riən] *pl.* ↑ Infusorium.

Infusorien·erde *f.*【지질】 규조토(硅藻土).

Infusorium *n.* -s, ..rien [..riən]【動】 적충류(滴蟲類), 섬모충류.

Infusum *n.* -s, ..sa ↑ Infus.

Ing. =Ingenieur 기사(技士), 기술자.

Ingang≈haltung *f.* 계속 운전하기, (사물의) 유지. **~setzung** *f.* 운전 개시, 시동걸기: die ~ der Maschine erfolgt durch Einschalten des Motors 기계의 운전 개시는 모터를 켬으로써 이루어진다.

Inge [íŋə] *f.* 잉게(여자 이름).

Ingeborg [íŋəbɔrk] *f.* 잉게보르크(여자 이름).

In·gebrauch·nahme *f.* 사용〔이용〕하기: vor ~ aufmerksam lesen! 사용하기 전에 주의해서 읽으시오!

in genere [ɪn gé:nere] 《lat.》 일반적으로, 대개.

Ingenieur [ɪnʒeniǿ:r] 《frz.》 *m.* -s, -e 기사, 기술자(약어: Ing.);【軍】 공병: Vermessungs≈ 측량 기사.

Ingenieur≈akademie *f.* ↑ ~schule. **~bau** *m.*【건축】 ① 첨단 기술에 의한 건축. ②〔복수: -ten〕 기술 건축물. **~büro** *n.* 기술 지도 사무소.

Ingenieurin *f.* -nen ↑ Ingenieur 의 여성형.

Ingenieur≈korps [..ko:r] *n.*【軍】 공병단〔대〕. **~kunst** *f.* 공학. **~offizier** *m.*【軍】 공병 장교. **~ökonom** *m.*【구동독】 기술 경제학자. **~park** *m.*【軍】 공병창(廠). **~schule** *f.* 기술 학교;【軍】 공병 학교. **~wesen** *n.* 공학.

ingeniös [ɪngeniǿ:s] 《lat.》 *a.*〔교양〕 재치 있는, 슬기로운; 발명의 재주가 있는; 명민한.

Ingeniosität [..niozitɛ́:t] 《lat.》 *f.*〔교양〕 발명의 재능, 창의(성); 명민; 재치.

Ingenium [..gé:nium] *n.* -s, ..nien [..niən]〔교양〕 천부적 재능, 창의력.

Inger [íŋər] *m.* -s, -【動】 먹장어.

In·gesinde [íngəzɪndə] *n.* -s〔시어·고어〕 (Gesinde) (한 집의) 하인, 피고용인.

Ingestion [ɪngɛstió:n] *f.* -en 영양 섭취.

ingezüchtet [íngətsʏçtət] 《<Inzucht》 *a.* 동종 교배로 생긴.

in·gleichen [ɪngláɪçən] *adv.*〔고어〕 똑같이, 마찬가지로; 같이.

Ingot [íŋgot] 《engl.》 *m.* -s, -s【제련】 잉곳, 주괴(鑄塊).

Ingrain·papier [ɪngréɪn..] *n.* -s 켄트지.

Ingrediens [ɪngré:diɛns] 《lat.》 *n.* -, ..dienzien [..diɛ́ntsiən] ↑ Ingredienz.

Ingredienz [..grediɛ́nts] *f.* -en ①【요리】 첨가물. ② 요소, 성분.

Ingreß [ɪngrés] 《lat.》 *m.* ..gresses, ..gresse〔고어〕 입장(入場), 입실; 동의.

Ingression [ɪngrɛsió:n] *f.* -en【지질】 함몰침수(함몰해·함몰호를 이룸).

Ingrid [íŋgrɪt, ..gri:t] *f.* 잉그리트(여자 이름).

Ingrimm [íngrɪm] *m.* -(e)s〔雅語〕① 통분(痛憤), 원한, 분노. ② 원한을 품은 사람.

ingrimmig *a.*〔雅語〕 원한을〔분노를〕 품고 있는.

ingrossieren [ɪngrɔsí:rən] 《lat.》 *t.*【法】 서류를 정서하다, 저당 등기부에 등기하다.

Ingrossist *m.* -en, -en 저당 등기부계.

in grosso [ɪn grɔ́so] 《lat. -it.》【商·고어】 도매로(en gros).

Ingwäonen [ɪŋvɛó:nən] *pl.* 잉베온족(族)(게르만 민족의 한 종족).

ingwäonisch *a.* 잉베온족의.

Ingwer [íŋvər] 《skt.》 *m.* -s, - ①【植】 생강. ②【요리·藥】(향료나 약으로 사용되는) 생강 뿌리. ③ 생강유(油)가 함유된 리큐어.

Ingwer≈bier *n.* 생강 맥주. **~limonade** *f.* 생강 레몬 주스, 생강 탄산 음료. **~öl** *n.* 생강유(油).

*Inhaber [ínha:bər] m. -s, - (약어: Inh.) 소유자, 임자, 소지인; 〖商〗 (어음의) 지참인; 〖法〗 점유자; 〖軍〗 대훈자(帶勳者): ~ eines Regiments (명예) 연대장; 〖商〗 ~ von Aktien 주주(株主); auf den ~ lautender Scheck 지참인불(拂) 수표.
Inhaber·aktie f. 〖증권〗 무기명 주식.
Inhaberin f. -nen ↑ Inhaber 의 여성형.
Inhaber·papier n. 〖증권〗 무기명 증권.
inhaftieren [ɪnhaftí:rən] t. 체포하다, 구금〔구인〕하다: der Tatverdächtige wurde noch am selben Tag inhaftiert 용의자는 범행 당일에 체포되었다.
Inhaftierte* der/die 복역수, 수감자.
Inhaftierung f. -en 체포, 구금, 구인.
Inhaft·nahme f. 〔격식〕 투옥.
Inhalation [ɪnhalatsió:n] 《lat.》 f. -en 〖醫〗 흡입(법).
Inhalations·apparat m. 〖醫〗 흡입기.
Inhalatorium [..tó:rium] n. -s, ..rien [..riən] 흡입실.
inhalieren 《lat.》 t. 흡입하다: 〔구어〕 Tabakrauch ~ 담배 연기를 (폐까지) 들이마시다.
*Inhalt [ínhalt] m. -(e)s, -e ① (그릇 따위의) 속에 든 것, 내용물. ② (책·희곡 따위의) 내용; (내용의) 목차; 〖哲〗 (개념의) 내용, 내포; (말의) 요점, 요지; 진의: ~ und Form 내용과 형식; ein Leben ohne ~ 내용이 없는 삶; der Brief des folgenden ~s 다음과 같은 내용의 편지. ③ 크기; 수용력, 용량, 부피, 용적, 체적; 면적: ~ einer Fläche 면적; körperlicher ~ 부피, 체적, 용적.
inhaltlich a. 내용상〔취지상〕의, 내용에 관한; 실질적인: ~ ist der Roman gut 그 소설은 내용상으로는 좋다.
inhalts prp.² 〖官·고어〗 …에 의하여, …을 기초로 하여: ~ dieses Gesetzes 이 법률에 의거하여.
Inhalts≈angabe f. ① 내용 설명, 적요: eine kurze ~ geben〔machen〕 간단한 내용 설명을 하다. ② ↑ ~verzeichnis. ≈arm a. 〔雅語〕 내용이 빈약한: ein ~er Roman 내용이 부실한 소설. ≈gleich a. ① 내용이 같은, 내용상 일치하는. ② 〖數〗 같은 면적〔용적〕의. ≈leer a. ↑ inhaltslos.
inhaltslos a. 내용이 없는, 공허한, 무의미한: eine ~e Rede 내용이 없는 연설.
inhalts≈reich a. 내용이 풍부한. ~schwer a. 심각한〔무거운〕 내용의. ≈übersicht f. 〖출판〗 차례, 목차, 색인. ≈verzeichnis n. ① 〖출판〗 차례, 색인, 적요. ② 내용〔대상〕 목록: das ~ einer Lieferung 배달 목록표. ~voll a. 내용이 풍부한, 의미심장한, 중요한. ≈zettel m. 내용〔색인〕표.
inhärent [ɪnherέnt] 《lat.》 a. 〔교양〕 et.³ ~ 무엇에 내재하는, 고유한.
Inhärenz f. 내재(內在), 고유, 선천성.
inhärieren [..rí:rən] i. 〔교양〕 고유하다, 타고나다: dem Kreis inhäriert das Rundsein 원의 고유 성질은 둥글다는 점이다.
inhärierend p.a. ↑ inhärent.
inhibieren [ɪnhibí:rən] 《lat.》 t. 금지하다; 제지〔저지〕하다, 억제〔억압〕하다.
Inhibition [..tsió:n] f. -en 〔고어〕 금지, 제지, 저지; 억제, 억압.
in hoc salus [ɪn hó:k zá:lus] 《lat.》 이 십자가 속에 구원이 있도다(약어: I.H.S.).
in hoc signo vinces [ɪn hó:k zígno vín-tse:s] 《lat.》 이 십자가로 인하여 그대는 승리를 거두리라(콘스탄틴 대제의 좌우명)(약어: I.H.S.V.).
inhomogen [ínhomoge:n] 《lat. +gr.》 a. 〔교양〕 이질적(異質的)인: ~e Körper 이질성 물체들.
Inhomogenität [ínhomogenitε:t, ɪn..tέ:t] f. 〔교양〕 이질성.
in honorem [ɪn honó:rεm] 《lat.》 경의를 표하며, (누구를) 위하여.
inhuman [ínhuma:n, ..má:n] 《lat.》 a. 〔교양〕 ① 비인간적인: unter ~en Bedingungen arbeiten 비인간적인 조건에서 일하다. ② 인정없는, 무정한, 잔혹한: eine ~e Bestrafung 가혹한 처벌.
Inhumanität [ínhumanitε:t, ɪn..tέ:t] f. -en 비인간성, 무정, 잔혹.
in infinitum [ɪn ɪnfiní:tum] 《lat.》 〔교양〕 무한히, 끝없이.
in integrum [ɪn íntegrum] 《lat.》 〔다음 용법으로〕 〖法·고어〗 ~ restituieren 원상으로 회복하다.
Iniquität [inikvitέ:t] 《lat.》 f. 〔고어〕 부정(不正), 불의, 불공평; 가혹, 냉혹.
Initial [initsiá:l] 《lat.》 n. -s, -e 〔드물게〕 〖印〗 머리글자.
initial.. pref. "초기·최초의"의 뜻.
Initial·buchstabe m. ↑ Initiale.
Initiale [..tsiá:lə] f. -n 〖印〗 머리글자: mit Gold verzierte ~n 금으로 장식된 머리글자.
initialisieren t. 〖컴〗 초기화하다(formatieren).
Initialisierungs·programm n. 〖컴〗 초기화 프로그램.
Initial≈spreng·stoff m. 기폭제. ~wort n. 머리글자로 된 말(보기: IMF, Agfa). ~zelle f. 〖植〗 원시 세포. ~zündung f. ① 〖軍〗 기폭(起爆). ② 〔교양〕 착상, 발상.
Initiand [initsiánt] m. -en, -en 입회〔가입〕 후보자.
Initiant 《lat.》 m. -en, -en ① 주도자. ② (schweiz.) 의안 제출권자, 발의권자.
Initiation [initsiatsió:n] f. -en 비법 전수; 비밀 단체 가입; (원시 민족의) 성년식.
Initiations·ritus m. ① 〖사회〗 비밀 단체 가입 의식. ② 〖민속〗 성년식.
initiativ [initsiatí:f] a. ① 자발적인, 주도적인, 진취적인: ~e Mitarbeiter 자발적인 협력자들. ② (schweiz.) 국민 발의를 준비하는.
Initiativ·antrag [..tsiatí:f..] m. (의원의) 발의(發議), 법(률)안의 제출.
*Initiative [initsiatí:və] f. -n ① 발기, 발의, 기선(機先); die ~ ergreifen 발기〔제창〕하다, 기선을 제(압)하다, 이니셔티브를 쥐다; aus eigener ~ 자발적으로; ~ haben 주도권〔발의권〕을 갖다. ② 결단력; 기업심, 사업욕, 활동력. ③ (schweiz.) 국민 발의. ④ (특정한 요구의 관철을 위한) 운동 단체: Bürger≈ 시민 운동 단체.
Initiativ·recht n. 의안 제출권.
Initiator [..tsiá:tɔr, ..to:r] m. -s, -en [..tó:rən] 발기인, 주창자, 창시자.
Initiatorin f. -nen ↑ Initiator 의 여성형.
Initien [iní:tsiən] pl. 초보, 기초.

initiieren [initsiíːrən] 《lat.》 *t.* 〔교양〕 ① 착수하다, 시작하다; 발기〔제기〕하다. ② (단체에) 가입〔입회〕시키다. ③ …의 비결을 전수하다; (무엇의) 초보를 가르치다.

Injektion [ɪnjɛktsióːn] 《lat.》 *f.* -en ①〖醫〗주사, 주입. ② 이의(異議). ③〖지질〗마그마의 관입(貫入). ④〖토목〗(묽은 상태의) 콘크리트 주입. ⑤〖전자〗도핑.

Injektions·spritze *f.* 〖醫〗주사〔주입〕기.

Injektor [ɪnjɛ́ktɔr, ..toːr] *m.* -s, -en [..tóːrən] ① 증기 분사 펌프. ② 주입기.

injizieren [ɪnjitsíːrən] 《lat.》 *t.* ① 투입하다; 이의를 말하다. ②〖醫〗주사〔주입〕하다.

Injuriant [ɪnjuriánt] 《lat.》 *m.* -en, -en 〔고어〕 비방자, 명예 훼손자.

Injuriat *m.* -en, -en 〔고어〕 모욕받은 사람, 명예 훼손당한 사람; 피해자.

Injurie [ɪnjúːriə] *f.* -n 〔교양〕 모욕, 비방, 명예 훼손; 부정, 불법: Real∼ 폭행에 의한 명예 훼손; Verbal∼ 언어에 의한 명예 훼손.

Injurien·klage *f.* 〔교양〕 명예 훼손에 대한 고소.

injuriieren [ɪnjuriíːrən] *t.* 〔교양〕 모욕하다, 비방하다, 명예를 훼손하다; …에게 부정〔불법〕을 행하다.

injuriös [..riǿːs] *a.* 〔고어〕 모욕하는, 비방하는, 명예를 훼손하는.

Inka [íŋka] *m.* -(s), -(s) ① 잉카 사람(옛 페루를 지배한 종족). ② 잉카왕(족).

Inka·bein *n.* ↑ Inkaknochen.

inkaisch [íŋkaɪʃ] *a.* 잉카(사람)의.

Inka·knochen *m.* 〖해부〗 두정간골(頭頂間骨), 잉카골(骨)(고대 잉카족에 많았음).

Inkantation [ɪnkantatsióːn] 《lat.》 *f.* -en 마법 걸기; 주문(呪文), 마법.

inkapabel [ɪnkapáːbəl] 《lat.》 *a.* 쓸모없는, 무능력한, 부적당한.

Inkapazität *f.* -en 무능력, 무자격, 부적임.

Inkardination [ɪnkardinatsióːn] *f.* -en 〖가톨릭〗 성직자의 교구 입적.

inkarnat [ɪnkarnáːt] 《lat.》 *a.* 살색의.

Inkarnat *n.* -(e)s 〖畫〗 살색.

Inkarnation [..natsióːn] *f.* -en ①〖宗〗(신이) 인간의 형상을 취함, 현현(顯現). ②〔교양〕구체화, 체현(體現), 화신(化身): sie ist die ∼ des Bösen 그 여자는 악의 화신이다. ③〖畫〗살색; 〖醫〗육아(肉芽) 발생; 근육 형성.

Inkarnat·rot *n.* 〖畫〗 살색.

inkarniert *p.a.* ①〖宗〗육화(肉化)한, 인간의 모습을 띤. ②〔교양〕 구체화된.

Inkarzeration [ɪnkartseratsióːn] 《lat.》 *f.* -en 투옥, 감금; 〖醫〗 (헤르니아) 감돈(嵌頓).

Inkassant [ɪnkasánt] 《lat. -it.》 *m.* -en, -en (öst.) (수금 담당) 회계원.

Inkassantin *f.* -nen ↑ Inkassant 의 여성형.

Inkasso 《it. incasso》 *n.* -s, -s/(öst.) ..kassi 〖商〗 징수, 수금, 추심, 회수(回收): das ∼ von Schecks 수표의 추심.

Inkasso≈büro *n.* 〖商〗 대금 추심 담당과〔계〕. **∼geschäft** *n.* 대금 추심 업무. **∼spesen** *pl.* 추심료. **∼vollmacht** *f.* 〖法〗 대금〔채권〕 회수권, (어음의) 추심권. **∼wechsel** *m.* 〖商〗 추심 어음.

In·kauf·nahme *f.* 〔격식〕 인내, 굴종, 감수.

inkl. =inklusive …을 포함하여, 넣어.

Inklination [ɪnklinatsióːn] 《lat.》 *f.* -en ① 〔교양〕 애호, 애착; 경향, 성향. ② 기울; 〖天〗 (궤도의) 경사각; 〖數〗 경각, 내려본각(角). ③ 〖物〗 (지구 자기장(磁氣場)의) 복각(伏角).

inklinieren *i.* 〔고어〕 (zu jm.〔et.[3]〕) (누구쪽〔무엇쪽〕으로) 기울다, (누구에게〔무엇에〕) 애착을 보이다.

inkludieren [ɪnkludíːrən] 《lat.》 *t.* 〔교양〕 포괄하다, 포함하다.

Inklusion *f.* -en ①〖數〗 산입(算入), 포함. ②〖광물〗 (광물〔고체〕의) 이물질 함유.

inklusive [ɪnkluzíːvə] 《Ⅰ》 *prp.*[2] (↔ exklusive) …을 포함하여, 함께 넣어 (einschließlich) (약어: inkl.): ∼ Trinkgeld 팁을 포함하여. 《Ⅱ》 *adv.* 포함하여, 넣어: bis zum 20. März ∼ 3 월 20 일까지(20 일을 포함하여).

inkognito [ɪnkɔ́gnito] 《lat.》 *adv.* 익명으로, 신분을 숨기고, 몰래: ∼ reisen 신분을 숨기고 여행하다.

Inkognito *n.* -s, -s 익명; 익명 생활: sein ∼ enthüllen〔wahren〕 익명 생활을 폭로하다〔계속하다〕.

inkohärent [ínkohɛrɛnt, ɪn..rɛ́nt] 《lat.》 *a.* 일관성이 없는, 지리멸렬한.

Inkohärenz [ínkohɛrɛnts, ɪn..rɛ́nts] 《lat.》 *f.* -en 비일관성, 뒤죽박죽, 지리멸렬; 〖心〗 사고(思考)의 산란, 모순성.

Inkohlung [ínkoːlʊŋ] *f.* 〖지질〗 (식물의) 탄화(炭化).

inkommensurabel [ɪnkɔmɛnzuráːbəl] 《lat.》 *a.* 〔교양〕 헤아릴〔비교할〕 수 없는; 〖數〗 공약수가 없는, 약분할 수 없는: inkommensurable Größen 공약수가 없는 수.

Inkommensurabilität [ɪnkɔmɛnzurabilitɛ́ːt] *f.* 비교 불가능, 불가량성(不可量性); 〖數〗 약분할 수 없음.

inkommodieren [ɪnkɔmodíːrən] 《lat.》 《Ⅰ》 *t.* 〔교양〕 (belästigen) 괴롭히다, 폐를 끼치다: ich möchte Sie nicht über Gebühr ∼ 나는 당신을 터무니없이 번거롭게 하고 싶지 않습니다. 《Ⅱ》 *refl.* sich ∼ 애쓰다, 수고하다: bitte ∼ Sie sich nicht! 수고하지 않으셔도 됩니다!

Inkommodität [..ditɛ́ːt] *f.* -en 〔교양〕 불편; 귀찮음, 괴롭힘, 번거롭게 함.

inkomparabel [ínkɔmparaːbəl, ɪn..ráːbəl] 《lat.》 *a.* ①〔교양〕비교할 수 없는, 비길 데 없는. ②〔문법〕 비교 변화가 불가능한: ein inkomparables Adjektiv 비교 변화가 불가능한 형용사.

inkompatibel [ɪnkɔmpatíːbəl] 《lat.》 *a.* ① 일치〔양립〕할 수 없는. ② 호환성이 없는(↔ kompatibel). ③〖醫〗 (혈청 따위가 수혈에) 부적합한, 배합 금기의. ④〖언어〗 연결 불가능한.

Inkompatibilität [ɪnkɔmpatibilitɛ́ːt] *f.* -en ① 양립 불가. ②〖컴〗 비호환성. ③〖醫〗 배합 금기: Histo∼ 조직 부적합성. ④〖언어〗 연결 불가능.

inkompetent [ínkɔmpetɛnt, ɪn..tɛ́nt] 《lat.》 *a.* ①〖法〗 권한 없는, 무자격의. ② 전문 지식이 없는, 무능력한, 부적당한: ein auf diesem Gebiet ∼er Arzt 이 분야에 전문 지식이 없는 의사. ③〖지질〗 (지층·암반이) 압력에 견딜 힘이 없는: ∼e Gesteine 구조상 변형이 가능한 암석.

Inkompetenz [ínkɔmpetɛnts, ɪn..tɛ́nts] *f.* -en 권능이 없음; 무능, 부적당.
inkomplett [ínkɔmplɛt, ɪn..lɛ́t] 《lat.》 *a.* 불완전한, 미완성의.
inkompressibel [ínkɔmprɛsi:bəl, ɪn..sí:bəl] *a.* 〖物〗 농축〔압축〕할 수 없는: ein inkompressibler Stoff 비(非)압축성 물질.
Inkompressibilität [ɪnkɔmprɛsibilitɛ́:t] *f.* 〖物〗 농축〔압축〕 불가능.
inkonform [ɪnkɔnfɔ́rm, ínkɔnfɔrm] 《lat.》 *a.* 모양이 같지 않은, 고르지 않은; 일치하지 않은.
inkongruent [ínkɔngruɛnt, ɪn..ɛ́nt] 《lat.》 *a.* ①〔교양〕 일치〔적합〕하지 않는. ②〖數〗 부등(不等)의, 불합동의: ~e Dreiecke 부등 3 각형.
Inkongruenz [ínkɔngruɛnts, ɪn..ɛ́nts] *f.* -en 불일치, 부적합.
inkonsequent [ínkɔnzekvɛnt, ɪn..ɛ́nt] 《lat.》 *a.* ① 앞뒤가 맞지 않는, 일관성 없는, 비논리적인, 모순되는: ein ~er Mensch 생각에 일관성이 없는 사람. ②〔드물게〕 변하기 쉬운, 부정(不定)의; 무정견(無定見)의.
Inkonsequenz [ínkɔnzekvɛnts, ɪn..ɛ́nts] *f.* -en 〔교양〕 일관성 없음, 모순.
inkonsistent [ínkɔnzɪstɛnt, ɪn..ɛ́nt] 《lat.》 *a.* ①〔교양〕 무정견의; 불안정한, 오래 견디지 못하는. ②〖논리〗 일치되지 않는, 모순되는: ~es Denken 모순된 사고.
inkonstant [ínkɔnstant, ɪn..ánt] 《lat.》 *a.* 〔교양〕 변하기 쉬운, 불안정한; 변덕스러운.
Inkonstanz [ínkɔnstants, ɪn..ánts] *f.* 불안정, 가변성.
inkonstitutionell [ɪnkɔnstitutsionɛ́l, ín..nɛl] 《lat.》 *a.* 헌법 위반의, 위헌의.
inkontestabel 《lat.》 *a.* (unstreitig) 논의할 여지가 없는, 명백한.
Inkontinenz [ínkɔntinɛnts, ɪn..ɛ́nts] *f.* -en 〖醫〗 대소변의 실금(失禁)증.
inkonvenient [ínkɔnveniɛnt, ɪn..ɛ́nt] 《lat.》 *a.* 〔고어·교양〕 부적당한, 어울리지 않는; 불편한.
Inkonvenienz [ínkɔnveniɛnts, ɪn..ɛ́nts] *f.* -en 〔고어·교양〕 불편, 부적당.
inkonvertibel [ínkɔnvɛrti:bəl, ɪn..tí:bəl] 《lat.》 *a.* ①〔교양〕 개종〔개심〕시키기 어려운. ②〖經〗 (국가간 통화의) 교환 불가능한.
inkonziliant [ínkɔntsiliant, ɪn..ánt] *a.* 비사교적인, 무뚝뚝한: sich ~ verhalten 비사교적으로 행동하다.
inkorporal [ɪnkɔrporá:l] *a.* 〖醫〗 체내의.
Inkorporation [ɪnkɔrporatsió:n] 《lat.》 *f.* -en ①〖法〗 합병, 편입. ② (단체 따위의) 가입. ③〖心〗 합일화, 합동(남의 태도가 한 사람의 마음속에 들어와 차지한다는 심리 기전). ④〖가톨릭〗(교구의) 통합.
inkorporieren [ɪnkɔrporí:rən] *t.* ① 합병〔편입〕하다. ② 가입시키다. ③〖醫〗 복용하다, 체내로 가져가다. ④〖언어〗 ~de Sprachen 접합어, 포합(抱合)어.
Inkorporierung *f.* -en ↑ inkorporieren 의 명사형.
inkorrekt [ínkɔrɛkt, ɪn..ɛ́kt] 《lat.》 *a.* 부정확한, 틀린; 온당〔타당〕하지 않은.
Inkorrektheit [ínkɔrɛkthaɪt, ɪn..rɛ́kt..] *f.* -en 부정확; 오류; 부적당.
inkräftig *a.* 〔방언〕 매우 힘이 센.
Inkraft≠setzen *n.* 〔격식〕 발효, 시행. **~treten** *n.* 〔격식〕(법률의) 효력 발생, 발효.
Inkreis [ínkraɪs] *m.* 〖數〗 내접원(內接圓).
Inkrement [ɪnkremɛ́nt] 《lat.》 *n.* -(e)s, -e 증가, 증대, 증식.
Inkret [ɪnkré:t] *n.* -(e)s, -e 〖생리〗 내분비물.
Inkretion [..tsió:n] *f.* 〖醫〗 내분비.
inkretorisch [..tó:rɪʃ] *a.* 〖醫〗 내분비의.
inkriminieren [ɪnkriminí:rən] 《lat.》 《Ⅰ》 *t.* 〔교양〕 죄를 씌우다; 고소하다. 《Ⅱ》 **inkriminiert** *p.a.* ↑ inkriminiert.
inkriminiert 《Ⅰ》 *p.p.* ↑ inkriminieren. 《Ⅱ》 *p.a.* 고소〔고발〕당한, 지탄의 대상이 된: ein ~er Gegenstand 지탄받는 대상.
Inkrustation [ɪnkrustatsió:n] 《lat.》 *f.* -en ①〖植〗 외피로 덮임; 외피, 껍데기. ②〖건축〗(대리석·청동 따위로) 입힘. ③〖醫〗 딱지 형성. ④〖재봉〗 접은 깃. ⑤〖지질〗 외각(外殼)(형성).
inkrustieren [..tí:rən] 《Ⅰ》 *t.* ① 껍질로 덮다〔싸다〕; …에 대리석 따위를 입히다. ②〖재봉〗 접은 깃을 달다. 《Ⅱ》 *i.* (s.) / *refl.* (sich) ~ 껍질이 생기다; 〖醫〗 딱지가 생기다.
Inkubation [ɪnkubatsió:n] 《lat.》 *f.* -en ①〖醫〗 잠복(기). ②〖動〗 알을 품기, 포란(抱卵). ③〖宗〗 (그리스·로마 시대에 꿈을 통해 지신(地神)의 영험을 받기 위해) 바닥에서 자던 의식.
Inkubations·zeit *f.* 〖醫〗 잠복기; 포란기.
Inkubator [..bá:tɔr, ..to:*r*] *m.* -s, -en [..tó:rən] ①〖醫〗 인큐베이터, 조산아 보육기. ②〖生〗 세균 배양기.
Inkubus [ínkubʊs] *m.* -, ..ben [ɪnkú:bən] 〖민속〗 ① 인쿠부스(고대 로마에서 잠자는 부녀를 범한다고 믿어졌던 악마); 가위, 악몽. ② 인쿠부스(중세에 마녀와 정을 통하는 악마).
inkulant [ínkulant, ɪn..ánt] 《lat.》 *a.* 호의적이 아닌; 서비스가 부족한.
Inkulanz [ínkulants, ɪn..lánts] *f.* -en 호의적이지 않음; 서비스 부족.
Inkulpant [ɪnkulpánt] 《lat.》 *m.* -en, -en 〔고어〕 고소인, 원고(原告).
Inkulpat *m.* -en, -en 〔고어〕 피고(被告).
inkulpieren *t.* 〔고어〕 …에게 죄를 씌우다, 고소하다; 힐책하다.
Inkunabel [ɪnkuná:bəl] 《lat.》 *f.* -n ① (사물의) 시작, 효시, 남상(濫觴). ② (1500 년 이전의) 고판본(古版本).
inkurabel [ínkura:bəl, ɪn..rá:bəl] 《lat.》 *a.* 〖醫〗 불치의, 낫지 않는.
Inlage *f.* -n (↑ Einlage) 동봉한 것, 첨부물.
Inlaid [ínlaɪt] *m.* -s, -e (schweiz.) 다채롭게 무늬를 넣은 리놀륨.
***Inland** [ínlant] *n.* -(e)s ① (↔ Ausland) 내국, 국내: im ~ angefertigt 국산의; im ~ und Ausland 국내외에서. ② (Binnenland) 내지, 내륙.
Inland·eis *n.* 〖지리〗 내륙 빙하.
Inländer [ínlɛndə*r*] *m.* -s, - 내국〔자국〕인.
Inländerin *f.* -nen ↑ Inländer 의 여성형.
Inland·flug *m.* 국내선〔비행〕.
inländisch *a.* 국내〔자국〕의; 국(내)산의: ~e Erzeugnisse 국산품.
Inlands≠absatz [ínlants..] *m.* 국내 판매. **~brief** *m.* 국내 편지. **~gespräch** *n.* 국내

I

통화. **~markt** *m.* 〖經〗 국내〔내수〕 시장. **~porto** *n.* 국내 우편 요금. **~steuer** *f.* 내국세.

Inlaut *m.* -(e)s, -e 〖문법〗 어중음(語中音) (낱말 또는 철자의 첫음 또는 끝음과의 사이의 모음 또는 자음), 중간음.

inlautend *a.* 〖문법〗 중간음의, 어중음의.

Inlay [ínlei] *n.* -s, -s 〖醫〗 ① 인레이(충치의 봉 (박는 일)). ② (인체 조직의 강동(腔洞)부에 넣거나 봉합하는) 충전물.

Inlett [ínlεt] 《ndd., „Einlage"》 *n.* -(e)s, -e/-s 이불〔베갯·옷〕잇(의 재료로 쓰는 무명).

inliegend [ínli:gənt] *a.* 〘격식〙 (öst.) 동봉한, 봉투에 넣은: Rückporto ~ 반신 우편료 동봉.

Inliegende* *das* 동봉한〔봉입된〕 물건, 들어있는 것.

in maiorem Dei gloriam [ɪn majó:rεm dé:i gló:riam] 《lat.》 〖가톨릭〗 신의 보다 위대한 영광을 위하여.

in medias res [ɪn mé:dia:s ré:s] 《lat., „mitten in die Dinge hinein"》 〘교양〙 문제의 핵심에, 직접 본론으로 들어가서: ~ gehen 〔kommen〕 문제의 핵심으로 들어가다.

in memoriam [ɪn memó:riam] 《lat.》 〘교양〙 기념으로.

inmittels(t) [ɪnmítəls(t)] *adv.* 〖官·고어〗 (inzwischen) 그 동안에, 이럭저럭 하는 사이에.

inmitten [ɪnmítən] 〘雅語〙 《Ⅰ》 *prp.*[2] …의 한가운데에: ~ dieses Gebietes 이 지역 한가운데에. 《Ⅱ》 *adv.* 한가운데에(서); (저울이) 평형을 이루어: ~ von Blumen 꽃에 둘러싸여.

in natura [ɪn natú:ra] 《lat.》 ① 자연 그대로, 생긴 대로. ② 나체로, 적나라하게. ③ 〘구어〙 천연물로, 현물(現物)로: die Bezahlung erfolgt ~ 지급은 현품으로 이루어진다.

inne [ínə] 《<in》 *adv.* ① 안에, 내부에; 집안에, 옥내에: mitten〔zwischen〕 ~ 한가운데 〔중간〕에. ② 소유하여.

inne≈|behalten* *t.* (노임을) 지급 보류하다. **~|haben*** 《Ⅰ》 *t.* ① 소유〔점유〕하다; 땅을 빌리다: ein Patent ~ 특허를 소유하다; eine Stelle ~ 어떤 지위에 있다. ② 〘비유〙 eine Wissenschaft ~ 어떤 학문에 밝다. 《Ⅱ》 *i.* (동물이) 새끼를 배고 있다. **~|halten*** 《Ⅰ》 *t.* ① ↑ ~behalten. ② 감금하다. ③ 〘雅語〙 (시간·규칙을) 지키다, 따르다: einen Termin ~ 기한을 지키다. 《Ⅱ》 *i.* 그만두다, 중지하다, 멈추다: mit et.[3] ~ 무엇을 중지하다. **~liegend** *a.* ↑ inliegend.

***innen** [ínən] 《<in》 *adv.* (↔ außen) 가운데에, 속〔안〕에, 내부에(서), 안쪽에: nach ~ 내부로, 내면으로, 안쪽으로; 〖스포츠〗 ~ laufen 안쪽 주로로 달리다; von ~ und außen besehen 안팎으로 음미해 보다; (von) ~ und außen kennen 정통하다.

Innen≈antenne *f.* 실내 안테나. **~arbeiten** *pl.* 〖건축〗 내부 공사. **~architekt** *m.* 실내 장식가. **~architektin** *f.* ↑ ~architekt 의 여성형. **~architektur** *f.* 실내 장식(술). **~aufnahme** *f.* 옥내 촬영. **~ausstattung** *f.* 실내 장식. **~bahn** *f.* (↔ Außenbahn) ① 〖육상·경마·수영〗 안쪽 코스, 인사이드 레인. ② 〖권투〗 상대방의 양팔 안쪽을 향한 펀치. **~bekleidung** *f.*, **~belag** *m.* 〖海·고어〗 내장(內裝) 판자. **~beleuchtung** *f.* 실내 조명〔채광(採光)〕. **≈bords** *adv.* 〖海〗 선내(船內)에. **~dekoration** *f.* 실내 장식. **~dienst** *m.* 〖軍〗 내근(內勤); 실내 근무〔작업〕: im ~ arbeiten 실내 근무하다. **~durchmesser** *n.* 안지름, 내경(內徑). **~einrichtung** *f.* 내부〔실내〕 설비. **~fläche** *f.* 안쪽 면. **~front** *f.* 〖건축〗 (벽의) 안쪽. **~hand** *f.* 주먹의 안쪽: er schlug mit der ~ 그는 주먹 안쪽으로 때렸다. **~haut** *f.* 〖해부〗 내피(內皮), 내막(內膜); 〖植〗 내과피(內果皮). **~hof** *m.* 안마당. **~kante** *f.* 안쪽 모서리(↔ Außenkante). **~kolonisation** *f.* 국내 개간〔식민(植民)〕. **~kurve** *f.* 안쪽 커브. **~leben** *n.* ① 내면〔정신〕 생활. ② 〘구어·농담〙 내부 처리: das ~ eines Radiogerätes untersuchen 라디오의 내부를 연구하다. **≈liegend** *a.* 안쪽에 위치한. **~mauer** *f.* 칸막이 벽. **~minister** *m.* 내무장관. **~ministerin** *f.* ↑ ~minister 의 여성형. **~ministerium** *n.* 내무부. **~politik** *f.* 국내 정치. **≈politisch** *a.* 국내 정치의. **~raum** *m.* 내부. **~rist** *m.* 〖스포츠〗 (특히 축구에서) 신발이나 발의 안쪽. **~seite** *f.* 내면, 안쪽. **~spiegel** *m.* 자동차의 실내 백 미러, 실내 거울. **~stadt** *f.* 중심가, 도심. **~stürmer** *m.* 〖구기〗 인사이드 포워드. **~tasche** *f.* 안주머니: die Geldbörse befindet sich in der ~ des Wintermantels 돈지갑은 겨울 외투의 안주머니에 있다. **~temperatur** *f.* 실내 온도. **~verteidiger** *m.* 〖스포츠〗 인사이드 수비자〔후위〕. **~wache** *f.* 〖軍〗 영내 위병. **~welt** *f.* 내심, 내부 세계. **~winkel** *m.* 〖數〗 내각.

***inner** [ínər] *a.* 내부의; 내(면)적인, 정신의; 본질적인; 가정내의, 국내의: ~e Angelegenheiten 내부의 일; das ~e Auge 심안(心眼); ~e Blutungen 내출혈; 〖문학〗 ~e Emigration 국내 망명; die ~e Entwicklung eines Menschen 인간의 내적 발전; 〖數〗 ~e Funktion 내부 함수; 〖醫〗 ein ~es Leiden 내과 질환; 〖軍〗 auf der ~en Linie operieren 내선(內線) 작전을 하다; der ~e Mensch 내면적 인간; 〖宗〗 ≈e Mission 국내 전도; 〖문학〗 ~er Monolog 내적 독백; ~e Politik 내정, 국내 정치; 〖언론〗 ~e Pressefreiheit a) (원뜻) 정치로부터의 언론의 독립, b) 발행자로부터의 편집부의 독립; die ~e Stimme 내면〔양심〕의 소리; 〖哲〗 ~e Wahrnehmung 내부 지각; ~er Wert 진가(眞價).

Inner≈afrika *n.* 아프리카의 내륙. **~asien** *n.* 아시아의 내륙〔오지〕. **≈betrieblich** *a.* 기업 내부의, 사내의: ~e Ausbildung 사내 교육. **≈deutsch** *a.* 독일 국내의. **≈dienstlich** *a.* 근무 내적인, 직무와만 관련된; 내근의, 사내(社內)의.

Innere* *das* 내부, 안쪽; 핵심; 중심부; in das ~ des Landes vordringen 오지(奧地)로 들어가다; 〘비유·구어〙 beim Suchen das ~ nach außen kehren 아주 철저하게 찾다; Minister des ~n 내무 장관; das Ministerium des ~n 내무부; das ~ der Stadt 도심(都心). ② 〘비유〙 마음속, 정신; 내용, 본질; 〘비유〙 jn. einen Blick in sein ~ tun lassen 누구에게 자신의 심중을 토로하다; mein ~s 내 마음속. ③ 〘복수〙 〘구식〙 (새 따위의) 내장.

Innerei [ɪnəráɪ] *f.* (가축이나 새의) 내장.

inner·halb [ínərhalp] 《Ⅰ》 *adv.* 안에(서), 내

부〔안쪽〕에. 《Ⅱ》 *prp.*² ①〔공간적〕 내부에: ~ des Hauses 집안에; 〔비유〕 ~ der Grenzen des Gesetzes 법의 테두리 내에서; ~ meiner Kompetenzen 내 능력 한계 내에서. ②〔시간적〕 이내에: ~ zweier Tage 이틀 이내에; 〔2격의 관사·형용사·수사 따위가 선행하지 않으면 3격과 함께〕 ~ acht Tagen 1주일 이내에.

***innerlich** [ínərlɪç] *a.* (↔ äußerlich) ① 내부적인, 내면의; 고유한, 본래의: die Arznei ist ~ anzuwenden 이 약은 내복용이다. ② 내심의; 정신적인; 진심어린; 추상적인; 윤리적인: er lachte ~ 그는 내심 기뻐했다; sie ist ein sehr ~er Mensch 그 여자는 매우 내성적인 사람이다.

Innerlichkeit *f.* ①〔드물게 복수: -en〕 내(면)적임, 내면성; 내적 존재, 본질; 진정, 성실; 주관성; 내향성. ②〔복수〕 내심의 고백.

inner≈orts *adv.* (schweiz., öst.) 장소〔지역〕 내에. **~parteilich** *a.* (정)당 내의: ~e Demokratie 당내 민주주의. **~politisch** *a.* 내정(상)의. **~sekretorisch** *a.* 〖醫〗 내분비의: ~e Drüsen 내분비선(腺).

innerst [ínərst] 〔inner 의 최상급〕 *a.* 가장 깊숙한: ~es Gemach 사실(私室); aus dem ~en Herzen 충심으로.

inner≈staatlich *a.* 국가 내부의, 국내의: eine rein ~e Angelegenheit 순수 국내 문제. **≈stadt** *f.* (schweiz.) (Innenstadt) 도심, 중심가. **~städtisch** *a.* 도심의: der ~e Verkehr 도심의 교통.

Innerste* *das* 가장 속 깊은 부분; 중심; 정신, 속마음; 깊이 간직한 감정〔사상〕: jm. sein ~s offenbaren 누구에게 자기의 속마음을 터놓다; das ~ der Stadt 도심(都心); bis ins ~ 마음의 밑바닥까지.

innert [ínərt] 《schweiz.》 *prp.*² …이내에: ~ eines Jahres 1년 이내에.

Innervation [ɪnɛrvatsió:n] 《lat.》 *f.* -en 〖生〗 신경 분포; 신경 자극; 자극 전달.

innervieren *t.* ①〖생리〗 신경을 자극하다, 신경을 분포시키다. ②〔비유〕 자극하다.

inne≈|sein* *i.* (s) 〔雅語〕 ①〖哲〗 jm. ~ 누구에게 내재〔고유〕하다. ② 이해〔파악〕하고 있다: (sich) eines Dinges ~ 무엇을 이해〔파악〕하고 있다. **~|werden*** *i.* (s.) 〔雅語〕 eines Dinges ~ 무엇을 알(아채)게 되다, 깨닫다. **≈wohnen** *n.* 내재, 고유. **~|wohnen** *i.* 〔雅語〕 et.³ ~ 무엇에 내재하다, 깃들어 있다, 고유하다; ~d 내재적인, 고유의.

innig [ínɪç] 《<inne》 *a.* 친밀한, 밀접한; 진심어린; 진지〔성실〕한; (마음씨가) 부드럽고 고운: ~e Verbindung 밀접한 연결; meine ~sten Glückwünsche 내 마음속에서 우러나오는 축하; jn. ~ lieben 누구를 진정으로 사랑하다.

Innigkeit [ínɪç..] *f.* -en 친밀, 밀접; 진심, 진실.

inniglich [ínɪklɪç] *a.* ↑ innig.

in nomine [ɪn nó:mine] 《lat., „im Namen"》 …의 이름으로, …의 위탁〔명령〕으로: ~ Christi 예수의 이름으로; ~ Dei 신의 이름으로; ~ Domini 주님의 이름으로; 〔고어〕 ~ Principis 군주의 이름으로.

Innovation [ɪnovatsió:n] 《lat.》 *f.* -en 혁신, 개혁; 〖植〗 새싹이 돋는 현상.

Innovations·sproß *m.* 〖植〗 햇가지, 새싹.

innovativ *a.* 혁신적인, 개혁의.

innovatorisch *a.* 혁신〔개혁〕을 추구하는.

in nuce [ɪn nú:tse] 《lat.》〔교양〕 간결하게, 요약하여.

Innung [ínʊŋ] 《<inne》 *f.* -en (상공업의) 조합; (중세의) 길드, 동업 조합: Tischler≈ 목수 조합; 〔구어·대개 농담〕 die ganze ~ blamieren 우리 모두를 웃음거리로 만들다.

Innungs≈älteste* *der* 조합의 장로. **~brief** *m.* 조합 면허장. **~bruder** *m.* ↑ ~mitglied. **~meister** *m.* 조합장. **~mitglied** *n.* 조합원. **~vorsteher** *m.* ↑ ~älteste. **~zwang** *m.* 조합의 강제〔의무〕.

inoffensiv [ín|ɔfɛnzi:f, ɪn..zí:f] 《lat.》 *a.* 해롭지 않은, 악의 없는, 공격할 기색이 없는: ~es Verhalten 비공격적인 태도.

inoffiziell [ín|ɔfitsiɛl, ɪn..tsiɛ́l] 《frz.》 *a.* ① 비공식의, 공용〔공적〕이 아닌: ein ~er Besuch 비공식 방문. ② 비밀의, 은밀한: jm. et. ~ sagen 누구에게 무엇을 은밀히 말하다.

inoffiziös [ín|ɔfitsiø:s, ɪn..tsiǿ:s] *a.* 공식으로 확인되지 않은: ~e Mitteilung 미확인 보도; ~e Pressenachrichten 미확인 언론 보도.

Inokulation [ɪn|okulatsió:n] 《lat.》 *f.* -en ① 〖醫〗 접종(接種), 병균 감염. ②〖원예·드물게〗 접지(接枝), 접붙이기.

inokulieren *t.* 〖醫〗 접종하다; 〖원예〗 접지하다.

inoperabel [ín|..ra:bəl, ɪn|operá:bəl] 《lat.》 *a.* 〖醫〗 수술할 수 없는; 수술로 고칠 수 없는: eine inoperable Geschwulst 수술할 수 없는 종양.

inopportun [í:n|ɔpɔrtu:n, ɪn|..tú:n] 《lat.》 *a.* 〔교양〕 부적당한, 불편한, 계제가 나쁜.

Inopportunität [ɪn|ɔpɔrtunitɛ́:t, ín..tɛ:t] *f.* -en 부적당, 불편.

in optima forma [ɪn ɔ́ptima fɔ́rma] 《lat., „in bester, in aller Form"》〔교양〕 최상의 형식으로; 이론(異論)의 여지가 없는.

Inosin·säure [inozí:n..] *f.* 〖化〗 이노신산.

Inosit [inozí:t, ..zɪ́t] *m.* -(e)s 〖化〗 이노지트, 근육당(糖).

Inosurie [..zurí:] *f.* 〖醫〗 이노지트의 과다 분비(일종의 당뇨병).

in perpetuum [ɪn pɛrpé:tuum] 《lat., „auf immer"》〔교양〕 영구히.

in persona [ɪn pɛrzó:na] 《lat.》〔교양〕 (persönlich) 스스로, 몸소.

in petto [ɪn péto] 《it., „in der Brust"》 가슴〔마음〕속에, 비밀히: et. ~ haben 무엇을 은밀히 꾀하고 있다, 무엇을 마음먹고 있다.

in pleno [ɪn plé:no] 《lat.》 전원이 모여서, 결원 없이.

in praxi [ɪn práksi] 《lat.》〔교양〕 실행〔실시〕상; 실생활에서는, 실제로는.

in puncto [ɪn pʊ́ŋkto] 《lat.》 …에 관하여 (betreffs): ~ Sauberkeit 청결 문제에 관해서는; 〔고어·농담〕 ~ puncti 정조라는 관점에서 보면.

Input-Output-Analyse [ínput-áutput..] *f.* ①〖컴〗 입력 정보와 산출 정보의 상호 관계 분석. ②〖經〗 투입·산출 분석(투입량과 생산량 간의 관계 분석).

Inquirent [ɪnkvirɛ́nt] 《lat.》 *m.* -en, -en 〔고어·교양〕 심문자; 탐구자; 〖法〗 예심 판사, 심

문관, 검찰관.
inquirieren [..ríːrən] *t.* 〖고어·교양〗탐구하다, 조사하다; 〖法〗 심문하다.
Inquisit *m.* -en, -en 〖法·고어〗 피고.
***Inquisition** [..zitsióːn] *f.* -en 신문(訊問), 힐문; 〖宗〗 종교 재판(소): er wurde ein Opfer der ~ 그는 종교 재판의 희생자가 되었다.
Inquisitions·gericht *n.* 〖史〗 종교 재판(소).
Inquisitor [..zíːtɔr, ..toːr] *m.* -s, -en [..tóːrən] 심문자; 〖宗〗 종교 재판관.
inquisitorisch *a.* 심문(審問)의; 종교 재판의; 조사에 엄정한, 가혹한.
Inri., I.N.R.I. [ínri, iː|ɛn|ɛr|íː] = Jesus Nazarenus Rex Judaeorum 유대인의 왕 나사렛 예수.
ins = in das 의 결합형.
in saldo [ɪn záldo] 《it.》〖고어〗(집세·세금 따위가) 밀린, 늦어진.
Insalivation 《lat.》*f.* 〖醫〗 음식이 침과 섞이는 작용.
Insaß [ínzas] *m.* ..sassen, ..sassen ↑ Insasse.
Insasse [ínzasə] *m.* -n, -n 승객, 동승자; 수용자, 수감자; 세든 사람; 주민: die ~n eines Gefängnisses 수감자.
Insassen·versicherung *f.* 승객 보험, 동승자 보험.
Insassin *f.* -nen ↑ Insasse 의 여성형.
ins·besond(e)re *adv.* 특히, 특별히.
inschallah [ɪnʃála] 《arab.》 *int.* 알라 신의 뜻이라면.
Inschrift [ínʃrɪft] *f.* -en 제명(題銘), 비문, 비명, 각명(刻銘): ~en auf Grabsteinen 묘비에 새겨진 비문.
Inschriften≠kenner *m.* 제명(題銘)〔금석문〕 연구가. **~kunde** *f.* 비명학, 금석문 연구.
inschriftlich *a.* 제명(題銘)〔비명〕(으로서)의, 명문적(銘文的)인.
Insekt [ɪnzɛ́kt] 《lat.》 *n.* -(e)s, -en 〖動〗 곤충.
Insektarium *n.* -s, ..rien [..riən] 곤충 사육실.
insekten·artig *a.* 곤충 같은, 곤충류의.
Insekten≠bekämpfung *f.* 곤충 구제(驅除). **~beschreibung** *f.* 곤충지(誌). **~fressend** *a.* 〖植·動〗 벌레를 먹는, 식충(食蟲)의: 〖植〗 ~e Pflanzen 식충 식물. **~fresser** *m.* 식충 동물〔식물〕. **~gift** *n.* 살충제. **~haus** *n.* ↑ Insektarium. **~kenner** *m.* 곤충 학자. **~kunde, ~lehre** *f.* 곤충학. **~nadel** *f.* (표본용의) 곤충침(針). **~plage** *f.* 병충해. **~pulver** *n.* 살충제 가루. **~puppe** *f.* 번데기. **~sammlung** *f.* 곤충 채집. **~stich** *m.* 곤충에 물린 상처〔자리〕: juckende ~e 곤충이 문 근질근질한 상처. **~vertilgung** *f.* 곤충 구제(驅除). **~vertilgungs·mittel** *n.* 살충제.
Insektivore [..vóːrə] 《lat.》《I》 *m.* -n, -n 식충 동물. 《II》 *f.* -n 식충 식물.
Insektizid [ɪnzɛktitsíːt] *n.* -s, -e 살충제, 구충제.
Insektologe [..lóːgə] 《lat.》 *m.* -n, -n 곤충학자.
***Insel** [ínzəl] 《lat.》 *f.* -n 섬, 도서(島嶼); 〖비유〗고립된 곳; (거리의) 안전 지대 (Verkehrs~): 〖空〗 Flug~ 공항; 〖언어〗 Sprach~ 희귀언어; die Glücklichen ~n a) 〖지리〗 카나리아 제도, b) 〖그리스신화〗 (영웅·성현의 영혼이 산다는) 극락도; sich auf eine ~ retten 안전지대로 피하다; auf eine ~ verschlagen werden 섬에 표착하다.
insel≠artig *a.* 섬 같은. **~bahnhof** *m.* 〖철도〗 ① 섬에 있는 역. ② 섬식(式) 플랫폼(승강장의 양쪽을 이용하는 플랫폼)이 있는 정거장. **~berg** *m.* 평지 가운데 우뚝 솟아 있는 산. **~bewohner** *m.* 섬 주민.
Inselchen *n.* -s, - 〔↑ Insel 의 축소형〕 작은 섬.
Insel·gruppe *f.* 군도(群島).
inselhaft *a.* 섬 같은; 섬(사람)에 관한.
Insel≠land *n.* 섬 나라. **~meer** *n.* 다도해(多島海). **~perron** *m.* (도로의) 안전 지대. **~reich** *n.* 〔집합적〕 섬나라. **~staat** *m.* 섬나라. **~volk** *n.* 섬(나라) 사람. **~welt** *f.* 다도해; 군도.
Insemination *f.* -en ①〖生〗 정액 주입. ②〖醫〗 인공 수정: homologe〔heterologe〕 ~ 남편〔남편 아닌 사람〕의 정액을 이용한 인공 수정.
insensibel [ɪnzɛnzíːbəl, ín..ziː..] 《lat.》 *a.* 〖醫〗 무감각한, 마비된.
Insensibilität [ɪnzɛnzibilitɛ́ːt] *f.* 〖醫〗 무감각.
inseparabel [ɪnzeparáːbəl, ín..raː..] 《lat.》 *a.* 나눌〔분리할〕 수 없는: ~e Freunde 절친한 벗.
Inseparables [ɛ̃separáːbl] 《frz.》 *pl.* 〖動〗 세파라블(앵무샛과의 일종).
Inserat [ɪnzeráːt] 《lat.》 *n.* -(e)s, -e (신문 따위의) 광고: ein ~ aufgeben 광고를 내다.
Inseraten≠büro *n.* 광고 접수처; 광고 회사. **~teil** *m.* (신문의) 광고란.
Inserent [ɪnzerɛ́nt] 《lat.》 *m.* -en, -en 광고주, 광고자.
Inserentin *f.* -nen ↑ Inserent 의 여성형.
inserieren *t./i.* (신문 따위에) 광고하다.
Insert [ínzɛrt] *n.* -s, -s ①〖TV〗 삽입 자막. ② (신문 따위의) 삽입 광고물, 전단.
Insertion [..zɛrtsióːn] *f.* -en ① (신문 따위에) 삽입 광고(하기). ②〖해부·植〗 유착(癒着), 부착착생(점).
Insertions≠gebühr *f.*, **~kosten** *pl.* 광고료(料). **~preis** *m.* 광고 (게재) 가격.
ins·geheim *adv.* 비밀히, 남몰래.
ins·gemein *adv.* 〔고어〕 보통, 일반적으로, 대개; 전체로.
ins·gesamt *adv.* 다 함께, 합쳐서: alle ~ 모두 다, 한 사람도 빠짐없이; die Kosten belaufen sich auf 3 Millionen Dollar ~ 비용은 다 합쳐 300 만 달러에 달한다.
In·sich·gehen *n.* 자성(自省), 내성.
In·sich·vollendet·sein *n.* 자기 완성〔충족〕.
Inside [ínsaɪd] 《engl.》 *m.* -(s), -s (schweiz.) 〖구기〗 인사이드 포워드(Innenstürmer).
Insider|geschäft *n.* 〖증권〗 내부자 거래.
Insiegel [ínziːgəl] *n.* -s, - ①〔시어〕 도장, 인장, 옥새. ②〖사냥〗 (사슴 따위의) 발자국.
Insigne [ɪnzígnə] 《lat.》 *n.* -s, ..nien [..niən] 휘장, 훈장, 배지; (특히 통치자의) 옥새.
insignifikant [ínzɪgnifikant, ɪn..kánt] *a.* 〔교양〕 중요하지 않은.

Insinuant [ɪnzinuánt] 《lat.》 *m.* -en, -en 〖고어〗 아첨자, 추종자; 귀띔해 주는 사람; 밀고자.
Insinuation [..nuatsió:n] *f.* -en 〖고어〗 아첨, 알랑거림, 추종; 밀고, 귓속말; 〖法〗 교부, 송달.
insinuieren 〖고어〗 《Ⅰ》 *t.* 밀고하다, 귓속말을 하다, 소문을 퍼뜨리다; 〖法〗 교부〔송달〕하다. 《Ⅱ》 *refl.* sich bei jm. ~ 누구에게 알랑거리다, 교묘히 누구의 환심을 사다.
insipid *a.* ↑ insipide.
insipide [ɪnzipí:də] 《lat.》 *a.* 〖교양〗 무미(건조)한, 멋〔맛〕없는, 단순한; 어리석은, 바보 같은.
insistent *a.* 〖교양〗 완고한, 고집 센: ein ~er Frager 집요한 질문자.
Insistenz *f.* 〖교양〗 완고, 고집.
insistieren [ɪnzɪstí:rən] 《lat.》 *i.* (auf et.) (무엇을) 주장〔고집〕하다.
in situ [ɪn zí:tu] ① 〖醫〗 자연 상태에, 본래의 위치에. ② 〖고고〗 원래의〔발굴된〕 장소에.
inskribieren [ɪnskribí:rən] 《lat.》 *t.* ① 〖드물게〗 기입하다, 등기〔등록〕하다; 새기다, 각명(刻銘)하다. ② 수강 신청하다; (대학에) 등록하다, 입학 절차를 밟다: sich ~ lassen 등록하다, (모임 따위에) 가입하다.
Inskription [..skrɪptsió:n] *f.* -en ① 기입, 등기, 등록. ② 수강 신청; (대학의) 등록.
Inskriptions·gebühren *pl.* 등기료.
ins·künftig *adv.* (schweiz.) 장래에, 장차; 나중에; 금후, 차후.
Ins·leben·treten *n.* 출생, 출현; 창립.
***in·sofern** [ɪnzó:fɛrn] 《Ⅰ》 *adv.* 그 한도 내에서는, 그 점에서는: ~ hat er recht 이 점에서는 그가 옳다; er hat ~ unklug gehandelt, als er zu voreilig war 너무 성급했다는 점에서 그는 현명하지 못하게 행동했다. 《Ⅱ》 [ɪnzofɛ́rn] *cj.* …인 한(에 있어서는), …일 경우: ~ es mich betrifft 내게 관한 한.
Insolation [ɪnzolatsió:n] 《lat.》 *f.* -en ① 〖기상〗 일사(日射). ② 〖醫〗 일사병, 일광욕.
insolent [ɪnzolɛ́nt, ín..lɛnt] 《lat.》 *a.* 〖교양〗 (frech) 뻔뻔스러운, 오만한, 불손한, 건방진.
Insolenz [ínzolɛnts, ɪnzolɛ́nts] *f.* -en 오만, 불손.
insolieren [ɪnzolí:rən] 《lat. sol, „Sonne"》 *t.* 햇볕에 쬐다.
insolubel [ɪnzolú:bəl, ín..lu:..] 《lat.》 *a.* 〖化〗 녹지 않는, 불용해성의; 풀 수 없는, 해결할 수 없는: ein insolubler Stoff 용해되지 않는 물질.
insolvent [ínzɔlvɛnt, ɪn..vɛ́nt] 《lat.》 *a.* 〖經〗 지급 불능의, 파산된.
Insolvenz [ínzɔlvɛnts, ɪn..vɛ́nts] *f.* -en 〖經〗 지급 불능, 파산.
Insolvenz·erklärung *f.* 파산 선고.
insonderheit *adv.* ↑ insbesondere.
insonders *adv.* ↑ insbesondere.
in·soweit 《Ⅰ》 [ɪnzó:vaɪt, ɪnzovάɪt] *adv.* ↑ insofern 《Ⅰ》. 《Ⅱ》 [ɪnzováɪt] *cj.* ↑ insofern 《Ⅱ》.
in spe [ɪn spé:] 《lat.》 〖항상 후치〗 장래〔미래〕에: mein Schwiegersohn ~ 장래의 내 사위.
Inspekteur [ɪnspɛktǿ:r] 《frz.》 *m.* -s, -e ① ↑ Inspektor. ② 〖軍〗 감찰 장교.
Inspektion *f.* -en ① 검사, 검열, 시찰; 감독, 감시; 관리: das Auto regelmäßig zur ~ bringen 자동차를 정기적으로 검사받다. ② 감독 관청; 〖軍〗 감찰감실. ③ 〖醫〗 시진(視診).
Inspektions≈offizier *m.* 〖軍〗 감찰 장교. **~reise** *f.* 시찰〔검열〕 여행.
Inspektor [ɪnspɛ́ktɔr, ..to:r] 《lat.》 *m.* -s, -en [..tó:rən] 감독〔감시〕자; 검사관, 장학관; 〖철도〗 역장; (경찰의) 경위: Steuer≈ 조세 감독관.
Inspektorat [..rá:t] *n.* -(e)s, -e 감독자〔감시자〕의 직(職); 감독 관청.
Inspektorin *f.* -nen ↑ Inspektor의 여성형.
Inspiration [ɪnspiratsió:n] 《lat.》 *f.* -en ① 숨을 들이마심. ② 불어넣음, 고취, 격려. ③ 영감, 인스피레이션; 천래의 감흥; 감격: eine musikalische ~ 음악적인 영감.
Inspirator [..rá:tɔr, ..to:r] *m.* -s, -en [..tó:rən] 〖교양〗 격려〔고무〕자, 영감을 주는 자.
inspirieren *t.* ① 들이마시다. ② (사상 따위를) 불어넣다, 고취〔격려〕하다. ③ …에 영감을 주다, 감흥을 일으키다.
Inspizient [ɪnspitsiɛ́nt] 《lat.》 *m.* -en, -en 감독자; 〖연극〗 무대 감독.
inspizieren *t.* 검사〔검열〕하다; 감독하다.
Inspizierung *f.* -en 검사, 감독.
instabil [ínstabi:l, ɪn..bí:l] 《lat.》 *a.* 불안정한; 변하기 쉬운; 동요하는: 〖物〗 ~er Kern 불안정 핵종(核種).
Instabilität [instabilitɛ́:t] *f.* -en 불안정, 동요.
Installateur [..stalatǿ:r] 《frz.》 *m.* -s, -e (수도·가스 따위의) 시설공, 배선공, 배관공, 설비공.
Installateurin *f.* -nen ↑ Installateur의 여성형.
Installation [..tsió:n] *f.* -en ① 임명, 임관, 취임, 서임. ② (수도·가스 따위의) 시공, 설비, 장치. ③ 〖컴〗 설치.
Installations·programm *n.* 〖컴〗 설치 프로그램.
installieren 《Ⅰ》 *t.* ① 〖雅語〗 임명〔서임〕하다. ② (수도·가스 따위를) 시공〔설비〕하다. ③ 〖컴〗 설치하다. 《Ⅱ》 *refl.* sich ~ 정착하다, 자리를 잡다: du hast dich hier hübsch installiert 너는 여기에서 멋지게 자리를 잡았다.
instand [ɪnʃtánt] 《<in Stand》 *adv.* 잘 정돈된: ~ halten 정돈해 두다, 수선〔손질〕해 두다; ~ setzen 정리하다, 수선〔손질〕하다; jn. ~ setzen, et. zu tun 누구에게 무엇을 할 수 있게 만들다; er muß die Wohnung auf eigene Kosten ~ setzen lassen 그는 그 집을 자비로 수리를 맡겨야 한다.
instand≈besetzen *t.* 빈집을 불법으로 점령하여 다시 살 수 있게 만들다. **≈besetzer** *m.* (주택의 철거나 수리를 방지하기 위한) 주택 불법 점거자. **~halten** *t.* 정리〔정돈〕하다. **≈haltung** *f.* 정리, 정돈, 수선, 손질. **≈haltungs·kosten** *pl.* 수리비, 유지비.
inständig [ínʃtɛndɪç] *a.* 절실〔절박·긴급〕한; 특별히: ~ bitten 애걸복걸하다.
Inständigkeit *f.* 간절; 절박, 긴급.
Instand≈setzung *f.* (schweiz.) 수선, 수리. **~stellung** *f.* ↑ ~setzung.
instant [ínstant] 《engl.》 *a.* 즉각 용해되는, 즉석의: Tee ~ 인스턴트 차.

instant.. *pref.* "즉시 사용할 수 있는"의 뜻(보기: ~getränk).

Instant·getränk *n.* 즉석 음료.

instantisieren [ɪnstantizí:rən] *t.* 인스턴트 식품화하다.

Instant≈kaffee *m.* 인스턴트 커피. **~kamera** *f.* 즉석 카메라. **~tee** *m.* 인스턴트 티〔차〕.

***Instanz** [ɪnstánts] 《lat.》 *f.* -en ①〖法〗 법원, 법정; 심급(審級): die erste ~ 제 1 심(審); eine höhere〔untere〕 ~ 상급〔하급〕심, 상급〔하급〕 법원; einen Prozeß durch alle ~en gewinnen〔verlieren〕 법률상의 (할 수 있는) 모든 수단을 다하여 소송에 이기다〔지다〕. ② 요청, 간청. ③ 주무 관청.

instanzen·mäßig *a.* 〖官·고어〗 복무(항소) 규정에 준거한.

Instanzen≈gang *m.* ↑ ~weg. **~verweigerung** *f.* 소송 기각. **~weg** *m.* ① (관청·법원의) 업무 처리 순서. ②〖法〗 ↑ ~zug. **~zug** *m.* 〖法〗 심급(審級) 순서.

in statu nascendi [ɪn stá:tu nastsέndi] 《lat.》〖교양〗생성 단계〔상태〕에.

in statu quo [ɪn stá:tu kvó:] 《lat.》 〖교양〗 현재의 상태에서.

in statu quo ante [..sta:tu ..ántə] 《lat.》 이전 상태에서.

Instauration [ɪnstaʊratsió:n] 《lat.》 *f.* -en 〖고어〗 개혁; 부흥, 복구, 회복.

instaurieren [ɪnstaʊrí:rən] *t.* 〖고어〗 개혁하다; 회복〔복구〕하다; 수리하다.

Inste 《ndd.》 *m.* -n, -n 〖옛뜻〗 ① (현금 및 현물 급여와 주택을 공급받으며 일한) 농업 노동자, 머슴. ② 정원사.

instehend [ínʃte:ənt] *a.* 봉투에 넣은, 재중(在中)의.

Instehende* [..də] *das* 안에 들어 있는 것, 동봉한 것.

Inster [ínstər] *m./n.* -s, - (ndd., md.) 내장, 장기(臟器).

Instigation [..st..] 《lat.》 *f.* -en 선동, 사주(使嗾), 도발.

Instillation [ɪnstɪlatsió:n] 《lat.》 *f.* -en 적하(滴下), 침입, 주입(注入);〖醫〗 점적(법)(點滴(法)).

instillieren *t.* 〖醫〗 주입하다, 점적하다.

***Instinkt** [ɪnstíŋkt] 《lat.》 *m.* -(e)s, -e ① 본능, 천성: aus ~ 본능적으로; Brutpflege≈ (어미의) 부화된 새끼에 대한 포육(哺育) 본능. ② 충동, 욕정. ③ 육감, 직관: den richtigen ~ für et. haben 무엇에 대하여 바른 감수성〔감각〕을 가지고 있다.

instinkt≈artig *a.* 본능적인, 직감적인. **≈handlung** *f.* 본능적 행동.

instinktiv [..tí:f] *a.* ① 본능적인. ② 감각적〔감정적〕인, 직감적〔무의식적〕인.

instinktlos *a.* 둔감한, 무신경의; 무분별한.

Instinktlosigkeit *f.* 둔감; 무분별한 행동〔언사〕.

instinkt·mäßig *a.* 본능적인, 직감적인.

instituieren [ɪnstituí:rən] 《lat.》 *t.* ① 설립〔설정〕하다; 창설하다; 제정하다; 임명하다. ②〖고어〗가르치다, 가르쳐 이끌다.

***Institut** [ɪnstitú:t] *n.* -(e)s, -e 학과, 연구소; 연구소 건물; 법정 기구: Bestattungs≈ 장의사; ein pädagogisches ~ 교육학 연구소, 교육학과.

Institution [..tutsió:n] *f.* -en ①〖드물게〗 설립, 창설, 제정. ② 사회 제도. ③ (공공의) 기관, 시설, 협회. ④〖복수〗〖法〗 (유스티니아누스제(帝)의) 법학 제요(提要).

institutionalisieren 《I》 *t.* 제도화하다. 《II》 *refl.* sich ~ 제도화되다, 제도로 정착하다: für viele hat sich die Umweltschutzbewegung schon institutionalisiert 많은 사람들에게 환경 보호 운동은 이미 제도로 정착되었다.

Institutionalisierung *f.* 제도화.

institutionell *a.* ① 공공 기관의. ② 제도상의: ~e Garantie 제도적 보장.

Instituts≈bibliothek *f.* 연구소 부속 도서관, 학과 도서관. **~direktor** *m.* 연구소장. **~direktorin** *f.* ↑ ~direktor 의 여성형. **~leiter** *m.* 연구소장, 학과장. **~leiterin** *f.* ↑ ~leiter 의 여성형.

Inst·mann 《ndd., „Insasse"》 *m.* -(e)s, ..leute 〖옛뜻〗 ↑ Inste.

instruieren [ɪnstruí:rən] 《lat.》 *t.* ① 정리〔정돈〕하다. ② 가르치다; 알게 하다; 훈령〔지도〕하다. ③〖法〗 einen Prozeß ~ 소송을 심리하다.

Instrukteur [ɪnstrʊktǿ:r] *m.* -s, -e 강사, 교원, 지도원.

Instruktion [ɪnstrʊktsió:n] *f.* -en ① 정리, 정돈. ② 교훈, 가르침, 지도;〖복수〗훈령, 지령. ③〖法〗 예심.

Instruktions≈buch *n.*〖軍〗 교본, 교과서. **≈mäßig** *a.* 훈령〔지령〕대로의: ~ handeln 지령대로 행동하다. **~richter** *m.* 〖法〗 예심 판사. **~stunde** *f.* 〖軍〗 정훈 시간. **≈widrig** *a.* 훈령〔지령〕에 위배되는.

instruktiv [ɪnstrʊktí:f] 《lat.》 *a.* 교훈적인, 교육적인.

Instruktor [ɪnstrʊ́ktɔr, ..to:r] *m.* -s, -en [..tó:rən] ①〖고어〗 교사; (특히) 왕자를 가르치는 스승. ②〖軍〗 (마술(馬術)) 교관.

***Instrument** [ɪnstrumέnt] 《lat.》 *n.* -(e)s, -e ① 도구, 기구, 기계;〖음악〗 악기. ②〖法·고어〗 증서, 문서. ③ 수단: seine Position als ~ der Macht benutzen 자신의 지위를 권력의 수단으로 이용하다.

instrumental [..tá:l] *a.* ① 기구의; 악기의. ② 수단으로〔도구로〕 쓰이는.

Instrumental 《I》 *m.* -s, -e 〖문법〗 ↑ Instrumentalis. 《II》 *n.* -s, -s 〖음악〗 기악곡.

Instrumental·begleitung *f.* 기악 반주: die ~ eines Gesangs 노래의 기악 반주.

Instrumentalis *m.* -, ..les 〖문법〗 조격(助格) (…으로(써), …에 따라서, …에 의하여 따위).

Instrumentalist *m.* -en, -en ①〖음악〗 악기 연주자, 기악가. ②〖哲〗 기구〔도구〕주의자.

Instrumentalistin *f.* -nen ↑ Instrumentalist 의 여성형.

Instrumental≈musik *f.* 〖음악〗 기악. **~satz** *m.* ①〖문법〗 도구문(수단을 표현하는 부문장). ②〖음악〗 기악 악장.

Instrumentarium *n.* -s, ..rien [..riən] ① 도구〔기구〕 전체: ärztliches ~ 의료 기구류. ②〖음악〗 사용 악기군(群). ③〖총칭〗 이용 수단: Begriffs≈ 개념 총체.

Instrumentation [..tatsió:n] *f.* -en 〖음악〗 악기 편성법; 편곡법.
instrumentell [..tέl] *a.* ① 기구의, 계기를 이용한: die Abstufung ist nur ~ zu erfassen 명암은 계기를 사용해서만 파악될 수 있다. ② 〔교양〕 수단의.
Instrumenten≈bau *m.* 악기 제작. **~brett** *n.* 〖空〗 계기판. **~flug** *m.* 〖空〗 계기 비행. **~händler** *m.* 기계〔악기〕 상인. **~macher** *m.* 기계〔악기〕 제작인.
instrumentieren [ɪnstrumεntí:rən] 《I》 *t.* ①〖음악〗 (악곡을) 기악용〔관현악용〕으로 편곡하다; 악기를 편성〔배합〕하다. ②〖法·고어〗 문서를 작성하다. ③ …에 기구〔계기〕를 설치하다: ein Fahrzeug ~ 차량에 계기를 설치하다. 《II》 *i.* 〖醫〗 (수술하는 의사에게) 의료 기구를 건네주다: bei einem Professor ~ 교수에게 의료 기구를 건네주다.
Instrumentierung *f.* -en 〖음악〗 악기 편성(법); 기구〔계기〕 설치.
Insubordination [ɪnzup|ɔrdinatsió:n] 《lat.》 *f.* -en 〔교양〕 불복종, 반항, 배반.
insuffizient [ɪnzufitsiέnt, ín..εnt] 《lat.》 *a.* 〔교양〕 불충분한, 부족한; 부적당한, 무능한.
Insuffizienz [ínzufitsiεnts, ɪn..έnts] *f.* -en ①〔교양〕 불충분; 부적당, 무능. ②〖法〗 채무 초과. ③〖醫〗 기능 부전(不全): Nieren~ 신(腎)부전.
Insulaner [ɪnzulá:nər] 《lat.; <Insel》 *m.* -s, - 섬 사람.
insular [ɪnzulá:r] *a.* 섬(나라)의, 섬 사람의.
Insulin [ɪnzulí:n] 《lat.》 *n.* -s, -e 〖藥〗 인슐린 (당뇨병 약).
Insulinde [ɪnzulíndə] 말라이 제도; 인도네시아(옛 이름; 네덜란드식 호칭).
Insulin≈mangel *m.* 〖醫〗 인슐린 결핍. **~präparat** *n.* 〖醫〗 인슐린 제제(製劑). **~schock** *m.* 〖醫〗 인슐린 쇼크.
Insult [ɪnzúlt] 《lat.》 *m.* -(e)s, -e ①〖法·교양〗 (심한) 모욕, 무례(한 언행); 비방. ②〖醫〗 발작, 손상: apoplektischer ~ 뇌졸중 발작.
Insultation [..tatsió:n] *f.* -en 〖法·교양〗 ↑ Insult ①.
insultieren [..tí:rən] *t.* (öst.) …에게 무례한 짓을 하다, 모욕〔능욕〕하다; 비방하다; 공격하다; 괴롭히다.
in summa [ɪn zúma] 《lat., „im ganzen"》 〔교양〕 전체로서; 요컨대.
Insurgent [ɪnzurgέnt] 《lat.》 *m.* -en, -en ① 〔교양〕 반역자, 반란자, 모반자. ②〖史〗 (1848 년까지 헝가리의) 지방 민병〔국민군〕.
insurgieren [..gí:rən] *t.* 〔교양〕 반역〔모반〕을 일으키다; 선동하다.
Insurrektion [..rεktsió:n] *f.* -en 〔교양〕 반란, 모반, 폭동.
in suspenso [ɪn zuspέnzo] 《lat.》 〔교양·고어〕 미결정 상태로, 현안(懸案)대로.
inszenatorisch [ɪnstsenató:rɪʃ] *a.* 연출(상)의: den Stoff mit viel ~em Geschick auf die Bühne bringen 그 소재를 연출상의 기교를 많이 써서 상연하다.
inszenieren [ɪns|tsení:rən] 《<Szene》 *t.* ① (연극을) 연출하다. ② 기획하다, 조직하다, 꾸미다; 야기하다.
Inszenierung *f.* -en ① 연출: ~: Hans Müller 연출: 한스 뮐러. ② 획책, 기획, 조직.
intabulieren [ɪntabulí:rən] 《<Tabelle》 *t.* ①〔고어〕 (토지 대장에) 등기하다. ②〔고어〕 (벽에) 널빤지를 대다.
Intaglio [ɪntáljo] 《it.》 *n.* -s, ..glien [..ljən] 무늬를 음각한 보석.
intakt [ɪntákt] 《lat.》 *a.* ① 훼손되지 않은; 온전한: ein ~es Familienleben 온전한 가정 생활. ② 잘 작동하는; 〖軍〗 신예의.
Intaktheit *f.* 손상되지 않음, 온전, 흠없음.
Intarsia [ɪntárzia] *f.* ..sien [..ziən] ↑ Intarsie.
Intarsie [ɪntárziə] 《it.》 *f.* -n 상감(象嵌) 세공.
integer [íntegər] 《lat.》 *a.* ① 완전한; 흠없는; 새로운; 깨끗한; 정직한: ein integrer Staatsmann 청렴한 정치가. ②〖컴〗 전부 숫자로 된.
integral [ɪntegrá:l] *a.* ①〔교양〕 완전한; 절대적〔본질적〕인: ein ~er Bestandteil 본질적인 요소. ②〖數〗 정수(整數)의; 적분의.
Integral *n.* -s, -e 〖數〗 적분.
Integral≈gleichung *f.* 〖數〗 적분 방정식. **~rechnung** *f.* 〖數〗 적분학; 적분 계산.
*__Integration__ [..gratsió:n] *f.* -en ① 완성, 완전화. ②〖政〗 통일, 통합: europäische ~ 유럽 통합. ③ 융합, 합병. ④〖數〗 적분법. ⑤ 〖心〗 인격 통합, 융화. ⑥〖언어〗 언어 요소들의 융합. ⑦〖전자〗 집적(集積).
integrativ *a.* 통합하는: eine ~e Wirkung 통합 효과.
integrierbar *a.* 통합할 수 있는, 완전하게 할 수 있는: ~e Funktionen 통합 기능.
integrieren [..grí:rən] *t.* ① 완전하게 하다. ② 통합〔통일〕하다. ③ 합병하다, 편입하다. ④ 〖數〗 적분하다. ⑤〖컴〗 integrierte Datenverarbeitung 통합 자료 처리; 〖心〗 integrierter Typ 인격의 통합 유형.
integrierend *p.a.* 보충하는; 불가결한, 주요한.
Integrierung *f.* -en 완전화, 통합, 통일.
Integrität [..gritέ:t] *f.* 무결(無缺), 완전; 품행 방정, 정직, 고결, 성실: territoriale ~ 영토의 불가침성, 영토 종주권(宗主權); an der ~ dieses Politikers ist wohl nicht zu zweifeln 이 정치가의 정직성에 대해서는 의심의 여지가 없을 것이다.
Integument *n.* -s, -e ①〖植〗 씨앗의 껍질. ② 〖해부〗 외피, 표피, 피부.
*__Intellekt__ [ɪntεlέkt] 《lat.》 *m.* -(e)s 지성; 오성; 지력.
intellektual [ɪntεlεktuá:l] *a.* ↑ intellektuell.
Intellektualismus *m.* - ①〖哲〗 주지설(主知說), 주지주의. ②〔폄어〕 지나치게 지적인 사고.
intellektuell [ɪntεlεktuέl] *a.* 지(성)적인; 정신적인, 이지적인.
Intellektuelle* *der/die* 지성인, 인텔리; 이지적인 사람.
intelligent [ɪntεligέnt] *a.* 지적인, 이지적인; 머리가 좋은, 똑똑한, 총명한; 교양 있는.
Intelligenz [..gέnts] *f.* -en ① 지능, 총명, 이해(력); 〖哲〗 예지(叡智). ② 이성적 존재; 지식인층: zur ~ gehören 지식인층에 속하다.
Intelligenz≈bestie *f.* ①〔구어〕 아주 지능적인 사람. ②〔폄어〕 똑똑한 체하는 사람. **~blatt** *n.* (18-19 세기의) 광고 신문. **~grad**

m. 〖心〗 지능도. **~kontor** *n.* 〔고어〕 안내소, 통신사. **~leistung** *f.* 지능적 작업의 성과, 정신적 업적.

Intelligenzler [ɪntɛligɛ́ntslər] 《lat.》 *m.* -s, - 〔폄어〕 지식인, 식자, 인텔리.

Intelligenz·prüfung *f.* ↑ ~test. **~quotient** *m.* 〖心〗 지능 지수(약어: IQ). **~test** *m.* 〖心〗 지능〔IQ〕 검사.

intelligibel [..gí:bəl] *a.* (감성이 아니라) 오성을 통해서만 인식되는; 〖哲〗 예지적〔叡智的〕인: die intelligible Welt 예지계(界).

Intemperanz [ɪntɛmpəránts] 《lat.》 *f.* 무절제, 과도, 방종; 대식(大食), 폭음.

Intendant [ɪntɛndánt] 《frz.》 *m.* -en, -en 감독자, 관리자; (특히 국·공립 극장의) 극장장; 〖TV〗 방송국장; 〖軍〗 경리부장.

Intendantin *f.* -nen ↑ Intendant 의 여성형.

Intendantur [..tú:r] *f.* -en 〔고어〕 감독(의 직), 방송국 사장의 직책; 〖軍〗 병참부, 경리부〔국〕.

Intendantur·rat *m.* 〖軍〗 경리 장교.

Intendanz *f.* -en 감독, 관리; 감독의 직; 〖軍〗 경리부.

intendieren *t.* 뜻하다, 꾀하다, 의도하다.

Intensimeter [ɪntɛnzimé:tər] *n.* -s, - 〖物·醫〗 뢴트겐 광선의 방사능 측정기.

Intension [ɪntɛnzió:n] *f.* -en ① 긴장, 열성. ② 〖논리〗 내포(↔ Extension): ~ eines Begriffs 어떤 개념의 내포.

Intensität [ɪntɛnzitɛ́:t] 《lat.》 *f.* -en ① 강약, 강도; 농도; 강렬, 효과; 긴장도; 집중력: ein Ton von hoher ~ 높은 강도의 음. ② 〖農〗 (토지의) 집약성.

intensiv [..zí:f] *a.* ① 집중적인. ② 강렬한, 강한; 짙은. ③ 심도 있는. ④ 집약적인. ⑤ 〖논리〗 내포적인.

Intensiv·anbau *m.* 〖農〗 집약 경작. **~haltung** *f.* 〖農〗 집약 사육.

intensivieren [..ziví:rən] *t.* 집중하다, 강화하다, 강렬하게 하다.

Intensivierung *f.* -en 강화, 증대; 〖經〗 집약화.

Intensiv·kurs *m.* 속성 과정: in einem ~ Deutsch lernen 속성 과정에서 독일어를 배우다. **~pflege·station** *f.* ↑ ~station. **~station** *f.* 중환자실, 집중 강화 치료실.

Intensivum [..vum] *n.* -s, ..va 〖문법〗 강의태(強意態) 동사(보기: hören에 대한 horchen).

Intention [ɪtɛntsió:n] 《lat.》 *f.* -en ① 의사, 의향; 목적, 취지, 계획; 〖哲〗 지향(志向). ② 〖醫〗 치유의 경과.

intentional [..zioná:l] *a.* 의도적인, 고의적인: 〔교육〕 ~es Lernen 목적 지향적인 학습.

Intentionalismus [..nal..] *m.* - 〖哲〗 지향설(志向說).

Intentionalität *f.* 〖心〗 지향성(志向性); 의도성.

inter.. [ɪntər.., ɪntɛr..] 《lat.》 *pref.* "사이·가운데·서로" 따위의 뜻.

interagieren *i.* 〖心·사회〗 상호 작용을 하다.

Interaktion *f.* 〖心·사회〗 상호 작용: Kinder müssen Formen der ~ erlernen 어린이들은 상호 작용의 형태들을 습득해야 한다.

interaktiv *a.* 〖컴〗 대화식의, 쌍방향의: ~e Programmiersprache 대화식 프로그램 언어; ~es Fernsehen 쌍방향 텔레비전 방송.

interalliiert [ɪntər|alií:rt, ín..|alii:rt] 《frz.》 *a.* 동맹국간의; (제1차 세계 대전 때) 연합국의: eine ~e Konferenz 동맹국간의 회담; ~e Streitkräfte 동맹군.

Intercity [ɪntərsíti..] 《engl.》 *m.* -(s), -(s) ↑ Intercity-Zug.

Intercity·-Expreßzug *m.* 대도시간 특급 열차(약어: ICE). **~-Zug** *m.* 대도시간 급행 열차(약어: IC).

interdependent *a.* 상호 의존하는: ~e Beziehungen 상호 의존 관계.

Interdependenz *f.* 〔교양〕 상호 의존.

Interdikt [ɪntərdíkt] 《lat.》 *n.* -(e)s, -e ① 금지, 금제, 금령. ② 〔가톨릭〕 파문, 교권 정지.

interdisziplinär [..nɛ́:r] *a.* 학제(學際)의, 각 분야를 포괄하는, 각 분야 공통의: diese Arbeit muß ~ durchgeführt werden 이 작업은 각 분야가 협력하여 수행되어야 한다.

***interessant** [ɪntərɛsánt] 《fr.; lat.》 *a.* 흥미〔재미〕있는, 주의를 끄는; 주요한; 이해 관계가 있는: ein ~er Mensch 흥미로운 사람; ein ~es Angebot 구미가 당기는 제안; der Hinweis war sehr ~ 그 암시는〔지적은〕 매우 흥미로운 것이었다.

interessanter·weise *adv.* 재미있게도, 흥미롭게도.

Interessantheit *f.* 흥미(로움).

***Interesse** [ɪntərɛ́sə] *n.* -s, -n ① 흥미; 관여, 관심, 중요성; 이해 관계; 이익: ~ an et.³ 〔für et.〕 haben 무엇에 관심을〔흥미를〕 갖다; js. ~n entsprechen 누구의 관심에 부합하다; das ist für mich nicht von ~ 그것은 내게는 중요하지 않다; das liegt in deinem eigenen ~ 그것은 너 자신의 이해와 관계되는 일이다; es geht hier um persönliche ~n 여기에서는 개인적인 이해와 관계된다; es geschah im ~ des Dienstes 그것은 직무상 행하여졌다; unsere ~n laufen zum großen Teil parallel 우리 이해(관계)는 대부분 일치한다; er handelt nur aus ~ 그는 오로지 타산적으로만 행동한다. ② 〔복수〕〔고어〕 이자: Geld auf ~n geben〔leihen〕 이자를 받고 돈을 빌려주다. ③ 〖法〗 손해 배상액.

interesse·halber *adv.* 재미삼아, 흥미로: sich ~ mit et.³ beschäftigen 무엇에 재미삼아 열중하다.

interesselos *a.* 흥미 없는, 무관심한; 이해 관계 없는: ein ~er Gesichtsausdruck 무관심한 표정.

Interesselosigkeit *f.* 무관심, 흥미 없음.

Interessen·ausgleich *m.* 이해의 조정. **~gebiet** *n.* ① 관심 분야. ② ↑ ~sphäre. **~gemeinschaft** *f.* 〖商〗 이익 협동(체); 카르텔. **~gruppe** *f.* 이익 단체〔집단〕. **~konflikt** *m.* 이해의 충돌〔대립〕: politische ~e 정치적인 이해의 충돌. **~lage** *f.* 이해 관계의 상황: die ~ der Arbeitnehmer berücksichtigen 종업원들의 이해 관계의 상황을 고려하다. **~sphäre** *f.* 〖法〗 세력 범위, (국가의) 영향권; 〖經〗 이익 범위.

Interessent [ɪntərɛsɛ́nt] *m.* -en, -en ① 관계〔관여〕자, 이해 관계자; 관심 있는 사람; 사리(私利)만을 추구하는 사람. ② 구매 희망자.

Interessenten·kreis *m.* 이해 관계자 집단〔무리〕.

Interessentin *f.* -nen ↑ Interessent 의 여성형.

interessen·tragend *a.* 이자를 낳는. **~verband** *m.* ↑ ~gruppe. **~vertretung** *f.* 〖經〗 이익 대표〔기구〕: js. ~ übernehmen 누구의 이익을 대변할 임무를 떠맡다.

***interessieren** [ɪntərɛsíːrən] 《Ⅰ》 *t.* 흥미를〔관심을〕 일으키다; 관계〔관여〕시키다: jn. an et.³ ~ 누구를 무엇에 관계〔관여〕시키다; jn. für et. ~ a) 누구에게 무엇에 관심을 갖게〔흥미를 느끼게〕 하다, b) 마음 내키게 하다, 발벗고 나서게 하다. 《Ⅱ》 *refl.* sich für et.〔jn.〕 ~ 무엇에〔누구에게〕 관심을〔흥미를〕 가지다, 관여하다, 돌보다: er fängt gerade an, sich für Mädchen zu ~ 그는 막 처녀들에게 관심을 갖기 시작했다. 《Ⅲ》 **interessiert** *p.a.* ↑ interessiert.

interessiert [..síːrt] 《Ⅰ》 *p.p.* ↑ interessieren. 《Ⅱ》 *p.a.* ① an et.³ ~ sein a) 무엇에 관심을〔흥미를〕 가지고 있다, b) 무엇에 이해 관계를 가지다, 관계하다: daran bin ich nicht ~ 나는 그것에 관심이 없다; bei et.³ ~ sein 무엇에 관여〔전념〕하고 있다. ② 편파적인, 불공평한; 타산적인: ein sehr ~er Mensch 매우 타산적인 인간.

Interessiertheit *f.* 관심: den Vortrag mit großer ~ verfolgen 그 강연을 큰 관심을 갖고 듣다; materielle ~ (사회주의 국가들에서의) 물질적 관심.

Interferenz [ɪntərferénts] 《lat.》 *f.* -en ① 〖生·醫·心〗 (여러 과정 상호간의) 간섭, 방해. ②〖理〗 (광파·음파·전파 따위의) 간섭. ③〖언어〗 언어들간의 간섭〔영향〕. ④〔교양〕 방해, 저촉.

Interferenz·figur *f.* 〖理〗 간섭상(像), 간섭 도형(圖形). **~streifen** *m.* 〖理〗 간섭 무늬.

interferieren *i.* ①〖物〗 (파장이) 간섭 작용을 일으키다. ②〔교양〕 방해하다, 저촉되다.

Interferometer 《lat. +gr.》 *n.* -s, - 〖理〗 간섭계(計).

Interferon *n.* -s, -e 〖醫〗 인터페론.

interfraktionell *a.* 교섭 단체간의: ~e Beratungen 교섭 단체간의 협의.

intergalaktisch *a.* 〖天〗 은하계간의: ~e Materie 은하간(間) 물질.

interglazial [ɪntərglatsiáːl] 《lat.》 *a.* 〖지질〗 (두 빙하기의 중간에 해당하는) 간빙기(間氷期)의.

Interglazial·zeit *f.* 〖지질〗 간빙기.

Interhotel *n.* -s, -s 〖구동독〗 (외국인을 위한) 국제 호텔.

Interieur [ɛ̃teriǿːr] 《frz.》 *n.* -s, -s/-e ① 〔교양〕 내부, 안쪽, 방안, 옥내; 내정, 내무; 실내 장식. ②〖畫〗 (특히 17세기 네덜란드의) 실내화(畫).

Interim [ɪ́ntərɪm, ..te..] 《lat.》 *n.* -s, -s 〔교양〕 ① 중간 시간, 과도기. ② 임시 조치; 일시적 규정, 가(假)규정.

Interimistikum [ɪntərimɪ́stikum, ..te..] *n.* -s, ..ken 〖法·고어〗 일시적 설비; 가명령; 일시적 상태.

interimistisch *a.* 〔교양〕 잠정적인, 일시적인, 과도적인: eine ~e Regierung 과도 정부.

Interims·aktie *f.* (가공 주식 보상제에 따른) 가공 주식. **~anleihe·schein** *n.* 가(假)공채 증서. **~bescheid** *m.* ① 임시〔중간〕 통지. ② 〖法〗 가(假)결정, 가선고, 가판결. **~kabinett** *n.* 임시〔과도〕 내각. **~konto** *n.* 〖經〗 임시 계좌, 가(假)계정. **~lösung** *f.* 〔교양〕 잠정적 해결. **~quittung** *f.* 가(假)영수증. **~regelung** *f.* 〔교양〕 임시 규정. **~regierung** *f.* 임시 정부. **~schein** *m.* 가(假)영수증; 가공 주식. **~uniform** *f.* 〖軍〗 임시 제복. **~zeugnis** *n.* 임시 증명, 가증명.

Interjektion [ɪntərjɛktsióːn] 《lat.》 *f.* -en 〖문법〗 감탄사, 간투사.

interkalar [ɪntərkaláːr] 《lat.》 *a.* 삽입된, 중간의; 윤달〔윤년〕의: ein ~es Jahr 윤년.

Interkalar·früchte *pl.* 〖가톨릭〗 성직 봉록(俸祿) 무지급 기간의 수입.

Interkalarien *pl.* ↑ Interkalarfrüchte.

Interkalar·zinsen *pl.* 중간 이자.

interkantonal *a.* (schweiz.) 칸톤간(공통)의, 각 주(州)간의: ~e Fragen 칸톤 상호간의 문제.

Interkolumnie *f.* -n ↑ Interkolumnium.

Interkolumnium *n.* -s, ..nien [..niən] 〖건축〗 양기둥 사이의 간격.

interkommunal *a.* 〔교양〕 지방 자치 단체간의: ein ~es Abkommen 지방 자치 단체 간의 협정.

interkonfessionell 《lat.》 *a.* 여러 종파 간의.

interkontinental 《lat.; <Kontinent》 *a.* 〔교양〕 대륙간의: ~e Flüge 대륙간 비행.

Interkontinental·rakete *f.* 〖軍〗 대륙간 로켓.

interkostal 《lat.》 *a.* 〖醫〗 늑간(肋間)의; 〖植〗 잎맥간〔엽맥간(葉脈間)〕의.

interkurrent 《lat.》 *a.* 〖醫〗 병발성(併發性)의, 간헐 발생성의: ~es Fieber 간헐성의 열.

interlinear [ɪntərlineáːr] 《lat.》 *a.* 행간의.

Interlinear·glosse *f.* 행간(에 쓰여진) 주석. **~übersetzung** *f.* ↑ ~version. **~version** *f.* 행간(에 삽입된) 번역.

Interlock·machine [ɪ́ntərlɔk..] 《engl.》 *f.* 양면(兩面) 편물 기계. **~ware** *f.* 〖방직〗 양면 편직물. **~wäsche** *f.* 양면으로 짠 내의〔속옷〕.

Interludium [ɪntərlúːdium] 《lat. ludus, „Spiel"》 *n.* -s, ..dien [..diən] 〖음악〗 간주곡.

Interlunium *n.* -s, ..nien [..niən] 달이 보이지 않는 기간(음력 그믐·초승 사이의 4일간).

Intermaxillar·knochen *m.* 〖해부〗 악간골.

intermediär [..mediɛ́ːr] *a.* 중간의, 중간에 위치한: 〖생리〗 ~er Stoffwechsel 중간 대사; 〖유전〗 ~er Erbgang 중간 유전.

Intermezzo [ɪntərmɛ́tso] 《it.》 *n.* -s, -s/..mezzi ① 〖음악〗 간주곡. ② 〖연극〗 (음악 중심의) 막간극. ③ 사소한 일, 촌극.

interministeriell *a.* 〔교양〕 정부 부처간의: die ~e Zusammenarbeit 정부 부처간의 협조.

intermittierend [ɪntərmitíːrənt] 《lat.》 *a.* 〔교양〕 때때로 중단되는, 간헐적인: ~er Brunnen 간헐천(泉); ~es Fieber 간헐열; ~er Strom 단속 전류; ~e Behandlung 간헐적인 치료.

intern [ɪntɛ́rn] 《lat.》 *a.* ① 내부의, 안의; 내무〔내근〕의. ②〖醫〗 내과의: ~e Medizin 내과 (의학). ③〔고어〕 기숙사에 사는: ein ~er Schüler 기숙사 학생.

Interna ↑ Internum의 복수형.
internalisieren *t.* ①〖心〗 내면화하다: Konflikte ~ 갈등을 내면화하다. ②〖사회·교육〗 자기 것으로 하다, 흡수하다: internalisierte Wertvorstellungen 내면화된 가치 관.
Internat [..tɛrnáːt] *n.* -(e)s, -e 기숙사가 있는 학교; 기숙사.
***international** [ɪntərnatsionáːl] 《lat.》 *a.* 국제간의; 국제적인, 세계적인, 만국의: die ~e Politik 외교; ~e Organisationen 국제 기구; 〖스포츠〗 eine ~e Meisterschaft 국제 선수권(대회); 〖理〗 ~e Einheit 국제 표준 단위; 〖理〗 ~er Stimmton (국제) 표준음.
Internationale *f.* -n ① 국제 노동자 동맹, 인터내셔널(Internationale Arbeiterassoziation의 약어). ② 국제 노동자 동맹의 노래.
Internationaler See·gerichts·hof *m.* 국제 해사 재판소.
Internationales Kinder·hilfs·werk der UNO =UNICEF.
internationalisieren *t.* 국제화하다, 세계적으로 하다.
Internationalisierung *f.* -en 국제〔세계〕화.
Internationalismus *m.* -, ..men ① 국제〔세계〕주의. ②〖문법〗 국제(적으로 통용되는) 공통어(보기: Radio 따위).
Internationalität *f.* 국제적인 것; 국제성, 세계성.
Internats·schule *f.* 기숙사 학교.
Interne* *der/die* 기숙사 학생; 내과 의사.
***Internet** 《engl.》 *n.* -s, -s 〖컴〗 인터넷, 국제 정보 통신망.
Internet=-Buch·handel *m.* 〖출판〗 인터넷을 통한 서적 거래. **~-PC** *m.* 〖컴〗 인터넷 컴퓨터, 인터넷 피시. **~-Protokoll** *n.* 〖컴〗 인터넷 통신 규약.
internieren [ɪntɛrníːrən] 《lat.》 *t.* 〖軍·法〗 감금〔억류〕하다; (환자를) 격리하다.
Internierte* *der/die* 격리〔감금〕된 사람.
Internierung *f.* -en ① 수용. ②〖軍·法〗 체포, 구금.
Internierungs·lager *n.* 전쟁 포로 수용소.
Internist [..nɪ́st] *m.* -en, -en ①〖醫〗 내과의. ②〔고어〕 기숙사 학생. ③〔고어〕 내과 환자.
Internum [ɪntɛ́rnʊm] *n.* -s, ..na 〔교양〕 내부적인 일; 내무.
Internuntius [..tsiʊs] *m.* -, ..tien [..tsiən] 〖가톨릭〗 교황 대사.
interozeanisch [ɪntər|otseáːnɪʃ] 《lat. + gr.》 *a.* 대양 사이를 연결하는, 두 대양 간의.
interparlamentarisch *a.* 〖政〗 (각국) 의회 간의: ≗e Union 국제 의회 연맹(약어: IPU).
Interpellant [ɪntərpɛlánt] 《lat.》 *m.* -en, -en (의회의) 대(對)정부 질문자.
Interpellation [..latsióːn] *f.* -en 〖의회〗 대(對)정부 질의; 〖法·고어〗 (궐석 판결에 대한) 항고, 이의.
interpellieren *i.* ①〖의회〗 대(對)정부 질의를 하다. ②〔고어〕 말을 가로막다〔중단시키다〕.
interplanetar [..táːr] *a.* 〖天〗 행성간의: ~es Magnetfeld 행성간의 자기장(磁氣場); ~e Szintillation 행성간의 섬광〔반짝임〕.
interplanetarisch [..táːrɪʃ] *a.* ↑ interplanetar.
Inter·pol [ɪ́ntərpoːl] *f.* 〖法〗 인터폴, 국제 경찰 (기구).
Interpolation [ɪntərpolatsióːn] 《lat.》 *f.* -en ①〖문예학〗 (원고에 문구를) 보충해 넣기; 삽입; 변조, 개찬(改纂). ②〖數〗 보간법(補間法).
interpolieren 《lat.》 *t.* ①〖數〗 보간법으로 계산하다. ②〖문예학〗 …에 자구를 써 넣다; 개찬하다.
***Interpret** [ɪntərpréːt] 《lat.》 *m.* -en, -en 〔교양〕 ① 해석자, 주해자; 번역자; 통역자. ② 재현 예술가: er war der bekannteste ~ der Klaviersonate 그는 가장 유명한 피아노 소나타 재현 연주자였다.
interpretabel *a.* 〖비속〗 설명〔번역〕할 수 있는.
***Interpretation** [..pretatsióːn] *f.* -en ① 해석, 해설; 풀이, 설명; 통역. ② 예술 작품의 재현.
***Interpreter** 《engl.》 *m.* -s, - 〖컴〗 인터프리터.
interpretieren [..pretíːrən] *t.* ① 해석〔풀이〕하다. ② 예술 작품을 재현하다.
interpungieren [ɪntərpʊŋgíːrən] *t.* ↑ interpunktieren.
interpunktieren [..pʊŋktíːrən] 《lat.; < Punkt》 *t.* 구두점을 찍다.
Interpunktion [..pʊŋktsióːn] *f.* -en 〖문법〗 구두법.
Interpunktions=regel *f.* 〖언어〗 구두법 규칙. **~zeichen** *n.* 〖문법〗 구두점.
Interregnum [..rɛ́gnʊm, ..rɛ́ːg..] 《lat.》 *n.* -s, ..gnen/..gna 〖政〗 ① 과도〔임시〕 정부. ② **(a)** 임정 기간. **(b)** 〖史〗 (제왕의 붕어(崩御)·폐위 따위에 따른) 공위(空位) 기간; 특히 중세 후기 독일 황제의 무력화로 야기된) 대공위 시대(1254-73).
interrogativ [ɪntɛrogatíːf, ɪntərro.., ɪ́n..tiːf] *a.* 〖문법〗 의문의, 질문의: ein ~es Pronomen 의문 대명사.
Interrogativ 《lat.》 *n.* -s, -e 〖문법〗 의문사; (특히) 의문 대명사.
Interrogativ=adverb *n.* 〖문법〗 의문 부사. **~pronomen** *n.* 〖문법〗 의문 대명사. **~satz** *m.* 〖문법〗 의문문.
Interrogativum [ɪntɛrogatíːvʊm, ɪntərro..] *n.* -s, ..va ↑ Interrogativ.
Interruption [ɪntərrʊptsióːn] 《lat.》 *f.* -en ①〖醫〗 **(a)** 임신 중절. **(b)** 성교 중단 행위. ②〔교양〕 중단, 중지; 방해.
Intersex [ɪntərzɛ́ks, ɪ́n..zɛks] *n.* -es, -e 〖生〗 간성(間性), 중성 (체질), 반(半)음양.
Intersexualität *f.* 〖生〗 반음양 증상.
intersexuell *a.* 〖生〗 간성〔중성〕의, 반음양의.
Intershop 《engl.》 *m.* -(s), -s 〔구동독〕 인터숍(서방 상품을 외화로만 구입할 수 있는 상점).
interstellar [ɪntərstɛláːr] 《lat.》 *a.* 〖天〗 성간(星間)의: ~e Materie 성간 물질.
interstitiell [..stitsiɛ́l] *a.* 〖生〗 간질(間質)(성)의, 세포 사이의.
Interstitium [..stíːtsium] *n.* -s, ..tien [..tsiən] ①〖生〗 (신체 기관이나 조직의) 사이 공간, 간질(間質). ②〔복수로만〕〖가톨릭〗 서품간의 중간 기간.

intersubjektiv *a.* 〖哲〗 간(間)주관적인, 공동〔상호〕 주관적인: ~e Beobachtungen 간주관적인 관찰.
interterritorial [ɪntərtɛritoriá:l] 《lat.》 *a.* 국제간의.
Intertrigo *f.* ..gines [..gine:s] 〖醫〗 간찰진(間擦疹) (피부가 서로 닿는 부위에 생기는 피부염).
Interunfall [ɪ́ntər|..] *m.* -(e)s, ..fälle 국제 재해 보험(Internationale Unfallversicherung).
interurban *a.* (öst.) 도시 간의.
Interusurium *n.* -s, ..rien [..riən] 〖法〗 중간 이자.
Intervall [ɪntərvál] 《lat.》 *n.* -s, -e ① (시간) 간격, 중간, 사이; 중간 지역. ②〖음악〗 음정(音程). ③〖法〗 기한. ④〖數〗 구간. ⑤〖醫〗 간헐시(時), 간격, 중간기.
Intervall≈operation *f.* 간헐기〔중간기〕 수술. **~training** *f.* 〖스포츠〗 인터벌 훈련.
Intervenient *m.* -en, -en 〔교양〕 중재자, 개입자.
intervenieren [ɪntərvení:rən] 《lat.》 *i.* ①〔교양〕 중재하다, 개입하다, 조정하다: für 〔gegen〕 jn. ~ 누구에게 유리〔불리〕하게 조정하다. ②〖政〗 (외교적으로) 항의하다; 내정 간섭하다.
Intervent *m.* -en, -en 전쟁 개입자.
Intervention [..vɛntsió:n] *f.* -en ①〔교양〕 개입 중재, 간섭. ②〖政〗 (내정) 개입, 간섭: bewaffnete ~ 무력 간섭. ③〖經〗 (경제 생활에 대한 국가의) 간섭. ④〖法〗 소송 참가.
Interventionist [..tsio..] *m.* -en, -en 내정(內政) 간섭론자.
Interventions·krieg *m.* 〖政〗 개입 전쟁.
Interview [ɪntərvjú:, ɪ́ntərvju:] 《engl.》 *n.* -s, -s ① 인터뷰, 회견: ein ~ gewähren 회견을 허락하다. ② 면담, 면접.
interviewen [..vjú:ən] (*p.p.* interviewt) *t.* ① 회견하다. ②〔구어·농담〕 자세히 캐묻다.
Interviewer [..vjú:ər] *m.* -s, - 회견자, 방문 기자.
Intervision *f.* 인터비전(동유럽 8 개국 텔레비전 방송국 사이의 프로 교환을 위한 협력 기구).
interzedieren [ɪntərtsedí:rən] 《lat.》 *i.* für jn. ~ 누구를 보증하다, 누구를 위해 개입하다; bei et.³ ~ 무엇을 중재〔조정〕하다.
interzellular [ɪntərtsɛlulá:r] *a.* ↑ interzellulär.
interzellulär [..lɛ́:r] 《lat. cellula, „Zelle"》 *a.* 〖生〗 세포 사이의.
Interzellular·raum *m.* 〖해부〗 세포간의 간격.
Interzession [ɪntərtsɛsió:n] 《lat.》 *f.* -en ① 중재(仲裁); 보증; 〖法〗 채무 인수. ② (다른 국가의 문제에 대한) 합법적인 개입.
interzonal [ɪntərtsoná:l] 《lat. +gr.》 *a.* 〔교양〕 ① 지역들 간의: ~e Vereinbarungen 지역들 간의 합의. ② (제 2 차 세계 대전 후 독일의) 점령 지구 (상호)간의; 동서독 간의.
Interzonen≈grenze [ɪntərtsó:nən..] *f.* 양지대(兩地帶) 사이의 경계; 동서독 간의 국경. **~handel** *m.* 동서독 간의 무역. **~paß** *m.* 동서독 간 국경 통행 허가증. **~verkehr** *m.* (특히 동서독에서와 같은) 지역 간의 교통〔교류〕. **~zug** *m.* 동서독 연락 열차.
intestabel [ɪntɛstá:bəl] 《lat.》 *a.* 〖法·고어〗 유언할 자격〔능력〕이 없는, 증인이 될 자격이 없는.
Intestat≈erbe *m.* 〖法〗 법정 상속인. **~erbfolge** *f.* 법적 상속 순위.
intestinal 《lat.》 *a.* 〖醫〗 창자의.
Inthronisation [ɪntronizatsió:n] 《< Thron》 *f.* -en 〔교양〕 즉위(식); 〖가톨릭〗 성직(聖職) 취임식.
inthronisieren *t.* 왕위에 올리다; 성직에 취임시키다.
Inthronisierung *f.* -en 〔교양〕 ↑ Inthronisation.
***intim** [ɪntí:m] 《lat.》 *a.* ① 친밀한, 은밀한: eine langjährige ~e Freundschaft 여러 해 동안의 친밀한 우정; ein sehr ~es Gespräch 매우 은밀한 대화. ②〔은어〕 성적인, 내연의: ~er Verkehr 성교. ③ 국부〔음부〕의. ④ 정통한: ein ~er Kenner 정통한 사람. ⑤ 마음 편한.
Intima *f.* -s ①〖해부〗 혈관 내막〔내벽〕. ②〔雅語〕 은밀한 여자 친구.
Intim·bereich *m.* ① 국부, 성기 부위: die Pflege des ~s 국부의 위생 관리. ② 사생활권(~sphäre).
Intim·hygiene *f.* 국부 위생.
Intimität [..tɛ́:t] *f.* -en ① 친밀(한 태도). ② 은밀한 일. ③ 성적 행위. ④ 마음 편함, 아늑함.
Intim≈sphäre *f.* 사생활 영역: js. ~ verletzen 누구의 사생활을 침해하다. **~spray** *m./n.* -s, -s 국부용 스프레이.
Intimus [ɪ́ntimus] *m.* -, ..mi 절친한 사람, 측근.
intolerabel [ɪ́ntolera:bəl, ɪn..rá:bəl] *a.* 〔교양〕 참을 수 없는, 역겨운: intolerable Verhältnisse 용납할 수 없는 상황.
intolerant [ɪ́ntolerant, ɪn..ránt] 《lat.》 *a.* ① 너그럽지 않은, 편협한; 〖宗〗 다른 종파를 배척하는. ②〖醫〗 내성(耐性)이 없는.
Intoleranz [ɪ́n..rants, ɪn..ránts] *f.* -en ① 편협; 〖宗〗 타종교 배척. ②〖醫〗 내성 결핍.
Intonation [ɪntonatsió:n] 《lat.》 *f.* -en ① 소리를 냄. ②〖음악〗 조율, 조음; 서곡, 오르간 전주곡; 발성. ③〖언어〗 억양, 음조. ④〖가톨릭〗 (사제가 부르는) 선창(先唱).
intonieren *t.* 음을〔소리를〕 내다, 노래하다; …에 억양을 붙이다; 조율하다.
Intonierung *f.* -en 소리를 냄, 노래하기.
in toto 《lat.》 〔교양〕 전적으로, 완전히: einen Gesetzesentwurf ~ ablehnen 법률안을 전적으로 거부하다.
Intourist [ɪ́nturɪst] 《russ.》 *m.* -s 인투리스트(러시아의 국영 관광 여행사).
Intoxikation [ɪntɔksikatsió:n] 《gr. -lat.》 *f.* -en ①〖醫〗 중독; (어린이의) 심한 설사. ② 도취, 명정(酩酊).
Intrada [ɪntrá:da] *f.* ..den ↑ Intrade.
Intrade [ɪntrá:də] 《it., „Eingang"》 *f.* -n ①〖음악〗 서곡, (기악곡의) 짧은 전주곡. ②〔복수〕 국가 세입.
intrakardial *a.* 〖醫〗 심장 내의; 심장 내로: eine ~e Injektion 심장 주사.
intraktabel 《lat.》 *a.* 다루기 어려운, 인정미 없는, 무뚝뚝한, 완고한; 불굴의.
intrakutan [ɪntrakutá:n] 《lat.》 *a.* 〖醫〗 피하(皮下)의: eine ~e Injektion 피하 주사.

intramolekular *a.* 〖化〗 분자 내의.
intra muros [íntra: mú:rɔs] 《lat.》〔교양〕 비밀리에, 비공개로: darüber wird ~ verhandelt 그것에 대한 협의〔심리〕는 비공개로 진행된다.
intramuskulär [ɪntramuskulɛ́:r] 《lat.》 *a.* 〖醫〗 근육 내로의(주사 따위).
Intranet *n.* -s, -s 〖컴〗 인터넷 기술에 의해 구축된 내부 전용 네트워크.
Intransigent [ɪntranzigɛ́nt] 《lat.》 *m.* -en, -en 〔교양〕 ① 강경론자, 비타협주의자. ②〔복수로만〕 과격 정당.
intransigent *a.* 〔교양〕 비타협적인, 강경한.
Intransigenz *f.* 〔교양〕 비타협(적 태도), 강경함.
intransitiv [ɪ́ntranziti:f, ɪn..tí:f] 《lat.》 *a.* 〖문법〗 자동사의.
Intransitiv [(또는) ɪn..tì:f] *n.* -s, -e 〖문법〗 자동사.
Intransitivum [..tí:vum] *n.* -s, ..va ↑ Intransitiv.
intransportabel 《lat.》 *a.* 움직이기〔운송하기〕 어려운.
intraokular *a.* 〖醫〗 안구 내의: ~e Fremdkörper 안구내 이물질.
intrauterin *a.* 〖醫〗 자궁 내의.
Intrauterin·pessar *n.* 자궁링, 루프(피임 기구).
intravenös [ɪntravenǿ:s] 《lat.》 *a.* 〖醫〗 정맥 내의: eine ~e Injektion 정맥 주사.
intra·zellular *a.* ↑ intrazellulär.
intra·zellulär *a.* 〖生〗 세포 내의.
intrigant [ɪntrigánt] 《frz.》〔교양〕 음모를 좋아하는, 간사한, 음험한.
Intrigant *m.* -en, -en ①〔교양〕 음모가, 모사꾼. ②〖연극〗 악인, 악역.
***Intrige** [..trí:gə] *f.* -n 음모, 계교; 모략, 술책; 정사(情事), 연애, 간통.
Intrigen⸗spiel *n.* ↑ Intrige. **~wirtschaft** *f.* 〖폄어〗 음모〔모략〕질.
intrigieren [..gí:rən] *i.* 음모를 꾀하다〔꾸미다〕, 술책〔책략〕을 쓰다: gegen die Kollegen ~ 동료들에 대한 음모를 꾸미다.
Intrigue [ɪntrí:gə] *f.* -n ↑ Intrige.
intrikat [ɪntriká:t] 《lat.》 *a.* 〔고어〕 엉클어진; 다루기 힘든, 까다로운.
Introduktion [ɪntroduktsió:n] 《lat.》 *f.* -en ① 입문; 머리말, 서언(緒言). ②〖음악〗 서곡.
introduzieren *t.* 인도〔안내〕하다, 이끌다; 시작하다: jn. in einen neuen Arbeitsbereich ~ 누구를 새로운 작업 분야로 인도하다.
Introitus [ɪntró:itus] 《lat.》 *m.* -, - ① 입구; 〖醫〗 (질 따위의) 입구. ②〖기독교〗 예배의 도입송; 〖가톨릭〗 (미사 개시의) 서가(序歌), 도입부 노래.
Introjektion [ɪntrojɛktsió:n] 《lat.》 *f.* -en 〖心·哲〗 (↔ Projektion) 투입 작용, 내사(內射).
intrors [ɪntrɔ́rs] 《lat.》 *a.* 〖植〗 내향의, 안을 향한: ~e Staubbeutel 내향 꽃가루 주머니.
Introspektion *f.* -en 〖心〗 자기 관찰, 자성.
introspektiv *a.* 〖心〗 내성적〔자성적〕인.
Introversion [ɪntrovɛrzió:n] 《lat.》 *f.* -en 〖心〗 내향(성).
introvertiert [..tí:rt] *a.* 내향적인: ein ~er Typ 내향적 유형(의 사람).
Intrusion [ɪntruzió:n] 《lat.》 *f.* -en 〖지질〗 (암맥의) 관입(貫入).
Intrusiv·gestein [ɪntruzí:f..] *n.* 〖지질〗 관입암(岩).
Intubation *f.* -en 〖醫〗 (고무나 플라스틱으로 된 관 따위의) 삽관(揷管)(법).
intubieren *t.* 〖醫〗 (관(管) 따위를) 삽입하다.
***Intuition** [ɪntuitsió:n] 《lat.》 *f.* -en ①〖哲〗 직관, 직각(直覺): sich von seiner ~ leiten lassen 자기의 직관에 따르다. ② 직감, 영감: künstlerische ~ 예술적인 영감.
intuitiv [..tí:f] *a.* 직관적인, 직감적인.
Intumeszenz *f.* -en 〖醫〗 (척수 따위의) 팽대(膨大).
Inturgeszenz *f.* -en 〖醫〗 (신체 기관의) 팽대, 팽창.
intus [ɪ́ntus] 《lat.》 *a.* 〔구어〕 내부의: et. ~ haben a) 무엇을 먹었다〔마셨다〕, b) 무엇을 이해했다; einen ~ haben 거나하게 취해 있다.
Intus·suszeption *f.* -en ①〖醫〗 장(腸) 중첩〔중적〕증. ②〖植〗 (세포의) 삽입 생장.
Inulin [ɪnulí:n] 《lat.》 *n.* -s 〖化〗 이눌린(탄수화물의 일종).
Inundation [ɪn|undatsió:n] 《lat.》 *f.* -en 범람, 홍수.
Inundations·gebiet *n.* 침수 지역.
inundieren *t.* 〔고어〕 넘쳐흐르다, 범람하다.
Inunktion [ɪn|..] *f.* -en 〖醫〗 (연고를) 문질러 바름, 도포(塗布).
in usum Delphini [ɪn ú:zum dɛlfí:ni] 《lat.》 부적당한 부분이 수정·삭제된, 학생용의.
inv. =invenit …가 만든.
Invagination *f.* -en ①〖醫〗 (장의) 중첩(증). ②〖醫〗 함입.
Invalenz [ɪnva..] 《lat.》 *f.* 무능력, 무력.
invalid *a.* ↑ invalide.
invalide [ɪnvalí:də] *a.* 노동 장애의, 노후한; 불구인, 허약한: ein ~r Soldat 상이 군인.
Invalide* *der/die* 노동 불능자, 노후자, 폐인; 〖軍〗 부상병, 상이 군인.
Invaliden⸗dank *m.* 상이 군인 원호 회관. **~fonds** *m.* 상이 군인 원호 자금. **~geld** *n.* 퇴직자〔상이 군인〕 연금: ~ beziehen 상해 보험 연금을 받다. **~haus** *n.* 상이 군인 수용소, 양로원. **~pension, ~rente** *f.* ↑ ~geld. **~versicherung** *f.* 상해 보험.
invalidieren *t.* 〔고어〕 무효화하다.
invalidisieren *t.* 근무 불능〔장애〕 선고를 하다.
Invalidisierung *f.* -en 근무 불능 선고.
Invalidität [ɪnvaliditɛ́:t] 《lat.》 *f.* 취업 장애, 근무 불능, 노후; 상이 군인임.
Invaliditäts·versicherung *f.* 상해 보험.
invariabel [ɪnvariá:bəl, ɪ́n..a:bəl] 《lat.》 *a.* 불변의, 변치 않는: 〖物〗 invariable Ebene 불변면; invariable Größen 불변량.
Invariante *f.* -n 〖數〗 불변수; 〖物〗 불변량.
Invarianten·theorie *f.* 〖數〗 불변성 이론〔원리〕.
Invarianz *f.* 〔교양〕 불변성: ~ der Naturgesetze 자연 법칙의 불변성.
Invasion [ɪnvazió:n] 《lat.》 *f.* -en ①〖法〗 침입, 침공, 침투: eine ~ in das Nachbarland 이웃 나라 침입. ② (많은 사람들의) 쇄도: es war unmöglich, der ~ der Käufer Herr zu

werden 구매자들의 쇄도를 통제하는 것은 불가능했다. ③〖醫〗병원균의 침투, 발병.
invasiv [ɪnvazíːf] *a.* 〖醫〗침입성의: eine ~e Krebsgeschwulst 침입성 암종양.
Invasor [ɪnváːzɔr, ..zoːr] *m.* -s, -en [..zóːrən] 침입자, 침략자: die ~en aus dem Land vertreiben 침략자들을 나라 밖으로 내몰다.
Invektive [..vɛktíːvə] 《lat.》 *f.* -n 〔교양〕악담, 험담, 욕설, 비방, 인신 공격.
invenit [ɪnvéː..] 《lat., „er hat (es) erfunden"》 (그래픽의 원작자 이름 앞에 쓰여) …가 발명한, …가 만든.
Inventar [ɪnventáːr] 《lat.》 *n.* -s, -e ① **(a)** 상품 목록, 재고 목록; 재산 목록. **(b)** 재고 물품; 재산. ②〔비유〕altes ~ 노복, 노비.
Inventar≈erbe *m.* 재고 목록 자산의 상속자. **~stück** *n.* 재고 목록에 기재된 물품.
Inventarien·stück *n.* ↑ Inventarstück.
Inventarisation [..zatsióːn] *f.* -en 〖法〗재산 목록의 작성, 재산 조사.
inventarisieren *t.* 재산 목록을 작성하다, 재산을 조사하다.
Inventarisierung *f.* -en 재산 목록 작성, 재고 조사.
Inventarium [..táːrium] *n.* -s, ..rien [..riən] 〔구식〕↑ Inventar.
Inventar≈recht *n.* 〖法〗상속할 재산 목록의 제출권. **~verzeichnis** *n.* 재산 목록: ein ~ anfertigen 재산 목록을 작성하다.
Invention [..tsióːn] *f.* -en ①〔구식〕발명; 수법, 비결. ②〖음악〗인벤션(다성적 수법에 의한 즉흥곡).
Inventur [..túːr] *f.* -en 재물〔재고〕 조사.
Inventur≈ausverkauf *m.* 〖經〗재고 정리 염가 판매. **~prüfung** *f.* 재산 목록 심사. **~verkauf** *m.* ↑ ~ausverkauf.
invers [ɪnvɛ́rs] 《lat.》 *a.* ①〔교양〕역(逆)의, 반대의. ②〖數〗~e Funktionen 역함수; 〖기하〗~e Abbildung 역투영(도).
Inversion [..zióːn] *f.* -en ①〔교양〕전도(轉倒): die ~ aller Werte 모든 가치의 전도. ②〖문법〗도치법(주어와 동사 간의 위치 전환). ③〖음악〗자리바꿈; 〖物〗회전. ④〖醫〗자궁〔장기〕의 뒤집힘; 성도착증. ⑤〖數〗반전(反轉). ⑥〖지질〗(지층의) 역전. ⑦〖化〗전화(轉化). ⑧〖기상〗(기온의) 역전. ⑨〖心〗시각의 전도.
Invertebrat [ɪnvɛrtebráːt] *m.* -en, -en, **Invertebratum** 《lat.》 *n.* -s, ..ten 〖動〗무척추 동물.
Inverter [invɛ́rtər] *m.* -s, - 〖컴〗음성 변환기〔장치〕.
invertieren [ɪnvɛrtíːrən] 《lat.》 《I》 *t.* 〔교양〕전도(轉倒)하다, 도치하다; 전회(轉回)하다; 반전하다; 〖化〗전화(轉化)하다. 《II》 **invertiert** *p.a.* ↑ invertiert.
invertiert 《I》 *p.p.* ↑ invertieren. 《II》 *p.a.* 〖化〗(당분이) 전화(轉化)한; 〖心〗성도착의.
Invertin [invɛrtíːn] *n.* -s 〖생화학〗사카라아제(당분을 포도당과 과당으로 분리하는 효소).
in Vertretung 대리로서, 대표하여(약어: i.V.).
Invert·zucker *m.* 〖化〗전화당(轉化糖).
Inverwahrnahme *f.* -n 〖官〗구치, 수감.
investieren [ɪnvɛstíːrən] 《lat.》 *t.* ①〔교양〕…에게 관복을 입히다, 임관시키다, 서임하다. ②〖經〗투자하다: Kapital ~ 자본을 투자하다. ③투입하다: Zeit in et. ~ 무엇에 시간을 투입하다.
Investierung *f.* -en 투자.
Investigation [ɪnvɛstigatsióːn] 《lat.》 *f.* -en 탐색; 연구; 조사.
Investition [ɪnvɛsti..] 《lat.》 *f.* -en 출자, 투자.
Investitions≈gut *n.* 〖經〗(기계·창고 따위의) 설비 투자재(↔ Konsumgut). **~hilfe** *f.* 투자 보조. **~lenkung** *f.* 〖經〗(국가의) 투자 조정. **~programm** *n.* 〖經〗투자 계획.
Investitur [..túːr] *f.* 서임(식); 〖가톨릭〗성직 서임(식).
Investitur·streit *m.* (성직 임명권을 둘러싼 황제와 교황 사이의) 서임권 분쟁(1075-1122).
investiv [invɛstíːf] *a.* 〖經〗투자의, 생산적인.
Investiv·lohn [..loːn] *m.* 〖經〗재형 저축용 임금 공제액.
Investment [invɛ́stmənt] 《engl.》 *n.* -s, -s 〖經〗투자.
Investment≈fonds [..fõː] *m.* 〖經〗투자 기금. **~gesellschaft** *f.* 〖經〗투자 회사. **~papier** *n.* 〖經〗투자 증권. **~trust** [..trʌst] *m.* 〖經〗↑ ~gesellschaft. **~zertifikat** *n.* 〖經〗↑ ~papier.
Investor [ɪnvɛ́stɔr, ..toːr] *m.* -s, -en [..tóːrən] 〖經〗투자자〔가〕.
invidiös [ɪnvi..] 《frz.》 *a.* 부러워하는, 시기하는.
in vino veritas [ɪn víːnoː véːritas] 《lat., „im Wein (ist) Wahrheit"》 취중 진담.
Invitation [ɪnvita..] 《lat.》 *f.* -en 초대.
invitieren [ɪnvitíːrən] *t.* 초대하다.
In-vitro-Fertilisation 《lat.》 [..víː..] *f.* 체외 수정(약어: IVF).
in vivo [..víːvo] 《lat. „im Leben"》 생체 내의: Versuche ~ durchführen 생체 실험을 하다.
Invokation [ɪnvokastióːn] 《lat.》 *f.* -en 부름, 기원; 애원.
Invokavit [..káːvɪt] 《lat., „er hat mich angerufen"》 *m.* - 사순절의 첫 일요일(그 입제문(入祭文)이 이 말로 시작되는 데에서).
in Vollmacht 전권을 가지고(약어: i.V., I.V.).
Involution [ɪnvolutsióːn] 《lat.》 *f.* -en ① 말아넣기, 감아넣기, 안으로 말기; 포함. ②〖醫·心〗(병의) 퇴행; 퇴축(退縮); 〖生〗퇴화. ③〖數〗대합(對合). ④〖사회〗사회 조직의 와해, 퇴행. ⑤착종(錯綜), 교착(交錯).
involvieren [..vɔlvíː..] 《lat.》 *t.* 〔교양〕포괄하다, 포함하다.
in·wärtig [ínvɛrtɪç] *a.* 〔드물게〕국내의; 출석한; 재중(在中)의.
inwärts [ínvɛrts] *adv.* 안쪽으로, 내부로.
in·wendig [ínvɛndɪç] 《I》 *a.* 안쪽의, 내부〔내면〕의: 〖聖〗in das ~e Heiligtum 성소의 장안으로(레위기 16 : 2). 《II》 *adv.* 안으로, 안쪽으로, 내부로: 〔구어〕et. ~ u. auswendig kennen 무엇을 속속들이 알고 있다, 정통하다.
in·wie·fern [ɪnvifɛ́rn], **in·wie·weit** [ɪnviváit] 《I》 *adv.* 어떤 정도로〔까지〕, 어디까지. 《II》 *cj.* 어느 정도까지, 어디까지: ich weiß nicht, ~ er daran beteiligt ist 그가 어

느 정도까지 그 일에 관련되어 있는지 나는 모른다.
in|wohnen *i.* 내재하다, 깃들어 있다; 존속하다.
inwohnend *p.a.* 속에 깃들어 있는, 내재하는, 고유한.
Inwohner *m.* -s, - ①〖구식〗(ndd.) (Einwohner) 주민, 거주자. ② (öst.) 임대인.
Inzahlung·nahme *f.* -n〖商〗(중고품) 할인 인수(신차 판매 때 중고차를 적절한 가격에 인수하는 일).
Inzest [ɪntsέst] 《lat.》 *m.* -es, -e 근친 상간; 근친 교배.
Inzest·tabu *n.*〖心〗근친 상간 금지.
inzestuös [..tsɛstuǿ:s] *a.* 근친 상간의: ~e Beziehungen 근친 상간 관계.
Inzicht [íntsɪçt] *f.* -en (obd.) ① 문죄(問罪), 고발, 기소. ② 혐의의 근거, 증거.
inzident [ɪntsidέnt] 《lat.》 *a.*〔고어〕갑자기 발생하는; 부수적인; 우연한.
Inzidenz 《lat.》 *f.* -en ①〖物·고어〗입사(入射), 투사(投射). ②〔고어〕뜻밖의 일, 우발 사건;〖法〗부대(附帶). ③〖기하〗점과 직선의 관계.
Inzision [ɪntsizió:n] 《lat.》 *f.* -en ① 베어들어감, 새겨 넣음; 벤 자국. ②〖醫〗절개, 시체 해부: eine ~ vornehmen (시체) 해부를 하다. ③〖시학〗운각의 중단, 정독(停讀).
Inzisiv [ɪntsizí:f] *m.* -s, -en [..vən], **Inzisiv·zahn** [..tsa:n] *m.*〖醫〗앞니.
Inzisur [ɪntsizú:*r*] *f.* -en〖해부〗(뼈나 기관의) 함몰, 홈집.
Inzucht [íntsʊxt] 《<Zucht》 *f.* -en 동종 교배, 동종 번식.
Inzucht·schaden *m.*〖生·醫〗동종 교배로 인한 유전적 결함.
in·zwischen [ɪntsvíːʃən] *adv.* (indessen) 그동안에, 그 사이에.
Io [io] 《gr.》 *f.* ①〖그리스신화〗제우스의 애인. ②〖天〗작은 유성(遊星) (Asteroid). ③〔복수: -s〕〖動〗적갈색 무늬가 있는 나비의 일종.
io [ió:] *int.* 야아, 여어(특히 기쁠 때 외치는 소리).
Io. =Iowa 아이오와주(州).
IOC [i:o:tsé:] 《engl.》 =International Olympic Committee 국제 올림픽 위원회.
Iod [jo:t] *n.* -(e)s〖化〗요오드(Jod).
Iodat [jodá:t] *n.* -(e)s, -e 요오드산염(Jodat).
Iodid [jodí:t] *n.* -(e)s, -e 요오드화물(化物)(Jodid).
IOK [i:o:ká:] =Internationales Olympisches Komitee 국제 올림픽 위원회.
Ion [ío:n] 《gr.》 *n.* -s, -en〖化〗이온.
Ionen≈antrieb *m.*〖化〗이온 자극. **~austausch** *m.*〖化〗이온 교환. **~strahlen** *pl.*〖化·物〗이온 광선〔방사선〕. **~theorie** *f.* 이온설. **~wanderung** *f.*〖化·物〗이온 이동.
Ionien [ió:niən] 이오니아(고대 그리스의 지명).
Ionier [..niə*r*] *m.* -s, - ① 이오니아 사람. ②〖哲〗이오니아 학파.
Ionisation [ionizatsió:n] 《<Ion》 *f.* -en〖化〗이온화, 전리(電離).
ionisch [ió:nɪʃ] *a.* 이오니아(식)의.
ionisieren [ionizí:rən] *t.*〖化〗이온화하다, 전리하다.
Ionisierung *f.* -en〖化·物〗이온화, 전리화.
Iono·sphäre [ionɔsfέ:rə] *f.*〖理〗이온권(圈), 전리층(電離層).
Iota [ió:ta] 《gr.》 *n.* -(s), -s ① 그리스 자모의 제 9 자(I, ι). ② 아주 적음, 미세, 근소: nicht ein ~ 〔kein ~〕조금도 …없다, 전혀… 아니다.
Iowa [áɪəwə] 아이오와(미국 중부의 주) (약어: Ia., Io.)
Ipekakuanha [ipekakuánja] 《port.》 *f.*〖植〗토근(吐根) (약용) (Brechwurzel).
Iphigenia, Iphigenie [ifigé:niə] 《gr.》 *f.*〖그리스신화〗이피게니아(아가멤논의 딸).
IPI 《engl.》 =International Press Institute 국제 신문 편집 협회.
ipse fecit [ípse: fé:tsɪt] 《lat., „er hat selbst gemacht"》 (예술가의 서명 앞·뒤에 써서)…작(作).
ipsissima verba [ɪpsísima vέrba] 자기 자신의 독특한 말(씨).
ipso facto [ípso fákto] ①〔교양〕사실상. ②〖法〗자명한.
ipso jure [..jú:rə]〖法〗법률상(으로).
Ipsophon [..fó:n] 《lat. -gr.》 *n.* -s, -e (전화기 부속의) 자동 녹음 응답 장치.
I-Punkt *m.* -(e)s, -e i(위의) 점, 완결점: bis auf den ~ 최후의 것까지도, 철두철미하게.
IQ [i:kú:, aɪkjú:] 《engl.》 *m.* -(s), -(s) =Intelligenzquotient 지능 지수.
Ir [i:έr]〖化〗=Iridium 이리듐.
IR =Interregio-Zug (독일의) 지역〔지방〕열차.
IR. =Infanterieregiment 보병 연대.
I.R. =Imperator Rex 황제 겸 국왕(빌헬름 2세가 사용한 통치자의 칭호).
i.R. =im Ruhestand 퇴직한.
ir.. 《lat.》 *pref.* 《r 로 시작하는 말의 전철로 in 의 변형》① "비(非)·무"의 뜻. ② "안〔속〕으로"의 뜻.
Ira [í:ra] 이라(여자 이름; ↑Irene, Irina 의 축약형).
IRA [í:ra, áɪ|a:réɪ] 《engl.》 =Irish Republican Army 아일랜드 공화군(Irisch-Republikanische Armee).
Irade [irá:də, ..de:] 《türk., „Wille"》 *m./n.* -s, -n〖史〗터키 황제의 칙령.
Irak [irá:k] *m.* -s 이라크.
Iraker *m.* -s, - 이라크인.
irakisch *a.* 이라크(인)의.
Iran [irá:n] 이란; 이란 고원.
Iraner [irá:nə*r*] *m.* -s, - 이란 사람.
Iranerin *f.* -nen ↑ Iraner 의 여성형.
Iranier [..niə*r*] *m.* -s, - ↑ Iraner.
iranisch *a.* 이란의.
Iranist [iraníst] *m.* -en, -en 이란 문제 연구가, 이란학자.
Iranistik *f.* 이란학(學).
Iranistin *f.* -nen ↑ Iranist 의 여성형.
Irbis [írbɪs] *m.* -ses, -se〖動〗애엽표(艾葉豹).
irden [írdən] 《ahd.; ♧Erde》 *a.* ①〔고어〕흙〔진흙〕으로 만든. ② 점토제의: ~e Waren 도기(陶器).
Irden≈geschirr *n.*, **~ware** *f.* 도기.
*__irdisch__ [írdɪʃ] *a.* ① (↔himmlich) 지상〔현

세]의, 이승의: ~e Lebewesen 지상의 생물. ②〖비유〗 일시적인, 한때의; 인생〔인간〕의; 속된; 현세 찬미의: das ~e Dasein 세속적인 생활; 〖雅語〗den Weg alles ≗en gehen 죽다. ③ 죽어야 할, 덧없는: die ~e Hülle des Verstorbenen 고인의 유해.

Ire [íːrə] *m.* -n, -n 아일랜드 사람(↑ Irländer).

Irene [iréːnə] 《gr., „Friede"》 *f.* ① [iréːnə] 이레네(여자 이름). ② [..neː] 〖그리스신화〗 이레네(평화의 여신).

Irenik [iréːnɪk] *f.* 〖기독교〗 (여러 종파간의) 화해주의.

irenisch *a.* 평화를 가져오는; 평화의; 평화 애호의.

***irgend** [írgənt] *adv.* ① (**a**) 도대체, 좌우간, 어떻게든지: ist es ~ möglich? 도대체 그것이 가능한 일인가? (**b**)〔관계 대명사·접속사와 관련하여〕 was man ~ finden kann 무엇이든지 찾아낼 수 있는 것이면; wann〔wo〕 es ~ geht 언제든 할 수 있을 때는; wenn es ~ möglich ist! 그것이 가능하기만 하다면!; so rasch wie ~ möglich 될 수 있는 대로 빨리. (**c**)〔고어〕 대략: es sind ~ zehn Meilen auf Leipzig 라이프치히까지는 한 10 마일 된다. (**d**)〔고어〕 전혀, 전연. ②〔부정 관사·부정 대명사·부사 따위와 함께 쓰여 불특정성을 강조〕 ↑ irgendein, irgendeiner 등; 〔다음 경우에는 띄어 씀〕 ~ etwas 그 어떤 무엇(인가); ~ jemand 그 어느 누구(인가); gibt es ~ etwas Schöneres? 이보다 더 아름다운 그 무엇이 있을까?; ~ jemand hat gesagt 누군가가 말하였다; wenn ~ jemand es wüßte 혹 누군가가 알고 있다면.

irgend≠ein *prn.* 〔복수: ~welche〕 어떤, 무슨, 모종의; 임의의, 아무: ~ Buch (임의의) 어떤 책; ohne ~welche Kosten 전혀 비용을 들이지 않고. **~einer** *prn.* 그 어떤 사람(이든지): ~ der Anwesenden muß ihr die Handtasche weggenommen haben 참석자들 중 그 어떤 사람이 그녀의 손가방을 훔쳤음에 틀림없다. **~einmal** *ad.* 〔구어〕 언젠가는 한 번. **~etwas** *prn.* ↑ irgend ②. **~jemand** *prn.* ↑ irgend ②.

irgends [írgənts] 〔irgend 의 2 격〕 *adv.* 〔고어〕 ↑ irgendwo.

irgend≠wann *adv.* 언젠가, 어느 땐가. **~was** *prn.* 〔구어〕 무언가(~etwas). **~welch** *prn.* ① 무슨, 어떤. ② 임의의. **~wer** *prn.* ↑ ~einer. **~wie** *adv.* (auf ~) 어떻게 해서든지, 어떤 식〔방법〕으로든지; 어쩐지. **~wo** *adv.* 어딘가〔어떤 곳〕에서: ~ anders 어딘가 딴 곳에서. **~woher** *adv.* 어디선가에서. **~wohin** *adv.* 어디로인가. **~womit** *adv.* 무엇인가를 가지고. **~worin** *adv.* 어떤 무엇 속에.

Iridektomie [iridɛktomíː] 《gr.; <Iris》 *f.* -n [..míːən] 〖醫〗 홍채(虹彩) 절제술.

Iridium [iríːdiʊm] 《gr.》 *n.* -s 〖化〗 이리듐(금속 원소; 기호: Ir.).

Iridologe [iridolóːgə] *m.* -n, -n 홍채(虹彩) 진단가.

Iridologie [..gíː] *f.* 홍채(虹彩) 진단.

Irin [íːrɪn] *f.* -nen ↑ Irländerin.

Irina [iríːna] 이리나(여자 이름).

Iris [íːrɪs] 《gr.》 *f.* ①〖그리스신화〗 이리스(신의 사자); 무지개의 여신. ② 무지개. ③ 〖醫〗 홍채(虹彩). ④〖植〗 붓꽃속(屬)의 식물.

Iris≠blende *f.* 〖사진〗 조리개. **~bogen** *m.* 무지개.

irisch [íːrɪʃ] *a.* 아일랜드(사람)의: ~er Witz 너절한 익살.

Iris≠farbe *f.* 무지개 빛. **~glas** *n.* 무지개 빛 유리.

Irisch-Republikanische Armee *f.* (지하 운동을 하는) 아일랜드 공화군(약어: IRA).

Irisch-Stew [áɪərɪʃ-stjúː] 《engl.》 *n.* -(s) 〖요리〗 아일랜드식 스튜(양고기와 양파의 스튜).

Irish Coffee [..kɔ́fɪ] 《engl.》 *m.* --, --s 위스키와 거품 크림을 탄) 아일랜드식 커피.

irisieren [irizíːrən] 《gr.; <Iris》《I》 *t.* 〖드물게〗 무지개 빛으로 만들다. 《II》 *i.* 무지개빛을 내다, 분극광(分極光)을 나타내다: die Wasserstrahlen ~ in der Sonne 물살이 햇빛에 비치어 무지개처럼 빛난다.

Iritis [iríːtɪs] *f.* ..tiden [..tíːdən] 〖醫〗 홍채염(虹彩炎).

IRK [iː|ɛrkáː] =Internationales Rotes Kreuz 국제 적십자사.

***Irland** [írlant] 아일랜드.

Irländer [..lɛndər] *m.* -s, - 아일랜드 사람.

Irländerin *f.* -nen ↑ Irländer 의 여성형.

irländisch *a.* 아일랜드의.

Irma [írma] *f.* 이르마(여자 이름; Irm.. 으로 시작하는 여자 이름의 단축형).

Irmgard [írmgart] *f.* 이름가르트(여자 이름).

Irmin·säule [írminzɔʏlə], **Irminsul** [..zul] *f.* 이르민 기둥(고대 작센족이 이르민신(神)을 기리기 위해 세운 기둥).

Irmtraut *f.* 이름트라우트(여자 이름).

IRO [íːro] 《engl.》 =International Refugee Organization 국제 난민(難民) 구제 기구 (1947-51).

Irokese [irokéːzə] *m.* -n, -n 이로쿼이족(북아메리카 인디언의 한 종족).

***Ironie** [ironíː] 《gr. eirōneía, „Verstellung"》 *f.* -n [..níːən] 반어, 아이러니; 풍자, 비꼼, 빈정댐: 〔비유〕 ~ des Schicksals 운명의 장난.

Ironiker [iróːnikər] *m.* -s, - 반어가, 비꼬기 좋아하는 사람.

ironisch *a.* 반어적인, 비꼬는, 빈정대는.

ironisieren *t.* 비꼬아 말하다, 빈정대다: einen Vorgang ~ 어떤 사건을 비꼬아 말하다.

irr [ɪr] *a.* 〔드물게〕 ↑ irre.

Irradiation [ɪradiatsióːn] 《lat.》 *f.* -en ① 〖醫〗 (고통·흥분의) 확산, 퍼짐. ②〖心〗 (감정 등의 대중적) 파급, 확산. ③〖心〗 밝은 물체가 어두운 배경에서 실제보다 더 크게 보이는 착시 현상. ④〖사진〗 사진 감광판의 노출 과다.

***irrational** [ɪratsionáːl, íra..naːl] 《lat.》 *a.* 불합리한; 〖哲〗 비이성적인: ~es Vorgehen 비이성적인 행동; ~es Handeln 예측할 수 없는 행동; 〖數〗 ~e Zahl 무리수.

Irrationalismus *m.* - ①〖哲〗 비이성주의. ② 불합리, 비합리, 불합리한 언행, 비이성.

Irrationalität *f.* 〔교양〕 불합리(성): die ~ einer Argumentation 논증의 불합리.

Irrational·zahl *f.* 〖數〗 무리수.

irrationell *a.* 불합리한, 비합리적인; 〖哲〗 비

이성적인.

Irr·block *m.* 〖지질〗 표석(漂石).

***irre** [ˈɪrə] *a.* ① 헤매는; 〖비유〗 마음이 정해지지 않은, 머뭇거리는: ~r Blick 두리번거리는 시선. ② **(a)** 미친, 돈; 정신이 헷갈리는, 당황한, 홀린; 정도(正道)를 벗어난; 〖法〗 심신 상실의: ~ Reden〔Worte〕 헛소리; der Redner wurde ~ 그 연사는 당황했다; ein ~r Typ 미친 녀석. **(b)** 비범한, 보통이 아닌, 매우 큰〔많은〕: sich ~ kleiden 옷차림을 요란히 하다; bei dieser Sache hat er ~s Geld verdient 그는 이 일로 매우 많은 돈을 벌었다. ③ 〖동사와 함께〗 ~ **machen** 당황하게 하다, 헷갈리게 하다; ~ **sehen** 잘못 보다; ~ **sein** 틀리다, 어찌할 바를 모르다; ich bin an dir ~ 나는 너를 어찌하면 좋을지 모르겠다, 너라는 사람을 모르겠다; im Kopf ~ sein 머리가 이상하다; an jm.〔et.[3]〕 ~ **werden** 누구〔무엇〕에 대해 갈피를 못 잡게 되다; ~ **führen,** ~ **gehen,** ~ **leiten** ↑ ~führen, ~gehen, ~leiten.

Irre[1] [ˈɪrə] *f.* 길잃음; 어리둥절함; 방황; 오류; 미망(迷妄); 미궁, 미로: in der〔die〕 ~ gehen 헤매다, 길을 잘못 들다, 오류를 범하다; in die ~ führen 나쁜 길로 이끌다, 미혹하다.

Irre*[2] *der/die* 정신 착란자, 미치광이; 〖醫〗 전광(癲狂).

irreal [ˈɪrea:l, ɪreˈa:l] 《lat.》 *a.* 비현실의, 비현실적인.

Irreal *m.* -s, -e, **Irrealis** [ɪreˈa:lɪs, ˈɪrea:..] *m.* -, ..les 〖문법〗 비현실적 소망의 접속법.

Irrealität [ɪrealiˈtɛ:t, ˈɪre..] *f.* -en 비현실성.

Irrede [ˈɪre:də] *f.* -n ↑ Irrrede.

Irredenta [ɪreˈdɛnta] 《it.》 *f.* 〖史〗 실지 회복 동맹(1918 년 이전 이탈리아 애국당(黨)의 이름); 실지(失地) 회복 운동.

Irredentismus *m.* - (이탈리아) 민족 통일주의.

Irredentist *m.* -en, -en 이탈리아 실지 회복 동맹의 당원; 민족 통일주의자.

irredentistisch *a.* 민족 통일주의의.

irreduzibel [ˈɪredutsi:bəl, ire..ˈtsi:bəl] *a.* ① 〖교양〗 환원〔회복〕할 수 없는. ② 〖數〗 약분할 수 없는, 기약(既約)의: eine irreduzible Gleichung 기약 방정식. ③ 〖논리〗 단언적 표현.

irre≈|fahren* [ˈɪrə..] *i.* (s.) (차를 타고) 길을 잘못 들어서다, 헤매다. **~führen** *t.* ① 길을 잘못 인도〔안내〕하다. ② 〖비유〗 미혹하다; 속이다: sie ließ sich leicht ~ 그 여자는 쉽게 속아 넘어갔다. **~|gehen*** *i.* (s.) ① 길을 잃다, 헤매다; 어쩔 줄 몰라하다; (편지가) 수신인에게 닿지 않다. ② 틀리다, 잘못 짚다.

irregulär [ˈɪregulɛ:r, ɪreguˈlɛ:r] 《lat.》 *a.* ① 불규칙한, 변칙의; 보통이 아닌, 이상한; 비합법의, 불법의: 〖軍〗 ~e Truppen 비정규군. ② 〖가톨릭〗 서품(敍品) 자격이 없는.

Irreguläre* *der* 〖軍〗 비정규군〔병〕.

Irregularität *f.* -en ① 〖교양〗 불규칙, 불법. ② 〖가톨릭〗 서품(敍品) 자격 부족.

irre|leiten *t.* 그릇된 방향으로 인도하다, 오도하다(irreführen): von falschen Vorbildern irregeleitete Jugendliche 그릇된 본보기에 따라 오도된 청소년들.

irrelevant [ˈɪrelevant, ɪreleˈvánt] 《lat.》 *a.* 〖교양〗 중요치 않은; 사소한, 하찮은.

Irrelevanz [ˈɪrelevants, ..ˈvánts] *f.* -en ① 중요치 않음, 사소. ② 중요하지 않은 것: solche ~en kann man außer acht lassen 그러한 사소한 것은 무시할 수 있다.

irreligiös [ˈɪreligiø:s, ɪre..ˈø:s] 《lat.》 *a.* 〖교양〗 신앙심〔믿음〕이 없는; 비종교적인.

Irreligiosität *f.* 〖교양〗 비종교적 태도.

irre|machen *t.* 어쩔 줄 모르게 하다, 당황하게 하다, 어리둥절케 하다(↑ irre ③): er läßt sich durch nichts ~ 그는 어떤 것에도 현혹되지 않는다.

***irren** [ˈɪrən] 《I》 *i.* (h./s.) ① 길을 잃다〔잘못 들다〕; 나쁜 길로 빠지다: es irrt der Mensch, solang er strebt 인간은 노력하는 한 헤매게 마련이다(괴테의 "파우스트" 317 행). ② 방황하다, 헤매다: ~der Ritter 편력 중의 기사(騎士). ③ 잘못하다, 틀리다, 잘못 생각하다, 망상을 품다. ④ 〖宗〗 계율을 깨뜨리다. 《II》 *refl.* sich ~ 잘못 생각〔예측〕하다, 틀리다: sich im Datum 〔in jm., in seiner Rechnung, beim Schreiben〕 ~ 날짜를〔누구를, 계산을, 쓰기를〕 틀리다〔잘못 알아보다〕; ich kann mich (auch) ~ 나도 확실히는 모른다. 《III》 *t.* 나쁜 길로 이끌다, 미혹하다; 어쩔 줄 모르게 하다, 당황하게 하다; 방해하다: sich ~ lassen 방해를 받다.

Irren *n.* -s 헤맴, 과오: 〖속담〗 ~ ist menschlich 과오는 누구에게나 있는 것이다; ↑ Irrfahrt, Irrtum, Irrung.

Irren≈abteilung *f.* 〖醫〗 정신과. **~anstalt** *f.* 〖구어·폄어〗 정신 병원. **~arzt** *m.* 정신과 의사. **~haus** *n.* ↑ ~anstalt. **~haus·reif** *a.* 〖구어〗 정신 병원에 입원할 정도에 이른: ich bin fast ~ 나는 거의 정신 병원에 가야 할 정도다. **~häusler** *m.* 정신 병원 환자, 미친 사람. **~heil·anstalt** *f.* 정신 병원. **~heil·kunde** *f.* (Psychiatrie) 정신병학, 정신 의학, 정신과. **~pflege** *f.* 정신병자 간호〔보호〕. **~wesen** *n.* 정신병 치료 업무 일반.

irreparabel [ˈɪrepara:bəl, ɪrepaˈra:bəl] 《lat.》 *a.* 고칠〔수리할〕 수 없는; 보충〔대치〕할 수 없는; 회복〔치료〕할 수 없는.

irreponibel [ˈɪreponi:bəl, ire..ˈni:bəl] *a.* 〖醫〗 다시 원위치에 갖다놓을 수 없는, 원상 복구가 불가능한: irreponible Knochenenden 다시 제자리에 붙일 수 없는 뼈끝.

irre|reden *i.* 헛소리하다.

irre|sein* *i.* (s.) 틀리다, 어찌할 바를 모르다 (↑ irre ③).

Irresein *n.* -s 당황, 갈피를 못잡음; 광기(狂氣); 〖醫〗 정신병.

irresistibel [ˈɪrezɪsti:bəl, ɪre..ˈti:bəl] 《lat.》 *a.* 저항할 수 없는(unwiderstehlich).

irresolut [ˈɪrezolu:t, ɪre..ˈlu:t] 《lat.》 *a.* 〖교양〗 과단성이 없는, 망설이는: ~es Auftreten 망설이는 행동.

irrespirabel [ˈɪrespira:bəl, ire..ˈra:bəl] *a.* 〖醫〗 숨쉴 수 없는, 호흡하기에 적당하지 않은: irrespirable Gase 흡입할 수 없는 가스.

irreversibel [ˈɪrevɛrzi:bəl, ɪre..ˈzi:bəl] 《lat.》 *a.* 돌이킬 수 없는, 거꾸로 할 수 없는; 〖化〗 불가역의.

Irre·werden *n.* 정신병에 걸림, 미침.

Irr≈fahrt *m.* 헤매고 다님; 방황, 표박(漂泊). **~gang** *m.* ① ↑ ~fahrt. ② 미로, 미궁. **~garten** *m.*, **~gebäude,** **~gebüsch** *n.* ↑ ~gang ②. **~glaube** *m.* 미신, 사교(邪教), 이단(異端). **~glauben** *m.* ↑ ~glaube.

~gläubig *a.* 이단의. **~gläubige*** *der/die* 사교도, 이단자. **~gläubigkeit** *f.* ↑ ~-glaube.

*__irrig__ [írɪç] 《<irren》 *a.* ① (사물이) 틀린, 잘못된: eine ~e Ansicht 그릇된 견해. ② (인간이) 잘못 생각한, 망상에 사로잡힌.

Irrigation [ɪrigatsió:n] 《lat.》 *f.* -en 〖農〗 (Bewässerung) 관개(灌漑); 〖醫〗 관주(灌注)(법), 관장, 세척.

Irrigator [..gá:tɔr, ..to:r] *m.* -s, -en [..tó:rən] 〖醫〗 세척기, 관장기.

irriger·weise [írɪgər..] *adv.* 잘못하여, 틀리게; 거짓으로.

irritabel [ɪritá:bəl] 《lat.》 *a.* (자극에) 민감한, 흥분하기 쉬운; 화를 잘 내는; 전향성(轉向性)의: ein irritabler Mensch 예민한 사람.

Irritabilität *f.* 〖醫〗 자극성; 민감성; 전향성(轉向性).

Irritation [..tatsió:n] *f.* -en 〖醫〗 자극; 민감; 흥분; 〔교양〕 당황, 불안, 혼란.

irritieren [..tí:rən] *t.* ① 방해하다. ② 자극하다; 흥분시키다; 노하게 하다. ③ 〔속어〕 (irremachen) 당황케 하다, 불안하게 하다.

Irr≈läufer *m.* 잘못 배달된 우편물. **~lehre** *f.* 유설(謬說); 이단; 사교(邪敎). **~lehrer** *m.* 사교 전도자, 사교도. **~licht** *n.* 도깨비불; 〔비유〕 사람을 현혹하는 빛. **~lichtelieren** [ɪrlɪçtəlí:rən], **~lichterieren, ~lichtern** 《<Irrlicht》 *i.* 도깨비불처럼 깜박거리다; 〔비유〕 마음이 흔들리다, 결심하지 못하다. **~-pfad** *m.* 〔구식〕 ↑ ~weg. **~rede** *f.* 헛소리.

Irrsal [írza:l] *n.* -(e)s, -e 〔시어〕 ① 헤맴, 갈피를 못잡음; 방황, 표박(漂泊). ② 과실; 갈등.

Irr≈sein *n.* (Irresein) 당황, 광기, 〖醫〗 정신병. **~sinn** *m.* 착각, 미혹; 망상; 〖醫〗 미침, 정신 착란. **~sinnig** *a.* 미친, 착각한. **~-stern** *m.* 행성(Planet); 혜성(Komet).

*__Irrtum__ [írtu:m] *m.* -(e)s, ..tümer 잘못, 오류, 오해; 착오, 착각: ~ im Namen〔Reden〕 이름〔말〕의 틀림; ~ in der Zeitrechnung 연대·날짜 계산의 틀림, 시대 착오; sich im ~ befinden 〔im ~ sein〕 잘못하고 있다, 잘못 생각하고 있다; jn. von seinem ~ befreien 〔jm. seinen ~ benehmen, jm. aus dem ~ helfen, jn. aus seinem ~ reißen〕 누구의 오류를 깨닫게 하다; jn. auf Irrtümer bringen 〔jn. zum ~ verleiten〕 누구를 그릇된 길로 이끌다, 잘못 생각하게 하다; an seinem ~ festhalten 그릇된 것을 고집하다; sich von einem ~ frei machen 자기 잘못을 깨닫다〔고치다〕; einen ~ begehen, auf einen ~ geraten, in einen ~ verfallen 오류〔과오〕를 범하다.

irrtümlich [írty:mlɪç] *a.* 잘못한, 틀린.

irrtümlicher·weise *adv.* 잘못하여.

Irrung [írʊŋ] *f.* -en 〔시어〕 ① ↑ Irrtum. ② 변칙; 위배. ③ 감정의 엇갈림, 갈등: ~en, Wirrungen 얼킴과 설킴(T. Fontane 의 소설 제목에서).

Irr≈wahn *m.* 착각, 망상; 그릇된 생각; 미신. **~weg** *m.* 미로, 미궁; 그릇된 길; 기로(岐路); 〔비유〕 오류: auf ~e geraten 길을 잃다, 〔비유〕 나쁜 길에 발을 들여놓다. **~-werden** *n.* 정신병에 걸림, 미침(↑ Irrewerden). **~wisch** *m.* ① ↑ ~licht. ② 요마(妖魔), 산〔집·땅〕의 요정; 〔비유·구어〕 장난꾸러기. **~witzig** *a.* 무의미한, 어리석은, 미친.

Irvingianer [ɪrvɪŋgiá:nər] *m.* -s, - 〖宗〗 (영국 목사 E. Irving 을 교주로 하는) 어빙교(敎) 신도.

Irvingianismus *m.* - 〖宗〗 어빙교(의 교리).

Isa *m.* 이사(예수에 대한 이슬람교의 호칭).

Isaak [í:za:k, ..zaak] 《hebr., „Spötter"》 *m.* 〖聖〗 이삭(아브라함의 아들).

Isabel [í:zabəl] *f.* 이자벨(여자 이름).

Isabella [izabéla] *f.* 이자벨라(여자 이름).

Isabelle[1] 《sp.》 *f.* 이자벨레(여자 이름).

Isabelle[2] *f.* -n 황갈색의 말.

isabell≈farben, ~farbig *a.* 황갈색의.

Isar [í:zar] *f.* 이자르강(Donau 강의 지류).

Isar·Athen 이자르 강변의 아테네(뮌헨의 별칭).

Isatin [izatí:n] *n.* -s 〖化〗 이사틴(인디고를 질산으로 산화하여 얻는 화합물).

ISBN [i:|ɛsbe:|ɛ́n] = Internationale Standardbuchnummer 국제 표준 도서 번호.

*__..isch__ *suf.* 명사·동사·형용사 따위에 붙어서 형용사를 만드는 후철; 또 고유 명사의 원형을 유지하기 위하여 i 를 생략하는 경우도 있음(보기: Koreanisch, Goethesch, teuflisch, neckisch, selbstisch).

Ischämie [ɪsçɛmí:, ɪʃɛ..] 《gr.》 *f.* 〖醫〗 국부빈혈.

Ische [í(:)ʃə] *f.* -n ① 〔방언〕 늙은 여자. ② 〔학생〕 계집애, 여자 친구.

Ischia [ískia] 이스키아(남이탈리아의 섬).

Ischia≈dikus [ɪsçía:dikʊs, iʃía:..] *m.* -s, ..dizi 〖醫〗 좌골 신경통. **~disch** *a.* 〖醫〗 좌골 신경의.

Ischialgie [ɪsçialgí:, ɪʃi..], **Ischias** [ísçias, íʃias] 《gr.》 *f.* 〖醫〗 좌골 신경통.

Ischias·nerv *m.* 〖해부〗 좌골 신경.

Ischurie [ɪsçurí:] *f.* -n 〖醫〗 요폐(尿閉).

ISDN 《engl.》 = integrated services digital network 종합 정보 통신망.

Isegrim [í:zəgrɪm] *m.* -(e)s, -e ① 이제그림 (동물 우화의 늑대 이름). ② 〖비유〗 불평가.

Iser [í:zər] *f.* 이저강(엘베강의 지류).

Iser·lohn 이저론(Sauerland 지역에 있는 도시).

Isidor [í:zido:r, izidó:r] 《gr.》 *m.* 이지도르 (남자 이름).

Isis [í:zɪs] *f.* 〖신화〗 이시스(이집트의 여신)(Osiris 의 처).

*__Islam__ [íslam, ɪslá:m] 《ar. salama, „sich Gott ergeben"》 *m.* - 이슬람, 이슬람교, 회교.

Islamabad [ɪslamabá:t, ɪslá:maba:t] 이슬라마바드(파키스탄의 수도).

Islamisation *f.* -en 이슬람교화, 회교화.

islamisch *a.* 이슬람교의.

islamisieren *t.* 이슬람교로 개종시키다; 이슬람권에 영합시키다.

Islamismus 《ar.》 *m.* - ↑ Islam.

Islamit *m.* -en, -en 이슬람교도.

Islamitin *f.* -nen ↑ Islamit 의 여성형.

islamitisch *a.* ↑ islamisch.

*__Island__ [í:slant] 《nord, „Eisland"》 아이슬란드(북대서양에 있는 섬나라).

Isländer [í:slɛndər] *m.* -s, - 아이슬란드인.

Isländerin *f.* -nen ↑ Isländer 의 여성형.

isländisch *a.* 아이슬란드의.

Isländisch *n.* -(s) 아이슬란드어.
Isländische* *das* 아이슬란드어.
Ismael [ísmae:l, ..ɛl] 〖聖〗 이스마엘(아브라함의 서자).
Ismailit [ísmailí:t] *m.* -en, -en (이슬람 Schiit 교의 한 종파로 Ismail 을 신봉하는) 이스마일 종파.
Ismene [ɪsmé:ne] 〖그리스신화〗 이스메네(오이디푸스의 딸).
Ismus [ísmʊs] *m.* -, ..men 〔폄어〕 단순한 이론, 공론(空論).
..ismus 《gr. -lat.》 *suf.* 추상 명사를 만드는 후철로서 "체계·주의·신앙·특성·상태·작용" 따위를 나타냄(보기: Darwin~, Kommun~, Real~, Vokal~, Alkohol~).
ISO 《engl.》 = International Organization for Standardization 국제 표준국.
iso.. [izo.., i:zo..] 《gr. ísos, „gleich"》 *pref.* "동등·동종"의 뜻.
Isobare [izobá:rə] 《gr.》 *f.* -n 〖物·天〗 등압선.
Isobutan *n.* -s 〖化〗 이소부탄.
isochrom [..kró:m] *a.* ↑ isochromatisch.
Isochromasie [..kro..] *f.* 〖사진〗 동일 색감도.
isochromatisch [..kro..] *a.* 같은 색의; 〖사진〗 (필름이) 모든 색에 동일한 감도로 반응하는, 색감도가 일정한.
isochron *a.* 〖物·數〗 동시성의, 동시간 계속하는: ~e Linie 등발진시선(等發震時線).
Isochrone *f.* -n 〖印〗 등발진시선.
Isochronismus *m.* - 동시간성, 등시성.
Isodyname [..dyná:mə] *f.* -n 〖物〗 등자력선(等磁力線).
Isodyne [..dý:nə] *f.* -n 〖物〗 등력선.
Isogamie [..gamí:] *f.* -n [..mí:ən] 〖生〗 동형배우자 생식.
Isoglosse [..glɔ́sə] *f.* -n 〖언어〗 (동일한 언어 사용 지역을 연결하는) 등어선(等語線).
Isogon [..gó:n] *n.* -s, -e 〖數〗 등각 다각형, 정다각형.
isogonal [..goná:l] *a.* 〖數·제도〗 등각의.
Isogone *f.* -n 〖物〗 등방위각선(等方位角線), 등편각선(等偏角線).
Isographie *f.* -n [..fí:ən] 진사법(眞寫法), 의서법(擬書法).
Isohyete [..hyé:tə] *f.* -n 등강우량선.
Isohypse [..hýpsə] *f.* -n 등고선.
Isokline [..klí:nə] *f.* -n 〖物〗 등경선(等傾線), 등복각선(等伏角線).
isoklinisch *a.* 〖物〗 등복각의.
Isolation [izolatsió:n] 《lat.》 *f.* -en ① 격리; 격리 감금. ② 고립, 단절. ③ 〖전기〗 절연(絶緣); 〖化〗 유리(遊離).
Isolationismus [..tsi..] *m.* - 고립주의.
Isolationist [..níst] *m.* -en, -en 고립주의자.
isolationistisch *a.* 고립주의의.
Isolations≈folter *f.* 격리 감금을 통한 고문. **~haft** *f.* 격리 감금: sich in ~ befinden 격리 감금되어 있다.
Isolator [izolá:tɔr, ..to:r] *m.* -s, -en [..tó:rən] 〖전기〗 절연체, 애자(碍子).
Isolier≈band [izolí:r..] *n.* 〔복수: ..bänder〕 〖전기〗 절연 테이프. **~baracke** *f.* 격리 병동.
***isolieren** [izolí:rən] 《lat.》 《I》 *t.* 격리하다, 고립시키다; 〖전기〗 절연하다; 〖化〗 유리시키다. 《II》 *refl.* sich ~ 고립되다, 은거하다. 《III》 **isoliert** *p.a.* ↑ isoliert.
Isolierer [izolí:rər] *m.* -s, - 단열〔방습·방음〕공.
Isolier≈firnis *m.* 절연 니스. **~flasche** *f.* (진공) 보온병. **~haft** *f.* 〖法〗 단독 구치(拘置), 독방 감금. **~haus** *n.* 격리 병동. **~hospital** *n.* 격리 병원. **~masse** *f.* 〖전기〗 절연 혼합물. **~material** *n.* 단열재, 방음〔방습〕재. **~rohr** *n.* 〖전기〗 절연관. **~schemel** *m.* ↑ Isolator. **~schicht** *f.* 절연〔방음〕층. **~station** *f.* 격리 병동: auf der ~ liegen 격리 병동에 입원하고 있다. **~stuhl** *m.* ↑ Isolator.
isoliert [izolí:rt] 《I》 *p.p.* ↑ isolieren. 《II》 *p.a.* 격리된, 고립된; 〖전기〗 절연된.
Isoliertheit, Isolierung *f.* -en 격리, 고립; 〖전기〗 절연.
Isolier≈wand *f.* 격벽(隔壁), 방화벽. **~zelle** *f.* (교도소 따위의) 독방.
Isolinie [í:zoliniə] *f.* -n (지도나 기상도 따위에서 사용되는) 등고선, 등압선.
isomer [izomé:r] 《gr.》 *a.* 〖化〗 동분체(同分體)의, 이성체(異性體)의, 동질 이성의; 〖植〗 (잎 따위가) 등수(等數)의.
Isomere [..mé:rə] *n.* -n, -n 〖化〗 동질 이성체, 이성질체.
Isomerie [..merí:] *f.* 〖化〗 이성, 동질 이성(체), 동분(同分).
Isometrie [..metrí:] *f.* ① (특히 지도에서) 등척(等尺). ② 〖數〗 등간격, 등거리. ③ 〖生〗 균등 생장. ④ 〖문학〗 음절수나 운율의 동일.
Isometrik [..me:trík] *f.* 근육 균형 운동.
isometrisch [..mé:trɪʃ] *a.* 〖化〗 같은 용적〔크기〕의; 동일한 길이를 유지하는: ~e Muskelbewegung 근육 신장 없이 하는 근육 운동.
isomorph [..mɔ́rf] *a.* (gleichförmig) 동형(同形)의; 〖광물〗 유질 동상(類質同像)의.
Isomorphie *f.* 〖化〗 동형; 〖광물〗 유질 동상.
Isomorphismus [..físmʊs] *m.* -, ..men ① 〖數〗 동형: es gibt einen ~ zwischen A und B A 와 B 사이에 동형이 존재한다. ② 〖언어〗 동형성.
Isop [í:zɔp] *m.* -s, -e ↑ Ysop.
Isopathie [izopatí:] 《gr.》 *f.* 〖醫〗 (환자의 몸 안에 생긴 물질로 병을 치료하는) 동독(同毒) 요법(보기: 백신).
isoperimetrisch [..mé:trɪʃ] *a.* 〖기하〗 같은 크기의: ~e Fläche 같은 면적의 평면: ~e Körper 같은 용적의 물체.
Isopode [..pó:də] *m.* -n, -n 〖動〗 (Assel) 쥐며느리; 지네.
Isopren [..pré:n] *n.* -s 〖化〗 이소프렌(인조 고무의 구성 물질).
Isoseiste [..záɪstə] *f.* -n 〖지구물리〗 등진도선(等震度線).
Isostasie [..stazí:] *f.* 〖지구물리〗 지각 평형.
Isothere [..té:rə] 《gr.》 *f.* -n 〖物〗 등서선(等暑線).
Isotherme [..tɛ́rmə] *f.* -n 등온선.
isothermisch *a.* 등온(等溫)의.
Isoton [..tó:n] *n.* -s, -e 〖핵물리〗 같은 수의 중성자를 갖는 원자핵.
isotonisch *a.* ① 〖物〗 삼투압이 같은. ② 〖스포츠〗 (근육의) 긴장 상태가 같은.
Isotop [izotó:p] *n.* -s, -e 〖化〗 동위 원소, 동

위체(體).
Isotopen≈diagnostik *f.* 〖醫〗 방사성 동위 원소를 이용한 진단(법). **~therapie** *f.* 〖醫〗 방사성 동위 원소를 이용한 치료. **~trennung** *f.* 〖핵물리〗 여러 동위 원소들의 분리 (절차).
Isotron [íːzotrɔn] *n.* -s, -e [izotróːnə] 〖핵물리〗 동위 원소 분리기.
isotrop [..tróːp] *a.* 〖物〗 등방성(等方性)의.
Isotropie [..tropíː] *f.* 등방성(等方性).
Israel [ísraɛl] 《hebr.》 ① *m.* 이스라엘(남자 이름); 〖聖〗 이스라엘(야곱의 별명). ② 이스라엘 민족; 이스라엘 공화국.
Israeli [ɪsraéːli] *m.* -(s), -(s) 이스라엘 사람.
israelisch [..raéːlɪʃ] *a.* 이스라엘 (공화국)의.
Israelit [ɪsraelíːt] *m.* -en, -en 이스라엘 사람, 유대인.
israelitisch *a.* 이스라엘의.
iß [ɪs] ↑ essen의 2 인칭 단수 명령형.
issest [ísəst] ↑ essen의 2 인칭 단수 현재형.
ißt [ɪst] ↑ essen 의 2·3 인칭 단수 현재형.
Ist [ɪst] 《<ist》 *n.* -s 실수지(實收支).
ist [ɪst] ↑ sein¹ 의 3 인칭 단수 현재형.
Istanbul [ístanbuːl] 이스탄불(터키의 도시).
Ist-Aufkommen *n.* 조세의 실수입(금). **~-Ausgabe** *f.* 실지출. **~-Bestand** *m.* (↔ Soll-Bestand) 현재액; 실제 재고. **~Einnahme** *f.* 실〔순〕수입.
isthmisch [ístmɪʃ] 《gr.》 *a.* (코린트) 지협(地峽)의: ~e Spiele (고대 그리스) 코린트의 경기 (대회).
Isthmus [..mʊs] 《gr.》 *m.* -, ..men (코린트) 지협; 〖醫〗 협부(峽部).
IstGH =Internationale Strafgerichtshof 국제 형사 재판소.
Ist-Maß *n.* 실제 척도. **~-Stärke** *f.* 〖軍〗 현재 병력수, 실재 병력, 현재원.
Istrien [ístriən] 이스트리아(아드리아 해안에 위치한 반도).
Istwäone [ɪstvɛóːnə] *m.* -n, -n 〖史〗 이스트베오네족(고대의 서게르만 민족).
istwäonisch *a.* 이스트베오네족의.
it. =item 따라서, 요컨대.
Itaker [íːtakər] *m.* -s, - 〖펌어〗 이탈리아 사람.
Itala [íːtala, íta..] *f.* 이탈라 성서(가장 오래된 라틴어 번역 성경).
Italer [íːtalər] *m.* -s, - 고대 이탈리아의 원주민.
Italia [itáːlia] 《lat., „Rinderland"》 ↑ Italien.
italianisieren [italianizíːrən] *t.* 이탈리아화하다: eine stark italianisierte Ausdrucksweise 이탈리아적 특색이 강한 표현 방식.
***Italien** [itáːliən] 이탈리아.
Italiener [italiéːnər] *m.* -s, - 이탈리아인.
Italienerin *f.* -nen ↑ Italiener 의 여성형.
Italienisch [..liéːnɪʃ] *n.* -(s) 이탈리아어, 이탈리아어 문학.
italienisch *a.* 이탈리아(사람·말)의.
Italienische* *das* ↑ Italienisch.
italienisieren *t.* ↑ italianisieren.
Italienne [..liɛ́n] 《frz.》 *f.* 로마〔라틴〕(글)자체(字體).
Italiker *m.* -s, - ↑ Italer.
Italique [..líːk] 《frz.》 *f.* 이탈리아 문자; 〖印〗 이탤릭(체).
italisch [itáːlɪʃ] 《<Italia》 *a.* 고대 이탈리아(인)의; 〖印〗 이탤릭체 활자의.
Italo-Western [íːtalo..] *m.* -(s), - 〖영화〗 이탈리아식 서부 영화.
Itazismus [itatsísmʊs] *m.* - 〖음성〗 고대 그리스어의 e 음을 오늘날 i 장음으로 발음하는 현상(↔ Etazismus).
item [í(ː)tɛm] 《lat.》 *adv.* ① 게다가, 요컨대, 각설하고. ② 같게, 똑같이.
Item [í(ː)tɛm] *n.* -s, -s ① 항목, 세목. ② 상세, 명세; 개조(箇條).
Iteration [iteratsióːn] *f.* -en ① 〖언어〗 (음절·단어의) 반복(보기: jaja). ② 〖數〗 반복적 접근법. ③ 〖心〗 (문장·말·행동의) 반복 증상.
iterativ [..tíːf] 《lat.》 *a.* 반복적인; 반복법의.
Iterativ *n.* -s, -e 〖문법〗 반복(동작) 동사.
Iterativum [..tíːvʊm] *n.* -s, ..va 〖문법〗 ↑ Iterativ.
Itinerar [itinəráːr, ..ne..] 《lat.》 *n.* -s, -e, **Itinerarium** *n.* -s, ..rien [..riən] ① 로마 시대의 도로망 지도. ② 여행 계획, 방문지 리스트, 여행 안내서.
i. Tr. =in der Trockenmasse 고형분으로, 건도(乾度): 20 % i.Tr. 건도 20 %, 고형분 20 %.
I-Tüpfelchen *n.* (I-Punkt) i 위의 점, 완결점.
I-Tüpferl [..tʏpfərl] *n.* -s, -n (öst.) ↑ I-Tüpfelchen.
I-Tüpferl-Reiter *m.* (öst.) 꼼꼼한 사람, 융통성 없는 사람.
Itzig [ítsɪç] *m.* -s, -s 〖펌어〗 유대인.
itzig *a.* 〖고어〗 ↑ jetzig.
itzo [ítso], **itzt** [ɪtst], **itzund** [ítsʊnt] 〖고어〗 *a.* ↑ jetzt.
i.v. [iːfáʊ] =intravenös 정맥내의.
IV =Invalidenversicherung 폐질〔상해〕보험.
i.V. [iːfáʊ] ① =in Vertretung 대표하여. ② =in Vollmacht 전권을 가지고.
IVF =In-Vitro-Fertilisation 실험관 수정.
Ivorer *m.* -s, - 아이보리코스트 사람(코트디부아르 사람에 대한 비공식 명칭).
ivorisch *a.* 아이보리코스트(사람)의.
IW =Institut der deutschen Wirtschaft 독일 경제 연구소.
Iwan [íːvan, iván] 《russ. =Joahnn(es)》 *m.* 이반(남자 이름).
Iwein [íːvaɪn] *m.* 이바인(Arthus 전설 중의 영웅).
IWF [iːveː|ɛ́f] =Internationaler Währungsfonds 국제 통화 기금.
iwo *int.* 전혀 아니다: hast du dir weh getan? — ~! 너 다쳤느냐? — 아니야!
Iwrit(h) [ivríːt] *n.* -(s) 신히브리어.

J

J, j [jɔt] *n.* -, - 독일어 자모의 열째 자(반모음).

J ①〖化〗=Jod 요오드, 옥도. ② =Joule 줄(에너지 및 일의 단위). ③ 독일의 화폐 기호(Hamburg 조폐국을 나타냄).

J. =Jahr 해, 년(年).

***ja** [ja:, (약하게) ja] *adv.* 《I》〔보통 문두에서〕 ① **(a)**〔긍정의 대답 [ja:]; ↔nein〕예, 응, 그래, 그렇습니다: gefällt dir das?—~! 이것 마음에 드니?—그래!; ich glaube, ~ 그렇다고 생각한다; zu et.^{3} ~ sagen 무엇에 찬성〔동의〕하다; zu allem ~ sagen 무엇이나 승낙하다, 남의 말에 잘 따르다; ~ und amen zu et.^{3} sagen 무엇에 무턱대고 찬성하다; er sagt weder ~ noch nein 그는 가부를 확실하게 말하지 않는다; trifft das so zu?—~ und nein! 이렇게 하는 게 맞을까?—그건 생각하기 나름이지! **(b)**〔불변화사와 함께〕~ doch 확실히, 아무러면; ~ freilich 물론 (그렇고 말고); ~ wohl 그렇습니다, 그렇고 말고요(때때로 반어적으로 쓰임); ach ~! a) 물론 그렇지요!, b) 정말 그렇군요!; aber ~! 그렇군요! (가벼운 놀람); nun ~ 결론적으로 말해서, 그러니까; nun ~, es ist eben nicht zu ändern 결론적으로 말하자면, 그건 달리 도리가 없는 거야; na ~ a) 글쎄, b) 그렇다고 해두자; ist das nicht herrlich?—Na ~, so besonders gefällt es mir eigentlich nicht! 이거 근사하지 않니?—그렇지 뭐, 하지만 각별히 내 마음에 드는 것은 아니야. **(c)**〔반어적〕~, warum nicht gar!〔~, es hat sich wohl!〕아냐, 천만에〔당치도 않아〕! ②〔doch, allerdings의 뜻으로〕천만에, 웬걸: er hat es nicht getan?—o ~ 그는 그것을 하지 않았겠지?—웬걸요 했습니다. ③〔자문자답으로 생각한 결과를 나타내는 문장 앞에서〕~ das wird kaum gehen 그렇지, 그렇게 잘 되지는 않을걸; ~ so! wenn ich das gewußt hätte! 아 그렇지! 내가 그걸 알았더라면! ④〔강조〕ich könnte mit dir zanken, ~ das könnt' ich 나는 너와 싸움이라도 할 판이야, 암 하고 말고; besuchen Sie mich ~, wenn Sie wieder hier sind! 여기 다시 들르실 때 저를 꼭 방문해 주시겠죠!;〔위협조로〕seien Sie ~ vorsichtig! 좀 조심해 주세요!; du kommst doch mit, ~? 너 같이 갈거지, 그렇지? ⑤〔보다 높은 정도를 표시해서〕(sogar) 심지어, 바로, 뿐만 아니라: er hat mir's versichert, ~ zugeschworen 그는 나에게 그것을 다짐했다, 그뿐이랴 맹세까지 한 것이다. 《II》〔단독으로 쓰일 경우〕~? a) 여보세요? (전화를 받을 때 이름을 말하는 대신), b) 정말인가요? (의심의 표현); sie konnte schon lesen, bevor sie in die Schule kam!—~? 그 여자는 학교에 가기도 전에 글을 읽었어!—정말인가요? 《III》〔문장의 가운데 있을 경우〕①〔강세 있음〕 **(a)**〔명령의 뜻을 강조〕tu es ~ nicht 그런 짓일랑 결코 하지 마라. **(b)**〔목적문에서 확신을 나타냄〕er stellte es so hin, daß〔damit〕~ alle es sähen 그는 그것을 모든 사람들이 볼 수 있도록 해 두었다. **(c)**〔실현 가능성이 적은 조건문에서〕하여간, 만일: wenn er ~ noch kommen sollte, mag er nachessen 그가 혹시라도 온다면 그때 먹게 하자. ②〔강세 없음〕 **(a)**〔양보절에서〕실로, 과연: das ist ~ richtig, aber ich kann darum doch nicht glauben 그게 옳기는 하지만 그래도 나는 믿을 수가 없다; das ist ~ gar nicht wahr! 그것은 결코 사실이 아니야! **(b)**〔확인·강조의 뜻〕du weißt es ~ 너도 알지 않느냐; er kommt ~ immer zu spät 저 사람은 언제나 늦게 오는 사람이잖아. **(c)**〔기대의 실현을 강조〕du brauchst nicht ungeduldig zu werden, er wird ~ schon kommen 초조해할 필요 없어, 그 사람은 꼭 올 것이니까; da kommt er ~ 과연 그가 오는군. **(d)**〔wohl을 동반하여 확인을 기대하는 의문문에서〕er wird ~ wohl nicht so dumm sein? 그 녀석이 설마 그렇게 바보는 아니겠지? **(e)**〔예상 밖의 추측〕so wäre ~ wahr, was er mir gesagt hat 그렇다면 그가 내게 한 말이 참말일지도 모르지. **(f)**〔경악 또는 불쾌를 표시하는 문장에서〕du bist ~ schon wieder zurück! 아니 벌써 돌아왔어!; das ist ~ nicht auszuhalten! 이거 정말 못 견디겠다! ③〔서술적〕〔고어〕~ (und amen) sein 확실하다.

Ja *n.* -(s), -(s) "네〔그렇소〕"라는 말; 긍정, 응낙, 승낙, 찬성: eine Frage mit ~ beantworten 질문에 "네"라고 대답하다; mit ~ stimmen 찬성 투표를 하다; in ~ und Nein 가부간 잘라 말하면, 요컨대; ~ und Amen geben 동의하다.

Jab [dʒæb] 《engl.》 *m.* -s, -s〖권투〗잽.

Jabo [já:bo] *m.* -s, -s 전투 폭격기.

Jabot [ʒabó:] 《frz.》 *n.* -s, -s (셔츠나 여성용 블라우스 따위의) 가슴 부분의 주름 장식.

Ja·bruder *m.*〔드물게〕(Jasager) 예예하는 사람, 예스맨.

jach [jax] *m.*〔시어〕급격한; 가파른.

Jach≈schlange *f.*〖動〗유럽산(產) 뱀의 일종. **~taufe** *f.* 사(私)세례, 긴급 세례.

Jacht [jaxt] 《ndl.》 *f.* -en〖海〗요트, 쾌속정: eine ~ in Seenot 해난을 당한 요트; eine Mittelmeerkreuzfahrt auf einer ~ machen 요트로 지중해를 횡단하다.

jachten [jáxtən], **jachtern** [jáxtərn] *i.* (h.)〔방언·속어〕날뛰다, 떠들고 다니다.

Jacht≈schiff *n.* ↑ Jacht. **~wett·fahrt** *f.* 요트 경주.

Jack·baum [dʒǽk..] *m.*〖植〗(폴리네시아산(產)) 빵나무의 일종; 그 목재.

Jäckchen [jɛ́kçən] *n.* -s, -〖↑ Jacke의 축소형〗작은〔짧은〕윗옷〔재킷〕.

***Jacke** [jákə] *f.* -n ① 저고리, 윗옷, 상의, 재

킷; (Unter~) 조끼. ②〖구어〗 jm. die ~ voll hauen 누구를 흠씬 때려 주다; die ~ voll kriegen 흠씬 두들겨 맞다; jm. die ~ voll lügen 누구를 감쪽같이 속이다; 〖비유〗 eine warme ~ 도수가 높은 소주(속이 더워지므로); sich die ~ voll saufen〔begießen〕 잔뜩 취하다; eine alte ~ 케케묵은 이야기; aus der ~ gehen 화를 내다, 흥분하다; das ist ~ wie Hose 그것은 매한가지다, 피장파장이다.

Jäckel [jɛ́kəl] *n.* -s, - 〖↑ Jakob의 애칭〗 〖구어·폄어〗 멍청이, 얼간이.

Jacken≈fett *n.* 〖다음 용법으로〗 ~ kriegen 매맞다. **~kleid** *n.* 재킷 달린 의복. **~tasche** *f.* 상의 주머니.

Jacket·krone [dʒɛ́kɪt..] 《engl. jacket crown》 *f.* 〖醫〗 인공 치관(齒冠), 크라운.

Jackett [ʒakɛ́t] 《frz.》 *n.* -s, -s/-e 남성 양복 상의.

Jackett·tasche *f.* 양복 주머니.

Jackpot [dʒɛ́kpɔt] 《engl.》 *m.* -s, -s ① (포커에서) 공동으로 거는 돈. ② (복권에서 일등 당첨이 없어) 누적된 당첨금.

Jack·slipp *m.* 재킷의 단.

Jack·stag [dʒǽk..] 《engl.》 *m.* -s, -e 〖海〗 잭스테그(돛을 활대에 잡아매는 밧줄·쇠장식).

Jacquard [ʒakáːr] *m.* -(s), -s 자카르기(機)로 짠 직물.

Jacquard≈gewebe *f.* 자카르직(織). **~-maschine** *f.*, **~web·stuhl** *m.* (Jacquard가 발명한) 자카르 문직기(紋織機).

Jacquerie [ʒakəríː] 《frz.》 *f.* (특히 1358년 프랑스의) 농민 반란; (Aufstand) 봉기.

Jade[1] [jáːdə] *m.* - 〖광물〗 경옥, 비취.

Jade[2] [jáːdə] *f.* 야데강(Oldenburg의 강).

jade·grün *a.* 비취색의, 비취 같은 녹색의.

Jaffet [jáːfɛt] *m.* 야벳(Japhet).

Jaffa·apfelsine [jáfa..] *f.* 자파산(産) 오렌지.

***Jagd** [jaːkt] 《<jagen》 *f.* -en ① (a) 사냥, 수렵: hohe ~ 큰 짐승 사냥, 사슴 사냥; niedere ~ (토끼 따위의) 작은 짐승 사냥; ~ auf Hasen 토끼 사냥; auf die ~ gehen 사냥하러 가다; eine gute ~ haben 사냥을 톡톡히 하다. (b) 〖비유〗 추격; 추구: ~ nach dem Glück 사행심; auf et. ~ machen 온갖 수단을 다해 무엇을 얻으려고 애쓰다; die Polizei macht ~ auf die Verbrecher 경찰이 범죄자들을 추적한다. ② 사냥꾼 일행: (전설에서) die Wilde ~ 폭풍우치는 밤에 사냥하는 마왕의 일족; 〖비유〗 eine wilde ~ 떠드는 군중, 소요, 싸움; die ~ wird gleich hier vorbeikommen 사냥꾼 일행이 곧 여기에 들를 것이다. ③ 사냥술; 사냥꾼의 직. ④ 수렵권, 사냥 면허. ⑤ 사냥터: eine ~ pachten 사냥터를 임대하다. ⑥ 사냥감: die ~ in diesem Gebiet ist gut 이 지역엔 사냥감이 많다. ⑦ 사냥 대회: die ~ geht auf 사냥 대회가 열린다; eine ~ veranstalten 사냥 대회를 개최하다.

Jagd≈anzug *m.* 사냥복. **~aufseher** *m.* 사냥 감독, 사냥터지기. **~ausdruck** *m.* 사냥 용어. **~band** *n.* 〖복수: ..bänder〗〖건축〗 장부촉 이음으로 보강한 버팀목(까치발 따위).

jagdbar *a.* 사냥에 알맞은, 사냥철에 접어든.

Jagdbarkeit *f.* 사냥에 적합함.

Jagd≈berechtigung *f.* 수렵권, 사냥 면허. **~beute** *f.* 사냥감. **~bezirk** *m.* 사냥〔수렵〕구역, 사냥터. **~bomber** *m.* 〖軍〗 전투 폭격기. **~bug** *m.* ↑ ~band. **~eröffnung** *f.* 수렵기 개시. **~fieber** *n.* 사냥열. **~flieger** *m.* 〖空〗 전투기; 전투기 조종사. **~flinte** *f.* 사냥총. **~flugzeug** *n.* 〖空〗 전투기, 추격기. **~freund** *m.* 수렵(애호)가. **~frevel** *m.* 수렵법 위반, 밀렵. **~frevler** *m.* 수렵법 위반자, 밀렵자. **~gast** *m.* (사냥에) 초대받은 사냥꾼. **~geber** *m.* 사냥 개최자, 사냥터 제공자〔주인〕. **~gebiet** *n.* 사냥 구역. **~gehege** *n.* 사냥 금지 구역. **~geleit** *n.* 〖空〗 전투기의 호위. **~gerät** *n.* 사냥 도구. **~gerecht** *a.* ① 사냥에 능숙한; 사냥에 잘 훈련된(개 따위). ② 사냥꾼다운. **~gerechtigkeit** *f.* ↑ ~recht ①. **~geschichte** *f.* 수렵담(談); 〖비유〗 모험담, 기담, 허풍. **~geschrei** *n.* 사냥꾼〔몰이꾼〕이 외치는 소리. **~geschütz** *n.* ↑ ~stück ④. **~geschwader** *n.* 〖空〗 전투 비행대. **~gesellschaft** *f.* 사냥꾼 일행. **~gesetz** *n.* 수렵법〔규칙〕. **~gewehr** *n.* 엽총. **~glück** *n.* 사냥운. **~göttin** *f.* 〖그리스신화〗 사냥의 여신(Diana). **~grenze** *f.* 사냥 구역의 경계. **~grund** *m.* 사냥터: 〖비유〗 in die ewigen Jagdgründe eingehen 저승으로 가다, 죽다. **~haus, ~häuschen** *n.* 사냥 막사. **~hieb** *m.* 〖고어〗 (사냥할 때 같은) 채찍질, 때림. **~horn** *n.* 사냥 호각. **~hund** *m.* ① 사냥개. ② 〖복수〗〖天〗 사냥개자리. **~hüter** *m.* 사냥터지기. **~hütte** *f.* 사냥 오두막. **~kalender** *m.* 사냥 연감. **~karte** *f.* 사냥 허가증. **~-kleid** *n.* 사냥복(차림). **~kundig** *a.* 사냥에 숙련된. **~kunst** *f.* 사냥술.

jagdlich *a.* 사냥의, 사냥에 관한.

Jagd≈liebhaber *m.* ↑ ~freund. **~mäßig** *a.* 사냥에 맞게, 사냥에서처럼. **~machen** *n.* 〖海〗 추격. **~messer** *n.* 사냥칼. **~musik** *f.* 사냥(신호가 주제인) 음악. **~mütze** *f.* 헌팅캡, 사냥 모자. **~netz** *n.* 사냥 그물. **~-ordnung** *f.* 사냥 규칙. **~panzer** *m.* 대(對)전차용 전차. **~partie** *f.* 사냥꾼 일행. **~pferd** *m.* 사냥말. **~recht** *n.* ① 수렵권, 수렵 면허. ② 수렵법. **~rechtlich** *a.* 수렵법에 준한〔관한〕. **~reiter** *m.* 말을 탄 사냥꾼. **~rennen** *n.* 〖경마〗 야외 횡단 경주, 장애물 경주. **~revier** *n.* 사냥 구역. **~ruf** *m.* 사냥꾼〔몰이꾼〕의 외침; 사냥개를 부추기는 소리. **~schein** *m.* ① 사냥 면허증. ② 〖농담〗 금치산 증명(서): 〖경박〗 einen〔den〕 ~ haben 금치산 선고를 받다. **~schlitten** *m.* 사냥용 썰매. **~schloß, ~schlößchen** *n.* 사냥용 별장. **~schutz** *m.* ① 사냥감 보호. ② 〖空〗 전투기(에 의한) 호위. **~signal** *n.* 사냥(개시·종료·포획) 신호. **~spieß** *m.* 사냥창(槍). **~-springen** *n.* 〖승마〗 장애물 넘기. **~staffel** *f.* 전투기 편대. **~stück** *n.* ① 사냥의 모험. ② 〖畫〗 사냥 그림, 수렵도. ③ 〖음악〗 ↑ ~musik. ④ 〖海〗 추격포(砲). **~stuhl** *m.* (사냥할 때 쓰는) 휴대용 접의자. **~tasche** *f.* 엽낭(獵囊), 사냥 포대. **~tier** *n.* 사냥감. **~trophäe** *f.* (뿔·가죽 따위의) 사냥 노획물. **~uhr** *f.* 뚜껑이 두 개인 회중 시계. **~verband** *m.* ① 수렵 조합. ② 〖복수〗 〖空〗 전투기 편대. **~-vergehen** *n.* 수렵법 위반, 밀렵. **~wagen** *m.* 사냥용 마차. **~wesen** *n.* 사냥(에 관한 모든 것): sich im ~ gut auskennen 사냥에 관한 모든 것에 정통하다. **~wurst** *f.* 사냥꾼용

J

소시지. **~zeit** *f.* 사냥 기간. **~zeug** *n.* ① 사냥복. ② 사냥 도구. **~zug** *m.* ① 사냥하러 감, 출렵. ② 사냥꾼 일행.

*__jagen__ [já:gən] 《I》 *t.* ① (**a**) 몰다, 쫓다; 쫓아버리다: jn. **aus** dem Haus ~ 누구를 집에서 내쫓다; die Kinder ins Bett ~ 아이들을 자라고 쫓아보내다; Tiere in den Stall ~ 동물들을 우리에 몰아넣다; jn. in den Tod ~ 누구를 죽음으로 몰아넣다; den Ball ins Aus〔Netz〕 ~ 볼을 라인 밖으로〔골문을 향해〕 걷어차다; jn. aus dem Dienst ~ 누구를 해고하다; **in** die Flucht ~ 뿔뿔이 내쫓다; jn. **zum** Teufel ~ 누구를 추방〔면직〕하다; 〖구어〗 jn. mit et.³ ~ können 무엇으로 누구를 내몰다〔누구의 혐오감을 불러일으키다〕; damit kannst du mich ~ 이건 정말 싫다; mit Spinat kann man mich ~ 시금치라면 나는 질색이다. (**b**) jm. et. durch〔in〕 den Körper ~ 누구의 몸을 무엇으로 찌르다〔쏘다〕; jm. den Degen **durch** den Leib ~ 누구를 칼로 찌르다; sich³ eine Kugel durch〔in〕 den Kopf ~ 자기 머리를 쏘다; sein Gut〔Vermögen〕 durch die Gurgel〔Kehle〕 ~ 술로 전 재산을 탕진하다; jn. **in** Furcht ~ 누구를 위협하다. ② 사냥하다, 잡다: den Fuchs ~ 여우 사냥을 하다. ③〖재빠른 연속을 표시하여〗 ein Unglück jagte das andere 불행한 일이 꼬리를 물고 일어났다. ④〖결과를 나타내어〗 ein Pferd tot 〔zu Tode〕 ~ 말을 심하게 몰아서 죽게 하다. 《II》 *i.* (h./s.) ① 돌진〔질주〕하다, 달려가다: am Himmel ~de Wolken 하늘을 빠르게 흘러가는 구름; er jagte zum Telephon, um Hilfe zu holen 그는 도움을 청하려고 전화기로 달려갔다; 〖비유〗 er jagte durch das Buch 그는 책을 단숨에 독파했다. ② 기필코 얻으려고 하다: nach Geld〔Ruhm〕 ~ 돈을〔명예를〕 얻으려고 혈안이 되다. ③ 사냥하다; nach einem Wild 〔auf ein Wild〕 ~ 짐승을 사냥하다〔몰다〕. 《III》 *refl.* sich (herum) ~ 서로 뒤쫓다〔추적하다〕, 드잡이하다.

Jagen *n.* -s, - ① 사냥, 수렵. ② 급히 서두름, 재촉. ③〖林〗 산림구(구획된 임구(林區)).

Jager *m.* -s, - ① 질주하는〔말을 급히 모는〕 사람. ②〖海〗 (**a**) 추격포(砲). (**b**) 이물의 삼각돛. (**c**) 쾌속 수송선.

*__Jäger__ [jέ:gər] *m.* -s, - ① 쫓는〔추구하는〕 사람. ② 사냥꾼, 수렵가: ein passionierter〔guter〕 ~ 정열적인〔훌륭한〕 사냥꾼; 〖인류〗 ~ und Sammler 수렵민. ③ 사냥터지기, 산지기. ④〔고어〕 사냥복 차림의 종. ⑤〖軍〗 저격병. ⑥ 사냥개. ⑦〖空〗 전투기; 전투기 조종사.

Jäger≈bataillon [..bataljo:n] *n.* 〖軍〗 소총〔저격병〕 대대. **~büchse** *f.* 저격용 소총. **~bursch(e)** *m.* 사냥꾼의 조수, 사냥터지기의 아이.

Jagerei [ja:gərái] *f.* 〔구어〕 잇따른 추적〔쫓김〕, 몰아댐, 사냥질.

Jägerei [jε:gəráɪ] *f.* ① 사냥술〔업〕. ②〔집합적〕 사냥꾼. ③ 사냥꾼의 집. ④〔복수: -en〕 사냥 구역.

Jäger≈garn *n.* 사냥 그물.

jägerhaft *a.* 사냥꾼의, 사냥꾼 같은.

Jäger≈haus *n.* 사냥터지기의 집, 산지기 막사. **~horn** *n.* 사냥용 호루라기〔호각〕. **~hut** *m.* 사냥꾼 모자.

Jägerin *f.* -nen ↑ Jäger 의 여성형.

Jäger≈kleid *n.* 사냥복, 사냥꾼 옷. **~kunst** *f.* 사냥술. **~latein** *n.* ① 사냥 용어, 사냥꾼 은어. ② 과장된 사냥 체험담, 허풍: jm. ~ auftischen 누구에게 허풍을 떨다. **~lehrling** *m.* ↑ ~bursche. **≁mäßig** *a.* 사냥꾼 같은〔다운〕. **~meister** *m.* 사냥꾼의 우두머리; 사냥 담당 관서의 장(長). **~mütze** *f.* ① 사냥 모자. ②〖植〗 사라세니아의 일종. **~prüfung** *f.* 사냥 면허 시험. **~recht** *n.* ① (사냥꾼의 권리로서) (**a**) 사냥한 짐승의 배당 몫. (**b**) 사냥꾼의 보수. ② 사냥 규칙 위반의 벌.

jägerlich *a.* 사냥꾼의: sich ~ kleiden 사냥꾼의 복장을 하다.

Jägerschaft *f.* -en ①〔총칭〕 사냥꾼. ② 수렵업.

Jäger·schnitzel *n.* 〖요리〗 사냥꾼 슈니첼(소스와 양파·버섯을 곁들인 커틀릿).

Jägers·mann *m.* 〔고어〕 사냥꾼.

Jäger≈sprache *f.* 사냥 용어, 사냥꾼의 통용어. **~steig** *m.* 숲속의 작은 길. **~tasche** *f.* ① 사냥 포대. ②〖動〗 굴의 일종.

Jager·tee *m.* (öst.) 화주를 넣은 차.

Jäger·volk *n.* 수렵 민족.

Jaguar [já:gua:r] 《sp.》 *m.* -s, -e〖動〗 재규어 (아메리카 표범).

*__jäh__ [jε:] *a.* ① 급격한, 갑작스러운, 격심한: ~er Schrecken 깜짝 놀람; ~er Schmerz 격심한 고통; ~er Tod 급사(急死); eine ~ Bewegung 갑작스러운 움직임; ~ überfiel mich die Furcht 나는 갑작스레 공포감에 사로잡혔다; ~ abbrechen 갑자기 중단하다. ② 가파른, 험준한, 깎아 세운 듯한: ~er Abhang 낭떠러지, 절벽; das Kliff fällt ~ ab 그 절벽은 깎아지른 듯 가파르다. ③〔서술적〕 성급한, 성마른: sei nicht so ~! 그렇게 핏대를 올리지 마라.

Jähe *f.* ① 급격, 당돌. ② 험준. ③ 성급, 성마름. ④ 가파른 것, 벼랑.

Jäheit [jέ:haɪt] *f.* ↑ Jähe.

Ja·herr *m.* (Jasager) 예스맨.

Jähheit *f.* ↑ Jäheit.

Jäh·hunger *m.* 심한〔갑작스런〕 공복〔허기〕.

jählings [jέ:lɪŋs] *adv.* ① 급히, 갑자기, 돌연히, 당황하여: er rannte ~ davon 그는 갑자기 내달렸다. ② 가파르게: der Bach stürzt hier ~ in die Tiefe 시냇물은 이 지점에서 갑자기 깊어진다.

Jahn[1] [ja:n] Friedrich Ludwig ~ 얀(독일 체조의 창시자, 1778-1852).

Jahn[2] [ja:n] 《mhd. jân, „Reihe"》 *m.* -(e)s, -e (obd.) ①〖農〗 한 구획의 경지, 한 줄의 벤풀〔보리〕. ② 나란히 쌓아 놓은 목재.

*__Jahr__ [ja:r] *n.* -(e)s, -e ① 연(年), 해; 세월: astronomisches ~ 천문학상의 연(年); bürgerliches ~ 역년(曆年) (민족과 시대에 따라 다름); ein ganzes〔volles, rundes〕 ~ 만 1 년; ein halbes〔viertel〕 ~ 반년〔3 개 월〕; dieses 〔nächstes, voriges〕 ~ 금년〔내년, 작년〕; einmal im ~ 일 년에 한 번; das vergangene 〔vorige〕 ~ 지난 해, 작년; das nächste〔künftige, kommende〕 ~ 내년; dieses ~es (약어: d.J.), laufenden ~es (약어: l.J.) 금년(의); heute vor einem 〔vorm〕 ~ 1 년 전 오늘; heute über ein 〔übers〕 ~ 1 년 후 오늘; ein ~ wie alle ~e 〔das andere〕 해마다 변함없이, 십년을 하루같이; lange ~e 다년간;

vor〔nach〕 ~en 수년 전〔후〕에; die Jahre fliegen dahin 세월이 쏜살같이 지나간다; fruchtbares〔reiches〕 ~ 풍년; ein dürres 〔nasses〕 ~ 가문〔비가 많은〕 해; jm. ein gesundes ~ wünschen 누구를 위해서 건강한 한 해를 기원하다; ~ und Tag a) (고대 독일 법에서) 만 1년, 6개월, 3일(이 기간이 경과하면 법을 바꿀 수 있었음), b) 〖비유〗 오랜 기간: seit ~ und Tag 오래 전부터, 수년 이래; über ~ und Tag 금후 수년간, 언젠가는; vor ~ und Tag 오래 전에; 〖속담〗 die sieben fetten und die sieben mageren ~e 좋은 시절과 나쁜 시절(구약 성서에 나오는 이삭의 꿈풀이에 따라). ② 연수(年數), 연도: das ~ 2001 2001년도; ~ des Kindes 〔der Frau〕 (국제연합이 정한) 아동〔여성〕의 해; im ~(e) 2001 2001년에: im ~e 30 vor Christi Geburt 기원전 30년에; am Anfang der dreißiger ~e 30년대 초에; zwischen den ~en 세밑, 세모, 연말 연시. ③ 기간, 연한: als Freiwilliger sein ~ abdienen 지원병 복무를 마치다. ④ 살, 세(나이): (a) er hat 40 ~e (auf dem Rücken) 그는 40세이다; er ist noch jung an ~en 그는 아직 나이가 어리다; ein Kind von zehn ~en 열 살된 아이; Kinder unter 14 ~en zahlen die Hälfte 14세 미만의 어린이는 반액이다; er hat noch nicht die ~e dazu 그는 아직 그 일을 할 나이가 아니다; ein Mann in den dreißiger ~en 30대의 남자; ein Mann in den〔seinen〕 besten ~en 한창 나이의 남자; in gesetzten ~en 분별할 줄 아는〔사려깊은〕 나이의; eine Dame in gewissen ~en 중년의 숙녀; schon bei ~en sein 더 이상 젊지 않다, 나이가 들었다; in die ~e kommen 차츰 나이를 먹다; zu (hohen) ~en kommen 고령〔노령〕에 이르다; 〖聖〗 laß das Alter reden, und die Menge der Jahre laß Weisheit beweisen 나이가 지긋한 자가 말을 할 것이요 연치가 든 자가 지혜를 가르친다(욥기 32:7). (c) 적령, 수명: seine ~e voll haben 성년에 달해 있다; vor seinen ~en sterben 요절하다. ⑤〖農〗 (윤작할 때의) 해에 의한 경지의 구분: ihr Feldbau ist auch in drei ~en geteilt 그들의 경작도 3년마다 윤작이다. ⑥〖植〗 (~ring) 나이테. ⑦〖天〗 항성 주기(유성의 공전 주기).

Jahr≈acker *m.* (매년 경작하는) 연경지(年耕地). **~anleihe** *f.* 연금. **~arbeiter** *m.* 연한(年限) 노동자.

jahr·aus *adv.* 〖다음 용법으로〗 ~, jahrein 해마다, 매년.

*__Jahr·buch__ *n.* 연감, 연보(1년 주기의) 학회지: historische Jahrbücher 역사 연보.

Jährchen [jɛ́:rçən] *n.* -s, - 〖↑ Jahr 의 축소형〗 1년: der Wein ist so seine zehn ~ alt 그 포도주는 10년 되었다; er wird wohl seine fünf ~ kriegen 그는 아마 5년 형을 받을 것이다.

jahr·ein *adv.* ↑ jahraus.

jahre·lang 《I》 *a.* 여러 해(동안)의, 다년간의; 영속적인. 《II》 *adv.* 수년 동안, 다년간: einen ~en Rechtsstreit führen 다년간 소송을 벌이다.

jähren [jɛ́:rən] *refl.* etwas jährt sich 무엇이 1년이 되다; es jährt sich heute, daß ... 오늘로 …한지 1년이 된다; sein Geburtstag jährt sich heute zum 40. Mal 그의 생일은 오늘로 40번째를 맞는다.

Jahres≈abonnement [..mã:] *n.* 1년분의 예약 (주문): eine Zeitung im ~ beziehen 신문을 1년 정기 구독하다. **~abschluß** *m.* ① 연말, 학년말. ②〖經〗 연말 결산 보고. **~anfang** *m.* 연초. **~ausgaben** *pl.* 연간 지출, 세출. **~ausgleich** *m.* 연말 정산. **~ausklang** *m.* 송년. **~ausstoß** *m.* 〖經〗 (기업의) 연간 생산고. **~ausweis** *m.* 〖商〗 (영업) 연보. **~beginn** *m.* 연초. **~beitrag** *m.* 연회비. **~bericht** *m.* 연보, 연차 보고. **~best·zeit** *f.* 〖스포츠〗 연중 최고 기록. **~bilanz** *f.* 연간 대차 대조표, 1년 결산. **~durchschnitt** *m.* 연평균. **~einkommen** *n.*, **~einkünfte** *pl.* 연간 소득. **~einnahme** *f.* 연간 수입, 세입. **~ende** *n.* 연말. **~feier** *f.*, **~fest** *n.* 연례 축제. **~folge** *f.* 연차, 연대순. **~frei·karte** *f.* 1년 무료 이용권. **~frist** *f.* 1년의 기한. **~gedächtnis** *n.* 연례 기념제. **~gehalt** *n.* 연봉. **~karte** *f.* 1년 정기권〔회원권〕. **~klasse** *f.* 동년배 학급. **~kontingent** *n.* 〖軍〗 해마다 징집에 응하는 인원. **~kursus** *m.* 한 학년의 과정. **~lauf** *m.* 〖다음 용법으로〗 im ~ 1년 동안에. **~lohn** *m.* 연간 보수. **~mittel** *m.* ↑ ~durchschnitt. **~pensum** *n.* 연간 작업량. **~rapport** *m.* 연차 보고(서). **~rate** *f.* 연부(年賦): in ~n 연부로. **~rechnung** *f.* ① 연도 회계, 연간 수지 결산. ② 기원(紀元). **~rente** *f.* 연리; 연금; 연수(年收). **~ring** *m.* 〖植〗 나이테, 연륜. **~schluß** *m.* ↑ ~ende. **~schrift** *f.* 연간 간행물, 연간. **~tag** *m.* 연례 기념일. **~tagung** *f.* 연례 회의. **~trieb** *m.* 〖植〗 1년간의 성장. **~umsatz** *m.* 연간 매상고. **~urlaub** *m.* 연차 휴가. **~verbrauch** *m.* 1년간의 소비(액). **~viertel** *n.* 4분의 1년, 3개월. **~wagen** *m.* (1년 후 되팔 수 있는 직원용의) 연차 차량. **~wechsel** *m.* 해가 바뀜, 개력(改曆): Glückwunsch zum ~ 신년 축하. **~weiser** *m.* 〖구식〗 달력. **~wende** *f.* ↑ ~wechsel: bei der ~ 해가 바뀌는 때에. **~wuchs** *m.* ↑ ~trieb. **~zahl** *f.* 기원〔연호〕의 연수; 연도(수): die ~ des Poststempels 우편 소인의 연도수; sich³ ~en gut merken können 연도를 잘 기억할 수 있다. *__~zeit__ *f.* 계절, 철, 시즌: im Wechsel der ~en 계절이 바뀌면서; 〖비유〗 außer der ~ 철이 지난, 유행에 뒤진, 때아닌. **≈zeitlich** *a.* 계절의. **~ziel** *n.* 〖商〗 매년의 지급 기일. **~zinsen** *pl.* ① 연리(年利). ② 1년 기한의 집세. **~zyklus** *m.* 1년 주기.

Jahr·fünft *n.* -(e)s, -e 5년(의 기간).

*__Jahr·gang__ *m.* 〔약어: Jg., *pl.* Jgg.〕 ① 1년간의 생산물; (포도주 따위의) 연도산: Wein von einem guten ~ 작황이 좋은 해의 포도주. ② (신문·잡지의) 1년분, 연도분. ③ 동갑(내기); 동기생: der ~ 1980 1980년생; wir sind beide ~ 1970 우리는 둘 다 1970년 생이다; er müßte ungefähr dein ~ sein 그 사람 분명 네 동갑쯤 될 거야. **~gänger** *m.* (schweiz.) 동갑, 동창, 동기생: die ~ veranstalten ein Klassentreffen 동기생들이 동창회를 연다.

*__Jahr·hundert__ *n.* -s, -e ① 백년, (한) 세기(약어: Jh.): das 20. ~ 20세기; viele ~e lang 여러 세기 동안; ein Mann des ~s 세기

J

의 인물; im vorigen ~ 지난 세기에; das kommende ~ 다가오는 세기. ② 시대; 그 시대〔세기〕의 사람들.
jahrhunderte≈alt *a.* 몇 백 살의. **~lang** *adv./a.* 몇 백년〔세기〕동안(의).
Jahrhundert≈feier *f.* 백년제. **~mitte** *f.* 세기의 중간. **~pflanze** *f.*〖植〗용설란. **~wein** *m.* (품질이 특히 좋은) 세기의 포도주. **~-wende** *f.* 세기 전환(기).
jährig [jɛ́:rɪç] *a.* ① 1년간의; 한 살의. ② 1년 전부터의: es ist nun ~, daß... …한지 이제 1년이 된다. ③ 성년의.
..jährig *suf.* "…해의, …년간의, …세의"의 뜻 (보기: zwölf~ 12년간의, 12세의).
jährlich [jɛ́:rlɪç] *a./adv.* 연년(의), 매년(의), 예년(의): ~es Einkommen 연간 세입.
..jährlich *suf.* "…해〔년〕마다"의 뜻(보기: all~ 매년(의); viertel~ 3개월마다).
Jährling [jɛ́:rlɪŋ] *m.* -s, -e 한 살짜리 동물.
Jahr·markt *m.* ① (1년에 한 번 또는 몇 번 서는) 대목장(場), 연시(年市). ② ↑ ~-marktsgeschenk.
Jahrmarkts≈bude *f.* 대목장 점포. **~ge-schenk** *n.* 대목장에서 산 선물〔기념품〕; 싼 물건.
Jahr≈millionen *pl.* 수백만년. **~pacht** *f.* 연한 임대차〔소작(小作)〕. **~ring** *m.* ↑ Jahres-~. **~schuß** *m.*〖植〗1년간의 성장.
Jahr≈siebent *n.* 7년(간). **~tausend** *n.* 천년(의 세월). **~tausend·wende** *f.* 새천년으로의 전환.
jahr≈weise *adv.* 1년 단위로, 매년. **≈-weiser** *m.*〔구식〕↑ Jahresweiser. **≈-wuchs** *m.*〔드물게〕(나무 기둥 부분의) 연간 성장. **≈zahl** *f.* ↑ Jahreszahl. **≈zehnt** *n.* 10년.
jahrzehnte≈alt *a.* 수십 살의. **~lang** *a.* 수십년간의.
Jahr·zeit *f.* (schweiz.) 장례식; 장례〔추도〕미사.
jäh·stotzig [..ʃtɔtsɪç] *a.* (schweiz.) 급경사의, 가파른.
Jahve, Jahwe [já:və] *m.* 야훼, 여호와.
Jäh≈zorn *m.* 성마름, 벌컥 화 냄. **≈zornig** *a.* 성마른, 갑자기 화내는, 욱하는: ~ veranlagt sein 성마른 기질인.
Jak [jak] ⟪tibet.⟫ *m.* -s, -s〖動〗야크.
Jakaranda·holz *n.* 야카란다(남아메리카산(産)의 고급 가구용 목재).
Jako [ʒáko:, já..] *m.* -s, -s〖動〗회색 앵무새.
*__Jakob__ [já:kɔp] *m.* ①〖聖〗야곱(Isaak의 아들). ② 야콥(남자 이름):〔구어〕das ist der wahre ~ 이것이 바로 우리가 찾던 것이다; der billige ~ 노점상, 장돌뱅이; den billigen ~ abgeben 얄팍한 핑계를 대다;〔구어〕ein ~ 까마귀.
Jakobi [jakó:bi] ⟪Jakobus의 2격⟫ *n.* -s ↑ Jakobstag.
Jakobiner [jakobí:nər] *m.* -s, - ①〖가톨릭〗도미니쿠스 교단의 신부. ② 자코뱅 당원;〔비유〕과격 분자.
Jakobiner·mütze *f.* 자코뱅(당원의) 모자.
Jakobinertum *n.* -(e)s ① (프랑스 혁명 때의) 자코뱅주의. ② (정치상의) 과격 급진주의.
jakobinisch *a.* 자코뱅당의.
Jakobi·tag *m.* 성야곱일(7월 25일).
Jakobs≈kraut *n.*〖植〗개쑥갓, 금방망이속의 일종. **~kreuz·kraut** *n.*〖植〗↑ ~kraut. **~leiter** *f.* ①〖聖〗야곱이 꿈에 본 하늘에 이르는 사닥다리. ② 꽃고비. ③〖海〗줄사다리. **~stab** *m.* ① (지팡이 모양의) 천문 측각기. ②〖天〗오리온 자리의 삼형제 별을 이은 직선. ③ (측량기의) 단각가(單脚架). **~straße** *f.*〖天〗은하. **~tag** *m.* 성야곱제(7월 25일).
Jakobus [jakó:bus] *m.* ① 야코부스(남자 이름): der heilige ~ 성(聖)야곱. ② 재커버스(옛날 영국의 금화).
Jak·ochs *m.*〖動〗야크(Jak).
Jakonett [ʒakonɛ́t, ʒákonɛt] ⟪engl.⟫ *m.* -(e)s, -s 얇게 짠 무명.
Jakute [jakú:tə] *m.* -n, -n 야쿠트 족(동부 시베리아에 사는 터키 인종의 하나).
Jakutien [..tiən] 야쿠트 자치 공화국(러시아 연방의 하나).
jakutisch *a.* 야쿠트어〔인〕의.
Jalape [jalá:pə] ⟪indian.⟫ *f.* -n〖植〗얄랍.
Jalapen·wurzel *f.* 얄랍 뿌리.
Jalon [ʒalɔ̃́:] ⟪frz.⟫ *m.* -s, -s 푯말; 측량푯말;〖軍〗표기(標旗).
Jalousette [ʒaluzɛ́tə] *f.* ⟪frz.⟫ (알루미늄이나 엷은 금속판으로 된) 젤루지, 블라인드.
Jalousie [ʒaluzí:] ⟪frz.⟫ *f.* -n ① 블라인드, 차양: die ~n herunterlassen 블라인드를 내리다. ② 질투.
Jalousie≈blende *f.*〖영화〗(장면 전환에서) 한 장면이 블라인드 같은 선을 남기며 사라지게 하는 기법. **~schrank** *m.* 블라인드 달린 장. **~schweller** *m.* (오르간의) 젤루지 변음기.
jaloux [ʒalú:] *a.* 질투심 많은, 시기하는.
Jalta [jálta] 얄타(크림 반도의 항구 도시).
Jalta-Abkommen *n.* 얄타 협정.
Jam [dʒæm] ⟪engl.⟫ *n.* -s, -s 잼.
Jamaika [jamáɪka] 자메이카섬.
Jamaikaner *m.* 자메이카인.
Jamaikanerin *f.* -nen ↑ Jamaikaner 의 여성형.
jamaikanisch *a.* 자메이카인〔어〕의.
Jamaika·rum *m.* -s 자메이카산 럼주(酒).
Jambe [jámbə] *f.* -n〖문학〗↑ Jambus.
jambisch *a.* ↑ Jambus의.
Jamboree [dʒæmbərí:] ⟪engl.⟫ *n.* -(s), -s 잼버리, 국제 소년단 대회(1920년 이후).
Jambus [jámbus] ⟪gr. íambos⟫ *m.* -, ..ben〖문학〗약강격(弱强格), 단장(短長)격.
Jambuse [jambú:zə, ʒam..] ⟪mal.⟫ *f.* -n〖植〗정향(丁香).
Ja·mensch *m.* (Jasager) 예스맨.
James Grieve [dʒe:ms gri:v] *m.* -, - 제임스 그리브 사과(영국의 사과 재배가 이름에서).
*__Jammer__ [jámər] ⟪ahd. jāmar⟫ *m.* -s ① 비참, 참담, 참상; 고난, 곤궁: ein Bild des ~s darbieten 비참한 광경〔참상〕을 이루다. ② 걱정, 절망: es herrschte großer ~ 심한 절망감이 감돌았다. ③ 애절히 그리는 마음. ④ 비탄; 절규: in ~ ausbrechen 통곡하다; lauter ~ erfüllte das Dorf 비명 소리가 마을에 진동했다. ⑤ 애석, 유감: das ist ein ~ 그건 몹시 유감이다; ~ und Schade〔≈schade〕ist's, daß ... …인 것은 유감 천만이다. ⑥〔구어〕das ist der alte ~ 그것은 케케묵은 일이다. ⑦〔학생〕(Katzen≈) (술마신 후의) 언짢은

기분, 숙취.
Jammer≈anblick *m.* 비참한 광경, 참상. **~bild** *n.* 비참한 모습. **~geschrei** *n.* 비탄의 절규. **~gestalt** *f.* ① 비참한 모습, 참상. ② ↑ ~lappen. **~holz** *n.* 〖구어〗 기타, 가락이 고르지 않은 피아노. **~lappen** *m.* 〖폄어·경박〗 겁쟁이, 나약한 사람. **~leben** *n.* 비참한 생활.
***jämmerlich** [jɛ́mərlıç] *a.* ① 비탄에 잠긴, 슬퍼하는: ~es Weinen 슬픈 울음. ② 비참한, 마음 아픈, 애처로운; 지독한: es ist ~ anzusehen 보기에도 애처롭다; jn. ~ prügeln 누구를 호되게 때리다. ③ 딱한, 초라한: ein ~es Leben 빈궁한 생활; eine ~e Behausung 초라한 거처. ④ 경멸할 만한, 비겁한: ein ~es Verhalten 비겁한 태도.
Jämmerlichkeit *f.* 비참, 가엾음; 비참한 처지.
Jämmerling *m.* -s, -e 〖폄어·경박〗 겁쟁이.
Jammer·miene *f.* 울상, 죽(을)상.
***jammern** [jámərn] 《I》 *i.* (h.) 비탄하다, 신음하다: nach et.³ ~ 무엇을 애타게 찾다; um jn.〔et.〕 ~ 누구를〔무엇을〕 잃고 꺼이꺼이 울다, 무엇이 없어진 것을 슬퍼하다. 《II》 *t.* jn. ~ 누구에게 애처로운 마음을 자아낸다: du jammerst mich 너를 보니 불쌍한 생각이 든다; 〖聖〗 es jammert mich des Volks 내가 무리를 불쌍히 여기노라(마태 15 : 32). 《III》 *refl.* sich zu Tode ~ 몹시〔죽도록〕 한탄하다.
Jammer≈ruf *m.* 비탄, 한탄, 절규. **~schade** *a.* 참으로 딱한: es ist ~ um ihn 그는 정말 딱하다. **~tag** *m.* 슬픈 날. **~tal** *n.* 〖雅語〗 한많은 이 세상, 속세, 이승: in diesem ~ 이승에서. **~tod** *m.* 비참한 죽음, 참사. **~ton** *m.* 애조, 슬픈 가락. **~voll** *a.* 참담한, 애통한.
Jams≈pflanze [jám(s)..], **~wurzel** *f.* 〖植〗 열대산(産) 참마의 일종.
Jan [jan] 《ndl.》〔↑ Johann 의 단축형〕 얀(남자 이름): 〔방언〕 aus dem ~ sein 33 세를 넘었다.
Jan. = Januar 1월, 정월.
Jangada [ʒaŋgá:da] *f.* -(s) 장가다(인디언의 뗏목).
Jangtse(kiang) [jáŋtsə(kiáŋ)] 《chin.》 *m.* -(s) 양자강.
Jan·hagel [janhá:gəl, jánha:..] 《ndl.》 *m.* -s 〔고어〕 천민, 우민.
Janitschar [janitʃá:r] 《türk.》 *m.* -en, -en 〖軍〗 (옛날) 터키왕의 친위병.
Janitscharen·musik *f.* ① 터키왕 친위병의 군악; 관악기와 타악기를 갖춘 군악대. ② 〔비속〕 die ganze ~ haben 매독에 걸려 있다.
janken [jáŋkən] *i.* (h.) 〔의성어〕 (ndd.) ① 징징거리다, 우는 소리를 하다; (개가) 낑낑거리다. ② 칭얼거리다, 보채다: der Kleine jankt nach der Mutter 아이가 엄마를 찾아 보챈다.
Janker [jáŋkər] *m.* -s, - (obd.) 재킷.
Jan Maat *m.* - -(e)s, - -e(n), **Jan·maat** [ján..] *m.* -(e)s, -e(n) 〔농담〕 (ndd.) 선원(Matrose).
Jänner [jɛ́nər] *m.* -(s), - (obd.) ↑ Januar.
Jan Rasmus *m.* (ndd.) 거친 바다.
Jansenismus [janzenísmus] *m.* - 〖宗〗 얀센주의(네덜란드 주교 Jansen이 세운 교파).
Jansenist *m.* -en, -en 얀센파 교도.
***Januar** [jánua:r] 《lat.》 *m.* -(s), -e 1월, 정월(약어: Jan.).
Janus [já:nus] *m.* - 〖로마신화〗 야누스.
Janus≈gesicht *n.*, **~kopf** *m.* ① 야누스의 얼굴; 〔비유〕 모순적인 것, 양면성. ② 〖醫〗 일두이안 기형(一頭二顔畸型). **~köpfig** *a.* ① 머리가 둘인. ② 〔비유〕 모순적인, 중의적〔다의적〕인, 양면적인. **~köpfigkeit** *f.* 〔교양·비유〕 모순성, 중의성, 양면성. **~tempel** *m.* 야누스의 신전: den ~ öffnen〔schließen〕 전쟁을 시작하다〔그치다〕.
***Japan** [já:pan] 일본.
Japaner [japá:nər] *m.* -s, - 일본인.
Japanerin *f.* -nen ↑ Japaner 의 여성형.
Japanese [japané:zə] *m.* -n, -n 〔고어〕 ↑ Japaner.
japanesisch *a.* 〔고어〕 ↑ japanisch.
japanisch *a.* 일본(어)의: ~e Sprache 일본말.
Japanisch *n.* -(s) 일본어.
Japan·matte *f.* 다다미.
Japanolog *m.* -en, -en 일본학 학자.
Japanologie *f.* 일본학.
Japan·papier *n.* 일본 종이.
Japhet [já:fɛt] 《hebr.》 *m.* 〖聖〗 야벳(노아의 셋째 아들; 인도·게르만 민족의 조상).
jappen [jápən] 《ndd.》 *i./t.* ↑ japsen.
japsen [jápsən] *i.* 〔구어〕 《I》 *i* (h.) 헐떡거리다. 《II》 *t.* 헐떡거리며 말하다.
Japser [jápsər] *m.* -s, - 〔구어〕 (숨을) 헐떡거림.
Jardiniere [ʒardinié:rə] 《frz.》 *f.* -n ① 수반(水盤), 꽃바구니. ② 〖요리〗 (요리에 따라 나오는) 야채.
***Jargon** [ʒargɔ̃:] 《frz.》 *m.* -s, -s ① 은어; 알아듣지 못할 말: in ~ der Kaufleute 상인들의 은어로; im schlimmsten ~ sprechen 아주 상스럽게 말하다. ② (무색 내지는 담황색) 지르콘의 변종.
Jarl [jarl] 《altnord.》 *m.* -s, -s (노르만의) 귀족, 족장, 수장(首長).
Jarowisation [jarovizatsió:n] 《russ.》 *f.* -en 〖農〗 야로비 농법(구소련의 촉성 재배법의 일종).
jarowisieren [jarovizí:rən] *t.* 〖農〗 야로비 농법을 하다.
Ja·sager *m.* 〔폄어〕 예예 하는 사람, 예스맨.
Jaschmak 《türk.》 *m.* -(s), -s 야시마크(터키 여성의 면사포).
Jasmin [jasmí:n] 《sp.》 *m.* -s, -e 〖植〗 재스민: gelber ~ 치자나무; wilder〔gemeiner〕 ~ 매화병꽃나무; falscher ~ 고광나무(관목).
Jasper·ware [dʒǽspə..] 《engl.》 *f.* -n 재스퍼 도기.
jaspieren [jaspí:rən] 《frz.》 *t.* 벽옥색(碧玉色)으로 하다; 대리석 무늬를 넣다.
Jaspis [jáspıs] *m.* -(ses), -se 〖광물〗 벽옥.
Jaß [jas] 《ndl.》 *m.* Jasses 야스(스위스의 카드놀이).
jaß [jas] *a.* (schweiz.) 작열하는, 격렬한.
Jass *m.* ↑ Jaß.
jass *a.* ↑ jaß.
jassen [jásən] *i.* (h.), - ↑ Jaß 놀이를 하다.
Jasser *m.* -s, - ↑ Jaß 놀이하는 사람.
Jast [jast] *m.* -es ① 발효, 비등. ② 고열. ③

성급, 격분.

Ja·stimme *f.* 찬성표(↔ Neinstimme).

Jatagan [jatagá:n] 《türk.》 *m.* -s, -e (터키인의) 구부러진 긴 칼.

jäten [jɛ́:tən] *t./i.* (h.) 잡초를 없애다, 제초하다: das Unkraut aus dem Weizen ~ 밀밭의 잡초를 뽑다.

Jät≈hacke, ~haue *f.* 풀 뽑는 괭이.

Jauche [jáuxə] *f.* -n ① (썩은) 물; 오물. ②〘農〙거름, 분노, 액비(液肥); 〔비유〕맛 없는 음료: mit ~ düngen 거름을 주다. ②〘醫〙부패농(腐敗膿), 악취농.

jauchen [jáuxən] *t.* 물거름을 주다.

Jauche(n)≈faß *n.* 〘農〙거름통. **~grube** *f.* 분뇨 구덩이. **~wagen** *m.* 분뇨차.

jauchig *a.* ① 거름으로 가득 찬; 거름 냄새가 나는. ②〘醫〙악취가 나는; 진물이 나는.

***jauchzen** [jáuxtsən] 《I》 *i.* (h.) 환호하다; 기뻐서 소리치다: ihm jauchzt das Volk 국민들이 그에게 환호한다. 《II》 *t.* ① jm. Beifall ~ 누구에게 갈채를 퍼붓다. ②〔결과를 나타내어〕 jn. aus dem Schlaf ~ 환성을 올려서 누구를 깨우다; sich heiser ~ 환성을 질러 목이 쉬다.

Jauchzen *n.* -s 환성, 환호, 갈채.

Jauchzer [jáuxtsər] *m.* -s, - ① 환호하는 사람. ② 환호성: vor Freude einen ~ ausstoßen 기쁜 나머지 환호성을 지르다.

Jauk [jauk] *m.* -s (öst.) 〘기상〙푄(Föhn).

jaulen [jáulən] 《ndd.》 *i.* (h.) ① (개 따위가) 낑낑거리다. ② 기계음을 〔끽끽거리는 소리를〕 내다: der Plattenspieler jault wieder 레코드 플레이어에서 다시 끽끽거리는 소리가 난다.

Jause [jáuzə] 《slowen. „Mittagessen"》 *f.* -n (öst.) ① 새참, 간식. ② 늦은 아침 식사: eine ~ machen 느지감치 아침을 먹다.

jausen [jáuzən] *i.* (h.) 간식을 먹다.

Jausen≈brot *n.* (öst.) 간식빵. **~station** *f.* 간이 식당, 스낵 코너. **~zeit** *f.* 간식 시간.

Java [já:va] ① 자바(섬). ② *m.* -(s), -s 자바춤.

Javaner [javá:ər] *m.* -s, - 자바 사람.

Javanerin *f.* -nen ↑ Javaner 의 여성형.

javanisch *a.* 자바(어)의.

ja·wohl [javó:l] *int.* 〔ja 의 강조형〕그렇습니다, 그렇고 말고요.

Ja·wort *n.* 승낙〔동의〕(의 말): das ~ geben 승낙〔동의〕하다.

Jazz [dʒɛs, dʒæz, jats] 《engl.》 〘음악〙 《I》 *m.* - 재즈. 《II》 *f.* (öst.) ↑ Jazzband.

Jazz·band [dʒɛ́sbɛnt, dʒǽzbænd] 《engl.》 *f.* -s 재즈 밴드.

jazzen [dʒɛ́sən, játsən] *i.* (h.) 재즈 음악을 연주하다; 재즈 음악에 맞춰 춤추다.

Jazzer [dʒɛ́sər, játsər] *m.* -s, - 재즈 연주자.

Jazz≈fan [dʒɛ́sfɛn, dʒǽzfæn] 《engl.》 *m.* 재즈팬. **~festival** 《engl.》 *n.* 재즈 축제. **~gymnastik** *f.* 재즈 체조. **~kapelle** *f.* 재즈 밴드. **~keller** *m.* 지하 재즈 연주장. **~musik** *f.* 재즈 음악.

***je**[1] [je:] 《mhd. ie》 《I》 *adv.* ① 언젠가, 일찍이, 여태껏: von ~ (her) 옛부터, 고래로, 늘상; mehr als ~ zuvor 과거 그 어느 때 이상으로; seit eh und ~ 오래 전부터 ~ und ~ 〔구식〕 a) 항상, b) 때때로, 이따금: wer hätte das ~ gedacht! 누가 언제 그런 생각이라도 했겠는가!; du bist der größte Esel, der mir ~ begegnet ist 너 같은 바보를 나는 여태껏 만난 적이 없다. ②〔수나 척도와 결합하여〕 **(a)** …마다, 각각, …씩: ~ zwei (und zwei) 둘씩; ~ der Dritte 세 사람째마다; ~ einer nach dem 〔um den〕 anderen 교대로, 차례차례; er gab ihnen ~ fünf Mark 그는 그들에게 각각 5 마르크씩 주었다; ~ Abend kamen 500 Zuschauer 저녁마다 500 명의 관중이 왔다. **(b)** 〔nach 또는 nachdem 과 함께〕 ~ nach den Umständen 사정에 따라; ~ nachdem er fleißig ist 그의 성의 여하에 따라; wir entscheiden uns ~ nachdem, ob er kommt oder nicht 그가 오는지 안 오는지 여부에 따라 우리는 결정을 내린다. 《II》 *cj.* 〔비교급과 함께〕 …할수록: **(a)** ~ älter er wird, desto 〔um so〕 bescheidener wird er 나이가 들면 들수록 그는 겸손해진다; ~ eher, ~ 〔desto〕 besser 이르면 이를수록 좋다; ~ mehr er hat, ~ mehr will er 가지면 가질수록 더 탐이 나는 법이다; ~ älter er wird, um so vernünftiger wird er auch 나이가 들수록 그도 사리 분별이 있게 된다〔철이 든다〕; man weiß das Geld um so mehr zu schätzen, ~ weniger man davon hat 돈이 적을수록 그만큼 더 귀하게 여길 줄 안다. **(b)** ~ mehr und mehr 더욱 더〔점점 더〕 (많이).

je[2] *adv.* 〔구식〕 ~ nun 그러니까, 따라서; 그렇지요.

je[3] 《<Jesus》 *int.* 〔동정·놀람〕 Herr ~!, o ~! 오오, 어마, 저런!

Jean [ʒã] 《frz., „Johann"》 *m.* 장(남자 이름).

Jeanne [ʒan, ʒɑ:n] 《frz., „Johanna"》 *f.* 잔(여자 이름).

Jeanne d'Arc [ʒandárk] *f.* 잔다르크.

Jeannette [ʒanɛ́t] *f.* ① 자네트(여자 이름). ②〔복수: -n〕 여자 목에 거는 검은 벨벳의 리본.

Jeans [dʒi:ns, dʒi:nz] 《engl.》 *pl.* 진; 청바지.

Jeans≈anzug *m.* (블루) 진 상하의. **~kleid** *n.* (블루) 진 원피스.

Jeck [jɛk] *m.* -en, -en ① 머리가 약간 돈 사람, 얼간이. ② 사육제 패.

jeck *adj.* 제 정신이 아닌, 멍청한.

jeden·falls [jé:dənfáls] *adv.* 어쨌든, 하여튼: ich rufe ~ morgen an, dann besprechen wir das Weitere 아무튼 내일은 내가 전화할 테니 그때 더 상의합시다.

je·dennoch *adv.* 〔고어·방언〕 ↑ jedoch.

***jeder** [jé:dər] 〔정관사 변화; ein 다음에 오면 형용사 변화〕 *prn.* ①〔형용사적〕 각각의, 저마다의, 매…, …마다; 모든: ~ Mann 〔jede Frau, jedes Kind〕 모든 남자〔여자, 아이〕; jedes mal 번번이; jeden Montag 월요일마다; jeden zweiten Tag 이틀에 한 번, 이틀마다; jeden Augenblick a) 매 순간, b) 언제라도; auf jeden Fall 어떠한 경우에도, 꼭; um jeden Preis 어떤 대가를 치르더라도, 기필코; ohne jede Anstrengung 조금도 힘들이지 않고; ohne jede Folgen 아무런 결과〔성과〕도 없이, 헛되이; heute abend habe ich jede Menge Zeit 오늘 저녁 나는 시간이 얼마든지 있다; zu jeder Zeit 늘, 언제나; er gab jedem von ihnen fünf Mark 그는 그들에게 각각 5 마르크씩 주었다; er kauft alles und jedes 그는 이것저것 다 산다; 〔최상급과 함께〕 jeder leiseste Lufthauch ist spürbar 어떤 미

풍이라도 감지된다. ②〖명사적〗 각각, 각자, 어느 것이나, 누구나, 모두 다: jeder von uns 우리들 각자〔모두〕; ~, der kommt 오는 사람 누구나; jeder nach seiner Art 각자 자기 식으로; hier hilft ~ jedem 여기서는 누구나 서로 돕는다; jeder ist sich³ selbst der Nächste 자기 자신보다 소중한 것은 없다.

jederart *a.* 〖어미변화 없음〗 모든 종류의.

jederlei [jé:dərlái, je:dərlái] *a.* 각종의, 갖가지의: auf ~ Weise 각양각색의 방식으로.

***jedermann** *prn.* 〖2 격: -s〗 누구든지, 모두 다: das versteht doch ~! 그것은 누구든지 이해할 수 있다.

Jedermanns·freund *m.* 무골 호인.

jeder·zeit *adv.* 언제나, 항상: du bist mir ~ willkommen 나는 언제라도 너를 환영한다.

jeder·zeitig *a.* 언제 일어날지 모를, 수시의.

jedes·mal *adv.* ① 매번, 번번이, 그때마다: ~, wenn ... …할 때마다; er findet ~ eine Ausrede 그는 매번 핑계를 댄다. ②〖구어〗 항상: es ist ~ dasselbe 늘 그 모양이다.

jedes·malig *a.* 그때마다의; 매번 발생하는.

***je·doch** [jedɔ́x] *adv./cj.* 그럼에도 불구하고, 그렇지만.

jed·weder [jé:tvé:dər, je:tvé:..] *prn.* 〖雅語〗 ↑ jeder.

Jeep [dʒi:p] 《am.》 *m.* -s, -s 지프(차).

jeglicher [jé:klıçər] *prn.* 〖강조·준고어〗 그 어떤, 아무런: das entbehrt ~ Logik! 그것에는 아무런 논리도 없다!

je·her [jé:he:r, jé:hé:r] *adv.* von〔seit〕 ~ 옛날부터, 고래로.

***Jehova** [jehó:va] 《hebr.》 *m.* 여호와.

jein [jaın] *adv.* 〖ja 와 nein 의 결합형〗〖구어·농담〗 예도 아니오도 아니게, 그렇기도 하고아니기도 하게; 애매하게: ~ sagen 애매하게 대답한다.

Jelänger·jelieber [jeléŋərjelí:bər] *n.* -s, - 〖植〗 인동덩굴.

je·mals *adv.* 언젠가, 일찍이.

***jemand** [jé:mant] 《mhd. ieman》 *prn.* 〖2 격 -(e)s, 3격 -(em), 4격 -(en)〗 (↔ niemand) 어떤 사람, 누군가: irgend ~ 그 누군가; sonst ~ 누군가 다른 사람; war schon ~ da? 벌써 누가 와 있더냐?; es ist ~ draußen 누군가 밖에 와 있다; ~ Fremdes 누군가 낯선 사람; ~ Bekanntes 누군가 아는 사람; ~ anders 누군가 다른 사람.

Jemand *m.* -(e)s 〖구어·농담〗 아무개, 모씨, 어떤 사람: du sollst mir diesen ~ endlich einmal vorstellen 자네는 드디어 이 아무개라는 인물을 내게 한번 소개시켜야 해.

Jemen [jé:mən, ..ɛn] 《ar.》 예멘(아라비아 반도의 나라).

Jemenit [jemení:t] *m.* -en, -en 예멘 사람.

jemenitisch *a.* 예멘(인·어)의.

jemine [jé:mine] 《<lat. Je(su do)mine》 *int.* o ~!, herr ~! 오오, 어머나, 앗 (깜짝이야), 아뿔싸!

Jena [jé:na] 예나(독일 Thüringen 주의 도시).

Jenaer [..naər], **Jenenser** 《I》 *m.* -s, - 예나 사람. 《II》 *a.* 예나의.

***jener** [jé:nər] 〖정관사 어미 변화〗 *prn.* (↔ dieser) ①〖형용사적〗 **(a)** 저, 그, 저쪽의: jenes Ufer 저쪽 물가. **(b)** 〖흔히 알려진 것을 가리킬 때〗 그, 예의: ~ Weise sagt 그 현인이 가로되. **(c)** 〖시간적〗 an jenem Tage a) 그날에, b) 최후의 심판의 날에; in ~ Zeit 당시에; in jenem Leben〔in jener Welt〕 저승〔내세〕에서. ②〖명사적〗 **(a)** 저 사람, 그것: wer ist ~, mit dem Sie gestern sprachen? 당신이 어제 이야기를 나눈 사람은 누구입니까? **(b)** 〖dieser 와 함께〗 bald dieser, bald ~ 또는 이 사람 또는 저 사람. **(c)** (↔ dieser) 전자: dieser sagt weiß, ~ schwarz 후자는 백이라 하고 전자는 흑이라 한다.

jenisch [jé:nıʃ] 《hebr.》 *a.* ① 교활한, 약삭빠른: ~e Leute 간교한 사람들. ② 부랑자 언어로: ~ sprechen 은어로 말하다. ③ 부랑자의: die ~e Sprache 부랑자 은어.

Jenissei, Jenissej [jenısé:i] *m.* -(s) (시베리아의) 예니세이강.

Jenny [jéni, (d)ʒéni] *f.* 〖Johanna 의 애칭〗 제니.

Jenny·maschine *f.* 〖工〗 방적기.

jen·seit [jé:nzait, jén..] ↑ jenseits.

jenseitig [jé:nzaıtıç, jén..] *a.* 저쪽의, 건너편〔쪽〕의; 피안〔저승〕의.

Jenseitigkeit *f.* 내세 지향성.

***jenseits** [jé:nzaıts, jén..] 《I》 *prp.*² (↔ diesseits) 저쪽편〔건너편〕에, 넘어서: ~ des Flusses 강 건너편에; ~ der Grenze 국경 너머에; das Klima ~ der Alpen 알프스 너머의 기후; ~ des Grabes 내세에; ~ der Fünfzig sein 50 살을 넘다; ~ von Gut und Böse 선악의 피안에서, 도덕을 초월한; 〖농담·반어〗 er ist doch längst ~ von Gut und Böse 그는 성적 욕구가 사라질 나이다. 《II》 *adv.* 저쪽편에; 저 세상에서.

Jenseits *n.* - 저승, 내세: ins ~ abberufen 〔abgerufen〕 werden 죽다; jn. ins ~ befördern 누구를 죽이다; jn. ins bessere ~ wünschen 누구에게 악의를〔앙심을〕 품다.

Jenseits·glaube *m.* 내세 신앙.

Jeremiade [jeremiá:də] 《frz.》 *f.* -n (Klagelied) 애가, 비가; 비탄.

Jeremia(s) [..mí:a(s)] 《hebr.》 *m.* 〖聖〗 예레미야(구약 성서의 예언자): die Klagelieder Jeremiä 예레미야 애가.

Jerez [çé:rɛs, (sp.) xé:rɛθ] 《sp.》 *m.* - ↑ Jerezwein.

Jerez·wein *m.* 셰리술(에스파냐산(產) 백포도주).

Jericho [jé:rıço] 예리코(현재 서요르단의 도시), 여리고(구약 성경 시대의 명칭).

Jericho·rose *f.* 〖植〗 안산수(安產樹).

Jersey¹ [dʒœ́rzi, dʒǿ:zi] *m.* -(s), -s 저지(옷감).

Jersey² [dʒǿ:zi] *n.* -s, -s (저지로 만든) 운동복 상의.

jerum [jé:rʊm] 《Jesus 의 와전》 *int.* 〖고어〗 o ~! 오오, 허어! (경악·비탄·동정의 표시)

Jerusalem [jerú:zalɛm] 《hebr.》 예루살렘: 〖宗〗 das neue〔himmlische〕 ~ 천국.

Jerusalemer *m.* -s, - 예루살렘 사람.

Jesaias [jezá:ias, jezaí:as] *m.* 〖聖〗 이사야 (구약 성경의 예언자; 별형: Isaias).

Jesuit [jezuí:t] 《lat.; <Jesus》 *m.* -en, -en ①〖가톨릭〗 예수회 소속 수도자, 예수회원. ② 〖폄어〗 교활한 달변가.

Jesuiten=general *m.* 〖가톨릭〗 예수회 총회

장. **~orden** *m.* 예수회. **~pulver** *n.*〖藥〗 기나피(幾那皮)(가루). **~schule** *f.* 예수회 학교.
Jesuitentum *n.*-s 예수회의 특성〔본질·교의(敎義)〕.
Jesuiter *m.* -s, -〖폄어〗 예수회 교도.
Jesuiterei *f.* ↑ Jesuitismus ②.
jesuitisch *a.* 예수회의; 예수회 교도 같은.
Jesuitismus [jezuitísmus] *m.* ① ↑ Jesuitentum. ②〖폄어〗 예수회 신자의 본색〔행태〕.
***Jesus** [jé:zus] 《hebr.》 *m.* ① ~ Christus (2격: Jesu Christi 또는 Jesu Christus, 3격: ~ Christus 또는 Jesu Christo, 4격: ~ Christus 또는 Jesu Christe) 예수 그리스도: im Namen Jesu 예수의 이름으로(맹세의 말); ~ (Maria Joseph)! 오오, 아뿔싸; der Herr ~ 주 예수. ② 예수회. ③〖聖〗 das Buch ~ Sirach 지라흐가 쓴 잠언집(箴言集).
Jesus·kind *n.* 아기 예수.
Jesus Nazarenus Rex Judaeorum [..natsaré:nus réks judεó:rum] 《lat.》 유대인의 왕 나사렛 예수(약어: I.N.R.I.).
Jesus People [dʒí:zəs pí:p(ə)l] *pl.* 예수인 운동 추종자.
Jesus-People-Bewegung *f.* (1970년대 초반 미국 청소년들 사이의) 예수인(人) 운동.
Jet[1] [dʒεt] 《engl.》 *m.* -(s), -s 제트 추진; 제트기.
Jet[2] [dʒεt] *m./n.* -(e)s〖광물〗 ↑ Jett.
Jet·lag [dʒέtlεg] *m.* -s, -s 시차 장애.
Jetliner [dʒέtlaınər] 《engl.》 *m.* -s, - 제트 여객기.
Jeton [ʒətɔ̃:] 《frz.》 *m.* -s, -s ①〖카드〗 게임 칩. ② 메달. ③ (자판기·전화기에 쓰이는) 대용 동전.
Jett [dʒεt] 《engl.》 *m./n.* -(e)s〖광물〗 흑옥(黑玉)(광채나는 갈탄의 일종).
jett·artig *a.* 흑옥(黑玉) 같은.
jetten [dʒέtən] *i.*(s.) 제트기로 여행하다.
jetzig [jέtsıç] *a.* 지금〔현재〕의; 현실의: die ~e Regierung 현정부; im ~en Zustand 지금의 상태에서; unter den ~en Verhältnissen 현상황에서; zum ~en Kurs 지금 시세로.
jetzo [jέtso] *adv.*〖고어〗 ↑ jetzt.
***jetzt** [jεtst] *adv.* ① 지금, 현재, 이제: es regnet ~ 지금 비가 오고 있다; ~ ist es Mai 지금은 5월이다. ②〖부사와 함께〗 eben ~ 방금; erst ~ 이제야, 지금 막; gleich ~ 지금 곧; noch ~ 지금도; ~ sind es fünf Jahre her 이제 5년이 되었다. ③〖전치사와 함께〗 bis ~ 지금까지; für ~ 현재로서는, 당장에; von ~ ab〔an〕 지금부터. ④ 그때, 그래서: ~ erhob er sich 그때 그는 일어섰다. ⑤ 지금이야말로: ~ oder nie! 지금하지 않으면 다시는 기회가 없다. ⑥ (신호로) 자!;〖사진〗 ~! 자 찍습니다! ⑦ ~ dieser, ~〔bald, nun, dann〕 jener 혹은 이것 혹은 저것.
Jetzt *n.* - 현재, 당대.
jetzt≈malig *a.* ↑ jetzig. **~mals** *adv.* ↑ jetzt. **~mensch** *m.* 현대인; 현세주의자. **~welt** *f.* 현대. **~zeit** *f.* 현대, 오늘날.
jetzund [jεtsúnt, jέts-unt] *adv.*〖고어〗 ↑ jetzt.
Jeu [ʒø:] 《frz.》 *n.* -s, -s [ʒø:s]〖고어〗 ① 노름, 도박. ② 카드놀이.
Jeunesse dorée [ʒœnεs dɔré] 《frz., „goldene Jugend"》 *f.* ①〖집합적〗 (프랑스 혁명 당시) 대(大) 부르주아 계층의 청년들, 왕당파의 청년. ②〖고어〗 (향락적인) 부유층 청년.
je·weilen [jé:vaılən] *adv.* ① 때때로, 이따금. ② 그때마다.
je·weilig [jé:vaılıç] *a.* 그때그때의, 그때마다의.
je·weils [jé:vaıls] 그때마다.
je·zu·weilen [jé:tsuváılən] *adv.*〖고어〗 ↑ jeweilen.
Jg. = Jahrgang …연도산, …연도분.
Jgg. = Jahrgänge (Jahrgang 의 복수형).
Jh. = Jahrhundert 세기, 백년.
Jidde [jídə] *m.* -n, -n〖구어〗 유대인(Jude).
Jiddisch [jídıʃ] *n.* -(s) (Judendeutsch) 이디시어, (동유럽의) 유대인투의 독일어.
jiddisch *a.* 이디시어의, 유대인투 독일어의.
Jiddische *n.*-n 이디시어, 유대인투 독일어.
Jiddistik *f.* 유대 어문학.
Jigger [dʒígər] 《engl.》 *m.* -s, - 작은 어선.
Jigger·mast *m.* 돛대가 넷인 배의 맨 뒷돛대.
Jingle [dʒıŋgl] 《engl.》 *m.* -(s), -(s) 시엠송.
Jingo [dʒíŋgo] 《engl.》 *m.* -s, -s (영미의) 극렬 국수주의자, 대외 강경론자, 주전론자.
Jingoismus *m.* - 극렬 국수주의.
Jitterbug [dʒítəbʌg] 《engl.》 *m.* -, -(s) 지르박(춤의 일종).
Jiu-Jitsu [dʒí:u dʒítsu] 《jap.》 *n.*-(s) 유도.
Jive [dʒaıv] 《engl.》 *m.* -, -(s) ① 자이브(스윙곡의 일종). ② 지르박.
j.J. = jedes Jahres 매년(의).
j.L. = jüngere(r) Linie〖계보〗 아랫대의, 자식 세대의.
J.Nr. = Journalnummer 신문 잡지의 호수.
jo [jo:] *int.* ① 호오, 어이(환호·놀람·경멸 등을 나타냄). ② 이랏(말 모는소리). ③〖방언〗 ↑ ja.
Joab [jó:ap] *m.* 요압(성서의 인물).
Joachim [joáxım] 《hebr.》 *m.* 요아힘(남자 이름).
Joachims·taler [jó:axımsta:lər] *m.* (뵈멘의 성(聖) 요아힘스탈 광산에서 생산된) 은전.
Job [dʒɔb] 《engl.》 *m.* -s, -s ① 일, 직업; 부업. ②〖컴〗 최소 작업 단위.
jobben [dʒɔ́bən] *i.*(h.) 일하다, 아르바이트하다.
Jobber [dʒɔ́bər] 《engl.》 *m.* -s, - ① 증권 중개인;〖폄어〗 증권 투기꾼. ②〖구어〗 아르바이트로 일하는 사람.
Jobberei *f.* -en 주식 중개.
jobbern [dʒɔ́bərn] *i.*(h.) 주식 중개를 하다.
Job·hopping [dʒɔ́bhɔpıŋ] 《engl.》 *n.* -s, -s 잦은 전직(轉職), 이직.
Job·killer *m.* -s, - 일자리를 없애는 요인.
Job·sharing [...ʃε:rıŋ] *n.* -(s) 일자리 나눔(하나의 일자리를 여러 사람이 맡아하는 일).
***Joch** [jɔx] *n.* -(e)s, -e ① 멍에; 굴레, 속박: einem Ochsen das ~ abnehmen 소의 멍에를 벗기다; Ochsen ins ~ spannen 소를 멍에에 매다; das ~ abschütteln〔abwerfen〕 굴레를 벗어나다; jm. ein ~ auf(er)legen〔jn. unter sein ~ bringen〕 누구를 속박하다; das ~ auf sich nehmen 무거운 짐〔질곡〕을 짊어지다; jn. ins ~ spannen 누구를 속박하다; das ~ der Ehe 결혼이라는 멍에; im ~ gehen 멍에를 지고 가다, 힘들고 굴욕적인 일을 하다;

jn. unter ein ~ zwingen 누구를 굴복시키다. ② 같은 멍에에 매인 한 쌍의 가축(특히 소): drei ~ Ochsen 이어 맨 세 쌍의 수소. ③ (면적 단위로) 한 쌍의 소로 하루에 경작할 수 있는 토지(약 50 Ar): 9 ~ Acker 9 요흐의 논밭. ④ (어깨에 메는) 멜빵. ⑤ (a) 〖건축〗 교형(橋桁) (교각 위에 걸쳐서 널빤지를 받치는 도리), 교형 사이의 구획; 〖전기〗 계철(繼鐵); 〖工〗 들보, 조임보; 〖광산〗 갱도를 떠받치는 막대기, 가로지른 들보. (b) 고대 로마에서 창으로 만든 교가(絞架) 모양(복종의 표시로 포로를 통과하게 한 문). (c) 포도 덩굴이 감아오르게 한 나무틀. (d) 〖海〗 키의 손잡이. ⑥ (a) 〖動〗 대추조개의 일종. (b) 〖植〗 줄기에 마주 난 작은 잎. ⑦ (봉우리 사이의) 산등성이, 산맥, 치솟은 암벽. ⑧ 광대뼈.

Joch≈bein *n.* 〖해부〗 광대뼈. **~beladen** *a.* 멍에를 짊어진. **~bogen** *m.* 〖해부〗 협골궁(頰骨弓); 〖건축〗 (교회의) 궁륭. **~brücke** *f.* 〖건축〗 홍예다리.

jochen [jɔ́xən] *t.* ① (마소를) 멍에로 매다, …에 멍에를 메우다. ② (ndd.) 사냥하다.

Jochen [jɔ́xən] *m.* 요헨(남자 이름).

Joch≈feld *n.* 〖건축〗 교형(橋桁)의 사이. **~hölzer** *pl.* 교형재(橋桁材), 장선(長線). **~ochs** *m.* 멍에를 멘 소. **~pfahl** *m.* 교항(橋杭). **~träger** *m.* 〖건축〗 가름보. **~weite** *f.* 교형(橋桁)의 폭.

Jockei, Jockey [dʒɔ́ke, ʒɔ́kaɪ] 《engl.》 *m.* -s, -s (직업적) 경마 기수, 자키.

Jockei·klub *m.* 경마 기수회.

***Jod** [jo:t] *n.* -(e)s 〖化〗 요오드(기호: J).

Jodat [jodá:t] *n.* -(e)s, -e 요오드산염.

Jodel [jó:dəl] 《südd.》 *m.* -s, -/Jödel 요들송, 요들.

Jodeler [jó:dlər] *m.* -s, - ① 요들을 부르는 사람. ② ↑ Jodel.

jodeln [jó:dəln] *i.* (h.)/*t.* 요들을 부르다, 환호하다; (새가) 높은 소리로 울부짖다.

jod·haltig *a.* 요오드를 함유한.

Jodid [jodí:t] *n.* -(e)s, -e 〖化〗 요오드화물.

jodieren [jodí:rən] *t.* 요오드로 처리하다, 요오드를 바르다.

jodig *a.* 요오드(성)의.

Jodismus *m.* - 요오드 중독.

Jod≈kalium *n.* 요오드화칼륨. **~kalzium** *n.* 요오드화칼슘. **~krankheit** *f.* 요오드 중독.

Jodler [jó:dlər] *m.* -s, - ↑ Jodeler.

Jodlerin *f.* -nen ↑ Jodler 의 여성형.

Jodoform [jodofɔ́rm] *n.* -s 〖化〗 요오드포름.

Jodol *n.* -s 〖化〗 요돌.

Jod≈salz *n.* 요오드염. **~säure** *f.* 요오드산(酸). **~silber** *n.* 요오드화은. **~stärke** *f.* 요오드 녹말. **~stick·stoff** *m.* 요오드화질소. **~tinktur** *f.* 요오드팅크.

Jodür [jodý:r] *n.* -s, -e 〖化〗 제 1 요오드화물.

Joga [jó:ga] 《skt.》 *m.* -s 요가; (인도 철학에서) 유가(瑜伽).

joggen [dʒɔ́gən] *i.* (h.) 조깅하다.

Jogger [dʒɔ́gər] *m.* -s, - 조깅하는 사람.

Jogging [dʒɔ́gɪŋ] 《engl.》 *n.* -s 조깅.

Jogging≈anzug *m.* 조깅복. **~bekleidung** *f.* 조깅복.

Joghurt [jó:gʊrt] 《türk.》 *m.*/(öst.) *n.* -(s), -(s) 〔(구어) *f.* -(s)〕 요구르트.

Jogi [jó:gi], **Jogin** [jó:gɪn] 《skt.》 *m.* -s, -s 요가〔유가〕 수행자.

Jogurt *m.*/*n.* ↑ Joghurt.

Johann [johán, jó:han] *m.* 요한(남자 이름; ↑ Johannes 의 단축형).

Johanna [johána] *f.* 요하나(여자 이름).

Johanneisch [..né:ɪʃ] *a.* 요한의.

johanneisch *a.* 요한풍(風)의.

Johannes [johánɛs, ..əs] 《hebr.》 *m.* 〖(가끔) 2 격 ..nis, 3 격 ..ni〗 요하네스(남자 이름); 〖聖〗 요한: der Evangelist ~ 사도 요한; ~ der Täufer 세례자 요한.

Johannes≈evangelium *n.* -s 요한 복음. **~passion** *f.* 요한의 수난.

Johanni(s) *n.* - ↑ Johannistag.

Johannis≈beere [johánɪs..] *f.* 〖植〗 구스베리(열매). **~beer·staude** *f.*, **~beer·strauch** *m.* 구스베리나무. **~berger** *m.* 요하니스베르거(포도주의 일종). **~brot** *n.* 〖植〗 구주콩. **~brot·baum** *m.* 구주콩나무(세례 요한이 황야에서 먹었다고 함). **~fest** *n.* 성요한절 축제. **~feuer** *n.* 성요한절에 놓는 불(하지 맞이 풍습임). **~käfer** *m.* 〖動〗 개똥벌레. **~kraut** *n.* 〖植〗 고추나물속의 초목. **~mond** *m.* 〖드물게〗 6 월. **~nacht** *f.* 성요한절 전야. **~tag** *m.* 성요한절(6 월 24 일). **~trieb** *m.* 두 번째의 싹, 움; 〖구어·농담〗 늦바람. **~würmchen** *n.* 〖動〗 개똥벌레.

Johanniter [johaní:tər] *m.* -s, - 요한 기사 수도회원.

Johanniter≈orden *m.* ① 요한 기사 수도회(제 1 차 십자군 원정 때 예루살렘에서 창립). ② 요한회(會) (1812 년에 창립된 귀족 단체). **~ritter** *m.* ↑ Johanniter. **~unfall·hilfe** *f.* 요한 기사 수도회 응급 구조대.

johlen [jó:lən] 《jodeln ?》 *i.* (h.)/*t.* ① 떠들썩거리다, 큰 소리로 노래하다. ② ↑ jodeln.

John Bull [dʒɔn búl] 《engl., „Hans Stier"》 〖드물게〗 영국〔영국 사람〕의 별명.

Joint [dʒɔɪnt] 《engl.》 *m.* -s, -s 조인트(하시시나 마리화나를 섞은 담배).

Jokel [jó:kəl] *m.* (obd.) ① 〖↑ Jakobus 의 애칭〗 요켈(남자 이름). ② 〖구어〗 시골뜨기.

Joker [dʒó:kər, jó:..] 《engl.》 *m.* -s, - 〖카드〗 조커.

jokos [jokó:s] *a.* 〖고어〗 익살스런, 까부는.

Jokus [jó:kʊs] *m.* - 익살, 농담; 오락.

Jolle [jɔ́lə] 《ndl.》 *f.* -n (모선에 달린) 보트, (평평한) 작은 배; (나루터의) 소형 보트.

Jollen·kreuzer *m.* -s, - 〖海〗 (객실이 있는) 큰 배.

Jom Kippur [jó:m kɪpú:r] *m.* -, - 화해의 날(유대인의 축제일).

Jonas≈fisch, ~hai *m.* 〖動〗 상어. **~kürbis** *m.* 〖植〗 호리병박.

Jonathan[1] [jó:natan] 《hebr.》 *m.* ① 요나단(사람 이름). ② 〖聖〗 요나단(Saul 의 아들). ③ 〖농담〗 Bruder ~ 미국(사람)의 별명.

Jonathan[2] *m.* -s, - 홍옥(사과).

Jongleur [ʒɔ̃glø:r] 《frz.》 *m.* -s, -e ① 곡예사. ② (중세 프랑스의) 유랑 악사〔배우〕, 광대.

jonglieren [ʒɔ̃glí:rən] *t.*/*i.* (h.) 곡예를〔요술을〕 하다; 교묘하게 다루다: mit einer Sache ~ 어떤 일을 능란하게 처리하다.

J

Jonquille [ʒɔ̃kí:j, ..kíljə] ⟪frz.⟫ *f.* -n 〖植〗 노랑수선화.
Jöppchen [jœ́epçən] *m.* -s, - ↑ Joppe 의 축소형.
Joppe [jɔ́pə] ⟪ar.⟫ *f.* -n (남성용) 덧저고리, 가디건.
Jöpplein [jœ́eplaɪn] *n.* -s, - ↑ Joppe 의 축소형.
Jordan [jɔ́rdan] *m.* -(s) 요단강.
Jordanien [..dá:niən] *n.* -s 요르단.
Jordanier [..dá:niər] *m.* -s, - 요르단 사람.
jordanisch [..dá:nɪʃ] *a.* 요르단(인·어)의.
Josef, Joseph [jó:zɛf] *m.* 요제프(남자 이름); 요셉(성모 마리아의 남편): 〖비유〗 ein keuscher ~ 숫총각.
Josepha [jozέfa, jozé:fa], **Josephine** [jozefí:nə] *f.* 요제파, 요제피네(여자 이름).
josephinisch *a.* 요셉(황제)의.
Josephinismus *m.* - 요셉주의(18-19 세기 오스트리아의 종교 정책).
Jot [jɔt] *n.* -(s), -(s) ① 자모 J, j 의 이름. ② 〖비유〗 kein ~ ↑ Jota ②.
Jota [jó:ta] *n.* -(s), -s ① 그리스 자모 I, ι 의 이름. ② 〖비유〗 극히 적은 것(마태 5 : 18): (um) kein 〔nicht ein〕 ~ 조금도 …않다.
Jotazismus *m.* 고대 그리스어 e 음의 i 장음화.
Joule [dʒu:l, dʒaʊl] *n.* -(s), - 〖物〗 줄(에너지 및 일의 단위; 약어: J).
Jour [ʒu:r] ⟪frz.⟫ *m.* -s, -s ① (특정한 일을 하도록 정해진) 날(Tag): ~ fixe [..fíks] (정기적) 만남의 날.
jour [ʒu:r] ↑ à jour, du jour.
Jourfix [ʒu:rfíks] *m.* -es, -e 지정일.
Journaille [ʒʊrnáljə, ..nájə] ⟪frz.⟫ *f.* 〖폄어〗 선정적인〔저질〕 잡지〔신문〕.
***Journal** [ʒʊrná:l] ⟪fra.⟫ *n.* -s, -e ① 〖고어〗 일지, 일간 신문; 〖商〗 분개장. ② (Zeitschrift) 저널, 전문 잡지; 정기 간행물. ③ 〖海〗 항해 일지.
Journal≈beamte* *der* (öst.) 당직 공무원. **~dienst** *m.* (öst.) 당직 근무.
journalisieren [ʒʊrnalizí:rən] *t.* 일지에 써넣다; 분개(分介)하다.
Journalismus [..lísmʊs] *m.* - ① 저널리즘, 언론계. ② 대중 매체 활동. ③ 저널리즘적 스타일, 대중 매체 수준의 문체.
Journalist [..líst] *m.* -en, -en 저널리스트, 신문〔방송〕 기자, 언론인.
Journalistik *f.* ① 언론학. ② ↑ Journalismus.
Journalistin *f.* -nen ↑ Journalist 의 여성형.
journalistisch *a.* 신문 잡지〔언론〕의; 신문〔잡지〕 기자류의, 기자 기질의.
Journal·nummer *f.* 신문 잡지의 호수; 〖商〗 일지〔분개장〕의 정리 번호(약어: J.-Nr.).
jovial [joviá:l] ⟪lat.⟫ *a.* ① 친절한, 선의의. ② 호기로운, 호의를 베푸는.
Jovialität [..vialitέ:t] *f.* 친절, 호의.
Jovis [jó:vɪs] ↑ Jupiter 의 2 격.
Joystick [dʒɔ́ɪstɪk] ⟪engl.⟫ *m.* -s, -s 조이스틱(오락 게임기).
jr. =junior 나이 적은; 2 세의.
ju *int.* 야아! (환희 또는 사슴 사냥 때 외치는 소리).
jü *int.* ↑ hü(마부가 말 모는 소리).
Juan[1] [xuán] ⟪sp., „Johann"⟫ *m.* 후안(남자 이름): Don ~ 돈 후안.
Juan[2] [jú:an] *m.* -(s), -(s) 위안(중국의 화폐 단위).
***Jubel** [jú:bəl] *m.* -s ① 환호성: in ~ ausbrechen 환호성이 터지다. ② 환희. ③ 〖드물게〗 (10 년·25 년·50 년·100 년 등의) 기념 축제.
Jubel≈ausgabe *f.* 기념 출판. **~braut** *f.* 은〔금·회〕혼식을 맞은 부인. **~bräutigam** *m.* 은〔금·회〕혼식을 맞은 남편. **~feier** *f.*, **~fest** *n.* 기념 축제. **~gesang** *m.* 환희의 노래; 기념제의 노래. **~geschrei** *n.* 환호, 환성. **~greis** *m.* ① ↑ Jubilar. ② 〖구어·농담〗 쾌활한 노인. **~hochzeit** *f.* 은〔금·회〕혼식: eine ~ feiern 은〔금·회〕혼식을 축하하다. **~jahr** *n.* ① 기념 축제의 해. ② 유대 50 년절; 〖가톨릭〗 성년(聖年): 〖비유〗 alle ~e einmal 가뭄에 콩나듯. **~lied** *n.* ↑ ~gesang.
jubeln [jú:bəln] *i.* (h.) ① 환호하다. ② 즐겁게 지내다.
Jubel≈paar *n.* 은〔금·회〕혼식을 올리는 부부. **~perser** *m.* 〖구어〗 박수 부대로 동원된 사람(1967 년 이란 왕의 베를린 방문에서 유래). **~ruf** *m.* 환호성.
Jubilar [jubilá:r] ⟪lat.⟫ *m.* -s, -e 기념식〔일〕의 주인공.
Jubilarin *f.* -nen ↑ Jubilar 의 여성형.
Jubilate ⟪lat.⟫ *m.* - 〖宗〗 부활절 후의 셋째 일요일.
***Jubiläum** [..lέ:ʊm] *n.* -s, ..läen (10 년·25 년·50 년·100 년 따위의) 기념 축제; 기념일: ein ~ feiern〔begehen〕 기념제를 열다.
Jubiläums≈ausgabe *f.* (저자의 탄생·서거를 기념하는) 기념판(版). **~feier** *f.* 기념식 (Jubelfeier).
jubilieren [jubilí:rən] *i.* (h.) ① 환호하다. ② 기념 축제를 올리다. ③ (새들이) 지저귀다.
juch [ju:x, jʊx] *int.* 만세, 야호(갈채·환성).
juchen [jú:xən, jʊ́x..] *t.* (h.) 만세를 부르다, 환호하다.
Juchart [jʊ́xart], **Juchert** [jʊ́xərt] ⟪↑ Jauchert⟫ *m.* -s, -e 〔(schweiz.) *f.* -en〕 (nordd., westd.) 지적(地積) 단위(때·장소에 따라 다름).
Juchhe[1] [jʊxhé:] *n.* -s, -s ① 환호성. ② 〖방언·농담〗 (극장의) 맨 위 관람석. ③ (öst.) 〖농담〗 집의 구석진 곳.
Juchhe[2] *f.* -s 〖방언〗 다락방.
juchhe [jʊxhé:], **juchhei** [jʊxhái] *int.* 야호(환성).
juchheien [jʊxháiən] *i.* (h.) (↑ juchen) 얼씨구절씨구〔앗싸 앗싸〕하며 환성을 지르다.
juchheirassassa [..rasasa], **juchheisa** [..za, ..sa], **juchheißa** [..sa] *int.* ↑ juchhe.
Jucht [jʊxt] ⟪tatar. russ.⟫ *m./n.* -(e)s, **Juchten** [jʊ́xtən] *m./n.* -s ① 러시아 가죽(소가죽을 무두질한 것). ② 러시아 가죽 냄새가 나는 향료.
juchten *a.* 러시아 가죽으로 만든.
Juchten≈leder *n.* 러시아 가죽. **~stiefel** *m.* 러시아 가죽제(製) 장화.
juchzen [jʊ́xtsən] *i.* (h.) 환호하다.
Juchzer [jʊ́xtsər] *m.* -s, - 환호, 만세.
***jucken** [jʊ́kən] ⟪I⟫ *i.* (h.) ① 가렵다, 근질거리다, 따끔거리다: der Pullover juckt 이 스

웨터를 입으면 가렵다〔따끔거린다〕; mir juckt die Hand a) 나는 손이 가렵다, b) (미신에서) 돈이 생길 모양이다; 〖비유〗 die Zunge juckt ihm 그는 지껄이고 싶어 좀이 쑤신다; ihm ~ die Finger〔Ohren〕 danach 그는 그것이 탐이 나서〔듣고 싶어〕 못 견딘다; mir juckt es in den Fingern! a) 나는 무엇을 하고 싶어 안달이 난다, b) 나는 주먹이 근질근질하다. ② (alem., fränk.) 뛰어오르다. 《Ⅱ》 *t.* ① 가렵게 하다; 좀이 쑤시게 하다: das Hemd juckt mich 이 셔츠를 입으면 나는 가렵다; es juckt mich am Rücken〔in der Nase〕 나는 등이〔코가〕 가렵다; es juckte ihn, den Wagen zu kaufen 그는 차를 사고 싶어 안달했다; dich juckt wohl das Fell? 너 얻어맞고 싶으냐?; die Würfel ~ mich schon in der Tasche (도박을 하고 싶어) 주사위가 주머니 속에서 들썩들썩하고 있다; 〖속담〗 wen's juckt, der kratze sich 가려운 사람이 긁어라; laß ~! 자 와 봐〔해봐〕! ② 긁어 주다: jm. die Haut wund ~ 누구의 피부를 긁어서 상처를 내다. 《Ⅲ》 *refl.* sich ~ 자신(의 가려운 곳)을 긁다: sich[3] die Haut blutig ~ 자기 피부를 긁어 피가 나다; juck dich nicht ständig! 자꾸 긁지 마!

Jucken *n.* -s ① 가려움; 〖비유〗 안달, 초조, 애태움.

Jucker [júkər] *m.* -s, - (헝가리산(產)의) 경쾌한 마차말.

Juck≈flechte *f.* 〖醫〗 양진(痒疹). **~pulver** *n.* 가려움(을 일으키는) 가루, (종이코·소형 폭죽 따위의 어른) 장난감. **~reiz** *m.* 가려움증.

J.U.D. =juris utriusque doctor 양법학(兩法學) 독토르(↑ Doktor).

Juda [jú:da] 《hebr., „Gottlob"》 *m.* ① 〖聖〗 유다(Jakob 의 넷째 아들, 유대족의 조상); 유대족. ② 유대 왕국(=das Reich ~).

Judäa [judέ:a] 유대 왕국.

Judaika [judá:ika] *pl.* ① 유대(교) 문헌. ② 유대 민족에 관한 서적.

judäisch *a.* 유대 왕국〔민족〕의.

judaisieren [judaizí:rən] *i.* (h.) 유대화하다, 유대교도가 되다.

Judaismus [judaísmus] *m.* - 유대교; 유대주의.

Judaistik *f.* 유대학.

Judas [jú:das] *m.* ① 〖聖〗 유다: ~ Ischariot [ɪʃá:riɔt] 가룟 유다(예수를 판 제자). ② 〖복수: ..dasse〗 〖비유〗 변절〔배신〕자.

Judas≈baum *m.* 〖植〗 미모사나무의 일종(유다가 배신한 이후 그 나무에 목을 매었다고 함). **~haar** *n.* 붉은 머리카락. **~kuß** *m.* (속셈을 감추기 위한) 배신자의 입맞춤. **~lohn** *m.* 배신자 몫의 대가. **~ohr** *n.* 〖植〗 (늙은 라일락나무에 돋는 사람 귀 같은) 버섯.

Jüdchen *n.* -s, - ↑ Jude 의 축소형.

***Jude** [jú:də] *m.* -n, -n ① 유대인; 유대교도: der Ewige ~ 영원히 유랑하는 유대인(Ahasver). ② 〖비유〗 고리 대금업자, 수전노. ③ (**a**) 〖학생〗 학우회에 소속해 있지 않는 학생. (**b**) 긴 수염. (**c**) 고기 반찬 없는 밥.

Jüdelei [jy:dəláɪ] *f.* -en 유대인식의 방법〔상술·언행〕.

jüdeln [jý:dəln] *i.* (h.) ① 〖폄어〗 유대인처럼 굴다; 값을 깎다, 흥정하다. ② 유대 말투로〔유대인식으로〕 이야기하다.

Juden≈art *f.* 유대인풍, 유대인의 관습〔기질〕. **~bart** *m.* 염소〔긴〕 수염; 〖植〗 범의귀속(屬). **~christ** *m.* ① 그리스도교로 개종한 유대인. ② (초대 교회의) 유대인 그리스도 교도. **~christentum** *n.* ① (초기 기독교의) 유대 출신의 기독교도. ② (오늘날의) 유대 기독교도. **~deutsch** *n.* ① (Jiddisch) 유대(인) 독어, 이디슈. ② 뜻을 알 수 없는 말. **~dorn** *m.* 〖植〗 대추나무. **~eid** *m.* 유대인 선서. **~-feind** *m.* 반(反)유대주의자. **~feindlich** *a.* 반유대주의의. **~frage** *f.* 유대인 문제. **~gasse** *f.* 유대인 거리(Getto). **~gegner** *m.* ↑ ~feind. **~genoß** *m.* 유대교로 개종한 사람. **~harz** *n.* 역청, 아스팔트.

Judenheit *f.* ① 〖총칭〗 유대인. ② 유대인풍, 유대인 기질.

Juden≈hetze *f.* 유대인 박해. **~hetzer** *m.* 유대인 박해자. **~hut** *m.* 유대인 모자(중세 유대인의 황색 삼각모). **~kirsche** *f.* 〖植〗 ① 꽈리. ② 마가목. **~leim** *m.* 역청, 아스팔트. **~pappel** *f.* 〖植〗 황마(黃麻)의 일종. **~pech** *n.* 〖광물〗 아스팔트, 역청.

Judenschaft [jú:dənʃaft] *f.* -en ① (어떤 곳에 거주하는) 유대인 집단, ② 유대인임.

Juden≈schule *f.* ① 유대인 학교. ② 유대인 회당: 〖비유〗 ein Lärm wie in der ~ 소동. **~stadt** *f.* 유대인 도시〔거리〕. **~stern** *m.* (유대인을 상징하는) 다윗의 별. **~steuer** *f.* 〔고어〕 유대인세(稅). **~tempel** *m.* (Synagoge) 유대교 회당.

Judentum [jú:dəntu:m] *n.* -(e)s 유대교; 유대풍, 유대인 기질; (Judäa) 유대 왕국〔민족〕.

Juden≈verfolgung *f.* 유대인 박해. **~viertel** *n.* 유대인 구역〔거주지〕. **~volk** *n.* 유대 민족.

Judika [jú:dika] 《lat., „richte!"》 *m.* - 〖宗〗 수난일(부활절 전 둘째 일요일).

Judikation [judikatsió:n] *f.* -en 〔구식〕 ① 유죄 판결, 단죄. ② 판결; 판정.

Judikative *f.* -n 〖法〗 ① 사법부. ② 법조계.

judikatorisch *a.* 법관〔사법(司法)〕의.

Judikatur [..tú:r] *f.* -en 재판, 판결, 사법.

Jüdin [jý:dɪn] *f.* -nen ↑ Jude 의 여성형.

jüdisch *a.* 유대(인)의; 유대어의; 유대인풍〔기질〕의.

Judith [jú:dɪt] 《hebr., „Frau aus der Stadt Jehud"》 *f.* 유디트(여자 이름).

Judiz [judí:ts] 《lat.》 *n.* -es, -ien [..tsiən] ↑ Judizium.

judizial *a.* 재판〔사법〕의.

judizieren [juditsí:rən] *i.* (h.) 〔구식·雅語〕 재판하다.

judiziös 《lat.》 *a.* 판단력〔감식력〕이 있는.

Judizium [judí:tsium] *n.* -s, ..zien [..tsiən] ① 판결; 재판; 소송. ② (판사의) 판결 능력.

Judo[1] [jú:do, dʒú:do] 《jap.》 *n.* -(s) 〖스포츠〗 유도.

Judo[2] [jú:do] *m.* -s, -s 자민당(FDP)의 청년 당원(↑ Jungdemokrat).

Judo≈griff *m.* 유도의 잡는 법. **~gürtel** *m.* 유도 품띠.

Judoka [judó:ka] *m.* -(s), -(s) 유도 선수.

Juft [juft] *m./n.* -(e)s ↑ Jucht.

Juften *m./n.* -s ↑ Juchten.

***Jugend** [jú:gənt] *f.* -en ① 젊음, 청춘. ② (광의로) 어린 시절; (협의로) 청년기: eine sorglose ~ gehabt haben 근심 없는 어린 시

절을 보냈다; von ~ an〔auf〕 어려서부터; Kindheit und ~ 유년기와 청년기; er starb in blühender ~ 그는 한창 젊을 때 죽었다. ③ 젊은이들: die deutsche ~ 독일 청년; die ~ von heute 오늘날의 젊은이들; die ~ zu verstehen suchen 젊은이들을 이해하려고 애쓰다; 〔속담〕 ~ hat keine Tugend 한창 때는 무분별한 법. ④ (alem.) 어린애, 갓난아이.

Jugend·alter *n.* 청소년 시절. **~amt** *n.* 청소년 복지국(局). **~arbeit** *f.* ① 젊은 시절의 작품. ②〖法〗 미성년자 노동. ③ 청소년 보호〔선도〕 사업. **~arbeitslosigkeit** *f.* 미성년자 실업. **~arbeits·schutz·gesetz** *n.* 〖法〗 청소년 노동 보호법. **~arrest** *m.* 소년범의 징계 구치(拘置). **~bewegung** *f.* 청소년 운동(20 세기 초 독일의 문화 쇄신 운동). **~bild** *n.* 어린〔젊은〕 시절의 모습. **~bildnis** *n.* 〔雅語〕 ↑ ~bild. **~blüte** *f.* 꽃다운 청춘, 한창 때. **~dorf** *n.* (불우 청소년을 위한) 소년촌. **~erinnerung** *f.* 젊은 시절의 회상, 어린 시절의 추억. **~erzieher** *m.* 청소년 교육자. **~erziehung** *f.* 청소년 교육. **~fehler** *m.* 젊은 혈기 때문에 저지른 잘못. **~feuer** *n.* 젊은이의 정열〔혈기〕. **~frei** *a.* 청소년에게 허용되는: ein ~er Film 미성년자 관람가 영화. **~freude** *f.* 청춘의 기쁨. **~freund** *m.* ① 어린시절에 사귀던 친구, 죽마고우. ②〔드물게〕 청소년을 사랑하는 사람. ③〖구동독〗 자유 독일 청소년단(die Freie Deutsche Jugend)의 단원. **~freundin** *f.* ↑ ~freund의 여성형. **~frische** *f.* 생기 발랄함. **~fürsorge** *f.* 〖교육·法〗 청소년 보호. **~fürsorger** *m.* 청소년 (보호) 담당자. **~fürsorgerin** *f.* ↑ ~fürsorger의 여성형. **~gefährdend** *a.* 청소년에게 해로운. **~gefährte, ~genosse** *m.* ↑ ~freund. **~gericht** *n.* 〖法〗 소년 법원. **~gespiele** *m.* ↑ ~freund. **~göttin** *f.* 〖그리스신화〗 청춘의 여신(Hebe). **~gruppe** *f.* (어떤 단체의) 청소년 그룹. **~herberge** *f.* 청소년 숙박소, 유스 호스텔. **~irresein** *n.* 〖醫〗 사춘기 치매(Hebephrenie). **~jahre** *pl.* 소년〔청년·유년〕 시절. **~klub** *m.* 청소년 클럽. **~kriminalität** *f.* 청소년 범죄. **~kraft** *f.* 청소년의 활력. **~leiter** *m.* 청소년 선도 교육 종사자. **~leiterin** *f.* ↑ ~leiter의 여성형.

***jugendlich** [jú:gəntlɪç] *a.* ① 젊은이 다운: ~e Begeisterung 젊은이 다운 감격. ② 어린, 연소한: ~er Verbrecher 청소년 범죄자. ③ 혈기 왕성한, 발랄한: ~er Greis 정정한 노인.

Jugendliche* *der/die* ① 청소년: diese Platte ist bei Jugendlichen sehr beliebt 이 음반은 청소년들 사이에 아주 인기가 있다. ② 〖法〗 (14-17 세의) 미성년자: ~ haben keinen Zutritt! 미성년자 입장 금지!

Jugendlichkeit *f.* 젊음, 발랄, 싱싱함.

Jugend·liebe *f.* -n ① 청소년 시절의 (첫) 사랑. ② 청소년 시절의 애인. **~literatur** *f.* 청소년〔아동〕 문학. **~mut** *m.* 청년다운 용기. **~organisation** *f.* 청소년 단체〔조직〕. **~pfarrer** *m.* 청소년 보호·선도를 위해 활동하는 목사. **~pflege** *f.* 〖교육·法〗 청소년 보호〔선도〕. **~pfleger** *m.* 청소년 선도원〔담당관〕. **~psychologie** *f.* 청소년 심리학. **~recht** *n.* 〖法〗 청소년 관련법. **~richter** *m.* 〖法〗 청소년 심리부 판사. **~ring** *m.* 청소년 단체 연합. **~schriften** *pl.* 청소년을 위한 서적. **~schriftsteller** *m.* 청소년〔아동〕 문학 작가. **~schutz** *m.* 청소년 보호(노동 보호 따위). **~spiele** *pl.* 청소년 놀이. **~stil** *m.* 청년파 양식, 유겐트슈틸(19 세기 말-20 세기 초의 독일 예술 양식). **~straf·anstalt** *f.* 소년 감호소. **~strafe** *f.* 〖法〗 소년형. **~straf·recht** *n.* 〖法〗 소년 형법. **~streich** *m.* 어린 시절의 장난. **~sünde** *f.* 어린 시절의 실수; 젊은 시절의 미흡한 작품. **~theater** *n.* 청소년(이 공연하는) 연극; 청소년 (전용) 극장. **~torheit** *f.* 청소년 (시절)의 어리석은 짓. **~traum** *m.* 청소년 (시절)의 꿈; 유치한 공상. **~verband** *m.* 청소년 단체 연합. **~verein** *m.* 청소년 단체. **~wehr** *f.* (제 1 차 세계 대전 때의) 소년 의용단. **~weihe** *f.* ① (견진성사나 성찬식 대신에 행하는) 성년식. ② 〖구동독〗 성년식(14-15 세 청소년들이 국가와 사회주의 사회에의 충성을 서약하는 제전). ③ 〖인류〗 (원시 민족의) 성년식(Initiation). **~welt** *f.* 초기의 세계; 〔총칭〕 청소년. **~werk** *n.* 청소년기 작품. **~werkhof** *m.* 〖구동독〗 소년 감호소. **~wohl·fahrtspflege** *f.* 청소년 복지 사업. **~zeit** *f.* 청소년 시절, 유년기. **~zentrum** *n.* (지역 단위의) 청소년 복지 회관, 청소년 센터.

Jugoslawe [jugoslá:və] *m.* -n, -n 유고슬라비아 사람.

***Jugoslawien** [..viən] 유고슬라비아.

jugoslawisch *a.* 유고슬라비아(사람·말)의.

jugular [jugulá:r] 《lat.》 *a.* 〖醫〗 경부(頸部)〔인후〕의.

Jugular·ader *f.* 경정맥(頸靜脈).

juhe [juhé:] *int.* (schweiz.) ↑ juchhe.

Juice [dʒu:s] 《engl.》 *m./n.* -, -s 주스, 과즙, 야채즙.

Jujube [jujú:bə] 《frz.》 *f.* -n 〖植〗 대추; 대추나무.

Jujutsu 《jap.》 *n.* -(s) (고대의) 자기 방어술, 호신술.

Jukebox [dʒú:kbɔks] 《engl.》 *f.* -es 뮤직박스.

Jul [ju:l] *n.* -(s) ① (게르만족의) 동지제(冬至祭). ② (스칸디나비아의) 크리스마스 축제.

Julei [juláɪ, jú:laɪ] *m.* -(s), -s 7 월(Juli).

Jul·fest *n.* ↑ Jul.

***Juli** [jú:li] 《lat.》 *m.* -(s), -s 7 월.

Julian *m.* 율리안(남자 이름).

julianisch *a.* 율리우스(시저)의: der ~e Kalender 율리우스력(曆).

Julienne [ʒyljɛ̃n] 《frz.》 *f.* (야채 수프에 넣는) 가늘게 썬 야채.

Julier[1] [jú:liər] *m.* -s, - 율리우스가(家)(로마 제위에 올랐던 일족).

Julier[2] *m.* -s (알프스의) 율리어 고개.

Juli·revolution *f.* 〖史〗 (프랑스의) 7 월 혁명.

Julius [jú:liʊs] *m.* 율리우스(남자 이름).

Julius·turm *m.* -(e)s 〖經〗 국고 적립금(1914 년까지 프랑스가 독일 제국에 지급하던 전쟁 보상금 중 일부가 보관되어 있던 Spandau 요새의 Julius 탑에서 유래).

Jul·klapp [jú:lklap] *m.* 〖민속〗 성탄절 선물(가면 쓴 사람이 쿵 소리를 내며 선물을 방 안에 던져두고 가는 스칸디나비아 풍속에서). **~monat** *m.* 〔구식〕 12 월. **~mond** *m.* 〔구식〕 ↑ Julmonat. **~nacht** *f.* ↑ Julfest 전날

J

밤, 크리스마스 이브.

Jumbo [júmbo, dʒámbo] ⟪engl.⟫ *m.* -s, -s ↑ Jumbo-Jet 의 준말.

Jumbo·jet 新정서 ⇦ Jumbo-Jet.

Jumbo-Jet [júmbodʒɛt] ⟪engl.⟫ *m.* 대형 제트기.

Jumelage [ʒymlá:ʒ] ⟪frz.⟫ *f.* -n 〔교양〕 도시 간의 자매 결연.

jumpen [dʒámpən] *i.* 〔구어〕 껑충껑충 뛰다.

Jumper [dʒámmpər] ⟪engl.⟫ *m.* -s, - 〖의상〗 점퍼, 스웨터.

jun. =junior 나이 적은; 2 세의.

*__jung__ [juŋ] (jünger, jüngst) *a./adv.* (↔alt) ① 젊은, 연소한, 어린: die Jungen und die Alten 젊은이들과 늙은이들; ein ~es Mädchen 어린 소녀; ein ~er Mann 청년; der ~e Goethe 청년 괴테; der ~e Herr 젊은 주인, 주인 아들; ~ heiraten〔sterben〕 젊어서 결혼하다〔죽다〕; ~ und frisch 젊고 힘찬; von ~ auf 어릴 때부터; ~es Blut 젊은이; ~e Eheleute a) 젊은 부부, b) 신혼 부부; ~ verheiratet a) 어려서 결혼한, b) 최근에 결혼한; er ist fünf Jahre jünger als ich 그는 나보다 5 년 아래다; 〔속담〕 ~ gewohnt, alt getan 세 살 버릇이 여든까지 간다. ② 젊은, 혈기 왕성한: ewig ~ 영원히 젊은; das ≁e Deutschland 청년 독일파(19 세기의 문학 유파의 하나); ein ~er Greis a) 애늙은이, b) 정정한 노인; sich ~ kleiden 옷을 젊게 입다; ~ werden a) 다시 젊어지다, 회춘하다, b) 〖방언〗 태어나다; er fühlt sich noch ~ 그는 아직 젊은 기분이다. ③ (동물이) 어린: eine ~e Gans a) 어린 거위, b) 〖비유〗 멍청한 젊은 여자; ein ~es Schaf 어린 양(Lamm 에 대해). ④ (식물이) 연한, 싱싱한: ~es Gras 〔Grün〕 어린 풀〔신록〕; ~e Bäume〔Blätter, Keime〕 어린 나무〔잎, 싹〕. ⑤ ~e Milch 어린 짐승의 젖(frische Milch 는 신선한 젖); ~es Fleisch 어린 짐승의 고기. ⑥ (음료에 관해서) 덜 익은, 아직 발효 중인: ~er Wein 햇포도주. ⑦ ~er Grund〔Boden〕 배수(排水)하여 갓 마른 소택지. ⑧ (neu) 생긴 지 얼마 안 된, 신선한: ~e Aktien 신주(新株): ~es Gemüse a) 신선한 채소, b) 〖비유〗 젊은이들, 풋내기들; ein ~er Staat 신흥 국가.

Jung≈aktie *f.* 신주(新株). **~bier** *n.* (발효 중인) 새 맥주. **~brunnen** *m.* ①〖신화·중세〗 (목욕하면 젊음을 되찾는다는) 회춘의 샘. ② 청춘의 샘; 활력소. **~bürger** *m.* (öst.) 젊은 유권자층. **~demokrat** *m.* FDP(독일 자민당)의 청년 조직의 회원. **~demokratin** *f.* ↑ ~demokrat 의 여성형. **~deutschland** *n.* 〖문학〗 청년 독일파.

__Junge__[1] [júŋə] *m.* -n, -n/(구어) -ns/Jungs ① **(a)** (15 세까지의) 소년, 사내아이: einen ~n bekommen 아들 하나를 얻다: ein artiger 〔ungezogener〕 ~ 얌전한〔버릇 없는〕 소년. **(b)** 〔구어〕 (젊은) 남자: ein netter ~ 친절한 남자; ~, ~ 저런, 저런(경탄·경악의 표현); (mein) lieber ~! 여보게! ② 〔고어〕 수습생, 조수, 도제: Bäcker≁ 빵집 수습생. ③ 〖방언〗 (소녀의) 애인. ④ 〖카드·드물게〗 잭.

Junge*[2] *n.* -n, -n (동물의) 새끼.

Jüngelchen [jʏŋəlçən] *n.* -s, - 〔구어〕 애송이.

jungen [júŋən] *i.* (h.) (가축이) 새끼를 낳다.

jungenhaft *a.* ① 사내아이 같은: sich ~ benehmen 사내아이처럼 굴다. ② 천진난만한.

jungen·mäßig *a.* 소년다운, 소년에 맞는.

Jungenhaftigkeit *f.* 소년 같은 천성, 천진난만.

Jungenschaft *f.* -en 〖총칭〗 사내아이, 소년.

Jungen≈schule *f.* 남학교. **~streich** *m.* 사내아이의 장난, 개구쟁이 짓.

jünger [jʏŋər] 〖jung 의 비교급〗 *a.* ① 보다 젊은〔어린〕: mein ~er Bruder 내 아우; in meine ~en Jahren 내가 젊었던〔어렸던〕 시절에; er ist ~ als seine Jahre 그는 나이보다 젊다; die ≁en 연소자, 후배. ② 더 나중의, 신(新)…: die ~e Steinzeit 신석기 시대.

*__Jünger__ *m.* -s, - ①〖雅語·반어〗 문하생, 제자, 신봉자. ②〖宗〗 그리스도의 제자: die ~ Jesu 예수의 제자들.

jüngerhaft, jüngerlich *a.* 제자다운.

Jüngerin *f.* -nen ↑ Jünger 의 여성형.

Jüngerschaft *f.* 〖반어〗 ① 제자로서의 본분. ②〖총칭〗 제자, 문하생.

*__Jungfer__ [júŋfər] *f.* -n ①〖구식〗 (순결한) 처녀. ②〖구식〗 하녀. ③ ~ im Busch〔im Grünen〕 a) 〖植〗 니겔라, b) 노처녀. ④〖印〗 오류 없이 조판된 단(段)〔페이지〕.

jüngferlich [jʏŋ..] *a.* 처녀다운, 처녀티가 나는; 지나치게 수줍은.

Jungfern≈biene *f.* 처녀벌. **~block** *m.* 〖海〗 삼공(三孔) 도르래. **~braten** *m.* 〖요리〗 돼지〔사슴〕의 허리살구이. **~fahrt** *f.* 처녀 항해. **~finger** *m.* 무명지(指). **~flug** *m.* 처녀 비행. **~glas** *n.* 〖광물〗 운모.

jungfer(n)haft *a.* ↑ jüngferlich.

Jungfern≈haut *f.*, **~häutchen** *n.* 〖해부〗 처녀막. **~hering** *m.* 산란기 전의 청어. **~honig** *m.* 처녀벌의 꿀. **~kind** *n.* 사생아, 서자. **~kloster** *n.* 수녀원. **~knecht** *m.* 여자 꽁무니를 쫓는 남자. **~kranz** *m.* 신부의 화관(花冠). **~milch** *f.* 〖醫〗 처녀유(乳); 〖化〗 안식향(安息香) 팅크. **~öl** *n.* 순수한 상급 올리브유. **~pergament** *n.* 새끼양의 가죽으로 만든 고급 양피지. **~raub** *m.* 처녀 유괴〔강간〕. **~rede** *f.* (국회 의원의) 첫 국회 연설.

Jungfernschaft *f.* 처녀성, 순결, 무구.

Jungfern≈schänder *m.* 처녀 능욕자. **~-schwarm** *m.* 벌떼. **~schwefel** *m.* 〖광물〗 자연황. **~stand** *m.* 〔구식〕 처녀의 신분, (여성의) 독신, 미혼. **~sucht** *f.* 〖醫〗 위황병(萎黃病).

Jungferntum *n.* -(e)s ↑ Jungfernschaft.

Jungfern·zeugung *f.* 〖生〗 단성〔처녀〕 생식.

*__Jung·frau__ *f.* ① 처녀; 미혼〔독신〕 여성, 젊은 여자: zu et.[3] kommen wie die ~ zum Kind 전혀 뜻밖에〔우연히〕 무엇을 얻게 되다. ② 〖宗〗 마리아, 성모: die Heilige ~ (Maria) 〔die ~ Maria〕 성모 마리아. ③ 순결(의 상징). ④〖天〗 처녀자리. ⑤ 융프라우(알프스의 한 봉우리). ⑥ Eiserne ~ 철의 처녀(철침이 박힌 중세의 고문 기구).

jungfrauenhaft *a.* 처녀 같은.

jungfräulich *a.* ① 처녀다운, 순결한; 정숙한, 수줍은: eine ~e Schönheit 처녀다운 어여쁨. ②〖비유〗 손대지 않은, 미개척의: ~er Boden 처녀지.

Jungfräulichkeit *f.* ① 처녀성, 순결: sich[3] die ~ bewahren 순결을 지키다. ②〖비유〗 손

J

대지 않은 상태, 청정, 미답(未踏).

Jungfrauschaft *f.* 〖구식〗 처녀다움, 순결.

***Jung·geselle** [jʊ́ŋgəzɛl(ə)] *m.* ① 총각: ein alter ~ 노총각. ② 〖고어〗 떠돌이 직공.

Junggesellen≈bude *f.* 〖구어〗 총각이 사는 작은 집이나 (가구 딸린) 방. **~dasein** *n.* ↑ ~leben. **~leben** *n.* (남자의) 독신 생활. **~stand** *m.* 독신, (남자의) 미혼. **~wirtschaft** *f.* 〖구어〗 총각의 (어수선한) 살림.

Junggesellentum *n.* -s 독신자임.

Jung≈gesellin *f.* 독신 여자. **~grammatiker** *n.* 소장 문법학파(1900 년경에 생긴 언어 학파). **~hegelianer** *n.* 청년 헤겔파(헤겔 좌파). **~herr** *m.* 젊은 귀족, 귀공자. **~holz** *n.* 최근에 생긴 산림 지역, 어린 나무.

jungieren [jʊŋgí:rən] 《lat.》 *t.* 결합시키다.

Jung·lehrer *m.* (2 차 국가 시험을 앞둔) 수습 교원.

Jünglein [jʏ́ŋlain] *n.* -s, - ↑ Jüngelchen.

***Jüngling** [jʏ́ŋlɪŋ] *m.* -s, -e 〖雅語〗 ① 소년, 청소년. ② 〖대개 폄어〗 애숭이, 풋내기.

jüngling(s)haft *a.* 소년 같은.

Jünglings≈alter *n.* 〖雅語〗 소년의 나이. **~jahre** *pl.* 〖雅語〗 소년 시절. **~verein** *m.* 청소년단.

Jung≈mädel *n.* (나치 시대의) 소녀대원. **~magd** *f.* 하녀. **~mann** *m.* (스포츠·군대·교회 단체의) 청년 회원. **~mannschaft** *f.* 소장(少壯)팀. **~pflanze** *f.* 묘목. **~sozialist** *m.* SPD(독일 사민당)의 청년 당원(약칭: Juso).

***jüngst** [jʏŋst] 〖jung 의 최상급〗 《Ⅰ》 *a.* ① 가장 젊은〔어린〕: ~er Bruder 막내동생; ~es Kind 갓난아이, 막둥이; meine ≃e 내 막내딸. ② 최근의: die ~en Ereignisse 최근의 사건들; sein ~es Werk 그의 최근작; in der ~en Zeit 요즈음, 최근; die ~e Geschichte 최근세사. ③ (letzt) 최종의, 마지막의: das ≃e Gericht 최후의 심판; der ≃e Tag 최후의 심판의 날, 세계의 종말. 《Ⅱ》 *adv.* 〖雅語〗 근래에, 최근에.

Jung·stein·zeit *f.* 신석기 시대.

Jüngsten·recht *n.* 〖法〗 말자(末子) 상속권.

jüngstens *adv.* ↑ jüngst 《Ⅱ》.

jüngst≈geboren *a.* 마지막에 태어난, 막내의. **~hin** *adv.* ↑ jüngst 《Ⅱ》. **~vergangen** *a.* 〖드물게〗 바로 지나간: die ~e Woche 바로 지난 주.

Jung≈tier *n.* 어린 동물. **~trieb** *m.* (식물의) 어린눈. **~vieh** *n.* 어린 가축. **~vogel** *m.* 어린 새. **~volk** *n.* 〖고어〗 젊은 사람들. **~wähler** *m.* (선거에 처음 참여하는) 젊은 유권자. **~wald** *m.* 어린 수림. **~wild** *n.* 어린 들짐승. **~wuchs** *m.* 어린 묘목.

***Juni** [jú:ni] 《<Juno》 *m.* -(s), -s 6 월.

Juni·käfer *m.* 〖動〗 풍뎅이의 일종.

junior [jú:niɔ:r] 《lat.》 *a.* 더 젊은〔어린〕, 2 세의(약어: jr., jun.): Lux ~ 룩스 2 세.

Junior *m.* -s, -en [..nió:rən] (↔ Senior) ① (동명이인 중) 연소자, 아들. ② 〖스포츠〗 (18-23 세까지의) 젊은 선수(국제 경기의 경우는 17-19 세까지).

Juniorat *n.* -(e)s, -e (친척 관계를 고려하지 않는) 말자(末子) 상속권(↔ Seniorat).

Junior·chef [..ʃɛf] *m.* ① 회사 소유주의 아들. ② 2 세 경영자.

Junioren·meister *m.* 〖스포츠〗 주니어 대회 우승자. **~meisterschaft** *f.* -en 주니어 대회. **~rennen** *n.* 주니어 경주.

Juniorin *f.* ↑ Junior 의 여성형.

Junior·partner *m.* (나이·권한이 더 적은) 후배 동업자.

Junker [jʊ́ŋkər] *m.* -s, - ① 〖史〗 융커; 젊은 귀족, 귀공자. ② 〖폄어〗 토호 귀족, 대지주. ③ 〖고어〗 사관 후보생.

junkerhaft *a.* 융커다운, 융커의.

Junker·herrschaft *f.* 귀족〔지주〕 정치.

junkerieren *i.* (h.) ↑ junkern.

junkerlich, junker·mäßig *a.* 융커다운, 융커 신분에 어울리는.

junkern *i.* (h.) 융커(Junker)로 생활하다.

Junkerschaft *f.* 〖총칭〗 융커.

junkerschaftlich *a.* 융커답게.

Junkertum *n.* -(e)s ① 융커의 기질, 융커로서의 삶. ② ↑ Junkerschaft.

Junktim [jʊ́ŋktɪm] 《lat.》 *n.* -s 〖法〗 (법안 따위의) 부대(附帶), 연계.

Junktims·vorlage *f.* 부대(附帶) 법안.

Junktur [jʊŋktú:r] 《lat.》 *f.* -en 〖구식〗 ① 연접, 이음새. ② 〖해부〗 접합부.

Juno [jú:no] 《lat.》 *m.* -(s), -s ① 〖로마신화〗 주노(Jupiter 의 아내로 최고의 여신; ↑ Hera). ② 〖天〗 주노(소행성). ③ 6 월(Juni).

junonisch *a.* 주노 같은; 위풍당당한, 풍만한.

Junta [jʊ́nta, xʊ́n..] 《sp.》 *f.* ..ten (남아메리카의) 임시 정부; 군사 정부.

Jüpchen [jʏ́:pçən] *n.* -s, - 〖↑ Jupe 의 축소형〗 젖먹이용 재킷.

Jupe [ʒy:p, jy:p] 《frz.》 *f.* -n 〔*m.* -s, -s〕 ① 〖중세〗 갑옷 밑에 입는 긴 소매 속옷; 여성상의. ② (schweiz.) 스커트; (ndd.) 재킷.

***Jupiter**[1] [jú:pɪtər] 《lat.》 *m.* -s 〔Jovis〕 〖로마신화〗 주피터(신들의 왕; ↑ Zeus).

Jupiter[2] *m.* -s 〖天〗 목성.

Jupiter·lampe *f.* 촬영용〔조명용〕 큰 전등.

Jupon [ʒypɔ̃́:] 《frz.》 *m.* -s, -s ① 쥐퐁(19 세기 후반과 20 세기 초에 유행한 페티코트). ② (schweiz.) 속치마.

Jura[1] [jú:ra] 《lat.》 〖관사없음〗 법학.

Jura[2] *m.* -s ① 〖지리〗 (프랑스와 스위스 사이의) 쥐라 산맥. ② 〖지질〗 중생대.

Jura≈bildung, ~formation *f.* 〖지질〗 중생대. **~kalk** *m.* 쥐라 산맥 석회.

Jurassier [jurásiər] *m.* -s, - 쥐라 산맥 주민.

jurassisch [jurásɪʃ] *a.* 쥐라의, 중생대의.

Jura·student *m.* 법학과 학생.

Jurat [jurá:t] 《lat. jurare》 *m.* -en, -en 〖法〗 선서자; 배심원.

Juration *f.* -en 선서.

juridisch [jurí:dɪʃ] 《lat.》 *a.* 〖구식〗 (öst.) 법학의; 법률상의: ~e Fakultät 법학부.

jurieren [jurí:rən] *i.* ① 배심원으로 참여하다. ② 출품작을 심사하다.

Jurisdiktion [..rɪsdɪktsió:n] *f.* -en 〖法·교양〗 판결; 재판 관할권.

Jurisprudenz [..prudɛ́nts] *f.* 〖교양〗 법학.

Jurist [jurɪ́st] *m.* -en, -en 법학자, 법률가; 법학도.

Juristen·deutsch *n.* 〖폄어〗 법학자들의 난해한 독일어.

Juristerei [jurɪstəráɪ] *f.* 법학; 법률가의 업

무〔활동〕; 법학 수업.
Juristin *f.* -nen ↑ Jurist 의 여성형.
juristisch *a.* 법학의; 법률상의: ~er Beistand 법률 고문; ~e Fakultät 법학부; ~e Person 법인.
Juror [jú:rɔr, ..ro:r] *m.* -s, -en [juró:rən] 심사 위원; 배심원.
Jurorin *f.* -nen ↑ Juror 의 여성형.
Jurte [jύrtə] 《türk.》*f.* -n 『민속』(중앙 아시아 유목민의) 펠트로 만든 둥근 지붕 천막.
Jury [ʒý:ri, ʒyrí:] 《engl.》*f.* -s ① (박람회·콩쿠르의) 심사 위원회. ②『法』배심원단.
jury·frei *a.* 심사 위원회 없이 결정된.
Jus[1] [ʒy:] 《frz.》*f.*/(südd.) *n.*/(schweiz.) *n.*/ *m.* ① 스테이크 소스. ② (걸쭉한) 육수, 곰탕. ③ (schweiz.) 과일즙.
Jus[2] [ju:s, jυs] 《lat.》*n.* - 법률, 법학; 권능: ~ civile 로마 시민법(↑ Jura[1]).
Juso [jú:zo] *m.* -s, -s ↑ Jungsozialist 의 약어.
Jussion 《lat.》*f.* -en 명령; 어명.
Jussiv [jύsi:f] *m.* -s, -e 『문법』명령법.
Jus·student *m.* (öst., schweiz.) ↑ Jurastudent.
***just** [jυst] 《lat.》*adv.* 〔구식·농담〕 ① 바로, 막: ~ als er ankam 그가 막 도착했을 때. ② 다름아닌, 하필: ~ ihn mußte sie heiraten! 그 여자는 하필 그 남자와 결혼해야만 했다니!
justament [jυstamέnt] 《lat.》, **justement** [ʒʏstmã:] 《frz.》*adv.* 바로, 정확히: das ist ~ derselbe 이 자가 바로 그 사람이다.
Juste·milieu [ʒystmiljǿ:] 《frz.》*n.* -s, - 『史』① 1830 년 혁명 이후 수립된 프랑스의 대부르주아지 정치 체제. ②〔교양·드물게〕절충적 사상〔이념〕, 중용주의.
justieren [jυstí:rən] *t.* ①『物·工』(기계를) 설치〔조정〕하다. ②『印』정판하다. ③ (주화를) 검량하다. ④ (사포로 모서리를) 다듬다.
Justierer *m.* -s, - 기계 조정자, 검량자; 『印』정판자; 조정기.
Justier·maschine *f.* 조정기, 검량기.
Justierung *f.* -en 조정, 조절; 정돈, 검량.
Justifikation [jυstifikatsió:n] *f.* -en ①〔교양〕정당〔합리〕화. ②〔드물게〕계산서. ③『가톨릭』의화(義化).
Justifikatur [jυstifikatú:r] *f.* -en 〔드물게〕계산서의 확인 및 승인.
justifizieren *t.* ① 옹호〔변호〕하다. ②『商·드물게』(계산을) 확인하다.
Justinian [jυstiniá:n], **Justinianus** [..nυs] *m.* 유스티니아누스(비잔틴 제국의 황제).
Justitia [jυstí:tsia] *f.* ①『로마신화』유스티치아(정의의 여신). ②〔비유〕정의의 화신〔심판관〕.
Justitiar [jυstitsiá:r] 《lat.》*m.* -s, -e, **Justitiarius** [jυstitsiá:rɪυs] *m.* -, ..rien [..riən] ①〔고어〕영주 재판의 재판관. ②『法』(기업의) 법률 고문.
justitiell [...tsiέl] *a.* 사법의, 법률상의.
Justitium [jυstí:tsiυm] *n.* -s, ..tien [..tsiən] (전쟁 등으로 인한) 재판 (절차의) 정지.
***Justiz** [..stí:ts] *f.* ① 사법(권). ② 사법부.
Justiz=beamte *m.* 사법관. **~beamtin** *f.* ↑ ~beamte 의 여성형. **~behörde** *f.* 사법 관청. **~gesetze** *pl.* 재판 법규. **~gewalt** *f.* 사법권. **~hoheit** *f.* 사법〔재판〕권.
Justiziar 新정서 ⇦ Justitiar.
Justiz·irrtum *m.*『法』(법원의) 오판(誤判).
Justizium *s.* -s, ..ien [..iən] ↑ Justitium.
Justiz=kollegium *n.* 재판관; 법관 회의. **~minister** *m.* 법무 장관. **~ministerin** *f.* ↑ ~minister 의 여성형. **~ministerium** *n.* 법무부. **~mord** *m.* 오판에 의한 사형 선고. **~palast** *m.* 법정. **~pflege** *f.* 사법(司法). **~rat** *m.*〔고어〕법률 고문관. **~sache** *f.* 사법 사건. **~staat** *m.* 사법 국가. **~verwaltung** *f.* 사법 (행정). **~vollzugsanstalt** *f.* 교도소(1969 년 이래 서독에서 Gefängnis 대신에 사용하는 공식 명칭). **~wache·beamte*** *der/die* 사법관. **~wesen** *n.* 사법 제도〔사항〕.
Jute [jú:tə] *f.* -n『植』황마(黃麻); 황마 섬유.
Jüte [jý:tə] *m.* -n, -n 유틀란트 사람.
Jute·garn *n.* 황마로 만든 실. **~sack** *m.* 황마로 만든 자루. **~spinnerei** *f.* 황마 방적(업·공장). **~tasche** *f.* 황마로 만든 가방.
jütisch [jý:tɪʃ] *a.* 유틀란트(사람)의: die ≗e Halbinsel 유틀란트 반도.
Jütland [jý:tlant] 유틀란트(반도).
jütländisch *a.* ↑ jütisch.
juvenalisch *adj.* 〔교양〕풍자적인, 신랄한.
juvenalisieren *i.* (h.) 청소년의 스타일이나 취향에 맞추다.
juvenil [juvení:l] 《lat.》*a.* ①〔雅語〕연소한, 청소년의. ②『지질』땅속에서 나오는.
juvivallera [juviváləra, juvifá..] *int.* 야호, 앗싸(민요 따위에 나오는 환성).
***Juwel** [juvé:l] 《frz.》*n.*/*m.* -s, -en ① 보석, 귀중품. ②〔비유〕주옥 같은 작품, 정수.
Juwelen=arbeit *f.* 보석 세공. **~diebstahl** *m.* 보석 절도. **~fassung** *f.* 보석 박아넣기.
juwelenhaft *a.* 보석〔주옥〕같은.
Juwelen=handel *m.* 보석 매매. **~händler** *m.* 보석 상인. **~kästchen** *n.* 보석 상자. **~schmuck** *m.* 보석 장신구.
Juwelier [juvelí:r] 《frz.》*m.* -s, -e 보석〔귀금속〕상인; 금 세공사.
Juwelier=arbeit *f.* 보석상〔금 세공사〕의 일. **~geschäft** *n.* ↑ ~laden.
Juwelierin *f.* ↑ Juwelier 의 여성형.
Juwelier·laden *m.* 보석 상점.
Jux [jυks] 《lat.》*m.* -es, -e 〔구어〕① 익살, 농담, 장난: mit jm. einen ~ machen 누구를 놀리다, 속이다; aus (lauter) ~ und Tollerei 순전히 장난으로; das ist doch nur ein ~! 그건 설마 농담이겠지! ② (berl.) 더러운 것; 외설, 상스러운 언행. ③ (ndd.) 잡동사니, 하찮은 물건.
juxen [jύksən] 《I》*i.* (h) 장난치다, 농담하다. 《II》*t.* ① 놀리다, 속이다. ② 더럽히다.
Juxerei *f.* -en ① 장난, 우롱. ② ↑ Jux ②.
juxig *a.* 농담의, 우스운, 장난스러운.
Juxta [jύksta] *f.* ..ten (복권의) 절취면.
Juxta·position 《lat. juxta, „nahebei"》*f.* ①『언어·수사』병렬, 병치 (어법). ②『광물』(결정체의) 인접 형성.
j.w.d. [jɔtve:dé:] =janz weit draußen (berl.) 〔구어·농담〕아주 멀리, 멀찍이.
Jz., Jzht. =Jahrzehnt 10 년.

K

K, k [ka:] *n.* -, - 독일어 자모의 열한째 자.
K ①〚物〛 =Kelvin 켈빈, 절대 온도. ②〚化〛 =Kalium 칼륨.
k ① =Karat 캐럿(보석의 중량 단위). ② = Kilo... 천…(보기: kg, km, kW).
K, k =Kappa 그리스 자모의 열째 자.
K. =Karat 캐럿(순금 함유도의 단위).
k. ① =kaiserlich 황제의. ② =königlich 왕(실)의.
Kaaba [ká:aba] 《ar.》 *f.* (메카에 있는 이슬람교의 사각형) 영묘(靈廟).
Kaak[1] [ka:k] *f.* -e (Bö) 돌풍, 질풍.
Kaak[2] *m.* -(e)s, -e 〔고어·방언〕 (Pranger) (공개 장소에 죄인을 묶어 둔) 형벌 말뚝.
kaaken [ká:kən] *t.* (청어 따위의) 창자를 뽑아내고 소금에 절이다.
Kabache [kabáxə] 《russ.》 *f.* -n ① 목로 술집 (Schnapsschenke). ② 누옥, 판잣집.
Kabacke [kabákə] *f.* -n ↑ Kabache.
Kabale [kabá:lə] 《frz. cabale》 *f.* -n 〔구식〕 음모, 간계: ~n schmieden 음모를 꾸미다.
Kabalen·macher *m.* 〔구식〕 ↑ Kabalist.
kabalieren *i.* 〔고어〕 음모를 꾸미다.
Kabalist *m.* -en, -en 〔고어〕 음모가.
Kabanossi [kabanɔ́si] *f.*〚요리〛 카바노시(이탈리아식 소시지) (Cabanossi).
***Kabarett** [kabarét, (öst.) ..ré:] 《frz.》 *n.* -s, -s/-e ①〔고어〕 선술집, 작은 요리점. ② 카바레(춤·노래 등을 통한 사회·정치 풍자극 형식); 카바레 공연장; 카바레 예술단: ins ~ gehen 카바레를 보러 가다. ③ 회전식 칸막이 음식판; 찻잔용 쟁반, 커피 쟁반.
Kabarettier [kabaretíe:] *m.* -s, -s 술집 주인; 카바레의 경영자〔단장〕.
Kabarettist *m.* -en, -en 카바레 예술가.
Kabarettistin *f.* -nen ↑ Kabarettist 의 여성형.
kabarettistisch *a.* 카바레의: eine ~e Darbietung 카바레 공연.
Kabäuschen [kabɔ́ysçən] *n.* -s - 〔구어〕 작은 집〔방〕.
Kabbala [kábala] 《hebr.》 *f.* 카발라(중세 유대의 비교(秘教)).
Kabbalist *m.* -en, -en 카발라 교도, 비교승(秘教僧).
kabbalistisch *a.* 카발라의, 신비주의의, 난해한: die ~e Lehre 카발라설.
Kabbelei [kabəlái] *f.* -en 말싸움, 말장난.
kabbel|gehen* [kábəl..] *i.* (s.) 파도가 일다; 파도가 맞부딪치다, 삼각파가 일다: die See geht kabbel 바다에 (삼각) 파도가 일어난다.
kabbelig [kábəlıç] *a.* 삼각파가 이는; 다투기 좋아하는.
kabbeln [kábəln] 《I》 *i.* ① 결승의 주사위를 던지다. ②〚海〛 (kabbelgehen) 삼각파가 일다, 놀치다. 《II》 *refl.* sich ~ 승강이하다, 말다툼하다: ich kabbele mich oft mit ihr 나는 종종 그녀와 말다툼한다.
Kabbel·see *f.* 격랑이 이는 바다.
Kabbelung *f.* -en 삼각파가 일어남; 삼각파가 이는 곳.
***Kabel**[1] [ká:bəl] 《lat.》 *n.* -s, - ① (삼·철사로 만든) 굵은 바, 참바; 닻줄; 전선, 케이블; 전람(電纜): unterseeisches ~ 해저 케이블; ein ~ legen 전선을 부설하다. ②〔고어〕 해외 전보: ein ~ schicken 전보를 치다. ③〚방송〛 케이블 전용 민간 방송국.
Kabel[2] *f.* -n (ndd.) 몫, 배당.
Kabel 1〚방송〛 독일의 유선 텔레비전 방송.
Kabel·anschluß *m.*〚工〛 케이블 접속.
Kabelar [ká:bəla:r] *n.* -s, -e〚海〛 (닻줄 따위를 잡아당기는) 보조 밧줄.
Kabel=bahn *f.* 케이블 카 (노선). **~bericht** *m.* 〔구식〕 전보 통보문. **~boje** *f.*〚海〛 닻줄에 달린 부표. **~briefe** *pl.* 전보. **~brücke** *f.* 현수교. **~dampfer** *m.* 해저 케이블 부설선(船). **~depesche** *f.* 〔구식〕 ↑ ~bericht. **~fernsehen** *n.* 케이블 텔레비전 방송. **~gat** *n.* ↑ ~gatt. **~gatt** *n.* (배의) 삭구(索具) 보관소. **~gramm** *n.* 해외〔해저〕 전신.
Kabeljau [ká:bəljau] *m.* -s, -e/-s〚動〛 대구.
Kabel=kern *m.*〚전기〛 (구리선 따위의) 케이블 속의 심(心), 전람심(電纜心). **~länge** *f.*〚海〛 케이블(거리의 단위; 185.2 m). **~leger** *m.* ↑ ~schiff. **~legung** *f.* 해저 케이블 부설. **~leitung** *f.*〚전기〛 케이블 전선. **~muffe** *f.*〚工〛 케이블 슬리브. **~netz** *n.*〚방송〛 케이블 텔레비전 방송망.
kabeln[1] [ká:bəln] 《<Kabel[1]》 *t.* (소식을 해외로) 전송하다, 전보치다; eine Nachricht nach Seoul ~ 소식을 서울로 전송하다.
kabeln[2] 《ndd.; <Kabel[2]》 《I》 *i.* 제비를 뽑다. 《II》 *t.* 추첨으로 분배하다, (제비를) 뽑다.
Kabel=nachricht *f.* 〔고어〕 전신(으로 전달된) 소식. **~netz** *n.*〚工〛 케이블 텔레비전 방송망. **~schiff** *n.* 케이블 부설선(船). **~schuh** *m.*〚전기〛 케이블 이음쇠. **~seil** *n.* ↑ ~tau. **~tau** *n.*〚海〛 큰 참바, 닻줄. **~telegramm** *n.* 〔고어〕 전보. **~trommel** *f.* 케이블 드럼. **~-TV** *n.* 케이블 텔레비전. **~verbindung** *f.* 케이블 연결, 전신 연락. **~winde** *f.* 해저 전선 윈치. **~wort** *n.* 〔복수: ..wörter〕 〔고어〕 ↑ ~nachricht.
Kabine [kabí:nə] 《frz.》 *f.* -n ①〚海〛 선실, 침실;〚空〛 객실; 우주선 탑승실. ② 작은 방; (수영장의 칸막이) 탈의실; 전화실. ③ (케이블 카의) 캐빈.
Kabinen·roller *m.* 지붕을 열고 승하차하는 소형의 3 륜〔4 륜〕 자동차.
***Kabinett** [kabinét] *n.* -s, -e ① 작은 방, 별실; 변소: aufs ~ gehen 변소에 가다. ②〔고어〕 (장관의) 회의실; 사무실, 연구실. ③ 내각, 각료 (전체); 추밀원; 정부: ein ~ bilden

내각을 조직하다; Schatten∼ (야당의) 예비 내각. ④ (미술품의) 진열장. ⑤〖사진〗카비네판(判)(감광 재료의 크기의 일종). ⑥〔고어〕국가 원수의 고문(단). ⑦〔구동독〕교육·상담 센터. ⑧ (∼auslese) 일급 포도주.

Kabinett≈ausgabe *f.* (책의) 카비네판(判), 소형의 고급 장정판. **∼auslese** *f.* 일급〔우량〕포도주. **∼bild** *n.* 카비네판 규격의 사진. **∼format** *n.* 카비네판의 규격(10×14 cm).

Kabinetts≈befehl *m.* ↑ ∼order. **∼beschluß** *m.* 〖政〗내각의 결정. **∼bildung** *f.* 〖政〗내각 구성, 조각. **∼frage** *f.* 내각 신임 문제. **∼justiz** *f.* ①〖法〗군주의 사법권. ②〔교양〕내각의 사법권 침해; 어용 사법. **∼krise** *f.* 내각의 위기. **∼minister** *m.* 장관, 각료. **∼order** *f.* 〔구식〕(제후의) 칙령. **∼rat** *m.* ① 추밀 고문관. ② 내각〔국무〕회의. **∼siegel** *n.* 옥새. **∼sitzung** *f.* 국무〔내각〕회의.

Kabinett·stück *n.* ①〔고어〕일품(逸品), 우등품; 〔비유〕절묘한 행위, 걸작품. ② 카비네판 규격의 사진.

Kabinetts·vorlage *f.* 〖政〗① 내각의 토의안〔심의안〕. ② 정부의 법률안.

Kabinett·wein *m.* ↑ ∼auslese.

Kabis [ká:bɪs] *m.* -, - (schweiz., obd.) 양배추(Kohl).

Kabotage [kabotá:ʒə] 《frz. cabotage》 *f.* -n 〖經〗연해 항행(권)〔무역〕; 내국 항공 인가권.

kabotieren [..tí:rən] *i.* 연안 항행〔무역〕을 하다.

Kabrio [ká:brio] *n.* -s, -s ↑ Kabriolett 의 약칭.

Kabriolett [kabriolɛ́t] 《frz.》 *n.* -(e)s, -e ①〔구식〕1 두 2 륜 경(輕)마차. ② 오픈 카, 지붕이 개폐되는 자동차.

Kabrio·limousine [..limuzí:nə] *f.* 지붕을 접을 수 있는 리무진.

Kabuff [kabʊ́f] *n.* -s, -s〔구어·대개 폄어〕골방, 어둡고 좁은 방.

Kabuki [kabú:ki] 《jap.》 *n.* -, -s〖연극〗가부키(일본 민속극의 일종).

Kabul [kabʊ́l] 카불(아프가니스탄의 수도).

Kabuse [kabú:zə] *f.* -n ① (nordd.) 칸막이 방, 작은 방; 작은 집, 누추한 집. ②〖海〗(배의) 주방.

Kabüse [kabý:zə] *f.* -n (nordd.) ↑ Kabuse.

Kabyle [kabý:lə] *m.* -n, -n 카바일 사람(북아프리카 토인의 한 종족).

Kachektiker [kaxɛ́ktɪkər] 《gr.》 *m.* -s, - 〖醫〗위황병(萎黃病) 환자.

kachektisch [..xɛ́tɪʃ] *a.* 〖醫〗위황병(萎黃病)에 걸린; 중병으로 몸이 허약해진.

Kachel [káxəl] 《lat.》 *f.* -n ① (südd.) 오지 그릇, 사기그릇. ②〖工〗타일, 장식 타일; 사기 기와; 사기 접시.

kacheln 《I》 *i.* ①〔구어〕술을 퍼마시다. ②〔은어〕지껄이다. ③〔경박·드물게〕붙다, 성교하다. 《II》 *t.* 타일을 붙이다: das Bad schwarz ∼ 목욕탕에 검은 타일을 붙이다.

Kachel·ofen *m.* 타일로 만든〔타일을 붙인〕(벽)난로.

kachern [káxərn] *i.* 깔깔 웃다.

Kachexie [kaxɛksí:] 《gr.》 *f.* -n [..sí:ən] 〖醫〗(암 따위에 의한) 쇠약, 탈진.

Kacke [kákə] 《lat.》 *f.* 〔비속〕① 똥, 대변. ②〔욕설〕불쾌한〔어리석은〕것: so eine verdammte ∼ 이런 망할놈의 것. ③〔비유〕die ∼ ist am Dampfen a) 화가 나서 속이 부글부글 끓고 있다, b) 골치아픈 일이 있다; 〔비유〕in die ∼ greifen 실패하다, 밑지는 장사를 하다.

kacken [kákən] *i.* 〔비속〕똥싸다.

Kacker [kákər] *m.* -s, -〔욕설〕개똥 같은 녀석: ein alter ∼! 개똥 같은 늙은이!

kack·fidel [kákfidé:l] *a.* (md., nordd.) 〔구어〕아주 명랑〔쾌활〕한.

Kad *n.* -s, -s〔방언〕↑ Behälter.

Kadaver [kadá:vər] 《lat.》 *m.* -s, - ① (짐승의) 시체; 썩은 고기. ②〔구어·폄어·농담〕탈진한〔허약해진〕신체: leg deinen müden ∼ aufs Sofa! 너의 지친 육신을 소파에 눕혀라!

Kadaver≈gehorsam *m.* 절대 복종, 맹종. **∼verwertung** *f.* 짐승 시체의 활용(물)(뿔·뼈로 만든 제품·아교·비료 따위).

Kaddig [kádɪk] *m.* -s (ostd.) 노간주나무.

Kaddig·öl *n.* 노간주나무 기름.

Kaddisch [kadí:ʃ] *n.* -〖유대교〗(상복 기간중에) 고인의 명복을 비는 기도.

Kadenz [kadɛ́nts] 《lat. cadere, „fallen"》 *f.* -en ①〖음악〗카덴차, (종지) 장식 악절. ②〖음성〗(문장 끝) 음성의 저하, 낮춤. ③〖문학〗시행 끝의 운율 형태. ④〖軍〗발포 속도.

kadenzieren *t.* ①〖음악〗카덴차를 붙이다, 종지 화음으로 끝내다. ② 억양을 떨어뜨리다; (보조 따위를) 맞추다.

Kader[1] [ká:dər] 《frz.》 *m.* -s, - ①〖軍〗간부(장교와 하사관). ② (정당의) 간부진: der ∼ einer Partei 당 간부. ③〖스포츠〗국가 대표 선수단. ④〔드물게〕(기업의) 고급 과학 기술 인력.

Kader[2] 《ndd.》 *m.* -s, - 이중턱; 아래턱.

Kader≈armee 《<Kader[1]》 *f.* 〖軍〗(평화시에) 간부만으로 편성된 부대. **∼leiter** *m.* 〔구동독〕인사 과장. **∼partie** *f.* 보크 라인 게임(당구 게임의 일종). **∼schmiede** *f.* 〔대개 폄어〕간부 양성소, 직업 혁명가 양성 기관.

Kadett [kadɛ́t] 《frz. cadet.》 *m.* -en, -en ① 귀족 가문의 자제. ②〖軍·구식〗사관 후보생; 수습 사관; (See∼) 해군 사관 후보생: 〔구어·대개 농담〕ich kenne meine ∼en! 나는 내 부하들을 어떻게 다루어야 할지 알고 있어! ③〔구어·농담〕사람; 놈, 녀석.

Kadette 《lat.》 *f.* -n 포석(鋪石), 보도 블록.

Kadetten≈anstalt *f.* 사관 학교. **∼haus** *n.* ↑ ∼anstalt. **∼korps** [..ko:r] *n.* 사관 생도단. **∼schiff** *n.* 연습함. **∼schule** *f.* ↑ ∼anstalt.

Kadi [ká:di] 《ar.》 *m.* -s, -s 카디(이슬람 국가의 재판관): 〔구어〕zum ∼ laufen 재판을 요구하다.

Kadinen [kadí:nən] *pl.* 터키 황제의 애첩들.

kadmieren [katmí:rən] *t.* 〖工〗카드뮴을 입히다.

Kadmium [kátmiʊm] 《lat.》 *n.* -s〖化〗카드뮴(원소 기호: Cd).

Kadmium≈gelb *n.* 카드뮴 옐로(황색 안료). **∼legierung** *f.* 카드뮴 합금.

kaduk [kadú:k] 《lat.》 *a.* 〔고어〕① 쓰러질 것 같은; 쇠약한. ②〖商〗실효(失效)의, 무효의, 만기의; (누구에게) 귀속된.

kaduzieren [kadutsí:rən] *t.* (주식의) 만기를〔실권(失權)을〕선언하다, (광산의) 폐쇄를 선

언하다; 무효로 하다.

Kaduzierung *f.* -en (주식의) 만기 선언; (광산의) 폐쇄 선언; 무효화.

***Käfer** [kɛ́:fər] *m.* -s, - ①〖動〗갑충(甲蟲), 딱정벌레: 〖비유〗 einen ~ haben a) 불쾌한 기분이다, b) 술이 취해 있다, c) 미친 꼴이다, d) 고정 관념을 갖다. ②〖구어·농담〗 젊고 귀여운 여자. ③〖구어〗(독일 폴크스바겐사의) 풍뎅이 모양의 소형차.

Käfer=kunde *f.* 갑충학(甲蟲學). **~sammlung** *f.* 딱정벌레 수집. **~schnecke** *f.* 〖動〗 딱지조개 무리(유판목(有板目)).

Kaff[1] [kaf] 《hebr.》 *n.* -(e)s ① 왕겨, 지푸라기. ②〖비유〗 지스러기, 무가치한 물건; 헛소리.

Kaff[2] *n.* -s, -s/-e/Käffer 〖구어〗 따분한 시골, 촌구석: ein elendes ~ 형편없는 촌구석.

***Kaffee**[1] [káfe, kafé:] 《ar. -frz.》 *m.* -s, -s ① 〖植〗 커피 열매. ②〖복수: -s〗 커피: schwarzer ~ 블랙 커피; ~ verkehrt (커피보다 우유가 더 많은) 밀크 커피; eine Tasse ~ trinken 한 잔의 커피를 마시다; bitte drei (Tassen) ~! 커피 3잔 좀 부탁합니다!; 〖비유·구어〗 dir haben sie wohl etwas in den ~ getan? 네 커피에 누가 무얼 탔느냐, 너 미쳤나 보구나?; da kommt einem ja der ~ wieder hoch! 역겹군, 메스껍군!; kalter ~ 콜라와 레몬 주스를 섞은 청량 음료; etwas ist kalter ~ 무엇은 한물 갔다. ③ 커피(를 마시는) 모임, 다과회: einen ~ geben 다과회를 열다; jn. zum ~ einladen 누구를 다과회에 초대하다. ④〖비유〗 아침 식사: ich habe noch nicht ~ getrunken 나는 아직 아침 식사를 하지 않았다.

Kaffee[2] *n.* -s, -s (Café) 카페, 다방.

Kaffee=bau *m.* 커피 재배. **~baum** *m.* 커피나무. **~beutel** *m.* 커피 (여과) 주머니. **~bitter** *n.* ↑ Kaffein. **~bohne** *f.* ① 커피 원두. ②〖농담〗(아이의) 엉덩이. **~braun** *a.* 커피색의, 짙은 밤색의. **~brenner** *m.* ① 커피를 볶는 사람. ② ↑ ~trommel. **~brett** *n.* 커피 도구를 얹어 놓는 쟁반. **~dick** *n.* 커피를 짜고 남은 찌꺼기. **~-Ernte** *f.* 커피 수확, 연간 커피 수확량. **~ersatz** ↑ ~-Ersatz. **~-Ersatz** *m.* 커피 대용품. **~-Export** *m.* 커피 수출. **~-Extrakt** *m.* 농축 커피. **~fahrt** *f.* ① 커피도 마시는 버스〔선박〕 쇼핑 여행. ② 커피 마시러 차타고 나가기. **~farbe** *f.* 커피색. **~filter** *m.* 커피 여과기〔여과지〕. **~gerät** *n.* 커피 도구. **~geschirr** *n.* 커피 용기. **~gesellschaft** *f.* 커피 모임(의 사람들). **~grund** *m.* ↑ ~satz. **~haus** *n.* 다방, 카페. **~kanne** *f.* 커피 주전자, 커피 포트. **~klappe** *f.* 〖비속〗 하급의 커피하우스. **~klatsch** *m.* 〖구어·폄어〗 커피를 마시며 하는 잡담: zum ~ gehen 커피 마시며 수다떨러 가다. **~kocher** *m.* 커피 끓이는 기구. **~kränzchen** *n.* 여자들의 다과 모임(의 참석자들). **~löffel** *m.* 커피 스푼. **~lokal** *n.* 다방, 커피숍; (호텔의) 식당. **~maschine** *f.* 커피 끓이는 기계. **~mühle** *f.* 커피 분쇄기; 〖농담〗 경편 철도 기관차, 자전거. **~muhme** *f.* ↑ ~schwester. **~mütze** *f.* ↑ ~wärmer. **~pause** *f.* 커피 휴식. **~pflanze** *f.* 커피나무. **~plantage** *f.* 커피 농장. **~sachse** *m.* 작센 사람의 별명. **~sack** *m.* 커피 자루; 커피 여과 주머니. **~sahne** *f.* 커피용 생크림. **~satz** *m.* 커피(를 걸러 내고 남은) 앙금. **~schwester** *f.* ↑ ~tante. **~service** [..vi:s] *n.* 커피잔 세트. **~sieder** *m.* (öst.) 카페 주인. **~sorte** *f.* 커피 종류. **~strauch** *m.* 〖植〗 커피나무. **~stube** *f.* ↑ ~haus. **~surrogat** *n.* 커피 대용품. **~tante** *f.* 〖구어·농담〗 ① 여자 커피광. ② 커피 마시며 수다떨기를 좋아하는 여자. **~tasse** *f.* 커피잔. **~tisch** *m.* 커피 탁자. **~topf** *m.* 커피를 끓이는 그릇. **~trichter** *m.* 커피 여과용 깔때기. **~trinker** *m.* 커피 애호가. **~trommel** *f.* 커피를 볶는 기계. **~wärmer** *m.* (보온용의) 커피 주전자 씌우개. **~wasser** *n.* 커피물: das ~ aufsetzen 커피물을 (불에) 올려놓다. **~wirt** *m.* 커피 숍의 주인. **~wirtschaft** *f.* 커피 상점. **~zusatz** *m.* 커피 향료〔첨가물〕.

Kaffein [kafeí:n] 《<Kaffee》 *n.* -s 〖化·구식〗 ↑ Koffein.

Kaffer[1] [káfər] 《hebr.》 *m.* -s, - 〖속어〗 바보, 멍청이.

Kaffer[2] *m.* -s, - 카피르족(남아프리카의 한 부족).

Kaffer·land *n.* ↑ Kaffernland.

Kaffern=büffel *m.* 남아프리카의 물소〔들소〕. **~land** *n.* 카피르족의 나라. **~sprache** *f.* 카피르어(語).

***Käfig** [kɛ́:fıç] 《lat.》 *m.* -s, -e ① 새장; 우리; 〖비유〗 감옥: im goldenen ~ sein〔sitzen〕 황금의 우리 속에 갇혀 있다(돈에 묶여 있다); aus seinem ~ ausbrechen 자기의 우리를 깨뜨리고 나오다(자유로워지다). ②〖工〗 볼 베어링의 일부.

käfigen [kɛ́:fıgən] *t.* 새장〔우리〕에 가두다.

Käfig=haltung *f.* 새장〔우리〕에 가둠. **~vogel** *m.* 새장의 새.

Kafiller [kafílər] 《hebr.》 *m.* -s, - 〖은어〗 가죽 벗기는 사람(Abdecker).

Kafillerei [kafılərái] *f.* -en 박피업(剝皮業); 박피장(場).

Kafir [ká:fır] 《ar., „Ungläubiger"》 *m.* -s, -n 비이슬람교도.

Kafka [káfka] *m.* Franz ~ 카프카(체코 출신의 독일어 작가, 1883-1924).

kafkaesk [kafkaέsk] *a.* 〖교양〗 카프카적인, 섬뜩한: eine ~e Situation 섬뜩한 상황.

Kaftan [káftan] 《türk.》 *m.* -s, -e ① 카프탄(터키인의 긴 윗옷). ② (정통 유대인의) 긴 남자용 상의. ③ 길고 헐렁한 옷.

Kaftan·jude *m.* 〖폄어〗 카프탄〔정통〕 유대인.

Käfterchen [kέftərçən] *n.* -s, - (md.) 작은 방, 좁은 방; 칸막이한 방.

***kahl** [ka:l] *a.* ① 벌거숭이의, 덮개가 없는: **(a)** 털〔머리털〕이 없는, 머리를 박박 깎은: ~er Kopf 대머리; sich ~ scheren 머리를 박박 깎다. **(b)** 〖수의〗(깃)털이 없는, 털을 깎아낸: eine Vogel ~ rupfen 새의 털을 모조리 뽑다. **(c)** 잎이〔꽃이·열매가〕 없는, 앙상한: ~e Zweige 앙상한 가지. **(d)** (토지가) 초목이 없는, 불모의: ein ~er Berg 헐벗은 산; ~e Ebene 황량한 평원. ②〖비유〗 **(a)** (옷이) 해어진, 괴깔이 빠진. **(b)** 속이 빈, 빈약한, 비참한; 무일푼의; 꾸밈이 없는: eine ~e Ausflucht 속이 들여다보이는 핑계; ein ~er Mensch (전에 잘 살다가) 빈털터리가 된 사람; ~e Wände 장식 없는 벽. **(c)** 〖海〗 삭구(索具)

없는. (**d**) ~e Tiere 초산(初産) 전 짐승의 암컷.

Kahl≈fraß *m.* (잎을) 온통 갉아먹은 상태. **≈|fressen*** *t.* 깡그리 먹다, 남김없이 갉아먹다. **~frost** *m.* 눈 없는 지역의 혹한. **≈-geschoren** 《I》*p.p.* ↑ ≈scheren. 《II》*p.a.* 바싹 깎아 버린: ein ~er Kopf 박박 깎아 버린 머리.

Kahlheit *f.* 벌거숭이〔대머리〕 상태; 〖비유〗 불모; 공허, 황량, 삭막: die winterliche ~ der Bäume 겨울 나무의 앙상함.

Kahl≈hieb *m.* 〖林〗 모조리 베어내기. **~kinn** *n.* 턱수염이 없는 사람. **~kopf** *m.* 대머리(남자). **≈köpfig** *a.* 대머리진. **~köpfigkeit** *f.* 대머리임. **≈|scheren** 《I》*t.* (머리를) 홀랑 밀다. 《II》 **≈geschoren** *p.a.* ↑ ≈geschoren. **~schlag** *m.* ① ↑ ~hieb. ② (숲의) 개벌 지역; 폐허(지역). **≈|schlagen** *t.* 〖林〗 (숲의) 나무를 모두 베어내다. **~trieb** *m.* ↑ ~hieb. **~wild** *n.* 〖사냥〗 뿔이 없는 암컷〔새끼〕.

Kahm [ka:m] 《lat.》 *m.* -(e)s (술 따위에 생기는) 곰팡이.

kahmen [káːmən] *i.* (h./s.) (술이) 곰팡이슬다.

Kahm·haut *f.* 곰팡이 막: auf dem Wein bildet sich eine ~ 술 위에 곰팡이 막이 형성된다.

kahmig *a.* (술이) 곰팡이 막이 생긴.

***Kahn** [ka:n] 《ndd.》 *m.* -(e)s, Kähne ① 작은 배, 보트; 거룻배; 하역선; 마상이: ~ fahren 작은 배로 가다; die Kähne mit Kohle beladen 하역선에 석탄을 싣다. ②〖醫〗 주상와(舟狀窩); (머리 상처에 매는) 배 모양의 붕대. ③ 산의 우묵 패인 곳, 구덩이. ④〖복수〗〖구어·농담〗 실내화, 슬리퍼, 큰 신발. ⑤〖비유·구어〗 침대: im ~ liegen 침대에 누워 있다. ⑥〖은어〗 유치장; 〖軍〗 영창: er hat fünf Tage ~ bekommen 그는 닷새 동안 유치장에 갇혀 있게 되었다.

kahnbar *a.* 작은 배로 갈〔운반할〕 수 있는.

Kahn≈bein *n.* 〖해부〗 (손목〔발목〕 끝부분의) 주상골(舟狀骨). **~brücke** *f.* 배다리, 주교(舟橋).

Kähnchen [kɛ́ːnçən] *n.* -s, - ↑ Kahn 의 축소형.

kahnen [káːnən] *i.* (h./s.), **kahn·fahren** *i.* (s.) 〖구식〗 작은 배로 가다, 보트를 젓다.

Kahn≈fahren *n.* ↑ ~fahrt. **~fahrt** *f.* 작은 배로 가기, (노를) 젓기, 뱃놀이. **≈förmig** *a.* 작은 배 모양의; 〖해부〗 주상(舟狀)의. **~-führer** *m.* (작은 배의) 사공, 노젓는 사람. **~geld** *n.* 뱃삯.

kahnig *a.* ↑ kahmig.

Kähnlein [kɛ́ːnlain] *n.* -s, - ↑ Kahn 의 축소형.

***Kai** [kai] 《ndl.》 *m.* -s, -e/-s 부두; 선창; 안벽: das Schiff macht am ~ fest 배가 부두에 정박한다.

kaien 《ndl.》 *t.* die Rahen ~ (돛의) 활대를 수직으로 세우다.

Kai≈arbeiter *m.* 부두 노동자. **~gebühren** *pl.*, **~geld** *n.* 부두 사용료, 부두세(稅).

Kaik [káːɪk] 《türk.》 *m.* -s, -e/-s (터키의) 가벼운 배, 보트.

Kaiman [káiman] 《am.》 *m.* -s, -e (아메리카산(産)의) 악어.

Kai≈mauer *f.* (선창의) 안벽. **~meister** *m.* 부두의 소유주.

Kain [káːɪn] 《hebr.》 *m.* 카인(남자 이름); 〖聖〗 (동생 아벨을 죽인) 카인.

Kainit[1] [kainíːt, ..nít] 《gr.》 *m.* -s, -e 〖광물〗 (비료가 되는) 카이닛.

Kainit[2] 《hebr.》 *m.* -en, -en (Kain 을 숭배한 광신적이고 퇴폐적인 종파인) 카인파의 종도(宗徒).

Kains≈mal [káins..] *n.* ↑ ~zeichen. **~stempel** *m.* ↑ ~zeichen. **~zeichen** *n.* (아벨을 죽인 후) 카인에게 찍힌 낙인; 〖비유〗 범죄자의 표, 죄의 낙인; 오명(汚名).

Kairener [ka(ː)i..] *m.* -s, - ↑ Kairoer 《I》.

Kairo [káiro] 카이로(이집트의 수도).

Kairoer 《I》 *m.* -s, - 카이로 시민. 《II》 *a.* 카이로의.

Kairos [kairɔ́s] 《gr.》 *m.* -, ..roi [..rɔ́y] 절호의 기회; 〖宗〗 예수 재림의 순간; 〖신화〗 행운의 신.

Kais. =Kaiserlich 황제의.

***Kaiser** [káizər] 《lat. Caesar》 *m.* -s, - ① 황제: 〖비유〗 des ~s Rock tragen 군복을 입다; auf〔über〕 den alten ~ leben 방종한 생활을 하다; über〔um〕 des ~s Bart streiten 하찮은 일로 싸우다; 〖聖〗 gebt dem ~, was des ~s ist 가이사의 것은 가이사에게 바치라(마태 22 : 21) ; 〖비유·구어〗 wo nichts ist, hat (auch) der ~ sein Recht verloren 무일푼인 자에게는 황제라도 속수무책이다(무엇이라도 있어야 짜낼 것도 있다) ; 〖구어·농담〗 dort hingehen 〔sich dort befinden〕, wo der ~ zu Fuß 〔alleine〕 hingeht 화장실에 가다〔있다〕. ② (**a**) 〖動〗 표범나비속(屬)의 일종. (**b**) 사냥개의 이름.

Kaiser≈adler *m.* 황제 문장의 독수리; 〖動〗 황제수리(수리의 일종). **~apfel** *m.* 최상품의 사과. **~auszug** *m.* 최상품의 밀가루. **~ball** *m.* 공치기 놀이의 일종. **~bart** *m.* 카이저 수염. **~birne** *f.* 최고급의 배. **~blau** *n.* 짙고 산뜻한 남빛, 감청색. **~brötchen** *n.* ↑ ~-semmel. **~burg** *f.* 황성(皇城). **~fleisch** *n.* (지방질이 적은) 훈제 돼지 삼겹살. **~garde** *f.* 황제의 근위대. **~groschen** *m.* 옛 화폐의 이름(30 분의 1 Taler). **~haus** *n.* 황실: das deutsche ~ 독일 황실. **~hof** *m.* 궁정(宮廷).

Kaiserin *f.* -nen 여제(女帝); 황후.

Kaiserin≈mutter *f.* 황태후. **~witwe** *f.* ↑ ~mutter.

Kaiser≈jäger *m.* 〖軍〗 옛 오스트리아 산악 지대의 사냥꾼 병사. **~krone** *f.* 제왕의 관; 〖植〗 왕관초(王冠草). **~krönung** *f.* 황제 대관식.

kaiserlich *a.* 황제의, 제국의; 황제와 같은, 권위 있는, 존엄한: der ~e Hof 황실; ~ gesinnt 황제파의; Seine ≈e Majestät 황제 폐하; ~e Würde 황제의 존엄; die ≈en a) (특히 30 년 전쟁의) 황제군, b) 황제당(黨).

kaiser·königlich *a.* 제국 겸 왕국의, 황제 겸 국왕의: die ~e Monarchie 황제 겸 국왕 군주국(오스트리아·헝가리 군주국) (약어 k.k.).

Kaiserling [káizərlɪŋ] *m.* -s, -e ① 자칭 황제, 빈약한 황제. ②〖폄어〗 황제파의 사람. ③〖植〗 제왕버섯(느타리버섯의 일종). ④ 앵초(櫻草)의 일종.

kaiserlos *a.* 황제 없는: 〖史〗 die ~e Zeit 황

제 공위 시대(↑ Interregnum).
Kaiser≈manöver *n.* (황제가 지휘하는) 특별 군사 기동 훈련. **~mantel** *m.* ① 황제의 외투. ② (일종의) 커다란 외투. ③ ↑ Kaiser ②(a). **~mehl** *n.* ↑ ~auszug. **~papier** *n.* 대형지(大型紙)의 이름. **~pfalz** *f.* 〖史〗 황제의 궁전. **~reich** *n.* 제국. **~schlange** *f.* 〖動〗 왕뱀, 보아뱀. **~schmarren** *m.* 〖요리〗 달걀 푸딩. **~schnitt** *m.* 〖醫〗 제왕 절개 수술: das Kind wurde mit ~ entbunden 그 아이는 제왕 절개 수술로 낳았다. **~schwamm** *m.* 〖植〗 느타리 버섯의 일종. **~semmel** *f.* 표면에 방사선 모양이 새겨진 동그란 작은 빵(Semmel).
Kaiserslauterer 《I》 *m.* -s, - 카이저스라우테른 사람. 《II》 *a.* 카이저스라우테른의.
Kaiserslautern 카이저스라우테른(독일의 Rheinland-Pfalz 지방에 있는 도시).
Kaiser≈sprung *m.* 〖수영〗 팔짱 끼고 다이빙하기. **~stadt** *f.* (중세 때) 황제의 주재 도시. **~thron** *m.* 황제의 옥좌, 제위(帝位). **~titel** *m.* 황제 칭호. **~treu** *a.* 황제에 충성스러운.
Kaisertum *n.* -s, ..tümer [..ty:mər] ① 제국. ② 제왕의 주권; 황제의 권위; 제정(帝政).
Kaiser≈wahl *f.* 황제의 선출. **~wetter** *n.* 맑은 날씨.
Kaiser-Wilhelm-Kanal [kaɪzərvɪlhɛlm..] *m.* 킬(Kiel) 운하.
Kaiser≈wort *n.* 황제의 말〔약속〕, 칙어(勅語). **~würde** *f.* 황제의 위엄〔권위〕.
Kai≈spesen [kái..] *pl.* 부두 사용료. **~zoll** *m.* ↑ ~spesen.
Kajak [ká:jak] *m./n.* -s, -s 카약(에스키모인들의 폭좁은 1인승 배; 카누 경기용 배).
Kajak≈einer *m.* 경기용 1인승 카약. **~zweier** *m.* 경기용 2인승 카약.
Kaje·deich [ká:jə..] *m.* 보호 제방.
Kajeput≈baum [kajepút..] 《mal.》 *m.* 〖植〗 카유푸티 나무. **~öl** *n.* 카유푸티 기름.
Kajik *m.* -s, -e/-s ↑ Kaik.
kajolieren [kaʒolí:rən] 《frz.》 *t.* 쓰다듬다, 비위를 맞추다, 감언이설로 속이다.
Kajüt≈boot [kajý:t..] *n.* 선실이 있는 보트. **~deck** *n.* 선실이 있는 갑판.
Kajüte [kajý:tə] 《ndd.》 *f.* -n 〖海〗 선실, 객실.
Kajüten≈junge *m.* 선실의 사환. **~passagier** [..ʒi:r] *m.* 선실 승객. **~treppe** *f.* (갑판에서) 선실(로 통하는) 계단.
Kak[1] [ka:k] *m.* -(e)s, -e (ndd.) 형벌대.
kak.. ↑ kako...
Kakadu [kákadu:] 《mal.》 *m.* -s, -s 〖動〗 카카두(관모가 있는 앵무새의 일종).
***Kakao** [kaká:o] 《indian.》 *m.* -s, -s ①〖植〗 카카오나무; 카카오(카카오나무 열매로 초콜릿의 원료), 코코아. ② 코코아 (음료): 〔구어·비유〕 jn. durch den ~ ziehen 누구를 조롱하다, 나쁘게 말하다.
Kakao≈baum *m.* 〖植〗 카카오나무. **~bohne** *f.* 카카오 열매. **~butter** *f.* 카카오 기름. **~pulver** *n.* 카카오 가루. **~schale** *f.* 카카오 열매의 껍질.
kakeln [ká:kəln] *i.* 〔구어〕 (nordd.) ① (암탉처럼) 꼬꼬댁거리다. ② 수다 떨다. ③ 글자를 서투르게 쓰다.
Kakemono [kakəmó:no] 《jap.》 *n.* -s, -s 〖畫〗 (비단〔종이〕 두루마리에 그린) 일본식 족자 그림.
Kakerlak [ká:kərlak] 《ndl.》 *m.* -s/-en, -en ①〖動〗 좀날개바퀴. ②〖醫·動〗 백피증(白皮症) 환자(Albino).
Kaki [ká:ki] *n.* -(s) ↑ Khaki.
kako.. 《gr.》 *pref.* 〔모음 앞에서는 kak..〕 "나쁜·틀린·병적인" 따위의 뜻.
Kako·dämonie [..dɛmoní:] 《gr.》 *f.* 악운; 악령에게 사로잡힘.
Kakodyl [kakodý:l] *n.* -s, -e 〖化〗 카코딜 (비소를 함유한 맹독성 액체).
Kakodyl·verbindung [..dý:l..] *f.* 〖化〗 카코딜 화합물.
Kako≈graphie *f.* (↔ Orthographie) 틀린 철자법, 오서(誤書); 악필. **~logie** *f.* 그릇된 발음; 말의 오용. **~phonie** *f.* 〖음악〗 (↔ Euphonie) 불협(화)음; 음성 이상(異常): eine Komposition mit ~n 불협화음(을 사용한) 작곡. **~phonisch** *a.* 불협화음의.
Kaktee [kakté:ə] 《gr.》 *f.* -n ↑ Kaktus ①.
Kaktus [káktus] *m.* -(ses), ..teen [..té:ən]/-se ①〖植〗 선인장. ②〔비속〕 똥: 〔구어·농담〕 einen ~ pflanzen 똥을 싸다.
Kaktus≈feige *f.* 〖植〗 열매 맺는 선인장의 일종; 선인장 열매. **~schild·laus** *f.* 〖動〗 연지충(燕脂蟲).
Kal =Kilogrammkalorie 킬로칼로리.
kal =Grammkalorie 칼로리.
Kala-Azar [kála|átsar] *f.* 〖醫〗 칼라아자르 (열대 지방의 말라리아성 전염병).
Kalabasse [kalabásə] *f.* -n ↑ Kalebasse.
Kalabrese [kalabré:zə] *m.* -n, -n ↑ Kalabrier.
Kalabreser [kalabré:zər] *m.* -s, - 칼라브레저(챙넓은 펠트 모자).
Kalabrien [kalá:briən] 칼라브리아(남이탈리아의 지방).
Kalabrier *m.* -s, - 칼라브리아 지방의 주민.
kalabrisch *a.* 칼라브리아의.
Kalahari·steppe [kalahá:riʃtɛpə] *f.* (남아프리카의) 칼라하리 초원.
Kalamaika [kalamáika:] *f.* ..ken 4분의 3 박자의 헝가리 민속춤.
Kalamität [kalamitɛ́:t] 《lat.》 *f.* -en ① 불행, 재난, 곤경: wir müssen aus den derzeitigen ~en herausfinden 우리는 지금의 난국에서 벗어나야 한다. ②〖생태학〗 (해충 따위에 의한) 수목의 폐해.
Kalamiten [kalamí:tən] *pl.* 노목(盧木)(고생대 석탄기의 화석 식물).
Kalander [kalándər] *m.* -s, - ①〖工·방직〗 (종이·천의) 광택기. ②〖動〗 종달새.
kalandern *t.* 〖工·방직〗 윤을 내다.
kalandrieren *t.* ↑ kalandern.
Kalands·bruder [ká:lants..] 《lat.》 *m.* ① 〖宗〗 13세기의 종교적 공동체인 Kaland의 회원. ②〔구어〕 도락자, 방탕아.
Kalasche [kaláʃə] 《russ.》 *f.* -n 〔구어〕 구타, 매.
kalaschen *t.* 두들겨 패다, 매질하다.
Kalaschnikow [kaláʃnikɔf] *f.* -s 칼라슈니코프(러시아의 경기관총).
Kalauer [ká:lauər] 《frz.》 *m.* -s, - 시시한 말장난〔농담〕: einen ~ erzählen 시시한 말장난을 하다.
kalauern *i.* 진부한 말장난을 하다.

*__Kalb__ [kalp] *n.* -(e)s, Kälber ① 송아지: ein ~ abbinden〔absetzen〕 송아지를 젖떼다; 〖비유〗 die Kuh mitsamt dem ~ bekommen 임신한〔아이를 밴〕 여자를 아내로 맞이하다; ein ~ machen〔anbinden〕 (꺽꺽거리며) 구토하다; 〖구어〗 Augen wie ein (abgestochenes) ~ machen〔glotzen〕 바보처럼 놀란 듯이 쳐다보다; 〖속담·비유〗 nur die allerdümmsten Kälber wählen ihren Schlächter selber 아주 어리석은 자들만이 자기에게 해가 될 일을 도모한다; 〖聖〗 mit fremden Kälbern pflügen 다른 사람의 송아지로 밭을 갈다(다른 사람의 업적을 이용하다); das ~ ins Auge schlagen 부주의로 다른 사람의 감정을 상하게 하다; 〖聖〗 das Goldene ~ anbeten 〔um das Goldene ~ tanzen〕 금송아지를 숭배하다(창세기 32 장), 황금에 눈이 멀다. ② 송아지 고기. ③ 사슴 따위의 새끼. ④ 〖비유·구어〗 방종한 청년, 장난꾸러기; 바보, 서투른 사람, 애송이 (처녀); 바람난 계집아이, 어리광쟁이: ~ Moses 모세의 송아지(멍청이); mit diesen Kälbern ist kein ernsthaftes Wort zu reden! 이런 애송이들과는 진지한 말이 안 통해! ⑤ 〖海〗 (돛대 밧줄의 마찰을 적게 하는) 받침.

__Kälbchen__ [kɛ́lpçən] *n.* -s, - ↑ Kalb 의 축소형.

__Kalbe__ *f.* -n (출산 경험이 없는) 어린 암소.

__kalben__ *i.* ① 송아지를 낳다: die Kuh wird bald ~ 그 암소는 곧 새끼를 낳을 것이다. ② 〖학생〗 구토하다. ③ 망나니처럼〔방종하게〕 굴다, 장난치다, 시끄럽게 떠들어대다. ④ 〖지리〗 빙하가 부서져서 바다로 떨어지다.

__Kälber·drüse__ *f.* 송아지의 젖꼭지.

__Kälberei__ *f.* -en 망나니로 굴기, 방종, 장난.

__kälberhaft, kälberig__ *a.* 송아지와 같은; 장난이 심한; 어리석은.

__Kälber≈kropf__ *m.* 〖植〗 파슬리(양미나리)의 일종. __~lab__ *n.* 송아지 위에서 채취한 응유(凝乳) (효소). __~magen__ *m.* 송아지의 제 4 위〔주름위〕.

__kalbern__ *i.* ↑ kalben.

__kälbern__[1] *i.* ↑ kalben: die Ochsen ~ 황소가 송아지 낳는다(전혀 불가능한 일).

__kälbern__[2] *a.* (südd.) 송아지 고기의.

__Kälberne__* *das* (südd.) ↑ Kalbfleisch.

__Kälber≈rohr__ *n.* 〖植〗 ↑ ~kropf. __~tanz__ *m.* 난무(亂舞); 〖海〗 격랑. __~zähne__ *pl.* 송아지의 젖니; 〖구어〗 굵은 난알 (요리); 〖건축〗 (이오니아식 기둥에서) 둥글게 깎은 보빨목.

__Kalb≈fell__ *n.* ↑ Kalbsfell. __~fleisch__ *n.* 송아지 고기.

__Kalbin__ *f.* -nen ↑ Kalb 의 여성형(↑ Kalbe).

__Kalb≈leder__ *n.* ↑ Kalbsleder. __~ledern__ *a.* 송아지 가죽의〔으로 만든〕.

__Kälblein__ [kɛ́lplain] *n.* -s, - ↑ Kalb 의 축소형.

__Kalbs≈auge__ *n.* 송아지의 눈; 〖비유〗 퉁방울눈. __~braten__ *m.* 송아지 고기 구이. __~bries__ *n.* 송아지 지라(요리). __~brieschen__ *n.* ↑ ~bries. __~bröschen__ *n.* ↑ ~bries. __~brust__ *f.* 송아지의 양지머리 (고기): gefüllte ~ a) 다진 고기를 채운 송아지 양지머리 음식, b) 주어진 첫자와 끝자로 말을 만드는 놀이. __~drüse__ *f.* 송아지의 지라. __~fell__ *n.* ① 송아지의 가죽. ② 송아지 가죽 북: 〖비유·구어〗 dem ~ folgen 〔zum ~ schwören〕 군인이 되다. __~frikassee__ *n.* 송아지(의 삶은 고기를 잘게 썰어) 스튜(로 한) 요리. __~fuß__ *n.* 송아지 족발 (요리). __~geschlinge__ *n.* 송아지의 내장. __~hachse__ *f.* ↑ ~fuß. __~haxe__ *f.* ↑ ~fuß. __~hechse__ *f.* ↑ ~fuß. __~keule__ *f.* 송아지의 넓적다리 살 (요리). __~kopf__ *m.* 송아지의 머리 (요리); 〖비유〗 우둔한 사람. __~leber__ *f.* 송아지의 간 (요리). __~leber·wurst__ *f.* 송아지와 돼지의 간으로 만든 소시지. __~leder__ *n.* 송아지 가죽. __~medaillon__ [..daljɔ̃] *n.* 송아지 넓적다리〔안심〕 요리. __~milch__ *f.* 〖요리〗 ↑ ~bries. __~nieren·braten__ *m.* 송아지 (등부분 살과) 콩팥 구이. __~nuß__ *f.* 송아지 허벅지 안쪽의 둥근살. __~schlegel__ *m.* 〖요리〗 ↑ ~keule. __~schnitte__ *f.* ↑ ~schnitzel. __~schnitzel__ *n.* 〖요리〗 송아지 고기의 커틀릿. __~steak__ *n.* 〖요리〗 송아지 고기 스테이크. __~stelze__ *f.* (öst.) 〖요리〗 ↑ ~hachse.

__Kaldarium__ [kaldá:rium] 《lat.》 *n.* -s, ..rien [..riən] (고대 로마의) 온탕; 〖고어〗 온실.

__Kaldaunen__ [kaldáunən] 《lat.》 *pl.* ① 〖요리〗 (소 따위의) 내장, 오장육부. ② 〖고어·농담〗 사람의 내장, 오장육부: 〖비속〗 sich[3] die ~n vollschlagen 양껏〔마음껏〕 먹다.

__Kalebasse__ [kalebásə] 《frz.》 *f.* -n 호리병, 조롱박.

__Kaledonien__ [kaledó:niən] 〖고어〗 칼레도니아(고대의 스코틀랜드 북부).

__Kaledonier__ [kaledó:niər] *m.* 칼레도니아 사람.

__kaledonisch__ *a.* 칼레도니아의.

__Kaleidoskop__ [kalaidɔskó:p] 《gr.》 *n.* -s, -e 〖物〗 만화경.

__kaleidoskopisch__ *a.* 만화경의, 변화무쌍한: ~e Bilder 현란한 그림들.

__Kaleika__ [kaláika] *n.* -s 〖구어〗 야단법석, 난리: mach nicht so ein ~ um die Sache! 그 일로 그렇게 법석떨지 마라!

__kalendarisch__ [kalɛndá:rɪʃ] *a.* 달력(상)의: ein ~es Verzeichnis aller Festtage 달력에 표시된 모든 축제일의 목록.

__Kalendarium__ [kalɛndá:rium] 《lat.》 *n.* -s, ..rien [..riən] ① 교회력. ② 역법(曆法). ③ 달력, 일정표.

__Kalende__ [kalɛ́ndə] 《lat. calendae》 *f.* -n (고대 로마력의) 매월 1 일.

*__Kalender__ [kalɛ́ndər] *m.* -s, - ① 달력; 연감: Hundertjähriger ~ 백년력(1701-1801 년용으로 처음 만들어진 기상 예보 달력); der Gregorianische ~ 그레고리우스력(1582 년 이후 오늘날까지 사용되는 역산법; 교황 Gregor XIII 의 이름에서); der Julianische ~ 율리우스력(그레고리우스력의 기초가 된 역산법; 고대 로마의 정치가 C. Julius Caesar 의 이름에서); ein im ~ rot angestrichener Tag 달력에 붉은 글자로 표시된 날(축제일 따위); Taschen~ 포켓용 달력; einen Tag im ~ rot anstreichen 어느 날을 특별히 기억하다; 〖비유〗 alte ~ 고물, 무용지물; ~ machen (쓸데없는 일을) 깊이 생각하다, 고심하다; an einem Glied einen ~ haben 삭신〔신체〕의 느낌으로 날씨 변화를 미리 알다; das steht nicht in meinem ~ 나는 그것을 전혀 모른다. ② 〖動〗 겹주름위(胃).

__Kalenderei__ *f.* -en 쓸데없이 근심하기.

Kalender≈blatt *n.* 달력의 낱장. **~geschichte** *f.* 〖문학〗 달력화(話) (달력에 실린 주로 교훈적 내용의 이야기). **~jahr** *n.* 역년(1월 1일부터 12월 31일까지의 1년). **~macher** *m.* 달력〔연감〕 편찬자; 〖비유〗 쓸데없는 걱정을 하는 사람. **~macherei** *f.* 달력〔연감〕 편집; 〖비유〗 기우(杞憂). **~monat** *m.* 역월(曆月). **~reform** *f.* 달력의 개정. **~spruch** *m.* 달력에 적혀 있는 (대개 교훈적인) 격언. **~tag** *m.* 역일(자정에서 다음 자정까지의 24시간). **~zeichen** *n.* 달력의 기호.

Kalesche [kalɛ́ʃə] 《sl.》 *f.* -n 4륜 경(輕)마차.

Kalevala *f./n.* ↑ Kalewala.

Kalewala [káləvala] *f./n.* 칼레발라(핀란드의 영웅 서사시의 제목).

Kalfakter [kalfáktər] 《lat., „Einheizer"》 *m.* -s, - ↑ Kalfaktor.

Kalfaktor [..fáktɔr, ..to:r] *m.* -s, -en [..tó:rən] ① 잡일을 하는 사람(학교 사환·가정 관리인 등). ②〔폄어〕 (교도소의) 교도관 보조(죄수). ③〔방언·폄어〕 고자질쟁이, 정탐꾼.

kalfaktern [kalfáktərn] 《Ⅰ》 *i.* ① 배회하다. ② 온갖 시중을 들다. 《Ⅱ》 *t.* (온갖 일을) 보살피다.

Kalfaterer [kalfá:tərər] 《ar.》 *m.* -s, - 〖海〗 (배에) 뱃밥을 메우는 사람.

kalfatern [kalfá:tərn] *t./i.* (ein Schiff) ~ (배에) 뱃밥을 메우다.

Kalfaterung *f.* -en 〖海〗 ↑ kalfatern 의 명사형.

Kalfat·hammer *m.* 뱃밥 메우는 망치.

*__Kali__ [ká:li] 《ar.》 *n.* -s, -s 〖化〗 칼리 염류, 수산화칼륨.

Kali·alaun *m.* 칼륨 명반(明礬).

Kalian [kaliá:n] *m./n.* -s, -e 칼리안(페르시아의 물담뱃대).

Kaliban [káliban] *m.* -s, -e ① 칼리반(셰익스피어의 "The Tempest"에 나오는 반수인(半獸人)). ②〔교양〕 거칠고 조야한 사람.

Kaliber [kalí:bər] 《frz.》 *n.* -s, - ① (총포의) 구경(口徑): Geschütz von kleinem ~ 소구경포(小口徑砲); ein ~ von 12.5 mm 12.5 mm 구경; 〔구어〕 die Vorwürfe waren ein schweres ~ 비난이 빗발쳤다. ②〔속어〕 종류; 크기, 성능; 성질, (사람의) 값어치: 〔비유·구어〕 er ist vielleicht ein ~! 그는 꽤 재치 있는 사람이다!; die beiden sind ein und dasselbe ~ 그 두 사람은 같은 성격을 갖고 있다. ③〖工〗 직경 계측기〔표준자〕. ④〖정밀기계〗 (시계 케이스 따위의) 직경. ⑤〖工〗 (압연기의) 롤러 간격.

..kaliberig *suf.* ↑ ..kalibrig.

Kaliber≈maß *n.* 구경 측정기. **~ring** *m.* 〖工〗 한계 게이지.

kalibrieren [..brí:rən] *t.* ① (구경(口徑)을) 재다. ② (온도계 따위의) 눈금을 표시하다; 기준 크기로 만들다: Saatgut ~ 씨앗의 크기를 고르게 분류하다. ③ (도량형기를) 검정하다.

..kalibrig *suf.* "…구경(口徑)의"의 뜻(보기: klein~ 소구경의).

Kali·dünger *m.* 칼륨 비료.

*__Kalif__ [kalí:f] 《ar., „Nachfolger"》 *m.* -en, -en 칼리프, 이슬람교 교주, 회교국 군주.

Kalifat [kalifá:t] *n.* -(e)s, -e 칼리프의 지위〔주권·영토〕.

Kalifentum *n.* -(e)s ↑ Kalifat.

Kalifornien [kalifɔ́rniən] 캘리포니아(미국의 서해안에 있는 주).

Kalifornier *m.* -s, - 캘리포니아 사람.

kalifornisch *a.* 캘리포니아주(州)의.

Kali≈hydrat [ká:li..] *n.* 수산화칼륨. **~industrie** *f.* 칼륨 공업.

Kaliko [káliko] 《ind.》 *m.* -s, -s 캘리코(책 제본에 쓰이는 무명천; 클로스).

Kaliko·einband *m.* 클로스 제본.

Kali≈lauge *f.* 수산화칼륨. **~metall** *n.* ↑ Kalium.

Kaliningrad [kaliningrát] 칼리닌그라드(Königsberg 의 러시아 이름).

Kaliologie [kaliologí:] 《gr.》 *f.* 조소학(鳥巢學).

Kali≈salpeter *m.* 질산칼륨, 초석(硝石). **~salz** *n.* 칼륨염. **~seife** *f.* 칼륨 비누.

*__Kalium__ [ká:lium] 《lat.》 *n.* -s 〖化〗 칼륨(기호: K).

Kalium≈bromid *n.* 브롬화칼륨. **~chlorat** *n.* 〖化〗 염소산칼륨. **~chlorid** *n.* 염화칼륨. **~hydroxyd** *n.* 수산화칼륨. **~oxyd** *n.* 산화칼륨. **~permanganat** *n.* 〖化〗 과망간산칼륨. **~silikat** *n.* 규산칼륨, 물유리. **~verbindung** *f.* 칼륨 화합물.

Kaliun [kaliú:n] *m./n.* -s, -e ↑ Kalian.

Kali·werk *n.* 칼륨 공장.

Kalixtiner [kalıkstí:nər] *m.* -s, - 〖史〗 칼릭스투스파(Utraquist).

*__Kalk__ [kalk] 《lat.》 *m.* -(e)s, -e ① 석회: gebrannter〔ungelöschter〕 ~ 생석회; gelöschter ~ 소석회(消石灰); zu ~ brennen 석회를 소성하다. ②〖工〗 백회: die Wände mit ~ bewerfen 벽에 백회를 바르다; 〔경박·농담〕 bei ihm rieselt schon der ~ 그는 이미 늙어 건망증이 심하고 동작이 둔하다; 〔구어〕 er wurde weiß wie ~ 그는 매우 창백해졌다. ③ 칼슘: dem Körper ~ zuführen 신체에 칼슘을 공급하다. ④〖지질〗 석회암층.

Kalk≈ablagerung *f.* ①〖醫〗 칼슘염〔석회〕 침착. ② 석회석의 앙금. **~alpen** *pl.* 알프스 산맥의 석회 지층 지대. **~anstrich** *m.* 백회 바르기, 백회칠.

Kalkant [kalkánt] 《lat.》 *m.* -en, -en ①〖음악〗 (풍금의) 페달. ②〔구식〕 (오르간 연주자의) 페달 밟는 사환.

Kalk≈anwurf *m.* 백회칠. **~artig** *a.* 석회질의, 석회를 함유하는. **~beine** *pl.* 가금류(家禽類)의 다리에 생기는 피부병. **~beule** *f.* 〖醫〗 통풍 결절(痛風結節). **~bewurf** *m.* 백회칠. **~bildung** *f.* 석회(질)화. **~boden** *m.* 석회질 토양. **~brei** *m.* 석회 반죽. **~brennen** *n.* 석회를 구워 만들기. **~brenner** *m.* 석회를 굽는 사람. **~brennerei** *f.* ① ↑ ~brennen. ② 석회 굽는 가마. ③ 석회 공장. **~bruch** *m.* 석회석갱(坑). **~dünger** *m.* 석회질 비료. **~düngung** *f.* 석회 비료 주기.

kalken [kálkən] 《<Kalk》 *t.* ① 석회를 섞다; (곡물 따위를) 석회수에 담그다: Bäume ~ 병충해 예방을 위해 나무에 석회수를 칠하다. ② 백회칠을 하다. ③ (밭에) 석회 비료를 붓다; 석회수를 붓다. ④ 정제하다, 맑게 하다. ⑤ 석회의 앙금을 가라앉히다(auskalken). ⑥〔방언〕 (서투른 일을) 하다.

kälken [kɛ́lkən] 《Ⅰ》 *t.* 〔방언〕 ↑ kalken.

K

《Ⅱ》*i.* (새가) 배설하다.
Kalk≈erde *f.* ① 석회질 토양. ② 소석회(消石灰). **~farbe** *f.* 석회 도료. **~fels** *m.* ↑ ~-felsen. **~felsen** *m.* 석회암층. **~gebirge** *n.* 석회질 산악. **~grube** *f.* 석회갱(坑). **≈-haltig** *a.* 석회질의, 석회를 함유한: ~es Gestein 석회암. **~hütte** *f.* 석회 굽는 가마.
kalkig [kálkıç] *a.* 석회질의, 석회를 함유한; 석회처럼 하얀: ~es Wasser 석회질 함유수; ihr Gesicht war von einer ~en Blässe 그녀의 얼굴은 매우 창백했다.
kalkieren [kalkí:rən] 《lat.》 *t.* 〖畫〗 석회지(紙)를 이용하여 (밑그림을) 그리다, 투사(透寫)하다.
Kalk≈kelle *f.* (석회 미장용) 흙손. **~lauge** *f.* 석회용액. **~licht** *n.* 석회광(光), 매우 밝은 빛. **~malerei** *f.* 프레스코화. **~mangel** *m.* ① 칼슘 결핍(증). ② 탄산칼슘의 부족: Böden mit ~ 탄산칼슘이 부족한 토양. **~-mehl** *n.* 석회 가루. **~milch** *f.* 석회유(浮). **~mörtel** *m.* 석회 모르타르. **~ofen** *m.* 석회 굽는 가마. **~oolith** *m.* 〖광물〗 타원형의 석회석. **~pfeife** *f.* 석회로 만든 파이프. **~präparat** *n.* 칼슘 함유 약제. **~sinter** *m.* 〖광물〗 석회화(華). **~spat** *m.* 방해석(方解石). **~-stein** *m.* 〖광물〗 석회석. **~stein·bruch** *m.* 석회석 채석장〔갱(坑)〕. **~tuff** *m.* 〖광물〗 ↑ ~sinter. **~tünche** *f.* 석회칠.
Kalkül[1] [kalký:l] 《lat.》 *n./m.* -s, -e 계산, 산정(算定); 평가: das beruht auf rein verstandesmäßigem ~ 그것은 아주 합리적인 계산에 근거를 두고 있다; jn.〔et.〕 einem politischen ~ opfern 누구를〔무엇을〕 정치적 계산으로 희생시키다; einen Fehler (mit) ins ~ ziehen〔einbeziehen〕 실수를 (함께) 고려하다.
Kalkül[2] *m.* -s, -e 〖數〗 연산, 산법.
Kalkulation [kalkulatsió:n] *f.* -en ①〖經〗 (비용 등의) 산정, 산출, 견적: die ~ stimmt nicht 〔geht nicht auf〕 (경비) 산정이 들어맞지 않는다. ② (고려된) 계산, 어림: nach meiner ~ haben wir noch etwa 25 km zu fahren 내 어림으로는 우리는 아직 25 킬로미터를 더 가야 한다.
Kalkulator [..lá:tɔr, ..to:r] *m.* -s, -en [..tó:rən] 계산원, 회계관.
kalkulatorisch *a.* 계산의; 어림셈〔개산(概算)〕의.
kalkulierbar *a.* 계산〔산정〕할 수 있는: das Risiko ist nicht ~ 위험은 (미리) 산정할 수 없다.
kalkulieren *t.* ① 견적하다, 계산〔평가〕하다. ② 생각〔추정〕하다; 숙고하다.
Kalkutta [kalkú̆ta] 캘커타(인도의 도시).
kalkuttisch *a.* 캘커타의: ~er Hahn 칠면조(수컷).
Kalk≈wand *f.* 회벽. **~wasser** *n.* 석회수. **≈weiß** *a.* 석회처럼 흰: er wurde ~ 그는 창백해졌다.
kall.. 《gr.》 *pref.* "아름다운"의 뜻.
Kalla [kála] 《lat.》 *f.* -s 〖植〗 ① 서양 토란. ② 물토란.
Kalle [kálə] 《hebr.》 *f.* -n ① 약혼한 여자; 처녀; 〔속어〕 연인. ② 창녀.
Kalligraf [kaligrá:f] 《gr.》 *m.* -en, -en 달필가, 서예가.
Kalligrafie [kaligrafí:] *f.* 달필, 능서(能書); 서예, 서도.
kalligrafisch [..grá:fıʃ] *a.* 달필의, 서법의; 서예의: ~ schreiben 달필로 쓰다, 글씨를 잘 쓰다.
Kalligraph *m.* -en, -en ↑ Kalligraf.
Kalligraphie *f.* ↑ Kalligrafie.
kalligraphisch *a.* ↑ kalligrafisch.
Kalliope [kalí:ope] 《gr.》 *f.* 〖그리스신화〗 칼리오페(서사시의 여신); 〖天〗 소행성의 하나.
Kallologie 《gr.》 *f.* -n [..gí:ən] 미학.
kallös [kalø̍:s] 《lat.》 *a.* 〖醫〗 (피부가) 굳어진, 굳은살〔못〕이 박힌.
Kallose [kaló:zə] *f.* 〖植〗 칼로즈.
Kallosität [kalozıtɛ́:t] *f.* (Schwiele) 경피(硬皮), (살가죽에 생기는) 못.
Kallus [kálus] *m.* -, -se 〖醫〗 (발바닥 따위에 생기는) 못; 가골(假骨); 〖植〗 칼루스, 유합(癒合) 조직.
Kalmank [kálmaŋk] 《ndd.》 *m.* -s, -e 광택 나는 모직물의 일종.
Kalmar [kálmar] 《lat.》 *m.* -s, -e 〖動〗 오징어의 일종.
Kalmäuser [kálmɔyzər] 《lat.》 *m.* -s, - 〔구식〕 ① 공상가; 골방 샌님; 꽁생원. ② 위선자. ③ (obd.) 인색한 사람.
kalmäuserig, kalmäuserisch *a.* 공상가의, 위선자의.
kalmäusern [..zərn] *i.* ① 공상하다, 꽁생원처럼 생활하다, 현학적인 것에 몰두하다. ② 믿음이 두터운 체하다, 위선자다. ③ 인색하다.
kalmäusig *a.* ↑ kalmäuserig.
Kalme [kálmə] 《frz.》 *f.* -n 무풍, 바람 없음.
Kalmen≈gürtel *m.* ↑ ~zone. **~zone** *f.* 〖기상〗 (해상의) 무풍 지대: die äquatoriale ~ 적도의 무풍 지대.
kalmieren [kalmí:rən] *t.* 〔교양〕 (beruhigen) 진정시키다, 가라앉히다.
Kalmuck [kálmuk] *m.* -(e)s, -e 〖방직〗 양쪽이 거친 모직.
Kalmücke [kalmýkə] *m.* -n, -n 칼미크인(몽고족의 일종).
Kalmus [kálmus] 《lat.》 *m.* -, -se 〖植〗 창포.
Kalmus·öl *n.* 창포유.
Kalo [ká:lo] 《it.》 *m.* -s, -s 〖商·고어〗 (건조·누출로 인한) 상품의 중량 감소.
kalo.. 《gr.》 *pref.* "아름다운"의 뜻.
Kalobiotik [kalobió:tık] 《gr.》 *f.* (고대 그리스의) 쾌적한〔조화로운〕 생활법.
Kalokagathie [..kagatí:] *f.* 선과 미의 조화 (고대 그리스인의 이상적인 교양).
Kalomel [ká:lomɛl] *n.* -s ①〖醫〗 감홍(甘汞). ②〖광물〗 염화제 1 수은.
Kaloreszenz [kalorɛs|tsɛ́nts] 《lat.》 *f.* 〖物〗 온광(溫光).
***Kalorie** [kalorí:] *f.* -n [..rí:ən] ①〖物〗 칼로리(열량의 단위): 〔고어〕 große ~ 킬로칼로리; kleine ~ 칼로리(기호: cal). ②〔대개 복수〕〖영양〗 (음식물의 에너지 단위로서) 칼로리: Salat enthält〔hat〕 wenig ~n 샐러드는 칼로리가 별로 높지 않다.
kalorien≈arm *a.* 칼로리가 낮은: eine ~e Kost 칼로리가 낮은 음식물. **~bewußt** *a.* 칼로리를 의식하는. **≈gehalt** *m.* 〖영양〗 칼로리 함유량.
Kalorik [kaló:rık] *f.* 〖物〗 열량학.
Kalorimeter *n.* -s, - 〖物〗 열량계.

K

Kalorimetrie *f.* 〖物〗 열량의 측정.
kalorimetrisch *a.* 열량을 측정하는: ~e Meßmethoden 열량 측정 방법.
kalorisch [kalóːrɪʃ] *a.* 열(熱)의; 열량의: ~e Maschine 열기관; der ~e Wert von Nahrungsmitteln 음식물의 열량가.
kalorisieren *t.* (어떤 금속에) 알루미늄 증기 도금을 하다.
Kalotte [kalɔ́tə] ⟪frz.⟫ *f.* -n ① (가톨릭 성직자의) 법모(法帽). ②〖건축〗 둥근 천장. ③〖數〗 구결(球缺) (Kugelkappe). ④〖해부〗 두개관(冠), 두개덮개. ⑤〖유행·의상〗 15-16 세기의 망건〔두건〕.
Kalpak [kálpak, kalpák] ⟪türk.⟫ *m.* -s, -s ① (**a**) 타타르족의 양피 모자. (**b**) 아르메니아인의 모피 모자. ② 경기병(輕騎兵)의 털가죽 모자(에 늘어진 천).
***kalt** [kalt] (kälter, kältest) *a.* ① 추운, 찬: ~es Bad 냉수욕; naß~ 냉습한; die ~e Jahreszeit 겨울; 〖物〗 ~es Licht 냉광, 찬빛; ~e Zone 한대; et. ~ stellen 어떤 물건을 차게 하다, 냉장하다; es ist ~ (날씨가) 춥다; ~e Hände haben 손이 시리다; 〖방언〗 ich habe ~ 나는 춥다. ② 불(기) 없는: ~e Küche 찬 음식; ~er Schlag 발화하지 않는 벼락; ~e Miete ↑ ~miete; 〖광산〗 ~ keilen 폭파시키지 않고 채취하다; ~ rauchen 불을 붙이지 않은 담배를 입에 물다; einen Ofen ~ legen 난롯불을 끄다; 〖구어〗 wir essen abends immer ~ 우리는 저녁에는 항상 찬 음식을(샌드위치 따위를) 먹는다; 〖구어〗 das ist doch ~er Kaffee! 그것은 아무의 관심도 끌지 못한다, 이미 한물 갔다! ③〖비유〗 냉정한, 침착한; 냉담한, 열심이 아닌; 친근미 없는; 오싹하는: ~e Angst 전율; 〖政〗 ~er Krieg 냉전; mit ~er Berechnung 냉정히 계산해서; ~es Blut 냉정, 박정; ~er Gruß 냉랭한 인사; ihm brach der ~e Schweiß aus 그는 식은땀이 났다; ~e Ente 백포도주를 넣은 칵테일의 일종; 〖구어〗 jn. ~ anblicken 누구를 쌀쌀맞게 바라보다; jm. die ~e Schulter zeigen 누구를 냉담하게 대하다; 〖구어〗 ~e Füße bekommen 불쾌해지다, 두려워지다; 〖스포츠·은어〗 jn. ~ erwischen 상대방이 몸을 풀기 전에 후딱 해치우다; jn. ~stellen 누구를 파면하다, 누구의 세력을 꺾다; kälter werden 열이 식다, 하고자 하는 마음이 없어지다; bei et.³ ~ bleiben 어떤 일에 냉담하다; für et. ~ sein 어떤 일에 무관심하다; weder ~ noch warm sein 무관심하다, 우유부단하다; das läßt mich ~ 그것은 내 마음을 조금도 움직이지 않는다; es überläuft mich ~ 나는 오싹 소름이 끼친다. ④〖醫〗 ~er Brand 건성 괴저(壞疽); ~es Fieber 학질. ⑤ 죽은(tot): jn. ~ machen 누구를 죽이다; er ist schon ~ 그는 이미 죽어 싸늘하다. ⑥〖畫〗 ~e Farben 차가운 색(청색·백색 계통). ⑦〖사냥〗 ~e Fährte 온기가 없는〔이미 냄새로 분간할 수 없는〕 발자취.
Kalt⸗baden *n.* 냉수욕. **~|bleiben** *i.* (s.) 냉정하다, 거부감을 보이다. **~blut** *n.* 〖動〗 냉혈종. **~blüter** *m.* 냉혈 동물. **~blütig** *a.* ①〖動〗 냉혈의. ②〖비유〗 냉혹〔잔인〕한: jn. ~ ermorden 누구를 잔인하게 살해하다. ③ 애정이 없는; 침착한, 냉철한; 무관심한; 태연한: ~ der Gefahr ins Auge blicken 위험을 냉철하게 직시하다. **~blütigkeit** *f.* 냉담, 무관심, 침착. **~bruch** *m.* ↑ ~brüchigkeit. **~brüchig** *a.* 〖제련〗 냉기에 약한. **~brüchigkeit** *f.* 차가울 때 잘 부서지는 성질.
***Kälte** [kɛ́ltə] *f.* ① 추위, 차가움, 한랭, 한기: fünf Grad ~ 영하 5 도의 추위; vor ~ zittern 추워서 떨다; 〖구어〗 aus der ~ kommen 밖〔해외〕에서 오다; 〖구어〗 er brachte ~ mit herein 그는 추운 밖에서 들어왔다. ②〖비유〗 싸늘함, 냉정, 무정; 무관심: jn. mit ~ behandeln 누구를 냉대하다.
Kälte⸗anästhesie *f.* 〖醫〗 냉동 마취. **~beständig** *a.* 내한성의, 얼지 않는. **~beständigkeit** *f.* 내한성, 부동성. **~einbruch** *m.* 한파(의 내습). **~einsturz** *m.* ↑ ~einbruch. **~empfindung** *f.* 추위를 느낌. **~erzeugend** *a.* 냉기를 만드는〔발생하는〕. **~erzeuger** *m.* 냉각기, 냉동기. **~erzeugung** *f.* 냉각, 냉동. **~erzeugungs·maschine** *f.* 〖工〗 냉동 장치, 제빙기. **~grad** *m.* 냉각 온도. **~maschine** *f.* ↑ ~erzeugungsmaschine. **~mischung** *f.* 〖化〗 한제(寒劑), 냉동제. **~periode** *f.* 혹한기.
kalten [kaltən] *i.* (s.) 〖고어〗 추워지다, 차가워지다.
kälten [kɛ́ltən] *t.* 〖고어〗 춥게〔차갑게〕 하다: mit Eis ~ 얼음으로 차게 하다.
Kälte⸗pol *m.* 극한 지대, 한극. **~punkt** *m.* 〖生〗 냉점, 한점(寒點); 빙점.
Kalter *m.* -s, - (öst., südd., schweiz.) 물고기를 담는 상자 모양의 통.
Kälte⸗schutz·mittel *n.* 부동액, 냉동 방지제. **~sturz** *m.* 기온의 급강하. **~technik** *f.* 냉동〔냉각〕 기술. **~tod** *m.* 동사(凍死). **~welle** *f.* 한파.
kalt⸗feucht *a.* 냉습한. **~front** *f.* 〖기상〗 한랭 전선. **~geschlagen** *a.* 가열하지 않고 짜낸: ~es Öl 가열하지 않고 짜낸 기름. **~gründig** *a.* 냉토(冷土)의. **~haus** *n.* 〖원예〗 저온실. **~herzig** *a.* 냉혹〔무정〕한: eine ~e Frau 냉정한 여자. **~herzigkeit** *f.* 무정, 냉담. **~höflich** *a.* 일부러 예의를 차린, 남남끼리 대하듯 한. **~lächelnd** *a.* 〖구어·폄어〗 냉소적인, 동정심이 없는: jn. ~ bloßstellen 누구의 약점을 무자비하게 드러내다. **~|lassen** *t.* 〖구어〗 감동시키지 못하다: die Komplimente ließen ihn kalt 칭찬들도 그의 마음을 움직이지는 못했다. **~leim** *m.* 상온(에서 굳어지는) 아교. **~luft** *f.* 찬 공기.
kältlich [kɛ́ltlɪç] *a.* 약간 차가운, 좀 시원한.
kalt|machen *t.* 〖비속〗 죽이다. **~mamsell** *f.* (음식점의) 찬 요리 담당 여자 요리사. **~miete** *f.* (난방비와 부대 비용을 뺀) 기본 방세〔집세〕.
Kaltnadel⸗arbeit *f.* ↑ ~radierung. **~radierung** *f.* (산으로 부식시키지 않는) 가는 바늘을 쓰는 동판화. **~stich** *m.* ↑ ~radierung.
Kalt⸗schale *f.* 〖요리〗 (맥주·과실 따위로 만든) 차가운 수프. **~schlächter** *m.* 〖방언〗 (짐승의) 껍질을 벗기는 사람. **~schmied** *m.* (화기를 사용하지 않는) 구리〔놋쇠〕 세공사〔땜장이〕. **~schnäuzig** *a.* 〖구어〗 매정〔냉담〕한: eine ~e Antwort 매정한 대답. **~schnäuzigkeit** *f.* 〖구어〗 매정. **~|schweißen** *t.* 〖工〗 열을 가하지 않고 압력을 가하여 결합〔용접〕하다. **~sinn** *m.* 냉담, 평정, 냉정. **~-**

sinning *a.* 냉담〔무정〕한. **~start** *m.* ① (자동차 엔진의) 저온 상태에서의 출발. ②〖컴〗(↔ warmstart) (전원을 새로 켜서 하는) 부팅, 첫시작. **~|stellen** *t.* 〔구어〕 파면하다, 영향력을 빼앗다(단: kalt stellen *t.* 찬 곳에 두다). **~stellung** *f.* 파면, 세력 박탈. **~-verpflegung** *f.* 찬 음식으로 하는 식사. **~|-walzen** *t.* 〖제련〗 열을 가하지 않고 압연하다. **~walz·werk** *n.* 〖제련〗 비가열 압연 공장. **~wasser** *n.* 냉수.

Kaltwasser≈arzt *m.* 냉수 치료 의사. **~bad** *n.* 냉수욕. **~heil·anstalt** *f.* 냉수 치료원. **~kur** *f.* 냉수 치료법.

Kalt≈welle *f.* (열을 가하지 않고 화학 약품만 사용해서 하는) 저온 파마. **~zeit** *f.* 〖지질〗 빙하기, 한랭기.

Kalumbin [kalumbí:n] *n.* -s 〖藥〗 (고미제(苦味劑)로 쓰이는) 콜롬보 뿌리의 성분.

Kalumet [kalumɛ́t, kalymɛ́] *n.* -s, -s (북아메리카 인디언들이 강화 체결 때 돌려가며 피우던) 평화의 담뱃대(Friedenspfeife).

Kaluppe [kalúpə] ⟪tschech.⟫ *f.* -n (öst.) 오두막집, 누옥.

Kalvarien·berg [kalvá:riən..] ⟪lat.⟫ *m.* ① 골고다 언덕. ② **(a)** (가톨릭 순례지에 재현된) 예수 수난 언덕. **(b)** (브레타뉴 지방의) 예수 수난 재현단(團).

Kalvill [kalvíl] ⟪frz.⟫ *m.* -s, -e(n) ↑ Kalville.

Kalville [..vílə] *f.* -n 칼빌(사과의 일종).

Kalvin [kalví:n] *m.* Jean ~ 칼뱅(스위스의 종교 개혁자, 1509-64).

kalvinisch *a.* 칼뱅(교)의.

Kalvinismus *m.* - 칼뱅교.

Kalvinist *m.* -en, -en 칼뱅교도.

Kalvinistin *f.* -nen ↑ Kalvinist 의 여성형.

kalvinistisch *a.* ↑ kalvinisch.

Kalyptra [kalýptra] ⟪gr.⟫ *f.* ..ren 〖植〗 ① 근관(根冠), 뿌리갓. ② 선류의 홀씨관(冠), 이끼 모자.

Kalyptrogen [kalyptrogé:n] *n.* -s 근관 형성층.

Kalzeolarie [kaltseolá:riə] *f.* -n 〖植〗 칼세올라리아(Pantoffelblume).

Kalzifikation [kaltsifikatsió:n] ⟪lat.⟫ *f.* -en 〖생리〗 석회질화, (동맥) 경화.

Kalzination [..natsió:n] ⟪lat. calx, „Kalk"⟫ *f.* -en 〖化〗 소성(燒成), 소광법, 석회화(化).

kalzinieren *t.* 하소(煆燒)하다, 석회화하다.

Kalzinier·ofen *m.* 소성로(燒成爐).

Kalzinierung *f.* -en ↑ kalzinieren 의 명사형.

Kalzit [kaltsí:t, ..tsít] *m.* -s, -e 〖광물〗 방해석(方解石).

***Kalzium** [káltsium] *n.* -s 〖化〗 칼슘(기호: Ca).

Kalzium≈chlorid *n.* 〖化〗 염화칼슘. **~karbid** *n.* 탄화칼슘. **~karbonat** *n.* 〖化〗 탄산칼슘. **~oxyd** *n.* 산화칼슘.

kam [ka:m] ↑ kommen 의 과거형.

Kamaldulenser [kamaldulɛ́nzər] ⟪lat.⟫ *m.* -s, - (베네딕트파 계율에 기초해서 이탈리아에 건립된) 가말돌리 수도원의 수도사.

Kamarilla [kamarílja, ..ríla] ⟪sp.⟫ *f.* ..rilen 〔고어〕 왕의 고문관, 총신(寵臣); 궁정당(宮廷黨); 왕 측근의 간신; 음모단.

Kamasche [kamáʃə] *f.* -n 각반.

kambial [kambiá:l] ⟪it.⟫ *a.* ① 환전업(換錢業)의, 어음의. ②〖植〗 형성층의.

kambieren [..bí:rən] *i.* 환(換)영업을 하다.

Kambio [kámbio] *m.* -s, ..bii (Wechsel) 환전(換錢); 환(換).

Kambium [kámbium] *n.* -s, ..bien [..biən] 〖植〗 형성층.

Kambodscha [kambɔ́dʒa] 캄보디아.

Kambodschaner *m.* -s, - 캄보디아 사람.

kambodschanisch *a.* 캄보디아어〔사람〕의.

Kambrik [kámbrɪk, (engl.) kéɪm..] *m.* -s 〖방직〗 (고급) 아마포, 백마포(白麻布).

Kambrik·batist *m.* ↑ Kambrik.

kambrisch [kámbrɪʃ] *a.* ① 웨일스(사람)의. ②〖지질〗 ~e Formation 캄브리아층.

Kambrium [kámbrium] *n.* -s 〖지질〗 캄브리아층(고생대의 가장 오랜 지층).

Kambüse [kambý:zə] *f.* -n 배의 주방.

käme [kɛ́:mə] ↑ kommen 의 접속법 Ⅱ식.

Kamee [kamé:(ə)] ⟪lat. -frz.⟫ *f.* -n 양각(陽刻)한 보석〔패각〕, 카메오.

***Kamel** [kamé:l] ⟪gr.⟫ *n.* -(e)s, -e ①〖動〗 낙타: einhöckeriges ~ 단봉(單峰) 낙타; 〔비유〕 Mücken zu ~en machen 침소 봉대하여 말하다; Mücken zeigen und ~e verschlucken 하루살이는 걸러내고 약대는 삼키는도다(마태 23:24)(작은 일에만 얽매여 큰 일을 잊는다); 〔구어〕 eher geht ein ~ durch ein Nadelöhr, als daß.. …하는 것이 낙타가 바늘 구멍 통과하는 것보다 어렵다(마태 19:24). ②〖海〗(물이 얕은 곳을 건널 때 배를 뜨게 하거나 좌초선을 떠오르게 할 때 사용하는) 상자. ③〔학생〕 속물; 학생 조합에 소속하지 않은 학생. ④〔경박·대개 욕설〕 바보: du ~! 바보 같은 녀석!

Kamel≈dorn *m.* 〖植〗 가시나무의 일종(낙타의 먹이로 이용됨). **~fliege** *f.* 〖動〗 약대벌레의 한 속(屬). **~fohlen** *n.* 낙타 새끼. **~führer** *m.* 낙타를 모는 사람. **~garn** *n.* ↑ Kämelgarn.

Kämel·garn [kɛ́:məl..] *n.* 〖방직〗 앙고라염소의 털실.

Kamel≈haar *n.* 〖방직〗 낙타의 털; 앙고라염소의 털. **~hären** *a.* 낙타 털의. **~hengst** *m.* 낙타의 수컷. **~höcker** *m.* 낙타의 (육)봉.

Kamelie [kamé:liə] *f.* -n 〖植〗 동백나무(꽃).

Kamel≈karawane *f.* 대상(隊商). **~korps** [..ko:r] *n.* 〖軍〗 낙타 부대. **~kuh** *f.* 암낙타.

Kamelle [kamɛ́lə] *f.* -n (ndd.) 〔대개 다음 용법으로만〕 olle〔alte〕 ~n 진부한 얘기, 이미 알고 있는 사실.

Kamellie [kamɛ́liə] *f.* -n 〖植〗 ↑ Kamelie.

Kamelopard [kamelopárt] ⟪gr. -lat.⟫ *m.* -(e)s/-en, -e(n) 〖動〗 기린.

Kamelott[1] [kaməlɔ́t] *m.* -s, -e 〖방직〗 ① 낙타 직물(낙타나 앙고라염소 털로 짠 모직). ② (낙타 직물과 비슷한) 혼방 직물.

Kamelott[2] ⟪frz.⟫ *m.* -s, -s 소상인(小商人), 노점상, 신문 판매원.

Kamel≈stute *f.* ↑ ~kuh. **~tasche** *f.* 소파의 커버로 쓰이는 무늬 있는 비로드의 일종. **~treiber** *m.* ① ↑ ~führer. ②〔구어·폄어〕 아랍인. **~wolle** *f.* 낙타의 보드라운 털. **~ziege** *f.* 〖動·구식〗 ① 앙고라염소(Angoraziege). ② 야마(아메리카 낙타).

Kamene *f.* -n ↑ Kamöne.

*__Kamera__ [kámərа] 《lat.》 *f.* -s 〖사진〗 카메라, 무비 카메라: die ~ läuft 무비 카메라가 작동 중이다; 〖구어〗 die ~ schußbereit halten 카메라로 사진 찍을 준비를 하다; vor der ~ stehen 배우〔탤런트〕로 활동하다; jn. vor die ~ bringen〔bekommen〕 누구에게서 녹화 인터뷰를 얻어내다.

*__Kamerad__ [kamərá:t] 《frz., „camerade"》 *m.* -en, -en 친구, 동료; 동창생, 전우: Lebens≈ 생의 동반자; Schul≈ 학우; Klassen≈ 급우; ~ Schnürschuh a) 오스트리아인〔병사〕, b) 여보게 동무〔친구〕(친근한 호칭).

Kameraden≈diebstahl *m.* 〖軍〗 전우의 소유물에 대한 절도 행위. **~hilfe** *f.* 동료〔전우〕의 도움.

Kameraderie [kamaradərí:] *f.* 〖종종 폄어〗 과장되거나 거짓 꾸민 우정〔동지애〕: diese plumpvertrauliche ~ war ihm zuwider 이 과장된 거짓 우정이 그에게는 역겨웠다.

Kameradin *f.* -nen ↑ Kamerad의 여성형.

kameradlich *a.* ↑ kameradschaftlich.

Kameradschaft *f.* -en ① 교우, 동료 관계, 친교: ~ schließen〔halten〕 친교를 맺다〔유지하다〕. ② 동료〔친구〕 일동.

kameradschaftlich *a.* 동지의, 친한, 사이가 좋은: ein rein ~es Verhältnis 〔eine rein ~e Beziehung〕 순수한 동료 관계.

Kameradschaftlichkeit *f.* ↑ kameradschaftlich의 명사형.

Kameradschafts≈ehe *f.* (사랑보다) 우정〔신뢰〕에 기반한 결혼, 동지적 결혼. **~führer** *m.* 〖광산〗 교대팀〔순번팀〕의 지휘자. **~gefühl** *n.* 친구가 된 기분, 동지〔동료〕감, 우정. **~geist** *m.* 우애〔동지·동료〕 정신. **~haus** *m.* (나치 때의) 학생 정신 교육 시설.

Kamera≈einstellung [kámərа..] *f.* 〖영화〗 연속 촬영 장면 중의 한 컷. **~frau** *f.* 여자 사진사. **~führung** *f.* 〖영화〗 카메라 촬영 조종(술).

Kameralien [kamərá:liən] 《lat.》 *pl.* 〖고어〗 ↑ Kameralwissenschaften.

Kameralist [..líst] *m.* -en, -en (독일 중상주의의) 재정〔정치 경제〕학자.

Kameralistik *f.* ① 〖고어〗 (중상주의의) 재정학, 정치 경제학. ② 〖經〗 부기, 회계.

kameralistisch *a.* ① 〖고어〗 재정학〔정치 경제학〕의. ② 〖經〗 부기〔회계〕의.

Kameral·wissenschaften *pl.* 〖고어〗 재정학, 정치 경제학.

Kamera≈mann *m.* 〔복수: ..männer〕 〖영화〗 카메라맨, 촬영 기사. **~recorder** *m.* 비디오 카메라, 캠코더. **~team** *n.* 촬영 기사팀. **~überwachung** *f.* 카메라를 통한 감시. **~wagen** *m.* 〖영화〗 촬영차(량).

Kamerun [kámәru:n, kamərú:n] 카메룬(서부 아프리카의 공화국).

Kameruner 《I》 *m.* -s, - ① 카메룬 사람. ② 과자의 일종. 《II》 *a.* 카메룬의.

kamerunisch *a.* 카메룬어〔사람〕의.

Kamerun·nuß *f.* 〖植〗 땅콩(Erdnuß).

kamieren [kamí:rən] 《it.》 *i.* 〖펜싱〗 적의 검을 피하다, 후퇴하여 적의 자세에 빈틈을 만들다.

Kamikaze [kamiká:tsə] 《jap.》 *m.* -, - 가미카제 특공대.

Kamille [kamílə] 《lat.》 *f.* -n 〖植〗 카밀레: echte ~ 개꽃(국화과의 1년생〔월년생〕 초본); römische ~ 로마산(產) 개꽃.

Kamillen≈öl *n.* 카밀레 기름. **~tee** *m.* 카밀레차(발한제(發汗劑)로 사용됨).

*__Kamin__ [kamí:n] 《lat. caminus, „Feuerstätte"》 *m.* -s, -e ① 굴뚝, 연통: den ~ fegen〔kehren〕 굴뚝을 청소하다; et. in den ~ schreiben 무엇을 없는〔잃은〕 것으로 간주하다. ② 벽난로. ③ 〖등산〗 (schweiz.) 절벽의 수직 틈새.

Kamin≈aufsatz *m.* (굴뚝 위의) 배출기. **~ecke** *f.* (실내의) 난로가 있는 구석. **~feger** *m.* 〖방언〗 (Schornsteinfeger) 굴뚝 청소부. **~feuer** *n.* 난롯불. **~gerät** *n.* 난로 도구. **~gesims** *n.* ↑ ~sims. **~gitter** *n.* 난로의 격자.

kaminieren [kaminí:rən] *i.* ① ↑ kamieren. ② 〖등산〗 절벽의 틈을 이용해 기어오르다.

Kamin≈kehrer *m.* 〖방언〗 ↑ Schornsteinfeger. **~kleid** *n.* (편안하고 우아한) 실내복. **~mantel** *m.* ↑ ~sims. **~rohr** *n.* 굴뚝의 연도(煙道). **~schirm** *m.* 난로 앞의 화기 차단용 칸막이. **~sims** *m./n.* 벽난로 위의 장식대〔선반〕. **~teppich** *m.* 난롯가에 까는 깔개.

Kamisol [kamizó:l] 《frz.》 *n.* -s, -e 〖고어〗 (소매가 짧은) 겉저고리, 조끼.

Kamisölchen [..zǿ:lçən] *n.* -s, - ↑ Kamisol의 축소형.

*__Kamm__ [kam] *m.* -(e)s, Kämme ① 빗: sich mit dem ~ durchs Haar fahren 빗으로 머리를 빗다; mit dem ~ einen Scheitel ziehen 빗으로 가르마를 타다; 〖구어·농담〗 bei jm. liegt der ~ neben〔auf〕 der Butter 누구의 집에 물건들이 뒤죽박죽 놓여 있다; 〖비유·구어〗 alle(s) über einen ~ scheren 모든 것을 똑같이 취급하다, 동일시하다. ② 〖動〗 닭볏: 〖비유〗 den ~ aufsetzen 뽐내다; 〖구어〗 es schwillt ihm der ~ 〔ihm wächst der ~〕 a) 그는 얼굴을 붉히며 화를 낸다, b) 그는 교만을 떤다; jn. über den ~ hauen〔putzen〕 누구의 기세를 꺾다. ③ 〖醫〗 빗·볏 모양의 돌기. ④ 〖건축〗 사개를 맞춘 나무. ⑤ (말·소 따위의) 목덜미 고기; (말의) 갈기; (멧돼지의) 목덜미. ⑥ 〖기계〗 (톱니바퀴의) 톱니, 캠; 〖방직〗 (베틀의) 바디; (양털을) 빗는 기구; 삼을 간추리는 빗. ⑦ (산맥의) 능선, (제방·성벽의) 꼭대기; (밭의) 이랑; 물마루; 투구 뿔, 투구의 장식. ⑧ 따고 남은 포도 송이의 줄기.

Kammacher *m.* -s, - 빗 제조자.

kamm≈ähnlich *a.* ↑ ~artig. **~artig** *a.* 빗〔치아〕 모양의; 볏 모양의.

Kammaschine *f.* -n 빗 제조기.

Kämmaschine *f.* -n 〖섬유〗 소모기(梳毛機).

Kamm≈bau *m.* 〖農〗 이랑 재배, (모판에서의) 두둑 재배. **~baum·wolle** *f.* 솜틀로 튼 솜. **~blume** *f.* 〖植〗 카밀레(Kamille). **~bürste** *f.* 빗을 손질하는 솔.

Kämmchen [kέmçən] *n.* -s, - ↑ Kamm의 축소형.

Kamm·eidechse *f.* 〖動〗 이구아나.

Kämmel·garn *n.* 〖방직〗 ↑ Kämelgarn.

kämmeln [kεməln] *t.* (양털을) 곱게 빗질하다.

kämmen [kέmən] *t.* 《I》 ① 빗질하다: jn. 〔sich〕 ~ 누구〔자기〕의 머리를 빗다; jm.

(sich³) einen Scheitel ~ 빗으로 누구〔자기〕의 가르마를 타다; den Schmutz aus den Haaren ~ 머리털에 묻은 더러운 것을 빗으로 빗어내다. ② 반드럽게 하다, 다듬다: Flachs 〔Wolle〕 ~ 아마〔양모〕를 빗어내다. ③〖농담〗심술궂게 괴롭히다, (누구의) 흠을 잡다, 속여 돈을 빼앗다. ④〖軍〗마구 쏘다, 소사(掃射)하다. ⑤〖건축〗(기둥 따위의) 사개를 맞추다. 《Ⅱ》 *i.* (h.) 물살이 일다.

***Kammer** [kámər] 《lat.》 *f.* -n ① 작은 방, 방; 침실(Schlaf∼); (Vorrats∼) 저장실, 비축실; 음식물 저장실(Speise∼). ②〖政·法〗의회, 국회: die Erste ~ 상원, 참의원; die Zweite ~ 하원, 민의원; die ~n einberufen 〔auflösen〕 의회를 소집〔해산〕하다. ③〖고어〗(**a**) 왕후의 방. (**b**) 집무실. (**c**) 시종, 측근자. ④ (Schatz∼) 귀중품실, 보물 창고;〖구식〗회계국, 소득 관리소; 국고. ⑤ 협회, 회의소: Handels∼ 상업 회의소. ⑥〖法〗(재판소의) 부(部): Zivil∼ 민사부; er wurde in die Straf∼ des Oberlandesgerichts berufen 그는 고등법원의 형사부에 소환되었다. ⑦〖軍〗군수〔무기〕창고; (대포의) 약실. ⑧ (**a**) (수문의) 갑실(閘室); (노(爐)의) 화실. (**b**)〖광산〗광맥. (**c**)〖海〗선실. (**d**)〖醫〗심실(心室): die linke ~ des Herzens 좌심실. (**e**)〖사진〗(Dunkel∼) 암실, 어둠상자. ⑨〖사냥〗(사냥감의) 굴, 사냥한 짐승을 넣어 두는 곳.

Kämmer [kɛ́mər] 《<kämmen》 *m.* -s, - ① (양모·삼을) 빗어 훑어내는 사람, 양모 제조자. ② 빗 제조자.

Kạmmer≈affe *m.*〖폄어〗↑ ~diener. **~amt** *n.* 재무국, 회계국. **~auflösung** *f.* 의회 해산. **~bulle** *m.*〖軍·폄어〗군수〔무기〕창고 담당 하사관.

Kämmerchen [kɛ́mərçən] *n.* -s, -〖↑ Kammer 의 축소형〗작은 방〔침실〕;〖植〗소방(小房);〖속어〗변소; ~ vermieten 집뺏기놀이하다.

Kạmmer≈chor [..koːr] *m.* 실내 합창(단). **~dame** *f.* ↑ ~fräulein. **~diener** *m.* 시종, 종자(從者).

Kämmerei¹ [kɛmərái] 《<kämmen》 *f.* -en (양모·삼을) 빗어 훑기; 소모업(梳毛業); 소모 공장.

Kämmer<u>ei</u>² 《<Kammer》 *f.* -en ① 국고, (시의) 금고, 회계과. ② 국고〔회계과〕 직원, 회계과〔시금고〕 사무실.

Kämmer<u>ei</u>≈gut *n.* 시유지(市有地). **~kasse** *f.* 시의 금고.

Kämmerer [kɛ́mərər] *m.* -s, -〖구식〗① (시·자치 단체의) 회계〔출납〕관. ② 시종, 왕실 금고〔창고〕 관리관. ③ 법원장. ④ (박물관) 관장.

Kạmmer≈frau *f.*〖구식〗시녀, 여성 관리. **~fräulein** *n.* (미혼의) 시녀, 여성 관리. **~gericht** *n.* ① (중세 제후의) 최고 법원. ② 고등 법원, 대법원. **~grab** *n.*〖고고〗석실형 고분. **~gut** *n.*〖구식〗(왕후의) 영지, 왕실의 소유지. **~herr** *m.*〖구식〗(귀족 신분의) 시종장(長).

..kammerig *suf.* "…방〔실(室)〕의"의 뜻(보기: ein~ 한 개의 방이 있는; viel~ 많은 방이 있는).

Kạmmer≈jäger *m.* ①〖구식〗(옛날의) 궁정 수렵관. ② 건물 내부의 해충을 구제하는 사람, 쥐잡이(하는 사람). **~jungfer** *f.* 시녀. **~junker** *m.*〖구식〗귀족 신분의 젊은 비서관. **~kapelle** *f.* 궁정 악단. **~kätzchen** *n.*〖구식·농담〗~jungfer. **~knabe** *m.* (군주의) 시동(侍童). **~kollegium** *n.* 회계국원 (일동). **~konzert** *n.* 실내 음악회. **~lakai** *m.* ↑ ~diener.

Kạmmerlein *n.* -s, - ↑ Kämmerchen.

Kammerling [kámərlıŋ] *m.* -s, -e〖動〗근족충류(根足蟲類)의 단세포 동물(아메바류).

Kämmerling [kɛ́mərlıŋ] *m.* -s, -e ↑ Kammerdiener.

Kạmmer≈mädchen *n.* ~jungfer. **~musik** *f.* 실내악. **~musiker** *m.* 궁정 악사. **~musikus** *m.* ↑ ~musiker. **~orchester** *n.* 실내 오케스트라. **~page** [..paːʒə] *m.* ↑ ~knabe. **~präsident** *m.* ① 감사원장. ② 대법원장. ③ (프랑스의) 하원 의장. **~rat** *m.* 재정국 고문관. **~sänger** *m.* 궁정 가수. **~schlüssel** *m.* 방〔침실〕의 열쇠. **~spiel** *n.* ① 실내극, 소연극. ②〖복수〗(주로 소연극 공연용) 실내 극장, 소극장. **~stenograph** *m.* 의회의 속기사. **~stil** *m.* 실내악 양식, 실내악 곡식. **~stück** *n.* 실내악의 악곡. **~stuhl** *m.* 변기, 요강. **~ton** *m.*〖음악〗표준율, 표준 박자. **~topf** *m.* ↑ ~stuhl. **~tuch** *n.*〖방직〗캄브레산(産)의 고급 면직물(↑ Kambrik). **~unteroffizier** *m.*〖軍〗군수〔창고 담당〕 하사관. **~verhandlungen** *pl.* (6 신분제 의회의) 의사(議事). **~vermögen** *n.* ↑ ~gut. **~wagen** *m.* (obd., md.) (신부의) 혼수(품을 실은) 마차. **~wesen** *n.* 재정 기구〔업무〕. **~wissenschaft** *f.* 재정학. **~zofe** *f.*〖구식〗↑ ~mädchen.

Kạmm≈fett *n.* (소나 말 따위의) 목덜미 살의 지방;〖工〗톱니바퀴용 고체 기름. **≈förmig** *a.* 빗 모양의. **~futteral** *n.* 빗주머니, 빗함(函). **~garn** *n.* ① (빗은 양모로 만든) 털실, 소모사(梳毛絲). ② 양모〔소모사〕 직물. **~garn·spinnerei** *f.* 소모사 짜기〔방적〕. **~gras** *n.*〖植〗(유럽 원산의) 볏과 식물. **~griff** *m.* (철봉에서) 손등을 밖으로 향하게 하여 봉을 잡기. **~grind** *m.*〖수의〗말갈기에 나는 옴〔마른 버짐〕. **~haar** *n.* ① 말갈기. ② 빗으로 다듬은 털. **~kieme** *f.*〖動〗아가미. **~kiemer** *pl.*〖動〗아가미류. **~lage** *f.* 산등성이, 능선. **~lerche** *f.*〖動〗볏이 있는 종달새.

Kämmling [kɛ́mlıŋ] *m.* -s, -e 빗어 다듬은 양모의 부스러기, 부스러기 털.

Kạmm≈macher *m.* ↑ Kammacher. **~maschine** *f.* ↑ Kammaschine.

Kạmm·maschine *f.* ↑ Kämmaschine.

Kạmm·molch *m.* ↑ Kammolch.

Kạmm·muschel 新정서 ⇦ Kammuschel.

Kạmmolch *m.* -(e)s, -e〖動〗이구아나.

Kạmm≈rad *n.*〖工·고어〗톱니바퀴. **~setzer** *m.*〖방직〗털을 빗는 사람. **~stück** *n.* (소·돼지의) 목덜미 살.

Kạmmuschel *f.* -n〖動〗가리비(속(屬)).

Kạmm≈walze *f.*〖工〗쇄모구(刷毛具). **~weg** *m.* 산등성이 길. **~wolle** *f.* 소모(梳毛). **≈wollen** *a.* 소모(梳毛)한 양털로 만든. **~wollen·ware** *f.* 양모 제품. **~zahn** *m.* 빗살. **~zug** *m.*〖방직〗올이 굵은 소모 섬유. **~zwecke** *f.* 머리가 둥근 못, 압정.

Kamöne [kamǿːnə] ⟪lat.⟫ *f.* -n 〖로마신화〗 샘의 여신; 〖그리스신화〗 뮤즈, 시신(詩神)(↑ Muse).

Kamorra [kamɔ́ra] ⟪it.⟫ *f.* 카모라(옛 나폴리 왕국의 범죄적 비밀 결사).

Kamp [kamp] ⟪lat.⟫ *m.* -(e)s, Kämpe ① 울타리를 둘러친 밭이나 목장. ②〖林〗 종묘장, 묘포(苗圃). ③ (ndd.) 농가 옆의 초지. ④〖방언〗 강 가운데의 섬.

Kampagne [kampánjə] ⟪lat.⟫ *f.* -n ① 선전 활동, 캠페인: eine ~ gegen die Erhöhung der Fahrpreise 교통 요금 인상에 반대하는 캠페인; eine ~ einleiten〔führen〕 캠페인을 시작〔주도〕하다. ② 들, 밭. ③〖軍·고어〗 (Feldzug) 출정, 종군(從軍); 출정 기간. ④ 활동기, 농번기; 〖工〗 가동 시간. ⑤〖海〗 ↑ Kampanje. ⑥〖고고〗 발굴 작업 시기.

Kampanien [kampáːniən] 캄파니아(이탈리아의 남부 지방).

Kampanile [kampaníːle, ..lə] ⟪it.⟫ *m.* -, - (이탈리아의) 종루(鐘樓), 종탑, 종각.

Kampanje [kampánjə] ⟪lat.⟫ *f.* -n 〖海〗 후부(後部) 최상 갑판; 선미루(船尾樓).

Kampanula [kampáːnula] ⟪lat.⟫ *f.* -e/-s 〖植〗 초롱꽃(Glockenblume).

Kämpe [kɛ́mpə] ⟪ndd.⟫ *m.* -n, -n ①〔고어·농담〕 전사, 용사. ② 수퇘지. ③〖스포츠〗 노련한 선수.

kampeln [kámpəln] *refl.* 〖방언〗 sich ~ 싸움〔말다툼〕하다, 서로 으르렁대다: er kampelt sich öfter mit den Nachbarn 그는 이웃 사람들과 자주 말다툼한다.

Kampesche·holz [kampɛ́ʃə..] *n.* 〖植〗 다목, 소방목.

Kämpevise [kɛ́mpəviːzə] *f.* -r 〖문학〗 (중세 때 스칸디나비아에서 춤에 맞추어 부르던) 신화 및 영웅의 담시.

***Kampf** [kampf] *m.* -(e)s, Kämpfe ① 전투, 투쟁, 싸움; 격투, 씨름; 시합; 논쟁; 〔비유〕 심적 갈등: harter〔heißer〕 ~ 고전, 격전; den ~ gewinnen 싸움에서 이기다; 〔농담〕 auf in den ~, Torero! 자 시작하자!; das war ein ~ bis aufs Messer 그것은 혈전〔백병전〕이었다; den ~ beginnen〔einstellen〕 개전〔휴전〕하다; 〔비유〕 ein ~ auf Leben und Tod 생사를 건 싸움; ein ~ Mann gegen Mann 1 대 1 의 결투; der ~ ums Dasein 생존 경쟁; der ~ mit dem Tod 사투; der ~ gegen die Naturgewalten 자연의 위력과의 싸움; Zehn≈ 10 종 경기; Box≈ 권투 경기; Ring≈ 레슬링 경기; der ~ um die Weltmeisterschaft 세계 선수권전; jn. zum ~ (heraus)fordern 누구에게 싸움을 걸다, 도전하다. ②〔드물게 복수〕 진력, 노력: der ~ für〔um〕 den Frieden 평화를 위한 전력 투구; jm.〔et.³〕 den ~ ansagen 누구에게〔무엇에〕 대응 조치를 취할 것임을 선언하다.

Kampf≈abstimmung *f.* 표대결, 결선 투표. **~ansage** *f.* 도전, 투쟁 선언: das Vorgehen bedeutet eine offene ~ an〔gegen〕 die Regierung 그 행동은 정부에 대한 공개적인 도전을 의미한다. **~bahn** *f.* 경기장. **~begier, ~begierde** *f.* 전투〔투쟁〕욕. **≈begierig** *a.* 호전적인. **≈bereit** *a.* 전투 준비가 된; 싸움을 좋아하는. **~bereitschaft** *f.* 전투 준비. **≈betont** *a.* 〖스포츠〗 전력을 다한: ein ~es Spiel 전력을 다 기울인 경기. **~bund** *m.* 전투 동맹. **~einheit** *f.* 전투 단위.

***kämpfen** [kɛ́mpfən] ⟪Ⅰ⟫ *i.* 싸우다, 투쟁하다; 격투하다; 분투〔노력〕하다; 논쟁하다: für das Vaterland ~ 조국을 위해 싸우다; gegen Schwierigkeiten ~ 고난과 싸우다; mit dem Schicksal ~ 운명과 싸우다; mit sich³ ~ 〔mit einer Entscheidung ~〕 갈등하다, 결심이 서지 않다; sie kämpfte mit den Tränen 그 여자는 눈물을 억지로 참았다; um seine Existenz ~ 생존을 위하여 싸우다. ⟪Ⅱ⟫ *t.* ①〔시어〕 einen Kampf ~ 싸우다. ② jn. zu Boden ~ 누구를 타도하다. ⟪Ⅲ⟫ *refl.* 고난의 길을 가다: sich müde ~ 싸워서 지치다; sich durch〔über〕 et. ~ 무슨 역경을 헤치며 나아가다; er hat sich im Laufe der Jahre in die Höhe 〔nach oben〕 gekämpft 그는 그 몇 년 동안 열심히 노력해서 출세하였다.

kampf≈entschlossen *a.* 싸움〔투쟁〕을 결심한. **≈entschlossenheit** *f.* ↑ ~entschlossen 의 명사형.

Kampfer [kámpfər] ⟪frz.⟫ *m.* -s 〖化〗 장뇌(樟腦), 캠퍼.

Kämpfer[1] [kɛ́mpfər] *m.* -s, - 전사, 투사; 권투선수, 레슬러; 선수; 〖구동독〗 무장 작업 조원: schlecht ausgerüstete ~ 무기가 형편없는 병사들; ein ~ für die Freiheit 자유의 투사〔용사〕.

Kämpfer[2] ⟪lat.⟫ *m.* -s, - ①〖건축〗 홍예 받침대; 홍예돌. ②〖기술·토목〗 아치형 다리의 지주 받침.

Kampfer·baum *m.* 〖植〗 녹나무.

kampf≈erfahren *a.* 전투에 능한〔노련한〕: ~e Krieger 역전의 전사들. **≈erfahrenheit** *f.* ↑ ~erfahren 의 명사형.

Kampfer·geist *m.* 장뇌정(精).

Kämpfer·gesims *n.* 〖건축〗 홍예밑, 공기(控基).

Kämpferin *f.* -nen ↑ Kämpfer[1] 의 여성형.

Kämpfer·linie *f.* 〖건축〗 홍예의 안쪽 곡선.

kämpferisch *a.* 전사다운, 용감한; 투쟁적인: eine ~e Natur 투쟁적인 성격〔천성〕.

Kämpfer·natur *f.* 투쟁적인 사람.

Kampfer·öl *n.* 장뇌 기름. **~säure** *f.* 장뇌산(酸). **~spiritus** *m.* 장뇌정(精).

kampf·erprobt *a.* 역전의, 전투에 능한, 전투 경험이 있는.

Kampfes·lust *f.* ↑ Kampflust.

kampf≈fähig *a.* 전투 능력이 있는. **≈fähigkeit** *f.* 전투력. **≈feld** *n.* 싸움터. **~fertig** *a.* 전투 준비가 갖춰진〔끝난〕. **≈fisch** *m.* 〖動〗 (동인도산(産)) 투어(鬪魚). **≈flieger** *m.* 〖軍〗 폭격기; 폭격기 조종사. **≈flugzeug** *n.* 〖軍〗 폭격기. **~freudig** *a.* 싸움을 좋아하는, 호전적인. **~froh** *a.* ↑ ~freudig. **≈front** *f.* 최전선. **≈gas** *n.* 〖軍〗 독가스. **≈gebiet** *n.* 전투 지역. **≈gefährte** *m.* 전우. **~geist** *m.* 투지. **≈genosse** *m.* ↑ ~gefährte. **~gerüstet** *a.* 무장한, 전투 준비가 된. **~gewohnt** *a.* 싸움에 익숙한. **≈gewühl** *n.* 싸움의 소동〔북새통〕. **≈gruppe** *f.* ①〖軍〗 (제 2 차 세계 대전 때의) 특수 전투 여단. ②〖구동독〗 무장 작업조. **≈hahn** *m.* ① 투계(鬪鷄). ②〖動〗 목도리도요. ③〔대개 복수〕〔구어·농담〕 싸우기 좋아하는 사람, 싸움꾼. **≈handlung** *f.* 전투 (행위), 교전. ≈-

handschuh *m.* 전사용(戰士用) 장갑, 권투 글러브. **~kraft** *f.* 전투력. **~lärm** *m.* 전투의 소음. **~läufer** *m.* ↑ ~hahn ②.

kampflos 《I》 *a.* 무저항의. 《II》 *adv.* 싸우지 않고, 전투 없이.

Kampf·lust *f.* 투지; 호전성; 싸움을 좋아함. **~lustig** *a.* 호전적인. **~maßnahme** *f.* 투쟁 조처: die Gewerkschaft kündigte härtere ~n an 노동 조합은 보다 강경한 투쟁 조처를 예고했다. **~mittel** *n.* ①〖軍〗무기. ② 투쟁 방법〔수단〕. **~panzer** *m.*〖軍〗전차, 장갑차. **~pause** *f.* 휴전, 시합 중의 휴식. **~platz** *m.* 전장; 시합장. **~preis** *m.* ① (승자에게 주는) 상품. ②〖商〗(경쟁에서 이기기 위해) 이익을 붙이지 않은 가격, 경쟁 가격. **~recht** *n.* ① 교전권. ② 교전법; 시합 규칙. **~richter** *m.* 심판(관). **~richter·entscheidung** *f.* 심판의 판정. **~roß** *n.* 군마(軍馬). **~spiel** *n.*〖스포츠〗전쟁 놀이, 모의전; 시합, 경기; 열전, 격전. **~sport** *m.* 1 대 1 경기(복싱·유도 등). **~staffel** *f.* 전투기 중대. **~stark** *a.* 전투력〔경기력〕이 강한: eine ~e Mannschaft 경기력이 강한 선수단. **~stärke** *f.* ↑ ~kraft. **~stätte** *f.* 싸움터, 경기장. **~stoff** *m.*〖軍〗전투용 화생방 물질. **~truppe** *f.*〖軍〗① 전투부대. ② 행동대. **~unfähig** *a.* 전투력이 없는. **~unfähigkeit** *f.* ↑ ~unfähig 의 명사형. **~wagen** *m.* ① (고대의) 전투용〔경주용〕마차. ② 장갑차, 전차. **~welle** *f.* (수차의) 축(軸);〖건축〗홍예밑. **~wille** *m.* ↑ ~lust. **~zeit** *f.* 전투 시기. **~zeuge** *m.* (결투·시합의) 입회인. **~ziel** *n.* 투쟁 목표.

Kamphu [kámfu:] *m.* -s 고급 중국차(茶)의 이름.

kampieren [kampí:rən] 《lat.》 *i.* ① 야영하다;〖구어〗임시 숙소에서 묵다: auf freiem Feld ~ 들판에서 야영하다. ② 미쳐 날뛰다.

Kampo·santo [kampozánto] 《it.》 *m.* -(s), -s 묘지(Friedhof).

Kamputschea [kamputʃé:a] ↑ Kambodscha.

Kamputscheaner *m.* -s, - ↑ Kambodschaner.

kamputscheanisch *a.* ↑ kambodschanisch.

Kamsin [kamzí:n] 《ar.》 *m.* -s, -s〖지리〗(모래 먼지를 동반하는) 사하라 사막의 열풍.

Kamtschadale [kamtʃadá:lə] *m.* -n, -n 캄차카 사람.

Kamtschatka [kamtʃátka] 캄차카(러시아 동부의 반도).

Kamuffel [kamʊ́fəl] *n.* -s, -〖대개 욕설〗바보, 멍청이: so ein ~ 이런 바보가 있나.

Kana [ká:na] 가나(갈릴리의 작은 도시):〖聖〗Hochzeit zu ~ 가나의 혼례(요한 2:1).

Kanaan [ká:naan] 《hebr., „Tiefland"》 가나안(팔레스타인의 옛 이름).

kanaanäisch [kanaanɛ́:ɪʃ] *a.* 가나안(사람)의.

kanaanitisch [..ní:tɪʃ] *a.* ↑ kannanäisch.

Kanaaniter *m.* -s, - 가나안 사람.

Kanada [kánada] 《indian.》 캐나다.

Kanada·balsam *m.* 북아메리카의 송백류(松柏類)에서 채취한 수지〔송진〕.

Kanadier [kaná:diər] *m.* -s, - 캐나다 사람.

kanadisch *a.* 캐나다(산(産))의.

Kanaille [kanáljə, kanájə] 《frz.》 *f.* -n ①〖욕설〗악당, 깡패; 협잡꾼, 사기꾼. ② 천민, 하층민.

Kanake [kaná:kə] *m.* -n, -n ① 하와이의 토인, 남양 군도의 토인. ②〖욕설〗외국인 노동자(특히 터키인). ③〖구어·폄어〗교양 없는〔어리숙한〕사람.

*__Kanal__ [kaná:l] *m.* -s, ..näle ① 운하, 수로. ② 하수구, 배수로, 도랑. ③〖해부·植〗도관, 관(管):〖경박〗den ~ voll haben a) 싫증이 나다, b) 술에 (만)취하다; ich laß mir mal wieder den ~ voll laufen 나는 다시 잔뜩 취하도록 술을 마신다. ④ 해협: Britischer ~ 영불 해협. ⑤〖방송〗채널, 주파수. ⑥ 길, 경로, 루트: geheime Kanäle 비밀 루트.

Kanal·abgaben〖복수〗↑ ~gebühr. **~arbeiter** *m.* ① 운하〔하수도〕건설 노동자. ②〖政·은어〗배후 인물. **~bau** *m.* 운하 건설, 하수구 공사.

Kanälchen [..nɛ́:lçən] *n.* -s, - ↑ Kanal 의 축소형.

Kanal·deckel *m.* 하수구 뚜껑. **~fracht** *f.* 운하로 운반하는 화물. **~gebühr** *f.* 운하 사용료.

Kanalisation [kanalizatsió:n] 《lat.》 *f.* -en ① 운하 건설; 하수도 공사. ② 하수도망〔시설·조직〕.

kanalisierbar *a.* 배수할 수 있는, 하수도를 낼 수 있는.

kanalisieren *t.* ① 운하를 파다. ② 배수구를 만들다, 하수 시설을 하다. ③ 어떤 방향으로 유도하여 문제를 해결하다: damit soll der Unmut der Jugendlichen kanalisiert werden 그것으로써 청소년들의 불만을 해소시켜야 한다.

Kanalisierung *f.* ① 운하〔배수로〕건설. ② (문제의) 해결, (불만의) 해소.

Kanal·netz *n.* ↑ ~system. **~schiffahrt** *f.* 운하 항행. **~schleuse** *f.* 운하의 수문. **~strahlen** *pl.*〖理〗커낼선(線), 양극선(陽極線). **~system** *n.* 운하〔수로〕망, 하수망, 배수망. **~waage** *f.* 수준기(水準器), 수평기(器).

kananäisch [kananɛ́:ɪʃ] *a.* ↑ kanaanäisch.

Kanapee [kánapee] 《frz.》 *n.* -s, -s ① 긴 (안락) 의자, 소파. ② 파이 조각; 흰빵 샌드위치.

Kanaren [kaná:rən] *pl.* 카나리아 군도.

Kanari [kaná:ri] *m.* -s, - (südd., öst.),

Kanarie [kaná:riə] *f.* -n 카나리아새(카나리아 군도의 이름에서).

kanarien·gelb *a.* 카나리아새처럼 노란. **~vogel** *m.*〖動〗카나리아새. **~wein** *m.* 카나리아섬산(産) 포도주. **~zucht** *f.* 카나리아 사육.

Kanarier [kaná:riər] *m.* -s, - 카나리아 군도 사람.

Kanarische Inseln *pl.* ↑ Kanaren.

Kanaster [kanástər] 《sp.》 *m.* -s, -〖고어〗↑ Knaster[1].

Kandahar-Rennen [kándahar..] *n.* 칸다하 스키 대회(영국의 Kandahar 경의 이름에서).

Kandare [kandá:rə] 《ung.》 *f.* -n (말에게 물리는) 재갈: jn. an die ~ nehmen〔bringen〕, jn. an der ~ haben〔halten〕누구를 다잡다, 엄히 다루다.

Kandaren·stange *f.* 말고삐 메는 막대기.

Kandel[1] [kándəl] 《gr.》 *f.* -n (밑쪽으로 넓어

지는 깡통 모양의) (찻)주전자.
Kandel² 《lat.》 *f.* -n 〔*m.* -s, -n〕 ((Dach)-rinne) (지붕의) 홈통, 홈.
kandeln [kándəln] *t.* 홈을 파다.
Kandelaber [kandeláːbər] 《lat.》 *m.* -s, - 팔이 여러 개 달린 촛대.
Kandel·zucker [kándəl..] *m.* ↑ Kandiszucker.
***Kandidat** [kandidáːt] 《lat.》 *m.* -en, -en ① (어떤 지위의) 후보자, 〔지원·응모〕자: als ~ auftreten 입후보하다; einen ~en bezeichnen 〔wählen〕 후보를 지명〔선출〕하다; jn. als ~en aufstellen 누구를 후보로 내세우다. ② 〖학생〗 수험생: die ~en der Theologie 신학(박사) 학위 수험생. ③〖방언〗 가정 교사.
Kandidaten·liste *f.* 후보자 명단.
Kandidatin *f.* -nen ↑ Kandidat 의 여성형.
Kandidatur [..datúːr] *f.* -en 입후보: seine ~ anmelden〔zurückziehen〕 입후보하다〔입후보를 철회하다〕.
kandidieren [kandidíːrən] *i.* (h.) 입후보〔지원〕하다: für das Amt des Präsidenten ~ 대통령 선거에 입후보하다.
Kandidus *m.* 〖醫〗 칸디다증.
kandieren [kandíːrən] 《ar.》 *t.* 설탕에 절이다: kandierte Früchte 설탕에 절인 과일.
Kandis [kándɪs] *m.* - ↑ ~zucker.
Kandis·zucker *m.* 결정(結晶) 사탕.
Kanditen [kandíːtən] *pl.* 설탕에 절인 과실.
Kaneel [kanéːl] 《lat.》 *m.* -s, -e 계피(Zimt).
Kaneel≈baum *m.* 〖植〗 계수나무. **~blume** *f.* 계수나무꽃. **~stein** *m.* 〖광물〗 육계석(肉桂石).
Kanephore [kanefóːrə] *f.* -n (고대 그리스의 종교 행사에서) 제기(祭器)가 든 바구니를 머리에 인 귀족 처녀〔여인상〕.
Kanevas [kánəvas] 《frz.》 *m.* -(ses), -(se) ① 캔버스, 화포(畫布). ② (이탈리아 즉흥 희곡의) 각본.
kanevassen [..sən] *a.* 캔버스의.
Känguru 新정서 ⇦ Känguruh.
Känguruh [kɛ́ŋguru] 《austral.》 *n.* -s, -s 〖動〗 캥거루.
Kaniden [kaníːdən] *pl.* 〖動·총칭〗 갯과(科)의 동물(개·여우·재칼·늑대 등).
Kanin [kaníːn] 《lat.》 *n.* -s, -e 집토끼의 모피(제품).
***Kaninchen** [kaníːnçən] *n.* -s, - 〖↑ Kanin 의 축소형〗 ① 집토끼: ~ halten 토끼를 기르다; 〖구어·폄어〗 sie vermehren sich wie die ~ 그들은 토끼처럼 강하게 번식한다. ② 집토끼의 모피. ③ 토끼 고기 스테이크.
Kaninchen≈bau *m.* 〖복수: -e〗 집토끼의 굴, 토끼집. **~braten** *m.* 토끼 고기 스테이크. **~fell** *n.* 집토끼의 모피. **~gehege** *n.* 토끼 사육장.
kaninchenhaft [kaníːnçənhaft] *a.* 집토끼와 같은; 〖비유〗 다산(多産)의.
Kaninchen≈höhle *f.* 집토끼의 집. **~jagd** *f.* 토끼 사냥. **~jäger** *m.* 토끼 사냥꾼; 〖動〗 흰담비. **~stall** *m.* 토끼집〔장〕. **~wärter** *m.* 집토끼 사육인. **~zucht** *f.* 토끼 사육.
Kanister [kanístər] 《lat.》 *m.* -s, - (기름을 담는) 양철〔플라스틱〕통: Benzin in ~ füllen 〔gießen〕 휘발유를 통에 채우다〔붓다〕.
Kanker [káŋkər] 《lat.》 *m.* -s, - 〖動〗 ↑ Weberknecht.
Kankroid *m.* -(e)s, -e 〖醫〗 표피암(表皮癌), 각질암(角質癌).
kankrös [kaŋkrǿːs] *a.* ↑ kanzerös.
kann [kan] ↑ können 의 1·3 인칭 단수 현재형.
Kanna [kána] *f.* -s 〖植〗 칸나.
Kannä [kánɛ] *n.* -, - 〔교양〕 파국적 패배(기원전 216 년 Hannibal 이 로마군을 섬멸시킨 이탈리아의 Cannae 지방에서 유래).
Kann·bestimmung *f.* 〖法〗 임의 규정(↔ Mußbestimmung).
Kännchen [kɛ́nçən] *n.* -s, - ↑ Kanne 의 축소형.
***Kanne** [kánə] 《lat.》 *f.* -n ① (커피·홍차) 포트(Kaffee≈, Tee≈), 깡통, 주전자: 〖학생〗 in die ~ steigen lassen 술을 (억지로) 마시게 하다; 〖비유〗 in die ~ ! 마셔라 ! ; zu tief in die ~ geguckt haben 술에 취해 있다; es gießt wie aus〔mit〕 ~n 비가 억수같이 쏟아진다. ② 칸네(옛날의 액체 용량 단위; 약 1 리터). ③〖재즈〗 색스폰: eine scharfe ~ blasen 색스폰을 훌륭하게 연주하다.
Kanne≈gießer *m.* ① 석주공(錫鑄工). ②〔폄어〕 선술집 정론가(政論家), 시시한 정치 평론가(덴마크의 작가 L.V. Holberg 의 작품명에서). **~gießerei** *f.* 〔반어〕 시시한 정치 이야기, 선술집 정담(政談). **~gießern** *i.* (h.) 〔반어〕 시시한 정치 이야기를 하다, 시시한 정치 이야기로 기염을 토하다.
Kännel [kɛ́nəl] 《lat.》 *m.* -s, - (schweiz.) 추녀의 홈통, 빗물받이(↑ Kandel²).
Kannele [kanéːlə] 《frz.》 *f.* -n (Rinne) 홈, 나무로 만든 빗물받이, 후벼판 선, 요선(凹線).
kannelieren [kanəlíːrən] *t.* 〖건축〗 (기둥 등에) 홈을 파다, 요선(凹線)을 새겨 넣다: kannelierte dorische Säulen 홈이 새겨진 도리스식 기둥.
Kännel·kohle *f.* 역청탄.
Kannelierung *f.* -en 〖↑ kannelieren 의 명사형〗 ① 홈파기. ② (바위 등에) 패인 홈.
Kannelur [kanəlúːr], **Kannelüre** [kanelýːrə] *f.* -n 〖건축〗 홈, 요선(凹線).
Kannen≈bäcker *m.* 〔고어〕 도공(陶工). **~deckel** *m.* 주전자 뚜껑. **~gießer** *m.* ↑ Kannegießer. **~kraut** *n.* 〖植〗 쇠뜨기, 뱀밥. **~pflanze** *f.* 식충(食蟲)(덩굴 식물의 일종).
kannensisch *a.* 〔다음 용법으로〕〔교양·구식〕 ~e Niederlage 처참한 패배.
kannen≈weise *adv.* ① 깡통〔주전자〕에 넣어: das Öl wurde ~ verkauft 기름은 깡통에 넣어 판매되었다. ② 다량으로: im Büro wird ~ Kaffee getrunken 사무실에서는 다량의 커피를 마신다. **~zinn** *n.* 〖工〗 땜납(주석과 납의 합금).
Kannibale [kanibáːlə] 《sp.》 *m.* -n, -n ① 식인종. ②〔비유〕 잔인한 사람, 야만인.
kannibalisch *a.* ① 식인종의. ②〔비유〕 잔인한; 야만의: dort herrschen ~e Sitten 그곳에는 야만적 풍습이 지배하고 있다. ③〔농담〕 대단한: ~er Hunger 지독한 허기증; ~e Hitze 지독한 더위; 〔구어·농담〕 ich fühle mich ~ wohl 나는 몹시 기분이 좋다.
Kannibalismus *m.* - 식인(食人) 풍습; 〔비유〕 잔인, 야만.
Kannitverstan [kanítfɛrstaːn, kánɪt..]

《holl., „kann nicht verstehen“》 *m.* -s, -e 모르쇠, 언제나 “모른다”로 통하는 사람: Herr ~ 헤벨(J.P. Hebel)의 칼렌더 단편에 등장하는 인물의 이름.
kannst ↑ können의 2인칭 단수 현재형.
kannte ↑ kennen의 과거형.
Kann·vorschrift *f.* 〖法〗 ↑ ~bestimmung.
Kanoe [kanúː] *n.* -s, -s ↑ Kanu.
***Kanon** [káːnɔn] 《gr.》《Ⅰ》 *m.* -s, -s ① 표준, 규준, 법칙, 규범: Tugend~ 덕목. ② 신조, 신념, 행동 원칙. ③〖음악〗카논, 돌림노래. ④〖宗〗정경(正經)으로 인정된 서적, 성서 경전. ⑤〖교양〗필독〔권장〕도서 목록. ⑥ 인체의 표준형. ⑦〖가톨릭〗 **(a)** 〘복수: -es [káːnoneːs]〙 (공인된) 교회법, 종규(宗規), 교리, 계율. **(b)** 미사 때의 엄숙한 기도. **(c)** 〖가톨릭〗성인(聖人) 명부. ⑧〖法〗(소작인이 지급하는) 지대(地代). ⑨〖數〗일반 해법. ⑩〖天〗 **(a)** 천체 운행표. **(b)** 모든 일식과 월식의 분류〔총괄〕. 《Ⅱ》 *f.* 〖印·고어〗 큰 활자의 이름; 카논 활자(36 포인트).
Kanonade [kanonáːdə] *f.* -n 포격, (집중) 포화: eine ~ von Flüchen über jn. ergehen lassen 누구에게 저주의 포화를 퍼붓다.
***Kanone** [kanóːnə] *f.* -n ① 대포: mit ~n beschießen 포격하다; 〘속담〙 mit ~n auf 〔nach〕 Spatzen schießen 참새를 향해 대포를 쏘다(모기 보고 칼 빼들다). ②〖기계〗(시계의 태엽 감는 키에 있는) 관(管). ③ ↑ Kanonenstiefel. ④〘농담·구어〙(학계·스포츠계의) 거성, 대가, 명인, 중진, 유능한 사람: er ist eine ~ auf seinem Gebiet〔in seinem Fach〕 그는 자기 분야에서 능력 있는 사람이다. ⑤〘구어〙 unter aller ~ 사방에서 비판을 받는; (geladen) voll wie eine ~ 만취한. ⑥〘경박〙 권총, 피스톨.
Kanonen≈boot *n.* 포함. **~boot·politik** *f.* 무력 시위 정책. **~donner** *m.* 포성. **~fest** *a.* 포탄에 견뎌내는. **~feuer** *n.* 포화. **~fieber** *n.* (특히 신병의) 포격 공포증. **~flug** *m.* 〘시어〙포에서 날아오는 탄환. **~futter** *n.* 〘평어〙총알받이, 육탄병. **~gießerei** *f.* 주포(鑄砲) 공장. **~gut** *n.* 포금(砲金) (청동의 일종). **~könig** *m.* ① 대포왕(대포 제조자 A. Krupp을 일컬음). ② 군수(軍需) 재벌. **~kugel** *f.* 포탄. **~lauf** *m.* ↑ ~rohr. **~metall** *n.* 포금. **~ofen** *m.* 원통형의 쇠난로. **~pulver** *n.* (대포의) 폭약. **~rohr** *n.* 포신(砲身): 〘구어〙 (ach du) heiliges ~! (놀람과 당황의 표현) 세상에, 저런! **~schlag** *m.* ① 폭죽. ② (포탄이 터지는) 폭음, 굉음. **~schuß** *m.* 포격. **~schuß·weite** *f.* 대포 사정 거리, 착탄(着彈) 거리. **~stiefel** *pl.* 무릎까지 오는 장화. **~voll** *a.* 〘구어〙 곤드레가 된. **~wischer** *m.* 포강(砲腔) 청소용의 꽂을대.
Kanonier [kanoníːr] 《frz.》 *m.* -s, -e ① 포수, 포병. ②〘스포츠·은어〙골잡이.
kanonieren [..níːrən] *t./i.* (h.) ① 포격하다: eine Stadt ~ 어느 도시를 포격하다; 〘비유〙 압박하다, 다가오다. ②〘스포츠·은어〙(공을 골대에) 강하게 던지다〔차다〕.
Kanonik [kanóːnɪk] 《gr.》 *f.* ①〖哲〗규준학(規準學), (에피쿠로스 학파의) 논리학. ②〖음악〗음향학.
Kanonikat [kanonikáːt] 《lat.》 *n.* -(e)s, -e 〖宗〗주교좌 성당 참사회원의 직(위); 카노니크단 단원의 직(위).
Kanoniker [kanóːnikər] *m.* -s, -, **Kanonikus** [..kʊs] *m.* -, ..ker 〖宗〗주교좌 성당의 참사회원; 녹(祿)을 받는 참사 회원; 〖가톨릭〗카노니크 단원(규준을 지키며 공동생활을 함).
Kanonisation [..zatsióːn] *f.* -en 성렬(聖列) 가입, 성인 명부에 올림, 시성식(諡聖式).
kanonisch *a.* ① 전범〔규범〕이 되는, 규준의: ~e Werke der Bildhauerei 조각의 규범이 되는 작품들. ②〖가톨릭〗교회법에 맞는, 종교 규칙에 따른. ③ 성서 경전의, 정경(正經)의.
kanonisieren *t.* 성인 명부에 넣다; 정경(正經)으로 인정하다; 종교법에 따라 윤허하다: der Märtyrer wurde im 19. Jh. kanonisiert 그 순교자는 19세기에 시성(諡聖)되었다.
Kanonisse [..nísə] *f.* -n, **Kanonissin** *f.* -nen ① 교단〔수도회〕의 (고위) 여성 회원, (귀족 출신의) 수녀. ②〖가톨릭〗기도 수녀.
Kanonist *m.* -en, -en 교회법 학자.
Kanonizität *f.* 교회법에 들어맞음; 정경(正經)임.
Kanope [kanóːpə] *f.* -n ① 사람 머리 모양의 뚜껑이 덮이고 배가 불룩 나온 항아리(고대 이집트에서 미라의 내장을 넣어 둠). ② (사람 머리 모양의 뚜껑이 달린) 에트루리아의 단지.
Kanope·deckel *m.* 위 항아리의 뚜껑.
Kanossa [kanɔ́sa] *n.* -s, -s 카노사(북이탈리아의 옛 성; 1077년에 Heinrich 4세가 여기서 교황에게 굴복함); 〘비유〙 굴욕, 순종: nach ~ gehen 굴욕을 감수하다.
Kanossa·gang *m.* 굴욕〔굴복〕(의 길): einen ~ antreten 굴욕의 길을 떠나다.
Känozoikum [kɛnotsóːikʊm] *n.* -s 〖지질〗 신생대.
känozoisch *a.* 신생대의.
Kant[1] [kant] *m.* Immanuel ~ 칸트(독일의 철학자, 1724-1804).
Kant[2] *m.* -(e)s, -en 빵껍질, 부스러기.
kantabel [kantáːbəl] *a.* 〖음악〗노래로 부르는, 성악의; 노래하기에 적합한: eine kantable Komposition 노래하기에 알맞은 작곡.
Kantabile [kantáːbile] 《lat.》 *n.* -, - 〖음악〗 가요풍의 선율이 풍부한 악곡.
Kantabilität *f.* 〖음악〗① 가요풍, 가요적 표현. ② 아름다운 선율〔음조〕, 노래하기에 알맞음.
Kantabrer [kantáːbrər] *m.* -s, - (고대 이베리아의) 칸타브리아인.
Kantabrien [kantáːbriən] 칸타브리아(북부 에스파냐의 한 지방).
kantabrisch *a.* 칸타브리아인〔지방〕의.
Kantar [kantáːr] 《ar.》 *m./n.* -s, -e 칸타(터키·이집트 등 회교국의 중량 단위).
Kantate[1] [kantáːtə] 《lat.》 *f.* -n 〖음악〗 칸타타, 교성곡(交聲曲)(관현악을 동반하며 독창·합창을 포함한 가곡).

Kantate[2] 《lat.》《Ⅰ》 *m.* - 부활절 후의 제 4 주일(主日): das Evangelium zum Sonntag ~ 부활절 후 제 4 주일의 복음. 《Ⅱ》 *n.* - 위의 날에 Leipzig에서 열린 옛날의 서적 시장.
***Kante** [kántə] *f.* -n ① 모서리, 모퉁이; 구석, 변두리, 끄트머리; (가느다란) 선반: eine scharfe〔stumpfe〕 ~ 날카로운〔뭉툭한〕 모서리; die ~ des Bettes 침대의 가장자리; auf die hohe ~ legen 세로로 세워놓다; 〘구어〙 Geld auf die hohe ~ legen 돈을 저축하다;

〔구어〕 et. auf der hohen ~ haben 어느 정도의 돈을 저축해놓고 있다; auf der ~ stehen 불안정하다; an allen Ecken und ~n 도처에: es brennt an allen Ecken und ~n 사방에 불이 났다. ② (직물의) 가장자리: zerklöppelte ~n 레이스(를 단 가장자리). ③ ↑ Kant[2]. ④ 〔방언〕 길고 좁은 화단. ⑤〖등산〗(양면이 가파른 절벽으로 된) 바위 능선. ⑥〔구어〕 지역, 지방: aus welcher ~ stammen Sie denn? 대체 당신은 어느 지방 출신이오? ⑦〖언어학〗 이음선, 접속선.

Kantel[1] [kántəl] *m./n.* -s, - 〔고어〕 길이 단위의 일종.

Kantel[2] *f.* -n 각목, 각재(角材).

kanteln [kántəln] *t.* ①〔고어〕 자로 선을 긋다. ② 모서리를 밑으로 하여 세우다, 세워 놓다. ③ (통 등을) 굴리다; 돌리다. ④ (가장자리를) 다듬다.

kanten 《I》 *t.* ① 모가 나게 만들다, (돌 등을) 네모로 쪼개다. ② 가두리를 대다. ③ ↑ kanteln ②, ③. ④〖스키〗 강철날을 대다. 《II》 *i.* (h.) 회전하다, 돌다.

Kanten *m.* -s, - 〔구어〕 ↑ Kant[2].

Kanten≈ball *m.*〖탁구〗 탁구대 가장자리에 맞은 볼, 에지 볼. **~besatz** *m.* 레이스 가장자리 장식. **~geschiebe** *n.* 모난 표석(漂石), 삼릉석(三稜石). **~kleid** *n.* 레이스로 가장자리를 장식한 옷. **~winkel** *m.* 두 면이 맞닿아서 생기는 각.

Kanter[1] [kántər] *m.* -s, - ① (맥주통 등의) 받침대. ②〖動〗 거위의 수컷. ③〔고어〕 지하 창고.

Kanter[2] [kántər, kɛ́n..] 《engl.》 *m.* -s, - 칸터(느린 갤럽), (말의) 짧고 가벼운 구보:〖스포츠·승마〗 im ~ siegen 쉽게 낙승하다.

kantern [kán.., kɛ́n..] *i.* (h.)〖승마〗 가볍게 구보하다.

Kanter·sieg *m.*〖승마〗 낙승, 쉽게 이김.

Kant·haken [kánt..] *m.*〖海〗(통나무 등을 움직이는) 갈고랑쇠가 달린 지렛대〔장대〕:〔구어〕 jn. beim ~ fassen〔kriegen〕 분명하게 의견을 말하다; et. am ~ packen 어떤 (어려운) 일을 해치우다.

Kantharide [kantarí:də] 《gr.》 *m.* -n, -n〖動〗 가뢰.

Kanthariden·pflaster *n.*〖醫〗 발포고(發疱膏).

Kantharidin *n.* -s 칸타리딘(가뢰의 성분으로 된 피부 자극 연고제).

Kant·holz *n.* ① 각재(角材). ② 네모자.

Kantianer [kantiá:nər] *m.* -s, -〖哲〗 칸트주의 학자, 칸트파 학자.

Kantianismus [kantianísmus] *m.* -〖哲〗 칸트주의, 칸트학파.

kantig [kántɪç] *a.* 각이〔모서리가〕 있는, 뾰족한 가장자리가 있는: ~ hauen 모가 나게 자르다; ein ~es Gesicht 모가 난〔골격이 뚜렷한〕 얼굴; ein ~es Kinn 뾰족한 턱.

..kantig *suf.* "모서리가 있는"의 뜻(보기: drei~ 3 개의 모서리가 있는).

Kantilene [kantilé:nə] 《lat.》 *f.* -n〖음악〗 짧은 가곡; (기악곡의) 가창풍(歌唱風) 선율.

Kantille [kantílə, ..tíljə] 《lat.》 *f.* -n (가장자리 장식·수에 쓰는) 금실 또는 은실을 꼬아 만든 끈, 장식술.

Kantine [kantí:nə] 《lat.》 *f.* -n ① (병영·공장의) 매점, 구내 식당. ②〖軍〗 수통, 밥통.

Kantinen≈essen *n.* 구내 식당에서의 식사. **~wirt** *m.* 구내 식당 운영자.

Kantineur [kantinø̍:r] 《frz.》 *m.* -s, -e (öst.) 구내 식당〔매점〕 주인〔운영자〕.

Kantinier [kantinié:] *m.* -s, -s ↑ Kantineur.

kantisch [kántɪʃ] *a.*〖哲〗 칸트(주의 철학)의: ein zentraler ~er Begriff 칸트(주의) 철학의 중심 개념.

Kanton[1] [kántɔn] 광둥(廣東)(중국의 도시).

***Kanton**[2] [kantó:n] 《lat.》 *m.* -s, -e ① (스위스의) 주(州). ② (프랑스와 벨기에의) 지방 행정 구역. ③ (프러시아의) 병무 행정 구역, 징병구(區).

kantonal [kantoná:l] *a.* ↑ Kanton[2] 의 형용사형.

Kantonal·bank *f.* (schweiz.) 주립 은행.

Kantönchen [kantø̍:nçən] *n.* -s, - ↑ Kanton[2] 의 축소형.

Kantoniere [kantoníe:rə] 《it.》 *f.* -n (이탈리아 알프스 지방의) 도로 감시 초소; (알프스 지방의) 작은 음식점.

kantonieren 《I》 *t.* 주둔시키다. 《II》 *i.* (h.) 주둔하다.

Kantonierung *f.* -en 주둔.

Kantonist *m.* -en, -en 〔고어〕 징집된 신병, 입영자:〔구어〕 ein unsicherer ~ a) 신뢰할 수 없는 사람, b) 병역 기피자.

Kantönligeist [kantø̍:nli..] *m.* (schweiz.)〔펌어〕 편협한 지방색, 편협.

Kantonnement [kantɔnəmã́:, (schweiz.) ..mɛ́nt] *n.* -s, -s/-e 〔고어〕 주둔지: ~s beziehen 주둔하다.

Kantons≈gericht *n.* (스위스의) 주 법원. **~rat** *m.* ① 주 의회. ② 주 의회 의원. **~rätin** *f.* 주 의회 여성 의원. **~schule** *f.* 주립 학교. **~spital** *n.* (schweiz.) 주립 병원.

Kantor [kántɔr, ..to:r] 《lat.》 *m.* -s, -en [..tó:rən] ① (중세의) 그레고리우스 성가 합창단의 지휘자 겸 선창자. ② (15 세기 이후의) 학교 합창단 교사. ③ (오늘날의) 성가대 지휘자.

Kantorat *n.* -(e)s, -e 성가대 지휘자의 직〔임기〕.

Kantorei [kantoráɪ] *f.* -en ① 성가대 지휘자의 집. ② 성가대.

Kantoren·amt *n.* 성가대 지휘자의 직.

Kantschu [kántʃu] 《türk.》 *m.* -s, -s (짧고 굵은) 가죽 회초리.

Kant·stein *m.* (대문〔성문〕이 너무 많이 열리지 않도록 하는) 받침돌.

Kantus [kántus] 《lat.》 *m.* -, -se 〔학생〕 노래: einen ~ steigen lassen 노래를 부르다.

Kantusche *f.* -n (ndd.) 상의(Jacke), 외투.

Kanu [kanú:, ká:nu] 《engl.》 *n.* -s, -s 카누, 마상이, 통나무 배, 가죽배.

Kanüle [kaný:lə] 《frz.》 *f.* -n〖醫〗 ① 삽관(插管), 투관(套管) (기관(氣管)을 절개한 후에 호흡시키기 위하여 삽입함). ② 주삿바늘.

Kanu·slalom *m.*〖스포츠〗 카누슬랄롬(카누를 타고 장애물을 통과하는 경기).

Kanute [kanú:tə] *m.* -n, -n 카누 선수.

***Kanzel** [kántsəl] 《lat.》 *f.* -n ① 설교단:〔방언〕 et. von der ~ herab verkünden (목사가 단 위에서) 무엇을 선포하다. ②〔고어〕 강단; 연단. ③ 조종실: die Besatzung klettert

〔steigt〕 in die ～ 승무원이 조종실로 올라간다. ④〖사냥〗 매복처(↑ Anstand ②). ⑤〖등산〗 (암벽의 평평한) 돌출부.

Kanzel≈beredsamkeit *f.* 설교술, 설교투의 능변. **~dach** *n.*, **~deckel** *m.* (목소리가 잘 들리도록 연단 위에 설치하는) 반향판, 울림판.

Kanzellariat [kantsɛlariá:t] 《lat.》 *n.* -(e)s, -e ① 장관〔내각 사무처장〕의 직. ② 장관〔내각 사무처장〕의 방.

Kanzelle [kantsɛ́lə] *f.* -n ①〖음악〗(오르간의) 송풍관. ② (하모니카의 떨림판이 있는) 작은 칸. ③ (교회 합창단석의) 칸막이.

Kanzel·lied *n.* 설교 전후의 찬송가.

kanzellieren *t.* 〔고어〕 (문서에 가위표를 하여) 삭제하다.

kanzel·mäßig *a.* 설교에 알맞은, 설교다운.

kanzeln 《lat.》 *i.* (h.) / *t.* ① 설교하다; 설교조로 말하다. ②〔비유〕 질책〔탄핵〕하다.

Kanzel≈rede *f.* 설교. **~redner** *m.* 설교자. **~sprung** *m.* (설교단에서의) 약혼 선포: den ～ tun 약혼을 선포하다. **~stil** *m.* 설교체. **~ton** *m.* 설교조〔투〕. **~vortrag** *m.* 설교.

kanzerogen [kantsərogé:n] 《lat.》 *a.* 〖醫〗 암을 유발하는, 발암성(發癌性)의.

kanzerös [kantserǿ:s] *a.* 〖醫〗 암 같은, 암 종류의.

***Kanzlei** [kantslái] 《lat.》 *f.* -en ① 내각 사무처, 사무국; 관청. ② 사무처 직원. ③ (변호사의) 사무실. ④〔방언〕 상급 법원. ⑤ ↑ ~schrift.

Kanzlei≈ausdruck *m.* 〖폄어〗 (불분명한) 관청식 표현, (애매한) 공문서체. **~beamte** *m.* 관청 직원, 관리. **~bedarf** *m.* 관청의 수요품. **~bote** *m.* 관청의 사환. **~deutsch** *n.* 딱딱한 관청식 독일어. **~diener** *m.* 관청의 사환. **~format** *n.* 〔고어〕 관청 용지의 크기 (33×42 cm). **~herrschaft** *f.* 관료 정치. **≈-mäßig** *a.* 관청식〔관리식〕의. **~papier** *n.* (희고 질 좋은) 관청 용지. **~personal** *n.* 관청 직원. **~rat** *m.* 상급 재판소 참사관. **~-schreiber** *m.* 내각 사무처 서기, 관청 서기. **~schrift** *f.* 관청식 서체. **~sprache** *f.* 관청용 독일어, (딱딱하고 애매한) 관청 용어. **~stil** *m.* ↑ ~ausdruck. **~vorsteher** *m.* 사무처장, 국장.

***Kanzler** [kántslər] 《lat.》 *m.* -s, - ① (고위 성직자로서 통치자의 공문서를 다룬) 상서(尙書), 궁내관(宮內官). ② (재외 공관의) 서기장. ③ (Reichs≈) 수상, 장관: Bundes≈ 연방 수상. ④ (대학의) 사무처장, 총장.

Kanzler≈amt *n.* ① ↑ Bundeskanzleramt. ② (연방) 수상의 직(위). **~kandidat** *m.* 수상 후보(자).

Kanzlerschaft *f.* 수상의 지위〔위엄〕.

Kanzlist [kantslíst] *m.* -en, -en ↑ Kanzleischreiber.

Kanzone [kantsó:nə] 《it.》 *f.* -n ① (5-10 연으로 된) 프로방스 및 프랑스의 시 형식. ② (프랑스 16 세기의) 무반주 합창곡. ③ 가요풍의 기악곡. ④ 칸초네, 서정적 가곡. ⑤ 소나타의 악절(樂節).

Kanzonette [..nɛ́tə] *f.* -n 가요, 소곡(小曲).

Kaolin [kaolí:n] 《chin.》 *n.* / *m.* -s, -e 〖광물〗 고령토, 도토(陶土).

Kaolin·erde *f.* 고령토.

kaolinisieren *t.* 도토화(陶土化)〔고령토화〕하다.

Kap [kap] 《it.》 *n.* -s, -s 곶(串), 갑(岬): das ～ der Guten Hoffnung 희망봉.

Kap. ↑ Kapitel ①.

kapabel [kapá:bəl] 《frz.》 *a.* 재간이 있는, 유능한.

Kapaun [kapáun] 《lat.》 *m.* -s, -e 〔구어〕 거세한 수탉; 〔비유〕 유약한 남자.

kapaunen *t.* (수탉을) 거세하다.

kapaunisieren *t.* ↑ kapaunen.

Kapazität [kapatsité:t] 《lat.》 *f.* -en ① 수용력, 용적; (열·전기의) 용량; (기계 등의) 내량(耐量). ② (기업체의) 최대 생산 능력; 〔대개 복수〕 생산 시설〔설비〕: ausgelastete〔nicht ausgenutzte〕 ～ 완전 가동된〔충분히 가동되지 않은〕 생산 시설; die Fabrik hat eine ～ von ungefähr einer Million Wagen im Jahr 그 공장은 연간 약 일백만 대의 차량 생산 능력을 가지고 있다. ③ 이해력; 〖法〗 자격, 능력. ④ 재간, 역량; 수완〔역량〕 있는 사람, 전문가, 권위자: eine wissenschaftliche ～ 학문적으로 역량 있는 사람.

kapazitativ [kapatsitatí:f] *a.* (콘덴서의) 용량의: ～e Erwärmung 고주파 가열; ～er Widerstand (교류 전기 회로의) 콘덴서 저항.

Kapazitäts≈auslastung *f.* 생산 시설의 완전 가동. **~erweiterung** *f.* 생산 시설〔능력〕의 확충.

kapazitiv *a.* ↑ kapazitativ.

Kapee [kapé:] *n.* - 〔농담〕 지력, 이해: schwer von ～ sein 머리가 둔하다; ～ haben 잘 이해하다.

Kapelan [kapəlá:n] *m.* -s, -e (북대서양에 서식하는 작은) 연어.

Kapella [kapéla] 《lat.》 *f.* 〖天〗 마차군 자리의 1 등성.

Kapellan *m.* -s, -e ↑ Kaplan.

Kapellchen *n.* -s, - ↑ Kapelle[1] 의 축소형.

***Kapelle**[1] [kapɛ́lə] 《lat.》 *f.* -n ① 예배당. ② 교회의 합창단. ③ 관현악단, 악대.

Kapelle[2] 《lat.》 *f.* -n 〖工〗 도가니, 재반이.

Kapellen·ofen *m.* 도가니로(爐).

kapellieren *t.* 도가니로 은을 납과 분리시키다, 야금하다.

Kapell·meister [kapɛ́l..] *m.* 〖음악〗 ① 지휘자, 악장(樂長). ② (총감독 다음의) 상임 관현악 지휘자.

Kaper[1] [ká:pər] 《ar.》 *f.* -n 〖植〗 풍조목(風鳥木)의 꽃봉오리(식초에 절여서 조미료로 씀).

Kaper[2] 《holl.》 *m.* -s, - (무역 전쟁의 해전에서) 적 상선 나포를 허가받은 개인 무장선; 해적(선); 약탈선.

Kaper·brief *m.* 적 상선 나포 허가증.

Kaperei [ka:pərái] *f.* -en 〖史〗 적선 나포, 약탈.

Kaper≈fahrt *f.* 적선 나포를 위한 항해. **~gut** *n.* 나포물, 약탈품, 전리품.

kapern [ka:pərn] 《I》 *i.* (h.) 적선을 나포〔해상 약탈〕하다. 《II》 *t.* ① (배를) 나포〔약탈〕하다. ②〔구어〕 (무엇을·누구를) 점유하다, 획득하다, 강탈하다, 빼앗다: sie hat sich einen Millionär gekapert 그녀는 백만 장자를 남편으로 낚았다.

Kapernaum [kapɛ́rnaum] 가버나움(성서에 나오는 게네자렛 호숫가의 작은 마을).

Kapern≈brühe *f.* 〖요리〗 Kaper[1] 의 소스.

K

~**gewächse** *pl.* 〖植〗 풍조목과(風鳥木科). ~**sauce** [..zo:sə, ..so:s], ~**soße** *f.* ↑ ~-brühe. ~**staude** *f.*, ~**strauch** *m.* 〖植〗 풍조목. ~**tunke** *f.* ↑ ~brühe.

Kaper·schiff *n.* ↑ Kaper².

Kaperung [ká:pəruŋ] *f.* -en 적선 나포.

Kapetinger [ká(:)petıŋər] *m.* -s, - 카페 왕가의 사람들(프랑스의 왕조(957-1327)).

Kap·fenster *n.* 〔방언〕 돌출한 천정 창문, 채광창.

Käpfer *m.* 〖건축〗 홍예 받침대, 홍예석.

Kap·holländer *m.* 희망봉 식민지 거주 네덜란드 사람.

kapieren [kapí:rən] 《lat.》 *t.* 〔구어〕 이해〔납득〕하다, 알아듣다: (hast du endlich) kapiert? (이제) 알았느냐?

kapillar [kapılá:r] 《lat. capillus》 *a.* 머리털처럼 가느다란; 모세관(인력(引力))의.

Kapillar≈analyse *f.* 〖物〗 모세관 분석. ~-**attraktion** *f.* 모세관 인력(引力). ~**chemie** *f.* 계면(界面) 화학(Grenzflächenchemie).

Kapillare [kapılá:rə] 《lat.》 *f.* -n 모세관.

Kapillar≈elektrometer *n./m.* 모세 전기계(電氣計). ~**gefäß** *n.* 〖醫〗 모세 맥관(脈管).

Kapillarität [kapılaritɛ́:t] *f.* 모세관 인력〔현상〕.

Kapillar·mikroskopie *f.* 〖醫〗 모세(혈)관 현미경 검사.

Kapillitium [kapılí:tsium] *n.* -s, ..tien [..tsiən] 〖植〗 세모체(細毛體), 세모 조직.

Kapistrum [kapístrum] 《lat.》 *n.* -s, ..stren 〖醫〗 (Halfter) 턱에서 머리 위로 감는 붕대.

kapital [kapitá:l] 《lat. caput》 *a.* ① 주요한; 탁월〔훌륭〕한; 현저한: ein ~er Irrtum〔Fehler〕 현저한 과오〔실수〕. ② 굉장히 큰, 튼튼한: ein ~er Bulle 굉장히 큰〔강한〕 황소.

***Kapital** [kapitá:l] *n.* -s, -e/-ien [..liən] ① 자본(금), 기금, 기본 재산; 원금: bewegliches〔flüssiges, variables〕 ~ 유동 자본; konstantes ~ 불변 자본; fixes〔stehendes〕 ~ 고정 자본; totes ~ 이윤을 내지 않는 사장된 돈; verfügbares ~ 가용 자본; zirkulierendes ~ 순환 자본; ~ aufnehmen 자금을 조달하다; ein ~ anlegen〔einfrieren〕 자금을 투자〔동결〕하다; ~ in ein Geschäft stecken 어떤 사업에 투자하다; 〔비유〕 aus et.³ ~ schlagen 무엇을 이용하다, 무엇에서 이득을 보다: aus dem Unglück anderer ~ schlagen 다른 사람들의 불행을 이용하여 이득을 취하다. ② 자본가(의 총체), 자본주. ③ 약간의 돈〔현금〕. ④ 〖제본〗 장정 띠, 정대(頂帶)(서적의 아래위를 장식하거나 단단하게 하기 위한 띠).

Kapitäl [kapitɛ́:l] *n.* -s, -e ↑ Kapitell.

Kapital≈abgabe *f.* (자본) 이자 소득세. ~**abwanderung** *f.* ↑ ~flucht. ~**anlage** *f.* 투자. ~**aufstockung** *f.* 증자(增資). ~-**ausfuhr** *f.* 자본의 해외 반출. ~**band** *n.* ↑ Kapital ④. ~**bedarf** *m.* 자본 수요. ~**bildung** *f.* 자본 형성. ~**bock** *m.* 큰 숫염소; 장식을 한 마부의 자리. ~**buchstabe** *m.* 〖印〗 대문자, 두문자(頭文字).

Kapitälchen¹ [kapitɛ́:lçən] *n.* -s, - 〔↑ Kapital 의 축소형〕 ① 소자본. ② 〖印〗 소문자 크기의 대문자 (장식용) 서체(보기: TEXT).

Kapitälchen² *n.* -s, - ↑ Kapitäl 의 축소형.

Kapitale [kapitá:lə] 《lat.》 *f.* -n 수도.

Kapital≈eigner *m.* 자본주. ~**erhöhung** *f.* 증자(增資). ~**ertrags·steuer** *f.* 〖經〗 이자 소득세. ~**export** *m.* 자본 해외 반출(~ausfuhr). ~**fehler** *m.* 중대한 과실〔착오〕. ~**flucht** *f.* 자본 도피. ~**geber** *m.* 자본주, 출자자. ~**gesellschaft** *f.* (주식 회사 또는 유한 책임 회사의) 합자 회사. ~**gewinn** *m.* 자본 이윤. ~**hirsch** *m.* 거대한〔힘센〕 사슴. ≈**intensiv** *a.* 자본 집약적인. ~**investition** *f.* 자본 출자.

Kapitalisation [kapitalizatsió:n] 《lat.》 *f.* -en ↑ Kapitalisierung.

kapitalisieren *t.* ① 자본을 공급〔조달〕하다. ② 자본화하다, 자본으로 보다〔간주하다〕; (증권을) 현금화하다.

Kapitalisierung *f.* -en ① 자본 조달. ② 자본화, 현금화.

***Kapitalismus** *m.* - 자본주의: Früh≈ 초기 자본주의.

Kapitalist *m.* -en, -en ① 자본가. ② 〔고어〕 이자〔연금〕 소득자.

kapitalistisch *a.* 자본가의; 자본주의의: ein ~es Wirtschaftssystem 자본주의 경제 체제.

Kapital≈junge, ~**kerl** *m.* 멋진 남자, 호남아. ~**konto** *n.* 자본금 계정, 순자산 계정. ~**kraft** *f.* 자본력. ≈**kräftig** *a.* 자본력이 있는. ~**markt** *m.* 자본〔금융〕 시장. ~**pferd** *n.* 훌륭한 말, 준마. ~**schrift** *f.* 대문자, 두(頭) 문자. ~**steuer** *f.* 재산세. ~**verbindung** *f.* 합자(合資). ~**verbrechen** *n.* 중죄. ~**verkehr·steuer** *f.* 자본 유용세(流用稅). ~**vermögen** *n.* 자본 재산. ~**zinsen** *pl.* 자본 이자. ~**zufluß** *m.* 자본의 유입.

***Kapitän** [kapitɛ́:n] *m.* -s, -e ① 〔고어〕 대장; 〖軍〗 대위. ② 〖海〗 선장, 함장; 〖空〗 기장: ~ zur See 함장, 해군 대령; 〔구어〕 ~ der Landstraße 장거리 화물차 운전 기사. ③ 〖스포츠〗 주장.

Kapitän·leutnant *m.* 해군 대위.

Kapitäns≈kajüte *f.* 선장의 방〔거실〕. ~-**patent** *n.* 선장 면허증〔사령장〕.

***Kapitel** [kapítəl] *n.* -s, - ① (서적·논문의) 장(章)(약어: Kap.); 〔비유〕 (독립된) 화제, 주제; jm. ein〔das〕 ~ lesen 누구를 훈계〔견책〕하다; das ist ein ~ für sich 그것은 특별한 일이다, 한마디로 설명할 수 없는 문제다; das ist ein schwieriges ~ 그것은 어려운 일〔문제〕이다; ein dunkles〔trauriges〕 ~ 암울〔비참〕한 시기〔시대〕. ② (Dom≈) 주교좌 성당 참사회; 교회 재단〔법인〕.

Kapitel≈beschluß *m.* 〖가톨릭〗 주교좌 성당 참사회의 결정. ≈**fest** *a.* 성전(聖典)〔교리〕에 정통한; 〔농담〕 건강한(gesund): 〔비유〕 in et.³ ~ sein 무엇에 정통해 있다.

Kapitell [kapitɛ́l] *n.* -s, -e 〖건축〗 주두(柱頭), 기둥머리.

kapiteln [kapítəln] 〔방언〕 *t.* ① 장(章)으로 나누다. ② 〔비유〕 나무라다, 훈계하다.

Kapitel≈saal *m.* 수도원 회의실. ~**überschrift** *f.* 장(章)의 표제. ≈**weise** *adv.* 장마다, 장으로 나누어.

Kapitol [kapitó:l] 《lat.》 *n.* -s ① 옛 로마의 성(로마의 7 언덕 중의 하나인 카피톨 언덕에 있음). ② (미국의) 국회 의사당.

kapitolinisch *a.* ↑ Kapitol 의 형용사형.

Kapitulant [kapitulánt] 《lat.》 *m.* -en, -en

①〖軍〗장기 복무병, 복무 연한 연장병. ②〔펌어〕(정치적 논쟁의) 패배자.
Kapitular [..lá:r] *m.* -s, -e〖가톨릭〗주교좌 성당 참사회원.
Kapitularien [kapitulá:riən] *pl.* 카롤링 왕조의 법령집.
Kapitulation [..tsió:n] *f.* -en〖軍〗① 항복. ② 항복 조약〔협정〕. ③ 복무 연장.
kapitulieren *i.* (h.) ① 항복〔기권·포기〕하다: vor einer schwierigen Aufgabe ~ 어떤 어려운 과제를 포기하다. ② 복무 연한을 연장하다.
Kap·kolonie *f.*〔고어〕↑ Kapprovinz.
Kap·laken [kápla:kən] 《holl.》 *n.*〖海〗(화주(貨主)가 선장에게 주는) 운임 할증금, 운임외 사례금.
Kaplan [kaplá:n] 《lat.》 *m.* -s, Kapläne 예배당 배속의 사제〔목사〕; (어떤 시설의) 전속 목사;〖가톨릭〗부사제(副司祭), 보좌 신부.
Kaplanei *f.* -en 전속 목사〔신부〕의 임금〔주택〕.
Kap·land [káplant] *n.* ↑ Kapprovinz.
Kapo [kápo] *m.* -s, -s ①〖軍〗하사관. ② (집단 수용소에서) 다른 죄수를 감시하는 죄수.
Kapodaster [kapodástər] 《it.》 *m.* -s, -〖악기〗카포다스터, (현악기의) 줄굄목.
Kapok [kápɔk] 《mal.》 *m.* -s 케이폭(열대산(産) 교목의 열매에 난 연한 털로서 베개나 이불의 속으로 씀) (↑ Pflanzendaunen).
kapores [kapó:rəs] 《hebr.》 *a.* (entzwei) 조개진, 부서진, 파산한: er hat das Fenster ~ geschlagen 그는 창문을 깨뜨려 버렸다; ~ gehen ↑ kaputtgehen.
Kapotte [kapɔ́tə] 《frz.》 *f.* -n, **Kapott·hut** *m.* (중년 부인용의) 끈달린 작은 모자.
Kappa [kápa] *n.* -(s), -s 그리스 자모의 열째 자(*k*, *K*).
Kappadokien [kapadó:kiən], **Kappadozien** [..dó:tsiən] 카파도키아(동부 소아시아의 산악 지방).
Kappadozier *m.* 카파도키아인.
kappadozisch *a.* 카파도키아의.
Kapp≈baum *m.* ①〖건축〗(Holm) 가름대, 들보. ② 가지를 베어낸 나무. **~beil** *n.* 선원의 손도끼.
Käppchen [kɛ́pçən] *n.* -s, -〔↑ Kappe의 축소형〕작은 두건, 성직자가 쓰는 모자.
***Kappe** [kápə] *f.* -n ①〔고어〕두건이 달린 외투. ② (테없는) 모자, 두건; 성직자 모자; (어릿광대가 쓰는) 끝에 방울 달린 벙거지:〔비유〕der Berg hat eine weiße ~ 산에 하얀 눈이 덮였다. ③〔비유〕jm. eine〔et. auf die〕~ geben 누구의 따귀를 때리다, 누구를 욱박지르다; et. auf seine (eigene) ~ nehmen 무엇을 책임지다; etwas kommt〔geht〕auf js. ~ 무엇이 누구의 책임이 되다;〔속담〕gleiche Brüder, gleiche ~n 유유상종(類類相從); jedem Narren gefällt seine ~ 어떤 바보라도 제 잘난 멋에 산다. ④〖植〗뿌리골무; 선모(蘚帽). ⑤〖數〗구결(球缺). ⑥〖海〗선실 입구의 위 뚜껑. ⑦〖광산〗위로 가로지른 받침대. ⑧〖사냥〗(매의) 얼굴덮개. ⑨〖건축〗반원형 천장, 궁륭(穹窿); (장벽(牆壁) 따위의) 꼭대기 부분, 관석(冠石): böhmische ~ 우(隅)진각 궁륭. ⑩〖工〗(구두의) 앞부리; (기계·기구의) 씌우개, 덮개; (굴뚝 따위의) 삿갓; (의복의) 기운 부분.
kappen[1] [kápən] *t.* ① 모자를 씌우다, 꼭대기〔머리〕를 덮다, 삿갓을 씌우다; (양말 따위를) 깁다: Stiefel ~ 장화 앞부리〔뒤축〕에 가죽을 대다. ②〔구어〕(jn.) 따귀를 때리다, 한대 먹이다. ③〔구어〕(죄수를) 체포하다, 붙잡다.
kappen[2] *t.* (닭·오리가) 교미하다: der Hahn kappt die Henne 수탉이 암탉과 교미한다.
kappen[3] 《holl.》 *t.* ① 끝을 베어내다; (산울타리 따위를) 깎아 다듬다: einen Baum ~〔die Krone eines Baumes ~〕나무의 우듬지를 깎아 다듬다〔쳐내다〕; der Etat ist um zehn Prozent gekappt worden 재정〔예산〕이 10 퍼센트 삭감되었다. ② (나무를) 일정한 길이로 자르다. ③ 어떤 일을〔관계를·대화를〕중단하다. ④〖海〗(돛대·밧줄 따위를) 자르다: jm. das Telefon ~ 누구의 전화를 끊어 버리다.
kappen[4] *t.* (동물을) 거세하다(kastrieren).
Kappen≈abend *m.* (광대 모자를 쓰고 하는) 야간 파티. **~fläche** *f.*〖工〗절단면. **~gewölbe** *n.*〖건축〗속에 또 하나의 작은 궁륭(穹窿)이 들어앉은 궁륭. **~macher** *m.* 모자 제조인. **~mantel** *m.* 두건이 달린 외투. **~muskel** *m.*〖해부〗승모근(僧帽筋). **~zeug** *n.* 모자 제조용 모직포(毛織布).
Kappes [kápəs] *m.* -〖植〗양배추;〔구어〕난센스; 객쩍은〔실없는〕일: red nicht solchen ~! 그따위 실없는 소리는 그만 두어라!
Kapp≈fenster *n.*〖건축〗천창(天窓), 채광창. **~hahn** *m.* ↑ Kapaun. **~hengst** *m.* 거세한 수컷 말.
Käppi [kɛ́pi] *n.* -s, -s (배 모양의 작고 길쭉한) 군모(軍帽).
..kappig *suf.* "…두건의, …모자를 쓴"의 뜻 (보기: rot~ 붉은 모자의).
Kapp≈laken [kápla:kən] *n.* ↑ Kaplaken. **~loch** *n.* ↑ ~fenster. **~naht** *f.*〖재단〗겹쳐 감치기, (가장자리를 접어서 하는) 홈질.
Kap·provinz [káp..] *f.* (남아프리카 공화국의) 케이프주(州).
Kappung *f.* -en ↑ kappen의 명사형.
Kappus [kápʊs] *m.* ↑ Kappes.
Kapp·zaum [káp..] *m.* (말을 훈련시키는 데 쓰는) 굴레, 고삐;〖비유〗제어, 구속.
Kapri [ká:pri] 카프리(이탈리아의 섬).
Kapriccio [kaprítʃo] 《it.》 *n.* -s, -s〖음악〗랩소디, 카프리치오, 광상곡(狂想曲).
Kaprice [kaprí:sə] 《frz.》 *f.* -n 변덕, 일시적인 충동; 고집.
Kaprier [ká:priər] *m.* -s, - Kapri 섬 사람.
Kaprifikation [kaprifikatsió:n] 《lat.》 *f.* -en〖植〗무화과의 인공 숙성 촉진법.
Kaprifoliazee [..tsé:ə] *f.* -n〖植〗인동과(科).
Kaprikornus [kaprikɔ́rnʊs] 《lat.》 *m.* -〖天〗(Steinbock) 마갈궁(12 궁의 하나).
Kapriole [kaprió:lə] 《it.》 *f.* -n ① (말의) 도약, 껑충 뛰기. ②〔비유〕(못된) 장난, 변덕. ③ 곡예, 공중제비.
kapriolen *i.* (h.) 뛰다, 이리 뛰고 저리 뛰며 장난하다, 객쩍게 굴다.
Kaprize [kaprí:tsə] *f.* -n ↑ Kaprice.
kaprizieren [kapritsí:rən] 《frz.》 *refl.* sich auf et. ~ 무엇을 끈덕지게 주장〔고집〕하다.
kapriziös [..tsiø̍:s] *a.* 변덕스러운; 제멋대로의, 고집 센.
Kapriz·polster [kaprí:ts..] *m.* (öst.) 작은 쿠

션〔베개〕.

Kapron·säure [kapró:n..] ⟪lat.⟫ *f.* 〖化〗 카프론산(酸).

***Kapsel** [kápsəl] *f.* -n ① 상자, 주머니, 칼집, 포장, 케이스; (시계 등의) 뚜껑; 겉껍질; 식물 채집용 통; 〖농담〗 잠자리. ②〖植〗 삭(과)(蒴(果)), 깍지 대과(袋果). ③〖醫〗 모(帽), 낭(囊), 포낭(包囊), 협막(莢膜); 캡슐, 삭(蒴). ④〖工〗 뇌관(雷管); 〖化〗 증발 접시; 〖도자기〗 도자기 굽는 용기. ⑤〖우주비행〗 캡슐.

Käpselchen [kɛ́psəlçən] *n.* ↑ Kapsel 의 축소형.

kapsel·förmig *a.* 주머니 모양의; 〖植〗 삭(蒴)〔낭〕 모양의.

..kapselig *suf.* "…캡슐·주머니·낭(모양)의" 의 뜻(보기: ein~ 한 캡슐의).

kapseln [kápsəln] *t.* 캡슐에 넣다.

Kapselung *f.* -en ↑ kapseln 의 명사형.

Kapsikum [kápsikum] ⟪lat.⟫ *n.* -s 〖植〗 고추; 고춧가루.

..kapslig *suf.* ↑ ..kapselig.

Kap≈stadt [káp..] *f.* (남아프리카의) 케이프타운. **~stein** *m.* 남아프리카산(産) 금강석.

Kaptal·band [kaptá:l..] *n.* ↑ Kapitalband.

Kaptation [kaptatsió:n] *f.* -en 사취, 횡령.

kaptatorisch [..tó:rɪʃ] *a.* (남의 것을) 가로채려고 하는, 사취하려고 하는.

Kaptein [kaptáin] *m.* -s, -s (nordd.) 선장, 함장, 기장.

Kaption [..tsió:n] *f.* -en 함정 있는 질문, 유도 심문, 궤변; 오론(誤論).

kaptiös [..tsiǿ:s] *a.* (verfänglich) (궤변으로) 농락하려는, 흠을 잡는, 유도 심문의: ~e Frage 유도성 질문.

kaptivieren [..tiví:rən] *t.* 〔고어〕 사로잡다, 속박하다; 〖비유〗 (술책 등으로) 마음을 어지럽게 하다, 끌어들이다.

Kaptur [..tú:r] *f.* -en 압류; 포획; (적선의) 나포.

Kaptur·befehl *m.* 포획 명령.

Kaptus *m.* - 이해력, 능력.

Kaput [kapút] *m.* -s, -e (18 세기의) 두건이 달린 외투; 〖방언〗 긴 외투; 군인용 외투.

***kaputt** [kapút] ⟪frz.⟫ *a.* ①〖원뜻〗 카드놀이에서 전패(全敗)한. ② 괴멸한, 망가진, (싸움에) 진, 고장난, 훼손된: ~ gehen a) (산산이) 부서지다, 망하다, 〖商〗 파산하다, b) (동물이) 쓰러져 죽다, 죽다; was ist denn jetzt ~? 도대체 무슨 일이 일어났느냐?; 〖경박〗 bei jm. ist was ~ 누가 정신이 약간 돌았다. ③ (matt) 쇠약〔피로〕한, 지친: du siehst ~ aus 너는 녹초가 된〔매우 피곤한〕 것처럼 보인다; sich ~ machen a) 심하게 일하여 지치다, b) 못쓰게 되다〔부서지다〕. ④〖부가어로서〗〖구어〗 ein ~es Klavier 망가진 피아노.

kaputt≈|drücken *t.* 눌러서 으깨다: jn. vor Liebe ~ 누구를 사랑스러워서 꼭 껴안다. **~|gehen** *i.* (s.) ① 부서지다, 망가지다; 녹초가 되다: meine Tasse ist beim Spülen kaputtgegangen 내 잔은 씻다가 깨졌다. ②〖구어〗 파산〔파멸·몰락〕하다: das Geschäft ging kaputt 그 상점은 파산하였다. **~|lachen** *refl.* 〖구어〗 sich ~ 심하게〔배꼽 빠지게〕 웃다: ich habe mich kaputtgelacht 나는 배꼽이 빠져라 웃었다. **~|machen** *t.* ① 파괴하다, 망가뜨리다; 〖구어〗 관계를 끊다. ② 파산〔붕괴〕시키다: er hat sie völlig kaputtgemacht 그는 그녀를 철저하게 파멸시켰다. ③〖구어〗 sich ~ 건강을 해치다, 극도로 지치다: sie macht sich mit dieser Arbeit kaputt 그녀는 이 일로 심하게 지쳐 있다. **~|schlagen** *t.* 때려부수다, 두들겨 깨다. **~|treten** *t.* 짓밟다: einen Wurm ~ 벌레를 짓밟다.

Kapuze [kapú:tsə] *f.* -n (외투에 붙은) 후드, 성직자 모자; 후드 달린 레인코트.

Kapuzinade [kaputsiná:də] *f.* -n (카프친파 수도사의) 저속한 설교; 징계 설교, 훈계.

Kapuziner [..tsí:nər] *m.* -s, - ① (프란체스코회의 분파인) 카프친 교단(教團)의 성직자〔수도사〕. ② (öst.) 카푸치노 커피. ③ 비둘기의 일종.

Kapuziner≈affe *m.* 〖動〗 (남아메리카산(産)의) 꼬리를 마는 원숭이. **~fenster** *n.* 〖건축〗 사각형의 지붕에 달린 천창(天窓). **~kraut** *n.* 〖植〗 니겔라(미나리아재빗과(科)). **~kresse** *f.* 〖植〗 한련(旱蓮), 금련화. **~mönch** *m.* 카프친파 수도사. **~orden** *m.* 카프친 수도회. **~predigt** *f.* ↑ Kapuzinade.

Kap Verde [kap vɛ́rdə] *n.* (-), - 카포베르데 (아프리카 서쪽 끝에 있는 공화국).

Kapverden [kapvɛ́rdən] *pl.* 카포베르데 군도.

Kapverdier *m.* -s, - 카포베르데인.

Kapverdischen Inseln [..dɪʃən ínzəln] *pl.* 〖관사와 함께〗 카포베르데 군도.

Kap·wein *m.* (남아프리카 공화국의) 케이프주(州)산(産) 포도주.

Kar [ka:r] *n.* -(e)s, -e ①〖지질〗 (빙식(氷蝕)으로 생긴) 협곡, 분지. ② (obd., schweiz.) 용기(容器)(새장·벌집·물고기통 따위).

Karabiner [karabí:nər] *m.* -s, - ①〖軍〗 기총(騎銃), 카빈총. ② ↑ ~haken.

Karabiner·haken *m.* 스냅링크; (열쇠 고리 등) 한 쪽을 여닫게 되어 있는 고리.

Karabinier [..nié:] *m.* -s, -s 기총병.

Karabiniere [..nié:rə] *m.* -(s), ..ri ⟪ital.⟫ 이탈리아의 경찰.

Karacho [karáxo] ⟪span.⟫ *n.* -(s) 〖구어〗 신속, 민첩; 〖대개 다음 용법으로〗 mit ~ 몹시 서둘러, 전속력으로: mit ~ in die Kurve gehen 전속력으로 커브를 돌다.

Karäer [karɛ́:ər] *m.* -s, - (구약만을 신봉하는) 유대 종파 신봉자.

Karaffe [karáfə] ⟪ar.⟫ *f.* -n (마개 달린) 배가 불룩한 유리병.

Karaffine [karafí:nə] ⟪ital.⟫ *f.* -n 〔고어〕 배가 불룩한 작은 유리병.

Karagös [karagǿ:s] *m.* -, - ↑ Karagöz.

Karagöz [..gǿ:ts] *m.* -, - ① 터키의 그림자극. ② 그림자극의 주인공.

Karaibe [karaí:bə] *m.* -m, -m ↑ Karibe.

karaibisch *a.* ↑ karibisch.

Karakal [kárakal] ⟪türk.⟫ *m.* -s, -s 〖動〗 스라소니.

Karakorum [karakorúm] *m.* -(s) 카라코람 산맥.

Karakul·schaf [karakúlʃa:f] *n.* (면양의 일종인) 카라쿨양(의 모피).

Karambolage [karambolá:ʒə] ⟪frz.⟫ *f.* -n 〖당구〗 캐논(친 공이 2 개의 목적구를 계속해서 맞추는 일); 〖비유〗 연쇄 충돌, 다툼: Auto≈ 자동차 충돌; Massen≈ 대량 충돌.

Karambole [..bó:lə] *f.* -n 〖당구〗 초구(치는 붉은 공); 〔비유〕 충돌.
karambolieren *i.*(h.) 캐논을 치다; 〔농담〕 (mit jm.) 부딪치다, 충돌하다.
Karamel [karamέl] 《frz.》 *m./n.* -s 캐러멜.
Karamel≈bier *n.* (당분이 많은) 캐러멜 맥주. **~bonbon** *n./m.* 캐러멜 (사탕).
Karamell ↑ Karamel.
Karamelle [karamέlə] *f.* -n ↑ Karamelbonbon.
karamelisieren *t.* ① (설탕을) 캐러멜로 변화시키다〔만들다〕. ② (과자에) 캐러멜을 뿌리다〔끼얹다〕.
karamellisieren *t.* ↑ karamelisieren.
Karamel≈pudding *m.* 캐러멜 푸딩. **~zucker** *m.* ↑ Karamel.
Karat [kará:t] 《ar.》 *n.* -(e)s, -e ① (옛날 저울추로 쓰던) 말린 콩 열매. ② 캐럿(순금 함유도를 나타내는 단위; 24 단계로 나뉘며 순금은 24 캐럿). ③ 캐럿(보석의 중량 단위; 1 캐럿은 0.205 g).
Karate [kará:tə] 《jap.》 *n.* -(s) 가라테, 공수도(空手道).
Karateka [karaté:ka] *m.* -s, -s 가라테하는 사람〔선수〕.
Karate·kämpfer *m.* 가라테 선수.
Karatschi [kará:tʃi] 카라치(파키스탄의 항구도시).
..karätig *suf.* "캐럿의"의 뜻(보기: zehn~ 10 캐럿의).
Karausche [karáuʃə] 《gr.》 *f.* -n 〖動〗 잉어속(屬).
Karavelle [karavέlə] 《sp.》 *f.* -n (중세의) 쾌속 범선.
***Karawane** [karavá:nə] 《pers.》 *f.* -n 대상(隊商), 순례자의 떼, 일단의 여행자, (사람·차량의) 행렬: ~n von Autos setzen sich mit Ferienbeginn in Richtung Süden in Bewegung 휴가의 시작과 더불어 자동차 행렬이 남쪽으로 움직이기 시작한다.
Karawanen≈handel *m.* 대상(隊商) 무역. **~herberge** *f.* 대상의 숙박소. **~straße** *f.* 대상의 통로. **~tee** *m.* 대상이 육로를 거쳐서 가져 온 중국의 고급차.
Karawanserei [karavanzəráɪ] 《pers.》 *f.* -en 대상(隊商)의 숙박소.
Karbatsche [karbá:tʃə] 《türk.》 *f.* -n (사냥에 쓰는) 가죽 채찍, 말채찍.
karbatschen *t.* 가죽 채찍으로 치다.
Karbid [karbí:t] 《lat.》 *n.* -(e)s, -e 〖化〗 탄화물, 카바이드.
Karbid·lampe *f.* 카바이드〔아세틸렌〕등(燈).
Karbinol [karbinó:l] *n.* -s, -e 카르비놀, 메틸 알코올.
karbo.. *pref.* "탄(炭)·탄소"의 뜻.
Karbol [karbó:l] *n.* -s 〔구어〕 ↑ ~säure.
Karbolineum [karboliné:um] *n.* -s 카르볼리네움(목재 보존제).
Karbol≈mäuschen *n.* 〔구어·농담〕 (젊고 예쁜) 간호사. **~säure** *f.* 석탄산. **~watte** *f.* 석탄산에 적신 솜.
Karbon [karbó:n] *n.* -s 〖化〗 탄소; 〖지질〗 카본기(紀), 탄층.
Karbonade [..ná:də] *f.* -n 〖요리〗 ① 구운 갈비, 커틀릿. ② (öst.) 〔고어〕 프리카델(햄버거스테이크의 일종).
Karbonado *m.* -s, -s 흑회색의 금강석.
Karbonaro *m.* -s, ..ri 카르보나리 당원.
Karbonari 《it.》 *pl.* 카르보나리당(19 세기 이탈리아의 비밀 결사).
Karbonat[1] 《lat.》 *n.* -(e)s, -e 〖化〗 탄산염.
Karbonat[2] *m.* -(e)s, -e ↑ Karbonado.
Karbonisation [..zatsió:n] *f.* ① 〖醫〗 4 도 화상. ② 〖化〗 탄화(炭化).
karbonisch *a.* 탄소의, 탄질(炭質)의.
karbonisieren 《frz.》 *t.* ① 탄화하다. ② 탄소질(質)로 만들다. ③ 목재를 태워서 단단하게 하다. ④ 〖방직〗 (강한 황산으로) 양모에서 식물질(植物質)을 제거하다.
Karbon≈papier *n.* 카본지, 카본 인화지. **~säure** *f.* 〖化〗 탄산.
Karborund [..borúnt] *n.* -(e)s 카보런덤, 탄화규소(매우 단단한 인공 결정으로서 연마제로 씀).
Karbunkel [karbúŋkəl] 《lat.》 *m.* -s, - ① 〖醫〗 정(疔), 옹(癰), 부스럼. ② 〖광물〗 ↑ Karfunkel.
karburieren *t.* 탄소를 포함시키다, 탄소질을 높이다, (화력이나 조명을 높이기 위해) 탄화수소를 더하다.
Karch [korç] 《lat.》 *m.* -(e)s, Kärche 〔방언〕 ↑ Karren[1].
Kärcher [kέrçər] *m.* -s, - (짐마차의) 마부, 운송부.
Kardamom [kardamó:m] 《gr.》 *m./n.* -s, -e(n) 〖植〗 생강과의 식물(의 열매·씨앗)(향료·건위제에 씀).
Kardan≈antrieb [kardá:n..] *m.* 〖工〗 카르단식 추진(장치)(이탈리아의 수학자인 G. Cardano 의 이름에서). **~gelenk** *n.* 〖工〗 카르단식 연결 장치. **~tunnel** *m.* 〖工〗 (변속기에서 후부 차축에 걸쳐 있으며 그 속에 자재 전동축이 들어 있는) 카르단식 터널.
kardanisch *a.* 〖工〗 ~e Aufhängung 카르단식 현수(懸垂) 장치(흔들리는 것의 방지); 〖數〗 ~e Formel 카르단의 공식(3 차 방정식을 푸는 식).
Kardan·welle *f.* 〖工〗 (자동차의) 자재 전동축(自在傳動軸).
Kardätsche [kardέ:tʃə] 《lat.》 *f.* -n ① 말털을 빗질하는 솔. ② 〖직조〗 양모 빗는 솔, (천의) 보풀을 세우는 도구. ③ ↑ Kartätsche ①.
kardätschen *t.* ① (말의 털을) 빗질하다. ② (양모를) 빗질하다, (천의) 보풀을 세우다. ③ kartätschen ①.
Kardätscher *m.* -s, - (양털을) 빗는 사람; 말을 손질하는 사람.
Karde [kárdə] *f.* -n ① 〖植〗 산토끼꽃(열매의 위꼭지는 모포의 보풀을 일으키는 데 씀). ② ↑ Kardätsche ②.
Kardeel [kardé:l] 《ndl.》 *n.* -s, -e〔*f.* -e〕 〖海〗 여러 가닥으로 꼬인 큰 밧줄의 가닥.
karden [kárdən] *t.* 〖섬유〗 (천의) 보풀을 세우다.
Karden≈distel *f.* 〖植〗 ↑ Karde ①. **~gewächs** *n.* 〖植〗 산토끼꽃과(科).
kardi.. 《gr.》 *pref.* "심장의"의 뜻.
Kardiakum [kardí:akum] *n.* -s, ..ka 〖醫〗 강심제.
kardial *a.* 심장의: er ist ~ nicht gesund 그는 심장이 건강하지 못하다.

Kardialgie [kardialgí:] *f.* -n [..gí:ən] ① 위통(胃痛), 위경련. ② 심장통(痛).

kardieren [kardí:rən] *t.* ↑ karden.

***kardinal** [kardiná:l] 《lat.》 *a.* 주요한, 근본이 되는; 뛰어난, 제일의.

***Kardinal** *m.* -s, ..näle ①〖가톨릭〗추기경. ②〖動〗(진홍색이며 잘 지저귀는 북아메리카산(産)) 피리새의 일종. ③ 일종의 냉음료(백포도주·설탕·레몬 따위로 만듦).

Kardinal·bischof *m.*〖가톨릭〗주교 추기경.

Kardinale [kardiná:lə] *n.* -(s), ..lia ↑ Kardinalzahl.

Kardinal≈fehler *m.* 근본적 과오〔결함·오류〕. **~frage** *f.* 근본〔주요〕문제. **~problem** *n.* 근본 문제. **~punkt** *m.* 주요〔중요〕점.

Kardinals≈hut *m.* 추기경의 모자. **~kollegium** *n.* 추기경단(團). **~kongregation** *f.* 교황청의 최고 당국의 하나, 추기경 회의. **~staats·sekretär** *m.* (로마 교황의) 수석 고문. **~vikar** *m.* (로마 관구의) 교황 대리〔보좌〕신부.

Kardinal≈tugend *f.* 기본 도덕. **~zahl** *f.* 기수(基數).

Kardiogramm [kardiográm] 《gr.》 *n.* -s, -e〖醫〗(심박동 묘사기로 그린) 심박동도.

Kardiograph *m.* -en, -en 심전계, 심장 박동 기록기.

Kardioide [..í:də] *f.* -n〖數〗심장형의 곡선, 카디오이드.

Kardiologie *f.*〖醫〗심장학.

kardiologisch *a.* 심장학의.

Kardio·spasmus [..spásmus] *m.* 위경련, 심장 경련.

Karditis [..dí:tɪs] *f.* ..tiden [..tí:dən] 심장염.

Kardone [kardó:nə] 《lat》 *f.* -n〖植〗카르돈(아티초크속 식물).

Karelien [karé:liən] -s 카렐리야(러시아 연방의 북서부에 위치한 자치 공화국).

Karelier [karé:liər] *m.* -s, - 카렐리야 사람.

karelisch *a.* 카렐리야(인)의.

kären *i.* (h.) (obd.) 슬피 탄식하다.

Karenz [karɛ́nts] 《lat. carere》 *f.* -en ① 대기 기간;〖보험〗유예 기간. ② 절제; 체념.

Karenz·zeit *f.* ↑ Karenz.

Karesse [karɛ́sə] *f.* -n〔방언〕포옹, 애무, 아첨, 아부.

karessieren [karɛsí:rən] 《Ⅰ》 *t.* (jn.) 애무하다; 아양을 떨다. 《Ⅱ》 *i.* (h.) mit jm. ~ (schweiz.) (누구를) 애무하다.

Karette [karɛ́tə] 《frz.》 *f.* -n, **Karett·schild·kröte** *f.*〖動〗붉은바다거북속(屬), 대모(玳瑁).

Karezza [karɛ́tsa] *f.* 오르가즘과 사정을 피하는 성교, 보류 성교.

Karfiol [karfió:l] 《it.》 *m.* -s〖植〗(südd., öst.) 꽃양배추(Blumenkohl).

Kar·freitag [ka:r..] *m.* 성(聖)금요일, 그리스도 수난의 날(부활절 직전의 금요일).

Karfunkel [karfʊ́ŋkəl] 《lat.》 *m.* -s, -〖광물〗홍옥(紅玉), 석류석(石榴石).

karfunkeln *i.* (h.) 홍옥처럼 빛나다.

karfunkel≈rot *a.* 홍옥처럼 붉은. **~stein** *m.* ↑ Karfunkel.

karg [kark] (karger/kärger, kargst/kärgst) *a.* ①〔고어〕영리한, 빈틈이 없는. ② 지극히 검소한; 인색한, 구두쇠인: ~ leben 검소하게 살다; mit et.³ ~ sein 무엇을 인색하게 아끼다; ~ mit Worten sein 말수가 적다, 과묵하다. ③ 근소한, 부족한, 보잘것없는; 비옥하지 못한: ~er Lohn 박봉; das Zimmer sieht sehr ~ aus 그 방은 매우 초라해 보인다; an et.³ ~ 〔arm〕 sein 무엇이 결핍되어 있다.

Kargadeur [kargadǿ:r] *m.* -s, -e, **Kargador** [kargadó:r] *m.* -s, -e〖商〗화물 적하(積荷) 감시인.

kargen [kárgən] *i.* (h.) 아끼다, 절약하다: mit et.³ ~ 무엇을 아끼다, 절약하다; er kargt mit Worten〔Geld〕 그는 말수가 적다〔돈을 아낀다〕.

Kargheit [kárkhaɪt] *f.* 검약, 인색; 근소, 궁색, 부족.

kärglich [kɛ́rk..] *a.* ① 검소한; 인색한, 구두쇠인; (말씨 등을) 삼가는. ② 알뜰한, 검소한, 궁핍한; 모자라는; 불쌍한: ~e Kost 넉넉지 않은 음식; ein ~es Leben führen 궁핍한 생활을 하다; in ~en Verhältnissen leben 넉넉지 못한 생활을 하다.

Kärglichkeit *f.* ↑ kärglich 의 명사형.

Kargo [kárgo] 《sp.》 *m.* -s, -s 적화(積貨), 뱃짐, (특히) 선화(船貨).

Karibe [karí:bə] *m.* -n, -n 카리브 사람(라틴 아메리카의 인디언 원주민).

Karibik [karí:bɪk] *f.* 카리브해.

karibisch [karí:bɪʃ] *a.* 카리브섬(사람·말)의.

Karibu [ká(:)ribu] *m./n.* -s, -s〖動〗(캐나다산의) 순록.

karieren [karí:rən] 《frz.》 《Ⅰ》 *t.* 격자〔바둑판〕 무늬로 하다. 《Ⅱ》 **kariert** *p.a.* ↑ kariert.

kariert 《Ⅰ》 *p.p.* ↑ karieren. 《Ⅱ》 *p.a.* ① 바둑판〔격자〕 무늬의: ein ~es Kleid 바둑판 무늬의 옷. ②〔구어·폄어〕혼란한, 멍청한: in seiner Aufregung redete er ziemlich ~ daher 그는 흥분해서 알아들을 수 없게 말을 했다.

Karies [ká:riɛs] 《lat.》 *f.*〖醫〗충치, 골저(骨疽), 골궤양(骨潰瘍), 카리에스.

Karikatur [karikatú:r] *f.* -en 캐리커처, 희화(戱畫), 풍자화: eine ~ von jm. zeichnen 누구의 풍자화를 그리다.

Karikaturen≈maler *m.*, **~zeichner** *m.*, **Karikaturist** *m.* -en, -en 풍자화가.

karikaturistisch *a.* 풍자화풍의: eine ~e Übertreibung 풍자화적 과장.

karikieren [karikí:rən] *t.* 희화화(戱畫化)하다, 캐리커처로 풍자하다: unter den Politikern wird er am häufigsten karikiert 정치인들 중 그가 가장 빈번하게 캐리커처로 풍자된다.

kariogen [kariogé:n] *a.*〖醫〗골저(骨疽)〔충치〕의 원인이 되는.

kariös [kariǿ:s] 《lat.》 *a.*〖醫〗골저성(骨疽性)의: ~e Zähne 충치.

Karitas [ká:ritas] 《lat.》 *f.* 박애, (이웃에 대한) 사랑; 자혜.

karitativ [..tí:f] *a.* 박애적인, 자선의: eine ~e Hilfsaktion 자선 구호 활동; sich ~ betätigen 자선 사업을 하다.

karjucken *i.* (s.)〔방언〕느긋하게 차를 몰고 다니다.

Karkasse [karkásə] 《it.》 *f.* -n ①〖軍〗

(16-19 세기의) 철골(鐵骨) 소이탄. ② 타이어의 휠. ③〖요리〗날짐승의 뼈대, 몸통.
Karl [karl] *m.* 카를(남자 이름).
Karline [karlí:nə] *f.* -n〖방언·욕설〗① 멍청〔아둔〕한 여자. ②〖은어〗화주(火酒)병.
karlingisch [..lĩŋɪʃ] *a.* ↑ karolingisch.
Karlist [karlíst] *m.* -en, -en (에스파냐의) 카를로스 당원(19 세기 에스파냐 부르봉 왕가의 왕위 계승자 돈 카를로스의 추종자).
Karl-Marx-Stadt 카를 마르크스 슈타트(구 동독의 공업 도시 Chemnitz 의 옛명칭(1953-90)).
Karlsbad [kárlsba:t] 카를로비바리(체코의 온천지).
Karlsbader [kárlsbadər] *m.* -s, - 카를로비바리 사람〔주민〕.
karlsbader *a.* 카를로비바리의.
Karma [kárma] 《skt., „Tat"》*n.* -(s) (불교의) 업(業), 업보.
Karman [kárman] *n.* -s ↑ Karma.
Karmel [kármɛl, ..əl] *m.* -s 카르멜산(팔레스타인에 있는 산).
Karmelit [karmelí:t] *m.* -en, -en ↑ Kameliter.
Karmeliter *m.* -s, -〖宗〗카르멜회〔교단〕의 수도사.
Karmeliter⸗geist *m.*〖藥〗(박하유(薄荷油)를 알코올로 증류하여 만든) 진통 연고. **~-orden** *m.* 카르멜 수도회〔교단〕(1156 년 이탈리아의 카르멜산에 수도원을 세워서 시작한 수도회).
Karmen [kármɛn] 《lat.》*n.* -s, ..mina ↑ Carmen.
Karmesin [karmezí:n] 《ar.》*n.* -s ↑ Karmin.
karmesin·rot *a.* ↑ karminrot.
Karmin [karmí:n] *n.* -s 진홍색(의 색소), 연지, 양홍(洋紅).
karmin⸗farben *a.* 진홍색의. **~rot** *a.* 진홍색의. **~säure** *f.*〖化〗카르민산(酸).
karmosieren *t.* (보석에) 작은 보석들로 가장자리를 장식하다.
Karn [karn] *f.* -en〖방언〗버터 제조용 통.
Karnallit [karnalí:t, ..lít] *m.* -s〖광물〗사금노석(砂金鹵石), 광노석(光鹵石), 카날석.
Karnation [karnatsió:n] 《lat.》*f.*〖畫〗↑ Fleischton.
Karnauba·wachs [karnáʊba..] *n.* 카르나우바 밀랍〔왁스〕(선상엽 야자나무 잎에서 채취한 밀랍).
Karne [kárnə] *f.* -n ↑ Karn.
karnen *i.* (h.)〖방언〗(buttern) 버터를 제조하다; 마가린을 만들다.
Karneol [karneó:l] 《it.》*m.* -s, -e〖광물〗홍옥수(紅玉髓).
Karner [kárnər] 《lat.》*m.* -s, - ① 납골당, (묘지의) 예배당. ②〖방언〗육류 저장실, 훈제실.
Karneval [kárnəval] *m.* -s, -e/-s 사육제, 카니발.
Karnevalist *m.* -en, -en 카니발 참가자(연설자·가수).
karnevalistisch *a.* 카니발〔사육제〕의.
Karnevals⸗gesellschaft *f.* 카니발 협회. **~verein** *m.* ↑ ~gesellschaft. **~zug** *m.* 카니발 행렬.
Karnickel [karníkəl] *n.* -s, - ① (md., Kaninchen) 집토끼. ② 속죄양:〖구어〗das ~ sein 다른 사람의 죄를 떠맡다; das ~ hat angefangen 제 스스로 혼날 짓을 했다. ③〖구어·폄어〗토끼 가죽 외투〔조끼〕. ④〖욕설〗바보, 멍청이.
Karnies [karní:s] 《lat.》*n.* -es, -e〖건축〗처마 밑에 S 자 모양으로 돌려 지은 부분, 반곡선(反曲線).
Karniese [..zə] *f.* -n (öst.) 커튼 밴드, 휘장 걸이.
Karnies·gesims *n.* S 자 모양으로 돌려 지은 처마 돌림띠.
karnisch [kárnɪʃ] *a.*〖지질〗누층(累層)의.
karnivor [..vó:r] 《lat.》*a.*〖生〗↑ fleischfressend.
Karnivore *m.* -n, -n〖動·植〗↑ Fleischfresser.
Karnöffel [karnœ́fəl] *m.* -s, - ↑ Karnüffel.
Kärnten [kɛ́rntən] 케른텐(오스트리아 남부의 주).
Kärntener [kɛ́rntnər] *m.* -s, -e 케른텐인.
kärntisch *a.*〖드물게〗케른텐(인)의.
Kärntner *m.* -s, -e ↑ Kärntener.
kärntnerisch *a.* ↑ kärntisch.
Karnüffel [karnʏ́fəl] 《lat.》*m.* -s, - ① 옛 카드놀이의 일종. ② (카드 놀이의) 으뜸패.
Karo[1] [ká:ro] 《frz.》*n.* -s, -s ① 마름모, 능형(菱形), 바둑판 무늬. ②〖카드〗다이아(몬드). ③〖구어·농담〗~ trocken 〔~ einfach〕(곁에 바른 것이 없는) 맨 빵.
Karo[2] 《it., „lieb"》 카로(개 이름).
Karobe *f.* -n ↑ Karube.
Karolinen [karolí:nən] *pl.* 캐롤라인 제도.
Karolinger [ká:rolɪŋər] *m.* -s, - (카를 대왕의 이름에서 따온) 카롤링 왕조의 사람.
Karolinger·zeit *f.* 카롤링 왕조 시대(7-8 세기).
karolingisch *a.* 카롤링 왕조의.
karolinisch [karolí:nɪʃ] 《<Karl》*a.* 카를(왕)의.
Karosse [karɔ́sə] 《frz. -it.》*f.* -n ① 의장(儀裝)〔공식〕 마차. ②〖구어〗(자동차의) 차체(車體).
Karosserie [karɔsərí:] *f.* -n [..rí:ən] ① (자동차의) 차체. ② 마차 제조.
Karosserie⸗bau *m.* 차체 제작. **~bauer** *m.* 차체 제작자. **~form** *f.* 차체형. **~linie** *f.* 차체의 선. **~schaden** *m.* ↑ Blechschaden. **~schneider** *m.*〖은어〗차체 디자이너.
Karossier [..sié:] *m.* -s, -s 마차의 말.
karossieren *t.* (차대에) 차체를 부착하다.
Karotide [karotí:də] 《gr.》*f.* -n ↑ Karotis.
Karotin [karotí:n] 《gr.》*n.* -s〖化〗카로틴.
Karotis [karó:tis] *f.* ..tiden [..tí:dən]〖해부〗경동맥(頸動脈).
***Karotte** [karɔ́tə] 《gr.》*f.* -n ①〖植〗당근. ② (rhein.) 붉은 사탕무. ③ 엽궐련, 돌돌 만 담뱃잎.
Karpaten [karpá:tən] *pl.* (중유럽의) 카르파티아 산맥.
karpatisch *a.* 카르파티아 산맥의.
Karpell [karpɛ́l] 《lat.》*n.* -s, -e〖植〗(Fruchtblatt) 과엽(果葉), 심피(心皮).
Karpellum [kərpɛ́lʊm] *n.* -s, ..pella〖植〗↑ Karpell.

Karpfen [kárpfən] *m.* -s, - 〖動〗 잉어.
Karpfen≈brut *f.* 잉어 새끼. **~gebiß** *n.* 말 위턱의 송곳니가 빠져나온 치열. **~teich** *m.* 잉어 양식장. **~zucht** *f.* 잉어 양식.
Karpolith [karpolí:t. ..lít] 《gr.》 *m.* -s/-en, -e(n) 〖고어〗 과실의 화석.
Karpologie [karpologí:] *f.* 과실학.
Karrageen [karagé:n] *n.* -(s) 〖生·醫〗 (말린) 식용 해초(기침·장(腸)카타르용 약제).
Karragheen *n.* -(s) ↑ Karrageen.
Karrara [kará:ra] ① 카라라(이탈리아의 도시). ② *n.* -s 카라라산(産)의 대리석.
karrarisch *a.* 카라라의: ~er Marmor ↑ Karrara ②.
Kärrchen [kέrçən] *n.* -s, - ↑ Karre의 축소형.
***Karre** [kárə] 《lat.》 *f.* -n 손수레, 2륜차, 짐수레(↑ Karren).
Karree [karé:] 《frz.》 *n.* -s, -s ① 4각형; 사각; 4인조 춤; 4각형의 주거 지역: ein ~ bilden 4각형을 만들다; eine Runde ums ~ gehen (네모진) 주거 지역을 순찰하다. ② 〖軍〗 4각형으로 벌인 전투 대형. ③ (wien.) 갈빗살, (특히) 송아지의 불고기. ④ (wien.) 질주.
***Karren**[1] [kárən] 《lat.》 *m.* -s, - ① (바퀴가 하나 있는) 짐수레〔손수레〕, 1륜차: einen ~ schieben 1륜차를 밀고 가다. ② 2륜차, (사람이나 마소가 끄는) 짐차; 〖폄어〗 고물 마차. ③〖비유〗 (Sache) 일: den ~ 〔die Karre〕 in den Kot〔Dreck〕 schieben 일을 망치다, 사태를 혼란시키다; jm. den ~ 〔die Karre〕 aus dem Dreck ziehen 누구를 어려운 상황에서 나오도록 도와 주다; mit jm. an einem ~ ziehen 누구와 협력하다, 같은 입장에 서다; den ~ 〔die Karre〕 laufen lassen 일이 되어가는 대로 내버려두다; wir ziehen ja alle am selben ~ 우리는 모두 같은 경우〔운명〕에 처해 있다; seinen ~ ins trockene schieben 혼란 중에 어부지리를 취하다; 〖구어〗 jm. an den ~ 〔die Karre〕 fahren〔pinkeln, pissen〕 누구에게 격렬하게 대항하다, 날카로운 비판을 가하다; aus dem ~ in den Wagen gespannt werden 어떤 화를 대신하여 더 큰 화를 얻다; unter den ~ kommen 차에 치이다, 어떤 일이 실패하다; der ~ 〔die Karre〕 läuft schief 일이 잘못되다; jn. vor seinen ~ spannen 누구를 자기 이해를 위해 이용하다; vom ~ gefallen sein 사생아로 태어나다; sich nicht vor js. ~ spannen lassen 누구의 목적에 이용되지 않다; 〖구어〗 der ~ 〔die Karre〕 ist total verfahren 상황이 절망적이다, 더 이상 수습할 길이 없다.
Karren[2] *pl.* 〖지형〗 (풍화·화학 작용에 따른) 석회암의 패인 표면, 석회암의 균열.
karren 《I》 *t.* 짐차〔손수레〕로 나르다. 《II》 *i.* (h.) ① 짐차를 끌다, 손수레를 밀다. ② 〖구어〗 차를 몰다(fahren). ③ jn. über den Haufen ~ 누구를 손수레로 밀어 쓰러뜨리다. 《III》 *refl.* sich müde ~ 짐차를 끌어서〔손수레를 밀어서〕 지치다.
Karren≈fahrer *m.* ↑ ~führer. **~feld** *n.* 〖지형〗 묘석 지역(카르스트 지형에서 석회암의 바위 덩이가 묘석처럼 늘어서 있는 지역)(↑ Karst[1]). **~führer** *m.* 짐마차의 마부, 마차를 끄는 사람. **~gabel** *f.* 짐수레의 채. **~gaul** *m.* 짐마차의 말; 〖비유〗 마차의 말처럼 억척같이〔고되게〕 일하는 사람. **~gefangene*** *der/die* (손수레로 노역하는) 죄수. **~geleise** *n.* 짐차의 궤도〔레일〕. **~schieber** *m.* 손수레를 미는 사람. **~strafe** *f.* (손수레로 노역을 하는) 징역.
Karrer [kárər] *m.* -s, - (schweiz.) ↑ Kärrner.
Karrete [karé:tə] 《lat.》 *f.* -n 〖방언〗 고물 마차; 〖폄어〗 유모차.
***Karriere** [kariέ:rə, ..rié:rə] 《frz.》 *f.* -n ① 〖승마〗 질주: (in) ~ reiten 전속력으로 말을 몰다. ② (생애의) 경력, 이력; 성공, 출세: eine steile ~ 급속한 출세; am Anfang einer großen ~ stehen 전도가 양양하다, 장래가 유망하다; eine gute ~ machen 입신출세하다.
Karriere≈frau *f.* 입신출세한 여자. **~macher** *m.* 〖폄어〗 출세주의자, 벼락 출세한 사람.
karrieren [karí:rən] *t.* ↑ karieren.
karriert ↑ kariert.
Karrierismus [karierísmus] *m.* 〖폄어〗 출세주의.
Karrierist *m.* -en, -en (수단과 방법을 가리지 않는) 출세주의자.
karrieristisch *a.* 〖폄어〗 출세주의의.
Karriol [karió:l] 《frz.》 *n.* -s, -s ↑ Karriole.
Karriole [..lə] *f.* -n (말 1필이 끄는 2륜의) 경마차; 우편 마차.
karriolen *i.* (h./s.) 경마차를 몰다〔타고 돌아다니다〕; 〖비유〗 마구 타고〔뛰어〕 돌아다니다.
Karriol·post *f.* (좁은 객석이 있는) 우편 마차.
Kärrner [kέrnər] *m.* -s, - 짐마차의 마부, 수레꾼; 고된 일을 하는 육체 노동자.
Kärrner·arbeit *f.* 〖폄어〗 고된〔힘든〕 일.
Kar≈samstag, ~sonnabend [ka:r..] *m.* 부활절 직전의 토요일.
Karst[1] [karst] *m.* 《it.》 *m.* -(e)s, -e 〖지형〗 (알프스 산맥의) 석회암으로 된 대지(臺地), 석회암 지형.
Karst[2] *m.* -(e)s, -e 〖農〗 (쇠발이 둘 있는) 곡괭이, 갈퀴, 쇠스랑.
Karstadt AG *f.* 독일 백화점 체인망(Hertie, Neckermann 등 소유).
karsten [kárstən] *t.* 곡괭이〔갈퀴〕를 가지고 일하다.
Karst·höhle *f.* 〖지형〗 석회암 동굴.
karstig *a.* 석회질의, 석회암으로 된.
Karst·landschaft *f.* 〖지리〗 석회암 지대.
kart. =kartoniert.
Kartätsche [kartέ:tʃə] 《lat.》 *f.* -n ①〖軍·구식〗 산탄. ②〖건축〗 벽을 바르는 흙손.
kartätschen [kartέ:tʃən] *t./i.* (h.) ①〖구식〗 산탄으로 사격하다. ② 흙손으로 벽을 바르다.
Kartätschen·feuer *n.*, **~schuß** *m.* 산탄 사격.
Kartaune [kartáʊnə] 《it.》 *f.* -n 〖軍〗 (15-16세기 무렵의) 카르타우네포(砲), 중포(重砲).
Kartause [kartáʊzə] 《lat.》 *f.* -n 〖가톨릭〗 카르투지오〔브루노파〕 교단의 수도원.
Kartäuser [..tɔ́ʏzər] *m.* -s, - ① 카르투지오 교단의 수도사(엄격한 계율을 지킴). ② (달고 향기가 좋은) 샤르트 리쾨르주(酒).
Kartäuser≈kloster *n.* ↑ Kartause. **~likör** *m.* 샤르트 리쾨르주(酒). **~mönch** *m.*

카르투지오 교단의 수도사. **~nelke** *f.* 〖植〗 술패랭이꽃(류).

Kärtchen [kέrtçən] *n.* -s, - ↑ Karte의 축소형.

***Karte** [kártə] *f.* -n ① 카드, 두꺼운 종이, 화투: 〖축구〗 die gelbe ~ 옐로 카드; 〖축구〗 die rote ~ 레드 카드; 〖교통〗 die grüne ~ (녹색의) 자동차 책임 보험증; ein Spiel ~n 1벌의 카드〔화투〕; die〔seine〕 ~ aufdecken 〔(offen) auf den Tisch legen〕 카드〔화투〕의 수〔짝패〕를 보여 주다, 〖비유〗 자기의 뜻을 (남에게) 알리다; ~n geben (카드·화투의) 패를 돌리다; jm. die ~n legen〔schlagen〕 카드〔화투〕로 점을 치다; die ~n mischen〔verteilen〕 카드를 섞다〔돌리다〕; ~n spielen 카드〔화투〕놀이를 하다; 〖비유〗 diese ~ sticht nicht (mehr) 이 조치는〔계획은〕 효력이 없다, 이 논증은 (더 이상) 설득력이 없다; alle ~n in der Hand haben 모든 방법을 갖고 있다, 주도권을 장악하다; 〖비유〗 die letzte ~ ausspielen 마지막 기회를 이용하다; 〖비유〗 wissen wie die ~n fallen 정세를〔상황을〕 예견하다; alles **auf** eine ~ setzen 모든 것을 한번에 걸다, 큰 도박을 하다, 단번에 결판을 내려고 들다; auf die falsche ~ setzen 정세 판단을 잘못하다; **aus** einer ~ spielen 협력하다, 서로 짜고 하다; jm. in die ~n gucken〔sehen〕 누구의 패를 들여다보다, 〖비유〗 누구의 의향〔비밀〕을 탐지하다; sich nicht in die ~n sehen〔schauen, gucken〕 lassen 자신의 의도를〔계획을〕 내보이지 않다〔비밀로 하다〕; mit gezinkten ~n spielen 사기치다〔표시해 놓은 카드로 노름하다〕; mit offenen〔verdeckten〕 ~n spielen 공명정대하게〔숨은 의도를 가지고〕 일을 처리하다. ② 지도(Land≈); 해도(海圖)(See≈); 성좌도(Stern≈); 월면도(月面圖)(Mond≈). ③ 우편 엽서(Post≈); 그림 엽서; 초대장. ④ 승차〔승선〕권(Fahr≈); (Eintritts≈) 입장권; 신분 증명서; 〖학생〗 재학 증서. ⑤ 무도(舞蹈)의 차례표〔프로그램〕. ⑥ 명함(Besuchs≈); seine ~ abgeben 명함을 주다. ⑦ (Speise≈) 메뉴, 차림표; 포도주의 정가표(Wein≈); nach der ~ essen 메뉴에서 1가지씩 주문하여 식사하다. ⑧ 〖法〗 헌장. ⑨ 〖商〗 (Proben≈) 견본을 붙인 두꺼운 종이, 견본 카드.

Kartei [kartáɪ] *f.* -en 카드식 색인〔목록〕, 카드함(函): ~en führen 카드식 목록에 정보를 기입하다.

Kartei≈karte *f.* 색인〔목록·기록〕 카드. **~kasten** *m.* 색인 카드 상자. **~leiche** *f.* 〖구어·농담〗 사실과 맞지 않는 내용의 색인 카드.

***Kartell** [kartέl] *n.* -s, -e ① 도전장; (도전장에 의한) 결투 신청. ② 협정, 계약; 포로 교환 조약. ③ 학생회 연합. ④ 〖經〗 기업가 동맹, 기업 연합, 카르텔: ein ~ bilden 카르텔을 결성하다.

Kartell≈amt *n.* 카르텔〔기업 연합〕 감독청. **~behörde** *f.* ↑ ~amt. **~bruder** *m.* 〖학생〗 학생회 연합 소속 학생. **~gesetz** *n.* 〖法〗 반카르텔 법.

kartellieren [kartɛlí:rən] *t.* 카르텔을 결성하다, 기업을 연합하다(↔ dekartell(is)ieren): kartellierte Preise 카르텔 협정〔담합〕 가격.

Kartellierung *f.* -en ↑ kartellieren의 명사형.

Kartell≈schiff *n.* (백기를 게양한) 군대 사절이 탄 배; 포로 교환선. **~träger** *m.* 도전장 전달자, (결투의) 입회인. **~verband** *m.* 〖학생〗 학생회 연합. **~vertrag** *m.* 카르텔 협약.

karten [kártən] 《I》 *i.* (h.) 카드〔화투〕놀이를 하다. 《II》 *t.* ↑ abkarten.

Karten≈bild *n.* 카드〔그림 엽서〕의 그림. **~blatt** *n.* 카드〔명함·엽서〕의 1장. **~block** *m.* 표〔입장권〕 뭉치. **~brief** *m.* 봉함 엽서. **~geben** *m.* 카드 패 돌리기. **~geld** *n.* (음식점 주인에게 치르는) 카드 사용료. **~haus** *n.* ① 카드짝으로 만든 집; 〖비유〗 허물어지기 쉬운 것, 공중 누각, 사상 누각: die Leute bauen sich ihre Kartenhäuser 사람들은 공중에 누각을 짓는다〔공상을 한다〕; einstürzen wie ein ~ 덧없이〔허망하게〕 허물어지다. ② 〖海〗 해도실(海圖室). **~könig** *m.* 카드의 킹; 〖비유〗 가짜 왕. **~königin** *f.* 카드의 퀸. **~kunde** *f.* ↑ Kartographie. **~künstler** *m.* 카드 요술사〔마술사〕. **~kunst·stücke** *pl.* 카드로 하는 요술. **~legen** *n.* 카드로 치는 점. **~leger** *m.* 카드 점쟁이. **~legerin** *f.* ↑ ~leger의 여성형. **~macher** *m.* ① 카드 제조자. ② 제도사. **~mischen** *n.* 카드 뒤섞기. **~netz** *n.* 〖제도〗 (지형도 등의) 경위도선망, 방안도, 외형도. **~papier** *n.* 카드 종이, 얇은 판지. **~sammlung** *f.* 지도책, 지도집. **~schlag** *m.*, **~schlagen** *n.* ↑ ~legen. **~schläger** *m.* ↑ ~leger. **~schlägerin** *f.* ↑ ~legerin. **~skizze** *f.* (지형의) 약도, 겨냥도. **~spiel** *n.* ① 카드놀이. ② 카드의 한 벌. **~spieler** *m.* 카드놀이를 하는 사람. **~stamm** *m.* 카드놀이의 내기 돈. **~stecher** *m.* 지도〔해도〕의 각판자(刻版者). **~verkauf** *m.* 입장권〔승차권〕 판매. **~vorverkauf** *m.* 입장권〔승차권〕 예매. **~werk** *n.* 지리 부도, 지도책. **~zeichner** *m.* 제도가(製圖家), 지도 제작자.

kartesianisch [karteziá:nɪʃ], **kartesisch** [..té:zɪʃ] *a.* 〖哲〗 데카르트(학파)의: 〖數〗 ~e Koordinaten 평행 좌표, 데카르트 좌표; 〖物〗 ~er Teufel〔Taucher〕 잠수 인형.

Karthager [kartá:gər] *m.* -s, -, 〖고어〗 **Karthaginienser** [kartaginiέnzər] *m.* -s, - 카르타고 사람.

karthagisch *a.* 카르타고(사람)의.

Karthago [kartá:go] 카르타고(북아프리카의 고대 도시).

kartieren [kartí:rən] 《<Karte》 *t.* ① 약도를 그리다, 제도하다, 측량하다: ein Land ~ 어떤 토지를 측량하다. ② 〖철도〗 nach einem Orte ~ 어떤 곳으로의 직행 차표를 발행하다. ③ 색인 카드에 적어두다.

kartilaginös [kartilaginø:s] 《lat.》 *a.* 연골 상태의, 연골이 있는.

Karting [kártɪŋ] *n.* -s 〖스포츠〗 고카트(Go-Kart) 경기.

karto.. *pref.* "카드〔지도〕의, 마분지로 된"의 뜻.

***Kartoffel** [kartɔ́fəl] 《it.》 *f.* -n ① 감자: 〖구어〗 rin〔rein〕 in die ~n, raus aus den ~n 이랬다저랬다 하다; 〖경박〗 ~n abgießen 오줌 누다; 〖구어〗 die ~n von unten ansehen 〔betrachten, wachsen sehen〕 죽었다, 무덤에 누워 있다. ② 〖구어·농담〗 주먹코. ③ 〖구어·농담〗 회중 시계. ④ 〖구어·농담〗 형편 없는 축구공: mit der ~ kann man nicht mehr spielen 바람빠진 공으로는 더 이상 축구를 할 수 없다. ⑤〖구어·농담〗(양말·의복의) 해진 구멍.

Kartoffel=acker *m.* 감자밭. **~bau** *m.* 감자 재배. **~bauch** *m.* 불룩배, 올챙이배. **~bovist** *m.* 〖植〗 둥근말불버섯. **~brannt·wein** *m.* 감자로 만든 소주. **~brei** *m.* 감자죽, 감자 퓌레. **~chips** *pl.* 감자칩. **~ernte** *f.* 감자 수확. **~fäule** *f.* 감자 부식병(腐蝕病). **~feld** *n.* 감자밭. **~feuer** *n.* (수확 후) 감자 줄기 등을 태우는 불. **~horde** *f.* (엮어서 짠 감자 저장용) 시렁. **~käfer** *m.* 〖動〗 콜로라도 딱정벌레. **~kloß** *m.* 감자 경단. **~knödel** *m.* (südd.) ↑ ~kloß. **~krankheit** *f.* 감자병. **~kraut** *n.* 감자의 줄기잎. **~mehl** *n.* ① 감자 가루, 녹말. ② ↑ ~walzmehl. **~mus** *n.* ↑ ~brei. **~nase** *f.* ↑ Kartoffel ②. **~puffer** *m.* 〖요리〗 감자전, 감자 팬케이크. **~püree** *n.* ↑ ~brei. **~sack** *m.* 감자 자루〔부대〕. **~salat** *m.* 감자 샐러드. **~schale** *f.* 감자 껍질. **~schäler** *m.* 감자 껍질 벗기는 기구. **~schnaps** *m.* 감자로 만든 소주〔화주〕. **~stock** *m.* (schweiz.) ↑ ~brei. **~suppe** *f.* 감자 수프. **~waage** *f.* 감자의 비중 및 녹말 성분 함량을 측정하는 저울. **~walz·mehl** *n.* 감자를 말려 빻은 가루(가축 사료 등에 씀).

Kartograf *f.* 新정서 ⇦ Kartograph.

Kartografie 新정서 ⇦ Kartographie.

kartografieren 新정서 ⇦ kartographieren.

kartografisch 新정서 ⇦ kartographisch.

Kartogramm [kartográm] 《gr.》 *n.* -s, -e 통계 지도, 비교 통계도(圖).

Kartograph [..grá:f] 《gr.》 *m.* -en, -en 제도사, 지도 제작자.

Kartographie *f.* 제도법, 지도 제작술.

kartographieren *t.* 지도를 제작하다.

kartographisch *a.* 지도학〔지도 제작술〕의.

Kartomantie [..mantí:] *f.* 카드로 점치는 법.

Kartometer *n.* 측도기(測圖器).

Kartometrie [kartometrí:] *f.* 측도(測度).

***Karton** [kartɔ̃:, ..tɔ́ŋ] *m.* -s, -s/-e ① 두꺼운 종이, 마분지; 판지. ② 마분지 상자. ③ 종이 끼우개. ④ (벽화 등의 두꺼운 종이에 그린) 초벌 그림, 소묘. ⑤〖제본〗(**a**) 표지가 두꺼운 책. (**b**) (잘못이 있는 페이지와 바꿔 넣을) 정정(訂正) 페이지. ⑥〖구어〗 머리: et. im ~ haben 영리하다; nicht alle im ~ haben 제정신이 아니다; nichts im ~ haben 어리석다, 멍청하다; jm. einen vor den ~ hauen 누구의 얼굴을 때리다; 〖경박〗 es knallt im ~ 야단을 맞아 머리가 띵하다; bei ihm rappelt's im ~ 그는 제정신이 아니다.

Kartonage [kartoná:ʒə] *f.* -n 마분지 상자.

Kartonage·arbeit *f.* 상자 제작.

Kartonagen=fabrik *f.* 판지 제조 공장. **~macher** *m.* 판지〔마분지〕 제조 숙련공.

kartonieren 《I》 *t.* 두꺼운 표지를 붙이다〔붙여서 철하다〕. 《II》 **kartoniert** *p.a.* ↑ kartoniert.

kartoniert 《I》 *p.p.* ↑ kartonieren. 《II》 *p.a.* 두꺼운 종이 표지로 된〔철한〕 (약어: kart.): ~e Bücher 하드커버로 된 책들.

Kartothek [kartoté:k] 《gr.》 *f.* -en ↑ Kartei.

Kartusche [kartúʃə] *f.* -n ①〖軍〗 탄띠. ②〖건축〗 장식 테두리, 족자 둘레의 장식. ③〖방언〗 작은 상자.

Kartusch·raum *m.* 탄약고.

Karu [karú:] *f.* 남아프리카의 건조한 계단 모양의 고원.

Karube [karú:bə] 《gr.》 *f.* -n 〖植〗 캐롭, 콩의 일종.

Karunkel [karúŋkəl] 《lat.》 *f.* -n 〖醫〗 육아(肉芽), 군살.

***Karussell** [karusέl] 《frz.》 *n.* -s, -s/-e ①〖고어〗 창으로 둥근 고리를 찌르는 마상(馬上) 유희의 일종. ② 회전 목마: im ~ der Tarifverhandlungen 임금 협상의 곡예 속에서; 〖구어〗 mit jm. ~ fahren 누구를 심하게 나무라다. ③〖비유〗 (무의미한) 반복: das ~ des Lebens 생의 무미건조한 반복.

Karutsche [karútʃə], **Karutze** [karútsə] *f.* -n (ndd.) ↑ Karausche.

Karweelbau [karvé:lbau] *m.* 〖조선〗 ↑ Kraweelbau.

karweelgebaut *a.* ↑ kraweelgebaut.

Kar·woche [ká:*r*..] *f.* 〖宗〗 부활절의 전주(前週), 성 주간.

Karyatide [karyatí:də] 《gr.》 *f.* -n 〖조각〗 카리아티드(들보를 받치고 있는 여인상).

Karyokinese [karyokiné:zə] 《gr.》 *f.* -n 〖生〗 유사 분열, 간접 (세포) 핵분열.

Karyopse [karyɔ́psə] *f.* -n 〖植〗 (과피(果皮)와 종피(種皮)가 붙은) 견과 식물의 열매.

Karzer [kártsə*r*] 《lat. carcer》 *m.* -s, - (옛 대학에서의) 감금, 구류; 유치장: er hat drei Tage ~ gekriegt 그는 3 일 동안의 구류 처분을 받았다.

karzinogen [kartsinogé:n] *a.* 〖醫〗 발암성의: ~e Faktoren 발암성 인자.

Karzinogen *n.* -s, -e 〖醫〗 발암성 물질.

Karzinologie [kartsinologí:] 《gr.》 *f.* 〖醫〗 암의학, 암 이론.

Karzinom [kartsinó:m] *n.* -s, -e 〖醫〗 악성 종양, 암종(癌腫).

karzinomatös *a.* 암종(모양)의.

Karzinose [kartsinó:zə] *f.* -n 〖醫〗 전이성 종양.

Kasache [kazáxə] *m.* -n, -n (중앙 아시아의) 카자흐족.

Kasachstan [kázaxsta:n] 카자흐스탄(중앙 아시아 북부에 있는 공화국).

Kasack [ká:zak] 《frz.》 *m.* -s, -s (점퍼 모양의) 여성용 코트.

Kasak [kasák] *m.* -(s), -s 코카시아 양탄자 (코카시아족의 이름에서).

Kasatschok [kazatʃɔ́k] *m.* -s, -s 카자흐춤, 러시아의 민속 무용.

Kasba [kásba] *f.* -s/Ksabi [ksá:bi] ① 모로코의 성채식 궁전. ② 북아프리카 도시의 아랍인 거주 지구.

Kasbah *f.* -s/Ksabi ↑ Kasba.

kascheln [ká(:)ʃəln] *i.* (h.) 〖방언〗 (스케이트장에서) 활주하다, 스케이팅하다.

Kaschelott [kaʃəlɔ́t] 《frz.》 *m.* -(e)s, -e 〖動〗 ↑ Pottwal.

Kaschemme [kaʃέmə] 《sl.》 *f.* -n 〖폄어〗 도둑의 소굴; 싸구려 술집.

kaschen [káʃən] *t.* 〖경박〗 ① 누구를 체포〔구금〕하다. ② (불법으로) 습득하다, 횡령하다, 훔치다: sich³ et. ~ 무엇을 슬쩍하다, 훔치다.

Käschen [kέ:sçən] *n.* -s, - 《↑ Käse ① 의 축

소형』 소형 치즈.

Käscher [kɛ́ʃər] *m.* -s, - ↑ Kescher.

kaschieren [kaʃí:rən] 《frz.》 *t.* ① 감추다, 숨기다, 은폐하다; 모조(模造)하다. ② (두꺼운 종이에) 색종이 등을 붙이다. ③〖연극〗무대 장치를 하다, 소도구를 설치하다. ④〖工〗(겹쳐져 있는 섬유 가닥들을) 밀착시켜 붙이다, 접합시키다.

Kaschierung *f.* -en ↑ kaschieren 의 명사형.

Kaschmir [kaʃmí:r, káʃmɪr] ① 카슈미르(인도 서북부의 산악 지방). ② *m.* -s, -e 캐시미어(카슈미르산(產) 산양의 털로 짠 고급 모직물).

Kaschmir≈schal *m.* 캐시미어숄〔목도리〕. **~wolle** *f.* 캐시미어울〔모〕.

Kascholong [kaʃolɔ́ŋ] *m.* -s, -s 『광물』 단백석(蛋白石)(오팔의 변종).

Kaschube [kaʃú:bə] *m.* -n, -n ① 카슈브인(오늘날의 서부 프로이센과 포메른의 일부 지역에 사는 슬라브 민족의 이름에서). ②〔방언·폄어〕촌놈, 산골놈.

***Käse** [kɛ́:zə] 《lat.》 *m.* -s, - ① 치즈: frischer ~ 신선한 치즈;〔농담〕~ schließt den Magen 디저트로 치즈를 먹자. ② 응유(凝乳): Eier≈ 달걀이 든 응유. ③ 아티초크 또는 꽃양배추의 식용으로 쓰이는 부분. ④〔구어〕눈곱(Augenbutter). ⑤〔비유〕drei ~ hoch 키가 작은, 왜소한. ⑥〔구어·폄어〕어리석은 일, 하찮은 것: mach doch keinen ~! 그런 실없는〔어리석은〕 소리는〔짓은〕 그만두게!

käse·artig *a.* 치즈 같은.

Käse≈auflauf *m.* (치즈를 부풀린) 치즈 수플레. **~aufschnitt** *m.* (다양한 종류의) 치즈 조각. **~bereitung** *f.* 치즈의 제조. **~blatt** *n.*〔경박·폄어〕(치즈를 싸는 데 적당한) 보잘것없는〔시시한〕 신문. **~bohrer** *m.* 치즈에 구멍을 내는 기구. **~butter** *f.* ① ↑ Schmierkäse. ② 응유(Quark). **~ecke** *f.* 3 각형 모양으로 포장한 부드러운 치즈. **~faß** *n.* 치즈통. **~form** *m.* 치즈의 모양을 떠내는 틀. **~fuß** *m.*〔폄어〕땀냄새가 심한 발. **~gebäck** *n.* 치즈(를 얹어 구운) 과자. **~glocke** *f.* (종 모양의) 유리로 된 치즈 덮개. **~händler** *m.* 치즈 상인. **~haus** *n.* ↑ ~hütte. **~hitsche** *f.*〔구어〕어린이용 썰매. **~hütte** *f.* 치즈 제조장.

Kasein [kazeí:n] 《lat.》 *n.* -s 카세인, 건락소(乾酪素).

Käse≈krämer *m.* 치즈 상인. **~kraut** *n.* 〖植〗① 야생의 당아욱. ② ↑ Bohnenkraut. **~kuchen** *m.* 치즈 케이크.

Kasel [ká:zəl] 《lat.》 *f.* -n 사제·목사가 입는 겉옷, 미사복.

Käsel *m.* -s, - (ndd.) 작은 집.

Käse≈lab *n.* (치즈 제조용의) 송아지의 제 4 위〔주름위〕의 내막(內膜), 레닛. **~laib** *m.* (둥그런 모양의) 치즈 덩어리. **~made** *f.* 〖動〗치즈에 꾀는 구더기. **~magen** *m.*〔방언〕송아지의 제 4 위〔주름위〕.

Kasematte [kazəmátə] *f.* -n ①〖軍·海〗(포대의) 포곽(砲郭), 궁교(穹窖). ②〖軍〗(요새의) 장갑실(裝甲室), 방공호.

Kasematten·batterie *f.* 궁교(穹窖) 포대.

kasemattieren *t.* (요새에) 궁교를 만들다.

Käse≈messer *n.* 치즈용 칼;〔농담〕대검, 총검, 큰 주머니칼. **~milbe** *f.* 〖動〗치즈(를 파먹는) 진드기, 치즈 벌레. **~milch** *f.*〔방언〕응유(凝乳).

käsen [kɛ́:zən] 《<Käse》《I》 *i.* ① (h.) 치즈를 제조하다;〔비유〕실없는 말을 많이 지껄이다. ② (h./s.)/*refl.* (sich) ~ (우유가) 응결(凝結)하다, 치즈가 되다. 《II》 *t.* (우유를) 응결시키다, 치즈로 만들다.

Käse≈napf *m.* 치즈 단지. **~papier** *n.* ① 치즈 포장지. ② ↑ ~blatt. **~pappel** *f.* 〖植〗↑ Malve. **~presse** *f.* 치즈 압착기.

Kaser [ká:zər] *m.* -s, - (öst.) ① ↑ Käser ①. ② ↑ Käser ②.

Käser [kɛ́:zər] *m.* -s, - ① 치즈 제조업자, 낙농업자. ② 알프스 산지의 목장 초막〔움막〕. ③〔구어〕↑ Käsefuß.

Käserei *f.* -en ① 치즈 제조. ② 치즈 공장.

***Kaserne** [kazɛ́rnə] *f.* -n 병영, 병사(兵舍).

Kasernen≈arrest *m.* 〖軍〗영창 금고. **~block** *m.* 병영 블록. **~dienst** *m.* 영내 근무. **~hof** *m.* 영내의 마당. **~hof·blüte** *f.*〔비유〕(신병 교육 때 하사관들이 입버릇처럼 말하는) 상투어, 익살. **~hof·ton** *m.* 명령조의〔거친·고압적인〕 말투. **~schiff** *n.* 병영용으로 쓰는 폐함. **~wärter** *m.* 위병(衛兵).

kasernieren [kazɛrní:rən] 《frz.》 *t.* 병영을 짓다; 병사(兵舍)에 집어 넣다.

Kasernierung *f.* -en 병영 구축, 병사(兵舍) 축조; 병사 투입〔배치〕.

Käse≈sahne·torte *f.* 치즈 크림 케이크. **~säure** *f.* 건락산(乾酪酸). **~stange** *f.* 치즈 스틱 과자. **~stecher** *m.* ↑ ~bohrer. **~stoff** *m.* ↑ Kasein. **~torte** *f.* ↑ ~sahnetorte. **~wasser** *n.*〔방언〕↑ Molke. **≈weiß** *a.* 창백한, 핏기가 없는: ~ aussehen 창백해 보이다.

käsig [kɛ́:zɪç] *a.* ① 치즈 같은, 건락(질)의. ②〔구어〕↑ käseweiß.

Kasimir [ká:zimi:r] ↑ Kaschmir.

Kasino [kazí:no] 《it.》 *n.* -s, -s ① 별장, 원정(園亭). ②〔구식〕집회소, 식당; 클럽 하우스, 회관; 오락장. ③ 카지노, 도박장.

Kaskade [kaská:də] 《lat.》 *f.* -n ① (계단식으로 된) 인공 폭포. ②〖서커스〗대담한 도약. ③ (연속 폭발하는) 폭죽. ④〖物〗고에너지 원소의 급속한 증가. ⑤〖전기〗↑ Kaskadenschaltung.

Kaskaden≈bach *m.* 폭류(瀑流). **≈förmig** *a.* (계단식) 폭포 모양의. **~schaltung** *f.* 〖전기〗종속 접속, 직렬.

Kaskadeur [kaskadǿ:r] *m.* -s, -e (서커스의) 도약을 하는 곡예사.

Kaskarill·rinde [kaskarı́l..] *f.* 〖植〗카스카릴라 나무(설사·빈혈 따위에 특효).

Kaskett [kaskɛ́t] *n.* -s, -e ①〔구식〕투구, (가죽으로 된) 군모(軍帽). ② 차양이 없는 둥근 모자(Mütze).

Kasko [kásko] 《lat. -sp.》 *m.* -s, -s ① 선체(船體), 기체(機體); 차량, 차체. ② 카드놀이의 일종. ③ ↑ ~versicherung 의 약칭.

Kasko·versicherung *f.* 선체 보험, 차량 보험.

Kaspar [káspar] 《pers.》 *m.* 카스파(남자 이름).

Kasper [káspər] *m.* -s, - ① 어릿광대(인형극의 기괴한 꼭두). ②〔구어〕익살꾼.

Kasperle [..lə] *m./n.* -s, - ↑ Kasper ①.

Kạsperle·theater *n.* 인형극(의 무대).
Kasperli [káspərli] *n.* -s, - (schweiz.) ↑ Kasper ①.
Kạsperli·theater *n.* ↑ Kasperletheater.
Kạsper·theater *n.* ↑ Kasperletheater.
kaspern [kaspərn], **käspern** *i.*(h.) 〖방언〗 ① 어릿광대짓하다. ② (humpeln) 다리를 절다.
kaspisch [káspɪʃ] *a.* das ∼e Meer 카스피해.
Kạspi·see *f.* 카스피해.
Kassa [kása] 《it.》*f.* Kassen (öst.) 돈궤; 저축금; 현금: per ∼ 현금으로; et. gegen ∼ kaufen 무엇을 현금으로 사다.
Kạssa≈buch *n.* ↑ Kassenbuch. **∼geschäft** *n.* 현금〔현물〕 거래. **∼konto** *n.* 현금 계정.
Kassandra [kasándra] 카산드라(그리스 전설에서 Priamus의 딸로서 여자 예언자).
Kassạndra·ruf *m.* 흉조, 불길한 예언.
Kassation [kasatsió:n] 《lat.》 *f.* -en ① (판결의) 파기, 취소; (문서 따위의) 폐기, 무효화. ② (관리·군인의) 면직, 파면. ③〖음악〗 (18 세기의) 세레나데풍의 기악곡.
Kassations·hof *m.* 항소〔상고〕 법원.
kassatorisch *a.* 파기의, 항고의.
Kassawa [kasá:va] 《indian.》*f.* -s 〖植〗 카사바(서인도 제도산(産)의 마나호트나무); (빵 따위를 만드는) 카사바의 녹말.
Kạssa·zahlung *f.* 현금 지급.
***Kasse** [kásə] 《it.》*f.* -n ① 돈궤, 금고: 〖구어〗 in die ∼ greifen 〔einen Griff in die ∼ tun〕 돈을 훔치다; 〖구어〗 meine ∼ ist leer 나는 돈이 (하나도) 없다. ② 현금 출납소, 지급 창구, 회계과; 〖철도〗 매표소: die ∼ führen 금전 출납을 취급하다. ③ 현금: gegen ∼ 현금으로; (gut) bei ∼ sein 현금을 많이 가지고 있다, 부자다; knapp〔nicht〕 bei ∼ 돈에 몰려서; ∼ machen 큰 돈을 벌다; getrennte ∼ machen 각추렴〔각자 지급〕하다, 더치페이하다; 〖구어〗 et. reißt ein〔großes, tiefes〕 Loch in js. ∼ 무엇을 위해 누가 많은 돈을 지급해야만 하다. ④ 현금 지급. ⑤ 의료 보험 조합(Kranken∼): 〖구어〗 die Kur geht auf ∼ 요양비는 의료 보험에서 지급한다. ⑥ 은행, 금융 기관.
Kassel [kásəl] 카셀(Hessen의 북부 도시): 〖구어·구식〗 ab nach ∼! 없어져 버려라!
Kasseler[1] [kásələr] *m.* -s, - Kassel 주민.
Kạsseler[2] *n.* -s, - 〖요리〗 ↑ Kasseler Rippenspeer 의 약칭.
kạsseler[3] *a.* 소금에 절여 훈제한 돼지 갈비의.
Kạsseler Rippenspeer *m./n.* 〖요리〗 소금에 절여 훈제한 돼지 갈비.
Kassen≈abschluß [kásən..] *m.* 계정의 결산. **∼anweisung** *f.* ① 유가 증권. ② 지폐. ③ 지급 지시. **∼arzt** *m.* 의료 보험 가입 환자 진료 의사. **∼beamte** *m.* 출납계, 회계관(官). **∼bestand** *m.* 현금 잔고. **∼betrug** *m.* (위탁금 등의) 횡령, 부정 유용. **∼block** *m.* 〖복수: -s〗 영수증 뭉치. **∼bote** *m.* 수금계(係). **∼brille** *f.* 〖구어·폄어〗 (의료 보험이 대금을 지급하는) 싸구려 안경. **∼buch** *n.* 현금 출납부. **∼büro** *n.* 회계과. **∼defekt** *m.* 현금 부족(액). **∼dieb** *m.* (위탁금의) 부정 사용자, 횡령자. **∼diebstahl** *m.* ① 현금 절도. ② ↑ ∼betrug. **∼erfolg** *m.* (영화·연극의) 대히트. **∼führer** *m.* ↑ Kassierer. **∼füller** *m.* 〖구어〗 ① ↑ ∼erfolg. ② 인기 연예인. **∼geschäft** *n.* 현금 거래. **∼magnet** *m.* 〖구어〗 ① ↑ ∼erfolg. ② ∼füller ②. **∼markt** *m.* 금융 시장. **∼patient** *m.* 의료 보험 환자. **∼revision** *f.* ↑ ∼sturz. **∼saldo** *m.* 현금 차액〔이월고(移越高)〕. **∼schalter** *m.* 수납 창구. **∼schein** *m.* ↑ ∼anweisung. **∼schlager** *m.* 〖구어〗 ① ↑ ∼erfolg. ② 잘 팔리는 상품. **∼schlüssel** *m.* 금고 열쇠. **∼schrank** *m.* 금고. **∼stück** *n.* 〖연극〗 히트한 극. **∼sturz** *m.* 현금 잔고의 검사, 회계 검사. **∼übersicht** *f.* 대차 대조표. **∼verwalter** *m.* ↑ ∼wart. **∼wart** *m.* 출납계, 경리 담당. **∼zettel** *m.* 영수증.
Kasserolle [kasərɔ́lə] 《frz.》*f.* -n (자루가 달린) 스튜 냄비, 찜 냄비.
Kassette [kasέtə] 《lat.》*f.* -n ① 작은 상자, 돈궤, 보석 상자. ②〖건축〗 우물반자의 칸. ③〖사진〗 건판(乾板)이나 필름을 끼우는 틀. ④ 카세트 테이프. ⑤ (한 질의 책, 레코드판의) 케이스.
Kassẹtten≈deck *n.* ↑ ∼recorder. **∼decke** *f.* 〖건축〗 우물반자. **∼film** *m.* 카세트에 들어 있는 필름. **∼recorder** *m.* 카세트 테이프 리코더.
kassettieren *t.* 〖건축〗 우물반자로 하다.
Kassia [kásia] 《hebr.》*f.* Kassien ↑ Kassie.
Kạssia·öl *n.* 계피유.
Kassiber [kasí:bər] 《hebr.》 *m.* -s, - 〖은어〗 죄수끼리 또는 감옥 안팎에서 통하는 비밀〔암호〕 문서 통신.
Kasside [kasí:də] 《ar.》*f.* -n 카시드(칭찬이나 조소를 목적으로 하며 각 행에 같은 각운을 가지는 아라비아의 시형).
Kassie [kásiə] *f.* -n ①〖植〗 육계속(肉桂屬). ② 계피.
Kassien·baum [kásiən..] *m.* 계수나무.
Kassier [klasí:r] 《lat.》*m.* -s, -e ↑ Kassierer.
***kassieren**[1] [kasí:rən] *t.* ① (세금·집세 따위를) 징수하다, 수금하다: die Miete ∼ 집세를 징수하다. ②〖구어〗 달게 받다, 참고 견디다: Kritiken ∼ 비판을 감내하다. ③〖경박〗 체포하다. ④〖구어〗 빼앗다, 압류하다: die Polizei kassierte seinen Führerschein 경찰이 그의 운전 면허증을 압수했다. ⑤ 지급을 요구하다.
kassieren[2] 《lat.》 *t.* ① (판결 따위를) 무효로서 파기하다, 취소하다; (화폐 따위를) 폐기하다. ② 파면〔면직〕시키다.
Kassierer *m.* -s, - 출납계, 회계원, 경리.
Kassiererin *f.* -nen ↑ Kassierer의 여성형.
Kassierin *f.* -nen ↑ Kassiererin.
Kassierung *f.* -en ↑ Kassation.
Kassiopeia [kasiopáɪa, ..pé:ja] *f.* ①〖그리스신화〗 카시오페이아(Andromeda의 어머니). ②〖天〗 카시오페이아 자리.
Kassiterit [kasiterí:t] *m.* -s, -e 주석광(석).
Kaßler [káslər] *n.* -s, - ↑ Kasseler[2].
Kạssler *n.* -s, - ↑ Kaßler.
Kassonade [kasoná:də] 《frz.》 흑설탕.
Kastagnette [kastanjέtə] 《sp.》*f.* -n 〖악기〗 캐스터네츠.
Kastalia [kastá:lia] *f.* 〖그리스신화〗 카스탈

리아(요정의 이름).

kastalisch *a.* ~e Quelle 파르나스 신천(神泉) (시인의 영감의 상징).

***Kastanie** [kastá:niə] 《gr.》 *f.* -n ①〖植〗밤(나무): eine Tüte heiße ~n 군밤 한 봉지; unechte〔wilde〕 ~ 상수리의 일종;〖비유〗für jn. die ~n aus dem Feuer holen 누구를 위하여 불 속의 밤을 줍다, 위험을 무릅쓰다. ②(Roß≈) 마로니에〔상수리나무〕 열매. ③〖사냥〗짐승의 뒷다리에 돋은 검은 털. ④〖動〗(말의 발 안쪽에 있는) 각질(角質)의 못.

Kastanien≈baum *m.* 밤나무; 상수리나무. **≈braun** *a.* 밤색의. **~holz** *n.* 밤나무 목재. **~schale** *f.* 밤〔상수리〕 껍질. **~wald** *m.* 밤〔상수리〕나무 숲.

Kästchen [kέstçən] *n.* -s, - ① ↑ Kasten 의 축소형. ②종이에 인쇄된 사각형 무늬.

***Kaste** [kástə] 《lat.》 *f.* -n ①카스트, 카스트 제도. ②〖폄어〗 배타적인 사회 계층〔집단〕.

Käste [kέstə] *f.* -n (südd.) ↑ Kastanie.

kasteien [kastáɪən] 《lat.》 *t./refl.* 〖宗〗 seinen Leib ~ 〔sich ~〕 자기 몸을 괴롭히다, 금욕하다, 고행하다.

Kasteier *m.* -s, - 금욕자, 고행자.

Kasteiung *f.* -en 금욕, 고행.

Kastell [kastέl] 《lat.》 *n.* -s, -e ①성채, 요새, 성곽. ②〖海〗 Vor(der)≈ 앞쪽 상갑판, 선수루(船首樓); Hinter≈ 후갑판, 선미루(船尾樓).

Kastellan [kastɛlá:n] *m.* -s, -e ①성주(城主); 요새 사령관. ②청지기, 집사; (공공 건물 등의) 관리인, 간사, 안내인, 지배인.

Kastellanei [kastɛlanáɪ] *f.* -en 성채〔성곽〕 관리; 성주의 직무.

kästeln [kέstəln] 《<Kasten》 *t.* 격자〔바둑판〕 무늬로 하다.

***Kasten** [kástən] *m.* -s, Kästen/- ①상자, 갑; 궤; 책상 서랍(Tisch≈); 우편함(Brief≈): den Brief in den ~ werfen〔stecken〕 편지를 우편함에 넣다;〖방언〗im ~ hängen 공시(公示)하다; im ~ sein 공시되어 있다. ②(Geld≈) 돈궤, 저금통: gemeiner ~ 공공금고; ~ für die Armen 자선 모금 상자; Keller und ~ sind voll 유복하다;〖구어〗jm. hinter den ~ gehen 누구의 돈을 훔치다. ③(우물의) 물통; (피아노의) 겉을 씌운 (나무) 상자;〖印〗활자함. ④(반지의) 보석을 물리는 부분: ~ der Zähne 치조(齒槽). ⑤〖악기〗(악기의) 공명통; (오르간의) 바람통. ⑥〖농담〗허수룩한 낡은 집, 폐가, 누옥; 노후선; 헐어 빠진 마차; 싸구려 피아노; 배낭; 볼기; 살찐 여자:〖聖〗der ~ Noahs 노아의 방주. ⑦〖物〗optischer ~ 요지경. ⑧〖軍〗영창, 금고, 감옥: drei Tage ~ bekommen 3일간의 금고형을 받다. ⑨〖광산〗말뚝을 둘러친 것, 목재 뼈대 꾸밈. ⑩〖스포츠〗뜀틀(Sprung≈). ⑪〖스포츠〗골, 골대. ⑫〖방언〗찬장, 옷장. ⑬〖구어·폄어〗텔레비전; 카메라; 컴퓨터. ⑭〖구어·농담〗머리, 이해력:〖구어〗et. auf dem ~ haben 영리하다, 능력〔재능〕이 있다; er hat nichts auf dem ~ 그는 아무것도 모른다; er hat nicht mehr alle auf dem ~ 그는 더 이상 제정신이 아니다.

Kasten≈brot *n.* 네모진(토스트) 빵. **~damm** *m.* 〖工〗(교량 공사 따위의) 잠함(潛函). **~deckel** *m.* 상자 뚜껑. **~drachen** *m.* (기상 관측에 쓰이는) 상자 모양의 연.

Kasten≈dünkel 《<Kaste》 *m.* 계급적 자부심, 신분의 자만. **~geist** *m.* ①《<Kaste》 계급적 배타심, 계급 감정〔의식〕. ②《<Kasten》〖연극·농담〗무대 뒤에서 대사를 일러 주는 사람, 프롬프터. **~herrschaft** 《<Kaste》 *f.* 계급 제도.

Kasten≈kamera *f.* 상자 모양의 카메라. **~macher** *m.* 상자 제조인. **~schloß** *n.* 상자의 자물쇠. **~wagen** *m.* 상자 모양의 차체가 달린 차, 손수레.

Kastentum *n.* -s 카스트〔엄격한 계급〕 제도.

Kasten·wesen *n.* ↑ Kastentum.

Kastigation [kastigatsió:n] 《lat.》 *f.* -en 징벌; 징계, 질책; 수정(修正).

kastigieren *t.* 징벌〔징계·질책〕하다.

Kastillien [kastí:liən] -s 카스티야(11세기경 이베리아 반도에 세워진 고대 왕국).

Kästner [kέstnər] *m.* -s, -〖방언〗출납계, 징수원.

Kastor[1] [kástɔr, ..to:r] *m.* 〖그리스신화〗 ~ und Pollux 제우스의 쌍둥이 아들;〖비유〗친밀한 사람: wie ~ und Pollux sein 아주 친밀한 사이이다.

Kastor[2] 《gr.》 *m.* -(s) ①〖섬유〗해리(海狸)의 가죽, 고급 모피. ②〖天〗쌍둥이자리의 알파성.

Kastor≈hut *m.* 해리 가죽 모자. **~öl** *n.* 피마자 기름.

Kastrat [kastrá:t] 《lat.》 *m.* -en, -en ①거세된 사람, 환관(宦官); 유약한 남자. ②카스트라토(바로크 시대의 거세된 이탈리아 가수).

Kastration [..tsió:n] *f.* -en〖醫〗거세(술).

kastrieren *t.* 거세하다.

Kastrierung *f.* -en〖드물게〗거세(하기).

kasual [kazuá:l] 《lat.》 *a.* (zufällig) 우연한, 뜻하지 않은; 임시의.

Kasualien [..liən] *pl.* 우연한 사건;〖기독교〗(혼례식 등의) 임시 직무(사례비).

Kasualismus [kazualísmus] *m.* -〖哲〗우연론.

Kasualität *f.* -en 우연(히 생긴 일), 의외의 재난.

Kasual·rede *f.*〖宗〗임시 설교〔식사(式辭)〕.

Kasuar [kazuá:r] 《mal.》 *m.* -s, -e〖動〗화식조(火食鳥).

Kasuarine [kazuarí:nə] *f.* -n〖生〗목마황(木麻黃)속.

kasuell [kazuέl] *a.* 〖다음 용법으로만〗〖法〗 ~e Bedingung 우연 조건.

Kasuist [kazuíst] 《lat.》 *m.* -en, -en 결의론자(決疑論者); 꼬치꼬치 캐는 사람, 문자에 구애되는 사람.

Kasuistik [..ístɪk] *f.* ①결의론(決疑論);〖교양〗꼬치꼬치 캠. ②〖醫〗사례 보고(집).

kasuistisch *a.* 결의론적인; 꼬치꼬치 캠;〖醫〗질병의 징후를 보고하는.

***Kasus** [ká:zus] *m.* -, - ①경우, 상태; 우연, 사건, 생긴 일. ②〖문법〗격(格).

Kasus·endung *f.*〖문법〗격어미.

Kat [kat] *m.* -s, -s ↑ Katalysator 의 약칭.

Katabolismus [katabolísmus] 《gr.》 *m.* -〖生·醫〗이화(異化) 작용.

Katachrese [kataçré:zə] 《gr.》 *f.* -n〖修〗①용어〔비유〕의 남용〔오용〕(보기: Stuhlbein, Schlüsselbart). ②적절하지 않은 비유.

Katachresis [katá(:)çrezɪs] *f.* ..sen ↑ Ka-

tachrese.
katachrestisch [..réstɪʃ] *a.* 용어〔비유〕 남용의.
Katafalk [katafálk] 《it.》 *m.* -s, -e (신분이 높은 사람의 관을 얹는) 상여, 관대(棺臺).
Katakana *f.* 〔*n.* -(s)〕 가타카나(일본의 문자).
katakaustisch *a.* 〖광학〗 반사 화선(火線)의.
Kataklase [katakláːzə] *f.* -n 〖지질〗 암석에 함유된 광물들의 파열〔분열〕(↔ Protoklase).
Kataklas·struktur *f.* 〖지질〗 부서진 광물들의 퇴적 구조.
kataklastisch *a.* 〖지질〗 광물 분열〔파열〕의: ~es Gefüge ↑ Kataklasstruktur.
Kataklysmus [kataklýsmʊs] 《gr.》 *m.* -, ..men 〖지질〗 지각의 대변동.
Katakombe [katakɔ́mbə] 《gr.》 *f.* -n 지하 묘지, 지하 납골당(納骨堂).
Katakustik [kat|akústɪk] 《gr.》 *f.* 반향학(反響學).
Katalane [kataláːnə] *m.* -n, -n 카탈로니아인.
katalanisch *a.* 카탈로니아(인·어)의.
Katalase [kataláːzə] 《gr.》 *f.* -n 〖化〗 카탈라제(과산화수소를 물과 산소로 분해하는 효소).
Katalaunische Felder [kataláunɪʃə..] *pl.* 중부 프랑스의 평원.
Katalekten [kataléktən] 《gr.》 *pl.* 부서진 조각; (옛날 작품의) 단편; 잔여.
katalektisch [..léktɪʃ, ..léːk..] *a.* 〖문학〗 (시행의 마지막) 운각(韻脚)이 불완전한(↔ akatalektisch).
Katalepsie [katalɛpsíː] 《gr.》 *f.* -n [..síːən] 〖醫〗 강경증(強硬症), 카탈렙시.
kataleptisch *a.* 강경증의.
Katalexe [kataléksə] *f.* -n 〖문학〗 (시행의 마지막) 운각(韻脚)의 불완전성.
Katalexis [..ksɪs] 《gr.》 *f.* ..lexen [..ksən] ↑ Katalexe.
***Katalog** [kataló:k] 《gr.》 *m.* -(e)s, -e ① (서적·수집품의) 목록; (상품의) 카탈로그. ② 다수, 일련: Fragen~ 일련의 질문; Maßnahmen~ 일련의 조치.
katalogisieren [katalogizíːrən] *t.* 목록을 만들다, 카탈로그에 싣다.
Katalogisierung *f.* -en 목록 제작〔기재〕.
Katalonien [kataló:niən] 카탈로니아(에스파냐의 북동 산악 지방).
Katalonier [..lóːniər] *m.* -s, - ↑ Katalane.
katalonisch *a.* ↑ katalanisch.
Katalpa [katálpa] *f.* ..pen [..pən] ↑ Katalpe.
Katalpe [katálpə] *f.* -n 〖植〗 개오동나무.
Katalysator [katalyzáːtɔr, ..toːr] 《gr.》 *m.* -s, -en [..tóːrən] ① 〖化〗 촉매. ② 〔교양〕 매개자; 촉진시키는 사람.
Katalyse [..lýːzə] 《gr.》 *f.* -n 〖化〗 촉매 작용, 접촉 반응.
katalysieren [katalyzíːrən] *t.* 〖化〗 촉매 작용을 하다.
katalytisch [..lýː..] *a.* 촉매(작용)의.
Katamaran [katamaráːn] *m.* -s, -e 쌍동체(雙胴體)의 보트〔범선〕.
Katamnese [katamnéːzə] *f.* -n 〖醫〗 병력(病歷), 병상(病狀) 보고.
Kataphorese [kataforéːzə] *f.* -n 〖物〗 (양자가 음극으로 이동하는) 전기 이동.
Kataplasie [kataplazíː] 《gr.》 *f.* -n [..zíːən] 〖醫〗 (조직의) 퇴화.
Kataplasma [kataplásma] 《gr.》 *n.* -s, ..men 〖醫〗 찜질.
kataplektisch [katapléktɪʃ] 《gr.》 *a.* 〖醫〗 졸도(성 마비) 증세가 있는, 놀라서 몸이 마비된.
Kataplexie [..plɛksíː] *f.* -n [..síːən] 충격에 의한 경직; 〖醫〗 졸도(성 마비).
Katapult [katapúlt] 《gr.》 *n./m.* -(e)s, -e ① 노궁(弩弓), 노포(弩砲), 투석기. ② 〔기술〕 비행기 사출기, 캐터펄트. ③ 고무총, 새총. ④ ↑ Katapultsitz.
Katapulte *f.* -n ↑ Katapult.
Katapult=flug *m.* 사출 비행. **~flugzeug** *n.* 캐터펄트 발사 비행기.
katapultieren [katapʊltíːrən] *t.* 캐터펄트로 발사하다: 〔비유〕 jn. in eine Stellung 〔auf einen Posten〕 ~ 누구를 어떤 자리〔지위〕에 오르게 하다〔오르도록 도와주다〕; sich ins Showgeschäft ~ 연예계에 뛰어들다.
Katapult·sitz *m.* 사출 좌석.
Katar [ká(ː)tar] 카타르(아라비아 반도 동부의 토후국).
Katarakt [katarákt] 《gr.》 《Ⅰ》 *m.* -(e)s, -e ① 폭포; 분류(奔流). ② 〖工〗 수력 절동기(節動機). ③ 큰비. 《Ⅱ》 *f.* -e 〖醫〗 백내장.
Katarakta *f.* ..ten 〖醫〗 백내장.
Katarer [katáːrər] *m.* -s, - 카타르인.
katarisch [katáːrɪʃ] *a.* 카타르인의.
***Katarrh** [katár] 《gr.》 *m.* -s, -e ① 〖醫〗 점막 염증, 카타르. ② 〔구어〕 감기.
Katarrhal·fieber [kataráːl..] *n.* 〖醫〗 카타르열.
katarrhalisch [..ráːlɪʃ] *a.* 카타르성의.
katarrh·artig *a.* ↑ katarrhalisch.
Kataster [katástər] 《lat.》 *n./m.* -s, - ① 〔구어〕 징세 대장. ② 토지 대장, 지적부.
Kataster=amt *m.* 토지 등기소, 지적국(地籍局). **~aufnahme** *m.* 지적도의 작성. **~auszug** *m.* 토지 대장〔지적부〕 초본. **~steuer** *f.* 대장세, 토지 측량세.
Katastral·gemeinde *f.* (öst.) (시)구역, 읍, 면.
katastrieren [katastríːrən] 《Ⅰ》 *i.* (h.) 토지 대장을 만들다. 《Ⅱ》 *t.* Steuern ~ 토지세를 사정하다.
katastrophal [..strofáːl] 《gr.》 *n.* ① 파국적인, 재앙의, 참담한, 끔찍한, 비참한: die Folgen der Krise waren ~ 위기의 결과는 참담하였다. ② 〖지질〗 지각 변동의.
***Katastrophe** [..stróːfə] *f.* -n ① 대참사, 재앙; 〖지질〗 대변동. ② 파멸, 비참한 결말; 〖연극〗 대단원, 파국.
Katastrophen=alarm *m.* 대재난 경보. **~artig** *a.* 대참사의, 대변동의. **~dienst** *m.* ① 재해 구조 활동. ② 재해〔재난〕 구조대. **~einsatz** *m.* 재해 구조대 투입〔배치〕. **~fall** *m.* 대참사, 파국적 사건. **~gebiet** *n.* 재해 지역. **~politik** *f.* (국민의 불안 심리를 이용하는) 파국 정책〔정치〕. **~schutz** *m.* 재해 예방〔대책〕.
Katatonie [katatoníː] 《gr.》 *f.* -n [..níːən] 〖醫〗 긴장병.
Katatoniker [katatóːnikər] *m.* -s, - 〖醫〗 긴

장병 환자.
Kate [ká:tə] 《ndd.》 *f.* -n 작은 집, 오두막.
Katechese [katɛçé:zə] *f.* -n 문답 교시(教示); 〖가톨릭〗 교리 문답.
Katechet [..çé:t] *m.* -en, -en 문답 교시자; 〖가톨릭〗 교리 교사.
Katechetik [..çé:tɪk] *f.* 문답 교시법; 〖가톨릭〗 교리 교수학(教授學).
Katechetin *f.* -nen ↑ Katechet 의 여성형.
katechetisch *a.* 교리 문답의, 문답식의.
Katechisation [..çizatsió:n] *f.* -en ↑ Katechese.
katechisieren *t.* (jn.) 문답식으로 가르치다; 시문(試問)하다.
***Katechismus** [katɛçísmus] *m.* -, ..men ① (간결한) 문답식 교과서. ②〖宗〗 교리 문답서.
Katechismus≈lehre *f.* 교리 문답법. **~schüler** *m.* 교리 문답을 받는 신도; 견진 성사의 준비 교육을 받고 있는 사람.
Katechist [katɛçíst] *m.* -en, -en (가톨릭의 지역 평신도) 전도사, 교리 문답 교사.
Katechu [kátɛçu] 《skt.》 *n.* -s, -s 〖醫〗 아선약(阿仙藥).
Katechumene [katɛçumé:nə, ..çú:menə] 《gr.》 *m.* ..nen, ..nen 〖가톨릭〗 ① 교리 연구자, 세례 지망자. ② 견진 성사 준비 교육을 받는 사람.
Katechu·palme *f.* 〖植〗 빈랑나무.
Katedrale *f.* -n ↑ Kathedrale.
kategorial [kategoriá:l] 《gr. -lat.》 *a.* 일정한, 확정적인; 결정적인; 범주적인.
***Kategorie** [kategorí:] 《gr.》 *f.* -n [..rí:ən] ① 〖哲〗 카테고리, 범주. ②〖논리〗 기본 개념. ③ 부문, 부류, 종류: jn. in eine ~ einreihen 누구를 어떤 부류에 편입시키다; zu welcher ~ gehört er? 그는 어떤 부류의 사람인가?
kategorisch [..gó:rɪʃ] *a.* 절대의, 무조건의; 정언적〔직언적〕인: ~e Behauptungen 무조건적인 주장; 〖哲〗 ~er Imperativ 정언적 명령; ein ~es Urteil 정언적 판단.
kategorisieren [..gorizí:rən] *t.* 범주에 넣다, 분류하다: Testergebnisse ~ 테스트 결과를 분류하다.
Katen [ká:tən] *m.* -s, - (ndd.) ↑ Kate.
Katene [katé:nə] 《lat.》 *f.* -n (교부(教父)들의 해석을 열거한) 성서 해석집.
Kätener *m.* -s, - ↑ Kätner.
***Kater** [ká:tər] *m.* -s, - ① 수고양이: der gestiefelte ~ (동화의) 장화 신은 수고양이: 〔구어·농담〕 verliebt wie ein ~ sein 사랑에 푹 빠져 있다; er ist ein richtiger ~ 그는 끊임없이 새로운 사랑의 모험을 꾀한다. ②〔비유〕 까다로운 사람. ③〔구어·학생〕 **(a)** 취함, 명정(銘酊). **(b)** (Katzenjammer) (숙취에서 깨어난 후의) 자책, 후회: einen ~ haben 숙취에 빠지다; 〔비유〕 moralischer ~ 실의, 자책; 〔비유〕 seinen ~ spazierenführen 기분 전환을 위하여 산책하다.
Kater≈bummel *m.* 〔구어〕 술 깨기 위한 아침 산책. **~frühstück** *n.* 숙취를 깨우는 아침 식사. **~idee** *f.* 〔농담〕 쓸데없는〔엉뚱한〕 생각. **~stimmung** *f.* 〔구어〕 숙취, 명정(銘酊).
katexochen [kat|ɛksɔxé:n] 《gr.》 *adv.* 오로지, 실제로, 본래.
Katgut [kátgut, (engl.) kǽtgʌt] 《engl.》 *n.* -s (양·염소의 장으로 만든) 외과용 봉합실, 봉합 장선(腸線).
kath. = katholisch 가톨릭의.
Katharer [ká(:)tarər] *m.* -s, - 〖宗〗 순결파 신자(중세 기독교의 일파).
Katharina [katarí:na], **Katharine** [..nə] 《gr., „die Reine"》 *f.* 카타리나, 카타리네(여자 이름).
Katharsis [ká(:)tarzɪs, katár..] *f.* ①〖醫〗 세척, 배변(排便). ② 정신적〔도의적〕 정화; 〖연극〗 카타르시스, 정화(淨化).
kathartisch [katár..] *a.* 순화〔정화〕하는: eine ~e Wirkung (aus)üben 정화 작용을 하다.
Käthchen [kɛ́:tçən] *n.*, **Käthe** [kɛ́:tə] *f.* 케트헨, 케테(↑ Katharina 의 축소형).
***Katheder** [katé:dər] 《gr., „Sitz"》 *n./m.* -s, - ① 강단, 연단. ② 강단의 책상. ③ 교수직.
Katheder≈blüte *f.* 교수〔강연자〕가 무의식적으로 내뱉는 우스운 말투〔익살〕. **~held** *m.* 변론의 대가, 말뿐인 사람, 공론가. **~poesie** *f.* 생활과 동떨어진 시가. **~sozialismus** *m.* 강단 사회주의. **~sozialist** *m.* 강단 사회주의자. **~weisheit** *f.* 탁상공론, 현학.
Kathedrale [katedrá:lə] *f.* -n 주교좌(主教座) 성당, 중앙 교회; 대성당, 대사원.
Kathedral≈entscheidung *f.* 로마 교황의 무오류의〔절대적인〕 결정. **~glas** *n.* 표면이 고르지 않은 교회의 창유리. **~kirche** *f.* ↑ Kathedrale.
Kathete [katé:tə] 《gr.》 *f.* -n 〖數〗 직각 3 각형에서 직각을 끼고 있는 2 변 중의 하나.
Katheter [katé:tər] *m.* -s, - 〖醫〗 카테터, 소식자(消息子).
katheterisieren [kateterizí:rən] *t.* 소식자를 삽입하다, 오줌을 끌어내다.
kathetern [katé:tərn] (*p.p.* kathetert) *t.* ↑ katheterisieren.
Kathode [katǒ:də] 《gr.》 *f.* -n 〖전기〗 음극.
Kathoden·strahlen *pl.* 음극선.
Kathodenstrahlen≈oszillograph *m.* 〖전기〗 음극선 진동 기록계. **~röhre** *f.* 음극선관.
Katholik [katolí:k, ..lɪ́k] 《gr. katholikós》 *m.* -en, -en 로마 가톨릭 신도, 구교도.
Katholiken·tag *m.* 가톨릭 신도 대회.
Katholikin *f.* -nen ↑ Katholik 의 여성형.
***katholisch** [katǒ:lɪʃ] *a.* ① 보편적인. ② 로마 가톨릭교의, 천주교의, 구교의(약어: kath.): ~e Briefe 공서(公書)(바울 서간을 제외한 신약 성서의 7 서간); ~e Kirche 가톨릭 교회. ③〔반어〕 er ist ~er als der Papst 그는 윗사람〔상사〕보다 더 엄격하다(까다롭게 군다).
katholisieren 《I》 *t.* 가톨릭 신도로 만들다. 《II》 *i.* (h.) 가톨릭 신도가 되다.
***Katholizismus** [..tsísmus] *m.* - 로마 가톨릭교(회); 로마 가톨릭 교의〔신앙〕.
Katholizität [..tsitɛ́:t] *f.* 가톨릭의 전통 신앙; 〖가톨릭〗 보편성.
katilinarisch [katiliná:rɪʃ] *a.* ~e Existenz 모반자; 반란을 일으킬 가능성이 있는 도당(로마의 귀족 Catilina 의 이름에서).
Kation [kátio:n, kátiɔn] 《gr.》 *n.* -s, -en [..ó:nən] 〖전기〗 양이온.
Katmandu [katmándu, katmandú:] 카트만두(네팔의 수도).
Kätner [kɛ́:tnər] 《< Kate》 *m.* -s, - 소작농, 품팔이꾼; 오두막집에 사는 사람.

Kato [ká:to] ① *m.* 카토(고대 로마의 감찰관의 이름). ② *m.* -, -s 준엄한 판관, 엄격하게 풍기를 단속하는 사람.

Katode *f.* -n ↑ Kathode.

katonisch *a.* 카토와 같은; 준엄한, 풍기를 단속하는: ~e Strenge 엄정, 엄격, 준엄.

Katoptrik [katɔ́ptrɪk] *f.* 〖物〗 반사광학.

katoptrisch *a.* 반사광(학)의.

katschen [kátʃən] *t./i.* (h.) 〘방언〙 쩝쩝거리며 씹다, 입맛을 다시다.

kätschen [kɛ́..] *t./i.* (h.) ↑ katschen.

Kätscher [kɛ́tʃər] *m.* -s, - ↑ Kescher.

Katschiff 《<Katt-schiff》 *n.* -(e)s, -e (북유럽의) 상선의 일종.

Katt [kat] 《ndd., „Katze"》 *f.* -en 〖海〗 ① 곤장의 일종. ② (물가의) 배 매는 말뚝. ③ 녹로(轆轤) 고패. ④ 보조 닻. ⑤ ↑ Katschiff.

Katt≈anker *m.* 보조 닻. **~block** *m.* 닻을 끌어올리는데 쓰는 큰 도르래.

Katte [kátə] *m.* -n, -n 카테(헤센인의 조상이 되는 게르만의 일족).

Kattegat [kátəgat] *n.* -(e)s (유틀란트와 스웨덴 사이에 위치한) 카테가트 해협.

Katteiker [kát|aɪkər] *m.* -s, - 〖動〗 (ndd.) 다람쥐.

katten [kátən] 《ndd.》 *t.* 〖海〗 (닻줄을) 감아 올리다.

Kattun [katú:n] *m.* -s, -e 면직물, 캘리코: 〘구어〙 jm. ~ geben 누구를 두들겨 패다, 호되게 나무라다; ~ kriegen a) 두들겨 맞다, b) 〖軍〗 심한 포격〔총격〕을 당하다.

Kattun≈druckerei *f.* 사라사 날염법〔날염 공장〕. **~kleid** *n.* 무명〔면직물〕옷.

kattunen *a.* 무명〔면포·면직물〕의.

Kattun≈fabrik *f.* 캘리코 공장. **~färber** *m.* 면포 염색공. **~lein·wand** *f.* 무명을 씨줄로 한 마포(麻布).

Katz [kats] *f.* -en 〘구어〙 ↑ Katze: 〘다음 용법으로〙 die ganze Arbeit〔Mühe〕 war für die ~ 모든 일〔온갖 노력〕이 허사였다; mit jm. ~ und Maus spielen 누구를 농락하다.

katz≈balgen [kátsbalgən] *refl.* sich ~ 맞붙어 싸우다, 다투다. **~balgerei** *f.* 싸움박질, 다툼질. **~buckeln** *i.* (h.) ↑ katzenbuckeln.

Kätzchen [kɛ́tsçən] *n.* -s, - 〘↑ Katze 의 축소형〙 ① 작은〔새끼〕 고양이. ② 〘구어〙 (파트너로서의) 여자: 〘경박〙 entlaufenes ~ 옛〔달아나 버린〕 애인〔여자 친구〕. ③ 〘경박〙 음문, 보지. ④ gestiefeltes ~ (장화신은 여자에게 달려드는) 음란증 환자 전문 매춘부. ⑤ 〖植〗 유제(柔荑)꽃차례〔화서(花序)〕(버드나무·포플러 꽃처럼 꽃잎이 없는 꽃차례).

***Katze** [kátsə] *f.* -n ① 〖動〗 고양이속(屬). ② 고양이(암컷·수컷 양쪽 모두 Katze로 쓰이지만 특히 Kater에 대하여 암고양이를 말함): zahme〔wilde〕 ~ 길들인〔야생〕 고양이; naß wie eine ~ 흠뻑 젖어; falsch wie eine ~ 내숭떠는. ③ 〘비유〙 고양이 같은 사람: alte ~ 심술궂은 할망구; sie ist (wie) eine richtige ~ 그녀는 아양을 잘 떠는 여자다. ④ 〘비유〙 es war keine ~ da 그곳에는 아무도 없었다; das hat wohl die ~ gefressen 그것은 자취도 없이 사라졌다; das ist für die ~! 그것은 아무짝에도 소용 없다!; die ~ im Sack kaufen 상품의 가치를 잘 알아보지도 않고 사다; die ~ aus dem Sack lassen 비밀을 폭로〔발설〕하다; (schweiz.) jm. die ~ den Buckel hinaufjagen 누구를 무섭게〔불안하게〕 하다; der ~ die Schelle anhängen 솔선하여 위험한 일을 떠맡다(고양이 목에 방울을 다는 우화에서); ~ (aus)halten müssen 꼼짝하지 않고 참아야 하다; in der Nacht sind alle ~n grau 어두우면 누군지〔빛깔이〕 분간이 안 된다; das trägt die ~ auf dem Schwanz fort 그것은 하잘것없는 일〔물건〕이다; sich wie Hund und ~ vertragen 견원지간(犬猿之間)이다; wie die ~ um den heißen Brei herumgehen (까다로운·싫은 일을) 감히 건드리지 않다, 핵심에 대한 언급을 피하다; 〘구어·농담〙 das macht der ~ keinen Buckel 그것은 사랑을 방해하지 못한다, 그것은 전혀 지장이 없다. ⑤ 〘속담〙 die ~ läßt das Mausen nicht 제 버릇 개주나; wenn die ~ fort ist, tanzen die Mäuse 범 없는 골에 토끼가 스승이라. ⑥ 돈전대(纏帶). ⑦ 〖海〗 가죽 회초리: die neunschwänzige ~ (처형하는 데 쓰이는) 9가닥의 회초리. ⑧ 〖海〗 닻줄을 말아올리는 도르래, 활차. ⑨ 〘기계〙 (Lauf~) 이동 윈치. ⑩ 〖軍〗 보루. ⑪ 공놀이의 일종. ⑫ 〘방언〙 말뚝 박는 기계. ⑬ 〘비속〙 보지.

Katzel·macher [kátsəl..] *m.* 〘구어·폄어〙 (öst.) 이탈리아인의 별명.

Katzen≈art *f.* 〖動〗 고양이속: nach ~ 고양이처럼, 약삭빠르게. **~artig** *a.* 고양이속의; 고양이와 같은, 교활한. **~auge** *n.* ① 고양이 (같은) 눈. ② 〖광물〗 묘안석(猫眼石). ③ 〖植〗 광대나물. ④ (자동차의) 후미등. **~äugig** *a.* 고양이 눈과 같은. **~balg** *m.* 고양이 가죽. **~balken** *m.* 〖건축〗 도리. **~bär** *m.* 〖動〗 판다. **~bart** *m.* 고양이 수염. **~buckel** *m.* 꾸부정한 등: einen ~ machen ↑ ~buckeln. **~buckeln** *i.* (h.) (고양이처럼) 등을 꾸부정하게 굽히다; 〘비유〙 (vor jm.) 머리를 조아리다, 굽실거리다, 비위를 맞추다. **~dreck** *m.* 고양이 똥; 〘구어〙 가치 없는 물건. **~fell** *n.* 고양이 가죽. **~fisch** *m.* 〖動〗 메기. **~freundlich** *a.* 정다운 체하는. **~gedächtnis** *n.* 금방 잊음, 건망(健忘). **~geschlecht** *n.* 〖動〗 고양이속. **~geschrei** *n.* ① 고양이 울음소리. ② 찌꺼기 고기 요리. **~glas** *n.* 〖광물〗 운모. **~gleich** *a.* 고양이 같은. **~glimmer** *m.* 〖광물〗 금운모(金雲母). **~gold** *n.* 금빛 운모; 〘방언〙 벚나무의 진. **~grau** *a.* 고양이 같은 회색의.

katzenhaft [kátsənhaft] *a.* ↑ katzenartig.

Katzen≈hai *m.* 〖動〗 까치상어속의 일종. **~igel** *m.* 〖植〗 가막사리. **~jammer** *m.* 숙취; 〘비유〙 환락 뒤의 뉘우침, 가벼운 양심의 가책: einen moralischen ~ haben 뉘우치는 마음을 가지다. **~jämmerlich** *a.* 후회하고 있는; 풀이 죽은. **~käschen** *n.* 〖植〗 데이지. **~klee** *m.* 〖植〗 클로버의 일종. **~konzert** *n.* ↑ ~musik. **~kopf** *m.* ① 고양이 머리. ② 사과·배·감자의 품종 이름. ③ 〖海〗 닻줄 매는 말뚝. ④ 어리석은 사람, 바보. ⑤ 〖軍〗 박격포, 작은 포. ⑥ 위를 둥글게 다듬은 포석(鋪石). ⑦ 〖醫〗 무뇌증(無腦症). ⑧ 옛날 열쇠의 일종. ⑨ 〘구어〙 뒤통수를 때림. **~kopf·pflaster** *n.* 〘구어〙 자갈〔자연석〕 포장(鋪裝). **~kraut** *n.* 〖植〗 개박하(薄荷); 쥐오줌풀. **~krieg** *m.* ↑ Katzbalgerei. **~machen** *n.* 〘다음 용법으로〙 〘구어〙 es geht wie's ~ 일이 손쉽게 처리되

다; es ist zum ~ 절망적이다. **~leben** *n.* 강인한 생명력. **~liebe** *f.* 거짓 사랑. **~minze** *f.* 〖植〗 개박하. **~musik** *f.* ① 여러 고양이가 우는 소리. ② 음조가 맞지 않는 음악. **~pfötchen** *n.* ① 고양이의 작은 발. ② 〖植〗 국화과. ③ 〔복수〕 주름. **~rein** *a.* 아주 깨끗한. **~schwanz** *m.* ① 고양이 꼬리. ② 〔비유〕 사소한 일. ③ 〖植〗 속샛과(科). **~silber** *n.* 〖광물〗 백운모(白雲母). **~sprung** *m.* ① 고양이의 도약; 〔비유〕 짧은 거리; 사소한 일, 어린 아이의 장난: es ist nur ein ~ bis dahin 엎어지면 코 닿을 곳이다. ② 〖스포츠〗 안마를 짚고 다리를 벌린 채 도약하기〔뛰어내리기〕. **~steert** *m.* 〖植〗 ↑ ~schwanz ③. **~steg, ~steig** *m.* 좁다란 작은 길. **~tisch** *m.* (아동용의) 곁탁자. **~treppe** *f.* 〖건축〗 목계(木梯) 박공. **~tritt** *m.* 고양이의 걸음걸이. **~volk** *n.* 고양이 무리〔떼〕. **~wäsche** *f.* 고양이가 발바닥을 핥는 일; 〔비유〕 대충 세수함, 고양이 세수. **~zagel** *m.* ↑ ~schwanz ① ③. **~zahl** *m.* 〖植〗 ↑ ~schwanz ③. **~zunge** *f.* ① 고양이 혀. ② 혀 모양의 초콜릿.

Kätzin [kɛ́tsɪn] *f.* -en 〔드물게〕 암고양이.

Kätzlein [kɛ́tslaɪn] *n.* -s, - ↑ Katze 의 축소형.

Kau·bewegung [káu..] *f.* 씹는 동작, 씹을 때의 근육 동작.

kaudal [kaudá:l] 《lat.》 *a.* ① 꼬리의. ② 〖醫〗 각부(脚部)의, 발 밑쪽의.

Kauder [káudər] *m.* -s ① (obd.) 삼찌꺼기, 거친 삼, 조마(粗麻). ② 〔고어〕 쓰레기, 폐물.

kaudern[1] [káudərn] *i.* (h.)/*t.* (조마(粗麻)로) 폭리 장사를 하다; 행상〔중개업〕을 하다.

kaudern[2] *i.* (h.) ① (칠면조가) 골골 울다. ② 〔비유〕 횡설수설하다; 이상한 억양으로 이야기하다.

kauder·welsch [káudərvɛlʃ] *a.* 알아들을 수 없는 말의, 횡설수설하는.

Kauder·welsch *n.* -es (여러 언어가 뒤섞여) 알아듣기 힘든 말, 알아들을 수 없는 말투〔말씨〕.

kauder|welschen *i.* (h.)/*t.* 알아듣기 힘든 말을 지껄이다.

kaudinisch [kaudí:nɪʃ] 《lat.》 *a.* ∼e Pässe (고대 로마군이 패전한 중부 이탈리아의) 카우디움 협로; ∼es Joch 카우디움 협로에서 패전한 로마 군대가 복종의 표시로 밑을 지나간 3개의 창으로 만든 통로; 〔비유〕 ein ∼es Joch 참기 힘든 굴욕.

Kaue [káuə] 《lat.》 *f.* -n ① 〖광산〗 수직갱의 입구에 있는 작은 판잣집; 광부의 목욕실. ② 칸막이한 방; 우리, 새장.

***kauen** [káuən] *t./i.* (h.) ① 씹다, 씹어먹다, 씹어 부러뜨리다: die Nägel 〔an den Nägeln〕 ~ 손톱을 물어뜯다; aufs Gebiß ~ (말이) 재갈을 씹다; den Wein ~ 포도주 맛을 음미〔시음〕하다; gut gekaut ist halb verdaut 잘 씹으면 반은 소화된 것이다. ② an et.³ ~ 무엇을 물어 끊으려고 애쓰다; 〔비유〕 어떤 일을 되씹어 생각하다; jm. et. zu ~ geben 누구에게 어려운 문제를 떠맡기다; hoch ~ 억지로 먹다; Worte〔Silben〕 ~ 생각을 하면서 천천히〔신중하게〕 말을 하다.

käuen [kɔ́yən] *t./i.* (h.) ↑ kauen.

Kauer [káuər] *m.* -s, - 씹는 사람.

kauern [káuərn] *i.* (s./h.)/*refl.* (sich) ~ 웅크리다, 쪼그리고 앉다: 〔비유〕 das Dorf kauert in der Talsenke 그 마을은 좁은 골짜기에 위치하고 있다.

Kauer≈start *m.* 〖육상〗 (Tiefstart) 크라우칭 스타트. **~stellung** *f.* 쪼그린〔웅크린〕 자세.

***Kauf** [kauf] *m.* -(e)s, Käufe ① 구매, 매입; 매매 (계약), 거래: ~ auf〔nach〕 Probe 시험적 사용 후의 구입〔구매〕; ein ~ auf Kredit 외상 구매; ein ~ auf Raten 할부 구매; einen ~ abschließen 매매 계약을 맺다; einen guten ~ tun 이득을 보고 사다; (jm. et.) auf den ~ geben (누구에게 무엇을) 계약조로 내주다; zum ~ anbieten 상품으로〔팔려고〕 내놓다; zum ~ stehen 살 수 있다, 상품으로 나와 있다. ② 구매〔구입〕품; 거래품: (mit) in den ~ geben 덤〔경품〕으로 붙여주다; et. in (den) ~ nehmen a) 덤〔경품〕으로 받다, b) 〔비유〕 감수하다, 참다, 견디다. ③ guten 〔billigen〕 ~es geben 싼값으로 팔다; 〔비유〕 billigen〔leichten〕 ~es davonkommen 큰 손해를 보지 않고 끝나다, 쉽사리 모면하다.

Kauf≈abschluß *m.* 매매〔거래〕 계약(의 성립). **~anreiz** *m.* 구매 자극〔충동〕. **~anschlag** *m.* 상품 평가; 상품 광고. **~auftrag** *m.* 구입 주문.

kaufbar [káufba:r] *a.* 살 수 있는.

Kauf≈bedingungen *pl.* 구매 조건. **~boykott** *m.* 불매 운동. **~brief** *m.* (특히 부동산의) 매매 계약서. **~diener** *m.* 점원. **~ehe** *f.* 매매(결)혼.

***kaufen** [káufən] *t./i* (h.)/*refl.* ① 사다, 구입하다: teuer〔billig〕 ~ 비싸게〔싸게〕 사다; auf Borg〔Raten〕 ~ 외상으로〔할부로〕 사다; gegen bar ~ 현금으로 사다; wieder an sich ~ 다시〔되〕사들이다; et. aus erster〔zweiter〕 Hand ~ 무엇을 새 물건〔중고품〕으로 사다; für teures 〔um viel〕 Geld ~ 많은 돈을 주고 사다; 〔구어〕 sich³ einen Affen ~ 술에 취하다; 〔구어〕 dafür kaufe ich mir nichts 〔kann ich mir nichts ~〕 그것은 내게 조금도 도움이 되지 않는다; 〔구어〕 was kaufe ich mir dafür? 그것이 내게 무슨 소용이 있는가? ② bei jm. 〔in einem Geschäft〕 ~ 누구〔어떤 상점〕의 고객이 되다: ich kaufe schon jahrelang bei Herrn S. 나는 이미 수년 동안 S 씨네 상점에서 사고 있다. ③ 〔구어〕 매수하다, 뇌물을 주다: ein gekaufter Zeuge 매수된 증인; 〔구어〕 sich³ jn. ~ 누구를 혼내주다. ④ 〖결과를 표시하여〗 sich von et.³ frei ~ 돈을 치르고 무슨 일에서 빠져나오다. ⑤ 〖카드〗 eine Karte ~ 판에서 카드 한 장을 집다. ⑥ 〔비유〕 희생을 치르고 얻다.

kaufens·wert *a.* 살 만한 가치가 있는.

Käufer [kɔ́yfər] *m.* -s, - 구매자, 고객, 바이어: einen ~ an der Hand haben 구매자를 장악하고 있다.

Käuferin *f.* -nen ↑ Käufer 의 여성형.

Kauf≈fahrer *m.* 〔고어〕 ① 상선, 무역선. ② 상선 소유주; 선장; 승무원. **~fahrtei** *f.* 〔고어〕 해상 무역, 통상 항해. **~fahrtei·schiff** *n.* 〔고어〕 상선. **~frau** *f.* 상인의 처; 여상인. **~geld** *n.* 구매금, 대금. **~geschäft** *n.* 매매 행위, 거래; 상점. **~gesuch** *n.* 구매 신청〔광고〕. **~gut** *n.* 상품. **~halle** *f.* 매장, 거래소. **~handel** *m.* 상업, 거래. **~haus** *n.* ① 큰 상점. ② 백화점. ③ 창고; 도매점. **~herr** *m.*

〖고어〗 상점 주인; 대상인. **~hof** *m.* 백화점 체인망(본디 명칭은 Kaufhof Holdung AG). **~interesse** *n.* 구매 관심. **~kontrakt** *m.* 매매 계약. **~kraft** *f.* 구매력. **≈kräftig** *a.* 구매력이 있는. **~laden** *m.* 〖구식〗 상점, 소매(상)점. **~leute** *pl.* 상인.

käuflich [kɔ́ʏflɪç] 《I》 *a.* ① 살 수 있는, 팔 물건인; 잘 팔리는: ~e Waren 잘 팔리는 상품. ② 〖비유〗 매수할 수 있는: ~e Liebe 매춘; ~es Mädchen 매춘부, 바람기 있는 여자; jeder ist ~ 매수되지 않는 사람은 없다, 누구나 유혹은 통한다. 《II》 *adv.* 구매에 의해: ~ erwerben 구입하다; ~ überlassen 팔아 넘기다.

Käuflichkeit *f.* -en ↑ käuflich 의 명사형.

Kauf≈lust *f.* 구매욕, 매기(買氣) (↔ ~unlust). **≈lustig** *a.* 구매욕이 있는. **~lustiger** *m.* 살 사람, 살 마음이 있는 사람.

***Kaufmann** [káufman] *m.* 〖복수: ..leute〗 ① 〖고어〗 살 사람, 살 마음이 있는 사람. ② 장사꾼; (전문 교육을 받은) 상인: er lernt ~ 그는 상인 교육을 받는다. ③ 〖방언〗 (수입) 식료품 장수.

kaufmännisch [..mɛnɪʃ] *a.* 상업(상)의, 상인의, 상업적인: ~e Buchführung 상업 부기; ~es Rechnen 상업적 계산; er ist ~ begabt 그는 상인으로서의 소질이 있다.

Kaufmanns≈brauch *m.* 상업상의 관례. **~buch** *n.* 〖商〗 회계 장부.

Kaufmannschaft *f.* 〖총칭〗 상인, 상인 계급; 상인 연합.

Kaufmanns≈deutsch *n.* ① 상인 용어, 상업 독일어. ② 〖비유〗 딱딱한 사무적 독일어. **~diener** *m.* ① 점원. ② ↑ ~junge. **~gehilfe** *m.* 점원. **~geist** *m.* 상인 정신〔근성〕. **~gericht** *n.* 상사(商事) 고용 재판(소). **~gilde** *f.* 상인 동업 조합, 상인 길드. **~gut** *n.* 상품. **~junge** *m.* (상점의) 사환. **~laden** *m.* ↑ Kaufladen. **~sprache** *f.* 상인 용어. **~stand** *m.* 상인 신분, 상인 계급; 상인 사회; 〖총칭〗 상인. **~ware** *f.* 상품.

Kauf≈preis *m.* ① ↑ ~geld. ② 구매 가격, 원가. **~schilling** *m.* ① 구매금; 계약금. ② 첫회 납입금. **~summe** *f.* 구매금. **~vertrag** *m.* 매매〔구매〕 계약. **≈weise** *adv.* 구매에 의해서. **~wert** *m.* 시가(市價), 매매 가격. **~zettel** *m.* 구매권, 구매 계약서. **~zwang** *m.* 구매 의무.

Kau≈gummi *m./n.* 껌, 추잉검. **~kamm** *m.* 〖광산〗 (가벼운) 도끼.

Kaukasien [kauká:ziən] 카프카스(흑해와 카스피해 사이에 있는 지방).

Kaukasier [..ziər] *m.* -s, - ① 카프카스인. ② 〖고어〗 백인, 유럽인(종).

kaukasisch [..zɪʃ] *a.* 카프카스의.

Kaukasus [káukazus] *m.* - 카프카스 산맥.

Kaul [kaul] *f.* -en ↑ Kaule[1].

Kaul·barsch *m.* 〖動〗 농어류(類).

Käulchen [kɔ́ʏlçən] *n.* -s, - (md.) (감자와 응유로 만든) 경단.

Kaule[1] [káulə] *f.* -n (md.) ① 구(球), 둥근 물건. ② 굵고 둥근 막대형의 물건; 〖軍〗 총대.

Kaule[2] *f.* -n 갱(坑), 굴.

Kaul≈frosch 《<Kaule[1]》 *m.* 〖動〗 올챙이. **~huhn** *n.* 꼬리가 없는 닭.

kauliflor [kauliflóːr] *a.* 〖植〗 줄기에 직접 꽃이 피는.

Kauliflorie [kauliflorí:] *f.* 〖植〗 줄기에 직접 꽃이 피는 현상.

Kaul≈kopf *m.* 〖動〗 ↑ ~barsch. **~quappe** *f.* ① ↑ ~barsch. ② ↑ ~frosch. ③ 〖비유〗 모양이 흉한 생물, 흉칙한 사람.

***kaum** [kaum] *adv.* ① 거의 …아닌; 간신히, 겨우: er konnte ~ lesen 그는 거의 읽지 못했다; er rührte sich ~ 그는 거의 몸을 움직이지 않았다; sie ist ~ zwanzig Jahre alt 그녀는 스무 살이 될까말까하다; ich habe alle Namen vergessen, ~ daß ich mich an die Landschaft erinnere 나는 이름은 모두 잊어버렸지만 가까스로 경치만은 기억난다. ② …하기가 어렵다, 아마 …하지 않을 것이다: ich glaube es ~ 나는 그것을 좀처럼 믿을 수 없다; es ist ~ zu ertragen 그것은 거의 참을 수가 없다; kommt er? — wohl ~ 그는 올까? — 아마 오지 않을 게다. ③ 막 …하자마자: ~ saßen wir, (da) begann die Musik 우리가 자리에 앉자마자 음악이 시작되었다; ~ daß er diese Worte gesagt hatte, so verschwand er 그는 이 말을 하자마자 사라졌다. ④ 〖방언〗 방금, 지금 막.

Kau·magen *m.* 〖動〗 저작위(咀嚼胃), (게·곤충·뱀의) 첫번째 반추위.

Kaumazit [kaumatsí:t, ..tsít] 《gr.》 *m.* -s, -e 갈탄 코크스.

Kau≈mittel *n.* 침을 나오게 하려고 씹는 것(추잉검). **~muskel** *m.* 〖해부〗 저작근(咀嚼筋).

Kaupe [káupə] *f.* -n (md.) ① 송이, 다발; (닭의) 볏. ② 골풀, 갈대류. ③ 천창(天窓), 지붕에 낸 창. ④ 풀이 우거진 언덕.

Kaupelei [kaupəláɪ] *f.* -en 밀매, 암거래, 불법 교환.

kaupeln *i.* (h.) (md.) 비밀 거래를〔불법 교환을〕 하다.

käupeln *i.* (h.) ↑ kaupeln.

kaupig [káupɪç] 《<Kaupe》 *a.* 갈대가 우거진.

Kauri [káuri] 《ind.》 *f.* -s 〔*m.* -s, -s〕 〖動〗 자패(紫貝) (장식·화폐로 씀).

Kauri≈fichte *f.* 〖植〗 카우리나무(오스트레일리아산(產)의 소나무). **~geld** *n.* 자패(紫貝)의 화폐. **~muschel** *f.* 자패 달팽이 껍질. **~schnecke** *f.* (인도양 산(產)의) 자패(紫貝) 달팽이.

kausal [kauzá:l] 《lat. causa》 *a.* 원인의, 인과율의; (begründend) 이유를〔원인을〕 나타내는, 증명하는: ein ~er Zusammenhang 〔eine ~e Beziehung〕 인과 관계; etwas hängt ~ mit et.[3] zusammen 무엇이 인과율적으로 무엇과 연관이 있다.

Kausal≈beziehung *f.* 〖哲·논리〗 인과 관계. **~gesetz** *n.* 〖哲·논리〗 인과율.

Kausalität [kauzalitɛ́:t] *f.* -en 인과성, 원인성; 〖哲·논리〗 인과 관계.

Kausal≈kette *f.* 〖哲·논리〗 인과의 연쇄. **~konjunktion** *f.* 〖문법〗 원인 접속사(보기: weil). **~nexus** *m.* ↑ ~zusammenhang. **~partikel** *m.* 〖문법〗 원인을 나타내는 불변화사(부사·전치사·접속사). **~prinzip** *n.* 인과율. **~satz** *m.* 〖문법〗 원인 문장. **~zusammenhang** *m.* 인과 관계.

kausativ [káuzati:f, kauzatí:f] 《lat.》 *a.* 원인이 되는, 원인 작용을 하는; 〖문법〗 원인을 표

시하는, 작위(作爲)의, 사역의.

Kausativ [(또는) kauzatí:f] *n.* -s, -e [..və] 〖문법〗 작위(作爲) 동사(보기: tränken, fällen), 사역 동사.

Kausativum [kauzatí:vum] *n.* -s, ..va ↑ Kausativ.

Kausch [kauʃ] *f.* -en ↑ Kausche.

Kausche [káuʃə] *f.* -n 〖海〗 (밧줄 끝이나 돛이 닳지 않도록 끼운) 쇠고리.

Kaustik [káustɪk] 《gr. kaíein》 *f.* ①〖化〗 부식법, 부각술(腐刻術). ②〖醫〗 소작(燒灼). ③〖광학〗 광선, 화선, 광면론(光面論).

Kaustikum [..stikum] *n.* -s, ..ka 부식제(腐蝕劑).

kaustisch *a.* ① 부식성의; 소작(燒灼)하는: ~e Alkalien 가성 알칼리; ~es Mittel 부식제; ~e Linie 화선(火線). ②〖비유〗 신랄한, 혹독한: sein ~er Witz 그의 신랄한 기지〔위트〕.

Kaustizität *f.* 부식성, 가성도(苛性度); 〖비유〗 신랄.

Kaustobiolith [kaustobiolí:t] *m.* -s/-en, -e(n) (석탄·석유 등의) 가연성 침적물.

Kau·tabak *m.* 씹는 담배.

Kaute [káutə] *f.* -n (md.) ① 구덩이, 우묵 패인 곳. ② 아마(亞麻) 묶음.

Kautel [kauté:l] 《lat.》 *f.* -en 예방법; 〖法〗 유보, 보류: Kautelen 〔eine ~〕 in einen Vertrag einbauen 계약에 유보 조건을 두다.

Kauter [káutər] *m.* -s, - 〖醫〗 소작기.

Kauterisation [kauterizatsió:n] 《gr.》 *f.* -en 〖醫〗 소작(燒灼), 부식(腐蝕).

kauterisieren *t.* 〖醫〗 부식〔소작〕하다.

Kauterium [kauté:rium] *n.* -s, ..rien [..riən] ①〖化〗 부식제. ②〖醫〗 소작기.

***Kaution** [kautsió:n] 《lat.》 *f.* -en ①〖法〗 담보, 저당; 보증(금); 보석(금): eine ~ für jn. stellen〔zahlen〕 누구를 위해 보석금을 내다; einen Gefangenen gegen ~ freilassen 포로를 보석금을 받고 풀어주다; eine ~ von zwei Monatsmieten zahlen 2 개월분의 집세를 보증금으로 지급하다. ② 재산 증명.

Kautions≈bestellung *f.* 담보〔보증금〕 제공. **≈fähig** *a.* 담보〔보증금〕 제공이 가능한, 보증할 수 있는. **≈pflichtig** *a.* 담보〔보증금〕 제공의 의무가 있는. **~summe** *f.* 보증금, 보석금, 담보액. **~versicherung** *f.* 신원 보증 보험.

Kautsch [kautʃ] *f.* -s ↑ Couch.

Kautschuk [káutʃuk] 《indian.》 *m.* -s, -e 정제(精製) 파라고무, 탄성 고무: natürlicher 〔synthetischer〕 ~ 천연〔합성〕 고무.

Kautschuk≈baum *m.* 〖植〗 고무나무. **~mann** *m.* 몸을 자유자재로 구부리는 곡예사. **~milch** *f.* 고무 유액(乳液), 라텍스. **~paragraph** *m.* (Gummiparagraph) 자의적 법조항. **~pflaster** *n.* 고무풀. **~plantage** *f.* 고무 재배(원). **~stempel** *m.* 고무 도장. **~ware** *f.* 탄성 고무 제품.

kautschutieren [kautʃutí:rən] *t.* 고무로 싸다〔만들다〕; 탄력 있고 부드럽게 하다.

Kau·werkzeuge *pl.* 〖生〗 저작(咀嚼) 기관.

***Kauz** [kauts] *m.* -es, Käuze [kɔ́ytsə] ①〖動〗 올빼미. ② 상투, 트레머리: das Haar zu einem ~ aufstecken 머리를 틀어 올리다. ③ 이상한 사람, 기인; 녀석, 놈: ein komischer ~ 우스꽝스런 녀석; es gibt allerlei Käuze 세상에는 별별 사람이 다 있는 법이다.

Käuzchen [kɔ́ytsçən] *n.* -s, - 〔↑ Kauz 의 축소형〕 ① 작은 올빼미. ②〔비유〕 괴짜.

kauzen *i.* ①〔고어〕 (h./s.) 웅크리고 앉다, 쭈그리다. ② (h.) 〔방언〕 짖다, 소리치다.

kauzig [káutsɪç] *a.* 괴상한, 변덕스런.

Kaval [kavál] *m.* -s, -s ① 기사(騎士). ② 발칸 반도산(產)의 민속 피리.

Kavalier [kavalí:r] *m.* -s, -e ① 기사; 기수(騎手). ② 귀부인 수행원. ③ 신사, 멋쟁이 남자; 〔구어〕 난봉꾼: ein ~ der alten Schule 완벽한 신사; den ~ spielen 신사인 척하다; ein ~ am Steuer 신사적으로 운전하는 사람; der ~ genießt und schweigt 신사는 사랑을 나눈 여자에 관해 침묵하는 법이다. ④〔비유〕 연인, 정부(情夫). ⑤ 귀족, 귀인; 궁내관(宮內官). ⑥〖軍〗 능보(稜堡). ⑦〖장기〗 말.

kavalier·mäßig *a.* ↑ kavaliersmäßig.

Kavaliers≈delikt *n.* 비신사적〔명예롭지 못한〕 행동(노름·탈세 등). **≈mäßig** *a.* 기사〔신사〕다운, 점잖은, 예의 바르고 정중한. **~start** *m.* (자동차의) 급발진.

Kavalier·start *m.* ↑ Kavaliersstart.

Kavaliers·tuch *n.* (장식용으로) 가슴 윗주머니에 꽂는 수건.

Kavalier·tuch *n.* ↑ Kavalierstuch.

Kavalkade [kavalká:də] *f.* -n 기마 행렬.

Kavallerie [kavalərí:, kávaləri:] 《frz.》 *f.* -n [..rí:ən] 〖軍〗 기병(騎兵)(대).

Kavallerie≈angriff *m.* 기병 공격. **~offizier** *m.* 기병 장교. **~pferd** *n.* 기마. **~posten** *m.* 기마 위병. **~regiment** *n.* 기병 연대.

Kavallerist [kavalərɪ́st, káva..] 《frz.》 *m.* -en, -en 〖軍〗 기병.

Kavatine [kavatí:nə] 《lat.》 *f.* -n ① (가극 중의) 서정적 독창곡. ② 가곡풍의 기악곡.

Kaveling [ká:vəlɪŋ] *f.* -en 〖經〗 경매에서 구매자가 사야 하는 최소 단위량.

Kavent [kavɛ́nt] 《lat.》 *m.* -en, -en 보증인.

Kavents·mann *m.* 〔복수: ..männer〕 ①〔고어〕 ↑ Kavent. ②〔구어〕 a) 멋진 사람, b) 표본, 귀감, 본보기. ③〖海〗 큰 파도.

Kaverne [kavɛ́rnə] 《lat.》 *f.* -n (군사적·기술적 시설들을 보존하는) 지하 동굴; 〖醫〗 공동(空洞), 폐공동(肺空洞).

Kavernen·kraft·werk *n.* 동굴(식) 발전소.

Kavernom [kavɛrnó:m] *n.* -s, -e 〖醫〗 양성 혈관종(血管腫).

kavernös [..nǿ:s] *a.* ①〖지질〗 암석에 구멍이 많은. ②〖醫〗 공동성(空洞性)의, 해면 모양의: ein ~es Gewebe 공동성 조직.

Kavet·schein [ká(:)vɛt..] 《lat.》 *m.* 보증서.

Kaviar [ká:viar] 《türk.》 *m.* -s, -e 〖요리〗 캐비아(철갑상어 알): das ist ~ fürs Volk 그것은 돼지에 진주 목걸이 격이다.

Kaviar·brötchen *n.* 캐비아 샌드위치.

kavieren [kaví:rən] 《lat.》 *i.* (h.) für et.〔jn.〕 ~ 무엇을〔누구를〕 보증하다.

Kavität [kavitɛ:t] *f.* -en ① 〖해부〗 (조직의) 공동(空洞), 구멍. ②〖醫〗 충치로 생긴 구멍.

Kavitation [kavitatsió:n] *f.* -en (흐르는 물에 의한) 공동(空洞) 형성.

Kawa [ká:va] *f.* 카와(폴리네시아인의 기호 음료수).

Kawaß [kavás] 《ar.》 *m.* ..wassen, ..wassen

옛 터키의 의장 위병.

Kawasse [..vásə] *m.* -n, -n ↑ Kawaß.

Kawi [ká:vi] *n.* -(s), - (산스크리트의 영향을 받은) 고대 자바의 문어(文語).

Kawi·sprache *f.* ↑ Kawi.

Kazike [katsí:kə] 《sp.》 *m.* -n, -n (라틴 아메리카) 토인의 추장.

KB =Kilobyte 킬로바이트.

KBit 《engl. kilobit》 *n.* 〖컴〗 킬로비트(1000 비트를 말함; 1 KBit 는 10 진수로는 1024 Bit).

KBV =Kassenärztliche Bundesvereinigung 연방 조합 의사 연맹.

KByte 《engl. kilobyte》 *n.* 〖컴〗 킬로바이트 (Kilobyte 의 약자로 기억 장치의 용량에서 1 KByte 는 1024 Byte 를 가리킴).

kcal =Kilo(gramm)kalorie 킬로(그램)칼로리.

K.d.F. =Kraft durch Freude (나치의) 환희역행단(力行團).

Kebab [kebá:p] *m.* -(s), -〖요리〗 꼬챙이에 꿴 양불고기.

kebbeln [kɛ́bəln] *t.* ↑ kibbeln.

Kebse [ké:psə] *f.* -n 첩.

Kebs·ehe *f.* 축첩; 내연 관계. **~frau** *f.* ↑ Kebse. **~kind** *n.* 첩의 소생, 서자, 사생아. **~mann** *m.* 정부(情夫). **~weib** *n.* ↑ Kebse.

keck [kɛk] *a.* ① 대담한. ② 무모한; 뻔뻔스러운, 불손한: eine ~e Antwort〔Frage〕 당돌한 답변〔질문〕. ③ 활기찬, 거리낌 없는.

keckern [kɛ́kərn] *i.* (h.) ① 똥누다. ②〖의성어〗 (여우·담비·족제비가) 으르렁거리다.

Keckheit [kɛ́khaɪt] *f.* -en ① 대담, 용감; 무모, 경솔; 몰염치, 불손. ②〖복수: -en〗 대담〔무모〕한 행위.

kecklich *adv.* 〖고어〗 ↑ keck.

Keder [ké:dər] *m.* -s, -〖수공〗 (세공품의 가장자리를 보호하기 위해 대는) 인조피, 가죽띠.

Keek [ke:k] *m.* -s, -s ↑ Keks[1].

Keep [ke:p] *f.* -en〖海〗 (돛대나 기둥에 돛을 끼우기 위해 판) 홈.

Keeper [kí:pər] 《engl.》 *m.* -s, - (öst.) 골키퍼.

Keepsmiling 新정서 ⇦ Keep-smiling.

Keep-smiling [kí:p smaɪlɪŋ] 《engl.》 *n.* -s, - 긍정적 생활 태도, 낙천주의.

Kees [ke:s] *n.* -es, -e (bayr.) 빙하.

Kees·wasser *n.* 빙하천(氷河川).

Kefe [ké:fə] *f.* -n (schweiz.) 사탕 완두.

Kefir [ké:fɪr] 《tatar.》 *m.* -s 우유술, 산유(酸乳), 발효유.

***Kegel** [ké:gəl] *m.* -s, - ① (독일식 볼링의) 핀: ~ spielen〔schieben〕 (독일식) 볼링을 하다; 〖구어·농담〗 Petrus schiebt ~ 천둥치다. ②〖數〗 추, 원뿔, 원뿔꼴. ③ 원뿔꼴의 것(산·나무 등); 〖사냥〗 앞발을 들고 귀를 세운 토끼. ④〖印〗 활자 크기의 이름(Schrift~). ⑤ (말의) 앞 무릎; 관절뼈. ⑥〖고어〗 사생아, 서자: mit Kind und ~ 온 가족이. ⑦ 땅딸보.

Kegel·achse *f.* 〖數〗 원뿔의 축. **~aufsetzer** *m.* ↑ ~junge. **~bahn** *f.* ① (독일식 볼링장의) 레인. ② (독일식) 볼링장 시설. **~brecher** *m.* 〖기계〗 원뿔꼴 분쇄기. **~brett** *n.* (독일식) 볼링장 주위를 둘러친 널빤지. **~bube** *m.* ↑ ~junge. **~fläche** *f.* 〖數〗 원뿔의 표면. **~förmig** *a.* 원뿔꼴의. **~geld** *n.* (독일식) 볼링장 사용 요금. **~getriebe** *m.* 〖工〗 원뿔꼴 톱니바퀴.

kegelig [ké:gəlɪç] *a.* 원뿔꼴의.

Kegel·junge *m.* (독일식 볼링의) 볼링 핀을 세우는 소년. **~klub** *m.* (독일식) 볼링 클럽. **~kugel** *f.* (독일식) 볼링공. **~mantel** *m.* 〖數〗 원뿔의 표면.

kegeln [ké:gəln] 《<Kegel》《I》 *i.* ① (h.) (a) (독일식) 볼링을 하다. (b)〖사냥〗 (토끼가) 앞발을 들고 귀를 세우고 듣다. ② (s.) 볼링 핀처럼 쓰러지다, 구르다: beinahe wärst du (vom Stuhl) gekegelt! 너는 하마터면 (의자에서) 곤두박질할 뻔했다! 《II》 *t.* (볼링 핀처럼) 쓰러뜨리다: er hat eine Neun gekegelt 그는 9번 핀을 쓰러뜨렸다. 《III》 *refl.* sich müde ~ (독일식) 볼링을 하여 지치다.

Kegel·partie *f.* (독일식) 볼링 시합. **~projektion** *f.* 〖제도〗 원뿔 사영(射影). **~pudel** *m.* (bayr., öst.) ↑ ~bahn. **~rad** *n.* 〖工〗 원뿔꼴 차〔톱니〕바퀴. **~|scheiben** *i.* (h.) ↑ ~schieben. **~|schieben*** *i.* (h.) (독일식) 볼링을 하다. **~schieben** *n.* (독일식) 볼링. **~schieber** *m.* (독일식) 볼링하는 사람. **~schnecke** *f.* 〖動〗 원뿔 모양의 달팽이. **~schnitt** *m.* 〖數〗 원뿔 곡선. **~schub** *m.* (독일식) 볼링 (하는 곳). **~spiel** *n.* ① (독일식) 볼링(경기). ② 볼링 시합의 형식. **~spieler** *m.* ↑ ~schieber. **~sport** *m.* (독일식) 볼링. **~statt** *f.* (독일식) 볼링장. **~stift** *m.* 끝이 가느다란 핀. **~stumpf** *m.* 〖數〗 원뿔대. **~ventil** *n.* 〖기계〗 원추판(瓣).

Kegler [ké:glər] *m.* -s, - (독일식) 볼링하는 사람.

Kegler·heim *n.* (독일식) 볼링장.

keglig *a.* ↑ kegelig.

Kehl·abschneider *m.* ① 살해자. ② 고리 대금업자. **~ader** *f.* 〖醫〗 경(頸)정맥. **~buchstabe** *m.* 〖언어학〗 목청소리〔후음(喉音)〕 자모.

Kehlchen *n.* -s, - ↑ Kehle 의 축소형.

Kehl·deckel *m.* 〖醫〗 후두개(喉頭蓋) 연골. **~drüse** *f.* 〖해부〗 갑상선(腺).

***Kehle** [ké:lə] *f.* -n ① 목, 목구멍: 〖비유·구어〗 dem schneid ich die ~ durch! 그놈을 죽여 버리겠어!; jm. an die ~ springen 누구에게 폭력을 가하다; jm. die ~ zuschnüren a) 누구의 목을 졸라매다, b) 누구를 고리(高利)로 괴롭히다; jm. das Messer an die ~ setzen 누구 목에 칼을 들이대다, 누구를 협박하다; et. in die unrechte〔falsche〕 ~ bekommen 터무니없는 오해를 하다; jm. das Wort in der ~ steckenbleiben (공포나 분노 때문에) 목이 메어 말이 나오지 않다; et. durch die ~ jagen 무엇을 술에 낭비하다; sein ganzes Vermögen durch die ~ jagen 술을 마셔 전 재산을 탕진하다; das Messer an der ~ haben 어려운 처지에 놓이다; es geht ihm an die ~ 그는 아주 어려운 처지다; 〖구어〗 eine trockene ~ haben 술에 갈증을 느끼다, 술을 즐겨 마시다; 〖경박〗 eine ausgepichte ~ haben 술이 세다, 술고래다; sich[3] die ~ schmieren〔ölen, anfeuchten〕 술을 약간 마시다. ② 기관(氣管), 식도; 〖비유〗 목소리: aus voller ~ 목청껏; sich (fast) die ~ aus dem Hals schreien 목이 터지도록 외치다. ③〖건

축』(기둥에 새긴) 홈통, 홈; 지붕의 골; 면. ④ 〖軍〗 진지의 주요부〔뒤쪽〕.

kehlen [ké:lən] *t.* ①〖건축〗 홈을 파다. ② Fische ~ 물고기의 목을 갈라 헤치다.

Kehl≈flosser *pl.* 〖動〗 후위 아목(喉位亞目) (배지느러미가 가슴지느러미보다 앞에 달린 물고기). **~füßer, ~füßler** *pl.* 〖動〗 절지 동물 단각목(端脚目)의 한 과. **~hobel** *m.* 홈(을 파는) 대패.

kehlig [ké:lıç] *a.* ①홈이 있는, 홈 모양의, 〖工〗 면이 있는. ②(말·노래가) 목구멍에서 나오는.

Kehling *m.* -s, -e 목청소리, 후음(喉音).

Kehl·kopf *m.* 〖醫〗 후두(喉頭).

Kehlkopf≈bänder *m.* 〖해부〗 후두 인대(喉頭靭帶). **~entzündung** *f.* 후두염. **~katarrh** *m.* 후두 카타르. **~knorpel** *m.* 후두 융기. **~krebs** *m.* 후두암. **~schnitt** *m.* 후두 절개술. **~spiegel** *m.* 후두경(鏡). **~stimme** *f.* 후두음. **~verschluß·laut** *m.* 〖음운〗 성문(聲門) 파열음(발음 기호: ʔ).

Kehl≈lappen *m.* (닭의) 턱밑에 처진 살. **~laut** *m.* 〖언어〗 목청소리, 후음(喉音). **~leiste** *f.* 〖건축〗 새가슴 모양의 쇠시리, 홈 새김이 있는 테두리 장식. **~linie** *f.* 〖軍〗 후선(喉線). **~stimme** *f.* 목청소리. **~stoß** *m.* ↑ ~leiste.

Kehlung [ké:luŋ] *f.* -en 〖건축〗 ①(기둥에) 홈을 파는 일. ②홈, 홈통.

Kehr[1] [ké:*r*] *f.* -en (südd.) ↑ Kehre.

Kehr[2] *m.* -s (schweiz.) 〖구어〗 청소.

Kehr≈aus [ké:*r*|aus] *m.* (축제 끝에 추는) 마지막 춤; 〖비유〗 끝, 종말; (연회의) 산회(散會): den ~ machen a) 치우다, 정돈하다, b) 결말을 내다; zum ~ kommen 어디〔모임〕에 너무 늦게 오다, 갓 쓰자 파장이다. **~besen** *m.* 비. **~blech** *n.* 쓰레받기. **~bürste** *f.* 작은 비.

Kehre [ké:rə] 《<kehren[2]》 *f.* -n ①전향, 선회, 방향 전환. ②(길의) 모퉁이, 급커브 길. ③〖스포츠〗 (안마·평행봉에서) 발을 앞으로 차면서 뛰어내림. ④순번, 차례; (obd.) (춤에서) 한번 돌기; 〖스포츠〗 트랙의 일주; er hatte die ~ 〔er war an der ~〕 그의 차례가 왔다. ⑤〖방언〗 방향, 경향: aus der ~ gehen 길을 잃다. ⑥〖방언〗 산책. ⑦〖방언〗 zu ~ gehen 떠들다, 소란을 피우다.

***kehren**[1] [ké:rən] *t.* (비로) 쓸다, 청소하다: ein jeder kehre vor seiner Tür! 자기 집 문 앞이나 쓸어라! (제 걱정이나 해라): vor dem Wischen muß erst noch gekehrt werden 닦기 전에 우선 비질을 해야 한다.

***kehren**[2] [ké:rən] 《Ⅰ》 *t.* 향하게 하다, 돌리다, 뒤집다: Röcke ~ 웃저고리를 뒤집다; seinen Fleiß auf et. ~ 무엇에 정성을 들이다; den Blick zum Himmel ~ 하늘을 쳐다보다; et. in et. ~ 무엇을 무엇으로 변하게 하다; 〖비유〗 seine beste Seite nach außen ~ 자신의 장점을 부각시키다; seine rauhe Seite nach außen〔heraus〕 ~ 자신의 거친 면을 드러내다; jm.〔et.[3]〕 den Rücken ~ 누구에게〔무엇에〕 등을 돌리다〔회피하다〕; das Oberste zuunterst 〔das Unterste zuoberst〕 ~ 뒤죽박죽으로 만들다; et. zum besten ~ a) 유종의 미를 거두다, b) 선의로 해석하다; 〖방언〗 쟁기로 파 뒤집다. 《Ⅱ》 *refl.* sich ~ 향하다, 돌다, 돌아보다; 〖軍〗 선회하다; etwas〔alles〕 kehrt sich zum besten 무엇〔모든 것〕이 좋게〔잘〕 끝나다; sich an jn.〔et.〕 ~ a) 누구〔무엇〕쪽으로 향하다, b) 누구를〔무엇을〕 조심하다; sich an et. nicht ~ 무엇에 구애받지〔아랑곳하지〕 않다; sich in sich ~ 깊이 반성하다, 뉘우치다; in sich gekehrt sein 생각에 잠겨 있다; sich zur Buße ~ 참회(懺悔)하다; 〖軍〗 rechtsum kehrt euch! 우향우! 《Ⅲ》 *i.* ①(h.) 향하다. ②(s.) 방향을 바꾸다; 〖軍〗 kehrt! ganze Abteilung kehrt! 뒤로 돌앗!; 〖軍〗 rechtsum kehrt! 우향우! ③(s.) 귀환〔귀향〕하다; heim 〔nach Hause〕 ~ 집으로 돌아가다.

Kehrer *m.* -s, - 청소부, 청소기.

Kehr≈eule *f.* 털비. **~frau** *f.* 청소부(婦).

Kehricht [ké:rıçt] 《<kehren[1]》 *m./n.* -s 쓰레기, 티끌: 〖경박〗 das geht dich einen feuchten ~ an! 그것은 너와는 아무런 상관이 없다!; das interessiert mich einen feuchten ~ 나는 그것에 전혀 관심없다.

Kehricht≈eimer *m.*, **~faß** *n.* 쓰레기통. **~haufen** *m.* 쓰레기 더미. **~kasten** *m.* ↑ ~faß. **~loch** *n.* 쓰레기 구덩이. **~schaufel** *f.* 쓰레받기. **~schippe** *f.* ↑ ~schaufel. **~winkel** *m.* 쓰레기터.

Kehr≈kleid *n.* 자락이 질질 끌리는 옷. **~maschine** *f.* 청소기. **~ordnung** *f.* 차례, 순번.

Kehr≈rad *n.* 거꾸로도 회전하는 바퀴. **~reim** *m.* 〖문학〗 후렴(Refrain). **~schleife** *f.* ①(전차의) 회전 선로. ②방향 전환 도로, 급커브, U 자형 회전 도로. **~seite** *f.* (화폐의) 뒷면; 〖비유〗 이면, 어두운 면: jede Sache hat auch ihre ~ 모든 일에는 약점이 있다; das ist die ~ der Medaille 그것이 (이전에 얘기되었던) 이 일의 부정적인 면이다.

Kehrt [ke:*r*t] 《<kehren[2]》 *n.* - 전회(轉回), 선회: ~ machen a) 선회하다, 〖軍〗 뒤로돌아를 하다, b) 되돌아오다; 도망가다.

kehrt|machen *i.* (h.) ↑ Kehrt.

Kehr·tunnel *m.* 환상(環狀) 터널.

Kehrt·wendung *f.* 180° 회전: er machte eine ~ und lief davon 그는 180° 회전을 하여 달아나 버렸다.

Kehr≈um [ké:*r*|um] *m./n.* -s, ①(a) 막다른 골목. (b) ↑ ~reim. ②im ~ 손바닥을 뒤집는 사이에, 순식간에, 즉시. **~um** *adv.* 돌아가며, 차례차례. **~wert** *m.* 〖數〗 (분수의) 역수(치) (보기: 2/3 와 3/2). **~wieder** [ke:*r*..] *m./n.* -s, - 〖고어〗 막다른 골목. **~wieder·keule** [ke:*r*..] *f.* 부메랑. **~wisch** *m.* ↑ ~besen.

Keib [kaıp] *m.* -en, -en 〖욕설〗 (schweiz.) ①썩은 고기. ②부랑자, 깡패; 무뢰한.

Keiche *f.* -n (bayr.) 감옥; 누추한 집.

Keif [kaıf] *m.* -(e)s (md., ndd.) 소란; 욕지거리.

keifen[(*)] [káıfən] (keifte/kiff, gekeift/gekiffen) *i.* (h.) 나무라다, 꾸짖다, 잔소리하다; 말다툼하다; (강아지가) 낑낑거리다: mit ~der Stimme 앙칼진 목소리로.

Keifer *m.* -s, - 말다툼하는 사람.

Keiferei [kaıfəráı] *f.* -en 〖폄어〗 욕지거리; 말다툼.

keifig *a.* 나무라는, 잔소리가 심한; 싸움 잘하는.

keifisch *a.* ↑ keifig.

***Keil** [kaɪl] *m.* -(e)s, -e ① 쐐기, 키: einen ~ in einen Spalt schlagen〔treiben〕 틈에 쐐기를 박다; einen ~ zwischen die beiden Freunde treiben 두 친구 사이를 이간질하다;〖비유〗 ein ~ treibt den andern 하나의 강제 조치〔제재〕에 다른 강제 조치〔제재〕가 뒤따르다;〖속담〗 auf einen groben Klotz gehört ein grober ~ 거친 통나무에는 거친 쐐기가 어울린다(오는 말이 고와야 가는 말이 곱다). ② 쐐기 모양의 것〔물건〕: **(a)**〖건축〗(홍예 꼭대기의) 종석(宗石). **(b)**〖軍〗쐐기 모양의 전투 대형. **(c)**〖재봉〗쐐기 모양〔삼각형〕 헝겊〔깃·섶〕; 3 각형의 토지(특히 경작지); 양말의 발목부터 무릎까지의 뜨개 장식. **(d)**〖工〗키, (차바퀴를 고정시키는) 굄목.

keil≈ähnlich *a.* ↑ ~artig. **≈ärmel** *m.* 세모꼴의 (여자 옷) 소매. **~artig** *a.* 쐐기꼴의. **≈bahn** *f.*〖工〗마개 끼우는 자리. **≈bein** *n.*〖해부〗설상골(楔狀骨), 두저골(頭底骨).

Keile [káɪlə] ⟪<Keil⟫ *f.*〖구어〗때림, 구타: ~ bekommen〔kriegen〕 얻어맞다.

keilen [káɪlən] ⟪<Keil⟫ ⟪I⟫ *t.* ① 쐐기를 쳐서 박다, 쐐기로 조이다. ② 쐐기로 쪼개다. ③〖학생〗**(a)** 때리다. **(b)** jn. für et.〔zu et.^{3}〕 ~ 누구에게 무엇을 권유하다〔꾀다〕; jn. für eine Verbindung ~ 누구를 학생 단체에 가입하도록 권유하다. ⟪II⟫ *refl.* ① sich ~ 비집고〔헤치고〕 나가다: sich durch die Fahrgäste zum Schaffner ~ 승객들을 헤치고 차장에게 가다. ②〖구어〗sich (mit jm.) ~ (누구와) 치고 받고 싸우다: sie keilten sich um den Sitzplatz 그들은 좌석 때문에 치고 받고 싸웠다.

Keiler[1] [káɪlər] *m.* -s, - 쐐기 박는 사람.

Keiler[2] *m.* -s, -〖動〗수멧돼지.

Keilerei [kaɪlərάɪ] *f.* -en〖구어〗치고 받고 싸우기, 격렬한 싸움.

Keil≈exzision *f.*〖醫〗쐐기형 절단술. **~fäustel** *m.*〖광산〗쐐기 박는 기계. **≈förmig** *a.* 쐐기꼴의. **~hacke, ~haue** *f.*〖광산〗곡괭이. **~inschrift** *f.* 설형 문자의 명문(銘文). **~kissen** *n.* 쐐기 모양의 쿠션〔방석〕. **~polster** *n.* (öst.) ↑ ~kissen. **~rahmen** *m.*〖印〗판면을 쐐기로 죄는 쇠틀, 캔버스를 치는 틀. **~riemen** *m.*〖工〗(단면이 V 자 모양인) 브이벨트. **~schrift** *f.* 설형 문자〔서체〕. **~stein** *m.*〖건축〗쐐기꼴의 홍예석. **~stück** *n.* 쐐기 모양의 조각;〖재봉〗보강용의 삼각천, 삼각형 헝겊. **~treiber** *m.*〖工〗쐐기 박는 기계.

***Keim** [kaɪm] *m.* -(e)s, -e ① 눈(芽), 싹, 맹아, 꽃봉오리. ② 배(胚), 배아, 배종(胚種), 태아, 애벌레. ③〖醫〗병원균, 병원체. ④〖비유〗처음, 발단, 기원: die Erkältung legte den ~ zu schwerwiegender Krankheit 감기가 중병의 원인이 되었다; im ~e 싹이 틀 때에, 미연에; et. im ~ ersticken 무엇을 미연에 방지하다; den ~ des Todes in sich^{3} tragen〔haben〕 죽을 징조가 보이다. ⑤〖物〗(가스·액체의) 응결〔응고〕 미립자.

Keim≈ausscheider *m.* 세균 배설자. **~bläschen** *n.* (포상) 난핵. **~blatt** *n.*〖植〗떡잎, 자엽(子葉). **~drüse** *f.*〖醫〗생식선(腺).

keimen [káɪmən] ⟪<Keim⟫ ⟪I⟫ *i.* (h./s.) 싹트다, 발아〔배태〕하다; 발생하다; 자라나다:〖비유〗생기다, 일어나다: Verbrechen gegen das ~de Leben 낙태죄; in js. Herzen keimt eine Liebe 누구의 가슴 속에 사랑이 싹트다. ⟪II⟫ *t.* 싹트게〔발생하게〕 하다.

keim≈fähig *a.*〖植〗발아력이 있는, 싹트는 힘이 있는. **≈fähigkeit** *f.* 발아력. **~fleck** *m.* 배반(胚盤), 알눈. **~frei** *a.* 무배(無胚) 종자의, 무균성의. **≈frucht** *f.*〖植〗(민꽃 식물의) 홀씨.

keimhaft *a.*〖雅語〗맹아적인, 초기의.

Keim≈haut *f.* 배피(胚皮), 배막(胚膜). **~hülle** *f.*〖植〗외배유(外胚乳);〖해부〗배낭, 배막. **~kapsel** *f.*〖植〗홀씨, 포자. **~knospe** *f.* 배아. **~korn** *n.* ↑ ~kapsel. **~kraft** *f.* 싹트는 힘, 발아력, 생명력.

Keimling [káɪmlɪŋ] ⟪<Keim⟫ *m.* -s, -e〖植〗유아(幼芽), 배종(胚種), 작은 눈;〖動〗유충, 태아.

Keim≈plasma *n.* 배질(胚質), 배종(胚種) 원형질, 유전질. **~punkt** *m.* ↑ ~fleck. **~sack** *m.*〖植〗배낭(胚囊);〖해부〗양막(羊膜). **~scheibe** *f.*〖動〗배판(胚板). **~stoff** *m.*〖動〗(알의) 배종질(胚種質). **~streifen** *m.*〖動〗원선(原腺)(태아의 신경 장관(腸管) 뒤쪽에 있는 선 모양의 세포 덩이). **~tilger** *m.* 살균기, 소독기. **≈tötend** *a.* 살균의, 살균력이 있는. **~töter** *m.* ↑ ~tilger. **~träger** *m.* 보균자.

Keimung [káɪmʊŋ] ⟪<Keim⟫ *f.* -en 발아, 맹아; 발생; 생장.

Keim≈wall, ~wulst *m.* ① 난황 융기. ② 배부(胚阜). ③ 수부(髓阜). **~wurzel** *f.*, **~würzelchen** *n.* 어린뿌리, 유근(幼根). **~zeit** *f.* 발아기. **~zelle** *f.* 배포, 배종(胚種) 세포, 아포(芽胞), 생식 세포.

***kein** [kaɪn] *a./prn.* ⟪I⟫〖부정 수사〗**kein** *m.*, **keine** *f.*, **kein** *n.* 하나〔조금〕도 …않다: ~e Zeit haben (전혀) 시간이 없다; ~en Schlaf finden 잠을 이루지 못하다; er ist ~ Engländer 그는 영국인이 아니다; ~ anderer als dieser 다름 아닌 이 사람이다; ~ Wort mehr〔~e Silbe weiter〕! 한 마디도 더 하지 마라!; es dauert ~e fünf Minuten 그것은 5 분도 걸리지 않는다; ~e halbe Stunde vor dem Anfang der Prüfung 시험 시작 전 30 분 이내; es sind noch ~e acht Tage 아직 1 주일도 지나지 않았다; ~e ganze Meile von der Stadt 도시에서 1 마일 이내의 곳에; auf ~en Fall〔auf ~e Weise, in ~er Weise, unter ~en Umständen〕 결코 …하지 않다; zu ~er Zeit 어느 때라도〔결코〕 …하지 않다. ⟪II⟫〖명사적〗**keiner** *m.*, **keine** *f.*, **kein(e)s** *n.* 아무도 …(하지) 않다; 하나〔아무것〕도 …하지 않다: Geld hat er keins 그는 돈이 하나도 없다; ~er von uns 우리들 중 아무도 …하지 않다; es ist ~er dagewesen 아무도 이곳에 있지 않았다; ~es dieser Bücher gefällt ihm 이 책들은 어느 것도 그의 마음에 들지 않는다; er gibt〔steht〕 ~em etwas nach 그는 누구에게도 뒤지지 않는다.

keinen·falls [káɪnənfáls] *adv.* ↑ keinesfalls.

keinerlei [káɪnərláɪ, ..laɪ] *a.* 어떤 종류의 것도 …하지 않다: auf ~ Weise〔Art〕 결코 …하지 않다; das hat ~ Wirkung 그것은 아무런 효력이 없다; ~ Reue zeigen 아무런 후회의 기색도 보이지 않다.

keiner·seits [káɪnərzáɪts] *adv.* 어느 쪽도 …

하지 않다: ~ erhob sich Widerspruch 아무도 항의를 제기하지 않았다.
keines·falls [káınəsfáls] *adv.* 어떠한 경우에도 (결코) …하지 않다: ~ können Sie viel verlieren 어찌되든 당신은 큰 손해는 보지 않습니다.
keines·wegs [káınəsvé:ks] *adv.* 결코〔조금도·반드시〕…하지 않다: er ist ~ dumm 그는 결코 멍청하지 않다.
kein·mal [káınma:l] *adv.* 한번도〔결코〕…하지 않다: es hat im Urlaub ~ geregnet 휴가 동안에 전혀 비가 내리지 않았다.
..keit *suf.* 명사를 만드는 후철: -bar, -el, -er (단 sicher 는 예외), -ig, -lich, -sam 으로 끝나는 형용사에 붙여서 여성 추상 명사를 만듦 (보기: Fruchtbar~, Bitter~, Ehrlosig~).
Keitel [káıtəl] *m.* -s, - (ostndd.) 트롤선(船); 어망.
KEK =Kommission zur Ermittlung der Konzentration in Medienbereich (1997 년에 설립된) 매체 독점 감시 위원회.
Keks[1] [ke:ks] *m./n.* -(es), -(e) 과자, (특히) 비스킷.
Keks[2] *m.* -es, -e 〖경박〗 ① 머리. ②〖다음 용법으로〗 du gehst mir auf den ~ 너는 내 신경을 건드린다; du hast wohl einen weichen ~! 너 제정신이 아니구나!
Keks·dose *f.* 과자〔비스킷〕통.
*__Kelch__ [kɛlç] *m.* -(e)s, -e ① (특히) 긴 다리가 달린 잔; 손잡이가 달린 잔; 〖宗〗 (der geweihte) ~ 성배(聖杯); 〖비유〗 혹독한 운명: den (bitteren) ~ (des Lebens) bis auf den Grund 〔bis zur Neige〕 leeren〔trinken〕 인생의 쓴맛 단맛을 깡그리 맛보다; möge dieser ~ an mir vorübergehen 이 운명〔고통·불행〕을 피하게 해주소서. ②〖植〗 꽃받침.
kelch⸗ähnlich, ~artig *a.* ① 긴 다리가 달린 잔 같은. ②〖植〗 꽃받침 모양의. **⁓blatt** *n.* 〖植〗 악(萼), 꽃받침. **⁓blume** *f.* ①〖植〗 악화(萼花). ② 이팝나무속(屬). **⁓deckel** *m.* 〖가톨릭〗 파테나(성찬을 놓는 그릇). **⁓förmig** *a.* ① 긴 다리가 달린 컵 모양의. ② 꽃받침 모양의. **⁓glas** *n.* (포도주용의) 긴 다리가 달린 유리잔. **⁓hülle** *f.* 〖植〗 꽃받침 포피(包被). **⁓kommunion** *f.* 〖가톨릭〗 (성찬식 때의) 성주(聖酒) 수여. **⁓narbe** *f.* 〖植〗 (과일의) 꼭지가 달린 자국. **⁓schüsselchen, ⁓tellerchen** *m.* ↑ ⁓deckel. **⁓tüchlein** *n.* 〖가톨릭〗 성배용 수건.
Kelim [ké:lım] *m.* -s, -s ① 고블랭(벽걸이 장식용 융단). ② 켈림〔페르시아〕 융단.
Kelim·stickerei *f.* 켈림 융단의 화채(花綵) 자수 기술; 화채 자수품.
Kelle [kέlə] *f.* -n ① (Schöpf⁓) 국자, 큰 숟가락: Suppen⁓ 수프 숟가락; Fisch⁓ 생선 뒤집개; Butter⁓ 버터 뜨는 숟가락; Schaum⁓ 거품을 떠내는 국자; 〖비유〗 essen, was die ~ gibt 음식을 가리지 않고 먹다; mit der großen ~ anrichten 무엇을 낭비하다〔물쓰듯하다〕. ② **(a)** 주조용 국자(Gieß⁓). **(b)** 흙손 (Maurer⁓). **(c)** 회반죽 가래(Mörtel⁓). **(d)** (Garten⁓) 삽, 셔블. ③ (교통 경관의) 정지 지시봉, (역장의) 발차 지시봉. ④〖사냥〗 비버〔해리(海狸)〕의 꼬리.
kellen *t.* 주걱〔삽〕으로 푸다.
Keller[1] [kέlər] *m.* Gottfried ~ 켈러(스위스의 작가, 1819-90).
*__Keller__[2] *m.* -s, - ① 지하 창고. ② 지하실: 〖구어〗 die Mannschaft ist in den ~ gerutscht 팀은 최하위로 떨어졌다; die (Aktien)kurse sind in den ~ gefallen 주가가 바닥에 떨어졌다; ein Theaterstück in den ~ spielen 형편없는 연기로 연극을 망치다; 〖카드·은어〗 im ~ sein 마이너스 점수를 가지다. ③ **(a)** 포도주 저장실(Wein⁓); (Bier⁓) 맥주 저장실, 술광: er hat einen guten ~ 그는 질이 좋은 포도주를 저장하고 있다. **(b)** (지하) 술집. ④ (schweiz.) 수정 동굴. ⑤〖고어〗 술 창고지기.
Keller⸗assel *f.* 〖動〗 쥐며느리. **~esel** *m.* ↑ ~assel.
Kellerei [kεlərái] *f.* -en ① 지하 창고; (지하) 포도주 저장실. ②〖총칭〗 (옛날) 영주의 창고지기; 창고지기의 활동 범위. ③〖고어〗 양조장.
Kellerer [kέlərər] *m.* -s, - 포도주〔맥주〕 저장실의 감독〔책임자〕.
Keller⸗falte *f.* 〖재봉〗 (옷의) 깊이 잡힌 주름. **~fenster** *n.* 지하 창고의 창. **~geschoß** *n.* 지하층. **~gewölbe** *n.* 지하실의 반원형 천장. **~hals** *m.* ① 지하실 입구. ②〖植〗 ↑ Seidelbast. **~kind** *n.* 〖구어〗 빈민의 자식; 문제아. **~loch** *n.* ① 지하 창고의 바람구멍〔채광구멍〕. ② (어둡고 습기찬) 비좁은 집. **~lokal** *n.* 지하 술집. **~luft** *f.* 지하실의 (눅눅한) 공기. **~magd** *f.* 지하 술집에서 일하는 여자. **~meister** *m.* 포도주 창고 감독; 양조장 주임. **~raum** *m.* 굴; 지하실. **~schabe** *f.* 〖動〗 쥐며느리. **~spinne** *f.* 〖動〗 거미의 일종. **~treppe** *f.* 지하실 계단. **~tür** *f.* 지하실 문. **~wechsel** *m.* 〖商〗 융통〔공(空)〕 어음. **~wirt** *m.* 지하 술집 주인. **~wirtschaft** *f.* 지하 술집〔요릿집〕. **~wohnung** *f.* 지하실 집. **~wurm** *m.* ①〖動〗 쥐며느리. ②〖폄어〗 지하실 거주자.
*__Kellner__ [kέlnər] *m.* -s, - ①〖고어〗 술 창고 감독. ② 웨이터, 보이.
Kellnerin *f.* -nen ↑ Kellner 의 여성형.
kellnern [kέlnərn] *i.* (h.) 〖구어〗 웨이터로 일하다.
Kelp *n.* -(e)s, -e 〖化〗 해초〔소다〕회(灰).
Kelt [kɛlt] 《lat.》 *m.* -(e)s, -e 선사 시대의 도끼〔큰 자귀〕.
Kelte [kέltə] *m.* -n, -n 켈트인.
Kelter [kέltər] *f.* -n 과일즙(특히 포도즙) 압착기; 포도 압착장.
Kelter·baum *m.* 포도(즙) 압착기의 죄는 나무.
Kelterer [kέltərər] *m.* -s, - 포도 압착부(夫).
Kelterei [kεltərái] *f.* -en 포도 압착(공)장.
Kelter⸗haus *n.* 포도 압착장. **~knecht** *m.* 포도〔과즙〕 압착부.
keltern [kέltərn] *t.* Trauben ~ 포도를 압착하다〔짜다〕.
Kelter·wein *m.* 포도를 짜낸 즙.
Kelt·iberer [kεlt|ibé:rər] *m.* -s, - 피레네 반도에 살던 켈트 이베리아 혼혈족.
kelt·iberisch *a.* 켈트 이베리아족의.
Keltin *f.* -nen ↑ Kelte 의 여성형.
keltisch [kέltıʃ] *a.* 켈트인〔어〕의.
kelt·romanisch *a.* 켈트로만어의, 켈트인과 로마인 혼혈의.

Kelvin [kɛ́lvɪn] *n.* -s, - 켈빈(기온 측정 단위; 기호: K).

Kelvin·skala *f.* (절대 영도에서 시작하는) 온도의 눈금, 켈빈 눈금.

Kemalismus [kemalɪ́smʊs] *m.* - 케말주의(터키 대통령 Kemal Atatürk 가 주창한 데서).

Kemalist *m.* -en, -en 케말주의자.

Kemenate [kemənáːtə] 《lat. caminus》 *f.* -n ① (성 안의) 난로가 있는 방. ② 중세 성(城)의 규방. ③〔시어〕 침실, 밀실.

Ken [kɛn] *n.* -, - 현(일본의 지방 행정 구역).

Kendo [kɛ́ndo] *n.* -(s) 일본식 검도.

Kenia [kéːnia] 케냐.

Kenianer [keniáːnər] *m.* -s, - 케냐인.

kenianisch *a.* 케냐(인)의.

kennbar 《< kennen》 *a.* 알〔인지할〕 수 있는; 식별할 수 있는; 이해할 수 있는; 눈에 뜨이는, 명백한; (schweiz.) 정통한, 숙달된.

Kennel [kɛ́nəl] 《engl.》 *m.* -s, - 개 집〔우리〕.

Kennel·kohle *f.* ↑ Kännelkohle.

Kennely-Heaviside-Schicht [kɛ́nlihɛ́visaɪdʃɪçt] *f.* 헤비사이드층(1902 년 Heaviside 와는 무관하게 전리층의 존재를 발견한 미국의 전기 기술자 A.E. Kennelly 의 이름에서).

kennen [kɛ́nən] (kannte, gekannt) 《Ⅰ》 *t.* ① 알(고 있)다; 인지하다; 분간〔식별〕하다; 이해하다; 정통하다: et. nur vom Hörensagen ~ 무엇을 그저 들어서 알고 있다; ich kenne den Rummel 나는 상황〔사정〕을 잘 알고 있다;〔구어·폄어〕 das ~ wir! 알고 있네!; wir ~ ihn als〔für〕 tapfer〔einen tapferen Mann〕 우리들은 그가 용감하다는 것을 알고 있다; keine Grenzen〔Schranken〕 ~ 끝이 없다; kein Maß〔Ziel〕 ~ 방자하다, 제멋대로다; keine Schonung ~ 가차없다; jn. von Gesicht〔Ansehen〕 ~ 누구의 얼굴만은 알고 있다; jn. an der Stimme〔am Gang〕 ~ 누구를 목소리〔걸음걸이〕로 알아차리다; jn. dem Namen nach ~ 누구의 이름만 알고 있다; er ist gar nicht wieder zu ~ 그는 아주 사람이 변했다; et. in- und auswendig ~ 무엇을 속속들이 알고 있다; man kennt ihn nicht wieder〔mehr〕 그의 옛 모습은 찾아볼 수 없다; ich kenne meine Leute 나는 내 부하들의 사람됨을 잘 알고 있다;〔구어〕 ich kenne meinen Goethe 나는 괴테의 작품에 정통하다; das kenne ich an ihm 그에게 그런 면이 있다는 것을 나는 알고 있다(그것은 정말 그다운 점이다); kenne ich nicht! (그런 사람〔것〕은) 몰라요!; ich kannte ihn gleich, als er eintrat 그가 들어왔을 때 나는 곧 그라는 것을 알았다; den Vogel kennt man an den Federn 무슨 새인가는 날개를 보면 알 수 있다(바탕을 속일 수는 없다); keine Rücksicht〔keine Gnade〕 ~ 어떠한 고려도 하지 않는다〔사정 없다〕;〔구어〕 da kennt jemand nichts 누구에게 모든 것이 상관없다, 누가 모든 것을 무시한다. ② 누구와 아는 사이다, 교제가 있다. ③〔宗〕 Gott〔den Namen Gottes〕 ~ 하느님을 공경하다. ④ jn.〔jm.〕 et. ~ lehren 누구에게 무엇을 가르쳐 주다. 《Ⅱ》 *refl.* ① sich nicht mehr ~ (vor et.³) (무엇 때문에) 제정신이 아니다, 어찌할 바를 모르다: sich vor Wut nicht mehr ~ 화가 나서 어쩔 줄을 모르다. ② ich kenne mich hier 나는 이곳을 잘 알고 있다.

kennen≠lernen *t.* jm.〔et.〕 ~ 누구와〔무엇을〕 알게 되다: ein Geschäft ~ 일을 배우다; wir haben uns im Urlaub kennengelernt 우리는 휴가 중에 서로 알게 되었다; es freut mich, Sie kennenzulernen 만나서 반갑습니다;〔구어〕 du wirst mich noch ~! 넌 나와 농담할 수 없다는 걸 알게 될 거야!

kennens·wert *a.* 알 만한 가치가 있는.

Kenner [kɛ́nər] *m.* -s, - 정통한 사람, 전문가, 숙련가, 명수, 감정가.

Kenner≠auge *n.*, **~blick** *m.* 전문가의 눈, 감식안. **~miene** *f.* 전문가적 표정〔태도〕: eine ~ aufsetzen 전문가적 표정을 짓다〔태도를 취하다〕.

kennerhaft [kɛ́nərhaft] *a.* 전문가다운, 전문가 같은.

kennerisch [kɛ́nərɪʃ] *a.* ↑ kennerhaft.

Kennerschaft *f.* ① 전문적 지식, 정통, 숙달. ②〔집합적〕 전문가들, 전문가 사회.

Kenn·farbe *f.* 식별색.

Kenning [kɛ́nɪŋ] *f.* -e/-ar〔문학〕 (고대 게르만 문학에서) 완곡 대칭법("전투" 대신 "화살의 광란"이라고 표현하는 비유적 수사법).

Kenn≠karte *f.* 〔구식〕 신분 증명서. **~leuchte** *f.* ①〔교통〕 (경찰차·구급차의) 경고등. ②〔空〕 위치 표지등. **~linie** *f.* 〔數〕 특성곡선. **~marke** *f.* 인식표, (상품의) 품질 표시표. **~nummer** *f.* 표지〔색인·참조〕 번호, (자동차 등의) 등록 번호.

kenntlich [kɛ́ntlɪç] *a.* 알기〔식별하기〕 쉬운; 눈에 뜨이는, 두드러진: ein weithin ~es Zeichen 멀리서 식별할 수 있는 표시; jn.〔et.〕 ~ machen a) 누구를〔무엇을〕 알리다, 발표하다, b) 기호〔표지〕를 붙이다: sich (als jemand, als etwas) ~ machen 자신을 (누구로, 무엇으로) 알리다.

Kenntlichkeit *f.* ↑ kenntlich 의 명사형.

Kenntlich·machung *f.* 알림, 발표; (소유물에) 기호를 붙임.

***Kenntnis** [kɛ́ntnɪs] 《< kennen》 *f.* -se ① 알고 있음, 앎; 통보, 통지: ~ von et.³ erhalten〔bekommen〕 무슨 통지를 받다; ~ von et.³ nehmen〔et. zur ~ nehmen〕 무엇을 알다; et. zu js. ~ bringen〔jm. et. zur ~ bringen, jn. von et.³ in ~ setzen〕 누구에게 무엇을 알리다; jn. zur ~ nehmen 누구의 존재를 알아차리다, 누구에게 주의를 기울이다; sich³ ~ von et.³ verschaffen 무엇을 문의〔조회〕하다, 알아보다. ②〔대개 복수〕 지식, 학식: Mann von vielen ~sen 박식한 사람; gute ~se in der Mathematik haben〔besitzen〕 수학에 정통하다; sich³ gründliche〔umfassende〕 ~se erwerben 철저한〔전반적인〕 지식을 습득하다.

kenntnis·arm *a.* ↑ kenntnislos.

kenntnislos *a.* 무식〔무지〕한.

Kenntnis≠nahme *f.* 아는 일, 앎: zu Ihrer ~ 알려드리자면, 참고삼아 말씀드리면; bei ~ 조사〔검토〕하는 데 있어서. **~reich** *a.* 박학〔박식〕한.

Kennung [kɛ́nʊŋ] *f.* -en ① ↑ Kennzeichen. ②〔海·空〕 지상 표지(標識), 식별 신호. ③ 표지(가 되는 물건), 특징. ④〔動〕 말의 연령을 나타내는 치아 반점. ⑤〔무전〕 호출 부호〔신호〕.

Kennungs·wandler *m.* (자동차의) 기어, 변속 장치.

Kẹnn∘wort *n.* 표어, 모토; 암호. **~zahl** *f.* ①〖物〗지수, 지표. ②〔전화〕지역〔국가〕번호. **~zeichen** *n.* ① **(a)** 표지, 부호, 기호; 표상, 휘장: einen Behälter mit einem ~ versehen 용기에 상표를 붙이다. **(b)** 표지 문자〔숫자〕, (자동차 등의) 등록 표지〔번호판〕. ② 특징; 〖醫〗징후: die Krankheit hat untrügliche ~ 그 병에는 확실한 징후가 있다. **∻-zeichnen** 《Ⅰ》 *t.* 기호를 붙이다; 특색을 나타내다; 도장찍다: diese Tat kennzeichnet seinen Mut 이 행동이 그의 용기를 보여 준다. 《Ⅱ》 *refl.* sich durch et. ~ 무엇이 특징이다. **∻zeichnend** *p.a.* 특징적〔전형적〕인: ein ~es Merkmal 전형적 특징. **∻zeichnender·weise** *adv.* 특징적〔전형적〕으로. **~zeichnung** *f.* 특성 표시, 특징지움, 성격 묘사. **~ziffer** *f.* ① (부호로 쓰이는) 숫자, 번호, (전화의) 국번. ②〖數〗대수의 지표. ③ 경제지수.

Kenotaph [kenotá:f] 《gr.》 *n.* -s, -e, **Kenotạphion, Kenotaphium** *n.* -s, ..phien [..fiən] (유골이 없는 곳에 세운) 비(碑), 석비(石碑), 위령탑, 기념비.

Kentaur [kɛntáuər] 《gr.》 *m.* -en, -en 〖그리스신화〗켄타우로스(반인반마의 괴물).

kentern [kɛ́ntərn] 《<Kante》《Ⅰ》 *t.* ① 모서리를 밑으로 하다, 세로로 놓다. ②〖海〗(배를) 전복시키다, 뒤집다: das Schiff ist gekentert 배가 전복되었다. 《Ⅱ》 *i.* (s.) ①〖海〗(배가) 전복하다, 뒤집히다. ②〔비유〕방향이 바뀌다, (우산이) 뒤집히다: der Wind kentert 풍향이 바뀐다.

Kenterung [kɛ́ntərʊŋ] *f.* -en 전복, 뒤집힘.

Kẹntum·sprache *f.* 〖언어〗켄툼어(라틴어 centum 의 초음 c 를 k 로 발음하듯이 경구개 파열음이 남아 있는 서인도·게르만 어족의 언어).

Kephalopode [kefalopó:də] 《gr.》 *m.* -n, -n 〖動〗두족류(頭足類).

Kepheus [ké:fɔʏs] *m.* -, - 케페우스(별자리).

Kepler [kɛ́plər] *m.* Johannes ~ 케플러(독일의 천문학자, 1571-1630): das ~sche Gesetz 케플러 법칙.

keppeln [kɛ́pəln] *i.* (h.) (öst.) 〔구어〕끊임없이 욕하다, 잔소리하다.

Kẹppel·weib *n.* (öst.) 〔폄어〕욕지거리〔잔소리〕하는 여자.

Keramik [kerá:mɪk] *f.* -en ① 질그릇, 도기(陶器), 자기. ② 점토, 도토. ③ 요업.

Kera̲miker [..mikər] *m.* -s, - 도자기 제조업자, 도공.

kera̲misch *a.* 질그릇의, 도자기의: ~e Vasen 도자기 꽃병; ~er Ofen 도자기 굽는 가마; ~e Farben 도자기 염료; ~er Druck 도자기〔석판〕인쇄.

Keratin [keratí:n] 《gr.》 *n.* -s, -e 〖化〗케라틴, 각소(角素).

Keratitis [keratí:tɪs] *f.* ..tiden [..tí:dən] 〖醫〗각막염.

Kerato̲m *n.* -s, -e 〖醫〗각화종(角化腫).

Keratoskop [keratoskó:p] *n.* -s, -e 〖醫〗각막 관찰경.

Kerb[1] [kɛrp] *f.* -en (hess., pfälz.) (Kirchweih) 교회당 헌당 기념일 축제.

Kerb[2] *m.* -(e)s, -e ↑ Kerbe.

Kerbe [kɛ́rbə] *f.* -n ① 새긴 눈, 벤 자국, 톱니처럼 들쭉날쭉한 금: 〔구어〕er schlägt 〔haut〕in dieselbe ~ wie ich 그는 나와 같은 목적을 추구한다, 그는 내 말에 동조한다. ② 깊은 주름: eine ~ zwischen den Augenbrauen 양미간의 깊은 주름. ③〔폄어〕두 볼기〔엉덩이〕사이의 오목한 부분: 〔비속〕jm. die ~ aus dem Arsch bügeln 누구를 개 패듯이 두들겨 패다.

Kerbel [kɛ́rbəl] 《lat.》 *m.* -s 〖植〗전호(前胡) (미나릿과).

Kẹrbel·kraut *n.* ↑ Kerbel.

*__kerben__ [kɛ́rbən] 《Ⅰ》 *t.* ① …에 눈〔금〕을 새기다, 벤 자국을 내다, (화폐 등에) 톱니꼴을 새기다; 〖經〗(구동독 경제에서) (명세 분류 카드에) 눈금을 새겨 표시하다. ②〔방언〕갉아먹다. ③〔방언〕앙알거리다. 《Ⅱ》 **gekẹrbt** *p.a.* ↑ gekerbt.

Kerberos [kɛ́rberɔs] 《gr.》 *m.* ①〖그리스신화〗케르베로스(지옥의 입구를 지키는 개). ②〔농담〕무서운 문지기(개).

Kẹrb∘holz *n.* (나무에 금을 새겨 주고받은 금액을 표시하고 그것을 나누어 가져 후일의 증거로 삼는) 셈 나무, 보관증, 부신(符信): 〖비유〗et. auf dem ~ haben 〖원뜻〗빚을 지다; 〔구어〕잘못을 저지르다; aufs ~ setzen 외상으로 하다. **~schnitt** *m.* 새긴 눈; 나무에 무늬를 새겨 넣는 일. **~schnitzerei** *f.* ↑ ~schnitt. **~stock** *m.* ↑ ~holz. **~tier** *n.* 〖動〗곤충. **~tier·kunde** *f.* 곤충학. **~zahn** *m.* 〖植〗톱니 구조.

Keren [ké:rən] *pl.* 〖그리스신화〗운명의 여신들.

Kerf [kɛrf] *m.* -(e)s, -e 〖動〗곤충.

*__Kerker__ [kɛ́rkər] 《lat. carcer.》 *m.* -s, - ① 〔고어〕(특히 지하의) 감옥, 교도소: jn. in den ~ werfen〔stecken〕누구를 투옥하다. ② (öst.) 중금고(重金錮), 중징역: zu lebenslänglichem ~ verurteilt werden 무기 징역형을 선고받다.

kẹrker∘artig *a.* 감옥과 같은. **∻fieber** *n.* (옛날) 형무소의 악성 유행 티푸스. **∻haft** *f.* 감금, 금고. **∻loch** *n.* 지하 감옥. **~meister** *m.* 교도소장(長); 교도관, 감옥지기. **∻-pforte** *f.* 감옥문. **∻strafe** *f.* 금고형.

Kerkops [kɛ́rko:ps] 《gr.》 *m.* -, ..kopen [..kó:..] 〖그리스신화〗요괴의 이름.

*__Kerl__ [kɛrl] *m.* -(e)s, -e (nordd., md.) -s ① 사나이, 놈, 녀석, 사람; 하인, 머슴: ein guter ~ 좋은 녀석; ein schlechter ~ 나쁜 녀석; ein tüchtiger ~ 유능한 사람; ein närrischer ~ 바보, 멍청이; ein lustiger ~ 재미있는 녀석, 익살꾸러기; die langen ~s 프리드리히 빌헬름 I 세의 거인(巨人) 친위대. ②〔구어〕사랑스러운 녀석, 호감가는 사람: er hat gezeigt, was für ein ~ in ihm steckt 그는 자신이 어떤 인간인지를〔무엇을 해낼 수 있는지를〕보여 주었다. ③〔비속〕(여자의) 연인, 정부(情夫): sich einen ~ nehmen 사내를 꿰어차다. ④〔고어〕하인, 머슴. ⑤〔구어〕(동식물의) 우수 품종, 특등품: dieses Pferd ist ein besonders schöner ~ 이 말은 특히 우수한 품종이다.

Kerlchen [kɛ́rlçən] *n.* -s, - 〖↑ Kerl 의 축소형〗① 꼬마, 난쟁이, 조무래기. ② 가여운〔불쌍한·측은한〕녀석. ③ 장한〔호감이 가는〕녀석.

Kermes [kɛ́rmɛs, ..əs] 《ar.》 *m.* -, - ① (연지벌레의 암컷으로 만든) 홍색 염료, 양홍(洋紅). ② ↑ ~schildlaus.

Kermes≠baum *m.* ↑ ~eiche. **~beere** *f.* 〖植〗 디기탈리스(의 열매). **~eiche** *f.* 〖植〗 (연지벌레가 붙는) 떡갈나무의 일종. **~rot** *n.* 연지, 홍색 염료. **~schild·laus** *f.* 연지벌레.

Kermse *f.* -n 〔방언〕 ↑ Kirmse.

***Kern** [kɛrn] 《⊕ Korn》 *m.* -(e)s, -e ①〖植〗 씨, 핵, (딱딱한 껍질로 둘러싸인) 열매, 알맹이; 낟알; (südd.) 껍질을 벗긴 밀, 소맥: der ~ der Pflaume 자두의 씨; der ~ einer Nuß 호두의 알맹이; 〔속담〕 wer den ~ essen will, muß die Nuß knacken 알맹이를 먹으려는 자는 호두를 깨야만 한다(호랑이를 잡으려면 호랑이 굴에 들어가야 한다). ②〖動〗 (세포의) 핵; 〖天〗 혜성의 핵; 〖軍〗 포강(砲腔); 〖工〗 (속빈 주물용) 주형(鑄型); 〖건축〗 기둥의 심(心); 〖사냥〗 작은 야수의 가죽을 벗긴 몸통; 〖物〗 원자핵; 〖지질〗 지구의 핵; 〖工〗 원자로의 핵; 〖醫·生〗 신경의 핵(Nerven~); 〖전기〗 철심(Eisen~); 〖제지〗 (수목의) 심. ③〔비유〕 핵심, 중심; 본질; 진수, 골자, 요점: der ~ des Heeres 군의 정예, 정병; der harte ~ (특히 범죄자 집단의) 주모자; der ~ einer Sache 사건의 핵심; im ~ 근본은, 마음속은, 사실은; edler ~ in rauher Schale 다듬지 않은 옥; bis in den ~ von et.³ dringen 무엇의 근본을 알아보다; in ihm steckt ein guter ~ 그는 성품〔성격〕이 좋다; diese Behauptung hat 〔birgt〕 einen wahren ~ 이 주장은 진실한 점을 지니고 있다; zum ~ (einer Sache) kommen (사건의) 정곡을 찌르다.

kern≠artig *a.* 핵과 같은, 핵 모양의. **≈-ausdruck** *m.* 핵심을 찌르는 표현. **≈beißer** *m.* 〖動〗 (참샛과의) 콩새. **~brav** *a.* 마음이 곧은, 참으로 선량한. **≈büchse** *f.* 〖工〗 속빈 주물용 주형(鑄型). **≈chemie** *f.* (원자)핵 화학. **~deutsch** *a.* 〔반어〕 철저히 독일적인. **≈erbse** *f.* 〔방언〕 청완두.

kernen[1] [kɛ́rnən] 《I》 *t.* 〔고어〕 et. ~ 무엇의 씨를〔핵을·심을〕 빼내다. 《II》 *i.* (h.) 〖工〗 elektrisch ~ (시굴 작업 때 지층의) 전기 저항을 측정하다.

kernen[2] *i.* (h.) (ndd.) ↑ kirnen.

Kern·energie *f.* ①〖핵물리〗 핵에너지. ②〖物〗 핵소립자 용해 에너지.

Kerner[1] [kɛ́rnər] *m.* -s ① (청(靑)트롤링거와 백(白)리슬링종(種)을 접목한) 케르너 포도. ② 케르너 포도주.

Kerner[2] *m.* -s, - ↑ Karner.

Kern≠erbse *f.* 〔방언〕 완두의 한 품종. **~-explosion** *f.* ①〖핵물리〗 핵폭발. ② 핵폭탄의 폭발. **~familie** *f.* 〖사회〗 핵가족. **≈faul** *a.* (나무의) 속〔심〕이 썩은. **~fäule** *f.* 〖植〗 목심(木心) 부식증. **≈fest** *a.* 매우 단단한; 심지가 굳은: ein ~er Bursche 아주 확실한〔믿을 수 있는〕 젊은이. **~feuer** *n.* 〖軍〗 집중 사격〔포화〕. **~fleisch** *n.* ① 가장 좋은 고기. ② (물고기나 짐승의) 가슴 부위 고기. **≈förmig** *a.* 핵 모양의. **~forschung** *f.* 핵〔원자력〕 연구. **~frage** *f.* 주요〔근본〕 문제. **~frucht** *f.* 〖植〗 씨가 든 과일. **~fusion** *f.* 〖핵물리〗 핵융합. **~gebiet** *n.* ① 중심지, 심장부. ② 주요〔핵심〕 분야. **~gedanke** *m.* 중심〔핵심〕 사상. **~gehäuse** *n.* 과심(果心). **≈gesund** *a.* ① 속이 썩지 않은. ② 매우 튼튼〔건강〕한. **~guß** *m.* 〖工〗 공동 주입(空洞注入). **≈gut** *a.* 매우 좋은.

kernhaft [kɛ́rnhaft] *a.* 〔고어〕 ↑ kernig.

Kern≠haus *n.* ↑ ~gehäuse. **~holz** *n.* ① (재목의) 적목질(赤木質), 심재(心材). ② 〖植〗 유럽 적송(赤松).

kernicht *a.* ① 핵과 같은, 입상(粒狀)의. ② ↑ kernig.

kernig [..ɪç] *a.* ① 힘센, 기운찬; 야무진; 단단한; 튼튼한; 유능한, 견실한: ~es Holz 단단한 목재; ein ~er Mann 몸이 튼튼한 남자; eine ~e Natur haben 강인한 성격을 지니다; 〔구어〕 jm. ~ gefallen 누구의 마음에 쏙 들다. ② 핵이〔씨가〕 많은〔있는〕.

Kern·inhalt *m.* 핵심 내용, 정수.

Kernkraft≠gegner *m.* 핵에너지〔원자력〕 사용 반대자〔반대 운동자〕. **~werk** *n.* 원자력 발전소(약어: KKW).

Kern≠ladung *f.* 〖物〗 핵전하(電荷). **~leder** *n.* 가장 좋은〔질긴·단단한〕 가죽. **~lied** *n.* 정선된 노래.

Kernling [kɛ́rnlɪŋ] *m.* -s, -e 〖원예〗 실생(實生)(씨에서 싹이 터서 자라난 묘목).

kernlos *a.* 씨가 없는, 핵〔심〕이 없는; 〔비유〕 힘 없는, 기골이 없는.

Kern≠mann *m.* 성실〔우수〕한 사람; 〔구어〕 의리의 사나이. **~mehl** *n.* 가장 좋은 밀가루. **~mensch** *m.* ↑ ~mann. **~obst** *n.* 씨가 든 과일. **~physik** *f.* (원자) 핵물리학. **≈-physikalisch** *a.* 핵물리학의. **~physiker** *m.* 핵물리학자. **~problem** *n.* 중심〔근본〕 문제. **~punkt** *m.* 핵심, 중심점, 요점: den ~ treffen 요점을 맞히다. **~reaktion** *f.* 〖핵물리〗 핵반응. **~reaktor** *m.* 원자로. **~schatten** *m.* 〖天·광학〗 (↔ Halbschatten)가장 어두운 부분, 음영부(陰影部). **~schleife** *f.* ↑ Chromosom. **~schuß** *m.* 〖軍〗 평사(平射), 직사(直射). **~seife** *f.* (세탁용) 염석(塩析) 비누. **~sinn** *m.* 가장 깊은 뜻. **~-spaltung** *f.* 〖핵물리〗 (원자) 핵분열. **~speicher** *m.* 〖컴〗 자심(磁心) 기억 장치(Magnetkernspeicher). **~spin** *m.* (원자)핵 스핀. **~spindel** *f.* 〖工〗 축(軸), 중심 굴대; 〖軍〗 핵심간(核心桿). **~spin·tomographie** *f.* 자기(磁氣) 공명 촬영(MRI). **~sprache** *f.* 성의 있는 말, 힘찬 말. **~spruch** *m.* 핵심〔정곡〕을 찌르는 말. **~stamm** *m.* 〖植〗 실생간(實生幹)(씨에서 싹이 터서 자라난 나무의) 중심 줄기. **~stück** *n.* ①〖제련〗 (속빈 주물용) 주형(鑄型). ② 주요〔중심〕 부(분). **~technik** *f.* 핵공학, 핵기술. **~teilung** *f.* 〖生〗 (세포의) 핵분열. **~truppe** *f.* 〖軍〗 정(예)병, 주력 부대. **~umwandlung** *f.* 〖핵물리〗 핵변환. **~verschmelzung** *f.* ①〖핵물리〗 핵융합. ②〖生〗 세포 핵융합. **~waffen** *pl.* 〖軍〗 핵무기. **~waren** *pl.* 알짜 물건, 정선〔최고급〕품. **≈weich** *a.* 〔방언〕 반숙의. **~wolle** *f.* 최고급 양모. **~wort** *n.* 핵심어; 강력한 말, 의미심장한 말. **~wuchs** *m.* 〖植〗 실생(實生).

Keroplastik [keroplástɪk] 《gr.》 *f.* -en ↑ Zeroplastik.

Kerosin [kerozí:n] *n.* -s 등유(燈油).

Kerosin·lampe *f.* 석유등.

Kersey [kə́:rzi:] 《engl.》 *m./n.* -s (긴 양모로 짠) 거친 나사(羅紗).

Kerub *m.* -s, -im/-inen/-e ↑ Cherub.
Kerwe *f.* -n (hess.) ↑ Kirchweih.
Kerygma [ké:rʏgma] 《gr.》 *n.* -s 〖신학〗 선교(宣敎), 복음 선포.
kerygmatisch *a.* 복음 선교〔선포〕의.
*__Kerze__ [kέrtsə] *f.* -n ① (양)초: ~n ziehen 〔gießen〕 양초를 제조하다; die ~n anzünden 〔ausblasen〕 양초를 켜다〔불어 끄다〕. ②〖物〗 촉광(약어: K): elektrische Birne von 40 ~n 40 촉광의 전구. ③ 밀랍 성냥. ④〖植〗 (밤나무 따위의) 양초 모양의 꽃차례〔화서(花序)〕. ⑤〖工〗 점화 플러그(Zündkerze). ⑥〖스포츠〗 (체조에서) 누워 양다리를 위로 수직으로 뻗치기; 높이 차올린 공.
Kerzen≈beere *f.* 〖植〗 소귀나무(의 열매). **~beleuchtung** *f.* 촛불(의) 조명. **~docht** *m.* 양초의 심지. **≈gerade** *a.* (양초처럼) 곧은, 수직인: ~ auf dem Stuhl sitzen 의자에 꼿꼿이 앉아 있다. **~gießer** *m.* 양초 제조자. **~halter** *m.* 촛대. **≈hell** *a.* 촛불로 밝게 비추어진. **~leuchter** *m.* 촛대. **~licht** *n.*, **~schein** *m.* 양초의 불빛. **~ständer** *m.* ↑ ~leuchter. **~stärke** *f.* 〖物〗 촉광(광력 단위). **~stunde** *f.* 〖전기〗 촉시(燭時). **~träger** *m.* 촛불을 들고 다니는 사환. **~weihe** *f.* 〖가톨릭〗 성촉절(聖燭節) (2 월 2 일). **~zieher** *m.* ↑ ~gießer.
Kerzler [kέrtslər] 《<Kerze》 *m.* -s, - 양초 제조업자〔판매업자〕.
Kescher [kέʃər] *m.* -s, - 곤충 채집망; 물고기잡이 그물.
keschern [kέʃərn] *t.* (물고기나 곤충을) 그물로〔망으로〕 잡다.
keß [kεs] (kesser, kessest) 《hebr.》 *a.* ① 뻔뻔스러운, 염치를 모르는, 당돌한: eine ~e Antwort 당돌한 답변. ②〔경박〕 멋진: ein ~es Mädchen 멋진 소녀; eine ~e Bluse 유행을 따른 세련된 블라우스.
*__Kessel__ [kέsəl] *m.* -s, - ① 솥, 냄비, 주전자: den ~ aufs Feuer setzen 〔vom Feuer nehmen〕 주전자를 불에 올려놓다〔불에서 내려놓다〕. ②〖工〗 증기 보일러; 차탕관(茶湯罐). ③〖지리〗 분지. ④〖사냥〗 **(a)** (멧돼지·너구리 따위의) 굴. **(b)** 들짐승을 몰아 넣는 (둥근) 터. ⑤〖軍〗 총구 활개(闊開); 포위된 지역: den Feind im ~ einschließen 적을 포위하다. ⑥〖음악〗 (금속제 관악기의) 잔 모양의 나팔 구멍. ⑦〖토목〗 갑실(閘室).
Kessel≈anker *m.* 〖工〗 보일러 버팀대. **~arbeiter** *m.* 보일러공(工). **~asche** *f.* 〖化〗 탄산칼륨. **~batterie** *f.* ①〖軍〗 분지에 주둔한 포병 부대. ②〖工〗 (한 세트의) 보일러 장치. **~bekleidung** *f.* 보일러 덮개. **~bier** *n.* 자가(自家) 양조 맥주. **~blech** *n.* 보일러 몸체의 판(板). **~boden** *m.* 솥〔보일러〕의 밑바닥. **~braun** *n.* 솥에 바르는 갈색 도료. **~decke** *f.* 솥〔주전자〕의 뚜껑. **~explosion** *f.* 보일러의 폭발. **~feuerung** *f.* 보일러로 된 난로〔화로〕. **~fleisch** *n.* 〔방언〕 삶은 돼지 뱃살(Wellfleisch). **~flicker** *m.* 〔고어〕 (솥·냄비 따위의) 땜장이; 〔비유〕 수다스러운 사람. **≈förmig** *a.* 솥〔냄비〕 모양의. **~garnitur** *f.* 〖工〗 보일러 부속기〔보호 장치〕. **~gestell** *n.* 솥〔냄비〕 받침대. **~gewölbe** *n.* 〖건축〗 반원 천장. **~haken** *m.* (불 위에 얹을 수 있도록 천장에 달아놓은) 냄비·주전자용 고리. **~haube** *f.* (중세 기사의) 투구. **~haus** *n.* 보일러실. **~jagd** *f.*, **~jagen** *n.* ↑ ~treiben. **~körper** *m.* 〖工〗 보일러의 몸통. **~loch** *n.* (물고기가 겨울을 나기 위한) 연못 속의 굴. **~pauke** *f.* 팀파니(Pauke). **~platte** *f.* 〖工〗 보일러 몸체의 판(板). **~probe** *f.* 보일러 테스트. **~raum** *m.* 보일러실. **~rohr** *n.* 보일러관(管). **~rost** *m.* 보일러 받침살대. **~schläger, ~schmied** *m.* 냄비〔솥〕 제조공. **~schmiede** *f.* 보일러 공장〔공사〕. **~stein** *m.* 냄비〔솥·보일러〕의 물때. **~steuer** *f.* 〔방언〕 맥주세(稅). **~tal** *n.* 분지. **~treiben** *n.* ①〖사냥〗 (멧돼지 따위의) 몰이 사냥. ② 비방, 비난. **~wagen** *m.* 유조〔급유·급수〕차; 〖軍〗 보일러식 자동차〔연료 보급차〕. **~waren** *pl.* 냄비·솥붙이.
Keßheit *f.* 당돌, 뻔뻔스러움; 대담; 멋짐.
Keßler [kέslər] *m.* -s, - 〔방언〕 ① 냄비·솥 제조공. ② 땜장이.
Keßler·arbeit *f.* ① 냄비·솥 따위의 제조. ② 땜질.
Keßlerei *f.* -en 냄비·솥 따위를 만드는 곳; 보일러 공사.
Keßler·waren *pl.* 냄비·솥붙이.
Ketchup [kέtʃap] 《engl.》 *m./n.* -(s), -s 케첩.
Keton [ketó:n] *n.* -s, -e 〖化〗 케톤.
Ketsch [kεtʃ] 《engl.》 *f.* -en 스포츠용의 쌍돛단배.
ketschen 《alem.》 *t./i.* (h.) 〔방언〕 ↑ katschen, kätschen.
Ketschua[1] [kέtʃua] *m.* -(s), -(s) 케추아족 (안데스 산맥의 인디언족의 일파).
Ketschua[2] *n.* -(s) 케추아족의 언어.
Kett·baum *m.* 〖방직〗 (방적기의) 실꾸리.
Kett·car *m.* (페달과 체인으로 추진되는) 어린이용 소형 자동차(의 상표).
Kettchen [kέtçən] *n.* -s, - 〔↑ Kette¹ 의 축소형〕 작은 쇠사슬, 목걸이.
*__Kette__[1] [kέtə] *f.* -n ① 사슬, 쇠사슬; 줄, 목걸이: einen Hund an die ~ legen 개를 줄에 매다; einen Gefangenen in ~n legen〔schlagen, werfen〕 포로를 사슬〔쇠고랑·감옥〕에 잡아매다; eine ~ um den Hals tragen 목에 목걸이를 하고 있다; 〔속담〕 es gibt mehr ~n als rasende Hunde 날뛰는 개들보다 사슬이 더 많다(소요를 제압할 수단이 충분하다). ②〔비유〕 연속, 연쇄; 줄지어〔늘어〕 섬: in der ~ stehen 일렬로 늘어서다; eine ~ von Autos 자동차 행렬; die ~ von Ursachen und Wirkungen 원인과 결과의 연쇄; eine ~ von Unglücksfällen 불행의 연속. ③〔비유〕 속박, 굴레; 종속, 예속: seine ~n abwerfen 〔sprengen, zerreißen〕 속박에서 벗어나다; jn. an die ~ legen 누구의 행동의 자유를 제한하다; 〖스포츠〗 den gegnerischen Spieler an die ~ legen 상대편 선수를 철저히 감시하다; an der ~ liegen 행동의 제약을 받다. ④ 산맥 (Gebirgs≈). ⑤〖軍〗 보초선. ⑥〖방직〗 날줄 (↔ Schuß): ~ und Einschlag 날줄과 씨줄. ⑦〖工〗 **(a)** ~ ohne Ende 순환쇄(鎖). **(b)** 전지: galvanische ~ 갈바니 전지. ⑧〖經〗 연쇄점〔체인점〕 체제. ⑨〖언어〗 계열 어군(語群). ⑩〖컴〗 문자열. ⑪〖化〗 원자들의 배열. ⑫〔고어〕 데카미터(10 미터) (Dekameter).
Kette[2] *f.* -n ① 무리; 〖사냥〗 들새 떼, (특히)

자고(鷓鴣)의 무리. ②〖軍〗 3기(三機) 편대.

Kettel [kɛ́təl] *m.* -s, -〔*f.* -n〕① (문단속용) 작은 사슬. ②〔방언〕(문·창의) 걸쇠, 꺾쇠.

ketteln *t.* ① 작은 사슬로 잇다〔매다〕. ② 걸쇠를 걸다. ③〖방직〗 수틀로 수놓다, 사슬 모양으로 짜다.

Kettel·maschine *f.* 〖방직〗 편물기.

ketten [kɛ́tən] 《I》 *t.* 쇠사슬로 잇다;〔비유〕 속박하다: jn.〔et.〕 an et. ~ 누구를〔무엇을〕 무엇에 붙들어 매다. 《II》 *refl.* sich ~ 쇠사슬에 매이다; 속박당하다: sich an et.〔jn.〕 ~ 무엇에〔누구에게〕 속박되다;〔비유〕 jn. an sich ~ 누구를 붙잡아두다, 자신에게 묶어두다.

Ketten≈anker *m.* 〖海〗 계선(繫船) 쇠사슬. **~anscheren** *n.* 〖방직〗 날줄을 틀에 거는 일; 무한 궤도 구동(驅動). **~antrieb** *m.* 〖軍〗 체인 장치. **~bahn** *f.* 체인식 운반 장치. **~baum** *m.* ↑ Kettbaum. **~blume** *f.* ↑ Löwenzahn. **~brief** *m.* 연쇄 편지(행운의 편지). **~bruch** *m.* 〖數〗 연(連)분수. **~brücke** *f.* 현수교, 적교(吊橋). **~faden** *m.* ↑ Kettfaden. **~fähre** *f.* 강에 건너 친 쇠사슬로 가는 나룻배. **~fahrzeug** *n.* 무한 궤도차. **~flieger** *m.* (유원지의) 비행 의자. **~förmig** *a.* 사슬 모양의. **~garn** *n.* ↑ Kettgarn. **~gebirge** *n.* 산맥. **~geklirr** *n.* 쇠사슬(이 울리는) 소리. **~gelenk** *n.* ↑ ~glied. **~geschäft** *n.* 연쇄점, 체인 스토어. **~getriebe** *n.* 쇠사슬의 연동 장치. **~glied** *n.* 쇠사슬 고리, 링크. **~handel** *m.* (유통 과정에서) 가격을 올리는 상술. **~haus** *n.* 연립 주택. **~hemd** *n.* ↑ ~panzer. **~hund** *m.* ① 사슬에 매인 개, 집 지키는 개. ②〔비유·폄어〕 검열〔감사〕관. ③〖軍〗 헌병; 편대 호위 전투기. **~kasten** *m.* 〖海〗 닻의 사슬을 두는 곳간. **~kugel** *f.* 〖軍〗 체인에 매단 탄환, 연쇄탄. **~kuppelung** *f.* 〖철도〗 (차량의) 연결. **~laden** *m.* 연쇄점, 체인 스토어. **~last** *f.* ↑ ~kasten. **~linie** *f.* 〖기하〗 연쇄 곡선, 현수선(懸垂線), 수곡선(垂曲線). **~naht** *f.* 〖재봉〗 사슬뜨기 한 솔기. **~panzer** *m.* 〖軍〗 쇠사슬이 든 갑옷. **~pendel** *n.* 〖기계〗 체인 펜던트. **~rad** *n.* (자전거의) 체인 톱니바퀴; (자동차의) 연쇄 치륜(齒輪). **~rauchen** *n.* 줄담배 피우기. **~raucher** *m.* 줄담배 피우는 사람. **~reaktion** *f.* ①〖化·物〗 연쇄 반응. ② 연쇄 사건: auf die Demonstration folgte eine ~ von Gewalttätigkeiten 시위에 이어 연쇄적 폭력 행위가 발생했다. **~rechnung** *f.* 〖數〗 연쇄 계산. **~regel** *f.* 〖數〗 연쇄 계산법. **~reim** *m.* 〖문학〗 연쇄운(韻), 사슬운. **~ring** *m.* ↑ ~glied. **~säge** *f.* 동력 톱. **~satz** *m.* 〖數〗 연쇄 계산법. **~scherer** *m.* 〖방직〗 날줄을 틀에 거는 기계〔사람〕. **~schiffahrt** *f.* 〖海〗 쇠사슬 장치를 이용한 배의 운항. **~schluß** *m.* 〖논리〗 연쇄식, 연쇄 추리. **~schutz** *m.* (자전거 따위의) 체인 덮개. **~seide** *f.* 꼰 명주실. **~stich** *m.* 감침, 체인 스티치. **~strafe** *f.* 쇠사슬로 묶어 두는 금고형. **~stuhl** *m.* 〖방직〗 날실뜨기 직기(織機). **~tau** *n.* 쇠사슬 줄, 닻줄. **~toll** *a.* 쇠사슬에 잡아매어야 할 정도로 광포한. **~trieb** *m.* (자전거의) 체인 기어. **~werk** *n.* ① 쇠사슬 세공(細工). ② 사슬 모양의 장식;〖재봉〗 사슬 무늬. ③〖工〗 쇠사슬 펌프.

Kett≈faden *m.* 〖방직〗 (↔ Schußfaden) 날실, 경사(經絲). **~garn** *n.* ↑ ~faden.

Kettlein *n.* -s, - ↑ Kette[1] 의 축소형.

Kettler [kɛ́tlər] *m.* -s, -s 쇠사슬 제조공.

Kettung *f.* -en 병렬(시킴); 쇠사슬로 잇기.

***Ketzer** [kɛ́tsər] *m.* -s, -〖가톨릭〗 이교〔사교(邪敎)〕도; 자유 신앙주의자;〔비유〕 이단자.

Ketzerei [..ráɪ] *f.* -en〖가톨릭〗 이교, 사교(邪敎);〔비유〕 이단.

Ketzer≈gericht *n.* 〖가톨릭〗 종교 재판(소), 이단 규문(糾問)(소). **~geschichte** *f.* 이교〔사교(邪敎)〕사(史).

ketzerhaft *a.* ↑ ketzerisch.

Ketzerin *f.* -nen ↑ Ketzer 의 여성형.

ketzerisch [kɛ́tsərɪʃ] *a.* 〖가톨릭〗 이교〔사교(邪敎)〕의;〔비유〕 이단의.

Ketzer≈macherei *f.* 이교도〔이단자〕로 몰아세우기. **~meister** *m.* 〖가톨릭〗 (12-18 세기의) 종교 재판장. **~richter** *m.* 〖가톨릭〗 (12-18 세기의) 종교 재판관. **~riecher** *m.* 종교 재판소의 밀정. **~taufe** *f.* (3-4 세기의) 이교도의 세례. **~verbrennung** *f.* 이교도의 화형. **~verfolgung** *f.* 이교도의 박해.

Keuche *f.* -n ① (schweiz.) 천식, 호흡 곤란. ② (bayr.) 감옥; 누옥(陋屋).

Keuchel [kɔ́ʏçəl] *n.* -s, - (ostndd.) 병아리.

***keuchen** [kɔ́ʏçən] 《I》 *i.* ① (h.) 헐떡이다, 숨이 차다; 콜록거리다, 천식하다: mit ~dem Atem 숨을 헐떡이며; vom schnellen Laufen ~ 급히 달려오느라 숨을 헐떡이다. ② (s.) 가쁘게 숨쉬며 움직이다〔가다·달리다〕: der Zug keuchte durch das Tal 기차가 힘겹게 계곡을 지나갔다. 《II》 *t.* ① 콜록〔헐떡〕거리며 말하다. ②〔구어·은어〕 토하다.

Keuch·husten *m.* 〖醫〗 백일해, 백일 기침.

Keule [kɔ́ʏlə] *f.* -n ① (무기용 및 체조용의) 곤봉: die ~ schwingen 곤봉을 휘두르다〔돌리다〕;〔속담〕 große ~n schlagen große Beulen 몽둥이가 크면 혹도 크다; chemische ~ (데모 진압용의) 최루탄 발사기. ② 뒷다리〔넓적다리〕 (고기). ③〖工〗 절굿공이. ④〖植〗 호리병박. ⑤〖動〗 곤충의 촉각.

keulen *i.* 〖수의〗 전염병에 걸린 동물을 죽이다.

Keulen≈ärmel *m.* 지고(삼각 소매) (Gigot). **~förmig** *a.* 곤봉 모양의. **~gymnastik** *f.* 곤봉 체조. **~kürbis** *m.* 〖植〗 호리병박. **~schlag** *m.* 곤봉으로 때리기;〔비유〕 결정적 타격: die Vorwürfe trafen ihn wie ein ~ 그 비난은 그에게 결정타와 같았다. **~schwingen** *n.* 〖스포츠〗 곤봉 체조. **~stück** *n.* 도살한 짐승의 뒷다리 고기.

Keuler *m.* -s, - 수멧돼지 (Keiler[2]).

keulig [kɔ́ʏlɪç] 《<Keule》 *a.* 곤봉 모양의.

Keuper [kɔ́ʏpər] *m.* -s〖지질〗 트라이아스계(系)의 맨 위층;〔방언〕 적토(赤土).

***keusch** [kɔʏʃ] *a.* ①〔雅語·고어〕 순결한, 처녀의: ein ~es Mädchen 숫처녀. ② 성생활을 절제하는, 금욕적인: ein ~es Leben führen 금욕적인 생활을 하다. ③〔雅語〕 수줍어하는, 정숙한: die Augen ~ niederschlagen 수줍어서 눈길을 떨구다;〔농담〕 ein ~er Joseph 무척 수줍음타는〔여자를 기피하는〕 남자.

Keusch·baum *m.* 〖植〗 서양모형(牡荊) 나무.

Keusche [kɔ́ʏʃə] 《sl.》 *f.* -n ① (öst.) 작은 농가. ②〔폄어〕 오두막.

Keuschheit *f.* ① 동정(童貞), 순결, 정조, 정

절, 정결. ② 금욕적인 생활.
Keuschheit·gelübde *n.* 정조의 서약〔맹세〕.
Keusch·lamm *n.* ↑ ~baum.
Keuschlamm·strauch *m.*〖植〗서양모형(牡荊) 나무 관목〔덤불〕.
Keuschler [kɔ́ʏʃlər] *m.* -s, - (öst.) 소농민.
Keutel *m.* -s, - (md.) 트롤선(Keitel).
Keyboard [kí:bɔ:(r)d] 《engl.》 *n.* -s, -s〖악기〗키보드;〖컴〗자판.
Kffr. =Kauffrau 여상인.
Kfm. =Kaufmann 상인.
kfm. =kaufmännisch 상인의, 상업(상)의.
Kfz =Kraftfahrzeug 자동차.
KFZ-Steuer *f.*〖재정〗자동차세.
Kfz-Werk·statt *f.* 자동차 정비소〔수리소〕.
KG =Kommanditgesellschaft 합자 회사.
kg =Kilogramm 킬로그램.
KGaA =Kommanditgesellschaft auf Aktien 주식 합자 회사.
KGB *m.* -(s) (구소련의) 국가 보안 위원회.
kgl. =königlich 왕의, 왕실의.
K-Gruppe *f.* -n (마르크스·레닌주의를 표방하는 반소) 공산주의 그룹.
k.g.V., kgV =kleinstes gemeinsames Vielfaches 최소 공배수.
k.H. =kurzerhand 손쉽게, 재빠르게.
Khaki [ká:ki] 《pers.》《Ⅰ》*n.* -(s) 카키 염료. 《Ⅱ》*m.* - 카키색의 옷감, 카키복.
khaki≈farben *a.* 카키색의. **~farbig** *a.* ↑ ~farben. **~jacke** *f.* 카키색 상의. **~uniform** *f.* 카키색 군복〔제복〕.
Khan[1] [ka:n] 《tatar. -türk.》 *m.* -s, -e ① 한(汗) (타타르족(族)의 군주 칭호). ② 한(汗) (페르시아의 고위 관직 칭호).
Khan[2] 《pers.》 *m.* -s, -s 공인된 주막; 대상(隊商)이 묵는 집.
Khedive [kedí:və] 《pers.》 *m.* -s/-n, -n (1914 년까지 터키 정부가 파견한) 이집트 섭정〔총독〕의 칭호.
kHz =Kilohertz 킬로헤르츠.
KI =Künstliche Intelligenz〖컴〗인공 지능.
kibbeln [kíbəln] (alem.) *i.* (h.) (분)노하다; 말다툼하다.
Kibbuz [kıbú:ts] *m.* -, -im/-e 키부츠(이스라엘의 집단 농장).
Kibbuznik [kıbú:tsnık] *m.* -s, -s 키부츠 회원.
Kiberer [kí:bərər] *m.* (öst.)〔구어〕형사, 경찰.
Kibitka [kibítka] 《russ.》 *f.* -s ① ↑ Jurte. ② 러시아의 포장마차.
Kibitke [..kə] *f.* -n ↑ Kibitka.
Kicher [kíçər] *f.* -n ↑ Kichererbse.
Kicherei [kıçərái] *f.* -en 낄낄댐, 킥킥거림.
Kicher·erbse *f.*〖植〗① 이집트콩(잠두(蠶豆)의 일종). ② 연리초속(屬).
Kicherling [kíçərlıŋ] *m.* -s, -e ① ↑ Kichererbse. ② 식용 버섯의 일종.
***kichern** [kíçərn] 《Ⅰ》*i.* (h.) 낄낄 웃다, (웃음을 참아가며) 킥킥거리다: sie kicherte in sich hinein 그녀는 혼자 낄낄 웃었다;〔구어〕daß ich nicht kichere! 웃기지 마라, 그건 못 믿겠다! 《Ⅱ》*t.* 낄낄 웃으며 말하다.
Kick [kık] 《engl.》 *m.* -(s), -s ①〖스포츠〗공 차기, 킥. ②〔구어·은어〕(약물 복용에 따른) 환각 상태.
Kick·boxen *n.* 킥복싱.
Kick-down [..dáun] 《engl.》 *m./n.* -s, -s (자동차의) 킥다운 (장치).
kicken [kíkən] 《engl.》〔구어〕《Ⅰ》*t.* (공 따위를) 차다. 《Ⅱ》*i.* (h.) 축구하다.
Kicker *m.* -s, -(s)〔구어〕축구 선수.
Kickers *pl.* 축구 협회의 이름.
Kick-off [kık|ɔ́f] 《engl. kick off》 *m.* -s, -s (schweiz.)〖축구〗(Anstoß) 킥오프(경기 개시 때 중앙선에서의 공차기), 시축.
Kicks [kıks] *m.* -es, -e ①〖당구〗미스(헛치는 것). ②〖음성〗잘못 낸 고성(高聲);〔비유〕실수, 실책: einen ~ machen 실수하다.
kicksen[1] [kíksən] *i.* (h.)〖당구〗미스를 하다;〔비유〕실수하다.
kicksen[2] *i.* (h.) 소리치다.
Kick·starter 《engl.》 *m.*〖車〗(오토바이 따위의) 시동 페달.
Kickxia [kíksia] *f.* ..xien [..ksiən]〖植〗~ elastica (서아프리카산(産)) 고무나무.
Kid [kıd] 《engl.》 *n.* -s, -s ① 키드(새끼 염소). ② 새끼 염소의 가죽. ③〔복수〕새끼 염소 가죽 장갑. ④〔아동〕아이.
kidnappen [kítnɛpən] 《engl.》 *t.* 유괴하다, 납치하다.
Kidnapper [..pər] 《engl.》 *m.* -s, - (아동) 유괴범.
Kidnapping [..pıŋ] 《engl.》 *n.* -s, -s 유괴, 납치.
Kids ↑ Kid 의 복수형.
kiebig [kí:bıç] *a.*〔방언〕① 다투기〔잔소리하기〕좋아하는, 주제넘은, 아니꼬운: ~e Bemerkungen über et. machen 무엇에 관해 주제넘은 소견을 진술하다. ② 흥분〔분개〕한: sei nicht so ~! 그렇게 흥분〔분개〕하지 마라!
Kiebitz[1] [kí:bıts] *m.* -es, -e〖動〗댕기물떼새.
Kiebitz[2] *m.* -es, -e〔구어〕훈수꾼.
Kiebitz≈blume *f.*〖植〗흑백합, 패모(貝母). **~ei** *n.* ① 댕기물떼새의 알. ②〖植〗↑ ~blume. ③〖動〗달팽이의 일종.
kiebitzen [kí:bıtsən] *i.* (h.)〔구어〕①〖카드〗참견〔훈수〕하다. ② 관심 있게 쳐다보다, 엿보다.
kiefeln [kí:fəln] *t.* (öst.) 씹다, 씹어〔갉아〕먹다.
***Kiefer**[1] [kí:fər] *f.* -n〖植〗① 유럽소나무, 소나무속(屬). ②〔구어〕소나무 재목.
***Kiefer**[2] *m.* -s, -〖해부〗턱, 악(顎); (곤충의) 씹는 입: Ober~ 위턱.
Kiefer≈anomalie *f.*〖醫〗턱의 기형. **~bogen** *m.* 악하궁(顎下弓). **~bruch** *m.*〖醫〗턱의 골절. **~chirurgie** *f.*〖醫〗턱 수술. **~drüse** *f.* 악하선(顎下腺). **~fühler** *m.*〖動〗(거미·진드기 따위의) 촉지(觸肢). **~fuß** *m.*〖動〗(게 따위의) 촉수(觸手). **~gelenk** *n.*〖해부〗하악(下顎) 관절. **~höhle** *f.*〖해부〗상악 동(上顎洞). **~höhlen·entzündung** *f.*〖醫〗상악동염.
Kiefericht [kí:fərıçt] *n.* -(e)s, -e 소나무 숲.
Kiefer≈klemme *f.*〖醫〗개구(開口) 불능, 악(顎)경련. **~knochen** *m.*〖해부〗턱뼈, 악골(顎骨). **~muskel** *m.*〖해부〗턱 근육, 악근(顎筋), 저작근(咀嚼筋).
kiefern [kí:fərn] 《<Kiefer[1]》 *a.* 소나무의, 송림(松林)의, 소나무로 만든.
Kiefern≈bohle *f.* 송판(松板). **~eule** *f.*〖動〗

솔나방의 일종. **~gehölz** *n.* 송림. **~holz** *n.* ① 소나무 재목. ② 송림. **~nadel** *f.* 솔잎. **~schwärmer** *m.* 〖動〗 박각시나방의 일종. **~spanner** *m.* 〖動〗 자벌레나방의 일종. **~spinner** *m.* 〖動〗 솔나방. **~taster** *m.* 〖動〗 (거미의) 하악 촉모(下顎觸毛), 촉수, 각수(脚鬚). **~wald** *m.* 송림. **~zapfen** *m.* 솔방울.

Kiek [kí:k] *f.* -en ↑ Kieke.

Kieke [kí:kə] *f.* -n (nordd.) 석탄불을 넣어 몸을 덥게 하는 양철제 각파(脚婆)의 일종.

kieken [kí:kən] *i.* (h.) 〖구어〗 (nordd.) 들여다보다, 엿보다: 〖구어〗 einmal, ich kieke zweimal 보고 또 보아도 믿을 수 없는 일이다.

Kieker [kí:kər] *m.* -s, - ① (nordd.) 망보기; 망보는 사람. ② 〖海〗 망원경. ③ 〖구어〗 jn. auf dem ~ haben 누구를 감시〔책망〕하다, 누구에게 트집을 잡다.

Kiek·in·die·welt [kí:k|ındivɛ́lt] *m.* -s, -(s) (nordd.) 풋내기; 유아, 갓난아이.

kieksen [kí:ksən] *t.* 〖구어〗 ↑ kicksen².

Kiel¹ [ki:l] *m.* -(e)s, -e ① 깃대, 깃촉; 깃; 거위깃 펜. ② 〖工〗 세관(細管). ③ 낚시찌: ~ an der Angel 낚싯줄에 달린 낚시찌. ④ 〖植〗 알줄기, 구경(球莖).

Kiel² *m.* -(e)s, -e ① 〖海〗 용골(龍骨), 선골(船骨), 배의 밑바닥: ein Schiff auf ~ legen 배를 건조하기 시작하다; et. 〔ein Projekt〕 auf ~ legen 무엇을〔계획을〕 완성시키다; 〖문학·고어〗 배(船). ② 〖植〗 용골판(瓣), 배 모양의 꽃잎. ③ (조류의) 용골 돌기.

Kiel≈bett *n.* 새털 이불. **~block** *m.* 〖海〗 용골대(龍骨臺). **~bogen** *m.* 〖건축〗 용골 박공. **~boot** *n.* 바닥이 편평한 배, 평저선. **≈-brüchig** *a.* 〖海〗 용골이 파손된.

kielen¹ [kí:lən] 《<Kiel¹》 *i.* ① (s.) (새에) 깃이 나다. ② (h.) 깃으로 펜을 만들다.

kielen² 《<Kiel²》 *t.* ① 〖海〗 ein Schiff ~ 배에 용골을 달다. ② ↑ kielholen. ③ 〖음악〗 ein Klavier ~ 피아노에 깃촉을 달다.

Kiel≈feder [kí:l..] *f.* ① 대가 있는 깃. ② 깃으로 만든 펜, 거위깃 펜. **~flosse** *f.* 〖空〗 꼬리 부분의 수직 안정판. **~flügel** *m.* ① 〖악기〗 쳄발로, 하프시코드. ② 〖動〗 소매고둥(바다고둥의 일종). **≈förmig** *a.* ① 깃촉 모양의. ② 용골(龍骨) 모양의. **~fuge** *f.* 〖조선〗 은촉이음, (용골의) 래빗. **~gang** *m.* 〖조선〗 용골 익판(翼板)(용골의 바깥 널판). **~geld** *n.* 〖海〗 입항〔정박〕세. **≈holen** *t.* 〖海〗 ① ein Schiff ~ (뱃바닥을 손질하기 위하여) 배를 기울이다. ② einen Verbrecher ~ 범인을 밧줄에 묶어 뱃바닥 밑을 통과하게 하다(옛날 해군의 징벌); 〖비유〗 엄벌에 처하다. **~kropf** *m.* 〖醫〗 갑상선종(腫) 환자; 〖욕설〗 기형아, 보기 흉한 아이. **~linie** *f.* 〖海〗 (↔ Dwarslinie) 단종진(單縱陣); 수미선(首尾線): in ~ fahren 단종진으로 항해하다. **≈oben** *adv.* 전복하여, 뒤집혀서: das Boot treibt ~ 보트가 전복되다. **≈-pinsel** *m.* 깃(으로 만든) 붓〔솔〕. **~raum** *m.* 선창(船艙), 함창(艦艙)(배 안의 화물칸), 뱃바닥의 만곡부. **~schwein** *n.* 〖海〗 내용골(內龍骨); (보트레이스 등의) 키잡이. **~-schwert** *n.* 〖조선〗 수하(垂下) 용골. **~-schwinn** *n.* ↑ ~schwein. **~wasser** *n.* ① 항적(航跡), 배가 지나간 자국: im ~ eines großen Schiffes fahren 큰 배의 항적을 따라가다; 〖비유〗 in js. ~ segeln〔fahren, sein〕, sich in js. ~ halten 누구를 따라가다, 누구를 추종하다. ② 더러운 물, 배 밑바닥에 괸 물. **~werft** *f.* 기운 배 수리소.

Kieme [kí:mə] *f.* -n 〖動〗 아가미.

Kiemen≈atmer *m.* 〖動〗 아가미로 호흡하는 동물. **~atmung** *f.* 〖動〗 아가미 호흡. **~-deckel** *m.* 〖動〗 아가미 뚜껑, 아감딱지. **~füßer, ~füßler** *pl.* 새각류(鰓脚類). **~höhle** *f.* 〖動〗 새강(鰓腔). **~spalte** *f.* 〖動〗 아감구멍, 새공(鰓孔).

Kien¹ [ki:n] *m.* -(e)s, -e 나뭇진이 많은 목재(특히 소나무 목재).

Kien² *m.* 〖다음 용법으로〗 auf dem ~ sein 정신을 바짝 차리고 있다, 주의를 기울이고 있다.

Kien≈apfel *m.* 솔방울. **~baum** *m.* 소나무.

kienen [kí:nən] 《<Kien》 *a.* 소나무 목재의.

Kien≈fackel *f.* 관솔 가지(로 만든) 횃불. **~föhre** *f.* 소나무. **~harz** *n.* 송진. **~holz** *n.* 나뭇진이 많은 목재; 관솔.

kienicht *a.* ↑ kienig.

kienig [kí:nıç] *a.* (송)진이 많은.

Kien≈öl *n.* 송진 기름, 테레빈유(油). **~ruß** *m.* 검댕, 그을음. **~span** *m.* 횃불용의 관솔개비. **~stock** *m.* ① 소나무 줄기. ② 〖광산〗 구리 찌꺼기.

Kientopp [kí:ntɔp] *m./n.* -s, -s/..töppe 〖구어〗 (berl.) ↑ Kintopp.

Kien·zapfen *m.* 솔방울.

Kiepe [kí:pə] 《ndd.》 *f.* -n 등에 지는 광주리: eine ~ voll Holz tragen 나무를 한 짐 가득 지고 나르다.

Kiepen·hut *m.* 〖의상〗 (19 세기의) 차양이 넓고 턱아래에 끈으로 묶는 여성용 모자.

Kies [ki:s] *m.* -es, -e ① 자갈, 산자갈; 사주(砂洲), 모래톱. ② 〖광물〗 (**a**) 황동광; 황철광. (**b**) 수정, 석영. ③ 〖경박〗 돈: dafür fehlt mir der nötige ~ 그것에 필요한 돈이 내게는 없다.

Kies≈ader *f.* 황동광〔황철광〕의 광맥. **≈ähnlich, ≈artig** *a.* ① 자갈 같은. ② 황동〔황철〕 광질의. **~bach** *m.* 자갈이 깔린 하천. **≈-bestreut** *a.* 자갈이 깔린. **~boden** *m.* 자갈밭〔땅〕. **~brenner** *m.* 황철광을 녹이는 용광로.

Kiesel [kí:zəl] *m.* -s, - ① 조약돌, 잔돌; 부싯돌; 〖광물〗 규석(珪石). ② 〖방언〗 우박, 싸라기눈. ③ (nordd.) 팽이; 선모(旋毛).

Kiesel≈alge *f.* 〖植〗 규조류(硅藻類). **≈artig** *a.* 잔돌과 같은; 규산질(珪酸質)의. **~erde** *f.* 〖지질〗 규조토(~gur). **≈erde·haltig** *a.* 규조토를 함유한. **~glas** *n.* 석영 유리. **~gur** *f.* 규조토. **≈haltig** *a.* ↑ ≈erdehaltig. **≈hart** *a.* 조약돌처럼 딱딱〔단단〕한. **~herz** *n.* 〖비유〗 냉혹, 비정(한 사람).

kieselig [kí:zəlıç] *a.* ① 조약돌과 같은. ② 규산질(珪酸質)의.

Kiesel≈kalk *m.* 〖광물〗 규질(珪質) 석회. **~mehl** *n.* 규조토(珪藻土). **~metall** *n.* 〖化〗 규소; 규화(珪化) 금속.

kieseln [kí:zəln] 《I》 *t.* …에 자갈을 깔다. 《II》 *i.* (h.) ① *imp.* es kieselt 싸라기눈이 내린다. ② der Wind kieselt 바람이 소용돌이친다.

Kiesel≈sand *m.* 자갈 섞인 모래. **≈sauer** *a.* 〖化〗 이산화규소〔규산〕의. **~säure** *f.* 〖化〗 규산(珪酸). **~schiefer** *m.* 〖광물〗 규질 판석(板

石). **~sinter** *m.* 〖광물〗 규화(珪華). **~stein** *m.* ↑ Kiesel ①. **~stoff** *m.* 〖化〗 규소.

kiesen[1] [kí:zən] 《<Kies》 *t.* (무엇에) 자갈을 깔다.

kiesen*[2] (kor, gekoren) 〖시어·고어〗 《Ⅰ》 *t.* 뽑다, 선발〔선택〕하다. 《Ⅱ》 **gekoren** *p.a.* ↑ gekoren.

Kieserit *m.* -s, -e 〖광물〗 황산 고토석(苦土石) (독일의 과학자 D.G. Kieser 의 이름에서).

kieset(t)ig *a.* (ndd.) 좋고 싫은 것을 몹시 가리는; 성미가 까다로운.

Kies≈gang *m.* 자갈길. **~grube** *f.* 자갈갱(坑), 자갈 채취장. **~grund** *m.* 자갈이 많은 땅; 사력층(砂礫層). **~haufen** *m.* 자갈더미.

kiesig [kí:zɪç] 《<Kies》 *a.* 자갈 같은; 자갈이 많은〔깔린〕.

Kies≈sand *m.* 자갈이 섞인 모래. **~schicht** *f.* 〖건축〗 자갈층. **~schüttung** *f.* 자갈깔기. **~straße** *f.* ↑ ~weg. **~weg** *m.* 자갈길.

Kietz [ki:ts] *m.* -es, -e ↑ Kiez.

Kiez [ki:ts] *m.* -es, -e (ostnordd.; 특히 berl.) ① 〖원뜻〗 어부가 사는 도시의 한 구역. ② 교외; 도시의 외진 구역. ③ 사창〔홍등〕가.

Kietze [kí:tsə] *f.* -n ↑ Kieze[1].

Kieze[1] [kí:tsə] *f.* -n ① 등에 지는 바구니. ② 과일 바구니. ③ 작은 상자; 찌르레기의 둥우리 상자.

Kieze[2] *f.* -n 〔방언〕 암고양이(Katze).

Kiew [kí:ɛf] 키에프(우크라이나 공화국의 수도).

kiff [kɪf] ↑ keifen 의 과거형.

kiffen [kífən] 《ar.》 *i.* 〔구어〕 대마초〔마리화나〕를 피우다.

Kiffer *m.* -s, - 〔구어〕 대마초〔마리화나〕 흡연자.

KIKA =Kinderkanal 〖방송〗 (독일 공영 방송국에서 운영하는) 어린이 전용 케이블 방송국.

kikeriki [ki:kərikí:] *int.* 꼬끼오(수탉이 우는 소리).

Kikeriki 《Ⅰ》 *m.* -s, -s 〔아동〕 수탉. 《Ⅱ》 *n.* -s, -s 수탉 우는 소리.

Kiki *m.* -s 〔구어〕 허튼〔어리석은〕 말, 난센스: so ein ~! 그런 난센스가 있나!; ist doch alles ~! 모든 게 다 실없는 소리야!

Kilbi *f.* ..benen (schweiz.) ↑ Kirchweih.

Kilbi·tanz *m.* (schweiz.) 헌당식 때 추는 춤.

Kilian *m.* 킬리안(남자 이름).

Kilim [kí:lɪm] *m.* -s, -s ↑ Kelim.

killekille [kíləkílə] *int.* 〔아동〕 간질간질(어린아이를 간지르면서 하는 소리): bei〔mit〕 einem Kind ~ machen 아이를 간질이다.

killen[1] *t.* (kitzeln) 간질이다; 애무하다.

killen[2] 《engl.》 *t.* ① 〔경박〕 죽이다, 살해하다. ② 〖스포츠〗 (공을) 빼앗다.

killen[3] 《fries.》 *i.* (h.) 〖海〗 펄럭펄럭 나부끼다, 펄럭이다.

Killer 《engl.》 *m.* -s, - ① 〔경박〕 살인 청부업자, 킬러. ② 〖生〗 킬러(다른 짚신벌레를 잡는 짚신벌레).

Killer≈alge *f.* 짚신벌레. **~satellit** *m.* 〔구어〕 위성 격추용〔요격용〕 위성.

Kiln [kɪln] 《engl.》 *m.* -(e)s, -e (벽돌·도자기 따위를 굽는) 가마; 화로, 난로; 용광로; 배소로(焙燒爐), 반사로(反射爐).

Kilo [kí:lo] 《gr.》 *n.* -s, -s 〔↑ Kilogramm 의 단축형〕 킬로그램.

kilo.. 《gr.》 *pref.* "천"의 뜻.

Kilo≈ampere *n.* 〖전기〗 킬로암페어. **~byte** [..báit] *n.* 〖컴〗 킬로바이트. ***~gramm** *n.* 킬로그램(약어: kg). **~hertz** *n.* 킬로헤르츠(약어: kHz). **~joule** [..dʒú:l] *n.* 킬로줄(에너지 및 일의 단위)(약어: kJ). **~kalorie** *f.* 킬로칼로리(약어: kcal). **~liter** *n./m.* 천 리터(약어: kl). ***~meter** *m.* 킬로미터(약어: km): 60 ~ stündlich 〔je Stunde〕 시속 60 킬로미터(약어: km/h, km/st).

Kilometer≈fresser *m.* 〔경박·농담〕 장거리를 고속으로 질주하는 사람. **~geld** *n.* (자가용 출장자에게 운행 거리를 km 로 계산해 주는) 교통 여비. **≈lang** *a.* 수킬로미터 길이의. **~marke** *f.* ↑ ~stein. **~pauschale** *f.* 〖經〗 (자가용 통근자에 대한) 통근 거리에 입각한 소득 공제액. **~stand** *m.* (주행기록계에 나타난) 총주행 거리. **~stein** *m.* 이정표. **~tarif** *m.* 킬로미터당 요금. **≈weit** *a.* 수킬로미터 떨어진〔거리의〕. **~zähler** *m.* (자동차의) 주행 기록계.

kilometrieren *t.* (도로·하천에) 이정표를 세우다.

Kilometrierung *f.* 이정표 세우기.

kilometrisch *a.* 킬로미터의〔로 측정한〕.

Kilo≈newton [..njú:tən] *n.* 〖物〗 킬로뉴턴(에너지 단위)(약어: kN). **~ohm** *n.* 〖物〗 킬로옴(약어: kΩ). **~pascal** *n.* 〖物〗 킬로파스칼(압력의 단위)(약어: kPa). **~pond** *n.* 〖物〗 킬로 파운드(약어: kp). **~pond·meter** *m.* 〖物〗 킬로파운드미터(기계 작업의 단위)(약어: kpm). **~ster** [..ʃté:r, ..sté:r] *n.* 천 세제곱미터. **~volt** *n.* 〖전기〗 천 볼트(약어: kV). **~volt·ampere** [..ampɛ́:r] *n.* 〖전기〗 킬로볼트암페어(약어: kVA). **~watt** *n.* 〖전기〗 천 와트(약어: kW). **~watt·stunde** *f.* 〖전기〗 킬로와트시(時)(약어: kWh).

Kilt[1] [kɪlt] 《engl.》 *m.* -(e)s, -s ① 킬트(스코틀랜드 고지인이 입는 바둑판 무늬의 남자용 짧은 스커트). ② 바둑판 무늬의 여성용 주름치마.

Kilt[2] 《germ.》 *m.* -(e)s 밤에 몰래 처녀를 찾아감, 밤의 밀회〔랑데부〕.

Kilt·gang *m.* (alem.) ↑ Kilt[2].

Kimber [kímbər] *m.* -s, -n 게르만 민족의 한 종족(Zimber).

Kimm[1] [kɪm] *f.* -e 〖海〗 수평선.

Kimm[2] *f.* -en 〖조선〗 배 밑의 만곡부.

Kimme *f.* -n ① 깊게 후벼 패인 곳; (바닥 널판을 끼우는) 통 안쪽에 있는 홈. ② 〖무기〗 가늠자의 홈: ~ und Korn (가늠자의) 가늠구멍과 가늠쇠; 〔비유·구어〕 jn. auf der ~ haben 누구를 주시하다; et. über ~ und Korn zielen〔schießen〕 무엇을 정조준하다〔정조준 사격하다〕. ③ 〔비속〕 엉덩이(의 갈라진 곳). ④ 돌기, 돌출부. ⑤ 바깥변, 외연(外緣). ⑥ ↑ Kimm[2].

Kimmerier [kɪmé:riər] *m.* -s, - ① 키메르인(기원전 600 년경에 멸망한 러시아 남부에 살았던 트라키아인의 일족). ② 〖그리스신화〗 (영원한 어둠 속에서 산다는) 명부(冥府)의 주민.

kimmerisch *a.* ① 어두운. ② 키메르인의; 키메르인이 살던 지역의: 〖지형〗 ~e Faltung 키메르의 습곡(褶曲), (알프스의) 조산 운동.

Kimm·hobel *m.* 홈파는 대패.

Kimmung[1] [kímuŋ] 《ndd.》 *f.* ① 〖海〗 수평선

(Kimm¹). ② 신기루.

Kimmung² *f.* -en ① 통판에 홈파기. ② (nordd.) 이음매, 잇댄 자리.

Kimono *m.* -s, -s ① 기모노. ② 유도복.

Kimono≈ärmel *m.* 〖의상〗 (기모노를 본뜬) 넓은 소매. **~bluse** *f.* 기모노식 블라우스.

Kinästhesie [kinεstezí:] 《gr.》 *f.* -n [..zí:ən] 〖醫〗 운동 감각.

***Kind** [kɪnt] *n.* -(e)s, -er ① **(a)** 아기, 갓난애, 젖먹이: ein ~ gebären 〔zur Welt bringen〕 아이를 낳다; die Bewegung des ~es im Leib spüren 태동을 느끼다; das ~ austragen〔abtreiben (lassen)〕 낙태시키다; 〖雅語〗 einem gesunden ~ das Leben schenken 건강한 아이를 낳다; 〖구어〗 ein ~ in die Welt setzen 아이를 얻다; 〖雅語〗 mit einem ~e gehen 임신 중이다; 〖시어〗 ein ~ unter dem Herzen tragen 임신 중이다; 〖비속〗 einer Frau ein ~ machen〔andrehen〕 임신시키다; 〖구어〗 jm. ein ~ in den Bauch reden 누구에게 무엇을 설득〔납득〕시키다; ein ~ von Lumpen kriegen 무엇에 대해 놀라다〔분개하다〕; 〖비유〗 ein totgeborenes ~ 실패할 것이 뻔한 일; unschuldig wie ein neugeborenes ~ 매우 결백한; 〖비유〗 das ~ muß (doch) einen Namen haben 그 일에는 동기〔이유〕가 필요하다, 무엇인가 구실이〔핑계가〕 있어야만 한다. **(b)** 어린이, 아이, 소년 소녀, 아동: ein ~ in Pflege geben 아이의 양육을 부탁하다; jn. (noch) wie ein ~ behandeln 누구를 (아직도) 애 취급하다; 〖속담〗 wer sein ~ lieb hat, züchtigt es 아이를 사랑하면 회초리를 든다; 〖속담〗 ~er und Narren sagen die Wahrheit 어린이와 바보는 거짓말을 못 한다; 〖속담〗 kleine ~er, kleine Sorge — große ~er, große Sorge 아이가 어리면 잔 걱정, 크면 큰 걱정; von ~ an〔auf〕 어린 시절부터; das weiß jedes ~ 그것은 아이도〔누구나〕 안다; 〖비유〗 das ~ beim (richtigen) Namen nennen 곧이곧대로 말하다; 〖구어〗 wir werden das ~ schon schaukeln 우리는 그 일을 잘〔제대로〕 해낼 것이다; 〖구어〗 du bist als ~ zu heiß gebadet worden 너 정신이 좀 이상하구나〔돌았구나〕; 〖비유〗 das ~ mit dem Bade ausschütten 목욕물과 함께 애까지 버리다, 교각살우(矯角殺牛)하다; 〖속담〗 (ein) gebranntes ~ scheut das Feuer 불에 덴 아이는 불을 겁낸다(혼난 일은 다시 않는다); 〖속담〗 wenn das ~ ertrunken ist, wird der Brunnen zugedeckt 소 잃고 외양간 고친다; sei doch kein ~! 어리석은 짓 하지 마라! **(c)** 〖法〗 (형법상의) (14세 미만의) 아동: ~er sind strafrechtlich noch nicht verantwortlich 형법상 미성년은 책임이 없다. ② 자식, 자손, 자녀: ein eheliches〔uneheliches〕 ~ 적출자〔사생아〕; mit ~ und Kegel 온 가족이 함께; bei jm. lieb ~ sein 누구의 신망을 얻다〔총애를 받다〕; sich bei jm. lieb ~ machen 누구에게 아첨하다〔아양떨다〕; bei jm. wie (das) ~ im Hause sein 그와 무척 친하다; 〖구어〗 ~er können nichts für ihre Eltern 자식은 부모에게 아무런 보답도 할 수 없다; ~(er) und Kindeskinder 자자손손; ohne ~ und (ohne) Rind sein 자식도 재산도 없다. ③ 〖자식과 부인에 대한 애칭〗 mein (liebes) ~! 여보, 당신! ④ 〖비유〗 후예: ein Berliner ~ 베를린내기, 베를린 토박이; 〖시어〗 die ~er Gottes 인류; ein (typisches) ~ seiner Zeit 그 시대가 낳은 사람, 그 시대의 특징을 지닌 사람; daran sieht man, wes Geistes ~ er ist 그걸 보면 그가 어떤 성질의 사람인지〔무슨 생각을 하고 있는지〕 안다; wenn du schreist, bist du ein ~ des Todes 소리를 지르면 죽음을 면치 못한다; 〖구어〗 kein ~ von Traurigkeit sein 낙천가다. ⑤ 〖비유〗 피조물: des Frühlings ~er 꽃; ein ~ seiner Muse 그의 예술 작품.

Kind≈bett *n.* 산욕(産褥); 분만: ins ~ kommen 분만하다; im ~ sterben 출산의 후유증으로 죽다. **~betterei** *f.* (obd.) 세례. **~betterin** *f.* (schweiz.) 산부(産婦). **~bett·fieber** *n.* 〖醫〗 산욕열.

Kindchen [kíntçən] *n.* -s, -/Kinderchen 〖↑ Kind 의 축소형〗 갓난아이, 영아, 젖먹이, 유아; 〖젊은 여인에 대한 호칭으로 친애의 표시〗 애, 아가야, 여보, 당신.

Kindel *n.* -s, - (obd.) ① 갓난아이, 영아; 아기 그리스도. ② 〖植〗 (번식용) 가지, 움돋이.

Kindel≈bier *n.* (ndd.) 세례, 세례 축하연. **~markt** *m.* 크리스마스의 시장. **~mutter** *f.* (obd.) 산파, 조산원. **~vater** *m.* 〖방언〗 세례아(兒)의 아버지.

Kinder≈amme *f.* 유모. **~arbeit** *f.* 미성년자 노동. **~art** *f.* 어린애식(으로 하는 짓). **~arzt** *m.* 소아과 의사. **~beihilfe** *f.* 자녀 부양 수당, 육아 수당. **~bett** *n.* 어린이용 침대. **~bewahr·anstalt** *f.* 〖고어〗 보육원, 탁아소. **~blattern** *pl.* 〖醫〗 천연두, 두창(痘瘡). **~brei** *m.* (젖먹이의) 죽, 이유식. **~brut** *f.* 〖폄어〗 장난꾸러기들. **~buch** *n.* 어린이용의 책, 아동 도서.

Kinderchen [kíndərçən] *pl.* ↑ Kindchen.

Kinder≈dieb *m.* 어린이 유괴자. **~dorf** *n.* 소년의 마을(고아·부랑아를 위한 집단 촌락 시설). **~ehe** *f.* ① (미개 종족이나 일부 국가에서의) 소아 결혼, 성년 남자와 소녀의 결혼. ② 〖폄어〗 미성년 결혼〔혼인〕.

Kinderei [kɪndəráɪ] *f.* -en 어린애 같은〔유치한〕 언행〔짓·장난〕.

Kinder≈ermäßigung *f.* 소아〔어린이〕 할인(액); 부양 가족 공제. **~erziehung** *f.* 아동 교육. **~feindlich** *a.* 어린이에게 해로운〔유익하지 못한〕; 어린이를 싫어하는. **~flecken** *pl.* 〖醫〗 홍역. **~frau** *f.* 유모, 보모; 산파. **~fräulein** *n.* 보모; 여자 가정 교사. **~-freibetrag** *m.* 자녀 세금 공제(액). **~fresser** *m.* 아이를 잡아 먹는 귀신: 〖다음 구문으로〗 〖구어〗 ich bin doch kein ~! 나는 아이에게 나쁜 짓을 하지 않는다, 아이를 싫어하지 않는다! **~freund** *m.* ① 아이를 좋아하는 사람, 자식을 끔찍이 사랑하는 사람. ② 〖복수〗 어린이의 벗(아동 보호 시설). **~fürsorge** *f.* 아동 보호〔복지〕. ***~garten** *m.* 유치원. **~gärtnerin** *f.* 유치원 보모〔여교사〕. **~geld** *n.* 자녀〔육아〕 수당. **~geschichte** *f.* ① 동화, 옛날 이야기. ② 어린 시절의 이야기. **~geschrei** *n.* 〖폄어〗 빽빽거리는 애들 소리. **~gesellschaft** *f.* ① 어린이 축제. ② (흥겨운) 어린이 그룹. ③ 어린이와의 (흥겨운) 교제. **~gesicht** *n.* 어린애의 얼굴; 동안(童顔). **~glaube** *m.* ① 단순·소박한 믿음〔신앙〕. ② (무비판적인) 경신(輕信). **~gottes·dienst**

m. 어린이 예배, 어린이 주일 학교.

kinderhaft *a.* 어린애 같은, 어린애다운.

Kinder≈haube *f.* 어린이용 두건〔모자〕. **~heil·kunde** *f.* 〖醫〗 소아과학(學), 소아 치료학. **~heim** *n.* 고아원; 아동 복지 시설. **~hort** *m.* (방과 후에 갈 곳 없는 아이들을 돌보는) 아동 보호 시설. **~husten** *m.* 백일해. ***~jahre** *pl.* 어린 시절, 유년기, 아동기. **~klapper** *f.* (장난감) 딸랑이. **~kleid** *n.* ①〔복수〕 아동복. ② 어린아이용 원피스. **~kleidung** *f.* 아동복, 어린이옷. **~krankheit** *f.* ① 소아(전염)병. ② 초기 단계의 결함〔난관·장애〕. **~kriegen** *n.* 〖구어〗 아이 낳는 일, 출산: es〔das〕 ist (ja) zum ~! 정말 미칠 노릇이군! **~krippe** *f.* 탁아소. **~laden** *n.* ① 아동용품 판매점. ②〖교육〗(1968년 이후 반권위주의적이고 자유로운 아동 교육을 목표로 설립된) 사설 유아원〔보육원〕. **~lähmung** *f.* 〖醫〗 소아마비. **~lehre** *f.* 〖宗〗 ① 어린이 교리 문답. ② 주일 학교. **~leicht** *a.* 지극히 알기〔하기〕 쉬운, 아이라도 할 수 있는. **~lein** *pl.* ↑ Kindlein 의 복수형. **~lieb** *a.* 어린이를 좋아하는. **~liebe** *f.* ① 어린애에 대한 사랑. ② 어린 시절의 사랑. **~lied** *n.* 동요; 자장가.

kinderlos *a.* 아이가 없는.

Kinderlosigkeit *f.* ↑ kinderlos 의 명사형.

Kinder≈mädchen *n.* 아이 보는 여자, 보모. **~magd** *f.* ↑ ~mädchen. **~märchen** *n.* 동화, 옛날 이야기. **~mord** *m.* 영아〔자식〕 살해. **~mund** *m.* 어린아이의 입: 〖비유〗 eine Äußerung aus ~ 솔직한 표현〔진술〕; 〖속담〗 ~ tut Wahrheit kund 어린아이는 진실을 말한다.

kindern *i.* (h.) ① 어린애 (장난) 같은 짓을 하다, 바보짓을 하다. ② 아이를 낳다.

Kinder≈narr *m.* 자식 사랑에 눈먼 사람, 자식 걱정을 지나치게 하는 사람. **~papp** *m.* (빵으로 만든) 젖먹이의 미음, 이유식. **~pflege** *f.* 어린애 돌보기〔양육〕. **~pflegerin** *f.* 유모, 보모. **~pocken** *pl.* 〖醫〗 천연두, 두창(痘瘡). **~porno** *m.* 어린이들이 등장하는 포르노. **~possen** *pl.* 어린애 장난. **~post** *f.* (어린이의) 우편 놀이. **~psychologie** *f.* 아동 심리학. **~raub** *m.* 〖法·고어〗 어린이 유괴. **~räuber** *m.* 어린이 유괴자. **~reich** *a.* 자녀가 많은. **~reichtum** *m.* 자녀가 많음. **~schreck** *m.* ① (말 듣지 않는 아이를 놀려주려고 어른이 지어낸) 괴물, 도깨비. ② 아이들이 무서워하는 사람. **~schrift** *f.* ① 어린이의 필체〔필적〕. ②〔복수〕 어린이용 도서, 아동문학. **~schuh** *m.* 어린이 신발〔구두〕: 〖비유〗 den ~en entwachsen sein 〔die ~e ausgezogen 〔ausgetreten, abgestreift〕 haben〕 이미 어린애는 아니다, 어른이 다 되었다; 〖비유〗 noch in den ~en stecken 아직 초보〔발전〕 단계에 있다. **~schule** *f.* 〖방언〗 유치원(~garten). **~schutz** *m.* 아동 보호. **~schutz·gesetz** *n.* 아동 보호법. **~segen** *m.* 자식 복, 자녀가 많음. **~seite** *f.* (신문·잡지 따위의) 어린이난(欄). **~sendung** *f.* (라디오·텔레비전의) 어린이 프로. **~sicher** *a.* 어린이에게 안전한. **~sicherung** *f.* 〖컴〗 어린이 보호 장치(프로그램). **~spiel** *n.* ① 어린이 놀이〔장난〕. ②〖비유〗 쉬운 일: das ist für dich doch nur ein ~ 네게는 그것이 아주 쉬운 일이다; es ist kein ~ 그것은 쉬운 일〔장난〕이 아니다.

Kinderspiel≈werk *n.* ↑ ~zeug. **~zeug** *n.* 장난감, 노리개.

Kinder≈sprache *f.* ① 어린아이의 서투른〔떠듬떠듬하는〕 말. ② 어린아이를 흉내내는 어른의 말투. **~sterblichkeit** *f.* 〖醫〗 어린이〔유아〕 사망률〔수〕. **~streich** *m.* 어린이의 장난. **~stube** *f.* ①〖방언〗 아이들 방; 육아실. ② (가정 교육의 결과인) 예의 범절: eine gute 〔schlechte〕 ~ haben 훌륭한〔좋지 않은〕 가정 교육을 받다; seine gute ~ verleugnen (훌륭한 가정 교육을 받았음에도) 좋지 못한 행동을 보이다. **~stuhl** *m.* 어린아이〔젖먹이〕의 의자. **~tages·stätte** *f.* (종일) 유치원, 탁아소 (약칭: Kita, 약어: KTst). **~taufe** *f.* 유아 세례. **~teller** *m.* (식당의) 어린이용 정식.

kindertümlich *a.* 어린이다운, 어린이에게 적당한.

Kinder≈uhr *f.* 어린이용 시계. **~vater** *m.* 양아버지 (Pflegevater). **~wagen** *m.* 유모차. **~wärterin** *f.* 보모, 어린아이를 돌보는 여자. **~welt** *f.* ①〖집합적〗 어린이들. ②〖비유〗 어린이의 세계, 어린이가 생각하는 세계. **~zähne** *pl.* 젖니, 유치(乳齒). **~zeit** *f.* 어린 시절, 유년 시절. **~zeug** *n.* 젖먹이옷. **~zimmer** *n.* ① 어린이〔아이〕 방. ② 아이 방의 가구〔집기〕. **~zucht** *f.* 어린이 교육〔길들이기〕. **~zulage** *f.* 〖法〗 (연금 생활자에 대한) 육아 수당. **~zuschlag** *m.* 〖法〗 (공무원·상이군인에 대한) 자녀 (부양) 수당, 육아 수당.

Kindes≈alter *n.* 유년기: zweites ~ 노망기(老妄期). **~annahme** *f.* 〖法〗 양자 입양. **~aussetzung** *f.* 유아 유기(遺棄), 아이를 버림. **~bein** *n.* 〖다음 구문으로〗 von ~en an 어릴 때부터. **~entziehung** *f.* 〖法〗 (18세 미만의) 아동 약취. **~kind** *n.* 〖고어〗 손자, 손녀, 자손: Kind(er) und ~er 자자손손, 자손들. **~liebe** *f.* 자식의 부모 사랑, 효성, 효심. **~mißhandlung** *f.* 〖法〗 아동 학대. **~mord** *m.* 자식〔영아〕 살해. **~nöte** *pl.* 〖醫〗 해산(解産)의 고통, 진통: in ~n liegen 진통을 하고 있다. **~pech** *n.* 〖醫〗 태변(胎便), 배내똥. **~pflicht** *f.* 자식의 의무. **~statt** *f.* an ~ annehmen 양자로 삼다. **~teil** *m.* ① *m./n.* 〖法〗 자식의 상속분. ②〔복수〕〖醫〗 태아 부분. **~unterschiebung** *f.* 〖法〗 (고의적인) 신생아 바꿔치기〔교체〕.

kind·gemäß *a.* 어린이〔아이〕다운, 아이의 성장 단계에 맞는.

kindhaft [kínthaft] *a.* 어린애다운, 천진난만한.

***Kindheit** *f.* ① 어린〔유년〕 시절, 아동기: von ~ an〔auf〕 어린 시절부터. ②〖총칭〗 어린이들. ③ 아이의 성질, 어린애다움.

Kindheits·erinnerung *f.* 어린〔유년〕 시절의 추억〔기억〕.

kindisch *a.* 〖폄어〗 어린애 같은; 유치한; 어리석은: sei nicht so ~! 그렇게 유치하게 굴지 마라!; ~es Wesen a) 치기(稚氣), b) 우둔, c) 노망.

Kindlein [kíntlaın] *n.* -s, -/Kinderlein 〖↑ Kind 의 축소형〗 갓난아이, 유아, 젖먹이.

***kindlich** [kíntlıç] *a.* ① 자식(으로서)의. ② 어린애다운; 천진난만한, 구김살없는: sich ~ über et. freuen 천진난만하게 무엇에 대해 기뻐하다; in ihrem Verhalten ist noch etwas

≈es 그녀의 행동에는 아직도 약간의 천진난만함이 깃들어 있다.

Kindlichkeit *f.* 아이다움, 천진난만.

Kinds·bewegung *f.* 〖醫〗 태동(胎動): ~en spüren 태동을 느끼다.

Kindschaft [kɪntʃaft] *f.* 《雅語》 ① 친자 관계, 자식의 신분. ②〖聖〗 하느님의 자식임, 신자임. ③ 상속권.

Kinds≈kopf *m.* 〖구어〗 바보, 미숙한 사람. **≈köpfig** *a.* 유치한, 바보 같은, 미숙한. **~magd** *f.* 아이 보는 여자. **~pech** *n.* 〖醫〗 태변(胎便), 배내똥. **~taufe** *f.* ↑ Kindtaufe.

Kind≈taufe *f.* 유아 세례. **~tauf·schmaus** *m.* 유아 세례 축하연.

Kinemathek [kinematé:k] *f.* -en 〖영화〗 시네마테크, 영화 자료 박물관〔도서관〕.

Kinematik 《gr.》 *f.* -en 〖物〗 운동학.

kinematisch *a.* 운동학의; 운동의〔에 따른〕.

Kinematogramm [kinematográm] 《gr.》 *n.* -s, -e 영화, 활동 사진.

Kinematograph [kinematográ:f] *m.* -en, -en 촬영기, 영사기.

Kinematographen·theater *n.* 영화관.

Kinematographie *f.* ① 〖고어〗 활동 사진술, 영사 기술. ② 영화학, 영화 예술.

kinematographisch *a.* 영화의, 영화 기술과 관련된.

Kinetik [kiné:tɪk] 《gr.》 *f.* ① 〖物〗 동력학. ② 〖예술〗 키네틱 아트.

kinetisch *a.* ① 운동의, 동력학상의; 활력적인: ~e Energie 운동 에너지. ② 〖미술〗 키네틱 아트의: ~e Plastik 키네틱 아트 조각.

Kinetograph [kinetográ:f] 《gr.》 *m.* -en, -en 〖영화〗 촬영기, 영사기.

Kinetose *f.* -n 〖醫〗 가속도병.

Kinetoskop *n.* -s, -e 〖영화〗 영사기.

King[1] [kɪŋ] *m./n.* -(s), - 〖악기〗 중국 타악기의 일종.

King[2] 《engl.》 *m.* -(s), -s 〖구어〗 우두머리, 대장, 왕.

King·size [..saɪz] 《engl.》 *f./n.* 킹사이즈, 특대형.

Kink [kɪŋk] *f.* -en 〖海〗 밧줄의 뒤엉킴.

Kinkerlitzchen 《frz.》 *pl.* 〖구어〗 하찮은〔시시한〕 것, 귀살쩍은 일: das sind doch nur ~! 그건 시시한 것들이야!; ~ machen 쓸데없는 짓〔말〕을 하다.

Kink·horn *n.* ① 〖음악〗 뿔나팔. ② 〖動〗 쇠고둥류의 식용 고둥.

***Kinn** *n.* -(e)s, -e ① 〖해부〗 턱, 악(顎): doppeltes ~ 이중턱; das ~ in die Hand stützen 한 손으로 턱을 괴다. ② 〖건축〗 처마 돌림띠의 불룩 나온 하부면(下部面). ③ 〖海〗 용골의 전단부(前端部), 뱃머리의 물을 가르는 부분.

Kinn≈back *m.* ↑ Kinn ③. **~backe** *f.* 〖해부〗 악골(顎骨). **~backen** *m.* ↑ ~backe. **~backen·drüse** *f.* 턱밑샘, 악하선(顎下腺). **~backen·krampf** *m.* 〖해부〗 턱의 경련. **~band** *n.* (모자 따위의) 턱끈. **~bart** *m.* 턱수염. **~haken** *m.* 〖권투〗 어퍼컷: jm. einen ~ geben〔versetzen〕 누구에게 어퍼컷을 한 방 먹이다. **~kette** *f.* (말의) 재갈에 딸린 쇠사슬. **~ketten·stange** *f.* 재갈. **~lade** *f.* 〖해부〗 아래턱, 하악(下顎). **~reif** *m.* ↑ ~kette. **~riemen** *m.* 〖軍〗 (군모·철모 따위의) 턱끈. **~spitze** *f.* 턱끝.

Kino[1] [kí:no] *n.* -s 〖藥〗 키노 수지(樹脂).

***Kino**[2] 《<Kinematograph》 *n.* -s, -s 영화관; 영화; 영화 상영: ins ~ gehen 영화관에 가다; nach dem ~ noch einen trinken gehen 영화 상영이 끝나고 한잔 하러 가다.

Kino·baum *m.* 〖植〗 키노나무.

Kino≈besitzer *m.* 영화관 소유자〔주인〕. **~besucher** *m.* 영화 관객. **~gummi** *n.* ↑ Kino[1]. **~karte** *f.* 영화관 입장권〔표〕. **~programm** *n.* 영화 상영 프로. **~reklame** *f.* ① 영화 광고〔선전〕. ② (본 영화 상영 전의) 광고 영화. **~technik** *f.* 영화 기술. **~theater** *n.* 영화관.

Kintopp [ki:ntɔ́p] *m./n.* -s, -s/..töppe 〖구어〗 ↑ Kino[2].

Kinzigit *m.* -s, -e 〖광물〗 편마암(라인강의 지류인 Kinzig 의 이름에서).

Kiosk [kí:ɔsk] 《türk.》 *m.* -(e)s, -e ① 〖건축〗 정자(亭子). ② (신문·담배·음료 등을 파는) 매점, 노점.

Kipf [kɪpf] 《lat.》 *m.* -(e)s, -e ① (obd.) 수레의 끌채 받침나무. ② (südd.) ↑ Kipfel.

Kipfel *n.* -s, - (obd.) 뿔 모양의 롤빵.

Kipferl *n.* -s, -n (bayr., öst.) ↑ Kipfel.

Kipfler *pl.* (öst.) 감자의 한 종류.

kippbar [kípba:r] 《<kippen》 *a.* 기울일 수 있는.

Kippe[1] [kípə] *f.* -n ① 〖체조〗 차오르기. ② 끄트머리, 가장자리: 〖구어〗 auf der ~ stehen 떨어질 듯하다, 위기에 직면하고 있다, 미정이다; Vorsicht, die Tasse steht (fast) auf der ~ 조심해라, 찻잔이 (식탁 끝에서) 떨어지겠다; einige Schüler der Klasse stehen auf der ~ 학급에서 몇몇 학생은 진급하지 못할 것이다; der Kranke steht 〔mit dem Kranken steht es〕 noch auf der ~ 환자는 아직 위기를 넘기지 못하였다. ③ 〖광산〗 폐석 처리장. ④ 쓰레기장(Müllkippe).

Kippe[2] *f.* -n 〖구어〗 ① 담배꽁초: eine ~ ausdrücken 꽁초를 눌러 끄다; ~n vom Boden aufheben 꽁초를 줍다. ② 담배.

Kippe[3] *f.* ① 도둑 사회. ② (잘게) 나눔, 몫: ~ machen 똑같이 나누다.

kippelig *a.* 〖구어〗 쓰러지기 쉬운; 비틀거리는.

kippeln *i.* (h.) 〖구어〗 ① (의자 따위가) 삐걱거리다, 흔들거리다. ② (의자에 앉아) 앞뒤로 흔들거리다.

kippen [kípən] 《I》 *i.* (s.) 기울다, 넘어지다, 전복되다: vom Stuhl ~ 의자에서 굴러 떨어지다; 〖구어〗 aus den Latschen ~ 기절〔실신〕하다. 《II》 *t.* ① 기울이다, 비스듬하게 하다: eine Kiste ~ 상자를 기울이다. ② 부어서 비우다: das Wasser aus einem Eimer ~ 양동이의 물을 비우다; den Abfall in die Mülltonne ~ 쓰레기를 쓰레기통에 붓다. ③ 〖구어〗 (술을) 단숨에 마시다: einen ~ 한잔 꺾다. ④ 〖구어〗 (담배를) 중간까지만 피우다: ein Aschenbecher voll gekippter Zigaretten 피우다만 담배로 가득 찬 재떨이. ⑤ Münzen ~ und wippen (17-18 세기에) 주화의 모서리를 깎아내다(깎아낸 금가루로 위조 주화를 만들었음). ⑥ 〖구어〗 취소〔철회〕하다; 해고하다. ⑦ 〖구어〗 훔치다.

Kipper[1] [kípər] *m.* -s, - ① ~ und Wipper

주화 위조자〔변조자〕. ② 덤프 트럭〔화차〕. ③ 〖工〗 덤프 장치.

Kipper[2] *m.* -(s), -(s) 〖요리〗 (냉)훈제 청어.

Kipperei *f.* -en ① 주화의 모서리를 깎아내는 일: ~ und Wipperei 주화 위조〔변조〕. ② 폭리 영업, 고리 대금업.

kippern *i.* (h.) 〖방언〗 ① 주화를 위조하다. ② 폭리를 취하다.

Kipp≈fenster *n.* 비스듬히 열 수 있는 창문. **~geld** *n.* 위조 주화. **~karren** *m.* 전환식 운반차, (밑으로 쏟아내는 식의) 짐차; 손수레.

kipplig *a.* ↑ kippelig.

Kipp≈lore *f.* ↑ ~wagen. **~pflug** *m.* 호용리(互用犂), (볏을 양쪽에 붙여 교대로 쓰는) 서양식의 쟁기. **~regel** *f.* 〖측량〗 측각기(測角器). **~schalter** *m.* 〖전기〗 가역(可逆)〔텀블러〕 스위치. **~schwingung** *f.* 〖物〗 톱니 모양의 주기적 진동. **~sicherung** *f.* 〖空〗 수평 안정 장치. **~vorrichtung** *f.* 〖工〗 기울임 장치. **~wagen** *m.* 덤프 카.

Kips [kɪps] *n.* -es, -e 말린 들소 가죽.

Kir *m.* -s, -s 구스베리 리큐어와 백포도주의 혼합주(Dijon 의 시장 F. Kir 의 이름에서).

Kirbe [kírbə] *f.* -n (obd.) ↑ Kirchweih.

Kirch≈dach *n.* 교회의 지붕. **~dorf** *n.* 교회 마을.

***Kirche** [kírçə] 《gr. kyriakón》 *f.* -n ① 교회당, 성당; 예배당: eine gotische ~ 고딕식 교회; 〖구어〗 die ~ ums Dorf tragen, mit der ~ ums Dorf fahren〔laufen〕 쓸데없이 먼 길로 돌아가다, 일을 쓸데없이 복잡하게 만들다; 〖구어〗 die ~ im Dorf lassen 절도를 지키다, 도를 넘지 않다. ② 교회, 교파, 종파: die evangelische〔katholische〕 ~ 기독교〔가톨릭〕; aus der ~ austreten 교단에서 탈퇴하다. ③ 예배 (의식): in die 〔zur〕 ~ gehen 예배드리러 가다; ~ halten 예배드리다; es läutet zur ~ 예배 (시작) 종이 울리다; 〖속담〗 das ist so sicher wie das Amen in der ~ 그것은 아주 확실하다.

Kirchen≈agende *f.* 예배 식서(式書). **~-älteste*** *der* 교회〔교구〕의 장로. **~amt** *n.* ① 교회의 직책〔직무〕. ② 종무국(宗務局). **~austritt** *m.* 〖法〗 교회에서의 탈퇴. **~bann** *m.* 〖가톨릭〗 파문(破門). **~bau** *m.* 〖복수: -ten〗 ① 교회(당)의 건립. ② 교회(당): moderne ~ten 현대적 교회(당)들. **~beamte*** *der* 교회 임원. **~besuch** *m.* 예배 참석. **~besucher** *m.* 예배 참석자. **~buch** *n.* 교회 명부〔기록부〕. **~buße** *f.* 〖가톨릭〗 통회(痛悔). **~chor** *m.* 교회 합창단, 성가대. **~diebstahl** *m.* 성물(聖物) 절도(죄). **~diener** *m.* ① (오르간 연주자·성물 담당자 따위의) 교회 고용인. ② 교회 관리인, 성당지기. **~dienst** *m.* 예배. **~fabrik** *f.* 교회 재산. **~fahne** *f.* ① 교회〔교단〕기(旗). ② (교회 꼭대기의) 풍향기. **~fest** *n.* 교회 축제. **~fluch** *m.* 종교상의 공식적인 저주; 파문. **~fürst** *m.* 〖가톨릭〗 (교황·추기경·주교 따위의) 고위 성직자. **~gänger** *m.* ↑ Kirchgänger. **~gebet** *n.* 예배(중의) 기도(문). **~gebet·buch** *n.* 기도서. **~gebrauch** *m.* 교회 의식(儀式)〔관습〕. **~gehen** *n.* 교회 예배에 참석하기. **~gemeinde** *f.* 교구, 교구내의 주민. **~gemeinschaft** *f.* 신도 연합(회). **~gerät** *n.* 성기(聖器), 성물(聖物), 교회의 집물(什物), 제구(祭具). **~gesang** *m.* ① 찬송가, 성가. ② 신도들의 성가 합창. **~geschichte** *f.* 교회사, 종교사. **~gesetz** *n.* 교회법(규). **~gewalt** *f.* 〖기독교〗 교권(教權). **~glaube** *m.* 교회의 교의(教義)〔신앙〕. **~glocke** *f.* 교회의 종(鐘). **~gut** *n.* 교회〔성당〕 재산, 성직령(聖職領). **~herr** *m.* ↑ ~patron. **~jahr** *n.* 교회 역년(曆年), 전례(典禮) 역년(강림절부터 시작함). **~kalender** *m.* 교회력(曆), 교회의 연중 행사기. **~kasse** *f.* 교회 기금〔금고〕. **~kollekte** *f.* ① 교회의 갹출금, 헌금. ② 짧은 기도 문구. **~konzert** *n.* 종교 음악 연주회. **~land** *n.* 교회령(領). **~lehre** *f.* 교의(教義). **~lehrer** *m.* ① 신학자. ② (기독교 초기의) 교부(教父). **~licht** *n.* ① 교회당의 촛불. ② 학덕 높은 성직자; 재사(才士): 〖구어·농담〗 er ist kein (großes) ~ 그는 그리 슬기롭지 못하다. **~lied** *n.* 성가(聖歌), 찬송가.

Kirchen≈maus *f.* 교회의 쥐: 〖다음 용법으로〗 arm wie eine ~ 몹시 가난한. **~musik** *f.* 교회〔종교〕 음악. **~ordnung** *f.* ① 교회 규칙, 종규(宗規). ② 전례(典禮). **~ornat** *n.* 〖宗〗 성직자의 제의(祭衣), 법의(法衣). **~-patron** *m.* ① 교회의 보호자. ② 교회의 수호성자. **~pfleger** *m.* ↑ ~älteste. **~politik** *f.* 종교〔교회〕 정책. **~provinz** *f.* ① 〖가톨릭〗 대주교의 교구. ② 〖기독교〗 (1945 년까지는 프로이센의 행정 구역에 따라 나눈) 교구. **~rat** *m.* 〖기독교〗 ① 장로회, 교직자회. ② 교회 장로, 교직자 회원. ③ 종무국. **~raub** *m.* ↑ ~diebstahl. **~räuber** *m.* 성물 절취자. **~recht** *n.* 〖法〗 ① 교회의 권리〔특권〕. ② 교회법, 종규(宗規). **~reform** *f.* 교회 개혁. **~regiment** *n.* ① 교회의 지배권〔통치권〕. ② 〖기독교〗 (1918 년까지의) 군주의 교회 간섭권. **~register** *n.* ↑ ~buch. **~sache** *f.* 교회 사무, 종무(宗務). **~satzung** *f.* 교회 규칙, 종규(宗規). **~schänder** *m.* 교회 모독자, 독신자(瀆神者). **~schatz** *m.* ① 〖가톨릭〗 (교회가 죄를 사해 주는 근거인) 그리스도와 성인들의 은혜. ② 교회의 보물. **~schiff** *n.* 〖건축〗 교회당의 신도석(席). **~schluß** *m.* 〖음악〗 변격(變格) 종지, 벗어난마침(plagal cadence; 하속화음이 주화음에 선행하는 종지법). **~sitz** *m.* 교회당의 좌석. **~spaltung** *f.* 교회 분열. **~sprengel** *m.* ↑ Kirchspiel. **~staat** *m.* 로마 교황령(현재는 바티칸 시국(市國)). **~steuer** *f.* 〖法〗 교회세. **~still** *a.* 매우 조용한. **~strafe** *f.* 〖가톨릭〗 교회의 형벌. **~streit** *m.* 교의(教義) 논쟁, 종파간의 분쟁. **~stuhl** *m.* 교회당의 좌석. **~tag** *m.* 종교〔교무·종무〕 회의, 교회의 총회.

Kirchentum *n.* -es, ..tümer ① 교회주의; 교회. ② 교회 전례의 고수, 교회법 준수.

Kirchen≈tür *f.* 교회 문. **~uhr** *f.* 교회의 시계. **~vater** *m.* ① ↑ ~älteste. ② 교부(教父). **~verbesserer** *m.* 종교〔교회〕 개혁자. **~verbesserung** *f.* 종교〔교회〕 개혁. **~-verfassung** *f.* 교회 제도, 종규(宗規). **~vermögen** *n.* 교회 재산. **~versammlung** *f.* 종무(宗務)〔종교〕 회의. **~verwaltung** *f.* 교회 관리〔행정〕. **~vorstand** *m.* ① 〖가톨릭〗 교회 재산 관리 기구. ② 〖기독교〗 (교회의) 장로〔임원〕회. **~vorsteher** *m.* 교회 임원. **~wesen** *n.* 교회 사무; 교회 제도

〔조직〕. **~zeitung** *f.* 교회〔교구〕 신문. **~zucht** *f.* 교회 법규, 계율.

Kirch=fahrt *f.* ① 기도 행렬; 순례. ②〖드물게〗교구. **~gang** *m.* ① 교회에 (예배보러) 가기: sich zum ~ fertigmachen 교회에 갈 준비〔채비〕를 하다. ②〖건축〗교회당 복도, (신도석의) 통로. **~gänger** *m.* (일요일마다) 교회에 예배드리러 가는 신도. **~geld** *n.* 헌금. **~genoß** *m.* 같은 교구민. ***~hof** *m.* ① 교회(구내) 묘지. ② 교회당의 마당. **~-hofsmauer** *f.* 교회 구내 묘지의 담. **~hofs·stille** *f.* ① 교회 구내 묘지의 정적. ②〖비유〗교회 구내 묘지의 평화〔평온〕.

Kirchlein *n.* -s, - ↑ Kirche ① 의 축소형.

***kirchlich** [kírçlıç] *a.* ① 교회〔성당〕의; 예배상의; 종교상의; 교회 법규에 따른, 종규(宗規)의; 성직자의: eine ~ geschlossene Ehe 교회 예식으로 치른 결혼. ② 경건한: ~ gesinnt sein 신앙심이 깊다.

Kirchlichkeit *f.* 교회주의; 교회법〔종규〕 준수.

Kirch·messe *f.* ① 교회당 헌당식. ② 교회 헌당식날 열리는 큰 시장.

Kirchner *m.* -s, -〖방언〗↑ Kirchendiener.

Kirch=schwalbe *f.*〖動〗명매기. **~spiel** *n.* 교구(教區). **~sprengel** *m.* ↑ ~spiel. **~-stuhl** *m.* 교회의 걸상. **~tag** *m.* (öst., südd.) ↑ ~weih(fest). **~turm** *m.* 교회〔성당〕의 탑:〖비유〗er hat den ~ seines Dorfes nie aus den Augen verloren 그는 우물 안 개구리다.

Kirchturm=interesse *n.* 국부적 이해 관계, 편협한 관심. **~politik** *f.* 편협한 정치 (이념), 앞을 내다보지 못하는 정책, 지방 근성. **~rennen** *n.*〖승마〗장애물 경주. **~spitze** *f.* 뾰족한 지붕, (교회 따위의) 높은 탑.

Kirch=vater *m.* 교회 장로, 교부(教父). **~weih** *f.* 교회당 헌당〔건립〕 기념일 축제. **~weihe** *f.* ① 교회당 헌당식. ② 교회당 헌당식날의 큰 시장. **~weih·fest** *n.* ↑ ~weih. **~zeit** *f.* 예배 시각.

Kirgise [kırgí:zə] *m.* -n, -n 키르기스 사람 (중앙 아시아의 초원에서 유목 생활을 하는 터키 민족의 한 종족).

kirgisisch *a.* 키르기스인의; 키르기스어의.

Kirgisistan 키르기스탄(중앙 아시아 북부의 공화국).

Kiribati 키리바시(중부 태평양 서쪽의 공화국).

Kirke [kírke] *f.* -n ↑ Circe.

Kirmes [kírməs, ..mɛs] *f.* -sen ① ↑ Kirchweih. ② 큰 시장.

Kirmes·kuchen *m.* 교회 헌당식 기념 축제일의 케이크.

Kirmeß [kírmɛs], **Kirmesse** [..mɛsə] *f.* ..messen, **Kirmse** [kírmzə] *f.* -n ↑ Kirmes.

kirnen [kírnən] *i.* ① 마가린을 만들다〔제조하다〕. ②〖방언〗버터를 만들다.

kirre [kírə] *a.* 길이 든, 온순한, 잘 따르는: jn. ~ machen〔kriegen〕 누구를 길들이다.

kirren *t.* ① 길들이다, 정들게〔따르게〕 하다. ②〖사냥〗미끼로 꾀어내다;〖비유〗유혹하다.

Kirrung *f.* -en ① 길들이기. ②〖사냥〗미끼; 미끼가 놓인 장소.

Kirsch [kırʃ] *m.* -(e)s ↑ ~wasser, ~likör의 단축어.

Kirsch=baum *m.* ①〖植〗벚나무. ② 벚나무 목재. **~blüte** *f.* ① 벚꽃. ② 벚꽃철. **~-blüten** *a.* 벚꽃색의. **~brannt·wein** *m.* ↑ ~wasser.

***Kirsche** [kírʃə] 《gr.》*f.* -n ① 버찌:〖구어〗mit jm. ist nicht gut ~n essen 누구와 어울리기 어렵다. ②〖植〗벚나무; 벚나무 목재.

kirschen *a.* 벚나무로 만든.

Kirschen·baum *m.*〖植〗↑ Kirschbaum.

Kirsch=fliege *f.*〖動〗벚나무 열매(에 잘 붙는) 파리. **~geist** *m.*〖고어〗↑ ~wasser. **~gummi** *n.* 벚나무 진. **~holz** *n.* 벚나무 목재. **~kern** *m.* 버찌 씨. **~kern·beißer** *m.*〖動〗유럽산(產) 콩새속(屬). **~kuchen** *m.* 버찌 케이크. **~likör** *m.* 버찌 브랜드. **~-lorbeer** *m.*〖植〗소귀나무, 월계수. **≈rot** *a.* 벚꽃색의. **~saft** *m.* 버찌 즙. **~stein** *m.* ↑ ~kern. **~stiel** *m.* 버찌 꼭지, 벚꽃의 자루. **~wasser** *n.* 버찌 브랜디.

Kirsten *m./f.* 키르스텐(남자〔여자〕 이름).

Kirtag *m.* -(e)s, -e (öst.) ↑ Kirchtag, Kirchweih.

Kismet [kísmɛt] 《ar.》*n.* -s〖회교〗운명, 숙명, 업(業): ~! 운명〔숙명〕이다, 어쩔 도리가 없다!

Kißchen [kísçən] *n.* -s, - ↑ Kissen 의 축소형.

***Kissen** [kísən] 《lat.》*n.* -s, - ① 방석, 쿠션; 베개; 바늘꽂이; 안장의 깔개: jm. ein ~ unter den Kopf legen 누구의 머리에 베개를 받치다. ②〖복수〗침대 커버, 침구, 이불, 요: die ~ aufschütteln 침구를 털다〔흔들어 부풀게 하다〕. ③〖海〗(마찰 방지용) 방호 널빤지;〖物〗발전기의 마찰기. ④ 메우개, 심지, 심(心), 이불솜, 욧솜. ⑤〖건축〗대석(臺石).

Kissen=bezug *m.* 베갯잇, 방석〔쿠션〕 커버, 욧잇. **~füllung** *f.* 베갯속, 쿠션 속. **~hülle** *f.* ↑ ~bezug. **~schlacht** *f.*〖구어〗(장난삼아 하는) 베개던지기. **~überzug** *m.* ↑ ~bezug.

Kistchen *n.* -s, - ↑ Kiste ① 의 축소형.

***Kiste** [kístə] 《lat.》*f.* -n ① 상자, 궤(짝), 갑: eine ~ Wein 포도주 한 상자; et. in ~n verpacken 상자로 무엇을 포장하다; jemand hat ~n〔Kasten〕 und Keller voll 모든 것을 넘쳐 흐르도록〔과도하게 많이〕 갖고 있다. ②〖경박〗(a) (고물) 자동차, 배, 비행기: meine ~ springt nicht an, wenn es kalt ist 날씨가 추우면 내 자동차는 시동이 걸리지 않는다. (b) 침대. (c) 관(棺): in die ~ springen 죽다. (d) 감옥: in die ~ kommen 투옥되다. (e) 골대: einen Ball in die ~ kriegen 한 골을 먹다. (f)〖펌어〗펑퍼진 엉덩이. (g)〖펌어〗풍만한 젖가슴. ③〖구어〗일, 사건: eine faule〔tolle, schwierige〕 ~ 낌새가 수상쩍은〔멋진, 어려운〕 일; eine ~ bauen 장난을 피하다. ④〖은어〗침입, 습격.

Kisten=brett *n.* 상자용 널빤지. **~deckel** *m.* 상자〔궤〕 뚜껑. **~grab** *n.*〖민속〗석곽묘(石槨墓). **~holz** *n.* 상자용 목재. **~macher** *m.* 상자 제조인. **~öffner** *m.* 상자 여는 못뽑이. **~pfand** *n.*〖法〗동산 저당. **≈weise** *adv.* ① 상자 단위로. ② 상자에 넣어〔포장하여〕. **~zucker** *m.*〖商〗조당(粗糖), 막설탕.

Kistlein *n.* -s, - ↑ Kiste ① 의 축소형.

Kisuaheli [kizuahé:li], **Kiswahili** [kis-vahí:li] *n.* -(s) 스와힐리어(語).
Kitfuchs *m.* -es, ..füchse ↑ Kittfuchs.
Kithara [kí:tara] 《gr.》*f.* -s/..ren 〖음악〗 키타라(고대 그리스의 현악기).
Kitharöde [kitarǿ:də] *m.* -n, -n 키타라에 맞춰 노래하는 가수, 키타라 연주자.
***Kitsch** [kɪtʃ] 《engl.》*m.* -(e)s 키치(예술적 가치가 떨어지는 작품), 저속한〔대중 영합적〕작품, 감상적인 통속물: literarischer ~ 저속한〔통속〕문학; süßer ~ 달콤한 내용의 통속물.
kitschen *t.* 〔방언〕 긁어모으다.
kitschig [kítʃɪç] *a.* ① 싸구려의, 저속〔저급〕한: eine ~e Dekoration 저속한〔싸구려〕 장식. ② 감상적인; 통속적인: ein ~er Film 감상적인 영화.
***Kitt** [kɪt] *m.* -(e)s, -e ① 퍼티; (치과용) 시멘트; 접합제, 경화제. ②〔구어·폄어〕 잡동사니, 너절한 것: was kostet der ganze ~? 통틀어 얼마요?; 〔구어〕 ~ reden 허튼소리를 하다, 쓸데없는 말을 하다. ③〔은어〕 돈.
Kittchen [kítçən] *n.* -s, - 〔구어〕 감옥, 교도소: ins ~ kommen 투옥되다; im ~ sitzen 감옥에 갇혀 있다.
Kitte[1] *f.* -n ① (alem.) 들새의 무리(열). ② 〖사냥〗 어린 짐승의 모피.
Kitte[2] *f.* -n 〔은어〕 (ndd.) 소굴, 은신처.
***Kittel** [kítəl] *m.* -s, - ① 덧옷, 가운, 작업복. ② (südd.) 재킷. ③ (öst.) 스커트, 치마. ④ 〔경박〕 jm. brennt der ~ 누가 제정신이 아니다.
Kittel·schürze *f.* 에이프런 드레스, 소매 없는 작업복〔가운〕.
kitten [kítən] 《<Kitt》*t.* ① 접합제로 고정시키다〔접합하다〕. ② 접합제로 붙이다: einen zerbrochenen Krug ~ 깨진 항아리를 접합제로 붙이다. ③〔비유〕 (인간 관계를) 다시 잇다, 회복시키다: ihre Ehe läßt sich nicht wieder ~ 그들의 결혼은 파탄 지경에 이르렀다.
Kitt·fuchs *m.* 〖動〗 북아메리카의 은갈색 여우.
Kitz [kɪts] *n.* -es, -e 염소·사슴·영양(羚羊) 따위의 새끼.
Kitzchen *n.* -s, - ↑ Kitz의 축소형.
Kitze[1] [kítsə] *f.* -n ↑ Kitz.
Kitze[2] *f.* -n 〖사냥〗 ↑ Katze ②.
Kitzel [kítsəl] *m.* -s, - ① 간지럼, 가려움: einen ~ auf dem Rücken spüren 등이 가렵다. ②〔비유〕 근질근질함, 갈망; 욕정, 육욕; (성적) 만족: einen ~ nach et.[3] verspüren 무엇을 하고 싶어 근질근질하다; einem ~ nachgeben 욕정에 굴복하다.
Kitzel·husten *m.* 〖醫〗 소양성 기침.
kitzelig *a.* ↑ kitzlig.
***kitzeln** 《I》*t.* ① 간질이다, 간지럽히다: jn. an den Fußsohlen ~ 누구의 발바닥을 간지럽히다. ②〔비유〕 느낌을 돋우다〔자극하다〕: den Gaumen mit gutem Essen ~ 맛있는 음식으로 식욕을 돋우다. 《II》*refl.* 〔비유〕 ① sich ~, um zu lachen 억지 웃음을 웃다. ② sich an et. 〔mit et.[3], über et.〕 ~ 무엇을 몰래 기뻐하다, 무엇을 고소하게 여기다.
Kitzlein *n.* -s, - ↑ Kitzchen.
Kitzler [kítslər] 《<kitzeln》*m.* -s, - ① 간질이는 사람. ②〖해부〗 음핵, 클리토리스.
Kitzler≈eichel *f.* 〖해부〗 음핵두(陰核頭).
~spalte *f.* 〖醫〗 음핵 파열.
kitzlig [kítslɪç] *a.* ① 간지러운, 간지럼 타는: sie ist sehr ~ unter den Armen 그녀는 겨드랑이에 간지럼을 잘 탄다. ②〔비유〕 (a) 민감한, (신경이) 과민한: in diesem Punkt ist er sehr ~ 이 점에서 그는 매우 과민 반응을 보인다. (b) 까다로운, 다루기 어려운: eine ~e Angelegenheit 다루기 어려운〔까다로운〕 사안.
Kiwi[1] [kí:vi] *m.* -s, -s 〖動〗 키위(뉴질랜드산(産) 타조의 일종).
Kiwi[2] *f.* -s 〖植〗 키위.
kJ =Kilojoule 킬로줄.
k.J. =künftigen Jahres 내년(의).
Kjökkenmöddinger [kjœ́kənmœdɪŋər] *pl.* ↑ Kökkenmöddinger.
k.k. =kaiserlich-königlich 황실 및 왕실의.
K.K.K. =Ku-Klux-Klan 3K단 (미국 국수주의의 비밀 결사).
KKW =Kernkraftwerk 원자력〔핵〕 발전소.
kl =Kiloliter 킬로리터.
Kl. =Klasse 학급, 등급.
Kl.-4° =Kleinquart 소형 4절판.
Kl.-8° =Kleinoktav 소형 8절판.
klabastern [klabástərn] 〔방언〕 *i.* ① (s.) 발을 쿵쿵 구르며 걷다〔뛰다〕. ② (h.) an et.[3] ~ 무엇을 만지작거리다.
Klabauter·mann [klabáutər..] 《ndd.》*m.* -(e)s, ..männer 바다의 요괴(위기 때 도와 주거나, 재난을 예고함).
klabautern *i.* (h.) 〔방언〕 ↑ klabastern.
Klack [klak] *m.* -s, Kläcke ① (alem.) 찢어진〔터진〕 자리, 튼 자리. ②〔구어〕 (딱딱한 물건이 서로 부딪칠 때 나는 소리) 쿠당탕, 덜커덩: mit einem ~ traf das Flugzeug am Boden auf 쿠당탕 소리를 내며 비행기가 땅에 착륙했다.
klack *int.* 〔의성어〕 ① 쿠당탕, 덜커덩(딱딱한 물건이 서로 부딪칠 때 나는 소리). ② 철썩(끈끈한 것이 떨어지는 소리).
Klacken [klákən] *m.* -s, - (ndd.) ① 퇴적, 더미. ② 얼룩. ③ 한 조각, 파편.
klacken *i.* 〔구어〕 ① (h.) 쿠당탕〔덜커덩〕 소리를 내다. ② (s.) 철썩 소리를 내며 떨어지다.
klackern 〔구어〕《I》*i.* ① (h.) 꿀꺽꿀꺽 소리를 내다. ② (s.) 철그렁〔찰칵〕거리다, 쿵〔철썩〕 소리를 내며 떨어지다. 《II》*t.* et. an〔auf〕 et.[3] ~ 무엇을 무엇에 뚝뚝 떨어뜨리다.
Klacks *m.* -es, -e 〔구어〕 ① 철썩하는 소리: mit einem ~ zu Boden fallen 철썩 소리를 내며 바닥에 떨어지다. ② 소량, 한 스푼. ③〔비유〕 손쉬운 일: das ist doch nur ein ~ für sie 그것은 그녀에게 식은 죽 먹기다.
klacks [klaks] *int.* 〔의성어〕 ↑ klack.
Kladde [kládə] *f.* -n ① 초안, 초고(草稿). ②〖商〗 치부책, 당좌 대장. ③ 메모용 책자, 공책.
Kladden·buch *n.* ↑ Kladde ②.
kladderadatsch [kladəradá:tʃ] *int.* 쿠당탕, 덜커덩, 철썩, 쨍그렁(물건이 떨어지거나 부서지는 소리).
Kladderadatsch *m.* -(e)s, -e 〔경박〕 ① 쿠당탕, 덜커덩, 쨍그렁(물건이 떨어지거나 부서지는 소리). ② 파괴, 붕괴; 카오스, 대혼란. ③ 추문, 스캔들, 소동. ④ 클라데라다치(1848년 창간된 베를린의 풍자적 주간 잡지).

Kladozere *f.* -n〖動〗물벼룩류(類).
klaff [klaf] *int.* 멍멍(개 짖는 소리): kliff, ~! 멍멍!
Klaff *m.* -(e)s ① 개 짖는 소리: mit Kliff und ~ 멍멍 짖어서. ② 갈라진 자리, 찢어진〔터진〕 틈.
klaffen [kláfən] *i.* (h.) ① (간격·갈라진 틈·상처 따위가) 벌어져〔갈라져〕 있다, 터져〔째져〕 있다: eine ~de Wunde 터진 상처; ein Abgrund klaffte vor ihnen 심연이 그들 앞에 입을 쩍 벌리고 있었다; hier klafft ein Widerspruch 여기에는 모순이 명백히 드러나 있다. ②〔방언〕 지껄이다, 수다 떨다.
kläffen [klέfən] *i.* (h.) ① (개가 멍멍·캉캉·깨갱거리며) 짖어대다. ②〔구어·폄어〕 욕하다; 투덜거리다.
Kläffer *m.* -s, - ① 짖는 개. ②〔구어·폄어〕 욕쟁이; 불평가.
Klaff·muschel *f.*〖動〗우럭.
Klafter [kláftər] *n./m.* -s, - 〔(드물게) *f.* -n〕 ① 발(옛날 길이의 단위로 두 팔을 활짝 뻗은 길이; 약 6 피트): drei ~ tief 세 발〔길〕 깊이의. ② 평(坪)(장작의 부피 단위로, 약 3 m³).
..klafterig *suf.* "…발 길이의, …평의"의 뜻 (보기: ein~ 한 평(坪)의).
Klafter≈holz *n.* 한 평(坪)의 장작. **~lang** *a.* 한 발의. **~maß** *n.* (목재의) 평당 적치량.
klaftern [kláftərn] 《I》 *i.* (h.) ①〔길이를 표시하는 어구와 함께〕〖사냥〗 새가 양날개를 편 길이가 …이다: der Vogel klaftert 2 m 그 새가 양 날개를 편 길이는 2 m 다. ②〖海〗 길로 깊이를 재다. 《II》 *t.* (장작을) 평(坪)으로 재다〔재어서 쌓다〕.
Klafter≈setzer *m.* 장작을 쌓는 사람. **~tief** *a.* 한 길 깊이의. **~weise** *adv.* ① 발 길이〔깊이〕로. ② 평으로.
Klag≈anstellung [klá:k..] *f.*〖法〗 기소. **~artikel** *m.* 고소(장).
klagbar [klá:kba:r] *a.*〖法〗 고소할 수 있는: eine ~e Angelegenheit 고소 가능한 사건〔사안〕; et. ~ machen 무엇을 고소하다; gegen jn. ~ werden〔vorgehen〕 누구를 고소하다.
Klagbarkeit *f.*〖法〗 고소〔고발〕할 수 있음.
***Klage** [klá:gə] 《< klagen》 *f.* -n ① 비탄, 한탄; 애도; 탄식: ~ um den Verstorbenen 고인에 대한 애도; in laute ~n ausbrechen 소리 높이 탄식하기 시작하다; sich in endlosen ~n ergehen 끝없는 비탄에 빠지다. ② 불평, 불만, 푸념: gegen jn.〔über et.〕 ~ führen 누구〔무엇〕에 대하여 불평을 늘어놓다. ③〖法〗 소(訴), 고소; 소송; 고소장: eine ~ zurückziehen 고소를 취하하다; eine ~ gegen jn. anstellen〔erheben, führen〕 누구를 고소〔고발〕하다, 누구를 상대로 소송을 제기하다; mit der ~ abgewiesen werden 소송이 기각되다.
Klage≈abweisung *f.* 소송의 기각. **~beantwortung** *f.* 응소(應訴); 항변, 답변. **~frau** *f.* ↑ ~weib. **~gedicht** *n.* 비가(悲歌), 애가. **~geschrei** *n.* 슬퍼 외치는 소리. **~grund** *m.* 비탄〔불평〕의 원인;〖法〗 청구(請求)〔소송〕의 원인. **~haus** *n.* 초상집. **~laut** *m.* 비탄의 소리. **~lied** *n.* 비가(悲歌), 만가(輓歌):〔비유〕 ein ~ über jn.〔et.〕 anstimmen〔singen〕 누구〔무엇〕에 대한 불만〔불평〕을 토로하다. **~lustig** *a.* ↑ ~süchtig. **~mauer** *f.* (예루살렘의) 통곡의 벽.
***klagen** [klá:gən] 《I》 *i.* (h.) ① 슬퍼하다, 비탄하다; 슬피 울다; 탄식하다: über et. ~ 무엇을 슬피 여겨 탄식하다;〔雅語〕 um et.〔jn.〕 ~ 무엇을〔누구를〕 잃고 탄식하다. ② 불평을 늘어놓다, 불만을 털어놓다: über Schmerzen ~ 고통을 호소하다. ③〖法〗 고소〔고발〕하다: gegen jn. ~ 누구를 고소〔고발〕하다; auf Schadenersatz ~ 손해 배상 소송을 제기하다; die ~de Partei〔Seite〕 원고측. ④〖사냥〗 (짐승이) 신음하다: das angeschossene Reh klagte im Dickicht 총에 맞은 노루가 덤불 속에서 신음하고 있었다. 《II》 *t.* jm. et. ~ 누구에게 무엇을 하소연하다, 불평을 말하다: jm. sein Leid ~ 누구에게 자기의 고뇌를 하소연하다; jm. die Ohren voll ~ 누구에게 귀가 따갑도록 우는 소리를 하다. 《III》 *refl.* sich heiser ~ 비탄하여 목이 쉬다.
klagens·wert *a.* 비탄할 만한, 가엾은, 애처로운, 딱한.
Klage·punkt *m.* ① 비탄의 씨. ②〖法〗 소인(訴因), 소송의 대상〔요점〕.
Klager *m.* -s, - 비탄하는 사람, 불평가.
Kläger [klέ:gər] *m.* -s, -〖法〗 기소인, 원고; 검사(檢事), 고발자, 탄원자: den ~ vor Gericht vertreten 법정에서 원고를 변호하다, 원고의 변호인이다; mit dem ~ einen Vergleich schließen 원고와 화해하다;〔속담〕 wo kein ~ ist, ist auch kein Richter 고소인이 없으면 재판관도 없다.
Klägerin *f.* -nen ↑ Kläger 의 여성형.
Klage·recht [klá:gə..] *n.*〖法〗 소권(訴權).
Klägerei *f.* -en ① 상습적인 소송, 소송광(狂). ② 징징 우는 소리〔언행〕; 상습적인 불평.
Klag·erhebung *f.*〖法〗 제소, 기소.
klägerisch *a.*〖法〗 원고의.
klägerischer·seits *adv.* 원고측에서.
Klägerschaft *f.* -en (schweiz.) ① 원고인단(團). ② 고소, 고발, 공소.
Klage≈ruf *m.* 비탄의 소리, 탄성. **~sache** *f.*〖法〗 소송 (사건). **~schrift** *f.* 소장(訴狀), 소송장(狀). **~sucht** *f.* ① 소송광(狂). ② 불평하는 버릇. **~süchtig** *a.* ① 소송을 좋아하는. ② 툭하면 불평하는〔투덜거리는〕. **~ton** *m.* 비탄조, 애조. **~weib** *n.* (장례식 때 대가를 받고) 울어 주는 여자. **~weg** *m.*〖法〗 소송 수단: eine Forderung im〔auf dem〕 ~ durchsetzen 소송하여 요구를 관철하다.
Klag·geschrei *n.* ↑ Klagegeschrei.
kläglich [klέ:klıç] *a.* ① 슬퍼하는, 비탄하는; 슬피우는; 애도하는. ② 가엾은, 불쌍한, 비참〔가련〕한. ③ 빈약한, 보잘것없는; 나쁜, 좋지 않은: eine ~e Leistung 보잘것없는 성과; eine ~e Rolle spielen 보잘것없는 역할을 하다. ④ 완전〔철저〕한: der Plan ist ~ mißlungen 그 계획은 완전히 실패로 끝났다.
Kläglichkeit *f.* 가엾음, 비참; 빈약, 보잘것없음.
klaglos *a.* ① 불평하지 않는: Schmerzen ~ ertragen 고통을 불평 없이 감수하다. ②〖法〗 고소의 여지가 없는, 별문제 없는: ~e Forderung 법적인 하자가 없는 요구.
klag≈lustig, ~süchtig *a.* ↑ klagesüchtig.
Klamauk [klamáuk] 《ndd.》 *m.* -s〔구어〕 ① 아우성, 소란, 소음: ~ machen a) 떠들다, b)

동맹 파업하다. ② 소동, 언쟁.

klameien *t.* 〖海〗 (뱃바닥 깔판의 틈새에) 뱃밥을 메우다, 틈새를 막다.

Klamm [klam] *f.* -en 〖지리〗 협곡, 계곡.

klamm *a.* ① 축축〔냉습〕한: die Wäsche ist noch ~ 빨래가 아직 축축하다. ② (추위 때문에) 뻣뻣해진, 곱은: meine Finger sind ganz ~ 내 손가락은 완전히 뻣뻣해졌다. ③ 〔구어〕 모자라는, 궁핍한: das Geld ist sehr ~ 돈에 몹시 쪼들리고 있다. ④ 〖광산〗 잡물이 없는, 순수한.

klammen [klámən] 《Ⅰ》 *t.* 밀착시키다. 《Ⅱ》 *i.* (h.) (추워서) 얼다, 곱아지다.

***Klammer** [klámər] *f.* -n ① 집게, 빨래 집게, 클립; 〖醫〗 겸자(鉗子). ② 괄호: einen Satz in ~(n) setzen〔einschließen〕 문장을 괄호에 넣다; die ~n fortschaffen〔(auf)lösen〕 괄호를 풀다. ③ 〖스포츠〗 두 팔로 껴안기, 클린치: den Gegner in die ~ nehmen 상대방을 껴안다. ④ 〔구어·농담〕 (오토바이 뒷좌석에 앉아) 운전자를 껴안은 여자.

Klammer≈affe *m.* ① 〖動〗 거미원숭이속(屬). ② 〖컴〗 @ (미국 정보 교환 표준 부호(ASCII) 및 미국 표준국(ANSI)에서 제정한 표준 부호로 위치·장소를 지정함). ③ 〔구어〕 오토바이 뒷좌석에 앉은 사람. **~beutel** *m.* 빨래 집게 주머니: 〔구어·농담〕 dich haben sie wohl mit dem ~ gepudert? 너 미쳤구나〔돌았구나〕?

Klämmerchen [klɛ́mərçən] *n.* -s, - ↑ Klammer ① 의 축소형.

Klammer≈eisen *n.* 걸어 당기는 갈고리〔닻〕. **~fuß** *m.* 〖動〗 갈고리발톱.

klammern 《Ⅰ》 *t.* (집게나 클립으로) 고정시키다, (겸자로 상처를) 접합하다: klammere diesen Zettel doch bitte an den Umschlag 이 쪽지를 봉투에 클립으로 붙이시오; eine Wunde ~ 상처를 (겸자로) 접합하다. 《Ⅱ》 *i.* (h.) 〖복싱〗 클린치하다. 《Ⅲ》 *refl.* sich an jn.〔et.〕 ~ 누구에게〔무엇에〕 달라붙다, 꼭 매달리다; sich an eine Hoffnung ~ 한가닥의 희망을 걸다; er klammert sich an sein Elternhaus 그는 양친에게 의지하고 있다.

klamm·heimlich *a.* 〔구어〕 아주 은밀한, 남모르는: ~ abhauen 남몰래 달아나다.

Klamotte [klamɔ́tə] *f.* -n ① (berl.) 벽돌 조각. ② 〔대개 복수〕 〔구어·경박·폄어〕 고물, 잡동사니; 가재 도구; 옷: in einem halben Tag hatten wir all meine ~n in die neue Wohnung geschafft! 반나절만에 우리는 내 잡동사니들을 새 집으로 다 옮겼다!; ein paar neue ~n kaufen 새 옷을 몇 벌 사다; 〔비유〕 zwei Tage bin ich nicht aus den ~n herausgekommen 나는 이틀 동안 근무지를 떠나지 못했다. ③ 저질 영화〔연극〕.

Klamotten·bau *m.* 값싼 건축 공사.

Klampe [klámpə] *f.* -n ① 〖海〗 보조〔구명〕 보트의 버팀목; 밧줄 걸이(밧줄의 끝을 말아서 고정시키는 나무 또는 금속의 꺾쇠). ② 〖건축〗 대들보, 가로 들보(다른 들보에 대하여 직각으로 건너지른 들보), 장선(長線). ③ 〔방언〕 ↑ Klammer ①.

Klampe·kupplung *f.* 〖工〗 교합식〔엇걸이〕 연결 장치.

Klampfe [klámpfə] (obd.) *f.* -n ① 〖민속〗 기타: auf der ~ spielen 기타를 연주하다. ② 〔방언〕 ↑ Klampe.

klampfen *i.* (h.)/*t.* 기타를 연주하다.

klamüsern [klamý:zərn] *i.* 〔구어〕 (nordd.) 심사숙고하다, 연구하다.

Klan [kla:n] *m.* -s, -s/-e ↑ Clan.

klandestin [klandɛstí:n] *a.* 〔고어〕 은밀한, 비밀의: ~e Ehe 내연 관계.

***Klang** [klaŋ] 《<klingen》 *m.* -(e)s, Klänge 소리, 울림, 음향, 반향; 〖음악〗 화음, 음색, 선율; 〔비유〕 명성, 평판: der ~ von Glocken〔Trompeten〕 종〔트럼펫〕 소리; mit Sang und ~ 노래와 음악으로, 떠들썩하게; ohne Sang und ~ (남)몰래, 조용히; beim ~ der Musik 음악이 울리는 가운데; jn. am ~ der Stimme erkennen 목소리로 누구를 알아보다; sein Name hat einen guten ~ 그는 평판이 좋다.

klang[1] ↑ klingen 의 과거형.

klang[2] *int.* 〔의성어〕 땡땡, 따르릉따르릉(종·벨소리).

Klang·boden *m.* 〖음악〗 울림〔공명〕판.

klänge [klɛ́ŋə] ↑ klingen 의 접속법 Ⅱ식.

Klang≈effekt *m.* 음향 효과. **~farbe** *f.* 〖物·음악〗 음색, 음질. **~figur** *f.* 〖음악〗 음향 도형(평판(平板)에 모래를 뿌려 놓고 그 판을 진동시켜 생기는 특수한 도형). **~film** *m.* 토키. **~fülle** *f.* 풍부한 음량. **~körper** *m.* ① 공명기〔상자〕. ② 〔雅語〕 오케스트라. **~lehre** *f.* 〖物〗 음향학. **~lein** *m.* 〖植〗 아마(亞麻)의 일종(열매가 여물어 터질 때 소리가 남).

klanglich [kláŋlıç] *a.* 소리〔음향〕의.

klanglos *a.* ① 울림이〔소리가〕 없는, 무음(無音)의. ② 음의 억양이 없는; (음절에) 강세가 없는. ③ 격식을 차리지 않은, 약식의. ④ 비밀〔내밀〕의: sang- und ~ 남몰래, 조용히.

Klang≈messer *m.* 〖物〗 측음기(測音器), 음파 측정기. **≈nachahmend** *a.* 의음(擬音)의, 의성(擬聲)의. **~nachahmung** *f.* 〖언어〗 의성음. **≈reich** *a.* 울림이 풍부한, 울려 퍼지는, 낭랑한. **~schönheit** *f.* 음향미(美). **~stufe** *f.* 〖음악〗 음정. **≈voll** *a.* ① 울림이 풍부한, 낭랑한, 좋은 소리가 나는. ② 유명한, 명성을 떨치는. **~welle** *f.* 〖物〗 음파. **~-wirkung** *f.* 음향 효과. **~wort** *n.* 울림〔음감〕이 좋은 말; 〖문법〗 의성어.

Klapf [klapf] 《<klapp》 *m.* -s, Kläpfe (südd., schweiz.) ① 파열; 총성, 폭음; 타격. ② 따귀 때리기, 손바닥으로 때리기.

kläpfen [klɛ́pfən] (südd., schweiz.) 《Ⅰ》 *i.* (h.) 둔탁한 소리를 내다, 폭발하다. 《Ⅱ》 *t.* (손바닥으로) 때리다, 치다, 따귀 때리다.

Klapotetz *m.* -es, -e (südd., öst.) 풍차.

klapp [klap] *int.* 〔의성어〕 털썩, 털커덩, 쾅, 쿵, 찰싹.

Klapp·bank *f.* 접는 의자.

klappbar *a.* 접을 수 있는.

Klapp≈bett *n.* 접는 침대. **~bett·stelle** *f.* 접는 침대. **~blende** *f.* 블라인드. **~boot** *n.* 접는 보트. **~brücke** *f.* 상판을 접어 올릴 수 있는 다리, 도개교(跳開橋). **~deckel** *m.* (회중시계 따위의) 한 쪽으로 열리는 뚜껑. **~-decker** *m.* 컨버터블(형 자동차).

***Klappe** [klápə] 《<klapp》 *f.* -n ① 파리채: 〔비유〕 zwei Fliegen mit einer ~ schlagen 일석이조. ② (한 쪽만 고정시켜 놓고 여닫을 수 있는) 개폐식 뚜껑; 천창(天窓); 견장; 난로의

화력 조절용 뚜껑; (포켓·배낭 따위의) 뚜껑; (봉투의) 젖혀 붙이는 뚜껑: die ~ zumachen 어떤 일을 끝내다; 〖구어〗 ~ zu, Affe tot! (지겨운 일이) 드디어 끝났다!; bei mir ist die 〔eine〕 ~ runtergegangen 나는 그 일에 더 이상 관여하고 싶지 않다, 그 일을 사양한다. ③ (기체나 액체가 드나드는 것을 조절하는) 밸브; 통풍기, 배기기(排氣機). ④〖구어·경박〗 입, 아가리: halt die ~! (아가리) 닥쳐, 잠자코 있어라!; eine große ~ haben 허풍선이다; die große ~ schwingen 허풍떨다; die ~ aufreißen 자랑하다. ⑤〖구어〗 침대: in die ~ gehen〔kriechen, steigen〕 침대로 기어 들어가다, 잠자리에 들다. ⑥〖악기〗 (관악기의) 음전(音栓), 건(鍵). ⑦〖영화〗 (촬영 개시·종료를 알리는) 신호용 딱딱이판. ⑧〖해부〗 판막, 심장 판막. ⑨〖경박〗 (동성 연애자들의 접촉 장소로서의) 공중〔작은〕 변소. ⑩ (öst.) 전화 교환대, (교환대의) 번호 표시기.

***klappen** [klápən] 《I》 *i.* (h.) ① 쾅〔딱〕하고 소리가 나다: die Tür klappte 문이 쾅하고 닫혔다. ② 알맞다, 일치하다; (일이) 성공하다; 잘 돌아가다〔작동하다〕: hat es geklappt? 일이 잘 끝났니?; etwas kommt zum ∻ 무엇이 (긍정적으로) 결정되다, 잘되다; die Sache zum ∻ bringen 일을 잘되게 하다; der Laden klappt 일이 잘 돌아간다; es klappt alles wie am Schnürchen 모든 게 순조롭게 (잘) 진행된다. 《II》 *t.* ① 젖혀〔접어〕 올리다〔내리다〕: den Deckel in die Höhe ~ 뚜껑을 젖혀 높이 세우다. ②〖구어〗 잡다, 체포하다.

Klappen≈fehler *m.* 〖醫〗 (심장) 판막 장애. **~horn** *n.* 〖악기〗 6 개의 음전이 달린 호른. **~instrument** *n.* 〖악기〗 건반 악기. **~loch** *n.* (풀무 따위의) 통풍 구멍. **~schrank** *m.* 〖구식〗 수동 전화 교환기. **~sitz** *m.* 〖工〗 판(瓣)받이. **~text** *m.* (책표지 안쪽 날개에 쓴) 서적 안내문〔소개문〕. **~trompete** *f.* 〖악기〗 음전이 달린 트럼펫. **~ventil** *n.* 〖工〗 클랙 밸브, 역류 방지판(瓣).

Klapper [klápər] 《<klapp》 *f.* -n (사냥몰이 또는 어린이 장난감용) 딸랑이.

Klapper≈bein *n.* ① 해골; 피골이 상접한 사람. ② 죽음: Freund ~ 죽음, 사신(死神). **~deckchen** *n.* (접시 따위의 밑에 까는) 식탁용 냅킨. **∻dünn** *a.* ↑ ~dürr. **∻dürr** *a.* 〖구어〗 말라빠진, 바싹 마른.

Klapperei [klapəráɪ] *f.* ① 딸랑딸랑 소리를 내기, 계속 덜그럭 소리를 내기. ② 쓸데 없는 잡담.

Klapper·hülse *f.* 〖植〗 활나물의 일종.

klapperig [klápərɪç] *a.* ↑ klapprig.

Klapper≈kasten *m.* 〖구어·농담〗 ① 싸구려 피아노. ② 낡은 자동차. ③ 낡은 라디오〔텔레비전〕. **~kiste** *f.* 〖구어·농담〗 ↑ ~kasten. **~mann** *m.* ① (사냥몰이를 위해) 딸랑이를 흔들어대는 사람. ② 수다쟁이, 다변가. ③ 죽음, 사신(死神). **~maul** *n.* ↑ ~mann ②. **~mühle** *f.* ① 덜커덩덜커덩하는 물레방아〔풍차〕. ② (새 따위를 쫓는) 딸랑이. ③ ↑ ~mann ②.

***klappern** [klápərn] 《<klapp; ♧ klopfen》 *i.* (h.) ① 딸랑〔덜커덩〕거리다〔소리나다〕: eine Tür klappert 문이 덜컹거린다; mit Tellern ~ 접시를 달그락달그락하다; vor Kälte mit den Zähnen ~ 추워서 이를 덜덜 떨다; 〖구어·농담〗 mit den Augen ~ 눈까풀을 깜박이다, 아양을 떨다; 〖구어〗 auf der Schreibmaschine ~ 타자기를 치다. ②〖구어·폄어〗 쓸데없는 이야기를 지껄이다, 쉬지 않고 떠들어대다: 〖속담〗 ∻ gehört zum Handwerk 선전도 장사의 하나. ③〖은어〗 구걸하다. ④ (s.) 덜커덩 소리를 내며 움직이다: der Wagen klappert durch die holprige Gasse 마차가 울퉁불퉁한 골목길을 덜커덩거리며 지나간다.

Klapper≈nuß *f.* 〖植〗 고추나무(속). **~rose** *f.* 〖植〗 개양귀비. **~schlange** *f.* ①〖動〗 방울뱀. ②〖욕설〗 입이 더러운 여자, 악녀; 〖농담〗 여자 타자원. **~schlangen·wurzel** *f.* 〖植〗 세네가(의 뿌리). **~schote** *f.* ↑ ~hülse. **~storch** *m.* (갓난아이를 물고 온다는) 황새: noch lange an den ~ glauben (아직도) 순진하다; zu Müllers ist der ~ gekommen 뮐러 씨 집에 아이가 태어났다.

Klapp≈fächer *m.* 접는 부채. **~fahr·rad** *n.* ↑ ~rad. **~fenster** *n.* 회전창, 들창, 환기창. **~horn** *n.* ↑ Klappenhorn. **~horn·vers** *m.* (4 행) 해학시(구) (괴팅겐 대학 공중인 D. Klappenhorn 을 조롱한 해학시에서). **~hut** *m.* 오페라 해트(납작하게 접을 수 있는 실크 해트).

klappig [klápɪç] *a.* 〖植〗 판(瓣)이 있는.

Klapp≈kamera *f.* 접을 수 있는 카메라, 스프링 카메라. **~kragen** *m.* 밖으로 젖히게 된 옷깃. **~leiter** *f.* 접는 사다리. **~liege** *f.* 중간을 접을 수 있는 눕는 의자. **~messer** *n.* 접는 칼, 잭나이프. **~muschel** *f.* 〖動〗 분홍꽃가리비속(조개의 일종). **~mütze** *f.* 접는 차양이 달린 모자. **~rad** *n.* 접는 자전거.

klapprig *a.* ① 낡아서 덜그럭거리는, 삐꺽거리는, 부서지기 쉬운. ② 노쇠한, 허약한, 비실거리는.

Klapp≈schirm *m.* 병풍. **~sessel** *m.* ↑ ~sitz. **~sitz** *m.* (극장 따위의) 접는 의자, 개폐식 의자. **~stiefel** *m.* 승마화(위쪽에 밝은 색 가죽을 사용한 장화). **~stuhl** *m.* 접는 의자. **~stulle** *f.* (특히 berl.) 샌드위치. **~tisch** *m.* ① (벽에 붙이는) 접는 테이블. ② 접는 탁자. **~trompete** *f.* ↑ ~horn. **~tür** *f.* 치켜 올리는 문, 갑자기 탁 튀어 열리는 뚜껑. **~verdeck** *n.* (차의) 접어 개는 지붕〔포장〕. **~visier** *n.* 〖軍〗 가늠자.

Klaps 《ndd. <klapp》 *m.* -es, -e ① 찰싹 때리기, 손바닥으로 때리기: einem Kind einen ~ geben 아이를 찰싹하고 때리다. ②〖비유〗 손해, 패배. ③〖구어〗 살짝 미침〔돎〕: er hat einen ~ 그는 정신이 돌았다.

klaps *int.* 〖의성어〗 찰싹, 재깍, 탁.

Kläpschen [klɛ́psçən] *n.* -s, - ↑ Klaps 의 축소형.

klapsen [klápsən] *i.* (h.)/*t.* 찰싹 때리다, 손바닥으로 때리다.

***klar** [kla:r] 《<lat. clarus》 *a.* ① 밝은, 맑은; 갠, 투명한; 깨끗한; 깔끔한; 청명한: ~e Luft 맑은 공기; der Himmel ist ~ 하늘이 개어 있다; ~ wie Kristall 수정처럼 투명한; eine ~e Stimme 낭랑한 목소리. ②〖비유〗 명백〔명료〕한; 명석〔명민〕한; 명확한: ~e Begriffe 명확한 개념; ~e Umrisse 뚜렷한 윤곽; einen ~en Vorsprung haben 현저히 앞서 있다; ein ~er Stil 평이한 문체; eine ~e Niederlage 명백한 패배; an sich ~ 자명한,

뻔한; klipp und ~ 아주 분명하게; 〖구어〗 das ist ~ wie Kloßbrühe 〔Klärchen, dicke Tinte〕 그건 명백하다; er ist ein ~er Kopf 〔Geist〕 그는 합리적으로 생각하는 사람이다; ~ und deutlich sagen 명확히 말하다, 아주 분명하게 말하다; 〖구어〗 na, ~! 뻔한 일이야!; einen ~en Blick haben 냉철하게 생각하다; jm. ~en Wein einschenken 누구에게 흉금을 터놓다; et. ins ~e bringen〔setzen〕 무엇을 명백히 하다, 해결하다; mit et.³ ins ~e kommen 어떤 사실을 이해하여 제대로 해결할 수 있다; er ist nicht (mehr) ganz ~ im Kopf 그는 제정신이 아니다; sich³ über et. ~ werden 무엇에 대하여 분명해지다; bist du dir darüber im ~en, was du damit angestellt hast? 네가 무슨 일을 저질렀는지 분명히 알겠어? ③ (a) 순조로운, 원활한: das ist ein ~es Geschäft 그것은 순조로운 사업이다. (b) 〖海·軍〗 준비가 된: ~ zum Gefecht 전투 준비가 된. (c) 〖海〗 (밧줄이) 얽히지 않은: ein Takel ~ scheren 도르래 밧줄의 얽힘을 풀다. ④ 〖農〗 den Boden ~ machen 개간하다. ⑤ 가는, 고운, 정제한; ~er Zucker 백설탕; Holz ~ spalten 나무를 가늘게 쪼개다.

Klar *n.* -s, - (öst.) 단백질(Eiklar).

Klara [klá:ra] 《lat.》 *f.* 클라라(여자 이름).

Klär·anlage [klɛ́:r..] *f.* (하수의) 정화 장치.

Klar≈apfel *m.* (조생종의) 신 사과. **~äugig** *a.* 눈이 맑은; 형안의.

Klär≈bassin [..basɛ̃:] *n.* ↑ ~becken. **~becken** *n.* 여과지(池), 정수조, 침전지.

Klar≈blick *m.* 형안; 사리 판단력: es fehlt ihm am ~ 그는 형안이 없다. **~blickend** *a.* ↑ ~äugig. **~denkend** *a.* 냉철하고 논리적으로 사고하는.

Klare *m.* -n, -n 소주, 화주.

Kläre [klɛ́:rə] *f.* -n ① 〖문학〗 투명, 맑고 깨끗함; 광휘. ② (schweiz.) 녹말, 전분.

klaren [klá:rən] *t.* 〖海〗 준비하다, (장소를) 정리하다; (장애를) 제거하다.

klären [klɛ́:rən] 《I》 *t.* ① 깨끗하게〔맑게〕 하다; 거르다; 정제하다: eine Flüssigkeit ~ 액체를 맑게 하다; eine Schuldfrage ~ 죄〔책임〕의 문제를 뚜렷하게 밝히다; den Ball ~ 공을 걷어내다. ② 계몽〔해명〕하다. 《II》 *refl.* sich ~ 깨끗하게〔투명하게〕 되다; 명백하게 되다: die Frage hat sich geklärt 이 문제는 해명되었다.

Klarett [klarɛ́t] 《lat.》 *m.* -s, -s 클라렛(프랑스의 보르도산(産)의 붉은 포도주).

Klär≈gas *n.* 〖化·工〗 정화 가스. **~gefäß** *n.* 정화기, 설탕 정제기.

klar|gehen* [klá:r..] *i.* (s.) 〖구어〗 순조롭게 되다: es ist alles klargegangen 모든 일이 잘 되어갔다.

***Klarheit** [klá:rhaɪt] *f.* -en ① 맑음, 투명; 명백, 명확; 사려, 분별; 확신, 해명: ~ des Geistes 정신의 명료함; ~ in eine Sache bringen 어떤 일을 명백하게〔이해할 수 있게〕 만들다; darüber herrscht〔besteht〕 wohl ~ 그 점에 대하여는 의견이 일치한다; 〖농담〗 (damit sind) alle 〔die letzten〕 ~en restlos beseitigt? (긴 설명 후에) 이제 잘 알아들었겠지요?; sich über et. ~ verschaffen 무엇을 규명하다. ② 밝음; 광휘, 광채.

klarieren [klarí:rən] *t.* 〖海〗 ein Schiff ~ 세관에서 배의 입항〔출항〕 절차를 마치다.

Klarierung *f.* -en 〖海〗 통관〔출항·입항〕 절차; 정리, 해결.

Klarinette [klarinɛ́tə] 《it.》 *f.* -n 클라리넷.

Klarinettist *m.* -en, -en 클라리넷 취주자.

Klarinettistin *f.* -nen ↑ Klarinettist 의 여성형.

Klarissen·orden *m.* (13세기 초 Franz von Assisi 가 창설한) 클라라(수녀)회.

Klarissin [klarísɪn] 《lat.》 *f.* -nen 클라라회 수녀.

Klär·kessel *m.* (설탕 따위의) 정제기.

klar|kommen* *i.* (s.) 이해〔파악〕하다; 처리하다: mit et.³ ~ 무엇을 처리하다; 해치우다.

klar|legen *t.* 명백히 (설명)하다, 해결하다.

klärlich [klɛ́:rlɪç] *a.* 〖고어〗 명확〔또렷〕한.

klar|machen *t.* ① jm. et. ~ 누구에게 무엇을 분명하게 하다〔이해할 수 있게 설명하다〕. ② 출범〔전투〕 준비하다: ~ zum Aussteigen! 하선 준비! ③ (토지를) 개간하다; (나무 등을) 잘게 쪼개다.

Klär≈mittel *n.* 정화제(淨化劑). **~pfanne** *f.* 정화기, 설탕 정제기.

Klar≈schiff [(또는) klá:r..] *n.* 〖海〗 전투 준비. **~schlag** [klá:r..] *m.* 벌채한 삼림 지역; 잘게 부순 자갈.

Klär·schlamm *m.* (정화 시설의) 침전물.

Klar·schrift·leser *m.* 〖컴〗 데이터 판독기.

klar|sehen* *i.* (h.) 똑똑히 알다: ich sehe in dieser Sache (noch) nicht klar 내게는 이 일이 분명하게 이해되지 않는다.

Klärsel [klɛ́:rzəl] *n.* -s, - 액화설탕, 당밀(糖蜜).

Klar≈sicht·dose *f.* (유리병 등의) 투명 용기. **~sicht·folie** *f.* 투명 포장지, 랩. **~sichtig** *a.* 형안의. **~sicht·packung** *f.* 투명 포장.

klar|stellen *t.* 명백히 하다, 해명하다.

Klar≈stellung *f.* 해명. **~text** *m.* ① (암호화되지 않은) 평이한 글. ② 〖구어〗 명확한 표현: im ~ zielte der Angriff auf den Kanzler 그 논박은 분명하게 수상을 겨냥하고 있었다.

Klärung [klɛ́:rʊŋ] 《<klären》 *f.* -en ① 세정, 정화; 여과. ② 〖비유〗 해명, 해결.

klar|werden* *i.* (s.) 명백해지다, 이해가 되다; (하늘이) 개다: sich³ über et. ~ 무엇을 확실히 이해하다, 분명히 알게 되다(klar ②); jetzt wird mir manches klar! 이제 나는 많은 것이 분명해졌다!

Klar·werk *n.* (레이스 뜨개의) 그물눈 세공.

Klas [kla:s] (ndd.) ① 클라스(남자 이름; Nikolaus 의 단축형). ② *m.* 산타 클로스. ③ *m.* -en, -en [..zən] 호인, 어수룩한 사람.

Klaß·lehrer [klás..] *m.* (südd., öst.) ↑ Klassenlehrer.

klasse [klásə] *a.* 〔구어〕 멋진, 훌륭〔탁월〕한: ein ~ Film 훌륭한 영화; die haben ~ gespielt 그들은 훌륭한 경기〔연주〕를 하였다.

***Klasse** [klásə] 《lat. classis》 *f.* -n ① (등)급; (예술적) 수준: in der dritten ~ fahren (기차·배의) 3등칸으로 여행하다; ein Geiger 〔Lügner〕 erster ~ 일류〔1급〕 바이올리니스트〔거짓말쟁이〕; Fahrkarte erster ~ 1등석표; 〖구어〗 zweiter ~ liegen 2등 병실에 입원해 있다; 〖구어〗 das ist ~! 이거 참 근사하다!; (ganz große) ~! 굉장하군! ② (a) 학급: unsere Schule hat neun ~n 우리 학교에

는 아홉 학급이 있다. (**b**) 교실: die ~ betreten 교실로 들어가다; wo ist deine ~? 네 교실이 어디니? (**c**) 학년: in die 4. ~ gehen 4 학년이다; eine ~ überspringen 월반하다. (**d**) 과, 학과. ③ 계급; 〖스포츠〗 급, 체급; 〖車〗 (자동차의) 종, 형: die vornehmen 〔besitzenden, arbeitenden〕 ~n 귀족〔유산·노동〕 계급; der Führerschein ~ Ⅲ 제 3종 운전 면허증. ④ 부문; 〖植·動〗 강(綱); 〖哲〗 부류: nach ~n einteilen〔ordnen〕 분류하다.

Klassement [klas(ə)mã́, (또는 schweiz.) ..səmént] *n.* -s, -s ① 분류, 배열. ② 질서. ③ 〖스포츠〗 순위(표), 랭킹(리스트).

Klassen≈älteste* *der/die* 〖고어〗 반장. **~arbeit** *f.* ↑ ~aufsatz. **~aufsatz** *m.* 학교에서 쓰는 작문(↔ Hausaufsatz). **~aufseher** *m.* 〖구식〗 반장, 규율부 학생. **~bewußt** *a.* 계급 의식이 있는. **~bewußt·sein** *n.* 계급 의식. **~buch** *n.* 출석부, (교사의) 학급 일지. **~einteilung** *f.* 분류; 학급 편성. **~fahrt** *f.* 수학 여행. **~gegensatz** *m.* 계급 대립. **~geist** *m.* 계급 정신. **~gesellschaft** *f.* 계급 사회. **~haß** *m.* 계급 증오. **~herrschaft** *f.* 계급 지배. **~interesse** *n.* 계급 이해(관계). **~justiz** *f.* 계급 차별적 판결〔재판〕. **~kamerad** *m.* 급우, 동급생. **~kampf** *m.* 계급 투쟁. **~lehrer** *m.* 학급 담임 교사. **~leiter** *m.* ↑ ~lehrer.

klassenlos *a.* 계급〔차별〕이 없는.

Klassen≈lotterie *f.* 연속식 복권. **~ordnung** *f.* 분류. **~sieger** *m.* 〖스포츠〗 체급별 우승자. **~sprecher** *m.* 반장. **~staat** *m.* 계급 국가. **~steuer** *f.* 계급세(조세 대상을 연령·신분·직업 등의 등급으로 나누어 과세하던 인두세의 일종). **~treffen** *n.* 동창회. **~vorstand** *m.* (öst.) ↑ ~lehrer. **~wahl·system** *n.* 계급 (차)별 선거 제도. **~weise** *a.* 계급별〔학급별〕로. **~ziel** *n.* 학습 목표. **~zimmer** *n.* 교실.

klassieren [klasí:rən] 《lat.》 *t.* 분류하다; 〖광산〗 광석을 크기로 분류하다.

Klassierung *f.* -en 분류.

Klassifikation [klasifikatsió:n], **Klassifizierung** 《lat.》 *f.* -en 분류, 등급 구분.

klassifizieren *t.* 분류하다, 등급을 나누다.

..klassig *suf.* "…등급의, …등급에 속하는"의 뜻(보기: fünf~ 5 등급의; erst~ 제 1 류〔급〕의).

***Klassik** [klásɪk] 《lat.》 *f.* ① 고대 그리스·로마의 문화 예술. ② 고전주의. ③ 〖구어〗 고전적 명작〔양식〕. ④ 고전주의 시대.

***Klassiker** [klásikər] 《lat. classicus》 *m.* -s, - ① 고대 로마의 상층 계급의 시민; (그리스·로마의) 고전 시인; (고전주의) 예술가, 작가. ② 일류의 문호, 대가; 거장: die ~ der Malerei 회화의 대가들. ③ 고전, 명저.

***klassisch** [klásɪʃ] *a.* ① 모범적〔전형적〕인: ein ~es Beispiel 전형적인 예. ② 고대 그리스·로마의; 고전적인, 고전주의적인; das ~e Altertum 고전 고대〔그리스·로마 시대〕; ~e Sprache 고전어(그리스어·라틴어). ③ 유력한: ein ~er Zeuge 유력한 증인. ④ 〖구어〗 멋진: das ist ja ~! 그것 멋지다!

Klassizismus [klasitsísmus] *m.* - 의고(擬古)주의(고대를 모범으로 삼는 예술 양식); 프랑스의 고전주의.

klassizistisch *a.* 의고(擬古)〔고전〕주의의.

Klassizität [..tsitɛ́:t] *f.* (고전적) 모범성.

..kläßler *suf.* "…학년의 학생"의 뜻(보기: Erst~ 1 학년 학생).

klastisch [klástɪʃ] 《gr.》 *a.* 부서진, 깨어진: 〖광물〗 ~es Gestein 쇄설암(碎屑岩).

Klater [klá:tər] *m.* -s, -n (ndd.) ① 더러움, 오물. ② 누더기, 넝마, 헌 옷.

klaterig *a.* ① 영락한, 가엾은. ② 더러운. ③ 너덜너덜한.

klatrig *a.* (ndd.) ↑ klaterig.

klatsch [klatʃ] *int.* 〖의성어〗 찰싹(하는 소리).

Klatsch *m.* -(e)s, -e ① 찰싹하는 소리. ② 〖구어〗 수다; 소문, 풍문; 험담: Stadt~ 시중의 화젯거리; ~ herumtragen〔verbreiten〕 소문을 퍼뜨리다.

Klatsch≈base *f.* 말많은 여자. **~bruder** *m.* 수다쟁이, 험담꾼. **~büchse** *f.* (nordd.) (Ballerbüchse) (어린아이의) 더러운 바지.

Klatsche [klátʃə] 《<klatsch》 *f.* -n ① 파리채(Fliegen~). ② 〖폄어〗 수다쟁이, 험담꾼, 말이 많은 여자; 고자질하는 학생. ③ (학교에서 사용을 금하는) 참고서(특히 고전어 번역서), (외국어) 자습서.

***klatschen** [klátʃən] 《Ⅰ》 *i.* (h.) ① 휙〔찰싹〕하고, 소리나다〔소리내다〕: der Regen klatscht an die Fenster 비가 창문을 후드득후드득 때린다; in die Hände 〔mit den Händen〕 ~ (찬성의 뜻으로, 감격하여) 박수치다; den Takt〔Rhythmus〕 ~ 손뼉치면서 박자를〔리듬을〕 맞추다; mit der Zunge ~ 혀를 차다; es wurde stark geklatscht 대단한 갈채를 받았다. ② 〖구어〗 재잘재잘 지껄이다: über jn. ~ 누구에 대한 소문을 내다. 《Ⅱ》 *t.* ① (찰싹하고) 소리나게 때리다: Fliegen ~ 파리를 잡다; nimm dich in acht, sonst klatscht's! 조심해, 안 그러면 따귀맞을 거야!; 〖비유〗 er ist geklatscht 그는 이미 글렀다; 〖비유〗 Betonstädte in die Landschaft ~ 시골〔지방〕에 콘크리트 도시를 건축하다. ② die Zuschauer klatschten ihm Beifall 관중은 그에게 박수 갈채를 보냈다. ③ 험담하다, 지껄이다, (비밀을) 누설하다. ④ 고자질하다: et. dem Lehrer ~ 선생님에게 일러바치다.

klatsche·naß *a.* ↑ klatschnaß.

Klatscher [klátʃər] *m.* -s, - ① 박수치는 사람. ② 수다쟁이; 험담꾼. ③ 고자질하는 사람.

Klatscherei [klatʃəráɪ] *f.* -en 수다; 험담, 비방; 고자질.

Klätscherei *f.* -en ↑ Klatscherei.

Klatsch≈geschichte *f.* 풍문, 소문. **~gesellschaft** *f.* 수다쟁이 무리, 공론꾼들. **~gevatter** *m.* ↑ ~bruder. **~liese** *f.* ↑ ~base.

klatschhaft [klátʃhaft] *a.* 수다스러운; 입이 가벼운; 뒷공론을 좋아하는.

Klatschhaftigkeit *f.* ↑ klatschhaft 의 명사형.

klatschig *a.* ↑ klatschhaft.

Klatsch≈maul *n.* ↑ ~bruder. **~mohn** *m.* 〖植〗 개양귀비. **~naß** *a.* 함빡 젖은: ich war ~ geschwitzt 나는 땀에 흠뻑 젖었다. **~nest** *n.* 소문이 잘 퍼지는 소도시. **~rose** *f.* ↑ ~mohn. **~schwester** *f.* ↑ ~base. **~spalte**

f. (신문의) 가십난. **~sucht** *f.* 수다떠는 버릇. **~süchtig** *a.* 수다떨기 좋아하는. **~tante** *f.*, **~weib** *n.* ↑ ~base.

Klau [klaʊ] *f.* -en 〖海〗 기움돛대의 갈라진 끝부분.

Klaub·arbeit [kláʊp..] *f.* 〖광산〗 선광(選鑛).

klauben [kláʊbən] *t./i.* (h.) ① (손가락으로) 집어내다, 줍다, 따다; 골라내다: Ähren ~ 이삭을 줍다; Bohnen ~ 콩껍질을 벗기다. ② 〖비유〗 나무라다, 흠잡다; 숙고하다: Worte ~ 자구를 꼬치꼬치 캐다; an et.³ 〔über et.〕 ~ 무엇을 트집잡다〔숙고하다〕.

Klauber [klaʊbər] *m.* -s, - 트집잡는〔골라내는〕 사람.

Klauberei [klaʊbəráɪ] *f.* (손가락으로) 집어내기, 줍기; 천착(穿鑿); 숙고.

Kläuchen [klɔ́ʏçən] *n.* -s, - ↑ Klaue ① ②의 축소형.

*__Klaue__ [kláʊə] *f.* -n ① 갈고리 발톱(발); (돼지·소·양 등의) 발굽: die ~n der Adler 독수리의 발톱; 〖속담〗 an der ~ erkennt man den Löwen 발톱으로 사자를 알 수 있다(성격적 특징으로 사람을 알 수 있다). ② 〖비유·폄어〗 손; 손가락: die ~n des Todes 죽음의 손, 사지(死地); 〖구어〗 wasch erst deine ~n! 먼저 네 손부터 씻어라!; jn. 〔et.〕 in den ~n haben 누구를〔무엇을〕 쥐고 있다; 〖비유〗 손에 쥐고 있다; jm. in die ~n geraten 누구의 손아귀에 떨어지다. ③ 〖구어〗 악필: wessen ~ ist denn das hier? 대체 누가 쓴 글씨가 이 모양인가? ④ 〖건축〗 꺾쇠의 일종; 〖工〗 클러치; 〖海〗 닻혀; 돛의 하단.

klauen [kláʊən] 《I》 *t.* ① 할퀴다, 움켜쥐다; 파뒤집다. ② 악필로 쓰다. ③ 〖구어〗 훔치다, 표절하다: wer hat meinen Kugelschreiber geklaut? 누가 내 볼펜을 훔쳤지? 《II》 *i.* (h.) (진창 속 따위를) 비틀비틀 걷다.

Klauen≈fäule *f.* ↑ ~seuche. **~fett** *n.* ↑ ~öl. **~förmig** *a.* 발굽 모양의. **~füßig** *a.* 발굽이 둘로 갈라진. **~geld** *n.* 가축세. **~hammer** *m.* 노루발장도리. **~hieb** *m.* 손톱〔발톱〕으로 할퀴기; 손톱〔발톱〕에 긁힌 상처. **~kupplung** *f.* 〖기계〗 맞물림 연결기〔장치〕. **~mann** *m.* 악마; 소(小)가축 소유자. **~öl** *n.* (소나 양의) 족발 기름. **~seuche** *f.* 〖수의〗 구제역(口蹄疫)에서 발톱에 화농이 생기는 병. **~steuer** *f.* ↑ ~geld.

klauig [kláʊɪç] *a.* 갈고리 발톱〔굽〕이 있는.

..klauig *suf.* "발톱이 있는"의 뜻(보기: scharf~ 날카로운 발톱이 있는).

Klaus [klaʊs] ① 클라우스(남자 이름; ↑ Nikolaus의 단축형). ② *m.* -, Kläuse [klɔ́yzə] 결쇠; 여벌 열쇠.

Klause [kláʊzə] 《lat.》 *f.* -n ① 협로. ② 바위틈. ③ 수문. ④ 암실(庵室); 은자의 방; 승방, 사실(私室). ⑤ 〖植〗 열과(裂果).

*__Klausel__ [kláʊzəl] *f.* -n ① 〖法〗 약관, 조관(條款); 유보 조건: eine zusätzliche ~ aufnehmen 추가적인 유보 조건을 받아들이다. ② 〖修〗 (문장이나 문단에서 정형적 운율로 된) 종지(終止) 양식. ③ 〖음악〗 종지 악구, 카덴차.

Klausner [kláʊsnər] *m.* -s, - 은자(隱者).

Klausner·leben *n.* 은둔 생활.

Klausur [klaʊzú:r] *f.* -en ① 수도원의 밀실(은둔 생활): in ~ gehen 속세를 벗어나다. ② 격리; 가두어두기: in strenger ~ leben 엄격한 격리 생활을 하다. ③ ↑ ~arbeit.

Klaustrophobie [klaʊstrofobí:] *f.* 〖心〗 폐소(閉所) 공포(증).

Klausur≈arbeit *f.* (감독하의) 필기 시험(답안). **~tagung** *f.* 비공개 회의.

Klaviatur [klaviatú:r] 《lat.》 *f.* -en 〖음악〗 (피아노 따위의) 건반.

Klavichord [..kɔ́rt] *n.* -(e)s, -e 〖음악〗 하프시코드(피아노의 전신(前身)).

*__Klavier__ [klaví:r] *n.* -s, -e 〖음악〗 피아노: ~ spielen 피아노를 치다; et. auf dem ~ spielen 무엇을 피아노로 연주하다; jn. auf dem 〔am〕 ~ begleiten 누구를 피아노로 반주하다; 〖비유〗 auf js. Nerven ~ spielen 누구의 신경을 심하게 거스르다; 〖구식·농담〗 kein ~ spielen 아무런 역할도 하지 않다; 〖구어〗 auf zwei ~en spielen 아주 다른 일을 동시에 행하다; 〖구어〗 mit ~ und Geige 대규모의, 훌륭한; 〖구어〗 ganz groß, ~ und Geige! 아주 대단하군!

Klavier≈abend *m.* 피아노 연주의 밤. **~auszug** *m.* 피아노 연주용 모음 악보. **~begleitung** *f.* 피아노 반주.

klavieren [klaví:rən] *i.* (h.) ① 〖고어〗 피아노를 치다. ② 〖구어〗 뚱땅뚱땅 치다.

klavieristisch *a.* 피아노 연주(기술)의.

Klavier≈konzert *n.* ① 피아노 협주곡. ② 피아노 연주회. **~lehrer** *m.* 피아노 교사. **~schlüssel** *m.* 조율건(鍵); 음자리(표). **~schule** *f.* (음악 학교의) 피아노과(科); 피아노 연습(책). **~sonate** *f.* 피아노 소나타. **~spiel** *n.* 피아노 연주(법): das ~ erlernen 피아노 연주법을 익히다. **~spieler** *m.* 피아노 연주자. **~stimmer** *m.* 피아노 조율사. **~stück** *n.* 피아노곡. **~stuhl** *m.* 피아노용 의자. **~stunde** *f.* 피아노 연습 (시간). **~unterricht** *m.* 피아노 수업.

Klavikel [klaví:kəl] *n.* -s, - 〖해부·고어〗 ↑ Klavikula.

Klavikula [..ví:..] 《lat.》 *f.* ..lä [..lɛ] 〖해부〗 쇄골(鎖骨).

klavikular [klavikulá:r] *a.* 쇄골의.

Klavizimbel [klavitsímbəl] 《lat.》 *n.* -s, - 〖음악〗 15-18 세기경의 피아노.

Klebe [klé:bə..] *f.* -n ① ↑ Klebstoff. ② 〖스포츠〗 강한 슈팅의 발〔다리〕.

Klebe≈blatt *n.* 광고, 포스터. **~kraut** *n.* 〖植〗 갈퀴덩굴. **~marke** *f.* (뒷면이 접착 처리된) 우표, 인지. **~mittel** *n.* 접착제, 풀.

*__kleben__ [klé:bən] 《I》 *i.* (h.) ① an et.³ ~ 무엇에 달라붙다〔부착하다〕; 끈적거리다; das Hemd klebte ihm am Körper 셔츠가 그의 몸에 달라붙었다; der Leim klebt gut 〔schlecht〕 이 아교는 잘 붙는다〔붙지 않는다〕; er klebt an der Felswand 그는 암벽에 달라붙어 있다(올라가지도 내려가지도 못한다); ich klebe 나는 땀이 나 몸이 끈끈하다; das klebt wie Pech 그것은 역청처럼 끈끈하다; 〖비유〗 an den Hängen ~ die primitiven Hütten der Eingeborenen 토착민들의 초라한 움막들이 비탈에 달라붙어 있다. ② 집착하다, 연연해하다; 〖비유〗 ~bleiben 착 달라붙어 있다, 따라다니다; 〖경박〗 jm. am Auspuff ~ 누구의 뒤를 바짝 따라가다; 〖스포츠·구어〗 am Gegner ~ 상대 선수에게 바짝 다가붙다;

sie klebt an ihm 그녀는 그에게 집착하고 있다; am Irdischen ~ 이승에 집착하다; am Geld〔Amte〕 ~ 돈〔직위〕에 얽매이다; an der Scholle ~ 고향에 늘어붙어 있다; es klebt Blut an seinen Fingern 그의 손가락에 피가 묻어 있다〔그는 살인자다〕; an dieser Arbeit klebt viel Schweiß 이 일에는 많은 노력이 든다; er klebt heute wieder lange 그는 오늘도 또 오랫동안 늘어붙어 있다; 〖축구〗 ein Ball klebt im Netz 〔in den Maschen〕 공이 골포스트 안으로 강하게 들어갔다, 강슛으로 골인됐다. 《Ⅱ》 *t.* 붙이다, 접착시키다, 발라 붙이다: einen Zettel an die Mauer ~ 벽에 광고를 붙이다; Marken auf einen Brief ~ 편지에 우표를 붙이다; ich klebe schon seit drei Jahren 나는 벌써 3년째 보험료를 내고 있다(사회 보험의 인지를 붙인다는 뜻); 〖구어〗 jm. eine (Ohrfeige) ~ 누구의 뺨을 때리다; einen ~ haben 약간 취해 있다.

kleben|bleiben* *i.* (s.) 들러〔달라〕붙어 있다; 〖구어〗 낙제〔유급〕하다; 성가시게 따라다니다: ein nasses Blatt war an der Scheibe klebengeblieben 젖은 종이가 창에 달라붙어 있었다; der Schüler ist (in der Klasse) klebengeblieben 그 학생은 낙제하였다; an den Stühlen ~ 자리에 늘어붙어 있다; 〖비유〗 an Einzelheiten ~ 세부 사항에 얽매여 있다.

Klebe≈nelke *f.* 〖植〗 끈끈이대나물. **~pflaster** *n.* 반창고.

Kleber [kléːbər] *m.* -s, - ① (광고 따위를) 붙이는 사람; 접착제. ② 〖구어〗 성가신 사람; (직위 따위에) 연연해하는 사람. ③ 〖化·植〗 글루텐, 점착 물질. ④ 〖動〗 동고빗과의 일종. ⑤ 낙제생.

kleberig [kléːbərıç] *a.* ↑ klebrig.

Klebe≈stoff *m.* ↑ Klebstoff. **~streifen** *m.* 접착용 테이프. **~taft, ~taffet** *m.* 반창고. **~zettel** *m.* (라벨·스티커 등의) 접착 종이.

Kleb≈kraut [kléːp..] *n.* ↑ Klebekraut. **~mittel** *n.* ↑ Klebemittel. **~pomade** *f.* 포마드.

klebrig *a.* ① 끈적끈적한: meine Finger sind ~ von Schweiß 내 손가락은 땀으로 끈적끈적하다. ② 〖폄어〗 추근대는: ein ~es Verhalten 추근대는 행동. ③ 〖비유·구어〗 ~e Hände haben 도벽이 있다.

Klebrigkeit *f.* 점착력〔성〕; 〖化〗 점도(粘度), 점성(粘性); 끈적끈적함; 추근댐.

Kleb≈stoff *m.* 접착제. **~streifen** *m.* ↑ Klebestreifen. **~taft, ~taffet** *m.* ↑ Klebetaft. **~zettel** *m.* ↑ Klebezettel.

Kleck [klɛk] *m.* -(e)s, -e 얼룩, 오점.

klecken [klɛ́kən] *t./i.* (h.) ① ↑ klecksen. ② 〖구어〗 es kleckt (일이) 순조롭게 진척된다; es will nicht ~ 아무리 하여도 잘되지 않는다. ③ ↑ kleckern.

Klecker [klɛ́kər] *m.* -s, - ① ↑ Kleckser. ② ↑ Klecks. ③ 〖구어〗 (음식물을) 흘리며 먹는 아이. ④ 부랑아.

Klecker≈betrag, ~fritze *m.*, **~liese** *f.* ↑ Klecker ③.

kleckern [klɛ́kərn] *i.* ① (h.) 먹으면서 흘리다; 〖비속〗 늘 똥오줌을 지리다: et. auf et. 〔in et.〕 ~ 무엇을 (먹으며) 무엇 위에〔속에〕 흘리다. ② (h.) 〖구어〗 es kleckert 일이 잘되지 않는다. ③ (s.) (흘러) 떨어지다: die Suppe ist auf das Tischtuch gekleckert 수프가 식탁보에 엎질러졌다.

klecker·weise *adv.* 〖구어〗 조금씩, 찔끔찔끔: der Nachschub kommt ~ 보급품이 찔끔찔끔 온다; die Schulden ~ bezahlen 빚을 찔끔찔끔 갚다.

Klecks [klɛks] *m.* -es, -e ① (잉크 따위의) 얼룩, 오점. ② 금간 자리, 갈라진 틈. ③ 〖구어〗 적은 양, 소량: ein ~ Sahne 적은 양의 생크림.

klecksen [..ksən] *t./i.* (h.) 얼룩지게 하다, 더럽히다; 괴발개발 쓰다〔그리다〕; (물감·잼·버터 따위를) 흘리다.

Kleckser [..ksər] *m.* -s, - 악필가, 서투른 화가.

Kleckserei [..ksəráı] *f.* -en 자꾸 더럽히기; 서투른 글씨〔그림〕, 악필; 졸작.

klecksig [..ksıç] *a.* 얼룩투성이의, 더러운.

Klecksographie [klɛksografíː] *f.* -n [..fíːən] 〖心〗 ① (심리 검사를 위한) 잉크 반점(斑點) 그림. ② 잉크 반점 검사법.

Kledage [..dáːʒə] *f.* -n (nordd.) 의복.

Kledasche [..ʃə] *f.* -n ↑ Kledage.

Klee [kleː] *m.* -s ① 〖植〗 클로버, 토끼풀. ② 〖비유〗 jn.〔et.〕 über den grünen ~ loben 누구를〔무엇을〕 침이 마르도록 칭찬하다; wie der Hase 〔die Kuh〕 im ~ leben 안락하게 살다. ③ 〖카드〗 클로버.

Klee≈acker *m.* 토끼풀밭. **~blatt** *n.* ① 클로버 잎: ein vierblättriges ~ 네잎 클로버(행복의 상징). ② 〖비유〗 3인조, 3쌍. ③ 〖교통〗 입체 교차로. **~blatt·bogen** *m.* 〖건축〗 트레포일 아치, 삼판형(三瓣形) 아치. **~-Einsaat** 〖e가 3개 이어지므로 '-'을 넣고 대문자로 표기함〗 *f.* 〖農〗 클로버씨 뿌리기. **~-Ernte** *f.* 클로버 수확. **~feld** *n.* ↑ ~acker. **~futter** *n.* 클로버 사료(飼料). **~gras** *n.* 〖農〗 클로버와 섞인 풀〔다른 풀의 혼합 파종 씨앗〕. **~reiter** *m.* 클로버 건조대. **~reuter** *m.* ↑ ~reiter. **~salz** *n.* 〖化〗 옥살산칼륨. **~säure** *f.* 〖化〗 옥살산.

Klei [klaı] 《ndd.》 *m.* -(e)s 점토, (점토질의) 비옥토; 진흙, 습지.

Klei·acker *m.* 점토질의 전답.

kleiben [kláıbən] 《obd.; <Klei》 《Ⅰ》 *t.* (발라) 붙이다: eine Wand ~ 벽에 진흙을 바르다. 《Ⅱ》 *i.* (h.) (obd.) 달라붙다(kleben 《Ⅰ》).

Kleiber *m.* -s, - ① 미장이. ② 접착제. ③ 〖動〗 (a) 딱따구리. (b) 동고비(속의 일종).

Klei·boden [kláı..] *m.* 점토질의 토양.

***Kleid** [klaıt] *n.* -(e)s, -er [kláıdər] 옷, 여성복, 원피스; (obd.) (남자의) 상의; 외관, 외피; 〖복수〗 (일체의) 옷; 〖海〗 돛, 범포(帆布): ~ eines Segels 범포; eigengemachte〔fertige〕 ~er 직접 만든 옷〔기성복〕; 〖광고〗 erstes ~ 코르셋, 브래지어; 〖광고〗 zweites ~ (슬립·페티코트 따위의) (여성용) 속옷; das ~ anziehen〔anlegen〕 옷을 입다; ein ~ ausziehen〔ablegen〕 옷을 벗다; sich³ ein ~ machen (lassen) 옷을 맞추다; in seinen ~ern schlafen 옷을 입은 채 자다; 〖속담〗 ~er machen Leute 옷이 날개다; nicht aus den ~ern kommen (옷 벗고) 잠잘 시간도 없다; aus den ~ern fallen 몹시 여위다; das ist ihm nicht in den ~ern (hängen, stecken) geblieben 그것은 그를 몹시 괴롭혔다, 기진맥

진하게 했다; 〖방언〗 jetzt mußt du dir aber tüchtig in die ~er tun 살이 찌려면 넌 많이 먹어야 한다; et. aufs ~ gekriegt haben 야단맞다, 매를 맞다; Worte sind die ~er der Gedanken 말은 생각의 옷이다; der Marktplatz hat zum Empfang der Gäste ein festliches ~ angelegt 장터는 손님을 맞기 위해 화려하게 단장되었다.

Kleidchen [kláɪtçən] *n.* -s, - ↑ Kleid 의 축소형.

*__kleiden__ [kláɪdən] 《I》 *t.* ① 옷을 입히다: sie kleidet ihre Kinder geschmackvoll 그 여자는 아이들에게 옷을 맵시있게 입힌다; er ließ arme Kinder ~ 그는 가난한 아이들에게 옷을 입혔다; er versteht sich zu ~ 그는 옷을 (멋있게) 입을 줄 안다; seine Empfindungen in Worte ~ 자신의 느낌을 언어로 표현하다. ② 어울리다: diese Farbe kleidet dich nicht 이 색은 네게 어울리지 않아. ③ 싸다, 덮어 씌우다: Gefühle in schöne Worte ~ 감정을 아름다운 말로 나타내다. 《II》 *refl.* sich ~ 옷을 입다; sich in Samt〔Schwarz〕 ~ 벨벳옷〔상복〕을 입다; sich selbst ~ 자기 옷을 직접 만들다.

Kleider≈ablage [kláɪdər..] *f.* 의상실; 옷장; (극장의) 옷 보관소. **~aufwand** *m.* (많은) 의상비. **~bad** *n.* 드라이 클리닝. **~besen** *m.* 옷솔. **~bewahrerin** *f.* 옷을 보관하는 사람〔여자〕. **~bock** *m.* ↑ ~gestell. **~bügel** *m.* 양복걸이. **~bürste** *f.* 양복솔. **~büste, ~figur** *f.* 마네킹. **~frau** *f.* ↑ ~bewahrerin. **~geld** *n.* 피복비. **~geschäft** *n.* 옷가게, 의상점, 양품점. **~gestell** *n.* 횃대, 옷걸이. **~haken** *m.* 옷 거는 못. **~halter** *m.* ↑ ~gestell. **~handel** *m.* (헌)옷 장사. **~händler** *m.* (헌) 옷 장수; 재단사. **~handlung** *f.* 양장점, 의상실. **~kammer** *f.* 옷 보관방. **~kasten, ~koffer** *m.* ↑ ~schrank. **~laden** *m.* ↑ ~geschäft. **~macher** *m.* 재단사. **~magazin** *n.* ↑ ~geschäft. **~markt** *m.* 헌옷 시장. **~motte** *f.* 〖動〗 옷좀나방. **~narr** *m.* 옷치레를 낙으로 삼는 사람. **~ordnung** *f.* 복장 규칙〔제한〕; 사치 규제법. **~puppe** *f.* ↑ ~büste. **~rechen** *m.* 〖구식〗 (좁다란 널쪽에 거는 못을 박은) 옷걸이. **~riegel** *m.* ↑ ~rechen. **~schrank** *m.* ① 옷장. ② 〖구어〗 거구의 남자. **~spind** *m./n.* 옷벽장, 옷걸이장. **~ständer** *m.* ↑ ~gestell. **~stoff** *m.* 양복지, 옷감. **~tasche** *f.* (옷)주머니, 포켓. **~tracht** *f.* 복장, 모드. **~trödler** *m.* 헌 옷장수. **~verleiher** *m.* 〖연극〗 의상 제공자〔공급자〕. **~vorrat** *m.* 가진 옷(전부).

Kleid≈keule [kláɪt..] *f.*, **~kiel** *m.* 〖海〗 구퇴(溝槌)(삭구(索具)에 가는 밧줄을 감는 데 쓰는 나무 망치).

Kleidlein *n.* -s, -/Kleiderlein ↑ Kleidchen.

kleidsam [kláɪtza:m] *a.* 어울리는, 몸에 맞는.

Kleidsamkeit *f.* 몸에 꼭 맞음.

*__Kleidung__ [..dʊŋ] *f.* -en ① 옷입(히)기; 옷입는 식, 옷맵시. ② (한 벌의) 옷, 의상; 복장; 커버: bürgerliche ~ 평복; ~ ablegen 옷을 벗다; für js. Nahrung und ~ sorgen 누구의 의식(衣食)을 돌봐주다.

Kleidungs≈stoff *m.* 피륙, 양복지〔감〕. **~stück** *n.* (상의·하의 등의 독립적인) 옷(한 점); 〖복수〗 옷, 의류.

Kleie [kláɪə] *f.* -n 겨, 밀기울; 비듬.

kleien *a.* 겨의, 밀기울의.

kleien·artig *a.* 겨〔밀기울〕 같은; 〖醫〗 비강진(粃糠疹)의.

Kleien≈brot *n.* 밀기울이 든 빵. **~flechte** *f.* 〖醫〗 비강진(粃糠疹). **~grind** *m.* ↑ ~flechte. **~mehl** *n.* 보릿겨 섞인 보릿가루(사료용).

kleiig[1] [kláɪɪç] 《<Klei》 *a.* 점토(질)의.

kleiig[2] 《<Kleie》 *a.* 겨가〔밀기울이〕 들어 있는, 겨가〔밀기울이〕 붙은; 비듬이 많은.

*__klein__ [klaɪn] *a.* ① (↔groß) (길이·너비·부피·나이·키가) 작은, 적은; eine ~e Stadt 소도시; das ~e Volk 어린이들; der ~e Bruder 남동생; die ~e Schwester 여동생; er ist ~ 그는 키가 작다; der ~e Finger 새끼손가락; 〖구어〗 ein ~es Geschäft machen 소변보다; ein ~es Kind a) 갓난아이, b) 작은 아이; ein ~es Vermögen 적은 재산; eine ~e Familie 단출한 가정; der ~e Mann a) 키가 작은 남자, b) 가난한 사람, c) 마음이 천한 사람, 소인(↑ ②); groß und ~ 어른 아이 할 것 없이 모두; et. kurz und ~ schlagen 무엇을 산산이 깨뜨리다; ein ~(es) bißchen 약간; ein ~ wenig 아주 조금; ~ schreiben 글씨를 작게 쓰다; 소문자로 시작하다〔쓰다〕; ~ machen a) (나무를) 작게 자르다, b) (돈을) 다 써 버리다, c) 소변 보다; 〖구어〗 ~e Augen machen 피로하다; 〖구어·아동〗 ~ müssen 소변을 봐야 한다; von ~ auf〔an〕 어릴 때부터. ② 〖비유〗 하찮은, 작은, 구구한; 가난한, 천한; 평범한: ~e Freuden〔Schmerzen〕 약간의 기쁨〔고통〕; 〖구어〗 ~, aber oho 작지만 성능이 좋은〔대단한〕; ~, aber fein 작지만 질이 좋은; es ist mir ein ~es 그것은 내게 대수롭지 않은 일이다; ~es Geld 잔돈; ~e Leute 신분이 낮은 사람들; die Ansichten des ~en Mannes 소시민의 견해; ein ~er Geist 마음이 좁은 사람, 평범한〔활기 없는〕 사람; sich ~ machen (보이지 않기 위해) 몸을 숙이다; 자기를 낮추다, 굴종하다; jn.〔et.〕 ~ bringen〔kriegen〕 누구를〔무엇을〕 굴복시키다; in ~en Verhältnissen leben 검소하게 살다; von jm. ~ denken 누구를 무시하다; nichts ~ haben 잔돈이 없다; einen ~en sitzen haben 약간 (술이) 취하다; als ich ihn zur Rede stellte, wurde er ganz ~ 내가 그를 힐문했을 때 그는 꼼짝도 못 했다; ~ beigeben 양보하다, 저항을 포기하다, 〖카드〗 낮은〔작은〕 패를 버리다; ~ anfangen 소규모로 시작하다. ③ 〖시간적〗 짧은: eine ~e Weile 단시간; eine ~e Stunde 좀 모자라는 한 시간, 한 시간 이내. ④ 〖명사적〗 (**a**) der〔die〕 ≗e 소년〔소녀〕; die ≗en a) 아이들, b) 빈민; meine ≗e 내 연인〔여자〕. (**b**) das ≗e a) 아이, b) 작은일, 자질구레한 일: (et)was ≗es bekommen 아이가 생기다〔임신하다〕; 〖속담〗 die ≗en hängt man, die Großen läßt man laufen 큰 도둑은 놓아주고 좀도둑만 잡는다; es wäre ihm ein ≗es 그 일이 그에게는 어렵지 않을 것이다. (**c**) um ein ~es a) 하마터면, 거의: um ein ~es hätte ich den Bus verpaßt 하마터면 버스를 놓칠 뻔했다, b) 약간, 조금: er ist um ein ~es zu freundlich 그는 다소 지나치게 친절하다; **bei** ~em 한걸음 한걸음, 점차로, 착

실하게; **bis** ins ~ste 세세한 점까지; **im** ~en a) 소규모로, 축소형의: dieses Puppenhaus ist ein ganzes Wohnhaus im ~en 이 인형의 집은 축소판 주택이다, b) 상세히, 하나하나; die Ware im ~en verkaufen 물품을 소매하다; **über** ein ~es 곧, 잠시 후에. ⑤ 〖고어〗(↔grob) 깨끗한, 아름다운.

Klein *n.* -s ①〖요리〗(새·토끼의) 내장. ②〖광물〗광석의 파편, 분탄(粉炭).

Klein=aktionär *m.*〖經〗소주주. **~anzeige** *f.* (신문의) 서너 줄짜리 광고. **~arbeit** *f.* 잔일, 세공. **~asiatisch** *a.* 소아시아의. **~-asien** [klaɪn|á:ziən] 소아시아. **~äugig** *a.* 눈이 작은. **~auto** *n.* 소형 자동차. **~automat** *m.*〖전기〗소형 자동 차단기. **~bahn** *f.*〖철도〗협궤 철도. **~baß** *m.*, **~baßgeige** *f.*〖음악〗첼로. **~bauer** *m.* 소농(小農), 소작인. **~|bekommen*** *t.* ① 잘게 하다〔부수다〕; 망가뜨리다, 깨뜨리다. ② 소비〔소모〕하다. **~betrieb** *m.* 소규모 경영, 소농, 소기업. **~bild·kamera** *f.* 소형 카메라. **~blätterig** *a.* ↑ ~blättrig. **~blättrig** *a.*〖植〗소엽(小葉)의. **~blumig, ~blütig** *a.*〖植〗꽃이 작은. **~buchstabe** *m.* 소문자. ***~-bürger** *m.* 소시민, 프티 부르주아; 속물 근성인 사람. **~bürgerlich** *a.* 소시민적인; 속물 근성의. **~bürgertum** *n.* ① 소시민 근성〔생활〕. ② 소시민층. **~bus** *m.* 소형 버스.

Kleinchen *n.* -s, - 갓난애.

klein·denkend *a.* 마음이 좁은, 편협〔옹졸〕한. **~deutsch** *a.* 소독일의. **~deutsche** *der/die* (1848년 이래 오스트리아를 빼고 독일 연방 체제를 건설하려 했던) 소독일당원. **~empfänger** *m.* 소형 라디오〔수신기〕.

Kleine* 《I》 *der/die* ① 소년, 소녀. ②〖구어〗처녀, 애인, 연인. 《II》 *das* 어린 아이.

Kleine·leute·milieu [klaɪnəlɔ́ʏtəmiliø:] *n.* 서민의 생활 환경.

kleineren·teils *adv.* 더 작은 부분으로.

kleinern·teils *adv.* ↑ kleinerenteils.

kleinern *t.*〖數〗einen Bruch ~ 약분하다.

Kleiner·werden *n.* 작아짐, 감소, 수축.

Klein=familie *f.* 소〔핵〕가족. **~feld** *n.* (실내의) 소형 경기장. **~flugzeug** *n.* 소형 비행기. **~format** *n.* 소형, 작은 판. **~füßig** *a.* 발이 작은. **~garten** *m.* ① 작은 정원. ② (교외의 소규모) 주말 농장. **~gärtner** *m.* 작은 주말 농장 소유자〔임차자〕. **~gedruckt** *a.* 작은 글씨로 인쇄된. **~gedruckte*** *das* 작은 글씨로 인쇄된 것. **~geist** *m.* 소인, 옹졸한 사람. **~geisterei** *f.* 소심, 편협, 옹졸, 소인 근성. **~geistig** *a.* 소심〔편협·옹졸〕한. **~geld** *n.* 잔돈; 거스름돈:〖구어·반어〗das nötige ~ haben 충분한 돈을 지니고 있다; das kannst du machen, wie du ~ hast 그것은 네 마음대로 할 수 있다. **~gemustert** *a.* 작은 무늬가 있는. **~geschäft** *n.* ↑ ~handel. **~-gewachsen** *a.* 작은 체구의. **~gewehr** *n.*〖軍〗소총. **~gewehr·feuer** *n.*〖軍〗소총 사격. **~gewerbe** *n.* 소규모 영업〔공업〕, 소기업. **~gläubig** *a.* 의심이 많은, 신뢰하지 못하는; 소심한. **~gläubigkeit** *f.* 의심이 많은; 소심. **~gut** *n.* 소화물; 잡화 상품. **~|hacken** *t.* 잘게 만들다〔부수다〕. **~handel** *m.* 소매(업), 소매상. **~händler** *m.* 소매 상인. **~häusler** *m.* 소작인.

Kleinheit [kláɪnhaɪt] *f.* ① 작음, 적음. ② 근소, 사소; 평범; 편협, 궁지.

klein=herzig *a.* ↑ ~mütig. **~hirn** *n.*〖醫〗소뇌(小腦). **~holz** *n.* 성냥개비.

Kleinigkeit [kláɪnɪçkaɪt] *f.* -en 작은 일, 자질구레한 일, 하찮은 일〔것〕, 아주 쉬운 일;〖복수〗상세, 잡다한 것, 사소한 일; 장난감; 잡비: auf ~en sehen 자질구레한 일에 얽매이다; für eine ~ 싼 값으로; das Kleid ist eine ~ zu lang 그 옷은 조금 길다;〖구어·반어〗das kostet (aber) eine ~! 그것은 너무 비싼데!; das ist für mich eine〔keine〕~! 그것은 내게 쉬운〔쉽지 않은〕일이야!; seine Zeit mit ~ vertrödeln 하찮은 일에 시간을 낭비하다; über jede ~ lachen 하찮은 일에도 잘 웃다.

Kleinigkeits=krämer *m.* 쩨쩨한〔옹졸한〕사람. **~krämerei** *f.* 잔일에 얽매이기.

klein=kalibrig *a.*〖軍〗소구경(小口徑)의. **~kaliber·schießen** *n.* 소구경(총) 사격. **~kariert** *a.* ① 작은 격자 무늬의. ② 편협〔옹졸〕한. **~kariertheit** *f.* ① 편협성, 옹졸: jm. ~ vorwerfen 누구의 편협성을 비난하다. ② 편협〔옹졸〕한 언동. **~kaufmann** *m.* 소매 상인. **~kind** *n.* (2-6살까지의) 유아.

Kleinkinder=bewahr·anstalt *f.* ①〖구식〗탁아소, 보육원. ②〖농담〗학교. **~schule** *f.* 유치〔유아〕원. **~wäsche** *f.* 유아용 속옷.

Klein=kleckers·dorf *n.* 초라한 마을, 빈촌. **~klima** *n.* 국지(局地) 기후〔기상〕. **~-knecht** *m.* 농장의 머슴. **~körnig** *a.* 소립(小粒)의. **~kraft·rad** *n.* 소형 오토바이. **~kraft·wagen** *m.* 소형 자동차. **~kram** *m.* ① 소매점; 자질구레한 것, 잡동사니. ② 자질구레한 일. **~krieg** *m.* ①〖軍〗소전투, 유격전, 게릴라전. ② 잦은 싸움〔분쟁〕. **~|-kriegen** *t.* ① jn. ~ 누구의 기를 꺾다. ② 잘게 부술 수 있다; 망가뜨리다; 다 써 버리다. **~kunst** *f.* 작은 공예품; (카바레식의) 연기, 낭송. **~kunst·bühne** *f.* 카바레. **~laut** *a.* 수줍은, 소심한, 기죽은: jn. ~ machen 누구의 기를 꺾다. **~leben** *n.* 검소한 생활; 미생물의 생활. **~lebe·welt** *f.* 미생물계.

***kleinlich** [kláɪnlɪç] *a.* ① 자잘한, 하찮은. ② (↔großzügig) 마음이 좁은, 편협한; 잔일에 얽매이는; 지나치게 세심한.

Kleinlichkeit *f.* 편협성, 좀스러운 행위, 하찮은 것.

klein|machen *t.* ① 잘게 만들다. ② 소모하다, 다 써 버리다. ③ (잔돈으로) 교환하다. ④ jn. ~ 누구에게 굴욕을 주다.

Klein=maler *m.* 세밀 화가; 소품 화가. **~-malerei** *f.* 세밀화; 소품. **~maß·stäbig** *a.* ↑ ~maßstäblich. **~maß·stäblich** *a.* 소규모의. **~meister** *m.* ①〖畫〗(특히 16세기의 독일) 동판 화가; 세공사(細工師). ② 흠잡는〔좀스러운〕사람. **~meisterei** *f.* 세공사의 일; 흠잡기; 잔일에 얽매임. **~möbel** *n.* 소형 가구. **~mut** *m.* 소심, 용기 부족, 우유부단. **~mütig** *a.* 소심한. **~mütigkeit** *f.* 소심성, 우유부단.

***Kleinod** [kláɪno:t] *n.* -(e)s, -e/-ien [..ó:diən] ① 보석; 보물; 귀중품: ~ien der mittelalterlichen Baukunst 중세 건축술의 걸작품들. ②〖복수〗〖요리〗내장, 내부 기관.

Klein=oktav *n.*〖印〗소형 8절판(약어: Kl.-

8°). **~Paris** 작은 파리(라이프치히를 일컫는 말). **~pflaster** *n.* 작은 돌로 포장한 도로. **~quart** *n.* 〖印〗 소형 4 절판(약어: Kl.-4°). **~rechner** *m.* 소형 컴퓨터. **~rentner** *m.* 소액 연금 생활자: geistiger ~ 편협한 사람. **~russe** 〘고어〙 *m.* 소러시아〔우크라이나〕 사람. **~rußland** *n.* 소러시아. **~schmied** *m.* (ndd.) 자물쇠 장수, 철물장이. **~schneiden*** *t.* 조그맣게 자르다, 잘게 썰다. **~schreiben*** *t.* 〘구어〙 경시〔무시〕하다: kleingeschrieben werden 하찮게 여겨지다. **~schreibung** *f.* 첫글자를 소문자로 쓰기. **~sinn** *m.* 옹졸, 편협. **~siedlung** *f.* 도시 주변의 작은 주택 단지. **~staat** *m.* (인구 약 백만 이하의) 소국, 2 등국. **~staaterei** *f.* ① 소국 분립(주의). ② 편협한 술책. **~staatlich** *a.* 소국의. **~stadt** *f.* (인구 2 만 이하의) 소도시, 시골 도시. **~städter** *m.* ① 소도시 주민. ②〘폄어〙 촌놈, 시골뜨기. **~städtisch** *a.* 소도시의; 편협〔고루〕한, 시대에 뒤진.

Kleinst·betrag *m.* 최소 출자〔분담〕 금액.

klein·stellen *t.* (전열기·가스 기구를) 약하게 맞추다. **~steller** *m.* (전등·가스의) 절약 장치.

Kleinst·kind *n.* (2 살까지의) 유아. **~maß** *n.* 최소량, 최소한도, 극소. **~möglich** *a.* 가능한 한 작은. **~wagen** *m.* 미니 카.

Klein·tier *n.* (토끼·염소 따위의 사육용) 작은 동물. **~verkauf** *m.* 소매. **~verkäufer** *m.* 소매 상인. **~vieh** *n.* 작은 가축: 〘속담〙 ~ macht auch Mist 티끌 모아 태산이다. **~wagen** *m.* 소형 자동차. **~waren** *pl.* 철물류. **~weis** *adv.* (öst.) 점점, 조금씩. **~winzig** *a.* 극히 적은, 미세한, 근소한. **~wohnung** *f.* (취사와 샤워 시설을 갖춘) 방 한 칸짜리 아파트. **~wüchsige*** *der/die* 발육 부진자.

Kleist [klaɪst] *m.* Heinrich von ~ 클라이스트(독일의 작가, 1777-1811).

***Kleister** [kláɪstər] 《<Klei》 *m.* -s, - ① 풀: et. mit ~ bekleistern 무엇에 풀칠을 하다; die Zimmerdecke mit ~ einstreichen 천장에 골고루 풀을 바르다; et. mit ~ kleben 무엇을 풀로 붙이다; 〘구어〙 in dieser Ehe fehlt der ~ 이 결혼에는 부부를 결합시켜 주는 것이 없다; im ~ sitzen 어려운 처지다, 고생하고 있다. ②〘구어〙 질이 낮은 푸딩; 끈끈한 죽; 밀가루 음식.

kleisterig *a.* 풀 같은, 끈끈한; 풀칠한.

kleistern [kláɪstərn] *t.* ① 풀로 붙이다〔바르다〕: wir ~ die Tapete an die Wand 우리는 벽지를 벽에 바른다. ②〘구어〙 jm. eine ~ 누구의 빰을 때리다. ③ 두텁게 바르다: die Butter aufs Brot ~ 버터를 빵에 듬뿍 바르다.

Kleister·papier *n.* 색종이. **~pinsel** *m.* 귀얄, 풀솔. **~tiegel** *m.* ↑ ~topf. **~topf** *m.* 풀항아리.

kleistogam *a.* 〖植〗 자화 수분(自花受粉)〔수정(受精)〕의.

Kleistogamie *f.* -n [..gí:ən] 〖植〗 자화 수분(自花受粉)〔수정(受精)〕.

kleistrig *a.* ↑ kleisterig.

Klematis [klé:matɪs, klemá:tɪs] 《gr.》 *f.* 〖植〗 참으아리속(屬).

Klementine *f.* -n 감귤의 일종.

Klemmappe *f.* -n (죔쇠가 달린) 서류철.

Klemme [klέmə] *f.* -n ① 집게, 돌쩌귀, 죔쇠(도구), 바이스; 〖醫〗 겸자(鉗子). ②〘비유〙 곤경; 딜레마; 빈곤: in der ~ sein 〔sitzen, sich befinden〕 어쩔 수 없는 처지다; in die ~ kommen〔geraten〕 궁지에 빠지다; jn. in die ~ treiben〔bringen〕 누구를 궁지로 몰아넣다; jm. aus der ~ helfen 누구를 곤경에서 구해주다. ③〖醫〗 경련. ④〘은어〙 감옥, 교도소.

***klemmen** [klέmən] 《I》 *t.* ① 단단히 죄다, 끼다; 압착하다; 눌러 부수다: die Mappe unter den Arm ~ 서류 가방을 겨드랑에 끼다; geklemmt 끼인, 물린; 〘비유〙 옴치고 뛰지 못하는, 곤궁한. ②〘속어〙 슬쩍 훔치다: er hat ihr die Ausweise geklemmt 그는 그녀의 신분증을 훔쳤다. ③ (schweiz.) (수업을) 빼먹다. 《II》 *refl.* sich ~ ①〘구어〙 열중하다: er klemmt sich hinter die Bücher 그는 열심히 공부하고 있다; sich hinter jn. ~ 누구에게 도움을 얻고자 하다. ② 물리다, 끼이다: ich habe mich 〔mir den Finger〕 geklemmt 나는 손가락이 끼였다; 〘비유〙 ich klemme mich darauf 나는 그것에 정신이 팔려 있다. 《III》 *i.* (h.) ① 꽉 끼여 있다. ② die Tür klemmt 문이 빡빡하여 잘 열리지 않는다: 〘구어〙 wo klemmt es denn? 대체 무엇이 문제냐?

Klemmer *m.* -s, - ① ↑ Klemme ①. ② 코안경. ③〘은어〙 좀도둑, 소매치기.

klemmig [klέmɪç] *a.* (암석이) 딱딱한.

Klemm·schraube *f.* 〖工〗 고정 나사; 〖전기〗 단자(端子) 클램프.

Klemmen·spannung *f.* 〖전기〗 단자 전압.

klempern [klέmpərn] *i.* (h.) 함석을 때려 펴다; 떠들다; 덜그덕〔덜커덩〕 소리를 내다.

Klempner [klέmpnər] *m.* -s, - 함석장이.

Klempnerei *f.* -en 함석공〔공장·제품〕.

Klempner·laden *m.* ① 함석 제품 취급점. ②〘구어〙 einen ~ an der Brust tragen 가슴에 많은 훈장을 달다. **~meister** *m.* 함석 장인.

klempnern *i.* (h.) 함석으로 세공하다.

Klempner·werkstatt *f.* 함석 세공장.

Kleng·anstalt [klέŋ..] *f.* (침엽수의 열매에서) 씨를 빼내는 시설, 채종장(採種場).

klengen [klέŋən] *t.* Nadelholzzapfen ~ 열을 가하여 침엽수의 열매에서 씨를 빼내다.

Klepper [klέpər] 《<klappern》 *m.* -s, - ① 〖승마〗 준마(駿馬)의 일종; 〘폄어〙 몹쓸〔늙어빠진〕 말. ② 파발꾼, 사환. ③ (md.) 콩새.

Klepper·boot *n.* 접을 수 있는 보트. **~mantel** *m.* (고무를 입힌) 방수 코트(J. Klepper 의 이름에서).

Klepsydra [klέpsydra] 《gr.》 *f.* ..dren [..sý:dren] 옛날의 물시계, 각루(刻漏).

Kleptomane [klεptomá:nə] *m.* -n, -n 〖心〗 도벽이 있는 사람, 절도광.

Kleptomanie 《gr.》 *f.* 〖心〗 (병적) 도벽.

Kleptomanin *f.* -nen ↑ Kleptomane 의 여성형.

kleptomanisch *a.* 〖心〗 도벽(증)이 있는.

klerikal [klerikáːl] 《gr.》 *a.* 성직자의; 로마 가톨릭 교회의.

Klerikalismus [..kalísmʊs] *m.* - 교권 절대주의.

Kleriker [klé:rɪkər, ..ri..] *m.* -s, - 로마 가톨릭의 성직자〔학자〕.

Klerisei [..rizáɪ] *f.* ① 성직자. ②〘속어〙 일

당, 도당.
Klerus [klé:rus] 《gr.》 *m.* - 〔총칭〕 성직자 계급; 성직(자).
Klette [klɛ́tə] *f.* -n ① 가시 달린 열매를 맺는 각종 식물; 우엉. ② 〔비유〕 성가신〔귀찮은〕 사람: an jm. 〔sich an jn.〕 hängen wie eine ~ 누구에게 귀찮게 붙어다니다; jm. eine ~ anheften〔anwerfen〕 누구를 욕보이다; zusammenhalten wie die ~n 매우 친하다. ③ 〖動〗 나무발바리.
kletten *refl.* sich ~ 성가시게 붙어다니다.
kletten≈weise *adv.* 가시난 깍지〔깍정이〕처럼. **~wurzel** *f.* 우엉 뿌리. **≈wurzel·öl** *n.* 우엉 뿌리 기름.
Kletterei [klɛtəráɪ] *f.* -en ① 여러 번 애써 기어오르기. ② 〖등산〗 암벽 등반, 바위타기.
Kletter≈eisen [klɛ́tər..] *n.* (등산화용) 아이젠. **~farn** *m.* 〖植〗 실고사릿과의 일종. **~fuß** *m.* 〖動〗 반금류(攀禽類)의 다리. **~gerüst** *n.* (놀이터의) 기어 오르내리는 시설. **~mast** *m.* ↑ ~stange. **~max** *m.* -es, -e ① (벽을 타고 창을 넘어온) 도둑. ② 〔농담〕 잘 기어오르는 아이. **~maxe** *m.* -n, -n ↑ ~max.
Kletterer [klɛ́tərər] *m.* -s, - ① (암벽) 등반자. ② (다람쥐처럼) 기어오르는 동물.
***klettern** [klɛ́tərn] *i.* (h./s.) 기어오르다; 〖植〗 감아오르다; (오르기 힘든 산의) 정상에 오르다: auf den Baum ~ 나무에 기어오르다; 〔비유〕 es ist, um auf die Bäume zu ~ 몹시 절망적이다; in das Auto ~ 간신히 자동차를 타다; ~de Pflanzen 덩굴 식물.
Kletter≈partie *f.* ① 〖등산〗 경사가 가파른 난코스. ② (가파른 곳을 오르는) 산악 여행〔등반〕. **~pflanze** *f.* 〖植〗 덩굴 식물. **~rose** *f.* 〖植〗 덩굴장미. **~schuh** *m.* 등산화. **~seil** *n.* ① 〖등산〗 등산용 로프, 자일. ② 〖스포츠〗 클라이밍 로프. **~stange** *f.* 〖스포츠〗 클라이밍 폴. **~tau** *n.* ↑ ~seil. **~übung** *f.* 〖스포츠〗 클라이밍. **~vögel** *pl.* 〖動〗 반금류(攀禽類). **~weste** *f.* 등산복.
Kletze [klɛ́tsə] *f.* -n (öst.) 말린 배.
Kletzen·brot *n.* 말린 배를 넣어 만든 빵.
klick [klɪk] *int.* 〔의성어〕 딸깍, 찰칵.
Klick 《engl.》 *m.* -s, -s ① 〖언어〗 설타음(舌打音); 폐쇄음. ② 〖컴〗 클릭(마우스의 단추를 누르는 일).
Klicke [klɪ́kə] *f.* 도당.
klicken [klɪ́kən] *i.* (h.) ① 〔의성어〕 찰칵 소리나다. ② 〖컴〗 (마우스의) 단추를 누르다.
Klicker *m.* -s, - ① (놀이) 구슬. ② 카드.
klickern [klɪ́kərn] *i.* (h.) ① 구슬 놀이를 하다. ② 금속음을 내다.
klieben(*) [klí:bən] (klob/kliebte, geklo-ben/gekliebt) *t.* 〔방언〕 (장작을) 쪼개다.
kliebig *a.* 쪼개지기 쉬운.
Klient [kliɛ́nt] 《lat. cliens》 *m.* -en, -en ① 〖史〗 로마 귀족의 피보호자(당시의 평민). ② 〖法〗 소송〔변호〕 의뢰인.
Klientel [kliɛnté:l] *f.* -en ① 〖史〗 로마 귀족과 그의 피보호자와의〔평민과의〕 관계. ② 〖法〗 소송〔변호〕 의뢰인 전체; 고객.
Klientele *f.* -n ↑ Klientel ②.
Klientin *f.* -nen ↑ Klient 의 여성형.
klieren [klí:rən] *i.* (h.) (ndd.) (알아볼 수 없게) 지저분하게 글씨를 쓰다.
klierig *a.* 지저분하게 갈겨쓴.
Kliesche *f.* -n 〖動〗 가자미의 일종.
kliff [klɪf] *int.* 멍멍.
Kliff[1] *m.* -(e)s 멍멍하는 소리.
Kliff[2] (ndd.) *n.* -(e)s, -e 낭떠러지, 절벽.
***Klima** [klí:ma] 《gr.》 *n.* -s, -s/-te [klimá:tə] 기후, 풍토; 지대, 지방; 〖비유〗 분위기.
Klima≈änderung *f.* 기후 변동. **~anlage** *f.* 에어컨, 냉난방 시설. **~faktor** *m.* 기후 요인〔요소〕. **~gipfel** *m.* 〖기후〗 기후 정상 회담(지구의 기후 문제를 논의하기 위한 국가 정상들의 회의). **~kammer** *f.* (실험·치료를 위한) 인공 기후실. **~modellierung** *f.* 〖기후〗 기후 모델화(컴퓨터 시뮬레이션을 이용해 기후 모델을 만드는 것).
klimakterisch [klimaktέ:rɪʃ] *a.* (여성의) 갱년기의.
Klimakterium [..rium] *n.* -s, ..rien [..riən] 여성의 갱년기.
Klima≈kur·ort *m.* 전지 요양지. **~schwankung** *f.* 기후 변동.
klimatisch [klimá:tɪʃ] *a.* 기후〔풍토〕의.
klimatisieren [klimatizí:rən] *t.* 실내의 온도와 습도를 조절하다, 냉난방 시설을 하다.
Klimatisierung [..tizí:ruŋ] *f.* -en 실내 온도와 습도 조절, 에어컨디셔닝.
Klimatologie *f.* 기후학.
Klimatotherapie *f.* 〖醫〗 기후 요법.
Klima·wechsel *m.* 전지 요양.
Klimax [klí:maks] *f.* -e 정점, 극치, 클라이맥스; 〖修〗 점층법; 〖醫〗 갱년기.
Klimbim [klɪmbɪ́m] *m.* -s 〔구어〕 공연한 소동, 야단법석; 잡동사니; 공연한 흥분, 격앙: viel ~ für et. machen 무엇을 요란하게 떠들어대다; einen riesigen ~ um nichts machen 아무것도 아닌 것을 가지고 야단법석이다.
Klimme [klɪ́mə] *f.* -n ① 〖植〗 덩굴 식물. ② 〖스포츠〗 ↑ Klimmzug.
***klimmen**(*) [klɪ́mən] (klomm/klimmte, geklommen/geklimmt) *i.* (h./s.) 기어오르다: auf die Spitze des Berges ~ 산 정상에 기어오르다; 〔비유〕 nach et.[3] ~ 무엇을 얻으려고 힘쓰다.
Klimm·zug *m.* 〖스포츠〗 턱걸이.
Klimperei [klɪmpəráɪ] *f.* -en 〔폄어〕 서투른 연주.
Klimper·kasten *m.* 〔구어·폄어〕 (값싼) 피아노.
klimper·klein *a.* (rhein., westd.) 〔농담〕 매우 작은.
klimpern [klɪ́mpərn] *i.* (h.)/*t.* ① 피아노〔기타〕를 서투르게 치다: auf dem Klavier 〔der Gitarre〕 ~ 서투르게 피아노〔기타〕를 치다. ② 짤랑짤랑 소리내다: mit dem Geld〔Schlüsselbund〕 ~ 돈을〔열쇠 꾸러미를〕 절렁거리다. ③ (schweiz.) 떠들다.
kling [klɪŋ] *int.* 〔의성어〕 (방울이) 딸랑딸랑, (종이) 땡땡: ~, klang! 딸랑딸랑!
***Klinge** [klɪ́ŋə] 《<klingen》 *f.* -n ① (검의) 날; 칼, 검: jn. mit der flachen ~ schlagen 누구를 칼등으로 치다; eine gute ~ schlagen a) 검을 멋지게 휘두르다, 칼싸움에 능숙하다, b) 〔농담〕 대식(大食)하다; er führt in Wort und Schrift eine scharfe ~ 그는 말과 글에서 다같이 뛰어난 재간을 보인다; bei der ~ bleiben 주제를 벗어나지 않다; die ~n (miteinander) kreuzen 칼싸움하다, 논쟁을

벌이다;〔비유〕jn. über die ~ springen lassen 누구를 죽이다, 어떤 지위에서 쫓아내다, 파멸시키다; jn. vor die ~ fordern 누구에게 결투를 신청하다. ② (ndd.) 종. ③ 계곡, 산골짜기, 협곡.

*__Klingel__ [klíŋəl] *f.* -n 방울, 초인종, 작은 종: auf die ~ drücken 벨을 누르다.

__Klingelei__ *f.* ↑ Geklingel.

__Klingel≈beutel__ *m.* (교회의) 헌금 주머니. __~draht__ *m.* 초인종 줄. __~fahrer__ *m.* (우선 초인종을 눌러보는) 빈집털이 도둑. __~feder__ *f.* 초인종의 용수철〔스프링〕. __~gangster__ *m.* ↑ ~fahrer. __~knopf__ *m.* 초인종 단추.

*__klingeln__ [klíŋəln] 《<klingen》《I》*i.* (h.) (초인종이) 울리다, 찌르릉 소리나다: (nach) jm. ~ 초인종을 눌러 누구를 부르다; es klingelt zum Unterricht 〔zur Pause〕 수업〔휴식〕을 알리는 벨소리가 난다;〔구어〕es hat bei ihm geklingelt 그는 마침내 이해했다;〔구어〕es hat bei ihr geklingelt 그녀는 임신했다;〔스포츠·은어〕es klingelt 슛하여 한 골이 들어갔다; gleich〔jetzt〕hat es (aber) geklingelt! 참는 것도 이제 한계에 다다랐다! 《II》*t.* jn. aus dem Schlaf ~ 벨을 울려서 누구를 깨우다.

__Klingel≈schnur__ *f.* 초인종 줄. __~transformator__ *m.* 초인종용 변압기. __~wecker__ *m.* 전기 경보기. __~zeichen__ *n.* 초인종 소리. __~zug__ *m.* (잡아당기는) 초인종 줄.

__klingen__ [klíŋən] (klang, geklungen)《의성어: ↑ kling》《I》*i.* (h.) ① 소리나다, 울리다: es klingt mir in den Ohren 나는 귀가 울린다; mit ~der Münze zahlen 현금으로 지급하다; mit ~dem Spiel 음악과 함께;〔문학〕~der Reim 여성운; eine Saite in jm. zum ≈ bringen 누구에게 어떤 감정을 일깨우다. ② mit den Gläsern ~ 잔을 맞부딪치다; auf js. Wohl (sein) ~ 누구의 건강을 위하여 축배를 들다. ③ 잘 울린다; …처럼 생각되다; seine Stimme klingt ernst 그의 목소리는 진지하게 들린다; diese Musik klingt angenehm 이 음악은 듣기 좋다; das klingt nach Aufschneiderei 그것은 거짓말같이 생각된다. ④ (s.) sein Ruf ist bis in ferne Länder geklungen 그의 명성은 먼 나라에까지 퍼졌다. 《II》*t.* einen Klang ~ (특히 잔을 맞부딪쳐서) 소리를 울리게 하다.

__Klingen≈probe__ *f.* 칼날 검사. __~schmied__ *m.* 칼 대장장이.

__Klinger__ [klíŋər] *m.* -s, - 〔문법〕모음.

__Kling·gedicht__ [klíŋ..] *n.*〔문학〕14 행 시, 소네트.

__Klingklang__ [klíŋklaŋ] *m.* -(e)s 뎅그렁뎅그렁 울리는 소리; 잔이 맞부딪는 소리.

__klingling__ [klıŋlíŋ] *int.*〔의성어〕↑ kling.

__Kling·stein__ *m.*〔광물〕향암(響岩), 모놀라이트.

*__Klinik__ [klíːnık]《gr.》*f.* -en ①〔醫〕임상; 임상 강의. ② (대학 부속) 병원; 클리닉.

__Kliniker__ *m.* -s, - 임상 강의 강사; 임상 강의 학생; 임상의(醫).

__Klinikum__ [..nikum] *n.* -s, ..ka/..ken ① (대학 부속) 병원. ②〔醫〕임상 실습(과정), 수련의(과정).

__klinisch__ [..nıʃ] *a.* ① 임상의; 임상 강의의: ein ~es Semester 임상 실습 학기; ein ~er Fall 입원 치료를 요하는 경우. ② 병원의 치료〔처치〕에 따른, 치료로 확인된. ③ 병상의.

*__Klinke__ [klíŋkə]《<klingen》*f.* -n (문의) 손잡이; 꺾쇠, 걸쇠;〔기계〕(Sperr≈) 역전(逆轉) 방지 멈춤쇠;〔전기〕잭:〔구어·폄어〕~n putzen 구걸〔행상〕하며 이집 저집 돌아다니다: jm. die ~ in die Hand drücken 누구를 가라고 내쫓다.

__klinken__ [klíŋkən] *i.* (h.) 손잡이를 움직이다; 레버를 움직이다〔조작하다〕: an der Tür ~ 문을 열다〔닫다〕.

__Klinken≈blech__ *n.* 문의 걸쇠판. __~putzer__ *m.* 부랑자, 거지, 행상인. __~schlüssel__ *m.* (걸쇠의) 열쇠.

__Klinker__ [klíŋkər]《<klingen》*m.* -s, - ① 클링커〔경질(硬質)〕 벽돌; 지나치게 구운 벽돌. ② (시멘트의) 소괴(燒塊). ③〔海〕뱃전의 널판을 겹쳐 만든 배.

__Klinker≈bau__ *m.* ① 경질 벽돌의 건물. ② (뱃전의 널판을 겹쳐 만드는) 클링커식 조선법. __~boot__ *n.* 바깥 뱃전이 두 겹으로 된 보트. __~stein__ *m.* ↑ Klinker ①. __≈weise__ *adv.* ~ gebaut 뱃전의 널판을 겹쳐 댄. __~werk__ *n.*〔海〕뱃전의 널판을 겹쳐 대기. __~ziegel__ *m.* ↑ Klinker ①.

__Klink·haken__ *m.* 꺽쇠걸이(꺽쇠를 거는 둥그런 못).

__Klinochlor__ [klinoklóːr] *n.* -s, -e〔광물〕녹니석(綠泥石).

__Klinometer__ [klinoméːtər] *n.* -s, - 클리노미터, 경사계(傾斜計).

__Klinomobil__ *n.* -s, -e 구급차.

__Klinostat__ [..stáːt] *m.* -(e)s/-en, -(e)n〔生〕(굴지성·향일성을 조사하는) 식물 회전기.

__Klinse__ [klínzə] *f.* -n 갈라진 틈〔금〕.

__Klinze__ [klíntsə] *f.* -n ↑ Klinse.

__Klio__ [klíːo] *f.*〔그리스신화〕역사의 여신(9 뮤즈신 중의 하나).

__klipp__ [klıp]《I》*int.*〔의성어〕~, klapp!, ~ und klapp! 털썩털썩, 덜컹덜컹, 우당탕통탕!《II》*a.* ~ und klar 아주 분명한.

__Klipp__ *m.* -s, -s 클립; 집게; (목걸이·브로치 등의) 장신구, 액세서리.

__Klipp·dachs__ *m.* 바위너구리목(目)의 동물.

__Klippe__ [klípə]《ndd.》*f.* -n ① 낭떠러지, 절벽; 암초: an einer ~ scheitern 암초에 부딪쳐 난파하다. ②〔비유〕곤란, 장애.

__klippen__ [klípən]《I》*i.* (h.)〔의성어〕재깍재깍 소리나다.《II》*t.* ① 통하고 튀겨버리다. ② 무엇의 끄트머리를 자르다, 무엇을 베어내다.

__Klippen≈dachs__ *m.* ↑ Klippdachs. __~fisch__ *m.* ↑ Klippfisch. __~küste__ *f.* 바위〔암초〕가 많은 해안.

__klippenlos__ *a.* 암초가 없는.

__Klippen≈rand__ *m.* 암초의 가장자리. __≈reich__ *a.* 바위〔암초〕가 많은; 위험한.

__Klipper__ [klípər] *m.* -s, -〔海〕쾌주 범선;〔空〕장거리 쾌속 비행정, 대형 여객기.

__klippern__《<klappern》*i.* (h.) ↑ klippen.

__Klipp·fisch__ *m.* (바위 위에서 말린) 건대구;〔動〕나비고깃과(科)의 일종.

__klippig__ [klípıç] *a.* 바위가 많은〔솟은〕.

__Klipp≈klapp__ *n.* (물방아 따위의) 덜커덩소리. __≈klapp__ *int.* ↑ klipp《I》. __~kram__ *m.* (낡아빠진) 잡화; 잡동사니. __~schenke__ *f.* 작은 선술집. __~schliefer__ *m.* ↑ ~dachs.

~schuld *f.* 소액의 빚. **~schule** *f.* (nordd.) 사립 초등 학교, 빈민 학교. **~werk** *n.* ↑ ~kram.
Klips *m.* -es, -e ① 머리 핀. ② 장신구.
klirr [klɪr] *int.* 〖의성어〗 덜커덩, 쨍그랑.
klirren [klɪ́rən] 《I》 *i.* ① (h.) 덜거덕덜거덕 〔덜커덩덜커덩·달각달각〕 소리나다, (쇠사슬·총이) 찰깍 소리나다: mit den Sporen ~ 박차(拍車)를 찰깍찰깍 소리내다; die Kälte klirrte 〔es war ~d kalt〕 살을 에는 추위였다. ② (s.) 덜거덕덜거덕 소리내며 움직이다. 《II》 *t.* 찰깍찰깍 맞부딪치게 하다.
Klirr·faktor *m.* 〖전기〗 음파 변형률.
Klischee [klɪʃé:, kli..] 《frz.》 *n.* -s, -s ① 〖印〗 스테레오판, 볼록판. ② 〖구어〗 상투어; 서투른 모방; 진부한 생각.
klischeehaft *a.* 상투적인, 진부한.
Klischee=vorstellung *f.* 〖폄어〗 인습적인 생각. **~wort** *n.* 상투어, 진부한 말.
klischieren [kliʃí:rən, klɪʃ..] *t.* 스테레오판을 만들다; 서투르게 모방하다; 진부한 생각을 하다: etwas Vorhandenes ~ 기존의 것을 모방하다.
Klischier·maschine *f.* 스테레오판 제판기.
Klischograph [kliʃográ:f] *m.* -en, -en 〖印〗 오목판.
Klistier [klɪstí:*r*] *n.* -s, -e 〖醫〗 관장(灌腸).
klistieren *t.* jn. ~ 누구를 관장하다.
Klistier·spritze *f.* 관장기(器).
Klitoris [klí:torɪs, klíto..] 《gr.》 *f.* ..rides [..tó:ride:s] 〖醫〗 음핵.
klitsch [klɪtʃ] *int.* 〖의성어〗 찰싹, 철썩.
Klitsch *m.* -(e)s, -e 〖방언〗 ① 때리기, 타격. ② 뭉글뭉글한 것. ③ 〖구어〗 설 구운 빵. ④ 〖농담〗 두건, 모자.
Klitsche [klɪ́tʃə] *f.* -n 〖구어〗 빈약한 농장; 가난한 마을; 작은 공장〔기업〕; 유랑 극단.
klitschen [klɪ́tʃən] 《I》 *i.* (h.) 찰싹〔철썩〕 소리나다. 《II》 *t.* 철썩〔찰싹〕 때리다.
klitsch·naß *a.* 함빡 젖은.
klitschig [klɪ́tʃɪç] *a.* ① 점토질의. ② (빵이) 구워진.
klitsch, klatsch *int.* 〖의성어〗 찰싹찰싹, 탁탁.
klittern [klɪ́tə*r*n] 《I》 *i.* (h.) 얼룩점을 묻히다, 글씨를〔그림을〕 서투르게 쓰다〔그리다〕, 갈겨쓰다, 아무렇게나 그리다. 《II》 *t.* ① 칠하다. ② 잘게 쪼개다. ③ 상세하게 말하다.
Klitter·schuld *f.* 쌓이고 쌓인 빚.
Klitterung *f.* -en ① 자질구레한 것이 모여서 이루어진 것. ② 엉터리 묘사.
klitze·klein [klɪ́tsəkláɪn] *a.* 〖구어〗 아주 작은.
Klivie [klí:viə] *f.* -n 〖植〗 군자란(君子蘭).
KLM [ka:|ɛl|ɛ́m] =Koninklijke Luchtvaart Maatschappij [kó:nəŋklәkə lýxtfa:rt má:tsxape:] 네덜란드 항공사.
Klo [klo:] *n.* -s, -s 〖구어〗 변소, 화장실: aufs ~ gehen 화장실에 가다.
Kloake [kloá:kə] 《lat.》 *f.* -n ① 하수구〔도〕; 똥구덩이. ② 〖動〗 배설강(排泄腔).
Kloaken·tiere *pl.* 〖動〗 단공류(單孔類).
klob [klo:p] ↑ klieben 의 과거형.
klöbe [klǿ:bə] ↑ klieben 의 접속법 II식.
Klobasse 《sl.》 *f.* -n (öst.) 소시지의 일종.
Klobassi *f.* ..bassen ↑ Klobasse.
Klobe [kló:bə] *f.* -n ↑ Kloben ①.
Klöb·eisen [klǿ:b..] *n.* 나무 쪼개는 칼(손도끼의 일종).
***Kloben** [kló:bən] 《<klieben》 *m.* -s, - ① 통나무, 장작. ② 작은 바이스. ③ (천평칭의) 양(兩)저울판. ④ 〖구어·방언〗 조야한 사람, 시골뜨기. ⑤ 〖사냥〗 (두 조각의 나무 사이에 새다리를 물려서 잡는) 새덫; (삼 등의) 묶음, 뭇, 단; 〖工〗 도르래; 돌쩌귀 축, 쇠말코지. ⑥ (ndd.) 돼지우리. ⑦ 〖방언〗 (볼품없는) 담배 파이프.
kloben *t.* 쪼개다; 통나무로 치다.
Klöben [klǿ:bən] *m.* -s, - (nordd.) 이스트로 부풀려 구운 과자(비스킷).
Kloben=deichsel *f.* (말에 연결하는) 수레〔마차〕의 채. **~holz** *n.* 통나무 재목, 통나무.
klobig [kló:bɪç] *a.* 통나무 같은, 거칠고 모난; 조야한: ein ~er Tisch 통나무 탁자; eine ~e Ausdrucksweise 세련되지 못한 표현법.
Klo=brille *f.* 〖구어〗 변기 좌대. **~frau** *f.* 〖구어〗 화장실 청소부.
klomm [klɔm] ↑ klimmen 의 과거형.
klömme [klœ́mə] ↑ klimmen 의 접속법 II식.
Klon *m.* -s, -e 〖生〗 클론(유전자 복제 등을 통해 만들어진 생물).
klonen [kló:nən] *i.* (h.) (유전자 조작 기술을 통해) 복제하다.
Klön *m.* einen ~ machen ↑ klönen ②.
klönen [klǿ:nən] 《ndd.》 *i.* (h.) 〖구어〗 ① 한탄하다, 투덜거리다. ② 즐겁게 담소하다.
klonieren *i.* (h.) ↑ klonen.
klonisch [kló:nɪʃ] 《gr.》 *a.* 〖醫〗 간헐성의: ~er Krampf 간헐성 경련.
Klonus *m.* ..ni 〖醫〗 간헐성 경련.
Kloot [klo:t] 《<Kloß》 *m.* -(e)s, -en (ndd.) ① 덩어리; 볼링공. ② 층을 이룬 토탄(土炭).
Kloot·schießen *n.* -s (fries.) 빙상 나무공 던지기(무거운 나무공을 빙판 위에서 던지는 게임).
Klopf=damm, ~deich *m.* (달구를 쓰거나 밟아서) 다져 굳힌 제방.
Klopfe *f.* 때리기, 두들기기, 구타: ~ kriegen 두들겨 맞다.
Klöpfel [klœ́pfəl] *m.* -s, - ↑ Klöppel.
klöpfeln [klœ́pfəln] *i.* (h.)/*t.* 가볍게 두드리다.
***klopfen** [klɔ́pfən] *i.* (h.)/*t.* ① 두들기다, 치다: es klopft 문을 두드리는 소리가 난다; an die Tür ~ 문을 두드리다, 〖방언〗 방문하다; 〖비유〗 der Winter klopft an die Tür 겨울이 다가온다; das Herz klopft vor Erwartung 기대로 마음이 설레인다; der Motor klopft 엔진에서 노킹 현상이 일어난다; Fleisch ~ 고기를 두드려 연하게 하다; Teppiche ~ 양탄자를 두들겨서 먼지를 털어내다; 〖카드〗 Skat ~ 스카트놀이를 하다; Steine ~ (석수가) 돌을 깨다; 〖印〗 die Form ~ 조판을 두드려서 활자의 높고 낮음을 없애다; Beifall ~ 박수로 찬성의 뜻을 나타내다; Takt ~ 두드려 박자를 맞추다; den Staub aus den Kleidern ~ 옷을 두들겨서 먼지를 털어내다; jm. auf die Schulter ~ 누구의 어깨를 툭 치다. ② 〖비유〗 bei jm. auf den Busch ~ 누구에게서 무엇을 알아내려고 하다; jm. auf die Finger ~ a) 누구에게 무엇을 금하다, b) 누구를 질책하다; Geld auf

den Schwanz ~ a) 돈을 착복하다, b) 돈을 낭비하다.

Klopfen *n.* -s ① 두들기기, 치기, 두드리기. ②〖醫〗 경타(輕打) 안마법; 타진: ~ der Pulsadern 맥박. ③〖工〗 (내연 기관의) 노킹 현상.

Klopfer [klɔ́pfər] *m.* -s, - (문) 두드리는 사람; 해머, 망치;〖사냥〗 몰이꾼;〖전기〗 음향기; (현관의) 문 두드리는 쇠, (전신기의) 태퍼; (라디오의) 데코 사운더:〖비유〗 einen ~ haben 정신이 돌다, 미치다.

Klopf≈fechter *m.* ①〖구식〗 직업적 검술가, 프로 권투 선수; 싸움패. ②〖평어〗 논쟁을 좋아하는 문필가〔저널리스트〕. **~fechterei** *f.* 권투; 논쟁. **≈fest** *a.*〖기계〗 내폭(耐爆)의, 앤티노크성의: ~er Brennstoff 내폭성 연료. **~festigkeit** *f.*〖기계〗 내폭성(耐爆性). **~garn** *n.* 보드랍게 두들긴 꼰실(초의 심지). **~geist** *m.* (밤에 문·벽을 두들기는) 시끄러운 요괴. **~hengst** *m.* 거세한 말;〖은어〗 (기생집의) 손님. **~holz** *n.* 메. **~käfer** *m.*〖動〗 빗살수염벌렛과(科)의 곤충. **~keule** *f.* 메. **~peitsche** *f.* 회초리, 양탄자용 먼지떨이. **~zeichen** *n.* 노크에 의한 신호.

Kloppe [klɔ́pə] *f.* ↑ Klopfe.

Klöppel [klœ́pəl] 《ndd.; <klopfen》 *m.* -s, - ① (곤봉 모양의) 막대기. ② 종〔방울〕의 추. ③ 도리깨, 방망이. ④ 레이스 짜는 얼레.

Klöppel≈arbeit *f.* 레이스 (세공). **~arbeiter** *m.* 레이스 세공인. **~brief** *m.* 레이스의 본.

Klöppelei [klœpəláɪ] *f.* -en 레이스 세공.

Klöppel≈garn [klœ́pəl..] *n.* 레이스 실. **~kissen** *n.* ① 레이스 바늘 받침. ② (레이스 보가 덮힌) 쿠션. **~maschine** *f.* 레이스 편물기. **~muster** *n.* 레이스의 본.

klöppeln [klœ́pəln] *t.* ① 막대기로 치다〔때리다〕; 손끝으로 톡톡 두들기다. ② Spitzen ~ 레이스를 짜다.

Klöppel≈nadel *f.* 레이스 짜는 바늘. **~spitzen** *pl.* 레이스 직물. **~zwirn** *m.* ↑ ~garn.

kloppen [klɔ́pən] *i.* (h.) (ndd.) ↑ klopfen.

Klopperei *f.* -en ① (계속적인) 구타. ② 싸움질.

Klöpplerin [klœ́plərɪn] *f.* -nen 레이스 짜는 여자.

Klops [klɔps] *m.* -es, -e ①〖요리〗 고기〔생선〕 경단. ②〖복수: Klöpse〗 격분한 행동.

Klops·braten *m.* 고기 경단 구이.

Klosett [klozɛ́t] *n.* -s, -s/-e 변소, 변기.

Klosett≈bürste *f.* 변기 청소용 솔. **~papier** *n.* 화장지.

***Kloß** [klo:s] *m.* -es, Klöße ① (끈적한) 덩어리; 흙덩이. ②〖요리〗 경단: grüne Klöße 감자 경단; jm. sitzt ein ~ im Hals 〔jemand hat einen ~ im Hals〕 목〔가슴〕이 메이는 듯하다; einen ~ im Mund haben 불명료하게 말하다. ③ 뚱뚱한 사람.

Kloß·brühe *f.* 고기 경단을 넣은 수프:〖구어〗 klar wie ~ sein 명백하다.

Klößchen [klǿ:sçən] *n.* -s, - ↑ Kloß 의 축소형.

Kloß·gesicht *n.*〖농담〗 둥근 무표정한 얼굴.

kloßig *a.* 경단 모양의; 끈기 있는: ~es Brot 설구운 빵.

Klößlein [klǿ:slaɪn] *n.* -s ↑ Klößchen.

***Kloster** [klǿ:stər] 《lat.》 *n.* -s, Klöster [klǿ:stər] ① 수도원, 수녀원; 수도원 사람들: ins ~ gehen 수도원에 들어가다, 수사〔수녀〕가 되다; ins ~ stecken〔sperren〕 수도원에 처넣다. ②〖농담〗 변소: aufs ~ gehen 변소에 가다. ③ 여학교.

Kloster≈bibliothek *f.* 수도원 부설 도서관. **~brauch** *m.* 수도원의 관습. **~bruder** *m.*〖가톨릭〗 (평)수사(修士). **~frau** *f.* 수녀. **~fräulein** *n.* ① 수녀; 수도원 여학생. ② 교단의 여성 회원. **~gang** *m.* 수도원의 복도. **~garten** *m.* 수도원의 뜰. **~geistliche*** *der/die* 수도사. **~gelehrsamkeit** *f.* 수도사의 학식. **~gelübde** *n.* 수도 서원(書願)(빈곤·동정(童貞)·순종의 3개조). **~gemeinde** *f.* 수도사〔수녀〕 단체. **~gewand** *n.* 수사복. **~gut** *n.* 수도원 소유지. **~kirche** *f.* 수도원 소속의 성당. **~leben** *n.* 수도원 생활.

Klösterlein [klǿ:..] *n.* -s, - ↑ Kloster 의 축소형.

Kloster≈leinwand *f.* 질이 좋은 아마포의 일종. **~leute** *pl.* 수사, 수녀.

klösterlich [klǿ:stərlɪç] *a.* ① 수도원의, 수도원에 속하는; 수사(修士)의. ②〖비유〗 은둔의: ein ~es Leben führen 은둔 생활을 하다; ~e Ruhe 수도원 같은 정적.

Kloster≈ordnung *f.* 수도원의 계율. **~pforte** *f.* 수도원의 문. **~schule** *f.* 수도원 부속 학교. **~schwester** *f.* 수녀; 평수녀. **~wesen** *n.* 수도원 제도. **~zelle** *f.* 수사〔수녀〕의 방. **~zucht** *f.* 수도원의 규율.

Klöten [klǿ:..] *pl.* (nordd.) 고환, 불알.

Kloth [klɔt, klo:t] *m.* -(e)s, -e (öst.) 안감.

Klotho [klǿ:to] *f.*〖그리스신화〗 클로토(운명을 맡은 3여신(Parzen)의 하나).

Klot·schießen *n.* 빙상에서 벌이는 나무공 던지기 놀이(Eisschießen, Curling).

***Klotz** [klɔts] 《♧ Kloß》 *m.* -es, Klötze(r) [..œ..] ① 통나무, 장작; 그루터기; 나무줄기: einen ~ spalten 통나무를 쪼개다; schlafen wie ein ~ 깊은 잠을 자다; dastehen wie ein ~ 우두커니 서 있다; sich mit jm.〔et.³〕 einen ~ ans Bein binden 누가〔무엇이〕 방해가 되다; einen ~ am Beine haben 방해를 받고 있다; jm. ein ~ am Bein sein 누구에게 부담〔짐〕이 되다;〖속담〗 auf einen groben ~ gehört ein grober Keil 오는 말이 고와야 가는 말이 곱다. ②〖비유·평어〗 바보, 멍청이, 아둔한 사람. ③ 도마, 모탕; 바퀴 멈추개;〖軍〗 (포가(砲架)의) 받침 각재(角材);〖海〗 (밧줄·쇠사슬을 말아 두는) 통나무.

Klotz≈beute *f.* 통나무로 된 벌통. **~bremse** *f.* ↑ Klotz ③.

Klötzchen [klœ́tsçən] *n.* -s, - ↑ Klotz 의 축소형.

Klötze [klœ́tsə] *f.* -n (südd.) ① 말린 배(梨). ② 허섭스레기, 넝마.

klotzen [klɔ́tsən] 《♧ Kloß》 《I》 *i.* (h.) ①〖방언〗 (일을) 크게 벌이다〔투자하다〕: nicht kleckern, sondern ~ 주저하지 않고 일을 크게 벌이다; viel ~ 많은 돈을 치르다. ② (s.)〖방언〗 느릿느릿 움직이다, 요란하게 등장하다, 조야한 짓을 하다. ③ 열심히 일하다. ④ (철새가) 이동하다. ⑤〖스포츠·은어〗 (상대방의) 정강이를 걷어차다. 《II》 *t.* ① einen Block ~ 통나무를 톱으로 자르다. ② 날염하다.

klotzig [klɔ́tsıç] *a.* ① 통나무 같은, 조야한: ein ~es Gebäude 볼품없는〔조야한〕 건물. ②〘비유〙 버릇없는; 무딘; 막대한: ~e Gelder verdienen 많은 돈을 벌다.

Klotz·kopf *m.* 〘경박·폄어〙 미련퉁이, 멍청이. **~maschine** *f.* 〘工〙 염색기. **~mönch** *m.* 맨발의 수도사. **~schuh** *m.* 나막신. **~-stufe** *f.* 나무 층층대의 맨 아래층.

Klub [klup] *m.* -s, -s 동아리; 클럽; 클럽 회관: da hat sich ja der richtige ~ zusammen getan! 정말 동아리들이 다 모였군!

Klubbist [klubíst] *m.* -en, -en ↑ Klubmitglied.

Klub·garnitur *f.* 응접 세트. **~haus** *n.* (클럽) 회관. **~hütte** *f.* 산악회 전용의 산막. **~-jacke** *f.* (회원용) 운동복 상의. **~kamerad** *m.* 클럽 동료. **~leben** *n.* 클럽 생활. **~lokal** *n.* ↑ ~haus. **~sessel** *m.* 안락 의자. **~-mitglied** *n.* 클럽 회원. **~raum** *m.* 클럽 회원실, 동아리방. **~wesen** *n.* 클럽 제도〔생활〕. **~zwang** *m.* (öst.) (소속 의원에 대한) 당의 구속력, 당의에 따른 투표 의무.

kluck [kluk] *int.* 꿀꺽꿀꺽(gluck).

Klucke *f.* -n (ndd.) ↑ Glucke ①②.

kluckern 《Ⅰ》 *i.* (h.) ① 꿀럭꿀럭 소리나다. ② 구슬치기〔공기놀이〕하다. 《Ⅱ》 *t.* 애무하다.

*__Kluft__[1] [kluft] 《<klieben》 *f.* Klüfte [klʏ́ftə] ① (땅〔빙하〕의) 벌어진 틈〔금〕; 협곡; 심연. ②〘비유〙 분열, (의견의) 차이: eine tiefe ~ trennt diese beiden Weltanschauungen 이 두 세계관 사이에는 현격한 차이가 있다. ③ 〘工〙 집게; 접자; 장작.

Kluft[2] 《hebr.》 *f.* -en ① 제복; 〘구어〙 옷: 〘경박〙 sich in ~ werfen〔schmeißen〕 성장(盛裝)하다. ② 소 허벅다리 고기.

klüften [klʏ́ftən] 《<Kluft[1]》 *t.* 쪼개다, 째다.

Kluft·holz *n.* 장작.

kluftig *a.* ↑ klüftig.

klüftig [klʏ́ftıç] *a.* 갈라진 금이 있는; 쪼개지기〔갈라지기〕 쉬운.

*__klug__ [klu:k] (klüger, klügst) *a.* 영리〔총명〕한, 재주 있는; 신중한; 판단력 있는; 기민한; 수완 있는; 능숙한; 교활한; 학식이 있는; 〘방언〙 훌륭한, 마음에 드는: ein ~er Kopf 총명한 사람; 〘속담〙 der Klügere gibt nach 현명한 쪽이 양보한다, 지는 것이 이기는 것이다; hinterher ist man immer klüger 사람은 언제나 나중에 가서야 더 잘할 수 있는 방법을 깨닫게 된다; ~er Einfall〔Gedanke〕 명안(名案); eine ~e Politik 현명한 정책; 〘聖〙 seid ~ wie die Schlangen! 뱀같이 지혜로워라! (마태 10 : 16) ; ~ machen 가르쳐 주다; 〘반어〙 jetzt bin ich so ~ wie zuvor 나는 그것을 여전히 이해하지 못한다; er spricht〔redet〕 ~ 그는 약빠른〔그럴 듯한〕 얘기를 한다; aus〔in〕 et.[3] ~ werden 무엇을 이해하다; aus ihm wird man nicht ~ 그의 속마음을 알 수 없다; 〘구어〙 er ist nicht recht ~ 그는 정신이 약간 이상하다; 〘속담〙 durch Schaden wird man ~ 고초를 겪어야 똑똑해진다; 〘방언〙 wie nicht ~ 무절제한.

Kluge* *der/die* 영리한〔약빠른〕 사람.

Klügelei [kly:gəlái] *f.* -en 약은 체하기, 견강부회, 궤변.

klügeln [klʏ́:gəln] *i.* (h.) 약은 체하다; 궤변을 늘어놓다; 숙고하다: an einem Problem ~ 어떤 문제를 놓고 심사숙고하다.

kluger·weise [klú:gərváızə] *adv.* 현명하게.

*__Klugheit__ [klú:khaıt] *f.* -en 영리, 총명, 재주; 사려, 신중; 민첩, 명민; 교활, 책략; 〘복수로만〙〘반어〙 똑똑한 말: deine ~en kannst du dir sparen 똑똑한 척하지 않는 게 좋아.

Klugheits·lehre, ~regel *f.* 처세술. **~-rücksicht** *f.* 신중, 조심.

Klügler [klʏ́:glər] *m.* -s, - 잘난〔아는〕 체하는 사람, 궤변가.

klüglich [klʏ́:klıç] *adv.* 영리〔총명〕하게; 조심성 있게, 신중히; 민첩하게, 실수 없이.

Klügling *m.* -s, -e ↑ Klügler.

klug·reden *i.* (h.) 잘난〔아는〕 체하다, 영리한 체하다. **~redner** *m.* ↑ Klügler. **~|-scheißen** *i.* (h.) 잘난〔아는〕 체하다.

Klug·scheißer, ~schmuser, ~schnacker, ~schwätzer, ~sprecher, ~tuer *m.* 잘난〔아는〕 체하는 사람. **~|schnacken** *i.* (h.) (ndd.) ↑ ~reden.

Klump [klump] *m.* -(e)s, -e/Klümpe [klʏ́mpə] 〘방언〙 ↑ Klumpen; 〖요리〗 큰 밀가루 경단: jn.〔et.〕 zu ~ schlagen〔hauen〕 누구를〔무엇을〕 마구 때리다〔때려부수다〕; einen Wagen in〔zu〕 ~ fahren 차를 (사고로) 완전히 파손시키다; 〘구어〙 in ~ gehen 파괴되다.

Klumpatsch [klúmpatʃ] *m.* -es (울룩불룩한) 덩이, 폐물, 무더기, 잡동사니.

Klümpchen *n.* -s, - ① ↑ Klump 의 축소형. ②〖요리〗 (수프 속의) 작은 경단; 〘방언〙 사탕.

Klumpen [klúmpən] *m.* -s, - (ndd.) ① 덩어리, 퇴적물; 집단, 군중: ein ~ Blei 납 덩어리; alle auf einem ~ 한 덩어리가 되어, 한 곳에 몰려; 〘구어〙 alles in ~〔Klump〕 hauen 잘게 자르다. ②〘방언〙 나막신.

klumpen *i.* (h.)/*refl.* (sich) ~ 덩어리가 되다, 굳어지다: der Lehm klumpte an seinen Schuhen 진흙이 그의 신발에 덩어리져 달라붙었다.

Klumpen·gold *n.* 금괴. **~weise** *adv.* 덩어리로.

klümperig [klʏ́mpərıç] *a.* (굳은) 덩어리가 된; 작은 덩어리가 있는〔로 된〕.

Klump·fuß *m.* ①〖醫〗 내번족(內翻足), 만곡족. ② 안짱다리. **~füßig** *a.* 안짱다리의.

klumpig [klúmpıç] *a.* ① 덩어리가 있는, 덩어리로 된. ② 덩어리 모양의.

klümprig *a.* ↑ klümperig.

Klüngel [klʏ́ŋəl] *m.* -s,- ① 실뭉치. ②〘폄어〙 일당. ③〘방언〙 비밀 협정. ④ 잡동사니.

Klüngelei [klyŋəlái] *f.* -en 〘폄어〙 ① 붕당 정치, 파벌. ②〘방언〙 늑장부림, 꾸물거림.

klüngeln *i.* (h.) ① 파벌을 이루다, 파벌 정치를 하다. ②〘방언〙 늑장부리다, 꾸물거리다.

Kluniazenser [kluniatsέnzər] 《lat.》 *m.* -s, - 클뤼니 교단의 수도사; 〘복수〙 클뤼니 교단.

kluniazensisch *a.* 클뤼니 교단의.

Klunker [klúŋkər] *f.* -n 〔*m.* -s, -〕 ① 늘어뜨린 실장식; 장신구, 보석. ② 술. ③ 작은 덩어리, 경단. ④〘방언〙 넝마.

klunkerig *a.* ① 술이 드리워진. ② 작은 덩어리가 있는. ③ 난잡한.

klunkern [klúŋkərn] *i.* (h.) 술처럼 늘어지다.

klunkrig *a.* ↑ klunkerig.
Klunse [klúnzə] *f.* -n 갈라진 틈.
Kluntje *n.* -s, -s (nordd.) 흰 알사탕.
Kluppe [klúpə] 《<klieben》*f.* -n ① 겸자(鉗子), 집게: 〔구어〕 jn. in〔unter〕 die ~ bekommen〔kriegen〕 누구를 붙잡다, 손아귀에 넣다. ②〖工〗 나사 돌리는 기구, 렌치. ③ 버니어 캘리퍼스. ④ (öst.) 빨래 집게.
kluppen *t.* ① 집게로 집다〔물다〕. ② (말 따위를) 거세하다. ③ 한덩어리로 모으다.
Klupperl *n.* -s, - (bayr.) 빨래 집게.
Klupp·zange *f.* 핀셋, 겸자.
Klus [klu:s] 《lat.》*f.* -en (obd.) (Klause) 협곡, 애로.
Klüse [klý:zə] (ndd.) *f.* -n ①〖海〗 닻줄구멍. ②〔방언〕 눈.
Klusil [kluzí:l] 《lat.》 *m.* -s, -e 〖언어〗 파열음 (p, b, t, d, k, g 따위).
Klut [klu:t] *m.* -(e)s, -en/Klüten [klý:tən] (ndd.) ① 덩어리; 흙덩어리; 경단: Bremer ~en 박하 사탕. ② 발렌(종이·천의 수량 단위). ③〖動〗 물떼샛과(科) 조류의 총칭.
Klüten [klý:tən] *m.* -s, - ↑ Klut.
Kluten·pedder *m.* 〔편어〕 농사꾼.
klütern [klý:tərn] *i.* (h.) 〔방언〕 an et.³ ~ (부업으로 또는 틈틈이) 무엇을 하다.
Klutter [klútər] *f.* -n 〖사냥〗 (새 유인용) 피리.
Klüver [klý:vər] 《ndl.》*m.* -s, - 〖海〗 뱃머리의 삼각 돛.
Klüver≈baum *m.* 뱃머리의 제 2 돛대. **~fall** *n.* 지브를 다루는 밧줄.
Klysma [klýsma] 《gr.》 *n.* -s, ..men 〖醫〗 관장(제)(灌腸(劑)).
Klystier [klʏstí:r] *n.* 〖醫〗 관장(灌腸)(Klistier).
klystieren *t.* 〖醫〗 관장(灌腸)하다 (klistieren).
Klystron [klýstrɔn] *n.* -s, -e [..tró:nə] 《gr.》 속도 변조관, 클라이스트론(초고주파용 진공관).
Klytämnestra [klytɛmnɛ́stra] *f.* 〖그리스신화〗 클리템네스트라(Agamemnon 의 부정한 처).
k.M. = künftigen Monats 내달의.
km = Kilometer 킬로미터.
km² = Quadratkilometer 제곱 킬로미터.
km³ = Kubikkilometer 세제곱 킬로미터.
KMI = Körpermasse-Index 〖醫〗 체격 지수.
km/h 시속 …킬로미터.
KMK = Kultusministerkonferenz (각 주의 문화부 장관들로 구성되는) 문화부 장관 회의.
km/st = Kilometer je Stunde 시속 …킬로미터.
km-Zahl = Kilometerzahl (차량의) 주행 거리수.
kn = Knoten 〖海〗 노트, 해리(海里).
***knabbern** [knábərn] 《I》 *i.* 갉(아먹)다, 쏠다: die Mäuse haben am Käse geknabbert 쥐들이 치즈를 갉아먹었다; 〔비유〕 an et.³ (noch lange) zu ~ haben 무슨 일로 (오랫동안 더) 고생해야 한다. 《II》 *t.* 파삭파삭 씹다, 갉죽거리며 먹다: etwas zum ≈ 다과; nichts mehr zu ~ haben 먹을 것이 없다, 곤궁하다.
Knäbchen [knɛ́:pçən] *n.* -s, - ↑ Knabe 의 축소형.
***Knabe** [kná:bə] *m.* -n, -n ① 사내 아이, 소년; 젊은이; 〔雅語〕 아들: sie wurde von einem gesunden ~n entbunden 그 여자는 건강한 아들을 분만했다; alter ~ a) (친한 사이에 부르는 말) 아, 자네, b) 〔농담〕 어른. ② (alem.) 독신자.
Knaben·alter *n.* 소년기, 소년의 연령.
knabenhaft *a.* 소년다운, 아이 같은.
Knabenhaftigkeit *f.* ↑ knabenhaft 의 명사형.
Knaben≈kraut *n.* 〖植〗 난초과의 일종. **~liebe** *f.* 비역, 남색(男色). **≈mäßig** *a.* ↑ knabenhaft. **~schänder** *m.* 〔雅語·폄어〕 남색가. **~schänderei, ~schändung** *f.* 비역, 남색. **~schule** *f.* 남자 학교. **~sopran** *m.* (변성기 전의) 소년의 소프라노음. **~stimme** *f.* 사내아이의 음성. **~streich** *m.* 사내아이의 장난. **~wurz** *f.* 〖植〗 ↑ ~kraut. **~zeit** *f.* ↑ ~alter.
Knäblein [knɛ́:plaɪn] *n.* -s, - ↑ Knabe 의 축소형(↑ Knäbchen).
knack [knak] *int.* ↑ knacks.
Knack *m.* -(e)s, -e ↑ Knacks.
Knack·beere, Knackel·beere *f.* 〖植〗 가시나무의 일종.
Knäcke·brot [knɛ́kə..] 《schwed.》 *n.* 딱딱하게 구운(수분이 적은) 빵(의 조각): ich esse abends nur ein ~ 나는 저녁에는 딱딱한 빵 한 조각만을 먹는다.
***knacken** [knákən] 《<knack(s)》《I》 *i.* ① 딱〔탁〕 소리나다, 날카로운 폭음을 내다; 딱 소리를 내면서 깨지다〔터지다〕: ~d voll 터질 정도로 꽉 찬. ② mit et.³ ~ 무엇으로 딱 소리내다, 부러뜨리다. ③〔학생〕 knack nicht so mit deinem Bier! 맥주를 그렇게 찔끔찔끔 마시지 마라! ④〔경박〕 잠자다: er liegt im Bett und knackt 그는 침대에 누워 자고 있다. 《II》 *t.* ① (et.) 딱 부러뜨리다, 쪼개다: Nüsse ~ 호두를 까다; 〔비유〕 an dieser Sache wird er noch lange zu ~ haben 그는 이 일로 오랫동안 고생해야 할 것이다; 〔구어〕 den Geldschrank ~ 금고를 털다; Läuse ~ 이를 눌러 죽이다; 〔비유〕 jm. eine harte Nuß zu ~ geben 누구에게 어려운 문제를 내다. ②〔구어〕 Rätsel ~ 수수께끼를 풀다; 〔비유〕 einen Geheimkode ~ 암호를 해독하다. ③〔컴〕 보호 장치를 풀다.
Knacker [knákər] *m.* -s, - ① 딱 하는 소리; 딱 하고 부서지기. ② (호두 따위를) 까는 사람; 금고털이. ③ 호두까개. ④ (특히 익살스럽거나 욕심 많은) 노인: 〔경박〕 ein alter ~ 무뚝뚝하고 완고한 노인. ⑤ ↑ Knackwurst. ⑥〖컴〗 해커.
knack·frisch *a.* 〔구어〕 매우 싱싱한: das Brot ist ~ 그 빵은 매우 신선하다.
Knacki [knáki] *m.* -s, -s 〔은어〕 죄수, 전과자.
***knackig** [knákɪç] *a.* ①〔구어〕 사각사각 소리나는, 파삭파삭한: ein ~er Apfel (씹을 때) 사각사각 소리나는 사과; 〔비유〕 es ist ~ (날씨가) 매우 춥다. ②〔경박〕 a) 젊고 싱싱한: ~e Mädchen 발랄한 처녀들, b) 적절〔간결〕한: eine ~e Formulierung 간결한 표현, c) 훌륭〔탁월〕한: ~e Musik 훌륭한 음악; ein ~es Angebot 아주 좋은 상품.
Knack≈laut *m.* ① 뚝〔탁〕하는 소리, 부서지

는 소리. ②〖문법〗 성문(聲門) 파열음. **~-mandel** *f.* 껍질이 붙은 아몬드.

knacks [knaks] *int.* 〘의성어〙 딱, 파삭(부서지는 소리).

Knacks *m.* -es, -e 〘구어〙 ① 딱하는 소리. ② 깨지기; 파손; (정신적 또는 육체적) 결함: die Tasse hat einen ~ bekommen 찻잔이 깨졌다; diese Ehe hat einen ~ 이 결혼엔 결함이 있다; ein alter ~ (정신적·육체적으로) 오래된〔묵은〕 상처. ③〖林〗 관목 숲. ④ 자갈.

knacksen [..ksən] *i.* (h.) ↑ knacken 《I》.

Knack≈stiefel *m.* ein alter ~ 고집세고 음흉한 노인. **~wurst** *f.* (깨물면 터지는 소리가 나는) 얇고 단단한 껍질로 싸인 소시지.

Knagge [knágə] 《ndd.》 *f.* -n ① 나무의 마디, 옹이. ②〖건축〗 까치발; 〖工〗 캠, 철자(凸子); 가대(架臺). ③〘고어·방언〙 옷걸이 못이 붙어 있는 판자.

Knaggen [knágən] *m.* -s, - ↑ Knagge.

Knäk·ente [knɛ́:k..] *f.* 〖動〗 물오리의 일종.

***Knall** [knal] *m.* -(e)s, -e ① 총소리, 폭음, 벽력, (채찍 따위의) 찰싹하는 소리; 〖理〗 폭연(爆燃): der Reifen platzte mit einem lauten ~ 타이어가 큰 폭음을 내면서 파열되었다. ② 〘속어〙 정신 나감, 돎: er hat 'nen ~ 그는 정신이 이상하다. ③ (auf) ~ und Fall 〔~ auf Fall〕 갑자기, 별안간, 재빠르게: er wurde ~ und Fall entlassen 그는 갑자기 해고당했다. ④ 소동, 야단법석: zum großen ~ kam es 큰 소동이 일어났다.

Knall≈blättchen *n.* 딱총용 종이 화약, 딱총의 일종. **~bonbon** *n.* 크래커 봉봉(통 모양의 양 끝을 잡아당기면 큰소리를 내면서 찢어져 안에서 과자·장난감이 나옴). **~büchse** *f.* 〘구어·농담〙 종이 딱총; 〘비유〙 쓸모없는 화기. **≈bunt** *a.* 눈부시게 화려한: ein ~es Kleid 현란한 옷.

Knalle [knálə] *f.* -n 채찍끈.

Knall·effekt *m.* 〖연극〗 무대 효과, 청중〔관중〕을 놀라게 하기 위한 효과.

***knallen** [knálən] 《I》 *i.* ① 폭음을 내다: mit et.³ ~ 무엇으로 탁 소리를 내다; 〘구어〙 es hat geknallt 사고가〔충돌이〕 일어났다; 〘비유〙 in der Familie hat es mal wieder geknallt 가족 간에 또다시 싸움이 있었다; 〘구어〙 es knallt 탁탁하는 소리가 난다, 폭발한다. ② (s.) 폭발하다: der Luftballon ist geknallt 풍선이 터졌다; 〘구어〙 das ist zum ≈ 그것은 참 우스꽝스럽다. ③ (태양이) 뜨겁게 내리쬐다: die Sonne hat ihm auf den Kopf geknallt 태양이 뜨겁게 그의 머리에 내리쪼였다. ④〘비속〙 성교하다. 《II》 *t.* ① ein Gewehr ~ 총을 쏘다. ②〘구어〙 jm. eine ~ 따귀를 때리다; den Hörer auf die Gabel ~ 수화기를 걸이에 딱 소리를 내며 걸다; 〘경박〙 sich in einen Sessel ~ 소파에 털썩 몸을 던지다; den Ball ins Tor ~ 공을 강하게 골문 안으로 슈팅하다; einem Tier eins auf den Pelz ~ 어떤 동물을 탕 쏘다; jn. aus dem Schlaf ~ 꽝소리를 내어 누구를 잠에서 깨우다.

knallend *p.a.* (빛깔이) 야한, 현란한: ~e Farben 현란한 색채들; ein ~es Rot 새빨간 색.

Knäller [knɛ́lər] *m.* -s, - 〘방언〙 나쁜 담배.

Knall·erbse *f.* (장난감) 딱총알(화약을 넣은 종이 주머니; 땅에 치면 폭음이 남).

Knallerei [knalərái] *f.* -en 〘구어〙 ① 지속적인 (성가신) 폭음. ② 총격전, 발포.

Knall≈frosch *m.* 지면에서 통통 튀면서 폭발하는 폭죽. **~gas** *n.* 〖化〗 폭명(爆鳴) 가스.

Knallgas≈gebläse *n.* 산수소 취관(吹管). **~licht** *n.* 산수소광(光).

Knall≈glas *n.* 터지는 유리알 (장난감). **~gold** *n.* 〖化〗 뇌금(雷金). **≈hart** 〘구어〙 ① 매우 딱딱한. ② 잔인한, 소름끼치는: ein ~er Krimi 소름끼치는 범죄물. ③ 무자비〔난폭〕한; 냉혹〔가혹〕한: ein ~er Gegner 무자비한 적수; ein ~es Urteil 가혹한 판결. ④ 아주 강한, 알코올 도수가 높은: 〘구어〙 ein ~es Getränk 알코올 함유량이 많은 음료.

knallig [knálɪç] *a.* ① (빛깔이) 야한: ein ~er Film 자극적인 영화. ② 정신이 이상한. ③ 매우 큰, (격)심한: eine ~e Wirkung 커다란 영향.

Knall≈kapsel *f.* 〖철도〗 (짙은 안개가 낄 때 사용하는) 폭명(爆鳴) 신호기. **~kopf, ~kopp** *m.* 〘욕설〙 바보, 미친 녀석. **~körper** *m.* 폭죽. **~protz** *m.* 〘폄어〙 허풍선이, (오만한) 벼락 부자. **~pulver** *n.* 폭약. **~queck·silber** *n.* 〖化〗 뇌산(雷酸) 수은. **≈rot** *a.* 새빨간: er wurde ~ vor Wut 그는 분노로 얼굴이 새빨개졌다. **~säure** *f.* 〖化〗 뇌산(雷酸). **~schote** *f.* ①〖植〗 콩과의 일종. ②〘방언〙 따귀. ③〘경박〙 익살꾼. **~signal** *n.* 〖철도〗(짙은 안개시) 신호 장치, 신호. **~silber** *n.* 〖化〗 뇌은(雷銀).

***knapp**[1] [knap] 《ndd.》《I》 *a.* ① 좁은; 갑갑한, 착 달라붙는, 빽빽한, (옷·구두 따위가) 꼭 끼는; 간결한: das Kleid sitzt ~ 앉으면 옷이 꼭 낀다; 〘비유〙 ein ~er Stil 간결한 문체; eine ~e Ausdrucksweise 간명한 표현 방법; kurz und ~ 간결하게. ② 모자라는; 가난한: ein ~es Gehalt 박봉(薄俸); ~e Zeiten 불경기 시절; das Geld ist ~ bei ihm 그는 돈이 빠듯하다. ③ 근소한; 겨우〔간신히〕 되는, 빠듯한, 꼭: mit ~er Not 겨우, 간신히; eine ~e Mehrheit 근소한 다수; 〖스포츠〗 ein ~er Sieg 박빙의 승리; ~e drei Wochen 빠듯한 3주일 (동안); das war ein ~es Entkommen 그것은 정말 극적인 탈출이었다. ④ 면밀한; 인색한. 《II》 *adv.* ① 밀착하여: ~ angezogen 옷을 꼭 끼게 입고. ② 불충분하게, 모자라게: es geht ihm ~ 그는 군색하다; er hält ihr stets sehr ~ 그는 그 여자에게 (돈·음식 따위를) 언제나 빠듯하게 준다; er bestand die Prüfung ~ 그는 간신히 시험에 합격하였다; 〘속어〙 nicht zu ~ 충분히, 실컷. ③〘공간적〙 밀착하여, 아주 가까이: das Auto fuhr ganz ~ an mir vorbei 차가 내 옆 바로 가까이로 지나갔다. ④〘시간적〙 빠듯하게, 직전에: sie ist ~ zwanzig 그녀는 스물이 될까말까다; ~ vor Mittag 정오 직전.

knapp[2] *int.* ↑ knacks.

Knappe[1] [knápə] 《<Knabe》 *m.* -n, -n ① (중세 기사의) 종자, 시신(侍臣), 시동, 방자; (Schild≈) (기사의) 방패잡이 종. ②〘고어〙 (특히 방앗간의) 도제(徒弟); (Berg≈) 갱부; 광원.

Knappe[2] 《<knapp[2]》 *f.* -n 채찍끈.

Knappen [knápən] *m.* -s, - ↑ Knappe[1].

knappen[1] [knápən] 《<knapp[1]》 *i.* ① 검약하

다, 아끼다: mit et.³ ~ 무엇을 아끼다. ②〔고어〕 덥석 덤벼들어 물다: der Hund knappte nach dem Bein des Briefträgers 개가 우체부의 다리를 덥석 물었다.

knappen² 《<knapp²》 *i.* 〔고어〕 (채찍이) 찰싹 하고 소리나다; (obd.) 바작바작 타다.

knappern [knápərn] 〔방언〕 ① (klappern) 딸랑〔덜커덩〕거리다. ② 파삭파삭 씹다 (knabbern).

knapp|halten* 《<knapp¹》 *t.* ① jn. ~ 누구에게 충분히 주지 않다: jn. im Essen 〔mit Geld〕 ~ 누구에게 식사를〔돈을〕 빠듯하게 주다. ② 보류하다, 적게 내놓다.

Knappheit [knáphaɪt] 《<knapp¹》 *f.* (옷이) 꼭 낌; (언어·문체 따위의) 간결; (음식·자금·공급 따위의) 부족, 결핍, 궁핍, 핍박: Lebensmittel≈ 식량의 부족.

Knapp≈kuchen *m.* (rhein.) 딱딱하게 구운 과자. **~sack** *m.* 〔고어〕 배낭.

Knappschaft [knápʃaft] 《<Knappe¹》 *f.* -en ① 기사의 시종 신분. ② (어느 광산의) 광원 (전체); 광원 조합.

knappschaftlich *a.* 광원(조합)의: die ~e Rente 광원 연금.

Knappschafts≈kasse *f.* 〖法〗 광원 공제 기금. **~rente** *f.* 〖法〗 광원 연금. **~verband** *m.* 갱부 조합. **~versicherung** *f.* ↑ ~kasse.

knaps [knaps] *int.* ↑ knacks.

knapsen [knápsən] 《<knapp¹》 *i.* 〔구어〕 (손가락으로) 집(어내)다; 인색하게 굴다, 아끼다: mit dem Geld ~ 돈을 아끼다.

knarr [knar] *int.* 〔의성어〕 갉죽갉죽, 삐걱삐걱(물건이 서로 닿아서 나는 소리).

Knarre [knárə] *f.* -n ① 딸랑딸랑 소리나는 물건; (장난감) 딸랑이. ②〖工〗 (Bohr≈) 암석 천공기. ③〔경박·농담〕(산탄)총; 시계.

knarren [knárən] *i.* (문·수레바퀴 따위가) 삐걱거리다; (타는 장작이) 바작바작 소리내다: mit et.³ ~ 무엇으로 삐걱삐걱하고 소리내다; eine ~de Stimme 걸걸한 목소리.

knarrhaft, knarrig [knárɪç] *a.* 삐걱삐걱 소리나는: mit ~er Stimme sprechen 걸걸한 목소리로 말하다.

Knast [knast] 《ndd.》 *m.* -(e)s, -e/Knäste [knɛ́stə] ① 나무마디, 옹이. ②〔농담〕 혹, 곱사등이. ③〔구어〕 완고한 사람; (특히) 노인: ein reicher ~ 인색한 부자. ④〔구어·은어〕 형벌; 감옥: er hat drei Jahre ~ bekommen 그는 3년간의 금고형을 선고받았다; 〔경박〕 ~ schieben 감방에 살다. ⑤〔속어〕 돈(Geld). ⑥〔고어〕 머리끝.

Knaster¹ [knástər] 《holl.》 *m.* -s, - ①〔고어〕 바리나스산(産) 고급 담배. ②〔구어·폄어〕 값싼 담배.

Knaster² 《<Knast》 *m.* -s, - 〔방언〕 불평가, 괴팍한 사람: ein alter ~ a) 〔고어〕 늙은 선비, b) 완고한 노인.

Knaster·bart *m.* 괴팍한 노인.

Knasterer [knástərər] *m.* -s, - ↑ Knaster².

knastern¹ [knástərn] *i.* 〔방언〕 ① (불 따위가) 바작바작 소리내다. ② 투덜투덜 불평하다.

knastern² 《<Knaster¹》 *i.* 〔방언〕 좋은 담배 냄새가 나다; 느긋하게 음미하며 파이프 담배를 피우다.

Knastrer *m.* -s, - 〔방언〕 ↑ Knasterer.

Knatsch [kna(:)tʃ] *m.* -(e)s ① 결쭉한 것, 죽. ②〔구어〕 불쾌한 일, 다툼, 흥분: Familien≈ 가정 불화; die beiden haben ~ miteinander 두 사람이 서로 다투고 있다. ③ 농담, 시시한 일〔것〕.

knatschen [kná(:)tʃən] 《md.》 《I》 *t.* 눌러 찌부러뜨리다, 엉망진창으로 하다; (옷·종이를) 구기다. 《II》 *i.* 〔구어〕 (문이) 삐걱삐걱 하고 소리나다; 〔폄어〕 울면서 말하다; 〔방언〕 (음식을) 소리내며 씹다.

knatschig [kná(:)tʃɪç] *a.* 〔구어〕 잘 우는, 투덜대는, 기분이 언짢은.

knattern [knátərn] 《♧ knittern》 *i.* 〔의성어〕 (기관총 따위가) 따따따 소리나다, (천둥소리가) 꽈르릉꽈르릉 나다: eine Fahne knattert im Wind 깃발이 바람에 펄럭펄럭 거린다; die Jungen ~ mit ihren Motorrädern durch die Straßen 젊은이들이 오토바이를 타고 굉음을 내며 거리를 질주한다.

Knäuel [knɔ́ʏəl] *n./m.* -s, - 〔방언〕 ① 실뭉치. ②〔비유〕 엉킴, 혼란; 미로; (관념의) 복잡한 연관성; 무리, 떼, 집단: an der Unfallstelle bildete sich schnell ein ~ von Menschen 사고 지점에 한 무리의 사람들이 곧 모여들었다. ③〖植〗 푸른 토끼풀.

Knäuel·binse *f.* 〖植〗 골풀과(科)의 일종.

Knäuelchen *n.* -s, - 〔↑ Knäuel 의 축소형〕 작은 실뭉치.

Knäuel≈drüse *f.* 〖해부〗 (피부의) 한선(汗腺). **~gras** *n.* 〖植〗 오리새.

knäuelig [knɔ́ʏəlɪç] *a.* 실뭉치 모양의; 헝클어진.

knäueln [knɔ́ʏəln] 《I》 *t.* 감아서 실뭉치로 만들다; 혼란스럽게 하다. 《II》 *refl.* sich ~ 둥글어지다, 집단이 되다, 혼잡해지다: an der Kreuzung knäuelt sich der Verkehr 교차로에서 교통이 혼잡해진다.

Knauer [knáʊər] *m.* -s, - 〖광산〗 단단한 암석.

knauerig *a.* 단단한 암석을 함유한.

Knauf [knaʊf] 《♧ Knopf》 *m.* -(e)s, Knäufe [knɔ́ʏfə] ① (지팡이·칼자루의) 대가리; (냄비 뚜껑의) 꼭지. ②〖건축〗 대접받침, 주두(柱頭).

Knäufchen [knɔ́ʏfçən] *n.* -s, - ↑ Knauf 의 축소형.

knaufig, knäufig *a.* 둥그스레한; (지팡이의) 대가리 모양의.

Knaul [knaʊl] *m./n.* -s, -e/Knäule [knɔ́ʏlə] ↑ Knäuel.

Knäulchen [knɔ́ʏlçən] *n.* -s, - ↑ Knäuelchen.

knäulen [knɔ́ʏlən] *t.* ↑ knäueln.

Knaul·gras *n.* ↑ Knäuelgras.

Knaupelei [knaʊpəláɪ] *f.* 〔방언〕 귀찮은〔성가신〕 일.

knaupelig [knáʊpəlɪç] *a.* 〔방언〕 자잘한, 하찮은; 수고로운, 귀찮은: eine ~e Arbeit 까다로운 일.

knaupeln [knáʊpəln] *i.* ①〔방언〕 갉죽거리다, 쏠다; (자잘한) 귀찮은 일을 하다; 〔속어〕 손톱을 물어뜯다: ich habe lange daran ggeknaupelt 나는 오랫동안 그것에 힘들게 매달려 왔다. ②〔방언〕 손가락으로 후비다; (시시콜콜히) 캐다.

knauplig *a.* ↑ knaupelig.

Knauser [knáʊzər] *m.* -s, - 〔구어·폄어〕 인색한 사람, 구두쇠.

Knauserei [knaʊzəráɪ] *f.* 〔구어·폄어〕 인색, 탐욕.

knauserig [knáʊzərɪç] *a.* 〔구어·폄어〕 인색한.

Knauserigkeit *f.* ↑ Knauserei.

knausern [knáʊzərn] *i.* 〔구어·폄어〕 ① 인색하게 굴다: mit seinem Geld ~ 자기 돈을 지나치게 아끼다. ② (obd.) 갉죽거리다, 쏠다.

Knaus-Ogino-Methode [knáʊs|ogí:no..] *f.* 〚醫〛 크나우스-오기노-(피임)법(산부인과 의사 H. Knaus 와 K. Ogino 가 개발한 배란 시기를 이용한 피임법).

knausrig [knáʊsrɪç] *a.* ↑ knauserig.

Knaust *m.* -es, Knäuste [knɔ́ʏstə] (südd.) 빵 덩어리의 처음과 끝 부분.

Knautie [knáʊtsiə, ..tiə] *f.* -n 〚植〛 체꽃무리.

Knautsch [knaʊtʃ] *m.* -es, -e ① 〔방언〕 눌러 찌부러진 것. ② 〔농담〕 잠자는 의자.

knautschen[1] [knáʊtʃən] 《< knutschen》 《I》 *t.* ① 눌러 찌부러뜨리다, 구기다: ich habe (mir) mein Kleid arg geknautscht 나는 옷을 심하게 구겼다. ② 움켜잡다: 〚사냥〛 Hunde ~ das Wild 개들이 사냥감을 (으스러지도록) 꽉 문다. 《II》 *i.* 주름이 지다, 구겨지다: der Stoff knautscht nicht 이 천은 구김이 가지 않는다.

knautschen[2] *i.* 〔방언〕 ① 으깨는 소리를 내다, 찍찍거리다. ② 우는 소리하다, 불평하다.

knautschig[1] [knáʊtʃɪç] *a.* 〔구어〕 꾸깃꾸깃한, 주름투성이의.

knautschig[2] *a.* 〔방언〕 ↑ knatschig.

Knautsch≈lack *m.*, **~lack·leder** *n.* 라크칠을 한 주름잡힌 가죽. **~zone** *f.* 〚車〛 (자동차의) 충격 흡수부.

*__Knebel__ [kné:bəl] *m.* -s, - ① 몽둥이, 막대기, 통나무, 곤봉; 횡목, 빗장; 목도, (틀톱 따위의) 탕개목; 〚海〛 (밧줄 끝을 고정시키는) 고정목(木); 〚원예〛 삽목(插木), 꺾꽂이. ② 재갈 (Mund~). ③ (위로 향한) 입수염. ④ (obd.) 옹두리. ⑤ 〔고어〕 무지하고 우악한 녀석.

Knebel·bart *m.* ↑ Knebel ③.

knebeln [kné:bəln] *t.* ① 탕개목으로 죄다〔잠그다〕. ② 재갈을 물리다; 〔비유〕 속박〔탄압〕하다; die Presse ~ 언론을 탄압하다. ③ (곡물을) 묶다, 단짓다. ④ (몽둥이 따위로) 때리다.

Knebel≈spieß *m.* 〚사냥〛 멧돼지 사냥에 쓰는 창. **~trense** *f.* 재갈의 일종.

Knebelung [kné:bəlʊŋ] *f.* 재갈물리기; (언론) 속박.

Knebler *m.* -s, - 재갈 물리는 사람.

Kneblung *f.* -en ↑ Knebelung.

*__Knecht__ [knɛçt] *m.* -(e)s, -e ① 〔고어〕 **(a)** 사내아이, 젊은이. **(b)** 기사의 시종(侍從). **(c)** 병사. **(d)** 정리(廷吏), 옥리. **(e)** (고용되어 일하는) 일꾼: er verdingte sich als ~ 그는 일꾼으로 고용되었다. ② 하인, 종; 머슴; 마부 (Stall~): 〔雅語〕 ein ~ Gottes 하느님의 종; Herr und ~ 주인과 종; ~ Ruprecht 산타클로스 할아버지; die Polizisten werden oft als ~e der Staatsgewalt angesehen 경찰관들은 종종 국가 권력의 하수인으로 간주된다. ③ 〔雅語·폄어〕 노예; 농노: er ist ein ~ seiner Leidenschaft 그는 정욕의 노예다. ④ (Gestell) 가(架), 대(臺). ⑤ 〚動〛 der alte ~ 뜸부기의 일종(↑ Wachtelkönig).

Knechtchen, Knechtlein *n.* -s, - ↑ Knecht 의 축소형.

Knechtelei, Knechterei *f.* -en 피고용자〔노예〕 근성; 천역(賤役), 고역.

knechten [knɛ́çtən] 《I》 *i.* 〔고어〕 머슴살이하다. 《II》 *t.* 노예로 만들다; 압제하다: ein geknechtetes Volk 압박받는 민족.

knechtisch *a.* 〔폄어〕 하인〔노예〕 같은; 노예 근성의; 빌붙는; 비굴한: eine ~e Gesinnung 노예 근성.

Knechts·arbeit *f.* 〔雅語·폄어〕 하인〔머슴〕의 일, 천역, 고역.

Knechtschaft *f.* 하인〔노예〕 신분〔처지〕; 예속, 굴종: in der ~ leben 종살이하다.

Knechts≈dienst *m.* ↑ ~arbeit. **~geist** *m.* 노예 근성. **~gestalt** *f.* 〚聖〛 종의 형체(빌립보서 2:7). **~sinn** *m.* ↑ ~geist.

Knechtung [knɛ́çtʊŋ] *f.* -en 노예로 만들기, 노예화; 압제: die ~ der arbeitenden Masse 근로 대중의 노예화.

Kneif [knaɪf] 《engl.》 *m.* -(e)s, -e (구두장이 등이 쓰는) 작은 칼, 가죽 베는 칼.

__kneifen__ [knáɪfən] (kniff, gekniffen) 《I》 *t.* ① (손가락으로) 집다, 꼬집다, 끼우다: in den Arm 〔die Backen〕 ~ 팔〔뺨〕을 꼬집다; 〔농담〕 sich ins Bein ~ 자신의 다리를 꼬집다(꿈인지 현실인지를 확인하기 위하여); das Einglas ins Auge ~ 단안경〔모노클〕을 끼다; der Hund kniff den Schwanz zwischen die Beine 개가 꼬리를 다리 사이에 끼웠다. ② 〚海〛 den Wind ~ 배를 바람 머리쪽으로 돌려 힘껏 항해하다. ③ 〔비속〕 die Würfel ~ 주사위를 속이다; 〚商〛 die Preise ~ 가격을 떨어뜨리다. 《II》 *i.* (h./s.) ① (의무 따위를) 회피하다; 〔학생〕 (결투의 도전을 받았을 때) 무르춤하다: vor einem Vorgesetzten 〔vor einer Aufgabe〕 ~ 상관을 피하다〔임무를 회피하다〕. ② (옷이) 꼭 끼다: die Hose kneift 바지가 꼭 낀다.

Kneifer [knáɪfər] *m.* -s, - ① 집는〔꼬집는·끼우는〕 사람. ② 코안경. ③ 도피자, 비겁한 사람.

Kneif≈mal *n.* 꼬집은 자국. **~zange** *f.* 못뽑이, 펜치, 집게.

Kneip [knaɪp] *m.* -s, -e 〔방언〕 ↑ Kneif.

Kneip≈abend *m.* 〔구어〕 (대학생의) 저녁 술잔치. **~besen** *m.* 술집 여자. **~bruder** *m.* 〔구어〕 술꾼, 술친구.

Kneipe[1] [knáɪpə] 《< kneipen[1]》 *f.* -n 〔방언〕 ↑ Kneifzange.

*__Kneipe__[2] *f.* -n ① 〔구어〕 싸구려 술집, 선술집: in einer ~ einkehren 술집에 들르다. ② 〔학생〕 음식점, 술집; (술 마시고 노래하는) 대학생의 클럽〔모임〕. ③ 음주; 술잔치.

kneipen(*)[1] [knáɪpən] (kneipte/knipp, gekneipt/geknippen) 《< ndd. knipen, „kneifen"》 《I》 *t.* ↑ kneifen 《I》 ①. 《II》 *imp.* es kneipt mich im Bauch 나는 배가 아프다.

kneipen[2] 《< Kneipe[2]》 《I》 *i.* 〔경박·폄어〕 음주하다, 마시다; 〔학생〕 (술 마시고 노래하는) 모임을 개최하다. 《II》 *t.* (술집에서) 술을 (많이) 마시다: Luft ~ 신선한 공기를 마시다; Natur ~ 자연의 풍광을 즐기다.

Kneipen[1] *n.* -s ① (손가락으로) 집기. ② 복통.

Kneipen² *n.* -s 음주; 주연(酒宴).

Kneipen≈leben *n.* 술 마시며 세월 보내기. **~wirt** *m.* 〔구어〕 술집 주인.

Kneiper 《<kneipen²》 *m.* -s, - 술꾼, 술친구.

Kneiperei [knaɪpəráɪ] *f.* -en 〔구어·폄어〕 음주; 술잔치.

Kneip·genie [..ʒe..] *n.* 대주가, 주호(酒豪), 모주망태.

Kneipier [knaɪpiéː] 《d. +frz.》 *m.* -s, -s [..iéːs..] 〔속어〕 음식점〔술집〕 주인.

Kneip≈lied *n.* 술자리〔주흥〕의 노래. **~mädel** *n.* ↑ ~besen. **~name** *m.* 〔학생〕 술자리에서의 별명.

Kneipp [knaɪp] *m.* Sebastian ~ 크나이프 (독일의 목사·자연 요법가, 1821-97).

kneippen [knáɪpən] *i.* 〔醫·구어〕 크나이프식 수(水)치료법을 쓰다.

Kneipp·kur *f.* 크나이프식 수(水)치료법.

Kneip≈schenke *f.* 음식점, 술집. **~tag** *m.* 대학생 클럽의 회합일〔연회일〕. **~wart** *m.* 대학생 연회의 간사(幹事). **~wirt** *m.* 술집 주인. **~zange** *f.* 〔방언〕 ↑ Kneifzange.

kneißen [knáɪsən] *t.* (짐승 가죽의 털을) 깎아내다, 벗겨내다.

Kneiß·messer *n.* 털 깎는〔벗겨내는〕 칼.

Kneller [knɛ́lər] *m.* -s 〔방언〕 값싼 담배.

knellern *i.* (값싼 담배의) 나쁜 냄새가 나다; 값싼 담배를 피우다.

Knesset(h) [knɛ́sɛt] *f.* 이스라엘의 국회.

knetbar [knéːtbaːr] *a.* 갤〔반죽할〕 수 있는: der Teig muß gut ~ sein 반죽은 잘 갤 수 있어야 한다.

Knete [knéːtə] *f.* ① 〔구어〕 조소용(調塑用)의 부드러운 물질, 반죽덩이: 〔구어〕 in der ~ sein 궁지에 처해 있다, 바빠서 어쩔 줄을 모르다; 〔구어〕 nicht aus der ~ kommen 종일 (술에서) 깨어나지 못하다. ② 〔경박〕 돈: ich habe keine ~ mehr 나는 더 이상 돈이 없다.

***kneten** [knéːtən] *t.* ① 개다, 반죽하다; 개어〔반죽하여〕 만들다: Teig ~ 반죽을 개다; aus Ton Figuren ~ 점토로 형상을 만들다; 〔비유〕 jn. ~ 누구에게 영향을 미치다, 누구를 마음대로 주무르다. ② 〔醫〕 주무르다, 안마하다.

Kneter *m.* -s, - 반죽하는 사람, 안마사.

Knet≈kur *f.* 〔醫〕 안마 (요법), 마사지. **~maschine** *f.* 반죽 기계. **~massage** *f.* 근육 마사지. **~masse** *f.* 반죽덩이, 조소용(彫塑用) 점토. **~messer** *n.* 조소용 칼. **~trog** *m.* 반죽통.

knibbeln *t.* (md.) ① 주워 모으다. ② 손톱으로 조각을 떼어내다; (엉클어진 실을) 힘들여 풀다〔풀어서 매다〕.

knick [knɪk] *int.* 〔의성어〕 툭, 짝(깨지거나 찢어지는 소리).

Knick 《ndd.》 *m.* -(e)s, -e/-s ① 〔복수: -e〕 깨진〔갈라진〕 틈, 금간 자리; (길의) 굽이: die Straße macht hier einen ~ 도로가 여기에서 심하게 굴곡을 이룬다; 〔경박〕 einen ~ im Auge 〔in der Linse, in der Optik〕 haben 제대로 보지 못하다, 사팔뜨기다. ② 〔복수: -e〕 접힌 부분〔자리〕; 〔건축〕 깨진〔갈라진〕 틈: ein ~ im Papier 종이의 접힌 부분; der Rock bekam viele ~e 스커트가 많이 구겨졌다. ③ (nordd.) 〔복수: -s〕 산울타리.

Knicke≈bein [knɪ́kə..] *n./m.* ① 외만각(外彎脚), 밭장다리. ② 엑스자형으로 걷는 사람. ③ 달걀의 노른자위를 넣은 술. **~beinig** *a.* 밭짱다리의.

Knick·ei *n.* 〔구어〕 금이 간 달걀.

***knicken** [knɪ́kən] 《ndd.》 《Ⅰ》 *i.* ① (h.) **(a)** 탁〔뚝딱〕 소리나다〔내다〕. **(b)** 인색하게 굴다. **(c)** 무릎을 굽혀 절하다: in die Knie ~ 무릎 꿇다. ② (s.) 탁 하고 깨지다, 부러지다, 금이 가다: die Stützpfosten sind geknickt 지주가 부러졌다; (걸을 때) 무릎이 엑스자꼴로 구부러지다. 《Ⅱ》 *t.* ① 탁하고 깨다, 꺾다: Blumen ~ 꽃을 꺾다. ② 구부리다, 무엇에 금〔주름〕을 내다; 눌러 찌부러뜨리다; (누구의) 기를 꺾다: 〔구어〕 jm. das Herz ~ 누구에게 애끓는 슬픔을 맛보게 하다; js. Stolz ~ 누구의 자부심을 꺾다; einen Bogen Papier ~ 전지 한 장을 접다; eine Laus ~ 이를 으깨어 죽이다; alle seine Hoffnungen wurden geknickt 그의 모든 희망은 깨졌다. 《Ⅲ》 **geknickt** *p.a.* ↑ geknickt.

Knicker *m.* -s, - ① 〔구어·폄어〕 구두쇠. ② 〔사냥〕 (짐승의 목덜미를 찔러 죽이는) 사냥칼. ③ (ndd.) 튀김돌 (장난감). ④ 〔농담〕 벼룩.

Knicker·bocker [knɪ́kərbɔkər, nɪ́kəbɔkə] 《engl.》 *m.* ① 뉴욕의 네덜란드 이민 자손; (일반적으로) 뉴욕 사람. ② 〔복수〕 느슨한 반바지, 골프 바지. ③ 알코올이 든 청량 음료수.

Knickerei [knɪkəráɪ] *f.* 〔구어·폄어〕 인색.

knickerig [knɪ́kərɪç] *a.* 〔구어·폄어〕 인색한.

Knickerigkeit *f.* 〔구어·폄어〕 ↑ Knickerei.

knickern [knɪ́kərn] *i.* 〔구어·폄어〕 ① 탁탁 소리가 나다. ② 인색하게 굴다, 인색떨다: er knickert mit den Ausgaben fürs Essen 그는 식사비 지출에 인색하게 군다. ③ (ndd.) 공기돌을 가지고 놀다.

Knick≈flügel *m.* 〔空〕 갈매기 형의 주익(主翼). **~holz** *n.* (숲의) 밑나무, 덤불.

knickrig *a.* ↑ knickerig.

Knickrigkeit *f.* ↑ Knickerigkeit.

knicks [knɪks] 《♧ knack》 *int.* 〔의성어〕 딱, 뚝.

Knicks *m.* -es, -e ① 갈라진〔터진〕 틈, 금. ② (특히 여자가) 무릎을 구부리고 하는 절: einen ~ machen 무릎을 구부리고 절하다.

Knickschen [..çən], **Knickslein** *n.* -s, - ↑ Knicks 의 축소형.

knicksen [knɪ́ksən] 《Ⅰ》 *t.* 딱하고 깨다〔부러뜨리다〕. 《Ⅱ》 *i.* ① (h.) 무릎을 구부리고 절하다. ② (s.) 무릎을 구부리고 걷다.

Knick≈stag *n.* 〔海〕 보조 지삭(支索). **~stiefel** *m.* 〔폄어〕 구두쇠, 수전노.

Knickung [knɪ́kʊŋ] *f.* 굴곡, 굴절; 〔醫〕 부전(不全) 골절.

***Knie** [kniː] *n.* -s, - [kníːə, kniː] ① 무릎: ein rundes〔spitzes〕 ~ 토실토실한〔마른〕 무릎; 〔구어〕 weiche ~ 큰 불안; in den ~n weich werden 몹시 불안해하다; mit schlotternden ~n 무릎을 덜덜 떨면서; auf die ~! 무릎 꿇어!; auf die 〔aufs〕 ~ fallen 〔sich werfen〕 꿇어앉다; auf den ~n liegen 무릎 꿇고 있다; auf den ~n rutschen 엎드려 조아리다; auf 〔in〕 die ~ sinken 털석 주저앉다; in die ~ brechen〔fallen〕 넘어지다; in die ~ gehen 다운되다, 쓰러지다; 〔구어〕 et. übers ~ brechen 무엇을 황급히〔아무렇게나〕 해치우

다; einen Jungen übers ~ legen (때리려고) 아이를 무릎에 올려놓다, 마구 때리다; jn. auf 〔in〕 die ~ zwingen 누구를 굴복시키다. ② (길·시내 따위의) 굽이, 모퉁이, 굴곡부; 〖工〗 (기계의) 링크, 접속부: ein ~ am Ofen einsetzen 난로에 L 자 연통을 달다. ③ (바짓가랑이의) 무릎 부분: ausgebeulte ~ (오래 입어) 불쑥 튀어나온 무릎 부분. ④〖動〗 (거미류의) 다리 관절.

Knie·band *n.* ① 양말대님. ②〖해부〗 무릎 인대.

Kniebel *m.* -s, - (ndd.) 손가락 관절; 복사뼈; 빵자르개.

kniebeln *i.* ① 서투르게〔잘못〕 자르다. ② 손가락으로 후비다.

Knie=beuge *f.* ①〖醫〗 오금. ②〖스포츠〗 무릎 굽히기: zehn ~n machen 무릎굽히기를 10 번하다. **~beugung** *f.* 무릎 굴절: Verehrung durch ~ 궤배(跪拜). **~biege** *f.* ↑ ~beuge ①. **~biegung** *f.* ↑ ~beugung. **~binde** *f.* ↑ ~band ②. **~breche** *f.* 〖방언〗 가파른 길. **~bund·hose** *f.* (무릎 아래를 끈으로 묶는) 반바지. **~decke** *f.* (마차의) 무릎 덮개. **~fall** *m.* 무릎꿇기, 꿇어앉기: 〖비유〗 einen ~ (vor jm.) tun (누구 앞에) 무릎을 꿇다. **~fällig** *adv.* jn. ~ (um et.) bitten 누구에게 (무엇을) 탄원하다; 〖고어〗 ~ werden 무릎을 꿇다. **~-förmig** *a.* 무릎 모양의. **~frei** *a.* 무릎이 드러나는: ein ~er Rock 무릎이 드러나는 스커트. **~galgen** *m.* 가로장이 하나 있는 교수대. **~geige** *f.* 〖음악〗 발로 받치는 비올라, 비올론 첼로(Gambe). **~gelenk** *n.* 〖醫〗 무릎 관절. **~gelenk·entzündung** *f.* 〖醫〗 무릎 관절염. **~gicht** *f.* 〖醫〗 무릎 통풍〔관절통〕. **~hebel** *m.* 〖工〗 굽은 지렛대. **~hoch** *a.* 무릎 높이의. **~holz** *n.* 굽은 나무〔목재〕; 〖植〗 눈잣나무. **~hose** *f.* 반바지. **~kehle** *f.* 오금: jn. in den ~n kitzeln 누구의 오금을 간지럽히다. **~kissen** *n.* (기도할 때) 무릎 밑에 까는 방석. **~lang** *a.* 무릎까지 내려오는 길이의: ein ~er Mantel 무릎까지 내려오는 외투. **~leder** *n.* 〖스포츠〗 무릎받이〔덮개〕.

knielings [kníːlɪŋs] *adv.* 꿇어앉아.

***knien** [kniːn, kníːən] 《Ⅰ》 *i.* ① (h.) 무릎을 꿇고 있다. ② (s.) 무릎 꿇다. 《Ⅱ》 *refl.* sich (die Knie) wund ~ 꿇어앉아 무릎에 허물이 벗겨지다; 〖구어〗 sich in eine Sache ~ 어떤 일을 철저하게 다루다. 《Ⅲ》 **gekniet** *p.a.* ↑ gekniet.

Kniep·augen *pl.* 〖방언〗 작고 생기 있는 눈.

kniepig [kníːpɪç] *a.* 〖구어〗 인색한: sei nicht so ~ 그렇게 인색하게 굴지 마라.

Kniepigkeit *f.* ↑ kniepig 의 명사형.

Knie=polster *n.* ↑ ~kissen. **~riemen** *m.* (구두의 골을 고정하기 위한) 구두 만드는 사람의 무릎 가죽 끈: 〖속어〗 Meister ~ 구두장이. **~rohr** *n.*, **~röhre** *f.* 〖工〗 (팔꿈치 모양으로) 굽은 관.

Knies [kniːs] *m.* -es 〖구어〗 (ndd.) ① 불결한 물건, 오물. ② 말다툼, 싸움: mit jm. ~ haben 누구와 다투다.

Knie=scheibe *f.* 〖해부〗 무릎 연골, 종지뼈. **~schmerz** *m.* 〖醫〗 무릎 통증. **~schnalle** *f.* 양말대님에 달린 죔쇠. **~schoner, ~-schützer** *m.* 〖스포츠〗 무릎 보호대. **~-schwamm** *m.* 슬백종(膝白腫). **~sehnen-reflex** *m.* 〖醫〗 무릎 반사, 슬개(건)(膝蓋(腱)) 반사. **~sparren** *m.* 〖건축〗 굽은 서까래. **~streiche** *f.* 양털 빗. **~strumpf** *m.* (운동용의) 무릎까지 닿는 양말. **~stück** *n.* ①〖畫〗 반신상. ②〖工〗 (팔꿈치 모양으로) 굽은 관〔연결 장치〕. **~tief** *a.* 무릎 깊이의, 무릎까지 닿는.

knietschen [kníːtʃən] 《Ⅰ》 *i.* (문·구두 따위가) 삐걱삐걱 소리나다; 울면서 말하다, 불평하다. 《Ⅱ》 *t.* (md.) 눌러 부수다(knatschen).

Knie=umschwung *m.* 〖스포츠〗 다리 걸고 돌기. **~verletzung** *f.* 무릎 부상. **~wärmer** *m.* 무릎 (보온) 덮개. **~weich** *a.* ① 무릎이 유연한〔약한〕: ein ~er Gang 유연한 보행. ② 기진맥진한, 다리가 후들거리는. **~welle** *f.* 〖스포츠〗 ↑ ~umschwung.

knif =kommt nicht in Frage 문제가 안 된다, 당치도 않다.

kniff ↑ kneifen 의 과거형.

***Kniff** [knɪf] 《<kneifen》 *m.* -(e)s, -e ① (손가락으로) 집기, 꼬집기; (손가락으로) 집은〔꼬집은〕 자국; 금, 주름, (옷의) 단: ein ~ in den Arm 팔을 꼬집음; einen ~ in das Papier machen 종이에 (접은) 금을 내다. ② 〖비유〗 간계, 꾀, 책략, 술책: ~e und Ränke 〔Pfiffe〕 anwenden 권모술수를 쓰다; es mit allen ~en versuchen 온갖 술책을 다 써 보다; ich konnte nicht hinter seine ~e kommen 나는 그의 책략을 꿰뚫어볼 수가 없었다; jn. die ~e des Zauberns lehren 누구에게 마술을 가르치다.

Kniffelei [knɪfəláɪ] *f.* 〖구어〗 ① 책략, 술책. ② 곤란, 난처.

kniffelig [knɪ́fəlɪç] *a.* 〖구어〗 ① 교활〔음흉〕한. ② 곤란〔난처〕한, 어려운: eine ~e Frage 어려운 질문.

kniffeln *i.* 책략을 부리다.

kniffen [knɪ́fən] *t.* 금〔주름〕을 내다, 접다: Stoff ~ 천을 접다.

knifflig *a.* ↑ kniffelig.

Knigge [knɪ́gə] *m.* -(s), - 예의 범절〔행동 규범〕에 관한 책(저작자인 독일의 A.v. Knigge 의 이름에서): du solltest mal in deinen ~ sehen! 너는 한번 예절책을 읽어보아야 했어!

Knilch [knɪlç] *m.* -s, -e 〖편어〗 불쾌한 녀석.

knille [knɪ́lə] *a.* 〖구어〗 (↑ knülle) ① 녹초가 된, 의기가 꺾인. ② 술취한.

Kniller *m.* -s, - 〖구어〗 ↑ Knüller.

knipp[1] [knɪp] ↑ kneipen[1] 의 과거형.

knipp[2] *int.* 〖의성어〗 탁, 톡.

Knipp *m.* -(e)s, -e ① 탁 하는 소리. ② 손가락으로 튀기기.

Knippe [knɪ́pə] *f.* -n (schweiz.) 고기 저미는 식칼.

Knippchen, Knipplein *n.* -s, - ↑ Knipp 의 축소형.

knippen 《Ⅰ》 *i.* ↑ knipsen 《Ⅰ》. 《Ⅱ》 *t.* (누구를) 꼬집다; (무엇을) 잘라내다.

Knipp=käulchen *n.*, **~kugel** *f.* ↑ Klicker. **~messer** *n.* ↑ Klappmesser. **~schere** *f.* 재단용 가위. **~tasche** *f.* 다리미 주머니.

knips [knɪps] *int.* 〖의성어〗 탁, 톡: ~, knaps! 톡탁톡탁!

Knips *m.* -es, -e ↑ Knipp.

Knips·aufnahme *f.* 스냅 사진.

Knipschen [..çən], **Knipslein** *n.* -s, - ↑

Knips 의 축소형.

knipsen [knípsən] 《I》 *i.* ① (손가락으로) 탁 소리를 내다: er knipst ständig am Schalter 그는 계속해서 스위치를 껐다켰다 한다. ② (사진기의) 셔터를 누르다. 《II》 *t.* ① 차표에 구멍을 뚫다: der Schaffner hat die Fahrkarte geknipst 차장이 차표에 구멍을 뚫었다. ② 손가락으로 쳐서〔튕겨서〕 옮기다: Murmeln ins Loch ～ 유리 구슬을 손가락으로 쳐서 구멍 안으로 넣다. ③〖속어〗 스냅 사진을 찍다.

Knipser [..psər] *m.* -s, - 〖구어〗 ①〖속어〗 스냅 사진사. ② (차표에 구멍을 뚫는) 펀치. ③ (전등의) 스위치. ④ 전기〔전자〕 기구의 누름 단추.

Knips·zange *f.* 〖구어〗 (구멍을 뚫는) 펀치.

Knirps [knırps] 《mhd. Knorpel》 *m.* -es, -e ①〖구어〗 난쟁이, 꼬마; 아이녀석: ein ganz goldiger, süßer ～ 아주 사랑스럽고 예쁜 꼬마 녀석. ②〖폄어〗 작고 보잘것없는 사람. ③ 접는 양산.

knirpsig [..psıç] *a.* 〖구어〗 왜소한, 난쟁이〔꼬마〕 같은.

knirren [knírən] *i.* ↑ knarren, knirschen.

***knirschen** [knírʃən] 《I》 *i.* 삐걱거리다: der Schnee knirschte unter seinen Schritten 그가 걸음을 옮길 때마다 눈이 뽀드득 소리를 내었다; 〖비유〗 vor Wut mit den Zähnen ～ 화가 치밀어 이를 북북 갈다. 《II》 *t.* 비벼 찌부러뜨리다: 〖드물게〗 die Zähne ～ 이를 부드득 갈다.

knispeln [kníspəln] *i.* 〖방언〗 (an et.³) (무엇을) 손가락으로 만지작거려 소리나게 하다: hör auf, an den Zähnen zu ～! 이빨 가는 소리 좀 그만둬!

Knister·gold [knístər..] *n.* 금박(Rauschgold).

knisterig [knístərıç] *a.* 삐그덕〔딱·워석워석·와삭와삭〕 소리나는.

knistern [knístərn] *i.* (눈·모래가) 뽀드득〔바스락〕 소리내다; (불이) 바작바작 소리내다; (비단이) 워석거리다; (종이가) 와삭와삭 소리내다: 〖구어〗 es herrschte eine ～de Spannung 흥분된 긴장이 감돌았다; 〖비유〗 es knistert im Gebälk 위험이〔붕괴가·변화가〕 임박하다; mit Papier ～ 종이로 바스락 소리를 내다.

Knister·rasseln *n.* 〖醫〗 염발음(捻髮音) (폐 속의 가르릉 소리).

knistrig *a.* ↑ knisterig.

knitschen [kní:tʃən] *i./t.* ↑ knietschen.

Knittel [knítəl] *m.* -s, - ① (Knüttel) 곤봉, 통나무. ② ↑ ～vers.

Knittel·vers *m.* 〖문학〗 크니텔 시행(한 줄에 네 강음을 지닌, 15-16 세기 독일 서사·희곡 문학에서 주로 사용되던 시행).

Knitter [knítər] 《<knittern》 *m.* -s, - 접은 금, 구김살, 주름살: der Rock ist voller ～ 그 스커트는 주름살투성이다.

knitter≈arm *a.* 구김살이 적은, 쉽게 구겨지지 않는. **≈falte** *f.* 접힌 자국, 주름, 구김살. **～fest** *a.* 〖방직〗 구김이 가지 않는. **～frei** *a.* 주름살〔구김살〕이 잡히지 않는. **≈gold** *n.* 금박(Rauschgold).

knitterig [knítərıç] *a.* ① ↑ knisterig. ② 구김살〔주름〕투성이의: 〖비유〗 ein ～es Gesicht 주름살투성이의 얼굴. ③ 성내기 쉬운, 성마른.

knittern [knítərn] 《I》 *i.* 주름이 지다, 구김살이 생기다: der Stoff knittert (leicht) 그 천은 (쉽게) 구겨진다. 《II》 *t.* 구김살〔주름살〕투성이로 하다, 주름〔금〕을 내다. 《III》 *refl.* sich ～ ① 주름지다, 구겨지다, 금이 나다. ② 성이 나 있다, (화가 나서) 울컥하다.

knittrig *a.* ↑ knitterig.

Knix [knıks] *m.* -es, -e ↑ Knicks.

knixen [..ksən] *t./i.* ↑ knicksen.

Knobel [knó:bəl] 〖↑ Knebel 의 별형〗 *m.* -s, - ① ↑ Knöchel. ② 주사위.

Knobel·becher *m.* 주사위통; 〖농담·구어〗 (군대의) 장화.

knobeln [knó:bəln] *i.* ① 주사위 놀이를 하다〔하면서 시간을 보내다〕, 주사위로 노름〔결정〕하다: Wir ～ um die nächste Runde 우리들은 다음 회합을 주사위로 결정한다; um Geld ～ 주사위로 노름하다. ②〖속어·구어〗 곰곰이 생각하다: an einem Rätsel lange ～ 오랫동안 수수께끼에 골몰하다.

Knoblauch [knó:plaux, knób..] *m.* -(e)s 〖植〗 마늘.

Knoblauch≈brühe *f.* 마늘이 든 고깃국. **～butter** *f.* 〖요리〗 마늘이 든 버터. **～hederich** *m.*, **～rauke** *f.* 〖植〗 파류〔양파류〕의 잡초. **～salz** *n.* 〖요리〗 마늘이 든 소금. **～wurst** *f.* 마늘 든 소시지〔순대〕. **～zehe** *f.* 〖植〗 마늘 쪽. **～zwiebel** *f.* 통마늘.

***Knöchel** [knœçəl] 《<Knochen》 *m.* -s, - ① 손가락 마디; 복사뼈, 발목 관절: sich den ～ verstauchen 발목 관절을 삐다; die spitzen ～ ihrer Faust 그녀의 주먹의 뾰족한 손가락 마디. ② (md.) 주사위.

Knöchelchen [knœçəlçən] *n.* -s, - ①〖↑ Knöchel 의 축소형〗 소(小)관절. ②〖↑ Knochen 의 축소형〗 작은 뼈.

Knöchel≈gelenk *n.* 〖醫〗 복사뼈 관절. **≈lang** *a.* 발목까지 닿는.

knöcheln [knœçəln] *i.* (h.) 〖방언〗 ① 손가락으로 튀기다. ② 주사위를 던지다, 노름하다.

Knöchel≈spiel *n.* 주사위 놀이. **≈tief** *a.* 발목 깊이의.

***Knochen** [knɔ́xən] *m.* -s, - ① 뼈: sich die ～ brechen 뼈가 부러지다; bis auf die ～ 철두철미, 완전히; naß bis auf die ～ 흠뻑 젖은; national bis auf die ～ 철저히 국수적인; sich bis auf die ～ blamieren 심한 웃음거리가 되다; bis auf die ～ abmagern 피골이 상접할 정도로 야위다; ein Pfund Fleisch mit ～ 뼈가 붙은 고기 1 파운드; der Hund nagt an einem ～ 개가 뼈를 갉아먹다; stark von ～ 뼈대가 굵은; seine müde ～ 그의 지친 몸; er ist nur (noch) Haut und ～ 그는 뼈와 가죽뿐이다; seine ～ schonen 그의 몸을 아끼다; du kannst dir die ～ numerieren lassen 늘씬하게 패줄 테니 각오해라; 〖구어〗 die Krankheit lag mir schon lange in den ～ 나는 이미 오랫동안 중병을 앓고 있었다; ich habe eine Grippe in den ～ 나는 몸살 기운이 있다; 〖구어〗 mir tun alle ～ weh 나는 완전히 기진맥진 상태다; 〖경박〗 jm. die ～ (im Leib) zusammenschlagen 누구를 심하게 구타하다; 〖구어〗 die ～ hinhalten 목숨을 걸다; er hat keinen Mumm in den ～ 그는 용기가〔결단력이〕 없다; in die ～ fahren (보고 따위가) 뼈에 사무치다; 〖비유〗 das ist ein harter

~ 그건 아주 어려운 일이다; 〖軍〗 die ~ zusammen! 차려! ② 골(骨) 세공품; 〔속어〕 (사람의) 다리, 손; 〔구어〕(뼈 모양으로 생긴) 현관〔문〕의 열쇠, 나사돌리개, 스패너: 〔농담〕 ein alter ~ 노병, 늙은이. ③〔방언·학생〕 교사. ④〔구어〕아주 떫은 포도주.

Knochen≈ansatz *m.* 뼈끝; 〖醫〗 (뇌의) 송과선(松果腺). **~arbeit** *f.* ①〔구어〕고역. ② 뼈 세공. **~asche** *f.* 〖化·農〗 골회(骨灰). **~auswuchs** *m.* 〖醫〗 골종(骨腫). **~band** *n.* 〖해부〗 인대(靭帶). **~bau** *m.* 골격: von kräftigem ~ 골격이〔뼈대가〕 튼튼한. **~beschreibung** *f.* 골학(骨學). **~bildung** *f.* 〖해부〗 골질 형성. **~brand** *m.* 〖醫〗 골괴저, 뼈 조직의 사멸. **~brecher** *m.* ①〔구어〕난폭한 사람, 싸움쟁이. ② 골절을 당하기 쉬운 일. ③〖醫〗 골파괴 세포. **~bruch** *m.* 골절. **~drechsler, ~dreher** *m.* 뼈 세공사. **~dünger** *m.* 골비(骨肥). **~dürr** [knɔ́xəndʏ́r] *a.* 뼈처럼 깡마른; 피골이 상접한, 마른. **~entzündung** *f.* 〖醫〗 골염(骨炎). **~erde** *f.* 〖化〗 인산 칼슘. **~erweichung** *f.* 〖병리〗 골질(骨質) 연화. **~fäule** *f.* 〖醫〗 골저(骨疽), 골양(骨瘍). **~fett** *n.* 〖醫〗 골수(骨髓). **~fisch** *m.* 〖動〗 경골류(硬骨類)의 물고기. **~fortsatz** *m.* 〖醫〗 골질(骨質) 돌기. **~fraß** *m.* 〖醫〗 카리에스, 골저. **~fuge** *f.* 골간(骨間) 접합〔결합〕. **~fügung** *f.* 〖醫〗 골면(骨面)〔연골〕 접합. **~gebäude, ~gerippe, ~gerüst** *n.* 골격, 해골: 〔비유·구어〕 er ist nur noch ein ~ 그는 뼈만 남았다; 〔구어·농담〕 여윈 사람. **~geschwulst** *f.* 〖병리〗 골종. **~gewebe** *n.* 〖해부〗 뼈 조직. **~hart** [knɔ́xənhárt] *a.* 뼈같이 단단한: ~es Brot 매우 딱딱한 빵. **~hauer** *m.* 〔구식〕 백정; 〔방언〕 푸주한. **~haus** *n.* 납골당. **~haut** *f.* 〖해부〗 골막. **~haut·entzündung** *f.* 〖醫〗 골막염. **~hecht** *m.* 〖動〗 북아메리카산(産) 민물고기 (비늘은 악어 같고, 익어(益魚)를 잡아먹는 해어(害魚)). **~karies** *f.* 〖醫〗 골저. **~kohle** *f.* 〖생화학〗 골탄(骨炭). **~kotzen** *m.* 〔다음 용법으로〕〔속어〕 es ist zum ~ 사태는 절망적이다〔견딜 수 없다〕. **~lehre** *f.* 골학. **~leim** *m.* 골교(질)(骨膠(質)), 젤라틴.

knochenlos *a.* 뼈가 없는: 〔비유〕 ein ~er Mensch 줏대가 없는 사람.

Knochen≈mann *m.* 〔복수: ..männer〕①〔구어〕 해골. ②〔시어〕 죽음, 사신(死神). **~mark** *n.* 〖醫〗 골수(骨髓). **~mark·entzündung** *f.* 〖병리〗 골수염. **~mehl** *n.* 뼛가루. **~mühle** *f.* 뼛가루 제조소; 〔구어〕(뼈를 깎듯이) 고된 일을 해야 하는 공장; 〔농담〕 털털이 수레. **~nagelung** *f.* 〖醫〗 (뼈에 못을 박아 넣는) 골절 치료. **~naht** *f.* 〖醫〗 골봉합. **~öl** *n.* 골유(骨油)(주로 쇠뼈에서 뺌). **~pfanne** *f.* 관절와(窩). **~säge** *f.* 뼈 자르는 톱. **~säure** *f.* 인산(燐酸). **~schwarz** *n.* 골탄. **~schwund** *m.* 〖醫〗 골위축. **~splitter** *m.* 골편(骨片). **~substanz** *f.* 뼈 조직, 골질(骨質). **~system** *n.* 뼈 계통. **~transplantation** *f.* 〖외과〗 뼈 이식. **~trocken** [knɔ́xəntrɔ́kən] *a.* 〔구어〕바싹 마른. **~wuchs** *m.* ① ↑ ~bildung. ② ↑ ~gerippe. **~zange** 〖醫〗 뼈 겸자(鉗子). **~zelle** *f.* 뼈세포.

knöcherig [knœ́çərɪç] *a.* 몹시 마른, 피골이 상접한.

knöchern [knœ́çərn] *a.* 골질〔골제〕의: ein ~es Amulett 뼈로 만든 부적〔액막이〕.

knochig [knɔ́çɪç] *a.* 뼈 성질의, 골질의; 뼈가 굵은; 뼈가 툭툭 불거져나온: er ist ein ~ gebauter Typ 그는 뼈대가 굵은 체형이다; ein ~es Gesicht 뼈가 툭툭 불거진 얼굴.

Knochigkeit *f.* knochig 의 명사형.

Knöchlein [knœ́çlaɪn] *n.* -s, - ↑ Knochen 의 축소형.

knöchrig [knœ́çrɪç] *a.* ↑ knöcherig.

Knocke [knɔ́kə] 《ndd.》 *f.* -n (삼·양모의) 다발.

Knock·out [nɔkláut, nɔ́kaut] 《engl.》 *m.* -(s), -s ① ↑ K.o.. ②〔비유〕 완패.

knock·out 《engl.》 *a.* 녹아웃된: jn. ~ schlagen 누구를 때려눕히다.

Knock-out **新정서** ⇦ Knockout.

Knock·out·schlag *m.* 〖권투〗 때려눕힘, 녹아웃시킴.

Knödel [knǿːdəl] 《< Knoten》 *m.* -s, - ① (obd., fränk.) (고기 따위의) 경단, 만두: 〔비유〕 einen ~ im Hals haben 목을 꽉 조이는 듯한 느낌을 갖다. ② (westpreußisch) 말린 배.

knödeln [knǿːdəln] *i.* 〔구어〕(목에 경단이 걸린 것처럼) 우물우물 말〔노래〕하다: der Sänger knödelte entsetzlich 그 가수는 몹시 불명확하게 노래를 불렀다.

Knöllchen [knœ́lçən] *n.* -s, - ↑ Knolle(n) 의 축소형.

Knolle [knɔ́lə] *f.* -n ①〖植〗 덩이줄기, 알뿌리, 구근(球根), 괴경(塊莖). ②〖醫〗 융기, 결절(結節), 혹. ③ ↑ Knollen ⑤.

Knollen [knɔ́lən] *m.* -s, - ① 덩이; 〖요리〗 (수프 속의) 경단. ② 촌부, 시골뜨기. ③〔방언〕 감자. ④〔구어·농담〕 두툼한 코, 주먹코. ⑤ (경찰이 발부하는) 스티커, 딱지.

Knollen≈blätter·pilz *m.*, **~blätterschwamm** *m.* 〖植〗 달걀파리버섯(독버섯의 일종). **~fäule** *f.* 〖農〗 (감자의) 부패병. **~förmig** *a.* 덩이 모양의; 〖植〗 덩이줄기 모양의; 〖醫〗 결절상(狀)의. **~frucht** *f.* 식용 알뿌리. **~gewächs** *n.* 〖植〗 알뿌리 식물. **~krankheit** *f.* 〖醫〗 상피병(象皮病). **~kümmel** *m.* 〖植〗 낙화생, 땅콩. **~nase** *f.* ① 주먹코: ein Clown mit ~ 주먹코 어릿광대. ②〖醫〗 코의 두툼한 경화. **~wurzel** *f.* 알뿌리. **~zwiebel** *f.* 알줄기.

Knoll≈fink *m.* 〔속어〕 바보, 본데없는 사람 (↑ Klotz ②). **~finke** *m.* ↑ ~fink.

knollig [knɔ́lɪç] *a.* ① 덩이줄기가〔괴경이〕 있는, 덩이 모양의. ②〔비유〕 무람없는; 무딘. ③ 굉장한, 대단한; 막대한.

***Knopf** [knɔpf] 《engl.》 *m.* -(e)s, Knöpfe [knœ́pfə] ① 단추; (옛날의) 상등병의 휘장: übersponnene Knöpfe 실이 감긴 단추; einen ~ annähen 단추를 꿰매 달다; ein ~ ist (jm.) ab(gesprungen) 단추가 떨어져 있다; 〔구어〕 Knöpfe auf den Augen haben 잘 보지〔보려고 하지〕 않다; Knöpfe auf den Ohren haben 잘 듣지〔들으려고 하지〕 않다; et. an den Knöpfen abzählen 무엇을 우연에 맡기다〔되는 대로 놔두다〕; 〖軍〗 die Knöpfe haben 상등병이다; 〔속어〕 der ~ geht ihm auf 그는 문득 깨달았다; einen ~ springen lassen (배가 불러) 단추를 풀어놓다. ② (지팡이·칼자

루 따위의) 대강이, (초인종의) 누름단추: der ~ einer Stecknadel 핀의 대강이; der ~ einer Turmspitze 탑 꼭대기의 구슬 모양의 장식; auf den ~ andrücken! 초인종의 단추를 누르시오! ③〖植〗 단산(團繖) 꽃차례〔화서(花序)〕; (obd.) 눈, 꽃봉오리. ④〖海〗 ~ eines Schiffsmastes 돛대 꼭대기의 둥근 대강이. ⑤ (obd.) 매듭; (고기 따위로 만든) 경단: einen ~ ins Taschentuch machen 손수건에 매듭을 짓다. ⑥〘구어〙 사람, 녀석; 등신, 바보; 난쟁이; (귀여운) 작은 아이: sie haben einen hübschen, süßen kleinen ~ 그들에겐 예쁘고 귀여운 어린애가 있다; 〘복수〙〘구어〙 돈: mit den Knöpfen herausrücken 돈을 치르다. ⑦〖컴〗 (윈도에서) 버튼. ⑧〖사냥〗 수노루의 빈약한 뿔. ⑨〘비유·방언〙 이해(력): ihr geht der ~ auf 이제 그 여자는 이해한다.

Knopf≈auge *n.* 번쩍이는 둥글고 검은 눈. **~-binse** *f.* 〖植〗 골풀과의 일종.

Knöpfchen [knœpfçən] *n.* -s, - ↑ Knopf 의 축소형.

Knopf·druck *m.* 단추를 누름: 〘비유·구어〙 das geht nicht auf ~ 그것은 그렇게 쉽게〔빨리·간단하게〕 되지 않는다.

knöpfeln *t.* 느슨하게 맺다〔매듭짓다〕.

knöpfen [knœpfən] 《I》 *t.* 단추로 잠그다: die Kapuze an den Mantel ~ 두건을 외투에 단추로 고정시키다. 《II》 *i.* (h.) 단추가 채워지다〔여며지다〕.

Knöpfer *m.* -s, - (구두의) 단추걸이.

Knopf≈fabrik *f.* 단추 공장. **~form** *f.* 단추 모양〔본〕. **~förmig** *a.* 단추 모양의. **~gabel** *f.* 단추닦이. **~gießer** *m.* 단추 제조자. **~haken** *m.* ↑ Knöpfer.

Knöpflein *n.* -s, - ↑ Knopf 의 축소형.

Knöpfli *pl.* (schweiz.) 마카로니의 일종.

Knopf≈loch *n.* 단춧구멍: et. ins ~ bekommen 훈장을 받다; sich³ et. ins ~ stecken 무엇에 관하여 명성이 자자하다; 〘구어〙 aus allen〔sämtlichen〕 Knopflöchern 상당히 많이, 매우; 〘구어〙 er platzt aus allen Knopflöchern 그는 매우 뚱뚱하다; 〖軍〗 aus allen〔sämtlichen〕 Knopflöchern schießen 일제히 사격하다; 〘구어〙 aus allen〔sämtlichen〕 Knopflöchern schwitzen〔stinken〕 땀을 뻘뻘 흘리다〔심한 악취가 나다〕; die Freude guckt ihm aus allen Knopflöchern 그가 기뻐하는 모습이 멀리서도 보인다. **~loch·seide** *f.* 단춧구멍 주변을 꿰매는 명주실. **~macher** *m.* 단추 제조인. **~nadel** *f.* 핀, (물건을 고정시키는) 바늘. **~naht** *f.* 〖醫〗 결절(結節) 봉합. **~reihe** *f.* 단추의 줄: mit zwei ~n 두 줄〔더블〕 단추의. **~ring** *m.* (obd.) (흉기로 쓰는) 격투용 반지(Schlagring). **~schuhe, ~-stiefel** *pl.* 단추로 채우는 구두〔장화〕. **~-zelle** *f.* (단추형의) 소형 건전지. **~zieher** *m.* ↑ Knöpfer.

Knopp [knɔp] *m.* (ndd.) -s, Knöppe [knœpə] ① 단추. ② ↑ Knopf ⑥.

Knopper *f.* -n 〖植〗 오배자(五倍子).

knören [knø:rən] *i.* (h.) 〖사냥〗 (사슴이 교미기에) (낮은) 신음 소리를 내다.

knorke [knɔ́rkə] *a.* 〘구어〙 훌륭한, 멋진, 굉장한.

Knorpel [knɔ́rpəl] *m.* -s, - 〖해부〗 연골.

Knorpel≈fische, ~flosser *pl.* 〖動〗 연골(軟骨) 어류.

knorpelig [knɔ́rpəlıç] *a.* ① 연골상(軟骨狀)의, 연골을 가진: ~e Verbindungen zwischen Knochen 뼈 사이의 연골 결합. ② 우글쭈글한.

Knorpel≈kirsche *f.* 버찌의 일종. **~leim** *m.* 〖化〗 연골 아교. **~tang** *m.* 〖植〗 아일랜드김.

knorplig *a.* ↑ knorpelig.

Knorr-Bremse *f.* 〖기계〗 공기 제동기(발명자 G. Knorr 의 이름에서).

***Knorren** [knɔ́rən] *m.* -s, - ① 혹, 무사마귀, 쥐젖, 마디, 융기, 결절. ② 그루터기, 통나무; 〘비유〙 가로퍼진 사람, 무작한 사람. ③ (Knöchel) 복사뼈, (손가락의) 관절부.

knorrig [knɔ́rıç] *a.* ① 혹〔마디〕 같은, 혹이〔마디가〕 있는: ~e Finger 혹이 나 있는 손가락. ② 〘비유〙 거친, 비사교적인, 무뚝뚝한.

Knorz [knɔrts] *m.* -es, -e (obd.) ↑ Knorren.

knorzen [knɔ́rtsən] *i.* (h.) 〘구어〙 (schweiz.) 고생하다; 인색하게 굴다.

Knorzer *m.* -s, - 〘구어〙 구두쇠; 〘방언〙 꼬마, 땅딸보.

knorzig *a.* 〘구어〙 인색한.

Knöspchen [knœspçən] *n.* -s, - ↑ Knospe 의 축소형.

***Knospe** [knɔ́spə] *f.* -n ① 눈, 싹, 꽃봉오리: ~n treiben〔ansetzen〕 싹을 틔우다; schlafende ~ (식물의) 수면 상태인 눈. ② 〘비유〙 맹아(萌芽); 조짐; 유아, 유녀(幼女): die ~ der Jugend 청춘의 시작; sie ist noch eine ~ 그녀는 아직 앳된 소녀다. ③ 〖動〗 아포(芽胞).

knospen [knɔ́spən] *i.* (h.) 싹이〔꽃봉오리가〕 나오다〔트다〕; 조짐이 나타나다: eine ~de Liebe 싹트는 사랑.

knospen≈artig *a.* ↑ knospenhaft. **~bildung** *f.* 〖植〗 발아(發芽); 무성아(無性芽) 번식. **~förmig** *a.* ↑ knospenhaft.

knospenhaft *a.* 싹〔꽃봉오리〕 모양의〔같은〕.

Knospen≈lage *f.* 〖植〗 아형(芽型). **~schuppe** *f.* 〖植〗 아린(芽鱗). **~zeit** *f.* 발아기.

knospig [knɔ́spıç] *a.* 싹〔꽃봉오리〕 모양의, 싹이〔꽃봉오리가〕 있는.

Knösplein *n.* -s, - ↑ Knöspchen.

Knospung *f.* -en ① 발아. ② 〖動〗 아생(芽生) 생식.

Knötchen [knǿ:tçən] *n.* -s, - 〘↑ Knoten 의 축소형〙 ① 작은 매듭. ② 〖醫〗 소결절.

Knötchen·flechte *f.* 〖醫〗 태선(苔癬).

Knote [knó:tə] 《ndd.》 *m.* -n, -n 〘폄어·구식〙 장돌뱅이, 상놈, 속물.

knöteln [knǿ:təln] *i.* 작은 매듭을 짓다.

***Knoten** [knó:tən] *m.* -s, - ① 매듭, 마디, 혹; 〖醫·植〗 결절(結節): ~ schlagen〔lösen〕 매듭을 짓다〔풀다〕; den gordischen ~ durchhauen 고르디우스의 매듭을 한 칼에 베어버리다(어려운 문제를 단숨에 해결하다). ② 〘비유〙 분규, 곤란, 장애; 〖연극〗 갈등, 뒤얽힘: 〘구어〙 bei ihm ist der ~ noch nicht gerissen〔geplatzt〕 그는 아직 깨닫지〔파악하지〕 못했다. ③ 〖海〗 노트(약어: kn): das Schiff läuft in der Stunde 18 ~ 이 배는 시속 18 노트로 달린다. ④ 〖天〗 교점(交點): der aufsteigende〔absteigende〕 ~ 승(昇) 교점〔강(降) 교점〕. ⑤ 틀어올린 머리.

knoten *t./i.* 매듭을 짓다; 맺다.

Knoten≈amt *n.* 〖우편〗 ① 자동 교환국. ② 〖구동독〗 (자동 교환 장치가 설치된) 중앙 우체국. **≈artig** *a.* 매듭〔마디·결절〕 모양의. **~bildung** *f.* 〖醫〗 결절 형성. **~fänger** *m.* 펄프 여과기. **≈förmig** *a.* ↑ ≈artig.

knotenhaft [knó:tənhaft] *a.* 매듭〔마디·결절〕 모양의, 매듭〔마디·결절〕 있는.

Knoten≈holz *n.* 옹이 많은 재목. **~linie** *f.* 〖理〗 절선(節線); 〖天〗 교(차)선. **~lösung** *f.* 〖연극〗 갈등의 해결. **~maschine** *f.* ↑ ~fänger. **~punkt** *m.* 교차점: Verkehrs≈ 교통의 교차점; 〖비유〗 der ~ einer Handlung〔Darstellung〕 줄거리의 중요하고 결정적인 분기점; 〖理〗 절점(節點). **~schrift** *f.* (Quipu) 결승(結繩) 문자, 매듭 글자. **~schürzung** *f.* 〖연극〗 갈등의 구성. **~stock** *m.* 마디 많은 지팡이. **~tau** *n.* 〖스포츠〗 매듭 있는 밧줄.

Knöterich [knǿ:tərɪç] *m.* -(e)s, -e 〖植〗 여뀌류(줄기가 마디진 풀).

knotig *a.* ① 매듭〔마디·결절〕 모양의, 매듭〔마디·결절〕 많은: ein ~er Stock 마디가 많은 지팡이. ② 조야한, 비속한.

Knötlein [knǿ:tlaɪn] *n.* -s, - ↑ Knötchen.

Knotte [knɔ́tə] *f.* -n 삼의 배아(胚芽).

Knotten·erz *n.* 〖광물〗 반점사암(斑點砂岩).

Know-how [nouháu] 《engl.》 *n.* -(s) 실제적인 지식, 전문 지식, 노하우: technisches ~ 기술적 노하우.

Knubbe [knʊ́bə] 《ndd.; ♧ Knopf》 *f.* -n ① 옹두리, 혹. ② 눈, 꽃봉오리. ③ 종창, 궤양.

Knubbel [knʊ́bəl] *m.* -s, - 〔방언〕 ① 옹이, 마디, 종창. ② 〔속어〕 땅딸막한 사람.

knubbelig [knʊ́bəlɪç] *a.* 〔방언〕 뭉툭한, 혹 같은: eine kleine, ~e Nase 작은 주먹코.

knubbeln [knʊ́bəln] *refl.* 〔방언〕 몰려들다, 밀치락거리다: auf der Autobahn knubbelt es sich 고속 도로에서 교통이 정체된다.

Knubben [knʊ́bən] *m.* -s, - ① ↑ Knubbe ①. ② ↑ Knubbel ②.

knuddeln [knʊ́dəln] *t.* 〔방언〕 ① 눌러 으깨다. ② (특히 아이를) 꼭 껴안고 뽀뽀하다.

Knuff [knʊf] *m.* -(e)s, Knüffe [knʏ́fə] 〔구어〕 주먹이나 팔꿈치로 가볍게 때리기〔치기〕: wenn sie vorbeikommt, gebe ich dir einen ~ in die Seite 그녀가 지나가면 네 옆구리를 툭 칠게.

knuffen [knʊ́fən] *t.* 주먹이나 팔꿈치로 가볍게 때리다〔치다〕.

knuffig *a.* 〔구어〕 조야한; 터무니없는.

Knulch [knʊlç], **Knülch** [knʏlç] *m.* -s, -e 〔비속·폄어〕 교활〔불쾌〕한 놈.

Knüll[1] [knʏl] *m.* -s 크뉠(헤센 지방의 산악).

Knüll[2] *m.* -(e)s, -e 목장(Anger).

Knüll·blume *f.* 〖植〗 ↑ Gänseblümchen.

knüll [knʏl], **knülle** [knʏ́lə] *a.* 〔구어〕 ① 녹초가 된, 의기가 꺾인. ② 몹시 취한, 곤드레가 된.

knüllen [knʏ́lən] 《I》 *t.* ① 구기다, 주름잡다. ② (schweiz.) 치다, 때리다. 《II》 *i.* (h.) ① 곤드레가 되다. ② 구겨지다, 주름지다: der Stoff knüllt leicht 그 천은 구김이 쉽게 간다.

Knüller [knʏ́lər] *m.* -s, - 〔구어〕 감동적인 무대 효과, (연극·집회 따위에서) 대평판, 히트; 특종 기사: der Film ist ein ~ 그 영화는 히트치고 있다.

Knüpf·arbeit [knʏ́pf..] *f.* (가구 장식용의) 마크라메 레이스 세공(細工)(품).

***knüpfen** [knʏ́pfən] 《I》 *t.* 맺다, 매다, 짜다, 매듭짓다: Teppiche ~ 양탄자를 짜다; 〔비유〕 die Freundschaftsbande enger ~ 우정을 더욱 두텁게 하다; Hoffnungen an et. ~ 무엇에 희망을 걸다; Bedingungen an et. ~ 무엇에 조건을 달다; die Hundeleine an den Pfahl ~ 개줄을 기둥에 잡아매다. 《II》 *refl.* sich an et. ~ 무엇에 묶이다, …과 결합되다.

Knüpf·teppich *m.* (짜서 만든) 양탄자.

Knüpfung [knʏ́pfʊŋ] *f.* -en 매듭짓기; 맺은 것.

Knüpf·werk *n.* ↑ ~arbeit.

***Knüppel** [knʏ́pəl] *m.* -s, - ① 몽둥이, 곤봉, 회초리, 통나무: 〔구어〕 jm. einen ~ zwischen die Beine werfen 누구를 곤경에 빠뜨리다〔방해하다, 어렵게 만들다〕; 〔구어〕 jm. ein ~ 〔Klotz〕 am Bein sein 누구에게 방해가 되다; 〔구어〕 sich mit jm.〔et.[3]〕 einen ~ 〔Klotz〕 ans Bein binden〔hängen〕 누가〔무엇이〕 장애가 되고 있다; 〔구어〕 einen ~ 〔Klotz〕 am Bein haben 방해를 받고 있다, 짐을 지고 있다; der ~ liegt beim Hund 당연히 좋지 않은 결과가 올 것이다. ② 〖空〗 조종간; 나무 망치; 경찰봉. ③ 〔비유〕 조야〔무작〕한 사람. ④ 〔방언·비속〕 롤빵의 일종. ⑤ 〖제련〗 금속봉, 압연철. ⑥ 〔비속〕 남자의 성기.

Knüppel≈aus·dem·sack *m.* 놀이(의 일종). **~brücke** *f.* 통나무 다리. **~damm** *m.* 통나무를 깐 길. **≈dick** *a.* 몹시 굵은; 아주 많은: 〔구어〕 es 〔das Unglück〕 kam gleich ~ 갑자기 많은 불운들이 들이닥쳤다; ich hab's ~ 나는 이젠 그만이다〔충분하다〕; 〔구어〕 ~ voll sein 터질 듯이 꽉 찬; 〔구어〕 er hat es ~ hinter dem Ohren 그는 매우 교활하다〔약아빠졌다〕. **~herrschaft** *f.*, **~regiment** *n.* 폭력 정치. **~holz** *n.* 통나무.

knüppelhaft [knʏ́pəlhaft], **knüppelig** *a.* 통나무〔몽둥이〕 모양의; 〔비유〕 멋없는; 볼품없는, 조야한.

knüppeln [knʏ́pəln] 《I》 *t.* 몽둥이〔통나무〕로 때리다: die Polizisten knüppelten die Streikenden zu Boden 경찰이 파업자들을 몽둥이로 때려 땅에 쓰러뜨렸다. 《II》 *i.* (h.) 〖스포츠〗 비신사적으로 경기하다.

Knüppel·schaltung *f.* 〖車〗 자동차 바닥의 기어시프트.

knuppern [knʊ́pərn] 《<knuspern》 *t.* 〔방언〕 바삭바삭 씹다(knabbern).

Knups [knʊps] *m.* -es, -e ① 쾅 하고 치기, 폭음. ② 편발(編髮).

***knurren** [knʊ́rən] *i.* (h.) (짐승이) 으르렁거리다; (사람이) 투덜대다, 불평을 말하다: mir knurrt der Magen 난 (배 고파서) 배가 쪼르륵거린다; er knurrte über die neue Anordnung 그는 새 규정에 대해 불평했다.

Knurr·hahn *m.* 〖動〗 ① 성대. ② 멧닭속. ③ 불평꾼: 〔비유〕 er ist ein richtiger ~ 그는 툭하면 불평을 늘어놓는 사람이다.

knurrig *a.* 〔구어〕 으르렁대는, 불평을 말하는, 투덜거리는.

Knurrigkeit *f.* ↑ knurrig 의 명사형.

Knurr≈kater *m.* ① 으르렁거리는 수고양이. ② 〔비유〕 ↑ ~kopf. **~kopf** *m.* 불평하는〔까다로운〕 사람. **~laut** *m.* 으르렁거리는〔투덜

거리는〕 소리. **~peter** *m.* ↑ ~kopf.
knüselig [knýːzəlɪç] *a.* 〖방언〗 더러운, 지저분한.
Knusperchen [knúspərçən] *n.* -s - 비스킷.
Knusper·häuschen *n.* (동화 속에 나오는) 과자로 만든 (마녀의) 집.
knusperig *a.* ↑ knusprig.
knuspern [knúspərn] 〖의성어〗〖방언〗《I》 *i.* (h.) (an et.³) 파삭파삭 씹다, 갉아먹다. 《II》 *t.* 파삭파삭 씹다.
knusprig *a.* 알맞게 딱딱하게 구운, 파삭파삭한.
Knust [knuːst] 《♧ Knaust》 *m.* -(e)s, -e/ Knüste [knýːst] ① 빵의 굳은 껍질. ② ↑ Knorren. ③ (사과 따위의) 속, 과심(果心).
Knute [knúːtə] *f.* -n 가죽 채찍; 〖비유〗 학정: die russische ~ 러시아 황제의 전제 정치; unter js. ~ stehen 누구의 압제 아래 있다.
knuten [knúːtən] *t.* 가죽 채찍으로 때리다; 압박하다.
knutschen [knúːtʃən] *t.* 〖구어〗 눌러 대다, 꼭 껴안다, (남녀가) 시시덕거리다, 입맞추다: 〖경박〗 ich glaube, mich knutscht ein Elch! 그것은 사실일리가 없어!
Knutscherei [knuːtʃəráɪ] *f.* -en 〖구어·대개 폄어〗 포옹〔키스〕하는 행위.
Knutsch·fleck [knúːtʃ..] *m.* 〖구어〗 키스〔애무〕 자국: ~e am Hals 목에 난 애무 자국.
knutschig *a.* 몹시 구겨진〔쭈글쭈글한〕.
Knüttel 《♧ Knoten》 *m.* -s, - (Knüppel) 몽둥이, 곤봉.
Knüttel·vers *m.* 〖문학〗 4 강음운(强音韻) 시행(詩行) (Knittelvers).
knütten [knʏ́tən] *t.* 〖방언〗 짜다, 뜨(개질하)다.
knütz *a.* (nordwestd.) 교활한.
Ko. =Kompanie 회사.
K.o. [kaː|óː] =Knock out 〖권투〗 녹아웃.
k.o. *a.* ①〖권투〗 녹아웃의: ~ gehen 녹아웃되다. ②〖구어〗 완전히 기진맥진한, 녹초가 된: völlig ~ kamen wir am Ziel an 우리는 완전히 녹초가 되어 목적지에 도달했다.
ko.. 《lat.》 *pref.* ↑ kon...
Koadjutor [ko|atjúːtɔr, ..koːr] 《lat.》 *m.* -s, -en [..tóːrən] 조수, 조력자; 〖가톨릭〗 보좌 신부.
Koagulat [ko|aguláːt] 《lat.》 *n.* -(e)s, -e 〖化·醫〗 응고〔응결〕물.
Koagulation [..tsióːn] *f.* -en 〖化·醫〗 (특히 단백질의) 응결, 응고.
koagulieren 《I》 *t.* 응고시키다: Blut ~ 혈액을 응고시키다. 《II》 *i.* (s.) 응고하다.
Koagulum *n.* -s, ..la 〖醫〗 응혈, 혈전.
Koala *m.* -s, -s, **Koala·bär** *m.* 〖動〗 코알라.
koaleszieren [ko|alɛstsíːrən] 《lat.》 *i.* (h.) 합생(合生)〔융합〕하다.
koalieren [ko|alíːrən], **koalisieren** 《frz.》 *i.* (h.) 〖政〗 결합〔동맹·합동〕하다: die ~den Parteien 연합 정당들.
Koalition [..tsióːn] 《frz.》 *f.* -en 〖政〗 결합, 동맹, 합동, 제휴, 연립: eine ~ mit den Sozialdemokraten bilden〔eingehen〕 사민당원들과 연합〔제휴〕하다.
Koalitions≈freiheit *f.* 〖法〗 단결의 자유. **~krieg** *m.* ① 연합 전쟁(다수 국가가 동맹하여 어떤 나라와 치루는 전쟁). ②〖대개 복수〗〖史〗 대불(對佛) 대(大)동맹 전쟁(유럽 동맹군 주국들(1792-1807)의 프랑스 공화국과 벌인 전쟁). **~ministerium** *m.* 연립〔거국〕 내각. **~partei** *f.* 〖政〗 연립 정당. **~partner** *m.* 〖政〗 연립 정부 파트너. **~recht** *n.* 〖政〗 (노사 투쟁의) 단결권. **~regierung** *f.* 〖政〗 연립 정부. **~verbot** *n.* 단결 금지.
koätan [ko|ɛːtáːn] 《lat.》 *a.* 나이가 같은, 같은 연대의.
Koätan *m.* -en, -en 같은 연배〔연대〕의 사람, 동기생.
Koautor [kóː|aʊtɔr] *m.* -s, -en [..toːrən] 공저자, 공동 편자.
koax [ko|áks] 《gr.》 *int.* 〖의성어〗 개골(개구리 우는 소리): ~, ~ 개골개골.
koaxial [ko|aksiáːl] 《lat.》 *a.* 〖數·工〗 동축(同軸)의.
Koaxial·kabel *n.* 〖컴〗 동축(同軸) 케이블.
Kobalt [kóːbalt] 《♧ Kobold》 *n.* -s 〖化〗 코발트(약어: Co).
Kobalt≈blau *n.* 코발트 블루(짙은 푸른 빛깔). **~blüte** *f.* 코발트화(華). **~bombe** *f.* 〖軍〗 코발트 폭탄. **~chlorür** *n.* 염화 코발트. **~glanz** *m.* 〖광물〗 휘(輝)코발트광(鑛). **~glas** *n.* 코발트 유리. **~kanone** *f.* 〖醫〗 코발트 (동위 원소를 내포한) 광선 조사(照射)기. **~kies** *m.* 〖광물〗 황코발트광(鑛). **~legierung** *f.* 〖工〗 코발트 합금. **~verbindung** *f.* 코발트 화합물.
Kobel [kóːbəl] 《obd.》 *m.* -s, - ① 오두막집, 헛간, 칸막이한 곳. ②〖사냥〗 다람쥐 굴. ③〖방언〗 주사위. ④〖방언〗 도가머리, 볏; 높이 짠 머리.
Kobel·ente *f.* 〖動〗 흰뺨오리.
Koben [kóːbən] 《obd.》 *m.* -s, - 오두막, 돼지우리; 〖비유〗 누추한 집.
Kober [kóːbər] *m.* -s, - 뚜껑 달린 채롱, 등에 지는 바구니; 〖비속〗 갈봇집 주인.
Koblenz [kóːblɛnts] *n.* 코블렌츠(독일 라인 강변의 도시).
Koblenzer 《I》 *m.* -s, - 코블렌츠의 주민. 《II》 *a.* 코블렌츠의.
Köbler *m.* -s, - 몹시 가난한 농부.
***Kobold** [kóːbɔlt] 《ahd.》 *m.* -(e)s, -e ① 요마, 요괴, 산〔집·땅〕의 요정. ②〖비유〗 방종한 사람, 말괄량이; 오뚝이: 〖구어〗 sie ist ein richtiger kleiner ~ 그 여자는 진짜 말괄량이다.
koboldhaft *a.* 요정〔요마〕 같은: ~ kichern 요마처럼 낄낄 웃다.
Kobold·maki *m.* 〖動〗 타르지우스(원숭이의 일종).
Kobolz [kobɔ́lts] 《ndd.》 *m.* 〖다음 용법으로만〗〖방언〗 (einen) ~ schießen〔schlagen〕 공중제비를 넘다, 재주넘다.
kobolzen [kobɔ́ltsən] *i.* 〖방언〗 공중제비를 넘다, 재주넘다.
Kobra [kóːbra] 《lat.》 *f.* -s 〖動〗 코브라.
***Koch**[1] [kɔx] *m.* -(e)s, Köche [kœ́çə] 요리사, 쿡: 〖속담〗 Hunger ist der beste ~ 시장이 반찬; 〖속담〗 viele Köche verderben den Brei 사공이 많으면 배가 산으로 올라간다.
Koch[2] *n.* -s, -e (öst.) 죽, 젤리, 잼.
Koch≈apfel *m.* 요리용 사과. **≈beständig** *a.* ↑ ≈fest. **~buch** *n.* 요리책. **≈echt** *a.* (직

물 따위가) 삶아도 상하지 않는.

köcheln [kœçəln] *i.* 약간 익히다, 연한 불로 삶다: die Soße darf nur ~ 그 소스는 약간 익히기만 하면 된다.

Köchel·verzeichnis *n.* 쾨헬 번호 목록(모차르트의 작품 목록; 약어: KV) (음악 학자 L. v. Köchel 의 이름에서).

***kochen** [kɔ́xən] 《Ⅰ》 *t.* 찌다, 끓이다, 삶다, 데치다; 요리하다: Wäsche ~ 빨래를 삶다; 〔비유〕 die Sonne kocht die Trauben (뜨거운) 태양이 포도를 익게 한다. 《Ⅱ》 *i.* (h.) ① 익다, 쪄지다, 끓다, 비등하다, 삶아지다: das Wasser kocht 물이 끓는다; 〔비유〕 die Beeren ~ in der Sonne 딸기가 뜨거운 햇볕을 받아 익어간다. ② 〔비유〕 끓어오르다, 격앙하다: die See kocht 바다가 용솟음친다; sein Blut kocht 〔er kocht vor Wut, es kocht in ihm〕 그는 (격앙·분노로) 부글부글 끓고 있다. ③ 요리하다: sie kocht gut 그 여자는 요리 솜씨가 좋다; hier wird schlecht gekocht 이곳은 요리가 형편 없다. 《Ⅲ》 *refl.* sich schwer〔leicht〕 ~ 삶기〔끓이기〕 어렵다〔쉽다〕.

Kocher *m.* -s, - ① 삶는〔끓이는〕 도구. ② 삶는〔끓이는〕 사람. ③ 〖工〗 내산성〔耐酸性〕 압력통. ④ 〔경박〕 담배 파이프.

***Köcher** [kœ́çər] *m.* -s, - 전통(箭筒), 화살통; 필통.

Köcher·fliege *f.* 〖動〗 날도래속(屬).

Kocherei [koxəráɪ] *f.* 〔구어·폄어〕 요리하기; 서투른 요리.

koch≈fertig *a.* 삶기만〔끓이기만〕 하면 되는, 즉석의: ~e Suppen 인스턴트 수프. **≈feuer** *n.* 요리하는 불. **~fest** *a.* 삶아도 상하지 않는. **≈flasche** *f.* 플라스크. **≈gefäß** *n.* 취사 용구. **≈gelegenheit** *f.* 취사 설비: ein Zimmer mit ~ 취사 설비가 갖춰진 방. **≈gerät,** **≈geschirr** *n.* 취사 도구. **≈herd** *m.* 요리용 스토브.

Köchin [kœ́çɪn] *f.* -nen ↑ Koch[1] 의 여성형.

Koch≈käse *m.* 응유를 가열해서 만든 치즈. **~kelle** *f.* ↑ ~löffel. **~kessel** *m.* 취사용 솥, 냄비. **~kiste** *f.* 요리를 익히거나 보온하기 위한 용기. **~kunst** *f.* ① 요리법. ② 〔농담〕 요리 기술. **~löffel** *m.* 요리용 나무 스푼: 〔농담〕 den ~ schwingen 음식을 만들다, 요리하다. **~maschine** *f.* 요리용 기구(器具). **~mütze** *f.* 요리사의 흰 모자. **~-nische** *f.* (방이나 복도 구석에 설치된) 간이 부엌. **~ofen** *m.* 요리용〔취사용〕 스토브. **~-platte** *f.* ① (전자 레인지의) 요리용 철판. ② 요리용 소형 전자 레인지. **~punkt** *m.* 끓는 점, 비등점. **~salz** *n.* 식염. **~schule** *f.* 요리 학교. **~topf** *m.* 스튜 냄비. **~wäsche** *f.* ① 삶을 수 있는 빨래(특히 내의), 삶은 세탁물. ② 삶는 세탁: ~ machen 삶아서 세탁하다. **~-zeit** *f.* 음식이 익는 시간. **~zucker** *m.* 요리용 설탕.

Kocke [kɔ́kə] 《ndd.》 *m.* -s, -n 〔고어〕 ↑ Kogge.

Koda [kó:da] 《it.》 *f.* -s ① 〖음악〗 코다, 마침곡, 결미. ② 〖문학〗 소네트의 마지막 시행과 같은 운을 지니면서 추가로 덧붙여진 시행.

Kodder [kɔ́dər] *n.* -s, -n ① (ndd.) 누더기, 넝마. ② 담, 가래.

kodderig [kɔ́dərɪç] *a.* (ndd.) ① (옷이) 해어진, 낡아빠진. ② 〔경박〕 뻔뻔스러운, 주제넘은. ③ 속이 메스꺼운, 기분 나쁜: mir ist ganz ~ zumute 나는 아주 기분이 언짢다. ④ 무가치한, 쓸데없는; 점액질의, 끈적끈적한.

koddern [kɔ́dərn] *i.* ① 〔고어〕 자질구레한 것을 세탁하다. ② 〔방언〕 구토하다. ③ 〔방언〕 가래를 뱉다.

Kodder·schnauze *f.* 〔방언·경박〕 뻔뻔스러운 주둥아리.

koddrig *a.* ↑ kodderig.

Kode [ko:t, kó:də] 《frz.》 *m.* -s, -s ① 법전. ② 전신 기호, 암호, 부호, 코드. ③ 〖언어〗 특정 계층의 어투〔어법〕: elaborierter ~ 잘 다듬어진 어법(중·상류층의 어법).

Kodein [kodeí:n] *n.* -s 코데인(진정제).

***Köder** [kǿ:dər] *m.* -s, - ① 미끼; 〔비유〕 유혹물: ~ auslegen〔auswerfen〕 미끼를 던지다, 유혹하다; an einem ~ anbeißen 유혹에 걸려들다. ② 〖工〗 구두의 뒤축에 대는 가죽.

ködern [kǿ:dərn] *t.* (낚시에) 미끼를 달다; 꾀어 가까이 오게 하다: jn. mit Geld ~ 누구를 돈으로 유혹하다.

Köder·wurm *m.* 〖動〗 (미끼용) 벌레.

Kodex [kó:dɛks] 《lat.》 *m.* -(es), -e/..dizes ① 서적; (특히) 고사본(古寫本), 필사본. ② (고대 로마의) 법전. ③ (불문율의) 사회 규범〔규약〕: Sitten≈ 윤리 규범; sich nach einem ~ richten 사회 규범에 따르다. ④ 규약집. ⑤ 전신 약호.

Kodex·telegramm *n.* 약호 전신.

kodieren [kodí:rən] *t.* ① 부호화〔암호화·코드화〕하다. ② 〖언어〗 기호화하다.

Kodierung *f.* -en 코드〔암호·약호〕화.

Kodifikation [..tsió:n] *f.* -en ① 법전 편찬. ② 〖法〗 법령집.

kodifizieren [kodifitsí:rən] *t.* ① 법전으로 편찬하다. ② 규약집에 규정〔확정〕하다: kodifiziertes Recht 성문화〔법전화〕된 법률.

Kodifizierung *f.* -en ↑ Kodifikation ①.

Kodizill *n.* -s, -e 유언 추가서.

Koedukation [ko:edukatsió:n, kó:..tsio:n] 《lat.》 *f.* 남녀 공학.

Koeffizient [ko|ɛfitsiɛ́nt] 《lat.》 *m.* -en, -en 〖數〗 계수.

koerzibel [ko|ɛrtsí:bəl] 《lat.》 *a.* 강제〔압축〕할 수 있는.

Koerzitiv≈feld·stärke, ~kraft *f.* 〖物〗 항자력(抗磁力).

koexistent [kó:|ɛksɪstɛnt, ko|ɛksɪstɛ́nt] *a.* 〔교양〕 공존하는.

Koexistenz [kó:|ɛksɪstɛnts, ko|ɛksɪstɛ́nts] 《lat.》 *f.* -en 〔교양〕 공존, 공재.

koexistieren *i.* (h.) 〔교양〕 공존〔공재〕하다.

Kofel [kó:fəl] *m.* -s, - (bayr., tirol.) 산의 둥근 봉우리.

Kofen [kó:fən] *m.* -s, - 〔구식〕 (Koben) 오두막; 돼지우리; 누추한 집.

Kofent [kó:fɛnt] 《lat.》 *m.* -s, -e 약한 맥주.

Koffein [kɔfeí:n] *n.* -s 카페인.

***Koffer** [kɔ́fər] 《lat. -frz.》 *m.* -s, - ① 트렁크, 여행용 가방: 〔비유〕 den ~ packen 여행 준비를 하다, 떠나다; den ~ packen müssen 면직〔해고〕되다; aus dem ~ leben 늘 여행 중이다, 떠돌아다니다; 〔구어·농담〕 einen ~ stehen lassen 방귀뀌다; jn. an den ~ fahren 누구를 골탕먹이다, 곤경에 빠뜨리다; 〔경박〕 jm. vor den ~ treten 누구를 심히 훈계하다;

jm. vor den ~ scheißen 누구를 실망시키다〔화나게 하다〕. ②〖軍〗 포탄. ③〖철도·토목〗 도상(道床)의 자갈, 밸러스트. ④〔은어〕 담뱃갑. ⑤〔구어〕 크고 이상한 것: das ist ja ein ~! 야, 그건 굉장히 큰데! ⑥〔경박·폄어〕 특히 외모가 볼품없는 여자.

Koffer≈anhänger *m.* 트렁크에 달린 이름표. **~apparat** *m.* 포터블〔휴대용〕 라디오〔녹음기〕. **~brücke** *f.* (나무로 만든) 여행용 가방을 얹는 짐받이〔선반〕.

Köfferchen [kœfərçən] *n.* -s, - ↑ Koffer의 축소형.

Koffer≈deckel *m.* 트렁크의 뚜껑. **~empfänger** *m.* ↑ ~radio. **~fisch** *m.*〖動〗 거북복속(屬). **~garn** *n.* 큰 끌그물〔예망(曳網)〕. **~gerät** *n.* (특히 라디오와 같은) 휴대용 전자제품. **~grammophon** *n.* 〔구식〕 휴대용〔포터블〕 축음기. **~kleid** *n.* (트렁크용의) 잘 구겨지지 않는 가벼운 옷. **~kuli** *m.* (역에 있는) 트렁크 운반용 손수레. **~radio** *n.* 휴대용 라디오. **~raum** *m.* 자동차의 트렁크. **~riemen** *m.* 가방의 가죽끈. **~schloß** *n.* 트렁크의 자물쇠. **~schlüssel** *m.* 트렁크의 열쇠. **~schreib·maschine** *f.* 휴대용 타자기. **~träger** *m.* (Gepäckträger) ① 수하물 운반인, 짐꾼. ② (자전거 뒤에 달린) 짐받이.

Kog [ko:k] *m.* -(e)s, Köge [kǿ:gə] ↑ Koog.

Kogel [kó:gəl] 《lat.》《I》 *m.* -s, - 산의 둥근 봉우리. 《II》 *f.* -n〖유행〗 성직자의 모자(Kapuze).

Kogge [kɔ́gə] *f.* -n (한자 동맹 당시의) 뱃머리가 높은 배.

kogitieren [kogití:rən] 《lat.》 *i.* (h.) 생각〔사유(思惟)〕하다.

Kognak [kɔ́njak] 《frz.》 *m.* -s, -s 코냑.

Kognak≈bohne *f.* (코냑을 넣은 콩 모양의) 초콜릿. **~glas** *n.*, **~schwenker** *m.* 코냑잔.

Kognat [kɔgná:t] 《lat.》 *m.* -en, -en 어머니 쪽의 친척, 외척.

Kognition [kɔgnitsió:n] 《lat.》 *f.* 〖法·구식〗 심리(審理); 〖哲〗 인식.

kognitiv [kɔgnití:f] *a.* 〖心·교육〗 인식의, 인식력이 있는: die ~e Entwicklung des Kindes 어린이의 인식 발달; ~e Fähigkeiten 인식 능력; 〖心〗 ~e Dissonanz 인식의 부조화; 〖언어〗 ~e Bedeutung (언어 표현의) 외시적 의미.

Kognomen [kɔgnó:mən] 《lat.》 *n.* -s, -/ ..mina 이명(異名), 별명.

Kohabitation [kohabitatsió:n] 《lat.》 *f.* -en 동거; 동침, 성교.

kohabitieren *i.* 〔교양〕 mit jm. ~ 누구와 동침〔성교〕하다.

kohärent [kohɛrɛ́nt] *a.* ①〔교양〕 연관성 있는, 일관된: eine ~e Darstellung 일관성 있는 묘사. ②〖理〗 응집성의; 가간섭성(可干涉性)의: ~es Licht 가간섭성 광선.

Kohärenz [..rɛ́nts] 《lat.》 *f.* -en ①〔교양〕 연관(성), 통일성. ②〖物〗 (분자간의) 응집력, (파동의) 가간섭성(可干涉性).

Kohärer [kohɛ́:rər] *m.* -s, - 〖전기〗 코히러 (무전 검파기(檢波器)의 일종).

kohärieren *i.* (h.) ①〔교양〕 연관되어 있다. ②〖物〗 응집하다.

Kohäsion [..zió:n] *f.* -en ①〔교양〕 (긴밀한) 결합, 연관 관계. ②〖心〗 소속 본능. ③〖物〗 (분자간의) 응집력.

kohäsiv [..hɛzí:f] *a.* 〔교양〕 응집력이 있는.

kohibieren [kohibí:rən] 《lat.》 *t.* 〔구식〕 제지〔억제〕하다.

Kohinoor [kohinú:r], **Kohinur** 《ind.》 *m.* -s 코이누르(영국 왕실이 소장하고 있는 인도산(産)의 큰 금강석 이름; 무게: 106 캐럿).

***Kohl** [ko:l] 《lat.》 *m.* -(e)s, -e ①〖植〗 양배추, 캐비지: 〔구어〕 seinen ~ (an)bauen 틀어 박혀〔죽치고〕 지내다; 〔비유〕 seinen ~ pflanzen 소박하게 살아가다; 〔구어〕 das macht den ~ auch nicht fett 그것은 아무 쓸모도 없다. ② 양배추 요리: 〔구어〕 den alten ~ wieder aufwärmen 끝난 이야기를 다시 꺼내다. ③〔학생〕 무의미, 요설: red nicht solchen ~! 그런 허튼소리 그만해!

Kohl≈art *f.* 양배추의 종류. **~blatt** *n.* 양배추잎.

Köhlchen [kǿ:lçən] *n.* -s, - ↑ Kohl, Kohle의 축소형.

Kohl·dampf *m.* 〖軍·구어〗 굶주림, 허기짐: ~ schieben〔haben〕 몹시 배고프다, 허기지다.

***Kohle** [kó:lə] *f.* -n ① 숯; 석탄; 목탄: Glanz≈ 무연탄; ~ abbauen〔fördern〕 석탄을 채굴하다; zu ~ brennen 구워서 숯으로 만들다; (wie) auf (glühenden) ~n sitzen〔stehen〕 괴로운 입장이다, 안절부절못하다; 〖聖〗 feurige ~n auf js. Haupt sammeln 타오르는 숯불을 누구의 머리에 쌓아 놓다(원수에게 은혜로 보답하여 뉘우치게 하다; 로마서 12:20, 잠언 25:22). ②〔구어〕 돈: die ~n müssen stimmen 임금〔수입〕이 충분해야만 한다.

Kohle≈druck *m.* 카본 인화법. **~faden** *m.* ↑ Kohlenfaden. **≈führend, ≈haltig** *a.* ↑ kohlenhaltig. **~herd** *m.* 석탄 화덕〔아궁이〕. **~hydrat** *n.* 〖化·영양〗 ↑ Kohlenhydrat. **~hydrierung** *f.* 〖化〗 석탄 액화. **~kraftwerk** *n.* (석탄을 연료로 사용하는) 화력 발전소.

kohlen[1] [kó:lən] 《<Kohl ③》 *i.* (h.) 〔구어〕 실없는 소리를 지껄이다.

kohlen[2] 《<Kohle》《I》 *i.* (h.) ① (양초·램프 따위가) 그을음을 내다. ② 숯으로 그리다. ③ 〖海〗 (배가) 석탄을 싣다. 《II》 *t.* 구워서 숯으로 만들다, 탄화(炭化)시키다.

Kohlen≈ader *f.* 석탄의 광맥. **~arbeiter** *m.* 탄갱부. **~bau** *m.* 석탄 채굴. **~becken** *n.* 화로; 〖지질〗 탄전. **~berg·bau** *m.* 채탄, 석탄 채굴. **~berg·werk** *n.* 탄광, 채탄소. **~blende** *f.* 무연탄. **~brenner** *m.* 숯장이. **~brennerei** *f.* 숯굽기; 숯가마. **~bunker** *m.* (배의) 탄고(炭庫). **~dioxyd** [(또는) ko:lən|dí:..] *n.* 〖化〗 이산화탄소. **~dioxyd·vergiftung** *f.* 이산화탄소 중독. **~dunst** *m.* 숯불의 독가스(일산화탄소). **~eimer** *m.* (실내용) 석탄 양동이. **~faden** *m.* 〖전기〗 (백열전구의) 탄소선(線). **~faden·lampe** *f.* 〖전기〗 탄소선 전구. **~feld** *n.* 탄전. **~feuer** *n.* 숯불. **~feuerung** *f.* 석탄에 의한 가열. **~flöz** *n.* 〖지질·광산〗 석탄층. **~formation** *f.* 〖지질〗 제 3기 (석탄기)의 지질 계통; 〖광산〗 석탄 함유층. **~fuchs** *m.* 흑갈색의 여우〔말〕. **~gas** *n.* 석탄 가스. **~gebirge** *n.* 탄산(炭山). **~gestübbe, ~gestübe** *n.* 석탄 가루,

탄분. **~grube** *f.* 탄갱. **~grus** *m.* ↑ ~gestüb(b)e. **~halde** *f.* 채굴된 석탄 더미. **~haltig** *a.* 석탄을 함유한, 석탄질의. **~handlung** *f.* 석탄 거래 (행위). **~heizung** *f.* 석탄〔연탄〕 난방. **~herd** *m.* 석탄 화덕〔아궁이〕. **~holz** *n.* 목탄용 목재. **~hydrat** *n.* 〖생화학·영양〗 탄수화물, 함수탄소. **~kalk** *m.* 〖지질〗 석탄 석회암. **~kasten** *m.* 석탄 넣는 상자〔통〕. **~klein** *n.* 가루탄. **~lager** *n.* 석탄 저장소; 〖지질〗 석탄층. **~lunge** *f.* 〖醫〗 진폐증. **~magnat** *m.* 석탄왕. **~meiler** *m.* 숯가마. **~monoxid** [ko:lənmó:..] *n.* 〖化〗 일산화탄소. **~monoxid·vergiftung** *f.* 〖醫〗 일산화탄소 중독. **~niederlage** *f.* 석탄 저장소. **~oxyd** *n.* 〖化〗 일산화탄소. **~papier** *n.* 탄산지(紙). **~pfanne** *f.* 화로. **~pforte** *f.* (배의) 석탄 적재구. **~platz** *m.* 석탄 저장소. **~pott** *m.* 〔구어〕 탄전 지대. **~raum** *m.* (배의) 석탄고. **~sack** *m.* (석)탄 자루; 〖天〗 은하수의 암흑 부분. **~sauer** *a.* 〖化〗 탄산의: kohlensaurer Kalk 탄산 석회; kohlensaures Wasser 탄산수. **~säure** *f.* 〖化〗 ① 탄산. ② 이산화탄소. **~schaufel** *f.* 석탄 푸는 삽. **~schiefer** *m.* 탄질(炭質) 셰일. **~schiff** *n.* 석탄선. **~station** *f.* 〖철도〗 급탄소. **~staub** *m.* 석탄〔목탄〕 부스러기, 탄진. **~staub-feuerung** *f.* 〖工〗 진탄로(塵炭爐). **~stift** *m.* 〖전기〗 탄소봉. **~stoff** *m.* 〖化〗 탄소.

Kohlenstoff=-Ionen-Therapie *f.* 〖醫〗 탄소 이온 요법. **~verbindung** *f.* 〖化〗 탄화물: anorganische ~en 무기 탄화물.

Kohlen=teer *m.* 콜타르. **~träger** *m.* 석탄 운반인. **~trimmer** *m.* 〔구식〕 석탄 운반 인부. **~übernahme** *f.* 〖海〗 석탄 적재. **~wagen** *m.* 〖철도〗 ① 탄차(炭車). ② (기관차의) 탄수차(炭水車). **~wasser·stoff** *m.* 〖化〗 탄화수소. **~zeche** *f.* ↑ ~bergwerk. **~zeichnung** *f.* 목탄화. **~zeit** *f.* 〖지질〗 석탄 시대.

Kohle=papier *n.* ① 복사지, 카본지(紙). ② 카본 인화지. **~pfennig** *m.* 〖經〗 (석탄 산업을 보조하기 위해 전력 기업이 납부하는) 석탄세.

Köhler [kǿ:lər] *m.* -s, - ① 숯장이. ② 〖動〗 바다 연어(Seelachs).

Köhlerei [kø:lərái] *f.* -en 숯굽기; 숯굽는 곳.

Köhler·glaube *m.* 〔교양·구식〕 맹신(盲信).

Kohle·stift *m.* ① 〖전기〗 ↑ Kohlenstift. ② (데생용의) 목탄.

Kohl·eule 《<Kohl》 *f.* 〖動〗 야도충(夜盜蟲).

Kohle=verflüssigung *f.* 〖化〗 석탄 액화〔유화(油化)〕. **~vergasung** *f.* 〖化〗 석탄 기화, 연료용 가스화. **~zeichnung** *f.* 목탄화, 데생.

Kohl=fisch *m.* 〖動〗 바다 연어(Seelachs). **~fliege** 《<Kohl》 *f.* 〖動〗 파리의 일종. **~garten** *m.* 양배추 밭. **~hernie** *f.* 〖植〗 근류병(根瘤病).

kohlig [kó:lɪç] *a.* ① 석탄이 많은, 석탄질의. ② 석탄과 같은.

Kohl=kopf *m.* 양배추의 알속; 〔비유〕 바보, 못난이: so 'n ~ 〔Quatschkopf〕! 바보 같은 놈! **~meise** *f.* ① 〖動〗 박새. ② 〔구어·농담〕 사기치는〔속이는〕 아이. **~pech·raben-schwarz, ~rabe·schwarz** *a.* 새까만. **~rabe** *m.* ① 〖動〗 (유럽산(産)) 까마귀의 일종. ② 〔방언〕 ↑ ~rabi. **~rabi** [ko:lrá:bi] 《lat.》 *m.* 〖植〗 알줄기 양배추; 알뿌리 양배추의 덩이줄기〔괴경(塊莖)〕. **~raupe** *f.* 〖動〗 양배추의 모충(毛蟲). **~röschen** *n.* 〖植〗 (Braunelle) 꿀풀; 오이풀. **~roulade** *f.* 양배추롤(저민 고기를 양배추 잎으로 작게 말아서 만든 요리). **~rübe** *f.* 〖植〗 팬지의 일종. **~saat** *f.*, **~same** *m.* 푸성귀의 씨앗. **~schwarz** *a.* 숯처럼 검은, 새까만, 칠흑 같은. **~sprosse** *f.* (öst.) ① 양배추의 결구(結球), 속, 고갱이. ② 〔복수〕 양배추. **~stengel, ~strunk** *m.* 양배추 줄기. **~suppe** *f.* 양배추 수프. **~weißling** *m.* 〖動〗 흰나비.

Kohorte [kohɔ́rtə] 《lat.》 *f.* -n ① 〖史〗 옛 로마의 보병대(Legion 의 10분의 1). ② 〔교양·평어〕 무리, 떼. ③ 〖사회〗 (사람들의) 무리, 집단.

Koine [kɔyné:] *f.* ① 코이네(고대 그리스의 공통어). ② 〖언어〗 공통어, 표준어.

koinzident [ko|ɪntsidɛ́nt] 《lat.》 *a.* 〔교양〕 일치〔부합〕하는, 동시에 일어나는: ~e Ereignisse 동시에 일어나는 사건들.

Koinzidenz *f.* -en ① 〔교양〕 동시 발생, 일치, 부합. ② 〖醫〗 병발(併發). ③ 〖生〗 두 조직의 동시 출현.

koinzidieren *i.* 〔교양〕 일치하다, 동시에 일어나다.

koitieren [koití:rən] 《lat.》 《Ⅰ》 *i.* (h.) mit jm. ~ 누구와 성교하다. 《Ⅱ》 *t.* 〔드물게〕 jn. ~ 누구와 성교하다.

Koitus [kó:itʊs] *m.* -, -(se) 〔교양〕 성교, 교접: den ~ vollziehen 성교하다; analer ~ 항문 성교; ehelicher〔außerehelicher〕 ~ 부부간의〔혼외〕 성교.

Koje [kó:jə] 《<Kaue》 *f.* -n ① (배 안의) 작은 침실〔잠자리〕. ② 〔구어〕 매우 작은 침실. ③ 〔농담〕 침대: noch in der ~ liegen 아직 자고 있다. ④ (박람회의) 칸막이로 된 전시장.

Kojote [kojó:tə] 《mexikan.》 *m.* -n, -n ① 〖動〗 코요테(북아메리카 초원에 사는 늑대). ② 〔평어〕 겁둥이; 비열한 놈, 악당.

Koka [kó:ka] *f.* 〖植〗 코카(남아메리카산(產) 약용 식물).

Kokain [kokaí:n] *n.* -s 〖藥〗 코카인.

Kokainismus [kokainísmʊs] *m.* - 〖醫〗 코카인 중독.

Koka·strauch *m.* 〖植〗 ↑ Koka.

Kokarde [kokárdə] 《frz.》 *f.* -n ① 모표(帽標), 휘장. ② (군용기의) 국적 기호.

kokeln [kó:kəln] *i.* (md., ndd.) 불장난하다 (gokeln).

koken [kó:kən] 《Ⅰ》 *i.* (h.) 코크스를 만들다. 《Ⅱ》 *t.* (석탄을) 코크스로 만들다.

köken *i.* (h.) ① 〔평어〕 게우다. ② 〖수의〗 (말이) 트림하다; (여우가) 울다.

Koker[1] [kó:kər] *m.* -s, - ① 토갑(土匣)(질그릇을 넣고 굽는 그릇). ② 〖海〗 갑판을 뚫고 새로 낸 구멍(짐 따위를 실을 때 씀).

Koker[2] *m.* -s, - 코크스 제조인.

Kokerei [ko:kərái] *f.* -en 코크스 제조(장).

kokett [kokɛ́t] 《frz. coquet》 *a.* 교태부리는, 요염한, 아양떠는: ein ~es Lächeln 요염한 미소; jm. ~ zulächeln 누구에게 요염하게 미소짓다.

***Kokette** *f.* -n 아양떠는 여자, 접대부.

Koketterie [kokɛtərí:] *f.* -n [..rí:ən] 교태,

아양떨기.
kokettieren *i.* (h.) ① 아양떨다: mit jm. ~ 누구에게 아양떨다. ② (관심을 끌기 위해 자신의 어떤 점을) 언급〔강조〕하다: mit seinem Alter ~ 자신의 나이를 내세우다.
Kokille [kokíːlə] 《frz.》 *f.* -n 조가비; 〖제련〗 금속제 주형(鑄型).
Kokillen·guß *m.* 〖제련〗 냉각 주조; 냉각 주물.
Kokke [kɔ́kə] *f.* -n ↑ Kokkus.
Kokkels·körner [kɔ́kəls..] *pl.* 방기과 식물 열매(주로 물고기를 마비시켜 잡는 데 씀).
Kökken·möddinger [kœ́kənmœdıŋər] *pl.* (선사 시대의 덴마크 동해 연안의) 패총.
Kokkolith [kɔkolíːt, ..lít] *m.* -s/-en, -e(n) 심해의 수성암.
Kokkus [kɔ́kʊs] 《gr.》 *m.* -, ..ken 〖醫〗 구균(球菌).
Kokolores [kokolóːrɛs, ..rəs] *m.* 〔구어〕 쓸데없는 법석, 수다, 난센스: mach nicht solchen ~! 그런 말도 되지 않는 이야기는 집어치워!
Kokon [kokɔ̃ː] 《frz.》 *m.* -s, -s 〖動〗 고치, (곤충의) 알주머니.
Kokon·faser *f.* 고치의 섬유.
Kokos [kóːkɔs] 《sp.》 *f.* 야자수.
Kokos≈baum *m.* 야자나무. **~butter** *f.* 야자 버터. **~faser** *f.* 야자 껍질로 만든 섬유. **~fett** *n.* 야자 기름. **~flocke** *f.* 〔복수〕 야자 열매를 섞은 단과자, 코코넛 플레이크. **~läufer** *m.* 야자 껍질 섬유로 만든 긴 깔개. **~matte** *f.* 야자 껍질의 섬유로 만든 돗자리. **~milch** *f.* 야자유(乳). **~nuß** *f.* 야자 열매. **~öl** *n.* 야자유(油). **~palme** *f.* 야자수. **~raspel** *pl.* 잘게 조각낸 야자 열매.
Kokotte [kokɔ́tə] 《frz.》 *f.* -n ① 고급 매춘부〔창녀〕. ② 찜을 할 때 사용하는 솥〔냄비〕.
Koks[1] [koːks] 《engl.》 *m.* -es, -e ① 코크스; 〔비유〕 시시한〔하찮은〕 일〔말〕. ② 〔구어〕 돈. ③ 〔구어〕 화주(火酒).
Koks[2] 《indian.》 *m.* -es 〔은어〕 코카인.
Koks[3] 《jidd.》 *m.* -(es), -e 중산모(中山帽).
koksen [kóːksən] *i.* (h.) ① 코크스를 만들다. ② 〔은어〕 코카인을 사용하다. ③ 〔구어·농담〕 자다; 코골다.
Kokser *m.* -s, - 코카인 중독자.
Koks≈ofen *m.* 코크스 가마. **~staub** *m.* 코크스 지스러기.
Kokytos [kokýːtɔs] 《gr.》 *m.* - 〖신화〗 코퀴토스(저승의 강 이름), 삼도천(三途川).
Kokzidie [kɔktsíːdiə] *f.* -n 〖生〗 (무)척추 동물의 소화 기관에 기생하는 포자충(胞子蟲).
Kola[1] [kóːla] 콜론(:)의 복수(↑ Kolon).
Kola[2] *f.* 〖植〗 (서아프리카산(産)의) 콜라나무.
Kola·nuß *f.* 콜라나무의 열매.
Kolatsche [kolátʃə] 《tschech.》 *f.* -n (öst.) 건포도 넣은 비스킷; 롤빵.
Kölbchen [kœ́lpçən] *n.* -s, - 〖↑ Kolben 의 축소형〗 작은 곤봉; 〖植〗 소수상화(小穗狀花).
Kolbe *f.* -n (md.) 앞머리를 높인 남자 조발법(調髮法).
***Kolben** *m.* -s, - ① 몽둥이의 불거진 끝, 곤봉; 〖軍〗 총의 개머리. ② 〖化〗 플라스크, 증류기. ③ 〖植〗 육수(肉穗) 꽃차례〔화서(花序)〕, (옥수수의) 속대(Mais~); 〖動·사냥〗 연한 사슴뿔; (벌레의) 곤봉 모양의 촉각; (방금 깎아 놓은) 머리; 〔비속〕 음경, 남근. ④ 윤 내는 데 쓰는 방망이, 땜질 인두; 〖기계〗 (펌프의) 피스톤.
kolben 《I》 *i.* (h.) 이삭이 패다; 〖사냥〗 (사슴의) 뿔이 나다. 《II》 *t.* (옥수수의) 이삭을 베어내다.
kolben≈ähnlich, ~artig *a.* 곤봉〔이삭〕 모양의.
Kolben≈bolzen *m.* 〖工〗 피스톤축의 꼭대기. **~dampf·maschine** *f.* 증기 기관. **~fresser** *m.* 〖車〗 피스톤과 실린더의 마모〔훼손〕. **~gebläse** *n.* 피스톤 송풍기. **~hals** *m.* 〖軍〗 총의 손잡이. **~hieb** *m.* (총의) 개머리판으로 치기. **~hirsch** *m.* 〖사냥〗 연한 뿔이 난 사슴. **~hirse** *f.* 〖植〗 조. **~hub** *m.* 〖工〗 피스톤의 운동. **~moos** *n.* 〖植〗 석송(石松). **~niedergang** *m.* 피스톤의 하향 행정(行程). **~pumpe** *f.* 〖工〗 피스톤 펌프. **~ring** *m.* 〖工〗 피스톤 링. **~rohr** *n.* 펌프의 관; 〖植〗 부들속의 일종. **~schlag, ~stoß** *m.* 〖軍〗 ↑ ~hieb. **~stange** *f.* 〖工〗 피스톤 자루.
kolbig [kɔ́lbıç] *a.* 곤봉〔이삭〕 모양의; 마디 많은.
Kolchos [kɔ́lçɔs, kɔlxɔ́s] 《russ.》 *m.*/(드물게) *n.* -, -e [..çóːzə] ↑ Kolchose.
Kolchos·bauer *m.* (구소련의) 콜호스〔집단 농장〕의 농부.
Kolchose [..çóːzə] *f.* -n 콜호스, 집단 농장.
koldern [kɔ́ldərn] *i.* (h.) (ndd.) 상을 찌푸리다; 흥분하며 날뛰다; 싸우다.
Koleoptere [koleɔptéːrə] 《gr.》 *f.* -n 〖動〗 갑충.
Kolibakterie [kóːli..] *f.* -n 〖醫〗 대장균.
Kolibri [kóːlibri] 《sp.》 *m.* -s, -s 〖動〗 벌새.
kolieren [kolíːrən] 《lat.》 *t.* 거르다, 여과하다.
Kolier·tuch [kolíːr..] *n.* 〖化〗 여과용 헝겊.
Kolik [kóːlık, kolíːk] 《gr.》 *f.* -en ① 〖醫〗 산통(疝痛). ② 〖수의〗 (특히 말의) 위와 장 부분의 질병.
Kolitis [kolíːtıs] 《gr.》 *f.* ..tiden [..tíːdən] 〖醫〗 대장염.
Kolk [kɔlk] *m.* -(e)s, -e 〖지질〗 (물의 소용돌이로 생기는) 강바닥의 패인 곳; 웅덩이; 소용돌이.
kolken [kɔ́lkən] *i.* (h.) 〔방언〕 ① 트림하다, 트림하며 훅 불다. ② 구토하다.
Kolkothar [kɔlkotáːr] *m.* -s, -e 벵갈라(인도의 벵골산(産)의 붉은 안료), 철단(鐵丹)(산화제 2 철의 속칭).
Kolk·rabe [kɔ́lk..] *m.* 〖動〗 (유럽산(産)) 까마귀의 일종.
kollabieren [kɔlabíːrən] 《lat.》 *i.* (s./h.) 〖醫〗 탈진하다, 위축되다: der Patient kollabierte während der Operation 환자는 수술 중에 탈진 상태에 빠졌다.
Kollaborateur [kɔlaboratøːr] 《lat.》 *m.* -s, -e (적·점령군과의) 협력자.
Kollaboration [..tsióːn] 《lat.》 *f.* -en (적이나 점령군과의) 협력, 부역; 〔교양〕 협력.
Kollaborator [..ráːtɔr, ..toːr] 《lat.》 *m.* -s, -en [..tóːrən] 〔구식〕 협력자; 보조 교사; 〖가톨릭〗 보좌 신부(神父).
Kollaboratur [..ratúːr] *f.* -en 〔구식〕 보조 교사의 직〔지위〕.

kollaborieren *i.* (h.) ①〔교양〕 협력〔보좌〕하다. ② 적〔점령군〕에게 협력하다.
kollagen [kɔlagé:n] *a.* 〖生·醫〗 교원질(膠原質)의: ~es Bindegewebe 교원질로 된 결체(結締) 조직.
Kollagen 《gr.》 *n.* -s, -e 〖化〗 교원질(膠原質).
Kollaps [kɔláps] 《lat.》 *m.* -es, -e 〖醫〗 탈진, 쇠약, 신진 대사 장애: 〔구어·과장〕 einen ~ bekommen 발작하다, 매우 흥분하다; wenn er das hört, bekommt er einen ~ 그 소식을 들으면, 그는 마음의 평정을 잃는다.
Kollapsus *m.* -, ..pse ↑ Kollaps.
Kollar [kɔlá:r] *n.* -s, -e ①〖가톨릭〗 (성직자 복의) 빳빳한 칼라. ② (전례 때 걸치는 견의(肩衣)의) 칼라 모양의 가장자리 장식.
kollateral [kɔlaterá:l] 《lat.》 *a.* 나란히 있는, 옆의; 〖醫〗 부행(副行)〔옆쪽〕의; 〖法〗 방계(傍系)의.
Kollateral=erbschaft *f.* 방계 상속. **~gefäß** *n.* 〖醫〗 부행 혈관. **~verwandte*** *der/die* 방계 친족.
Kollation [kɔlatsió:n] 《lat.》 *f.* -en ①〖출판〗 (원본과의) 대조 조사, 비교, 교정; 〖法〗 상속 재산의 정산. ②〖가톨릭〗 (성직의) 임명, 수권(授權). ③〔방언〕 간식, 간단한 식사.
kollationieren *t.* 〖출판〗 대조〔교정〕하다; 〔구식〕 간식을 먹다.
Kollations·pflicht *f.* 〖法〗 상속 재산 정산 의무.
Kollator [kɔlá:tɔr, ..to:r] *m.* -s, -en [..tó:rən] 〖가톨릭〗 성직 수여자.
Kollatur [kɔlatú:r] *f.* 〖가톨릭〗 성직 임명권.
Kollaudation [kɔlaudatsió:n] *f.* -en (öst., schweiz.) (Bauabnahme) 준공 검사(증).
kollaudieren *t.* (öst., schweiz.) …을 준공 검사하다.
Kollaudierung *f.* -en (öst., schweiz.) (Bauabnahme) 준공 검사.
Kolleg [kɔlé:k] 《lat.》 *n.* -s, -s/(드물게) -ien [..giən] ① 관청 직원 (전부), 직원 일동; 교수단〔진〕. ②〔구식〕 (대학의) 강의: ein ~ über et. halten 무엇에 대해 강의하다. ③〖가톨릭〗 학원, 신학교. ④〖학제〗 (대학 입학 자격을 얻기 위한) 고등 전문 학교.
***Kollege** [kɔlé:gə] *m.* -n, -n 동료; 동업자: er ist ein früherer ~ von mir 그는 내 옛 동료다.
Kollegen·kreis *m.* 동료 사회: et. im ~ besprechen 무엇을 동료들과 의논하다.
Kollegenschaft *f.* 동료〔동업〕 관계.
Kolleg·heft *n.* 강의 노트.
kollegial *a.* ① 동료의, 동료다운; 친(밀)한: das war nicht sehr ~ von ihm 그는 그다지 우호적이지 않았다; ~es Verhalten unter Schülern fördern 학생들간의 우정을 촉진시키다. ②〖政·法〗 직원 일동의, 교수단의: eine ~e Entscheidung 직원 일동의 결정.
Kollegial·gericht *n.* 합의제 재판소.
kollegialisch *a.* ↑ kollegial ②.
Kollegialität [..gialitɛ́:t] *f.* 동료의 우의, 친목.
Kollegial·system *n.* 〖法〗 합의제.
Kollegiat *m.* -en, -en ① 같은 수도원의 수도사. ② 같은 방송 통신 강좌의 수강자.
Kollegien·gelder *pl.* (대학의) 수업료.
Kollegin *f.* -nen ↑ Kollege의 여성형.
Kollegium *n.* -s, ..gien [..giən] ↑ Kolleg ①.
Kolleg·mappe *f.* 서류 가방, 손가방.
Kollektaneen [..tá:neən, ..tané:ən] 《lat. colligere》 *pl.* 〖출판〗 발췌, 오려냄, 스크랩(북).
Kollektaneen·buch *n.* 스크랩북.
Kollekte [kɔlɛ́ktə] *f.* -n 〖宗〗 헌금; 갹출, 기부금 징수; 〖가톨릭〗 예배식의 기도, 집도문.
Kollekteur [..tǿ:r] *m.* -s, -e〔구식〕 모금자; (복권의) 판매인.
kollektieren *t.* 수집하다; (의연금을) 모으다.
Kollektion [..tsió:n] *f.* -en 수집, 발췌; 수집품, 상품 견본집, 컬렉션.
kollektiv [kɔlɛktí:f] *a.* 집단적인, 총체의; 공동〔공통〕의, 연대의: 〖政〗 ~e Sicherheit 집단 안보; eine ~e Führung 집단 지도부; 〖心〗 ~es Unbewußtsein 집단 무의식.
Kollektiv *n.* -s, -e 노동〔생산〕 공동체〔집단〕; 〖구동독〗 운동 선수단; 〖문법〗 집합 명사; 〖哲〗 집합 개념; 〖經〗 (구소련의) 생산 공동체 (집단 농장); 〖통계〗 (통계 조사의 기초가 되는) 공통의 특징을 지닌 인적 집단; 〖광학〗 집광〔볼록〕 렌즈.
Kollektiv=arbeit *f.* ① 집단〔공동〕 작업. ② 공동 작업의 결실: dieses Buch ist eine ~ 이 책은 공동 작업의 소산이다. **~begriff** *m.* 〖哲〗 집합 개념. **~bewußtsein** *n.* 〖사회〗 집단 의식. **~delikt** *n.* 〖法〗 집단 범죄. **~eigentum** *n.* 공유 재산. **~eingabe** *f.* 연명 청원서. **~gesellschaft** *f.* 〖經〗 합명 회사.
kollektivieren [kɔlɛktiví:rən] 《lat.》 *t.* ① 집단화하다. ② 국유화하다. ③〔경박·농담〕 공동 소유로 선언하다.
Kollektivismus [..vís..] 《lat.》 *m.* - 집단주의; 〖經〗 집산(集産)주의.
Kollektivist *m.* -en, -en 집단〔집산〕주의자.
kollektivistisch *a.* 집단〔집산〕주의의.
Kollektiv=note *f.* 〖政〗 (여러 나라의) 공동 통첩〔각서〕. **~prokura** *f.* 〖商〗 공동 대리권. **~schritt** *m.* (정치·정책의) 집단적 행위, 공동 보조. **~schuld** *f.* 연대 책임; 집단적 죄과. **~strafe** *f.* 〖교육〗 집단적 처벌.
Kollektivum [kɔlɛktí:vum] *n.* -s, ..va/..ven 〖문법〗 집합 명사.
Kollektiv=versicherung *f.* 집단〔단체〕 보험. **~vertrag** *m.* 〖法〗 (여러 나라 사이간의) 공동 조약; 〖經〗 단체〔노동〕 협약; 〖구동독〗 (노사간의) 기업내 노동 계약. **~wirtschaft** *f.* (구소련의) 집단 경영, 공동 농장.
Kollektor [kɔlɛ́ktɔr, ..to:r] 《lat.》 *m.* -s, -en [..tó:rən] 〖전기〗 집전자(集電子); 정류자(整流子), 전환기; 태양열 집열기; 〖광학〗 집광 렌즈.
Kollektur [kɔlɛktú:r] *f.* -en (öst.) 복권 취급소(Lottokollektur의 약칭).
Kollenchym [kɔlɛnçý:m] *n.* -s, -e 〖植〗 후각(厚角) 조직.
Koller[1] [kɔ́lər] 《<frz. collier》 *n.* -s, - 〖유행〗 ①〔구식〕 여성용 의복의 칼라; (여성용) 조끼, (남자용) 소매 없는 윗옷. ②〖중세〗 갑기병(甲騎兵)의 흰 윗옷. ③ (외투의) 어깨 부분〔깃〕.
Koller[2] 《<lat. choléra》 *m.* -s, - ① (말의) 뇌

병, 훈도병(暈倒病), 조광병(躁狂病). ②〖비유〗(사람의) 광포, 격노: einen ~ bekommen 격노하다; jn. packt der ~ 누가 격노하다.
Koller·busch, Köller·busch *m.* 가지가 심하게 벌어지고 키가 작은 나무.
Koller≈gang *m.* 〖工〗 분쇄기. **~hahn** *m.* 〖動〗 목도리도요.
kollerig [kɔ́lərɪç] *a.* 훈도병에 걸린 (말); 〔구어·비유〕 광포한.
kollern[1] [kɔ́lərn] *i.* (h.) 훈도병에 걸리다; 〔구어·비유〕 미쳐 날뛰다.
kollern[2] (md.) 《I》 *i.* (h.) (칠면조 따위가) 울다; (뱃속에서) 꾸르륵꾸르륵 소리나다; 구르다, 굴러 떨어지다. 《II》 *t.* 굴리다.
Kollett [kɔlɛ́t] 《lat.》 *n.* -s, -e 〔구식〕 조끼, 승마용 재킷; 목도리.
Kolli [kɔ́li:] *pl.* ↑ Kollo 의 복수형.
kollidieren [kɔlidí:rən] 《lat.》 *i.* ① (s.) (차량이) 충돌하다: ein Fahrzeug kollidiert mit einem Fahrrad 차량이 자전거와 충돌한다. ② 〔雅語〕 싸우다, 부닥치다: ich bin gestern mit meinem Vorgesetzten kollidiert 나는 어제 상사와 싸웠다. ③ (h.) (의견이나 이해 관계 따위가) 충돌하다: mit den Gesetzen ~ 법률을 위반하다.
Kollier [kɔlié:] 《frz.》 *n.* -s, -s ① 값비싼 목걸이. ② 모피 목도리.
Kollimation [kɔlimatsió:n] 《lat.》 *f.* -en 〖物〗 시준(視準); (schweiz.) 경계 획정.
Kollimations·achse *f.* 〖物〗 시준축.
Kollimator [kɔlimá:tɔr, ..to:r] *m.* -s, -en [..tó:rən] 〖物〗 시준기, 시준의(儀).
kollinear [kɔlineá:r] *a.* 〖數〗 같은 직선상의.
Kollision [kɔlizió:n] 《lat.》 *f.* -en 충돌, 알력, 모순: mit den Gesetzen in ~ kommen 〔geraten〕 법률에 저촉되다; die ~ eines Schiffes mit einem Eisberg 선박과 빙산의 충돌.
Kollisions·kurs *m.* ① 충돌 가능성이 있는 차량〔선박〕의 진로: das Schiff liegt auf ~ 그 선박은 충돌 위험이 있는 항로에 있다. ② 충돌을 노리는 행동: mit dem Regime 〔mit den Machthabern〕 auf ~ gehen 정권〔권력자들〕과 충돌을 꾀하다.
Kollo 《it.》 *n.* -s, -s/Kolli 운송 화물, 짐짝.
Kollodium [kɔló:diʊm] 《gr. -lat.》 *n.* -s 〖化〗 콜로디온.
Kollodium·wolle *f.* 〖工〗 콜로디온면(綿).
Kolloid [kɔloí:t] *n.* -(e)s, -e 〖化〗 교질(膠質).
kolloid *a.* ↑ kolloidal.
kolloidal *a.* 〖化〗 교질의; 교질을 함유한: ~er Zustand 교질 상태.
Kolloid·chemie *f.* 〖化〗 교질 화학.
Kolloidik 《gr.》 *f.* 〖化〗 콜로이드학.
Kolloid≈ion *n.* 콜로이드 이온. **~meteo≈rologie** *f.* 콜로이드 기상학. **~reaktion** *f.* 〖醫〗 콜로이드 반응, 교질 반응.
***Kolloquium** [kɔló:kvium, ..lɔ́..] 《lat.》 *n.* -s, ..quien [..kviən] ① (학문상의) 대화, 대화식 교수법. ② (학자들이나 정치가들의) 콜로키움, 토론회: ein internationales ~ 국제적인 콜로키움. ③ (대학의) 구두 시험.
Kollotypie [kɔlotypí:] 《gr.》 *f.* -n [..pí:ən] 〖印〗 콜로타이프.
kolludieren [kɔludí:rən] 《lat.》 *i.* (h.) (서로) 짜다, 공모〔결탁〕하다.
Kollusion [kɔluzió:n] *f.* -en 〖法〗 공모, 결탁.
Kolm *m.* -(e)s, -e (Kulm[1]) (둥근) 산봉우리.
kolmatieren [kɔlmatí:rən] *t.* 〖農·水理〗 (소택지(沼澤地)의) 지면을 높이다.
Kolmation [..tsió:n] *f.* -en 〖農·水理〗 지면을 높이기.
Köln [kœln] 쾰른(독일 라인 강변의 도시).
Kölner [kœ́lnər] 《I》 *m.* -s 쾰른 사람. 《II》 *a.* 쾰른의: ~ Dom 쾰른 대성당.
Kölner Braun *n.* ↑ Kölnischbraun.
kölnisch [kœ́lnɪʃ] *a.* 쾰른(사람·말)의.
Kölnisch·braun *n.* 암갈색.
Kölnisch·wasser, Kölnisch Wasser *n.* 오드콜로뉴(향수의 일종).
Kolo [kó:lo] 《tschech.》 *m.* -s, -s 콜로(세르비아의 민속 무용).
Kolofonium 新정서 ⇦ Kolophonium.
Kolombine [kolɔmbí:nə] *f.* -n 콜롬비네(이탈리아 민속 희극에서 Arlecchino 의 연인).
Kolombo [kolɔ́mbo] 콜롬보(스리랑카의 수도).
Kolombo·wurzel *f.* 〖植〗 콜롬보 뿌리(건위제와 고미제(苦味劑)로 사용됨).
Kolo·metrie [kolometrí:] *f.* 〖문학〗 긴 시련(詩聯)의 짧은 리듬 단위로의 분할; 콜론 단위의 시행 구성.
Kolon [kó:lɔn] 《gr.》 *n.* -s, -s/Kola ① 〖문학〗 콜론(산문이나 시행에서 3단어 이상으로 구성된 리듬의 단위). ② 〖문법〗 콜론(:). ③ 〖해부〗 결장(結腸).
Kolonat [koloná:t] 《lat.》 *n./m.* -(e)s, -e (고대 로마의) 콜로누스 제도; 영구 소작지.
Kolone [koló:nə] *m.* -n, -n (고대 로마의) 콜로누스.
Kolonel [kolonɛ́l] 《frz.》 *f.* 〖印〗 7포인트(활자의 크기).
Koloniakübel *m.* -s, - 대형 쓰레기통(Coloniakübel).
kolonial [koloniá:l] 《lat.》 *a.* ① 식민(지)의: ~e Eroberungen 식민지 정복. ② 〖生〗 군락의: die ~e Lebensweise von Algen 군락을 이룬 해초의 생활 양식.
Kolonial≈amt *n.* 식민국(局). **~gebiet** *n.* 식민지. **~geschäft** *n.* ↑ ~handel. **~gesellschaft** *f.* ① 식민지 회사. ② 식민주의 (지지) 단체. **~handel** *m.* 식민지 무역.
Kolonialismus *m.* - 식민주의, 식민(화) 정책.
Kolonialist *m.* -en, -en 식민주의자.
kolonialistisch *a.* 식민지 정책의; 식민주의를 추구〔옹호〕하는: ein ~es Land 식민지 정책을 추구하는 국가.
Kolonial≈krieg *m.* 식민지 침략〔쟁탈〕 전쟁. **~literatur** *f.* (식민지 작가가 쓴, 또는 식민지를 소재로 한) 식민지 문학. **~macht** *f.* (여러 식민지를 거느린) 식민 통치 강대국. **~politik** *f.* 식민(지) 정책. **~schuld·lüge** *f.* 독일은 식민지를 경영할 능력이 없다는 연합국측의 주장(베르사유 조약). **~stil** *m.* 〖건축〗 식민지 양식. **~truppe** *f.* 식민지 주둔군. **~waren** 〔고어〕 *pl.* 식민지 산물; (향료·설탕·커피 따위의) 수입 식료품. **~waren·geschäft** *n.* 〔고어〕 식료품 가게, 잡화점. **~waren·händler** 〔고어〕 *m.* 식료품상, 잡화

상인. **~waren·handlung** 〖고어〗 *f.* 식료품〔잡화〕 상점.

*__Kolonie__ [koloní:] 《lat.》 *f.* -n [..ní:ən] ① 식민지, (해외의) 속령: ~ gründen 식민지를 개척하다; ~n ausbeuten 식민지를 착취하다. ② 해외 거류민, (단체) 이민; (특정 외국인의) 집단 (거주지): die türkische ~ in Berlin 베를린의 터키인 집단 거주지. ③ (도시·교외 따위의) 집단 주택〔거주지〕; 수용소; 부락. ④ 〖生〗 군체(群體), 군락(群落); 〖動〗 (새·거미·꿀벌 따위의) 집단: Vögel leben in ~n 새는 무리를 지어 산다.

Kolonisation [kolonizatsió:n] *f.* -en ① 개발, 개간; 식민, 개척: innere ~ 국내의 개발; äußere ~ 해외 식민지 개척. ② 식민지 정복, 식민지 획득.

Kolonisator [..zá:tɔr, ..to:*r*] *m.* -s, -en [..tó:rən] 식민지 개척자.

kolonisatorisch *a.* 식민을 목적으로 한, 식민에 관계되는; 식민 정책에 따른.

kolonisieren *t.* 식민하다, 개척하다; 식민지화하다.

Kolonisierung *f.* -en 식민, 개척; 식민지화.

Kolonist [koloníst] *m.* -en, -en ① 이주민: die deutschen ~en in Rußland 러시아 거주 독일 이주민들. ② 개발자, 개척자. ③ 집단 거주지 주민.

Kolonisten·dorf *n.* 식민촌.

Kolonnade [kolɔná:də] *f.* -n 〖건축〗 열주(列柱), 주랑(柱廊).

Kolonne [kolɔ́nə] *f.* -n ① 종(렬)대; 행렬; 노동자 집단, 작업단 무리, 집단: die fliegende ~ 별동, 유격대; Flüchtlings~ 피난민 행렬; Auto~ 자동차 행렬; eine ~ von Bauarbeitern 건설 노동자 집단; eine ~ bilden 무리를 짓다. ② **(a)** 〖印〗 난(欄); 단(段). **(b)** (나란히 쓰여진 숫자·표·단어 등의) 세로줄, 수직선. ③ 〖化〗 증류탑. ④ die fünfte ~ 제5열(간첩 또는 사보타주 집단).

Kolonnen≠angriff *m.* 종대 공격. **~apparat** *m.* 〖化〗 증류기. **~fahren** *n.* (차량의) 종대 운행. **~schrift** *f.* (한자처럼) 세로로 쓰는 문자, 종서(縱書) 문자. **~springer** *m.* 상습적인 새치기 운전자. **~führer** *m.* 대열의 선도자. **~marsch** *m.* 종대 행진. **~weg** *m.* 종대로(縱隊路). **~weise** *adv.* 종대로, 종대마다; 〖印〗 단을 나누어서.

Kolophon [kolofó:n] *m.* -s, -e ① (중세 사본과 초기 인쇄물의) 간행 요목(저자·제목·간행자·발행처·발행일 따위를 명시함). ② 〖교양·고어〗 완결.

Kolophonium [kolofó:niʊm] *n.* -s 〖化〗 콜로포늄(현악기의 활이 미끄러짐을 방지하기 위해 바르는 물질).

Koloquinte [kolokvíntə] *f.* -n 〖植〗 콜로신스오이(박과(科)); 〖醫〗 콜로퀸트(설사약).

Kolorado·käfer [kolorá:do..] *m.* 〖動〗 콜로라도 감자 벌레(미국 Colorado 주에서 유럽으로 유입된 데서).

Koloratur [koloratú:*r*] 《lat. colorare》 *f.* -en 〖음악〗 콜로라투라, 장식음.

Koloratur≠sängerin *f.* 콜로라투라〔장식음〕를 내는 여가수. **~sopran** *m.* 〖음악〗 ① 콜로라투라〔장식음〕에 적합한 밝고 가벼운 소프라노 목소리. ② 콜로라투라 소프라노 여가수.

kolorieren [..rí:rən] *t.* 〖畫〗 착색〔채색〕하다; 〖음악〗 장식음으로 꾸미다.

Kolorierung *f.* -en ↑ kolorieren 의 명사형.

Kolorimeter *n.* -s, - 〖物〗 측색계(測色計), 색채계.

Kolorimetrie *f.* ① 〖化〗 비색법((比色法). ② 〖天〗 비색 온도 측정(법).

kolorimetrisch *a.* 비색법의〔에 관계되는〕; 비색 온도 측정(법)의〔에 관계되는〕.

Kolorismus [..rísmʊs] *m.* - 〖畫〗 색채파.

Kolorist [..ríst] *m.* -en, -en ① 착색〔채색〕하는 사람; 색채파 화가. ② 〖음악〗 (15-16 세기의) 곡을 장식적으로 변주하는 오르간 연주자.

koloristisch *a.* 색채파의, 다채로운.

Kolorit [kolorí:t] *n.* -(e)s, -e ① 채색, 착색; 색채 효과. ② 〖음악〗 음색. ③ 분위기, 정취.

Koloskop *n.* -s, -e 〖醫〗 결장(結腸)(내시)경.

Koloß [kolɔ́s, kɔ..] *m.* ..losses, ..losse 거상(巨像); 거대한 물건; 〖구어·폄어〗 거인: der ~ von Rhodos 로도스섬에 있는 아폴로의 거상; 〖비유〗 ein ~ auf tönernen Füßen 사상누각.

Koloss 新정서 ⇦ Koloß.

*__kolossal__ [kolɔsá:l] 《I》 *a.* 거대한, 엄청난, 대단한, 굉장한: ~es Glück haben 대단한 행운을 얻다; ein ~er Irrsinn 엄청난 착각; einen ~en Schrecken bekommen 굉장히 놀라다. 《II》 *adv.* 대단히, 굉장히, 엄청나게: er ist ~ freundlich 그는 아주〔대단히〕 친절하다.

Kolossal≠bau *m.* 대형 건축물. **~figur** *f.* 거상(巨像). **~film** *m.* (역사물 따위의) 스펙터클 영화. **~gemälde** *f.* 대형 그림.

kolossalisch *a.* 〖고어〗 ↑ kolossal.

Kolossal≠ordnung *f.* (상층부를 받치는) 건물 정면의 기둥 배열(후기 르네상스 및 바로크 시대의 건축 양식). **~statue** *f.* 거상(巨像).

Kolosser [kolɔ́sə*r*] *m.* -s, - 골로새인(人) (고대 도시 Kolossä 의 주민).

Kolosser·brief *m.* 〖신약〗 골로새서(書).

Kolosseum [kolɔsé:ʊm] *n.* -s 콜로세움(고대 로마의 원형 대극장).

Kolostral·milch [kolostrá:l..] *f.*, **Kolostrum** [kolɔ́strʊm] *n.* -s (분만 전후의) 초유(初乳).

Kolotomie [kolotomí:] *f.* -n [..mí:ən] 〖醫〗 결장(結腸) 절개술.

Kolpak [kɔ́lpak] *m.* -s, -s ↑ Kalpak.

Kolping [kɔ́lpɪŋ] *m.* Adolf ~ 콜핑(가톨릭계 직인(職人) 조합을 창시한 신부, 1813-65).

Kolping≠haus *n.* 가톨릭계 직인 조합의 기숙사. **~jugend** *f.* 가톨릭계 직인 조합의 청소년 회원. **~werk** *n.* 가톨릭계 직인 조합 국제 기구.

Kolpitis [kɔlpí:tɪs] 《gr.》 *f.* ..tiden [..tí:dən] 〖醫〗 질염(膣炎).

Kolportage [kɔlpɔrtá:ʒə] *f.* -n ① (특히 통속 서적·잡지의) 행상. ② 〖대개 폄어〗 통속〔대중〕 소설〔문학〕: der Stoff liegt nahe der ~ 그 소재는 통속 소설에 가깝다. ③ 소문의 유포. ④ (öst., schweiz.) (신문·잡지의) 가판.

Kolportage·artikel *m.* 행상 물품.

kolportagehaft *a.* 통속 소설류〔풍〕의.

Koloportage≠literatur *f.* 대중〔통속〕 문학. **~roman** *m.* 통속 소설.

Kolporteur [..tǿ:*r*] 《frz.》 *m.* -s, -e (특히 서

적·잡지의) 도붓장수, 행상; 소문을 퍼뜨리는 사람.

kolportieren *t.* (서적·잡지 따위를) 행상하다; (정보나 소문 따위를) 유포하고 다니다: der hat das Gerücht kolportiert 그자가 그 소문을 퍼뜨리고 다녔다.

Kolposkop [kɔlposkóːp] *n.* -s, -e 〖醫〗 질경(膣鏡).

Kolposkopie *f.* -n 〖醫〗 질경 검사.

Kölsch[1] [kœlʃ] *m.* -es (schweiz.) 능직 면포(綾織綿布)의 이름.

Kölsch[2] *m.* -(s), - 쾰른산(産) 맥주.

Kolter[1] [kɔ́ltər] 《frz.》 *m.* -s, - 〔*f.* -n〕 누비이불, 양털 모포.

Kolter[2] 《lat.》 *n.* -s, - 보습, 가래의 날.

Kolumbarium [kolumbáːrium] *n.* -s, ..rien [..riən] 납골당.

Kolumbianer *m.* -s, - 콜롬비아 사람.

Kolumbianerin *f.* -nen ↑ Kolumbianer 의 여성형.

kolumbianisch *a.* 콜롬비아의.

Kolumbien [kolúmbiən] *n.* 콜롬비아(남아메리카 서북부의 공화국).

Kolumbier [kolúmbiər] *m.* -s, - ↑ Kolumbianer.

Kolumbine [kolumbíːnə] *f.* -n 〖연극〗 ↑ Kolombine.

kolumbisch *a.* ↑ kolumbianisch.

Kolumbus [kolúmbus] *m.* Christopher ~ 콜럼버스(1492 년 아메리카를 발견한 사람, 1446 ? -1506).

Kolumne [kolúmnə] 《lat.》 *f.* -n 〖印〗 (세로의) 단(段), 난(欄); (나란히 쓰여진 숫자·표·단어 등의) 세로줄, 수직선; 〖언론〗 (신문·잡지 등의) 고정란, 칼럼.

Kolumnen=maß *n.* 〖印〗 게이지(조판의 치수를 정하는 것). **~titel** *m.* (신문·잡지·팜플렛 등의) 단(段)〔난(欄)〕의 표제〔제목〕. **~weise** *adv.* 단〔난〕으로 나누어. **~ziffer** *f.* 난〔단〕의 숫자〔번호〕.

Kolumnist [kolumníst] 《<Kolumne》 *m.* -en, -en (신문·잡지 등의) 칼럼니스트.

Kolumnistin *f.* -nen ↑ Kolumnist 의 여성형.

Kolur [kolúːr] *m.* -en, -en 〖天〗 분지〔분점〕 경선(分至〔分點〕經線).

kom.. *pref.* ↑ kon..(kon.. 이 p, b, m 앞에 있을 때의 형태).

Köm [køːm] *m.* -s, -s (ndd.) 카룸 열매가 든 화주(火酒).

Koma[1] [kóːma] *n.* -s, -s/-ta 〖醫〗 혼수, 무의식 상태: im ~ liegen 혼수 상태다.

Koma[2] *f.* -s ① 〖天〗 혜성의 핵을 둘러싼 가스 및 먼지층. ② 〖광학〗 코마(렌즈의 수차(收差)의 하나).

Komantsche [komántʃə] *m.* -n, -n (북아메리카 인디언의) 코만치족.

komatös [komatǿːs] *a.* 혼수 상태의: ~e Zustände 혼수 상태.

kombattant [kɔmbatánt] *a.* 〘교양〙 전투적인.

Kombattant [kɔmbatánt] *m.* -en, -en 〘고어〙 참전자, 전우; 〖국제법〗 전투원(민간인에 대한 반대 개념).

Kombi [kɔ́mbi] *m.* -(s), -s ① ↑ Kombiwagen 의 약칭. ② (위아래가 붙은) 작업복.

Kombinat [kɔmbináːt] 《russ.》 *n.* -(e)s, -e 콤비나트, 기업 연합.

***Kombination**[1] [..natsióːn] *f.* -en ① 결합, 연합, 연결, 조합; 〖哲·心〗 종합 판단, 추리, 연상: et. durch ~ erschließen 추리로 무엇을 밝히다; eine kühne〔scharfsinnige〕 ~ 대담한〔날카로운〕 추리. ② 〖數〗 조합; 〖광물〗 결정(結晶)의 집형(集形). ③ 〖구기〗 콤비 플레이; 〖기계체조〗 (자유 종목에서의) 복합 연기; 〖승마〗 복합 장애물 경기; 〖스키〗 복합 경기: alpine〔nordische〕 ~ 알파인〔노르딕〕 종목; 〖권투〗 연타. ④ (의복의) 콤비네이션, (양복의) 콤비. ⑤ 〖음악〗 (오르간에서) 몇 개의 음전(音栓)을 동시에 잡아당길 수 있는 기어 장치.

Kombination[2] [..natióːn, kɔmbɪnéɪʃən] 《engl.》 *f.* -en 콤비네이션(위·아래가 붙은 속옷); (위·아래가 붙은) 작업복; 운동복(특히 스키복); (특히 조종사의) 전투복.

Kombinations=gabe *f.* 종합하는 재능; 종합 판단 능력. **~lehre** *f.* 〖數〗 조합론(論). **~schloß** *n.* 숫자〔문자〕를 조합하여〔맞춰서〕 여는 자물쇠. **~spiel** *n.* 〖구기〗 콤비 플레이; 팀워크를 요하는 경기. **~ton** *m.* 〖物·音〗 결합음(音). **~vermögen** *n.* ↑ ~gabe.

Kombinatorik [kɔmbinatóːrɪk] *f.* 〖哲〗 결합술; 〖數〗 조합론(論).

kombinatorisch *a.* 결합시키는, 조합의, 종합적인: ~e Begabung〔Fähigkeiten〕 조합 재능〔능력〕.

Kombine [..bíːnə, kɔ́mbain] 《engl.》 *f.* -n/-s 〖農〗 콤바인(농기구의 일종).

kombinierbar *a.* 결합〔조합·연결〕할 수 있는.

kombinieren *t.* 결합〔조합·연결〕하다; 연관시키다, 추론〔추리〕하다, 결론을 도출하다; 〖스포츠〗 콤비 플레이를 하다: das kombinierte Wohn-Schlafzimmer 거실과 침실을 겸한 방; ein kombinierter Schrank 다목적 장롱.

Kombinierte* *der/die* 〖스키〗 복합 경기 선수.

Kombinierung *f.* -en 결합, 조합, 연결.

Kombi=schrank *m.* 겸용 장롱, 다목적 장롱. **~wagen** *m.* (승용 및 화물 운송) 겸용 자동차. **~zange** *f.* 만능 펜치.

Kombüse [kɔmbýːzə] 《ndl.》 *f.* -n 배의 주방, 조리실.

Kombüsen·besteck *n.* 〘농담〙 자자한 소문, 험담.

kombustibel [kɔmbustíːbəl] *a.* 〘고어〙 불에 타기 쉬운, 인화성의.

Komedo [kóːmedo] 《lat.》 *m.* -s, -nen [..dóːnən] ① 〘교양·고어〙 미식가, 식도락가. ② 〘복수〙 〖醫〗 여드름.

komestibel [komɛstíːbəl] *a.* 〘고어〙 먹을 수 있는, 식용의.

Komestibilien [..tibíːliən] *pl.* 〘고어〙 식료품.

***Komet** [koméːt] 《gr. -lat.》 *m.* -en, -en 〖天〗 살별, 혜성.

kometar [kometáːr] *a.* ↑ kometarisch.

kometarisch [kometáːrɪʃ] *a.* 혜성의, 혜성에서 나온.

kometen=artig *a.* 혜성〔살별〕 모양의. **~bahn** *f.* 혜성의 궤도.

kometenhaft *a.* 혜성 같은: eine ~e Karriere 혜성처럼 빠른 출세.

Kometen=schweif *m.* 혜성의 꼬리. **~sucher** *m.* 혜성 탐색 망원경. **~system** *n.* 혜성군(群).

Komfort [kɔmfó:r] *m.* -s 쾌적, 편안, 안락, 편리; 편이 시설: mit allem ~ ausgestattet sein 모든 편리한 시설을 갖추고 있다.

komfortabel [kɔmfɔrtá:bəl] *a.* 쾌적〔안락·편리〕한: ~ eingerichtete Zimmer 편리한 시설을 갖춘 방들.

Komik [kó:mɪk] *f.* 우스개, 우스꽝스러움; 익살; 희극; 희극성.

Komiker *m.* -s, - 희극 작가〔배우〕, 만담가, 익살꾼; 〔경박·폄어〕 멍청이, 얼간이.

Komikerin *f.* -nen ↑ Komiker 의 여성형.

Kominform [kɔmɪnfɔ́rm] *f.* =Kommunistisches Informationsbüro 코민포름(국제 공산당 정보국, 1947-56).

Komintern [komɪntɛ́rn] *f.* =Kommunistische Internationale 코민테른(국제 공산당, 1919-43).

***komisch** [kó:mɪʃ] *a.* 익살스러운, 우스꽝스러운, 희극적인; 이상〔기이·기묘〕한: ein ~es Aussehen 익살스러운 외모; ein ~es Gefühl haben 기이한 느낌을 갖다

komischer·weise *adv.* 기묘〔특이·이상〕하게도: dieses Datum habe ich ~ nicht vergessen 묘하게도 나는 이 날짜를 잊지 않았다.

Komitadschi [komitá:tʃi, ..tatʃí, ..dʒi] *m.* -s, -s 불가리아 자유 운동(당원); 폭도.

Komitat [komitá:t] 《lat.》 *n./m.* -(e)s, -e ① 호송, 호위; 〔구식〕 대학 졸업생을 환송하는 행렬(의 구성원). ② (1949 년까지의 헝가리의) 행정 구역, 군, 현.

Komitativ [komitatí:f] *m.* -s, -e 〚언어〛 동반격, 수반격(隨伴格).

Komitee [komité:] 《lat.》 *n.* -s, -s 위원회: ~ für Frieden und Abrüstung 평화 및 군축 위원회.

Komitee·mitglied *n.* (위원회의) 위원.

komitial 《lat.》 *a.* 고대 로마 평민회〔의회〕의.

Komitien [komí:tsiən] *pl.* 고대 로마의 평민회〔의회〕.

***Komma** [kɔ́ma] *n.* -s, -s/-ta 〚문법〛 구두점 (,); 〚문학〛 소절(小節)(1 개 또는 몇 개의 단어로 구성된 리듬의 분할 단위); 〚數〛 소수점; 〚음악〛 콤마; 분절(分節) 기호; 〚動〛 팔랑나빗과의 일종.

Komma·bazillus *m.* 콤마 모양의 병균, 콜레라균.

Kommandant [kɔmandánt] *m.* -en, -en 〚軍〛 지휘관, (요새) 사령관; 〚海〛 함장.

Kommandantur [..dantú:r] *f.* -en 사령부, 사령관 관저.

Kommandeur [..dø̄:r] *m.* -s, -e ① 사령관. ② 상급 공로 훈장을 받은 사람.

***kommandieren** [kɔmandí:rən] *t./i.* (h.) (군대를) 지휘〔통솔〕하다; (군인을) 전속시키다, 파견하다; (누구에게) 명령을 내리다; (명령조로) 지시하다: der ~de General 군단장; ich lasse mich nicht von dir ~! 나는 네 명령을 받지 않겠어!

Kommandierung *f.* -en 지휘, 명령; 파견.

Kommanditär [kɔmanditɛ́:r] *m.* -s, -e ↑ Kommanditist.

Kommandite [..dí:tə] *f.* -n ①〔고어〕 ↑ Kommanditgesellschaft. ② 지점.

Kommandit·gesellschaft *f.* 합자 회사(약어: KG): ~ auf Aktien 주식 합자 회사.

Kommanditist *m.* -en, -en 〚經〛 (합자 회사의) 유한 책임 사원.

***Kommando** [kɔmándo] *n.* -s, -s 〚軍〛 ① 명령, 호령; 명령권, 지휘권: ein ~ geben〔erteilen〕 명령을 내리다; auf〔nach〕 ~ 명령에 따라; das ~ führen 지휘하다; das ~ übernehmen 지휘를 맡다; unter js. ~ stehen 누구의 명령을〔지휘를〕 받고 있다. ② (특별 임무를 위한) 파견대, 특별 출동대: Sonder~ 특별 기동대. ③ 사령〔참모〕부.

Kommando=brücke *f.* 〚海〛 (함상의) 사령교(橋), 함교(艦橋). **~flagge** *f.* 사령(부)기. **~gerät** *n.* ① 고사포 조준 산정기(算定器). ② 지령 발신 장치(전기 바늘로 글자가 새겨지는 전신기). **~gewalt** *f.* 명령〔지휘〕권. **~kapsel** *f.* 〚우주비행〛 사령선. **~sache** *f.* 명령, 지령: geheime ~ 비밀 명령; 〔비유〕 ihr Privatleben war schon immer eine geheime ~ 그녀의 사생활은 이미 언제나 극비 사항이었다. **~stab** *m.* 〔구식〕 지휘봉; 〚軍〛 참모. **~stand** *m.* ↑ ~turm. **~stimme** *f.* 명령조의 우렁찬 목소리. **~turm** *m.* 〚海〛 사령탑. **~zentrale** *f.* 지휘 본부.

Kommassation [kɔmasatsió:n] *f.* -en 〚農〛 경지 정리.

kommassieren *t.* 〚農〛 경지를 정리하다.

Kommassierung *f.* -en (특히 öst.) ↑ Kommassation.

Kommata *pl.* ↑ Komma 의 복수형.

Kommemoration [kɔmemoratsió:n] 《lat.》 *f.* -en ①〔교양·고어〕 기념. ②〚가톨릭〛 추도 미사; 미사 중 성자의 이름을 부름.

kommemorieren *t.* 〔교양·고어〕 기념하다; 기념제를 올리다.

kommen [kɔ́mən] (kam, gekommen) *i.* (s.) ① **(a)** 오다; 도착하다: er kommt wie gerufen 그는 부르기나 한 듯이 온다, 때마침 온다; ich komme gleich a) 곧 갑니다, b) 곧 돌아옵니다; denselben Weg 〔desselben Weges〕 ~ 같은 길을 (걸어) 오다; 〔속담〕 wer zuerst kommt, mahlt zuerst 먼저 오는 사람이 먼저 빻는다; 〔관용어〕 kommst du heut' nicht, (so) kommst du morgen 오늘 못 하면 내일 한다는 식이군(일을 마냥 끄는 사람에 대해). **(b)** 생기다, 발생하다, 일어나다; 나타나다; (글이) 실리다; (아이가) 태어나다: die Knospen ~ 싹이 트다; es kam der Tag, da ... …의 날이 왔다; es kommt ein Gewitter 뇌우가 몰려온다; der Aufsatz kommt in die nächste Nummer der Zeitschrift 그 글은 잡지의 다음 호에 실린다; das Kind kommt günstig 아기는 순산이다; beim Abschied kamen ihm die Tränen 헤어질 때 그는 눈물을 흘렸다; wie ist das nur gekommen? 그 일이 도대체 어떻게 일어났느냐?; es kam zur Auseinandersetzung 논쟁이 벌어졌다; 〔속담〕 ein Unglück kommt selten allein 엎친데 덮친다; das durfte jetzt nicht ~ (이제 와서 생각하니) 정말 바보 같은 짓이었어; 〔반어〕 so weit kommt's noch! 일이 그 지경에 이르다니!; 〔속담〕 kommt Zeit, kommt Rat 때가 되면 방법이 생긴다. **(c)** …차례이다, 뒤따르다: geht man von hier geradeaus, so kommt erst ein Dorf, dann eine Wiese 여기서 똑바로 가면 처음에 마을이 나오고 다음에 목장이 있습니다; 〖속담〗 das Beste kommt zuletzt 가장 좋은 것은 맨 나중에 오는 법이다. (**d**) (귀)속하다: die Brille kommt ins Futteral 안경은 안경집에 넣어 두는 법이다; nach der Abrechnung ~ mir noch 150 Mark 정산을 한 다음 내게 150 마르크가 들어온다. (**e**) 값이 얼마다(kosten): der Schirm kommt auf 6 Mark 이 우산은 6 마르크다. (**f**) (무엇에서) 기인〔유래〕하다: er kommt aus Paris 그는 파리 출신이다; dein Kopfweh kommt vom Wetterumschwung 너의 두통은 일기 변화 때문이다; das kommt davon! 자업자득이다! (**g**) 〖경박〗 오르가슴〔성쾌감의 절정〕에 도달하다. (**h**) 출석하다, 참가하다; 방문하다: er kommt heute nicht zur Sitzung 그는 오늘 회의에 나오지 않는다. (**i**) 수용되다, 들어가다: sie kommt ins Krankenhaus 그녀는 병원에 입원한다. ② ~ lassen: (**a**) 오게 하다, 불러오다, 주문하다: den Arzt ~ lassen 의사를 부르다; Waren ~ lassen 상품을 주문하다. (**b**) 내버려두다: ich tue nichts dabei, ich lasse es ~, wie es will 나는 아무것도 하지 않고 되는 대로 내버려두고 있다. ③ (**a**) (누구에게) 어떤 태도를〔행동을〕 취하다: jm. grob ~ 누구를 거칠게 대하다; kommst du mir so? 네가 나에게 그런 태도로 나오기냐? (**b**) 보이다, 여겨지다, 생각되다: das kommt mir sehr gelegen 그것은 내게 아주 적절해 보인다. ④〖과거 분사와 함께〗 gefahren〔gegangen, geritten, gesprungen〕 ~ 차 타고〔걸어서, 말 타고, 뛰어서〕 오다. ⑤〖부정법과 함께〗 (**a**) er kommt, sie abzuholen 그는 그 여자를 데리러 온다. (**b**) neben jn. zu sitzen ~ 누구 옆에 앉게 되다; auf et. zu reden〔sprechen〕 ~ 이야기가 우연히 무엇에 미치게 되다. (**c**) er kam zu gehen〔fahren〕 그는 걸어서〔차 타고〕 왔다. ⑥ *imp.* es kann ~, daß ... …한 일이 일어날지도 모른다; es kann nicht anders ~, als daß er es tut 그는 그렇게 하는 수밖에 없다; es mag ~, wie es will 될 대로 돼라; wie's gerade kommt 형편 돌아가는 대로; 〖구어〗 wie's kommt, so kommt's 〔wie's kommt, so wird's genommen〕 어떤 일이 일어나든 받아들인다; es mußte so ~ 그렇게 될 운명이었다; wie〔woher〕 kommt es, daß ihr noch zweifelt? 어째서 너희들은 아직 망설이고 있느냐? ⑦ abhanden ~ 없어지다, 잃다; das kommt daher〔davon〕, daß... 그 원인은 …이다; muß es dahin ~? 그것은 그렇게 되어야만 하는 것인가?; daran~ 차례가 돌아오다; ich kann nicht darauf ~ 나는 그런 생각이 나지 않는다; frei~ 벗어나다, 자유롭게 되다; jm. gleich~ 누구에 필적하다; wie hoch〔teuer〕 kommt es? 그것은 값이 얼마냐?; zu kurz ~ 불리하게 되다, 손해보다; nahe〔näher〕 ~ 가까이 오다; jm. zu nahe ~ 누구의 감정을 상하게 하다; spät nach Hause ~ 늦게 집에 오다; zu spät ~ 지각하다; vorwärts~ 성과를 올리다, 성공을 거두다, 출세하다, 진척되다; weiter ~ 나아가다, 진보하다; zustande ~ 실현〔성사〕되다. ⑧〖전치사와 함께〗 **an** den Bettelstab ~ 영락하다; ans Land ~ 상륙하다; ans Licht 〔an den Tag〕 ~ 알려지다, 밝혀지다, 드러나다; an die Reihe ~ 차례가 되다; es an sich ~ lassen 되어 가는 대로 내버려두다, 아무렇게나〔자포자기하여〕 살다; an eine Stelle ~ 어떤 자리에 다다르다; ans Ziel ~ 목적지에 다다르다; wenn's **aufs** Äußerste kommt 극한 상황에 이르면; auf eine Idee 〔einen Einfall, einen Gedanken〕 ~ 어떤 생각이 떠오르다; auf jn. nichts ~ lassen 누구를 감싸주다, 비호하다; auf seine Kosten ~ 만족을 얻다; jm.〔et.³〕 auf die Spur ~ 누구를〔무엇을〕 추적〔탐구〕하다; auf die Welt ~ 태어나다; **aus** der Fassung ~ 침착성을 잃다, 당황하다; nicht aus dem Hause ~ 외출하지 않다, 집에 매여 있다; nicht aus den Kleidern ~ 잠을 자지 못하다; aus dem Regen in die Traufe ~ 갈수록 태산이다; das kommt mir nicht aus dem Sinn 나는 그것이 잊혀지지 않는다; aus der Stelle 〔Stellung〕 ~ 어떤 지위를 떠나다; aus dem Takt ~ 박자를 놓치다; aus der Mode ~ 유행이 지나다; **außer** Atem ~ 숨이 차다; außer sich³ ~ 당황하다; **durchs** Examen ~ 시험에 합격하다; **hinter** js. Pläne〔Geheimnis〕 ~ 누구의 계획〔비밀〕을 알아채다; **in** Betracht〔Frage〕 ~ 고려〔문제〕되다; in Bewegung〔Gang〕 ~ 움직이기〔작동하기〕 시작하다; ins Gedränge ~ 〖비유〗 곤란해지다, 궁지에 빠지다; in Gefahr ~ 위험에 빠지다; ins Gefängnis ~ 교도소에 갇히다, 수감되다; ins Gerede ~ 입방아에 오르다; jm. in die Quere ~ 누구를 방해하다; jm. in den Sinn ~ 누구의 생각에 떠오르다; in Schweiß 〔Wut〕 ~ 땀에 흠뻑 젖다〔격노하다〕; es kam kein Schlaf in ihre Augen 그 여자는 조금도 눈을 붙이지 못하였다; in die Wochen ~ 산욕(産褥)에 들다; **mit** der Eisenbahn ~ 기차로 오다; immer mit den alten Geschichten ~ 언제나 같은 이야기를 되풀이하다; **nach** Hause ~ 집으로 돌아가다, 귀국하다; ein stiller Friede 〔das Unglück〕 kam **über** mich 내게 조용한 평화가 찾아들었다〔불행이 닥쳐왔다〕; **ums** Leben ~ 목숨을 잃다; um sein Vermögen ~ 재산을 잃다; **unter** die Leute ~ 사람들과 접촉〔교제〕하다, (소문 따위가) 퍼지다; jm. nicht wieder unter die Augen dürfen ~ 다시는 누구의 앞에 나타나서는 안 되다; nicht **vom** Fleck ~ 진척되지 않다; jm. **vor** die Augen ~ 누구와 만나다; **zu** Atem ~ 숨을 돌리다(마음을 놓다); zum Ausdruck 〔Vorschein〕 ~ 표현되다〔나타나다〕; zur Besinnung ~ 정신이 들다; zum Einsatz ~ 파견〔투입〕되다; zu Geld ~ 부자가 되다; zu Ende ~ 끝나다; zu einem Entschluß ~ 결심에 이르다; zu Fall ~ 쓰러지다, 영락하다; jm. zu Hilfe ~ 누구를 도와주다; zu nichts ~ 수포로 돌아가다; jm. zu Ohren〔Gesicht〕 ~ 누구 귀에 들어가다〔눈에 뜨이다〕; zur Ruhe ~ 안정을 찾다; wieder zu sich ~ 의식을 되찾다; zur Sprache ~ 화제에 오르다, 논의되다; zu Tage 〔zutage〕 ~ 드러나다, 공개되다; zu Tode ~ 죽다; zur Verteilung ~ 분배되다; zur Welt ~ 태어나다; zu Wort ~ 발언할 기회를 얻다.

Kọmmen *n.* -s 옴, 도착, 도래: im ~ sein (다시) 유행하다; das ~ und Gehen 왕래, (돈의) 수지.

kọmmend *p.a.* ① 오는, 미래의: ~e Woche

다음 주; ~e Generationen 다음 세대 사람들; 〖商〗 ~e Fracht 입하(入荷). ②〔명사적〕 die Gehenden und die Kommenden 오가는 사람들.

Kommende [kɔmɛ́ndə] *f.* -n ①〔옛뜻〕(교회의 직무를 수행할 의무가 없는) 공직 봉록(空職俸祿). ② 기사 수도회의 관구(Komturei).

Kommensalismus [kɔmɛnzalísmʊs] 《lat.》 *m.* - 〖生〗(생물의) 공서(共棲), 공생.

kommensurabel [kɔmɛnzurá:bəl] *a.* 〔교양〕 같은 표준〔기준〕으로 잴 수 있는, 비교할 수 있는; 〖數〗 약분할 수 있는.

Kommensurabilität [..rabilitɛ́:t] *f.* 〔교양〕 같은 표준〔기준〕으로 잴 수 있음, 비교 가능함; 〖數〗 약분 (가능함) (↔ Inkommensurabilität).

Komment [kɔmã́:] *m.* -s, -s (대학생간의) 관례, 예법: dem ~ folgen 관례에 따르다.

***Kommentar** [kɔmɛntá:r] *m.* -s, -e ① 상세한 뜻풀이〔설명〕; (구두) 입장 표명, 의사 표시; ein boshafter ~ 험담; einen ~ zu allem haben〔geben〕 매사에 아는 체하다, 사사건건 개입하다. ② 주석, 주해. ③〖언론〗 논평, 비평: kein ~! 노 코멘트!

kommentarlos *a.* 주석〔논평〕이 없는.

Kommentation [..tsió:n] *f.* -en 주석서; 학술 논문집.

Kommentator [..tá:tɔr, ..to:r] *m.* -s, -en [..tó:rən] 주석자; 해설자, 평론가.

Kommentatorin *f.* -nen ↑ Kommentator 의 여성형.

kommentieren [kɔmɛntí:rən] *t.* ① 입장을 표명하다, 의사 표시를 하다. ② 주석을 달다: literarische Texte ~ 문학 작품에 주석을 달다. ③ 논평〔해설〕하다: die Regierungserklärung wurde unterschiedlich kommentiert 정부의 해명에 대한 논평은 가지각색이었다.

Kommentierung *f.* -en ↑ Kommentar.

komment≈mäßig [kɔmã́:..] *a.* 관례〔예법〕에 따른. **~widrig** *a.* 관례〔예법〕에 어긋나는.

Kommers [kɔmɛ́rs] *m.* -es, -e (대학생의) 주연(酒宴).

Kommers·buch *n.* 대학생 가요집.

kommersieren *i.* (h.) 연회에 참석하다.

Kommers·lied *n.* (학생의) 연회가, 학생의 노래.

Kommerz [kɔmɛ́rts] *m.* -es ①〔고어〕 상업; 교역: ~ treiben 교역하다. ②〔폄어〕 이익, 이윤: nur auf ~ aus sein 이익만을 추구하다.

Kommerz·fernsehen *n.* 〔대개 폄어〕 민영〔상업〕 텔레비전 방송.

kommerzialisieren [kɔmɛrtsializí:rən] *t.* ① 상업화〔영리화〕하다. ②〖經〗 공공의 채무를 민간에 넘기다.

Kommerzialisierung [..tsializí:rʊŋ] *f.* -en 상업〔영리〕화; 민영화.

Kommerzial≈rat [kɔmɛrtsiá:l..] *m.* (öst.) ↑ Kommerzienrat. **~system** *n.* 상업 체제.

kommerziell [kɔmɛrtsiɛ́l] *a.* 상업(상)의, 상업적인; 〔폄어〕 이윤을 추구하는, 영리 본위의: diese Einrichtung ist gemeinnützig, nicht ~ 이것은 공공 시설이지 영리를 위한 것이 아니다.

Kommerzien·rat [kɔmɛrtsializí:rən..] *m.* 상업 고문관(1919 년까지 상공업 공로자에게 주어진 칭호).

Kommilitone [kɔmilitó:nə] *m.* -n, -n (대학의) 학우, 동창.

Kommilitonin *f.* -nen ↑ Kommilitone 의 여성형.

Kommis [kɔmí:] *m.* -, - 점원.

Kommiß [kɔmís] *m.* ..misses ① (사병에게 주는) 국가 지급 보급품 및 생계비. ②〔구어〕 군무, 병역: er ist beim ~ 그는 군복무 중이다.

Kommiss 新정서 ⇦ Kommiß.

Kommiß·anzug *m.* 〖軍〗 관급복(官給服).

Kommissar [kɔmɪsá:r] *m.* -s, -e (정부에서 임명하는) 위원, 한시적인 책임자〔관리인〕; (경찰의) 경감.

Kommissär [..sɛ́:r] *m.* -s, -e ↑ Kommissar.

Kommissariat [..riá:t] *n.* -(e)s, -e ① 위원직. ② 관할 경찰서, 경찰의 관할 구역.

kommissarisch [..sá:rɪʃ] *a.* 위임을 받은〔에 따른〕, 임시의: der ~e Leiter der Dienststelle 사무소 소장 대리.

Kommissarius [..sá:riʊs] *m.* -, ..rien [..riən] 〖官〗 ↑ Kommissar.

Kommiß≈brot *n.* 〖軍〗 군용빵. **~hengst** *m.* 〖軍·속어〗 옹졸한 상관.

Kommission [kɔmɪsió:n] *f.* -en ① 위임, 위탁; 중개; 주문: Einkaufs≈ 위탁 구매; Verkaufs≈ 위탁 판매; et. in ~ geben〔nehmen, haben〕 무엇을 위탁하다〔위탁받다〕. ② (특정한 임무를 수행하는) 위원회: eine ständige ~ 상임 위원회; Prüfungs≈ 시험 위원회; eine ~ bilden 위원회를 구성하다. ③ 수수료, 구전.

Kommissionär [..sionɛ́:r] *m.* -s, -e 거간꾼, 중매인(仲買人), 위탁 판매인; 서적 중개상(인).

kommissionieren *t.* (öst.) 〖官〗 (신축 건물을) 준공 검사하다.

Kommissions≈artikel *m.* 위탁 판매품. **~bericht** *m.* 위원회의 보고. **~buch** *n.* 주문 장부. **~buch·handel** *m.* 서적의 위탁 판매. **~bureau** *n.* 대리점, 중개 상점. **~gebühr** *f.* 수수료(↑ Kommission ③). **~geschäft** *n.* 중개업. **~gut** *n.* 위탁 화물, 위탁 판매점. **~handel** *m.* 중개업. **~kontor** *n.* ↑ ~bureau. **~sendung** *f.* 위탁 발송; 위탁 상품의 송부. **~sitzung** *f.* 위원회의 회의〔집회〕. **~verlag** *m.* 위탁 출판(사). **≈weise** *adv.* 위탁에 따라.

kommiß≈mäßig *a.* 〖軍〗 군대식의, 엄격한. **≈mütze** *f.* (군인의) 평상모; 전투모.

kommissorisch [kɔmɪsó:rɪʃ] *a.* 위임〔위탁〕받은.

Kommissorium [..riʊm] *n.* -s, ..rien [..riən] 위임, 위탁; 대리권, 전권.

Kommiß·stiefel *m.* 〖軍〗 군화.

Kommittent [kɔmɪtɛ́nt] *m.* -en, -en 〖商〗 위임〔위탁〕자.

kommittieren *t.* 위탁〔위임〕하다: jn. zu et.[3] ~ 누구에게 어떤 일을 맡기다.

kommlich [kɔ́mlɪç] 《<kommen》 *a.* (schweiz.) ① 적당한, 어울리는. ② 편안한, 안락한, 쾌적한.

kömmlich *a.* ↑ kommlich.

Kommlichkeit *f.* -en (schweiz.) 편안, 안락, 쾌적.
kommod [kɔmó:t] 《lat.》 *a.* 편안한; 안락한, 기분 좋은: ein ~er Sessel 편안한 안락 의자; machen Sie sich's ~! 편히 하십시오!
Kommode [kɔmó:də] *f.* -n ① 서랍장, 서랍이 달린 장롱, 옷장. ②〔구어〕 피아노: die alte ~ ist verstimmt 그 낡은 피아노는 음이 맞지 않는다.
Kommoden·schub·lade *f.* 장롱 서랍.
Kommodität [kɔmoditɛ́:t] *f.* -en 편리, 편안; 안락, 쾌적.
Kommodore [kɔmodó:rə] *m.* -s, -n/-s ①〖軍〗(해군의) 함대 사령관, (공군의) 편대장. ②〖海〗(상선의) 고참 선장.
kommun [kɔmú:n] 《lat.》 *a.* 〔고어·교양〕 공동〔공통〕의, 공유의; 통상〔일상〕의; 평범한, 진부한: das sind ganz ~e Geschichten 그것은 아주 진부한 이야기들이다.
kommunal [kɔmuná:l] *a.* 지방 자치 단체의, 시읍면의: die ~e Verwaltung 지방 행정〔자치 행정 기구〕; ~e Angelegenheiten 지방 자치 단체의 업무〔문제〕.
Kommunal≈abgabe *f.* 지방세. **~anleihe** *f.* 지방 공채. **~beamte** *m.* 지방 공무원. **~behörde** *f.* 지방 관청. **~betrieb** *m.* 지방 자치 단체가 경영하는 기업, 공기업. **~garde** *f.* 민병대.
kommunalisieren [kɔmunalizí:rən] 《lat.》 *t.* (개인 기업을) 자치 단체의 소유로〔경영으로〕 하다, 공영화하다.
Kommunalisierung *f.* -en ↑ kommunalisieren 의 명사형.
Kommunal≈politik *f.* 지방 자치 (정책). **~schule** *f.* 공립 초등 학교. **~steuer** *f.* 지방세. **~verband** *m.* 지방 자치 단체 연합체. **~verwaltung** *f.* 〖法〗 지방 행정〔자치〕. **~wahl** *f.* 지방 선거. **~weg** *m.* 지방 도로.
Kommunarde [kɔmunárdə] *m.* -n, -n ①〖史〗 파리 코뮌의 소속원. ② (반체제 성향의) 생활 공동체의 소속원.
Kommune [kɔmú:nə] 《frz.》 *f.* -n ① 자치 단체, 시읍면; 〔고어·폄어〕 공산당(원들). ②〖史〗 Pariser ~ [..mý:nə] 파리 코뮌(1871 년 공포 정치 시대의 파리의 혁명 정부). ③〖史〗(중세 이탈리아의) 자치 도시. ④ (반체제성향의) 생활 공동체. ⑤ (중국의) 농업 생산 공동체.
Kommun·gut *n.* 공유 재산.
Kommunikant [kɔmunikánt] 《lat.》 *m.* -en, -en ①〖가톨릭〗 성체 배령자(聖體拜領者), 처음 성찬(聖餐)에 참여하는 사람. ②〖사회·언어〗 의사 소통〔정보 전달〕 참여자.
Kommunikantin *f.* -nen ↑ Kommunikant 의 여성형.
***Kommunikation** [..katsió:n] *f.* -en ① 의사 소통, 정보 전달, 통신; 대화. ② 연결, 연관, 관계.
Kommunikations≈linie *f.* 통신〔연락〕선. **~mittel** *n.* 의사 소통 수단; 통신 수단(전화·팩시밀리 따위); 대중 매체(신문·방송 따위). **~satellit** *m.* 통신 위성. **~störung** *f.* 의사소통〔통신〕 장애. **~system** *n.* 통신 체계. **~technik** *f.* 통신 기술. **≈technisch** *a.* 통신 기술의. **~technologie** *f.* 통신 공학. **~theorie** *f.* 정보 이론, 의사 소통 이론. **~weg** *m.* 연락로, 정보 전달 경로. **~zentrum** *n.* ① 만남의 장소. ② 정보 전달 과정의 중심지.
kommunikativ [..tí:f] *a.* ① 의사 소통〔정보 전달〕에 관한: ~e Fähigkeiten 의사 소통 능력. ② 이야기를 좋아하는; 속을 터놓는.
Kommunion [kɔmunió:n] 《lat.》 *f.* -en 〖기독교〗 성찬, 성찬식; 〖가톨릭〗 영성체, 성체 배령(拜領).
Kommunion≈bank *f.* 〖가톨릭〗 성찬대(臺) (영성체를 할 때 무릎을 꿇는 받침대). **~kind** *n.* 첫영성체를 하는 아이.
Kommunions≈kelch *m.* 성찬배(杯). **~tisch** *m.* 성찬대(臺).
Kommunikee 新정서 ⇦ Kommuniqué.
Kommuniqué [kɔmyniké] 《frz.》 *n.* -s, -s 공식 발표, 코뮈니케; (공식) 각서.
***Kommunismus** [kɔmunísmʊs] *m.* - 공산주의; 공산주의 사회 체제; 공산주의 운동.
Kommunist *m.* -en, -en 공산주의자; 공산당원.
Kommunistin *f.* -nen ↑ Kommunist 의 여성형.
kommunistisch *a.* 공산주의의: anti~ 반공주의의; die ≈e Internationale 국제 공산당, 코민테른(약어: Komintern).
Kommunität *f.* -en 공유; 공유 재산; 공동단체; 〖기독교〗 신도 단체; 교단.
kommunizieren [kɔmunitsí:rən] 《lat.》《I》 *t.* 전하다, 알리다. 《II》 *i.* (h.) ① (mit jm.) 정보를 교환하다, 대화하다, 의사 소통을 하다; 연관이〔관계가〕 있다: 〖物〗 ~de Röhren 연통관(連通管). ②〖가톨릭〗 성찬에 참여하다, 영성체를 하다.
kommutabel [kɔmutá:bəl] *a.* 변경할 수 있는; 교환〔대체〕되는.
Kommutation [..tsió:n] *f.* -en ① 변경, 전환. ②〖天〗 태양과 지구 및 태양과 다른 행성 사이를 잇는 두 선이 이루는 각. ③〖數〗 교환, 대체. ④〖전기〗 정류(整流). ⑤〖언어〗(철자 따위를) 바꾸어 넣기, 환입(換入).
kommutativ [..tí:f] *a.* 교환〔대체〕 가능한, 호환성의: 〖數〗 das ~e Gesetz 교환율(律).
Kommutator [..tá:tɔr, ..to:r] *m.* -s, -en [..tó:rən] 〖전기〗 전환기, 정류자(整流子).
kommutieren 《I》 *t.* ①〖數〗 교환〔대체〕하다. ②〖언어·교양〗 교환〔대체〕하다. 《II》 *i.* ①〖언어·교양〗 mit et.[3] ~ 무엇으로 바뀌다, 대체되다: Im Satz „Der Kanzler wittert ein Scheingefecht" kommutiert „wittert" z.B. mit „eröffnet" "수상은 짐짓 싸울 기세로 호통을 친다"라는 문장에서 wittert 라는 단어는 가령 eröffnet 라는 말로 대체될 수 있다. ② (정류기가) 전류의 방향을 바꾸다.
Kommutierung *f.* -en ↑ kommutieren 의 명사형.
Komödiant [komødiánt] 《gr.》 *m.* -en, -en 〔고어·폄어〕 배우; 〔폄어〕 위선자.
komödiantenhaft *a.* 〖비유〗 배우 같은, 배우처럼 행동하는.
Komödiantentum *n.* -s 배우 (전체); 배우 기질; 위선.
Komödiantin *f.* -nen ↑ Komödiant 의 여성형.
komödiantisch *a.* 배우의, 배우 재능이 있는, 연극의 특성에 맞는.
***Komödie** [komǿ:diə] 《gr. komodia <ko-

mos》 *f.* -n ① 희극(↔ Tragödie); (일반적으로) 명랑한 연극, 익살극; (주로) 희극 공연 소극장. ② 웃음거리, 웃기는 사건. ③ 위선, 기만: (jm. eine) ~ (vor)spielen (누구를) 속이다.

Komödiens-dichter *m.* 희극 작가. **~haus** *n.* 희극(을 주로) 공연(하는) 극장. **~schreiber** *m.* 희극 작가.

Komoren [komóːrən] *pl.* 코모로 제도(서인도양의 제도).

Komorer *m.* -s, - 코모로 제도의 주민.

komorisch *a.* 코모로 제도의, 코모로 주민의.

Komp. =Kompanie 회사.

Kompagnie [kɔmpaníː] 《frz.》 *f.* -n [..níːən] 〔고어〕 (schweiz.) ↑ Kompanie.

Kompagnon [kɔmpanjɔ̃ː, kɔ́mpanjɔn] *m.* -s, -s ①『商』 공동 경영자〔소유자〕; 조합원, 사원. ② 협력자, 공범자, 동료.

kompakt [kɔmpákt] *a.* ①〔비유〕촘촘한, 꽉 짜인: ~es Gestein 단단한 암반. ② 작지만 실용적인. ③ (몸집이) 땅딸막한.

Kompaktat *n.* -s, -en 계약.

Kompakt-bau·weise *f.*『건축』집약 건축 방식(한 공장 건물 안에서 모든 생산 공정이 이루어지게 하는 건축 방식). **~diskette** *f.*『컴』 콤팩트 디스켓, 압축 저장판.

Kompaktheit *f.* 올이 촘촘함, 긴밀, 견고.

Kompakt-schall·platte *f.* 콤팩트 디스크. **~seminar** *n.* 집중 세미나.

Kompanie [kɔmpaníː] *f.* -n [..níːən] ①『商』 회사, 상사(商社)(약어: Co.): Beyer & Co. 바이에르 상사. ②『軍』 중대: Ehren~ 의장대; Wach~ 경비 중대; 〔구어·농담〕 sie hat gekocht wie für eine ganze ~ 그녀는 엄청난 양의 식사를 준비했다.

Kompanie-chef *m.* 중대장. **~führer** *m.* ↑ ~chef. **~geschäft** *n.* 회사의 공동 경영. **~mutter** *f.*『軍』 준위.

komparabel [kɔmparáːbəl] *a.* 〔교양〕 (↔ inkomparabel) 비교할 수 있는;『문법』(형용사 따위가) 비교 변화를 할 수 있는: komparable Größen 비교할 수 있는 크기.

Komparation [..ratsióːn] *f.* -en 비교;『문법』(형용사 및 부사의) 비교 변화.

Komparatistik [kɔmparatístɪk] *f.* 비교 연구; 비교 문학〔언어학〕.

komparatistisch *a.* 비교 문학의, 비교 문학적 방법의.

komparativ [kɔ́mparatiːf, ..tíːf] *a.*『언어·哲』 비교의〔에 따른〕: ~e Linguistik 비교 언어학.

Komparativ *m.* -s, -e『문법』 비교급.

Komparativ·satz *m.*『문법』 비교문(장).

Komparator [kɔmparáːtɔr, ..toːr] *m.* -s, -en [..tóːrən] 콤퍼레이터(물체의 길이를 정밀히 재는 기계);『天』 별의 위치 및 밝기의 변화를 측정하는 기구;『전자공학』 전위차계(電位差計).

Komparent [kɔmparɛ́nt] *m.* -en, -en『法』 (관청이나 법정의) 출두인.

komparieren[1] [kɔmparíːrən] *i.* (s.) 법정에 출두하다.

komparieren[2] 《lat.》 *t.* 〔고어〕 비교하다;『문법』(형용사·부사를) 비교 변화시키다.

Komparse [kɔmpárzə] *m.* -n, -n『연극·영화』 단역 배우; 엑스트라.

Komparserie [..zəríː] *f.* -n [..ríːən]『연극』 단역〔엑스트라〕 전체.

Komparsin *f.* -nen ↑ Komparse의 여성형.

***Kompaß** [kɔ́mpas] *m.* ..passes, ..passe 나침반.

Kompass 新정서 ⇦ Kompaß.

Kompaß-häuschen *n.* 나침반함〔상자〕. **~kessel** *m.* 나침반을 걸어 놓는 용기. **~nadel** *f.* 나침반의 지침. **~rose** *f.* 나침반의 지침면(面); 나침패(牌). **~strich** *m.* 나침반의 32 방위.

kompatibel [kɔmpatíːbəl] 《lat.》 *a.* 〔교양〕 (↔ inkompatibel) 서로 결합할 수 있는, 어울리는, 양립할 수 있는;『컴』 호환성이 있는;『醫』(혈액이나 약의 배합이) 적합한;『언어』(구문상이나 의미상으로) 서로 결합할 수 있는;『工』 결합〔호환〕될 수 있는: kompatible Übertragungssysteme 호환성 중계 방송 시스템.

Kompatibilität *f.* -en 적합성, 일치성, 양립성;『컴』 호환성.

Kompatriot [kɔmpatrióːt] *m.* -en, -en 〔고어〕 동포, 동향인.

kompendiarisch [kɔmpɛndiáːrɪʃ] *a.* 발췌〔요약〕한.

kompendiös [..diǿːs] *a.* 간추린, 간결한.

Kompendium [..pɛ́ndiʊm] *n.* -s, ..dien [..diən] 〔교양〕 요약, 개요, 편람.

kompensabel [kɔmpɛnzáːbəl] *a.* 보상할〔메울〕 수 있는.

Kompensation [kɔmpɛnzatsióːn] 《lat.》 *f.* -en 〔전문어〕 보정(補正), 조정;『心』 보상;『經』 변상, 배상;『醫』 대상(代償) 작용;『物』 보정(補正);『法』 상계(相計), 상쇄.

Kompensations-geschäft *n.* 현물 교역, 물물 교환; (증권 거래소를 거치지 않는) 은행 내부의 유가 증권 거래. **~methode** *f.*『物·化』 보상법(補償法). **~pendel** *n.* 보정 진자.

Kompensator [kɔmpɛnzáːtɔr, ..toːr] *m.* -s, -en [..tóːrən]『기계』 보정기(器);『전기』 보상기(補償器);『광학』 보상판(板).

kompensatorisch *a.* 보상의, 보정의, 상쇄하는: ~e Reaktionen 보상적 반응;『교육·心』 ~e Erziehung 보정〔보충〕 교육.

kompensieren *t.* ①〔전문어·교양〕 조정〔보정〕하다;『心』 보상하다;『經』 변상〔배상〕하다; 청산하다; 교환하다;『醫』 대상 작용을 하다;『法』 상계하다. ② 메우다, 보충하다.

kompetent [kɔmpetɛ́nt] 《lat.》 *a.* ①『法』 권한〔권능〕이 있는, 관할하는. ② 전문 지식〔판단 능력〕이 있는: auf diesem Gebiet ist er ~ 그는 이 분야에서 전문가다;『언어』 ~er Sprecher 언어 구사 능력이 있는 화자. ③『지질』 (암층(岩層) 변동 때) 상대적으로 잘 변동되지 않은.

Kompetent *m.* -en, -en 경쟁자.

Kompetenz *f.* -en ①『法』 권한, 권능; 관할: in die ~ einer Behörde fallen 어느 관청의 소관이다. ② (직무상의) 수입, 소득. ③ (취직 따위의) 경쟁. ④ 전문 지식, 판단 능력: seine ~ in Fragen der Phonetik 음성학 문제에서의 그의 전문 지식. ⑤『언어』 (모국어 사용자가 타고난 잠재적) 언어 능력.

Kompetenz-bereich *m.* 관할 구역〔영역〕. **~frage** *f.* 관할〔권한〕 문제, 관할권 시비. **~kompetenz** *f.*『法』 (국가 기관의) 관할 영

역 결정 권한. **~konflikt** *m.* ↑ ~streitigkeit. **~streitigkeit** *f.* 〖法〗 권한 쟁의(爭議). **~verlust** *m.* 권한 상실. **~verteilung** *f.* 권한 분할.

kompetieren [kɔmpetí:rən] *i.*(h.) ① … 에 적격이다; 권한을 가지다. ② (공직에) 지원하다.

Kompilation [kɔmpilatsió:n] *f.* -en 편찬, 편집; 편찬한 책.

Kompilator [..lá:tɔr, ..to:r] *m.* -s, -en [..tó:rən] 편찬자.

kompilatorisch [..lató:rɪʃ] *a.* 다른 책들에서 뽑아 엮은, 편집한.

kompilieren *t.* (자료를 모아) 편찬하다: ein Wörterbuch ~ 사전을 편찬하다.

Komplement [kɔmplemέnt] 《lat.》 *n.* -(e)s, -e 〖교양〗 보충(하는 것); 〖數〗 여집합, 보집합; 〖문법〗 보어(補語); 〖醫〗 보체(補體), 알렉신(이물 세포를 용해하는 혈청 속의 단백질).

komplementär *a.* 〖전문어·교양〗 보충의: sie sind ~ zueinander 그것들은 상호 보완적이다.

Komplementär·farbe *f.* 〖物〗 여색(餘色), 보색(補色).

komplementieren *t.* 〖전문어·교양〗 보충하다.

Komplementierung *f.* -en ① 〖전문어·교양〗 보충, 보완. ② 〖유전〗 (유전 인자의 결합에 의한) 유전적 결합의 제거.

Komplement·winkel *m.* 〖數〗 여각.

Komplet 《I》 [kɔmplé:t] *f.* -e 〖宗〗 마지막 성무(聖務)일과, 저녁 기도. 《II》 [kõplé:, kɔmplé:] 《frz.》 *n.* -(s), -s [..plé:(t)s] (여성복의) 스리피스, 앙상블.

komplett [kɔmplέt] *a.* ① 완전한, 전부의: eine ~e Einrichtung 완비된 설비〔시설〕; das Zimmer ist ~ möbliert 그 방은 가구가 완비되었다; 〖구어〗 heute sind wir ~ 오늘은 전원이 다 왔다; du bist ~ verrückt 너는 완전히 미쳤다. ② (öst.) 가득 찬, 만원의: die U-Bahn ist ~ 지하철이 만원이다.

komplettieren *t.* 완전하게 하다, 보충하다.

Komplettierung *f.* -en 〖교양〗 ↑ komplettieren 의 명사형.

komplex [kɔmplέks] *a.* ① 복합적인. ② 〖구동독〗 전반적〔포괄적〕인: eine ~e Automatisierung 모든 분야의 자동화; ~e Reparaturen 전반적인 수선〔수리〕. ③ 〖數〗 eine ~e Zahl 복소수.

***Komplex** *m.* -es, -e 전체, 전부; (건물 따위의) 집단; 〖心〗 관념의 복합체, 관념군(群); 강박 관념, 콤플렉스; 〖化〗 배위(配位) 결합: ein ~ von Fragen 일련의 복합적인 문제들; 〖구동독〗 im ~ 포괄적인, 전반적인.

Komplex·brigade *f.* 〖구동독〗 (여러 직종의 종사자로 편성된) 혼합 작업조.

Komplexion [kɔmplεksió:n] *f.* -en ① 〖고어·교양〗 통합, 요약. ② 〖醫·인류〗 머리카락·피부·눈 빛깔.

Komplexität *f.* 〖전문어·교양〗 복잡성, 다양성, 혼합성.

Komplex·verbindung *f.* 〖化〗 착(錯)화합물.

Komplice [..plí:sə] *m.* -n, -n ↑ Komplize.

Komplikation [kɔmplikatsió:n] *f.* -en ① 말썽, 분규, 어려움: es gab ~en 어려운 문제들이 있었다. ② 〖醫〗 합병증.

komplikationslos *a.* 어려움〔합병증〕이 없는.

***Kompliment** [kɔmplimέnt] *n.* -(e)s, -e 비위 맞추는 말, 겉치레 말, 의례적인 말, 인사: jm. ~e 〔ein ~〕 machen 누구에게 듣기 좋은 말을 하다; ich mache Ihnen mein ~ darüber 〔dazu〕 그것을 치하하는 바입니다; nach ~en fischen〔angeln〕 다른 사람의 찬사〔인사치레〕를 듣고자 애쓰다.

komplimentieren *t.* 〖雅語〗 ① 인사하다, 비위 맞추는 말을 하다. ② 정중히 안내하다: jn. aus dem Zimmer ~ 누구에게 나가달라고 정중히 부탁하다.

Komplize [kɔmplí:tsə] *m.* -n, -n 공범자: jn. zu seinem ~n machen 누구를 공범으로 만들다.

Komplizenschaft *f.* 〖집합적〗 공범자 전체; 공범(관계).

Komplizentum *n.* -s ↑ Komplizenschaft.

komplizieren [kɔmplitsí:rən] 《lat.》 《I》 *t.* 복잡하게 하다, 어렵게 하다. 《II》 *refl.* sich ~ 복잡해지다, 어려워지다: die politische Lage kompliziert sich immer mehr 정치적 상황이 점점 더 혼미해진다. 《III》 **komplizert** *p.a.* ↑ kompliziert.

***kompliziert** 《I》 *p.p.* ↑ komplizieren. 《II》 *p.a.* ① 복잡한, 어려운. ② (성격·사람이) 이해할 수 없는, 속을 들여다보기 어려운: ein ~er Charakter 까다로운 성격.

Kompliziertheit *f.* -en 복잡, 어려움.

Komplizierung *f.* -en 복잡화, 어렵게 함.

Komplizin *f.* -nen ↑ Komplize 의 여성형.

Komplott [kɔmplɔ́t] *n./m.* -(e)s, -e 공모, 음모, 모반: mit im ~ sein〔stehen〕 공모하고 있다; ein ~ schmieden 음모를 꾀하다.

komplottieren *i.*(h.) 음모를 꾸미다.

Komponente [kɔmponέntə] *f.* -n ① 구성 요소, 성분. ② 〖物〗 분력(分力), (벡터의) 성분.

***komponieren** [..ní:rən] *t./i.*(h.) ① 〖교양〗 조립〔합성〕하다. ② 구성〔구상〕하다; 〖음악〗 작곡하다.

Komponist [..nίst] *m.* -en, -en 작곡가.

Komponistin *f.* -nen ↑ Komponist 의 여성형.

Komposite [kɔmpozí:tə] *f.* -n ↑ Korbblütler.

***Komposition** [..tsió:n] *f.* -en ① 조립, 합성, 혼합; 합성물, 혼합물. ② 〖예술〗 (작품의) 구성, 구상. ③ 〖음악〗 작곡; 악곡. ④ 〖언어〗 합성, 복합.

Kompositions·lehre *f.* 작곡학〔법〕.

kompositorisch [..zitó:rɪʃ] *a.* 〖전문어·교양〗 ① 작곡의, 작곡에 관한. ② 〖예술〗 (작품의) 구성(상)의.

Kompositum [kɔmpó:zitum] *n.* -s, ..ta/..ten 합성〔혼합〕물; 〖언어〗 합성〔복합〕어.

Kompost [kɔmpɔ́st] *m.* -es, -e 〖農〗 유기 비료, 퇴비.

Kompost·erde *f.* 배양토(培養土). **~haufen** *m.* 퇴비 더미.

kompostierbar *a.* 퇴비로 만들 수 있는.

kompostieren *t.* 퇴비로 만들다; …에 퇴비를 주다.

Kompostierung *f.* -en ↑ kompostieren 의 명사형.

Kompott [kɔmpɔ́t] *n.* -(e)s, -e 설탕물에 삶은〔절인〕과일.
Kompott·schale *f.* 삶은 과일을 담는 디저트 쟁반.
Kompotteller *m.* -s, - 삶은 과일을 담는 오목한 작은 접시.
kompreß [kɔmprɛ́s] *a.* 촘촘한, 꽉찬;〖印〗행간 간격없이 조판한.
Kompresse *f.* -n〖醫〗압박 붕대; 습포.
kompressibel [..síːbəl] *a.* 압축〔농축〕할 수 있는, 압축성의.
Kompressibilität *f.* 압축(가능)성, 압축률.
Kompression [..sióːn] *f.* -en 압착, 압박, 압축; 응축, 농축.
Kompressions≈diagramm *n.*〖工〗(엔진의 실린더에서 측정한) 압축 도표〔그래프〕. **~maschine** *f.*〖工〗압축기. **~pumpe** *f.*〖工〗압축 펌프. **~strumpf** *m.*〖醫〗(무릎용) 압박 붕대. **~verband** *m.* ↑ Druckverband.
Kompressor [kɔmprέsɔr, ..soːr] *m.* -s, -en [..sóːrən]〖工〗압축기, 컴프레서;〖해부〗압축근(筋).
Komprette 《lat.》 *f.* -n〖藥〗압축 정제(錠劑).
Komprimat *n.* -(e)s, -e〖전문〗통합, 압축.
komprimierbar *a.* 압축할 수 있는, 압축성의.
komprimieren 《lat.》 《I》 *t.* 압착〔압축〕하다; (가스를) 압축〔응축〕시키다;〖컴〗압축하다. 《II》 **komprimiert** *p.a.* ↑ komprimiert.
komprimiert 《I》 *p.p.* ↑ komprimieren. 《II》 *p.a.* 압축된, 요약〔간결〕한: ~e Luft 압축 공기; sich ~ ausdrücken 요약해서 말하다.
Komprimierung *f.* -en〖전문·교양〗압축, 요약.
Komprimierungs·programm *n.*〖컴〗압축 프로그램.
Kompromiß [kɔmpromɪ́s] 《lat.》 *m./n.* ..misses, ..misse 화해; 타협; 절충: (mit jm.) einen ~ eingehen〔schließen〕(누구와) 화해〔타협〕하다.
Kompromiss 新정서 ⇦ Kompromiß.
kompromiß≈bereit *a.* 타협할 용의가 있는, 타협적인: sich ~ zeigen 타협적인 태도를 보이다. **~bereitschaft** *f.* 타협할 용의가 있음, 타협적인 태도. **~kandidat** *m.* (정파간의 타협에 따른) 절충 후보자.
Kompromißler *m.* -s, -〖폄어〗쉽게 타협하는 사람.
kompromißlerisch *a.*〖폄어〗쉽게 타협하는.
kompromißlos *a.* 타협할 용의가 없는, 비타협적인.
Kompromiß≈lösung *f.* 타협에 따른 해결. **~versuch** *m.* 타협 시도. **~vorschlag** *m.* 타협 제안.
kompromittieren [kɔmpromɪtíːrən] *t.* …을 웃음거리로 만들다, 당혹케 하다; …의 명예를 실추시키다.
Komptabilität [kɔmptabilitέːt] *f.* -en 책임(있음), 해명 의무.
Kompulsion [kɔmpulzióːn] *f.* -en〖法·고어〗강제, 강요.
Komsomol [kɔmzomɔ́l] 《russ.》 *m.* - = Kommunistitscheski Sojus Molodjoshi 콤소몰(옛 소련의 청년 공산 동맹).
Komsomolze *m.* -n, -n 콤소몰〔청년 공산 동맹〕원(員).
Komsomolzin *f.* -nen ↑ Komsomolze 의 여성형.
Komteß [kɔmtέs, kɔ̃tέs] 《frz. comte》 *f.* ..tessen ↑ Komtesse.
Komtess 新정서 ⇦ Komteß.
Komtesse [kɔmtέsə, kɔ̃t..] *f.* -n 백작의 미혼 딸〔영애〕.
Komtur [kɔmtúːr] *m.* -s, -e 기사 수도회 관구장; (공로 훈장을 받은) 상급 기사.
Komturei *f.* -en 기사 수도회의 관구.
Komtur·kreuz *n.* (목에 거는) 상급 십자 훈장.
kon.. 《lat. con.》 *pref.* "공동·집합"의 뜻.
Konak [koná(ː)k] *m.* -s, -e (터키의) 궁전 같은 관청 건물, 저택.
Konautor [kóːn|autɔr, ..toːr] *m.* -s, -en [..toːrən] ↑ Koautor.
Koncha [kɔ́nça] 《gr.》 *f.* -s/..chen (중세 교회의 패각 모양의) 반원형 천장〔지붕〕;〖해부〗갑개(골)(甲介(骨)).
Konchifere [kɔnsiféːrə] *f.* -n〖動〗조개류.
konchiform *a.* 패각 모양의.
Konchoide [kɔnçoíːdə] 《gr.》 *f.* -n〖數〗나사선(螺絲線).
Konchologie *f.* ↑ Konchyliologie.
Konchylie [..çýːliə] 《lat. concha》 *f.* -n [..liən]〖動〗패류(貝類); 패각.
Konchyliolog [..çyliolóːk], **Konchyliologe** [..lóːgə] *m.* ..gen, ..gen 패류학자, 패류 연구가.
Konchyliologie *f.* 패류학, 패류 연구.
Kondemnation [kɔndɛmnatsióːn] *f.* -en〖교양·고어〗선고, 유죄 판결;〖海〗폐선 선고.
Kondensat [kɔndɛnzáːt] *n.* -(e)s, -e 응축물, 응축액.
Kondensation [..tsióːn] *f.* -en 응축, 응결;〖化〗축합(縮合), 액체화.
Kondensations≈apparat *m.*〖工〗응축〔복수(復水)〕장치. **~dampf·maschine** *f.*〖工〗응축〔복수 증기〕기관. **~kammer** *f.*〖工〗복수〔냉각〕실. **~punkt** *m.*〖物〗응축〔응결〕점. **~röhre** *f.*〖化〗응축〔복수〕관. **~wärme** *f.* 응축열. **~wasser** *n.* 응축수(水).
Kondensator [kɔndɛnzáːtɔr, ..toːr] *m.* -s, -en [..tóːrən]〖工·전기〗응결기(器), 응축기, 복수기, 축전기, 콘덴서.
kondensieren 《I》 *t.* 응결〔응축〕시키다; 액화하다; (우유나 과즙을) 농축하다. 《II》 *i.* (h./s.) 응결되다, 액화되다.
Kondensierung *f.* ↑ kondensieren 의 명사형.
Kondensmilch [kɔndέns..] *f.* 연유.
Kondensor [kɔndέnzɔr, ..zoːr] *m.* -s, -en [..zóːrən] 집광기(集光器); 집광(集光) 렌즈.
Kondens≈streifen *pl.*〖空〗비행기 구름, 항적운(航跡雲). **~topf** *m.*〖기계〗복수(復水) 단지. **~wasser** *n.* 응축수, 복수(復水).
Kondiktion *f.* -en〖法〗반환 청구(권).
konditern [kɔndíːtərn] *i.* (h.) ①〖구어〗과자〔케이크류〕를 만들다. ②〖방언〗제과점〔카페〕에 자주 출입하다.
***Kondition** [kɔnditsióːn] 《lat. condere》 *f.* -en ①〖經〗조건, 지급〔인도〕조건. ② 신체적〔정신적〕상태: er versuchte seine ~ zu halten 그는 컨디션을 유지하려고 애를 썼다.

konditional [..tsioná:l] *a.* 〖언어〗 조건(부)의: ein ~er Satz 조건문.
Konditional *m.* -s, -e 〖문법〗 조건법.
Konditionalis [..tsioná:lɪs] *m.* -, ..les ↑ Konditional.
Konditionalismus *m.* - 〖哲〗 복합 제약설.
Konditional·satz *m.* 〖문법〗 조건문.
konditionell [..nɛ́l] *a.* 신체적 상태에 관한: er ist ~ nicht ganz auf der Höhe 그는 컨디션이 아주 좋은 것은 아니다.
konditionieren [..ní:rən] *t.* 《I》 ①〖섬유〗 Seide ~ 생사(生絲)의 품질 또는 습도를 검사하다. ② (곡물을) 빻기 전에 온도와 습도를 맞추다. ③〖心〗 조건 반사를 일으키다. 《II》 **konditioniert** *p.a.* ↑ konditioniert.
konditioniert 《I》 *p.p.* ↑ konditionieren. 《II》 *p.a.* wohl ~ 상태가 좋은; ein ~er Reflex 조건 반사.
Konditionierung *f.* -en 〔전문어〕 사전 준비, 조건 반사.
Konditions=schwäche *f.* 〖스포츠〗 컨디션이 나쁨. **~trainer** *m.* 〖스포츠〗 컨디션 조절 훈련 코치. **~training** *n.* 컨디션 조절 훈련.
Konditor[1] [kɔ́nditɔr] 《lat. condire》 *m.* -s, -en [..tó:rən] 창시〔창립·건설〕자.
Konditor[2] [kɔndí:tɔr, ..to:*r*] *m.* -s, -en [..tó:rən] 제과업자.
Konditorei [..toráɪ] *f.* -en 케이크〔과자〕 제조; 제과점; 다과점.
Konditorin *f.* -nen ↑ Konditor 의 여성형.
Konditor=meister *m.* 케이크〔과자〕 제조 전문가〔기능장〕. **~waren** *pl.* 케이크류, 과자류.
Kondolenz [kɔndolɛ́nts] *f.* -en 조의, 애도; 조위(弔慰).
Kondolenz=besuch *m.* 조문. **~brief** *m.* ↑ ~schreiben. **~buch** *n.* 조문록. **~karte** *f.* 조문 엽서. **~schreiben** *n.* 조문 편지.
kondolieren [kɔndolí:rən] 《lat. dolere》 *i.* (h.) jm. ~ 누구에게 조의를 표하다.
Kondom [kɔndó:m] *m.* -s, -e/-s 콘돔.
Kondominat [kɔndominá:t] 《lat.》 *m./n.* -(e)s, -e ↑ Kondominium.
Kondominium [..mí:nium] *n.* -s, ..nien [..niən] 〖국제법〗 공동 관리〔통치〕; 공동 통치〔관리〕지(地).
Kondor [kɔ́ndɔr] *m.* -s, -e 〖動〗 콘도르.
Kondottiere [kɔndɔtié:rə] *m.* -s, ..ri (14-15 세기 이탈리아의) 용병 대장.
Konduite [kɔnduí:tə] *f.* 〔고어〕 행실, 품행.
Konduiten·liste *f.* 〔고어〕 (öst.) 품행 기록부, 고과표.
Kondukt [kɔndʊ́kt] *m.* -(e)s, -e (장중한) 수행〔장례〕 행렬.
Konduktanz *f.* -en 〖전기〗 컨덕턴스, 전도도(度).
Kondukteur [..tǿ:*r*] *m.* -s, -e ① 길 안내자. ②〔고어〕 (schweiz.) 차장.
Konduktor [..dʊ́ktɔr, ..to:*r*] 《lat.》 *m.* -s, -en [..tó:rən] ①〖物〗 전도체. ②〖전기〗 피뢰침. ③〖醫〗 유전 매개자.
Kondurango [kɔnduráŋgo] *f.* -s 남아메리카산 덩굴 식물의 뿌리로 만든 고미제(苦味劑).
Kondurango·rinde *f.* 〖植〗 남아메리카산(産) 덩굴 식물의 껍질.
Kondylom [kɔndyló:m] *n.* -s, -e (Feigwarze) 사마귀, 종기.
Konen [kó:nən] ↑ Konus 의 복수형.
Konfekt [kɔnfɛ́kt] *n.* -(e)s, -e 과자, 사탕, 캔디.
Konfektion [kɔnfɛktsió:n] *f.* -en ① 기성복 제조. ② 기성복. ③ 기성복 산업.
Konfektionär [kɔnfɛktsionɛ́:*r*] *m.* -s, -e 기성복 제조업자; 기성복 가게의 점원.
Konfektioneuse [..tsionǿ:zə] *f.* -n 기성복 가게의 여점원; 여자 재단사.
konfektionieren *t.* ① (기성복을) 만들다: Leinengewebe zu Damenhosen ~ 아마 직물로 여성용 바지를 만들다. ② 대량 생산하다.
Konfektionierung *f.* -en ① 대량 생산. ② 대량 생산품; 기성복.
Konfektions=anzug [kɔnfɛktsió:ns..] *m.* 기성복. **~geschäft** *n.* 기성복 가게. **~größe** *f.* 기성복의 표준 치수〔사이즈〕.
Konferenz [kɔnferɛ́nts] *f.* -en ① 논의, 협의, 상의, 회의: eine internationale ~ 국제(학술) 회의. ②〖海〗 해운 동맹.
Konferenz=beschluß *m.* 회의의 결의〔결정〕. **~pause** *f.* 휴회 (시간). **~saal** *m.* 대형 회의장. **~schaltung** *f.* 〖통신〗 다원(多元) 통화; 〖방송〗 다원 중계. **~sendung** *f.* 〖방송〗 다원 방송. **~teil·nehmer** *m.* 회의 참석자. **~tisch** *m.* 회의실의 탁자. **~zimmer** *n.* 회의실.
konferieren [kɔnferí:rən] *t./i.* (h.) 상의〔협의〕하다, 상담하다; 사회를 보다: mit jm. über et. ~ 누구와 무엇에 관하여 상의〔협의〕하다; eine Sitzung 〔bei einer Sitzung〕 ~ 회의의 사회를 보다.
*__Konfession__ [kɔnfɛsió:n] 《lat. confiteor》 *f.* -en 〔교양〕 고백; 〖宗〗 신앙 고백; 고해; 종파: katholische〔evangelische〕 ~ 구교〔신교〕.
Konfessionalismus *m.* - 종파주의; 교조〔신조〕주의.
konfessionell [..sionɛ́l] *a.* 신앙상의; 종파에 따른, 종파별의: er ist ~ nicht gebunden 그는 특정 종파에 매어 있지 않다.
konfessionslos *a.* 종파가〔종파에 관계〕 없는.
Konfessionslosigkeit *f.* 종파 없음, 무종파.
Konfessions·schule *f.* 특정 종파가〔교단이〕 세운 학교.
Konfetti [kɔnfɛ́ti] 《lat.》 *n.* -(s) 콘페티(사육제 때 서로 던지는 색종이 조각); (öst.) 〔고어〕 캔디.
Konfetti·parade *f.* (특히 미국의) 콘페티 행렬.
Konfident [kɔnfidɛ́nt] 《lat. confidere》 *m.* -en, -en ①〔고어〕 막역한 벗, 친구. ② (öst.) 밀정, 스파이.
konfidentiell [..tsiɛ́l] *a.* 〔고어〕 신뢰하는, 마음을 터놓은.
Konfidenz *f.* -en 신뢰; 남몰래 하는 얘기, 내밀한 이야기, 기밀.
Konfiguration [kɔnfiguratsió:n] *f.* -en ①〔교양〕 형성; 형태. ②〖天〗 행성의 위치, 성위(星位). ③〖化〗 (원자의) 배치. ④〖醫〗 (기관이나 신체 부분의) 외형, 형태. ⑤〖언어〗 구문상으로 결합된 단어군.
Konfirmand [kɔnfɪrmánt] *m.* -en, -en 〖가톨릭〗 견진(堅振) 성사를 받는〔받은〕 소년.

Konfirmanden≈stunde *f.* ↑ ~unterricht. **~unterricht** *m.* 견진(堅振) 성사를 받는 소년 소녀를 위한 성서 강독.

Konfirmandin *f.* -nen ↑ Konfirmand 의 여성형.

Konfirmation [kɔnfɪrmatsió:n] *f.* -en 〖가톨릭〗 견진(堅振) 성사; 〖기독교〗 첫 성찬식.

Konfirmations≈anzug *m.* 견진 성사복. **~geschenk** *n.* 견진 성사 선물. **~spruch** *m.* 견진 성사 때 외는 구절.

konfirmieren *t.* …에게 견진 성사를 베풀다.

Konfiserie [kɔnfizərí:, kɔ̃...] *f.* -n [..rí:ən] (schweiz.) ① ↑ Konditorei. ② 고급 과자.

Konfiskation [kɔnfɪskatsió:n] *f.* -en 몰수, 압류.

konfiskatorisch *a.* 〖法〗 몰수〔압류〕의.

konfiszieren *t.* 몰수〔압류〕하다.

Konfitent [kɔnfitɛ́nt] *m.* -en, -en 〘고어〙 고해〔참회〕자.

Konfitüre [kɔnfitý:rə] *f.* -n 과일 잼, 마멀레이드.

Konfitüren·geschäft *n.* 과자〔과일잼〕 가게.

konfligieren *i.* (h.) 〘고어〙 갈등에 빠지다; 다투다.

***Konflikt** [kɔnflɪ́kt] *m.* -(e)s, -e 충돌, 분쟁, 논쟁, 갈등, 모순: (mit jm.) in ~ geraten 〔kommen〕 (누구와) 충돌하다, 갈등을 일으키다; mit dem Gesetz 〔einer Vorschrift〕 in ~ geraten 법〔규정〕을 어기다, 법규에 저촉되다.

Konflikt≈feld *n.* 갈등〔분쟁〕의 장(場). **~forschung** *f.* 갈등〔분쟁〕 연구. **~herd** *m.* 갈등〔분쟁〕의 진원지. **~komission** *f.* 〖구동독〗 (기업·관청 등의) 분쟁 처리 위원회.

konfliktlos *a.* 갈등〔분쟁〕 없는.

konflikt≈scheu *a.* 분쟁〔논쟁〕을 꺼리는〔회피하는〕. **~situation** *f.* 갈등〔분쟁〕 상태. **~stoff** *m.* 분쟁 거리, 분쟁의 원인. **~theorie** *f.* 〖사회〗 갈등 이론. **~zeit** *f.* (독일 정부와 의회 사이의) 분쟁 시대(1862-66).

konfliktär [kɔnfliktɛ́:r] *a.* 〘교양〙 분쟁〔갈등〕의 소지가 있는〔많은〕.

Konfluenz *f.* -en 〖지질〗 (강·빙하의) 합류 (↔ Diffluenz).

konfluieren *i.* (s.) 〘전문〙 (혈관 따위가) 합류하다.

Konflux [kɔnflʊ́ks] *m.* -es, -e ↑ Konfluenz.

konföderalistisch *a.* 연합〔동맹〕의.

Konföderation [kɔnfødəratsió:n] *f.* -en 동맹; 연방.

konföderieren *refl.* sich ~ 동맹〔연합〕하다.

Konföderierte* *der/die* 동맹〔연합〕자, 동맹국, 연방의 일원.

konform [kɔnfɔ́rm] 《lat.》 *a.* 같은 모양〔꼴〕의, 일치한: mit jm. ~ gehen〔sein〕 누구와 의견이 일치하다.

Konformismus *m.* - 〘교양〙 대세 순응(주의).

Konformist *m.* -en, -en 대세 순응주의자, 영국 국교도.

konformistisch *a.* 대세에 순응하는, 대세 순응주의의; 영국 국교를 신봉하는, 국교주의의.

Konformität *f.* 같은 모양〔꼴〕, 일치.

Konfrater [kɔnfrá:tər] *m.* -s, ..tres 〖宗〗 (함께 수도하는) 형제, 동료.

Konfraternität [..fratɛrnitɛ́:t] *f.* ① 〖가톨릭〗 형제회, 신심회(信心会). ② (군주·귀족간의) 상속 동맹.

Konfrontation [kɔnfrɔntatsió:n] 《lat. frons》 *f.* -en 대결, 충돌, 대립; 〖法〗 대질, 대심(對審).

Konfrontations·kurs *m.* 충돌 항로: auf ~ gehen 대결 국면으로 들어가다.

konfrontieren *t.* ① 대결〔대질〕시키다. ② 대조하다: et. mit et³ ~ 무엇을 무엇과 대조하다.

Konfrontierung *f.* -en ↑ konfrontieren 의 명사형.

konfundieren [kɔnfʊndí:rən] 《lat.》 *t.* 〘고어〙 뒤섞다; 혼란스럽게 하다.

konfus [kɔnfú:s] *a.* 불명확한, 혼란스러운, 뒤죽박죽인; 어쩔 줄 모르는, 난처〔당황〕한: der Aufsatz ist ziemlich ~ 글이 상당히 난삽하다.

Konfusion [..zió:n] *f.* -en 불명확, 혼란, 뒤죽박죽; 난처, 당황: seine Rede war von einiger ~ 그의 연설은 다소 혼란스러웠다; 〖法〗 (채권과 채무의) 혼동.

Konfusionarius [..riʊs] *m.* -, ..rien [..riən] ↑ Konfusionsrat.

Konfusions·rat *m.* 머리가 혼란해진 사람.

Konfutation *f.* -en 논박, 설파.

Konfutse [kɔnfú:tsə], **Konfuzius** [kɔnfú:tsiʊs] *m.* 공자(551-479 B.C.).

konfuzianisch [kɔnfutsiá:nɪʃ] *a.* 공자의; 유교의.

Konfuzianismus *m.* - 유교.

konfuzianistisch *a.* ↑ konfuzianisch.

kongenial [kɔngeniá:l] *a.* 〘교양〙 기질이 같은, 마음이 맞는; 정신적으로 동등한: eine ~e Übersetzung eines Gedichts 운문에 충실한 시 번역.

Kongenialität *f.* 〘교양〙 정신적〔기질적〕 동등성〔동질성〕.

kongenital [kɔngenitá:l] *a.* 〖醫·心〗 타고난, 선천적인: ~e Mißbildungen 선천적 기형.

Kongestion [kɔngɛstió:n] *f.* -en 충혈, 울혈.

kongestiv *a.* 〖醫〗 충혈성(性)의.

Konglomerat [kɔnglomərá:t] *n.* -(e)s, -e ① 〘교양〙 덩어리, 집합체, 집단. ② 〖광물〗 역암(礫岩). ③ 〖醫〗 집적(물), 응괴(凝塊)(물). ④ 〖經〗 복합 기업.

Kongo [kɔ́ŋgo] ① *m.* -(s) 콩고강(중앙 아프리카의 강). ② *m.* -s 콩고(중앙 아프리카의 나라).

Kongolese [..golé:zə] *m.* -n, -n 콩고 사람.

Kongolesin *f.* -nen ↑ Kongolese 의 여성형.

kongolesisch *a.* 콩고(산(産)·풍)의.

Kongo·rot *n.* 〖化〗 콩고 레드(인조 염료의 일종).

Kongregation [kɔngregatsió:n] *f.* -en ① 집합; (종교) 집회. ② 〖가톨릭〗 (a) 수도원 연합회. (b) 신심회(信心會); 수도회; 추기경회.

Kongregationalist *m.* -en, -en 〖기독교〗 (영미의) 조합 교회 신도; 조합 교회주의자.

Kongregationist *m.* -en, -en 수도원 연합회 회원, 수도회 회원.

Kongreß [kɔngrɛ́s] 《lat.》 *m.* ..gresses, ..gresse ① (전문가들의) 회합, 회의: Wiener ~ 빈 회의. ② (미국의) 의회.

Kongress 新정서 ⇦ Kongreß.

Kongreß≈abgeordnete* *der* (미국의) 국회의원. **~halle** *f.* (국제) 회의장, 대회의장. **~mitglied** *n.* ↑ ~abgeordnete. **~polen** *n.* 러시아의 지배하의 폴란드 왕국(1815-31). **~-saal** *m.* (대)회의장. **~stadt** *f.* 회의 개최 도시. **~teil·nehmer** *m.* 회의 참가자.

kongruent [kɔngruέnt] *a.* 〖교양〗 서로 일치하는, 적합한: ~e Begriffe 똑같은 개념들; 〖數〗 합동의.

Kongruenz *f.* -en 〖교양〗 일치, 적합; 〖數〗 합동; 〖문법〗 (성·수·격·인칭의) 일치.

Kongruenz·satz *m.* 〖數〗 합동의 정리(定理).

kongruieren *i.* (h.) 〖교양〗 일치〔합치〕하다: ihre Meinungen ~ keineswegs 그들의 의견들은 결코 일치하지 않는다; 〖數〗 합동이다.

Konidie [koníːdiə] *f.* -n 〖植〗 분생자(分生者), 분생 포자(胞子).

K.-o-Niederlage [kaːǿː..] *f.* 〖권투〗 케이오패(敗).

Konifere [koːnifέːrə] *f.* -n 〖植〗 (구과(毬果)를 맺는) 송백과(松柏科) 식물, 침엽수.

***König** [kǿːnɪç] *m.* -s, -e ① 왕, (Kaiser 의 다음 자리의) 국왕: (der) ~ Karl 카를왕; 〖비유·고어〗 des ~s Rock tragen 군복〔제복〕을 입고 있다, (왕의) 근위병이다. ② 〖비유〗 왕과 같은 존재, 제 1 인자, 최고자: **(a)** der ~ der Tiere〔Wüste〕 백수(百獸)의 왕, 사자; der ~ der Vögel 새 중의 왕, 독수리; der ~ des Schreckens 죽음. **(b)** 최우수자; 가장 뛰어난 선수; 사격 대회의 우승자. **(c)** (연회·무도회 등의) 가장 인기 있는 사람. **(d)** 〖聖〗 die Heiligen Drei ~e 세 명의 동방 박사(마태 2: 1); das Erste〔Zweite〕 Buch der ~e 열왕기상〔하〕. ③ 〖카드〗 킹, (장기의) 궁(宮), (독일식 볼링의) 중앙 핀, 킹.

***Königin** [kǿːnɪgɪn] *f.* -nen ① 여왕; 왕비: die ~ von England 영국 여왕. ② 〖비유〗 여왕에 비길 수 있는 것: **(a)** 〖雅語〗 die ~ seines Herzens 그의 마음을 사로잡은 여인; die ~ der Blumen 꽃의 여왕, 장미. **(b)** 〖植〗 ~ der Nacht 선인장의 일종. **(c)** 〖動〗 여왕벌, 여왕개미. ③ 〖카드·체스〗 여왕, 퀸.

Königin≈mutter *f.* 대비, 모후(母后). **~-pastete** *f.* 〖요리〗 (닭고기·버섯 등을 넣은) 작은 파이. **~witwe** *f.* 왕대비, 국왕의 미망인.

königisch *a.* ↑ königlich ③.

***königlich** [kǿːnɪklɪç] *a.* ① 왕(실)의: ~e Familie 왕실, 왕가; (Seine) Königliche Hoheit 국왕 폐하. ② **(a)** 왕과 같은; 당당한; 위엄 있는: mit ~er Gebärde 위엄 있는 거동으로. **(b)** 〖구어〗 굉장〔대단〕한: ein ~er Kaufmann 호상(豪商); ~e Geschenke 호화로운 선물; sich ~ freuen 대단히 기뻐하다. ③ ~ 〔königisch〕 gesinnt 왕당파의. ④ das ~e Spiel 체스(Schach). ⑤ 후한, 배포가 큰: jn. ~ bewirten 누구를 후하게 접대하다.

***König·reich** [kǿːnɪk..] *n.* 왕국.

Königs≈adler [kǿːnɪçs..] *m.* 〖動〗 검둥수리. **~apfel** *m.* 〖植〗 향기가 좋은 사과의 일종; 파인애플.

Königsberg 쾨니히스베르크(옛 동프로이센의 수도).

Königs≈blau *n.* 코발트색. **≈blau** *a.* 코발트색의. **~burg** *f.* 왕성(王城). **~farn** *m.* 〖植〗 양치속. **~fischer** *m.* 〖動〗 (북아메리카산(産)) 물총새. **~freund** *m.* 왕당파. **~gei-er** *m.* 〖動〗 콘도르과의 큰 맹금류. **~gelb** *n.* 〖化〗 크롬산(酸)납(황색 도료). **~hase** *m.* 〖방언〗 집토끼. **~haus** *n.* 왕가, 왕실. **~hof** *m.* 왕궁, 궁정. **~kerze** *f.* 〖植〗 현삼과(玄蔘科)의 일종. **~kobra** *f.* 킹코브라. **~-krankheit** *f.* 〖醫〗 나력(瘰癧); 결핵성 경부(頸部) 림프선염. **~krone** *f.* 왕관. **~ku-chen** *m.* 밀가루와 달걀로 만든 네모난 과자. **~mantel** *m.* 왕의 외투(왕권의 상징). **~-mord** *m.* 국왕 시해〔살해〕. **~mörder** *m.* 국왕 살해범. **~palme** *f.* 〖植〗 대왕 야자. **~ro-se** *f.* 작약(Päonie). **~schießen** *n.* (사격왕을 뽑는) 사격 대회. **~schlange** *f.* 〖動〗 ↑ Abgottschlange. **~schloß** *n.* 왕성, 왕궁. **~schuß** *m.* (사격 대회에서 1 등을 차지할 만한) 명중탄.

Königssee *m.* 쾨니히스제(바이에른 지방의 호수).

Königs≈sitz *m.* ① 왕좌, 옥좌. ② 왕궁. **~-sohn** *m.* 왕자. **~stab** *m.* 왕홀. **~stadt** *f.* 왕국의 수도. **~stuhl** *m.* (발트해 독일 최대의 섬인 뤼겐섬의) 백악(白堊)의 절벽. **~thron** *m.* 왕좌, 옥좌. **~tiger** *m.* 〖動〗 벵골 호랑이. **~titel** *m.* 왕호(王號). **~tochter** *f.* 왕녀. **≈treu** *a.* 왕에게 충성하는, 왕당파의. **~-treue** *f.* 왕에게 충성함. **~wahl** *f.* 국왕 선거〔옹립〕. **~wasser** *n.* 〖化〗 왕수(王水). **~-weg** *m.* 〖雅語〗 왕도, 최선의 방책. **~welle** *f.* 주축, 종축(縱軸). **~würde** *f.* 왕위; 왕의 위엄. **~zeit** *f.* 왕정 시대.

Königtum [kǿːnɪçtuːm] *n.* -(e)s, ..tümer ① 왕위, 왕권; 군주제. ② 왕국.

Koniin [koniíːn] 〖化〗 코니인(독미나리 따위에 들어 있는 유독 성분).

konisch [kóːnɪʃ] *a.* 원뿔꼴의: der Stift ist ~ zugespitzt 그 연필은 원뿔꼴로 뾰족하게 깎여 있다.

Konizität *f.* 원뿔꼴.

Konj.[1] =Konjunktiv 접속법.

Konj.[2] =Konjunktion 접속사.

Konjektaneen [kɔnjεktanéːən, ..táːneən] *pl.* 〖교양·고어〗 메모책, 비망록.

Konjektur [..jεktúːr] *f.* -en 〖교양·고어〗 추측; (추측에 따른) 보완, 개정, 교정; 판독.

konjektural [..turáːl] *a.* ① 추측〔추정〕에 근거한. ② 판독에 의한; 교정상의.

Konjektural≈kritik *f.* 〖문헌〗 (판독에 따른) 원본 분석 비평. **~politik** *f.* 억단(臆斷) 정치.

konjizieren [kɔnjitsíːrən] *t./i.* (h.) 추측〔추정〕하다; 개정〔판독〕하다.

konjugal [kɔnjugáːl] 《lat.》 *a.* 〖고어〗 혼인상의, 부부의.

Konjugation [kɔnjugatsióːn] *f.* -en ① 〖문법〗 동사의 변화〔활용〕: starke〔schwache〕 ~ 강〔약〕변화. ② 〖生〗 (수정 때) 생식 세포의 접합.

Konjugations≈endung *f.* 〖문법〗 동사의 변화〔활용〕 어미. **~kern** *m.* 〖生〗 (세포의) 생식핵. **~tabelle** *f.* 〖문법〗 동사 변화표.

konjugierbar *a.* 〖문법〗 (동사가) 변화할 수 있는.

konjugieren [kɔnjugíːrən] 《I》 *t.* ① 〖문법〗 (동사 형태를) 변화시키다, 활용하다. ② 접합하다. 《II》 **konjugiert** *p.a.* ↑ konjugiert.

konjugiert 《I》*p.p.* ↑ konjugieren. 《II》*p.a.* 〖數〗(수·점·직선 등이) 서로 병렬〔결합〕된.

konjungieren [kɔnjuŋgí:rən] *t.* 〘고어〙 결합〔연결〕하다.

Konjunktion [kɔnjuŋktsió:n] *f.* -en ①〖문법〗 접속사(약어: Konj.). ②〖天〗 행성 따위의 합(合). ③〖논리〗 연접(連接), (und 에 의한) 연언(連言).

konjunktional *a.* 접속사의.

Konjunktional≈adverb *n.* 〖문법〗 접속사적 부사〔부사적 접속사〕(보기: deshalb, trotzdem, außerdem 따위). **~satz** *m.* 〖문법〗 접속문.

Konjunktiv [kɔ́njuŋkti:f, kɔnjuŋktí:f] *m.* -s, -e 〖문법〗 접속법(약어: Konj.)

Konjunktiva [..tí:va] *f.* ..vä [..vɛ] 〖醫〗 결막(結膜).

konjunktivisch *a.* 접속법의: eine ~e Verbform 접속법 동사 형태.

Konjunktivitis [..ví:tɪs] *f.* ..tiden [..tí:dən] 〖醫〗 결막염.

Konjunktiv·satz *m.* 〖문법〗 접속법 문장.

Konjunktivus [..tí:vus] *m.* -, ..tive ↑ Konjunktiv.

Konjunktur [..tú:*r*] *f.* -en 상황(商況), 경기; 호경기: eine steigende ~ 상승 경기; 〘비유〙 solche Artikel haben in Augenblick ~ 그러한 품목들이 현재 잘 팔리고 있다.

konjunktur≈abhängig *a.* 경기에 의존하는〔좌우되는〕. **~bedingt** *a.* ↑ ~abhängig. **≈-bericht** *m.* 경기 동향 보고.

konjunkturell *a.* 경기(상)의, 경기에 따른: die ~e Situation eines Landes 한 나라의 경기 상황.

Konjunktur≈forschung *f.* 경기(景氣) 동향 조사. **~lage** *f.* 경기 동향. **~politik** *f.* 경기 정책. **~politiker** *m.* 편의〔기회〕주의 정치가. **≈politisch** *a.* 경기 정책(상)의. **~-programm** *n.* 경기 정책. **~ritter** *m.* 편의〔기회〕주의자. **~schwankung** *f.* 경기 변동. **~spritze** *f.* 경기 부양 조처. **~zuschlag** *m.* 경기 억제를 위한 기한부 증세(增稅).

konkav [kɔnká:f] *a.* (↔ konvex) 오목한, 요면(凹面)의.

Konkav·glas *n.* 오목 렌즈.

Konkavität [..kavitɛ́:t] *f.* 요면 (상태), 요상(凹狀).

Konkav≈linse *f.* 오목 렌즈. **~spiegel** *m.* 요면경(凹面鏡).

Konklave [kɔnklá:və] *n.* -s, -n 〖가톨릭〗 ① (로마 교황 선거에서) 추기경들의 비밀 회의실. ② 교황 선출을 위한 추기경 회의.

konkludent [kɔnkludɛ́nt] *a.* 〘교양〙 결론이 나오는; 논리 정연한; 단정적인; 간결한.

konkludieren *t.* 〘교양〙 결론짓다, 단정하다.

Konklusion [..zió:n] *f.* -en 〘교양〙 귀결; 결론, 단정, 단안.

konklusiv [..zí:f] *a.* 귀결의, 결론적인, 단정적인; 명확한.

konkordant [kɔnkɔrdánt] *a.* ① 일치〔부합〕하는. ②〖지질〗 정합(整合)의. ③〖유전〗 (양쪽 쌍생아에게 유전적 형질이) 일치하는.

Konkordanz [..dánts] *f.* -en ① 일치, 부합; (알파벳순의) 용어 색인, (성서의) 페이지 대조표. ②〖지리〗 정합(整合); 〖유전〗 일치. ③〖印〗 48 포인트 활자. ④〖언어〗 동일 요소의 반복(밀접한 관련 단어들에서 형태상 동일한 요소(특히 접두어)가 반복되는 현상).

Konkordanz·schrift *f.* (성경 따위의) 용어 색인집.

Konkordat *n.* -(e)s, -e ① (국가와 교황청간의) 종교 협약, 화친 조약. ② (schweiz.) (스위스 각 주 사이의) 협약.

Konkordats·politik *f.* 협약 정치, 화합〔우호〕 정책.

Konkordia [..kɔ́rdia] *f.* ① 일치, 화합. ② 콘코르디아(여자 이름); 〖로마신화〗 화합의 여신.

Konkordien≈buch [kɔnkɔ́rdiən..] *n.* 〖宗〗 일치 신조서(信條書)(루터 사후 교회내의 분파를 조화시키기 위해 발간된 책). **~formel** *f.* (신교의) 일치 신조.

Konkrement [kɔnkremɛ́nt] 《lat.》 *n.* -(e)s, -e 〖醫〗 결석(結石).

Konkreszenz [kɔnkrɛstsɛ́nts] *f.* -en 〖生〗 유착(癒着).

***konkret** [kɔnkré:t] *a.* ① (↔ abstrakt) 형체가 있는, 구체적〔구상적〕인: ein ~er Begriff 구체적 개념; ~e Kunst 구체 예술; ~e Poesie 구체시; ~e Musik 구체 음악. ② 사실〔실재·진짜〕의: in der ~en Situation 실제 상황에서는〔이라면〕; im ~en Fall 실제 경우에는. ③ 객관적인, 확실〔정확〕한, 엄밀한.

Konkret *m./n.* -(e)s 콘크리트.

Konkretion [..kretsió:n] *f.* -en 〘교양〙 구체화; 구상화; 〖醫〗 유착; 결석(結石) 형성; 〖지질〗 응괴, 결핵체(體).

konkretisieren [..tizí:rən] *t.* 구체화〔구상화〕하다.

Konkretisierung *f.* -en 구체화; 구체적 개념; 〖法〗 집단의 채무를 그 집단에 속하는 개인들이 분할하여 변제하게 함.

Konkretum [..kré:tum] *n.* -s, ..ta 〖문법〗 구상〔구체〕 명사.

Konkubinat [kɔnkubiná:t] 《lat.》 *n.* -(e)s, -e 〖法〗 (정식으로 결혼하지 않은 남녀의) 동거, 사실혼〔내연〕 관계.

Konkubine [..bí:nə] *f.* -n 동거녀, 내연의 처; 정부(情婦), 첩.

Konkupiszenz [kɔnkupɪstsɛ́nts] *f.* 욕정.

Konkurrent [kɔnkurɛ́nt] *m.* -en, -en 경쟁자, 적수.

Konkurrentin *f.* -nen ↑ Konkurrent 의 여성형.

***Konkurrenz** [..kurɛ́nts] *f.* -en ① 경쟁, 경합; 경기, 시합: jm. ~ machen 〔mit jm. in ~ treten〕 누구와 경쟁하다; außer ~ laufen (심사 대상 밖의 선수로) 레이스에 찬조 참가하다. ②〖商〗 경쟁자〔사〕 (전체). ③〖法〗 경합범.

Konkurrenz≈betrieb *m.* 경쟁 기업. **≈-fähig** *a.* 경쟁력이 있는. **~fähigkeit** *f.* 경쟁력. **~geschäft** *n.* 경쟁 영업(업소).

konkurrenzieren [kɔnkurɛntsí:rən] *t.* (schweiz., öst., südd.) jn. ~ 누구와 경쟁〔경합〕하다.

Konkurrenzierung *f.* -en (schweiz., öst., südd.) ↑ konkurrenzieren 의 명사형.

Konkurrenz≈kampf *m.* 경쟁; 각축. **~-klausel** *f.* 〖法〗 경쟁 금지 약관.

konkurrenzlos *a.* 경쟁이 없는.

Konkurrenz≈neid *m.* 경쟁자에 대한 시기〔질투〕. **~prüfung** *f.* 경쟁 시험. **~unternehmen** *n.* 경쟁 기업.

***konkurrieren** [kɔnkurí:rən] *i.*(h.) 경쟁〔경합〕하다: um et. ~ 무엇을 얻으려고 경쟁하다.

Konkurs [kɔnkúrs] *m.* -es, -e 〖法·商〗 파산, 도산; 파산 절차: in ~ geraten〔gehen〕 파산하다.

Konkurs≈erklärung *f.* 파산 선고. **~eröffnung** *f.* 파산 절차 개시. **~gläubiger** *m.* 파산 채권자. **~masse** *f.* 파산 때 강제 집행 대상이 되는 재산. **~ordnung** *f.* 파산법. **~verfahren** *n.* 파산 절차. **~vergehen** *n.* 위법 파산. **~verwalter** *m.* 파산 관리인.

können [kœ́nən] (konnte, gekonnt) 《I》〖화법 조동사〗① (**a**) 할 줄 알다, 할 수 있다: rechnen ~ 계산할 줄 알다; ich kann es nicht ändern 나는 그것을 바꿀 수 없다; ich habe nicht kommen ~ 나는 올 수가 없었다; 〖부정형을 생략하여〗 er schrie, was er (schreien) konnte 그는 한껏 소리를 질렀다; 〖속담〗 man kann alles, wenn man (nur) will 뜻이 있는 곳에 길이 있다; mir kann keiner 아무도 나를 어찌할〔해칠〕 수 없다; 〖구어〗 (es) mit jm. (gut) ~ 누구와 사이가 좋다. (**b**) er kann nicht auf(stehen) 그는 일어설 수 없다; jm. nicht bei〔zu〕(kommen) ~ 누구를 다룰 도리가 없다; er kann nicht nach Hause 그는 집으로 돌아갈 수 없다. (**c**) ich kann nicht anders als lachen 나는 웃지 않을 수 없다; nicht umhin ~, et. zu tun 무엇을 하지 않을 수 없다. ②〖가능·개연성〗 가능성이 있다, …일는지 모른다; er kann sterben 그는 죽을지도 모른다; er kann jeden Augenblick kommen 그는 금방이라도 올지 모른다. ③〖허가·권리〗 …하여도 좋다〔괜찮다〕; ~할 권한이 있다: das kannst du (meinetwegen) tun 자네는 그렇게 해도 괜찮네; darauf ~ Sie stolz sein 당신은 그것을 자랑해도 괜찮소; 〖구어〗 kannst du machen! 마음대로 하게!; 〖구어〗 er kann einem leid tun 그는 동정받을 만하다; 〖구어〗 ~ wir jetzt rein? 우리가 들어가도 괜찮습니까? ④〖명령·요구를 공손하게 말할 경우〗 das kannst du selber machen! 그것은 자네 자신이 하면 좋지 않을까! ⑤〖독립 동사〗 *t.*/*i.*(h.) (**a**) 알고 있다, 할 줄 알다: ich kann es auswendig 나는 그것을 외울 수 있다; er kann Deutsch 그는 독일어를 할 줄 안다; das Gekonnte wieder vergessen (할 줄) 알았던 것을 잊어버리다; wer will, der kann 하려고 마음만 먹으면 무엇인들 안 되랴. (**b**) ich kann nichts dafür 그것이 내 탓은 아니다; 〖구어〗 ich kann nichts mehr! 나는 지쳤다〔탈진했다〕! 《II》 **gekonnt** *p.a.* ↑ gekonnt.

Können *n.* -s 능력, 솜씨, 수완; 지식, 학식.

Könner [kœ́nər] *m.* -s, - 능력〔수완〕이 있는 사람: Alles≈ 팔방미인.

Könnerin *f.* -nen ↑ Könner 의 여성형.

Könnerschaft *f.* (특별한) 능력, 기량, 수완.

Konnetabel [kɔnetá:bəl] *m.* -s, -s ① 마술(馬術) 교관, 기마대 지휘관. ② (17 세기까지의 프랑스의) 원수, 육군 총사령관.

Konnex [kɔnέks] 《lat. nectere》 *m.* -es, -e 연결, 결합; 연관; (교제) 관계, (사교적인) 접촉: mit jm. in ~ kommen〔treten〕 누구와 교제〔접촉〕하다.

Konnexion [kɔnεksió:n] *f.* -en ①〖언어〗(의존 문법에서) 의존 관계. ② 관계, 연고, 연줄.

konnivent [kɔnivέnt] *a.* ①〖교양·드물게〗 참을성 있는, 관대한. ② 비리를 방조〔조장〕하는: ~es Verhalten (비리를) 방관하는 태도.

Konnivenz [kɔnivέnts] *f.* -en ① 참을성; 관용. ②〖法〗(부하의) 비리 방조〔사주〕.

konnivieren 《lat. connivere》 *t.* 〖고어〗 참다, 관대하게 봐주다, 묵인하다.

Konnossement [kɔnɔsəmέnt] *n.* -(e)s, -e 〖海〗 선하 증권.

Konnotation [kɔnotatsió:n] *f.* -en 〖언어·논리〗(언어 기호의) 함축적·부수적 의미, 내포, 함축, 함의(↔ Denotation).

konnotativ *a.* 부수적 의미의, 함축성 있는; 내포적인(↔ denotativ).

konnotieren *i.*(h.) 내포하다, 함축하다.

konnte [kɔ́ntə] ↑ können 의 과거형.

könnte [kœ́ntə] ↑ können 의 접속법 Ⅱ 식.

Konnubium [kɔnú:bium] *n.* -s, ..bien [..biən] 〖法·고어〗 혼인(관계), 결혼 (생활).

Konoid [konoí:t] *n.* -(e)s, -e 〖기하〗 원뿔 곡선체(體).

Konquistador [kɔŋkıstadó:r] 《sp.》 *m.* -en, -en 정복자; (특히) 에스파냐인의 남아메리카 정복자 및 그 자손.

Konrad [kɔ́nra:t] *m.* 콘라트(남자 이름).

Konrektor [kɔ́nrεktɔr, ..to:r] *m.* -s, -en [..tó:rən, kón..to:rən] (초·중·고교의) 교장 대리, 교감.

kons. =konservativ 보수적인, 보존의.

Konsanguinität [kɔnzaŋguinitέ:t] 《lat. sanguis》 *f.* 〖고어〗 혈족 (관계), 혈연.

Konseil [kõsέij, ..sé:i] *m.* -s, -s 〖고어〗 평의회, 각의(閣議); 고문관 회의.

Konsekration [kɔnzekratsió:n] 《lat.》 *f.* -en 〖宗〗 ① 축성(祝聖), 성별(聖別). ② (주교의) 서품식(敍品式). ③ 성(聖)변화(성체 성사에서 빵과 포도주가 그리스도의 몸과 피로 바뀜). ④ 성찬 수여.

konsekrieren 《lat. sacrare》 *t.* 축성하다, 성별(聖別)하다, 봉납하다.

Konsekrierung *f.* -en 축성, 봉납, 봉헌.

konsekutiv [kɔnzekutí:f] 《lat. consequor》 *a.* ① 잇달은, 연속하는: ~es Dolmetschen 순차 통역(↔ simultanes Dolmetschen 동시 통역). ②〖문법〗 결과를 나타내는: ~e Konjunktion 결과를 나타내는 접속사(보기: so daß). ③〖哲〗 파생되는〔된〕.

Konsekutiv·satz *m.*〖문법〗 결과문(Folgesatz).

Konsens [kɔnzέns] *m.* -es, -e 동의, 승낙, 허용, 허가; (의견의) 일치, 합의: wir müssen zu einem ~ kommen 우리는 합의에 도달해야만 한다.

konsens·fähig *a.* 허가권이 있는.

Konsensus [kɔnzέnzus] *m.* -, - ↑ Konsens.

konsentieren *i.*(h.) 〖고어〗 동의하다, 승인하다; 일치하다.

konsequent [kɔnzekvέnt] 《lat. consequor》 *a.* ① (↔ inkonsequent) 논리 정연한, 시종일관된, 모순 없는: ~ denken 논리에 맞게 사고하다. ② 철저한, 단호한, 절조 있는.

konsequenter≈maßen *a.* ↑ ~weise. **~weise** *a.* 당연한 귀결로서.

Konsequenz [kɔnzekvɛ́nts] *f.* -en ① 결과, 결론; 귀결; 효과, 성과: den Kampf bis zur letzten ~ führen 결판〔끝장〕이 날 때까지 싸우다; die ~en aus et.[3] ziehen 무엇에서 결론을 이끌어내다, 무엇의 결과에 책임을 지다. ② 논리 정연, 시종일관, 철저, 단호, 절조.

Konservatismus [kɔnzɛrvatísmus] *m.* - ↑ Konservativismus.

***konservativ** [..tí:f] *a.* ① 보수적인, 보수주의의(약어: kons.): eine ~e Partei 보수당. ②〚醫〛 보존적인: ~e Therapie 보존 요법.

Konservative* [..və] *der/die* 보수주의자〔당원〕.

Konservativismus [..tivísmus] *m.* - 보수주의.

Konservativität *f.* 보수적 태도〔입장〕, 보수성.

Konservator [..vá:tɔr, ..to:r] *m.* -s, -en [..tó:rən] 보존 위원; (박물관의) 관리자, 관장.

konservatorisch[1] *a.* 보존상의.

konservatorisch[2] *a.* 음악 학교의.

Konservatorist *m.* -en, -en 음악 학교 학생.

Konservatoristin *f.* -nen ↑ Konservatorist 의 여성형.

Konservatorium [..tó:rium] *n.* -s, ..rien [..riən] 음악 학교.

Konserve [kɔnzɛ́rvə] *f.* -n ① 저장 식품; 통〔병〕조림. ②〚방송〛 녹화〔재〕방송:〚구어〛 Musik aus der ~ 테이프〔레코드〕 음악. ③〚醫〛 저장 혈액.

Konserven·büchse *f.* 통조림(용) 깡통. **~fabrik** *f.* 통조림 공장. **~glas** *n.* 병조림, 병조림용 병. **~industrie** *f.* 통조림 산업. **~öffner** *m.* 통조림 따개. **~vergiftung** *f.*〚醫〛 통조림에 의한 식중독.

konservierbar [kɔnzɛrví:rba:r] *a.* 보존〔보관〕할 수 있는, 저장할 수 있는.

***konservieren** [kɔnzɛrví:rən] 《lat.》《I》 *t.* ① (식료품을) 저장하다, 통조림으로 만들다; (혈액 따위를) 보관하다:〚구어〛 Musik auf Tonband ~ 음악을 녹음 테이프에 녹음하다. ② 보존하다:〚醫〛 ~de Behandlung 보존 요법〔치료〕;〚비유〛 ältere Sprachzustände ~ 예전의 언어 상태를 유지하다. 《II》 *refl.* sich ~ 보존되다, 오래 가다, 변하지 않다: sie hat sich recht gut konserviert 그녀는 젊은 모습을 그대로 간직하고 있다.

Konservierung *f.* -en 저장, 보관, 보존; 녹음, 녹화.

Konservierungs·mittel *n.* 방부제.

Konsignant [kɔnzɪgnánt] *m.* -en, -en〚商〛 (화물의) 발송인; (판매) 위탁인.

Konsignatar [..zɪgnatá:r] *m.* -s, -e (화물의) 수취인; (판매) 수탁인.

Konsignatär [..tɛ́:r] *m.* -s, -e ↑ Konsignatar.

Konsignation [..tsió:n] *f.* -en (위탁 판매를 위한) 화물의 발송; (특히 해외 무역에서의) 상품 판매 위탁;〚전문어·고어〛 지정, 할당.

Konsignations·gut *n.* 판매 위탁품.

konsignieren *t.* ① (위탁 판매를 위해 상품을) 보내다, 상품 판매를 위탁하다. ②〚軍〛 (영내에) 대기시키다, 외출 금지시키다. ③ (schweiz.) 감금하다. ④〚고어〛 공증하다.

Konsiliarius [kɔnziliá:rius] *m.* -, ..rii [..rii]〚醫〛 공동 진찰 참가 의사(특정한 환자나 병에 대해 주치의에게 조언을 해주는 의사).

konsiliieren [kɔnzilií:rən] *t.* …에게 충고하다, 의견을 말하다; (대학생을) 퇴학〔정학〕시키다.

Konsilium [..zí:lium] 《lat. concire》 *n.* -s, ..lien [..liən] ① 심의〔협의〕회: ein ~ bilden 심의회를 구성하다. ②〚醫〛 공동 진찰: ein ~ abhalten 공동 진찰을 하다. ③ 충고.

konsistent [..zɪstɛ́nt] *a.* (↔ inkonsistent)〚교양〛 ① 긴밀한; 견고〔견실〕한; 질긴, 안정된. ② 일관된, 논리적〔전체적〕으로 모순이 없는: ~e Theorie 일관된 이론.

Konsistenz *f.* (↔ Inkonsistenz)〚교양〛 ① 견고, 견실, 안정성. ② 일관성, 모순이 없음.

konsistorial [kɔnzɪstoriá:l] *a.*〚기독교〛 종교국(局)의, 총회〔장로회〕의.

Konsistorial·gericht *n.* 교회〔종교〕 재판소. **~rat** *m.*〚기독교〛 총회〔종교국〕회원. **~verfassung** *f.*〚기독교〛 종교국〔총회·장로회〕 제도.

Konsistorium [kɔnzɪstó:rium] *n.* -s, ..rien [..riən] ①〚가톨릭〛 (교황이 직접 참석하는) 추기경 회의; 주교구 재판소; (오스트리아의) 주교구 행정청. ②〚기독교〛 종교국(局), 총회. ③ (칼뱅 교회의) 장로회.

konskribieren [kɔnskribí:rən] *t.*〚軍〛 징집〔징모〕하다.

Konskribierte* *der* 징집된 자.

Konskription [..skrɪptsió:n] *f.* -en 징집, 징모.

Konsol [kɔnzó:l] *m.* -s, -s〚금융〛 국채, 공채;〚복수〛 정리(整理)〔확정〕 공채.

Konsole [kɔnzó:lə] *f.* -n〚건축〛 소용돌이 모양의 까치발, 버팀돌; 까치발로 버틴 선반; (탁자의) 소용돌이 모양의 다리.

Konsolidation [kɔnzolidatsió:n] *f.* -en ①〚전문어·교양〛 강화; (기업의) 견고〔공고〕화. ②〚지질〛 석화(石化) 작용. ③〚광산〛 광구의 통합. ④〚法〛 (부동산의 제한 물권과 소유권의) 충돌.

konsolidieren 《I》 *t.* ①〚교양〛 굳게 하다; 견고〔공고〕히 하다, 견실〔확실〕하게 하다: die Regierung konsolidierte die Wirtschaft des Staates 정부는 국가의 경제를 견실하게 하였다. ②〚經〛 (국채를) 통합하다; 정리하다: konsolidierte Staatspapiere 확정 공채. 《II》 *refl.* sich ~ 굳어지다, 견고〔공고〕히 되다.

Konsolidierung *f.* -en ①〚전문어·교양〛 견고〔공고〕화. ②〚經〛 국채의 통합.

Konsolidierungs·phase *f.*〚法〛 정리〔통합〕 단계;〚醫〛 (결핵 따위의) 근치(根治) 단계, (골절 부위 따위의) 유합(癒合)〔강화〕 단계.

Konsols [kɔnzó:ls, kɔ́nsols] *pl.*〚금융〛 정리 공채.

Konsol·tisch *m.* 콘솔(벽·기둥 따위에 설치한 선반).

Konsol·tischchen *n.* ↑ Konsoltisch 의 축소형.

Konsommee [kɔ̃sɔmé:] 《frz. consommer》 *f.* -s 〔*n.* -s, -s〕 (쇠고기·야채를 넣은) 수프, 고깃국(Consommé).

konsonant [kɔnzonánt] *a.* ① 공명(共鳴)하는. ②〚음악〛 협화음의(↔ dissonant).

Konsonant 《lat.》 *m.* -en, -en〚문법〛 자음 (↔ Vokal).

konsonantisch *a.* 자음의.
Konsonanz [..zonánts] *f.* -en ① (↔Dissonanz) 『음악』 협음(協音), 협화음; 〔비유〕 일치. ② 『언어』 자음 중첩.
Konsonanten≈häufung *f.* -en 『언어』 자음 중첩(↑ Konsonanz ②). **~schwund** *m.* 『언어』 자음 소실.
Konsorte [kɔnzɔ́rtə] 《lat. consors》 *m.* -n, -n ① 조합원. ② 동아리, 동료; 조합원; 공범자: 〔폄어〕 x und ~n x와 그 일당.
Konsortial·geschäft [kɔnzɔrtsiá:l..] *n.* 조합의 공동 거래.
Konsortium [..zɔ́rtsiʊm] *n.* -s, ..tien [..tsiən] (기업) 조합, 신디케이트: ein ~ bilden 〔gründen〕 신디케이트를 결성하다.
Konspekt [kɔnspɛ́kt] *m.* -(e)s, -e 개관, 내용 목차, 일람표.
konspektieren *t.* 개관을 작성하다, 일람표를 만들다.
Konspiration [kɔnspiratsió:n] 《lat.》 *f.* -en 공모, 음모.
konspirieren 《lat.》 *i.* (h.) 공모하다, 음모를 꾀하다.
Konstabler [kɔnstá:blər] 《lat.》 *m.* -s, - ① 『軍』 (옛날의) 포술 하사관, 폭약 전문가. ② 고어 경찰관.
konstant [kɔnstánt] 《lat. constare》 *a.* 언제나 같은, 일정한, 불변의; 변함없는, 확고한; 항구적인: 『전기』 ~er Strom 불변 전류; 『數』 eine ~e Größe 상수(↑ Konstante); mit ~er Bosheit 집요하게.
Konstante [..tə] *f.* -n 『數』 상수(常數) (↔ Variable).
Konstantin [kɔnstantí:n, kɔ́n..ti:n] 《lat.》 콘스탄틴(남자 이름): ~ der Große 콘스탄티누스 대제.
Konstantinopel [..tinó:pəl] 《원뜻 „Stadt Konstantins des Großen"》 *n.* 콘스탄티노플 (터키의 도시 Istanbul의 옛 이름).
Konstantinop(e)ler *m.* -s, - ↑ Konstantinopolitaner.
Konstantinopolitaner *m.* -s, - 콘스탄티노플 사람.
Konstanz[1] [kɔnstánts] *f.* 지속, 불변.
Konstanz[2] [kɔ́nstants] 콘스탄츠(독일 Boden 호숫가의 도시).
konstatieren [kɔnstatí:rən] 《lat. constat》 *t.* 확인하다, 알아내다; 확언하다.
Konstatierung *f.* -en 확인; 확언.
Konstellation [kɔnstɛlatsió:n] 《lat.》 *f.* -en ① 『天』 별자리; 성좌; 별의 위치. ② 〔비유〕 정세, 상황.
Konsternation [kɔnstɛrnatsió:n] 《lat.》 *f.* -en 경악, 당혹, 대경실색.
konsternieren 《Ⅰ》 *t.* 깜짝 놀라게 하다, 당혹하게 만들다. 《Ⅱ》 **konsterniert** *p.a.* ↑ konsterniert.
konsterniert 《Ⅰ》 *p.p.* konsternieren. 《Ⅱ》 *p.a.* 몹시〔깜짝〕 놀란, 당혹한, 대경실색한.
Konstipation [kɔnstipatsió:n] 《lat. constipare》 *f.* -en 『醫』 변비.
Konstituante [kɔnstituántə] 《frz.》 *f.* -n (프랑스 혁명 때의) 헌법 (제정) 의회.
Konstituens [kɔnstí:tuɛns] *n.* -, ..tuenzien [..tuɛ́ntsiən] 《lat.》 〔전문어·교양〕 본질적인 구성 요소.
Konstituent 《lat.》 *m.* -en, -en 『法』 의뢰자, 위임자; (영국의) 유권자.
Konstituente *f.* -n 『언어』 구성소.
konstituieren [kɔnstituí:rən] 《lat.; ↑ statuieren》 《Ⅰ》 *t.* ① 조직〔창설〕하다: ~de Versammlung 헌법 제정 의회. ② 기본을〔기초를〕 이루다: Subjekt und Prädikat als ~de Teile des Satzes 문장의 기본 요소로서의 주어와 술어. 《Ⅱ》 *refl.* sich ~ 조직〔창설〕되다, 구성되다.
Konstituierung *f.* -en 조직; 창설; 구성.
***Konstitution** [..tsió:n] *f.* -en ① 헌법. ② 『醫』 체질, 체격. ③ 『化』 분자 구조. ④ 『가톨릭』 교황의 칙서, 정관(定款), 규칙.
Konstitutionalismus *m.* - 입헌제〔정치〕.
konstitutionell [..nɛ́l] *a.* ① 헌법에 따른, 입헌적인: ~e Monarchie 입헌 군주제. ② 체질상의.
Konstitutions≈formel *f.* 『化』 구조식. **~krankheit** *f.* 체질에 따른 병. **~typ** *m.* 체질형. **≈widrig** *a.* 헌법 위반〔위헌〕의, 비입헌적인.
konstitutiv [kɔnstitutí:f] *a.* 본질적인, 구성적인.
Konstriktion *f.* -en 『醫』 수축.
Konstriktor [kɔnstríktɔr, ..to:r] 《lat.》 *m.* -s, -en [..tó:rən] 『醫』 괄약근(括約筋).
konstringieren *t.* 수축시키다.
***konstruieren** [kɔnstruí:rən] 《lat.》 《Ⅰ》 *t.* ① 구성하다, 건조하다. ② 『문법』 (문장을) 구성하다. ③ 『數』 작도(作圖)하다. ④ 〔구어〕 일부러〔억지로〕 꾸미다: das klingt konstruiert 그것은 (일부러) 꾸민 것같이 들린다. ⑤ 〔교양〕 논리적으로 만들어내다, 고안하다: sich seine eigene geistige Welt ~ 자신만의 정신적 세계를 구축하다. 《Ⅱ》 **konstruiert** *p.a.* ↑ konstruiert.
konstruiert 《Ⅰ》 *p.p.* ↑ konstruieren. 《Ⅱ》 *p.a.* 억지로 지어낸, 꾸며 낸: die Handlung des Buches ist konstruiert 그 책의 줄거리는 억지로 지어낸 것 같다.
Konstrukt [kɔnstrʊ́kt] *n.* -(e)s, -e/-s 『학문』 가설, 가정: ein ~ der Linguistik 언어학의 가설.
Konstrukteur [..struktǿ:r] *m.* -s, -e 구성자, 건조자, 고안자.
Konstruktion [..tsió:n] *f.* -en ① 구성, 건조. ② 『문법』 (문장의) 구성, 구조, 구문. ③ 『數』 공식, 이론; 작도(作圖). ④ (a) 〔교양〕 사상적 구조: die ~ eines philosophischen Systems 철학 체계의 구조. (b) 가설에 따른 진술.
Konstrukteurin *f.* -nen ↑ Konstrukteur의 여성형.
Konstruktions≈aufgabe *f.* 『數』 작도 문제. **≈bedingt** *a.* 구조상의, 구조에 기인한: ~e Mängel 구조상의 결함. **~büro** *n.* 설계 사무소. **~fehler** *m.* 구성상〔구조상〕의 결점. **~zeichnung** *f.* 제도, 설계도.
konstruktiv [kɔnstruktí:f] *a.* 구조상의; 구성적〔조직적〕인; 건설적인, 유익한.
Konstruktivismus [..tivísmus] *m.* - ① 『미술·음악』 구성파〔주의〕. ② 『학문·哲·문학』 구성주의.
Konstruktivist *m.* -en, -en 구성주의자.
konstruktivistisch *a.* 구성주의적인.

*__Konsul__ [kɔ́nzul] 《lat.》 *m.* -s, -n ① (옛 로마의) 집정관(執政官). ② (프랑스의) 집정관(1799-1804). ③ 영사(領事).

Konsular≈agent [kɔnzulá:r..] *m.* 영사 대리. **~gericht** *n.* 영사 재판(소). **~gerichtsbarkeit** *f.* 영사 재판권.

konsularisch [kɔnzulá:rɪʃ] 《lat.》 *a.* ① (옛 로마의) 집정관의. ② 영사의.

Konsular·recht *n.* 영사권.

Konsulat [..lá:t] *n.* -(e)s, -e ① (옛 로마의) 집정관의 직〔임기〕. ② 영사관: das koreanische ~ 한국 영사관; sich³ eine Urkunde beim ~ beglaubigen lassen 영사관에서 서류를 공증받다.

Konsulats≈gebäude *n.* 영사관 건물. **~-verweser** *m.* 영사 대리.

Konsulent [kɔnzulɛ́nt] 《lat.》 *m.* -en, -en 〖法〗 법률 고문, 변호사.

Konsulin *f.* -nen ↑ Konsul 의 여성형.

Konsult [kɔnzúlt] *n.* -(e)s, -e ① 감정(鑑定). ② 결의.

Konsultant *m.* -en, -en (전문적) 자문인, 평가사, 감정인.

Konsultation [kɔnzultatsió:n] *f.* -en ① 협의, 숙의: der Bundeskanzler fährt zu ~en nach Washington 연방 수상은 협의차 워싱턴으로 간다. ② (전문가와의) 상담, 상의, 진찰, 자문.

konsultativ [..tí:f] *a.* 상의의, 상담의, 진단상의, 자문의, 협의상의.

Konsultativ·pakt *m.* 협의 협정(문제가 생길 때 협정 국가간에 협의하기로 정한 조약).

konsultieren *t.* ① 상담하다, 조언을 구하다: einen Arzt ~ 의사의 진찰을 받다. ② 협의〔숙의〕하다.

*__Konsum__ [kɔnzú:m] 《lat.》 *m.* -s ①〖經〗 소비, 소모. ② [kɔ́nzu:m]〔구어〕 소비 조합(매점). ③〔교양〕 소비, 섭취: vor übermäßigem ~ von Alkohol wird gewarnt 지나친 음주를 하지 않도록 경고받다.

Konsumation *f.* -en (öst., schweiz.) 요리점에서의 먹고 마시기.

Konsument [kɔnzumɛ́nt] *m.* -en, -en 소비자, 수요자, 구매자.

Konsum≈artikel *m.* 소비재〔상품〕. **~denken** *n.* 소비 지향적인 사고, 소비 성향.

konsumenten·freundlich *a.* 소비자 우호적인.

Konsumentin *f.* -nen ↑ Konsument 의 여성형.

Konsum≈genossenschaft [kɔnzú:m..] *f.* 소비 조합. **~gesellschaft** *f.* 소비 사회. **~-gut** *n.* 소비재. **~güter·industrie** *f.* 소비재 산업.

konsumieren [kɔnzumí:rən] *t.* 소비〔소모〕하다.

Konsumierung *f.* 소비, 소모.

Konsumption [..zumptsió:n] *f.* -en ↑ Konsumtion.

Konsumtibilien [..tibí:liən] *pl.* 소비물, 소비재.

Konsumtion [kɔnzumtsió:n] *f.* -en 소비, 소모.

konsumtiv *a.* 소비의, 소비적인.

Konsumtions≈gegenstände *pl.* 소비물, 소모품. **~steuer** *f.* 소비세.

Konsum·verein [kɔnzú:m..] *m.* ↑ ~genossenschaft.

Kontagion [kɔntagió:n] 《lat.》 *f.* -en 〖醫〗 전염, 감염.

kontagiös [..giø:s] *a.* 전염성〔감염성〕의.

Kontagiosität *f.* 〖醫〗 감염성, 전염성.

Kontagium [kɔntá:giʊm] *n.* -s, ..gien [..giən] ① 전염소(素), 전염 병원체. ②〔고어〕 전염, 감염.

Kontakt [kɔntákt] 《lat. contingĕre》 *m.* -(e)s, -e ① 관계, 교제, 접촉: 〔비유〕 mit jm. in ~ kommen〔treten〕 누구와 관계를 맺다; in ~ mit jm. stehen 누구와 교제〔접촉〕하다; den ~ zu jm. verlieren 누구와 교제가〔접촉이〕 끊기다. ②〔교양〕 접촉: Haut≈ 피부 접촉. ③〖工〗 (전기가 통하게 되는) 접촉; 접촉부: die Drähte haben ~ 그 전선들은 전기가 통한다. ④ 고체 촉매.

Kontakt≈adresse *f.* 연락 주소. **~anzeige** *f.* 교제 광고. **≈arm** *a.* 사교성이 없는, 남과 교제가 없는. **~armut** *f.* 사교성이〔교제가〕 없음. **~aufnahme** *f.* 교제, 접촉. **~beamte, ~bereichs·beamte*** *der* (약칭: Kob) 구역 순회 경관. **~draht** *m.* 〖전기〗 (전차에 전기를 공급해 주는) 접촉선. **~elektrizität** *f.* 〖전기〗 접촉 전기.

kontakten *i./t.* 〖經〗 ① (사업상) 교제〔접촉〕하다. ② 영업 사원으로 일하다.

Kontakter *m.* -s, - 영업 사원.

kontakt≈freudig *a.* 교제를 좋아하고 잘하는. **≈gestein** *n.* 〖지질〗 접촉 변성암. **≈gift** *n.* 치명적인 화학 물질; 〖化〗 촉매 작용을 방해하는 물질. **≈glas** *n.* 콘택트 렌즈.

kontaktieren [kɔntaktí:rən] *t.* ① 교제〔접촉〕하다. ②〖工〗 elektrische Bauelemente ~ 전기 부품을 장치하다.

Kontakt≈infektion *f.* 〖醫〗 접촉 감염. **~-linse** *f.* 콘택트 렌즈.

kontaktlos *a.* ① 교제가 없는. ②〖工〗 접촉부가 없는.

Kontaktlosigkeit *f.* 교제 없음, 관계 단절.

Kontakt≈mangel *m.* 교제 빈곤: an〔unter〕 ~ leiden 교제 빈곤으로 괴로워하다. **~mann** *m.* ① 정보원. ② 중재자, 주재원. ③ ↑ Kontakter. **~nahme** *f.* ↑ ~aufnahme. **~person** *f.* ①〖醫〗 감염 혐의를 받는 사람. ② 자주 접촉하는 사람. **~ring** *m.* 〖전기〗 집전자(集電子), 집전환(環). **~rolle** *f.* 〖전기〗 (전차의) 트롤리. **~schale** *f.* ↑ ~linse. **~-schnur** *f.* 〖전기〗 접촉 코드. **~schwäche** *f.* ↑ ~armut. **~schwelle** *f.* (자동차가 지나가면 신호등에 신호가 전달되는) 접촉선. **~sperre** *f.* 〖法〗 (외부와의) 접촉〔연락〕 금지. **~stoff** *m.* 촉매. **~stöpsel** *n.* 〖工〗 접촉전(栓). **~störung** *f.* 〖心〗 교제〔접촉〕 장애. **~studium** *n.* (대학 졸업자의 보충적인) 계속 교육. **~verfahrung** *f.* ①〖化〗 접촉법, 촉매법. ②〖사진〗 밀착 인화법. **~wirkung** *f.* 〖物·化〗 접촉 작용. **~zaun** *m.* 〖工·軍〗 전기 울타리.

Kontamination [kɔntaminatsió:n] 《lat.》 *f.* -en ①〖언어〗 (단어나 어구의) 혼성, 합성; 혼성어(보기: Motor 와 Hotel 에서 Motel 이 생김). ②〖핵물리〗 핵연료의 오염. ③〖軍·醫·환경〗 (방사능에 따른) 오염. ④〔교양〕 합성, 혼성: der Film ist eine gelungene ~ von

Elementen des Dokumentar- und des Spielfilms 그 영화에는 기록 영화와 극영화의 요소가 잘 혼합되어 있다.

kontaminieren *t.* ① 단어〔어구〕를 혼성〔융합〕하다. ② (방사능으로) 오염시키다.

kontant [kɔntánt] 《lat.; ↑ Konto》 《I》 *a.* 현금의. 《II》 *adv.* 현금으로.

Kontanten *pl.* 현금; (화폐로서가 아니라 상품으로 거래되는) 외국 동전.

Kontant·geschäft *n.* 현금 거래.

Kontemplation [kɔntɛmplatsióːn] 《lat.》 *f.* -en 명상, 관조; 〖哲〗 정관(靜觀), 명상.

kontemplativ [..tíːf] *a.* 관조적인, 정관적인, 명상적인.

kontemplieren (h.) 〘교양〙 명상에 잠기다, 관조하다.

kontemporär [kɔntɛmporɛ́ːr] 《lat. -frz.》 *a.* 동시의; 동시대의.

Konten *pl.* ↑ Konto 의 복수형.

Kontenance [kõtənɑ̃́ːs] 《frz.》 *f.* 자제, 태연자약, 침착, 냉정.

Konten≈plan *m.* 대차 감정표. **~rahmen** *m.* 〖經〗 회계 양식.

Kontenten [kɔntɛ́ntən] *pl.* 〖海〗 선박의 적화물 목록.

Kontentiv·verband *m.* 〖醫〗 지지(支持) 붕대.

Konter [kɔ́ntər] *m.* -s, - ① 〖스포츠〗 반격, 역공, 카운터 블로. ② 〖체조〗 몸을 앞뒤로 흔들기. ③ 되받아치는 말〔행동〕.

konter.. 《lat. contra》 *pref.* "반·대(對)·부(副)"의 뜻.

Konter≈admiral *m.* 〖海〗 해군 소장. **~angriff** *m.* 역습, 반격. **~bande** *f.* 밀수입(품); 전시 금제품(禁制品). **~eskarpe** *f.* 〖軍〗 (호(壕)의) 바깥 기슭.

Konterfei [kɔ́ntərfaɪ, kɔn..fáɪ] 《frz.》 *n.* -s, -s/-e 모사(물), 초상(화).

konterfeien 《frz.》 *t.* 모사하다, 초상화를 그리다.

Konter≈gewicht *n.* 균형. **~karieren** *t.* 좌절시키다, 방해하다: eine Politik ~ 어떤 정책을 좌절시키다〔방해하다〕. **~marke** *f.* 〖화폐〗 적용 범위나 가치의 변동을 알리는 추가 각인(刻印). **~mine** *f.* ① 〖軍〗 대갱도(對坑道), 역기뢰. ② 대항책; 〖商〗 시세 하락을 예상하여 투기하는 사람〔그룹〕.

kontern [kɔ́ntərn] 《lat.》 *t.* ① (오프셋 인쇄에서) 뒤판을 만들다. ② **(a)** 〖스포츠〗 반격을〔역공을, 카운터 블로를〕 가하다. **(b)** 물리치다. ③ **(a)** 〖체조〗 몸의 중심을 이동하기 위해 몸을 앞뒤로 흔들다. **(b)** 〖해머던지기〗 엉덩이를 반대방향으로 돌려 해머돌리기에 탄력을 주다. ④ 〖유도〗 집어던지기를 시도하다. ⑤ 〖기술〗 암나사를 죄어 고정시키다.

Konter≈order *f.* 반대 명령. **~revolution** *f.* 반(공산주의) 혁명. **~revolutionär** *m.* 반(공산주의) 혁명주의자. **~schlag** *m.* ① 〖스포츠〗 역공, 역습. ② 〖권투〗 카운터 블로. **~tanz** *m.* 대무(對舞)(남녀가 두 줄로 서로 마주 서서 추는 춤).

kontestabel [kɔntɛstáːbəl] 《lat.》 *a.* 논란〔반박〕의 여지가 있는, 논리적 결함이 있는.

kontestieren [kɔntɛstíːrən] *t.* 〖法〗 ① (증인·증거를 통해) 증명하다. ② 반박하다, 이의를 제기하다.

***Kontext** [kɔntɛ́kst] 《lat. contexere》 *m.* -es, -e ① **(a)** 문장의 앞뒤의 관계, 문맥. **(b)** 연관: jn. aus dem ~ bringen 누구를 난처하게 만들다. ② 배경, 주위 환경. ③ 〖印〗 관련 있는〔이어지는〕 글〔원고〕.

Kontext·glosse *f.* (텍스트에 쓰인) 방주(旁註).

kontextual *a.* ↑ kontextuell.

Kontextualismus [..tualíːsmus] *m.* - 〖언어〗 맥락주의(언어 외적인 상황도 고려하는 구조주의의 한 방향).

kontextuell *a.* 문맥상의, 문맥에 근거하는.

Konti *pl.* ↑ Konto.

kontieren [kɔntíːrən] 《lat. -it.; <Konto》 *t.* 〖商〗 대변에 써 넣다, 장부에 기입하다.

Kontiguität [kɔntiguitɛ́ːt] 《lat.》 *f.* ① 인접, 근접; 접촉. ② 〖心〗 동시 발생.

***Kontinent** [kɔntinɛ́nt, kɔ́ntinɛnt] 《lat.》 *m.* -(e)s, -e ① 대륙. ② 주(洲): das schwarze ~ 검은 대륙(아프리카주).

kontinental [kɔntinɛntáːl] *a.* 대륙의, 대륙적인: 〖기후〗 ~es Klima 대륙성 기후.

Kontinental≈europa *n.* 유럽 대륙. **≈-europäisch** *a.* 유럽 대륙의. **~handel** *m.* 〖商〗 대륙 무역. **~klima** *n.* 대륙성 기후(↔ Seeklima). **~macht** *f.* 유럽 대륙의 강대국. **~politik** *f.* 대륙 정책. **~sperre** *f.* (1806 년 나폴레옹이 영국에 행한) 대륙 봉쇄. **~system** *n.* ↑ ~sperre. **~verschiebung** *f.* (1912 년 A. Wegener 가 제창한) 대륙 표이(설)(漂移(說)).

Kontinenz [kɔntinɛ́nts] *f.* ① 〘고어〙 절제, 금욕. ② 〖醫〗 배설 자제 능력(↔ Inkontinenz).

kontingent *a.* 우연의, 우발적인.

Kontingent [kɔntɪŋgɛ́nt] 《lat.》 *n.* -(e)s, -e ① 분담액, 할당량; 〖商〗 할당액. ② (Truppenkontingent) (한 국가의) 분담 병력.

kontingentieren [..gɛntíːrən] *t.* 〖商〗 분담액〔할당량〕을 정하다, 분담〔할당〕하다.

Kontingentierung *f.* -en ↑ kontingentieren 의 명사형.

Kontingents·zuweisung *f.* 분담액〔할당량〕의 지정.

Kontingenz [..gɛ́nts] *f.* -en ① 〖哲〗 우연성; 〖논리〗 우발성. ② 〖통계〗 동시 발생 가능성. ③ 〖사회〗 우연성.

Kontinuation [kɔntinuatsióːn] 《lat. continŭus》 *f.* -en 계속, 지속, 존속.

kontinuieren *t.* 계속〔지속·연속〕하다.

kontinuierlich *a.* 〘교양〙 계속하는, 연속적인, 끊임없는, 부단한.

Kontinuität *f.* -en (↔ Diskontinuität) 연속(성), 계속성, 일관성.

Kontinuum [kɔntíːnuʊm] *n.* -s, ..nua/..nuen 연속하는 것; 〖數〗 연속(체): ein zeitliches ~ 시간 연속체.

***Konto** [kɔ́nto] 《it. conto》 *n.* -s, ..ten/..ti/-s 계산; 계좌, 계정: ein ~ eröffnen 계좌를 개설하다; auf js. ~ 누구의 계산으로; etwas geht auf js. ~ 〔auf das ~ einer Sache〕 무엇이 누구에게〔무엇에〕 책임이 있다; ein ~ überziehen 통장 잔고를 초과하여 인출하다; auf ~ geben〔nehmen〕 외상으로 팔다〔사다〕.

Konto≈auszug *m.* 계좌의 입출금 명세서, 계좌 잔고 계산서. **~buch** *n.* 회계부, 장부. **~inhaber** *m.* 은행 거래인, 계좌 소유자.

~korrent [kɔntokorɛ́nt] *n.* 당좌 계정, 상호 계산, (부기) 보조 원장(元帳). **~nummer** *f.* 계좌 번호.
Kontor [kɔntó:r] 《it.》 *n.* -s, -e ① 사무소. ② (상사·기업 등의) 해외 지점. ③〖구동독〗 통상 센터.
Kontorist *m.* -en, -en 회계, 경리.
Kontoristin *f.* -nen ↑ Kontorist 의 여성형.
Kontorsion [kɔntɔrzió:n] 《lat.》 *f.* -en〖醫〗 ① 전위(轉位); 탈구(脫臼). ②〖심리〗 히스테리 발작 때 격렬한 회전 운동.
Kontorsionist *m.* -en, -en (Schlangenmensch) 몸을 뱀처럼 자유자재로 구부리는 곡예사.
Konto·stand *m.* (은행 계좌의) 잔고.
kontra [kɔ́ntra] 《lat. contra》 《I》 *prp.*[4] …에 대하여, 반(대)하여: Fortschritt ~ Umweltschutz 발전〔진보〕 대(對) 환경 보호. 《II》 *a.* (↔pro) 반(대)하는, 반대의: mußt du immer ~ sein? 너는 항상 반대해야만 하니?
Kontra *n.* -s, -s ①〔다음 용법으로〕 das Pro und ~ 찬반. ② 강력한 항의: jm. ~ geben 누구에게 강력히 항의하다; von seiner Seite hatte ich eigentlich ein ~ erwartet 나는 원래 그 사람 쪽에서 강한 항의가 있으리라 예상하였다. ③〖카드〗 콘트라(판돈이 두 배로 되는 게임).
Kontra≈alt *m.*〖음악〗 ① 콘트라알토(낮은 알토음). ② 콘트라알토 여가수. **~baß** *m.* 저음 현악기, 콘트라베이스. **~bassist** *m.* 콘트라베이스 (연)주자. **~buch** *n.* 대차 대조부.
Kontradiktion [kɔntradıktsió:n] 《lat.》 *f.* -en 모순.
kontradiktorisch [..tó:rıʃ] *a.* 모순된: ~e Begriffe 모순 개념;〖法〗 ~es Verfahren 대항적 소송 절차.
Kontra≈fagott *n.*〖음악〗 콘트라파곳(한 옥타브 낮은 파곳). **~faktur** *f.*〖음악〗 (특히 16-18 세기 세속가의 종교 음악으로의) 개작.
Kontrahage [kɔntrahá:ʒə] 《frz.》 *f.* -n〔고어·학생〕 결투 약속〔신청〕.
Kontrahent [..hɛ́nt] 《lat.》 *m.* -en, -en ①〖商〗 계약(당사)자. ② (논쟁의) 상대자, 맞수, 적수. ③〖스포츠〗 상대편;〔학생〕 (결투의) 적수.
Kontrahentin *f.* -nen ↑ Kontrahent 의 여성형.
kontrahieren [..hí:rən] 《lat.》 《I》 *t./i.*〖生·醫〗 (근육이) 오그라들다, 수축하다, (근육의 수축을) 유발하다. 《II》 *t.* ①〖商〗 계약〔합의〕하다. ②〔고어·학생〕 결투를 신청〔요구〕하다. ③〖펜싱〗 공격을 되받아 찌르다.
Kontra≈indikation 《lat.》 *f.*〖醫〗 금기(禁忌). **≈indiziert** *a.* 금기의, 사용〔투약〕할 수 없는.
kontrakt [kɔntrákt] 《lat.》 *a.* 수축한, 구부러진, 마비된.
***Kontrakt** *m.* -(e)s, -e ① 계약, 협정: (mit jm.) einen ~ (ab)schließen (누구와) 계약을 체결하다; einen ~ brechen 계약을 위반하다; stillschweigender ~ 묵계. ② 계약서.
Kontrakt≈abschluß *m.* 계약 체결. **~bruch** *m.* 계약 위반. **≈brüchig** *a.* 계약 위반의: ~ werden 계약에 위배되다.
kontraktil [kɔntraktí:l] *a.*〖生·醫〗 수축시킬 수 있는, 수축성의.
Kontraktilität *f.*〖生·醫〗 수축(가능)성.
Kontraktion [kɔtraktsió:n] 《lat.》 *f.* -en ①〖醫〗 수축. ②〖문법〗 (모음) 축약. ③〖지질〗 지각의 수축. ④ (통화의) 축소. ⑤〖工〗 (섬유의) 수축 부위. ⑥〖물리〗 수축.
Kontraktions·vorgang *m.* 수축 과정.
kontraktlich 《I》 *a.* 계약〔협정〕에 따른, 계약상의. 《II》 *adv.* 계약으로.
kontrakt·mäßig *a.* ↑ kontraktlich.
Kontraktur [kɔntraktú:r] 《lat.》 *f.* -en〖醫〗 수축; 연축(攣縮).
Kontra≈post *m.*〖조각〗 (신체 좌우의) 균형. **~punkt** [kɔ́ntrapuŋkt] *m.* ①〖음악〗 대위법. ②〔교양〕 대조. **~punktik** *f.*〖음악〗 ① 대위법론. ② 대위법 기술. **≈punktisch** *a.* ① 대위법의. ② 대조적인.
konträr [kɔntrɛ́:r] 《lat. -frz.》 *a.* ① 반대의, 상반되는, 역(逆)인: ein ~er Begriff 반대 개념. ② 부적당한, 형편이 좋지 않은: ~e Umstände 좋지 않은 상황.
Kontra≈signatur *f.*〔교양〕 부서(副署). **≈signieren** [kɔntrazıgní:rən] 《lat.》 *t.* (특히 장관 등이) 서류에 부서(副署)하다.
***Kontrast** [kɔntrást] *m.* -es, -e ① 대조, 대비, 두드러진〔심한〕 차이. ②〖광학·사진〗 명암, 명도.
Kontrast≈brei *n.*〖醫〗 조영제(造影劑)로 먹는 죽. **~farbe** *f.* 대(비)색. **~gefühl** *n.* 대립 감정.
kontrastieren [kɔntrastí:rən] 《I》 *t.* 대조시키다. 《II》 *i.* (h.) 대조를 이루다.
kontrastiv *a.*〖언어〗 대조적인, 비교하는: ~e Linguistik 비교 언어학.
Kontrast≈mittel *n.* (엑스선 검사 때의) 조영제(造影劑). **~programm** *n.* 대체〔대비〕 프로그램. **≈reich** *a.* 명암이 뚜렷한, 차이가 많은.
Kontravenient [kɔntraveniɛ́nt] 《lat.》 *m.* -en, -en〖法·고어〗 위반자.
kontravenieren [..ní:rən] 《lat. venire》 *i.* (h.)〖法·고어〗 (gegen et.) 위반하다.
Kontravention [..vɛntsió:n] *f.* -en〖法·고어〗 (법률) 위반, (계약) 위배.
Kontrazeption *f.* -en〖醫〗 피임.
kontrazeptiv *a.*〖醫〗 피임의.
Kontrazeptivum *n.* -s, ..va 피임약.
kontre.. [kɔ̃́tər] ↑ konter...
Kontrektations·trieb *m.*〖心〗 (성적) 접촉 충동.
Kontre·tanz *m.*〖무용〗 (Kontertanz) (남녀가 두 줄로 마주 서서 추는) 대무(對舞).
Kontribuent [kɔntribuɛ́nt] 《lat.》 *m.* -en, -en 기부자, 의연자, 의무 납세자.
kontribuieren *t.* 기부〔의연〕하다; 세금을 납부하다.
Kontribution *f.* -en ① 기부(금), 의연(금); 군세(軍稅). ②〔고어〕 지세(地稅).
Kontrition [kɔntritsió:n] 《lat.》 *f.* -en〖宗〗 뉘우침, 통회(痛悔).
Kontroll·abschnitt [kɔntrɔ́l..] *m.* 부본(입장권·승차권 따위의 떼어 주고 남은 쪽지).
Kontrollampe *f.*〖전기〗 표시등, (기계의 고장을 알리는) 제어등.
Kontroll≈amt *n.* 감독직, 감독 관청. **~apparat** *m.* ①〖工〗 제어 장치. ② 감독 관청, 감독 기관. **~beamte*** *der* 감독관. **~-**

befugnis *f.* 감독권〔자격〕. **~behörde** *f.* 감독 관청. **~buch** *n.*〖商〗감사부(簿). **~-datum** *n.* 검사일.

*__Kontrolle__ [kɔntrɔ́lə] 《frz.》 *f.* -n ① 감시, 감독: unter js. ~ stehen 누구의 감독〔감시〕 아래 있다. ② 시험, (재)검사: Fahrschein 〔Zoll〕~ 차표〔세관〕 검사. ③ 시험: zur ~ 시험적으로. ④ 지배, 제어, 제어력, 통제: Selbst~ 자기 제어; außer ~ geraten 통제할 수 없게 되다; einen Brand unter ~ bringen 화재를 진압하다. ⑤〖사회〗통제.

Kontroller [..trɔ́lər] 《engl.》 *m.* -s, -〖工〗제어기.

Kontrolleur [..lǿːr] 《frz.》 *m.* -s, -e 검사관, 감독관.

Kontrolleurin *f.* -nen ↑ Kontrolleur 의 여성형.

Kontroll≈feld *n.*〖컴〗제어 기록란. **~gerät** *n.* 검사기; 제어 장치. **~gesellschaft** *f.*〖經〗지주(持株) 회사. **~gruppe** *f.*〖醫·心〗조사(대상) 집단.

kontrollierbar [kɔntrɔlíːrbaːr] *a.* 감독〔검사·제어·조종〕할 수 있는.

Kontrollierbarkeit *f.* ↑ kontrollierbar 의 명사형.

kontrollieren [kɔntrɔlíːrən] 《I》 *t.* 검사하다, 감독하다; 통제〔지배〕하다; 제어〔조종〕하다: den Markt ~ 시장을 지배하다. 《II》 *i.* (h.)〖海〗초계〔순회〕하다.

Kontroll≈kasse *f.*〖商〗금전〔현금〕 등록기. **~kommission** *f.* 관리 위원회.

Kontrollliste *f.* 대조표, 체크 리스트.

Kontroll≈mechanismus *m.*, **~organ** *n.* ↑ ~apparat ②. **~pflicht** *f.* 검사〔감독〕의무. **~punkt** *m.* ① 국경 검문소. ② 검사소. **~rat** *m.* (독일에 대한 연합국) 관리 위원회 (1945-48). **~station** *f.* 검문소. **~stelle** *f.* 검문소. **~stempel** *m.* 검사인(印), 검사 스탬프. **~system** *n.* 검사 제도. **~turm** *m.* 관제탑. **~uhr** *f.* (작업) 시간 기록계, 타임 리코더. **~versammlung** *f.*〖軍〗소집, 점호. **~zentrum** *n.* 중앙 통제소.

kontrovers [kɔntrovérs] 《lat.》 *a.* ① 논쟁의 여지가 있는. ② 대립적인.

Kontroverse [..vérzə] *f.* -n 논쟁; 논제, 논점: eine ~ über〔um〕 et. austragen 무엇에 대한 논쟁을 해결〔조정〕하다.

Kontrovers≈predigt *f.* (다른 종교에 대한) 논박적인 설교. **~punkt** *m.* 논점, 쟁점. **~-theologie** *f.*〖신학〗논쟁 신학.

Kontumaz [kɔntumáːts] 《lat. contumax》 *f.* ①〖法·고어〗소환 불응, 궐석. ② (öst.) 교통 통제.

Kontumazial≈bescheid [..matsiáːl..] *m.*〖法·고어〗궐석 판결. **~verfahren** *n.* 궐석 재판 절차.

kontumazieren [..matsíːrən] *t.*〖法·고어〗궐석 판결을 하다.

Kontur [kɔntúːr] 《frz.》 *f.* -en 〔*m.* -s, -en〕 윤곽(선): scharfe〔verschwomme〕 ~ 뚜렷한, 〔흐릿한〕 윤곽선; die ~en der Alpen werden sichtbar 알프스 산맥의 윤곽이 나타난다.

konturieren *t.* ① 윤곽을 그리다. ② 요약 기술하다.

Kontur·buchstabe *m.* 윤곽만 그린〔인쇄한〕 문자.

konturen≈reich [kɔntúːrən..] *a.* 윤곽이 분명〔뚜렷〕한. **~schärfe** *f.*〖사진〗윤곽의 선명도. **~stift** *m.* 연필 모양의 입술 연지〔립스틱〕.

Kontusion [kɔntuzióːn] 《lat.》 *f.* -en〖醫〗삐기, 접질림, 타박상.

Konus [kóːnus] 《gr.》 *m.* -, -se/..nen〖工〗원뿔(꼴); 깔때기 모양의 것〔기계·기구〕.

Konus·kupplung *f.*〖工〗원뿔 연결기.

Konvaleszenz [kɔnvalɛstsɛ́nts] 《lat.》 *f.*〖醫〗회복;〖法〗추완(追完).

Konvektion [kɔnvɛktsióːn] 《lat.》 *f.* -en〖理〗(↔ Advektion) 대류(對流), 전도;〖지리〗바닷물의 수직 이동;〖기상〗대류.

Konvektions·strom *m.*〖理〗대류〔휴대(携帶)〕 전류.

konvektiv [kɔnvɛktíːf] *a.* 대류(성)의.

Konvektor [..vɛ́ktɔr, ..toːr] *m.* -s, -en [..tóːrən] 대류(성) 난방기〔장치〕.

konvenabel [kɔnvenáːbəl] 《frz.》 *a.* ① 관습적인. ② 편한, 적당한, 꼭 맞는, 만족스러운.

Konvenienz [..veniɛ́nts] 《lat.》 *f.* -en ① 인습, 관습. ② 적당; 편안, 편리.

Konvenienz·heirat *f.* 정략 결혼.

konvenieren *i.* (h.) ① (jm.) 알맞다, 적합하다; 어울리다; 편리하다, 만족스럽다. ② 협정하다.

Konvent [kɔnvɛ́nt] 《lat.》 *m.* -(e)s, -e ① (고대 로마의) 주지사 회의. ②〖가톨릭〗**(a)** (수도원의 투표권 있는 성직자들의) 집회, 회의. **(b)** 수도원. **(c)** 수도원의 모든 사람. ③〖기독교〗목사 회의. ④ 대학생 모임의 집회. ⑤ (프랑스 혁명 때의) 국민 의회(Nationalkonvent). ⑥ (미국의) 대통령 후보 지명을 위한 전국 대의원 대회.

Konventikel [kɔnvɛntíːkəl] *n.* -s, - (특히 종교상의) 비밀 집회; (교회 밖에서의) 사이비 교도의 집회, 종파〔분파〕의 집회.

Konvention [kɔnvɛntsióːn] *f.* -en ① (특히 국제간의) 협정, 협상, 조약: die Genfer ~ 제네바 (적십자) 조약. ② 인습, 관습, 관례.

konventional *a.* ① 협정〔계약〕에 관한. ② ↑ konventionell.

Konventional·strafe *f.*〖法〗계약 불이행〔파기〕의 형벌, 위약금.

konventionell [..tsionɛ́l] *a.* ① 인습적인, 관습적인; 상투적인. ②〖軍〗재래식의: ~e Waffen 재래식 무기.

Konventions≈fuß *m.* 협정 주화 금위(金位) (1753 년 오스트리아와 바이에른 구역 사이에 체결된 주화의 금 함유율에 관한 협정에 따른). **~münze** *f.* 1753 년의 주화 금위 협정에 따라 제조된 주화.

Konventuale [kɔnvɛntuáːlə] *m.* -n, -n 선거권 있는 수도사, 콘벤투알회 수도사.

konvergent [kɔnvɛrgɛ́nt] 《lat.》 *a.* ① 상호 접근하는, 합류하는. ②〖數〗수렴성의: ~e Reihen 수렴 수열〔급수〕. ③〔교양〕일치하는.

Konvergenz [..gɛ́nts] *f.* -en ①〔교양〕(↔ Divergenz) (상호) 접근, 합류. ②〔교양〕일치. ③〖生〗수렴. ④〖醫〗(눈의) 수렴 운동. ⑤〖心〗수렴. ⑥〖인종〗(환경 동화에 따른) 동류 문화 생성. ⑦〖數〗수렴. ⑧〖지질〗지표의 수렴. ⑨〖언어〗(한 언어권의) 공통적 특성.

Konvergenz≈punkt *m.* 수렴점(點). **~-theorie** *f.* ①〖政〗수렴 이론. ②〖心〗(W.

Stern 의) 수렴 이론.
konvergieren 《lat. vergere》 *i.* (h.) (↔ divergieren) ①〔교양〕 상호 접근하다, 일치하다. ②〖數〗 수렴하다: ~d ↑ konvergent.
Konversation [kɔnvɛrzatsió:n] 《lat.》 *f.* -en 회화, 담화, 대화.
Konversations≈lexikon *n.* 〔구식〕 백과 사전: er ist ein lebendes〔wanderndes〕 ~ 그는 산사전이다〔박식하다〕. **~stück** *n.* 〖연극〗 (사교 모임의) 오락극; 〖畫〗 풍속화. **~stunde** *f.* 회화 시간〔수업〕. **~zimmer** *n.* 담화실; 〖연극〗 막간의 휴게실; 배우들의 분장실.
konversieren [kɔnvɛrzí:rən] 《lat.》 *i.* (h.) 대화〔담화〕하다.
Konversion [kɔnvɛrzió:n] 《lat.》 *f.* -en ① 변환, 전환. ②〖宗〗 개종, 회심(回心): jn. zur ~ bewegen 누구를 개종시키다. ③〖醫〗 (테스트 결과의) 변환. ④〖法〗 전환. ⑤〖心〗 전환, 전위. ⑥〖논리〗 환위(換位). ⑦〖經〗 (대출 조건의) 변경. ⑧〖원자력〗 (핵연료 물질의) 전환. ⑨〖언어〗 (단어의) 변환, 품사 전환.
Konverter [kɔnvɛ́rtər] 《engl.》 *m.* -s, - ①〖工〗 전로(轉爐) (야금 정련용). ②〖원자력〗 원자로의 전환로. ③〖방송〗 주파수 변환 장치. ④〖사진〗 변환 렌즈; 〖전기〗 변압기, 교환기.
konvertibel [kɔnvɛrtí:bəl] *a.* ①〔고어〕 변화〔개종〕할 수 있는. ②〖經〗 태환〔교환〕할 수 있는.
Konvertibilität *f.* 〖經〗 태환성.
konvertierbar *a.* ① 교환〔태환〕할 수 있는. ② 개종시킬 수 있는.
Konvertierbarkeit *f.* 〖商〗 태환성.
konvertieren [kɔnvɛrtí:rən] 《lat.》 *t.* 변화시키다, 바꾸다; 〖商〗 태환하다; 〖宗〗 개종시키다, 마음을 돌이키게 하다; 〖컴〗 변환하다.
Konvertierung *f.* -en ↑ konvertieren 의 명사형.
Konvertierungs·programm *n.* 〖컴〗 변환 프로그램(자료의 형태를 바꾸는 프로그램).
Konvertit [..tí:t] 《engl.》 *m.* -en, -en 개종자.
Konvertitentum *n.* -s 개종자의 성향.
konvex [kɔnvɛ́ks] 《lat.》 *a.* (↔ konkav) 철면(凸面)의, 볼록한.
Konvexität *f.* (↔ Konkavität) 철면(凸面), 볼록나온 꼴.
Konvex≈linse *f.* 볼록 렌즈(↔ Konkavlinse). **~spiegel** *m.* 볼록 거울(↔ Konkavspiegel).
Konvikt [kɔnvíkt] 《lat. convivěre》 *n.* -(e)s, -e ①〖가톨릭〗 신학생 기숙사; (öst.) 신학교의 기숙사. ②〔고어〕 대학의 무료 식사.
Konviktuale [..tuá:lə] *m.* -n, -n (신학교의) 기숙사생.
Konvivium [..ví:vium] *n.* -s, ..vien [..viən] 〔교양·고어〕 술잔치, 주연, 연회.
Konvoi [kɔ́nvɔʏ] 《frz. convoyer》 *m.* -s, -s ① 호송단(團). ② 차량 행렬(Kolonne): in einem ~ fahren 대열을 지어 차를 몰다.
Konvokation [konvokatsió:n] 《lat.》 *f.* -en 소집.
Konvolut [kɔnvolú:t] 《lat. convolvere》 *n.* -(e)s, -e (서류·서적의) 묶음, 꾸러미; (여러 가지 저작물을 수록한) 편찬서; 논문집; 〖醫〗 사구체(絲毬體).
Konvulsion [kɔnvulzió:n] 《lat.》 *f.* -en 〖醫〗 (전신) 경련, 경기(驚氣).
konvulsiv *a.* ↑ konvulsivisch.
konvulsivisch [..zí:vɪʃ] *a.* 〖醫〗 (전신) 경련성의.
konzedieren [kɔntsedí:rən] 《lat.》 *t.* 허용〔승인〕하다.
Konzelebration *f.* -en 〖가톨릭〗 (여러 성직자가 모인) 성찬식.
konzelebrieren *i.* 성찬식을 행하다.
Konzentrat [kɔntsɛntrá:t] *n.* -(e)s, -e ①〖化〗 농축(액). ② 요약.
***Konzentration** [kɔntsɛntratsió:n] 《frz. < lat. centrum》 *f.* -en ① (↔ Dekonzentration) 집중, 집결. ② 집중, 주의력 집중, 전념. ③〖化〗 농도, 농축.
Konzentrations≈fähigkeit *f.* 집중력. **~lager** *n.* 정치범〔강제〕 수용소(약어: KZ, KL). **~mangel** *m.* 집중력 부족. **~schwäche** *f.* (선천적인) 집중력 부족, 주의력 산만.
***konzentrieren** [kɔntsɛntrí:rən] 《I》 *t.* ① 집중〔집결〕시키다. ② 집중하다, 전념하다. ③〖化〗 농축하다. 《II》 *refl.* sich ~ 모이다, 집중되다; 집중〔전념〕하다; 〖化〗 농축되다: der Verkehr konzentriert sich auf wenige Straßen 교통량이 몇몇 도로에 집중된다. 《III》 **konzentriert** *p.a.* ↑ konzontriert.
konzentriert 《I》 *p.p.* ↑ konzentrieren. 《II》 *p.a.* ① 진한, 농후한: 〖化〗 ~e Lösung 진한 액체. ② 집중하는, 주의깊은: ~ zuhören 집중해서 경청하다. ③ 요약된: eine ~e Darstellung 요약된 서술. ④ 집중된, 집결된.
Konzentriertheit *f.* 집중성(↔ Unkonzentriertheit).
Konzentrierung *f.* -en 농축.
Konzentrizität *f.* 〖數〗 동심(同心).
konzentrisch *a.* ① 같은 중심의, 동심(同心)의. ②〖軍〗 집중적인: ein ~er Angriff 집중공격.
***Konzept** [kɔntsɛ́pt] 《lat.》 *n.* -(e)s, -e 초안, 계획, 플랜, 구상: aus dem ~ kommen〔bringen〕 당황하다〔하게 하다〕; jm. das〔sein〕 ~ verderben 누구의 계획을 망쳐 놓다; jm. nicht in sein〔ins〕 ~ passen 누구의 계획에 맞지 않다.
Konzeption [..tsió:n] *f.* -en ①〖醫〗 수태(受胎), 임신. ② 구상, 착상; 초안; 이해(력); 사상, 개념.
konzeptionell *a.* 〔교양〕 개념의, 개념적인.
konzeptionslos *a.* 계획이나 생각이 없는.
Konzept·papier *n.* 초안〔초고〕 용지.
konzeptuell *a.* 개념의, 구상의, 구상적인.
Konzern [kɔntsɛ́rn] 《engl.》 *m.* -s, -e 〖商〗 콘체른(여러 기업의 연합).
konzernieren *i.* 콘체른을 형성하다.
Konzernierung *f.* -en ↑ konzernieren 의 명사형.
***Konzert** [kɔntsɛ́rt] 《it.》 *n.* -(e)s, -e ① **(a)** 음악회, 연주회: ins ~ gehen〔ein ~ besuchen〕 음악회에 가다; ein ~ veranstalten〔geben〕 음악회를 개최하다. **(b)** 〖음악〗 협주곡, 콘체르트. ②〔교양〕 협조, 공동 작업: das Europäische ~ 유럽 열강의 협조.
konzertant [kɔntsɛrtánt] *a.* 〖음악〗 협주곡 같은〔형식의〕.
Konzert≈abend *m.* 음악회의 밤. **~agentur** *f.* 음악회 알선업 (회사). **~besucher** *m.* 연

주회의 청중. **~flügel** *m.* 음악회용 그랜드 피아노. **~geber** *m.* 음악회 개최자.
konzertieren [kɔntsɛrtíːrən] 《it.》 *i.* (h.) ① 음악회를 열다; 연주하다. ② 협정하다.
Konzertina [kɔntsɛrtíːna] *f.* -s 콘체르티나 (소형 아코디온의 일종).
Konzert≈meister [kɔntsέrt..] *m.* 제 1 바이올린의 수석 연주자. **~programm** *n.* 연주회 프로그램(책자). **≈reif** *a.* 연주회를 열 기량이 되는, 연주회에 적합한. **~reife** *f.* 연주회를 열 만한 기량. **~reise** *f.* 연주회 여행. **~saal** *m.* 연주회장, 콘서트 홀. **~stück** *n.* 소협주곡. **~tournee** *f.* 연주회 여행, 순회 공연. **~veranstaltung** *f.* ↑ Konzert ① (a). **~zeichner** *m.* 〖商〗 (주식 거래소의) 주식 응모자, 권리주 취급자.
Konzession [kɔnstsɛsióːn] 《lat.》 *f.* -en ① 용인; 양보: jm. eine ~ machen 누구에게 양보하다. ②〖法〗 (영업의) 면허, 특허. ③〖法〗 거류지, 조계(租界).
Konzessionär [kɔntsɛsionέːr] *m.* -s, -e 면허〔특허〕 소유자.
konzessionieren *t.* ① (jn.) 면허〔특허〕를 주다. ② (et.) 인가하다.
Konzessions≈bereitschaft *f.* 양보할〔용인해 줄〕 자세가 되어 있음. **~inhaber** *m.* ↑ Konzessionär.
konzessiv [..tsɛsíːf] *a.* 양보적〔인용적〕인.
Konzessiv·satz *m.* 〖문법〗 양보〔인용〕문.
Konzetti [kɔntsέti] *pl.* 〖문학〗 기교적인 언어유희, 해학이 풍부한 어법(특히 바로크 문학에서).
Konzil [kɔntsíːl] 《lat. concire》 *n.* -s, -e/-ien [..liən] ① (종교) 회의. ② 교수·학생·직원으로 구성된 협의회.
konziliant [..tsiliánt] *a.* 유화적〔화해적〕인; 친절한, 상냥한.
Konzilianz *f.* 유화적〔화해적〕임, 상냥함.
Konziliarismus *m.* - 〖가톨릭〗 (교황에 대한) 공회의(公會議) 우위설.
Konzilium *m.* -s, ..lien [..liən] ↑ Konzil.
Konzils·vater *m.* 〖가톨릭〗 (투표권을 가진) 종교 회의 참석자.
konzinn [kɔntsín] 《lat.》 *a.* 균형이 잡힌, 조화가 된, 세련된, 우아한; 알맞은, 적절한.
Konzinnität 《lat. concinnitās》 *f.* (↔ Inkonzinnität) ①〖修·문체〗 (문체의) 균형, 조화. ②〔교양·고어〕 적당, 적절.
Konzipient [kɔntsipiέnt] 《lat.》 *m.* -en, -en ①〔고어〕 기초자. ② (öst.) 변호사 사무소 직원.
konzipieren [..píːrən] 《Ⅰ》 *t.* 기초〔구상〕하다, 계획하다: ein neues Projekt ~ 새 프로젝트를 구상하다. 《Ⅱ》 *i.* (h.) 수태〔임신〕하다.
Konzipist *m.* -en, -en 저자, 기초자.
konzis [kɔntsíːs] 《lat. concidere, „abkürzen"》 *a.* 간결한, 간명한.
Koofmich [kóːfmɪç] *m.* -s, -s/-e 〔비어〕 상인, 장사꾼.
Koog [koːk] 《ndd.》 *m.* -(e)s, Köge [kǿːgə] 간척지.
Kooperation [ko|operatsióːn] 《lat.》 *f.* -en ① 협력, 협동. ②〖經〗 기업 간의 제휴.
Kooperations≈abkommen *n.* 제휴, 협정. **≈bereit** *a.* 제휴〔협력〕할 용의가 있는. **~möglichkeit** *f.* 제휴〔협력〕 가능성.
kooperativ [..tíːf] *a.* 협동하는, 공동의.
Kooperative *f.* -n 협동 조합.
Kooperativ·genossenschaft *f.* 협동 조합.
Kooperator [ko|operáːtɔr, ..toːr] *m.* -s, -en [..tóːrən] 협력자; 〖宗〗 보좌 신부.
kooperieren *i.* (h.) 협력〔제휴〕하다.
Kooptation [ko|ɔptatsióːn] 《lat.》 *f.* -en 신입 회원의 보궐 선거.
kooptieren *t.* 신입 회원의 보궐 선거를 치르다.
Koordinate [ko|ɔrdináːtə] 《lat.》 *f.* -n 〖數〗 좌표.
Koordinator [ko|ɔrdináːtɔr, ..toːr] *m.* -s, -en [..tóːrən] 조정자, (방송국의) 프로그램 조정자.
Koordinaten≈achse *f.* 좌표축. **~system** *n.* 좌표계(系).
Koordination [ko|ɔrdinatsióːn] 《lat.》 *f.* -en 조화롭게 만듦, 조정; 〖化〗 배위(配位); 〖문법〗 병렬.
koordinieren 《Ⅰ》 *t.* 조정하다; 병렬시키다. 《Ⅱ》 **koordiniert** *p.a.* ↑ koordiniert.
koordiniert 《Ⅰ》 *p.p.* ↑ koordinieren. 《Ⅱ》 *p.a.* 병렬적인.
Koordinierung *f.* -en ↑ koordinieren 의 명사형.
Kop. = ↑ Kopeke.
Kopal [kopáːl] 《mexikan.》 *m.* -s, -e 코펄(일종의 화석 수지(化石樹脂)).
Kopal≈baum *m.* 코펄나무. **~fichte** *f.* 코펄가문비나무. **~firnis** *m.* ↑ ~lack. **~harz** *n.* ↑ Kopal. **~lack** *m.* 코펄로 만든 니스.
Kopeke [kopéːkə] 《russ.》 *f.* -n 코페이카(러시아의 화폐 단위; 100 분의 1 루블).
Kopenhagen [koːpənháːgən] *n.* 코펜하겐(덴마크의 수도).
Kopenhagener *m.* -s, - 코펜하겐 사람.
Köpenickiade [køːpənɪkiáːdə] *f.* -n 대담한 사기(1906 년 구둣방 주인 W. Voigt 가 대위의 제복을 입고 쾨페닉시의 공금을 사취한 사건에서).
Köper [kǿːpər] 《lat. Lw.》 *m.* -s, - 능직물.
Köper·bindung *f.* 〖섬유〗 능직.
köpern [kǿːpərn] *t.* 《Ⅰ》 능직으로 하다: geköperte Stoffe 능직물. 《Ⅱ》 **geköpert** *p.a.* ↑ geköpert.
kopernikanisch *a.* 코페르니쿠스적인: ~es Weltsystem 코페르니쿠스(적) 우주계(系).
Kopernikus [kopέrnikus] 코페르니쿠스(지동설을 제창한 독일의 천문 학자, 1473-1543).
***Kopf** [kɔpf] 《lat.》 *m.* -(e)s, Köpfe [kœ́pfə] ①〔고어〕 깊고 둥근 술잔. ② 머리; 두개(頭蓋): 〔구어·농담〕 jm. wächst der ~ durch die Haare 대머리가 되다; die Form seines ~es ist länglich 그의 머리 생김새는 길쭉하다; mit dem ~ nicken (긍정의 표시로) 머리를 끄덕이다; den ~ schütteln (부정의 표시로) 머리를 설레설레 흔들다. ③〔비유〕 정신; 정신적 능력; 두뇌, 지력(知力), 이해〔판단〕력; 재능; 생각; 의식; 의지; 목숨, 생명; 개개의 사람(왕의 얼굴 따위를 새긴) 화폐의 표면: ein erfinderischer ~ 발명의 재주(가 있는 사람); ein heller〔hohler, kalter, klarer〕 ~ 명민〔천박, 냉철, 명석〕한 머리(를 가진 사람); die Geburt〔Erzeugnisse〕 seines ~es 그의 두뇌의 소산〔창작〕; 〔속담〕 viele Köpfe, viele

Sinne 각인 각색; der Eintritt kostet fünf Mark pro ~ 입장료는 한 사람당 5 마르크다. ④〖동사와 함께〗 viele Köpfe gehen schwer unter einen Hut 여러 사람의 의견은 일치되기가 어렵다; mein ~ ist eingenommen 〔mir schwindelt der ~〕 나는 머리가 어질어질하다 〔현기증이 난다〕; jm. ist der ~ benommen 〔dumpf, schwer〕 누구의 머리가 멍하다〔멍하다, 무겁다〕; jm. brummt der ~ 두통이 있다; der ~ ist ihm so voll 그의 머리는 생각으로 가득 차 있다; mir steht der ~ nicht danach 나는 그것에 마음이 내키지 않는다; darauf steht der ~ 그것을 범하면 사형을 당한다; er weiß nicht, wo ihm der ~ steht 그는 무슨 일을 어디부터 시작해야 할지 모른다; sie debattierten〔arbeiteten〕, daß〔bis〕 ihnen der ~ raucht 그들은 (머리에서 김이 날 만큼) 토론〔일〕에 열중하였다; ihm steht der ~ nicht recht 그는 머리가 아프다〔기분이 좋지 않다〕; die Köpfe erhitzten sich maßlos in der Versammlung 사람들은 모임에서 극도로 흥분하였다; seinem eignen ~ folgen〔nachfahren〕 제 고집대로 하다; einen klaren〔kühlen〕 ~ bewahren〔behalten〕 당황하지 않다, 침착하다; aller Scham〔Schande〕 den ~ abgebissen haben 뻔뻔스럽다, 부끄러움을 모른다; seinen ~ aufsetzen 〔(für sich) haben〕 뻗대다, 고집부리다; jm. 〔einer Gefahr〕 den ~ bieten 누구를〔위험을〕 아무렇지 않게 생각하다; den ~ oben behalten 당당한 태도를 취하다; es gilt den ~ und Kragen 그것은 생사가 걸린 문제다; seinen ~ durchsetzen 자기의 뜻을 관철하다; sich³ (an et.) den ~ einrennen 난관에 부딪치다; sich (gegenseitig) 〔einander〕 die Köpfe einschlagen 서로 격돌하다; den ~ einziehen 겁내다, 위축되다; js. ~ fordern a) 누구의 목숨을 요구하다, b) (고위직에 있는 사람의) 중벌을 요구하다; ~ (für et.) haben (무엇에 대한) 판단력〔이해력〕이 있다; keinen ~ haben 판단력〔이해력〕이 없다; den ~ so voll haben 생각으로 머리가 가득차다; den ~ hoch tragen 교만하다; jm. den Kopf halten 누구를 지지하다; den ~ hängen lassen 고개를 떨구다, 의기소침하다; den ~ zu oberst herabstürzen 거꾸로 떨어지다; den ~ hergeben〔lassen〕 müssen 목숨을 내던지지 않으면 안 되다;〖구어〗 den ~ hinhalten müssen 무엇의 책임을 져야만 하다; ~ hoch! 기운을 내라!; die Feinde holten sich blutige Köpfe 적은 맹렬한 공격을 받고 도망쳤다; den ~ kosten 생명을〔지위를〕 좌우하다; jm. einen ~ kürzer〔kleiner〕 machen 누구의 머리를 베다; jm. den ~ warm〔toll〕 machen 누구를 격앙〔분격〕시키다; den ~ frei machen 잡념을 떨쳐 버리다; seinen ~ (und Kragen) gegen et. zum Pfand setzen 무엇을 위하여 목숨을 걸다; den ~ in den Sand stecken 현실을 애써 외면하다;〖구어〗den ~ unter dem Arm tragen 맥을 못추다; den ~ verlieren 당황하다, (제)정신을 잃다; seinen ~ für et. verwetten 목숨을 걸고 무엇을 확신하다; sie hat ihm völlig den ~ verdreht 그 여자는 그를 완전히 홀렸다; jm. den ~ waschen 누구를 몹시 꾸짖다; sich³ den ~ über et. zerbrechen 무엇 때문에 골머리 앓다; den ~ aus der Schlinge ziehen 가까스로 처벌을 면하다; jm. den ~ zurechtrücken〔-setzen〕 누구를 꾸짖어 마음을 돌이키게 하다; die Köpfe zusammenstecken 구수(鳩首) 회의를 하다. ⑤〖전치사와 함께〗 sich **an** den ~ fassen (이해할 수 없어서) 머리를 손으로 감싸다; jm. et. an den ~ werfen 누구에게 맞대 놓고 실례되는 말을 하다; **auf** dem ~ stehen a) 곤두서다, b) 뒤죽박죽이다; auf seinem (eignen) ~ stehen〔bestehen, beharren, bleiben〕 고집을 부리다; jm. auf dem ~ herumtanzen 누구에게 버릇없이 굴다; einen Preis auf js. ~ aussetzen 누구의 체포에 현상금을 걸다; eins auf den ~ bekommen 〔kriegen〕 비난받다; auf den ~ gefallen sein 멍청하다;〖비유·구어〗das Geld auf den ~ hauen 돈을 한꺼번에 탕진하다; jm. auf den ~ kommen 누구를 비난하다, 누구에게 욕설을 퍼붓다;〖경박〗 sich nicht auf den ~ spucken lassen 참지 않다;〖농담〗 jm. auf den ~ spucken können 누구보다 키가 크다; alles auf den ~ stellen 뒤죽박죽으로 만들다; 샅샅이 조사하다; eine Tatsache auf den ~ stellen 사실을 왜곡하다; das ganze Haus auf den ~ stellen 집안을 샅샅이 조사하다;〖비유〗 und wenn du dich auf den ~ stellst, ich gehe doch nicht hin! 네가 무엇을 하든 나는 가지 않아!; et. auf seinen (eigenen) ~ tun 책임을 지고 무엇을 하다; den Nagel auf den ~ treffen 핵심을 맞추다; es kommt auf den ~ 5 Mark 한 사람 몫이 5 마르크가 된다; **aus** dem ~ 암기하여, 외어서; sich³ die Augen nach jm.〔et.³〕 aus dem ~ sehen 〔schämen〕 누구를〔무엇을〕 매섭게 노려보다; sich³ et. aus dem ~ schlagen 무엇을 머릿속에서 떨쳐 버리다, 무엇을 더 이상 생각하지 않다; das geht〔will〕 mir nicht aus dem ~ 나는 그것이 (영) 잊혀지지 않는다; **bei** ~ und Kragen 억지로 여러 말 시키지 않고; sich beim ~ kriegen 격투하다; ihm geht gar zuviel **durch** den ~ 그에게는 여러 가지 걱정이 있다; ich will mir deine Anregungen durch den ~ gehen lassen 나는 자네의 제안을 잘 생각해 보겠네; ein Gedanke schießt jm. durch den ~ 어떤 생각이 갑자기 누구의 머리를 스치다〔머리에 떠오르다〕; et. **für** seinen eignen ~ tun 무엇을 혼자 힘으로 하다; Arbeit für den ~ 정신 노동; et. **im** ~ haben a) 머리가 좋다, 총명하다, b) 무엇을 기억하고 있다, c) 무엇을 걱정하고 있다, d) 언짢아하다, 기분이 좋지 않다, e) 거나한 기분이다; Gedanken **im** ~ haben 생각〔숙고〕하다; Grips〔Grütze〕 im ~ haben 이해력이 있다; große Rosinen〔Graupen〕 im ~ haben 터무니없는 야망〔계획〕을 품고 있다; et. noch frisch im ~ haben 무엇이 아직도 기억에 새롭다;〖속담〗 was man nicht im ~ hat, muß man in den Beinen haben 건망증이 있는 사람은 헛걸음질을 하기 마련이다; er ist im ~ wirr 〔es ist bei ihm im ~ nicht richtig〕 그는 머리가 돌았다; es ist bei ihm gleich Feuer im ~ 그는 성질이 급하다; Stroh im ~ haben 바보다; es geht mir im ~ herum 그것이 내 뇌리에서 떠나지 않는다; etwas steigt jm. in den ~ a) 무엇이 누구를 몹시 취하게 하다, b) 무엇이 누구를 불손〔거만〕하게 만들다; das geht〔will〕 mir nicht in den ~ (hinein)

나는 그걸 알 수 없다, 나는 그게 이해되지 않는다; sich. et. in den ~ setzen 무엇을 결심하다; **mit** bloßem ~ 모자를 쓰지 않고; mit dem hochroten ~ 몹시 화가 나서; mit dem ~ zu oberst〔voran, zuerst〕 곤두서서; mit einem dicken ~ dasitzen 무엇을 몹시 걱정하다; mit dem ~ durch die Wand wollen 억지를 부리려고 하다; mit seinem ~ für et. einstehen 목숨을 걸고 무엇을 책임지다〔옹호하다〕; **nach** dem eignen ~ leben 자기의 생각〔고집〕대로 살다; nach Köpfen stimmen 사람 수효에 따라 투표하다; **ohne** ~ 머리가 없는, 우둔한; **pro** ~ 50 Pfennig bezahlen 한 사람 앞에 50 페니히씩 치르다; Hals **über** ~ 황급히, 부랴부랴; et. über js. ~ (hin)weg entscheiden 누구의 의사와 관계 없이 무엇을 결정하다; über die Köpfe hinwegreden 아랑곳하지 않고 이야기하다; bis über den ~ in Schulden stecken 빚 때문에 옴짝달싹 못하다; jm. über den ~ wachsen a) 누구보다 키가 더 커지다, b) 누구를 능가하다, 감당할 수 없게 되다; die Hände über dem ~ zusammenschlagen (놀라서) 손을 머리 위에서 맞잡다; es geht **um** den ~ 목숨에 관계되다; er ist um einen ~ größer als ich 그는 나보다 머리 하나만큼 크다; sich um den ~ reden 설화(舌禍)로 목숨을 잃다; ein Mann **von** ~ 머리가 좋은 사람; von ~ bis Fuß ~ a) 머리끝에서 발끝까지, b) 철두철미; nicht von einem ~ abgehen 끝까지 자기 말을 고집하다; ein Brett **vor** dem ~ haben 미련하다; 〖구어〗 wie vor den ~ geschlagen sein (뜻밖의 일 때문에) 머리를 한방 얻어맞은 것 같다; jn. vor den ~ stoßen 누구를 심하게 모욕하다; 누구를 욕보이다; die öffentliche Meinung vor den ~ stoßen 여론에 반대하다; seine schroffe Art stieß alle vor den ~ 그의 쌀쌀한 태도는 모두에게 불쾌한 느낌을 주었다; der Fensterladen ist mir **zu** Köpfen 들창 덧문은 나의 머리맡에 있다; sich³ et. zu ~ nehmen〔ziehen〕 무엇을 걱정하다〔마음에 걸려 하다〕. ⑥ **(a)** 첫머리, 실마리: ~ und Schwanz 첫머리와 끄트머리. **(b)** 수뇌(부): der ~ des Unternehmens 기업의 수뇌부. **(c)** 물건의 (끄트)머리 (부분); 못〔바늘·징〕의 대가리; 나사못〔선반·풀무〕의 머리; (수도) 파이프의 꼭지; 메의 대가리; 닻줄을 감아올리는 기계의 끄트머리; 들보머리; 기둥머리; 다릿목; 돛대머리; 뱃머리; (비행기의) 기수; 뼈 끄트머리; 모자의 꼭대기; 여송연의 대가리. **(d)** 표제; 제목; 편지지〔페이지〕의 윗 부분. **(e)** 〖軍〗 (총의 탄약을 재는 쇠꼬치의) 대가리. **(f)** 〖天〗 살별의 핵. **(g)** 〖植〗 두상 꽃차례; 꽃부리; (보리의) 이삭; 나무의 봉우리〔끝〕. **(h)** 〖음악〗 악보의 음표 머리.

Kopf≈ader [kɔ́pf..] *f.* 〖醫〗 두부(頭部) 동맥. **~-an-Kopf-Rennen** *n.* (경마 따위에서의) 막상막하의 경주. **~arbeit** *f.* 정신 노동(↔ Handarbeit). **~arbeiter** *m.* 정신 노동자. **~bahnhof** *m.* 〖철도〗 종착역. **~balken** *m.* 〖건축〗 마룻대. **~ball** *m.* 〖축구〗 헤딩. **~balltor** *m.* 헤딩 골. **~band** *n.* 머리 끈; 〖醫〗 머리에 감는 붕대; 〖건축〗 버팀 기둥의 윗부분. **~baum** *m.* 우듬지를 동그랗게 쳐낸 나무, 가위로 친 나무. **~bedeckung** *f.* 두건, 모자. **~blatt** *n.* 같은 내용을 표제만 바꿔 다른 곳에서 내는 신문; (신문의) 제 1 면. **~blume** *f.* 〖植〗 꼭두서닛과(科)에 속하는 작은 관목의 일종. **~blüten** *pl.* 〖植〗 집합화. **~bohrer** *m.* (외과용) 자루 달린 둥근 톱. **~brechen** *n.* 노심초사. **~bürste** *f.* 머리 빗는 브러시.

Köpfchen [kœ́pfçən] *n.* -s, - 〖↑ Kopf 의 축소형〗 ① 작은 머리. ② 〖구어〗 지혜, 사고력, 두뇌. ③ 〖植〗 소두화(小頭花), 두상(頭狀) 꽃차례.

Kopf≈drüse *f.* 두선(頭腺). **~dünger** *m.* 성장기에 주는 비료.

kopfen [kɔ́pfən] *t.* 결구(結球)하다.

köpfen [kœ́pfən] 《I》 *t.* ① 목을 베다. ② 윗부분을 잘라내다〔떼어내다〕: Bäume ~ 우듬지를 치다; Tabak ~ 담배의 심을 따다. ③ 표제를 달다. ④ 〖스포츠〗 헤딩 골을 넣다: die Mannschaft in das Viertelfinale ~ 헤딩 골로 팀을 8 강전에 진입시키다. 《II》 *i.* (h.) 결구(結球)하다.

Kopf≈ende *n.* 침대의 머리 부분. **~form** *f.* 머리 모양. **~förmig** *a.* 머리 모양을 한, 두상(頭狀)의; 〖植〗 두상 꽃차례의. **~fernhörer** *m.* ↑ ~hörer. **~füßer** *m.* 〖動〗 두족류(頭足類). **~geburt** *f.* 두뇌의 소산〔창작〕. **~geld** *n.* 현상금, 몸값. **~geschwulst** *f.* 〖醫〗 신생아 혈장액성 두종(血漿液性頭腫). **~gestell** *n.* (말머리의) 장식 끈. **~grind** *m.* 〖醫〗 두부 농포진(膿疱疹). **~grippe** *f.* 뇌염; 독감. **~haar** *n.* 머리털. **~haltung** *f.* 머리 자세. **~hänger** *m.* 의기소침한 사람; 용기 없는 사람. **~hängerei** *f.* 의기소침, 우울. **~hängerisch** *a.* 의기소침한, 침울한. **~haube** *f.* 두건. **~haut** *f.* 두피(頭皮). **~holz** *n.* 〖건축〗 들보의 끄트머리. **~hörer** *m.* 헤드폰.

köpfig [kœ́pfıç] *a.* 완고한, 고집센.

..köpfig *suf.* "…개의 머리를 가지는"의 뜻(보기: zwei~ 쌍두의, 머리가 둘인).

..köpfisch *suf.* "…한 기분의"의 뜻(보기: murr~ 불쾌한, 심술이 난).

Kopf≈jagd *f.* (야만인의) 사람 머리 사냥. **~keil** *m.* (침대의) 쐐기 모양의 베개. **~kissen** *n.* 베개.

Kopfkissen≈bezug *m.* 베개 커버. **~überzug** *m.* ↑ ~kissenbezug.

Kopf≈kohl *m.* 양배추. **~lage** *f.* 두위(頭位) (출산할 때의 태아의 정상적인 위치). **~länge** *f.* 머리의 길이. **~lastig** *a.* ① (배나 비행기의) 머리 부분이 무거운. ② 숙취한. **~laus** *f.* 머릿니.

Köpflein *n.* -s, - ↑ Köpfchen.

Kopf≈leiste *f.* 〖印〗 (책의) 꽃무늬 장식〔컷〕. **~licht** *n.* 전조등, 헤드라이트; 〖海〗 돛대에 달린 등.

kopflings *adv.* ↑ köpflings.

köpflings [kœ́pflıŋs] *adv.* 곤두서서, 거꾸로: ~ die Treppe herunterstürzen 계단 아래로 곤두박질하다.

Kopf·linie *f.* (손금에서) 생명선 위에 놓인 지능선.

kopflos *a.* ① 머리가〔목이〕 없는. ② 무지한; 경솔한; 당황한: 〖軍〗 die ~e Flucht 패주.

Kopflosigkeit *f.* ① 머리가〔머리 부분이〕 없음. ② 경솔.

Kopf≈mark *n.* 〖해부〗 연수(延髓). **~naht** *f.* 〖醫〗 두개(頭蓋) 봉합. **~mauer·werk** *n.* 〖건축〗 벽돌이나 자갈 따위로 벽을 쌓을 때 벽돌

〔자갈〕의 최소 면적 부분이 밖에서 보이도록 쌓는 방법. **~nicken** *n.* (고개를) 끄떡임, 수긍. **~nicker** *m.* 〖醫〗 흉쇄 유돌근(胸鎖乳突筋). **~nuß** *f.* ①〔속어〕 알밤을 때림: eine ~ geben〔bekommen〕 알밤을 한 대 먹이다〔얻어맞다〕. ② 골치 아픈 문제. **~putz** *m.* 머리 장식〔치레〕. **~quote** *f.* (1인 할당) 몫. **~rampe** *f.* 〖철도〗 화물용 플랫폼. **~rechnen** *n.* 암산, 속셈. **~reißer** *m.* 〔농담〕 골치가 아파지는 술. **~rose** *f.* 〖醫〗 두부 단독(頭部丹毒). **~-salat** *m.* 〖植〗 양상추. **~scheu** *a.* 잘 놀라는; 〔비유〕 겁많은. **~schlag** *m.* 〖海〗 밧줄 끝의 매듭. **~schlag·ader** *f.* 〖醫〗 두부(頭部) 동맥. **~schmerz** *m.* 두통: 〔구어〕 sich[3] über et. keine ~en machen 무엇에 대해 걱정〔고심〕하지 않다; 〔구어〕 etwas bereitet jm. ~en 무엇이 누구의 걱정거리다. **~schmerz-tablette** *f.* 두통약(정제). **~schmuck** *m.* 머리 장식. **~schraube** *f.* 둥근 머리의 나사, 둥근 머리가 달린 볼트. **~schuppe** *pl.* 비듬. **~schuß** *m.* ① 머리에 총을 쏨. ② (총상에 따른) 머리 부상. ③ du hast wohl einen ~ 너 미쳤구나. **~schütteln** *n.* 머리를 가로저음 (거절·부정·의혹의 표시). **~schutz** *m.* (헬멧 따위의) 머리 보호 장구. **~schützer** *m.* 방한모. **~seite** *f.* (메달 따위의) 표면. **~sprung** *m.* 다이빙, 곤두박질: 〔비유〕 ~ ins Glück 행복으로의 곤두박질. **~stand** *m.* 물구나무서기. **~stärke** *f.* 인원수. **~station** *f.* ↑ ~bahnhof. **~|stehen*** *i.* (h.) ① 물구나무서다. ② 깜짝 놀라다, 당황하다. **~steg** *m.* 책 페이지 상단의 여백 부분. **~stein** *m.* (도로 포장용) 둥근 머릿돌. **~stein·pflaster** *n.* 둥근 머릿돌로 한 도로 포장. **~steuer** *f.* 〖法〗 인두세. **~stimme** *f.* 두성(頭聲) (↔ Bruststimme). **~stoß** *m.* ① 헤딩. ② 〖권투〗 버팅. **~stück** *n.* ① 〖건축〗 (홍예 꼭대기의) 종석(宗石). ② 〖요리〗 (생선의) 머리 부분. ③ 〖音〗 블록 플루트의 윗부분. ④ 〔속어〕 ↑ ~nuß. **~stütze** *f.* (의자의) 머리 받침. **~teil** *m./n.* ① (침대의) 머리 부분. ② (의자의) 머리 기대는 부분. **~tuch** *n.* (부인용) 두건. **~über** [kɔpf|ý:bər] *adv.* 머리를 앞세워, 거꾸로: sich ~ in die Arbeit stürzen 힘차게 일에 뛰어들다. **~unter** [kɔpf|ʊ́ntər] *adv.* ① 머리를 아래로 하여, 곤두박질하여. ② ↑ ~über. **~verletzung** *f.* 머리 부상. **~wäsche** *f.* ① 세발(洗髮). ② 비난, 힐책. **~waschen** *n.* ↑ ~wäsche. **~wasser** *n.* 포마드. **~wasser-sucht** *f.* 〖醫〗 뇌수종(腦水腫). **~weh** *n.* ↑ ~schmerz. **~weich·tier** *n.* 유두(有頭) 연체동물. **~weide** *f.* 〖植〗 고리버들. **~wunde** *f.* 머리 상처. **~zahl** *f.* 인원수, 머릿수. **~zeile** *m.* 〖컴〗 머리말, 표제. **~zerbrechen** *n.* 노심초사: das macht〔bereitet〕 mir viel ~ 그것 때문에 나는 몹시 골머리를 앓고 있다; sich[3] über et. ~ machen 무엇에 대해 골머리를 앓다. **~zeug** *n.* 머리 장식, 쓰는 물건. **~zünder** *m.* 〖軍〗 탄두 신관(信管).

Kophta [kɔ́fta] *m.* -s, -s 이집트의 마술사.

kophtisch *a.* 코프트의.

Kopial·buch [kopiá:l..] *n.* (중세의) 필사본.

Kopialien [kopiá:liən] *pl.* 필사료, 필경료.

Kopiatur [kopiatú:r] *f.* -en 모사, 필사.

***Kopie** [kopí:, (öst.) kó:piə] 《frz.》 *f.* -n [kopí:ən, (öst.) kó:piən] ① (복)사본. ② 복사, 모사; 복제. ③ 복사판, 모방, 흉내. ④ 사진의 양화; 복사 필름.

Kopier=anstalt [kopí:r..] *f.* 〖사진〗 프린트 제작소, 사진 인화소. **~apparat** *m.* 복사기; 인화기, 프린터. **~buch** *n.* 〖商〗 문서 사본철.

***kopieren** [kopí:rən] *t.* ① 베끼다, 복사〔등사·모사〕하다; 〖사진〗 복사하다, 인화하다; 모사〔복제〕하다; 〔비유〕 모방하다, 흉내내다; der Architekt trug der Tradition Rechnung, ohne zu ~ 그 건축가는 전통적 방식을 참작하였으나 모방하지는 않았다. ② 〖컴〗 복사하다.

Kopierer *m.* -s, - ↑ Kopierapparat.

Kopier=farbe *f.* 복사용〔등사용〕 잉크. **~-gerät** *n.* 복사기; (사진) 인화기, 프린터. **~maschine** *f.* 복사기, 등사판. **~papier** *n.* 복사(용)지; (사진의) 인화지. **~presse** *f.* (압착식) 복사기. **~programm** *n.* 〖컴〗 복사 프로그램. **~rahmen** *m.* 〖사진〗 인화틀. **~schutz** *m.* 〖컴〗 복사 방지. **~schutz-stecker** *m.* 〖컴〗 복사 방지 플러그. **~stift** *m.* 등사판용 철필, 복사용 연필. **~telegraph** *m.* 〖우편〗 복사 전신기. **~tinte** *f.* ↑ ~farbe.

Kopilot [kó:pilo:t] *m.* -en, -en 부조종사.

Kopilotin *f.* -nen ↑ Kopilot 의 여성형.

kopiös [kopiǿ:s] 《lat.》 〔고어〕 *a.* 풍부한, 많은; 〖醫〗 괴상(塊狀)의.

Kopist [kopíst] *m.* -en, -en ① (글씨) 베끼는 사람, 필경사. ② 모조자, 위조자; 모방자.

Kopp *m.*, **Koppchen** *n.* (nordd.) (밑에 받치는 접시에 대하여) 커피잔, 접시.

Koppe[1] [kɔ́pə] 《⊕ Kopf》 *f.* -n ① 산의 (둥근) 봉우리; 못대가리, 손가락 끝. ② 〖動〗 망둥어.

Koppe[2] *m.* ↑ Jakob 의 애칭.

Koppel [kɔ́pəl] *f.* -n ① 끈, 띠; (한 줄에 잡아맨) 여러 마리의 짐승: eine ~ Jagdhunde 한 줄에 맨 여러 마리의 사냥개. ② 〔*n.* -s, - 도 가능〕 〖軍〗 검대(劍帶). ③ 울타리를 친 목장〔농장〕, 목초지: auf der ~ weiden 목장에서 풀을 뜯다. ④ 〖工〗 크랭크 톱니바퀴의 사슬고리. ⑤ 〖음악〗 커플러: ~ ab〔an〕 커플러를 집어 넣다〔내보내다〕.

Koppel=fischerei *f.* 공동 어업(장·권). **~-gängig** *a.* 한 줄에 매어놓은〔매기에 좋은〕. **~gehenk** *n.* 〖軍〗 검을 차는 어깨띠〔허리띠〕. **~gerechtigkeit** *f.* 공유(지 사용)권. **~-hund** *m.* 〖사냥〗 가죽끈으로 서로 묶인 사냥개. **~hut** *f.* 〖農〗 공용 목장. **~jagd** *f.* 공동 사냥터. **~kurs** *m.* 〖海〗 바람에 거슬러 항해하는 굽은 진로. **~leine** *f.* 〖사냥〗 사냥개를 서로 잡아매는 가죽끈. **~manöver** *m.* ↑ Kopplungsmanöver.

***koppeln** [kɔ́pəln] *t.* ① 연결하다, 결합시키다, 도킹시키다: einen Anhänger an einen Zugwagen ~ 트레일러를 견인차에 연결하다. ② (개·말을) 끈으로 잡아매다. ③ 연관짓다: eine Zusage an bestimmte Bedingungen ~ 특정 조건과 연관지어 수락하다. ④ 〖언어〗 이음표로 연결하다. ⑤ 〖空〗 비행 속도·시간·항로 따위를 기입하다. ⑥ ein Stück Land ~ 울타리를 쳐서 목초지를 만들다.

Koppel=recht *n.* ↑ ~gerechtigkeit. **~riemen** *m.* 〖사냥〗 사냥개의 가죽 끈. **~säulen** *pl.* 〖건축〗 쌍(雙)기둥. **~schloß** *n.* 〖軍〗 버클. **~seil** *n.* ↑ ~riemen. **~trift** *f.* ↑ ~weide.

Koppelung [kɔ́pəlʊŋ] *f.* -en ↑ Kopplung.

Koppel≈weide *f.* 울타리가 있는 목장. **~wirtschaft** *f.* 〖農〗 윤작(輪作). **~wort** *n.* 복합어.

koppen [kɔ́pən] *i.* (h.) (말 등이) 헐떡이다.

Kopper[1] *m.* -s, - 시끄럽게 숨을 들이쉬는 말.

Kopper[2] *n.* -(s) (ndd.) 구리(Kupfer).

koppheister [kɔpháɪstər] *adv.* 곤두박이로 (↑ kopfüber).

kopphester *adv.* ↑ koppheister.

Koppler *m.* -s, - 〖전기〗 결합기.

Kopplung [kɔ́pluŋ] *f.* -en 연결, 결합, 도킹; 〖전기〗 진동 회로 결합; 〖化〗 연결; 〖海〗 추측 항법; 〖음악〗 (오르간의) 커플러.

Kopplungs≈bolzen *m.* 〖기계〗 연결 볼트. **~manöver** *n.* 두 우주선이 우주에서 도킹하는 조작. **~schraube** *f.* 연결 나사. **~spule** *f.* 〖전기〗 연결 코일.

Kopra [kó:pra] 《ind.》 *f.* 〖植〗 코프라, 말린 야자 열매의 심(心).

Koprolith [koprolí:t, ..lít] 《gr.》 *m.* -s/-en, -e(n) ① 〖지질〗 분석(糞石), 화석분(化石糞). ② 〖醫〗 장결석.

Koproduktion [kó:produktsio:n] *f.* -en ① 공동 제작. ② 공동 제작한 영화.

Koproduzent *m.* -en, -en (영화나 텔레비전 방송의) 공동 제작자.

Koproduzentin *f.* -nen ↑ Koproduzent 의 여성형.

koproduzieren *t.* 공동 제작하다.

Koprom [kopró:m] *n.* -s, -e 〖醫〗 (창자 속의) 가짜 종양(똥이 굳어 종양처럼 보이는 것) (↑ Fäkulom).

Koprophage [..fá:gə] *m.* -n, -n ① 〖生〗 오물을 먹(고 자라)는 동물〔갑충(甲蟲)〕. ② 〖醫〗 식분증(食糞症) 환자.

Koprophagie *f.* -n [..gí:ən] 오물을 먹고 싶은 병적인 충동.

Kops [kɔps] 《engl.》 *m.* -es, -e 〖방직〗 방추(紡錘) 모양의 실꾸리.

Kopte [kɔ́ptə] 《ar.》 *m.* -n, -n 콥트 사람(옛 이집트의 기독교도의 후예).

koptisch *a.* 콥트(인)의; 콥트어의.

Kopula [kó:pula] 《lat.》 *f.* -s/-e ① 〖문법·논리〗 연사, 계사(繫辭). ② 〖動〗 교미.

Kopulation [..tsió:n] *f.* -en ① 성교. ② (교회에서의) 결혼식. ③ 〖원예〗 접목. ④ 〖生·醫〗 교접 작용, 생식.

kopulativ [..tí:f] *a.* 〖문법〗 연결〔결합〕하는, 병렬적인.

Kopulativum [..tí:vum] *n.* -s, ..ve/..va 〖문법〗 연결 복합어.

kopulieren [kopulí:rən] *t.* ① 연결〔병렬〕하다. ② 결혼시키다. ③ 접붙이다. ④ 교미하다; 성교하다.

Kopulier·reis *n.* 접목용의 작은 가지.

kor [ko:r] ↑ kiesen, küren 의 과거형.

Kora 《gr.》 *f.* ① 〖↑ Kordelia 의 단축형〗 코라(여자 이름). ② 소녀.

Korah [kó:ra] *m.* 〖聖〗 고라(모세에 대항했던 레위의 자손: 민수기 16: 1-3) : eine Rotte ~ 방자한 (고라) 일당.

***Koralle** [korálə] 《gr.》 *f.* -n ① 〖動〗 산호충. ② 산호; 〖복수〗 산호 세공(특히 목걸이).

korallen *a.* 산호의〔로 만든〕; 산호처럼 붉은.

Korallen≈achat *m.* 〖광물〗 산호 마노(瑪瑙). **≈artig** *a.* 산호 같은, 산호류의. **~bank** *f.* 산호초. **~baum** *m.* 〖植〗 꼭두서닛과. **~beere** *f.* 〖植〗 꼭두서닛과. **~fang** *m.* ↑ ~fischerei. **≈farbig** *a.* 산호색의. **~fischer** *m.* 산호 채취자. **~fischerei** *f.* 산호 채취. **~flechte** *f.* 〖植〗 별이끼의 일종. **~garn** *n.* ↑ ~netz. **~hals·band** *n.* 산호 목걸이; 〖사냥〗 사냥개 훈련용 산호 목걸이. **~insel** *f.* 산호섬. **~kalk** *m.* 〖광물〗 산호 석회암. **~kette** *f.* ↑ ~schnur. **~kraut** *n.* 〖植〗 아스파라거스(그 열매가 붉기 때문에). **~lippen** *pl.* 〖문학〗 붉은 입술. **~moos** *n.* ↑ ~flechte. **~mund** *m.* 〖문학〗 ↑ ~lippen. **~netz** *n.* 산호망(網). **~otter** *f.* 산호 홍사(紅蛇) (미국산(産)의 작은 독사). **~perle** *f.* 산호주(珠). **~pilz** *m.* 〖植〗 싸리버섯. **~polyp** *m.* 〖動〗 산호충. **~riff** *n.* ↑ ~bank. **~rot** *a.* 산호색의, 엷은 붉은색의. **~schnur** *f.* (목걸이 등의) 산호를 꿴 줄. **~schwamm** *m.* ↑ ~pilz. **~tier** *n.* ↑ ~polyp. **~wurzel** *f.* 〖植〗 아스파라거스.

Korallin [koralí:n] *n.* -s 코랄린(붉은 빛 물감의 일종).

Koralline *f.* -n 〖植〗 산호조(藻).

Korall·polyp *m.* ↑ Korallenpolyp.

koram [kó:ram] 《lat.》 *adv.* 얼굴을 맞대고: 〔고어〕 jn. ~ nehmen 누구를 공공연히 비난〔질책〕하다.

koramieren [koramí:rən] *t.* 질책하다.

Koran [korá:n, kó:ran] 《ar.》 *m.* -s, -e 코란(회교의 경전).

Koran·sure *f.* 코란의 장(章).

koranzen [korántsən] (*p.p.* koranzt) *t.* (kuranzen) 채찍으로 때리다, 괴롭히다.

***Korb** [kɔrp] 《lat. corbis》 *m.* -(e)s, Körbe [kœrbə] ① 광주리, 바구니, 바스켓: **(a)** 물건 사는 바구니: drei ~〔Körbe〕 Obst 세 바구니의 과일. **(b)** 나뭇가지로 엮은 세공. **(c)** 편비내: das Wasser geht über die Körbe (홍수의) 위험이 있다. **(d)** 광석 운반용 쇠광주리. **(e)** 기구(氣球)의 곤돌라. **(f)** 어획용 그물 바스켓. **(g)** 사벨이나 펜싱 검의 손목 보호바스켓. **(h)** 〖海〗 장루(檣樓) (Mast≈). ② (농구 골대의) 바구니; 골: einen ~ schießen〔erzielen〕 슛하다〔득점하다〕. ③ 〔비유〕 거절, (구혼의) 퇴짜: einen ~ bekommen〔geben〕 퇴짜맞다〔놓다〕; Körbe austeilen 거절하다, 퇴짜놓다; sie hat schon viele Körbe (an Männer) ausgeteilt 그녀는 벌써 여러 차례 (남자의) 구혼을 물리쳤다. ④ 그룹, 범주, 대열, 진영.

Korb≈arbeit *f.* 광주리 세공. **~ball** *m.* 코르프발(여자 농구의 일종). **~ball·spiel** *n.* 〖스포츠〗 코르프발 경기. **~bekleidung** *f.* 날밑 덮개. **≈blütig** *a.* 〖植〗 엉거싯과. **~blütler** *m.* 〖植〗 엉거싯과(科). **~bogen** *m.* 〖工·건축〗 광주리 모양의 아치.

Körbchen [kœrpçən] *n.* -s, - 〖↑ Korb 의 축소형〗 ① 작은 바구니: ~ zu Früchten 과일 바구니. ② 〖植〗 엉거싯과의 꽃차례. ③ 〖動〗 (꿀벌 뒷다리의) 꽃가루를 모아 두는 부분. ④ 브래지어의 컵.

Körbel *m.* -s (obd.) 〖植〗 (Kerbel) 전호(前胡) (미나릿과의 다년생 식물).

Körber *m.* -s, - (schweiz.) 바구니 만드는 사람.

körbe·weise *a.* 바구니 가득하게, 다량의.

Korb≈flasche *f.* 바구니에 들어 있는 병.

~**flechter** *m.* 바구니 짜는 사람. ~**flechterei** *f.* 바구니 짜는 세공(법). ~**förmig** *a.* 바구니 모양의. ~**gefäß** *n.* 광주리 모양의 칼코등이. ~**geflecht** *n.* 나뭇가지로 짜는 세공. ~**gitter** *n.* 엮은 울타리. ~**henkel** *m.* 바구니의 손잡이.
Körblein *n.* -s, - ↑ Korb 의 축소형.
Korb≈macher *m.* ↑ ~flechter. ~**sessel,** ~**stuhl** *m.* 나뭇가지로 만든 의자. ~**ware** *f.* 바구니 세공물. ~**wagen** *m.* 나뭇가지로 세공한 마차. ~**weide** *f.* 〖植〗 냇〔꽃〕버들. ~**werk** *n.* (방파제 대용의) 돌로 채워진 바구니 더미. ~**wiege** *f.* 나뭇가지로 짠 요람. ~**wurf** *m.* 〖농구〗 슈팅; 골.
Kord[1] [kɔrt] *m.* 〖↑ Konrad 의 단축형〗 코르트(남자 이름).
Kord[2] 《engl.》 *m.* -(e)s, -e/-s 〖방직〗 ① 코르덴(천). ② 코르덴 벨벳.
Kord·anzug [kɔ́rt..] *m.* 코르덴천으로 만든 양복.
Korde [kɔ́rdə] 《gr.》 *f.* -n ① (옷의) 노끈 모양의 가장자리 장식. ② ↑ Kordel.
Kordel [kɔ́rdəl] (südwestd.) *f.* -n 노끈, 새끼줄, 장식줄.
Kördelchen *n.* -s, - ↑ Kordel 의 축소형.
Kordelia [kɔrdé:lia] 《roman.》 *f.* 코르델리아 (여자 이름).
Kord·hose *f.* 코르덴 바지.
kordial [kɔrdiá:l] 《lat.》 *a.* ① 마음에서 우러나오는; 친(밀)한, 간곡한. ② 붙임성이〔애교가〕 있는.
Kordialität [kɔrdialitέ:t] *f.* 친밀; 애교.
kordieren [kɔrdí:rən] *t.* ① 〖工〗 (공구 손잡이 따위에) 골진 무늬를 파넣다. ② (보석 세공 때) 골진 무늬를 새겨 넣다.
Kordier·maschine *f.* 줄무늬 파는 기계.
Kordillere [..dıljé:rə] 《sp.》 *f.* -n 산맥, 연산(連山): die ~n (남아메리카의) 코르디예라스 산맥.
Kordit [kɔrdí:t, ..dít, ..dáit] 《engl.》 *m.* -(e)s 끈 모양의 무연(無煙) 화약.
Kordon [kɔrdɔ̃:, (öst.) ..dó:n] 《frz.》 *m.* -s, -s/-e ① (꼰) 끈〔줄〕. ② 〖軍〗 보초〔감시〕선; 차단(선): einen ~ bilden〔ziehen〕 차단선을 형성하다〔긋다〕. ③ 〖軍〗 훈장의 줄. ④ 〖원예〗 가지고르기를 한 나무.
Kordon≈aufstellung *f.* 〖軍〗 감시 초소. ~**verteidigung** *f.* 〖軍〗 차단선 구축 방어.
Kordonett·seide [kɔrdonέt..] *f.* 명주 연사(撚絲), 꼰 명주실.
Kordova [kɔ́rdova] ① 코르도바(에스파냐 남부의 도시). ② *m.* -(s), -(s) 코르도바(니카라과의 화폐 단위).
Kord·samt *m.* 코르덴 벨벳.
Korduan [kɔ́rdua:n, kɔrduá:n] 《<Kordova》 *n.* -s 코르도바 가죽, 코도반.
Korduaner *m.* -s, - (öst.) 제화공.
Korduan≈leder *n.* 코르도바 가죽, 코도반. ~**macher** *m.* 코르도바 가죽 제조인.
Kordula *f.* 코르둘라(여자 이름).
Kore [kó:rə] 《gr.》 *f.* -n ① 〖그리스신화〗 코레 (Persephone 의 딸). ② 〖건축〗 (고대 그리스의) 소녀 입상.
***köre** ↑ kiesen[2], küren 의 접속법 Ⅱ식.
***Korea** [koré:a] *n.* 한국.
Korea·krieg *m.* 한국 전쟁, 6·25 전쟁.
Koreana [koreá:na] *pl.* 한국(에 관한) 문헌, 한국 작품.
***Koreaner** [koreá:nər] *m.* -s, - 한국 사람.
***Koreanerin** *f.* -nen ↑ Koreaner 의 여성형.
koreanisch *a.* 한국(인·말)의.
***Koreanisch** *n.* 한국말; 한국어.
Koreferat [kó:refera:t] *n.* -(e)s, -e (öst.) (Korreferat) 보충 발표〔연설〕.
Koreferent *m.* -en, -en (öst.) (Korreferent) 보충 발표자.
koreferieren *i.* (öst.) 보충 발표하다(korreferieren).
Koregisseur [..ʒi..] *m.* -s, -e 공동 연출자.
kören[1] [kǿ:rən] 《küren 의 ndd. 어형; ♧ kiesen》 *t.* (씨말을〔종마(種馬)를〕) 골라내다, 선택하다.
kören[2] 《♧ ahd. quedan, „reden"》 *i.* (h.) / *t.* (ndd.) (schwätzen) 잡담하다, 지껄이다.
Korfiot [kɔrfió:t] *m.* -en, -en (그리스의) 코르푸섬 사람.
Korfu [kɔ́rfu] *m.* (그리스의) 코르푸섬.
Kör≈gesetz [kǿ:r..] *n.* (씨말〔종마(種馬)〕) 검사법. ~**hengst** *m.* 씨말.
Koriander [koriándər] 《gr.》 *m.* -s, - 〖植〗 고수, 고수열매.
Koriander≈öl *n.* 고수 기름. ~**schnaps** *m.* 고수 소주.
Korinth [korínt] *n.* 코린트(고대 그리스의 도시).
Korinthe [..tə] *f.* -n (Korinth 산(産)의) 씨없는 검은 건포도.
Korinthen≈brot *n.* 건포도 식빵. ~**kacker** *m.* 〖평어〗 소인배, 옹졸한 사람.
Korinther [koríntər] *m.* -s, - 코린트 사람.
korinthisch *a.* 코린트(산(産))의; 〖건축〗 코린트식의: der ∼e Meerbusen 코린트만(灣); die ~e Säulenordnung 코린트식 기둥 양식.
***Kork** [kɔrk] 《ndl.》 *m.* -(e)s, -e ① 〖植〗 코르크(나무 껍질). ② (병·통의) 코르크 마개. ③ 〖植〗 코르크나무.
kork≈artig *a.* 코르크성(性)의. ∼**baum** *m.* 〖植〗 코르크나무. ∼**brand** *m.* (포도주) 코르크 마개의 양조장. ∼**boje** *f.* 〖海〗 코르크로 만든 부표(浮標). ~**eiche** *f.* 〖植〗 코르크 나무.
korken[1] [kɔ́rkən] *a.* 코르크로 만든.
korken[2] *t.* 코르크로 마개를 하다, 밀폐하다.
Korken *m.* -s, - 코르크 마개: den ~ herausziehen 코르크 마개를 뽑다; einen ~ abschießen〔steigen〕 lassen 어울리지 않는 말〔짓〕을 하다.
Korken≈geld *n.* 코르크 마개 뽑는 값(가지고 간 주류를 마시는 손님에게서 받는 돈). ~**zieher** *m.* (나사 모양의) 코르크 마개 뽑기. ~**zieher·hose** *f.* 주름진〔구겨진〕 바지.
Kork≈flossen *pl.* 어망의 부표. ~**gürtel** *m.* 구명대. ~**holz** *n.* 코르크재(材).
korkig *a.* 코르크로 만든〔같은〕.
Kork≈jacke *f.* 코르크로 만든 (구명용) 상의. ~**maschine** *f.* 병에 마개를 끼우는 기계. ~**mehl** *n.* 코르크 부스러기〔쓰레기〕. ~**pfropf,** ~**pfropfen** *m.* 코르크 마개. ~**platte** *f.* 코르크판(板). ~**sohle** *f.* (구두의) 코르크창. ~**stein** *m.* 코르크를 압착한 벽돌 모양의 건축 자재. ~**stopfen,** ~**stöpsel** *m.* 코르크 마개. ~**weste** *f.* 코르크로 만든 (구명용) 조끼. ~**zieher** *m.* ↑ Korkenzieher.

~zieher·hose ↑ Korkenzieherhose.
Kormophyt [kɔrmofýːt] *m.* -en, -en 〖生〗경엽(莖葉) 식물(↔ Thallophyt).
Kormoran [kɔrmoráːn] 《lat.》 *m.* -s, -e 〖動〗가마우지.
Kormus [kɔ́rmus] *m.* - 〖生〗경엽체(莖葉體) (↔ Thallus).
***Korn** [kɔrn] 《㊀ Kern; lat. granum》《Ⅰ》 *n.* -(e)s, Körner [kœ́rnər]/(곡식의 종류) -e ① 씨(앗) 종자, 낟알. ②〔집합적〕(Getreide; ↔ Spreu) 곡식, 곡물: 빵의 원료인 곡류(대개 밀·라이보리·쌀보리):〔속담〕kein ~ ohne Spreu 흠 없는 사람은 없다. ③ 알갱이(작고 둥근 물건의 낟알)(보기: Sand≈ 모래알; Salz≈ 소금 알갱이; Hagel≈ 우박 알갱이). ④〔비유〕미소(微少)한 것: nicht um ein ~ weichen 조금도 물러서지〔비켜나지〕않다;〔속담〕viele Körner machen einen Haufen 티끌 모아 태산. ⑤ **(a)** (석재·광석·목재의) 결, 표면 상태: Marmor von feinem〔grobem〕~ 결이 고운〔거친〕대리석. **(b)** 〖화폐〗금위(金位), 은위, 품질: von richtigem Schrot und ~ 표준량〔표준 금위〕의;〔비유〕ein Mann von echtem Schrot und ~ 성실〔훌륭〕한 사람. ⑥ 〖軍〗(낟알 모양의) 가늠쇠: das ~ am Gewehrlauf 총신의 가늠쇠:〔구어〕et. aufs ~ nehmen 무엇을 비판적으로 분석하다, 논박하다; jn. aufs ~ nehmen 특정한 의도를 가지고 누구를 주시하다. ⑦ (미소한 중량 단위) ↑ Grän, Gran. ⑧ 무두질한 가죽의 오톨도톨한 쪽. ⑨〖사진〗(건판의) 입자. 《Ⅱ》 *m.* -(e)s, -〔구어〕(↑ ~branntwein) 곡식으로 만든 화주.
Korn≈acker [kɔ́rn..] *m.* 곡식 밭. **~ähre** *f.* 곡식의 이삭.
Kornak [kɔ́rnak] 《ind.》 *m.* -s, -s (인도의) 코끼리 조련사.
korn≈artig *a.* 곡식과 같은, 곡식류의; 낟알 모양의. **≈aufkauf** *m.* 곡물 매점(買占). **≈aufkäufer** *m.* 곡물 매점인. **≈ausfuhr** *f.* 곡물 수출. **~bau** *m.* 곡물 경작. **~blume** *f.* 〖植〗수레국화. **~blumen·blau** *a.* 수레국화 색의, 하늘색의;〔비유〕거나하게 취한. **≈boden** *m.* ① 곡식밭. ② 곡창. **≈börse** *f.* 곡물 거래소. **≈brand** *m.* 〖農〗흑수병(黑穗病), 깜부기. **≈brannt·wein** *m.* 곡식으로 만든 화주, 위스키.
Körnchen [kœ́rnçən] *n.* -s, -〔↑ Korn 의 축소형〕작은 낟알:〔비유〕ein ~ Salz 극히 소량의 소금; ein ~ Wahrheit 일말의 진실.
Korn·dieb *m.* 곡식 도둑.
Köndl·bauer [kœ́rndəl..] *m.* (öst.) 곡물 농사를 주로 하는 농부.
Korn·einfuhr *f.* 곡물 수입.
Kornea [kɔ́rnea] *f.* -e 〖植〗각막.
Kornel·kirche [kɔrnéːl..] 《lat.》 *f.* 〖植〗서양 산수유나무(의 열매).
Kornelle [..nɛ́lə] *f.* -n 산수유나무속(屬).
körnen [kœ́rnən] 《<Korn》《Ⅰ》 *i.* (h.) (낟)알이 되다, 열매가 열다. 《Ⅱ》 *t.* ①〖工〗낟알꼴로〔모양으로〕하다: gekörnt 낟알꼴의. ② 〖工〗Leder ~ 가죽의 표면을 까칠까칠하게 하다. ③〖사냥〗낟알로 짐승을 꾀다. 《Ⅲ》 *refl.* sich ~ (소금·설탕이) 낟알 모양이 되다. 《Ⅳ》 **gekörnt** *p.a.* ↑ gekörnt.
Korner [kɔ́rnər] 《engl., „Winkel"》 *m.* -s, - 〖商〗매점(買占) 연합.
Körner [kœ́rnər] *m.* -s, - 뚫을 곳을 표시하는 강철 송곳.
körner≈ähnlich, ~artig *a.* 낟알 모양의〔같은〕. **~fressend** *a.* 〖動〗곡식을 먹는. **≈fresser** *m.* 곡식을 먹는 새. **≈früchte** *pl.* 곡류, 곡물. **≈futter** *n.* 곡물 사료. **≈krankheit** *f.* 트라코마, 과립성(顆粒性) 결막염. **~lack** *m.* 낟알 모양의 수지(樹脂). **≈marke** *f.* 〖工〗(선반의) 중심표(標).
Korn·ernte *f.* 〖農〗곡물의 수확.
körner≈reich *a.* 낟알이 많은, 결실이 풍요로운. **≈schicht** *f.* 〖醫〗과립층(顆粒層). **~tragend** *a.* 〖植〗낟알이 있는, 낟알을 맺는.
Kornett [kɔrnɛ́t] 《it.》《Ⅰ》〔고어〕 *m.* -(e)s, -e/-s (기병) 기수(旗手). 《Ⅱ》 *n.* -(e)s, -e/-s 〖음악〗코넷(금관 악기).
Kornett·bläser *m.* 코넷 취주자.
Kornettist *m.* -en, -en ↑ Kornettbläser.
Korn≈fege [kɔ́rn..] *f.* 〖農〗(곡류의) 정선기(精選機), 곡식을 까부르는 기계, 키. **~feld** *n.* 곡식밭. **~fliege** *f.* 〖動〗누런 파리의 일종. **≈förmig** *a.* 낟알 모양의. **~früchte** *pl.* 곡류, 영과(穎果). **~garbe** *f.* 곡식단. **~gesetze** *pl.* 곡물 조례. **~grube** *f.* 〖農〗곡물 저장 구덩이. **~handel** *m.* 곡물 거래. **~händler** *m.* 곡물상. **~haus** *n.* 곡물 창고. **~maschine** *f.* ↑ ~fege.
körnig [kœ́rnɪç] *a.* ① 낟알의, 과립상의. ② 거친, 도톨도톨한: das Gestein fühlt sich ~ an 그 암석은 촉감이 거칠다.
kornisch [kɔ́rnɪʃ] *a.* (영국) 콘월(Cornwall) 지방에 관계되는.
Korn≈jahr *n.* 풍년. **~käfer** *m.* 〖動〗바구미. **~kaffee** *m.* (곡식을 볶아서 만든) 대용 커피. **~kammer** *f.* ① 곡식 창고. ② 주요 경작 지역. **~kappe** *f.* 〖軍〗가늠쇠 덮개. **~kasten** *m.* 곡식 상자. **~keller** *m.* 지하 곡식 창고. **~lade** *f.* 곡식 상자, 뒤주. **~land** *n.* ① 곡물밭. ② 곡물 재배지〔생산지〕.
Körnlein *n.* -s, - ↑ Körnchen.
kornlos *a.* 낟알이 없는.
Korn≈magazin *n.* 곡창 창고. **~mäh·maschine** *f.* 곡식을 베는 기계. **~makler, ~mäkler** *m.* 곡물 중매인. **~mangel** *m.* 곡식 부족. **~markt** *m.* 곡물 시장. **~maß** *n.* 곡식의 도량형(기). **~messer** *m.* 곡물 계량자. **~motte** *f.* 〖動〗곡식좀나방. **~-mühle** *f.* (곡물) 맷돌; 제분소. **~preis** *m.* 곡물 가격. **~pulver** *n.* 낟알 모양의 화약. **~rade** *f.* 〖植〗선옹초(독초의 일종). **≈reich** *a.* 곡식이 풍부한. **~reinigungs·maschine, ~reinigungs·rolle** *f.* 〖農·工〗곡식을 고르는〔까부르는〕기계, 키. **~ring** *m.* 〖軍〗둥근 고리 모양의 가늠쇠. **~schabe** *f.* ↑ ~motte. **~schaufel** *f.* 곡식용 삽. **~schnaps** *m.* 곡식으로 만든 화주. **~schneide·maschine** *f.* 곡식을 베는 기계. **~schober** *m.* 곡식 더미〔가리〕. **~schrot·maschine** *f.* 곡식을 찧는 기계. **~schwinge** *f.* 키. **~sieb** *n.* 체.
Körn·sieb *n.* 〖工〗화약을 거르는 체.
Korn≈speicher *m.* 곡식 창고. **~sperre** *f.* 곡물 금수 조처, 수입 금지. **~spitze** *f.* 〖軍〗가늠쇠 꼭대기. **~steuer** *f.* 곡물세. **~trocken·apparat** *m.* 곡식 건조기〔장치〕.
Körnung [kœ́rnʊŋ] *f.* ① 결, 표면 상태. ②

(설탕·금속을) 입자로 만듦, 낟알로 만듦. ③ (짐승을 유인하여 잡기 위한) 곡식알의 먹이; 먹이를 두는 장소.

Korn≈waage *f.* 곡물 저울. **~wagen** *m.* 곡물 화차. **~walze** *f.* 농경용 롤러. **~weih** *m.*, **~weihe** *f.* 〖動〗 소리개. **~wiebel** *m.* ↑ ~wurm. **~wucher** *m.* 곡물 거래에서의 폭리. **~wucherer** *m.* 곡물 모리배. **~wurm** *m.* 〖動〗 바구미, 곡식좀나방. **~zange** *f.* 작은 알을 집는 집게, 밀알 집게. **~zinn** *n.* 〖광물〗 낟알 모양의 주석. **~zoll** *m.* 곡물 관세.

Korolla [korɔ́la] 《lat.》 *f.* ..rollen 〖植〗 화관(花冠).

Korollar [korɔlá:*r*] 《lat.》 *n.* -s, -e ① 첨가, 보충. ②〖哲〗 필연적 결론.

Korollarium [..lá:rium] *n.* -s, ..rien [..riən] ↑ Korollar.

Korolle [korɔ́lə] *f.* -n ↑ Korolla.

Koromandel·holz [koromándəl..] *n.* 코로만델 지방산(產) 목재(흑단의 일종).

Korona [koró:na] 《lat.》 *f.* ..nen ①〖天〗 코로나, 광관(光冠). ②〖전기〗 전기 백열 방전(放電). ③〔비유〕 무리, 동아리, 청중.

Korona·entladung *f.* 〖전기〗 코로나 방전.

koronar [koroná:*r*] *a.* 〖醫〗 (심장) 관상(冠狀) 혈관에 관계되는.

Koronar≈infarkt *m.* ↑ Herzinfarkt. **~insuffizienz** *f.* 〖醫〗 심부전(心不全). **~sklerose** *f.* 〖醫〗 관상 혈관 경화증.

***Körper** [kœ́rpə*r*] 《<lat. corpus》 *m.* -s, - ① 몸, 신체, 육체, 몸통: ein gesunder Geist in einem gesunden ~ 건강한 신체 속에 건전한 정신; der ~ eines Schiffes 선체(船體). ②〖物·化〗 물체; 〖數〗 입체: einfacher ~ 원소; feste〔flüssige, gasförmige〕 ~ 고체〔액체, 기체〕; zusammengesetzte ~ 화합물. ③〖포도재배〗 밀도, 농도: Wein von viel ~ 진한 포도주; einer Farbe mehr ~ geben 어느 빛깔의 농도를 짙게 하다. ④ 주체, 본체. ⑤〔구식〕 단체: der gesetzgebende ~ 입법부.

Körper≈anlage *f.* 체질. **~bau** *m.* 체격. **~-beherrschung** *f.* 신체 제어, 보디 컨트롤. **~behindert** *a.* 신체 장애가 있는. **~behinderte*** *der/die* 신체 장애인. **~bemalung** *f.* 문신. **~berechnung** *f.* 〖數〗 입체 구적법(求積法), 부피 구하기. **~beschaffenheit** *f.* 체질, 체격. **~bildung** *f.* ① 보디 빌딩. ② 체격; 체육.

Körperchen [kœ́rpərçən] *n.* -s, - 〔↑ Körper 의 축소형〕 작은 몸(통); 〖物〗 작은 물체, 분자, 미립자.

körper≈eigen *a.* 〖生〗 신체 자생의: ~es Eiweiß 신체 자생 단백질. **~erziehung** *f.* 체력 단련; 〖구동독〗 체육. **~farbe** *f.* ① 몸 빛깔. ② 불투명색, 불투명 안료. **~flüssigkeit** *f.* 체액. **~fremd** *a.* 〖生〗 신체 자생이 아닌, 이물(異物)의. **~fülle** *f.* 비만, 비대. **~geruch** *m.* 체취: ein Mittel gegen ~ 체취 제거제. **~gestalt** *f.* ↑ ~bau. **~gewicht** *n.* 체중. **~größe** *f.* 몸의 크기, 키.

körperhaft *a.* 유형의, 대상의, 구체적인.

Körper≈haltung *f.* 자세, 태도. **~inhalt** *m.* 〖數〗 부피, 용적. **~kraft** *f.* 체력. **~kultur** *f.* ①〔구식〕 몸가꾸기, 신체 위생. ②〖구동독〗 체육. **~länge** *f.* 신장, 키. **~lehre** *f.* ① 인체학, 인체론, 체질론; 물체론. ②〖數〗 입체 기하학.

***körperlich** [kœ́rpərlıç] *a.* ① 몸의, 유형의, 구체적인; 물체적인, 형이하(학)의. ② 신체상의, 육체적인: ~e Vereinigung 성교; jn. ~ strafen 누구에게 체벌을 가하다; 〖法〗 ~e Strafe 체형. ③〖物〗 원자의; 〖數〗 입체적인: ~er Inhalt 부피; ~er Winkel 입체각; 〖哲〗 ~es Sehen 입체시(視); 〖理〗 ~e Ecke 다면각(角).

Körperlichkeit *f.* 유체성, 유형(有形), 구체; 육체적임; 육체성.

körperlos *a.* ① 형체 없는, 무형의; 몸이 없는: ein ~er Schatten 형체가 없는 환영(幻影). ②〖스포츠〗 몸을 쓰지 않는.

Körper≈maß *n.* 〔복수〕 용적, 용량, 체격(키와 체중). **~masse** *f.* 덩어리, 부피. **~-messung** *f.* 용적 측량; 〖醫〗 생체 계측법. **~pflege** *f.* 몸가꾸기, 신체 위생. **~reich** *a.* 농도 짙은, 진한: ein ~er Wein 진한 포도주. **~saft** *m.* 체액.

Körperschaft [kœ́rpərʃaft] *f.* -en 단체, 사회; 〖法〗 사단(社團): eine öffentliche〔politische〕 ~ 공공〔정치〕 단체; gesetzgebende ~en 입법 단체.

körperschaftlich *a.* 단체의; 〖法〗 사단〔법인〕의.

Körperschafts≈mitglied [kœ́rpərʃaft..] *n.* 단체의 회원〔일원〕. **~recht** *n.* 〖法〗 사단법. **~steuer** *f.* 〖法〗 법인세. **~vermögen** *n.* 사단 재산.

Körper≈schwäche *f.* (신체의) 허약. **~-stärke** *f.* 체력. **~stellung** *f.* 자세, 태도. **~stimmung** *f.* 체질. **~strafe** *f.* 체형(體刑). **~teil** *m.* 신체의 부분, 지체(肢體). **~-teilchen** *n.* 분자. **~temperatur** *f.* 체온. **~übung** *f.* 체조, 운동. **~verletzung** *f.* 부상; 〖法〗 신체 상해. **~wärme** *f.* 〖醫〗 체온. **~welt** *f.* 물질 세계. **~winkel** *m.* 〖數〗 입체각(角). **~wuchs** *m.* 체격; 키.

Korpora ↑ Korpus[1] 의 복수형.

Korporal [kɔrporá:l] 《lat. corporale》 *m.* -s, -e/..räle 〖軍·고어〗 하사, 분대장.

Korporalschaft *f.* -en 〔고어〕 분대; 하사의 직.

Korporalschafts·führer *m.* 〔고어〕 분대장, 하사.

Korporation [kɔrporatsió:n] 《lat.》 *f.* -en 〔교양〕 ① 단체, 조합; 〖法〗 사단 (법인). ② 대학생 조합, 학우회: einer ~ angehören 대학생 조합에 소속되다.

korporativ [..poratí:f] 《lat.》 《I》 *a.* 〔교양〕 단체를 이룬, 단체(조직)의, 단결된. 《II》 *adv.* 단체로서, 단결하여, 모두: ~ handeln 단체로 행동하다.

korporiert *a.* 〔교양〕 학우회에 속하는.

***Korps** [ko:*r*] 《frz.》 *n.* - [ko:r(s)], - [ko:rs] ① 단체; 조합: diplomatisches ~ 외교(사절)단; das ~ der Schauspieler 배우 단체. ②〖軍〗 군단, 군(軍); (부대의) 장교단. ③〔교양·학생〕 학생 조합.

Korps≈bruder, ~bursche *m.* 〔학생〕 학우회〔학생 조합〕 회원. **~geist** *m.* 단체 정신, 단결심, 계급 의식; 〖政〗 당파심. **~student** *m.* 〔교양〕 학생 조합원, 학우회 회원.

korpulent [kɔrpulɛ́nt] 《lat.》 *a.* 살찐, 비만한.

Korpulenz *f.* 비만.
Korpus[1] [kɔ́rpʊs] ⟪lat. corpus⟫ *n.* -, ..pora ①〖교양〗수집(된 자료): das der Untersuchung zugrundeliegende ~ 연구에 기초가 되는 수집 자료. ②(언어학 연구의) 기초 자료. ③〖악기〗(특히 현악기의) 몸통. ④〖출판〗(특히 법조문의) 모음집.
Korpus[2] *f.* 〖印〗 ① 10 포인트의 활자(Garmond). ② 활자축(軸), 보디.
Korpus[3] *m.* -, -se ①〖가구〗가구의 몸체. ②〔구어·농담〕신체, 몸. ③ (schweiz.) 판매대. ④ (십자가에 매달린) 그리스도상.
Korpus≈schrift *f.* ↑ Korpus[2]. **~delikti** [kɔ́r..lɪ̂kti:] *n.* 〖法〗범죄의 주체 요소(범죄의 기초가 되는 사실 또는 범죄의 대상이 되는 사물); 증거물. **~juris** *n.* 〖法〗로마 법전, 법령 전서(全書).
Korpuskel [kɔrpʊ́skəl] ⟪lat.⟫ *n.* -s, -n 〖物〗극미립자.
korpuskular [kɔrpuskulá:r] *a.* 〖物〗입자의, 원자의, 원자로 된: 〖物〗~e Strahlen 입자(방사)선.
Korpuskular≈strahlen *pl.* 〖物〗 입자(방사)선. **~theorie** *f.* 〖物〗입자설.
Korral [kɔrá:l] *m.* -s, -e 우리, 울타리, 울.
Korrasion [kɔrazió:n] *f.* -en 〖지질〗(암석의) 침식.
Korreferat [kɔreferá:t, kɔ́refera:t] ⟪lat.⟫ *n.* -(e)s, -e〔교양〕부심(副審), 보충 보고.
Korreferent [kɔ..rɛ́nt, kɔ́..rɛnt] *m.* -en, -en〔교양〕① 보충 연설자〔발표자〕. ② 부심사 위원.
korreferieren *i.* (h.)〔교양〕① 보충 보고를 하다. ② 부심사 위원직을 수행하다.
***korrekt** [kɔrɛ́kt] ⟪lat.⟫ *a.* 옳은; 정식의; 결점 없는; 정확한, 꼼꼼한.
korrekter·weise *adv.* 정확하게, 올바르게.
Korrektheit *f.* ↑ korrekt 의 명사형.
Korrektion [kɔrɛktsió:n] *f.* -en 개량, 개선, 수정; 조정; 교정; 감화 교육.
Korrektions≈anstalt *f.* 감화원. **~daumen** *m.* 〖工〗보정(補正) 캠. **~haus** *n.* ↑ ~anstalt. **~mittel** *n.* 감화〔교정〕수단.
Korrektiv [kɔrɛktí:f] *n.* -s, -e [..və] ↑ Korrektionsmittel.
korrektiv ⟪lat.⟫ *a.* 〔구식〕개량〔정정〕하는; 조정하는.
Korrektor [kɔrɛ́ktɔr, ..to:r] *m.* -s, -en [..tó:rən] 수정자, 교정자.
Korrektorat *n.* -(e)s, -e 교정〔교열〕부.
Korrektorin *f.* -nen ↑ Korrektor 의 여성형.
***Korrektur** [kɔrɛktú:r] *f.* -en ①〔교양〕정정: eine Politik einer ~ unterziehen 정책을 수정하다. ②〖印〗교정, 교열; 교정쇄(刷): ~en besorgen 교정에 종사하다, 교정을 맡아 보다. ③ 변경.
Korrektur≈abzug, ~bogen *m.*, **~fahne** *f.* 〖印〗교정쇄. **~lesen** *n.* 교정. **~vorschrift** *f.* 〖印〗교정 규칙. **~zeichen** *n.* 〖印〗교정 부호〔기호〕.
korrelat [kɔrelá:t] *a.* ↑ korrelativ.
Korrelat ⟪lat.⟫ *n.* -(e)s, -e 〖哲〗상관〔상대〕개념(보기: Leib und Seele, warm und kalt).
Korrelation [..tsió:n] *f.* -en ①〔교양〕상호 관계, 상관(성): die ~ zwischen Angebot und Nachfrage 공급과 수요의 상관 관계. ②〖數〗상관. ③〖醫〗신체 기관의 상호 작용.
korrelativ [..tí:f] *a.* 〔교양〕상관적인, 상대적인(보기: rechts und links).
Korrelativismus [..vɪ́s..] *m.* - 〖哲〗 상관설.
korrelieren [kɔrelí:rən] *i.* (h.) 상관 관계가 있다: mit et.[3] ~ 무엇과 (서로) 관련이 있다.
korrent *a.* 유통〔통용〕되는.
korrepetieren [kɔrepetí:rən] ⟪lat.⟫ *t.* 〖음악·연극〗(피아노 반주에 맞추어) 독창 부분을 연습하다.
Korrepetitor [..tí:tɔr, ..to:r] ⟪lat.⟫ *m.* -s, -en [..tó:rən] 〖음악·연극〗오페라 가수의 연습 코치.
korrespektiv [kɔrɛspɛktí:f] *a.* 〖法〗상호 조건적인, 공동의: ~es Testament (부부의) 공동 유언.
Korrespondent [kɔrɛspɔndɛ́nt] ⟪lat.⟫ *m.* -en, -en ①〔교양·구식〕펜팔의 상대자. ②〖언론〗(신문의) 통신원, 특파원. ③〖商〗통신 담당; 환 거래처.
Korrespondentin *f.* -nen ↑ Korrespondent 의 여성형.
Korrespondent·reeder *m.* 〖海〗 선박 관리인.
***Korrespondenz** [..dɛ́nts] *f.* -en ① 편지 왕래; 교환 문서; 왕래 서신, 서간(집); 신문통신: seine ~ besorgen 통신하다; eine rege ~ führen 활발한 서신 왕래를 하다; mit jm. in ~ stehen 누구와 서신 왕래를 하다. ②〖數〗대응;〔교양〕일치, 부합: mit et.[3] in ~ stehen 무엇과 일치하다.
Korrespondenz≈bureau [..byro:], **~büro** *n.* 통신사. **~karte** *f.* 우편 엽서.
korrespondieren [kɔrɛspɔndí:rən] ⟪lat.⟫ *i.* (h.) ① 편지 왕래를 하다; 통신하다, 신문 통신문을 쓰다: miteinander ~ 서로 편지 왕래를 하다. ② mit et.[3] ~ 무엇과 일치〔부합〕하다.
korrespondierend *p.a.* 〖天〗~e Höhen 동등한 높이; ein ~es Mitglied (학회 등의) 통신 회원;〖數〗~er Winkel 동위각, 엇각.
Korridor [kɔ́rido:r] ⟪it.⟫ *m.* -s, -e ①〖건축〗복도, 회랑, 통로. ②〖지리·政〗회랑(回廊) 지대: der Polnische ~ 폴란드 회랑(베르사유 조약에서 독일이 폴란드에 준 땅; 바다로의 출구로 단치히 항구가 있음).
Korridor·tür *f.* 복도문.
Korrigend [kɔrigɛ́nt] ⟪lat.⟫ *m.* -en, -en〔구식〕죄수.
Korrigenda *pl.* 〖印〗정오표(正誤表).
Korrigenden·anstalt *f.* ↑ Korrektionsanstalt.
Korrigens [kɔ́rigɛns] *n.* -, ..gentia [..gɛ́ntsia]/..gentien [..gɛ́ntsiən] 〖藥〗약에 맛을 내는 첨가제.
***korrigieren** [..gí:rən] *t.* 고치다, 바로잡다, 수정하다; 〖印〗교정하다: Druckfehler ~ 인쇄상의 오류를 바로잡다.
korrodieren [kɔrodí:rən] ⟪lat.⟫ ⟪I⟫ *t.* 깨물어 부수다; 부식〔파괴〕하다. ⟪II⟫ *i.* (s.) 부식〔파괴〕되다.
Korrosion [kɔrozió:n] *f.* -en 부식, 침식, 〖지질〗용식(溶蝕); 〖醫〗(신체 조직의) 부식.
korrosions≈beständig *a.* 부식되지 않는.

~beständigkeit *f.* 내(耐)부식성. **~fest** *a.* ↑ ~beständig. **~festigkeit** *f.* ↑ ~fest 의 명사형. **~schutz** *m.* 부식 방지(층). **~verhütend** *a.* 부식을 방지하는.

korrosiv [..zí:f] *a.* 부식성(性)의: die ~e Wirkung des Wassers 물의 부식 작용.

korrumpieren [kɔrʊmpí:rən] 《lat.》《I》*t.* (도덕적으로) 썩게 하다, 타락시키다; 뇌물을 주다, 매수하다; 개악[변조]하다: er ließ sich nicht ~ 그는 매수되지 않았다. 《II》 **korrumpiert** *p.a.* ↑ korrumpiert.

korrumpiert 《I》*p.p.* ↑ korrumpieren. 《II》*p.a.* (문서 등이) 파손된, 훼손된, 변조된; 부패한, 타락한: ~e Politiker 부패한 정치가들.

Korrumpierung *f.* -en ↑ korrumpieren 의 명사형.

korrupt [kɔrʊ́pt] *a.* 〖펌어〗 부패한; 타락한, 매수된: ein ~er Politiker 부패한 정치가.

Korruption [kɔruptsió:n] *f.* -en 〖펌어〗 부패; 타락, 매수; (원문·원고의) 변조; 불순(不純).

Korsage [kɔrzá:ʒə] *f.* -n 코르사주, 보디스, 여성복의 몸에 꼭 붙는 윗부분.

Korsak [kɔ́rzak] *m.* -s, -s 〖動〗 코르사크 여우(중앙 아시아산(產)의 담황색의 작은 여우).

Korsakow-Psychose [..kɔf..] *f.* 〖醫〗 코르사코프 정신병(기억 상실·작화증(作話症) 증상을 보임; 러시아의 의학자 S. Korsakov 의 이름에서).

Korsar [kɔrzá:r] 《lat. currere》 *m.* -en, -en ① 해적(선). ② 경기용 2인승 요트.

Korsar·schiff *n.* 해적선.

Korse [kɔ́rzə] *m.* -n, -n 코르시카 사람(나폴레옹의 별명).

Korselett [kɔrzəlɛ́t] *n.* -s, -e/-s 〖유행〗 가벼운 코르셋.

Korsett [kɔrzɛ́t] 《frz. corset》 *n.* -s, -e/-s ①〖유행〗 코르셋: 〖비유〗 ein ~ aus rechtlichen Vorschriften 법률적 규정에 따른 속박. ②〖醫〗 몸통 깁스.

Korsett·stange *f.* 코르셋의 봉.

Korsika [kɔ́rzika] 코르시카(지중해의 섬).

Korsikaner *m.* -s, - 코르시카 사람.

korsikanisch, korsisch [kɔ́rzɪʃ] *a.* 코르시카(풍·말)의.

Korso [kɔ́rzo] 《it. corso》 *m.* -s, -s ① (경)마장. ② 꽃마차 행렬; 꽃마차가 지나가는 거리. ③ 기수 없는 경마. ④ 화려한 길.

Kortege [kɔrtɛ́:ʒə] 《frz.》 *n.* -s, -s 〔구식〕 수행(원).

Kortes [kɔ́rtɛs] 《sp. <lat. curia》 *pl.* 에스파냐 및 포르투갈의 국회.

Kortex [kɔ́rtɛks] *m.* -(es), -e/..tizes [..titse:s] 〖醫·生〗 ① 피질, 피부, 외피. ② 대뇌 피질.

kortikal [kɔrtiká:l] *a.* 〖醫·生〗 피부의, (대뇌) 피질의.

Kortison [kɔrtizó:n] *n.* -s 〖생리〗 코르티손 (부신 피질 호르몬의 일종).

Korund [korʊ́nt] *m.* -(e)s, -e 〖광물〗 강옥(鋼玉): blauer ~ 사파이어; roter ~ 루비.

Korund≈feile *f.* 〖工〗 강옥(을 줄질하는) 줄. **~spitze** *f.* (송곳의) 강옥으로 된 뾰족 부분.

Körung [kǿ:rʊŋ] *f.* -en 씨말[종마(種馬)]·씨돼지[종돈(種豚)]의 검사.

Korvette [kɔrvɛ́tə] 《<frz. corbis》 *f.* -n ① 〔구식〕 돛이 3개 있는 무장 범선. ②〖軍〗 프리깃함(艦).

Korvetten·kapitän *m.* 프리깃함 함장, 해군 소령.

Korybant [korybánt] 《gr.》 *m.* -en, -en 〖신화〗 식물의 성장을 관장하는 여신 Kybele 의 사제(司祭).

korybantisch *a.* 〖교양〗 광란의; 광포한; 고삐가 풀린.

Koryphäe [koryfɛ́:ə] 《gr. koryphe》 *f.* -n 〔*m.* -n, -n〕 ① (고대 그리스극의) 합창대 지휘자[독창자]. ②〖교양〗 지도자, 우두머리; (학계·예술계의) 대가, 태두(泰斗): er ist eine ~ auf seinem Gebiet 그는 자기 분야에서는 전문가다.

Kör·zeit *f.* 종축(種畜) 선택 기간.

Kosak [kozák] 《russ.》 *m.* -en, -en 카자흐 사람[기병].

Kosaken·mütze *f.* 카자흐 모자.

kosakisch *a.* 카자흐 사람의.

Koschenille [kɔʃənɪljə] 《sp.》 *f.* -n ① 연지색소(연지벌레에서 채취한 붉은 색소), 카민, 코치닐. ②〖動〗 연지벌레.

Koschenille·laus *f.* 〖動〗 연지벌레.

koscher [kó:ʃər] 《hebr.》 *a.* (↔ treife) ① (유대교 교리에 맞는) 청정한, 깨끗한: ~es Essen (유대교 식사 규정에 맞는) 청정한 식사. ②〔구어〕 정상적인; 신뢰할 수 있는: er ist nicht ~ 그 녀석은 신용할 수가 없다.

koschern *t.* 청정[청결]하게 하다.

K.-o.-Schlag [ka:|ó:..] *m.* =Knockoutschlag 〖권투〗 케이오 펀치; 〖비유〗 결정타.

Kose·form [kó:zə..] *f.* 〖문법〗 애칭형(보기: Bubi, Mariechen).

Kosekans [kó:zekans] 《lat.》 *m.* -, - 〖數〗 코시컨트(기호: cosec).

Kosekante *f.* -n ↑ Kosekans.

***kosen** [kó:zən] 《ahd. kôsôn》《I》*i.* (h.) 귀여워하다, 애무하다, (달콤한 말로) 구애하다; 정답게[격의 없이] 이야기하다: er koste mit ihr 그는 그 여자를 애무했다; laue Winde ~ 훈훈한 바람이 살결을 어루만진다. 《II》*t.* 애무하다.

Kose≈name *m.* 애칭(보기: Fritz < Friedrich, Lisa < Elisabeth). **~wort** *n.* 친밀함을 나타내는 말, 애무[사랑]의 말: sie flüsterte ihm ~e ins Ohr 그 여자는 그의 귀에 사랑의 말을 속삭였다.

K.-o.-Sieger *m.* 〖권투〗 케이오 승자.

kosig [kó:zɪç] *a.* 귀여워하는, 애무하는; 친밀한; 기분 좋은.

Kosinus [kó:zinus] 《lat.》 *m.* -, -(se) 〖數〗 코사인(기호: cos).

***Kosmetik** [kɔsmé:tɪk] 《gr. kosmein》 *f.* -en ① 미용법, 화장술: ~ betreiben 화장하다. ② 조작, 미화.

Kosmetiker [kɔsmé:tikər] *m.* -s, - ① 화장품 제조[실험] 기사; 미용사. ②〔은페〕 (신문 광고 등에서) 남창.

Kosmetikerin *f.* -nen ↑ Kosmetiker 의 여성형.

Kosmetik≈industrie *f.* 화장품[미용] 산업. **~salon** *m.* 미용실. **~tasche** *f.* 화장품 가방.

Kosmetikum *n.* -s, ..ka 화장품.

kosmetisch *a.* ① 미용법의, 화장용의: ein ~es Mittel 화장품; ~e Operation 미용[성

형] 수술. ② 미봉책의, 겉치레의: ~e Maßnahmen der Regierung 정부의 미봉책들.

*kosmisch [kɔ́smɪʃ] 《gr.; <Kosmos》 a. ① (↔ irdisch) 우주(론)의; 〖天〗 해와 더불어 뜨고지는: 〖理〗 ~er Magnetismus 우주 자기(磁氣); ~er Staub 우주진(塵); ~e Strahlen 우주선(線); ~e Wolken 우주운(雲). ② (↔ chaotisch) 전체로서 질서가 있는, 조화로운.

kosmo.. 《gr. kosmos》 pref. "우주(의)"의 뜻.

Kosmobiologie f. 우주 생물학.

Kosmodrom [..dró:m] n. -s, -e (구소련의) 우주선 발사 기지.

Kosmogonie [kɔsmogoní:] 《gr.》 f. -n [..ní:ən] 〖哲〗 ① 우주 개벽설. ② 우주 진화론.

kosmogonisch a. 우주 진화론.

Kosmograph m. -en, -en 우주 학자.

Kosmographie f. -n [..fí:ən] 〖구식〗 ① 우주 형상지(形狀誌), 천지학. ② 〖중세〗 지리학.

kosmographisch a. 천지학[우주 형상지]의.

Kosmologe [..ló:gə] m. -n, -n 우주 학자.

Kosmologie [..logí:] f. -n [..gí:ən] 우주론, 세계 형질론.

kosmologisch a. 우주론의.

Kosmonaut [..náut] m. -en, -en 우주 비행사.

Kosmonautik f. 우주 비행학(Astronautik).

Kosmonautin f. -nen ↑ Kosmonaut 의 여성형.

Kosmopolit [..polí:t] m. -en, -en 〖교양〗 ① 세계 시민, 코스모폴리턴. ② 〖動·植〗 전세계에 분포되어 있는 동식물.

kosmopolitisch a. 〖교양〗 (↔ national) 세계주의의, 사해 동포적인; 〖動·植〗 전세계에 분포되어 있는.

Kosmopolitismus m. - 〖교양〗 세계주의, 사해 동포주의, 코스모폴리턴 기질.

*Kosmos [kɔ́smɔs] 《gr.》 m. - 〖교양〗 (질서 있는) 세계, 우주; 세계 질서.

Kosmotheismus [kosmoteɪ́smus] m. - 〖哲〗 범신론, 만유신교(萬有神敎); 다신(多神) 숭배.

Kosmotron [kɔ́smotro:n] n. -s, -e/-s 〖핵물리〗 코스모트론(입자 가속 장치).

Kossat [kɔsá:t] 《ndd.》 m. -en, -en ↑ Kossäte.

Kossäte [kɔsɛ́:tə] m. -n, -n (ndd.) 소농, 소작인, 품팔이 농군.

*Kost [kɔst] f. ① 음식(물), 식료품: knappe [kärgliche, magere, schmale] ~ 불충분한 식사; gewöhnliche[tägliche] ~ 일상의 식사; kräftige ~ 영양이 풍부한 음식; ein Liebhaber guter ~ sein 식도락가다; 〖비유〗 das ist leichte[schwere] ~ 그것은 이해하기 쉬운[어려운] 것이다; jn. auf knappe[schmale] ~ setzen 누구에게 음식을 적게 주다[먹게 하다]; 〖비유〗 die geistige ~ 정신[마음]의 양식. ② 식사; 하숙: ~ und Logis[Wohnung] 식사 제공 하숙; freie ~ haben 식사를 무료로 제공받다, 얻어먹다; jn. in (die) ~ geben [nehmen] 누구를 하숙시키다; sich in (die) ~ geben 하숙하다; bei jm. in ~ sein 누구의 집에 하숙하다. ③ 〖經〗 생산비. ④ 〖商〗 Wertpapiere in ~ nehmen 증권을 담보로 단기 대부를 하다. ⑤ (ndd.) (a) 좋아하는 음식. (b) 혼례, 결혼식.

kostal [kɔstá:l] a. 〖醫〗 갈비뼈의, 늑골의.

Kostalgie f. -n [..gí:ən] 〖醫〗 늑간(肋間) 신경통.

*kostbar [kɔ́stba:r] a. ① 비싼; 사치스러운; 화려한: ~e Teppiche 값비싼 양탄자. ② 귀중한, 훌륭한; 드문; 멋을 부린, 정교한: ein ~er Einfall 묘안; 〖구어〗 sich ~ machen a) 자주 나타나지 않다, 비싸게 굴다, b) (몸가짐을) 의젓하게 하다.

Kostbarkeit f. -en ① 값(어치), 가치: ein Schmuckstück von großer ~ 대단히 비싼 보석. ② 〖복수〗 귀중품, 보석류, 귀금속류.

Kost·beere f. 〖植〗 까치밥나무의 열매.

*kosten[1] [kɔ́stən] t. ① 맛보다, 시식[시음]하다: koste einmal die Soße! 자, 소스의 맛을 보십시오! ② 〖비유·雅語〗 맛보다, 경험하다: er hat die Freuden des Lebens reichlich gekostet 그는 인생의 기쁨을 충분히 맛보았다; Gefahr[Prügel] zu ~ bekommen 위험을 당하다[매를 맞다].

*kosten[2] 《<lat. constare》 《I》 i. (h.) 값이 얼마이다: es kostet viel 그것은 비싸다; was [wieviel] kostet das? 그것은 얼마입니까?; koste es [es koste], was es wolle 무슨 일이 있어도: ich tue es doch, koste es, was es wolle! 돈이 얼마가 들든[어떠한 희생을 치르더라도] 나는 그것을 한다. 《II》 t. (비용·노력을) 필요로 하다, 요구하다: 〖구어〗 das kostet nicht die Welt 그것은 크게[엄청나게] 비싸지는 않다; 〖구어〗 sich[3/4] et. etwas ~ lassen 무엇에 적지 않은 돈을 지출하다; ich lasse mir [mich] meinen Geburtstag etwas ~ 나는 내 생일에 상당한 돈을 쓴다; es kostet ihm[ihn] sein Leben 그것은 그의 목숨[사활]에 관계된다; 〖다음에 금액을 말할 때는 mir 는 쓰지 못함〗 es kostete mich 5 Mark 나는 그것에 5 마르크 들었다; jm.[jn.] den Kopf[Hals] ~ 누구의 목숨에 관계되다, 파멸을 초래하다; das kostet Zeit 그것은 시간이 걸린다; es kostet ihn[ihm] nur ein Wort, und ich tue ihm den Gefallen 그가 한 마디만 한다면 나는 그에게 호의를 베풀겠다.

*Kosten [kɔ́stən] 《⇨ kosten[2]》 pl. 값; 비용, 경비; 손실; 희생: ohne ~ 무료로; auf meine ~ a) 내가 비용을 치르고, b) 나를 이용하여; nach Abzug der ~ 비용을 공제하여; das geht auf meine ~ 이 비용은 내가 계산한다; auf ~ seiner Ehre 그의 명예를 희생하고; auf eigene[öffentliche] ~ 자비로[공금으로]; auf js. ~ leben 누구의 식객이다; die ~ tragen 비용을 부담하다; die ~ decken 비용을 충당하다; auf seine ~ kommen 이득을 보다, 만족을 얻다; die ~ herausschlagen 비용을 회수하다; das geht auf ~ der Gesundheit 그것은 건강에 해롭다; die ~ der Unterhaltung allein tragen 이야기를 혼자서 도맡다; jm. große ~ machen 누구에게 큰 돈을 쓰게 하다; sich[3] ~ machen 돈을 쓰다.

Kosten≈ansatz m. 〖法〗 (소송) 비용의 책정. ~anschlag m. 〖經〗 ↑ ~voranschlag. ~aufwand m. 〖經〗 지출, 경비. ~berechnung f. 〖經〗 비용 계산. ~dämpfung f. 〖經〗 원가[비용] 절감: gesetzliche Maßnahmen zur ~ 비용 절감을 위한 법률적 조처. ~deckend a. 〖經〗 적정 가격의: ~e Beiträge 적정 분담금. **~entwicklung** *f.* 〖經〗 비용 상승. **~ersatz** *m.*, **~erstattung** *f.* 〖經〗 비용의 변제. **~explosion** *f.* 비용의 폭발적 상승. **~faktor** *m.* 〖經〗 비용〔경비〕 상승 요인. **≈fällig** *a.* ↑ ≈pflichtig. **~fest·setzung** *f.* 〖法〗 비용 사정(査定). **~frage** *f.* 경비 문제. **≈frei** *a.* ↑ kostenlos. **≈günstig** *a.* 〖經〗 비용이 적게 드는. **≈intensiv** *a.* 〖經〗 비용이 많이 드는.

kostenlos *a.* 무료의, 무상의: jn. ~ halten 누구에게 비용을 부담지우지 않다.

Kosten≈miete *f.* 〖法〗 (임대 주택의 손료가 포함된) 사용 임대료. **≈neutral** *a.* 〖經〗 추가 비용이 없는. **~-Nutzen-Analyse** *f.* 〖經〗 (공공 투자에서) 비용과 이익 관계 분석. **≈-pflichtig** *a.* 〖法〗 소송 비용 지급 의무가 있는. **~preis** *m.* 〖經〗 원가, 구입 가격: unter dem ~ 원가 이하로. **~punkt** *m.* 〔구어〕 (지급해야 할) 가격, 비용. **~rechnung** *f.* 경비 계산〔청구서〕. **~senkung** *f.* 〖經〗 비용 절감. **≈sparend** *a.* 〖經〗 비용을 절약하는. **~steigerung** *f.* 〖經〗 경비 증가〔상승〕. **~überschlag** *m.* 비용 견적. **~verzeichnis** *n.* 경비 목록. **~voranschlag** *m.* 비용 견적. **~-vorschuß** *m.* 경비〔대금〕 선불.

Koster 《<kosten[1]》 *m.* -s, - 맛보는 사람, 시식자, (술 등의) 감정사.

Kost≈frau *f.* 하숙집의 주부. **≈frei** *a.* 무료로 식사를 제공하는: jn. ~ halten 누구에게 무료로 식사를 제공하다. **~gänger** *m.* 하숙인. **~geber** *m.* 하숙집 주인. **~geld** *n.* 식비; 수당. **≈geschäft** *n.* 〖商〗 연기 거래, 매매주(株) 인수 인도 유예. **≈halter** *m.* 〔구식〕 하숙집 주인. **~haus** *n.* 〔원뜻〕 하숙집. **~herr** *m.* ↑ ~halter. **~kind** *n.*, **~knabe** *m.* 수양아들〔딸〕, 피(被)후견인.

***köstlich** [kœ́stlıç] 《<kosten[1]》 《I》 *a.* ① 맛좋은, 향기로운: ein ~es Essen 맛 좋은 식사. ② 〔구식〕 귀중한, 값비싼; 훌륭한, 멋진. ③ 〔비유〕 유쾌한, 기뻐할 만한, 근사한: er hat einen ~en Humor〔Einfall〕 그는 해학〔착상〕이 멋지다. 《II》 *adv.* 매우 (잘): ich habe ~ geschlafen 나는 푹〔달게〕 잤다.

Köstlichkeit *f.* -en ① 〔雅語〕 값비쌈, 훌륭함: die ~ eines Mahls 훌륭한 식사. ② 멋진 것: eine musikalische ~ 훌륭한 음악.

Kost≈probe 《<kosten[1]》 *f.* 시음, 시식(물): 〔비유〕 eine ~ seines Könnens 그의 능력을 보여주는 작은 예; eine flüchtige ~ 겉핥기의 〔천박한〕 지식. **~schule** *f.* 기숙 학교. **~-schüler** *m.* 기숙 학교 학생. **≈spielig** *a.* 돈〔비용〕이 드는, 값비싼, 사치스러운: ein ~es Vergnügen 사치스러운 오락. **~spieligkeit** *f.* ↑ ~spielig 의 명사형.

Kostüm [kɔstýːm] 《it. -frz.》 *n.* -s, -e 옷(차림), 복장, 의상; 여성복; 가장(假裝): mittelalterliche ~e 중세 의상; ein nationales ~ 민속 의상; im ~ eines Clowns 어릿광대의 복장을 하고; ein vollständiges ~ (여성의) 정장.

Kostüm≈ball *m.* 가장 무도회. **~bildner** *m.* 〖영화·연극〗 무대 의상 디자이너. **~bildnerin** *f.* ↑ ~bildner 의 여성형. **~fest** *n.* 가장 무도회. **~fundus** *m.* 무대 장치, 소도구.

kostümieren 《I》 *t.* ① 〔구어·폄어〕 (어울리지 않게) 의상을 입히다. ② 가장(假裝)시키다. 《II》 *refl.* sich ~ 의상을 입다; 가장하다: sich als Clown ~ 어릿광대로 가장하다.

Kostümierung *f.* -en 옷차림, 의상, 복장.

Kostüm≈kunde *f.* 의상학(사(史)). **~probe** *f.* 〖연극〗 (정식으로 의상을 갖추고 하는) 총연습. **~verleih** *m.* 의상 대여업〔점〕.

Kost·verächter *m.* 식성이 까다로운 사람: 〔구어·농담〕 kein ~ sein a) 무엇이든 먹다, b) 상대(여자)를 가리지 않다, 호색이다.

K.-o.-System [kaːǀóː..] *n.* 〖스포츠〗 케이오 제도.

***Kot**[1] [koːt] 《ahd. quât》 *m.* -(e)s ① 오물, 때. ② 진흙, 진창, 흙탕물: flüssiger ~ 진창; schleimiger ~ 진흙; jn. mit ~ bespritzen 누구에게 흙탕물을 튀기다; 〔비유·雅語〕 jn. 〔et.〕 mit ~ besudeln〔bewerfen〕 누구를〔무엇을〕 몹시 모욕〔비방〕하다; im ~ stecken 〔bleiben〕 a) 진창에 빠지다, b) 움직일 수 없게 되다; jn. in〔durch〕 den ~ ziehen 누구를 깎아내리다, 모욕하다. ③ **(a)** 똥, 오줌, 배설물; 비료: ~ ausscheiden 똥을 누다. **(b)** 〔비유〕 더러운 것: jn. aus dem ~ ziehen 누구를 수렁〔빈궁〕에서 건져내다; 〔속담〕 wer ~ angreift, besudelt sich 더러운 것을 만지면 더러워지게 마련이다(근묵자흑(近墨者黑)).

Kot[2] 《ndd.》 *n.* -(e)s, -e ① 오두막집, 작은 집, 농가. ② 제염소(製塩所)의 이익 배당.

Kot≈abfuhr *f.* 〖醫〗 똥 청소; 하수도 청소. **~-abgang** *m.* 변통(便通). **~absatz** *m.* (동물의) 배변(排便).

Kotangens [kóːtaŋɡɛns] 《lat.》 *m.* -, - 〖數〗 코탄젠트(기호: ctg).

Kotangente [kóːtaŋɡɛntə] *f.* -n ↑ Kotangens.

kot·artig *a.* 진흙과 같은; 똥과 같은.

Kotau [kotáu] 《chin.》 *m.* -s, -s ① (중국식으로) 머리를 조아림, 고두(叩頭). ② 〔비유〕 아부, 추종, 비굴: vor jm. den〔einen, seinen〕 ~ machen 누구에게 굽실거리다.

kot≈ausführend *a.*, **~ausleerend** *a.* 〖醫〗 하제(下劑)의. **≈beschwerde** *f.* 배변 곤란. **≈blech** *m.* 〔드물게〕 ↑ ~flügel. **≈bröckel** *pl.* 된똥.

Kote[1] [kóːtə] 《ndd.》 *f.* -n ↑ Kot[2] ①.

Kote[2] 《frz.》 *f.* -n 〖지리〗 (지형도의) 고도 표시.

Kote[3] *f.* -n 〖인종〗 꼭대기가 뚫린 원뿔꼴 텐트.

Köte[1] [køːtə] *f.* -n ① (ostmd.) 장, 속옷 넣는 장. ② (md.) ↑ Kot[2] ①.

Köte[2] *f.* -n (소나 말 같은 발굽 동물의) 발목 관절.

Kötel *m.* -s, - 〔↑ Kot[1] 의 축소형〕 〔방언〕 (쥐·양·염소의) 똥.

Kotelett [kotəlɛ́t, kɔ..] 《frz. côtelette》 *n.* -s, -s/(드물게) -e (송아지·양·돼지의) 갈비 고기, 커틀릿.

Koteletten [..lɛ́tən] *pl.* 구레나룻: ~ tragen 구레나룻을 기르다.

Kötener *m.* -s, - ↑ Kötner.

Köten≈gelenk [kǿːtən..] *n.* ↑ Köte[2]. **~haar** *n.* 말발굽의 뒤쪽에 위 난 털.

Koten·tafel [kóːtən..] *f.* 〖제도·측량〗 고도(高度)표.

Köter [kǿːtər] *m.* -s, - ① 집 지키는 개; 짖는 개; 〔폄어〕 들개. ② 삼빗(삼을 풀어내는 도구). ③ 〖農〗 (ndd.) 써레. ④ 소농, 소작인.

Kot·erbrechen *n.* 〖醫〗 토분증(吐糞症).
Köterei *f.* -en (ndd.) 작은 농가.
Koterie [ko:tərí:] 《frz. coterie》 *f.* -n [..rí:ən] 〔구식〕 도당, 당파; 〔폄어〕 패거리.
Kot≈essen *n.* 〖醫〗 식분(食糞). **~fliege** *f.* 〖動〗 똥파리. **~flügel** *m.* (마차·자동차) 흙받기. **≗fressend** *a.* 〖生〗 똥을 먹는. **~fresser** *m.* 똥을 먹고 자라는 생물. **~grube** *f.* 똥구덩이; 하수구. **~hahn** *m.* 〖動〗 오디새.
Kothurn [kotúrn] 《gr.》 *m.* -s, -e 〖연극〗 (고대 그리스의 비극 배우가 키를 크게 보이려고 신은) 창이 두꺼운 반장화; 〔비유〕 비장한 말투; 비극: 〔교양〕 im ~ 〔auf hohem ~〕 (einher) schreiten〔gehen〕 장중하게 말하다.
kothurn·artig, kothurnhaft *a.* 장중한, 거드름부리는, 대단한 척하는.
kotieren [kotí:rən] 《frz.; <cote》 *t.* 《I》 ① (표준) 시세를 정하다. ② 가격을 붙이다. ③ 번호를 붙이다. ④ 〖증권〗 상장(上場)하다. ⑤ 〖지리〗 고도를 측량하다. 《II》 **kotiert** *p.a.* ↑ kotiert.
kotiert 《I》 *p.p.* ↑ kotieren. 《II》 *p.a.* 가격이 정해진, 상장된.
Kotierung *f.* -en ↑ kotieren 의 명사형.
kotig [kó:tıç] 《<Kot[1]》 *a.* 더러운; 진흙투성이의; 똥묻은; 〖醫〗 분상(糞狀)의: 〔비속〕 ein ~er Bube a) 하수구 청소인, b) 부랑아.
Kotillon [kɔ́tıljɔ̃, (öst.) kɔtijɔ̃́:] 《frz.》 *m.* -s, -s 코티용(무도회를 끝맺음하는 군무).
Kot≈jauche *f.* 똥물, 똥거름. **~käfer** *m.* 〖動〗 쇠똥구리. **~klümpchen** *n.* 진흙〔똥〕덩이. **~knecht** *m.* 제염소 인부. **~lache** *f.* 진창, 흙탕물 웅덩이. **~leder** *n.* 흙받기 가죽. **~leute** *pl.* ↑ ~knecht.
Kötner [kǿ:tnər] *m.* -s, - (Kossat) 소농, 소작농, 품팔이꾼.
Koto *n.* -s, -s 〔*f.* -s〕 〖악기〗 가도(현이 13 개인 일본의 현악기).
Koton [kotɔ̃́:] 《ar. koton》 *m.* -s, -s 〖섬유〗 솜, 무명(실).
kotonisieren *t.* 〖섬유〗 솜〔무명실〕 모양으로 가공하다.
Kotonisierung *f.* -en ↑ kotonisieren 의 명사형.
Kot≈saß, ~sasse (ndd.) *m.* 소(작)농, 품팔이꾼.
Kotschin≈china [kɔtʃınçí:na] *n.* 〖지리〗 코친차이나(베트남의 한 지방). **~china·huhn** *n.* 〖動〗 코친차이나산(產)의 닭.
Kot≈schützer *m.* ↑ ~flügel. **~stein** *m.* 〖병리〗 화석분(糞), 분석(糞石), 장결석.
Kotten [kɔ́tən] *m.* -s, - (ndd.) ↑ Kate.
Kotter [kɔ́tər] *m.* -s, - ① (ndd.) ↑ Kate. ② 〔드물게〕 개집. ③ (öst.) 감금; 감옥.
Kötter [kœ́tər] *m.* -s, - (ndd.) ↑ Kötner.
kottisch [kɔ́tıʃ] *a.* die ≗en Alpen 프랑스 국경 알프스.
Kotyledone [kotyledó:nə] 《gr.》 *f.* -n ① 〖植〗 떡잎. ② 〖生·醫〗 배피(胚皮) 융모.
Kotz [kɔts] 《<kotzen》 *m.* -es 〔비속·은어〕 지루〔따분〕한 일, 싫은 일: so ein ~! 어쩌면 그토록 싫을까!
kotz *int.* 〔구어〕 맹세코, 정말이지, 저런, 어럽쇼.
Kotz·brocken *m.* 〔비속〕 역겨운 놈.
Kotze[1] [kɔ́tsə] 《ahd. kozzo》 *f.* -n ① (südd., öst.) 거친 모포. ② 알프스 지방의 비옷, 망토.
Kotze[2] *f.* 〔비속〕 토한 것, 구역질: die ~ kriegen 구역질나다.
Kötze [kœ́tsə] *f.* -n (md.) 등에 메는 광주리.
kotzen [kɔ́tsən] *i.* (h.) 〔비속〕 토하다, 구역질하다: wie ein Reiher ~ 몹시 구토하다; zum ≗ 역겨운, 지긋지긋한, 불쾌한; das (große) ≗ kriegen〔bekommen〕 욕지기나다, (매우) 역겹다; der Motor kotzt 모터의 상태가 이상하다; die Feder kotzt 펜이 긁혀서 잉크를 튀기다; 〔비유·비속〕 das ist gekotzt wie geschissen 그것은 아무래도 좋다〔마찬가지다〕.
Kotzen *m.* -s, - (südd., öst.) ↑ Kotze[1].
kotzen·grob *a.* (südd., öst.) 매우 거친.
Kötzer [kœ́tsər] *m.* -s, - 〖섬유〗 방추(紡錘) 모양의 실꾸리.
kotzerig [kɔ́tsərıç] 《<Kotze[2]》 *a.* ↑ kotzig.
kotzig *a.* 〔비속〕 구역질나는, 아니꼬운: mir ist ganz ~ 나는 몹시 구역질이 난다; ich finde dein Verhalten ~ 네 태도는 구역질이 난다.
kotz≈jämmerlich *a.* 〔비속〕 매우 비참한, 딱한: mir ist ~ (zumute) 나는 기분이 매우 비참하다. **~langweilig** *a.* 〔비속〕 매우 지루한. **~übel** *a.* 〔비속〕 매우 불쾌한〔메스꺼운〕: mir ist ~ 나는 속이 메스껍다.
Kovarianz *f.* -en 〖物·數〗 공변식(共變式).
Kovarianz·phänomen *n.* 〖心〗 환경의 변화에 따라 빛깔·명암·형태·크기가 다르게 느껴지는 현상.
Koxalgie [kɔksalgí:] 《lat. -gr.》 *f.* ..gien [..gí:ən] 〖醫〗 ① 요통. ② ↑ Koxitis.
Koxitis [kɔksí:tıs] 《lat. -gr.》 *f.* ..tiden [..tí:dən] 대퇴(大腿) 관절염.
Kozytus [kotsý:tus] 《gr.》 *m.* - 〖신화〗 저승의 강 이름, 삼도천(三途川).
kp [kilopɔ́nt] =Kilopond 〖物〗 킬로파운드.
KPD [ka:pe:dé:] =Kommunistische Partei Deutschlands 독일 공산당.
kpm [kilopɔntmé:tər] =Kilopondmeter 〖物〗 킬로파운드미터(에너지 단위).
Kr 〖化〗 =Krypton 크립톤.
Kr. =Krone 크로네(10 마르크 화폐).
kr. =Kreuzer 크로이처(옛 독일의 화폐).
Kraal *m./n.* -s, -e 〖인종〗 ↑ Kral.
Krabat [krabá:t] *m.* -en, -en, **Krabate** *m.* -n, -n, **Krabauter** *m.* -s, - (nordd.) ① 농부, 촌놈; 무엄〔무지〕한 사람. ② ↑ Krabbe ②.
Krabbe [krábə] *f.* -n ① 〖動〗 게; 〔구어〕 새우. ② 〔구어·농담〕 장난꾸러기, 꼬마; 어린 아이〔계집애〕: das Mädchen ist eine muntere ~ 이 소녀는 아주 발랄한 아이다. ③ 〖건축〗 (고딕 건축의) 박공에 해 놓은 꽃무늬의 석조 장식.
Krabbel·alter *n.* 기어다니는 나이: ein Kind im ~ 기어다니는 나이의 아이.
Krabbelei *f.* 〔구어〕 버둥거리기, 기어다니기.
krabbelig *a.* ↑ krabblig.
Krabbel·kind *n.* 〔구어〕 기어다니는 아이, 유아.
krabbeln [krábəln] 《ndd.》 《I》 *i.* (h.) ① 버둥거리다, 굼틀거리다, 기어다니다. ② 근질근질하다, 가렵다: es krabbelt mir im Halse 나는 목이 가렵다. 《II》 *t.* 간지럽히다, 긁다: jn.

an der Nase ~ 누구의 코를 간질이다;〖비유〗 er krabbelte ihr leise hinterm Ohr 그는 그 여자의 비위를 맞추었다.

Krabbeln *n.* -s ↑ krabbeln 의 명사형.

krabben [krábən] *t.* 〖섬유〗 (직물을) 열탕 처리하여 펴다.

krabben=artig *a.* 〖動〗 게와 같은, 게 종류의: sich ~ fortbewegen 게처럼 기어서 이동하다. **~fang** *m.* 게잡이. **~fänger** *m.* ① 게잡이 어부. ② 게 잡이 배. **~fischer** *m.* 게잡이 어부. **~kutter** *m.* 게 잡는 소형 배. **~schere** *f.* 게의 집게. **~spinne** *f.* 〖動〗 게처럼 옆으로 기는 거미. **~stube** *f.* 유아원. **~taucher** *m.* 〖動〗 바다쇠오리의 일종.

krabblig [kráblıç] *a.* 〖구어〗 ① 생기 있는, 발랄한. ② 간지럼타는. ③ 가려운, 껄끄러운.

krach [krax] *int.* 〖의성어〗 뎅그렁, 뚝뚝, 우지끈, 딱, 쿵(물건이 부서지는〔깨지는〕 소리).

Krach *m.* -(e)s, -e/-s/(구어) Kräche ① (**a**) 탁〔쿵·꽝〕하는 소리; 시끄러운 소리, 폭음: ~ eines Gewehrs 총소리; mit Ach und ~ 고생 고생하여, 간신히; mit einem lauten ~ stürzen 쿵 소리를 내며 쓰러지다. (**b**) 와지직하고 갈라짐, 쿵하고 떨어짐. ②〖구어〗 소란; (말) 다툼, 싸움; (Schelte) 꾸지람, 잔소리: ~ machen〔schlagen〕 떠들어대다, 큰소리로 항의하다; es kam zum ~ 마침내 싸움이 벌어졌다; ~ mit jm. haben 누구와 다투다; zwischen uns hat es einen ~ gesetzt 우리들 사이에 금이 가게 되었다. ③ (obd.) (갈라진) 틈, 금: die Schüssel hat einen ~ 이 사발은 금이 가 있다. ④〖商·구어〗 도산, 파산, 공황, 폭락: an der Börse gab es einen großen ~ 거래소에서 시세의 대폭락이 있었다.

Krache *f.* (schweiz.) 바위의 좁은 사이, 협곡.

krächelig *a.* (schweiz.) 노쇠한.

***krachen** [kráxən] 《I》 *i.* ① (h.) (장작불·총소리 등이) 탁〔땅·쾅·짝·우지끈〕 소리나다; (천둥이) 우르르 쾅 울리다: eine Tür ~ lassen 문을 탕하고 닫다; 〖비유〗 der Winter brachte ~de Kälte 겨울은 혹한을 몰고 왔다. ② (s.) 〖구어〗 뚝 부러지다, 펵석〔우지직〕 부서지다〔쪼개지다〕; (자동차가) 충돌하다: der Ast krachte entzwei 나뭇가지가 두 토막으로 〔뚝〕 꺾였다; 〖비유〗 ~ gehen (멸)망하다. ③ (s.) 〖商〗 파산하다. 《II》 *t.* (딱딱한 것을) 부러뜨리다, 쪼개다, 빠개다; 쾅 내던지다. 《III》 *refl.* 〖비유〗 sich mit jm. ~ 누구와 다투다.

Kracher *m.* -s, - ① 〖경박·대개 펌어〗 노쇠한 노인; 신음하는〔끙끙거리는〕 사람. ② (obd.) 천둥. ③ 폭죽: am Silvester haben wir viele ~ losgelassen 섣달 그믐날에 우리들은 많은 폭죽을 터뜨렸다.

Kracherl *n.* -s, -(n) (südd., öst.) (탄산) 레모네이드.

krachig *a.* 〖방언〗 싱싱한, 파삭파삭한: schöner ~er Salat 훌륭하고 싱싱한 샐러드.

Krach=lederne* [kráx..] *die* (südd.) 가죽 반바지. **~mandel** *f.* (obd.) 껍질이 붙은 편도. **~porzellan** *n.* 잔금이 생기게 구운 (중국) 도자기. **~zeit** *f.* 〖商〗 공황 시대.

krächzen [krέçtsən] 《<krach》 *i.* (h.) (까마귀·개구리가) 까옥까옥〔개골개골〕 울다; 〖구어〗 헐떡헐떡〔그르렁그르렁〕 숨쉬다, 쉰 목소리로 말하다; 끙끙거리다: 〖비유〗 er ist erkältet und kann nur noch ~ 그는 감기가 들어 쉰 목소리만 낼 수 있다; ein Grammophon krächzt 축음기가 찍찍 소리를 낸다.

Krächzer [krέçtsər] *m.* 〖구어〗 ① 쉰 목소리. ② 목소리가 쉰 사람.

Krack [krak] *n.* -(e)s, -e, **Kracke** [krákə] 《nordd.》 ① 쓸모없는〔노쇠한〕 말. ② 〖펌어〗 장난꾸러기, 선머슴. ③ 낡아빠진 집. ④ 〖植〗 누에콩속(屬).

kracken [krákən, krǽk..] 《engl. crack》 *t.* 〖化〗 분해 증류하다, 분류(分溜)하다.

Kräcker [krέkər] *m.* -s, - 크래커.

Krackung *f.* -en 〖化〗 분해 증류.

Krack·verfahren *n.* 〖化〗 분해 증류법.

Krad [kra:t] *n.* -(e)s, Kräder [krέ:dər] 〖軍〗 ↑ Kraftrad 의 약칭.

Krad=fahrer *m.* 오토바이 운전자. **~melder** *m.* 〖軍〗 오토바이 전령병. **~schütze** *m.* 〖軍〗 오토바이를 탄 저격병.

***Kraft** [kraft] *f.* Kräfte ① 힘, 능력; 체력, 정신력, 의지력, 기력, 세력; 역량, 근력; 〖軍〗 병력; 〖복수〗 군대, 부대; 〖工〗 동력, 공률(工率); 〖物〗 에너지: bewegende〔treibende〕 ~ 동력; elektrische〔magnetische〕 ~ 전력〔자기력(磁氣力)〕; militärische ~ 군사력; 〖物〗 das Gesetz der Kräfte 힘의 법칙; die Kräfte der Natur 자연력; die ~ des Geistes 정신력; die ~ der Stimme 음량, 성량; 〖數〗 Parallelogramm der Kräfte 힘의 평행 4변형; die ~ versagt 힘이 나지 않다; alle Kräfte für et. anstrengen〔aufbieten〕 무엇을 위해 전력을 기울이다; die ~ haben, et. zu tun 무엇을 할 능력이 있다; er hat Kräfte zuzusetzen 그는 여력이 있다; jm. ~ verleihen 누구에게 힘을 보태다, 누구의 일을 촉진시키다; 〖구어〗 keine ~ mehr in den Knochen haben 힘이 하나도 없다; **an** Kräften abnehmen (체력이) 줄어들다; es fehlt ihm an nachhaltiger ~ 그는 끈기가 없다; **aus** allen〔vollen〕 Kräften 〔mit aller ~〕 온 힘을 다하여; aus eigener ~ 혼자 힘으로; **bei** Kräften sein 원기가 좋다, 튼튼하다; 〖고어〗 **durch** ~ der Wunder 기적적으로; es steht nicht **in** meinen Kräften 그것은 내 능력 밖의 일이다; was 〔so weit es〕 in meinen Kräften steht 내 힘이 미치는 한; **mit** vereinten Kräften 일치 단결하여; mit letzter ~ 마지막 힘을 다해; mit voller〔halber〕 ~ fahren 전속력〔저속〕으로 항해하다〔몰다〕; **nach** (besten) Kräften 힘닿는 대로; **über** seine Kräfte arbeiten 능력이상으로 일하다; das geht über meine ~ 그것은 내 능력 밖이다; **ohne** ~ und Saft a) 아무 맛도 없는, b) 활기가 전혀 없는; **von** Kräften kommen 힘을 잃다, 기운이 빠지다; (wieder) **zu** Kräften kommen 〔neue Kräfte sammeln〕 원기를 회복하다. ② 효과, 작용; 〖法〗 효력: et. **außer** ~ setzen 무엇을 무효로 하다, 폐기하다; außer ~ sein〔treten〕 무효이다〔효력을 잃다〕; **in** (voller) ~ sein (완전한) 효력이 있다; in ~ bleiben 효력을 잃지 않고 있다; in ~ treten 효력이 발생하다; in ~ setzen 효력이 생기게 하다, 실시하다; ein Urteil in ~ setzen 어떤 판결을 집행하다; 〖醫〗 heilende ~ 효험. ③ (Arbeits~) 노동(인)력, 일꾼; 직원(Geschäfts~): erste ~ 제 1 류의 사람; 〖복수〗 gelernte Kräfte 숙련공. ④ 집단, 세력: die treibende ~ 추진 세력; diese Partei

ist die führende ~ in diesem Land 이 정당은 이 나라에서는 주도 세력이다.
kraft *prp.*² …의 힘으로, …에 따라: ~ des Gesetzes 법에 따라; ~ meines Amtes 내 직권으로; ~ seines Wissens 그가 아는 바에 따라.
Kraft≈akt *m.* 힘든 일: im Zirkus einen ~ vorführen 서커스에서 힘든 연기를 선보이다. **~anlage** *f.* 발전소. **~anstrengung** *f.* 노력, 진력. **~arm** *m.* 〖工〗 지레의 손잡이. **~aufwand** *m.* 힘의 소모, 수고. **~ausdruck** *m.* 속된 표현, 상스런 말. **~äußerung** *f.* 힘의 표현, 활동. **~bedarf** *m.* 〖전기·工〗 입력, 소요 동력. **~betrieb** *m.* 동력의 전달. **~boot** *n.* 발동기선(船). **~brühe** *f.* 〖요리〗 걸쭉한〔진한〕 고기 수프. **~droschke** *f.* 〔격식〕 택시. **~einheit** *f.* 〖理·工〗 힘의 단위.
Kräfte≈messer *m.* ↑ Dynamometer. **~paar** *n.* 〖物〗 짝힘. **~parallelogramm** *n.* 〖數·物〗 힘의 평행 4변형.
kraft·erfüllt *a.* 힘찬, 원기 왕성한.
Kräfte≈verfall *m.* 〖醫〗 쇠약. **~verhältnis** *n.* 세력 관계. **~zustand** *m.* 강건, 원기(있는 상태).
Kraft≈fahr·abteilung *f.* 자동차 부대. **~fahrer** *m.* 자동차 운전자.
Kraftfahr≈linie *f.* 버스 노선. **~schule** *f.* 자동차 교습소. **~sport** *m.* 자동차 경주. **~spritze** *f.* 소방 펌프. **~truppen** *pl.* ↑ ~abteilung. **~versicherung** *f.* 자동차 보험. **~wesen** *n.* 〖軍〗 기계화 부대. **~zeug** *n.* 〖교통·총칭〗 자동차(약어: Kfz)).
Kraftfahrzeug≈brief *m.* 〖法〗 자동차 권리증. **~-Haft·pflicht·versicherung** *f.* 〖法〗 자동차 책임 보험. **~halter** *m.* 〖法〗 자동차 소유자. **~reparatur·werk·statt** *f.* 자동차 수리 공장. **~schein** *m.* 〖法〗 자동차 검사증. **~steuer** *f.* 〖法〗 자동차세. **~versicherung** *f.* ↑ Kraftverkehrsversicherung.
Kraft≈feld *n.* 〖物〗 힘의 장(場). **~flieger** *m.* 비행사, 조종사. **~fuhr·werk** *n.* ↑ ~fahrzeug. **~fülle** *f.* 힘의 충만, 원기 왕성. **~futter** *n.* 농축 사료. **~gas** *n.* 동력 가스. **~gefühl** *n.* 활력. **~geist** 〔고어〕 *m.* ↑ ~genie. **~genie** [..ʒe..] *n.* 대천재. **~gesang** *m.* 힘찬 송가.
***kräftig** [kréftɪç] *a.* ① 힘있는, 힘센; 강력한; 강건한; 노골적인: ein ~er Ausdruck 힘찬 표현; ~ gebaut 체격이 다부진; eine ~e Sprache führen 노골적인 표현을 쓰다; ~en Hunger haben 몹시 배고프다; das Bild hat ~ aufgetragene Farben 이 그림은 채색이 힘있다. ② 영양이 풍부한, 걸직한: ein ~e Suppe 영양가 높은 수프.
kräftigen 《Ⅰ》 *t.* 힘을 북돋아 주다, 기운내게 하다; 〔비유〕 지지하다: js. Gesundheit ~ 누구의 몸을 단단하게 하다; die Fleischbrühe wird ihn ~ 고기 수프가 그를 기운나게 해줄 것이다. 《Ⅱ》 *refl.* sich ~ (몸이) 튼튼해지다, 원기가 생기다.
Kräftigkeit *f.* ① ↑ kräftig 의 명사형. ② (법률상의) 유효.
Kräftigung *f.* 힘북돋우기, 강하게 하기; 기력의 회복.
Kräftigungs·mittel *n.* 강장제.
Kraft≈last·wagen *m.* 화물 자동차. **~lehre** *f.* 〖物〗 역학. **~leistung** *f.* 힘드는 일; (기계의) 작업 능력. **~leitung** *f.* 전력선, 전력 회로. **~linien** *pl.* 〖物〗 역선(力線).
kraftlos *a.* ① 힘 없는; 허약한; 〖병리〗 이완한, 아토니의: ~ und saftlos 전혀 활기가 없는. ② 〖法〗 효력 없는: et. für ~ erklären 무엇을 무효로 선언하다.
Kraftlos·erklärung *f.* 〖法〗 무효 선고.
Kraftlosigkeit *f.* ↑ kraftlos 의 명사형.
Kraft≈maschine *f.* 〖工〗 동력기, 발동기. **~mehl** *n.* 녹말, 풀. **~meier** *m.* 〔구어·폄어〕 힘깨나 쓰는 사람. **~meierei** *f.* 〔구어·폄어〕 힘 자랑. **~mensch** *m.* 힘센 사람, 힘 자랑하는 사람; 〔비유〕 정력가, 의지가 강한 사람. **~messer** *m.* 동력계. **~mittel** *n.* 유효한 수단, 효험 있는 치료법. **~omnibus** *m.* 승합 자동차. **~papier** *n.* 크라프트지(紙). **~post** *f.* 우체국 직영 버스 (수송). **~probe** *f.* 힘겨루기. **~protz** *m.* 〔구어·폄어〕 힘 자랑하는 사람. **~punkt** *m.* 〖物〗 힘점. **~quelle** *f.* 힘의 원천. **~rad** *n.* 오토바이. **~sammler** *m.* ↑ ~speicher. **~schlepper** *m.* 견인차, 트랙터. **~speicher** *m.* 축전지. **~sport** *m.* (역도 등의) 힘겨루기 스포츠. **~spruch** *m.* 〔드물게〕 ↑ ~ausdruck. **~station** *f.* 발전소. **~stoff** *m.* 연료.
Kraftstoff≈pumpe *f.* 〖工〗 연료 펌프. **~verbrauch** *m.* 〖工〗 연료 소비. **~wandler** *m.* 〖車〗 연료 변환기.
Kraft≈strom *m.* ① 〖物〗 동력 전류. ② 〔雅語〕 강한 영향력. **~strotzend** *a.* 힘이 넘치는, 힘세 보이는. **~stück** *n.* 곡예, 사람의 눈을 끄는 언행, 허세. **~stuhl** *m.* 〖工〗 동력 직기(織機). **~suppe** *f.* 〖요리〗 ↑ ~brühe. **~übertragung** *f.* 〖物〗 힘의 전도. **~vergeudung** *f.* 힘의 낭비. **~verkehr** *m.* 〔격식〕 자동차 교통. **~verkehrs·versicherung** *f.* 〖法〗 자동차 보험. **~verstärker** *m.* 〖전기〗 증폭기. **~voll** *a.* 힘센, 원기 왕성한; (문체가) 힘 있는. ***~wagen** *m.* 자동차. **~wagen·industrie** *f.* 자동차 공업. **~werk** *n.* 〖전기〗 발전소: Wasser~ 수력 발전소. **~wirkung** *f.* 〖物·工〗 힘의 효과. **~wort** *n.* 속된 표현〔말〕.
Krage [kráːgə] *f.* -n 〔드물게〕 ↑ Konsole, Kragstein.
Krägelchen [krέːgəlçən] *n.* -s, - 〔↑ Kragen 의 축소형〕 작은 옷깃, 칼라.
***Kragen** [kráːgən] 《mhd. krage》 *m.* -s, - ① 목; 옷깃, 칼라: jn. beim 〔am〕 ~ nehmen 〔fassen, packen〕 a) 누구의 멱살을 잡다, b) 누구를 힐문하다; das geht ihm an den ~ 〔das kostet ihm den ~〕 그것은 그의 목숨이 달린 문제다, 그에게는 중대사다; jm. platzt der ~ 누가 격분하다〔자제력을 잃다〕; jm. den ~ umdrehen 누구를 죽이다; Kopf und ~ wagen 〔aufs Spiel setzen〕 목숨을 걸다; 〔속담〕 man sieht uns nicht in den Magen, aber auf den ~ 먹을 것은 절약해도 몸치장은 해야 한다. ② 〖사냥〗 (동물의) 목덜미 털: einen langen ~ machen 어떤 방향을 의심쩍게 바라보다.
Kragen≈bär *m.* 〖動〗 반달곰. **~knopf** *m.* ① 옷깃 단추. ② (셔츠·블라우스의) 맨 윗단추. **~mantel** *m.* 옷깃 달린 외투. **~nummer** *f.* 옷깃의 치수. **~patte** *f.* 군복 옷깃의 휘장.

~schoner *m.* 솔, 목도리. **~spiegel** *m.* 〖軍〗(병과 등을 나타내는) 옷깃에 다는 기장. **~weite** *f.* ① 옷깃의 치수. ②〔경박〕js. ~ sein 누구의 마음에 들다: dieses Auto ist nicht meine ~ 이 자동차는 내 마음에 안 든다.

Krag≈stein [krá:k..] 《<Kragen》 *m.* 〖건축〗 초엽(蕉葉), 소용돌이 모양의 까치발. **~träger** *m.* 〖건축〗 까치발 모양으로 튀어나온 대들보.

***Krähe** [krɛ́:ə] 《<krähen》 *f.* -n 〖動〗 까마귀: 〔비유〕 das ist keine ~ von gestern 그 녀석은 만만치 않은 놈이다; 〔속담〕 eine ~ hackt der anderen kein Auge aus 동업자끼리는 서로 헐뜯지 않는 법이다.

***krähen** 〔의성어〕 《I》 *i.* (h.) ① (닭이) 울다: frühmorgens, wenn die Hähne ~ 닭이 우는 첫새벽에. ② (날카롭게) 소리치다: 〔비유〕 kein Hahn kräht danach 아무도 그것을 문제삼지 않는다; das Baby krähte vor Vergnügen 그 아기는 흡족해서 소리를 질렀다. 《II》 *refl.* sich heiser ~ 소리 쳐서 목이 쉬다. 《III》 *t.* 날카로운 소리로 말하다: jn. aus dem Schlaf ~ (수탉이) 울어서 누구를 깨우다.

krähen≈artig *a.* 까마귀 같은, 까마귀유의. **≈auge** *n.* 까마귀 눈; 〔방언〕 닭의 눈; 〖植〗 마전자(馬錢子)의 씨; 〖醫〗 물집, 티눈. **≈beere** *f.* 〖植〗 시로미. **≈fuß** *m.* ① 까마귀의 발. ②〔구어〕 a) 눈가의 주름살, b) 갈겨쓴〔흘려쓴〕 글씨. ③〖사냥〗(짐승을 빨리 발견하려고) 세 방향으로 낸 작은 숲속길. ④〖植〗 까마귀 발처럼 생긴 잎이 있는 식물. **≈hütte** *f.* 새 쫓는 오두막집. **≈nest** *n.* 까마귀 둥지; 〖海〗(범선의) 마스트 위의 감시대; 〖空〗 폭격기 뒤쪽에 있는 총좌(銃座).

Krähl [krɛ:l] *m.* -(e)s, -e(r) ①〖제련〗(용광로 안의 쇳물을 휘젓는) 삽, 갈퀴. ②〔방언〕 곡괭이, 갈퀴.

Kräh≈winkel [krɛ́:..] *n.* ① 크레빙켈(Rhein 지방의 옛마을). ② 시골 도시(Kotzebue의 희극 "Die deutschen Kleinstädter"의 도시 이름에서); 〔비유·구어·폄어〕 편협 고루한 촌구석. **~winkelei** *f.* 〔구어·폄어〕 시골풍; 우둔; 편협. **~winkler** *m.* 〔구어·폄어〕 시골 도시의 주민; 편협 고루한 사람.

Krakau [krá:kaʊ] *n.* 크라쿠프(폴란드 남부의 공업 도시).

Krakauer 《I》 *m.* -s, -s 크라쿠프 사람. 《II》 *a.* 크라쿠프(사람)의. 《III》 *f.* 〖식품〗(양념을 많이 넣고 훈제한) 크라쿠프 소시지.

Krake [krá:kə] 《norweg.》 *m.* -n, -n ①〖신화〗(문어 모양의) 바다 괴물. ②〖動〗 문어.

Krakeel [kraké:l] 《holl.》 *m.* -s, -e 〔구어〕 싸움, 말다툼, 소동.

krakeelen *i.* (h.) 〔구어〕 싸우다, 떠들다, 큰소리로 외치다.

Krakeeler *m.* -s, - 〔구어·폄어〕 큰소리로 싸우는〔떠드는〕 사람.

Krakeelerei *f.* 〔구어·폄어〕 계속 떠들어댐, 싸움질.

krakeelerisch *a.* 〔구어·폄어〕 싸우는, 떠드는, 큰 소리로 외치는.

Krakel[1] [krá:kəl] 《ndd.》 *f.* -n 〖사냥〗(후림새가 없는) 홰, (새를) 꾀기 위한 마른 나뭇가지.

Krakel[2] *m.* -s, - 〔구어〕 ① 서투른 글씨: deine ~ kann kein Mensch lesen 네 글씨는 아무도 읽지 못한다. ② 접은 금, (옷의) 주름.

Krakelee [krakəlé:] 《frz.》 *n.* -s, -s ↑ Craquelée.

Krakelee·glas *n.* 잔금 무늬 유리.

Krakelei *f.* -en 〔구어〕 ① 서투르게 쓰기. ② 서투른 글씨로 쓴 것.

Krakel·fuß *m.* 〔구어〕 서투른 글씨, 악필.

krakelieren 《frz.》 *t.* 잔금 무늬를 넣다.

krakeln [krá:kəln] *i.* (h.) 〔구어〕 글씨를 서투르게 쓰다; (새가) 시끄럽게 울다.

krakelig [krá:kəlıç] *a.* 〔구어〕 (걸음·글씨체가) 불안정한, 비틀비틀한.

kräkelig *a.* 〔방언〕 주름〔접은 금〕이 있는.

Kraken [krá:kən] *m.* -s, -s ↑ Krake.

kraklig *a.* ↑ krakelig.

Krakowiak [krakó:viak, ..kɔ́v..] *m.* -s, -s 코라코비아크 무곡(4분의 2박자의 폴란드 민속춤; 도시 Krakow의 이름에서).

Kral [kra:l] 《sp. -ndl.》 *m./n.* -s, -e ① (남아프리카 토인의) 원형 촌락. ② 울타리를 두른 방목장.

krall [kral] *a.* (ndd.) 생기가 넘치는; 쾌활한; 밝은; 활발한.

Krällchen [krɛ́lçən] *n.* -s, - ↑ Kralle의 축소형.

***Kralle** [králə] 《mhd. krellen》 *f.* -n ① (맹금·맹수의) 발톱, 며느리발톱. ②〔비유·폄어〕(욕심 많은) 손: in den ~n haben (움켜)쥐다, 〔비유〕 세력 아래 두다; et. in seine ~n bekommen 무엇을 움켜쥐다, 〔비유〕 장악하다; jm. die ~n zeigen 누구에게 본때를 보여주다, 본성을 드러내다; ich werde ihm schon die ~n zeigen 그 자식을 꼭 혼내줄 테다; 〔비유·雅語〕 in den ~n der Angst 공포에 사로잡혀; 〔구어〕 et. aus den ~n lassen 무엇을 내놓다; 〔비유·雅語〕 jn. aus den ~n des Gegners befreien 누구를 적의 수중에서 해방시키다. ③〔경박〕(매니큐어칠한) 손톱.

krallen [králən] 《I》 *i.* (h.) 발톱을 내놓다〔세우다〕, 덤벼들다; (obd.) 기어오르다. 《II》 *t.* ① 움켜쥐다, 할퀴다: jm. ins Gesicht ~ 누구의 얼굴을 할퀴다; (sich³) jn. ~ 누구를 붙잡다〔체포하다〕: den werde ich mir noch ~! 그 놈을 붙잡고야 말겠어! ②〔경박〕(ndd.) 훔치다: im Vorbeigehen krallte er (sich) einen Hut 그는 지나가면서 모자를 슬쩍 했다. 《III》 *refl.* sich an et. ~ 무엇에 매달리다; 〔비속〕 ich kralle mich 나는 화가 난다.

Krallen≈affe *m.* 〖動〗(남아프리카산(産)) 다람쥐 원숭이. **≈artig** *a.*, **≈förmig** *a.* (며느리)발톱 같은, 발톱 모양의. **~frosch** *m.* 〖動〗(아프리카산(産)) 발톱개구리.

krallig [králıç] *a.* ① (며느리)발톱 같은. ② (며느리)발톱이 있는.

***Kram** [kra:m] *m.* -(e)s 〔구어〕 ① 소매점, 잡화점: einen ~ anfangen〔aufschlagen〕 소매점을 개업하다. ② 소매품, 잡화: seinen ~ auslegen〔einpacken〕 팔 물건을 늘어놓다〔꾸려넣다〕; 〔속담〕 die Elle ist länger als der ~ 수지가 맞기는 어려운 일이다. ③〔비유·폄어〕 **(a)** 자잘한 물건; 잡동사니, 고물: der ganze ~ 여러 가지, 모두; 〔비유〕 den ganzen 〔all den〕 ~ hineinschmeißen 일을 팽개치다; ~ machen 이의를〔불평을〕 말하다; 〔구어〕 nicht viel 〔keinen〕 ~ machen 군소리하지

않다, 법석 떨지 않다. (**b**) 〖방언〗 장사, 형편, 사정: das paßt mir (nicht) in den〔meinen〕 ~ 그것은 내 사정〔형편〕에는 맞는다〔맞지 않는다〕; ich will ihm nicht in seinen ~ hineinreden 나는 그의 일에 말참견할 생각은 없다. (**c**) 준비, 계획: er hat mir den ganzen ~ verdorben 그는 내 계획을 모두 망쳐 버렸다. ④ (schweiz.) 섣달 대목장(에서 산 선물). ⑤ 도살한 가축의 내장. ⑥ (ndd.) 산욕(產褥): in den ~ kommen 산기가 있다.

Krambambuli [krambámbuli] *m.* -(s), -(s) 크람밤불리(단치히(Danzig) 산(產)의 독한 브랜디); 〖학생〗 술, (각종) 알코올 음료.

Kram·bude *f.* ① 〖폄어〗 대목장의 좌판. ② 소매점. ③ 〖경박·폄어〗 정돈되지 않은 방〔집〕.

kramen [krá:mən] 《I》 *i.* (h.) ① (**a**) 소매업을 하다. (**b**) 자질구레한 물건을 사다. ② 〖비유〗 (**a**) in〔unter〕 et.³ ~ 무엇을 뒤지다, 찾아다니다, (찾거나 정리하려고) 뒤적거리다: in seiner Erinnerung ~ 기억을 더듬다. (**b**) 줄곧 일하다, 애를 쓰다: was haben Sie denn da zu ~? 도대체 당신은 거기서 무엇을 하고 있습니까? (**c**) mit et.³ ~ 무엇을 자랑삼아 내보이다: mit Worten ~ 말솜씨를 과시하다. (**d**) nach et.³ ~ 무엇을 찾다. ③ (obd.) 행상을 하다. ④ (ndd.) 아이를 낳다. 《II》 *t.* ① (schweiz.) (대목장에서 선물을) 사다. ② 뒤적거려 찾아내다: alte Briefe aus der Schublade ~ 옛날 편지들을 서랍을 뒤져 찾아내다.

Kramer [krá:mər] *m.* -s, -, **Krämer** [krɛ́:mər] *m.* -s, - (südd.) ① 〖구식〗 소매상. ② 〖폄어〗 ↑ ~seele. ③ 비밀에 밝은 사람.

Krämer·amt *n.* 소매상 조합.

Kramerei *f.* -en ① 〖폄어〗 뒤적거림, 찾아 헤맴. ② ↑ Krämerei.

Krämerei *f.* -en 〖구식·방언〗 소매상; 소매품, 화장용품, 잡화.

Krämer≈geist *m.* 〖폄어〗 소상인 기질, 장사꾼 근성(이 있는 사람). **~gewicht** *n.* 상거래 관행상의 중량.

krämerhaft *a.* 〖폄어〗 좀스러운, 쩨쩨한, 비열한, 타산적인.

Krämerin *f.* -nen 〖고어〗 ↑ Krämer 의 여성형.

Krämer≈innung *f.* 상인〔소매〕 조합. **~latein** *n.* 〖구식·방언〗 상인들의 은어. **≈mäßig** *a.* ↑ krämerhaft. **~seele** *f.* 쩨쩨한〔좀스러운〕 사람. **~volk** *n.* 〖집합적·폄어〗 실리주의적인〔장사꾼 기질의〕 국민(나폴레옹이 영국인을 경멸하여 한 말). **~waren** *pl.* 소매 상품, 잡화.

Kram≈handel *m.* 소매(점). **~haus** *n.* 잡화점. **~laden** *m.* 소매점. **~markt** *m.* (1 년에 한 번 또는 여러 번 열리는) 대목장, 소매〔노점〕 시장.

Kramme [krámə] 《ndd.》 *f.* -n ↑ Krampe.

krammen *t.* ↑ krampen.

Krammet *m.* -s, -s 〖植·방언·구식〗 노간주나무.

Krammets≈beere *f.* 〖방언〗 ① 노간주나무의 열매. ② 〖植〗 산마가목. **~vogel** *m.* 〖動·방언〗 티티새의 일종.

Krampe [krámpə] 《ndd.》 *f.* -n ① U 자형의 갈고리, 꺾쇠, 죔쇠. ② 뾰족한 갈고리: et. mit ~n befestigen 무엇을 꺾쇠로 잠그다〔죄다〕. ③ 〖고어〗 가장자리, 단.

Krampel *f.* -n (öst.) 손가락; 갈고리; 갈퀴 (발톱).

Krämpel *m.* -s 〖비속〗 허섭스레기, 지스러기, 넝마.

krämpeln 《ndd.》 *t.* 빗(질하)다.

Krampen *m.* -s, - ① ↑ Krampe. ② (bayr., öst.) 곡괭이. ③ (옷가지의) 호크: einen ~ an den Rock nähen 상의에 호크를 달다.

krampen [krámpən] *t.* 꺾쇠로 잠그다〔고정시키다〕.

***Krampf** [krampf] 《<krimpen》 *m.* -(e)s, Krämpfe ① 〖醫〗 경련; 〖구어〗 발작: Krämpfe haben 경련〔발작〕을 일으키다; den ~ 〔Krämpfe〕 bekommen, in Krämpfe verfallen, von Krämpfen befallen werden 경련을 일으키다; epileptische Krämpfe 간질성 발작; Mittel gegen Krämpfe 진경제(鎮痙劑). ② 〖비유〗 (**a**) (성과 없는) 수고, 극도의 긴장: hier merkt man aber den ~ 그러나 여기에 고심한 흔적이 보인다. (**b**) 〖구어·폄어〗 야단법석, 필사의 노력, 발버둥. (**c**) (사회적) 동요: Europa windet sich in Krämpfen 유럽은 동요하고 있다. (**d**) 〖은어〗 도둑질, 불법 행위: einen ~ drehen〔reißen〕 불법 행위를 저지르다; er geht auf ~ aus 그는 도둑질하러 나간다; er nahm Urlaub auf ~ 그는 허락 없이 휴가를 갔다.

Krampf≈ader *f.* 〖醫〗 정맥류(靜脈瘤). **≈artig** *a.* 경련성(性)의.

krampfen [krámpfən] 《I》 *i.* (h.) ① 떨다, 경련하다. ② (schweiz.) 〖구어〗 힘차게〔무리하게〕 일하다. ③ 〖은어〗 훔치다, 도둑질하다. 《II》 *t.* ① (갑자기) 수축시키다. ② *imp.* es krampf mich 나는 몸이 움츠러든다; mir krampft's im Arm 내 팔에 경련이 일어난다. 《III》 *refl.* sich ~ 갑자기 오그라들다; 경련을 일으키다; 움켜잡다, 껴안다: das Herz krampft sich mir in der Brust 내 심장이 경련을 일으킨다; sich an et. ~ 발작적으로 무엇에 매달리다; er hatte sich mit den Händen in ihr Haar gekrampft 그는 두 손으로 그 여자의 머리카락을 발작적으로 움켜잡았다.

Krampf·fisch *m.* 〖動〗 시끈가오리.

krampfhaft 《I》 *a.* 떠는, 경련성의, 발작적인; 〖비유〗 격심한; 안간힘을 다하는: ~es Lachen〔Schluchzen〕 발작적인 웃음〔흐느낌〕; ~e Zuckung 경련; ~e〔große〕 Anstrengungen machen 필사적인 노력을 기울이다; sich ~ um et. bemühen 무엇을 얻기 위해 진력하다. 《II》 *adv.* 격심하게, 미칠 듯이, 지독하게: ~ schluchzen 몹시 흐느껴 울다.

Krampf·husten *m.* 〖醫〗 경련성 기침, 백일해.

krampfig [krámpfɪç] *a.* 경련성의; 부자연스러운.

krämpfig *a.* ↑ krampfig.

Krampf≈kolik *f.* 〖醫〗 산통(疝痛). **≈lindernd** *a.* 경련을 완화하는. **~mittel** *n.* 진경제(鎮痙劑). **≈stillend** *p.a.* ↑ ≈lindernd.

Krampus[1] [krámpus] 《germ. -lat.》 *m.* -, ..pi 〖醫〗 근육 경련.

Krampus[2] 《lat.》 *m.* -(ses), -se (bayr., öst.) 크람푸스(나쁜 아이를 벌주는 악마의 모습을 한 산타클로스의 시종).

Kramts·vogel *m.* 〖動〗 티티새의 일종.

Kramuri [kramú:ri] *f.* ..ren (öst.) 〖구어〗 잡

동사니(↑ Kram ③).

Kram·waren *pl.* 소매 상품, 잡화.

***Kran** [kra:n] 《mhd. kranech》 *m.* -(e)s, Kräne [krɛ́:nə] ①〖工〗크레인, 기중기. ②〖방언〗(통의) 마개, (수도의) 꼭지, 나사 구멍: den ~ zudrehen 수도 꼭지를 잠그다.

Kran·ausleger *m.* 기중기의 팔.

Kranawett [krá:navɛt] *m.* -s (bayr., öst.) ↑ Kranewit.

Kran·balken *m.* 기중기의 팔;〖海〗닻걸이, 닻을 걷어들이는 도구.

kranbar *a.*〖工〗기중기로 운반할 수 있는.

Kran·baum *m.* 기중기의 기둥.

Krän·beere *f.*〔구식〕(südd.) 월귤나무.

Kränchen [krɛ́:nçən] *n.* -s, - ↑ Kran 의 축소형.

kranen [krá:nən] *t.*〖工〗기중기로 운반하다.

Kranewit [krá:nəvɪt] *m.* -s (bayr., öst) 노간주나무.

Kranewitter [krá:nəvɪtər] *m.* -s, - (bayr., öst.) 노간주나무 술.

Kran≈führer *m.* 기중기 기사〔운전사〕. **~geld** *n.* 기중기 사용료.

krängen [krɛ́ŋən] 《ndd.》 *i.* (h.)〖海〗(배가) 기울다.

Krängung *f.* -en〖海〗↑ krängen 의 명사형.

kranial [kraniá:l] 《gr. -lat.》 *a.* ①〖醫〗두개(頭蓋)의. ②〔구식〕머리 쪽으로 (향한).

***Kranich** [krá:nɪç] 《⊕ Kran》 *m.* -s, -e ①〖動〗두루미; 두루밋과의 조류. ②〖天〗두루미자리.

Kranich≈hals *m.*〖植〗쥐손이풀과. **~schar** *f.* 두루미 떼. **~schnabel** *m.* ① 두루미 부리. ②〖植〗쥐손이풀과속(屬). **~schnabel·zange** *f.*〖醫〗두루미부리꼴 겸자. **~vogel** *m.*〖動〗모이주머니가 없는 새.

kranio.. 《gr.》 *pref.* "두개(頭蓋)"의 뜻.

Kraniognomik *f.* ↑ Kraniologie.

Kraniologie *f.* 두개골학.

kraniologisch *a.* 두개골학의.

Kraniometrie *f.* -n [..rí:ən]〖醫·인류〗두개골 측정.

Kranioskopie *f.* -n [..pí:ən]〖醫·인류〗골상관찰.

Kraniote [kranió:tə] *m.* -n, -n〖動〗두개골이 있는 척추 동물.

Kraniotomie [kraniotomí:] *f.* -n [..mí:ən]〖외과〗개두(開頭)(술).

***krank** [kraŋk] *a.* ① 앓는, 병든, 아픈; 괴로워하는; 허약한: ein ~es Schiff 노후선(老朽船);〔비유〕der ~e Mann (am Bosporus) (19 세기 후반의) 터키 제국; schwer ~ 중병인; geistes~ 정신병에 걸린; ~ (im Bett) liegen〔darniederliegen〕몸져 누워 있다, 병상에 있다; sich ~ arbeiten 과로하여 병나다; sich ~ essen 너무 먹어 배탈나다; sich ~ fühlen 몸이 불편하다, 기분이 나쁘다; sich ~ melden 병가를 내다; ~ spielen〔sich ~ stellen〕꾀병을 부리다; ~ an der Brust〔Lunge, Schwindsucht〕폐를 앓는; ~ am Fieber 열병에 걸린; ~ an Leib und Seele 심신이 쇠약한;〔비유〕~ am Geldbeutel 가진 돈이 모자라는; arm am Beutel, ~ am Herzen 지갑은 비고 마음은 괴롭다; auf den Tod ~ sein 죽을 병에 걸려 있다; ~ von der Anstregung 과로로 앓는; ~ vor Ärger〔Liebe〕화병〔상사병〕에 걸린; (vor Sehnsucht) nach jm. ~ sein 누구를 못 견디게 그리워하다;〔구어〕das macht mich ~! 그것은 나를 미치게 한다, 나는 그것을 도저히 못 참는다!;〔구어〕sich ~ ärgern 몹시 성나다. ②〖사냥〗(짐승이) 상처를 입은: der Jägerhat das Wild ~ geschossen 사냥꾼은 들짐승을 쏘아 상처를 입혔다.

Kranke* *der/die* (↔Gesunde) 병자, 환자.

Kränke *f.* (obd.) 간질; 경련: die ~ kriegen 병이 나다; das ist um die ~ zu kriegen 정말 배겨날 수가 없다; daß du die ~ kriegst! 뒈져라!

Kränkelei *f.* -en 병약(함), 허약.

kränkeln [krɛ́ŋkəln] *i.* (h.) 병약〔허약〕하다, 병치레하다: das Kind kränkelte schon lange 그 아이는 이미 오랫동안 병치레했다.

kranken [kráŋkən] *i.* (h.) ①〔구식·방언〕앓다: an et.³ ~ 어떤 병을 앓다, 무엇을 괴로워하다; an Asthma ~ 천식을 앓다;〔비유〕ihr Herz krankte nach ihrem kleinen Sohn 그녀는 어린 아들을 몹시 그리워했다. ② (결핍·결함으로) 어려움을 겪다, 지장을 받다: die ganze Arbeit krankt an mangelnder Vorbereitung 작업 전체가 준비 부족으로 지장을 받고 있다.

***kränken** [krɛ́ŋkən] 《Ⅰ》 *t.* ① (마음을) 상하게 하다, 모욕하다, 화나게 하다; 괴롭히다: js. Ehre〔Recht〕~ 누구의 명예를 훼손하다〔권리를 침범하다〕;〔구어·농담〕die gekränkte Leberwurst spielen 이유 없이〔부당하게〕모욕감을 느끼다; sein gekränkter Stolz 그의 손상된 자부심; im Tone gekränkter Unschuld sprechen 시치미 떼고 얘기하다. ②〔구어〕jn. um Geld ~ 누구에게서 돈을 빼앗다. ③〔목적어 없이〕das kränkt 그것은 모욕이 된다. 《Ⅱ》 *refl.* sich über et. ~ 무엇으로 감정이 상하다, 화나다; sich über et. gekränkt fühlen 무엇으로 모욕감을 느끼다; sich zu Tode ~ 노발대발하다; 분통이 터져 죽다.

Kränken *n.* -s 모욕, 무례, 괴롭힘.

kränkend *p.a.* 해치는, 모욕적인: auf ~e Art 모욕적으로, 무례하게도; ~e Bemerkung 혹평.

Kranken≈abteilung *f.* 의무실, 병동. **~anstalt** *f.* 병원. **~attest** *n.* 진단서. **~auto** *n.* ↑ ~wagen. **~bahre** *f.* 들것. **~bericht** *m.* 진단서. **~bestand** *m.* 현재 환자 인원수. **~besuch** *m.* ① 문병. ②〖醫〗회진, 왕진. **~bett** *n.* ① 병상(病床): Heilkunde am ~ 임상 의학; vom ~ aufstehen 병상에서 일어나다, 완쾌하다. ② (병원의) 환자용 침대. ③ ↑ ~lager ②. **~blatt** *n.* 임상 기록, 환자 차트. **~diät** *f.* 환자 식사. **~geld** *n.*〖法〗(의료보험에서 지급되는) 질병 보조금. **~geschichte** *f.* 병력(病歷)(기록부): die ~ aufnehmen 병력을 기록하다. **~gymnast** *m.* 체조 요법사〔치료사〕. **~gymnastik** *f.* 치료 체조. **~gymnastin** *f.* ↑ ~gymnast 의 여성형. **~haus** *n.* 병원:〔구어〕im ~ liegen 입원 중이다; ins〔aus dem〕~ kommen 입원〔퇴원〕하다. **~journal** *n.* 병상 일지. **~kasse** *f.* 의료 보험(조합). **~kassen·arzt** *m.* 의료 보험(취급) 의사. **~kost** *f.* ↑ ~diät. **~lager** *n.* ① 병상(病床). ② 환자의 와병 상태〔기간〕. **~pflege** *f.* ① 간호, 간병. ②〖法〗(의료 보험

의) 현물 보험 급여. **~pfleger** *m.* 간병인, 간호사. **~pflegerin** *f.* ↑ ~pfleger 의 여성형. **~saal** *m.* (병원의) 공동 (큰) 병실. **~salbung** *f.* 〖가톨릭〗 환자 도유식(塗油式), 도유식에 쓰는 기름. **~schein** *m.* ① 의료 보험 진찰권. ② 진단서: 〔방언〕 einen ~ machen 〔haben〕 꾀병을 부리고 일하지 않다〔결근하다〕. **~schiff** *n.* 병원선. **~schwester** *f.* (종합병원의) 간호사. **~stube** *f.* 병실. **~trage** *f.* 들것. **~träger** *m.* 환자를 나르는 사람. **~transport** *m.* 환자 수송. **~urlaub** *m.* 병가(病暇). **≈versichert** *a.* 의료 보험에 가입한. **~versicherung** *f.* 의료 보험. **≈versicherungs·pflichtig** *a.* 의료 보험 가입 의무가 있는. **~wagen** *m.* 구급차. **~wärter** *m.* 간병인; 〖軍〗 간호병. **~zelt** *n.* 〖軍〗 야전병원. **~zimmer** *n.* 병실.

kran̩k|feiern *i.* (h.) 〔구어〕 꾀병을 부려서 집에서 쉬다〔결근하다〕.

krankhaft [kráŋkhaft] *a.* ① 〖醫·心〗 병의, 병에 걸린, 병적인: eine ~e Vermehrung des Gallensaftes 담낭액의 병적인 증가. ② 지나치게 심한, 이상한: ~e Einbildung 환각, 착각, 망상.

Kran̩khaftigkeit *f.* ↑ krankhaft 의 명사형.

***Krankheit** [kráŋkhaɪt] *f.* -en ① **(a)** 〖醫·心〗 병, 질병: eine akute〔chronische〕 ~ 급성〔만성〕병; eine ansteckende ~ 전염병; 〖醫〗 amerikanische ~ 신경 쇠약증; 〖醫〗 englische ~ 구루병, 영국병, 곱사병; einheimische〔endemische〕 ~ 지방〔풍토〕병; eine langwierige ~ 숙환; eine schwere 〔ernste, heftige〕 ~ 중병; an einer ~ leiden 어떤 병에 걸려 있다; ~ bekommen 병이 나다; an einer ~ sterben 어떤 병으로 죽다; von einer ~ genesen 병이 낫다; eine ~ heilen 병을 고치다; sich[3] eine ~ zuziehen 〔holen〕 병에 걸리다; er hat viele ~en durchgemacht 그는 여러 가지 병을 앓았다. **(b)** 아픈〔병든〕 기간: er ist nach langer ~ gestorben 그는 오랫동안 앓다가 죽었다. ② 〔비유〕 병폐, 폐해: Zivilisations≈ 문명의 폐해; 〔구어〕 dieser Apparat ist eine ~! 이 기계는 늘 고장 상태에 나 있어!

Kran̩kheits≈anfall *m.* (급작스러운) 발병. **~anlage** *f.* 〖醫〗 질병 소인(素因). **~anzeichen** *n.* 병의 증후. **~ausbildung** *f.* 질병 형성. **~ausbreitung** *f.* 질병 전파. **~ausbruch** *m.* 발병. **~ausgang** *m.* 병상의 결과. **~bakterien** *pl.* 병원균. **~befund** *m.* 병에 대한 소견. **~bericht** *m.* 질병〔병상〕 보고. **~bild** *n.* 〖醫〗 병의 증상. **~entscheidung** *f.* 병의 위기〔어려운 고비〕. **~entstehung** *f.* 병인(病因), 병원(病源). **≈erregend** *a.* 질병을 일으키는. **~erreger** *m.* 병인(病因), 병원체. **~erscheinung** *f.* 병상(病狀), 증후; 〖병리〗 Gruppe von zusammengehörigen ~en 병 증후군. **~erwerbung** *f.* 병을 얻음. **~fall** *m.* 병의 발생, 병고(病故): im ~ 병고가 있으면. **~forscher** *m.* 병리학자. **~gefühl** *n.* 〖醫·心〗 병의 자각. **~geschichte** *f.* 병력. **≈halber** *adv.* 〔격식〕 병 때문에. **~herd** *m.* 병 발생지, 병원지(病源地). **~keim** *m.* 병균, 병원체. **~lehre** *f.* 병리학. **~lehrer** *m.* 병리학자. **~stoff** *m.* 병소(病素), 병인(病因). **~symptom** *n.* 증후. **~übertragung** *f.* (질병의) 전염. **~verlauf** *m.* 질병 경과. **~zeichen** *n.* 증후. **~zustand** *m.* 병상(病狀).

kran̩k|lachen *t.* 〔구어〕 sich ~ 몹시 웃다, 병적으로 심하게 웃다.

kränklich [kréŋklɪç] *a.* 병약〔허약〕한; sie hat ein ~es Aussehen 〔sie sieht ~ aus〕 그 여자는 약해 보인다, 안색이 나쁘다.

Krän̩klichkeit *f.* 병약, 허약.

Krän̩kling *m.* -s, -e 〔구식〕 병약한 사람.

kran̩k≈|machen *i.* (md.) 〔구어〕 ↑ ~feiern. **≈meldung** *f.* 병결(病缺) 신고. **~|schießen** *t.* 〖사냥〗 총을 쏘아 상처를 입히다.

Kränkung [kréŋkʊŋ] *f.* -en 모욕, 무례; 화나게 함; 괴롭힘: jm. eine ~ zufügen 누구에게 모욕을 주다, 누구를 괴롭히다; eine ~ einstecken 모욕을 참다.

Kra̲n≈wagen *m.* 〖工〗 기중기 탑재차. **~winde** *f.* 〖工〗 기중기 윈치.

***Kranz** [krants] *m.* -es, Kränze [kréntsə] ① 화환, 화관: (sich[3]) Kränze flechten〔winden〕 a) 꽃다발〔화관〕을 엮다, b) 승리를축하하다(↑ ② (b)); den ~ aufsetzen 화관을 씌우다; einen ~ am Grabe niederlegen 〔einen ~ spenden〕 무덤에 화환을 헌화하다; 〔구어〕 (schweiz.) in die Kränze kommen 상을 받다; das kommt nicht in die Kränze 그것은 성공할〔실현될〕 가망이 없다. ② **(a)** (승리·영예의 상징인) 월계관: den ~ erringen 월계관을 획득하다. **(b)** (순결한 처녀의 상징, 특히 신부의) 화관: den ~ verlieren 〔um den ~ kommen〕 순결을 잃다; einer Jungfrau den ~ rauben 어떤 처녀의 정조를 빼앗다; im ~ gehen 시집가다. ③ 〔비유·雅語〕 **(a)** 고리(관) 모양의 것; 〖工〗 둥근 테, 링. **(b)** 회(합), 클럽; 소규모 무도회: ein ~ von Personen 사람들의 작은〔간단한〕 모임; der ~ der Zuschauer 빙 둘러싼 관중. **(c)** 둘러싸고 있는 것: die Stadt ist von einem ~ blühender Gärten umgeben 이 도시는 꽃이 만발한 화원으로 에워싸여 있다. **(d)** 〖건축〗 추녀 돌림띠. **(e)** 고리 모양의 과자(도넛 따위). **(f)** 〖광산〗 종갱(縱坑)을 보호하기 위한 테(두리). **(g)** (신부·수사의) 정수리 가장자리 머리털. ④ 〖사냥〗 (마른 땅에 찍힌) 사슴류의 발자국. ⑤ 〖볼링〗 가운데 핀 하나를 제외하고 모두 쓰러진 모양.

Kran̩z≈ader *f.* 〖醫〗 관상 정맥. **~arterie** *f.* 〖醫〗 관상 동맥. **~bier** *n.* (ndd.) 돈을 갹출하여 베푸는 무도회. **~binder** *m.* 〔드물게〕 화환을 엮는 사람. **~blume** *f.* 〖植〗 애기풀의 일종.

Kränzchen [kréntsçən] *n.* -s, - 〔↑ Kranz 의 축소형〕 ① 작은 화환〔화관〕. ② 〔비유〕 무도회; 회(합), 서클. ③ 〖사냥〗 ↑ Kranz ④.

krän̩zen 《I》 *t.* 화환으로 장식하다, 화관〔월계관〕을 씌우다. 《II》 *i.* 〖사냥〗 (사슴류가) 발자국을 남기다.

Kran̩z≈flechter *m.* ↑ ~binder. **≈förmig** *a.* 화환 모양의. **~frisur** *f.* 꽃다발 모양의 헤어스타일. **~gefäß** *n.* 〖해부〗 (심장의) 관상 혈관. **~geld** *n.* 〖法〗 (남자가 약혼했던 여자에게 주는) 파혼 위자료. **≈geschmückt** *a.* 화환으로 장식한, 화관을 쓴. **~gesims** *n.* 〖건축〗 추녀 돌림띠. **~heister** *pl.* (ndd.) 재주넘

기, 공중제비. ∼**heistern** [krantshái..] *t.* (ndd.) 학대하다. ∼**jungfer** *f.* 〖방언〗 신부 들러리. ∼**kuchen** *m.* (도넛형의) 대형 케이크.

Kränzlein *n.* -s, - ↑ Kränzchen.

Kranz·leiste *f.* 〖건축·구식〗 돌림띠의 상부(上部), 빗물막이 누름돌.

Kranzl·jungfer *f.* (bayr., öst.) 신부들러리.

kranzlos *a.* 화관〔화환〕 없는.

Kranz=naht *f.* 〖醫〗 관상 봉합. ∼**niederlegung** *f.* 헌화(식). ∼**schleife** *f.* 화환의 리본. ∼**spende** *f.* 조화(弔花).

Kräpel *m.* -s, - (ndd., md.) 불구자, 병신.

Kräpfchen [krɛ́pfçən] *n.* -s, - 〖방언〗 ↑ Krapfen ② 의 축소형.

Kräpfel [krɛ́pfəl] *m.* -s, - ↑ Krapfen ②.

Kräpfelchen *n.* -s, - ↑ Kräpfel 의 축소형.

Krapfen [krápfən] 《원뜻 „Haken"》 *m.* -s, - ① (obd.) 열쇠. ② 크라펜(도넛의 일종).

krapf, krapp *a.* ① (ndd.) ↑ fest, knapp. ② (köln.) (빵이) 딱딱하게 구워진.

Krapp [krap] 《ndl.》 *m.* -(e)s 〖植〗 꼭두서니(의 뿌리)(홍색 염료).

Kräppel [krɛ́pəl] *m.* -s, - (md.) ↑ Krapfen.

Kräppelchen *n.* -s, - ↑ Kräppel 의 축소형.

krappen *t.* ↑ krabben.

Krapp=farbe *f.* 꼭두서니 빛깔(의 물감). ∼**rot** *a.* 꼭두서니〔붉은〕 빛깔의.

Krapüle [krapý:lə] 《frz. crapule》 *f.* -n ① 〖고어〗 폭음, 폭음 폭식. ② 주정뱅이; 룸펜, 천민.

Krasch 《frz. courage》 *f.* (ndd.) 용기, 원기.

Krase [krá:zə] *f.* -n, **Krasis** [krá:zɪs] 《gr.》 *f.* ..sen 〖문법〗 (고대 그리스 문법에서 두 모음을 하나의 장모음 또는 이중 모음으로 줄이는) 2 철 합약.

kraspeln *i.* (h.) 바삭바삭〔바작바작〕 소리나다, 삐걱거리다.

***kraß** [kras] (krasser, krassest) 《lat. crassus》 *a.* ① 극단적인; 심한, 두드러진: ein krasser Egoist 극단적 이기주의자; im krassen Gegensatz zu et.³ stehen 무엇과 현저한 대조를 이루다; sich ∼ ausdrücken 자기 의견을 노골적으로 표현하다. ② 〖학생·구식〗 불량한, 버릇 없는: ein krasser Fuchs (대학의) 신입생, 풋내기.

Kraßheit *f.* -en ↑ kraß 의 명사형.

Krater[1] [krá:tər] *m.* -s, -e (물과 포도주를 섞는 고대 그리스의) 항아리.

Krater[2] 《gr.》 *m.* -s, - ① 〖지형〗 분화구. ② 분화구 모양의 구덩이: Bomben∼ 폭탄 구덩이.

krater=artig *a.* ↑ ∼förmig. ∼**bildung** *f.* 분화구 형성. ∼**förmig** *a.* 분화구 모양의. ∼**landschaft** *f.* 분화구 지대. ∼**see** *m.* 〖지형〗 화구호(火口湖).

kratikulieren *t.* 〖數〗 (바둑 눈금을 이용하여) 도형을 측정하다〔옮기다·확대하다·축소하다〕.

Kratt [krat] *n.* -s, -e (ndd.) 관목 덤불; (특히) 떡갈나무 숲.

Kratt·busch *m.* (관목) 덤불.

Kratten [krátən] *m.* -s, - (schweiz.) ↑ Krätten.

Krätten *m.* -s, - (südd.) 광주리, 바구니; 등에 지는 채롱.

Kratz [krats] 《<kratzen》 *m.* -es, -e 할퀸〔긁힌〕 자국, 찰과상, 생채기; 갈라진 금〔틈〕.

Kratz=band *n.* ↑ Kratzerförderer. ∼**beere** *f.* ↑ Brombeere. ∼**bürste** *f.* ① 〖工〗 강선(鋼線)으로 된 솔; 빳빳한 솔, 세탁솔, 수세미; 구두의 흙떨이. ② 〖구어·농담〗 반항적인〔성마른〕 사람〔여자〕. ∼**bürstig** *a.* 강선솔과 같은; 〖비유〗 반항적인, 무뚝뚝한, 고집센. ∼**bürstigkeit** *f.* ↑ ∼bürstig 의 명사형. ∼**distel** *f.* 〖植〗 엉겅퀴속(屬).

Krätzchen [krɛ́tsçən] *n.* -s, - ① 〖軍·구식〗 (챙 없는 둥근) 전투모, 작업모. ② 〖↑ Krätze ③ 의 축소형〗 작은 등바구니.

Kratze [krátsə] *f.* -n 〖工〗 긁는〔빗는〕 도구, (양모) 빗; 〖광산〗 갈퀴, 스크레이퍼.

Krätze [krɛ́tsə] *f.* -n ① 〖醫〗 옴: die ∼ haben 옴이 오르다; 〖구어〗 sich die ∼ an den Hals ärgern 몹시 화를 내다. ② (금속의) 부스러기, 파편. ③ 등바구니.

Kratz·eisen *n.* (현관 따위에 놓는) 구두의 진흙떨이; (미장이의) 회벽을 긁어내는 도구.

***kratzen** [krátsən] 《I》 *t.* ① 긁다, 할퀴다, 깎다: Wolle ∼ 양털을 빗다, 모직물의 보풀을 세우다; eine Stelle (der Haut) ganz rot ∼ (피부의) 어떤 곳을 긁어 빨갛게 하다; et. aufs Papier ∼ 무엇을 종이에 휘갈겨 쓰다, 끄적이다; et. auf einen Haufen (zusammen) ∼ 무엇을 긁어모으다; (hart) zu ∼ haben (몹시) 절약하며 살아야 하다; das Lob hat ihn mächtig gekratzt 칭찬을 받아 그는 기분이 우쭐해졌다; der Rauch kratzt mich〔mir〕 im Hals 연기가 내 목을 자극한다; sich³ den Bart ∼ 면도하다. ② 〖구어〗 훔치다. ③ 〖경박〗 성나게 하다: das kratzt mich nicht 나는 그것에 개의치 않는다. 《II》 *i.* ① (h.) 긁다; 자극하다, 톡 쏘다: blutig ∼ 긁히어 피가 나다; hüte dich vor den Katzen, die vorn schmeicheln und hinten ∼ 앞에서는 아첨하고 뒤에서는 비방하는 자들을 조심하라; an der Tür ∼ (개 따위가) 문을 긁어대다; der Wein kratzt (im Hals) 이 포도주는 자극적이다(맛이 시다); an js. Ehre ∼ 누구의 명예를 훼손하다. ② (s.) 〖구어〗 도망치다: von der Stelle ∼ 급히 달아나다, 빼소니치다. ③ 긁는 소리를 내다: die Schreibfeder kratzt auf dem Papier 이 펜은 종이에 대고 쓰면 찍찍 소리가 난다; 〖비유〗 auf der Geige ∼ 바이올린을 서투르게 켜다. 《III》 *refl.* sich ∼ 몸을 긁다: sich am Kopf ∼ 머리를 긁다; sich hinterm Ohr ∼ a) 귀 뒤를 긁다, b) 난처해〔후회〕하다; sich wund 〔sich³ eine Wunde〕 ∼ 긁어서 몸에 상처를 내다; 〖속담〗 wen's juckt, der kratze sich! 가려운 사람은 긁어라, 필요한 것이〔마음에 들지 않는 것이〕 있으면 말해라! 《IV》 *imp.* mich〔mir〕 kratzt es im Hals 나는 목이 칼칼하다〔따끔거린다〕.

Krätzen·kraut [krɛ́tsən..] *n.* 체꽃(속) (전에는 체꽃이 옴 치료제로 쓰인 데서).

Kratzer [krátsər] *m.* -s, - ① 긁는 사람. ② 긁는 도구. ③ 할퀸 자국, 생채기. ④ 장(腸)기생충.

Krätzer [krɛ́tsər] *m.* -s, - ① ↑ Kratzer ②. ② 떫은〔신〕 포도주. ③ 티롤산(産)의 덜 익은 적(赤)포도주. ④ ↑ Kratzer ④.

Kratzer·förderer *m.* 〖工〗 얇은 강철판으로 된 도관(導管).

Kratz=fuß *m.* ① 오른발을 살짝 뒤로 빼면서 하는 인사: Kratzfüße vor jm. machen 누구

에게 알랑거리다〔굽실대다〕. ② 오른발을 뒤로 빼며 절을 하는 사람. ③〘복수〙 갈겨쓴 글씨. **~füßeln** *i.* (h.) 오른발을 살짝 뒤로 빼면서 절을 하다. **~füßler** *m.* ↑ ~fuß ②.

Kratz·gold *n.* 〘제련〙 금 부스러기.

kratzig [krátsıç] *a.* ① 삐걱거리는; 껄끄러운, 빳빳한; 귀에 거슬리는: 〘비유〙 eine ~e Stimme 귀가 따가운 목소리. ②〘비유〙 반항적인, 고집 센, 성마른; 버릇없는, 거칠고 난폭한: 〘구어〙 sie ist immer sehr ~ 그 여자는 항상 아주 반항적이다.

krätzig [krɛ́tsıç] 《< Krätze》 *a.* 가려운, 옴에 걸린; 〘비유〙 싫은.

Krätzige* *der/die* 옴 환자.

Kratz·maschine *f.* (금·은 세공사가 쓰는) 연마기.

Krätz·milbe *f.* 〘動〙 옴을 일으키는 진드기, 개선충(疥癬蟲).

Kratz·probe *f.* (경도(硬度)를 측정하기 위한) 긁기 테스트. **~putz** *m.* ①〘건축〙 벽면을 긁어내어 거칠게 만든 벽면 장식. ② (대리석 타일에 여러 색으로 새긴) 인각 장식. **~spur** *f.* 긁은〔할퀸〕 자국. **~wunde** *f.* 긁힌 상처, 생채기.

Krau *n.* -s (kölnisch) ① 천민, 불량배, 망나니. ② 고역, 혹사.

krauch *a.* (obd.) 약한, 무력한.

krauchen [kráuxən] 《md.》 *i.* (kriechen) 기다, 기어가다.

Kräuel [krɔ́yəl] *m.* -s, - 긁는 연장, 곡괭이, 갈퀴, 흙 고르는 농구.

kraueln [kráuəln] *t.* 〘방언〙 ↑ kraulen².

krauen [kráuən] *t.* ↑ kraulen².

Kraul [kraul] 《engl.》 *n.* -(s) 〘수영〙 크롤 (영법); 자유형.

kraulen[1] [kráulən] 《engl.》《Ⅰ》 *i.* (h./s.) 자유형으로〔크롤로〕 수영하다. 《Ⅱ》 *t.* 자유형으로〔크롤로〕 주파하다: er hat〔ist〕 die hundert Meter in der Bombenzeit von 48 Sekunden gekrault 그는 48초라는 경이적인 기록으로 100 m 를 자유형으로〔크롤로〕 주파했다.

kraulen[2] *t.* 가볍게 쓰다듬다〔긁다〕: sich³ den Kopf ~ (난처하여) 머리를 긁다.

Krauler *m.* -s, - 〘수영〙 자유형 선수〔수영자〕.

Kraul·schwimmen *n.* 자유형 수영. **~schwimmer** *m.* 자유형 선수〔수영자〕. **~sprint** *m.* 자유형 100 m 또는 200 m 구간. **~staffel** *f.* 자유형 계영(팀). **~stil** *m.* 자유형, 크롤.

***kraus** [kraus] 《mhd. krûs》 *a.* ① 곱슬곱슬한; 주름진: ~e Haare 곱슬곱슬한 머리; ~e Wellen 잔물결; der ~e See 잔물결이 이는 호수; ~ machen 곱슬곱슬하게 만들다〔지지다〕; eine ~e Stirn machen 〔die Stirn ~ ziehen〕 이마를 찌푸리다; 찡그리다; die Lippen ~ zusammenziehen 입술을 오므리다〔비죽거리다〕(못마땅한 표정); schnippisch mit ~em Näschen antworten 인상을 찌푸리고 퉁명스럽게 대답하다; 〘속담〙 ~es Haar, ~er Sinn a) 고수머리는 성미가 괴팍하다, b) 겉모습은 마음의 거울. ② 혼란스러운, 난잡한: ~e Schriftzüge 난잡한 필체; ~e Gedanken 〔Reden〕 두서없는 생각〔연설〕; was redest du da für ~es Zeug? 무슨 횡설수설이냐? ③ 심한, 지독한, 터무니없는: es zu ~ machen 터무니없는 짓을 하다, 극단으로 흐르다.

Kraus·beere *f.* (ndd.) 구스베리 열매(Stachelbeere).

Krause[1] [kráuzə] *f.* -n ① 곱슬곱슬함; 주름(진 상태). ② 주름잡힌 옷깃, 주름 장식, 치맛단의 주름: 〘비유〙 eine ~ ums Kinn haben 턱수염을 기르고 있다. ③ 곱슬머리, 파마한 머리: eine starke ~ 심한 곱슬〔파마〕머리.

Krause[2] 《gr. krōssos, „Krug"》 *f.* -n 뚜껑 달린 맥주잔.

Kräusel [krɔ́yzəl] *f.* -n 〔*m.* -s, -〕 주름잡힌 작은 옷깃, (작은) 주름.

Kräusel·arbeit *f.* 〘방직〙 (옷감의) 주름잡는 작업. **~band** *n.* 주름 밴드.

Kräuselei *f.* -en ① 주름(잡힌 것)(Gekräusel). ② 미사여구, 허식.

Kräusel·eisen *n.* 머리털을 지지는 인두, 머리 마는 기구. **~garn** *n.* (연성(延性)이 좋은) 오글쪼글한 연사(撚絲). **~krankheit** *f.* 〘植〙 오갈병. **~krepp** *m.* ① (표면이 오글오글한) 중급의 크레이프면(綿). ② 오글오글한 연사 크레이프. **~maschine** *f.* 〘방직〙 주름잡는 기계.

***kräuseln** [krɔ́yzəln] 《Ⅰ》 *t.* (머리털을) 곱슬곱슬하게 지지다; (수면에) 잔물결이 일게 하다; (옷감에) 잔주름을 잡다: die Lippen ~ 입술을 비죽거리다(경멸의 표현); die Nase ~ 코를 찡그리다; die vom Wind gekräuselte Oberfläche des Sees 바람에 잔물결이 인 호수면; Münzen ~ 동전의 둘레를 깔쭉깔쭉하게 깎다. 《Ⅱ》 *refl.* sich ~ 곱슬곱슬하게 되다; (천에) 주름이 생기다; 잔물결이 일다: sich ~de Wellen 찰랑거리는 잔물결; ein Rauch kräuselte sich in die Lüfte 연기가 꼬불꼬불 휘돌며 공중으로 올라갔다; 〘구어〙 ich könnte mich ~ (vor Lachen) (우스워서) 포복절도할 것 같다, 배꼽잡겠다.

Kräuselung *f.* -en 곱슬곱슬함; 잔물결(이 일기); 주름.

Kräusel·werk *n.* 〘工〙 화폐 각변기(刻邊機)(동전의 둘레를 깔쭉깔쭉하게 깎는 기계).

Krause·minze *f.* 〘植〙 서양 박하, 스피어민트.

krausen [kráuzən] 《Ⅰ》 *t.* 곱슬곱슬하게 하다, 주름지게 잡다: das Haar ~ 머리를 파마하다; den Stoff ~ 천에 주름을 잡다; die Stirn 〔Nase〕 ~ 이마〔코〕를 찡그리다. 《Ⅱ》 *refl.* sich ~ 주름이 지다, 찌푸리다. 《Ⅲ》 *i.* (천 따위가) 주름이 잘 지다.

Kraus·flor *m.* 크레이프(비단의 일종). **~haar** *n.* 고수머리, 지진 머리. **~haarig** *a.* 고수머리의.

Krausheit *f.* -en ↑ Krause¹ ①.

Kraus·kohl *m.* 〘植〙 케일(무결구성(無結球性)의 양배추의 일종). **~kopf** *m.* ① 고수머리. ② 송곳, 드릴. ③〘농담·폄어〙 생각이 뒤죽박죽인 사람. **~köpfig** *a.* ↑ ~haarig.

Kräusler [krɔ́yslər, ..zlər] 《< kräuseln》 *m.* -s, - 머리카락을 지져 주는 사람; 〘방직〙 주름잡는 기계.

Kraus·tabak *m.* 살담배.

***Kraut**[1] [kraut] 《mhd. krut》 *n.* -(e)s, Kräuter [krɔ́ytər] ① 채소, 나물; 풀, 잡초, 약초; (무나 풀의) 잎: ins ~ schießen〔wachsen〕 a) (열매는 적고) 잎만 무성하게 나다, b) 번창〔만연〕하다; der Aberglaube schießt (üppig) ins ~ 미신이 기승을 부린다; Kräuter sammeln 약초를 채집하다; 〔속담〕 gegen den Tod ist kein ~ gewachsen 죽음을 막는 약은 없다; 〔구어〕 das macht das ~ nicht fett 그것은 아무짝에도 쓸모가 없다; wie ~ und Rüben 난잡하게, 뒤죽박죽으로. ② 양배추, 캐비지. ③〔비유〕 녀석, 건달: ein sauberes ~ 나쁜〔싫은〕 녀석. ④ 걸쭉한 시럽. ⑤ (obd.) 〖植〗 시금치. ⑥ (obd.) 소금에 절인 양배추. ⑦〔고어〕 화약: 〖사냥〗 ~ und Lot 탄약(Pulver und Blei). ⑧〔구어·폄어〕 담배: ein billiges〔schlechtes〕 ~ rauchen 싸구려〔질 나쁜〕 담배를 태우다. ⑨〖工〗 붉나무의 마른 잎 또는 그 분말(제혁용(製革用)). ⑩〔방언〕 물고기 새끼, 치어.

Kraut² *m.* -s (ndd.) 게, 참새우.

Kraut³ *m.* -s, -s 독일놈(독일 사람을 비웃는 말; ↑ Sauerkraut 의 약칭).

Kraut≈acker *m.* 채소〔양배추〕밭. **~artig** *a.* 채소와 같은, 풀 모양의.

Kräutchen [krɔ́ʏtçən] *n.* -s, - 〖↑ Kraut¹ 의 축소형〗 ① 조그마한 채소. ② 지나치게 예민한 사람.

Krruäuritchen Rührmichnichtan [..rý:rmıçnıçtan] *n.* -s -, -- 지나치게 예민한 사람.

Kraute *f.* -n 풀 베는〔뽑는〕 시기.

krauten [kráutən] *t.* 〖방언〗 (jäten) 풀을 뽑다, 김매다: den Garten ~ 정원의 풀을 뽑다.

Krauter *m.* -s, - ① 야채 재배인, 채소밭지기. ②〔경박·폄어〕 보잘것없는 장인(匠人), 시시한 사업가. ③〔구어·농담〕 (늙은) 별난 사람, 기인. ④ (obd.) 초절임 양배추 장수.

Kräuter≈absud *m.* 약초를 달인 약. **~arznei** *f.* 약초. **~bad** *n.* 약탕욕(藥湯浴). **~bier** *n.* 약초가 든 맥주. **~brühe** *f.* 야채죽. **~buch** *n.* 본초학(本草學) 서적. **~butter** *f.* (잘게 간) 약초 넣은 버터. **~doktor** *m.* (특히 약초를 이용하는) 의사 또는 치료사. **~essig** *m.* 약초를 넣어 가공한 식초. **~frau** *f.* 약초를 채집·판매하는 여인. **~fressend** *a.* 〖動〗 풀을 먹는, 초식(채식)의. **~garten** *m.* 채소밭, 약초밭. **~gärtner** *m.* 채소〔약초〕 재배자. **~gewölbe** *n.* (md.) 약초 가게. **~händler** *m.* 약초 장사. **~heil·kunde** *f.* 약초 치료법.

kräuterig *a.* 약초의, 야채가 풍부한.

Kräuter≈käse *m.* 약초를 가미한 치즈. **~kenner** *m.* 약초〔초본〕학자. **~kenntnis** *f.* 약초〔초본〕에 관한 지식. **~kissen** *n.* ① (옷장 따위에 방향제로 넣어 두는) 작은 약초 주머니. ② (수프나 소스에 함께 끓이는) 작은 약초 봉지. **~kunde** *f.* 본초학. **~kur** *f.* 약초를 이용한 치료. **~lehre** *f.* ↑ ~kunde. **~reich** *a.* ↑ kräuterig. **~saft** *m.* 약초즙. **~sammler** *m.* 약초 채집가. **~sammlung** *f.* ① 약초 채집. ② 식물 표본. **~suppe** *f.* ↑ ~brühe. **~tee** *m.* 약초차. **~trank** *m.* 약초를 달인 음료. **~wein** *m.* 약초를 넣은 포도주. **~werk** *n.* 〔구식〕 ① (약맛을 내는 양념용) 야채. ② (약초와 그 처방을 수록한) 약초 도감, 본초학 서적. **~zucker** *m.* 약초 설탕, 당제(糖劑).

Kraut≈esel *m.* 〔구어〕 바보, 등신. **~fäule** *f.* (감자·토마토의) 잎이 썩는 병. **~feld** *n.* 야채밭. **~förmig** *a.* 채소〔풀〕 모양의. **~garten** *m.* 채소밭. **~hahn** *m.* 〖요리〗 고기를 넣은 양배추. **~haupt** *m.* ↑ ~kopf. **~hobel** *m.* 양배추 써는 칼.

Kräuticht [krɔ́ʏtıçt] *n.* -s, -e 야채의 버려진 잎사귀(수확이 끝난 뒤의 감자잎 등).

krauthaft *a.* ↑ krautartig.

krautig *a.* ↑ krautartig.

Kräutig *n.* -s ↑ Kräuticht.

Kraut≈junker *m.* 시골 귀족, 대지주. **~kopf** *m.* 〔방언〕 양배추(결구(結球)) (Kohlkopf).

Kräutlein *n.* -s, - ↑ Kräutchen.

Kräutlein Rührmichnichtan *n.* -s -, -- ↑ Kräutchen Rührmichnichtan.

Kräutler [krɔ́ʏtlər] *m.* -s, - ① 야채 장수. ② 야채 재배자.

Kraut≈markt *m.* 야채 시장. **~netz** *n.* 《< Kraut²》 게 잡는 그물. **~popel** *m.* (sächs.) 작은 남자; 어린 녀석, 젊은이. **~salat** *m.* 양배추 샐러드. **~stiele** *pl.* 양배추의 잎자루. **~strunk** *m.* 양배추의 줄기. **~werk** *n.* 풀, 목초, 야채; (obd.) 수프용 야채. **~wickel** *m.* 잘게 썬 고기를 양배추 잎으로 만 요리.

Krawall [kravál] *m.* -s, -e ① 소요, 폭동, 난동: politische ~e 정치적 소요. ② 소동, 떠들썩함: ~ schlagen (큰 소리로) 열을 내며 불평하다.

krawallen *i.* (h.) 소요를 일으키다; 떠들어대다.

Krawaller *m.* -s, - ↑ Krawallmacher.

Krawall·macher *m.* ① 소요자, 폭도. ② 떠들썩한 사람.

***Krawatte** [kravátə] 《frz., cravate》 *f.* -n ① 넥타이: sich³ die ~ binden 넥타이를 매다; jn. an〔bei〕 der ~ nehmen〔packen〕 누구의 목을 조르다〔잡다〕; 〔구어〕 sich einen hinter die ~ gießen 한 잔 쭉 들이켜다; 〔은어〕 jm. die ~ anziehen〔zuziehen, um den Hals legen〕 누구를 목매달다, 교수형에 처하다. ② 좁은 털 옷깃. ③〔레슬링〕 목조르기.

Krawatten≈halter *m.* 넥타이핀. **~macher** *m.* ① 넥타이 제조인. ②〔구어〕 고리 대금업자, 모리배. **~nadel** *f.* 넥타이핀. **~tuch** *n.* 목도리. **~zwang** *m.* 넥타이 착용 의무.

Kraweel≈bau [kravé:l..] *m.* 〖조선〗 선판 이어깔기 조선법. **~gebaut** *a.* 〖조선〗 선판 이어깔기법으로 만든.

Kraxe [kráksə] *f.* -n (obd.) 등짐 바구니 (Krätze ③).

Kraxelei *f.* -en 계속 기어오르기.

kraxeln [kráksəln] 《I》 *t.* 찗어지다. 《II》 *i.* (s./h.) (obd.) (힘들게) 기어오르다, 등반하다.

Kraxler *m.* -s, - 기어오르는 사람, 등산가.

Krayon [krɛjɔ̃:] 《lat. creta》 *m.* -s, -s 〔고어〕 ① 연필. ② 백묵.

Krayon≈manier *f.* 동판 부식 제판술(섬세한 점으로 선을 만들어 마치 초크화처럼 보인 데서). **~zeichnung** *f.* 크레용 그림.

Kräze [krɛ́:tsə] *f.* -n (schweiz.) (Krätze ③) 등짐 바구니.

Kreas [kré:as] 《gr.》 *n.* - (표백하지 않은) 아마포.

Kreatin [kreatí:n] 《gr.》 *n.* -s 〖생화학〗 크레아틴(근육 조직 속의 유기 염기).

Kreatinin *n.* -s 〖醫〗 크레아티닌(척추 동물의 근육·혈액 속에 함유된 백색 결정).

Kreation [kreatsió:n] 《lat.》 *f.* -en ①〖구식〗 창조, 창작; 예술적 창작물. ② 유행 창출.
Kreationismus *m.* -〖哲〗 영혼 창조설.
kreativ [..tí:f] *a.* 창조적〔창의적〕인.
Kreativität *f.* 창의성, 창조력.
Kreativitäts=test *m.* 창의성 테스트. **~-training** *n.* 창의성 훈련.
Kreativ·urlaub *m.* 재충전을 위한 휴가 여행.
Kreator [..á:tɔr, ..to:r] *m.* -s, -en [..tó:rən] 창조자.
****Kreatur** [..tú:r] *f.* -en ① 피조물, 생물; 인간. ② 불쌍한 존재〔인간〕. ③ 꼭두각시.
kreatürlich [..tý:rlıç] *a.* 피조물 특유의.
Kreatürlichkeit *f.* ↑ kreatürlich의 명사형.
Kreben *m.* -s, -〖방언〗 등에 지는 채롱.
****Krebs** [kre:ps] (⊕ Krabbe) *m.* -es, -e ①〖動〗 갑각류; 가재, 게: rückwärts gehen wie ein ~ 게〔가재〕처럼 뒷걸음치다;〖조정·은어〗 einen ~ fangen 노를 잘못〔헛〕 젓다. ②〖醫〗 암: an ~ sterben 암으로 죽다. ③〖天〗 게자리〔에 태어난 사람〕. ④〖복수〗 반품. ⑤〖軍·고어〗 흉갑, 가슴받이. ⑥ 식물의 동고병(胴枯病). ⑦〖음악〗 되돌림표.
krebs·artig *a.* ①〖動〗 갑각류의. ②〖醫〗 암과 비슷한. **~auge** *n.* ① 게눈. ② ↑ ~stein. **~bildung** *f.*〖醫〗 암종(癌腫) 형성. **~-brühe** *f.* ↑ ~suppe. **~butter** *f.* 적색 버터. **~distel** *f.*〖植〗 엉겅퀴의 일종.
krebsen [kré:psən] 《< Krebs》 *i.* ① (h.) 가재〔게〕를 잡다: ist es nicht gefischt, so ist es doch gekrebst 고기를 못 잡으면 가재라도 잡는다. ② (h./s.)〖비유·구어〗 허우적거리다, 쩔쩔매다; 힘들게 기어오르다〔도달하다〕; 힘들게 일하다: die Firma krebst immer noch am Rande des Defizits 그 회사는 아직도 적자의 언저리에서 허덕이고 있다; dann sind wir mit letzter Kraft zur Herberge gekrebst 그런 다음 우리는 마지막 힘을 다해 숙소에 다다랐다; zu ~ haben 힘들게 일하며〔절약하며〕 살아가야 하다; mit et.³ ~ gehen 무엇을 이용해 자기 잇속을 챙기다. ③ 물러나다, 양보하다.
krebs·erregend *a.* 암을 유발하는.
Krebs=erreger *m.* 발암 물질. **~erzeugend** *a.* ↑ ~erregend. **~fang** *m.* 가재〔게〕잡기. **~förmig** *a.* 가재 모양의;〖醫〗 암종(癌腫) 형태의. **~forschung** *f.* 암 연구. **~früh-erkennung** *f.* 암 조기 발견. **~gang** *m.* ① 후퇴;〖비유〗 퇴보, 쇠퇴: den ~ gehen 퇴보하다, 악화되다. ②〖음악〗 (악보 따위를) 거꾸로 읽기, 역행. **~geschwulst** *f.* ↑ Krebs ②. **~geschwür** *n.*〖醫〗 암성(癌性) 종양.
krebshaft *a.* ↑ krebsig.
krebs·hemmend *a.* 암을 억제하는.
krebsig [kré:psıç] *a.* ① 가재 모양의. ② 암종(癌腫) 형태의.
Krebs=klinik *f.* 암병동. **~krank** *a.* 암에 걸린. **~kranke*** *der/die* 암환자. **~krank-heit** *f.* 암, 암종.
krebslings *adv.* (가재처럼) 뒤쪽으로.
Krebs=nase *f.* 게의 껍질에 소를 넣은 요리. **~otter** *m.*〖動〗 밍크. **~pest** *f.* 게 페스트. **~reuse** *f.* 가재 잡는 어살, 게 잡는 기구. **~-rot** *a.* (삶은) 게처럼 새빨간. **~schaden** *m.*〖醫〗 암;〖비유〗 뿌리 깊은 해악, 폐해. **~-schere** *f.* ① 가재의 집게(발). ②〖植〗 자라풀과의 수생(水生) 식물. **~stein** *m.* 게의 위부(胃部)에 생긴 석회질 결석. **~suppe** *f.* 게수프. **~tier** *n.*〖動〗 갑각류. **~übel** *n.*〖비유〗 뿌리 깊은 병폐, 불행, 흉조. **~vorsorge** *f.*〖醫〗 ① 암 예방 (대책). ② 암 조기 발견 검진. **~zelle** *f.* 암세포. **~zucht** *f.* 게 양식.
Kredenz [kredénts] 《lat., „Glaube"》 *f.* -en〖고어〗 ↑ Kredenztisch.
kredenzen [..tsən] (*p.p.* kredenzt) 《lat.》 *t.*〖雅語〗 ① (먼저 맛을 보고) 권하다. ② (음식을) 차려 내놓다.
Kredenz·tisch *m.* 음식을 차려놓는 탁자;〖가톨릭〗 (성체 성사용의) 제구대(祭具臺).
****Kredit**[1] [kré:dıt] 《lat.》 *n.* -s, -s〖商〗 (대차계정의) 대변(貸邊) (↔ Debet): im ~ stehen 대변에 기입되어 있다.
****Kredit**[2] [kredí:t] 《lat. creditum》 *m.* -(e)s, -e ① 신용 대부, 대부금, 크레디트; 외상; 신용(도): langfristige ~e 장기 신용 대부; ein laufender ~ 당좌 대부; öffentliche ~e 공채(公債); private ~e 개인 신용; offener ~ 무담보 신용; auf ~ 외상〔신용〕으로; Waren auf ~ nehmen〔geben〕 상품을 신용〔외상〕으로 사다〔팔다〕; jm. einen ~ geben 누구에게 신용 대부를 해주다, 외상 판매를 하다; einen ~ einräumen 신용 대부를 허락하다; bei jm. ~ genießen〔haben〕 누구에게서 신용 대부를 받고 있다; (bei jm.) einen ~ eröffnen (누구와) 신용 거래를 트다〔개시하다〕. ② 신뢰, 명망: er hatte mehr ~ als Geld 그는 부자라기보다는 명망가였다; er hat seinen moralischen ~ erschöpft 그는 도덕적인 신뢰를 모두 잃었다.
Kredit=anstalt *f.*〖商〗 신용〔금융〕 기관, 은행. **~aufnahme** *f.* 크레디트〔신용〕 설정. **~auftrag** *m.* 신용 위임. **~bank** *f.*〖복수: -en〗 신용 은행. **~brief** *m.* 신용장, 위탁 신용 증권. **~deckung** *f.* 보증 준비. **~ef-fekten** *pl.* 신용 증권. **~erkundigung** *f.* 신용 조사. **~eröffnung** *f.* 신용 거래 개시. **~-fähig** *a.* 신용 대부를 받을 능력이 있는, 채무 지급 능력이 있는. **~fähigkeit** *f.* (경제적) 신용 능력. **~geber** *m.* (신용) 대부 제공자. **~geberin** *f.* ↑ ~geber의 여성형. **~geld** *n.* 신용 화폐. **~genossenschaft** *f.* 신용 조합. **~geschäft** *n.* 신용 업무. **~gewährung** *f.* 신용 공여(供與), 여신(與信) 업무. **~hai** *m.*〖구어·펌어〗 사채 업자, 고리 대금업자. **~hilfe** *f.* 신용(대부) 지원.
kreditieren [krediti:rən] 《< Kredit》 《I》 *t.* ① 외상거래를 (허락)하다: kreditierte Warenlieferungen 외상 물품 공급. ② 신용 대부하다; 대변에 기입하다: jm. einen Betrag ~ 〔jn. für einen Betrag〕 ~ a) 누구에게 어떤 액수의 신용 대부를 하다, b) 어떤 액수를 누구의 대변에 기입하다. 《II》 *i.* (h.) jm. ~ 누구를 신뢰〔신임〕하다, 누구에게 신용 대부를 허락하다.
Kreditierung *f.* 신용 거래.
Kredit·institut *n.* 금융 기관.
Kreditiv [..tí:f] *n.* -s, -e ① (외교관의) 신임장. ② 위탁 신용 증권.
Kredit=karte *f.* 신용 카드. **~kauf** *m.* 신용〔외상〕 구입. **~krise** *f.* 신용〔금융〕 위기. **~lager** *n.* 신용 창고.
kreditlos *a.* 신용이 없는.

Kredit≈markt *m.* 신용 시장. **~nehmer** *m.* (신용) 대부를 받는 사람. **~nehmerin** *f.* ↑ ~nehmer 의 여성형.
Kreditor [kré:ditɔr, ..to:r] 《it.》 *m.* -s, -en [..tó:rən] 채권자.
Kreditoren·konto *n.* 채권자 계정.
Kredit≈papier *n.* 신용 증권. **~politik** *f.* (신용 규모 조정을 위해 중앙 은행이 실시하는) 신용 정책. **~posten** *m.* 〖商〗 대변 총액〔항목〕. **~prüfung** *f.* 신용 조사. **~reise·brief** *m.* 여행(자) 신용장. **~restriktion** *f.* 신용(대부) 제한. **~seite** *f.* 〖商〗 (대차 계정의) 대변. **~verband, ~verein** *m.* 신용 조합. **~versicherung** *f.* 신용 보험. **~wirtschaft** *f.* 신용 경제. **~wesen** *n.* 신용 기관. **≈würdig** *a.* 〖금융〗 신용이 있는, 신용 대부를 받을 경제력을 갖춘. **~würdigkeit** *f.* 〖금융〗 신용도, 신용 능력: js. ~ überprüfen 누구의 신용도를 검토하다. **~zahlungs·mittel** *n.* 신용 지급 수단.
Kredo [kré:do] 《lat. „ich glaube"》 *n.* -s, -s ① 사도 신경. ② (미사 중의) 신앙 고백. ③ 신념〔세계관〕의 표명.
Kredulität *f.* 경신(輕信).
Kreet *m./n./f.* -s (ndd.) 욕설, 독설, 질책.
Krefeld [kré:fɛlt] 크레펠트(Düsseldorf 인근의 도시).
Krefelder 《I》 *m.* -s, - 크레펠트의 주민. 《II》 *a.* 크레펠트의.
kregel [kré:gəl] 《<Krieg》 *a.* (ndd.) 건장〔건강〕한, 정정한; 쾌활〔활달〕한.
Krehl *m.* -s, -e 짧은 손잡이가 달린 곡괭이.
Krei *f.* (ndd.) ① 까마귀. ② 백악(白堊). ③ 슬래그, 광재(鑛滓).
***Kreide** [kráidə] 《lat. (terra)creta》 *f.* -n ① 백악; 백묵, 분필: weiße〔rote〕 ~ 흰〔붉은〕 분필. ②〖지질〗 백악기〔층〕. ③〖化〗 탄산칼슘. ④〔비유〕 (외상을 백묵으로 적어 놓는 데서 유래) 외상, 빚: bei jm. tief 〔mit 100 Mark〕 in 〔auf〕 der ~ sein〔stehen〕 누구에게 많은〔100 마르크의〕 빚을 지다; bei jm. (immer tiefer) in die ~ geraten〔kommen〕 누구에게 (점점 더 많은) 빚을 지게 되다; auf ~ leben 외상〔빚〕으로 살다; mit doppelter ~ anschreiben 외상액을 두 배로〔부당하게 높이〕 적어 두다, 청구하다. ⑤ (ndd.) 죽, 잼; 섬유질.
kreide≈artig *a.* 백악질(白堊質)의; 〖지질〗 백악기(紀)의. **≈bildung** *f.* 〖지질〗 백악 형성, 백악층. **≈blaß, ~bleich** *a.* 백묵처럼 창백한, 매우 창백한. **≈erde** *f.* 백악토. **≈fels(en)** *m.* 백악암. **≈formation** *f.*, **≈gebirge** *pl.* 백악층. **≈grube** *f.* 백악〔석회〕갱(坑). **≈grund** *m.* 백악질의 토지. **≈gruppe** *f.* ↑ ~bildung.
kreidehaft *a.* ↑ kreideartig.
kreide≈haltig *a.* 백악을 함유하는, 백악질의. **≈küste** *f.* 백악암 해변. **≈manier** *f.* (18-19 세기에 유행한) 동판 부식 제판술 (Krayonmanier). **≈mergel** *m.* 백악(질의) 이회암(泥灰岩).
kreiden [kráidən] *t.* ① (펄프 등에) 백악을 첨가하다. ② 분필로 쓰다〔그리다〕.
Kreide≈papier *n.* 백악〔광택〕지, 아트지. **~stift** *m.* 백묵, 초크. **~strich** *m.* 초크로〔백묵으로〕 그린 선(線). **~tierchen** *n.* 〖動〗 근족충류(根足蟲類) (원생 동물의 일종). **≈weiß** *a.* ↑ ≈bleich. **~zeichnung** *f.* 초크 스케치. **~zeit** *f.* 〖지질〗 백악기.
kreidig [kráidıç] *a.* ① 백악질의, 백악을 함유한. ② 백악을 바른. ③ 백악처럼 흰, 창백한.
kreieren [kreí:rən] 《lat. creāre》 *t.* ① 창조하다, 창시〔창안〕하다: einen neuen Tanz ~ 새로운 춤을 만들어내다. ② 선출하다; 임명하다. ③〖연극〗 (배역을) 최초로 연기하다, (어느 역의) 정형을 만들어내다.
Kreierung *f.* -en ↑ kreieren 의 명사형.
***Kreis** [krais] (♧ kritzeln) *m.* -es, -e ① 원, 원형: jeder Schnitt durch eine Kugel ist ein ~ 구(球)의 자른 면은 어느 것이나 원이다; im ~ herum 둥글게, 빙 둘러(앉아)서; es dreht sich mir alles im ~e 나는 빙빙 돈다, 어지럽다; sich in einen ~ stellen 〔sich im ~e aufstellen〕 둥글게 진을 치다; sich im ~e bewegen 제자리에서 맴돌다, 반복하다, 쳇바퀴돌다; wir sind im ~ gegangen 우리는 한 바퀴 빙 돌아 제자리에 왔다; den ~ schließen 〔bilden〕 a) 원을 이루다〔만들다〕, b) 완결하다; einen ~ beschreiben〔schlagen, ziehen〕 원을 그리다; einen ~ um et. schließen 무엇을 빙 둘러싸다; der ~ schließt sich (일련의) 증거가 완전무결하다, (이야기의) 전후좌우가 딱 들어맞다; js. ~e stören 누구의 일이나 활동을 방해하다. ②〖논리〗 순환 논법; 〖天〗 (행성의) 궤도; 주기; 〖전기〗 회로. ③ 재판 관할구; (나치 시대의) 지구(地區); (1500 년경에서 1806 년까지의) 주(州); (Land≈) 군(郡) (Regierungsbezirk 와 Gemeinde 의 중간): 〖행정〗 schwarzer〔weißer〕 ~ 경작지가 있는〔없는〕 지역. ④ (활동) 범위, 영역, 권(圈), 층(層): Leser≈ 독자층; der ~ der Frau ist das Haus 여자의 활동 무대는 가정이다; ein breiter ~ von Problemen 광범위한 문제들; seine ~e weiter ziehen 자신의 세력 범위를 확대하다; das liegt außer meinem ~ 그것은 내 영역 밖의 일이다. ⑤ 동아리, 무리, 패거리; 사회, 계(界): die höheren〔besten〕 ~e 상류 사회〔계급〕; ein ~ der Zuhörer 한 무리의 청중; im ~ der Familie 가정(의 범위) 안에서; in seinen ~en 그의 동료들 사이에서; in weiten ~en 널리 (세상에). ⑥〖植〗 윤상(輪狀)체(윤상아(芽)·윤상엽 등). ⑦〖植〗 문(門) (식물 분류의 단위).
Kreis≈abschied *m.* 군 의회의 폐회. **~abschnitt** *m.* 〖기하〗 궁형(弓形), 호(弧). **~amt** *n.* 군청. **~arzt** *m.* 군(郡)의 공의(公醫). **~ausschnitt** *m.* 〖기하〗 부채꼴, 선형(扇形). **~ausschuß** *m.* (군 의회가 임명한) 군(행정) 위원회. **~bahn** *f.* ① 환상(環狀) 철로. ②〖天〗 궤도. **~bauernschaft** *f.* 군 농민 조합. **~beamte*** *der* 군〔지방〕 공무원. **~behörde** *f.* 군청. **~bewegung** *f.* 원운동. **~bogen** *m.* 〖기하〗 원호(圓弧); 〖건축〗 원호형(形) 아치. **~brief** *m.* 회람장.
***kreischen** [kráiʃən] (전에는 강변화: krisch, gekrischen) 《I》 *i.* (h.) 새된〔금속성〕 소리를 지르다, 날카롭게 외치다; (톱·줄 등이) 끽끽 소리나다, (문이) 삐걱거리다: ~des Lachen 킥킥거리는 웃음소리; eine Tür kreischt in ihren Angeln 문의 돌쩌귀가 삐걱거린다; das Auto hielt mit ~den Bremsen 그 자동차는 끼익 소리를 내며 정차했다. ②〔비유〕 (빛깔·무늬 따위가) 칙칙하다, 야하고 짙다, 눈부시

다. 《Ⅱ》 *t.* 날카롭게 외치다; 기름에 튀기다.
kreischend *p.a.* (소리가) 날카로운, 새된; (색이) 칙칙한, 야한.
Kreischer *m.* -s, - 절규하는 사람.
Kreis≈direktion *f.* 지방관청, 군청. **~direktor** *m.* 지역 기관장, 군수. **~drehung** *f.* 회전. **~durchmesser** *m.* 〖기하〗 원의 지름〔직경〕. **~einteilung** *f.* ① 〖數〗 원의 분할. ② 군〔지방〕으로 나누기, 행정 구획.
***Kreisel** [kráɪzəl] *m.* -s, - ① 팽이; 자이로스코프, 회전의(儀): den ~ (mit der Peitsche) treiben 팽이를 (채찍으로) 돌리다; ~ spielen 팽이돌리기를 하다; der ~ geht aus 팽이가 잔다, 멈춘다; er drehte sich wie ein ~ 그는 팽이처럼 뱅글뱅글 돌았다. ② 〖工〗 터빈, 날개바퀴. ③ 환상(環狀) 교차로, 로터리. ④ 〖축구〗 공을 돌리며 펼치는 공격.
Kreisel≈kompaß *m.* 〖空·海〗 자이로컴퍼스, 회전 나침의. **~koralle** *f.* 〖動〗 산호의 일종. **~lüfter** *m.* 〖기계〗 터빈 환기 장치.
kreiseln [kráɪzəln] 《Ⅰ》 *i.* (h.) ① 팽이를 돌리다. ② 〖축구〗 공을 자기 팀내에서만 빙빙 돌리다. ③ (h./s.) **(a)** 회전하다; 소용돌이치다. **(b)** 빙글빙글 돌며 움직이다. 《Ⅱ》 *t.* 돌리다, 소용돌이치게 하다.
kreiselnd *p.a.* 회전하는, 소용돌이치는; 〖植〗 소용돌어 모양의(양치류의 잎 따위).
Kreisel≈peitsche *f.* 팽이채. **~pumpe** *f.* 〖工〗 터빈 펌프. **~rad** *n.* 〖工〗 날개바퀴, 터빈. **~schnecke** *f.* 〖動〗 권패(卷貝)의 일종. **~spiel** *n.* 팽이돌리기. **~verdichter** *m.* 〖工〗 터빈 압착기, 터보 압축기.
kreisen [kráɪzən] 《<Kreis》 《Ⅰ》 *i.* (h./s.) ① 돌다, 순환하다, 선회〔회전〕하다: der Becher kreiste in der Runde 잔이 한 바퀴 빙 돌았다; das Luftschiff kreiste um die Stadt 비행선이 도시의 상공을 선회하였다; Adler kreisten in den Lüften 독수리가 공중에서 원을 그리며 날았다; seine Gedanken ~ ständig um diese Frage 그의 생각은 늘 이 문제 주위를 맴돈다. ② 〖스포츠〗 원을 그리다, 둥글게 돌리다: mit den Armen 양팔을 빙빙 돌리다. ③ 〖사냥〗 몰이 사냥의 준비를 하다. 《Ⅱ》 *t.* ① 돌리다, 회전시키다. ② 〖사냥〗 몰아서 포위하다.
Kreiser *m.* -s, - (md.) (숲·밭의) 감시인, 지키는 사람; 〖사냥〗 사냥꾼의 조수.
Kreis≈fläche *f.* 원형의 면(面); 원의 면적. **~flug** *m.* 〖空〗 선회. **~form** *f.* 원형. **≈förmig** *a.* 원형의: ~e Bewegung 원운동. **≈frei** *a.* 〖政〗 지방 관청에 소속되지 않은, 독립 시를 이루는. **~funktion** *f.* 〖數〗 원함수. **~gang** *m.* 회전, 둘레 돌기. **~gericht** *n.* 지방 법원. **~hauptmann** *m.* (옛 작센 지역의) 군수. **~inhalt** *m.* 〖數〗 원의 면적. **~jagd** *f.* 〖사냥〗 몰이 사냥. **~lauf** *m.* 순환, 회전, 선회, 순회: 〖醫〗 großer ~ 대순환, 온몸돌기; 〖醫〗 kleiner ~ 소순환, 염통돌기. **~läufer** *m.* 〖핸드볼〗 피벗 플레이어.
Kreislauf≈kollaps *m.* 〖醫〗 ↑ Kollaps. **~mittel** *n.* 〖藥〗 (혈액) 순환 촉진제. **~schwäche** *f.* 〖醫〗 (혈액) 순환 부전증. **~störung** *f.* 〖醫〗 (혈액) 순환 장애. **~versagen** *n.* ↑ ~störung.
Kreis≈leiter *m.* (나치 시대의) 지구(地區) 지도자. **~leitung** *f.* ① 〖구동독〗 (통합 사회당의) 지구당 지도부. ② 〖전기〗 폐회로(閉回路). **~linie** *f.* 환상(環狀)의 선(線); 〖數〗 원주, 원둘레. **~messung** *f.* 원의 넓이 구하기. **~ordnung** *f.* 지방 조례(條例). **~physikus** 〖고어〗 *m.* ↑ ~arzt. **~prozeß** *m.* 〖교양〗 윤환(輪環) 과정; 〖物·化〗 순환 과정, 사이클. **~richter** *m.* (öst.) 지방 법원 판사. **~ring** *m.* 2개의 동심원으로 둘러싸인 환상(環狀)의 면(面). **~ritt** *m.* 〖승마〗 말을 타고 둥글게 돌기. **≈rund** *a.* 원형의. **~säge** *f.* 원반 모양의 동력 톱, 둥근 톱. **≈schattig** *a.* 〖지질〗 극권내(極圈內)의. **~schere** *f.* 회전 원판 전단기(剪斷機). **~schluß** *m.* 〖논리〗 순환논증. **~schnitt** *m.* 원형으로 자르기.
kreißen [kráɪsən] 《⇔ kreischen》 *i.* (h.) 〖醫·고어〗 분만 중이다, 진통을 하다: 〖비유〗 der Berg kreißt und gebiert eine Maus 태산 명동(泰山鳴動)에 서일필(鼠一匹).
Kreißende* *die* 〖醫〗 분만 중인 임산부.
Kreißerin *f.* -nen 분만 중인 임산부.
Kreiß·saal *m.* 분만실.
Kreis≈stadt *f.* 군청 소재지〔도시〕. **~stände** *pl.* 군〔지방〕 의회 의원. **≈ständig** *a.* 〖植〗 윤상(輪狀)의. **~strom** *m.* 〖전기〗 순환 전류. **~synode** *f.* 교구 내의 교회 회의. **~tag** *m.* 군〔지방〕 의회. **~tanz** *m.* 윤무(輪舞). **~tisch** *m.* 원탁. **~umfang** *m.* 〖기하〗 원주〔원둘레〕의 길이. **~umlauf** *m.* 원둘레. **~verkehr** *m.* 환상(環狀) 교차로, 로터리. **~verwandtschaft** *f.* 〖數〗 원변환. **~viereck** *n.* 원에 내접하는 4각형. **~viertel** *n.* 4분원(四分圓). **~wehr·ersatz·amt** *n.* 지방 병무청(약어: KWEA).
Krekel *f.* -n (ndd.) 야생 오얏.
krellen [krɛ́lən] 《Ⅰ》 *t.* ① (ndd.) 돌리다; 꼬다; (마개를) 비틀어 열다. ② 〖사냥〗 (탄알을 스치게 쏘아) 기절시키다, 찰과상을 입히다. 《Ⅱ》 *refl.* sich ~ 몸단장을 하다, 성장(盛裝)하다; 춤추는 걸음걸이로 걷다.
Krell·schuß *m.* 〖사냥〗 (짐승을 기절시키기 위하여) 스치게 쏘는 탄환, 찰과탄(擦過彈).
Krem [kre:m] 《frz. creme》 《Ⅰ》 *f.* -s 〔(구어) *m.* -s, -e/-s〕 ① 크림, 유지(乳脂). ② 크림처럼 생긴 것(과자·화장품·연고·구두약 등). ③ 〖비유〗 알짜 정수(精髓); (이야기의) 재미있는 대목: die ~ der Gesellschaft 상류 사회. 《Ⅱ》 das ~ 크림색, 담황색.
Kremation [krematsió:n] 《<lat. cremāre》 *f.* -en 소각; 화장(火葬).
Krematorium [..tó:rium] *n.* -s, ..rien [..riən] 화장터; (나치 때 유대인 수용소의) 시체 소각장.
Kreme 新정서 ⇦ Creme.
Krem·eis *n.* 얼음과자, 아이스크림.
kremieren [kremí:rən] *t.* 화장하다.
kremig *a.* 크림 같은.
Kreml [kreml, krɛml] *m.* -(s) ① (모스크바의) 크레믈린궁. ② 〖비유〗 러시아 정부.
Kremlin *m.* -(s) ↑ Kreml.
Krempe [krɛ́mpə] 《⇔ Krampf》 *f.* -n (위로) 젖혀진〔구부러진〕 물건; (모자의) 차양, 테; (소매·옷깃의) 단.
Krempel[1] [krɛ́mpəl] *f.* -n 〖섬유〗 보푸라기를 세우는 기계(Karde).
Krempel[2] 《lat.》 *m.* -s 〖구어·폄어〗 헌옷가지, 잡동사니, 하찮은 물건: weg mit dem ganzen ~! 잡동사니는 모두 버려라!

Kręmpel≈kamm *m.* 〖방직〗(양털 빗는) 빗, 소모(梳毛)〔소면(梳綿)〕기. **~markt** *m.* 고물〔헌옷〕 시장. **~maschine** *f.* ↑ Krempel[1].
krempeln [krɛ́mpəln] *t.* ① 소모(梳毛)하다. ② (위로) 구부리다, 젖히다, 접다: einen Hut ~ 모자의 테를 위로 젖히다.
Krempler [krɛ́mplər] 《<Krempel[2]》 *m.* -s, - (obd.) 고물상, 헌옷 장수.
Krempling [krɛ́mplɪŋ] *m.* -s, -e 〖植〗 식용 버섯의 일종.
Kręmp·ziegel *m.* 기와의 일종.
Kremser [krɛ́mzər] *m.* -s, - 크렘저, 유람용 대형 유개(有蓋) 마차.
Kręmser Weiß *n.* - -(es), **Kręmser-weiß** 《Krems 는 오스트리아의 도시》 *n.* 백연(白鉛) (Bleiweiß).
Kren [kreːn] 《sl.》 *m.* -(e)s (südd.) 서양 고추냉이: 〔비유〕 ein Manderl mit ~ 거드름피우는 사람; sich einen ~ geben 거드름피우다, 잘난 체하다; (öst.) 〖구어〗 zu et.[3] seinen ~ geben 무엇에 대해 의견을 말하다, 말참견하다.
krenelieren [krenəlíːrən] 《frz.》《Ⅰ》 *t.* (화폐의) 둘레를 요철(凹凸) 모양으로 만들다: 〖軍〗 eine Festung ~ 요새에 총안(銃眼)을 만들다. 《Ⅱ》 **kreneliert** *p.a.* ↑ kreneliert.
kreneliert 《Ⅰ》 *p.p.* ↑ krenelieren. 《Ⅱ》 *p.a.* 총안을 만들어 놓은; 요철 모양으로 만든.
Kren·fleisch *n.* (südd., öst.) 삶은 돼지고기.
Krengel [krɛ́ŋəl] *m.* ① 작은 동그라미. ② 도넛 모양의 비스킷(Kringel).
krengeln 《<kringeln》《Ⅰ》 *i.* (h.) 원을 그리다. 《Ⅱ》 *refl.* sich ~ ① 돌다. ② 살금살금 걷다.
krengen [krɛ́ŋən] *i.* (h.) (배가) 한 쪽으로 기울다(krängen).
Kreol [kreóːl] *n.* -s (아이티 등지에서 사용하는) 프랑스어 혼합어.
Kreole [kreóːlə] 《frz.》 *m.* -n, -n ① (남아메리카에 사는) 유럽 백인의 후손(weißer ~). ② (남아메리카 태생의) 흑인 노예의 자손 (schwarzer ~).
Kreolin *f.* -nen ↑ Kreole 의 여성형.
kreolisch *a.* 크레올레(풍)의.
Kreolische* *das* 유럽어와 유색 인종어의 혼합 언어.
Kreophag [kreofáːk] *m.* -en, -en, **Kreophage** [..fáːgə] 《<gr. kréas》 *m.* -n, -n 육식 동물(Karnivore).
Kreosol [..zóːl] *n.* -s 〖化〗 크레오솔.
Kreosot [kreozóːt] *n.* -(e)s 〖化〗 크레오소트 (방부·진통제).
Kreosotal *n.* -s 〖藥〗 크레오소탈.
Krepel *m.* -s, - 불구자, 병신.
krepelig *a.* 쓰러질 것 같은, 약한, 허약한.
krepeln *i.* (h.) 쓰러질 듯이〔힘겹게〕 기어가다 (kröpeln).
Krepeline [krɛplíːn] 《lat. -frz.》 *f.* -s [..líːns] 크레플린(주름잡힌 직물의 일종).
krepieren [krepíːrən] 《it.》《Ⅰ》 *i.* (s.) ① 폭발하다, 터지다. ② 〔비속〕 (사람·짐승이) 비참하게 죽다, 뒈지다. ③ 〖醫〗 (뼈마디가) 으드득거리다, (숨소리가) 그르렁거리다. 《Ⅱ》 *t.* 〔농담〕 성나게 하다.
Krepierer *m.* -s, - 〖軍〗 폭탄.
Krepitation [krepitatsióːn] *f.* -en 〖醫〗 (뼈마디의) 으드득하는 소리, (폐렴 때의) 그르렁거리는 숨소리.
Krepon [krepɔ̃ː] 《frz. crépon》 *m.* -s, -s 크레퐁(잔주름이 진 프랑스 비단의 일종).
Krepp [krɛp] *m.* -s, -s/-e 크레이프(잔주름이 진 비단으로 상복(喪服)에 많이 쓰임).
Krepp 新정서 ⇦ Crêpe.
Kręppapier *n.* ↑ Kreppapier.
krępp·artig *a.* 크레이프 같은.
kreppen[1] [krɛ́pən] 《<Krepp》 *t.* 〖섬유〗 잔주름지게 하다; 가공하여 크레이프를 만들다.
kręppen[2] *refl.* sich ~ (md.) ① 화내다; 슬퍼하다. ② 가슴을 펴다, 잘난 체하다.
Krępp≈flor *m.* 검은 크레이프로 만든 상장(喪章). **~gummi** *m.* 탄성 고무.
kręppig 《<Krepp》 *a.* 크레이프 같은; 크레이프로 만든.
Krępp≈maschine *f.* 〖방직〗 주름잡는 기계. **~papier** *n.* 크레이프지(紙) (쪼글쪼글한 종이). **~-Papier** 新정서 ⇦ Kreppapier. **~sohle** *f.* 물결 무늬가 파진 고무 구두창. **~tuch** *n.* 쪼글쪼글하게 짠 천, 크레이프.
Krępsche *f.* -n (ostd., ndd.) 쇼핑백.
krepuskular [krepuskuláːr] 《lat.》 *a.* 땅거미가 진, 황혼의.
Krescendo [krɛʃɛ́ndo] *n.* -s, -s/..di 〖음악〗 점점 세게〔강하게〕(Crescendo).
kręsmen *i.* (h./s.) (südwestd.) 기어오르다.
Kresol [krezóːl] *n.* -s, -e 〖化〗 크레졸.
kreß [krɛs] *a.* 오렌지색의.
Kreß *n.* - 오렌지색.
Kresse [krɛ́sə] *f.* -n ① 〖植〗 (**a**) 서양갓냉이 (Brunnen∼). (**b**) 한련(Kapuziner∼). (**c**) 다닥냉이의 일종(Garten∼). (**d**) indische 〔spanische〕 ~ 한겔라(미나리아재빗과(科)). ② 〔고어〕 ↑ Kreßling ①.
Kreßling [krɛ́slɪŋ] *m.* -s, -e ① 〖動·방언〗 서양 곤들매기; 문절망둑.
Kreszenz [krɛstsɛ́nts] *f.* -en ① (와인의) 원산지; (포도의) 품종; 수확(량). ② 성장, 생육.
Kreta [kréːta] 크레타(지중해의 섬).
kretazeisch [kretatséːɪʃ] *a.* 〖지질〗 백악기(白堊紀)의: ~e Formation 백악층(白堊層).
kretazisch [kretáːtsɪʃ] *a.* 〖지질〗 ↑ kretazeisch.
Krete [kréːtə] *f.* -n (schweiz.) 산등, 산마루.
Kreter [kréːtər] *m.* -s, - 크레타(섬) 사람.
Kreterin *f.* -nen ↑ Kreter 의 여성형.
Krethi und Plethi [kréːti unt pléːti] *pl.* ① 〖구약〗 (외국 용병으로 구성된) 다윗왕의 친위병(사무엘 하 8:18). ② 〔폄어〕 (Hinz und Kunz) 시정잡배; 어중이떠중이.
Kretikus [kréːtikus] *m.* -, ..tizi 〖문학〗 고대 운각의 한 종류(장단장(長短長)격).
Kretin [kretɛ̃ː] 《frz.》 *m.* -s, -s 〖醫〗 크레틴병 환자; 〔폄어〕 백치, 바보.
Kretin·bildung *f.* 〖醫〗 크레틴병(알프스 산지의 유행성〔유전성〕 백치병).
Kretinen·anstalt [kretíːnən] *f.* 백치 수용소 〔보호소〕.
kretinenhaft *a.* 백치의.
Kretinismus [kretinísmus] *m.* - ↑ Kretinbildung.
kretinoid [kretinoíːt] *a.* 〖醫〗 크레틴병과 유사한.

kretisch *a.* 크레타섬의.
Kretizi *pl.* ↑ Kretikus.
Kreton [kretó:n] *m.* -s, -e (öst.) 커튼용 면직천(Cretonne).
Kretonne [..tɔ́n] *f.* -s 〔*m.* -, -s〕 커튼용 면직천(Cretonne).
Kretscham [krɛ́tʃam] *m.* -s, -e (ostmd.) 선술집, 주막.
Kretschmar [krɛ́tʃmar] *m.* -s, - (ostmd.) 술집 주인.
Kretschem [krɛ́tʃəm] *m.* -s, -e (ostmd.) ↑ Kretscham.
Kretschmer [..tʃmər] *m.* -s, - ↑ Kretschmar.
kreucht [krɔyçt] 〖kriechen 의 3인칭 단수 현재형; kriecht 의 옛형〗: alles, was da ~ und fleucht 모든 생명체.
***Kreuz** [krɔyts] 《lat. crux》 *n.* -es, -e ① 십자가, 십자형(形): ein griechisches ~ 그리스식 십자가(세로대와 가로대의 길이가 같음); ein lateinisches ~ 라틴식 십자가(아래쪽이 김); ein russisches ~ 러시아식 십자가(2개의 가로대가 있음); ein geschobenes〔liegendes, schräges〕 ~ ×형 십자가(↑ Andreas≈); zu ~e kriechen a) (예수 수난 주일에 속죄의 뜻으로) 십자가까지 기어가 그 밑에 엎드리다, b) 굴종하다, 용서를 구하다; am ~ hängen (형벌로) 십자가에 매달려〔못박혀〕 있다; ans ~ schlagen〔heften, nageln〕 십자가에 못박다. ② 〖비유〗 **(a)** 고난, 시련, 고통: sein ~ (geduldig) tragen 〔auf sich nehmen〕 십자가를 짊어지다, 고난을 감수하다; jeder hat sein ~ (zu tragen) 누구에게나 근심 걱정이 있는 법이다; 〖구어〗 es ist ein ~! 그것은 정말 귀찮은 일이야!: es ist ein ~ mit diesem Auto 이 차는 정말 애물단지다; es ist ein ~ mit ihm! 그는 정말 귀찮은 녀석이야, 딱 질색이다!; Gott hat mir ein schweres ~ auferlegt 하느님은 내게 큰 시련을 주셨다; mit jm. über(s) ~ sein〔stehen〕 누구와 불편한 관계다〔다투다〕. **(b)** 〖고어〗 십자군: das ~ nehmen 〔predigen〕 십자군에 참가하다〔참가할 것을 호소하다〕. ③ **(a)** 십자 문장(紋章): das Rote ~ 적십자(사); das Weiße ~ 백십자. **(b)** 십자 훈장: das Eiserne ~ (독일의) 철십자 훈장. **(c)** 사망 기호(†). **(d)** 〖天〗 십자 별자리: das Südliche ~〔~ des Südens〕 남십자성; das Nördliche ~ 〔~ des Nordens〕 북십자성. **(e)** 〖海〗 닻 꼭대기. **(f)** 〖음악〗 올림표, 샤프 기호(#). **(g)** 〖카드〗 클로버 (카드). ④ **(a)** 교차(점); 교차로: et. über(s) ~ legen 〔falten〕 무엇을 교차시켜 놓다〔접다〕. **(b)** (동식물의) 교배, 잡종. ⑤ 〖醫〗 엉치 등뼈, 천골부(薦骨部); 엉덩이, 허리: mir tut das ganze ~ weh 〔ich hab's im ~〕 나는 허리가 몹시 아프다; 〖구어·농담〗 jm. et. aus dem ~ leiern 누구에게서 무엇을 애걸〔독촉〕하여 얻어내다; 〖구어〗 aufs ~ fallen 엉덩방아를 찧다; 〖경박〗 fast〔beinahe〕 aufs ~ fallen 깜짝 놀라다; 〖구어〗 jm. das ~ aushängen 누구를 마구 때리다〔괴롭히다〕; dem werde ich das ~ aushängen! 그놈을 뼈도 못추리도록 패주겠어!; 〖구어〗 jn. aufs ~ legen a) 누구를 때려눕히다, b) 누구를 속이다, c) 누구(여자)와 잠자다. ⑥ 십자 표시, 성호: ein ~ schlagen 〔machen〕 성호를 긋다; ein ~ über et. machen 무엇에 십자 표시를 하다; 〖구어〗 ein ~ 〔drei ~e〕 hinter jn.〔et.〕 machen 누구를〔무엇을〕 떨쳐 버리고는 좋아하다; vor jm. ein ~ schlagen〔machen〕 누구를 보고(꺼리며·두려워하며) 성호를 긋다; 〖구어〗 er hat einen im ~ 그는 취해 있다; 〖구어〗 ein ~ darunter machen 그 일을 끝내다, 끝마치다. ⑦ ~ Donnerwetter! 〔~ sackerlot!〕 제기랄, 빌어먹을! ⑧ 〖사냥〗 **(a)** 붉은사슴의 심장 연골; (짐승의) 뒷다리 부분. **(b)** 십자형 칼자루 목 (Parierstange).
kreuz *adv.* 〖다음 용법으로〗 ~ und quer a) 가로세로로, 이리저리, b) 두서 없이, 우왕좌왕: ~ und quer durch die Stadt fahren 시가지를 이리저리 운전하며 다니다; in die Kreuz und (in die) Quer(e) fahren〔laufen〕 이리저리 차를 몰다〔뛰어다니다〕.
Kreuz≈abnahme *f.* (그림의 소재로) 그리스도를 십자가에서 내려놓는 장면. **~antenne** *f.* 십자형 안테나. **~arm** *m.* 〖건축〗 (교회 건축에서) 십자형 회당의 좌우 날개 부분. **≈arm** *a.* 몹시 가난한. **~as** *n.* 〖카드〗 클로버 에이스. **~auffindung** *f.* 성(聖)십자가 발견 축일(5월 3일). **~auskehlung** *f.* 〖건축〗 열십자 홈파기. **~band** *n.* ① (인쇄 우편물에 봉투 대신에 두르는) 십자형의 띠(Streifband): eine Drucksache unter ~ schicken 인쇄물을 십자형 띠로 묶어 보내다. ② 〖醫〗 십자 인대(靭帶). **~band·sendung** *f.* 십자띠 우편(물). **~batterie** *f.* 〖軍〗 십자 포대(砲臺). **~bau** *m.* 〖건축〗 ↑ ~arm. **~beere** *f.* 〖植〗 털갈매나무의 열매. **~befruchtung** *f.* 〖動〗 잡교 수정(雜交受精); 〖植〗 이화(異花) 수정. **~bein** *n.* 〖해부〗 천골(薦骨). **~bestäubung** *f.* 〖植〗 이화수분(異花受粉). **~bild** *n.* 십자가상(像). **~-blume** *f.* 〖植〗 애기풀속, 십자화. ② 〖건축〗 (고딕 첨탑의) 십자 꽃장식. **~blüte** *f.* 〖植〗 십자화. **~blütler** *m.* 〖植〗 십자화과(科)의 식물. **~bogen** *m.* 〖건축〗 (둥근 지붕의) 십자로 어금막힌 갈비 모양의 뼈대. **~bram·rahe** *f.* 〖海〗 위 돛대의 활대. **≈brav** *a.* 아주 정직한. **~bund** *m.* 십자 동맹. **~donner·wetter** *int.* 빌어먹을, 제기랄! **~dorn** *m.* 〖植〗 털갈매나무. **≈dumm** *a.* 〖구어〗 매우 어리석은. **≈ehrlich** *a.* 〖구어〗 매우 정직한.
***kreuzen** [krɔ́ytsən] 《<Kreuz》 《I》 *t.* ① (십자로) 엇걸다, 교차시키다, 서로 맞추어 끼다: die Arme ~ 팔짱을 끼다; die Beine ~ 다리를 꼬다; die Degen ~ 칼싸움을 하다. ② 건너가다, 횡단하다, 넘어가다; 〖비유〗 가로막다, 방해하다: eine Straße ~ 거리를 건너가다; 〖비유〗 er hat meinen Weg mehrmals gekreuzt 그는 여러 번 나와 마주쳤다; js. Pläne ~ 누구의 계획을 방해하다. ③ 〖生〗 교배하다, 잡종으로 만들다; 이화 수분(異花受粉)시키다: Pferde mit Eseln ~ 말과 나귀를 교배시키다. ④ (수표에) 횡선을 긋다. 《II》 *refl.* sich ~ ① 교차하다, 서로 스쳐 가다, 서로 엇갈리다: die Wege ~ sich hier 여기서 길이 교차한다; hier ~ sich verschiedene Interessen 여기에는 이해 관계가 얽혀 있다; zwei Züge ~ sich 두 기차가 엇갈려 스쳐지나간다; ihre Blicke kreuzten sich 그들의 시선이 서로 마주쳤다; unsere Ansichten haben sich gekreuzt 우리의 견해는 서로 달랐다〔어긋났다〕. ② 성호를 긋다. 《III》 *i.* (h./s.) ① (주로 배가) 표류하다. ②

〖海〗 바람에 가로막혀 지그재그로 항해하다. ③ 순항(巡航)하다. 《Ⅳ》 **gekreuzt** *p.a.* ↑ gekreuzt.

Kreuzer [krɔ́ʏtsər] *m.* -s, - ①〖軍〗 순양함. ② (갑판과 선원용 주거 시설을 갖춘) 범선. ③ 크로이처(13-19 세기에 독일·오스트리아·헝가리에서 사용한 동전의 이름).

Kreuz≈erfindung *f.* ↑ ~auffindung. **~erhöhung** *f.* 성(聖)십자가 현양(顯揚) 축일(9월 14 일).

Kreuzer≈flotte *f.* 순양함대. **~geschwader** *n.* ↑ ~flotte.

Kreuzes≈erfindung *f.* ↑ Kreuzauffindung. **~stamm** *m.* 〔구식〕 그리스도 수난 십자가상(像). **~tod** *m.* 십자가에서의 죽음. **~weg** *m.* 예수가 십자가를 지고 걸은 길. **~zeichen** *n.* 〔드물게〕 (Kreuzzeichen) 성호, 십자 표시.

Kreuz≈fahne *f.* 십자기(旗), 십자군의 깃발. **~fahrer** *m.* 십자군 원정 참가자. **~fahrt** *f.* ①〖史〗 십자군 원정. ② 선박 유람 여행. **~feuer** *n.* 〖軍〗 십자(포)화; 〔비유〕 집중 공격: im ~ (der öffentlichen Meinung) stehen (여론의) 집중 공격을 받다; ins ~ geraten 집중 사격〔공격〕을 받다: sein Verhalten geriet ins ~ der Kritik 그의 태도는 신랄한 비판을 받았다. **≈fidel** *a.* 〔구어〕 아주 명랑〔쾌활〕한. **~flügel** *m.* 〖건축〗 ↑ ~arm. **~form** *f.* 십자형. **≈förmig** *a.* 십자형의, 십자가 모양의. **~frage** *f.* 〖法〗 반대 심문(尋問). **~fuchs** *m.* 〖動〗 십자형의 무늬가 있는 여우. **~gang** *m.* ① (Bittgang) 십자가 행렬, 기원 행렬. ② 십자로, 교차로. ③ (수도원·학교 따위의 안뜰을 둘러싸는) 회랑(回廊). ④〖광산〗 십자 갱도. ⑤ 그리스도 수난의 길; 〔비유〕 고난의 인생 행로. **~gegend** *f.* 〔구어〕 허리 부분. **~gelenk** *n.* 〔工〕 카르단식 연결 장치(Kardangelenk). **~gewölbe** *n.* 〖건축〗 교차 궁륭(穹窿)(7 개의 아치가 교차하여 이루어진 둥근 천장). **~gurt** *m.* 교차형(型) 혁대, 멜빵. **~hacke** *f.* (양쪽으로 쓸 수 있는) 십자형의 곡괭이〔호미〕. **~haspel** *f.* 〖工〗 자아틀; 윈치. **~heer** *n.* 십자군(軍). **~hieb** *m.* ①〖검도〗 대각선으로 치기. ②〖건축〗 가로자르기, 가로베기. **~holz** *n.* ① 능각(稜角) 들보. ②〖植〗 털갈매나무(~dorn), 기생목(Mistel). ③ 십자가.

kreuzigen [krɔ́ʏtsɪgən] 《<Kreuz》 《Ⅰ》 *t.* ① 십자가에 매달아 처형하다: der Gekreuzigte 십자가에 처형된 자, 예수 그리스도. ② (육체를) 괴롭히다, 고행하다: sein Fleisch ~ 육욕을 억누르다. 《Ⅱ》 *refl.* sich ~ (기도 전후에) 성호를 긋다.

Kreuzigung *f.* -en ① 십자가형(刑); 고행. ② 그리스도의 십자가상(像).

Kreuz≈kirche *f.* 십자형의 교회〔성당〕. **~knoten** *m.* 옭매듭; 〖海〗 (해군 머플러의) 교차 매듭; 〖醫〗 천골 신경절(薦骨神經節). **~kopf** *m.* 〖기계〗 (피스톤의) 십자형 꼭지, 크로스헤드; 〖醫〗 전두(前頭) 봉합 개존(開存). **~kraut** *n.* 〖植〗 개쑥갓속(屬). **~kröte** *f.* 〖動〗 (등에 누런 줄이 있는) 두꺼비. **≈lahm** *a.* 허리가 아픈, 허리를 펴지 못하는. **~licht·fenster** *n.* 〖건축〗 교창(交窓), 교살창, (서로) 맞보는 창. **~mars** *m.* 〖海〗 후장루(後檣樓). **~maß** *n.* T 자형 자. **~mast** *m.* 〖海〗 고물돛대, 미장(尾檣). **~meißel** *m.* 〖工〗 키〔십자형〕 홈을 파는 데 쓰는 끌. **~naht** *f.* 새발뜨기 솔기. **~orden** *m.* 십자 훈장. **~otter** *f.* 〖動〗 살무사. **~predigt** *f.* 〖史〗 십자군 참가를 호소하는 설교. **~punkt** *m.* 〖철도·數〗 교차점. **~riemen** *m.* (말의) 껑거리, 길마끈. **~ritter** *m.* 십자군 전사〔기사〕. **~rohr** *n.* 〖건축〗 십자형 파이프(연결 장치). **~sackerlot** *int.* 제기랄, 빌어먹을! **≈saitig** *a.* (피아노의) 현을 비스듬히 교차시킨. **~schiff** *n.* 〖건축〗 십자형 성당의 바깥채(예배 보는 곳); 〔드물게〕 순양함. **~schlag** *m.* 〖테니스〗 크로스스트로크. **~schlitz·schraube** *f.* 십자 나사못. **~schlüssel** *m.* 십자형 렌치. **~schmerzen** *pl.* 요통. **~schnabel** *m.* 〖動〗 잣새(부리의 아래위가 서로 엇갈려 있음). **~schnitt** *m.* 십자형으로 자르기〔베기〕; 〖醫〗 십자형 절개. **~segel** *n.* 〖海〗 고물의 첫째 돛. **~spinne** *f.* 〖動〗 왕거미, 십자(무늬)거미. **~sprung** *m.* ①〖발레〗 앙트르샤(Entrechat). ②〖사냥〗 Kreuzsprünge machen (토끼가) 갑자기 방향을 바꾸어 달아나다. **≈ständig** *a.* 〖植〗 (꽃잎 따위가) 십자 대생(對生)의, 십자형의. **~stange** *f.* (검의) 막대기 모양의 날밑; 〖철도〗 횡(橫)침목. **~stelle** *f.* 〖철도〗 교차점; 건널목. **~stich** *m.* 십자수(繡), 새발뜨기. **~strebe** *f.* 〖건축〗 십자형〔대각선형〕 버팀목, 빗대공. **~stutzen** *m.* 〖工〗 십자 연결 장치. **~träger** *m.* 십자가를 진 사람(그리스도); 〔비유〕 수난을 당하는 사람.

Kreuzundquer≈fahrt *f.* 이리저리 떠돌아 다니는 여행. **~züge** *pl.* 이리저리 떠돌아다님, 만유(漫遊), 편력.

Kreuzung [krɔ́ʏtsʊŋ] *f.* -en ① 교차, 횡단. ② 교차점, 교차로: an der ~ rechts abbiegen 교차로에서 우회전하다; ~ in verschiedenen Ebenen 입체 교차로. ③〖動·植〗 교배, 혼혈, 잡종. ④〖農〗 호미 모양의 농구.

kreuz·unglücklich *a.* 〔구어〕 몹시 불행한.

Kreuzungs≈ader *f.* 〖광산〗 교차 광맥. **≈frei** *a.* 교차로가 없는. **~gewölbe** *n.* 〖건축〗 ↑ Kreuzgewölbe, **~punkt** *m.* (선·길 등의) 교차점, 접속〔분기〕점. **~stelle** *f.* ↑ ~punkt. **~weg** *m.* 교차로.

Kreuz≈verband *m.* ①〖건축〗 벽돌을 가로세로로 계속 엇갈려 쌓기〔짜맞추기〕. ②〖醫〗 십자형 관절 접합. **~verhör** *n.* 〖法〗 반대 심문: ein ~ mit jm. anstellen 〔jn. ins ~ nehmen〕 누구를 반대 심문하다. **~verstärkung** *f.* 〖工〗 교근(交筋). **~vogel** *m.* 〖動〗 ↑ ~schnabel. **~weg** *m.* ① 교차로, 분기점, 갈림길: 〔비유·雅語〕 am ~ stehen (인생의) 갈림길에 서 있다. ② 십자가의 길(Pilatus 의 궁전에서 Golgatha 처형장에 이르는 그리스도 수난의 길 또는 그것을 묘사한 그림). **~weh** *n.* 〔구어〕 ↑ ~schmerzen. **≈weis(e)** 《Ⅰ》 *adv.* 십자형으로, 열십자로, 가로세로로: 〔비속〕 du kannst mich mal ~ (am Arsch lecken)! 절대 안 돼! 《Ⅱ》 *a.* 십자형의. **~welle** *f.* (자동차의) 자재 전동축(自在傳動軸)(Kardanwelle). **~wirbel** *m.* 〖해부〗 천골추(薦骨椎). **~woche** *f.* (성령 강림제 전의) 기원절 주간. **~wort, ~wort·rätsel** *n.* 가로세로 글자 맞추기 놀이, 크로스워드 퍼즐. **~zeichen** *n.* (손으로 긋는) 십자 표시, 성호. ***~zug** *m.* ①〖史〗 **(a)** 십자군 (전쟁). **(b)** 〔대개 복수〕 (중세 때의) 성전(聖戰). ②〔비유〕 캠페인, 운동: ein ~ gegen Drogen 마약과의 전쟁. ③

〖海〗 순항, 순양(巡洋).
Krevette [krevέtə] *f.* 〖요리〗 전채·소스용 새우, 반죽 형태로 가공한 새우.
Krewt *m.* -(e)s, -en (ndd.) 가재(Krebs).
Krewt·hölkern *n.* (ndd.) 가재잡이.
Kribbe [kríbə] *f.* -n (ndd.) 둑, 제방.
Kribbel [kríbəl] 《⊕ krabbeln》 *m.* -s ① 가려움. ② 성급, 초조.
kribbelig *a.* 〔구어〕 성마른, 과민한, 신경질적인.
Kribbel≠kopf *m.* 성질 급한〔과민한〕 사람. **≈köpfig** *a.* ↑ kribbelig. **~krankheit** *f.* 〖醫〗 맥각(麥角) 중독증(Ergotismus).
Kribbel·mücke *f.* 〖動〗 ↑ Kriebelmücke.
kribbeln [kríbəln] 《I》 *i.* (h.) ① (벌레가) 떼를 지어 기어다니다, 우글거리다: Ameisen kribbelten umher 개미들이 이리저리 기어다녔다; es wimmelt und kribbelt von Ameisen 〔es kribbelt und krabbelt im Ameisenhaufen〕 개미가 우글거린다. ② 가렵다, 근질거리다: die Wolle kribbelt auf der Haut (옷의) 털 때문에 피부가 근지럽다; es kribbelt mir〔mich〕 in der Nase 나는 콧속이 간질간질하다; mir kribbelt es in den Fingern a) 손가락이 근질근질하다, b) 뭔가를 하고 싶어 좀이 쑤신다. 《II》 *t.* 간지럽게 하다, 가렵게 하다; 〔비유〕 약올리다(ärgern).
Kribbeln *n.* -s ① 떼지어 다님. ② 〖醫〗 가려움증.
Kribs·krabs [krípskraps] *m./n.* - ① 잡동사니. ② 횡설수설, 허튼소리; 종잡을 수 없는 글.
krick [krık] *int.* 〔의성어〕 탁, 뚝(부러지는 소리).
Krickel [kríkəl] *n.* -s, -(n) 〖사냥〗 알프스 영양의 뿔(Krucke).
Krickelei [krıkəláı] 《<Krach》 *f.* -en ① 난필, 어지러운 글씨, 휘갈겨 쓴 글씨. ② 귀찮은〔골치 아픈〕 일. ③ 상습적인 잔소리〔다툼·불평〕. ④ 〔비유〕 헛소동.
krickelig [kríkəlıç] *a.* 〔방언〕 불평〔불만〕이 많은, 잔소리가 많은, 헐뜯기 좋아하는.
Krickel·krakel *n.* 〔구어〕 난필, 휘갈겨 쓴 글씨.
krickeln [kríkəln] *i.* (h.) ① 〔구어〕 글씨를 휘갈겨 쓰다. ② 〔방언〕 (말)싸움하다. ③ 불평하다, 잔소리하다.
Krickel·wild *n.* 알프스 영양.
Krick·ente [krík..] *f.* 〖動〗 (가장 작은 종류의) 쇠오리.
Kricket [kríkət] 《engl.》 *n.* -s 크리켓.
Kricket≠ball *m.* 크리켓 공. **~spiel** *n.* 크리켓. **~spieler** *m.* 크리켓 선수.
kricklig *a.* ↑ krickelig.
Krida [krí:da] 《it.》 *f.* 〖法〗 (öst.) 위장 파산, 계획적 부도.
Kridar [kridá:r] *m.* -s, -e (öst.) 파산 (채무)자.
Kridatar *m.* -s, -e (öst.) ↑ Kridar.
Kriebel≠krankheit [krí:bəl..] *f.* ↑ Kribbelkrankheit. **~mücke** *f.* 〖動〗 파리매.
kriebeln [krí:bəln] *i.* (h.) ↑ kribbeln.
Kriebel·nuß *f.* 〖植〗 작은 호두.
Kriebs *m.* 과심(果心).
Kriech·bohne *f.* 〖植〗 팥의 일종.
Krieche [krí:çə] *f.* -n 〖植〗 서양자두의 일종.
kriechen [krí:çən] (kroch, gekrochen) *i.* (h./s.) ① (**a**) 기다, 기어가다, 포복하다: auf allen vieren ~ 〔auf Händen und Füßen ~〕 네 발로 기다; aus dem Ei ~ (부화하여) 알에서 나오다; ins Bett ~ 잠자리에 기어들다; in alle Winkel ~ 구석구석까지 찾다; er möchte (vor Angst) in ein Mauseloch ~ 그는 (무서워서) 쥐구멍에라도 숨어들고 싶어한다; 〔구어〕 er ist ihr auf den Leim gekrochen 그는 그녀에게 속았다. (**b**) (탈것이) 기어가듯 느리게 움직이다: der Zug kriecht auf den Berg 기차가 산 위를 기어가듯 올라간다; 〔비유〕 die Zeit kriecht 시간이 더디게 간다. (**c**) (덩굴·뿌리가) 휘감아 오르다, 조금씩 뻗어가다: ~de Pflanzen 덩굴 식물. ② 〔비유〕 아부하다, 슬슬 기다: vor jm. ~ 누구에게 굽실거리다; zu Kreuz ~ 굴복하다, 용서를 구하다; er kriecht sich[3] adelig und reich 그는 아부하여 부귀를 누린다. ③ 〖軍〗 (탱크가) 나아가다, 이동하다. ④ 〖工〗 (금속·플라스틱이) 서서히 변형되다〔작아지다〕.
Kriechen *n.* -s ↑ kriechen의 명사형.
kriechend *p.a.* 기어다니는; 〖植〗 휘감아 뻗어 오르는; 〔비유〕 슬슬 기는, 비굴한.
Kriechen·pflaume *f.* 〖植〗 서양오얏나무.
Kriech·ente ↑ Krickente.
Kriecher [krí:çər] *m.* -s, - ① 〔폄어〕 아첨꾼, 비굴한 놈. ② 기어다니는 동물. ③ (대포의) 포강(砲腔)을 닦는 기구.
Kriech·erbse *f.* 〖植〗 완두의 일종.
Kriecherei *f.* 〔폄어〕 ① 아부, 비굴. ② 비굴한 행동〔짓〕.
kriecherisch *a.* 〔폄어〕 비굴한, 아첨하는.
Kriecherin *f.* -nen ↑ Kriecher의 여성형.
Kriecherl [krí:çəl] *n.* -s, -n (öst.) 자두의 일종.
Kriecherl·baum *m.* (öst.) 자두나무.
Kriech≠pflanze *f.* 〖植〗 덩굴 식물. **~spur** *f.* 기어간 자국; (특히 고속 도로에서) 저속 주행선. **~stoß·schwimmen** *n.* 크롤(Kraul). **~strom** *m.* 〖전기〗 누전 전류. **~sucht** *f.* ↑ Kriecherei. **~tier** *n.* 〖動〗 파충류.
***Krieg** [kri:k] *m.* -(e)s, -e (↔ Friede) 전쟁, 전투; 싸움, 말다툼, 불화; (schweiz.) 법정 싸움: ein langer 〔schwerer, blutiger〕 ~ 장기전〔격전, 혈전〕; ein chemischer ~ 화학전; der ~ zu Lande 〔zu Wasser, zu Luft〕 지상〔해상, 공중〕전; ~ auf Leben und Tod 〔~ bis aufs Messer〕 생사를 건 싸움; 〖史〗 der Dreißigjährige ~ 30년 전쟁; innerer ~ 〔Bürger≈〕 내전; der kalte ~ 냉전; der häusliche〔eheliche〕 ~ 가정〔부부간의〕 불화; der ~ bricht aus 전쟁이 발발했다; einem Land 〔an ein Land〕 den ~ erklären 어떤 나라에 선전 포고하다; dem Hunger in der Welt den ~ ansagen 세계의 기아와의 전쟁을 선언하다; einen ~ mitmachen 종군하다; gegen ein Land 〔mit einem Land〕 ~ führen 어떤 나라와 교전하다; ein Land mit ~ überziehen 어떤 나라에 침입하다; in den ~ ziehen 출정하다; im ~e sein 교전 중이다; es kommt zum ~ 전쟁이 벌어진다; zum 〔für den〕 ~ rüsten 전쟁을 준비하다; im ~e fallen 전사하다; die Eheleute lebten in dauerndem ~ miteinander 이 부부 사이에는 분란이 끊이지 않았다; 〔속담〕 im ~e sind

alle Mittel erlaubt 전쟁은 수단을 가리지 않는다; 〖3 격과 함께〗 ~ dem Terror〔Rauschgift〕 폭력〔마약〕과의 전쟁.

*__kriegen__ [kríːgən] 《<Krieg》《Ⅰ》 *t.* 〖구어〗 얻다, 받다, 획득하다, 손에 넣다, 붙잡다: eine Krankheit ~ 병을 얻다, 병 나다; Hunger ~ 배가 고파지다; Briefe ~ 편지를 받다; er kriegte es an den Magen 그는 위에 병이 났다; jn. dazu ~, et. zu tun 누구에게 무엇을 하게 하다; er versuchte, sie ins Bett zu ~ 그는 그녀를 잠자리로 끌어들이려고 애썼다; es mit jm. zu tun ~ 누구와 다투다; et. satt ~ 무엇에 싫증이 나다; ein Kind ~ 아이가 생기다; du kriegst es noch 너 그러다 벌을 받을〔혼날〕 줄 알아라; Angst〔Heimweh, Wut〕 ~ 공포〔향수, 분노〕를 느끼게 되다; jn. zur Frau 〔zum Mann〕 ~ 누구를 아내로〔남편으로〕 삼다; sich ~ lassen 붙잡히다; das ist zum zuviel ~ 〔da könntest du was zuviel ~〕 그것 참 뻔뻔스럽군; ich will dich schon ~! 너 혼내 줄거야!; warte, du kriegst ein paar (Schläge) 가만 있어, 몇 대 때려 줄 테니; das werden wir schon ~! 우리는 곧 그것을 해치울 거야, 그것에 관해서 의견 일치를 볼거야!; es nicht über sich ~, et. zu tun 무엇을 감히 하지 못하다, 할 용기가 없다; ich habe es nicht über mich gekriegt, ihn abzuweisen 나는 차마 그를 물리칠 수 없었다; viel von Rom zu sehen ~ 로마에서 많은 것을 보게 되다; 〖과거 분사와 함께〗 sie kriegt zum Geburtstag was Tolles geschenkt 그녀는 생일날 멋진 것을 선물받는다. 《Ⅱ》 *i.* (h.) 〖고어〗 전쟁하다, 싸우다: miteinander ~ 교전 중이다. 《Ⅲ》 *refl.* sich ~ 부부가 되다, 결혼하다.

Krieger *m.* -s, - 군인, 무사, 전사(戰士); ein kalter ~ 냉전 지지 정치가.

Kriegerin *f.* -nen ↑ Krieger의 여성형.

Krieger⸗bund *m.* 재향 군인회. **~denkmal** *n.* 전몰자 기념비. **~fried·hof** *m.* 국군 묘지. **~grab** *n.* 전사자의 묘. **~hinter·bliebene*** *der/die* 군인 유가족.

kriegerisch [kríːgərɪʃ] *a.* ① 전쟁의, 군사적인. ② 호전적인, 전투적인: ein ~es Volk 호전적인 민족. ③ 군인다운: ~es Benehmen 군인다운 태도.

Krieger⸗kameradschaft *f.* ↑ ~bund. **~kaste** *f.* 〖대개 폄어〗 직업 군인, 무사 계급. **~mäßig** *a.* 군인다운. **~stand** *m.* ① 군대; 군인 신분. ② 〖집합적〗 군인, 무사. **~tag** *m.* 재향 군인회 회의. **~tod** *m.* 전사. **~waise** *f.* 〖드물게〗 ↑ Kriegswaise. **~witwe** *f.* 전쟁 미망인.

Kriegertum *n.* -(e)s 군인 정신〔계급〕.

Krieger·verband *m.* ↑ ~bund. **~verein** *m.* ↑ ~kameradschaft.

krieg⸗fertig *a.* 싸움〔전쟁〕 준비가 된; 동원이 완료된. **~führend** *a.* 교전〔전쟁〕 중인: die ~en Staaten 교전〔참전〕국. **~führung** *f.* 전쟁 수행, 작전, 용병(用兵). **~führungs·verfahren** *n.* 작전 수행 요령.

Kriegs⸗adel *m.* 전공(戰功)에 따라 귀족으로 승격된 사람. **~akademie** *f.* (1945 년까지 고급 장교를 양성했던) 군사 대학. **~allianz** *f.* 군사 동맹. **~amt** *n.* 전시 보급국(局). **~anführer** *m.* 지휘관. **~angelegenheit** *f.* 군사, 군무. **~anleihe** *f.* 전시 공채(公債). **~anstalten** *pl.* 전투 준비. **~arbeit** *f.* 전투를 대비한 작업〔공사〕: flüchtige ~ 전시 급조 공사. **~archiv** *n.* 전쟁 기록 (보관소). **~artikel** *m.* ① 군수품. ② 군인 복무 규정. **~aufruf** *m.* 징집, 소집; (전투) 함성. **~ausbruch** *m.* 전쟁의 발발, 개전. **~ausrüstung** *f.* 군비; 무장, 전투 장비. **~bau·kunst** *f.* 군용 구축술, 축성술. **~bedarf** *m.*, **~bedürfnisse** *pl.* 군수(품). **~bedingt** *a.* 전쟁으로 인한. **~begebenheit** *f.* 전란(戰亂). **~beginn** *m.* 전쟁 개시. **~beil** *n.* 전투용 도끼, 전부(戰斧): 〖비유〗 das ~ ausgraben 전투를〔싸움을〕 시작하다; 〖비유〗 das ~ begraben 화해〔휴전〕하다. **~bemalung** *f.* ① (특히 인디언이 출정할 때 하는) 얼굴과 상반신의 분장. ② 〖농담〗 (여자의) 짙은 화장: in (voller) ~ 짙은 화장을 한〔하고〕. **~bereit** *a.* 전투 태세를 갖춘: ~e Aufstellung 전투 배치, 동원. **~bereitschaft** *f.* 전투 태세: in ~ setzen 동원하다. **~bericht** *m.* 전황 보고; 종군 기사. **~bericht·erstatter** *m.* 종군 기자. **~besatzung** *f.* 전시 수비대. **~beschädigt** *a.* 전상(戰傷)을 입은. **~beschädigte*** *der/die* 전상자, 상이 군인. **~beschädigten·fürsorge** *f.* 전상자〔상이 군인〕 원호. **~beute** *f.* 전리품, 노획품. **~blinde*** *der/die* 전쟁 실명자(失明者). **~brauch** *m.* ↑ ~gebrauch. **~budget** [..bʏdʒeː, ..bʌdʒɪt] *n.* 전시(戰時) 예산(안). **~bühne** *f.* 싸움터, 전장. **~bündnis** *n.* ↑ ~allianz. **~denk·münze** *f.* 전쟁 기념 주화. **~department** *n.* (미국의) 육군성: Allgemeines ~ 군무국(局). **~dichtung** *f.* 전쟁 문학. **~dienst** *m.* 전시 복무; 군복무, 병역: 〖구식〗 ~e nehmen 군인이 되다; zum ~ einberufen werden 전시 복무에 소집되다.

Kriegsdienst⸗verweigerer *m.* 병역 기피자. **~verweigerung** *f.* 병역 기피.

Kriegs⸗drohung *f.* 전쟁 위협. **~ehren** *pl.* 군인의 명예, 무훈(武勳): Begräbnis mit ~ 군대식 장례. **~eid** *m.* 종군 선서. **~einwirkung** *f.* 〖다음 용법으로〗 durch ~ 〔infolge von ~〕 전쟁에 의해, 전쟁의 결과로. **~ende** *n.* 종전, 전쟁 종결. **~entschädigung** *f.* 전쟁 배상(금). **~erfahren** *a.* 실전 경험이 있는. **~erklärung** *f.* 선전 포고. **~eröffnung** *f.* 개전. **~etat** [..etaː] *m.* 전시 예산(안). **~fackel** *f.* 전화(戰火), 전쟁. **~fall** *m.* 전시, 전쟁 발발 사태. **~feuer** *n.* 〖총칭〗 화약·탄환·신관(信管)·신호탄; 전화(戰火), 전쟁. **~feuer·schiff** *n.* 군용 등선(燈船). **~flagge** *f.* 군기(軍旗). **~flamme** *f.* 전쟁의 불길, 전화(戰火). **~flieger** *m.* 전시 비행사. **~flotte** *f.* (한 나라의) 함대(전체). **~flugzeug** *n.* 군용기. **~formation** *f.* 전시 편성. **~frei·willige*** *der* 의용병. **~fuhre** *f.* 〖구식〗 군용차, 군수송 차량. **~führung** *f.* ↑ Kriegführung. **~furie** *f.* 전쟁(의 여신). **~fürsorge** *f.* 전시 구호(救護). **~fuß** *m.* 〖다음 용법으로〗 mit jm. auf (dem) ~ stehen〔leben〕 누구와 티격태격하다〔끊임없이 다투다〕; mit et.[3] auf (dem) ~ stehen 무엇과 힘겹게 씨름하다, 무엇을 잘 다루지 못하다. **~gebiet** *n.* 교전 지역. **~gebrauch** *m.* 전시 관례. **~gefährte** *m.* ↑ ~kamerad. **~-**

gefangen *a.* 포로가 된. **~gefangene*** *der/die* 전쟁 포로. **~gefangenschaft** *f.* 포로 신분〔상태〕. **~gegner** *m.* ① 전쟁 상대방, 적(군). ② 반전론자. **~geist** *m.* 사기(士氣). **~geleit** *n.* 호송(병). **~gemeinschaft** *f.* ↑ ~allianz. **~gepäck** *n.* 군용 배낭. **~gerät** *n.* 전쟁용 기자재, 무기. **~gericht** *n.* 군법 회의, 군사 법정. **~gerichts·rat** *m.* 〖복수: ..räte〗 군법 회의 법무관. **~gerücht** *n.* 전쟁 소문. **~gesang** *m.* 군가. **~geschichte** *f.* 전사(戰史). **~geschick** *n.* 전투〔작전〕 수행의 재주. **~geschrei** *n.* ① (전투 때의) 함성. ②〖구식〗(무성한) 전쟁 소문〔루머〕. **~geschwader** *n.* 전투 편대. **~geselle** *m.* 전우. **~gesellschaft** *f.* 군수품 회사. **~gesetz** *n.* 군사 법령, 군율; 교전 관례. **~gewerbe** *n.* ↑ ~handwerk. **~gewinn** *m.* (군수업자의) 전시 이득. **~gewinnler** *m.*〖폄어〗전시 부당 이득자, 전쟁 치부자. **~gliederung** *f.* 전투 대열. **~glück** *n.* 전운(戰運). **~grab** *n.* 전사자의 묘. **~gräber·fürsorge** *f.* 전몰자 묘지 관리 (사업). **~hafen** *m.* 군항. **~handwerk** *n.* 〖구식〗 작전, 전술, 용병(술). **~haufen** *m.*, **~heer** *n.* 군대. **~held** *m.* 전쟁 영웅〔용사〕. **~herold** *m.* 전령, 군사(軍使). **~herr** *m.* 최고 군사령관, 대원수. **~hetze** *f.* 전쟁 선동.

Kri̲egshinter⸗bliebene* *der/die* 전사자 유족. **~bliebenen·fürsorge** *f.* 전쟁 유족 원호 (사업).

Kri̲egs⸗hülfe *f.* 전시 부조금; 원병. **~industrie** *f.* 군수 산업. **~invalide** *m.* 상이군인, 부상병. **~jahr** *n.* 전쟁 중의 한 해, 전시(戰時). **~kamerad** *m.* 전우. **~kammer** *f.* 군무국(局). **~kanzlei** *f.* ↑ ~kammer. **~karte** *f.* 군용 지도. **~kasse** *f.* 전쟁 기금: 〖농담〗eine ~ mit sich tragen 〔die ~ auf dem Rücken wegtragen〕 등이 굽다, 곱사등이다. **~kassierer** *m.* 군대의 재무관. **~kind** *n.* 전시 출생아; 〖구어〗 전시에 임관한 장교. **~kleid** *n.* 군복. **~knecht** *m.*〖고어〗 졸병, 병사. **~kommissar** *m.* 군 경리관, 병참 장교. **~konter·bande** *f.* 전시 금제품(禁制品). **~kosten** *pl.* 전쟁 비용, 군사비. **~kunde** *f.* 군사학, 병법. **≈kundig** *a.* 전술〔병법〕에 밝은: der ≈e 병법〔전술〕가. **~kunst** *f.* 전법, 전술. **~lage** *f.* 전황(戰況). **~lager** *n.* 진영. **~lasten** *pl.* 전시 부담. **~lazarett** *n.* 야전 병원. **~lehre** *f.* 군사학. **~leistungen** *pl.* 전시 징발. **~leitung** *f.* 전투 사령부. **~leute** *pl.* 군대, 군인. **~leutnant** *m.* 전시에 임관한 장교. **~lied** *n.* 군가. **~list** *f.* 전시의 군사 책략, 병략(兵略). **~lüge** *f.* 전시의 헛소문〔유언비어〕. **~lust** *f.* 호전성. **≈lustig** *a.* 호전적〔전투적〕인. **~macht** *f.* ① 군사력, 전력, 병력. ② 교전국. **~manier** *f.* 전시 관례. **~mann** *m.* 군인, 병사; 군사 전문가. **~marine** *f.* 해군. **≈mäßig** *a.* 실전적인: ~e Verhältnisse 실전 상황. **~material** *n.* 전쟁 물자, 군수품. **~minister** *m.* 〖구식〗 국방 장관(Verteidigungsminister). **~ministerium** *n.* 〖구식〗 국방부. **≈müde** *a.* 전쟁에 싫증난〔지친〕. **~musik** *f.* 군악. **~mut·willige*** *der* ↑ ~freiwillige. **~nahrung** *f.* 전시 식량. **~neurose** *f.* 전쟁 노이로제. **~not** *f.* 전쟁에 의한 고난〔곤궁〕. **~oberste*** *der* 장수. **~ödem** *n.* 〖醫〗 기아 부종(浮腫)(Hungerödem). **~operation** *f.* 작전. **~opfer** *n.* 〖法〗 전쟁 희생자(상이 군인·유족 등). **~opfer·fürsorge** *f.* 〖法〗 전쟁 희생자 원호. **~orden** *m.* 무공 훈장. **~ordnung** *f.* 전시 법령. **~pfad** *m.*〖다음 용법으로〗auf dem ~ sein a) 전쟁터에 나아가다, b) 〖비유〗(누구를〔무엇을〕) 공격하려 하다. **~pflicht** *f.* 병역 의무. **≈pflichtig** *a.* 병역 의무가 있는. **~plan** *m.* 전쟁 계획: einen wahren ~ aushecken 정확한 전략을 수립하다. **~platz** *m.* 싸움터. **~politik** *f.* 전시 정책; 〖폄어〗 전쟁 지향 정책. **~rat** *m.* 작전 참모 (회의): 〖비유·구어〗~ halten 어떤 계획을 공동으로〔함께〕 논의하다. **~recht** *n.* 전시 국제법. **~regel** *f.* 전시 법규〔관례〕. **~richter** *m.* 군법무관. **~roman** *m.* 전쟁 소설. **~roß** *n.* 군마. **~ruf** *m.* 징집; (전투 때의) 함성. **~ruhm** *m.* 무명(武名). **~rüstung** *f.* 군비, 전투 장비. **~sache** *f.* 군사(軍事), 군무. **~schaden** *m.* 전쟁 피해, 전재(戰災). **~schar** *f.* 군인의 무리. **~schatz** *m.* 전쟁 준비금. **~schatzung** *f.* 점령지에 부과하는 세금, 군자금. **~schau·platz** *m.* 싸움터, 전쟁 무대. **~schiff** *n.* 군함, 전함. **~schuld** *f.* ① 전쟁 책임. ②〖복수로만〗전쟁으로 인한 부채; 전시 공채.

Kri̲egsschuld⸗frage *f.* 전쟁 책임 문제. **~lüge** *f.* 전쟁 책임에 관한 허위(특히 제1차 세계 대전의 책임은 독일에게만 있다는 주장).

Kri̲egs⸗schule *f.* 〖구식〗 사관 학교(Offiziersschule). **~schüler** *m.*〖구식〗사관 학교 생도. **~spende** *f.* 전시 의연금. **~spiel** *n.* ①〖軍〗 도상 훈련. ② (아이들의) 전쟁 놀이. **~staat** *m.* 군국(軍國). **~stamm·liste, ~stamm·rolle** *f.* 병적부, 전시 명부(名簿). **~stand** *m.*, **~stärke** *f.* 전시 (동원) 병력, 군사력. **~steuer** *f.* 전시 특별세. **~strafe** *f.* 군의 형벌. **~straf·recht** *n.* 전시 형법. **~sturm** *m.*〖비유〗전란. **~tage·buch** *n.* ① 진중 일기. ②〖軍〗(전쟁 중) 부대 활동 일지. **~tat** *f.* 전공(戰功). **~teil·nehmer** *m.* 참전자. **~theater** *n.* ↑ ~schauplatz. **~tracht** *f.* 군장(軍裝), 군복. **~transport·ordnung** *f.* 전시 수송 법령. **~trauung** *f.* 전시 결혼, 출정한 군인과의 결혼. **~treiber** *m.* 전쟁 선동자. **≈tüchtig** *a.* 전투에 능한. **~typhus** *m.* 발진티푸스(Fleckfieber). **~übung** *f.* 전투 훈련. **~verbrechen** *n.* 전쟁 범죄. **~verbrecher** *m.* 전범(자).

Kri̲egsverbrecher⸗tribunal *n.* 전범 재판소(1993 년 유고 내전 때의 전범 재판을 위해 헤이그에 설치된 국제 형사 재판소). **~prozeß** *m.* 전범자 재판.

Kri̲egs⸗verdienst *n.* 전시 공로, 무공(武功). **~verletzung** *f.* 전쟁 중의 부상. **~verlust** *m.* 전쟁에 의한 사상(死傷)〔손실〕. **~verpflegung** *f.* 전시 급식. **~verpflegungs·amt** *n.* 병참부, 전시 급식 관리부. **~verrat** *m.* 이적 행위, 전시 반역. **~versehrte*** *der* 전상자(~beschädigte). **~versicherung** *f.* 전쟁 보험, 전시 생명 보험. **~versorgung** *f.* 전시 보급. **≈verwendungs·fähig** *a.* 〖軍·구식〗현역 복무에 적합한(약어: Kv.). **~volk** *n.* 〖고어〗 군

대, 군인. **~völker·recht** *n.* 전쟁 관계 국제법. **~vorrat** *m.* 전쟁 대비 물자. **~waffe** *f.* 전쟁 병기. **~wagen** *m.* (고대의) 전차(Streitwagen). **~waise** *f.* 전쟁 고아. **~-werft** *f.* 〖海〗 해군 조선소〔조병창〕. **~we-sen** *n.* 군사, 군무. **~wirren** *pl.* 전쟁 중의 혼란 상태. **~wirtschaft** *f.* 전시 경제(↔ Friedenswirtschaft). **~wissenschaft** *f.* 〔구식〕 군사학(↑ Wehrwissenschaft). **~wut** *f.* 전쟁의 광란. **~zahl·amt** *n.* 군 경리부. **~zeit** *f.* 전시(戰時). **~zeug** *n.* 전투용 기재(器材). **~zucht** *f.* 군기(軍紀). **~zug** *m.* 출정(Feldzug). **~zulage** *f.* 상이 군인이 받는 추가 연금; 전시 특별 수당. **~zustand** *m.* 전쟁 상태, 전시 체제; 계엄 상태. **~zwang** *m.* ↑ ~zucht. **~zweck** *m.* 전쟁 목적.

Kriek [kri:k] 《ndl. -engl.》 *m.* -s, -e 수로, 크리크; 〖海〗 피난항; 후미, 작은 만.

Kriek·ente *f.* ↑ Krickente.

Kriemhild [krí:mhılt] *f.* ↑ Krimhilde.

Kriemhilde [kri:mhíldə] *f.* 크림힐데(Nibelungenlied 의 여주인공).

Kries [kri:s] *n.* -es (schweiz., alem.) 전나무〔침엽수〕의 마른 가지〔섶나무〕.

Krikotomie *f.* -n [..mí:ən] 〖醫〗 기관지 절개(술).

Krill [krıl] *n.* -(e)s 〖動〗 (남극해나 북극해에 서식하는) 플랑크톤.

Krim [krım] *f.* 크림 반도.

Krimhilt [krímhılt] ↑ Kriemhilde.

***Krimi** [krí:mi, krími:] *m.* -s/(드물게) -, -s/(드물게) - 〔구어〕 ① 탐정 소설(Kriminalroman). ② 범죄 영화(Kriminalfilm): 〔비유〕 die Quizsendung war diesmal ein richtiger ~ 이번 퀴즈 프로는 손에 땀을 쥐게 했다.

***kriminal** [kriminá:l] 《lat.》 《Ⅰ》 *a.* 〔구식〕 ① (↔ zivil) 형사상〔형법상·범죄〕의. ② 범죄적인, 죄를 저지른. 《Ⅱ》 *adv.* 〔비속〕 매우; 몹시: er hat sich ~ geärgert 그는 몹시 화를 냈다.

Kriminal *n.* -s, -e (öst.) 〔구식〕 감옥, 교도소, 형무소.

Kriminal≈abteilung *f.* 〖法〗 형사부(刑事部). **~anklage** *f.* 형사 소송. **~beamte*** *der* 형사.

Kriminale* *der*, **Kriminaler** *m.* -s, - ↑ Kriminalbeamte.

Kriminal≈film *m.* 범죄 영화. **~gericht** *n.* 형사 법원. **~gerichtsbarkeit** *f.* 형사 재판(관할)권. **~geschichte** *f.* ① 범죄 이야기. ② 범죄사(史). **~gesetz** *n.* 형(사)법.

kriminalisieren *t.* ① 범죄 심리를 자극하다, 범죄를 부추기다. ② 죄악시〔범죄시〕하다.

Kriminalist [kriminalíst] *m.* -en, -en ① 형법학자. ② 형사 재판관; 형사.

Kriminalistik *f.* 범죄 수사학.

kriminalistisch *a.* 범죄 수사학의.

Kriminalität *f.* 범죄성; 범죄 현상: Jugend≈ 청소년 범죄; Wirtschafts≈ 경제 범죄.

Kriminal≈klage *f.* 형사 소송. **~kommissar** *m.* ↑ ~beamte. **~museum** *n.* 경찰 박물관. **~politik** *f.* 형사 정책. **~polizei** *f.* 형사〔사법〕 경찰(약칭: Kripo). **~polizist** *m.* ↑ ~beamte. **~prozeß** *m.* 형사 소송. **~-psychologie** *f.* 범죄 심리학. **~recht** *n.* 형법. **~roman** *m.* 범죄〔탐정·추리〕 소설. **~sache** *f.* 형사 사건. **~soziologie** *f.* 범죄사회학. **~statistik** *f.* 범죄 통계학. **~verbrecher** *m.* 형사범. **~verfahren** *n.* 형사 소송 절차. **~vergehen** *n.* 형사 범죄.

kriminell [kriminɛ́l] *a.* ① (중)범죄의, 불법의: ein ~es Milieu 우범 지역; 〖法〗 eine ~e Vereinigung 범죄 조직. ② 죄가 있는, 벌할 만한; 형사〔형법〕의. ③ 〔구어〕 나쁜; 무분별한, 잔인한: ~e Verkaufsmethoden 나쁜 판매 방식.

Kriminelle* *der* 범법자, 범인.

Kriminologie 《lat. +gr.》 *f.* 형사〔범죄〕학.

kriminologisch *a.* 범죄학의.

krimisch [krímıʃ] *a.* 크림 반도의.

krimsch [krımʃ] *a.* ↑ krimisch.

Krim·krieg [krím..] *m.* 크림 전쟁(1853-56).

krimmeln [kríməln] *i.* (h.) (ndd.) 〔다음 용법으로〕 es krimmelt und wimmelt 우글〔득실〕거린다.

krimmen [krímən] *t.* 긁다, 깎다, 생채기를 내다.

Krimmer[1] [krímər] *m.* -s, - ① 〖動〗 (ostmd.) 매. ② (sächs.) 잔디를 다듬는 극젱이.

Krimmer[2] 《<Krim》 *m.* -s, - ① 크림 반도 사람. ② 크림산(産)의 새끼양 가죽. ③ 〖섬유〗 (외투 따위의) 천으로 쓰이는 직물.

krimmern 《↑ krimmen》 *t.* 〔방언〕 긁다: es krimmert mich 나는 가렵다.

Krimpe [krímpə] 《<krimpen》 *f.* -n 연축(攣縮), (물에 넣은 옷감이) 오그라짐; 〔비유〕 움찔함, 주춤함, 뒷걸음질침: in die ~ gehen (옷감·피륙이) 오그라들다.

krimpen(*) [krímpən] 《ndd.》 《Ⅰ》 *t.* (천을) 물에 담가서 오그라들게 하다, 연축(攣縮)시키다. 《Ⅱ》 *i.* (s.)/*refl.* (sich) ~ 오그라들다: der Stoff krimpt (sich) bei der Wäsche 그 천은 세탁할 때 오그라든다. 《Ⅲ》 *i.* (h.) (바람의 방향이) 바뀌다.

Krimper *m.* -s, - ① 〖방직〗 연축공(攣縮工). ② 폐병(癈兵), 상이 군인.

Krims·krams [krímskrams] 《<Kribskrabs》 *m.* -(es) 〔구어〕 ① 잡동사니, 지스러기: sie hebt jeden ~ auf 그녀는 온갖 잡동사니를 (다) 보관한다. ② 망언, 허튼소리.

Krim·stecher *m.* 〖軍〗 (크림 전쟁 때 쓴) 망원경.

Kringel [kríŋəl] 《mhd.》 *m.* -s, - ① 동그라미, 만곡. ② 고리 모양의 빵.

kringelig *a.* 환상(環狀)의; 감긴, 말린: 〔구어〕 sich ~ lachen 몹시 웃다.

kringeln [kríŋəln] 《Ⅰ》 *t.* 동그라미를 그리다. 《Ⅱ》 *refl.* sich ~ 동그라미가 되다, 휘감다; 굽이치다: sich ~ wie ein getretener Wurm 밟힌 벌레처럼 꿈틀거리다; 〔구어〕 sich (vor Lachen) ~ 심하게 웃다; es ist zum ≈ 이것은 정말 (몸이 비꼬일 정도로) 웃기는 일이다.

Krinoide [krinoí:də] *m.* -n, -n 〖動〗 바다나리(갯나리류).

Krinoline [krinolí:nə] 《frz.》 *f.* -n 〖유행〗 버팀테를 넣은 스커트.

Kripo [krí:po, krípo] *f.* -s ↑ Kriminalpolizei.

Kripo·chef *m.* 〔구어〕 형사 반장.

Krippe [krípə] 《♧ Korb》 *f.* -n ① 구유: (in die) ~ beißen (말이) 구유를 물어 뜯다; 〔비유·구어〕 zur ~ kommen 식사하러 오다; an die ~ kommen 〔an der ~ sitzen〕 부족함〔걱정〕이 없이 지내다; das Jesuskind in der ~ zu Bethlehem 베들레헴의 구유에 누워 있는 아기 예수. ② (Weihnachts≈) 그리스도 탄생 재현 모형(종이·나무로 만들어 집·교회 따위에 장식함). ③ 탁아소(Kinder≈). ④〖天〗(게자리의 중앙에 있는) 프레세페 성단(星團). ⑤ (westd.) (댐 따위의 호안(護岸) 공사에 쓰는) 격자 세공. ⑥ 인형극(kölnisch).

krippen [krípən] *t.* (댐·제방을) 격자 세공으로 보강하다.

Krippen≈beißer *m.* 구유를 물어뜯는 버릇이 있는 말; 〖비유〗 변변치 않은 녀석. **~damm** *m.* 〖工〗 목재·흙 따위로 만든 제방〔댐〕. **~platz** *m.* 탁아소의 자리. **~reiter** *m.* 가난한 시골 귀족; 식객(食客). **~setzer** *m.* ↑ ~beißer. **~spiel** *n.* (크리스마스 때의) 성탄극. **~tod** *m.* 〖醫〗 유아 급사.

krippig *a.* (ndd.) 무는 버릇이 있는.

Krips [krɪps] 《㊀ Griebs》 *m.* -es (obd., md.) 목, 멱: jn. beim ~ packen 누구의 멱살을 움켜잡다.

Kris [kri:s] 《mal.》 *m.* -es, -e [..zə] 말레이인(人)의 단검.

krisch [krɪʃ] ↑ kreischen 의 과거형.

Krisch *m.* -es, -e (ndd.) (Schrei) 부르짖는 소리, 절규, 새된 소리.

krische [kríʃə] ↑ kreischen 의 접속법 Ⅱ 식.

Krischna [kríʃna] 《skt.》 *m.* (인도 신화에서) 크리슈나신(神) (Wischnu 신의 제 8 화신).

***Krise** [krí:zə] 《gr.》 *f.* -n 분기점; 위기; 〖經〗 공황; 〖醫〗 위험한 고비(Krisis): eine ~ durchmachen 위기를 뚫고 나가다; das Unternehmen steckt in der ~ 그 기업은 위기에 빠져 있다; aus einer ~ wieder herausfinden 위기에서 다시 빠져나오다; eine ~ bewältigen 위기를 극복하다; heute Nacht tritt bei dem Kranken die ~ ein 병자는 오늘 밤이 고비다.

kriseln [krí:zəln] *i.* (h.) 〖비속〗 *imp.* es kriselt a) 날씨가 수상하다, b) 위기가 닥쳐오다: in unserer Ehe kriselt es seit langem 우리의 결혼은 오래 전부터 위기를 맞고 있다.

krisen≈anfällig *a.* 위기〔공황〕에 약한: eine ~e Wirtschaft 공황에 약한 경제. **~fest** *a.* 위기〔공황〕에 강한. **≈fürsorge** *f.* 위기 구제. **≈gebiet** *n.* 위험 지역.

krisenhaft *a.* 위기적인, 위기에 처한: sich ~ entwickeln 위기로 내닫다.

Krisen≈herd *m.* ① 위기의 근원. ② ↑ ~gebiet. **~management** *n.* 〖政〗 위기 관리. **~situation** *f.* 위기〔공황〕 상황. **~stab** *m.* 위기 관리 위원회: den ~ einberufen 위기 관리 위원회를 소집하다. **~zeichen** *n.* 위기의 징후. **~zeit** *f.* 공황기, 위험한 시기: in ~en 위험한 시기에.

Krisis [krí:zɪs] 《gr.》 *f.* ..sen [..zən] 〖醫〗 위험한 고비.

Krispel·holz *n.* 〖제혁〗 (가죽의) 면을 도톨도톨하게 하는 판자.

krispeln [kríspəln] *t.* 〖제혁〗 (가죽의 면을) 도톨도톨하게 하다, 물결 무늬가 지게 하다.

***Kristall** [krɪstál] 《gr.》《Ⅰ》 *m.* -s, -e ①〖광물〗 수정. ②〖광물·化〗 결정(結晶): ~e bilden 〔in ~en anschießen〕 결정(結晶)하다. 《Ⅱ》 *n.* -s 크리스털 글라스, (고급) 컷 글라스 (제품).

kristall≈ähnlich, ~artig *a.* 수정과 같은; 결정(結晶)한. **≈bildung** *f.* 결정 형성, 결정화. **≈chemie** *f.* 결정 화학. **≈detektor** *m.* 〖전기·방송〗 광석 검파기(檢波器). **≈druse** *f.* 〖광물〗 결정군(群).

Kristallehre *f.* 〖광물〗 결정학(結晶學).

Kristall·empfänger *m.* 광석 라디오.

kristallen [krɪstálən] *a.* 크리스털제의; 수정처럼 투명한: 〖비유〗 ein ~er See 수정처럼 맑은 호수.

Kristalleuchter [krɪstállɔyçtər] *m.* -s, - 크리스털등, 샹들리에.

Kristall≈fabrik *f.* 크리스털 글라스 공장. **~fläche** *f.* 〖광물〗 결정면(結晶面). **~form** *f.* 〖광물〗 결정형(結晶形). **~gitter** *m.* 〖광물〗 결정 격자(格子). **~glas** *n.* ① 크리스털 유리. ② 크리스털 유리잔. **≈hell** *a.* ↑ ~klar.

kristallig *a.* 수정 같은.

kristallin [krɪstalí:n] *a.* 결정(질)의, 결정으로 된: 〖化〗 ~e Flüssigkeiten 결정질 용액.

kristallinisch *a.* ↑ kristallin.

Kristallinse *f.* -n 〖해부〗 수정체(水晶體).

Kristallisation [krɪstalizatsió:n] 《<Kristall》 *f.* -en 결정(화) (結晶(化)).

Kristallisations≈prozeß *m.* 〖化〗 결정 과정. **~punkt** *m.* 〖化〗 결정(화)점.

kristallisch *a.* ①〖雅語〗 수정처럼 투명한. ② 수정 모양의, 결정의.

kristallisierbar *a.* 결정(結晶) 가능의.

kristallisieren 《Ⅰ》 *t.* 결정(結晶)시키다. 《Ⅱ》 *i.* (s.) / *refl.* (sich) ~ 결정(結晶)하다.

Kristallisierung *f.* -en 결정(結晶) (화).

Kristallit [krɪstalí:t] *m.* -s, -e 〖광물〗 결정자(結晶子), 정자(晶子).

kristall≈klar *a.* 수정처럼 투명한. **≈kunde, ≈lehre** *f.* ↑ Kristallehre. **≈linse** *f.* ↑ Kristallinse. **≈nacht** *f.* (1938 년 11 월 9 일 밤에 나치가 자행한) 유대인 학살.

Kristallographie [krɪstalografí:] *f.* 〖物·광물〗 결정학(學).

kristallographisch *a.* 결정학의: ~e Eigenschaften 결정학적 특성.

Kristalloid *n.* -(e)s, -e 결정질〔체〕.

Kristall≈palast *m.* (런던의) 수정궁(宮). **~physik** *f.* 결정 물리학. **~system** *n.* 〖광물〗 결정계(系), 정계(晶系).

Kristalluster (öst.), **Kristallüster** *m.* -s, - ↑ Kristalleuchter.

Kristall≈vase *f.* 크리스털 꽃병. **~waren** *pl.* 크리스털 글라스 제품; 수정 제품. **~wasser** *n.* 〖化〗 결정수(結晶水). **~zucker** *m.* 고급 백설탕.

Kristiania [krɪstiá:nia] 《Ⅰ》 크리스티아니아 (Oslo 의 옛 이름). 《Ⅱ》 *m.* -s, -s 〖스키〗 크리스티아니아(스키의 빠른 회전 기술).

***Kriterium** [krité:rium] 《gr.》 *n.* -s, ..rien [..riən] ① (판단의) 표지(標識); 표준: Kriterien für et. aufstellen 무엇의 기준을 세우다; 〖교양〗 das ist doch kein ~ für die Echtheit der Gefühle 그것이 감정의 순수함을 판단할 기준이 아니다. ②〖사이클〗 서킷 레이스.

***Kritik** [krití:k] *f.* -en 비판, 비평; 비판력; 비난, (서)평: die literarische ~ 문학 비평; eine objektive〔negative〕 ~ 객관적〔부정적〕인 평가; an et.³ ~ üben 〔et. in einer ~ besprechen, et. einer ~ unterziehen] 무엇을 비판〔비평·논평〕하다; diese Maßnahmen stießen auf heftige ~이 조처는 심한 비난에 부딪쳤다; unter aller〔jeder〕 ~ 형편없는, 언어도단인; 〖구어〗 dieser Aufsatz ist unter aller ~ 이 논문은 말이 아니다, 형편없다.

Kritikaster [kritikástər] *m.* -s, 〖교양·폄어〗 혹평가, (남의) 잘못을 꼬집는 사람.

***Kritiker** [krí:tikər] *m.* -s, - 비평〔비판〕가, 평론가.

Kritikerin *f.* -nen ↑ Kritiker 의 여성형.

kritik≈fähig *a.* 비판 능력이 있는: eine ~e junge Generation 비판 능력이 있는 젊은 세대. **≈fähigkeit** *f.* 비판 능력.

kritiklos *a.* 무비판의, 비판력이 없는: et. ~ hinnehmen 무엇을 무비판적으로 받아들이다.

Kritiklosigkeit *f.* 무비판, 비판력 결여.

Kritik·punkt *m.* 비평 사항.

***kritisch** [krí:tɪʃ] *a.* ① 비판의, 비평적인; 비판력이 있는: ~e Bemerkungen 평하는 말, 비평; eine ~e Ausgabe (텍스트의) 비판 주석본; ~er Scharfsinn 비평적 통찰; er ist ~ veranlagt 그는 잔소리 많은 사람이다; er hat ~e Augen 그는 비평안(眼)을 가지고 있다; 〖구어〗 jn. von oben bis unten ~ mustern 누구를 머리끝에서 발끝까지 비판적으로 훑어보다. ② 분기점의, 결정적인; 위험한, 위기의: ein ~er Augenblick 위기; das ~e Alter 사춘기, (부인의) 갱년기; eine ~e Lage 고경(苦境), 궁지; er hatte heute einen ~en Tag 오늘은 그의 액일(厄日)이었다. ③〖理〗 임계(臨界)의(압력·온도): 〖化〗 die ~e Temperatur 임계 온도; der Reaktor wird ~ 원자로가 임계점에 도달한다.

***kritisieren** *t.* 비판〔비평·논평〕하다; 혹평하다, 헐뜯다: diese Maßnahmen wurden in der Presse auf das schärfste kritisiert 이 조치는 언론의 혹독한 비판을 받았다.

Kritizismus *m.* - ①〖哲〗 비판주의, 비판 철학. ②〖교양〗 비판적 입장〔태도〕.

Krittelei [krɪtəlái] *f.* -en 〖폄어〗 혹평, 망평(妄評), 헐뜯기.

Kritteler [krítələr] *m.* -s, - ↑ Krittler.

Krittler *m.* -s, - 〖폄어〗 헐뜯는 사람.

krittelig *a.* 〖폄어〗 ① 헐뜯기 좋아하는, 입버릇이 나쁜. ② 성 잘 내는; 다루기 어려운.

kritteln [krítəln] 《<ndd. gritteln》 *i.* (h.) 〖폄어〗 über et. 〔an et.³〕 ~ 무엇에 대하여 흠잡다〔헐뜯다〕: kannst du nicht mal aufhören zu ~? 너는 헐뜯기 좀 그만 둘 수 없느냐?

krittlig *a.* ↑ krittelig.

Kritz *m.* -es, -e 〖구식〗 생채기; 그은 선.

Kritzelei [krɪtsəlái] *f.* -en 〖구어·폄어〗 ① 졸렬한 글씨, 악필: diese ~en kann ja kein Mensch entziffern! 이 악필은 아무도 해독할 수가 없다! ② 끼적거려 쓴 것.

kritzelig *a.* 〖구어·폄어〗 악필의.

kritzeln [krítsəln] 《Ⅰ》 *i.* (h.) ① 긁다: meine Feder kritzelt 나의 펜이 가치작거린다. ② 글씨를 졸렬하게〔서투르게〕 쓰다. 《Ⅱ》 *t.* 서투르게 적어 넣다: ein paar Notizen ins Heft ~ 몇몇 메모를 노트 속에 서투르게 적어 넣다.

Kritzler *m.* -s, - 악필가.

kritzlig *a.* ↑ kritzelig.

Kroate [kroá:tə] *m.* -n, -n 크로아티아 사람.

Kroatien [..tsiən] 크로아티아(동유럽에 위치한 공화국).

Kroatin *f.* -nen ↑ Kroate 의 여성형.

kroatisch *a.* 크로아티아(사람·어)의.

Kroatisch* *das* 크로아티아어.

Kroatz·beere *f.* 〖植·방언〗 ↑ Brombeere.

kroch [krɔx] ↑ kriechen 의 과거형.

kröche [krœçə] ↑ kriechen 의 접속법 Ⅱ식.

Krocket [krɔ́kət, krɔkέt] 《engl.》 *n.* -s, -s 크로켓(공놀이의 일종).

Krocket≈hammer *m.* 크로켓공을 치는 방망이. **~kugel** *f.* 크로켓용의 공. **~spiel** *n.* ↑ Krocket.

krockieren [krɔkí:rən] *t.* 크로켓공을 치다: einen feindlichen Ball ~ 상대편의 공을 (자기 공으로 맞쳐) 쳐내다.

Krokant [krokánt] *m.* -s ① 편도(扁桃)〔호두〕를 넣어 구운 과자. ② 편도〔호두〕가 든 초콜릿 봉봉.

Krokette [krokέtə] *f.* -n 〖요리〗 크로켓.

Kroki [krokí:] 《frz.》 *n.* -s, -s 〖전문어〗 지형 약도, 스케치.

krokieren *t.* 약도를 그리다.

Kroko [kró:ko] *n.* -(s), -s 〖↑ Krokodilleder 의 약칭〗 악어 가죽: eine Tasche aus ~ 악어 가죽으로 만든 가방.

Krokodil [krokodí:l] 《gr.》 *n.* -s, -e ①〖動〗 크로코다일, 악어. ②〖구어〗 악어 가죽.

krokodil≈artig *a.* 악어류의; 악어와 같은. **~eidechse** *f.* 〖動〗 큰도마뱀. **~leder** *n.* 악어 가죽.

Krokodils·träne *f.* 〖구어〗 거짓 눈물; 거짓 울음.

Krokodil·wächter *m.* 〖動〗 악어새.

Krokus [kró:kus] 《gr.》 *m.* -, -(se) ①〖植〗 크로커스, 사프란속(屬). ②〖工〗 황색〔적색〕의 연마용 가루(산화철 따위).

Krolle [krɔ́lə] *f.* -n (rhein.) 곱슬〔말린〕머리: er hat den Kopf voller ~n 그의 머리는 심한 곱슬이다.

krollen [krɔ́lən] 《Ⅰ》 *t.* 말다; 곱슬곱슬하게 하다: (jm.) das Haar ~ (누구의) 머리를 파마하다. 《Ⅱ》 *refl.* sich ~ 곱슬곱슬하게 되다: das Haar krollt sich 머리가 곱슬곱슬하다.

Kroll≈haar *n.* 〖방언〗 (무엇의 속에 채우는) 말의 곱슬곱슬한 털. **~kopf** *m.* 고수머리. **~tabak** *m.* 〖구식〗 살담배의 일종.

Kromlech [krɔ́mlεç, kró:m.., ..lεk] 《klt.》 *m.* -s, -e/-s 〖고고〗 크롬렉(중앙의 무덤을 둘러싼 거석군(群)).

Kron≈anwalt [kró:n..] *m.* ①〖구식〗 재무부의 최고 감정관. ②〖法〗 (영국의) 검찰 총장. **~beamte*** *der* 제국 관리. **~bein** *n.* 〖動〗 발굽〔유제(有蹄)〕 동물의 발가락의 제 2 관절뼈. **~bewerber** *m.* 왕위를 노리는 사람. **~bewerbung** *f.* 왕위를 탐냄〔노림〕. **~blatt** *n.* 〖植〗 꽃부리, 화관(花冠).

Krönchen [krø:nçən] *n.* -s, - 〖↑ Krone 의 축소형〗 작은 관(冠); 〖植〗 작은 관모(冠毛): die Braut trug ein weißes ~ 신부는 하얀 작은 관을 쓰고 있었다.

Kron≈domäne *f.* 왕실의 땅〔영지〕. **~dotation** *f.* 왕실비(費).

***Krone** [kró:nə] *f.* -n ① (a) 관(冠), 왕관; 〖비유〗 왕위, 제위, 왕권; 왕국, 제국; 왕실, 황실: die dreifache ~ des Papstes 교황의 3 중으로 된 관; jm. die ~ aufsetzen 누구에게

관을 씌우다, 누구를 왕위에 앉히다; die ~ erlangen 〔zur ~ gelangen〕 왕위에 오르다; die ~ niederlegen 왕위를 물러나다; 〖비유·구어〗 es wird ihm kein Stein 〔keine Perle〕 aus der ~ fallen 그 일로〔그렇게 한다고 해서〕 그는 품위〔명예〕에 하등의 손상을 입지 않을 것이다, 그의 품위를 떨어뜨리는 일은 아니다. (**b**) 월계관, 영관(榮冠); 〖비유〗 영광, 영예: 〖비유〗 dem Verdienste seine ~! 공적에 대하여 영관을〔영예를〕! (**c**) 〖비유〗 정점; 극치; 정화(精華): 〖구어〗 der Mensch ist die ~ aller Schöpfung 인간은 만물의 영장; 〖구어〗 dies setzt dem Ganzen die ~ auf 이것으로 모든 것이 나무랄 데 없이 완성된다; 〖구어〗 das setzt allem die ~ auf! 그것은 언어도단이다! (뻔뻔스러움·무책임·비속의 극치다.) ② (**a**) 화관(花冠), 화환. (**b**) 〖植〗 꽃부리; 관모(冠毛) (Samen~). (**c**) 수관(樹冠), 수두(樹頭), 침엽수의 정관(頂冠). (**d**) (Schaum~) 물마루, 파두(波頭). ③ (**a**) 〖해부〗 치관(齒冠). (**b**) (시계의) 용두. (**c**) 종의 꼭지. ④ 〖天〗 (**a**) Nördliche〔Südliche〕 ~ 북쪽〔남쪽〕 왕관자리. (**b**) 코로나, 광관(光冠). ⑤ 〖건축〗 (**a**) 벽·기둥의 상부 장식; 뾰족탑의 맨 윗부분. (**b**) 나뭇가지꼴의 등잔걸이, 샹들리에. ⑥ 〖工〗 둑의 윗부분. ⑦ 〖사냥〗 사슴뿔 끝. ⑧ 〖商〗 drei ~n (실의) 최상품. ⑨ (**a**) 크로네(1871-1924 년의 독일 금화; 10〔20〕 마르크). (**b**) 크로네(북유럽 각국의 화폐 단위). ⑩ 〖비속〗 머리: einen in der ~ haben 술에 취하다; was ist dir denn in die ~ gefahren? 도대체 왜 화가 나 있는 거냐?; 〖구어〗 jm. in die ~ steigen 누구를 오만하게 만들다; das ist ihm in die ~ gestiegen 그는 그것 때문에 신나〔들떠〕 있다; es ist mit ihm nicht ganz richtig unter der ~ 그는 약간 돌아 있다. ⑪ 〖動〗 굽의 윗부분.

Kron·einkünfte *pl.* 왕실〔황실〕의 수입.

krönen [krǿːnən] 《I》 *t.* ① …에게 관을 씌우다, 영관(榮冠)을〔영예를〕 주다: jn. (zum König) ~ 누구에게 왕관을 씌우다, 누구를 왕위에 오르게 하다; den Gipfel des Berges krönt eine Burg 산봉우리에 성이 높이 솟아 있다; seine Versuche waren von Erfolg gekrönt 그의 시도는 성공적이었다; einen Sieger mit dem Lorbeerkranz ~ 승리자에게 월계관을 씌우다. ② 〖비유〗 완성하다, …의 최후를 장식하다: 〖속담〗 das Ende krönt das Werk 일은 끝마무리가 중요하다. 《II》 *refl.* sich ~ 관을 쓰다, 왕위에 오르다; 끝나다. 《III》 **gekrönt** *p.a.* ↑ gekrönt.

kronen≈artig *a.* 관 모양의; 〖해부〗 관상(冠狀)의. **~bein** *n.* 〖動〗 ↑ Kronbein. **~blatt** *n.* 〖植〗 ↑ Kronblatt. **~bohrer** *m.* 〖工〗 다이아몬드 보링. **~dach** *n.* 기와 지붕의 일종. **~fortsatz** *m.* 〖해부〗 관상(冠狀) 돌기. **~geweih** *n.* 〖사냥〗 사슴의 가지뿔. **~gold** *n.* 〖구식〗 18 금. **~korken** *m.* 기계적으로 밀봉한 병 뚜껑. **~kranich** *m.* 〖動〗 관학(冠鶴).

kronenlos *a.* (왕)관이 없는; 꽃잎이 없는.

Kronen≈mutter *f.* 용두 달린 너트. **~orden** *m.* (Preußen 의) 보관장(寶冠章). **~papier** *n.* 〖印〗 크라운지(紙) (15×20 인치 크기의 인쇄 용지). **~taler** *m.* 크로네 은화. **~träger** *m.* 관을 쓴 사람, 제왕, 군주.

Kron≈erbe *m.* 왕위 계승자, 황태자. **~fleisch** *n.* (öst.) (소의) 횡격막. **~förmig** *a.* 관(冠) 모양의. **~gehörn** *n.* ↑ Kronengeweih. **~glas** *n.* (광학용 기계에 쓰는) 크라운 유리. **~gut** *n.* 황실〔왕실〕의 땅〔영지〕. **~hirsch** *m.* 큰 가지뿔을 가진 사슴.

Kronide [kroníːdə] 《gr.》 *m.* -n, -n 〖그리스신화〗 Kronos 의 아들; (특히) 제우스.

Kron≈insignien *pl.* 왕가의 표장(標章). **~juwel** *n./m.* 왕실 소유의 보석〔장식품〕. **~kolonie** *f.* (영국의) 직할 식민지. **~korken** *m.* ↑ Kronenkorken. **~land** *n.* 〖복수: ..länder〗 ① ↑ ~gut. ② (옛 오스트리아의) 황실 직할지. **~lehen** *n.* 〖史〗 왕실의 영지.

Krönlein *n.* -s, - ↑ Krone 의 축소형(Krönchen).

Kron·leuchter *m.* 샹들리에: 〖구어·농담〗 jm. geht ein ~ auf 누가 갑자기 (어떤 일을) 깨닫다.

Kronos [krɔ́nɔs, króː..] 《gr.》 *m.* 〖그리스신화〗 Zeus 의 아버지(〖로마신화〗 Saturnus).

Kron≈prätendent *m.* 왕위 계승 요구자. **~prinz** *m.* ① (황)태자. ② 〖비유〗 (**a**) 계승〔후임〕자: der Parteivorsitzende soll ihn zu seinem ~en ausersehen haben 정당의 당수는 그를 자신의 후계자로 선정했다고 한다. (**b**) 〖구어·농담〗 적자(嫡子): nach vier Töchtern kam endlich der heißersehnte ~ zur Welt 4 명의 딸을 낳은 뒤에 드디어 열망했던 적자가 태어났다. **~prinzessin** *f.* ① ↑ ~prinz 의 여성형. ② (황)태자비. **~prinzlich** *a.* (황)태자의: die ~en Herrschaften 황태자 내외. **~rad** *n.* 〖工〗 관(冠)톱니바퀴. **~rat** *m.* 〖복수: ..räte〗 추밀원. **~räuber** *m.* 왕위 찬탈자. **~recht** *n.* 대권.

Krons·beere [kró:ns..] *f.* 〖植〗 월귤나무(Preiselbeere).

Kron≈schatz *m.* 왕실의 보물, 어물(御物). **~taler** *m.* ↑ Kronentaler.

Krönung [krǿːnʊŋ] *f.* -en ① 즉위, 대관식: der ~ des Kaisers beiwohnen 황제의 즉위식에 참석하다. ② 수상(식)(授賞(式)). ③ 〖비유〗 절정, 압권: die Wahl zum Bürgermeister war die ~ seiner politischen Laufbahn 시장으로 선출된 것은 그의 정치 생애의 절정이었다. ④ 〖軍〗 관 모양의 요새.

Krönungs≈feier *f.* ↑ ~feierlichkeit. **~feierlichkeit** *f.* 즉위식, 대관식. **~fest** *n.* ↑ ~feierlichkeit. **~mahl** *n.* 대관식의 향연. **~mantel** *m.* 대관식 때 걸치는 어깨걸이. **~münze** *f.* 대관식 기념 주화. **~ornat** *m./n.* (대관식의) 제왕의 성장(盛裝). **~stadt** *f.* 대관식이 거행되는 도시. **~tag** *m.* 대관식의 날. **~zeremonie** *f.* ↑ ~zeremoniell. **~zeremoniell** *n.* 즉위식.

Kron≈waldung *f.* 황실〔왕실〕 소유림. **~werk** *n.* 〖건축〗 관(冠) 모양의 요새. **~wicke** *f.* 〖植〗 황금싸리. **~zeuge** *m.* 〖法〗 주요 증인; (영·미에서) (감형을 보장받고 공범자에 대하여 불리한 증언을 하는) 공범 증인.

Kröpel *m.* -s, - 〖폄어〗 (nordd.) 신체 장애자, 불구자, 병신.

kröpeln *i.* (h./s.) / *refl.* (sich) ~ 괴로운 듯이 움직이다〔기다〕.

Kropf [krɔpf] *m.* -(e)s, Kröpfe [krœ́pfə] ① 〖動〗 (새의) 멀떠구니, 모이주머니. ② 〖醫〗 갑

상선종(腫); 종양: sich am ~ [den ~] operieren lassen 갑상선 종양 수술을 받다; 〖구어〗 überflüssig [unnötig] wie ein ~ sein 전혀 불필요하다. ③ 〖植〗 혹 모양의 돌기. ④ 〖工·건축〗 돌기물. ⑤ 〖사냥〗 총의 손잡이.

kropf·artig *a.* 〖醫〗 갑상선종 모양의.

Kröpfchen [krœpfçən] *n.* -s, - 〖↑ Kropf 의 축소형〗 die guten (Erbsen) ins Töpfchen, die schlechten ins ~ 좋은 것은 (좋은 완두는) 단지에 넣고, 좋지 않은 것은 먹어라(Grimm 동화 "Aschenputtel"에서).

kröpfen [krœpfən] 《I》 *t.* ① 〖工〗 (직각으로) 꾸부리다, 굽히다. ② 〖방언〗 (새 따위를) 마구 먹이다, 살찌우다. 《II》 *i.* (h.) 모이주머니를 채우다; 삼키다; 〖비유〗 많이 먹다, 마음껏 먹다. 《III》 **gekröpft** *p.a.* ↑ gekröpft.

Kröpfer *m.* -s, - ↑ Kropftaube.

Kropf≈gans [krɔ́pf..] *f.* 〖動〗 사다새, 펠리컨. **~geschwulst** *f.* ↑ Kropf ②.

kropfig [krɔ́pfɪç] *a.* 〖구식〗 ① 〖醫〗 갑상선종(甲狀腺腫)에 걸린; 〖植〗 혹이 [옹이가] 있는. ② 발육이 불완전한. ③ 〖工〗 직각으로 굽힌 [구부러진].

kröpfig *a.* ↑ kropfig.

Kröpflein *n.* -s, - ↑ Kropf 의 축소형.

Kropf≈scheibe *f.* 〖工〗 편심륜(偏心輪) (Exzenter). **~taube** *f.* 〖動〗 가슴이 불룩 나온 비둘기의 일종.

Kröpfung [krœpfʊŋ] *f.* -en ① 〖사냥〗 마구 [게걸스럽게] 먹음, 포식. ② 〖工〗 직각으로 구부림 [굽힘]. ③ 〖건축〗 벽의 돌출부 [모서리]를 두르는 돌림띠.

Kropp·zeug [krɔ́ptsɔʏk] 《ndd.》 *n.* -(e)s ① 〖방언·농담〗 아이들, 애녀석들(친근한 [경멸적인] 호칭). ② 〖구어·폄어〗 **(a)** 민중; 천민. **(b)** 하찮은 [무용한] 물건, 잡동사니.

Kroquis [krokíː] 《frz.》 *n.* - [..kíːs], - [..kíːs] (öst.) ↑ Kroki.

kröschen [krǿːʃən] (⊕ kreischen) *t.* 〖요리〗 기름에 (바삭바삭하게) 튀기다.

Kröse [krǿːzə] *f.* -n ① 주름이 있는 옷깃의 장식. ② (통제조에서) 통 만드는 널빤지의 끼워 맞추기 위한 홈.

Kröse·eisen *n.* (통제조에서) 통 만드는 널빤지에 홈파는 연장.

kröseln [krǿːzəln] *t.* (널조각에) 홈을 파다; 유리를 자르다.

Krösel·zange *f.* (유리 제조에서) 유리를 잘라 내는 펜치.

krösen *t.* ↑ kröseln.

kroß [krɔs] *a.* 〖방언〗 노릇노릇하게 구운, 바삭바삭한: krosse Brötchen 바삭바삭한 롤빵.

kross 新정서 ⇦ kroß.

Krösus [krǿːzʊs] *m.* -(ses), -se ① (기원전 6 세기) Lydien 의 부유한 왕의 이름. ② 〖비유〗 부호: ich bin doch kein ~! 나는 부자가 아니야!

Krötchen *n.* -s, - 〖↑ Kröte 의 축소형〗 (애칭으로) 꼬마, 아기.

Kröte [krǿːtə] *f.* -n ① 〖動〗 두꺼비: 〖방언〗 eine ~ schlucken 불쾌한 것을 꾹 참다. ② 〖구어〗 **(a)** 〖폄어〗 심술궂은 [밉살스런·비뚤어진] 사람: sie ist eine giftige ~ 그 여자는 심보가 좋지 않다. **(b)** 버릇없는 꼬마 아이 [여아] (Krötchen): so eine freche ~! 저런 버릇없는 애 같으니! ③ 〖복수〗 〖경박〗 돈: ich habe nur noch ein paar ~n in der Tasche 나는 이제 가진 돈이 조금밖에 없다.

kröten≈artig *a.* 두꺼비와 같은; 두꺼비 무리의. **~frosch** *m.* 〖動〗 개구리의 일종. **~gesicht** *n.* 〖비유〗 흉한 [보기 싫은] 얼굴. **~stein** *m.* ① 두꺼비의 몸 속에 있다고 하는 돌 또는 화석(부적(符籍)으로 쓰였음). ② 동물 화석. **~wanderung** *f.* 〖生〗 (산란 장소로의) 두꺼비의 이동.

krötig [krǿːtɪç] *a.* ① 두꺼비와 같은. ② 〖비유〗 독살스러운, 악의가 있는.

krötisch *a.* ↑ krötig.

Kroton [króːtɔn] 《gr.》 *m.* -s, -e 〖植〗 파두(巴豆).

Kroton≈öl *n.* 파두 기름. **~säure** *f.* 〖化·藥〗 크로톤산(酸).

Krucke [krʊ́kə] *f.* -n 〖사냥〗 알프스 영양의 뿔.

Krücke [krʏ́kə] *f.* -n ① 목발, **T** 자형 지팡이; 〖비유〗 지주, 버팀: an [auf] ~n gehen 목발에 의지하여 가다; jm. die ~ reichen 누구에게 도움을 주다; er kann nur auf fremden ~n gehen 그는 남의 도움에 의지하지 않고는 아무것도 못 한다; 〖비유·구어〗 ich gehe (nur noch) an ~n 나는 기진맥진한 상태다. ② (단장의) 손잡이. ③ 〖工〗 T·Y 형의 연장. ④ (바이올린 따위의) 줄조르개. ⑤ 〖구어·폄어〗 무능한 사람; 쓸모 없는 물건.

krücken·förmig *a.* T 자형(지팡이꼴)의.

Krucken·kreuz *n.* ↑ Krückenkreuz.

Krücken≈kreuz *n.* (독일 기사 수도회의) T 자형 십자가. **~stock** *m.* ↑ Krücke ①.

krud [kruːt] 《lat.》 *a.* ① 〖구식〗 생것의, 날것인. ② 〖교양〗 조야한, 거친: sich ~ benehmen 거칠게 행동하다. ③ 잘 소화되지 않는.

krude [krúːdə] *a.* ↑ krud.

Krudität *f.* -en 〖교양〗 (음식의) 날것인 상태; 거친 표현 [행동]; 불소화(不消化).

***Krug**[1] [kruːk] *m.* -(e)s, Krüge [krýːgə] (손잡이가 달린) 항아리, 단지; (뚜껑과 손잡이가 있는) 맥주용 컵, 조끼: den ~ (auf einen Zug) leeren (단숨에) 잔을 비우다; 〖속담〗 der ~ geht so lange zum Wasser [Brunnen], bis er bricht 꼬리가 길면 밟힌다.

Krug[2] (ndd.) *m.* -(e)s, Krüge [krýːgə] (시골의) 술집, 선술집.

Krügel [krýːgəl] *n.* -s, - (öst.) 〖↑ Krug[1] 의 축소형〗 손잡이가 달린 맥주잔.

Krügelchen [krýːgəlçən] *n.* -s, - ↑ Krügel.

Krüger [krýːgər] 《<Krug[2]》 *m.* -s, - (nordd.) 선술집 주인.

krug≈förmig *a.* 단지 [항아리] 모양의. **~gerechtigkeit** *f.* 선술집 영업 면허.

Krüglein [krýːklaɪn] *n.* -s, - ↑ Krügel.

Kruke [krúːkə] 《ndd.; ⊕ Krug[1]》 *f.* -n ① 단지, 항아리. ② 〖경박〗 기인(奇人), 이상한 사람: eine putzige [komische, ulkige] ~ 기인, 괴짜.

Krulle [krʊ́lə] (⊕ Krolle) *f.* -n 〖유행〗 (옛날의) 장식용의 둥근 목도리.

krüllen[1] [krʏlən] *t.* 곱슬곱슬하게 하다 (krollen).

krüllen[2] *t.* (ndd.) Erbsen ~ 완두의 깍지를 벗기다.

Krull≈farn *m.* 〖植〗 공작고사릿과의 일종. **~haar** *n.* ↑ ~farn.

Krüll≈schnitt [krʏl..] *m.* 담배를 약간 잘게 써는 법. **~tabak** *m.* 약간 잘게 썬 살담배.
Krümchen [krʏ́:mçən] *n.* -s, - 〖↑ Krume 의 축소형〗 ① 빵부스러기. ②〖비유〗 아주 조금: ein ~ Salz 아주 소량의 소금.
***Krume** [krú:mə] 《ndd.》 *f.* -n ① (↔ Rinde) 빵 속, 빵의 보드라운 부분. ②〖대개 복수〗 (빵)부스러기. ③〖비유〗 아주 조금: 〖비유·구어〗 nicht eine 〔keine〕 ~ 전혀〔조금도〕 …않는; 〖구어〗 et. bis auf die letzte ~ aufessen 남김없이 먹어 치우다. ④ (Acker≈) 부식토(腐植土), 옥토.
Krümel [krʏ́:məl] *m.* -s, - ①〖대개 복수〗 매우 작은 덩어리, 부스러기: Brot≈ 빵부스러기; 〖구어〗 ~ machen 식사 때 부주의로 음식 찌꺼기를 흘리다; 〖비유·구어〗 keinen ~ 〔nicht einen ~〕 조금도〔전혀〕 …않는; er hat nicht einen ~ Verstand 그는 지각이 전혀 없다; 〖비유·구어〗 in den ~n wühlen〔suchen〕 옹졸한 태도를 보이다. ②〖대개 복수〗〖방언〗 (과자 따위에 뿌리는) 고명. ③〖구어·농담〗 어린아이.
Krümelchen *n.* -s, - ↑ Krümel 의 축소형.
krümelig *a.* 부스러지기 쉬운; 가루 모양의.
krümeln [krʏ́:məln] 《Ⅰ》 *i.* (h.) / *refl.* (sich) ~ 부스러지다, 가루가 되다. 《Ⅱ》 *t.* 부스러뜨리다, 가루가 되게 하다.
Krümel·zucker *m.* 가루 설탕.
krumen 《Ⅰ》 *t.* 가루가 되게 하다. 《Ⅱ》 *i.* (h.) (씨앗이) 싹트다.
Krümlein *n.* -s, - ↑ Krümchen.
krümlig *a.* ↑ krümelig.
***krumm** [krʊm] 《♧ Krampf》 *a.* (↔ gerade) ① 굽은, 굴곡〔만곡〕의; 비틀린; 파상(波狀)의: ~e Beine 휜 다리; eine ~e Nase 매부리코; 〖비속〗 ~e Preise 어중간한 값; ein ~er Rücken a) 굽은 등, 곱사등, b) 비굴한 태도; 〖비유·구어〗 er macht einen ~en Buckel 그는 비굴하다; 〖구어〗 eine ~e Hose anhaben 다리가 굽어 있다; 〖구어〗 jn. ~ und lahm schlagen 누구를 심하게 때리다; 〖구어〗 keinen Finger ~ machen 활동하지〔돕지〕 않다. ②〖비유〗 일그러진; 부정(직)한, 사악한: 〖비속〗 du ~er Hund! 이 개새끼야! (욕하는 말); ~e Finger machen 훔치다; ~e Wege gehen 나쁜 짓을 하다; er versteht, das ≈e gerade zu machen 그는 용수를 채반이라고 믿게 하는 재간이 있다; et. auf die ~e Tour machen 무엇을 사기 수법으로〔부정직하게〕 해결하다. ③〖동사와 함께〗 ~ ansehen 흘겨보다; ~ biegen 꾸부리다, 굽게 하다; ~ gehen 구부리고 걷다; 〖비유〗 es geht ~ mit ihm 그의 처지는〔일은〕 암만해도 신통치 않다; sich ~ halten (몸을) 구부리다; 〖경박〗 sich ~ und schief lachen 배꼽을 쥐고 웃다; ~ liegen a) 쭈그리고 누워 있다, b) 〖비유〗 돈이 떨어지다, 군색하다; jm. et. ~ nehmen 누구의 무엇을 곡해하다; jn. ~ schließen 누구의 손발을 묶어 놓다; ~ sitzen 등을 구부리고 앉아 있다; ~ wachsen 불구로 자라나다; die Nase ~ ziehen 콧등에 주름을 짓다.
Krumme* 《Ⅰ》 *der/die* 꼽추. 《Ⅱ》 *m.* 〖농담〗 (nordd.) 산토끼.
krumm·ästig *a.* 가지가 휜〔굽은〕.
krümmbar *a.* 구부릴 수 있는.
Krumm≈bein *n.* 바깥쪽으로 휜 다리(의 사람), 구부러진 다리. **≈beinig** *a.* 다리가 구부러진. **~buckel** *m.* 곱사등(이), 꼽추. **~darm** *m.* 〖해부〗 회장(回腸).
Krümme [krʏ́mə] *f.* -n 〖구식〗 굴곡〔만곡〕 (한 것); 길의 모퉁이〔커브〕; 〖비유〗 사곡(邪曲), 부정(직).
krümmen [krʏ́mən] 《Ⅰ》 *t.* 굽게 하다, 구부리다, 만곡시키다: ich werde dir kein Haar 〔Härchen〕 ~ 나는 너를 털끝만큼도 건드리지〔해치지〕 않을 테다; 〖비유·구어〗 er krümmt im Haushalt keinen Finger 그는 집안 일에 손 하나 까딱하지 않는다. 《Ⅱ》 *refl.* sich ~ 구부러지다, 만곡〔굴절〕하다; 휘다; (몸을) 구부리다; (강이) 굽이지다: sich ~ und winden a) 몸부림치다, 허우적거리다, b) 아부하다, c) 구실을 만들다; 〖비유·구어〗 sich vor Lachen ~ 배꼽을 잡고 웃다; sich vor Schmerzen ~ 괴로워서 몸부림치다; 〖속담〗 der getretene Wurm krümmt sich 지렁이도 밟으면 굼틀한다; sich vor jm. ~ 누구의 앞에서 허리를 굽히다, 누구에게 아부〔아첨〕하다.
Krümmer *m.* -s, - ①〖農〗 큰 쟁기, 교토기(攪土器). ②〖工〗 곡관(曲管).
krumm≈gehen *i.* (s.) 〖구어〗 실패로 끝나다, 어긋나다. **≈hals** *m.* 〖醫〗 사경(斜頸). **~halsig** *a.* 〖醫〗 사경의, 목이 비뚤어진. **≈haue** *f.* 〖제재〗 큰 자귀(Dechsel). **≈holz** *n.* 굽은 목재. **≈holz·kiefer** *m.* 〖植〗 눈잣나무, 왜송. **≈holz·öl** *n.* 왜송유(倭松油). **≈horn** *n.* ① 굽은 뿔(을 가진 짐승). ②〖악기〗 **(a)** 크룸호른(나무로 만든 옛 호른의 일종). **(b)** 파이프 오르간의 음전(音栓). **~|lachen** *t.* 〖구어〗 sich ~ 배를 움켜잡고 웃다: wir haben uns krummgelacht 우리들은 배를 움켜잡고 웃었다. **~|legen** *t.* 〖구어〗 sich ~ 매우 절약하다: meine Eltern mußten sich ~, um uns studieren zu lassen 내 부모는 우리를 대학에 다니게 하기 위해서 매우 절약해야 했다.
Krümmling [krʏ́mlɪŋ] *m.* -s, -e 〖건축〗 (나선 계단의 난간·수레바퀴의) 굽은 나무.
Krumm≈linie *f.* 곡선. **≈linig** *a.* 곡선의. **≈mäulig** *a.* 입이 비뚤어진. **≈nasig** *a.* 매부리코인, 코가 구부러진. ***≈|nehmen*** *t.* 〖구어〗 (jm. et.) 곡해하다. **~schnabel** *m.* 굽은 부리; 〖動〗 솔잣새. **~schwert** *n.* 양날이 있는 휘어진 칼. **~sehen** *n.* 〖醫〗 변시증(變視症). **~stab** *m.* ① (목자 따위의) 자루가 굽은 지팡이. ②〖가톨릭〗 주교장(杖) (Bischofsstab); 〖비유〗 교권. **~stroh** *n.* (동물의) 잠자리 짚, 짚 지스러기.
Krümmung [krʏ́mʊŋ] *f.* -en 만곡〔굴곡〕(물); 곡선; (길) 모퉁이; 굽은〔에움〕길; 〖數〗 곡률(曲率).
Krümmungs≈halb·messer *m.* 곡률(曲率) 반지름〔반경〕. **~kreis** *m.* 곡률원(圓). **~mittel·punkt** *m.* 곡률 중심. **~radius** *m.* 〖기하〗 곡률 반지름. **~winkel** *m.* 〖醫〗 후두각(後頭角).
Krumm·zirkel *m.* 〖工〗 캘리퍼스, 측경기(測徑器).
Krumpel [krʊ́mpəl] *f.* -n 〖방언〗 주름, 구김살.
Krümpel [krʏm..] *f.* -n ↑ Krumpel.
krumpelig *a.* 〖방언〗 주름진, 구깃구깃한.
krumpeln [krʊ́mpəln] 《ndd.》 《Ⅰ》 *t.* 구기박지르다, 쭈글쭈글하게 하다. 《Ⅱ》 *i.* (h.) (종이·

천 따위가) 구겨지다, 주름지다.
krümpeln [krʏ́m..] *t.* ↑ krumpeln.
krumpen, krümpen ↑ krimpen.
Krümper [krʏ́mpər] *m.* -s, - ①〖방직〗연축공(攣縮工). ② (1808-12 년 Preußen 에서) 속성 교육을 받은 예비병. ③ (ostmd., obd.) ↑ Krüppel.
Krümper·pferd *n.* 〖軍〗(정수 외의) 예비 군마. **~system** *n.* 예비병의 속성 교육 제도. **~wagen** *m.* 〖軍〗군용 예비차〔마차〕.
krumpf·echt [krúmpf..] *a.* 〖섬유〗줄어들지 않는: einen Stoff ~ machen 천을 줄어들지 않게 하다.
krumpfen [krúmpfən] 《I》 *i.* (s.) 〖섬유〗(직물 따위가) 줄어들다. 《II》 *t.* 직물이 줄어들지 않도록 처리하다.
krumpf·frei *a.* 〖섬유〗 ↑ ~echt.
krumplig *a.* 〔방언〕 ↑ krumpelig.
krunken [krúŋkən], **krunksen** [krúŋksən] *i.* (h.) (ostmd.) 끙끙거리다.
Krupp[1] [krʊp] *m.* -s 〖醫〗크루프, 위막성(僞膜性) 후두염.
Krupp[2] Alfred ~ 크루프(독일의 강철 공업가, 1812-87).
Kruppade [krupá:də] 《germ.》 *f.* -n (고등 마술(馬術)에서) 도약의 일종.
Kruppe [krúpə] *f.* -n 말의 엉덩이.
***Krüppel** [krʏ́pəl] 《ndd.》 *m.* -s, - ① 장애인, 불구자, 병신: 〔비유〕ein geistiger ~ 정신 장애인; jn. zum ~ machen 누구를 장애인으로 만들다. ② 불완전한 것, 흠이 있는 것.
Krüppel·fürsorge *f.* 장애인 구제 (사업).
krüppelhaft *a.* 신체 장애〔불구〕의.
Krüppelhaftigkeit *f.* ↑ krüppelhaft 의 명사형.
Krüppel·heim *n.* 장애인 복지 시설.
krüppelig *a.* ↑ krüppelhaft.
krüppeln [krʏ́pəln] *i.* (h./s.) / *refl.* (sich) ~ ①〔구식〕장애인처럼 움직이다, 앉은뱅이걸음을 하다. ② (schweiz.) 〔구어·농담〕고되게 일하다.
Krüppel·walm·dach *n.* 〖건축〗(합각머리 윗부분에만 설치된) 귀마루 지붕.
krüpplig *a.* ↑ krüppelig.
kruppös [krupǿ:s] 《frz.》 *a.* 〖醫〗크루프성(性)의, 위막성 후두염의: ~er Husten 크루프성의 기침.
krural [krurá:l] 《lat. crura》 *a.* 〖醫〗허벅〔넓적〕다리의, 대퇴부의.
krüsch [kry:ʃ] *a.* (ndd.) 편식하는, 가려먹는.
Krusel·haar *n.* (schweiz.) 곱슬머리.
kruselig[1] [krú:zəlɪç] *a.* (schweiz.) 곱슬머리인, 곱슬곱슬하게 지진.
kruselig[2] *a.* (ndd. krüselig) 〔방언〕양념한, 방향(芳香)이 있는.
Krüsel·wind *m.* (nordd.) 회오리바람.
Krustazee [krustatsé:ə] 《lat.》 *f.* -n 〖動〗갑각류(甲殼類).
Krüstchen [krʏ́stçən] *n.* -s, - ↑ Kruste 의 축소형.
***Kruste** [krústə] *f.* -n ① 껍데기, (겉)껍질: die ~ des Brotes 〔der Erde〕 빵껍질〔지각(地殼)〕; et. mit einer ~ überziehen 무엇에 껍질을 씌우다. ②〖醫〗(상처의) 딱지; 비듬: auf der Wunde bildete sich eine ~ 상처에 딱지가 앉았다〔생겼다〕. ③〖工〗(냄비·기관(汽罐) 따위의) 물때: eine ~ bekommen 〔bilden〕 물때가 생기다.
krusten·artig *a.* 껍질 모양의, 피각상(皮殼狀)의, 갑각상(甲殼狀)의. **~tier** *n.* ↑ Krebstier.
krustig [krústɪç] *a.* 껍데기가〔껍질이〕 있는, 외피가 있는; 〖醫〗(상처의) 딱지의.
Kruzifere [krutsifé:rə] 《lat.》 *f.* -n ↑ Kreuzblütler.
Kruzifix [krutsifíks, krú:tsifɪks] 《lat.》 *n.* -es, -e 십자가에 못박힌 그리스도상(像), 십자가상: ein ~ um den Hals tragen 십자가상을 목에 걸고 다니다.
Kruzifixus [krutsifíksʊs] *m.* - 십자가에 못박힌 그리스도.
kruzitürken [krutsitʏ́rkən] *int.* 빌어먹을, 제기랄.
kryo.. 《모음 앞에서는 kry..》 *pref.* "추위·한랭"의 뜻.
Kryobiologie *f.* 저온〔한랭〕 생물학.
Kryochirurgie *f.* 〖醫〗냉동 외과.
Kryolith [..lí:t, ..lít] 《gr.》 *m.* -s/-en, -e(n) 〖광물〗빙정석(氷晶石).
Kryotherapie *f.* -n [..pí:ən] 〖醫〗저온〔냉동〕 치료 요법.
Kryotron *n.* -s, -e/-s 〖전기공학〗크라이오트론(자기장에 의하여 제어할 수 있는 초전도성 소자(素子)).
Krypta [krʏ́pta] 《gr.》 *f.* ..ten (교회 따위의) 지하실, 납골소(納骨所).
Krypte [krʏ́ptə] *f.* -n 《gr.》 〖醫〗(편도선·대장 점막의) 표피 함몰.
kryptisch [krʏ́p..] *a.* 〔교양〕모호〔난해〕한.
krypto.. *pref.* "비밀의·숨겨진" 따위의 뜻(보기: ~graphie 암호 문서).
Kryptogame [krʏptogá:mə] *f.* -n 〖植·구식〗민꽃〔은화(隱花)〕 식물.
kryptogamisch *a.* 민꽃 식물의.
kryptogen [..gé:n] *a.* ↑ kryptogenetisch.
kryptogenetisch *a.* 발생을〔유래를〕 알 수 없는.
Kryptogramm [..grám] *n.* -s, -e (Geheimschrift) 암호(문), 군호.
Kryptograph *m.* -en, -en 〔구식〕암호(제작)기.
Kryptographie *f.* -n [..fí:ən] 암호 문서.
kryptokristallin *a.* 〖지질〗(육안으로 확인할 수 없을 정도로) 미세 결정질의.
kryptokristallinisch *a.* ↑ kryptokristallin.
Krypton [krʏ́ptɔn, krʏptó:n] *n.* -s 〖化〗크립톤(기호: Kr).
Kryptorchismus *m.* -, ..men 〖生·醫〗잠재고환증.
Krystall [krʏstál] *m./n.* -s, -e 〔고어〕 ↑ Kristall.
kß, ks *int.* 쉿쉿(부추기는 소리).
KSE-Vertrag =Konventionelle Streitkräfte in Europa 미국·러시아·유럽 국가들간의 재래식 무기 제한 협정.
KSK =Kommando Spezialkräfte (비상 대기조로 편성된) 특전 부대.
KSZE =Konferenz für Sicherheit und Zusammenarbeit in Europa 유럽 안보 협력 회의.
KSZE-Schluß·akte *f.* 〖法·政〗(1975 년 8 월

1일에 조인된) 유럽 안보 협력 회의의 최종 의정서.

Kt. ① =Kanton 칸톤(스위스의 주). ② = Karat 캐럿(보석 중량의 단위).

Ktenoid·schuppe [ktenoí:t..] *f.* 〖動〗 경골어류(硬骨魚類)의 비늘.

Ku [ka:|ú:] =Kurtschatovium 〖化〗 초우라늄 원소.

Kuba [kú:ba] 쿠바.

Kubaner *m.* -s, - 쿠바 주민.

kubanisch *a.* 쿠바(섬·사람)의.

Kubatur [kubatú:r] 《lat.》 *f.* 〖數〗 ① 입체 구적법(求積法). ② 부피, 용적, 체적.

Kübbung *f.* -en 〖건축〗 (니더작센 농가의) 외양간으로 사용되는 곁채.

Kubebe [kubé:bə] *f.* -n 〖植〗 쿠베바 열매(자바·보르네오산(産) 후추; 약용·조미료로 씀).

Kübel [ký:bəl] 《ahd.》 *m.* -s, - ① 대야, (큰) 통; 큰 나무 화분; 〖광산〗 트럭〔광차〕의 적재함 (Förder∽): 〖비유〗 ~ von Bosheit über jn. ausgießen 누구에게 악의를 품다; es gießt (wie) mit〔aus, in〕 ~n 비가 억수같이 쏟아진다. ② 교도소의 감방에 있는 변소〔변기〕.

kübeln [ký:bəln] *i.* (h.) ① 〖구어〗 폭음하다. ② 〖경박〗 토하다. ③ 〖구어〗 (통에서) 쏟아 비우다. ④ (교도소 감방 안의) 변소에 가다.

Kübel≈pflanze *f.* 대형 화분에 심은 식물. **~-wagen** *m.* 광석 운반차; 〖軍〗 (사령관 등이 타는) 무개(無蓋) 군용 자동차.

Kuben *pl.* ↑ Kubus 의 복수형.

kubieren [kubí:rən] 《lat.》 *t.* 〖數〗 세제곱〔삼승(三乘)〕하다; 부피를〔체적을·용적을〕 구하다〔재다〕.

*__kubik..__ 《gr.》 *pref.* "3 제곱의·입방의"의 뜻.

Kubik≈berechnung 《kubik.., ↑ Kubus》 *f.* 〖數〗 입체 구적법(求積法), 용적법(容積法). **~dezimeter** *m./n.* 세제곱 데시미터(약어: cdm/dm³). **~fuß** *m.* 세제곱 피트. **~inhalt** *m.* 정 6 면체의 용적, 부피. **~inhalts·messung** *f.* ↑ ~berechnung. **~kilometer** *m.* 세제곱 킬로미터(약어: cbkm/km³). **~maß** *n.* 용량(容量), 입체적(立體積). **~meter** *m./n.* 세제곱 미터(약어: cbm/m³). **~millimeter** *m./n.* 세제곱 밀리미터(약어: cmm/mm³). **~wurzel** *f.* 〖數〗 세제곱근(根). **~-zahl** *f.* 〖數〗 세제곱수(數). **~zentimeter** *m./n.* 세제곱 센티미터(약어: cm³).

kubisch [kú:bɪʃ] 《<Kubus》 *a.* ① 정 6 면체의, 입방체의. ② 〖數〗 세제곱의, 3 차의: eine ~e Gleichung 3 차 방정식.

Kubismus *m.* - 〖畫〗 입체파.

Kubist *m.* -en, -en 입체파 화가.

kubistisch *a.* 〖畫〗 입체파(풍)의.

Kübler 《<Kübel》 *m.* -s, - 통장이.

Kubus [kú:bus] 《gr.》 *m.* -, ..ben ① 정 6 면체, 입방체. ② 〖數〗 세제곱: auf den ~ bringen〔erheben〕 세제곱하다.

*__Küche__ [kýçə] 《lat.》 *f.* -n ① (**a**) 부엌, 주방; 〖軍〗 취사장: frisch aus der ~ (kommend) 갓 만든; was ~ und Keller zu bieten haben 집안의 가장 맛있는 음식과 술; 〖구어〗 den ganzen Tag in der ~ stehen 종일 가삿일을 하다; 〖비유〗 jn. in die rechte ~ weisen 누구에게 바른 길을 가르쳐 주다, 누구를 훈계하다; durch die ~ gelaufen sein 요리에 대하여 좀 알고 있다; da bin ich ja in des Teufels ~ geraten〔gekommen〕 그때 나는 혼이 났다; 〖구어〗 es raucht in der ~ 집에 걱정거리가 있다. (**b**) die lateinische ~ 약국. ② 주방 설비: eine moderne ~ kaufen 현대식 주방 설비를 구입하다. ③ 요리(법); 음식: französische ~ 프랑스 요리; kalte ~ 찬 음식; die ~ besorgen 취사〔요리〕하다; sie versteht sich auf feine ~ 그 여자는 요리를 잘 한다. ④ 〖구어·총칭〗 주방 인력 (전체): die ~ macht heute abend eine Feier 조리사들이 오늘 저녁에 잔치를 한다.

Küchel [ký:çəl] *n.* -s, - (südd., schweiz.) 튀긴〔구운〕 과자, 도넛.

Küchelchen[1] *n.* -s, - 〖↑ Küche 의 축소형〗 〖구어〗 작은 부엌.

Küchelchen[2] *n.* -s, - ↑ Küchlein³.

Kuchel·deutsch [kʊ́xəl..] 《<Küche》 *n.* 부엌(에서 쓰이던) 독일어(보통 체코 출신 하인들이 썼음).

kücheln [ký:çəln] *i.* (h.) (südd., schweiz.) 도넛을 만들다, 작은 과자를 굽다.

*__Kuchen__ [kú:xən] *m.* -s, - ① 과자, 케이크: 〖구어〗 ja, ~! 그것은 안 돼, 그건 생각할 수도 없어!; er hat alle Rosinen aus dem ~ gepickt 그는 얌통머리 없는〔제 실속만 차리는〕 짓을 했다; 〖비유〗 sich den ~ teilen 이익을 서로 분배하다. ② 과자 모양의 것; 〖해부〗 핏덩어리(Blut∽); 태반(胎盤) (Mutter∽). ③ (포도·올리브를 짜고 난) 찌꺼기.

Küchen≈abfall [kýçən..] *m.* 음식 찌꺼기〔나머지〕. **~amt** *n.* 부엌(피용자의) 일.

Kuchen≈backen [kú:xən..] *n.* 케이크 제조. **~bäcker** *m.* 제과업자. **~bäckerei** *f.* 제과업; 제과점. **~blech** *n.* 케이크 굽는 금속판. **~brett** *n.* 케이크를 올려놓는 (목)판.

Küchen·brett *n.* 〖요리〗 도마.

Kuchen·büfett *n.* 셀프 서비스하는 케이크점.

Küchen≈büfett *n.* 부엌 조리대. **~bulle** *m.* 〖경박〗 요리사; 취사병. **~chef** *m.* 주방장. **~dragoner** *m.* 〖경박〗 뼈대가 굵고 튼튼한 하녀〔식모〕. **~einrichtung** *f.* 부엌 설비. **~fee** *f.* 〖구어·농담〗 (인상이 좋은) 부엌 하녀〔식모〕. **~fenster** *n.* 부엌 창문. **~feuer** *n.* 부엌 아궁이의 불.

Kuchen≈form *f.* 케이크 틀. **~förmig** *a.* 케이크 모양의. **~gabel** *f.* 케이크용 포크.

Küchen≈garten *m.* 채소밭. **~gerät** *n.* 주방 기구: ein elektrisches ~ 전기 주방 기구. **~geschirr** *n.* 식기. **~gewächs** *n.* 야채. **~-hand·tuch** *n.* 부엌용 수건. **~herd** *m.* 요리용 화덕. **~hilfe** *f.* 여자 보조 요리사. **~junge** *m.* 〖구식〗 주방의 보이〔심부름하는 아이〕. **~kraut** *n.* 양념용 야채.

Kuchen·laden *m.* 케이크점〔가게〕.

Küchen≈latein *n.* 〖비속〗 서투른 라틴어. **~-mädchen** *n.*, **~magd** *f.* 요리하는 여자, 식모. **~meister** *m.* 주방장. **~messer** *n.* 식칼. **~personal** *n.* 〖총칭〗 부엌〔주방〕 인력 (전체).

Kuchen·rädchen *n.* 〖요리〗 (바퀴가 달린) 반죽 자르개.

Küchen≈schabe *f.* 〖動〗 바퀴(벌레). **~-schelle** *f.* 〖植〗 가는잎할미꽃속. **~schrank** *m.* (부엌의) 찬장. **~schürze** *f.* 앞치마.

Kuchen≈sitz *m.* 〖해부〗 태반(胎盤) 위치. **~-teig** *m.* (케이크 제조용) 반죽. **~teller** *m.*

① 케이크용 접시. ② 케이크가 담긴 접시.
Küchen≈tisch *m.* 요리대(臺), 취사 테이블. **~tuch** *n.* 그릇 닦는 수건, 행주. **~uhr** *f.* 주방용 시계. **~waage** *f.* 조리용 저울. **~wagen** *m.* 〖軍〗 취사차.
Kuchen·werk *n.* 과자붙이.
Küchen≈wesen *n.* 부엌〔요리하는〕 일. **~zeile** *f.* (나란히 설치된) 주방 설비. **~zettel** *m.* 차림표, 메뉴, 식단(표).
Küchlein[1] [ký:çlaın] *n.* -s, - 〘고어·雅語〙 병아리.
Küchlein[2] [kʏ́ç..] *n.* -s, - 〘↑ Küche 의 축소형〙 작은 부엌(Küchelchen[1]).
Küchlein[3] [kʏ́:ç..] *n.* -s, - 〘↑ Kuchen 의 축소형〙 작은 케이크.
Küchler [kʏ́:ç..] *m.* -s, - 케이크 제조인(Kuchenbäcker).
Küchner [kʏ́:ç..] *m.* -s, - ↑ Küchler.
Kuckel [kʊ́kəl] *n.* -s, - (balt.) (빵·치즈 따위의) 온덩이.
kucken [kʊ́kən] *i.* (h.) 〘방언〙 ↑ gucken.
Kücken [kʏ́kən] 《ndd.》 *n.* -s, - 병아리; 〘비유〙 소녀.
Kücken·gruppe *f.* 나치스의 유년단.
kuckuck [kʊ́kʊk] *int.* ① 뻐꾹뻐꾹(뻐꾸기 울음 소리). ② 〘구어〙 뻐꾹뻐꾹(숨바꼭질할 때의 놀리는 소리).
***Kuckuck** 《본래 의성어》 *m.* -s, -e ① 〖動〗 뻐꾸기: 〘비유〙 der hört den ~ nicht mehr rufen 그는 오는 봄까지 살아 있지는 못할 게다; ein ~ unter Nachtigallen 전문가 사이에 끼어 있는 비전문가. ② (**a**) 간부(姦婦)의 남편. (**b**) 배은자(背恩者). (**c**) 〘구어〙 악마: in ~s Namen! 맹세코! ; zum ~ (noch mal)! 망할〔경칠〕 것, 개자식! ; geh 〔scher dich〕 zum ~ 개 같은 놈, 뒈져라! ; der ~ soll dich holen! 〔hol dich der ~!〕 나쁜 놈, 뒈져라! ; 〘경박〙 etwas ist zum ~ 무엇이 이제 끝장이다; jn. zum ~ wünschen 누구를 저주하다; 〘구어〙 (das) weiß der ~ (그런 걸) 누가 알게 뭐야; 〘구어〙 an einem Ort 〔bei jm.〕 ist der ~ los 어디에〔누구의 집에〕 큰 소동〔싸움〕이 일어났다. ③ 〘농담〙 집달관의 봉인(封印).
Kuckucks≈blume *f.* 〖植〗 ① 동자꽃속의 일종. ② 흰제비란. **~ei** *n.* ① 뻐꾸기의 알. ② 〘경박〙 바꿔치기한 것〔아기〕. ③ 〘구어〙 미심쩍은 선물: 〘비유〙 jm. ein ~ ins Nest legen 누구에게 폐를 끼치다. **~ruf** *m.* 뻐꾸기의 울음소리. **~speichel** *m.* 좀매미의 거품. **~uhr** *f.* 뻐꾹 시계.
Kuddel·muddel [kʊ́dəlmʊdəl] (ndd.) *m./n.* -s 〘구어〙 뒤죽박죽, 혼잡, 어수선.
Kudel·kraut [kú:dəl..] *n.* (öst.) 백리향(百里香).
Kuder[1] [kú:dər] *m.* -s, - (ndd.) 〖사냥〗 살쾡이의 수컷.
Kuder[2] *m.* -s, - (obd.) 삼(麻)부스러기.
Kudrun [kú:dru:n] 쿠드룬(여자 이름).
Kudu [kú:du] *m.* -s, -s 〖動〗 아프리카의 영양(羚羊).
Kufe[1] [kú:fə] *f.* -n ① 썰매의 활주부(滑走部). ② 헬리콥터의 착륙용 활주부. ③ 경비행기의 착륙용 버팀목.
Kufe[2] 《lat., „Gefäß"》 *f.* -n ① 〘방언〙 큰 통. ② 쿠페(옛날 독일의 맥주 용량 단위).
Küfer [kʏ́:fər] *m.* -s, - 술창고지기, 통장이.
Küferei [ky:fərái] *f.* -en 통 만드는 일〔곳〕.
Kuff [kʊf] 《ndl.; ♧ Koben》 *f.* -n 돛대가 2 개인 연안 항해 상선.
kufisch [kú:fıʃ] *a.* 〘다음 용법으로〙 ~e Schrift (코란·화폐·비문에 사용된) 고대 아랍 문자.
***Kugel** [kú:gəl] 《(고어) Keule, Kiel》 *f.* -n ① 〖數〗 구(球): eine ~ von 5 cm Durchmesser 직경 5 cm 의 구. ② 공 모양의 것: (**a**) Erde≈ 지구; Himmels≈ 천구(天球). (**b**) 〖軍〗 탄환; Flinten≈ 소총알; Kanonen≈ 포탄. (**c**) 〖醫〗 (상박 또는 대퇴골의) 골두(骨頭). (**d**) ~n wechseln 권총으로 결투하다; 〘비유·구어〙 eine ruhige ~ schieben 유유히 일하다; sich[3] eine ~ durch den Kopf schießen〔jagen〕 권총으로 자살하다; mit goldenen〔silbernen〕 ~n schießen 뇌물을 쓰다; er hatte die schwarze ~ gezogen 그는 불행하였다; die ~ kommt ins Rollen 한판이 벌어지다, 결정적인 때가 오다. ③ 〘스포츠〙 공: die ~ flog direkt ins Tor 공이 곧장 골문 안으로 날아 들어갔다.
Kugel≈abschnitt *m.* 〖數〗 구결(球缺). **≈-ähnlich** *a.* 공처럼 생긴, 구상(球狀)의. **~akazie** *f.* 〖植〗 아카시아류(類). **~amarant** *m.* 〖植〗 천일홍속(屬). **~anker** *m.* 〖전기〗 구상(球狀) 발전자. **≈artig** *a.* 구상(球狀)의, 공 모양의. **~ausschnitt** *m.* 〖기하〗 구선형(球扇形). **~bahn** *f.* (볼링장의) 레인; 탄도(彈道). **~bakterien** *pl.* 〖生·醫〗 구(상)균(菌). **~ballon** *m.* 구형(球形) 기구. **~band** *n.* 〘복수: ..bänder〙 〖해부〗 구관절대(球關節帶). **~bewegung** *f.* 〖物〗 구면(球面) 운동. **~blitz** *m.* 〖理〗 구상(球狀)의 전광(電光)〔번개〕. **~blume** *f.* 〖植〗 금매화속(屬). **~büchse** *f.* 〖軍〗 라이플.
Kügelchen [kʏ́:gəlçən] *n.* -s, - 〘↑ Kugel 의 축소형〙 작은 구(球); 분자: 〖生〗 ~ im Blut 혈구(血球).
Kugel≈distel *f.* 〖植〗 절굿대속(屬). **~dreieck** *n.* 〖數〗 구면(球面) 3 각형. **~durchmesser** *m.* 구(球)의 지름; 〖軍〗 탄알의 지름: der ~ beträgt 5 cm 구의 지름은 5 cm 다. **~eck·winkel** *m.* 구면각(球面角).
Kügelein *n.* -s, - ↑ Kügelchen.
Kugel≈fang *m.* ① 〖軍〗 과녁판 뒤의 흙둔덕; 〘비유〙 총알받이: er schob den alten Mann als ~ 그는 그 노인을 총알받이로 이용했다. ② 죽방울(장난감의 일종). ③ (레인 끝부분에 있는) 볼링 공받이. **≈fest** *a.* 방탄의: eine ~e Weste tragen 방탄 조끼를 입다. **~fisch** *m.* 〖動〗 복어의 일종. **~fläche** *f.* 〖數〗 구면(球面). **~form** *f.* 구형(球形); 〖軍〗 탄환의 주형(鑄型). **≈förmig** *a.* 공 모양의. **~funktion** *f.* 〖數〗 ① 구(球)함수. ② 구면(球面) 함수. **~gelenk** *n.* 〖醫〗 구상(球狀) 관절; 〖工〗 구와(球窩) 연결 장치. **~gestalt** *f.* 공 모양, 구상. **~gewölbe** *n.* 〖건축〗 둥근〔구형〕 천장. **~hagel** *m.* 빗발치듯 퍼붓는 포화. **~haube** *f.* ↑ ~abschnitt.
kugelig [kú:gəlıç] *a.* ① 구형〔구상(球狀)〕의, 공 모양의: eine ~e Lampe 구형 램프. ② 〘비유〙 뚱뚱한: ein ~es Baby 뚱뚱한 아기. ③ 〘구어〙 sich ~ lachen 포복절도하다; 〖理〗 ~e Projektion 구면 투영법.

Kugel≈kalotte *f.* ↑ ~abschnitt. **~kaliber** *m.* 〖軍〗 탄알의 지름. **~kappe** *f.* ↑ ~abschnitt. **~kopf** *m.* 〖工〗 전동 타자기의 구형 활자판. **~kopf·maschine** *f.* 〖工〗 볼 타자기. **~körper** *m.* 구체(球體). **~lager** *n.* 〖物〗 볼 베어링. **~loch** *n.* (당구대의) 포켓, 구멍. **~mühle** *f.* 〖工〗 볼 밀(분쇄기).

kugeln [kúːgəln] 《<Kugel》 《I》 *t.* 공 모양으로 만들다, 둥글게 하다; 굴리다: Murmeln über den Boden ~ 구슬을 바닥에 굴리다. 《II》 *i.* ① (s.) 구르다. ② (h.) (흑백의) 공으로 투표하다; 공굴리기〔던지기〕를 하다. 《III》 *refl.* sich ~ ① 공 모양이 되다, 둥글게 되다. ② 구르다: 〔구어·비유〕 sich vor Lachen ~ 우스워 대굴대굴 구르다; es ist zum ≈ 이것은 웃음거리다, 정말 우스운 일이다.

Kugel≈patrone *f.* 〖軍〗 구형(球形) 탄환〔실탄〕. **~regen** *m.* 탄우(彈雨), 빗발치듯 퍼붓는 포화. **≈rund** *a.* 공처럼 둥근. **≈scheiben** *i.* (h.) (scheibt Kugel, schob Kugel, hat kugelgeschoben) (öst.) 구슬치기를 하다. **~schnitt** *m.* 〖數〗 공의 절단면. **~schreiber** *m.* 볼펜. **~sektor** *m.* ↑ ~ausschnitt. **≈sicher** *a.* ↑ ≈fest. **~sonde** *f.* 〖醫〗 구상 소식자(球狀消息子). **~spiel** *n.* 공놀이. **~spitz·feder** *f.* ↑ ~schreiber. **~spritze** *f.* 〖軍·경박〗 (구식) 기관총(스위스제(製)). **~stoßen** *n.* 〖육상〗 투포환. **~streifen** *m.* 〖數〗 구대(球帶). **~tee** *m.* 녹차의 일종(중국산(産) 녹차의 최고급품).

Kugelung [kúːgəlʊŋ] *f.* -en 공 모양으로 만들기; 굴러감; (흑백의) 공에 의한 투표.

Kugel≈ventil *n.* 〖工〗 구형판(球形瓣). **~wagen** *m.* 〖軍〗 탄약차. **~wahl** *f.* (투표용) 공에 의한 투표. **~wechsel** *m.* 상호 사격. **~zange** *f.* 〖醫〗 구상(球狀) 겸자. **~zieher** *m.* 〖醫〗 탄환 추출기. **~zone** *f.* 〖數〗 ↑ ~streifen.

kuglig *a.* ↑ kugelig.

Kuguar [kúːguaːr] *m.* -s, -e ↑ Puma.

***Kuh** [kuː] *f.* Kühe [kýːə] ① 암소: eine ~ melken 암소의 젖을 짜다; milchende 〔melkende〕 ~ 젖소; 〔비유·구어〕 돈줄, 달러 박스; 〔구어〕 wie die ~ vorm neuen Tor 〔vorm Scheunentor, vorm Berg〕 stehen 어찌할 바를 모르다; 〔경박〕 soviel davon verstehen wie die ~ vom Sonntag〔Brezelbacken〕 아무것도 이해하지 못하다; 〔구어〕 heilige ~ 신성불가침의 것. ② (사슴·고래 따위의) 암컷. ③ 〔욕설〕 바보〔멍청이〕 같은 년: eine dumme 〔alte〕 ~ 바보 같은〔늙어빠진〕 여자. ④ blinde ~ 까막잡기(술래잡기의 일종) (Blindekuh). ⑤ 〔구어〕 소.

Kuh≈antilope *f.* 〖動〗 (아프리카산(産)의 소와 비슷한) 영양의 일종. **~auge** *n.* 소의 눈; 〔경박〕 눈딱부리, 왕방울눈. **~baum** *m.* 〖植〗 (남아메리카산(産)의) 뽕나뭇과 나무(수액(樹液)은 추잉 검의 원료가 됨). **~blatter** *f.* 〖醫〗 우두(牛痘) (~pocke). **~blume** *f.* 〖植〗 동이나물; 민들레. **~brücke** *f.* 〖海〗 최하 갑판.

Kühchen [kýːçən] *n.* -s, - ↑ Kuh 의 축소형.

Kuh≈dorf *n.* 〔구어·폄어〕 조그마한 외딴 마을: sie kennt nichts außer diesem ~ 그녀는 이 외딴 마을 이외의 어떤 것도 모른다. **~dung** *m.* 쇠똥: im Stall roch es nach ~ 마구간에서는 쇠똥 냄새가 났다.

Küher [kýːər] *m.* -s, - (schweiz.) 목동 (Kuhhirt).

Kuh≈euter *n.* 암소 유방. **~fladen** *m.* 쇠똥: in einen ~ treten 쇠똥을 밟다. **~fleisch** *n.* 암소 고기. **~fuß** *m.* 암소의 발; 〖工〗 쇠로 된 지렛대; 〖軍〗 (구식의) 보병총. **~glocke** *f.* 암소 목에 건 방울. **≈hächsig** *a.* (짐승의 뒷다리가) 밭장다리인, X 자형 다리의. **~handel** *m.* 암소의 매매; 〔구어·폄어〕 타협; 추악한 거래. **≈handeln** *i.* (h.) 〔구어·폄어〕 추악한 거래를 하다: die Parteien haben unter sich zu viel gekuhhandelt 정당들은 서로 추악한 거래를 너무 많이 했다. **~haut** *f.* 암소 가죽: 〔구어〕 das geht auf keine ~ a) 그것은 이루 다 말할 수가 없다, b) 그것은 터무니없는 일이다, 일찍이 들어본 적이 없는 일이다. **≈hessig** *a.* ↑ ≈hächsig. **~hirt** *m.* 소를 치는 사람, 목동. **~horn** *n.* 암소뿔; 〖악기〗 목적(牧笛); 〖植〗 호로파(~hornklee). **~kalb** *n.* 암송아지.

***kühl** [kyːl] 《⊕ kalt》 *a.* ① 서늘한; 찬: ein ~er Abend 서늘한 저녁; ~es Wetter 으슬으슬 추운 날씨; im ≈en 서늘한 곳에서; ins ≈e setzen 서늘한 곳에 두다; 〔구어〕 mir wird ~ 나는 추위를 느낀다. ② 〔비유〕 냉정〔냉담〕한; 둔감한: eine ~e Antwort 매정스러운 대답; jn. ~ behandeln 누구를 냉대하다, 누구에게 쌀쌀하게 굴다; 〔구어〕 aus einem ~en Grunde 극히 대수롭지 않은 이유로; einen ~en Kopf behalten〔bewahren〕 (어려운 상황에서) 냉정을 유지하다; ~en Sinnes 냉정하게, 이성을 잃지 않고. ③ 〔구어〕 eine ~e Blonde 한 잔의 맥주.

Kühl≈aggregat *n.* 〖工〗 냉각〔냉동〕 장치. **~anlage** *f.* 〖工〗 냉각〔냉동〕 설비. **~apparat** *m.* 〖工〗 냉각 장치; 냉동기. **~bottich** *m.* 〖工〗 냉각기〔조(槽)〕.

Kühlde *f.* -n 〖海〗 ↑ Kühlte.

Kuhle [kúːlə] 《⊕ Kaule》 *f.* -n (ndd.) 구덩이, 굴.

Kühle [kýːlə] 《<kühl》 *f.* ① 서늘〔싸늘〕함, 신선한 공기, 청량: zum Fenster kam eine erfrischende ~ herein 창문으로 신선한 공기가 들어왔다. ② 〔비유〕 냉정, 냉담; (감정의) 둔감: jn. mit großer ~ empfangen 누구를 매우 냉담하게 맞다; nach einiger Zeit verlor er etwas an ~ 그는 얼마 후에 냉정을 잃었다. ③ 〖양조〗 냉각기. ④ ↑ Kühlte.

Kühl·eimer *m.* 냉각기〔조(槽)〕; 얼음통.

kühlen [kýːlən] 《<kühl》 《I》 *t.* 식히다; 서늘하게 하다; 상쾌하게 하다: 〔비유〕 sein Mütchen 〔seinen Zorn, seine Rache〕 an jm. ~ 누구에게 분풀이하다. 《II》 *refl.* sich ~ 식다, 차갑게〔서늘하게〕 되다; 〔비유〕 냉정해지다, 진정되다.

Kühler [kýːlər] *m.* -s, - ① 식히는〔차갑게 하는〕 사람. ② 〖工〗 냉각기, 냉각 장치.

Kühler≈figur *f.* ① (자동차 보닛 앞쪽의) 마스코트. ② 〔비유〕 자동차의 앞 부분에 부닥치거나 부닥칠 뻔한 사람. **~grill** *m.* 〖軍〗 (자동차의) 라디에이터의 격자 커버링. **~haube** *f.* (자동차 따위의) 냉각기 커버.

Kühl≈faß, ~gefäß *n.* 냉각통〔그릇〕. **~fisch** *m.* 냉동 물고기. **~fleisch** *n.* 냉동육. **~flüssigkeit** *f.* 〖工〗 (액체로 된) 냉각제.

~halle *f.* 냉장실. **~haus** *n.* 냉장〔냉동〕 창고. **~haus·effekt** *m.* 〖기상〗 냉장고 효과(화산재·매연 따위가 태양열을 차단하여 기온이 내려가는 현상). **~kessel** *m.* ↑ ~schiff. **~-kette** *f.* 연쇄 냉각 장치. **~maschine** *f.* 냉동기. **~mittel** *n.* 〖工〗 냉각제(劑). **~ofen** *m.* 〖工〗 냉각로(爐). **~raum** *m.* 〖工〗 냉장〔냉각〕실. **~rippe** *f.* 〖工〗 냉각 측륵(側肋). **~rohr** *n.* 〖工〗 냉각관(管). **~salbe** *f.* 콜드크림; 〖醫〗 냉각 연고(軟膏), 연(鉛)연고. **~schiff** *n.* 냉동선(船); 〖工·양조〗 냉각기(器). **~schlange** *f.* 〖工〗 냉각 사관(蛇管). **~schrank** *m.* 냉장고: den ~ abtauen 냉장고에 낀 성에를 녹여 없애다. **~tasche** *f.* 냉각용 가방〔용기〕.

Kühlte 《<kühl》 *f.* -n 〖海〗 선들바람, 미풍.

Kühl·trank *m.* 청량 음료. **~truhe** *f.* 냉동고. **~turm** *m.* 〖工〗 (가스·증기의) 냉각탑.

Kühlung [ký:lʊŋ] *f.* -en ① 냉각: die ~ von Lebensmitteln 식료품의 냉각〔냉동〕; die ~ elektrischer Maschinen 전기 기구의 냉각. ② 신선, 신선한 공기: sich³ etwas ~ zufächeln 부채질을 좀 하다. ③ 냉각 시설.

Kühl·vorrichtung *f.* 냉방〔냉각〕 장치. **~-wagen** *m.* 냉장차. **~wasser** *n.* 냉각수.

Kuh·lymphe *f.* 〖醫〗 우두(牛痘) 백신. **~-magd** *f.* 소치는 여자; 우유 짜는 여자. **~mel-ker** *m.* 우유 짜는 사람. **~milch** *f.* 우유. **~mist** *m.* 쇠똥.

***kühn** [ky:n] *a.* ① 대담〔용감〕한; 모험적인. ② 유들유들한, 뻔뻔스러운: ich bin so ~, zu fragen 실례입니다만 좀 물어 보겠습니다; sie gab ihm eine ~e Antwort 그녀는 그에게 뻔뻔스럽게 대답했다. ③ 비범〔기발〕한: ein ~-er Einfall 기발한 착상.

Kühnheit *f.* -en 대담(성); 용감한 행위.

kühnlich *adv.* 대담〔용감〕하게, 뻔뻔스럽게; 유들유들하게.

Kuh·pilz *m.* 〖植〗 식용 버섯의 일종. **~po-cken** *pl.* 〖醫〗 우두. **~pocken·impfung** *f.* 〖醫〗 종두. **~pocken·materie** *f.* 〖醫〗 ↑ ~lymphe. **~reigen** *m.* (알프스 지역의) 목동의 노래; 〖음악〗 목가(牧歌). **~reihen** *m.* ↑ ~reigen. **~schelle** *f.* ↑ Küchenschelle. **~scheiße** *f.* 〔속어〕 쇠똥: 〔비유〕 wie kommt ~ aufs Dach? 무슨 뚱단지 같은 소리냐? **~schluck** *m.* 〔구어〕 (맥주를) 꿀꺽꿀꺽 마심. **~stall** *m.* 소 외양간. **~warm** *a.* 뜨뜻미지근한. **~weide** *f.* 소의 목장. **~weizen** *m.* 〖植〗 수염며느리밥풀속(屬). **~zunft** *f.* 〔농담〕 장래, 미래.

Kujon [kujó:n] 《lat.》 *m.* -s, -e 〔구식·평어〕 무뢰한, 악당.

kujonieren *t.* 〔평어〕 괴롭히다, 들볶다.

k.u.k. [ká:|ʊntká:] =kaiserlich und königlich 황실 및 왕실의.

Küken [ký:kən] 《ndd.》 *n.* -s, - ① 병아리: 〔속담〕 das ~ will klüger sein als die Henne 젊은이들은 늙은이들보다 더 똑똑한 체한다. ② 〔구어〕 어린 소녀. ③ 〖工〗 (수도 따위의) 꼭지〔고동〕의 나사 부분.

Ku-Klux-Klan [kuklʊksklá:n, kjú:klʌks-klǽn] 《engl.》 *m.* -(s) 큐클럭스클랜단(미국의 국수주의자의 비밀 결사체), 3 K 단(약어: K.K.K.).

Kukumber [kukʊ́mbər] *f.* -n ↑ Kukumer.

Kukumer [kukú:mər] 《lat.》 *f.* -n 〔방언〕 오이(Gurke).

Kukuruz [kú:kuruts, kʊ́kuruts] 《türk.》 *m.* -(es) (öst., ostmd.) 옥수수.

Kulak [kulák] 《russ.》 *m.* -en, -en 〖史〗 (옛 러시아의) 부농(富農).

Kulan [kulá:n] *m.* -s, -e 〖動〗 (히말라야 산맥 북쪽에 서식하는) 회갈색의 야생 나귀.

kulant [kulánt] 《frz.》 *a.* 편의를 보아주는, 상냥〔싹싹〕한: ~e Bedingungen 유리한 조건; ein ~er Kaufmann 싹싹한 상인; jm. ~ entgegenkommen 누구를 호의적으로 대하다.

Kulanz *f.* 상냥(함); 유리(함).

Kuli[1] [kú:li] 《ind.》 *m.* -s, -s ① (남부·동부 아시아의) 저임금 노동자. ② (정거장·비행장의) 수화물용 손수레. ③ 〔평어〕 노동력의 피착취자: arbeiten〔schuften〕 wie ein ~ 매우 힘들게 육체 노동을 하다.

Kuli[2] =Kugelschreiber 볼펜.

Kulier·ware [kulí:r..] *f.* 섬유 메리야스류의 직물.

kulinarisch [kuliná:rɪʃ] 《lat. culína》 *a.* 요리(법)의; 미식가적인: ~e Genüsse 식사의 즐거움.

***Kulisse** [kulísə] 《frz.》 *f.* -n ① 무대의 측면 장치〔배경〕, 무대의 세트〔측벽〕; die imposante ~ der Alpen 알프스 산맥의 장엄한 배경; hinter den ~n 무대 뒤에서, 〔비유〕 비밀리〔비공개리〕에; in〔hinter〕 die ~n schauen, einen Blick hinter die ~n tun〔werfen〕 어떤 일의 이면을 들여다보다; in die ~n sprechen 옆을 보고 이야기하다; ~n reißen (관객을 감탄시키려고) 열연하다, 과장되게 연기하다; 〔구어·평어〕 das ist doch alles nur ~ 그것은 모두 속임수에 지나지 않는다. ② 〖商〗 거래소의 별실; 주식의 장외 거래; 주식의 비공식 거래업자. ③ 〖工〗 연결 링크.

Kulissen·geschwätz *n.* 무대 뒤에서 하는 이야기; 이면 이야기. **~hieb** *m.* 〖林〗 산림 가운데의 가늘고 긴 벌채지. **~maler** *m.* 무대 배경 화가. **~reißer** *m.* 과장된 연기로 박수를 받으려는 배우. **~schieber** *m.* 무대 장치 담당자. **~tisch** *m.* 뺐다꼈다 하는 평판이 달린 책상(Ausziehtisch). **~wechsel** *m.* 무대의 세트 교체.

Kulissier [..sié:] 《<Kulisse》 *m.* -s, -s 주식의 선물(先物) 거래; 주식의 비공식 거래업자.

Kuller [kʊ́lər] *f.* -n 〔방언〕 작은 공, 구슬.

Kuller·augen *pl.* 〔구어·농담〕 크고 둥근 눈: ~ machen 놀라서 눈을 크게 뜨다.

kullern [kʊ́lərn] 〔구어〕 (kollern²) 《I》 *i.* (s.)/(*refl.*) 구르다: die Tränen ~ (ihr) über die Wangen 눈물이 (그녀의) 뺨으로 흘러내린다; mit den Augen ~ 눈을 두리번거리다; 〔비유·구어〕 sich vor Lachen ~ 포복절도하다. 《II》 *t.* 굴리다: Murmeln über den Tisch ~ 구슬을 책상 위에 굴리다.

Kulm[1] [kulm] 《sl.》 *m./n.* -(e)s, -e 원형의 산봉우리.

Kulm[2] *n.* -s 〖지질〗 탄층의 하부.

Kulmination [kulminatsió:n] 《lat. culmen》 *f.* -en ① 〖天〗 남중, 자오선 통과. ② 〔교양〕 절정에 이름; 극치, 극도.

Kulminations·punkt *m.* ① 〖天〗 남중점, 자오선 통과점. ② 〔교양〕 최고점, 정점, 극치.

kulminieren *i.* (h.) ① 남중하다, 자오선을 통

과하다. ②〔교양〕 정점에 이르다; 전성(全盛)을 이루다.

kulpabel [kʊlpá:bəl] 《lat.》 *a.* 벌해야 하는, 죄가 있는.

***Kult** [kʊlt] 《lat.》 *m.* -(e)s, -e ① (우상) 숭배, 예찬: mit jm. einen ~ treiben 누구를 숭배하다; Goethe∼ 괴테 숭배. ② (특히 형식을 갖춘 공동체적인) 제식(祭式), 예배: an einem ~ teilnehmen 예배〔제식〕에 참석하다.

Kult·handlung *f.* 제식(祭式) 행위: christliche ~en 기독교 제식 행위.

kultisch *a.* 예배〔제식〕의.

Kultivator [kʊltivá:tɔr, ..to:r] 《lat.》 *m.* -s, -en [..tó:rən] 〖農〗 교토기(攪土器), 경운기.

kultivierbar *a.* 경작〔재배〕할 수 있는, 계발〔교화〕할 수 있는: der Mensch als ~es Wesen 교화할 수 있는 존재로서의 인간.

***kultivieren** [kʊltiví:rən] 《Ⅰ》 *t.* ① (논·밭을) 갈다; 재배하다. ② (수염 따위를) 기르다; 유지하다; (학술을) 보호〔장려〕하다; (기예 따위를) 연마하다. ③ 교육〔교화〕하다; (사람에게) 예의를〔교양을〕 가르치다. 《Ⅱ》 **kultiviert** *p.a.* ↑ kultiviert.

kultiviert 《Ⅰ》 *p.p.* ↑ kultivieren. 《Ⅱ》 *p.a.* ① 개화〔교화〕된, 교양 있는, 예의바른: eine ~e Dame 교양 있는 숙녀. ② 세련된: eine ~e Sprechweise 세련된 말투.

Kultivierung *f.* -en 경작, 개간; 재배; 양육, 교육, 교화; 보존, 유지.

Kult≈ministerium *n.* ↑ Kultusministerium. **~stätte** *f.* 제사 지내는 곳, 예배드리는 곳, 신전: Forscher fanden eine ~ der Mayas 연구자들이 마야족의 신전을 찾아냈다.

***Kultur** [kʊltú:r] *f.* -en ① (**a**) 〖農·원예〗 재배, 배양; 양식, 사육: ~en anlegen 재배〔배양〕하다. (**b**) 경작: ein Stück Wald in ~ nehmen 숲의 일부를 개간하다. ② 경작지; 개간지. ③ 문화, 개화, (정신적) 교양, 수양; 세련: die ~ des Wohnens 주거 문화; geistige ~ 정신 문화; 〔구어〕 nicht von (der) ~ beleckt sein 전혀 교양이 없다; ein Mensch ohne ~ 교양 없는 사람.

Kultur≈abkommen *n.* 〖政〗 문화 협정. **~arbeit** *f.* 문화 사업. **~attaché** *m.* 문화 담당(외교)관. **~aufgabe** *f.* 문화의 사명. **~austausch** *m.* 문화 교류. **~banause** *m.* 〔폄어〕 문화에 대한 이해가 없는 사람. **~beförderer** *m.* 문화 촉진자. **~betrieb** *m.* 문화 활동〔생활〕. **~beutel** *m.* 〔구어〕 (여행용의) 화장품 가방〔주머니〕. **~bund** *m.* 문화 동맹(1945 년 구동독에 창설). **~denkmal** *n.* (기념비·건조물 따위의) 문화재: ein wertvolles ~ 값비싼 문화재. **~denkmalpflege** *f.* 문화재 보호.

kulturell [kʊlturέl] *a.* 문화(상)의, 문화적인: der ~e Bereich 문화권.

Kultur≈erbe *n.* 문화 유산. **~fähig** *a.* ↑ kultivierbar. **~fenster** *n.* 〖방송〗 문화 프로그램(상업 방송에서 의무적으로 제공해야 하는 문화·교양 방송 시간대). **~film** *m.* 문화〔교육〕 영화. **~flüchter** *m.* 〖生〗 문화 기피성 동·식물. **~folger** *m.* 〖生〗 문화 친근성 동·식물. **~form** *f.* 문화 양식. **~geographie** *f.* 문화 지리학. **~geschichte** *f.* ① 문화사. ② 문화 역사학. ③ 문화사 저서. **∼geschichtlich** *a.* 문화사적인. **~gut** *n.* 문화재. **∼historisch** *a.* ↑ ∼geschichtlich. **~ingenieur** *m.* 농업 기사. **~kampf** *m.* ① (비문화에 대한) 문화 투쟁. ② 〖史〗 비스마르크와 가톨릭 교회와의 싸움(1871-87). **~kreis** *m.* 문화권(圈). **~kritik** *f.* 문화 비평. **~kunde** *f.* 문화학. **~land** *n.* ① 문화국. ② 경작지. **~landschaft** *f.* 문화 경관(↔ Naturlandschaft). **~leben** *n.* 문화 생활.

kulturlich [kʊltú:rlɪç] *a.* 〔드물게〕 ↑ kultürlich.

kultürlich *a.* 문화(상)의.

kulturlos *a.* 교양 없는: sie ist eine ~e Person 그녀는 교양 없는 사람이다.

Kulturlosigkeit *f.* ↑ kulturlos 의 명사형.

Kultur≈mensch *m.* 문화인. **~ministerium** *n.* 〖구동독〗 문화부. **~morphologie** *f.* 문화 형태학. **~pflanze** *f.* 재배 식물. **~philosophie** *f.* 문화 철학. **~politik** *f.* 문화 정책. **~propaganda** *f.* 문화 선전. **~rasse** *f.* (식물·가축의) 재배〔사육〕 품종. **~revolution** *f.* 문화 혁명. **~schaffende*** *der/die* 예술가, 문화인, 지성인. **~schicht** *f.* 〖사회·고고〗 문화층. **~staat** *m.* 문화 국가. **~stufe** *f.* 문화 정도〔단계〕. **~technik** *f.* ① 〖교육〗 문화 보급 방식. ② 〖農〗 토지 개량 기술. **~träger** *m.* 〖사회〗 문화 유지자〔담당자·수행자〕. **~volk** *n.* 문화 국민. **~wissenschaft** *f.* 문화학.

Kultus[1] [kʊ́ltʊs] 《lat., „Pflege"》 *m.* -, ..te 〔교양〕 ↑ Kult.

Kultus[2] 〔관사 없이·다음 용법으로만〕 Minister〔Ministerium〕 für Unterricht und ~ ↑ ~minister〔~ministerium〕.

Kultus≈freiheit *f.* 〖法〗 종교의 자유. **~minister** *m.* 문화 교육부 장관. **~ministerium** *n.* 문화 교육부. **~minister·konferenz** *f.* (주정부) 문화 교육부 장관 회의(약어: KMK).

Kumarin [kumarí:n] 《indian.+lat.》 *n.* -s 〖化〗 쿠마린(방향소(芳香素)).

Kumaron *n.* -s 〖化〗 쿠마론.

Kumm [kʊm] 《ndd.》 *m.* -(e)s, -e ↑ Kumme.

Kumme [kʊ́mə] *f.* -n ① 사발, 대접. ② 큰통, 함지.

Kümmel [kʏ́məl] 《lat.》 *m.* -s, - ① 〖植〗 캐러웨이(회향의 일종), 캐러웨이 열매(로 만든 향료): 〔비유〕 ~ und Salz 깨소금(빛); 〔비유·구어·농담〕 den ~ aus dem Käse suchen 〔bohren〕 지나치게 꼼꼼하다〔정확하다〕. ② 캐러웨이 열매가 든 화주: 〔구어〕 jm. den ~ reiben 누구에게 훈계하다.

Kümmel≈blättchen *n.* 〖카드〗 3 종류의 카드로 하는 카드놀이. **~brannt·wein** *m.* 캐러웨이 열매가 든 화주. **~brot, ~brötchen** *n.* 캐러웨이 열매가 든 빵. **~bruder** *m.* 〔구어〕 홀짝홀짝 술을 마시는 사람, 애주가. **~käse** *m.* 캐러웨이 열매가 든 치즈.

kümmeln [kʏ́məln] 〔구어〕 《Ⅰ》 *t.* 캐러웨이 열매로 맛을 내다: einen ~ 화주를 마시다. 《Ⅱ》 *i.* (h.) 〔농담〕 (캐러웨이 열매가 든) 화주를 마시다: er kümmelt gern 그는 화주를 즐겨 마신다.

Kümmel≈öl *n.* 캐러웨이 기름. **~türke** *m.* ① 〔구식〕 속물. ② 허풍쟁이. ③ 〔경박·농담·폄어〕 어리석은 사람: 〔경박〕 arbeiten wie ein ~ 미친 듯이 일하다, 뼈빠지게 일하다. ④ 〔폄

어』 할레 지방 출신의 대학생.

***Kummer** [kʊ́mər] 《mhd. kumber》 *m.* -s ① 비애, 우수(憂愁); 근심, 걱정: aus〔vor〕 ~ sterben 근심으로 죽을 지경이다; jm. ~ machen 누구를 슬프게 하다, 누구에게 근심〔걱정〕을 끼치다; sich³ über et. ~ machen 무엇을 괴로워〔근심·걱정〕하다; 〖구어〗 seinen ~ herunterspülen 〔im Alkohol ertränken〕 근심을 잊기 위해 폭음하다. ②〖구어〗 불행, 비참; 곤궁, 영락(零落): Hunger und ~ leiden 가난에 시달리다; 〖구어〗 wir sind (ja) ~ gewöhnt! 우리는 그런 것을 이미 종종 체험했다, 더 이상 놀랄 것이 없다! ③ (fränk.) 파편, 부서진〔깨어진〕 조각; (돌·기와 따위의) 지스러기.

Kummer·bund *m.* 〖유행〗 (조끼 대신 차는) 정장의 요대.

Kümmerer [kʏ́mərər] *m.* -s, - ① 병든 사냥감; 〖農〗 발육 부전의 가축. ②〖폄어〗 병약한 사람, 슬픔으로 여윈 사람.

Kummer·form *f.* 동·식물의 퇴화 형태.

kummer≈frei [kʊ́mər..] *a.* 근심〔걱정〕 없는. **~gefühl** *n.* 비애감.

***kümmerlich** [kʏ́mərlɪç] 《Ⅰ》 *a.* ① 불쌍한, 딱한; 비참한: ein ~es Leben führen 〔in ~en Verhältnissen leben〕 비참한〔빈곤한 처지의〕 생활을 영위하다. ② 빈궁〔빈곤·가난〕한, 옹색한, 모자라는; 발육〔발달〕이 멈춘, 지지러진: ein ~es Gehalt 박봉. 《Ⅱ》 *adv.* 거의 …없게〔않게〕, 간신히, 근근이: ~ leben 간신히〔겨우〕 살아가다.

Kümmerling *m.* -s, -e ① 가련〔불쌍〕한 사람, 발육 부전의 아이〔동식물〕. ② 슬픔〔걱정〕거리. ③〖植〗 오이.

kummerlos *a.* ↑ kummerfrei.

***kümmern** [kʏ́mərn] 《<Kummer》 《Ⅰ》 *i.* ① (h.) 궁색하게 지내다; 슬퍼하다, 근심〔걱정〕하다. ② (h./s.) (동식물이) 발육 부전이다, 지지러지다. 《Ⅱ》 *t.* ① 슬퍼〔번민〕하게 하다, 괴롭히다, 근심〔걱정〕시키다. ② 관계하다: was kümmert ihn das? 그것이 그와 무슨 상관이냐?; das kümmert mich nicht a) 그것은 나와는 아무 상관이 없다, b) 그까짓 것은 아무렇지도 않다. 《Ⅲ》 *refl.* ① sich über et. ~, 〖雅語〗 sich eines Dinges ~ 무엇을 슬퍼하다, 마음 아파하다. ② sich um et. ~ a) 무엇에 신경〔마음〕을 쓰다, 무엇을 근심〔걱정〕하다, 돌보다, b) 무엇에 간섭하다, 무엇을 위하여 진력하다: er soll um sich (selbst) ~ 그는 (남의 참견은 말고) 자기 일이나 걱정해야 할 것이다.

Kümmernis *f.* -se 비애, 우수(憂愁); 고난; 슬픔〔걱정〕거리: die zahllosen ~se des Lebens 삶의 무수한 걱정거리.

Kummer≈speck *m.* 〖구어〗 (영양의 과다 섭취로 생긴) 비만: sie hat ganz schön ~ angesetzt 그녀는 살이 아주 많이 쪘다. **~voll** *a.* 슬픈; 우수에 잠긴; 괴로운.

Kummet [kʊ́mət] *n.*/(schweiz.) *m.* -s, -e 멍에.

Kummet≈geschirr *n.* 멍에가 달린 마구(馬具). **~kette** *f.* 멍에의 사슬. **~riemen** *m.* 멍에의 가죽끈.

Kümo [kʏ́:mo] *n.* -s, -s 〖↑ Küstenmotorschiff 의 단축어〗 연안 동력선.

Kump [kʊmp] *n.* -s, -e (ndd.) 함석판을 둥글게 굽히는 틀; 둥글고 작은 그릇; (우유) 항아리.

Kumpan [kʊmpá:n] 《lat., „Brotgenosse"》 *m.* -s, -e ① 동아리, 친구; 술친구. ②〖폄어〗 한패, (나쁜 짓을 하는) 한동아리: jn. zu seinem ~ machen 누구를 자기 동아리〔공범자〕로 만들다. ③ 녀석: ein lustiger ~ 유쾌한〔재미있는〕 녀석, 익살꾼.

Kumpanei *f.* -en 〖경박·폄어〗 ① 동료 집단, 패거리. ② (동료간의) 우정: mit jm. ~ machen 누구와 우정을 맺다. ③ 배신적 태도〔협력〕: die Gewerkschaftsführung wurde der ~ mit den Unternehmern bezichtigt 노동 조합 지도부는 기업주들과 배신적 협력을 했다고 비난받았다.

Kumpel [kʊ́mpəl] *m.* -s, - ① (일)동무, 친구. ② (동료) 광원.

kümpeln [kʏ́mpəln] 《<Kump》 *t.* (솥바닥 따위를) 둥그스름하게 구부리다; (함석판 따위의) 가장자리를 접다.

Kumpen [kʊ́mpən] 《ndd.》 *m.* -s, - (nordd.) 사발, 큰대접.

Kumpf [kʊmpf] 《obd.》 *m.* -(e)s, -e/Kümpfe [kʏ́mpfə] ① 깊숙한 반구형의 그릇〔대접·사발〕. ② 숫돌 담는 용기〔통〕.

Kumst [kʊmst] 《<Kompost》 *m.* -es (흰) 양배추, 양배추를 초에 절인 것.

Kumt [kʊmt] 《sl.》 *n.* -(e)s, -e ↑ Kummet.

Kumulation [kumulatsió:n] 《lat.》 *f.* -en 퇴적, 누적, 축적.

kumulativ [..tí:f] *a.* 퇴적하는, 누적적〔점증적〕인: 〖法〗 ~e Schuldübernahme 누진적 채무 인수.

kumulieren *t.* 퇴적〔누적·축적〕하다.

Kumulierung *f.* -en ↑ kumulieren 의 명사형.

Kumulonimbus *m.* -, -se 〖기상〗 소나기구름, 쌘비구름, 적란운(積亂雲).

Kumulus [kú:mulʊs] *m.* -, ..li 〖기상〗 적운(積雲).

Kumyss *m.* - ↑ Kumyß.

Kumyß [kú:mʏs] 《tatar.》 *m.* - 마유주(馬乳酒).

***kund** [kʊnt] 《♣ kennen, können》 *a.* 〖서술적〗 ①〖구식〗 알려진, 기지(旣知)〔주지〕의: es ist jm. ~ 그것이 누구에게 알려져 있다; jm. et. ~ (und zu wissen) tun 누구에게 무엇을 (확실히) 알리다, 공포하다; ↑ ~geben, ~machen, ~tun. ②〖시어〗 ↑ kundig.

kundbar [kʊ́ntba:r] *a.* 〖구식〗 알려진, 기지〔주지〕의; 명백한; 이름난: et. ~ machen 무엇을 알리다; 〖고어〗 ~ werden 알려지다.

kündbar [kʏ́nt..] 《<kündigen》 *a.* 〖法〗 해약고지권(告知權)이 있는: der Vertrag ist vierteljährlich ~ 그 계약의 해약 고지 기간은 3 개월이다.

***Kunde**[1] [kʊ́ndə] 《<kund》 *f.* -n ①〖雅語〗 알림, 기별, 통보, 통지: jm. ~ von et.³ geben 누구에게 무엇을 알리다〔통지하다〕; ~ von et.³ bekommen〔erhalten〕 무엇에 대한 통지를〔기별을〕 받다; ~ von et.³ nehmen 무엇을 알(게 되)다; ohne ~ von et.³ sein 무엇을 모르고 있다. ② **(a)** 지식, 학문: Sprach≈ 언어학; Stern≈ 천문학. **(b)** 학술서, 교과서.

***Kunde**[2] *m.* -n, -n ① 고객, 단골, 거래인; 〖醫〗 환자; (변호사의) 의뢰인: ein fauler ~

신용이 없는 고객; hier ist der ~ König 여기에서는 고객이 왕이다. ②〔구어·펌어〕(Kerl) 녀석, 놈: schlimmer ~ 악당; so ein ~! 이런 녀석 (봤나)!; 〔반어〕 ein netter ~ 싫은〔골치 아픈〕 녀석. ③〔펌어〕 돌팔이; 부랑인, 건달.

Kunde[3] *f.* -n (öst.) ↑ Kundschaft.

künden [kʏ́ndən] 《<kund》 *t.* ①〔구식·雅語〕 알리다, 통지〔통보〕하다; 포고하다. ② (schweiz.) 해약하다(aufkündigen): jm. et. ~ 누구에게 무엇의 해약을 통고하다.

Kunden≈beratung *f.* ① 고객 상담. ② 고객 상담소. **~dienst** *m.* 〖商〗 ① 애프터 서비스, 고객 봉사. ② (애프터) 서비스 센터. **~fang** *m.* 〖經〗 고객 유치. **~fänger** *m.* 〖商〗 호객꾼, 손님 끄는 사람. **~kreis** *m.* 고객층. **~sprache** *f.* 〔구식〕 부랑인〔도둑〕의 은어. **~sucher** *m.* ↑ ~fänger. **~werbung** *f.* 고객 유치. **~zahl** *f.* 고객수.

Künder [kʏ́ndər] *m.* -s, - 〔雅語〕 고지자(告知者), 알리는 사람.

Kund≈fahrt *f.* (öst.) 탐사〔연구〕 여행. **~fahrter** *m.* (öst.) 연구〔탐사〕 여행 참가자. **~gabe** *f.* 성명, 선언; 통고. **≈|geben*** *t.* 〔雅語〕 알리다, 통지〔기별〕하다; 성명〔선언·발표〕하다; 시위하다. **~geber** *m.* 통지하는 사람. **~gebung** *f.* ①〔雅語〕 고지, 발표, 성명. ② 시위 (운동): eine ~ gegen den Krieg 반전 집회; eine ~ veranstalten 집회를 개최하다; zu einer ~ aufrufen 시위에 참여하기를 호소하다.

***kundig** [kʊ́ndɪç] 《<kund》 *a.* 알고 있는, 노련한: 〔雅語〕 eines Dinges ~ sein 무엇을 환하게〔잘〕 알고 있다, 무엇에 정통하다; er ist der französischen Sprache ~ 그는 프랑스어에 통달해 있다; von ~er Seite (확실한) 소식통으로부터.

Kundige* *der/die* 전문가, 정통한 사람.

***kündigen** [kʏ́ndɪgən] (aufkündigen) 《Ⅰ》 *t.* 해약을〔취소를〕 통고하다: jm. den Gehorsam 〔die Freundschaft〕 ~ 누구에게 불복종을〔절교를〕 통고하다. 《Ⅱ》 *i.* (h.) 해고를〔사직을〕 통고하다: einem Angestellten ~ 종업원에게 해고를 통고하다.

Kündigung *f.* -en 〖法〗 해약 고지(告知).

Kündigungs≈frist *f.* 〖法〗 해약 고지 기간. **~grund** *m.* 〖法〗 해약〔해고〕 이유. **~recht** *n.* 해약 고지권. **~schreiben** *n.* 해약〔해고〕 통지문. **~schutz** *m.* 〖法〗 해고 보호(피용자에 대한 자의적 해고를 금한 법규): werdende Mütter genießen ~ 임신부는 부당한 해고에서 보호받는다. **~termin** *m.* ↑ ~frist.

Kundin [kʊ́ndɪn] *f.* -nen ↑ Kunde[2]의 여성형.

..kundler 《<kund》 *suf.* "…학자"의 뜻(보기: Deutsch~ 독일학 학자; Volks~ 민속학〔인류학〕 학자).

kund≈|machen *t.* 〔雅語·(öst.) 격식〕 ↑ ~geben. **≈machung** *f.* (öst., schweiz.) 고시, 발표, 선언; (법률의) 공포. **≈same** *f.* (schweiz.) ① 고객층. ② ↑ Kenntnis.

Kundschaft [kʊ́ntʃaft] *f.* -en ① **(a)** 고객〔단골〕임. **(b)** 〔총칭〕 고객, 단골 손님; 환자; 소송 의뢰인: eine große ~ haben 단골 손님이 많다. ②〔구식〕 기별, 정보; 〖軍〗 첩보: ~en einziehen 정보를 수집하다; auf ~ ausgehen 적정을 살피다; jn. auf ~ aussenden 누구를 정보 수집차 파견하다.

kundschaften *i.* (h.) 정보를 수집하다, 정탐하다.

Kundschafter *m.* -s, - 간첩, 정찰자; 탐정; 밀사; 〖軍〗 척후, 정찰병.

Kundschafterei *f.* -en 탐지, 탐색, 탐정, 정찰(병).

kund≈|tun* *t.* ↑ ~geben. **~|werden*** *i.* (s.) 〔시어〕 (널리) 알려지다, 공포되다.

kunei·form [kuneifɔ́rm] 《lat.》 *a.* 〖醫〗 쐐기 모양의, (뼈가) 뾰족한.

Künette [kynɛ́tə] *f.* -n ①〔구식〕 (요새의 바닥에 있는) 배수구. ②〖水理〗 배수거(排水渠).

..kunft 《<kommen》 *suf.* "내착(來着)·집합"의 뜻(보기: Zu~ 미래).

***künftig** [kʏ́nftɪç] 《Ⅰ》 *a.* (다가)올, 미래〔장래〕의, 다음의: ~en Jahres 내년(에〔의〕)(약어: k.J.); ~en Monats 다음달(에〔의〕)(약어: k.M.); ihr ~er Gatte 그녀의 장래의 남편; im ~en Leben 내세에. 《Ⅱ》 *adv.* ① 금후에. ② 장래에; 이 다음에: ich werde mich ~ mehr in acht nehmen 나는 앞으로는 더 조심할 것이다.

künftig·hin *adv.* ↑ künftig 《Ⅱ》.

Kungelei *f.* -en 〔구어〕 묵계, 밀약.

kungeln [kʊ́ŋəln] *i.* (h.) 〔구어〕 묵계〔밀약〕하다: sie ~ um Ministerämter 그들은 장관 자리를 묵계로 정한다.

Kunkel [kʊ́ŋkəl] 《lat.》 *f.* -n (südd., westd.) ① 실감기 대, 실패(원래 여성의 상징). ② 방적실(紡績室), 실 잣는 방.

Kunkelei *f.* -en 음모꾸미기; 매혹하기.

Kunkel≈lehen *n.* 〖法〗 (↔ Schwertlehen) 부녀자의 봉토(封土). **~mage** 《Ⅰ》 *m.* -n, -n 외가쪽 남자 친척. 《Ⅱ》 *f.* -n 외가쪽 여자 친척.

kunkeln *i.* (h.) 〔방언〕 음모를 꾸미다; 밀무역하다.

Kunkel·stube *f.* ↑ Kunkel ②.

***Kunst** [kunst] 《<können》 *f.* Künste [kʏ́nstə] ① 기능, 기술, 기예; 숙련, 솜씨; 방법, 요령; 술책, (남녀의) 꾀; (↔ Natur) 인위, 인공; 실지(實地)(↔ Theorie): die ~ des Fechtens〔Reitens〕 검술〔마술(馬術)〕; die ärztliche ~ 의술; die ~ zu schreiben 서(도)법; nach allen Regeln der ~ 아주 정교하게; eine brotlose ~ 벌이가 안 되는 기술〔재간〕; die Schwarze ~ a) 마법(魔法), b) 〔농담〕 인쇄술, c) 동판 인쇄 조각술; die Sieben Freien Künste (중세 대학의) 7 학예(문법·수사·논리·대수·기하·음악·천문); mit ~ 인공적으로; durch ~ hergestellt 인조의, 인공적인; das ist keine ~ 그것은 어려운 일이 아니다; mit seiner ~ am Ende sein 〔jetzt bin ich mit meiner ~ zu Ende〕 나는 이제는 더 이상 방도가 없다; alle seine Künste spielen lassen 가능한 모든 술책을 동원하다; 〔구어〕 was macht die ~? 일〔사업〕이 잘 되어 가느냐?; ~ sein 인조〔가짜〕다; seine ~ an et.[3] versuchen 무엇으로 자기의 역량〔재간〕을 시험해보다. ② 예술, 미술 (작품): die schönen Künste 미술; die bildenden Künste 조형 예술(건축·조각 따위); handwerksmäßige Künste 수예, 공예; 〔속담〕 wie die ~, so die Gunst 〔~ macht Gunst〕 기술이 있으면 먹고 산다; ~ und

Wissenschaft 학예. ③〖工〗(a) 급수〔배수(排水)〕설비. (b) 분수. ④〖방언〗(불이 타고 있는) 난로, 화덕; 요리 화덕. ⑤일: ~ kriegen 일자리를 얻다.

Kunst≈akademie *f.* 예술〔미술〕대학. **~-anlage** *f.* ①예술가 소질. ②〖복수〗유원지. **~anschauung** *f.* 예술관(觀). **~arbeit** *f.* 예술품. **~arm** *m.* 의수(義手). **~aus-druck** *m.* 술어, 전문어. **~ausstellung** *f.* 미술 전람회. **~bau** *m.*〖사냥〗(사냥개의 훈련용으로) 인공적으로 만든 여우굴. **~bauten** *pl.* (다리·터널·제방의 건설에 필요한) 부대(附帶) 구축물. **~beflissene*** *der/die* 미술(연구)가. **~bein** *n.* 의족. **~betrachtung** *f.* 예술품 감상. **~blatt** *n.* 미술 잡지〔신문〕; 판화. **~butter** *f.* 인조 버터. **~darm** *m.*〖식품〗인공 재료로 만든 소시지 껍질. **~denkmal** *n.* 예술적 문화 유산. **~dichter** *m.* (↔ Volks-dichter) 순수 문학 작가. **~dichtung** *f.* 순수 문학. **~drechsler** *m.* 미술품 (선반) 세공사. **~druck** *m.* ①〖印〗미술 작품의 복제 인쇄. ②복제한 미술 작품. **~druck·papier** *n.* 아트(인쇄)지(일종의 광택지). **~dünger** *m.*〖農〗인조 비료. **~eis** *n.* 인조 얼음. **~eis-bahn** *f.* 인공 아이스 링크, 인공 빙판.

Künstelei [kʏnstəlái] *f.* -en 〖폄어〗①인위, 인공; 인공〔인조·기교〕품. ②기교적임, 꾸미기, 멋내기; (문체의) 매너리즘, 허식.

künsteln [kʏ́nstəln] 《Ⅰ》*i.* (h.) an et.³ ~ 무엇을 (지나치게) 세공하다, 무엇에 공들이다. 《Ⅱ》*t.* (지나치게) 세공하다, 공들여 만들다; 인위적〔인공적〕으로 만들다. 《Ⅲ》**gekünstelt** *p.a.* ↑ gekünstelt.

kunst≈erfahren *p.a.* 기술에 익숙한, 노련한. **≈erzeugnis** *n.* 예술품. **≈erzieher** *m.* 예술〔미술〕교육자. **≈erziehung** *f.* 예술 교육. **≈fälschung** *f.* 예술품〔미술품〕모조〔위조〕. **≈färberei** *f.* 무늬 염색물 (공장). **≈faser** *f.* 인조〔화학〕섬유. **≈fehler** *m.* 직업〔영업〕규칙의 위반, (의료상의) 실수:〖비유·농담〗ihm ist ein ~ unterlaufen 그가 실수를 저질렀다. **~fertig** *a.* 기술에 뛰어난, 숙련된, 교묘한. **≈fertigkeit** *f.* 숙달, 숙련, 기예. **≈-feuer(werk)** *n.* 불꽃. **≈feuer·werker** *m.* 불꽃 기술자. **≈fleiß** *m.* 예술〔기술〕에 대한 열정. **≈flug** *m.*〖空〗곡예 비행. **≈-freund** *m.* 예술 애호가〔보호자〕. **≈garten** *m.* 유원지. **≈gärtner** *m.* 원예가, 정원사. **≈-gärtnerei** *f.* 원예(술). **≈gebilde** *n.* 예술품. **≈gefühl** *n.* 예술 감각, 예술적 센스. **≈-gegenstand** *m.* 예술품, (특히) 골동품. **~gemäß** *a.*〖구식〗↑ ~gerecht. **≈genos-se** *m.* 예술가 동지. **≈genuß** *m.* 예술〔미술〕감상. **~gerecht** *a.* 예술 법칙에 맞는, 전문가다운, 솜씨 좋은: einen Gegenstand ~ zu-sammenfügen 어떤 물건을 제대로 조립하다. **≈geschichte** *f.* 미술사, 예술사. **≈ge-schmack** *m.* 예술 취향. **≈getriebe** *n.*〖工〗기계, 기관; 급수〔배수〕장치. **≈gewerbe** *n.* ①공예 (미술). ②공예품.

Kunstgewerbe≈ausstellung *f.* 공예 전람회. **~museum** *n.* 공예 박물관. **~schule** *f.* 공예 학교.

Kunst≈gewerbler *m.* 공예가(家). **~ge-werblich** *a.* 공예(상)의: zeitgenössische ~e Erzeugnisse 동시대의 공예품들. **~glied** *n.*〖醫〗의수족, 의지(義肢). **~graben** *m.* 배수로, 수로, 물길. **~griff** *m.* ①요령, 기교, 비결. ②간책(奸策), (꾀는) 수단, 책략: einen ~ anwenden 술책을 쓰다. **~größe** *f.* ①대예술〔대미술〕가. ②예술〔미술〕에 능통한 사람. **~halle** *f.* 미술관. **~handel** *m.* 미술품〔골동품〕장사〔거래〕. **~händler** *m.* 미술품〔골동품〕장수. **~handlung** *f.* 미술품〔골동품〕상점. **~hand·werk** *n.* 공예 (미술). **~harz** *n.* 합성 수지: gut lösliche ~e 잘 용해되는 합성 수지. **~herz** *n.*〖醫〗인공 심장. **~historiker** *m.* ①예술사 학자. ②예술사 전공 대학생. **~honig** *m.*〖식품〗인조 꿀, 시럽. **~horn** *n.* 인조 각질(角質). **~jünger** *m.* 미술 학생. **~kabinett** *n.*, **~kammer** *f.* 미술품〔골동품〕진열실. **~kenner** *m.* 예술〔미술〕에 능통한 사람. **~kniff** *m.* ↑ ~griff ②. **~kopf** *m.* 사람 머리 모양의 녹음 장치. **~kritik** *f.* ①예술〔미술〕비평. ②〖총칭〗예술 비평가. **~kritiker** *m.* 예술〔미술〕비평가. **~lauf** *m.* 피겨 스케이팅. **~laufen** *n.* ↑ ~lauf. **~läufer** *m.* 피겨 스케이팅 선수. **~leder** *n.* 인조〔모조〕가죽. **~lehre** *f.* 공예학; 기교론.

***Künstler** [kʏ́nstlər] 《<Kunst》*m.* -s, - 예술가, 미술가, 문예가; 공예가; 배우; 가수, 음악가: Zauber≈ 마술사; bildende ~ 조형 예술가들;〖구어〗er ist ein ~ im Sparen 그는 절약의 명수다; du bist mir ein ~! 너는 또 무슨 일을 꾸민 거야! (가볍게 나무라거나 빈정대는 말).

Künstler·geist *m.* 예술가 정신, 작가 기질.

Künstlerin *f.* -nen ↑ Künstler 의 여성형.

künstlerisch *a.* ①예술가〔미술가〕(적)인. ②예술적〔미술적〕인, 미적인: ~e Gymnastik 예술 체조.

Künstler≈kneipe *f.*〖경박〗예술가들의 단골 술집. **~kolonie** *f.* 예술인 마을. **~mähne** *f.*〖구어·농담〗(특히 남자) 예술가들의 장발. **~name** *m.* 아호, 예명. **~novelle** *f.*〖문학〗예술가(의 생애)를 다룬 단편 소설〔노벨레〕. **~pech** *n.*〖구어·농담〗불운, 재난. **~roman** *m.*〖문학〗예술가(의 생애)를 다룬 소설. **~ruhm** *m.* 예술가의 명성.

Künstlerschaft *f.* ①예술가 사회, 예술계. ②예술가 기질, 예술가의 기능〔수완〕. ③예술가 단체.

Künstlertum *n.* -s ↑ Künstlerschaft ②.

***künstlich** [kʏ́nstlıç] 《<Kunst》*a.* ①기교적인, 교묘〔정교〕한: die ~sten Bilder 아주 정교한 그림. ②(↔ natürlich) 인조의, 인위적인; 모조의; 부자연한: ~e Atmung 인공 호흡; ~e Glieder 의수족; die ~e Niere 인공 신장; ~e Ernährung 인공 영양 공급; ein ~es Lachen 억지 웃음; eine ~e Preissteigerung 인위적 물가 상승;〖工〗~er Horizont 회전 수평계; ~e Farbstoffe 인조 염료; ein ~es Gebiß 의치(義齒);〖구어·농담〗reg dich nicht ~ auf! 억지로 흥분하지 마라! ③〖드물게〗교활한.

Künstlichkeit *f.* ↑ künstlich 의 명사형.

Kunst≈licht [kúnst..] *n.* 인공광(光), 조명. **~lieb·haber** *m.* 예술〔미술〕애호가. **~lieb-haberei** *f.* 예술〔미술〕애호.

kunstlos *a.* ①기교 없는, 자연스러운, 단순〔소박〕한. ②비예술적인.

Kunst=maler *m.* 화가. **~markt** *m.* 예술품 시장. **~mäßig** *a.* (~gerecht) 예술적〔미술적〕인; 기술적〔기교적〕인; 예술 법칙에 맞는. **~mühle** *f.* 동력 장치의 제분소. **~pause** *f.* 〖연극〗(배우들의) 의도적〔기교적〕 침묵; 〘반어〙(연설 도중의) 의도적 중단. **~pflege** *f.* 예술 보호. **~produkt** *n.* 예술 작품. **~prosa** *f.* 예술적〔문학적〕 산문. **~rad** *n.* 〖工〗 급수〔배수〕 장치의 차륜(車輪). **~rad·fahren** *n.* 〖사이클〗 자전거 곡예. **~redner** *m.* 수사학자; 능변가(能辯家). **~regel** *f.* 예술의 규칙. **~reich** *a.* 교묘〔정교〕한; 발명의 재주가 있는, 재치 있는. **~reise** *f.* 예술가의 연구 여행, 순회 흥행. **~reiter** *m.* 곡마사(師). **~richter** *m.* 예술 비평가. **~sache** *f.* 미술품. **~sammler** *m.* 예술품 수집가. **~sammlung** *f.* 미술품 수집; 미술관. **~satellit** *m.* 〖理〗 인공 위성. **~schatz** *m.* 값비싼 예술품. **~schreiner** *m.* ↑ ~tischler. **~schule** *f.* ① 미술 학교. ② 예술가의 유파. **~seide** *f.* 〖방직〗 인조 견사. **~sinn** *m.* 예술〔미술〕에 대한 이해. **~sinnig** *a.* 예술〔미술〕에 대한 이해력이 있는. **~sprache** *f.* ① 술어, 전문어. ② 흔히 쓰이지 않는 고상한〔멋낸〕 말. ③ 인조어(보기: 에스페란토). **~springen** *n.* 〖수영〗 다이빙. **~sprung** *m.* 도약, 높이뛰기. **~stein** *m.* 인조석. **~stickerei** *f.* 미술 자수. **~stoff** *m.* 합성품, 인조 물질(화학 섬유·합성 수지〔고무〕 등); 플라스틱, 합성 수지(엄밀하게는 순수한 합성 화학 제품만을 가리킴).

Kunststoff=flasche *f.* 플라스틱 병. **~folie** *f.* 합성 수지 랩〔박지(薄紙)〕. **~rasen** *m.* 〖스포츠〗 인조 잔디.

kunst|stopfen *t.* (의복의 구멍 따위를) 짜깁기하다: das Loch ist kunstgestopft 구멍이 짜깁기되었다. **~stopferei** *f.* 〖재봉〗 짜깁기. **~straße** *f.* 〘고어〙 (Chaussee) 공도(公道), 포도(鋪道). **~stück** *n.* ① 재주, 곡예, 요술: ein ~ vormachen〔zeigen〕 요술을 보이다; 〘구어·반어〙 wie hast du denn dieses ~ fertiggebracht? 너는 (전혀 불가능해 보이는) 그 일을 어떻게 처리했느냐?; das ist (doch) kein ~ 그것은 어려운〔놀랄 만한〕 일이 아니다. ② 〘고어〙 ↑ ~werk ①. **~student** *m.* 예술사〔미술사·예술학〕 전공 대학생. **~tischler** *m.* 가구 공예사. **~trieb** *m.* 예술적 충동. **~turnen** *n.* 기계 체조. **~verein** *m.* 예술 협회. **~verfahren** *n.* 예술 방법; 기술. **~verlag** *m.* 미술 서점〔출판사〕. **~verstand** *m.* 예술과 그 양식에 대한 지식〔이해력〕. **~verständig** *a.* 예술을 잘 아는. **~verständige*** *der/die* 예술〔미술〕통(通). **~voll** *a.* 지극히 예술적인; 정교한. **~wein** *m.* 인조 포도주. **~welt** *f.* 예술〔미술〕계. **~werk** *n.* ① 예술〔미술〕 작품: ein literarisches ~ 문학 예술 작품. ② (기술적으로) 복잡한 제품: diese Uhr ist (wirklich) ein ~ 이 시계는 (정말) 복잡한 제품이다. ③ 〖工〗 급수〔배수〕 설비. **~widrig** *a.* 예술 법칙에 거슬리는, 비예술적인. **~wissenschaft** *f.* 예술〔미술〕학. **~wissenschaftler** *m.* 예술학〔미술학〕자. **~wolle** *f.* 〖방직〗 인조 양모, 스테이플 파이버. **~wort** *n.* 〖언어〗 (인공적으로 만들어진) 전문어(보기: Automobil, Vitamin). **~zeit·schrift** *f.* 미술〔예술〕 잡지. **~zweig** *m.* 예술〔미술〕의 부문.

kunterbunt [kʊ́ntərbʊnt] 《lat.》 *a.* 알록달록한, 여러 가지 빛깔의; 뒤죽박죽인, 난잡한: hier liegt ja alles ~! 온통 뒤죽박죽이군!

Kunterbunt *n.* -(s) 난잡, 혼잡, 혼란.

Kunz [kʊnts] *m.* 쿤츠(남자 이름; ↑ Konrad 의 단축형).

Küpe [kýːpə] 《♧ Kufe》 *f.* -n ① 큰 그릇〔통〕; 〖工〗 염색통. ② 염료의 용액.

Kupee [kupéː] *n.* -s, -s ↑ Coupé.

Kupelle [kupɛ́lə] *f.* -n 〖제련〗 ↑ Kapelle².

kupellieren [kupɛlíːrən] 《lat. cupa》 *t.* 〖제련〗 (귀금속을) 정련하다.

Küpen=farbe *f.* ↑ ~farbstoff. **~farb·stoff** *m.* 〖化〗 (수용성·내광성의) 바트 물감〔염료〕.

Küper [kýːpər] 《< Küpe》 *m.* -s, - ① ↑ Küfer. ② (항구의) 화물 관리 업자.

***Kupfer** [kʊ́pfər] 《lat.》 *n.* -s, - ① 〖광물〗 구리, 동(銅) (기호: Cu): ein Bild in ~ stechen 그림을 동판에 새기다. ② 동판화: ein Buch mit vielen ~n 동판화가 많이 든 책. ③ 구리 그릇. ④ 동전: ich habe nur noch ~ im Geldbeutel 내 지갑에는 동전밖에 없다. ⑤ 〖醫〗 얼굴의 발진, 여드름.

Kupfer=ader *f.* 〖광산〗 동광맥. **~alaun** *m.* 〖化〗 구리 명반(明礬). **~artig** *a.* 구리 같은. **~asche** *f.* 산화 구리. **~ätzung** *f.* 구리판 부식(술). **~auflösung** *f.* 구리 용액. **~ausschlag** *m.* ↑ Kupfer ⑤. **~bergwerk** *n.* 구리 광산, 동광(銅鑛). **~blatt** *n.* ↑ ~stich. **~blech** *n.* 동판. **~blüte** *f.* 〖광물〗 적동광. **~braun** *a.* ↑ ~farbig. **~braun** *n.* 〖광물〗 갈동광. **~draht** *m.* 동선(銅線), 구리선. **~dreier** *m.* 3 페니히의 동전. **~druck** *m.* 〖印〗 동판화; 동판 인쇄. **~drucker** *m.* 동판 인쇄인. **~druckerei** *f.* ① 동판 인쇄술. ② 동판 인쇄 공장. **~erz** *n.* 동광(銅鑛). **~farben** *f.* ~farbig. **~farbig** *a.* 구릿빛의, 적갈색의. **~gang** *m.* 〖광산〗 동광맥. **~geld** *n.* 동화(銅貨), 동전. **~gerät** *n.* ↑ ~geschirr. **~geschirr** *n.* 놋그릇. **~gesicht** *n.* 〘속어〙 불그레한 얼굴, 여드름 난 얼굴. **~glanz** *m.* 〖광물〗 휘(輝)동광, 황화동광. **~glas** *n.* ↑ ~glanz. **~glucke** *f.* 〖動〗 배버들나방. **~gold** *n.* 〖化〗 금동 합금. **~grün** *n.* 〖化〗 ① 규산구리. ② 녹청(綠青) (Grünspan). **~haltig** *a.* 구리를 함유한. **~hammer** *m.* ① 구리 공장. ② 구리를 쳐서 펴는 큰 망치. **~hammer·werk** *n.* ↑ ~hammer. **~haut** *f.* 〖海〗 (배 밑창의) 동판 피복.

kupferig [kʊ́pfərɪç] *a.* 구리 같은; 구릿빛의; 구리를 함유한.

Kupfer=kalk *m.* 〖化〗 산화제 2 구리. **~kanne** *f.* 구리 주전자. **~kessel** *m.* 구리 냄비〔솥〕. **~kies** *m.* 〖광물〗 황동광. **~könig** *m.* 〖제련〗 동피(銅鈹). **~lasur** *m./f.* 〖광물〗 청동광. **~licht·druck** *m.* 〖사진〗 사진 요판(凹板). **~mine** *f.* ↑ ~bergwerk. **~münze** *f.* 동전.

kupfern¹ [kʊ́pfərn] *a.* 구리의, 구리로 만든, 구릿빛의.

kupfern² *t.* 구리로 도금하다, 구리를 입히다.

Kupfer=nase *f.* 〘비유〙 붉은 코. **~natter** *f.* 〖動〗 (Kreuzotter) 십자독사, 살무사. **~oxyd** *n.* 〖化〗 산화구리. **~platte** *f.* 동판: radierte ~ 부식 동판. **~pol** *m.* 〖전기〗 음극. **~rost** *m.* 녹청(綠青). **~rot** *a.* 적동색의.

~**rot** *n.* 〖化〗 적색 산화구리. ~**sammlung** *f.* 동판화 수집. ~**schlacke** *f.* 구리 슬래그. ~**schmelz·ofen** *m.* 〖제련〗 구리 용광로. ~**schmied** *m.* 구리 대장장이, 구리〔놋쇠〕 세공인, 놋그릇 제조인. ~**stecher** *m.* ①〖예술〗 동판 화가〔조각사〕. ②〔비유·구어〕 친구: mein lieber Freund und ~! 이 친구야! (경고나 가벼운 놀라움의 표현). ③〖動〗 나무좀과의 적동색 곤충. ~**stecherei** *f.* ① 동판 조각 공장. ② 동판 조각술. ~**stich** *m.* ① 동판, 동판화. ② 동판 조각술. ~**stich·kabinett** *n.* 동판화 수집품; 동판화 전시실. ~**sulfat** *n.* ↑ ~vitriol. ~**tafel** *f.* ① 동판화. ② 동판. ~**tief·druck** *m.* 〖印〗 윤전 요판 인쇄, 그라비어 인쇄. ~**vergiftung** *f.* 〖醫〗 구리 중독. ~**vitriol** *n.* 〖化〗 황산동. ~**ware** *f.* 〖商〗 구리 그릇〔제품〕. ~**werk** *n.* ① 동판화가 든 책. ② 구리 광산, 동갱. ③ 구리 공장.

kupfrig *f.* ↑ kupferig.

Kupido [kupíːdo] 《lat.》《Ⅰ》 *m.* -s 〖로마신화〗 큐피드(사랑의 신; 〖그리스신화〗 에로스(Eros)에 해당). 《Ⅱ》 *f.* 애욕.

kupieren [kupíːrən] 《frz. couper》 *t./i.* (h.) ① (짐승의 꼬리나 귀를) 짧게 자르다; 〖카드〗 패를 치다; 〖철도·구식〗 차표를 개찰하다. ② 섞다: Wein ~ 포도주에 다른 술을 섞다. ③ 〖軍〗 das kupierte Gelände〔Terrain〕 (굴곡·도랑에 따른) 단절 지대〔지형〕. ④〖醫〗 (병을) 초기에 막다, (발작을) 갑자기 멈추게 하다.

Kupier·zange *f.* 개찰용 가위〔펀치〕.

Kupol·ofen [kupóːl..] *m.* 〖제련〗 용광로, 용선(鎔銑)로.

Kupon [kupɔ̃ː, ..pɔ́ŋ] 《lat. -frz.》 *m.* -s, -s [..pɔ̃ːs] 쿠폰(Coupon).

Kuppe [kʊ́pə] *f.* -n ① 산의 둥근 봉우리. ② 손가락 끝. ③ (못 따위의) 대가리. ④〔비유〕 꼭대기, 정상, 절정. ⑤〔은어〕 창녀의 수입.

Kuppel[1] [kʊ́pəl] 《it. cupola》 *f.* -n 〖건축〗 둥근 지붕, 궁륭(穹隆), 반구(半球) 천장, (지붕 위의) 둥근 탑: 〔비유〕 unter der mächtigen ~ von Lärm 엄청난 소음〔소란〕 가운데.

Kuppel[2] *f.* -n (Koppel ①) 끈, 띠.

Kuppel⸗bau *m.* 〖건축〗 둥근 지붕의 건축물. ~**dach** *n.* 〖건축〗 둥근 지붕, 반구(半球) 천장.

Kuppelei [kʊpəláɪ] 《<kuppeln²》 *f.* 중매, 〔폄어〕 뚜쟁이질; 〖法〗 (특히 미성년자의) 매음 알선(죄).

kuppel⸗förmig *a.* 둥근 지붕 모양의. ~**gewölbe** *n.* 〖건축〗 반구(半球) 천장, 둥근 지붕, 반원(半圓) 아치.

kuppeln[1] [kʊ́pəln] 《<Kuppel¹》 *t.* ① 둥근 지붕 모양으로 짓다. ②〖건축〗 둥근 지붕을 달다.

kuppeln[2] 《<Koppel, Kuppel²》《Ⅰ》 *t.* ① 끈으로 매다(koppeln). ② 결합하다: eine Kamera mit gekuppeltem Entfernungsmesser 거리 측정 장치 장착 카메라; zwei Wörter ~ 두 낱말을 이음표로 잇다. ③ (*i.* (h.)) 〔구식〕 중매하다; 매음을 알선하다. 《Ⅱ》 **gekuppelt** *p.a.* ↑ gekuppelt.

Kuppel⸗ofen *m.* 〖제련〗 용광로, 용선(鎔銑)로. ~**pelz** *m.* 〔폄어〕 중매 사례금: sich³ den 〔einen〕 ~ verdienen 중매를 서다. ~**stange** *f.* 〖기계〗 연동(聯動) 쇳대.

Kuppelung [kʊ́pəlʊŋ] *f.* -en ↑ Kupplung.

Kuppel·wort *n.* 〖印〗 이음표로 연결된 합성어(보기: Groß-Berlin).

kuppen [kʊ́pən] 《<Kuppe》 *t.* (나무의 우듬지를) 치다, 자르다.

***Kuppler** [kʊ́plər] *m.* -s, - 중매인; 뚜쟁이, 포주.

Kupplerin *f.* -nen ↑ Kuppler 의 여성형.

kupplerhaft *a.* ↑ kupplerisch.

kupplerisch *a.* 중매를 하는; 뚜쟁이질하는.

Kupplung [kʊ́plʊŋ] *f.* -en ① 연결. ② 연결장치. ③ 클러치; 클러치 페달.

Kupplungs⸗automat *m.* 〖車〗 자동 클러치. ~**belag** *m.* 〖車〗 클러치패드〔라이닝〕. ~**bolzen** *m.* 〖工〗 연결 장치의 볼트. ~**haken** *m.* 연결 갈고리. ~**hebel** *m.* 연결 지렛대. ~**pedal** *n.* 〖車〗 클러치 페달. ~**scheibe** *f.* 〖車〗 클러치판. ~**stange** *f.* 연결 막대기.

Kuprismus [kuprísmʊs] 《gr.》 *m.* - 〖醫〗 구리 중독, 구리 알레르기.

***Kur**[1] [kuːr] 《lat. cura》 *f.* -en 〖醫〗 치료 (요법), 요양, 조리, 휴양: Kaltwasser~ 냉수 요법; Hormon~ 호르몬 요법; in der ~ sein 치료 중이다; eine ~ machen〔gebrauchen〕 치료를 받다; 〔구어〕 sich einer ~ unterziehen 요양 치료를 받다; jn. in die ~ nehmen 〔jn in. der ~ haben〕 누구를 심하게 다루다, 누구를 훈계하다; die ~ schlägt an 치료가 효력을 나타낸다; zur ~ ins Bad reisen 치료하러 온천에 가다; 〔비유〕 einer Dame die ~ machen〔schneiden〕 어떤 여성에게 구애하다; 〔비유〕 eine strenge ~ konnte die Wirtschaft des Landes stabilisieren 엄격한 조처가 국가의 경제를 안정시킬 수 있었다.

Kur[2] 《♁ kiesen》 *f.* -en 〖史〗 ① 선거; (특히 옛 독일 황제를 뽑는) 선거권. ② 선제후국(選帝侯國).

Kür [kyːr] *f.* -en ① 선거(권). ②〖체조·스포츠〗 자유 종목.

kurabel [kuráːbəl] 《<Kur¹》 *a.* 치료할 수 있는(↔ inkurabel).

Kur·anstalt *f.* 요양소〔원〕.

kurant [kuránt] 《frz.》 *a.* 유통〔통용〕되는(약어: crt.).

Kurant[1] *n.* -(e)s, -e ① ↑ ~münze. ② ↑ ~geld.

Kurant[2] *m.* -en, -en (schweiz.) ↑ Kurgast.

Kurant⸗geld *n.* 통화(通貨). ~**münze** *f.* 통용 주화.

kuranzen [kurántsən] 《<lat. carentia》 *t.* 〔방언·구식〕 채찍으로 때리다; 괴롭히다; 학대하다.

Kurare [kuráːrə] 《indian.》 *n.* -(s) (인디언이 화살에 바르는) 독의 일종.

Kur·arzt *m.* 온천장 의사(Badearzt).

Küraß [kýːras] 《frz.》 *m.* ..rasses, ..rasse 〖軍·고어〗 (Brustharnisch) 흉갑, 가슴 보호 갑옷.

Kürass 新정서 ⇦ Küraß.

Kürassier [kyrasíːr] *m.* -s, -e 흉갑을 착용한 기병.

Kurat [kuráːt] 《lat.》 *m.* -en, -en 〖가톨릭〗 공소(公所) 담당의 보좌 신부; (청년 단체 따위의) 지도 신부.

Kuratel [kuratéːl] *f.* -en 〖法〗 재산 관리, 후견, 보좌: unter ~ stehen 후견을 받다; jn. unter ~ stellen 누구를 후견하다; 〔비유〕 der Staat nimmt die Künstler stark unter ~ 국

가가 예술가들을 심하게 통제한다.

Kuratie [kuratí:] *f.* -n [..tí:ən] 〖가톨릭〗 공소.

kurativ *a.* ↑ kurabel.

Kurator [kurá:tər, ..to:r] *m.* -s, -en [..tó:rən] ①〔구식〕 후견〔보좌〕인, 재산 관리인. ② (대학에 대한) 감독관, (박물관 따위의) 관리인. ③ 재단 이사.

Kuratorium *n.* -s, ..rien [..riən] ①〖法〗 후견 선임서(書). ② 감독관; 후견인회; 관리국, 감사국(局).

Kuratus *m.* -, ..ten/..ti ↑ Kurat.

Kur=aufenthalt *m.* 요양소 체류〔체재〕. **~bad** *n.* 치료 효과가 있는 온천(장).

***Kurbel** [kʊ́rbəl] 《frz.》 *f.* -n 〖工〗 크랭크; 손잡이, 핸들.

Kurbel=achse *f.* 크랭크 차축. **~arm** *m.* 크랭크팔. **~bewegung** *f.* 크랭크 운동.

Kurbelei *f.* 제동 크랭크.

Kurbel=gehäuse *n.* 〖車〗 크랭크실. **~getriebe** *n.* 크랭크 톱니바퀴. **~griff** *m.* 크랭크 핸들. **~kasten** *m.* ① ↑ ~gehäuse. ②〔농담〕 영화 촬영기.

kurbeln [kʊ́rbəln] *t.* 〖工〗 크랭크〔손잡이〕를 돌리다; 〔구어〕 크랭크〔손잡이〕를 돌려서 만들다: Zigaretten ~ (손잡이를 돌려서) 담배를 말다; 〔구식〕 einen Film ~ 촬영하다; eine Szene ~ 어떤 장면을 촬영하다; 〔비유·구어〕 in den Kurven mußte er ganz schön ~ 커브에서 그는 핸들을 많이 돌려야 했다.

Kurbel=scheibe *f.* 〖工〗 크랭크 원반. **~stange** *f.* 연결봉. **~umschalter** *m.* 지렛대 개폐기. **~welle** *f.* 크랭크축. **~zapfen** *m.* 크랭크핀.

Kurbette [kʊrbɛ́tə] 《frz.》 *f.* -n 〖승마〗 쿠르베트(앞다리를 들고 뒷다리로 여러 번 뛰기).

kurbettieren *i.* (h.) (말이) 쿠르베트의 자세를 취하다, 앞다리를 들고 뒷다리로 뛰다.

Kürbis [kʏ́rbɪs] 《lat. Lw.》 *m.* -ses, -se 〖植〗 ① 호리병박. ② 호박. ③〔경박〕 머리통.

Kürbis=baum *m.* 〖植〗 호리병박나무. **~flasche** *f.* 호리병. **~frucht** *f.* 〖植〗 호박. **~gewächs** *n.* 〖植〗 박과(科)의 식물. **~kern** *m.* 호리병박〔호박〕의 씨.

Kur·brandenburg 브란덴부르크 선제후국(選帝侯國).

Kurde [kʊ́rdə] *m.* -n, -n (터키·이란 접경 산악 지역에 사는) 쿠르드족.

Kurdin *f.* -nen ↑ Kurde 의 여성형.

kurdisch *a.* 쿠르드인의, 쿠르디스탄 지방의.

Kurdistan [kʊ́rdɪsta(:)n] *n.* 쿠르디스탄(터키·이란·이라크에 걸친 산악 지대; 쿠르드족의 근거지).

Küree [kyré:] 《frz.》 *f.* 〖사냥〗 ① 잡은 짐승의 해부. ② 사냥개에게 주는 짐승의 내장.

kuren [kú:rən] *i.* (h.) 〔구어〕 요양〔휴양〕하다.

küren [ký:rən] (kor, gekoren) 《<Kur²》 《Ⅰ》 *t.* 〔구식·雅語〕 뽑다, 선발하다. 《Ⅱ》 **gekoren** *p.a.* ↑ gekoren.

Kürettage [kyrɛtá:ʒə] *f.* -n 〖醫〗 자궁 소파(搔爬), 자궁 조직 검사.

Kürette [kyrɛ́tə] 《lat. -frz.》 *f.* -n 〖醫〗 퀴레트(수술 끝에 구멍이 난 소파(搔爬)용 스푼).

kürettieren *t.* 소파기〔퀴레트〕로 긁어내다, 소파 수술하다.

Kur=fürst *m.* 선제후(選帝侯). **~fürstenhut** *m.* 선제후의 붉은 모자. **~fürstentum** *n.* 선제후의 지위, 선제후국(選帝侯國). **≈fürstlich** *a.* 선제후(국)의. **~garten** *m.* 요양지의 공원. **~gast** *m.* 요양〔휴양〕객. **~haus** *n.* ① 요양소. ② 선제후 가문. **~hessen** 헤센 카셀 (Hessen-Kassel) 선제후국. **≈hessisch** *a.* 헤센 카셀 선제후(국)의. **~hut** *m.* ↑ ~fürstenhut.

kurial [kuriá:l] 《lat.》 *a.* ① 궁정의; 관청〔공용〕의. ② 형식적인, 정식의. ③〖가톨릭〗 교황청의.

Kuriale *f.* 〖문자〗 (8-15 세기의) 교황청 서체.

Kurial·stil *m.* 관청식 문체, 공문체.

Kuriat·stimme [kuriá:t..] *f.* 공동(투)표 (1806 년 이전의 독일 (신성 로마) 제국 의회에서 다른 선거권자와 공동으로 하나의 표를 행사하는 투표 방식) (↔ Virilstimme).

Kurie [kú:riə] 《lat. curia》 *f.* -n ① (옛 로마 귀족의 하나인) 큐리아족(族); 원로원; (1806 년 이전에) 독일 (신성 로마) 제국 의회에 파견된 (영주나 도시의) 대리인〔대표〕. ② 로마 교황청. ③ 시청; 시참사회. ④ 법정.

Kurien·kardinal *m.* 〖가톨릭〗 교황청 추기경.

Kurier [kurí:r] 《lat. -frz.》 *m.* -s, -e 파발(擺撥)꾼, 급사(急使); (외교상의) 특사: Geheim≈ 밀사; ein diplomatischer ~ 외교 특사; einen Brief durch ~ schicken 사자를〔전령을〕 통해 편지를 보내다.

kurieren [kurí:rən] 《<Kur¹》 *t.* 치료하다, 낫게 하다, 고치다: 〔비유〕 jn. von seiner Einstellung ~ 누구에게 자기 입장을 버리게 하다.

Kurier=flugzeug *n.* 특급 화물기. **~gepäck** *n.* 특급 화물. **~stiefel** *m.* 긴 장화. **~zug** *m.* 〖철도·고어〗 급행 열차.

Kurilen *pl.* 쿠릴 열도(태평양의 군도).

***kurios** [kurió:s] 《lat. curiosus》 《Ⅰ》 *a.* ①〔구식〕 호기심이 강한, 궁금증이 많은. ② 진기〔기묘〕한; 우스운, 익살스러운: auf eine ganz ~e Art 매우 진기한 방법으로; eine ~e Situation 기묘한 상황; das ist ja wirklich ~ 이것은 정말 희한한 일이다. 《Ⅱ》 *adv.* 〔방언〕 매우.

Kuriosität [kuriozitɛ́:t] *f.* -en ① 호기심. ② 기묘, 진기; 진기한 물건, 골동품.

Kuriositäten=händler *m.* 골동품 상인. **~kabinett** *n.* 골동품 전시실, 박물관.

Kuriosum [kurió:zʊm] *n.* -s, ..sa ① 기묘한 사건〔상황〕. ② 진기한 물건, 진품, 골동품.

kurisch [kú:rɪʃ] *a.* 쿠를란트(사람)의: das ≈e Haff 동프로이센의 해안호; die ≈e Nehrung 동프로이센의 연안 사주(砂洲).

Kur=kapelle *f.* 요양객〔휴양객〕을 위한 악단. **~karte** *f.* (각종 시설을 이용할 수 있는) 휴양 티켓. **~klinik** *f.* 요양소 부속 병원. **~köln** [ku:rkœ́ln] *n.* 쾰른 대(大)주교구 (1803 년 이전의 쾰른). **≈kölnisch** [ku:rkœ́lnɪʃ] *a.* 쾰른 대주교구의. **~konzert** *n.* 요양객〔휴양객〕을 위한 음악회.

Kurkuma [kʊ́rkuma] 《ar. -lat.》 *f.* ..men ①〖植〗 강황(薑黃) (Gelbwurzel). ②〖식품〗 카레의 원료로 쓰이는 황색 가루〔색소〕.

Kurkuma=gelb *n.* 〖化〗 강황(薑黃) 색소. **~papier** *n.* 〖化〗 강황지(紙). **~wurzel** *f.* ↑ Gelbwurzel.

Kurland [kúːrlant] 쿠를란트(라트비아 남부 지역).
Kur·laub *m.* 요양 휴가: ~ machen 요양 휴가를 가다.
Kür≈lauf [ký:r..] *m.* (피겨 스케이팅 따위의) 자유 종목. **≈laufen** *i.* (s.) (피겨 스케이팅 따위의) 자유 종목 연기를 하다.
Kur≈liste *f.* 요양인〔휴양객〕 명부. **~macher** *m.* 호색한(Schwerenöter). **~mainz** [kuːrmáɪnts] 마인츠 선제후국. **~mantel** *m.* 선제후의 외투. **~mark** *f.* 변경 선제후국 브란덴부르크의 중심지. **~märker** *m.* 브란덴부르크인. **≈märkisch** *a.* 브란덴부르크(인)의. **~methode** *f.*〖醫〗치료법. **~mittel** *n.* 요양 방법〔수단〕(온천·마사지 따위). **~-mittel·haus** *n.* 요양 건물(온천장·마사지 하우스 등). **~orchester** *n.* 요양객을 위한 오케스트라. **~ort** *m.* 휴양〔요양〕지, 온천장. **~park** *m.* 휴양지의 공원. **~pfalz** [kuːr-pfálts] 팔츠 선제후국. **~pfälzer** [kuːr-pfɛ́ltsər] *m.* 팔츠인. **≈pfälzisch** [kuːr-pfɛ́ltsɪʃ] *a.* 팔츠 선제후국의. **~pfuschen** (*p.p.* gekurpfuscht) 《<Kur¹》 *i.* (h.) 〖폄어〗 무면허로 의사 노릇을 하다. **~pfuscher** *m.* 〖폄어〗 돌팔이〔무면허〕 의사. **~pfuscherei** *f.* 무면허〔엉터리〕 치료. **~pfuscherin** *f.* ↑ ~pfuscher 의 여성형. **~pfuschertum** *n.* 무면허 의사의 면모·특징. **~prinz** *m.* 선제후의 태자. **≈prinzlich** *a.* ↑ ~prinz 의 형용사형. **~promenade** *f.* 요양지〔휴양지〕의 산책(로).
Kurre¹ [kʊ́rə] *f.* -n〖漁〗저인망.
Kurre² 《<kurren》 *f.* -n 꾹꾹 우는 동물; 칠면조.
kurren [kʊ́rən] 《ndd.; 의성어》 *i.* (h.) / *t.* ① (비둘기 따위가) 꾹꾹 울다; 으르릉거리다; 투덜거리다. ② (저인망으로) 물고기를 잡다.
Kurrendaner 《lat.》 *m.* -s, - 학생 합창단원.
Kurrende [kurɛ́ndə] 《lat.》 *f.* -n ① (집집마다 찾아다니며 찬송가를 부르고 회사를 청하는) 학생 합창단. ② 회람장.
Kurrende·schüler *m.* 학생 합창단원.
kurrent [kurɛ́nt] 《lat. currēns》 *a.* ① 달리는. ② 통용〔유통〕되는. ③ (öst.) 독일어 고딕체의.
Kurrent·schrift *f.* 흘림 글씨, 초서(草書); (öst.) 독일어 필기체.
kurrig [kʊ́rɪç] 《<kurren》 *a.* 〖구식·방언〗 ① 원기〔생기〕 있는; (발칵) 성을 잘내는; 싸우기 좋아하는. ② 진묘〔진기〕한; 변덕스러운. ③ 불평하는, 기분이 좋지 않은.
Kurrikulum [kuríːkulum] *n.* -s, ..la (Curriculum) 커리큘럼, 교과 과정.
***Kurs** [kurs] 《lat.》 *m.* -es, -e ① 코스, 방향, 진로; 〖海〗 침로(針路), 항로; 〖철도〗 열차 시간과 노선: die Politik nahm einen neuen ~ 정치는 새로운 방침〔노선〕을 따랐다; den ~ ändern〔wechseln〕 진로를〔항로를〕 바꾸다; einen falschen ~ einschlagen〔steuern〕 항로를 잘못 잡다. ② 〖商〗 유통, 통용; (증권·외환의) 시세, 시가: die ~e sind gefallen 시세가 떨어졌다; et. in ~ setzen 무엇을 유통시키다; im ~e stehen 유통되고 있다; et. außer ~ setzen 무엇의 유통을 정지시키다; außer ~ geraten〔kommen〕 유통하지 않게 되다, 인기가 떨어지다; 〖비유〗 bei jm. hoch im ~e stehen 〔in hohem ~e bei jm. stehen〕 누구의 신망을 얻고 있다. ③ 과정, 강좌, 강습; 수강생 전체: Intensiv≈ 집중 강좌; Sprach≈ 어학 강좌; Koch≈ 요리 강습; heute war nur die Hälfte des ~es anwesend 오늘은 수강생의 절반만이 출석했다. ④〖스포츠〗 경주 코스〔거리〕.
Kur·saal *m.* 요양소의 휴게실.
Kurs≈abschlag *m.* 〖商〗 시세 하락(Deport). **~abweichung** *f.* 진로〔코스〕 이탈. **~änderung** *f.* 〖海〗 항로 변경. **~anstieg** *m.* 〖증권〗 주가〔환율〕 상승.
Kursant [kurzánt] *m.* -en, -en 〖구동독〗 (특히) 수강생.
Kurs≈aufschlag *m.* 〖증권〗 시세 인상(Report ②). **~bericht** *m.* 〖商〗 시세 보고; 시세표. **~blatt** *n.* 시세표. **~buch** *n.* ① 〖철도〗 열차 시간표. ② 〖우편〗 우체국의 편람. ③ 교과서.
Kürsch [kʏrʃ] *n.* -(e)s 〖紋〗 문장(紋章)의 모피 장식〔부분〕.
Kur≈schatten *m.* 〖비유·구어·농담〗 요양소〔휴양지〕에서 사귄 애인. **~schmied** *m.* 수의(獸醫)를 겸한 제철공.
Kürschner¹ [kʏ́rʃnər] ① *m.* Joseph ~ 퀴르슈너(독일의 저술가, 1853-1902). ② *m.* -s, - 참고서; 편람.
Kürschner² *m.* -s, - 모피 가공공〔재봉사〕.
Kürschner·arbeit *f.* 모피 제품.
Kürschnerei *f.* -en ① 모피 가공업. ② 모피 공장.
Kürschnerin *f.* -nen ↑ Kürschner² 의 여성형.
Kürschner·ware *f.* 모피 제품〔상품〕.
Kurs·differenz 《lat.》 *f.* 〖商〗 시세 차액.
Kurse [kʊ́rzə] ↑ Kurs, Kursus 의 복수.
Kurs≈einbuße *f.* 〖증권〗 주가〔시세〕 하락. **≈fähig** *a.* 〖商〗 유통〔통용〕되는. **~gewinn** *m.* 〖증권〗 시세 차익.
kursieren *i.* (h.) ① (화폐가) 통용되고 있다, 유통하다. ② (소문이) 퍼져 있다: 〖비유〗 über ihn ~ böse Gerüchte 그 사람에 관해 나쁜 소문이 파다하다.
Kursist *m.* -en, -en 〖구동독〗 수강생.
kursiv [..zíːf] *a.* 〖印〗 이탤릭체의, 사체(斜體)의.
Kursiv·durck *m.* 이탤릭체 인쇄.
Kursive [..və] *f.* -n 〖印〗 이탤릭체, 사체.
Kursiv·schrift *f.* 〖印〗 ↑ Kursive.
Kurs≈korrektur *f.* 진로〔정책〕 수정. **~notierung** *f.* 〖商〗 시세 기록.
kursorisch [kurzóːrɪʃ] *a.* ① 연속적인, 끊임없는. ② 대충하는, 피상적인: ~e Lektüre 대강 훑어 읽기.
Kurs≈rückgang *m.* 〖증권〗 시세〔주가〕 하락. **~schwankung** *f.* 〖商〗 시세〔주가〕의 동요. **~stand** *m.* 환(換)시세. **~steigerung** *f.* 시세〔주가〕 상승. **~sturz** *m.* 시세 폭락. **~system** *n.* 〖교육〗 과목별 수업 방식. **~treiber** *m.* 시세를 혼란시키는 (시장) 교란자.
Kürste [kʏ́rstə] *f.* -n (ndd.) (딱딱한) 빵껍질.
Kursus [kʊ́rzus] 《lat.》 *m.* -, ..se 과정, 강좌, 강습, 수강생 전체(Kurs ③).
Kurs≈verlust *m.* 〖商〗 시세 손실; 환차손.

~wagen *m.* 〖철도〗 직통 열차. **~wechsel** *m.* 코스〔진로〕 변경. **~wert** *m.* 〖商〗 시세, 유통 가치. **~zettel** *m.* 시세표.

Kurtage [..ʒə] *f.* -n (Courtage) (증권 거래 때의) 중개료, 수수료.

Kur·taxe *f.* 요양소〔휴양소〕 체류세.

Kurtine [kurtíːnə] 《frz. courtine》 *f.* -n ① 〖軍〗 (성채의 두 능보(稜堡)를 연결하는) 막벽(幕壁). ② 〖연극·구식〗 (앞 무대와 뒷 무대 사이의) 중간 막.

Kurtisan [kurtizáːn] 《frz.》 *m.* -s, -e (궁정의) 신하; 추종자; 아첨꾼; 정부(情夫).

Kurtisane *f.* -n ① (옛날의) 궁녀. ② 제후의 정부(情婦).

Kur≈trier 트리어 대주교구(↑ Trier). **≈-trierisch** *a.* 트리어 대주교구의.

Kurtschatovium [kurtʃatóːvium] *n.* -s 〖化〗 초우라늄 원소(기호: Ku).

Kür≈turnen *n.* 체조의 자유 종목. **~übung** *f.* (피겨 스케이팅 따위의) 자유 종목 연기.

kurulisch [kurúːlɪʃ] 《lat.》 *a.* 옛 로마 집정관의: ~er Stuhl 옛 로마 집정관의 직위.

Kurus [kurúʃ] *m.* -, - 쿠루시(터키의 화폐 단위; 100분의 1 리라).

Kurvatur [kurvatúːr] *f.* -en ① 〖건축〗 그리스 신전의 완만한 굴곡부. ② 〖해부〗 위(胃)의 굴곡부, 만곡부.

***Kurve** [kúrvə, ..fə] 《lat. curvus》 *f.* -n ① 〖數〗 곡선; 호선(弧線). ② 만곡, 굴곡; 호(弧). ③ 도로의 만곡부, 커브: Achtung ~! 커브길 주의!; 〔비유〕 du hast die ~ noch nicht (he)raus〔weg〕 너는 아직 그 요령을 터득하지 못하고 있다; 〖구어〗 die ~ kratzen 재빨리 몰래 빠져나가다; 〖구어〗 die ~ kriegen 〔bekommen, schaffen〕 (계획한 일을) 이루어내다, 해내다, 달성하다. ④ 탄도 (곡선) (ballistische ~). ⑤ 여성의 곡선미, 풍만한 몸매.

kurven 《I》 *i.* (h.) 굽다, 커브를 그리다, 커브를 그리며 움직이다〔나아가다〕; 〖空〗 선회하다; 〖구어〗 목적 없이 이리저리 돌아다니다; 무엇에 골몰하다: er kurvt schon eine ganze Weile darüber 그는 벌써 오랫동안 그것에 대해 골몰하고 있다. 《II》 *refl.* sich ~ 굽다, 휘다.

Kurven≈diskussion *f.* 〖數〗 미분을 이용한 곡선 분석. **~förmig** *a.* 곡선 모양의. **≈-lineal** *n.* ① 〖海〗 (용골의) 쐐기. ② 〖工〗 곡선자, 운형(雲形)자. **~messer** *m.* 곡선계; 측도기. **≈reich** *a.* ① 곡선이 많은. ② 〖구어〗 (몸매가) 풍만한. **~schar** *f.* 〖數〗 매개 변수로만 구별되는 곡선의 집합. **~technik** *f.* 곡선 주행〔비행〕 기술. **~vorgabe** *f.* 〖육상〗 트랙의 바깥쪽 주로를 달리는 선수의 핸디캡을 보상해 주기 위해 미리 주는 거리.

Kur·verwaltung *f.* 휴양지 관리 사무소.

kurvig *a.* 곡선의, 구부러진.

Kurvi·meter *n.* -s 〖數·제도〗 곡선계.

kurvisch [kúrvɪʃ] 《lat.》 *a.* 곡선상의.

Kür·wille *m.* 〖哲·사회〗 자의(恣意) 의지.

Kur·würde *f.* 선제후의 직위〔지위〕.

***kurz** [kurts] (kürzer [kýrtsər], kürzest) 《lat. curtus》 *a.* ① 〖공간적〗 짧은, 가까운, (키가) 작은: 〖스포츠〗 ~e Strecke 단거리; 〖物·방송〗 ~e Welle 단파; ~ von Gedanken sein 단견이다; 〖속담〗 langes Harr, ~er Verstand 긴 머리털(여자를 말함)에 짧은 소견; 〖전기·속어〗 einen ≈en machen 단락을 일으키다; 합선되다. ② 〖시간적〗 짧은, 단시간의; (표현 따위가) 간단〔간결〕한; 갑작스런, 느닷없는; 날렵한: 〖醫〗 ~er Atem a) 호흡 촉박, b) 천식; einen ~en Atem haben a) 가쁜 숨을 쉬다, b) 지구력이 없다; ein ~es Gedächtnis haben 기억력이 나쁘다; ~e See 거친 파도가 느닷없이 이는 바다; 〖商〗 ~er Wechsel 〔Wechsel auf ~e Sicht〕 단기 일람불 환어음; ~er Inhalt 개요; 〖요리〗 ~e Brühe (바짝 조린) 진한 수프; eine ~e Weile 잠시; das hat ~ gedauert 그것은 곧 끝났다; er warf ihr einen ~en Blick zu 그는 그녀를 흘낏 쳐다보았다. ③ 〖동사와 함께〗 jn. ~ abfertigen 누구를 무뚝뚝하게 대하다; ~ abweisen (간단히) 거절하다; 〖요리〗 ~ einkochen 끓여서 졸이다; ~ arbeiten 단시간 노동하다; sich ~ entschließen 즉시 결심하다; sich ~ fassen (용건만) 간단히 말하다; jn. ~ halten a) 누구를 속박하다, b) 누구에게 돈을 넉넉하지 않게 주다; ein Pferd ~ halten 말의 고삐를 바짝 죄다; zu ~ kommen (다른 사람보다) 손해보다, 불리하게 되다; etwas kommt zu ~ 무엇이 소홀히 다루어지다, 무시〔경시〕되다; es ~ machen 빨리 본론으로 들어가다, 무엇을 곧 끝내다; um es ~ zu machen〔sagen〕 대충〔간단히〕 말하면, 요컨대; et. kürzer machen 무엇을 좀더 줄이다; 〖전기〗 ~ schließen 단락(短絡)하다, 합선되다; 〖구어〗 ~ treten a) 천천히 일하다〔움직이다〕, b) 신중하다; 〖농담〗 jn. um einen Kopf kürzer machen 누구의 목을 베다; ~en Prozeß mit jm.〔et.[3]〕 machen 누구를〔무엇을〕 손쉽게〔단호하게〕 처리하다; alles ~ und klein schlagen (화가 나서) 모든 것을 거칠게 부숴 버리다; den kürzer(e)n (Halm) ziehen 나쁜 제비를 뽑다, 손해를 보다, (전투 따위에서) 지다; ihr wird die Schürze zu ~ 그 여자는 임신했다; ~ angebunden sein 쌀쌀맞다, 무뚝뚝하다; ~ gefaßt sein 간단〔간결〕하다. ④ 〖전치사와 함께〗 **binnen** ~em 머지않아; **in** ~em 〔in ~er Zeit〕 얼마 안 되어, 곧 이어; **nach** ~em 조금 후에, 수일 뒤에; **seit** ~em 근래, 요즈음; über ~ oder lang 조만간, 여하간; **vor** ~em 조금 전에, 요새. ⑤ 〖기타의 부사적 용법〗 ~ und gut 〔~ und klein〕 간단히 말하자면, 요컨대; ~ und bündig〔knapp〕 간단 명료하게; ~ und klar 간단 명료하게; ~ und schmerzlos 야단법석을 떨지 않고 간단히, 번거롭지 않게; ~ nachher〔darauf〕 그 후 얼마 안 되어, 곧 이어; ~ vorher 조금 전에; des kürzer(e)n 간단히; aufs 〔auf das〕 kürzeste 극도로 빨리.

kurz≈ab [kúrts|áp] *adv.* 즉시, 갑자기, 느닷없이, 가차없이, 냉혹하게.

Kurz≈arbeit *f.* 〖法·經〗 단축 노동, 조업 단축. **≈arbeiten** *i.* (h.) 단축 작업을 하다. **~arbeiter** *m.* 조업 단축에 참여하고 있는 노동자. **≈ärmelig** *a.* 소매가 짧은. **≈armig** *a.* 팔이 짧은. **≈ärmlig** *a.* ↑ ~ärmelig. **≈-atmig** *a.* 〖醫〗 숨이 가쁜; 천식의: 〖비유〗 eine ~e Lokomotive 속도를 내며 달리는 기관차. **~atmigkeit** *f.* 호흡 촉박; 천식. **≈-beinig** *a.* 다리가 짧은. **~bericht** *m.* 짧은 보고, (신문의) 단신. **~biographie** *f.* 간단

한 약력〔전기〕. ~**dauernd** *p.a.* 잠시의, 단시간의, 단기의.

Kurze* *die* (bayr.) 가죽 반바지.

***Kürze** [kýrtsə] 《<kurz》 *f.* ① 짧음; 단거리; 가까움. ② 단시간: in (der) ~ 얼마 안 되어, 머지않아, 곧. ③ 간결, 간략: et. in aller ~ erzählen 무엇을 극히 간결하게〔대충〕 말하다; 〖속담〗 ~ ist des Witzes Seele 간결은 위트의 생명이다; 〖속담〗 in der ~ liegt die Würze (말은) 간결할수록 좋다. ④ 〖문학〗 단음절.

Kur·zeit *f.* ① 요양〔휴양〕 계절. ② 요양〔휴양〕 기간.

Kürzel [kýrtsəl] *n.* -s, - (속기에서) 하나의 기호로 표현된 말, 생략 부호.

kürzen [kýrtsən] 《<kurz》 *t.* ① 짧게 하다; (논문·연설을) 간단히 하다; 생략하다; 요약하다: Wörter ~ (속기에서 말을) 기호로 간단히 기록하다. ② (머리털 따위를) 잘라 줄이다, 치다. ③ 감소시키다, 단축하다: jm. et. ~ 〔jn. um et. ~〕 누구에게서 무엇을 빼앗다; jm. das Gehalt ~ 누구의 급료를 감봉하다. ④ jm. die Zeit ~ 누구를 심심하지 않게 하다, 누구를 즐겁게 하다. ⑤ 〖數〗 einen Bruch ~ 분수를 약분하다.

kurzer·hand [kúrtsərhánt, kúr..hant, kur..hánt] *adv.* 손쉽게, 재빨리, 지체없이, 즉석에서: eine Bitte ~ ablehnen 부탁을 즉각 거절하다.

kürzer·treten *i.* (s.) 자제〔절제·절약〕하다.

Kurz=fassung [kúrtsfasuŋ] *f.* (텍스트의) 요약. ~**film** *m.* 단편 영화. ~**flügelig** *a.* 〖動〗 날개가 짧은. ~**flügler** *pl.* 〖動〗 단익류(短翼類); 주금류(走禽類). ~**flüglig** *a.* ↑ ~flügelig. ~**fristig** *a.* 단기의; 즉시의; 뜻밖의, 갑작스런, 돌연한. ~**füßig** *a.* 발이 짧은. ~**gebraten** *a.* 약간 구운. ~**gefaßt** *p.a.* 간명〔간결〕한. ~**geschichte** *f.* 〖문학〗 짧은 이야기(Short story). ~**geschnitten** *a.* 짧게 자른. ~**geschoren** *p.a.* ① 짧게〔박박〕 깎은 (머리). ② (천 따위가) 괴깔이 짧은. ~**geschürzt** *p.a.* 옷자락이 짧은; 소매를 걷어 올린. ~**geschwänzt** *p.a.* 꼬리가 짧은. ~**haarig** *a.* 털〔머리칼〕이 짧은, 짧은 털을 가진. ~**halsig** *a.* 목이 짧은. ~|**halten*** *t.* ① 속박〔제한·통제〕하다. ② 돈〔음식〕을 빠듯하게 주다: sie hält ihren Mann kurz, damit er nicht noch dicker wird 그녀는 남편이 살이 더 찌지 않도록 식사량을 제한한다. ~**hin** [kúrtshín] *adv.* 대뜸, 즉석에서, 갑자기, 느닷없이, 부수적으로, 덧붙여서. ~**hörnig** *a.* 뿔이 짧은. ~**köpfig** *a.* 〖해부〗 단두(短頭)의; 〖비유〗 성급〔조급〕한, 격하기 쉬운. ~**laufend** *p.a.* 단기의. ~**lebend** *p.a.* ↑ ~lebig. ~**lebig** *a.* 단명의; 지속성이 없는, 일시적인. ~**lebigkeit** *f.* ↑ ~lebig 의 명사형. ~**leibig** *a.* 몸통이 짧은, 단신(短身)의.

kürzlich [kýrtslɪç] *adv.* 요사이, 최근.

Kurz=meldung *f.* 단신(短信), 속보(速報). ~**nachricht** *f.* ↑ ~meldung. ~**ohrig** *a.* 귀가 짧은. ~**parker** *m.* 단시간 주차자. ~**paß** *m.* 〖스포츠〗 짧은〔쇼트〕 패스. ~**programm** *n.* 〖피겨스케이팅〗 규정 종목. *~|**schließen*** *t.* 〖전기〗 단락(短絡)하다: ein Auto ~ 시동키 없이 전선을 연결하여 시동을 걸다. ~**schluß** *m.* 〖전기〗 단락(短絡), 합선: 〖비유〗 ~ haben 〔an ~ leiden〕 참을 수가 없다, 못 견디다.

Kurzschluß=handlung *f.* 발작적인 행동. ~**reaktion** *f.* ↑ ~handlung.

kurz=schnäbelig *a.* 〖動〗 부리가 짧은. ~**schnäblig** *a.* ↑ ~schnäbelig. ~**schreibe·kunst** *f.* 속기술. ~**schreiber** *m.* 속기사. ~**schrift** *f.* 속기(술). ~**schriftler** *m.* 속기사. ~**schriftlich** *a.* 속기(술)의. ~**schwanz** *m.* 〖動〗 단미류(短尾類). ~**sichtig** *a.* ① (↔ weitsichtig) 근시(안)의; 〖비유〗 앞을 내다보지 못하는. ② 〖商〗 ~er Wechsel 단기 (일람불) 어음. ~**sichtigkeit** *f.* (↔ Weitsichtigkeit) 근시(안); 〖비유〗 좁은 소견. ~**silbig** *a.* 〖언어〗 단음절의; 〖비유〗 말이 적은. ~**stämmig** *a.* 줄기가 짧은. ~**stielig** *a.* 〖植〗 줄기〔꽃자루〕가 짧은; 손잡이가 짧은. ~**strecke** *f.* 근거리; 〖스포츠〗 단거리.

Kurzstrecken=fahrer *m.* (자전거 따위의) 단거리 경주자. ~**lauf** *m.* 단거리 경주. ~**läufer** *m.* 단거리 선수. ~**läuferin** *f.* ↑ ~läufer 의 여성형. ~**rakete** *f.* 〖軍〗 단거리 미사일.

Kurz=streckler *m.* ↑ ~streckenläufer. ~**stunde** *f.* 단축 수업. ~**tag·pflanze** *f.* 〖植〗 단일(短日) 식물. ~|**treten*** *i.* (h.) ① 짧은 보폭으로 행진하다. ② 신중하게 처신하다, 절제하다.

kurz·um [(또는) kúrts|úm] *adv.* 요약하면, 요컨대.

Kürzung [kýrtsuŋ] *f.* -en ① 짧게 하기, 줄이기, 단축, 축소, 요약; 생략; 삭감. ② 〖數〗 약분. ③ 〖영화〗 커트.

Kürzungs·zeichen *n.* 〖문법〗 생략 부호.

Kurz=waren *pl.* ① 재봉용품, 방물. ② 철물. ~**waren·händler** *m.* ① 재봉용품 상인. ② 철물상. ~**waren·handlung** *f.* 재봉용품 가게〔장사〕. ~**weg** [kurtsvέk, kúrtsvέk] *adv.* 재빨리, 손쉽게, 아무렇게나, 느닷없이, 즉각. ~**weil** *f.* 〔구식〕 심심풀이, 오락; 농담, 장난: ~ treiben 심심풀이로 하다, 장난〔농담〕하다; et. nur zur 〔aus〕 ~ machen 단순히 시간을 때우기 위해 무엇을 하다. ~**weilen** 《I》 *i.* (h.) 심심풀이로 하다. 《II》 *refl.* sich ~ 즐기다, 기뻐하다. ~**weilig** *a.* 심심풀이가〔위안이〕 되는; 재미있는, 우스운; 잠깐 계속되는, 잠시의. ~**welle** *f.* 〖전기·방송〗 단파.

Kurzwellen·antenne *f.* 〖전기·방송〗 단파 안테나. ~**behandlung** *f.* ↑ ~therapie. ~**empfänger** *m.* 단파 수신기. ~**sender** *m.* 단파 송신기〔방송국〕. ~**therapie** *f.* 〖醫〗 단파 요법.

kurz=wellig *a.* 〖物〗 단파의. ~**wort** *n.* ① 약칭. ② (전신의) 약어, 암호. ~**zeit·gedächtnis** *n.* 〖心〗 단기 기억력. ~**zeitig** *a.* 단기의. ~**zeit·messer** *m.* 스톱워치. ~**zeit·wecker** *m.* (요리·사진 작업에 쓰이는) 자명종.

kusch [kuʃ] 《frz.》 《I》 *int.* 엎드려, 조용히 해 (개에 대한 명령); 〖비속〗 (öst.) 조용히 해, 입 닥쳐. 《II》 *adv.* 〖비속〗 jn. ~ halten 누구를 뜻대로 하다.

Kuschel [kúʃəl] *f.* -n (ndd.) 키가 작은 소나무.

kuschelig *a.* 보들보들한, 포근한.

kuscheln [kúʃəln] *t.*/(ndd.) *refl.* sich an〔in〕 jn.〔et.〕 ~ 누구에게〔무엇에〕 몸을 부비다, 밀

착하다: 〔비유〕 die Häuser im Dorf kuschelten sich in den Sonnenschein 마을 안의 집들이 햇빛에 잠겨 있었다.

Kuschel·tier *n.* (보드라운 천으로 만든) 봉제 동물 장난감.

kuschen [kʊ́ʃən] 《frz. coucher》 *i.* (h.) / *refl.* (sich) ~ (개가) 엎드리다, 조용히 하다; 순종하다; 비굴하게 처신하다: zu Hause muß er (sich) ~ 집에서 그는 얌전히 굴어야만 한다; kusch dich! 엎드려! (개에게).

kuschlig *a.* ↑ kuschelig.

Kusel *f.* -n 솔방울.

Kusinchen *n.* -s, - ↑ Kusine의 축소형.

Kusine [kuzíːnə] *f.* -n 사촌 자매(Cousine).

Kuskus[1] [kʊ́skʊs] *m./n.* -, - 〖요리〗 쿠스쿠스(밀·기장·보리·양고기·야채·콩으로 만든 북아프리카 요리의 일종).

Kuskus[2] *m.* -, - 〖動〗 쿠스쿠스(코알라와 가까운 유대류(有袋類)의 일종).

***Kuß** [kʊs] *m.* Kusses, Küsse [kʏ́sə] 키스, 입맞춤: er drückte einen ehrfurchtsvollen ~ auf ihre Hand 그는 공손히 그 여자의 손에 입을 맞추었다; jm. einen ~ geben 누구에게 키스를 하다; 〔雅語·농담〕 er raubte ihr einen ~ 그는 그녀에게 강제로 키스했다.

Kuss 新정서 ⇦ Kuß.

kuss.. 新정서 ⇦ kuß...

küss.. 新정서 ⇦ küß...

Küßchen [kʏ́sçən] *n.* -s, - 〔↑ Kuß의 축소형〕 가볍게 하는 키스, (귀여워서 살짝 하는) 뽀뽀: ein ~ in Ehren kann niemand verwehren 존경의 표시인 가벼운 키스는 아무도 거절하지 못한다.

kuß·echt *a.* (루즈) 색이 묻어나지 않는.

Kussel [kʊ́səl] *f.* -n (ndd.) ① ↑ Kuschel. ② 〖軍〗 낮은 덤불.

***küssen** [kʏ́sən] *t.* ① 키스하다, 입맞추다: er küßte ihren Mund 〔ihr den Mund, sie auf ihren Mund〕 그는 그 여자의 입에 키스했다; dem Papst den Ring ~ 교황의 반지에 입을 맞추다; jn. aus dem Schlaf ~ 〔jn. wach ~〕 누구를 입맞추어 잠에서 깨우다; jm. die Tränen von den Wangen ~ 누구의 눈물을 키스로 씻어내다; jm. den Kummer aus dem Herzen ~ 키스하여 누구의 슬픔을 가시게 하다; die Erde ~ 땅에 넘어지다; jn. die Erde ~ lassen 누구를 동댕이쳐 쓰러뜨리다; zum ∼ schön 키스하고 싶을 만큼 아름다운; 〔비유·구어〕 dafür müßte〔sollte〕 man ihr die Füße ~ 그녀에게 크게 감사해야만 한다. ② 〔비유〕 (바람·물결이) 가볍게 스치다, 어루만지다.

Küsserei *f.* -en 마구 입맞추기, 퍼붓는 키스.

küsserig *a.* 〔구어·농담〕 ① 입맞춤을 좋아하는. ② 입맞추고 싶은(마음을 일으키게 하는).

kuß=fest *a.* ↑ ~echt. **∼hand** *f.* 손을 입에 대었다가 보내는 키스: jm. eine ~ zuwerfen 누구에게 키스를 보내다; 〔비유·구어〕 jn.〔et.〕 mit ~ nehmen 누구를〔무엇을〕 흔쾌히 받아들이다. **∼händchen** *n.* 어린아이나 소녀가 손을 입에 대었다가 보내는 키스.

küßrig *a.* ↑ küsserig.

Küßlein *n.* -s, - ↑ Küßchen.

***Küste** [kʏ́stə] 《lat.》 *f.* -n 해안, 연안, 해안 지방: an der ~ entlangfahren〔hinfahren〕 연안을 항행하다.

Küsten=aufnahme [kʏ́stən..] *f.* 〖측량〗 연해 측량. **~batterie** *f.* 〖軍〗 해안 포대. **~befestigung** *f.* 〖軍〗 해안 방어 공사, 해안 축성. **~befeuerung** *f.* 등화〔등대〕 따위에 의한 해안 표지. **~beleuchtung** *f.* ↑ ~befeuerung. **~bewohner** *m.* 해안 주민. **~fahrer** *m.* 〖海〗 ① 연해〔근해〕 항행선. ② 연안 항행 선원. **~fahrt** *f.* 연해〔연안〕 항행. **~fischerei** *f.* 연안〔근해〕 어업. **~fluß** *m.* 바다로 흘러드는 강. **~gebirge** *n.* 해안 산악. **~geschütz** *n.* 〖軍〗 해안포. **~geschwader** *n.* 〖軍〗 해안 방위 함대. **~gewässer** *n.* 〖法〗 영해(보통 연안에서 3 해리). **~handel** *m.* 〖商〗 연해 무역〔상업〕. **~land** *n.* 연해 지방, 연해국. **~lotse** *m.* 연안 수로 안내인. **~motorschiff** *n.* 연안 동력선(단축어: Kümo). **~nähe** *f.* 연안 지역, 연근해. **~pilot** *m.* 연해 수로 안내인. **~provinz** *f.* 연해주(沿海州). **~schiff** *n.* 연해 항로선〔항행선〕. **~schiffahrt** *f.* 연해 항행. **~strich** *m.* 연해 지역. **~verteidiger** *m.* 〖軍〗 방위함(艦). **~verteidigung** *f.* 〖軍〗 해안 방위. **~wache** *f.* 해안 경비(대). **~wächter** *m.* 해안 경비병. **~wacht·schiff** *n.* 해안 경비선.

Küster [kʏ́stər] 《lat.》 *m.* -s, - 교회 집사 (Kirchendiener).

Küsterei *f.* -en 교회 관리인의 집.

Kustode[1] [kʊstóːdə] *f.* -n ① 〖출판〗 필사본의 묶음 표시. ② 〖출판〗 고서에서 다음 페이지의 첫 단어를 우측 하단에, 앞 페이지의 마지막 단어를 좌측 상단에 표기하는 것. ③ (한 소절이 끝났음을 알리는) 악보의 꺾쇠 표시.

Kustode[2] *m.* -n, -n ↑ Kustos ①.

Kustos [kʊ́stɔs] 《lat.》 *m.* -, ..toden [..tóːdən] ① 감독자; (도서관의) 사서; (박물관의) 관리자; (학교의) 사무원. ② (a) 참사회 성당의 관리 참사회원; 참사회 수도 성당의 주임 대행 신부. (b) (프란체스코파의) 원장. (c) ↑ Küster. ③ 〖출판〗 ↑ Kustode[1] ②.

Kute [kúːtə] 《ndd.》 *f.* -n 갱, 굴, 구멍.

Kutikula *f.* -s/..lä 〖해부〗 (동·식물의) 각피(角皮).

Kutsch=baum [kʊ́tʃ..] *m.* 마차의 채. **~bock** *m.* 마부석(席).

***Kutsche** [kʊ́tʃə] 《ung. kocsi》 *f.* -n ① (지붕 있는) 마차; 우편 마차(Post∼). ② 〔농담·폄어〕 고물 자동차. ③ 〔방언〕 (판자로 만든) 온상, 온실.

kutschen *i.* (h./s.) ① 〔구식〕 마차를 타고 가다. ② 〔경박〕 차를 타고 어딘가로 떠나다.

Kutschen=bauer, ~fabrikant *m.* 마차 제조인. **~fenster** *n.* 마차의 창. **~gestell** *n.* 마차의 차체. **~himmel** *m.* 마차의 지붕. **~leder** *n.* 마차의 가죽끈. **~schlag** *m.* 마차의 문. **~sitz** *m.* 마차의 좌석. **~tritt** *m.* 마차의 디딤판.

***Kutscher** [kʊ́tʃər] *m.* -s, - ① 마부. ② 〔속어〕 질이 나쁜 신 백포도주. ③ 패가 잘든 카드의 승부, 필승의 도박.

Kutscher=bock *m.* ↑ Kutschbock. **~kneipe** *f.* 주로 마부들이 이용하는 음식점〔주점〕. **~livree** *f.* 마부 제복. **~sitz** *m.* ↑ Kutschbock. **~spiel** *n.* 필승의 도박. **~wein** *m.* ↑ Kutscher ②.

Kutsch=feder *f.* 마차의 스프링. **~fenster** *n.* 마차의 창. **~gestell** *n.* 마차의 차체.

kutschieren [kʊtʃíːrən] 《I》 *i.* ① (h.) 마차를 몰다. ② (s.) 마차[차]를 타고 가다. 《II》 *t.* 마차[차]에 태워 나르다: 〖구어〗 einen Wagen ~ 차를 운전하다; 〖구어〗 (schweiz.) mit jm. läßt sich gut[schlecht] ~ 누구와는 함께 살기[어울리기·일하기] 좋다[나쁘다]; 〖비유〗 direkt ins Verderben ~ 곧장 망할 길로 들어서다.

Kutsch=kasten *m.* ① 마차의 좌석 하단부. ② 마부석 아래의 짐칸. **~pferd** *n.* 마차를 끄는 말, 마차 말.

Kutte [kʊ́tə] 《lat.》 *f.* -n ① (소매와 옷자락이 긴) 두건 달린 수도복; 성직자 (계급): jn. in die ~ stecken 누구를 성직자로 만들다; die ~ anlegen 수도사[성직자]가 되다; aus der ~ springen 환속하다. ② 〖청소년〗 외투.

Kuttel [kʊ́təl] *f.* ① (Kaldaunen) 내장, 오장육부. ② 〖動〗 앵무조개. ③ 〖비속〗 주머니, 자루. ④ 배 (Bauch).

Kuttel=flecke *pl.* (südd., öst.) 내장 요리. **~hof** *m.* 〖구식〗 도살장.

kutten [kʊ́tən] *t.* 〖광산·구식〗 (auslesen) 선별하다, 선광(選鑛)하다.

Kutten=geier *m.* 〖動〗 큰 콘도르속(屬). **~träger** *m.* 〖구식〗 수도사, 수도승.

Kutter [kʊ́tər] *m.* -s, - 〖海〗 커터, (돛대와 노가 있는) 군함에 달린 작은 배; (돛대가 하나인) 작은 범선; (연안 항해용 소형) 동력선.

Küvelage [kyvəláːʒə] *f.* -n 〖광산〗 (갱도의) 방수(防水) 공사.

küvelieren *t.* 〖광산〗 방수(防水) 갱도를 만들다.

Küvelierung 《lat. -frz.》 *f.* -en 〖광산〗 ↑ küvelieren의 명사형.

Kuvert [kuvέrt, ..vέːr] 《frz.》 *n.* -s/-(e)s, -s/-e ① 싸개, 덮개; 봉투; 침대보. ② 한 사람분[한 벌]의 식기.

kuvertieren *t.* ① (편지를) 봉투에 넣다. ② (식탁에) 식기를 늘어놓다.

Kuvertüre [..týːrə] *f.* -n 과자[케이크] 위에 바른 초콜릿.

Küvette [kyvέtə] 《frz.》 *f.* -n ① 〖工〗 회중 시계의 안쪽 뚜껑. ② 작은 통. ③ (지붕 따위에 있는) 배수로, 빗물받이.

kuvrieren [kʊvríːrən] 《lat. -frz.》 *t.* ① 덮다, 싸다. ② 숨기다, 은폐하다.

Kuwait, Kuweit [kúːvaɪt, kuváɪt] 쿠웨이트.

Kuwaiter, Kuweiter *m.* 쿠웨이트인.

kuwaitisch, kuweitisch *a.* 쿠웨이트(사람)의.

Kux [kʊks] 《tschech.》 *m.* -es, -e 〖經〗 광산 주식.

KV[1] =Kartellverband 학생 조합 연합.

KV[2] =Köchelverzeichnis 모차르트 작품 목록.

kV =Kilovolt 킬로볼트.

k.v. =kriegsverwendungsfähig 〖軍〗 현역 복무에 적합한.

kVA [kilovɔlt|ampéːr] =Kilovoltampere 킬로볼트 암페어.

kW =Kilowatt 킬로와트.

Kwaß [kvas] 《russ.》 *m.* -/Kwasses 크바스 (귀리나 과일 따위로 만든 맥주 비슷한 음료).

kWh, kWst =Kilowattstunde 킬로와트시(時) (전력의 단위).

Kyanisation [kyanizatsióːn] *f.* -en 〖목재산업〗 승홍수(昇汞水)를 주입하는 목재 방부법 (영국의 화학자 Kyan이 발명).

kyanisieren 《engl.》 *t.* (목재를) 승홍 용액으로 썩지 않게 하다.

Kyathos [ký:atɔs] *m.* -, - (위에 손잡이가 달린) 고대 그리스의 잔.

Kybele [kýːbele] ↑ Cybele.

Kybernetik *f.* 인공 두뇌학, 사이버네틱스.

Kybernetiker *m.* -s, - 인공 두뇌학자.

Kybernetikerin *f.* -nen ↑ Kybernetiker의 여성형.

kybernetisch *a.* 인공 두뇌학의[에 기초한].

Kykliker [kýːklikər] *m.* -s, - ↑ Zykliker.

Kyklop *m.* -en, -en 〖그리스신화〗 ↑ Zyklop.

Kyma [kýːma] 《gr.》 *n.* -s, -s ↑ Kymation.

Kymation [kymáːtiɔn] *n.* -s, -s/..tien [..tiən] 〖건축〗 (그리스 건축물·가구의) 꽃잎 모양의 장식.

Kymogramm *n.* -s, -e 〖醫〗 (장기의) 동태(動態) 기록 엑스선 사진.

Kymograph *m.* -en, -en 〖醫〗 카이모그래프 (맥박·혈압·호흡의 동태 촬영 기록기).

Kymographie *f.* -n 〖醫〗 (맥박·혈압·호흡의) 동태 촬영 기록; (엑스선에 의한 장기의) 동태 촬영.

kymographieren *t.* 〖醫〗 (엑스선으로 장기를) 동태 촬영하다; (맥박·호흡의) 파동 곡선을 기록하다.

Kymographion *n.* -s, ..phien [..fiən] 카이모그래프, 동태 촬영 기록기.

Kymre [kýmrə] *m.* -n, -n 킴릭족(웨일스 지방에 사는 켈트족).

kymrisch [kým..] *a.* 웨일스 켈트인의, 킴릭어(語)의.

Kymrisch [kým..] *n.* -(s), **Kymrische** [kým..] *das* 킴릭어(語).

Kyniker [kýːnikər] *m.* -s, - (Zyniker) 견유학파(犬儒學派) 철학자, 냉소주의자.

Kynologe [kynolóːgə] *m.* -n, -n 〖사육〗 개 사육사, 개 조련사.

Kynologie [kynologíː] *f.* 개에 관한 학문, 개 사육학.

Kyphose [kyfóːzə] 《gr.》 *f.* -n 〖醫〗 척주 후만(脊柱後彎), 곱사등.

Kyrie [kýːriə] *n.* -, -s ↑ Kyrieeleison의 약칭.

Kyrieeleison [kyːrie|eláɪzɔn], **Kyrieleis** [kyrieláɪs] 《gr., „Herr, erbarme dich"》 〖가톨릭〗 주여, 우리를 불쌍히 여기소서(미사 때 부르는 기도의 말).

kyrillisch [kyrílɪʃ] *a.* 키릴 문자의 (zyrillisch).

KZ [ka(ː)tsέt] =Konzentrationslager (특히 나치스의) 강제 수용소.

KZler, Kzler [ka(ː)tsέtlər] *m.* -s, - 〖구어〗 강제 수용소에 수용된 사람.

L

L, l [ɛl] *n.* -, - 독일어 자모의 열두째 자.
Λ, λ =Lambda (그리스 자모의 11 번째 자).
L ① 로마 숫자의 50. ② =(Marine-)luftschiff 해군 비행선. ③ =Livre (영국의) 파운드화(貨).
l =Liter 리터.
£ =Livre (영국) 파운드화(貨).
L. =Lira 리라(이탈리아의 화폐 단위).
l. ① =lies! 읽어라! (정오표에 있어서 옳음을 표시함). ② =links 왼쪽에; 〖物〗 좌선성의.
LA [ɛlǀá:] =Lastenausgleich 부담 조정.
La [ɛlǀá:], [lantá:n] =Lanthan.
La. =Louisiana.
la [la:, la] *int.* ① 라라…(가사 없이 곡조만 부를 때의 소리). ② 〖다음 표현으로만〗〖구어〗 la la 그저 그런: wie geht es? — so la la 어떻게 지내십니까? — 그저 그렇습니다.
l.a. =lege artis (의술) 규정에 적합한.
Lab [la:p] *n.* -(e)s, -e ① (송아지·양의 위 속의) 응유(凝乳)효소(치즈 제조에 쓰임). ② 송아지 주름위의 내막(內膜). ③ ↑ Labmagen. ④ ↑ Labkraut. ⑤ (schweiz.) 잿물.
Laban [lá:ban] *m.* ① 〖구약〗 라반(야곱의 장인 이름). ② -s, -e 〖구어·농담〗 키가 크고 비쩍 마른 남자, 키다리: ein lauger ~ 말라깽이 키다리.
Labbe [lábə] (⊕ Lippe) *f.* -n 〖방언〗 ① 두껍고 늘어진 입술; 헤벌어진 입술. ② 〖구어〗 입. ③ 갈매기의 일종. ④ 숭어.
labberig [lábərɪç] *a.* 〖구어·폄어〗 ① (음식물이) 묽은, 멀건, 싱거운, 맛없는. ② (재질이) 무른, 힘없는, 부실한, 흐물흐물한.
labbern [lábərn] *t./i.* (h.) ① 쩝쩝〔후루룩〕 거리며 먹다. ② 어리석고 상스러운 말을 지껄이다. ③ (돛이) 축 늘어진 채 펄럭거리다.
labbrig [lábrɪç] *a.* ↑ labberig.
Labdanum [lápdanum] *n.* -s ↑ Ladanum.
Lab·drüse *f.* 〖해부〗 위액 분비선(腺).
Labe [lá:bə] (lat.) *f.* 〖시어〗 (Labsal) 청량 음료; 청량제.
Labe≈becher *m.* 청량 음료 잔. **~flasche** *f.* (자전거 여행용의) 수통. **~kelch** *m.* ↑ ~becher.
Label [lé:bl, leɪbl] (engl.) *n.* -s, -s ① (상품에 붙이는) 스티커, 라벨, 꼬리표. ② **(a)** 음반 상표. **(b)** 음반 회사. ③ 〖컴〗 이름표, 레이블(파일 관리용 꼬리표).
laben[1] [lá:bən] (<Lab) *t.* 〖방언〗 (치즈를 만들기 위해 우유를) 응결〔응고〕시키다.
***laben**[2] (Ⅰ) *t.* ① 〖雅語〗 (음식물을 주어서) 기분을 상쾌하게 하다, 피로를 회복시키다: jn. mit frischem Obst ~ 누구에게 신선한 과일을 주어서 원기를 돋우다. ② 〖방언〗 약속하다, 맹세하다. (Ⅱ) *refl.* sich ~ 즐겁게 먹다〔마시다〕, 즐기다: wir labten uns an Kaffee und Kuchen 우리는 커피와 케이크를 즐겼다; unsere Augen labten sich an der schönen Landschaft 우리는 그 아름다운 경치를 보며 즐겼다.
labend *p.a.* 〖雅語〗 상쾌하게 하는, 원기를 돋우는: ein ~er Trunk 청량 음료.
Laberdan [labərdá:n, ..bɛr..] (ndl.) *m.* -s, -e 소금에 절인 대구; 〖농담〗 와이셔츠의 가슴 부분.
labern [la:bərn] (md.) *i.* (h.) 〖경박·폄어〗 쓸데없는 말을 지껄이다, 쉴새없이 입을 놀리다.
labet [labé:t] (frz.) *a.* ~ sein a) (특히 카드놀이에서) 지다, b) 지치다, 힘이 빠지다, 맥이 풀리다.
Labe≈trank *m.* 〖시어〗 청량 음료. **~trunk** *m.* 〖시어〗 ↑ ~trank.
Lab·ferment *n.* 응유(凝乳) 효소.
labial [labiá:l] (lat.) *a.* 입술의, 입술 모양의; 〖언어〗 입술소리의, 순음(脣音)의.
Labial *m.* -s, -e 〖언어〗 입술소리, 순음(脣音), 입술소리 글자(b, p, m 따위).
Labial·buchstabe *m.*, **Labialis** [labiá:lɪs] *f.* ..les [..le:s] ↑ Labial.
Labial≈laut *m.* 〖언어〗 입술소리(Labial). **~pfeife** *f.* 〖음악〗 (오르간의) 스톱, 음전.
Labiate [labiá:tə] *f.* -n 〖植〗 꿀풀과(科) 식물 (Lippenblütler).
labil [labí:l] (lat.) *a.* (↔ stabil) ① 불안정한, 불확실한, 가변적인: eine ~e Wetterlage 불안정한 기상 상태. ② 병에 감염되기 쉬운, 저항력이 없는. ③ 남의 영향을 잘 받는, 심리적으로 불안정한.
Labilität *f.* -en 불안정성, 불확실성.
Labio≈dental [labiodɛntá:l] (lat.) *m.* **~dental·laut** *m.* 〖언어〗 순치음(脣齒音)(f 또는 w). **~velar** *m.* 순연구개음(脣軟口蓋音)(영어 quiz [kwiz]의 [w]처럼 상하 입술과 연구개를 동시에 움직여 발음하는 음). **~velar·laut** *m.* ↑ ~velar.
Labium [lá:bium] (lat., „Lippe") *n.* -(s), ..bien/..bia ① 입술(Lippe); 〖해부〗 음순(陰脣). ② 〖음악〗 (오르간의) 음전(音栓)의 판(瓣); (관악기의) 입술 대는 부분, 순판(脣瓣). ③ 〖動〗 곤충 주둥이의 아랫입술.
Lab≈kraut *n.* 꼭두서닛과(科)의 식물. **~magen** *m.* 〖動〗 반추 동물의 넷째 위, 주름위, 추위(皺胃).
Labor [labó:r, lá:bɔr] (lat.) *n.* -s, -s/-e ↑ Laboratorium의 약칭: Röntgen≈ 엑스선 촬영실; Sprach≈ 어학 실습실; Foto≈ 사진 현상실.
Laborant (lat.) *m.* -en, -en (실험실의) 연구원, 실험 조수.
Laborantin *f.* -nen ↑ Laborant의 여성형.
Labor·arbeit *f.* 실험실 작업〔연구〕.
***Laboratorium** [laborató:rium] *n.* -s, ..rien [..riən] 실험실, 검사실, 실습실.
Labor≈baby *n.* 시험관 아기. **~befund** *m.* (실험실·검사실에서의) 실험〔분석〕 결과.

laborieren [laborí:rən] *i.* (h.) ①〖드물게〗실험실 일을 하다, 실험실에서 연구하다. ②〖구어〗(**a**) 고생하다: er laboriert schon lange an dieser Krankheit 그는 벌써 오랫동안 이 병으로 고생하고 있다. (**b**) 지칠 대로 지치다.

Labor≠tier *n.* 실험용 동물. **~versuch** *m.* (실험실의) 실험.

La Bostella *f.* - -s 라 보스텔라(라틴 아메리카의 유행 그룹 댄스).

Labour Party [léɪbə pá:tɪ] 《engl.》 *f.* (영국의) 노동당.

Labrador [labradó:r] 《port.》 ① 래브라도(캐나다 동부에 있는 반도). ② *m.* -s, -e〖광물〗래브라도 장석(長石), 소다 석회 장석.

Labrador·hund *m.* 래브라도(캐나다 원산의 사냥개, 경찰견).

Labradorit [..dorí:t, ..dorít] *m.* -s, -e ↑ Labrador ②.

***Labsal** [lá:pza:l] *n.* -(e)s, -e〔(öst., südd.) *f.* -e〕〖雅語〗기분을 상쾌하게 하는 것, 청량제; 위로: diese Stille ist nach dem Lärm der Großstadt ein ~ 대도시의 소음 뒤에 찾아오는 이 고요함은 위로나 마찬가지다.

labsalben [lá:pzalbən, la:pzál..] *t.*〖海〗(쇠사슬·닻 따위에) 역청(瀝青)을 칠하다.

Labskaus 《engl.》 *n.* -〖海〗선원용 스튜 요리.

Labung [lá:buŋ] *f.* -en〖雅語〗① 원기를 회복함, 기분을 상쾌하게 함. ② ↑ Labsal.

Lab·wein *m.* 응유주(凝乳酒).

***Labyrinth** [labyrínt] 《gr.》 *n.* -(e)s, -e ① 미로, 미궁;〖비유〗혼란, 착잡: im ~ seiner Gefühle herum irren 착잡한 감정에서 헤어나지 못하다. ②〖해부〗내이(內耳).

Labyrinth≠fisch *m.*〖動〗아나바스(농어목(目)의 경골 어류). **~flüssigkeit** *f.*〖해부〗미로액(迷路液), 내이액.

labyrinthisch [labyríntɪʃ] *a.* 미로〔미궁〕같은, 뒤엉킨, 풀기 어려운.

Labyrinth≠reflex *m.*〖생리〗미로 반사. **~verfahren** *n.*〖교육〗미로(학습)법. **~wasser** *n.* ↑ ~flüssigkeit.

Lach·anfall *m.* 웃음의 발작.

lachbar[1] [láxba:r] 《<Lache[1]》 *a.* (수지 채취 또는 벌채를 위해) 칼집을 낸; 표지를 한.

lachbar[2] 《<lachen[2]》 *a.* 우스운.

Lach·baum [láx..] *m.* (경계 표시·수지 채취·벌목을 위해) 표를 해둔 나무.

Lach·bruder *m.* 잘 웃는 남자.

Lache[1] [láxə] *f.* -n〖林〗① 나무에 새긴 표지. ② (송진 채취를 위해 나무 줄기에 낸) 홈.

Lache[2] *f.* -n (액체가) 고여 있는 곳; 웅덩이: in einer ~ von Blut liegen 피범벅이〔피투성이가〕되어 누워 있다.

Lache[3] 《<lachen[2]》 *f.* -n〖구어〗웃음(소리); 웃음 버릇: sie hat eine spröde ~ 그녀는 웃음소리가 거칠다.

***lächeln** [lɛ́səln] 《I》 *i.* (h.) ① 미소짓다: er lächelte unter Tränen 그는 눈물을 흘리면서도 미소지었다; höhnisch〔spöttisch〕 ~ 냉소를 짓다; sie hat seine Bitte ~d abgelehnt 그녀는 그의 부탁을 미소로 거절했다;〖비유〗es lächelt der See 호수에 잔 물결이 인다. ② 비웃다: alle Welt lächelte über ihn 온 세상이 그를 비웃었다; darüber kann ich nur ~ 그건 웃기는 일이야. ③〖시어〗jm. ~ 누구에게 호의적이다: das Glück lächelte ihm 행운(의 여신)이 그에게 미소지었다. 《II》 *t.* 미소로 나타내다〔암시하다〕: sie lächelte ihre Einwilligung 그녀는 미소로 동의를 표시했다; sie lächelt ihm Hoffnung ins Herz 그녀의 미소는 그의 마음 속에 희망을 불어넣어 준다.

Lächeln *n.* -s 미소: schmerzliches ~ 쓴웃음;〖구어〗dafür habe ich nur ein müdes ~ übrig 나는 그것에 별 관심이 없어.

lachen[1] [láxən] 《<Lache[1]》 *t.* einen Baum ~ 나무에 표시를 하다, (경계 구분·수지 채취·벌목을 위하여) 나무에 홈을 파다.

***lachen**[2] 《I》 *i.* (h.) ① 웃다: gezwungen ~ 억지로 웃다; schadenfroh ~ (남의 불행을) 고소해하며 웃다; über das ganze Gesicht ~ 만면에 웃음을 띠다; aus vollem Halse 〔voller Brust〕 ~ 목청껏 소리내어〔속이 후련하도록〕 웃다; sich[3] ins Fäustchen 〔in den Bart〕 ~, in sich hinein ~ a) 남몰래 혼자 웃다, b) 회심의 미소를 짓다;〖구어〗beim Chef wirst du nichts zu ~ haben 너 사장님한테 가면 고생 좀 할거야; da gibt es nichts zu ~ 웃을 일이 아니다;〖구어〗der kann ~ 그는 운좋은 녀석이다;〖구어〗du hast gut ~! a) (내 처지가 아니니까) 너는 쉽게 웃을 거야!, b) 너는 웃을 만도 해!;〖구어〗da ~ ja die Hühner! 정말 한심하다!;〖구어〗das wäre ja gelacht, wenn wir das nicht könnten! 우리가 그걸 할 수 없다면 좋겠지! (우리는 그것도 분명히 할 수 있어);〖격언〗wer zuletzt lacht, lacht am besten 최후의 승자가 진짜 승자다. ② 비웃다: über jn.〔et.〕 ~,〖고어〗js. 〔eines Dinges〕 ~ 누구를〔무엇을〕 비웃다, 누구를〔무엇을〕 개의치 않다; alle lachten über diesen Sonderling 모두가 이 별난 사람을 조롱했다;〖고어〗aller Warnungen ~ 어떠한 경고에도 아랑곳하지 않다; darüber kann man nur ~ 그것 참 우스운 일이야; er lachte mir ins Gesicht 그는 나를 맞대놓고〔노골적으로〕 비웃었다. ③〖사물이 주어〗〖시어〗밝은 표정을 보이다, 밝게 빛나다: die Sonne lacht vom Himmel 해가 하늘에서 찬란히 빛나고 있다; ihr lacht die Jugend 그녀는 청춘의 아름다움에 빛나고 있다; ihm lacht das Herz im Leibe 그의 가슴은 기쁨에 들떠 있다: das Glück lacht ihr 행운(의 여신)이 그녀에게 웃어 준다, 그녀는 운이 좋다. 《II》 *t.* ein lautes Gelächter ~ 껄껄 웃다; er lachte mir Beifall 그는 웃으며 내게 갈채를 보냈다; wir lachten Tränen 우리들은 눈물이 날 정도로 웃었다. 《III》 *refl.*〖결과를 나타내는 말과 함께〗sich (halb) krank ~ 배가 아프도록 웃다; sich krumm und bucklig ~, sich[3] einen Buckel〔Ast〕 ~ 몸이 휘어지도록 웃다, 포복절도하다.

***Lachen** *n.* -s 웃음: jn. zum ~ bringen 누구를 웃기다; sich[3] das ~ verbeißen 웃음을 꾹 참다; das ist zum ~ 웃기는 일이다; das ist nicht zum ~ 그것은 웃을 일이 아니다, 매우 심각하다;〖구어〗sie hielten sich[3] den Bauch vor ~ 그들은 배꼽을 쥐고 웃었다;〖구어〗ich konnte nicht mehr vor ~! 나는 웃지 않을 수 없었어!;〖구어〗dir wird das ~ auch noch vergehen! 너도 (당해〔들어〕 보면) 웃지 못할 거야!;〖격언〗bei Kindern steckt ~ und Weinen in einem Sack 아이들은 금방 울었다가도 금방 웃는다; Am vielen ~ erkennt

man den Narren 웃음이 헤프면 바보라는 표시이다; 〔격언〕 ~ ist gesund 〔die beste Medizin〕 웃으면 건강에 좋다〔웃음이 약이다〕.

lachend *p.a.* 웃는: ein ~es Gesicht 웃는 얼굴; der ~e Dritte 어부지리를 얻는 제삼자; 〔구어·농담〕 die ~en Erben (죽은 사람과 가깝지 않으면서도) 재산을 물려받게 된 상속자들.

lachen·erregend *a.* 웃음을 자아내는.

lachens·wert *a.* 웃을 만한, 가소로운.

Lacher *m.* -s, - ① (잘) 웃는 사람: die ~ auf seiner Seite haben (토론·논쟁에서) 사람들을 웃겨 제편으로 만들다. ② 〔구어〕 (개별적인) 웃음, (한 덩어리가 된) 웃음소리: mittenhinein in die Stille platzte ein ~ 정적을 깨고 누군가가 웃음을 터뜨렸다.

Lach·erfolg *m.* (관객에 대한) 웃음 효과, 웃게 만드는 효과.

lacherhaft *a.* 〔드물게〕 웃고 싶은; 잘 웃는.

*__lächerlich__ [lɛ́çərlıç] *a.* 〔평어〕 ① 우스운, 우스꽝스러운, 가소로운; 터무니없는, 바보 같은, 어리석은: was willst du denn mit diesem ~en Hut? 이런 우스꽝스러운 모자를 쓰고서 도대체 뭘 하려고 하니?; jn.〔et.〕 ~ machen 누구를〔무엇을〕 웃음거리로 만들다, 놀려대다; et. ins ∼e ziehen 무엇을 웃음거리로 만들다, 농으로 돌려버리다; sich ~ machen 웃음거리가 되다; diese Behauptung ist einfach ~! 이런 주장은 말도 안 돼!; 〔격언〕 vom Erhabenen zum ∼en ist nur ein Schritt 숭고한 것과 우스꽝스러운 것은 종이 한 장 차이다. ② (a) 미미한, 사소한, 하찮은: der Verdienst war ~ 벌이가 형편없었다; ein ~er Anlaß 사소한 계기. (b) 〔강조어로〕 매우, 아주; ein ~ niedriger Preis 터무니없이 낮은 가격. ③ 〔드물게〕 웃고 싶은: mir ist nicht ~ zumute 나는 웃을 기분이 안 난다.

lächerlicher·weise *adv.* 어리석게도, 가소롭게도; 조롱〔농담〕조로.

Lächerlichkeit *f.* -en ① 우스움, 가소로움: 〔雅語〕 jn. der ~ preisgeben 누구를 조롱감으로 만들다. ② 우스운 일; 사소한 것, 하찮은 것.

lächern [lɛ́çərn] *t.* 〔사물이 주어〕〔드물게〕 웃게 만들다: es lächert mich 나는 웃지 않을 수 없다.

Lachesis [láxezıs] 《gr.》 *f.* 〖그리스신화〗 라케시스(운명의 세 여신 중의 하나; 〖로마신화〗 Parze 에 해당).

Lach·fältchen *n.* (특히 눈 주변에) 웃을 때 생기는 잔주름.

Lach·gas *n.* 〖化〗 소기(笑氣), 웃음 가스(아산화질소의 속칭).

lachhaft *a.* 〔구어〕 우스운, 말도 안 되는.

Lachhaftigkeit *f.* 가소로움.

lachig [láxıç] 《<Lache[2]》 *a.* 웅덩이가 있는.

Lach·krampf *m.* ① 〖醫〗 경련성〔히스테리성〕 웃음. ② 〔구어〕 갑작스러운 웃음.

Lächler [lɛ́çlər] *m.* -s, - 미소짓는 사람.

Lach⸗lust *f.* 웃고 싶은 마음〔충동〕. **∼lustig** *a.* 웃기 잘하는. **~möwe** *f.* 붉은부리갈매기(울음소리가 사람의 웃음소리 같음). **~muskel** *m.* 〖해부〗 소근(笑筋).

*__Lachs__ [laks] *m.* -es, -e ① 〖動〗 연어: geräuchter ~ 훈제 연어; 〖카드·비유〗 einen ~ (im Skat) fangen 이기다. ② 단치히 (Danzig) 산(産) 브랜디. ③ 〔학생〕 입이 큰 여자. ④ 〔비속〕 돈.

Lach·salve *f.* (여러 사람의) 갑작스런 폭소.

lachs·artig [láks..] *a.* 연어 같은.

Lachs⸗brötchen *n.* 훈제 연어를 끼운 작은 빵. **~brut** *f.* (갓이 부화된) 연어의 새끼. **~fang** *m.* 연어잡이. **∼farben** *a.* 훈제한 연어처럼 불그스레한. **∼farbig** *a.* ↑ ∼farben. **~forelle** *f.* 〖動〗 바다 송어. **∼rosa, ∼rot** *a.* ↑ ∼farben. **~schinken** *m.* (살짝 훈제한) 돼지 등심살. **~schnitzel** *pl.* 얇게 저며 붉게 채색한 바다연어 살〔연어 대용품〕.

Lach⸗schwester *f.* 잘 웃는 여자. **~stein** *m.* 〔고어〕 경계석(境界石). **~taube** *f.* ① 〖動〗 산비둘기(울음소리가 사람의 웃음소리 같음). ② 〔비유〕 잘 웃는 여자.

Lachte [láxtə] *f.* -n 〖林〗 Lache[1].

Lachter [láxtər] *f.* -n 〔*n.* -s, -〕 라흐터(독일의 광부들이 쓰던 길이 단위로 약 2 미터).

lacieren [lasí:rən] 《lat.》 *t.* (끈으로) 묶다, 매다.

*__Lack__ [lak] 《ind.》 *m.* -(e)s, -e ① 래커(칠), 니스(칠), 칠: et. mit ~ überziehen 무엇에 래커〔니스〕를 칠하다; 〔비유·구어〕 der ~ ist ab 매력〔신선함〕이 없어졌다, 한물 갔다; 〔비유·구어〕 und fertig ist der ~! 이것으로 일은 모두 끝났다! ② 〖植〗 계란풀(Gold∼). ③ 봉랍(封蠟) (Siegel∼). ④ 〔구어〕 품질이 나쁜 맥주.

Lack⸗affe *m.* 〔구어·평어〕 기생오라비. **~arbeit** *f.* 칠세공(품), 칠공예(품), 칠기. **~arbeiter** *m.* 칠장이. **∼artig** *a.* 래커 같은, 반짝거리는. **~baum** *m.* 〖植〗 옻나무.

Lackel *m.* -s, - (südd., öst) 얼간이, 멍청이.

lacken [lákən] *t.* 〔구어〕 (손톱이나 입술을) 칠하다(lackieren): sich[3] die Fingernägel ~ 손톱에 매니큐어를 칠하다; rotgelackte Nägel 붉은 매니큐어를 칠한 손톱.

Lack⸗farbe *f.* 착색 래커. **~firnis** *m.* 니스. **∼glänzend** *a.* 래커처럼 반질반질한. **~gürtel** *m.* 에나멜 가죽 혁대. **~harz** *n.* (래커 채취용) 수지(樹脂). **~holz** *n.* 칠기용 목재.

Lackier·arbeit *f.* ↑ Lackarbeit.

lackieren [lakí:rən] *t.* ① 래커로 칠하다, 칠하다: einen alten Schrank neu ~ 낡은 장롱에 칠을 다시 하다; sich[3] die Nägel rot ~ 손톱에 붉은 매니큐어를 칠하다. ② 〔구어〕 속이다, 기만하다: die haben uns ganz schön lackiert 그들은 우리를 멋지게 속여 넘겼다; wenn das schiefgeht, bist du der Lackierte! 그 일이 잘못되면 네가 당한 거야! ③ 〔경박〕 jm. eine ~ 누구의 뺨을 한 대 때리다.

Lackierer *m.* -s, - 도장공, 칠장이.

Lackiererei *f.* -en ① 래커칠하는 곳, 칠공장. ② 〔구어·평어〕 짜증나는 (래커)칠 일.

Lackierung *f.* -en ① 래커칠, 칠 일. ② 칠한 표면.

Lackier⸗werkstatt, ~werkstätte *f.* ↑ Lackiererei ①.

Lack·leder *n.* 에나멜 가죽.

lack·meiern [lákmaıərn] 《I》 *t.* 〔대개 과거분사로〕〔구어〕 er ist gelackmeiert 〔der Gelackmeierte〕 그는 속아서 큰 손해를 보았다. 《II》 **gelackmeiert** *p.a.* ↑ gelackmeiert.

Lackmus [lákmus] *n./m.* - 〖化〗 리트머스 (Lackmusflechte 에서 짜낸 청색 색소).

Lạckmus≈flechte *f.* 리트머스 이끼. **~papier** *n.* 〖化〗 리트머스 시험지. **~pflanze** *f.* 〖植〗 대극과(科)의 식물.

Lạck≈pflanze *f.* (물감 채취용) 옻나무의 일종. **~säure** *f.* 〖化〗 래커산(酸). **~schaden** *m.* (자동차의) 칠 손상. **~schildlaus** *f.* 〖動〗 래커 진딧물(배설물을 래커 원료로 씀). **~schuh** *m.* 에나멜 가죽 구두. **~stiefel** *m.* 에나멜 가죽 장화. **~waren** *pl.* 칠그릇.

Lacrimae Christi [lá:krimɛ: krɪsti:] 《lat.》 *pl.* (이탈리아의) 베수비오산(産) 포도주.

lacrimoso [lakrimó:zo] 《it.》〖음악〗 슬프게.

Lacrosse [lakrɔ́s] 《frz.》 *n.* - 라크로스(주로 북아메리카에서 하는 하키 비슷한 구기).

Lactạm *n.* -s, -e 〖化〗 ↑ Laktam.

Ladanum [lá:danum] 《gr.》 *n.* -s 라다눔 (Zitrose 라는 식물에서 뽑아낸 수지(樹脂); 반창고·향료의 원료로 쓰임).

Lädchen [lɛ́:tçən] *n.* -s, - ①〘↑ Laden 의 축소형〙 작은 상점, 구멍가게. ②〘↑ Lade 의 축소형〙 작은 상자〔서랍〕.

***Lade** [lá:də] *f.* -n ①〘고어〙 상자, 궤; 관(棺). ②〘방언〙 서랍(Schub≈). ③ (말의) 송곳니와 어금니 사이의 이가 없는 부분(그곳에 재갈을 물림). ④〖聖〗 언약궤(Bundes≈). ⑤〖방직〗 바디(Web≈). ⑥〖음악〗 바람 상자(Wind≈).

Lạde≈aggregat *n.* 〖전기〗 ↑ ~gerät. **~anlage** *f.* 하역 설비. **~batterie** *f.* 축전지. **~baum** *m.* 〖海〗 데릭, 기중기의 하역용 팔. **~brief** *m.* 〖商〗 선하 증권, 송장; 〖法〗 소환장. **~buch** *n.* 선적 화물 목록. **~bühne** *f.* (트럭·열차의) 화물 적재용 승강판. **~damm** *m.* 부두. **~einrichtung** *f.* (화물선의) 선적 및 하역 시설. **~fähigkeit** *f.* 적재 능력. **~fläche** *f.* (화물 차량의) 적재 면적. **~frist** *f.* 선적 기한. **~gebühren** *pl.*, **~geld** *n.* 하역료. **~gerät** *n.* 〖전기〗 (축전지용) 충전기. **~gewicht** *n.* 최대 적재 중량. **~gut** *n.* 적재 화물. **~hemmung** *f.* (총기의) 장전 장치 고장; (자동) 장전 장애: 〘비유·구어〙 (eine) ~ haben 일시적으로 머리가 둔해지다. **~kette** *f.* 충전기의 사슬. **~kontrollampe** *f.* 배터리 경고등(燈)〔점검등〕. **~kontrolle** *f.*, **~kontrolleuchte** *f.* ↑ ~kontrollampe. **~kran** *m.* 하역용 기중기. **~lehre** *f.* 〖철도〗 화물 적재 규정. **~linie** *f.* 〖海〗 만재(滿載) 흘수선. **~liste** *f.* 선적 화물 목록. **~luke** *f.* 〖海〗 (화물선 갑판의 화물 선적용) 해치. **~maß** *n.* 적하 규정. **~mast** *m.* 〖海〗 배의 기중기 타워. **~meister** *m.* 하역주임.

***Laden** [lá:dən] (⇔ Latte) *m.* -s, Läden/(드물게) - ① 덧문(Fenster≈), 셔터(Rol≈): den ~ zuklappen 덧문을 닫다; den ~ hochziehen 셔터를 올리다. ②〘구어〙 일, 사업: den ~ kennen 그 일을 훤히 알고 있다; der ~ klappt 일이 척척 되어간다; er würde am liebsten den ~ hinschmeißen 그는 그 일을 집어치우는 게 상책일 것이다. ③ 가게, 점포: einen ~ eröffnen 개점〔개업〕하다; den ~ öffnen〔schließen〕 가게를 열다〔닫다〕; den ganzen Tag im ~ stehen 하루 종일 가게 안에서 일하다. ④〖스포츠〗 골문, 골. ⑤〘구어〙 (남자 바지의) 앞타짐(Hosenschlitz).

***lạden**^{*1} (lud, geladen) 《Ⅰ》 *t.* ① (a) (↔ entladen) 싣다, 적재하다, 선적하다: Sand〔Kohlen〕 auf den Lastwagen ~ 모래를〔석탄을〕 트럭에 싣다; Lasten auf Lasttiere ~ 짐을 짐승의 등에 싣다; 〘목적어 없이〙 der Lastwagen hat zu schwer geladen 그 트럭은 너무 많이 적재했다; 〘비유·구어〙 er hat schwer〔ganz schön〕 geladen 그는 몹시 취해 있다. (b)〘드물게〙 (차량·배 따위에) 싣다 (beladen): die Schiffe ~ 배에 화물을 싣다; die Schubkarre mit Steinen ~ 손수레에 돌을 싣다. (c) 내리다, 부리다: die Möbel vom Wagen ~ 차에서 가구를 내리다. ②〘비유〙 (일·책임 따위를) 지우다, 부과하다: eine Sache auf jn. ~ 누구에게 어떤 일을 맡기다; eine Sache auf sich ~ 어떤 일을 맡다, 책임지다; damit lädst du viel Verantwortung auf dich 그렇게 되면 너는 큰 책임을 지게 된다; ein Verbrechen auf sich ~ 범행을 저지르다, 죄를 짓다; js. Haß auf sich ~ 누구의 미움을 사다; eine Feindschaft auf jn. ~ 누구에게 적의를 품다; er war auf mich geladen 그는 내게 화를 내었다. ③ (a) 충전하다, 전하(電荷)를 부과하다: eine Batterie ~ 배터리를 충전하다; 〖物〗 negativ〔positiv〕 geladen sein 음〔양〕전하를 띠고 있다; 〘비유〙 sich^3 den Magen voll ~ 배불리 먹다; 〘비유〙 mit et.^{3} geladen sein 무엇으로 충만해 있다; er ist mit Energie geladen 그는 활력이 넘쳐 흐른다; die Atmosphäre war (mit Spannung) geladen 긴장감이 감돌았다. (b)〖컴〗 불러오다, 띄우다: eine Datei ~ 파일을 띄우다. ④ (a) 장전하다, 총알〔화약〕을 재다: Pulver ins Gewehr ~ 〔ein Gewehr ~〕 총에 장전하다; scharf〔blind〕 ~ 실탄〔공포탄〕을 장전하다; die Pistole ist geladen 그 권총은 장전되어 있다; 〖광산〗 ein Sprengbohrloch ~ 폭파 구멍에 화약을 넣다. (b)〘은어〙 (카메라에) 필름을 넣다. 《Ⅱ》 **gelạden** *p.a.* ↑ geladen.

lạden$^{(*)2}$ (lud/ladete, geladen/geladet) *t.* ① 소환하다(vorladen): 〖法〗 jn. vor Gericht ~ 누구를 법정에 소환하다. ②〘雅語〙 (einladen) 초대하다: jn. zu Tische ~ 누구를 식사에 초대하다.

Lạden≈aufseher *m.* (백화점의) 매장 감독 사원. **~besitzer** *m.* 가게 주인. **~buch** *n.* 가게 장부. **~bursche** *m.* 점원, 사환. **~dieb** *m.* 가게 좀도둑. **~dieberei** *f.* ↑ ~diebstahl. **~diebstahl** *m.* 가게 좀도둑질. **~diener** *m.* 〘고어〙 점원, 판매원. **~einrichtung** *f.* 가게 시설. **~fenster** *n.* 진열창, 쇼 윈도. **~flügel** *m.* 덧문의 날개문짝. **~fräulein** *n.* ↑ ~mädchen. **~gaumer** *m.* (schweiz.) ↑ ~hüter. **~gehilfe** *m.* 점원. **~geschäft** *n.* 소매점. **~hüter** *m.* 잘 안 팔리는 상품. **~inhaber** *m.* 가게 주인. **~junge** *m.* ↑ ~bursche. **~jungfer** *f.* ↑ ~mädchen. **~kasse** *f.* 계산대, 금전 등록기. **~kette** *f.* 체인점, 연쇄점. **~mädchen** *n.* 여점원. **~mamsell** *f.* ↑ ~mädchen. **~miete** *f.* 가게 임대료. **~preis** *m.* 소매 가격. **~schild** *n.* (상점의) 간판. **~schluß** *m.* 폐점. **~schluß·gesetz** *n.* 폐점 시간에 관한 법. **~schluß·zeit** *f.* 폐점 시간. **~schwengel** *m.* 〘폄어〙 수습 남자 점원. **~schwung** *m.* ↑ ~schwengel. **~straße** *f.* 상점가. **~tisch** *m.* 카운터, 판매대. **~tochter** *f.* (schweiz.) ↑

~mädchen.
Lade·platz *m.* 선적〔하역〕장, 부두.
Lader [lá:dər] *m.* -s, - ① 하역 인부. ② 지게차. ③〖工〗(내연 기관의) 공기 압축기.
Lade=rampe *f.* 선적〔하역〕 플랫폼, 선착장. **~raum** *m.* ① 화물 적재실, 화물칸. ②〖軍〗(대포의) 약실(藥室). **~schein** *m.*〖海〗(특히 내륙 수운) 선하 증권, 화물 운송장. **~stock** *m.*〖軍〗(포탄 장전용) 밀대.
lädieren [lɛdí:rən] 《lat.》 *t.* 손상〔파손〕시키다, 상처를 입히다: sich³ das Knie〔sich am Knie〕~ 무릎을 다치다; lädiertes Selbstbewußtsein 상처 입은 자부심〔자존심〕.
Lädierung *f.* -en 손상, 파손.
Ladin [ladí:n] *n.* -s〖언어〗라딘어(레토로만어의 한 방언).
Ladiner 《lat.》 *m.* -s 라딘 사람.
Ladinisch *n.* 라딘어.
ladinisch *a.* 라딘 사람〔어〕의.
Ladinische* *das* ↑ Ladinisch.
Lädlein [lɛ́:t..] *n.* ↑ Lädchen.
Ladner *m.* -s, - 점원.
Ladnerin *f.* -nen ① 세탁·염직 공장의 여공. ② (südd., öst.) ↑ Ladenmädchen.
lädst *t.* ↑ laden의 2인칭 단수 현재형.
lädt *t.* ↑ laden 의 3인칭 단수 현재형.
Lad·stock *m.* ↑ Ladestock.
Ladung[1] [lá:dʊŋ] 《<laden[1]》 *f.* -en ① (화물의) 선적, 적재; (탄약의) 장전, 장약; (전기의) 충전: eine geballte ~ 수류탄. ② 적재물, 화물: die ~ des Schiffes löschen 배의 화물을 풀다〔부리다〕; ein Schiff mit einer ~ Kohle 석탄 적재함(艦). ③〔구어〕상당한 양: eine geballte ~ Vorwürfe bekommen 엄청난 비난을 받다; eine ~ (voll) Schnee ins Gesicht bekommen 얼굴에 눈을 잔뜩 맞다. ④ (발사·폭파에 필요한) 일정량의 탄약〔폭약〕: die ~ zünden 폭약에 불을 붙이다. ⑤〖理〗전하(電荷).
Ladung[2] 《<laden[2]》 *f.* -en〖法〗소환, 소환장: eine gerichtliche ~ erhalten 법원으로부터 소환을 받다.
Ladungs=brief *m.* ①〖法〗소환장. ② ↑ Ladeschein. **~empfänger** *m.* 화물 수취인. **~fähigkeit** *f.* 적재량. **~hafen** *m.* 선적항. **~manifest** *n.*〖海〗선적 목록. **~platz** *m.* 적재장, 선적지. **~schein** *m.* ↑ Ladeschein. **~verzeichnis** *n.* ↑ ~manifest. **~wert** *m.* 선적 화물 가격. **~wolke** *f.*〖物〗전자구름.
Lady [lé:di, léidɪ] 《engl.》 *f.* -s/..dies ① 귀족 부인. ② (귀)부인. ③ (영국에서 상류 귀족의 부인〔딸〕에 대한 존칭으로서) 여사, 영애.
ladylike [léidɪlaɪk] 《engl.》 *a.* 귀부인다운.
läekeben [lɛ́:(e)keben] *t.* (ndd.) 칭찬〔찬양〕하다.
Laertes [laɛ́rtɛs] *m.*〖그리스신화〗라에르테스(오디세이의 아버지).
Lafette [lafɛ́tə] 《frz.》 *f.* -n〖軍〗포가(砲架), 포신의 받침대.
Lafetten=kasten *m.*〖軍〗포가함(函). **~schwanz** *m.* 포가의 다리, 포가의 후미. **~wand** *f.* (포가의) 측판(側板).
lafettieren 《frz.》 *t.*〖軍〗(포를) 포가에 올려놓다.
Laffe[1] [láfə] *m.* -n, -n〔구어·폄어〕멋쟁이.
Laffe[2] *f.* -n ① 숟가락의 머리 (부분). ②〔방언〕주전자의 주둥이 (부분).
laffenhaft, laffen·mäßig *a.* 멋부리는.
LAG [ɛl|a:gé:] = Lastenausgleichsgesetz 부담 조정법.
lag [la:k] ↑ liegen 의 과거형.
***Lage** [lá:gə] 《<liegen》 *f.* -n ① **(a)** 위치, 장소: et. in die richtige ~ bringen 무엇을 제자리로 옮기다; das Haus hat eine sonnige ~ 그 집은 양지바르다; ein Zimmer mit ~ nach der See 바다쪽 방;〖스포츠〗aus jeder ~ schießen 어떠한 위치에서도 슛을 하다. **(b)** 자세, 체위, 놓임새: eine bequeme ~ 편안한 자세; eine waagerechte ~ haben 반듯이 누워 있다. ② 상황, 상태, 정세, 국면: die ~ auf dem Arbeitsmarkt 노동 시장의 상황; die ~ hat sich gebessert〔verschlechtert〕 상황이 개선〔악화〕되었다; die ~ beurteilen〔überblicken〕 상황을 판단〔개괄〕하다;〔구어〕die ~ peilen 상황을 관망하다; in eine schlimme〔schiefe〕 ~ geraten 곤경에 빠지다; jn. in die ~ versetzen, et. zu tun 누구에게 무엇을 할 수 있게 해주다; sich in js. ~ versetzen 누구의 입장이 되어 보다; versetz dich einmal in meine ~! 내 입장이 한번 되어 봐라!; ich bin in der ~, dir zu helfen 나는 너를 도울 수 있다; dazu bin ich nicht in der ~ 나는 그것을 할 수 없다; nach ~ der Dinge 제반 상황으로 미루어 볼 때. ③ (쌓여 있는 물건·물질의) 층, 켜: abwechselnd eine ~ Fleisch und eine ~ Kartoffelscheiben 고기와 얇게 썬 감자를 한 층씩 번갈아 쌓으며. ④〖음악〗**(a)** 음역(音域), 성부(聲部). **(b)** (현악기 연주 때 왼손의) 위치, 포지션. ⑤〖軍〗**(a)** ↑ Lagebesprechung. **(b)** (포병대의) 일련의 포들의 1회 발사; 일제 사격. ⑥ **(a)** 동일한 품질의 포도주를 생산하는 지역(Wein~). **(b)** 위 지역의 포도주. ⑦〔구어〕한 순배: eine ~ Bier spendieren 전원에게 맥주를 한 잔씩 돌리다.
läge [lɛ́:gə] ↑ liegen 의 접속법 Ⅱ식.
Lage=bericht *m.* 상황 보고. **~besprechung** *f.* ① 상황 토의. ②〖軍〗작전 회의.
Lägel [lɛ́:gəl] 《gr.》 *n./m.* -s, - ① (항아리 모양의 포도주 운반용) 나무통. ② 레겔(옛날 스위스의 포도주 계량 단위; 약 50 *l*). ③ 레겔(옛날 오스트리아의 철·곡물 따위의 중량 단위; 약 70 kg).
Lagen=feuer *n.*〖軍〗(한 포대의) 연속 사격. **~schwimmen** *n.*〖스포츠〗개인 혼영. **~staffel** *f.*〖스포츠〗혼계영 시합〔팀〕. **~weise** *adv.* 층을 이루어:〖軍〗~ feuern 계단식 사격을 퍼붓다.
Lage·plan *m.* 위치도.
***Lager** [lá:gər] 《<liegen》 *n.* -s, - ① **(a)** 잠자리, 침상; 병상, 병석:〔雅語〕jm. ein ~ bereiten 누구에게 잠자리를 마련해 주다; die Krankheit warf ihn monatelang aufs ~ 병으로 그는 여러 달 동안 병석에 누워 있었다; ein langes ~ haben 오랫동안 앓다; vom ~ aufstehen 병석에서 일어나다. **(b)**〖사냥〗(동물의) 보금자리, 굴. ② **(a)** 야영지, 숙영지, 수용소: ein ~ aufschlagen〔abschlagen〕 야영지를 만들다〔철거하다〕; Gefangenen~ 포로수용소; Jugend~ 청소년 휴양소; aus dem ~ fliehen 수용소에서 탈출하다. **(b)** 야영, 숙영. ③〔비유〕(정치적·사상적) 진영: das

sozialistische ~ 사회주의 진영; sich in mehrere ~ spalten 몇 개의 당파로 분열되다; er steht in unserm ~ 그는 우리 편이다; ins feindliche ~ übergehen 적군에게 붙다. ④〖복수형이 Läger로도 쓰임; 상인들 사이에서 또는 südd.〗(a) 창고: Waren auf ~ nehmen 상품을 입고하다〔사들이다〕; et. auf 〔am〕 ~ haben 무엇을 비축하고 있다;〖비유·구어〗Witze auf ~ haben 언제든지 유머를 구사할 수 있다. (b) 재고(품): das ~ aufnehmen 재고품을 조사하다; das ~ räumen 물품을 다 팔다. ⑤〖지질〗(석탄·광물의) 층, 광상(鑛床), 광택. ⑥〖건축〗들보받이. ⑦〖기계〗베어링, 축받이. ⑧침전물, 찌꺼기.

Lager≈apfel *m.* 저장 사과; 늦사과. **~aufnahme** *f.* 재고품 조사. **~aufseher** *m.* 휴양소〔야영지〕관리인. **~bestand** *m.* 재고(품). **~bier** *n.* 라거 비어(저장 중 숙성한 저온 발효 맥주). **~bock** *m.*〖기계〗베어링 받침. **~bolzen** *m.* 베어링 볼트. **~buch** *n.* 재고품 대장. **~dienst** *m.*〖軍〗야영 근무. **≈fähig** *a.* 저장 가능한. **≈fest** *a.* ↑ ≈fähig. **~feuer** *n.* 캠프파이어. **~fieber** *n.* 발진티푸스. **~frist** *f.* 보관 기간. **~frucht** *f.* 비·바람으로 땅에 넘어진 곡물. **~gebühr** *f.*, **~geld** *n.* ↑ ~miete. **~genoß** *m.* ①동침자. ②〖軍〗전우. **~gerät** *n.* 야영 도구. **~geschäft** *n.* 창고업. **~halle** *f.* (보세) 창고. **~halter** *m.* 창고업자, 창고 관리인. **~haltung** *f.*〖經〗재고(품) 관리. **~haus** *n.* ↑ ~halle. **~hausgeschäft** *n.* 창고업. **~holz** *n.* 쓰러진 나무에서 얻은 목재. **~hütte** *f.*〖軍〗막사, 병영. **~insasse** *m.* 수용소 수감자.

Lagerist [la:gərɪ́st] *m.* -en, -en 창고 관리인.

Lager≈keller *m.* 지하실 창고. **~koller** *m.* 수감자들의 광포함. **~körper** *m.*〖기계〗베어링 받침. **~kosten** *pl.* 창고료. **~leben** *n.* 야영 생활; 수용소 생활. **~metall** *n.*〖工〗베어링 메탈; 베어링 메탈용 합금. **~miete** *f.* 보관료, 창고료.

***lagern** [lá:gərn] 《<Lager》《Ⅰ》*i.* (h./s.) ① (a) (야외에) 누워 쉬다, 휴식을 취하다: an den Hängen lagerten sonnenhungrige Touristen 햇볕에 주린 관광객들이 비탈에 누워 쉬고 있었다. (b) (동물이) 보금자리에 깃들어〔숨어〕있다:〖비유〗Unmut lagerte auf seiner Stirn 그의 얼굴에는 불쾌한 기색이 감돌았다. ②〖軍〗야영하다, 진을 치다. ③저장〔보관〕되어 있다: das Fleisch lagert in Kühlhäusern 고기가 냉동 창고에 저장되어 있다; es ~ noch große Vorräte 아직 재고〔저장〕품이 많다. ④층을 이루고 있다, 쌓여 있다: schwarze Wolken ~ über der Stadt 먹구름이 도시 상공을 뒤덮고 있다. 《Ⅱ》*t.* ① (편안히) 눕히다, …한 자세가 되게 하다: den Verletzten auf eine Bahre ~ 부상자를 들것에 눕히다; den Kopf hoch ~ 머리를 높게 누이다;〖비유〗dieser Fall ist anders gelagert 이 경우는 사정이 다르다. ② (가축을) 울에 넣다. ③〖軍〗야영시키다, 주둔시키다. ④저장〔보관〕하다, 창고에 넣다: die Kartoffeln im Keller ~ 감자를 지하실에 저장하다. 《Ⅲ》*refl.* sich ~ ① (야외에) 눕다, 쉬다, 자리잡다: sich unter einem Baum 〔im Walde〕 ~ 나무 밑에〔숲 속에〕자리를 잡다. ②〖農〗(폭풍우·홍수 따위로 곡물이) 쓰러지다, 꺾이다. ③층이 쌓여 있다. 《Ⅳ》**gelagert** *p.a.* ↑ gelagert.

Lager≈obst *n.* 저장(용) 과일. **~pflanze** *f.*〖植〗엽상(葉狀) 식물(이끼·곰팡이·해조류) (↔ Sproßpflanze). **~platz** *m.* ①저장소, 야적장. ②야외 휴식처, 야영장. ③〖軍〗야영지. **~preisen** *pl.* ↑ ~miete. **~raum** *m.* ① (창고의) 저장 공간. ② (창고의) 저장 면적. **~ruhr** *f.*〖醫〗이질. **~schein** *m.*〖經〗입고 확인증. **~sendung** *f.* 우체국 유치 우편. **~seuche** *f.* (전염성) 야영병. **~statt** *f.*〖雅語〗침상. **~stätte** *f.* ① ↑ ~statt. ② (배·기차의) 침대. ③야영지. ④〖지질〗노천 광상(鑛床).

Lagerung [lá:gərʊŋ] *f.* -en ①눕히기, 자세〔위치〕설정. ②저장, 보관. ③〖기술·건축〗(부품의) 설치. ④〖지질〗성층(成層).

Lager≈verzeichnis *n.* 재고품 목록. **~verwalter** *m.* 창고 관리인. **~vorrat** *m.* 재고량. **~wache** *f.* 병영〔수용소〕보초 (근무). **~zeit** *f.* 저장〔보관〕기간. **~zins** *m.* ↑ ~miete.

Lage≈skizze *f.* 위치도, 약도. **~vorstellung** *f.*〖哲〗위치 표상(表象).

Lago Maggiore [lá:go madʒó:rə] *m.* - - 마조레호(이탈리아와 스위스 공유의 호수).

Lagos 라고스(나이제리아의 수도).

lagrimoso [lakrimó:zo] ↑ lacrimoso.

Lagting [lá:ktɪŋ, lá:gtɪŋ] *n.* -s (노르웨이의) 상원(上院).

Lagune [lagú:nə] 《lat.》*f.* -n ①해안호(海岸湖). ②산호초〔환초〕로 둘러싸인 얕은 바다.

Lagunen≈boot *n.*〖海〗거룻배의 일종. **~insel** *f.* 석호 안의 섬, 석호도. **~riff** *n.*〖지질〗환초(環礁). **~stadt** *f.* (석호도 위의) 수상 도시; 베네치아의 별칭.

***lahm** [la:m] *a.* ① (팔·다리가) 마비된: auf einem Bein ~ sein〔ein ~es Bein haben〕한쪽 다리가 마비되어 있다; jn. krumm und ~ schlagen 누구를 늘씬하게 두들겨패다; ~ gehen 다리를 절다. ②〖구어〗기진맥진한, 뻣뻣해진, 뻐근한: ich bin ganz ~ vom langen Sitzen 너무 오래 앉아 있어서 온 몸이 뻣뻣하다. ③〖비유·구어〗(a) 빈약한, 설득력이 없는: eine ~e Ausrede〔Erklärung〕빈약한 변명〔설명〕. (b) 힘없는, 활기없는: ~er Geschäftsgang 지지부진한 업무 진행. (c) 맥빠진, 재미없는, 지루한: ~e Witze 싱거운 재담; ein ~er Film 재미없는 영화.

Lahm·arsch *m.*〖비속〗무기력한 인간.

lahm·arschig *a.* 느려터진, 굼벵이 같은.

Lähme [lɛ́:mə] *f.*〖수의〗(망아지의) 파행증(跛行症), 절름발이.

lahmen [lá:mən] *i.* (h.) 절름거리다, 절름거리며 걷다: auf einem Bein ~ 한쪽 다리를 절다.

lähmen [lɛ́:mən] 《Ⅰ》*t.* ①마비시키다: das Gift der Kobra lähmt das Atemzentrum 코브라의 독은 호흡 중추를 마비시킨다; durch einen Schlaganfall halbseitig gelähmt sein 뇌졸중으로 반신불수가 되다. ②〖비유〗무력하게 하다, 꼼짝 못하게 하다: seine Einwendungen lähmten die Verhandlungen 그의 반대로 협상이 결말을 맺지 못했다. 《Ⅱ》**gelähmt** *p.a.* ↑ gelähmt.

lähmend *p.a.* 마비시키는, 꼼짝 못 하게 하는:

~es Entsetzen erfaßte die Zuschauer 관객들의 온몸이 끔찍스런 공포로 얼어붙었다.
lahmhändig *a.* 손이 마비된.
Lahmheit *f.* -en ① 마비, 불수. ②〔비유〕결단성 부족.
lahm|legen *t.* (교통·산업을) 마비〔정체〕시키다: die Erdstöße haben den Verkehr lahmgelegt 지진으로 교통이 마비되었다.
Lahmlegung *f.* -en ↑ lahmlegen 의 명사형.
Lähmung [lɛ́:mʊŋ] *f.* -en ①〖醫〗마비, 불수: eine halbseitige ~ 반신불수; ~ der Augenmuskeln 안근육의 마비. ②〔비유〕마비, 정체, 침체: eine ~ der wirtschaftlichen Aktivitäten 경제 활동의 마비〔침체〕.
Lähmungs·erscheinung *f.* 마비 현상〔증세〕.
Lahn[1] [la:n] *f.* 란강(독일 서부 라인강 지류).
Lahn[2] 《frz.》 *m.* -(e)s, -e 금박〔은박〕댕기; 장식용 금속실.
Lahn[3] *f.* -en ① (öst.) ↑ Lehne. ② (obd.) 눈사태.
Lähne [lɛ́:nə] *f.* -n ↑ Lahn³.
lahnen [la:nən] *i.* (h.)/*imp.* (bayr., öst.) (눈·얼음이) 녹다.
Lahn·spule *f.* 장식용 금속실을 감는 실패.
Lahnung [lá:nʊŋ] *f.* -en〖토목〗(간척지를 얻기 위해 축조한) 낮은 제방.
Lahn·wind *m.* (bayr., öst.) 빙설을 녹이는 바람, 춘풍.
*__Laib__ [laɪp] *m.* -(e)s, -e (빵·치즈 따위의) (한) 덩어리: ein ~ Brot 빵 한 덩어리; ein ~ Käse 한 덩이의 치즈.
Laibchen *n.* -s, - ↑ Laiberl.
Laiberl *n.* -s, -(n) (öst.) ① 작은 빵. ② 다진 고기 경단(Frikadelle).
Laibung *f.* -en〖건축〗① 문설주. ② (궁륭형 천장의) 둥근 내벽〔밑면〕.
Laich [laɪç] *m.* -(e)s, -e (물고기·개구리 따위의) 알뭉치.
Laich·bett *n.* 산란상(床).
Laiche *f.* -n ① 산란. ② ↑ Laichzeit.
laichen *i.* (h.) (물고기·개구리 따위가) 산란하다, 알을 낳다.
Laicher *m.* -s, - 산란기의 물고기.
Laich=kraut *n.*〖植〗가래(물고기들이 즐겨 알을 낳는 수초). **~ort** *m.* ↑ ~platz. **~platz** *m.* 산란 장소. **~reif** *a.* 산란기에 이른. **~zeit** *f.* 산란기.
*__Laie__ [láɪə] 《gr.》 *m.* -n, -n ① (↔ Geistlicher) 평신도; (세)속인. ② (↔ Fachmann) 문외한, 비전문가: darin bin ich völliger ~ 그 방면에는 나는 완전히 문외한이다;〔구어〕blutiger ~ 생판〔완전〕문외한.
Laien=apostolat *n./m.*〖가톨릭〗평신도 사도직. **~behandlung** *f.* 아마추어 요법. **~brevier** *n.*〖가톨릭〗평신도용 기도서. **~bruder** *m.*〖가톨릭〗(사제 서품을 받지 못한) 평수도사. **~bühne** *f.* 아마추어 무대. **~chor** *m.* 아마추어 합창단.
laienhaft *a.* 비전문가적인, 전문 지식이 없는.
Laien=investitur *f.*〖史〗세속 군주에 의한 주교의 임명. **~priester** *m.* (교구가 없는) 세속 사제(↔ Ordenspriester). **~richter** *m.* 명예 판사; 배심원.
Laienschaft *f.*〔총칭〕세속인〔평신도〕; 문외한.
Laien=schwester *f.* 평복 수녀. **~spiel** *n.* 아마추어 연극. **~stand** *m.*〖개신교〗평신도 신분.
Laientum [láɪəntu:m] *n.* -s ① ↑ Laienschaft. ② 아마추어 정신; 평신도 신분.
laiisch *a.* ↑ laienhaft.
laisieren [laizí:rən] *t.*〖가톨릭〗환속시키다.
Laisierung [laizí:rʊŋ] *f.* -en 환속.
Laisser-aller [lɛse alé(:)], **Laisser-faire** [..fɛ́:r] 《frz.》 *n.* ↑ Laissez-faire.
Laissez-faire [lɛse fɛ́:r] 《frz.》 *n.* ①〔교양〕자유 방임;〖교육〗자유 방임주의. ②〖經〗자유 방임주의.
Laissez-passer [..pasé(:)] *m.* -, -〔고어〕통행증; *n.* -〔드물게〕자유 방임.
Laizismus [laitsísmʊs] 《gr.》 *m.* -, ..men 정교 분리주의.
laizistisch *a.* 정교 분리주의의.
Lakai [lakáɪ] 《rom.》 *m.* -en, -en ①〔고어〕(제복을 입은) 종, 하인. ②〔비유·폄어〕하수인, 추종자, 비굴한 사람.
lakaienhaft *a.* 하인 근성의; 비굴한.
Lakaien·seele *f.* ① 하인 근성. ② ↑ Lakai ②.
Lakaientum *n.* -s 하인 근성; 비굴.
Lake [lá:kə] *f.* -n (절이는 데 쓰는) 소금물.
Lakedämon [lakedɛ́:mɔn] 라케다이몬(고대 스파르타의 다른 이름).
Lakedämonier [..dɛmó:niər] *m.* -s, - 고대 스파르타 주민.
lakedämonisch *a.* 고대 스파르타의.
*__Laken__ [lá:kən] *n.* -s, - ① (침대) 시트. ② 큰 천, 목욕 타월.
Lak·fleisch *n.* 소금에 절인 고기.
Lakkolith [lakolí:t, ..lít] 《gr.》 *m.* -s / -en, -e(n)〖지질〗병반(餠盤).
Lakoda [lakó:da] *m.* -s, -s 바다표범의 가죽.
Lakonien [lakó:niən] 《gr.》 라코니아(고대 그리스의 펠로폰네소스 반도 남동부 지방).
Lakonik [lakó:nɪk] *f.*〔교양〕간결한 표현(법).
lakonisch *a.* ① 라코니아(사람)의. ②〔비유〕과묵한, 말수가 적은; 간결한, 요령 있는.
Lakonismus *m.* -, ..men 간결한 표현(법).
Lakritz [lakríts] 《gr.》 *m./n.* -es, -e〔방언〕↑ Lakritze.
Lakritze [lakrítsə] *f.* -n ① 감초의 농축 진액(과자류·기침약의 재료). ② (쫄깃쫄깃한) 감초 과자.
Lakritzen=baum *m.* 감초(Süßholz). **~holz** *n.* 감초 뿌리. **~saft** *m.* 감초즙. **~stange** *f.* 막대기 모양의 감초 과자.
Lakritz·stange *f.* ↑ Lakritzenstange.
Lak·schinken *m.* 소금에 절인 햄.
lakt.. 《lat., „Milch"》 *pref.* "유(乳)의, 즙(汁)의"의 뜻.
Laktam [laktá:m] 《lat.》 *n.* -s, -e〖化〗락탐.
Laktase [laktá:zə] *f.* -n〖化〗락타아제.
Laktation [laktatsió:n] *f.* -en〖生〗① 포유(哺乳), 수유(授乳), 젖먹이기; 젖의 분비. ② 포유기, 수유기.
laktieren [laktí:rən] *t.*〖生〗① 수유하다, 젖먹이다. ② (젖샘이) 젖을 분비하다.
Lakto·meter *n.* 유즙(乳汁) 비중계, 검유기(檢乳器).

Laktose [laktó:zə] *f.* 〖化〗 젖당, 락토오스.
Laktoskop [laktoskó:p] *n.* -s, -e 유지계(乳脂計), 검유기.
Laktosurie [..zurí:] *f.* -n [..rí:ən] 〖醫〗 유당뇨증.
lakunär [lakunɛ́:r] 《lat.》 *a.* 〖生〗 (조직사이에) 빈틈이 있는, 공동(空洞)의.
Lakune [lakú:nə] *f.* -n ① 빈틈, 공동(空洞). ② 〖언어〗 (텍스트의) 여백, 결문(缺文). ③ 물웅덩이.
lakustrisch *a.* 호수의, 호상(생활)의.
lala [lalá:] 《frz.》 *adv.* so ~ 그저 그렇게, 그럭저럭 괜찮게; es goht mir so ~ 그럭저럭 지낸다(↑ la ②).
Lalen·buch [lá:lən..] *n.* 〔고어〕 통속 소화(笑話)집.
lallen [lálən] *i.* (h.) / *t.* ① 불분명하게 발음하다. ② (아기가) 단순한 소리를 반복해서 내다, 옹알이하다. ③ 〔비유·구어〕 웅얼거리다, 혀꼬부라진 소리로 말하다: hast du verstanden, was er gelallt hat? 그가 뭐라고 웅얼거렸는지 알아들었니?
Lall·periode *f.* 〖교육〗 (언어 발달상의) 말더듬 단계.
Lall·wort *n.* 〖언어〗 유아어(幼兒語)(보기: Mama, Wauwau).
L.A.M. [ɛl|a:|ɛ́m] =Liberalium Artium Magister 자유 학예 수사(Lehrer der freien Künste; 중세 때 학자의 칭호).
Lama[1] [lá:ma:] 《tibet., „der Obere"》 *m.* -s, -s 라마교 승려.
Lama[2] 《indian. -sp.》 *n.* -s, -s ① 〖動〗 야마. ② 야마의 털. ③ 부드러운 직물.
Lamaismus [lamaísmus] *m.* - 라마교.
lamaistisch *a.* 라마교의.
Lamäng [lamɛ́ŋ] 《frz. la main》 *f.* 〔특정한 용법으로만〕〔구어〕 손: aus der ~, aus der freien〔kalten〕 ~ 즉석에서, 즉흥적으로; ein Brot aus der ~ essen 빵을 손으로〔식사 도구를 사용치 않고〕 먹다; nicht in die kalte ~! 절대로 안돼!
Lamantin [lamantí:n] 《sp.》 *m.* -s, -e/-s 〖動〗 (열대 아메리카의) 물소.
Lamarck [lamárk] Jean B. de ~ 라마르크 (프랑스의 생물학자, 1744–1829).
Lamarckismus [lamarkísmus] *m.* 〖生〗 라마르크에 의해 창시된 진화론.
Lambarene [lambaré:nə] 랑바레네(슈바이처 박사가 의료 구호 활동을 한 가봉의 한 지역).
Lambda [lámpda, lámbda] *n.* -(s), -s 그리스어 자모의 11 번째 글자(Λ, λ).
Lambda·naht *f.* 〖해부〗 삼각 봉합(후두골과 두 두정골 사이의 λ자형의 봉합).
Lambdazismus [lampdatsísmus, lamb..] *m.* 〖언어〗 L 발음 부전증(l 을 r, j, n 으로 잘못 발음함).
Lambert [lámbɛrt] 《<Lamprecht》 *m.* 람베르트(남자 이름).
Lamberts·nuß [lámbɛrts..] *f.* 〖植〗 개암의 일종(지중해 연안이 원산지임).
Lambrequin [lãbrəkɛ́:] 《frz.》 *m.* -s, -s ① 〔고어〕 (창문 따위의 윗부분에 드리운) 주름천. ② 〖건축〗 주름 천 모양의 석재·청동 장식. ③ 투구의 문장(紋章) 두건(↑ Helmdecke).
Lambrie [lambrí:] 《frz.》 *f.* -n [..rí:ən] 〔방언〕 ↑ Lambris.

Lambris [lãbrí:, lam..] 《frz.》 *m.* -, -〔(öst.) *f.* -, -/..brien [..brí:ən]〕 〖건축〗 벽면의 하부에 두른 나무〔대리석〕판.
Lambrusco [lambrúsko] 《it.》 *m.* (약간 거품이 나는) 이탈리아 적포도주.
Lamb·skin [lǽmskın] 《engl.》 *n.* -(s), -s 〖직조〗 모조 양가죽.
Lambswool [lǽmzwul] 《engl. lamb's wool》 *f.* -s 〖섬유〗 부드러운 양모.
Lamé 《frz.》 *m.* -s, -s ① (직물의 광택 효과를 위해 짜넣은) 금속실(금·은사). ② 라메(금·은사를 섞어 짠 직물).
lame [lamé:] 《frz.》 *a.* 금실〔은실〕을 짜넣은, 금박〔은박〕을 붙인.
Lamee 新정서 ⇦ Lamé.
lamellar [lamɛlá:r] *a.* 포갠 엷은 판 모양의.
Lamelle [lamɛ́lə] 《frz.》 *f.* -n ① 〖工〗 **(a)** 얇은 금속판; (조직 따위의) 엷은 층. **(b)** 냉·난방기 또는 라디에이터의 판(방열 면적을 늘이기 위해 붙인 얇은 판). ② 〖植〗 버섯갓의 주름.
lamellen≈förmig *a.* ↑ lamellar. **≈verschluß** *m.* 〖사진〗 (카메라의) 셔터.
lamentabel [lamɛntá:bəl] 《it.》 *a.* 〔고어〕 슬퍼할, 가련한, 애틋한.
Lamentation [..tsió:n] *f.* -en ① 비탄, 애수. ② 〔복수〕〖구약〗 애가(哀歌).
lamentieren [lamɛntí:rən] *i.* (h.) ① 〔폄어〕 요란스레 한탄하다, 푸념을 해대다. ② 〔방언〕 (아이들이) 징징대며 보채다, 애걸복걸하다.
Lamento *n.* -s, -s/..ti ① 〔폄어〕 한탄, 푸념, 넋두리. ② 〖음악〗 비가(悲歌), 애가(哀歌).
lamentoso [..so, ..zo] *adv.* 〖음악〗 비탄조로, 슬프게.
Lametta [laméta] 《lat.》 *n.* -s 〔*f.*〕 ① (크리스마스 트리 장식용의) 번쩍이는 금속술〔실〕. ② 〔구어·반어〕 (주렁주렁 달린) 훈장, 견장: er hat heute abend aber sehr viel ~ auf der Brust 그는 오늘 저녁 가슴에 여러 훈장들을 달고있다.
Lametta·syndrom *n.* (가문비나무·전나무 따위에) 환경 오염으로 인해 생기는 병.
Lamia [lá:mia] 《gr.》 *f.* ...mien 〖그리스신화〗 라미아(어린아이의 피를 빨아먹는다는 여자 괴물).
laminar [laminá:r] 《lat.》 *a.* 박층상(薄層狀)의.
Laminaria [..ria] *f.* ..rien [..riən] (북해의) 갈조류.
laminieren [..ní:rən] *t.* ① (금속을) 압연하다; (뭉친 섬유를) 길이방향으로 당겨 정리하다. ② (제작 재료를) 보호막으로 씌우다, 코팅처리하다.
***Lamm** [lam] *n.* -(e)s, Lämmer ① **(a)** 새끼양, 어린 양. **(b)** 새끼 염소, 새끼 사슴. ② 〔비유〕 어린 양처럼 온순하고 인내심 많은 사람: unschuldig〔geduldig〕 wie ein ~ 어린 양처럼 순결한〔인내심 많은〕; sie ist ein wahres ~ 그녀는 아주 순결하다; sich wie ein ~ zur Schlachtbank führen lassen 저항 없이 순응하다; 〖聖〗 ~ des Gottes 하느님의 어린 양(그리스도를 일컬음). ③ 〖海〗 흰 거품이 일어나는 파도. ④ ↑ Lämmerwolke.
lamm≈artig *a.* 어린 양 같은, 유순한. **≈braten** *m.* 양고기 구이.
Lämmchen [lɛ́mçən] *n.* -s, - ↑ Lamm 의 축소형.

lammen [lámən] *i.* (h.) (양이) 새끼를 낳다.
Lämmerchen *pl.* ↑ Lämmchen.
Lämmer≈fell *n.* 양가죽. **~geier** *m.* 독수리의 일종. **~hüpfen** *n.* 〖농담〗 젊은이들의 서투른 춤.
lämmern *i.* (h.) ↑ lammen.
Lämmerne [lɛ́mərnə] *n.* -n (öst.) ↑ Lammfleisch.
Lämmer≈schwanz *m.* 새끼양의 꼬리: wie ein ~ wackeln 이리저리 마구 흔들리다; 〖농담〗 mir schlägt〔klopft〕 das Herz wie ein ~ 나는 심장이 마구 뛴다. **~wolke** *f.* 새털구름. **~wolle** *f.* 새끼양의 털.
Lammes·geduld *f.* 〖구어〗 매우 큰 인내심.
Lamm≈fell *n.* 양가죽. **~fleisch** *n.* 양고기. **~fromm, ~herzig** *a.* 양처럼 온순한. **~kotelett** *n.* 양 갈비고기.
Lämmlein *n.* -s, - ↑ Lämmchen.
Lamms·geduld *f.* ↑ Lammesgeduld.
Lammung *f.* (양의) 새끼 출산.
Lampas [lampás] *m.* -, - 〖직조〗 (가구 장식용의) 무늬 직물.
Lampassen [lampásən] *pl.* (유니폼) 바지의 양 옆의 무늬줄〔선〕.
Lämpchen [lɛ́mpçən] *n.* -s, - 〖↑ Lampe의 축소형〗 작은 등불, 작은 램프.
***Lampe**[1] [lámpə] 《gr., frz.》 *f.* -n ① 등불, 등, 램프: Glüh≈ 백열등; Taschen≈ 손전등; 60-Watt-≈ 60 와트등; eine ~ anzünden 〔auslöschen〕 램프를 켜다〔끄다〕; 〖가톨릭〗 die Ewige ~ 성체등(聖體燈). ② 〖비유·구어〗 einen〔eins〕 auf die ~ gießen (독주를) 한잔 마시다; einen auf der ~ haben 취해 있다, 정신이 몽롱하다; nach der ~ riechen 고심한 흔적이 엿보이다; keinen Docht in seiner ~ haben 그의 머리 속은 텅 비어 있다. ③ 〖복수〗〖연극〗 각광, 스포트라이트: ein Stück vor die ~n bringen 어떤 작품을 무대에 올리다.
Lampe[2] *m.* 람페(동물 우화에 나오는 토끼).
Lampen≈anzünder *m.* 등불을 켜는 사람; 점등기. **~brenner** *m.* 등잔의 점화구. **~docht** *m.* 램프의 심지. **~faden** *m.* (전구의) 필라멘트. **~fassung** *f.* 소켓. **~fieber** *n.* (등장〔등단〕 전의) 무대〔연단〕 불안〔긴장〕, 무대 공포증. **~fuß** *m.* 램프 받침. **~geruch** *m.* 램프의 기름타는 냄새. **~gestell** *n.* 등잔받침, 램프걸이. **~glocke** *f.* 종 모양의 전등갓. **~licht** *n.* 등(잔)불. **~mann** *m.* 램프 불을 켜는 사람. **~öl** *n.* 등유, 등잔 기름. **~putzer** *m.* ① 〖구식〗 (거리의) 가스등〔석유등〕 관리인. ② 부들(Rohrkolben)의 만개 상태(민간용어). **~ruß** *m.* ↑ ~schwarz. **~schein** *m.* 등잔〔램프〕 불빛. **~schirm** *m.* 전등〔등잔〕갓. **~schleier** *m.* 램프의 갓덮개. **~schwarz** *n.* 〖고어〗 램프의 그을음; 유연(油煙) (검은색 도료〔잉크〕의 주성분). **~stock** *m.* ↑ ~gestell. **~teller** *m.* 램프 받침 접시. **~untersatz** *m.* 램프〔등잔〕 받침. **~zylinder** *m.* 램프의 등피.
Lamperie [lampərí:] *f.* -n [..rí:ən] ↑ Lambris.
Lampert [lámpɛrt] *m.* ↑ Lambert.
Lampion [lãpiɔ̃́:, lampiɔ̃́:, lampiɔ́ŋ] *m.*/(드물게) *n.* -s, -s 종이 초롱, 제등(提燈).
Lampion≈pflanze *f.* 〖植〗 꽈리. **~umzug** *m.* 제등 행렬.
Lämplein *n.* ↑ Lämpchen.
Lamprete [lampré:tə] 《lat.》 *f.* -n ① 〖動〗 칠성장어. ② 〖대개 복수〗 맛있는 음식.
Lançade [lãsá:də] 《frz.》 *f.* -n 〖승마〗 (앞발을 높이 들고 하는) 궁상(弓狀) 도약.
Lancaster [lǽŋkəstə, láŋka..] 랭커스터 왕가(1399-1461 년간의 영국 왕조); 랭커스터(랭커셔 주(州)의 옛 수도; 영국의 백작령이었음).
Lancier [lãsié:] 《frz.》 *m.* -s, -s ① 〖옛뜻〗 창기병. ② 4인 1조로 추는 춤(곡)의 일종 (Quadrille).
lancieren [lãsí:rən] *t.* ① 〖교양〗 알리다, 발표하다; 내보내다, 유통〔유행〕시키다; 선전하다, 퍼뜨리다: eine Nachricht ~ 뉴스를 내보내다. ② 〖교양〗 (정실을 이용하여) 임용〔등용〕시키다, 승진〔출세〕시키다: sein Onkel hat ihn in diese hohe Stellung lanciert 삼촌의 힘으로 그는 이 높은 지위에 오르게 되었다. ③ 〖사냥〗 (야생 동물을) 개를 이용해서 몰이하다. ④ 〖軍·고어〗 어뢰로 공격하다.
Lancier·rohr [lãsí:r..] *n.* 〖軍·고어〗 어뢰 발사관.
***Land** [lant] *n.* -(e)s, Länder/(시어) -e ① 뭍, 육지, 땅: 〖海〗 ~ in Sicht! 육지가 보인다!; ~ unter! 땅이 물에 잠겼다! (홍수 경보); jn. **an** ~ bringen〔setzen〕 누구를 상륙시키다; an ~ gehen〔steigen〕 상륙하다, 하선하다; an ~ schwimmen 뭍으로 헤엄쳐가다; einen Fisch an ~ ziehen 물고기를 낚아올리다; einen Auftrag an ~ ziehen 주문을 따내다; im Wasser und **auf** dem ~ leben (동물이) 물과 뭍 양쪽에서 살다, 양서류다; **auf** dem ~(e) 육지에서; tief **im** ~(e) 오지에서; **von** ~ ablegen (배가) 뭍에서 떠나다, 출항하다; **zu** ~(e) reisen 육지〔육로〕로 여행하다; Streitkräfte zu Wasser, zu ~e und in der Luft 육해공군; 〖비유·구어〗 ~ sehen a) 끝이 보이다, 해결책을 발견하다; kein ~ mehr sehen (können) 더 이상 해결책이 안 보이다; 〖비유·구어〗 ich habe noch etwas ~ 아직은 좀 (숨돌릴) 여유가 있다. ② 토지, 경작지, 논밭: fruchtbares ~ 옥토; steiniges ~ 돌이 많고 척박한 땅; das ~ bebauen 〔bestellen〕 토지를 경작하다; 〖격언〗 gutes ~, schlechte Wege 땅 좋은 곳은 길이 나쁘다; von den Bergen ins ~ gehen 산간에서 평지로 나오다; Haus und ~ 가옥과 토지. ③ 지대, 지역, 지방: ein hügeliges ~ 구릉 지대; ein dicht besiedeltes ~ 인구 밀집 지역; Flach≈ 평지; Tief≈ 저지(대); aus deutschen ~en 독일의 여러 지방에서. ④ (↔ Stadt) 시골, 촌, 지방: aufs ~ gehen 시골로 가다; auf dem ~(e) wohnen 시골에 살다; auf dem flachen〔platten〕 ~ 도시 문명이 미치지 않는 곳에서; vom ~ in die Stadt ziehen 시골에서 도시로 이주하다; 〖雅語〗 in Stadt und ~ 방방곡곡에, 도처에; 〖고어〗 über ~ gehen〔fahren〕 여행하다; 〖구어·농담〗 eine Unschuld〔Einfalt〕 vom ~e 순진한 시골 여자; Gottes Wort vom ~e 시골 목사. ⑤ (a) 나라, 국가: fremde Länder 외국; die Länder der Dritten Welt 제 3 세계의 국가들; das ~ meiner Väter (나의) 고향; aus aller Herren Ländern 세상의 모든 나라들에서;

außer ~es sein 국외에 있다; außer ~es gehen 국외로 나가다; 〔시어〕 durch die ~e reisen〔ziehen〕 곳곳을 돌아다니다; 〔구어〕 wieder im ~(e) sein (여행 후) 다시 귀국하다; 〔시어〕 in fernen ~en 머나먼 이국 땅에서; 〔시어〕 seitdem gingen viele Jahre ins ~ 그 이후 많은 세월이 갔다〔흘렀다〕; 〔시어〕 der Frühling ist ins ~ gezogen 봄이 찾아왔다; 〔격언〕 andere Länder, andere Sitten 나라가 다르면 관습도 다르다; ~ und Leute kennenlernen 나라와 풍속을 알게 되다; jn. des ~es verweisen 누구를 국외로 추방하다; woher des ~es? 고국이 어디입니까?; 〖宗〗 das Heilige ~ 성지(팔레스타인); 〖聖〗 das Gelobte ~〔das ~ der Verheißung〕 약속의 땅(가나안); das ~ der Mitte 〔고어〕 중국; 〖구약〗 alle ~e sind seiner Ehre voll 온 땅에 그의 영광이 가득하다(이사야 6:3); das ~, wo Milch und Honig fließt 젖과 꿀이 흐르는 땅(모세 2:14); das ~ der unbegrenzten Möglichkeiten 무한한 가능성의 나라(미국); das ~ der tausend Seen 호수의 나라(핀란드). (**b**) 주(州) (Bundesland): das ~ Hessen 헤센주; die Vertretrer der Länder 각 주의 대표들. ⑥〔비유〕 한 나라의 주민, 국민: das ganze ~ trauert 온 국민이 슬퍼하고 있다. ⑦ 영역, 분야: das ~ der Phantasie 〔des Traums〕 상상〔꿈〕의 나라: das ~ der Politik 정치 분야.

land·ab *adv.* ↑ landauf.

Land≈adel *m.* 〔고어〕 (영지를 소유한) 지방 귀족. **~ambulatorium** *n.* 〖구동독〗 농촌 진료소. **~ammann** *m.* (schweiz.) 주지사. **~amt** *n.* 지방 법원; 공유지 관리국. **~anker** *m.* 〖海〗 (쌍 닻으로 정박할 때) 해안에 가까운 쪽의 닻. **~anwachs** *m.* 〖지질〗 충적토, 충적층. **~arbeit** *f.* 농사일, 들일. **~arbeiter** *m.* 농장 일꾼, 농부. **~armee** *f.* 육군. **~arzt** *m.* 시골 의사.

Landauer [lándauər] *m.* -s, - 란다우식 4륜 마차(앞뒤 포장을 따로따로 개폐할 수 있는 4인승 마차; 도시 이름 Landau 에서).

land·auf *adv.* 〔다음 형태로만〕 ~, landab: 나라 전체에, 방방곡곡에.

Land·aufenthalt *m.* 지방 체류.

Landaulet [landolɛ́t, lɑ̃dolɛ́:] 《frz.》 *n.* -s, -s ↑ Landaulett.

Landaulett [..lɛ́t] *n.* -s, -e 지붕을 반쯤 접을 수 있는 란다우식 마차(2인승).

land·aus *adv.* 〔다음 형태로만〕 ~, landein 국내외 어디서나; 세계 곳곳으로: wir fuhren ~, landein 우리는 이 나라 저 나라를〔여러 나라를〕 여행했다.

Land≈bau *m.* 농업, 농림업. **~bauer** *m.* 농부, 농민. **~bau·erzeugnis** *n.* 농산물. **~bau·meister** *m.* 지방 건축관. **~-bau·schule** *f.* 농업 학교. **~beamte*** *der* 지방 공무원. **~besitz** *m.* 토지 소유; 소유지. **~besitzer** *m.* 지주. **~bevölkerung** *f.* 농촌 주민. **~bewohner** *m.* ① 지방〔농촌〕 주민. ② 육지 동물. **~bezirk** *m.* 지방. **~bote** *m.* ① 파발꾼. ② (옛 폴란드의) 국회의원. **~brot** *n.* 거친 호밀빵. **~brücke** *f.* 〖지질〗 (대륙과 대륙 내지는 섬을 연결하는) 지협(地峽). **~buch** *n.* 토지 대장.

Ländchen [lɛ́ntçən] *n.* -s, -/Länderchen 〔↑ Land ⑤ (a)의 축소형〕 작은 나라, 소국.

Land≈dienst *m.* 〖海〗 육상 근무. **~drost** *m.* 〔고어〕 지방 장관, 지방 군수.

Lände [lɛ́ndə] *f.* -n (obd.) 선착장, 부두.

Land·edel·mann *m.* 지방 귀족, 향사(鄕士).

Lande·bahn *f.* 활주로.

Lande≈erlaubnis *f.* 착륙 허가. **~fähre** *f.* (↑ Mondlandefähre) 달 착륙선.

Land≈eigentum *n.* ↑ ~besitz. **~eigentümer** *m.* ↑ ~besitzer.

land≈ein [lantáɪn] *adv.* ↑ landaus. **~einwärts** *adv.* (바다에서) 육지로, 내륙으로.

Lande≈kapsel *f.* 착륙용 캡슐. **~klappe** *f.* 착륙용 보조 날개. **~manöver** *n.* 착륙 조작.

***landen** [lándən] 《I》 *i.* (s.) ① (**a**) 상륙하다, 접안하다: auf einer Insel ~ 섬에 상륙하다; an dieser Küste ist schwer zu ~ 이 해안은 접안하기가 어렵다. (**b**) 착륙하다(↔ starten): das Flugzeug landete wohlbehalten am Ziel 비행기는 무사히 목적지에 착륙했다; 1969 landeten erstmals Menschen auf dem Mond 인류는 1969 년에 최초로 달에 착륙했다. (**c**) 〖스포츠〗 착지하다: der Skispringer ist unglücklich gelandet 그 스키 점프 선수는 착지에 실패했다. ②〔구어〕 (**a**) (목적지에) 이르다, 도착하다: wir sind wieder gut zu Hause gelandet 우리는 다시 무사히 집에 도착했다; 〔농담〕 im Hafen der Ehe ~ (우여곡절 끝에) 결혼에 이르다〔성공하다〕. (**b**) (의도와 상관없이) 가게 되다, 빠져들다: die ganze Bande landete im Gefängnis 갱들은 결국 모두 교도소 신세를 지게 되었다; 〔비유·농담〕 damit kannst du bei mir nicht ~ 그건 내게는 안 통해. ③ 육지가 되다: ein Ufer landet 강변〔해안〕이 침적물 때문에 넓어진다. 《II》 *t.* ① 상륙〔착륙〕시키다: Truppen an der Küste ~ 부대를 해안에 상륙시키다; hinter der feindlichen Front Fallschirmtruppen ~ 적 후방에 공수부대를 낙하시키다; der Pilot hat das Flugzeug sicher gelandet 조종사는 비행기를 무사히 착륙시켰다; einen Fisch ~ 물고기를 낚아 (땅에) 올리다. ②〔구어〕 가하다, 명중시키다: einen linken Haken am Kinn des Gegners ~ 상대방의 턱에 왼손 훅을 명중시키다; einen Coup ~ 멋지게 히트치다.

länden [lɛ́ndən] *t.* (obd.) 건져올리다, 뭍으로 인양하다.

Land·enge *f.* 〖지리〗 지협(地峽).

Lande≈piste *f.* ↑ ~bahn. **~platz** *m.* ① 비행기 착륙장. ② 선착장.

Lander [lándər] *f.* -n (obd.) 울타리의 말뚝.

Länder [lɛ́ndər] *m.* -s, - ↑ Ländler.

Länder≈beschreiber *m.* 지지(地誌)〔풍토기〕 편찬가; 지리학자. **~beschreibung** *f.* 지지(地誌) 편찬; 지형 묘사. **~durst** *m.* ↑ ~sucht.

Länderei [lɛndəráɪ] *f.* -en 광대한 소유지〔영지〕, 대규모 경작지〔초원〕.

Länder≈gier *f.* ↑ ~sucht. **~kampf** *m.* 국제 경기. **~kenntnis** *f.* ↑ ~kunde. **~kunde** *f.* 지지학(地誌學). **≁kundig** *a.* 여러 나라의 사정에 밝은, 지리에 정통한. **≁kundlich** *a.* 지지학의.

landern [lándərn] *t.* (울타리로) 에워싸다; …에 난간을 달다.

ländern 《I》 *i.* (h.) 〔고어〕 느린 왈츠를 추다.

《Ⅱ》*t.* ↑ landern.

Länder≈name *m.* 나라〔지역〕 이름. **~raub** *m.* 영토 침탈. **~räuber** *m.* 영토 침탈자. **≈reich** *a.* 영토가 많은. **~spiel** *n.*〖스포츠〗 국가 대표팀 간의 경기. **~sucht** *f.* 영토욕. **≈süchtig** *a.* 영토욕에 사로잡힌. **~tausch** *m.* 영토 교환. **~teilung** *f.* 영토 분할.

Land·erziehungs·heim *n.* 전원 학교(학생들의 공동 생활에 교육의 중점을 둔 기숙 학교).

Landes≈adel [lándəs..] *m.* 국가 귀족. **~angehörige*** *der/die* (특정한 나라의) 국적 보유자, 국민. **~angehörigkeit** *f.* 국적. **~anleihe** *f.* 내국채(債). **~arbeitsamt** *n.* 주(州) 노동청. **~arbeitsgericht** *n.* 주(州) 노동 재판소. **~art** *f.* ↑ ~sitte. **~aufnahme** *f.* 토지〔육지〕의 측량. **~bank** *f.* 주립 은행. **~bauernschaft** *f.* 주 농민 조합. **~beamte** *m.* 주 정부의 공무원. **~behörde** *f.* 주(州)〔지방〕 관청. **~bischof** *m.* (독일 신교의) 지방 감독. **~beschreibung** *f.* (한 지방의) 지지(地誌); 지형 묘사, 지형도. **~brauch** *m.* ↑ ~sitte. **~direktor** *m.* (특히 이전의 Brandenburg 의) 지방 정부 장관. **~ebene** *f.*〔다음 용법으로만〕auf ~ 주 차원에서. **~erzeugnis** *n.* ↑ ~produkt. **~fabrik** *f.* 국내 공장. **~fabrikat** *n.* ↑ ~produkt. **~farben** *pl.* 국기의 색. **~flagge** *f.* 국기. **≈flüchtig** *a.* ↑ landflüchtig. **~friede** *m.* 국내의 평화. **~fürst** *m.* 군주, 영주. **≈fürstlich** *a.* 군주의. **~gebiet** *n.* 영토. **~gebrauch** *m.* ↑ ~ sitte. **~gemeinde** *f.* ↑ Landsgemeinde. **~gericht** *n.* (öst.) 주(州) 법원. **~gerichtsrat** *n.* (öst.) ↑ Landgerichtsrat. **~geschichte** *f.* 지방사(학), 향토사(학). **~gesetz** *n.* 주법(州法). **~grenze** *f.* 국경. **~hauptmann** *m.* ① (옛 프로이센의) 지방 행정부의 장. ② (오스트리아의) 주지사. **~hauptstadt** *f.* ① (나라의) 수도. ② (주의) 주도. **~herr** *m.* ↑ ~fürst. **≈herrlich** *a.* ↑ ≈fürstlich. **~herrlichkeit** *f.* ↑ ~hoheit. **~herrschaft** *f.*〖史〗(독일 군주가 통치하던) 영방(領邦). **~hoheit** *f.* (군주의) 통치권; 주권. **~hymne** *f.* ① 국가. ② (öst.) 주가(州歌). **~innere*** *das* 국내. **~inspekteur** [..tøːr] *m.* 지방 행정 감독관. **~kasse** *f.* 국고. **~kenntnis** *f.* 나라 사정에 관한 지식. **~kind** *n.* ①〔고어〕 한 나라 군주의 신하. ②〔농담〕 그 나라〔지방〕 사람. **~kirche** *f.* ① (독일 개신교 연맹 소속의 독자적인) 지방 교회. ② 국가 교회(Nationalkirche). **~kollegium** *n.* 지방 행정관 회의, 주의회. **~kultur** *f.* ① 국토 개발, 경지 정리, 토지 개량. ②〖구동독〗 국토 보존〔자연 보호〕 사업. **~kunde** *f.* 지역학, 지역 연구. **≈kundig** *a.* 지역 사정에 밝은. **≈kundlich** *a.* 지역학의. **~liste** *f.*〖政〗(연방 의회 선거에서 각 정당의) 주별(州別) 연방 의회 의원 후보자 명단. **~meisterschaft** *f.*〖스포츠〗 국가 최고 선수 선발전. **~münze** *f.* 국내의 주화. **~mutter** *f.* ① 여왕에 대한 존칭. ②〔대개 농담〕국가 원수〔주지사〕의 부인, 국모. **~produkt** *n.* 국산품, 토산품. **~rat** *m.* (öst.) 주 정부의 각료. **~recht** *n.* (각 주의) 주법(州法); 국법. **~regierung** *f.* 주 정부. **~religion** *f.* 국교(國教). **~sache** *f.* 국사(國事), 주(州)의 일. **~schuld** *f.* 국채. **~schule** *f.* 국립〔주립〕 학교. **~schul·rat** *m.* (öst.) 주 교육 위원(회). **~sitte** *f.* 나라 풍속. **~sozial·gericht** *n.* 사회 복지 주(州) 고등 법원(하급 법원인 Sozialgericht 의 판결에 대한 항소건을 담당함) (약어: LSG). **~sprache** *f.* 국어. **~tracht** *f.* 그 나라 고유 의상, 민속 의상. **~trauer** *f.*〔고어〕 국상(國喪). **~truppen** *pl.* 육군. **≈üblich** *a.* 나라〔지방〕의 관습인, 나라〔지방〕 특유의. **~vater** *m.* ① 군주, 나라님. ②〔대개 농담〕국가 원수, 주지사. **~verfassung** *f.* 헌법. **~vermessung** *f.* 토지 측량. **~vermögen** *n.* 국유 재산. **~verrat** *m.* 국가 반역, 국가 기밀 누설. **~verräter** *m.* 국가 반역자, 매국노. **~versicherungs·anstalt** *f.* 근로자 연금 보험 공단(약어: LVA). **~verteidigung** *f.* 국방: Ministerium für ~ 국방부. **~vertretung** *f.* 주 대표부. **~verweisung** *f.* (öst.) 국외 추방(Ausweisung). **~verweser** *m.* 섭정자, 통치자, 사또. **≈verwiesen** *a.* (öst.) 국외로 추방된. **~verwiesene*** *der/die* 국외 추방자. **~währung** *f.* (한 나라의) 통화, 화폐. **~wappen** *n.* 국가〔주(州)〕의 문장(紋章). **≈weit** *a.* 나라〔주〕 전역에 걸친. **~wohl** *n.* 국가의 안녕. **~zeitung** *f.* 관보(官報). **~zentral·bank** *f.* (독일 연방 은행 소속의) 주(州) 중앙 은행.

Lande·verbot [lándə..] *n.* 착륙 금지.

Land≈fahrer *m.* 떠돌이, 부랑자. **~farbe** *f.* 시골풍의 행색. **≈fein** *a.*〔다음 용법으로만〕 sich ~ machen 상륙하기 위해 옷을 차려입다. **≈fern** *a.*〖海〗 육지에서 먼. **~feste** *f.* ①〔고어〕내륙의 요새. ②〖海〗 선박 정박용 밧줄, 계선(繫船) 로프. **~festung** *f.* ↑ ~feste ①. **~flucht** *f.* 이농(離農). **≈flüchtig** *a.*〔고어〕제 나라에서 도망친: ~ werden 제 나라를 버리고 달아나다. **~fracht** *f.*〖商〗 육상 운송 화물. **~fracht·wesen** *n.* 육상 운송업. **~frau** *f.* 시골 여자, 촌부. **~frauen·schule** *f.* 여자 농업·가정 전문 학교(1·2 년제). **≈fremd** *a.* 그 나라를〔지역을〕 잘 모르는, 다른 나라〔지역〕에서 온. **~friede** *m.* ↑ ~frieden. **~frieden** *m.*〖史〗 (중세 때 국왕 등이 내린) 분쟁 중지령, 평화 유지 명령. **~friedens·bruch** *m.* ①〖史〗 분쟁 중지령 위반. ②〖法〗 치안 교란, 소요죄. **~friedens·brücher, ~friedens·störer** *m.* 치안 교란자. **~fuhre** *f.*〔고어〕 ① 육상 운송. ② ↑ ~fuhrwerk. **~fuhr·mann** *m.*〔복수: ..leute〕 운반인. **~fuhr·werk** *n.* (농부의) 짐수레. **~gang** *m.*〖海〗 ① 상륙 허가; 상륙 휴가 시간(보통 48 시간 이상). ② (배의) 상륙〔승선〕 트랩〔발판〕. **~geistliche*** *der* 지방 사제, 시골 목사. **~gemeinde** *f.* ① 지방 교구. ② 시골〔농촌〕 마을. **~gericht** *n.* 지방 법원(약어: LG). **≈gerichtlich** *a.* 지방 법원의. **~gerichts·rat** *m.* 지방 법원 판사. **~gestützt** *a.*〖軍〗 (미사일·로켓이) 지상에 기지를 둔, 지대지〔지대공〕의. **~gewinnung** *f.* 매립, 간척. **~graben** *m.* 경계호(境界濠). **~graf** *m.*〖史〗 방백(方伯) (Graf 와 Herzog 사이의 귀족 칭호). **~gräfin** *f.*〖史〗 방백 부인. **~grafschaft** *f.* 방백의 영지. **≈gültig** *a.* 국내에서 널리 통용되는. **~gut** *n.* 농장. **~handel** *m.* 육상 교역. **~haus** *n.* 별장. **~heer** *n.* 육군. **~heim** *n.* (시골의) 청소년 휴양소; (학교가 시골에 세

운) 수련원. **~helfer** *m.* 임시 농업 노동자. **~jäger** *m.* 〖고어·방언〗① 지방〔시골〕 경찰관. ② 훈제 소시지의 일종(강한 양념 냄새가 나고 납작하고 딱딱함). **~jugend** *f.* 시골 젊은이. **~junker** *m.* ① ↑ ~edelmann. ②〖폄어〗 촌뜨기. **~kaffee** *m.* (보리·맥아·치커리로 만든) 유사 커피. **~kärtchen** *n.* 〖動〗 호랑나비의 일종(날개에 지도 모양의 무늬가 있음). **~karte** *f.* 지도. **~kennung** *f.* ↑ ~marke. **~kind** *n.* ① 시골 아이. ② 촌뜨기. **~kirche** *f.* 시골 교회. **~klima** *n.* 대륙성 기후(Kontinentalklima). **~kommune** *f.* 농업이 주업인 주거 공동체. **~kreis** *m.* (독일의) 군(郡)(몇 개의 Gemeinde로 구성됨). **~krieg** *m.* 지상전(↔ Luftkrieg, Seekrieg). **~kundig** *a.* 나라 전체에 알려진, 평판이 높은. **~kutsche** *f.* 시골의 정기 마차(우편 마차 따위). **~läufig** *a.* 세간에서 널리 통용되는, 관례적인: entgegen ~er Meinung 세간의 견해와는 달리; im ~en Sinne 통례적 의미로. **~leben** *n.* 전원 생활, 농촌 생활.

Ländler [lέntlər] *m.* -s, - (바이에른과 알프스 지방의) 느린 민속춤(3/4 또는 3/8 박자).

ländlern *i.* (h.) 느린 민속춤을 추다.

Land·leute *pl.* ↑ Landmann.

***ländlich** [lέnt..] *a.* 시골의, 농촌의; 시골풍의, 촌스러운, 소박한: die ~e Bevölkerung 시골 주민; eine ~e Tracht 촌스러운 복장; 〖농담·반어〗 ~-sittlich 도시 문명에 물들지 않은, 때묻지 않은, 순박한.

Ländlichkeit *f.* 시골풍, 촌티, 소박함.

Land≈linie *f.* (위성 중계 통신에 대한) 지상 통신선. **~luft** *f.* 시골 공기. **~lust** *f.* 전원 생활의 쾌적함. **~macht** *f.* 육군 강국(↔ Seemacht). **~mädchen** *n.* 시골 처녀. **~mann** *m.* 〔복수: ..leute〕〖고어〗 농사꾼; 시골 사람. **~männisch** *a.* 〖고어〗 농사꾼 같은; 시골 사람의. **~mark** *f.* ① 국경. ② 영토, 영지. **~marke** *f.* (항해·비행의 길잡이가 되는 산·교회탑 따위) 지상 표적물. **~maschine** *f.* 농기계. **~messer** *m.* 토지 측량사. **~miliz** *f.* 〖軍〗 지방 민병. **~mine** *f.* 〖軍〗 지뢰. **~partie** *f.* (교외로의) 소풍, 피크닉. **~pfarre** *f.* 시골 목사〔신부〕의 교회〔교구〕. **~pfarrer** *m.* 시골 목사〔신부〕. **~pfleger** *m.* 〖신약〗 (로마 제국의) 지방 총독. **~plage** *f.* 국가적 재앙〔환난〕, 국난: 〖농담〗 du bist eine ~! 이 녀석아, 너는 정말 애물단지구나! **~polizei** *f.* 지방 경찰. **~pomeranze** *f.* 〖구어·폄어·농담〗 (촌티나는) 시골 처녀. **~post** *f.* 지방〔시골〕 우체국. **~praxis** *f.* 시골 의원(醫院). **~prediger** *m.* ↑ ~pfarrer. **~rat** *m.* ① 군수. ② (schweiz.) 주의회. **~ratte** *f.* 〖海·구어·농담〗 뭍사람, 육지 놈. **~recht** *n.* ① 주법(州法). ② (특별 부류의 사람들에게만 적용되던 도시법·궁정에 대비되는 중세 때의) 보통법. **~rechtlich** *a.* 주법〔국법〕의; 보통법의. **~regen** *m.* 장마. **~reise** *f.* 육로 여행; 시골 여행. **~reiter** *m.* 〖고어〗 기마 용병; 기마 경찰관. **~rente** *f.* 토지 수익; 지대(地代), 소작료. **~richter** *m.* 지방 법원 판사.

Landrover [lǽndrouvə] 《engl.》 *m.* -(s), - 랜드로버(영국제의 사륜 구동차의 상표명).

Land≈rücken *m.* 길게 뻗은 구릉. **~ruhr** *f.* 유행성 이질. **~saß, ~sasse** *m.* ① (중세의) 소작농, 자유 차지인(借地人). ② (지방 영주의) 신민. **~sässig** *a.* 소작농의; 지방 영주의 지배를 받는.

***Landschaft** [lánt∫aft] *f.* -en ① 풍경, 경치, 주변 경관; 지역, 지대: eine bergige ~ 산악 지대; Abend~ 밤 풍경, 야경; die ~ um London 런던의 교외 지역; das Gebäude fügt sich harmonisch in die ~ ein 그 건물은 주변 경관과 잘 조화를 이루고 있다. ②〖비유〗 현상황, 지형: die gegenwärtige politische ~ in Korea 오늘날 한국의 정치적 상황; Kultur~ 문화 지형. ③ 풍경화.

Landschafter [..tər] *m.* -s, - ↑ Landschaftsmaler.

landschaftlich *a.* ① 풍경〔경치〕의: eine ~ sehr reizvolle Gegend 경치가 매우 아름다운 지역; das Dorf liegt ~ einmalig 그 마을은 주변 경관이 빼어나다. ②〖언어〗 지방 특유의, 지역적인: ~e Ausdrücke 지방마다의 고유한 표현들; das ist ~ unterschiedlich 그것은 지역에 따라 서로 다르다.

Landschafts≈aufnahme *f.* 풍경 사진. **~bild** *n.* ① 풍경화, 풍경 사진. ② (눈에 보이는 대로의) 풍경. **~fach** *n.* ↑ ~malerei. **~gärtner** *m.* 조경사, 정원사. **~gärtnerei** *f.* 조경술, 조원술. **~maler** *m.* 풍경화가. **~malerei** *f.* 풍경화(그리기). **~pflege** *f.* 자연 경관 보호. **~schutz** *m.* ↑ ~pflege. **~schutz·gebiet** *n.* 자연 경관 보호 구역.

Land≈scheide *f.* 〖고어〗 토지 경계; 국경. **~schildkröte** *f.* 〖動〗 육지 거북이. **~schlacht** *f.* 지상전. **~schreiber** *m.* (schweiz.) 구청장; 공증인. **~schule** *f.* 〖고어〗 시골 초등 학교.

Landschul≈heim *n.* ↑ ~heim. **~lehrer** *m.* 시골 학교 교사. **~meister** *m.* 시골 학교 교사〔교장〕.

Land≈see *m.* 호수. **~seite** *f.* 육지(가 있는) 쪽(↔ Seeseite).

Landser [lántsər] *m.* -s, - 〖軍·구어〗 병사.

Land·seuche *f.* 전염병.

Lands·gemeinde *f.* (schweiz.) (스위스 여러 주의) 민회(民會)(정책 결정 기관임).

Land·sitz *m.* 영지; 별장.

Lands≈knecht [lánts..] *m.* ①〖史〗 (16 세기의) 보병, 용병. ② 카드놀이의 일종. **~mal** [..mo:l] *n.* 근대 노르웨이어(Nynorsk)의 옛 명칭. **~mann** *m.* 〔복수: ..leute〕 동향인: er ist ein ~ von mir 그는 나와 동향인이다; was sind Sie für ein ~? 고향이 어디십니까?, 어느 나라 사람입니까? **~männin** *f.* (여자) 동향인. **~männisch** *a.* 동향인의. **~mannschaft** *f.* ①〖구어〗 (대학생) 향우회. ② (오데르 나이세 강 동부 지역 출신의) 피난민 연합회. ③ 동향인으로서의 유대감. **~mannschaftlich** *a.* ① 향우회의. ② 피난민 연합회의.

Land≈soldat *m.* 육군. **~spitze** *f.* 곶, 갑(岬). **~stadt** *f.* ①〖史〗 영주 지배 도시(↔ Reichsstadt). ② 소도시. **~stände** *pl.* (중세 영방 의회의) 각 신분 대표(부). **~ständig** *a.* ↑ ~ständisch. **~ständisch** *a.* ↑ Landstände의 형용사. **~sterben** *n.* ↑ ~seuche. **~steuer** *f.* 국세, 조세.

Landsting [lǽnstıŋ] 《dän.》 *n.* -s (1953 년까지의) 덴마크의 상원.

Lạnd≠störzer 〖고어〗 *m.* ↑ ~streicher. **~straße** *f.* (촌락간의 연결) 지방도로; 국도. **~strecke** *f.* 지방, 지역. **~streichen** *n.* ↑ ~streicherei. **~streicher** *m.* 부랑자, 떠돌이. **~streicherei** *f.* 방랑〔유랑〕 생활, 떠돌이 생활. **~streifen** *m.* 띠 모양의 지역〔지대〕. **~streitkräfte** *pl.* 육군. **~strich** *m.* 지역, 지대, 지구. **~stube** *f.* 〖옛뜻〗 (지방) 의회. **~stufe** *f.* 〖지질〗 단층애(崖). **~sturm** *m.* ① 〖구어〗 전시 총동원. ② **(a)** 〖고어〗 예비군. **(b)** (스위스의) 향토 방위대(49 세에서 60 세까지의 남자들로 구성). **~sturm·mann** *m.* 〖고어〗 (schweiz.) 예비군, 향토 방위 대원. **~sturm·pflichtig** *a.* 예비군 복무의 의무가 있는. **~sturz** *m.* 사태(沙汰). **~tabak** *m.* 본산지의 담배. **~tafel** *f.* ① 지도; 토지 대장. ② (öst.) 귀족 명감(名鑑).

Lạnd·tag *m.* ① (구독일 제국의) 영방(領邦) 의회, (Landstände 로 구성된) 신분제 의회. ② (현 독일 연방 공화국의) 주의회.

Landtags≠abgeordnete* *der/die* 주의회 의원. **~abschied** *m.* ① 주〔영방〕의회의 폐회. ② 주〔영방〕의회 의결안. **~wahl** *f.* 주의회 선거.

Lạnd·tier *n.* 육지 동물(↔ Wassertier). **~torpedo** *m.* 〖軍〗 지뢰. **~transport** *m.* 육상 수송. **~truppen** *pl.* 육군.

Landung [lánduŋ] *f.* -en ① 상륙, 착륙: eine weiche ~ 연(軟)착륙; Not≈ 비상 착륙, 불시착: die ~ der Westallierten in der Normandie 서방 연합군의 노르망디 상륙. ② (화물의) 양륙, (여객의) 하선. ③ 〖軍〗 (물자의) 투하; (부대의) 적진 투입. ④ 〖스포츠〗 착지.

Lạndungs≠armee *f.* 〖軍〗 상륙군. **~boot** *n.* 거룻배, 상륙정(艇). **~brücke** *f.* 상륙용 잔교(棧橋). **~damm** *m.* 부두. **~kosten** *pl.* 거룻뱃삯, 양륙비(揚陸費). **~ort** *m.* ↑ ~platz. **~platz** *m.* 상륙 지점, 착륙장, 양륙장. **~steg** *m.* ↑ ~brücke. **~stelle** *f.* ↑ ~platz. **~truppen** *pl.* 〖軍〗 상륙군.

Lạnd≠urlaub *m.* (선원의) 상륙 휴가; 상륙 허가. **~vermesser** *m.* 토지 측량사. **~vermessung** *f.* ↑ Landesvermessung. **~verteidigung** *f.* 국방. **~vogel** *m.* (↔ Wasservogel) 육지새, 뭍새. **~vogt** *m.* 〖史〗 (중세의 황제 직할지의) 태수. **~vogtei** *f.* 태수의 관할 지역. **~volk** *n.* 시골 주민, 농민. **~wärts** *adv.* 육지 쪽〔방향〕으로. **~-Wạsser-Tier** *n.* 양서 동물. **~weg** *m.* ① 시골길, 들길. ② 육로: sie erreichten Palästina auf dem ~ 그들은 육로로 팔레스타인에 도착했다. **~wehr** *f.* ① (중세 때의) 국경 요새. ② **(a)** 국민병, 예비군. **(b)** (스위스의) 향토 방위대(37 세에서 48 세까지의 남자들로 구성). **~wehrmann** *m.* ~wehr ②에 소속한 대원. **~wein** *m.* (지역 토산의) 포도주. **~welle** *f.* 토지의 기복; 파상지(波狀地). **~wind** *m.* (↔ Seewind) 육풍(저녁 때 육지에서 바다 쪽으로 부는 바람). **~wirt** *m.* ① 농부. ② 시골 여관집〔술집〕 주인. **≈wirtlich** *a.* 농부의. ***~wirtschaft** *f.* ① 농업, 농장 경영: die Menschen hier leben von der ~ 이곳 사람들은 농업으로 살아간다. ② 〖복수: -en〗 농장. **≈wirtschaftlich** *a.* 농업의, 농사의: ~e Erzeugnisse 농산물; ~e Hochschule 농과대학.

Lạndwirtschafts≠ausstellung *f.* 농업〔농산물〕 전시회. **~genossenschaft** *f.* 농업 협동 조합. **~kammer** *f.* 농업 회의소. **~minister** *m.* 농림부 장관.

Lạnd≠wohnung *f.* (↔ Stadtwohnung) 시골집, 시골 주택. **~zins** *m.* 지대(地代). **~zunge** *f.* 혀 모양의 곶〔갑〕, 좁고 길쭉한 반도. **~zwang** *m.* 〖法〗 공공 안녕의 위협, 치안 방해.

***lang**[1] [laŋ] (länger, längst) 《I》 *a.* ① 〖공간적〗 **(a)** 긴, 길이가 있는; 〖구어〗 키가 큰; 호리호리한: ebenso〔gleich〕 ~ 길이가 같은; so breit wie ~ 폭과〔너비와〕 길이가 같은; er fiel zur Erde, so ~ er war 그는 큰 대(大)자로 땅 위에 넘어졌다; einen Finger 〔eines Fingers〕 ~ 손가락만한 길이의; drei Meter ~ 길이 3 미터의; eine ~e Straße 긴 가로; ~e Arme〔Beine〕 긴 팔〔다리〕; eine Hose länger machen 바지의 단을 늘이다; wie ~ bist du denn eigentlich? 너는 도대체 키가 얼마나 되니?; 〖비유〗 ~e Gedichte〔Briefe〕 장시(長詩)〔긴 편지〕; 〖구어〗 ~e Soße 묽은 소스: ~e Brühe a) 묽은 수프, b) 〖비유〗 다변(多辯); mach keine ~e Brühe! 군소리 마라!; ein ~er Kerl 키다리; et. auf die ~e Bank schieben 무엇을 계속해서 미루다; ~e Finger machen 도둑질하다; et. von ~er Hand vorbereiten 어떤 일을 오래 전부터 준비하다; Politik auf ~e Sicht 장기 정책; mit ~er Nase abziehen 실패하여 물러서다, 맥없이 물러가다; eine ~e Nase machen 조롱하다; 〖구어〗 ein ~es Gesicht machen 실망한〔모욕감을 느끼는〕 듯한 얼굴을 하다; 〖구어〗 einen ~en Hals machen 궁금해하다; jm. ~e Zähne machen 누구의 식욕을 돋우다; er macht ~e Zähne a) 그는 식욕을 느낀다, b) 그는 마지못해 먹는 것 같다; ~e Ohren machen 호기심에 차서 귀를 기울이다; er hat eine ~e Leitung 그는 이해력이 모자란다, 그는 둔감하다; ~ und breit 〔des ~en und breiten, ein ~es und breites〕 상세하게; sich des ~en und breiten 〔länger(e)n und breiter(e)n〕 über et. auslassen 무엇에 대해서 상세하게 의견을 진술하다; das ≈e und Breite einer Sache ist, daß... 사건의 전말은 …이다. **(b)** (주관적으로) 긴 (느낌을 주는): nun hab' ich noch zehn ~e Meilen zu gehen 아직도 10 마일이나 더 가지 않으면 안 된다. ② 〖시간적〗 긴, 오랜, 오랫동안의: auf〔für〕 ~e Zeit 오랫동안; den lieben ~en Tag 온종일; ~er Aufenthalt 장기 체류; ~e Weile〔Reise〕 오랫동안〔오랜 여행〕; vor〔nach〕 ~en Jahren 여러 해 전〔후〕에; die Zeit wird mir ~ 나는 지루하다, 서서히 짜증이 난다; et. aus ~er 〔für die ~e〕 Weile tun 무엇을 심심풀이로 하다. ③ (포도주가) 걸쭉한. 《II》 *adv.* ① 〖공간적〗 …의 길이로: die Länge ~ 제 길이대로; drei Fuß ~ 3 피트의 길이로; kurz und ~ 요약하면; sich ~ ausstrecken 사지를 쭉 뻗고 누워 있다. ② 〖시간적〗 …동안: sein Leben ~ 평생 동안; eine kurze Zeit ~ 잠시 동안; einen Tag ~ 하룻동안, 종일; ~ ersehnte Hilfe 오랫동안 고대하던 도움; ~ lebe der König! 국왕 만세!; von ~em her 〔seit ~em, des längeren〕 오래 전부터; über kurz oder ~ 조만간.

L

lang² 〔방언〕《I》*prp.*⁴ (entlang) …을 따라서: er ging das Ufer ~ 그는 해안을 따라갔다. 《II》*adv.* (entlang) (을) 따라서: hier geht's ~ 이쪽이 바른 길이다; wir müssen hier ~ 우리는 이쪽 길로 가야 한다.

..lang *suf.* "…시간·길이"의 뜻(보기: tage~ 수일간).

lang≈ährig *a.* 〖植〗 이삭이 긴. **~arm·affe** *m.* 〖動〗 긴팔원숭잇과(科) (Gibbon). **~är·melig** *a.* 소매가 긴. **~armig** *a.* 팔이 긴. **~atmig** *a.* 너무 상세한; 지루한. **~bärtig** *a.* 수염이 긴. **≈baum** *m.* ①〖工〗 앞뒤의 차축을 연결하는 쇠막대기. ②〖방언〗 차 위에 건초를 받치는 막대기(Wiesbaum). **≈bein** *n.* ①〖구어·농담〗 다리가 긴 사람. ②〖시어〗 Meister ~ 황새. **~beinig** *a.* 다리가 긴. **~blät·t(e)rig** *a.* 잎이 긴.

***lange** [láŋə] (länger, längst) *adv.* ①〖시간적〗 오래, 오랫동안: das hat nicht ~ gedauert 그것은 오래 걸리지 않았다; nicht ~ darauf 그 후 오래지 않아; ~ bevor er kam 그가 오기 훨씬 전에; das ist schon ~ her 그것은 벌써 오래 전의 일이다; es ist noch nicht ~ her 그것은 요 얼마 전의 일이다; 〖구어〗 da kann er ~ warten! 그 친구 기다려 봤자 헛일이야!; von ~ her 오래 전부터; ich hab' es ~ 〔längst〕 gemerkt 나는 그것을 벌써 눈치채고 있었다; mit et.³ ~ machen 무엇을 하는 데 오랜 시간이 걸리다, 무엇을 느리게 하다; 〖속담〗 was ~ währt, wird endlich gut 오래 걸리는 것은 결국 좋은 것이 된다, 대기만성; 〖속담〗 ehrlich währt am längsten 정직이 가장 오래 간다(정직은 평생가는 보물이다); 〖구어〗 er wird es nicht mehr ~ machen 그는 앞으로 더 오래 살 수 없을 게다; ich kann es nicht länger aushalten 〔ertragen〕 나는 더 이상 참을〔견딜〕 수 없다; das wird am längsten gedauert haben 그것은 더 이상 계속될 수는 없다; (auf) wie ~ willst du's behalten? 너는 얼마 동안 그것이 필요하냐?; wie ~ noch! 과연 얼마나 오래갈까〔오래가지 못할걸〕!; wie ~ lernen Sie Französisch? 프랑스어를 공부한 지 얼마나 되었습니까? ②〖구어·강조〗 da fragt man nicht erst ~ 그것은 더 이상 물어볼 필요가 없다; wer wird erst ~ fragen? 그런 걸 물어서 뭘 해?; was zauderst du ~? 뭘 우물쭈물하고 있는가? ③…하는 동안: so ~ ich lebe 내가 살아있는 동안은; so ~, bis… …할 때까지; so ~, wie… …인 한. ④〖nicht 와 함께〗 결코〔도저히〕 …은 아니다: das ist ~ nicht genug 그것은 결코〔전혀〕 충분하지 않다; das ist (noch) ~ 〔längst〕 nicht die Hälfte 그것은 아직 반도 안 된다; du bist längst nicht so groß wie ich 너는 결코 나만큼 키가 크지 않다. ⑤충분히(völlig): das ist für uns ~ genug 그것으로 우리는 충분하다; das ist für ihn ~ gut 그는 그것으로 족하다.

***Länge** [lέŋə] *f.* -n ①〖공간적으로〗 길이, 깊; 키, 높이: (**a**) die ~, Breite und Höhe des Schrankes messen 장롱의 세로, 가로 및 높이를 재다; eine Strecke von drei Meter(n) ~ 3미터 구간; das Pferd siegte beim Rennen mit mehreren ~n 그 말은 경주에서 여러 마신(馬身) 차로 이겼다; das Boot hatte eine halbe ~ Vorsprung 그 배는 배 길이의 절반을 리드했다; um ~n gewinnen 〔verlieren, geschlagen werden〕 확실하게〔큰 차로〕 이기다〔패하다〕; der ~ nach 길이〔높이〕대로, 세로로; ein Land in der ~ und Breite durchreisen 어떤 나라를 종횡으로〔두루〕 여행하다; sich der ~ nach auf den Boden werfen 완전히 큰 대자로 바닥에 뻗다; 〖軍〗 der ~ nach beschießen 종사(縱射)하다. (**b**) 〖지리〗 경도(經度): westlicher ~ 서경(약어: w.L.); östlicher ~ 동경(약어: ö.L.); Berlin liegt unter 13° östlicher ~ 베를린은 동경 13도에 있다. ②(문장·강연 따위에서) 장황: der Roman hat ~n 그 소설은 지루한 구절들이 들어 있다. ③〖動〗 대구속(Langfisch). ④〖시간적〗 시간, 기간: (**a**) 장시간: die ~ hat die Last 길게 끌면 곤란하게 된다; 〖구어〗 auf die ~ a) 장기적으로 보자면, b) 장황하게, 장기간의 예정으로; auf die ~ ertrug ich das nicht 장기적으로 나는 그것을 견딜 수가 없었다; sich in die ~ ziehen 지연되다; et. in die ~ ziehen 무엇을 지연시키다, 연기하다. (**b**) 〖문학〗 (↔ Kürze) (시행에서의) 장음, 긴 음절.

Länge≈feld *n.* 〖軍〗 (포(砲)의) 앞부분. **~holz** *n.* (빵 제조용) 밀방망이. **≈lang** *adv.* 제 길이대로, 벌렁, 큰 대자로: er fiel ~ hin 그는 벌렁 나자빠졌다.

***langen** [láŋən] 《<lang》〖구어〗《I》*i.* (h.) ①(시간이) 길어지다, 늘어지다: wenn die Tage ~ 낮이 길어지면. ②(erstrecken) 달하다, 미치다: die Vorhänge ~ fast bis auf den Boden 커튼은 거의 바닥까지 닿는다. ③충분하다(ausreichen); 임시 변통하다: mir langt es 나는 참을 만큼 참았다; der Stoff wird zu einem Kleid ~ 그 천은 옷 한 벌 만들기에 충분할 것이다; langt das? 그것이면 되겠니?; es langt nicht hinten und nicht vorn 〔nicht hin und nicht her〕 그것으로는 전혀 충분하지 않다; das langt noch nicht 그것으로는 아직 부족하다; (danke,) es langt (mir)! (감사합니다,) 그 정도면 충분합니다!; jetzt langt's (mir) aber! 됐다, 그만해라! ④손을 뻗다, 손이 닿다; 다다르다: nach et.³ ~ 무엇을 잡으려고 손을 뻗치다; ich kann nicht so weit ~ 나는 거기까지는 미치지 못한다; in die Tasche ~ a) 호주머니에 손을 넣다, b) 셈을 치르다. ⑤원하다, 갈망하다. 《II》*t.* ①붙잡다(fassen); 끄집어내다(herausholen): er langte seine Geldbörse aus der Tasche 그는 자기 지갑을 호주머니에서 꺼냈다. ②(darreichen) 내주다, 지급하다; 가져오다(holen): lang(e) mir mal meinen Hut! 내 모자를 건네 주게나!; jm. eine (Ohrfeige) ~ 누구의 빰을 한 대 갈기다. 《III》*refl.* sich³ jn. ~ 누구를 혼내다, 꾸짖다: ich werde ihn mir schon ~ 나는 그를 꼭 혼내 주겠다.

längen [lέŋən] 《I》*t.* 길게 하다, 펴다; 늘이다; (소스를) 묽게 하다, 희석하다: den Teig ~ 반죽을 밀다; eine Brühe ~ 수프를 묽게 하다. 《II》*refl.* (sich) ~ 길어지다, 늘다. 《III》*i.* (h.) (ndd.) 그리워하다(sich sehnen); 길어지다.

Längen≈achse *f.* 종축(縱軸). **~ansicht** *f.* 종단 면도(面圖). **~ausdehnung** *f.* 세로 확대; 길이 연장. **~bruch** *m.* 〖醫〗 종주(縱走)

골절. **~durchschnitt** *m.* 종단; 〖醫〗 종절개(縱切開). **~einheit** *f.* ↑ ~maß. **~grad** *m.* 〖지리〗 경도(經度). **~kreis** *m.* 〖지리〗 (Meridian) 남극과 북극을 잇는 최단선; 자오선; 경선(經線). **~linie** *f.* 종선(縱線). **~maß** *n.* 길이 측정 단위. **~messung** *f.* 길이 측정. **~schnitt** *m.* 종단면; 〖醫〗 종절개. **~spannung** *f.* 신축률. **~tal** *n.* 종곡(縱谷).

lạng·entbehrt *a.* 오랫동안 없이 지내온; 결핍을 오래 참아온.

Lặngen·uhr *f.* (Chronometer) 박절기, 메트로놈.

länger [lɛ́ŋər] 〚lang 의 비교급〛《I》*a.* 보다 긴, 더욱 긴; 비교적〔꽤〕 긴: (um) ein Meter ~ als... …보다 1미터 (더) 긴; ~e Zeit (hindurch) 상당히 오랫동안. 《II》*adv.* 보다〔훨씬〕 길게, 보다 오랫동안; 비교적〔꽤〕 길게〔오래〕: je ~, je lieber 길면 길수록 좋다; wenn er es noch ~ so macht 그가 앞으로도 그렇게 한다면; ich hab' das schon ~ bemerkt 나는 벌써 오래 전부터 그것을 눈치챘다.

lặnger·fristig *a.* 장기적인; 비교적 긴 시기에 걸치는: ~e Planungen 중장기 계획들.

lạng·erwünscht *a.* 오랫동안 소망해온.

Langette [laŋgɛ́tə] 《frz.》 *f.* -n 〖재봉〗 감침질, 스캘럽.

langettieren [laŋgɛtí:rən] *t.* (옷감의) 가장자리를 감치다.

Lạnge≈weile *f.* 지루함, 심심함; 권태; 무료함: sich mit Spielen die ~ vertreiben 게임을 하며 지루함을 쫓다; 〚구어·과장적〛 ich sterbe (fast) vor ~ 나는 지루해서 죽을 지경이다. **~zeit** *f.* (schweiz.) 향수(Heimweh).

Lạng≈finger *m.* 〚구어·농담〛 도둑; 소매치기 (Taschendieb). **≈fing(e)rig** *a.* ① 손가락이 긴. ② 〚구어·농담〛 손버릇이 나쁜. **~fisch** *m.* 〖動〗 대구속(屬) (Lengfisch). **≈flüg(e)lig** *a.* 날개가 긴. **≈fristig** *a.* 장기에 걸친, 장기간의. **~frist·vorhersage** *f.* 장기 예보. **~fuß** *m.* 다리가 긴 사람. **≈füßig** *a.* 다리가 긴. **≈gehegt** *a.* 오래 전부터 품어 온.

lang|gehen [láŋge:ən] *i.* (s.) 〚구어〛 ① (어떤 곳을) 죽 따라가다: am Ufer ~ 강가를〔해안을〕 따라가다. ② 〚비유〛 제대로 된 길이다, 올바른 방식이다: (nicht) wissen, wo es langgeht 어찌 처신해야 옳은지 알다〔모르다〕.

Lạng≈geschoß *n.* 〖軍〗 기다란 포탄. **≈geschwänzt** *p.a.* 꼬리가 긴. **≈gestielt** *a.* 자루〔줄기〕가 긴. **≈gestreckt** *p.a.* 길게 뻗은. **≈gewachsen** *a.* 잘 성장한, 키가 크게 자란. **≈gezogen** *a.* (외침 등이) 길게 끌리는. **≈glied(e)rig** *a.* 골격이 큰〔긴〕. **~haar** *n.* 장발. **~haar·dackel** *m.* 털이 긴 땅딸개. **≈haarig** *a.* 털이 긴: ~es Geschlecht 여성; ein ~er Pelz 털이 긴 모피 (외투). **~hals** *m.* 목이 긴 사람〔동물〕. **≈halsig** *a.* 목이 긴. **≈händig** *a.* 손이 긴. **~haus** *n.* ① 〖건축〗 (교회의) 본진(本陣), 중당(中堂). ② 북아메리카 이로쿼이 인디언의 주거. **≈her** [láŋhér] *adv.* 일찍이, 이전에; 이미 오래 전부터; 멀리서부터. **≈hin** [láŋhín] *adv.* 아득히, 멀리. **~holz** *n.* ① 숲에서 벌채한 나무〔목재〕; 긴 (대)들보. ② 세로로 절단한 목재. **≈jährig** *a.* 여러 해의: ~e Gewohnheit 해묵은 습관. **≈köpfig** *a.* 머리통〔두개골〕이 긴; 얼굴이 긴. **~kreis** *m.* 긴 타원. **~lauf** *m.* 〖스키〗 노르딕. **≈laufend** *a.* 장기의. **~lauf·ski** *m.* 〖스포츠〗 노르딕용 스키. **~lebende*** *der/die* 장수자. **≈lebig** *a.* ① 오래 사는, 장수하는. ② 수명이 긴; 효력이 오래가는. **~lebigkeit** *f.* ① 장수, 장생(長生). ② 효력〔수명〕이 오래감. **≈|legen** *refl.* 〚구어〛 sich ~ (쉬기 위해) 죽 뻗고 드러눕다.

länglich [lɛ́ŋlɪç] *a.* ① (너비에 비해) 긴, 장방형의. ② 〚비유〛 (문장이) 긴, 장황한: eine ~e Predigt 장황한 설교. ③ 〖植〗 길게 자란. ④ 〖數〗 연장한.

lặnglich·rund *a.* 타원형의.

Lạng≈loch *n.* 〖工〗 홈구멍. **≈mähnig** *a.* ① 갈기가 긴. ② 〚대개 폄어〛 머리칼이 긴, 장발의. **~mut** *f.* 인내심, 관용; 참을성. **≈mütig** *a.* 참을성이 많은, 관대한. **~mütigkeit** *f.* 관대, 너그러움. **≈nasig** *a.* 코가 긴.

Langobarde [laŋgobárdə] *m.* -n, -n 랑고바르드족(엘베강 하류 양쪽에 살았던 게르만족).

langobạrdisch *a.* 랑고바르드족(특유)의.

Lạng≈ohr *n.* ① 귀가 긴 사람. ② 당나귀, 토끼. **≈ohrig** *a.* 귀가 긴. **~pferd** *n.* 〖체조〗 도마(跳馬). **≈rippig** *a.* 〖건축〗 긴 늑재(肋材)를 붙인. **≈rund** *a.* 타원의, 달걀 모양의.

längs [lɛŋs] 《I》*prp.*^2/3 …을 따라서(entlang): ~ dem Flusse 〔des Flusses〕 강을 따라서. 《II》*adv.* ① 종축으로(↔ quer). ② (nordd.) (어떤 곳을) 지나쳐, 따라서.

Lặngs·achse *f.* 종축.

***langsam** [láŋza:m] *a./adv.* ① 느린, 더딘, 완만한; 〖醫〗 만성(慢性)의; 〚비유〛 태만한, 꾸물대는: ~ fahren 서행하다; er ist ~ 그 사람은 느림보다; er ist ~ von Begriff 〔er greift ~〕 그는 이해가 느리다; 〚속담〛 wer ~ geht, kommt auch zum Ziel 천천히 가도 목적지에는 도착한다(서두를 필요 없다); ~, aber sicher 빠르지는 않지만 확실히(느려도 제대로). ② 점차적인; 서서히, 점차로: es wird ~ Zeit zu gehen 이제 슬슬 갈 시간이다; ~ begreife ich, was du mir sagen willst 네가 무슨 말을 하려는지 서서히 이해가 된다.

Lạngsamkeit *f.* 느림, 서완(徐緩), 더딤; 꾸물댐, 태만.

Lặngs≈bestreichung *f.* 〖軍〗 종사(縱射). **~bruch** *m.* 〖醫〗 종주(縱走) 골절.

lạng≈schäd(e)lig *a.* 〖인류〗 ↑ ~köpfig. **≈schäfter** *m.* 무릎까지 오는 장화. **~schattig** *a.* 그림자가 긴: ~e Völker 극지의 주민. **~schenk(e)lig** *a.* 종아리가 긴. **≈schiff** *n.* ↑ ~haus ①. **≈schläfer** *m.* 늦잠꾸러기. **≈schläferei** *f.* 늦잠; 아침잠. **~schläferin** *f.* ↑ ~schläfer 의 여성형. **~schnäb(e)lig** *a.* 부리가 긴. **~schwänzig** *a.* 꼬리가 긴.

lặngs≈decks *adv.* 〖海〗 갑판을 따라. **≈einschnitt** *m.* 〖醫〗 종(縱)절개.

Lạng·seite *f.* 세로면.

Lặngs≈faden *m.* 날실. **~faser** *f.* 나뭇결. **~feuer** *n.* 〖軍〗 종사(縱射). **≈gestreift** *a.* 세로줄 무늬가 나 있는.

lạng≈sichtig *a.* 원시(遠視)의, 거시적인, 장기(長期)의: 〖商〗 ~er Wechsel 장기 어음. **~silbig** *a.* 〖문법〗 장음철(長音綴)의, 긴 철자의.

Lặngs·linie *f.* 세로선, 종선(縱線).

Lạng·spiel·platte *f.* 엘피(L.P.) 판〔레코드〕.

Längs≈richtung *f.* 세로〔종(縱)〕 방향. **≈-schiffs** *adv.* 배의 세로 방향으로. **~schnitt** *m.* 종단(縱斷); 종단면도. **~schwelle** *f.* 〖철도〗 세로 침목. **~seite** *f.* 긴 쪽(면), 세로면. **≈seit(s)** 《Ⅰ》 *adv.* 세로면 옆쪽으로; 세로면으로; 〖海〗 뱃전으로; 옆에 나란히 붙어서. 《Ⅱ》 *prp.*² (배의) 세로면으로; 뱃전으로. **~-streifen** *m.* (세로의) 줄, 줄무늬.

***längst** [lɛŋst] 《Ⅰ》 *a.* 가장 긴(↑ lang); aufs ~e Zeit 매우 오랫동안. 《Ⅱ》 *adv.* ① 오래 전에, 벌써; 오래 전부터: ich weiß es ~ 나는 그것을 오래 전부터 알고 있다; das ist ~ fertig 그것은 끝난 지 오래다; das ist ~ vorbei 그것은 벌써 지난 일이다. ② ~ nicht 결코 아니다: das ist ~ nicht erwiesen 그것은 전혀 증명된 바 없다(↑ lange ④).

Längs·tal *n.* 〖지리〗 종곡(縱谷) (Längental).

lang·stängelig 新정서 ⇦ ~steng(e)lig.

längst≈begraben *a.* 오래 전에 매장된. **~-bekannt** *a.* 오래 전부터 알려진.

lang·steng(e)lig *a.* 줄기가 긴.

längstens [lɛ́ŋstəns] *adv.* 〔시간적〕〔구어〕 길어도; 늦어도; 기껏해야: er ist ~ eine halbe Stunde dort gewesen 그는 기껏해야 반 시간 정도 그곳에 있었다; in ~ zwei Wochen 늦어도 2주일 후에는.

langstielig *a.* 자루가 긴; 줄기가 긴; 〔비유〕 지루한; 단조로운.

Langstieligkeit *f.* 지루함; 단조로움.

längst·lebend *a.* 극히 오래 사는, 최장수의.

Lang·strecke *f.* ① 장거리. ② 〖스포츠〗 장거리(달리기).

Langstrecken≈flug *m.* 장거리 비행. **~-lauf** *m.* 〖스포츠〗 장거리 달리기. **~läufer** *m.* 〖스포츠〗 장거리 달리기 선수.

Lang·streckler *m.* ↑ ~streckenläufer.

Längs·wand *f.* (건물이나 공간의) 종벽, 세로벽(↔ Querwand).

Languedoc·wein [lãgdɔ́k..] *m.* 프랑스 남부 지방(Languedoc)에서 나는 포도주.

Languette [laŋgɛ́tə] *f.* -n 〖재봉〗 감침질 (Langette).

languettieren *t.* 〖재봉〗 감침질하다(langettieren).

Languste [laŋgʊ́stə] 《lat.》 *f.* -n 〖動〗 대하, 왕새우.

***Lang·weile** [láŋvaɪlə] *f.* 지루함, 무료; 심심함, 권태: aus ~ 지루한 나머지; ~ empfinden 무료함을 느끼다; tödliche ~ 못 참게 지루함; ihn plagt die ~ 그는 무료해서 진저리를 낸다.

langweilen [láŋvaɪlən] 《Ⅰ》 *t.* 지루하게 하다: er langweilt mich mit seinen Jagdgeschichten 그의 사냥 이야기에는 넌더리가 난다. 《Ⅱ》 *refl.* sich ~ 지루하다.

Langweiler [..lər] *m.* -s, - 〔구어〕 지루한〔답답한〕 사람.

***langweilig** [láŋvaɪlɪç] *a.* ① 지루한, 지겨운; 단조로운: eine ~e Geschichte 지루한 이야기. ② (사람이) 아는 것이 많지 않은, 재미가 없는, 함께 있는 것이 즐겁지 않은; 별볼일없는: sie ist hübsch, aber ~ 그녀는 예쁘기는 한데 재미가 없다.

Langweiligkeit *f.* ① 지루함, 권태; 단조로움; 무료. ② 지루한〔권태로운·단조로운〕 것.

Lang≈welle *f.* ① 〖物〗 장파(長波). ② 〖방송〗 장파 수신 라디오의 전파 범위. **≈wellig** *a.* 〖物〗 장파(長波)의. **~wied, ~wiede** *f.* ↑ ~baum ①.

langwierig [láŋviːrɪç] *a.* 오래 끄는; 지루한: eine ~e Krankheit 고질병, 만성병.

Langwierigkeit *f.* 오래 끎; 만성적임.

Langzeher *pl.* 〖動〗 장지류(長趾類).

Lang·zeile *f.* 〖문학〗 장행(長行) (Langvers): **(a)** (고대 게르만어, 고고〔중고〕 독일어로 쓰여진 시문학에서) 두 개의 단행으로 이루어진 장행(각 단행은 대개 4개의 강음을 지님). **(b)** (신고 독일어로 쓰여진 시문학에서) 강음이 4개 이상인 장행(보기: Alexandriner 시행).

Langzeit≈gedächtnis *n.* 〖心〗 장기 기억력. **~programm** *n.* 〖政〗 장기 계획. **~studie** *f.* 장기 연구. **~wirkung** *f.* 장기 효과〔효능〕.

lang≈ziehen *t.* (길이를) 늘이다, 연장하다; (음을) 길게 빼다. **~züngig** *a.* 혀가 긴.

Lanke [láŋkə] 《⊕ Gelenk, lenken》 *f.* -n 허리, 옆구리; 서혜부(鼠蹊部).

Lanne [lánə] *f.* -n 〔방언〕 ① 울타리의 작은 막대기; 난간의 손잡이. ② 수레채. ③ 양륙장.

Lanolin [lanolíːn] *n.* -s 양털 기름(연고의 재료).

Lanthan [lantáːn] 《gr.》 *n.* -s 〖化〗 란타늄(금속 원소; 기호: La).

Lanthanit [..taníːt, ..nít] *m.* -s, -e 〖광물〗 란타니드.

Lanugo [lanúːgo] 《lat.》 *f.* ..gines [..gineːs] ① 〖動〗 양모. ② 〖해부〗 태아의 솜털; 가늘고 부드러운 털.

Länzchen [lɛ́ntsçən] *n.* -s, - 〔↑ Lanze 의 축소형〕 작은 창(槍).

***Lanze** [lántsə] 《frz. lance》 *f.* -n ① 창: 〔비유〕 mit jm. eine ~ brechen 누구와 겨루다, 시합하다; eine ~ für jn. 〔et.〕 einlegen〔brechen〕 누구를〔무엇을〕 위해 당당히 싸우다. ② 창병, 창기병. ③ (고래잡이) 작살.

Lanzen≈brechen *n.* ① 창을 꺾음. ② (Turnier) (중세의) 마상(馬上) 창시합. **~eisen** *n.* 창끝. **~fähnchen, ~fähnlein** *n.* 창기(槍旗). **~farn** *m.* 〖植〗 창 모양의 양치 식물. **~flagge** *f.* 창기. **≈förmig** *a.* 창 모양의. **~knecht** *m.* 용병(↑ Landsknecht ①). **~-mann** *m.* 창수(槍手), 창병. **~reiter** *m.* 창기병(槍騎兵). **~rennen** *n.* ↑ ~brechen ②. **~schaft** *m.* 창의 자루. **~schuh** *m.* 창끚이. **~spiel** *n.* ↑ ~brechen ②. **~spitze** *f.* ↑ ~eisen. **~splitter** *m.* 꺾인 창의 파편. **~-stechen** *n.* ↑ ~brechen ②. **~stich, ~-stoß** *m.* 창으로 찌름; 창에 찔린 상처. **~-stiel, ~stock** *m.* ↑ ~schaft. **~träger** *m.* ↑ ~mann. **~wurf** *m.* 창던지기; 창을 던짐.

Lanzette [lantsɛ́tə] 《frz.》 *f.* -n 〖醫〗 수술용 메스, 란세트.

Lanzett·besteck *n.* ↑ Lanzettenbesteck.

Lanzetten≈besteck *n.* 수술용 메스 세트. **≈-förmig** *a.* 란세트형의.

Lanzett≈fenster *n.* 〖건축〗 고딕식의 뾰족한 아치형 창. **~fisch** *m.* 〖動〗 활유어(蛞蝓魚). **≈förmig** *a.* ↑ lanzettenförmig.

lanzettlich *a.* 〖植〗 (잎이) 란세트 모양의.

lanzinieren [lantsiníːrən] *i.* 〔대개 현재 분사 형으로〕 (고통이) 갑자기 나타나다; (통증이) 순간적으로 격심해지다.

lanzinierend *p.a.* (통증이) 갑작스레 나타나

는, 순간적으로 격심해지는.

Laokoon [laó:koɔn] 《gr.》 *m.* 〖그리스신화〗 라오콘(두 아들과 함께 뱀에 물려 죽은 트로이의 신관(神官)).

Laokoon·gruppe *f.* 라오콘의 대리석 군상(群像).

Laote [laó:tə] *m.* -n, -n 라오스 사람.

laotisch *a.* 라오스(출신)의: ~e Sprache 라오스어(語).

Laotse [laó:tsə, láutsə] *m.* 노자(老子).

Laparoskop [laparoskó:p] *n.* -s, -e 〖醫〗 내시경.

Laparotomie [laparotomí:] 《gr.》 *f.* -n [..mí:ən] 〖醫〗 개복술(開腹術), 복벽(腹壁) 절개법.

lapidar [lapidá:r] 《lat. lapis》 *a.* 돌에 새긴; 비문체(碑文體)의; 간결한.

Lapidär [lapidɛ́:r] *m.* -s, -e (시계 제작용의) 연마기.

Lapidarium [..dá:riʊm] *n.* -s, ..rien [..riən] 석조 문화재 박물관〔전시관〕.

Lapidar≈schrift *f.* 〖印〗 장식 없는 대문자. **~stil** *m.* 비문체; 간결한 (문)체.

Lapides *pl.* ↑ Lapis.

Lapilli [lapíli] 《lat.》 *pl.* 〖지질〗 용암 조각.

Lapin [lapɛ̃:] 《frz.》 *m./n.* -s, -s 산토끼.

Lapis [lá:pɪs] 《lat.》 *m.* -, ..pides [..pide:s] 〔교양〕 돌(Stein).

lapis·blau *a.* 유리색의, 코발트색의.

Lapis·lazuli [..lá:tsuli] *m.* 〖광물〗 유리, 청금석(青金石).

La-Plata-Staaten [laplá:ta..] *pl.* 라플라타강 유역 국가(아르헨티나·우루과이·파라과이).

Lapp [lap] 《<Laffe》 *m.* -en, -en, **Laps** *m.* -es, -e, (öst., bayr.) ① 한심한 젊은이. ② 단순한 사람, 멍청한 녀석.

Lappalie [lapá:liə] 《<Lappen》 *f.* -n 사소한〔하찮은〕 일.

Läppchen [lɛ́pçən] *n.* -s, - 〔↑ Lappen 의 축소형〕 ① 헝겊〔누더기〕 조각. ② 귓불. ③ 〖해부〗 (간·폐 따위의) 소엽(小葉). ④ 〖植〗 소열편(小裂片).

Lappe[1] [lápə] *f.* -n 〔구식〕 ↑ Lapp.

Lappe[2] *m.* -n, -n ↑ Lappländer.

***Lappen** [lápən] *m.* -s, - ① 헝겊, 천조각; 행주, 걸레; 〔구어·폄어〕 옷: für diesen ~ hast du 200 DM bezahlt? 이 따위 옷 쪼가리를 위해서 200 마르크나 지불했다는 게야?; sich auf die ~ machen 출발하다, 물러가다. ② 〔구어〕 (고액의) 지폐: ein blauer ~ 100 마르크짜리 지폐. ③ 〖사냥〗 (짐승을 몰아넣기 위하여 그물에 매단) 몰이 헝겊, 줄덫: 〔비유〕 (jm.) durch die ~ gehen (누구에게서) 빠져나가다, 달아나다. ④ **(a)** (아래로 늘어진) 신체의 일부(귓불 따위). **(b)** 〖해부〗 (간·폐의) 엽(葉), 판(瓣). **(c)** 〖植〗 열편(裂片). **(d)** 〖사냥〗 물갈퀴. ⑤ 〖工〗 고리, 고리 못.

lappen[1] 《I》 *i.* (h.) ① 축 늘어지다; 울림이 없는 소리를 내다. ② (schlürfen) (개가) 핥다, 빨다. 《II》 *t.* 헝겊을 대고 깁다(flicken); 〖사냥〗 몰이줄을 치다.

lappen[2] *t.* 〔과거 분사형으로만 쓰임〕 ↑ gelappt.

läppen [lɛ́pən] *t.* (표면을) 매끄럽게 만들다, 연마하다; 마무르다.

lappen·artig *a.* ① 행주 같은; 누더기 같은. ② 〖해부〗 엽상(葉狀)의. ③ 〖植〗 열편상의.

Lappen≈besen *m.* 긴 자루가 달린 걸레. **~fuß** *m.* 물갈퀴, 오리발. **≈füßig** *a.* 물갈퀴가 달린. **~jagd** *f.* 덫을 사용하는 사냥. **~muschel** *f.* 〖動〗 새조개. **~schnitt** *m.* 〖醫〗 판상(瓣狀) 절단. **~zelt** *n.* 꼭대기가 뚫린 원추형 천막(라플란드인의 전통 텐트).

Lapper [lápər] *m.* -s, - (Flicker) 헝겊을 대고 깁는 사람, 수선공.

Lapperei [..ráɪ] *f.* -en ① 〔드물게〕 ↑ Läpperei. ② 대고 깁기, 땜질; 수선; 엉터리 일.

Läpperei [lɛpəráɪ] *f.* -en 무가치한 것; 하찮은 일; 사소한 일.

läppern [lɛ́pərn] 《<lappen[1]》 《I》 *refl.* sich ~ 조금씩 모이다, 차츰차츰 모이다: es〔das〕 läppert sich 조금씩 모여 많은 양이 되다. 《II》 *t.* ① 조금씩 핥다〔빨다〕; 〔방언〕 조금씩 마시다. ② *imp.* es läppert jn. nach et.[3] 누구는 무엇이 몹시 먹고 싶다.

Läpper≈schulden *pl.* 사소한 빚. **≈weise** *adv.* 조금씩, 서서히.

lappicht [lápɪçt], **lappig** [lápɪç] *a.* ① 〔구어〕 알량한, 보잘것없는, 사소한. ② 〔구어〕 느슨한, 풀린; 시든. ③ 헝겊을 대고 기운; 너덜너덜한. ④ 〖植〗 열편(裂片)이 있는, 분열된.

Lappin 《<Lappe[2]》 *f.* -nen 라플란드 여자.

lappisch [lápɪʃ] 《<Lappe[2]》 *a.* 라플란드(인)의.

läppisch [lɛ́pɪʃ] 《<mhd. lappe》 *a.* ① 어리석은, 멍청한; 몰상식한; 유치한: ~es Benehmen 유치한 행동. ② 가소로운; 졸렬한; 피상적인; 천박한. ③ 축 늘어진; 유약한.

Lappland [láplant] 라플란드(스칸디나 반도의 북부에 위치한 지방).

Lappländer *m.* -s, - 라플란드 사람.

Lappländerin *f.* -nen 라플란드 여자.

lappländisch *a.* 라플란드(사람)의.

Läpp·maschine *f.* 〖工〗 연마기.

Lapsus [lápsus] 《lat.》 *m.* -, - ① (Fehler) (중대하지 않은) 잘못; 오류, 실수. ② 배신자; (특히) 박해에 견디지 못한 기독교도, 배교자.

Lapsus calami [..ká:lami] *m.* - -, - - 오자, 오기(誤記).

Lapsus linguae [..lɪ́ŋguɛ] *m.* - -, - - 실언.

Lapsus memoriae [..memó:riɛ:] *m.* - -, - - 기억 착오.

Lar [la:r] ① *m.* -s, -en (말레이시아(產)) 긴팔원숭이. ② *m.* ↑ Laren.

Lärche [lɛ́rçə] *f.* -n 〖植〗 낙엽송.

lärchen *a.* 낙엽송(재목)의.

Lärchen≈baum *m.* ↑ Lärche. **~holz** *n.* 낙엽송 목재. **~schwamm** *m.* 〖林〗 ① 낙엽송이 걸리는 질병의 일종. ② 낙엽송에 기생하는 버섯(약재로 쓰임). **~tanne** *f.* ↑ Lärche.

Laren [lá:rən] *pl.* 《lat.》 (고대 로마의) 집의 (수호)신.

larghetto [largéto:] 《it.》 *adv.* 〔↑ largo 의 축소형〕 〖음악〗 적당히 느리게, largo 보다 좀 빠르게.

Larghetto *n.* -s, -s/..ghetti 〖음악〗 소(小)라르고곡(曲).

largo [lárgo] *adv.* 〖음악〗 폭이 넓고 느리게.

Largo *n.* -s, -s/..ghi [..gi] 〖음악〗 라르고곡.

larifari [larifá:ri] 《it.》 *int.* ~! 허튼소리, 쓸데없는 이야기를 하고 있군!

Larifari *n.* -s 허튼소리, 쓸데없는 이야기; 잡담.

***Lärm** [lɛrm] *m.* -(e)s ① 소음, 소란, 시끄러운 소리; 야단법석, 싸움질: ohrenbetäubender ~ 귀가 먹을 것 같은 소음; blinder ~ 공연한 소동; großen〔lauten〕 ~ um et. machen 무슨 일로 큰 소동을 일으키다; wozu all der ~? 왜 이리 소란을 피우는 겐가?; viel ~ um nichts 하찮은 일에 공연한 소동(셰익스피어의 희극 제목에서). ② 위급 경보: ~ schlagen〔läuten, blasen〕 위험 신호를 하다, 경보를 울리다, 구원을 요청하다. ③〖방언〗소문(Gerücht).

Lärm=apparat *m.* 경보기. **~bekämpfung** *f.* 소음 방지 (운동). **~belästigung** *f.* 소음(공해); 소음에 의한 불쾌감. **~bläser** *m.* 경보 나팔수, 경보자. **~empfindlich** *a.* 소음에 민감한.

lärmen [lɛ́rmən] 《I》 *i.* (h.) 시끄럽게 굴다, 소음을 일으키다, 떠들다, 노호(怒號)하다; 싸우다(zanken). 《II》 *t.* 떠들어서 …하게 하다: jn. wach ~ 떠들어서 누구를 깨우다. 《III》 *refl.* sich matt ~ 떠들어서 지치다.

Lärmen *m.* -s 〖고어〗 ↑ Lärm.

lärmend *p.a.* 시끄러운, 떠들썩한.

Lärmer [lɛ́rmər] *m.* -s, - 〖구어〗떠들어대는 사람; 싸움질하는 사람.

lärmerisch *a.* 떠들썩한, 시끄러운.

Lärm=feuer *n.* 비상 봉화. **~glocke** *f.* 경종.

lärmhaft, lärmig *a.* ↑ lärmerisch.

Lärm=kanone *f.* 위급 신호용 대포. **~-macher** *m.* 〖구어〗① 떠들어대는 사람. ② 경보자.

larmoyant [larmoajánt] 《lat.》 *a.* 〖교양·폄어〗 눈물을 자아내는, 애처로운, 가련한.

Lärm=pegel *m.* 소음 측정 수치. **~pfeife** *f.* 경적(警笛). **~platz** *m.* 비상 집합소. **~quelle** *f.* 소음의 진원지. **~ruf** *m.* 위급함을 알리는 외침 소리. **~schuß** *m.* 비상 신호용 발포. **~schutz** *m.* 소음 방지 (장치).

Lärmschutz=wall *m.* 방음벽. **~zaun** *m.* (울타리처럼 세우는) 방음벽.

Lärm=signal *n.* 경보〔비상〕 신호. **~trommel** *f.* 비상 신호용의 큰북. **~voll** *a.* 떠들썩한. **~zeichen** *n.* ↑ ~signal.

L'art pour l'art [larpurláːr] *n.* - (예술 그 자체를 목적으로 하는) 예술을 위한 예술.

larval [larváːl] 《lat.》 *a.* 〖動〗 애벌레의, 유충의.

Lärvchen [lɛ́rfçən] *n.* -s, - 〖↑ Larve 의 축소형〗 ① 작은 유충〔애벌레〕. ②〖비유·대개 폄어〗 **(a)** 인형처럼 깜찍한 얼굴. **(b)** 무표정한 얼굴.

***Larve** [lárfə] 《lat.》 *f.* -n ①〖動〗 애벌레, 유충. ② **(a)** 가면: eine ~ tragen 가면을 쓰다; 〖비유〗jm. die ~ vom Gesicht reißen 누구의 가면을 벗기다. **(b)** 〖비유〗(Schein) 외관, 겉모양. **(c)** 가면을 쓴 사람. ③〖비유·대개 폄어〗(진면목을 알아볼 수 없는) 얼굴, 용모; (특히) 미모; 미모의 사람〔여자〕; 〖가끔 축소형〗 ein hübsches Lärvchen 귀여운 얼굴(의 여자). ④〖복수〗 괴물, 유령, 도깨비.

larven=ähnlich [lárfən..] *a.* 〖動〗 유충 모양의. **~ball** *m.* 가장 무도회. **~blume** *f.*, **~-blütler** *m.* 〖植〗 가면 모양의 화관(花冠) 식물. **~gesicht** *n.* ① 가면 쓴 얼굴; 속을 드러내지 않는〔무표정한〕 사람. ②〖드물게〗못생긴 사람. **~schwein** *n.* 〖動〗 아프리카의 멧돼지. **~taucher** *m.* 바다오릿과(科)의 일종. **~zustand** *m.* 〖動〗 애벌레 상태.

laryngal [laːrʏŋgáːl] 《gr.》 *a.* 〖음성〗 후두의.

Laryngal *m.* -s, -e 〖음성〗 후두음.

Laryngal·laut *m.* 〖음성〗 ↑ Laryngal.

Laryngen [larʏ́ŋən] *pl.* ↑ Larynx.

Laryngitis [..gíːtɪs] *f.* ..tiden [..tíːdən] 〖醫〗 후두염.

Laryngologe [larʏŋgolóːgə] *m.* -n, -n 〖醫〗 후두과 의사.

Laryngologie *f.* 〖醫〗 후두학.

Laryngoskop *n.* -s, -e 〖醫〗 후두경(鏡).

Larynx [láːrʏŋks] *m.* -, ..ryngen [..rʏ́ŋən] 〖해부〗 후두(Kehlkopf).

las [laːs] ↑ lesen 의 과거형.

Lasagne [lazánjə] *pl.* 〖구어에서 여성 단수로도 쓰임; 복수는 -n〗〖요리〗 라자냐(이탈리아 요리).

lasch [laʃ] *a.* 〖구어〗 ① 해이한; 맥없는, 활기 없는. ② (음식이) 싱거운, 밋밋한; 별맛 없는.

Lasche [láʃə] *f.* -n ①〖工〗 두 부분을 결합하는 철판; (특히) (레일의) 접합판; 〖재봉〗 (Zwickel) 바대, 섶; (주머니의) 덮개; 구두의 혀(가죽). ② 나무에 새긴 길 안내 표시; 경계목. ③〖방언〗(Aufgeld) 할증금, 프리미엄.

laschen [láʃən] *t.* ①〖工〗 접합판을 대어 접합하다. ②〖재봉〗 (주머니의) 덮개를 달다. ③〖海〗 (밧줄로) 동여매다, 움직이지 않게 고정시키다.

Laschen *m.* -s, - 〖방언〗(Riemen) 가죽끈, 혁대.

Laschheit *f.* -en 〖구어〗해이, 무기력; (음식이) 별맛이 없음, 싱거움.

Laschung *f.* -en ①〖工〗 접합판에 의한 연결. ②〖재봉〗 (주머니의) 덮개를 댐.

Lase [láːzə] 《md.》 *f.* -n 주전자; 맥주 조끼.

läse [lɛ́ːzə] ↑ lesen 의 접속법 Ⅱ식.

Laser [léːzər, léɪzə] 《engl.》 *m.* -s, - ①〖物〗 레이저. ②〖스포츠〗 경주용 1인승 요트.

Laser·drucker *m.* 〖컴〗 레이저 프린터.

Laser·kraut [láːzər..] *n.* 〖植〗 산형화(繖形花) 식물.

Laser=platte [léːzər..] *f.* 레이저 디스크. **~-strahl** *m.* 〖物·工〗 레이저 광선. **~waffe** *f.* 〖軍〗 레이저 무기.

lasieren [lazíːrən] 《pers.》 *t.* (가구·그림 따위에) 바탕칠을 하다; 투명한 래커칠을 하다.

Lasierung *f.* -en ① 바탕칠; 투명 도료를 바르기. ② 투명 래커; 투명 도료.

Läsion [lɛzióːn] 《lat.》 *f.* -en 〖法〗 침해; 〖醫〗 외상, 손상, 상해; 장애.

Laskar [láskar] 《ar.》 *m.* -s, -en [..káːrən] 〖海·옛뜻〗 동인도의 수병(水兵).

laß[1] [las] ↑ lassen 의 2인칭 단수 명령형.

laß[2] [las] *a.* 〖구식·雅語〗 힘〔기운〕이 없는, 무기력한; 피곤한, 지친; 게으른.

Laß=baum *m.* 〖林〗 (벌채할 때 남겨 두는) 어린 나무. **~besitz** *m.* 소작지. **~besitzer** *m.* 소작인. **~binde** *f.* 〖醫〗 사혈대(瀉血帶). **~eisen** *n.* (사혈용의) 작은 칼.

Lasse [lásə] 《<laß²》 *m.* -n, -n 〖史〗 농노(農奴) (Höriger).

lassen [lásən] (ließ, gelassen) 《I》 〖독립 동사로서〗 *t.* ① (unter~) 그만두다, 중지하다;

L

참견하지 않다; 돌보지 않다, 방기하다: laß das! 그러지 마라, 그만둬!; ~ wir das! 그 이야기는 그만하자!; laß den Unsinn 〔das Weinen〕! 허튼소리는 그만두어라〔그만 울어라〕!; ich kann es nicht ~ 나는 그것을 그만둘〔단념할〕 수 없다; das Rauchen ~ 담배를 끊다; tu, was du nicht ~ kannst! (비록 나는 동의하지 않지만) 네가 하고 싶은 대로 해라!; sein Tun und ~ 그의 일체의 행동. ② 놓다, 내다; 잃다: jm. Blut ~ 〔jn. zur Ader ~〕 누구의 피를 뽑다, 사혈하다; 〖비유〗 einen Furz〔Magenwind〕 ~, einen (gehen, fahren, streichen) ~ 방귀 뀌다; Haare ~ müssen (뜻하지 않게) 희생을 감수해야만 하다; das Leben ~ 목숨을 바치다; Wasser in die Wanne ~ 욕조에 물을 받다; 〖구어·속어〗 das 〔sein〕 Wasser ~ 오줌 누다; die Zügel (schießen) ~ 말고삐를 늦추다. ③ 그대로〔내버려〕 두다; 빼앗지 않다; 맡기다, 넘겨주다; 팔다: die Tür offen ~ 문을 열어 두다; et. übrig ~ 무엇을 남겨 두다; et. unberücksichtigt ~ 무엇을 고려하지 않다〔도외시하다〕; jn. 〔et.〕 unbestraft ~ 누구를〔무엇을〕 너그럽게 용서하다, 눈감아 주다; unentschieden ~ 미결인 채로 놔두다; keinen guten Faden 〔kein gutes Haar〕 an jm. ~ 누구를 사정없이 공격〔혹평〕하다; jm. Gelegenheit zu et.³ ~ 누구에게 무엇의 기회를 주다; freien Lauf ~ a) 나아가는〔되어 가는〕 대로 내버려두다, b) 나갈 길을 열어 주다; seinen Tränen freien Lauf ~ 울고 싶은 대로 실컷 울다; jm. den Vortritt〔Vorzug, Vorrang〕 ~ 누구에게 우선권을 양보하다, 누구에게 상석(上席)을 양보하다; das muß man ihm ~ 그 남자에게 그 점에 대해선 가타부타할 수 없다; sich³ Zeit ~ 천천히 하다, 서두르지 않다; ich lasse Ihnen das Bild für 500 Mark 귀하에게 그 그림을 500 마르크에 넘기겠습니다. ④ 놓다, 방임하다; 방해하지 않다, 마음대로 하게 하다: laß mich! 놔둬, 상관 마!; er läßt seinen Kindern ihre Freiheit 그는 아이들이 하고 싶은 대로 하도록 놔둔다. ⑤ 남기다, 남겨두다: et. zu Hause ~ 무엇을 집에 놓고 나오다; keine Spur ~ 흔적을 남기지 않다; er ließ ihr den Ring 그는 그녀에게 반지를 남겼다. ⑥ (어떤 곳에 드나드는 것을) 허용하다; (사람을) 묵게 하다: der Kranke läßt sich niemanden zu sich 그 환자는 면회 사절이다; wir wissen Sie nicht zu ~ 우리는 당신을 재워 드릴 수가 없습니다; 〖비유〗 seine Schätze nicht ~ können 재산의 관리법을 모르다. ⑦ 〖전치사와 함께〗 jn. **an** seinem Ort ~ 누구를 그 지위〔장소〕에 머물러 있게 하다; **aus** der 〔außer〕 Acht ~ 무시하다, 등한히하다; et. nicht aus den Augen ~ 어떤 것에서 눈을 떼지 않다; et. nicht aus den Händen ~ 무엇을 놓치지 않고 꼭 붙잡다; aus dem Spiel ~ 끌어들이지 않다; 관련시키지 않다; 도외시하다; alles **beim** alten ~ 만사를 예전 그대로 두다; jn. bei seiner Meinung ~ 누구의 의견을 존중하다; jn. hinter sich³ ~ 누구를 뒤에 남겨두다, 앞지르다, 능가하다; die Stadt hinter sich ~ 그 도시에서 멀어지다; die anderen Läufer weit hinter sich ~ 다른 주자들을 훨씬 앞지르다; jn. **in** Ruhe ~ 누구를 방해하지 않다; jn. im Stich ~ 누구를 곤경 속에 내버려 두다〔돌보지 않다〕; jn. in das Zimmer ~ 누구를 방에 들이다〔안내하다〕; 〖평어〗 alles **unter** sich ~ 잠자다; jn. **von** sich ~ 누구를 파면〔해고〕하다; laßt die Hände davon! 그것에 손대지 마!; 〖海〗 vom Stapel ~ 진수시키다; jn. **vor**〔**zu**〕 sich ~ 누구를 맞아들이다. 《Ⅱ》〖부정형과 함께〗 ① 허용하다, 관용하다; 참다; 맡기다, 방임하다: das lasse ich mir nicht gefallen〔bieten〕 난 그것을 못 참아〔그냥 넘길 수 없어〕; leben und leben ~! 서로의 생활 방식을 존중합시다! (관용을 호소할 때 쓰는 표현); das Feuer ausgehen ~ 불이 꺼지도록 내버려두다; et. bleiben〔sein〕 ~ 무슨 일을 중지하다; eine Lampe brennen ~ 램프에 불을 켜놓은 채 두다; jn. entwischen ~ 누구를 놓치다; ich kann sie nicht allein gehen ~ 나는 그 여자를 혼자 보낼 수 없다; laß (einmal) hören! (어디 한번) 들어 보세!; et. liegen ~ 무엇을 내버려두다, 버리다; 〖구어〗 laß mich sein! 내게 상관 말게!; et. gut sein ~ a) 무엇을 좋다고 해두다, b) 내버려두다, 끝맺다; ich lasse den Leser urteilen 판단은 독자에게 맡긴다. ② (무엇을) 시키다, 하게 하다: ich lasse bitten! (방문객을) 안으로 안내하십시오!; er läßt ein Haus bauen 그는 집을 짓는다; ich lasse meine Kinder jeden Abend beten 나는 매일 저녁 아이들에게 기도를 시킨다; jn.〔jm.〕 et. empfinden〔fühlen〕 ~ 누구에게 무엇을 느끼게〔깨닫게〕 하다; laß(t) uns spazieren gehen! 산책하러 가자!; sein Betragen läßt mich hoffen 그의 태도는 내게 희망을 품게 한다; ~ Sie (mich) von sich hören! 소식을 전해 주십시오!; den Arzt holen〔kommen, rufen〕 ~ 의사를 데려오게〔오게, 부르게〕 하다; das Feuer machen ~ 불을 피우다; ich lasse mir einen Rock von ihm machen 나는 그에게 내 상의를 한 벌 짓게 한다; jm. et. sagen ~ 누구에게 무엇을 알리다; ich habe mir sagen ~, daß... 나는 …라고 들었다; 〖구어〗 et. springen ~ 무엇을 기부〔희사〕하다; et. tun ~ 무엇을 시키다; jn.〔jm.〕 et. wissen ~ 누구에게 무엇을 알리다. ③ 〖재귀 대명사와 함께〗 허용하다; 감수하다, 참다: sich³ et. gefallen 〔bieten〕 ~ (↑《Ⅱ》①); laß dir das ein für alle mal gesagt sein! 너에게 이것을 두 번 다시 말하지 않게 해다오!; sich³ et. einfallen ~ 무엇이 문득 생각나다; das hätte ich mir nicht träumen ~ 나는 그것을 꿈에도 생각하지 않았다; sich³ die Lust daran vergehen ~ 그것에 물리다; sich keine(r) Mühe verdrießen ~ 수고를 아끼지 않다; sich seine Enttäuschung nicht anmerken ~ 실망한 것을 다른 사람이 눈치채지 못하게 하다. ④ 〖재귀 동사의 부정형과 함께 수동·가능·당위의 뜻으로〗 das Fenster läßt sich leicht öffnen 그 창문은 쉽게 열린다〔열 수 있다〕; das läßt sich nicht schwer beweisen 그것은 증명하기 어렵지 않다; das läßt sich nicht beschreiben 그것은 설명하기가 어렵다; es läßt sich nicht bezweifeln〔leugnen〕 그것은 의심〔부인〕할 여지가 없다; das läßt sich denken 그것은 상상하기 어렵지 않다; das läßt sich hören 그것은 받아들일 만하다, 그것은 좋은 생각이다; 〖구어〗 der Wein läßt sich trinken 이 포도주는 맛이 좋다, 마실 만하다; das läßt sich machen 그것은 가능하다; das Buch läßt sich lesen 이 책은 읽을 만하다; mit Geld läßt sich alles machen 돈이면 다 된다; das läßt sich besser sagen als tun 그것은 말하기보다 행하기가 더 어렵다; er läßt sich nirgends sehen 그의 모습은 어디에서도 볼 수가 없다; hier läßt sich's gut sitzen 여기는 앉아 있을 맛이 난다. ⑤ 그리다, 서술하다: der Dichter läßt die Helden in der Fremde irren 이 작가는 주인공들이 이국에서 방황하는 모습을 그리고 있다. ⑥〖명령형〗상상〔가정〕하다: laß sie nur erst heiraten, so wird sich das schon ändern 그 여자가 결혼을 하기만 한다면 틀림없이 태도가 달라질 것이다; laß ihn nur erst so alt sein wie du bist 그가 너와 동년배라고 가정한다면. 《Ⅲ》 *i.* (h.) ① 중지〔포기〕하다; 떠나다: von seiner Meinung ~ 생각을 바꾸다; ich kann vom ihm nicht ~ 나는 그를 돌보지 않을 수가 없다. ② (**a**) (ostd.) 보이다: das läßt schön 그것은 아름답게 보인다. (**b**) 어울리다, 맞다: die Mütze läßt Ihnen gut 그 빵모자는 당신에게 잘 어울립니다. 《Ⅳ》 *refl.* sich ~ ① sich aufs Knie (nieder) ~ 무릎을 꿇다. ② sich vor Freude 〔Schmerz〕 nicht zu ~ wissen 기쁜〔아픈〕 나머지 어찌할 바를 모르다. ③ sich auf jn. ~ 누구를 신뢰〔의지〕하다. 《Ⅴ》 **gelassen** *p.a.* ↑ gelassen.

Laß·gut *n.* (obd.) 소작지.

Laßheit 《<laß²》 *f.* 〖雅語·구식〗 무기력, 활발하지 못함; 태만.

Lassheit 新정서 ⇦ Laßheit.

*__lässig__ [lɛ́sɪç] *a.* ① 꾸밈 없는, 자연스러운: die Jugend kleidet sich ~ 청소년은 옷을 자연스럽게 입는다. ②〖구어〗쉽게, 힘들이지 않고: das schaffe ich ~! 그 정도는 거뜬히 해낼 수 있지! ③ 태만한, 무관심한; 무시하는: ~ die Achseln zucken 별관심 없다는 듯이 어깨를 으쓱하다. ④ 해이한, 부주의한, 칠칠치 못한: ihr solltet mit den Schulbüchern nicht so ~ umgehen 너희들은 교과서를 그렇게 함부로 다뤄서는 안 된다.

Lässigkeit *f.* ① 꾸밈없음, 자연스러움, 당당함. ② 부주의, 무관심, 칠칠치 못함.

läßlich [lɛ́slɪç] *a.* ① 해이한, 무관심한: sich ~ verhalten 무관심〔소홀〕한 태도를 취하다; et. ~ behandeln 무엇을 건성으로 처리하다. ②〖가톨릭〗 (**a**) 승낙〔승인〕할 수 있는; 용서할 수 있는, 죄가 안 되는: ~e Sünde 용서할 수 있는 죄, 가벼운 죄. (**b**) 관대한, 유화한.

lässlich 新정서 ⇦ läßlich.

Läßlichkeit *f.* 〖가톨릭·고어〗 가벼운〔용서될 수 있는〕 죄; 잘못의 정도가 미미함.

Lässlichkeit 新정서 ⇦ Läßlichkeit.

Lasso [láso] 《lat.》 *m./n.* -s, -s ① 올가미. ②〖피겨스케이팅〗 래소(혼성 경기에서 남자가 여자를 머리 위로 올려서 돌리는 묘기).

Laß≈reis *n.*, **~reitel** *m.* ↑ ~baum. **~sünde** *f.* 〖가톨릭〗용서할 수 있는 죄, 가벼운 죄.

*__Last__ [last] 《<laden》 *f.* -en ① 무게, 중량; 짐 화물; 〖비유〗번거로운 일; 부담, 무거운 짐, 책임; 〖商〗 부채; 비용 부담: 〖구어〗 eine süße ~ 지니고 다니기 좋은 물건〔같이 있고 싶은 사람〕; seine liebe ~ mit jm. haben 누구 때문에 온갖 고생과 걱정을 도맡다; 〖法〗 auferlegte ~en 강제 부담(금); mir ist eine ~ vom Herzen gefallen 내 마음의 무거운 짐을 덜었다; die Verpackungskosten gehen zu ~en des Käufers 포장료는 사는 사람에게 부담된다; Betrag zu Ihren ~en 귀하가 지급하실 금액; jm. zur ~ fallen 누구의 짐〔부담〕이 되다; jm. et. zur ~ legen 누구에게 어떤 책임을 지우다〔죄를 씌우다〕. ② 세금, 조세; 국고 수지: frei von ~ 세금이 면제된. ③〖옛뜻〗(**a**) 북유럽의 술·석탄, 특히 곡물류의 양을 재는 단위(약 30 hl.); 1 라스트의 곡물을 뿌릴 수 있을 만한 경지 면적. (**b**) 〖海〗 적재량〔적하량〕의 단위(독일에서는 2 톤): ein Schiff von 200 ~ 400 톤급의 배. ④〖海〗 (Frachtraum) (배의) 창고; (식량·돛의) 저장소.

Lastadie [lastá:diə] 《lat.》 *f.* -n [..tadí:ən, ..dí:ən] 〖海〗 ① 뱃짐. ② 적재〔하역〕장.

Last≈auto *n.* 〖구어〗 (Lastkraftwagen) 화물차, 트럭. **~balken** *m.* 〖海〗 제 1 갑판 아래의 서까래.

lastbar 《<Last》 *a.* ① 짐을 질 수 있는: ~es Tier 짐 지는 짐승. ② 짐이 되는, 귀찮은, 성가신.

Lastbarkeit *f.* -en 짐 질 수 있는 능력; 부담.

Last≈beere *f.* 〖방언〗 딸기의 일종. **~dampfer** *m.* 화물선.

*__lasten__ [lástən] 《<Last》 《Ⅰ》 *i.* (h.) 압박하다, 짓누르다, 무겁게 내리누르다: ~de Jahre 괴로운 일이 많은 해; auf seinen Schultern lastet die ganze Verantwortung 전 책임이 그의 두 어깨에 걸려 있다. 《Ⅱ》 *t.* ①〖비유〗 짐을 지우다; 괴롭히다: Gram lastet mir das Herz 비통한 생각이 내 마음을 억누르고 있다. ②〖방언〗 지다, 견디다; 지급하다; (의무를) 다하다.

Lasten≈aufzug *m.* 기중기; (화물용) 승강기. **~ausgleich** *m.* 〖法〗 (제 2 차 세계 대전의 피해 보상을 위한) 부담 조정(약어: LA). **~ausgleich·gesetz** *n.* 〖法〗 부담 조정법(약어: LAG; 1952 년 발효). **~beförderung** *f.* 화물 운반. **~frei** *a.* 부채가 없는; 부담 없는, 면세의. **~segler** *m.* 〖軍〗 수송용 글라이더. **~zug** *m.* 화물 열차.

Laster¹ [lástər] *m.* -s, - 〖↑ Lastkraftwagen 의 단축형〗 화물차.

*__Laster²__ 《<Last》 *n.* -s, - ① 악습, 악덕, 패륜; 죄악: 〖속담〗 kein ~ ist ohne Strafe 죄를 지으면 벌을 받는다; Müßigkeit ist aller ~ Anfang 게으름은 모든 악습의 근원이다; ein Haus des ~s 창가(娼家). ② 패륜아, 건달. ③ 화냥년, 음탕한 계집. ④〖드물게〗성가신 남자. ⑤〖비유·구어·농담〗 ein langes ~ 키다리. ⑥〖고어〗범죄; 위법.

Läster≈allee [lɛ́stər..] *f.* 중상, 비방, 험구: die ~ passieren 사람들의 입에 오르다, 비방의 대상이 되다. **~chronik** *f.* 추문, 악평, 스캔들.

Lästerei [lɛstəráɪ] *f.* -en 악담.

Lästerer [lɛ́stərər] 《<lästern》 *m.* -s, - ① 패륜아; (신에 대한) 모독자. ② 비방〔중상〕자. ③ (고기를 못 쓰게 만드는) 서투른 도살자.

laster·frei *a.* 죄가 없는, 결백한.

Läster·geschichte *f.* ↑ ~chronik.

lasterhaft *a.* 악덕한; 품행이 나쁜, 방탕한.

Lasterhaftigkeit *f.* -en 악습, 악덕; 부도덕.

Laster·höhle *f.* 〖구어〗죄악의 소굴.

Lästerin *f.* -nen ↑ Lästerer 의 여성형.
Laster≈knecht *m.* 패륜아, 방탕자. **~leben** *n.* 〖펌어·농담·과장〗 방탕한 생활.
lästerlich [lɛ́stərlɪç] 《I》 *a.* ① 중상적〔비방적〕인; 신을 모독하는; 수치스러운, 혐오할: ~ von jm. reden 누구를 중상하다. ②〖고어〗 ↑ lasterhaft. 《II》 *adv.* 〖속어〗 대단히, 매우: wir haben uns ~ gefreut 우리들은 대단히 기뻐했다; sich ~ langweilen 몹시 지루하다.
Lästerlichkeit *f.* -en 모독적임; 비방, 모독.
Läster·maul *n.* 〖비속〗 비방〔중상〕하는 버릇; 중상〔비방〕하기 좋아하는 사람.
***lästern** [lɛ́stərn] 《<Laster²》 *i.* (h.) / *t.* 중상〔비방〕하다; (신성을) 모독하다: jn. ~, von jm. ~, auf〔über, wider, gegen〕 jn. ~ 누구를 비방하다; (wider) Gott ~ 신을 모독하다.
Läster≈rede *f.* 신성 모독적인 발언; 비방, 중상. **~schrift** *f.* 비방문(서). **~schule** *f.* 욕지거리(Sheridan 의 희극에서 유래함).
Laster·stein *m.* (Pranger) 회술레 기둥(죄인을 묶어 두던 중세기의 형벌 기둥).
Läster≈sucht *f.* 비방하는 버릇. **~süchtig** *a.* 비방하는 버릇이 있는, 입버릇이 나쁜.
Laster·tat *f.* 악행, 비행, 범죄, 범행.
Lästerung [lɛ́stərʊŋ] *f.* -en 중상, 비방, 신성 모독, 불경(不敬).
laster·voll *a.* ↑ lasterhaft.
Läster≈wort *n.* 모독〔중상〕을 뜻하는 단어. **~zunge** *f.* ↑ ~maul.
Last≈esel *m.* 짐 나르는 당나귀; 〖비유〗고역자(苦役者). **~flugzeug** *n.* 화물 수송기. **~fracht** *f.* 톤 단위의 화물 (운임). **~fuhre** *f.* (무거운) 적재 화물. **~fuhr·werk** *n.* 짐(마)차, 트럭. **~gebühr** *f.*, **~geld** *n.* (선박의) 톤세(稅). **~geschirr** *n.* ↑ ~fuhrwerk.
Lastex [lástɛks] *n.* - 〖방직〗 ① 라스텍스(고무실 위에 무명실을 덧얽어서 만든 실). ② 라스텍스로 만든 직물.
Lastex·hose *f.* 라스텍스천으로 만든 바지.
..lastig *a.* "적재량이 많은, 하중이 큰"의 뜻 (보기: kopf~ (배·비행기의) 앞부분에 적재량이 많은).
lästig [lɛ́stɪç] *a.* 짐〔부담〕이 되는, 괴로운, 성가신; 불쾌한, 지루한: man schob ihn als ~en Ausländer ab 그는 성가신 외국인이라 하여 추방되었다; jm. ~ fallen 누구에게 폐가 되다, 누구를 괴롭히다.
Lastigkeit *f.* 적재량, 톤수.
Lästigkeit *f.* 부담, 폐, 성가심, 불쾌; 귀찮음; 불편.
Lasting [lástɪŋ] 《engl.》 *m.* -s, -s 〖방직〗 질긴 직물의 일종(옷·가구·구두에 사용).
Last≈kahn *m.* 거룻배. ***~kraft·wagen** *m.* 화물차, 트럭(약어: Lkw, LKW).
Lastkraftwagen≈fahrer, ~führer *m.* 화물차 운전사.
last, not least [la:st nɔt li:st] 《engl.》 (순서로는) 마지막으로 말하지만 매우 중요한; 마지막으로 또 하나 중요한 것은.
Last≈pferd *n.* 짐 나르는 말. **~raum** *m.* 선창. **~schiff** *n.* 화물선(↔ Personenschiff). **~schrift** *f.* ①〖상업〗 차변, 차변 기입. ②〖은행〗 이체 청구서. **~schrift·verkehr** *m.* 〖은행〗 자동 이체. **~tier** *n.* 짐 나르는 짐승. **~-träger** *m.* 화물 운반인, 포터. **~vieh** *n.* ↑ ~tier. **~wagen** *m.* ①〖옛뜻〗 화물 운반용 마차. ②〖구어〗 화물차(~kraftwagen). **~zug** *m.* 화물 열차.
Lasur [lazúːr] *f.* -en ① (투명 도료·니스로) 바탕칠을 해놓은 부분. ② 투명 도료; 투명 래커; 니스.
Lasur≈blau *n.* 군청색. **~blau** *a.* 군청색의 (lapisblau). **~farbe** *f.* (그림의) 담채, 옅은 채색, 투명색; 투명 도료 빛깔. **~farben** *a.* 담채색의; 투명 도료를 바른. **~stein** *m.* 〖광물〗 청금석(青金石).
lasziv [las|tsíːf] 《lat.》 *a.* 〖교양〗 (특히 여자가) 관능적인; 외설적인, 음탕한.
Laszivität [..vitɛ́ːt] *f.* -en 〖교양〗 관능성; 음란; 외설적인 표현.
Lat [lat] *m.* -(s), - 라트(라트비아의 화폐 단위).
Lätare [lɛtáːrə] 《<lat. laetare》 〖관사·격변화 없음〗〖기독교〗 부활절 이전 세 번째 일요일; 〖가톨릭〗 사순절 기간 중 네 번째 일요일.
***Latein** [latáɪn] 《lat.》 *n.* -s ① 라틴어. ②〖관사없이〗 (교과목으로서의) 라틴어, 라틴어 문학. ③〖다음 용법으로〗〖비유〗 mit seinem ~ am〔zu〕 Ende sein 어찌할 바를 모르다; ihm geht das ~ aus 그는 어찌할 바를 모르고 있다. ④ 전문 용어; 어려운 말.
Latein≈amerika *n.* 라틴 아메리카. **~-amerikanisch** *a.* 라틴 아메리카의.
Lateiner [latáɪnər] *m.* -s, - ① (이탈리아의) Latium 지방의 주민; 라틴 사람, 고대 로마인. ② 라틴어에 밝은 사람; 라틴어를 배우는 사람. ③〖사냥〗 서투른〔풋내기〕 사냥꾼.
***lateinisch** [latáɪnɪʃ] *a.* 라틴(어)의: das ~(e) 라틴어; ~e Buchstaben a) 라틴 문자, b) 〖印〗 로마 자체, c) 이탤릭체 활자(Kursiv); ~es Kreuz 아랫 부분이 긴 십자가; ~e Kirche 로마·가톨릭 교회; ~er Münzkonvention (프랑스·벨기에·이탈리아·스위스간의) 라틴 화폐 조약; ~es Segel (작은 배의) 삼각돛; 〖비유〗 ~e Küche 약국; ~er Reiter 서투른 기수.
lateinlos *a.* 라틴어(과)가 없는.
Latein≈schrift *f.* 라틴 문자; 〖印〗 로마 자체. **~schule** *f.* 라틴어 학교(현재의 고등 학교의 전신; 주요 교과목이 라틴어 및 라틴 문학이었음). **~segel** *n.* (지중해 지방에서 사용되는) 삼각돛. **~stunde** *f.* 라틴어 시간〔수업〕. **~-unterricht** *m.* 라틴어 및 라틴 문학 수업.
La-Tène-Zeit [latɛ́ːn..] *f.* 라텐 시기(유럽 철기 시대의 두 번째 단계로서 기원전 5 세기의 할슈타트 시기 다음 단계; 명칭은 스위스의 하천인 La Tène 에서 유래).
latène·zeitlich *a.* 라텐 시기의.
latent [latɛ́nt] 《lat.》 *a.* 잠재하는; 〖醫〗 잠복성의.
Latenz [..tɛ́nts] *f.* -en 잠재; 잠복 단계〔상태〕.
Latenz≈periode *f.* 잠복기. **~stadium** *n.*, **~zeit** *f.* 〖醫〗 잠복기.
lateral [lateráːl, ..tə..] 《lat.》 *a.* ① 옆〔측면·곁〕의, 방계의. ②〖해부〗 중축에서 벗어난.
Lateral≈erbe *m.* 방계 상속인. **~plan** *m.* 〖조선〗 수면 밑의 선박의 측면. **~verwandte*** *der/die* 방계 친족.
Lateran [lateráːn] *m.* -s 라테란(로마의 옛 교황궁; 지금은 미술관).
Laterit [lateríːt, ..rɪt] 《lat.》 *m.* -s, -e 〖지질〗

홍토(紅土), 라테라이트.

Laterit·boden *m.* 〖지질〗 ↑ Laterit.

Laterna magica [latɛ́rna má:gika] 《lat.》 *f.* -e, -e [..nɛ: ..tsɛ:] 17 세기에 발명된 환등기.

*__Laterne__ [latɛ́rnə] *f.* -n ① 등; 각등(角燈); 초롱; 가로등; (등대의) 광실(光室); 램프: eine ~ anstecken〔auslöschen〕 등불을 켜다〔끄다〕; 〖비유〗 et. mit der ~ suchen 무엇을 애써 찾다; 〖비유〗 geh mir aus der ~ 빛을 가리지 마라; jm. mit der spanischen ~ nach Hause leuchten 누구를 집으로 쫓아보내다; et. am Tage mit der ~ suchen 헛되이 무슨 일을 하다; mein Kopf ist wie eine ~ 나는 머리가 달아오른다; 〖구어〗 ihm geht eine ~ auf 그는 겨우 깨닫는다; die rote ~ 〖스포츠·은어〗 최하위. ② 〖건축〗 천창(天窓); (교회의) 첨탑. ③ 말 머리의 넓은 흰 점. ④ (**a**) 〖動〗 백랍(白蠟)벌레. (**b**) 〖기계〗 랜턴 톱니바퀴. ⑤ 〖농담〗 머리: etwas in der ~ haben 조금 취해 있다. ⑥ 〖아동〗 민들레의 솜털. ⑦ 〖사냥〗 자고새 운반용 가죽 주머니.

Laternen⸗anstecker, ~anzünder *m.* 〖옛 뜻〗 가로등 점등부〔점등기〕. **~arm** *m.* 제등의 자루, 가로등의 굽은 자루. **~bake** *f.* 〖海〗 신호불; 표지를 위한 불. **~bank** *f.* 조방기(粗紡機). **~fest** *n.* 제등 축제. **~fisch** *m.* (남태평양의) 발광 기관이 있는 물고기. **~garage** [..ʒə] *f.* 〖농담〗 노상 주차장. **~halter** *m.* (자전거의) 램프 받침. **~licht** *n.* (가로) 등불. **~parker** *m.* 〖농담〗 노상 주차장 사용자. **~pfahl** *m.* 가로등 기둥: 〖비유〗 ein Wink mit dem ~ 노골적인 힌트; 지나치게 분명한 지적. **~träger** *m.* ① 선두에 선 제등 운반인. ② ↑ ~pfahl. ③ ↑ Laterne ④(a). ④ 〖動〗 꽃매밋과에 속하는 곤충. ⑤ 〖動〗 아마존 지역에 서식하는 카라신과(科)의 민물고기. **~umzug** *m.* (아이들의) 연등 행진 (놀이).

Latex [lá:tɛks] 《gr.》 *m.* -, ..tizes 〖植〗 유액(乳液); (고무 원료가 되는) 유수지(乳樹脂).

latexieren [latɛksí:rən] *t.* 〖工〗 …에 라텍스〔유수지〕 처리를 하다.

Lathyrismus [latyrísmus] 《gr.》 *m.* - 들완두속(屬) 중독(경련성 척추 마비와 비슷한 증상을 보임).

Latier·baum [latí:r..] 《lat.》 *m.* 마구간 안의 (말과 말 사이의) 횡목.

Latifundien·wirtschaft *f.* 대규모의 농장 경영.

Latifundium [latifúndium] 《lat.》 *n.* -s, ..dien [..diən] ① (고대 로마의) 대규모 농장. ② 대규모 농장〔토지·산림〕.

Latiner [latí:nər] *m.* -s, - 〖史〗 (고대 이탈리아의) 라티움 지방에 살았던 부족.

latinisch ① 라티움의, 라티움 지역 출신인. ② (lateinisch) 라틴어의, 라틴 문화의.

latinisieren [latinizí:rən] *t.* 라틴(어)화하다, 고대 로마(교)풍으로 하다.

Latinisierung *f.* -en 라틴어화.

Latinismus [latinísmus] *m.* -, ..men 〖언어학〗 라틴어 특유의 표현; (타국어에 의한) 라틴어적 표현.

Latinist [latiníst] *m.* -en, -en ① 라틴어 학자; 라틴 문화 연구자. ② 라틴어〔문학〕 전공자.

Latinistin *f.* -nen ↑ Latinist 의 여성형

Latinität [..nitɛ́:t] *f.* 〖언어학〗 ① 라틴어〔문학〕 특유의 표현 방식. ② 라틴 문학에서의 모범적인〔뛰어난〕 표현 방식: klassische〔goldene〕 ~ 기원전 100 년에서 기원후 14 년까지의 라틴어 문학 시기(특히 키케로의 라틴어 문학); Silberne ~ 기원 14 년에서 120 년까지의 라틴어 문학의 시기.

Latin·lover, Latin Lover [lɛ́tinlavər] 《engl.》 *m.* -, -(s) 남국의 정열적인 애인〔정부〕.

Latinum [latí:num] *n.* -s ① (김나지움의) 라틴어 교과 과정. ② 라틴어 어학 능력 (시험).

Latitüde [latitý:də] 《lat.》 *f.* -n ① 〖지리〗 위도; 〖天〗 황위(黃緯); 폭. ② 구역; 범위; (행동·사상 따위의) 자유. ③ 〖비유〗 관대, 관용.

latitudinal [latitudiná:l] *a.* 위도(방향)의.

Latitudinarier [..ná:riər] *m.* -s, - 〖宗〗 관용주의자; 자유〔방임〕주의자, 자유 사상가; 광교회파(廣敎會派)(의 신도).

Latium [lá:tsium] 라티움(고대 이탈리아 중부 티베르 강가에 있었던 지방).

Latona [lató:na] 《lat.》 *f.* 〖로마신화〗 라토나 (밤의 여신; 〖그리스신화〗 Leto).

Latrie [latrí:] 《gr.》 *f.* (신에의) 봉사, 예배, 숭배.

Latrine [latrí:nə] 《lat.》 *f.* -n ① 화장실; 배수구. ② ↑ Latrinengerücht.

Latrinen⸗gerücht *n.*, **~parole** *f.* 〖구어·폄어·특히 군인 은어〗 소문; 잘못된 주장; 근거 없는 정보. **~reinigung** *f.* 화장실 청소.

Latsch[1] [la:tʃ] *m.* -es 객쩍은〔지지한〕 말.

Latsch[2] *m.* -(e)s, -e ① 〖구어〗 ↑ Latschen. ② 〖구어〗 발을 질질 끌며 걷는 사람; 조심성 없이 걷는 사람. ③ 〖車〗 (타이어의) 펑크. ④ 〖방언〗 (langer) ~ 묽은 커피.

latsch *a.* 〖드물게〗 ↑ latschig.

Latsche[1] [lá:tʃə] *f.* -n 〖구어〗 ① ↑ Latschen. ② 〖사냥〗 (물새의) 갈퀴 달린 발. ③ 〖비유〗 칠칠치 못한〔타락한〕 사람. ④ (berl.) 뺨을 철썩 치기; 퇴짜 놓기. ⑤ 〖건축〗 기둥 뿌리; 토대.

Latsche[2] [látʃə] *f.* -n 〖植〗 눈잣나무, 다복솔.

latschen [lá:tʃən] (⇔ Latsch) 《I》 *i.* 〖속어〗 ① (s.) 다리를 질질 끌면서 걷다; 조심성 없이 걷다. ② (h.) 객쩍은 말을 하다. 《II》 *t.* jm. eine ~ 따귀를 한 대 갈기다.

Latschen *m.* -s, - 〖구어〗 ① 낡은〔해진〕 신발. ② 부드러운〔편안한〕 실내화〔슬리퍼〕: 〖비유〗 aus den ~ kippen 기절하다; 어쩔 줄을 모르다.

Latschen⸗gebüsch 《<Latsche[2]》 *n.* 눈잣나무숲. **~kiefer** *f.* 〖植〗 ↑ Latsche[2]. **~kiefern·öl** *n.* 눈잣나무 기름(목욕용 향유와 청정제의 원료).

latschig [lá:tʃıç] *a.* 발을 질질 끄는; 칠칠치 못한; 깔끔찮은; 굼뜬.

*__Latte__ [látə] 《Laden》 *f.* -n ① 가늘고 긴 판자〔각목〕; 측량자(Meß~); 〖林〗 가늘고 긴 어린 나무〔가지〕: 〖구어·농담〗 lange ~ 키다리. ② 〖건축〗 외(椳), 욋가지, 기와 받침대. ③ 〖스포츠〗 높이뛰기의 가로대, (네트의) 바, 〖축구·핸드볼〗 골대. ④ 〖다음 용법으로〗 jn. auf der ~ haben 누구를 좋아하지 않다, 누구를 단단히 벼르다〔노리다〕. ⑤ 〖고어〗 병사의 형벌: auf ~n liegen 교도소에 들어가다. ⑥ 〖비유〗 dumm wie eine ~ 사리를 분간할 줄 모르는; mit der ~ laufen〔ein ~nläufer sein〕 a) 바보다, b) 겁쟁이다, c) 색골이다. ⑦ 〖다음 용

법으로』 eine (lange, große, schöne) ~ (von) 많은: eine lange ~ Schulden haben 빚을 잔뜩 지고 있다; et. auf der ~ haben 무엇을 (잘)할 수 있다; 〖경박〗 einen auf der ~ haben 취했다, 만취 상태다; 〖경박〗 nicht alle auf der ~ haben 조금 미쳤다; 제정신이 아니다; 〖구어〗 viel auf der ~ haben 빚이 많다; der hat aber eine ~ (gefaßt)! 그는 곤드레만드레 상태다! ⑧〖비속〗 발기한 자지: eine ~ haben 자지가 섰다.

latten *t.* 〖건축〗 외를 대다; 길고 가는 널빤지를〔각목을〕 대다.

latten·artig *a.* 욋가지 모양의.

Latten≈brett *n.* 창턱(Fensterbrett). **~gitter** *n.* 각목 울타리. **~holz** *n.* 욋가지용의 목재. **~kammer** *f.* (삼각형의 욋가지 마룻바닥이 있는) 뇌옥(牢獄). **~kiste** *f.* 널빤지로 만든 통〔상자〕. **~kreuz** *n.* 〖스포츠〗 골대의 좌우측 모서리. **~läufer** *m.* 겁쟁이; 호색가. **~nagel** *m.* 대가리가 구부러진 못의 일종. **~rost** *m.* 욋가지로 만든 받침대. **~schuß** *m.* 〖스포츠〗 골 포스트에 맞은 슛. **~strafe** *f.* 중영창(重營倉). **~verschlag** *m.*, **~wand** *f.* 격자의 칸막이(벽). **~werk** *n.* 격자 세공. **~zaun** *m.* 욋가지로 만든 울타리, 울짱.

***Lattich** [látıç] 《lat.》 *m.* -s, -e 〖植〗 상추.

Latüchte [latv́ʏçtə] *f.* -n 〖구어·농담〗 ↑ Laterne ①: geh mir aus der ~! 내게 비치는 빛을 가리지 마라!

Latun [latúːn] 《it. latta》 *n.* -s 놋쇠판.

Latus [láːtʊs] 《lat.》 *n.* -, - ①〖복수: ..tera〗〖해부〗 측면; 측(側). ②〖商·고어〗 다음 장으로 이월되어야 하는 총액.

Latwerge [latvέrgə] 《gr.》 *f.* -n ①〖醫·옛뜻〗 (시럽·잼을 넣어 마시기 좋게 만든) 약, 연약(煉藥). ② 과일잼(배·자두 등).

Latz [lats] 《<lat. laques》 *m.* -es, Lätze [lέtsə]/(öst.) -e ① 끈, 줄. ② 끈으로 매는 것; (Brust≈) (여성의) 흉의(胸衣), 가슴받이; (Hosen≈) 바지의 개폐부; 모자의 늘어진 귀덮개; 호주머니의 덮개; 턱받이(Geifer≈): 〖경박〗 jm. eine〔eins, einen〕 vor den ~ knallen〔ballern, donnern〕 누구의 얼굴〔가슴〕을 주먹으로 한 대 치다; 누구를 호되게 야단치다. ③ 무늬 있는 직물의 견본을 붙인 판지(板紙). ④〖방언〗 ↑ Latte.

Lätzchen [lέtsçən] *n.* -s, - 〖↑ Latz 의 축소형〗 (유아용) 턱받이.

Latz≈hose *f.* 가슴받이와 멜빵이 달린 바지. **~schürze** *f.* 가슴받이가 달린 앞치마.

***lau** [laʊ] 《mhd. lâ; ♧ Lee》 *a.* ① 미지근한, 기분 좋은, 온화한; 덥지도 춥지도 않은. ②〖비유〗 미온적인; 우유부단한; 무관심한; 〖商〗 불경기의, 활기 없는: 〖구어〗 für ~ 공짜로.

läu [lɔy] 《ndl. Lw.》 *a.* (md.) ① 게으른 (faul). ② (einfältig) 단순한, 고지식한.

***Laub** [laʊp] *n.* -(e)s ① 나뭇잎; 〖집합적〗 잎: grünes ~ 푸르른 나뭇잎. ②〖林〗 나무의 나이: der Baum steht im zweiten ~ 이 나무는 2 년생이다. ③ 낙엽: dürres ~ 메마른 낙엽. ④〖건축〗 (기둥·작은 벽의) 잎무늬 장식; 〖카드〗 스페이드(녹색). ⑤ (schweiz.) 두드러기.

laub≈ähnlich *a.* 잎과 비슷한, 잎 모양의. **≈apfel** *m.* 오배자(五倍子) (Gallapfel). **~artig** *a.* ↑ ~ähnlich. **≈baum** *m.* 활엽수. **~-bekränzt** *a.* 잎이 무성한. **≈dach** *n.* 〖시어〗 무성한 나뭇잎; 나뭇잎으로 뒤덮인 공간.

***Laube**[1] [láʊbə] *f.* -n ① 정자; 별장; 나무 그늘길. ② 지붕 있는 장소; 〖건축〗 현관, 낭하; 주랑(柱廊), 아케이드; 복도; 〖드물게〗 홀; 〖연극〗 칸막이 관람석, 특별석. ③〖軍〗 귀갑차(龜甲車) (고대 로마의 성 공격용 연결 방패). ④〖비유·구어〗 fertig ist die ~! 그 일은 끝났다, 이것으로 결판이 났다! ⑤〖스포츠〗 양손을 뒤로 짚고 몸을 뻗치기.

Laube[2] *m.* -n, -n 〖動〗 황어속(屬) (잉어과).

Lauben≈dach *n.* 정자의 지붕. **~gang** *m.* 나무 그늘길; 아케이드. **~haus** *n.* ① 아치형 현관이 있는 집. ② 정자. **~kolonie** *f.* (주말 농장용) 정원들이 모여 있는 지역. **~pieper** *m.* (berl.) ↑ ~kolonie 의 정원 소유자〔임대자〕. **~vogel** *m.* 〖動〗 오스트레일리아산(產) 극락조의 일종.

Laub·erde *f.* 부엽토.

Lauber·hütte *f.* ↑ Laubhütte.

Laub≈fall *m.* 낙엽. **~färbung** *f.* 낙엽이 물듦; 단풍짐. **~fink** *m.* 〖방언〗 피리새. **~-fleck** *m.* (schweiz.) 주근깨(Sommersprosse). **~frosch** *m.* 〖動〗 청개구리. **~gang** *m.* ↑ Laubengang. **~gehänge** *n.* ↑ ~gewinde. **~gehölz** *n.* 〖植〗 ↑ ~holz. **~gewinde** *n.* 나뭇잎으로 만든 장식. **≈grün** *a.* 신록의, 파릇파릇한. **~holz** *n.* ①〖植〗 활엽수. ② 활엽수 목재. **~hütte** *f.* ① 나뭇잎으로 이은 오두막집. ② 초막(草幕). **~hütten·fest** *n.* 장막절(帳幕節).

laubicht, laubig [láʊbıç] 《<Laub》 *a.* 잎이 많은〔무성한〕.

Laub≈käfer *m.* 〖動〗 풍뎅이속(屬). **~knospe** *f.* 잎눈.

laublos *a.* 잎이 없는.

Laub≈moos *n.* 〖植〗 선태류(蘚苔類). **≈-reich** *a.* 잎이 많은. **~säge** *f.* 실톱. **~säge-arbeit** *f.* ① 실톱 세공업. ② 실톱 세공품. **~sänger** *m.* 〖動〗 솔새(종달새의 일종). **~streu** *f.* 나뭇잎으로 만든 잠자리. **~taler** *m.* 월계수 무늬가 있는 프랑스의 6 프랑짜리 은화. **≈tragend** *a.* 잎이 있는. **~verzierung** *f.* 나뭇잎 모양의 장식. **~wald** *m.* 활엽 수림. **~werk** *n.* 〖총칭〗 잎, 나뭇잎; 〖건축〗 잎사귀 모양의 장식; 〖畫〗 수풀.

Lauch [laux] *m.* -(e)s, -e 〖植〗 파속(屬) (파·양파·마늘 따위).

lauch≈artig *a.* 파와 같은 종류의; 파 같은 냄새의. **~farben, ~farbig, ~grün** *a.* 팟빛의, 청록색의. **≈zwiebel** *f.* 〖植〗 리크.

laudabel [laʊdáːbəl] 《lat.》 *a.* 칭찬〔인정〕할 만한.

Laudanum [láʊdanʊm] *n.* -s 〖醫·구식〗 진통제; 아편.

Laudatio [laʊdáːtsio] *f.* ..tiones [..tsióːneːs] (Lobrede) 축사; 치사; 찬사.

Laudation [..datsióːn] 《lat. laudare》 *f.* -en 〖드물게〗 ↑ Laudatio.

Laudemium [laʊdéːmiʊm] 《lat.》 *n.* -s, ..mien [..miən] 〖法·옛뜻〗 영지 임차료(Lehngeld).

Laudes [láʊdeːs] 《lat. laus》 *pl.* 송가, 찬가; 〖가톨릭〗 성무일도(聖務日禱)의 아침 기도.

laudieren [..díːrən] *t.* ①〖구식〗 칭찬하다. ② (증인을) 추천〔제안〕하다.

Laue [láʊə] *f.* -n (schweiz.) ① 눈사태(Lawine). ② (산) 사태.

lauen *i.* (h.) ① 미지근하다, 미지근해지다. ② *imp.* 얼음이 녹다(tauen).

Lauer[1] [láuər] *m.* -s, - 마지막으로 짠 저급 포도주; 〖편어〗 저급 음료.

Lauer[2] 《<lauern》 *f.* 매복, 잠복, 숨는 장소; 〖軍〗 불침번: auf der ~ sein〔liegen, sitzen, stehen〕 매복〔잠복〕해 있다; sich auf die ~ legen (누구를) 벼르고 있다.

Lauerer [láuərər] *m.* -s, - ① 매복하는 사람; 망꾼, 감시인. ② 스파이, 탐정.

*__lauern__ [láuərn] *i.* (h.) ① 숨어서 기다리다, 잠복하다, 길목에서 기다리다: auf eine Gelegenheit ~ 기회를 기다리다〔노리다〕; eine ~de Gefahr 몸에 닥쳐 오는 위험; ein ~der Blick 숨은 뜻이 있는 눈씨; 〖사냥〗 die Windhunde ~ 사냥개가 토끼의 길목을 막다. ② auf et. ~ 무엇을 애타게 기다리다: sie lauerte darauf, daß er einen Fehler machte 그가 실수를 저지르기를 그 여자는 기다리고 있었다. ③ (obd.) 느릿느릿하다, 태만하다.

*__Lauf__ [lauf] *m.* -(e)s, Läufe ① 뛰기, 달리기; 걷기; (마라톤·도보의) 경주; 〖육상〗 구간; 레이스; 〖비유〗 생애, 이력: der Kurzstrecken〔Langstrecken〕~ 단거리〔장거리〕 경주; sie kam in eiligem ~ daher 그 여자는 급한 걸음으로 다가왔다; in vollem ~ 전속력으로; seinen ~ schließen〔vollenden〕 인생을 끝맺다, 죽다; sich in ~ setzen 달리기 시작하다. ② 진행, 과정, 흐름, 경과, 방향; 수류, 수로; 〖海〗 항행, 항로; 〖天〗 (해·달 따위의) 운행; 궤도; 〖醫〗 혈액 순환(Blut~): dem ~ des Flusses folgen 강의 흐름에 따르다; nach dem ~ des Windes 바람의 방향에 따라서; seinen ~ nehmen 예정된 방향으로 나아가다; et.[3] (freien) ~ lassen〔geben〕 무엇을 되는 대로 놔두다(일의 경과를 일단 두고 보다); das ist der ~ der Welt 세상이란 그런 게다; im ~ der Zeit 점차, 차차; in dem langen ~e seines Lebens 그의 오랜 생애〔경력〕에서; noch im ~e dieses Jahres 금년 안에 꼭; im ~e des Gesprächs 대화 중에. ③ 〖고어〗 시세, 시대: wir leben in bösen Läufen 우리는 세월을 잘못 만났다; Kauf und ~ sein 일반적으로 행하여지고 있다. ④ 〖해부〗 복사뼈(Sprungbein). ⑤ 〖軍〗 총신, 포신: ein Gewehr mit zwei Läufen 쌍신총(雙身銃); den ~ auf jn. richten 누구에게 총구를 겨누다; 〖軍·농담〗 jm. ist der ~ eingerostet 누구는 성불구자다. ⑥ 〖農〗 Schafe nach dem ~ verkaufen 양을 닥치는 대로 팔다. ⑦ 낫의 굽은 날. ⑧ (연자매의) 나무틀; 체의 바닥틀. ⑨ 〖음악〗 빠른 연주; 악절. ⑩ 〖海〗 갑판: Ober〔Unter〕~ 상갑판〔하갑판〕. ⑪ (수관(水管)의) 대롱. ⑫ 〖사냥〗 (**a**) (사냥 짐승의) 다리; (개의) 다리: Hinter~ 뒷발. (**b**) 야수를 몰아내어 쏘기 위한 빈터. ⑬ 〖광산〗 수평갱. ⑭ 〖방언〗 교미(기) (~zeit). ⑮ 〖컴〗 (프로그램의) 실행.

Lauf≈achse *f.* 〖工〗 종축(從軸). **~arbeit** *f.* (운동 선수의) 주파력; 주력. **~bahn** *f.* ① 경기 구간, 트랙; 경기장, 경마장. ② 생애의 과정, 경력, 이력: er schlug die ~ eines Diplomaten ein 그는 외교관의 길에 들어섰다; am Ende unserer ~ 우리 생애의 마지막에. ③ (천체의) 운행 궤도. **~band** *n.* (유아의 보행 연습용) 걸음마줄(Gängelband). **~bild** *n.* 〖영화〗 활동 사진; 영상, 영화. **~brett** *n.* ① (두 공간을 잇는) 가교용 널빤지. ② 발판, 디딤판. **~brief** *m.* ① 회람장. ② 〖고어〗 통행증. **~brücke** *f.* ① 인도교, 좁은 다리. ② 가교(假橋); 〖軍〗 부교(浮橋); 〖海〗 현문(舷門). **~bursch(e)** *m.* 사환; 급사; 심부름하는 아이.

Läufchen [lɔ́ʏfçən] *n.* -s, - 들짐승의 발 (요리).

Läufel [lɔ́ʏfəl] *f.* (südwestd.) (Schale) 껍질; (특히) 호두의 푸른 겉껍질.

__laufen__ [láufən] (lief, gelaufen) 《I》 *i.* (s./h.) ① (**a**) 달리다, 뛰어가다: sie kamen gelaufen 그들은 달려왔다; auf dem Eis ~ 얼음지치다; über Hals und Kopf 〔aus allen Kräften〕 ~ 있는 힘을 다하여 달리다; um die Wette ~ 겨루다, 내기하다. (**b**) (기차·차가) 달리다, 나아가다; (배가) 항행하다; (기계가) 돌아가다: die Uhr läuft 시계 바늘이 돈다; um 19 Uhr ist alles gelaufen 저녁 7시에 모든 것이 끝났다. (**c**) 〖구어〗 걷다, 가다: ~ lernen (유아가) 걸음을 익히다; er läuft jeden Abend ins Theater 그는 매일 저녁 연극을 보러 간다; 〖경박〗 eine (Frau, Puppe) ~ lassen 〔zu ~ haben〕 윤락 행위를 시켜 돈을 갈취하다. (**d**) 〖속어〗 er mußte immerzu ~ 그는 쉴새없이 화장실에 갔다. (**e**) 〖정도를 나타내는 4격과 함께〗 er ist einige Meilen in einer Stunde gelaufen 그는 수마일을 한 시간에 달렸다; das Schiff läuft 12 Knoten die Stunde 저 배는 매시간 12노트의 속력으로 달린다. ② 흐르다, 방울방울 듣다: das Blut läuft durch die Adern 혈액이 혈관을 순환한다; Farben ~ 빛깔이 나다; das Faß läuft 통이 샌다; der Fluß läuft sehr schnell 이 강은 매우 빨리 흐른다; die Kerze läuft 촛농이 흘러내린다; die Nase läuft 콧물이 흐른다; sie arbeitete, daß ihr der Schweiß lief 그녀는 땀 흘리며 일했다; die Tränen liefen ihm über die Wangen 눈물이 그의 뺨을 흘러내렸다; 〖비유〗 es läuft jm. feurig durch die Wangen 누구의 뺨이 홍당무가 되다; ein Schauer lief mir über den Rücken 나는 등골이 오싹했다. ③ (때가) 지나가다, 경과하다: die Frist läuft morgen zu Ende 기한은 내일로 끝난다. ④ (상품 따위가) 잘 팔린다; (사업이) 잘 되고 있다; (계약이) 유효하다; 통용되다, 유통하다; ein Artikel läuft 어떤 상품〔품목〕이 잘 팔린다; 〖요리〗 der Teig läuft 반죽이 부풀어오른다; wie lange läuft der Mietsvertrag noch? 임대 계약은 아직 얼마나 더 유효합니까? ⑤ 진행되다, 돌아가다; 상영되다, 방영되다: der Prozeß läuft 소송은 진행 중이다; weißt du, was hier läuft? 너는 여기서 무슨 일이 벌어지고 있는지 아니?; der Film läuft 그 영화는 상영 중이다. ⑥ …한 결과가 되다, …으로 끝나다: am Ende läuft es auf eins hinaus 결국 그것은 마찬가지일 것이다; es läuft nicht nach seinem Sinne 그 일은 그의 생각대로는 되지 않는다; ich weiß nicht, wo das alles hinausläuft 그 모든 일이 궁극적으로는 어떤 결과로 끝날지 모르겠다. ⑦ 퍼지다, 늘다, 전해지다; (길이) 나 있다, 뻗어 있다: das Gerücht lief schnell durch den Betrieb 그 소문은 순식간에 온 회사에 퍼졌다; der Weg läuft längs dem Wald 길이 숲

을 따라서 나 있다; ein Gebirgszug läuft von Norden nach Süden 산맥이 남북으로 달리고 있다; die Linien ~ zusammen 각 선이 한 점에 모인다. ⑧ (h.) (동물이) 암내나다, 교미하다. ⑨ die Dinge ~ lassen 일이 되어가는 대로 놔두다; jn. ~ lassen a) 누구를 막지 않다, b) 누구를 상관하지 않다, 방임하다; sein Pferd ~ lassen a) 말에 박차를 가하다, 말이 달리는 대로 두다, b) 경마에 참가시키다; seine Zunge ~ lassen 입에서 나오는 대로 지껄이다; das Auge über et. ~ lassen 무엇을 대강 훑어보다; 〖海〗 ein Schiff vom Stapel ~ lassen 배를 진수시키다; ein Segel ~ lassen 돛을 급히 내리다. ⑩〔전치사와 함께〕〔구어〕 er weiß **darauf** zu ~ 그는 빈틈이 없다, 약빠르다; 〖海〗 auf den Grund ~ 좌초하다; **aus** dem Dienst ~ 사직하다; aus dem Hafen ~ 출범하다; **hinter** die Schule ~ 학교를 빼먹다; 〔비유〕 **in** sein Verderben ~ 멸망의 구렁텅이에 빠지다; jm. in den Weg ~ 누구를 우연히 만나다; das läuft ins Geld 그것은 돈이 든다, 비싸다; 〔비유〕 **mit** dem Kopf durch die Wand ~ 무리해서 하려고 하다; **nach** dem Arzt ~ 의사를 부르러 달려가다; **vor** jm. ~ 누구를 피하다; 〔구어·폄어〕 **zu** jm. ~ 걸핏하면 누구에게로 간다; das läuft der Erfahrung **zuwider** 〔**wider** die Erfahrung〕 그것은 경험과 어긋난다. 《Ⅱ》 *t.* ① (스키 따위를) 타다: Rollschuh ~ 롤러 스케이트를 타다; Ski ~ 스키를 타다. ② …하러 가다: (auf) Botschaft ~ 심부름가다; Gänge 〔Gewerbe, Wege〕 für jn. ~ 누구의 심부름을 하다; Gefahr ~ 위험을 무릅쓰다; Sack ~ (자루 속에서 목만 내놓고 달리는) 자루 경주를 하다; 〖海〗 der Wind läuft schulen 바람이 약해지다; 〖軍〗 (durch die) Spießruten〔Gassen〕 ~ 태형(笞刑)을 당하다; Sturm ~ 돌격〔습격〕하다. ③〖광산〗 (미는) 수레〔광차〕로 운반하다. 《Ⅲ》 *refl.* sich ~ ① 달려서 …한 상태가 되다: sich³ eine Blase ~ 달려서 물집이 생기다; sich³ die Füße wund ~ 달려서 발이 상하다; 〔비유〕 오랫동안 수고하다; sich müde ~ 달려서 피로하다; sich außer Atem ~ 달려서 숨이 가빠지다. ② *imp.* es läuft sich hier gut〔schlecht〕 여기는 달리기에 좋다〔나쁘다〕.

Laufen *n.* -s 달리기, 경주: ~ im Gänsemarsch (아이들의) 대장놀이; da ging es an ein ~ 그러자 모두 (질겁을 하여) 달아났다; ich bin des ~s müde 나는 달리기에 지쳐 있다.

***laufend** *p.a.* ① 달리고〔흐르고〕 있는, 움직이고 있는; 현재의, 현행의, 유통되고 있는; 연속된, 계속되는: ~e Ausgaben 경상비; das ~e Band 컨베이어 벨트; 〔구어〕 am ~en Band 쉬지 않고, 계속해서, 끊임없이; mit ~er Feder schreiben 줄줄 내리쓰다; ~e Geschäfte 일상 업무; 〖海〗 ~es Gut〔Tauwerk〕 범주 삭구(帆走索具); ~en Jahres 금년(의); ~er Meter 유속계(流速計); ~en Monats 이달(의) (약어: lfd. M.); ~e Nummer (잡지의) 최근호(약어: lfd. Nr.); ~e Nummern 일련 번호; 〖經〗 ~e Police 예정 보험; zum ~en Preise 시가로; 〖商〗 ~e Rechnung 당좌 계정; ~e Schrift 초서체; 〖商〗 ~er Wechsel 유통 어음; die ~e〔fahrende〕 Wut der Hunde 개의 교미욕; ~e Zinsen (고정 금리와 다르게 변동하는) 시중 이자. ② auf dem ~en a) 최근 사정을 잘 아는, 시류에 뒤지지 않는, b) 〖商〗 장부에 모두 기입된; mein Tagebuch ist〔bleibt〕 auf dem ~en 내 일기는 오늘까지 쭉 기입되어 있다; mit et.³ auf dem ~en sein 무엇을 즉각 처리하다; jn. auf dem ~en halten 누구에게 최신 정보를 빠짐없이 제공하다.

Laufer [láufər] *m.* -s, - 〔방언〕 ↑ Läufer.

***Läufer** [lɔ́ʏfər] *m.* -s, - ① 달리는〔걷는〕 사람, 달리기 선수, 주자; 〔옛뜻〕 급사, 파발꾼; 하인, 종; 〖軍〗 도보 전령; 〖축구·하키〗 하프백, 중위(中衛); 〖광산〗 손수레 미는 사람. ② 〖動〗 (타조처럼) 잘 달리는 동물; 단봉 낙타; 새끼 돼지; 딱정벌레속(屬); 털진드깃과(科); 〖사냥〗 후립새; 유인용 새. ③〖기계〗 활추(滑錘); (발전기·전동기의) 회전자; (터빈의) 축차; (맷돌의) 회전석; 마활석(磨滑石); (헬리콥터의) 회전 날개; 〖印〗 철판면(凸版面); 회전식 문; (썰매·스케이트의) 활주부(部); 〖방직〗 실패; 모래 시계(Sanduhr); 〖藥〗 약연(藥碾). ④〖건축〗 (벽돌을 쌓을 때) 벽돌의 긴 쪽. ⑤ (서양 장기의) 비숍. ⑥〖植〗 덩굴손; 움. ⑦ 〖商〗 곧 매절(賣切)되는 책. ⑧〖農〗 양쪽 경계석 사이의 작은 경계석. ⑨〖海〗 밧줄의 매지 않은 끝. ⑩ (통로·계단용의) 좁고 긴 양탄자 〔카펫〕. ⑪〖음악〗 ↑ Lauf ⑨. ⑫ (schweiz., obd.) 내리닫이 창. ⑬〔속어〕 대리석; 낡은 옷. ⑭ 행진 곡조의 무도.

Lauferei [laufəráɪ] *f.* -en 이리저리 뛰어다님; 〔비유〕 헛수고: er hatte (viel) ~(en) damit 그는 그 일로 몹시 쏘다녔다.

Läuferin *f.* -nen 달리는 여자; 여자 달리기 선수.

läuferisch *a.* 달리기의; 주력에 관련된.

Läufer≈schwein *n.* 새끼 돼지. **~stange** *f.* (계단의) 양탄자 누르개(쇠막대기). **~stein** *m.* (맷돌의) 회전석. **~stoff** *m.* ↑ ~zeug. **~waage** *f.* 추가 달린 저울. **~zeug** *n.* 계단용 양탄자. **~zug** *m.* 〖체스〗 비숍이 다니는 길.

Lauf≈feuer *n.* ① 들불, (타들어가며) 번지는 불. ②〖軍〗 도화선, (총포의) 연발: die Nachricht von der Niederlage verbreitete sich wie ein ~ 패전의 소식이 요원의 불길처럼 퍼졌다. **~fläche** *f.* ① 타이어의 접지면. ② 〖볼링〗 공이 굴러가는 면. **~freudig** *a.* 달리기를 좋아하는, 많이 달리는. **~fuß** *m.* ①〖動〗 조류의 발. ② 뛰기에 알맞은 발. **~gang** *m.* 〖건축〗 회랑, 좁은 통로; (여객기와 공항, 선박과 항구를 연결하는) 통로, 트랩; 〖海〗 현문(舷門); (서커스의 짐승 우리와 공연장을 연결하는) 통로. **~geld** *n.* (고용한 도제의) 여비; 모집 자금. **~gewicht** *n.* (저울의) 추. **~gitter** *n.* (나무 울타리를 쳐놓은) 유아용 놀이 공간. **~graben** *m.* 〖軍〗 참호, 교통호; 〔방언〕 배수구, 하수구.

läufig [lɔ́ʏfɪç] 《<laufen》 *a.* ① (암캐가) 발정하는; 발정기인. ②〔고어〕 유통〔실행〕되고 있는. ③ (ndd.) 숙달된, 유창한; 용이한.

..läufig *suf.* "행해지고 있는"의 뜻(보기: land~ 국내에서 행해지고 있는; vor~ 잠정적인, 임시의).

Läufigkeit *f.* (암캐의) 교미욕〔기〕.

läufisch *a.* ↑ läufig.

Lauf≈jagen *n.* 사냥개를 쓰는 사냥. **~junge**

m. ↑ ~bursche. **~käfer** *m.* 〖動〗 딱정벌레속(屬). **~karren** *m.* 〖광산〗 광차. **~katze** *f.* 〖기계〗 이동식 윈치, 권양기. **~kran** *m.* 〖기계〗 이동 기중기. **~kugel** *f.* 〔고어〕 총의 구경보다 작은 총알. **~kunde** *m.*, **~kundschaft** *f.* 뜨내기 손님.

Läufling *m.* -s, -e ① 뛰어 돌아다니는 사람. ② 새끼 돼지.

Lauf≈masche *f.* (뜨개질 따위의) 풀린 코; 풀린 올. **~milbe** *f.* 〖動〗 털진드기. **~mündung** *f.* 총구, 포구. **~paß** *m.* 여권, 여행증; 〔옛뜻〕 해고〔해직〕 증명서: jm. den ~ geben 누구와의 관계를 비신사적으로 끝내다; den ~ erhalten〔bekommen〕 해고〔절교〕당하다. **~pensum** *n.* ↑ ~arbeit. **~planke** *f.* 〖海〗 (배와 부두를 연결하는) 건널판, 배다리. **~rad** *n.* 바퀴; 날개바퀴; (발전기의) 회전자, (증기 터빈의) 축차; (헬리콥터의) 회전 날개. **~rädchen** *n.* 〔↑ ~rad 의 축소형〕 구륜(駒輪), (피아노·의자의) 다리바퀴. **~riemen** *m.* 〖기계〗 벨트. **~rolle** *f.* 〖기계〗 굴림 롤러, 다리바퀴. **~schiene** *f.* 화물 운반 궤도; 〖기계〗 유도(誘導) 궤도. **~schrift** *f.* 전광판의 흐르는 문자. **~schritt** *m.* 구보(驅步). **~schuh** *m.* ① (걷거나 달리는 데) 편한 신발. ② 운동화; 스파이크. **~schütze** *m.* 달리면서 짐승을 쏘는 사냥꾼. **~spiel** *n.* ① 달리기 놀이(술래잡기 따위). ② 〖스포츠〗 (수비 교란 목적의) 이리저리 달림; 주력을 요하는 경기. **~sport** *m.* 도보 경주〔여행〕.

läufst [lɔʏfst] ↑ laufen 의 2 인칭 단수 현재형.

Lauf≈steg *m.* ① (두 공간을 잇는) 가교용 널빤지. ② (패션 쇼의) 무대. **~stil** *m.* 〖스포츠〗 주법(走法). **~stuhl** *m.* (유아의) 보행기.

Lauft [lauft] *m.* -(e)s, Läufte [lɔ́ʏftə] 〔구식〕 (obd., md.) ① ↑ Lauf ⑫(a). ② 〔복수〕 시국(Zeitläufte); 전국(戰局) (Kriegsläufte).

läuft [lɔʏft] ↑ laufen 의 3 인칭 단수 현재형.

Lauf·teppich *m.* 계단용 양탄자; (깔개용의) 거친 카펫.

läuftig [lɔ́ʏftɪç] *a.* (obd.) 솜씨 있는, 숙련된.

Lauf≈treppe *f.* (배·비행기의) 트랩. **~vogel** *m.* 〖動〗 주금류(走禽類). **~wagen** *m.* ↑ ~stuhl. **~walze** *f.* 〖기계〗 원통, 기통(氣筒). **~werk** *n.* ① **(a)** 〖기계〗 구동 장치. **(b)** (시계의) 톱니 장치. ② 〖컴〗 드라이브. ③ 〔농담〕 다리. **~wett·bewerb** *m.* 육상 경기. **~zeit** *f.* ① 〖商〗 (어음 따위의) 유효 기간. ② 〖法〗 (계약의) 유효 기간. ③ 〖物〗 (전파·신호 따위의) 소요 시간. ④ (병아리의) 부화 시간. ⑤ 〖영화〗 상영 시간; 개봉 기간. ⑥ 교미기. ⑦ 〖컴〗 수행 시간. **~zettel** *m.* ① (모집·권유를 위한) 회람용 공문; 〖우편〗 분실 우편물 추적 조사 의뢰서. ② 통행증, 출입증. ③ 작업 순서도. **~zirkel** *m.* 〖기계〗 컴퍼스, 캘리퍼스.

Lauge [láʊɡə] *f.* -n 침출액(浸出液); (양)잿물: 〖化〗 알칼리 용액; 〔비유〕 신랄한 풍자〔조소〕: das hilft dir aus der ~ 그것으로 너는 궁지를 벗어난다; jm. den Kopf mit scharfer ~ waschen 누구를 몹시 꾸짖다.

laugen [láʊɡən] 《I》 *t.* ① 양잿물에 담그다, 양잿물로 씻다: Wäsche ~ 잿물로 빨래하다. ② 잿물을 내다, 염분을 침출하다: Getreide ~ 곡물을 소금물에 담그다. 《II》 *i.* (h.) ein Faß laugt 술통 냄새가 (술에) 옮다.

laugen·artig *a.* 잿물 같은, 알칼리성의.

Laugen≈asche *f.* 잿물을 내리는 재. **~bad** *n.* 알칼리(광천)욕(浴). **~blume** *f.* 〖植·방언〗 ① 카밀레. ② 앵초(櫻草). ③ 쥐오줌풀. **~brezel** *f.* 8 자 모양의 짭짤한 과자(맥주 안주용). **~brötchen** *n.* 짭짤한 롤빵. **~bütte** *f.*, **~faß** *n.* 양잿물통. **~flüssigkeit** *f.* 알칼리 용액.

laugenhaft *a.* ↑ laugenartig.

Laugen≈messer *m.* 양잿물 비중계(比重計). **~salz** *n.* 〖化·구식〗 알칼리염, 소다. **~vergiftung** *f.* 양잿물 중독. **~waage** *f.* ↑ ~messer. **~wasser** *n.* 양잿물.

laugicht, laugig *a.* ↑ laugenartig.

Lauheit *f.* -en 미지근함; 우유부단, 무관심, 냉담, 태만.

Lauigkeit *f.* -en ↑ Lauheit.

laulich *a.* 〔고어·방언·시어〕 미지근한.

Laulichkeit *f.* -en 미지근함.

Laum *m.* -(e)s (obd.) 수증기.

***Laune** [láunə] 《lat.》 *f.* -n ① 〔고어〕 달의 변화. ② 기분: (in〔bei〕) guter〔schlechter〕 ~ sein 기분이 좋다〔언짢다〕; ich bin nicht in der ~ zu schreiben 나는 편지 쓸 기분이 나지 않는다. ③ 좋은 기분: bei〔in〕 ~ sein 기분이 좋다; gute〔schlechte〕 ~ haben 기분이 좋다〔나쁘다〕. ④ **(a)** 〔복수〕 변덕, 괴팍스러움: das Glück hat seine ~n (행)운은 변덕스럽다. **(b)** 일시적 기분: nach ~ der Feder 붓이 가는 대로. ⑤ 〖醫〗 (Staupe) 디스템퍼, 견온병(여러 가지 동물의 전염병).

launenhaft *a.* 변덕스러운, 괴팍스러운.

Launenhaftigkeit *f.* -en 변덕, 심술궂음.

launig [láunɪç] *a.* ① 기분 좋은, 명랑한, 익살맞은. ② 기분 나쁜, 괴팍스런.

launisch [láunɪʃ] *a.* 〔대개 폄어〕 기분 나쁜, 우울한, 변덕스런: 〔비유〕 die ~e Fortuna 변덕스런 행운의 여신.

Laura [láura] *f.* ① 라우라(여자 이름). ② 〖그리스정교〗 〔복수: ..ren〕 독거(獨居) 수도원.

Laureat [laureá:t] 《lat.》 *m.* -en, -en ① 계관(桂冠) 시인. ② 〔비유〕 수상자.

Laurentia [laurɛ́ntsia] 《lat》 *f.* ① 라우렌치아(여자 이름). ② 〖지질〗 로렌시아(캐나다의 순상지(楯狀地)).

laurentisch [..tɪʃ] *a.* 로렌시아계(系)의.

Laurer *m.* -s, - ↑ Lauerer.

lauretanisch *a.* 〔다음 용법으로〕 〖가톨릭〗 ≗e Litanei 성모 찬송 기도.

laurig *a.* (obd.) ① 지치게 하는, 진력나는. ② 겁먹은.

Laurus 《lat.》 *m.* -(ses), -(se) 〖植〗 월계수.

***Laus** [laus] *f.* Läuse [lɔ́ʏzə] ① 〖動〗 이: 〔구어〕 jm. eine ~〔Läuse〕 in den Pelz 〔ins Fell〕 setzen a) 누구를 화나게 하다, 괴롭히다, b) 누구의 불신〔호기심〕을 유발하다; sich³ eine ~ in den Pelz 〔ins Fell〕 setzen 손해를 입다, 골치 아픈 일을 당하다; 〔구어〕 mir läuft 〔kriecht〕 eine ~ über die Leber 나는 화가 치밀어오른다; 〔속담〕 besser eine ~ im Kohl als gar kein Fleisch 아주 조금이라도 없는 것 보다는 낫다. ② 〔비유〕 **(a)** 〖動〗 자패(紫貝). **(b)** 얽힌 작은 양털 뭉치. **(c)** 진딧물: die Rosen sind voller Läuse 장미에는 온통 진딧물투성이다. ③ 〖건축〗 귓돌; 홍예석(虹蜺石).

Läus *f.* (ndd.) ↑ Gleis, Spur.

Lausanne [lozán] 로잔(스위스의 도시).

Lausanner 《Ⅰ》 *m.* -s, - 로잔 사람. 《Ⅱ》 *a.* 로잔의.

Laus≈bub(e) *m.* 개구쟁이, 악동. **~bubenhaft** *a.* 개구장이 같은, 짓궂은. **~bubenst·reich** *m.*, **~büberei** *f.* 개구쟁이 짓. **~bübisch** *a.* ↑ ~bubenhaft.

Läusch *n.* -es (ndd.) 〖植〗 갈대(Schilf).

Lausch≈aktion *f.*, **~angriff** *m. f.* 도청 행위〔활동〕.

Lausche [láuʃə] *f.* -n 〔고어〕 ① 매복; 엿듣기: auf der ~ sein〔liegen〕 매복하다, 엿듣다; 〖카드〗 die ~ haben 회두리패를 내다. ② 잠복처, 엿듣는 장소. ③ 한적한 장소.

***lauschen** [láuʃən] 《laut》 *i.* ① (h.) 엿보다, 매복하다; 엿듣다: ins Zimmer ~ 방 안을 엿듣다; er lauschte auf das leiseste Geräusch 그는 어떤 희미한 소리도 놓치지 않고 다 들었다; da habe ich aber gelauscht 그래서 나는 깜짝 놀랐지; 〔시어〕 nur der Mond lauschte durchs Fenster 달빛만이 창문으로 비쳐 들었다. ② 경청하다: jm. andächtig ~ 누구의 말을 열심히 경청하다. ③ (h.) 불꽃이 타오르다. ④ (h.) (südd.) (졸려서) 꾸벅거리다; 주저하다. ⑤ (s.) 살며시 다가가다.

Läuschen[1] [lɔ́ʏsçən] *n.* -s, - 〖↑ Laus 의 축소형〗 서캐.

Läuschen[2] [lɔ́ʏʃən] *n.* -s, - (ndd.) (Anekdote) 일화; (운문체의) 소극(笑劇).

Lauscher [láuʃər] 《<lauschen》 *m.* -s, - ① 경청자; 엿듣는 사람, 염탐꾼: 〔속담〕 der ~ an der Wand hört seine eigne Schande 남의 말을 엿듣는 자는 자신의 험담도 듣기 마련이다. ② 〖사냥〗 (멧돼지를 제외한 짐승의) 귀: der Hase richtet seine ~ auf 토끼가 두 귀를 쫑긋 세운다.

Lauscherin *f.* -nen ↑ Lauscher 의 여성형.

lauschicht *a.* 〔고어〕 ↑ lauschig.

lauschig [láuʃıç] *a.* ① 경청하는; 엿듣는. ② 남의 눈에 띄지 않는, 한적한: ein ~es Eckchen 한적한 한구석.

Lausch≈operation *f.* ↑ ~aktion. **~platz, ~winkel** *m.* ↑ Lausche ②.

Lause·allee [láuzə..], **Läuse·allee** [lɔ́ʏzə..] *f.* 〔농담·구어〕 가리마 탄 머리.

Laus(e)·angel *f.* ↑ Lausbube.

Läuse·befall *m.* 이의 발생.

Lause≈bengel, ~bube *m.* 〔구어〕 ↑ Lausbube. **~ding** *n.* 하찮은 것. **~geld** *n.* 하찮은 돈; 〔반어〕 굉장한 돈. **~harke** *f.* 〔구어·농담〕 ↑ Läusekamm. **~junge** *m.* ↑ Lausbube.

Läuse·kamm *m.* 살이 가는 빗, 참빗.

Lause·kerl *m.* ↑ Lausbube.

Läuse≈könig *m.* 〖動·총칭〗 절지 동물 중 주형류(蛛形類). **~körner** *pl.* 참제비고깔속(屬)의 씨. **~krankheit** *f.* 〖醫〗 이 기생증(寄生症); 이에 의한 감염. **~kraut** *n.* ① 〖植〗 송이풀. ② ↑ ~rittersporn. ③ 미나리아재빗과의 식물.

lausen [láuzən] 《<Laus》 《Ⅰ》 *t.* ① 이를 잡다; 〔비유〕 움켜잡다, 두들기다: sich ~ 드잡이하다, 싸우다; 〔비유·구어〕 wir haben ihn tüchtig gelaust 우리는 그의 호주머니를 몽땅 털었다; 〔경박〕 ich denke, mich laust der Affe! 이거 정말 놀랐는데!; jm. die Kolbe 〔jn. mit Kolben〕 ~ a) 누구를 꾸짖다, b) 누구의 돈을 빼앗다. ② 〔구식〕 과격하게 움켜잡다. 《Ⅱ》 *i.* (h.) ① 이가 있다. ② 인색하다. ③ 게으르다.

Lause·nest *n.* 이집; 〔비유〕 빈민굴. **~pack** *n.* 〔경박〕 천민, 무뢰한.

Läuse·pulver *n.* 〖藥〗 이 잡는 (가루)약.

Lauser [láuzər] *m.* -s, - ① 이가 있는 사람. ② 〔경박〕 개구쟁이; 구두쇠. ③ ↑ Läusekamm.

Lause·rechen *m.* 〔농담〕 ↑ Lauseharke.

Lauserei [lauzəráı] *f.* -en ① 이잡기. ② 인색. ③ 〔구어〕 사소; 불유쾌.

Läuse≈rittersporn *m.* 〖植〗 참제비고깔속(屬)의 일종. **~salbe** *f.* 〖藥〗 이 잡이 연고. **~sucht** *f.* ↑ ~krankheit.

Lause·wenzel *m.* 〔구어〕 ① 싸구려 담배. ② ↑ Lausbube.

Laus·fliege *f.* 〖動〗 이파릿과 곤충의 총칭.

lausicht *a.* 〔고어〕 ↑ lausig.

lausig [láuzıç] *a.* ① 이투성이의; 〔비유〕 더러운, 불쾌한, 귀찮은; 하찮은, 적은: eine ~e Arbeit 귀찮은 일; die paar ~en Pfennige 푼돈; ~e Zeiten 더러운 시대〔세상〕. ② (obd.) 느린, 게으른. ③ 〔구어〕 엄청난: eine ~e Kälte 지독한 추위.

Lau≈sinn *m.* 무관심, 냉담, 무성의. **~sinnig** *a.* 무관심한, 냉담한.

Laus·kraut *n.* ↑ Läusekraut.

Läuslein [lɔ́ʏslaın] *n.* -s, - 〖↑ Laus 의 축소형〗 서캐.

***laut**[1] [laut] *a.* 《Ⅰ》 ① (↔leise) 소리가 큰, 시끄러운; 〔비유〕 공공연한: eine ~e Wohnung 〔Reklame〕 방음이 안 된 집〔요란한 광고〕; ~e Farben 현란한 색; ein ~es Wesen 시끄러운 〔목청 높은〕 사람; 〔구어〕 ~ denken a) 중얼거리다, b) 혼자말을 하다; 〔구어〕 das kannst du aber ~ sagen 그것은 네가 전적으로 옳다; ~ machen〔werden〕 공공연하게 하다〔되다〕. ② 〖사냥〗 ~ sein (사냥개가) 짖고 있다; der Jäger ist ~ vom Horn 사냥꾼이 뿔피리를 불고 있다; das Wetter ist ~ (멀리까지 들릴 만큼) 공기가 맑다. 《Ⅱ》 *adv.* ① 들리도록, 큰소리로; 수선스럽게. ② 〖음악〗 포르테로, 세게.

***laut**[2] *prp.*[2] 〖관사 및 형용사를 동반하지 않는 복수 명사 또는 불변화 명사의 경우에는 3 격도 지배함〗 …에 의하면, …에 따라, …대로: ~ Autor 필자의 견해에 따르면; ~ Gesetz 법률에 따르면; ~ (des) Befehls 분부대로; ~ Briefen 편지에 의하면; ~ Bericht〔Rechnung〕 보고〔계산〕대로.

***Laut** *m.* -(e)s, -e ① (목)소리, 음향: heimatliche ~e 고향을 생각나게 하는 소리; er gab keinen ~ von sich 그는 잠자코 있었다; ~ geben (사냥개가) 짖다. ② 〖음성〗 음, 음성: dentale ~e 치음. ③ 〔고어〕 본문, 원문; 내용. ④ (ndd.) (a) 한 줄에 맨 사냥개. (b) 사냥감의 무리.

Laut≈angleichung *f.* 〖언어〗 음의 동화(同化) 〔유화(類化)〕. **~archiv** *n.* 음성 자료 보관소.

lautbar *a.* 울리는; 들리는; 알려진: 〔구식〕 die Sache ist ~ geworden 그 일은 널리 알려졌다.

Lautbarkeit *f.* 알려짐, 공개됨.

Laut≈bezeichnung *f.* 〖문법〗 발음법; 발음 부호. **~bildung** *f.* 〖음악·음성〗 (Artikulation)

조음(調音); 명확한 발음 (교육).

Laute [láutə] 《ar.》 *f.* -n 라우테(구식 현악기의 일종): Lieder zur ~ singen 라우테에 맞춰 노래하다.

Läute≈signal *n.* 〖철도〗 (기차의 접근을 알리는) 경보 신호. **~werk** *n.* 경보 장치.

***lauten**[1] [láutən] 《<laut》《I》 *i.* (h.) ① (종·악기 등이) 소리나다, 울(리)다(läuten): bei Nacht lautet alles stärker 밤에는 모든 소리가 더 똑똑히 들린다; hell ~d 맑은 음색의; 〖사냥〗 die Hunde ~ 사냥개가 짖는다; 〔비유〕 das lautet seltsam 그것은 이상하게 들린다. ② …라는 내용이다; …라고 씌어〔말하고〕 있다: seine Rede lautet dahin, daß… 그의 연설 내용은 다음과 같다; wie das Sprichwort lautet 속담에도 있듯이; das Urteil lautet auf drei Jahre Gefängnis 판결은 3년의 징역형이다; 〖商〗 auf den Namen ~de Obligationen 기명식(記名式) 채권. 《II》 *t.* 〖언어학〗 발음하다.

lauten[2] 《<Laute》 *i.* (h.) 라우테를 연주하다.

***läuten** [lɔ́ʏtən] 《I》 *i.* (h.)/*imp.* 울리다, 소리나다: es 〔die Glocke〕 läutet 종이 울린다; man 〔es〕 läutet zur Kirche〔Messe〕 예배〔미사〕의 종이 울린다; das Telefon läutet 전화벨이 울린다; (nach) dem Kellner ~ 벨을 울려서 웨이터를 부르다; es läutet im Ohr 귀가 울린다; ich habe auch so etwas ~ hören〔gehört〕 나도 그런 소문을 들었다(과거 시제로만 사용). 《II》 *t.* (종·벨을) 울리다, 울려 알리다: jn. zu Grabe ~ 누구의 조종을 울리다; man〔es〕 läutet Feuer〔Sturm〕 화재〔폭풍〕 경보를 울린다.

Laut(e)ner [láut(ə)nər] 《<lauten[2]》 *m.* -s, -, **Lautenist** [lautenı́st, ..tə..] 《<Laute》 *m.* -en, -en ↑ Lautenspieler.

Lautenistin *f.* -nen ↑ Lautenist의 여성형.

Lauten≈kasten *m.* 라우테를 넣는 케이스. **~macher** *m.* 라우테 제작자. **~saite** *f.* 라우테 줄. **~schlagen** *n.* ↑ ~spiel. **~schläger** *m.* ↑ ~spieler. **~spiel** *n.* 라우테 연주. **~spieler** *m.* 라우테 연주자.

***lauter** [láutər] *a.* 〖雅語〗 ① 순수한, 진짜의, 사심없는, 정직한: ~es Gold 순금; das ist die ~e Wahrheit 그것은 적나라한 진실이다; ~e Gesinnung 순결한 마음; die Nachricht stammt aus ~er Quelle 그 소식은 확실한 소식통으로부터 나온 것이다. ② 〔어미변화 없음〕 오직 …뿐인(nur): ~ Knaben 아이들뿐; aus ~ Neid 순전히 질투심 때문에; ~ Worte, keine Taten 말뿐이고 실행이 없다.

Läuter [lɔ́ʏtər] 《<lauten[1]》 *m.* -s, - 종지기; 〖전기〗 음향 장치.

Läuterer [lɔ́ʏtərər] 《<läutern》 *m.* -s, - 정제〔정련〕자; 〖工〗 정제〔정련〕기; 정화(淨化) 운동자: die ~ unserer Religion 우리의 종교 개혁자들.

Läuter·feuer *n.* ①〖化·工〗 정련화(火). ② 〖가톨릭〗 연옥(煉獄).

Lauterkeit *f.* 순수, 진정; 순결, 정직; 무사(無私).

Läuter·methode *f.* 정련〔정제〕법.

***läutern** [lɔ́ʏtərn] 《<lauter》 *t.* 정화하다, 맑게하다; 순화하다; 성숙시키다; (액체를) 여과하다; (금속을) 정련하다; 증류하다: die Schmerzen haben sein Wesen geläutert 고뇌가 그의 본성을 순화시켰다; 〖林〗 einen Wald (aus)~ 숲을 벌채하다; 〖法〗 eine Partei läutert ein Urteil 당사자가 항소〔상소〕하다.

Läuter·pfanne *f.* 〖광산〗 여과〔거름〕 냄비.

Läuterung [lɔ́ʏtəruŋ] *f.* -en 정화, 순화; 성숙; 여과, 증류, 정련; 〖化·제련〗 회취법(灰吹法); 〖林〗 벌채.

Läuterungs≈haus *n.* 정제소, 정련소. **~kessel** *m.* 〖제련〗 정제〔정련〕 가마. **~mittel** *n.* 청정제(淸淨劑). **~prozeß** *m.* 정제〔정련〕법, 청정법.

Läut(e)·telegraph *m.* 비상 경보〔벨〕 장치.

Läute·werk *n.* 〖전기〗 경보 장치.

Laut≈gesetz *n.* 〖음성〗 음운 법칙. **≈getreu** *a.* 〖음성〗 음에 충실한; 발음대로의. **≈hals** *adv.* 〔방언〕 큰소리로, 소리질러서.

Lautheit *f.* 음성이 높음, 시끄러움; 명석; 과장; 음의 강도.

lautieren 《<laut》《I》 *i.* (h.) 음절로 나누어 발음하다. 《II》 *t.* 음절로 나누어 읽다.

Lautier≈methode *f.*, **~system** *n.* 〖언어〗 표음식(表音式) 철자법; 음독법(音讀法).

Laut≈kunde *f.* 음성학. **~kundler** *m.* 음성학자. **~lehre** *f.* 음성학, 음운론.

lautlich *a.* 음성(학)상의, 발음상의.

lautlos *a.* 소리 없는, 조용한, 벙어리의; 〔비속〕 멍한: sich ~ nähern 소리없이 접근하다.

Lautlosigkeit *f.* 소리 없음, 조용함.

laut·malend *a.* 〖언어학〗 의성(擬聲)의, 의음의. **≈malerei** *f.* 〖언어학〗 의성, 의음. **~nachahmend** *a.* ↑ ~malend. **≈nachbildung** *f.* ↑ ≈malerei.

Lautner *m.* -s, - ↑ Lautenspieler.

Laut≈physiologie *f.* 음성 생리학(生理學). **≈physiologisch** *a.* 음성 생리학(상)의. **≈redend** *p.a.* 큰소리로 말하는, 외치는. **~schrift** *f.* ①〖언어학〗 표음 문자. ②〖음성〗 음성 표기(법). **~sprache** *f.* 음성어. **~sprecher** *m.* 확성기. **~sprecher·box** *f.* 확성기 박스, (오디오 제품의) 스피커. **~sprecher·wagen** *m.* 확성기를 단 가두 선전차. **≈stark** *a.* 소리가 큰〔높은〕: ~ protestieren 큰소리로 항의하다. **~stärke** *f.* 음량(音量): beim Radio die ~ herunterdrehen 라디오의 소리를 낮추다. **~stärke·regler** *m.* 〖전기공학〗 음량 조절기. **≈stimmig** *a.* 고성(高聲)의, 시끄러운. **~system** *n.* 〖언어학〗 발음법. **~tafel** *f.* 발음표. **≈treu** *a.* 발음대로의.

Lautung *f.* -en 〖언어학〗 ① 발음법. ② 음의 형성. ③ 음의 형태.

Laut≈veränderung *f.* ↑ ~wandel. **~verhältnis** *n.* 음의 상호 관계. **~verschiebung** *f.* 〖언어학〗 자음 변화, 자음추이(일명 그림의 법칙). **~wandel** *m.* 〖언어학〗 음운 변화. **~wechsel** *m.* 〖언어학〗 음운 교체〔전환〕.

Läut·werk *n.* ① (교회의) 종(鍾). ② ↑ Läutewerk.

Laut·zeichen *n.* 〖언어학〗 ① 음성 기호. ② (언어 부호 체계의 단위로서의) 음, 소리.

lau·warm *a.* ① 미지근한, 미온의. ② 〔비유·구어〕 내키지 않는, 찬성도 반대도 아닌: mit einem ~en Händedruck 마지못해 악수하면서.

Lava [lá:va] 《lat.》 *f.* ..ven 〖지질〗 용암.

lava≈ähnlich, ~artig *a.* 용암(질)의, 용암 비슷한.

Lavabo [lavá:bo] ⟪lat., „ich werde waschen"⟫ *n.* -(s), -s ①〖가톨릭〗 **(a)** 세수식. **(b)** 세수식용 대야. ② (schweiz.) 세면대.

Lava≈glas *n.* 〖광물〗 유리질 용암, 흑요석(黑曜石): weißes ~ 옥적석(玉滴石). **~grus** *m.* 화산회, 화산력(礫). **~stein** *m.* 용암, 화산암. **~strom** *m.* 〖지질〗 용암류(流).

Lavement [lavəmã:] ⟪frz.⟫ *n.* -s, -s 〖醫〗 관장(灌腸).

Laven [lá:vən] *pl.* ↑ Lava.

Lavendel[1] [lavɛ́ndəl] ⟪lat. lavare⟫ *m.* -s, - 〖植〗 라벤더(약초).

Lavendel[2] *n.* -s ① 보라색. ② ↑ Lavendelwasser.

Lavendel[3] *n.* -s, - 〖영화〗 필름 원판의 복사.

Lavendel≈blau *n.* 라벤더색, 보라색. **~blüte** *f.* 라벤더 꽃. **~geist** *m.* 라벤더 진액. **~öl** *n.* 라벤더유. **~wasser** *n.* 라벤더 향수.

lavieren[1] [laví:rən] ⟪ndl.⟫ *i.* (h./s.) ①〖海〗 역풍일 때 침로를 유지하기 위하여 돛을 반대로 돌리다. ②〖비유〗 신중한 태도를 취하다, 곤란을 교묘히 돌파하다, 온갖 구실을 대다: 〖구어·폄어〗 (sich) aus et.³ [durch et.] ~ 무엇을 교묘하게 극복하다. ③ 불안정하다, 주저하다.

lavieren[2] [laví:rən] ⟪lat. lavare⟫ *t.* 〖畫〗 색을 씻어내다, 바림하다.

lävogyr [lɛvogý:r] ⟪lat.⟫ *a.* 〖化·物〗 좌회전성의(약어: l.) (↔ dextrogyr).

Lavoir [lavoá:*r*] ⟪frz.⟫ *n.* -s, -s 〖방언〗 세숫대야.

Lavor [lafó:*r*] *n.* -s, -e (südd.) ↑ Lavoir.

Lävulose [lɛvuló:zə] ⟪lat. +gr.⟫ *f.* 〖化〗 좌선당(左旋糖) (D-프룩토오스의 속칭).

***Lawine** [laví:nə] ⟪lat. labi⟫ *f.* -n ① 눈사태: das Haus ist von ~n verschüttet 그 집은 눈사태로 파묻혔다. ②〖구어〗 많은 양: eine ~ von Bewerbungen 지원서의 홍수. ③ 일련의 사건들.

lawinen≈artig *a.* 눈사태 같은. **≈gefahr** *f.* 눈사태의 위험. **≈hund** *m.* 눈사태 조난자 수색견. **~katastrophe** *f.* 눈사태 재난. **≈-schnee** *m.* 눈사태의 눈; 〖지질〗 (빙하의) 빙설. **≈schutz** *m.* 눈사태 예방. **~sicher** *a.* 눈사태에서 안전한. **≈sturz** *m.* 눈사태. **≈-suchhund** *m.* ↑ ≈hund.

Lawn-Tennis [lɔ́:ntɛnɪs] ⟪engl.⟫ *n.* - 론테니스(잔디밭에서 하는 테니스).

Lawra ⟪gr.⟫ *f.* ..ren/-s 〖그리스정교〗 독거(獨居) 수도원(Laura).

Lawrencium [lorɛ́ntsium] *n.* -s 〖化〗 (기호: Lr, 〖구식〗 Lw) (인공 방사성 원소인) 로렌슘.

lax [laks] ⟪lat. laxus⟫ *a.* 느슨한, 헐렁한; 방종한: ~e Grundsätze 느슨한 원칙.

Laxans [láksans] *n.* -, ..xantia [laksántsia]/..xantien [laksántsiən], **Laxativ** [..tí:f] *n.* -s, -e [..və], **Laxativum** [..tí:vum] *n.* -s, ..va 〖藥〗 (Abführmittel) 설사약, 하제.

Laxheit *f.* -en ① 이완, 방종. ② 이완된 태도.

Laxier *n.* -s, -e ↑ Laxans.

laxieren [laksí:rən] ⟪lat. laxare⟫ *i.* (h.) 설사하다; 설사시키다, 배변을 촉진시키다.

Laxier·mittel *n.* ↑ Laxans.

Lay·out [lé:|aut, le:|aút] ⟪engl.⟫ *n.* -s, -s 〖출판〗 편집, 배정, 레이아웃. ② 구성 요소의 배치도. ③〖전자공학〗 접속 구성 요소의 배열도면.

Layouter [lé:|autər, le:|áutər] *m.* 레이아웃 전문가.

Lazarett [latsarɛ́t] ⟪it.⟫ *n.* -(e)s, -e ①〖고어〗 성(聖)나사로의 나병원. ② 병원; 〖軍〗 군인 병원; 〖海〗 병원선: fliegendes ~ 야전 병원, 부상병 후송차.

Lazarett≈brand *m.* (주사·엑스선으로 인해 생긴) 괴저. **~fieber** *n.* 〖醫〗 발진티푸스. **~gehilfe** *m.* 군병원 조수, 간호장. **~kranken·wagen** *m.* 부상병 후송차. **~schiff** *n.* 병원선. **~zug** *m.* 〖軍〗 병원 열차.

Lazarist [latsaríst] *m.* -en, -en 〖가톨릭〗 나사로회 회원.

Lazarus [lá:tsarus] ⟪hebr.⟫ *m.* -, -se ① 라자루스(남자 이름). ②〖聖〗 (문둥이 거지) 나사로(누가 16 : 19-31), 고통받는 자; 〖비유〗 문둥이 거지. ③〖聖〗 (베다니의) 나사로(요한 11 : 1-44, 12 : 1-18).

Lazeration ⟪lat.⟫ *f.* -en 〖醫〗 파열, 열상(裂傷).

lazerieren *i.* (h.) 〖醫〗 (조직이) 찢어지다.

Lazerte [latsɛ́rtə] ⟪lat.⟫ *f.* -n ①〖動〗 도마뱀. ② (Dirne) 창녀, 매춘부.

Lazulith [latsulí:t, ..lit] ⟪lat.⟫ *m.* -s/-en, -e(n) 〖광물〗 천람석(天藍石).

Lazzarone [latsaró:ne] ⟪it.⟫ *m.* -(n)/-s, -n/..ni (나폴리의) 빈민, 거지.

lb. =libra ⟪lat.⟫ 파운드(Pfund).

l.B. =laut Bericht 보도에 의하면.

LBA =Luftfahrt Bundesamt 연방 항공청.

l.c. =loco citato ⟪lat.⟫ 인용[상술]한 곳에서.

Ld. =limited 유한의.

L.D. =Laus Deo 신을 찬미하라, 감사하라, 기쁘도다.

LDP(D) =Liberal-Demokratische Partei (Deutschlands) 자유 민주당(구동독의 정당).

L.d.R. =Leutnant der Reserve 예비역 소위.

Lea [lé:a] ⟪hebr.⟫ *f.* 레아(여자 이름); 〖聖〗 야곱의 최초의 아내(창세기 29 : 16).

Lead [li:d] *n.* - ①〖음악〗 (재즈 등의) 주선율. ②〖經〗 경기 변동의 선행 지수.

Leader [lí:də*r*, ..də] ⟪engl.⟫ *m.* -s, - ① 지도자, 두목. ②〖스포츠〗 (öst., schweiz.) 선두 주자[팀].

Lead·gitarrist *m.* 밴드의 제 1 기타 연주자.

Leander [leándə*r*] ⟪gr.⟫ *m.* 레안더(남자 이름); 〖그리스신화〗 레안드로스(Hero의 연인).

leasen [lí:zən] ⟪engl.⟫ *t.* 임대하다, 빌려 쓰다: ein geleastes Auto 임대한 차, 렌터카.

Leasing [lí:zɪŋ, ..sɪŋ] ⟪engl.⟫ *n.* -s, -s (기계 등의) 임대.

Lebe≈dame *f.* 〖폄어〗 사교계의 여성, 유한 마담. **~frau** *f.* 〖드물게〗 방종한 여자. **~hoch** *n.* (축복의 말) 만세: ein ~ auf jn. ausbringen 누구를 위하여 만세를 부르다[축배를 들다]. **≈lang** *adv.* 〖다음 용법으로〗 mein ~ 나의 일생 동안에. **~mann** *m.* 〖복수: ..männer〗 〖폄어〗 (부유층의) 방탕아, 플레이보이. **≈-männisch** *a.* 방탕한.

***leben** [lé:bən] 〖I〗 *i.* (h.) ① **(a)** 살아 있다, 생존하다: der Kranke lebt noch 병자는 아직 살아 있다; jn. ~ lassen 누구를 살려주다[죽이지 않다]; er hat gelebt 그는 그의 일생을 마쳤다; von neuem ~ 부활[소생]하다; ich will darauf ~ und sterben 나는 그것(의 진

실)에 대하여 생사를 걸어도 좋다; er hat nicht mehr lange zu ~ 그는 위독하다, 곧 죽을 것이다; 〖구어〗 lebst du (auch) noch? 자네 아직 살아 있나? (오랫만에 만난 사람에게 하는 농담). (**b**) 살아서 일하다: die Seele lebt nach dem Tode 영혼은 사후에도 산다; 〖구어〗 so wahr ich lebe 목숨을 걸고, 맹세코, 확실히; so wahr Gott (im Himmel) lebt 신에게 맹세코, 확실히; 〖聖〗 der Gerechte wird seines Glaubens ~ 의인은 믿음으로 말미암아 살리라(로마서 1:17). (**c**) 살다, 거주〔서식〕하다: in London ~ 런던에 살다; 〖비유〗 in der Vergangenheit ~ 사고와 행동이 구태의연하다; 〖구어·대개 폄어〗 du lebst wohl auf〔hinter〕 dem Mond 너는 세상 물정을 전혀 모르는군. (**d**) 〖생활 방식을 나타내어〗 billig〔flott〕 ~ 간소〔방종〕한 생활을 하다; in Saus und Braus ~ 방탕한 생활을 하다; seinen Grundsätzen gemäß ~ 자신의 원칙에 따라서 생활하다; hier ist gut ~ 여기는 살기가 좋다; ich lebe in dem Glauben 〔des Glaubens〕, daß... 나는 …을 믿고 살아간다; sorglos in den Tag hinein ~ 태평하게 그날 그날을 보내다; er lebt nach der Uhr 그는 매우 꼼꼼하다; wie Mann und Frau ~ 부부처럼 살다; lebe wohl! 안녕, 잘 가게!; unter js. Herrschaft ~ 누구의 지배를 받다. (**e**) 먹고 살다, 생계를 이어나가다: von et.³ ~ 무엇으로 먹고 살다; 〖구어·농담〗 von Luft und Liebe ~ 상사병으로 식음을 전폐하다; 〖속담〗 der Mensch lebt nicht vom Brot allein 사람은 빵만으로는 살지 못한다; von der Hand in den Mund ~ 그날 벌어 그날 살다; er hat nichts zu ~ 그는 생계가 막막하다; 〖구어〗 wie geht es dir? — man lebt! 너 어떻게 지내니? — 그럭저럭 지낸다!; gut ~ 호화롭게 살다; über seine Verhältnisse ~ 분에 넘치게 생활하다; er hat schön zu ~ 그는 아무 부족 없이 산다; zu ~ wissen 세상 사는 법을 알고 있다; vorwärts ~ 앞을 내다보고 살다. (**f**) 〖雅語〗 존속하다: sein Ruhm wird ewig ~ 그의 명성은 영원히 살아 있을 것이다; Sprichwörter, die in aller Munde ~ 만인의 입에 오르내리는 속담. (**g**) 〖축복의 뜻을 나타내어〗 es lebe der König 〔die Freiheit〕! 국왕〔자유〕 만세!; jn. (hoch) ~ lassen 누구를 위하여 만세를 부르다〔건배하다〕. (**h**) 〖속담〗 man muß so ~, daß man auch morgen ~ kann 분수에 맞게 살지 않으면 안 된다; wer lange lebt, erfährt viel 오래 살면 별별 경험을 다하는 법이다; ~ und ~ lassen 공존 공영하다, 더불어 살다. ② einem Dinge ~ 무엇을 위해 살다: er lebt nur dem Genuß 그는 향락만을 일삼고 있다; 〖聖〗 ~ wir, so ~ wir dem Herrn 우리가 살아도 주를 위하여 살고(로마서 14:8). ③ (어떤 식으로) 살다, 생활하다: als Königin zu ~, nicht zu scheinen 여왕처럼 보이는 것이 아니라, 여왕으로서 산다는 것; 〖구어〗 ~ wie Gott in Frankreich 온갖 부귀영화를 누리며 살다; das heißt nicht ~ 사는 꼴이 말이 아니다. ④ 〖무생물을 주어로〗 생기가 있다, 생생하다: ein Bild lebt 그림이 살아 있는 것 같다; der sonst tote Platz lebt 늘 조용하던 장소가 법석인다; 〖구어〗 der Käse lebt 치즈에 구더기가 들끓고 있다; 〖구어〗 so etwas lebt nicht 그런 것은 여간해서는 없다. ⑤ 활발하다, 활동하다: es lebt alles an ihm 그는 원기 왕성하다; wir kaufen keine Fische, wenn sie nicht ~ 우리는 싱싱하지 않은 물고기는 사지 않는다; 〖聖〗 in ihm ~, weben und sind wir 우리가 그를 힘입어 살며 기동하며 있느니라(사도 행전 17:28). ⑥ leiben und ~ 살아 있다: das ist Ihr Vater, wie er leibt und lebt 이게 당신의 아버지의 실제 모습입니다. 《Ⅱ》 *t.* ① 〖동족 목적어를 취하여〗 ein elendes Leben ~ 비참한 생활을 하다; sein eigenes Leben ~ 자기 식의 인생을 살다. ② 〖고어〗 ↑ erleben. ③ 시간을 보내다, 지내다: eine Zeit ~ 시간을 낭비하다. ④ 〖雅語〗 (신념이나 이상을) 살면서 실천하다: Nächstenliebe ~ 이웃 사랑을 실천하다. 《Ⅲ》 *refl.* ① 〖결과를 나타내어〗 sich satt ~ 인생에 싫증이 나다, 삶에 지치다; sich zum Sünder ~ 생활에 쪼들린 나머지 죄를 짓다. ② *imp.* hier lebt es sich gut 여기는 지내기〔살기〕 좋다.

***Leben** *n.* -s, - 〖드물게 복수〗 ① 생활, 생존, 생명: langes ~ 장수(長壽); Rest des ~s 여생; die Vielfalt〔Fülle〕 des ~s 생활의 다양성〔충만〕; das nackte ~ retten 겨우 목숨만 건지다; sein ~ teuer verkaufen 필사적으로 방어하다; jm. das ~ absprechen 누구에게 사형 선고를 내리다, 살 가망이 없다고 진단을 내리다; sein ~ lassen〔hingeben〕 죽다, 목숨을 잃다; sich³ das ~ nehmen〔seinem ~ ein Ende machen〕 자살하다; sein ~ in die Schanze schlagen 생명을 걸다; sich seines ~s freuen 삶을 향유하다; ~ spüren (임산부가) 태동을 느끼다; sein ~ verlieren 생명을 잃다; ein zähes ~ haben 쉽사리 죽지 않다; Geld oder ~! (협박할 때) 돈 아니면 목숨을 내놔라!; 〖雅語〗 einem Kind das ~ schenken 아이를 낳다. ② 〖전치사와 함께〗 **am** ~ sein 살아 있다; das geht ihm ans ~ 그것은 그의 목숨이 달린 문제다; jn. am ~ strafen 누구를 사형에 처하다; Kampf **auf** ~ und Tod 생사를 건 투쟁; **aus** dem ~ scheiden 자살하다; **bei** meinem ~ 생명을 걸고, 맹세코; bei Leib und ~, tun Sie das nicht! (목숨이 아깝거든) 결단코 그것은 하지 마시오!; **für** mein ~ 내 목숨과 바꾸어도, 맹세코; et. **ins** ~ rufen 무엇을 창립하다; ins ~ treten 창립되다; 〖雅語〗 ins ewige ~ eingehen 죽다; wieder ins ~ zurückbringen 〔zurückholen, zurückrufen〕 소생시키다; **mit** dem (nackten) ~ davonkommen 〔das nackte ~ davontragen〕 구사일생으로 도망치다; jm. **nach** dem ~ trachten 누구의 목숨을 노리다; jn. **um** sein ~ bitten 누구에게 살려 달라고 애걸하다; jn. ums ~ bringen 누구를 죽이다; ums ~ kommen 목숨을 잃다; es geht um ~ und Sterben 목숨이 위태롭다; **um** ~s oder Sterbens **willen** 사생결단의 각오로; jn. **vom** ~ zum Tode bringen 누구를 죽이다〔처형하다〕; das ist **zum** Leben zuwenig 〔zum Sterben zuviel〕 그것은 보잘것없는 수입이다; **zwischen** ~ und Tod schweben 사경을 헤매다. ③ 가장 귀중한 것: (**a**) et.〔jn.〕 teuer halten, wie das ~ 무엇을〔누구를〕 애지중지하다; 〖구어〗 et. für das ~ gern tun 무엇을 기어이 하려고 하다; die Arbeit ist mein ~ 일만이 나의 생명이다. (**b**) 〖시어〗 애인: mein ~! 나의 님이여! ④ 원기, 활기; 활동; 번잡:

voller ~ 생기 발랄한; einem Werk ~ einhauchen 작품에 생명을 불어넣다; sie sieht aus wie das blühende ~ 그녀는 매우 건강하게 보인다; es ist ~ in diesem Bild 이 그림은 생동감이 있다; 〖商〗 es ist kein ~ in den Geschäften 장사가 불경기이다; das war ein ~, als er kam 그가 오자 법석이 일어났다. ⑤ 생계, 살림: das ~ ist hier teuer 여기는 물가가 비싸다; sein ~ verdienen 밥벌이를 하다. ⑥ 인생, 생애: jm. das ~ sauer machen 누구를 괴롭히다; sein ~ (noch) vor sich haben 아직 젊다; sein ~ (schon) hinter sich haben 이미 늙었다; fürs ganze ~ 평생 동안; 〖구어〗 nie im ~ 〔im (ganzen) ~ nicht〕 결코 … 아니다; sein ~ lang 일생 동안; 〖雅語〗 der Frühling des ~s 청춘. ⑦ 생활: er führt ein bequemes〔elendes〕 ~ 그는 안락〔비참〕한 생활을 하고 있다; das ~ auf dem Land 농촌 생활; das ~ der Mittelklasse 중산 계급의 생활; frommes ~ 경건한 생활. ⑧ 전기: js. ~ schreiben 누구의 전기를 쓰다. ⑨ 세상, 사회, 실생활: literarisches ~ 문단; praktisches ~ 실생활; das künstlerische ~ in München 뮌헨의 예술계; aus dem ~ gegriffen 실생활에서 취재한; 〖구어〗 sich durchs ~ schlagen 세상의 거센 물결과 싸우다. ⑩ 현실; 실물: et. ins ~ rufen〔setzen〕 무엇을 생산하다, 창조하다; nach dem ~ zeichnen 실물대로 그리다. ⑪ 생물, 피조물. ⑫ (동·식물의) 살아〔지각이〕 있는 부분; (광물의) 풍화되지 않은 부분: 〖비유〗 (bis) aufs ~ gehen 뼈에 사무치다.

***lebend** *p.a.* ① 살아 있는, 생활하고 있는; 생생한; 현존의: sich³ selbst ~er Mensch 사인(私人)으로서 생활하는 사람; 〖구어〗 keine ~e Seele war zu sehen 한 사람도 보이지 않았다; wild ~e Tiere 야생 동물; ~e Sprache 현대어; ~er Fels 아직 채굴하지 않은 암석; ~es Wasser 흐르는 물(↔ stehendes Wasser); ~es Wesen 생물; 〖印〗 ~er Kolumnentitel 해당 페이지〔장(章)〕의 내용 요약 표기(↔ toter Kolumnentitel). ② ↑ lebendig ①.

leben·bejahend *a.* ↑ lebensbejahend.

lebend≈gebärend *a.* 태생(胎生)의, 새끼를 낳는: ~e Walfische 새끼를 낳는 고래. **≈gewicht** *n.* ① (도축(屠畜)의) 생체 중량. ② 〖구어·농담〗 사람의 체중.

***lebendig** [lebéndıç] *a.* ① 살아 있는: ~e Blumen 생화(生花); ~e Geschöpfe 생물; bei dem ~en Gott 신에 맹세코, 틀림없이; ~e Hecke 산울타리; 〖生〗 ~ gebärend 태생(胎生)의; ~er Kalk 〖광물〗 생석회, 〖化〗 산화칼슘; 〖농담〗 ~er Käse 구더기가 들끓는 치즈; ein ~es Konversationslexikon 박학다식한 사람; 〖植〗 eine ~e Kräutersammlung 석엽(腊葉) 표본(Herbarium); ~e Mauer 인(人)의 장벽; 〖광물〗 ~es Silber 수은(Quecksilber); ~ tot 산송장 같은; jn. ~ ausliefern 누구를 산 채로 내〔넘겨〕주다; ~ 〔bei ~em Leib〕 begraben werden 생매장당하다; ~ machen 소생시키다; wieder ~ werden 소생하다. ② 생동하는, 활발한, 활동적인, 활기 있는: ~er Brunnen 물이 솟고 있는 샘; 〖연극〗 ~e Bühne 야외 극장; ~e Erinnerung 생생한 기억; ~e Farben 선명한 빛깔; ~e Kohle 타고 있는 석탄; ~e Phantasie 활발한 상상력; die Gassen sind heute sehr ~ 거리는 오늘 대단히 붐비고 있다; 〖海〗 die Segel ~ halten 돛을 펄럭이게 하다; ~es Werk (선박의) 흘수부(吃水部).

lebendig·gebärend *a.* ↑ lebendgebärend.

Lebendigkeit *f.* 살아 있음; 생기, 활발함.

Lebend·vieh *n.* (도축용으로 판) 산 가축.

leben≈gebend *a.* 생명을〔활기를〕 주는. **~lang** *a.* 일생 동안. **~leer** *a.* 인적이 없는; 움직이지 않는, 소리 없는.

lebenlos *a.* ① ↑ ~leer. ② ↑ leblos.

leben≈reich, ~voll *a.* 생동하는, 활기찬, 시끌벅적한.

Lebens≈abend *m.* 말년, 노년. **~abriß** *m.* 약력. **~abschnitt** *m.* 생애의 한 시기〔단계〕. **~ader** *f.* 생명선, 보급로: der Fluß ist ~ der ganzen Region 이 강은 이 지역 전체의 생명줄이다. **~alter** *n.* ① 연령. ② 연령대: diese Krankheit kann in jedem ~ auftreten 이 질병은 모든 연령대에서 발생할 수 있다. **~angst** *f.* 실존적 불안. **~anschauung** *f.* 인생관. **~arbeit** *f.* ① 평생의 일〔사업〕: das ist das Ergebnis seiner schweren ~ 그것은 그의 필생의 과업으로 이룬 성과다. ② 필생의 업적. **~arbeits·zeit** *f.* 평생 근로 시간. **~art** *f.* ① 생활 태도. ② 예절: er hat keine ~ 그는 버릇이 없다. **~assekuranz** *f.* 생명 보험(~versicherung). **~auffassung** *f.* ↑ ~anschauung. **~aufgabe** *f.* 인생의 과제, 필생의 과업. **~äußerung** *f.* 삶의 표현; 생존의 표시. **~bahn** *f.* 〖雅語〗 ↑ ~lauf. **~balsam** *m.* 〖醫〗 ① 발삼 합성제(강장·흥분제). ② ↑ ~wasser. **~baum** *m.* 〖宗〗 생명의 나무(창세기 2 : 9); 〖비유〗 생명의 원천; 〖植〗 측백나무; 〖해부〗 소뇌활수(小腦活樹); 〖醫〗 자궁경 수지점막(子宮頸樹枝粘膜). **~bedarf** *m.* 생활비, 생활 필수품. **~bedingung** *f.* 생활 조건. **≈bedrohend, ≈bedrohlich** *a.* 삶을〔생계를〕 위협하는. **~bedürfnisse** *pl.* 생활 필수품. **≈bejahend** *a.* 인생을 긍정하는, 낙천적인. **~bejahung** *f.* 삶의 긍정. **~bereich** *m.* 생활 범위〔영역〕: der private ~ 사적 생활 범위. **~beruf** *m.* 평생 직업. **~beschreiber** *m.* 전기 작가. **~beschreibung** *f.* 전기, 생애의 서술. **~bild** *n.* ① 전기. ② 인생관: ein realistisches ~ 현실주의적인 인생관. **~blut** *n.* 생혈(生血); 생명. **~blüte** *f.* 청춘, 한창때. **~bühne** *f.* 〖비유·雅語〗 (인간의) 활동 무대, 인생 극장. **~bund** *m.* 〖시어〗 결혼. **~chance** *f.* 생존 가능성. **~dauer** *f.* ① 〖生〗 생존 기간, (평균)수명. ② **(a)** 〖理〗 (방사성 물질의) 수명. **(b)** 〖工〗 내구 연수: die durchschnittliche ~ einer Waschmaschine 세탁기의 평균 내구 연수. **~drang** *m.* ↑ ~kraft. **~element** *n.* 삶의 기본 요소〔활력소〕: das Singen ist mein ~ 노래는 내 삶의 활력소다. **~elixier** *n.* 불로장생의 영약; 독한 술; 〖醫〗 엘릭시르제(劑). **~ende** *n.* 임종. **~erfahrung** *f.* 인생 경험. **~erhaltungs·kunde** *f.* 생명 보전법, 위생학, 장수법. **~erhaltungs·trieb** *m.* 생명 보전 본능. **~erinnerungen** *pl.* 회상록; 자서전. **~erwartung** *f.* 예측 수명: die mittlere ~ eines Neugeborenen 신생아의 평균 수명. **~faden** *m.* 명맥, 수명: jm. den ~ abschneiden〔durchschneiden) 누구를 죽이다, 중요한 것을 빼앗다. **~fähig** *a.* 생활력 있는; (태아·신생아가) 생존할 수 있는. **~fähigkeit** *f.* 생활력, 생존 능력. **~fahrt** *f.* 인생 행로, 생애. **~feindlich** *a.* 생존에 불리한. **~fern** *a.* 현실(생활)과 동떨어진. **~feuer** *n.* 생명의 불, 생활력. **~flamme** *f.* 〖시어〗 생명의 불꽃, 생활력, 생기. **~form** *f.* 생활 형식. **~frage** *f.* 사활이 걸린 문제, 중대한 문제. **~fremd** *a.* ① 세상사에 어두운. ② 은둔한: ein ~er Künstler 은둔한 예술가. **~freude** *f.* 생의 기쁨, 인생의 쾌락. **~freudigkeit** *f.* 생기, 원기 (~mut). **~frisch** *a.* 활발한, 기운 좋은. **~frische** *f.* 활발, 쾌활. **~froh** *a.* 삶을 즐기는, 쾌활한. **~früchte** *pl.* 체험의 과실(결과). **~frühe** *f.* 인생의 여명, 유년기(期). **~frühling** *m.* 인생의 봄, 청춘. **~führung** *f.* 처신, 품행; 생활 태도: eine einwandfreie ~ 나무랄 데 없는 처신. **~fülle** *f.* 생명(생활)력의 충일, 왕성한 활력. **~funke** *m.* 〖시어〗 ↑ ~flamme. **~gang** *m.* ↑ ~weg. **~gefahr** *f.* 생명의 위험: unter(mit) (eigner) ~ 생명의 위험을 무릅쓰고. **~gefährlich** *a.* 생명이 위험한. **~gefährte** *m.* 인생의 반려자, 남편. **~gefährtin** *f.* 〖↑ ~gefährte 의 여성형〗 인생의 반려자, 아내. **~gefühl** *n.* 생활 감정, 삶의 기쁨. **~geist** *m.* ① 활력, 생기: seine ~er auffrischen(wecken) 원기를 일깨우다. ② 〖哲〗 정기(精氣). **~gemeinschaft** *f.* 생활 공동체. **~genoß** *m.* ↑ ~gefährte. **~genuß** *m.* ① 인생의 향락. ② 〖복수〗 기호품. **~geschichte** *f.* 전기; 〖生〗 생활사. **~gewohnheit** *f.* (생활) 습관, 버릇. **~glück** *n.* 인생의 행복. **~göttin** *f.* ① 운명의 여신. ② 〖복수〗〖그리스신화〗 운명의 3여신. **~groß** *a.* 실물 크기의, 등신(대) (等身(大))의. **~größe** *f.* 실물 크기, 등신대(等身大): in (voller) ~ a) 실물(크기)로, b) 몸소, 친히.

Lebens·haltung *f.* 생활 유지, 생계.

Lebenshaltungs≈index *m.* 〖經〗 생계비 지수. **~kosten** *pl.* 생활(생계)비.

Lebens·hauch *m.* 생명의 호흡, 숨: bis zum letzten ~ 숨을 거둘 때까지. **~hilfe** *f.* 생활(생계) 지원: ~ für Behinderte 장애자 생계 지원. **~hunger** *m.* 삶에 대한 욕구, 생명욕. **~inhalt** *m.* 인생의 의미: die Kinder sind ihr einziger ~ 그녀의 유일한 삶의 의미는 자녀들이다. **~interesse** *n.* 중대사, 관심사. **~jahr** *n.* 연령. **~kampf** *m.* 생존 경쟁: im ~ bestehen(unterliegen) 생존 경쟁에서 이기다(지다). **~kenner** *m.* 수완가. **~klug** *a.* 처세에 능한, 세상사에 밝은. **~klugheit** *f.* 처세에 능통함. **~knoten** *m.* 〖醫〗 호흡 중추; 〖植〗 뿌리와 줄기의 경계점. **~kraft** *f.* 생활력, 생명력, 정력. **~kräftig** *a.* 생활력(원기) 있는. **~kreis** *m.* ↑ ~bereich. **~kunde** *f.* 〖구식〗 생물 과목; 사회 과목; 자연적 생활법. **~kunst** *f.* 처세술; 인생의 지혜. **~künstler** *m.* 처세에 능한 사람; 삶의 지혜를 깨우친 사람. **~lage** *f.* 생활 상태. **~lang** *a.* 종신(평생)의: auf ~ 살아 생전에. **~länglich** *a.* 종신의, 평생의: er ist ~ angestellt 그는 종신 사원이다; ~ Leibrente(Strafe) 종신 연금(무기형). **~lauf** *m.* ① 인생 행로, 경력. ② 이력서: einen handgeschriebenen ~ einreichen 자필 이력서를 제출하다. **~laufbahn** *f.* ↑ ~lauf ①. **~lehre** *f.* 생물학; 장수법. **~licht** *n.* 〖시어〗 생명의 등불; 생명: jm. das ~ ausblasen 누구의 생명을 빼앗다. **~linie** *f.* (손금의) 생명선. **~luft** *f.* 〖雅語〗 생명에 필요한 공기; 산소. **~lust** *f.* 생명욕, 생의 애착. **~lustig** *a.* 생명욕을 가진; 생을 즐기는, 쾌활한. **~magnetismus** *m.* 〖物〗 동물 자기(磁氣). **~mai** *m.* 청춘. **~mark** *n.* 〖雅語〗 생활력의 근원. **~maxime** *f.* 생활 신조, 좌우명. **~mittel** *n.* 양식, 식료품.

Lebensmittel≈chemie *f.* 식품 화학. **~geschäft** *n.* 식료품 가게. **~händler** *m.* 식료품 상인. **~karte** *f.* (비상시의) 식량 배급표. **~knappheit** *f.* 식량 부족. **~vergiftung** *f.* 〖醫〗 식중독. **~versorgung** *f.* 식량 공급.

Lebens≈morgen *m.* 유년 시절. **~müde** *a.* 삶에 지친, 염세적인. **~müdigkeit** *f.* 삶의 권태, 염세. **~mut** *m.* 삶의 의욕, 생기, 쾌활. **~mutig** *a.* ↑ ~froh. **~nah(e)** *a.* 삶과 밀접한: der Unterricht soll ~ sein 수업은 실생활과 밀접해야 한다. **~nerv** *m.* 생명의 중추, 생명선(線). **~notdurft** *f.* 생활 필수품. **~notwendig** *a.* 생명(생활)에 꼭 필요한. **~odem** *m.* 호흡. **~ordnung** *f.* 생활 질서; 〖醫〗 섭생(攝生), 양생법. **~partner** *m.* 인생의 반려자, 남편. **~partnerin** *f.* 인생의 반려자, 아내.

leben·spendend *a.* 〖雅語〗 ↑ ~gebend.

Lebens≈periode *f.* 생애의 한 시기(단계) (~abschnitt). **~pfad** *m.* 〖雅語〗 ↑ ~reise. **~pflicht** *f.* 생활 의무. **~philosophie** *f.* ① 〖哲〗 생의 철학. ② 처세술. **~plan** *m.* 생활(인생) 설계. **~prinzip** *n.* 생활 원칙. **~prozeß** *m.* 생활(인생) 과정.

leben·sprühend *a.* 활력이 넘치는.

Lebens≈punkt *m.* 발아기. **~qualität** *f.* 생활의 질. **~quelle** *f.* 〖雅語〗 생명의 샘(원천). **~rad** *n.* 스트로보스코프, 고속용 조명, 스피드라이트. **~raum** *m.* ① 생활 범위, 환경: js. ~ beschneiden(einengen) 누구의 생활 범위를 제한하다. ② 〖生〗 생활권(圈). **~rechnung** *f.* 생(애)의 결산: seine ~ abschließen 일생을 마치다. **~reform** *f.* 생활 개선 (운동). **~regel** *f.* 생활의 규칙: sich et. zur ~ machen 무엇을 자신의 삶의 규칙으로 삼다. **~reich** *a.* 생기에 찬, 원기 왕성한. **~reise** *f.* 인생 여정, 생애. **~rente** *f.* 종신 연금. **~retter** *m.* 인명 구조자, 생명의 은인; (호신용 칼이 든) 지팡이; 〖海〗 구조정. **~rettung** *f.* 인명 구조. **~rettungs·apparat** *m.* 인명 구조 장치, 대피 사다리; 〖海〗 구명대. **~rettungs·medaille** *f.* 인명 구조 표창 메달. **~saft** *m.* 체액(體液), 생물 또는 조직의 천연즙; 〖植〗 유액; 〖시어〗 혈액(Blut). **~satt** *n.* ↑ ~müde. **~schicksal** *n.* 인생의 운명, 사주 팔자. **~schiff** *n.* 〖비유〗 인생. **~stand** *m.* 생활 상태. **~standard** *m.* 〖經〗 생활 수준(기준). **~stellung** *f.* ① 사회적 지위. ② 평생직. **~stil** *m.* 생활 양식. **~stoff** *m.* 〖生〗 성형체(成形體), 원형질. **~strafe** *f.* 사형. **~stufe** *f.* 생활의 단계, 생애의 한 시기. **~tag** *m.* 생애. **~tätigkeit** *f.* 활동력, 생활 작용(기능). **~treu** *a.* 생생하게 묘사한, 실물 그대로의; 충실한. **~trieb** *m.* 〖心〗 생활 본

능, 생활력. ∼**tüchtig** *a.* 처세에 능한, 노련한. ∼**überdruß** *m.* ↑ ∼müdigkeit. ∼**überdrüssig** *a.* ↑ ∼müde. ∼**umstand** *m.* 생활형편. ∼**unterhalt** *m.* 생계, 생활비: sich³ seinen (selbst) ∼ verdienen 자활하다. ∼**versicherung** *f.* 생명 보험. ∼**versicherungs·anstalt,** ∼**versicherungs·gesellschaft** *f.* 생명 보험 회사. ∼**voll** *a.* 생동하는, 활발한, 활기에 찬: eine ∼e Schilderung 생동감 넘치는 묘사. ∼**wahr** *a.* 실물대로의, 실물과 흡사한. ∼**wandel** *m.* 품행, 처신: einen einwandfreien ∼ führen 나무랄 데 없이 처신하다. ∼**wärme** *f.* 온열(溫熱) (33°-45° C 사이의 온도). ∼**wasser** *n.* ①〖신화〗 생명의 물. ②〖구어·농담〗 브랜디. ∼**weg** *m.* 인생 행로(行路), 생애: heute beginnt unser gemeinsamer ∼ 오늘 우리는 결혼한다. ∼**weise** *f.* 생활 방법, 습관: sitzende ∼ 앉아서 생활하는 습관. ∼**weisheit** *f.* ① 처세〔인생〕의 지혜, 인생 철학. ② 인생에 관한 명언. ∼**wende** *f.* 인생의 전환점. ∼**werk** *n.* 평생의 일〔작품〕, 필생의 사업. ∼**wert** *m.* 인생의 가치. ∼**wert** *a.* 살 가치가 있는, 살 보람이 있는. ∼**wichtig** *a.* 생활상 중요한; 중대한; 치명적인. ∼**wille** *m.* 삶의 의지: sein ∼ war gebrochen 그의 삶의 의지는 좌절되었다. ∼**zeichen** *n.* 생명의 징후, 살아 있는 표시; 소식: kein ∼ mehr von sich geben a) 아무 소식이 없다, b) 살아 있다는 표시가 없다;〖비유〗ein ∼ von jm. erhalten (오랜만에) 누구의 소식을 듣다. ∼**zeit** *f.* 평생, 생애: auf ∼ 일생 동안, 죽을 때까지. ∼**ziel** *n.* 인생〔삶〕의 목표. ∼**zusammenhang** *m.* 〖哲〗 생(生)의 연관. ∼**zweck** *m.* 인생의 목적.

leben·zerstörend *a.* 생명을 파괴하는.

*__Leber__ [lé:bər] *f.* -n ①〖해부〗 간장(肝臟). ②〖化·고어〗 홍갈색의 화합물: Schwefel∼ 황화(黃化) 칼륨. ③〖비유〗격정〔분노〕의 근원: Amor hat mir die ∼ angezündet 사랑의 신이 내 정열에 불을 붙였다; frei〔frisch, dreist〕 von der ∼ weg reden〔sprechen〕 거리낌〔기탄〕없이 말하다; der Ärger〔Zorn〕 frißt ihm an der ∼ 그는 분노로 거의 병날 지경이다; ihm ist eine Laus über die ∼ gekrochen 그는 성이 나 있다; er hat's an der ∼ 그는 까다롭다; er hat eine schwarze ∼ 그는 양심에 거리끼는 데가 있다; sie hat eine weiße ∼ 그녀는 매우 음탕하다; es muß von der ∼ herunter 아무도 이 이상 숨기려 들지 않는다; (südd.) die ∼ schleimen 되게 꾸짖다;〖경박〗er hat eine trockene〔durstige〕 ∼ 그는 술꾼이다. ④ (schweiz.) 이회암(泥灰岩). ⑤ (식용의) 동물간: Kalbs∼ 송아지의 간.

Leber≠abszeß *m.* 〖醫〗 간농양(肝膿瘍). ∼**ader** *f.*〖해부〗 간정맥. ∼**anschoppung** *f.* 간울혈(肝鬱血). ∼**anschwellung** *f.*〖醫〗 간장 비대. ∼**strophie** *f.* 〖醫〗 간장 위축. ∼**balsam** *m.* 〖植〗 아끼라튬류(類)의 일년초 (불로초로 알려져 있음). ∼**beschwerde** *f.* 간장 장애. ∼**blasengang** *m.*〖醫〗 총담관(總膽管), 담낭관. ∼**blümchen** *n.*, ∼**blume** *f.* 〖植〗 노루귀: braune ∼ 오이풀. ∼**brand** *m.* (가축의) 간장병. ∼**braun** *a.* 간장색의, 홍갈색의. ∼**bruch** *m.* 〖醫〗 간장 헤르니아. ∼**dämpfung** *f.*〖醫〗 (타진(打診)할 때의) 간장의 탁음. ∼**diät** *f.*〖醫〗 간장병의 식이 요법. ∼**egel** *m.*〖動〗 간디스토마. ∼**entzündung** *f.* 간염. ∼**farbe** *f.* 간장색(肝臟色), 홍갈색. ∼**farben,** ∼**farbig** *a.* 홍갈색의. ∼**fleck** *m.*〖醫〗 간반(肝斑), 기미; 주근깨. ∼**gang** *m.*〖해부〗 간관(肝管). ∼**gegend** *f.*〖해부〗 간장부. ∼**haken** *m.*〖권투〗 간장 부위를 가격하는 훅. ∼**käse** *m.* 레버케제(잘게 간 고기, 간 등을 섞어 만든 소시지). ∼**kies** *m.*〖광물〗 자황철광(磁黃鐵鑛). ∼**kloß,** ∼**knödel** *m.* 〖요리〗 간완자. ∼**kolik** *f.*〖醫〗 간산통(肝疝痛). ∼**krank** *a.* 간장병의. ∼**krankheit** *f.* 간질환, 간장병. ∼**kraut** *n.* ① ↑ ∼blume. ② 〖植〗 우산이끼. ∼**krebs** *m.*〖병리〗 간암. ∼**lappen** *m.*〖해부〗 간엽(肝葉). ∼**leiden** *n.* ↑ ∼krankheit. ∼**moos** *n.*〖植〗 우산이끼; 선태류(蘚苔類). ∼**öl** *n.* 간유. ∼**pastete** *f.* 간으로 만든 파이〔소시지〕. ∼**pilz** *m.*〖植〗 간엽 모양의 붉은 식용 버섯. ∼**reim** *m.* (식사 때 돌아가며 짓는) 즉흥 해학시. ∼**rinne** *f.*〖해부〗 간관(肝管). ∼**schrumpfung** *f.* 간경변증. ∼**schwellung** *f.* 간장 비대. ∼**stein** *m.* 〖醫〗 담석, 간결석. ∼**tran** *m.* 간유: das ist mir ∼ 그것은 나에게는 아무래도 좋은 일이다. ∼**wert** *m.* 간기능 측정치. ∼**wurst** *f.* 간 소시지:〖구어〗 er spielt die gekränkte〔beleidigte〕 ∼ 그는 까닭없이 화를 낸다. ∼**zirrhose** *f.*〖醫〗 간경변.

Lebe≠tag *m.*〖방언〗 ↑ Lebtag. ∼**welt** *f.* ① 세상 사람들, 사회인; 현대. ② (사교적·향락적인) 상류사회. ③ 동식물계. ∼**wesen** *n.* 생물: mehrzellige ∼ 다세포 생물. ∼**wohl** [(또는) le:bəvó:l] *n.* (작별 인사) 안녕: jm. ∼ sagen 누구에게 작별을 고하다.

*__lebhaft__ [lé:phaft] *a.* 원기 있는, 생동하는, 활달한, 발랄한, 명랑한; 격렬한; (색이) 선명한: ∼e Einbildungskraft 왕성한 상상력; ∼es Schützenfeuer 격렬한 소총 사격; ∼er Verkehr 빈번한 교통; ein ∼es Blau 진한 청색; et. ∼ bedauern 매우 슬퍼하다, 몹시 애처로워하다; ∼e Vorwürfe 맹렬한 비난;〖구어〗ein bißchen ∼, bitte! 좀 빨리 하세요!; ∼er werden (시장 등이) 한층 더 활기를 띠다.

Lebhaftigkeit *f.* -en 생동(감), 활기, 쾌활.

..lebig 《<Leben》 *suf.* "…한 삶〔생명〕의"의 뜻(보기: kurz〔lang〕∼ 단명의〔생명이 긴〕; leicht∼ 되는 대로 사는).

Leb≠kuchen *m.* 생과자. ∼**küchler,** ∼**küchner** *m.* 생과자 제조자.

leblos *a.* 생명 없는, 죽은, 의식 없는; 활기 없는, (눈 등이) 생기 없는: das Geschäft war ∼ 장사는 부진하였다; jn. mit ∼en Augen anblicken 누구를 멍한 눈으로 쳐다보다.

Leblosigkeit *f.* 생기〔의식〕 없음.

Leb≠tag *m.* ① 생애: (all) mein ∼ 내 일평생 (동안); mein〔dein, sein, ihr〕 ∼ nicht 결코 …아니다. ② (schweiz.) 운명; 생활 상태; (schwäb.) 소동: einen ∼ machen〔anstellen〕 소란을 떨다. ∼**zeiten** *pl.* bei〔zu〕 ∼ meines Vaters 나의 아버지가 생존해 계실 때에; auf ∼ 여생을 위해.

Leb·zelten [lé:p..] *m.*〖구식〗 ↑ Lebkuchen.

Leb·zelter *m.*〖구식〗 ↑ ∼küchler.

lech 《leck 의 고지 독일어형》 *a.* (westd., obd.) ① (물이) 새는(leck). ② 바짝 마른, 건조한, 고갈된.

Lech[1] [lɛç] *m.* -s 레히 강(도나우강의 지류).
Lech[2] *m./n.* -(e)s 〖제련〗 피(鈹)(황화구리를 정련하는 과정에서 생기는 중간 생성물).
lechen *i.*(h.) 〖고어〗 (물이) 새다: es lecht 물이 샌다.
*__lechzen__ [lɛ́çtsən] *i.*(h.) 〖雅語〗 ① 바짝 마르다, 건조〔고갈〕하다, 헐떡이다; (지면이) 갈라지다; (식물이) 시들다. ②〖비유〗 nach et.³ ~ 무엇을 갈망하다: er lechzte nach Blut und Rache 그는 피에 주리고 복수심에 불탔다.
Lecithin *n.* -s, -e 〖생화학〗 ↑ Lezithin.
*__leck__ [lɛk] 《ndd.》 *a.* (물이) 새는: ein ~es Schiff 밑바닥에서 물이 새어드는 배; ~ sein 새다, 침수하다.
Leck *n.* -(e)s, -e 새는 곳〔구멍〕, 틈새, 균열, (물의) 출구: ein ~ bekommen〔stopfen〕 새는 곳이 생기다〔곳을 막다〕; 〖속담〗 ein kleines ~ versenkt ein großes Schiff 작은 균열이 큰 배도 침몰시킨다.
Leckage [lɛkáːʒə] *f.* -n ① 누출; (증발·누출에 의한) 중량 감소, 누설량; 〖商〗 누손(漏損). ② 새는 구멍, 새는 곳.
Lecke [lɛ́kə] 《<lecken²》 *f.* -n (Salz~) 야생동물이 소금을 핥아 먹는 곳; 가축용 소금통.
*__lecken__[1] [lɛ́kən] 《<leck》《Ⅰ》 *i.*(h.) 새다, 스며나오다: der Eimer leckt 물통이 샌다; es leckt durch das Dach 지붕이 샌다; ~de Augen a) 짓무른 눈, b) 임균성 결막염; (ndd.) es leckt 촛농이 흐른다. 《Ⅱ》 *t.* (ndd.) 물을 끼얹다.
*__lecken__[2] [lɛ́kən] 《Ⅰ》 *t.* ① 핥다: 핥아 먹다; der Hund leckte seinem Herrn die Hand 개가 주인의 손을 핥았다; Eis ~ 아이스크림을 핥아 먹다; die Katze leckt sich 고양이가 제 몸을 핥는다; 〖시어〗 die Sonne leckt den Schnee 태양이 눈을 녹인다; 〖비속〗 leck mich (doch)! 제발 괴롭히지 마라!; (sich³) die Finger〔Lippen〕 nach et.³ ~ 무엇을 갈망하다; 〖구어〗 noch an et.³ zu ~ haben 어떤 상처가 아직 가시지 않다. ②〖비유〗 아첨하다: (den) Staub (von js. Füßen) ~ (누구에게) 비굴하게 굴다; js. Speichel ~ 누구에게 아첨하다; 〖구어〗 vorne ~ und hinten kratzen 보는 앞에서는 아첨하고 뒤에서는 험구하다. ③ 마구 입맞추다. ④ (ostpreuß.) 입맛다시다. 《Ⅱ》 *i.*(h.) ① 핥다; (불이) 타오르다; 물보라 치다: 〖시어〗 die Flammen ~ in die Höhe 불꽃이 훨훨 타오른다. ②〖비속〗 구강 성교하다. 《Ⅲ》 **geleckt** *p.a.* ↑ geleckt.
lecken[3] *i.*(h.) 〖고어·雅語〗 발로 차다: wider den Stachel ~! a) 〖聖〗 가시 채찍에 발길질을 하면 너만 다칠 뿐이다! (사도 행전 26:14), b) 당랑거철(螳螂拒轍).
*__lecker__ [lɛ́kər] *a.* ① 맛있는: ein ~es Mahl 맛있는 식사; ein ~es Mädchen 매혹적인 아가씨. ② 미식(美食)의; (입맛이) 까다로운.
Lecker [lɛ́kər] 《<lecken²》 *m.* -s, - ① 핥는 사람. ② 미식가. ③〖폄어〗 식객(食客); 아첨꾼, 알랑쇠; 멋쟁이; (schweiz.) 악동, 무례한 자, 코 흘리는 아이. ④ (특히 사슴·토끼 등의) 혀; 〖구어〗 혀: der ~ steht ihm danach 그는 그것을 갈망하고 있다.
Lecker·bissen *m.* 맛있는 것(의 한 입), 진미: ein Freund von ~ sein 미식가다; 〖비유〗 das Buch war für ihn ein köstlicher ~ 그 책은 그에게 아주 값진〔재미있는〕 읽을거리였다.
Leckerei [lɛkəráɪ] *f.* -en ① 맛있는 것, 단것. ② 식도락.
Lecker≈essen, ~gericht *n.* 맛있는 음식.
leckerhaft *a.* ↑ lecker.
Leckerhaftigkeit *f.* -en 맛있음, 맛있는 것.
leckerig *a.* ↑ lecker.
Leckerli *n.* -s, - (schweiz.) 작은 생과자.
Lecker≈maul, ~mäulchen *n.* 〖구어〗 ① 미식가. ② 단것을 즐겨 먹는 사람. **~mäulig** *a.* ↑ lecker ②.
leckern 《Ⅰ》 *i.*(h.) 〖구어〗 ① 군것질을 하다, 단것을 먹다. 《Ⅱ》 *t.* es leckert jn. nach et.³ 누구는 무엇을 몹시 먹고 싶어한다〔탐내고 있다〕.
Lecker≈zahn *m.*, **~zunge** *f.* 〖구어〗 ↑ ~maul.
leck≈schlagen *i.*(s.) (배에) 물이 새다. **~springen** *i.*(s.) ↑ ~schlagen.
led. =ledig 독신의.
Leda [léːda] *f.* 〖그리스신화〗 레다(스파르타의 왕 Tyndareos의 처, Zeus의 애인).
*__Leder__ [léːdər] *n.* -s, - ① 가죽: zäh〔derb〕 wie ~ 가죽처럼 질긴; in ~ gebunden (책이) 가죽 장정의; 〖속담〗 aus fremdem ~ ist gut Riemen schneiden 남의 것으로라면 무엇인들 못하랴. ②〖구어〗 (a) 피부, 살가죽: 〖경박〗 jm. das ~ gerben〔versohlen〕 누구를 호되게 때리다; jm. ans〔über das, hinter das〕 ~ wollen 누구에게 해를 끼치려 하다; 〖구어〗 jm. auf dem ~ knien 누구를 제압〔강요〕하다; 〖구어〗 jm. auf dem ~ sitzen〔jm. aufs ~ rücken〕 누구를 괴롭히다, 번거롭게 하다. (b) 〖폄어〗 계집, 매춘부. ③ (a) 가죽 제품: er war ganz in ~ 그는 아래 위 모두 가죽옷 차림이었다. (b) 〖스포츠〗 축구공: am ~ bleiben 공을 놓치지 않다. (c) 가죽 칼집: vom ~ ziehen (칼을) 칼집에서 빼다; 〖구어〗 gegen jn.〔et.〕 vom ~ ziehen 누구를 공격하다, 심하게 욕하다. (d) 〖광산〗 (Arsch~) 바지의 엉덩이에 대는 가죽: Leute vom ~ 광원, 노동자. (e) (젖먹이의) 숫구멍 보호대. (f) englisches ~ 면(綿)이 섞인 공단(貢緞).
Leder≈abfälle *pl.* 가죽 조가리〔쓰레기〕. **~absatz** *m.* (구두의) 가죽 뒤축. **~ähnlich** *a.* 가죽 같은. **~apfel** *m.* (껍질이 두꺼운) 황갈색〔적갈색〕 사과 품종의 총칭. **~arbeit** *f.* ↑ Leder ③(a). **~artig** *a.* ↑ ~ähnlich. **~ball** *m.* 가죽공. **~band** 《Ⅰ》 *m.* 가죽 장정의 책. 《Ⅱ》 *n.* 가죽끈. **~baum** *m.* 〖植〗 코리아리아과(科)에 속하는 낙엽 관목(과실은 달착지근하나 맹독성임). **~bereiter** *m.* 유피공. **~bereitung** *f.* 유피(업). **~besatz** *m.* 가죽옷의 가장자리〔레이스〕. **~beutel** *m.* 가죽 지갑. **~braun** *a.* 가죽색의, 황갈색의. **~einband** *m.* ↑ ~band ①.
Lederer [léːdərər] *m.* -s, - 〖구식〗 (obd.) 유피공, 제혁공.
Leder≈fabrik *f.* 가죽 공장. **~farbe** *f.* 가죽색, 황갈색. **~farben, ~farbig** *a.* 황갈색의. **~feile** *f.* 가죽 숫돌. **~fett** *n.* 피혁용 방수지(防水脂). **~gamasche** *f.* 가죽 각반. **~gelb** *a.* ↑ ~farben. **~gelb** *n.* ↑ ~farbe. **~gürtel** *m.* 혁대.
lederhaft *a.* ① 가죽 같은, 질긴. ② 굳센.
Leder≈handel *m.* 피혁상. **~händler** *m.* 피

혁 상인. **~handschuh** *m.* 가죽 장갑. **~haut** *f.* ①〖해부〗 진피(眞皮). ②(눈의) 공막(鞏膜). **~herstellung** *f.* 가죽 가공〔생산〕. **~hose** *f.* 가죽 바지:〖구어〗 um des Fürsten ~ schießen 헛수고를 하다.

lederig [lé:dərıç] *a.* ↑ lederartig.

Leder≈industrie *f.* 피혁 산업. **~jacke** *f.* 가죽 상의. **~koffer** *m.* 가죽 가방. **~koller** *n.* 〖軍〗 가죽 코트(옛 군복). **~leinwand** *f.* 거친 삼베. **~mantel** *m.* 가죽 외투. **~mappe** *f.* 가죽 가방.

ledern[1] [lé:dərn] 《<Leder》 *a.* ①가죽으로 만든; 질긴: ~e Handschuhe 가죽 장갑; das Fleisch ist ~ 이 고기는 질기다. ②〖구어〗 둔감한; 편협한; 지루한: ein ~er Kerl 재미없는 사람; ein ~es Buch 싫증나는 책.

ledern[2] *t.* ① **(a)** (가죽을) 무두질하다. **(b)** 〖방언〗 두들겨 패다. ②가죽을 대다:〖비유〗 gelederte Haut 튼튼한 피부. ③(westd.) 가죽으로 문지르다: das Auto ~ 자동차를 가죽천으로 광을 내다. ④〖경박〗 (westd.) …에게 싸움을 걸다; 마구 때리다(verprugeln).

Leder≈nacken *m.* 미 해병 정예 부대원. **~narbe** *f.* 가죽의 꺼칠꺼칠한 면. **~papier** *n.* 〖제지〗 인조 가죽 종이. **~pappe** *f.* 가죽(색) 판지. **~peitsche** *f.* 가죽 채찍. **~riemen** *m.* 혁대, 가죽끈. **~rücken** *m.* 〖제본〗 (책의) 등에 붙인 가죽. **~schmiere** *f.* 피혁용 방수지(防水脂). **~schuh** *m.* 가죽 구두. **~schürze** *f.* 가죽 앞치마. **~sessel** *m.* 가죽 안락 의자. **~sohle** *f.* 가죽 구두창. **~stiefel** *m.* 가죽 장화. **~strauch** *m.* 〖植〗 홉나무(맥주의 향미제로 쓰임). **~streif(en)** *m.* 가죽끈. **~tapete** *f.* 가죽 벽지. **~tasche** *f.* 가죽 가방. **~tuch** *n.* (인조) 가죽천. **~überzug** *m.* 가죽 커버. **≈verarbeitend** *a.* 가죽 가공의. **~walze** *f.* 가죽 롤러. **~ware** *n. pl.* 가죽 제품. **≈weich** *a.* (유피같이) 부드러운. **~werk** *n.* 가죽 제품; 가죽 세공. **~zeug** *n.* 〖軍〗 (검대·마구(馬具) 등의) 가죽 액세서리. **~zucker** *m.* 〖藥〗 고무 이제(泥劑): brauner ~ 감초 이제. **~zurichter** *m.* 제혁〔유피〕공.

***ledig** [lé:dıç] 《mhd.》《Ⅰ》 *a.* ①〖雅語〗 벗어난; 〖구식〗 자유로운, 방해받지 않는: eines Dinges 〔von et.[3]〕 ~ sein 어떤 일에서 면제되어〔벗어나〕 있다; jn. aller Verantwortung ~ sprechen 누구에게 일체의 책임을 면제해주다; sich von et.[3] los und ~ machen 무엇을 면하다; jn. los und ~ lassen 누구를 석방〔방면·해방〕하다. ②미혼의, 독신의;〖방언〗 사생(私生)의: eine ~e Mutter 미혼모; ein ~es Kind 사생아; ein ~ gehendes Ehepaar (해외 근무 등의 이유로) 임시 별거 중인 부부. ③〖방언〗 텅 빈, 빈자리의;〖海〗 짐을 싣지 않은: ich wartete, daß ein Platz ~ werden sollte 나는 자리가 비기를 기다렸다. ④이용되지 않는: das Haus steht ~ 저 집은 빈 집이다; 〖農〗 ~ liegen 휴한지다. ⑤(ndd.) 한가한; 놀고 먹는: ich bin gerade ~ 나는 마침 한가하다; ~ gehen 빈둥빈둥 놀고 지내다. ⑥〖광산〗 ein ~es Nest 폐갱; die ~e Schicht 잔업; ~es Gestein 광물이 들어 있지 않은 암석. ⑦〖건축〗 ~e Balken 사이 들보(Füllbalken). 《Ⅱ》 *adv.* (lediglich) 전적으로, 오로지: es ist ~ seine Schuld 그것은 전적으로 그의 탓이다.

Ledige* *der/die* 독신자.

Ledigen·heim *n.* 독신자 숙소. **~steuer** *f.* 독신자세(稅).

ledig·gehend *a.* (직업상의 이유로) 일시적으로 별거하고 있는.

Ledigkeit [lé:dıç..] *f.* -en 독신, 미혼.

lediglich [lé:dıklıç] *adv.* 다만, 전혀: ich habe ihm ~ Tatsachen berichtet 나는 그에게 사실만을 보고했을 따름이다.

ledrig *a.* ↑ lederig.

Lee [le:] 《ndd.; lau》 ①*f./n.* 〖海〗 (↔ Luv) (~seite) 바람이 불어가는 쪽; 바람을 맞지 않는 곳; in ~ 〔nach ~ (zu)〕 바람 불어가는 쪽으로; in ~ fallen (배가 침로를 벗어나) 역풍을 맞게 되다. ②*n.* (산의) 바람이 불지 않는 쪽.

Lee·bord *m.* 〖海〗 ① ↑ Leeseite. ②(배의) 좌현(左舷).

leeg [le:k] 《<liegen》 *a.* (ndd.) ①텅 빈, 짐을 싣지 않은. ②낮은; 적은, 얕은. ③나쁜; 부패한. ④병든; 가련한. ⑤가짜의; 악의가 있는.

lee≈gierig *a.* 〖海〗 키를 바람 불어가는 쪽으로 한; 뱃머리가 바람 불어가는 쪽으로 돌아서는 경향이 있는. **≈küste** *f.* 바람이 불어가는 쪽의 해안.

Leer *n.* -(e)s, -e 〖工〗 모형; 표준자(Lehre[2]).

***leer** [le:r] 《⊕ lesen》《Ⅰ》 *a.* ①텅 빈, 공허한; 내용이 없는;〖海〗 짐을 싣지 않은;〖비유〗 허무한; 멍한, 얼빠진: ~e Worte 빈말; mit ~en Händen 빈손으로; mit ~em Magen 공복(空腹)으로; ein ~es Nest 새가 날아간 보금자리; ~e Ausflucht 속들여다 뵈는 핑계; sein Platz blieb ~ 그의 자리는 줄곧 비어 있었다, 그는 오지 않았다; eine Flasche Wein ~ machen 포도주 한 병을 비우다; ~es Papier 백지; Wohnung, ~, zu vermieten 가구가 딸리지 않은 집 세놓음(광고 문구); 〖사냥〗 Hunde sind ~ 개들이 굶주려 있다; ~er Raum a) 빈 장소, 공간, b)〖物〗 진공;〖비유〗 ~es Stroh dreschen a) 객쩍은 말을 지껄이다, b) 헛수고를 하다; ein ~er Kopf 얼간이; 〖속담〗 ~e Gefäße tönen am lautesten 빈 수레가 더 요란하다; ein Gedicht ~ an tiefen Gedanken 깊은 사상이 없는 시; das Wirthaus ist nie ~ von Gästen 그 술집은 손님이 끊이지 않는다; aller Falschheit ~ 아주 정직하게. ②〖동사와 함께〗 ~ ausgehen 아무런 성과가 없다; eine Zeile ~ lassen 한 줄 비워두다; ~ laufen (기계가) 헛돌다, 공회전하다; ~ machen〔werden〕 비게 하다〔되다〕; das Haus steht ~ 그 집은 사람이 살지 않는다.

..leer *suf.* "…가 없는"의 뜻(보기: bedeutungs~ 무의미한; blut~ 빈혈의; menschen~ 사람이 없는).

Leer·becher *m.* 〖工〗 (제지용) 국자. **~darm** *m.* 〖해부〗 공장(空腸).

***Leere**[1] [lé:rə] 《<leer》 *f.* ① **(a)** 공허, 적막, 황폐, 덧없음; 빈속. **(b)** 공간, 빈곳;〖物〗 진공. ②〖비유〗 (내용·사상 등의) 공허, 무의미, 싱거움: die ~ des Lebens 삶의 무의미함. ③〖海〗 정박지.

Leere[2] *das* 공간, 빈 곳;〖物〗 진공: ins ~ arbeiten 헛일을 하다; ins ~ starren 허공을 응시하다.

Leere[3] *f.* -n 〖工·방언〗 모형, 표준자(Lehre[2]).

leeren [lé:rən] 《<leer》《Ⅰ》 *t.* 비우다, 치우

다; 다 퍼내다; 다 마시다; 마셔붓다, 흔들어 쏟다: 〔雅語〕 das Glas ~ 잔을 들이켜 비우다; 〔비유〕 den Kelch bis auf den Grund 〔bis zur Neige〕 ~ 온갖 고생을 다 겪다; 〖海〗 ein Schiff ~ 배의 짐을 부리다; jm. die Taschen ~ 누구의 주머니를 털다. 《Ⅱ》 *refl.* sich ~ 비워지다; 똥을 누다: das Zimmer leert sich 그 방은 비게 된다.

Leer≈faß *n.* (물·액체 등을) 퍼내는 통. **~formel** *f.* ① 공허한 문구, 상투어. ② (증명할 수 없는) 공허한 주장. **~gang** *m.* ↑ ~lauf ①. **~gerüst** *n.* ↑ Lehrgerüst. **~gewicht** *n.* (적재 화물을 뺀) 차량 자체의 무게; 실(제) 중량(Nettogewicht). **~gut** *n.* 〖海〗 빈 병, 빈 상자(등의 재활용 용기).

Leerheit *f.* -en ↑ Leere[1] ① ②.

Leer≈holz *n.* ↑ Lehrgerüst. **≈köpfig** *a.* 지각 없는, 골이 빈. **~lauf** *m.* ①〖기계〗 공회전; 〔비유〕 헛수고: in den ~ schalten (자동차의) 기어를 빼다; die Maschine läuft im ~ 기계가 공전하고 있다. ② (schweiz.) 수문, 배수구. ③〖행동과학〗 의미 없는 본능적 행위. **≈|laufen*** *i.* (s.) ① (통 등이) 새다. ②〖스포츠〗 einen Gegner ~ lassen 상대방을 따돌리다. **≈machen** *t.* 비우다. **~scheibe** *f.* 〖기계〗 유동 활차. **≈|stehen*** *i.* (h.) 비어 있다; (집이) 가구가 없다. **≈stehend** *p.a.* 비어 있는. **~stelle** *f.* ①〖化〗 빈 자리, 공(空)격자점 (공간 격자점에 있어야 할 원자나 이온이 비어 있는 상태). ②〖문법〗 (동사의 보족어가 들어가야 할) 빈 자리; (Nullmorphem) 영형태소. **~taste** *f.* 〖컴〗 스페이스 바.

Leerung *f.* -en 비움; (편지의) 수거: nächste ~ um 16 Uhr 다음 우편물 수거 시간은 오후 4시.

Leer≈verkauf *m.* 〖증권〗 공매(空賣). **~zimmer** *n.* 가구가 없는 셋방.

Lee≈segel *n.* 〖海〗 보조돛. **~seite** *f.* 〖海〗 바람이 불어가는 쪽(뱃전). **≈wärts** *adv.* 〖海〗 바람이 불어가는 쪽으로. **~weg** *m.* 〖海〗 풍압 편차(풍압에 의해 생기는 항로 편차).

Lefze [léftsə] 《⊕ Lippe》 *f.* -n ①〔시어〕 (südd.) 입술. ②〔복수〕 (동물의 아래로 처진) 입술, 입가; 〖해부〗 음순(陰脣). ③〖음악〗 풍금의 판(瓣), 밸브.

leg. =legato 〖음악〗 부드럽게.

legal [legá:l] 《lat. lex》 *a.* (↔ illegal) 합법〔적법〕의, 정당한: et. auf ~e Weise 〔auf ~em Weg〕 erwerben 무엇을 합법적인 방법으로 획득하다.

Legalisation [..zatsió:n] *f.* -en 〖法〗 (법적) 확인, 공증, 인증.

legalisieren *t.* ①〔교양〕 합법으로 인정하다, 확인하다: ein Verhältnis 〔eine Beziehung〕 ~ 결혼하다. ②〖法〗 공증〔인증〕하다.

Legalisierung *f.* -en 확인, 공증, 합법화.

Legalismus *m.* -〔교양〕 준법 원칙.

legalistisch *a.* 〔교양〕 준법의; 법규에 지나치게 얽매이는.

Legalität *f.* -en 〖法〗 합〔적〕법성.

Legalitäts·prinzip *n.* 〖法〗 기소 법정주의.

legasthen [legasté:n] *a.* ↑ legasthenisch.

Legasthenie [legastení:] *f.* -n [..nì:ən] 〖醫〗 독서 장애.

Legastheniker [legasté:nikər] *m.* -s, - 독서 장애자(특히 어린이나 학생).

legasthenisch *a.* 독서 장애를 겪는.

Legat [legá:t] 《<legieren[1]》《Ⅰ》 *m.* -en, -en ① (**a**) (고대 로마의) 총독 보좌관; 부사령관. (**b**) (고대 로마 원로원의) 사절. ② (로마 교황의) 사절. 《Ⅱ》 *n.* -(e)s, -e 〖法〗 유산, 유증(遺贈).

Legatar [legatá:r] *m.* -s, -e 유산 상속인.

Legation [..tsió:n] *f.* -en ① 교황 사절단. ② 〖가톨릭·구식〗 (교황청의) 교구.

Legations≈rat *m.* 공사관 참사관. **~sekretär** *m.* 공사관 서기관.

legato [legá:to] 《it.》 *adv.* 〖음악〗 부드럽게, 음을 끊지 않고.

Legato *n.* -(s), -s/..ti 〖음악〗 레가토 주법(奏法)의 연주.

Lege *f.* -n 〔방언〕 층(層) (↑ Lage ③).

Lege·angel [lé:gə..] *f.* 낚싯봉 달린 낚시.

lege artis [lé:gə ártɪs] 《lat.》 〖醫·교양〗 규정에 적합한(약어: l.a.).

Lege≈batterie *f.* 여러 층으로 된 닭장. **~bohrer** *m.* 〖動〗 (곤충의) 산란관. **~büchse** *f.* 용수철총. **~föhre** *f.* 〖植〗 눈잣나무. **~geld** *n.* 입장료, 입회금. **~henne** *f.*, **~huhn** *n.* 알 낳는 닭.

Legel[1] [lé:gəl] *n.* -s, - 〔구식〕 (öst.) ↑ Lägel.

Legel[2] *n.* -s, - 〖海〗 (돛의) 이음매, 이음고리.

***legen** [lé:gən] 《Ⅰ》 *t.* ① 두다, 놓다, 눕히다; 〖商〗 저장하다, 넣어 두다: ein Buch auf den Tisch ~ 책을 책상 위에 올려놓다; Rasen 〔Teppich〕 ~ 잔디〔양탄자〕를 깔다; 〔구어〕 Telefon〔Wasser〕 ~ 전화〔수도〕를 가설하다; 〖史〗 Bauern ~ 소작인을 쫓아내고 농토를 몰수하다; eine Bettung ~ 잠자리를 펴다; 〖스포츠〗 den Gegenspieler ~ 상대 선수를 넘어뜨리다; Eier ~ 알을 낳다; Erbsen〔Kartoffeln〕 ~ 완두콩을〔감자를〕 심다; Geld ~ a) 예금하다, b) 투자하다; einen Grundstein ~ 초석을 놓다; 〖軍〗 einen Hinterhalt ~ 복병을 배치하다; 〖카드〗 Karten ~ (소용 없는) 카드를 내놓다; 〖海〗 den Kiel ~ 용골(龍骨)을 설치하다, (배 건조를) 착공하다; das Land ~ 먼바다로 나가다; eine Mine ~ 지뢰를 매설하다; Schule ~ 학교를 설립하다; 〖農〗 ein Pferd ~ 말을 거세하다; Wäsche ~ (다림질하기 전에) 빨래를 단정하게 접다; 〔목적어 없이〕 die Hühner ~ gut 닭이 알을 잘 낳는다. ② (**a**) jm. et. ~ 누구에게 무엇을 못하게 하다 〔방해하다〕; jm. das Handwerk ~ 누구의 장사를 정지시키다. (**b**) jm. eine Falle〔Schlinge〕 ~ 누구를 올가미〔계략〕에 걸리게 하다; jm. die Karten ~ 누구의 운명을 카드로 점치다. ③〔결과를 나타내어〕 et. bereit〔fertig〕 ~ 무엇을 준비하다; jm. et. nahe ~ a) 누구에게 무엇을 암시하다, 넌지시 비추다, b) 무엇을 누구의 마음속에 명심시키다; lahm ~ 마비시키다; trocken ~ 완전히 말리다; zurecht ~ 정돈하다. ④〔전치사와 함께〕 jm. et. **ans** Herz ~ 누구에게 무엇을 명심시키다, 열심히 권장하다; Feuer 〔einen Brand〕 ans Haus ~ 집에 불을 지르다; einen Säugling an die Brust ~ 젖먹이에게 젖주다; an die Kette ~ (개를) 쇠사슬에 매놓다, (배를) 계류시키다; et. ans Licht 〔an den Tag〕 ~ 무엇을 드러내다, 밝히다; Truppen an einen Ort ~ 군대를 어떤 장소에 배치하다; die Hand an et. ~ 무엇을 움켜잡다, 무엇에 손을 대다, 착수하다;

Hand an jn. ~ 누구를 붙잡다, 해를 끼치다; Hand an sich ~ 자살하다; **auf** die Bahre ~ 관대〔이동 간이 침대〕에 올려놓다; Geld auf die hohe Kante ~ 돈을 모으다; Nachdruck 〔großen Wert〕 auf et. ~ 무엇을 강조〔존중〕하다; den Akzent 〔die Betonung〕 auf et. 무엇을 특히 강조하다; die Sprechstunden auf den Nachmittag ~ 면담 시간을 오후로 잡다; 〖비유〗 seine Worte auf die Waagschale 〔Goldwaage〕 ~ 신중히 말하다, 말을 삼가다; hohe Steuer auf eine Ware ~ 어떤 물품에 높은 세금을 매기다; jm. Wort auf die Zunge 〔in den Mund〕 ~ a) 누구를 시켜서 말하다, b) 누가 그것을 말했다고 무고(誣告)하다; **beiseite** ~ a) 옆에다 놓다, 치우다, b) 따로 간직해 두다, 저축하다, 제쳐 놓다; et. **hinter** sich ~ 무엇을 갈무리하다, 저축하다; hinter Schloß und Riegel ~ 잘 넣어 두다, 엄중히 가두어 놓다; **in** Asche ~ 태워 버리다; ins Gefängnis〔Grab〕 ~ 투옥〔매장〕하다; 〖비유〗 die Hände in den Schoß ~ 수수방관하다, 일하지 않다; ins Trümmer ~ 산산조각을 내다, 박살내다; 〖비유〗 jm. Hindernisse in den Weg ~ 누구를 방해하다; 〖비유〗 **mit** jm. heben und ~ 누구와 제휴해 일심동체로 행동하다; **nach** der Reihe ~ 정돈〔배열〕하다; den Mantel **um** die Schulter ~ 외투를 걸치다; **unter** Schloß und Riegel ~ 가두어 넣다; unter Siegel ~ 봉인하다; **von** sich ~ 벗다, 버리다; jm. den Kopf **vor** die Füße ~ 누구를 참수형에 처하다; jn. **zu** Bett ~ 누구를 잠재우다; den Feind zu Boden ~ 적을 쓰러뜨리다, 타도하다; den Grund zu et.[3] ~ 무엇의 기초를 세우다; jm. et. zur Last〔Schuld〕 ~ 누구에게 무엇의 책임을 지우다; **zugrunde** ~ 기초〔근거〕로 삼다; seine Hand **zwischen** zwei (Personen) ~ 두 사람 사이의 일에 간섭하다, 중재하다. 《Ⅱ》 *refl.* sich ~ ① 눕다, 자다; er mußte sich ~ 그는 병석에 눕지 않으면 안 되었다; 〖海〗 sich **an** den Mast ~ (돛이) 반대쪽으로 잦혀지다; sich **auf** 〔ins, zu〕 Bett ~ 〔sich schlafen ~〕 잠자리에 들다; 〖구어〗 sich auf die Bärenhaut 〔auf die faule Seite〕 ~ 게으름을 피우다, 편안히 쉬다; sie hat sich auf die Musik gelegt 그녀는 음악에 전념했다; seine Erkältung hat sich〔ihm〕 auf die Nieren gelegt 감기가 그의 신장에 해를 끼쳤다; etwas legt sich jm. aufs Gemüt 〔auf die Seele〕 무엇이 누구를 우울하게 만든다; sich **gegen**〔wider〕 et. ~ 무엇에 반대〔저항〕하다; 〖비유〗 sich **ins** Geschirr〔Zeug〕 ~ 분발하다, 전력을 다하다; sich ins Mittel ~ 중재하다, 간섭하다; 〖海〗 sich **unter** den Wind ~ (뱃머리가 바람 불어오는 쪽을 향해) 거의 배가 움직이지 않다; sich **vor** Anker ~ 닻을 내리다; 〖軍〗 sich vor eine Stadt ~ 도시를 포위하다; eine Dunstglocke hat sich über die Stadt gelegt 스모그가 도시 상공을 덮었다. ② 누그러지다, 약해지다, (고통·분노가) 가라앉다: der Wind hat sich gelegt 바람이 잤다.

Legendar [legɛndáːr] 《lat.》 *n.* -s, -e 성인전, 성담집(聖譚集).

legendar *a.* 〔고어〕 ↑ legendär.

***legendär** [..dɛ́ːr] *a.* ① 전설의, 성인전의. ② 전설적인, 놀라운, 대단한: ~er Mut 대단한 용기. ③ 전설로 화한: der ~e Charlie Chaplin 전설이 된 찰리 채플린.

legendarisch *a.* ① 전설의, 전설에 속하는. ② 전설적인, 전설 같은.

Legendarium *n.* -s, ..rien [..riən] ↑ Legendar.

***Legende** [legɛ́ndə] 《lat.》 *f.* -n ① (**a**) 성인전(聖人傳), 성담(聖譚): 〖음악〗 오라토리오. (**b**) 전설, 설화, 신화, 꾸민 이야기: er war eine ~, schon zu Lebzeiten 그는 이미 생존 당시에 전설적 인물이었다. ② (메달·화폐·도장 등의 테두리의) 명각문(銘刻文); (기념비의) 명문, 비문. ③ (지도·도표 등의) 부호 해설, 범례: Bild≈ 그림 해설, 캡션. ④ 유언비어, 소문.

Legenden·buch *n.* 성인전, 성담집, 전설집.

legendenhaft *a.* ① 성담의, 전설〔고담〕의, 구비에 의한: ein ~er Stoff 전설상의 소재. ② 전설적인; 믿기 어려운, 황당무계한.

Legenden≈sammlung *f.* ↑ ~buch. **~schreiber** *m.* 성인전 작가, 전설 편찬자.

leger [leʒɛ́ːr] 《frz.》 *a.* ① 홀가분한, 강요받지 않는, 자유로운: ein ~es Benehmen 자유로운 태도. ② 간편한: ein ~es Kleid 간편한 옷. ③ 피상적인, 경솔한, 게으른.

Leger [léːgər] *m.* -s, - ① (**a**) 설비공; 투자가: Fliesen≈ 타일공. (**b**) ↑ Legehenne. ② 제지공(製紙工). ③ 〖海〗 큰 물통.

Lege·röhre *f.* ↑ ~bohrer.

Leger·wall *m.* 〖海〗 바람 불어가는 쪽의 해안.

Leges [léːgɛs, ..geːs] *pl.* ↑ Lex.

Lege≈schuß *m.* 용수철총(의 사격). **~stachel** *m.*, **~werkzeug** *n.* ↑ ~bohrer. **~zeit** *f.* 산란기.

Leg·föhre [léːk..] *f.* 〖植〗 눈잣나무.

Legge 《<legen》 *f.* -n (ndd.) ① 층. ② 레게 (아마포의 양의 단위; 20 Leggen =1 Stück); 아마포 단위 측정.

leggiero [lɛdʒéːro, lɛdʒɛ́ːro] 《it.》 *adv.* 〖음악〗 가볍게, 경쾌하게.

Leg·henne *f.* ↑ Legehenne.

Leghorn [léːkhɔrn] *n.* -s, -(s) 〖動〗 레그혼(닭).

legieren[1] [legíːrən] 《lat.》 *t.* 〔고어〕 ① 유증(遺贈)하다. ② 〖펜싱〗 (칼을) 쳐서 떨어뜨리다.

legieren[2] [legíːrən] 《lat.》 *t.* ① 〖제련〗 합금하다. ② 〖요리〗 (수프나 소스를) 걸쭉하게 하다.

Legierung *f.* -en ① 합금. ② 진하게 함.

Legion [legióːn] 《lat.》 *f.* -en ① 〖史〗 (고대 로마의) 군단(약 3000-6000 명). ② 군대, 군세(軍勢); 의용군; 용병단: Fremden≈ (프랑스의) 외인 부대. ③ 다수: ~ sein 헤아릴 수 없이 많다; 〖聖〗 ihr Name ist ~ 그들의 이름은 레기온〔군대〕이다(마가 5:9), 〖비유〗 그들은 다수다; die ~ der Arbeitslosen 수많은 실업자들. ④ (동·식물 분류의) 속(屬).

Legionar *m.* -s, -e 고대 로마 군단의 병사.

Legionär [..gionɛ́ːr] 《lat.-frz.》 *m.* -s, -e ① 〖史〗 군단의 일원. ② 〔고어〕 레지옹·도뇌르 훈장수여 기사(騎士); 외인 부대의 병사.

legionär *a.* (고대 로마의) 군단의, 군단으로 이루어진.

Legionärs·krankheit *f.* 〖병리〗 (1976 년에 처음 나타난) 재향 군인병, 리지오 넬로시스병.

Legions≈adler *m.* (고대 로마의) 독수리가 그려진 군기(軍旗). **~kreuz** *n.* (프랑스의) 레

용도뇌르 훈장. **~soldat** *m.* 〖史〗 ↑ Legionär.

Legislation [le:gɪslatsió:n] 《lat. lex, „Gesetz"》 *f.* -en 〖政·法〗 ↑ Legislatur.

legislativ [..tí:f] *a.* 〖政·法〗 입법의: ~e Gewalt 입법권.

Legislative [..tí:və] *f.* -n 〖政·法〗 ① 입법권; 입법부. ② 프랑스의 제 2 회 입법 의회 (1791-92 년).

legislatorisch [..tó:rɪʃ] *a.* 입법(자)의.

Legislatur [..tú:r] *f.* -en 〖政·法〗 ① 입법. ② 〔구식〕 입법부, 의회. ③ 입법부의 임기.

Legislatur·periode *f.* 〖政·法〗 국민 의회〔입법부〕의 임기.

Legismus [legísmus] *m.* - 법률 만능주의.

legitim [legití:m] *a.* 〔교양〕 ① 합법〔적법〕의: der ~e Herrscher 합법 군주. ② (ehelich) 적출의, 정통의: ein ~es Kind 적출자. ③ 정당한, 근거 있는: eine ~e Kritik 정당한 비판.

Legitimation [legitimatsió:n] *f.* -en 〔교양〕 ① 정당성, 합법성. ② 신분증, 자격증. ③ 〖法〗 (사생아의) 인지.

Legitimations≈attest(at) *n.* 신분 증명서. **~karte** *f.* (특히 영국 선원의) 신분 증명서; 여권. **~papier** *n.* ① 〖法·經〗 자격〔면책〕 증권. ② 〔복수〕 (대사·공사에게 주는) 신임장.

legitimieren [legitimí:rən] 《lat.》 〔교양〕 《I》 *t.* ① 합법화하다. ② (사생아를) 인지하다. ③ 권한을 부여하다. 《II》 *refl.* sich ~ 신분을 증명하다.

Legitimierung *f.* -en 합법화, 권한 부여.

Legitimismus [legitimísmus] *m.* - 〖史〗 정통주의.

Legitimist *m.* -en, -en 정통주의자.

legitimistisch *a.* 정통주의의.

Legitimität [..mité:t] *f.* -en 〔교양〕 합법성, 정당성, 정통성.

Leguan [leguá:n, lé:gua:n] 《indian.》 *m.* -s, -e 〖動〗 이구아나(열대산(產) 파충류).

Legumin [legumí:n] 《lat.》 *n.* -s 〖생화학〗 레구민(콩과 식물의 단백질).

Leguminose [..minó:zə] *f.* -n 콩과 식물.

Legung [lé:gʊŋ] 《<legen》 *f.* -en 놓기, 깔기; (가스·수도 따위의) 부설.

Lehde [lé:də] 《ndl.》 *f.* -n 휴한지, 황무지.

***Lehen** [lé:ən] 《<leihen》 *n.* -s, - ① 세습 사용권. ② 봉토, 영지: ein Gut zu ~ geben〔nehmen〕 어떤 토지를 봉토로 주다〔받다〕. ③ (영주에게 바치는) 연공(年貢). ④ (obd.) (Pacht) 소작지, 차지(借地).

lehenbar *a.* ① 영지를 받을 자격이 있는. ② jm. ~ sein 누구에게서 봉토를 받고 있다, 누구의 신하다. ③ 영지로 다스려지는; 봉건의.

Lehenbarkeit *f.* -en ↑ lehenbar 의 명사형.

Lehens≈abgabe *f.* 영지 주기. **~bauer** *m.* 영지 소작인. **~besitz** *m.* 영지 보유. **~-besitzer** *m.* 영지 보유자. **~bezirk** *m.* 봉토지. **~brief** *m.* 봉토 수여장. **~buch** *n.* 봉토부(封土簿). **~dienst** *m.* 봉신(封臣)의 직무. **~eid** *m.* 충성의 맹세. **~einziehung, ~erledigung** *f.* 영지 몰수. **≈fähig** *a.* 영지를 받을 자격이 있는. **≈frei** *a.* 사유지의. **~gebühr** *f.*, **~geld** *n.* (영주에게 내는) 봉토료(封土料), 차지료(借地料). **~gericht** *n.* 봉토에 관한 소송을 맡는 고등 법원. **~gut** *n.* ↑ Lehngut. **~herr** *m.* 봉건 군주, 영주. **~-herrschaft** *f.* 봉건 군주〔영주〕임; 영주권. **~mann** *m.* 〔복수: ..männer/..leute〕 봉토 수령자, 봉신(封臣). **~sache** *f.* 봉토에 관한 사항. **~träger** *m.* 봉토 보유자. **~übersetzung** *f.* 〖언어학〗 차용 번역(보기: Freidenker <engl. freethinker). **~verfassung** *f.* 봉건 제도. **~vertrag** *m.* 봉건 계약. **≈-weise** *adv.* 영지로서, 영지처럼. **~wesen** *n.* 봉건 제도. **~zins** *m.* 봉토료, 부역 면제료.

***Lehm** [le:m] *m.* -(e)s, -e 찰흙, 점토.

Lehm≈anwurf *m.* 점토칠. **~arbeit** *f.* 〖건축〗 점토로 바르기; 점토 건축. **≈artig** *a.* 점토 모양의, 점토질의. **~batzen** *m.* 점토 덩어리. **~boden** *m.* 점토질 토양; 〖건축〗 봉당.

lehmen *t.* 점토를 바르다〔채워 넣다〕.

Lehm≈form *f.* 점토의 주형(鑄型). **~formerei** *f.* 점토 주형에 넣어 주조하기. **≈gelb** *a.* 점토색〔진노랑〕의. **~grube** *f.* 〖工〗 점토갱. **~guß** *m.* ↑ ~formerei. **~hütte** *f.* 점토로 지은 오두막.

lehmicht [lé:mɪçt], **lehmig** *a.* ① 점토(질)의. ② 찰흙투성이의.

Lehm≈kübel *m.* 〖토목〗 흙통. **~mauer** *f.* 점토벽. **~stein** *m.* 찰흙 벽돌. **~wand** *f.* 점토벽. **~ziegel** *m.* 점토 기와.

Lehn [le:n] *n.* -s, - ↑ Lehen.

Lehn·bank *f.* 〔복수: ..bänke〕 등받이가 있는 벤치.

lehnbar *a.* ↑ lehenbar.

Lehnbarkeit *f.* ↑ Lehenbarkeit.

***Lehne**[1] [lé:nə] (⊕ lehnen[1]) *f.* -n ① (의자의) 등받이; (의자의) 팔걸이; (계단의) 난간. ② (obd.) 완만한 경사지: in der ~ …의 경향이 있는.

Lehne[2] *f.* -n 〖動〗 암멧돼지.

Lehne[3] *f.* -n 〖植〗 노르웨이산(產) 단풍나무.

***lehnen**[1] [lé:nən] 《I》 *i.* (h.) ① 기울어져 있다. ② 기대다: sie lehnte mit dem Haupte an seiner Brust 그 여자는 머리를 그의 가슴에 기댔다. 《II》 *t.* 기대어 놓다, 걸쳐 세우다: ich lehne den Stuhl an die Wand 나는 의자를 벽에 기대어 놓는다. 《III》 *refl.* sich ~ 기대다, 의지하다: sich über ein Geländer ~ 난간에 몸을 의지하다; ich lehne mich aus dem Fenster 나는 창 밖으로 상반신을 내민다; 〖軍〗 die Armee lehnte sich im Rücken an einen Wald 군대가 숲을 등지고 진을 쳤다.

lehnen[2] 《<Lehen》 *t.* 〔구식·방언〕 빌리다.

Lehn≈gut *n.* 영지, 봉토: freies ~ 자유 보유 부동산(세습 부동산 따위). **~recht** *n.* 봉건법, 영지 분배법. **~satz** *m.* 〖數·哲〗 보조 정리. **~sessel** *m.* (팔걸이가 있는) 안락 의자. **~stuhl** *m.* 팔걸이 의자. **~übersetzung** *f.* ↑ Lehen(s)übersetzung. **~wort** *n.* 〔복수: ..wörter〕 〖언어〗 차용어(보기: Fenster <lat. fenestra).

Lehr [le:r] *n.* -(e)s, -e 모형(↑ Lehre[2]).

Lehr≈amt *n.* 교직. **~amts·anwärter** *m.* 초등 교사 지원자. **~anstalt** *f.* 학교; 교육 기관. **~apparat** *m.* 교육용 기구. **~art** *f.* 교육법, 교수법. **~auftrag** *m.* 강사의 위촉: jm. einen ~ erteilen 강사를 위촉하다.

lehrbar *a.* 가르칠 수 있는.

Lehrbarkeit *f.* ↑ lehrbar 의 명사형.

Lehr≈befähigung *f.* 초등 학교 교사 자격. **~begier(de)** *f.* 교수욕, 교육열. **~begriff**

m. 학설, (학설의) 체계, 교의. **~behelf** *m.* (öst.) ↑ ~mittel. **~beruf** *m.* 교직. **~bogen** *m.* 〖건축〗 홍예틀. **~bote** *m.* 선교사; 사도. **~brief** *m.* ① 도제 계약서. ②〔옛뜻〕 도제 수료증. ③ 방송 통신 교재. **~bub** *m.* (obd.) 남자 실습생〔도제〕. **~buch** *n.* 교과서. **~bursche** *m.* 도제, 수습생. **~dichter** *m.* 교훈 시인. **~dichtung** *f.* 〖문학〗 교훈시〔문학〕. **~dorn** *m.* 〖工〗 보링의 허용 한계치를 재는 원뿔형 계기.

*__Lehre__[1] [lé:rə] 《<lehren》 *f.* -n ① (a) 교칙, 규범. (b) 훈계, 교훈, 지도: das soll mir eine ~ sein 그것은 내게 좋은 교훈이 될 것이다; aus et.[3] eine ~ ziehen 무엇을 교훈으로 삼다; laß dir das zur ~ dienen 너는 그것을 교훈으로 삼아라. ② 교의(敎義), 교리: die ~ Christi 그리스도의 가르침. ③ (학)설: eine ~ aufstellen 어떤 학설을 세우다; die ~ von der Unsterblichkeit der Seele 영혼 불멸설; Formen≈ 형태학. ④ 도제〔수습〕 (기간): jn. in die ~ geben 누구를 도제로 교육시키다; bei jm. in der ~ sein〔stehen〕 도제가 되어 누구에게서 배우다; er ist noch nicht aus der ~ 그는 아직 도제의 신분이다; die ~ durchmachen 수습 기간을 마치다; 〔구어·비유〕 jn. hart in die ~ nehmen 누구를 엄하게 다루다.

Lehre[2] *f.* -n 〖건축·조각〗 모형; 〖工〗 표준자, 게이지; 구경(口徑), 지름.

Lehr·eifer *m.* 가르치는 열성.

*__lehren__[1] [lé:rən] 《I》 *t.* ① (a) jn. et. 〔〔구식〕 jn. eines Dinges〕 ~ 누구에게 무엇을 가르치다: jn. lesen 〔das Lesen〕 ~ 누구에게 읽기를 가르치다; jn. Bescheidenheit ~ 누구에게 겸손을 가르치다; 〔수동형에서는 사람이 3격〕 mir〔〔구식〕 ich〕 wurde etwas gelehrt 나는 무엇의 가르침을 받았다. (b) (대학에서) 강의하다: Philosophie ~ 철학을 강의하다. ② 교시하다: die Folge〔Zeit〕 wird es ~ 때가 오면 알게 될 것이다. ③〔목적어 없이〕 유익하다: die Erfahrung lehrt 경험은 유익하다; 〖聖〗 설교하다. 《II》〔조동사에 준하여 부정형이 과거 분사로도 쓰임〕 er hat mich lesen ~〔gelehrt〕 그는 내게 읽기를 가르쳐 주었다. 《III》 **gelehrt** *p.a.* ↑ gelehrt.

lehren[2] *t.* 〖工〗 계기로 측정하다: ein Werkstück ~ 부품의 치수를 측정하다.

*__Lehrer__ [lé:rər] *m.* -s, - 선생, 교사; 스승, 사부; 대학 교수; 코치, 강사: ~ für Mathematik 수학 선생; Reit≈ 승마 코치; Ski≈ 스키 강사; 〔비유〕 mein ~ war die Natur 나는 자연에서 배웠다.

Lehrer·bildungs·anstalt *f.* 〔옛뜻〕 초등 교원 양성 기관.

lehrerhaft *a.* 〔폄어〕 훈장 같은.

*__Lehrerin__ *f.* -nen 여교사, 여선생.

Lehrerinnen≈examen *n.* 여교사 채용 시험. **~seminar** *n.* 여자 사범 학교.

Lehrer≈kollegium *n.* 교사진, 교원 전체. **~konferenz** *f.* 교원〔교수〕 회의. **~prüfung** *f.* 교원 (검정) 시험.

Lehrerschaft *f.* -en ① 교사 신분. ② 교직. ③〔집합적〕 교원 전체, 교사진.

Lehrer≈seminar(ium) [lé:rər..] *n.* 〔고어〕 (schweiz.) ↑ ~bildungsanstalt. **~stand** *m.* 교사직. **~stelle** *f.* 교사 지위〔직〕. **~versammlung** *f.* 교원 집회〔회의〕.

Lehr≈fabel *f.* (교훈적) 우화. **~fach** *n.* ① 학과, 교과목. ② 교직(~amt): sie geht ins ~ 그녀는 교직을 택한다. **≈fähig** *a.* 가르칠 수 있는, 교사 자격이 있는. **~fähigkeit** *f.* 교수(할) 능력; 교사 자격. **~fahrt** *f.* 수학 여행. **~film** *m.* 교육 영화. **~form** *f.* ① 교수법. ②〖문학〗 교훈시〔문학〕. **~freiheit** *f.* 〖法〗 가르침의 자유. **~gabe** *f.* 가르침의 재능. **~gang** *m.* 강좌, 과정: an einem ~ „Englisch" für Betriebswirte teilnehmen 경영자를 위한 영어 강좌에 다니다. **~gangs·teilnehmer** *m.* 수강자. **~gebäude** *n.* (과학·철학 따위의) 학문 체계. **~gedicht** *n.* 〖문학〗 교훈시. **~gegenstand** *m.* 교재, 교수의 대상, 학과. **~geld** *n.* ①〔옛뜻〕 수업료. ②〔오늘날에는 다음 용법으로〕 ~ zahlen〔geben〕 (müssen) 쓰라린 경험을 하다; 〔농담〕 laß dir dein ~ zurückgeben! (수업료를 되찾아오라는 뜻에서) 비싼돈 주고 배운 게 (겨우) 그거냐! **~gerüst** *n.* 〖건축〗 홍예틀(홍예 구축용 나무틀).

lehrhaft [lé:rhaft] *a.* ① 교훈적인, 권선징악의. ②〔폄어〕 훈장 같은.

Lehr≈hauer *m.* 광원 수련생. **~herr** *m.* (도제의) 스승; 선생, 지도자. **~holz** *n.* 〖건축〗 홍예틀. **~jahre** *pl.* 수습〔수업〕 연한; 도제〔수업〕 시대: 〔속담〕 ~ sind keine Herrenjahre 교육을 받는 동안은 고달픈 법이다. **~junge** *m.* ↑ ~bursche. **~kanzel** *f.* (öst.) 교수직. **~körper** *m.* 교사〔교수〕진. **~kraft** *f.* ① 교수력. ② (a) 교사(Lehrer): eine tüchtige ~ 유능한 교사. (b) 〔복수〕 교사진. **~kunst** *f.* 교수법, 교육학.

*__Lehrling__ [lé:rlɪŋ] 《<Lehre》 *m.* -s, -e ① 도제, 제자. ②〔비유〕 초심자, 신입생: er ist noch ein ~ 그는 아직 수습생〔실습생〕이다.

Lehrlings≈stand *m.* 도제 신분. **~verhältnis** *n.* 도제 관계, 수습 수업. **~wohn·heim** *n.* 도제 숙소.

Lehr≈mädchen *n.* 〔구어〕 여자 수습생. **≈mäßig** *a.* 교육(상)의; 학설상의. **~meinung** *f.* ①〖宗〗 교의(敎義). ② 학설. **~meister** *m.* ① 선생, 스승, 장인(匠人). ② 가정 교사. **~meisterin** *f.* ↑ Lehrmeister 의 여성형. **~methode** *f.* 교수법. **~mittel** *pl.* 교육 기자재; 교육 수단. **~mittel·freiheit** *f.* 교육 기자재 무상 지급. **~personal** *n.* ↑ ~körper. **~plan** *m.* 교안, (1 년간의) 교과과정(표). **~probe** *f.* 연구〔시범〕 수업. **~punkt** *m.* 교의〔학설〕의 요점. **≈reich** *a.* 교훈적〔교육적〕인; 계몽적인. **~saal** *m.* 큰 교실. **~satz** *m.* 〖哲·數〗 정리, 명제; 〖宗〗 교의. **~schriften** *pl.* 교육적 저서〔논문〕. **~spruch** *m.* 금언, 격언; 명제. **~stand** *m.* 〔구식〕 ① 교직. ②〔집합적〕 교원; 성직자 계급. **~stelle** *f.* 도제〔수습생〕 자리. **~stellen·markt** *m.* (수습공들의) 구직 시장. **~stoff** *m.* 교재. **~stück** *n.* 〖문학〗 학습극: die ~e Brechts 브레히트의 학습극. **~stuhl** *m.* 대학의 (정규) 교수직: einen ~ früherer Geschichte innehaben 근세사 교수직에 있다. **~stunde** *f.* 수업, 강의. **~tätigkeit** *f.* 교수〔교사〕 활동. **~tochter** *f.* (schweiz.) ↑ ~mädchen. **~veranstaltung** *f.* (대학의) 강좌, 강의: morgen fallen alle ~en aus 내일은 모든 강의가 휴강이다.

~vertrag *m.* 도제 계약: einen ~ abschließen 도제 계약을 맺다. **~werkstatt, ~-werkstätte** *f.* (직업 교육을 위한) 실습장. **≈widrig** *a.* 교의에 반대되는, 이단의; 학설에 반대되는: sich ~ äußern 학설에 반대 입장을 취하다. **~zeit** *f.* 수습 기간. **~zimmer** *n.* 교실. **~zwang** *m.* ① 의무 교육. ②〖宗〗 강제적 교의(教義) 준수.

lei [laɪ] *a.* 〔방언〕 läu 의 별형(↑ läu).

Lei *f.* -en (rhein.) ① 암석(보기: Lore≈); 〖광물〗(Schiefer) 석반암(石盤岩), 슬레이트. ② 석반.

..lei 《<frz. ..loi》 *suf.* "…종류의"의 뜻(보기: zweier~, aller~).

***Leib** [laɪp] *m.* -(e)s, -er [..bər] ①〔다음 용법으로만〕〔구식〕 생명 : ~ und Gut hingeben 생명과 재산을 바치다; ~ und Leben wagen 목숨을 걸다. ②〔구식〕 일신, 개인: seinem ~e keinen Rat wissen 자기로서는 어떻게 해야 좋을지 알지 못하다. ③ 신체, 육체: der ~ Christi 〔der ~ des Herrn〕 성체; ~ und Seele 심신, 영육; toter ~ 시체; 〔구어〕 seinen ~ pflegen〔warten〕 게으름피우다, 일을 하지 않다. ④ **(a)** 몸통: 〔시어〕 der ~ eines Schiffes 배의 몸체. **(b)** 〖雅語〗 배; (하)복부: nichts im ~e haben 배가 고프다; ich habe Grimmen im ~e 〔mir geht's im ~e herum〕 나는 배가 아프다; sich³ das Essen in den ~ jagen 음식물을 (배에) 처넣다; sich den ~ vollschlagen 배가 터지도록 먹다; offenen ~ haben 변이 통하다, 대변을 보다. **(c)** (Mutter≈) 자궁, 태내: gesegneten 〔schweren〕 ~es sein 임신 중이다. ⑤ **(a)** 〔비유〕 분리할 수 없는 것: Mann und Weib ist 〔sind〕 ein ~ 부부는 한몸이다. **(b)** 〖건축〗 고딕식 소첨탑(小尖塔)의 밑부분, 기둥의 아래수직 부분. **(c)** 〖재봉〗 ↑ Leibchen ②③. ⑥〔전치사와 함께〕 **am** ganzen ~e zittern 온몸이 떨리다; es geht mir an den ~ 내 목숨이 위험하다, 내 생명에 관계되는 문제다; et. am eigenen ~ erfahren 무엇을 몸소 체험하다; 〔구어〕 jm. (hart) **auf** den ~ 〔zu ~e〕 rücken 누구를 세게 밀치다, 공격〔재촉〕하다; es ist ihm (wie) auf den ~ geschrieben〔geschnitten, geschneidert, zugeschnitten〕 그것은 그에게 아주 적격이다; **bei** ~e〔beileibe〕 nicht! 절대로 안 된다!; gut bei ~e sein 몸집이 좋다; kein Herz **im** ~e haben 무정하다; er hat den Teufel im ~e 그는 귀신이 들렸다; er ist **mit** ~ und Seele dabei 그는 거기에 혼신의 노력을 기울이고 있다; mit ~ und Leben 완전히: jm mit ~ und Leben verfallen sein 누구에게 홀딱 빠져 있다; jn. **um** den ~ fassen 누구의 허리를 껴안다; bleib mir **vom** ~e! 내 곁으로 다가오지 마라!; bleib mir damit vom ~e! 그것으로 나를 귀찮게 하지 마라!; jm. nicht vom ~e geh(e)n 누구에게서 떨어지지 않다; 〔구어〕 sich jn. vom ~e halten 누구를 멀리하다; jm. mit et.³ vom ~e bleiben 무엇으로 누구를 괴롭히지 않다; jm.〔et.³〕 **zu** ~e gehen 〔rücken〕 누구를〔무엇을〕 습격하다, 누구〔무엇〕에 단호히 대처하다; jm. zu ~e wollen 누구를 밀치려〔공격하려〕 하다.

Leib≈arzt [láɪp..] *m.* 주치의, 시의(侍醫). **~bäcker** *m.* 왕실의 빵 굽는 사람. **~band** *n.* ↑ ~binde. **~batterie** *f.* 〖軍〗 (프로이센의) 친위 포병 제1중대. **~binde** *f.* 복대. **~bürge** *m.* 인질, 볼모. **~bursche** *m.* (학생 조합의) 신입생 담당 상급생.

Leibchen [láɪpçən] *n.* -s, - 〔↑ Leib 의 축소형〕 ① 작은 체구. ② 멜빵이 달린 소아용 내의, 소매 없는 윗옷. ③ 조끼, 코르셋. ④〔방언〕 남성용 내의.

Leib≈chirurg *m.* 외과 전담 주치의〔시의(侍醫)〕. **~chirurgus** *m.* ↑ ~chirurg. **~dichter** *m.* 가장 좋아하는 시인〔작가〕. **~diener** *m.* 몸종. **~dienst** *m.* 부역. **~ding** *n.* ↑ ~gedinge. **≈eigen** [(또는) laɪp|áɪgən] *a.* 〖史〗 예속된, 노예의: ~e Bauern 농노. **~-eigene*** *der/die* (↔ Freie) 노예, 농노, 몸종. **~eigenschaft** *f.* 〖史〗 노예〔농노〕 신분; 예속.

leiben [láɪbən] 《<Leib》 *i.* (h.) 〔항상 leben 과 함께〕 ~ und leben 살고 있다: da ist er, wie er leibt und lebt 참 그 사람답다.

Leiber *m.* -s, - (bayr.) 친위대원.

Leibes≈beschaffenheit [láɪbəs..] *f.* 체격, 체질. **~beschwerde** *f.* 육체적 질병; 허약. **~bewegung** *f.* 신체 운동: sich³ ~ machen 운동하다. **~erbe** *m.* 상속권을 가진 아들, 친자 상속인. **~erziehung** *f.* 체육 수업. **~-fehler** *m.* 신체적 결함, 기형, 불구. **~-frucht** *f.* ①〖醫·法〗 태아. ②〔문학〕 ↑ Kind. **~fülle** *f.* 〖雅語〗 비만, 비대. **~-gebrechen** *n.* ↑ ~fehler. **~gefahr** *f.* 생명의 위험(Lebensgefahr). **~gestalt** *f.* 용모, 자태. **~größe** *f.* 신장, 체격. **~kraft** *f.* 체력: 〔다음 용법으로만〕 aus〔nach〕 Leibeskräften 있는 힘을 다해서, 열심히. **~länge** *f.* 신장. **~leben** *n.* 〔드물게〕 현세의 생활: bei ~ 살아 있는 동안에. **~nahrung** *f.* 음식물. **~-notdurft** *f.* 생활 필수품. **~öffnung** *f.* 대변의 배설, 변통. **~pflege** *f.* 양생(養生), 섭생; 보건. **~schwäche** *f.* 허약, 병약.

Leib·essen *n.* 좋아하는 음식물.

Leibes≈stärke *f.* 체력. **~stellung** *f.* 자세, 태도. **~strafe** *f.* ① 체형, 체벌. ② 사형: bei ~ 체형에 의해〔으로〕; es ist bei ~ verboten 그것을 행하면 체벌을 받는다. **~übung** *f.* ① 〔대개 복수〕 신체의 운동(각종 운동의 총칭). ② 체조. **~umfang** *m.* ① 몸집. ② 비만, 비대. **~verstopfung** *f.* 〖醫〗 변비. **~visitation** *f.* (특히 법률 언어로) 몸수색: eine ~ vornehmen 몸수색을 하다.

Leib≈farbe *f.* 좋아하는 색. **~fluß** *m.* 〖醫〗 설사. **~frone** *f.* 부역. **~fuchs** *m.* 〔학생〕 (↔ ~bursche) 상급생의 지도를 받는 학생 조합 신입생. **~garde** *f.* 〖軍〗 근위〔친위〕대; (영국의) 근위 기병 연대. **~gardist** *m.* 근위〔친위〕병; (영국의) 근위 기병. **~gedinge** *n.* 〖法〗 은퇴 후를 위한 재산의 보유분, 종신 연금, 미망인 상속 지분. **~geleit** *n.* (특히 전시에 발행하는) 통행증. **~gericht** *n.* 좋아하는 음식. **~gurt, ~gürtel** *m.* 〔구식〕 복대.

leibhaft [láɪphaft] *a.* ↑ leibhaftig.

***leibhaftig** [laɪpháftɪç] 《I》 *a.* ① 육체를 갖춘, 살아 있는: der ~e Beweis 생생한 증거. ② 화신(化身)의, 인간의 모습을 한: er ist der ~e Vater〔Satan〕 그는 아버지를 꼭 닮았다〔악마의 화신이다〕. ③〔구어〕 실제의, 진실의: er heiratet eine ~e Prinzessin 그는 진짜 공

주와 결혼한다. 《Ⅱ》 *adv.* 자신이, 몸소.

Leibhaftige* *der* 악마.

Leibhaftigkeit *f.* 〔雅語〕 생생함, 실체.

leibig [láɪbɪç] *a.* (obd.) 살찐, 뚱뚱한.

..leibig *a. suf.* "…의 몸을 가진"의 뜻(보기: dick~ 뚱뚱한; drei~ 세 개의 몸체를 가진).

Leib≈jäger *m.* 〔고어〕 시종(侍從) 사냥군. **~koch** *m.* (고위층 인사의) 전속 요리사. **~kompanie** *f.* 〖軍〗 (1918년까지 독일 제후의) 친위 연대 제 1 중대. **~kutscher** *m.* 시종 마부. **~lakai** *m.* 군주의 특별한 일을 맡아보는 하인〔종복〕.

***leiblich** [láɪplɪç] *a.* ① (↔seelisch, geistig) 신체상〔육체상〕의: ~e Genüsse 육체적 쾌락; et. mit ~en Augen sehen 무엇을 육안(肉眼)으로 보다, 자기 눈으로 (똑똑히) 보다, 직접 보다. ② 〖宗〗 속세〔현세〕의. ③ ↑ leibhaft(ig). ④ 육친의, 혈연상의: die ~e Mutter 생모; sie kümmerten sich um ihn wie um ihr ~es Kind 그들은 그를 친자식처럼 돌봤다. ⑤ ↑ dinglich.

Leibniz [láɪbnɪts] *m.* Gottfried Wilhelm ~ 라이프니츠(독일 철학자·정치가, 1646-1716).

Leib≈pacht *f.* 종신 소작지. **~page** [..pa:ʒə] *m.* 〔옛뜻〕 시동(侍童), 몸종. **~pferd** *n.* 〔구식〕 애마. **~regiment** *n.* 〖軍·옛뜻〗 친위 연대. **~rente** *f.* 〖法〗 종신 연금. **~rentner** *m.* 종신 연금 수혜자. **~rock** *m.* 〔구식〕 연미복; 가톨릭 신부의 법복; 〖軍〗 경기병(輕騎兵)의 상의. **~schmerz** *m.* 복통. **~schneiden** *n.* 〖醫〗 발작적 복통. **~schneider** *m.* 어용 재봉사. **~schüssel, ~speise** *f.* ↑ ~gericht. **~seelisch** *a.* 영육의. **~stück** *n.* ① (여성의) 조끼, 동의(胴衣). ② (회화·가곡 따위의) 좋아하는 작품.

Leibung [láɪbʊŋ] *f.* -en 〖건축〗 아치의 안둘레.

Leib≈wache *f.* ↑ ~garde. **~wächter** *m.* 경호원. **~wäsche** *f.* 속옷. **~weh** *n.* ↑ ~schmerz. **~zins** *m.* ① ↑ ~rente. ② (옛날의) 종신 소작료. **~zoll** *m.* 〔고어〕 인두세 (Kopfsteuer). **~zucht** *f.* ① 〔고어〕 ↑ ~gedinge. ② 〖法〗 용익권. **~züchter** *m.* 퇴직자, 연금 생활자. **~zwang** *m.* 〖醫〗 변비.

Leica [láɪka] 〔↑ Leitz-Camera 의 단축형〕 *f.* -s 라이카(독일의 라이츠사의 고급 사진기).

Leich [laɪç] *m.* -(e)s, -e 〖문학〗 라이히(각 연(聯)마다 다른 곡조가 붙여진 중세의 이야기조의 짧은 시형식).

Leich·dorn [láɪç..] *m.* 〔복수: ..dorne/..dörner〕 티눈; 사마귀.

Leichdorn·schneider *m.* 〖醫〗 티눈 치료제.

***Leiche** [láɪçə] *f.* -n ① (사람 또는 동물의) 시체, 송장, 사체: die ~ identifizieren 사체의 신원을 확인하다; zur ~ machen 죽이다; 〔비유〕 er geht über ~n 그는 지극히 매정하다, 목적을 위해 수단을 가리지 않는다; 〔구어·비유〕 nur über meine ~! 나는 결코 그런 일을 용납할 수 없어! ; er sieht wie eine lebende 〔wandelnde〕 ~ aus, 〔농담〕 er sieht wie eine ~ auf Urlaub aus 그는 산송장 같아 보인다; 〔구어〕 eine gemeinsame ~ im Keller haben 나쁜 짓을 함께 저지르다. ② 〔방언〕 장례식: eine große ~ 성대한 장례식; zur ~ bitten 장례식에 참석해 달라고 청하다; das ganze Dorf ging zu seiner ~ mit 온 마을 사람이 그의 장례식을 함께 치루었다. ③ 〖印〗 (식자의) 누락된 단어〔문장〕.

Leichen≈acker *m.* 〔방언〕 묘지. **~artig** *a.* 시체 같은; 얼굴이 창백한, 병색의. **~ausgrabung** *f.* 시체 발굴. **~bahre** *f.* 관대(棺臺). **~begängnis** *n.* 장례식. **~begleiter** *m.* 장례식 참석자. **~begleitung** *f.* 장례식 참석. **~beschauer** *m.* 검시관(檢屍官). **~besichtigung** *f.* 검시(檢屍). **~besorger, ~bestatter** *m.* 장의사. **~bestattung** *f.* ↑ ~begängnis. **~bestattungs·verein** *m.* 장의 조합. **~besteller** *m.* 장의사. **~bitter** *m.* 〔옛뜻〕 호상(護喪). **~bitter·gesicht** *n.*, **~bitter·miene** *f.* 〔구어〕 슬픔에 잠긴 얼굴: eine ~ machen〔aufsetzen〕 매우 슬픈 표정을 짓다. **~blaß** *a.* (죽은 사람같이) 창백한. **~blässe** *f.* (송장 같은) 창백. **~buch** *n.* 〖宗〗 (죽은 신도의 신상에 관해 적어 놓은 사원의) 과거장(過去帳). **~dieb** *m.* 시체 도둑. **~eule** *f.* 〖動〗 (obd.) 금눈쇠올빼미(그 울음 소리는 사람의 죽음을 예고한다고 함). **~fackel** *f.* 장례식의 횃불. **~fahl, ~farbig** *a.* (시체처럼) 창백한. **~feier(lichkeit)** *f.* 장례식. **~feld** *n.* 시체가 즐비한 들판; 형장, 전장. **~fett** *n.* 〖醫〗 시랍(屍蠟). **~finger** *m.* 〔농담〕 (손가락 크기의) 독일 치즈의 일종. **~fledderei** *f.* 시체〔잠든 사람·취객〕의 물건을 훔치는 행위. **~flederer** *m.* 시체〔잠든 사람·취객〕의 물건을 훔치는 도둑. **~frau** *f.* 여자 염쟁이. **~gebühr** *f.* 장례 비용. **~gedicht** *n.* 조시(弔詩), 만가. **~geruch** *m.* 시취(屍臭), 송장 냄새. **~gerüst** *n.* 관대(棺臺); 상여. **~gesang** *m.* 장송곡, 만가. **~gesicht** *n.* 죽은 얼굴; 슬픔에 잠긴 얼굴. **~gewand** *n.* 〔雅語〕 수의(壽衣). **~gewölbe** *n.* 묘혈. **~gift** *n.* 〖醫〗 시독(屍毒). **~gruft** *f.* 묘혈.

leichenhaft *a.* 죽은 사람 같은.

Leichen≈halle *f.*, **~haus** *n.* ① (사원(寺院)의) 관을 두는 곳. ② (사고로 죽은 사람의) 시체 임시 보관소. ③ 〖醫〗 시체실. **~hemd** *n.* ↑ ~gewand. **~hügel** *m.* 무덤. **~huhn** *n.* ① 〖연극〗 (병중인 배우의) 대역. ② ↑ ~eule. **~kalt** *a.* 시체같이 찬, 오싹하는. **~kammer** *f.* 시체실. **~klage** *f.* 죽은 사람에 대한 애도; 조사. **~kosten** *pl.* 장례식 비용. **~mahl** *n.* 〔雅語〕 장례식 후의 식사. **~mal** *n.* 묘표(墓標). **~öffnung** *f.* 〖醫〗 시체 해부, 부검. **~paß** *m.* 시체 인도증. **~predigt** *f.* 장례식의 설교; 조사. **~räuber** *m.* ① ↑ ~dieb. ② 죽은 사람의 옷을 훔치는 사람. **~rede** *f.* 조사: 〔비유〕 eine ~ halten 어찌 해볼 도리가 없는 일을 (쓸데없이) 한탄하다. **~schändung** *f.* 〖法〗 시체 능욕, 시간(屍姦). **~schau** *f.* 〖法〗 검시. **~schauer** *m.* 검시관. **~schau·haus** *n.* 시체 공시소(公示所). **~schmaus** *m.* ↑ ~mahl. **~starre** *f.* 〖醫〗 사체 경직. **~stein** *m.* 묘석, 묘비. **~träger** *m.* 〔구식〕 상여꾼. **~tuch** *n.* 수의(壽衣); 관을 덮는 보; 〖문학〗 눈(雪): die Erde hat sich in ihr ~ gehüllt 대지는 눈에 덮였다. **~untersuchung** *f.* ↑ ~schau. **~verbrennung** *f.* 화장. **~wache** *f.* (상가의) 밤샘. **~wachs** *n.* ↑ ~fett. **~wagen** *m.* 영구차. **~zug** *m.* 장례 행렬.

Leich·huhn *n.* ↑ Leichenhuhn.

Leichnam [láɪçna:m] *m.* -(e)s, -e 〖雅語〗 ① 시체, 주검: er sieht aus wie ein lebender 〔wandernder〕 ~ 그는 산송장 같아 보인다. ② 〖드물게〗 (사람의) 신체: seines ~s 〔seinen ~〕 pflegen a) 주린 배를 채우다, b) 자기 일에만 신경쓰다.

***leicht** [laɪçt] 《I》 *a.* ① (↔schwer) 가벼운: ~e Bürde 가벼운 짐; ~ wie eine Feder 깃털처럼 가벼운; ~er Boden 모래땅; ~es Tuch 얇은 천; ~e Metalle 경금속; jn. um et. ~er machen 누구의 무엇을 빼앗다〔훔치다〕; er hat mich um 100 Mark ~er gemacht 그는 내게서 100 마르크를 빼앗아갔다〔훔쳐갔다〕. ② 규정 중량보다 가벼운: ~es Geld a) 규정 중량에 모자라는 화폐, b) 쉽게 번 돈. ③ 민첩한: ein ~er Gang 경쾌한 걸음; ~en Fußes 빠른 걸음으로. ④ (**a**) 날림으로 만든: ~es Gewebe 날림으로 짠 직물. (**b**) 가벼운, 경쾌한: ein ~er Wind 산들바람; ~e Tanzmusik 경쾌한 무도곡. (**c**) 경솔〔경박〕한: 〖구어〗 ~es Blut haben 경솔하다; ein ~es Mädchen 경박한 아가씨, 창녀. (**d**) 〖비유〗 et. auf die ~e Achsel〔Schulter〕 nehmen 일을 가볍게 생각하다, 진지하게 생각하지 않다. (**e**) 알코올 도수가 낮은. ⑤ 사소〔경미〕한: ~er Fehler 하찮은 실수; ~e Krankheit 가벼운 병; ~e Wunden 경상. ⑥ 부담이 안 되는: ~e Speise 가벼운 음식물; 〖비유〗 ~er Schlaf 선잠. ⑦ 용이한, 쉬운: es ist mir ein ~es, dir zu helfen 너를 도와 주는 것은 쉬운 일이다; mit dem werde ich ~es Spiel haben 그 사람 일로 내가 고생하지는 않을 겁니다; mit ~er Mühe 쉽사리. ⑧ 가벼운 마음의, 부담 없는: eine ~e Atmosphäre 편안한 분위기; ~en Sinnes 가벼운 마음으로; ich habe es ~en Herzens getan 나는 가벼운 마음으로 그 일을 했다; er nimmt es von der ~en Seite 그는 그것을 쉽게 생각한다. ⑨ 방해물이 없는, 홀가분한. ⑩ (솜씨가) 노련한: der Barbier hat eine ~e Hand 그 이발사는 솜씨가 노련하다. 《II》 *adv.* (경향을 표시해서) ① 걸핏〔자칫〕하면: sich ~ erkälten 감기에 잘 걸리다; er wird ~ böse 그는 걸핏하면 화를 낸다; an Kurven geschieht zu ~ etwas 커브길에서는 자칫하면 사고가 일어난다; das ist ~ möglich 그런 일은 흔히 있을 수 있다. ② 용이하게: ~ verdaulich 소화하기 쉬운; es ist ~ gesagt, doch schwer getan 그것은 말하기는 쉽고 행하기는 어렵다. ③ 가볍게, 표면적으로: das ist sehr ~ gearbeitet 그것은 아주 날림으로 만들어져 있다; es nur ~ berühren 살짝 건드리다. ④ 경쾌〔민속〕하게: ~ laufen (기계 따위가) 경쾌하게 회전하다. ⑤ (obd.) 아마도.

Leicht≈athlet *m.* 육상 경기 선수. **~athletik** *f.* 〖총칭〗 육상 경기. **~athletin** *f.* ↑ ~athlet 의 여성형. **~bau** *m.* 〖건축·工〗 경량 (건축) 공법. **≈bedeckt** *a.* 얇게 덮인, 박피(薄皮)가 있는. **~benzin** *n.* (끓는점 110℃ 이하의) 경질(輕質) 휘발유. **≈beflügelt, ≈beschwingt** *a.* 날개가 가벼운. **≈bewaffnet** *a.* 〖軍〗 경무장〔단독 군장〕을 한. **~bewaffnete*** *der* 〖軍〗 경무장〔단독 군장〕을 한 병사. **≈blütig** *a.* 쾌활한; 경솔한. **~blütigkeit** *f.* 쾌활; 경솔.

Leichte [láɪçtə] *f.* -n ① 1 륜 손수레의 견대(肩帶). ② 〖시어〗 가벼움, 경쾌.

leichten *t.* ① 가볍게 하다; 〖구어〗 (배에서) 짐의 일부를 부리다. ② (obd.) (가축류를) 거세하다.

leicht·entzündlich *a.* 쉽게 발화되는〔타는〕.

Leichter [láɪçtər] *m.* -s, - ① 〖海〗 바닥이 평평한 짐배, 거룻배, 컨테이너. ② 가축류를 거세하는 사람.

leichtern [láɪçtərn] *t.* 가볍게 하다; 배에서 짐을 부리다.

leicht|fallen* *i.* (s.) (↔schwerfallen) jm. ~ 누구에게 (무슨 일이) 쉽다, 쉽게 여겨지다: Das Lernen von Sprachen fällt ihm leicht 그는 언어를 쉽게 배운다.

leicht≈faßlich *a.* 이해하기 쉬운, 명백한. ***~fertig** *a.* ① 분별 없는, 경박한: et. ~ behandeln 무엇을 경솔하게 다루다. ② 변덕스러운. ③ 행실이 나쁜, 방탕한. **≈fertigkeit** *f.* ① 경솔, 경박. ② 방종, 방탕. ③ 〖法〗 과실. **≈fliegen·gewicht** *n.* 〖스포츠〗 하프플라이급. **~flüchtig** *a.* 〖化〗 휘발성〔기화성〕의. **~flüssig** *a.* 〖化〗 용해하기 쉬운. **≈fuß** *m.* 〖비유〗 경박한 사람; 탕아, 파렴치한(漢). **~füßig** *a.* ① 발이 가벼운, 민첩한. ② 〖비유〗 경솔한. **≈füßigkeit** *f.* 민첩; 경솔. **≈gewicht** *n.* ① 〖스포츠〗 경량급, 라이트급; 경량급 선수. ② 〖구어·농담〗 체중이 가벼운 사람. **~gewichtler** *m.* 경량급 선수. **≈glaube** *m.* 경신(輕信). **~gläubig** *a.* 쉽게 믿는, 속기 쉬운. **≈gläubige*** *der/die* 경신자. **≈gläubigkeit** *f.* 쉽게 믿어버리는 태도〔경향〕; 경신.

Leichtheit *f.* ↑ Leichtigkeit ①.

leicht≈herzig *a.* (마음이) 홀가분한, 근심〔걱정〕 없는; 경박한. **≈herzigkeit** *f.* ↑ ~herzig 의 명사형. **~hin** *adv.* 경솔하게, 가볍게; 아울러, 하는 김에.

Leichtigkeit [láɪçtɪç..] *f.* ① 가벼움, 경쾌. ② 〖비유〗 평이, 용이; 경박, 경솔.

Leicht≈industrie *f.* 〖총칭〗 경공업, 소비재 산업. **≈lebig** *a.* 대충대충 살아가는. **~lebigkeit** *f.* 쉽게 살아가는 태도.

leichtlich *adv.* 〖구식〗 손쉽게, 어려움 없이.

leicht≈|machen *t.* (h.) jm. et. ~ 누구의 무엇을 도와주다〔덜어주다〕; es sich ~ 일을 손쉽게 해내다: da〔dabei, damit〕 hast du es dir aber sehr leichtgemacht 너는 그 일을 정말 쉽게 해냈구나. **≈matrose** *m.* 〖海〗 수습 선원. **≈metall** *n.* 경금속. **≈öl** *n.* 경유(經油). **~|nehmen** *t.* (h) (↔schwernehmen) 가볍게〔쉽게〕 생각하다: ich würde die Sache an deiner Stelle nicht so ~ 내가 자네 입장이라면 그 문제를 그렇게 가볍게 여기지는 않을 것인데. **≈schwer** *n.* ↑ ~schwergewicht. **~schwer·gewicht** *n.* 〖스포츠〗 라이트 헤비급 (선수). **≈schwer·gewichtler** *m.* 라이트 헤비급 선수. **~sinn** *n.* 경솔; 경솔한 사람. **~sinnig** *a.* 경솔〔경박〕한, 지각 없는. **~sinniger·weise** *adv.* 경솔하게, 분별 없이. **≈sinnigkeit** *f.* 경솔. **≈sinns·fehler** *m.* 부주의로 인한 실수. **~|tun** *refl.* sich[3/4] mit et.[3] ~ 무엇을 어려움 없이 해내다. **~verdaulich** *a.* 소화하기 쉬운. **~verderblich** *a.* 부패하기 쉬운. **~verletzt** *a.* 가벼운 부상을 입은. **≈verletzte*** *der/die* 경상자. **~verständlich** *a.* 이해하기 쉬운, 평이한.

~verwundet *a.* 경상의. **≈verwundete*** *der/die* 경상자. **~wasser·reaktor** *m.* 〖핵물리〗 경수로.

***leid** [laɪt] *a.* (↔ lieb) ①〖부가적〗 **(a)** 〖고어〗 (leidig) 싫은, 불쾌한, 달갑지 않은: 〖속담〗 Armut ist ein ~er Gast 빈곤은 불쾌한 손님이다; ein ~er Bote 나쁜 소식을 전하는 사람; jm. kein ~es Wort sagen 누구에게 싫은 말을 하지 않다. **(b)** (schweiz.) 추한; 악한; 무뚝뚝한: ein ~es Gesicht 무뚝뚝한 표정. ② 〖서술적〗 es tut〔ist, wird〕 mir ~, daß... 유감스럽게도 …이다, 나는 …임을 유감으로 생각한다; es ist mir ~ 〔ich lasse es mir ~ sein〕 나는 그것을 한탄한다, 후회한다, 애석해한다; jm. et. ~ machen 누구에게 무엇을 후회하게〔싫어하게〕 하다, 누구에게서 어떤 기쁨을 빼앗다; etwas ist〔wird〕 jm. ~ 누구는 무엇에 싫증이 나 있다〔싫증이 나다〕, 무엇을 후회하다; es wird dir eines Tages ~ werden 너는 언젠가 그것을 후회하게 될 것이다; diese Beschäftigung ist ihm schon lange ~ 그는 오래 전부터 이 일에 싫증나 있다; jm. nichts 〔kein〕 ~es (an)tun 누구에게 해를 끼치지 않다; et.〔jn.〕 ~ sein〔werden〕, eines Dinges 〔js.〕 ~ sein〔werden〕; et.〔jn.〕 ~ haben 무엇〔누구〕에 싫증나다, 무엇을〔누구를〕 참을 수 없다; dein Gejammer bin ich jetzt ~ 네 넋두리에 이제 넌덜머리가 난다; er war seines Lebens ~ 그는 사는 것이 싫어졌다; ich bin es ~, dich immer wieder zu ermahnen 계속해서 네게 잔소리하는 것도 나는 지겹다; es ist jm. ~ **nach** et.³ 누가 무엇을 동경하다; es tut mir ~ **um** ihn 〔er tut mir ~〕 나는 그가 불쌍하다; um das Geld tut es mir nicht ~, aber um die Zeit 나는 돈은 아깝지 않지만 시간은 아깝다; es ist jm. ~ **vor** et.³ 〔**für** et.〕 어떤 일이 누구의 마음에 거리낀다.

***Leid** [laɪt] *n.* -(e)s [..dəs, ..ts] ① 슬픔, 괴로움, 고뇌, 불행: jm. sein ~ klagen 누구에게 자신의 걱정〔심정〕을 토로하다; fremdes ~ ist bald vergessen 다른 사람의 불행은 곧 잊혀진다; sie teilten Freud und ~ miteinander 그들은 고락을 함께 했다; 〖속담〗 geteiltes ~ ist halbes ~ 슬픔은 나누면 반감된다. ② 해; 부정, 불의: 〖雅語〗 jm. ein ~(s) (an)tun 누구에게 해를 입히다, 누구를 죽이다; 〖雅語〗 sich³ ein ~(s) (an)tun 자해〔자살〕하다; es soll Ihnen kein〔nichts〕 ~es widerfahren 당신에게는 어떤 피해도 입히지 않겠습니다; keinem zu≈e und keinem zuliebe 공평무사하게. ③ 상(喪); (schweiz.) 상복, 장례식: 〖雅語〗 um jn. ~ tragen 누구의 죽음을 애도하다; Sie sind ins ~ geladen 장례식 (후 식사)에 초대합니다(부고장 공식 문구임).

Leide·form [láɪdə..] 《<leiden》 *f.* 〖문법·고어〗 수동형.

leiden [láɪdən] (litt, gelitten) 《Ⅰ》〖강변화〗 *t.* ① 견디다, 참다: Hunger〔Frost, Not〕 ~ 굶주림을〔추위를, 곤란을〕 견디다; sie hat in ihrem Leben viel ~ müssen 그녀는 한 평생 많은 고난을 겪어야만 했다. ② (손해 따위를) 입다: großen Schaden ~ 큰 손해를 입다; Schiffbruch ~ 난파당하다; Strafe ~ 벌을 받다. ③ 허용〔용납〕하다: das Schießen wird hier nicht gelitten 여기서는 사냥이 허용되지 않는다; es leidet keinen Aufschub 그것은 연기할 수 없다; die Arbeit leidet keine Unterbrechung 작업〔근무〕 중 면회 사절; diese Regel leidet manche Ausnahme 이 규칙에는 예외가 많이 있다. ④ *imp.* 〖구식〗 es leidet ihn hier nicht länger 그는 더 이상 여기에 머물러 있을 수 없다〔머물러 있어서는 안 된다〕. ⑤ ~ können〔mögen〕 좋아하다: ich kann〔mag〕 ihn ~ 나는 저 사람이 좋다; sie können ihn nicht vor Augen ~ 그들은 그를 보는 것조차 싫어한다; ich kann es nicht ~, wenn jemand dazwischenredet 나는 누군가가 말을 가로막는 것을 참을 수 없다; er ist bei uns wohl〔gut〕 gelitten 그는 우리들의 마음에 들었다. 《Ⅱ》〖강변화〗 *i.* (h.) (특히 병으로) 고생하다, 괴로워하다; 해를 입다: er leidet **an** der Gicht 〔am Magen〕 그는 통풍(痛風)〔위장병〕으로 고생한다; an Zwangsvorstellungen ~ 강박 관념에 시달리다; etwas leidet durch〔unter〕 et. 무엇이 무엇으로 해를 입다; Seide leidet **durch** die Sonne 비단은 햇빛을 받으면 변질된다; **unter** jm. ~, (viel) zu ~ haben 누구의 횡포를〔괴롭힘을〕 참아내야 하다; die Menschenrechtler hatten unter diesem Regime viel zu ~ 인권 운동가들은 이 정권 아래서 많은 시달림을 받았다; er leidet **unter** der Einsamkeit 그는 고독으로 괴로워하고 있다; er litt unter ihrer Bosheit 그는 그 여자의 심술궂음에 진절머리가 났다; seine Gesundheit litt stark darunter 그는 그것 때문에 건강을 해쳤다. 《Ⅲ》〖약변화〗〖드물게〗 (leidete, geleidet) ① *i.* (h.) jm. ~ 누구에게 해를 입히다, 괴롭히다. ② **(a)** *t.* jm. et. ~ 누구에게 무슨 일을 싫증나게〔후회하게〕 하다. **(b)** *i.* (s.) 〖사물이 주어〗 jm. leidet etwas 누구에게는 무엇이 마음에 들지 않는다, 고역이 되다; 〖속담〗 was Einem liebet, leidet dem Andern 만인의 마음에 들기는 어렵다.

***Leiden**¹ *n.* -s, - ① 고통, 수난: 〖구어〗 er sieht aus wie das ~ Christi 그는 아파 보인다. ② 고뇌, 비통: „Die ~ des Jungen Werthers" "젊은 베르테르의 고뇌"(괴테의 소설명); ~ ausstehen 괴로움을 참다; die ~ und Freuden des menschlichen Lebens 인생의 고락; zu ~ sind wir geboren 고생하기 위해 우리들은 태어난 것이다. ③ 병, 지병, 고질병: er starb nach schwerem ~ 그는 심한 병고 끝에 죽었다; Ohren〔Magen〕≈ 귓병〔위장병〕; 〖구어〗 (es ist) immer (noch) das alte ~! 똑같은 말을 또 하는군! (듣기 싫은 말을 자꾸 할 때 쓰는 말) (↑ Leier ③); 〖농담〗 ein langes ~ 키만 큰 약골.

Leiden² [láidən] 레이덴(네덜란드의 도시).

leidend *p.a.* ① **(a)** 지병으로 고생하는: er ist schon lange ~ 그는 지병으로 벌써 오랫동안 고생하고 있다; der〔die〕 ≈e a) 고생하는 사람, b) 희생자, 피해자, c) 병자. **(b)** 괴로워하는: ~e Stimme 고통스러운 목소리. ② 수동의: 〖문법〗 ~e Form 수동형.

Leidener [..dənər] *a.* 레이덴시의: 〖전기〗 ~ Flasche 라이덴병(1746 년 레이덴 대학의 뮈셴브루크가 발명한 축전지의 일종).

leiden·frei *a.* 괴로움〔고통〕이 없는; 앓지 않는.

Leidens≈becher *m.* 〖비유〗 고배, 고난. **~bruder** *m.* ↑ ~genosse.

***Leidenschaft** [láɪdənʃaft] 《<Leiden》 *f.* -en

① 격정, 열정, 정열: et. bis zur ~ lieben 무엇을 지극히 사랑하다; et. mit ~ tun 무엇을 정열적으로 하다; ~ für die Musik 음악에 대한 열정. ② 애욕; 욕정; 열광, 열중; 성벽: sinnliche ~ 육욕; der ~ mehr gehorchen als der Stimme der Vernunft 이성의 소리보다도 정욕에 따르다; die ~ des Trunks 주벽; du mußt lernen, deine ~en zu bekämpfen 너는 애써 욕정을 억제하지 않으면 안 된다; seinen ~en freien Lauf lassen 정욕에 빠지다. ③ 격앙, 흥분; 〖비유〗 흥분한 사람: wilde ~ 분격, 광기; du süße, kleine ~, erhole dich! 귀엽고 사랑스런 흥분한 그대여, 정신 좀 차리렴!

***leidenschaftlich** 《I》 *a.* ① 정열적인, 열렬한: er ist ein ~er Verehrer Bismarcks 그는 열렬한 비스마르크 숭배자다. ② 격렬한, 감정적인: ~er Haß 격렬한 증오; eine ~e Diskussion 격렬한 토론. ③ 욕정적〔열정적〕인: eine ~e Liebe 열정적인 사랑. 《II》 *adv.* 정열적으로; 좋아하여: ich esse diese Speise ~ 나는 이 음식을 대단히 좋아한다.

Leidenschaftlichkeit *f.* 열정, 정열; 욕정; 흥분.

leidenschafts·frei *a.* 정에 끌리지 않는, 정욕에 사로잡히지 않는.

leidenschaftslos *a.* 정열이 없는, 냉정한.

Leidenschaftslosigkeit *f.* 냉정, 침착.

leidens≈fähig *a.* 고통을 참을 수 있는. **≈-fähigkeit** *f.* 고통 극복 능력. **~gefährte, ≈genosse** *m.* 고난을 함께 하는 사람, 고락을 같이하는 동지. **≈geschichte** *f.* 수난기, 수난사: 〖기독교〗 ~ Jesu 예수의 수난사. **≈gesicht** *n.* ↑ ~miene. **≈jahr** *n.* 고난〔불행〕의 해, 액년(厄年). **≈kelch** *m.* 〖비유〗 고배, 쓴 잔. **≈miene** *f.* 고통스러운 표정. **≈probe** *f.* 고난의 시련. **≈station** *f.* 수난의 장소: 〖기독교〗 die zwölf ~en 예수가 수난받은 12 장소. **≈stätte** *f.* 고난의 장소; 〖기독교〗 예수 수난의 장소(Golgatha). **≈weg** *m.* 고난의 길; 〖비유〗 세상살이: ihr Leben war ein einziger ~ 그녀의 일생은 둘도 없이 험한 가시밭길이었다; 〖기독교〗 der ~ Christi 예수 고난의 길. **≈woche** *f.* 〖기독교〗 수난주(受難週) (부활절 전의 일주일).

***leider** [láidər] 〖원래 leid 의 비교급〗 《I》 *int.* ~!, (강조하여) ~ Gottes! 유감스럽게도!, 아깝게도! 《II》 *adv.* 슬프게도, 아깝게도, 유감스럽게도: er hat es ~ vergessen 그는 유감스럽게도 그것을 잊어버렸다.

leidgeprüft *a.* 시련을 겪은.

***leidig** [láidıç] 《<leiden》 *a.* ① 싫은, 불쾌한, 귀찮은: eine ~e Angelegenheit 불쾌한 사건. ② 〖고어〗 슬픈. ③ 〖구어〗 익살스러운, 기묘한.

Leid·karte *f.* (schweiz.) 사망 통지; 조문 엽서.

***leidlich** [láitlıç] 《<leiden》 《I》 *a.* 참을 수 있는; 어지간한, 그런 대로 괜찮은: er ist ein ~er Rechner 그는 계산을 어지간히 한다; er ist ~ vermögend 그는 재산이 어느 정도 있다. 《II》 *adv.* 어지간히, 제법, 그럭저럭: es geht mir so ~ 저는 그럭저럭 지내고 있습니다.

Leidlichkeit *f.* 위임.

Leidsal [láitza:l] *n.* -(e)s, -e ↑ Leiden[1].

leidsam [láitza:m] *a.* 〖구식〗 (obd.) 인내력이 강한; 참을 수 있는, 어지간한.

leid≈tragend *a.* 상중(喪中)의; 고통을 겪는: 〖복수〗 die ~en 상중인 사람들, 피해자. **~voll** *a.* 〖드물게〗 슬픈, 비통한. **~werchen** 《<Leid wirken》 *i.* (schweiz.) jm. ~ 누구에게 하소연하다. **~werken** *t.* (schweiz.) jm. et. ~ 누구에게 무슨 일로 해를 입히다. **≈-wesen** *n.* 깊은 슬픔, 유감: zu meinem (großen) ~ (정말) 유감스럽게도.

Leien·decker *m.* 〖고어·방언〗 기와장이.

***Leier** [láıər] 《lat. lyra》 *f.* -n ① 〖악기〗 **(a)** (그리스의) 칠현금: die ~ schlagen 칠현금을 타다, 〖비유〗 시를 짓다. **(b)** ↑ Drehorgel. ② 〖天〗 거문고자리 (악사 Orpheus 의 사후 칠현금이 하늘로 옮겨졌다고 함). ③ 〖구어·비유〗 진부한 이야기: die alte ~ a) 진부한 이야기, b) 관행, 구습, c) 〖방언〗 느린 수레; es ist (immer) die alte ~, es bleibt immer bei seiner ~ a) 항상 똑같은 이야기다, b) 언제나 같은 수법이다, 구태의연하다. ④ 크랭크, (굽은 자루의) 핸들. ⑤ 하프 모양으로 구부러진 것; 〖사냥〗 돼지의 꼬리.

Leierei *f.* -en ↑ Geleier.

Leierer *m.* -s, - 칠현금 탄주자.

leier≈förmig *a.* 칠현금 모양의. **~gang** *m.* 구습, 관행: der alte ~ 구태의연한 관행. **≈-kasten** *m.* 〖악기〗 손풍금. **~kasten·mann** *m.* 〖복수: ..männer〗 (손풍금을 연주하는) 거리의 악사.

leiern [láıərn] 《<Leier》 *i.* (h.)/*t.* ① **(a)** 〖음악〗 칠현금〔손풍금〕을 연주하다; 칠현금에 맞추어 노래하다. **(b)** 〖비유〗 단조롭게 노래〔이야기〕하다: immer dasselbe ~ 언제나 같은 말만 되풀이하다; jm. die Ohren voll ~ 누구에게 귀가 따갑도록 반복해서 말하다. ② 핸들을〔크랭크를〕 돌리다: den Eimer aus dem Brunnen ~ 두레박을 우물에서 감아올리다; 〖구어〗 jm. et.〔Geld〕 aus dem Kreuz ~ 누구에게서 무엇〔돈〕을 등쳐먹다. ③ 〖비유〗 질질 끌며 일하다: 〖속담〗 geleiert ist besser als gefeiert 느리더라도 아예 노는 것보다는 낫다.

Leier≈nase *f.* 〖動〗 박쥐의 일종. **~schwanz** *m.* 〖動〗 금조(琴鳥) (수컷의 꼬리 깃이 칠현금 비슷함; 오스트레일리아산(産)). **~spieler** *m.* 칠현금〔손풍금〕 연주자. **~stück** *n.* 〖구어〗 손풍금의 곡목. **~ton** *m.* 〖음악〗 손풍금의 음조〔곡조〕; 〖비유〗 단조. **~werk** *n.* 철사 제조대(臺).

leifig *a.* (ndd.) 재빠른, 교묘한.

leigen *i./t.* (ndd.) ↑ lügen.

Leig-zug [láık..] *m.* = Leichter Güterzug 경(輕)화물 열차.

Leih≈amt [láı..] *n.*, **~anstalt** *f.* ↑ ~haus. **~arbeiter** *m.* 차용 노동자. **~bank** *f.* 대금(貸金) 취급소, 전당포.

leihbar *a.* 빌릴 수 있는.

Leih≈bibliothek, ~bücherei *f.* ① 대출(貸出) 도서관, 순회 도서관. ② 도서 대여점. **~buch·handlung** *f.* 대본 서점.

Leihe [láıə] *f.* -n ① 〖고어〗 ↑ Lehen. ② 〖法〗 사용 대차(貸借). ③ 〖구어〗 전당포.

leihen [láıən] (lieh, geliehen) 《I》 ① 빌려 주다: jm. Geld ~ 누구에게 돈을 빌려 주다. ② 〖雅語〗 주다, 허락하다: jm. eine hilfreiche Hand ~ 누구에게 도움의 손길을 뻗치다; jm.

seine Stimme ~ 누구를 옹호〔변호〕하다. 《Ⅱ》 *refl.* (sich³) et. ~ 빌리다: sich³ ein Boot ~ 배를 한 척 세내다; ich habe mir von ihm ein Buch geliehen 나는 그에게서 책을 한 권 빌렸다. 《Ⅲ》 **geliehen** *p.a.* ↑ geliehen.

Leiher [láɪər] *m.* -s, - ① 대여자. ② 차용자.

Leih≈geber *m.* 임대인, 차용자. **~haus** *n.* 전당포: et. ins ~ fragen 무엇을 저당잡히다. **~kasse** *f.* ↑ ~haus. **~kauf** 《<Leitkauf》 *m.* ① (구입을 전제로 한) 임대차 계약. ② ↑ Leikauf. **~schein** *m.* ① 전당표. ②〖도서관〗 도서 대출 양식. **~verkehr** *m.*〖도서관〗(공공 도서관 사이의) 서적〔도서〕 교류. **~vertrag** *m.* 대차〔리스〕 계약. **~wagen** *m.* 렌터카. **~weise** *adv.* 임대차의 형식으로: et. ~ nehmen〔erhalten, haben〕 무엇을 빌리다; er überließ〔gab〕 mir das Buch ~ 그는 그 책을 나에게 빌려 주었다.

leijen *i.* (westd.) ↑ liegen.

Leik[1] [laɪk] *n.* -(e)s, -en (배의) 뼈대.

Leik[2] *n.* -(e)s, -e〔드물게〕(obd.) ↑ Liek.

Lei·kauf [láikauf] 《<Leitkauf》 *m.* (bayr.)〖商〗(계약 체결이나 상담 종료 후의) 축배.

Lei·lach [láɪlax] *n.* -(e)s, -e(n) (ndd.) 아마포, 침대 시트.

*__Leim__ [laɪm] 《⊕ Lehm》 *m.* -(e)s, -e ①〖工〗 아교: aus dem ~ gehen a) (아교가 떨어져서) 부서지다, b)〔구어·비유〕(우정·결혼 생활 따위가) 깨지다. ② 새잡이 끈끈이:〔비유〕 jm. auf den ~ gehen〔kriechen〕 a) 누구에게 잡히다, b) 누구에게 속다; jn. auf den ~ locken〔führen〕 누구를 속이다. ③ (westd.) ↑ Lehm.

leim≈artig *a.* 아교질의, 접착성의, 콜로이드의. **~druck** *m.*〔복수: -e〕〖印〗 콜로타이프 (사진을 이용한 제판 인쇄법의 하나).

leimen [láɪmən] 《<Leim》 *t.* ①〖工〗 아교로 접합하다: die Buchrücken ~ 책의 등을 아교로 붙이다; et. an〔auf, unter〕 et. ~ 무엇을 무엇에 붙이다〔접합하다〕; zwei Holzleisten an den Schrank ~ 나무테 두 개를 장롱에 붙이다;〔비유〕 Verse ~ 시를 표절하다. ②〖사냥〗 (새를) 끈끈이로 잡다;〔비유〕(사람을) 붙잡다, (특히 놀이에서) 속이다.

Leimer [láɪmər] *m.* -s, - ① 아교를 칠하는 사람, 아교로 붙이는 사람. ②〖工〗 미장이.

Leim≈farbe *f.* 수성 페인트(아교로 녹인 물감), 템페라. **~grund** *m.* (금을 도금할 때 하는) 아교의 밑칠. **~gut** *n.* 아교의 원료.

leimicht, leimig [láɪmɪç] *a.* 아교질의, 아교 같은; 끈끈한.

Leim≈kocher *m.* ↑ ~sieder ①. **~kraut** *n.*〖植〗 끈끈이주걱. **~küche** *f.* 아교를 끓이는 곳, 아교 제조소. **~leder** *n.* 아교의 원료로 쓰는 가죽 조각. **~pinsel** *m.* 아교 바르는 솔. **~ring** *m.*〖원예〗(해충을 방지하기 위해) 나뭇가지에 띠 모양으로 칠하는 끈끈이. **~roh·stoff** *m.* 아교의 원료. **~rute** *f.* (새를 잡기 위한) 끈끈이 막대;〔비유〕 올가미. **~sieden** *n.* 아교 끓이기〔제조〕. **~sieder** *m.* ①〔구식〕아교를 끓이는 사람, 아교 제조자. ②〔구어·비유〕지루한 사람, 무기력한 사람, 느림뱅이. **~stoff** *m.*〖化〗(식물성) 아교질. **~tiegel, ~topf** *m.* 아교 보관 냄비〔단지〕. **~überzug** *m.* 아교의 겉칠. **~wasser** *n.* 아교액. **~zeichen** *n.* (상처의) 흉터. **~zucker** *m.*〖化〗 아미노아세트산, 글리신. **~zwinge** *f.* 교착용 압착기.

*__Lein__ [laɪn] 《⊕ Leinen》 *m.* -(e)s, -e ①〖植〗 아마: echter ~ 순수한 아마. ② ↑ ~samen. ③〔시어〕 ↑ ~wand.

*__..lein__ 《ahd. ..ilîn》 *suf.* 축소 명사를 만드는 후철로 원래 남독의 어법(보기: Brüder~ 아우) (..chen).

Lein≈acker *m.* 아마 밭. **~bau** *m.* 아마 재배. **~baum** *m.*〔방언〕단풍나무의 일종. **~blatt** *n.* 아마 잎;〖植〗 제비꿀. **~blüte** *f.*〖植〗 아마의 꽃. **~boden** *m.* 아마 재배에 알맞은 땅. **~dotter** *m./n.*〖植〗 실새삼.

*__Leine__ [láɪnə] 《<Lein》 *f.* -n ① 밧줄, 자일: das Boot mit der ~ festmachen 보트를 밧줄로 잡아매다; die ~n loswerfen〖海〗 닻줄을 풀다. ② 아마 노끈, 빨랫줄: eine ~ ziehen〔spannen〕 빨랫줄을 매다;〔경박〕 ~ ziehen 줄행랑치다, 사라지다. ③ (개의) 목줄, 고삐: einen Hund an der ~ führen 개의 목에 줄을 매어 다니다;〔구어〕 jm. die (lange) ~ lassen 누구에게 어느 정도의 자유를 주다;〔구어〕 jn. an der (kurzen) ~ halten〔haben〕, jn. an die ~ legen 누구를 마음대로 부리다, 조종하다, 누구에게 자유를 주지 않다.

leinen [láɪnən] 《<Lein》 *a.* 아마의, 아마로 만든.

Leinen *n.* -s, - ①〖섬유〗 아마포, 리넨. ② 아마 제품. ③〖제본〗 아마 제본, 클로스 장정.

Leinen≈band 《Ⅰ》 *n.*〔복수: ..bänder〕〖工〗 아마로 짠 리본〔띠〕. 《Ⅱ》 *m.*〔복수: ..bände〕〖제본〗 클로스 장정(의 책). **~bindung** *f.* ↑ Leinwandbindung. **~damast** *m.* 아마제의 무늬 비단. **~einband** *m.*〖제본〗 아마 제본, 클로스 장정. **~garn** *n.* 아마실. **~gewebe** *n.* 아마 직물. **~industrie** *f.* 아마 산업. **~kleid** *n.* 아마〔리넨〕복. **~papier** *n.* 리넨지. **~schießer** *m.*〖海〗 고래잡이 작살을 발사하는 포수. **~tuch** *n.* 아마포. **~ware** *f.* 아마 제품. **~waren·handel** *m.* 아마 제품 거래. **~zeug** *n.* ① 아마포. ② 아마 제품(침대 시트·탁상보 따위).

Leine·weber *m.* ↑ Leinweber.

Lein≈feld *n.* 아마 밭. **~fink** *m.*〖動〗 홍방울새. **~kraut** *n.*〖植〗 해란초의 일종. **~kuchen** *m.*〔방언〕 아마인유 찌꺼기(사료의 하나). **~laken** *n.* ↑ Leilach. **~läufer** *m.* ↑ ~zieher. **~mehl** *n.* 아마인유 찌꺼기의 가루. **~öl** *n.* 아마인유. **~pfad** *m.* (강변을 따라서) 배를 끄는 길. **~pflanze** *f.*〖植〗 아마. **~saat** *f.*, **~samen** *m.*〖植〗 아마의 씨, 아마인(仁). **~samen·mehl** *n.* 아마씨 가루(아마유를 짠 찌꺼기). **~seide** *f.*〖植〗 실새삼의 일종. **~straße** *f.* ↑ ~pfad. **~tuch** *n.* 아마포, 침대 시트. *__~wand__ *f.* ① 아마포; (Maler~) 화포(畫布), 캔버스; (Film~) 영사막, 스크린;〔구어〕 영화: die Helden der ~ 은막의 영웅들; einen Roman auf die ~ bringen 소설을 영화화하다;〔구어〕 das〔es〕 ist ~! 그것 참 멋지군, 끝내 주는군! ②〖제본〗 클로스 장정: in ~ gebunden 클로스 장정의.

Leinwand≈band *m.* 클로스 장정(의 책). **~bindig** *a.*〖섬유〗 바둑판 무늬로 짠. **~bindung** *f.*〖섬유〗 평직(平織). **~bleiche** *f.* 아마포 바래는 곳. **~größe** *f.* ↑ ~held. **~handel** *m.* 아마포 거래. **~händler** *m.* 아

마포 상인. **~held** *m.* 〖구어〗 유명 영화 배우. **~kittel** *m.* 아마포의 윗옷. **~laden** *m.* 아마포 상점. **~schirm** *m.* 영사막, 스크린.

Lein≈waren *pl.* 아마포 제품. **~weber** *m.* 아마포 직조공. **~weber·stuhl** *m.* 아마포 직조기. **~zeug** *n.* 아마포. **~zieher** *m.* 강〔운하〕의 연안을 따라 배를 끄는 사람, 예선(曳船) 인부.

Leipzig [láɪptsɪç] 라이프치히(독일 작센주의 도시).

Leipziger [..tsɪgər] 《Ⅰ》 *m.* -s, - 라이프치히 사람. 《Ⅱ》 *a.* 라이프치히의.

Leis [laɪs] 《gr.》 *m.* -(es), -e(n) 중세 독일의 종교적 민요, (“주여 우리를 불쌍히 여기소서” 라는 후렴으로 끝나는) 기도의 노래.

leis *a.* 〖고어〗 ↑ leise.

***leise** [láɪzə] 《⊕ lind》 《Ⅰ》 *a.* ① (↔ laut) 낮은 목소리의, 겨우 알아들을 정도의: mit ~r Stimme 낮은 목소리로; auf ~n Sohlen 발소리를 죽이고; das Radio ~r stellen 라디오의 볼륨을 낮추다. ② (**a**) 지각할 수 없을 정도의, 경미한: ~r Verdacht〔Widerwille〕 가벼운 혐의〔혐오〕; ich habe nicht die ~ste Ahnung 나는 전혀 모른다; schon bei der ~sten Bewegung 조금만 움직여도; nicht im ~sten 조금도 …하지 않다. (**b**) 약한, 부드러운, 그윽한: ~r Regen 이슬비, 가랑비; ein ~r Duft 은은한 향기; eine ~e Berührung 가벼운 접촉. ③ 희미한 소리도 들을 수 있는, 귀가 밝은: ~ Ohren 〔~s Gehör〕 밝은 귀; ~r Horcher 열심히 경청하는 사람; ~r Schlaf 선잠. 《Ⅱ》 *adv.* ① 낮은 목소리로: ~ sprechen 작은 소리로 말하다. ② 희미하게, 가볍게: ~ berühren 살짝 만지다; ~ gerötet 약간 얼굴을 붉히고; ich klopfte ~ an die Tür 나는 가볍게 문을 두드렸다; 〖방언〗 man muß ~ damit umgehen 그것은 주의해서 취급하지 않으면 안 된다. ③ er hört sehr ~ 그는 귀가 밝다, 〖비유〗 그는 소식통이다; ~ schlafen 선잠자다, 잠귀가 밝다.

Leise [láɪzə] *f.* -n ↑ Leis.

Leise·treter *m.* 〖구어·폄어〗 ① 비굴〔비열〕한 사람, 엿듣는 사람. ② 부드러운 창을 댄 구두. **~treterei** *f.* 〖구어·폄어〗 비열한 행위, 엿듣기. **~treterisch** *a.* 비굴한, 아부하는, 소심한.

Leist[1] *m.* -es 〖수의〗 말발굽의 인대에 생긴 종창.

Leist[2] *m.* -es, -e (schweiz.) 클럽, 단체.

Leist[3] *m.* -es, -e (obd.) ↑ Leisten.

Leiste [láɪstə] *f.* -n ① 〖건축〗 머름, 소란, 쇠시리, 살. ② 〖印〗 윤곽선 (장식), 테두리 장식. ③ 〖직조〗 직물의 가장자리〔식서(飾緖)〕. ④ 〖방언〗 경사지, 비탈. ⑤ 〖해부〗 서혜부(鼠蹊部). ⑥ ↑ Leist². ⑦ 〖컴〗 (메뉴·기능 등을 표시하는) 표시줄: Task~ 작업 표시줄.

Leisten [láɪstən] *m.* -s, - 〖工〗 구둣골: Schuhe auf〔über〕 den ~ schlagen 구두를 구둣골에 끼우다; 〖비유〗 alles über einen ~ schlagen 모든 것을 획일적으로〔똑같이〕 취급하다; sie sind sämtlich über einen ~ geschlagen 그들은 모두 똑같다; 〖속담〗 Schuster, bleib bei deinem ~! 쓸데없는 짓〔참견〕을 하지 마라!

***leisten** [láɪstən] 《Ⅰ》 *t.* ① 해내다, 수행하다: Großartiges ~ 훌륭한 일을 해내다; sein möglichstes ~ 최선을 다하다; der Motor leistet 50 PS 이 모터의 성능은 50 마력이다. ② 〖기능 동사로〗 행하다: Arbeit〔Buße, Zahlung〕 ~ 일〔참회, 지급〕하다; Verzicht auf et. ~ 무엇을 포기하다; einen Schwur ~ 맹세하다; eine Unterschrift ~ 서명하다; jm. Gehorsam〔Dienst, Genugtuung, Huldigung, Widerstand〕 ~ 누구에게 복종하다〔봉사하다, 만족을 주다, 경의를 표하다, 반항하다〕; jm. hilfreiche Hand〔Schutz〕 ~ 누구를 원조〔보호〕하다; für jn. Bürgschaft 〔jm. Gewähr〕 ~ 누구를 보증하다; jm. Gesellschaft ~ 누구의 대화 상대를 해주다, 사귀다. ③ 〖방언〗 einen Tag ~ (법원 등에) 출두하다. 《Ⅱ》 *refl.* ① sich³ et. ~ (**a**) 즐기다, 누리다: sich eine Flasche Wein ~ 포도주 한 병을 마시다. (**b**) (뻔뻔스러운 짓을) 행하다: sich Unverschämtheiten ~ 염치없는 짓을 하다. ② sich³ et. ~ können (**a**) 무엇을 살〔누릴〕 만한 경제적 여유가 있다: ich kann mir kein neues Auto ~ 나는 새 자동차를 살 여유가 없다; einen solchen Luxus kann ich mir nicht ~ 나는 그런 사치를 누릴 처지가 못 된다. (**b**) (스스로에게) 허용〔용납〕하다: solchen Fehler kann ich mir nicht ~ 나는 그런 실수는 스스로 용납할 수 없다.

Leisten≈beuge *f.* 〖해부〗 서혜부. **~beule** 《< Leiste》 *f.* 〖醫〗 횡현(橫痃) (가래톳이 서는 성병의 일종). **~bruch** *m.* 〖醫〗 서혜 헤르니아. **~bruch·band** *n.* 〖醫〗 서혜 헤르니아대(帶). **~drüse** *f.* 〖醫〗 서혜선(腺). **~gegend** *f.* 〖醫〗 서혜부. **~hobel** *m.* 〖工〗 장식면 대패. **~-schneider** *m.* 《<Leisten》 구둣골 직공. **~tür** *f.* 〖工〗 소란(장식)문. **~wein** *m.* 산중턱에 재배하는 포도. **~werk** *n.* 〖工〗 쇠시리 (건축물·가구 따위의 돌출부나 가장자리를 깎아서 곡면으로 만든 부분).

***Leistung** [láɪstʊŋ] 《<leisten》 *f.* -en ① 행함, 실행; 〖法〗 지급 이행: ~ in Geld〔Naturalien〕 현금〔현물〕 변제; ~ an Erfüllungs Statt 대위(代位) 변제; die ~ des Wehrdienstes 병역의 이행. ② 해놓은 일, 일의 성과; 성적, 업적: wissenschaftliche ~ 학문적 업적; ~en in der Schule 학업 성적; ~ eines Künstlers 예술가의 작품〔연기〕. ③ (**a**) 〖物〗 (Effekt) 능률, 공정(工程); 〖工〗 성능; 〖전기〗 전력, 동력. (**b**) 작업 능률: nach ~ bezahlt werden 성과급을 받다. ④ (정부나 기업의) 기여금, 출연금.

Leistungs≈abfall *m.* 능률의 감소〔저하〕. **~anstieg** *m.* 능률의 제고〔향상〕. **~bilanz** *f.* 〖經〗 경상 수지. **~druck** *m.* (성과를 내려는) 심리적 압박. **~fähig** *a.* 능력 있는; 성능〔능률〕 좋은; 〖法〗 지급 능력 있는. **~-fähigkeit** *f.* 능력, 수완, 능률; 〖法〗 지급 능력; 〖工〗 (기계의) 성능. **~faktor** *m.* 〖理〗 역률(力率). **~gerecht** *a.* 능력에 합당한: ~e Bezahlung 능력급(給). **~gesellschaft** *f.* 능력〔업적·능률〕주의 사회. **~grenze** *f.* 능력〔능률·성능〕의 한계. **~knick** *m.* (갑작스런) 능률의 감소. **~kontrolle** *f.* ① 성적 검사. ② 〖經〗 능률 검사. **~kraft** *f.* ↑ ~-fähigkeit. **~kurve** *f.* 〖理〗 성적〔능률〕 곡선. **~lohn** *m.* 〖經〗 능력급(給). **~messer** *m.* 〖전기〗 전력계(計), 성능계(計). **~norm** *f.* 성능 표준; 성과 규범. **~orientiert** *a.* 능

력〔성과·실적〕 위주의. **~pflicht** *f.* 지급〔이행〕 의무. **≈pflichtig** *a.* 지급〔이행〕 의무가 있는. **~prämie** *f.* (성과에 따른) 상여금, 포상금. **~prinzip** *n.* 업적〔실적〕주의; 조세 부담 능력의 원칙. **~prüfung** *f.* ① 능력〔성능〕 검사. ② (가축·작물의) 효율 검사. **~schau** *f.* 공진(共進)회, 경진회, 품평회. **~schild** *n.* 〖工〗 (전기 기구 따위의) 성능 표지. **~soll** *n.* 달성 목표; 표준 책임 작업량. **~sport** *m.* (레크리에이션이 아닌) 기록 향상을 위한 스포츠. **~stand** *m.* 능력〔성능〕 수준; 현재 성적. **≈stark** *a.* ↑ ≈fähig. **~steigerung** *f.* 능률〔생산력〕 향상. **~test** *m.* 성능 검사. **~träger** *m.* 〖스포츠〗 팀의 승리에 결정적으로 공헌한 선수, 수훈갑. **~vergleich** *m.* 성능〔능력·능률〕 비교. **~vermögen** *n.* ↑ ~fähigkeit. **~wett·bewerb** *m.* 〖經〗 생산 능력 경쟁; (운동 경기의) 실력 경쟁. **~zentrum** *n.* (우수 선수) 트레이닝 센터, 선수촌. **~zulage** *f.* 특별 상여 수당, 성과급.

Leit≈antrag *m.* 〖政〗 주지 동의〔제안〕. **~artikel** 《<leiten》 *m.* (신문의) 사설, 논설. **~artikel·schreiber, ~artikler** *m.* 논설위원. **~aufsatz** *m.* ↑ ~artikel. **~band** *n.* 〔복수: ..bänder〕 (유아의) 걸음마 배우는 줄.

leitbar *a.* 이끌 수 있는, 부리기 쉬운.

Leite [láɪtə] 《♧ lehnen[1]》 *f.* -n (südd., öst.) 산중턱, 산비탈; 경사지.

Leitbarkeit *f.* ↑ leitbar 의 명사형.

Leit≈begriff *m.* 중심〔주요〕 개념. **~bild** *n.* 모범, 본보기, 이상. **~bündel** *n.* 〖植〗 관다발. **~einrichtung** *f.* 〖교통〗 (차량의 흐름을 유도하는) 도로 설비.

***leiten** [láɪtən] *t.* ① **(a)** 이끌다, 안내하다: jn. zur Personalabteilung ~ 누구를 인사과로 안내하다; sich von Gefühlen ~ lassen 감정에 이끌리다. **(b)** (특정한 길로) 보내다, 유도하다: Wasser durch Rohre ~ 관을 통해 물을 보내다; et. in die Wege ~ 무엇을 체계적으로 준비하다, 무엇에 착수하다; das Gesuch an die zuständige Stelle ~ 청원서를 해당 관청에 보내다. ② 주재〔관리·지배〕하다: eine Fabrik〔Schule〕 ~ 공장을〔학교를〕 경영〔운영〕하다; eine Versammlung ~ 사회를 보다; den Staat ~ 국정을 맡아보다; ein Geschäft 〔den Haushalt〕 ~ 사업을〔가계를〕 관리하다; 〖스포츠〗 ein Spiel ~ 경기의 심판을 보다. ③ 통과시키다, 전도하다: Metall leitet Wärme 금속은 열을 전도한다.

leitend *p.a.* ① 지도적인, 중요한: ~e Kreise 지도〔지배〕 계급; eine ~e Persönlichkeit 장(長), 주도적인 인물, 명사; ein ~er Gedanke (강연·책 따위의) 기본 사상; eine ~e Stellung innehaben 주도적인 위치에 있다. ② 〖物〗 전도성의: ~er Körper 도체.

***Leiter**[1] [láɪtər] *m.* -s, - ① 지도자; 지휘자, 지배자; 교장; 관리자; (대표단의) 단장. ② 〖物〗 전도체. ③ (신문의) 사설.

***Leiter**[2] *f.* -n ① 사(닥)다리: die ~ hinaufsteigen 사다리를 오르다; die ~ an die Wand stellen 사다리를 벽에 세우다; 〖비유〗 die ~ des Erfolgs emporsteigen 승승장구하다. ② (사닥다리 모양의) 건초 마차의 양쪽의 틀. ③ 〖음악〗 음계(Ton≈).

leiter·artig *a.* ↑ ~förmig.

Leiter≈baum 《<Leiter[2]》 *m.* 사(닥)다리의 양쪽 기둥. **~ersteigung** *f.* ① 사(닥)다리 오르기. ② 〖軍〗 성벽을 기어 올라가 성을 점령하기.

Leiterin *f.* -nen ↑ Leiter 의 여성형.

leiter≈förmig *a.* 사(닥)다리 모양의. **≈sprosse** *f.* 사(닥)다리의 가로목〔횡목〕. **≈wagen** *m.* 양쪽에 사다리 모양의 틀이 있는 마차, 건초 마차.

Leit≈faden *m.* 〖그리스신화〗 입구를 연결시키는 끈〔실마리〕: ~ der Ariadne 아리아드네가 이끄는 실〔끈〕, 미궁(迷宮)에서의 길잡이(괴물을 없애기 위해 미궁에 들어간 Theseus 에게 연인 Ariadne 가 길잡이로 준 실꾸러미에서); 〖비유〗 입문서, 교과서. **≈fähig** *a.* 〖物〗 전도성의, 전도력이 있는. **~fähigkeit** *f.* 〖物〗 전도율, 전도력. **~feuer** *n.* ①〖軍〗 (화약의) 도화선. ②〖海〗 (항구의) 유도등. **~fisch** *m.* 〖動〗 동갈방어(Lotsenfisch). **~form** *f.* ①〖생태학〗 (특정 지역에 분포한 식물이나 동물의) 주도적인 품종. ②〖고고〗 표준형(특정 문화에 특징적으로 나타나는 물건(도구·장신구 따위)). **~fossil** *m.* 〖지질〗 (지층 분석의 자료가 되는) 표준 화석.

Leit≈geb [láitge:p], **~geber** 《↑ Leitkauf》 *m.* 〖구식〗 (südd.) 술집 주인. **~gedanke** *m.* 중심 사상. **~gewebe** *n.* 〖植〗 도관 조직(물관과 체관의 총칭). **~hammel** *m.* ① 선도하는 양(목에 방울을 달고 양떼를 이끄는 양). ②〖비유·폄어〗 주모자, 수령, 두목. **~hund** *m.* ① 〖사냥〗 앞에서 인도하는 개, 수색견. ② 맹도견(盲導犬). **~idee** *f.* ↑ ~gedanke. **~kauf** *m.* ↑ Leikauf. **~linie** *f.* ①〖교통〗 (대개 점선으로 된 황색·백색의) 유도 차선. ②〖기하〗 준선(準線). ③ 기본 노선, 원칙. **~motiv** *n.* ① 〖음악〗 주도 악구. ②〖문학〗 주도 동기. ③ 주도 모티프, 중심 사상. **≈motivisch** *a.* 주도 모티프와 관계되는, 주도 동기의. **~planke** *f.* (추락 사고 방지용) 도로변의 방지벽. **~riemen** *m.* 고삐. **~rolle** *f.* 〖工〗 어미 도르래. **~satz** *m.* 기본 원칙. **~schiene** *f.* 〖工〗 (탈선 방지용) 보조 레일; 가드 레일. **~seil** *n.* ↑ ~riemen. **~schnur** *f.* 먹줄; 원칙, 기준. **~spruch** *m.* 선거 구호, 표어, 좌우명. **~stange** *f.* 〖工〗 ① 가이드 바, 안내봉. ② (전차 지붕 위의) 트롤리 폴. **~stelle** *f.* 지휘 본부. **~stern** *m.* 〖天〗 극성(極星); 〖비유〗 인도(引導)하는 별; 목표, 이상. **~strahl** *m.* 〖數〗 동경(動徑); 〖天〗 벡터, 동경(動徑). **~tier** *n.* ①〖사냥〗 앞에서 무리를 인도하는 짐승. ② 〖動〗 가장 높은 서열에 있는 늙은 짐승. **~ton** *m.* 〖음악〗 이끎음, 도음(導音).

***Leitung** [láɪtʊŋ] 《<leiten》 *f.* -en ① **(a)** 지배, 관리: die ~ eines Betriebes übernehmen 〔in die Hand nehmen〕 기업의 경영권을 넘겨받다. **(b)** 지도, 감독: der Junge braucht eine straffe ~ 그 소년은 엄격한 지도가 필요하다; wir standen unter seiner ~ 우리는 그의 감독을〔지도를〕 받고 있었다. **(c)** 간부, 지도부, 중역: ein Gesuch an die ~ richten 지도부에 청원서를 내다. ②〖物〗 전도(傳導); 〖기계〗 전동(傳動); 〖전기〗 송전, 접속선, 도선(導線); 〖工〗 급수; 전화선: die ~ ist tot 〔besetzt〕 전화가 불통이다〔통화 중이다〕; 〖구어〗 gehen sie aus der ~! 전화 끊어 주세요! (통화 중에 제 3 자와 혼선이 생겼을 때 하는 말); 〖구어·농담〗 eine lange ~ haben 이해가 더디다; 〖구어〗 (jetzt) stehst du (aber) auf

der ~? (그래도) 이해하지 못하겠니? ③ (수도·가스 따위의) 도관, 암거(暗渠). ④〔방언〕(하수관 따위의) 출구; (수도의) 꼭지: er wäscht sich an der ~ 그는 수도 꼭지에 대고 몸을 씻고 있다.

leitungs≈bedürftig *a.* 지도를 요하는. **≈draht** *m.*〖工〗도선(導線), 전선: ein Haus mit elektrischen Leitungsdrähten versehen 집에 전선을 끌어들이다. **~fähig** *a.* 지도할 수 있는;〖物〗전도성의. **≈fähigkeit** *f.*〖物〗도전율(導電率), 전도율. **≈gewebe** *n.* ①〖植〗도관(導管) 조직. ②〖醫〗신경 조직. **≈kraft** *f.*〖工〗전도력. **≈mast** *m.* 전신주, 송전탑. **≈netz** *n.* (수도·전기·가스 따위의) 공급망. **≈rohr** *n.*, **≈röhre** *f.*〖工〗(수도·가스 따위의) 파이프, 도관. **≈schnur** *f.* 전(도)선. **≈vermögen** *n.* ↑ ~kraft. **≈widerstand** *m.*〖전기공학〗고유 저항, 전기〔도체〕저항.

Leit≈währung *f.*〖經〗(국제적) 중심〔주도〕화폐. **~werk** *n.* ①〖空〗(비행기의 방향과 고도를 조종하는) 꼬리날개 장치. ② 강 흐름의 방향을 제어하는 댐 시설물의 총칭. ③〖컴〗정보처리 시설의 관리 부분. **~wert** *m.*〖전기〗저항의 역수치. **~wort** *n.* ①〔복수: ..wörter〕주제어, 핵심어. ②〔복수: ..worte〕↑ ~spruch.

***Lektion** [lɛktsió:n] 《lat.》 *f.* -en ① 성경 구절의 봉독(奉讀). ② **(a)**〔구식〕강의, 수업. **(b)** 과제: seine ~ in Deutsch 독일어 과제. ③〔비유〕교훈, 훈계; 질책: derbe ~ 꾸지람; jm. eine ~ erteilen 누구를 훈계하다;〔구어〕der hat seine ~ gelernt! 그 친구 이번 일로 철이 좀 들었을 거야! ④ 교과서의 장(章)〔절(節)〕. ⑤〖승마〗조교(調教) 시험의 과제 부분.

Lektionar [..tsioná:r] *n.* -s, -e/-ien [..riən] ①〖宗〗(예배식에 읽는) 성구집. ② 독서대.

Lektions≈katalog *m.* 강의 목록. **~plan** *m.*, **~tabelle** *f.* 과정표. **~verzeichnis** *n.* ↑ ~katalog.

***Lektor** [lɛ́ktɔr, ..to:r] 《lat.》 *m.* -s, -en [..tó:rən] ① (특히 외국어 담당의) 대학 강사. ② (출판사의) 원고 심사원, 편집인. ③〖기독교〗목사 대신 예배를 인도하는 평신도;〖가톨릭〗미사 때 전례문(典禮文)을 낭독하는 평신도.

Lektorat [lɛktorá:t] *n.* -(e)s, -e ① 대학 강사직. ② 편집부. ③ (원고에 대한) 의견서: ~ über das Vortragsmanuskript 강연 원고에 대한 의견서〔평가서〕.

lektorieren [lɛktorí:rən] *t.* (출판 여부를 결정하기 위해 원고·책 따위를) 심사하다.

Lektorin *f.* -nen ↑ Lektor 의 여성형.

Lektor·stelle *f.* ↑ Lektorat ①.

***Lektüre** [..tý:rə] 《frz.》 *f.* -n ① 독서: schon bei der flüchtigen ~ fällt auf, daß... 얼핏 읽어 보아도 벌써 …가 눈에 띈다. ② 읽을거리, 독서물: das ist keine (passende) ~ für dich 그것은 너에게 적당한 독서물이 아니다. ③ 박식, 다독. ④ (외국어의) 강독.

Lekythos [lé:kytɔs] 《gr.》 *m.* - ..then [..ký:tən] (고대 그리스의) 성유(聖油) 그릇.

Lemma [lɛ́ma] 《gr.》 *n.* -s, -ta 표제어;〖논리〗전제;〖數〗보조 정리;〖문법〗(동사 또는 명사의) 기본형;〔구식〕모토, 요지.

lemmatisieren [lɛmatizí:rən] *t.* (h.) 표제를 붙이다.

Lemming [lɛ́mɪŋ] 《norweg.》 *m.* -s, -e〖動〗(유라시아 북부와 북아메리카에 사는) 두더지, 쥐의 일종.

Lemniskate [lɛmnɪská:tə] *f.* -n〖數〗쌍엽(雙葉) 곡선.

Lemur(e) [lemú:r, lemú:rə] 《lat.》 *m.* ..(e)n, ..(e)n ①〔대개 복수〕〖신화〗밤도깨비; 죽은 사람의 넋, 혼령. ②〖動〗여우원숭이.

lemurenhaft *a.*〔교양〕유령 같은.

Lemuride *m.* -n, -n〖動〗여우원숭잇과(科), 레무르과.

lemurisch *a.* ① 유령에 속한. ②〔교양〕유령 같은.

Lena [lé:na] *f.*〔↑ Magdalene, Helene 의 단축형〕레나(여자 이름).

Lende [lɛ́ndə] *f.* -n ①〔雅語〕허리;〖해부〗요부(腰部): seine ~n gürten (여행갈) 채비를 하다. ②〔시어〕(서혜부·생식기를 포함한) 허리 부분, 요부(腰部); 엉덩이: und Könige sollen aus deinen ~n kommen 그리고 네 후손 가운데서 왕들이 태어나리라(창세기 35:11). ③ (소·돼지의) 허릿살.

Lenden≈blut·ader *f.* 요부(腰部) 정맥. **~-braten** *m.*〖요리〗허릿살구이. **~gegend** *f.* 허리 부위, 요부. **~gicht** *f.*〖醫〗요통. **~-knochen** *m.* 좌골. **≈lahm** *a.* 허리가 펴지지 않는, 허리를 삔;〖醫〗요통의, 허리가 약한;〔비유〕근거가 빈약한: eine ~e Entgegnung〔Entschuldigung〕빈약한 항변〔사죄〕. **~muskel** *m.*〖해부〗허리 근육, 요근(腰筋). **~schmerz** *m.* 요통. **~schurz** *m.* ↑ ~-tuch. **~stück** *n.*〖요리〗허릿살, (소의) 등심. **~tuch** *n.* (열대 지방 사람들의) 허리에 두르는 천. **~weh** *n.*〖醫〗요통. **~wirbel** *m.*, **~wirbel·säule** *f.*〖醫〗요추(腰椎).

..lendig *suf.* "…한 허리의"의 뜻(보기: dick~ 허리가 굵은).

Lene [lé:nə] ↑ Lena.

Leng [lɛŋ] *m.* -(e)s, -e ↑ Lengfisch.

Leng·fisch *m.* 대구속(屬)(대서양 연안에 서식함).

Lenin [lé:ni:n] Nikolai ~ 레닌(러시아 혁명의 지도자, 레닌주의의 창시자, 1870-1924).

Leningrad [..gra:t] 레닌그라드(러시아 제 2 의 도시 상트페트르부르크의 옛 이름).

Leningrader [..gra:dər] *m.* -s, - 레닌그라드 사람.

Leninismus [leninísmus] *m.* - 레닌주의.

Leninist *m.* -en, -en 레닌주의자.

leninistisch *a.* 레닌주의의; 레닌주의적인.

Lenis [lé:nɪs] *f.* ..nes〖음성〗약화된 폐쇄음이나 마찰음.

Lenk·achse [lɛ́ŋk..] *f.*〖철도〗(기관차의) 활동축(滑動軸); 타축(舵軸).

lenkbar *a.* ① 조종〔제어〕할 수 있는: ein ~es Luftschiff 조종이 가능한 비행선. ② 부리기 쉬운, 유순한: ein ~es Kind 말 잘 듣는 아이.

Lenkbarkeit *f.* 조종 가능; 유순.

Lenk·beil *n.* 통장이의 도끼.

***lenken** [lɛ́ŋkən] 《<Lanke; ♧Gelenk》 《I》 *t.* ① **(a)** 조종하다, 몰다: Pferde ~ 말을 부리다; das Schiff ~ 배를 조종하다; den Wagen〔das Auto〕~ 자동차를 몰다;〔스포츠〕den Ball ins Aus ~ 공을 장외로 날려 보내다〔패스하다〕; diese Maschine läßt sich leicht ~ 이 기계는 다루기가 쉽다. **(b)** 유도

하다: Verdacht auf jn. ~ 혐의를 누구에게 돌리다; den Gedanken 〔die Aufmerksamkeit, das Gespräch〕 von et.³ weg ~ 생각을〔주의를, 대화를〕 무엇에서 다른 데로 돌리다; das Gespräch auf ein anderes Thema ~ 대화의 주제를 다른 데로 돌리다. **(c)** 주도하다: den Gang der Verhandlungen ~ 토론의 진행을 주도하다. ② 〔구식〕 향하다, 어떤 방향으로 가다: nach Hause ~ 집으로 향하다. 《Ⅱ》 *refl.* sich ~ 향하다, 돌리다, (길이) 꾸불꾸불하다: der Wanderer lenkt sich heimwärts 나그네는 고향으로 발길을 돌린다.

Lenker *m.* -s, - ① **(a)** 〚雅語〛 지도자, 통솔자: der ~ des Weltalls 신; der ~ des Volkes 민중의 지도자. **(b)** 운전자〔수〕. ② 〚工〛 수직타(舵). ③ 핸들: den ~ loslassen 핸들을 놓다; 〔구어〕 sich³ den goldenen ~ verdienen (상관에게) 비굴하게 아첨하다.

Lenkerin *f.* -nen ↑ Lenker 의 여성형.

Lenk≈rad *n.* (조종) 핸들. **~rad·schaltung** *f.* 〚車〛 (핸들에 부착된) 기어 변속 장치. **~rad·schloß** *n.* 〚車〛 핸들 자물쇠. **~riemen** *pl.* (말의) 고삐.

lenksam *a.* 부리기 쉬운; 유순한.

Lenksamkeit *f.* 유순.

Lenk≈seil *n.* 고삐. **~stange** *f.* 〚기계〛 (기관차의) 연접봉; (자전거나 오토바이의) 핸들.

Lenkung [lέŋkuŋ] *f.* -en ① **(a)** 지도, 지배: Fern≈ 원격 조종; die ~ eines Staates 국가 통치. **(b)** 조종. ② 조종 장치: Servo≈ (자동차의) 파워 핸들 장치; Vorderrad≈ 앞바퀴 조종 장치.

Lenk·waffe *f.* 유도 무기, 미사일.

lentando [lεntándo] 《it.》 *adv.* 〚음악〛 점점 느리게.

Lentando *n.* -s, -s 점점 느려지는 박자〔속도〕.

lento [lέnto] 《it.》 *adv.* 〚음악〛 느리게.

***Lenz** [lεnts] *m.* -es, -e ① 〔구식·시어〕 봄, 양춘(陽春): der ~ des Lebens 청춘. ② 〔복수〕 〚雅語〛 나이, 연령: sie zählt zwanzig ~e 그녀는 방년 20세다; er mit seinen 17 ~en 그가 17세가 되어서. ③ 〔구어〕 삶: (sich³) einen schönen〔faulen〕 ~ machen 느긋하게〔게으름부리며〕 살다〔일하다〕; einen schönen 〔faulen, ruhigen〕 ~ haben〔schieben〕 삶을 편안히 살다.

lenz *a.* 〚海〛 (ndd.) 물을 다 퍼낸, 빈, 마른: er ist ~ 그는 (돈이) 한 푼도 없다.

lenzen[1] [lέntsən] *i.* (h.) 〚海〛 ① 비우다, 제거하다; 뱃바닥에서 펌프로 물을 품어내다. ② 폭풍우 때문에 돛을 내리고〔줄이고〕 달리다.

lenzen[2] 《<Lenz》 *i.* (h.) 봄 기운이 돌다: es lenzt 봄이 되다.

Lenz·freuden *pl.* 봄의 행락.

Lenzing [lέntsɪŋ] 〔고어〕 *m.* -s, -e ↑ Lenzmonat.

lenzlich 〔고어〕 *a.* 봄의, 봄과 같은.

Lenz≈monat, ~mond *m.* 〔구식〕 3월(März에 대한 독일어명). **~pumpe** 《<lenzen[1]》 *f.* 〚海〛 (배 밑바닥에 괸 물을 품어내는) 빌지 펌프. **~tag** *m.* 〔시어〕 봄날.

Leo [lé:o] 《lat.》 *m.* 〔↑ Leonhard 및 Leopold 의 단축형〕 레오(남자 이름).

Leonberger [lé:ɔnbεrgər] *m.* -s, - (Leonberg 도시명에서) 레온베르크개(불도그 종류의 집 지키는 개).

Leonhard [lé:ɔnhart] 《„der Löwenstärke" 의 뜻》 *m.* 레온하르트(남자 이름).

Leoniden [leoní:dən] *pl.* 〚天〛 사자자리의 유성군(流星群).

leoninisch [leoní:nɪʃ] *a.* ① 12세기의 시인 Leo(nius)의: ~e Verse 레오니우스의 시행. ② 사자 같은; 〔비유〕 일방적인: 〚法〛 ~er Vertrag 불공평한 계약.

leonisch [leó:nɪʃ] 《sp.》 *a.* 금실〔은실〕로 섞어 짠(에스파냐의 도시 레온(Leon)의 이름에서).

Leonore [leonó:rə] 《gr., „die Erbarmende"》 *f.* 〔↑ Eleonore 의 단축형〕 레오노레(여자 이름).

Leopard [leopárt] 《gr.》 *m.* -en, -en 〚動〛 표범.

Leopạrden≈fell *n.* 표범의 털가죽. **~weibchen** *n.* 암표범.

Leopold [lé:opɔlt] *m.* 레오폴트(남자 이름).

Lepidopteren [lepidɔpté:rən] 《gr.》 *pl.* 〚動〛 인시류(鱗翅類), 나비목(目).

Leporello [leporέlo] *n.* -s, -, **Leporello·album** *n.* 병풍 모양으로 접은 사진첩〔그림책〕(오페라 "돈 조반니"에서 돈 조반니의 애인의 명단을 적은 긴 종이에서).

Lepra [lé:pra] 《gr.》 *f.* 〚병리〛 한센병(病), 나병, 문둥병.

Leprom [lepró:m] *n.* 〚병리〛 -s, -e (한센병의 증상으로 나타나는) 피부 밑의 결절(結節).

lepros [lepró:s], **leprös** [leprǿ:s] *a.* 〚醫〛 한센병의, 나병의.

Leprọse* *der/die* 나병〔한센병〕 환자.

Leprosorium [leprozó:rium] *n.* -s, ..rien [..riən] 〚醫〛 ① 나병〔한센병〕 환자 병원. ② 나병〔한센병〕 환자촌〔수용소〕.

Lepta [lεptá] *pl.* ↑ Lepton.

lepto.. *pref.* "좁은·엷은·작은"의 뜻.

Lepton[1] [lεptɔ́n] *n.* -s, ..ta ① 렙톤(그리스의 동전 1/100 Drachme). ② 렙톤(고대 그리스의 무게 단위(10 mg)).

Leptọn[2] *n.* -s, -en 〚핵물리〛 미립자.

leptosom [lεptozó:m] 《gr.》 *a.* 〚醫·心〛 가냘픈, 호리호리한: ~er Körperbau 호리호리한 체격.

Leptosọme* *der/die* 호리호리한 사람.

leptozephal [..tsefá:l] *a.* 〚인류〛 머리가 긴.

Leptozephạle* *der/die* ↑ Dolichozephale.

Leptozephalie [..tsefalí:] *f.* -n [..lí:ən] 〚인류〛 (비정상적으로) 머리가 길.

***Lerche** [lέrçə] *f.* -n ① 〚動〛 종달새: die ~ trillert 종달새가 지저귄다. ② 〔비유〕 eine ~ schießen 발이 걸려 넘어지다, (말 따위가) 별안간 옆으로 쓰러지다.

Lẹrchen≈falke *m.* 〚動〛 새호리기. **~fang** *m.* 종달새잡기. **~garn** *n.* 종달새 잡는 그물. **~gesang** *m.* 종달새의 지저귐. **~herd** *m.* 〚사냥〛 종달새 잡는 어리를 놓은 곳. **~netz** *n.* ↑ ~garn. **~pfeife** *f.* 〚사냥〛 종달새를 꾀는 피리. **~sporn** *m.* 〚植〛 현호색(玄胡索)의 일종. **~streichen** *n.*, **~strich** *m.* ① 종달새의 날기〔이동〕. ② 종달새를 그물로 잡기.

lẹrnbar *a.* 배울 수 있는.

Lẹrn≈begier(de) *f.* 지식욕, 향학열. **≈-begierig** *a.* 열심히 배우는, 향학열에 불타는. **~behindert** *a.* 〚교육〛 학습 능력이 박약한: ein ~es Kind 학습 지체아. **~behinderte***

der/die 〖교육〗 학습 지체자. **~eifer** *m.* ↑ ~begierde. **~eifrig** *a.* ↑ ~begierig.

***lernen** [lέrnən] 《I》 *t.* ① 배우다, 습득하다: Französisch ~ 프랑스어를 배우다; et. auswendig ~ 무엇을 암기하다; lesen〔kochen〕 ~ 읽기〔요리〕를 배우다; Auto fahren ~ 자동차 운전을 배우다; Klavier spielen ~ 피아노 치는 법을 배우다; et. von jm. 〔aus Büchern, durch die Erfahrung〕 ~ 무엇을 누구에게서 〔책에서, 경험을 통해서〕 배우다; das lernt sich leicht 그것은 배우기 쉽다; 〖목적어 없이〗 nicht für die Schule, sondern für das Leben ~ wir 학교를 위해서가 아니라 인생을 위해서 우리들은 배운다. ② (시간이 감에 따라) …하게 되다, 익히다, 익숙해지다: Manieren ~ 예의 범절을 익히다; jn. lieben ~ 누구를 좋아하게 되다; jn.〔et.〕 kennen~ 누구를〔무엇을〕 사귀게〔알게〕 되다; ich habe warten〔verzichten〕 gelernt 나는 기다리는 〔포기하는〕 법을 배웠다, 나는 기다리는〔포기하는〕 데 익숙해졌다; wir haben gelernt, mit unserm Geschick zufrieden zu sein 우리는 운명에 만족할 줄 알게 되었다. ③ 〖구어〗 jn. et. tun ~ 누구에게 무엇을 가르치다: ich habe ihn schreiben gelernt 내가 그에게 쓰는 법을 가르쳤다. 《Ⅱ》 *i.* (h.) 직업 교육을 받다: er hat bei einem Buchbinder gelernt 그는 제본공에게서 일을 배웠다; ein gelernter Arbeiter 도제 수업을 마친 노동자.

Lernende* *der/die* 수습생, 도제; 〖구어〗 신출내기.

lern≈fähig *a.* 학습 능력이 있는. **≈fleiß** *m.* 면학〔향학〕열. **~lust** *f.* ↑ ~begier. **≈mittel** *n.* 교재. **≈mittel·freiheit** *f.* 학습 용구 무상 지급. **≈programm** *n.* 학습용〔자습용〕 프로그램. **≈prozeß** *m.* 〖교육〗 학습 과정. **≈schritt** *m.* 〖교육〗 학습 프로그램의 최소 단위. **≈schwester** *f.* 수습 간호사. **≈stoff** *m.* 학습 자료〔물〕. **≈zeit** *f.* ① (도제(徒弟)의) 연한, 수습 기간. ② 연구 기간. **≈ziel** *n.* 〖교육〗 학습 목적.

Les·art 《<lesen》 *f.* ① 〖문학〗 이본(異本). ② 읽기, 해석, 설명.

lesbar [lé:sba:*r*] *a.* ① 읽을〔판독할〕 수 있는. ② 읽을 가치가 있는.

Lesbarkeit *f.* ↑ lesbar 의 명사형.

Lesbe [lέsbə] *f.* -n 〖속어〗 여성 동성 연애자.

Lesbierin [lέsbiərɪn] *f.* -nen ① 여성 동성 연애자, 레즈비언. ② 레스보스섬 여자.

lesbisch [lέsbɪʃ] *a.* ① (그리스의) 레스보스섬의. ② (여성간) 동성애의: ~e Liebe 여성끼리의 동성애.

Lese [lé:zə] *f.* -n ① (과실·꽃의) 채집; (포도의) 수확. ② 〖雅語〗 (문학 작품의) 정선, 선집.

Lese≈abend *m.* (문학 작품) 낭독의 밤. **~automat** *m.* ↑ ~gerät. **~bibliothek** *f.* 대출 도서관. **~blindheit** *f.* 〖醫〗 독서 불능증. **~brille** *f.* 독서용 안경. **~buch** *n.* 독본. **~drama** *n.* 독서용 희곡, 레제드라마(상연보다는 읽기에 적당한 희곡). **~ecke** *f.* 독서하기에 알맞은 실내의 구석 자리. **~fibel** *f.* 독서 입문(서). **~freund** *m.* 독서가. **~frucht** *f.* 독서로 얻은 지식; 〖복수〗 발췌 구절, 명문선(名文選). **~gerät** *n.* ①〖工〗 마이크로필름 판독기〔영사기〕. ②〖컴〗 문자 해독기. **~-geschwindigkeit** *f.* ① 독서 속도. ② (자동) 문자 인식 속도. **~gesellschaft** *f.* 독서회. **~halle** *f.* 열람실, 독서실. **~hunger** *m.* 독서열, 독서 욕구. **~kabinett** *n.* ↑ ~halle. **~kränzchen** *n.* ↑ ~gesellschaft. **~kreis** *m.* 독서 모임〔서클〕. **~lampe** *f.* 독서용 전등. **~lupe** *f.* 독서용 확대경. **~lust** *f.* 독서욕. **≈-lustig** *a.* 독서를 좋아하는.

lesen [lé:zən] (las, gelesen) 《I》 *t.* ① 주워 모으다; 가려내다: Ähren ~ 이삭을 줍다; Trauben ~ 포도를 수확하다; den Acker ~ 밭에서 잔돌을 가려내다. ② 읽다, 판독하다; 〖비유〗 읽고 알다; 눈치 채다: ein Buch ~ 책을 읽다; Goethe ~ 괴테의 작품을 읽다; die Messe ~ 미사드리다; Noten ~ 악보를 보다; et. in〔aus〕 et.³ ~ 무엇에서 무엇을 눈치〔알아〕채다, 알다: in seinen Augen war Angst zu ~ 그의 눈에서 불안감을 알아챌 수 있었다; Gedanken ~ 의도를 알아채다; eine Gesetzesvorlage ~ 법안을 심의하다; Korrektur ~ 교정을 보다. ③ ein Kind in den Schlaf ~ 책을 읽어서 아이를 재우다. ④〖컴〗 (기억 장치에서) 데이터〔자료〕를 불러오다. 《Ⅱ》 *i.* (h.) ① 읽다, 낭독하다: er liest heute aus eigenen Werken 그는 오늘 자신의 작품을 낭독한다; **in** den Sternen ~ 별로 점치다; in einem Buch ~ 책을 읽다; **zwischen** den Zeilen ~ 글의 숨은 뜻을 알아내다. ② 강의하다: er liest an der Universität Wien 그는 빈 대학에서 강의한다; (über) deutsche Literatur ~ 독일 문학을 강의하다. 《Ⅲ》 *refl.* sich ~ ①〖결과를 표시하는 말과 함께〗 sich müde ~ 읽어서 지치다. ② 읽히다: das Buch liest sich leicht 이 책은 읽기 쉽다. ③〖사람이 주어〗 (부피 있는 작품을) 끝까지 읽다: ich habe mich durch Thomas Manns „Zauberberg" gelesen 나는 토마스 만의 "마의 산"을 통독했다. 《Ⅳ》 **gelesen** *p.a.* ↑ gelesen.

Lesen *n.* -s ① 주워 모음, 채집. ② 읽기, 독서; 낭독. ③ 강의하기.

lesens≈wert, ~würdig *a.* 읽을 가치가 있는.

Lese≈probe *f.* ① (신간의) 광고용 발췌본. ② 〖연극〗 어레인지(대본 검토 및 배역을 위한 공동 작업). **~publikum** *n.* (세간의) 독자, 독서 대중. **~pult** *n.* ① 독서대. ②〖宗〗 독경대. ③ 강의 탁자.

***Leser** [lé:zə*r*] *m.* -s, - ① 채집자. ② 독자; 구독자. ③〖컴〗 판독 장치.

Lese·ratte *f.* 〖구어·농담〗 독서광, 책벌레.

Leser·brief *m.* 독자의 편지, 독자 편지란.

Lese-Recht·schreib-Schwäche *f.* 〖心·醫〗 읽고 쓰기 장애(Legasthenie).

Leserei [le:zərάɪ] *f.* -en 남독(濫讀).

Leserin *f.* -nen ↑ Leser 의 여성형.

Leser·kreis *m.* 독자층, 독서 대중: er hat einen weiten ~ 그의 작품은 널리 읽혀지고 있다.

leserlich *a.* (필적이) 읽기 쉬운.

Leserlichkeit *f.* 읽기 쉬움.

leser≈nah *a.* 독자 위주의. **≈publikum** *n.* ↑ Lesepublikum.

Leserschaft *f.* -en 독자층, 독서계.

Leser≈stimme *f.* 독자의 의견. **~umfrage** *f.* 구독자 설문 조사.

Leser·wunsch *m.* 독자 희망 사항.

Lese≈saal *m.* ① ↑ ~halle. ② 강당. **~stoff**

m. 읽을거리. **~stück** *n.* 읽을 거리, (짧은) 강독 텍스트. **~stunde** *f.* 읽기 (수업) 시간. **~sucht** *f.* 독서벽. **~übung** *f.* 읽기 연습. **~unterricht** *m.* 읽기 수업. **~welt** *f.* ↑ ~kreis. **~wut** *f.* 독서열. **~zeichen** *n.* ①〖문법·고어〗 구두점. ②(읽을 페이지에 끼워 놓는) 서표(書標). **~zeit** *f.* ①수확기. ②독서 시간. **~zimmer** *n.* ↑ ~halle. **~zirkel** *m.* ↑ ~gesellschaft.

Lesother [lezóːtər] *m.* -s, - 레소토의 주민.

lesothisch [lezóːtiʃ] *a.* 레소토의.

Lesotho [lezóːto] 레소토(아프리카의 국가).

Lessing [lɛ́sɪŋ] *m.* Gotthold Ephraim ~ 레싱(독일의 극작가·비평가·사상가, 1729-81).

***Lesung** [léːzʊŋ] *f.* -en ①낭독(회). ②(미사나 예배에서의) 성경 봉독(奉讀), 봉독 구절. ③(의회의) 독회(讀會): der Gesetzentwurf wurde in dritter ~ verabschiedet 법률안은 제 3 독회를 통과했다. ④이본(異本) (Lesart).

letal [letáːl] 《lat.》 *a.* 〖醫〗 치사량의, 치명적인.

Letal·dosis *f.* 치사량.

Lethargie [letargíː] 《gr. lethargia》 *f.* 〖醫〗 기면(嗜眠)(병); 〔비유〕냉담, 무관심; 권태, 무감각.

lethargisch [letárgɪʃ] *a.* ①무기력한, 무관심한. ②〖醫〗 기면병의.

Lethe [léːtəː] *f.* ①〖그리스신화〗 레테강(저승 세계로 통하는 망각의 강). ②망각: ~ trinken 잊어버리다.

Letkiss [lɛ́tkɪs] *m.* -s, -s (60년대 말에 유행한) 일종의 민속춤.

letschert [léːtʃərt] *a.* (bayr., öst.) ①느슨한, 지친, 생기 없는: ich bin heute so ~ 나는 오늘 아주 기운이 없다. ②김빠진, 지루한: der Abend war ~ 저녁 시간은 지루했다.

Lette [lɛ́tə] *m.* -n, -n 라트비아 사람〔주민〕.

Letten [lɛ́tən] *m.* -s, - 도토(陶土), (모래 섞인) 찰흙.

letten≈artig *a.* 도토질(陶土質)의, 도토 같은. **~boden** *m.* 도토 토양.

Letter [lɛ́tər] 《frz. lettre》 *f.* -n 문자, 자모(子母); 〖印〗 활자.

Lettern≈druck *m.* 〖印〗 활자 인쇄. **~gieß-maschine** *f.* 활자 주조기. **~gut** *n.* ↑ ~metall. **~holz** *n.* 남아메리카산(産)의 단단한 나무(조각·가구에 쓰임). **~metall** *n.* 활자용 지금(地金).

Lette·verein [lɛ́tə..] *m.* 레테 협회(여성 직업 교육 진흥을 위해 1865년 W. Lette가 창립).

lettiicht, lettig [lɛ́tɪç] *a.* ↑ lettenartig.

Lettin *f.* -nen ↑ Lette의 여성형.

lettisch *a.* 라트비아 사람의: ~e Sprache 라트비아어.

Lettische* *das* 라트비아어.

Lettland [lɛ́tlant] 라트비아(발트해 연안에 위치함).

Lettner [lɛ́tnər] *m.* -s, - ①강론대(講論臺). ②〖건축〗 (교회당의) 후면 칸막이.

letz [lɛts] *a.* (südd., schweiz.) 왼쪽의, 왼손잡이의; 왜곡된, 뒤바뀐, 틀린.

Letze [lɛ́tsə] *f.* -n 〔구식〕①국경의 방어. ②이별; 송별연; 송별사(辭); 송별 음식; 송별 선물: zur ~ 이별을 기념하여; zu guter ~ (지금은 와전되어 Letzt) 최후로, 결국; auf die Letze 결국. ③부상(Verletzung).

letzen [lɛ́tsən] 《I》 *t.* ①〔고어〕 상하게 하다. ②(음식으로) 원기를 돋우다, 기쁘게 하다. 《II》 *refl.* sich an et.[3] ~ 무엇으로 원기를 돋우다, 무엇을 즐기다〔먹고 마시다〕; sich mit Freunden ~ 친구들과 송별연을 갖다.

***letzt** [lɛtst] 《I》 *a.* ①〔시간적〕 최후의: der ≃e des Monats 그믐날; 〖宗〗 das ≃e〔Jüngste〕 Gericht 최후의 심판; 〖宗〗 die ≃e Ölung 병자 성사(病者聖事); sein ~er Wille 유지(遺志), 유서; seine ~en Worte 유언; 〔비유〕der ~e Schlaf 죽음; 〔비유〕die ~e Reise antreten 죽다; in den ~en Zügen liegen 빈사 상태에 있다; jm. die ~e Ehre erweisen〔jn. zur ~en Ruhe betten〕 누구의 장례식에 참석하다; ~en Endes 결국; die ~e Hand an et. legen 무엇을 마무르다, 완성하다; er ging als ≃er durchs Ziel 그가 마지막으로 결승점을 통과했다; den ≃en beißen die Hunde 마지막 사람이 늘 손해를 본다(마지막 사람이 먼저 나간 사람들의 술값을 낸다는 뜻에서). ②최근의, (바로) 요전의: die ~en Nachrichten 최신 뉴스; in der ~en Zeit 최근에; ~en Sonntags 지난 일요일에. ③〔공간적〕 최종의: die ~e Zeile 마지막 행; das ~e Haus der Straße 거리의 맨 끝 집. ④마지막 남은: den ~en Rest trinken 마지막 남은 돈까지 털어 술을 마시다; 〔구어·농담〕der Letzte (der) Mohikaner (J. F. Cooper의 소설 명칭에서) 최후의 모히칸족, 최후까지 남은 사람〔것〕. ⑤최하급의: die ~e Abteilung 최하부; die ~e Klasse 최하급; er ist in seiner Klasse der ≃e 그는 반에서 꼴찌다; 〔학생〕 das ist wirklich das ≃e, was läuft 그것이야말로 최악(의 상황)이다, 뻔뻔스럽기 짝이 없는 일이다, 있을 수 없는 일이다; 〔학생〕das ist das ~e Auto 그것은 형편 없는 똥차다; das ist der ≃e, dem ich trauen möchte 나는 그를 전혀 신뢰하지 않는다. ⑥최고의; 가장 훌륭한: 〔비유〕 die ~e Stufe der Leiter a) 사닥다리의 마지막 단계, b) 어떤 일의 마지막 관문, c) 승진의 최고 단계; den ~en Trumpf ausspielen 최후의〔가장 으뜸되는〕 카드를 내놓다, 〔비유〕 최후의 수단을 강구하다; mit ~er Kraft 있는 힘을 다해서; jn. zum ≃en treiben 누구를 극단적인 상황으로 몰다; er gäbe das ≃e hin 그는 목숨조차도 기꺼이 내어놓을 거야; zum ≃en greifen 최후의 수단에 호소하다; sein ≃es hergeben 가진 것을 모두 내놓다; die Truppen gaben ihr ≃es her 부대는 죽을 힘을 다해 싸웠다; bis aufs ~e 모조리, 완전히; bis ins ~e 소상히, 상세하게; bis zum ~en 철저히, 끝까지. 《II》 *adv.* ①최후로, 마침내. ②최근에.

Letzt·bietende* *der/die* 최종〔최고〕 입찰자.

Letzt(e) *f.* auf die ~ 마침내, 필경; zu guter ~ 최후로, 마침내, 결국(↑ Letze).

letzten·mal *adv.* zum〔beim〕 ~ 마지막으로; 요전에.

letztens *adv.* ①최근에, 요전에: ~ habe ich seinen Roman gelesen 최근에 나는 그의 소설을 읽었다. ②〔다른 서수와 결합하여〕 마지막으로, 끝으로: viertens und ~ habe ich sie gesehen 네 번째이자 마지막으로 나는 그녀를 보았다.

***letzter** *a.* (전자에 대해서) 후자의: ~er〔~e, ~es〕, der〔die, das〕 ~e 후자; im ~en Fall 후

자의 경우에는; ich ziehe ~es vor 나는 후자를 선호한다.

lętzt≈erwähnt, ~genannt *a.* 방금 말한(거론한). **≈Letzt·genannte*** *der/die* 방금 거론된 사람. **~händig** *a.* 죽기 직전에 손수 만든. **~hin** [(또는) lɛtsthín] *adv.* ① 최근에, 얼마 전에. ② 결국, 궁극적으로는. **~jährig** *a.* 작년의. **≈lebende*** *der/die* 마지막 생존자, 잔존자.

letztlich [lɛ́tstlıç] *adv.* ① 결국, 마침내, 궁극적으로. ②〔구식〕최후의, 끝으로. ③ 최근의.

Lętz(t)ling *m.* -s, -e 최후의 사람.

lętzt≈malig *a.* 최후의, 마지막의. **~mals** *adv.* 최후에. **~möglich** *a.* 최종적으로 가능한. **≈verbraucher** *m.* 〖商〗 최종 소비자. **≈verbraucher·preis** *m.* 〖商〗 최종 소비자 가격. **≈verstorbene*** *der/die* 최후〔최근〕에 죽은 사람. **≈verteiler** *m.* 〖商〗 소매상. **~willig** *a.* 유언의; 유언에 따라서.

Leu[1] [lɔʏ] *m.* -en, -en ①〔시어〕사자;〔비유〕용맹한 사람. ② (ndd.) (임시 고용의) 노동자.

Leu[2] [lé:u] *m.* -, Lei [lé:i] 레우(루마니아의 화폐 단위; 1 레우＝100 바니).

Leucht≈bake *f.* 〖海〗 항로 표지등. **~bakterie** *f.* 발광균. **~boje** *f.* 〖海〗 등(부)표(燈(浮)標). **~bombe** *f.* 〖軍〗 조명탄. **~dichte** *f.* 〖理〗 휘도(輝度).

Leuchte [lɔ́ʏçtə] *f.* -n ① 빛, 발광체, 등불; 〖軍〗 신호불; 〖海〗 등(부)표(燈(浮)標); 〖植〗 blaue ~ 물망초. ② 권위자, 전문가: eine ~ der Wissenschaft 학계의 권위자.

***leuchten** [lɔ́ʏçtən] *i.* (h.) ① 빛나다, 빛을 발하다: die Lampen ~ 등불이 빛난다;〔비유〕das Glück leuchtete aus ihren Augen 그 여자의 눈에 기뻐하는 빛이 역력했다;〔비유〕das leuchtet in die Augen 그것은 명백하다. ② die Blitze ~ 〔der Himmel leuchtet〕 번갯불이 번쩍인다. ③〔사람이 주어인 경우〕jm. ~ 누구에게 불빛을 비추다, 누구의 길을 비추다: er leuchtete dem Einbrecher ins Gesicht 그는 도둑의 얼굴에 등불을 비추었다; darf ich Ihnen ~? 등불을 가지고 길을 안내해 드릴까요?; jm.〔jn.〕nach Hause ~ a) 불을 비추어 누구를 집까지 바래다 주다, b)〔비유〕누구를 쫓아 보내다, 퇴짜 놓다.

Leuchten *n.* -s 발광(發光), 광휘, (해상의) 인광(燐光): ein ~ ging über ihr Gesicht 어떤 빛이 그녀의 얼굴을 스치고 지나갔다.

***leuchtend** *p.a.* 빛나는, 반짝이는: ~es Beispiel 명확한 예증(例證).

***Leuchter** [lɔ́ʏçtər] *m.* -s, - 촛대, 샹들리에.

Leuchter≈arm *m.* 촛대〔샹들리에〕의 가닥. **~einsatz** *m.* (촛대의) 양초받이. **~knecht** *m.* 촛대 받침. **~säule** *f.*, **~tisch** *m.*, **~träger** *m.* 촛대. **~tülle** *f.* ↑ ~einsatz.

Leucht≈fackel *f.* 횃불. **~farbe** *f.* 발광 도료. **~feuer** *n.* 〖軍〗 표지등, 신호불; 〖海〗 등(부)표(燈(浮)標). **~gas** *n.* 〔고어〕(석탄으로 만든) 도시 가스; 〖軍〗 조명용 가스. **~geschoß** *n.*, **~granate** *f.* 조명탄. **~käfer** *m.* 〖動〗 개똥벌레. **~kraft** *f.* 〖物〗 광도, 조도; 〖工〗 발광력. **~kugel** *f.* 발광탄, 조명탄. **~öl** *n.* 등유, (램프용) 석유. **~pilz** *m.* 〖植〗 발광균(菌). **~pistole** *f.* 〖軍〗 조명 신호용 권총. **~rakete** *f.* 〖軍〗 신호용 로켓. **~röhre** *f.* 형광〔네온〕등. **~schiff** *n.* 등대선. **~schirm** *m.* 〖化〗 휘막(輝幕); 형광판; (브라운관 따위의) 영상막. **~schrift** *f.* (광고용) 네온사인. **~signal** *n.* 발광〔조명〕 신호. **~spur** *f.* 예광탄도. **~spur·geschoß** *n.* 예광탄. **~stoff** *m.* 발광 물질. **~stoff·lampe** *f.* 발광체 램프(형광 램프 따위). **~tiere** *pl.* 〖動〗 발광 동물. **~tonne** *f.* ↑ ~boje. **~turm** *m.* 〖海〗 등대. **~turm·wächter** *m.* 등대지기. **~wurm** *m.* ↑ ~käfer. **~zeichen** *n.* 신호등. **~ziffer** *f.* (시계 따위의) 야광 숫자. **~ziffer·blatt** *n.* (계기 따위의) 야광 문자판.

***leugnen** [lɔ́ʏgnən, lɔ́ʏk..] *t.* 부정〔부인·취소〕하다: das Dasein Gottes ~ 신의 존재를 부정하다; es ist nicht zu ~, daß... …임은 부정할 수 없다.

Leugner [lɔ́ʏgnər] *m.* -s, - 부정〔부인·취소〕하는 사람.

Leugnung *f.* -en 부정, 부인, 취소.

leuk.. 《gr.》 *pref.* "흰, 밝은, 무색의, 순수한"의 뜻.

Leukämie [lɔʏkɛmí:] 《gr.》 *f.* -n [..mí:ən] 〖醫〗 (출혈성) 백혈병.

leukämisch [lɔʏkɛ́:mıʃ] *a.* 〖醫〗 ① 백혈병의. ② 백혈병을 앓고 있는.

leukoderm [lɔʏkodɛ́rm] *a.* 〖醫〗 (피부의) 색소가 부족한.

Leukoderma [lɔʏkodɛ́rma] *n.* -s, ..men 〖醫〗 백반병(白斑病).

Leukom [..kó:m] *n.* -s, -e 〖醫〗 각막 백반.

Leukopathie [lɔʏkopatí:] *f.* -n [..tí:ən] ↑ Leukoderma.

Leukopenie [..pení:] *f.* 〖醫〗 백혈구 감소증.

Leukoplast[1] [..plást] *m.* -en, -en 〖植〗 백색체, 무색체, 녹말(형성)체.

Leukoplạst[2] *n.* -s 반창고의 상표명.

Leukor·rhö(e) [lɔʏkɔrǿ:] *f.* 〖醫〗 백대하(白帶下).

leukorrhöisch *a.* 〖醫〗 백대하에 속하는.

Leukotomie [lɔ́ʏkotomí:] *f.* -n 〖醫〗 백질(白質) 절단(술).

Leukozyt [..kotsý:t] *m.* -en, -en 〖醫〗 백혈구.

Leukozythämie *f.* 백혈병.

Leukozytose *f.* 백혈구 증가증.

Leumund [lɔ́ʏmʊnt] *m.* -(e)s [..dəs, ..ts] 평판(Ruf): er hat einen guten ~ 그는 평판이 좋다; böser ~ 험담, 비방.

Leumunds≈erforschung *f.* 품행 조사. **~zeugnis** *n.* 〖法〗 품행 증명서.

Leuna [lɔ́ʏna] 로이나(잘레 강변의 도시).

Leut [lɔʏt] *n.* -s, -e ① 민족, 종족. ② (개별적인) 사람: sie ist ein gutes ~ 그 여자는 착한 사람이다.

Leutchen [lɔ́ʏtçən] *pl.* 〔↑ Leute의 축소형〕 사람들: ihr ~!, liebe ~!, die guten ~! 여러분!

***Leute** [lɔ́ʏtə] *pl.* ① 사람들, 세상 사람들; 사회: kleine ~ 보통 사람들; aber liebe ~! 자, 여러분!; die ~ sagen's 그것은 세간의 평판이다; um der ~ willen 세상을 위하여; in aller ~ Munde sein 〔in der ~ Mäuler sein〕 많은 사람들의 입에 오르내리고 있다; er ist unter den ~n gewesen 그는 세상 물정을 알고 있다; et. unter die ~ bringen a) 무엇을

유통시키다, b) 세상에 퍼뜨리다, 공개하다; unter die ~ kommen 널리 알려지다. ② 어른, (특정의) 사람들: 〖속담〗 Kleider machen ~ 옷이 날개다; aus Kindern werden ~ 아이가 자라서 어른이 된다; wir sind geschiedene ~ 우리는 인연을 끊었다〔끊은 사이다〕; es sind ~ bei ihm 그의 집에는 손님들이 와 있다; für solch ein Unternehmen braucht man fähige ~ 그러한 기업에는 유능한 직원이 필요하다. ③ 〖소유 대명사와 함께〗 (누구의) 친척, 친족; 직원, 종업원; 부하, 동지, 동료; 〖軍〗 병졸: er kennt seine ~ 그는 종업원〔부하〕들의 마음을 잘 알고 있다. ④ 국민, 주민: Land und ~ 나라와 국민.

Leute≈betrüger *m.* 사기꾼. **~placker, ~plager, ~scherer** *m.* ↑ ~schinder. **~-scheu** *a.* 수줍어하는, 교제를 싫어하는. **~schinder** *m.* 폭군, 압제자; 고리 대금업자; 악덕 고용주; 〖軍〗 사병 학대자.

Leutiode [lɔytió:də] *f.* 발광 다이오드.

*__Leutnant__ [lɔ́ʏtnant] 《frz., lieutenant》 *m.* -s, -s/(드물게) -e 소위; 최하급 장교: 〖고어〗 ~ des Königs 총독; ~ zur See 해군 소위.

Leutnants≈rang *m.* 소위 계급. **~uniform** *f.* 소위의 제복.

Leut≈priester *m.* 〖가톨릭·옛뜻〗 평신도 신부〔사제〕. * **~selig** *a.* 붙임성 있는, 상냥한, 공손한. **~seligkeit** *f.* 상냥, 겸손.

Leu·wagen 《<leiten》 *m.* (ndd.) ① 〖海〗 청소용 솔. ② 〖海〗 (돛의 방향 전환에 사용되는) 넓고 둥그런 손잡이.

Leuzit [lɔytsí:t] *m.* -s, -e 〖광물〗 백류석(白榴石).

Levade [levá:də] *f.* -n 〖승마〗 뒷다리로 서서 앞다리를 들어올리는 승마 기법.

Levante [levántə] 《it.》 *f.* ① 레반테(지중해 동부 지방, 특히 터키). ② 레반테(소아시아·시리아·이집트의 해안 지방).

Levantine [levantí:nə] *f.* (레반테 지방에서 생산되는) 레반테 능직 견포(絹布).

Levantiner [..nər] 《Ⅰ》 *m.* -s, - (특히 부친이 유럽인인) 레반테 주민〔사람〕. 《Ⅱ》 *a.* 레반테 지방의: ~ Taler 마리아 테레사 은화.

levantinisch, levantisch *a.* 레반테 지방의.

Levée [ləvé:] 《<frz. lever》 *f.* -s ① 모집, 징병. ② 반란, 폭동. ③ 〖카드〗 상대방을 지게 하는 패를 집어내기.

Level [lɛvl] *m.* -s, -s 〖교양〗 수준, 차원.

Lever [ləvé:] *n.* -s, -s (군주의) 아침 접견.

Leverkusen [lé:vərku:zən] 레버쿠젠(라인강 하류의 도시).

Leverkusener *m.* -s, -e 레버쿠젠시의 시민.

Levi [lé:vi:] 《hebr.》 *m.* 〖聖〗 레위(야곱의 셋째 아들, 레위족의 조상).

Leviathan [leviá:tan] 《hebr.》 *m.* -s, -e ① 〖聖〗 거대한 바다 괴물(욥기 3: 8). ② 거대한 뱀〔악어〕. ③ 양모(羊毛) 세탁기.

Levirat [levirá:t], **Levirats·ehe** [levirá:ts..] 《lat. levir》 *f.* 과부와 그 시형제(媤兄弟)와의 결혼(유대의 관습).

Levit [..ví:t] 《hebr.》 *m.* -en, -en ① 레위족(이스라엘 부족의 일파). ② 유대교의 사제, 사제 보조. ③ 〖가톨릭〗 부(副)사제: 〖비유〗 jm. die ~en lesen 누구를 꾸짖다.

Levitation [levitatsió:n] *f.* -en ① 〖心〗 (꿈속에서의) 공중 부양(浮揚) 체험. ② 초능력으로 물건을 공중으로 들어올림.

Levite [..ví:tə] *m.* -n, -n 〖가톨릭〗 부제(副祭), 부사제.

Levitikus [leví:tikus] *m.* - 〖聖〗 레위기(記) (모세 제 3경).

levitisch *a.* 레위족〔레위기〕의.

Levkoie [lɛfkɔ́ʏə], **Levkoje** [..kó:jə] 《gr., „Weißveilchen"》 *f.* -n 〖植〗 스톡(지중해에서 중앙 아시아에 걸쳐 자생).

Lew [lɛf] *m.* -(s), Lewa 레프(불가리아의 화폐 단위; 1 레프=100 스토틴키; 약어: Lw).

Lex [ləks] 《lat.》 *f.* Leges [lé:ges] 법률(안)).

lexigraphisch [lɛksigrá:fɪʃ] 《<gr. lêxis, „Wort"》 *a.* ↑ lexikographisch.

Lexik [lɛ́ksɪk] *f.* 〖언어〗 (한 언어의) 총어휘.

lexikal(isch) [lɛksiká:l(ɪʃ)] *a.* ① 사전의, 사전적인: ~er Beleg 사전상의 예문〔증거〕. ② 〖언어〗 어휘상의.

lexikalisieren [lɛksikalizí:rən] *t.* 〖언어〗 어휘화〔어휘소(素)화〕하다.

Lexikograph [lɛksikográ:f] *m.* -en, -en 사전 편찬자.

Lexikographie [..grafí:] *f.* 사전 편찬(법).

lexikographisch *a.* 사전 편찬법에 관한; 사전 같은.

Lexikologe [lɛksikoló:gə] *m.* -n, -n 사전 편찬 분야의 학자.

Lexikologie [..logí:] *f.* 사전학, 사전 편찬법.

lexikologisch *a.* 사전 편찬법상〔사전학상〕의.

*__Lexikon__ [lɛ́ksikɔn] *n.* -s, ..ka/..ken ① 백과사전; 전문 용어 사전: 〖구어·농담〗 ein wandelndes〔lebendes〕 ~ 걸어다니는〔살아 있는〕 사전. ② 〖구식〗 어휘 사전. ③ 〖언어〗 사전의 어휘 전체; 어휘 목록.

Lexikon≈format *n.* 사전판(判). **~oktav** *n.* 사전판(25×30 cm) (약어: Les. 8°).

lexisch *a.* 〖언어〗 어휘상의.

Lezithin [letsití:n] 《gr.》 *n.* -s 〖化〗 레시틴.

Lezithin·präparate *pl.* 레시틴 제제(신경 강장제).

lfd =laufend 현행의, 유통하고 있는.

lfr =Luxemburger Franc 룩셈부르크 프랑(화폐 단위).

LG =Landgericht 지방 법원.

L'hombre [lɔ̃:bər] 《frz.》 *n.* -(s) ↑ Lomber.

Li =Lithium 리튬(알카리성 금속 원소).

Liaison [liɛzɔ̃:] 《frz.》 *f.* -s ① 결합, 협력, 합치: eine ~ eingehen (연애) 관계를 맺다; eine ~ zweier Firmen 두 회사의 합병〔협력〕. ② 정사(情事): er hat eine ~ mit der Baronin 그는 남작 부인과 내연 관계다. ③ 〖언어〗 연음(連音), 리에종.

Liane [liá:nə] *f.* -n 열대 지방의 덩굴 식물.

Lias [lí:as] *m.* - 〔*f.*〕 〖지질〗 리아스, 흑(黑)쥐라계(系) (쥐라계의 최하층).

Lias·formation *f.* 리아스층(層), 흑쥐라층.

liassisch *a.* 흑쥐라계의.

Libanese [libané:zə] *m.* -n, -n 레바논의 주민.

libanesisch *a.* 레바논의.

Libanon [lí:banɔn] *m.* -(s) ① 레바논(공화국). ② 레바논 산맥.

Libation [libatsió:n] *f.* -en ① 헌작(獻爵) (술을 마시거나 땅 위에 부어 신에 제사 지내던 고

대 로마의 의식). ②〔비유〕 주연(酒宴).
Libell [libέl] 《lat.》 *n.* -s, -e ① 소책자, 단문. ② (고대 로마의) 고소장. ③〔교양〕 비방문.
Libelle [libέlə] *f.* -n ①〖工〗 수준기(水準器). ②〖動〗 잠자리. ③ 여성용 머리핀.
Libellen·waage *f.* 수준기(水準器).
libellieren [libεlí:rən] *t.* ①〖法〗 비방하다; 소원(訴願)하다. ② 수준기로 측정하(여 수평으로 하)다.
Libellist [libεlíst] *m.* -en, -en 비방문의 필자.
*__liberal__ [liberá:l, libə..] 《<lat.》 *a.* ① 자유로운, 자유주의(정당)의; 진보적인. ② 편견 없는, 관용적인; 온건한, 극단적이지 않은.
Liberale* *der/die* 자유당원.
liberalisieren [liberalizí:rən] *t.* 자유주의적으로 하다; 관대하게 취급하다; (상업상·경제상의) 통제를 철폐하다, 자유화하다.
Liberalisierung *f.* 자유화.
*__Liberalismus__ [..lísmus] *m.* - 자유주의.
Liberalist [libəralíst] *m.* -en, -en 자유주의자.
liberalistisch *a.* 자유주의의, 자유주의적인.
Liberalität [..litέ:t] *f.* 자유주의적 성향〔태도〕, 관용, 온건.
Liberalium Artium Magister [liberá:lium ártsium magístər] *m.* (중세의) 자유 학예 수사(학자의 칭호).
Liberation [liberatsió:n] *f.* -en 〔구식〕 해방, 구제; 면제.
Liberia [libé:ria] 라이베리아.
Liberianer [liberiá:nər] *m.* 라이베리아 주민.
liberianisch *a.* 라이베리아의.
Liberier [libé:riər] *m.* -s ↑ Liberianer.
liberieren 《lat.》 *t.* 해방하다; 면제하다.
Libero [lí:bəro] *m.* -s, -s〖축구·구어〗 리베로 (공격형 수비수).
Libertas [libέrtas] *f.* ① 자유. ②〖로마신화〗 자유의 여신.
Libertät *f.* 자유, 특권.
Liberté, Egalité, Fraternité [libεrté, egalité, fratεrnité] 《frz.》 자유, 평등, 박애 (프랑스 혁명의 구호).
Libertin [libεrtέ̃:] 《frz.》 *m.* -s, -s ①〔고어〕 자유 사상가, 무신론자. ② 방탕아.
Libertinage [libεrtiná:ʒə] *f.* -n 〔교양〕 방탕, 방종.
Libertiner [..tí:nər] *m.* -s, - ① (종교 개혁 시대의) 자유파의 사람. ②〔복수〕〖聖〗 해방된 노예. ③ ↑ Libertin.
Libidinist [libidiníst] *m.* -en, -en 방탕자, 호색한(漢).
libidinös [..nǿ:s] *a.*〖心〗 리비도의, 성욕의.
*__Libido__ [libí:do:, lí:bido] *f.*〖醫·心〗 ① 성욕, 성충동. ② 리비도, 본능적 에너지.
Libration [libratsió:n] 《lat.》 *f.* -en 칭동(秤動) (달이 진동하는 현상).
Librettist [librεtíst] 《it.》 *m.* -en, -en〖음악〗 가극 각본 작가.
Libretto [librέto] *n.* -s, -s/..tti〖음악〗 (오페라, 뮤지컬의) 가극 각본.
Libussa [libúsa, líbuʃa] *f.*〖신화〗 리부사(프라하를 건설한 여신).
Libyen [lí:byən] 리비아(북아프리카의 국가).
Libyer [lí:byər] *m.* -s, - 리비아인.
libysch [..byʃ] *a.* 리비아(사람)의.
Lic. = Lizentiat (특히 중세의) 석사 학위 소지자.
licet [lí:tsεt] 《lat.》 〔교양〕 허용되어 있음(es ist erlaubt).
*__..lich__ *suf.* 형용사·부사를 만드는 후철; "성질, 소유, 유래, 관계, 구비, 반복, 수단, 경향, 가능성" 등의 의미를 가짐(보기: männlich, kaiserlich).
Lichen [lí:çe:n] 《lat.》 *m.* -s ①〖植〗 지의류(地衣類). ②〖醫〗 태선(苔癬), 심마진(蕁麻疹).
Lichenologe [liçenoló:gə] *m.* -n, -n 지의류학자.
Lichenologie [liçenologí:] *f.*〖植〗 지의류학.
*__Licht__ [lıçt] *n.* -(e)s, -er ① 빛, 밝기, 광명, 광채; 조명, 전등; 낮: ~ und Schatten 빛과 그늘, 명암; ~ machen 불을 켜다; das ~ ist an 불이 켜져 있다;〖聖〗 ich bin das ~ der Welt 나는 세상의 빛이다. ②〔비유〕 das Ewige ~〖가톨릭〗 영명등, 성체등; 영원한 빛, 신; Kinder des ~s 천사; das ~ der Erkenntnis 예리한 인식력, 명찰(明察); das ~ der Welt erblicken 세상에 태어나다; das ~ scheuen 빛을 두려워하다, 남의 눈을 꺼리다; ~ in et. bringen 무엇을 밝히다〔해명하다〕; jm. ein ~ aufstecken 누구에게 진상을 해명하다, 누구를 꾸짖다; sein ~ leuchten lassen 자기의 재능을 발휘하다; grünes ~ geben 허락〔허가〕하다; in Korea gingen damals die ~er aus 그 당시 한국의 사정은 암울했다; ein falsches ~ auf et. werfen 무엇을 왜곡하다; mir geht ein ~ auf, warum... 나는 갑자기 …의 이유를 깨닫게 된다; das wirft viel ~ auf die Sache 그것으로 이 일이 매우 분명〔확실〕해진다; wo viel ~ ist, da ist viel Schatten 빛이 강하면 그늘 또한 짙다. ③ **ans** ~ bringen 〔fördern, holen, zerren, ziehen〕 a) 공개〔발표〕하다, b) (책을) 발행하다; ans ~ treten a) 세상에 나오다, 사람에게 알려지다, 나타나다, b) (책이) 발행되다; ans ~ ziehen 드러내다, 폭로〔적발〕하다; **bei** ~ a) 대낮에, b) 불빛 아래서, c) 상세히; bei ~ betrachtet 〔besehen〕 a) 밝은 데서 보면, b) 상세히 관찰〔고찰〕하면; et. **gegen** das ~ fotografieren 무엇을 역광으로 촬영하다; et. gegen das ~ halten 무엇을 빛에 비추어 보다; jn. **hinters** ~ führen 누구를 기만하다, 속이다; **im** guten〔günstigen〕 ~ erscheinen 좋은 컨디션으로 (사람 앞에) 나타나다, 좋은 인상을 주다; et. in einem milderen ~ sehen 무엇을 낙관하다; im ~ unserer Erfahrungen 우리 경험에 비추어; et. ins rechte ~ rücken〔setzen, stellen〕 무엇을 올바로 해석하다; jm. im ~ stehen 누구의 시야를 가리다, 누구를 방해하다; sich³ selbst im ~ stehen 불이익을 스스로 자초하다; et. in ein falsches ~ stellen 무엇을 왜곡하다, 오해하게 하다; et. in ungünstigem ~ darstellen 무엇을 좋지 않게 말하다; alles in rosigem ~ sehen 만사를 낙관하다;〔고어〕 **unter** ~s 해질 무렵에; **zwischen** ~ und Dunkel 황혼시에. ④ 발광체; 별: die ~er am Himmel 하늘의 별; das neue 〔volle〕 ~ 초승달〔보름달〕; das große und das kleine ~ 해와 달; er ist kein großes ~

그는 대단한 인재가 아니다. ⑤〔복수: -e〕양초(Kerze): das ~ brennt 촛불이 타고 있다; das ~ anzünden〔auslöschen〕촛불을 켜다〔끄다〕; Rauchen und offenes ~ verboten 흡연 및 성냥불〔촛불〕금지(주유소의 금연 표지판); 〖비유〗 sein ~ nicht unter den Scheffel stellen 등불을 켜서 말 아래 두지 않는다(마태 5:13), 〖비유〗 자신의 지식〔능력〕을 감추지 않다. ⑥〖畫〗 가장 밝은 부분. ⑦〖海〗 제등(提燈): ~er führen (선박의) 위치 표시등을 알(고 있)다. ⑧〖사냥〗 짐승의 눈. ⑨〖사냥〗 복부 동맥. ⑩〖방언〗(alem.) 창. ⑪ 시력. ⑫〖구어〗(특히 berl.) (축 늘어진) 콧물: er zieht ~e 그는 콧물을 흘리고 있다. ⑬〖구어〗(가정용) 전기: wir zahlen für ~ im Monat 50 Mark 우리는 매달 전기료로 50 마르크를 낸다.

***licht**[1] [lɪçt] *a.* ① 밝은, 빛나는, 번쩍이는: das ~e Kleinod 찬연한 보석; der ~e Morgen 맑게 갠 아침; 〖비유〗~e Begriffe 명백한 개념; einen ~en Augenblick haben 잠시 제 정신이 들다; am ~en Tag 대낮〔백주〕에; es wird schon ~ 벌써 날이 밝는다. ② (색이) 엷은, 연한: ~es Blau 연한 청색; ~e Haare 엷은 갈색의 머리털. ③ 투명한, 빤히 들여다보이는; 트인; 촘촘하지 않은: ~e Maschen eines Netzes 성긴 그물눈; ~e Stelle im Wald 숲속의 탁 트인 곳; ~e Wälder 소림(疎林); einen Wald ~ machen 간벌(間伐)하다; die Reihen der alten Kameraden wurden ~er 옛 동료들이 하나하나 세상을 떠났다; sein Haar ist schon ~ 그의 머리는 이미 듬성듬성하다; der Edelstein ist ~ gefaßt 보석이 투명하게 (반지에) 박혀 있다. ④〖건축〗내측(內測)의: ~e Weite〔Höhe〕 벽에서 벽〔바닥에서 천정〕까지의 거리; ~er Durchmesser 원의 안지름; im ∼en 안치수로.

licht[2] *a.* (ndd., alem.) ↑ leicht.

Licht≈ableser *m.* 〖구어〗 전기 검침원. **~anlage** *f.* 조명 설비. **~arbeit** *f.* 야간 작업, 밤일. **∼arm** *a.* 빛이 잘 들지 않는. **~bad** *n.* 광선욕(浴), 일광욕. **~behandlung** *f.* 광선 치료. **∼beständig** *a.* 빛〔광선〕의 영향을 받지 않는. **~beugung** *f.* 〖物〗 (빛의) 굴절. **~bild** *n.* ① 신분 증명용 사진. ②〖고어〗사진. ③ 슬라이드. **~bilder·vortrag** *m.* 슬라이드(를 사용하는) 강의. **∼bildlich** *a.* 사진(용)의. **~bildner** *m.* 사진사. **~bildnerei** *f.* 사진술. **∼blau** *a.* 엷은 청색의, 담청색의. **~blick** *m.* 섬광; 구름 사이를 새어 나오는 빛; 기쁨의 순간. **∼blond** *a.* 밝은 금발의. **~bogen** *m.* 아크, 전호(電弧). **∼braun** *a.* 엷은 갈색의. **∼brechend** *a.* 〖理〗 빛을 굴절시키는. **~brechung** *f.* 〖物〗 빛의 굴절.

Lichtchen *n.* -s, -/Lichterchen 〖↑ Licht 의 축소형〗 작은 초; 미광(微光).

Licht≈computer *m.* 광(光)컴퓨터(레이저 빔을 매체로 하여 정보 처리를 하는 컴퓨터). **~dämpfer** *m.* 소등기(消燈器). **~docht** *m.* 초〔등〕의 심지. **~druck** *m.* ① 콜로타이프 (젤라틴을 판면(版面)으로 하는 사진 인쇄법). ②〖기술〗 광압(光壓). **∼durchflutet** *a.* 〖雅語〗 빛으로 가득한. **∼durchlässig** *a.* 광선을 투과시키는, 투명한.

Lichte [lɪ́çtə] *f.* 내경(內徑), 내폭(內幅).

licht≈echt *a.* 햇빛을 쪼여도 퇴색되지 않는: ~e Gardinen 빛에 변색하지 않는 커튼. **∼echtheit** *f.* 일광에 퇴색되지 않음. **∼effekt** *m.* 〖物〗 빛의 작용; 〖畫〗 빛의 효과. **∼eindruck** *m.* 빛의 인상. **∼einfall** *m.* 광선의 입사(入射), 빛이 샘. **~elektrisch** *a.* 광전자의: ~e Zelle 광전지; ~er Effekt 광전효과. **~empfindlich** *a.* 감광성의, 빛에 민감한. **∼empfindung** *f.* 감광 작용.

***lichten**[1] [lɪ́çtən] 《I》 *t.* 트이게 하다, 밝게〔성기게〕하다: einen Baum ~ 나무의 소용 없는 나뭇가지를 잘라 내다; den Wald ~ 숲을 간벌(間伐)하다; die Reihen der Soldaten wurden stark gelichtet 군인들의 수가 현저히 감소했다. 《II》 *refl.* sich ~ 트이게〔성기게〕 되다: sein Haar hat sich gelichtet 그의 머리털이 듬성듬성해졌다.

lichten[2] *t.* 〖海〗 ① den Anker ~ a) 닻을 올리다, b) (배가) 출발하다, 항구를 떠나다. ② ein Schiff ~ (속도를 높이기 위해) 뱃짐을 가볍게 하다, 뱃짐을 부리다.

Lichten·hain [lɪ́çtənhaɪn] 리히텐하인: ~er Bier 리히텐하인산(産) 맥주.

Lichten·stein [lɪ́çtənʃtaɪn] 리히텐슈타인 (성) (Württemberg 의 성).

Lichter [lɪ́çtər] 《<lichten²》 *m.* -s, - 〖海〗 ↑ Leichter.

Lichter·baum *m.* 크리스마스 트리.

Lichter·boot *n.* ↑ Leichter ①.

Lichterchen *pl.* ↑ Lichtchen.

Lichter·fabrik *f.* 양초(제조) 공장.

Lichter·fahrzeug *n.* ↑ Lichter.

Lichter·fest *n.* ①〖유대교〗 등명제(燈明祭). ②〖민속〗 크리스마스.

Lichter·geld *n.* 나룻배의 삯.

Lichter≈glanz *m.* 촛불의 광휘. * **∼loh** *a.* 활활 타오르는.

Lichter·lohn *m.* ↑ ~geld.

Lichter·meer *n.* (대도시 야경의) 불빛의 바다.

Lichter·schiff *n.* ↑ Leichter ①.

lichtern [lɪ́çtərn] *t.* 〖海〗 ↑ leichtern.

Licht≈erscheinung *f.* 발광 현상; 빛의 현상. **∼erzeugend** *a.* 발광성의. **~feind** *m.* 빛을 싫어하는 사람; 〖비유〗 비개화론자. **~filter** *m.* 여광기(濾光器). **~form** *f.* 양초 제조용 주형〔틀〕. **~freund** *m.* 〖비유〗 계몽주의자, 개화론자. **~fuchs** *m.* 엷은 갈색의 말. **~gaden** *m.* 〖건축〗 바실리카식 건축의 상부의 벽, 채광층(採光層). **∼gebend** *a.* 빛나는, 빛을 발하는. **∼gelb** *a.* 엷은 황색의, 담황색의. **~geschwindigkeit** *f.* 〖理〗 빛의 속도. **~gestalt** *f.* 빛나는 자태; 천사; 〖天〗 월상(月相). **~gießer** *m.* 양초 제조인. **~glanz** *m.* 광채, 광휘. **∼grau** *a.* 엷은 회색의, 담회색의. **∼grün** *a.* 엷은 초록색의, 담녹색의. **∼hell** *a.* 아주 밝은. **~hof** *m.* ①〖건축〗 채광을 위한(유리 지붕의) 안뜰. ②〖사진〗 헐레이션(사진에서 광선을 세게 받은 부분). ③〖天〗 달〔햇〕무리. **∼hof·frei** *a.* 〖사진〗 헐레이션 방지의. **~holz** *n.* (성장에 많은 빛을 필요로 하는) 양수(陽樹). **~hupe** *f.* (자동차의) 전조등. **~hütchen** *n.* 소등기(消燈器). **~intensität** *f.* 광도. **~jahr** *n.* 〖天〗 광년. **~kegel** *m.* 〖物〗 원뿔 모양의 빛. **~knecht** *m.* 촛대. **∼körper** *m.* 발광체. **~kreis** *m.* 광관(光冠); 광륜(光輪), 후광(後光). **~kupfer·druck** *m.* 〖印〗 사진 동판 인쇄. **~lehre** *f.* 〖物〗 광

학.

Lichtlein *n.* -s, - ↑ Licht 의 축소형.

Licht≈leitung *f.* 〔구어〕 전등선(電燈線). **~loch** *n.*〖건축〗현월창(弦月窓).

lichtlos *a.* 빛이 없는, 어두운.

Licht≈malerei *f.* 〔고어〕 컬러 사진술. **~mangel** *m.* 빛의 결핍〔부족〕. **~mann** *m.* 〔구어〕 전기 검침원. **~maschine** *f.*〖車〗발전기. **~maß** *n.* 내부의 (안)치수. **~mast** *m.* 전봇대, 가로등 전주. **~meer** *n.* 빛의 바다, 충일한 빛. **~messe** *f.*〖가톨릭〗〔관사 없이 쓰임〕성촉절(聖燭節). **~messer** *m.*〖物〗광도계(光度計). **~meß·kunst, ~messung** *f.*〖物〗광도 측정법. **~motte** *f.*〖動〗이화명나방 무리. **~mühle** *f.*〖物〗복사계(輻射計), 라디오미터. **~nelke** *f.*〖植〗동자꽃속, 전추라속. **~orgel** *f.* 디스코텍의 조명 장치. **~-papier** *n.* 감광지(感光紙). **~pause** *f.* 감광, 청사진. **~paus·verfahren** *n.*〖사진〗감광 복사법. **~punkt** *m.* 광점, 광원. **~putze, ~putz·schere** *f.* 초의 심지를 자르는 가위. **~quant(um)** *n.*〖物〗광양자(光量子), 광자(光子). **~quelle** *f.* 광원(光源). **~reflex** *m.* 반사광. **~regie** *f.* 조명 연출. **~reich** *n.* 광선이 비치는 영역, 빛의 나라. **~reklame** *f.* 네온 사인〔전광〕광고. **~satz** *m.*〖印〗사진 식자(植字), 사식(寫植). **~schacht** *m.* ①〖광산〗① 채광구(採光口); 채광갱;〖건축〗(지하실 앞문 앞의) 채광호(壕). ② (리플렉스 카메라의) 광갱형 파인더. **~schalter** *m.* (전등) 스위치. **~schein** *m.* 빛, 광휘. **~schere** *f.* ↑ ~putzschere. **≈scheu** *a.* ①〖醫〗빛에 지나치게 민감한. ②〖生〗빛을 싫어하는. ③〔대개 폄어〕사람〔남의 눈〕을 꺼리는. **~schimmer** *m.* 희미한 빛, 미광. **~schirm** *m.* 남포갓, 빛을 가리는 물건, 차양. **~schnuppe** *f.* 타다 남은 초 심지. **~schranke** *f.* (속도 측정이나 경보기 따위에 사용되는) 광전자 센서. **~schutz·faktor** *m.* (자외선 차단 화장품 따위의) 태양 광선 차단 계수. **~seite** *f.* 밝은 쪽; 훌륭한 면, 장점. **~signal** *n.* 광선 신호. **~sinn** *m.* 광각(光覺). **~spiel** *n.* ①〔구식〕영화. ②〔복수〕~e 영화관. **~spiel-haus, ~spiel·theater** *n.* 영화관. **~stärke** *f.*〖物〗광도(光度). **~stock** *m.* ① 초. ② 촛대. **~stoff** *m.* 발광 재료. **~strahl** *m.* 광선. **~strahlen·brechung** *f.* 광선의 굴절. **~-strahlen·messer** *m.*〖사진〗광량계. **~-strom** *m.*〖物〗광속(光束), 광류(光流). **~-stumpf** *m.* 타다 남은 양초. **~technik** *f.* 광(光)공학. **≈technisch** *a.* 광공학의. **~-telefonie** *f.* 광선 전화. **~telephonie** *f.* ↑ ~telefonie. **~therapie** *f.* 광선 요법. **≈-trunken** *a.* 빛에 취한.

Lichtung [líçtuŋ] 《< lichten[1]》 *f.* -en ① 밝게〔엷게〕하기. ② 간벌(間伐); 숲 속의 빈터. ③〖軍〗병력의 감소. ④〖醫〗(내장 기관의) 관강(管腔).

Licht≈verhältnis *n.* (건물의) 채광 여건〔환경〕. **≈voll** *a.* ① 환한, 밝은, 빛나는. ② 전도가 유망한. **~weihe** *f.* ↑ ~messe. **~weite** *f.*〖건축〗공지(空地). **~welle** *f.*〖物〗광파(光波). **~welt** *f.* 하늘. **≈wendig** *a.*〖生〗굴광성(屈光性)의. **~wesen** *n.* 천체; 신(神). **~wirkung** *f.* 빛의 작용. **~wolke** *f.* 밝은〔빛나는〕구름. **~zeichen** *n.* 광선〔전파〕신호. **~zeit** *f.*〖天〗광차(光差). **~zerstreuung** *f.*〖物〗빛의 분산. **~ziehen** *n.* 양초 제조. **~zieher** *m.* 양초 제조인.

Lic. theol. = Licentiatus theologiae [li-tsɛntsiá:tus teoló:giɛ:] 《lat.》 신학사(神學士).

***Lid** [li:t] *n.* -(e)s, -er [lí:dər] ① (위·아래의) 눈꺼풀; Ober≈ 윗눈꺼풀; Unter≈ 아랫눈꺼풀; die Lider waren ihm schwer 그는 졸렸다. ② (alem.) 뚜껑. ③ (ndd.) ↑ Glied.

lidern *t.* 〔고어〕① 가죽으로 덮다;〖工〗(가죽으로) 패킹하다. ② (짐승 가죽을) 무두질하다.

Liderung [lí:dəruŋ] *f.* -en 〔고어〕① 틈을 틀어막음. ② 무두질.

Liderungs≈deckel *m.* 좌금(座金), 똬리쇠. **~ring** *m.* 피스톤 링. **~scheibe** *f.* ↑ ~deckel.

Lid≈krampf *m.* 눈꺼풀 경련. **~lohn** *m.*〖法〗파산 때 우선권을 갖는 임금. **~rand** *m.* 눈꺼풀의 언저리. **~sack** *m.* (눈밑의) 늘어진 피부. **~schatten** *m.* 아이 섀도, 눈 화장(품).

Lido [lí:do] 《it., „Ufer"》 *m.* -s, -s/..di 해변, 모래톱, (특히 베네치아의) 사취(砂嘴).

***lieb** [li:p] 《I》 *a.* ①〔부가적〕**(a)** (geliebt) 사랑하는, 사랑스러운, 좋아하는: ~e Grüße an deine Eltern 네 부모님께 안부 전해 다오; bei jm. ~(es) Kind sein 누구의 사랑을 받고 있다; sich bei jm. ~(es) Kind machen 누구에게 아첨하다. **(b)** 〔구어〕 das ~e Brot 매일의 양식; nicht einmal das ~e Brot haben 찢어지게 가난하다; ich habe deine Hilfe nötig wie das ~e Brot 나는 너의 도움이 꼭 필요하다; der ~e Gott 하느님; ~er Gott (호칭으로서) 하느님이시어; 〔구어〕dem ~en Gott den Tag stehlen 빈둥빈둥 시간을 보내다; die ~e Sonne 해님; den ~en langen Tag 하루 종일; die ~e Jugend 청춘; du ~e Zeit 〔~er Himmel, ~e Güte, ~es bißchen〕 어머나, 이런; das ~e Geld (그놈의) 돈; manch ~es Mal 여러 번; um des ~en Friedens willen 평화를 위하여; das weiß der ~e Himmel! 그것은 아무도 모른다!; er hat kaum das ~e Leben a) 그는 죽어가고 있다, b) 간신히 목숨을 이어가고 있다; wir hatten unsere ~e Not mit ihm 우리는 그 남자의 일로 골치를 앓았다. ②〔서술적〕기분 좋은; 마음에 드는; 온순한, 얌전한; 친절한, 호의적인: er ist uns ~ geworden 우리는 그가 좋아졌다; es ist mir ~, daß du kommst 네가 와 주어 참 좋다〔기쁘다〕; wenn Ihnen Ihr Leben ~ ist, schweigen Sie! 목숨이 아깝거든 말하지 마시오!; das ist sehr ~ von Ihnen! 당신의 친절에 감사드립니다!; ~ sein, Kinder! 애들아, 말 좀 들어라〔조용히 해라〕!; seien Sie so ~, mir zu helfen〔seien Sie so ~ und helfen Sie mir〕 제발 도와 주십시오; sich[3] et. ~ sein lassen 무엇에 만족하다. ③ jn.〔et.〕 ~ haben 누구를〔무엇을〕 사랑하다〔좋아하다〕; jn. ~ behalten 누구를 계속해서 사랑하다. 《II》 *adv.* 〔방언〕(gern) 기꺼이, 즐겨.

Lieb *n.* -s ①〔시어〕애인, 연인. ②〔고어〕(Gattin) 아내.

Lieb≈äugelei *f.* 추파. *** ≈äugeln** *i.* (h.) mit jm. ~ 누구에게 추파를 보내다; mit et.[3] ~ 무엇을 탐내며 바라보다. **≈behalten*** *t.* 계속 좋아하다.

Liebchen [lí:pçən] *n.* -s, - 《↑ Liebe 의 축소

형〕 귀여운 사람, 연인.

Liebde [lí:pdə] 《Liebe》 *f.* 〔고어〕 Euer ~n! (제후에 대한 호칭으로) 각하.

__Liebe__[1] [lí:bə] 《Ⅰ》 *der/die* 〔친족·친구·애인을 부르는 호칭〕 귀여운〔친한〕 사람: mein ~r 당신, 자네; meine ~n 친애하는 제군. 《Ⅱ》 *das* ① 기쁨, 기쁜 것, 마음에 듦〔드는 것〕. ② 좋음; 좋은 것: jm. viel ~s und Gutes erzeigen〔erweisen〕 누구에게 많은 친절을 베풀다; ich habe nur ~s und Gutes von ihm zu sagen 그에 대해서는 나무랄 데가 없다.

__Liebe__[2] [lí:bə] *f.* -n ① 사랑, 박애, 자애, 애착: christliche ~ (기독교도적인) 사랑; väterliche ~ 부성애; die ~ der Eltern 부모님의 사랑; die ~ der Freiheit 자유애(愛); ~ zu den Menschen〔Nächsten〕 인류〔이웃〕에 대한 사랑; ~ zum Vaterland 조국애, 애국심; mit (viel) ~ tun 정성껏 하다; mit Lust und ~ 즐겨, 기꺼이; aus ~ zu... …을 즐기는 마음에서; hingebende ~ 헌신적 사랑; 〔속담〕 mit ~ erreicht man mehr als mit Gewalt 사랑의 힘은 폭력보다도 강하다. ② (이성·동성의) 사랑, 연심(戀心), 애정: blinde〔glühende〕 ~ 맹목적인〔열렬한〕 사랑; erste ~ 첫사랑; fleischliche〔sinnliche〕 ~ 육욕, 성애(性愛); freie ~ 자유 연애; ~ macht blind 사랑은 사람을 눈멀게 한다; platonische ~ 플라토닉 러브, 순결한 연애; unerwiderte ~ 짝사랑; unglückliche ~ 실연; kein Glück in der ~ haben 실연하다; ~ auf den ersten Blick 첫눈에 반함; Heirat aus ~ 연애 결혼; seine ~ gestehen〔erklären〕 사랑을 고백하다; alte ~ rostet nicht 옛정〔옛사랑〕은 잊혀지지 않는다; das Feuer der ~ läßt schnell nach 뜨거운 사랑은 빨리 식는다; von der ~ allein kann man nicht leben 사랑만으로는 살 수 없다. ③ 동정, 연민; 친절; 호의: Werke der ~ 자선 사업; jm. eine ~ tun〔erweisen〕 누구에게 친절을 베풀다; jm. et. zu- ≈ tun 누구를 위해 무엇을 하다; tun Sie mir doch bitte die ~ und machen Sie das Fenster auf! 제발 창문을 좀 열어 주십시오!; eine ~ ist der andern wert 가는 정이 있으면 오는 정이 있다; 〔농담〕 ~ geht durch den Magen 남편 사랑은 부인의 요리 솜씨에 달려 있다. ④ 〔구어〕 애인, 연인: sie ist eine alte ~ von mir 그녀는 옛날 내 애인이다. ⑤〔신화〕 사랑의 여신. ⑥〔植〕 brennende ~ 금낭화. ⑦ 성적인 접촉, 성교: 〔구어〕 ~ machen 성교하다; das Geschäft mit der ~ 매춘; ein Mädchen der ~ 창녀; von der ~ leben 매춘으로 생활하다. ⑧ 연애 관계〔행각〕.

liebe≈atmend *a.* 〔시어〕 사랑을 호흡하는. **~bebend** *a.* 사랑〔연심〕에 떠는. **~bedürftig** *a.* 사랑을 필요로 하는, 사랑에 굶주린. **~diener** *m.* 〔폄어〕 (상관에게) 아첨하는 사람. **~dienerei** *f.* 〔폄어〕 아첨, 추종. **~dienerisch** *a.* 〔폄어〕 아첨〔추종〕하는. **~dienern** (*p.p.* geliebedienert) *i.* (h.) 〔폄어〕 아첨〔추종〕하다. **~krank** *a.* 사랑에 번민하는. **~leer** *a.* 사랑이 없는, 무정한.

Liebelei [li:bəláı] *f.* -en (한때의) 사랑놀음, (남녀의) 노닥거림.

liebeln [lí:bəln] 《Ⅰ》 *i.* (h.) mit jm. ~ 누구와 일시적으로 연애하다. 《Ⅱ》 *t.* (개·고양이를) 쓰다듬어 주다.

__lieben__ [lí:bən] 《Ⅰ》 *t.* ① 사랑하다, 사모하다, 귀여워하다; 좋아하다, 즐기다: die Eltern ~ 어버이께 효도하다; sie haben sich ~ gelernt 그들은 서로 사랑하게 되었다; er liebt nur sich 그는 이기적이다; den Wein ~ 술을 즐기다; diese Pflanze liebt den Schatten 이 식물은 응달에서 특히 잘 자란다; ich liebe es, Musik zu hören 나는 음악듣기를 좋아한다. ②〔목적어 없이〕 unerwidert ~ 짝사랑하다; unglücklich ~ 실연하다. ③〔동족 목적어와 함께〕〔시어〕 eine feurige Liebe ~ 열렬한 연애를 하다. ④ (누구와) 성교하다. 《Ⅱ》 *i.* (h.) 〔사물이 주어〕〔고어〕 etwas liebt jm. 무엇이 누구의 마음에 들다. 《Ⅲ》 *refl.* sich ~ ① 자기 자신을 사랑하다, 사리(私利)를 꾀하다. ② 〔상호 대명사로서〕 서로 사랑하다: was sich liebt, das neckt sich 사랑하는 사이에는(서로 놀려먹어도 좋을 만큼) 흉허물이 없게 마련이다. ③〔결과를 나타내는 말과 함께〕 sich zu Tode ~ 사랑 때문에 죽다. 《Ⅳ》 **geliebt** [..pt] *p.a.* ↑ geliebt.

liebend *p.a.* ① 사랑하는: Deine Dich innigst ~e Schwester 너를 매우 사랑하는 누이가(편지 끝에 쓰는 말). ② 기꺼이: kommen Sie zu unserer Abendgesellschaft? — ~ gern 우리 저녁 모임에 오시겠습니까? — 예, 물론이죠.

Liebende* *der/die* 애인, 연인.

lieben|lernen *t.* 좋아〔사랑〕하게 되다: wir haben ihn liebengelernt 우리는 그를 좋아하게 되었다.

liebens≈wert *a.* 사랑할 만한. **~würdig** *a.* ① ↑ ~wert. ② 상냥한, 애교 있는. ③ 친절한, 호의 있는: das ist sehr ~ von Ihnen 친절히 대해 주셔서 감사합니다. **~würdigerweise** *adv.* ① 상냥스럽게. ② 친절하게도. **≈würdigkeit** *f.* ① 사랑스러움, 애교. ② 친절(한 말), 호의: würden Sie die ~ haben, einmal aufzustehen? 죄송하지만 좀 일어나 주시겠어요?; 〔반어〕 jm. (einige) ~en sagen〔an den Kopf werfen〕 누구에게 몇 마디 뻔뻔스러운 말을 던지다.

__lieber__ [lí:bər] 《Ⅰ》 *a.* lieb의 비교급. 《Ⅱ》 〔gern의 비교급〕 *adv.* 보다 좋아하여, 차라리: ich trinke ~ Wein als Bier 맥주보다는 포도주를 마시고 싶다; er sieht es ~, wenn du das nicht tut 네가 그것을 하지 않는다면 그는 더 좋아할 것이다; je länger, je ~ 길면 길수록 좋다; ~ tot als Sklave! 노예가 되기보다는 차라리 죽음을 (원한다)!; er stirbt ~, ehe er bettelt 그는 걸식하기보다는 차라리 죽기를 택한다; ich hätte ~ nicht kommen sollen 내가 차라리 오지 않았더라면 좋을 뻔했다; ~ gar! 그런 당치도 않은 짓을! (의혹·거부·경탄을 나타냄).

Liebes≈abenteuer [lí:bəs..] *n.* 연애, 정사(情事), 사랑의 모험. **~affäre** *f.* 정사. **~akt** *m.* 〔雅語〕 성행위, 성교. **~angelegenheit** *f.* 연애 사건. **~antrag** *m.* 청혼. **~apfel** *m.* ① 〔고어〕 토마토. ② 설탕 시럽을 덧씌워 축제 때 파는 사과. **~band** *n.* 사랑의 굴레. **~bewerbung** *f.* 구애, 구혼. **~bezeigung** *f.* 사랑의 표시. **~beziehung** *f.* 애정 관계. **~blick** *m.* 〔雅語〕 추파(秋波). **~bote** *m.*, **~botin** *f.* 사랑의 사자(使者). **~brief** *m.* 연애 편지. **~bund** *m.* 사랑의 맹세〔결합〕. **~dichter** *m.* 연애 시인. **~dichtung** *f.* 연

애 문학. **~dienerin** *f.* 〔은폐〕 매춘부, 창녀. **~dienst** *m.* 친절, 돌봄; 봉사. **~entzug** *m.* (특히 아이들에 대한) 무관심, 거부하는 태도. **~erklärung** *f.* 사랑의 고백. **~feuer** *n.* 사랑의 불꽃. **~fieber** *n.* 열렬한 사랑. **~film** *m.* 연애 영화. **~flamme** *f.* ↑ ~feuer. **~frühling** *m.* 싹트기 시작한 사랑. **~gabe** *f.* ① 사랑의 선물. ② 기증품, 위문품. **~-gedicht** *n.* 연애시. **~genuß** *m.* 사랑의 향락. **~geschichte** *f.* 연애 이야기, 연애 소설〔사건〕. **~gespräch** *n.* 사랑의 대화. **~-geständnis** *n.* 사랑의 고백. **~glück** *n.* 사랑의 행복, 연애의 성취. **~glut** *f.* ↑ ~feuer. **~gott** *m.* 〖신화〗 사랑의 신(Amor). **~-göttin** *f.* 〖신화〗 사랑의 여신(Venus). **~-handel** *m.* 정사(情事), 연애 사건. **~-heirat** *f.* 연애 결혼. **~kampf** *m.* 사랑 싸움. **~kind** *n.* 사생아. **~knochen** *m.* 〔방언〕 길쭉한 슈크림 과자(Eclair). **~knoten** *m.* 약혼; 사랑의 유대. **~krank** *a.* 사랑으로 번민하는. **~kummer** *m.* (이루어지지 못한) 사랑의 괴로움. **~kuß** *m.* 사랑의 키스. **~laube** *f.* (연인들의 밀회용) 정자. **~leben** *n.* 연애〔성〕 생활. **~lied** *n.* 사랑의 노래. **~lust** *f.* 사랑의 환락. **~mahl** *n.* ① 〖宗〗 (원시 기독교도의) 애찬(愛餐). ② 〖軍〗 장교의 연회. ③ 가족끼리의 회식, 간친회. **~mühe** *f.* 사랑의 노력: das ist verlorene〔vergebliche〕 ~ 그것은 헛수고다. **~nacht** *f.* 사랑의 밤. **~nest** *n.* 사랑의 보금자리. **~not** *f.* ↑ ~kummer. **~paar** *n.* 한 쌍의 연인, 사랑하는 남녀. **~pein** *f.* ↑ ~kummer. **~perlen** *pl.* (케이크 위에 설탕으로 만든) 색색의 진주 모양의 장식물. **~pfand** *n.* ① 사랑의 담보, 애정의 표시. ② 애정의 징표(자식). **~pfeil** *m.* 사랑의 신(Amor)의 화살: er ist von Amors ~ getroffen 그는 사랑에 빠졌다. **~pflicht** *f.* 자선의 의무. **~-poesie** *f.* 연애시. **~qual** *f.* (이루어지지 않는) 사랑의 고통. **~rausch** *m.* 사랑의 도취. **~ritter** *m.* ① 연애를 위하여 모험을 하는 기사. ② 엽색가, 호색군. **~roman** *m.* 연애 소설. **~sache** *f.* ↑ ~angelegenheit. **~spiel** *n.* 사랑의 유희, 성애 행위. **~toll** *a.* 사랑에 미친. **~töter** *m.* 〔구어·농담〕 ① 무릎까지 오는 여성용의 속바지. ② 남성용의 속바지. **~trank** *m.* 반하게 하는 약, 사랑의 묘약. **~-trunken** *a.* 사랑에 취한. **~verhältnis** *n.* 애정 관계. **~werben** *n.* 구애, 구혼. **~werk** *n.* 자선 행위. **~wonne** *f.* 사랑의 환희. **~wut** *f.* ① 열광적인 사랑. ② 〖醫〗 음욕 항진증(亢進症). **~zauber** *m.* 사랑의 마력. **~zeichen** *n.* 사랑의 표시.

liebe·voll [líːbəfɔl] *a.* 애정이 깊은, 친절한, 다정한; 정성어린.

Liebfrauen⸗kirche [liːpfráuən..] *f.* 성모 마리아 성당. **~milch** *f.* ① 보름스산(産)의 고급 포도주. ② 독한 맥주.

lieb⸗|gewinnen* *t.* 차츰차츰 좋아하게 되다. **~geworden** *a.* 차차 익숙해진〔편해진〕. **~|-haben*** *t.* 좋아하다, 사랑하다.

***Lieb·haber** [líphaːbər] *m.* ① 연인, 애인; 정부(情夫); 구혼자, 구애자: aus dem ~ ist ein Bräutigam geworden 연인이 신랑이 되었다. ② 〖연극〗 미남 배우; 구혼자역, 연인역. ③ 애호가, 수집가; 팬, 아마추어: ~ von alten Büchern 고서 수집가; ~ von gutem Essen 식도락가, 미식가. ④ 〖商〗 고객: das Buch fand viele ~ 이 책은 많은 인기를 끌었다.

Lieb·haber·bühne *f.* ↑ Liebhabertheater.

Lieb·haberei [..bəráɪ] *f.* -n 애호, 도락, 취미: ~ für Kunst 예술 애호; et. aus ~ tun 무엇을 취미로 하다.

Lieb·haberin *f.* -nen ↑ Liebhaber 의 여성형.

lieb·haberisch *a.* 아마추어다운, 취미의, 도락의.

Liebhaber⸗konzert *n.* 아마추어 음악회. **~preis** *m.* 〖商〗 애호가를 겨냥한 비싼 값. **~rolle** *f.* 〖연극〗 연인역, 미남역. **~theater** *n.* (특히 18-19 세기의) 아마추어 연극(↔ Berufstheater). **~wert** *m.* (특히) 애호가에게만 통용되는 가치.

lieb·kosen [líːpkoːzən] *t./i.* (h.) jn.〔jm.〕 ~ 누구를 애무하다, 귀여워하다, 쓰다듬다.

Liebkosung [..zuŋ] *f.* -en 애무, 귀여워함.

***lieblich** [líːplɪç] *a.* 사랑스러운, 귀염성 있는; 유쾌한, 기분 좋은; 좋은, 맛있는: ein ~er Anblick 기분 좋은 정경; ~er Geschmack 좋은 맛; 〔반어〕 das ist ja ~! 그것은 심하다!

Lieblichkeit *f.* -en 사랑스러운 특성〔외관〕.

***Liebling** [líːplɪŋ] *m.* -s, -e 마음에 드는 사람, 총아; 애인: der ~ der Götter 신들의 총아; die vierbeinigen und gefiederten ~e 가축 및 가금(家禽); js. ~ sein 누구의 총아다〔총애를 받고 있다〕.

Lieblings⸗ausdruck *m.* 즐겨 쓰는 표현. **~beschäftigung** *f.* 즐겨 하는 일. **~buch** *n.* 애독하는 책. **~dichter** *m.* 좋아하는 시인〔작가〕. **~essen** *n.* 좋아하는 음식. **~farbe** *f.* 좋아하는 색. **~gericht** *n.* 좋아하는 음식. **~-kind** *n.* 가장 많은 사랑을 받는 아이. **~-laster** *n.* 상습적 악덕. **~platz** *m.* 좋아하는 장소. **~schüler** *m.*, **~schülerin** *f.* 가장 인기 있는 학생. **~sohn** *m.* 가장 사랑받는 아들. **~tochter** *f.* 가장 사랑받는 딸. **~wort** *n.* 즐겨 쓰는〔듣는〕 말. **~wunsch** *m.* 숙원(宿願).

lieblos [líːploːs] *a.* 애정이 없는, 인정이 없는; 불친절한, 무자비한.

Lieblosigkeit *f.* ① 애정 없는 태도, 불친절한 대우. ② 애정 없는 표현〔말〕.

lieb⸗reich *a.* 애정이 많은; 친절한, 호의 있는; (mild) 온화한, 자비로운; 애교 있는: gegen jn. ~ gesinnt sein 누구에게 호의를 가지고 있다. **~reiz** *m.* 사랑스러움; 매력. **~reizend** *a.* 사랑스러운, 매혹적인.

Liebschaft [líːpʃaft] *f.* -en ① (일시적인) 연애 사건: zahlreiche ~en haben 애정편력이 심하다. ② 애인, 연인.

liebst [liːpst] 《I》〔lieb 의 최상급〕 *a.* 가장 사랑하는〔좋아하는〕: meine ~e Beschäftigung 내가 가장 좋아하는〔즐겨하는〕 일. 《II》〔gern 의 최상급〕 *adv.* am ~en 가장 좋아하여〔기꺼이〕; das habe ich am ~en 나는 그것이 제일 좋다.

Liebste* ① *der/die* 연인, 애인: zum〔zur〕 ~en gehen 남자〔여자〕 애인 집에 가다. ② *das* 가장 좋아하는 일〔물건〕: das wäre mir das ~ 나에게는 그것이 제일 좋습니다.

Lieb⸗stöckel *m./n.* 〖植〗 왜당귀류(類). **~-wert** *a.* 〔고어·농담·반어〕 사랑스러운, 마음에 드는.

Liechtenstein [líç..] 리히텐슈타인(스위스와 오스트리아 사이의 국가).

***Lied** [li:t] 《germ.》 *n.* -(e)s, -er [..dər] ① 노래, 가곡, 가요, 리트; 절(節), 선율, 가락; 시: geistliches ~ 찬송가; ein ~ ohne Worte (피아노 연주용) 무언곡; ein ~ anstimmen 〔singen〕 노래를 부르다. ②〖비유〗immer das alte 〔dasselbe〕 ~ singen 같은 말〔일〕을 되풀이하다; es ist immer das alte ~ mit dir 너는 구태의연하구나; das ist das Ende vom ~ 그것은 이렇게 끝장났다; er weiß ein ~ davon zu singen 그는 그것에 관해서는 할 말이 많다(불쾌한 경험을 많이 했다); wes Brot einer ißt, des ~ er singt 사람은 자기를 돌보아 준 사람을 편들게 마련이다. ③〖문학〗서사시, 장가(長歌).

Liedchen *n.* -s, - 〖↑ Lied 의 축소형〗 짧은 노래, 소곡(小曲).

Lieder≈abend *m.* 가곡의 밤, 가요제. **≈-artig** *a.* 가요풍의, 노래 같은. **~buch** *n.* 노래책, 가요집. **~dichter** *m.* 작사가; 서정 시인. **~dichtung** *f.* 가요 문학; 서정시. **~-hand·schrift** *f.* (중세의) 필사 가요집(보기: die Carmina Burana).

Lieder·jan [..ja:n] *m.* -(e)s, -e 〖구어〗 칠칠치 못한 사람; 방탕자, 난봉꾼.

Lieder≈komponist *m.* 가요 작곡가. **~-kranz** *m.* ① 가요집. ② 합창단.

***liederlich** [lí:dərlıç] 《I》 *a.* ① 태만한, 부주의한; 경박한; 칠칠치〔단정치〕 못한: ~e Kleidung 단정치 못한 복장; eine Arbeit ~ verrichten 일을 날림으로 하다. ② 방종한; 부도덕한; 행실이 나쁜; 악덕의, 파렴치한: ein ~es Leben führen 방탕한 생활을 하다. ③ (obd.) 사소한, 하찮은; ~es Geld 잔돈. 《II》 *adv.* 〖고어〗 용이하게(leichtlich).

Liederlichkeit *f.* -en 태만, 단정치 못함; 방종.

Lieder≈macher *m.* (시사적 내용을 담은) 노래의 작사가·작곡가(겸 가수). **≈reich** *a.* 노래가 풍부한, 음조가 아름다운. **~saal** *m.*, **~sammlung** *f.* 가요집. **~tafel** *f.* 합창단 (Gesangverein).

liedhaft *a.* ① 노래 같은, 가요풍의. ② 노래에 적합한.

Liedlein *n.* -s, - ↑ Liedchen.

Liedrian [lí:dria:n] *m.* -(e)s, -e ↑ Liederjan.

lief [li:f] ↑ laufen 의 과거형.

Lieferant [li:fəránt] *m.* -en, -en 〖商〗 공급자, 조달자.

Lieferantin *f.* -nen ↑ Lieferant 의 여성형.

lieferbar [lí:fərba:r] *a.* 〖商〗 인도〔공급〕할 수 있는.

Liefer·bedingung *f.* 〖經〗 납품〔배달〕 조건.

Lieferer [lí:fərər] *m.* -s, - ↑ Lieferant.

Liefer≈firma *f.* 공급 회사. **~frist** *f.* 인도〔납품〕 기한. **~kraft·wagen** *m.* 배달 자동차.

Lieferin *f.* -nen ↑ Liferantin.

***liefern** [lí:fərn] *t.* ① 공급하다, 판매하다, 납품하다; 인도〔배달〕하다, 교부하다: Ware ins Haus ~ 물품을 택배하다; an Herrn N. zu ~ N씨께 인도; jn. in die Hände der Gerechtigkeit ~ 누구를 사직 당국의 손에 넘기다; in Heften ~ 분책(分册)으로 발행하다. ② 들다, 제공〔제시〕하다: ein Beispiel ~ 보기를 들다; einen Beweis für et. ~ 무엇의 증거를 제출하다. ③ 내다, 생산〔산출〕하다: eine gute Ernte ~ 풍족한 수확을 내다; Milch liefert Butter und Käse 우유에서 버터와 치즈가 나온다. ④ 초래하다: jm. eine Schlacht ~ 누구와 한바탕 싸우다; ein spannendes Spiel ~ 흥미진진한 경기를 하다; sie ~ sich einen Kampf 그들은 서로 싸운다. ⑤〖방언〗 결딴내다: er hat schon sein zweites Auto geliefert 그는 벌써 그의 두 번째 차를 망가뜨렸다. 《II》 **geliefert** *p.a.* ↑ geliefert.

Liefer≈schein *m.* 인도증. **~stopp** *m.* (특정 상품의) 공급 중단. **~tag** *m.* 인도일.

***Lieferung** [lí:fərʊŋ] *f.* -en ① 공급, 납품, 인도, 교부: bei ~ zu bezahlen 배달시 지급함; Zahlung bis 14 Tage nach ~ 물품 인도 후 2 주내에 대금 지급; eine ~ ausschreiben (구매품의) 입찰을 공고하다. ② 공급품, 인도품, 납입품. ③ 분책(分册): das in ~en erscheinende Wörterbuch 분책으로 발행되는 사전; ein Buch auf ~ kaufen 책을 분책으로 사다.

Lieferungs≈angebot *n.* 〖經〗 입찰. **~bedingungen** *pl.* ↑ Lieferbedingungen. **~-frist** *f.* ↑ Lieferfrist. **~geschäft** *n.* 선매거래. **~kauf** *m.* 선매. **~kontrakt** *m.* ↑ ~vertrag. **~ort** *m.* 인도 장소. **~preis** *m.* 인도 가격. **~schein** *m.* ↑ Lieferschein. **~-sperre** *f.* 〖증권〗 발행 정지 기간. **~vertrag** *m.* 공급 계약, 정기 거래 계약. **~ware** *f.* 공급 상품. **~wagen** *m.* ↑ Lieferwagen. **≈weise** *adv.* 분책(分册)으로. **~werk** *n.* 분책 간행 저서. **~zeit** *f.* ↑ Lieferzeit.

Liefer≈vertrag *m.* 〖經〗 공급 계약. **~wagen** *m.* 배달차. **~zeit** *f.* (물품) 인도 기일.

Liege [lí:gə] *f.* -n 눕는 의자.

Liege≈geld *n.* 〖商·海〗 정박료. **~halle** *f.* 대기(大氣) 요법 요양실. **~kur** *f.* 〖醫〗 안정 요법.

liegen [lí:gən] (lag, gelegen) 《I》 *i.* (h./(드물게) s.) ① 누워 있다, 놓여 있다: in seinem Bette ~ 침대에 누워 있다; im Grünen ~ 풀밭에 누워 있다; hier liegt N N 의 무덤; die Schrift liegt 이 글은 이탤릭체로 되어 있다; es lag Schnee 눈이 쌓여 있었다; 〖비유〗 hier liegt der Haken 〔der Knoten〕, hier liegt der Hase in Pfeffer, hier liegt der Hund begraben 여기가 어려운 점이다〔문젯거리다〕. ② 자리잡고 있다; 위치하다: Heidelberg liegt am Neckar 하이델베르크는 네카 강변에 있다; in der Nähe ~ 근처에 있다; die Stadt liegt nördlich von Berlin 이 도시는 베를린 북쪽에 위치한다. ③ 있다, 존재하다; 〖軍〗 숙영하다; 주둔하다: das Buch liegt hier 책은 여기에 있다; da liegt der wahre Grund 거기에 진정한 원인이 있다; es liegt in seiner Gewalt, das zu tun 그는 그것을 할 능력이 있다; der Ton liegt auf der ersten Silbe 강세는 첫 음절에 있다; wir lagen bei Königgrätz 우리는 쾨니히그레츠 근교에서 숙영했다; die Truppen ~ im Schützengraben 부대원들은 참호에 숨어 있다. ④〖부사 또는 형용사와 함께〗 ausgestreckt ~ 죽 뻗고 누워 있다; bequem ~ 편안하게 누워 있다; gefangen ~ (사로)잡혀 있다; gerade ~ 똑바로 되어 있다; krank ~ 병상에 누워 있다; in diesem Bett liegt es sich 〔liegt man〕 hart〔weich〕 이 침대는 딱딱하다〔푹신하다〕; der Acker liegt voll von Steinen 〔voller Steine〕 밭은 돌투성이다; wie die Dinge jetzt ~ 현재의 형편대로, 지금 그대로; wie liegt die Sache? 사정은 어떠하냐? ; das Feld liegt brach〔unbestellt〕 밭이 묵고 있다; dich zu beleidigen, lag mir fern 너를 모욕할 생각은 추호도 없었다; das Geld liegt tot 그 돈은 놀고 있다; das Gewehr liegt gut 이 총은 조준이 잘 된다; bei mir ~ Sie richtig (damit) (그일로) 제게 오신 것은 잘한 일입니다; diese Kamera liegt gut in der Hand 이 카메라는 손에 꼭 맞는다; etwas liegt nah(e) 무엇이 명백하다; das liegt uns näher 그것은 우리들에게 더 절실한 문제다; nichts liegt mir ferner als die Meinung, daß... 나는 …한 의견은 전연 갖고 있지 않다; der Stoff liegt einen Meter breit 그 천〔옷감〕은 폭이 1 미터다; der Schnee liegt 50 cm hoch 눈이 50 cm 나 쌓여 있다. ⑤〖전치사와 함께〗 er lag **an** ihrer Brust 그는 그 여자의 품에 안겨 있었다; die Gärten ~ aneinander 뜰이 서로 인접해 있다; der Hund liegt an der Kette 개는 쇠사슬에 매어 있다; es liegt nicht an mir a) 그것은 내 책임은〔죄는〕 아니다, b) 그것은 내 마음대론 되지 않는다; etwas liegt jm. am Herzen 무엇이 누구의 마음에 걸리다, 누구에게 소중하다; mir liegt viel 〔nichts〕 daran 나에게는 그것이 소중하다〔조금도 소중하지 않다〕; am Tode ~ 빈사 상태다; die Ursache liegt am Tage 원인은 명백하다; soviel〔was〕 an mir liegt 나에 관한 한, 나의 힘이 미치는 한; was liegt mir an Ruhm? 내게 명성 같은 것은 중요하지 않다; daran liegt alles 거기에 문제의 핵심이 있다; das liegt am Weg 그것은 (곧 가지고 갈 수 있도록) 길가에 (놓여) 있다; **auf** der Bärenhaut ~ 게으름을 피우고 있다, 빈둥빈둥 지내다; auf dem Bauch ~ 엎드려 있다; jm. auf dem Hals ~ 누구한테 폐를 끼치고 있다; auf der (flachen) Hand ~ 명백하다; auf einem Haufen ~ 무더기로 쌓여 있다; auf den Knien ~ 무릎을 꿇고 있다; auf der Lauer ~ 잠복하고 있다; auf der Nase ~ a) 땅 위에 납작 엎드려 있다, b) 병상에 누워 있다; 〖비유·구어〗 der Wagen liegt gut auf der Straße 〔in der Kurve〕 그 차는 주행할 때〔커브길을 돌 때〕 착지력이 좋다; jm. auf der Tasche ~ 누구에게 부양받고 있다; auf den Tod ~ 위독하다; die ganze Last liegt auf meinen Schultern 〔auf mir〕 모든 부담은 내가 지고 있다; die Schuld liegt mir schwer auf dem Herzen 〔Gewissen〕 죄가 내 마음〔양심〕을 괴롭힌다; er liegt auf der Straße 그는 거리를 헤매고 있다, 직장이 없다; das Wort lag mir auf der Zunge 그 말이 혀 끝에서 뱅뱅 돌며 안 나왔다; **aus** dem Fenster ~ 창에 몸을 내밀고 있다; das liegt außer aller Berechnung 그것은 전혀 계산에 들어 있지 않다; der Brief liegt beim Paket 편지는 소포에 동봉돼 있다; bei einer Frau ~ 어떤 여자와 동침하다; die Entscheidung liegt beim Volk 결정은 국민에게 달려 있다; der Rekord liegt zur Zeit bei 2.15 m 현재 기록은 2.15 m 다; mit dem Gesicht **gegen** die Wand ~ 얼굴을 벽에 향하고 누워 있다; in Ketten (und Banden) ~ 쇠사슬에 매여 있다; jm. im Magen ~ a) 누구의 위(胃)에 얹히다, b) 〖비유〗 누구에게 미움받고 있다; jm. in den Ohren ~ 누구에게 성가시게 말하다, 졸라대다; im Sterben 〔in den letzten Zügen〕 ~ 빈사 상태다; sich in den Armen ~ 서로 포옹하고 있다; miteinander im Streit ~ 서로 다투고 있다; im Todeskampf ~ 단말마의 고통을 겪고 있다; jm. im Weg ~ 누구의 방해가 되다; das lag nicht in meiner Absicht 그것은 내 의도가 아니었다; das liegt ihm im Blut 〔in der Familie〕 그것은 그에게 유전되어 있다; im Wein liegt die Wahrheit 취중에 진담이 있다; die ganze Gewalt liegt in seinen Händen 그는 전권을 장악하고 있다; es liegt mir schwer wie Blei in den Gliedern 나는 팔다리가 납덩이처럼 무겁다; sie lagen sich[3] 〔einander〕 in den Haaren 그들은 (서로) 드잡이하고 있었다; es liegt in ihm 그것은 그의 천성〔본성〕이다; das liegt mir im Kopf 〔in den Gedanken〕 그것은 내 머리에서 떠나지 않는다; es liegt etwas in der Luft 어떤 기색이 있다, 무엇인가 일어날 것 같다; sie liegt mit ihm im Prozeß 〔in Scheidung〕 그녀는 그와 소송〔이혼 소송〕 중이다; es liegt in der Natur der Sache 그것은 일의 성질상 어떻게 할 수 없다; **mit** dem Bauche auf der Erde ~ 땅바닥에 엎드려 있다; das Haus liegt mit der Front nach Norden 집은 정면이 북쪽으로 향해 있다; 〖비유·구어〗 damit liegst du richtig 이 점에 있어서는 네 주장이 옳다; die Blätter ~ **nach** der Reihe 서류는 차례대로 가지런히 놓여 있다; er liegt beständig **über** den Büchern 그는 언제나 책을 읽고 있다; es ~ Wolken **um** den Gipfel 산봉우리의 둘레에 구름이 끼어 있다; **unter** der Erde ~ 땅에 묻혀 있다; 〖海〗 unter Dampf ~ 기관의 불을 끄지 않고 정박하다; unter Schloß und Riegel ~ 엄중히 보관되어 있다; die Preise ~ unter Selbstkosten 물가는 원가 이하로 내려가 있다; 〖海〗 **vor** Anker ~ 정박하고 있다; klar vor Augen ~ 명백하다; 〖軍〗 mit dem Heer vor einer Stadt ~ 군대로 어떤 도시를 포위하고 있다; **zu** js. Füßen 〔jm. zu Füßen〕 ~ 누구의 발 아래 엎드려 있다; klar zu Tage〔zutage〕 ~ 명백하다; ich will dir nicht zur Last ~ 나는 네게 폐를 끼치고 싶지 않다. ⑥ (**a**) 잠자리에 들어 있다. (**b**) 병상에 누워 있다. (**c**) 땅바닥에 드러누워 있다, 쓰러져 있다; 〖비유〗 정지〔정체〕하다(stocken): es liegt alles 만사가 정체되어 있다. (**d**) 〖카드〗 eine Karte, die liegt, liegt 일단 낸 패는 무를 수 없다(=was liegt, liegt). ⑦〖3 격을 동반하여〗 das liegt mir nicht a) 그것은 내 취향에 맞지 않는다, 내게 적합하지 않다, b) 그것은 내 힘에 부친다; Englisch liegt mir mehr als Französisch 나는 프랑스어보다 영어에 소질이 있다; diese Rolle liegt ihr 이 역할은 그 여자에게 맞는다. ⑧〖다른 동사와 더불어 부정형으로 사용됨〗 (**a**) ~ bleiben 누운 채로 있다, 정체하고 있다, (편지가) 부쳐지지 않은 채로 있다: mein Schirm muß irgendwo liegengeblieben sein 나는 우산을 어디엔가 두고 왔음이 분명하다; ein Ort bleibt unterwegs ~ 어떤 곳을 들르지 않다, 그대로 지나치다. (**b**) wir haben Wein im Keller ~ 우리들은 포도주를 지하실에 저

장해 놓고 있다. (c) ~ lassen 눕혀 두다, 그대로 두다: einen Ort rechts〔links〕 ~ lassen 어떤 곳을 좌〔우〕로 바라보면서 지나가다〔들르지 않다〕; 〖비유〗 jn. links ~ lassen 누구를 내버려 두다, 무시하다; jn. für tot ~ lassen 누구를 죽은 것으로 간주하여 내버려두다. 《Ⅱ》 *refl.* 〖결과를 표시하여〗 sich (wund) ~〔sich[3] den Rücken wund ~〕 자리에 배겨 욕창이 생기다. 《Ⅲ》 **gelegen** *p.a.* ↑ gelegen.

Liegen *n.* -s ① 누워 있음, 누움. ② 저장, 보존: Wein wird durch ~ besser 포도주는 저장하면 질이 더 좋아진다.

liegen≈|bleiben* *i.* (s.) ↑ liegen 《I》 ⑧ (a). **~bleiben** *n.* 중지, 정지, 정체.

liegend *p.a.* ① 누워 있는, 넘어져 있는, 바싹 엎드려 있는; 병상에 누워 있는; 죽은, 쓰러진; 수평의: ~ aufbewahren (병을) 눕혀서 보관하다; 〖印〗 ~e Schrift 이탤릭 문자. ② 위치〔소재〕하는: einzeln ~ 산재(散在)하는. ③ 움직이지 않는: ~e Güter 부동산.

Liegende* *das* 〖광산〗 하반(下般) (↔ Hangende).

Liegend≈flöz *n.* 〖광산〗 ↑ Liegende. **~schicht** *f.* 〖광산〗 ↑ Liegende.

liegen≈|lassen* *t.* ↑ liegen 《I》 ⑧ (c). **~lassen** *n.* 방치, 무시; 중지.

Liegenschaft [lí:gənʃaft] *f.* -en 부동산, 토지.

Liege·platz *m.* 〖海〗 닻 내리는 곳, 정박소; (배·기차의) 침대. **~polster** *n.* 눕기 위한 깔개〔쿠션〕.

Lieger [lí:gər] *m.* -s, - ① (a) 휴항선, 폐선, 계선(繫船). (b) 휴항선을 지키는 사람. (c) 배 바닥의 늑재(肋材). ② (비상용 물통의) 비축된 물. ③ 〖고어〗 외국의 주재원. ④ 가위날.

Liege≈stütz *m.* 〖스포츠〗 팔굽혀펴기. **~tag** *m.* ① (nordd.) 휴일. ② 〔복수〕〖海〗 체선(滯船) 일수, 정박 일수. **~wagen** *m.* (열차의) 간이 침대차. **~wagen·abteil** *n.* 간이 침대차 칸. **~zeit** *f.* 정박 시간.

lieh [li:] ↑ leihen 의 과거형.

liehe [lí:ə] ↑ leihen 의 접속법 Ⅱ 식.

Liek [li:k] *n.* -(e)s, -en 〖海〗 ① 돛의 가장자리. ② 돛의 가장자리에 단 밧줄.

Lien [lí:ɛn, líe:n] *m.* -s 〖醫〗 비장.

Lienitis [lieníːtɪs] *f.* ..tiden [..tí:dən] 〖醫〗 비장염.

Lienz [lí:ɛnts] 리엔츠(오스트리아의 도시).

lies [li:s] ↑ lesen 의 2 인칭 단수 명령형.

Liesch [li:ʃ] *n.* -(e)s, -en ↑ Lieschgras 의 약칭.

Lieschen[1] [lí:ʃən] *pl.* 옥수수 껍질.

Lieschen[2] [lí:sçən] *n.* -s 〔↑ Elisabeth 의 애칭〕 ① 리스헨(여자 이름): ~ Müller 평범한 여자(이름 Lieschen 과 성 Müller 를 가진 사람들이 많은 데서); ~ Müllers Ansichten 평범한 여자들의 견해; liebes ~! 어머나! 맙소사! ② 〖植〗 Fleißiges ~ (연중 내내 붉은꽃 혹은 흰꽃을 피우는) 봉선화과.

Liesch≈gras *n.* 〖植〗 큰조아재비. **~kolben** *m.* 〖植〗 부들, 창포 따위의 수초.

Liese[1] [lí:zə] *f.* 〔Elisabeth 의 애칭〕 ① 리제(여자 이름). ② 〔구어·폄어〕 (평범한) 여자: 〔비유〕 dumme ~〔Gans〕 어리석은 여자.

Liese[2] *f.* -n ① 〖광산〗 좁다랗게 갈라진 틈. ② (특히 돼지의) 동물의 지방(층).

Lieselotte [lí:zəlɔtə, li:zəlɔ́tə] *f.* 리젤로테(여자 이름 Elisabeth 와 Charlotte 의 합성형).

Liesen [lí:zən] *m.* -s, - (nordd.) ↑ Liese[2] ②.

ließ [li:s] ↑ lassen 의 과거형.

ließe [lí:sə] ↑ lassen 의 접속법 Ⅱ 식.

liest [li:st] ↑ lesen 의 2·3 인칭 단수 현재형.

Lifestyle [láɪfstaɪl] 《engl.》 *m.* -s 생활 양식, 라이프 스타일.

Lifetime·sport [láɪftaɪm..] 《engl.》 *m.* 평생 계속할 수 있는 운동.

Lift[1] [lɪft] 《engl.》 *m.* -(e)s, -e/-s ① 승강기, 엘리베이터. ② 〖스키〗 리프트.

Lift[2] 《engl.》 *m./n.* -s, -s 주름살 제거 수술.

Lift·boy [..bɔʏ] 《engl.》 *m.* 엘리베이터 보이, 승강기 운전사.

liften[1] [lɪ́ftən] 《I》 *i.* (s.) 스키리프트를 타고 가다. 《Ⅱ》 *t.* (리프트로) 들어올리다.

liften[2] *t.* 성형 수술로 주름살을 펴다: jn. ~ 누구에게 주름살 제거 수술을 시술하다.

Liga [lí:ga] 《lat.; sp.》 *f.* ..gen/-s ① 연합, 동맹, 연맹: eine ~ schließen 동맹〔연맹〕을 결성하다. ② 〖스포츠〗 (동급의 팀들로 구성된) 리그: in die erste ~ aufsteigen〔aufrücken〕 1부 리그로 승격하다; in die 2. ~ absteigen 2부 리그로 내려가다.

Ligade [ligá:də] 《sp.》 *f.* -n 〖펜싱〗 상대편의 칼을 받아 옆으로 누르기.

Ligament [ligamɛ́nt] 《lat.》 *n.* -s, -e 〖해부〗 인대(Band).

Ligamentum [..mɛ́ntum] *n.* -s, ..ta ↑ Ligament.

Ligatur [ligatú:r] *f.* -en ① 〖印〗 연자(連字), 합자(合字) (보기: ff, æ). ② 〖음악〗 이음줄, 슬러. ③ 〖醫〗 결찰(結紮).

Lige [lí:gə] *f.* -n ↑ Liga.

Lightshow [láit..] *f.* 新정서 ⇦ Light-show.

Light-show 《engl.》 [láit..] *f.* -s (조명 효과를 살린) 라이트쇼.

ligieren [ligí:rən] 《lat. ligare, „binden"》 *t.* ① 〖펜싱〗 상대편의 칼을 옆으로 누르다. ② 〖醫〗 결찰하다, 묶다.

Ligist [ligɪ́st] *m.* -en, -en ① 동맹〔연맹〕 소속 회원. ② 〖스포츠〗 리그 소속 선수〔팀〕.

ligistisch *a.* 동맹〔리그〕에 소속된, 동맹〔리그〕의.

Lignin [lɪgní:n] 《lat.》 *n.* -s, -e 〖化〗 (Holzstoff) 목질소(素), 리그닌(다당류의 하나).

Lignit [lɪgní:t, ..nɪ́t] *m.* -(e)s, -e 〖광업〗 갈탄.

Ligroin [ligroí:n] 《gr.》 *n.* -s 〖化〗 리그로인, 휘발유.

Ligurer [ligú:rər] *m.* -s, - 리구리아족(프랑스 남부와 이탈리아 북부에 살고 있는 종족).

Ligurien [ligú:riən] 리구리아(이탈리아 북부에 위치한 지명).

ligurisch *a.* 리구리아의: das ~e Meer 리구리아해.

Liguster [ligʊ́stər] 《lat.》 *m.* -s, - 〖植〗 쥐똥나무류.

Liguster≈hecke *f.* 쥐똥나무류로 만든 생울타리. **~schwärmer** *m.* 〖動〗 박각싯과의 일종.

liieren [lií:rən] 《lat. ligare》 《I》 *t.* 결합〔연합〕시키다: dieses Unternehmen ist mit einer amerikanischen Firma liiert 이 기업은 미국 회사와 제휴하고 있다. 《Ⅱ》 *refl.* sich ~ 결합〔연합·제휴〕하다. 《Ⅲ》 **liiert** *p.a.* ↑ liiert.

liiert 《Ⅰ》 *p.p.* ↑ liieren. 《Ⅱ》 *p.a.* 결탁한, 제휴한; 친밀한.
Liierte* *der/die* ① 동맹자, 결탁자. ② 친한 사람; 애인.
Liierung *f.* -en 동맹, 연합; 긴밀한 관계.
Likör [likǿ:*r*] 《frz.》 *m.* -s, -e ① 리큐르 술 (알코올·설탕·과일 혼성주). ② 샴페인용 첨가액(포도주와 설탕 혼합액).
Likör≈bonbon [..bãbɔ̃] *m.* 리큐르가 든 봉봉. **~essenz** *f.* 리큐르 주정. **~flasche** *f.* 리큐르 술병. **~glas** *n.* 리큐르 술잔.
Liktor [líktɔr, ..to:*r*] 《lat.》 *m.* -s, -en [..tó:rən] 릭토르(고대 로마의 형사 집행관).
Liktoren·bündel *pl.* ↑ Faszes.
lila [lí:la] 《sp.》 *a.* ① 연보라색의, 등꽃색의: ein ~ Pullover 연보라색 스웨터. ②〖구어〗 보통인, 평범한: es geht ihm ~ 그는 그럭저럭 지내고 있다.
Lila 《Ⅰ》 *n.* -s 연보라색, 등꽃색: sie war ganz in ~ gekleidet 그녀는 온통 연보라색으로 차려 입었다. 《Ⅱ》 *m.* -s, -s〖植〗 라일락.
lila≈farben, ~farbig *a.* ↑ lila.
Lilak *m.* -s, -s〖植〗 라일락.
***Lilie** [lí:liə] 《ägypt.》 *f.* -n ①〖植〗 백합, 나리. ②〖紋〗 백합 무늬.
lilien≈ähnlich, ~artig *a.* 백합 같은. **≈-arm** *m.* 백합같이 흰 팔. **≈gewächs** *n.*〖植〗 (튤립·양파 같은) 덩이줄깃과의 식물. **≈hand** *f.* 백합같이 흰 손. **≈haut** *f.* 백합같이 흰 피부. **~weiß** *a.* 백합 같이 흰, 새하얀, 순백의. **≈weiße** *f.* 설백, 순백.
Liliput [lí:liput] *n.* -s 릴리펏(J. Swift 의 "걸리버 여행기"에 나오는) 소인국.
Liliputaner [..tá:nə*r*] *m.* -s, - ① 소인국의 주민. ② 소인, 난쟁이.
liliputanisch *a.* 소인국의; 왜소한.
Liliput·bahn *f.* (유원지의) 소형 놀이 철도.
Liliputer [lí:liputə*r*] *m.* -s, - ↑ Liliputaner.
Liliput·format *n.* (축)소형 사이즈〔규격〕.
Lille [lil] 릴(프랑스 북동부의 도시).
Lilli, Lilly [líli] *f.* 릴리(여자 이름).
lim〖數〗 한계값(Limes).
Lim., lim. =limited 유한의.
Lima [lí:ma] 리마(페루의 수도).
Limba [límba] *n.* -s 아프리카산(産) 합판.
Limbi ↑ Limbus 의 복수형.
Limbo [límbo] *m.* -s, -s 림보(곡예춤의 일종).
Limburg a. d. Lahn 림부르크(헤센주의 란 강변에 위치한 도시).
Limburger 《Ⅰ》 *m.* -s, - ① 림부르크 주민. ② 림부르크산(産) 치즈. 《Ⅱ》 *a.* 림부르크의.
Limbus [límbus] 《lat.》 *m.* -, ..bi ①〖植〗 꽃잎의 가장자리 부분. ②〖工〗 각도기의 눈금이 새겨진 반원 (부분). ③〖기독교〗 림보, 고성소(古聖所) (세례를 못 받은 어린이나 예수 탄생 이전에 죽은 착한 사람의 영혼이 머문다는 천국과 지옥 사이의 장소): ~ infantium 세례를 받지 못하고 죽은 어린아이가 머무르는 림보계(界); ~ patrum 기독교 이전 시대의 착한 사람이 머무는 림보계.
Limerick [límərɪk] *m.* -(s), -s ① 5 행 익살시(aabba 의 각운을 지님). ② (17 세기 태내의 송아지 가죽으로 만든) 아주 부드러운 장갑.
Limes [lí:mɛs] 《lat.》 *m.* -, - ①〖史〗 (로마인이 쌓은 라인강과 도나우강 사이의) 국경 방어벽. ②〖數〗 한계값(약어: lim).
Limes·kastell *n.* Limes ① 의 요새〔성채〕.
Limetta [limɛ́ta] *f.* ..ten ↑ Limette.
Limette [limɛ́tə] 《frz.》 *f.* -n ① 라임(껍질이 얇은 레몬의 일종). ② ↑ Limettensaft.
Limetten·saft *m.* 라임 주스.
Limit [límɪt] 《lat.》 *n.* -(e)s, -s/-e ① **(a)**〖교양〗 한계, 한도, 극한점: das ~ überschreiten 한계를 넘어서다. **(b)**〖經〗 지정 가격; 신용 한도. ②〖스포츠〗 제한 조건: das ~ für den Endlauf nicht erreichen 결승전에 진출하기 위한 최저 기록에 미달하다.
Limitation [limitatsió:n] 《lat.》 *f.* -en 제한, 한정.
Limite [limí:tə] *f.* -n (schweiz.) ↑ Limit.
limited [límɪtɪd] 《lat. -engl.》 *a.*〖經〗 유한의 (약어: Ltd., lim.).
limitieren [limití:rən] *t.* 제한〔한정〕하다: die 1. Auflage auf 300 Exemplare ~ 제 1 판 발행 부수를 300 부로 한정하다;〖商〗 limitierte Haftung 유한 책임.
Limitierung *f.* -en 제한, 한정.
Limitum [lí:mitum] *n.* -s, ..ta ↑ Limit.
Limnimeter [lɪmnimé:tə*r*] 《gr.》 *n./m.* -s, - 수위계, 수위 측정기.
limnisch *a.*〖지질〗 담수에서 서식하는〔생성된〕.
Limnograph [lɪmnográ:f] *m.* -en, -en ↑ Limnimeter.
Limnologe [lɪmnolǒ:gə] *m.* -n, -n 호소〔육수〕(湖沼〔陸水〕)학자.
Limnologie [lɪmnologí:] *f.* 호소학(湖沼學), 육수학.
limnologisch *a.* 호소학〔육수학〕의.
Limno·plankton *n.* 담수 플랑크톤.
Limo [límo, lí:mo] *f./n.* -, -(s) ↑ Limonade.
Limonade [limoná:də] 《frz.》 *f.* -n ① 레몬수; 비(非)알코올 음료. ②〖폄어〗 달착지근한 술.
Limone [limó:nə] *f.* -n ①〖植〗 레몬. ② ↑ Limette.
Limonit [limoní:t, ..nít] 《gr.》 *m.* -(e)s, -e 갈철광.
limos [limó:s], **limös** [..mǿ:s] 《lat.》 *a.* 수렁의, 진흙탕의, 소택지의.
Limousine [limuzí:nə] 《frz.》 *f.* -n 리무진, 대형 세단차.
Lina [lí:na] 리나(여자 이름; Karoline 처럼 -line 로 끝나는 이름의 단축형).
Linament [lɪnamɛ́nt] 《lat. linum》 *n.* -(e)s, -e (외과용) 가제.
Linda [lɪnda] *f.* 린다(여자 이름).
Lindau [líndau] 린다우(바이에른주의 도시).
***lind** [lɪnt], **linde** [líndə] *a.* ① 부드러운, 온순한;〖시어〗 유쾌한. ② (obd.) 잘 삶아진; 갓 구운.
***Linde** [líndə] *f.* -n〖植〗 보리수: Unter den ~n 운터 덴 린덴가(街) (베를린의 중심가).
linden[1] [líndən] 《<Linde》 *a.* 보리수로 만든.
linden[2] 《<lind》 《Ⅰ》 *t.* 부드럽게 하다, 가라앉히다. 《Ⅱ》 *i.* (s.)/*refl.* (sich) ~ 부드러워지다, 가라앉다.
Linden≈allee *f.* 보리수가 늘어선 길. **~baum** *m.* 보리수. **~blatt** *n.* 보리수 잎. **~blüte** *f.*

보리수 꽃. **~blüten·tee** *m.* 보리수 꽃으로 만든 차. **~gang** *m.* ↑ ~allee. **~holz** *n.* 보리수 목재. **~honig** *m.* 보리수 꽃에서 채취한 꿀. **~kohle** *f.* 보리수 목탄. **~schwärmer** *m.* 〖動〗 뱀눈박각시(나방)의 일종. **~weg** *m.* ↑ ~allee.

Linderer [líndərər] *m.* -s, - 진정〔완화〕시키는 사람, 위안〔위로〕해 주는 사람.

***lindern** [..dərn] 《<lind》《Ⅰ》*t.* 누그러뜨리다, 완화〔진정〕시키다; 위로하다; 경감시키다: 〖法〗 eine Strafe ~ 감형하다; js. Qual zu ~ suchen 누구의 고통을 덜어주려고 하다. 《Ⅱ》 *refl.* sich ~ 누그러지다, 평온해지다; 진정되다; 경감되다; 약해지다.

lindernd *p.a.* 완화시키는, 경감하는, 진정시키는: eine ~e Spritze 진통제 주사.

Linderung *f.* -en 완화, 경감; 위안, 구제; 〖醫〗 진경(鎭痙); 〖法〗 감형.

Linderungs⸗kur *f.* 〖醫〗 대증(對症) 요법, 증세 완화 요법. **~mittel** *n.* 〖醫〗 진통제, 완화제. **~salbe** *f.* 〖醫〗 완화 연고.

lindgrün *a.* 담녹색의.

Lindheit [línt..] *f.* -en 부드러움, 유화, 온화, 경미.

Lindigkeit [líndıç..] *f.* ↑ Lindheit.

Lind·wurm [línt..] *m.* 용처럼 생긴 전설상의 괴물.

Line [líːnə] ↑ Lina.

Lineal [lineáːl] 《lat.》 *n.* -s, -e (눈금)자; 〖天〗 수준기자리: 〔농담〕 du gehst, als hättest du ein ~ verschluckt 네 걸음걸이는 뻣뻣해서 부자연스럽다.

Lineament [lineamɛ́nt] *n.* -(e)s, -e ① 손금; 수상(手相); 얼굴의 선, 면상(面相). ② 〖미술〗 선의 배열. ③ 〖지질〗 (지구상에서 반복적으로 갈라지는) 옛 지각 구역.

***linear** [lineáːr] *a.* ① 직선(모양)의, 선의. ② 〖經〗 고정〔정액〕의, 일률적인: ~e Abschreibung〔Lohnerhöhung〕 일률적인 공제〔임금 인상〕. ③ 〔교양〕 일직선적인, 선형의. ④ 〖음악〗 선적(線的)인(화성에서 각 성부의 자유로운 진행을 중시한). ⑤ 〖언어〗 순차적인. ⑥ 〖數〗 선형의, 1 차원적인: eine ~e Funktion〔Gleichung〕 1 차 함수〔방정식〕. ⑦ 〖畫〗 도안의, 선을 중요시하는.

Linear⸗beschleuniger *m.* 〖핵물리〗 선형(線形) 가속기. **~gleichung** *f.* 〖數〗 1 차 방정식. **∼kontra·punktisch** *a.* 〖음악〗 선적(線的) 대위법의. **~maß** *n.* 척도. **~motor** *m.* 〖전기〗 선형 모터. **~perspektive** *f.* (그림의) 기하학적 원근법. **~taktik** *f.* 〖軍〗 횡대(橫隊)의 전술. **~zeichnung** *f.* 선화(법)(線畫(法)); 겨냥도, 약도.

Lineatur *f.* -en ① (공책 따위에 그은) 줄, 선. ② (그림의) 필치, 선을 긋기.

..ling *suf.* 〔남성 명사를 만드는 후철〕 ① 〔형용사 뒤에서〕 어떤 성격의 사람을 나타냄(보기: Feig~ 겁쟁이). ② 〔동사 어간 뒤에서〕 무엇을 하는 사람을 나타냄(보기: Flücht~ 도망자). ③ 〔명사 뒤에서〕 경멸의 뜻을 나타냄(보기: Dichter~ 재주 없는 시인).

Linga(m) [líŋga(m)] 《skt.》 *n.* -s (인도 시바신의 상징으로서) 남근(男根).

Lingam·kultus *m.* 남근 숭배.

Linge [lɛ̃ːʒ] 《frz.》 *f.* (호텔에서 취급하는) 세탁물(시트·테이블보 따위); 내의류.

..lings *suf.* 〔명사·형용사·동사에 붙여 부사를 만드는 후철〕 ① 신체의 특정 부위로 하는 운동을 나타냄(보기: bäuch~ 엎드려, 배를 깔고). ② 특정한 방법을 나타냄(보기: blind~ 눈을 감고).

lingual [lıŋguáːl] 《lat.》 *a.* 혀의.

Lingual *m.* -s, -e 〖언어〗 설음(舌音).

Lingualis *f.* ..les ↑ Lingual.

Lingual⸗buchstabe *m.* 〖문법〗 설음자(字). **~laut** *m.* 〖문법〗 ↑ Lingual.

Linguist [lıŋguíst] *m.* -en, -en 언어학자.

Linguistik [..stık] *f.* 언어학.

Linguistin *f.* -nen ↑ Linguist 의 여성형.

linguistisch *a.* 언어학의; 언어학적인.

***Linie** [líːniə] 《lat.》 *f.* -n ① 선: in gerader ~ 일직선으로; in erster ~ 우선 첫째로; in letzter ~ 최후에; auf der ganzen ~ 완전히; ~n ziehen 선을 긋다; ~ halten 선에서 벗어나지 않다; auf gleiche ~ stellen 동일하게 취급하다; die Häuser stehen in einer ~ 집들이 일직선으로 나란히 서 있다; das liegt〔bewegt sich〕 auf der gleichen ~ 그것은 종류가 같다. ② (얼굴과 몸의) 선, 윤곽; 주름; 손금; 몸매, 자태: sie muß auf ihre schlanke ~ achten 그녀는 자신의 날씬한 몸매에 신경을 쓰지 않을 수 없다; die Mode bevorzugt die schlanke ~ 요즈음 사람들은 날씬한 몸매를 좋아한다. ③ 〖지리〗 적도. ④ 계통, 혈통, 가계: die männliche〔weibliche〕 ~ 부계〔모계〕; in gerader ~ abstammend 직계의; gerade aufsteigende〔absteigende〕 ~ 직계 존속〔비속〕. ⑤ (철도·버스의) 노선; 〖海〗 항로; 차선: die ~ 8 fährt bis zum Hauptbahnhof 8 호선은 중앙역까지 간다. ⑥ 〖軍〗 전투 대열, 전열, 전선: an der vordersten ~ kämpfen 최전선에서 싸우다. ⑦ 〖음악〗 보선(譜線); 〖印〗 괘선(罫線). ⑧ 〖고어〗 척도의 단위(1 인치의 1/10 또는 1/12 에 해당함). ⑨ 〖스포츠〗 **(a)** 라인, (경계)선. **(b)** 골 라인. ⑩ (늘어선) 줄, 대열: in ~ antreten 정렬하다; sich in einer ~ aufstellen 일렬로 서다. ⑪ (정당 따위의) 노선, 방침: eine mittlere〔radikale〕 ~ 중도〔급진〕 노선.

Linien⸗blatt *n.* 줄친 종이, 괘지(罫紙). **~bus** *m.* 노선 버스. **~diagramm** *n.* 선그래프. **~dienst** *m.* (정기) 노선 운항. **~fahrt** *f.* 정기 운행. **~feuer** *n.* 횡대 사격. **~flug** *m.* (비행기의) 정기 노선 운항. **~flugzeug** *n.* 정기 노선 비행기. **∼förmig** *a.* 선 모양의. **~führung** *f.* ① 〖畫〗 필치. ② 윤곽선 (형태). ③ (전차나 버스의) 노선 운행. **~netz** *n.* ① 교통 노선망. ② 선들의 망. **~papier** *n.* 줄쳐진 종이, 괘지. **~regiment** *n.* 〖軍〗 상비 연대. **~richter** *m.* 〖구기〗 선심. **~richterin** *f.* 여자 선심. **~schiff** *n.* 정기선; 〖軍〗 (대열을 이룬) 전투함. **~schiffahrt** *f.* 정기 항행. **~soldat** *m.* 〖軍〗 상비병(兵), 전열병. **~spiegel** *m.* ↑ ~blatt. **~stecher** *m.* 물결무늬를 수놓는 직공(Guillocheur). **~system** *n.* 〖음악〗 5 선 악보 체제. **~taufe** *f.* 〔농담〕 (Äquatortaufe) 적도 통과 기념 세례(배 위에서 물을 끼얹음). **∼treu** *a.* (당의) 정치 노선에 충실한. **~truppen** *pl.* 상비군. **~verkehr** *m.* 정기 노선의 교통. **~ziehen** *n.* 선 긋기. **~zieher** *m.* 선을 긋는 사람; 화선용(畫線用)〔제도용〕 펜.

..linig 《<Linie》 *suf.* "…선(線)의"의 뜻(보기: gerad~ 직선의).

lin(i)ieren [lin(i)í:rən] 《lat.》 *t.* 선〔줄〕을 긋다: liniertes Papier 괘지.

Lin(i)ier≈feder *f.* 선 긋는 펜, 제도용 펜. **~maschine** *f.* 선을 긋는 기계. **~platte** *f.* 선을 인쇄하는 데 쓰는 인쇄판.

Linierung *f.* -en ① 선긋기. ② (공책 따위에 그은) 선, 줄.

Liniment [linimέnt] 《lat.》 *n.* -(e)s, -e 〖醫〗 바르는 연고.

*__link__ [lıŋk] 《Ⅰ》 *a.* (↔ recht) ① 왼쪽〔좌측〕의; 좌익〔좌파〕의: das ~e Ufer eines Flusses (하류로 향해서) 강의 좌안(左岸); ~e Hand 왼손; sich ~er Hand wenden 좌회전하다; et. mit der ~en Hand machen 무엇을 손쉽게 해내다; die ~e Seite a) 좌측, 왼편, 말 탈 때 처음에 등자(鐙子)를 디디는 쪽, b) 좌익, 급진파, c) 장부의 차변, d) (천 따위의) 안쪽, e) (그림의) 뒷면, f) 〖海〗 좌현; 〖구어〗 er ist mit dem ~en Bein〔Fuß〕 zuerst aufgestanden 그는 온종일 기분이 나쁘다. ② 수상쩍은; 그릇된: ~e Geschäfte machen 미심쩍은 사업을 하다; Ehe zur ~en Hand 신분 높은 남자와 신분 낮은 여자와의 결혼(혼례식에서 남자가 왼손을 내놓는 관습에서); ein ~es Urteil fällen 그릇된 판단을 내리다. ③ 왼손의: 〖권투〗 ~er Haken 왼손 훅; 〖구어〗 ~ sein 왼손잡이이다. ④ (linkisch) 왼손잡이의, 서투른: zwei ~e Hände haben 일에 서툴다.

__Linke__[1] *die* ① (↔ Rechte) 왼손; 좌측: zu meiner ~n 〔zur ~n von mir〕 내 왼쪽에; 〖권투〗 seine ~ einsetzen 왼손을 쓰다; 〖植〗 zur ~n gewunden 왼쪽으로 감긴. ② 〖政〗 좌파 (정당), 좌익: die äußerste ~ 극좌파; die neue ~ 신좌파.

Linke*[2] *der* 〖구기·은어〗 레프트 윙.

Linke-Hand-Regel, Linke·hand·regel [lıŋkəhánt..] *f.* 〖전기〗 (플레밍의) 왼손 법칙.

linken [líŋkən] *t.* 〖구어〗 속이다, 기만하다.

linker≈hand, ~seits *adv.* 왼손〔왼편〕에.

Link≈hand *f.*, **~händer** *m.* ↑ Linkshänder. **~händig** *a.* ↑ linkshändig.

Linkheit *f.* -en ↑ link의 명사형.

linkisch *a.* 왼손잡이의; 서투른; 어색한; 버릇 없는.

Linkrusta [lıŋkrústa] 《lat.》 *f.* (물로 씻을 수 있는) 리놀륨 벽지.

*__links__ [lıŋks] 《Ⅰ》 *adv.* ① 왼쪽〔좌측〕에: die Augen ~! 좌로 봐!; ~ von et.[3] 무엇의 왼쪽에; von ~ 왼편에서; nach ~ 왼편으로; 〖구어〗 jn. ~ liegen lassen 누구를 (의도적으로) 무시하다; 〖비유〗 weder ~ noch rechts schauen 앞만 보고 나아가다; nicht wissen, was ~ und (was) rechts ist 분별력을 완전히 잃고 있다. ② 왼손잡이로; 서투르게; 무례하게; 틀리게: ~ schreiben 왼손으로 글을 쓰다; et. mit ~ machen 무슨 일을 손쉽게 하다; jn. (auf) ~ drehen 누구를 철저히 심문하다; weit ~ sein 정도에서 완전히 벗어나 있다; et. ~ nehmen 어떤 일을 오해하다; die Socken vor dem Waschen ~ machen 세탁하기 전에 양말을 뒤집다; jetzt hast du mich ganz ~ gemacht 이제 너는 나를 완전히 혼란스럽게 만들었다; er ist ~ a) 그는 왼손잡이다, b) 좌익이다. ③ 좌익에, 좌경에. ④ Vettern von ~ 의형제. ⑤ 〖수공예〗 안쪽에, 뒤집은 쪽에: eine ~ gestrickte Weste 골이 지게 뒤집어 뜬 조끼. 《Ⅱ》 *prp.*[2] …의 좌측에: ~ des Weges 길 왼쪽에.

Links≈abbieger *m.* 좌회전 차량의 운전자. **~spur** *f.* 좌회전 차선. **~auslage** *f.* 〖권투〗 왼발과 왼주먹을 몸 앞으로 내민 (오른손잡이 복서의) 자세. **~ausleger** *m.* 〖권투〗 (왼손과 왼발을 앞으로 내민) 오른손잡이 복서. **~außen** *m.* 〖축구〗 레프트 윙. **~bündig** *a.* 왼쪽 수직에 맞춘. **~drall** *m.* ① 시계 방향과 반대 방향으로의 회전 운동, 좌선회. ② 좌익〔좌경화〕 성향. **~drehend** *a.* 〖物〗 좌선성(左旋性)의, 왼쪽으로 회전하는. **~drehung** *f.* 〖物〗 좌선성, 왼쪽으로 돌기. **~eingestellt** *a.* 좌익 성향의. **~extrem** *a.* (체제 부정적) 극좌파의. **~extremismus** *m.* 극좌주의〔노선〕. **~extremist** *m.* 극좌주의자.

link·seitig *a.* ↑ linksseitig.

Linkser [..ksər] *m.* -s, - 〖방언〗 (↔ Rechtser) 왼손잡이.

links≈gängig *a.* ↑ ~drehend. **~gerichtet** *a.* ↑ ~orientiert. **~gewinde** *n.* 〖工〗 왼쪽으로 감긴 코일. **~gewunden** *a.* 왼쪽으로 감긴〔도는〕. **~händer** *m.* 왼손잡이. **~händig** *a.* 왼손잡이의. **~händigkeit** *f.* 왼손잡이 특성. **~her** [(또는) ..hé:r] *adv.* 왼쪽에서. **~herum** *adv.* 왼쪽 방향으로 (돌아서). **~hin** [(또는) ..hín] *adv.* 왼쪽으로. **~hörnchen** *n.* 〖動〗 달팽이. **~intellektuelle*** *der/die* 좌파 지식인. **~kurs** *m.* ① 〖승마〗 왼쪽으로 도는 코스. ② 좌경 노선. **~kurve** *f.* 왼쪽으로 도는 커브. **~lastig** *a.* ① 짐을 왼쪽에 너무 많이 실은. ② (객관적이지 못하고) 좌편향의. **~läufig** *a.* ① 〖工〗 ↑ ~drehend. ② 오른쪽에서 왼쪽으로 쓰는〔읽는〕. **~liberal** *a.* 자유주의 좌파의. **~orientiert** *a.* 좌경의, 좌익 사상을 가진. **~partei** *f.* 좌익 정당. **~radikal** *a.* 급진 좌파의. **~radikale*** *der/die* 극좌주의자. **~radikalismus** *m.* 극좌주의. **~-Rechts-Kombination** *f.* 〖권투〗 좌우 연타. **~rheinisch** *a.* 라인강 왼쪽(기슭)의. **~ruck** *m.* 좌익의 급격한 득세. **~rum** *adv.* ↑ linksherum. **~seitig** *a.* 왼편의, 좌측의. **~stehend** *a.* 좌경〔좌파〕의. **~ufrig** *a.* 왼쪽 강변의. **~um** [(또는) ..ύm] *adv.* 왼쪽으로: ~! 좌향좌!; ~ kehrt! 좌로 돌아! **~unterzeichnete*** *der/die* 문서의 왼쪽에 서명한 사람. **~verkehr** *m.* 좌측 통행. **~wendung** *f.* 왼쪽으로 돌기, 좌선회.

Linnen [línən] *n.* -s, - ↑ Leinen의 고어.

linnen *a.* ↑ leinen의 고어.

Linoleum [linó:leum] 《lat.》 *n.* -s 리놀륨.

Linoleum≈druck *m.* 리놀륨 판화. **~schnitt** *m.* ↑ Linolschnitt.

Linolschnitt *m.* -(e)s, -e ① 리놀륨을 사용하는 철판(凸板)식 인쇄. ② 리놀륨 판화.

Linon [lĩnɔ̃:, lí:nɔn] 《frz.》 *m.* -(s), -s 사(紗), 아마로 짠 얇은 천.

Linotype [láınotaıp] 《engl.》 *f.* -s 〖印〗 자동 식자기, 라이노타이프.

Linotype-Setz·maschine *f.* 라이노타이프.

*__Linse__ [línzə] *f.* -n ① 〖植〗 납작한 완두콩, 편두(扁豆). ② (a) 〖광학〗 렌즈: eine konkave 〔konvexe〕 ~ 오목〔볼록〕 렌즈; die Brennweite einer ~ 렌즈의 초점 거리; die ~

spannen 날카롭게 주시하다. (b) (카메라의) 대물 렌즈. ③〖해부〗(안구의) 수정체. ④〖지질〗렌즈 형태의 지층. ⑤〖방언〗주화, 동전.
linsen [línzən] *i.* (h.) 〘구어〙(은밀히) 엿보다, 몰래 훔쳐보다.
linsen≈ähnlich, ~artig *a.* 렌즈 모양의. **~entzündung** *f.* 〖醫〗 수정체염(水晶體炎). **~fehler** *m.* 〖광학〗 렌즈의 결함. **~fleck** *m.* 〖醫〗 (피부의) 기미. **~förmig** *a.* 렌즈형의. **~gericht** *n.* 붉은 공 요리, 팥죽: für ein ~ (당장의 필요 때문에) 보잘것없는 것을 받고(창세기 25 : 29-34) ; et. für ein ~ hergeben 〔verkaufen〕 무엇을 헐값으로 내주다〔팔다〕. **~glas** *n.* 렌즈.
linsenhaft *a.* 렌즈 모양의.
Linsen≈kapsel *f.* 〖醫〗 수정체낭(水晶體囊). **~mal** *n.* ↑ ~fleck. **~mehl** *n.* 편두(扁豆) 가루. **~suppe** *f.* 편두 수프. **~trübung** *f.* 〖醫〗 수정체의 혼탁.
Linslein [línslaın] *n.* -s, - ↑ Linse 의 축소형.
Linz [lınts] 린츠(오스트리아의 도시).
Linzer [líntsər] 《I》 *m.* -s, - 린츠의 주민. 《II》 *a.* 린츠시의: die ~ Torte 린츠 케이크.
Lipämie [lipɛmí:] *f.* -n [..mí:ən] 〖醫〗 혈중 지방질 과다증.
lipämisch *a.* 〖醫〗 혈중 지방이 과다한.
Liparische Inseln [lipá:rıʃə..] *pl.* 리파리제도(시칠리아 북쪽의 소화산 군도).
Lipizzaner [lipıtsá:nər] *m.* -s, - 리피차산(産) 순종(백)마(馬).
Lipase [lipá:zə] 《gr.》 *f.* -n 〖생화학〗 리파아제, 지방 분해 효소.
Lipoid [lıpoí:t] 《gr.》 *n.* -s, -e 유지방, 리포이드.
lipoid *a.* 〖생화학〗 지방성의.
Lipom *n.* -s, -e 〖醫〗 지방종(脂肪腫).
Lipoma *n.* -s, -ta 〖醫〗 ↑ Lipom.
Lipomatose [lipomató:zə] *f.* -n 〖醫〗 지방종증세.
***Lippe** [lípə] *f.* -n ① 입술: die ~n hängen lassen 부루퉁한 표정을 짓다; an js. ~n hängen 누구의 말을 넋을 잃고 듣다; die ~n lecken 입술을 핥다(갈망의 표정); die ~n aufwerfen 입술을 비쭉거리다(경멸·노여움·불쾌·당혹의 표정); von den ~n lesen (농아자가) 입술을 보고 말을 알아듣다; sich die ~n schminken 입술 화장을 하다; den Finger auf die ~n legen (말하지 말라는 뜻으로) 손가락을 입술에 대다; sich³ (auf) die ~n beißen (분노·웃음을 참기 위해) 입술을 깨물다; etwas erstirbt (jm.) auf den ~n (누가) 무엇을 말하려다 갑자기 말문이 막히다; etwas drängt sich (jm.) auf die ~n 갑자기(누가) 무엇을 말하고 싶어지다; etwas kommt nicht über js. ~n 〔jm. nicht über die ~n〕 누가 무엇을 발설하지 않다; ein frohes Lied auf den ~n, zogen sie von Dorf zu Dorf 흥겨운 노래를 부르며 그들은 이 마을 저 마을을 돌아다녔다; etwas fließt〔geht〕 jm. leicht〔glatt〕 von den ~n 무슨 말이 누구의 입에서 쉽게〔술술〕 나오다; 〘경박〙 eine (dicke, große) ~ riskieren a) 허풍떨다, 함부로 말하다, b) 말참견하다, c) 반대〔말대꾸〕하다. ②〖植〗 순형 화판(脣形花瓣). ③〖해부〗 음순(陰脣).
Lippen≈andacht *f.* 입으로만 하는 기도. **~bär** *m.* 〖動〗 입술곰(인도산(産) 검은 곰). **~bekenntnis** *n.* 〘경멸〙 입으로만 하는 고백. **~blume** *f.* 〖植〗 입술꽃, 순형화(脣形花). **~blüter, ~blütler** *m.* 〖植〗 (순형화가 있는) 꿀풀과의 식물. **~buch·stabe** *m.* 〖문법〗 입술소리를 내는 문자(b, p 등). **~förmig** *a.* 순형(脣形)의, 입술 모양의. **~laut** *m.* 〖문법〗 입술소리(m, b, p, w 따위). **~pfeife** *f.* 〖음악〗 (파이프 오르간의) 순관(脣管). **~pomade** *f.* 〖醫〗 입술 연고. **~spalte** *f.* 〖醫〗 (Hasenscharte) 언청이, 결순(缺脣). **~sprache** *f.* (농아자의) 독순술(讀脣術)의 언어. **~stift** *m.* 립스틱. **~synchronisation** *f.* 〖영화〗 동시 녹음.
Lipp·fisch *m.* 〖動〗 놀래기.
lippig [lípıç] *a.* 입술이 있는.
..lippig *suf.* "…한 입술의"의 뜻(보기: dünn~ 입술이 엷은).
Lips [lıps] *m.* ① 〘↑ Philipp 의 단축형〙 립스(남자 이름). ② Leipzig 의 다른 표현.
Liptauer [líptauər] 《I》 *a.* 립타우의: ~ Käse 립타우산(産) 치즈(양의 젖으로 만듦). 《II》 *m.* -s, - ① 립타우 사람. ② 립타우산(産) 치즈.
Lipurie [lipurí:] *f.* 〖醫〗 지방뇨(증).
Liq. = Liquor 액, 체액, 용액.
Liquefaktion [likvefaktsió:n] 《lat. liquere》 *f.* -en 액화, 융해.
Liqueur [likǿ:r] 《frz.》 *m.* -s, -s ↑ Likör.
***liquid** [likví:t] *a.* ①〖經〗 처분〔사용〕 가능한: ~e Mittel 처분 가능한 자산. ②〖經〗 지급 능력이 있는: ein ~es Unternehmen 지급 능력이 있는 기업. ③〖化〗 액상의, 액체의. ④〖음성〗 유음(流音)의.
Liquida [lí:kvida] *f.* ..dä [..dɛ]/..den [likví:dən] 〖문법〗 유음(流音) (보기: l, r).
Liquidation [likvidatsió:n] *f.* -en ①〖經〗 파산 정리, 폐업, 해산; (부채의) 변제, 청산. ② (의사·변호사의) 보수 청구. ③ (분쟁의) 조정, 처리. ④ 숙청, 제거; 살해.
Liquidations≈büro [..byro:] *n.*, **~kasse** *f.* 청산소; 어음 교환소. **~kommission** *f.* 청산위원회. **~tag** *m.* 청산일. **~termin** *m.* 청산기일. **~verfahren** *n.* 청산 절차, 파산 정리. **~verhandlung** *f.* 파산〔청산〕 협상.
Liquidator [likvidá:tɔr, ..to:r] 《lat.》 *m.* -s, -en [..tó:rən] 〖經〗 청산인, 파산 관기인.
liquide [likví:də] *a.* ↑ liquid.
***liquidieren** [likvidí:rən] 《I》 *t.* ①〖經〗 (기업·단체를) 해산〔정리〕하다. ②〖經〗 현금화하다, 환금하다. ③ (의사·변호사가) 보수를 청구하다. ④〘교양〙 제거하다; 살해하다: politische Gegner ~ 정적들을 제거하다. 《II》 *i.* (h.) 해산〔폐업〕하다.
Liquidierung *f.* -en ↑ Liquidation.
Liquidität *f.* ① 유동성, 액체 상태. ②〖經〗 지급 능력; 유동 자산(현금·예금 잔고 따위).
Liquid·laut *m.* ↑ Liquida.
Liquor [lí:kvɔr] *m.* -s, -es [..kó:re:s] ①〖해부〗 수액(髓液). ②〖藥〗 용액, 물약.
Lira [lí:ra] 《lat.》 *f.* ..re 리라(이탈리아의 화폐 단위) (약어: L).
lisch [lıʃ] ↑ löschen 의 2 인칭 단수 명령형.
lisch(e)st ↑ löschen 의 2 인칭 단수 현재형.
lischt [lıʃt] ↑ löschen 의 3 인칭 단수 현재형.
Lise [lí:zə] 〘↑ Elisabeth 의 단축형〙 리제(여

자 이름).

Lisene [lizé:nə] 《<Lisiere》 *f.* -n 〖건축〗 (특히 로마네스크 양식의) 중깃, 벽주(壁柱).

Lisette [lizɛ́tə] 〖↑ Elisabeth 의 단축형〗 리제테(여자 이름).

Lisiere [liziɛ́:rə] 《frz.》 *f.* -n (Saum) 가장자리; 숲〔밭〕의 가장자리 또는 경계.

lismen [lísmən] *t.* (schweiz.) (stricken) 뜨개질하다, 짜다.

Lismer [lísmər] *m.* -s, - 털실로 뜬 조끼.

Lisp(e)ler *m.* -s, - 속삭이는 사람.

Lispel·laut *m.* 이 사이에 혀를 끼어 내는 음.

*__lispeln__ [líspəln] *t./i.* (h.) ① 속삭이다, 귓속말하다, 중얼거리다. ②〔시어〕(바람·물·잎이) 살랑거리다, 졸졸 소리를 내다, 서걱거리다. ③ (s 발음을 잘못하여 영어의 th 같이) 이 사이에 혀를 끼어서 발음하다.

Lispel·ton *m.* 〖↑ ..töne〗 ↑ Lispellaut.

Lissabon [lísabɔn] 리스본(포르투갈의 수도).

Lissaboner [..nər] 《Ⅰ》 *m.* -s, - 리스본 사람〔주민〕. 《Ⅱ》 *a.* 리스본의.

Lisse [lísə] *f.* -n ①〔방언〕(짐수레의 양쪽의) 버팀대. ②〔방언〕 닭의 눈, 티눈.

*__List__ [lɪst] *f.* -en ①〔고어〕현명. ② 책략, 간계, 술수, 간지(奸智): zu einer ~ greifen〔eine ~ anwenden〕 술책을 쓰다; mit ~ und Tücke 갖은 술수를 다 동원하여; frei von ~ 술수를 모르는; 〔속담〕 ~ geht über Gewalt 지략이 폭력보다 낫다; ~ wider ~! 다른 사람을 속이는 사람은 스스로도 속는다!

*__Liste__ [lístə] 《germ.; Leiste》 *f.* -n 리스트, 표, 목록; (후보자) 명단: die schwarze ~ 요주의 인물 명부, 블랙리스트; in eine ~ aufnehmen〔eintragen〕 목록에 기입하다; eine grüne ~ 독일의 녹색당이 추천한 후보자 명단.

listen[1] [lístən] *t.* (명단에) 기록〔기입〕하다.

listen[2] *t.* 〖스포츠〗 (공을) 속임수를〔트릭을〕 써서 골인시키다.

Listen≈abstimmung *f.* 명부 투표. **~führer** *m.* 명부 작성자. **~führung** *f.* 목록〔명부〕의 작성, 기장(記帳). **~platz** *m.* 〖政〗 입후보 명부에 올림. **~preis** *m.* 〖經〗 (판매) 목록에 기록된 가격.

listen≈reich 《<List》 《Ⅰ》 *a.* 교활한, 꾀가 많은. 《Ⅱ》 *adv.* 교활하게(도), 술책을 써서. **≈verbindung** *f.* 〖政〗 연합 공천. **≈wahl** *f.* (↔ Einzelwahl) 〖政〗 명부식 비례 대표제 선거(법).

Lister [lístər] *m.* -s, - 책략가.

*__listig__ [lístɪç] *a.* 교활한, 노회(老獪)한.

listiger·weise *adv.* 교활하게도, 술책을 써서.

Listigkeit *f.* -en 교활(함), 술책(이 많음).

Lit. 《lat.》 ① 리라(Lira, Lire). ② 문자, 철자, 낱자(Litera).

Litanei [litanáɪ] 《gr., „Bittgebet"》 *f.* -en ① 〖가톨릭〗 (신부와 신자들이 서로 번갈아 올리는) 연도(連禱). ② 지루하게 반복하는 한탄〔잔소리〕.

Litauen [lí:tauən, lít..] 리투아니아 공화국.

Litauer [..tauər] *m.* -s, - 리투아니아 사람.

litauisch *a.* 리투아니아(사람·말)의.

Litauisch *n.* -(e)s, **Litauische*** *das* 리투아니아어.

Lite *m.* -n, -n 〖史〗 (프랑크 제국 시대의) 농노, 반(半)자유인.

*__Liter__ [lí:tər] 《gr.》 《Ⅰ》 *n./m.* -s, - 리터(약어: l): ein halbes ~ 반리터. 《Ⅱ》 *m.* -s, - 〔방언〕 1 리터들이 용기.

Litera [lítəra, líte..] 《lat., „Buchstabe"》 *f.* -s/..rä ① 문자(약어: Lit.). ②〖증권·화폐〗 발행자 표시 문자(약어: Lit.).

literar≈geschichtlich [lɪtərá:r.., lɪte..] *a.* ↑ literaturgeschichtlich. **≈historiker** *m.* ↑ Literaturhistoriker. **~historisch** *a.* ↑ literaturgeschichtlich.

*__literarisch__ [lɪtərá:rɪʃ] *a.* ① 문학의, 문학에 관한, 문학적인: das ~e Erbe Goethes 괴테의 문학 유산; ~er Diebstahl (문학 작품의) 표절; ~e Zeitschrift 문학 잡지; eine gute ~e Bildung haben 문학적 소양이 뛰어나다. ② 문서〔글쓰기〕에 관한〔의한〕: eine ~e Straftat 문서(위조) 범행. ③〖교양〗(표현이) 부자연스러운, 가식적인, 상징적〔비유적〕인: sein Stil ist ~ 그의 문체는 부자연스럽다.

Literar·kritik *f.* ↑ Literaturkritik.

Literat [..rá:t] *m.* -en, -en ① 작가, 문필가, 문학가. ②〖폄어〗 3 류 작가, (세상 물정 모르는) 책상 물림 작가.

Literatentum *n.* -(e)s 문필가로서의 활동〔행동〕.

Literatin *f.* -nen ↑ Literat 의 여성형.

*__Literatur__ [lɪtəratú:r] *f.* -en ① 문학, 문예: schöne ~ (순수) 문학; das Buch gehört zur ~ 이 책은 문학적 가치가 높다. ②〖단수〗〖집합적〗 저작(물), 문헌; 참고 도서; (전공) 서적; (음악) 작품: Sekundär≈ 2 차 문헌, 참고도서.

Literatur≈angabe *f.* 참고 문헌 제시〔목록〕. **~beilage** *f.* (신문의) 문예 부록. **~blatt** *n.* 문학 잡지; 신간 평론 잡지. **~denkmal** *n.* 기념비적인 문학 작품. **~freund** *m.* 문학 애호가. **~gattung** *f.* 문학 장르. **~geschichte** *f.* 문학사. **≈geschichtlich** *a.* 문학사의〔에 관한〕. **~hinweis** *m.* 참고 도서 안내. **~historiker** *m.* 문학사가. **~kritik** *f.* 문학 비평. **~kritiker** *m.* 문학 비평가. **~preis** *m.* 문학상. **~sprache** *f.* ① 문학(언)어. ②〖구동독〗 표준어. **~verzeichnis** *n.* 참고 문헌 목록. **~wissenschaft** *f.* 문(예)학. **~zeit·schrift** *f.* 문학 잡지. **~zeitung** *f.* 문예 신문.

Liter≈flasche *f.* 1 리터들이 병. **~leistung** *f.* 〖車〗 배기량 1 리터 단위 엔진 출력. **≈weise** *adv.* ① 리터 단위로. ②〔구어〕 대량으로: et. ~ trinken 무엇을 벌컥벌컥 마시다.

Litewka [litɛ́fka] 《poln.》 *f.* ..ken 〖軍〗 (높은 칼라와 두 줄의 단추가 달린) 회색의 군복 상의.

Litfaß·säule [lítfas..] *f.* 광고 기둥(고안자 E. Litfaß 에서): Plakate an eine ~ kleben 포스터를 광고 기둥에 붙이다.

..lith *suf.* "석·광물"을 의미하는 남성 명사를 만듦(보기: Mega~ 거석).

Lithiasis [lití:azɪs] 《gr. líthos, „Stein"》 *f.* ..asen [..á:zən] 〖醫〗 결석증(結石症).

Lithium [lí:tiʊm] *n.* -s 〖化〗 리튬.

Litho [lí(:)to] *n.* -s, -s ↑ ~graphie ②.

Lithograph [litográ:f] *m.* -en, -en 석판 화가; 석판 인쇄공.

Lithographie [..grafí:] *f.* -n [..fí:ən] ① 석판 인쇄술〔물〕. ② 석판; 석판화.
lithographieren [..grafí:rən] *t.* 석판으로 인쇄하다〔그리다〕.
lithographisch *a.* 석판(인쇄)의.
Lithoklast *m.* -en, -en 〖醫〗 쇄석기(碎石器).
Lithologe *m.* -n, -n 암석학자.
Lithologie [..logí:] *f.* 암석학.
Litholyse [..lý:zə] *f.* -n 〖醫〗 결석 용해.
Lithophanie [..faní:] *f.* -n [..ní:ən] 얇은 자기(瓷器)에 부조(浮彫)한 그림(투명하게 비침).
Lithopone *f.* 〖化〗 (실내 도장용) 백색 안료.
Lithosphäre *f.* 암석층.
Lithotomie *f.* -n [..mí:ən] 〖醫〗 수술을 통한 결석 제거.
Lithotripsie *f.* -n [..sí:ən] 〖醫〗 (요도를 통한) 쇄석술.
Lithotripter *m.* -s, - 〖醫〗 쇄석기.
Lithurgik [litúrgɪk] *f.* 암석 가공학.
Litigant [litigánt] 《lat.》 *m.* -en, -en 소송(당사)자.
Litigation [..tsió:n] *f.* -en 소송.
Lit·lohn *m.* 노복(奴僕)〔농노〕의 임금.
litoral 《lat. litorolis》 [litorá:l] *a.* 해안〔연안〕의.
Litoral *n.* -s, -s 〖지질〗 해안(지대).
Litorale *n.* -s, -s ↑ Litoral.
Litoral·fauna *f.* 연안 지대의 동물 분포 상태. **~flora** *f.* 연안 지대의 식물 분포 상태.
Litorina *f.* ..nen 해변 달팽이.
Litorina·meer *n.* 〖지질〗 (달팽이 화석이 나오는) 빙하기 이후의 발트해.
Litotes [litó:tɛs] 《gr.》 *f.* 완곡 어법(보기: sehr gut 대신 nicht übel).
Litschi [lítʃi] *f.* -s 〖植〗 여주, 여주 열매.
litt [lɪt] ↑ leiden 의 과거형.
Liturg [litúrk] *m.*, **Liturge** 《gr.》 *m.* ..en, ..en [..gən] (예배를 집전하는) 사제.
Liturgie [liturgí:] *f.* -n [..gí:ən] ① (고대 그리스에서 공동체를 위한) 시민 무료 봉사. ② 〖가톨릭〗 예배(식), 기도(식). ③ 〖기독교〗 (예배 중 성직자와 신도들이 교대로 읽거나 부르는) 교독(交讀), 대창(對唱).
Liturgik [litúrgɪk] *f.* 전례학(典禮學).
liturgisch *a.* 예배(식)의, 전례의: ~e Formeln 예배의 상용어구(보기: 아멘, 할렐루야); ~e Gewänder 예배 때 성직자가 입는 가운; ~es Drama 종교극.
Litze [lítsə] 《lat.》 *f.* -n ① (제복의) 끈 장식 끈, 납작하게 땋은 끈; 레이스, 가장자리 장식. ② 끈 명주실. ③ 〖전기〗 얇은 철사로 만든 전선〔코드〕; 〖工〗 다발 철사; 〖직조〗 사침대. ④ (ndd.) 짐 꾸리는 끈.
litzen *t.* 〔방언〕 접다; 매다.
Litzen=besatz *m.* 레이스 장식. **~bruder** *m.* (ndd.) 짐꾸리는 인부, 포장 인부. **~schnur** *f.* 합사(合絲). **~zwirn** *m.* 〖직조〗 사침대의 실.
Live [lí:və] *m.* -n, -n ↑ Livländer.
Live=-Aufzeichnung [láif..] *f.* 〖방송〗 실황 녹음〔촬영〕. **~-Musik** *f.* 생음악, 라이브 뮤직. **~-Sendung** *f.* 〖방송〗 생방송, 생중계. **~-Show** *f.* ① 생방송 중계쇼. ② 〔은어〕 나체쇼.
livid(e) [liví:t, ..ví:də] 《lat.》 *a.* 청색 빛이 감도는; 창백한; 〔비유〕 질투하고 있는.
livisch *a.* 리프랜드의.
Livland [lí:flant] 리프랜드(발트해 연안 지역).
Livländer [..lɛndər] *m.* -s, - 리프랜드 사람.
livländisch *a.* 리프랜드의.
Livre [lí:vrə] 《frz.》 *m./n.* -(s), -(s) ① 리브르(옛날 프랑스의 화폐). ② 리브르(옛날 프랑스의 무게 단위; 약 500 g).
Livree [livré:] 《frz.》 *f.* -n [..ré:ən] 하인의 제복.
Livree=bediente* *der* 제복을 입은 하인. **~borte** *f.* 하인 제복의 장식 끈. **~diener** *m.* ↑ ~bediente.
livriert [livrí:rt] *a.* 하인 제복을 입고 있는.
Lizentiat [litsɛntsiá:t] 《lat.》《Ⅰ》 *n.* -(e)s, -e 석사 학위(중세 대학에서 Bakkalaureat 보다 한 단계 위의 학위; 지금은 스위스와 일부 가톨릭 신학부에만 남아 있음). 《Ⅱ》 *m.* -en, -en 위의 학위 소유자(약어: Lic., Liz.)
Lizenziat 新정서 ⇦ Lizentiat.
***Lizenz** [litsɛ́nts] 《lat.》 *f.* -en 허가, 인가, 면허; 특허; (번역서의) 판권, 저작권; (시인의) 자유: eine ~ dafür haben, et. zu tun 무엇을 할 허락을 얻고 있다; et. in ~ herstellen 무엇을 인가를 받고 제조하다.
Lizenz=ausgabe *f.* 저작권 취득판. **~geber** *m.* 인가자, 허가자. **~gebühr** *f.* 사용료, 로얄티; 저작권료.
lizenzieren [litsɛntsí:rən] *t.* 허가〔인가〕하다.
Lizenz=recht *n.* 특허권; 저작권. **~spieler** *m.* 라이센스를 소유한 운동 선수(협회에 등록하여 활동 허가를 받은 선수). **~träger** *m.* 라이센스 소유자. **~vertrag** *m.* 라이센스〔허가·인가〕 계약.
Lizitant [litsitánt] 《lat.》 *m.* -en, -en 경매 입찰자.
Lizitation [..tatsió:n] *f.* -en 공매, 경매.
lizitieren [..tí:rən] *t.* ① (…에) 값을 매기다. ② 경매하다.
l.J. =laufenden Jahres 금년의〔에〕, 올해의〔에〕.
Ljubljana *n.* 류블랴나(슬로베니아의 수도).
Lkw. =Lastkraftwagen 화물차.
l.l. =loco laudato [ló:ko laudá:to] 상기(上記)의 인용한 곳에서.
Llano [ljá:nɔ] *m.* -s, -s 〖지리〗 (열대와 아열대 지방의) 나무가 거의 없는 고지 평원.
Lloyd [lɔʏt] *m.* -(s), -s 로이드(해상 보험사; 로이드 기선 회사; 로이드 신문).
lm [lú:mən] (Lumen) 루멘(광속(光速)의 단위).
l.M. =laufenden Monats 이 달.
Lnbd. =Leinenband 아마포로 제본한 서적.
***Lob**[1] [lo:p] *n.* -(e)s [..bəs, ..ps] ① **(a)** 칭찬, 호평, 찬양; 찬사: übertriebenes ~ 지나친 칭찬; er ist über alles ~ erhaben 그를 칭찬하기에는 말이 모자란다; js. ~ singen 누구를 열광적으로 찬미하다; jm. ~ erteilen〔spenden〕 누구를 칭찬하다. **(b)** 명예, 영광: jm. zum ~e gereichen 누구의 명예가 되다; zum ~e Gottes 신의 영광을 위하여; das muß zu seinem ~e gesagt werden 그를 칭찬하기 위해 이 말을 하지 않을 수 없다. ② 〔고어〕 **(a)**

칭찬받아야 할 사람〔사물〕. (**b**) 칭찬자. ③ 판단, 비평. ④ 좋은 성적〔점수〕: einem Schüler ein ~ einschreiben 학생에게 좋은 점수를 주다. ⑤〖복수: Löber〗(schweiz.) 상속세.

Lob² [lɔp, lɔb] 《engl.》 *m.* -(s), -s 〖테니스〗 로브(상대방의 머리 위로 높이 쳐 올린 공).

Lob≠begierde *f.* 명예욕. **~begierig** *a.* 명예를 탐내는.

lobben *i.* 〖테니스〗 공을 로브하다.

Lobby [lɔ́bi] 《engl.》 *f.* -s/..bies [..bi:s] ① 로비, 대기실. ② (국회의) 압력 단체, 원외 (이익) 단체.

Lobbyismus [lɔbiísmus] *m.* - 로비 활동.

Lobbyist *m.* -en, -en 로비 활동가.

Lobelie [lobé:liə] *f.* -n 〖植〗 로벨리아, 수염가래꽃.

***loben** [ló:bən] 《<Lob》 《Ⅰ》 *t.* ① (↔tadeln) 칭찬〔찬양〕하다; 추천〔장려〕하다: jn. für 〔um〕 et. ~ 누구를 어떤 일로 칭찬하다; jn. ins Gesicht ~ 누구를 맞대 놓고 칭찬하다; ohne mich selbst zu ~ 내 자랑이 아니라; was sich an ihm ~ läßt 그가 칭찬받을 만한 점; gutes Werk lobt sich selbst 좋은 작품〔선행〕의 진가는 저절로 세상에 알려진다; das Werk lobt den Meister 명인은 작품에 의해 인정을 받는다; dieser Wein ist sehr zu ~ 이 포도주는 아주 좋다; Gott sei gelobt! 주여 감사합니다! ② (**a**) (ndd.) 평가하다, 값을 매기다. (**b**) (obd.) 약속하다: 〖聖〗 das gelobte Land 약속의 땅. 《Ⅱ》 *refl.* sich³ et. ~ 무엇을 좋아하다: da lobe ich mir den Mann 나는 이분이 좋다.

lobens≠wert, ~würdig *a.* 칭찬할 만한. **≗-würdigkeit** *f.* 칭찬받을 만함〔만한 것〕.

Lober *m.* -s, - 칭찬하는 사람.

lobesam, lobesan *a.* 《주로 명사 뒤에서 부가어로》 ① 칭찬할 만한, 훌륭한. ② 용감한, 공로가 많은: Kaiser Rotbart ~ 용맹한 붉은 수염의 황제(프리드리히 1 세).

Lobes≠erhebung *f.* 찬미, 찬양. **~hymne** *f.* 대찬가: eine ~〔~n〕 auf jn. anstimmen〔singen〕 누구를 찬양하다.

Lob≠gebet *n.* 찬미의 기도. **~gedicht** *n.* 송시(頌詩), 찬가. **~gesang** *m.* 찬미가, 송가. **~gier** *f.* 명예욕. **~hudelei** *f.* 아첨, 추종. **~hudeler** *m.* ↑ ~hudler. **≗hudeln** *t.* 추종〔아부〕하다. **~hudler** *m.* 아첨꾼.

löblich [lǿ:plıç] *a.* ① 칭찬할〔인정받을〕 만한. ②〖칭호에 동반해서〗〖구식〗존경하는: an den ~en Magistrat der Stadt... …시청(市廳) 귀중(貴中).

Löblichkeit *f.* 칭찬〔존경〕할 만한 일.

Lob≠lied *n.* ↑ ~gesang: ein ~ auf jn.〔et.〕 singen 누구를〔무엇을〕 극찬하다. **~opfer** *n.* 신의 찬미를 위한 제물. **~preis** *m.* 찬양, 찬미. **≗preisen*** (≗preiste, gelobpreist; 또는 ≗pries, ≗gepriesen; zu ≗preisen) *t.* 칭찬〔찬미〕하다. **~preisung** *f.* 칭찬, 찬미. **~psalm** *m.* 찬미가. **~rede** *f.* 찬사, 찬양 연설. **~redner** *m.* 찬양하는 사람. **≗rednerisch** *a.* 찬양조의, 아부성의. **~schrift** *f.* 찬양문. **≗singen*** (≗sang, ≗gesungen) *i.* (h.) jm. ~ 누구를 찬양하여 노래하다. **~-spruch** *m.* 찬사. **~sucht** *f.* ① 명예욕. ② 칭찬하기 좋아하는 성미. **≗würdig** *a.* ↑ lobenswert.

Locarner [lokárnər] *m.* -s, -, **Locarnese** *m.* -n, -n 로카르노 사람.

Locarno [lokárno] 로카르노(스위스의 도시).

***Loch** [lɔx] 《♧ Lücke》 *n.* -(e)s, Löcher [lœ́çər] ① (**a**) 구멍; 우묵한 곳; 동굴: voller Löcher 구멍투성이의; ein ~ ausfüllen 구멍을 막다; ein ~ bohren 구멍을 뚫다; sich³ ein ~ in den Kopf fallen〔stoßen, rennen〕 넘어져 머리를 다치다; 〖구어〗 jm. ein ~ in den Kopf schlagen 누구의 머리를 때려 파열상을 입히다. (**b**) 틈, 허점: ein ~ im Haushalt entdecken 예산의 허점을 발견하다; die Rechnung hat ein ~ 이 계산에는 뭔가 잘못이 있다. ②〖비유〗 ein ~ bekommen 실패하다; saufen wie ein ~ 폭음하다; auf dem letzten ~ pfeifen 기진맥진한 상태에 이르다, 능력의 한계에 도달하다; aus einem andern ~ pfeifen 방식을〔태도를〕 바꾸다; sich³ ein ~ in den Bauch reden 아무리 설득해도 효과가 없다; jm. ein ~ 〔Löcher〕 in den Leib 〔Bauch〕 fragen 누구에게 끈질기게 묻다; jm. ein ~〔Löcher〕 in den Bauch〔Leib〕 reden 누구를 끊임없이 설득하다: ein ~〔Löcher〕 in die Luft gucken 멍하니 허공을 바라보다; ein ~ in die Luft schießen 탄알이 빗나가다; ein ~ 〔Löcher〕 in die Wand stieren 멍하니 어딘가를 응시하다; ein ~ zurückstecken (허리띠 구멍을 하나 늦춘다는 뜻에서) 요구를 한 단계 낮추다; ein ~ mit dem anderen zustopfen 돈을 꾸어서 빚을 갚다; jm. zeigen, wo der Zimmermann das ~ gemacht〔gelassen〕 hat 누구를 쫓아내다; jn. vors ~ schieben 누구에게 싫은 일을 떠맡기다; das hat ein (böses) ~ in den Beutel gerissen 그것은 상당한 비용이 들었다. ③ 좁고 어두운 방〔집〕; 누옥(陋屋); 숨는 집. ④〖경박〗 감옥: ins ~ spazieren 감옥에 들어가다; jn. ins ~ stecken 누구를 투옥하다. ⑤ 털 구멍; 숨구멍. ⑥〖당구〗 포켓; 〖골프〗 구멍, 홀. ⑦〖사냥〗 굴. ⑧ 막다른 골목. ⑨〖畫〗 어두운 부분. ⑩〖비속〗항문; 엉덩이; 질(膣), 보지. ⑪〖욕설〗 똥쌀놈(Arsch≗).

Loch≠abstand *m.* 〖컴〗 (점행렬에서) 점과 점 사이의 간격. **~beitel** *m.* 〖工〗 장붓구멍 정. **~billard** *n.* ① ↑ Poolbillard. ②〖비속·농담〗(eine Partie) ~ spielen 성교하다. **~bohrer** *m.* 〖工〗 큰 송곳; 천공자(穿孔者). **~-eisen** *n.* 〖工〗 천공기, 펀치.

Löchelchen [lœ́çəlçən] *n.* -s, - 〖↑ Loch 의 축소형〗 조그만 구멍.

lochen [lɔ́xən] *t.* ① 구멍 뚫다: die Fahrkarten ~ 차표를 개찰하다. ②〖컴〗 (자료를) 펀치 카드에 옮기다〔수록하다〕.

Locher [lɔ́xər] *m.* -s, - ① 천공기, 펀치, 개찰 가위. ②〖컴〗 펀치 카드 작성자〔처리기〕, 키펀처.

löchericht *a.* ↑ löcherig.

löcherig *a.* 구멍이 많은, 구멍이 (숭숭) 뚫린; 〖動·植〗 다공(多孔)의; 기공(氣孔)이 있는.

Locherin [lɔ́xərın] *f.* -nen ↑ Locher ② 의 여성형.

löchern [lœ́çərn] *t.* 〖구어〗 끈질기게 조르다〔질문하다〕.

Löcher≠pilz, ~schwamm *m.* 〖植〗 담자균류(버섯의 일종).

Lọch=feile *f.* 〖工〗 파형(波形) 줄. **~hammer** *m.* 〖工〗 천공기. **~kamera** *f.* ① 핀홀 카메라. ② 카메라 오브스쿠라(Camera obscura), 암실 투영 장치(어둠 상자의 구멍에 볼록 렌즈를 설치하여 외부 물체의 실상을 어둠 상자 속의 맞은편 유리판에 투영시키는 장치). **~karte** *f.* 천공, 펀치 카드. **~karten·maschine** *f.* 〖컴〗 펀치 카드 처리기. **~koralle** *f.* 〖動〗 녹석(綠石). **~lehre** *f.* 〖工〗 구멍 게이지.

Löchlein [lœç..] *n.* -s, - ↑ Löchelchen.

Lọch=maschine *f.* 천공기. **~meißel** *m.* 구멍 뚫는 끌. **~säge** *f.* 구멍 뚫는 실톱. **~stein** *m.* ① 용광로의 구멍을 채우기 위한 인공석. ② 〖건축〗 구멍 뚫린 벽돌. ③ 〖광산〗 광구의 경계석. **~stempel** *m.* (함석에 구멍을 뚫는) 펀치. **~stickerei** *f.* 〖수공〗 버튼홀 스티치(구멍의 가장자리 장식 뜨개질). **~streifen** *m.* (텔레타이프나 전산기용) 천공 테이프.

Lochung [lɔ́xʊŋ] 《<lochen》 *f.* -en ① 구멍 뚫기. ② 구멍.

Lọch=winkel *m.* 측공기(測孔器). **~zange** *f.* 천공 펀치; 〖철도〗 개찰용 펀치.

lock 《⊕ Locke²》 *a.* 〖사냥〗 길든, 순한.

Lọck·aas *n.* 미끼.

Löckchen [lœ́kçən] *n.* -s, - ↑ Locke¹ 의 축소형.

***Locke**¹ [lɔ́kə] *f.* -n ① 곱슬곱슬한 털, 곱슬머리. ② (짐승 가죽에 난) 털북숭이.

Lọcke² 《<locken¹》 *f.* -n ① (새소리를 내는) 유인용 피리. ② 후림새, 유인용 새.

***locken**¹ [lɔ́kən] 《Ⅰ》 *t.* ① 유인하다; 꾀어들이다, 불러모으다: ins Garn ~ 유인하여 그물에 걸리게 하다; 〖비유〗 damit lockt man keinen Hund vom 〔hinter dem〕 Ofen 그것은 아무 쓸모 없다. ② 꾀다, 유혹하다; 부추기다: jn. in eine Falle ~ 누구를 유혹하여 덫에 빠뜨리다; jm. das Geld aus der Tasche ~ 누구에게 돈을 쓰게 하다〔울아내다〕; es lockte mich, ins Ausland zu gehen 외국에 가는 것이 나를 솔깃하게 했다. 《Ⅱ》 *i.* (h.) (수비둘기가 암컷을) 꾀는 소리를 내다.

***lọcken**² 《<Locke¹》 《Ⅰ》 *t.* (머리털을) 곱슬곱슬하게 만들다: seine Haare sind von Natur aus gelockt 그는 날 때부터 곱슬머리다. 《Ⅱ》 *refl.* sich ~ 곱슬곱슬해지다. 《Ⅲ》 **gelọckt** *p.a.* ↑ gelockt.

löcken [lœ́kən] *i.* (h.) 〔다음 용법으로만〕 〖雅語〗 gegen〔wider〕 den Stachel ~ 헛되이 저항〔반항〕하다(사도 행전 26 : 14).

lọckend *p.a.* 유혹하는, 매혹적인, 사랑스러운.

Lọcken=fülle *f.* 숱이 많고 멋진 곱슬 머리. **~haar** *n.* 곱슬머리. **~kopf** *m.* ① (주로 애칭으로) 곱슬이, 곱슬머리 아이. ② 곱슬머리. **~köpfig** *a.* 곱슬머리의. **~papier** *m.* ↑ ~wickel. **~perücke** *f.* 곱슬머리 가발. **~pracht** *f.* ↑ ~fülle. **~stab** *m.* 퍼머용 전기 막대.

Lọck·ente *f.* 〖사냥〗 미끼로 쓰는 오리.

Lọcken·wickel *m.* 퍼머용 롤, 컬 클립.

Locker [lɔ́kər] *m.* -s, - 꾀는〔유혹하는〕 사람; (schweiz.) 목자가 소를 부르는 소리.

***locker** [lɔ́kər] *a.* ① (lose) 느슨한, 헐거운, 풀어진, (긴장이) 이완된; 성긴; 푸석한; 기공(氣孔)이 있는, 푹신푹신한; 흔들거리는, 비틀거리는: ~ machen 느슨하게 하다; das mußt du etwas ~er sehen 넌 그것을 좀 더 관대히 보아야 돼. ② 방종한: ein ~es Dämchen 방종한 여자; ~ leben 방종한 생활을 하다; ein ~er Geselle〔Vogel〕 (품행이) 단정치 못한 녀석. ③ 〖경박〗 손쉬운, 별 어려움이 없는: das schaffst du noch ~ in drei Tagen 넌 그것을 사흘이면 거뜬히 할 수 있어. ④ 〖비유〗 eine ~e Hand 〔ein ~es Handgelenk〕 haben 툭하면 손찌검을 하다.

Lọckerheit *f.* 이완, 경솔; 방종.

lọcker|lassen* *t.* 〖구어〗 양보〔포기〕하다.

Lọckerling *m.* -s, -e 방탕하게 사는 사람.

lọcker|machen *t.* 〖구어〗 ① (돈을) 내놓다: kannst du nicht mal 100 Mark ~? 100 마르크도 못 내놓겠니? ② (돈을) 내도록 설득하다: bei jm. Geld ~ 돈을 내놓도록 누구를 설득하다.

lockern [lɔ́kərn] 《Ⅰ》 *t.* ① 늦추다, 느슨하게 하다: den Gürtel etwas ~ 허리띠를 약간 느슨하게 하다. ② (흙을) 부드럽게 부수다, 일구다. ③ (근육을) 풀다, 이완시키다: eine gelockerte Muskulatur 이완된 근육. ④ (규정을) 완화하다. ⑤ 〖주로 수동문〗 (도덕·풍기를) 문란하게 하다. 《Ⅱ》 *refl.* sich ~ ① 늦추어지다, 느슨해지다, 풀리다, 이완되다: der Nebel lockert sich 안개가 걷히고 있다. ② (도덕이) 문란해지다.

Lọckerung *f.* -en 이완, 완화.

Lọckerungs·übung *f.* (관절·근육의) 이완 체조.

Lọck·flöte *f.* 〖사냥〗 유인하는 피리.

lọckicht *a.* ↑ lockig.

lockig [lɔ́kɪç] *a.* 곱슬곱슬한, 고수머리의.

Lọcklein *n.* -s, - ↑ Locke¹ 의 축소형.

Lọck=mittel *n.* 미끼; 유혹물. **~pfeife** *f.* ↑ ~flöte. **~ruf** *m.* 후림새의 꾀는 소리; 유혹의 소리. **~speise** *f.* 미끼, 좋은 먹이; 유혹물. **~spitzel** *m.* (경찰의) 밀정, 끄나풀.

Lockung [lɔ́kʊŋ] *f.* -en 꾐, 유혹; 자극, 매력; 유혹물.

Lọck=vogel *m.* 〖사냥〗 후림새; 〖비유〗 유혹자; 유혹물. **~vogel·werbung** *f.* (특히 값싼 품목을 앞세우는) 고객 현혹 광고.

loco [lóːko, lɔ́ko] 《lat. locus, „Ort"》 *adv.* 〖商〗 장소에서: ~ Berlin 베를린에서 인도함.

loco citato [..tsitáːto] 《lat.》 위에서 인용한 곳에서(약어: l.c.).

Lodde [lɔ́də] *f.* -n (북대서양의) 작은 연어.

Loddel [lɔ́dəl] *m.* -s, - 〖경박〗 기둥서방, 정부(情夫).

lodderig [lɔ́dərɪç] *a.* 〖방언〗 헐렁헐렁한; 방탕한.

Lode [lóːdə] *f.* -n (한 번 이식한 활엽수의) 잔가지, 새싹.

Loden [lóːdən] *m.* -s, - ① (방한·방수 능력이 뛰어난) 로덴천, 거친 모포〔모직〕. ② 로덴천으로 만든 운동복 또는 비옷. ③ 〖복수〗 〖구어〗 머리털.

loden *a.* 로덴천으로 만든.

Loden=anzug *m.* 로덴천으로 만든 양복. **~mantel** *m.* 로덴천으로 만든 외투. **~rock** *m.* 로덴천으로 만든 상의. **~stoff** *m.* 로덴천. **~weber** *m.* 로덴천을 짜는 직공.

lodern [lóːdərn] *i.* (h.) ① 활활 타오르다. ② 달아오르다, 흥분하다: 〖雅語〗 ich loderte vor Haß 나는 증오심에 불탔다.

***Löffel** [lœfəl] *m.* -s, - ① 숟가락, 스푼: einen ~ (voll) Arznei nehmen 약을 한 숟가락 먹다; 〖비유〗 mit einem goldenen〔silbernen〕 ~ (im Mund) geboren sein 부잣집에 태어나다; 〖경박〗 den ~ aufstecken〔hinlegen, sinken lassen, wegwerfen, abgeben〕 밥 숟갈을 놓다, 죽다; jn. über den ~ barbieren〔balbieren〕 누구를 속이다; er tut, als hätte er die Weisheit mit ~n gegessen 그는 지혜로운 체 한다. ②〖사냥〗 토끼의 귀; 〖구어〗 사람의 귀: die ~ spitzen〔aufsperren〕 귀를 쫑긋 세우다〔귓구멍을 활짝 열고 있다〕; schreib dir das hinter die ~! 이것을 명심해!; jm. ein paar〔eins〕 hinter die ~ hauen〔schlagen, geben〕 누구에게 귀싸대기를 몇 대〔한 대〕 때리다. ③ 《↑ löffeln²》 (südwestd.) 바보. ④ (굴착기의) 삽. ⑤〖醫〗 퀴레트(수저 모양의 수술 기구), 소파기.

Löffel≈bagger *m.* 〖工〗 큰 삽이 달린 굴착기. **~biskuit** *n./m.* 양끝을 둥그렇게 구운 긴 과자. **~blech** *n.* 숟가락 결이, 수저통; 〖工〗 숟가락 만드는 얇은 철판. **~bohrer** *m.* 〖工〗 숟가락 모양의 나사 송곳, 큰 송곳.

Löffelchen *n.* -s, - 〖↑ Löffel 의 축소형〗 작은 숟가락.

Löffel≈ente *f.* 〖動〗 흰빰검둥오리. **~erbsen** *pl.* ↑ Erbseneintopf. **≈förmig** *a.* 숟가락 모양의. **~gans** *f.* ↑ ~ente. **~garde** *f.* 오합지졸. **~korb** *m.* (대로 만든) 수저꽂이, 숟가락 접시. **~kraut** *n.*, **~kresse** *f.* 〖植〗 서양 고추냉이 무리.

löffeln[1] [lœfəln] *t./i.* (h.) ① 숟가락으로 뜨다; 국자로 푸다; 먹다; 식사하다. ② 삽으로 퍼 내다, 숟가락 모양의 나사 송곳으로 파내다. ③〔경박〕 수긍하다; 이해하다. ④ (obd.) (…의) 빰을 치다: jm. eine ~ 누구의 빰을 한 대 때리다. ⑤〖탁구·테니스〗 라켓을 수평으로 잡고 공을) 올려쳐 띄우다.

löffeln[2] (⊕ Laffe) (Ⅰ) *i.* (h.) (여자에게) 알랑거리다. (Ⅱ) *t.* (obd.) 야유〔희롱〕하다. (Ⅲ) *refl.* 〔학생〕 sich ~ ① 술잔을 돌려주다, 호의에 보답하다. ② 시험에서 좋은 성적을 내다.

Löffel≈reiher *m.* 〖動〗 노랑부리저어새. **~stiel** *m.* 숟가락 자루. **~voll** *m.* 한술, 숟가락 하나 가득. **≈weise** *adv.* 숟가락으로, 한 술씩.

Löffler 《<Löffel》 *m.* -s, - ① ↑ Löffelreiher. ② (숟가락 모양의 뿔이 난) 어린 사슴; 엽색가, 탕아.

Lofoten [ló:fotən, lofó:tən] *pl.* 로포텐 제도 (노르웨이 서북방의 군도).

Log [lɔk] 《engl.》 *n.* -s, -e [lɔ́gə] 〖海〗 (배의) 항속 측정기.

log [lo:k] ↑ lügen 의 과거형.

log =Logarithmus 대수(對數), 로그.

Logarithmen≈system *n.* 〖數〗 대수식. **~tafel** *f.* 대수표.

logarithmieren [logarɪtmí:rən] 《gr.》 *t./i.* (h.) 대수 계산을 하다; 대수를 써서 계산하다.

logarithmisch 《gr.》 *a.* 〖數〗 대수의.

Logarithmus *m.* -, ..men 대수(기호: log).

Log≈brett *n.* 〖海〗 측정판; 항해 일지판. **~buch** *n.* 항해 일지.

Loge [ló:ʒə] 《frz.》 *f.* -n ① 칸막이 좌석, 특별석. ② (큰 건물의) 경비실, 수위실. ③ (비밀 결사) 프리메이슨 지부〔집회소〕: eine ~ gründen 비밀 결사를 조직하다.

löge [lǿ:gə] ↑ lügen 의 접속법 Ⅱ식.

Logement [loʒəmɑ́:] 《frz.》 *n.* -s, -s [..mɑ́:s] 주거, 집; 숙소, 피난처.

Logen≈billett [ló:ʒən..] *n.* 칸막이 관람석표. **~bruder** *m.* 프리메이슨 비밀 결사 회원(Freimaurer). **~diener** ↑ ~schließer. **~platz** *m.* 극장의 칸막이 관람석. **~schließer** *m.* 칸막이 관람석 안내인. **~wärter** *m.* ↑ ~schließer.

Log·gast *m.* 〖복수: -en〗 항속 측정 담당 선원.

loggen [lɔ́gən] *i.* (h.) 〖海〗 배의 속력을 재다.

Logger [lɔ́gər] 《ndl.》 *m.* -s, - 〖海〗 (엔진과 보조 돛을 갖춘) 소형 어선.

Loggia [lɔ́dʒ(i)a] 《it.》 *f.* ..gien [..dʒiən, ..dʒən] ①〖건축〗 한 면만 트인 복도〔거실〕. ② 로지아(지붕과 기둥으로 된 트인 홀); (달아내지 않고 건물 내부에 낸) 베란다.

Log·glas *n.* 배의 속도 측정용 모래 시계.

Logical [lɔ́dʒikəl] 《engl.》 *n.* -s, -s 논리적 규칙에 따라 만든 수수께끼.

Logier≈besuch [loʒí:r..] *m.* ① (잠시 묵고 가는) 숙박 손님: er war bei uns ein häufiger ~ 그는 우리 집에 자주 묵었다. ② (잠시 묵는) 숙박, 체류: auf ~ zu uns kommen 우리 집에 묵으려고 오다. **~gast** *m.* (가정집에 잠시 묵는) 손님.

logieren [loʒí:rən] 《frz.》 (Ⅰ) *i.* (h.) (잠시) 숙박〔하숙〕하다. (Ⅱ) *t.* 숙소를 제공하다: er logiert mich bei sich 그는 나를 자기 집에 묵게 한다.

Logier·zimmer [loʒí:r..] *n.* (여관·하숙의) 손님방; 손님용 침실.

***Logik** [ló:gɪk] 《gr. lógos》 *f.* 〖哲〗 ① 논리학: die formale〔mathematische〕 ~ 형식〔수리〕 논리학. ② 논리, 논리적 일관성: weibliche ~ (비논리적이고 엉뚱한 결론을 잘 내리는) 여성 특유의 논리; ihrer Äußerung fehlte jede ~ 그 여자의 말은 전혀 논리가 없었다. ③ 필연성, 일관성.

Logiker [ló:gikər] *m.* -s, - ① 논리학자. ② 논리적인 사람.

Login *n.* 〖컴〗 로그인, 접속하기.

Logion [ló:giɔn] *n.* -(s), ..gien [..giən] 〖신학〗 (성인의) 명구(名句), 금언; 그리스도의 말.

Logis [loʒí:] 《frz.》 *n.* - [..í:(s)], - [..í:s] (Unterkunft) 숙소, 방; 여인숙, 하숙; 〖海〗 [ló:gɪs] 선원실.

logisch [ló:gɪʃ] 《gr.》 *a.* 논리(학)의; 논리적인: ~er Ausdruck 논리 표현(논리값을 구하기 위한 식); 〖컴〗 ~er Operator 논리 연산자; 〖컴〗 ~es Laufwerk (논리 연산을 실행하는) 논리 장치; 〖컴〗 ~es Nicht 논리 부정.

logischer·weise *a.* 논리적〔필연적〕으로.

Logismus [logísmus] *m.* -, ..men 〖哲〗 논리주의.

Logistik[1] 《gr.》 *f.* 〖哲〗 기호〔수리〕 논리학.

Logistik[2] *f.* 〖軍〗 병참 (업무), 병참학.

logistisch[1] *a.* 기호〔수리〕 논리학(상)의.

logistisch[2] *a.* 병참의, 병참과 관련한.

Logizismus [logitsísmus] 《gr. -lat.》 *m.* - ①〖교양·폄어〗 논리 지상주의. ②〖哲〗 (인식론에서의) 논리주의. ③〖數〗 (수학을 논리학으로 환원시키는) 논리주의.

Log·leine *f.* 〖海〗 측정선〔삭〕(測程線〔索〕).

logo [ló:go] *a.* 〖구어〗 당연〔분명〕한: kannst

du mir morgen helfen? — ~! 내일 나 좀 도와 줄래? — 물론이지!
Logograph [logográ:f] ⟪gr.⟫ *m.* -en, -en 고대 그리스의 역사가〔연대기 필자〕.
Logogriph, Logogryph [logogrí:f] ⟪gr.⟫ *m.* -s/-en, -e(n) 글자 수수께끼.
Logon *n.* 〖컴〗 로그온, 접속 시작.
Logopäde *m.* -n, -n 언어 치료사〔교정사〕.
Logopädie [..pɛdí:] *f.* 언어 치료〔교정〕.
logopädisch *a.* 언어 치료〔교정〕의.
Logorrhö [logɔrǿ:] *f.* -en 〖醫〗 병적 다변증(횡설수설하는 증세).
Logorrhöe *f.* -n ↑ Logorrhö.
***Logos** [lɔ́gɔs] ⟪gr.⟫ *m.* -, ..goi [lɔ́gɔy] ① 말, 언어; 의미, 개념, 사고. ② 이성, 정신; 사상. ③ (그리스 철학에서) 우주의 법칙, 신의 섭리, 로고스. ④〖신약〗 하느님의 말씀, 하느님의 아들 예수.
Logotype [logotý:pə] ⟪gr.⟫ *f.* -n 〖印〗 성어(成語) 활자, 합자(合字) 활자(사용 빈도가 많은 낱말 또는 철자를 한 덩어리로 주조한 것).
Logout *n.* 〖컴〗 로그아웃, 접속 종결.
Log≈scheit *n.*, **~tafel** *f.* ↑ ~brett.
loh [lo:] (⊕ Lohe²) *a.* (불꽃이) 활활 타는, 밝은.
Loh[1] [lo:] *m./n.* -(e)s, -e (bayr., hess.) (작은) 숲, 수풀, 덤불.
Loh[2] *f.* -en (bayr.) 습지대의 목초지.
Loh≈bad *n.* 〖醫〗 (수피(樹皮) 분말을 첨가한) 전기 수욕(水浴). **~ballen** *m.* 무두질용 수피 찌꺼기의 덩어리. **~beet** *n.* 무두질용 수피 분말을 거름으로 준 온상. **~beize** *f.* 수피 분말로 만든 무두질 용액. **~blüte** *f.* 〖植〗 묵은 무두질용 수피 분말에 생기는 버섯. **~brühe** *f.* 무두질용 수피 타닌액(液).
Lohe[1] [lóːə] *f.* -n 〖제혁〗 (주로 참나무의) 무두질에 쓰이는 수피(樹皮) 분말, 타닌 수액.
Lohe[2] (⊕ Licht, leuchten) *f.* -n ① 활활 타는 불; 불꽃. ② 격정, 흥분.
Loh·eiche *f.* 〖植〗 떡갈나무.
lohen[1] [ló:ən] ⟪<Lohe¹⟫ *t.* 〖工〗 수피액(樹皮液)으로 삶다; 〖제혁〗 (수피액으로) 무두질하다.
lohen[2] ⟪<Lohe²⟫ *i.* (h./s.) 활활 타오르다.
Lohengrin [ló:əngri:n] 로엔그린(독일 중세 서사시의 영웅; Parzival 의 아들).
Loh≈farbe *f.* 수피색(樹皮色), 적갈색. **≈-farben, ≈farbig** *a.* 적갈색〔수피색〕의. **~faß** *n.* 〖제혁〗 무두질용 수피액통. **~feuer** *n.* 타오르는 불; 열화(烈火). **≈gar** *a.* 〖제혁〗 수피액으로 무두질한. **~gerber** *m.* 유피공(鞣皮工). **~gerberei** *f.* 무두질; 유피업; 유피공장. **~grube** *f.* (가죽을 담구어 두는) 수피액 통〔구덩이〕. **~kuchen** *m.* ↑ ~ballen. **~mühle** *f.* 무두질용 수피 빻는〔가공〕 공장.
***Lohn** [lo:n] *m.* -(e)s, Löhne ① 보수, 사례, 대가; 응보, 보답: ein verdienter ~ 받아 마땅한 보수; um Gottes ~ 무보수로, 거저; der Lügner wird schon noch seinen ~ bekommen 거짓말쟁이는 응분의 대가를 치를 것이다; Undank ist der Welt ~ 배은망덕은 세상의 관례. ② 임금, 노임; 급료, 봉급: Brutto ~ 총임금(세금·저축을 공제하기 이전의); jn. in ~ und Brot nehmen 누구를 고용하다; in ~ und Brot stehen 확실한 직장을 가지고 있다; jn. um ~ und Brot bringen 누구를 실업자로 만들다〔해고하다〕.
Lohn≈abbau *m.* 임금 삭감. **≈abhängig** *a.* 임금에 의존하는. **~abzug** *m.* 임금 공제. **~arbeit** *f.* 임금 노동. **~arbeiter** *m.* 임금 노동자. **~ausfall** *m.* 임금 지급 누락. **~-ausgleich** *m.* 〖經〗 임금 보상〔정산〕. **~-auszahlung** *f.* 임금 지급. **~bescheinigung** *f.* 급여 증명(서). **~buch** *n.* 임금 장부〔대장〕. **~buch·halter** *m.* 경리 담당자. **~buch·haltung** *f.* ① 임금 계산. ② 경리과. **~büro** [..byro:] *n.* 경리과, 임금 담당 부서. **~diener** *m.* (시간급을 받는) 임시 고용인. **~drücker** *m.* (임금 인상을 가로막는) 값싼 노동력. **~empfänger** *m.* 피고용인.
***lohnen** [ló:nən] ⟪<Lohn⟫ ⟪Ⅰ⟫ *t.* ① 보답하다: du lohnst mir meine Freundschaft übel 너는 내 우정을 악으로 갚는구나. ② (…할 만한) 가치가 있다: es lohnt die Mühe 그것은 노력해 볼 만한 가치가 있다; die Stadt lohnt einen Besuch 그 도시는 한번 방문할 만하다. ③〔고어〕 (…의) 보수를 지급하다: jn. für et. ~ 누구에게 무엇에 대한 보수를 지급하다. ⟪Ⅱ⟫ *i.* (h.) / *refl.* ① 유용하다, 쓸모있다: das Geschäft lohnt (sich) 그 사업은 이익이 있다; Diebstahl lohnt sich nicht! 도둑질을 득이 되지 않습니다! (경고 문구). ② *imp.* ich wußte doch, daß es mit dir lohnt 너와 함께라면 내가 득을 본다는 것을 나는 알았다; es lohnte keine(r) Mühe 노력이 헛수고가 되었다.
löhnen [lǿ:nən] *t.* ① jn. ~ 누구에게 급료를 지급하다(주로 노동자·군인). ② (물건값을) 치르다: 800 Mark für das Auto ~ 차값으로 800 마르크를 지급하다.
lohnend *p.a.* 보람이 있는, 유용한.
lohnens·wert *a.* ① 도움〔이익〕이 되는. ② 보상받을 만한.
Lohn≈erhöhung *f.* 임금 인상. **~forderung** *f.* 임금 인상 요구. **~fort·zahlung** *f.* 〖經〗 (질병으로 근무하지 못할 경우에도 행하는) 지속적인 임금 지급. **~gesetz** *n.* ehernes ~ 임금 철칙(독일의 F. Lassalle 가 주창한 경제학상의 법칙). **~herr** *m.* 고용주. **≈intensiv** *a.* 〖經〗 임금 집약적인. **~karte** *f.* 임금표. **~kellner** *m.* (음식점의) 시간제 임시 종업원. **~-kürzung** *f.* 임금 삭감. **~kutsche** *f.* 〔구식〕 세낸 임대 마차. **~kutscher** *m.* 임대 마차 마부. **~lakai** *m.* ↑ ~diener. **~liste** *f.* 임금 지급 명부. **~niveau** *n.* 임금 수준. **~-pfändung** *f.* (채권자에 의한) 임금 압류. **~-Preis-Spirale** [lo:npráɪs..] *f.* 임금과 물가의 악순환. **~satz** *m.* 임금률. **~skala** *f.* 임금 등급표. **~steuer** *f.* 근로 소득세. **~-steuer·jahres·ausgleich** *m.* 근로 소득세 연말 정산. **~stopp** *m.* (정부에 의한) 임금 동결. **~summen·steuer** *f.* (임금 총액을 기준으로 사업주에게 부과하는) 영업세. **~tag** *m.* 임금 지급일. **~tarif** *m.* 임금 정율(定率) (표). **~tarif·verhandlung** *f.* 임금(률) 교섭. **~taxe** *f.* 공정 임금률. **~tüte** *f.* 급료 봉투.
Löhnung [lǿ:nʊŋ] *f.* -en ① 임금의 지급. ② 지급된 임금; (주로 군대의) 급료.
Löhnungs·tag *m.* ↑ Lohntag.
Lohn≈verhandlung *f.* 임금 교섭〔협상〕. **~zettel** *m.* ① 급료 지급 명세서. ② (연말 정산용) 근로 소득 계산서.
Loh·rinde *f.* 무두질용 참나무 껍질.

Loipe [lɔ́ʏpə] *f.* 〖스키〗 크로스 컨트리 코스.
Lok [lɔk] *f.* -s = Lokomotive.
lokal [loká:l] 《lat. locus》 *a.* ① 지역적〔국지적〕인: ein ~er Konflikt 국지적인 분쟁; eine ~e Betäubung 국부 마취. ②〖문법〗 장소의: ~e Adverbien 장소를 나타내는 부사.
***Lokal** *n.* -(e)s, -e ① (특별한 목적을 위한) 장소, 공간: Auktions~ 경매장; Wahl~ 투표소; Tanz~ 무도장; 〔구어·농담〕 unter Protest das ~ verlassen 항의하며 가 버리다. ② a) 음식점, 술집: in einem ~ essen 식당에서 식사하다. b) (음식점에 딸린) 연회장.
Lokal≈anästhesie *f.* 〖醫〗 국부〔부분〕 마취. **~augenschein** *m.* (öst.) ↑ ~termin. **~bahn** *f.* 〖철도〗 ① 교외 철도. ② 지방선, 지선. **~befund** *m.* 국부 소견. **~behandlung** *f.* 국부 요법. **~behörde** *f.* 지방 관청. **~bericht** *m.* (신문의) 지역 기사. **~blatt** *n.* 지방 신문. **~derby** *n.* 〖스포츠〗 동일한 지역 팀간의 경기.
Lokale*[1] [loká:lə] 《lat.》 *das* (신문의) 지방 기사.
Lokale[2] *n.* -s, - ↑ Lokal.
Lokal·farbe *f.* ①〖畫〗 대상의 고유색. ② (문학에서의) 향토색, 지방색.
Lokalisation [lokalizatsió:n] 《lat.》 *f.* -en ① 정주(定住), 장소의 결정〔배정〕; 〖醫〗 질병 발생 부위의 확인; 질병 경과 단계나 이물질의 정확한 위치 확인. ② 장소의 한정〔제한〕; 〖醫〗 (병균·질병의) 확산 저지; 기업 활동과 관련한) 장소 제한; 지역〔지방·분산·국지〕화.
lokalisieren [lokalizí:rən] *t.* 장소를 정하다〔확인하다〕; 어떤 장소에 국한시키다.
Lokalisierung *f.* -en 지역〔국지〕화.
Lokalität *f.* -en ① 장소, 공간. ②〔은어〕 화장실.
Lokal≈kolorit *n.* 지방색, 향토색. **~matador** *m.* 지역의 유명 인물. **~nachricht** *f.* 지방 기사〔소식〕. **~patriotismus** *m.* 배타적인 애향심. **~posse** *f.* ↑ ~stück. **~presse** *f.* 지방지〔신문〕. **~redaktion** *f.* ① 지방 신문의 편집부. ② (신문의) 지방란 편집부. **~reporter** *m.* (신문의) 지역 통신원. **~satz** *m.* 〖문법〗 장소를 나타내는 부문장. **~seite** *f.* (신문의) 지방 소식면. **~stück** *n.* 향토극. **~termin** *m.* 〖法〗 현장 검증. **~veränderung** *f.* 장소 이전. **~verbot** *n.* (음식점 주인이 특정 손님에게 내린) 출입 금지령. **~verhältnisse** *pl.* 지방의 사정. **~verkehr** *m.* 〖철도〗 지역 내의 교통, 근교 교통. **~zeitung** *f.* ① 지방 신문. ② 신문의 지방판. **~zug** *m.* 〖철도〗 ① (도심과 근교를 연결하는) 교외 열차. ② 지역 열차.
Lokation [lokatsió:n] 《lat.》 *f.* -en ① 장소〔위치〕 정하기; 서열 정하기. ② (현대식) 주거 단지. ③ (유전의) 시추 지점. ④ (거주지·농지의) 임차.
Lokativ [ló:kati:f, lokatí:f] *m.* -s, -e 〖문법〗 (Ortsfall) (고대어의) 위치격, 방위격.
Lokator [loká:tɔr, ..to:r] *m.* -s, ..en [..tó:rən] 임대인, 집주인; 지주.
Lok·führer *m.* 기관차 운전자.
Loki[1] [ló:ki] *f.* -s (schweiz.) 기관차.
Loki[2] *m.* 〖북구신화〗 로키(화염·파괴·사악의 신).
loko [ló:ko] 《lat.》 *adv.* ↑ loco.
Loko·geschäft *n.* 〖商〗 (상품의) 현장 매매, 현물 거래.
Lokomobil *n.* -s, -e, **Lokomobile** [lokomobí:l(ə)] 《lat.》 *f.* -n 견인〔기관〕차, 자동 추진차; (도로 포장용) 증기 롤러.
Lokomotion [..tsió:n] *f.* -en 〖醫〗 전위.
***Lokomotive** [lokomotí:və, ..fə] 《lat.》 *f.* -n 기관차(단축형: Lok).
Lokomotiv≈führer [..tí:f..] *m.* 기관사. **~pfeife** *f.* 기적. **~schuppen** *m.* 기관차 차고.
lokomotorisch [lokomotó:rɪʃ] 《lat.》 *a.* 이동에 관한; 이동할 수 있는; 추진력이 있는.
Loko≈verkehr *m.* ↑ ~geschäft. **~ware** *f.* 〖商〗 재고품, 현물.
Lokus [ló:kus] 《lat.》 ① *m.* -, Lozi 〔구식〕 장소, 위치. ② *m.* -(ses), -se 〔구어〕 화장실, 변소; 변기.
Lokus≈brille *f.* (양변기의) 걸터앉는 테. **~deckel** *m.* 양변기 뚜껑. **~tür** *f.* 화장실 문.
Lokution [lokutsió:n] 《lat.》 *f.* -en ① (Redensart) 어법, 말투; 표현. ②〖문법〗 관용어구, 숙어적 표현. ③ ↑ lokutionärer Akt.
lokutionär *a.* 〔다음 용법으로〕 ~er〔lokutiver〕 Akt 〖언어〗 언표적 행위(발음·구조·의미 설정 등의 관점에서의 언어 행위).
lokutiv [..tí:f] *a.* ↑ lokutionär.
Lolch [lɔlç] *m.* -(e)s, -e 〖植〗 독보리속(屬).
Lolita [lolí:ta] *f.* -s 어리지만 조숙한 처녀 (Nicolai Nabokov 의 소설의 여주인공에서).
Lolli [lɔ́li] *m.* -s, -s 빠는 사탕(Lutscher).
Lombard [lɔ́mbart, lɔmbárt] 《< Lombardei》 *m./n.* -(e)s, -e ①〖금융〗 전당포업, 동산 저당 대부업(13 세기 초 롬바르디아의 상인이 창시함). ②〔복수〕 전당표, 저당권. ③ 저당 물건. ④ 동산 저당 대부.
Lombard≈bank *f.* 동산 저당 대부 은행. **~bestände** *pl.* 공탁 저당품(유가 증권 따위).
Lombarde *m.* ① 롬바르디아 사람. ②〖중세〗 전당포업자.
Lombardei [lɔmbardáɪ] *f.* 롬바르디아(이탈리아 북부의 평원).
Lombard·geschäft *n.* 동산 저당 대출업, 전당포 영업.
lombardieren [lɔmbardí:rən] *t.* ① 저당잡히다. ② (동산을) 담보로 대부하다.
lombardisch *a.* 롬바르디아의.
Lombard≈satz *m.* 〖금융〗 동산 저당 대차 이자율. **~zins·fuß** *m.* ↑ ~satz.
Lomber [lɔ́mbər] 《< frz. L'hombre》 *n.* -s, **Lomber·spiel** *n.* 롬버(3 사람이 하는 카드놀이의 일종).
Lomé-Abkommen *n.* 〖政〗 로메 협정(유럽 공동체와 개발 도상국간의 무역 협정).
Lompen·zucker 《ndl.》 *m.* 붉은 덩어리 사탕.
London [lɔ́ndɔn, lʌ́ndən] 런던.
Londoner [lɔ́ndɔnər] 《Ⅰ》 *m.* -s, - 런던 사람. 《Ⅱ》 *a.* 런던의.
Long·drink 《engl.》 *m.* 알코올 함유 음료.
Long·drink·glas *n.* 운두가 높은 술잔.
Longe [lɔ̃:ʒə] 《frz.》 *f.* -n ① 말을 길들이는 긴 밧줄: 〔비유〕 jn. an die ~ nehmen 누구를 구속〔속박〕하다. ② 수영〔곡예〕 연습용 밧줄.
longieren [lɔ̃ʒí:rən] *t.* (말을) 길들이는 줄로 조련하다.
Longimetrie [lɔŋgimetrí:] *f.* 척도 측정.
longitudinal [lɔŋgitudiná:l] 《lat.》 *a.* 세로

(방향)의; 경도〔경선〕의.

Longitudinal≈schwingung *f.* 〖物〗 종진동(縱振動). **~welle** *f.* 〖物〗 종파(縱波).

long·line [lɔ́ŋlain] 《engl.》 *a.* 〖테니스〗 사이드라인을 따라서.

Long·line 《engl.》 *m.* 〖테니스〗 사이드라인을 따라서 날아오는 공.

Long·seller [lɔ́ŋsɛlə] 《engl.》 *m.* 스테디 셀러, 오랜 기간 꾸준히 팔리는 책.

Look [luk] 《engl.》 *m.* -s, -s ① 유행(의 양식). ② 외모, 외관.

Looping [lú:pɪŋ] 《engl.》 *m./n.* -s, -s 〖空〗 공중제비 (비행).

Lorbaß [lɔ́rbas] 《litau.》 *m.* ..basses, ..basse (ostd.) 무위도식자, 룸펜.

***Lorbeer** [lɔ́rbe:*r*, lɔ́:*r*..] 《lat.》 *m.* -s, -en ① 월계수; 월계수의 가지; 월계관; 〖비유〗 영예(Ruhm): blutiger ~ 피묻은 월계관(너무 큰 희생을 치르고 획득한 승리); ~en ernten 〔pflücken〕 승리하다; mit et.³ keine ~en pflücken können 무엇으로 아무 성과도 얻지 못하다; jm. den ~ reichen 누구를 공식적으로 칭송하다; (sich) auf seinen ~en ausruhen 명성을 얻은 후에 노력을 게을리하다. ② 〖복수〗 〖사냥〗 ~en 산양·사슴의 똥.

Lorbeer≈baum *m.* 월계수. **~blatt** *n.* 월계수의 잎.

Lorbeere [lɔ́rbe:rə] *f.* -n ① 월계수의 열매. ② 월계수.

lorbeer·grün *a.* 월계수 같은 녹색의.

Lorbeer≈kranz *m.* 월계관. **~öl** *n.* 월계수 기름. **~spiritus** *m.* 두발용 향유. **~zweig** *m.* 월계수의 가지.

Lorch [lɔrç] *m.* -(e)s, -e, **Lorche** [lɔ́rçə] *f.* -n (md.) ↑ Lork.

Lorchel [lɔ́rçəl] *f.* -n 〖植〗 식용 버섯의 일종.

Lord [lɔrt, lɔ:*r*d] 《engl.》 *m.* -s, -s ① (영국 귀족의 칭호) 경(卿). ② Lord(경) 칭호의 사람.

Lord·kanzler *m.* (영국의) 대법관.

Lordose [lɔrdó:zə] *f.* -n 〖醫〗 척추 전굴증(前屈症).

Lord-Mayor [lɔ́rtmé:ə*r*, lɔ́:dmέə] 《engl.》 *m.* -s, -s (영국 대도시 특히 런던의) 시장.

Lordschaft *f.* -en ① ↑ Lord 라는 칭호, 그 위엄. ② ↑ Lord ② 에게 붙이는 호칭: Ihre ~ 각하. ③ ↑ Lord ② 의 영지.

Lordship [lɔ́:dʃɪp] 《engl.》 *f.* ↑ Lordschaft.

Lore[1] [ló:rə] 《engl. lorry》 *f.* -n ① (철도의) 무개(無蓋) 화차; 트럭; (일반적으로) 덮개 없는 짐수레. ② 로레(석탄의 중량 단위; 약 10 톤).

Lore[2] 〖↑ Leonore 및 Eleonore 의 단축형〗 로레(여자 이름).

Lorelei, Loreley [lo:rəláɪ, ló:rəlaɪ] *f.* 로렐라이(라인강의 바위산; 로렐라이 전설로 유명함).

Lorenz [ló:rɛnts] 《lat., „der Lorbeergeschmückte"》 *m.* 로렌츠(남자 이름).

Lorgnette [lɔrnjέtə] 《frz.》 *f.* -n 손잡이가 달린 안경, 오페라 글라스.

lorgnettieren [lɔrnjetí:rən] *t.* 오페라 글라스로 자세히 보다; 〖구어〗 자세하게 음미하다.

Lorgnon [lɔrnjɔ̃:] *n.* -s, -s ① 손잡이가 달린 외알 안경(단안경). ② 오페라 글라스.

Lori[1] [ló:ri:] 《engl.》 *f.* -s ↑ Lore[1].

Lori[2] 《frz.》 *m.* -s, -s 〖動〗 로리스원숭이.

Lork [lɔrk] 《<Lurch》 *m.* -(e)s, Lörke [lœ́rkə] (ndd.) 두꺼비(Kröte).

***los** 《I》 *a.* 〔서술적으로만 쓰임; 부가적으로는 ↑ lose〕 ① 풀어진, 떨어진; 자유로운; 풀린(gelöst): der Hund ist von der Leine ~ 개가 끈에서 풀려 있다; der Gefangene ist ~ 포로가 탈주했다. ② 〔비유〕 bei ihr ist eine Schraube ~ 그 여자는 미쳤다; der Teufel ist ~ 야단법석이다; es ist etwas ~ 무슨 일이 일어났다, 발발했다; was ist ~? 무슨 일이냐?; was ist mit dir ~? 너에게 무슨 일이 있느냐?; mit mir ist heute nichts ~ 나는 오늘 기분〔건강〕이 좋지 않다; es ist mit ihm nicht viel ~ 그는〔그것은〕 별로 능력〔소용〕이 없다; es ist mit seinem Wissen nicht viel ~ 그의 지식은 대단한 것은 아니다; et. ~ haben 무엇을 이해하다, 무엇에 숙달하다; da(rin) hat er etwas ~ 그는 그것에 대해서 조금 알고 있다. ③ (**a**) jn.〔et.〕 ~ sein 누구를〔무엇을〕 벗어나 있다, 누구〔무엇〕에서 이탈되어 있다: eine große Sorge ~ sein 큰 근심에서 벗어나 있다; mein Geld bin ich ~ 나는 가진 돈을 죄다 써 버렸다; meine Handtasche bin ich leider ~ 나는 유감스럽게도 내 손가방을 잃어버렸다. (**b**) et. ~ werden 무엇을 면하다, 벗어나다: ich kann diesen Gedanken nicht ~ werden 나는 이 생각에서 벗어날 수 없다. ④ 〔방언〕 이완된, 풀린. ⑤ 〔방언〕 열린: das Fenster ist ~ 창이 열려 있다. ⑥ 〔구어〕 차로 출발하다, 달리기 시작하다: du willst schon ~? 너는 벌써 출발하려고 하느냐? 《II》 *adv.* ① ~! 시작〔출발·말〕해라!; nun aber ~! 자 이제 시작해라!; Achtung, fertig, ~! (달리기 등에서 출발 명령) 차려, 준비, 출발!; darauf ~! 공격, 나아가라, 해라!; immer〔frisch〕 darauf ~! 힘을 내라, 힘차게 해라!; 〔구어〕 ~ dafür! 시작하라! ② auf jn. ~ gehen 누구를 향하여 나아가다; auf jn. ~ fahren〔rennen〕 차를 타고 누구를 향해가다〔누구를 향해 돌진하다〕; auf jn. ~ schlagen 누구를 패다, 마구 때리다; frisch darauf ~ schlagen〔essen〕 마음껏 때리다〔실컷 먹다〕; darauf ~ leben 아무렇게나 살다; es geht auf die Ernte ~ 수확이 시작되었다.

***Los** [lo:s] *n.* -es, -e ① 제비, 추첨: das ~ werfen 추첨하다, 제비로 결정하다; das ~ ziehen 제비 뽑다; et. durchs ~ entscheiden 〔teilen〕 어떤 일〔것〕을 제비뽑기로 정하다〔나누다〕; wie das ~ fällt 제비〔운수〕대로; die Reihenfolge durch das ~ bestimmen 제비뽑기로 차례를 정하다; das ~ ist gefallen 주사위는 이미 던져졌다, 취할 길은 결정됐다. ② 당첨: das große ~ ziehen〔gewinnen〕 1등 복권에 당첨되다. ③ 〖雅語〗 운명, 운수; 신세; 숙명; 우연: js. ~ teilen 누구와 운명을 같이하다; sein ~ tragen 운명을 참아 나가다. ④ 〔옛뜻〕 몫, 분배, 배당; 〖農〗 한 구획의 토지; 〖商〗 한 번에 거래되는 상품량〔운반되는 짐〕; 〖광물〗 광석 더미. ⑤ 〔방언〕 암호(Losung).

***los..** *pref.* 동사 앞에서 분리 동사를 만들며 "분리·해방·목표·방향·돌진·돌발·출현·개시"를 의미함(보기: ~lösen 풀다).

***..los** *suf.* 명사의 4 격 또는 2 격에 붙어 형용사를 만들며 "결핍"을 의미함(보기: form~ 형식 없는; grenzen~ 경계 없는).

los≠|ankern *t.* 〖海〗 닻을 올리다. **~|arbeiten** 《I》 *t.* 애써서 제거하다〔풀다·벗기다·떼다〕; 늦추다. 《II》 *i.* (h.) 일하기 시작하다: auf et. ~ 무엇을 목표로 노력하다. 《III》 *refl.* sich ~ 애써서 면하다〔벗어나다〕.

lösbar [lǿːsbaːr] *a.* 풀 수 있는, 해결할 수 있는, 해명할 수 있는: das Rätsel ist ~ 그 수수께끼는 풀 수 있다.

Lösbarkeit *f.* 풀 수 있음, 해명 가능성.

los≠|bekommen* *t.* 〔구어〕 ① 분리시키다, 떼어놓다. ② 석방하다: durch Zahlung einer Kaution den Gefangenen ~ 보석금을 지급하고 죄수를 석방받다. **~|binden*** *t.* (묶인 것을) 풀다: den Hund ~ 개를 풀어놓다; 〖海〗 (돛을) 펴다. **~|bitten*** *t.* …의 석방을 부탁하다. **~|brausen** *i.* (s.) 〔구어〕 ① 빨리 가기 시작하다, 빨리 출발하다: der Wagen brauste los 차가 빨리 출발했다. ② auf jn.〔et.〕 ~ 누구를〔무엇을〕 향해서 돌진하다: das Auto brauste auf die Mauer los 차가 담장을 향해서 돌진했다. **~|brechen*** 《I》 *t.* 부숴서〔찢어서〕 떼다. 《II》 *i.* (s.) 갑자기 부서져〔찢어져〕 떨어지다; 돌발하다, 갑자기 일어나다; 급히 떠나다〔떨어지다〕; 격렬하게 말하기〔비방하기〕 시작하다: das Gewitter bricht los 갑자기 뇌우(雷雨)가 일어나다; 〖사냥〗 Wild bricht los 야수가 도망가기 시작한다. **~|brennen*** *t.* 발사하다. **~|bringen*** *t.* 떼어 놓다, 제거하다. **~|bröckeln** 《I》 *t.* 부수어서 떼다. 《II》 *i.* (s.) 부서져 떨어지다.

Los·buch *n.* 운명을 점치는 책.

losch [lɔʃ] ↑ löschen¹ 의 과거형.

Lösch≠anstalt *f.* 소방서. **~apparat** *m.* 소화기 (Feuerlöschappart). **~arbeit** *f.* 소화 작업.

löschbar *a.* (불을) 끌 수 있는; 갈증을 풀 수 있는.

Lösch≠blatt *n.* 압지(壓紙). **~boot** *n.* 소방선(Feuerlöschboot).

lösche [lœ́ʃə] ↑ löschen¹ 의 접속법 II식.

Lösch·eimer *m.* ① 소화용(消火用) 양동이. ② 〖工〗 (대장간의) 냉각 물통.

***löschen**⁽*⁾¹ [lœ́ʃən] 《I》 *i.* (s.) 〔강변화〕〔구식〕 (losch, geloschen) ↑ erlöschen. 《II》 *t.* 〔약변화〕 ① (불·초·전등 등을) 끄다: 〔雅語〕 Licht ~ 전등불을 끄다. ② (갈증을) 풀다; 가라앉히다, (정열을) 진정시키다. ③ 물을 뿌려서 가라앉히다: der Regen hat den Staub gelöscht 비가 와서 먼지가 일지 않게 됐다. ④ 〖工〗 glühendes Eisen ~ 새빨갛게 단 쇠를 물에 넣어서 식히다; Kalk ~ 석회를 소화(消和)하다. ⑤ (글자를) 지우다, 말살하다, 닦아 없애다; 〔비유〕 없애다, (빚을) 갚다: eine Erinnerung ~ 기억을 지우다; 〖商〗 einen Posten im Buch ~ 장부에서 금액이 기재된 한 항목을 삭제하다; 〖法〗 eine Hypotheke ~ 저당을 해제하다. ⑥ das Papier löscht gut 이 종이는 잉크를 잘 빨아들인다. ⑦ 〖컴〗 삭제하다, 지우다: eine Datei ~ 파일을 삭제하다.

löschen² 〖海〗 《I》 *t.* 짐을 내리다: ein Schiff ~ 배의 짐을 내리다; die Waren ~ 화물을 하역하다. 《II》 *i.* (h.) (배의) 짐을 하역하다.

Löschen [lǿːsçən] *n.* -s, - ↑ Los 의 축소형.

Löscher¹ [lœ́ʃər] 《< löschen¹》 *m.* -s, - ① 〔구어〕 (불을) 끄는 사람, 소방대원. ② 〔구어〕 소화기; 소등기. ③ 압지.

Löscher² 《< löschen²》 *m.* -s, - 〖海〗 부두 일꾼, 하역부(荷役夫).

Lösch≠fahrzeug *n.* 소방차. **~faß** *n.* ① 소화용 통. ② 〖工〗 냉각 물통. **~funke** *m.* 〖전기〗 순멸(瞬滅) 불꽃. **~geld** *n.* 〖海〗 양륙료. **~gerät** *n.* 소방 기구. **~hafen** *m.* 〖海〗 양륙항. **~horn** *n.* (촛불을 끄는) 뿔 모양의 소등기구. **~hütchen** *n.* (촛불을 끄는) 봉지 모양의 소등 기구. **~kalk** *m.* 소(消)석회, 수산화 칼슘. **~kohle** *f.* 뜬숯. **~kübel** *m.* ↑ ~faß. **~mann** *m.* 소방대원. **~mannschaft** *f.* 소방대. **~papier** *n.* 압지. **~platz** *m.* 〖海〗 양륙장, 잔교; 선창; 부두; 양륙항; 배의 도착 항구.

Löschung¹ *f.* -en 끄기; 말살, 삭제; 면제, 청산: die ~ einer Schuld 부채의 청산; 〖法〗 장부에서 지움.

Löschung² *f.* -en 〖海〗 짐 부리기, 양륙.

Lösch≠vorrichtung *f.* 소방 설비〔용구〕, 소화기. **~wasser** *n.* 방화수. **~wesen** *n.* 소방 제도. **~zug** *m.* 소방차 대열.

los≠|donnern *i.* (h.) 〔구어〕 ① 갑자기 천둥이 치다. ② 〔비유〕 고함을 지르다, 큰소리로 욕하기 시작하다: gegen jn. ~ 누구를 큰 소리로 꾸짖다. ③ (s.) 시끄럽게 엔진소리를 내며 빨리 출발하다. ④ (s.) auf jn.〔et.〕 ~ 누구를〔무엇을〕 향해 돌진하다. **~|drehen** *t.* 나사를 돌려서 떼어내다. **~|drücken** *t.* ① 눌러서 떼어 내다. ② 총의 방아쇠를 당겨 발포하다.

***lose** [lóːzə] *a.* ① 늘어진, 느슨한, 풀어진; 흐트러진; 흔들리는, 고정되지 않은: ein ~r Nagel 풀어진 못; ~ Blätter 따로따로 떨어진〔철하지 않은〕 낱장; das Geld ~ in der Tasche tragen 지폐를 아무렇게나 주머니에 넣고 다니다; ~ Haare 헝클어진 머리; 〖商〗 ~ Waren 포장하지 않은 짐; mir werden die Tränen ~ 나는 눈물이 흐른다. ② 가치 없는, 하찮은, 쓸모없는; 거칠고 나쁜, 열등의; 거짓된, 부정한: ~ Reden 잡담; ~ Speise 조식(粗食); ~ Waren sind billiger 포장이 안 된 상품이 (포장 된 상품보다) 싸다. ③ 타락〔방종〕한, 단정하지 못한; 경망스런, 경솔한; 제멋대로의, 자기 본위의; 불량한, 버릇없는; 장난끼 있는; 예의범절이 없는, 행실이 나쁜: ein ~r Bube 장난꾸러기; ein ~s Mädchen 행실이 나쁜 소녀; einen ~n Lebenswandel führen 행실이 나쁘게 처신하다; ~r Streich 장난; 〔경박〕 ein ~r Vogel 단정치 못한 사람; ein ~s Maul 〔einen ~n Mund, eine ~ Zunge〕 haben a) 입이 험하다, b) 수다쟁이다; 〔농담〕 ~ Reden führen 말을 마구 하다. ④ 〔드물게〕 ~ Augenblicke〔Zeit〕 여가, 한가.

Lose [lóːzə] *f.* -n 〖海〗 (밧줄의) 늘어진 부분: die ~ durchholen 늘어진 밧줄을 팽팽하게 당기다.

Lose·blatt·ausgabe *f.* 가철본(假綴本).

Löse·geld *n.* 인질의 몸값: ein hohes ~ bezahlen〔fordern〕 많은 몸값을 지급〔요구〕하다.

los|eisen *t.* ① 〔구식〕 얼음에서 끌어서 떼다: 〖海〗 ein Schiff ~ 배를 얼음 속에서 끌어내다. ② 〔구어〕 **(a)** (애써서) 풀어 놓다, 석방하다: sich aus einer unangenehmen Situation ~ 애써서 불쾌한 상황에서 해방되다. **(b)** (돈을) 조달하다, 애써서 손에 넣다.

Löse≠keil *m.* 〖工〗 늦추어진 쐐기. **~mittel**

n. 〖醫〗 거담제; 완하제; 〖化〗 용매(溶媒).

losen[1] [lóːzən] 《Ⅰ》 *i.* (h.) 제비를 뽑다, 추첨하다: um et. ～ 무엇을 놓고 추첨하다; wir wollen ～, wer gehen soll 우리는 누가 가야 할지를 제비를 뽑아 결정하려고 한다. 《Ⅱ》 *refl.* sich fest〔frei〕 ～ 추첨의 결과 군대에 뽑히다〔추첨으로 병역이 면제되다〕. 《Ⅲ》 *t.* 추첨으로 얻다.

losen[2] 《<los》 *i.* (h.) 〖사냥〗 똥 누다.

losen[3] *i.* (h.) (obd.) 경청하다, 귀를 기울이다.

***lösen** [lǿːzən] 《Ⅰ》 *t.* ① 풀다, 끄르다; 나누다, 분리하다: einen Knoten ～ 매듭을 풀다; ein Siegel ～ 봉함을 뜯다; einen Zauber ～ 마법을 풀다; jm. die Zunge ～ 누구에게 발언시키다; das Fleisch von den Knochen ～ 고기를 뼈에서 발라내다; den Blick von jm.〔et.[3]〕 nicht ～ können 누구에게서〔무엇에서〕 시선을 뗄 수가 없다; die Ordnung war gelöst 질서가 문란해졌다; heute war er sehr gelöst 오늘 그는 몹시 의기소침해 있었다. ② 파기〔해제〕하다, 그만두다, 취소하다: einen Kontrakt 〔eine Verlobung〕 ～ 해약〔파혼〕하다; eine Verbindlichkeit ～ 의무를 해제하다; jn. von seinen Verpflichtungen ～ 누구의 책임을 면제하다; sein Verhältnis zu jm. ～ 누구와 관계를 끊다. ③ 풀다, 해결하다, 해답하다: eine Aufgabe ～ 문제를 풀다; eine Schwierigkeit ～ 어려움을 이겨 나가다; die Widersprüche ～ 모순을 해결하다; Zweifel ～ 의문을 풀다; diese Frage ist schwer zu ～ 이 문제는 해결하기 어렵다. ④ 도로 찾다, 도로 사다; 무르다; 몸값을 치르고 빼내다: eine Fahrkarte〔Eintrittskarte〕 ～ 차표를〔입장권을〕 사다; einen Gefangenen ～ 몸값을 치르고 포로를 구출하다; Fahrscheine am Automaten ～ 차표를 자동 발매기에서 사다; ein Pfand ～ 저당물을 되찾다; sein Versprechen〔Wort〕 ～ 약속을 이행하다. ⑤ 얻다, 손에 넣다: Geld aus et.[3] ～ 무엇을 팔아서 돈을 얻다. ⑥ 내놓다; 발사하다: eine Kanone ～ 대포를 쏘다. ⑦ 〖化〗 용해하다: ein Medikament in Wasser ～ 약을 물에 용해하다. ⑧ 짐을 부리다. ⑨ 〖방언〗 이끌다: Wasser ～ 물을 끌다. 《Ⅱ》 *refl.* sich ～ 느즈러지다; 풀리다; 분리되다, 해방되다; 〖化〗 용해되다; 〖사냥〗 똥 누다: Zucker löst sich schnell in Wasser 설탕은 물에 빨리 녹는다; sich von einer Verbindlichkeit ～ 의무를 면하다; das Rätsel löst sich sehr einfach 이 수수께끼는 아주 간단히 풀린다; sie konnte sich nicht aus seiner Umarmung ～ 그녀는 그의 포옹에서 벗어날 수가 없었다. 《Ⅲ》 **gelöst** *p.a.* ↑ gelöst.

Los·entscheid *m.* 추첨을 통한 결정.

Loser[1] [lóːzər] 《<losen[1]》 *m.* -s, - 복권 구입자.

Loser[2] 《<losen[3]》 *m.* -s, - ① (obd.) 엿듣는 사람. ② 사냥 짐승의 귀.

Löser[1] [lǿːzər] 《<lösen》 *m.* -s, - (끈 등을) 푸는〔끄르는〕 사람; 속죄하는 사람; 구제자, 구세주.

Löser[2] *m.* -s, - 〖動〗 반추(反芻) 동물의 3번째 위.

Löser·dürre *f.* 〖수의〗 우역(牛疫).

los≠fahren* *i.* (s.) ① **(a)** (차를 타고, 차가) 가기 시작하다, 출발하다: um acht Uhr fuhren wir los 우리들은 8시에 출발했다. **(b)** auf et.〔jn.〕 ～ 무엇을〔누구를〕 향해 돌진하다: der Wagen fuhr in rasendem Tempo auf die Menschenmenge los 차가 맹렬한 속도로 군중을 향해 돌진했다. **(c)** 〖비유〗 auf jn. ～ 누구에게 대들다, 누구를 공격하다: er fuhr mit dem Messer auf ihn los 그는 칼을 들고 그에게 대들었다. ② 갑자기 분리되다, 빠른 속도로 떨어지다. ③ 격분해서 말하기 시작하다, 분개하다. ～|**feuern** 〖구어〗 《Ⅰ》 *t.* 발사하다. 《Ⅱ》 *i.* (h.) ① 맹렬하게 사격하기 시작하다. ② auf jn. ～ 누구를 향해 발포하다. ～|**geben*** *t.* 놓아 주다, 해방〔석방〕하다. ～|**gehen*** *i.* (s.) ① 분리되다, 떨어지다; 늦추어지다, 흔들흔들하다: mir ist ein Knopf losgegangen 내 단추가 하나 떨어졌다. ② 발화〔발사〕하다. ③ 시작하다, 일어나다: die Veranstaltung geht um acht Uhr los 행사는 8시에 시작된다; 〖농담〗 auf „los!" geht's los! "시작!"하면 시작합니다!; da ging das Zanken los 그 때 싸움이 일어났다; es kann ～! 자 시작해라, 자 뛰어라! ④ 열중〔몰두〕하다; 돌진하다: auf jn. ～ 누구를 향해서 돌진하다; frisch auf et. ～ 열심히 무엇에 착수〔몰두〕하다; 〖학생〗 sie sind losgegangen 그들은 결투를 했다. ⑤ 떠나가다, 출발하다; 〖구어〗 geh los und laß mich zufrieden! 상관 말고 꺼져라!; 〖구어〗 geh los mit deinem Geschwätz! 수다 좀 그만 떨어라! ～|**gürten** *t.* (누구의) 띠를 풀다. ～|**haben*** *t.* 〖구어〗 etwas〔viel〕 ～ (어떤 분야에서) 약간〔상당히〕 능력이 있다: im Sport hat sie viel los 그녀는 스포츠에 상당한 재능이 있다. ～|**haken,** ～|**häkeln** *t.* 갈고리에서 떼어내다; (의복의) 훅을 끄르다. ～|**hauen*** 〖구어〗 《Ⅰ》 *t.* 잘라 떼다〔내다〕. 《Ⅱ》 *i.* (h.) auf jn.〔et.〕 ～ 누구를〔무엇을〕 패다, 사정없이 때리다: aufeinander ～ 서로 치고 박고 싸우다. ～|**helfen*** *i.* (h.) jm. ～ 누구를 구출하다, 도망시키다. ～|**heulen** *i.* (h.) ① 울부짖기 시작하다: der Sturm heult los 폭풍우가 치기 시작한다. ② 〖구어〗 울기 시작하다.

Los·kauf *m.* 되찾기, 저당물 찾기, 사람을 몸값을 주고 빼냄; 〖宗〗 속죄.

los≠kaufen 《Ⅰ》 *t.* 되사다; 몸값을 주고 구출하다: eine Geisel ～ 몸값을 내고 인질을 구출하다. 《Ⅱ》 *refl.* sich ～ 몸값을 치루고 자유롭게 되다. **～käuflich** *a.* 보상될〔되살〕 수 있는; 몸값을 치르고 빼낼 수 있는. ～|**ketten** *t.* 쇠사슬에서 풀어주다, 자유롭게 하다, …의 결박을 풀다: den Hund ～ 개의 줄을 풀어주다. ～|**knüpfen** *t.* (엉킨 실·매듭 따위를) 풀다, 뜯다, 풀어 주다. ～|**kommen*** *i.* (s.) ① 느슨해지다, 떨어지다; 벗어나다: von jm.〔et.[3]〕 ～ 누구에게서〔무엇에서〕 벗어나다, 누구를〔무엇을〕 버리다; obwohl er sie mißhandelte, kam sie nicht von ihm los 그가 그녀를 학대했음에도 불구하고 그녀는 그에게서 벗어나지 못했다. ② (freiwerden) 석방〔해방〕되다, 자유의 몸이 되다: endlich bin ich vom Rauchen losgekommen 나는 드디어 담배를 끊었다. ③ **(a)** (어떤 장소에서) 떠나가다: heute komme ich nicht vor sechs Uhr aus dem Büro los 나는 오늘 6시 전에는 사무실을 떠날 수 없다. **(b)** gut〔schlecht〕 ～ 좋은〔나쁜〕 출발이다. ④ auf jn.〔et.〕 ～ 누구를〔무엇을〕 향해 오다, 접근하다. ～|**koppeln** *t.* (무엇〔짐

승]을 끈에서) 풀어놓아 주다. ~|**kriegen** *t.* 〖구어〗① 떼다, 치우다. ② 벗어나다: einen lästigen Besucher ~ 성가신 방문객에게서 벗어나다. ③ 팔 수 있다: den alten Schrank kriegst du doch nicht mehr los 너는 오래된 그 장롱을 더 이상 팔 수 없다. ~|**kuppeln** ↑ abkoppeln. ~|**lassen*** 《Ⅰ》*t.* ① 떼어놓다, 늦추다. ② 풀어놓아주다, 해방시키다, 자유롭게 하다: 〖구어〗er war wie losgelassen 그는 오만방자했다. ③ (감정을) 나타내다. ④〖구어〗einen Brief ~ 편지를 발송하다. ⑤〖구어〗eine Spottschrift gegen jn. ~ 누구에 대한 비방의 글을 공개하다; 〖구어〗einen Witz ~ 익살부리다; eine Rede ~ 연설을 하다. ⑥〖구어〗(능력이 확증되지 않은 사람을 어떤 분야에서) 활동하게 내버려두다: einen jungen Lehrer auf eine schwierige Klasse ~ 젊은 선생을 다루기 힘든 학급에 배치하다. ⑦〖경박〗einen ~ 방귀뀌다. 《Ⅱ》*i.* (h.) 느슨해지다, 떨어지다. ∼|**lassung** *f.* 해방, 석방. ~**laufen** *i.* (s.) ① 달려가다, 달리기 시작하다. ② auf jn.〔et.〕~ 누구를〔무엇을〕향해 달리다. ~|**leben** *i.* (h.) darauf ~ 되는 대로〔분별 없이〕지내다. ~|**legen** *i.* (h.) 〖구어〗① mit et.³ ~ 무엇에 착수하다, 격정적으로 무엇을 시작하다: er legte gleich mit seinen Plänen los 그는 곧 자신의 계획들에 착수했다. ② 말다툼하다; 욕하기 시작하다: gegen jn. ~ 누구에게 욕하다.

löslich [lǿ:slɪç] *a.* 풀 수 있는, 용해되는; 〖化〗가용(可溶)의: ~er Kaffee 물에 타 마시는 커피.

Löslichkeit *f.* 가용성, 용해성.

los=|**lösen** 《Ⅰ》*t.* 풀어내다; 떼내다: eine Briefmarke vom Umschlag ~ 우표를 봉투에서 떼내다. 《Ⅱ》*refl.* sich ~ 느슨해지다, 떨어지다: eine Lawine hat sich losgelöst 눈사태가 일어났다; sich von alten Anschauungen und Bindungen ~ 낡은 견해와 속박에서 벗어나다. ∼**lösung** *f.* 벗어남, 분리. ~|**machen** 《Ⅰ》*t.* ①〖구어〗늦추다, 풀다; 나누다, 떼다, 벗기다. ② 석방하다, 자유롭게 하다. ③〖속어〗시작하다. ④〖구어〗einen〔(et)was〕~ 한바탕 즐기다, 신나게 떠들며 놀다: auf der Geburtstagsfeier haben wir gestern ordentlich einen losgemacht 어제 생일 잔치에서 우리는 정식으로 한바탕 놀았다. 《Ⅱ》*i.* (h.) 〖구어〗서두르다: mach schon los! 서둘러라! 《Ⅲ》*refl.* sich ~ 벗어나다, 면하다. ~|**marschieren** *i.* (s.) ① 행진을 시작하다. ② auf jn.〔et.〕~ 누구를〔무엇을〕향하여 곧바로 행진하다. ∼**nummer** *f.* 복권 번호. ~|**platzen** *i.* (s.) 〖구어〗① 갑자기 말하다: „so was Gemeines", platzte er los 그는 갑자기 "저런 비천한 것"이라고 말했다; mit der Rede ~ 갑자기 말문을 열다. ② 갑자기 웃음〔울음〕을 터뜨리다. ~|**rasen** ↑ ~brausen. ~|**reden** *i.* (h.) 〖구어〗① 지껄이기 시작하다. ② auf jn. ~ 누구 쪽을 향해 지껄이다. ~|**reißen*** 《Ⅰ》*t.* 찢어내다, 잡아떼다, 뜯어내다. 《Ⅱ》*i.* (s.) 찢어져〔꺾어져〕떨어지다, 갈가리 찢어지다. 《Ⅲ》*refl.* sich ~ 몸을 뿌리치다〔잡아떼다〕: ich kann mich von diesem Roman nicht ~ 나는 이 소설에서 눈을 뗄 수가 없다; 〖海〗닻줄이 끊어져 표류하다. ~|**rennen*** *i.* (s.) ↑ ~laufen.

Löß [lœs, løs] *m.* -es/Lösses [lœ́səs], -e/Lösse 〖지질〗황토.

Löss 新정서 ⇦ Löß.

los=|**sagen** *refl.* sich von et.³〔jm.〕~ 무엇과〔누구와〕결별을 선언하다: der Vater sagte sich von seinem Sohn los 아버지는 아들과 결별을 선언했다. ∼**sagung** *f.* 포기〔절교·탈퇴〕선언.

Löß·boden *m.* 황토 지반.

los=|**schicken** *t.* 〖구어〗보내다, 부치다; 파견하다, 심부름을 보내다; 해고하다: ein Telegramm ~ 전보를 치다; das Kind zum Einkaufen ~ 아이를 장보러 보내다. ~|**schießen*** 《Ⅰ》*t.* 발사하다, 쏘다, 놓다. 《Ⅱ》*i.* ① (h.) 발화하다, 튀어나가다. ② (h.) 〖구어〗갑자기 말하다. ③ (h.) 〖농담〗(생각을) 빨리 말하다: schieß los! 자 말해봐! ④ (s.) 〖구어〗덤벼들다: auf jn. ~ 누구를 향해서 돌진하다. ⑤ (s.) 〖구어〗갑자기 달리기 시작하다: die Kinder schossen los, sobald sie auf der Wiese waren 아이들은 풀밭에 오자마자 내달았다. ~|**schlagen*** 《Ⅰ》*t.* ① 두드려 떼다〔떨어뜨리다〕. ②〖商·구어〗헐값으로 팔다, 처분하다; 경매에 부치다. 《Ⅱ》*i.* (h.) ①〖구어〗auf jn. ~ 누구를 마구 패다: die Kinder schlugen aufeinander los 아이들은 서로 치고 박고 싸웠다. ②〖구어〗싸움을 시작하다, 서로 때리다. ~|**schnallen** *t.* 죔쇠를 끄르다〔풀다〕: den Rucksack ~ 배낭의 죔쇠를 끄르다. ~|**schneiden*** *t.* 잘라내다, 잘라서 떼어내다: jn. von den Fesseln ~ 누구의 결박을 잘라내어 풀어주다. ~|**schnüren** *t.* 끈을 풀다, 매듭을 늦추다. ~|**schrauben**⁽*⁾ *t.* 〖工〗나사를 풀다, 늦추다. ~|**schwören*** 《Ⅰ》*t.* 선서에 의해서 벗어나게 하다. 《Ⅱ》*refl.* sich ~ 관계를 끊을 것을 맹세하다. ~|**sein*** *i.* (s.) ↑ los 《Ⅰ》③(a).

lößig [lǿ:sɪç] *a.* 황토질의, 황토 같은.

Löß·kindel *n.* 〖지질〗황토 인형.

los=|**spannen** *t.* 풀다, 늦추다: einen Bogen ~ 활의 시위를 풀다; ein Pferd ~ 말의 마구를 풀다. ~|**sprechen*** *t.* ① 면제〔해제〕하다: jn. von einer Verbindlichkeit ~ 누구의 의무를 해제하다; 〖가톨릭〗jn. von einer Sünde ~ 누구의 죄를 면제하다. ② einen Lehrling ~ 도제를〔수습생을〕졸업시켜 직인의 자격을 부여하다. ∼**sprechung** *f.* 면제, 해제; (숙련공 등의) 자격 부여. ~|**sprengen** 《Ⅰ》*t.* 폭파하여 제거하다. 《Ⅱ》*i.* (s.) auf jn. ~ 누구를 향해서 말을 달리다. ~|**springen*** *i.* (s.) ①〖방언〗뛰어가버리다. ② auf jn. ~ 누구에게 덤벼들다. ③〖구어〗튀어 열리다. ~|**steuern** *i.* (s.) auf et. ~ 무엇을 향해 힘차게 나아가다. ~|**stürmen** *i.* (s.) ① auf et. ~ 무엇을 향해 돌진하다. ② auf seine Gesundheit ~ 건강을 해치다. ~|**stürzen** *i.* (s.) ① 맹렬하게 달려가다. ② auf jn. ~ 누구를 향해서 돌진하다, 누구를 습격하다.

Lost *m.* -(e)s 황십자(독가스의 표시), 독가스 (Gelbkreuz).

Los·tage 《<los》*pl.* 〖민속〗(민간 신앙에서) 천기를 예고하는 날들(die Eisheiligen, Lichtmeß 등 모두 84 일임).

los|**trennen** *t.* 떼어내다; 절단하다.

Los·trommel *f.* 회전식 복권 추첨기.

Losung[1] [ló:zʊŋ] *f.* -en 추첨.

***Losung**[2] *f.* -en ①〖軍〗암호; 〔비유〕표어, 구호: eine politische ~ 정치적 표어; 〔속담〕 Geld ist die ~ 돈이면 다 된다. ② 광갱 측량사의 암호. ③ 경건파의 기도 문구.

Losung[3] *f.*〖商〗일일 매상, 매상고: eine gute ~ haben 매상이 많다.

Losung[4] *f.*〖사냥〗짐승이나 개의 똥.

***Lösung** [lǿ:zʊŋ] *f.* -en ① 늦춤, 떼어놓음, 풂, 분리. ② 말살, 제거; 취소, 폐지: die ~ einer Verlobung 파혼. ③〖化·物〗〖↑ Auflösung 의 단축형〗용해; 용액. ④ (문제·수수께끼의) 해답, 열쇠, 풀이. ⑤〖연극〗대단원; (이야기의) 단락. ⑥〖軍〗발사. ⑦ (schweiz.) (자전거〔2 륜차〕용) 납세 스티커 구입〔취득〕.

Lösungs≈mittel *n.*〖化〗용제(溶劑), 용매(溶媒). **~versuch** *m.* (과제의) 해결 시도.

Losungs·wort *n.* -(e)s, -e 구호.

Los-von-Rom-Bewegung [lò:sfɔnró:m..] *f.* (1897 년 특히 오스트리아의) 로마(교회)로부터의 분리 운동.

los≈|weichen* 《I》 *t.* 물에 담그어〔적시어〕 떼다: das Etikett von der Flasche ~ 병을 물에 적시어 상표를 떼어내다. 《II》 *i.* (s.) 물에 담그어져〔적시어져〕 떨어지다. **~|werden*** *t.* (s.) ① jn. [et.] ~ 누구에게서〔무엇에서〕 벗어나다, 모면하다(↑ los 《I》③(b)): ich werde den Schnupfen nicht los 나는 코감기에서 벗어나지 못하고 있다. ② (심중의 것을) 토로하다: seinen Kummer ~ 근심을 토로하다. ③〔구어〕 잃다: beim Kartenspiel ist er 500 DM losgeworden 그는 카드놀이에서 500 마르크를 잃었다. ④〔구어〕팔 수 있다: ich bin alle Waren losgeworden 나는 모든 물건들을 팔 수 있었다. **~|wickeln** 《I》 *t.* 풀다. 《II》 *refl.* sich ~ 풀리다; 〔비유〕탈각〔이탈〕하다; 해결되다. **~|winden*** 《I》 *t.* 비틀어 떼다; 〔비유〕해방〔구출〕하다. 《II》 *refl.* sich ~ 몸무림쳐서 떨어지다, 애써 벗어나다. **~|ziehen*** 〔구어〕《I》 *t.* 잡아떼다, 잡아찢다. 《II》 *i.* (s.) ①〔폄어〕 auf〔gegen, über〕 jn. ~ 누구를 욕하다, 공격하다: er ist über die Regierung losgezogen 그는 정부를 비방했다. ② **(a)** 어디로 나아가다, 떠나다: früh um acht zogen sie los 아침 8 시에 그들은 떠났다. **(b)** auf et. ~ 무엇을 향해서 나아가다.

***Lot**[1] [lo:t] *n.* -(e)s, -e ① **(a)** 로트(옛날의 반온스의 중량 단위; 1/32 또는 1/30 Pfund): 〔속담〕 Freunde in der Not gehen hundert auf ein ~ 친구들이라는 자들도 위급한 경우에는 아무짝에도 소용없다(백이면 백 모두 1 로트의 커피 때문에 가 버린다). **(b)** 로트(현재의 10 그램 중량) (Neu~). ② **(a)**〖건축〗연추(鉛錘) (Richtblei). **(b)**〖海〗측연(測鉛): schweres ~ 심해(深海) 측연; das ~ werfen 수심을 재다. ③〖數〗수직선: die Mauer ist außer dem ~ 〔nicht im ~〕 그 벽은 수직에서 벗어나 있다, 수직이 아니다; ein ~ fällen 수직선을 긋다; im ~ sein 건강하다, 정상적이다; (wieder) ins ~ kommen (다시) 건강하게 되다; et. (wieder) ins (rechte) ~ bringen 무엇을 정돈하다; bring mich nicht aus dem ~(e)! 나를 혼란스럽게 만들지 마라! ④〖工〗땜납, 백랍(白鑞). ⑤〖사냥·고어〗탄알, 포탄. ⑥ 로트(순은량(純銀量)의 단위) (↑ lötig).

Lot[2] [lɔt] *n.* -(s), -s ① (1 회에 거래하는) 상품량, 한 뭉치. ②〖우표〗우표 한 묶음〔세트〕.

Löt·asche *f.*〖化〗탄산칼륨.

lötbar [lǿ:tba:*r*] *a.*〖工〗땜납으로 붙일 수 있는: ~es Material 납땜할 수 있는 물질.

Lot·blei *n.* 측연, 측추(Bleilot).

Löte [lǿ:tə] *f.* -n (Lot) 땜납, 백랍; 납땜질.

Löt·eisen *n.*〖工〗땜질 인두, 납땜 기구.

loten [ló:tən] 《I》 *t. i.* ①〖工·건축〗연추로 수직길이를 재다. ②〖海〗측연으로 물의 깊이를 재다. 《II》 *i.* (h.) 〔비유·雅語〕 in die Tiefe ~ 무엇을 상세히 연구〔취급〕하다.

löten [lǿ:tən] *t.* ①〖工〗납땜하다: ein Loch im Topf ~ 냄비의 구멍을 납땜하다; 〔비유〕 der Bruch zwischen ihnen ist nicht mehr zu ~ 그들 사이의 불화는 더 이상 수습할 수가 없다. ②〔경박〕 einen ~ 술 한잔하다.

Löter *m.* -s, -〖工〗땜장이; 〖통신〗(전선의) 접합부.

Löt≈feuer *n.* 취관염(吹管焰). **~fuge** *f.* ↑ ~stelle. **~gerät** *n.* 납땜용 기구.

Lothringen [ló:trɪŋən] 로렌(라인강 상류와 Vogesen 산맥 사이의 지명; 독일명은 로트링겐).

Lothringer 《I》 *m.* -s, - 로렌 사람. 《II》 *a.* 로렌의.

lothringisch *a.* 로렌(사람·말)의.

lötig [lǿ:tɪç] *a.* 〔구식〕 ① 로트(↑ Lot[1] ①)의 무게가 있는. ② ~es Silber 표준량이 되는 은, 순은.

..lötig *suf.* "로트의 무게를 가진"의 뜻(보기: vierzehn~es Silber 14 로트의 순은 동전).

Lötigkeit *f.* 〔구식〕(은의 합금 속에 포함된) 순은량(量).

Lotion [lotsió:n, lóuʃən] 《engl.》 *f.* -en/(영어 발음) -s 화장수, 로션.

Löt≈kolben *m.* -s, - ①〖工〗납땜 인두. ②〔경박〕(빨갛고 두툼한) 술꾼의 코. **~lampe** *f.* 납땜용 버너.

Lot·leine *f.*〖海〗측연선, 추측(錘測)줄.

Löt≈metall *n.* 땜납. **~naht** *f.* 납땜자리.

Lotos [ló:tɔs] *m.*, **Lotos·blume** *f.* 수련과의 풀, 연꽃.

Lotos·blüte *f.* 수련꽃, 연꽃.

Lot≈perlen *pl.*〖商〗작은 알맹이의 진주. **~-recht** *a.* 수직의. **~rechte** *f.* 수직선.

Löt·rohr *n.*〖化·工·醫〗취관(吹管).

Lot·schnitt *m.*〖지질〗종단면.

Lotse [ló:tsə] 《engl. lordsman》 *m.* -n, -n ① **(a)**〖海〗수로 안내인. **(b)** (도로 교통에서) 지리에 밝은 안내자. ②〖動〗↑ Lotsenfisch.

lotsen [ló:tsən] *t.* ① **(a)**〖海〗(배의) 수로를 안내하다. **(b)** (길을) 안내하다: den Fremden durch die Stadt ~ 낯선 사람에게 시내의 길을 안내하다. ②〔구어〕유인하다, 끌어내다: jn. ins Kino ~ 누구를 영화관으로 끌고 가다. ③〔구어〕 jn. durch die Prüfung ~ 누가 시험에 합격하도록 돕다. ④〔구어〕 jm. das Geld aus der Tasche ~ 누구를 돈을 쓰도록 유혹하다.

Lotsen≈boot *n.*〖海〗수로 안내선. **~dienst** *m.* ①〖海〗수로 안내 (서비스). ②〖교통〗교통 안내 활동. **~fisch** *m.*〖動〗동갈방어류. **~gebühr** *f.*, **~geld** *n.*〖海〗수로 안내료. **~station** *f.*〖海〗수로 안내소.

Löt·stelle *f.*〖工〗땜납으로 붙인 부분.

Lottchen [lɔ́tçən] *n.* ↑ Lotte[1] 의 축소형.

Lotte[1] [lɔ́tə] *f.* 〔↑ Charlotte 의 단축형〕로테

(여자 이름).
Lotte[2] *f.* -n 〖광산〗 (Lutte) 통기〔배수〕관.
Lotte[3] *f.* -n 〖林〗 (Lode) 묘목, 맹아.
Lotter [lɔ́tər] 《ahd. lotar》 *m.* -s, - 〘구식〙 ↑ ~bube.
Lotter·bett *n.* ①〘폄어·농담〙 사랑〔신혼〕의 보금자리, 부부 침대. ②〘대개 폄어〙 너저분하게 흐트러진 침대: 〘비유〙 auf dem ~ liegen 빈둥거리며 지내다. ③〘가구〙 휴식용 침대〔소파〕. ④〘구식〙 (öst.) 누울 수 있는 긴 의자, 소파. **~bube** *m.* 〘구식·폄어〙 빈둥거리는 사람; 무뢰한, 방탕자.
Lotterei [lɔtəráɪ] *f.* -en 〘대개 폄어〙 게으름; 방랑; 방탕.
Lotter·hose *f.* 헐렁한 바지.
*__Lotterie__ [lɔtərí:] 《frz. lot》 *f.* -n [..rí:ən] ① 복권, 제비, 제비뽑기: ~ 〔in der ~〕 spielen 복권 추첨에 참가하다; das ist die reinste ~ 그건 모험일 뿐이야, 성공은 어림도 없어; in der ~ gewinnen 복권에 당첨되다. ② 12 장의 카드를 가지고 하는 노름〔도박〕.
Lotterie·anleihe *f.* 〖經〗 복권부 채권. **~einnehmer** *m.* 복권 판매인. **~gewinn** *m.* 복권의 당첨. **~kollekteur** *m.* ↑ ~einnehmer. **~los** *n.* (낱장의) 복권. **~plan** *m.* 복권 추첨 예정(표). **~spiel** *n.* ① 복권 놀이. ② 〘비유〙 운에 좌우되는 것: das Leben ist ein ~ 인생이란 운에 좌우된다. **~spieler** *m.* 복권 추첨 참가자. **~zettel** *m.* ↑ ~los.
lott(e)rig [lɔ́t(ə)rɪç] *a.* 〘구어〙 (옷차림이) 단정치 못한; 게으른, 태만한; 방탕한; 방랑의, 부랑의; 수치스러운, 비열한: eine ~e Gesellschaft 방탕한 모임.
Lotterigkeit *f.* 방탕, 태만.
Lotter·leben *n.* 〘대개 폄어〙 방탕한 생활.
lottern [lɔ́tərn] *i.* (h.) ① 늘어지다, 흔들거리다. ② 게으름피우다, 빈들빈들 지내다; 방탕생활을 하다; 부랑〔건달〕 생활을 하다.
Lotter·wirtschaft *f.* 〘폄어〙 방종한 경제〔살림〕, 방종.
Lotti [lɔ́ti] *f.* 〘↑ Charlotte, Li(e)selotte 의 애칭〙 로티(여자 이름).
*__Lotto__ [lɔ́to] 《it. lotto》 *n.* -s, -s ① (숫자 맞추기로 하는) 복권: vier Richtige im ~ haben 복권에 4 개의 당첨 숫자가 있다; 〘구어〙 du hast wohl im ~ gewonnen! 자네 복권에 당첨됐는가 보군! ② 숫자가 기입된 카드를 맞추는 놀이〔게임〕.
Lotto·annahme·stelle *f.* 복권 취급소. **~gewinn** *m.* 복권 당첨(금). **~kollektur** *f.* (öst.) 복권 취급소. **~schein** *m.* (숫자 맞추기 복권에서) 숫자가 인쇄된 복권: den ~ ausfüllen 복권에 숫자를 기입하다. **~spiel** *n.* 복권의 일종; 복권 놀이. **~zahl** *f.* 복권 당첨 번호: die Ziehung der ~en im Fernsehen 텔레비전에서의 복권 추첨. **~zettel** *m.* ↑ ~schein.
Lotung *f.* -en 〖海〗 추측(錘測), 수심 측량.
Lötung *f.* -en 납땜, 땜질.
Lotus [ló:tʊs] 《gr.》 *m.* -, - 〖植〗 ① ↑ Hornklee. ② ↑ Lotos.
Lotus·baum *m.* 〖植〗 갯대추나무(↑ Wegedorn). **~blume** *f.* 〖植〗 ↑ Lotos. **~klee** *m.* 〖植〗 벌노랑이의 일종.
Lot·waage *f.* 〖工〗 수준기(水準器).
Löt·wasser *n.* ①〖工〗 청강수(염산액), 납땜용액. ②〘구어·농담〙 화주(Schnaps).
lot·weise *adv.* 1 로트씩, 로트를 단위로.
Löt·zinn *n.* 〖工〗 (금속 접착용의) 땜납.
Louis [lú:i:] 《frz.》 *m.* ① (Ludwig) 루이(남자 이름). ② *m.* - [lú:i:(s)], - [lú:i:s] 〖비속〗 기둥 서방, 포주. ③ ↑ Louisdor.
Louisdor [luidó:r] 《frz.》 *m.* -s, -e 루이 금화(1640-1795 년에 발행된 프랑스의 금화).
Louis-quatorze [lwikatɔ́rz] *n.* - 프랑스 루이 14 세(1638-1715) 시대의 예술, 특히 가구의 (바로크) 양식.
Louis-quinze [lwikɛ̃́:z] *n.* - 프랑스 루이 15 세(1710-74) 시대의 예술, 특히 가구의 (로코코) 양식.
Louis-seize [lwisɛ́:z] *n.* - (프랑스) 루이 16세(1754-93) 시대의 예술, 특히 가구의 양식(로코코에서 의고주의로 넘어가는 과도기 양식).
Lounge [láʊndʒ] 《engl.》 *f.* -s [..dʒɪz] (호텔의) 휴게실, 라운지.
Louvre [lu:vr, lú:vrə] 《frz.》 *m./n.* -(s) 루브르(파리의 궁전 이름; 지금은 미술관).
Love Parade 《engl.》 *f.* 〘사회〙 러브 퍼레이드(1988 년부터 베를린에서 매년 거행되는 테크노 음악 축제).
Lovestory 新정서 ⇦ Love-Story.
Love-Story [lʌ́vstori] 《engl.》 *f.* -s 연애 소설, 사랑 이야기: eine moderne ~ schreiben 현대적인 러브 스토리를 쓰다.
*__Löwe__ [lǿ:və] 《lat. leō.》 *m.* -n, -n ①〖動〗 사자. ②〘비유〙 용맹한 사람, 위인, 인기 있는 사람, 대인물, 스타: der ~ des Tages 〔des Abends〕 sein 그날〔그날 저녁〕의 중심 인물이다; 〘비유〙 nicht den schlafenden ~n wecken 잠자는 사자를 깨우지 않다; gut, gebrüllt, ~! 말 잘했어! ③〖天〗 사자자리. ④〖점성술〗 **(a)** 사자자리(7 월 23 일-8 월 23 일). **(b)** 출생 별자리가 사자 자리인 사람. ⑤〖紋·화폐〗 사자 모양의 문장.
Löwen·äffchen *n.* 〖動〗 ↑ ~affe 의 축소형. **~affe** *m.* 〖動〗 사자원숭이. **~anteil** *n.* 〘비유〙 최대의 몫. **~artig** *a.* 사자 같은; 사자류의. **~bändiger** *m.* 사자를 부리는〔길들이는〕 사람: 〘비유·구어〙 den ~ spielen 한 명 또는 서너 명을 제압하다. **~beherzt** *a.* 사자같이 용맹한. **~eckerchen** *n.* 〘방언〙 종달새(Lerche). **~garten** *m.* 사자원(園). **~grimm** *m.* 〘비유〙 격노; 용맹. **~grube** *f.* 사자의 동굴.
löwenhaft *a.* 사자와 같은.
Löwen·haut *f.* 사자 가죽: 〘비유〙 er ist ein Esel unter einer ~ 그는 허세를 부린다. **~herz** *n.* ① 사자의 마음; 용맹심: ein ~ haben 매우 용감하다. ② 영국의 왕 Richard I 세(1157-99)의 별명. **~jagd** *f.* 사자 사냥. **~käfig** *m.* 사자 우리. **~mähne** *f.* ① 사자의 갈기. ②〘구어〙 (사람의) 길고 텁수룩한 머리카락. **~maul** *n.* ① 사자의 입. ②〖植〗 금어초(金魚草). **~mäulchen** *n.* ↑ ~maul ②. **~mut** *m.* 용맹, 강한 담력: mit ~ für et. kämpfen 용맹하게 무엇을 위해 싸우다. **~stark** *a.* 사자같이 강인한. **~stärke** *f.* 사자같이 강함, 강호(強豪). **~zahn** *m.* 〖植〗 민들레(사자의 이빨을 닮은 잎의 모양에서).
Löwin [lǿ:vɪn] *f.* -nen ① 암사자. ②〘방언〙 눈사태.
Lowry [ló:ri:] *f.* ..ries [..ri:s] ↑ Lore[1].

loyal [loajá:l] 《frz.》 *a.* 〖교양〗 진실〔착실〕한; 정당〔공평〕한; 호의 있는; 계약을 충실히 지키는, 정직한; 충성스러운: ein ~er Untertan 충성스러운 신하; ein ~er Vertragspartner 충실한 계약 당사자.

Loyalist [loajalíst] *m.* -en, -en 〚史〛 ① 영국에서 1688 년에 추방된 Stuart 왕조의 신봉자, 왕당파의 사람. ② 영(英)본국 지지자(미국 독립 전쟁 당시에 영국 왕실편을 든 사람).

Loyalität [loajalitɛ́:t] *f.* 〖교양〗 충성; 순종; 성실, 정직: ~ dem Staat gegenüber 국가에 대한 충성; jn. zur ~ verpflichten 누구로 하여금 충성할 것을 확약하게 하다.

Loyalitäts·erklärung *f.* 충성의 선언〔맹세〕.

LP[1] 《engl. long-playing record》 = Langspielplatte 엘피 음반.

LP[2] = Läuten und Pfeifen 〚철도〛 삑하는 출발 신호음.

LPG = Landwirtschaftliche Produktionsgenossenschaft 〚구동독〛 협동 농장.

Lr = Lawrencium 〚化〛 로렌슘.

LRA 《engl.》 = Lord's Resistance Army (우간다의) 반군 조직

LSD *n.* -(s) = Lysergsäurediäthylamid 엘에스디(정신 분열 같은 증상을 일으키는 환각제).

Lt. = Leutnant 소위.

lt. = laut …에 의하면, …에 따라서.

Ltd., ltd. = limited 유한 책임(회사)의.

LTTE = Liberation Tigers of Tamil Eclam ↑ Tamilische Befreiungstiger.

LTU 〖관광〗 휴가객 수송을 전문으로 하는 항공 회사.

Lu = Lutetium 〚化〛 루테튬.

Lübeck [lý:bɛk] 뤼베크(독일 자유시 이름).

lübeckisch, lübisch *a.* 뤼베크의.

Luch [lu:x] *f.* Lüche [lý:çə] 〔*n.* -(e)s, -e〕 (ndd.) 소택지, 늪, 습지.

Luchs [lʊks] 《♧ leuchten》 *m.* -es, -e ① 〚動〛 (**a**) 스라소니: Augen〔Ohren〕 wie ein ~ haben 예민한 눈을〔귀를〕 갖고 있다; aufpassen wie ein ~ 예리하게 주의를 기울이다. (**b**) 스라소니의 모피. ② 〖비유〗 교활한 사람; 모사, 책사. ③ 〚天〛 살쾡이자리.

luchs≈artig *a.* 스라소니 같은; 살쾡이의. **~-auge** *n.* ① 살쾡이의 눈. ② 〖비유〗 교활한 눈; 날카로운 눈. **~äugig** *a.* 교활한〔날카로운〕 눈을 가진.

Lüchschen [lýksçən] *n.* -s, - ↑ Luchs 의 축소형.

luchsen [lʊ́ksən] 《Ⅰ》 *i.* (h.) 〖구어〗 (살쾡이 같이) 빈틈없이〔예리하게〕 살피다: er luchste durchs Schlüsselloch 그는 열쇠 구멍으로 빈틈없이 살폈다; 〖구어〗 auf et. ~ 무엇을 노리다〔꾀하다〕. 《Ⅱ》 *t.* 〖방언〗 (슬쩍) 훔치다, 눈속임하다, 야바위치다.

Luchs·katze *f.* 살쾡이.

Lucht [lʊxt] *f.* -en (ndd.) 다락방, 지붕밑방.

*__Lücke__ [lýkə] 《♧ Loch》 *f.* -n ① 틈, 간격; 갈라진 틈, 균열, 쪼개진 틈; 누락, 탈락; 중절, 중단; 결함, 결점, 불비: eine ~ ausfüllen 틈을 막다; eine ~ im Gesetz 법률의 헛점; es fehlt ihm der Mut zur ~ 그는 자신의 지식이 부족함을 인정할 용기가 없다. ② 빈곳, 여백: sein Tod hinterläßt〔reißt〕 eine ~ 그의 죽음은 빈자리를 남긴다. ③ 빈틈; 탈문(脫文), 궐문(闕文); 결손; 〚印〛 탈루; 〚軍〛 열구(裂口), 간격; 〚스포츠〛 수비진의 빈 공간; (obd.) 가축 사육장의 울타리의 출입구: der Ball ging durch eine ~ in der gegnerischen Abwehr ins Tor 공이 상대팀 수비진에 생긴 빈 공간을 통해서 골문 안으로 들어갔다.

Lücken·büßer *m.* 대타(자), 대용물; 대리인, 대리; 허수아비; 미봉책, 임시 방편: den ~ spielen 대타 역할을 하다.

lückenhaft [lýkənhaft] *a.* 틈이 있는; 결함 있는, 불완전한, 불비한; 탈루가 있는.

Lückenhaftigkeit *f.* -en 결함, 불완전.

lückenlos *a.* 빈틈이 없는, 완전한, 탈루가 없는: ein ~es Alibi 완벽한 알리바이.

Lückenlosigkeit *f.* 완전무결, 빈틈없음.

Lücken·test *m.* 〚心〛 빈칸채우기 지능 검사.

luckig [lʊ́kɪç] *a.* 〚광물〛 (obd.) 구멍투성이의.

lückig [lýkɪç] *a.* 빈틈이 있는, 조직이 엉성한, 간격이 있는.

lud [lu:t] ↑ laden 의 과거형.

Lude [lú:də] *m.* -s, -n ① 〖경박·폄어〗 (**a**) 포주, 기둥서방. (**b**) 유랑자, 뜨내기. ② 〖은어〗 쇠지레.

lüde [lý:də] ↑ laden 의 접속법 Ⅱ 식.

Ludel [lú:dəl] *f.* -n 〚軍·광물〛 도화약(導火藥).

Luder [lú:dər] 《♧ laden²》 *n.* -s, - ① 〖고어〗 (꾀는) 미끼. ② 〚사냥〛 (미끼로 쓰는) 썩은 고기; 죽은 짐승; 먹을 수 없는 짐승 고기. ③ 싫은 것; 음흉하고 비열한 사람, 비양심적이고 경솔한 소녀, 칠칠치 못한 여자: ein ~ von einem Weibsstück! 천한 계집!; 〖구어〗 ein armes ~ 불쌍한 놈〔녀석〕. ④ 〖드물게〗 im ~ leben 방종한 생활을 하다. ⑤ (obd., md.) 손수건.

Luderer *m.* -s, - 〖방언·폄어〗 방탕자; 쓸모없는 놈, 빈둥거리는 놈.

luderhaft *a.* 〖고어〗 썩은; 비천한.

luderig *a.* 방탕한(liederlich).

Luder≈jan [..ja:n] *m.* ↑ Liederjan. **~leben** *n.* 〖폄어〗 방탕〔나태〕한 생활. **~mäßig** 《Ⅰ》 *a.* 〖방언〗 ① 썩은 고기와 같은. ② 〖폄어〗 싫은, 불결한; 불쌍한; 방탕한; 나태한; 저주할. 《Ⅱ》 〖부사적 강조어〗 〖방언〗 매우, 대단히.

ludern [lú:dərn] 〖고어〗 《Ⅰ》 *t.* 〚사냥〛 미끼로 꾀다(ködern). 《Ⅱ》 *i.* (h.) ① (짐승이) 썩은 고기를 먹다. ② 〖폄어〗 방탕한 생활을 하다; 빈둥거리다.

Luder≈platz *m.* 〚사냥〛 (야수를 유인하기 위하여) 미끼를 놓아 둔 곳. **~wirtschaft** *f.* 〖폄어〗 방탕한 생활.

Ludolfsche Zahl [lú:dɔlfʃə..] 〚數〛 원주율(기호: π) (수학자 Rudolf van Ceulen 의 이름에서).

Ludwig [lú:tvɪç, lú:d..] 《<Chlodwig》 *m.* 루드비히(남자 이름).

Lues [lú:ɛs] 《lat., „Seuche"》 *f.* 〚醫〛 매독.

luetisch [luéːtɪʃ] *a.* 매독(성)의.

Luffa [lʊ́fa] 《ar.》 *f.* -s 〚植〛 수세미외.

Luffa·schwamm *m.* 수세미.

*__Luft__ [lʊft] 《germ.》 《Ⅰ》 *f.* Lüfte ① 공기, 대기; (Gas) 가스, 기체; 숨, 호흡하는 공기; 옥외, 바깥; 공중, 상공; 공허; 무(無): frische 〔kalte〕 ~ 신선한〔찬〕 공기; per ~ reisen 항

공 여행하다; ~ schöpfen〔holen〕 호흡을 가다듬다, 한숨 돌리다; keine ~ haben 숨이 막히다; jm. die ~ abschnüren〔abdrücken, abdrehen〕 a) 누구의 숨통을 조이다, b)〘비유·구어〙 누구를 경제적으로 파멸시키다;〘구어〙 (wieder) ~ bekommen〔kriegen〕 a) 숨을 돌리다, b) 안도의 숨을 쉬다, 궁지에서 벗어나다, c) 세상에 알려지다;〘구어〙 die ~ rauslassen 진정하다; jm. bleibt die ~ weg 누가 몹시 놀라다; jm. geht die ~ aus 누가 기진하다, (경제적으로) 끝장이다; seinem Herzen 〔Zorn〕 ~ machen 울분을 토하다〔성내다〕; sich³ ~ machen〔schaffen〕 a) 움직일 수 있는 여지를 확보하다, b) 울분을 풀다; der Reifen hat zu wenig ~ 타이어의 공기압이 너무 낮다;〘비유·구어〙 die ~ ist rein〔sauber〕 수상한 기색은 없다;〘구어·농담〙 gesiebte ~ atmen 투옥되어 있다; es ist〔herrscht〕 dicke ~ 무슨 일이 일어날 것 같다, 형세가 험악하다;〘구어〙 er ist mir 〔für mich〕 ~ 나는 그에게 전혀 신경 쓰지 않는다, 나는 그 사람을 무시하고 있다;〘구어〙 er behandelt mich, als wäre ich ~ 그는 대놓고 나를 무시한다〔못 본 체한다〕; die ~ anhalten 숨을 멈추다;〘비유·구어〙 halt die ~ an! 조용히 해!;〘구어·반어〙 na, dann gute ~! 심상치 않아, 위험해!;〘비유·구어〙 mir blieb vor Schreck die ~ weg 나는 어안이 벙벙했다〔당황했다〕; da ist noch ~ drin 거기에는 아직 여유가 있다. ②〘전치사와 함께〙 **an** die ~ bringen 바깥 바람에 쏘이다; an die ~ gehen 바깥으로 나가다, 소풍 나가다;〘구어〙 an die ~ setzen a) 바깥 바람을 쏘이다, b) 해임하다, 내쫓다; es ist **aus** der ~ gegriffen a) 그것은 근거 없는 일이다, b) 그것은 허구〔날조〕다; aus et.³ ist die ~ raus 무엇은 한물 갔다;〘구어·농담〙 die ~ aus dem Glas lassen 술잔에 술을 다시 채우다; **in** freier ~ 바깥에서;〘구어〙 sich in ~ auflösen a) 흔적도 없이 사라지다, b) (계획 등이) 무산되다; hoch in der ~ 공중 높이;〘구어〙 es hängt〔schwebt〕 in der ~ a) 그것은 공중에 떠 있다, b) 불확실하다, 아직 결정되어 있지 않다, c) 확실한 근거가 없다; etwas liegt in der ~ 무엇의 기미가 있다;〘구어〙 ich könnte ihn in der ~ zerreißen 나는 그에게 몹시 화가 나 있다; der Gedanke liegt in der ~ 이 생각은 곧 실현될 것 같다; in die ~ reden 이야기를 아무도 듣지 않다; in die ~ gucken 속수무책으로 바라만 보다; in die ~ fliegen a) (새가) 공중으로 날아가다, b)〘비유〙 폭발하다;〘구어〙 in die ~ gehen 노하다, 험악해지다; in die ~ knallen 함부로 쏘다; in die ~ greifen 허공을 잡다; Schlösser in die ~ bauen 공중누각을 짓다; **nach** ~ schnappen a) 힘겹게 빨리 숨쉬다, b)〘비유〙 경제적으로 곤경에 처해 있다; **von** der ~ allein kann man nicht leben 먹지 않고는 살 수 없다; er lebt von der ~ 〔von ~ und Liebe〕 그는 매우 검소하다. ③ 미풍, 통풍: hier geht eine frische ~ 여기는 시원한 바람이 분다; die linden Lüfte sind erwacht 산들바람이 일기 시작했다. ④〘畫〙 es ist keine ~ in dem Gemälde 이 그림에는 물체의 윤곽이 똑똑히 나타나 있지 않다. ⑤〘구어〙 박하를 넣은 화주(火酒). ⑥〘복수없음〙 얇은 것. 《Ⅱ》 *m.* -s, -e〘방언〙 경박한 사람, 말뿐인 사람.

Luft≈abwehr *f.* 〖軍〗 대공 방위 (부대). **~-ähnlich** *a.* 공기 같은. **~akrobatik** *f.* 공중 곡예. **~alarm** *m.* 〖軍〗 공습 경보 **~angriff** *m.* 〖軍〗 공습. **~art** *f.* 기체, 가스상(狀). **~-artig** *a.* 기체의, 가스 상태의. **~aufklärung** *f.* 공중 정찰. **~aufnahme** *f.* 항공 촬영. **~aufsicht** *f.* 항공 관제(소). **~bad** *n.* ① 공기욕(浴); 공기 요법: ein ~ nehmen 공기욕하다. ② 공기욕장. **~ballon** *m.* ① 풍선. ② (기체를 채운) 기구(氣球). **~befeuchter** *m.* 가습기, 가습 장치. **~behälter** *m.* ①〘工〙 기조(氣槽). ②〖動〗 조류 기낭. **~bereifung** *f.* (차의) 공기 타이어. **~betankung** *f.* (항공기의) 공중 급유. **~bewegung** *f.* 〖기상〗 공기〔대기〕의 움직임. **~bild** *n.* ①〘시어〙 환영(幻影), 환상. ② 항공 사진. **~bild·karte** *f.* 항공 사진으로 만든 지도. **~bläschen** *n.* 〘↑ ~blase 의 축소형〙〖해부〗 폐기포. **~blase** *f.* ① 거품, 기포. ②〖動〗 부레. ③〖植〗 기포, 소포(小胞). ④〘비유〙 덧없는〔허무한〕 것. **~-Boden-Rakete** *f.* 〖軍〗 공대지(空對地) 로켓(탄). **~bremse** *f.* 〘工〙 공기 제동기. **~brücke** *f.* 공중 보급로, (베를린 봉쇄 (1948-49년) 때의) 공수: eine ~ einrichten 공중 보급로를 설치하다.

Lüftchen [lʏ́ftçən] *n.* -s, - 〘↑ Luft 의 축소형〙 미풍: es weht kein ~ 바람 한점 없다.

Luft≈dämpfung *f.* 〖기계〗 공기 제진(制振). **~dicht** *a.* 공기가 통하지 않는: ~ verschlossen 밀폐된. **~dichte, ~dichtigkeit** *f.* 〖物·기상〗 공기 밀도. **~dichtigkeits·messer** *m.* 〖物〗 기압계. **~dienst** *m.* 항공 (우편) 사업. **~draht** *m.* 공중선. **~druck** *m.* ①〖物·기상〗 기압. ② (타이어 따위의) 공기압. ③ (폭발할 때의) 공기의 압력.

Luftdruck≈bremse *f.* 공기 제동기, 에어 브레이크. **~messer** *m.* 〖物〗 기압계. **~welle** *f.* 〖物〗 압력파(波)

luft≈durchlässig *a.* 공기를 통하게 하는, 통기성의. **~elektrizität** *f.* 〖物·기상〗 공중 전기. **~embolie** *f.* 〖병리〗 (혈관의) 공기 전색(栓塞).

***lüften** [lʏ́ftən] 《<Luft》《Ⅰ》 *t.* ① 바람에 쐬다, 환기하다, …에 바람을 넣다: die Betten ~ 침구를 널어 말리다; das Zimmer ~ 방을 환기하다; Getreide ~ 곡물을 까부르다. ② 조금 올리다, 쳐들다; 폭로〔적발〕하다, 드러내다: den Hut ~ (인사하기 위해) 모자를 조금 쳐들다; ein Geheimnis ~ 비밀을 폭로하다;〘비유〙 die Maske ~ 가면을 벗다, 정체를 드러내다. ③〖사냥〗 Schalenwild ~ 소목(目) 동물의 배를 약간 가르다; den Hirschfänger ~ 사냥용 칼을 칼집에서 완전히 빼지는 않다. 《Ⅱ》 *refl.* sich ~ ① 옷을 늦추다, 편하게 하다; 소풍 나가다. ② 기분을 풀다. 「차 (냉각 팬).

Lüfter *m.* -s, - 선풍기, 송풍기, 환풍기, 자동

Luft≈erscheinung *f.* 대기〔기상〕 현상; 기상. **~erscheinungs·lehre** *f.* 기상학. **~fahrer** *m.* 〖法〗 비행가; 기구 탑승자. **~fahrt** *f.* ① 비행, 항공(교통). ② 항공 여행.

Luftfahrt≈forschung *f.* 항공 연구. **~industrie** *f.* 항공 산업. **~karte** *f.* 항공 지도. **~medizin** *f.* 항공 의학.

Luft≈fahrzeug *n.* 항공기; 비행기. **~fang** *m.* 〘工〙 통풍기. **~farbe** *f.* 하늘색, 담청색.

~feuchte, ~feuchtigkeit *f.* 〖기상〗 습도: eine hohe ~ 높은 습도. **~feuchtigkeits·messer** *m.* 〖기상〗 습도계. **~filter** *m.* 〖工〗 공기 청정기〔여과기〕. **~flotte** *f.* 〖軍〗 ① 한 국가의 전투기 전체. ② (대규모의) 항공 편대〔제대(梯隊)〕. **~förmig** *a.* 기체의, 가스 모양의. **~fracht** *f.* ① 항공 화물. ② 항공 화물 운임. **~gang** *m.* 〖植·動〗 기관. **~gebilde** *n.* ① 대기의 형상. ② ↑ ~bild. **~gefahr** *f.* 공습의 위험. **~gefäß** *n.* 〖植〗 기포; 〖動〗 기포; 〖物〗 기조(槽); 〔복수〕〖해부〗 폐. **~gefecht** *n.* 〖軍〗 공중전. **~gegend** *f.* 대기층. **~geist** *m.* 〖신화〗 공기의 정(精); 정령. **~gekühlt** *a.* 〖工〗 공랭식의. **~geschützt** *a.* 방풍의. **~geschwader** *n.* 항공대. **~gesetz** *n.* 항공법. **~getrocknet** *a.* 바람〔공기〕에 말린. **~gewehr** *n.* 〖무기〗 공기총. **~hafen** *m.* 〖드물게〗 ↑ Flughafen. **~hahn** *m.* 공기 밸브, 에어콕. **~hansa** *f.* 루프트 한자(독일 항공사 이름). **~hauch** *m.* 〖雅語〗 미풍: einen ~ verspüren 미풍을 감지하다. **~heizung** *f.* 〖工〗 열기 난방 (장치). **~hieb** *m.* 〖펜싱〗 헛찌르는 동작. **~herrschaft** *f.* 〖軍〗 제공(권). **~hoheit** *f.* 영공권. **~hülle** *f.* (지구를 싸고 있는) 대기.

luftig [lʊ́ftɪç] *a.* ① 공기의; 공기를 포함하는; 공중에 뜬, 공기를 쐰; 가스 모양의, 기체의; 높은, 하늘에 치솟은; 바람이 부는; 안개 같은, 몽롱한: eine helle, ~e Wohnung 밝고 통풍이 잘 되는 주택; ~er Geist 공기의 정(精); auf ~er Höhe 하늘 높이. ② 가벼운; 투명한; 엷은: ~es Gewand 엷은 옷〔옷감〕; ~ gekleidet sein 옷을 가볍게 입고 있다. ③ 〖구어·폄어〗 경박한; 변덕스러운, 근거가 희박한: ein ~er Bruder〔Bursche〕 경박한 사람, 촐싹거리는 사람; ein ~er Vorwand 믿지못할 핑계.

Luftigkeit *f.* 공중에 뜬 상태; 경박.

Luftikus [lʊ́ftikus] *m.* -(ses), -se 〖구어·농담〗 경박한 사람, 말뿐인 사나이.

Luft⸗kabel *n.* 〖전기·工〗 가공(架空)(전화)선, 공중 가설 (전화)선. **~kammer** *f.* 〖工〗 공기실; 〖動〗 (알의) 기실(氣室). **~kampf** *m.* 〖軍〗 공중전. **~kanal** *m.* 〖工〗 통기관(通氣管). **~kissen** *n.* ① 공기 베개〔쿠션〕. ② 〖工〗 (호버크라프트를 이륙시키는) 고압 공기. **~kissen·fahrzeug** *n.* 호버크라프트(공기부상차〔배〕) (Hovercraft). **~klappe** *f.* 〖工〗 공기 밸브, (공)기판; 초크, (내연 기관의) 공기 흡입 조절 장치. **~kompressor** *m.* 공기 압축기. **~körper** *m.* 기체. **~korridor** *m.* (국제 협정에 따른) 항공기 전용로. **~kraft·maschine** *f.* 〖工〗 열기(熱氣) 기관. **~krank** *a.* 항공병에 걸린. **~krankheit** *f.* 〖醫〗 항공병. **~kreis** *m.* 대기(권), 분위기; 영공. **~kreuzer** *m.* 항공선. **~krieg** *m.* 〖軍〗 항공전, 공중전. **~kühlung** *f.* 〖工〗 ① (내연 기관의) 공기 냉각. ② 냉방. **~kunde** *f.* 기상학, 공기학. **~kurort** *m.* (공기가 좋은) 요양지, 휴양지. **~lande·truppe** *f.* 〖軍〗 낙하산〔공수〕 부대. **~landung** *f.* 〖軍〗 공수 작전. **~leer** *a.* 공기가 없는, 진공의: 〖物〗 ~er Raum 진공의 공간. **~leere** *f.* 공기가 없음; 진공. **~lehre** *f.* ↑ ~kunde.

Lüftlein [lʏ́ftlaɪn] *n.* -s, - 미풍(Lüftchen).

Luft⸗leiter *m.* 안테나, 공중선. **~leitung** *f.* 〖전기〗 가공선; 〖工〗 공기관.

Lüftling [lʏ́ft..] *m.* -s, -e ↑ Luftikus.

Luft·linie *f.* 2점 간의 최단 거리, 직선 거리; 〖空〗 항공로: in der ~ 일직선으로.

Lüftl·malerei *f.* ① 알프스 지방의, 벽면에 그린 종교적 모티브의 그림. ② 위와 같은 기법에 따른 묘사.

Luft⸗loch *n.* ① 공기 구멍, 통기공(通氣孔). ② 〖動〗 곤충의 숨구멍. ③ 〖空〗 에어 포켓, 수직 기류: das Flugzeug geriet in ein ~ 비행기가 수직 기류에 휩싸였다. **~macht** *f.* 공군력, 제공권. **~mangel** *m.* ① 공기〔산소〕 부족〔결핍〕. ② 호흡 곤란〔장애〕. **~masche** *f.* 〖수공〗 뜨개질의 코: ~n anschlagen〔häkeln〕 뜨개질의 코를 만들다, 뜨개질을 시작하다. **~masse** *f.* 〖기상〗 기단(氣團): feuchte ~n 습한 기단. **~massen·grenze** *f.* 〖기상〗 전선(前線)(기단 사이의 경계선). **~matratze** *f.* 공기 매트리스〔포단〕. **~mine** *f.* 〖軍〗 ① (공중) 투하 수뢰(水雷). ② 폭파력이 크고 외피가 얇은 투하탄. **~pflanze** *f.* 〖植〗 기생(氣生) 식물. **~pirat** *m.* 〖法〗 비행기〔공중〕 납치범. **~polster** *n.* ① ↑ ~kissen. ② (부속품들의 상호 접촉을 방지해 주는) 공기층. ***~post** *f.* 항공 우편(물): ein Paket per〔mit〕 ~ schicken 소포를 항공 우편으로 보내다. **~pumpe** *f.* ① 〖物〗 공기〔배기〕 펌프. ② 〖天〗 펌프자리, 앤틀리아자리(남쪽 하늘의 별자리). **~raum** *m.* 대기; 영공; 〖건축〗 틈: den ~ eines Landes verletzen 어느 나라의 영공을 침범하다. **~recht** *n.* 〖法〗 항공법. **~reich** *n.* 천계(天界). **~reifen** *m.* 공기 타이어. **~reinigung** *f.* 공기의 정화〔소독〕, 환기. **~reise** *f.* 항공 여행(~fahrt ②). **~reklame** *f.* 공중 광고. **~rohr** *n.*, **~röhre** *f.* 〖工〗 ① 진공관. ② 통풍관. ③ 〖醫·動·植〗 기관(氣管).

Luftröhren⸗äste *pl.* 〖醫〗 기관지. **~deckel** *m.* 〖해부〗 후두개(喉頭蓋). **~entzündung** *f.*, **~katarrh** *m.* 〖醫〗 기관지염. **~schnitt** *m.* 〖외과〗 기관 절개술.

Luft⸗rolle *f.* 〖스포츠〗 평행봉에서의 공중제비; 〖항공〗 항공기의 종축 회전. **~rüstung** *f.* 공군의 무장. **~sack** *m.* 〖空〗 공기낭〔주머니〕, 에어백. **~säule** *f.* 〖物·기상〗 공기주(柱). **~säure** *f.* 탄산가스. **~schacht** *m.* 통풍 수직갱. **~schaukel** *f.* ↑ Schiffsschaukel. **~schicht** *f.* 〖기상〗 기층. **~schiff** *n.* 비행선. **~schiffahrt** *f.* 비행, 항공; 비행선 여행. **~schiffahrts·kunde** *f.* 비행〔항공〕술. **~-schiffer** *m.* 〖고어〗 조종사. **~schlacht** *f.* 공중전. **~schlange** *f.* (특히 사육제 행사 때 사용하는) 다채로운종이 테이프: sich ~n um den Hals hängen 다채로운 종이 테이프를 목에 걸다. **~schlauch** *m.* 속타이어, 튜브. **~schleuse** *f.* 〖空〗 기갑(氣閘), 에어 로크. **~schloß** *n.* 공중 누각; 환상, 망상, 환영: Luftschlösser bauen a) 공중 누각을 짓다, b) 실현 불가능한 계획을 세우다. **~schnappen** *n.* 말의 하품. **~schraube** *f.* 〖工〗 프로펠러. **~schutz** *m.* ① 민(간)방공. ② 방공대〔조직〕.

Luftschutz⸗bunker *m.* 방공호, 공습 대피 벙커. **~keller** *m.* 방공호, 지하 공습 대피소. **~raum** *m.* 공습 대피소. **~übung** *f.* 방공 연습. **~wart** *m.* 〖고어〗 (한 도시 구역의) 방공

조치 책임자.

Luft≈sperre *f.* 비행 차단〔금지〕. **~sperrgebiet** *n.* 비행 금지 구역. **~spiegelung** *f.* 신기루. **~sport** *m.* ↑ Flugsport. **~springer** *m.* 줄 타는 사람, 곡예사. **~sprung** *m.* 깡충 뛰어오름, 공중제비: vor Freude einen ~ machen 기쁜 나머지 깡충 뛰어오르다. **~stoß** *m.* 돌풍. **~straße** *f.*〖항공〗(정기) 항공로. **~streit·kräfte** *pl.* 공군. **~strich** *m.* 대기층. **~strom** *m.*, **~strömung** *f.*〖기상〗기류. **~stütz·punkt** *m.*〖軍〗공군 기지. **~taxi** *n.* 단거리 운행 소형 비행기. **~temperatur** *f.* 기온, 대기 온도. **~torpedo** *m.* 공중 어뢰; 대공 유도탄. **~trocken** *a.* 공기〔바람〕에 말린. **~tüchtig** *a.*〖空〗내(항)공성(耐(航)空性)의, 항공기가 정비가 잘 된. **~tüchtigkeit** *f.*〖空〗내항성. **~überlegenheit** *f.* ↑ ~herrschaft.

Lüftung *f.* -en ① 통풍, 환기. ② 환기 장치〔시설〕.

Lüftungs≈anlage *f.*, **~apparat** *m.* 통풍기, 환기 장치. **~klappe** *f.*〖工〗환기판, 통풍구.

Luft≈ventil *n.* 공기 밸브. **~veränderung** *f.* 공기의 전환;〖醫〗전지(轉地). **~verdichter** *m.*〖工〗공기 압착기. **~verflüssigung** *f.*〖工〗공기 액화. **~verkehr** *m.* 항공 교통. **~verkehrs·gesellschaft** *f.* 항공 회사. **~verkehrs·linie** *f.* 항공 노선. **~vermessung** *f.* (공중 촬영에 의한) 지상 정찰, 항공 측량. **~verschmutzung** *f.* 대기〔공기〕오염. **~verteidigung** *f.*〖軍〗방공. **~waage** *f.*〖物〗공기계, 양기계(量氣計). **~waffe** *f.* 공군: er ist bei der ~ 그는 공군에 근무한다. **~wechsel** *m.* ① ↑ ~veränderung. ② 환기, 통풍. **~weg** *m.* ① 공기의 통로. ②〖工〗기관(氣管). ③ 항공로. ④〖복수〗〖해부〗기도(氣道): die oberen ~ 상(上)기도. **~wettfahrt** *f.* 비행 경기〔경쟁〕. **~widerstand** *m.*〖物〗공기 저항. **~wirbel** *m.* 기류의 소용돌이. **~wurzel** *f.*〖植〗① 기근(氣根). ② 구리 때속(屬). **~zelle** *f.*〖植·動〗기포(氣胞). **~ziegel** *m.* 건조 벽돌. **~zieher** *m.*〖工〗통풍기. **~zufuhr** *f.* (싱싱한) 공기 공급, 환기: die ~ regeln 환기를 조절하다. **~zug** *m.* 강한 외풍, 틈으로 들어오는 바람, 맞바람.

Lug[1] [lu:k] (《♧ lügen》) *m.* -(e)s [..ks, ..gəs]〖다음 용법으로만〗~ und Trug 기만, 사기: er ist voller ~ und Trug 그는 거짓투성이다.

Lug[2] (《♧ lugen》) *m.* -(e)s, -e [..gə]〖구식〗① 구멍, 갈라진 틈. ② 들여다보는 구멍. ③ (md.) 짧은 방문.

Lug[3] *n.* -(e)s, -e〖사냥〗곰의 보금자리〔굴〕.

Lug·aus *m.*〖구식·방언〗① 망, 감시. ② 망보는 사람. ③ 망대, 망루(望樓).

***Lüge** [lýːgə] *f.* -n ① 거짓, 거짓말, 허위; 조작한 일, 허구, 날조: eine grobe〔fromme〕~ 뻔히 들여다보이는〔선의의, 악의 없는〕거짓말; der Vater der ~ 악마; jn. der ~ zeihen 〔bezichtigen〕 누구의 거짓말을 나무라다; etwas straft jn.〔et.〕~n 무엇이 누가〔무엇이〕거짓됨을 증명〔입증〕해주다; seine Verlegenheit strafte seine Worte ~n 그가 당황해하였기 때문에 그의 말이 거짓임이 입증되었다; jn. auf einer ~ ertappen 누구의 거짓을 폭로하다; mit ~n umgehen 거짓말쟁이다;〖속담〗~n haben kurze Beine 거짓말은 오래 가지 못 한다;〖속담〗die ~ ist ein Schild der Feigen 용기 있는 사람은 진실을 두려워하지 않는다. ② 겉보기, 외관; 눈비음.

lugen [lúːgən] *i.* (h.)〖구식〗① 망보다, 엿보다, 들여다보다: neugierig in das Zimmer ~ 호기심을 갖고 방 안을 엿보다. ② (obd.) 보다, 바라보다.

lügen [lýːgən] (log, gelogen) 《I》 *i.* (h.) 거짓말하다: er lügt wie gedruckt 그는 그럴싸하게 거짓말을 한다;〖구어〗er lügt, daß sich die Balken biegen 그는 터무니없는 거짓말을 한다;〖속담〗wer lügt, der stiehlt (auch) 거짓말은 도둑질의 첫걸음;〖속담〗wer einmal lügt, dem glaubt man nicht, und wenn er auch die Wahrheit spricht 한 번 거짓말한 자의 말은 설령 그가 사실을 말한다 해도 믿지 않는다; aus der Fern' lügt man gern 나그네는 허풍선이다. 《II》 *t.* ① et. ~ 어떤 거짓말을 하다: er log, er sei dort gewesen 그는 거기에 있었다고 거짓말을 했다; das ist gelogen! 〔〖드물게〗das lügst du〕 그것은 사실이 아니야! ② et. ~ 무엇을 가장하다: Freundschaft ~ 친구인 체하다. ③〖결과를 나타내는 말과 함께〗jm. die Ohren〔Jacke, Haut〕voll ~ 누구에게 온갖 거짓말을 다하다; das Blaue vom Himmel ~ 〔jm. die Hucke voll ~〕 거리낌없이〔뻔뻔스럽게〕거짓말을 하다; sich in die eigene Tasche ~ 자기 스스로를 속이다; sich in js. Vertrauen ~ 거짓말을 해서 누구의 신임을 얻다.

Lügen≈beutel *m.*〖욕설〗거짓말쟁이: du verdammter ~! 이 빌어먹을 거짓말쟁이야! **~bold** *m.*〖욕설〗↑ Lügner. **~detektor** *m.* 거짓말 탐지기. **~dichtung** *f.*〖문학〗환상적인 내용의 문학 (작품). **~fürst** *m.* 악마. **~gebäude** *n.* 거짓 주장〔묘사〕. **~geist** *m.* ① 거짓말쟁이. ② ↑ ~fürst. **~geschichte** *f.* ① 거짓된 이야기: das sind doch lauter ~n, die du mir erzählst 네가 내게 이야기하는 것은 온통 거짓말일 따름이다. ② 황당무계한 이야기. **~gespinst, ~gewebe** *n.* 거짓말의 그물, 거짓 묘사: sich in seinem eignen ~ verfangen 자기가 한 거짓말의 그물에 걸리다.

lügenhaft *a.* ① 거짓말하는: sie ist eine ~e Person 그녀는 거짓말쟁이다. ② 허위의, 기만의; 불신의, 부실한; 가공적인: eine ~e Nachricht 엉터리 소식.

Lügenhaftigkeit *f.* 거짓, 허위, 불신.

lügen≈kundig *a.* 거짓말 잘 하는, 노회한. **~maul** *n.*〖비속·욕설〗↑ Lügner. **~meldung** *f.* 허위 보도. **~schmied** *m.* 거짓말쟁이, 날조자.

Lugger [lʊ́gər] *m.* -s, -〖海〗↑ Logger.

Lug·ins·land [lúːk..] *m.*〖구식〗망대, 망루, 감시대.

***Lügner** [lýːgnər] *m.* -s, - 거짓말쟁이, 사기꾼: ein notorischer ~ 악명 높은 사기꾼; zum ~ an jm. werden 누구를 속이다; jn. zum ~ machen 누구를 거짓말쟁이로 만들다; 누구의 거짓말을 폭로하다.

Lügnerin [lýːgnərɪn] *f.* -nen ↑ Lügner 의 여성형.

lügnerisch *a.* ① 거짓말쟁이의, 허위의, 위선적인: ein ~er Mensch 거짓말쟁이. ② 거짓된, 사실이 아닌.

Luiker [lú:ikər] *m.* -s, -e 〖醫〗 매독 환자.
luisch [lú:ɪʃ] 《lat.》 *a.* 〖醫〗 매독의.
Luise [luí:zə] 《<frz. Louis》 *f.* 루이제(여자 이름).
Luk [lu:k] *n.* -(e)s, -e 〖海〗 (갑판의) 승강구, 입구.
Lukarne [lukárnə] *f.* -n ① 〔방언〕 채광창, 천창. ② 〖건축〗 (지붕 위로 돌출한) 작은집(프랑스 후기 고딕 및 르네상스의 성채 건축술).
Lukas[1] [lú:kas] 루카스(남자 이름); 〖聖〗 der heilige ~ 성(聖)누가.
Lukas[2] *m.* -, - ① (Hau-den-Lukas) 주먹이나 망치로 내리쳐서 힘을 시험해 볼 수 있는 놀이 기구. ② hau den ~! 한방 후려쳐라! (권투에서 관중들이 외치는 소리).
Luke [lú:kə] 《ndd.》 *f.* -n ① (Dach∼) 미닫이가 있는 천창(天窓); 채광창, 통풍창. ② 내리〔벼락〕닫이, 미닫이, 들창. ③ 〖海〗 ↑ Luk. ④ 〖軍〗 병력〔부대·차량들〕 사이의 간격.
Luken≈deckel *m.*, **∼klappe** *f.* 〖海〗 승강구 또는 창구(艙口)의 뚜껑.
lukrativ [lukratí:f] 《lat. lucrum》 *a.* 〔교양〕 이익이 있는, 유리한.
lukrieren [lukrí:rən] 〔고어〕 *i.* (h.) ① 돈벌이가 되다, 이익이 생기다. ② 재미있게 살다.
Lukubration [lukubratsió:n] 《lat. lux》 *f.* -en 〔고어〕 ① 야간 학습. ② 야간 학습의 성과〔결과〕.
lukubrieren *i.* (h.) 야간에 공부하다.
lukulent [..lɛ́nt] *a.* 〔교양·고어〕 밝은; 명백한.
lukullisch [lukʊ́lɪʃ] *a.* 〔교양〕 (로마 장군) 루쿨루스풍(風)의; 〔비유〕 (음식이) 호사〔사치〕스런: ein ∼es Mahl 호사스런 식사.
Lukullus [lukʊ́lʊs] ① 루쿨루스(로마 집정관, 117–57 B.C.). ② *m.* -, -se 〔교양·농담〕 미식가, 식도락가.
Lulatsch [lú:la(:)tʃ] *m.* -(e)s, -e 〔구어〕 키 크고 굼뜬 놈: ein langer ∼ 키다리.
Lulle [lʊ́lə] *f.* -n 〔구어〕 담배.
***lullen** [lʊ́lən] 《원래 의성어》 《I》 *t.* ① 단조로운 목소리로 노래를 불러 재우다: ein Kind in den Schlaf ∼ 아이를 자장가를 불러 잠들게 하다. ② 〔비유〕 조용하게 하다. 《II》 *i.* (h.) ① 조용해지다. ② (obd., ndd.) 빨다. ③ (obd.) 몰래 훔쳐먹다. ④ (아이가) 오줌을 누다.
Luller *m.* -s, - (obd.) ↑ Schnuller.
Lull·gesang *m.* 자장가.
Lumbago [lumbá:go] 《lat. lumbus, „Lende"》 *f.* ① 〖醫〗 요통(腰痛). ② 〖수의〗 말의 근육 마비증.
lumbal *a.* 〖醫〗 허리의, 요부의.
Lumbal≈anästhesie *f.* 〖醫〗 요추(腰椎) 마취. **∼punktion** *f.* 〖醫〗 요추 천자(穿刺).
lumbecken [lʊ́mbɛkən] *t.* 〖제본〗 실을 사용하지 않고 제본하다.
Lumbeck·verfahren *n.* 〖제본〗 무선철(無線綴) 제본법(독일의 제본 전문가 E. Lumbeck의 이름에서).
Lumber *m.* -s, - ↑ Lumberjack.
Lumber·jack [lʌ́mbədʒæk] 《engl.》 *m.* -s, -s 〖유행〗 벌목꾼의 작업복을 본뜬 웃옷.
Lume *f.* -n (md.) 웅덩이, 늪, 소(沼).
Lumen [lú:mən] 《lat.》 *n.* -s, -/..mina ① 빛, 광명. ② 〔교양·농담·구식〕 탁월한 두뇌〔학자〕, 위인. ③ 〖生〗 (장기나 세포의) 공동(空洞); 내경(內徑). ④ 〖物〗 루멘(광속의 단위명; 기호: lm.).
Lumineszenz [luminɛstsɛ́nts] *f.* -en 〖物〗 비열 발광(發光), 냉광(冷光).
lumineszieren *i.* (h.) 냉광을 발하다.
luminös [..nǿ:s] *a.* 〔교양·구식〕 밝은; 탁월한.
lumm 《lahm》 *a.* (md., obd.) 느슨한; 푸석한; 무른, 연한.
Lumme [lʊ́mə] 《altnord.》 *f.* -n ① 〖動〗 바다오리속(屬). ② 〖工〗 문빗장. ③ (schweiz.) 바위의 들쭉날쭉한 모양. ④ ↑ Lümmel.
Lummel [lʊ́məl] 《lat.》 *m.* -s, - (obd.) 허리; (돼지·소의) 등심(요리).
Lümmel [lʏ́məl] 《<lumm》 *m.* -s, - ① **(a)** 〔폄어〕 무례한 놈, 촌뜨기: ein unverschämter ∼ 후안무치한 놈. **(b)** 〔구어〕 놈, 녀석. ② 〔경박〕 음경. ③ 〖海〗 돛대와 나무 사이의 연결 부분.
Lümmelei [lʏməlái] *f.* -en 〔폄어〕 조야, 야비, 무례(한 태도·언행).
lümmelhaft *a.* 〔폄어〕 조야한, 무례한.
Lümmelhaftigkeit *f.* 〔폄어〕 ↑ Lümmelei.
lümmeln [lʏ́məln] 〔구어·폄어〕 《I》 *i.* (h.) ① 무례하게 서〔누워·앉아〕 있다. ② (ndd.) (소가) 울다. 《II》 *refl.* sich ∼ (소파나 침대에) 단정치 못한 자세로 앉다〔눕다·서다〕.
Lummer [lʊ́mər] *f.* -n ↑ Lummel.
***Lump** [lump] *m.* -en, -en ① 〔드물게〕 누더기. ② 〔욕설〕 타락한〔비양심적인〕 인간, 사기꾼. ③ 〔구어〕 무뢰한, 깡패; 천민. ④ 〖動〗 문절망둑의 일종.
Lumpazi [..pá:tsi] *m.* -s, -s, **Lumpazius** 《d. +lat.》 *m.* -, -se 〔농담〕 부랑자(오스트리아 작가 N. Nestroy 의 희극의 주인공 이름에서).
Lumpazi·vagabundus *m.* -, -se/..di ↑ Lumpazius.
lumpen [lʊ́mpən] 《I》 *t.* ① 〔드물게〕 jn. ∼ 누구를 룸펜 취급을 하다. ② sich nicht ∼ lassen a) 점잖게〔유유하게〕 행동하다, b) 인색하게 굴지 않다. 《II》 *i.* (h.) 빈들빈들 지내다, 마시고 돌아다니다.
***Lumpen** *m.* -s, - ① 누더기, 넝마; 〔방언〕 걸레; 헌 옷. ② 쓰레기, 폐물. ③ (schweiz.) 손수건. ④ 〔폄어〕 (어떤 특정한 행사에 어울리지 않는) 초라한 옷. ⑤ 〔비유〕 jn. aus den ∼ schütteln 누구를 몹시 책망하다.
Lumpen≈baron *m.* 기품만 높은 가난뱅이. **∼brei** *m.* (제지용) 펄프. **∼ding** *n.* ① ↑ Lumpen ②. ② 〔구어〕 왜소한〔주눅 든〕 아이. **∼geld** *n.* 〔구어·폄어〕 푼돈. **∼gesindel** *n.* 〔구어·폄어〕 천민, 불량배. **∼handel** *m.* ① 넝마 장사. ② 하찮은 장사. **∼händler** *m.* 넝마 장수. **∼hund** *m.* 〔욕설〕, **∼kerl** *m.* 〔구어·욕설〕 ↑ Lump ② ③. **∼kram** *m.* ① 넝마(파는 곳). ② ↑ Lumpen ②. **∼leben** *n.* 방탕한 생활. **∼mann** *m.* 〔구어〕 ① ↑ ∼sammler ①. ② 허수아비. **∼pack** *n.* 〔폄어〕 ↑ ∼gesindel. **∼papier** *n.* 〖제지〗 넝마로 만든 종이, 재생 종이. **∼proletariat** *n.* (마르크스주의에서 자본주의 사회의 정치 의식이 없는) 무산 계급. **∼sack** *m.* 누더기를〔폐물을〕 보관하는 자루. **∼sammler** *m.* ① 넝마주이. ② 〔구어·농담〕 막차: er erreichte gerade

noch den ~ 그는 간신히 막차를 탈 수 있었다. **~volk** *n.* 〔펌어〕 ↑ ~gesindel. **~wolle** *f.* 누더기로 다시 만든 양모, 인조 양모; 모직물. **~zeug** *n.* 〔구어·펌어〕 부스러기, 쓸모없는 것, 품질이 낮은 직물. **~zucker** *m.* ↑ Lompenzucker.

Lumperei [lʊmpəráɪ] *f.* -en ① 쓰레기, 폐물, 쓸모없는 것. ②〔구어·펌어〕 자질구레한 〔하찮은〕 일. ③〔펌어〕 룸펜 생활, 부랑 생활; 야비, 기만.

Lump·fisch *m.* 〖動〗 성대 무리.

lumpicht [lʊ́mpɪçt] *a.* 〔고어〕 ↑ lumpig.

lumpig [..pɪç] *a.* ①〔펌어〕 누덕누덕한, 누더기를 입은; 거지 같은. ②〔펌어〕 가난해 보이는, 초라한; 천한, 상스런; 인색한: eine ~e Tat 비천한 행위. ③〔구어·펌어〕 하찮은, 사소한: um ein paar ~e Groschen feilschen 두 세푼에 지나지 않는 돈을 깎다.

Lumpigkeit *f.* 비천, 초라함, 중요하지 않음: die ~ von ein paar Mark 2, 3마르크에 지나지 않는 돈.

Luna [lú:na] 《lat.》 *f.* ①〖그리스신화〗 루나 (달의 여신). ②〔시어·구식〕 달. ③〖연금술〗 은.

lunar [luná:r], **lunarisch** [luná:rɪʃ] *a.* 달의, 태음의: ~es Gestein 달의 암석.

Lunarium [..riʊm] *n.* -s, ..rien [..riən] 태음 운행의(運行儀).

Lunatiker *m.* -s, - 〖醫〗 (보름날의) 몽유병자.

lunatisch *a.* 〖醫〗 보름날에 몽유병에 시달리는.

Lunatismus [lunatɪ́smus] *m.* - 〖醫〗 보름날의 몽유병.

Lunaut *m.* -en, -en (schweiz.) 우주 비행사.

Lunch [lan(t)ʃ] 《engl.》 *m.* -/-(e)s, -(e)s/-e 가벼운 점심, 런치: den〔einen〕 ~ einnehmen 점심을 먹다.

lunchen [lán(t)ʃən] 《engl.》 (*p.p.* geluncht) *i.* (h.) 점심을 먹다.

Lunch=paket *n.* 점심 도시락. **~zeit** *f.* 점심시간.

Lund [lʊnt] *m.* -(e)s, -e [..də] 〖動〗 바다오리의 일종.

Lünette [lynɛ́tə] 《frz.》 *f.* -n ①〖건축〗 (문이나 창문 위의) 반월 모양의 공간. ②〖軍〗 안경보(眼鏡堡). ③〖기계〗 등〔뒷〕받침.

***Lunge** [lʊ́ŋə] *f.* -n 폐, 허파: aus voll(st)er ~ 큰소리로; 〔비유〕 eine gute ~ haben a) 성량이 풍부하다, b) 오랫동안 빨리 달릴수 있다; 〔구어〕 sich³ die ~ aus dem Leibe〔Halse〕 schreien 있는 힘을 다해 소리지르다; schone deine ~! 너무 지껄이지 마라!; 〔구어〕 er hat es auf〔mit〕 der ~ 그는 폐병을 앓고 있다; auf〔über die〕 ~ rauchen 담배 연기를 폐까지 들이마시다; grüne ~ (도시의) 녹지대; 〖醫〗 eiserne ~ 인공 심폐(호흡 보조기).

Lungen=abszeß *m.* 〖병리〗 폐농양. **~ader** *f.* 폐정맥. **~arterie** *f.* 폐동맥. **~bläschen** *n.* 〖해부〗 폐포. **~blutung** *f.* 〖醫〗 폐출혈, 객혈. **~braten** *m.* (öst.) 〖요리〗 (소의) 허리살구이 (Lendenbraten). **~drüse** *f.* 〖해부〗 폐선(肺腺). **~entzündung** *f.* 〖醫〗 폐렴. **~fell** *n.* 〖해부〗 폐흉막. **~fieber** *n.* 폐열. **~fisch** *m.* 〖動〗 폐어. **~flechte** *f.* 〖植〗 (나무껍질에 기생하는) 이끼의 일종(폐질환 치료제로 사용됨). **~flügel** *m.* 〖해부〗 폐엽(肺葉). **~geschwür** *n.* 폐궤양(潰瘍), 폐농양. **~haschee** *n.* 〖요리〗 송아지 허파로 만든 요리. **~heil·stätte** *f.* 결핵 요양소. **~infiltration** *f.* 〖醫〗 폐침윤. **~katarrh** *m.* 폐카타르. **~kaverne** *f.* 폐공동(肺空洞). **≈krank** *a.* 폐병에 걸린. **~kranke*** *der/die* 폐병 환자. **~krankheit** *f.* 폐병. **~kraut** *n.* 〖植〗 지칫과 식물의 일종(폐질환 치료제로 쓰였음). **~krebs** *m.* 〖醫〗 폐암. **~lappen** *m.* ↑ ~flügel. **~leiden** *n.* ↑ ~krankheit. **≈leidend** *a.* 폐병을 앓는. **~mittel** *n.* 폐병약. **~moos** *n.* ↑ ~flechte. **~ödem** *n.* 〖醫〗 폐수종(肺水腫). **~pest** *f.* 폐 페스트. **~probe** *f.* ① (사산아(死產兒)의) 폐검진. ② 폐활량〔호흡〕 시험. **~schlag** *m.* 〖醫〗 폐졸중(肺卒重); 폐수종. **~schützer** *m.* ① 호흡용 마스크. ② 가슴에 대는 갑옷. **~schwindsucht** *f.* 〖醫〗 폐결핵, 폐병. **~seuche** *f.* 폐역(소의 유행병). **~spitze** *f.* 〖해부〗 폐첨(肺尖). **~spitzenkatarrh** *m.* 〖醫〗 폐첨 카타르. **~tuberkulose** *f.* 〖醫〗 폐결핵. **~zug** *m.* 담배 연기를 허파 안까지 빨아들이는 호흡, 흡연: einen (tiefen) ~ machen 담배 연기를 허파 속까지 들이마시다.

Lungerer [lʊ́ŋərər] *m.* -s, - 게으름뱅이, 빈둥대는 사람.

lungerig *a.* 게으른, 무위(無爲)의.

Lunger·leben *n.* 나태한 생활.

lungern [lʊ́ŋərn] *i.* ① (h./s.) 게으름 피우다, 빈들빈들 놀다; 하는 일 없이 돌아다니다. ② (h.) 〔방언〕 nach jm.〔et.³〕 ~ 누구를〔무엇을〕 탐내다, 노리다.

Lüning [lý:nɪŋ] *m.* -s, -e (ndd.) 참새.

Lunker [lʊ́ŋkər] *m.* -s, - 〖제련〗 응결할 때 주물 속에 생기는 공동(空洞).

Lünse [lʏ́nzə] 《ndd.》 *f.* -n 〖工〗 쐐기.

Lunte [lʊ́ntə] *f.* -n ①〖工〗 화승(火繩), 심지: 〔비유·구어〕 die ~ riechen 위험을 느끼다; die ~ ans Pulverfaß legen a) 화약통에 불을 놓다, b) 억제된 갈등을 말이나 행동으로 분출시키다. ②〖사냥〗 여우〔늑대〕의 꼬리. ③〖섬유〗 등심사(燈心絲).

Lunten=gewehr *n.* 화승총. **~schloß** *n.* 화승 발화기. **~stock** *m.* 화승간(火繩桿).

Lunze [lʊ́ntsə] *f.* -n 〖사냥·구식〗 야수(野獸)의 내장.

lunzen [lʊ́ntsən] *i.* (h.) (md., obd.) ① 졸다. ② 실눈으로 훔쳐보다.

***Lupe** [lú:pə] 《frz. loupe》 *f.* -n ① 확대경: 〔구어〕 (sich³) mit der ~ suchen (발견할 때까지) 오랫동안 찾다; et. (scharf) unter die ~ nehmen 〔et. durch die ~ besehen〕 무엇을 자세히 관찰〔검사〕하다. ②〖컴〗 확대경.

lupen·rein *a.* ① (보석이) 확대경으로 봐도 결점이 없는, 깨끗한: ein ~er Brillant 흠잡을 데 없는 금강석. ②〔비유〕 나무랄〔흠잡을〕 데 없는: diese Banknote ist eine ~e Fälschung 이 지폐는 완벽한 위조품이다.

Lupf *m.* -(e)s, -e (schweiz.) ① 무거운 짐을 들어올림. ②〔비유〕 큰 부담, 부당한 요구. ③ ↑ Hosenlupf.

lupfen [lʊ́pfən], **lüpfen** [lʏ́pfən] 《Luft》《I》 *t.* (obd.) 약간 들어올리다, 올리다: er lüpfte den Hut zum Gruß 그는 인사하려고 모자를 약간 들어올렸다. 《II》 *refl.* sich ~ 약간 일어

서다; ihr könnt euch jetzt ein wenig von euren Stühlen ~ 너희들은 이제 잠시 의자에서 일어나도 된다.

Lupine [lupí:nə] 《lat. lupus》 *f.* -n 〖植〗 루핀(콩과).

Lupinose [lupinó:zə] *f.* -n 〖수의·醫〗 루핀콩을 먹은 양·염소·소에게서 나타나는 중독증.

Luppe [lʊ́pə] *f.* -n ①〖제련〗 쇳덩어리. ② (md.) 곱슬곱슬한 털. ③ 응유(凝乳) 효소.

luppen [lʊ́pən] *t.* 응결시키다.

Lupulin [lupulí:n] 《lat. lupulus》 *n.* -s, -e 〖化〗 홉의 쓴맛.

Lupus [lú:pʊs] 《lat.》 *m.* -, -(se) ① 이리: 〔교양·속담〕 ~ in fabula! 호랑이도 제 말하면 온다더니! (der Wolf in der Fabel!) ②〖醫〗 낭창(얼굴·목에 생기는 피부병). ③〖天〗 이리자리.

Lurch [lʊrç] *m.* -(e)s, -e 〖動〗 ① 두꺼비. ② 양서류.

Lurch·fisch *m.* 〖動〗 폐어(肺魚).

Lure [lú:rə] 《altnord.》 *f.* -n 루레(청동기 시대의 북유럽에서 사용된 S자형 관악기).

Lurex [lʊ́:rɛks] *n.* - 〖섬유〗 금속사(로 짠 천).

Lurlei [lʊ́rlaɪ] *f.* ↑ Lorelei.

Lusche[1] [lʊ́ʃə] 《sl. Lw.》 *f.* -n ①〔구어〕 점수 없는 카드. ②〔구어·폄어〕 쓸모없는 놈. ③〔방언〕 **(a)** 담배. **(b)** 칠칠치 못한 여자. **(c)** 창녀.

Lusche[2] *f.* -n 〔방언〕 웅덩이.

luschig *a.* (ndd.) 칠칠치 못한; 일을 소홀히 하는.

Luser [lú:zər] *m.* -s, - ① (obd.) 엿듣는 사람. ②〖사냥〗 ↑ Loser[2].

*__Lust__ [lʊst] *f.* Lüste ① 쾌감, 유쾌; 즐거움; 쾌락, 환락; 환희; 오락: Liebes Leid und ~ 사랑의 애환; ~ an et.[3] haben〔finden〕 무엇을 즐기다〔기뻐하다〕; die ~ an et.[3] verlieren 무엇에 대한 즐거움을 잃어버리다; er ist ihre ganze ~ 그는 그 여자에게 유일한 기쁨이다; 〔雅語〕 es war alles eitel ~ und Freude 모두가 기뻐했다; es gereicht mir zur höchsten ~ 그것은 내게 더없는 기쁨이 된다; du meine ~! 귀여운 그대여!; 〔속담〕 ~ gebiert Unlust 낙은 고생의 씨〔시초〕. ② 욕망, 소망; 애호, 기호, 의지: ~ zu et.[3] haben 무엇을 할 마음이 있다; 〔구어〕 ich habe ~ auf Wein 나는 포도주 한잔 마시고 싶다; seine ~ auf et. zügeln〔befriedigen〕 무엇에 대한 욕망을 억제하다〔충족시키다〕; jm. zu et.[3] ~ machen 누구의 기분을 무엇에 내키게 하다; mit ~ und Liebe bei et.[3] sein 열성을 다하여 무엇에 종사하다; die eigene ~ an et.[3] befriedigen 무엇에 대한 자기의 욕망을 충족시키다; nach ~ und Laune 자기 마음대로; die ~ zu et.[3] kommt〔wandelt〕 jn. an 무엇에 대한 욕망이 누구에게 일어나다; ganz wie du ~ hast 〔nach deines Herzens ~〕 네 뜻대로, 네가 좋아하는 대로; haben Sie ~ auszugehen? 외출할 생각은 없습니까?; ich hätte ein Lüstchen dazu 그렇게 하고 싶습니다마는; mir ist alle ~ vergangen 나는 하고 싶은 의욕이 모두 없어졌다. ③ **(a)** 정욕, 색욕, 음욕: fleischliche ~ 육욕; auf jn. ~ haben〔bekommen〕 누구에게 정욕을 품다; jm. ~ machen 누구를 성적으로 흥분시키다; einer ~ frönen 정욕에 빠지다. **(b)**〔雅語〕 정욕〔육욕〕의 충족: die höchste ~ kosten 최고의 성적 쾌락을 맛보다. ④ (obd.) 신랑의 머리 장식.

Lustbarkeit *f.* -en 〔구식〕 오락, 여흥; 유흥; 축연: an einer öffentlichen ~ teilnehmen 공식적인 축연에 참석하다.

Lustbarkeits·steuer *f.* 유흥세.

lust≈berauscht *a.* 기쁨에 도취된, 황홀한. **~betont** *a.* 쾌락〔즐거움〕 위주의: ~ unterrichten 수업을 재미 위주로 진행하다. **~boot** *n.* 유람선, 작은 놀잇배.

Lüstchen [lʏ́stçən] *n.* -s, - 〔↑ Lust의 축소형〕 ① ↑ Lust. ② ein ~ zu et.[3] haben〔verspüren〕 무엇을 하고 싶어하다.

Lust≈dirne *f.* 매춘부. **~empfindung** *f.* 쾌감.

lüsten [lʏ́stən] *i.* (h.) *imp.* 〔고어〕 ↑ gelüsten.

Luster [lʊ́stər] *m.* -s, - (öst.) ↑ Lüster ③.

Lüster [lʏ́stər] 《frz. <lat. lustrare》 *m.* -s, - ①〔고어〕 광휘; 명성. ②〖섬유〗 광택이 나는 모직물. ③ 샹들리에. ④ 도자기의 녹색〔자색〕으로 빛나는 표면. ⑤ 가죽 제품에 광택내는 작업.

lüstern[1] [lʏ́stərn] 〔고어〕 ↑ gelüsten.

*__lüstern__[2] 《<lüstern[1]》 *a.* ①〔雅語〕 열망하는, 탐내고 있는: nach et.[3] 〔auf et.[4]〕 ~ sein 무엇을 탐내다; ~ nach Reichtum und Ehre 부와 명예를 열망하는; ~e Augen〔Blicke〕 탐내는〔욕정에 찬〕 눈초리. ② 육욕적인, 호색의, 음탕한: ~e Bilder〔Erzählungen〕 춘화(春畫)〔음담〕; voll von ~er Begierde 정욕에 불타는.

Lüsternheit *f.* 욕망, 열망; 육욕.

lust·erweckend *a.* 마음을 끄는, 즐거운; 먹음직스러운, 맛좋은.

Lust≈fahrt *f.* 〔구식〕 ↑ Vergnügungsfahrt. **~feindlich** *a.* 쾌락을 거부하는. **~feuer** *n.* 꽃불. **~gang** *m.* ① 산책. ② 가로수길, 산책길. **~garten** *m.* 유원지, 공원. **~gas** *n.* 〖化·구식〗 소기(笑氣), 아산화질소. **~gefühl** *n.* ①〖心〗 쾌감. ② 성적 쾌감: ein Mittel zur Steigerung des ~s 성적 쾌감 강화제. **~gewinn** *m.* 〖心〗 욕구 충족: nach größtmöglichem ~ streben 최대의 욕구 충족을 도모하다. **~greis** *m.* 〔구어·폄어〕 중년의 호색한. **~hain** *m.* 〔고어〕 ↑ ~wäldchen. **~haus, ~häuschen** *n.* ① 별장. ② 정자. ③ 사창〔공창〕가.

*__lustig__ [lʊ́stɪç] *a.* ① 즐거운, 유쾌한; 쾌활〔명랑〕한; 기쁜, 기꺼운; 기뻐 어쩔 줄 모르는, 기뻐 법석대는: Bruder ~ 들뜬〔바람난〕 남자, 익살꾼; ~ machen 원기〔활기〕를 내게 하다; da geht's ~ her 저곳에서는 대단히 흥겹게 놀고 있다. ② 우스운; 익살맞은, 골계의; 재미있는: 〖연극〗 die ~e Person 어릿광대; ein ~er Einfall 재미있는 착상; der ~e Rat 궁중 어릿광대(칭호); sich über jn.〔et.〕 ~ machen 누구를〔무엇을〕 놀리다, 웃음거리로 삼다; 〔구어·반어〕 das kann ja ~ werden! 재미있어지겠군! ③ 활발한, 민첩한: nun ~ an die Arbeit 〔ans Werk〕! 자 힘차게 일을 시작해라!; das Feuer flackert ~ 불이 활활 타고 있다. ④〔고어〕 할 마음이 있는, 마음이 내키는: 〔구어〕 solange〔wie〕 du ~ bist 네 마음이 내키는 한〔대로〕.

..lustig *Suf.* "…에 의향이 있는"의 뜻(보기:

arbeits~ 일하기 좋아하는; heirats~ 결혼할 뜻이 있는).

Lustigkeit *f.* 유쾌; 익살; 의향.

Lustig·macher *m.* 익살꾼, 장난꾸러기, 인기 있는 사람.

Lust≈jagd *f.* 유렵(遊獵). **~knabe** *m.* 어린 남창. **~lager** *n.* 등산 캠프.

Lüstlein *n.* -s, - ↑ Lüstchen.

Lüstling *m.* -s, -e 〔폄어〕 탕아, 호색한.

lustlos *a.* ① 즐거움이 없는; 흥미 없는, 마음이 내키지 않는. ②〖증권〗 구매욕이 없는, 매기가 없는.

Lustlosigkeit *f.* 흥미 없음, 냉담; 구매욕의 상실.

Lust≈molch *m.* 〔구어〕 ① ↑ Lüstling. ②〔농담〕 색마, 특별히 관능적인 성교 상대자. **~mord** *m.* 〖法〗 치정〔강간〕 살인. **~mörder** *m.* 강간〔치정〕 살인범. **~objekt** *n.* 성적 쾌락의 대상. **~ort** *m.* 유람지. **~partie** *f.* 〔구식〕 야유회, 피크닉. **~prinzip** *n.* 〖心〗 쾌락 원칙.

Lustra ↑ Lustrum 의 복수형.

Lustration [lustratsió:n] 《lat. lustratio》 *f.* -en ①〖宗〗 재계(齋戒), 정화,〖가톨릭〗 정화 제식(祭式). ②〔구식〕 시험, 검사, 음미.

Lustre ↑ Lüster.

Lust·reise *f.* 유람 여행.

Lustren ↑ Lustrum 의 복수형.

lustrieren [lustrí:rən] 《lat.》 *t.* ①〖宗〗 깨끗하게 하다. ②〔고어〕 시험〔검사〕하다.

lüstrieren *t.* ①〖섬유〗 (실·천에) 광택을 내다. ② (그릇·도자기에) 유약을 입히다.

Lüstrine [lystrí:nə] 《frz.》 *m.* -s 〖섬유〗 광택 나는 견직물(주로 모자의 안감용).

Lustrum [lústrum] 《lat.》 *n.* -s, ..stren/ ..stra ① (고대 로마에서 5년마다 행한) 속죄의 희생제(犧牲祭). ② (고대 로마에서) 5년의 기간.

Lust≈schiff *n.* 유람선; 쾌속정. **~schloß** *n.* (옛 군주의) 별장. **~seuche** *f.* 〖醫·구식〗 성병; 매독. **~sitz** *m.* ↑ ~schloß. **~spiel** *n.* 〖문학〗 희극. **~spiel·dichter** *m.* 희극 작가. **≈voll** *a.* 〔雅語〕 기분 좋은, 즐거운. **~wäldchen** *n.* 〔고어〕 산책림; 공원. **≈wandeln** (*p.p.* gelustwandelt) *i.* (s./h.) 〔雅語·구식〕 산책〔소요〕하다. **~wandler** *m.* 산책하는 사람.

Lutein [luteí:n] 《lat.》 *n.* -s 〖생화학〗 루테인 (황색 색소).

Luteolin [luteolí:n] 《lat.》 *n.* -s 〖생화학〗 루테올린(식물성 황색 색소).

Lutetium [luté:tsium] *n.* -s 〖化〗 루테튬(기호: Lu).

***Luther** [lútər] *m.* Martin ~ 루터(독일의 종교 개혁자, 1483-1546).

Lutheraner [lutərá:nər] *m.* -s, - 루터 교도, 신교도.

lutheranisch, lutherisch [lútərɪʃ, ..té:rɪʃ] *a.* 루터교〔파〕의: ~e Kirche 루터〔신교〕 교회.

Lutherisch [lútərɪʃ] *a.* 루터의: die ~e Bibelübersetzung 루터의 성서 번역.

Luther·rose *f.* 〖紋〗 (루터가 문장(紋章)으로 삼은 장미에서 유래되어) 가운데에 붉은 심장과 검은 십자가가 들어 있는 백장미 문양.

Luthertum *n.* -s ① 루터파〔교〕, 루터 교회; 복음 교회. ② 루터주의, 루터 복음〔교의〕.

lutieren [lutí:rən] 《lat.》 *t.* 〖방언〗 ~에 시멘트를 바르다.

Lutsch·beutel *m.* 〔구식〕 고무 젖꼭지.

lutschen [lútʃən] 〖의성어〗 《I》 *i.* (h.) 빨다, 핥다: an et.³ ~ 무엇을 빨다; das Kind lutscht noch am Daumen 그 아이는 아직 엄지손가락을 빤다. 《II》 *t.* ① 녹이다. ②〔구어〕 마시다; 손가락으로 집어먹다; 빨아먹다.

Lutscher [lútʃər] *m.* -s, - ① 막대가 달린 빨아먹는 큰 사탕. ②〔구어〕 고무 젖꼭지.

Lutte [lútə] *f.* -n 〖광산〗 통기〔배수〕관.

Lutter [lútər] *m.* -s, - 브랜디 양조에서 처음 뜨는 알코올 함량이 적은 술.

Lutz [luts] *m.* -, - 루츠 점프(후진 회전 점프) (오스트리아의 피겨 스케이트 선수 A. Lutz 의 이름에서): Doppel≈ 2중 루츠 점프.

Luv [lu:f] 《ndd.》 《I》 *f.* 〔*n.* -s〕 〖海〗 (배의) 바람 부는 쪽(↔ Lee): in〔nach, von〕 ~ 바람 부는 쪽에〔으로, 에서〕; die ~ gewinnen 바람 부는 쪽으로 나가다; die ~ halten 뱃머리를 바람 부는 쪽으로 하다. 《II》 *n.* 〖지리〗 산의 바람이 불어오는 쪽〔면〕.

Luv·anker *m.* 바람 부는 쪽으로 던진 닻.

luven [lú:vən, ..fən] *i.* (h.) 〖海〗 뱃머리를 바람 부는 쪽으로 돌리다.

luv≈gierig *a.* 〖海〗 (배가) 바람부는 쪽으로 향하기 쉬운. **≈seite** *f.* ↑ Luv. **~wärts** *adv.* 〖海〗 바람 부는 쪽으로.

Lux [luks] 《lat.》 *n.* -, - 〖物〗 럭스(조도(照度)의 단위: 기호 lx).

Luxation [luksatsió:n] 《lat.》 *f.* -en 〖醫〗 탈구(脫臼), 탈골.

Luxemburg [lúksəmburk] 룩셈부르크; 그 수도.

luxieren [luksí:rən] 《lat. luxare》 *t.* 〖醫〗 (verrenken) 탈구(脫臼)하다, 관절을 삐다.

Lux·meter *n.* 〖工〗 (Beleuchtungsmesser) 광도계, 조도계.

Luxuria *f.* 〖法〗 의도적 과실.

luxurieren [luksurí:rən] 《lat.》 *i.* (h.) ① 무성하다, 우거지다. ②〔구식〕 호화로운 생활을 하다. ③ (신체 부위가) 이상(異常) 발달하다.

luxuriös [luksuriǿ:s] *a.* 호화로운, 사치한.

***Luxus** [lúksus] *m.* - 호사, 사치; 낭비; 화려: ~ treiben 호사를 누리다; das ist für mich ein ~ 그것은 내게는 분에 넘치는 일이다; das ist doch (reiner) ~! 그것은 불필요하다! (사치에 지나지 않는다).

Luxus≈artikel *m.* 사치품. **~ausgabe** *f.* 특제본, 호화 장정. **~band** *m.* 특별 장정. **~dampfer** *m.* 호화선. **~gegenstand** *m.* ↑ ~artikel. **~gesetz** *n.* 사치 제한법. **~gut** *n.* 사치스러운 소비재, 사치품. **~hotel** *n.* 호화 호텔. **~jacht** *f.* 호화 요트. **~kabine** *f.* 호화 선실. **~papier** *n.* 특제지(紙). **~steuer** *f.* 〖經〗 특별 소비세. **~villa** *f.* 호화 빌라〔저택〕. **~wagen** *m.* 고급 자동차. **~ware** *f.* ↑ ~artikel. **~wohnung** *f.* 호화 주택.

Luzern [lutsέrn] 루체른(스위스의 주 및 도시).

Luzerne [lutsέrnə] 《frz.》 *f.* -n 〖植〗 자주개자리: deutsche ~ 황색 클로버.

luzid [lutsí:t] 《lat. lux》 *a.* ①〔구식〕 밝은, 빛나는; 투명한. ②〔교양〕 이해하기 쉬운, 명백한.

Luzidität [lutsiditɛ́:t] *f.* ①〖구식〗광휘; 투명, 청명. ②〖교양〗명백, 명석. ③〖심령〗투시, 천리안. ④〖醫〗의식의 선명도.
Luzifer [lú:tsifɛr] 《lat., „Lichtbringer"》 *m.* -s ①〖天〗샛별, 금성, 계명성. ② 악마.
Luziferin [lutsiferí:n] *n.* -s, -e〖생화학〗루시페린, (개똥벌레의) 발광소(素).
luziferisch *a.* 〖교양〗악마와 같은, 사악한.
LVA =Landesversicherungsanstalt 공익 보험 회사.
Lw ①〖구식〗=Lawrencium 로렌슘. ②=Lew 레프(불가리아의 화폐 단위).
lx [lʊks] =Lux 룩스.
Lyder [lý:dər], **Lydier** [lý:diər] *m.* -s, - (고대 소아시아 지방) 리디아 사람.
lydisch [lý:d..] *a.* 리디아의, 리디아 사람〔어〕의: ~e Kunst 리디아 예술;〖음악〗~e Tonart 기본음을 f로 하는 고대 그리스의 음계(주로 교회 음악에서 사용).
Lykopodium [lykopó:dium] 《lat.》 *n.* -s, ..dien [..diən]〖植〗석송(石松)(의 홀씨).
lymphatisch [lʏmfá:tɪʃ] 《lat. +gr.》 *a.*〖醫〗림프의; (체질이) 림프성의.
Lymphatismus *m.* -, ..men〖醫〗림프성 체질.
Lymph≈bahn *f.*〖醫〗림프관. **~drainage** *f.*〖醫〗(조직 이식 후 면역반응에 이상이 생길 때 사용하는) 유관을 통한 림프의 체외 유도 (시술). **~drüse** *f.*〖醫·구식〗림프선.
Lymphe [lʏ́mfə] 《lat. lympha, „Wasser"》 *f.* -n〖醫〗① 림프; 혈청. ② 백신.
Lymph≈gefäß [lʏ́mf..] *n.*〖해부〗림프관. **~gefäß·entzündung** *f.*〖醫〗림프관염(炎). **~knoten** *m.*〖해부〗림프절(節)(속칭: 림프샘). **~körperchen** *n.* 림프구(球).
lymphogen *a.*〖醫〗림프성의, 림프액에 기인하는.
Lymphozyten [..tsý:tən] 《lat. +gr.》 *pl.*〖해부〗림프구(球).
Lymphozytose *f.*〖醫〗(혈액 속의) 림프구의 병적인 증가.
Lymph·system [lʏ́mf..] *n.* 림프 조직.
lynchen [lʏ́nçən, lɪ́nçən, lɪ́ntʃən] 《engl.》 *t.* (법의 정당한 절차를 밟지 않고) 사형(私刑)에 처하다, …에게 린치를 가하다(북아메리카의 치안 판사 C.W. Lynch의 이름에서).
Lynch≈gesetz [lʏ́nç.., lɪ́nç..] *n.*, **~justiz** *f.* 린치, 사형(私刑): ~ üben 린치를 가하다. **~mord** *m.* 린치에 의한 살해.
Lyon [liɔ̃́:] 리옹(프랑스 남동부의 도시).
Lyoner [lió:nər] 《I》 *m.* -s, - 리옹의 주민. 《II》 *f.* - ① 리옹산(產) 소시지. ②〖방언〗살코기 소시지. 《III》 *a.* 리옹의.
Lyoner Wurst 리옹산(產) 소시지.
Lyoneser [lioné:zər] *m.* -s, - ↑ Lyoner 《I》.
***Lyra** [lý:ra] 《gr.》 *f.* ..ren ①〖악기〗리라(그리스의 고대 현악기의 이름): siebensaitige ~ (Leier) 칠현금. ② 문학의 상징. ③〖天〗거문고자리.
***Lyrik** [lý:rɪk] *f.*〖문학〗서정시.
Lyriker [lý:rɪkər] *m.* -s, - 서정 시인.
lyrisch [lý:rɪʃ] *a.* ①〖문학〗서정시의: ein ~es Gedicht 서정시. ② 서정적인: ~e Epik 서정적 서사시〔문학〕. ③ 정감적인, 정서가 풍부한.
Lysin [lyzí:n] 《gr. lysis》 *n.* -(e)s, -e ①〖생화학〗리신(아미노산의 일종). ②〔대개 복수〕〖醫·生〗세포 용해소.
Lysis [lý:zɪs] 《gr. lýein》 *f.* ..sen ①〖醫·生〗(세포의) 용해 (현상), 분해. ②〖醫〗열이 서서히 내림. ③〖心〗인격 분열(현상).
Lysoform [lyzofɔ́rm] 《gr. +lat.》 *n.* -s 리조폼(흰 알칼리 용액으로 된 소독제).
Lysol [lyzó:l] *n.* -s〖化〗리졸(소독제).
Lyssa [lʏ́sa] 《gr.》 *f.*〖醫〗광견병.
Lyzeum [lytsé:ʊm] 《gr.》 *n.* -s, ..zeen [lytsé:ən] ① (고대 그리스의) 아리스토텔레스의 학원(아테네의 Lykeion 신전 부근에 있었던 데에서 유래함). ② 리제움(가톨릭 신학교). ③ 리제움(여자 고등 학교).
LZ =Zeppelinluftschiff 체펠린 비행선.
LZB =Landeszentralbank 주립 중앙 은행.

M

*M, m [εm] *n.* -, - 독일어 자모의 열셋째 자.
M ① = Mille 로마 숫자의 1000. ② =〖논리〗 Mittelsatz 매명사(媒名辭)(삼단 논법에서의 중개념). ③ = Modell (총포의) 형(型)(보기: M 98, 1898 년형). ④ = Mark[4].
μ [my:] 미크론(Mikron 의 기호).
M 〖컴〗 = Mega 메가(2^{20}, 즉 1,048,576 또는 10^6, 즉 백만을 나타냄).
M. ① = Markus 마르쿠스(남자 이름). ② = Monsieur 씨, 군, 귀하. ③ = Meile 마일. ④ = Monat 달. ⑤ = Magister 석사.
M' = Mc, Mac.
m ① = Meter 미터. ② = Minute 분.
m^2 = qm, Quadratmeter 제곱 미터.
m^3 = cbm, Kubikmeter 세제곱 미터.
m. ① = Maskulinum 남성. ② = mit …와 함께, 더불어.
Ma 〖化〗 = Masurium 마수륨(원소명).
Ma = 마하(음속의 단위; Mach-Zahl 의 준말).
mA 〖전기〗 = Milliampere(1/1000 암페어).
MA., M.A. = Mittelalter 중세.
ma. ① = mittelalterlich 중세의. ② = mundartlich 방언의.
M.A. = Miniatur-Ausgabe 수진본(袖珍本), 소형판.
M.A. [εméɪ] ① = Magister Artium(↑ Magister). ② Master of Arts(↑ Master).
m.A. = mangels Annahme (어음 거절 증서에서) 부도 때문에.
mä ↑ mäh.
Maan [maá:n] 《altgerm.》 *m.* (ndd.) ↑ Mond.
Mäander [mεándər] 《gr.》 ① *m.* -(s) (터키의) 멘데레스강. ② *m.* -s, -〖비유〗사행천(蛇行川), (강의) 굽이; (길이) 꼬불꼬불함; 미로;〖건축·畫〗 굽이진 선, 파문, 뇌문(雷紋), 소용돌이 무늬.
mäander≠förmig *a.* 꼬불꼬불한; 소용돌이 무늬의. **∼linie** *f.* 꼬불꼬불 굽은 선.
mäandern [mεándərn] *i.* (h.) 강〔길이〕 꼬불꼬불하게 흐르다〔이어지다〕, 사행(蛇行)하다.
mäandrieren *i.* (h.) ↑ mäandern.
mäandrisch *a.* ↑ mäanderförmig.
Maar [ma:r] 《♧ Moor》 *n.* -(e)s, -e 마르, 사화산의 (물이 괸) 분화구.
Maas [ma:s] *f.* 마스(라인강 하류의 왼편 지류).
Maas·tricht [(또는) má:strɪçt] 마스트리히트(네덜란드의 도시로 Maas 강변에 위치함).
Maat [ma:t] 《ndl.》 *m.* -(e)s, -e ①〖고어〗 동료. ②〖海〗 선원, 수부; (독일의) 해군〔갑판〕 하사(관); 항해사〔갑판장〕의 조수.
Maatje [má:tjə] *m.* -n, -n〖↑ Maat 의 축소형〗 어린 선원.
Maatjes·hering *m.* ↑ Matjeshering.
Maatschaft *f.* -en (ndd.) 〖고어〗 ① 조합;〖海〗 승무원; 도당, 붕당. ② 상사.
Mac [mak, (engl.) mək, mæk] 《engl.; 원뜻 „Sohn"》 맥(스코틀랜드 및 아일랜드계의 사람 이름에 붙여짐; 약어: M', Mc) (보기: MacAdam, Macbeth, McKenna 따위).
Macao ↑ Macau.
Macau 마카오(옛 포르투갈령 중국 도시).
Macbeth [mákbεt, (engl.) mækbέθ] *m.* ① 맥베스(스코틀랜드의 왕, 재위 1040-57). ② 맥베스(셰익스피어의 비극 작품, 또 그 주인공 이름).
Mach [max] *n.* -(s), -〖物〗 마하(음속의 단위; 오스트리아 물리학자 E. Mach 의 이름에서).
Machandel [maxándəl] *m.* -s, -, **Machandel·baum** *m.*, **Machangel** *m.* -s, - ① (ndd.) 〖植〗 노간주나무. ② 노간주나무 소주.
Mach·art *f.* 의복 만드는 법, 바느질하고 디자인하는 법; 디자인, 스타일.
machbar 《<machen》 *a.* 만들〔행할·현실화할〕 수 있는.
Machbarkeit *f.* 만들〔실현시킬〕 수 있음.
Mache[1] [máxə] 《<machen》 *f.* ① 제작, 제조: in der ∼ sein 제조 중이다; et. in der ∼ haben 무엇을 제작 중이다;〖비유〗 jn. in der ∼ haben a) 누구를 꾸짖다, 때리다, b) 설득하다; et. in die ∼ nehmen 무엇의 제조에 착수하다;〖비유〗 jn. in die ∼ nehmen a) 누구에게 예의 범절을 가르치다, 누구를 교화〔도야〕하다, b) 누구를 못살게 굴다, c) 호되게 두들겨 주다. ② 만든〔꾸민〕 물건, 세공(細工):〖비유〗 sich auf die ∼ verstehen 장사의 임기응변술을 터득하고 있다. ③〖비유·폄어〗 꾸민 태도, (잘난) 척함, 속임수: in diesem Roman zeigt sich nur ∼ 이 소설은 번드르르하게 만들어져 있을 뿐이다. ④〖은어〗 (영화나 연극 따위의) 제작, 편집, 형식, 기법.
Mache[2] *n.* -, -, **Mache-einheit** *f.* 〖理〗 마헤(에마나치온 함유 농도의 단위; 약어: ME).
***machen** [máxən] 《I》 *t.* ① 조립하다; 만들다, 작성하다, 제조하다, 제작하다; 창조하다: Kleider〔Schuhe, Geräte〕 ∼ 의복을〔구두를, 기구를〕 만들다; Gedicht ∼ 시를 짓다; Feuer ∼ 불을 피우다; Licht ∼ 불을 켜다; Bilder〔Fotos〕 ∼ 사진을 찍다. ② (행)하다: **(a)**〖동작·행위 따위를 나타내는 명사를 목적어로〗 eine Reise〔Prüfung, Pause〕 ∼ 여행하다〔시험을 치르다, 휴식 시간을 가지다〕; einen Vorschlag ∼ 제안하다; mit jm. Geschäfte ∼ 누구와 장사를 하다; jm. ein Geschenk ∼ 누구에게 선물을 하다. **(b)**〖부정(不定)의 es를 목적격으로〗 er macht es wie sein Vater 그는 그의 아버지가 한 대로 한다; er machte es gar zu lange 그는 끝장을 볼 줄 몰랐다; er wird es nicht lange mehr ∼ 그는〔그의 목숨은〕 이젠 오래가지 않을 것이다; es nicht unter et.[3] ∼ 최소한 무엇을 요구하다; wir

wissen nicht, wie wir es ~ sollen 우리는 어쩌면 좋을지 모르겠다; es kurz ~ a) 우물쭈물하지 않다, b) 간단히 하다; um es kurz zu ~ 간단히 말하면; 〖구어〗 mach's 〔macht's〕 gut! 안녕! (이별의 인사); 〖경박〗 es ~ 성교하다; 〖경박〗 es jm. ~ 누구를 성적으로 만족시키다; wie man's macht, macht man's falsch 해봤자 헛수고다. (**c**) was ~ Sie? a) 당신은 무엇을 하고 계십니까?, b) 기분은 어떻습니까? c) 〖때때로 beruflich 와 함께〗 was ~ Sie beruflich? 당신의 직업은 무엇입니까?; etwas ~ 용변을 보다; etwas Großes 〔Kleines〕 ~ 대변〔소변〕을 보다. (**d**) 〖비유〗 지내다, 진행되다: was macht die Arbeit? 일이 어떻게 되어 갑니까?; was macht dein Vater? 자네 부친은 어떻게 지내시나?; gut, wird gemacht 좋아, 내가 하지. ③ 연출하다, 보이다, 꾸미다, 무슨 티를 내다: den Hanswurst〔Prinzen〕 ~ 익살광대역〔왕자역〕을 하다; eine erschrockene Miene ~ 놀란 얼굴을 하다; den großen Herrn ~ 신사티를 내다. ④ 정돈하다, 질서를 잡다, 깨끗하게 만들다: das Bett ~ 침대를 정돈하다; die Haare ~ 머리를 깎다; mach den Fleck aus den Hosen! 바지의 얼룩을 빼라! ⑤ 거행〔개최〕하다: Hochzeit ~ 결혼식을 거행하다; ein (großes) Haus ~ a) 연회〔집회〕를 열다, b) 손님을 환대하다. ⑥ 얻다, 획득하다: Beute ~ 노획물을 얻다; Geld ~ 돈을 벌다; den Doktor ~ 박사 학위를 받다. ⑦ 무엇의 원인이 되다, 무엇을 생기게〔야기〕하다: (**a**) (das) macht nichts! 괜찮다!; macht das was? 그것이 무슨 문제가 되는가?; die Kälte macht dem Motor nichts 이 엔진은 추위에도 끄떡없다; das macht sein Leichtsinn 그것은 그가 경솔하기 때문에 생긴 일이다; das macht, weil〔daß〕... 그 원인은 …이다; 〖속담〗 Kleider ~ Leute 옷이 날개다. (**b**) (무슨 결과를) 가져오다, 무엇이 되다: jm. Ehre 〔Schande〕 ~ 누구의 명예가〔치욕이〕 되다; jm. Angst ~ 누구를 겁나게 하다; jm. Sorge ~ 누구를 근심시키다; jm. Hoffnung ~ 누구에게 희망을 안겨 주다; 2 und 3 macht 5 2 더하기 3은 5다; die Rechnung macht 100 Mark 계산이 100 마르크가 된다; was 〔wie viel〕 macht das〔es〕? — das macht zusammen 20 Mark (값이) 얼마입니까? — 전부 20 마르크입니다. (**c**) 〖부정법과 함께: lassen〗 …하게 하다〔만들다〕: es macht mich (〖고어〗 zu) lachen 그것은 나를 웃긴다; jn. glauben ~, daß... 누구로 하여금 …을 믿게 하다. ⑧ aus et.³ ~ 무엇을 원료로 하여 만들다: Brot aus Mehl ~ 밀가루로 빵을 만들다; Gott machte den Menschen aus einem Erdenkloß 신은 흙덩이로 사람을 만드셨다; 〖비유〗 was soll ich aus dieser Sache ~? 내가 이 일을 어떻게 해석〔처리〕해야 좋을까?; 〖비유〗 ich weiß nicht, was ich aus ihm ~ soll 나는 그를 어떻게 생각해야 할지 모르겠다. ⑨ (무엇으로) 만들다, 하다: (**a**) jn. zum Ritter ~ 누구를 기사로 만들다; seine Kostbarkeiten zum Geld ~ 귀중품을 돈으로 바꾸다. (**b**) 〖목적 보어와 함께〗 fertig ~ (일을) 끝내다; geltend ~ 통용〔관철〕시키다; der Humor macht das Leben leicht 유머는 인생을 경쾌하게 한다; jn. alt〔jung〕 ~ 누구를 늙어〔젊어〕 보이게 만들다. ⑩ 참석하다, 다니다: einen Kurs ~ 과정을 이수하다. ⑪ 준비〔요리〕하다: Kaffee ~ 커피를 끓이다; (das) Abendessen ~ 저녁 식사를 마련하다. ⑫ 〖전치사를 동반하는 명사와 함께〗 (**a**) einen Pfropfen **auf** die Flasche ~ 병에 마개를 하다. (**b**) Papier **aus**〔**von**〕 Lumpen ~ 넝마로 종이를 만들다; (sich) wenig〔nichts〕 aus jm. ~ 누구를 대수롭지〔아무렇지도〕 않게 여기다; er macht viel aus sich³ 그는 자기가 대단한 사람이라고 생각한다; daraus ist nichts zu ~ 그것은 아무 짝에도 쓸모없다, 하찮은 것〔일〕이다. (**c**) es ist **dabei** nichts zu ~ 그렇게 해도 아무 소용이 없다. (**d**) **mit** ihm 〔damit〕 ist nichts zu ~ 그는〔그것은〕 아무 소용에도 닿지 않는다, 쓸모가 없다; ich weiß nicht, was ich mit ihm ~ soll 그를 어떻게 다루어야 좋을지 모르겠다; das läßt er nicht mit sich ~ 그는 그것을 참고 견디지 않을 것이다. (**e**) **zu** et. ~ 무엇으로 만들다: Lumpen zu Papier ~ 넝마로 종이를 만들다(↑ ⑨). 《Ⅱ》 *refl.* ① 〖sich 가 4격인 때〗 (**a**) es macht sich 일이 행하여진다; 나아진다, 진척〔발전〕한다: es wird sich schon alles ~ 반드시 만사가 잘 되어 갈 것이다; wie geht's? — es macht sich (ja) 어떻게 지냅니까? — 그럭저럭 지냅니다; das Wetter macht sich wieder 날씨가 다시 좋아지고 있다; es macht sich nicht, es läßt sich nicht ~, es〔das〕 ist nicht zu ~ 그것은 할 수가 없다. (**b**) 〖목적 보어와 함께〗…의 태도를 취하다, 꼴을 해 보이다: sich beliebt ~ 누구의 마음에 들도록 행동하다; sich fort ~ 달아나다, 황급히 떠나다; sich gemein ~ 천한 사람과 상종하다〔상종하여 자신의 품위를 떨어뜨리다〕; sich groß ~ 거드름피우다, 뽐내다; sich verständlich ~ 자기의 말을 전달하다; der Hut macht sich (gut) 모자가 잘 어울린다; das macht sich sehr gut a) 그것은 보기에 참 훌륭하다, b) 그것은 형편이 매우 좋다; er macht sich gut zu Pferde 그가 말 탄 모습은 근사하다; der Junge macht sich recht gut in der Schule 이 소년은 학교에선 정말 품행이 좋다. (**c**) 〖운동 방향을 나타내는 전치사와 함께〗 sich **an** jn. ~ 누구에게 접근하다; sich an die Arbeit ~ 일에 착수하다; sich **auf** den Weg 〔〖구어〗 die Beine〕 ~ 출발하다, 길을 떠나다; sich **aus** dem Staube〔davon〕 ~ 살그머니 떠나다, 도망하다; sich **über** et. her ~ a) 무엇을 착수〔시작〕하다, b) 무엇에 달려들다; sich **zum** Gelächter ~ 웃음거리가 되다. ② 〖sich 가 3격인 때〗 sich³ et. ~ 무엇을 얻다, 벌다: sich³ die Haare ~ 이발하다; sich³ einen schönen Abend ~ 저녁을 즐겁게 보내다; er macht es sich³ bequem 그는 (집에서처럼) 편한 태도를 취한다; sich³ viel zu schaffen ~ 몹시 애를 쓰다; ich mache mir eine Ehre 〔ein Vergnügen〕 daraus, Ihnen zu dienen 당신을 모시게 되는 것은 저의 명예〔기쁨〕입니다; sich³ Umstände ~ 번거롭게 만들다; sich³ et. zum Grundsatz 〔zur Regel〕 ~ 무엇을 자기의 원칙〔규칙〕으로 삼다. 《Ⅲ》 *i.* (h.) ① (행)하다, 거동하다; ~인 척하다: er macht immer so mit dem Mund 그는 언제나 입 모양을 그렇게 한다; 〖구어〗 wie macht die Katze? — die Katze macht miau 고양이는 어떤 소리를 내

는가? — 고양이는 야옹한다; mach nicht, daß ich in Zorn gerate! 내가 화나지 않도록 해라!; jetzt macht sie auf große Dame 이제 그녀는 요조숙녀인 척한다. ② 말하다: adieu, Herr Hauptmann, machte ich 대위님 안녕히 계십시오라고 나는 말했다. ③〖종종: (s.)〗(md.) 가다, 걷다: nach Berlin〔ins Ausland〕~ 베를린〔외국〕에 가다; ins Bett ~ 잠자리에 들다; kehrt ~ a) 선회하다, 〚軍〛"뒤로 돌아"를 하다, b) 되돌아가다, 도망치다. ④ 서두르다: mach schnell! 빨리 해!; mach, mach! 자 어서, 빨리빨리!: mache (schon), daß du fertig wirst! 빨리 해치워! ⑤ 활동하다: er macht seit einiger Zeit in Lederwaren 그는 얼마 전부터 가죽 제품 장사를 하고 있다; er macht in Politik〔Malerei〕그는 정계에서〔화가로〕활동한다; 〖구어·교양〗in die Hosen〔ins Bett〕~ 바지〔침대〕에 오줌을 싸다. ⑥ 발전〔변화〕하다: (obd.) es〔das Wetter〕macht warm 날씨가 따뜻하다. ⑦ 시간이 걸리다, 우물쭈물하다: ich werde nicht mehr lange ~ 내 목숨도 이젠 얼마 남지 않았다(↑《I》② (b)). ⑧ jn. ~ lassen 누구의 뜻에 맡기다; laß ihn nur ~! 그가 하는 대로 내버려 두어라! ⑨ …하게 (보이게) 하다: das macht müde〔schlank〕그것은 (사람을) 피곤하게〔날씬하게〕만든다; das Kleid macht alt〔schlank〕그 옷이 (사람을) 늙어〔날씬하게〕보이게 한다. 《IV》**gemacht** *p.a.* ↑ gemacht.

Machen *n.* -s 만듦새; 제조, 작성.

Mächen *n.* (westd.) ↑ Mädchen.

Machenschaft [máxənʃaft] *f.* -en 음모, 간계: seine ~en durchkreuzen 그의 음모를 좌절시키다; ~en gegen jn. aufdecken 누구에 대한 음모를 적발하다.

Macher [máxər] *m.* -s, - ① 만드는 사람, 제작자, 제조자: Schuh≁ 제화공; Uhr≁ 시계 제조인. ②《프랑스어 faiseur 의 역어》〖비유〗(나쁜 일의) 주모자, 장본인, 선동자; 흑막. ③ 실력자, 지도자.

Macherei *f.* -en ① 제작(하기); 〖폄어〗↑ Machwerk. ② 제작소: Uhr≁ 시계 제작소. ③ 계속되는 (귀찮은) 일: Faxen≁ 계속해서 팩스 보내는 일.

Macher·lohn *m.* 제작비, 품삯.

Machiavelli [makiavέli] *m.* Niccolo ~ 마키아벨리(이탈리아의 정치 사상가, 1469-1527).

Machiavellismus [makiavεlísmus] *m.* - 마키아벨리즘, 권모술수주의.

machiavellistisch [..vεlístıʃ] *a.* 마키아벨리즘의, 수단을 가리지 않는, 권모술수의.

Machination [maxinatsió:n] 《lat.》 *f.* -en 간계, 음모; 〖고어〗꾀, 속임수, 요령.

machinieren [maxi..] *i.* (h.) 음모를 꾸미다.

Machismo [matʃísmo] *m.* -(s) 〖폄어〗남성 우월주의.

Mächler [mέçlər] 《frz. faiseur 의 역어》 *m.* -s, - ① 음모가. ② (bayrisch-kärntnerisch) 목제 가구〔싱크대〕제작자.

Macho [mátʃo] 《sp.》 *m.* -s, -s 〖폄어〗남성 우월주의자.

Machsor [maxzó:r] 《hebr.》 *m.* -s, -(s)/-im 〖宗〗유대인의 대제일(大祭日) 기도서.

***Macht** [maxt] 《⇔ mögen》 *f.* ① 능력: **aus** eigener ~ 자력으로; aus aller〔ganzer〕~ 힘껏, 열심히; es liegt nicht **in** meiner ~ 그것은 내가 할 수 있는 일이 아니다; es steht nicht in meiner ~, dir zu helfen 내게는 너를 도울 힘이 없다; **mit** (aller) ~ 힘껏, 전력을 다하여; **nach** ~ 분수에 맞게; **über** ~ a) 능력 이상으로, b) 대단히. ② 권력, 위력; 주권; 전권; 강제력, 폭력: die politische ~ 정치적 권력; die ~ ergreifen 권력을 장악하다, 집권하다; übernehmen 권력을 물려받다; an die〔zur〕~ kommen〔gelangen〕권력〔정권〕을 장악하다; ~ über Leben und Tod 생살여탈권; ~ über jn.〔et.〕haben 누구를〔무엇을〕장악하다, 마음대로 좌지우지하다; zu et.[3] ~ haben 무엇을 할 권리를 가지다; 〖속담〗~ geht vor Recht 주먹이 법보다 가까이 있다. ③ 체력, 지력. ④〖구체적 세력으로서〗**(a)** 병력, 군대: bewaffnete ~ 무력; Land≁ 육군; See≁ 해군. **(b)** 강대국: europäische Mächte 유럽 열강. ⑤〖문학〗힘 있는 자: himmlische Mächte 신들; Mächte der Finsternis 어둠의 세력, 사탄의 무리; hier waltet eine höhere ~ 이것은 신의 섭리다, 불가항력이다. ⑥〖聖·고어〗여성용 면사포.

Macht≈anspruch *m.* 권한 요구. **~apparat** *m.* 〖정치〗권력 기구, 정권 유지 기구. **~-äußerung** *f.* 〖法〗권력 표시. **~ausübung** *f.* 권력 행사. **~befugnis** *f.* 〖法〗자격, 권능, 권한: jn. mit ~sen ausstatten 누구에게 자격을 부여하다. **~bereich** *m./n.* 권력〔세력〕범위. **≁bewußt** *a.* 권력을 자각한. **~block** *m.* (정치) 세력(권). **~entfaltung** *f.* 세력 신장. **~ergreifung** *f.* 권력 장악. **~frage** *f.* 세력〔권력〕의 문제. **~fülle** *f.* 대단한 위세, 권력. **~geber** *m.* 수권자(授權者). **~gebot** *n.* 주권자의 명령; 엄명. **~gruppe** *f.* 권력 집단, 정치 세력. **~haber** *m.* 권력〔독재〕자. **≁haberisch** *a.* 전제〔독재〕의. **~handlung** *f.* 전제〔독재〕행위, 압제. **~herr(scher)** *m.* 전제 군주. **~hunger** *m.* 권력욕.

***mächtig** [mέçtıç] 《<Macht》《I》*a.* ① 힘있는, 강력한; 대단한, 거대한: die ≁en 세력가〔유력자〕들; ein ~er Herrscher 강력한 지배자; ein ~er Einfluß 지대한 영향; ein ~er Hunger 심한 공복. ② **(a)**〖2 격을 지배하여〗eines Dinges〔js.〕~ sein 무엇을〔누구를〕지배하다, 마음대로 제어하다; der deutschen Sprache ~ sein 독일어에 숙달해 있다; seiner Sinne〔seiner selbst〕nicht ~ sein 자기 감정〔자기 자신〕을 제어할 수 없다; nur eines Armes ~ sein 한 쪽 팔만을 자유로이 쓰다. **(b)**〖daß 문장 또는 zu 부정법과 함께〗〖고어〗…을 할 능력이 있다: er ist ~, die Widersprecher zu strafen 그는 반대자들을 벌할 힘이 있다. ③〖광산〗(광층·탄층이) 두꺼운: der Gang ist 10 Fuß ~ 이 광맥은 두께가 10 피트이다. ④ 포만감을 주는: das Essen ist für mich〔mir〕zu ~ 식사가 내게는 너무 기름이 진다. 《II》*adv.* 〖고어〗대단히, 크게: ~ schreien 크게 소리치다; es hat mich ~ gefreut 나는 매우 기뻤다.

mächtigen *t.* (niederrhein., md.) ↑ bezwingen.

Mächtigkeit *f.* -en ① 강력, 막강. ② 거대. ③〖광산〗(지층의) 두께. ④〖수학〗집합의 원소의 수.

Mächtigkeits·springen *n.* 〖승마〗짧은 경

로의 고난도 장애물 경주.
mächtiglich *adv.* 〔고어〕 크게, 매우.
Macht≈kampf *m.* 권력 투쟁, 주도권 싸움. **~kreis** *m.* 세력〔권력〕범위.
machtlos *a.* 힘없는, 무능한: 〔구어〕 dagegen sind wir ~ 〔da stehen wir ~ vis-à-vis〕 그것에 대해 우리는 속수무책이다.
Machtlosigkeit *f.* 무력, 무능.
Macht≈mittel *n.* 권력 수단. **~politik** *f.* 권력〔세력〕 정치. **~position** *f.* 권력〔권세〕 있는 지위, 권좌. **~probe** *f.* 힘겨루기. **~rede** *f.* 권위자의 말, 엄명. **~sprecher** *m.* 독재〔집정〕자. **~spruch** *m.* 권위자의 명령, 대명(大命). **~stellung** *f.* ↑ ~position. **~streben** *n.* ① (정치) 권력 추구. ②〖心〗 (개인적) 권력 추구, (인간의) 환경 지배 욕구. **~struktur** *f.* 권력 구조. **~übernahme** *f.* 권력 승계〔획득〕. **~verhältnis** *n.* 〖法·哲〗 권력〔세력〕 관계; 세력 균형. **≈voll** *a.* 세력 있는; 효력〔효과〕 많은, 유효한. **~vollkommenheit** *f.* 절대적 권력. **~wechsel** *m.* 〖政〗 정권(세력) 교체. **~wille** *m.* 권력 의지. **~wort** *n.* ① ↑ ~spruch. ② ↑ ~rede: ein ~ sprechen 결정적인 말을 하다.
machulle [maxʊ́lə] 《hebr.》 *a.* 〔구어〕 ~ sein ①〔경박〕파산하다. ②〔방언〕피곤하다. ③〔방언〕미치다.
Mach·werk [máx..] *n.* 만든〔꾸민〕 것; 서투른 세공, 졸작.
Mach·zahl *f.* 〖物〗 마하수(數) (음속의 단위).
mack *a.* (ndd.) 유순한; 무력한, 지쳐 버린.
Mack *n.* -s ↑ Hack.
Macke *f.* -n ①〔구어〕결함, 흠: die Maschine hat so ihre ~n 그 기계는 그런 결함이 있다. ②〔경박〕괴팍, 기벽: der Alte hat 'ne ~ 그 노인은 (정신이) 이상하다.
Macker *m.* -s, - ① (청소년 사이에서) (여자의) 남자 친구. ② 젊은놈, 녀석. ③〔경박〕주모자. ④ (ndd.) 동료, 협력자.
Mackintosh [mákɪntɔʃ] 《engl.》 *m.* -, - 방수포(布); 방수 외투(발명자 이름에서).
macklich *a.* ① 유효한, 편리한, 편안한; 실용적인. ②〖海〗 (물이) 잔잔한.
Maçon [masɔ̃ː] 《frz.》 *m.* -s, -s 미장이(Maurer); 비밀 결사원(Freimaurer).
Maçonnerie [masɔnəríː] *f.* (Freimauerei) 비밀 결사, 프리메이슨.
Macula 《lat.》 *f.* (피부·광석 따위의) 반점(斑點).
MAD [ɛmǀaːdéː] 〖軍〗 =Militärischer Abschirmdienst 군기무 기관.
Mad *n.* -s, Mäder [mɛ́ːdər] (schweiz.) 산의 초원, 산지 목장.
Madagaskar [madagáskar] *n.* 마다가스카르(아프리카 동남쪽의 섬; 공화국).
Madagasse [..gásə] *m.* -n, -n 마다가스카르 사람.
Madagassin *f.* -nen ↑ Madagasse 의 여성형.
madagassisch *a.* 마다가스카르섬의.
***Madam** [madám] 《frz. madame》 *f.* -s/-en, **Madame** [madám] (약어: Mme.) *f.* Mesdames [mɛdám] (약어: Mmes.) ①〔기혼 부인에 대한 호칭 또는 존칭〕부인. ②〔구식〕마님. ③〔농담〕풍만한 여자. ④〔방언·농담〕처, 아내.
Madamchen [madámçən] *n.* -s, - 〔↑ Madam(e) 의 축소형〕〔구어·농담〕 젊은 부인, 아주머니.
Madamm *f.* 〔방언〕 ① 마님. ② 산파. ③〔농담〕풍만〔유복〕한 부인.
Madapolam [madapolá(ː)m] *m./n.* -s, -e (동인도의 지명을 따라서) 캘리코와 메린스 중간의 두꺼운 면포(綿布).
***Mädchen**[1] [mɛ́ːtçən] 《원래는 Magd, Maid 의 축소형》 *n.* -s, - ① (↔ Junge) 소녀, (성적으로 성숙하지 않은) 여자 아이; 처녀, 딸, 미혼 여인: eine Schule für Jungen und ~ 남녀공학. ② 하녀(Dienst≈): ~ für alles 무슨 일이든지 시킬 수 있는 여자 아이, 부려먹기 좋은 사람. ③ 애인, 연인: ein leichtes ~ 창녀; ein gefallenes ~ 타락한 젊은 여인.
..mädchen *suf.* "…소녀, …하녀, …여직원"의 뜻(보기: Zimmer~; 객실 담당 여직원; Milch~ 우유 배달 소녀, 젖 짜는 소녀).
Mädchen[2] *n.* -s, - 〔↑ Made 의 축소형〕 작은 구더기.
Mädchen≈anstalt *f.* ↑ ~schule. **~auge** *n.* 소녀 같은 눈. **~erziehung** *f.* 소녀〔여자〕교육. **~fänger** *m.* 여자 꽁무니를 따라다니는 남자, 탕아.
mädchenhaft *a.* 소녀와 같은, 소녀〔처녀〕다운; 〔비유〕 내성적인, 수줍은; 순결한.
Mädchenhaftigkeit *f.* 소녀〔처녀〕다움.
Mädchen≈handel *m.* 소녀 유괴 매매, 부녀자 인신 매매. **~händler** *m.* 소녀 매매자, 부녀자 인신 매매자. **~herz** *n.* 소녀〔처녀〕의 마음〔가슴〕. **~hirt** *m.* (schweiz.) 포주, 뚜쟁이. **~jäger** *m.* ↑ ~fänger. **~jahre** 〔복수〕 소녀〔처녀〕 시절. **~kammer** *f.* 하녀의 방. **~klasse** *f.* 여학생반. **~name** *m.* 소녀의 이름; (기혼 여성의) 미혼 때의 성. **~pensionat** [..pã.., ..pɛn..] *n.* 여자 기숙 학교. **~raub** *m.* 소녀 유괴. **~räuber** *m.* 소녀 유괴범.
Mädchenschaft *f.* 〔고어〕 ① 처녀임, 처녀 기질. ②〔복수: -en〕〔집합적〕 소녀들, 처녀단.
Mädchen≈schule *f.* 여학교. **~schutz** *m.* 부녀자의 보호. **~sommer** *m.* 늦여름; 늦은 여름 공중에 떠도는 거미줄. **~stube** *f.* 하녀 방. **~tage** 〔복수〕 ↑ ~jahre.
Mädchentum *n.* -s ↑ Mädchenschaft ①.
Mädchen≈turnen *n.* 여자 체조; 미용 체조. **~volk** *n.* 소녀들. **~weihe** *f.* (원시 민족의) 소녀들을 위한 성년식. **~zimmer** *n.* ① 여자방. ② 하녀방.
maddern *i.* (h.)/*t.* (ndd.) ↑ pfuschen.
Made [máːdə] 《원뜻 „Nager"》 *f.* -n 〖動〗 구더기: 〔구어〕 leben wie die ~ im Speck 풍족한 생활을 하다.
Madegasse [madəgásə] *m.* -n, -n ↑ Madagasse.
Madegassin *f.* -nen ↑ Madagassin.
madegassisch *a.* ↑ madagassisch.
made in Germany [méɪd ɪn dʒə́ːmənɪ] 《engl.》 독일제.
Madeira [madáɪra, ..déːra] 《port.》 *m.* -s, -s ① 마데이라(포르투갈령의 섬·제도). ② 마데이라산(産) 포도주.
Madeira·wein *m.* ↑ Madeira ②.
Madel *n.* -s, -n (südd., öst.) 소녀, 처녀.
Mädel [mɛ́ːdəl] *n.* -s, -(s) 〔↑ Magd 의 축소형〕 (öst, südd.) 계집애, 처녀.

Mädel·baum *m.* (schlesisch) ↑ Kiefer.
Mademoiselle [madəmoazɛ́l] 《frz.》 (약어: Mlle.) *f.* Mesdemoiselles [mɛdmoazɛ́l] (약어: Mlles.) 아가씨, 양, 미스.
Maden≈fraß *m.* (식품의) 벌레먹은 자리. **~fresser, ~hacker** *m.* 〖動〗 아니(구더기를 잡아먹는 아메리카산(産) 두견). **~sack** *m.* 〔폄어·비유〕 (부패·사멸할) 육체(인체를 벌레의 허물에 비유하여). **~wurm** *m.* 〖動〗 요충.
Madera [madé:ra] ↑ Madeira.
Mäderl [mɛ́:dərl] *n.* -s, -n (öst.) 〔구어〕 ① 소녀. ② (애칭으로) 처녀, 아가씨.
Mäde·süß [mɛ́:də..] *n.* 〖植〗 단풍터리풀.
madicht *a.* ↑ madig.
madig 《<Made》 *a.* ① 구더기투성이인; (과일이) 벌레 먹은; (버터나 치즈가) 썩기 시작한. ② 〔비유〕 싫은: jn. ~ machen 누구를 헐뜯다, 조소〔비방〕하다; jm. et. ~ machen 누구에게 무엇을 비방하여 진절머리나게 하다; sich ~ machen (잘난 척하여) 인심을 잃다; ein ~er Kerl 하찮은 놈. ③ (wien.) 게으른, 태만한.
Madjar [madjá:r] *m.* -en, -en 마자르 사람 (헝가리의 주요 민족).
Madjarin *f.* -nen ↑ Madjar 의 여성형.
Madjaren·reich *n.* 〔고어〕 헝가리.
madjarisch *a.* 마자르 사람의.
madjarisieren *t.* 마자르화하다.
Madjarisierung *f.* 마자르화.
Madl [má:dəl] *n.* ↑ Madel.
Mädlein [mɛ́:t..] *n.* -s, - 〔↑ Made 의 축소형〕 작은 구더기.
Madonna [madɔ́na] 《it., „meine Herrin/Frau !"》 *f.* ① 성모 (마리아). ② 〔복수: ..nen〕 (보통 아기 예수를 안은) 성모상〔그림〕.
Madonnen≈bild *n.* ↑ Madonna ②. **~gesicht** *n.* 성모 마리아 같은 얼굴.
madonnenhaft *a.* 성모의〔와 같은〕.
Madonnen≈kultus *m.* 성모 (마리아) 숭배. **~lilie** *f.* 〖植〗 마돈나 (그림에 자주 등장하는) 백합. **~verehrung** *f.* 성모 숭배.
Madras [madrás, mádras] 마드라스(인도 항구 도시).
Madras·gewebe *n.* 마드라스직(織).
Madrepore [madrepó:rə] 《it.》 *f.* -n 〖動〗 석산호충(石珊瑚蟲).
Madreporen·kalk *m.* 〖지질〗 석산호충 석회.
Madrid [madrít] 마드리드(에스파냐의 수도).
Madrider 《I》 *m.* -s, - 마드리드 사람. 《II》 *a.* 마드리드의.
Madrigal [madrigá:l] 《it. mandra》 *n.* -s, -e ① 〖음악〗 **(a)** (14 세기의 2〔3〕 중창의) 마드리갈곡. **(b)** (16-17 세기의 다중창의 종교적) 합창가. ② 〖문학〗 (14 세기의 이탈리아 목가에서 발전되어 16-17 세기에 고정된 형식을 갖게 된) 마드리갈시(형).
Madrigal≈chor *m.* 〖음악〗 마드리갈 합창. **~stil** *m.* 마드리갈 양식.
maestoso [maɛstó:zo] 《it.》 *adv.* 〖음악〗 장엄〔장중〕하게.
Maestro [maɛ́stro] 《it.》 *m.* -s, -s/..stri 〔교양〕 ① 대가, 명인, 명작곡가, 명지휘자. ② 〔교양·구식〕 음악 선생님.
Maeterlinck [má:tərlɪŋk] *m.* Maurice ~ 마테를링크(벨기에의 시인, 1862-1949).
Mäeutik [mɛɔ́ʏtɪk] 《gr.》 *f.* 〖哲〗 산파술(소크라테스의 문답법).
Mafäuken, Maföken 《<frz. ma foi !》 *n.* 〖방언〗 ↑ Spitzfindigkeit.
Maf(f)ia [máfia] 《it.》 *f.* -s ① 마피아단. ② 마피아식 이익 추구 단체.
Maf(f)ia·methoden *pl.* 〔구어〕 마피아식의 강압적 (이익 관철) 방식.
mafios *a.* 마피아의, 마피아에 소속된.
Mafioso *m.* -(s), ..si 마피아단원.
Mag *f.* (ndd.) ↑ Magen 위.
Mag. =Magister 스승, 석사.
mag [ma:k] ↑ mögen 의 1, 3 인칭 단수 현재형.
Magalhães·straße [magaljɑ̃ĩʃ..] 《port.》 *f.* 마젤란 해협(Magellanstraße).
*__Magazin__ [magatsí:n] 《it. magazzino》 *n.* -s, -e ① 저장소, 창고; (드물게 외국에서) 백화점; (박물관의) 수집품 보관실; (도서관의) 서고; (우편차의) 짐 싣는 곳. ② 점포. ③ 〖軍〗 무기 탄약고, 창(廠); 슬라이드 보관함; (연발총·기관포 따위의) 탄창: das ~ leer schießen 탄창의 실탄을 모두 사격하다. ④ 〔보도·지식의 광이라는 뜻에서〕 **(a)** (화보) 잡지. **(b)** 〖라디오·TV〗 (연작) 시사 해설 방송. ⑤ 〖工〗 부(속)품 보관함.
Magazin·aufseher *m.* ↑ ~verwalter.
Magaziner *m.* -s, - 창고 노동자.
Magazineur [magatsinǿ:r] 《frz.》 *m.* -s, -e 창고 관리인.
Magazin·gewehr *n.* 〖軍〗 연발총.
Magazinier [..tsinié:] *m.* -s, -e ↑ Magazineur.
magazinieren *t.* 창고에 넣다, 저장하다.
Magazin≈schiff *n.* 〖軍〗 군수품 수송선. **~sendung** *f.* ↑ Magazin ④ (b). **~verwalter** *m.* 창고지기, 창고 관리인.
*__Magd__ [ma:kt] *f.* Mägde [mɛ́:kdə] ① 〖문학·고어〗 소녀, 처녀: die reine ~ 〔die ~ Gottes〕 성모 마리아. ② 〔구식〕 하녀: die Knechte und Mägde des Bauernhofes 농가의 하인들과 하녀들; 〔비유〕 die Naturwissenschaft als ~ der Heilkunde betrachten 자연 과학을 의학의 시녀로 간주하다.
Magdalena [makdalé:na] 《hebr.》 *f.* 마그달레나(여자 이름); 〖聖〗 막달라 마리아(누가 8 : 2, 마태 27 : 56).
Magdalene [..nə] *f.* ① ↑ Magdalena. ② 〔복수〕 개전(改悛)한 창녀, 속죄한 여자.
Magdalenen·stift *n.* 막달라 마리아의 집(개전한 창녀를 위한 보호소).
Magdalenien [magdaleniɛ̃:] 《frz.》 *n.* -(s) 구석기 시대의 말기(발견 장소의 이름에서).
Magdeburg [mákdəburk] 마그데부르크(옛 작센의 도시).
Magdeburger 《I》 *m.* 마그데부르크 사람. 《II》 *a.* 마그데부르크의.
Magdeburger Börde 마그데부르크 평원.
magdeburgisch *a.* 마그데부르크의.
Mägde≈heim *n.*, **~herberge** *f.* 〔고어〕 하녀〔직업 여성〕 숙박소. **~stube** *f.* 〔고어〕 (농가의) 하녀방.
Mägd(e)lein [mɛ́:kdəlaɪn, mɛ́:kt..] *n.* -s, - 〔↑ Magd 의 축소형〕 〖문학·고어〗 소녀; 아가씨; 어린 하녀.

Magd·lohn *m.* 하녀의 급료.
Magdtum *n.* -(e)s 〖고어〗 처녀임, 순결; 하녀의 신분.
Mage [má:gə] *m.* -n, -n 〖고어〗 친척.
Magellan·straße [magɛlá:n..., ..ljá:n..] *f.* 남아메리카의 마젤란 해협.
***Magen** [má:gən] *m.* -s, - 〔obd.: Mägen〕 위: mit leerem ~ 빈속으로; einen guten ~ haben a) 잘〔많이〕 먹다, b) 〖비유〗 참을성이 많다; 〖경박〗 jm. hängt der ~ in die 〔in den〕 Kniekehlen 누가 매우 배가 고프다; 〖구어〗 jm. dreht sich der ~ um 누가 속이 메스껍다; sich³ den ~ überladen 과식하다; sich³ den ~ verderben〔〖구어〗 verrenken〕 배탈나다; 〖경박·농담〗 (die) Liebe geht durch den ~ 남편의 사랑은 부인의 요리 솜씨에 달렸다; 〖비유〗 sich³ den ~ warm halten 손해를 예방하다, 조심하다; ich hab's im ~ 〔der ~ tut mir weh〕 나는 배가 아프다; et.〔jn.〕 im ~ haben 무엇〔누구〕에 싫증이 나다, 진저리가 나다; nichts im ~ haben 허기지다; schwer 〔wie Blei〕 im ~ liegen a) (음식 따위가) 체하다, b) 싫어서 못 견디다; jm. (bis) in den ~ sehen 누구를 엄격하게 신문하다; 〖비유·구어〗 und das auf nüchternen ~! 이것마저, 이것이 빠질 리 없지!
mägen *t./i.* (ndd.) ↑ mögen.
mäglich *a.* (ndd.) ↑ möglich.
Magen≈arz(e)nei *f.* 위장약, 건위제. **~-atonie** *f.* 〖醫〗 위근(胃筋) 쇠약증, 위 아토니. **~ausgang** *m.* 유문(幽門). **~ausheberung** *f.* 〖醫〗 위액 채취. **~beschwerden** *pl.* 위장 장애. **~bitter(er)** *m.* (쓴 건위) 약초술. **~blutung** *f.* 〖醫〗 위출혈. **~brennen** *n.* 속앓이. **~bruch** *m.* 위헤르니아. **~-Darm-Katarrh** *m.* 〖병리〗 위장 카타르. **~dilatation** *f.* 위확장. **~drücken** *n.* 위 압박. **~drüse** *f.* 위선(胃腺). **~durchfall** *m.* 위소화 불량성 설사. **~eingang** *m.* 위문, 분문(噴門). **~elixier** *n.* 건위 정기제(健胃丁幾劑). **~entzündung** *f.* 위염. **~erweiterung** *f.* 위확장. **~fahr·plan** *m.* 〖드물게 복수〗〖농담〗 (특정 기간의 고정된) 식단표. **~fistel** *f.* 〖醫〗 ① 인공 영양 공급을 위해 설치한 누관. ② 위루(胃瘻). **~flüssigkeit** *f.* 위액. **~gegend** *f.* 위부(胃部). **~geschwulst** *f.* 위종양. **~geschwür** *n.* 위궤양. **~grube** *f.* 명치 부위. **~haut** *f.* 위막. **~katarrh** *m.* 위카타르. **~knurren** *n.* 위의 쪼르륵 소리, 위명(胃鳴). **~krampf** *m.* 위경련. **≈krank** *a.* 위병이 난. **~krankheit** *f.* 위(장)병. **~krebs** *m.* 위암. **~leiden** *n.* 위병. **≈leidend** *a.* 위병의. **~mittel** *n.* (대개 약초인) 건위제. **~mund** *m.* 위문, 분문(噴門). **~operation** *f.* 위수술. **~pförtner** *m.* 유문(幽門). **~pille** *f.* 건위 정제. **~pulver** *n.* 건위 가루약. **~saft** *m.* 위액. **~säure** *f.* 위산. **~schlauch** *m.* ↑ ~sonde. **~-schleim** *m.* 위점액. **~schleim·haut** *f.* 위점막. **~schleim·haut·entzündung** *f.* 위(점막)염. **~schlund** *m.* ↑ ~mund. **~-schluß** *m.* (커피나 술 따위의) 마지막에 먹은 음식. **~schmerzen** *pl.* 위통(痛). **~-schnitt** *m.* 위절개(술). **~schwäche** *f.* 위약(胃弱), 소화 불량. **~senkung** *f.* 위하수(胃下垂). **~sonde** *f.* 위소식자(위세척 및 영양 공급용 튜브). **~spiegel** *m.* 위 내시경. **~spiegelung** *f.* 〖醫〗 위내시경 촬영. **~-spülung** *f.* 위세척. **≈stärkend** *a.* 위를 튼튼히 하는 데 효력이 있는, 건위성의: ~es Mittel 건위제. **~stärkung** *f.* 건위제, 건위법, 가벼운 식사. **~tropfen** *pl.* 건위 물약, 시럽. **~übel** *n.* 위병. **~übersäuerung** *f.* 위산 과다. **~verstimmung** *f.* 위병. **~wand** *f.* 위벽.
***mager** [má:gər] *a.* ① 여윈, 수척한, 살이 없는, 가냘픈: ~ machend 수척하게 하는; ~e Schwindsucht 몸을 마르게 하는 폐병. ② **(a)** (고기·음식 따위가) 지방이 없는〔적은〕; 묽은, 빈약한, 자양분이 적은: ~er Schinken 비계가 없는 햄; ~e Kost (지방이 적은) 다이어트식; ~er Wein 김 빠진 포도주. **(b)** 비옥하지 않은, 불모의: ein ~er Boden 메마른 땅. **(c)** 〖植〗 발육 불량의; 흉작인: eine ~e Ernte〔Jahre〕 흉작〔흉년〕. **(d)** 〖광물〗 ~es Erz (금속 함유량이 적은) 빈광(貧鑛). **(e)** 〖印〗 ~e Schrift 명조체(가는 활자). **(f)** 〖건축〗 ~er Stein 잔돌. ③ 〖비유〗 모자라는, 빈약한: ein ~es Einkommen〔Gehalt〕 박봉; ~e Jahre 궁핍한 시절; ~e Schriften 내용이 빈약한 글. ④ 〖명사적〗 das ≈e 지방 없는〔바싹 마른〕 부분; 〖방언〗 ich komme dir ans ≈e! 너의 아픈 곳을 찔러 주마!
Magerkeit *f.* ① 마름, 수척, 가냘픔. ② 기름기가 없음, 빈약.
Mager·kohle *f.* 저칼로리 석탄.
mägerlich *a.* 조금 여윈, 수척한 편인.
Mager·milch *f.* 탈지유(↔ Vollmilch).
magern [má:gərn] *i.* (h./s.) 수척해지다, 마르다: Mörtel ~ (빨리 건조시키기 위해) 회반죽에 모래를 섞다.
Mager≈quark *m.* 저지방, 저칼로리 응유. **~sucht** *f.* 〖醫·心〗 위축증, 병적인 체중 감소. **≈süchtig** *a.* 위축증의.
Maggi [mági] 《it.》 *n.* 마기(스위스 Maggi 사 제조의 간장 비슷한 조미료); 마기사(社)(그 제조업체).
***Magie** [magí:] 《gr.》 *f.* 마술, 요술: ~ treiben 마술을 부리다; Schwarze ~ 해로운 마술〔악마 이용〕; Weiße ~ 무해한 마술〔선신 이용〕; die ~ des Wortes 언어의 마력.
Magier [má:giər] *m.* -s, - ① 고대 페르시아 사제; 동방의 3박사. ② 마술사.
Magiker [má:gɪkər] *m.* -s, - ↑ Magier ②.
magisch *a.* 마법〔마술〕의, 불가사의한: ~e Beleuchtung〔Laterne〕 환등; ~es Quadrat 마방진(魔方陣); eine ~e Anziehungskraft ausüben 신비한 매력을 발산하다; das ~e Auge (라디오) 매직 아이, 동조(同調) 지시관.
***Magister** [magɪ́stər] 《lat.》 *m.* -s, - ① 〖고어〗 스승, 선생. ② 〔Magister Artium의 약칭〕 (인문·사회 과학 분야의) 석사(학위)(약어: M.A.): (öst.) (학부·대학원 통합 과정의 석사 학위) M. pharmaciae 약학 석사; M. philosophiae 철학 석사; M. rerum naturalium 이학 석사; M. theleologiae 신학 석사. ③ 〖구어〗 석사 학위 시험: den ~ machen 석사 학위를 하다. ④ 석사 학위 소지자.
Magister≈grad *m.* 석사 학위. **~promotion** *f.* 석사 학위 수여.
Magistrale *f.* -n 주요 간선 도로.

Magistrat [magıstrá:t] 《lat.》 *m.* -(e)s, -e 관청; 시청; 시의회(의원); 시당국자, 시장.
Magistrats≈beschluß *m.* 시참사회의 결의. **~mitglied** *n.*, **~person** *f.* 시의원. **~-sitzung** *f.* 시의회의 회의. **~würde** *f.* 시의원의 신분.
Magistratur [magıstratú:r] 《lat.》 *f.* -en 시의원직.
Magma [mágma] 《gr.,》 *n.* -s, ..men ①〖고어〗 짓이겨 반죽한 것, 연괴(軟塊). ②〖지질〗 마그마, 암장(岩漿).
Magna Charta (Libertatum) [mágna kárta] 《lat., „der große Freibrief"》 *f.* 마그나 카르타, 대헌장(1215 년에 영국에서 공인된 자유의 특허장).
magna cum laude [mágna kum láudə] 《lat. "mit großem Lob"》 우등으로(박사 학위 시험의 두 번째 평점).
Magnalium [magná:lium] 《lat.》 *n.* -s 마그날륨(마그네슘 합금).
Magnat [magná:t] 《lat., magnatus》 *m.* -en, -en ① 국가의 유력자, 부유한 귀인; (특히) (헝가리 및 폴란드의) 최고위 귀족. ② (한 업종을 지배하는) 대기업가(보기: Zeitungs≈ 신문 재벌; Öl≈ 석유 재벌).
Magnaten≈haus *n.* (옛날 헝가리의) 귀족원. **~herrschaft** *f.* (옛날 헝가리의) 귀족 정치. **~tafel** *f.* ↑ ~haus.
Magnesia [magné:zia] 《gr.》 *f.* ①〖化〗 산화마그네슘, 마그네시아, 고토(苦土). ② 마그네시아(그리스 테살리아 동부 해안 지방).
Magnesit [magnezí:t, ..zít] *m.* -(e)s 〖광물〗 마그네사이트, 능고토광(菱苦土鑛), 고토석.
***Magnesium** [magné:zium] *n.* -s 〖化〗 마그네슘(금속 원소; 기호: Mg).
Magnesium·legierung *f.* 마그네슘 합금.
***Magnet** [magné:t] 《gr.》 *m.* -(e)s/(고어) -en, -e ① 자철, 자석: ein künstlicher〔natürlicher〕 ~ 인조〔자연〕 자석. ②〖비유〗 끄는 힘〔매력〕이 있는 것〔사람〕: der ~ der Gesellschaft 사교계의 인기인.
Magnet≈apparat *m.* 〖전기〗 자석 발전기. **~band** *n.* 〖컴〗 자기(磁氣) 테이프. **~berg** *m.* ① 자석산(山)(러시아의 남우랄에 있음). ② ~e *pl.* 자석산(동화·전설에 나오는 산; 가까이 오는 배를 끌어들여 난파시킨다고 함). **~blasen·speicher** *m.* 〖컴〗 자기(磁器) 거품 기억 장치(미국 Bell 연구소 개발 기억 장치: magnetic bubble memory). **~eisen(erz)** *n.*, **~eisen·stein** *m.* 〖광물〗 자철광. **~-elektrizität** *f.* 〖理〗 자전기(磁電氣). **~-feld** *n.* 자장, 자기장. **~induktion** *f.* 자기 감응. **~induktor** *m.* 자기 감응기, 자석 발전기.
magnetisch [magné:tıʃ] *a.* ①〖理〗 자석〔자기〕의, 자성(磁性)의: ~e Kraft 자력; ~e Stürme〔Gewitter〕 자기 폭풍. ②〖비유〗 사람을 끄는 (힘이 있는), 매력 있는: eine ~e Anziehungskraft auf jn. ausüben 누구를 사로잡는 매력을 지니고 있다.
Magnetiseur [magnetizǿ:r] 《frz.》 *m.* -s, -e 〖醫〗 자기(磁氣) 요법 시술사; 최면술사.
magnetisieren *t.* 자기화(磁氣化)하다; 자기 치료법을 쓰다, 최면술을 쓰다.
Magnetisierung *f.* -en ↑ magnetisieren 의 명사형.
***Magnetismus** [..tís..] *m.* - ① 자기, 자력; 자기학. ② 자기 치료법, 최면술.
Magnet≈kern·speicher *m.* 〖컴〗 자심(磁心) 기억 장치. **~kies** *m.* 〖광물〗 자황철광(磁黃鐵鑛). **~messer** *m.* ↑ Magnetometer. **~nadel** *f.* 자침(磁針).
Magnetit *m.* -s, -e 〖광물〗 자철광.
Magneto≈elektrizität [magneto..] *f.* 전자기(電磁氣). **~graph** 《gr.》 *m.* 자기(自記) 자력계, 자력 기록기. **~induktion** *f.* 자기(磁氣) 유도〔감응〕. **~kern·speicher** *m.* 〖컴〗 자심(磁心) 기억 장치. **~meter** *n.* 자력〔자기〕계(計).
Magneton [mágnetɔn, ..tó:n] *n.* -s, -(s) 〖物〗 마그네톤(자기 운동량의 단위).
Magneto≈phon *n.* 〖전기〗 테이프 리코더, 자기 녹음기. **~sphäre** *f.* 〖지구물리〗 (지구의) 자기권.
Magnet·pol *m.* ① 자석의 (양)극. ② (지구의) 자극(磁極).
Magnetron [mágnetro:n] 《gr.》 *n.* -(e)s, -e 〖理〗 마그네트론, 자전관.
Magnet≈spule *f.* 전자 코일. **~stab** *m.* 막대 자석(磁石). **~stein** *m.* 자철광. **~ton** *m.* 자기 녹음(법). **~ton·gerät** *n.* 자기 녹음 장치. **~ton·konservierung** *f.* 자기 녹음(장치). **~ton·verfahren** *n.* 자기 녹화 방식. **~-zündung** *f.* 자력(磁力) 점화.
magnifik [manjifí:k] 《lat.》 *a.* 웅대한, 화려한, 놀라운.
Magnifikat [magní:fikat] *n.* -(s), -s 성모 마리아의 찬송가(누가 1:46-55).
Magnifikus [..kus] 《lat.》 *m.* -, ..fizi 〖고어〗 Rector magnificus 대학 총장(의 칭호).
Magnifizenz [magnifitsénts] 《lat.》 *f.* -en 님, 각하(대학 총장 또는 자유 도시(Hamburg, Bremen, Lübeck)의 시장에 대한 존칭): 〔Euer〕 ~ 총장님; Seine ~ läßt bitten 총장님께서 오시랍니다.
Magnisia *f.* ↑ Magnesia.
Magnolie [..gnó:liə] *f.* -n 〖植〗 목련속(屬) (프랑스 식물학자 Magnol 에서).
Magnus [mágnus] 《lat., „Großer"》 *m.* 마그누스(남자 이름).
Mag. pharm. =Magister pharmaciae 약학 석사.
Mag. phil. =Magister philosophiae 철학 석사.
Mag. rer. nat. =Magister rerum naturalium 이학 석사.
Mag. theol. =Magister theologiae 신학 석사.
Magsame(n) [má:kza:mə(n)] *m.* ..mens, ..men (obd., westd.) 양귀비(의 종자).
magst ↑ mögen 의 2인칭 단수 현재형.
Magus 《lat.》 *m.* -, ..gi ↑ Magier.
Magyar [madjá:r] *m.* -en, -en ↑ Madjar.
mäh [mɛ:] *int.* 매애(염소·양이 우는 소리).
Mahagoni [mahagó:ni] 《bras. -engl.》 *n.* -s 마호가니재(材).
Mahagoni≈holz *n.* 마호가니 목재. **~möbel** *n.* 마호가니 가구.
Maharadscha [mahará:dʒa] 《ind.》 *m.* -(s), -s 마하라자(인도 토후국의 군주).
Maharani *f.* -s 마하라자의 부인.
Maharischi *m.* -(s), -s 마하리시(인도의 종

교 지도자).
mähbar *a.* (풀을) 벨 수 있는.
Mäh·binder *m.* 〖農〗 자동 수확기, 콤바인.
Mahd [ma:t] 《<> mähen²》《I》 *f.* -en ① 베기. ② 풀 베는 철; 건초 수확. ③ 한 줄의 벤 풀. ④ 하루에 벤 풀. 《II》 *n.* -(e)s (obd.) 풀 베는 곳.
Mähder [mɛ́:dər] 《I》 *m.* -s, - ↑ Mäher. 《II》 *n.* -s, - (obd.) 풀 베는 곳.
Mahdi [má:di, máxdi] 《ar.》 *m.* -(s), -s 〖이슬람교〗 구세주.
..mähdig *suf.* "(풀을) 베는"의 뜻(보기: zwei ~ 일년에 두 번 베는).
Mahdist *m.* -en, -en Mahdi 의 출현을 믿는 이슬람교도.
Mäh≈drescher *m.* 〖農〗 (수확·탈곡 겸용) 복식 수확기. **~drusch** *m.* (자동 수확기로) 수확, 탈곡하기.
mähen¹ [mɛ́:ən] *i.* (h.) (양이) 매애하고 울다; 양 같은 소리를 내다.
***mähen²** *t./i.* (h.) (풀·보리 따위를) 베다; 수확하다: frisch gemäht 갓 베어낸.
Mäher [mɛ́:ər] *m.* -s, - ① 〔고어〕 풀 베는 사람, (곡물을) 거둬들이는 인부. ② 벌초기.
Mäherin *f.* -nen 풀 베는〔거둬들이는〕 여자.
Mäher·lohn *m.* 풀 베는 인부의 품삯.
Mähe·zeit *f.* 풀 베는 철, 베어〔거둬〕들이는 때.
Mah-Jongg [madʒɔ́ŋ] 《chin.》 *n.* -s, -s 마작.
***Mahl¹** [ma:l] 《mhd. mâl》 *n.* -(e)s, -e/Mähler [mɛ́:lər] 식사(시간), 음식물; (Gast∼) 성찬, 연회; 1 회분의 음식: ein ~ halten 식사를 하다; ein kräftiges ~ einnehmen 영양 많은 식사를 하다; das letzte ~ (그리스도의) 최후의 만찬.
Mahl² 《ahd. mahal》 *n.* 〔고어〕 (고대 게르만족의) 재판 집회〔심리(審理)〕; 협약, (결혼) 계약.
Mähl *f.* (ndd.) ↑ Mühle.
Mahl·apparat *m.* 제분기.
Mahl·brief *m.* 조선(造船) 계약서.
mahlen [má:lən] (mahlte, gemahlen) *t./i.* (h.) (곡식을) 갈다, 빻다; (모래 따위를) 갈아 분말로 만들다; (이로 음식물을 잘게) 바수다: zu Pulver ~ 가루로 만들다; gemahlener Kaffee 분말 커피; 〔속담〕 wer zuerst kommt, mahlt zuerst 먼저 온 사람이 먼저 빻는다, 먼저 잡은 사람이 임자다; mit zwei harten Steinen mahlt es sich schlecht 〔zwei harte Steine ~ selten reine〕 두 영웅은 양립할 수 없다; die Kuh mahlte gemächlich das Gras 암소가 여유 있게 풀을 씹어 먹었다; die Räder ~ (진흙탕이나 모래에서) 바퀴가 헛돈다.
Mahl≈fläche *f.* (맷돌의) 마찰면. **~gang** *m.* 맷돌 한 벌, (벽돌 공장 따위의) 분쇄기. **~gast** *m.* 방앗간의 고객. **~gebühr** *f.*, **~geld** *n.* 방앗삯. **~gut** *n.* 가루로 빻는 곡식.
mählich [mɛ́:lɪç] 〔고어〕 *adv.* ↑ allmählich.
Mahl≈jahre *pl.* 미성년 상속자가 농장 관리를 위해 대리인을 필요로 하는 기간.
Mahl≈knecht *m.* 방앗간〔제분소〕의 머슴. **~korn** *n.* ↑ ~gut. **~lohn** *m.* ↑ ~geld. **~metze** *f.* 방앗삯인 곡식. **~mühle** *f.* 방앗간, 제분소. **~recht** *n.* 맷돌〔제분기〕 사용권.
Mahl·sand *m.* 〖海〗 (선박에 위험한) 사구(砂丘)의 유동성 모래.
Mahl≈schatz 〔고어〕 *m.* 혼인 때 주고받는 물건, (약혼 남자의) 선물, (특히) 결혼 반지; 결혼 지참금. **~statt, ~stätte** *f.* (고대 게르만족의) 집회장; 재판소; 형장(刑場).
Mahl≈stein *m.* 맷돌. **~steuer** *f.* 방앗삯. **~strom** *m.* 소용돌이, 급류. **~wasser** *n.* 수차 돌리는 물(길). **~werk** *n.* 물레방아. **~zahn** *m.* 〖해부〗 어금니, 구치(臼齒).
***Mahl·zeit** *f.* ① 〔고어〕 향연. ② 식사 때; (정각의) 식사, (특히) 점심; 음식물; 〔구어〕 성찬; 섭취: ~ halten 식사를 하다. ③ (식전·식후·낮의 인사) ~! a) (주인 쪽) 많이 드십시오!, b) (손님 쪽) 잘 먹겠습니다, 잘 먹었습니다!, c) 안녕!, d) 〔반어〕 잘됐군!; ja 〔na dann〕 pros(i)t ~! ↑ prosit; da haben wir die ~! 이거 큰일 났는데, 야단인데!
Mahm *f.* (bayr.) 숙모; 노부인.
Mäh·maschine *f.* 자동 수확기; 벌초기.
Mahn *m.* (ndd.) ① 양귀비(Mohn). ② 달(Mond).
mahnbar *a.* 청구〔재촉〕할 수 있는.
Mahn≈bescheid *m.* 〖法〗 지급 독촉. **~brief** *m.* ① 경고장; 〖宗〗 계고장. ② 지급 독촉장.
***Mähne** [mɛ́:nə] *f.* -n ① (말·사자 따위의) 갈기. ② 〔농담〕 (사람의) 장발, 더부룩한 머리.
***mahnen** [má:nən] 《<> meinen, Minne》《I》 *t.* ① jn. **an** et. 〔eines Dinges〕 ~ 누구에게 무엇을 생각나게 하다, 무엇을 잊지 않도록 누구의 주의를 환기시키다: ich muß ihn mal an seine Pflichten〔Versprechen〕 ~ 나는 그에게 한 번 그의 의무를〔약속을〕 상기시켜야 한다; dies Bild mahnt mich an meine Mutter 이 초상을 보면 어머니 생각이 난다. ② jn. **um** et. 〔**wegen** eines Dinges〕 ~ 누구에게 무엇을 독촉〔재촉〕하다; jn. schriftlich ~ 누구를 서면으로 경고하다. ③ jn. **zu** et.³ ~ 누구를 독려하여 무엇을 시키다: die hereinbrechende Dämmerung mahnt (einen) zur Eile 땅거미가 지기 시작하여 서두르게 하다. 《II》 *i.* (h.) 〖사냥〗 ① (암사슴 따위가) 발정하여 울다. ② 경고 또는 유인하는 소리를 내다.
mähnen≈artig *a.* 갈기 모양의. **∻busch** *m.* 투구 털장식〔상모〕. **∻schaf** *n.* 〖動〗 아프리카 야생양.
Mahner [má:nər] *m.* -s, -, **Mahnerin** *f.* -nen 권고〔경고〕자, 재촉〔독촉〕자: lästiger ~ 독촉이 심한 채권자.
Mahn≈gebühr *f.* 독촉료. **~mal** *n.* (역사적 사건 따위를 상기시키기 위한) 기념물〔비〕. **~ruf** *m.* 경고(의 외침).
mähnig *a.* 갈기가 있는.
***Mahnung** [má:nʊŋ] *f.* -en (지급의) 재촉, 독촉; 권고, 경고, 주의, 훈계; 독촉장: eine ~ beherzigen〔bekommen〕 주의를 명심하다〔독촉장을 받다〕.
Mahn≈schreiben *n.* ↑ ~brief. **~verfahren** *n.* 〖法〗 독촉 절차. **~wache** *f.* 피켓. **~wort** *n.* 충고, 권고. **~zeichen** *n.* 상기시키는 것, 기념물. **~zettel** *m.* 매매품 대금의 총계와 그것의 인수 기일을 써서 매수인(買受人)에게 교부하는 각서.
Mahomet [má:homɛt] ↑ Mohammed.
Mahonie [..iə] *f.* -n 〖植〗 마호니.
Mahr [ma:r] *m.* -(e)s, -e 악몽, 가위.
Mahr·zopf *m.* 〔방언〕 〖醫〗 규발병(糾髮病).

Mähre¹ [mɛ́:rə] *f.* -n ① 암말; 〖방언〗(일반적으로) 말; 〖폄어〗 야윈〔늙은〕 말. ② 창녀, 잡년.
Mähre² *m.* -n, -n 〖지리〗 모라비아 사람.
Mähr(er)in *f.* -nen ↑ Mähre² 의 여성형.
Mähren [mɛ́:rən] 모라비아(체코의 한 지방).
mähren 《lat.》 *t./i.* (h.) ① 〖구어〗 굼뜨게 일하다; 꾸물거리다. ② (md.) (**a**) (반죽을)이기다; 섞다. (**b**) 헛소리를 하다, 거짓말하다. (**c**) 난잡하게 하다; 파헤치다.
mährisch *a.* 모라비아(사람)의.
Mäh·zeit *f.* ↑ Mähezeit.
***Mai**¹ [maɪ] 《mhd. meie<lat. Maius》 *m.* -/-(e)s, -e ① 5 월, 양춘(陽春): der Erste ~ 노동절. ② 〖비유〗 봄(철); 꽃철: des Lebens ~ 인생의 봄, 청춘: er steht noch im ~ seines Lebens 그는 아직 젊다; 〖비유〗 wie einst im Mai 옛날(행복했던 때)처럼; er ist am 17. ~ geboren 그는 동성애자다(구형법 175 조를 날짜처럼 읽어).
Mai² *n.* -s, -e (obd.) ① 〖植〗 들버드나무, 산버드나무. ② 꽃다발.
Maia [máɪa] ↑ Maja.
Mai≈andacht *f.* 〖가톨릭〗 5 월의 성모 기념(聖母祈念). **~baum** *m.* 5 월주(柱), 메이폴(5 월제 장식용의 높은 나무 기둥). **~blümchen** *n.* ↑ ~blume 의 축소형. **~blume** *f.* 〖植〗 죽대속(屬)의 봄꽃. **~blumen·strauß** *m.* 봄꽃(으로 만든) 꽃다발. **~bowle** [..bo:lə] *f.* 오월주(酒)(백포도주와 샴페인에 선갈퀴향을 첨가한 술). **~butter** *f.* 5 월에 나는 고급 버터; 생(生)크림.
Maid [maɪt] 《mhd. meit》 *f.* -en ① 〖문학〗 처녀, 소녀. ② ↑ Maidenschule 의 학생.
Mai·demonstration *f.* 노동절(5 월 1 일)의 시위.
Maiden [méɪdən, mé:dən] *n.* -s, - 아직 시험해 보지 않은 경주말.
Maiden·schule [máɪdən..] 《<Maid》 *f.* 〖구식〗 여자 보습 학교(1 년제이며 농사·가정(家政)을 가르침).
Maiden·speech [mé:dnspi:tʃ] 《<Maiden; engl.》 *m.* -es, -e(s) (국회 의원 따위의) 처녀 연설.
Maie [máɪə] 《원래 „Mai“와 동어》 *f.* -n 〖구식〗 ↑ Maibaum.
Maien [máɪən] *m.* -s, - 〖방언〗 ① ↑ Mai¹. ② 〖林〗 새싹, 어린 가지. ③ 5 월제 장식용의 어린 자작나무 가지. ④ ↑ Maibaum. ⑤ (obd.) 봄의 꽃(Frühlingsblumen); (schweiz.) 꽃다발. ⑥ 〖植〗 (schweiz.) 들버드나무, 산버드나무. ⑦ 여흥이 있는 축제; (일요일 저녁 따위의) 즐거운 모임(특히 라인 강가의).
maien 《I》 *i.* (h.) ① 즐기다: ~ gehen a) 산책하다, b) 신부감을 찾으러 가다. ② 봄기운이 돌다, 봄이 되다; 꽃피다. ③ 암내를 내다(암말 따위가). 《II》 *t.* ① 봄답게 하다. ② (schweiz.) einen Baum ~ 물오른 나무의 껍질을 벗기다.
Maien≈baum *m.* ↑ Maibaum. **~blüte** *f.* 꽃철; 〖비유〗 한창때; 융성기.
maienhaft, maienlich *a.* 봄다운.
Maien≈königin *f.* ↑ Maikönigin. **~luft** *f.* ↑ Mailuft.
Maien≈nacht *f.* 5 월의 밤. **~sonne** *f.* 봄〔5 월〕의 태양. **~strahl** *m.* 5 월의 햇살.
Mai≈feier *f.* 메이 데이 공식 축하 행사. **~-feier·tag** *m.* 메이 데이, 노동절. **~fest** *n.* 5 월(민속)제. **~fisch** *m.* 〖動〗 청어속의 물고기. **~glöckchen** *n.* 은방울꽃. **~graf** *m.* 5 월제 유희의 승리자. **~grün** *n.* (5 월의) 녹엽(綠葉); 신록. **~käfer** *m.* 〖動〗 쌍무늬바구미: 〖구어〗 strahlen wie ein ~ 파안대소하다. **~-käfern** (*p.p.* gemaikäfert) *i.* (h.) (쌍무늬바구미가 날려고 할 때의 조심스러운 모양에서) 곰곰이 생각하다. **~kätzchen** *n.* 〖植〗 (버드나무·자작나무 따위의) 늘어져서 피는 꽃. **~königin** *f.* 5 월의 여왕(5 월제의 여왕으로 뽑힌 미인). **~kraut** *n.* 〖植〗 선갈퀴. **~kund-gebung** *f.* (5 월 1 일) 노동절 시위.
Mailand [máɪlant] 《it. Milano》 밀라노(이탈리아의 도시).
Mailänder 《I》 *m.* -s, - 밀라노 사람. 《II》 *a.* 밀라노의.
mailändisch *a.* 밀라노(사람)의.
Mail·coach [méɪlkoutʃ, mé:lko:tʃ] 《engl.》 *f.* -es (원래는 우편물을 우송한) 역전(驛傳) 마차; (소포) 우편차; (철도의) 우편차; 여객 수송의 4 두 마차.
Mailing [mé:lɪŋ] 《engl.》 *n.* -(s) 〖광고〗 광고물 우송.
Maillot [majó:] 《frz.》 *n.* -s, -s 편물, 메리야스류, 짠 의복.
Mai≈luft *f.*, **~lüftchen** *n.* ↑ Mailuft 의 축소형. **~lüfterl** *n.* 〖방언〗 봄바람, 산들바람. **~monat, ~mond** *m.* 5 월.
Main [maɪn] *m.* -(e)s 마인강(라인강 가의 최대 지류): Frankfurt am ~ 마인강 가의 프랑크푸르트시.
Main·linie *f.* 마인선(독일을 남북으로 나눈 경계선).
Mai·nacht *f.* 5 월의 밤.
Mainau *f.* 마이나우섬(보덴 호수의 섬).
Maine [me:n] *m.* -s 미국의 메인주.
Mainz [maɪnts] 마인츠(독일 헤센주의 도시).
Mainzer 《I》 *m.* -s, - 마인츠 시민. 《II》 *a.* 마인츠의.
mainzisch *a.* 마인츠(사람)의.
Maire [mɛ:r] 《frz.》 *m.* -s, - (프랑스의) 시장.
Mairie [merí:] *f.* -n [..rí:ən] (프랑스의) 시장직, 시장 재직 기간; 시청.
***Mais** 《indian.》 *m.* -es, -/(종류) -e 옥수수.
Mais≈birne *f.* 〖스포츠〗 (옥수수로 속을 채운) 샌드백. **~brei** *m.* 옥수수죽. **~brot** *n.* (아메리카) 옥수수빵.
Maisch [maɪʃ] *m.* -es, -e ① 아직 탁한 포도주. ② (맥주 양조용의) 맥아즙(麥芽汁). ③ 양조(용) 혼합물.
Maisch·bottich *m.* 맥아즙을 만드는 통.
Maische [máɪʃə] *f.* -n ① ↑ Maisch ②. ② maischen 하기.
maischen [máɪʃən] *t.* 찧어서 섞다(맥아를 더운 물에 넣어 양조 준비를 하다).
Mais≈feld *n.* 옥수수밭. **~gelb** *a.* (다 익은 옥수수같이) 노란. **~kolben** *m.* 옥수수 열매의 속대. **~korn** *n.* 옥수수의 낟알. **~mehl** *n.* 옥수수 가루. **~stärke** *f.* 옥수수 녹말〔전분〕. **~stärke·puder** *m.* 옥수수 전분 가루.
Maisonette, Maisonnette [mɛzɔnɛ́t] *f.* -n 복층 아파트.
Maiß [maɪs] *m.* -es, -e 〔*f.* -en〕 (bayr., öst.) 벌목; 벌채지, 어린 숲.

maißen *t.* (bayr., öst.) 도끼로 쪼개다, 벌채하다.
Mai≈tag *m.* 5월 1일의 노동절, 메이 데이; 5월제(옛 5월 1일 또는 첫 일요일의 양춘제(陽春祭)). **~trank** *m.* ↑ Maibowle.
Maitre [métrə] 《frz.》 *m.* -s, -s 선생, 주인; (프랑스의) 변호사, 판사(에 대한 칭호).
Maitre de plaisir [..dəplɛzí:r] *m.* -s, - 〖구식·농담〗(파티의) 오락 (프로) 사회자.
Maitresse [mɛtrɛ́sə] *f.* -n ↑ Mätresse.
Mai≈wein *m.* ↑ Maibowle. **~wurm** *m.* 〖動〗 땅가뢰.
Maizena [maɪtsé:na] 《sp. <Mais》 *n.* - 고급 옥수수 녹말.
Maja[1] [má:ja] 《skt., maya》 *f.* ① (베타와 브라만 철학에서의) 환영, 가상의 세계, 물질계: der Schleier der ~ 그 주름 속에서 일체의 현상계의 모습을 볼 수 있다고 전하여지는 신비로운 면사포. ② 마야(摩耶) 부인(부처의 어머니).
Maja[2] 《♧ Mai》 *f.* ①〖그리스신화〗 헤르메스의 어머니;〖로마신화〗 봄의 여신. ②〖天〗 소유성(小遊星)의 이름.
Majestät [majɛstɛ́:t] 《lat., maiestas》 *f.* -en ① 존엄, 위엄; 장엄;〖비유〗당당한 위풍. ② 제왕; (황제·국왕에 대한 존칭) Seine ~ 황제 폐하(약어: S(e). M.); Ihre ~ 황후 폐하(약어: I.M.); Euer〔Eure〕 ~ 폐하(직접 아뢸 때)(약어: Ew. M.); Seine ~ betritt den Saal 황제 폐하께서 식장으로 들어가신다; Ihre ~en wurden festlich empfangen 폐하 내외분은 성대한 영접을 받았다.
majestätisch *a.* 위엄 있는, 장엄한, 당당한.
Majestäts≈beleidigung *f.* 〖法〗 불경〔대역〕죄; 상관을 모욕하는 언행이나 행동. **~brief** *m.* 칙허장. **~plural** *m.* 군주가 자기를 부르는 데 쓰이는 복수(보기: ich 대신에 wir, 짐(朕)에 해당함). **~recht** *n.* 대권. **~verbrechen** *n.* ①〔구식〕대역죄, 불경죄. ②〔구어〕 중범죄, 참혹한 범행.
Majolika [majó:lika] 《lt.》 *f.* ..ken 마졸리카 도기(陶器)(잿물을 칠한 그림이 있는 도기로서 에스파냐의 마요르카섬에서 생산).
Majonäse [majonɛ́:zə] *f.* -n ↑ Mayonnaise.
Major [majó:r] 《lat.》 *m.* -s, -e ① 육군 소령, 대대장. ②〖논리〗 (3단 논법의) 대전제.
Majoran [majorá:n, má:joran] 《gr. -lat.》 *m.* -s, -e〖植〗 ① 마요라나(꿀풀과에 속하는 약용 식물). ② 마요라나 잎.
Majorat [majorá:t] 《lat.》 *n.* -(e)s, -e (↔ Minorat) ① 장자임;〖法〗 장자 상속〔승계〕(권). ② ↑ Majoratsgut.
Majorats≈erbe *m.* 호주 상속자. **~gut** *n.* 장자 상속 재산, 세습지. **~herr** *m.* 장자 상속권자.
Major·domus [má:jo:rdó:mus] 《lat.》 *m.* -, - ↑ Hausmeier.
majorenn [majorén] 《lat.》 *a.* 성년의.
Majorennität *f.* 성년.
Majorette [majorét] *f.* -s/-n (축제 행렬의) 제복 입은 소녀.
Majoretten·gruppe *f.* (축제 행렬의) 소녀 악대.
majorisieren [majorizí:rən] *t.* 투표(수)로 승리하다.
Majorität *f.* -en (투표의) 다수: absolute 〔einfache〕 ~ 절대〔단순〕 다수; qualifizierte ~ 대다수〔75% 이상의 득표〕.
Majoritäts≈beschluß *m.* 다수결. **~prinzip** *n.* 〖法〗 다수결 원칙. **~wahl** *f.* ↑ Mehrheitswahl.
Majorka [majɔ́rka] ↑ Mallorca.
Majors≈rang *m.*, **~stelle** *f.* 육군 소령의 지위.
Majorz [majɔ́rts] *m.* -es (schweiz.) 다수결 선거.
Majuskel [majúskəl] 《lat.》 *f.* -n 대문자, 머리 글자(↔ Minuskel).
Mak *f.* (ndd.) ↑ Mache[1].
makaber [maká:bər] 《frz.》 *a.* ① 죽음을 상기시키는; 어두운, 음침한; 오싹하게 하는. ② 죽음의, 죽음과 허무로 농담하는: ~e Reden 죽음을 연상시키는 해학적인 말.
Makadam [makadám] *m./n.* -s, -e 〖토목〗 머캐덤 도로, 자갈 포도(鋪道)(자갈을 깔아 굳힌 도로, 발명자인 MacAdam에서).
makadamisieren *t.* 도로를 자갈로 포장하다, 머캐덤 포장을 하다.
Makadam·pflaster *n.* 〖토목〗 머캐덤 포장〔도로〕.
Makai *m.* (nordwestd.) 응유; 유정(乳精), 유장(乳漿).
Makak [má:kak, maká(:)] 《port.》 *m.* -s/..kaken, ..kaken〖動〗 여우원숭이속(屬).
Makame [maká:mə] 《ar., „Versammlung"》 *f.* -n 마카마(아라비아의 산문시형(形)).
Makao[1] [maká:o, makáu] *m.* -s, -s〖動〗 (열대 아메리카산(産)의) 앵무새류.
Makao[2] *n.* -s (Macau를 따라) 도박.
Makart *m.* Hans ~ 마카르트(오스트리아의 화가, 1840-88).
Makart≈bukett *n.*, **~strauß** *m.* 마른 화초 다발, 건초화(환).
Makassar [makásar] 마카사르(셀레베스 섬의 항구; 우중판당(Ujung Pandang)의 옛 이름).
Makassar·öl *n.* 마카사르 향유(두발용).
Makedonien [makedó:niən] 마케도니아(그리스 북부 지방명).
Makedonier *m.* -s, - 마케도니아 사람.
mekedonisch *a.* 마케도니아의.
***Makel** [má:kəl] 《lat. macula》 *m.* -s, - ① 오점, 얼룩: ohne ~ 흠(집)없이. ②〖비유〗 결점, 흠; 오명, 치욕: et. als ~ empfinden 무엇을 치욕으로 느끼다.
Mäkelei [mɛ:kəláɪ] *f.* -en ① 중개상. ②〔폄어〕흠잡기, 트집잡기; 입버릇이 나쁨.
makelfrei *a.* ↑ makellos.
makelhaft, makelig *a.* 결점 있는, 나무랄〔비난할〕 만한.
mäkelig *a.* 흠잡기를 좋아하는, 나무라기 잘하는.
makellos *a.* 흠〔오점〕 없는, 나무랄 데 없는.
Makellosigkeit *f.* 오점〔흠〕 없음.
makeln [má:kəln] 《ndd. maken》 *i.* (h.) ① 중개업을 하다. ②〔드물게〕 ↑ mäkeln. ③ 더럽히다, 욕보이다: mit seinem Gewissen ~ 양심을 팔다.
mäkeln [mɛ́:..] *t./i.* (h.) ① 나무라다, 흠잡다; 까다롭게 굴다: an allem ~ 만사에 까다롭게 굴다, 트집을 잡다. ②〔구어〕 am Preis 〔um den Preis〕 ~ (트집잡아) 값을 깎다.

Mäkel≈sucht *f.* 매사에 트집잡으려는 충동심. **≈süchtig** *a.* 흠잡기 좋아하는.
maken (ndd.) *t.* ↑ machen.
Mäken *n.* -s, - (ndd.) ↑ Mädchen.
Maker (ndd.) *m.* -s, - 긴 자루가 달린 무거운 망치.
Makette [makέtə] *f.* ↑ Maquette.
Make-up [me:k|áp] 《engl.》 *n.* -s, -s ① 화장: dezentes ~ 단아한 화장. ② 화장품, 특히 파운데이션: ein ~ auflegen〔auftragen〕 파운데이션을 바르다.
Maki [má:ki] *m.* -s, -s 〖動〗 마키, (마다가스카르섬에 사는) 여우원숭이.
Makimono 《jap.》 *n.* -s, -s 〖畫〗 (동아시아의) 두루마리 그림.
Makkabäer [makabέ:ər] 《hebr.》 *m.* -s, - 마카베오가(家) (기원전 2 세기 시리아의 셀레우코스 왕조에 저항한 유대족의 제사장 가문).
makkabäisch *a.* 마카베오가(家)의.
Makkabi *m.* -(s), -s 《hebr.》 마카비 (유대의 스포츠 클럽).
Makkabiade *f.* -n 〖스포츠〗 마카비아 경기 (4년마다 거행되는 유대인 올림픽).
Makkaroni [makaró:ni] 《it.》 *pl.* 〖요리〗 마카로니 (이탈리아의 국수).
makkaronisch *a.* 혼합체의: ~e Dichtung 마카로니 문학, 혼합체의 해학시 (아속(雅俗)의 여러 나라 말을 혼합한 해학시).
Makker *m.* -s, - (ndd.) ↑ Genosse.
Makler [má:klər] 《ndd., „Macher"》 *m.* -s, - 중개인, 브로커.
Mäkler [mέ:k..] *m.* -s, - ① 〖방언〗 ↑ Makler. ② 트집 잡는 사람, 시끄럽게 구는 사람, 혹평가.
Maklerin *f.* -nen ↑ Makler 의 여성형.
Maklerei, Mäklerei *f.* -en ↑ Mäkelei.
Makler≈amt *n.* 중개인〔브로커〕의 사무소〔직무〕. **~gebühr** *f.*, **~geld** *n.*, **~lohn** *m.* 중개료, 구전. **~geschäft** *n.* 중개업. **~provision** *f.* 〖法〗 ↑ ~gebühr.
mäklerisch *a.* 〔드물게〕 흠〔트집〕잡는.
mäklig *a.* ↑ mäkelig.
Mako [máko] *f.* -s 이집트산(産) 마코 무명.
Mako·baum·wolle *f.* ↑ Mako.
Makoré *n.* -s 마코레 (서아프리카산(産) 무환자나무의 단단한 목재).
Makramee [makramé:] 《ar.》 *n.* -(s), -s ① 〖수공〗 마크라메 (가구 따위 장식용의 매듭실 레이스·노끈 따위의 술장식). ② 마크라메 만드는 일.
Makrele [makré:lə] 《lat.》 *f.* -n 〖動〗 고등어.
makro.. 《gr.》 *pref.* (↔ mikro..) "장·대(長·大)"의 뜻.
Makro≈biotik 《gr.》 *f.* 장수법; 장수식 (주로 곡식과 채소). **≈biotisch** *a.* 장수(법)의; 장수식의. **≈kephal** *a.* ↑ ≈zephal. **~kephale*** *der/die* ↑ ~zephale. **~klima** [má:kroklі:ma] *n.* 대기후. **≈kosmisch** *a.* 대우주의. **~kosmos, ~kosmus** *m.* 〖哲〗 대우주. **~molekel** *f.*, **~molekül** *n.* 〖化·物〗 거대분자, 고분자. **≈molekular** *a.* 거대 분자의, 거대 분자로 구성된.
Makrone [makró:nə] (♧ Makkaroni) *f.* -n 마크로네 (과자): 〔방언〕 jm. auf ~ gehen 〔fallen〕 누구를 귀찮게 굴다.
Makro≈phon 《gr.》 *n.* 확성기. **~physik** 《gr.》 *f.* 거시 물리학. **≈seismisch** *a.* 〖지구물리〗 (지진 따위를) 전문 기구 없이도 느낄 수 있는. **~skop** *n.* 확대경 (↔ Mikroskop). **≈skopisch** *a.* 육안으로 보이는, 거시적인. **~spore** *f.* 〖植〗 대포자(大胞子). **~struktur** [má:kro..] *f.* 대구도. **~-Virus** *m./n.* 〖컴〗 매크로 바이러스. **≈zephal** *a.* 〖醫〗 비정상적으로 머리가 큰. **~zephale*** *der/die* 비정상적으로 머리가 큰 사람. **~zephalie** *f.* 〖醫〗 대두증(大頭症).
Makrulie *f.* -n [..lí:ən] 〖醫〗 풍치.
Mäktig *m.* (schweiz.) ↑ Mittwoch.
Makuba [makú:ba] *m.* -s 마쿠바 담배 (프랑스령 마르티니크산(産) 코담배).
makulatieren 《alt.》 *t.* 도배의 초배로 헌 종이를 바르다.
Makulatur [makulatú:r] (♧ Makel) *f.* -en ① 더러운 (포장) 종이; 초배지; 〖印〗 잘못 인쇄한 파지; 인쇄한 종이의 휴지. ② 〔비유〕 보잘것없는 책; 어리석은〔바보 같은〕 일: reden Sie doch keine ~! 쓸데없는 말을 마시오!
Makulatur·bogen *m.* 〖印〗 못쓰게 된 인쇄물, 파지.
makulieren *t.* 휴지로 만들다, (서류 따위를) 파기하다.
***Mal**[1] [ma:l] 《mhd.》 *n.* -(e)s, -e/Mäler ① 〔복수: 대개 -e〕 반점, 흔적, 오점; (Mutter≈) 사마귀, 점; 상처, 흉터; 화상 (Brand≈); 낙인: die ~e des Aussatzes tragen 문둥병의 흉터를 지니고 있다. ② 〔복수: 대개 Mäler〕 〔雅語〕 표지, 기념비; 경계표: Denk≈ 기념비; ein ~ über js. Grab errichten 누구의 묘비를 세우다. ③ 〔복수: 대개 -e〕 〖스포츠〗 (경기장의) 표지물, 말뚝; (경주의) 출발〔결승〕점; (야구의) 홈, 본루, 베이스; (럭비의) 골문, 골포스트.
***Mal**[2] 《mhd.》 *n.* -(e)s, -e 때, 번(番), 회: das erste ~ 첫 번; das andere 〔ein anderes〕 ~ 다른 때; dieses ~ 이번에; einige ~e 두서너 번; manches liebe 〔manch liebes〕 ~ 여러 번; mehrere ~e 여러 번, 자주; das eine oder〔und〕 andere ~ 한두 번; 〔드물게〕 aufs ~ 갑자기; mit einem ~(e) 돌연, 갑자기; ein ~ über das andere 〔~ auf ~〕 몇 번이고, 재삼재사(再三再四); ~ für ~ 매번 새로이, 몇 번이고; von ~ zu ~ 회를 거듭할수록, 점차; ein für alle ~ 단 한 번만으로, 이것을 끝으로; ein ~ ums andere a) 교대로, 번갈아, b) 몇 번이고; zum ersten〔letzten〕 ~(e) 처음〔마지막〕으로; zu verschiedenen ~en 여러 번; zu wiederholten ~en 되풀이해서.
***mal** *adv.* 〔구어〕 ① 〔요구·독촉·권유〕 komm ~ her! 잠깐 이리 오너라!; denk dir ~! 한번 생각해보렴!; höre ~! 들어 봐!; sag ~ an! 자 말해 봐! ② nicht ~ ... 그렇기는 커녕 …도 아니다; schön? sie ist nicht ~ hübsch 그녀가 미인이라고? 미인은 커녕 귀엽지도 않다. ③ 〔doch〕 ich will ~ sehen 자 한번 보자; es ist nun ~ nicht anders 그것은 달리 도리가 없다. ④ 언젠가: es war ~ ein König 옛날에 한 임금이 있었다. ⑤ 〔nur〕 wenn das ~ gut geht! 그게 잘 되기만 하면! ⑥ 곱하기 (기호: ×): zwei ~ drei ist〔macht〕 sechs 2 곱하기 3 은 6 이다.

..mal *suf.* "…번, …회, …배(倍)"의 뜻(보기: ein~ 한 번, 일회; zwei~ 두 번; dies~ 이번에; einige~ 두세 번; jedes~ 매번, 언제나; manch~ 가끔).
Malachit [malaxí:t] 《gr.》 *m.* -(e)s, -e 〖광물〗 공작석(孔雀石).
malachit≈grün *a.* 공작석과 같은 녹색의. **≈vase** *f.* 공작석 꽃병.
malade [malá:də] *a.* 〔구어〕 병든; 불쾌한, 언짢은; 기진맥진한, 의욕이 없는.
mala fide [má:la fí:də] 《lat.》〔교양〕나쁜 의도로, 악의에서.
Malaga [má(:)laga] ① 말라가(에스파냐 남부의 항구 도시). ② *m.* -n, -n 말라가산(產) 포도주(달콤하고 갈색임).
Malagassi *n.* 마다가스카르섬 주민의 언어.
Malaga·wein *m.* 말라가산(產) 포도주.
Malagueña [..géɲja] *f.* -s〖무용〗 말라게냐(말라가에서 유래한 춤).
Malaie [maláɪə] *m.* -n, -n 말레이 사람.
Malaiin *f.* -nen 말레이 여자.
malaiisch *a.* 말레이(사람·어)의: der ≈e Archipel 말레이 군도, 인도네시아.
Malaise [malɛ́:zə] *f.* -n 〔schweiz. *n.* -s, -s〕〔교양〕① 불만, 불쾌감. ② 불만족스런 상태, 곤경, 난국.
Malakka [maláka] 말라카 반도, 말레이 반도.
Malakolith [malakolí:t, ..lɪ́t] 《gr.》 *m.* -(e)s/-en, -e(n) 〖광물〗 연초록색의 투휘석(透輝石).
Malakologie [malakologí:] 《gr.》 *f.* ↑ Malakozoologie.
Malakozoologie *f.* 연체 동물학.
Malakozoon *n.* -s, ..zoen [..tsó:ən] 〖動·고어〗 연체 동물.
Malaria [malá:ria] *f.* 〖醫〗 말라리아(열).
Malaria·erreger *m.* 말라리아 병원체.
Malarialogie *f.* 말라리아 연구〔학〕.
malaria·krank *a.* 말라리아에 걸린.
Maläse *f.* -n ↑ Malaise.
Mal·axt *f.* (벌채할 나무에) 표를 찍는 도끼.
Malaya [malája] 말라야 연방.
Malaysia [maláɪzia] 말레이시아.
Malaysier [maláɪziər] *m.* 말레이시아인.
malaysisch *a.* 말레이시아(사람·말)의.
malbar 《<malen》 *a.* 그릴 수 있는, 그림의 소재가 되는.
Mal≈barte *f.* ↑ ~axt. **~baum** *m.* ①〔드물게〕(구역 또는 경계를 나타내기 위해) 기호를 붙인 수목. ②〖植〗 마가목. ③〖사냥〗 멧돼지 등이 몸을 비벼 흔적을 남긴 나무. **~buch** *n.* 색칠용 그림책.
Malchen [má:lçən] *n.* -s 〔↑ Amalie 의 애칭〕 말헨(여자 이름).
maledeien [maledáɪən] 《lat.》 *t.* 저주하다, 욕하다.
Malediktion [..dɪktsió:n] *f.* -en 저주, 욕설.
Malediven [maledí:vən] *pl.* 몰디브.
Malediver [maledí:vər] *m.* 몰디브인.
maledivisch *a.* 몰디브(인)의.
maledizieren *t.* ↑ maledeien.
Malefikant [malefikánt] 《lat. male》 *m.* -en, -en 범죄자, 악한.
Malefikus *m.* -, ..fizi ①〖점성술〗 흉성(凶星). ②〔고어〕 ↑ Malefikant.
Malefiz [malefí:ts] *n.* -es, -e 범행, 범죄.
malefiz.. *pref.* (südd., öst.) 〔구어〕 "특히 나쁜, 지독한" 따위의 뜻.
Malefizer *m.* -s, - (südd., öst.) 〔경박〕 ↑ Malefizkerl.
Malefiz≈glöckchen *n.* 사형 집행을 알리는 종(鐘). **~kerl** *m.* 〔구어〕 (südd., öst.) 흉악한 놈, 악한.
***malen** [má:lən] 《I》 *t./i.* (h.) ①〔고어〕 표시를 해놓다: die Schweine zur Mast ~ 비육용 돼지에 표시를 하다; die Grenzen ~ 경계를 정하다. ② **(a)** 칠하다, 채색하다, 물들이다: das Haus ~ 집에 (페인트)칠을 하다; den Leib ~ 문신(文身)하다; mit gemalten Wangen 얼굴에 화장하고; die Sonne malt den Berg tiefrot 태양이 산을 진홍색으로 물들인다. **(b)** 바르다: Öl ~ 기름을 바르다. ③ (붓과 물감으로) 그리다: ein Aquarell〔Stilleben〕 수채화〔정물화〕를 그리다; jn. ~ 누구의 초상을 그리다;〔구어〕 wie gemalt 그린 것같이 멋진. ④ 그림 그리듯이 쓰다: Buchstaben ~ 글씨를 또박또박 쓰다. ⑤〔비유〕 laß dir's ~ ! 〔mal dir einen !, da mußt du dir einen ~ lassen !〕 그것은 그림의 떡이다, 원해봤자 허사다 ! ; ich werde ihm was ~ 나는 그가 싫다; man muß den Teufel nicht an die Wand ~ 흉사(凶事)는 입에 담지 마라; ich werde dir was ~ ! 〔du kannst dir was ~ lassen〕 무슨 말인지 모르겠는데 ! ; 〔구어〕 ich mal(e) dir was ! 미안하지만 안 되겠어 ! ; du kannst dir was ~ 〔mal' dir was〕 ! 가망 없어, 틀렸는걸 ! ⑥〔전치사와 함께〕 **an** einem Bild ~ 그림을 그리고 있다; **aus** der Erinnerung 〔dem Kopf〕 ~ 기억으로 그리다; **in** Öl 〔Wasserfarben〕 ~ 유화〔수채화〕를 그리다; in〔mit〕 Tusche ~ 묵화를 그리다; **nach** der Natur 〔dem Leben〕 ~ 사생화를 그리다. 《II》 *refl.* sich ~ ① sich selbst ~ 자화상을 그리다; sich ~ lassen 자기 초상화를 그리게 하다. ② 나타나다, 묘사〔서술〕되다: der Himmel malt sich im Wasser 하늘이 물에 비친다; auf ihrem Gesicht 〔in ihren Augen〕 malt sich Freude 기쁜 빛이 그의 표정〔눈빛〕에 나타난다. ③ 화장하다: sie malt sich 그 여자는 화장을 한다; sich³ die Lippen ~ 입술을 바르다. ④〔결과를 나타내어〕 sich reich ~ 그림을 그려서 부자가 되다; sich³ die Finger lahm ~ 그림을 너무 그려 손가락이 저리다. 《III》 **gemalt** *p.a.* ↑ gemalt.
Malen *n.* -s 칠하기, 채색; 그림 그리기: zum ~ schön 그리고 싶을 만큼〔그림같이〕 아름다운; ein Anblick zum ~ 아름다운 광경, 장관.
Malepartus [malepártus] *m.* - (우화에 나오는) 여우의 굴.
***Maler** [má:lər] *m.* -s, - ① 도장공, 페인트공, 칠장이. ② 화가. ③〔비유〕(진짜처럼) 묘사하는 사람.
Maler≈akademie *f.* 미술〔회화 전문〕 학교. **~arbeit** *f.* 칠〔도장〕 작업; 그림 그리기. **~atelier** [..lie:] *n.* 화실.
***Malerei** [ma:ləráɪ] *f.* -en ① 회화: die abstrakte ~ 추상화; die ~ der Romantik 낭만주의 시대 회화. ② 회화 작품, 그림: sich³ die ~en ansehen 그림들을 감상하다. ③〔구어·폄어〕 화장(化粧): sie hat heute viel ~

im Gesicht 그녀는 오늘 짙게 화장을 했다. ④ 〖비유〗 (사실적인) 묘사, 서술.

Maler·email *n.* 에나멜화. **~esel** *m.* 이젤. **~farbe** *f.* 그림 물감, 채료(彩料); 페인트, 도료(塗料). **~firnis** *m.* 유화용 니스. **~-gerätschaften** *pl.* ↑ Malutensilien. **~gold** *n.* 이금(泥金), 도금용 채료, 금박 채료.

Malerin *f.* -nen ↑ Maler 의 여성형.

***malerisch** *a.* 회화의, 회화적〔미술적〕인; 그림같이 아름다운: ein ~es Talent 미술적 재능; ~e Häuser 그림같이 아름다운 집들.

Maler·kolik, ~krankheit *f.* 〖醫〗 도장공 복통, 납중독. **~kunst** *f.* 화법. **~lein·wand** *f.* 화포, 캔버스. **~meister** *m.* 페인트공 기능장. **~muschel** *m.* 〖動〗 ↑ Flußmuschel.

malern *i.* 〔구어〕 페인트 작업을 하다.

Maler·pinsel *m.* 화필. **~scheibe** *f.* 팔레트. **~schule** *f.* ① 미술 학교. ② 화파(畫派). **~silber** *n.* 은분(銀粉), 은박 채료. **~spatel** *m.* 회화용 주걱. **~staffelei** *f.* 이젤. **~stock** *m.* (화가의 손을 받치는) 팔받침. **~stuhl** *m.* 사생용 세 발 의자. **~tuch** *n.* ↑ ~leinwand.

Malesche *f.* -n (nordd.) 불쾌, 불편.

Mal·feld *n.* 〖럭비〗 인골(영어: in-goal).

Mal·gerätschaften *pl.* ↑ ~utensilien.

Mal·graben *m.* 경계호.

Mal·grund *m.* ① 색칠할 면〔바탕〕. ② 〖畫〗 그림의 바탕칠, 밑칠, 애벌칠.

Malheur [malǿ:r] *n.* -s, -e/-s 〔구어〕 (사소한) 불행, 불운, 사고; 불쾌한〔싫은〕 일: da ist ihm ein (kleines) ~ passiert 그때 그에게 곤란한 일이 일어났다; 〔구어〕 das ist doch kein ~! 그것은 별일〔문제〕도 아니야!

malhonett [malhonέt] 〔고어〕 *a.* 부정직한, 불성실한; 천한, 야비한.

Malice [..lí:sə] 《frz.》 〔구식〕 *f.* -n ① 악의, 심술 사나움. ② 악의 있는〔비꼬는〕 말.

..malig *suf.* "…번·회의"의 뜻(보기: drei~ 3 번〔회〕의).

maligne [malígnə] *a.* 〖醫〗 악성의(↔ benigne): eine ~ Geschwulst 악성 종양; ~s Ödem 악성 부종〔수종(水腫)〕.

Malignität [malıgnitέ:t] *f.* -en 〖醫〗 (병·종양의) 악성(↔ Benignität).

maliziös [malitsiǿ:s] 〖雅語〗 *a.* 악의 있는, 심술 사나운.

malkander *adv.* (ndd.) ↑ einander.

Mal·kasten *m.* ① 화구 상자〔통〕, 그림 물감 상자〔케이스〕. ② Düsseldorf 화단(畫壇).

malkern 《<melken》 *t.* 〔방언〕 손가락으로 만지다, 쥐어 보다; 쥐어짜다, 누르다.

malkontent [malkɔntέnt] *a.* 〔방언〕 (현상황에) 불만인, 불평하는.

Mall [mal] 《ndl.》 *n.* -(e)s, -e(n) 〖海〗 (나무로 만든) 선박의 모형 부품.

mall *a.* ① 〖海〗 (풍향이) 급변하는. ② (ndd.) 미친, 머리가 돈; 어리석은, 우둔한; 괴팍한.

mallen[1] [málən] *i.* (h.) 〖海〗 (바람의) 방향이 바뀌다.

mallen[2] 《<Mall》 *i.* (h.) 〖海〗 선박의 모형을 제작하다; 측량하다.

Mallorca [malɔ́rka, majɔ́rka] 마요르카섬 (지중해 에스파냐의 섬 중에서 가장 큰 섬).

Mallung[1] *f.* -en 〖海〗 선박의 모형 제작.

Mallung[2] *f.* -en 〖海〗 ① 바람의 급변. ② 〔대개 복수〕 바람이 급변하는 지역(특히 적도의 무풍 지대).

Mallür [malý:r] *n.* (ndd.) ↑ Mißgeschick.

Malm [malm] 《◇ mahlen》 *m.* -(e)s ① 〖지질〗 백악계(쥐라기층의 최상부층). ② 쇄석(碎石), 잔돌.

malmen [málmən] *i.* (h.) (이빨로 음식물을) 갈아서 잘게 부수다.

malmig *a.* 가루가 된, 으깨어진.

Malm·zahn *m.* 어금니(Backenzahn).

mal|nehmen* 《<Mal[2]》 *t./i.* 〖數〗 곱하다.

Malocchio [malɔ́kio] *m.* -s, -s/..occhi [..ɔki] 〔교양〕 표독스런 눈초리.

Maloche [malɔ́xə] *f.* -n 〔구어〕 (중)노동.

malochen [malɔ́xən] 《jidd.》 *i.* 〔구어〕 중노동을 하다, 뼈빠지게 일하다.

Malocher *m.* -s, - 〔구어〕 중노동자, 막일꾼.

Malossol *m.* -s 〖식품〗 캐비아.

Mal·programm *n.* 〖컴〗 색칠〔그림〕 프로그램.

malproper [malprɔ́pər] *a.* 〔고어·방언〕 더러운, 불결〔부정〕한; 싫은, 꺼림칙한.

..mals *suf.* "…번〔회·차례〕"의 뜻(보기: aber~ 새로이, 다시금).

Mal·säule *f.* 경계 지점의 기둥; 기념 원주. **~stein** *m.* 경계석; 기념비.

Malta [málta] 몰타(지중해에 있는 영연방의 공화국).

Malta·fieber *n.* 〖醫〗 몰타열(熱), 지중해열.

Malte *f.* (alem.) 단 포도즙.

Mal·technik *f.* 〖畫〗 회화 기법, 화법.

Malter[1] [máltər] 《◇ mahlen》 *m./n.* -s, - ① *m.* **(a)** 말터(옛 독일에서 사용된 곡물의 용량 단위; 150-700 리터). **(b)** 말터(목재의 용적을 재는 단위; 약 80 세제곱피트). ② 방앗삯. ③ (md.) 목재의 적재. ④ 풍화 암석.

Malter[2] *m./n.* -s (öst.) ↑ Mörtel.

Malter·holz *n.* 말터로 측정한 목재량.

maltern 《<Malter》 《Ⅰ》 *i.* (h.) 방앗삯을 받다. 《Ⅱ》 *t.* (목재를) 말터 단위로 측정하다.

Malteser [maltέ:zər] 《<Malta》 *m.* -s, - ① 몰타섬의 주민. ② ↑ ~ritter. ③ 〖動〗 몰티즈 (몰타섬 토종의 희고 털이 긴 애완견).

Malteser·erde *f.* 몰타섬의 찰흙. **~-Hilfsdienst** *m.* 자원 봉사 구조대. **~kreuz** *n.* ① 몰타 기사단 십자가(십자가의 네 끝이 갈라져 있음). ② 〖기계〗 영사기의 필름 되감기 장치 (몰타 십자가와 비슷한 형태로 되어 있음). **~orden** *m.* 몰타 기사단(1530-1798 년에 몰타섬에 본부를 둔 요한 기사 수도회의 이름). **~ritter** *m.* 몰타 기사단 기사.

maltesisch [maltέ:zıʃ] *a.* 몰타섬의; 몰타인의, 몰타어의.

Malthus [máltus, mǽlθəs] *m.* Thomas Robert ~ 맬서스(영국의 경제학자, 1766-1834).

Malthusianer *m.* -s, - 맬서스주의자.

Malthusianismus *m.* - 맬서스주의, 맬서스 인구론.

malthusisch *a.* 맬서스의.

Maltin [maltí:n] 《lat.》 *n.* -s 말틴(효소의 일종).

Maltose [maltó:zə] *f.* 〖化〗 말토오스, 맥아당.

malträtieren [maltrεtí:rən] *t.* 학대하다, 함부로 다루다: einen Hund ~ 개를 학대하다; ein malträtierter Motor 험하게 다룬 엔진.

Malträtierung *f.* -en 학대.

Malus *m.* -(ses), -(se) (↔ Bonus) ① 〖經〗

(사고 건수 누적 때의) 할증 보험료. ②〖스포츠〗(출발 위치가 유리한 선수에게 부과되는) 감점, 핸디.

Mal·utensilien *pl.* 회화 용구, 화구.

Malvasier [malvazí:r] *m.* -s, **Malvasier·wein** *m.* (감미롭고 꽃 향기가 강한) 말바시아 포도주(그리스 도시 Monemvasia 의 이탈리아 이름 Malvasia 에서).

Malve [málvə] *f.* -n〖植〗당아욱속(屬).

malven≈artig *a.* 당아욱 같은. **~farbe** *f.* 당아욱 빛깔, 연보라색(의 염료). **~farben, ~farbig** *a.* 연보라색의.

Malversation [..vɛr..] *f.* -en 횡령, 착복.

Malz [malts] ⟪mhd.⟫ *n.* -es (양조용) 맥아, 엿기름:〔비유〕an〔bei〕ihm ist Hopfen und ~ verloren 그는 희망이 없다.

Malz≈bier *n.* 맥아 맥주(저알코올의 흑맥주). **~bonbon** *m./n.* 맥아 봉봉(기침을 진정시키는 사탕). **~bottich** *m.* 맥아 저장통. **~darre** *f.*〖양조〗맥아 건조 가마.

Mal·zeichen *n.* ① 표지; 기념물, 기념비. ②〖數〗곱셈 기호(· 또는 ×).

malzen [máltsən]〖고어〗*t.* ↑ mälzen.

mälzen [mɛ́l..] ⟪<Malz⟫ *t.* …로 맥아를〔엿기름을〕만들다: Gerste ~ 보리로 엿기름을 만들다.

Malzer, Mälzer *m.* -s, - 맥아 제조공.

Mälzerei *f.* -en 맥아 제조(법); 맥아 제조소.

Malz≈extrakt *m.* 맥아 추출액. **~kaffee** *m.* ① (볶은) 맥아 커피(커피 대용품). ② 맥아 커피가 들어 있는 음료. **~mühle** *f.* 맥아 절구〔제분소〕. **~schrot** *m./n.* 갈아 빻은 맥아. **~trank** *m.* 맥아 양조주, 맥아 맥주. **~zucker** *m.*〖化〗↑ Maltose.

Mama [máma, mamá:] *f.* -s〖구어·아동〗엄마: ~ und Papa 엄마 아빠; wo ist denn deine ~? 엄마는 어디 있니?(혼자 있는 아이에게 묻는 말).

Mamachen [mamá:çən] *n.* -s, - ↑ Mama 의 애칭.

Mamba *f.* -s〖動〗맘바(아프리카 독사).

Mambo *m.* -(s), -s 맘보(쿠바의 사교춤).

Mameluck [mamәlúk] *m.* -en, -en ① **(a)** 맘루크(이집트 왕궁의 터키인 노예). **(b)** 맘루크(이집트 왕의 친위병, 노예병). ② 맘루크 왕조(1250-1517 년, 이집트의 군인·노예 출신들이 세운 왕조; Mohammed Ali 에게 멸망).

Mami *f.* -s〖아동〗↑ Mama.

Mamma *f.* -e [..mɛ]〖醫〗유방, 유선(乳腺).

Mammalia *pl.* ↑ Mammalium 의 복수형.

Mammalium *n.* -s, ..lia〖生〗포유 동물.

Mammographie *f.* -n [..fí:ən]〖醫〗(엑스선을 이용한) 유방 촬영.

Mammon [mámɔn] ⟪hebr.⟫ *m.* -s 재물의 신, 재신(財神);〖폄어〗부(富), 금전, 재물: dem ~ dienen 배금 사상에 젖다; dem ~ nachjagen 재물을 쫓다.

Mammonismus *m.* -〖교양〗① 배금주의, 황금 만능주의. ② 금권 지배〔정치〕.

Mammons≈diener *m.*〖폄어〗황금 만능주의자, 배금주의자. **~dienst** *m.*〖폄어〗금전 숭배, 황금 만능주의.

Mammut [mámut, mámu:t] ⟪russ.⟫ *n.* -s, -s/-e〖고생물〗매머드(코끼리의 원조).

mammut.. *pref.* "매머드의·거대한"의 뜻.

Mammut≈baum *n.*〖植〗(Sequoie) 세코이아, 미국산(產) 삼나무. **~betrieb** *m.* 거대 기업. **~elfenbein** *n.* 매머드의 엄니. **~knochen** *n.* 매머드의 뼈. **~programm** *n.* 매머드〔방대한〕프로그램. **~prozeß** *m.* 장기간에 걸친 소송. **~schau** *m.* 대형〔매머드〕쇼. **~skelett** *n.* 매머드의 해골. **~unternehmen** *n.* 방대한 기획; 매머드 기업. **~veranstaltung** *f.* 매머드〔초대형〕행사. **~zahn** *m.* 매머드의 치아.

mampfen [mámpfən]〖경박〗⟪I⟫ *i.* (h.) (음식을 볼이 불룩하도록 넣고서) 우적우적 먹다〔씹다〕. ⟪II⟫ *t.* 먹다: gibt es heute nichts zu ~? 오늘은 먹을 것이 없나?

Mamsell [mamzɛ́l] ⟪<frz.⟫ *f.* -en/-s ①〖고어〗(시민 계급의) 처녀, 소녀, 아가씨(17 세기 구어). ②〖고어〗(대갓집의) 가정부; (호칭으로) 색시. ③ (nordd.)〖복수: -s〗상급 하녀; 찬모(饌母). ④ (호텔·식당의) 여종업원: kalte ~ 찬 음식 담당 여종업원. ⑤〖軍〗경기관총.

m.A.n. = meiner Ansicht nach 내 생각으로는.

***man**[1] [man] *prn.*〖3 인칭 부정 대명사로 1·4 격은 einen, 3 격은 einem 을 사용함〗①〔jemand 의 대용〕누군가, 어떤 사람: ~ klopft a) 누군가 문을 두드린다, b) 누가 왔다; ~ kommt 누가 온다. ②〔부정수의 사람을 나타냄〕**(a)** 누구든지, 각자, 모두: wenn einem nicht wohl ist, bleibt ~ besser zu Hause 몸이 좋지 않을 때엔 집에 있는 편이 좋다. **(b)** 사람들: ~ sagt, daß ... 세상 소문으로는 …, 사람들의 말에 따르면 …; ~ trägt das heute 그것이 요즈음 유행이다. ③〔어투를 완곡하게 표현할 때〕**(a)**〔ich, wir 의 대용으로〕~ versteht ja sein eigenes Wort nicht 자기가〔나는 내가〕한 말도 알아듣지 못하겠구나; wenn ~ sich die Sache richtig überlegt, hat sie doch recht gehabt (우리가) 이 문제를 잘 따져보면, 그녀가 역시 옳았다. **(b)**〔du, ihr, Sie 의 대용; 명령의 뜻을 지닌 접속법 1 식 동사를 쓰기도 함〕hat ~ gut geschlafen? 잘 잤는가?; hat ~ sich gut erholt? 푹 쉬셨습니까?; ~ erlaube mir 허락하시기 바랍니다; ~ lasse mich in Frieden 날 좀 편히 내버려 두시오; ~ lache nicht 웃지 마시오; ~ willige ein oder nicht 동의하든지 말든지 하십시오; ~ wolle schweigen 조용히 해 주십시오. ④〔수동태 구문 대용〕~ tanzt heute abend 오늘 저녁에 무도회가 열린다; ~ fand ihn 그 사람이 발견되었다.

man[2] ⟪mhd.⟫ ⟪I⟫ *adv.*〖구어〗(nordd.) ① (nur) 오직, 만, 뿐: das ist ~ Spaß 그것은 단지 농담일 뿐이다; ich habe ~ zehn Mark 나는 10 마르크밖에 가지고 있지 않다. ②〔재촉〕(doch) 자아, 어서: geh ~ hin! 자 저쪽으로 가게! ⟪II⟫ *cj.* 그러나: ich weiß es wohl, ~ ich sage es nicht 나는 그것을 잘 알고는 있지만 말하지 않겠다.

Man [mæn, mɛn] 맨섬(아일랜드와 영국 사이에 있음).

Mänade [mɛná:də] ⟪gr.⟫ *f.* -n ①〖그리스신화〗주신(酒神) 바커스의 시중을 드는 무녀. ②〖교양〗광란하는〔사납게 행동하는〕여자.

Management [mǽnɪdʒmənt] *n.* -(s), -s〖經〗① 경영, 관리. ② (대기업의) 경영진.

managen [mɛ́nɪdʒən] *t.*〖구어〗① 처리〔해

결)하다, 이루어내다; 경영하다, 관리하다: solche Angelegenheiten managt seine Frau 그런 일들은 그의 부인이 알아서 처리한다. ② …의 매니저 노릇을 하다: er managt mehrere Spitzensportler 그는 여러 일류 선수의 매니저다.

Manager [mɛ́nɪdʒər] 《engl.》 *m.* -s, -, 경영자, 관리자; 지배인, 매니저

Managerin *f.* -nen ↑ Manager 의 여성형.

Manager·krankheit *f.* 매니저병, 관리자병 (특히 중년 남성에게 신체적·정신적 부담의 결과로 나타나는 스트레스성 질병).

***manch** [manç] *a./prn.* 〖부정 수사; 명사적으로도 형용사적으로도 쓰임; 흔히 단수형이지만, 복수형도 쓰며 정관사 어미를 취함; 단수일 때는 불특정 다수의 것을 개별적으로 본 표현 방식이며, 복수일 때는 einige 보다는 많고 viele 보다는 적은 수를 나타냄〗《I》〖형용사적 용법〗여럿의, 상당수의; (schweiz.) 많은, 다수의: ①〖어미 변화를 하는 경우〗(**a**) ~er Mensch 여러 사람들; ~e Blume 꽤 많은 꽃들; ~es Mal 몇 번이고, 여러 번; ~e Menschen ergrauen bald 머리가 빨리 세는 사람이 적지 않다. (**b**)〖뒤에 형용사가 올 때, 그 형용사는 약변화하지만, 복수 1·4 격에서는 강변화도 함〗~er starke Mann 여러 힘센 남자들; ~es Schöne 많은 아름다운 것; ~e alte 〔alten〕 Herren 몇몇 노신사들. (**c**)〖뒤에 수사가 올 때〗~e vier Wochen 한 달 남짓. ②〖어미 변화하지 않는 경우〗(**a**)〖뒤의 형용사는 강변화함〗~ guter Mann 상당수의 선량한 남자들; ~ liebes Mal 여러 번; ~ kleines Kind 꽤 많은 어린애들; ~ tapfere Männer 몇몇 용감한 남자들. (**b**)〖뒤에 부정관사가 올 때〗~ ein Mann 적지 않은 수의 남자들; das Schicksal ~ eines braven Mannes 상당수의 성실한 남자들의 운명. 《II》〖명사적 용법〗~e 여러〔몇몇〕 사람들; ~es 여러 가지 일〔것〕; ~e sagen, (daß)… 라고 말하는 사람들이 더러 있다, 어떤 사람들은 …라고 말한다; so ~ einer von ihnen ist wieder zurückgekehrt 그들 중 상당수가 다시 돌아왔다; in ~em hat er recht 여러 가지 점에서 그의 말이 옳다; es waren ihrer〔deren〕 ~e 그들의 수는 꽤 되었다; ich habe Ihnen gar ~es zu erzählen 나는 당신에게 말씀드릴 것이 여러 가지 있습니다.

manchen·orts *adv.* ↑ mancherorts.

mancherlei [mánçərlaɪ] 〖부정 수사〗 여러 가지(의), 가지가지(의), 가지각색(의): auf ~ Art 여러 가지 방법으로; ~ Ursachen 여러 가지 원인들; ~ mit jm. gemeinsam haben 누구와 여러 가지를 공유하고 있다.

mancher·orts *adv.* 여러 곳에서, 곳곳에서, 사방에서.

Manchester[1] [mɛ́ntʃɛstər] 맨체스터(영국 Lancashire 주의 도시).

Manchester[2] [manʃɛ́stər] *m.* -s 코르덴, 면비로드.

Manchester⸗hose *f.* 코르덴 바지. **~partei** *f.* 맨체스터 자유 무역당(黨). **~schule** *f.* 맨체스터 학파.

Manchestertum [mɛ́ntʃɛstər..] *n.* -s 〖政·經〗 극단적 자유 경제 사상〔주의〕.

***manch⸗mal** *adv.* 여러 번; 이따금, 때때로. **~malig** *a.* 때때로 일어나는.

Mandala *n.* -(s), -s ① 만다라(인도 종교에서 명상의 보조 수단으로 사용하는 상징적인 그림). ②〖心〗 환자가 자아의 상징으로 그려 놓는 그림.

Mandant [mandánt] 《lat.》 *m.* -en, -en 〖經·法〗 (변호사의) 소송 의뢰인, 위임자, 위탁자.

Mandantin *f.* -nen ↑ Mandant 의 여성형.

Mandarin [mandarí:n] 《altind.》 *m.* -s/-en, -e(n) (중국 청나라의) 고관.

Mandarine [mandarí:nə] *f.* -n 〖植〗 ① 귤〔밀감〕나무. ② 귤, 밀감.

Mandarinen·öl *n.* 밀감 껍질에서 얻은 방향유(芳香油).

Mandarin·ente *f.* -n (동아시아에 서식하는) 원앙새.

Mandarinismus 《<Mandarin》 *m.* - (관영 기업체) 관리 제도.

Mandat [mandá:t] 《lat.》 *n.* -(e)s, -e ①〖法〗 (**a**) 위임, 위탁; (변호사에게 하는) 사건 의뢰: jm. ein ~ erteilen 누구에게 위임하다. (**b**) 훈령; (처벌·지급) 명령(서). ②〖政〗 (**a**) (선거를 통해 의결 기관의 대표에게 부여한) 위임: freies ~ 자유 위임(국회 의원이 유권자의 지시에 구속받지 않는 위임); imperatives ~ 명령적 위임(국회 의원이 유권자의 지시에 구속받는 위임). (**b**) 국회 의원직; 의석: sein ~ niederlegen 국회 의원직을 사퇴하다; fünf ~e erringen 다섯 개의 의석을 확보하다. ③〖史〗 (제 1 차 세계 대전 후 국제 연맹이 정한) 위임 통치; 위임 통치령(領).

Mandatar [mandatá:r] *m.* -s, -e ①〖法〗 수임자, 수탁자; (소송) 대리인(변호사 따위). ②〖국제법〗 위임 통치국(↑ Mandatarstaat 의 약칭).

Mandatar·staat *m.* 〖국제법〗 위임 통치국.

mandatieren *t.* 〔구식〕 ① jn. ~ 누구에게 위임〔위탁·의뢰〕하다, 전권을 부여하다. ② 위임 통치국으로 지정하다.

Mandats⸗brief *m.* 위임장. **~gebiet** *n.* 위임 통치령(領). **~macht** *f.* 위임 통치국. **~träger** *m.* 〖政〗 수임자, 수탁자. **~verlust** *m.* 〖政〗 의석〔의원직〕 상실.

Mande [mándə] *f.* -n (westd.) ① 손잡이가 없는 큰 바구니. ② 세탁물의 주름을 펴는 기계.

Mandel[1] [mándəl] 《lat.》 *f.* -n ① 15-16 단의 곡식: das Getreide in Mandeln setzen 추수한 곡물을 15-16 단의 낟가리로 만들다. ② (수량의 옛 단위로) 15-16 개: eine ~ Eier 15-16 개의 달걀.

Mandel[2] *f.* -n ① 편도(씨), 아몬드: gebrannte ~n 볶은 아몬드. ②〔복수〕〖해부〗 (Gaumen~) 편도선; (뇌의) 편도핵: sich die ~n herausnehmen〔entfernen〕 lassen 편도선을 제거하다; geschwollene ~n 부어오른 편도선. ③〖지질〗 정족(晶簇).

mandel·artig *a.* 편도〔아몬드〕 모양의.

Mandel⸗auge *n.* (극동 지역 민족들의 특징인) 갸름한 눈. **~äugig** *a.* 눈이 갸름한. **~baum** *m.* 편도나무. **~blüte** *f.* 편도꽃. **~bräune** *f.* 〖醫〗 ↑ ~entzündung. **~brot** *n.* 아몬드 빵. **~drüse** *f.* 〖해부〗 편도선. **~entzündung** *f.* 〖醫〗 편도선염. **~förmig** *a.* 편도 모양의. **~gebäck** *n.* 아몬드 과자. **~geschwulst** *f.* 〖醫〗 편도선 비대. **~kern** *m.* 〖植〗 편도씨; 〖해부〗 편도핵. **~kleie** *f.* 편도 가루(피부 손질용). **~krähe** *f.* 〖動〗 땅까마귀. **~kuchen** *m.* 아몬드 케이크. **~milch**

f. 아몬드 밀크 로션.
mandeln 《Ⅰ》 *t.* 〖農〗 15 개의 곡식단을 날가리로 쌓다; 15 개씩 세다. 《Ⅱ》 *i.* (h.) das Getreide mandelt gut 곡식이 풍작이다.
Mandel≈öl *n.* 편도유(扁桃油). **~operation** *f.* 〖醫〗 편도선 절제 수술. **~seife** *f.* 편도유〔아몬드〕 비누. **~stein** *m.* ①〖광물〗 정족석(晶簇石). ②〖醫〗 편도선 결석(結石).
mandel·weise 《↑ Mandel[1]》 *adv.* 15 개씩.
Manderl [mándərl] *n.* -s, -n (bayr., öst.) ① ↑ Mandl. ②〔구어〕 ~ machen 애먹이다, 반항하다.
Manderl·stehauf *n.* (öst.) ↑ Stehaufmännchen 오뚝이.
Mandibel [mandí:bəl] 《lat》 *f.* -n 〖動〗 ① 척추 동물의 아래턱〔하악〕. ②〔복수〕절지 동물의 위턱(을 이루는) 지절(肢節).
Mandibular *f.* -e 〖해부〗 아래턱, 하악.
mandibular, mandibulär *a.* 아래턱의, 하악의.
Mandl [mándəl] *n.* -s, -(n) (öst., bayr.) ① 난쟁이: ~ mit Kren 강자인 듯 거드름피우는 사람; wie's ~ beim Sterz 빗자루 앞의 난쟁이같이(당황해하는 모습을 나타냄). ② 허수아비. ③ (산 정상에 쌓아놓은) 돌무더기, 석표(石標).
Mandola *f.* ..len 〖음악〗 ① 만돌라(대형 만돌린으로, 12 세기 이후 동양에서 유럽에 전래된 4 개의 (2 중) 현으로 된 악기). ② (18 세기 이후 나폴리에서 만든) 만돌린.
Mandoline [mandolí:nə] 《it.》 *f.* -n 〖음악〗 만돌린.
Mandorla [mándɔrla] 《it.》 *f.* ..dorlen 〖畫〗 (그리스도 및 성모 마리아 그림의) 타원형 후광, 광륜(光輪).
Mandragora [mandrá:gora] 《gr.》 *f.* ..goren 〖植〗 맨드레이크(독성·마취성 있는 가짓과 식물).
Mandragore [..gó:rə] *f.* -n ↑ Mandragora.
Mandrill [mandríl] 《afrikan.》 *m.* -s, -e 〖動〗 맨드릴(서아프리카산(産) 큰 비비).
Mandrit [mandrí:t] 《gr.》 *m.* -en, -en (동방 교회의) 수도사, 은둔자.
Mandschu [mántʃu, ..dʒu] 《Ⅰ》 *m.* -(s), -(s) 만주 사람. 《Ⅱ》 *n.* -(s) 만주어.
Mandschu·dynastie *f.* 〖史〗 청조(清朝).
Mandschukuo *n.* 만주국(만주 지방에 일본이 세웠던 괴뢰국, 1932-45).
Mandschure *m.* -n, -n 만주 사람.
Mandschurei [..tʃuráı, ..dʒuráı] *f.* 만주(중국 "동베이(東北)" 지방의 속칭).
mandschurisch *a.* 만주(사람·어)의.
Manege [mané:ʒə] 《it.》 *f.* -n ① 마장(馬場); 승마 학교; 마술(馬術). ② (서커스의) 원형 연기장.
Manen [má:nən] 《lat.》 *pl.* 〖로마신화〗 죽은 이의 (선한) 넋〔혼령〕.
Manen·dienst *m.* 조상 숭배.
Manessisch *a.* ~e Handschrift 삽화가 많은 중고(中高) 독일어 가요집.
Manfr(i)ed [mánfre:t] 《normann.》 *m.* 만프레트(남자 이름).
Mang [maŋ] *m.* -s, -e ① (nordd.) 혼합(물), 뒤죽박죽의 혼합. ② (schweiz.) 맛; 취미.
mang (nordd., berl.) 《Ⅰ》 *prp.*[3/4] …사이에, …아래에: ~ uns 우리들 사이에서, 우리끼리 이야기인데; ~ die Leute gehen 사람들 사이로 가다. 《Ⅱ》 *adv.* 사이로, 속으로: mitten ~ 한복판으로.
Mangabe *f.* -n 〖動〗 (아프리카 적도 부근에 서식하는) 긴꼬리원숭이.
Mangan [maŋgá:n] 《lat.》 *n.* -s 〖化〗 망간(기호: Mn).
Manganat *n.* -s, -e 〖化〗 망간산염.
Mangan≈blende *f.* 〖광물〗 유(硫)망간석. **~eisen** *n.* 〖광물〗 망간철. **~erz** *n.* 망간광(鑛). **~glanz** *m.* ↑ ~blende. **≈haltig** *a.* 망간을 함유한.
Manganit [maŋganí:t] 《lat.》 *m.* -s, -e 〖광물〗 수(水)망간광; 〖化〗 아망간산염.
Mangan≈oxyd *n.* 〖化〗 산화망간. **≈sauer** *a.* 망간산의. **~säure** *f.* 망간산. **~verbindung** *f.* 망간 화합물.
Mange [máŋə] *f.* -n (ob.) ↑ Mangel[1].
Mangel[1] [máŋəl] *f.* -n ①〔고어〕 (중세의) 투석기. ② (천·세탁물의) 주름 펴는 기계, 압착 롤러: 〔구어〕 jn. durch die ~ drehen 〔in die ~ nehmen, in der ~ haben〕 꼬치꼬치 캐물어 누구를 괴롭히다.
***Mangel**[2] *m.* -s, Mängel ① (↔ Überfluß) (**a**) 결핍, 부족, 모자람: aus ~ an Geld 돈이 없어서; daran ist kein ~ 그 점에는 부족함이 없다; ~ an et.[3] haben 무엇이 부족하다; ~ an et.[3] leiden 무엇이 없어 괴로움을 겪다. (**b**) 기근, 기황(饑荒). (**c**) 궁핍, 빈곤: großen ~ leiden 심한 빈곤에 쪼들리다; er leidet keinen ~ 그는 무엇 하나 부족한 것이 없다; ~ bringt Zwist in die Ehe 빈곤은 가정 불화의 씨앗이다. ② 결점, 단점; 결함, 하자: technische Mängel 기술적 하자; Mängel aufdecken 결함〔단점〕을 발견하다; mit Mängeln behaftet sein 결함을 지니고 있다; auf Erden ist nichts ohne Mängel 세상에는 결함 없는 것이란 없다, 옥에도 티가 있다. ③〔고어·방언〕불쾌, 역정, 불평.
Mangel≈beruf *m.* 인력이 부족한 직업. **~erscheinung** *f.* 〖醫〗 결핍증. **≈frei** *a.* 결점 없는, 완전한.
mangelhaft *a.* 결점〔결함〕이 있는, 불완전한; 불충분한, 모자라는.
Mangelhaftigkeit *f.* 불충분, 미달; 불완전, 결점〔결함〕이 있음.
Mangel·haftung *f.* 〖經·法〗 불량 상품 판매 책임, 하자 담보 책임.
Mangel≈holz *n.* ↑ Mangel[1] ②. **~krankheit** *f.* 〖醫〗 결핍성 질환.
mangeln[1] [máŋəln] *t.* (빨래의 주름을 펴기 위해) 압착 롤러에 걸다.
***mangeln**[2] 《lat. mancus》 《Ⅰ》 *i.* (h.) ①〔사물이 주어〕결핍되다, 부족하다, 모자라다, 없다: etwas mangelt jm. 무엇이 누구에게 결핍되어 있다; ihm mangelt der Mut 그는 용기가 부족하다. ②〔사람이 주어〕 부족한 것이 있다, 곤궁하다: (**a**) wenn ich mangle, komme ich zu dir 궁하면 내가 네게 가겠다. (**b**) 〔2 격 지배〕〔고어〕 wir ~ des Ruhmes 우리들에게는 명성이라는 것이 없다. 《Ⅱ》 *imp.* es mangelt (jm.) an et.[3] (누구에게) 무엇이 부족하다; es mangelt ihm an Einsicht 그는 통찰력이 부족하다; an mir soll es nicht ~ 나는 빈틈이 없는 사람이다, 해야 할 일은 꼭 한다; er läßt es am guten Willen ~ 그는 호의를 보여 주지 않

는다; sie lassen es sich³ an nichts ~ 그들은 부족한 것 없이 살고 있다. 《Ⅲ》 *t.* (schweiz.) sie mangelt bares Geld 그녀는 현금이 없다.

mängeln (obd.) ① ↑ vermissen. ② ↑ nörgeln.

mangelnd *p.a.* 부족〔불충분〕한: wegen ~er Teilnehmerzahl 참가자의 수가 부족해서.

Mängel·rüge *f.* 〖經〗 하자 클레임.

mangels [máŋəls] *prp.*² 〔복수에서 2 격임이 분명히 드러나지 않을 경우엔 3 격 지배〕…의 결핍 때문에, …이 없으므로: ~ baren Geldes 현금이 없으므로; jn. ~ Beweisen freisprechen 증거 부족으로 누구에게 무죄 판결을 내리다.

Mangel=ware *f.* 부족 물자, 품귀 상품: frisches Obst war damals ~ 당시에는 신선한 과일이 품귀 상품이었다. **~wäsche** *f.* (주름을 펴기 위해) 압착 롤러에 거는 세탁물.

mangen [máŋən] (obd.) ↑ mangeln¹.

Mang=futter 《<mang》 *n.* 혼합 사료. **~getreide** *n.* 혼합 곡물. **~gut** *n.* 품위가 낮은 금속, 합금; 혼합물. **~korn** *n.* 혼작 곡물.

Mangler *m.* -s, - (세탁물의) 압착 롤러 일을 하는 남자.

Manglerin *f.* -nen ↑ Mangler 의 여성형.

Mango [máŋgo] 《malai.》 *f.* -s/-nen [..gó:nən] 〖植〗 망고(나무).

Mango·baum *m.* 〖植〗 망고나무.

Mangold [máŋgɔlt] 《ahd.》 《Ⅰ》 *m.* 망골트(남자 이름). 《Ⅱ》 *m.* -(e)s, -e 〖植〗 근대, 비트.

Mangrove [maŋgró:və] 《indian.》 *f.* -n, **Mangrove·baum** *m.* 〖植〗 홍수림(紅樹林), 맹그로브(열대 해안 관목림).

Mangrove·küste *f.* 홍수림 해안.

mangs *a.* (niederrhein.) (비로드처럼) 부드러운.

Manguste [maŋgústə] *f.* -n 〖動〗 망구스(사향고양잇과).

Mani *m.* -s 마니(마니교의 창시자; 3 세기경).

maniakalisch [maniaká:lɪʃ] 《gr.》 *a.* 〖醫〗 (manisch) 조증(躁證)의, 광기의.

Manichäer [manıçɛ́:ər] *m.* -s, - ① 〖宗〗 마니교도. ② 〔경박〕 (독촉이 심한) 채권자.

Manichäismus [..çeɪ́smʊs] *m.* - 마니교.

Manie [maní:] 《gr.》 *f.* -n [..ní:ən] ① 〔고어〕 광기. ② 〔교양〕 병적 욕망, 열광; …열·광·벽, 심취: Gallo~ 프랑스 심취; Mono~ 편집광(偏執狂); das Briefmarkensammeln ist bei ihm eine ~ (geworden) 그는 우표 수집광이 되어 버렸다. ③ 〖心〗 조병(躁病).

***Manier** [maní:r] 《lat. manus》 *f.* -en ① 취급법. ② 방식, 방법, 풍(風); 화풍, 작풍; 매너리즘, 고정된 형(型): in Rembrandts ~ 렘브란트의 화풍으로; mit guter ~ 뜻한 대로, 그럭저럭, 무사히; nach seiner ~ 그의 방식으로. ③ 작위, 부자연, 기교. ④ 〔대개 복수〕 (a) 생활 태도, 품행, 예의 범절, 몸가짐: gute 〔keine, schlechte〕 ~en haben 예절이 바르다〔바르지 못하다〕; 〔구어〕 jm. ~en beibringen 누구에게 예의 범절을 가르치다; 〔구어〕 das ist keine ~ 그것은 예의에 어긋난다. (b) 습관, 풍습. ⑤ 〖음악〗 꾸밈음. ⑥ 〖哲〗 광기.

manieriert [maniri:rt] *a.* 〔교양〕 일부러 꾸민, 틀에 박은 듯한, 기교적인, 부자연스러운.

Manieriertheit *f.* -en 어색함, 부자연스러움, 기교적임.

Manierismus [manirɪ́smʊs] *m.* - ① 〖畫〗 마니에리스모(르네상스와 바로크 사이의 과도기 미술 양식). ② 〖문학〗 매너리즘, (특히 바로크 시대의) 기교주의, 장식주의. ③ 〖예술〗 (여러 시대에 나타나는) 반고전주의 양식, 의식적인 과장〔장식〕.

Manierist [manirɪ́st] *m.* -en, -en 〖문학·예술〗 마니에리스모 예술가, 매너리즘 작가.

manieristisch *a.* 마니에리스모〔매너리즘〕의.

manierlich *a.* 〔구어〕 ① 예의 바른, 행실 좋은, 점잖은: benimm dich ~ ! 예의 바르게 행동하라 ! ; ~ gekleidet 점잖게 옷을 입은. ② 괜찮은, 쓸 만한: ~e Preise 괜찮은 가격.

Manierlichkeit *f.* 예의 바름〔바른 행실〕.

Manifest [manifɛ́st] *n.* -es, -e ① 표명; 선언(문), 성명(서), 격문, 고시; 선고; 선전 포고: ein ~ unterzeichnen〔verfassen〕 성명서에 서명하다〔성명서를 작성하다〕; das Kommunistische ~ 공산당 선언(마르크스와 엥겔스가 1847 년에 작성). ② 〖海〗 (세관에 제출하는) 선적 화물 목록.

manifest 《lat.》 *a.* 〔교양〕 ① 일목요연한, 명백한: ~ gewordene Interessenkonflikte 명백해진 이해 관계의 갈등. ② 〖醫〗 증상이 나타난 (↔ latent).

Manifestant *m.* -en, -en ① (schweiz., öst.) 선언자, 집회〔시위〕 참가자. ② 〖法〗 공시(公示) 선서자.

Manifestation [..tatsió:n] *f.* -en ① 표명, 공표, 공시; 발현, 발로. ② 〖醫〗 증상의 발현.

Manifestations·eid *m.* 〖法〗 공시 선서.

manifestieren 《Ⅰ》 *t.* 공표〔공시〕하다; 표명하다, 나타내다. 《Ⅱ》 *refl.* sich ~ 분명히 드러나다, 표명되다. 《Ⅲ》 *i.* (h.) 〔고어〕 ① 〖法〗 공시 선서를 하다. ② 시위에 참가하다.

Manihot [má:nihɔt] *m.* -s, -s 〖植〗 ↑ Maniok.

Maniküre [manikýːrə] 《lat.》 *f.* -n ① 손톱 다듬기, 매니큐어. ② 매니큐어 전문 여자 미용사. ③ 매니큐어 용품 상자〔세트〕.

Maniküre=etui *n.* ↑ Maniküre ③. **~kästchen** *n.* ↑ Manküre ③.

maniküren *t.* (손톱을) 다듬다: ihre Fingernägel ~ 그녀의 손톱을 다듬다.

Manila [maní:la] 《Ⅰ》 마닐라(필리핀의 수도). 《Ⅱ》 *m.* -s ↑ ~zigarre.

Manila=hanf *m.* 마닐라삼. **~papier** *n.* 마닐라지. **~zigarre** *f.* 마닐라산(産) 여송연.

Manille [manɪ́ljə] *f.* -n ① 말굽 모양의 팔찌. ② 〖카드〗 카드놀이의 일종인 롬버(Lomber)의 으뜸패.

Maniok [maniɔ́k] 《indian.》 *m.* -s, -s/-e 〖植〗 카사버(남아메리카의 관목으로 전분이 많음).

Maniok·mehl *n.* 카사버 녹말.

Manipel [maní:pəl] 《lat.》 《Ⅰ》 *m.* -s, - 〖史〗 고대의 보병 중대(지금의 Kompanie). 《Ⅱ》 *f.* -n 〔*m.* -s, -〕 〖가톨릭〗 (사제가 미사 때 왼쪽 팔목에 걸치는) 수대(手帶); 장식 띠.

Manipulant *m.* -en, -en ① 〔드물게〕 교묘한 조종자, 조작자, 책동가. ② (öst.) 보조원, 임시 직원.

Manipulation [manipulatsió:n] *f.* -en ① 〔교양〕 조종, 조작; 관리, 통제; 〔대개 복수〕 책동, 음모: ~ durch die Werbung 광고를 통

한 조작; betrügerische ~en 사기치려는 음모; genetische ~ 유전자 조작. ②〖醫〗처치, 조처; 〖기술〗 조종; 〖商〗 시장〔주가〕 조작. ③〖교양·고어〗손놀림, 손재주, 처치. ④ (모피의) 처리.

manipulativ *a.*〖교양〗조작적인, 공작에 따른.

Manipulator [..lá:tɔr, ..to:*r*] *m.* -en [..tó:rən] ① 조종자; 조종 기구. ② 머니퓰레이터(방사성 물질의 원격 조종 장치). ③〖드물게〗마술사, 요술쟁이.

manipulierbar *a.* ① 조작할 수 있는. ② (쉽게) 조종할 수 있는.

Manipulierbarkeit *f.* ↑ manipulierbar 의 명사형.

manipulieren 《I》 *t.* ① 조종하다; 관리〔통제〕하다: die durch die Medien manipulierten Bürger 언론 매체에 조종되는 시민; 〖經〗 manipulierte Währung 관리 통화. ② 조작〔변경〕하다: Bilanzen ~ 대차 대조표를 조작하다; an einer Statistik ~ 통계를 조작하다. ③ (모피를) 처리하다. ④〖교양〗et. an eine bestimmte Stelle ~ 무엇을 특정 장소로 가져가다. 《II》 *i.* (h.) (mit et.³) an et.³ ~ (무엇으로) 무엇을 능숙하게 다루다.

Manipulierer *m.* -s, -〖구어〗조종〔조작〕자.

Manipulierung *f.* 조종, 조작; 처리.

manisch [má:nɪʃ] 《gr.》 *a.* ①〖醫〗조병(躁病)의, 병적 흥분 상태의. ②〖교양〗강박 관념의, 병적인: ~e Eßlust〔Neugier〕 병적인 식욕〔호기심〕. ③〖고어〗광기의.

manisch-depressiv 《gr.》 *a.*〖醫〗조울증의: ~e Krankheit〔Psychose〕 조울증.

manistisch 《<Manen》 *a.* 망령의.

Manismus *m.* -〖인류〗조상 숭배.

Manitu 《indian.》 *m.* -(s) (북아메리카 인디언이 믿는) 초자연적 존재〔신〕.

mank 《frz.》 *a.* (alem.) ① 결점〔흠〕이 있는; 손상된; 병약한. ② ↑ mang.

mankieren [maŋkí:rən] 《lat. -frz.》〖고어·방언〗 *i.* (h.) ① 빠져 있다, 결여되다, 모자라다. ② 실패하다; 고장나다, 제 기능을 발휘하지 못하다. ③ 지급을 정지하다.

Manko 《lat. -it.》 *n.* -s, -s ① 결핍, 부족; 결점, 결함: ein ~ an Wissen 지식의 결핍; ein ~ beseitigen 결점을 제거하다. ②〖商〗 중량 미달. ③〖經〗결손, 적자, 부족액.

Manko·geld *n.* 결손 보충금.

***Mann**[1] [man] *m.* -(e)s, Männer ① (↔ Frau) (성인) 남자, 사나이, 대장부: Männer und Weiber 남녀; 〖구어〗sei ein ~! 남자답게 행동해라!; selbst ist der ~ 남자는 자립심이 있어야지("파우스트" 제 2 부에서); sie ist ein ~ 그녀는 여장부다; er ist ~(s) genug, (um) et. durchzusetzen 그는 무엇을 충분히 해낼 인물이다; für Männer 남자용; 〖속담〗 ein ~, ein Wort 남아일언 중천금; wie ein ~ 한 마음으로; nicht ~ sein 생식 불능이다. ②〖흔히 남녀의 대표로서〗사람, 인간, 인물: (**a**) ich bin ein ~ dafür 나는 그것을 보증한다; der ~ an der Spritze 중요 인물; der ~ auf〔von〕 der Straße 보통 사람, 세인; 〖비유〗der ~ im Mond 달 속의 사람(달의 반점으로 나타나는 전설의 인물); 〖고어〗 der gemeine ~ 서민, 평민; ein ~, ein Vogel 한 사람에 하나씩; mit ~ und Maus untergehen 한 사람도 구조되지 못하고 침몰하다; 〖海〗 ~ über Bord! 사람이 빠졌다!; ich bin nicht der ~ dazu〔danach〕 나는 그것에 적임자가 아니다; 〖구어〗 ~ (Gottes)! 이런, 어이쿠!; 〖경박〗 (mein lieber) Mann! 어머나! (**b**)〖형용사와 함께〗blinder ~ 우유·달걀 가루로 만든 과자; 〖海〗 der blinde ~ 키잡이〔조타수〕의 조수; armer ~ 얇게 저미어 버터에 튀긴 것; feiner ~ 신사; freier ~ 〖축구〗 리베로; letzter ~ 〖축구〗 스위퍼; 〖광산〗 alter〔toter〕 ~ 폐갱; der böse〔schwarze〕 ~ 귀신; 〖신화〗 der wilde ~ 숲속의 거인, 도깨비; den feinen ~ spielen 멋을 내다〔부리다〕; ein ganzer ~ 흠잡을 데 없는 훌륭한 사람; der gegebene〔geeignete〕 ~ für et. sein 무엇에 적합한 사람〔적임자〕이다; ein großer ~ a) 키 큰 사람, b) 위인; der kleine ~ a) 소인배, (경제적으로) 보잘것없는 사람, b) 남근, 음경; 〖구어〗ein gemachter ~ sein (경제적으로) 성공한 사람이다; ein toter ~ sein 가망〔장래성〕 없는 사람이다; den toten ~ machen 물위에서 움직임없이 떠다니다; 〖구어〗du hast wohl einen kleinen ~ im Ohr? 자네 정신 나갔는가, 정상적으로 보이지 않는데?; 〖구기〗 ~ decken 상대 선수를 마크하다; der rechte ~ (dazu) (그것에) 꼭 맞는〔적합한〕 사람; stiller ~ a) 조용한 사람, b) 죽은 사람; 〖구어〗den feinen〔starken〕 ~ markieren〔mimen〕 잘난 체하다; 〖구어〗den wilden ~ markieren〔machen, spielen〕 a) 고집 세게 굴다, b) 흥분하다, c) 떠들다, 소란피우다; 〖구어〗junger ~, was wünschen Sie? 여보게, 뭘 원하는가?; 〖구어〗den lieben Gott einen guten ~ sein lassen 걱정 없이 살다; der erste ~ in der Stadt 도시의 제 1 인자; der dritte ~ a) 〖카드〗 세 번째 사람, b) 제 3 자. (**c**)〖소유 대명사와 함께〗mein ~ a) 〖카드〗 내 짝, b) 내가 구하고 있는 사람, c) 내 호적수, d) 내가 좋아하는〔신뢰하는〕 사람, e) 여보, 당신(남편에 대하는 아내의 호칭); seinen ~ gefunden haben 호적수〔임자〕를 만나다; seinen ~ stehen〔stellen〕 본분을 다하다, 힘껏 일하다; dort steht unser ~ 저기에 우리들이 말하는〔찾는〕 사람이 있다; 〖구어〗 dieser Beruf ernährt seinen ~ 이 직업은 수익이 좋다. (**d**)〖2 격 명사와 함께〗ein ~ der Feder 문필가; ein ~ Gottes 성인, 수도사, 성직자; ein ~ des Tages 당대〔화제〕의 인물; ein ~ des Todes 죽음이 임박한 사람; ein ~ der Tat 활동가; ein ~ des Volkes 민중의 신망을 받는 사람; ein ~ der Zukunft 장래성이 있는 사람. (**e**)〖전치사와 함께〗 **an** den ~ bringen a) (물품을) 강매하다, b) (딸을) 시집 보내다, c) (오랫동안 억누르던 것을) 말하다, 화제 삼다: ~ an ~ 혼잡하게, 서로 밀치며; wenn Not an (den) ~ geht〔kommt〕〔wenn Not am ~ ist〕 궁하면; an〔in〕 den ~ gehen (특히 축구에서) 상대 선수를 몸으로 저지하다; an den unrechten ~ kommen 사람을 잘못 짚다; 3 Mark **auf** den ~ 1 인당 3 마르크; einen Hund auf den ~ dressieren 사람을 공격하도록 개를 훈련시키다; bis auf den letzten ~ fallen〔kämpfen〕 최후의 한 사람까지 (모두) 전사하다〔끝까지 싸우다〕; **für** einen ~ stehen 일치 단결하고 있다; ~ für

~ 한 사람도 빠짐없이; ~ **gegen** ~ kämpfen 1 대 1 로 싸우다; ein ~ **von** Charakter 성격이 강한 사람; ein ~ von Einfluß 세력가; ein ~ von Welt 세상 물정에 밝은 사람; ein ~ von Wort 신용할 수 있는 사람; ein ~ von vielen Worten 말이 많은 사람, 수다쟁이; von ~ zu ~ 남자 대 남자로, 1 대 1 로; es geht〔strebt〕 mir **wider** den ~ 그것은 내 기분에 맞지 않는다. ③ (↔ Frau) 남편: ~ und Frau 부부; einen ~ bekommen 남편을 얻다; sich[3] einen ~ suchen 남편감을 찾다; jn. zum ~ nehmen 누구를 남편으로 맞다; 〔속담〕 wie der ~, so die Frau 그 남편에 그 아내, 부부는 서로 닮기 마련이다. ④ (↔ Kind) 성인, 어른: zum ~ herangewachsen 성인〔어른〕이 된. ⑤〔복수: -en〕 **(a)** 〔고어〕 부하, 신하, 시종, 무사: die König mit seinen ~en 신하들을 거느린 왕; der Kanzler und seine ~en 수상과 그의 각료들; ein freier ~ sein 신하가〔종이〕 아니다, 자유 신분이다. **(b)** 〔반어〕 부하 직원, 자기팀 선수. ⑥ **(a)** 〔복수: Leute〕 병졸, 수병, 선원; 노동자, 종업원: ~ und Roß 병마(兵馬). **(b)** 〔복수: -〕 (병사·승무원·직원 등의) 인원: Friedrich Ⅱ. hatte 34000 ~ 프리드리히 2 세는 34,000 명의 군사를 거느렸다; tausend ~ zu Fuß〔Reiterei〕 보병〔기병〕 천 명; drei ~ hoch 3 열로, 셋이 함께; 〖海〗 alle ~ an〔auf〕 Deck〔Bord〕! 전원 갑판으로〔전원 승선〕!.

..mann *suf.* ① "…직업에 종사하는 사람"의 뜻 (보기: Berg~ 광원). ② "…사람 형상"의 뜻 (보기: Schnee~ 눈사람). ③ "…남자"의 뜻 (보기: Ehe~ 남편). ④ "…민족"의 뜻(보기: Ale~en 알레만족).

Mann[2] Heinrich ~ 하인리히 만(독일의 소설가, 1871-1950); Thomas ~ 토마스 만(독일의 소설가; 전자의 동생, 1875-1955).

Manna [mána] 《hebr., „Gabe"》 *f.* 〔*n.* -(s)〕 ① 〔구약〕 만나(사막에서 방황하는 이스라엘 민족에게 하늘에서 떨어진 음식물; 출애굽기 16 장); 하늘의 양식. ② 만나나무의 분비액(완하제로 쓰임). ③ 만나연지벌레의 단물.

Manna≈esche *f.* 〖植〗 만나나무, 만나물푸레나무류. **~flechte** *f.* 〖植〗 만나이끼(식용 이끼). **~gras** *n.* 〖植〗 미꾸리광주리속의 일종. **~grütze** *f.* 만나 열매를 맷돌로 간 것. **~schild·laus** *f.* 만나연지벌레. **~zucker** *m.* 만나당(糖).

mannbar [mánba:*r*] *a.* ① 〔雅語〕 생식 능력이 있는, (남자가) 성적으로 성숙한; 〔드물게〕 남자다운. ② 〔고어〕 (처녀가) 혼기가 된.

Mannbarkeit *f.* 〔雅語〕 결혼 적령(기), 혼기; 성적인 성숙.

Mannbarkeits·ritus *n.* 성년식.

Männchen [mɛ́nçən] *n.* -s, -/Männerchen 〔↑ Mann 의 축소형〕 ① 난쟁이, 소인; (선으로 그린) 사람 그림: (die) kleine(n) grüne(n) Männerchen 외계인들; Männerchen malen 사람을 그리다, 낙서하다; 〔구어〕 du siehst wohl die Männerchen! 너는 제정신이 아닌 것 같다, 취한 것 같군! ② mein liebes ~! 여보! (남편에 대한 애칭). ③ 수컷, 수놈: ~ und Weibchen 자웅, 암수; 〔구어〕 nicht mehr wissen, ob man ~ oder Weibchen ist 제정신이 아니다, 완전히 지쳐 있다, 뒤죽박죽이다. ④ ~ machen (짐승이) 뒷다리로 서다; 〔비유·구어〕 vor jm. ~ machen (사람이나 동물이) 누구에게 아부〔아첨〕하다; 〖軍〗 (sein) ~ bauen〔machen〕 부동〔차려〕 자세를 취하다. ⑤〖空〗 (수직 상승과 수직 하강을 하는) 곡예 비행. ⑥ 동공. ⑦〖印·구어〗 ~ auf ~ abdrucken 세밀히 번각(飜刻)하다.

Mann·deckung *f.* 〖구기〗 대인 방어.

Männe *m.* -s, -n 〔구어〕 ↑ Mann[1] ③ 에 대한 애칭.

mannen *t.* ① (alem.) (어떤 남자와) 결혼하다. ②〖海〗 (화물 등을) 손에서 손으로 옮기다. ③ ↑ meistern. ④〖軍·고어〗 (병력을) 배치하다; 〖海〗 (승무원을) 승선시키다.

Mannequin [manəkɛ̃́, mánəkɛ̃] 《frz.》 *n.* -s, -s ① 여자 의상 모델. ② 〔남성 명사로도〕〔드물게〕 **(a)** 〔고어〕 (화가·조각가를 위한) 인체〔동물〕 모형. **(b)** (쇼윈도의) 마네킹; 〔비유〕 쓸모없는 인간.

Männer≈bekanntschaft *f.* ↑ Herrenbekanntschaft. **~beruf** *m.* 남성 고유의 직업. **~bund** *m.* (미개 종족의) 남자만의 단체, 남성 결사 조직.

Männerchen ↑ Männchen 의 복수형.

Männer≈chor *m.* 〖음악〗 남성 합창(단). **~fang** *m.* 〔다음 용법으로〕〔구어·농담〕 auf ~ ausgehen〔aussein〕 남자를 꾀려고 애쓰다. **≈feindlich** *a.* 남성 적대적인, 남자를 싫어하는. **~freundschaft** *f.* 남자들간의 우정. **~gesang·verein** *m.* 남성 합창단〔노래 클럽〕. **~geschlecht** *n.* 남성. **~haus** *n.* (미개 민족의) 남자 집회소. **~heil·kunde** *f.* 〖醫〗 남성 병학(病學).

..männerig 《<Mann》 *suf.* 〖植〗 "수술이 …한"의 뜻(보기: viel~ 수술이 많은).

Männer≈kind·bett *n.* 〖인류〗 의만(擬娩), 쿠바드(아내가 해산할 때 남편도 누워 해산의 고통을 흉내내거나 음식을 제한하는 미개인의 풍습). **≈mordend** *a.* 〔구어·농담〕 뇌쇄적인, 요염한; 남자를 심하게 소모시키는: eine ~e Schönheit 고혹적인 여자, 요부. **~sache** *f.* 〔다음 용법으로〕 das ist (reine) ~ 그것은 (순전히) 남자들만의 일이다. **~scheu** *f.* 남성 기피. **≈scheu** *a.* 남자를 기피하는. **~stimme** *f.* 남자 음성(부). **≈süchtig** *a.* ↑ mannstoll. **~treu** *f.* 〖植〗 현삼과(玄蔘科) 식물(오래 지속되지 못하는 남자들의 신의를 비유한 것; 꽃이 쉽게 지는 식물에 대한 통칭; 보기: 투구꽃). **~volk** *n.* 남자들.

männern 《<Mann》 *i.* (h.) (obd.) 남자에 미치다.

Mannes≈alter *n.* 성년〔장년〕(의 나이): im besten ~ sein 한창 나이다. **~art** *f.* 남자의 독특한 방식. **~kraft** *f.* ① 남자의 생식력, 정력. ② 〔雅語〕 ↑ ~stärke. **~mut** *m.* 〔雅語〕 남자다운 용기. **~schwäche** *f.* 〔드물게〕 ↑ Impotenz. **~stamm** *m.* 부계 혈통. **~stärke** *f.* 〔雅語〕 남자의 힘〔능력〕. **~stolz** *m.* 〔雅語〕 남자의 긍지. **~treue** *f.* 남자의 신의. **~wort** *n.* 〔복수: -e〕 〔雅語〕 (신뢰할 수 있는) 남자의 말. **~würde** *f.* 〔雅語〕 남자의 체면〔위엄〕. **≈zeitig** *a.* 혼기의〔에 이른〕, 결혼할 수 있는. **~zucht** *f.* 〔雅語〕 (군대·팀의) 규율, 군기.

Mann·geld *n.* 〔고어〕 ↑ Wergeld.

mannhaft *a.* 남자다운; 의연한, 씩씩한, 용감한: ~en Widerstand leisten 용감하게 저항하다.

Mannhaftigkeit *f.* -en 남자다움; 의연, 씩씩함, 용감.

Mannheim [mánhaım] 만하임(독일 Baden-Württemberg 주의 도시).

Mannheimer 《I》 *m.* -s, - 만하임 사람. 《II》 *a.* 만하임의.

Mannheit *f.* ①〔雅語〕남성다움, 씩씩함, 용기. ② 남자의 생식력; 〔고어〕음경: jm. die ~ nehmen 누구를 거세하다. ③ 성년〔장년〕(의 사람들), 성년기. ④〔고어〕(봉건 제도에서) 신하로서의 도리〔서약〕.

..männig *suf.* ↑ ..männerig.

mannig≈fach [mánıçfax] 《<manch》 *a.* 여러 가지의, 다양〔잡다〕한: er hat uns ~ geholfen 그는 우리들을 여러 모로 도왔다. **~falt** *a.* ↑ ~faltig. **~faltig** *a.* 여러 가지의, 다양한. **≈faltigkeit** *f.* 여러 가지, 다양성.

männiglich [mɛ́nıklıç] (schweiz.) 《I》 *prn.* 각자, 누구든지. 《II》〔고어〕*adv.* 남자답게; 일반적으로. 《III》〔고어〕*a.* ↑ mannigfaltig.

Männin *f.* -nen ①〔고어〕여장부, 여걸. ②〖聖〗(남자의 반려자로서의) 여자. ③〔폄어〕남자처럼 행동하는 여자.

männisch *a.* (여자가) 남자 같은.

Mannit [maní:t] 《<Manna》 *m.* -s, -e 만니톨, 만니트(자연에 널리 퍼져 있는, 특히 만나나무 액즙에서 나오는 단맛이 나는 알코올).

Männlein *n.* -s, - 〔↑ Mann 의 축소형〕 ↑ Männchen.

***männlich** [mɛ́nlıç] *a.* (↔ weiblich) ① 남자의, 수컷의: ~e Blüten 수꽃; die ~e Linie einer Familie 한 가문의 부계(父系); 〖음악〗 eine ~e Stimme 남성 음성; das ~e Glied 남자의 생식기. ② 남성적인, 남자다운, 씩씩한, 용감한: ein ~er Entschluß 남자다운 결의; ~ handeln 용감하게 행동하다. ③〖문학·문법〗 남성의: ~er Reim 남성운(韻).

Männlichkeit *f.* ① 남성다움, 씩씩함. ② 생식 능력. ③〔雅語〕남자의 생식기.

Männlichkeits·wahn *m.* 광적인 남성 숭배.

Mann·loch *n.* 맨홀, (저장 탱크 등의) 입구.

Mannomann [mánomán] *int.* = Mann o Mann! 어머나! (놀라움의 표현).

Manns·bild *n.*〔구어〕남자; 〔폄어〕놈, 녀석: so ein (blödes) ~! 이런 멍청한 놈!

***Mannschaft** [mánʃaft] *f.* -en ①〖軍〗(한 부대의) 사병 전원(장교 제외); 〔복수〕 병사(이등병에서 병장까지): ~en im Dienst 현역병. ② (선박·비행기의) 승무원: die ~ auf dem Deck antreten lassen 선원들을 갑판에 정렬시키다. ③ 작업〔연구〕팀; (기업체의) 전직원. ④〖스포츠〗 팀, 선수단: National≈ 국가 대표팀; eine gemischte ~ aufstellen 혼성팀을 편성하다. ⑤〔구어〕그룹, 조.

mannschaftlich *a.* 〖스포츠〗 팀(으로서)의: ~e Geschlossenheit 팀의 단결.

Mannschafts≈anwerbung *f.* 〖軍·海〗 사병〔선원〕 모집. **~aufstellung** *f.* 〖스포츠〗 ① 팀의 편성. ② 선수단 확정. **~dienst·grad** *m.* 〖軍〗 사병의 계급. **~fahren** *n.* 〖사이클〗 ↑ ~rennen. **~führer** *m.* 〖스포츠〗 주장; 감독, 단장. **~geist** *m.* 팀〔단체〕 정신, 단결심, 연대감. **~kapitän** *m.* 〖스포츠〗 (팀의) 주장. **~küche** *f.* (특히 육군·해군에서의) 회식. **~rang** *m.* ↑ ~dienstgrad. **~raum** *m.* 〖海〗 일반 선원실. **~rennen** *n.* 〖사이클〗 단체 경주, 팀 레이스. **~rolle** *f.* 사병 (점호) 명부. **~sieger** *m.* 단체 경기 우승팀. **~stärke** *f.* 〖스포츠·軍〗 한 팀〔부대〕의 인원수〔병력〕. **~stube** *f.* 사병실. **~verfolgungs·rennen** *n.* 〖사이클〗 (4000-5000 m) 단체 추발 경기. **~wagen** *m.* 군인〔경찰〕 수송차. **~wertung** *f.* 〖스포츠〗 (단체 경기에서) 단체 성적.

manns·dick *a.* 어른 같은 몸집의.

Mannsen [mánzən] *n.* -s, - ①〔구어〕 ↑ Mannsbild. ②〔복수〕(md.) ↑ Mannsleute.

manns≈hoch *a.* (키가) 어른 만큼 큰. **≈höhe** *f.* 성인의 키.

Manns≈kloster *n.* 남자 수도원. **~leute** *pl.* 〔구어〕남자들. **~mahd** *f.*〔방언〕일꾼이 하루에 베는 풀의 양. **~person** *f.*〔구어〕남자. **~pflicht** *f.* 남편〔남자〕의 의무. **≈süchtig** *a.* ↑ ~toll. **≈toll** *a.* 남자에 미친, (여자가) 색광인. **~tollheit** *f.* (여자의) 색광. **~treu** *f.* ↑ Männnertreu. **~volk** *n.* ↑ ~leute. **~zucht** *f.* ↑ Manneszucht.

Mannus [mánus] *m.* 〖게르만신화〗 마누스(게르만 민족의 조상신 Tuisto 의 아들).

Mann·weib *n.* ①〖醫〗 남성적 성충동을 갖는 여자(Virago). ②〔폄어〕여장부, 여걸.

mano destra [mán:o dɛ́stra] 《it.》〖음악〗 오른손(으로).

Manometer[1] [manomé:tər] 《gr. manós》 *n./m.* -s, - 〖工〗 (Druckmesser) 압력계, 기압계.

Manometer[2] *int.*〔구어〕저런, 세상에, 어머나(놀라움·격분의 표현).

manometrisch *a.* 압력계로 측정한.

mano sinistra [má:no zinístra] 《it.》〖음악〗 왼손(으로).

Manoskop *n.* -s, -e ↑ Manometer[1].

Manöver [manø:vər] 《lat.》 *n.* -s, - ①〔폄어〕(a) 기교, 요령; 책략, 술책. (b) 소행; 허례, 형식적인 일. ②〖軍〗 (대규모의) 기동 훈련: ein ~ abhalten〔veranstalten〕 기동 훈련을 하다; ins ~ ziehen 기동 훈련을 나가다. ③ (배·비행기·차의) 진로 변경, 방향 전환. ④〖철도〗 열차 편성.

Manöver≈anzug *m.* 연습〔훈련〕복. **~gelände** *n.* 기동 훈련 지역. **~krieg** *m.* 기동전. **~kritik** *f.* ① 행사에 대한 총평. ②〖軍〗 기동 훈련에 대한 강평. **~schaden** *m.* 기동 훈련에 따른 손실〔피해〕.

manövrieren [manøvrí:rən] 《frz.》《I》 *i.* (h.) ①〖軍〗 기동 훈련을 하다. ②〖海〗 항로를 바꾸다. ③〔폄어〕책략〔술책〕을 쓰다, 교묘하게 일을 진행시키다; 얼렁뚱땅 도망치려 하다. 《II》 *t.* ① (배·비행기·차 등의) 항로〔진로·속도〕를 바꾸다; 유도〔조종〕하다: das Schiff in den Hafen ~ 배를 항구로 진입시키다. ②〔구어〕 교묘하게 데리고〔몰고〕 가다.

manövrier≈fähig *a.* 〖海〗 방향 전환〔조종〕할 수 있는. **≈fähigkeit** *f.* 〖海〗 방향 전환 능력.

Mansard·dach [manzárt..] *n.* 〖건축〗 망사르드 지붕, 꺾인 지붕.

Mansarde [..də] 《frz.》 *f.* -n 〖건축〗 망사르드 다락방, 꺾인 지붕의 고미다락(프랑스의 건축가 F. Mansart 의 이름에서).

Mansarden≈dach *n.* ↑ Mansarddach. **~fenster** *n.* 망사르드 지붕에 낸 채광창. **~wohnung** *f.* ↑ Mansarde. **~zimmer** *n.* ↑ Mansarde.

Mansch [manʃ] 《<manschen》 *m.* -(e)s 〔구

어】 ① (a) 걸죽한 수프〔죽〕. (b) 뒤범벅; 잡탕; 시원찮은 식사. ② 진창(물). ③ 궂은 날씨.

Mansche *f.* ↑ Mansch.

manschen [mánʃən] 《⊕ mengen》 〖구어〗 《Ⅰ》 *t.* ① 곤죽이 되게 휘젓다〔뒤섞다〕. ② ↑ mampfen. 《Ⅱ》 *i.* ① 물을 튀기다, 물을 첨벙거리며 놀다. ② ↑ mampfen.

Manscherei [manʃəráɪ] *f.* -en 뒤섞기, 휘젓기, 뒤범벅; 물튀기기.

Manschester [manʃéstər] 《engl.》 *m.* -s ↑ Manchester[2] 의 독일어식 표기.

manschestern *a.* 맨체스터 무명의, 코르덴으로 된.

Manschester·partei *f.* ↑ Manchesterpartei.

Manschestertum *n.* -s ↑ Manchestertum.

Manschette [manʃétə] 《frz., „Ärmelchen"》 *f.* -n ① (셔츠 등의) 커프스, 소맷부리(의 주름 장식); (꽃병 등의) 주둥이 장식: die ~n umschlagen 소매를 접다; die ~n zuknöpfen 소매의 단추를 채우다; 〖구어〗 vor jm.〔et.[3]〕 ~n haben 누구를〔무엇을〕 두려워하다〔꺼리다〕. ② (주름진 종이로 만든) 장식용 화분싸개. ③ 〖레슬링〗 목조르기 반칙. ④ 〖工〗 피스톤링, 채움테; 〖醫〗 (혈압계의) 압박대; 〖은어〗 수갑(Handfessel).

Manschetten≈fieber *n.* 〖구어〗 심한 공포, 두려움. **~knopf** *m.* 커프스 단추.

manschig 《<Mansch》 *a.* 〖구어〗 죽 같은, 질척질척한, 끈적끈적한.

Mansfeld ① 만스펠트(독일의 도시). ② 만스펠트(독일의 옛 백작 가문).

Manteau [mãtó:] 《frz.》 *m.* -s, -s 〖고어〗 망토, 외투; (특히) 가벼운 여성용 망토.

***Mantel** [mántəl] 《lat.》 *m.* -s, Mäntel ① 외투, 코트, 망토; 〖비유〗 가장, 은폐: den ~ anziehen〔umhängen〕 외투를 입다〔걸치다〕; den ~ ablegen〔ausziehen〕 외투를 벗다; den ~ des Schweigens über et. breiten〔decken〕 무엇에 대해 침묵하다; 〖구어·폄어〗 den ~ nach dem Wind(e) hängen〔drehen, kehren〕 시류에 영합하다, 기회주의적 태도를 보이다; den ~ auf beiden Schultern tragen 간에 붙었다 쓸개에 붙었다 하다; mit dem ~ der (christlichen) Nächsteliebe) zudecken〔bedecken〕 박애 정신으로 감싸 주다, 용서하다; sich in den ~ des Gleichmuts hüllen 태연〔무관심〕한 체하다; unter dem ~ der Nacht 야음을 틈타서. ② 〖工〗 외피, 피복, 외장(外裝); 〖건축〗 외곽, 철골 구조; 난로 장식, 난로 선반; 〖軍〗 (총알의) 탄피, (기관총의) 냉각통; 〖광산〗 (용광로의) 외벽; 〖광물〗 광맥을 가르는 엷은 암층. ③ 〖動〗 (특히 연체 동물의) 외(투)막; 〖植〗 종피(種皮); 〖醫〗 외피, 외막. ④ 〖기하〗 (원통·원뿔의) 측면: ~ eines Kegels 원뿔의 원뿔면. ⑤ 〖經〗 이표(利票)가 붙지 않은 채권; 지분(持分) 증서. ⑥ 기업의 법적 형태(보기: AG, GmbH 따위). ⑦ 숲 가장자리의 수목. ⑧ (야생 조류의) 등쪽 깃털. ⑨ (자전거의) 타이어 외피. ⑩ 〖언론〗 (지방판 기사에 대해) 일반 기사(정치면·경제면 등).

Mäntelchen [méntəlçən] 《↑ Mantel 의 축소형》 작은〔짧은〕 외투, 반코트: 〖구어〗 et.[3] ein ~ umhängen 무엇을 둘러대다, 얼버무리다, 미화하다.

Mantel≈futter *n.* 외투의 안감. **~geschoß** *n.* 〖軍〗 피갑탄(被甲彈). **~gesetz** *n.* (Rahmengesetz) 원칙법, 외곽 법규(개칙(概則)만 정하고 세칙은 다른 입법에 위임한 법규). **~hänger** *m.* 시류에 영합하는 사람, 기회주의자. **~kind** *n.* 〖고어〗 결혼 전에 출생한 아이. **~kragen** *m.* ① 외투의 깃. ② 케이프, 어깨 망토. **~linie** *f.* 〖기하〗 (원통 등의) 모선(母線). **~note** *f.* (외교상의) 포괄적 각서. **~pavian** *m.* 〖動〗 망토비비(원숭이의 일종). **~regelung** *f.* ↑ ~gesetz. **~riemen** *m.* 외투의 벨트; 〖軍〗 (말 안장의) 외투 묶는 가죽끈. **~rohr** *n.* 〖軍〗 포신 커버, 재킷; 〖工〗 재킷. **~sack** *m.* ① 여행 가방; 〖軍〗 배낭. ② 〖방언〗 ↑ ~tasche. **~stoff** *m.* 외투감. **~tarif** *m.* 〖經〗 ① 총괄적 임금률(표). ② ↑ ~tarifvertrag 의 약칭. **~tarif·vertrag** *m.* 〖法〗 총괄적 노동〔임금〕 계약. **~tasche** *f.* 외투 주머니. **~tier** *n.* 〖動〗 피낭류(被囊類). **~träger** *m.* ① (옛날의) 장송(葬送)할 때 관 옆에 따라가는 사람. ② ↑ ~hänger. **~tuch** *n.* ① 케이프, 어깨 망토. ② ↑ ~stoff. **~-und-Degen-Film** *m.* 검술 영화. **≈weit** *a.* 〖구어〗 대단히 넓은. **~zeug** *n.* ↑ ~stoff.

Mantik [mántɪk] 《gr.》 *f.* 점복술, 예언술, 점.

Mantilla [mantílja] 《sp.》 *f.* -s ↑ Matille.

Mantille [..tíl(j)ə] *f.* -n ① 만틸라(에스파냐 여성의 레이스 숄). ② 가볍고 짧은 여성용 외투.

Mantisse [mantísə] 《lat.》 *f.* -n 〖數〗 (대수의) 소수부(小數部), 가수(假數).

Mantsch [mantʃ] *m.* -(e)s ↑ Mansch.

mantschen *i.*(h.) *t.* ↑ manschen.

Mantua [mántua] 만투아(북부 이탈리아의 도시).

Mantuaner *m.* -s, - 만투아 사람.

mantuanisch *a.* 만투아의.

Manual [manuá:l] 《lat.》 *n.* -s, -e ① 〖고어〗 편람, 수첩; 일기, 일지; 사용 설명서; 〖商〗 금전 출납장; 표, 목록. ② 〖음악〗 (오르간 등의) 건반(↔ Pedal).

Manuale *n.* -(s), -(n) ↑ Manual.

Manuela [..la] *f.* 마누엘라(여자 이름).

manuell [manuél] 《frz.》 *a.* 손의, 손으로 하는, 수공의: er besitzt große ~e Geschicklichkeit 그는 손재주가 대단하다.

Manufakt [manufákt] 《lat.》 *n.* -(e)s, -e 수공품, 수공업 제품.

Manufaktur [manufaktú:r] 《lat.》 *f.* -en ① (↔ Maschinenware) 매뉴팩처, 공장제 수공업; 수공, 수공예. ② 〖고어〗 수공 제품.

Manufaktur·betrieb *m.* 공장제 수공업, 매뉴팩처.

manufakturieren [..turí:rən] *t.* 손으로 만들다〔제조하다〕.

Manufakturist *m.* -en, -en ① 공장주. ② 제조업자; 직물업자.

Manufaktur·waren *pl.* ① 수제품. ② 〖고어〗 직물.

manu propria [má:nu pró:pria] 《lat.》 손수, 자필로, 자필의(약어: m.p.).

Manul·druck *m.* ① 마눌 인쇄, 사진 제판법. ② 사진 제판법에 의한 인쇄.

Manus *n.* -, - ↑ Manuskript 의 단축어.

***Manuskript** [manuskrípt] 《lat.》 *n.* -(e)s, -e (약어: Ms., Mskr.; 복수: Mss.) ① (손으

로 쓰거나 타자로 친) 원고, 초고: an einem ~ arbeiten 원고를 작성하다; ein ~ in (den) Druck geben 원고를 인쇄하다; 〖출판〗 als ~ gedruckt (공개용이 아닌) 제한된 독자를 위한 인쇄물(로). ② 필사본. ③ (강연·강의 등의) 원고, 요지문: sich nicht ans ~ halten 원고에 의존하지 않다.

Manuskript≈blatt *n.* ↑ ~seite. **~seite** *f.* 원고의 면[페이지].

Manx [mɛŋks] *n.* 맨도(島) 켈트어(↑ Man).

Manzanilla [mantsanílja] 《sp.》 *m.* -s, -s 만사니요 포도주(안달루시아산(產)).

Manzanilla≈baum *m.* 〖植〗 중앙 아메리카산(產) 대극과(科)의 유독 식물의 일종. **~wein** *m.* ↑ Manzanilla.

Maoismus *m.* - 마오쩌둥주의[사상].

Maoist *m.* 〖펌어〗 마오쩌둥주의자.

maoistisch *a.* 마오쩌둥주의의.

Maori[1] [máʊri, maó:ri] *m.* -(s), -(s) 마오리인(뉴질랜드의 원주민).

Maori[2] *n.* - 마오리어.

maorisch *a.* 마오리인[어]의.

Mäppchen [mɛ́pçən] *n.* -s, - 〖↑ Mappe 의 축소형〗 소형 서류철[가방]; 소형 케이스(화장품 지갑, 가죽 필통 따위).

*__Mappe__ [mápə] 《lat.》 *f.* -n ① 〖고어〗 냅킨, 식탁보; 지도. ② 서류끼우개, 서류철, 폴더; (예술가의) 그래픽 작품집: die ~ aufschlagen 서류철을 열다; Briefe in die ~ legen 편지를 서류철에 끼우다. ③ 서류[책] 책가방: Bücher in die ~ packen[stecken] 책을 책가방에 넣다.

Mappeur [mapø̍:r] *m.* -s, -e 〖고어〗 (öst.) ↑ Kartograph.

mappieren *t.* 〖고어〗 (öst.) (어느 지역의) 지도를 만들다, 지도로 나타내다.

Maquette [makɛ́t(ə)] *f.* -n (예술 작품의) 초안, 스케치; (조각의) 모형.

Maquis [makí:] 《frz.》 *m.* - ① 〖복수: - [makí:s]〗 코르시카 섬의 관목재(材). ② 마키단(제 2 차 세계 대전 중 프랑스의 반독(反獨) 저항 운동 단체).

Maquisard [makizá:r] *m.* -, -s/-en 〖史〗 마키단 대원.

Mär [mɛ:r] *f.* -en ① 〖구식〗 소문, 보고: das ist doch bloß eine ~ 그것은 한갓 소문에 지나지 않는다. ② **(a)** 〖규식〗 전설, (옛날) 이야기. **(b)** 〖농담·반어〗 허구, 꾸민 일; 황당무계한 주장[이야기].

Marabu [má:rabu] 《ar.》 *m.* -s, -s 〖動〗 마라부(아프리카와 인도에 서식하는 큰 황새).

Marabut [marabú:t] 《ar.》 *m.* -/-(e)s, -(s) 〖이슬람교〗 고행자, 은자, 성자.

Maranatha *n.* -s, -s, **maranatha** *int.*, 마라나타(고대 기독교의 성찬식 기도; "주여, 임하소서"란 뜻).

Marane [mará:nə] 《ar.》 *m.* -n, -n 〖史·펌어〗 (15-16 세기경에) 강제로 기독교 세례를 받은 에스파냐의 유대인 및 무어인.

Maräne [marɛ́:nə] *f.* -n 〖動〗 ↑ Felchen.

marantisch [marántɪʃ] 《gr.》 *a.* 〖醫〗 노쇠에 따른, 쇠약증의; 소모성의, 쇠약해지는.

Marantjosef (obd.) *int.* 〖구어〗 Maria und Josef 의 와음(訛音).

Maraschino [maraskí:no], **Maraskino** 《it.》 *m.* -s, -s 마라스키노(달마티아산(產) 버찌로 만든 리큐어).

Marasmus 《lat.》 *m.* - 〖醫〗 소모(증), 쇠약(증); 노쇠.

marastisch *a.* ↑ marantisch.

Marathon[1] [má:ratɔn] *n.* 마라톤(아테네 북쪽에 있는 옛 전쟁터).

Marathon[2] *n.* -s, -s ① 〖스포츠〗 마라톤 경주. ② 〖구어〗 장시간 지속되는 것.

Marathon≈lauf *m.* 〖스포츠〗 마라톤 경주. **~läufer** *m.* 〖스포츠〗 마라톤 주자. **~läuferin** *f.* ↑ ~läufer 의 여성형. **~rede** *f.* 매우 긴 연설. **~sitzung** *f.* 〖구어〗 마라톤 회의. **~strecke** *f.* 〖스포츠〗 마라톤 코스. **~veranstaltung** *f.* 마라톤 행사. **~verhandlung** *f.* 마라톤 협상.

Maratz *m.* -es (ndd.) ↑ Morast.

Marbel[1] [márbəl] *f.* -n 〖植〗 골풀.

Marbel[2] *n./m.* -s, - 유리 공예용의 목형.

Marbel[3] *f.* -n ① 〖방언〗 (놀이용) 유리 구슬 (Murmel). ② (alem.) 대리석.

Märbel *f.* -n 〖방언〗 ↑ Marbel[3] ①.

marbeln *i.* (h.) 마블놀이[구슬치기]를 하다.

Marburg [má:rbʊrk] *n.* 마르부르크(독일 Hessen 주의 도시).

Marburger [..gər] 《Ⅰ》 *m.* -s, - 마르부르크의 주민. 《Ⅱ》 *a.* 마르부르크의: 〖哲〗 ~ Schule 마르부르크 학파.

marc. ↑ marcato.

marcando ↑ marcato.

marcato [marká:to] 《it.》 *adv.* 〖음악〗 강하게, 강세를 붙여.

March [març] *f.* -en (schweiz.) (경작지의) 경계표, 경계.

Marchand-Tailleur [marʃã:-tajø̍:r] 《frz.》 *m.* (옷) 맞춤집; 양복점.

*__Märchen__ [mɛ́:rçən] *n.* -s, - 〖↑ Mär 의 축소형〗 ① 〖고어〗 소문, 풍문: das ~ davon verbreitete sich sogleich 그에 대한 소문은 삽시간에 퍼졌다. ② 동화, 옛이야기: die ~ der Brüder Grimm 그림 동화; den Kindern ~ erzählen[vorlesen] 아이들에게 동화를 들려주다[읽어 주다]. ③ 〖비유〗 꾸며낸 이야기, 거짓말: erzählt mir keine ~ 동화 같은 이야기일랑 그만두게.

märchen≈artig *a.* 동화 같은, 꾸민 이야기의. **≈buch** *n.* 동화책. **≈dichtung** *f.* 동화 문학. **≈erzähler** *m.* 동화 작가, 동화 구연자(口演者). **≈erzählerin** *f.* ↑ ~erzähler 의 여성형. **≈film** *m.* 동화(로 만든) 영화. **≈-forschung** *f.* 동화 연구.

märchenhaft *a.* 동화 같은, 공상적인, 믿기지 않는; 신비롭게 아름다운.

Märchen≈land *n.* ① 동화의 나라, 비현실 세계, 상상의 나라. ② (전원적인) 아름다운 나라. ③ 동화의 인물 인형을 배치한 공원. **~onkel** *n.* 〖구어〗 동화를 들려주는 남자. **~pracht** *f.* 동화 같은 화려함. **~prinz** *m.* ① 동화 속의 왕자. ② 꿈에 그리던 남자. **~prinzessin** *f.* ① 동화 속의 공주. ② 꿈에 그리던 여자. **~-sammlung** *f.*, **~schatz** *m.* 〖雅語〗 동화집. **~stunde** *f.* (방송의) 동화 시간. **~tante** *f.* 〖구어〗 동화를 들려주는 여자. **~welt** *f.* 동화 세계, 선경(仙境).

Marchesa [marké:za] *f.* ..sen (이탈리아의) 여후작, 후작 부인.

Marchese [..ké:zə] 《it.》 *m.* -, -n (이탈리아

의) 후작.

Marcht *m.* -es, -e (ostd.) ↑ Markt.

March·zins *m.* (schweiz.) 중간 이자.

Marconi [markó:ni] *m.* Guglielmo ~ 마르코니(이탈리아의 무선 전신 발명자, 1874-1937).

Marconi·gramm *n.* 마르코니식 무선 전신.

Marder [márdər] *m.* -s, - ①〖動〗담비. ② 도둑.

Marder·fell *n.* 담비 털가죽. **~hund** *m.*〖動〗너구리.

mardern *t.*〔구어〕약탈하다, 강탈하다.

Marder·pelz *m.* 담비 털가죽.

Märe [mɛ́:rə] *f.* -n〔고어〕↑ Mär.

Marelle [marɛ́lə] 《lat.》 *f.* -n〔방언〕살구 (Aprikose).

Maremme [marɛ́mə] 《it.》 ① 마레메(중부 이탈리아의 서부 해안 소택지). ② 해안 습지, 바다와 가까운 저지, 늪, 소택.

mären [mɛ́:rən] *i.*(h.) (sachs.) ① 휘젓다, 섞다. ② 꾸물거리다, 굼뜨게 일하다. ③ 수다떨다, 지껄이다.

Marend *n.* -s, -i (schweiz.) ↑ Marende.

Marende 《it.》 *f.* -n (bayr., öst.) 오후의 간식.

Marengo *m.* -s〖섬유〗흰점 무늬가 있는 모직물.

Märerei [mɛ:rərái] *f.* -en〔폄어〕(sächs.) 계속 지껄이기.

Marga [márga] 마르가(여자 이름).

Margareta [margaré:ta] 마르가레타(여자 이름).

Margarete [..ré:tə] 《gr.》 *f.* 마르가레테(여자 이름).

Margareten·blume *f.*〖植〗↑ Margerite.

Margarine [..rí:nə] *f.* -n〔구어〕(öst.) 마가린, 인조 버터.

Margarine·fabrik *f.* 마가린 공장. **~würfel** *m.* (주사위 모양의) 마가린 조각.

Marge [márʒə] 《lat. -frz.》 *f.* -n ①〔교양〕차이, 변동폭; 여유, 여지; (책 등의) 여백, 난외. ② 변두리, 끝. ③〖經〗매매 차익(금), 마진; 가격 차이; (증권의) 시세 차이.

Margell [margɛ́l] *f.* -en (ostpreuß.) ↑ Mädchen, Magd.

Margerite [margərí:tə] *f.* -n〖植〗데이지.

Margeriten·blume *f.* ↑ Margerite. **~strauß** *m.* 데이지 꽃다발. **~wiese** *f.* 데이지꽃이 핀 들판.

marginal [marginá:l] 《<Marge》 *a.* ①〔교양〕가장자리의, 난외의; 부수적인, 부차적인: ein ~es Thema 부수적 테마; ~e Gruppen 주변 그룹. ②〖사회〗두 계층〔계급〕사이에 위치하는, 소외 계층에 속하는. ③〖植〗(밑씨가) 잎의 가장자리에 있는.

Marginal·anlayse *f.*〖經〗한계 분석. **~bemerkung** *f.*〔교양〕난외의 주, 방주(傍註).

Marginale *n.* -(s), ..lien [..liən] ↑ Marginalie.

Marginal·glosse *f.*〖어문학〗난외의 주, 방주(傍註).

Marginalie [marginá:liə] *f.* -n 난외의 주, 방주(傍註).

marginalisieren *t.* 무시하다, 과소 평가하다.

Marginalität [..nalitɛ́:t] *f.*〖사회·心〗(사회의) 주변인, 주변 인간.

Marginal·wert *m.* 한계 가치〔효용〕.

Margit [márgɪt] *f.* 마르기트(여자 이름).

Margot [márgɔt, ..go] 《frz.》 *f.* 마르고트(여자 이름).

Margrit *f.*〖↑ Margarete 의 단축형〗마르그리트(여자 이름).

Maria [marí:a] 《hebr. Mirjam》 *f.* ①〔고어〕반항적인〔고집이 센〕여자. ②〖2 격에서는 Mariä 로도 쓰임〗〖가톨릭〗성모 마리아: die heilige Jungfrau ~ 성모 마리아; Mariä 〔der ~〕Empfängnis 마리아〔성모〕의 무염 수태; Mariä Himmelfahrt 성모 승천(일) (8 월 15 일); Mariä Reinigung 청정(淸淨)〔봉헌〕일 (2 월 2 일); Mariä Verkündigung 수태 고지 대축일(3 월 25 일); (Jesus), ~ und Josef! 〔Jesses ~!〕아이고, 아뿔사, 하느님 맙소사! (놀라움과 경탄의 감탄사) ③ 마리아(여자 이름).

Maria-Einsiedeln 성모 마리아의 거소(居所)(스위스에 있는 순례지).

Mariage [mariá:ʒə] 《lat.》 *f.* -n ①〔고어〕결혼, 혼례. ②〖카드〗매리지(같은 패의 King 과 Queen 이 한 사람의 손에 있는 경우). ③〔고어〕66 모으기와 비슷한 카드놀이.

Mariä-Himmel·fahrts-Fest *f.*〖가톨릭〗성모 승천 대축일(8 월 15 일).

Marianen [mariá:nən] *pl.* 마리아나 제도(서태평양 북서부의 화산 열도).

marianisch [mariá:nɪʃ] *a.*〖가톨릭〗성모 마리아의, 마리아를 공경하는: die ~e Theologie 마리아 신학; ≈e Kongregation 마리아 신심회(信心會)(예수회가 설립한 마리아 숭배 단체).

Marianne[1] [mariánə] *f.* 마리아네(여자 이름).

Marianne[2] 《frz.》 *f.* ①〖史〗마리안느 결사(프랑스의 혁명적 비밀 결사, 1815-48). ② 마리안느(자유의 여걸). ③ 마리안느(프랑스 공화국의 의인명).

Marie [marí:] ① 마리(여자 이름). ② ↑ Maria.

Mariechen *n.* -s ↑ Marie 의 축소형.

Marien·anbetung [marí:ən..] *f.*〖가톨릭〗성모(마리아) 숭배. **~bild** *n.* 성모상. **~blatt** *n.*〖植〗쑥국화. **~dichtung** *f.*〖문학〗마리아 찬미 문학. **~dienst** *m.* ↑ ~anbetung. **~distel** *f.*〖植〗엉겅퀴. **~fäden** *pl.* (öst.) 늦여름 공중에 떠있는 거미줄(민간 신앙에서는 이 거미줄을 마리아의 혼령으로 믿음). **~fest** *n.*〖가톨릭〗성모 축제, 마리아 축일. **~fisch** *m.* 잉어과의 작은 물고기. **~garn** *n.* ↑ ~fäden. **~glas** *n.*〖광물〗운모. **~gras** *n.*〖植〗↑ Glanzgras. **~käfer** *m.*〖動〗무당벌레. **~kirche** *f.* 성모 교회. **~kult** *m.* 성모 마리아 숭배. **~kultus** *m.* ↑ ~kult. **~leben** *n.* 성모 마리아의 생애를 다룬 작품(회화·조각·문학 작품). **~legende** *f.* 성모 마리아 전설. **~monat** *m.*〖가톨릭〗성모 성월(聖月)(5 월). **~tag** *m.* ↑ ~fest. **~verehrung** *f.* 성모 숭배. **~würmchen** *n.* ↑ ~käfer.

Marihuana [marihuá:na] 《engl.》 *n.* -s ① (인도산(産)) 대마. ② 마리화나, 대마초.

Marille [marílə] 《it.》 *f.* -n (südd., öst.) 살구.

Marillen·brand *m.* (öst., schweiz.) ↑ ~geist. **~geist** *m.* 살구 브랜디. **~knödel** *m.* (öst.) (살구를 넣은) 일종의 감자 경단.

~marmelade *f.* 살구잼. **~schnaps** *m.* 독한 살구주. **~wasser** *n.* ↑ ~schnaps.

Marimba *f.* -s 〖음악〗 마림바(실로폰 비슷한 과테말라의 악기).

Marimba·phon *n.* 〖음악〗 (금속 공명관이 있는) 마림바.

marin [marí:n] 《lat.》 *a.* ① 바다의, 바다와 관계 있는: ~e Fachzeitschriften 해양 전문 잡지. ② 바다에 서식하는, 바다에서 나는: ~e Lebensformen 해양 생물 형태.

Marinade [mariná:də] 《frz.》 *f.* -n ① (고기와 어육을 절이는) 마리네이드 소스(식초·포도주·식용유·향료를 섞어서 만듦): Heringe in ~ einlegen 청어를 마리네이드 소스에 절이다. ② 마리네이드 드레싱. ③ 마리네이드 소스에 절인 생선 통조림.

Marine [marí:nə] 《lat.》 *f.* -n ① (한 나라의) 해양력(군함·상선 및 그 관련 시설·인력 포함); 해군(력): bei der ~ dienen 해군에 복무하다. ② 〖畫〗 바다 풍경화, 전함이나 상선의 그림.

Marine≈akademie *f.* 〖海〗 해군 (대)학교. **~amt** *n.* 〔고어〕 해군성. **~arsenal** *n.* 〖軍〗 해군 조선소, 전함〔군함〕 정비소. **~artillerie** *f.* 〖軍〗 해군〔해안〕 포병대. **~arzt** *m.* 해군 군의. **~attaché** *m.* 〖軍〗 해군 무관. **~blau** *n.* 짙은 감색, 네이비 블루. **≈blau** *a.* 짙은 감색의. **~flieger** *m.* 해군 비행사. **~flugzeug** *n.* 해군 비행기, 해군기. **~infanterie** *f.* 〖軍〗 해병(대). **~maler** *m.* 바다 경치를 주로 그리는 화가. **~minister** *m.* 해군 장관. **~offizier** *m.* 해군 장교. **~offizier·schule** *f.* 해군 사관 학교.

Mariner [marí:nər] *m.* -s, - 〔구어·농담〕 해병, 수병; 뱃사람, 선원.

Marine≈reserve *f.* 해군 예비군. **~soldat** *m.* 해병, 수병. **~stab** *m.* 해군 참모부. **~station** *f.* 해군 기지〔통제부〕. **~stationschef** *m.* 해군 기지 사령관. **~stück** *n.* 바다 그림. **~stütz·punkt** *m.* 〖軍〗 해군 기지. **~truppe** *f.* 해군 부대. **~uniform** *f.* 해군 제복. **~verein** *m.* 해군 협회. **~verwaltung** *f.* 해군 군정(軍政)〔행정〕. **~werft** *f.* 해군 병기창; 해군 조선소. **~wesen** *n.* 해군과 관련된 사항. **~zahl·meister** *m.* 해군 경리관.

marinieren [mariní:rən] 《frz.》 *t.* (고기·어육을) 마리네이드 소스에 절이다.

Marinismus[1] [marinísmus] 《<Marine》 *m.* -s 〖政〗 해군력 증강 정책〔주의〕.

Marinismus[2] *m.* -s 〖문학〗 마리니 문체; 〔비유〕 과장적〔지나치게 멋을 낸〕 문체(17 세기 이탈리아 시인 G. Marino 의 이름에서).

Mario [má:rio] *m.* 마리오(남자 이름).

Marion [má:riɔn] *f.* 마리온(여자 이름).

Mariolatrie *f.* 성모 마리아 숭배.

Mariologe *m.* 성모(聖母)학자.

Mariologie *f.* 성모학.

mariologisch *a.* 성모학의.

Marionette [marionέtə] 《frz.》 *f.* -n (끈으로 조종되는) 공연용 인형; 꼭두각시, 남에게 조종되는 사람.

Marionetten·bühne *f.* ↑ ~theater.

marionettenhaft *a.* 꼭두각시 같은.

Marionetten≈regierung *f.* 괴뢰 정부. **~spiel** *n.* 인형극. **~spieler** *m.* (인형극에서) 인형을 조종하며 대사를 말하는 사람. **~staat** 위성국, 괴뢰국. **~theater** *n.* 인형극(장).

Marist *m.* -en, -en 마리아회(1816 년 창설된 가톨릭 신부회) 회원.

maritim [marití:m] 《lat.》 *a.* ① 바다의, 해상의, 해양의: ~es Klima 해양성 기후. ② 해운의, 항해상의: ~e Mächte 해운 열강(列強).

Mark[1] [mark] *m.* (ostd.) ① (Meerrettich) 서양 고추냉이. ② (Markt) 시장.

*__Mark__[2] *n.* -(e)s ① 수(髓), 골수, 심(心); 고갱이, 과심(果心): Knochen≈ 골수, Rücken≈ 척수, Tomaten≈ 토마토 퓌레; jm. das ~ aus den Knochen saugen 누구를 철저히 착취하다; die Kälte dringt mir bis ins ~ 추위가 뼛속까지 스며든다; jn. bis ins ~ erschrecken 누구를 소스라치게 하다; faul〔morsch〕 bis ins ~ 속까지 썩은; diese Musik geht mir durch ~ und Bein〔〖농담〗: Pfennig〕 이 음악은 내 심금을 울려 준다; diese Musik kann einem ~ und Bein erweichen 이 음악은 도저히 들어줄 수 없다. ② 〔비유〕 **(a)** 정수, 정화; 핵심, 본질: die Treue ist das ~ der Ehre 충성은 명예의 핵심이다; jn. ins ~ treffen 누구의 마음을 매우 아프게〔상하게〕 하다. **(b)** 생명력, 원기: er hat kein ~ in den Knochen a) 그는 무기력하다, b) 그는 겁쟁이다. ③ 큰 완두의 일종. ④ 물감의 침전물.

Mark[3] 《⊕ lat. margo》 *f.* -en ① 경계표; 경계, 국경. ② (Markgraf 가 다스리는) 국경 지방, 변경: ~ Brandenburg 프로이센의 주 이름. ③ 마을의 공유 농지. ④ 〖럭비〗 터치라인의 바깥 부분.

*__Mark__[4] *f.* (구어·농담) Märker ① 마르크(독일의 화폐 단위): die Deutsche ~ (독일 연방 공화국의 화폐 단위) 독일 마르크(약어: DM); ~ der DDR 동독 마르크(약어: M); Reichs≈ 라이히스마르크(제 2 차 세계 대전 이전의 독일 화폐 단위; 약어: RM); eine ~ hat hundert Pfennige 1 마르크는 100 페니히다; wir müssen mit jeder ~ rechnen 우리는 절약해야 한다; 〔구어〕 er dreht jede ~ (dreimal) um, ehe er sie ausgibt 그는 대단히 인색하다; keine müde ~ haben 단 1 마르크도 없다. ② 귀금속의 중량 단위(2 분의 1 파운드).

Markaner *m.* -s, - ↑ Märker[1] ① ②.

markant [markánt] 《frz.》 *a.* 현저한, 탁월한, 두드러지는, 인상적인: eine ~e Persönlichkeit 뛰어난 인물.

Markasit [markazí:t, ..zit] 《ar.》 *m.* -(e)s 〖광물〗 백철광.

Mark Aurel [mark auré:l] 마르쿠스 아우렐리우스(로마 황제, 121-180).

mark·durchdringend *a.* (소리가) 매우 날카로운, 폐부를 찌르는 듯한.

*__Marke__ [márkə] 《Mark[3]》 *f.* -n ① 표시, 물표, 표, 기호, 부호. ② 우표(Brief≈). ③ 수입 인지(Beitrags≈). ④ 신분 증명서(Dienst≈); 인식표(Erkennungs≈); (수화물) 예치증; (전차·기차의) 패스, 승차권; 〖카드〗 칩(Spiel ≈); 〖스포츠〗 최고 기록. ⑤ 〖商〗 (Waren≈) 상표, 브랜드; 품종; 품질: eine feine ~ Wein 고급 포도주; eine Ware von ~ 고급품; 〔구어〕 das ist ~! 그것은 훌륭한 데!; diese ~ ist gesetzlich geschützt 이 상표는 법적으로 보호받는다. ⑥ 〖비유·폄어〗 사람, 녀석; 이상한 사람: eine nette〔komische〕 ~ 멋진〔웃기는〕 사람〔놈〕.

Märke [mɛ́rkə] *f.* -n (öst.) (셔츠·손수건 따위에 자수로 표시한) 이니셜.
markeln 《nordd.》 *i.* (h.) 〖속어〗 주물럭거리다: an et.³ ~ 무엇에 함부로 손을 대다, 무엇을 만지작거리다.
Marken [márkən] 《<Mark³》 *pl.* 마르켄(중부 이탈리아 지방).
marken 〖海〗 (해도(海圖)에) 항로 표시를 하다.
märken [mɛ́rkən] *t.* (öst.) 이름〔이니셜〕을 표시하다: die Wäsche ~ 세탁물에 이름을 표시하다.
Marken≈album *n.* 우표(수집)첩(帖). **~artikel** *m.* (상표가 품질을 보증하는) 브랜드 상품. **~artikler** *m.* 브랜드 상품 취급 대리인〔점〕; 브랜드 상품 생산자〔업체〕. **~butter** *f.* 고급 버터. **~erzeugnis** *n.* ↑ ~artikel. **~fabrikat** *n.* ↑ ~artikel. **≈frei** *a.* ① 자유 판매의, 배급표가 필요 없는. ② 상표가 없는. **~geber** *m.* 우표 자동 판매기. **~gesetz** *n.* 상표 보호법. **~heft** *n.* 우표첩. **~nachmacher** *m.* 상표 위조자. **~piraterie** *f.* 상표 도용. **~sammler** *m.* 우표 수집가. **~schutz** *m.* 상표 보호. **~ware** *f.* ↑ ~artikel. **~zeichen** *n.* 상표, 레테르.
Marker [márkər] *m.* -s, - 〖광산〗 ↑ Markscheider.
Märker[1] [mɛ́rkər] *m.* -s, - ① ↑ Markgenosse. ② 브란덴부르크(Brandenburg) 사람. ③ 토지 소유주, 지주. ④ ↑ Marker.
Märker[2] ↑ Mark⁴ 의 복수형.
mark·erschütternd *a.* (고통 따위가) 살을 에는 듯한; 경악할; (추위·음향 따위가) 소름 끼치게 하는.
Marketender [markətɛ́ndər] 《it.》 *m.* -s, - 〖軍·고어〗 영내 매점 주인; 종군 상인.
Marketenderei [..tɛndəráɪ] *f.* -en 〖軍·고어〗 영내 매점.
Marketenderin *f.* -nen ↑ Marketender 의 여성형.
Marketender≈wagen *m.* (옛날) 종군 상인의 (포장) 마차. **~ware** *f.* 영내 매점 상품.
Marketerie [marketəríː] 《frz.》 *f.* -n [..ríːən] ① 상감(象嵌) 세공. ② (가구 장식의) 쪽매붙임 세공.
Marketing [márkətɪŋ] 《engl.》 *n.* -s 마케팅, 매매 활동.
Mark≈(faser)stoff 《<Mark²》 *m.* 〖化〗 고갱이 섬유소, 수질(髓質). **~gefäß** *n.* 〖해부〗 척수 혈관. **~gewebe** *n.* 수(髓) 조직.
Mark≈genosse 《<Mark³》 *m.* 〖史〗 촌락〔마르크〕 공동체 구성원. **~genossenschaft** *f.* 촌락〔마르크〕 공동체. **~gerechtigkeit** *f.* 경계 획정권(특히 공유지를 사유지로 하기 위해 울타리를 치는 권리). **~graf** *m.* 변경 방백(신성 로마 제국 변경지의 태수); 후작(의 칭호). **~grafentum** *n.* 변경백의 영토〔지위〕. **~-grafen·wein** *m.* ↑ ~gräfler. **~gräfin** *f.* ↑ ~graf 의 여성형. **~gräfler** [..grɛːflər] *m.* („Markgräfler Land"의 지명에서) (바젤과 브라이스가우 사이의) 라인 지방에서 생산되는 포도주. **~gräfler Land** 마르크 그레플러 란트(상부 라인 지역). **≈gräflich** *a.* 변경백의. **~grafschaft** *f.* ↑ ~grafentum.
mark·haltig *a.* (a) 〖植〗 수(髓)가 있는. (b) 〖해부〗 골수〔수질(髓質)〕의, 연수(延髓)의, 〖植〗 고갱이의.
markicht *a.* ↑ markig.
***markieren** [markíːrən] 《frz. marquer》 《I》 *t.* ① (부호·선·불빛 따위로) 표시하다; (öst.) (차표에) 사용필의 표시를 하다: 〖비유〗 den Schritt ~ 제자리 걸음을 하다, 헛수고를 하다. ② 경계〔한계〕를 긋다: Katzen ~ ihren Bezirk meist durch Ablegen von Kot auf Steinen 고양이들은 대개 돌멩이에 배설해 그들의 영역을 표시한다. ③ 눈에 띄게 하다; 윤곽이 드러나게 하다; (어구 따위를) 강하게 말하다; 〖음악〗 악센트를 붙이다; 운각을 분명하게 읽다: die Fahrrinne durch Bojen ~ 부표로 수로를 표시하다; der Anzug markiert die Schultern 그 신사복은 어깨를 강조한다. ④ 〖연극〗 (연기를) 시늉만 하다: die Sänger markierten nur, um ihre Stimme zu schonen 가수들은 목소리를 아끼려고 입만 뻐끔거렸다. ⑤ 〖구어〗 …처럼 보이게 하다, 거짓으로 꾸미다: beim Manöver den Feind ~ 훈련시 적의 역할을 하다; der Bettler markierte Blindheit 거지는 맹인을 가장하고 있었다. ⑥ 〖사냥〗 (사냥개가 사냥감을 찾아낸 것을) 거동으로〔짖어서〕 알리다. ⑦ 《engl. mark》 〖컴〗 블록으로 지정하다. ⑧ 〖스포츠〗 득점하다; (상대편 선수를) 막다, 수비하다: das erste Tor markierte der Mannschaftskapitän selbst 첫골을 주장 자신이 넣었다; der Stürmer wurde von seinem Bewacher genau markiert 공격수는 전담 수비수에 의해 철저히 저지되었다. 《II》 *refl.* sich ~ 눈에 뜨이다, 뚜렷해지다; 점잖은 체하다: die Körperformen markierten sich in dem Kleid besonders stark 그 드레스를 입으니까 몸매가 특히 두드러져 보였다. 《III》 **markiert** *p.a.* ↑ markiert.
markiert 《I》 *p.p.* ↑ markieren. 《II》 *p.a.* ① 가상의: 〖軍〗 ~er Feind 가상의 적. ② 〖비유〗 현저한, 눈에 뜨이는; (선이) 굵은, 뚜렷한: scharf ~e Züge 선이 뚜렷한 얼굴 모습. ③ *adv.* 〖음악〗 강하게, 악센트를 넣어서.
Markierung *f.* -en ① 부호〔표지〕를 붙이기, 표시하기; 표지, 부호. ② 〖컴〗 블록 지정.
Markierungs≈boje *f.* 〖海〗 부표(浮標). **~fähnchen** *n.* 〖스포츠〗 코스 안내용 깃발. **~linie** *f.* 경계선, 표지선. **~punkt** *m.* 경계 표시점.
Markier·verhalten [markíːr..] *n.* 자신의 영역을 표시하는 동물의 특유한 행태.
markig [márkɪç] 《<Mark²》 *a.* 골(모양)의, 골이 있는; 〖비유〗 힘이 있는; (문장·말이) 간결하고 힘찬.
märkisch [mɛ́rkɪʃ] 《<Mark³》 *a.* 변경〔국경〕의; 브란덴부르크의.
Markise [markíːzə] 《frz.》 *f.* -n ① (Sonnendach) 차양, 차일: die ~ aufspannen 차양을 치다. ② (다면체의) 보석 세공; 머키즈 컷(형으로 깎은 보석).
Markisen·stoff *m.* 차일용 천.
Markisette [markizɛ́t] *f.* ↑ Marquisette.
Markka [márka] *f.* ↑ Finnmark(약어: mk).
Mark≈klößchen *pl.* 〖요리〗 골 경단. **~-knochen** *m.* 골이 많은 뼈.
Mark·linie *f.* 경계선; (럭비의) 터치 라인.
marklos *a.* ① 골수 없는. ② 〖드물게〗 힘 없는, 약한.

Marko·brunner *m.* -s, - 마르코 브루너(라인산(產) 포도주 이름).
Markolf [márkɔlf] 《I》 *m.* -(e)s, -e 〖動·방언〗 어치(새 이름). 《II》 *m.* 마르콜프(남자 이름).
Marko·manne [markománə] *m.* -n, -n 마르코만니인(고대 게르만의 한 부족).
Markör [markǿ:r] 《frz.; marquer》 *m.* -s, -e ① (öst.) 웨이터(Kellner). ②〖고어〗(당구의) 채점원. ③ 논〔밭〕두렁을 쌓는 가래.
Mark≈ordnung *f.* (삼림·전답의) 경계 획정에 관한 규칙. **~rechnung** 《<Mark⁴》 *f.* 마르크 화폐에 의한 계산. **~richter** *m.* 변경 지방의 재판관. **~scheide** *f.* ①〖구식〗 국경선. ② (광구·교구의) 경계선. ③〖해부〗 신경 섬유를 둘러싸는 조직층. **~scheide·kunde** *f.* ↑ ~scheidekunst. **~scheide·kunst** *f.* 광구 측량술. **~scheider** *m.* 광구 측량 기사. **≈-scheiderisch** *a.* 광구 측량의. **~scheidung** *f.* (광구의) 경계 획정. **~stamm·kohl** *m.* 〖農〗 사료용 양배추. **~stein** *m.* 경계석(石); 〖비유〗 역사적인 대사건〔시점〕, 전환점: dieses Ereignis war ein ~ meines Lebens 이 사건은 내 생애의 일대 전환점이 되었다. **~stoff** *m.* 〖해부〗 수질(髓質). **~strahlen** *pl.* 〖해부〗 수질(髓質) 방사선; 수(髓)방선. 〖植〗 나무의 횡단면〔종단면〕에 나타난 수방선(의 모양). **~stück**[1] *n.* (도육(屠肉)의) 골수(骨髓) 조각. **~stück**[2] *n.* 마르크 경화(硬貨). **~substanz** *f.* 〖해부〗 수질(髓質).
***Markt** [markt] 《lat.》 *m.* -(e)s, Märkte [mέrktə] ① 장, 큰 장, 대목장; 시장: auf den ~ 〔zum ~〕 gehen 장에 가다; den ~ beschicken 시장에 상품을 내놓다; auf dem ~ 시장에서; zu ~ bringen a) (물건을) 팔려고 내놓다, b) (무슨 말을) 꺼내다; 〖비유〗 die eigene 〔seine〕 Haut (selbst) zu ~ tragen 생명을 걸다, 위험을 무릅쓰다. ② 거래 장소, 상업지, 상품 집산지; 상업, 장사, 거래; 시황: der Gemeinsame ~ 유럽 공동체(Europäische Wirtschaftsgemeinschaft)의 부정확한 명칭; den ~ drücken a) 시황을 부진하게 하다, b) (덤핑 따위로) 시세를 떨어뜨리다; mit et.³ ~ halten 무엇을 매매하다; schwarzer ~ 암시장; grauer ~ 회색 시장(희귀 상품을 터무니없는 가격으로 파는 시장). ③ (상품을) 팔 곳, 판로: der ~ ist für diesen Artikel erschöpft 이 상품은 더 이상 팔리지 않는다; der ~ ist übersättigt〔liegt danieder〕 공급이 수요보다 많다. ④ 시장의 물품; 매매물; (obd.) 대목장에서 산 물건. ⑤ 시가(市價), 시세. ⑥ 장터, 광장; auf dem〔offenem〕 ~ 공공연하게, 대중이 보는 가운데서. ⑦ ↑ ~flecken. ⑧ 시장의 상인; 시장의 군집.
Markt≈absprache *f.* 시장분할을 위한 담합. **~amt** *n.* 시장 관리 사무소. **~analyse** *f.* 시장 분석. **~anteil** *m.* 시장 점유율. **~bauer** *m.* 시장용〔판매용〕 농산물 생산 농부. **≈-beherrschend** *a.* 시장을 지배하는. **~bereich** *m./n.* 시장이 상품을 집산하는 영역. **~bericht** *m.* 시장 보고; 시세표. **~besucher** *m.* 장보러 오는 손님. **~brunnen** *m.* 시장〔광장〕의 분수. **~bude** *f.* ↑ ~stand. **~chance** *f.* 시장성.
Märktchen [mέrktçən] *n.* -s, - 〖↑ Markt의 축소형〗 소규모 시장.

markten [márktən] *i.* (h.) / *t.* 〖구식·방언〗 ① mit jm. um et. ~ 누구와 무엇의 값을 흥정하다. ② 장사하다, 팔다. ③ 장에 가다.
markt·fähig *a.* 시장성이 있는.
Markt≈fahrer *m.* (öst., schweiz.) 장돌뱅이. **~flecken** *m.* 〖雅語〗 장터. **~forschung** *f.* 시장 조사. **~frau** *f.* 시장 아낙네. **~freiheit** *f.* ↑ ~recht. **~gang** *m.* ① 장보러 가기. ② 상품의 매출 추세. **~gänger** *m.* 시장상인. **≈-gängig** *a.* ① 시장에서 행해지는: ein ~er Preis 시가. ② 시장성이 있는, 잘 팔리는: ein ~es Produkt 잘 팔리는 제품. **~gebühren** *pl.* 시장 사용료. **~geld** ↑ ~gebühren. **≈-gerecht** *a.* 시장 여건에 맞는. **~geschäft** *n.* 시장 거래. **~gut** *n.* 시장 상품. **~halle** *f.* 시장(의 건물). **~händler** *m.* 시장 상인. **~händlerin** *f.* ↑ ~händler의 여성형. **~helfer** *m.* 시장 일꾼. **~korb** *m.* ① 시장바구니. ②〖옛투〗(여행상들의) 상품 바구니. **~kurse** *pl.* ↑ ~preis. **~lage** *f.* 시장 상황. **~leute** *pl.* 시장 상인, 노점 상인. **~lücke** *f.* (시장의) 공급 공백. **~meister** *m.* 시장주(主). **~ordnung** *f.* ① 시장 조절 규정. ② 시장 관리 규정. **≈orientiert** *a.* 시장성을 고려한. **~ort** *m.* (일반적인) 시장. **~platz** *m.* (장이 서는) 광장. **~preis** *m.* 시장 가격. **~-recht** *n.* 시장 개설권; 시장 관리법. **~regulierung** *f.* 시장 통제, 수급 조절. **~-schreier** *m.* 호객 상인; 과장해 광고하는 사람; 협잡꾼, 사기꾼; 〖폄어〗 허풍선이, 이름 파는 사람. **~schreierei** [márkt..ráɪ] *f.* 사기적 행위, 과대 광고, 이름 팔기. **≈schreierisch** *a.* 사기적인, 과장 광고하는, 이름을 파는. **~stand** *m.* 시장의 점포. **~tag** *m.* 장날. **≈üblich** *a.* 시중의. **~verkehr** *m.* 시장 거래. **~wechsel** *m.* 시장 어음. **~weib** *n.* 〖폄어〗 시장 아낙네. **~wert** *m.* 시장 가치. **~wirtschaft** *f.* 시장 경제, 시장 교역. **≈-wirtschaftlich** *a.* 시장 경제의. **~zettel** *m.* 시세표. **~zoll** *m.* 시장세(稅).
Markung [márkuŋ] 《<Mark³》 *f.* -en ① 경계, 경계 설정. ② 경계 내의 토지; 시읍면 소유지.
Markus [márkus] *m.* 마르쿠스(남자 이름): 〖聖〗 der heilige ~ 성(聖)마가(마가 복음의 저자).
Markus≈evangelium *n.* 〖聖〗 마가 복음. **~kirche** *f.* 성(聖)마가 성당.
Märlein [mέ:rlaɪn] *n.* -s, - ↑ Märchen.
marlen [márlən] 《ndl.》 *t.* 〖海〗 마룻줄을 감다, 돛을 올리다.
Marl·leine [márl..] *f.* 〖海〗 가는 밧줄.
Marmara·meer [mármara..] *n.* 마르마라해(海)(유럽과 소아시아의 사이에 있는 호수 모양의 바다).
Marmel [márməl] 《gr. -lat.》 *m.* -s, - ①〖문학·고어〗 ↑ Marmor. ② (놀이용 유리) 구슬(Marbel).
Marmelade [marmelá:də, marmə..] 《frz.》 *f.* -n 마멀레이드(오렌지·레몬의 껍질로 만든 잼): ~ aufs Brot streichen 잼을 빵에 바르다; ~ einkochen 잼을 만들다.
Marmelade(n)≈brot *n.* 잼 바른 빵. **~eimer** *m.* 잼 통. **~glas** *n.* 잼 병. **~rezept** *n.* 잼 만드는 법.
marmeln [márməln] 《I》 *t.* 대리석 모양의 무

늬를 붙이다. 《Ⅱ》 *i.* (h.) 구슬치기를 하다.
Marmel·stein *m.* 〔시어〕 대리석.
***Marmor** [mármɔr, ..mo:r] 《lat.》 *m.* -s, -e ① 대리석. ② 〔복수〕 대리석 제품〔상〕.
Marmor≈ader *f.* 대리석의 무늬. **~arbeit** *f.* ① 대리석 세공. ② 대리석 세공품. **~artig** *a.* 대리석 같은, 대리석질의. **~bild** *n.* 대리석상. **~block** *m.* 대리석 덩어리. **~bruch** *m.* 대리석 채석장. **~brust** *f.*, **~busen** *m.* 〖문학〗 백설의 가슴; 차가운 마음. **~büste** *f.* 대리석 흉상. **~getäfelt** *a.* 대리석판을 댄. **~glatt** *a.* 대리석처럼 매끈한. **~glätter** *m.* 대리석을 가는 도구. **~grube** *f.* 대리석 갱(坑). **~herz** *n.* 〔비유〕 차가운 마음.
marmorieren [marmorí:rən] 《Ⅰ》 *t.* 대리석 문양을 넣다. 《Ⅱ》 **marmoriert** *p.a.* ↑ marmoriert.
marmoriert 《Ⅰ》 *p.p.* ↑ marmorieren. 《Ⅱ》 *p.a.* 대리석 모양의 무늬가 있는.
marmor≈kalt *a.* 대리석처럼 찬. **~mühle** *f.* 대리석 분쇄 공장; 대리석 석재 제작소.
marmorn [mármɔrn] *a.* 대리석(제)의; 대리석 모양의, 대리석처럼 흰〔밝은, 매끌매끌한〕.
Marmor≈papier *n.* 대리석 문양이 있는 종이. **~plastik** *f.* 대리석 조형물. **~platte** *f.* 대리석판. **~säule** *f.* 대리석 기둥. **~schleifer** *m.* 대리석 연마공. **~schleiferei** *f.* 대리석 연마 공장. **~schnitt** *m.* 〖제본〗 대리석 모양의 무늬가 있는 절단면. **~skulptur** *f.* ↑ ~plastik. **~statue** *f.* 대리석 조각상. **~tafel** *f.* ↑ ~platte. **~treppe** *f.* 대리석 계단.
Marmotte [marmɔ́tə] 《frz.》 *f.* -n 〖動〗 마멋(알프스에 서식하는 쥐).
Marocain [marokɛ̃́:] 《frz.》 *n.* -s, -s 매러케인(가는 주름이 잡힌 견직물의 일종).
marod *a.* (öst.) 〔구어〕 약간 병이 난.
marode [maró:də] 《frz.》 *a.* ① 행군 불능의. ② 〔구식·방언〕 아주 지쳐 버린, 녹초가 된; 병든. ③ 영락한, 파멸한.
Marode·bruder *m.* 약탈병.
Marodeur [marodǿ:r] 《frz. maraudeur》 *m.* -s, -e 〖軍〗 (약탈을 일삼는) 낙오병.
marodieren [..dí:rən] *i.* (h.) 약탈하다.
Marokkaner [marɔká:nər] 《Ⅰ》 *m.* -s, - ① 모로코인. ② 모로코 출신의 사람. 《Ⅱ》 *a.* 모로코의.
marokkanisch *a.* 모로코의.
Marokko [marɔ́ko] 모로코.
Marokko·leder *n.* 모로코 가죽.
Maron [marɔ̃́:, ..ró:n] *n.* -s, -e/..ni 밤색으로 염색한 토끼의 모피.
Marone [maró:nə] 《gr.》 *f.* -n ① 〖植〗 (유럽산의) 밤알; 군밤. ② 밤버섯.
Maronen≈pilz *m.* ↑ Marone ②. **~röhrling** *m.* 〖植〗 ↑ Marone ②.
Maroni *f.* ① (südd., öst.) ↑ Marone ①. ② Marone ①의 복수.
Maroni·brater *m.* (öst.) 군밤 장수.
Maronit [maroní:t] 《ar.》 *m.* -en, -en 마론파(레바논의 기독교의 일파).
maronitisch *a.* 마론파의.
Maroquin [marokɛ̃́:] 《frz.》 *m.* -s, -s ① 모로코 가죽. ② 마로캥(향수의 일종).
Maroquin·papier *n.* 양피지(羊皮紙).
Marotte [marɔ́tə] 《frz.》 *f.* -n (Grille) 변덕, 괴벽; 유별난 기호; 장기(長技).
Marqueur [markǿ:r] 《frz.》 *m.* -s, -s ↑ Markör.
Marquis [markí:] 《frz.》 *m.* ① 후작의 칭호. ② 후작.
Marquisat [markizá:t] *n.* -(e)s, -e 후작의 지위〔영지〕.
Marquise [markí:zə] *f.* -n 〔↑ Marquis 의 여성형〕 후작 부인.
Marquisette [markizɛ́t(ə)] *f.* -s 마르키세트(투명 커튼지의 일종).
Marroni *pl.* (schweiz.) 군밤.
***Mars**[1] [mars] 《lat.》 *m.* ① 〖로마신화〗 군신(軍神); 〔비유〕 전쟁. ② 〖天〗 화성.
Mars[2] 《lat.》 *m.* -(es), -e(n) 〔*f.* -(e)n〕 〖海〗 장루(檣樓).
Marsala [marzá:la, ..sá:..] 《Ⅰ》 *n.* -s 마르살라(이탈리아 시칠리아섬의 항구 도시). 《Ⅱ》 *m.* -s, -s (~wein) 마르살라 포도주.
Marsala·wein *m.* 마르살라산(産) 포도주.
***Marsch**[1] [marʃ] 《frz.》 *m.* -es, Märsche ① 〖軍〗 행진, 행군, 진군: eiliger〔angestrengter〕 ~ 강행군; jn. in ~ setzen a) 누구를 행진하게 하다, b) 누가 무슨 일을 하게 하다; sich auf den ~ begeben〔sich in ~ setzen〕 행진하다; auf dem ~ sein 행진 중이다; den ~ schließen 대열의 후미에 서다. ② 〖음악〗 행진곡: den ~ blasen 행진곡을 연주하다; 〔비유〕 jm. den ~ blasen〔machen〕 누구를 훈계하다〔호통치다〕.
Marsch[2] 《ndd.》 *f.* -en 물가의 비옥한 저지(低地), 습지, 소택지.
marsch *int.* ① 앞으로 가: 〖軍〗 Abteilung ~! 대대〔부대〕 앞으로 가!; ~! ~! 뛰어가! ② 〔구어〕 저리 가, 물러가라, 사라져: ~ hinaus! 나가라!
***Marschall** [márʃal] 《frz. marechal》 *m.* -s, ..schälle ① 〔고어〕 마구간 우두머리. ② 〖軍·구식〗 (Feld~) 원수(元帥); 원수 계급; 궁내부 장관(Hof~).
Marschall(s)≈amt *n.* 원수〔궁내부 장관〕의 직〔관청〕. **~stab** *m.* 원수의 지휘봉: den ~ im Tornister tragen 군에서 출세할 가망이 있다. **~würde** *f.* 원수의 지위.
Marsch≈anzug *m.* 〖軍〗 행군 복장. **~befehl** *m.* 행군 명령. **~bereit** *a.* ① 행군 준비가 완료된. ② 출발 준비가 된. **~bereitschaft** *f.* 행군 준비〔태세〕. **~block** *m.* 〔복수: -s〕 행군 대오. **~fähig** *a.* 행군이 가능한. **~fertig** *a.* ↑ ~bereit. **~fertigkeit** *f.* ↑ ~bereitschaft.
Marsch≈bewohner *m.* ↑ ~länder. **~boden** *m.* 소택지(沼澤地).
Marschen·dorf [márʃən..] *n.* 갯마을.
Marsch·fieber *n.* 〖醫〗 말라리아.
Marsch≈flugkörper *m.* 순항 미사일. **~gepäck** *n.* 〖軍〗 군장(軍裝), 행군용 장비. **~geschwindigkeit** *f.* 행군 속도.
marschieren [marʃí:rən] 《frz.》 *i.* (h./s.) 행진〔행군〕하다, (먼 거리를) 빠르게 걷다; (일이) 진행되다, 진척되다: auf eine Stadt ~ 어떤 도시를 향해 행군하다; 〔비유〕 du kannst ~, 〔구어〕 marschierst! 저쪽으로 가라, 꺼져라!; von da an marschierte die ganze Sache in die falsche Richtung 그때부터 모든 일이 엉뚱한 방향으로 진행되어 갔다.

marschig *a.* 습지의, 늪이 많은.
Marsch≈kolonne *f.* 〖軍〗 행군 종대〔대열〕. **~kompaß** *m.* 행군용 나침반. **~lager** *n.* 행군 중의 숙영지.
Marsch≈land *n.* 습지, 소택지. **~länder** *m.* 소택지의 주민.
Marsch≈leistung *f.* 행군(한) 거리. **~lied** *n.* 〖軍〗 행군가. **~linie** *f.* 행렬, 퍼레이드. **~-mäßig** *a.* 행군 대형의; 〖음악〗 행진곡풍의. **~musik** *f.* 행진곡. **~ordnung** *f.* 행군 대열. **~quartier** *n.* ↑ ~lager. **~richtung** *f.* ① 행진 방향. ② (정치·경제의) 노선, 전략. **~route** [..ru:tə] *f.* 행군로; 〔비유〕 전략, 복안, 구상. **~tag** *m.* 행진일(日), 출발일 **~takt** *m.* 〖음악〗 행진 곡조. **~tempo** *n.* 행진 속도. **~tiefe** *f.* 행진 종대의 길이. **~tritt** *m.* 행진 걸음. **~verpflegung** *f.* 〖軍〗 행군 식량. **~ziel** *n.* 행진 목표.
Marseillaise [marzɛjɛ́:z(ə), ..sɛ..] 《frz.》 *f.* 프랑스 국가(國歌), 마르세예즈.
Marseille [marzɛ́:j(ə), ..sɛ́(:)j] 마르세유(지중해에 있는 프랑스 최대의 항구 도시).
Marseiller [..zɛ́:jər, ..sɛ́(:)jər] 《I》 *m.* -s, - 마르세유 시민. 《II》 *a.* 마르세유의.
Mars·fall *n.* 〖海〗 마룻줄; 장루용의 밧줄.
Mars·feld 《<Mars[1]》 *n.* ① (고대 로마의) 연병장. ② ↑ Märzfeld. ③ (파리에 있는) 광장 (Champ-de-Mars).
Marshaller *m.* 마셜 군도 사람.
Marshall·inseln *pl.* 마셜 군도.
marshallisch *a.* 마셜 군도(인)의.
Marshall·plan [márʃal.., má:rʃəl] *m.* 마셜 플랜(유럽의 경제·정치 부흥 계획, 1948-52).
Mars[1]≈laterne *f.* 〖海〗 헤드라이트. **~segel** *n.* 중간 돛. **~stenge** *f.* 〖海〗 중간 돛대.
Mars[2]≈mensch *m.* 화성인. **~sonde** *f.* 화성 탐사선.
Marstall [márʃtal] *m.* -(e)s, ..ställe ① (군주의) 외양간. ② 궁정 소유의 말 (전체).
Marsyas 〖그리스신화〗 마르시아스(플루트의 거장).
Märte [mɛ́rtə] 《ndd.》 *f.* -n 혼합물; 뒤범벅; 〖요리〗 (빵과 우유가 든) 냉수프.
Marter [mártər] 《gr.》 *f.* -n ① 〔구식〕 고문. ② 고문의 괴로움, 고통, 고난.
Marter·bank *f.* 〔고어〕 ↑ Folterbank.
Marterer *m.* -s, - 〔고어〕 고문하는 사람, 괴로움을 주는 사람.
Märterer *m.* 〔고어〕 ↑ Märtyrer.
Marter≈gerät *n.* 〔고어〕 ↑ Foltergerät. **~geschichte** *f.* 수난사, 순교사. **~holz** *n.* ① 십자가; 예수 십자가상. ② 괴롭힘을 당하는 사람. ③ 수척한 사람. **~instrument** *n.* ↑ ~gerät. **~kammer** *f.* 〔고어〕 고문실(Folterkammer). **~leben** *n.* 고난 많은 생애.
Marterl [mártərl] *n.* -s, - (bayr., öst.) (사고로 인한) 희생자 추모비.
martern [mártərn] 《I》 *t.* 고문하다; 괴롭히다, 정신적 고통을 주다; zu Tode ~ 고문하여 죽이다. 《II》 *refl.* sich ~ 괴로워하다.
Marter≈pfahl *m.* 고문용 말뚝. **~qual** *f.* 고문의 고통. **~tod** *m.* 고문사(死), 참사; 〖宗〗 순교: den ~ sterben 고문사하다.
Martertum, Märtertum *n.* -(e)s 수난, 순교.
Marterung [mártəruŋ] *f.* -en 〖雅語〗 고문.
marter≈voll *a.* 고통스러운. **~werkzeug** 〔고어〕 ↑ Folterwerkzeug. **~woche** *f.* 〖宗〗 ↑ Karwoche.
Martha [márta] 마르타(여자 이름).
Marthe [..tə] 《hebr》 마르테(여자 이름).
martialisch [martsiá:lɪʃ] 《<Mars[1]》 *a.* 군신(軍神)의; 호전적인, 공격적인, 위협적인; 군인다운.
Martin [márti:n] 마르틴(남자 이름).
Martingal [mártɪŋgal] 《frz.》 *m.* -s, -s 〖승마〗 가슴걸이(말머리를 못 들게 하는 끈).
Martin-Horn *n.* -(e)s, ..Hörner (경찰차·소방차·구급차의) 경적, 사이렌.
Martini [martí:ni] *n.* - ↑ Martinstag.
Martins≈abend *m.* 〖가톨릭〗 성마르틴 축제 전야. **~fest** *n.* ↑ ~tag. **~gans** *f.* 성마르틴 축제에 먹는 거위. **~tag** *m.* 성마르틴 축제. **~vogel** *m.* ① ↑ ~gans. ② 물총새(Eisvogel).
Märtyrer [mɛ́rtyrər] 《gr. mártyr》 *m.* -s, - 〖宗〗 순교자; 〔비유〕 수난자.
Märtyrerin *f.* -nen ↑ Märtyrer 의 여성형.
Märtyrer≈geschichte *f.* 순교사, 순교자전(傳). **~krone** *f.* 순교자의 관: die ~ tragen 순교자의 관을 쓰다, 순교자로 고통당하다. **~tod** *m.* 순교: den ~ erleiden 순교하다.
Märtyrertum *n.* -(e)s 순교자의 고난, 고통; 순교 정신.
Martyrium [martý:rium] *n.* -s ..rien [..riən] ① (엄청난) 고통, 고난. ② 순교. ③ 순교자 추모 교회..
Märtyrin [mɛ́rtyrɪn] *f.* ↑ Märtyrerin.
Martyrologium [martyroló:gium] *n.* -s, ..gien [..giən] 〖가톨릭〗 (순교자 명부나 성인 축일표가 있는) 미사책.
Marunke [marúŋkə] *f.* -n 〖植〗 (ostmd.) 노란 자두.
Marx [marks] Karl ~ 마르크스(독일의 사회주의 창시자, 1818-83).
Marxismus [marksísmus] *m.* - 마르크스주의.
Marxismus-Leninismus *m.* 마르크스·레닌주의.
Marxist [marksíst] *m.* -en, -en 마르크스주의자.
Marxist-Lenist *m.* 마르크스·레닌주의자.
marxistisch *a.* 마르크스주의의.
***März** [mɛrts] 《lat.; <Mars[1]》 *m.* -(es), -e(n) -e 3 월.
März≈becher *m.* ↑ Märzenbecher. **~bier** *n.* ↑ Märzenbier.
Märzen≈becher *m.* ↑ Frühlingsknotenblume. **~bier** *n.* (뮌헨 지방의 독한) 흑맥주.
März≈ente *f.* 〖動〗 물오리. **~feld** *n.* (고대 프랑켄 사람의) 3 월 의회. **~fliege** *f.* 털파리 (Haarmücke). **~gefallene*** *der/die* ① (1848 년) 3 월 혁명 희생자. ② (1933 년 3 월 제국의회 선거 이후 나치당에 가입한) 3 월의 변절자. **~glöckchen** *n.* ↑ Märzenbecher. **~hase** *m.* 3 월에 난 토끼; 〔비유〕 바보.
Marzipan [martsipá:n, már..] 《ar.》 *n./m.* -(e)s, -e 마르치판(아몬드 과자).
Marzipan≈kartoffel *f.* 감자 모양의 마르치판 과자. **~schweinchen** *n.* 돼지 모양의 마르치판 과자.
märzlich [mɛ́rtslɪç] *a.* 3 월 같은, 3 월다운,

봄 기운이 도는.

März⸗monat *m.* 3월. **~nacht** *f.* 3월의 밤. **~revolution** *f.* (1848년 독일의) 3월 혁명. **~schnee** *m.* 3월의 눈. **~sonne** *f.* 3월의 태양. **~veilchen** *n.* 〚植〛 (3월에 피는) 제비꽃의 일종.

Mascara[1] [maská:ra] 《sp. -engl.》 *n.* -, -s 마스카라, 눈썹먹.

Mascara[2] *m.* -, -s 마스카라용의 붓.

Mascarpone 《it.》 *m.* -s (이탈리아의) 연한 치즈.

Masche [máʃə] *f.* -n (그물·편물의) 코; 〖비유〗 잔꾀, 속임수; 〖구어〗 넥타이, 리본: eine ~ aufheben 〔fallen lassen〕 (편물의) 코를 줍다〔빠뜨리다〕; durch die ~n des Gesetzes schlüpfen 법망을 빠져 나가다; das ist die ~! 그것 참 기발한 꾀다!

Maschen⸗draht *m.* 철조망. **~draht·zaun** *m.* 철조망 울타리. **~fest** *a.* (스타킹 등이) 올이 안 풀리는. **~panzer** *m.* 작은 미늘로 엮어 만든 옷(갑옷 속에 받쳐 입음). **~weise** *adv.* 한 코씩. **~werk** *n.* 그물 세공; 편물.

maschig *a.* 짠, 그물 모양의; 그물코가 있는.

..maschig *suf.* 〖다음 용법으로〗 eng ~ 코가 촘촘한.

Maschik·seite [máʃɪk..] *f.* -n (öst.) 뒤쪽, 반대쪽.

***Maschine** [maʃí:nə] 《gr.》 *f.* -n ① 기계, 기관(機關) (Dampf~); (자동차의) 엔진; 타자기 (Schreib~); 비행기; 기관차; 오토바이; 세탁기; 재봉틀(Näh~); 장치, 기구: die ~ hat 80 PS 그 엔진은 80마력이다; meine ~ hatte Verspätung 내가 탄 비행기는 연착했다; ich schreibe ~ 나는 타자를 친다; einen Bogen Papier in die ~ spannen 타자기에 종이 한 장을 끼우다. ② 〖비유〗 기계적으로 행동하는 사람; 〖구어〗 키크고 뚱뚱한 여자: das ist aber eine ~! a) 저 사람은 기계같은 인간이다!, b) 저 사람은 뚱보다!

maschinell [maʃinɛ́l] *a.* ① 기계적인, 기계의. ② 기계로 하는, 기계에 의한.

Maschinen⸗antrieb *m.* 기계에 의한 추진: mit ~ 기계의 힘으로, 동력으로. **~arbeit** *f.* 기계 작업; 기계 제품. **~arbeiter** *m.* 기계공. **~bau** *m.* 기계 제작. **~bauer** *m.* 기계 제작자. **~bau·kunst** *f.* 기계 제작술. **~bau·schule** *f.* 공업〔기계〕 학교. **~bediener** *m.* 컴퓨터 조작 전문 요원. **~befehl** *m.* 〚컴〛 기계어 명령(컴퓨터의 중앙 처리 장치(CPU)가 바로 이해하고 실행할 수 있는 명령어). **~code** *m.* 〚컴〛 기계어 부호. **~druck** *m.* 기계 인쇄. **~fabrik** *f.* 기계 공장. **~führer** *m.* 기계공, 운전기사. **~garn** *n.* 기계 방사(紡絲). **~gebäude** *n.* ↑ ~raum. **~geschrieben** *a.* 타자기로 친(↔ handgeschrieben). **~geschütz** *n.* ↑ ~kanone. **~gestickt** *a.* 기계로 수놓은. **~gestrickt** *a.* 기계로 짠. **~gewehr** *n.* 〚軍〛 기관총: ein leichtes ~ 경기관총. **~gewehrfeuer** *n.* 기관총 사격. **~gewehrsalve** *f.* 기총 소사. **~glatt** *a.* 〚제지〛 광택 처리된: ~es Papier 광택 처리된 종이. **~haus** *n.* ↑ ~raum. **~industrie** *f.* 기계 공업. **~ingenieur** [..ɪnʒeniǿ:r] *m.* 기계 기사(技師). **~kanone** *f.* 기관포. **~kunde** *f.* ↑ ~lehre. **~lehre** *f.* 기계학. **~lesbar** *a.* 컴퓨터가 읽을 수 있는. **~mäßig** *a.* 기계적인, 기계의. **~meister** *m.* (공장의) 기계 주임, 기계 담당; 〚철도〛 운수 주임; 〚연극〛 장비〔도구〕 담당자, 무대 담당자; 〚印〛 인쇄 주임. **~näherin** *f.* 여자 재봉사. **~öl** *n.* 기계 기름, 윤활유. **~papier** *n.* 기계로 만든 종이; 타자지. **~personal** *n.* (선박의) 기관실 담당자. **~pflug** *m.* 동력 경운기. **~pistole** *f.* 자동권총, 경기관총. **~raum** *m.* 기관실. **~revision** *f.* 〚印〛 인쇄 용지 점검. **~satz** *m.* 〚印〛 기계 식자. **~schacht** *m.* 기계축(軸). **~schaden** *m.* 기계〔기관〕 고장. **~schlosser** *m.* 기계(조립)공. **~schmierer** *m.* 윤활장치.

Maschinen⸗schreiben *n.* 타자. **~schreiber** *m.* 타자수. **~schreiberin** *f.* ↑ ~schreiber의 여성형. **~schrift** *f.* 타자기로 친 글〔글자〕.

Maschinen⸗setzer *m.* 〚印〛 기계 식자공(植字工). **~sprache** *f.* 〚컴〛 기계어. **~stürmer** 〖복수〗 (산업 혁명 초기) 공장기계를 파괴하던 수공업자〔노동자〕. **~teil** *m./n.* 기계 부품. **~telegraph** *m.* 기계 전신기; 선내(船內) 연락 전신. **~(und-) Traktoren-Station** *f.* (구동독 농촌의) 기계·트랙터 대여〔공급〕 시스템. **~wärter** *m.* ↑ ~meister. **~wäsche** *f.* (↔ Handwäsche) ① 세탁기 빨래. ② 세탁기로 빤 세탁물. **~web·stuhl** *m.* 기계 직조기. **~wechsel** *m.* 〚철도〛 기관차 교환. **~welle** *f.* 축. **~wesen** *n.* 기계 공학. **~zeichnen** *n.* 기계 제도(製圖). **~zeitalter** *n.* 기계의 시대.

Maschinerie [maʃinərí:] 《frz.》 *f.* -n [..rí:ən] 기계 장치; 〖비유〗 기계적인 조직 운영; 〚연극〛 속임수, 트릭.

maschine|schreiben* *t.* 타자기를 치다.

maschinieren *t.* (양털·솜을) 타다, 풀다.

Maschinist *m.* -en, -en 기계공; 〚海〛 기관사; 〚연극〛 도구 담당자.

Masch.-Schr. = Maschine(n)schreiben.

Masematten [mazəmátən] 《jüd.》 *pl.* 장사, 벌이; 도둑.

***Maser** [má:zər] *m.* -s, - 〔*f.* -n〕 ① 반점, 흠자국; 나무 무늬, 나뭇결; 옹이 자리; 나무 무늬가 있는 재목. ② 〖복수〗 〚醫〛 ~n 홍역.

Maser⸗fleck *m.* 나무 무늬, 결; 옹이 자리. **~holz** *n.* 나무 무늬가 있는 재목.

masericht *a.* ↑ maserig.

maserig [má:zərɪç] *a.* 나뭇결이〔옹이 자리가〕 있는.

maser·krank *a.* 홍역에 걸린.

Masern [má:zərn] *pl.* ↑ Maser ②.

masern *a.* 무늬가〔결이〕 있는, 재목으로 만든.

masern[1] 《I》 *t.* 무늬를 넣다. 《II》 **gemasert** *p.a.* ↑ gemasert.

masern[2] *i.* (h.) 홍역에 걸리다.

masern·artig *a.* 홍역 비슷한.

Maserung [má:zərʊŋ] *f.* 나뭇결; 나무 무늬; 무늬; (일반적으로) 물결침; 물결 무늬.

Masette [mazɛ́tə] 《it.》 *f.* -n 입장권 묶음.

Masholder *m.* -s, - 〚植·구어〛 단풍나무.

Maskarill [maskaríl] 《ar.》 *m.* (에스파냐의 희극에서) 귀족으로 분장한 하인(역).

Maskaron [maskaró:n] 《it.》 *m.* -s, -e 찌푸린 얼굴, 가면, 탈; 〚건축〛 (바로크 건축에서 장식으로 쓰인) 사람 얼굴.

Maskat 무스카트(오만의 수도).

*__Maske__ [máskə] 《frz.》 *f.* -n ① 가면, 탈; 검술용 마스크; 변장; 〖비유〗 외관, 가장: ohne ~ 숨김없이; die ~ von sich werfen 〔fallen lassen〕 가면을 벗다, 정체를 나타내다; jm. die ~ vom Gesicht reißen 〔abnehmen, abziehen〕 누구의 가면을 벗기다, 정체를 폭로하다; unter der ~ der Freundschaft 우정을 빙자하여. ② 가면〔탈〕을 쓴 사람, 변장자; 〖연극〗 가면극, 어릿광대(역); 분장; 〖비유〗 얼굴. ③ 〖사진〗 (인화할 때 네거티브 필름을 덮는) 형지(型紙); (인화할 때 명암이나 색을 고치는) 반투명 필터.

Masken≈anzug *m.* 가장 무도회의 복장. **~ball** *m.* ① 가장 무도회. ② 〖軍〗 가장 무도회(단시간 내에 장구(裝具)를 바꾸어 정렬시키는 신병 훈련); 방독면 훈련. **~bildner** *m.* 분장사. **~bildnerin** *f.* ↑ ~bildner 의 여성형. **~fest** *n.* ↑ ~ball ①. **~freiheit** *f.* (사육제에 참가한) 분장자들의 자유〔무례〕.

maskenhaft *a.* 가면 모양의, 표정이 없는.

Masken≈kleid *n.* ↑ ~anzug. **~kostüm** *n.* 가장 의상. **~scherz** *m.* 가장자의 해학. **~spiel** *n.* 〖연극〗 가면극. **~verleih** *m.* 의상〔가면〕 대여점. **~zug** *m.* 가장 행렬.

Maskerade [maskərá:də] 《frz.》 *f.* -n 가장, 변장; 위선, 속임수; 가장 대회, 가장 무도회.

maskieren [maskí:rən] 《I》 *t.* ① 탈을 쓰다; 복면하다: maskierte Bankräuber 복면한 은행 강도들. ② 숨기다, 은폐하다, 가리다; 〖軍〗 차폐하다. ③ 〖요리〗 (소스로) 덮다. ④ 〖사진〗 (필터로 색이나 명암을) 수정하다. 《II》 *refl.* sich ~ 가면을 쓰다, 가장〔변장〕하다. 《III》 **maskiert** *p.a.* ↑ maskiert.

maskiert 《I》 *p.p.* ↑ maskieren. 《II》 *p.a.* 가장한, 변장한; 〖軍〗 차폐(遮蔽)한; 〖植〗 (병증이) 은폐된.

Maskierung *f.* -en ① 변장, 위장. ② 은폐. ③ 차폐물.

Maskott [maskɔ́t] 《frz.》 *m.* -s, -s ↑ Maskottchen.

Maskottchen [maskɔ́tçən] *n.* -s, - 행운을 가져오는 부적; 마스코트; 〖비유〗 인형.

Maskotte *f.* -s/-n ↑ Maskottchen.

maskulin [maskulí:n] *a.* 〖문법〗 남성의; 남성적인; 〖폄어〗 남자 같은, 여성답지 않은.

maskulinisch *a.* 〖드물게〗 ↑ maskulin.

Maskulinierung *f.* ① 〖醫〗 (외모에 나타난) 여성의 남성화. ② 〖生〗 암컷 동물의 수컷화.

Maskulinum [maskulí:nʊm, máskuli:nʊm] *n.* -s, ..na ① 〖문법〗 남성, 남성 명사. ② (명사의) 남성형.

Masochismus [mazɔxísmʊs] *m.* 마조히즘, 피학대 음란증(오스트리아의 작가 Sacher-Masoch 의 이름에서); 고통의 탐닉, 고통을 즐김; 자기 학대.

Masochist [mazɔxíst] *m.* -en, -en ① 〖心〗 마조히스트(피학대 음란증 환자). ② 자신을 학대하는 사람.

Masochistin *f.* -nen ↑ Masochist의 여성형.

masochistisch *a.* 피학대 음란증의.

Mass. = Massachusetts.

*__Maß__[1] [ma:s] 《<messen》 *n.* -es, -e ① 도(度), 양(量), 눈금, 도량(度量); (Längen~) 척도, 자; 평방 척도(Flächen~); 용량(Körper~); 계량(計量), 측정: ein volles〔gerütteltes〕 ~ 후한 용량; das ~ anlegen 자로 재다. ② 〔액량의 단위로는 흔히 *f.* -(e)〕 마스(↑ Maß[2]). ③ 치수, 형(型); 비율; 〖비유〗 정도, 한도; 절제; 표준; 〖軍〗 표준 신장: ~ und Ziel 극한, 한도; ~ geben 표준〔기준〕을 정해 주다; sie hat ideale ~e 그녀의 몸매는 이상적이다; ~ halten 절도를 지키다; weder〔nicht〕 ~ noch Ziel halten〔kennen〕 도가 지나치다; ein gerüttelt ~ an〔von〕 et.³ (부정적인 것, 좋지 않은 것이) 지나치게 많은〔심한〕; jm. ~ nehmen 누구를 꾸짖다; das ~ voll machen 양을 후하게 달다〔재다〕, 넉넉하게 하다; das ~ vollmachen 더는 참을 수 없게 하다; ~ überschreiten 도(度)를 넘다. ④ 〔전치사와 함께〕 **an** einem ~ messen 어떤 척도로 재다; ~ **für** ~ 대갚음, 인과 응보; **in** dem ~ wie ... …의 비율로, …에 따라서; in〔mit〕 ~en 정도껏, 적당히; in dem ~, daß... …한 정도로; in hohem ~(e) 매우, 심히; in vollem ~(e) 가득히, 충분히; in natürlichem 〔verkleinertem, vergrößertem〕 ~ 실물 크기로〔축소하여, 확대하여〕; **mit** ~ 적당히, 알맞게; mit gleichem ~ 같은 척도로〔방법으로〕; mit zweierlei ~ messen 두 가지 척도로 재다, 공평치 못하게 평가하다; **nach** ~ 치수에 알맞게 맞춘(옷 따위): ein Anzug nach ~ 맞춤 옷; **ohne** ~ (und Ziel) 끝없이, 극단으로, 과도히; **über** das übliche ~ 유달리, 뛰어나게; über die〔alle〕 ~ 대단히. ⑤ 〖數〗 gemeinschaftliches〔gemeinsames〕 ~ 공배수. ⑥ 〖음악〗 박자; 〖문학〗 운율(Vers~).

Maß[2] [ma:s] *f.* -(e) (bayr., öst., schweiz.) 마스(액량의 단위; 1-2 리터); 맥주잔〔조끼〕: eine ~ Bier 1 마스〔한 조끼〕의 맥주.

maß [ma:s] ↑ messen 의 과거형.

Maß·abteilung *f.* (백화점의) 주문품 접수처.

Massage [masá:ʒə] 《frz.》 *f.* -n 마사지, 안마.

Massage≈institut *n.* 안마 시술소. **~salon** *m.* 〖구식〗 ↑ ~institut. **~stab** *m.* 안마 기구.

Massai *m.* 마사이족(동아프리카의 유목 민족).

Massaker [masá:kər, (öst.) ..sákər] 《frz. massacre》 *n.* -s, - 대량 학살, 살육: ein ~ anrichten 대량학살을 저지르다.

massakrieren [masakrí:rən] *t.* 학살〔살육〕하다.

Massakrierung *f.* -en ↑ Massaker.

Maß≈analyse *f.* 〖化〗 부피〔용량〕 분석. **~analytisch** *a.* 부피〔용량〕 분석의. **~angabe** *f.* 용량 표시. **~anzug** *m.* 맞춤복. **~arbeit** *f.* ① 주문을 맡아서 하는 일. ② (정확하고 뛰어난) 일솜씨: das war ~! 그 일은 아주 순조로웠다! **~bestimmung** *f.* 측량, 측정, 계량(計量). **~bezeichnung** *f.* 용량 표시. **~brief** *m.* 적화(積貨) 증명서.

Mäßchen [mɛ́:sçən] *n.* -s, - 〔↑ Maß 의 축소형〕 작은 맥주잔(↑ Maß[2]).

*__Masse__ [másə] 《lat.》 *f.* -n ① 덩이, 집단; 다수, 다량; 양(量); 군중, 대중; 〔복수〕 일반 대중: die (große) ~ 대중, 민중; die ~ des Körpers liegt im Rumpf 신체의 중요 부분은 몸통에 있다; sich aus der ~ heraussheben 출중하다; in der ~ untergehen 두각을 나타내

지 못하다; in großer ~ 다량으로; 대집단을 이루어서; in ~n 대규모로; die breite (anonyme) ~ 광범위한(익명의) 대중; das ist nicht die ~ 그것은 별로 좋지 않다, 그것은 대단한 것이 아니다. ②〖物〗질량; 덩이: 〖제지〗 weiche ~ 진흙 모양의 펄프 덩이; teigige ~ 반죽 같은 덩이. ③〖法〗파산 재단 (Konkurs≈): die ~ verwalten 파산 재단을 관리하다. ④〖法〗(Erb≈) 상속 재산.

Maße [máːsə] 〘고어〙《↑ Maß의 옛 형》 ① *f.* -n 방법, 방식; 정도: in solcher ~, wie (daß) ... …한 식으로(정도로). ②〘복수〙↑ Maßen.

mäße [mɛ́ːsə] ↑ messen의 접속법 Ⅱ 식.

Masse≈gläubiger *m.* 파산 재단 채권자.

Maß≈einheit *f.* 도량의 단위. **~einteilung** *f.* (척도의) 눈금.

Massel[1] [másəl] *f.* -n 〖금속〗 선철(銑鐵); 길고 둥근 무 쇠덩이.

Massel[2] 《hebr.》 *m.* -s 〘은어〙 (Glück) 행복, 행운; 횡재.

masseln *i.* (h.) (ndd.) 일을 잘못하다(그르치다).

masselos *a.* 〖物〗 질량이 없는.

Maßen [maːsən] *pl.* 〘↑ Maße의 복수형〙 mit ~ 적당히, 알맞게; ohne ~ (über die ~, über alle ~) 과도하게, 터무니없이, 굉장히.

maßen [máːsən] 〘고어〙〘↑ Maß의 3격 복수형〙 *cj.* (weil) …이므로.

..maßen *suf.* "…한 정도의, …와 같이"의 뜻 (보기: bekannter~ 누구나 아는 바와 같이; einiger~ 어느 정도; folgender~ 다음과 같이).

Massen≈abfertigung *f.* 대량 취급. **~absatz** *m.* 대량 판매. **~andrang** *m.* 몰려듦, 쇄도. **~anziehung** *f.* 〖物〗 중력, 인력(引力). **~arbeitslosigkeit** *f.* 대량 실업. **~artikel** *m.* 대량 생산품. **~aufgebot** *n.* 〖軍〗 전군 소집, 대량 투입. **~aussperrung** *f.* 공장 총 폐쇄. **≈bach** *adv.* 〘농담〙 ↑ ≈weise. **~bedarf** *m.* 〖經〗 대중(대량) 수요. **~bedarfsartikel** *m.* 대량 수요(소비) 상품. **~bewegung** *f.* 집단(대중) 운동. **~bildung** *f.* 〖軍〗 집결. **~defekt** *m.* 〖物〗 질량 결손. **~entlassung** *f.* 대량(집단) 해고. **~ernährung** *f.* 단체 급식. **~erzeugung** *f.* 대량 생산. **~fabrikation** *f.* ↑ ~erzeugung. **~gesellschaft** *f.* 대중 사회. **~gläubiger** *m.* 〖經〗 파산 재단 채권자. **~grab** *n.* 집단 묘지. **~güter** 대량 생산품; 대량 화물.

massenhaft [másənhaft] 《Ⅰ》 *a.* 대량의, 다수의. 《Ⅱ》 *adv.* 대량으로, 다수로; 대규모로; 〖商〗 도매로.

Massen≈herstellung *f.* ↑ ~erzeugung. **~hinrichtung** *f.* 집단 처형. **~karambolage** *f.* 연쇄 충돌. **~kundgebung** *f.* 집단 시위. **~medium** *n.* 매스 미디어, 매스 커뮤니케이션, 대중 매체. **~mittelpunkt** *m.* 〖物〗 중심(重心). **~mord** *m.* 대량 학살. **~mörder** *m.* 집단 살인자. **~organisation** *f.* 〖구동독〗 대중 조직. **~produktion** *f.* ↑ ~erzeugung. **~psychologie** *f.* 군중 심리학. **~psychose** *f.* 군중 이상 심리. **~punkt** *m.* 〖物〗 질점(質點). **~quartier** *n.* 집단 숙소. **~speicher** *m.* 〖컴〗 대량 기억 장치. **~sport** *m.* 대중 스포츠. **~sterben** *n.* 떼죽음. **~streik** *m.* 대규모 파업. **~tourismus** *m.* 단체 관광. **~untersuchung** *f.* 〖醫〗 집단 검진. **~veranstaltung** *f.* 군중 집회. **~verbrauch** *m.* 대량 소비. **~verkehrs·mittel** *n.* 대중 교통 수단. **~vernichtung** *f.* ↑ ~mord. **~versammlung** *f.* 군중 집회. **~wahn** *m.* 군중 광기. **≈weise** *adv.* 덩이로, 무리로; 다량으로, 다수로. **≈wirksam** *a.* 대중에게 영향을 미치는. **~wirkung** *f.* 〖化〗 질량 작용. **~zivilisation** *f.* 대중 문명.

Masseur [masǿːr] 《frz.》 *m.* -s, -e 안마사.

Masseurin [..sǿːrɪn] *f.* -nen ↑ Masseur의 여성형.

Masseuse [masǿːzə] 《frz.》 *f.* -n ① ↑ Masseur의 여성형. ②〘은어〙 창녀.

Maß≈gabe *f.* 비율, 비례: mit der ~, daß... …라는(의) 조건하에; nach ~ seiner Leistung 그의 업적에 따라서. **≈gearbeitet** *a.* 주문에 따라 제작된. **≈gebend** *a.* 표준적인, 권위 있는, 결정적인: sein Urteil ist für mich nicht ≈ 내가 그의 판단을 꼭 따르는 것은 아니다. **≈geblich** *a.* 결정적인. **~gebung** *f.* 표준, 제한: ohne ~ 무제한으로. **≈gerecht** *a.* 규격에 맞는; 상황에 맞는. **~geschäft** *n.* 맞춤 양복점. **≈geschneidert** *a.* 규격에 맞추어 재단한. **≈halten*** *i.* (h.) 분수를 지키다; 절제하다. **≈haltend** *a.* 분수를 지키는, 적당한. **≈haltig** *a.* (치수가) 규격에 맞는. **~haltigkeit** *f.* 규격(치수) 검사. **~haltung** *f.* 분수를 지킴, 절제.

Maß·holder *m.* -s, - 〖植·방언〗 ↑ Ahorn.

Massicot [masikóː] 《frz.》 *n.* -s 〖광물〗 일산화납, 밀타승(密陀僧), 황색 산화납광.

massieren[1] [masíːrən] 《gr. -lat.》 《Ⅰ》 *t.* 〖軍〗 (군대를) 집중(집결)시키다: massierte Polizeieinsätze 경찰 병력의 집중 투입. 《Ⅱ》 *refl.* sich ~ 집결하다, 모이다.

massieren[2] [masíːrən] 《ar. -frz.》 *t.* 주무르다, 안마하다, 마사지하다: jm. die Beine ~ 누구의 다리를 마사지하다.

Massierer *m.* -s, - ↑ Masseur.

Massiererin *f.* -nen ↑ Masseurin.

Massierung *f.* -en 집결, 집중.

massig [másɪç] 《<Masse》 《Ⅰ》 *a.* 대량의, 아주 많은; 다수의, 방대한; 실속 있는, 육중한: eine ~e Erscheinung 비대한 사람. 《Ⅱ》 *adv.* (일반적으로) 크게, 많이: er verdient ~ Geld 그는 떼돈을 번다.

***mäßig** [mɛ́ːsɪç] 《<Maß》 *a.* ① 분수를 지키는, 중용을 지키는; 절제(절도) 있는; 절식(節食)하는: ~er Genuß von Alkohol ist nicht schädlich 술을 적당히 즐기는 것은 해롭지 않다; ~, aber regelmäßig 적당히, 그러나 규칙적으로. ② 적당한, 알맞은, 지당한; 근소한, 염가인; 보통의: zu ~em Preis 적당한 값으로; ein ~er Schüler 평범한 학생; ~e Leistung 불만족한 성과; wie geht's? — ~ 어떻게 지내십니까? — 그저 그렇습니다. ③〖음악〗 느긋한 가락으로.

..mäßig *a. suf.* "…에 적당한, …와 같은, …다운"의 뜻(보기: helden~ 영웅적인).

mäßigen [mɛ́ːsɪgən] 《Ⅰ》 *t.* 적당히 하다, 알맞게 하다; (도를) 늦추다, 완화하다; 제한하다, 억제하다; 경감하다. 《Ⅱ》 *refl.* sich ~ (감정 등이) 누그러지다, 완화되다; 분수를 지키다, 절제하다: die Hitze hat sich etwas gemäßigt

더위가 다소 수그러졌다; der Sturm mäßigte sich 폭풍이 누그러졌다; er muß noch lernen, sich zu ~ 그는 절제하는 것을 배워야 한다. 《Ⅲ》 **gemäßigt** [..çt] *p.a.* ↑ gemäßigt.

Massigkeit *f.* 육중; 대량; 실속 있음.

Mäßigkeit *f.* ① 적당; 절제; 절식, 절주, 금주. ②〔드물게〕 보통 정도, 평범.

Mäßigkeits≈apostel *m.* 금주 운동가. **~bewegung** *f.* 금주 운동. **~gesellschaft** *f.*, **~verein** *m.* 금주회.

Mäßigung [mέːsɪgʊŋ] *f.* -en 완화, 제한, 경감; 절제, 억제, 극기.

massiv [masíːf] 《frz.》 *a.* ①〖광물〗 순수한, 잡티가 없는: aus ~em Gold sein 순금으로 된. ② 실질적인; 무거운, 육중한; 충실한, 견실한;〖건축〗 석조(石造)의;〔비유〕 조야한, 격렬한, 무자비한, 날카로운; 전면적인, 대대적인: ein ~er Mann 덩치가 큰 남자; ~e Vorwürfe 격렬한 비난; ein ~es Haus 견고한 (석조) 집.

Massiv *n.* -s, -e〖지질〗 산맥; 괴상암(塊狀岩): das ~ der Schweizer Alpen 스위스의 알프스 산맥.

Massiv≈bau *m.* 견고한 (석조) 건축(물). **~bau·weise** *f.* (돌·철근·콘크리트 등을 사용한) 건축(물).

Massivität [..vitέːt] *f.* 실질적임, 충실; 견실.

Maß≈kanne *f.* 1 리터들이 맥주잔. **~konfektion** *f.* 반(半) 기성복. **~krug** *m.* 1 리터들이 맥주 조끼. **≈leidig** *a.* (bayr., alem.) 싫증이 난, 마음이 내키지 않는; 몹시 게으른. **~lieb** *n.* -(e)s, -e ↑ ~liebchen. **~liebchen** *n.*〖植〗 데이지(꽃).

maßlos *a.* ① 끝이 없는; 중용을 잃은, 무절제한, 과도한, 과격한. ②〔부사적 강조어〕 매우, 극도로.

Maßlosigkeit *f.* 무절제, 과도.

***Maß≈nahme** *f.* 조치, 처치, 조처: diese ~n sind wirkungslos 이 조치들은 아무 소용이 없다. **~nehmen** *n.*〖재봉〗 가봉.

Massör [masǿːr] *m.* -s, -e ↑ Masseur.

Massora [masóːra] 《hebr.》 *f.* 마소라(중세 유대인 학자들의 구약성서 주석 자료).

Massorete *m.* -n, -n 마소라 연구가; 중세 유대의 학자.

massoretisch *a.* 마소라 연구의.

***Maß≈regel** *f.* 방책, 방법, 수단; 처치, 조처: ~n gegen et. nehmen〔ergreifen, treffen〕 무엇에 대한 방책을 강구하다. **≈regeln** *t.* 처치〔처분〕하다, 처벌〔견책〕하다: ein gemaßregelter Beamter 견책받은 관리. **~reg(e)lung** *f.* 처치, 문책, 견책, 처분. **~-schneider** *m.* 맞춤옷 재단사. ***~stab** *m.* 자, 척도; 귀감, 시금석, 표준, 규범; 축척(縮尺): einen ~ an et. anlegen 무엇에 자를 대어 재다; 무엇을 평가하다; diese Landkarte hat den ~ 1 : 100000 이 지도의 축척은 십만분의 1 이다; er ist für mich kein ~ 그는 나의 귀감이 아니다; in kleinem〔großem〕 ~ 소〔대〕규모로. **≈stabs·gerecht** *a.* 축척에 꼭 맞는. **≈stabs·getreu** *a.* ↑ ~stabsgerecht. **~-und Gewichts·kunde** *f.* 도량형학. **~system** *n.*〖理〗 도량형 체계, 단위계. **~verhältnisse** *pl.* 치수, 크기, 면적, 용적. **≈voll** *a.* 적당한, 알맞은; 중용을 갖춘, 신중한. **~werk** *n.* (주로 창문에서 볼 수 있는) 고딕 양식의 원형 장식. **~zoll** *m.* 종량세(從量稅).

***Mast**[1] [mast] *m.* -es, -e(n)〖海〗 돛대, 마스트;〖空〗 계류주(繫留柱);〖전기〗 전주(電柱), 안테나 탑; 기둥, 깃대: den ~ aufrichten 돛대를 세우다.

Mast[2] [mast] *f.* -en ① 비육, 비육용 가축을 살찌게 하기: Körner zur ~ verwenden 곡식을 비육용으로 활용하다; zur ~ halten 살찌게 먹이다. ② 사료; 멧돼지의 먹이; (도토리, 너도밤나무 열매 등의) 1 년 총수확(량).

Mastaba [mástaba] 《ar.》 *f.* -s〖고고〗 (고대 부유한 이집트인의) 석실(石室) 분묘.

Mast≈band *n.*〖海〗 마스트밴드(보강(補強)·지삭(支索)·도르레 장치를 설치하기 위해 마스트에 장치한 금속 테). **~baum** *m.* 돛대.

Mast·darm *m.*〖해부〗 직장(直腸).

Mastdarm≈entzündung *f.* 직장염. **~fistel** *f.*〖醫〗 직장 누관(瘻管). **~krebs** *m.* 직장암.

Mast≈ente *f.* 비육 오리.

Mast≈spiegel *m.* 직장경(鏡) (Rektoskop). **~spiegelung** *f.* 직장경 검사(Rektoskopie). **~vorfall** *m.* 탈항(脫肛).

masten 《<Mast[1]》 *t.* …에 돛대를 달다: hochgemastet 돛대가 높은.

mästen [mέstən] 《<Mast[2]》《Ⅰ》 *t.* (가축을) 살찌게 하다: gemästet (가축이) 살찐;〔구어〕 (사람이) 비대한. 《Ⅱ》 *i.* (h.) / *refl.* (sich) ~ 살찌다; 포식하다;〔비유〕 sich von der Arbeit anderer ~ 타인의 노동으로 사복을 채우다.

Masten≈knecht 《<Mast[1]》 *m.*〖海〗 돛대의 받침(돛대를 고정시키기 위한 멍에·개밥통 등의 보조 용구). **~kran** *m.* (배에서 쓰는) 권양기(捲揚機), 윈치. **~setzer** *m.* 돛대 목수.

Master [máːstər] 《engl.》 *m.* -s, - ① 도련님. ② 석사 학위: ~ of Arts 문학 석사(약어: M.A.). ③〖사냥〗 (몰이 사냥의) 지휘자.

..master *suf.* "…(개)의 돛대를 단 배"의 뜻 (보기: Drei~ 3 개의 돛대를 단 배).

Mäster [mέstər] *m.* -s, - 가축 사육 농가〔업자〕.

Mästerei [mεstəráɪ] *f.* -en ① 계속 살찌우기. ② 가축 사육 농가.

Mast≈fleck 《<Mast[2]》 *m.* 비료를 많이 준 곳. **~futter** *n.* 비육용 사료. **~gans** *f.* 비육 거위.

Mast·gast 《<Mast[1]》 *m.*〖海〗 돛대담당 선원.

Mast·huhn *n.* 비육 닭.

Mastiff [mástɪf] 《engl.》 *m.* -s, -s 마스티프 (몸집이 큰 맹견의 일종).

mastig 《<Mast[2]》 *a.* ① 살찐; 둔한. ② 기름진. ③ (풀이) 무성한.

..mastig 《<Mast[1]》 *suf.* "…돛대의"의 뜻(보기: drei~ 돛이 세 개인).

Mastikator [mastikáːtɔr, ..toːr] *m.* -s, -en [..tóːrən] 분쇄기, 빻는 기계.

Mastix [mástɪks] 《lat.》 *m.* -(es) 유향(乳香); 고무나무진; 마스틱스(피치와 돌가루의 혼합물로 도로 포장에 쓰임).

Mastix≈baum *m.*〖植〗 유향나무. **~firnis** *m.* 유향 니스.

Mast≈kalb *n.* 비육 송아지. **~korb** *m.*〖海〗 장루(檣樓), 장두(檣頭). **~kur** *f.*〖醫〗 (체중을 늘리는) 비만 요법. **~ochs(e)** *m.* 비육 황소;〔구어〕 뚱뚱보.

Mastodon [mástodɔn] 《gr.》 *n.* -s, -s/-ten [..dɔ́ntən] 마스토돈(코끼리와 닮은 신생대 3기의 큰 포유 동물).

Mast≈schwein *n.* 비육 돼지. **~spilze** *f.* 돛대〔전주〕의 꼭대기.

Mastung [mástuŋ] *f.* -en ↑ Mästung.

Mästung [mɛ́..] *f.* -en 비육; 살찜.

Masturbation [masturbatsió:n] 《lat.》 *f.* -en ① 수음, 자위. ② 남에게 해주는 수음.

masturbieren [..bí:rən] 《Ⅰ》 *t.* 수음을 해주다. 《Ⅱ》 *i.* (h.) 수음하다.

Mast·vieh *n.* 비육 가축; 〔구어〕 뚱뚱보.

Mast≈wache *f.* 〖海〗 장루(檣樓) 감시원. **~wärts** *adv.* 돛이 거꾸로 되어. **~werk** *n.* 돛대〔마스트〕와 그 부속품 일체.

Mast·zeit *f.* ① 살찌게 먹이는 시기. ② 〖사냥〗 (도토리·너도밤나무) 열매가 떨어지는 시기.

Masure [mazú:rə] *m.* -n, -n (옛날 동프로이센에 있는) 마주르의 주민.

Masurka [mazúrka] 《poln.》 *f.* -n 마주르카(Mazurka).

Masut [mazú:t] 《türk. -russ.》 *n.* -(e)s 중유, 연료유(석유 분류(分流)후의 슬러지에서 얻는 점질유(粘質油)).

Matador [matadó:*r*] 《sp.》 *m.* -s, -e ① (투우에서 마지막으로 소를 죽이는) 주역 투우사. ② 〔비유〕 주역, 중심 인물, 거물; 장본인; 선수; (카드놀이의) 으뜸패.

Match [mɛtʃ, mætʃ] 《engl.》 *m.* -es, -e 승부, 시합.

Match≈ball [mǽtʃ..] *m.* 〖스포츠〗 매치 포인트, 결승골. **~beutel** *m.* ↑ ~sack. **~sack** *m.* 어깨에 메는 가방. **~strafe** *f.* 〖아이스하키〗 중도 퇴장.

Mate[1] [má:tə] *m.* 마태차(茶).

Mate[2] *f.* -n 마태차 그릇.

Mater [má:tə*r*] 《lat. mater, „Mutter"》 *f.* -n ① ↑ Matrize ①. ② (기관을 에워싸는) 외피.

Mater dolorosa [má:tər〔má:tɛr〕 doloró:za] 《lat.》 *f.* (예수의 수난을) 슬퍼하는 어머니, 성모 마리아.

***Material** [materiá:l] 《lat.》 *n.* -s, -ien [..liən] ① 원료, 재료, 소재, 자료; 장치, 설비, 도구; 비품; 〖軍〗 장비: ~ zusammentragen 자료를 수집하다; belastendes ~ gegen jn. beibringen 누구에게 불리한 자료를 첨부하다; 〖철도〗 rollendes ~ 차량. ② 〔복수〕 원료품; 약재; 향료품. ③ 증빙 자료〔서류〕. ④ 인적 자원.

material *a.* 원료의; 물질의; 객관적인; 〖哲〗 실질적인: ~e Bildung 실질적 도야(陶冶).

Material·sammlung *f.* 자료 수집.

Materialien·sammlung *f.* ↑ Materialsammlung.

Materialisation [..lizatsió:n] *f.* -en 구체화, 유형화; (심령의) 현신화〔물질화〕.

materialisieren *t.* 구체화하다, 유형화하다, 물질화하다; (심령을) 현신화시키다.

Materialismus *m.* ① 〖哲〗 유물론, 유물주의. ② 물질주의, 실리주의.

Materialist *m.* -en, -en ① 유물론자. ② 물질주의자, 실리주의자. ③ 〔고어〕 원료 상인. ④ 〔고어〕 잡화 상인, 식료품 상인.

materialistisch *a.* 유물론의; 물질〔실리〕주의의: eine ~e Dialektik 유물론적 변증법; eine ~e Geschichtsauffassung 유물 사관.

Materialität [materialitɛ́:t] *f.* 물질성, 구체성.

Material≈prüfung *f.* 원료〔자재〕 검사. **~schaden** *m.* ① 물질상의 손해. ② 자재의 결함. **~schlacht** *f.* 〖軍〗 물량전. **~steuer** *f.* 원료세(稅). **~waren** *pl.* 잡화, 생활용품; 원료품.

Materialwaren≈geschäft *n.* 식료품〔일용품〕 가게. **~händler** *m.* 〔고어〕 잡화 상인.

***Materie** [maté:riə] 《lat.》 *f.* -n 물질, 재료; 원소, 요소; 〖哲〗 질료(質料); 소재, 제목; 〖醫〗 고름; (대화·학문·저서의) 대상, 분야, 내용, 소재.

materiell [materiɛ́l] *a.* ① 물질의, 물질적인; 〖哲〗 질료적, 실체의; 자재의, 재료의; 물질적인, 경제적인, 재정적인: die ~e Grundlage 재정적 토대; in ~er Hinsicht geht es ihm gut 경제적으로 그는 형편이 괜찮다. ② 〔펌어〕 물질〔실리〕주의의, 쾌락주의의: 〖法〗 ~es Recht 실체법.

Materie·wellen *pl.* 〖物〗 물질파(波).

matern[1] [má:tərn] 《lat. mater》 *i.* (h.) 활자의 모형(母型)을 만들다.

matern[2] [matɛ́rn] *a.* 어머니 같은.

Materne [..nə] *f.* -n 〖印〗 활자의 모형(母型).

maternisieren *t.* 어머니같이 돌보아 주다.

Maternität [matɛrnitɛ́:t] *f.* 어머니임, 모성; 모계(母系).

Mate·tee *m.* ↑ Mate[1].

***Mathematik** [matematí:k, ..mátɪk] 《gr. máthēma》 *f.* 수학: reine〔angewandte〕 ~ 이론〔응용〕 수학; er hat in ~ versagt 그는 수학을 잡쳤다; das ist ja höhere ~! 그건 너무 어려워!

Mathematiker *m.* -s, - ① 수학자. ② 수학과 대학생.

Mathematikerin *f.* -nen ↑ Mathematiker의 여성형.

mathematisch *a.* 수학의, 수학적인 수리(數理)의; 〔비유〕 정확한.

mathematisieren *t.* 수학화하다, 수학적 방법으로 다루다.

Matinee[1] [matiné:] 《frz. matin》 *f.* -n 〖연극〗 오전 공연, 마티네: zu einer ~ gehen 오전 공연을 보러 가다.

Matinee[2] *n.* -s, -s 〔구식〕 (여성의) 아침 실내복.

Matjes·hering [mátjəs..] 《ndl.》 *m.* 소금에 절인 어린 청어.

Matratze [matrátsə] 《it.》 *f.* -n ① (침대의) 깔개, 매트리스. ② 〔농담·구어〕 숱이 많은 수염: 〔농담〕 die ~ belauschen an der ~ horchen〕 잠자다: ich lege mich jetzt ein bißchen hin und horche an der ~ 나는 지금 잠시 누워서 잠을 잘 거야.

Matratzen≈ball *m.* 〔다음 용법으로만〕〔농담〕 auf den ~ gehen 잠자러 가다. **~lager** *n.* (매트를 깐) 임시 잠자리.

Mätresse [mɛtrɛ́sə] 《frz.》 *f.* -n ① 〔펌어〕 정부(情婦); 소실. ② 〔고어〕 (제후의 공식적인) 소실.

matriarchal [matriarçá:l] *a.* ↑ matriarchalisch.

matriarchalisch [..lɪʃ] *a.* 모권의, 모권에 관한.

Matriarchat [matriarçá:t] 《lat. mater》 *n.*

-(e)s, -e ① 모권 사회. ② 여성 우위.
Matrikel [..kəl] *f.* -n ① 대장, 명부; 학생 명부: in die ~ eintragen 명부에 기입하다. ② (öst.) 호적; 교적(教籍).
Matrikular·beitrag [matrikulá:r..] *m.* (1871-1918 의) 독일 각 영방(領邦) 국가(지방 정부)의 중앙 정부에 대한 분담액.
matrimonial *a.* 혼인에 관한, 부부의.
Matrix [má:triks] *f.* ..trizes/..rizen 모질(손톱이 자라 나오는); 〖해부〗 자궁; 기원; 〖生〗 염색체 막; 〖언어〗 자질표; 〖印〗 활자의 주형(鑄型); 〖數〗 행렬; 〖컴〗 행렬(입력 도선과 출력 도선의 회로망).
Matrix·drucker *m.* 〖컴〗 행렬 프린터.
Matrize [matrí:tsə] *f.* -n ① 〖印〗 활자의 주형; 지형(紙型); 연판(鉛版); (등사용) 원지. ② 암나사. ③ 〖工〗 거푸집; (음반의) 원판.
Matrizen·papier *n.* 〖印〗 지형(紙型) 용지.
Matrone [matró:nə] *f.* -n 귀부인; 여사; 〖폄어〗 뚱뚱한 노부인.
matronenhaft *a.* 〖폄어〗 귀부인다운.
Matrose [matró:zə] 《ndl.》 *m.* -n, -n ① 선원, 마도로스. ② 수병(독일 해군의 최하위 계급).
Matrosen≈anzug *m.* 세일러복. **~bluse** *f.* 세일러복 블라우스. **~hose** *f.* 수병의 바지. **~hut** *m.* 수병의 모자. **~klavier** *n.* 손풍금, 아코디언. **~kleid** *n.* 원피스 세일러복. **~kragen** *m.* 세일러복의 옷깃. **~leinen** *n.* 수병복(水兵服) 제조용 리넨. **~mütze** *f.* 선원모. **~schenke** *f.* 선원 술집. **~uniform** *f.* 선원복.
Matsch[1] [matʃ] 《it.》 *m.* -es, -e (카드놀이에서의) 완패(完敗).
Matsch[2] [matʃ] *m.* -es, -e ① 질퍽질퍽한 것; 진창; 반쯤 녹은 눈. ② 곤죽 (같은 것).
matsch *a.* 완패의: jn. ~ machen 누구를 완패시키다; ~ werden 완패하다.
matschen [mátʃən] 《I》 *t.* 으깨다, 걸쭉하게 하다. 《II》 *i.* (h.) 질퍽질퍽하다; 흙장난을 하다.
matschig [mátʃıç] *a.* 걸쭉한, 진창 같은.
matschkern *t.* (öst.) 욕하다; 투덜거리다.
Matsch·wetter *n.* -s, - 〖구어〗 궂은 날씨.
Matt *n.* -s, -s (장기·체스의) 외통수.
***matt** [mat] *a.* ① 〖장기〗 외통수가 된, 장군이 된: jn. ~ setzen〔machen〕 누구를 외통이 되게 하다, 〖비유〗 누구를 꼼짝 못하게 하다; ~ sein 외통수에 걸리다; Schach und ~! 장군! ② **(a)** 지친; 힘이〔생기가〕 없는; 기죽은, 초연한; 약한, 느즈러진: ~ vor Hunger 배가 고파 기진맥진한; mit ~er Stimme 맥없는 목소리로; ~ und müde 기진맥진한; 〖軍〗 ~e Kugel 실탄을 쏘고 난 후의 탄피; ~er Schluß 흐지부지한 결말. **(b)** (눈이) 침침한, 뿌연; (색채·광택이) 탁한, 윤이 안 나는, 우중충한: ~e Augen 침침한 눈; ~e Farben 광택이 나지 않는 색; ~es Gold 광택이 없는 금; ~ geschliffenes Glas 젖빛 유리. **(c)** (맛이) 김빠진, 변한; (소리·냄새 등이) 약한, 둔한; 설득력이 없는, 시원찮은; (머리가) 둔한, 무감각한; 〖商〗 불경기의: ~es Bier 김빠진 맥주; ~er Geschäftsgang 영업 부진; seine Ausrede war recht ~ 그의 핑계는 별로 설득력이 없었다.
matt≈äugig *a.* 눈이 침침한. **~blau** *a.* 흐린 청색의.
Matte[1] [mátə] 《hebr. -lat.》 *f.* -n ① 돗자리, 깔개. ② 〖스포츠〗 매트: 〖구어〗 auf der ~ stehen (어떤 일을 할) 준비가 되어 있다. ③ (이마를 덮고 있는) 더부룩한 머리카락. ④ (md.) 응유(Käse~).
Matte[2] [mátə] *f.* -n 〖시어·구식〗(알프스 고지의) 목장, 초원.
Matten·klee *m.* 〖植〗 토끼풀.
Matten≈flechter, ~macher *m.* 돗자리 짜는 사람. **~werk** *n.* 볏짚〔보릿짚〕 세공; 거적, 돗자리.
Matterhorn [mátərhɔrn] *n.* -(e)s 마터호른 산(알프스의 산).
Matt≈glas *n.* 젖빛 유리. **~gold** *n.* 무광택 금(색). **≈golden** *a.* 무광택 금색의.
Matthäus [matɛ́:us] 《hebr., „Gottesgeschenk"》 *m.* 마태우스(남자 이름); 〖聖〗 마태: Evangelium Matthäi 마태 복음; bei mir ist Matthäi am letzten 나는 이제 끝장이다.
Matthäus·evangelium *f.* 〖聖〗 마태 복음.
Mattheit *f.* 피로, 피곤, 무기력; 흐린 빛깔; 불경기.
matt≈herzig *a.* 무기력한, 소심한, 겁쟁이인. **≈herzigkeit** *f.* 무기력, 겁쟁이임.
Matthias [matí:as] 《hebr.》 *m.* 마티아스(남자 이름).
mattieren [matí:rən] *t.* 광택을 없애다, 흐린 색으로 하다; 불투명하게 만들다.
Mattierung *f.* ① 흐리기, 광택 죽이기. ② 불투명하게 만들기, 광택 죽이기 위한 칠.
Mattigkeit [mátıç..] *f.* 피로, 피곤, 무기력.
Matt≈scheibe *f.* ① (사진기의) 초점 유리; 〖구어〗 멍하게 있음〔있는 상태〕: ~ haben 머리가 둔하다, 이해력이 부족하다. ② 텔레비전(화면). **~setzen** *n.* 〖장기〗 외통수로 몰고 가기. **≈vergoldet** *a.* 광택 없이 도금된. **~vergoldung** *f.* 무광택 도금. **≈weiß** *a.* 흐릿한 백색의, 유백색의.
Matur[1] [matú:r] 《lat. maturus》 *n.* -s 〖고어〗 고등 학교 졸업〔대학 입학 자격〕 시험.
Matur[2] *f.* (schweiz.) ↑ Matura.
Matura *f.* (öst., schweiz.) 고등 학교 졸업〔대학 입학 자격〕 시험(Abitur).
Maturand [maturánt] (schweiz.), **Maturant** *m.* -en, -en (öst.) 고교 졸업반 학생.
maturieren 《I》 *t.* 성숙시키다. 《II》 *i.* (h.) 고교 졸업 시험을 보다, 고교 졸업 시험에 합격하다.
Maturitas praecox [..prɛ́:kɔks] *f.* 〖醫·心〗 성적 조숙.
Maturität *f.* 성숙; 고등 학교의 졸업 시험; 대입 자격(증).
Maturitäts≈examen *n.* ↑ Matura. **~prüfung** *f.* ↑ Matura. **~zeugnis** *n.* 고등 학교 졸업 증명서, 대입 자격증.
Maturum *n.* -s 〖고어〗 ↑ Matura.
Matutin *f.* -e(n) 〖가톨릭〗 독서의 기도.
Matz [mats] 〖↑ Matthäus 및 Matthias 의 단축형〗 *m.* -es, -e/Mätze [mɛ́tsə] 녀석; 멍청이, 바보; 새끼새(의 애칭).
Mätzchen [mɛ́tsçən] *n.* -s, - ① 〖구어〗 농담, 실없는 소리: ~ machen 바보 짓을 하다, 익살을 떨다. ② 어리석은 행동.
Matze [mátsə] 《hebr.》 *f.* -n ↑ Matzen.
Matzen [mátsən] *m.* -s, - (유대인들이 유월

절에 먹는) 누룩을 넣지 않은 빵.

mau [mau] (ndd.) *a.* ①〖구어〗 나른한, 노곤한, 원기가 없는: mir ist ~ 나는 기분이 좋지 않다. ② 좋지 않은, 기대에 못 미치는: das Geschäft geht ~ 사업이 잘 안 된다.

Mauche *f.* -n ↑ Mauke[1].

mauen [máʊən] *i.* (h.) ① 야옹야옹 울다 (miauen);〖비유〗 우는 소리로 말하다. ② (trotzen) 거역하다, 거스르다.

***Mauer** [máʊər] 《lat.》 *f.* -n ① 벽, 담, 울타리; 성벽: die Chinesische ~ 만리 장성; in unsern ~n 우리 마을에서; ~ machen〔stehen〕 (소매치기 현장을 가리기 위해) 패거리들이 울타리를 치다; die Berliner ~ 베를린 장벽; wie eine ~ stehen 벽처럼 움직이지 않고 (줄지어) 서 있다;〖雅語〗 in den ~n (unserer Stadt) (우리 도시의) 시내(市內)에서; sich³ den Kopf an der ~ einrennen 불가능한 일을 시도하다〔해보다〕. ② 장벽: eine ~ zwischen uns 우리 사이의 장벽. ③〖스포츠〗 스크럼; 장애물: eine ~ aufstellen〔bilden〕 스크럼을 짜다.

Mauer⸗anschlag *m.* 벽보. **~arbeit** *f.* ↑ Maurerarbeit. **~assel** *f.* 〖動〗 쥐며느리. **~auskleidung** *f.* 안쪽을 벽으로〔벽돌로〕 싸는 것. **~blende** *f.* 벽감(壁龕). **~blümchen** *n.* ①〖구어〗 (무도회 때 상대가 없어) 벽가에 앉아 있는 여자. ② 인기없는 여자;〖비유〗 diese Wissenschaft ist lange genug ~ gewesen 이 학문은 오랫동안 푸대접을 받아왔다. **~brecher** *m.* 〖史〗 공성(攻城) 망치(성벽을 부수는 데 쓰인 옛 무기). **~damm** *m.* 벽돌로 쌓은 방화벽.

Mauerei [maʊəráɪ] *f.* ① ↑ Maurerei. ②〖스포츠·평어〗 수비 위주의 경기.

Mauer⸗feld *n.* 벽의 구획(區劃). **⸗fest** *a.* 벽처럼 견고한. **~fuß** *m.* 벽의 아래 부분(토대). **~haken** *m.* 쇠갈고리; 등산용의 하켄. **~kalk** *m.* 벽에 칠하는 석회. **~kelle** *f.* 흙손. **~kitt** *m.* 시멘트. **~krone** *f.* ①〖건축〗 성의 윗부분(성벽 위에 성벽에 따라 띄엄띄엄 쌓은 관(冠)모양의 구축물). ②〖史〗 성벽관(城壁冠)(고대 로마에서 제일 먼저 성에 올라간 용사에게 주는 성을 본뜬 관(冠)). **~läufer** *m.* 〖動〗 나무발바릿과(科)의 일종. **~loch** *n.* 벽의 구멍;〖시어〗 음침한 방. **~meister** *m.* ↑ Maurermeister.

mauern [máʊərn] 《Ⅰ》 *i.* (h.) 벽을 쌓다. 《Ⅱ》 *t.* …을 벽으로 쌓다. 《Ⅲ》 *refl.* sich ~ (벽처럼) 버티고 서다. 《Ⅳ》 ① *i.* (h.) (카드놀이에서) 안전 위주의 게임을 하다. ②〖스포츠〗 수비 위주의 경기를 하다.

Mauer⸗nische *f.* 벽감(壁龕), 우묵벽. **~pfeffer** *m.* 〖植〗 꿩의 비름. **~polier** *m.* ↑ Maurerpolier. **~raute** *f.* 〖植〗 고사리의 일종. **~ritze** *f.* 벽의 틈새, 갈라진 틈새. **~salpeter** *m.* 〖광물〗 초석(硝石), 질산칼륨. **~schau** *f.* 〖문학〗 ↑ Teichoskopie. **~schwalbe** *f.* ↑ ~segler. **~segler** *m.* 〖動〗 칼새, 명매기. **~schwamm** *m.* 〖植〗 ↑ Hausschwamm. **~specht** *m.* 〖농담〗 (기념으로 간직하기 위해) 베를린 장벽의 조각을 깨는 사람. **~speise** *f.* ↑ ~kitt. **~springen** *n.* 〖스포츠〗 (마술에서) 벽 모양의〔2중〕 장애물 뛰어넘기. **~stein** *m.* ① 성 쌓는 데 쓰는 돌. ② (자연산) 벽돌(↔ Mauerziegel).

Mauerung *f.* -en ① 벽〔벽돌〕 쌓기. ② 벽.

Mauer⸗vorsprung *m.* 벽의 돌출 부분. **~werk** *n.* ①〖총칭〗 벽. ② 벽 공사, 벽돌 쌓는 일, 미장이 일. **~ziegel** *m.* 벽돌(↔ Mauerstein ②). **~zinne** *f.* ①〖건축〗 (성벽 위의) 총안(銃眼)이 있는 성가퀴. ② (지붕 위에 세운) 작은 첨탑.

Mauke[1] [máʊkə] *f.* -n ① 계군(繫皸)(말의 발에 생기는 습진). ②〖구어〗 (돈·과일 따위의) 은닉소. ③〖植〗 (포도의) 흑두병(黑痘病), (담배의) 축엽병(縮葉病). ④〖복수로만〗〖평어·방언〗 (땀이 많이 나는) 발.

Mauke[2] *f.* 〖다음 용법으로만〗 keine ~ zu et.³ haben 무엇을 할 의향이 없다.

maukig *a.* 계군병에 걸린.

***Maul** [maul] *n.* -(e)s, Mäuler [mɔ́ʏlər] ① (동물의) 입, 주둥이;〖평어〗 (사람의) 입, 아가리:〖비유〗 ein gottloses ~ 추잡〔음란〕한 말투. ②〖동사와 함께〗 ~ und Nase aufsperren (어이가 없어) 입을 딱 벌리다; das ~ brauchen 변명에 애쓰다; das ~ auftun〔aufmachen〕 입을 열다, 말을 시작하다; ein großes ~ haben〔führen〕 말이 헤프다; ein böses〔ungewaschenes〕 ~ haben 입버릇이 나쁘다; ein loses ~ haben 입이 험하다; das ~ halten 입을 다물다, 침묵을 지키다; das ~ hängen lassen〔ein (schiefes) ~ machen〔ziehen〕〕 입을 삐죽거리다, 볼멘 얼굴을 하다; ein süßes ~ machen 아첨하다;〖구어〗 jm. das ~ wäßrig machen 누구의 입에 군침이 돌게 하다; jm. das ~ stopfen〔verbieten〕 누구의 입을 막다, 누가 말을 못 하게 하다; das ~ (weit) über jn. aufreißen 누구를 심하게 욕하다; das ~ aufreißen 큰소리치다; sich³ das ~ verbrennen 실언하다, 설화(舌禍)를 입다; das ~ wässert ihm danach 그는 그것에 (탐이 나서) 침을 흘리고 있다; das ~ vollnehmen〔aufreißen〕 큰소리치다; jm. ein ~ anhängen 누구의 말을 거칠게 반박하다; sich³ das ~ wischen 소득이 없다, 입맛만 다시다; jm. ist das ~ zugefroren 누구의 말문이 막혔다. ③〖전치사와 함께〗 sich³ et. **am** ~ abbrechen 무엇을 (먹지 않고) 절약하다; jn. 〔jm.〕 **aufs** ~ schlagen 누구의 거짓말을 책망하다; dem Volk aufs ~ schauen 보통 사람들이 생각하고 말하는 것을 꿰뚫어보다; sich selbst aufs ~ schlagen 동닿지 않는 말을 하다; das ~ auf dem rechten Fleck haben 입심이 좋다; er ist nicht aufs ~ gefallen 그는 입심이 좋다; jm. eins aufs ~ geben, a) 누구 입아귀에 한방 먹이다, b) 누구의 말에 강하게 대꾸하다; jm. **übers** ~ fahren 누구의 말을 사정없이 가로막다; **in** der Leute Mäuler kommen〔im ~ der Leute sein〕 남의〔뭇사람의〕 입에 오르내리다, 소문이 나다; jm. et. ins ~ schmieren 누구에게 무엇을 알아듣게 하다; jm. **nach** dem ~ reden 누구의 마음에 들도록 얘기하다; das ~ nach et.³ spitzen 무엇을 탐내다;〖속어〗 sich das ~ (über) jm. zerreißen 누구를 씹다〔욕하다〕; jm. Honig〔Pappe〕 **ums** ~ schmieren〔streichen〕, jm. um das ~ gehen 누구에게 알랑거리다, 아첨하다; alle Mäuler sind voll davon 모두들 그 이야기를 한다; kein Blatt **vors** ~ nehmen 입바른 말을 하다, 거리낌없이 말하다. ④〖사람을 뜻하여〗 zehn Mäuler zu ernähren 그는 열 사람을

먹여 살려야 한다. ⑤〖기술〗(펜치 따위의) 아가리.

Maul≈affe *m.* 멍하니 바라보는 사람: ~n feilhalten〔haben〕 입을 딱 벌리고 멍하니 보다. **~afferei** *f.* 멀거니 바라보기; 취생몽사(醉生夢死).

Maul≈beer·baum *m.* 〖植〗 뽕나무. **~beere** *f.* 오디. **~beer·(seiden)spinner** *m.* 〖動〗 누에.

Mäulchen [mɔ́ʏl..] *n.* -s, -/Mäulerchen 〖↑ Maul 의 축소형〗 ① 작은 주둥이〔입〕: ein ~ machen 〔ziehen〕 입을 삐쭉 내밀다, 볼멘 얼굴을 하다. ②〖구어〗 키스.

Maul≈christ *m.* 〖구어〗 입으로만의 기독교신자. **~diarrhöe** [..diarø:] *f.* 〖구어〗 지껄임. **~drescher** *m.* 〖구어〗 수다쟁이.

maulen [máʊlən] *i.* (h.) 입을 삐쭉 내밀다, 투덜대다: ohne ≈ geht's bei ihm nicht 그는 불평만 하는 사람이다.

Maul·esel *m.* ①〖動〗 버새(수말과 암나귀의 잡종). ②〖학생〗(아직 등록하지 않은 대학의) 신입생(Mulus). ③ 달고도 찬 음료의 일종.

maul·faul *a.* ↑ mundfaul.

Maul≈fäule *f.* ↑ Mundfäule. **~fertigkeit** *f.* 다변. **~hänger** *m.* 입을 삐죽 내민 사람, 기분이 좋지 않은 사람. **~held** *m.* 큰소리만 치는 사람, 허풍선이. **~hobel** *m.* 〖구어〗 하모니카.

..mäulig *suf.* "…한 입의"의 뜻(보기: groß~ 입이 큰).

Maul≈klemme *f.* ↑ ~sperre. **~korb** *m.* (말·개의) 재갈, 입마개: dem Volk einen ~ anlegen 국민의 의사 표현의 자유를 박탈하다. **~korb·erlaß** *m.* (언론의 자유를 제한하는) 함구령, 언론 규제법. **~schelle** *f.* ① (빰을) 손바닥으로 갈김, 따귀를 침. ② (사과를 넣은) 과자. **≈schellen, ≈schellieren** *t.* 따귀를 치다. **~seuche** *f.* ↑ ~fäule. **~sperre** *f.* 〖醫〗 교경(련)(咬痙(攣)); (말·소 따위의) 개구(開口)불능: die ~ kriegen 〔bekommen〕 놀라서 말을 못하다. **~spitzen** *n.* 〖구어〗 da hilft kein ~ 이젠 어찌할 수 없다, 손을 뗄 순 없다. **~tasche** *f.* ①〖고어〗(빰을) 손바닥으로 갈김; 입이 큰 사람, 부루퉁해 있는 사람; 허풍선이. ②〖요리〗 슈바벤식 만두(국). **~tier** *n.* ↑ ~esel. **≈tot** *a.* 말이 없는. **~trommel** *f.* 〖음악〗 구금(口琴) (철제 말굽형의 소악기). **~-und Klauen·seuche** *f.* 〖수의〗 구제역(口蹄疫)(소·말의 전염병). **~voll** *n.* 한 입 가득. **~werk** *n.* 능변, 달변: 〖구어〗 ein gutes ~ haben 구변이 좋다.

Maul·wurf [máʊl..] 《전반은 <mhd. molt, „Erde"》 *m.* 〖動〗 두더지; 간첩.

maulwurfen *i.* (h.) 〖구어〗 참호를〔굴을〕 파다.

Maulwurfs≈falle *f.* 두더지 덫. **~grille** *f.* 〖動〗 땅강아지, 하늘밥도둑. **~haufen** *m.* ↑ ~hügel. **~hügel** *m.* 두더지가 파서 헤친 흙더미.

Mau-Mau[1] *pl.* 마우마우단(團)(케냐의 비밀결사).

Mau-Mau[2] *n.* -(s) 카드놀이의 일종.

maunzen [máʊntsən] *i.* (h.) 고양이처럼 울다, 훌쩍거리며 울다, 흐느끼다; 신음하다.

Maure [máʊrə] *m.* -n, -n 무어 사람(아프리카 서북부의 민족).

***Maurer** [máʊrər] *m.* -s, - ① 벽돌공, 미장이: pünktlich wie die ~ 아주 꼼꼼한. ② (Frei≈) (공제(共濟) 비밀 결사인) 프리메이슨 회원. ③ 안전 위주로 카드놀이하는 사람.

Maurer·arbeit *f.* 미장이 일.

Maurerei [maʊrəráɪ] *f.* -en ① 미장이의 직업. ② ↑ Freimaurerei 의 약칭.

Maurer≈gesell(e) *m.* 미장이 도제. **~handwerk** *n.* 미장이 일〔업〕.

maurerisch *a.* ① 미장이의. ② 프리메이슨의.

Maurer≈kelle *f.* 흙손. **~klavier** 〖구어〗 손풍금. **~kolone** *f.* 미장이 조(組). **~meister** *m.* 미장이의 우두머리. **~polier** *m.* 미장이의 현장 감독. **~zunft** *f.* 미장이 조합.

Maureske [maʊréskə] 《frz.》 *f.* -n (이슬람 미술의) 평면 장식.

Mauretanien [maʊretá:niən] 모리타니(아프리카 사하라 사막 서부의 공화국).

Mauretanier *m.* -s 모리타니 사람.

mauretanisch *a.* 모리타니(인)의.

Maurin *f.* -nen ↑ Maure 의 여성형.

maurisch [máʊrɪʃ] *a.* 무어인의: 〖건축〗 ~er Baustil 무어 양식.

Mauritier [..tʃiər] *m.* -s 모리셔스 사람.

mauritisch *a.* 모리셔스의.

Mauritius [maʊrí:tsiʊs] *m.* 모리셔스.

***Maus** [maʊs] *f.* Mäuse ①〖動〗 생쥐; 〖컴〗 마우스; 귀여운 여자 아이: 〖비유〗 mit Mann und ~ 사람 짐승 할 것 없이 모두; süße ~ 우리 예쁜이(처자에 대한 애칭); still wie eine ~ 쥐죽은 듯 고요한; flink wie eine ~ 아주 잽싼; wie eine gebadete ~ 물에 빠진 생쥐 같은, 흠뻑 젖은; da beißt keine ~ einen Faden ab 그것은 확실하다, 하나도 에누리가 없다; Mäuse im Kopf haben 변덕스럽다; wie Mäuse in der Speckseite leben 사치스러운 생활을 하다; Mäuse machen 어마어마한〔귀찮은〕 일을 하다; Mäuse riechen〔merken〕 비밀을 알아채다; das trägt eine ~ auf dem Schwanz weg 그것은 새 발의 피다; weiße Mäuse sehen (취해서) 헛것을 보다; graue ~ 눈에 띄지 않는〔매력이 없는〕 사람〔여자〕; 〖구어〗 weiße Maus 교통 경찰; es ist ~ wie Mutter 어느 쪽이든 매한가지다; 〖속담〗 wenn die ~ satt ist, schmeckt das Mehl bitter 맛있는 음식도 배부르면 쓰다; mit Speck fängt man Mäuse 미끼가 좋으면 잘 잡힌다. ② **(a)** 〖해부〗 무지근(拇指筋); 음문(陰門); 털이 난 검은 사마귀. **(b)** 〖요리〗 차조기의 잎이 든 달걀 부침. ③〖해부〗 관절서(關節鼠). ④〖복수로만〗 돈. ⑤ 공.

Mauschel [máʊʃəl] 《hebr., „Moses"》 *m.* -s, - 〖경멸〗(가난한) 유대인.

Mauschel·bete *f.* -n 〖카드〗 (마우셸른 게임에서) 두 배의 벌금.

Mauschelei *f.* -en ① 유대인 사투리. ② 속임수, 뒷거래, 떳떳하지 못한 흥정.

Mauscheln *n.* -s 〖카드〗 마우셸른.

mauscheln *i.* (h.) ① 유대 사투리로 말하다. ② 속임수를 쓰다, 뒷거래를 하다. ③〖카드〗 마우셸른 게임을 하다.

Mäuschen [mɔ́ʏsçən] *n.* -s, - 〖↑ Maus 의 축소형〗 ① 생쥐 새끼: mein ~! 여보, 아가야! (사랑하는 여자·아기에 대한 애칭); ~ sein〔spielen〕 엿보다. ② 팔꿈치 관절의 신경

이 모여 있는 부분. ③ 매춘부; 도락자.
mäuschen·still [mɔ́ʏsçən..] *a.* 쥐죽은 듯 고요한.
mäuse≈arm [mɔ́ʏzə..] *a.* 매우 가난한. **~bussard** *m.* 〚動〛 말똥가리(쥐를 잘 잡아먹는 새). **~darm** *m.* 〚植〛 별꽃. **~dorn** *m.* 〚植〛 백합과(科)의 상록 관목. **~dreck** *m.* 쥐똥: frech wie ~ 뻔뻔하기 짝이 없는. **~falk(e)** *m.* ↑ ~bussard.
Mause·falle [máuzə..] *f.* 쥐덫; 궁지.
Mäuse≈fall [mɔ́ʏzə..] *f.* ↑ Mausefalle. **~fänger** *m.* ① 쥐 잡는 사람. ② 쥐 잡는 동물(특히 고양이).
Mause≈farbe *f.* 쥐색. **~farben** *a.* 쥐색의.
Mäuse≈fraß *m.* 쥐가 먹은 것, 쥐의 해를 받은 것. **~gift** *n.* 쥐약.
mause≈grau *a.* 쥐색의. **~kätzchen** *n.* 작은 쥐(Mäuschen). **~katze** *f.* 쥐를 잘 잡는 고양이.
Mäusel [mɔ́ʏzəl] *n.* -s, - 작은 쥐(Mäuschen).
mauseln [máuzəln] *i.* (h.) ↑ mäuseln.
mäuseln [mɔ́ʏzəln] *i.* (h.) 〚사냥〛 (여우를 유인하기 위해) 쥐 우는 소리를 흉내내다.
Mause·loch *n.* 쥐구멍: 〔비유〕 ins ~ kriechen (무섭거나 당황해서) 쥐구멍을 찾다.
Mäuse·loch *n.* ↑ Mauseloch.
Mäuse≈melken 〔다음 용법으로〕 es ist zum ~ 생쥐의 젖이라도 짜야 할 지경이다, 지푸라기라도 잡고 싶은 심정이다, 절망적이다.
mausen[1] [máuzən] 《I》 *i.* **(a)** (h.) (고양이가) 쥐를 잡다. **(b)** *i.* (h./s.) 살금살금 걷다; 〔비속〕 성교하다. 《II》 *t.* 몰래 훔치다, 슬쩍 하다.
mausen[2] ↑ mausern.
Mäuse≈nest *n.* 쥐의 집. **~not** *f.* 쥐가 끼치는 피해. **~öhrchen** *n.* ↑ Mausohr. **~plage** *f.* 쥐가 끼치는 피해.
Mauser[1] [máuzər] 《<mausern》 *f.* (새의) 털갈이; (뱀의) 허물벗기: in der ~ sein 털갈이를 하는 중이다.
Mauser[2] 《<mausen[1]》 *m.* -s, - 좀도둑; (schweiz.) (덫을 놓아) 쥐를 잡는 사람.
Mauser[3] *f.* ↑ ~pistole 의 약칭.
Mauserei [mauzərái] *f.* -en ① 절도, 가게 좀도둑질, 슬쩍 훔치기. ② 〔비속〕 계속적인 성교.
Mauser·gewehr [máuzər..] *m.* 모제르 권총.
Mäuserich [mɔ́ʏzərıç] *m.* -s, -e 쥐의 수컷.
mauserig 《<Mauser[1]》 *a.* (schweiz.) ① 짜증나는, 귀찮은. ② 풀죽은, 기가 꺾인. ③ (날씨가) 흐린, 우중충한.
mausern [máuzərn] 《<Mauser[1]》 *i.* (h.) / *refl.* (sich) ~ (새가) 털갈이를 하다; (뱀이) 허물을 벗다; 변모하다, 탈바꿈하다; 〔비유〕 주의(主義)·주장을 바꾸다, 새로운 삶을 시작하다: er hat sich zu einem feinen jungen Mann gemausert 그는 세련된 젊은이로 변모했다.
Mauser·pistole *f.* -n 모제르 권총(자동 권총의 일종).
Mauserung [máuzəruŋ] *f.* -en ① 털갈이, 탈피. ② 〔드물게〕 탈바꿈, 변모.
Mauser·zeit *f.* 털갈이 시기.
Mäuse·schwanz *m.* ① 쥐의 꼬리; 〔비유〕 가느다란 편발(辮髮). ② 〚植〛 들묵새(유럽 남부 원산의 볏과(科) 식물).
mause≈still *a.* 쥐죽은 듯 고요한. **~tot** *a.* 완전히 죽은.
Mäuse·turm *m.* -(e)s 쥐탑(독일 라인강 변 Bingen 에 있는 고탑(古塔)).
Mause·zahn *m.* ① 작은 이〔齒〕. ② (뜨개질 가장자리의) 뾰족한 코. ③ 쥐의 이: die Spur von ~ am Käse 치즈에 난 쥐의 이빨 흔적.
Mause·zeit *f.* ↑ Mauserzeit.
maus≈farben *a.* ↑ ~grau. **~farbig** *a.* ↑ ~farben. **~grau** *a.* 쥐색의.
mausig[1] [máuzıç] *a.* 쥐냄새가 나는.
mausig[2] 《<Mauser[1]》 *a.* 거만한, 건방진: 〔구어〕 sich ~ machen 젠체하다, 허세부리다, 뻔뻔스럽다, 주제넘다.
Maus·klick *m.* 〚컴〛 마우스 클릭.
Maus≈loch *n.* ↑ Mauseloch. **~ohr** 〚植〛 (Habichtskraut) 조팝나물속(屬).
Mausoleum [mauzolé:um] 《gr.》 *n.* -s, ..leen [..lé:ən] ① (왕족·귀족의) 묘, 능(陵), 사당(祠堂). ② (웅장한) 무덤, 묘.
maus·tot *a.* ↑ mausetot.
Maus≈treiber *m.* 〚컴〛 마우스 드라이버. **~zeiger** *m.* 〚컴〛 마우스 커서.
Maut [maut] 《südd.》 *f.* -en (bayr., öst.) ① 〔고어〕 통행세. ② 〔고어〕 세관.
Maut·amt *n.* 〔고어〕 세관.
mautbar *a.* 통행세를 물어야 하는.
Maut≈aufseher *m.* 〔고어〕 세관원. **~frei** *a.* (öst.) 면세의; 통행세가 없는. **~gebühr** *f.* (öst.) 통행세. **~halle** *f.*, **~haus** *n.* 〔고어〕 ↑ ~amt.
Mautner [máutnər] *m.* -s, - ① 통행세 징수원. ② 〔고어〕 세관원.
maut≈pflichtig *a.* 통행세를 내야 하는(↔~frei). **~stelle** *f.* (öst.) (유료 도로의) 톨게이트. **~straße** *f.* (öst.) 유료 도로.
Mauvein [moveí:n] 《frz.》 *n.* -s 모베인(아닐린 합성 염료의 일종).
mauzen [máutsən] *i.* (h.) ↑ maunzen.
Max [maks] *m.* ① 막스(남자 이름, Maximilian 의 약자). ② strammer ~ a) 〔구어〕 달걀 프라이와 햄이 든 샌드위치, b) 〔드물게〕 달걀과 다진 고기가 든 샌드위치 식사.
Maxi[1] *n.* -s, -s ① 맥시옷. ② 맥시 길이.
Maxi[2] *m.* -s, -s 맥시 치마.
maxi *a.* (치마·외투 따위가 발목까지 내려오는) 맥시의.
Maxilla [maksíla] *f.* -e [..lɛ] 〚해부〛 (척추 동물의) 위턱, 턱뼈; (절지 동물의) 작은 턱.
maxillar [maksılá:r] *a.* 위턱의; 작은 턱의.
Maxille 《lat.》 *f.* ..llen ↑ Maxilla.
Maxima[1] [máksima] 《lat.》 *pl.* ↑ Maximum 의 복수형.
Maxima[2] *f.* ..men 〚음악〛 막시마(13-14 세기에 쓰인 가장 긴 음표; 현 온음표의 8 배).
maximal [maksimá:l] 《lat.》 *a.* ① 〔교양〕 최고의, 최대의: ~e Geschwindigkeit 최고속도; et. ~ ausnutzen 무엇을 최대로 이용하다. ② 〔청소년〕 (prima) 최고의, 최상의: das ist ja ~! 최고군!
Maximal≈belastung *f.* 최대 하중(荷重). **~betrag** *m.* 최고액. **~druck** *m.* 최대 압력. **~forderung** *f.* 최대(한의) 요구. **~geschwindigkeit** *f.* 최대 속력. **~höhe** *f.* 최

고 높이. **~leistung** *f.* 최대 출력. **~profit** *m.* 최대 이익. **~spannung** *f.* 최대 전압. **~-strafe** *f.* 〖法〗 최고형. **~-und Minimalthermometer** *n.* ↑ Maximum-Minimum-Thermometer. **~wert** *m.* 최고치.

maximalisieren *t.* 〘드물게〙 극대화하다.

***Maxime** [maksíːmə] 《lat. maxima》 *f.* -n 원칙, 원리; 격언.

maximieren *t.* ① 극대화하다. ② 〖數〗 극대값을 구하다(optimieren).

Maximierung *f.* -en 극대화, 최대화.

Maximilian [maksimíːliaːn] 《lat., „der Größte"》 *m.* 막시밀리안(남자 이름).

***Maximum** [máksimum] 《lat.》 *n.* -s, ..ma (↔ Minimum) ① 최대한, 최고도, 극한. ② 〖數〗 최대치. ③ 최고치; 최고액, 최대량, 최대수.

Maximum - Minimum - Thermometer *n./m.* 최고·최저 온도계〔한란계〕.

Max-Planck-Gesellschaft *f.* 막스·플랑크 협회(학술 진흥을 위해 Kaiser-Wilhelm-Gesellschaft 를 이어받아 1945 년에 설립되었음).

Max-Planck-Institut *n.* -(e)s, -e 막스 플랑크 연구소.

Maya [máːja] *m.* -(s), -(s) ① 〖힌두교〗 (환영(幻影)을 낳게 하는) 신의 힘, 마력; 환영. ② 〖브라만교〗 환영으로서의 현실 세계.

Mayday [méːde, méɪdeɪ] S.O.S. (국제 무선 조난 신호).

Mayonnaise [majɔnɛ́ːzə] 《frz.》 *f.* -n 〖요리〗 마요네즈.

Mayor [méːər] 《engl.》 *m.* -s, -s (영국·미국의) 시장.

MAZ =magnetische Bildaufzeichnung 자기(磁氣) 테이프 녹화 장치.

Mazdaznan [masdasnáːn] (조로아스터교의 창시자인 차라투스트라의 가르침에 근거한) 종교적 구제 운동.

Mazedonien [matsedóːniən] 마케도니아(그리스 북부의 지방).

Mazedonier *m.* -s, - ① 마케도니아 사람. ② 마케도니아 출신의 사람.

mazedonisch *a.* 마케도니아의.

Mäzen [mɛtséːn] *m.* -s, -e 예술 보호자(로마 예술가의 보호자였던 마세나스(Macenas)의 이름에서 유래), 패트런.

Mäzenatentum [mɛtsenáːtəntuːm] *n.* -(e)s 예술 보호〔후원〕.

mäzenatisch *a.* 예술 보호자의, 패트런의.

Mazeration [matseratsióːn] 《lat.》 *f.* -en ① 〖醫〗 침지(浸漬), 침담그기. ② 〖生·化〗 해리(解離). ③ 〖生·化〗 냉침(冷浸).

mazerieren *t.* 떫은 기를 빼다; 해리하다; 냉침하다.

Mazurka [mazúrka] *f.* -s/..ken 마주르카(폴란드의 민속춤).

mb =Millibar 밀리바.

mbar =Millibar 밀리바.

MBit 〖컴〗 =Megabit 메가비트.

MBit/s 〖컴〗 메가비트/초.

MByte 〖컴〗 =Megabyte 메가바이트.

m.c. =mensis currentis 《lat.》 이 달의.

McCarthyismus [məkaː(r)θiísmus] *m.* 매카시즘(극단적 반공주의자인 미국 정치가 McCarthy의 이름에서).

m.d. 〖음악〗 =mano destra.

Md =Mendelevium, Maryland, Milliarde(n).

MD =Musikdirektor 음악 총감독.

M.d.A. =Mitglied des Abgeordnetenhauses 국회 의원.

mdal. =mundartlich 방언의.

MDAX 〖증권〗 세가 약하여 별도로 관리되는 70개 증권의 종합지수.

MdB, M.d.B. =Mitglied des Bundestages 연방 의회 의원.

MdL, M.d.L. =Mitglied des Landtages 주(州) 의회 의원.

MDR =Mitteldeutscher Rundfunk 〖방송〗 중부독일 방송(구 동독 지역을 담당하는 공영 방송).

M.d.R. =Mitglied des Reichstags (독일 제국 시대의) 국회 의원.

ME =Mache-Einheit 마헤.

m.E. =meines Erachtens 나의 생각으로는.

mea culpa [méːa kúlpa] 〖가톨릭〗 내 탓이오.

***Mechanik** [meçáːnik] 《gr. -lat.》 *f.* -en ① 〖物〗 역학; 〖기계〗 기계학: die ~ der flüssiger Körper 액체 역학; diese Maschine ist das Wunderwerk der ~ 이 기계는 기계학의 경이적 작품이다. ② [meçaníːk] (Mechanismus) 기계 장치, 메커니즘: die ~ des Klaviers ausbauen 피아노의 기계 장치를 분해하다; die ~ eines Getriebes erklären 기어의 기능을 설명하다. ③ 〘교양〙 기계적인〔단조로운〕 성격: die ~ eines Arbeitsvorgangs 작업 과정의 기계적인 성격.

Mechaniker [..nikər] *f. m.* -s, - ① 기계학자, 기계공, 기계 제조인. ② 〘구어·농담〙 기계적인 일에 능한 사람.

Mechanikerin [..nikərɪn] ↑ Mechaniker 의 여성형.

Mechanikus *m.* -, ..nizi 〘구어·농담〙 기계공.

Mechanisator [meçanizáːtɔr, ..toːr] *m.* -s, -en [..tóːrən] 〖구동독〗 기계공.

***mechanisch** [meçáːnɪʃ] *a.* 기계학의; 역학의; 자동적인; 기계적인; 무의식적인; 습관적인: ~e Fehler〔Abnutzung〕 기계의 결함들〔마모〕; ~e Kenntnisse 기계학상의 지식; der ~ Webstuhl 동력 직조기; eine ~e Bewegung 기계적〔자동적〕 동작; 〖物〗 ~es Wärmeäquivalent 열의 일당량; ein Gedicht ~ aufsagen 시를 기계적으로 암송하다.

mechanisieren [meçanizíːrən] *t.* 기계화하다.

Mechanisierung *f.* -en 기계화.

Mechanisierungs·prozeß *m.* 기계화 과정.

***Mechanismus** [meçanísmus] *m.* -, ..men [..mən] 기구, 기관; 장치, 기계 장치; 자동 기능 (장치); 메커니즘, 기제; 〖哲〗 기계론: ein modernes Staatswesen ist ein komplizierter ~ 현대 국가는 복잡한 기구이다; psychische Mechanismen 심리적 메커니즘.

Mechanist *m.* -en, -en 기계론자.

mechanistisch *a.* 기계 장치의; 〖哲〗 기계론의: eine ~e Reaktion 기계적인 반응.

Mechanizi ↑ Mechanikus 의 복수형.

Mechanizismus [..nitsísmus] *m.* 기계론.

mechanizitisch *a.* 기계적인.

Mechanotherapie [meçanoterapíː] *f.* [..píːən] 〖醫〗 물리 치료.

mechulle *a.* ↑ machulle.
meck [mɛk] *int.* 매애(염소의 울음소리).
Meckerei [mɛkəráɪ] *f.* -en 〖구어〗 불평하기, 투덜대기.
Mecker·fritze *m.* -n, -n 불평꾼, 군소리꾼.
Meckerer *m.* -s, - 떨리는 목소리로 말하는 사람; 〖구어〗 불평하는〔헐뜯는〕 사람.
meckern [mɛ́kərn] 〖의성어〗 *i.* (h.) (염소가) 울다; (사람이) 떠는 목소리로 말하다〔노래하다·웃다〕; 〖비유〗 말참견하다; 흠잡다, 투덜대다: er meckert ständig über das Essen 그는 늘 음식 투정을 한다.
Mecker≈stimme *f.* 떨리는 목소리. **~ton** *m.* 〖醫〗 에고포니(폐 경화(硬化) 때 청진기로 들을 수 있는 염소 울음소리 비슷한 소리); 염소 울음소리.
Mecklenburg [mé:klənburk, mɛ́k..] 메클렌부르크(독일 Ostsee 연안의 주(州) 이름).
Mecklenburger *m.* -s 메클렌부르크 사람.
mecklenburgisch *a.* 메클렌부르크의.
meck·meck *int.* 〖의성어〗 매애매애(염소의 울음 소리; 재봉사에 대한 야유의 말).
*__Medaille__ [medáljə, ..dáɪljə] 《frz.》 *f.* -n 기념패, 상패, 메달: 〖비유〗 die Kehrseite der ~ 사물의 이면, 감춰진 면.
Medaillen≈gewinner [medáljən..] *m.* 〖스포츠〗 메달 딴 선수. **~sammler** *m.* 메달 수집자. **~spiegel** *m.* 메달 집계판. **~stecher** *m.* 메달 조각자.
Medailleur [medaljø̍:r] *m.* -s, -e 기념패 조각자.
medaillieren [..daljí:rən] *t.* 상패로 표창하다.
Medaillon [medaljɔ̃́:] *n.* -s, -s ① 대형 기념패; 원형 부조(浮彫). ② 펜던트, 기념품 케이스(사진·머리카락 따위를 넣어 시계줄 따위에 다는 장신구). ③ (목걸이 장식으로서의) 조그만 메달. ④〖요리〗 메다용(원형이나 계란형으로 자른 고깃조각).
Medea [medé:a], **Medeia** *f.* 〖그리스신화〗 메데아(영웅 Jason 의 처).
Media[1] [mé:dia] 《lat. medius, „Mittel"》 *f.* ..diä/..dien [..diən] ①〖문법〗 유성 파열음(b, d, g). ②〖醫〗 (혈관과 림프선의) 중간막.
Media[2] ↑ Medium 의 복수형.
medial [mediá:l] *a.* ① 중앙의; 한가운데의. ②〖문법〗 유성 파열음의; 능동적 뜻을 가진 수동형의. ③〖교양〗 영매의 힘이 있는. ④ 매스미디어의: die ~ gesteuerte Massenkultur 대중 매체의 조종을 받는 대중 문화.
Medial·linie *f.* 〖해부〗 (신체의) 정중선(正中線).
Media·markt *m.* 전자 제품 유통 체인.
median [mediá:n] *a.* 중간의, 중앙에 있는; 중간 크기의.
Mediane *f.* -n 〖기하〗 중(간)선, (사면체의) 중선.
Median≈ebene *f.* 〖해부〗 (인체의) 중앙면, 정중면(正中面). **~folio** *n.* 〖印〗 중판(中判)의 2 절판. **~größe** *f.* 중판(의 크기). **~nerv** *m.* 정중(正中) 신경. **~oktav** *n.* 중판의 8 절판. **~papier** *n.* 중판 크기의 종이. **~quart** *n.* 중판의 4 절판. **~wert** *m.* 〖통계〗 중앙값.
Mediante [mediántə] 《lat. -it.》 *f.* -n ①〖음악〗 중음(中音), 제 3 음. ② 중음 삼화음.
mediat [mediá:t] 《lat.》 *a.* ①〖구식〗 간접적인. ②〖史〗 영주 직속의.
Mediat·gebiet *n.* (신성로마)제국의 비직할령.
Mediation [mediatsió:n] *f.* -en 중개, 중재, 조정.
mediatisieren [..tizí:rən] *t.* (황제 직속에서) 봉건 영주 지배로 옮기다; (대국이 소국을) 병합하다.
Mediatisierung *f.* -en 봉건 영주 지배.
mediäval [mediɛvá:l] 《lat.》 *a.* (mittelalterlich) 중세의; 중고(中古)의.
Mediäval(·schrift) *f.* 〖印〗 구체 활자.
Mediävist *m.* -en, -en 중세 연구가〔전문가〕.
Mediävistik *f.* 중세 연구, 중세학.
Mediceer [meditsé:ər, ..tʃé:..] *m.* -s, -/ Medici 피렌체 명문 메디치 가문의 사람.
mediceisch [meditsé:ɪʃ, ..tʃé:..] *a.* 메디치 가문의.
Medien [mé:diən] ↑ Medium 의 복수형.
Medien≈didaktik *f.* 〖교육〗 매체 교수법. **~gerecht** *a.* 매체에 맞는〔적합한〕. **~konzentration** *f.* 〖언론〗 (다양한 매체 기업들의 합병·통합에 따른) 매스 미디어의 집중. **~konzern** *m.* 〖언론〗 (음반·방송국·영화·출판을 포괄하는) 매체 복합 기업. **~mogul** *m.* 〖언론〗 언론왕. **~spezifisch** *a.* 매체의 특성에 맞는. **~theorie** *f.* 매체 이론 (언론학). **~wissenschaft** *f.* 매체학, 언론학.
Medikament [medikamɛ́nt] 《lat. mideri》 *n.* -(e)s, -e 약제(藥劑): ein ~ gegen Kopfschmerzen einnehmen 두통약을 복용하다.
medikamenten≈abhängig *a.* 약물에 중독된. **~mißbrauch** *m.* 약물 남용.
medikamentös [medikamɛntø̍:s] *a.* 약제에 의한.
Medikaster [..kástər] *m.* -s, - 〖고어〗 엉터리〔돌팔이〕 의사.
Medikus [mé:dikus] *m.* -, ..dizi 〖농담〗 의사.
Medina [medí:na] 메디나(사우디아라비아의 도시).
Medina·wurm *m.* 〖動〗 메디나 춘충.
Medio [mé:dio] *m.* -s, -s (öst.) 중순, 15 일.
medio 《lat.》 *adv.* 중간에, 중순에: ~ Mai 5 월 중순에.
medioker [medió:kər] 《lat.》 *a.* 평범한, 범상한.
Mediokrität [..kritɛ́:t] *f.* -en 평범, 범상.
Medisance [medizã́:s(ə)] 《frz.》 *f.* -n 〖교양·고어〗 험구, 비방.
medisant [medizánt] *a.* 악의에 찬, 독설의.
medisieren [..zí:rən] *i.* (h.) 〖교양·고어〗 험구〔비방〕하다, 꼬집다, 비꼬다.
Meditation [meditatsió:n] 《lat.》 *f.* -en 참선, 명상; 성찰: in ~ verfallen〔versinken〕 명상에 잠기다.
meditativ [meditatí:f] *a.* 명상적인.
mediterran [meditɛrá:n] 《lat.》 *a.* 지중해의.
meditieren [medití:rən] *i.* (h.) ① 명상하다, 참선하다. ② 생각에 깊이 잠기다, 성찰하다.
*__Medium__ [mé:dium] 《lat. medius》 *n.* -s, ..dien [..diən]/..dia ①〖교양〗 중간물, 매개물: technische Medien 기술 매체. ②〖대개 복수〗〖교양〗 교육의 자료〔매체〕, (대중) 매체: die Medien der Massenkommunikation 매스컴.

③〖物〗 매질(媒質). ④〖복수: ..dien〗〖심령〗 영매(靈媒), 무당. ⑤〖문법〗 (능동태·수동태의) 중간태. ⑥〖컴〗 저장 매체(디스크 등) (Datenträger).

Mediumismus *m.* -〖심령〗 영매술(術), 강신술(降神術).

Medizi *pl.* ↑ Medikus.

***Medizin** [meditsíːn] 《lat. mederi》 *f.* -en ① (Heilkunde) 의학, 의술: Doktor der ~ 의학박사; ein Arzt für innere ~ 내과 의사. ② 약품: 〖비유〗 etwas ist für jn. heilsame ~ 무엇이 누구에게는 좋은 약이다(좋은 경험이다).

Medizinal≈beamte* [meditsináːl..] *der* 공의(公醫). **~behörde** *f.* 보건〔의료〕 당국. **~kollegium** *n.* 위생국. **~kraut** *n.* 약초. **~rat** *m.* 공의 직급의 일종. **~rechts·wissenschaft** *f.* 법의학. **~verordnung** *f.* 의사법. **~waren** *pl.* 약품. **~wein** *m.* 약용 포도주. **~wesen** *n.* ↑ Gesundheitswesen.

Medizin·ball *m.* 〖스포츠〗 메디신 볼.

Mediziner [meditsíːnər] 《lat.》 *m.* -s, - 의사; 의과 대학생.

Medizinerin *f.* -nen ↑ Mediziner 의 여성형.

medizinisch *a.* 의학의, 의료상의, 의사의, 의약의: ~e Fakultät 의학부.

medizinisch-technisch *a.* 의료 기술적인: ~e Assistentin 여자 의료 기술 보조원(약어: MTA).

Medizin≈mann *m.* (원시 사회의) 의료 주술사, 무당. **~schränkchen** *n.* 작은 약장(藥欌). **~student** *m.* 의학도, 의과 대학생. **~studentin** *f.* ↑ ~student 의 여성형. **~-studium** *n.* 의학 공부.

Medley [mɛ́dli] 《engl.》 *n.* -s, -s 메들리: ein ~ der bekanntesten Hits von 2001 2001 년도 히트곡 메들리.

Médoc [medɔ́k] *m.* -s, -s 메독(프랑스산(産) 적포도주).

Medrese *f.* -n ↑ Medresse.

Medresse [mɛ́drɛsə] *f.* -n 마드라사(신학과 법학을 가르치는 이슬람의 대학).

Medusa [medúːza] *f.* ↑ Meduse ①.

Meduse [medúːzə] *f.* -n ①〖그리스신화〗 메두사(괴물 3 자매(Gorgonen) 중의 하나). ② 〖복수〗〖動〗 해파리(Qualle).

Medusen≈blick *m.* 〖雅語〗 메두사의 눈초리, 무서운 눈초리. **~haupt** *n.* ①〖그리스신화〗 여괴 메두사의 머리(머리카락은 뱀이며 그를 본 사람은 돌로 변했다고 함). ② 소름끼치는 머리. ③〖醫〗 메두사의 머리(배꼽의 정맥류의 확장 상태).

medusisch *a.* 〖교양〗 메두사의, 메두사 같은.

***Meer** [meːr] *n.* -(e)s, -e ① 바다, 대양: hohes ~ 난바다, 원양; offenes ~ 공해(公海); das Stille ~ 태평양; das Tote ~ 사해(死海); 〖비유〗 die Sonne stieg aus〔über〕 dem ~ auf 태양이 수평선에 떴다. ②〖雅語〗 다량, 무수: ein ~ von Tränen 눈물 바다, 하염없이 흐르는 눈물.

Meer≈aal *m.* 〖動〗 바다장어. **~anwohner** *m.* 연해(沿海)의 주민. **~äsche** *f.* 〖動〗 숭어. **~bewohner** *m.* 바다 생물. **~brasse** *f.* 도미. **~brassen** *m.* ↑ ~brasse. **~busen** *m.* 만(灣): der Finnische ~ 핀란드만. **~deich** *m.* 해변의 둑. **~enge** *f.* 해협. **~engel** *m.* 〖動〗 전자리상어.

Meeres≈alge *f.* 해조, 바닷말. **~arm** *m.* 만, 포구. **~biologie** *f.* 해양 생물학. **~boden** *m.* 해저. **~brandung** *f.* (해안이나 바위에 부딪쳐) 부서지는 파도. **~bucht** *f.* 만(灣). **~fläche** *f.* 해면. **~flut** *f.* 밀물, 만조(滿潮). **~forschung** *f.* 해양 연구. **~früchte** *pl.* 〖요리〗 어패류. **≈grün** *a.* 담녹색의. **~grund** *m.* 해저. **~höhe** *f.* ↑ ~spiegel. **~kunde** *f.* 해양학. **~küste** *f.* 해안. **~leuchten** *n.* 해상의 인광(燐光). **~schlund** *m.* 해구(海溝), 해연(海淵). **~spiegel** *m.* 해발, 해면: 1000 Meter über dem ~ 해발 천 미터. **~stille** *f.* 바다의 고요〔잔잔함〕. **~strand** *m.* 해안. **~straße** *f.* ① 해협. ② 해상로, 뱃길. **~-strömung** *f.* 해류, 조류. **~tiefe** *f.* 바다의 깊이. **~ufer** *n.* 해안, 해변.

Meer≈fahrt *f.* 항해. **~farbe** *f.* 바다빛, 청록색. **~frau** *f.*, **~fräulein** *n.* ↑ ~jungfrau. **~gewächs** *n.* 해초. **~gott** *m.* 해신(海神). **~gras** *n.* 〖植〗 거머리말. **≈grün** *a.* 담녹색의. **~grundel** *f.* 〖動〗 문절망둑. **~handel** 〖고어〗 *m.* 해상 무역. **~hecht** *m.* 〖海〗 메를루사(대구과에 속하는 식용어). **~herrschaft** *f.* 제해권. **~jungfrau** *f.* 인어. **~katze** *f.* 〖動〗 긴꼬리원숭이; 〖비유〗 추한 사람. **~kohl** *m.* 〖植〗 유럽의 해변에 나는 십자화과 식물의 하나. **~lattich** *m.* 〖植〗 파래(바닷말의 일종). **~neun·auge** *n.* 바다칠성장어. **~oberfläche** *f.* 바다 표면: an der ~ reflektierende Strahlen 바다 표면에 반사되는 광선. **~ohr** *n.* 〖動〗 전복. **~rettich** *m.* 〖植〗 서양 고추냉이. **~rettich·soße** *f.* 고추냉이 소스. **~salz** *n.* 바닷소금. **~schaum** *m.* 바다 거품; 〖광물〗 해포석.

Meeresschaum≈pfeife *f.* 해포석으로 만든 담배 파이프. **~spitze** *f.* 해포석(石)으로 만든 파이프 물부리.

Meeres≈schwein *n.* 돌고래. **~schweinchen** *n.* 〖動〗 기니피그, 모르모트. **~senf** *m.* 〖植〗 십자화과 카킬레속 가운데, 유럽·북아메리카 해안에 나는 식물의 하나. **~spinne** *f.* 〖動〗 바다거미류(類); 참게, 유럽산(産) 대형 털게. **~stern** *m.* 〖動〗 불가사리. **~strudel** *m.* 바다의 소용돌이. **≈umflossen** *a.*, **≈-umschlossen** ↑ ≈umschlungen. **≈umschlungen** *a.* 바다로 둘러싸인. **~ungeheuer** *n.* (신화 등에서) 바다 괴물. **≈-wärts** *adv.* 바다 쪽으로. **~wasser** *n.* 바닷물. **~wasser·wellen·bad** *n.* 바닷물 파도 수영장. **~weib** *n.* ↑ ~jungfrau. **~zwiebel** *f.* 〖植〗 해총(海葱)(백합과의 다년초로 지중해 연안 원산·무릇 종류).

Meeting [míːtɪŋ] 《engl.》 *n.* -s, -s 모임, 집회, 회합: ein ~ vereinbaren 회합을 가지기로 합의하다.

mefitisch [mefíːtɪʃ] 《lat.》 ① 유황천(硫黃泉)의. ② 악취〔독기〕 있는.

mega.. 《gr. mégas》 *pref.* ① "큰"의 뜻. ② "100 만의"의 뜻.

Megabit *n.* ↑ MBit.

Megabyte *n.* ↑ MByte.

Megaelektronen·volt *n.* 백만 전자 볼트(약어: MeV).

Megafon 新정서 ⇦ Megaphon.

Megahertz *n.* 〖物〗 메가헤르츠(약어: MHz).

Megalith [megalí:t, ..lɪ́t] *m.* -s/-en, -e(n) 〖고고〗 거석, 선돌.
Megalith·grab [..lí:t.., ..lɪ́t..] *n.* 〖고고〗 고인돌, 지석묘.
Megalithiker [..lí:t.., ..lɪ́t..] *m.* -s, - 〖고고〗 거석 문화 시대의 사람.
megalithisch [..lí:t.., ..lɪ́t..] *a.* 〖고고〗 거석(시대)의.
Megalith-kultur [..lí:t.., ..lɪ́t..] *f.* 〖고고〗 거석 문화.
Megalomanie [megalomaní:] *f.* -n [..ní:ən] 〖心〗 과대 망상증.
Megalopole *f.* -n ↑ Megalopolis.
Megalopolis *f.* ..polen [..pó:lən] 〔교양〕 ① 미국 동부 지방의 거대 도시들의 밀집 (현상). ② 대상(帶狀) 도시(몇 군데의 대도시·중도시가 띠 모양으로 연속된 도시 형태).
Megaohm [mega|ó:m, mé:ga|o:m] *n.* -(s), - 〖전기〗 백만 옴(약어: MΩ).
Megaphon [..fó:n] *n.* -s, -e 메가폰.
Megäre [megɛ́:rə] *f.* -n ① 〖그리스신화〗 메가이라(복수의 3여신의 하나; ↑ Erinnye). ② 〔비유〕 독부(毒婦).
Megaskop 《gr.》 *n.* -s, - 메가스코프, 확대용 카메라.
Megatherium [..té:riʊm] *n.* -s, ..rien [..riən] 〖고생물〗 메가테리움(대형 화석 동물).
Megatonne [megatɔ́nə, mé:gatɔnə] *f.* -n 백만 톤(약어: Mt).
Megatonnen-Bombe [..tɔ́.., mé:..] *f.* 〖軍〗 메가톤급 원자탄.
Megavolt [megavɔ́lt, mé:gavɔlt] *n.* -/-(e)s, - 백만 볼트(약어: MV).
Megawatt [megavát, mé:gavat] *n.* -s, - 〖전기〗 메가와트, 백만 와트(약어: MW).
Megohm [me:k|ó:m] *n.* -(s), - ↑ Megaohm.
***Mehl** [me:l] 《◇ mahlen》 *n.* -(e)s, (종류) -e (곡식) 가루; (특히) 밀가루: feines〔grobes〕 ~ 고운〔거친〕 가루; 분말, 티끌.
mehl·artig *a.* 가루 모양의; 가루처럼 고운.
Mehl≈beer·baum *m.* ↑ ~beere. **~beere** *f.* 〖植〗 마가목(의 열매). **~beutel** *m.* 가루 포대〔자루〕. **~brei** *m.* 밀가루죽. **~dorn** *m.* 〖植〗 산사나무(Weißdorn). **~haltig** *a.* 가루를〔녹말을〕 함유한.
mehlicht *a.* 〔고어〕 ↑ mehlig.
mehlig *a.* ① 가루 모양의, 녹말을 포함한, 가루가 묻은: ~e Hände 가루가 묻은 손. ② 가루처럼 고운: ~er Sand 가루처럼 고운 모래. ③ 가루처럼 팍팍한.
Mehl≈käfer *m.* 〖動〗 거저리. **~kleister** *m.* 밀가루 풀. **~kloß** *m.* 〖요리〗 밀가루 경단. **~mühle** *f.* 제분기; 제분소. **~papp** *m.* 〔방언〕 ↑ ~brei. **~sack** *m.* 밀가루 자루; 〔비유〕 뚱뚱보: 〔구어〕 dick wie ein ~ 가루 포대처럼 뚱뚱한; 〔농담〕 er hängt am Reck wie ein ~ 그는 밀가루 자루처럼 철봉에 매달려 있다. **~schwitze** *f.* 〖요리〗 버터로 볶은 밀가루(소스·수프를 걸쭉하게 하는 데 씀). **~speise** *f.* ① 곡식 가루로 만든 음식물. ② (öst.) 디저트, 케이크. **~suppe** *f.* (크림이 든 진한) 밀가루 수프. **~tau** *m.* (식물의) 노균병. **~teig** *m.* 반죽. **~wurm** *m.* 〖動〗 거저리의 유충. **~zucker** *m.* 가루 설탕.
***mehr** [me:*r*] 〔viel의 비교급〕 《I》 *adv.* 〔sehr의 비교급의 의미로〕 더욱, 한층 더, 더 많이; 오히려, 차라리. ① 〔비교급을 만들 수 없는 말 앞에 쓰이거나 술어를 수식하여〕 ~ oben 더 위에; ~ rechts 더 오른쪽으로; ich bin elend, aber er ist es noch ~ 나도 불행하지만 그는 더 불행하다; ich liebe ihn ~ als zuvor 나는 그를 전보다 더 사랑한다; nichts ist mir ~ zuwider als Schmeichelei 나는 아첨이 가장 싫다. ② 〔2가지 성질 중 하나가 다른 것보다 정도가 높을 때; 같은 성질을 갖는 둘 중의 하나가 다른 것보다 정도가 높을 때〕 das Zimmer ist ~ lang als breit 그 방은 넓다기보다는 오히려 길다; er ist ~ Gelehrter als Künstler 그는 예술가라기보다는 (오히려) 학자다; ich war früher ~ bekannt und vertraut mit ihm 나는 그와 옛날에 더 친했었다; immer ~ 〔~ und ~〕 mit et.³ bekannt werden 무엇을 점점 더 잘 알게 되다; er wird ~ geschätzt als sein Vorgänger 그는 자신의 전임자보다 더 존경받고 있다; die Passagiere verließen das Schiff ~ tot als lebendig 승객들은 초죽음이 되어서 배를 내렸다. 《II》 〔viel의 비교급〕 *a./adv.* ① 보다〔더욱〕 많이, 그 위〔밖〕에; 〔구어〕 nur ~ ... …밖에는 …하지 않다: ich besitze nur ~ fünf Mark 나는 5마르크밖에 가진 게 없다; einmal ~ 다시 한 번; ~ Licht! 빛을 더!; mit ~ Sorgfalt 더 꼼꼼히; immer (noch) ~ 〔~ und ~〕 점점 더; ~ oder weniger〔minder〕 다소간에, 대체로, 어느 정도; in diesem Monat hatten wir ~ Ausgaben als Einnahmen 우리들은 이번 달에는 수입보다 지출이 더 많았다; er hat viel Geld, sein Bruder hat noch ~ 그도 돈이 많지만 그의 형은 더 많다; viel ~ 훨씬; umso ~ 그만큼 더; dieses Verhalten ärgert mich um so ~, als... 이런 태도는 …하기 때문에 더욱더 나를 화나게 한다; je ~, desto〔umso, je〕 ~... 많으면 많을수록 더욱 …하다; 〔속담〕 je ~ Geld, desto ~ Sorgen 돈이 많으면 많을수록 걱정도 많다; je ~, desto besser 많으면 많을수록 더 좋다, 다다익선(多多益善); 〔속담〕 je ~ man hat, desto ~ man will 가진 것이 많을수록 더 가지려고 한다. ② 〔명사적〕 das hat ~ gekostet 그것은 비용이 더 들었다; hast du der Kinder ~? 네게는 아이들이 더 있느냐?; 〔구어〕 es schmeckt nach ~ 그것은 먹을수록 더 먹고 싶어진다, 맛이 매우 좋다. ③ ~ als... …보다 많은〔많이〕, …이상의: ~ als 60 Jahre alt 60세 이상의; ~ als die Hälfte 절반 이상; ~ als nötig〔genug〕 필요 이상으로, 넉넉하게; ~ als zuviel 분에 넘치게; ~ als zu früh 여유 있게 미리; nicht ~ als 다만, 뿐; das ist nicht ~ als gerecht 그것은 그저 공정할 뿐이다; das tut er nicht ~ als gern 그는 그것을 좋아서 할 따름이다; nicht ~ und nicht weniger als 꼭 그만큼; 〔구어〕 ~ sein als jemand anderes 다른 사람보다 더 높은 지위를 차지하고 있다. ④ 〔후치되어〕 und andere ~ 그 밖에, 등등; und dergleichen ~ 등등; wenn du fünf Mark ~ gibst 5마르크만 더 주면; was wollen Sie ~? 그 밖에 무엇이 더 필요하십니까?; wer noch ~? 그 밖에 또 누가? ⑤ 〔부정사와 함께〕 nicht ~... 이미 …않다, 더 이상 …않다: das darfst du nicht ~ tun 너는 다시는 그런 일을 해서는 안 된다; das dauert nicht ~ lange 그것은 더 오래 가지 못한다; ich kann nicht ~ 나는 더는 못 하

겠다; er ist nicht ~ 그는 이미 죽었다; er ist nicht ~ derselbe Mann 그는 옛날의 그가 아니다; er ist kein Kind ~ 그는 이제 어린애가 아니다; es war niemand ~ da 그곳에는 아무도 없었다; er hat nichts ~ 그는 더이상 아무것도 가진 것이 없다; ich will nichts ~ davon hören 나는 더 이상 그것에 관하여 듣고 싶지 않다; niemals ~ 두 번 다시 …하지 않겠다; keine Tränen ~! 이제 그만 울어라!

Mehr [meːr] *n.* -(s), -e ① 초과, 잉여; 우세, 다수; 〖商〗 이월고(移越高); 증가: ein ~ an Erfahrung besitzen 경험이 매우 많다. ② (schweiz.) (**a**) 득표차; 다수(투표). (**b**) 투표, 표결; 투표 결과: mit einem ~ von zehn Stimmen 10 표를 더 많이 얻어.

Mehr=arbeit *f.* ①〖經·法〗 초과〔시간외〕 노동. ②〔구어〕지금까지보다 더 많은 일. ③〖經〗 잉여 노동. **~armig** *a.* (촛대 따위가) 다지(多枝)의, 꽂이가 많은: ~er Leuchter 가지가 여러 개 달린 촛대. **~aufwand** *m.* 추가 비용. **~ausgabe** *f.* 추가 지출. **~bedarf** *m.* 추가 수요. **~belastung** *f.* 추가 부담. **~benutzer·system** *n.* 〖컴〗 다중 사용자 체계. **~betrag** *m.* 초과〔잉여〕액. **~bieter** *m.* 값을 많이 부르는 사람, 낙찰자. **~deutig** *a.* 다의적(多義的)인, 애매한: eine ~e Antwort geben 애매한 대답을 하다. **~deutigkeit** *f.* ① 모호, 다의(성). ② 다의적 표현. **~dimensional** *a.* 다차원의:〖數〗 ~er Raum 다차원 공간. **~dimensionalität** *f.* 〖數〗 다차원성. **~einnahme** *f.* 초과 수입.

mehren [méːrən] 《I》 *t.* 증가시키다, 늘리다, 많게 하다. 《II》 *refl.* sich ~ 증가하다, 늘다; 자손을 퍼뜨리다.

mehren·teils *adv.* 〔고어〕 (öst.) 대부분은, 태반〔과반〕은.

Mehrer [méːrər] *m.* -s, - 〔雅語·고어〕 늘리는 사람, 확장자(옛날 황제의 존칭).

***mehrere** [méːrərə] ①〔형용사적〕몇몇의, 약간의: ~ Leute 몇몇 사람; ~ hundert Bücher 몇 백 권의 책; ~ mal 〔~ Male, zu ~n Malen〕 여러 번; wir haben zu ~n ein Haus gemietet 우리들은 두세 명이서 한 집을 빌렸다. ②〔명사적〕 몇몇 사람; 몇 가지: ~ von ihnen 그들 중 몇 명; er äußerte noch ~s 그는 또 몇 가지를 말했다. ③〔본래의 비교급 의미로〕〔고어〕das ~ Teil 보다 큰 부분; mit der mehrern oder mindern Leichtigkeit 다소 용이하게.

mehrerlei [méːrərláı] *a.* 〔구어〕 여러 가지의, 수종의.

Mehr=ertrag *m.* 초과 소득〔수익〕. **~fach** *a.* ① 수배의, 여러 겹의, 중복된: einen Brief in ~er Ausfertigung schreiben 같은 편지를 여러 통 쓰다; sie klagte ~ über Schmerzen 그녀는 여러 차례 고통을 호소했다. ② 여러 번의: der ~e deutsche Meister 여러 번 우승한 독일 챔피언〔선수권자〕. ③〔구어〕 여러 번(mehrmals).

mehrfach=behindert *a.* 중복 장애의. **~impf·stoff** *m.* 〖醫〗 여러 병을 동시에 예방하는 약. **~nutzung** *f.* (병 따위의) 재활용. **~spreng·kopf** *m.* 〖軍〗 다탄두.

mehr=fältig *a.* 여러 겹〔수배〕의. **~familien·haus** *n.* 다세대 주택. **~farben·druck** *m.* 〖印〗 다색〔컬러〕 인쇄(물). **~farbig** *a.* 다색의. **~färbig** (öst.) *a.* ↑ ~farbig. **~frequenz·bildschirm** *m.* 〖컴〗 다중 주파수 모니터. **~gebot** *n.* (경매에서) 남보다 높이 부른 값. **~gewicht** *n.* 초과 (중)량. **~gitter·röhre** *f.* 〖物〗 다극 진공관. **~glied(e)rig** *a.* 〖軍〗 여러 줄의; 〖數〗 다항(多項)의.

***Mehrheit** [méːrhaıt] *f.* -en 보다 많음, 다수, 초과; (투표의) 과반수, 득표차; 〖문법〗 복수: die schweigende ~ 말없는 다수; 〖政〗 absolute ~ 절대 다수(유효 투표의 과반수 이상); 〖政〗 einfache〔relative〕 ~ 단순〔상대〕 다수(과반수에는 미달하지만 가장 많은 수의 표); 〖政〗 qualifizierte ~ 절대 다수(3 분의 2).

mehrheitlich *a.* ① 다수에 의한, 다수의: ein ~er Beschluß 다수결. ② (schweiz.) 대개, 무엇보다도.

Mehrheits=beschluß *m.* 다수결. **~grundsatz** *m.* 〖政〗 ↑ ~prinzip. **~partei** *f.* 다수당. **~prinzip** *n.* 〖政〗 다수결의 원칙. **~volk** *n.* (한 나라 안의) 다수 민족. **~wahl** *f.* (단순) 다수결 선거. **~wahl·recht** *n.* 〖法〗 다수 대표제.

mehr=jährig *a.* ① 여러 해 동안의, 수년간〔다년간〕의. ②〖植〗 다년생의: ~e Finanzplanung 수년의 재정 계획. **~kampf** *m.* 〖스포츠〗 다종목 경기. **~kämpfer** *m.* 〖스포츠〗 다종목 경기 선수. **~kosten** *pl.* (비용의) 초과액. **~lade·gewehr** *n.* ↑ ~lader. **~lader** *m.* 〖軍〗 연발총. **~leistung** *f.* (기계의) 초과 능률; 초과 생산고(生産高).

Mehrling [méːrlıŋ] *m.* -s, -e 〖生·醫〗 다태아(多胎兒) (쌍둥이 이상).

Mehrlings·geburt *f.* 〖醫〗 다태 출산.

mehr=malig *a.* 여러 번의, 수회의. **~mals** *adv.* 여러 번, 수차. **~motorig** *a.* 다발 엔진의. **~parteien·system** *n.* 〖政〗 복수 정당제. **~phasen·strom** *m.* 〖전기〗 다상(多相) 교류. **~phasen·system** *n.* 〖전기〗 다상식(多相式). **~produkt** *n.* 〖經〗 잉여 생산물. **~prozessor·system** *n.* 〖컴〗 다중 처리 시스템. **~samig** *a.* 〖醫〗 다정자(多精子)의, 정액 과다의. **~seitig** *a.* 다면〔다방면〕의. **~silbig** *a.* 〖언어학〗 다음절의. **~sprachig** *a.* ① 다국어의: ein ~es Wörterbuch 다국어 사전. ② 여러 나라 말을 아는. **~sprachigkeit** *f.* 다국어 구사(력). **~stellig** *a.* 여러 자리(수)의 . **~stimmig** *a.* 〖음악〗 다성(多聲)의, 중음(重音)의: ~er Gesang 다성 합창. **~stöckig** *a.* 다층의. **~stufe** *f.* 〖문법〗 비교급. **~stufen·rakete** *f.* 〖우주비행〗 다단계 로켓. **~stufig** *a.* 다단계의: 〖經〗 die ~e Entscheidung 다단계 (의사) 결정; ~e Produktion 다단계적 생산. **~stündig** *a.* 여러 시간 동안의: eine ~e Vorlesung 여러 시간 동안의 강의. **~tägig** *a.* 여러 날 동안의: ein ~er Kongreß 여러 날 동안의 회의. **~teilig** *a.* 여러 회에 걸친 복잡한: ein ~er Fernsehfilm 여러 부분으로 된 텔레비전 영화.

Mehrung [méːruŋ] *f.* -en 〔雅語〕 늘리기, 증가, 증대.

Mehr=verbrauch *m.* 초과 소비. **~völkerstaat** *m.* 다민족 국가. **~wegflasche** 〖환경〗 재활용 병. **~wert** *m.* 〖經〗 ① (마르크스 경제학에서의) 잉여 가치. ② 부가 가치. **~wertsteuer** *f.* 부가 가치세(약어: MwSt.).

∼wöchig *a.* 여러 주일 동안의: eine ∼e Reise 여러 주일 동안의 여행. **∼zahl** *f.* ① 다수, 과반수. ②〖문법〗복수(Plural). **∼zeilig** *a.* 여러 줄로 된. **∼zellig** *a.* 〖生〗 다세포의.

Mehrzweck·gerät *n.* 다목적 기구. **∼halle** *f.* 다목적 홀. **∼möbel** *n.* 다목적 가구. **∼raum** *m.* 다목적 공간. **∼register** *n.* 〖컴〗 다목적 기록기.

meiden [máɪdən] (mied, gemieden) *t.* 피하다, 멀리하다; 삼가다: sich〔einander〕 ∼ 서로 피하다; den Alkohol ∼ 음주를 삼가다; einen Ort ∼ 어떤 장소를 피해 가다〔돌아가다〕; einen Fuß ∼ (다쳐서) 한쪽 발의 사용을 자제하다.

Meidinger [máɪdɪŋər] *m.* -s, - 케케묵은 익살〔일화〕(예문에 많은 일화를 삽입한 프랑스어 문법책의 저자 이름에서).

Meidung *f.* -en〔격식〕회피, 도피.

Meier [máɪər] 《lat. major.》 *m.* -s, - ①〖史〗(영주·대지주의) 집사, 청지기. ②〔방언〕(농장·토지의) 관리인. ③〔고어·방언〕 소작인, 임차인.

Meierei [maɪərái] *f.* -en ①〖史〗 (중세 때 관리인이 경영하던) 농장, 영지. ② (임차한) 농장, 목장. ③〔방언〕낙농업(Molkerei).

Meierei·erzeugnisse *pl.* 낙농산물.

Meier=gut *n.* ↑ Meierei ②. **∼hof** *m.* ↑ Meierei ①.

meiern [máɪərn] 《I》 *i.* (h.) 소작하다. 《II》 *t.* 〔방언〕 속이다.

Meier·zins *m.* 소작료.

***Meile** [máɪlə] 《lat. milia》 *f.* -n 마일: geographische ∼ 지리학상의 마일(7420 m); deutsche〔preußische〕 ∼ 독일 마일(7532 m); englische ∼ 영국 마일(1609 m); See∼ 해리(1852 m);〔폄어〕eine ∼ 〔drei ∼n〕 gegen den Wind (소리가) 매우 큰, (냄새가) 지독한; man hört dich eine ∼ gegen den Wind 네 목소리는 매우 커서 멀리서도 들린다; drei ∼n stinken (술·땀·향수) 냄새가 지독하다; drei ∼n hinter dem Mond leben 세상과 담을 쌓고 살다.

meilen=breit *a.* 1 마일〔수마일〕 폭의. **∼geld** *n.* 마일 수에 따른 여비. **∼lang** *a.* 1 마일〔수마일〕 길이의. **∼lauf** *m.* 〖육상〗 1 마일 경주. **∼laufer** *m.* 〖육상〗 1 마일 달리기 선수. **∼säule** *f.* 이정표. **∼stein** *m.* ① 마일 표석, 이정표. ②〔비유〕획기적인 사건〔작품〕, 중대 시점: ein ∼ in der Geschichte der europäischen Architektur 유럽 건축사상 획기적인 작품. **∼stiefel** *pl.* ↑ Siebenmeilenstiefel. **∼weise** *adv.* 1 마일마다. **∼weit** *a.* ① 1 마일〔수마일〕의, 수마일이나〔아주〕 떨어진. ②〔비유〕아주 먼:〔비유〕 ∼ davon entfernt sein, et. zu tun 무엇을 한다는 일은 엄두도 못낸다. **∼zahl** *f.* 마일 수. **∼zeiger** *m.* 이정표.

Meiler[1] [máɪlər] 《lat.》 *m.* -s, - ① 숯 굽는 가마(Kohlenmeiler). ② 원자로(Atommeiler).

Meiler[2] *m.* -s, -e ↑ Meilenläufer.

Meiler=holz *n.* 목탄용 목재. **∼kohle** *f.* 숯. **∼ofen** *m.* ↑ Meiler[2] ①.

***mein**[1] [maɪn] 《I》〔인칭 대명사 ich 의 2 격 meiner 대신〕〔고어·시어〕 gedenke ∼(er)! 나를 잊지 말아요!;〔시어〕 vergiß ∼(er) nicht! 나를 잊지 말아요!; erbarme dich ∼(er) 나를 가엾게 여기소서. 《II》〔소유 대명사의 1 인칭 단수〕①〔명사의 부가어로서〕나의: ∼ Sohn 내 아들; ∼e Tochter 내 딸. ②〔서술적〕dieses Buch ist ∼ 이 책은 내 것이다; alles was ∼ ist, ist auch dein 내 것은 모두 네 것이기도 하다;〔반어·은어〕 ∼ und dein verwechseln〔nicht unterscheiden können〕 내 것 네 것을 분간하지 못하다. ③〔명사적〕 (**a**)〔정관사와 함께〕das ∼e 내 것(재산·의무 따위); das ∼ und Dein 내 것과 네 것; die ∼e 내 아내;〔복수〕die Meinen 내 가족〔직원·부하〕. (**b**)〔관사없이〕**meiner** *m.*, **meine** *f.*, **meines** *n.*, **meine** *pl.* 내 것: dein Buch und meines 네 책과 내 책.

mein[2] 《<mein Gott!》 *int.* 〔구어〕 ∼ oh〔ach〕, du ∼ 아이구, 아이구 맙소사!

Mein·eid [máɪn..] 《ahd. mein》 *m.* 거짓 맹세, 위증; 〖法〗 위증죄: einen ∼ leisten〔schwören〕 거짓 맹세하다; wegen ∼s verurteilt werden 위증죄로 형을 선고받다.

meineidig *a.* 거짓 맹세의, 위증의: ein ∼er Zeuge 위증을 하는 증인.

Meineidige* *der/die* 거짓 맹세〔증언〕하는 사람, 위증자.

Meineidigkeit *f.* 거짓 맹세〔증언〕.

***meinen** [máɪnən] *t.* ① 생각하다, …라고 여기다; 믿다; 상상하다; …한 의견이다: was ∼ Sie dazu? 그것에 대해 어떻게 생각하십니까?; ist er ein guter Skifahrer?—das will ich ∼ 그는 스키를 잘 탈까? —그건 틀림없어요; ich meine, daß er recht hat 나는 그의 말이 옳다고 생각한다; das sollte ich ∼〔ich meine ja nur〕 나도 그렇게 생각하는데;〔구어〕er meint wunder, was er kann〔wer er ist〕 그는 자신이 대단한 줄 안다. ② 마음먹다, 하고자 하다; 의미하다, …을 가리켜서 말하다: (**a**) was〔wen〕 ∼ Sie damit? 그것은 무슨 뜻입니까〔누구를 두고 하는 말입니까〕?; wie ist das gemeint? 그것은 무슨 뜻입니까?; ∼ Sie das im Ernst? 당신은 진정으로 그렇게 생각하십니까?; ist es so gemeint? 그런 뜻입니까? (**b**)〔zu 부정법과 함께〕was ich damit auszusprechen meine 내가 말하려 하는 바는; gemeint sein, et. zu tun 무슨 일을 할 작정이다; ich bin nicht gemeint, das zu leugnen 나는 그것을 부인할 생각은 없습니다. ③〔문법적 목적어 es 와 함께〕〔구어〕 er hat es niemals ehrlich mit ihr gemeint 그는 한 번도 그녀를 진심으로 대한 적이 없다;〔구어〕 es gut〔böse〕 mit jm. ∼ 누구에게 호의〔악의〕를 품다; er hat es redlich gemeint 그는 진심으로 그렇게 말했다; es ist nicht übel gemeint 악의로 그런 것은 아니다; die Sonne〔der Ofen〕 meint es gut 햇볕이〔난로가〕 따스하다. ④ (äußern) (의견 따위를) 말하다, 주장하다: wie ∼ Sie? 무어라고 말씀하셨지요?; er meinte zu uns, nun hätten wir Gelegenheit, uns zu bewähren 이제 우리들의 실력을 발휘할 기회가 왔다고 그는 우리들에게 말했다. ⑤〔고어·시어〕 사랑하다: das Mädchen, das ich meine 내가 사랑하는 처녀; die Freiheit, die ich meine 내가 사랑하는 자유.

meiner [máɪnər] 《I》〔ich 의 2 격〕 ↑ mein[1] 《I》: er kann sich ∼ nicht mehr erinnern 그는 더 이상 나를 기억하지 못한다; Herr, erbarme dich ∼ 주여, 저를 불쌍히 여기소서.

meiner·seits *adv.* 내쪽에서(는); 나로서는: ich ~ 나 개인으로서는.
meines·gleichen [máɪnəsglάɪçən] *prn.* 〖雅語〗나와 같은 사람들, 내 동년배: ich wollte unter ~ sein 나는 나와 같은 사람들 사이에 있고자 했다.
meines·teils *adv.* 내 쪽〔편〕에서.
meinet≈halben *adv.* ↑ ~wegen. **~wegen** *adv.* ① 나 때문에, 나를 위하여: bist du ~ gekommen? 너 나 때문에 왔니? ②〖구어〗내 일이라면, 내 염려는 말고, 어찌되든: ~ kannst du gehen 나는 상관 말고 너는 가도 된다; ~! 나로서는 괜찮습니다〔반대하지 않습니다〕! ③〖구어〗예컨대: ~ du hättest eine Panne mit dem Fahrrad 예컨대 네 자전거가 펑크났다고 하자. **~willen** *adv.* 〖다음 용법으로〗um ~ 나 때문에, 나를 위하여: um ~ brauchst du deine Gewohnheit nicht zu ändern 나 때문에 네 버릇을 고칠 필요는 없다.
***meinige** [máɪnɪgə] (der, die, das), *pl.* die -n *prn.* ↑ mein《Ⅱ》③(a): der ∼ 내 남편; die ∼ 내 아내; das ∼ 내 재산〔의무〕; ich habe das ∼ getan 나는 내 의무를 다했다; die ∼n sind wohlauf 내 가족들은 잘 있다.
Mein·tat [máɪn..] 《ahd. mein》 *f.* 〖고어〗악행, 범죄.
***Meinung** [máɪnʊŋ] *f.* -en ① 의견, 견해, 생각, 신념; 추측; 평가; 〖구어〗호평: die öffentliche ~ 여론; eine vorgefaßte ~ 선입견; eine ~ äußern 의사를 표명하다; jm. (gehörig) die ~ sagen〔geigen〕누구에게 직언하다, 입바른 말을 하다; ich bin der ~, daß ... 나는 …라는 의견이다; ich bin ganz seiner ~ 나는 그와 똑같은 생각이다; wir sind einer ~ 우리들은 같은 의견이다; die Freiheit der ~ 사상의 자유; auf seiner ~ bestehen〔beharren〕자기 생각을 고집하다; in js. ~ steigen〔sinken〕누구에게 좋게〔나쁘게〕생각되다; nach meiner ~ 〔meiner ~ nach〕내 생각으로는; eine hohe ~ von jm.〔et.³〕haben 누구를〔어떤 일을〕존중하다; eine zu hohe〔gute〕~ von sich haben 자부심이 너무 강하다, 잘난 체하다; was geht mich die ~ der Leute an! 세평(世評) 따위는 나로서는 아무래도 좋다!; er hat für diese Ware keine ~ 그는 이 물건을 살 생각이 없다; du brauchst mit deiner ~ nicht hinter dem Berge zu halten 너는 너의 견해를 공개적으로 말해도 된다. ② 의향, 의도, 목적: aus guter〔herzlicher〕~ 성의(誠意)로; das ist der Wortlaut, aber nicht die ~ des Gesetzes 그것은 법의 자의(字義)이지 취지는 아니다.
Meinungs≈äußerung *f.* ① 의사 표시: 〖法〗das Recht der freien ~ 표현의 자유. ② (표현된) 의사. **~austausch** *m.* 의견 교환. **~befragung** *f.* ↑ ~umfrage. **∼bildend** *a.* 〖사회〗여론을 조성하는. **~bildung** *f.* 여론 형성: jn. in seiner ~ beeinflussen 누구의 의견 형성에 영향을 미치다. **~forscher** *m.* 여론 조사자. **~forschung** *f.* 여론 조사〔연구〕. **~forschungs·institut** *n.* 여론 조사 기관. **~freiheit** *f.* 사상의 자유. **~genoß** *m.* 동조자. **~streit** *m.* 의견 충돌, 여론의 대립. **~umfrage** *f.* 여론 조사, 앙케트: die ~ hat den Trend bestätigt 여론 조사 결과가 현추세를 입증했다. **~verschiedenheit** *f.* 의견 차이; 언쟁. **~vielfalt** *f.* 여론의 다양성. **~wechsel** *m.* 변설(變說), 변심.
Meiose [maɪóːzə] *f.* -n ↑ Meiosis.
Meiosis [maɪóːzɪs] *f.* ..sen 〖유전〗감수 분열.
Meiran [máɪraːn] *m.* (obd.) 〖植〗라나(↑ Majoran).
Meirich *m.* -(e)s, -e 〖植〗별꽃.
Meise [máɪzə] *f.* -n 〖動〗박샛과의 새: 〖경박〗du hast wohl 'ne ~ 자네, 머리가 돌았군.
Meisje *n.* -s, -s 네덜란드의 처녀.
***Meißel** [máɪsəl] *m.* -s, - 끌: 〖시어〗die Kunst des ~s 조각술.
meißeln [máɪsəln] 《Ⅰ》*t.* 끌로 파다, 조각하다. 《Ⅱ》*i.* (h.) 끌로 작업하다.
Meißen [máɪsən] 마이센(독일 니더작센 주의 도시).
Meißener [máɪsənər] 《Ⅰ》*m.* -s, - 마이센 시민. 《Ⅱ》*a.* 마이센의.
Meißner *m.* ↑ Meißener《Ⅱ》: ~ Porzellan 마이센산(産) 도자기.
***meist** [maɪst] 〔viel 의 최상급〕《Ⅰ》*a.* ① 최대(수·량)의; 대개의: die ~en Menschen 대다수〔대개〕의 사람들; die ~en Stimmen 최대 득표; in den ~en Fällen 대개의 경우에. ②〖명사적〗das ~e 대부분; die ~en 대개의 사람들. 《Ⅱ》*adv.* 가장 많이, 대개; es war ~ schönes Wetter 대체로 날씨가 좋았다.
meist≈begünstigt *a.* 가장 우대받은, 최혜국 대우의. **∼begünstigungs·klausel** *f.* 〖經〗최혜국 약관. **~beteiligt** *a.* 출자액〔투자액〕이 가장 많은. **∼betrag** *m.* 최고액. **~bietend** *a.* 최고 가격을 제시하는: ~ verkaufen 경매하다. **∼bietende*** *der/die* 최고 가격 제시자, 낙찰자.
meisten·orts *adv.* 어디서나, 도처에서.
meistens *adv.* 보통은, 대개는.
meisten·teils *adv.* ↑ meistens.
***Meister** [máɪstər] 《<lat. magister》 *m.* -s, - ① 주인, 지배자: js. 〔eines Dinges〕 ~ sein a) 누구〔무엇〕의 지배자다, b) 누구를〔무엇을〕임의로 하다; seiner Gefühle ~ werden 감정을 억제하다; von et.³ 〔über et.〕 ~ werden 무엇에 능통하게 되다; den ~ spielen 주인인 체〔대가연〕하다; seinen ~ in jm. finden 자기를 능가하는 사람을 만나다, 임자를 만나다; seinen ~ suchen 적수가 없다. ② 윗사람, 장(長), 우두머리; 〖海〗수부장(水夫長): Bürger∼ 시장(市長); Hoch∼ 기사단장(騎士團長); ~ vom Stuhl 비밀 공제 조합 지부장; 〖軍〗~ im Bundesgrenzschutz 국경 수비대의 준위. ③ 명인, 대가, 전문가; 〖스포츠〗선수권자, 기록 보유자: Welt∼ 세계 선수권자; ~ der Tonkunst 음악계의 거장; ~ im Schießen 명사수; in et.³ ~ sein 무엇에 능숙하다; 〖속담〗Übung macht den ~ 연습이 대가를 만든다; 〖雅語〗er ist ein ~ der Feder 그는 탁월한 작가다; es fällt kein ~ vom Himmel 타고난 명인은 없다. ④ 스승, 선생: Schwimm∼ 수영 교사; 〖聖〗der Herr und ~ 예수 그리스도. ⑤ (직인 계급으로서 Geselle, Lehrling, Bursch 에 대하여) 우두머리, 장인, 기능장, 스승: 〖구어〗den〔seinen〕 ~ machen 장인 시험을 치르다; bei einem ~ in die Lehre kommen 어떤 장인에게 도제로 들

어가다; auf den ~ 〔auf des ~s Worte〕 schwören 우두머리의 말에 맹종하다; 〖농담〗 ~! 여보세요! (낯선 남자에 대한 호칭). ⑥ 〔칭호를 경멸적으로 전용하여〕 ~ Bakel 학교 선생; ~ Pfriem 구두장이; ~ Urian 악마; ~ Hämmerling 악마, 형리(刑吏); ~ Petz 〔Lampe〕 (동물 우화의) 곰, 토생원; 〖雅語〗 der rote ~ 사형 집행인. ⑦ (양철의) 휨; 물감; 제염소의 보트; 가죽 벗기는 직인(職人).

Meister≈arbeit *f.* ↑ ~stück. **~bau** *m.* 명건축. **~betrieb** *m.* 장인이 운영하는 공장. **~brief** *m.* 장인 자격증. **~dieb** *m.* 큰 도둑.

Meisterei [maɪstəráɪ] *f.* -en 〖구어〗 가죽 벗기는 직업.

Meisterer *m.* -s, - 지배자; 비난자.

Meister·gesang *m.* 〖문학〗 장인가(15-16 세기 독일의) 직장 가인(職匠歌人)의 노래.

meisterhaft *a.* 대가다운; 능숙한, 탁월한, 노련한.

Meister·hand *f.* 명수, 명인; 능숙.

Meisterin *f.* -nen ① ↑ Meister 의 여성형. ② 〖구식〗 장인의 처.

Meister≈klasse *f.* ① 뛰어난 예술가의 문하생들. ② 〖스포츠〗 우승 후보팀들. **~leistung** *f.* 탁월한 업적.

meisterlich *a.* 〖구식〗 ↑ meisterhaft.

Meister·macher *m.* 〖스포츠·은어〗 훌륭한 코치〔트레이너〕.

meistern [máɪstərn] 《I》 *t.* ① 지배하다; 억제하다, 극복하다. ② …에 능통하다. ③ …에 이기다. ④ 타이르다; 비난하다. 《II》 *refl.* 〖雅語〗 sich ~ 극기하다.

Meister≈prüfung *f.* 장인〔기능장〕 시험. **~recht** *n.* 장인의 권리, 장인 독립 영업권. **~sang** *m.* ↑ ~gesang. **~sänger** *m.* ↑ ~singer.

Meisterschaft *f.* -en ① 장인〔스승〕의 신분. ② 〖집합적〗 장인 조합원〔일동〕. ③ 명인〔대가〕다움, 능숙, 노련, 탁월. ④ 〖스포츠〗 선수권 대회: die ~ erringen 선수권을 획득하다; an einer ~ teilnehmen 선수권 대회에 참가하다.

Meisterschafts≈fahren *n.* (자동차) 선수권 대회. **~kampf** *m.* 〖스포츠〗 선수권 쟁탈전. **~spiel** *n.* 〖스포츠〗 (경기의) 선수권전. **~titel** *m.* 〖스포츠〗 챔피언 타이틀.

Meister≈schüler *m.* 장인 학교 학생. **~schuß** *m.* 능숙한 사격. **~schütze** *m.* 명사수. **~singer** *m.* ① (15-16 세기경 독일의) 직장 가인(職匠歌人). ② 명가수. **~spiel** *n.* 훌륭한 연주. **~streich** *m.* 묘기, 묘계, 대성공. **~stück** *n.* ① 장인이 되기 위해 조합에 제출하는 작품. ② 걸작, 명작. **~tag** *m.* 직인 조합의 집회(일). **~titel** *m.* ① 장인 칭호: er darf jetzt den ~ führen 그는 이제 장인(匠人)이라는 칭호를 사용해도 된다. ② ↑ Meisterschaftstitel.

Meisterung *f.* -en 극복, 억제, 통제.

Meister≈werk *n.* 걸작. **~würde** *f.* ↑ ~titel. **~wurz** *f.* 〖植〗 바디나물.

Meist≈gebot *n.* ↑ Höchstgebot. **~gebräuchlich** *a.* 가장 많이 사용되는. **~gefragt** *a.* 가장 수요가 많은. **~gekauft** *a.* 가장 많이 판매되는. **~gelesen** *a.* 가장 많이 읽히는. **~genannt** *a.* 가장 많이 거명되는. **~hin** [(또는) maɪsthín] *adv.* 〖구어〗 자주, 거의. **~stufe** *f.* 〖문법〗 최상급.

Mekka [mέka] 메카.

Mekonin [mekoní:n] 《gr.》 *n.* -s 〖化〗 메코닌 (최면제).

Melamin·harz [melamí:n] *n.* 〖化〗 멜라민 수지.

Melancholie [melaŋkolí:] 《gr.》 *f.* -n [..lí:ən] ① 우울증, 멜랑콜리: ~ befiel ihn 우울증이 그를 엄습했다; in ~ versinken〔(ver)fallen〕 우울증에 빠지다. ② 〖醫〗 우울증〔병〕.

Melancholiker [..kó:lɪkər] *m.* -s, - 우울증 환자, 침울한 사람.

melancholisch *a.* 우울〔침울〕한, 울적해진.

Melanchton [meláncton] *m.* Philipp ~ 멜란히톤(독일의 종교 개혁가, 1497-1560).

Melanesien [melanéːziən] 멜라네시아 군도.

Melanesier *m.* -s, - 멜라네시아 군도의 주민.

melanesisch *a.* 멜라네시아 군도(주민)의.

Melange [melã́:ʒ(ə)] 《frz.》 *f.* -n ① 혼합; 혼합물. ② (öst.) 밀크커피. ③ (a) 여러 색의 섬유로 된 실. (b) 여러 색의 섬유로 된 실로 짠 직물. ④ 혼합색, 잡색.

Melanie [melaní:, mé:lani, melá:niə] 《gr.》 *f.* 멜라니(여자 이름).

Melanismus [melaní:smus] 《gr. mélas》 *m.* - 〖醫〗 (피부의) 흑색화 현상; 흑색병〔증〕.

Melanit [melaní:t, ..nít] *m.* -(e)s, -e 〖광물〗 흑석류석.

Melanom *n.* -s, -e 〖醫〗 흑색종(腫).

Melanose *f.* ① 〖醫〗 흑색병. ② 〖植〗 식물 조직이 검게 변하는 증상.

Melaphyr [melafý:r] *m.* -s, -e 〖지질〗 초록색이 가미된 흑색의 분출암.

Melasma *n.* -s, ..men/-ta [..lá..] 〖醫〗 흑색병.

Melasse [melásə] 《frz.》 *f.* -n 〖化〗 당밀.

Melber [mέlbər] 《südd.; <Mehl》 *m.* -s, - 밀가루 장수.

Melchior [mέlçiɔr] 《hebr., „König des Lichtes"》 *m.* 멜히오르(남자 이름).

Melchter [mέlçtər] *f.* -n (schweiz.) 나무로 만든 우유 그릇.

Melde [mέldə] *f.* -n 〖植〗 갯는쟁이.

Melde≈amt *n.* ① (Einwohnermeldeamt) 주민 등록 사무소, 동사무소. ② 〖軍〗 (1919 년까지 독일의) 지원병 접수처. **~auflage** *f.* (가석방의) 거주 상황 보고 의무. **~bogen** *m.* 신고 서식. **~buch** *n.* 〖구동독〗 체류 신고 등록부. **~dienst** *m.* 〖軍〗 첩보 활동. **~fahrer** *m.* 〖軍〗 ↑ ~gänger. **~frist** *f.* 신고 기간. **~gänger** *m.* 〖軍〗 전령. **~hund** *m.* 〖軍〗 전령견.

***melden** [mέldən] 《ahd. meldôn, „verraten"》 《I》 *t.* ① 보고〔통지〕하다, 알리다; 고시하다; 신고하다: ihm ihre Ankunft ~ 그에게 그녀의 도착을 알리다; ~ lassen 사람을 시켜서 알리다; die Zeitung meldet einen Flugzeugabsturz 신문이 비행기 추락 사고를 보도하다; jn. bei der Polizei ~ 누구를 경찰에 신고하다; zu dem Rennen ~ 경주 참가 신청을 하다; jn. ~ 누구의 도착을 알리다; sich ~ lassen 안내를 청하다, (방문을 알리기 위하여) 명함을 들이다. ② 말하다, 진술〔언급〕하다: wie bereits gemeldet 이미 말한 바와 같이; 〖구어〗 du hast nichts zu ~! 너는 잠자코 있

어라 ! ; er hat zu Hause nichts 〔nicht viel〕 zu ~ 그는 집에서 영향력이 전혀〔거의〕 없다, 말참견할 자격이 없다; 〖카드〗 wie viele Stiche haben Sie zu ~? 당신은 몇 끗을 가지고 있습니까? ; 〔삽입구〕 mit Ehren〔Verlaub〕 zu ~ 삼가〔실례입니다만〕 말씀드립니다. 《Ⅱ》 *refl.* sich ~ 신고하다, 신청하다; 제출하다, 출두하다, 도착을 알리다: die Entführer meldeten sich telefonisch 유괴범들이 전화를 걸어왔다; sich polizeilich ~ 경찰서에 신고하다; ich habe mehrmals angerufen, aber es hat sich niemand gemeldet 내가 여러 번 전화를 했으나 아무도 전화를 받지 않았다; sich bei jm. ~ 누구에게 면회를 청하다, 소식을 전하다; sich zu einer 〔für, um eine〕 Stelle ~ 어떤 지위를 지망하다; sich zum Dienst ~ 입대를 지원하다; sich zu einem Examen ~ 수험 원서를 내다; sich krank ~ 병결계(病缺屆)를 내다; 〔비유〕 das Alter meldet sich bei mir 내게 노쇠의 징후가 나타나고 있다; der Winter meldet sich 겨울이 다가온다; der Hunger〔Magen〕 meldet sich 배가 고파온다. 《Ⅲ》 *i.* (h.) ① (개가) 짖다. ② (사슴 따위가) 발정하여 소리를 지르다.

meldens·wert *a.* 보고할 가치가 있는.

Melde≈pflicht *f.* 신고 의무. **~pflichtig** *a.* 신고 의무가 있는: eine ~e Krankheit (전염병과 같은) 신고 의무가 있는 질병.

Melder *m.* -s, - ① 경보기. ② ↑ Meldegänger.

Melde≈reiter *m.* 〖軍〗 기마 전령. **~sammel·stelle** *f.* 〖軍〗 보고 수집소. **~schiff** *n.* 〖海〗 전령선(傳令船). **~schluß** *m.* 신청〔신고〕 마감. **~stelle** *f.* ↑ Einwohnermeldeamt. **~wesen** *n.* 신고 제도; 보고 체계. **~zettel** *m.* 〔구어〕 신고 용지; 〖軍〗 통신지. **~zwang** *m.* ↑ ~pflicht.

Meldung [mɛ́ldʊŋ] *f.* -en ① 신고: Ab~ 전출 신고; Um~ 이전〔변경〕 신고. ② 보도, 뉴스: diese ~ kam gestern abend im Rundfunk 이 보도는 어제 저녁 라디오에 나왔다; eine ~ dementieren 보도를 정정〔부인〕하다. ③ 통지, 보고: von der Front treffen laufend neue ~en ein 전선에서 현재 새로운 보고가 속속 도착하고 있다.

melieren [melí:rən] 《frz.》 《Ⅰ》 *t.* 섞다. 《Ⅱ》 *refl.* sich ~ 섞이다. 《Ⅲ》 **meliert** *p.a.* ↑ meliert.

meliert 《Ⅰ》 *p.p.* ↑ melieren. 《Ⅱ》 *p.a.* 잡색의, 희고 검은 점이 뒤섞인, (머리가) 희끗희끗한.

Melilote *f.* -n, **Meliloten·klee** *m.* 〖植〗 전동싸리(속의 식물).

Melinit [meliní:t, ..nít] 《gr.》 *m.* -(e)s, -e 〖化·軍〗 멜리나이트(폭약의 일종).

Melioration [melioratsió:n] 《lat.》 *f.* -en ① 〔교양·고어〕 개량, 개선. ② 〖農〗 농지 개량 (Boden~).

meliorieren *t.* ① 〔교양·고어〕 개선〔개량〕하다. ② 〖農〗 (농지를) 개량하다.

Melis [mé:lɪs] 《frz.》 *m.* - 막설탕.

melisch [mé:lɪʃ] 《gr.》 *a.* 〖음악·문학〗 서정적인, 노래체의: ~e Poesie 서정시.

Melisma [melísma] *n.* -s, ..men 〖음악〗 장식선율, 장식음(그레고리우스 선율 및 그 이전의 성악에 대하여 말함).

Melismatik *f.* 〖음악〗 장식음의 창법.

melismatisch *a.* 〖음악〗 꾸밈음을 넣은.

Melisse [melísə] 《gr.》 *f.* -n 〖植〗 멜리사, 향수박하.

Melissen·geist *m.* 〖藥〗 ↑ Karmelitergeist.

Melitta [melíta] 《gr.》 *f.* 멜리타(여자 이름).

melk [mɛlk] *a.* 〔고어〕 ① 젖이 나는: eine ~e Kuh 젖소. ② (소 따위가) 새끼를 밴.

melkbar *a.* 젖이 나는.

Melk·eimer *m.* 젖짜는 통.

melken[(*)] [mɛ́lkən] (melkte/molk, gemelkt/gemolken) 《♧ Milch》 《Ⅰ》 *t.* ① (소의) 젖을 짜다. ② 〔경박〕 (금품을) 우려내다. 《Ⅱ》 *i.* (h.) 〔고어〕 (소가) 젖을 내다: ~de Kuh 젖소.

Melker *m.* -s, - 젖 짜는 사람.

Melkerei [mɛlkəráɪ] *f.* -en ① 〔폄어〕 (성가신) 젖짜기 작업. ② (obd.) 낙농업; 착유장.

Melkerin *f.* -nen ↑ Melker 의 여성형.

Melk≈kuh *f.* ① 젖소. ② 〔구어〕 금전적으로 늘 기댈 수 있는 사람. **~maschine** *f.* 〖農〗 착유기. **~schemel** *m.* 착유용 의자. **~vieh** *n.* 젖을 짜기 위해 기르는 가축; 젖소.

Melodei [..dáɪ] *f.* -en 〔시어·고어〕 ↑ Melodie.

***Melodie** [melodí:] 《gr.》 *f.* -n [..dí:ən] ① 〖음악〗 멜로디, 가락, 선율. ② 곡조, 절(節), 조(調). ③ 〔대개 복수〕 (오페라 같은 방대한 작품 속의) 개개의 악곡. ④ 〖언어학〗 어조, 문장의 억양.

Melodie·lehre *f.* ↑ Melodik ①.

Melodik [..ló:dɪk] *f.* 〖음악〗 ① 선율학. ② 선율적 특징, 선율법.

Melodion *n.* -s, -s 발로 밟는 소형 오르간; 아코디언의 일종.

melodiös [melodiǿ:s] *a.* 선율이 아름다운: eine ~e Stimme 선율이 아름다운 소리.

melodisch *a.* 듣기 좋은, (곡조가) 아름다운.

Melodram *n.* -s, -en ① (무대 음악의) 멜로드라마적인 부분. ② 〖문학·음악〗 ↑ Melodrama ①.

Melodrama *n.* -s, ..men ① 〖문학·음악〗 음악극. ② 〔반어〕 감상적인 통속극, 신파극.

Melodramatik *f.* 〔교양·반어〕 감상적이고 통속적인 요소, 신파적 요소.

melodramatisch *a.* 멜로드라마적인, 신파조의.

Melone [meló:nə] 《it.》 *f.* -n ① 〖植〗 참외, 멜론. ② 〔구어·농담〕 중산모.

Melonen·baum *m.* 〖植〗 파파야(나무).

Melos [mé(:)lɔs] 《gr.》 *n.* - ① 〖음악〗 노래, 선율. ② 〖언어학〗 억양, 어조.

Melpomene [mɛlpó:mene] *f.* 〖그리스신화〗 멜포메네(비극의 여신).

Meltau [mé:ltau] *m.* -(e)s ↑ Honigtau.

Melusine *f.* 멜루지네(바다의 요정).

Membran [mɛmbrá:n] 《gr.》 *f.* -en ① 〖生〗 막(膜), 엷은 막. ② 〖物·工〗 진동판. ③ 〖化·物〗 (필터) 막.

Membrane *f.* -n ↑ Membran.

Memento [meménto] 《lat.》 *n.* -s, -s ① 〖가톨릭〗 기억, 기념송(誦)의 두 미사 기도문 중의 하나. ② 〔교양〕 경고.

memento mori [..mó:ri] 《lat., „Gedenke des Todes"》 〔교양〕 죽음을 잊지 마라(죽음의 경고).

Memme [mɛ́mə] 《mhd.》 *f.* -n 〔방언·폄어〕

① 겁쟁이, 비겁한 사람. ② 젖통, 유방.
memmeln [mɛ́məln] (bayr., öst.) 《Ⅰ》 *t.* ① 중얼거리다(mummeln[1]). ② 우물우물 씹다. 《Ⅱ》 *i.* (h.) 우물우물 씹다.
memmenhaft *a.* 겁쟁이의.
memmig *a.* ↑ memmenhaft.
Memo *n.* -s, -s ↑ Memorandum 의 단축형.
Memo-Feld *n.* 〖컴〗 메모 기록란.
Memoire [memoá:*r*] 《frz. <lat. memor》 *n.* -s, -s ↑ Memorandum 의 프랑스식 표현.
Memoiren [memoá:rən] *pl.* 〖문학·교양〗 회상록, 회고록.
Memoiren·schreiber *m.* 〔교양〕 회고록의 저자.
Memorabilien [memorabí:liən] *pl.* 〔교양·고어〕 회고할 만한 것, 추억(거리).
Memorandum [..rándum] *n.* -s, ..den/..da ① (외교) 의정서, 각서: ein ~ verfassen 의정서를 작성하다. ② 〔교양〕 비망록.
Memorial ① *n.* -s, -e/-ien [..liən] 〔고어〕 각서, 비망록; 업무 일지, 일기; 청원서, 탄원서. ② *n.* -s, -s 〔교양〕 추모 기념 경기 대회.
Memoriale *n.* -s, -n/..lien [..liən] 〔고어〕 ↑ Memorial.
memorieren *t.* 기억〔암기〕하다.
Memorier·stoff [memorí:*r*..] *m.* 〔고어〕 학습 내용, 암기 사항.
Memphis [mɛ́mfɪs] *f.* ① 멤피스(고대 이집트의 수도). ② 일종의 라틴 자체(字體)의 자형(字型). ③ 멤피스(미국의 도시); 멤피스춤.
Menage [mená:ʒə] 《frz.》 *f.* -n ① 〔고어〕 가사, 식사 관리. ② (öst.) 〖軍〗 급식. ③ 한 벌의 접시. ④ 양념 세트〔그릇〕.
Menagerie [menaʒərí:] *f.* -n [..rí:ən] 〔고어〕 동물 전시(장), 동물 곡예단, 동물원.
menagieren [..ʒí:rən] 《Ⅰ》 *t.* ① 〔고어〕 절약하다, 소중히 다루다. ② 〔고어〕 sich ~ 절제하다, 삼가다. 《Ⅱ》 *i.* (h.) ① 〔고어·방언〕 자취하다, 살림을 절약하다. ② (öst.) (군대에서) 배식받다.
Menarche [menárçə] 《gr.》 *f.* -n 〖생리〗 초경기.
Mendel [mɛ́ndəl] Gregor Johann ~ 멘델(오스트리아의 생물·유전학자, 1822-84).
Mendelevium *n.* -s 〖化〗 멘델레븀(방사성 원소; 약어: Md).
Mendelismus *m.* - 멘델의 유전 법칙.
mendeln [mɛ́ndəln] *i.* (h.) 〖유전〗 멘델의 법칙에 따라서 유전하다.
Mendelsch *a.* 멘델의: 〖유전〗 ~e Gesetze 멘델의 법칙.
Mendikant [mɛndikánt] 《lat.》 *m.* -en, -en 탁발 수도사.
Mendikanten·orden *m.* 〖가톨릭〗 탁발 수도회.
Menelaos [menelá:ɔs], **Menelaus** [..lá:us] *m.* 〖그리스신화〗 메넬라오스(스파르타의 왕으로 Helena 의 남편).
Menetekel [menetḗ:kəl] *n.* -s, - 〖聖〗 재앙의 징후(징조)(바빌론의 몰락을 천사가 경고한 고사(故事)에서).
mengbar *a.* 혼합할 수 있는.
***Menge** [mɛ́ŋə] (♧ manch) *f.* -n ① 다수, 다량, 많음; 〖哲〗 집합(론): eine ~ Geld(es) 많은 돈; 〔구어〕 eine ~ 다량, 다수; eine ~ hat 〔haben〕 sich beworben 많은 사람들이 응모했다; 〔구어〕 jede ~ 얼마든지, 아주 많이; Arbeit gibt es jede ~ 일은 얼마든지 있다; eine schöne ~ 〖반어〗 퍽 많이; 〔구어〕 die ~ muß es bringen 이득을 보려면 많이 파는 것이 장땡이다, 박리다매(薄利多賣)해야 돈을 번다. ② die (große) ~ 대중, 민중, 공중; 〔비유〕 der Beifall der ~ 박수 갈채; die wütende ~ 격노한 민중. ③ 〔부사구〕 in (großer) ~, die (schwere) ~ 많이, 다량으로; 〔구어〕 in rauhen ~n 대단히 많이. ④ 〖數〗 집합: endliche 〔unendliche〕 ~n 유한〔무한〕 집합.
Mengelei *f.* -en 〔고어〕 혼합, 혼란.
Meng(e)ler *m.* -s, - 〔고어〕 ① 소매 상인. ② 주제넘은 사람.
Mengelmus *n.* 〔고어〕 잡탕; 뒤섞음.
mengeln 《Ⅰ》 *i.* (h.) 〔고어〕 뒤섞이다; 소매하다. 《Ⅱ》 *t.* 뒤섞다; 소매하다.
mengen [mɛ́ŋən] 《Ⅰ》 *t.* 섞다, 혼합하다: eins ins andere ~ 뒤죽박죽으로 만들다〔말하다〕; Wasser und Mehl zu einem Teig ~ 물과 밀가루를 뒤섞어 반죽을 만들다. 《Ⅱ》 *refl.* sich ~ 섞이다: 〔구어〕 sich in et. ~ 어떤 일에 간섭하다, 말참견하다; er mengt sich in alles 그는 아무데나 참견한다.
Mengen≈angabe *f.* 수량 표시. **~konjunktur** *f.* 〖經〗 물량 경기. **~lehre** *f.* 〖數·哲〗 집합론. **≈mäßig** *a.* 양의, 분량상의, 정량의: ~ fiel die Ernte gut aus 수확은 양적으로 볼 때 상당히 좋았다. **~preis** *m.* 〖商〗 도매 가격. **~rabatt** *m.* 〖商〗 도매 할인.
Menger *m.* -s, - 〔드물게〕 ① 섞는 사람. ② ↑ Meng(e)ler ①.
Mengerei *f.* -en 혼합.
Meng≈futter *n.* 〖農〗 배합 사료. **~gestein** *n.* 〖광물〗 역암(礫岩). **~korn** *n.* ↑ ~futter. **~saat** *f.* 〖農〗 혼합 파종(播種).
Mengsel [mɛ́ŋzəl] *n.* -s, - 혼합물, 뒤범벅.
Mengung [mɛ́ŋuŋ] *f.* -en 〔드물게〕 혼합(물).
Meng·werk *n.* ↑ Mengsel.
Menhir [mɛ́nhɪr, ..hi:*r*] 《klt.》 *m.* -s, -e 멘히르, 선돌(유사 이전의 거석(巨石) 기념물).
Meningitis [menɪŋgí:tɪs] 《gr.》 *f.* ..tiden [..tí:dən] 〖醫〗 뇌막염.
Meninx [mé:nɪŋks] *f.* ..ningen [..nɪ́ŋən]/..ninges [..nɪ́ŋe:s] 〖해부〗 뇌막.
menippisch *a.* 〖문학〗 (고대 그리스의 풍자가 Menippos 의 이름에서) 메니포스적인: ~e Satire 인간의 약점에 대한 풍자.
Meniskus [menɪ́skus] 《gr. mēnē》 *m.* -, ..ken ① 〖物〗 메니스커스(액체 표면의 곡면). ② 〖광학〗 오목〔볼록〕 렌즈. ③ 〖해부〗 관절간 연골. ④ 〖數〗 반월형 도형.
Meniskus≈operation *f.* 〖외과〗 관절간 연골 수술. **~riß** *m.* 〖醫〗 관절간 연골 파열.
Menjou≈bart [mɛ́nʒu..] *m.* 멘주 수염(좁다랗고 뭉퉁한 콧수염; 미국의 영화 배우 A. Menjou 의 이름에서). **~bärtchen** *n.* ↑ ~-bart.
Menkenke [mɛŋkɛ́ŋkə] *f.* -n (berl.) 성가신 일; 장광설; 젠체함, 허식: ~ machen 거들먹거리다, 번거롭게 굴다.
Mennig [mɛ́nɪç] *m.* -(e)s ↑ Mennige.
Mennige [mɛ́nɪgə] *f.* 연단(鉛丹)(녹방지 도료).
mennig·rot *a.* 연단색의, 주색(朱色)의.

Mennonit [mɛnoníːt] *m.* -en, -en Menno 일파의 신자(네덜란드의 Menno Simons 가 주창한 재세례파).
Menopause *f.* -n 〖생리〗 폐경.
Menora *f.* (유대교 제식용) 일곱 촛대.
Menorrhagie [menɔragíː] *f.* -n [..gíːən] 〖생리〗 월경 과다.
Menorrhö [..rǿː] *f.* -en [..rǿːən] 〖생리〗 월경.
Menorrhöe *f.* -n ↑ Menorrhö.
menorrhöisch *a.* 〖생리〗 월경의.
Menostase *f.* -n 〖醫〗 무월경(증).
Mensa [ménza] 《lat., „Tisch"》 *f.* ..sen ① 〖가톨릭〗 제단 상부의 평판석; 제대(祭臺). ② (대학의) 구내 식당.
Mensa academica [..akadéːmika] *f.* -e -e [..zɛː..tsɛː] 〖구식〗 ↑ Mensa ②.
Mensa·essen *n.* 구내 식당 음식.
***Mensch** [mɛnʃ] 《I》 *m.* -en, -en 사람, 인간, 인류; (Mann 의 대신으로) 남자; 〖폄어〗 놈: ~! 야 이놈아!; 〖경박〗 ~ Meier! 어렵쇼!; 〖宗〗 der alte ~ 아담; 〖구약〗 die ersten ~en 아담과 이브; 〖농담〗 du benimmst dich wie der erste ~! 자네 신출내기군!; 〖구어〗 ich war ja kein ~ mehr 나는 완전히 지쳤다; 〖구어〗 jetzt bin ich wieder (ein) ~ 나는 이제 다시 원기를 회복했다; nur noch ein halber ~ sein a) 뼈만 앙상하다, b) (정신이 나가서) 사람 구실을 제대로 하지 못하다; eine Seele von ~ 〔von einem ~en〕 sein 마음 좋은〔사심없는〕 사람이다; einen neuen ~en anziehen 〔den alten ~en ablegen〕 다른 사람이 되다, 거듭나다; von ~ zu ~ 인간 대 인간으로, 마음을 터놓고; der äußerliche ~ 육체; der innerliche ~ 영혼; mein äußerer ~ 내 외모〔복장〕; mein ganzer ~ 내 온몸과 마음; unter die ~en kommen 세상에 나가다, 사교계에 나가다; 〖속담〗 der ~ denkt und Gott lenkt 일은 사람이 꾸미고 성패는 하늘이 정한다; 〖속담〗 des ~en Wille ist sein Himmelreich 자기 뜻대로 할 수 있을 때가 가장 행복하다; wie der erste ~ 고문관 같은(모든 것이 서투른). 《II》 *n.* -es, -er 〖방언·폄어〗 계집, 년; 천한 여자; 매춘부.
menscheln [ménʃəln] *i.* (h.) 〖구어〗 (대개 *imp.*) es menschelt 인간적인 결점〔약점〕이 나타나다.
Menschen≈affe *m.* 〖動〗 유인원. **≈ähnlich** *a.* 사람을 닮은. **~alter** *n.* ① 사람의 평균 수명. ② 세대, 일대(一代). **≈arm** *a.* 사람이 많이 살지 않는, 인적이 드문. **~art** *f.* 인류; 인성, 인정. **~auflauf** *m.* 사람들의 운집, 군중. **~darsteller** *m.* 인물을 묘사하는 사람〔작가〕. **~dasein** *n.* 인생. **~feind** *m.* 인간을 싫어하는 사람, 염세가; 인류의 적. **≈feindlich** *a.* ① 인간을 싫어하는, 염세적인. ② 인간에게 해로운. **~fleisch** *n.* 사람 고기, 인육(人肉). **~fresser** *m.* ① 식인종. ② 〖구어〗 야만인, 잔인한 자. **~freund** *m.* 박애자, 어진 사람, 인도주의자. **≈freundlich** *a.* ① 박애적인, 인간을 사랑하는. ② 인간에게 유익한. **~freundlichkeit** *f.* ① 박애(주의). ② 인간에 유익함. **~führung** *f.* 인간 교육〔지도〕: die Kunst der ~ 인간 교육 방법. **~gebot** *n.* 인간의 계율. **~gedenken** *n.* 〖다음의 용법으로만〗 seit ~ 유사〔개벽〕 이래. **~gefühl** *n.* 인간의 감정, 인정. **~geist** *m.* 〖雅語〗 인간 정신. **~geschlecht** *n.* 인류. **~gestalt** *f.* ① 사람의 자태. ② 인간상. **~gestalter** *m.* ↑ ~darsteller. **~gewühl** *n.* 인파. **~hand** *f.* 사람의 손, (행위자로서의) 인간: 〖雅語〗 durch〔von〕 ~ 사람의 손으로 만든〔이루어진〕; 〖雅語〗 das liegt nicht in ~ 그것은 인간의 힘으로는 어찌할 수 없다. **~handel** *m.* ① 인신〔노예〕 매매. ② 〖구동독〗 구동독 시민들을 국외로 빼돌리기. **~haß** *m.* 인간 혐오. **~hasser** *m.* 인간 혐오자. **~herz** *n.* 〖雅語〗 사람의 마음, 인정. **~kenner** *m.* 세상 인정을 잘 아는 사람. **~kenntnis** *f.* 세상 인심에 관한 지식. **~kind** *n.* ① 사람의 자식, 아이: 〖聖〗 die ~er 사람의 자식들, 사람들. ② (신의 피조물로서의) 인간: die entmenschten ~er 인간성을 상실한 사람들. **~kunde** *f.* ↑ Anthropologie. **~leben** *n.* ① 인생, 인명: ein ~ lang 일생 동안. ② 살아 있는 사람. ③ 〖雅語〗 삶의 향유. **≈leer** *a.* 사람이 살지 않는, 황폐한. **~liebe** *f.* ① (신의 사랑에 상반되는 의미에서) 인간의 사랑. ② 이웃 사랑, 인간애. **~los** *n.* 〖雅語〗 사람의 운명. **~masse** *f.* 군중. **~material** *n.* 인력, 인적 자원, 소요 총인원. **~menge** *f.* ↑ ~masse. **≈möglich** *a.* 인력이 미치는, 인간으로서 할 수 있는: ich habe das ≈e getan 나는 인력으로 할 수 있는 바를 다하였다. **~opfer** *n.* ① 인간 제물. ② 인명 희생. **~pflicht** *f.* 인간(으로서)의 의무. **~rasse** *f.* 〖인류〗 인류. **~raub** *m.* 유괴. **~räuber** *m.* 유괴자. **~recht** *n.* 인권.
Menschenrechts≈deklaration *f.* ↑ ~erklärung. **~erklärung** *f.* 〖法〗 인권 선언. **~kommission** *f.* 인권 옹호 위원회. **~verletzung** *f.* 〖法〗 인권 침해.
Menschen≈reservoir [..rezɛrvoaːr] *n.* 인력 자원. **≈scheu** *a.* 사람을 겁내는, 수줍은, 교제를 싫어하는. **~scheu** *f.* 인간 혐오(증). **~schinder** *m.* 〖폄어〗 착취자. **~schinderei** 〖폄어〗 *f.* 착취. **~schlag** *m.* 인종, 인간 유형. **~seele** *f.* ① 사람의 영혼. ② 인간: es war keine ~ da 거기에는 사람 하나 없었다.
Menschens·kind *int.* 〖구어〗 아이고 이 사람아, 저런!
Menschen≈sohn *m.* 〖宗〗 인간의 아들; 예수. **~strom** *m.* 인산인해, 사람의 물결.
Menschentum [ménʃəntuːm] *n.* -s ① 인류. ② 인간성, 인도(人道).
menschen≈unwürdig *a.* 비인간적인, 인간의 존엄을 해치는. **≈verächter** *m.* 인간 경멸자, 염세가. **≈verachtung** *f.* 인간 멸시, 냉소. **≈verstand** *m.* 인지(人智), 오성: der gesunde ~ 건전한 상식. **≈volk** *n.* 인류. **≈weisheit** *f.* 인간의 지혜, 인지(人智). **≈welt** *f.* 〖雅語〗 인간계. **≈werk** *n.* 인간의 작품, 인조물: alles ~ ist vergänglich 모든 인조물들은 무상(無常)하다. **≈wohl** *n.* 인류의 복지. **≈würde** *f.* 인간의 품위. **~würdig** *a.* 인간적인, 인간다운, 인간의 품위에 맞는.
Menschewik [mɛnʃevík] 《russ.》 (↔ Bolschewik) *m.* -en, -en/-i 〖史〗 멘셰비키.
Menschewismus *m.* - 〖史〗 멘셰비즘.
Menschewist *m.* -en, -en ↑ Menschewik.
menschewistisch *a.* 멘셰비키의.
***Menschheit** [ménʃhaɪt] *f.* ① 인류: im Namen der ~ 인류의 이름으로. ② 〖고어〗 사람

다운 일, 인간성, 인도(人道). ③ (Menschenmenge) 사람의 떼, 군중: jn. auf die ~ loslassen 누구를 사회에 배출하다.

menschheitlich *a.* 인류의, 인류에 관한: ~ betrachtet〔gesehen〕 ist das kein Ausweg 인류 전체로 봐서 그것은 타개책이 못된다.

Menschheits-entwicklung *f.* 인류의 진보〔발전〕. **~geschichte** *f.* 인류의 역사. **~traum** *m.* 인류의 꿈〔소망〕.

Menschlein *n.* -s, - 《↑ Mensch 의 축소형》〔시어〕 ① 어린이. ② 불완전한 사람: wir armen ~ 우리 가련한 인간들. ③ 작은 사람, 난쟁이.

***menschlich** [mɛ́nʃlɪç] *a.* ① 인간의; 인간적인; 불완전한; 약한: der ~e Körper 인체; die ~e Natur 인간의 본성, 인간; das ~e Wesen 인간; etwas ~es 인간다운 일, 사람에게 생길 수 있는 일; der Unfall ist auf ~es Versagen zurückzuführen 그 사고는 사람의 실수에서 그 원인을 찾을 수 있다; wenn mir was ~es begegnet 내 신상에 만일의 일이 일어난다면; nach ~em Ermessen 〔nach ~er Berechnung〕 대체로 보아, 여러 사람들의 의견에 따르면; 〔격언〕 Irren ist ~ 인간이란 과오를 범하게 마련이다; ihm ist etwas ~es widerfahren 그는 갑자기 변을 당했다; 〔농담〕 ihm ist etwas ~es passiert 그는 갑자기 방귀를 뀌었다; 〔농담〕 er verspürte ein ~es Rühren 그는 용변이 보고 싶었다. ② 인정 있는, 인도적인, 자비로운, 친절한; 예의 있는, 기품 있는: er wird schon ganz ~ 그는 꼭 예의바른〔버젓한〕 사람이 될 것이다.

***Menschlichkeit** *f.* -en ① 인간적 존재: Christus in seiner ~ 인간으로서의 그리스도. ② 인도, 인정, 인애(仁愛), 친절; 예의: er war wegen seiner ~ überall beliebt 그는 그의 인간성 때문에 도처에서 인기가 있었다. ③ 인간적 약점〔불완전성〕.

Mensch·werdung [..veːrduŋ] *f.* ① 〖宗〗 그리스도의 강생(降生), 하느님께서 그리스도로 임하심. ② 〖生〗 인류의 발생.

Mensel [mɛ́nzəl] 《< lat. mensa, „Tisch"》 *f.* -n 〔고어〕 측량용의 평면판.

mensendiecken [mɛ́nzəndiːkən] *i.* (h.) 〖스포츠〗 멘센디크 건강법을 행하다(미국의 여의사 Mensendieck 가 고안한 여자 체조 및 심호흡법).

mensis currentis [mɛ́nzɪs kurɛ́ntɪs] 《lat.》 〔고어〕 (약어: m.c.) 이번 달에, 금월에.

menstrual [mɛnstruáːl] 《lat., „monatlich"》 *a.* ① 매월의. ② 〖생리〗 월경의.

Menstruation [..tsióːn] *f.* -en 〖생리〗 월경.

menstruieren *i.* (h.) 월경이 있다.

Mensul [mɛ́nzul] *f.* -n ↑ Mensel.

Mensur [mɛnzúːr] 《lat.; „Maß"》 *f.* -en ① 〖펜싱〗 **(a)** 선수 간의 거리; eine enge〔weite〕 ~ einnehmen 간격을 좁게〔넓게〕 취하다; ~ halten 간격을 유지하다. **(b)** 결투장: auf die ~ gehen 결투하러 가다. **(c)** 〔학생〕 결투. ② 〖음악〗 박자, 소절. ③ 〖악기〗 (악기의) 음역. ④ ↑ Meßzylinder.

mensurabel 《lat.》 *a.* 〔교양〕 측량할 수 있는, 측정되는.

Mensurabilität *f.* 〔교양〕 측정 가능(성).

Mensural-musik *f.* 정량(定量) 음악(12-16 세기 박자의 길이를 정밀히 기입한 다성부(多聲部)의 악곡). **~notation** *f.* 〖음악〗 정량 기보법(定量記譜法).

mental [mɛntáːl] 《lat. mens》 *a.* 〔교양〕 ① 지성의, 정신의. ② 심중의, 내밀한.

Mentalismus *m.* - 유심론, 멘탈리즘.

Mentalität [..litɛ́ːt] *f.* -en 심성(心性), 정신 상태; 성향, 기질.

Mental·reservation *f.* 〖法〗 심리 유보.

Menthol [mɛntóːl] 《lat.》 *n.* -s 〖藥〗 멘톨, 박하뇌(薄荷腦).

Mentor [mɛ́ntɔr, ..toːr] 《gr.》 *m.* -s, -en [..tóːrən] ① 〖그리스신화〗 멘토르(오디세우스)의 친구로 그 아들 텔레마코스의 스승); 〔비유〕 노련한 교육자〔카운셀러〕. ② 〔고어〕 가정교사, 왕자의 교육 담당. ③ 사부(師傅), 위대한 스승.

Menu [menýː] (schweiz.) *n.* -s, -s ↑ Menü.

Menü [menýː] 《frz.》 *n.* -s, -s 〖요리〗 ① (음식점의) 정식. ② 차림표, 메뉴, 식단. ③ 〖컴〗 메뉴.

Menuett [menuɛ́t] 《frz.》 *n.* -(e)s, -e/-s ① 미뉴에트(17 세기 프랑스의 4 분의 3 박자의 민속춤). ② 〖음악〗 미뉴에트곡.

Mephisto [mefísto] *m.* ↑ Mephistopheles.

Mephistopheles [mefɪstóːfelɛs] 《gr., „der das Licht nicht Liebende"》 *m.* 메피스토펠레스(괴테의 "파우스트"에 나오는 악마).

mephistophelisch *a.* 메피스토펠레스 같은, 악마적인.

Mercator·projektion [mɛrkáːtɔr..] *f.* 〖제도〗 메르카토르〔투영〕 도법.

Mercerie [mɛrsəríː] 《frz.》 *f.* -n [..ríːən] (schweiz.) ① 잡화. ② 잡화점.

Mercerisation *f.* -en ↑ Merzerisation.

Merchandising [mə́ːtʃəndaɪzɪŋ] 《engl.》 *n.* -s 〖商〗 상품화 계획, 거래〔판매〕 촉진, 머천다이징.

merci [mɛrsíː] 《frz.》 *int.* 고마워요.

Mercosur = Mercado Común del Cono Sur 남아메리카 공동 시장.

Mergel [mɛ́rgəl] 《klt.》 *m.* -s, - 〖지질〗 이회암(泥灰岩), 이회토(土).

Mergel-ablagerung *f.* 〖지질〗 이회암층. **~boden** *m.* 이회암질의 토지. **~düngung** *f.* 이회토 비료. **~grube** *f.* 이회암갱(坑).

mergelig [mɛ́rgəlɪç] *a.* 이회암질(質)의, 이회암을 함유한.

Mergel·kalk *m.* 이회질(質) 석회석.

mergeln[1] [mɛ́rgəln] 《< Mergel》 *t.* 〖農〗 이회토 비료를 주다.

mergeln[2] 《I》 *t.* 쇠약〔고단〕하게 하다. 《II》 *i.* (s.) 쇠약〔고단〕해지다.

Mergel·sandstein *m.* 이회질 사암(砂岩).

merglig *a.* ↑ mergelig.

Meridian [meridiáːn] 《lat. meridies》 *m.* -s, -e ① 〖天〗 자오선. ② 〖지리〗 경선(經線).

Meridian-kreis *m.* 〖天〗 자오환(천체의 자오선 통과 시간과 고도를 측정하는 장치). **~linie** *f.* 자오선.

meridional 《lat.》 *a.* ① 자오선의, 정오(正午)의. ② 남쪽의.

Meringe [meríːŋə] 《frz.》 *f.* -n (schweiz.) 메링(설탕과 흰자위를 섞어서 만든 크림 과자).

Meringel [..ŋəl] *n.* -s, - ↑ Meringe.

Meringue [merɛ́ŋ] *f.* -s ↑ Meringe.

Merino [meríːno] 《sp.》 *m.* -s, -s ① 메리노

면양(緬羊). ②〖섬유〗 메리노 모직.
Merino≈schaf *n.* ↑ Merino ①. **~wolle** *f.* ↑ Merino ②.
Meristem [merɪsté:m] 《gr.》 *n.* -s, -e 〖植〗 분열 조직.
meristematisch [merɪstemá:tɪʃ] *a.* 〖植〗 분열 조직의, 분열 가능한.
Meriten [meríːtən] 《frz. mérite》 *pl.* 〔雅語·구식〕 공훈, 공적, 선행.
meritorisch [meritóːrɪʃ] *a.* ①〔고어〕 공로가 있는. ② (öst.) 〔격식〕 본질상〔실질상〕의.
Meritum 《lat.》 *n.* -s, ..riten [..ríːtən] ↑ Meriten.
Merk[1] [mɛrk] *m.* -s, -e 〖植〗 물개발나무, 감자개발나무.
Merk[2] *n.* -s, -e 〔고어〕 기호, 표지, 안표; 지점(支點).
merkantil [mɛrkantíːl] 《frz. mercantile》 *a.* 상인의, 상업의.
merkantilisch 〔고어〕 ↑ merkantil.
Merkantilismus [..tilísmʊs] *m.* - 중상주의.
Merkantilist *m.* -en, -en 중상주의자.
merkantilistisch *a.* 중상주의의〔적인〕.
Merkantil·system *n.* ↑ Merkantilismus.
Merk·band *n.* 서표(書標), 가름끈.
merkbar *a.* ① 인식할 수 있는. ② 기억할 수 있는. ③ 현저한.
Merk≈blatt *n.* (사용) 설명서; 메모 용지. **~buch** *n.* 비망록(Notizbuch).
Merke *f.* -n 평주(評註), 주의(서); 신문 기사.
***merken** [mɛ́rkən] 《<Marke》 《I》 *t.* ① (obd.) …에 표시하다, 기호를 붙이다; 기입하다. ② 인지〔지각〕하다, 알아채다: ich merkte sofort an seinem Benehmen, daß etwas vorgefallen war 나는 그의 행동에서 무슨 일이 벌어졌었음을 즉시 알아챘다; ich merkte, wo er hinaus wollte 나는 그의 의도를 알아챘다; 〔구어〕 merkst du was? (이제야) 알았나?; du merkst aber auch alles! a) 네게는 아무것도 숨길 수가 없군!, b) 〔반어〕 너는 이제야 사정을 깨우치는군! ③ ~ lassen 알아채게 하다, 눈치채이다, 알아채이다; sich³ nichts ~ lassen 시치미떼다, 눈치채이지 않다; seine Gefühle ~ lassen 감정을 드러내다. ④ sich³ et. ~ 어떤 일을 기억하다, 명심하다: 〔구어〕 merk dir das! 그것을 명심해 두게!; ich werde mir den Tag ~ 나는 그날을 기억해 두겠다; 〔구어〕 den Kerl werde ich mir ~ 나는 그 녀석을 혼내줄 테다; 〔흔히 목적어 없이〕 der Junge merkt gut 그 소년은 기억력이 좋다. 《II》 *i.* (h.) 〔고어〕 주의하다: merke wohl! 〔wohl zu ~!, wohlgemerkt!〕 주의〔유념〕하라!; auf jn. 〔et.〕 ~ 누구〔무엇〕에 주의하다, 조심하다.
merkens·wert *a.* 주의할 만한, 현저한.
Merker [mɛ́rkər] *m.* -s, - ① 표하는 사람; 채점자. ②〖문학〗 **(a)** (중세 궁정 가인들의 연애 관계를 감시하는) 감시자. **(b)** (중세 가인의) 심사자. ②〔속어〕 눈치챈 사람; 〔구어·비어〕 둔감한 사람, 이해가 더딘 사람.
Merk≈heft *n.* ↑ ~buch. **~hilfe** *f.* 메모, 비망. **~lampe** *f.* 지시등.
merklich *a.* 눈에 띄는, 현저한, 명백한.
Merk·mal *n.* 안표; 기호, 부호; 표지; 특징; 〖醫〗 증후.
Merks *m.* -es, -e 〔구어〕 ① 두뇌, 지력(智力); 기억: er hat einen großen ~ 그는 기억력이 좋다. ②〔고어〕 각서.
Merk≈satz *m.* ↑ ~spruch. **~spruch** *m.* 격언, 금언; 격언시.
Merkur [mɛrkúːr] 《lat.》 ① *m.* 〖로마신화〗 메르쿠어(신의 사자(使者), 상업의 신, 그리스 신화의 Hermes 에 해당). ② *m./n.* -s 〖化〗 수은. ③ *m.* 〖天〗 수성(水星).
merkurialisch *a.* 수은의, 수은을 포함한.
Merkurialismus *m.* - 〖醫〗 수은 중독.
Merkurial≈kur *f.* 〖醫〗 수은 요법. **~mittel** *n.* 〖藥〗 수은제(劑).
Merk≈wort *n.* 주의를 끌기 위한 말, 표어; 〖연극〗 (다음 연기자의 등장·발언 따위의 신호가 되는) 대사. ***~würdig** *a.* ①〔고어〕 주의할 만한; 기억할 만한. ② 유별난, 기묘한: ein ~er Mensch 유별난 사람; ich habe etwas ~es entdeckt 나는 이상한 점을 발견했다. **~würdiger·weise** *adv.* 이상〔진기〕하게도. **~würdigkeit** *f.* ①〔고어〕 기억할 만한 일; 주의할 만한 일. ②〔복수: -en〕 기묘한 것〔일〕; 명소, 명물. **~zeichen** *n.* ① 기억의 안표(眼標), 기념의 표식, 스탬프. ② ↑ Merkmal. **~zettel** *m.* 메모 쪽지.
Merlan [mɛrláːn] 《lat.-frz.》 *m.* -s, -e ↑ Wittling.
Merle [mɛ́rlə] *f.* -n 〖방언〗 지빠귀(Amsel).
Merlin [mɛrlíːn, mɛ́rliːn] ① *m.* 메를린(켈트족 전설의 마술사). ② *m.* -s, -e 〖動〗 작은 매.
Merowinger [méːrovɪŋər] *m.* -s, - 메로빙거 왕조.
merowingisch *a.* 메로빙거 왕조의.
merzeln 《lat. Lw.》 *i.* (h.) (obd.) 소매하다.
merzen *t.* ↑ ausmerzen.
Merzerisation *f.* 〖섬유〗 머서 가공(면직물의 개량법; 발명자 Mercer 의 이름에서).
merzerisieren [mɛrtsərizíːrən] 《lat.》 *t.* 〖섬유〗 머서 가공을 하다, 면직물의 윤을 내다.
Merzerisierung *f.* -en 면직물의 윤내기.
Merz≈schaf *n.* 〖사육〗 사육할 수 없는 양(羊), 폐양. **~vieh** *n.* 〖사육〗 사육할 수 없는 가축, 폐가축.
Mesalliance [mezaliã́ːs] 《frz., „Mißheirat"》 *f.* -n 〔교양〕 신분에 어울리지 않는 결혼.
meschant [meʃánt] 《frz.》 *a.* 심술궂은; 비열한, 불유쾌한.
meschugge [meʃʊ́gə] 《hebr.》 *a.* 〔구어〕 정신나간, 미친.
Mesdames [mɛdám] 《frz.》 ↑ Madame 의 복수형.
Mesdemoiselles [mɛdmoazɛ́l] 《frz.》 ↑ Mademoiselle 의 복수형.
Mesenchym [mezɛnçýːm] *n.* -s, -e 〖生〗 간엽(間葉), 간충직(間充織).
Meseta *f.* ..ten 《sp.》 (에스파냐의) 고원.
Meskalin *n.* -s 메스칼린.
Mesmer [mɛ́smər] *m.* -s, - (bayr., schweiz.) ↑ Mesner.
Mesmerismus [mɛsmə..] *m.* - 동물 자기학(磁氣學), 최면술.
Mesner [mɛ́snər] 《lat.》 *m.* -s, - 교회 관리인; 성당지기, 성구(聖具) 관리인.
Mesnerei [mesnəráɪ] *f.* -en 교회 관리인의 직분〔거처〕.

meso.. 《gr.》 *pref.* "중앙·중간"의 뜻.
Mesoderm [mezodέrm] *n.* -s, -e 〖生〗 중배엽(中胚葉).
Mesokarp *n.* -s, -e 〖植〗 중과피(中果皮).
Mesolithikum [mezolí:tikum, ..lít..] 《gr. -lat.》 *n.* -s 중석기 시대.
mesolithisch [..lí:.., ..lí..] *a.* 중석기 시대의.
Meson [mé:zɔn] 《gr.》 *n.* -s, -en [mezó:nən] 〖핵물리〗 메손, 중간자.
Mesophyt [mezofý:t] *m.* -en, -en 〖植〗 (적당한 습도에서 생육하는) 중생(中生) 식물.
Mesopotamien [mezopotá:miən] 《gr.》 메소포타미아 지방.
Mesopotamier *m.* -s, - 메소포타미아 사람.
mesopotamisch *a.* 메소포타미아(지방)의.
Mesosphäre *f.* 〖기상〗 중간권(圈).
Mesothorium [..tó:rium] *n.* -s 〖化〗 메소토륨.
Mesotron [mé:zotrɔn] 《gr.》 *n.* -s, -en [mezotró:nən] ↑ Meson의 옛 명칭.
Mesozoikum [..tsó:ikum] 《gr. -lat.》 *n.* -s 〖지질〗 중생대.
mesozoisch *a.* 〖지질〗 중생대의.
Meß [mɛs] 《engl.》 *f.* ..ssen 〖海〗 ① (군함에 있는) 회식장. ② (해군의) 회식자(會食者).
mess.. 新정서 ⇦ meß...
Messalina [mɛsalí:na] ① *f.* Valeria ~ 발레리아 메살리나(로마 황제 클라우디우스(Claudius) I 세의 세 번째 처). ② *f.* ..nen 음탕한〔향락적인〕 여자; 창부.
Message [mέsɪdʒ] 《engl.》 *f.* -s [..dʒɪz] 메시지, 전갈, 통지.
Messagerie [..ʒə..] 《frz.》 -n [..rí:ən] ① 역마차; 역마차업(業); 역마차 정거장. ② 운수업.
Meß·amt *n.* 〖가톨릭〗 미사를 집전하는 사제 직(분).
Meß·apparat *m.* 측량 장치, 계측기. **~band** *n.* 〖복수: ..bänder〗 줄자.
meßbar *a.* 측량할 수 있는.
Meßbarkeit *f.* 측량 가능성.
Meß·becher *m.* 계량컵: das Mehl in den ~ geben 밀가루를 계량컵에 담다.
Meß·besucher *m.* 미사 참석자.
Meß·bild *n.* 사진 측량도.
Meß·brief *m.* 〖海〗 선박 등록증.
Meß·buch *n.* 〖가톨릭〗 미사경본.
Meß·bude *f.* 큰 장의 노점.
Meß·diener *m.* ①〖가톨릭〗 복사(服事). ② (교회의) 사찰.
***Messe**[1] [mέsə] 《lat.》 *f.* -n ①〖가톨릭〗 미사, 공양(供養): eine ~ halten 미사를 거행하다; eine ~ (für jn.) lesen (누구를 위한) 미사를 올리다; zur ~ gehen 미사에 가다; die Hohe ~ 장엄 미사; schwarze ~ 검은 미사(악마 숭배자가 가톨릭 미사를 속여 행하는 악마 예배). ②〖음악〗 미사곡, 미사의 음악적 의식. ③ 박람회, 견본시, 큰 장, 연시, 대목장; 큰 장에서 산 선사품: die Frankfurter Buch≈ 프랑크푸르트 도서 박람회; auf der ~ ausstellen 박람회에 출품하다.
Messe[2] [mέsə] *f.* -n ↑ Meß.
Messe≈ausweis *m.* 박람회 출입증. **~besucher** *m.* 박람회 방문객. **~gelände** *n.* 박람회 부지. **~halle** *f.* 박람회 전시장. **~katalog** *m.* 박람회 출품 목록.
messen [mέsən] (maß, gemessen) 《I》 *t.* ① 재다, 달다, 측정〔측량〕하다; 빤히 쳐다보다: Höhe〔Länge, Breite, Tiefe, Zeit〕 ~ 높이를〔길이를, 넓이를, 깊이를, 시간을〕 재다; am Morgen wurden schon 20°(Wärme) gemessen 아침에 (온도가) 이미 20° 였다; 〖시어〗 Verse ~ 시구를 운각으로 나누다; er kann das Geld mit Scheffeln ~ 그는 큰 부자다; jn. mit den Augen 〔einem Blick〕 ~ 누구를 경멸의 눈초리로 쳐다보다; jn. prüfend von oben bis unten ~ 누구를 머리끝에서 발끝까지 훑어보다; gemessen an dem früheren Ergebnis, war dies ein Enttäuschung 이전과 비교하여 이번 결과는 실망스러웠다; 〖농담〗 ich habe (der Länge nach) den Fußboden 〔die Straße〕 gemessen 나는 (큰 대자로) 넘어졌다. ② …의 크기: ich messe 1.76 m 내 키는 1.76 미터다. 《II》 *refl.* sich mit jm. ~ 누구와 우열을 다투다; sich mit jm. an〔in〕 et.[3] ~ (können) 어떤 일에서 누구에게 필적하다. 《III》 **gemessen** *p.a.* ↑ gemessen.
Messer[1] [mέsər] *m.* -s, - ① 재는〔다는〕 사람, 측량사: Land≈ 토지 측량사. ② 계량기, 미터: Druck≈ 압력계.
***Messer**[2] 《ahd. mezzisahs》 *n.* -s, - ① 나이프, 칼; 외과용 메스: Rasier≈ 면도칼; mit ~ und Gabel essen 칼과 포크를 가지고 식사하다; jn. mit dem ~ drohen 〔jn. mit dem ~ bedrohen〕 누구를 칼로 위협하다; er führt das große〔lange〕 ~ 그는 허풍선이다; das ~ abziehen〔schärfen, schleifen〕 칼을 갈다; 〖구어〗 bis aufs ~ 온갖 수단을 다하여, 극단적으로; ein Kampf bis aufs ~ 혈전, 백병전; dieser Vorschlag ist ein ~ ohne Heft und Klinge 이 제안은 무의미하다; 〖비유·구어〗 das ~ sitzt ihm an der Kehle 그는 진퇴양난에 빠져 있다; 〖비유·구어〗 jm. das ~ an die Kehle setzen 누구의 목에 칼을 들이대다(위협하다); 〖경박〗 jm. geht das ~ in der Tasche auf 누가 매우 격분하다; jm. das ~ in die Hand geben 누구에게 스스로 반론의 여지를 주다; et. steht auf des ~s Schneide 결말이 불확실한 일이 임박해 있다; jn. ans ~ liefern 누구를 배신하여 함정에 빠뜨리다, (경찰 등에) 인계하다; auf diesem ~ kann man reiten 이 칼은 무디다; 〖비유·구어〗 ins offene ~ laufen〔rennen〕 경솔한 행동으로 큰 위험에 빠지다; 〖구어〗 jn. unters ~ nehmen 누구를 수술하다; 〖구어〗 er blieb unter dem ~ 그는 수술 도중 죽었다. ② (기계의) 절단 장치, 칼: rotierende ~ 회전칼.
Messer≈bank *f.* ↑ ~bänkchen. **~bänkchen** *n.* (식탁용) 나이프 받침대(臺). **~besteck** *n.* 나이프와 포크 한 벌.
Messerchen *n.* -s, - 〖↑ Messer[2]의 축소형〗 작은 칼, 주머니칼.
Messer≈gras *n.* 〖植〗 고랭이풀. **~griff** *m.* 칼자루. **~heft** *n.* ↑ ~griff. **~held** *m.* 〖폄어〗 ↑ ~stecher. **~klinge** *f.* 칼날. **~kopf** *m.* 〖기술〗 칼날이 여러 개 달린 윤삭기. **~rücken** *m.* 칼등. **~schalter** *m.* 〖전기〗 나이프 스위치. **~scharf** *a.* ① 칼처럼 예리한: eine ~e Kante 매우 예리한 모서리. ②〖구어〗 매우 예리〔명민〕한: er besitzt einen ~en Verstand 그는 매우 예리한 머리를 소유하고 있다. **~scheide** *f.* ① 칼집. ②〖動〗 긴맛과의 바닷

조개의 하나. **~schmied** *m.* 도공(刀工). **~schmiede** *f.* 대장간. **~schneide** *f.* 칼날. **~spitze** *f.* ① 칼끝. ②〖藥·구어〗칼끝에 묻은 양(약 3-4 그램), 아주 적은 양: eine ~ Salz 아주 적은 양의 소금. **~stecher** *m.*〔폄어〕칼부림을 하는 깡패, 자객, 무법자. **~stecherei** *f.* 칼부림. **~stich** *m.* ① 칼로 찌름, 칼침. ② 자상(刺傷). **~stiel** *m.* 칼자루. **~werfer** *m.* 칼을 목표물에 잘 던지는 곡예사.

Messe=schlager *m.* 박람회의 히트 품목. **~stadt** *f.* 박람회(가 열리는) 도시. **~stand** *m.* 박람회의 전시대〔노점〕.

Meß=fahne *f.* 측량기(旗). **~fehler** *m.* 측정값의 오류. **~freiheit** *f.* 개시권(開市權). **~fremde*** *der/die* 큰 시장에 오는 외국인. **~fühler** *m.*〖工〗측정 장치, 측정기의 감지소자(素子). **~geld** *n.* 시장 사용료. **~gerät** ① *n.*〔대개 복수〕〖가톨릭〗미사용 기구. ② 측정〔측량〕기. **~gewand** *n.* ↑ Kasel. **~glocke** *f.* 미사의 종. **~hemd** *n.* 미사복(服).

Messiade [mɛsiá:də] *f.* -n〖문학〗메시아를 주인공으로 한 문학 작품.

messianisch *a.* ① 구세주의. ② 구세주 신앙의, 메시아주의의. ③〔雅語〕(위대한 임무에 대한) 사명 의식으로 충만된.

Messianismus *m.* -〖宗〗메시아 신앙〔주의〕.

***Messias** [mɛsí:as] 《hebr.》 *m.* - ①〖宗〗메시아. **(a)**〖구약〗구세주. **(b)**〖신약〗예수. ②〔雅語〕구원자, 구제자.

Messidor [mɛsidó:*r*] 《lat. messis „Ernte"》 *m.* -(s), -s 수확의 달(그레고리력(曆)의 제 10 월로, 6 월 19 일부터 7 월 18 일까지).

Messieurs [mɛsiǿ:] 《frz.》 ↑ Monsieur 의 복수형.

Messina [mɛsí:na] 메시나(시칠리아섬의 도시).

Messing [mɛ́sɪŋ] 《gr. -sl.》 *n.* -s, -e 놋쇠, 황동.

Messing=bett *n.* 놋쇠 침대. **~blech** *n.* 황동 박판(薄板). **~draht** *m.* 구리 철사.

messingen [mɛ́sɪŋən] *a.* 놋쇠(제)의.

Messing=gerät *n.* 놋쇠 도구. **~gießerei** *f.* 놋쇠 주조〔주물〕 공장. **~griff** *m.* 놋쇠 손잡이. **~hütte** *f.* 놋쇠 주조 공장.

Messing(i)sch [mɛ́sɪŋ(ɪ)ʃ] *n.* ↑ Missingsch.

Messing=leuchter *m.* 놋쇠 촛대. **~ring** *m.* 황동 반지. **~schild** *n.* 황동 표지판(문패). **~schmied** *m.* 놋쇠 세공사. **~stange** *f.* 놋쇠 막대. **~verzierungen** *pl.* 놋쇠 장식물. **~ware** *f.* 놋쇠 제품. **~werk** *n.* 놋쇠 공장.

Meß=instrument *n.* 측량기, 계측기.

Meß·kelch *m.*〖가톨릭〗성찬용(聖餐用)의 잔.

Meß·krämer *m.* 큰 장의 노점 상인.

Meß=kette 《<messen》 *f.*〖측량〗측쇄(測鎖). **~kluppe** *f.*〖측량〗직경 측량용 미끄럼자(노기스). **~latte** *f.*〖측량〗측량대. **~leine** *f.* ↑ ~schnur. **~maschine** *f.* 측량기계.

Meßner *m.* -, - ↑ Mesner.

Messner 新정서 ⇦ Mesner.

Meßnerei *f.* -en ↑ Mesnerei.

Meß=opfer *n.*〖가톨릭〗미사 성제(聖祭). **~ordinarium** *n.* 미사 규정. **~ordnung** *f.*〖가톨릭〗미사의 순서. **~priester** *m.* 미사 집행 신부. **~pult** *n.* 미사용 책상.

Meß=rad *n.* (회전수에 따라 거리를 재는) 측륜계(測輪計). **~rute** *f.* 측량 막대. **~schieber** *m.* ↑ Schieblehre. **~schnur** *f.* 줄자. **~schraube** *f.*〖기계〗미동 측정 나사. **~stab** *m.* 측량 막대.

Meß=stadt *f.* ↑ Messestadt. **~stand** *m.* ↑ Messestand.

Meß=stange *f.* ↑ ~latte. **~stock** *m.* ↑ ~latte. **~technik** *f.* 측량술. **~technisch** *a.* 측량술의. **~tisch** *m.*〖측량〗측량용 책상. **~tisch·blatt** *n.*〖지리〗측량용 지도.

Meß·tuch *n.*〖가톨릭〗성체포(聖體布).

Messung [mɛ́sʊŋ] *f.* -en ① 측량, 측정, 계량: ~en durchführen 측량하다. ②〖數〗구적법(求積法). ③ 측량값.

Meß·verfahren *n.* 측량법.

Meß·wein *m.*〖가톨릭〗미사용 포도주.

Meß=werk *n.*〖측량〗계기에서 역학적으로 움직이는 부분(보기: 눈금). **~wert** *m.* 측량〔계측〕값. **~widerstand** *m.*〖측량〗측량 저항.

Meß·zylinder 《<messen》 *m.* 메스실린더.

Meste [mɛ́stə] 《<messen》 *f.* -n (md.) ① 중세 독일의 용량 단위. ② 나무 용기.

Mestize [mɛstí:tsə] 《lat. -sp.》 *m.* -n, -n 메스티조(백인과 라틴 아메리카 인디언의 혼혈아).

MESZ =mitteleuropäische Sommerzeit 중부 유럽의 일광 절약 시간.

Met [me:t] *m.* -(e)s, -e (게르만인의) 꿀술.

meta.. 《gr.》 *pref.* "함께·뒤에·사이에·넘어서·변화하여" 따위의 뜻.

metabol *a.* ↑ metabolisch.

metabolisch [metabó:lɪʃ] 《gr.》 *a.* 변화하는;〖動〗변태의;〖生〗신진 대사의.

Metabolismus *m.* -〖生〗신진〔물질〕 대사.

Metagenese *f.* -n〖生〗세대 교번.

Metageschäft [metá..] 《it. metà, „Hälfte"》 *n.* -(e)s, -e〖商〗(손득(損得)을 균분하는) 공동 경영, 공동 계산 사업.

Metakritik [metakrití:k, mé:takriti:k] *f.* 메타 비평, 비평의 비평.

Metalepse *f.* -n, **Metalepsis** *f.* ..sen [..lɛ́psən]〖修〗대체 용법.

***Metall** [metál] 《gr. -lat.》 *n.* -s, -e ① 금속: ein edles ~ 귀금속; ~ aus dem Erz herausschmelzen 광석에서 금속을 녹여내다. ② 금속적인 울림, 금속음: ihre Stimme hat ~ 그녀의 음성은 새된 소리가 난다. ③〖紋〗문장(紋章)의 금속색.

Metall=ader *f.*〖광산〗금속 광맥. **~arbeiter** *m.* 금속 산업 근로자. **~bearbeitung** *f.* 금속 가공. **~beschlag** *m.* 금속 장식. **~beschreiber** *m.* 금속학자. **~blatt, ~blättchen** *n.* 금속박(箔). **~blech** *n.* 금속판. **~block** *m.* 금속괴(塊). **~butter** *f.*〖化〗염화 금속. **~detektor** *m.* 금속 탐지기. **~draht** *m.* 철사.

metallen [metálən] 《<Metall》 *a.* ① 금속(제)의: ~e Knöpfe〔Gefäße〕 금속제 단추〔용기〕;〔비유〕diese Titelverleihung hat einen ~en Beigeschmack 이 칭호는 뇌물을 주고 얻은 것이다. ② 금속성 소리의, 울림이 좋은: ein ~er Klang 금속성 소리.

Metaller [metálər] *m.*〔구어〕금속 산업 근로자.

Metall·faden *m.* 〖전기〗 금속 필라멘트, 금속실. **~faden·lampe** 〖전기〗 금속 필라멘트 전구. **~farbe** *f.* 금속색, 청동색. **~färbung** *f.* 금속 착색술. **~feder** *f.* 금속펜. **~folie** *f.* 금속박지(箔紙). **~gehalt** *m.* 〖기술〗 금속 함유량. **~geld** *n.* 금속 화폐, 정금(正金), 경화(硬貨). **~gemisch** *n.* 합금. **~gießer** *m.* 금속 주물공. **~gießerei** *f.* 금속 주조술; 금속 주물 공업〔공장〕. **~glanz** *m.* 금속 광택. **~guß** *m.* 금속 주조; 금속 지질 주물. **~haltig** *a.* 금속을 함유한.

metallic *a.* 금속빛의.

Metall·industrie *f.* 금속 공업.

Metallisation [..zatsió:n] *f.* -en 〖지질〗 금속화(化); 〖工〗 금속 도장〔피복〕법〔술〕; (고무의) 경화(硬化).

metallisch *a.* ① 금속(성)의; 금속 모양의; 금속을 함유한. ② 음향이 좋은, 쩌렁쩌렁 울리는.

metallisé [..zé:] 《frz.》 *a.* ↑ metallic.

metallisieren *t.* 금속화시키다, …에 금속을 피복〔도장〕하다; (고무를) 경화하다.

Metallisierung *f.* -en 금속화; 경화.

Metallismus *m.* - 〖經〗 (화폐의) 금속주의, 금속학설.

Metall·keramik *f.* 〖제련〗 ↑ Pulvermetallurgie. **~knopf** *m.* 금속 단추. **~könig** *m.* 〖化〗 피(鈹)(용광로 밑에 괴는 금속성의 덩어리). **~kunde** *f.* 금속〔야금〕학. **~kundler** *m.* 금속학자, 금속 전문가. **~legierung** *f.* 합금. **~lehre** *f.* ↑ ~kunde.

Metallogie *f.* ↑ Metallkunde.

Metallographie [metalo..] 《gr.》 *f.* ① 금속학. ② 〖印〗 금속 평판(平板)(술), 금속 인쇄술. ③ (오늘날) 금속 조직학.

Metalloid [..í:t] 《gr.》 *n.* -(e)s, -e 〖化·구식〗 비금속, 준(準)금속.

Metall·oxid *n.* 〖化〗 금속 산화물. **~oxyd** *n.* ↑ ~oxid. **~probe** *f.* 시금(試金). **~plastik** *f.* 금속 조각(彫刻). **~schnitt** *m.* 〔그래픽〕 ① 전기(동)판용 금속판. ② 전기(동)판용 금속판을 인화한 것. ③ 금박으로 된 책의 절단면. **~schutz** *m.* 금속 보호(제). **~überzug** *m.* 도금(鍍金).

Metallurg [metalʊ́rk] 《gr.》 *m.* -en, -en 야금학자, 금속 가공 전문가.

Metallurge *m.* -n, -n ↑ Metallurg.

Metallurgie [metalʊrgí:] *f.* -n [..gí:ən] 야금(학).

metallurgisch *a.* 야금(학)의.

metall·verarbeitend *a.* 금속 가공의: die ~e Industrie 금속 가공 산업. **≈versetzung** *f.* 합금. **≈vorrat** *m.* 〖經〗 지금(地金). **≈waren** *pl.* 금속 제품, 쇠붙이. **≈zeit** *f.* 금속(청동 및 철기) 시대.

metamorph [metamɔ́rf] 《gr.》 *a.* 변형의, 변태의; 〖지질〗 변성의: ~e Gesteine 변성암.

metamorphisch *a.* ↑ metamorph.

Metamorphose [..fó:zə] 《gr.》 *f.* -n ① 〖지질〗 (암석의) 변성. ② 〖動〗 (곤충의) 변태, 탈바꿈. ③ 〖植〗 (식물 조직의) 변태. ④ 〖신화〗 변신. ⑤ 〔복수〕〖음악〗 변주곡. ⑥ 〔교양〕 변화, 변형.

metamorphosieren *t.* 〔교양〕 변형〔변태·변성〕하다.

Metaphase *f.* -n 〖유전〗 (세포의) 유사(有絲) 핵분열 중기(中期).

Metapher [metáfər] 《gr.; 원뜻 „übertragen"》 *f.* -n 〖修〗 은유, 메타포.

Metaphorik *f.* 〖修〗 ① 은유법, 은유의 사용. ② 텍스트에 사용된 은유.

Metaphoriker *m.* -s, - 비유〔은유〕를 사용하는 사람.

metaphorisch *a.* 〖修〗 은유적인.

Metaphrase [metafrá:zə] 《gr.》 *f.* -n ① 〖문학〗 (운문을 산문으로 낱말에 충실하게 번역하는) 산문역(散文譯). ② 〖修〗 (동의어를 이용한) 단어의 반복적 설명.

metaphrastisch *a.* ① 〖문학〗 직역의, 산문역의. ② 〔교양〕 다르게 표현하는, 바꿔 쓰는.

***Metaphysik** [metafyzí:k] 《gr. metá》 *f.* -en 〖哲〗 ① 형이상학. ② 형이상학을 기술한 저서; die ~ des Aristoteles 아리스토텔레스의 형이상학.

Metaphysiker [..fí:] *m.* -s, - 형이상학자.

metaphysisch [..fí:] *a.* ① 형이상(학)의. ② 초감각적인.

Metaplasmus *m.* -, ..men 〖修〗 어형 변이.

Metapsychik [..psý:çɪk] *f.* ↑ Parapsychologie.

metapsychisch [..psý:çɪʃ] *a.* 심령술의, 심령술적인.

Metapsychologie [..psy:ço..] *f.* 〖心〗 ① 초심리학. ② 심령학(Parapsychologie).

Metasprache *f.* -n ① 〖언어학〗 (↔ Objektsprache) 상위 언어, 메타 언어. ② 〔컴·인공지능〕 (어떤 언어의 기계적 번역에 사용되는) 공식 프로그램 언어.

Metastase [metastá:zə] 《gr.》 *f.* -n ① 〖병리〗 (병소·암세포 따위의) 전이(轉移). ② 〖修〗 책임을 전가시키는 말투.

metastasieren *i.* (h.) 〖병리〗 (암세포 따위가) 퍼지다, 전이하다.

metastatisch *a.* 〖병리〗 전이(성)의.

Metathese [metaté:zə] 《lat.》 *f.* -n 〖언어학〗 자위(字位)〔음위(音位)〕 전환(보기: Brennstein 대신 Bernstein).

Metathesis [metá(:)tezɪs] *f.* ..thesen [..té:zən] ↑ Metathese.

Metatropismus *m.* 〖心〗 이성(異性)의 감정으로 전환되는 현상(남성의 여성화, 여성의 남성화 따위).

metazentrisch *a.* 〖조선〗 (배 따위의) 기울기 중심〔경심(傾心)〕의.

Metazentrum [metatsɛ́ntrʊm] 《gr.》 *n.* -s, ..tren 〖物〗 (부체(浮體)의) 기울기의 중심, 기울심, 경심(傾心).

Metazoon *n.* -s, ..zoen [..tsó:ən] 〖生〗 다세포동물.

Metempsychose [mɛtɛmpsyçó:zə, met|ɛm..] 《gr., „Seelenwanderung"》 *f.* -n 〖宗〗 윤회.

***Meteor** [meteó:r] 《gr.; 원뜻 „in der Luft befindlich"》 *m.*/(드물게) *n.* -s, -e 〖天〗 유성(流星), 별똥(별); 대기 현상: 〔비유〕 mit diesem Lied stieg er wie ein ~ am Schlagerhimmel auf 그는 이 노래로 가요계에서 혜성처럼 떠올랐다.

Meteor·eisen *n.* 〖天〗 운철(隕鐵).

meteorisch *a.* 대기 현상의, 기상의; 유성(流星)의.

Meteorit [..rí:t, ..rít] *m.* -s/-en, -(e)n 〖天〗 유성, 운석.

meteoritisch *a.* 〖天〗 ① 운석의. ② 유성의, 유성과 같은.
Meteorologe [meteoroló:gə] *m.* -n, -n 기상학자.
Meteorologie [..logí:] *f.* -n [..gí:ən] 기상학.
meteorologisch *a.* 기상(학)의.
meteorotrop *a.* 날씨〔기후〕에 따라 제약되는: ~e Krankheiten 날씨와 관련된 질병.
Meteorotropismus *m.* -, ..men 〖醫〗 기상 과민증(기상 인자의 영향에 대한 반응).
Meteor=stein *m.* 운석. **~stern** *m.* 별똥별, 유성.
***Meter** [mé:tər] 《mètre》 *n./m.* -s, - 미터(길이를 재는 단위): der Schnee liegt einen 〔zwei〕 ~ hoch 눈이 1〔2〕미터 높이로 쌓여 있다.
..meter *suf.* ① *n./m.* -s, - "…미터(길이의 단위)"의 뜻(보기: Kilo~ 킬로미터). ② *n.* -s, - "측기·계기"의 뜻(보기: Baro~ 기압계). ③ *m.* -s, -"측정하는 사람"의 뜻(보기: Geo~ 기하학자). ④ *m.* -s, - "특정의 박자, 측정값"의 뜻(보기: Hexa~ 6 운각(韻脚)(의 시구)).
meter=dick *a.* 약 1 미터 두께의, 매우 두꺼운. **~hoch** *a.* 약 1 m 높이의, 매우 높은. **~kerze** *f.* 〖전기·고어〗 미터 촉광(촉광(測光) 단위). **~kilogramm** *n.* 킬로그램미터(1 킬로그램의 중량을 1 미터 높이로 올리는 힘). **~kilogramm-Sekunde-System** *n.* ↑ MKS-System. **~konvention** *f.* (계량 표준의 국제적 통일을 위해 1875 년에 파리에서 체결한) 미터 조약. **~lang** *a.* 1 미터 길이의. **~maß** *n.* 미터자. **~sekunde** *f.* 〖物〗 초속(또는 Sekundenmeter 라고도 함; 약어: m/s). **~system** *n.* 미터법(法). **~tonne** *f.* 〖物〗 천킬로그램미터. **~ware** *f.* 미터로 파는 상품. **~weise** *adv.* ① 미터로, 미터마다〔씩〕. ② 〖구어〗 매우 많이. **~weit** *a.* 1 미터 너비의, 폭이 매우 넓은. **~zentner** *m.* 100 킬로그램.
Methadon 〖마약〗 메타돈.
Methan [metá:n] 《gr.》 *n.* -s 〖化〗 메탄(가스).
Methan·gas *n.* ↑ Methan.
Methanol *n.* -s 〖化〗 메탄올, 메틸알코올.
***Methode** [metó:də] 《gr. méthodos》 *f.* -n ① 방법, 방식, 절차: Lehr~ 교수법: nach einer bestimmten ~ arbeiten 정해진 방법에 따라 작업하다. ② 취급 방식, 계획: ~ haben 계획적〔의도적〕이다; 〖구어〗 was sind denn das für ~n? 그게 대관절 무슨 황당한 태도냐?
Methoden·lehre *f.* 방법론.
Methodik *f.* -en ① 방법론〔학〕. ② 〖교육〗 교육 방법론, 교수법. ③ 실행 방식.
Methodiker *m.* -s, - ① 방법론자. ② 방법 창안자.
methodisch *a.* ① 방법적인. ② 조직적인, 질서 있는.
methodisieren *t.* 〖교양〗 방식화〔조직화〕하다.
Methodismus *m.* -s 〖宗〗 감리교.
Methodist *m.* -en, -en 〖宗〗 감리교도.
Methodisten·kirche *f.* ① 감리교 교회. ② 감리교 교파.
methodistisch *a.* 메서디스트교파의, 감리교파의.
Methodologie *f.* -n [..gí:ən] ① 방법론. ② 교수법.
methodologisch *a.* ① 방법학적〔방법론적〕인. ② 교수법상의.
Methusalah [metú:zala:] *m.* ↑ Methusalem.
Methusalem [metú:zalɛm] 《hebr.》 ① *m.* 〖聖〗 므두셀라(노아(Noah)의 조부로 969 살까지 살았다고 함). ② *m.* -(s), -s 〖구어〗 수명이 아주 긴 사람, 나이가 매우 많은 사람.
Methyl [metý:l] 《gr.》 *n.* -s 〖化〗 메틸.
Methyl=alkohol [metý:l..] *m.* 메틸알코올. **~äther** *m.* 메틸에테르.
Methylen [metylé:n] 《gr.》 *n.* -s 〖化〗 메틸렌.
Methylen·blau *n.* (아닐린 염료의) 메틸렌 블루.
Metier [metié:] 《frz.》 *n.* -s, -s 직업, 일, 장사; 손기술: (sich auf) sein ~ verstehen 손기술을 터득하다; das ist nicht mein ~ 나는 그것을 잘 모른다.
Metist *m.* -en, -en 〖商〗 (합작) 계약 상대.
Metöke [metǿ:kə] 《gr. métoikos》 *m.* -n, -n (고대 그리스의 도시 국가에 정착한) 정치적 권리가 없는 피보호 이방인.
Metonischer Zyklus *m.* 〖天〗 메톤기〔메톤의 주기〕(수학자 이름에서).
Metonomasie [metonomazí:] *f.* -n [..zí:ən] 고유 명사를 외국어로 옮기기.
Metonymie [metonymí:] 《gr.》 *f.* -n [..mí:ən] 〖修〗 환유(換喩) (Wein(포도주) 대신 Traube(포도) 따위).
metonymisch [..ný:mɪʃ] *a.* 〖修〗 환유의.
Metope [metó:pə] 《gr.》 *f.* -n 〖건축〗 메토페(도리아식 건축에서 2 개의 기둥 사이에 낀 네모진 벽면).
Metra, Metren ↑ Metrum 의 복수형.
Metrik [mé:trɪk] 《gr.》 *f.* -en ① 시학, 운율학; 운문 작품. ② 〖음악〗 박절법(拍節法), 절주론(節奏論).
Metriker *m.* -s, - 시학자, 운율학자.
metrisch *a.* ① 운율학의, 운문의. ② 미터(법)의: das ~e System 미터법. ③ 〖음악〗 박절법의.
Metritis [metrí:tɪs] 《gr.》 *f.* ..tiden [..tí:dən] 〖醫〗 자궁염.
Metro [mé:tro, mɛ́t..] 《frz.》 *f.* -s (파리와 모스크바의) 지하철.
Metrologie [metrologí:] 《gr.》 *f.* 도량형학.
Metronom [metronó:m] 《gr.》 *n.* -s, -e 〖음악〗 메트로놈, 박절기(拍節器): Mälzels~ 〔~mälzel〕 멜첼 박절기(박절기의 발명자 J.N. Mälzel 의 이름에서; 약어: M.M.).
Metropole [metropó:lə] 《gr.》 *f.* -n 수도; 대도시; 중심지; 〖宗〗 (그리스 정교의) 수석 대주교좌가 있는 도시.
Metropolis *f.* ..len ↑ Metropole.
Metropolit *m.* -en, -en ① (그리스 정교의) 지방 교구의 대주교. ② 〖가톨릭〗 수석 대주교.
metropolitan *a.* 수석 대주교의.
Metropolitan·kirche *f.* 수석 대주교 성당.
Metrorrhagie [metrɔragí:] *f.* -n [..gí:ən] 〖醫〗 자궁 출혈.
***Metrum** [mé:trʊm] 《gr. -lat.》 *n.* -s, ..tren [..trən]/..tra ① 〖문학〗 운율. ② 〖음악〗 박자.
Mett [mɛt] 《nordd.》 *n.* -(e)s 저지방의 저민 돼지고기.

Mettage [mɛtáːʒə] «frz.» *f.* -n ①〖印〗(신문의) 조판. ② 조판 작업장.
Mette [mɛ́tə] «lat.» *f.* -n〖가톨릭〗아침 기도, 새벽 미사; 자정 예배.
Metteur [mɛtǿːr] «frz.» *m.* -s, -e〖印〗식자공.
Mett·wurst [mɛ́t..] *f.* ↑ Mett 로 만든 소시지.
Metze[1] [mɛ́tsə] «⇔ messen» *f.* -n ① 메체(옛날 되의 용량 단위)(약 3.44 리터). ② 방앗삯.
Metze[2] *f.* -n 창녀, 매음부.
Metzel·bank [mɛ́tsəl..] *f.* 도살대.
Metzelei [mɛtsəláɪ] *f.* -en 도살; 살육, 학살.
metzeln [mɛ́tsəln] «lat.» *t.* 〔방언〕도살하다; 〔폄어〕살육〔학살〕하다.
Metzel·suppe *f.*〖요리〗소시지 수프, 순대국.
metzen [mɛ́tsən] «I» *t.* ① 도살〔학살〕하다. ② 돌에 조각하다. «II» *i.* (h.) ① 방앗삯을 받다. ② 훔치다.
Metzen·geld *n.* 방앗삯.
Metzg *f.* -en (schweiz.) ↑ Metzge.
Metzge [mɛ́tsgə] *f.* -n (obd.) 정육점; 도살대.
metzgen [mɛ́tsgən] *t.* 도살하다.
***Metzger** [mɛ́tsgər] *m.* -s, - 도축〔정육〕업자.
Metzgerei [mɛtsgəráɪ] *f.* -en 정육점.
Metzger⸗meister *m.* 도축 장인. **~gang** *m.* 〔구어〕헛걸음, 헛수고: einen ~ machen 헛수고〔헛걸음〕하다.
Metzgers·gang *m.* ↑ Metzgergang.
Metzgete [..gətə] *f.* -n (schweiz.) ① 도축일, 도축일의 성찬. ② 갓 잡은 신선한 고기 요리.
Metzler [mɛ́tslər] *m.* -s, - ↑ Metzger.
Meuble·ment [møbləmɑ̃́ː] «frz., „Zimmereinrichtung“» *n.* -s, -s 가구 (설비).
Meuchelei [mɔʏçəláɪ] *f.* -en ① 음모. ② 암살, 불시의 공격.
Meuchel⸗mord [mɔ́ʏçəl..] *m.* 암살. **~mörder** *m.* 암살자, 자객. **~mörderisch** *a.* 암살의: jn. ~ umbringen 누구를 암살하다.
meucheln [mɔ́ʏçəln] «I» *t.* 암살하다. «II» *i.* (h.) 은밀히 책동하다, 음모를 꾀하다.
Meuchler [mɔ́ʏçlər] *m.* -s, -〔고어·폄어〕↑ Meuchelmörder.
meuchlerisch [..lərɪʃ] *a.* ① 암살의. ② 반역적인.
meuchlings [mɔ́ʏçlɪŋs] *adv.* 암살로, 불시의 공격으로; 〔농담〕불시에, 갑자기, 별안간.
Meute [mɔ́ʏtə] «frz.» *f.* -n〖사냥〗사냥개의 떼; 〔구어·농담〕(사람의) 떼, 군중; 〔폄어〕폭도.
Meuterei [mɔʏtəráɪ] *f.* -en 폭동, 반란, 모반: eine ~ niederschlagen 폭동을 진압하다.
Meuterer *m.* -s, - 폭도, 반란자, 모반자.
meuterisch *a.* 폭동〔반란〕을 일으키는; 선동적인, 반항적인.
meutern [mɔ́ʏtərn] *i.* (h.) ① 폭동〔반란〕을 일으키다; 모반〔반항〕하다. ②〔구어〕불만을 표시하다.
MeV =Megaelektronenvolt 백만 전자 볼트.
Mexikaner [mɛksikáːnər] *m.* -s, - 멕시코 사람.
mexikanisch *a.* 멕시코(사람)의.
Mexiko [mɛ́ksiko] ① 멕시코. ② 멕시코의 수도.
Meyer [máɪər] *m.* Conrad Ferdinand ~ 마이어(독일의 소설가, 1825-98).
MEZ =mitteleuropäische Zeit 중부 유럽 표준시.
Mezzane [mɛtsáːnə] «lat.» *f.* -n ↑ Mezzanin.
Mezzanin [mɛtsaníːn] *n.* -s, -e〖건축〗(1-2 층 사이의) 중간층(특히 르네상스, 바로크 또는 고전주의 양식).
Mezzanin·wohnung *f.* (öst.) 중간층의 아파트.
mezza voce [..vóːtʃə] *adv.* 중간〔부드러운〕음으로(약어: m.v.).
mezzoforte [mɛtsofɔ́rtə] *adv.* 메조포르테, 조금 세게(약어: mf).
Mezzogiorno [..dʒɔ́rno] *m.* 메조조르노(시칠리아를 포함한 로마 이남의 이탈리아 남부 지역).
mezzopiano *adv.* 메조피아노, 조금 여리게 (약어: mp).
Mezzosopran [mɛtsozopráːn, mɛ́tso..aːn] *m.* -s, -e〖음악〗메조소프라노; 메조소프라노 가수.
Mezzotinto [..tínto] «it.» *n.* -(s), -s/..ti ①〖畫〗중간색, 바림, 혼합색. ②〖印〗메조틴트 철판(凸版)(일종의 동판술). ③ 메조틴트.
mf =mezzoforte 조금 세게.
μF =Mikrofarad 백만분의 일 패럿.
MG =Maschinengewehr 기관총.
Mg =Magnesium 마그네슘.
mg =Milligramm 밀리그램.
M.-Gladbach =Mönchen-Gladbach.
Mgr =Monseigneur, Monsignore 각하, 예하(猊下).
mhd. =mittelhochdeutsch 중세 독일어의.
m.HH. =meine Herren (연설할 때) 여러분.
m. Hr. =mein Herr 여보세요(사람을 부를 때).
MHz〖컴〗=Megahertz 메가헤르츠.
mi [miː] ① =Meile 마일. ②〖음악〗미(7 음계의 제 3 음).
Mia = ① Maria 마리아(여자 이름). ② Milliarde(n) 십억.
Miasma [miásma] «gr.» *n.* -s, ..men〖醫〗독기(毒氣)(대기 중에 있는 전염병독).
miasmatisch *a.* ① 독성의. ② 전염성의.
miau [miáʊ] *int.* 야옹(고양이 우는 소리).
miauen [miáʊən] *i.* (h.) (고양이가) 야옹야옹 하고 울다.
***mich** [mɪç] *prn.* ↑ ich(ich 의 4 격 인칭 대명사·재귀 대명사): er kennt ~ 그 사람은 나를 알고 있다; er grüßte ~ nicht 그는 내게 인사하지 않았다; ich kenne ~ (selbst) 나는 나 자신을 알고 있다; ich freue ~ 나는 기쁘다; ich wasche ~ 나는 몸을 씻는다; ich setzte ~ 나는 앉았다.
Michael [míçaeːl, ..çaɛl] «hebr.» *m.* ①〖聖〗미카엘(천사장의 이름). ② 미카엘(남자 이름).
Michaeli [mɪçaéːli] *n.* -〖宗〗미카엘제(祭) (9 월 29 일).
Michaelis *m.* ↑ Michaeli.
Michaels⸗fest *n.* 미카엘제. **~tag** *m.* 미카엘제일(祭日)〔기념일〕.
Michel [míːçəl] *m.* ① 미헬(남자 이름). ② -s, - 야인(野人); 농부; 우인(愚人): der deutsche ~ 우직한 독일인(우직·둔중·인내 등

의 성품을 나타내는 독일 사람의 별명).
Michels·tag *m.* ↑ Michaelstag.
Michigan [míʃigən] 미시건주(미국 오대호 지방의 주).
Michigan·see *m.* 미시건호.
Micker [míkər] *m./n.* -s, -(n) 〔방언·구식〕 ↑ Mickerfett.
Micker·fett *n.* 〔방언〕 도살용 가축의 내장 주위의 지방층.
mickerig [míkərıç] 《ndd.》 *a.* ① 초라한, 가엾은; 병든, 허약한. ② 인색〔옹색·빈약〕한.
Mickerigkeit *f.* 가엾음, 초라.
mickrig *a.* ↑ mickerig.
Mickrigkeit *f.* ↑ Mickerigkeit.
Midas [mí:das] *m.* 〖그리스신화〗 미다스(당나귀 귀를 가졌다는 프리지아의 왕).
Midas·ohren 〔복수〕 〔교양〕 당나귀 귀.
Midder [mídər] *n.* -s, - 〔방언〕 송아지 지라(요리).
Mid·gard [mítgart] *m.* -s 〖북구신화〗 인간의 세계, 이 세상, 대지.
Midgard·schlange *f.* ① 〖북구신화〗 지구를 휘감고 있다는 큰 뱀〔괴물〕. ② 바다의 상징.
midi [mí:di, mídi] *a.* 중간 길이의.
Midi *n.* -s, -s 무릎 길이(의 의복), 미디.
Midianiter *m.* -s, - 미디안(구약 성서에 나오는 북아랍족).
Midi⸗kleid *n.* 미디(옷). **~mantel** *m.* 미디 외투. **~mode** *f.* 미디 모드.
Midinette [midinέt] 《gr.》 *f.* -n [..tən] ① 파리의 근로 여성, 재봉사, 여자 점원. ② 〔구식〕 경박한 처녀, 창녀.
Midlifecrisis 新정서 ⇦ Midlife-crisis.
Midlife-Crisis 新정서 ⇦ Midlife-crisis.
Midlife-crisis [mídlaıfkráısıs] 《engl.》 *f.* 중년의 위기.
Midship·man [mídʃıpmən] 《engl.》 *m.* -s, ..men (북아메리카의) 해군 장교 후보생; (영국의) 최하급 장교.
mied [mi:t] ↑ meiden 의 과거형.
miede [mí:də] ↑ meiden 의 접속법 Ⅱ식.
Mieder [mí:dər] *n.* -s, - ① 코르셋. ② (남독 민속 의상의) 코르셋형 여성 조끼.
Mieder⸗hose *f.* 코르셋 바지. **~waren** *pl.* 코르셋 의류.
Mief [mí:f] 《nordd.》 *m.* -(e)s ① 〔구어〕 나쁜〔탁한〕 공기. ② 〔비유〕 숨막히는 분위기.
miefen [mí:fən] (nordd.) *i.* (h.) 나쁜〔고약한〕 냄새가 나다; 으르렁거리다; 훌쩍훌쩍 울다; 한탄하다.
miefig *a.* 고약한 냄새가 나는.
Mieke [mí:kə] (ndd.) *f.* 〔↑ Marie 의 애칭〕 미케(여자 이름).
***Miene** [mí:nə] 《frz. mine.》 *f.* -n 표정, 안색; 용모, 풍채, 외모, 생김새: jm. eine finstere 〔saure〕 ~ machen 찌푸린 얼굴을 하다; er machte keine ~ aufzustehen 그는 일어날 기색을 보이지 않았다; ohne eine ~ zu verziehen 태연자약하게, 표정 하나 바꾸지 않고; sich³ die ~ geben, als ob ... …인 체하다; gute ~ zum bösen Spiel machen 싫은 일을 당해도 불쾌한 기색은 안 보이다.
Mienen⸗deuter *m.* 관상쟁이. **~deuterei, ~kunde** *f.* 인상학(人相學), 관상술. **~spiel** *n.* 표정 연기, 표정술. **~sprache** *f.* 표정; 무언극; 눈짓.
Miere [mí:rə] *f.* -n ① 〖動〗 (ndd.) 개미. ② 〖植〗 별꽃.
Mies[1] [mi:s] ① 〔Marie 의 애칭〕 미스(여자 이름). ② *f.* -en ↑ Miez(e).
Mies[2] *n.* -es, -e (obd.) ① 소택지. ② 이끼. ③ 〔구어〕 돈.
mies 《hebr.》 *a.* 싫은, 더러운; 나쁜; 불쾌한, 활기 없는; 무가치한: ~es Wetter〔Essen〕 악천후〔형편없는 음식〕; ~e Laune 불쾌한 기분.
Mieschen [mí:sçən] *n.* -s, - ↑ Mies[1] 의 축소형.
Miese·katze *f.* ↑ Miezekatze.
Miese [mí:zə] *f.* -n ① 1 마르크 동전. ② 〔복수로만〕 적자: in den ~n sein 은행 잔고가 마이너스가 되다, 〖카드〗 감점을 받다; in die ~n kommen 빚지다.
Miese⸗peter *m.* 불평가. **⸗petrig** *a.* 불평만 하는. **~peterig** *a.* ↑ ~petrig.
mies|machen *t.* (h.) 헐뜯다, 비방하다: jm. et. ~ 누구의 무엇을 헐뜯다. **⸗macher** *m.* 헐뜯기 잘 하는 사람, 혹평가. **⸗macherei** *f.* 〔구어·폄어〕 헐뜯기.
Mies·muschel *f.* 〖動〗 섭조개.
Miet⸗ausfall [mí:t..] *m.* 임대료 부족액. **~auto** *n.* ① 임대차(車), 렌터카. ② 택시.
mietbar *a.* 임차할〔빌릴〕 수 있는.
Miet⸗besitz *m.* 차지(借地). **~dauer** *f.* 임(대)차 기간.
***Miete**[1] [mí:tə] *f.* -n ① 임대차(借), 임대차 계약; 세들기, 세내기: zur ~ geben 임대하다; bei jm. zur ~ wohnen 누구 집에 세들고 있다; in ~ nehmen 임차하다. ② 임대〔임차〕료; 집세, 방세: die ~ bezahlen 집세〔방세〕를 내다; 〔구어〕 kalte ~ 난방비가 포함되지 않은 집세〔방세〕; 〔구어〕 warme ~ 난방비가 포함된 집세〔방세〕; das ist schon die halbe ~ 그러면 일은 벌써 반쯤 성사된 것이다.
Miete[2] 《lat.》 *f.* -n 〖農〗 곡식 더미, 가리; (감자의 저장용) 구덩이.
Miete[3] (ndd.) *f.* -n 〖動〗 구더기.
miete·frei *a.* 임대료 없는, 무료의.
Miet⸗einnahme *f.* 임대료 수입.
***mieten**[1] [mí:tən] *t.* 임차하다, 빌리다; ein Haus〔Schiff〕 ~ 집을〔배를〕 세내다. ② 〔구식〕 임시로 고용하다.
mieten[2] *t.* 〖農〗 (감자를) 저장용 구덩이에 넣다.
Miet·entschädigung *f.* 임차료 손해 배상(금).
Mieter [mí:tər] *m.* -s, - 임차인.
Miet·erhöhung *f.* 임대료 인상.
Mieterschaft *f.* -en 〔총칭〕 임차인, 세입자.
Mieter⸗schutz *m.* 임차인〔세입자〕 보호. **~schutz·gesetz** *n.* 임차인 보호법.
Miet⸗ertrag *m.* 임대〔집세〕 수입. **⸗frei** *a.* 임대료가 없는, 집세를 내지 않는. **~fuhre** *f.* 전세 마차. **~geld** *n.* 〔고어〕 ↑ Miete[1]. **~gesetz** *n.* 〖法〗 임대차법. **~haus** *n.* ↑ Mietshaus. **~kaserne** *f.* ↑ Mietskaserne. **~kauf** *m.* 〖法〗 임대 분양. **~kontrakt** *m.* ↑ ~vertrag. **~kutsche** *f.* 임대 마차. **~leute** *pl.* (한 아파트의) 임차인〔세입자〕들.
Miet·ling [mí:tlıŋ] *m.* -s, -e 〔고어〕 임시 고용한 머슴; 〖軍〗 용병; 하수인.
Mietlings·schar *f.* 〖軍〗 용병대.

Miet·lohn *m.* ① ↑ Miete[1] ②. ② 하인의 급료. **~partei** *f.* (같은 건물내의) 세입자[세든] 가구. **~pferd** *n.* 세놓는 말. **~preis** *m.* ↑ Miete[1] ②. **~recht** *n.* 임대차법. **~regelung** *f.* 임대 규정.
Miets·haus *n.* 셋집. **~kaserne** *f.* 임대 아파트 단지.
Miet·spiegel *m.* 임대료 현황표. **~steigerung** *f.* ↑ ~erhöhung. **~streitigkeiten** *pl.* 임대료 분쟁. **~truppen** *pl.* 용병 부대. **~verlust** *m.* 임대료 손실. **~vertrag** *m.* 임대차 계약. **~wagen** *m.* 렌터카. **~weise** *adv.* 임차로, 빌려서. **~wert** *m.* 임대차 가격. **~wohnung** *f.* 셋집, 셋방. **~wucher** *m.* 임대료 폭리. **~zahlung** *f.* 임대료 지불. **~zeit** *f.* 임대차 기한. **~zettel** *m.* "세놓음"이라 써 붙인 종이. **~zins** *m.* 임대 이자; 집세, 임대료.
Miezchen [mí:tsçən] *n.* -s, - ↑ Miez(e)의 축소형.
Miez [mí:ts] *f.* -en ↑ Mieze ①.
Mieze [mí:tsə] *f.* -n ① 암고양이의 애칭; 암고양이. ②〔경박〕소녀, 계집애.
Mieze·kätzchen *n.* 새끼 암고양이. **~katze** *f.* ① 암고양이. ② ↑ Mieze ②.
miezeln *i.* (h.) 애무하다, 추어올리다; 어리광 부리다, 희롱하다.
MiG *f.* -(s) 미그기(소련제 전투기).
MIGA = Multilateral Investment Guarantee Agency 국제 투자 보증 기구.
Mignon [mɪnjɔ̃:, mínjɔ̃:] 《frz.》《I》 *f.* 미뇽(여자 이름). 《II》①〔구식〕*m.* -s, -s 애인, 총아. ②〖印〗 7포인트 활자.
Mignonette [mɪnjɔnɛ́tə] *f.* -s 얇은 마연사(麻撚絲) 레이스; 소형 봉합지.
Mignon·fassung *f.* 전구 소켓.
Mignonne [mɪnjɔ́n] *f.* -s ① 총아, 애인. ②〖印〗 7포인트 활자.
Migräne [migrɛ́:nə] 《frz.》 *f.* 〖醫〗 편두통.
Migrant *m.* -en, -en 〖사회〗 이주자.
Migration [migratsió:n] 《lat.》 *f.* -en ① 이동, 이주, 거주지 변경. ②〖지질〗(천연 가스나 석유의) 이동.
migratorisch *a.* 이주하는; 유랑하는.
migrieren [migrí:rən] *i.* (h.) 이주하다.
Migros [mí:gro] 《frz.》 *f.* 미그로(스위스의 판매 조합).
Mijnheer [mənéːr] 《ndl., „mein Herr"》 *m.* -s, -s〔폄어〕네덜란드인.
Mika [mí:ka] 《lat.》 *f.* 〖광물〗 운모; 백운모; 금운모.
Mikado[1] *m.* -s, -s 미카도(일본 왕에 대한 옛 호칭); (미카도 놀이의) 가장 끗수 높은 막대.
Mikado[2] *n.* -s, -s 미카도 놀이.
Miko *m.* -, -s 열등감(Minderwertigkeitskomplex 의 약어).
mikro.. 《gr., „klein.."》 *pref.* "미(微)·소(小)·세(細)" 등의 뜻(보기: ~bie 미생물).
Mikrobe [mikró:bə] *f.*, **Mikrobie** [..biə] *f.* ..bien [..biən] ↑ Mikroorganismus.
mikrobiell [mikrobiɛ́l] *a.* 〖生〗 미생물의.
Mikrobiologie *f.* 미생물학.
Mikrochemie *f.* 미량 화학.
Mikrochip *m.* -s, -s 마이크로칩.
Mikrocomputer *m.* -s, - 마이크로컴퓨터.
Mikroelektronik *f.* 마이크로 전자 공학.
Mikrofarad *n.* -(s), -〖전기〗 100만분의 1 패럿.
Mikrofauna *f.* 미생물 동물군.
Mikrofiche [..fi:ʃ] *m./n.* -s, -s 마이크로피시, 마이크로필름 카드.
Mikrofilm *m.* -(e)s, -e 마이크로필름.
Mikrofon *n.* -s, -e ↑ Mikrophon.
Mikrofotografie [(또는) mí:..fi] *f.* ① 현미경 사진술. ② 현미경 사진.
Mikrogramm *n.* -s, -e 마이크로그램(100만분의 일 그램).
mikrokephal *a.* ↑ mikrozephal.
Mikrokephale *f.* ↑ Mikrozephale.
Mikroklima *n.* -s, -s/-te〖生〗미기후(微氣候).
Mikrokokkus *m.* -, ..ken〖生〗구균(球菌).
Mikrokopie *f.* -n [..pí:ən] 축소 복사.
mikrokosmisch *a.* 소우주의.
Mikrokosmos [mikrokɔ́smɔs, mí:krokɔsmɔs] *m.* - ①〖生〗미생물의 세계. ②〖哲〗(↔ Makrokosmos) 소우주, 인간. ③〖物〗미량물리학의 영역.
Mikrokosmus *m.* ↑ Mikrokosmos.
Mikrometer *m./n.* -s, - 마이크로미터(100만분의 1미터).
Mikron [mí:krɔn] *n.* -s, - 미크론(밀리미터의 천분의 1, 미터의 100만분의 1).
Mikronesien [mikroné:ziən] 미크로네시아(태평양상의 군도).
Mikronesier *m.* -s, - 미크로네시아 사람.
mikronesisch *a.* 미크로네시아의.
Mikroorganismus *m.* -, ..men〖生〗미생물.
***Mikrophon** [..fó:n, mí:krofo:n] *n.* -s, -e 확성기: ins ~ sprechen 마이크에 대고 말하다.
Mikrophotographie [(또는) mí:..fi:] *f.* ↑ ~fotografie.
Mikrophysik *f.* 미소체 물리학.
Mikrophyt [..fý:t] *m.* 식물성 미생물.
Mikroprogramm *n.* -s, -e 소형 프로그램.
Mikroprozessor [..protsɛ́ɔr, ..so:r] *m.* -s, -en [..só:rən] 마이크로프로세서(초소형 연산처리 장치).
mikroseismisch *a.* ① 극미 진동설의. ② (지진을) 측정기로만 감지할 수 있는.
***Mikroskop** [mikroskó:p, ..rɔ..] *n.* -s, -e〖物〗현미경.
Mikroskopie *f.* 현미경 사용, 현미경적 검사[연구], 검경(법)(檢鏡(法)).
mikroskopieren *t.* 현미경으로 보다[확대하다].
mikroskopisch *a.* 현미경(적)인, 극미(極微)한; 현미경을 사용하는.
Mikrospore *f.* -n〖植〗작은 홀씨, 소포자(小胞子).
Mikrosystem·technik *f.*〖工〗초소형 기계 제작 기술.
Mikrotom *n./m.* -s, -e〖物〗마이크로톰.
Mikrowelle *f.* -n〖전기〗극초단파.
Mikrowellen·gerät *n.*, **~herd** *m.* 전자 레인지.
Mikrozensus *m.* -, - 분기별 인구(및 생업 활동) 조사.
mikrozephal *a.*〖醫〗비정상적으로 두개골이 작은, 소두(小頭)의.
Mikrozephale* *der/die* 비정상적으로 두개

골이 작은 사람.
Mikrozephalie *f.* -n [..lí:ən] 〖醫〗 이상 소두(小頭)(증).
Milan [mí:lan, milá:n] 《gr.》 *m.* -s, -e 〖動〗 솔개.
Milbe [mílbə] *f.* -n 〖動〗 진드기.
milbig *a.* 진드기투성이인, 진드기 같은.
***Milch** [mılç] *f.* ① 우유; 젖, 모유: gestandene ~ 응고된 우유; 〔비유〕 wie ~ und Blut aussehen 매우 건강해 보이다, 생기발랄하다; (nordd.) nicht viel in die ~ zu brocken haben 검소〔가난〕하게 살다. ②〖植〗 수유(樹乳), 유액(乳液); 〖醫〗 유제(乳劑). ③〖動〗(↔ Rogen) 이리, 어정(魚精). ④ 밀크 로션.
Milch⸗ader *f.* 〖해부〗 유(선맥)관(乳(腺脈)管). **~artig** *a.* 젖 같은. **~bar** *f.* 유제품 판매 카페. **~bart** *m.* ① 처음 난 수염. ②〔비유〕 풋내기, 소년. **~brei** *m.* 우유죽. **~brot, ~brötchen** *n.* 우유빵. **~bruder** *m.* 〔고어〕 ① 젖형제. ② 우유 든 음식물을 좋아하는 사람. **~diät** *f.* ↑ ~kur. **~drüse** *f.* 〖해부〗 유선(乳腺); (포유 동물의) 젖통이. **~eimer** *m.* 우유통. **~eis** *n.* 우유 아이스 크림. **~ei·weiß** *n.* 우유 단백질.
milchen [mílçən] 《Ⅰ》 *i.* (h.) ① (가축이)젖을 내다: ~de Kühe 젖소. ②〖植〗 유액을 내다. 《Ⅱ》 *a.* ① (소 따위가) 젖이 나는; 우유로 된. ②〖動〗 이리가〔어정(魚精)이〕 있는. ③ 젖 모양의.
Milcher *m.* -s, - ①〖動〗 물고기의 수컷. ② 거세한 젖소용 송아지. ③ 우유 판매업자. ④〔방언〕 ↑ Melker.
Milch⸗fabrik *f.* 〔경박〕 유방. **~farbe** *f.* 우윳빛. **~fieber** *n.* 〖醫〗 유열(乳熱). **~flasche** *f.* ① (아이의) 젖병. ② (판매용) 우유병. **~frau** *f.* 젖 짜는 여자, 우유 파는 여자. **~gebend** *a.* 젖을 내는. **~gebiß** *n.* 〖해부〗 젖니. **~gefäß** *n.* ① 우유통. ②〖해부〗 유미관(乳糜管). **~geschäft** *n.* ① 유제품 상점. ②〔경박〕 유방. **~gesicht** *n.* 〔비유〕 ↑ ~bart ②. **~glas** *n.* ① 우유잔. ② 젖빛 유리. **~güteprober** *m.* 검유기(檢乳器). **~haar** *n.* 처음 나는 털, 솜털.
milchhaft *a.* ↑ milchig.
milch⸗haltig *a.* 젖을 포함한. **~handel** *m.* 우유 장사. **~händler** *m.* 우유 장수. **~haus** *n.* 우유 가게. **~hof** *m.* 우유 검사소.
milchicht 〔고어〕, **milchig** [mílçıç] *a.* ① 젖의, 젖 같은. ② 젖을 포함한, 젖이 많은. ③〖動〗 이리를 갖고 있는; 〖植〗 유액을 갖고 있는.
Milch⸗kaffee *m.* 우유가 든 커피. **~kalb** *n.* 젖을 떼지 않은 송아지. **~kännchen** *n.* 〔↑ ~kanne 의 축소형〕 우유 캔〔깡통〕. **~kanne** *f.* 우유통; 우유 단지. **~kost** *f.* 우유 식품. **~krug** *m.* 우유 단지. **~kuh** *f.* 젖소. **~kur** *f.* 우유 요법. **~lampe** *f.* 우윳빛 전구.
Milchling [mílçlıŋ] *m.* -s, -e ① 젖먹이. ②〔방언〕 ↑ Milchner. ③〖植〗 외꽃버섯속(屬), 느타리버섯의 일종.
Milch⸗mädchen *n.*, **~magd** *f.* 젖 짜는 소녀. **~mädchen·rechnung** *f.* 잘못된 전제에 입각한 계산, 희망적 관측, 오산: das ist die reine ~ 그것은 전혀 오산이다, 독장수셈이다. **~mangel** *m.* (산모의) 젖 부족. **~mann** *m.* 우유 장수〔배달부〕. **~messer** *m.* ↑ Galaktometer. **~mix·getränk** *n.* 우유 혼합 음료. **~napf** *m.* 우유 단지〔사발〕. **~napfschnecke** *f.* 〖動〗 달팽이의 일종.
Milchner [mílçnər] *m.* -s, - 〖動〗 물고기의 수컷(↔ Rogener).
Milch⸗opal *m.* 〔광물〕 유단백석(乳蛋白石). **~produkt** *n.* 유제품. **~pulver** *n.* 분유. **~pumpe** *f.* 착유기. **~quote** *f.* 〔축산〕 우유 쿼터제(가격 보장 제도의 일종). **~rahm** *m.* 유지(乳脂), 크림. **~reich** *a.* 젖(유즙(汁)·유액)이 많은. **~reis** *m.* 우유 쌀죽(또는 그 용도로 가공된 쌀). **~saft** *m.* ①〖植〗 유액. ②〖生〗 유미(乳糜). **~sauer** *a.* 〖化〗 젖산의. **~säure** *f.* 〖化〗 젖산. **~säure·bakterien** *pl.* 젖산균. **~schorf** *m.* 〖醫〗 영아 습진. **~schwester** *f.* ① 젖 자매. ② 우유가 든 음식물을 좋아하는 여자. **~seihe** *f.*, **~seiher** *m.* 우유 여과기. **~speise** *f.* 우유 음식. **~star** *m.* 〖醫〗 백내장, 유색 내장안(乳色內障眼). **~stern** *m.* 〖植〗 백합의 일종, 까치무릇속(나릿과). **~straße** *f.* 〖天〗 은하(계). **~suppe** *f.* 우유가 든 수프. **~suppen·gesicht** *n.* 창백한 얼굴(의 사람). **~topf** *m.* 우유 단지. **~tuch** *n.* ↑ ~seihe. **~tüte** *f.* 우유팩. **~vieh** *n.* 젖을 내는 가축. **~waage** *f.* 우유 비중계, 유즙계. **~wärmer** *m.* 온유기(溫乳器). **~warze** *f.* 젖꼭지. **~wein** *m.* ↑ Kefir, Kumyß. **~weiß** *a.* 유백색의. **~wirtschaft** *f.* ① 낙농장, 착유장. ② 낙농업, 착유업. **~zahn** *m.* 〖해부〗 젖니. **~zucker** *m.* 〖化〗 유당, 락타아제.
***mild** [mılt] *a.* ① (성질·기후가) 온화한; (말이) 온화〔온후·온순〕한, 상냥한, (빛·색·바람 따위가) 부드러운, 심심한, 담백한, (맛이) 순한; (과일·포도주가) 잘 익은; 관대한; 친절한; 자극성이 없는, 독하지 않은: das ~e Klima 온화한 기후; ~er Tabak 순한 담배; ein ~es Spülmittel verwenden 자극성이 없는 세제를 사용하다; ein ~es Urteil 관대한 판결; 〔구식〕 um eine ~e Gabe bitten 자비로운 적선을 요청하다. ② 인심이 좋은; 자비로운, 동정심이 있는, 자선의: ~ gegen jn. vorgehen 누구에 대해 관대하다; seine ~e Hand auftun 자선을 행하다.
Milde *f.* ① 온화, 온후, 온순, 관대, 친절; 부드러움; 자극성이 없음, 순한 맛: ~ walten lassen 자비를 베풀다; christliche ~ 기독교적 관용; die ~ des Klimas〔Kognaks〕 온화한 기후〔코냑의 순한 맛〕. ② 후함, 자비심: ~ gegen die Armen 빈민에 대한 자비심.
milde *a.* ↑ mild.
***mildern** [míldərn] 《Ⅰ》 *t.* ① 부드럽게 하다, 완화하다, 알맞게 하다, 경감하다, 진정시키다, 약하게 하다: den Schmerz ~ 통증을 누그러뜨리다; eine Strafe ~ 감형하다; js. Zorn〔Erregung〕 ~ 누구의 화를〔흥분을〕진정시키다. ②〖藥〗 달게 하다; 〖化〗 (산을) 중화하다. 《Ⅱ》 *refl.* sich ~ 누그러지다, 진정되다; 가라앉다; 온화해지다: das Wetter mildert sich 날씨가 온화해진다.
mildernd *p.a.* 완화하는: 〖藥〗 ~es Mittel 완화제(劑); 〖法〗 ~e Umstände 참작해야 할 정상.
Milderung *f.* 완화, 유화; 경감; 진정; 〖化〗 중화.
Milderungs⸗ausdruck *m.* 〖修〗 완곡한 표현; 완곡 어법. **~grund** *m.* 〖法〗 경감 사유.

~mittel *n.* 〖醫〗 완화제.
mild≈gesinnt *a.* 온후〔온화〕한, 자비심 많은. **~herzig** *a.* 친절한, 자비심이 많은. **≈-herzigkeit** *f.* ↑ ~ herzig 의 명사형. **~-tätig** *a.* 자비심이 많은, 자선을 베푸는. **≈-tätigkeit** *f.* 인자, 자선.
Miliar·tuberkulose [miliá:r..] 《lat.》 *f.* 〖醫〗 속립성(粟粒性) 결핵(증).
*__Milieu__ [miliǿ:] 《frz.》 *n.* -s, -s ① (사회적) 환경, 처지; 배경; 〖生〗 (동식물의) 생활권, 환경. ② (특히 스위스의) 사창가 (환경). ③ (öst.) 〔구식〕 식탁보.
Milieu≈drama [miliǿ:..] *n.* 〖연극〗 환경극. **~forschung** *f.* 환경 조사〔연구〕. **≈ge-schädigt** *a.* 환경에 의한 피해를 당한. **~-schaden** *m.* 〖心〗 환경 피해(나쁜 가정 환경으로 인한 정신적 상처). **~schilderung** *f.* 환경 묘사. **~theorie** *f.* 〖사회〗 환경설.
militant [militánt] *a.* 전투적〔호전적〕인.
Militanz *f.* 호전성.
*__Militär__ [militɛ́:r] 《lat. miles》 《I》 *n.* -s ① (↔ Zivil) 군대; 군: unter das 〔zum ~〕 ~ gehen 군인이 되다. ② (↔ Bürger) 〖집합적〗 군인, 병사; das ~ einsetzen 군(인)을 투입하다. 《II》 *m.* -s, -s 〖대개 복수〗 장교: ein erfahrener ~ 노련한 장교.
Militär≈abkommen *n.* 군사 협정. **~ad-ministration** *f.* ① 군정. ② 군정청. **~aka-demie** *f.* 〖軍〗 사관 학교. **~anwärter** *m.* 군무원 후보자. **~arzt** *m.* 군의관. **~attaché** *m.* 대사관〔공사관〕의 무관. **~ausgabe** *f.* 군비. **~beamte*** *m.* 군무원. **~behörden** *pl.* 군 당국. **~block** *m.* 군사 동맹〔블록〕. **~-budget** *n.* 국방 예산. **~bündnis** *n.* 군사 동맹. **~dienst** *m.* 병역.
militärdienst≈frei *a.* 병역 면제의. **≈-pflicht** *f.* 병역 의무. **~tauglich** 군복무 자격이 있는. **≈zeit** *f.* 병역 기간.
Militär≈diktatur *f.* 군사 독재. **~eisen-bahn** *f.* 군용 철도. **~etat** [..eta:] *m.* ↑ ~budget. **~flug·hafen** *m.* 군용 비행장. **≈-frei** *a.* 〔드물게〕 병역 면제의. **≈fromm** *a.* 포화에 면역이 된 (말). **~gericht** *n.* 군법 회의, 군사 재판. **~gerichtsbarkeit** *f.* 군사 재판권. **~gesetz** *n.* 군법. **~herrschaft** *f.* 군국주의, 무단 정치. **~hoheit** *f.* (한 국가의) 군권(軍權), 자위권.
Militaria [militá:ria] 《lat.》 *pl.* ① 〔구식〕 군사, 군무. ② 군사 우편(우편물의 표기(標記)); 군 관계 서적.
militärisch [militɛ́:rɪʃ] *a.* 군사〔군대〕의; 군인의; 군대식의, 군인풍의: ein ~er Gruß 거수 경례; ~ begrüßen 거수 경례를 하다; ≈er Abschirmdienst (독일) 보안 부대.
militarisieren *t.* 군대식 제도로 하다, 군대화하다, 군국주의적으로 교육하다; 군국주의화하다.
Militarisierung *f.* ① 무장화, 군사화. ② 군국주의화.
Militarismus *m.* - 〖편어〗 군국주의, 무단 정치.
Militarist *m.* -en, -en 군국주의자, 주전론자.
militaristisch *a.* 군국주의적인.
Militär≈junta *f.* 군사 정부. **~kabinett** *n.* (옛날 프로이센의) 군사 참의원. **~kapelle** *f.* 군악대. **~kranken·haus** *n.* ↑ Lazarett. **~macht** *f.* ① 군사 강국, 강대국. ② 〔드물게〕 국방력. **~marsch** *m.* 군대 행진(곡). **~mission** *f.* 군사 고문단. **~musik** *f.* ① 군악. ② 군악대. **~mütze** *f.* 군모. **~paß** *m.* 병역 수첩. **~person** *f.* 군인, 군무원. **~pflicht** *f.* 병역 의무: seiner ~ genügen 병역 의무를 마치다. **≈pflichtig** *a.* ↑ wehrpflichtig. **~pflichtige*** *der* ↑ Wehrpflichtige. **~poli-zei** *f.* ① 전투 경찰. ② 헌병대(약어: M.P.). **~recht** *n.* 군법. **~regierung** *f.* 군사 정부. **~regime** *n.* 군사 정권. **~schule** *f.* 군사 학교. **~seel·sorge** *f.* 군목의 신앙 상담. **~stand** *m.* 군인 (계급), 군적(軍籍). ~straf·gesetz *n.* (schweiz.) ↑ Wehrstraf-gesetz. **~straf·gesetz·buch** *n.* 육군 형법(집). **~straße** *f.* 군용 도로. **~streife** *f.* 군정찰대. **≈tauglich** *a.* ↑ wehrdiensttaug-lich. **~verein** *m.* 재향 군인회. **~ver-waltung** *f.* ① 군정. ② 군 보급 행정. **~-vorlage** *f.* 〖의회〗 육군 의안(議案). **~-wesen** *n.* 군제, 군사. **~wirtschaft** *f.* 군정, 무단 정치. **~wissenschaft** *f.* 군사학. **~zeit** *f.* 군 복무 기간. **~zug** *m.* 군용 열차.
Miliz [milí:ts, ..líts] 《lat. militia》 *f.* -en 〖軍〗 민병(대).
Miliz·heer *n.* 민병대.
Milizionär [militsionɛ́:r] *m.* -s, -e ① 민병. ② (사회주의 국가의) 교통 경찰.
Miliz≈soldat *m.* 민병. **~system** *n.* 민병 제도.
milk ↑ melken 의 2 인칭 단수 명령형.
milkst ↑ melken 의 2 인칭 단수 현재형.
milkt ↑ melken 의 3 인칭 단수 현재형.
Milke *f.*, **Milken** *m.* -s, - (schweiz.) 송아지 지라(요리).
Mill. = Million(en) 백만.
Mille [mílə, míle] 《lat., „Tausend"》 *n.* -, - 〔구어〕 천 마르크.
Millefiori [mɪlefió:ri] 《it.》 *pl.* 모자이크 글라스.
Millefiori·glas *n.* 모자이크 유리.
Millefleurs[1] [mɪlflœ́:r] *n.* 천화(千花) 무늬.
Millefleurs[2] *m.* 천화 무늬 옷감.
Mille Miglia [(또는) ..mílja] 《it.》 *pl.* 장거리 스포츠카 경주.
Millennium [mɪlɛ́nium] 《lat.》 *n.* -s, ..nien [..niən] 천 년; 〖宗〗 (요한 계시록의) 천년 왕국.
Millenium·feier *f.* 천년 (축)제.
Milleniums·feier *f.* ↑ milleniumfeier.
milli.. 《lat.》 *pref.* "천분의 일"의 뜻.
Milliampere [..pé:r, ..pɛ́:r] *n.* -(s), - 〖전기〗 밀리암페어.
Milliampere·meter *m./n.* 밀리암페어 측정기.
Milliardär [mɪliardɛ́:r] 《frz.》 *m.* -s, -e 억만 장자; 대부호.
*__Milliarde__ [mɪliárdə] *f.* -n 10 억.
Milliarden≈anleihe *f.* (수)십억 마르크의 차관. **~betrag** *m.* (수)십억 마르크의 금액. **~höhe** *f.* (수)십억 마르크의 액수.
Milli≈bar [mɪlibá:r] *n.* 밀리바(기압의 단위). **~gramm** *n.* 밀리〔천분의 1〕그램. **~-liter** *n./m.* 밀리리터. **~meter** *n./m.* 밀리미터. **~meter·arbeit** *f.* 정밀 작업. **~me-ter·papier** *n.* 1 mm 모눈 종이. **~mikron**

n. 밀리미크론.

*__Million__ [mɪlió:n] 《it. mil(l)ione》 *f.* -en ① 백만. ②〖복수로만〗엄청난 수〔금액〕: die Verluste gehen in die ~en 손실이 수백만 마르크에 달한다.

Millionär [mɪlionɛ́:r] *m.* -s, -e 백만 장자; 대부호.

Milliönchen [mɪliǿ:nçən] *n.* -s, - ↑ Million 의 축소형.

Millionen≈auflage *f.* 백만의 발행 부수. **~auftrag** *m.* 백만 마르크 상당의 주문. **~betrag** *m.* 백만 마르크의 금액.

millionen·fach *a.* 백만 배의.

Millionen≈geschäft *n.* 백만 마르크의 사업. **~gewinn** *m.* 백만 마르크의 이익. **~heer** *n.* 백만 대군. **≈mal** *a.* 백만 배의. **≈schwer** *a.* 백만 장자의, 굉장한 부자의.

millionst *a.* 백만 번째의.

millionstel *a.* 백만분의 1의.

Millionstel *n.* -s, - 백만분의 1.

Milreis [mɪlráɪs, (port.) milrɛ́ɪʃ] 《port.》 *n.* -, - 밀라이스(포르투갈 및 브라질의 화폐 단위).

Milz [mɪlts] *f.* 〖해부〗 비장(脾臟), 지라.

Milz≈ader *f.* 〖해부〗 비정맥(脾靜脈). **~beschwerden** 〖복수〗〖醫〗 비장 장애. **~brand** *m.* 〖수의〗 비탈저(脾脫疽). **~entzündung** *f.* 비장염(炎). **~quetschung** *f.* 비장 압상(壓傷), 비장 좌창(挫創). **~riß** *m.* 비장 파열. **~stechen** *n.* ↑ Seitenstechen. **~sucht** *f.* 비장병, 우울증.

Mime [mí:mə] 《gr. mimos》 *m.* -n, -n 〖연극·구식·농담〗 광대, 배우; 연기하는 익살꾼; (고대의) 익살극.

mimen [mí:mən] 《Ⅰ》 *t.* 〖구어〗 모방〔분장·연기〕하다; (감정을) 가장하다, 척하다. 《Ⅱ》 *i.* (h.) 연극을 하다.

Mimese [mimé:zə] *f.* -n ① ↑ Mimesis. ② 〖動〗 위장, 의태.

Mimesis [mí:mezɪs] *f.* ..sen ①〖예술〗 미메시스, 모방, (플라톤 철학에서) 이데아의 모방; 흉내내기. ②〖生〗 의태.

mimetisch *a.* 모방의, 모방적인, 흉내내는.

Mimi [mími] *f.* -s 〖경박〗 ↑ Vulva 의 애칭.

Mimik [mí:mɪk] *f.* 익살, 흉내, 표정술.

Mimiker *m.* -s, - 광대, 배우, 연기하는 익살꾼, 흉내쟁이.

Mimikry [mímikri] 《engl.》 *f.* 〖生〗 의태; 보호색; 〖비유·교양〗 위장술, 보신술.

Mimir [mí:mɪr] *m.* 〖북구신화〗 미미르(지혜의 샘을 지키는 신).

mimisch *a.* 연극의; 익살의; 흉내의, 표정술의.

Mimodram, Mimodrama [mimódra:m(a)] *n.* -s, ..men 〖연극〗 무언극.

Mimose [mimó:zə] 《lat.》 *f.* -n 〖植〗 미모사, 함수초, 예민〔민감〕한 사람.

mimosenhaft *a.* 민감한, 섬세한; 화사한.

Mimus [mí:mʊs] 《lat.》 *m.* -, ..men 〖연극〗 (고대의) 익살극; (익살극) 배우.

Min., min. =Minute 분(分).

Mina [mí:na] *f.* ↑ Minna 《Ⅰ》.

Minarett [minarɛ́t] 《frz.》 *n.* -s, -e/-s (회교 사원의) 높은 첨탑.

minatorisch [minató:rɪʃ] 《lat., „drohend"》 *a.* 협박의, 위협적인.

Minchen [mí:nçən] *n.* 〖↑ Wilhelmine 의 애칭〗 민헨(여자 이름).

*__minder__ [míndər] 〖wenig, gering 및 때로는 klein 의 비교급〗 *a.* (↔ mehr) 보다 적은; 보다 못한; 보다 작은: ≈er Bruder 프란체스코 교단 수도사; mehr oder ~ 어느 정도, 대체로; er ist ~ musikalisch begabt als sein Vater 그는 아버지보다 음악적 재능이 모자란다; er ist nicht mehr und nicht ~ als ein geborener Dichter 그는 타고난 시인 그 자체이다; das wird nicht ~ 그것은 줄어 들지 않는다.

Minder≈ausgabe *f.* ① 지출 부족〔감액〕. ② (유가 증권의) 발행고 감소. **~bedarf** *m.* 수요 부족. **≈bedeutend** *a.* 덜 중요한, 그리 중요하지 않은. **≈begabt** 재능이 모자라는〔떨어지는〕. **~begabte*** *der/die* 재능이 부족한 사람. **≈begütert** *a.* 상당히 가난한. **≈bemittelt** *a.* ① 재산이 별로 없는. ②〖구어·농담〗 우둔〔멍청〕한. **~bemittelte*** *der/die* ① 재력이 부족한 사람. ② 멍청이. **~betrag** *m.* 부족액. **~bruder** *m.* ↑ Franziskaner. **~einnahme** *f.* 수입 부족. **~ertrag** *m.* 수익 부족. **~gebot** *n.* 보다 낮게 부르는 값. **~gewicht** *n.* 중량 부족. **≈gut** *a.* 보다 뒤진, 2 류의, 열등한.

*__Minderheit__ *f.* -en 소수; 소수파; 열등.

Minderheiten≈frage *f.* 소수 민족 문제. **~schutz** *m.* 소수 민족〔파·그룹〕 보호.

Minderheits·regierung *f.* 소수당 정부.

minder≈jährig *a.* 미성년의. **≈jährige*** *der/die* 미성년자. **≈jährigkeit** *f.* 미성년. **≈leistung** *f.* (예상보다) 미미한 성과.

mindern [míndərn] 《Ⅰ》 *t.* 줄이다; 저하시키다. 《Ⅱ》 *refl.* sich ~ 줄다; 저하하다; 쇠하다.

Minderung *f.* -en 감소, 저하; 가격 할인.

Minderungs·klage *f.* 〖法〗 대금 감액 청구 소송.

Minder≈wert *m.* 열등, 하등; 저능; 〖商〗 염가. **≈wertig** *a.* 저품질의, 열등한; 저능한. **~wertigkeit** *f.* 열등, 저능. **~wertigkeits·gefühl** *n.* 〖心〗 열등감. **~wertigkeits·komplex** *m.* 열등감. **~zahl** *f.* 소수; 부족한 수: die Mannschaft spielte in der ~ 그 팀은 부족한 인원으로 경기하였다.

*__mindest__ [míndəst] 〖minder 의 최상급〗 *a.* (↔ meist) 가장 적은〔작은〕, 최저의: am ~en 가장 적게; aufs ~e 〔zum ~en, zu~〕 적어도; nicht das ~e 전혀〔조금도〕 없는; nicht im ~en 조금도 …없는〔않는〕.

Mindest≈abstand *m.* 최소 간격. **~alter** *n.* 최저 연령. **~anforderung** *f.* 최저 요청〔청구〕. **~beitrag** *m.* 최저 회비〔분담금〕. **~besteuerung** *f.* 최저 과세. **~betrag** *m.* 최저액. **~bietende*** *der/die* 최저가 신청인〔입찰인〕.

*__mindestens__ [míndəstəns] *adv.* 적어도, 할 수 있으면 …만이라도; 최소한, 좌우간.

Mindest≈fordernde* *der/die* 최저액 요구자, 최저가 하도급자. **~forderung** *f.* 최소한의 요구. **~gebot** *n.* 최저액의 호가〔입찰〕. **~gebühr** *f.* 최저 요금. **~gehalt**[1] *m.* 최저 함유량. **~gehalt**[2] *n.* 최저 임금. **~geschwindigkeit** *f.* 최저 속도; 최저 비행 속도. **~größe** *f.* 최소한의 크기. **~kosten** *pl.* 최저 비용. **~leistung** *f.* 최저 기록〔성능〕; 최저 생산 능력. **~lohn** *m.* 최저 임금. **~maß**

n. 최저 한도. **~preis** *m.* 최저 가격. **~reserve** [..və] *f.* 〖經〗 최저 준비금. **~wert** *m.* 최저 가치.

***Mine**[1] [mí:nə] 《frz.》 *f.* -n ① 광산. ② 〖軍〗 갱도; 지뢰; 박격포탄; 폭탄; 〖海〗 기뢰, 수뢰; 〖비유〗 음모: in den ~n arbeiten 광산에서 일하다; auf eine ~ treten 지뢰를 밟다; eine ~ legen 음모를 꾸미다; 〖비유〗 alle ~n springen lassen 백방으로 대책을 강구하다. ③ (연필·볼펜 등의) 심: die ~ auswechseln (einlegen, einsetzen) 연필심을 갈다(끼워 넣다). ④ 〖주식〗 시세 폭등.

Mine[2] 《gr.》 *f.* -n 미나(고대의 중량 및 화폐).

Mine[3] *f.* 《Wilhelmine 의 애칭》 미네(여자 이름).

Minen≈aktie *f.* 〖經〗 광산주(株). **~arbeit** *f.* ① 광산 작업. ② 〖軍〗 갱도 작업. **~arbeiter** *m.* 광원, 갱부. **~auge** *n.* 갱도 입구. **~bau** *m.* 채광. **~boot** *m.* 기뢰 부설선. **~feld** *n.* 지뢰밭. **~gang** *m.* 갱도. **~gräber** *m.* ① 갱부. ② 〖軍〗 갱도병. **~hals** *m.* 갱도의 출구. **~kammer** *f.* 〖軍〗 폭약실. **~krieg** *m.* 〖軍〗 갱도전, 지중전(地中戰). **~leger** *m.* 기뢰 부설함(艦). **~netz** *n.* 갱도망(網). **~räumboot** *n.* 소해정. **~räumer** *m.* ↑ ~räumboot. **~riegel** *m.* ↑ ~feld. **~such·boot** *n.* 소해정. **~sucher** *m.* ↑ ~suchboot. **~suchgerät** *n.* 〖軍〗 지뢰 탐지기. **~schacht** *f.* 〖軍〗 수직갱. **~sperre** *f.* 〖海〗 기뢰 봉쇄. **~trichter** *m.* (지뢰·폭탄 따위의) 탄공(彈孔). **~werfer** *m.* 〖軍〗 박격포. **~zweig** *m.* 지(부)(枝(副))갱도.

***Mineral** [minerá:l] 《lat.》 *n.* -s, -e/-ien [..liən] 광물, 무기물.

Mineral≈bad *n.* 광천욕. **~brunnen** *m.* ↑ ~quelle. **~chemie** *f.* 무기 화학. **~dünger** *m.* 무기질 비료. **~farbe** *f.* 광물성 염료. **~fett** *n.* 바셀린(Vaselin).

mineralisch [minerá:lɪʃ] *a.* 광물(성)의, 광물을 포함한; 광물학의.

Mineral·lager *n.* 광상(鑛床).

Mineraloge [mineraló:gə] 《lat.》 *m.* -n, -n 광물학자.

Mineralogie [..logí:] *f.* 광물학.

Mineralogin *f.* -nen ↑ Mineraloge 의 여성형.

mineralogisch *a.* 광물학의.

Mineral≈öl *n.* ↑ Erdöl. **~öl·gesellschaft** *f.* 석유 회사. **~öl·industrie** *f.* 석유 산업. **~öl·steuer** *f.* 석유세. **~quelle** *f.* 광천. **~salz** *n.* ↑ ~stoff. **~sammlung** *f.* 광물 표본(실). **~säure** *f.* 무기산(無機酸). **~stoff** *n.* 무기염, 무기질. **~stoff·wechsel** *m.* 〖生〗 (생체 중의) 무기물의 신진 대사. **~wasser** *n.* 광천수; 미네랄 워터, 탄산수.

Minerva [minɛ́rva] *f.* 〖로마신화〗 미네르바(지혜·기예의 여신; 〖그리스신화〗 = Athene).

Minestra [minɛ́stra] *f.* ..stren ↑ Minestrone.

Minestrone *f.* -n/..ni 《it.》 〖요리〗 수프(쌀과 치즈가 든 야채 수프).

Minette [minɛ́tə] 《frz.》 *f.* -n 철광(석).

Mineur [minǿ:r] 《frz.》 *m.* -s, -e ① 〖광산〗 (폭파) 광원. ② 공병. ③ 〖증권〗 투기꾼.

Ming [mɪŋ, míŋ] *f.* 〖역사〗 (중국의) 명(明)나라.

mini [mɪ́ni, mí:..] *a.* (스커트나 코트의 길이가) 극히 짧은: sie trägt(geht) ~ 그녀는 미니 차림이다.

Mini[1] *n.* -s, -s ① (의복의) 미니 사이즈; 미니 원피스. ② 〖복수로만〗 (가족이나 그룹의) 최연소자.

Mini[2] *m.* -s, -s ① 미니 스커트. ② (영국 Leyland 사의) 소형차.

***Miniatur** [miniatú:r] 《lat.》 *f.* -en ① (중세 필사본의) 장식화. ② 축소화, 세밀화.

Miniatur≈ausgabe *f.* 소형판, 포켓판. **~band** *m.* 소형판, 수진본(袖珍本). **~bild, ~gemälde** *n.* ↑ Miniatur ②. **~golf** *n.* 약식 골프, 미니골프.

miniaturisieren *t.* 〖전기〗 소형화하다.

Miniaturisierung *f.* -en 〖전기〗 (제품의) 소형화.

Miniatur≈maler *m.* 세밀화가. **~malerei** *f.* 세밀 화법.

Mini≈bikini *m.* 미니비키니. **~car** *m.* 미니카, 경자동차. **~computer** *m.* 소형 컴퓨터.

minieren [miní:rən] 《frz.》 *t.* ① 〖광산·軍〗 …에 갱도를 파다. ② (애벌레가 잎을) 파먹다.

Minierer *m.* -s, - 〖광산·고어〗 갱부; 〖軍〗 갱도병; (잎을 파먹는) 벌레.

Minier≈korb [miní:r..] *m.* 흙바구니, 삼태기. **~kunst** *f.* ① 〖광산〗 채광술. ② 〖軍〗 갱도술; 〖海〗 수뢰 부설술. **~pflug** *m.* 밑흙을 파 일으키는 쟁기. **~werk·zeuge** *pl.* 갱부 용구; 〖軍〗 갱도병 용구.

Mini≈kini *m.* (윗부분이 없는) 여성 수영복. **~kleid** *n.* 미니 원피스.

minim *a.* (schweiz.) ↑ minimal.

Minima *pl.* ↑ Minimum 의 복수형.

minimal [minimá:l] 《lat., „kleinstmöglich"》 *a.* 극미한, 극소의, 최소의; 최저의.

Minimal Art [mɪ́nimal a:(r)t] 《engl.》 *f.* 〖예술〗 (최소한의 조형물을 사용하는) 미니멀 아트.

Minimal≈betrag *m.* ① 최소(최저)액. ② 최저율. **~forderung** *f.* 최소한의 요구. **~gewicht** *n.* 최저 무게. **~konsens** *n.* 〖政〗 최소한의 합의(의견 일치). **~lohn** *m.* 최저 임금. **~preis** *m.* 최저 가격. **~programm** *n.* 〖政〗 최소 강령. **~satz** *m.* 최저율. **~tarif** *m.* 최저 세율. **~wert** *m.* 〖數〗 최저치.

Minimax [mí:nimaks] 《lat.》 *m.* -, -e 소화기(消火器).

minimieren *t.* ① 〖經〗 최소화하다. ② 최저 수준으로 내리다, 극소화하다.

Minimierung *f.* -en ① 최소화. ② 극소화.

***Minimum** [mí:nimʊm] 《lat.》 *n.* -s, ..ma (↔ Maximum) 최소량, 최소값(액); 최소(최저) 한도, 최저치; 저기압권의 중심부: ein barometrisches ~ 최저 기압; die Ausgaben auf ein ~ reduzieren 지출을 최소 한도로 줄이다.

Minimum·thermometer *n.* 최저 한란계.

Mini≈rock *m.* 미니스커트. **~slip** *m.* 미니 슬립(아주 짧은 팬티). **~spion** *m.* 소형 도청 장치.

***Minister** [minɪ́stər] 《lat. 원뜻 „Diener"》 *m.* -s, - ① 장관: Premier~ 국무 총리; der ~ des Äußeren(Auswärtigen) 외무부 장관; der ~ des Inneren 내무부 장관; der ~ der Finanzen 재무부 장관; ~ ohne Geschäftsbereich 무임소 장관. ② 공사: der bevollmächtigte ~ 전권 공사. ③ 〖가톨릭〗 사제, 교

역자; (집전 사제를 돕는) 미사의 복사(服事).
Minister≈bank *f.* 〖복수: ..bänke〗 (국회의) 장관석. **~ebene** *f.* 〖다음 용법으로만〗 auf ~ 장관급(차원)의.
ministerial [minısteriá:l] *a.* 정부 부처의, 정부측의.
Ministerial≈abteilung *f.* (부(部) 내의) 국(局). **~amt** *n.* 장관직. **~beamte*** *der/die* 정부 부처 공무원. **~befehl** *m.* 각령(閣令). **~beratung** *f.* 각의(閣議). **~beschluß** *m.* 내각의 결의. **~direktor** (각부의) 국장. **~dirigent** *m.* ↑ ~rat.
Ministeriale [minısteriá:lə] 《lat.》 *m.* -n, -n ① (중세 때 공로에 따라) 귀족에 서품된 사람, 공훈 귀족. ② 교단(教團)에 의석 및 투표권이 있는 목사. ③ (중세 영주의) 노예, 가신.
Ministerial≈erlaß *m.* 각령(閣令). **~krisis** *f.* 내각의 위기. **~rat** *m.* (각 부의) 참사관. **~verfügung** *f.* 부령(部令).
ministeriell [minısteriɛ́l] 《frz.》 *a.* ① 장관〔부(部)·내각〕의. ② 정부측〔정부 부처〕의.
***Ministerium** [minısté:rium] 《lat.》 *n.* -s, ..rien [..riən] ① 내각: im ~ sein 각료이다; ins ~ (ein)treten 각료가 되다. ② (정부의) 부, 본부; (부의) 청사: das ~ des Inneren 내무부; Justiz≈ 법무부; Außen≈ 외무부. ③〖宗〗(어떤 지역의) 교직자〔목사〕단; 목사의 직.
Minister≈konferenz *f.* 내각 회의, 각의. **~krisis** *f.* 내각의 위기. **~präsident** *m.* 국무 총리, 수상; (독일의) 주정부 수상. **~rat** *m.* ①〖고어〗내각; 각의. ② (회원국 대표로 구성되는) 유럽 공동체의 회의체. ③ (사회주의 국가의) 내각 평의회. **~resident** *m.* 변리(辨理) 공사. **~stelle** *f.* 장관의 지위. **~wechsel** *m.* 장관〔내각〕경질.
ministrabel *a.* 장관의 능력〔자격〕이 있는.
Ministrant [minıstránt] 《lat.》 *m.* -en, -en 〖가톨릭〗(미사 때의) 복사(服事).
ministrieren *i.* (h.) 복사(服事)로 일하다.
Minna [mína] 《I》 *f.* 〖Wilhelmine, Hermine 의 애칭〗미나(여자 이름). 《II》 *f.* 〖구어〗① 가정부, 식모: 〖구어〗jn. zur ~ machen 누구를 몹시 꾸짖다. ② 우산. ③ 경찰차: die grüne ~ 죄수 호송차.
Mink [mıŋk] 《engl.》 *m.* -s, -e 밍크(모피).
Minn. = Minnesota 미네소타.
Minne [mínə] 《원뜻 „Gedenken"》 *f.* 〖문학〗(중세 기사의) 사랑, 귀부인에 대한 봉사; 〖시어〗사랑, 연애.
Minne≈dichter *m.* (중세의) 연애 시인. **~dienst** *m.* (중세 기사의) 사랑을 위한 봉사, 구애: 〖구어·농담〗~ haben〔zum ~ gehen〕애인을 만나다. **~gesang** *m.* ↑ ~lied. **~hof** *m.* 사랑의 법정(중세 때는 애정 문제를 법정의 형식으로 토론했음). **~lied** *n.* (중세 기사의) 사랑의 노래, 연가.
minnen [mínən] *t./i.* (h.) 사랑하다, 연정을 품다, 구애하다: eine Frau ~ 어떤 부인에게 연정을 품다.
Minne≈sang *m.* 〖문학〗(중세 독일의) 연가 문학. **~sänger** *m.* 〖문학〗(중세 독일의) 연애 가인, 궁정 가인. **~singer** *m.* ↑ ~sänger.
minnig [míniç], **minniglich** [mínıklıç] 《<Minne》 *a.* ① 사랑스러운; 애교 있는(anmutig); 매력적인. ② 사랑하는, 사랑에 찬.
minoisch [minó:ıʃ] *a.* 미노스의〔적인〕: die ~e Kultur 미노스 문화.
Minorat [minorá:t] 《lat. minor》 *n.* -(e)s, -e 막내의 상속권〔상속 재산〕(↔ Majorat).
minorenn [minorɛ́n] *a.* 미성년의.
Minorenne* *der/die* 미성년자.
Minorennität [..renitɛ́:t] *f.* 미성년.
Minorist *m.* -en, -en 〖가톨릭〗하급 성직자.
Minorit *m.* -en, -en 〖宗〗프란체스코 교단의 수도사.
Minorität [..ritɛ́:t] *f.* -en (↔ Majorität) 소수(파); 소수 정당; 소수 민족.
Minoritäts·gutachten *n.* 소수 의견.
Minotaur [minotáuər] 《gr.》 *m.* -s, **Minotaurus** [..táurus] *m.* -〖그리스신화〗미노타우루스(사람 몸에 소머리를 한 Kreta 섬의 괴물).
Minstrel [mínstrəl, ..ɛl] 《engl.》 *m.* -s, -s (중세 영국의) 음유 가인, 유랑 악사.
Minuend [minuɛ́nt] 《lat.》 *m.* -en, -en 〖數〗피감수(被減數) (↔ Subtrahend).
minus [mí:nus] 《lat.》 (↔ plus) 《I》 *a.* 보다 적은: 〖數〗sechs ~ vier ist〔macht, gibt〕zwei 6 빼기 4는 2다. 《II》 *prp.*² …을 공제한 (금액): der Betrag ~ der üblichen Abzüge 통상적인 공제액을 뺀 금액. 《III》 *adv.* ① 0 이하, 영하(로), 마이너스(로): fünf weniger sieben ist ~ zwei 5 빼기 7은 마이너스 2다; die Temperatur beträgt ~ zehn Grad〔ist auf ~ zehn Grad gesunken〕기온이 영하 10도다〔영하 10도로 떨어졌다〕. ②〖전기〗음극으로; der Strom fließt von plus nach ~ 전류는 양극에서 음극으로 흐른다.
Minus *n.* -, - (↔ Plus) 감소; 적자, 부족; 단점, 약점: ein ~ von 1000 Mark 1000 마르크의 적자; der schlechte Kundendienst dieser Firma ist ein ~ 불량한 고객 서비스가 이 회사의 단점이다.
Minus·betrag *m.* 부족액, 적자 금액.
Minuskel [minúskəl] 《lat.》 *f.* -n 소문자(↔ Majuskel).
Minus≈pol *m.* 〖전기·物〗음극. **~punkt** *m.* ① 감점, 실점. ② 단점, 결점. **~rekord** *m.* 〖스포츠〗마이너스 기록. **~typ** *m.* 〖구어〗(사람됨이) 나쁜 놈. **~zähler** *m.* 감점, 실점. **~zeichen** *n.* 뺄셈표(부호: −); 마이너스 부호.
***Minute** [minú:tə] 《lat.》 *f.* -n 분(시 및 도의 60분의 1); 순간, 짧은 시간: auf die ~ 1분도 어기지 않고, 정확히; in letzter ~ 마지막 순간에; bis zur letzten ~ 마지막 순간까지; in der nächsten ~ 곧, 바로, 바로 뒤에; achtunddreißig Grad zehn ~n nördlicher Breite 북위 38도 10분.
minuten≈lang 《I》 *a.* 몇 분간의, 수분간의. 《II》 *adv.* 몇 분간, 수분간. **~uhr** *f.* 〖工〗1분 시계. **~weise** 《I》 *adv.* 1분마다. 《II》 *a.* 〖구어〗1분마다의. **~weiser, ~zeiger** *m.* (시계의) 분침, 장침.
..minutig 《<Minute》 *suf.* "…분의"의 뜻(보기: fünf~ 5분간의).
minutiös [minutsiǿ:s] *a.* ↑ minuziös.
minut·lich *a.* 〖드물게〗↑ minütlich.
minüt·lich [minýːtlıç] *a.* 1분마다의, 매분의.
Minuzien [minú:tsiən] 《lat.》 *pl.* 사소한 일.

Minuzien·stift *m.* 곤충 채집용 핀.
minuziös [minutsiǿːs] *a.* 사소한, 잔소리 많은, 좀스러운; 면밀〔꼼꼼〕한.
Minze [míntsə] 《gr. -lat.》 *f.* -n 〖植〗 박하(薄荷).
Mio. =Million(en) 백만.
miozän [miotsέːn] *a.* 〖지질〗 중신세(中新世)의.
Miozän 《gr.》 *n.* -s 〖지질〗 (제 3 기) 중신세.
***mir** [miːr] *prn.* ↑ ich 의 3 격; ① ~ ist heiß 나는 덥다; ein Buch von ~ a) 내 책, b) 내가 쓴 책; jetzt ist es an ~ 이번에는 내 차례다; ich wusch ~ die Hände 나는 손을 씻었다; ein Freund von ~ 내 친구 중한 사람; ~ nichts, dir nichts 거리낌없이, 아주 무관하게; ~ kann keiner! 나에게 당할 사람은 아무도 없지! ②〔관심의 3 격; 강조적〕 von ~ aus 제발 꺼릴 것 없이; laß ~ das bleiben! 제발 그건 말아다오!; sieh ~ mal den Trotzkopf! 이 고집쟁이를 보렴!
Mir *m.* -s 《russ.》 ① (제정 러시아의) 마을 공동체. ②〖우주비행〗 미르(러시아의 우주 정거장).
Mirabelle [mirabέlə] 《frz.》 *f.* -n 〖植〗 오얏〔자두〕의 일종.
Mirabellen≈kompott *n.* 설탕에 졸인 자두. **~schnaps** *m.* 자두 화주.
Mirabilien [mirabíːliən] 《lat.》 *pl.* 불가사의한 것, 기적.
Mirage [miráːʒə] 《frz.》 *f.* -n ① 신기루; 환상, 망상, 착각; 〔비유·구식〕 속임수, 사기. ②〖軍〗 (프랑스의) 미라주 전투기.
Mirakel [miráːkəl] 《lat. „Wunder"》 *n.* -s, - ① 기적, 불가사의. ② ↑ ~spiel.
Mirakel·spiel *n.* (중세의) 기적극.
mirakulös [..lǿːs] *a.* 기적적인, 불가사의한.
Misandrie [mizandríː] 《gr. miseîn, „hassen", andrós, „Mann"》 *f.* 〖心〗 남성 혐오증.
Misanthrop [mizantróːp] 《gr. ánthrōpos, „Mensch"》 *m.* -en, -en 인간 혐오자.
Misanthropie [..tropíː] *f.* 인간 혐오.
misanthropisch [..tróːpɪʃ] *a.* ↑ menschenfeindlich.
Misch·art *f.* 잡종.
mischbar [míʃbaːr] *a.* 혼합할 수 있는〔하기 쉬운〕.
Misch≈batterie *f.* 냉온수 혼합 수도꼭지. **~becher** *m.* ↑ Mixbecher. **~brot** *n.* (호밀과 밀을 섞은) 혼합빵. **~dünger** *m.* 〖農〗 혼합 비료. **~ehe** *f.* 〖宗〗 다른 종교간〔인종간〕의 결혼.
***mischen** [míʃən] 《lat.》 《Ⅰ》 *t.* 섞다, 혼합하다; 융합시키다; 〖藥〗 조제하다; 〖영화〗 믹서로 음향을 넣다; 〖카드〗 패를 섞다; 〖化〗 화합시키다; 〖제련〗 합금하다: Wasser in〔unter〕 den Wein ~ 포도주에 물을 타다〔섞다〕; einen Cocktail ~ 칵테일을 만들다; Gift ins Essen ~ 독을 음식에 섞다〔타다〕; die Karten ~ 〖카드〗 패를 섞다. 《Ⅱ》 *refl.* sich ~ 섞이다, 혼합되다: sich in et. ~ 무엇에 개입〔간섭〕하다; sich unters Volk ~ 군중 속에 섞이다; sich in fremde Angelegenheiten ~ 남의 일에 간섭하다. 《Ⅲ》 **gemischt** *p.a.* ↑ gemischt.
Mischer *m.* -s, - 섞는 사람; 카드를 섞는 사람; 간섭자; 믹서, 혼합기.
Mischerei *f.* -en 자꾸 뒤섞기, 뒤섞음.
Misch≈farbe *f.* 혼(합)색, 잡색. **~farben, ~farbig** *a.* 혼색〔잡색〕의. **~form** *f.* 혼합형. **~futter** *n.* 혼합 사료. **~garn** *n.* 혼방사. **~gemüse** *n.* 모둠 야채. **~gericht** *n.* 모둠 요리. **~geschwulst** *f.* 〖醫〗 혼성 종양. **~getränk** *n.* 혼합 음료. **~gewebe** *n.* 혼방 직물. **~infektion** *f.* 〖醫〗 혼합 감염. **~kalkulation** *f.* 〖經〗 혼합 계산. **~konzern** *m.* 〖經〗 복합 기업. **~kultur** *f.* ①〖農〗 혼합 재배. ② 혼합 문화.
Mischlin *n.* -s, -e 양털과 베실이 섞인 직물.
Mischling [míʃlɪŋ] *n.* -s, -e 〖生〗 잡종; 혼혈아, 튀기.
Mischmasch *m.* -es, -en 〔구어〕 혼합물, 뒤죽박죽.
Misch≈maschine *f.* (시멘트·자갈 등의) 혼합기, 콘크리트 믹서. **~metall** *n.* 합금.
Mischna [míʃna] *f.* 〖宗〗 미시너(유대 법령집).
Mischpoche [mɪʃpóːxə] 《hebr.》, **Mischpoke** [..kə] *f.* ① 〔구어〕 가족, 집안 사람; 〔폄어〕 일족, 친척. ② 무뢰한, 건달패, 깡패. ③ 잡동사니.
Misch≈pult *n.* 〖방송〗 믹서, 음량 조절 장치. **~rasse** *f.* 잡종, 혼혈종. **~röhre** *f.* 〖전기〗 혼합관(초(超)헤테로다인 수신용 진공관). **~sendung** *f.* 〖우편〗 혼합 송부(送付). **~sprache** *f.* 혼성어. **~trank** *m.* 혼합 음료. **~trommel** *f.* 믹서기. **~vakzin** *n.* 혼합 백신.
Mischung [míʃʊŋ] *f.* -en ① 혼합; 혼합 비율; 〖藥〗 조합; 〖化〗 화합; 〖제련〗 합금. ② 혼합물, 칵테일; (반반씩) 섞인 것〔감정〕: in einer ~ aus Angst und Neugier 불안과 호기심이 섞인 감정으로.
Mischungs·verhältnis *n.* 혼합〔배합〕 비율.
Misch≈volk *n.* 혼혈 민족, 다종족 국가. **~währung** *f.* 〖經〗 복본위제. **~wald** *m.* 〖林〗 혼효림(混淆林).
Mise [míːzə] 《frz.》 *f.* -n [míːzən] 생명 보험의 일시불 보험료; (도박에서) 건 돈.
Misel [míːzəl] *n.* -s, -s (obd.) 소녀; 연인.
Misel·sucht 《lat. Lw.》 *f.* 〖醫〗 나병(Lepra).
***miserabel** [mizəráːbəl] 《frz.》 *a.* 좋지 않은, 나쁜; 가련한, 비참한; 보잘것〔형편〕없는, 천한; 불행한; 비열한, 불량한, 파렴치한: mir ist ~ zumute 나는 비참한 기분이 든다; du hast dich ~ ihm gegenüber benommen 너는 그에게 비열한 행동을 취했다.
Misere [mizέːrə] 《frz.》 *f.* -n ① 비참, 난삽, 곤궁, 불행. ② 천민, 빈민.
Miserere [mizeréːrə, ..re] 《lat. miserere》 *n.* -s ①〖가톨릭〗 통회(痛悔)의 기도(다윗의 통회 시편 제 51 편의 서두). ②〖醫〗 토분병(吐糞病).
Misericordias Domini [mizerikɔ́rdiaːs-dómini] 《lat., „Barmherzigkeit des Herrn"》 *m.* - -〖가톨릭〗 부활절 후의 둘째 일요일(시편 89 : 2).
Miserikordie [..diə] *f.* -n (성직자석의) 접는 의자 밑의 가로대.
Misogam [mizogáːm] 《gr. miseîn, „hassen", gámos, „Ehe"》 *m.* -en, -en 결혼 혐오자.
Misogamie [..gamíː] *f.* 〖心〗 결혼 혐오증.

Misogyn [..gý:n] 《gr. gynḗ, „Weib"》 *m.* -s/-en, -e(n) 여성 혐오증 환자.
Misogynie [..gyní:] *f.* 〖心〗 여성 혐오증.
Mispel [mɪ́spəl] *f.* -n 〖植〗 서양모과(나무).
Mispel·baum *m.* 서양모과나무.
Misrachi [..xi] *f.* 〖宗〗 정통 시온주의자의 세계 조직.
miß [mɪs] ↑ messen 의 2 인칭 단수 명령형.
miß.. *pref.* "착오·과실·실패·부정·허위·불신·결핍·변화·반대"의 뜻.
Miss [mɪs] 《engl.》 *f.* -es ① 양. ② 미의 여왕: ~ Germany 미스 독일. ③〖구식〗(영국 출신의) 여자 가정 교사: die ~ paßt auf die Kinder 여자 가정 교사가 아이들을 돌본다.
Miß *f.* ..sses ↑ Miss.
Miss. = Mississippi 미시시피.
miss.. 新정서 ⇦ miß...
Missa [mɪ́sa] 《lat.》 *f.* -e [..ɛ] 〖宗〗 미사: ~ solemnis 장엄 미사.
mißachten [mɪs|áxtən, mɪ́s|ax..] (*p.p.* mißachtet/gemißachtet) *t.* 무시하다, 따르지〔지키지〕 않다; 경멸〔멸시〕하다.
Mißachtung *f.* -en 무시, 경시.
Missal [mɪsá:l] 《lat.》 《I》 *n.* -s, -e 〖가톨릭〗 미사 전서(典書). 《II》 *f.* 〖印〗 활자의 번호.
Missale *n.* -s, -n/..lien [..liən] ↑ Missal 《I》.
mißarten [mɪsá:rtən, mɪ́s|a:r..] (*p.p.* miß(ge)artet) 《I》 *i.* (s.) 변성〔변질〕하다; 악화〔퇴화〕하다; 타락하다. 《II》 **mißartet** *p.a.* ↑ mißartet.
mißartet 《I》 *p.p.* ↑ mißarten. 《II》 *p.a.* 변질된, 기형의, 흉칙한.
Mißartung *f.* -en 변질; 기형.
Mißbegriff *m.* -(e)s, -e 오해, 틀린 견해.
mißbehagen (*p.p.* mißbehagt) *i.* (h.) jm. ~ 누구에게 불쾌하다, 누구의 마음에 들지 않다.
Mißbehagen *n.* -s 불쾌, 불평, 불만.
mißbehaglich *a.* 불(유)쾌한, 불만스러운.
Mißbelieben *n.* -s 좋아하지 않는 일, 혐기(嫌忌).
mißbeschaffen *a.* 기형의, 꼴사나운, 악성의; 잘 되지 않은.
Mißbeschaffenheit *f.* 기형, 악성.
mißbilden (*p.p.* mißgebildet) 《I》 *t.* 잘못 만들다, …의 모양을 손상하다, 보기 싫게 만들다. 《II》 **mißgebildet** *p.a* ↑ mißgebildet.
Mißbildung *f.* -en ① 기형, 불구. ② 그릇된 교육.
mißbilligen [mɪsbɪ́lɪgən, mɪ́sbɪlɪ..] (*p.p.* mißbilligt) *t.* 부인〔거부〕하다, 동의하지 않다; 비난하다: js. Meinung ~ 누구의 견해를 비난하다.
Mißbilligung *f.* -en 부인, 불찬성; 비난.
***Mißbrauch** [mɪ́sbraux] *m.* -(e)s, ..bräuche ① 남용; 악용; 악습: der ~ von Alkohol〔Drogen〕 알코올〔마약〕 남용. ② 성폭행.
***mißbrauchen** [mɪsbráuxən, mɪ́sbrauxən] (*p.p.* mißbraucht) *t.* ① 남용하다; 악용하다: den Namen Gottes ~ 신을 모독하다. ② 유혹하다; 강간하다: ein Mädchen ~ 소녀를 성폭행하다.
mißbräuchlich [mɪ́sbrɔʏçlɪç] *a.* 남용〔악용〕의, 불법의: die ~e Rechtsausübung 불법적인 권리 행사.
mißbräuchlicher·weise *adv.* 남용〔악용〕하여; 불법으로.
Mißbündnis *n.* -ses, -se 걸맞지 않는〔부적당한〕 결혼.
mißdeuten [mɪsdɔ́ʏtən, mɪ́sdɔʏtən] (*p.p.* mißdeutet) *t.* 오해〔곡해〕하다: js. Worte ~ 누구의 말을 곡해하다.
Mißdeutung *f.* -en 오해, 곡해.
Mißdruck *m.* -(e)s, -e 〖印〗 오식(誤植).
***missen** [mɪ́sən] *t.* ① 없다, 부족하다, 없이 지내다: wir ~ ihn ungern 우리는 그를 놓치고 싶지 않다; er läßt sich nicht ~ 그가 없으면 곤란하다. ② 없는 것을 눈치채다; 없는 것을 아쉬워하다, 있었으면 하고 바라다: ich werde ihn nicht ~ 나는 그가 없어도 그립지 않을 것이다.
***Mißerfolg** [mɪ́s|ɛrfɔlk] *m.* -(e)s, -e 실패: einen ~ erleiden〔haben〕 실패하다.
Mißernte *f.* -n 흉작.
Misses ↑ Miß 의 복수형.
Misse≈tat [mɪ́sə..] 〖구식〗 *f.* ① 악행, 범행, 범죄: eine ~ begehen 범죄를 저지르다. ② 죄(악): bereuet eure ~en! 네 죄를 회개하라! **~täter** *m.* ① 악인, 범죄자. ②〖농담〗(일을 저지른) 장본인: wer von euch war der ~? 너희들 중 누가 그 일을 저질렀느냐?
mißfallen* *i.* (h.) jm. ~ 누구의 마음에 들지 않다, 누구를 불쾌하게 하다: er hat mir von Anfang an ~ 그는 처음부터 내 마음에 들지 않았다.
Mißfallen *n.* -s 마음에 들지 않음, 불쾌, 불만: js. ~ erregen 누구의 불쾌감을 불러일으키다.
Mißfallens·äußerung *f.* 불만의 표시〔토로〕.
mißfällig *a.* 마음에 들지 않는, 불쾌한, 싫은; 불만스러운: sich ~ über et.〔jn.〕 äußern 무엇을〔누구를〕 깎아 말하다〔헐뜯다〕.
Mißfälligkeit *f.* 불유쾌.
Miß≈farbe *f.* 불쾌한 색; 조화되지 않는 색; 퇴색. **≈farben** *a.* 불쾌한 색의; 퇴색한. **~-farbig** *a.* ↑ ≈farben. **~form** *f.* 일그러진 모양, 기형.
mißgeartet *p.a.* ↑ mißartet.
mißgebären *i.* (h.) 〖醫〗 ① (fehlgebären) 조산(早産)〔유산〕하다. ② 기형아를 낳다.
mißgebildet 《I》 *p.p.* ↑ mißbilden. 《II》 *p.a.* ① 잘못 만들어진, 기형의, 어색한 꼴의: angeboren ~ 선천성 기형의. ② 그릇된 교육을 받은, 행실이 나쁜.
Mißgeburt *f.* -en ① 기형(아), 불구(자); 괴물; 〖구어〗 실패작: dieses Werk ist eine ~ 이 작품은 완전 실패작이다. ②〖경박〗보기 싫은 녀석.
mißgelaunt *a.* 불유쾌한.
Mißgelauntheit *f.* 불유쾌.
Mißgeschick *n.* -(e)s, -e 불운, 불행, 재난.
Mißgeschöpf *n.* -(e)s, -e 기형아(↑ Mißgeburt ①).
Mißgestalt *f.* -en ① 기형. ② 기형아, 괴물.
mißgestalt *a.* 〖드물게〗 ↑ mißgestaltet.
mißgestalten *t.* 잘못〔모양 없게〕 만들다, 기형으로 하다.
mißgestaltet *a.* 기형의, 모양 없는, 보기 싫은, 꼴불견의.
mißgestimmt 《I》 *p.p.* ↑ mißstimmen. 《II》 *p.a.* 곡조가 맞지 않는; 기분이 좋지 않은, 언

짧은; 불경기의.
Mißgewächs *n.* -es, -e 기형 식물.
mißgewachsen *a.* 기형의.
Mißglück *n.* -(e)s 불행, 실패.
mißglücken [mɪsglŷkən] *i.* (s.) 성공하지 못하다, 실패하다: der Plan ist ihm mißglückt 그는 그 계획에 실패했다.
mißgönnen [mɪsgœ́nən] *t.* jm. et. ~ 누구에게 무엇을 주는 것을 싫어하다, 시샘〔시기〕하다: jm. seine gute Stellung ~ 누구의 좋은 자리를 시샘하다.
mißgreifen* (*p.p.* mißgegriffen) *t.* 잘못 잡다; 실책〔실패〕하다.
Mißgriff *m.* -(e)s, -e ① 실책, 과실; 오류: einen ~ tun〔machen〕 실수하다. ②〖음악〗 잘못 연주함.
Mißgunst *f.* ① 꺼리어 멀리함, 싫어함; 질투, 시기; 미움, 눈총: unter js. ~ leiden 누구의 시샘에 시달리다. ②〔드물게〕 불리: die ~ des Augenblicks 불리한 순간.
mißgünstig *a.* 꺼리는, 멀리하는; 시기하는; 악의 있는.
***mißhandeln** [mɪshándəln, mɪ́s..] (*p.p.* mißhandelt) 《I》 *t.* 학대하다; 마구 다루다: sein Kind ~ 자기의 아이를 학대하다; 〔비유·농담〕 ein Instrument ~ 악기를 엉망으로 연주하다. 《II》 *i.* (h.) 부정을 행하다.
Mißhandlung [mɪshándlʊŋ, mɪ́shandlʊŋ] *f.* -en 학대; 가혹 행위.
Mißheirat *f.* -en ① 어울리지 않는 결혼: eine ~ eingehen 어울리지 않는 결혼을 하다. ② 불리한 결혼.
mißhellig [mɪ́shɛlɪç] *a.* 일치하지 않는, 조화를 이루지 못한, 의견을 달리하는.
Mißhelligkeit *f.* -en ① (의견의) 불일치. ② 불화, 알력.
mißhören [mɪs|hǿ:rən, mɪ́s|hø:..] *t.* 잘못 듣다, 오해하다.
Missing link [mɪ́sɪŋ lɪ̂ŋk] 《engl.》 *n.* -- 〖生〗 (동·식물의 계통수에서) 빠진 고리.
Missingsch [mɪ́sɪŋʃ] 《ndd.》 *n.* - 미싱 사투리 (이전의 모범적 문장어인 Meißen 어를 중심으로 하는 저지 방언으로, 고지 방언도 가미되어 있음).
Missio canonica 《lat.》 *f.* 미시오 카노니카 (가톨릭의 성서 교육 자격).
Mission [mɪsió:n] 《lat. mittere, „senden"》 *f.* -en ① 파견, 사절, 전권; 〔교양〕 외교 공관, 대사관. ② 천직; 사명. ③〖宗〗 **(a)** 포교, 전도, 선교. **(b)** 포교단, 전도 단체.
Missionar 《lat.》 *m.* -s, -e 선교사, 전도자.
Missionär [..nɛ́:r] *m.* -s, -e (öst.) ↑ Missionar.
missionarisch *a.* 선교(사)의.
missionieren *t.* ① 선교하다. ② 기독교로 개종시키다.
Missionierung *f.* -en 선교.
Missions≈anstalt *f.* 선교 본부, 선교관; 선교 학교. **~chef** *m.* 외교 공관장. **~gesellschaft** *f.* 전도 협회. **~haus** *n.* ↑ ~anstalt. **~station** *f.* 선교 기지. **~verein** *m.* ↑ ~gesellschaft. **~wesen** *n.* 선교〔전도〕 사업. **~wissenschaft** *f.* 선교학.
Mississippi[1] [mɪsɪsɪ́pi] *m.* -(s) 미시시피강.
Mississippi[2] *n.* 미시시피주(미국의 주).
Missiv [mɪsí:f] 《lat.》 *n.* -s, -e, **Missive** [..və] *f.* -n 〔고어〕 ① 인편의 편지. ② 자물쇠가 있는 서류 가방.
Mißjahr *n.* -(e)s, -e 흉년, 흉작의 해.
mißkennen* (*p.p.* mißkannt) *t.* ① 오인〔오해〕하다, 잘못 보다. ② (schweiz.) 모르다; 인정하지 않다; 거부하다.
Mißkennen *n.* -s 오인.
Mißkenntnis *f.* -se ① 그릇된 지식. ② 무지, 무학.
Mißklang *m.* -(e)s, ..klänge ① 불협화음: diese Musik ist reich an Mißklängen 이 음악에는 불협화음이 많다. ②〔비유〕 부조화, 불화, 불일치: er brachte einen ~ in unser Verhältnis 그는 우리 관계에 불화를 가져왔다.
mißklingen* *i.* (h.) 불협화음을 내다.
Mißkredit *m.* -(e)s 신용없음, 악평: jn. in ~ bringen 누구의 신용을 떨어뜨리다, 악평을 받게 하다; in ~ geraten〔kommen〕 신용을 잃다, 평판이 나빠지다.
Mißlaune *f.* -n 불유쾌.
mißlaunig *a.* ↑ mißgelaunt.
Mißlaut *m.* -(e)s, -e 나쁜〔듣기 싫은〕 음향.
mißlauten *i.* (h.) 나쁜〔듣기 싫은〕 소리를 내다.
mißleiten (*p.p.* mißleitet/mißgeleitet) *t.* 그릇 인도〔지도〕하다; 유혹하다.
Mißleitung *f.* -en 잘못된 인도〔지도〕.
mißlich [mɪ́slɪç] *a.* 불확실한, 의심스러운; 곤란한; 걱정되는; 위험한; 다루기 힘든, 미묘한; 불편한; 불쾌한; 재미 없는; 화나는: in ~er Lage 곤경에 처하여; es sieht mit ihm ~ aus 그는 곤란한 처지에 놓인 것 같다.
Mißlichkeit *f.* -en ① 불쾌, 불편. ② 언짢은 일, 곤경.
mißliebig *a.* 호감을 사지 못하는, 미움을 받는, 인기가 없는; 불쾌한, 불만스러운: et. ~ aufnehmen 무엇에 불만의 뜻을 나타내다; sich bei jm. ~ machen 누구의 미움을 사다.
Mißliebigkeit *f.* 평판이 나쁨, 인기가 없음.
mißlingen [mɪslɪ́ŋən] (mißlang, mißlungen) *i.* (s.) 실패하다: alles mißlingt uns 우리의 모든 일이 실패한다.
Mißlingen *n.* -s 실패.
Mißmanagement *n.* -s 잘못된 경영〔관리〕.
Miß≈mut [mɪ́smu:t] *m.* 불쾌; 불만; 우울. **~mutig, ~mütig** *a.* 불쾌한, 언짢은: ein ~es Gesicht machen 불쾌한 표정을 짓다.
Missouri[1] [mɪsú:ri, ..zuəri] *m.* -(s) 미주리강.
Missouri[2] *n.* 미주리주(미국 중서부의 주).
Mißpickel *m.* -s 〖광물·고어〗 ↑ Arsenkies.
mißraten*[1] 《I》 *t.* 〔구식〕 jm. et. ~ 누구에게 무엇을 하지 않도록 충고하다. 《II》 *i.* (s.) 성공하지 못하다, 잘못되다: das Getreide ist ~ 곡물이 흉작이다.
mißraten[2] *p.a.* 성공 못 한; 행실이 나쁜.
Mißregierung *f.* -en 실정(失政), 악정.
Mißstand *m.* -(e)s, ..stände 불편, 폐해; 결점; 곤경, 불공평, 불공정: Mißstände beseitigen〔abschaffen〕 폐해를 제거하다.
mißstimmen [mɪsʃtɪ́mən, mɪ́sʃtɪmən] (*p.p.* mißgestimmt) 《I》 *t.* ①〖음악〗 곡조를 틀리게 소리내다. ② 불쾌하게 하다, …의 기분을 상하게 하다. 《II》 *i.* (s.) 곡조에 맞지 않다, 조화

하지 않다. 《Ⅲ》 **mißgestimmt** *p.a.* ↑ mißgestimmt.

Mißstimmung *f.* -en ① 불화, 의견의 충돌, 불일치. ② 뾰로통함; 불만; 흥분. ③〖商〗불경기.

mißt [mɪst] ↑ messen 의 3 인칭 단수 현재형.

misst 新정서 ⇦ mißt.

Mißton [místo:n] *m.* -(e)s, ..töne 불협화음, 곡조의 빗나감;〔비유〕불쾌, 언짢음; 불화, 알력.

mißtönen (*p.p.* mißgetönt) *i.* (h.) 불협화음을 내다, 곡조에 맞지 않다.

mißtönend *p.a.* 불협화음의, 곡조가 맞지 않는: ein ~er Gesang 불협화음을 내는 합창.

mißtönig *a.* 〔드물게〕 ↑ mißtönend.

***mißtrauen** [mɪstráuən, mís..] (*p.p.* mißtraut) *i.* (h.) jm.〔et.³〕 ~ 누구를〔무엇을〕 믿지 않다, 신임〔신뢰〕하지 않다, 의심하다: sich³ (selbst) ~ 자신이 없다.

Mißtrauen *n.* -s 불신용, 불신임; 혐의, 의심, 의혹: ~ gegen jn. hegen 누구에게 불신을 품다; ~ gegen sich selbst 자신(自信)의 결핍; in jn.〔et.〕 ~ setzen 누구를〔무엇을〕 신용〔신임〕하지 않다.

Mißtrauens=antrag *m.* 〖의회〗 불신임 (동의)안: einen ~ gegen die Regierung einbringen 정부에 대한 불신임 동의안을 내다. **~votum** *n.* 〖의회〗 불신임 투표〔결의〕.

***mißtrauisch** *a.* 신용하지 않는, 불신임의; 의심〔의혹〕하는.

Mißtritt *m.* -(e)s, -e 헛디디기; 실패 (Fehltritt).

Mißvergnügen *n.* -s 불(유)쾌, 불평, 불만; 분노: ~ erregen〔verursachen〕 불쾌한 생각을 일으키다.

mißvergnügt *a.* 불쾌한, 불만스러운: jn. ~ ansehen 누구를 불만스럽게 바라보다.

Mißverhalten *n.* 실책, 과실, 비행; 품행 불량.

Mißverhältnis *n.* -ses, -se ① 어울리지 않음, 불균형, 불평등, 부적당. ② 불화, 알력.

Mißverstand *m.* -es ↑ Mißverständnis ①.

mißverständlich 《I》 *a.* 오해한, 틀린; 애매한. 《Ⅱ》 *adv.* 오해하여, 잘못하여.

Mißverständnis *n.* -ses, -se ① 오해, 잘못 생각함, 그릇된 견해, 틀림: ein ~ klären 오해를 해명하다. ② 감정의 부딪힘, 불화, 알력.

mißverstehen (*p.p.* mißverstanden) *t.* 오해하다, 잘못 생각하다, 오인하다: sie mißverstand mich 그녀는 나를 오해했다;〔구어·농담〕 versteh mich bitte nicht miß! 나를 제발 오해하지 마라!

Mißwachs [mísvaks] *m.* -es 흉작.

mißwachsen *a.* ↑ mißgewachsen.

Mißwahl *f.* -en 미인 선발 (대회).

Mißweisung *f.* 〖物〗 자침의 편차, 방위각.

Mißwille *m.*, **Mißwollen** *n.* 악의.

Mißwirtschaft *f.* 부실 경영, 경영 부실: das sind die Folgen jahrelanger ~ 그것들은 수년간의 부실 경영의 결과들이다.

Mißwuchs [..vu:ks] *m.* -es 발육 부전(不全), 기형.

mißzufrieden *a.* 〔구식〕 불만족한.

***Mist**¹ [mɪst] *m.* -(e)s ① 똥, 분뇨; 비료, 퇴비; 쓰레기 더미, 두엄 더미:〔비유〕 das kannst du auf den ~ werfen 넌 그것을 내버려도 된다;〔비유〕 das ist nicht auf deinem ~ gewachsen 그것은 네가 생각해낸〔만들어낸〕 것이 아니다; stolz wie ein Hahn auf seinem ~ sein 이불 속에서 활개친다; er hat Geld wie ~ 그는 돈이 주체 못할 만큼 많다. ② 불결물, 오물. ③〔구어〕어처구니없는 짓〔것〕, 난센스: so ein ~! 빌어먹을, 쳇!; das ist doch alles ~! 그것은 죄다 쓸데없는 짓이다! ④ 화나는〔성가신〕 일; 쓸데없는 소리, 헛소리; 우둔.

Mist² 《engl.》 *m.* -s, -e 〖海〗 안개.

Mist=bauer *m.* (obd.) 쓰레기치는 사람;〔비유〕우둔한 농부, 멍청한 (시골) 사람. **~beet** *n.* 〖農〗 온상. **~beet·kultur** *f.* 온상 재배.

Mistel [místəl] *f.* -n 〖植〗 겨우살이.

Mistel·drossel *f.* 〖動〗 (유럽산(産)) 지빠귀 (Mistel 열매를 먹음).

misten [místən] 《I》 *t.* ① …에 비료를 주다: einen Acker ~ 밭에 비료를 주다. ② 청소하다: einen Stall ~ 마구간을 청소하다. 《Ⅱ》 *i.* (h.) ① (가축이) 똥을 누다, 배설하다: die Kuh mistet 암소가 배설한다. ② *imp.* 〖海〗 es mistet 안개가 낀다〔끼어 있다〕.

Mister [místər] 《engl.》 *m.* -s, - 군, 씨, 님, 선생;〔약어〕Mr.; 미스터(육체미 경연 대회의 남성 우승자).

Mist=fink *m.* ①〖動〗 되새. ②〔비유〕더러운 놈; 잡놈, 입이 건 사람; 추잡한 생각을 하는 자. **~fliege** *f.* 〖動〗 똥파리. **~forke** *f.* ↑ ~gabel. **~fuhre** *f.* ① 두엄 운반차. ② 두엄의 적하(積荷). **~gabel** *f.* 두엄용 쇠스랑〔삼지창〕. **~grube** *f.* 거름〔두엄〕 구덩이. **~haken** *m.* 거름용 쇠스랑. **~hammel** *m.* 〔폄어〕더러운 놈, 추저분한 놈. **~haufen** *m.* 퇴비〔거름〕 더미. **~hund** *m.* 비열한 남자.

mistig [místɪç] 《<Mist》 *a.* ① 똥 같은; 똥투성이인. ②〔비유〕더러운, 불쾌한; 날씨가 궂은, 나쁜. ③〖海〗 안개가 짙은.

Mistigkeit *f.* 더러움, 불쾌.

Mist=jauche *f.* 〖農〗 똥물, 분뇨, 물거름. **~käfer** *m.* 〖動〗 말똥구리. **~karren** *m.* 분뇨〔비료〕차. **~kerl** *m.* 〔욕설〕비열한 녀석. **~kübel** *m.* (öst.) 쓰레기통. **~lache** *f.* 분뇨〔비료〕 웅덩이.

Mistler *m.* -s, - ↑ Misteldrossel.

Mist=pfuhl *m.*, **~pfütze** *f.* 분뇨〔비료〕 웅덩이. **~schaufel** *f.* (öst.) 넉가래. **~stock** *m.* (schweiz.) ↑ ~haufen. **~stück** *n.* 〔욕설〕 비열한 인간. **~vieh** *n.* 〔욕설〕못된 짐승;〔욕설〕더러운〔추잡한〕 놈. **~wagen** *m.* 분뇨〔비료〕차. **~weib** *n.* 〔욕설〕 더러운 년. **~-wetter** *n.* 〔구어〕아주 나쁜 날씨, 악천후. **~zeug** *n.* 〔경박〕 잡것.

Mistral [mɪstrá:l] 《frz.》 *m.* -s, -e 미스트랄 바람(남프랑스의 한랭하고 건조한 북서풍).

Mistreß [místrɪs, místrɛs] 《engl., „Meisterin"》 *f.* ..sses ① 여주인, 주부. ② 부인, 마님 (부인의 호칭; 약어: Mrs.). ③ 여교사.

Miszellaneen [mɪstsɛlané:ən, ..lá:neən] *pl.* ↑ Miszellen.

Miszellen [mɪstsɛ́lən] 《lat.》 *pl.* 잡문; 수필(집).

***mit** [mɪt] 《I》 *prp.*³ ①〔동반〕…와 함께, …와 더불어, …을 데리고: ~ dir kann ich es wagen 너와 함께라면 나는 그것을 해볼 수 있다; er fährt mit seiner Frau nach Berlin 그는

아내와 함께 베를린으로 간다. ②〖대상〗…에 관하여: (**a**) 〖mit 의 목적어를 주어처럼 해석〗 es ist ~ ihm aus 그는 이젠 글렀다; es ist ~ seiner Freundschaft nur Verstellung 그의 우정은 겉치레일 뿐이다; wie weit sind Sie ~ Ihrer Arbeit? 당신의 일은 얼마나 진척되었습니까?; was ist ~ ihm? 그에게 무슨 일이 있지? (**b**) 〖mit 의 목적어를 술어의 목적어처럼 해석〗 ~ et.³ fertig sein 무엇을 끝내다; ~ et.³ zufrieden sein 무엇에 만족하다; ~ et.³ geizen 무엇을 아끼다; was soll man ~ ihm machen? 그를 어떻게 하면 좋을까? ③〖수단·방법·도구·재료〗…을 가지고, …로: ~ dem Messer essen 나이프로 먹다; ~ dem Frühzug 아침 열차로; ~ der Post 우편으로; ~ Absicht 고의로; er hat ~ Erfolg die Prüfung bestanden 그는 성공리에 시험을 통과했다; ~ Hilfe der Nacht 야음을 틈타서; ~ andern Worten 환언하면(약어: m.a.W.); jn. ~ Namen nennen 누구의 이름을 부르다; et. ~ Eisen beschlagen 무엇에 금속 장식을 때려 박다; das höre ich ~ Vergnügen 나는 그것을 만족스럽게 듣는다; ~ Abstand 단연, 훨씬; er ist ~ Abstand der Beste in seinem Fach 그의 전공에서는 그가 단연코 일인자다. ④〖휴대·결합〗 ~ dem Degen in der Hand 손에 칼을 들고; Kaffee ~ Milch und Zucker 우유와 설탕을 탄 커피; 〖구어·농담〗 ~ ohne et. 무엇을 넣지 않은: den Kuchen ~ ohne Sahne bitte 생크림을 넣지 않은 케이크를 주십시오; ein Wagen ~ vier Pferden 4 두 마차; ein Topf ~ Milch 우유를 담은 단지; Wein ~ Wasser mischen 포도주에 물을 섞다. ⑤〖구비〗 begabt ~ Fähigkeiten 여러 가지 능력을 지닌; ein Mann ~ Namen Schmidt 슈미트라는 이름의 남자. ⑥〖상호 관계〗 ~ jm. sprechen〔streiten〕 누구와 말하다〔싸우다〕; et. ~ et.³ vergleichen 무엇을 무엇과 비교하다; ~ jm. Mitleid haben 누구를 동정하다; ich will ~ ihm nichts zu schaffen〔tun〕 haben 나는 그와 아무 관계도 맺고 싶지 않다. ⑦〖일치·공통〗 ich bin Cousin ~ ihm 나는 그와 종형제다; ~ jm. das gleiche Alter haben 누구와 나이가 같다. ⑧〖동시성·개시〗 ~ 15 Jahren 15 살 때, 15 살이 되면서; ~ der Zeit 시간이 흐름에 따라, 점차로; ~ heute〔~ dem heutigen Tage〕 오늘부터; ~ dem Alter 나이가 들면서; 〖방언〗 ~ eins 돌연; ~ einemmal a) 동시에, b) 갑자기; ~ Tagesanbruch 동이 트자; ~ diesen Worten 이렇게 말하고. ⑨〖조건〗 ~ 44 Punkten bist du bereits ausgeschieden 44 점이면 너는 이미 탈락이다. ⑩〖이유〗 er lag ~ einer Grippe im Bett 그는 감기가 들어 병상에 누워 있었다. 《Ⅱ》 *adv.* ① 함께, 더불어; 동시에; 똑같이; …도 또한, 마찬가지로, 역시: ~ anfassen 함께 돕다; ich kann es nicht länger ~ ansehen 나는 이 이상 그것을 함께 보고 있을 수가 없다; sie hat zwei Kinder in die Ehe mit gebracht 그 여자는 두 아이를 데리고 시집갔다; ~ dabei〔anwesend〕 sein 그 자리에 함께 있다; das gehört ~ dazu 그것도 그것의 일부다; daran lag es ~ 그것도 원인의 하나였다; er ist ~ der Beste seiner Klasse 그는 반의 우등생의 한 사람이다; seine Arbeit war ~ am besten 그의 작품은 최고 걸작 중의 하나였다; das ist ~ zu berücksichtigen 그것도 함께 고려에 넣어야 한다. ②〖damit, womit 에서 분리된 mit〗 da habe ich nichts ~ zu schaffen 거기에는〔그것과는〕 나는 아무런 관계가 없다.

***mit..** *pref.* ① 분리 동사의 전철로 악센트를 가지며, "공동·협동·동반·관여·공통·동시" 따위를 의미함. ② 명사 및 형용사의 전철로 쓰일 때도 같은 뜻임.

mit|an|fassen [mɪt|án.., mɪ́t|an..] *t.* 조력〔가세〕하다.

Mitangeklagte* *der/die* 〖法〗 (형사 사건의) 공동 피고인.

Mitanspruch *m.* -(e)s, ..sprüche 공동 청구(권); 경합(競合).

mitanwesend *a.* 같이 있는.

Mitarbeit [mɪ́t|arbaɪt] *f.* 협력, 합작, 공동 연구〔작업〕.

mit|arbeiten *i.* (h.) (an〔in〕 et.³) (어떤 일에) 함께 일하다, 협력하다: bei einem Projekt ~ 어떤 프로젝트에 참가하다.

***Mitarbeiter** *m.* -s, - 공동 작업자, 협력자; 함께 일하는 사람, 직원; 동인(同人), 기고가.

Mitarbeiterin *f.* -nen ↑ Mitarbeiter 의 여성형.

Mitarbeiterschaft *f.* 기고; 동인〔기고가〕임; 〖총칭〗 직원; 동인, 기고가.

Mitarbeiter·stab *m.* 간부 사원, 참모; 집필진.

Mitautor *m.* -s, -en 공동 저자.

Mitbegleitung *f.* -en 동행, 수행.

mit|begreifen *t.* 포함〔함유〕하다.

Mitbegründer *m.* -s, - 공동 설립자.

Mitbeklagte* *der/die* 〖法〗 (민사 사건의) 공동 피고인.

mit|bekommen* *t.* 함께〔동시에〕 얻다, 덧붙여 받다; 지참금으로 받다; 이해하다; 참여〔관여〕하다: es war so leise, daß er nichts mitbekam 소리가 너무 작아서 그는 전혀 알아듣지 못했다; er hat von den Feierlichkeiten nichts mitbekommen 그는 축제에 전혀 참여하지 못했다.

mit|benutzen *t.* 공동으로 이용하다.

mit|benützen *t.* 〖구어〗 ↑ mitbenutzen.

Mitbenutzung *f.* -en 〖구어〗 공동 이용〔사용〕.

Mitbesitz *m.* -es 공동 점유, 공유.

mit|besitzen* *t.* 공유하다.

Mitbesitzer *m.* -s, - 공유자, 공동 점유자.

mit|bestimmen [mɪ́tbəʃtɪmən] *i.* (h.) 어떤 일의 결정에 참여하다〔의견을 내다〕.

Mitbestimmung *f.* ① 공동 결정. ②〖經〗 (노동자들의) 경영 참여.

Mitbestimmungs=gesetz *n.* 〖法〗 (1976 년 구서독에서 제정된) 공동 결정법. **~recht** *n.* (경영에 대한 노동 조합의) 공동 결정권.

mitbeteiligt [mɪ́tbətaɪlɪçt] *a.* 함께 관여한: er war dabei nicht ~ 그는 그것에 관계하고 있지 않았다.

Mitbeteiligte* *der/die* 공동 관여〔관계〕자.

Mitbevollmächtigte* *der/die* 공동 수임자(受任者).

mit|bewerben* *refl.* sich um et. ~ 무엇을 얻으려고 경쟁하다.

Mitbewerber *m.* -s, - 경쟁자; 연적(戀敵).

Mitbewerbung *f.* -en 경쟁.

Mitbewohner [mɪ́tbəvoːnər] *m.* -s, - 동거

인; 한 집에 사는 사람; 〖복수〗〖속어〗 빈대, 이.
Mitbewohnerin *f.* -nen 여성 동거인.
mit|bezahlen *t./i.* (h.) 지급을 분담하다: ich werde für dich ~ 네 몫의 일부를 내가 치르겠다.
mit|bringen *t.* 가지고 오다, 휴대하다; 데리고 오다: er hat von seiner Reise eine Grippe mitgebracht 그는 여행에서 독감에 걸려왔다.
Mitbringsel *n.* -s, - (여행에서의) 선물.
Mitbruder *m.* -s, ..brüder 〖雅語〗 동포; 이웃 사람; 동아리의 회원.
Mitbürge *m.* -n, -n 〚法〛 공동 보증인.
Mitbürger *m.* -s, - 같은 시민; 동포.
Mitbürgerin *f.* -nen ↑ Mitbürger 의 여성형.
Mitbürgerschaft *f.* -en 동포, (함께 사는) 시민 (전체): die ~ Kölns 쾰른의 전 시민.
Mitchrist *m.* -en, -en 기독교 교우.
Mitdasein *n.* -s 공존.
mit|denken *t.* 함께 생각하다, (남의 생각이나 행동의 동기를) 이해하다.
mit|dürfen* *i.* (h.) 〖구어〗 동행이 허용되어 있다: darf ich mit? 동행해도 될까요?
Miteigentum *n.* -s 공유 재산; 〚法〛 공유.
Miteigentümer *m.* -s, - (재산의) 공유자.
***mit·einander** [mɪt|aɪnándər] *adv.* 서로; 함께, (다)같이.
miteinbegriffen, miteingeschlossen *a.* 함께 포함된, 포괄하여: 25 Mark, Frühstück ~ 아침 식사를 포함하여 25 마르크.
mit|empfinden* *t.* 공감〔이해〕하다: ich kann seinen Schmerz ~ 나는 그의 고통을 느낄 수 있다.
Mitempfindung *f.* -en 공감, 이해; 〚醫〛 교감, 감응.
Miterbe [mít|ɛrbə] *m.* -n, -n 공동 상속인.
mit|erben [mít|ɛrbən] *t.* 함께 상속하다.
Miterbin *f.* -nen ↑ Miterbe 의 여성형.
mit|erleben [mít|ɛrle:bən] *t.* 함께 체험하다: er hat den Krieg noch miterlebt 그도 전쟁을 겪은 사람이다.
Miterbschaft *f.* -en 공동 상속 재산.
mit|essen* 《I》 *i.* (h.) 식사를 함께 하다, 회식하다. 《II》 *t.* alles ~ 전부 먹어 버리다.
Mitesser *m.* -s, - ① 〖구어·농담〗 회식자, 식사를 함께 하는 사람; 식객. ② 기생충. ③ 〚醫〛 여드름.
mit|fahren* [mítfa:rən] *i.* (s.) ① (배·차 따위에) 동승하다: jn. ~ lassen 누구를 태워주다; bei einer Rallye ~ 자동차 경주 대회에 참가하다. ② 〚사냥〛 도주한 짐승을 뒤따라가다.
Mitfahrer *m.* -s, - 동승자.
Mitfahrerin *f.* -nen ↑ Mitfahrer 의 여성형.
Mitfahr·gelegenheit *f.* 동승 기회: eine ~ nach Berlin suchen 베를린까지 편승할 차편을 찾다.
Mitfahrt *f.* 동승.
Mitfahrer·zentrale *f.* 카풀 센터.
mit|fangen* *t.* 함께〔동시에〕 붙잡다.
mit|finanzieren *t.* 공동 출자하다.
mit|fliegen *i.* (비행기에) 동승하다.
mit|folgen *i.* (s.) jm. ~ 누구를 따라가다, 누구와 함께 가다.
Mitfreude *f.* 함께 즐거워함.
mit|freuen *refl.* sich ~ 함께 기뻐하다: ich habe mich über deinen Erfolg mitgefreut 나는 너의 성공을 함께 기뻐하였다.
mit|fühlen *t./i.* (h.) 공감하다, 동정하다.
mit|führen *t.* 가지고 가다; 데리고 가다: der Fluß führt Sand mit 강물이 모래를 쓸어간다.
Mitgabe *f.* 〖드물게〗 ↑ Mitgift.
mit|geben* *t.* jm. et. ~ 누구에게 무엇을 주어 보내다: jm. einen Führer ~ 누구에게 안내인을 붙여 주다.
Mitgeborene* *der/die* 동시대의 사람; 형제 자매 (Geschwister).
Mitgebrachte* *das* 지참물, 선물; (여자의) 혼수, 지참금.
Mitgebrauch *m.* -(e)s, ..bräuche 공동 사용.
Mitgefangene* *der/die* 동료 포로; 동료 수감자.
Mitgefühl *n.* -(e)s 공감, 동정: er hat kein ~ für mich 그는 나를 이해하지 못한다.
mit|gehen* *i.* (s.) ① 동행하다: gehen Sie mit? 함께 가시겠습니까?; 〖속담〗 mitgegangen, (mitgefangen,) mitgehangen 함께 가서 (함께 붙잡혀) 함께 죽다(함께 한 일은 같이 책임을 진다는 뜻); mit dem Sturzbach gingen Sträucher und Bäume mit 덤불과 나무들이 급류에 휩쓸려 떠내려갔다. ② 〖구어〗 et. ~ heißen〔lassen〕 무엇을 몰래 훔치다. ③ 경청하다, 사로잡히다: mit dem Redner ~ 연사의 말에 몰입하다. ④ 〖구어〗 das geht so mit 그 정도면 참을 수 있다, 그것으로 좋다. ⑤ (권투에서) 상대방이 공격한 방향으로 몸을 젖혀 피하다.
Mitgehilfe *m.* -n, -n 조수; 공범자, 방조자.
mit|genießen* *t.* 함께 즐기다〔누리다〕.
mitgenommen 《I》 *p.p.* ↑ mitnehmen. 《II》 *p.a.* 〖구어〗 ① 가련한, 지친: er ist von der Reise noch etwas ~ 그는 아직 여독이 풀리지 않고 있다. ② 〖구어〗 훼손된, 낡은: der Anzug ist schon ziemlich ~ 그 양복은 이미 꽤 낡았다.
Mitgenoß, Mitgenosse *m.* ..nossen, ..nossen 같은 패, 동료; 조합원, 사원; 동지.
Mitgenossenschaft *f.* -en ① 동료〔동지〕임. ② 〖집합적〗 같은 패, 동아리, 동료.
Mitgenuß *m.* ..nusses, ..nüsse 함께 즐기기〔누리기〕.
Mitgeschöpf *n.* -(e)s, -e ↑ Mitmensch.
***Mitgift** *f.* -en 혼수, 결혼 자금, 지참금.
Mitgift·jäger *m.* 〖고어·폄어〗 지참금을 노리는 구혼자.
***Mitglied** [mítgli:t] *n.* -(e)s, -er [..gli:dər] 구성원, 회원, 조합원, 위원: ein aktives ~ 현역〔정〕회원; sich als ~ einschreiben (lassen) 회원으로 등록하다; die ~er eines Paktes 협정 회원국(들).
Mitglieder≈liste [mítgli:dər..] *f.* 회원 명단. **~versammlung** *f.* 총회. **~verzeichnis** *n.* 회원 명단. **~zahl** *f.* 회원수.
Mitglieds≈ausweis *m.* 회원증. **~beitrag** *m.* 회비.
Mitgliedschaft *f.* -en 회원, 회원 자격, 멤버십: die ~ erwerben 회원 자격을 획득하다.
Mitglieds≈karte *f.* 회원 카드. **~land** *n.* 가맹국, 회원국. **~staat** *m.* ↑ ~land.
mit|haben* *t.* 휴대하고 있다.

mit|halten* *t./i.* (h.) 참여하다; 보조를 맞추다: ein Fest ~ 축제에 참여하다; das Tempo ~ 속도를 맞추다; Aufwand unserer Nachbarn kann ich nicht ~ 우리 이웃사람들의 지출 규모를 나는 따라갈 수 없다.
mit|helfen* *i.* (h.) 조력[협력·가세]하다.
Mithelfer *m.* -s, - 조력자; 〖法〗 공범.
Mitherausgeber *m.* -s, - 공동 발행인.
Mitherrschaft *f.* 공동 통치[주권].
Mitherrschafter *m.* -s, - 공동 통치자.
Mithilfe *f.* 조력, 가세, 협력.
mit·hin *adv.* ① 그러므로, 따라서, 그래서; 물론. ② (md.) 여러 번, 가끔, 수차례.
mit|hören *t./i.* (h.) 함께 듣다; (전화를) 도청하다: achtung, Feind hört mit! 조심, 적이 도청한다!
Mithra(s) [mí:tra(s)] *m.* 〖신화〗 미트라(고대 인도의 태양신).
Mitinhaber *m.* -s, - 공동 소유자.
Mitinhaberin *f.* -nen ↑ Mitinhaber 의 여성형.
mit|kämpfen *i.* (h.) 함께 싸우다, 함께 전투에 참가하다.
Mitkämpfer *m.* -s, - 전우, 아군.
Mitkämpferin *f.* -nen ↑ Mitkämpfer 의 여성형.
Mitkläger *m.* -s, - 공동 원고(原告).
Mitklang *m.* -(e)s, ..klänge 〖理〗 공명(共鳴).
mit|klingen *i.* (h.) ① 〖理〗 (소리가) 공명(共鳴)하다. ② (느낌이나 생각이) 섞여 있다: die Enttäuschung klang in ihren Worten mit 그녀의 말에는 실망의 빛이 역력했다.
mit|kommen* [mítkɔmən] *i.* (s.) ① **(a)** 함께 오다, 따라 오다. **(b)** 〖구어〗 보조를 맞추다: ihr geht so schnell, ich komme nicht mit 너희들은 너무 빨리 간다, 그래서 나는 따라갈 수 없다. ② 〖구어〗 이해하다: in der Mathematik komme ich nicht mehr mit 나는 수학을 더 이상 이해할 수 없다.
mit|können* *i.* (h.) 〖구어〗 ① 동행할 수 있다. ② 이해할 수 있다. ③ (다른 사람의 수준을) 유지할 수 있다.
Mitkontrahent *m.* -en, -en 〖法〗 공동 계약 당사자.
mit|kriegen 《I》 *t.* ↑ mitbekommen. 《II》 *i.* (h.) 참전[종군]하다.
mit|lassen* *t.* 동행시키다.
mit|laufen* *i.* (s.) ① 함께 달리다, 참여하다: jn. ~ lassen 누구를 참여케 하다. ② 〖폄어〗 들러리서다: viele Mitglieder der Partei laufen nur mit 많은 당원들은 단순한 들러리이다. ③ (다른 일과 함께) 진행하다, 겸해서 처리되다: die Reparaturen müssen nebenher ~ 수리도 병행해서 해야 한다. ④ 〖구어〗 et. ~ lassen 무엇을 훔치다.
Mitläufer [mítlɔʏfər] *m.* -s, - 〖폄어〗 단순 가담자; 〖비유〗 어중이떠중이; 〖政〗 말단 당원.
Mitlaut *m.* -(e)s, -e 〖문법〗 자음(↔ Selbstlaut).
Mitlauter *m.* -s, - ↑ Mitlaut.
Mitlebende* *der/die* 동시대의 사람.
***Mitleid** [mítlaɪt] *n.* -(e)s 동정, 연민, 측은: ~ mit jm. haben 누구를 동정하다; ~ erregen 동정심을 일으키다; aus ~ für jn.[et.] 누구[무엇]에 대한 동정심에서; voll ~ 동정심으로 가득 차서.
mit|leiden* *i.* (h.) ① 함께 괴로워하다; 동정하다. ② 〖醫〗 교감(交感)하다.
Mitleiden *n.* -s ↑ Mitleid.
Mitleidenschaft *f.* 함께 고통 당하기, 간접 피해; 〖醫〗 교감 동통(交感疼痛): jn.[et.] in ~ ziehen 누구[무엇]에게 더불어 피해를 주다: bei dem Unfall ist sein Auto in ~ gezogen worden 그 사고로 그의 자동차도 피해를 당했다.
mitleidens·wert, ~würdig *a.* 동정할 만한, 불쌍한.
mitleid·erregend *a.* 동정심을 불러일으키는.
mitleidig *a.* 동정심이 있는, 자비심이 깊은.
mitleidlos [mítlaɪt..] *a.* ↑ mitleidslos.
mitleidslos *a.* 동정심이 없는; 무정한.
mitleid·voll *a.* 동정심[자비심]이 많은.
mit|lernen *t.* 함께 배우다: die Mutter lernt mit der Tochter Klavierspiel mit 어머니가 딸과 함께 피아노를 배운다.
mit|lesen* *t.* ① 함께 읽다: eine Zeitung ~ 신문을 공동으로 구독하다. ② 빠뜨리지 않고 읽다: das Kleingedruckte ~ 잔 글씨로 인쇄된 것도 빠뜨리지 않고 읽다.
mit|liefern *t.* 함께 공급하다: das Zubehör ~ 부속품을 함께 공급하다.
***mit|machen** [mítmaxən] 《I》 *t.* 함께 하다, 남이 하는 대로 하다; 참여하다; 함께 당하다: einen Ausflug ~ 함께 소풍가다; das Wetter macht auch mit! 날씨도 봐주는구먼!; die Mode ~ 유행을 따르다; er hat viele Feldzüge mitgemacht 그는 여러 차례 종군했다; er macht alles mit 그는 무슨 일에든지 간섭한다; er hat viel mitgemacht 그는 여러 가지를 겪은 사람이다; da machst du was mit! 그러다가 무슨 일을 당할걸! 《II》 *i.* ① 참여하다; 반려이다. ② (신체 기관이) 작동하다.
Mitmensch *m.* -en, -en 동포, 이웃 사람.
mitmenschlich *a.* 이웃의, 인간간의.
Mitmenschlichkeit *f.* 이웃간의 정.
mit|mischen *i.* (h.) ① 〖구어〗 참견[개입]하다: er will überall ~ 그는 무슨 일에나 개입하려 한다. ② 〖스포츠〗 전력을 다해 싸우다.
mit|mögen* *i.* (h.) 동행[참가]하고 싶다.
mit|müssen* *i.* (h.) 〖구어〗 동행하지 않으면 안 되다.
Mitnahme [mítna:mə] *f.* 휴대; 데리고 감.
Mitnahme·preis *m.* (구매자가 직접 상품을 사 가지고 갈 경우의) 운송비 공제 가격.
mit|nehmen [mítne:mən] 《I》 *t.* ① 가지고 가다[떠나다], 휴대하다; 데리고 가다, 동행시키다: jn. im Wagen ~ 누구를 (차에) 동승시키다. ② **(a)** 손에 넣다; 몰래 훔치다: nur Bilder ~ 그림만 훔쳐가다. **(b)** 〖구어〗 지나가는 길에 사다. **(c)** 〖구어〗 하는 김에 이용하다: in meiner Jugend habe ich jede Gelegenheit mitgenommen 내가 젊었을 때는 기회란 기회는 모두 이용했다; das ist immer mitzunehmen 그것은 언제나 요긴하게 쓰인다. **(d)** 배우다: aus dem Kurs konnte ich viel ~ 그 강좌에서 많은 것을 배울 수 있었다. ③ **(a)** 접촉하여 손상시키다: Ich habe mit dem Auto das Garagentor mitgenommen 나는 자동차로 차고문을 망가뜨렸다. **(b)** 긴장시키다; 쇠약하게 하다; 피로하게 하다: die Krank-

heit nimmt ihn sehr mit 병으로 그는 몹시 쇠약해진다; jn. arg〔böse, hart〕 ~ 누구를 학대하다. 《Ⅱ》 **mitgenommen** *p.a.* ↑ mitgenommen.

Mitnehme·preis *m.* ↑ Mitnahmepreis.

Mitnehmer [mítne:mər] *m.* -s, -〘기계〙 구동〔전동〕 톱니바퀴, 구동체(驅動體).

mitnichten [mɪtnɪ́çtən] *adv.* 결코 …않다 (keineswegs).

Mitose [mitó:zə] *f.* -n〘生〙 세포핵 분열.

Mitpächter *m.* -s, - 공동 소작인.

Mitra [mí:tra] 《gr. -lat.》 *f.* ..tren ① (갑옷 밑에 두른) 금속제의 허리띠. ② (그리스·로마 시대 여성의) 머리띠. ③ (고대 오리엔트 군주의) 머리띠. ④〘가톨릭〙 주교관(冠).

Mitrailleuse [mitrajǿ:zə, ..raljǿ:zə] 《frz.》 *f.* -n〘軍〙 (구식) 경기관총, 연발총.

mitral 《lat.》 *a.* 승모(僧帽)(모양)의;〘해부〙 승모판(瓣)의.

Mitral·klappe *f.*〘해부〙 승모판(좌심방과 심실 사이에 있는 심장 판막).

mit|raten* *i.*(h.) ① 회의에 참가하다. ② 함께 수수께끼를 풀다.

mit|rauchen 《Ⅰ》 *t.* 함께 담배를 피우다: rauchst du eine mit? 너도 한 대 같이 피우겠니? 《Ⅱ》 *i.*(h.) (흡연자 옆에 있는 사람이) 간접적으로 연기를 마시다.

Mitreaktion *f.* 공동 반응.

mit|rechnen *t./i.*(h.) 함께 계산하다; 계산에 넣다: die Kosten mitgerechnet 제반 비용을 포함하여; das rechnet nicht mit 그것은 계산에 포함되지 않는다.

mit|reden 《Ⅰ》 *i.*(h.) 대화에 한몫 끼다, 말참견하다: Sie haben hier nichts mitzureden 이것은 당신과 아무 관계가 없는 일입니다; da kannst du gar nicht ~ 이것은 너 따위가 참견할 일이 아니다. 《Ⅱ》 *t.* ein Wort ~ 의견을 말하다: ein Wort bei et.³ mitzureden haben 어떤 일에 관해서 발언권이 있다.

Mitreeder *m.* -s, -〘海〙 선박 공유자.

Mitregent *m.* -en, -en〘政〙 공동 통치자.

mit|reisen *i.*(s.) 함께 여행하다.

Mitreisende* *der/die* 여행의 동행자.

mit|reißen* *t.* ① 마음을 빼앗다, 감격케 하다: der Professor konnte seine Studenten ~ 그 교수는 학생들을 열광시킬 수 있었다. ② 휩쓸어가다: er wurde von der Strömung mitgerissen 그는 급류에 휩쓸려갔다.

mitreißend *a.* 감동적인, 열광시키는.

Mitropa [mitró:pa] *f.* =Mitteleuropäische Schlaf- und Speisewagen-Aktiengesellschaft 중부 유럽 침대 식당차 주식 회사.

mitsammen *adv.* (südd., öst.) ↑ miteinander.

mitsamt [mitzámt] *prp.*³ …와 함께, 같이; …을 포함시켜.

mit|schicken *t.* ① 같이〔함께〕 보내다; 동봉하다: ein Foto im Brief ~ 편지에 사진 한 장을 동봉하다. ② 딸려 보내다: jm. einen Ortskundigen als Führer ~ 누구에게 지역 사정에 밝은 사람을 안내인으로 딸려 보내다.

Mitschläfer *m.* -n, - 동침자.

mit|schleifen *t.* ① 함께 끌고 가다: er wurde von dem Auto erfaßt und mehrere Meter mitgeschleift 그는 자동차에 치여 수 미터나 끌려갔다. ②〘구어〙 가져가다; 데려가다: er wollte mich zur Party ~ 그는 나를 파티에 데려가려고 했다.

mit|schleppen *t.* ① (불필요한 것을) 질질 끌고 다니다. ②〘비유·구어〙(누구를) 억지로 끌고 가다.

mit|schneiden *t.*〘방송〙 녹화〔녹음〕하다.

Mitschnitt *m.* -(e)s, -e〘방송〙 녹화, 녹음.

mit|schreiben *t.* ① 받아쓰다, 받아적다: ich diktiere, schreiben Sie bitte mit! 제가 구술할 테니 당신은 받아 쓰시오! ② 필기 시험에 응시하다.

mit|schreien* *i.*(h.) 같이 외치다.

Mit|schuld [mítʃʊlt] *f.* 공범, 연루, (사고 따위의) 공동의 책임.

mitschuldig *a.* 공범의.

Mitschuldige* *der/die* 공범〔연루〕자.

Mitschuldner *m.* -s. -〘法〙 공동〔연대〕 채무자.

Mitschüler *m.* -s, - 학우, 동급생, 동창생.

Mitschülerin *f.* -nen ↑ Mitschüler 의 여성형.

Mitschwester *f.* -n 동포, 자매; 동료 수녀.

mitschwingen *i.*(h.) ①〘物〙 공진(共振)〔공명(共鳴)〕하다. ② (뉘앙스가) 담겨 있다.

mit|sein* *i.*(s.) ① 함께 있다: er ist beim Ausflug nicht mitgewessen 그는 야유회에 함께 가지 않았다. ②〘구어〙 das ist mir nicht mit 그것은 내게 부적당〔불쾌〕하다.

mit|senden* *t.* ↑ mitschicken.

mit|singen* *t./i.*(h.) ① 같이 노래하다: er singt im Chor mit 그는 합창단의 일원이다. ② 반주에 맞춰 노래하다.

mit|sollen* *i.*(h.) 동행하여야 하다.

mit|spielen *t./i.*(h.) ① 함께 놀다, 놀이〔게임〕에 참가하다;〘음악〙 협주〔반주〕하다;〘연극〙 공연(共演)하다: sie hat im „Faust" mitgespielt 그녀는 "파우스트"에 함께 출연했다; nicht mehr ~ a)〘카드〙 가진 패를 내던지다, b) 손을 떼다. ② 함께 작용하다: der Zufall hat hier mitgespielt 여기에는 우연도 한 몫을 했다. ③ 괴롭히다: jm. übel ~ 누구를 몹시 괴롭히다.

Mitspieler *m.* -s, - 놀이 친구;〘음악〙 협연〔협주·반주〕자;〘연극〙 공연(共演)자.

Mitspielerin *f.* -nen ↑ Mitspieler 의 여성형.

Mitsprache *f.* (중요한 결정의) 참여 발언.

Mitsprache·recht *n.* 참여〔결정·발언〕권: jm. ein ~ einräumen 누구에게 발언권을 인정하다; ein ~ über et. fordern 무엇에 관한 발언권을 요구하다.

mit|sprechen* *i.*(h.) ① (맹세나 찬양 따위를) 따라 하다, 함께 말하다. ② 말참견하다 (mitreden). ③ 역할을 함께 하다: dabei sprechen einige Gesichtspunkte mit 거기에는 몇 가지 관점이 얽혀 있다.

mit|stenographieren *t.* 속기로 받아쓰다.

mit|stimmen *i.*(h.) 투표에 참가하다.

Mitstreiter *m.* -s, - 전우.

Mitstreiterin *f.* -nen ↑ Mitstreiter 의 여성형.

Mitstudent *m.* -en, -en (대학의) 동학, 학우, 동창생.

***Mittag** [míta:k] *m.* -s, -e ① 정오; 대낮, 한낮(대략 11-13 시): des ~s 정오에; heute ~ 오늘 낮에; es geht auf ~ zu 이제 곧 정오다;

gegen ~ 정오 무렵에; 〖비유〗 er steht im ~ seines Lebens (seiner Jahre) 그는 인생의 한창 때다; über ~ (unter ~) 낮 동안에, 점심 시간 동안에; (zu) ~ essen 점심을 먹다; jn. zu ~ einladen 누구를 오찬에 초대하다; ~ halten(machen) 점심 시간의 휴식을 취하다; ich hab' um 12 Uhr ~ 나는 12 시에 점심(휴식) 시간을 갖는다. ② 남(쪽) (Süden): die Sonne steht im ~ 태양은 남쪽에 있다; ge-(ge)n ~ 남쪽으로.

Mittag≈brot *n.* ↑ Mittagsbrot. ***~essen** *n.* 점심 식사.

mittägig [mítɛ:gıç] *a.* 정오의; 한낮의: die ~e Stille 한낮의 고요.

mittäglich [mítɛ:klıç] *a.* ① 매일 정오 마다의: der ~e Spaziergang 매일 정오에 하는 산책. ② 정오의, 한낮의: die ~e Schwüle 한낮의 무더위. ③〖구식〗 남쪽의.

Mittag·mahl (öst.) *n.* ↑ ~essen.

mittags [míta:ks] *adv.* ① 정오에. ② 오찬에.

Mittags·blume *f.* 〖植〗 (남아프리카 원산의) 상록 다년초.

Mittags≈brot *n.* 점심, 오찬. **~fernrohr** *n.* 〖天〗 자오의(子午儀). **~gegend** *f.* 남쪽. **~gesellschaft** *f.* 오찬회. **~glut, ~hitze** *f.* 정오의 더위. **~höhe** *f.* 〖天〗 (별·태양의) 자오선 (통과) 고도. **~kreis** *m.* 〖드물게〗 (Meridian) 자오선, 자오권. **~linie** *f.* 〖天〗 자오선. **~luft** *f.* ① 정오의 공기. ② 남풍. **~mahl** *n.*, **~mahl·zeit** *f.* 점심, 오찬. **~pause** *f.* 낮의 휴식. **~punkt** *m.* 〖지리〗 남점(南點). **~ruhe** *f.* ① 한낮의 고요. ② 낮의 휴식; 낮잠. **~schicht** *f.* ① 정오에 교대해서 시작하는 작업 시간. ② 낮 교대조. **~schlaf** *m.* 낮잠. **~schläfchen** *n.* 짧은 낮잠. **~seite** *f.* 남쪽. **~sonne** *f.* 정오의 태양. **~stunde** *f.* 점심 시간(특히 12-13 시 사이). **~tafel** *f.* ↑ ~tisch. **~tisch** *m.* ① 점심상: die ganze Familie sitzt am ~ 가족이 모두 점심 식사 중이다. ② (식당의) 점심 식사: das Restaurant bietet einen preiswerten ~ an 이 식당은 저렴한 점심 식사를 제공한다. **≈wärts** *adv.* 남쪽으로. **~wind** *m.* 남풍. **~zeit** *f.* 점심 때; 낮 휴식 시간: um die ~ 정오경에. **~zirkel** *m.* ↑ ~kreis.

mit|tanzen *i.* (h.) 함께 춤추다.

Mittänzer *m.* -s, - 춤(댄스) 파트너.

Mittänzerin *f.* -nen ↑ Mittänzer 의 여성형.

Mittäter [míttɛ:tər] *m.* -s, - 공범자.

Mittäterin *f.* -nen ↑ Mittäter 의 여성형.

Mittäterschaft *f.* 공동 정범.

Mittdreißiger *m.* -s, - 30 대 중반의 남자.

***Mitte** [mítə] *f.* -n ① 중앙, 중간, 한가운데; 중심; 내부; 허리 (Leibes≈): er traf die ~ (der Scheibe) 그는 과녁의 한복판을 쏘아 맞혔다; in der ~ des Wegs gehen 길 한가운데를 걷다; er wohnt im 2. Stock ~ 그는 3 층 가운데 집에 살고 있다; ~ Januar 1 월 중순에; ~ dreißig 30 대 중반; das Reich der ~ 중국; jn. in die ~ nehmen 누구를 자기들의 일원으로 받아들이다; ein Unfall hat unseren Freund aus unserer ~ gerissen 사고가 친구를 우리 곁에서 빼앗아갔다; ein Mädchen um die ~ (in der ~) fassen 처녀의 허리를 껴안다; 〖구어〗 ab durch die ~! 꺼져라! ② 중용, 중도(中道); 평균: die goldene ~ 중용의 덕; die ~ halten 중용을 지키다; die ~ nehmen 평균을 취하다. ③〖政〗 중도파, 중립당: die ~ stimmte dagegen 중도파는 그것에 반대 투표를 했다

mitteilbar [míttaılba:r] *a.* ① 전할 수 있는; 분배할 수 있는. ②〖醫〗 전염성의.

***mit|teilen** [míttaılən] 《I》 *t.* ① 전하다, 알리다, 통지하다; (비밀을) 털어놓다: er hat mir telefonisch(brieflich) mitgeteilt, daß er heute nicht kommen kann 그는 오늘 올 수 없다고 내게 전화(편지)로 통보했다; jm. ein Geheimnis ~ 누구에게 비밀을 털어놓다. ② 〖聖·고어·雅語〗 분배하다, 나누어주다: wohlzutun und mitzuteilen vergesset nicht! 너희 선행을 행하고 나누어 주는 것을 잊지 마라! 《II》 *refl.* ① sich jm. ~ 누구에게 심중을 털어놓다. ② sich ~ 옮겨지다; 〖醫〗 전염하다: die Wärme teilt sich der Umgebung mit 열은 주위에 전도된다.

mitteilsam *a.* 이야기하기 좋아하는; 숨김 없는, 속을 터놓은.

Mitteilsamkeit *f.* ↑ mitteilsam의 명사형.

***Mitteilung** [míttaıluŋ] *f.* -en 전달, 통지, 공고; 보고: amtliche ~ (관청의) 고시, 포고.

Mitteilungs≈bedürfnis *n.* 고백의 욕구. **~drang** *m.* 알리고 싶은 충동.

mittel [mítəl] *a.* 〖구어〗 중앙(중심·중간)의; 보통의; 평균의: die Weizenernte ist unter ~ 밀 수확은 평년작 이하다.

***Mittel**[1] *n.* -s, - ①〖고어〗 중앙, 중간: im ~ der Nacht 한밤중에. ② 중간물, 매개물; 〖物〗 매질(媒質). ③〖고어〗 동아리: in unserem ~ 우리들 가운데에. ④〖數〗 평균: das arithmetische ~ 산술 평균; das geometrische ~ 기하 평균; im ~ 평균하여. ⑤ 수단, 방법, 방책; 도구: ~ und Wege suchen 방법을 모색하다; alle ~ anwenden (kein ~ unversucht lassen) 온갖 방책을 강구하다; zur Erreichung seines Ziels war ihm jedes ~ recht 그는 목적 달성을 위해 수단 방법을 가리지 않았다; sie war ihm nur ein ~ zum Zweck 그녀는 그에게 오로지 목적을 위한 수단에 지나지 않았다; 〖속담〗 bei gutem Willen finden sich die ~ 하려고 들면 길은 있는 법이다. ⑥〖대개 복수〗 재력, 자금; 재산: bei ~n sein 재력이 있다; es fehlen ihm die ~ dazu 그는 그렇게 할 재력이 없다; meine ~ erlauben mir das 내게는 그만한 재력이 있다; über seine ~ hinaus leben 분에 넘치는 생활을 하다. ⑦〖藥〗 약, 약품, 약제, 의약: niederschlagende (beruhigende) ~ 진정제. ⑧ 중재: ins ~ treten, sich (für jn.) ins ~ legen(schlagen) (누구의) 사이에 끼어 들다, (누구를 위해) 중재하다.

Mittel[2] *f.* 〖印〗 14 포인트 활자.

Mittel≈afrika 중앙 아프리카. **≈alt** *a.* 중년의. ***~alter** *n.* ① 중년. ② 중세, 중고(中古). **≈alterig** *a.* ↑ ≈altrig. **≈alterlich** *a.* 중세의; 〖농담〗 중년의. **≈altrig** *a.* 중년의. **~amerika** *n.* 중앙 아메리카, 중미(中美). **~art** *f.* 중간종; 잡종. **~asien** 중앙 아시아. **~balkon** *m.* 〖연극〗 극장의 2 층 정면 좌석.

***mittelbar** [mítəlba:r] *a.* (↔ unmittelbar) 간접의; 방계(傍系)의; 떨어져 있는, 인연이 먼.

Mittelbarkeit *f.* 간접성, 간접적임.
Mittel≈bau *m.* ①〔복수: ..ten〕 건물의 중앙 부분. ② 중간층의 대학 교원(보기: 조교수·전임 강사). **~bauch·gegend** *f.* 〖해부〗 중복부(中腹部). **~begriff** *m.* 〖논리〗 매개념(媒概念), 중개념, 매명사(媒名辭). **~betrieb** *m.* ①〖經〗 중간 규모의 기업. ② 중농(中農).
Mittelchen [mítəlçən] *n.* -s, -〖↑ Mittel 의 축소형〗 소량의 약.
Mittel≈deck *n.* 중갑판. **~decker** *m.*〖空〗 중익(中翼) 단엽기. **≈deutsch** *a.* ① 중부 독일의. ② 중세 독일어의. **~deutsche*** *das* 중부 독일어; 중부 독일적인 것. **~deutschland** 중부 독일. **~ding** *n.* 중간물; 잡종, 혼혈아; 어중간한 일: sein Hund ist ein ~ aus Dackel und Schnauzer 그의 개는 다켈과 슈나우처의 잡종이다. **~ernte** *f.* 평년작. **~europa** *n.* 중부 유럽. **≈europäisch** *a.* 중부 유럽의: ~e Zeit 중부 유럽 표준시(약어: MEZ). **~europäische Schlaf- und Speisewagen-Aktiengesellschaft** *f.* 중부 유럽 침대 식당차 주식 회사(약어: Mitropa). **~farbe** *f.* 중간색. **≈fein** *a.* 중급 품질의, 중급의(상품 따위). **~feld** *n.* ①〖스포츠〗 미드필드, 중간 지역. ②〖스포츠〗 (선두 집단을 따르는) 중간 집단. ③〖언어〗 한 문장의 가운데 부분. **~feld·spieler** *m.* 〖축구〗 링커(Halbstürmer). **~fell** *n.*〖해부〗 (두 허파 사이의) 종격(縱隔). **~finger** *m.* 가운뎃 손가락. **~fleisch** *n.*〖해부〗 회음(會陰). **~form** *f.*〖문법〗 분사(Partizip). **≈fristig** *a.*〖經〗 중기간의: ein ~er Kredit 중기 대부. **~fuß** *m.* ① 보통 크기의 발. ②〖해부〗 (발가락과 발목 사이의) 척골부(蹠骨部). **~gang** *m.* ① (조련된 말의) 평보(平步), 보통〔느린〕 걸음. ② (극장·열차 따위의) 중앙 통로. **~gattung** *f.* 중간종, 잡종. **~gebäude** *n.* 중앙의 건물, 본관. **~gebirge** *n.* 중간급의 산맥(해발 300-2000 m 사이). **~gewicht** *n.*〖스포츠〗 ① 미들급. ② 미들급 선수. **~gewichtler** *m.* 미들급 선수. **~glied** *n.* ①〖해부〗 가운뎃 마디, 중절(中節). ②〖數〗 내항(內項). ③〖논리〗 매(媒)개념. **≈groß** *a.* 중간 크기의. **~größe** *f.* 중간 크기〔치수〕, 미디엄. **~grund** *m.* ①〖畫〗 중경(中景). ②〖海〗 양쪽에 수로(水路)가 있는 모래톱. **≈gut** *a.* (품질이) 중급의. **~hand** *f.* ①〖해부〗 손바닥뼈, 중수골(中手骨)(손목과 손가락 사이의 부분). ②〖카드〗 두 번째 하는 사람: in der ~ sein〔sitzen〕 두 번째 게스트다. ③ (말의) 중간 몸통 부분.
mittelhoch≈deutsch *a.* 중고(中高)〔중세 고지〕 독일어의(약어: mhd). **≈deutsch** *n.*, **≈-deutsche*** *das* 중고 독일어.
Mittel≈instanz *f.*〖法〗 (상급심과 하급심의) 중간심급, 항소심(抗訴審). **~klasse** *f.* ① 중류〔중산〕 계급. ② (특히 자동차의) 중형. ③〖대개 복수〗 중급(반). **~klasse·wagen** *m.* 중형차. **~kraft** *f.*〖理〗 합력, 힘의 합성. **~kreis** *m.*〖스포츠〗 센터 서클. **~kurs** *m.*〖商〗 (외환의) (매도와 매수의) 평균 시세. **~lage** *f.* ① 중앙부; 산의 허리 부분. ②〖음악〗 중간 음역. **≈ländisch** *a.* ① 내지(內地)의. ② 육지로 둘러싸인: das ≈e Meer 지중해. **~land·kanal** *m.* 중부 독일 운하. **~latein** *n.* 중세 라틴어. **~lateinisch** *a.* 중세 라틴어의. **~läufer** *m.*〖축구〗 센터포워드. **~linie** *f.* ①〖교통〗 중앙 분리선. ②〖天〗 적도(赤道)(Äquator). ③〖數〗 2등분선. ④〖해부〗 정중선(正中線). ⑤〖物〗 (자석의) 중성대. ⑥〖테니스〗 중앙선.
mittellos *a.* 재력이 없는, 무일푼의, 빈궁한.
Mittellosigkeit *f.* 빈궁, 무일푼.
Mittel≈mächte *pl.* 중부 유럽 제국. **~maß** *n.* 보통, 평균;〖대개 폄어〗 평범, 중용, 범용(凡庸). ***≈mäßig** *a.* 중등의, 중위〔중급〕의; 평균의; 보통의; 중용의, 평범한: ~e Begabung 범재(凡才). **~mäßigkeit** *f.* 평범, 평균, 보통. **~mast** *m.*〖海〗 가운데〔큰〕 돛대. **~mauer** *f.*〖건축〗 격벽(隔壁). ***~meer** *n.* ①〖고어〗 내해(內海)(Binnenmeer). ② 지중해. **~meer·fieber** *n.* 〖醫〗 몰타열(熱)(Maltafieber). **≈meerisch** *a.* 지중해의. **~meer·klima** *n.* 지중해성 기후. **~meerraum** *m.* 지중해 (문화)권. **≈niederdeutsch** *a.* 중세 저지 독일어의. **~ohr** *n.*〖해부〗 중이(中耳). **~ohr·entzündung, ~ohr·vereiterung** *f.*〖醫〗 중이염. **~partei** *f.*〖政〗 중립당, 온건파. **~pfeiler** *m.* 중앙 기둥〔교각〕. **≈prächtig** *a.* 〖구어·농담〗 중간〔보통〕의: wie geht es dir? — Ach, ~! 어떻게 지내니? — 응, 그저 그래! の**~preis** *m.* 평균 가격, 보통 가격. ***~punkt** *m.* 중점, 중심; (Kernpunkt) 핵심, 요점; 중심(重心): nach dem ~e strebend 구심적; vom ~e wegstrebend 원심적; er steht im ~ des Interesses 그는 관심의 초점이다. **~punktschule** *f.* (여러 곳에 분교를 가진) 본교.
mittels [mítəls] *prp.*[2] …을 수단으로.
Mittel≈salz *n.*〖化〗 중성염. **~satz** *m.*〖논리〗 매(媒)개념, 매개 문장. **~scheitel** *m.* 가운데 가르마: (einen) ~ tragen 가운데 가리마를 타다. **~schicht** *f.* 중간〔중산〕층. **~schiff** *n.* ↑ Hauptschiff. **~schlag** *m.* ↑ ~sorte. **~schrift** *f.*〖印〗 활자의 일종(14 포인트). **~schule** *f.* ①〖구식〗 실업계 학교(Realschule). ② (오스트리아·스위스의) 고등 학교, 김나지움. **~schul·lehrer** *m.* 중학교 교사. **≈schwer** *a.* (무게·난이도·중요성 따위가) 중간 정도인.
Mittels·mann *m.* 중개〔매개〕자; 중재〔조정〕자; 대리인;〖商〗 거간꾼, 중매인(仲買人).
Mittel·sorte *f.* 중급의 종류; 중등품.
Mittels·person *f.* ↑ ~mann.
mittelst[1] [mítəlst] ↑ mittels.
mittelst[2] 〖mittel 의 최상급〗 *a.* 한가운데의, 중앙의: der ~e Finger 가운뎃 손가락.
Mittel≈stadt *f.* 중간 도시(인구 2 만-10 만 정도). **~stand** *m.* 중산층. **≈ständig** *a.*〖植〗 (꽃잎이) 씨방 중위(中位)의, 씨방 주위의; 중간성의(잡종 따위). **≈ständisch** *a.* 중산층의. **~ständler** *m.* 중산층 사람. **≈stark** *a.* (힘이) 중간 정도 세기의. **~steinzeit** *f.* 중석기 시대. **~stelle** *f.* ① 중간〔중앙〕부, 중심지. ② 중간 역. **~stellung** *f.* 중간점〔위치〕. **~stimme** *f.*〖음악〗 ① 내성(內聲)(다성 악곡에서 고음과 저음 사이의 음). ②〖복수〗 반음(伴音). **~straße** *f.* ① 중앙로. ②〖비유〗 중도(中道), 중용: die goldene ~ 중용의 미덕. **~strecke** *f.*〖스포츠〗 중거리.
Mittelstrecken≈flugzeug *n.* 중거리 비행기. **~lauf** *m.* 중거리 경주. **~läufer** *m.*〖스포츠〗 중거리 경주의 주자. **~rakete** *f.* 중거

리 로켓.

Mittel≈streckler *m.* 중거리 주자. **~streifen** *m.* (고속 도로의) 중앙 분리대. **~stück** *n.* ① 가운데 부분. ② (쇠고기의) 홍두깨살. ③ 〖연극〗 막간극. **~stufe** *f.* ① 중단(中段). ② 중급, 중등. **~stürmer** *m.* (축구의) 센터포워드. **~teil** *m./n.* 중간 부분. **~tisch** *m.* (식당의) 중앙〔가운데〕 식탁. **~ton** *m.* 〖음악〗 중음(中音), 음계의 제 3 도의 음, 가온음; 〖畫〗 중간 색조. **~tür** *f.* 중앙 출입문〔현관〕. **~türe** *f.* ↑ ~tür. **~wall** *m.* 〖軍〗 (성채의) 중간 방벽. **~wand** *f.* ①〖건축〗 중간벽, 맞뱃벽. ② 〖植〗 콩깍지. **~ware** *f.* 중등품. **~wasser** *n.* ① (만조와 간조 사이의) 중간〔표준〕 수위. ② (민물의) 평균 수위. **~weg** *m.* 중앙로; 〖비유〗 중도, 중용: der goldene ~ 중용(中庸); den ~ einschlagen 중도를 택하다. **~welle** *f.* 〖방송〗 중파 (구역). **~wellen·sender** *m.* 〖방송〗 중파 방송국〔송신기〕. **~wert** *m.* 평균값; 중간치. **~wort** *n.* 〖문법〗 분사(Partizip). **~wort·gruppe** *f.* (현재·과거) 분사. **~wort·satz** *m.* 분사구(문). **~wüchsig** *a.* 중(간)키의.

***mitten** [mítən] *adv.* 〖대개 전치사와 함께〗 중앙에, 한가운데에: ~ am Tage 한낮에, 정오에; ~ auf der Straße 길 한복판에; ~ aus der Versammlung 모인 사람 가운데서; ~ durch die Scheibe schießen 과녁의 복판을 맞히다; ~ in der Luft 중천에; ~ in der Nacht 한밤중에; ~ im Winter 한겨울에; er trat ~ unter sie 그는 그들 사이로 파고 들어갔다; der Schuß traf ihn ~ ins Herz 총알이 그의 심장을 명중시켰다; ~ entzwei brechen 가운데가 부러져 두 동강이 나다.

mitten≈drein [mɪtəndráɪn] *adv.* 한가운데로. **~drin** *adv.* (그) 한가운데서: ~ sein 지금〔때마침〕 …중이다: er ist ~, seinen ersten Roman zu schreiben 그는 지금 그의 첫 장편 소설을 쓰는 중이다. **~drunter** *adv.* 그 한가운데에〔로〕, 그 사이에〔로〕. **~durch** *adv.* 〖구어〗 한가운데를 뚫고: ich schneide das Brot ~ 나는 빵의 한가운데를 자른다. **~hindurch** *adv.* 한가운데를 꿰뚫고. **~inne** *adv.* 한가운데에. **~mang** [..máŋ(k)] *adv.* (nordd.) 가운데에, 속에, 섞여서.

***Mitternacht** [mítərnaxt] *f.* ..nächte ① 한밤중, 자정, 심야; 〖비유〗 캄캄함: um ~ 밤중에. ② 〖구식〗 북, 북쪽: gegen ~ ziehen 북쪽으로 가다.

mitternächtig [..nɛçtɪç], **mitternächtlich** [..nɛçtlɪç] *a.* ① 한밤중의; 〖비유〗 캄캄한. ② 북쪽의, 북향의.

mitternachts *adv.* 한밤에.

Mitternachts≈blau *n.* 짙은 흑청색. **~gegend** *f.* 북, 북방. **~gottes·dienst** *m.* 0시〔자정〕 예배. **~messe** *f.* 자정 미사(Mette). **~sonne** *f.* (극지(極地)에서의) 심야의 태양. **~stunde** *f.* 한밤중, 삼경. **~zeit** ↑ ~stunde.

mitter·wegs *adv.* 중도에, 도중에.

Mittfasten *pl.* 〖가톨릭〗 사순절의 가운뎃날(사순절의 4째 일요일 앞의 수요일〔목요일〕).

Mittfünfziger *m.* -s, - 50대 중반의 남자.

mittig [mítɪç] *a.* 중심에 있는, 중심의.

Mittler [mítlər] *m.* -s, - ① 중개자; 중재자, 조정자; 〖商〗 거간꾼, 중매인(仲買人); 대리인. ② 〖기독교〗 (신과 사람 사이의) 중보자(仲保者), 예수.

Mitter≈amt *n.* 중개〔중재〕역, 중개 사무소. **~rolle** *f.* 중개 역할. **~tod** *m.* 〖기독교〗 예수의 죽음.

mittler [mítlər] 〖mittel 의 비교급〗 *a.* 대략 중앙〔중간〕의; 중간 정도〔중등〕의, 평균의; 평범한: in ~em Alter 중년의; von ~er Größe 중간 크기의; ~e Temperatur 평균 온도; 〖數〗 ~e Proportionale 비례 중항(中項)〔중수(中數)〕.

Mittlertum *n.* -s 중개〔중재〕자(의 역할).

mittler·weile [mítlərváɪlə] *adv.* ① 그러는 사이에, 그 사이에: ~ hat es aufgehört zu regnen 그 사이에 비가 그쳤다. ② 점차로: er hat sich ~ an das Alleinsein gewöhnt 그는 점차로 혼자 있는 것에 익숙해졌다.

mit|tönen *i.* (h.) 동시에 울리다, 공명하다.

mit|tragen* *t.* 함께 운반하다; (손해 따위를) 함께 부담하다.

mit|trinken* *t.* 함께 마시다.

mittschiffs [mít|ʃɪfs] *adv.* 〖海〗 선체의 중앙부에(서): Ruder ~! 키를 중앙으로!

Mittsechziger *m.* -s, - 60대 중반의 남자.

Mittsiebziger *m.* -s, - 70대 중반의 남자.

Mittsommer [mítzɔmər] *m.* -s, - 한여름, 성하(盛夏).

Mittsommer≈nacht *f.* 한여름밤; 하지의 밤. **~nachts·traum** *m.* 한여름 밤의 꿈(셰익스피어의 희곡 이름).

mit|tun* [míttu:n] *t./i.* (h.) (일을) 함께 하다, 협력하다, 관여하다.

Mittvierziger *m.* -s, - 40대 중반의 남자.

mittwegs *adv.* 중도에, 도중에.

Mittwinter *m.* -s, - 한겨울, 동지.

Mittwinter·kälte *f.* 한겨울의 추위.

mittwinters *adv.* 한겨울에.

***Mittwoch** [mítvɔx] *m.* -(e)s, -e 수요일: des Mittwochs 수요일에.

mittwochlich *a.* (매)수요일의.

mittwochs [..xs] *adv.* (매)수요일에.

Mittzwanziger *m.* -s, - 20대 중반의 남자.

mitunter *adv.* 때때로, 가끔, 이따금.

mit|unterschreiben* *t./i.* (h.) ↑ mitunterzeichnen.

Mitunterschrift *f.* -en 연서, 부서.

mit|unterzeichnen *t./i.* (h.) 연대〔공동〕 서명하다.

Mitunterzeichner *m.* -s, - ↑ Mitunterzeichnete.

Mitunterzeichnete* *der/die* 연대〔공동〕 서명인.

Mitursache *f.* -n 부수적〔부차적〕 원인.

mitverantwortlich *a.* 공동〔연대〕 책임이 있는.

Mitverantwortlichkeit *f.* 공동〔연대〕 책임.

Mitverantwortung *f.* 공동 책임.

Mitverbrecher *m.* -s, - 공범자.

mit|verdienen *i.* (h.) 함께 벌다, 맞벌이하다.

Mitverdiener *m.* -s, - 맞벌이하는 사람.

Mitverdienerin *f.* -nen ↑ Mitverdiener 의 여성형.

Mitverfasser *m.* -s, - 공동 저자.

Mitvergangenheit *f.* -en (öst.) ↑ Imperfekt.

mit|verschulden *t.* 나누어 책임지다, 공동

책임이 있다: er hat den Unfall mitverschuldet 그는 그 사고에 공동으로 책임을 졌다.
Mitverschulden *n.* -s 공동 과실〔부채〕.
Mitverschworene* *der/die* 공모자, 일당, 같은 무리.
Mitverschwörer *m.* -s, - 공모자.
Mitversicherung *f.* -en 〖보험〗 공동 보증.
Mitverwalter *m.* -s, - 공동 관리자.
Mitverwaltung *f.* 공동 관리.
Mitverweser *m.* -s, - 공동 관리자.
Mitvormund *m.* -(e)s, -e/..münder 공동 후견인.
Mitvormundschaft *f.* -en 공동 후견.
Mitwelt [mítvɛlt] *f.* 동시대의 사람들: er fühlte sich von seiner ~ unverstanden 그는 자기 시대의 사람들에게 이해받지 못한다고 느꼈다.
mit|wirken [mítvɪrkən] *i.* (h.) ① 협력〔협동〕하다; 참여하다; 기여〔기고(寄稿)〕하다: bei einer Aufführung ~ 공연에 출연하다. ② 함께 작용하다: dabei wirken viele Faktoren mit 거기에는 많은 요소들이 함께 작용한다.
mitwirkend *p.a.* 협력하는, 참여하는.
Mitwirkende* *der/die* 참여자; 기고가; 〖연극〗 공연자(共演者).
Mitwirkung *f.* -en 참여, 협력; 기고; 공연(共演): unter ~ von ... …의 협력 아래.
Mitwirkungs·recht *n.* 참여권.
Mitwissen *n.* 관여하여 앎: ohne sein ~ 그가 모르는 채로.
mit|wissen* *i.* (h.) um et. ~ 무엇의 속사정을 같이 알다.
Mitwissenschaft *f.* ↑ Mitwissen.
Mitwisser *m.* -s, - 내막을 같이 아는 사람: jn. zum ~ machen 누구에게 비밀을 말하다.
Mitwisserschaft *f.* 비밀의 공유; 야합, 공모(共謀).
mit|wollen* *i.* (h.) 동행을 원하다.
mit|zahlen *t./i.* (h.) ↑ mitrechnen.
mit|zählen *t./i* (h.) ① 고려하다, 계산에 넣다. ② 포함되다.
mit|zechen *i.* (h.) 술자리를 같이하다.
Mitzeuge *m.* -n, -n 공동 증인.
Mitzi [mítsi] *f.* (öst.) Marie 의 애칭.
mit|ziehen* 《Ⅰ》 *t.* ① 함께 끌다. ② (카메라 또는 총으로) (움직이는 물체를) 따라 조준하다. 《Ⅱ》 *i.* (s.) 함께 나아가다〔여행하다〕; 함께 이전하다.
Mitzweck *m.* -(e)s, -e 부수적 목적, 부목적.
Mix·becher [míks..] *m.* 혼합용 용기(容器), (칵테일용) 셰이커.
Mixed [mikst] 《engl.》 *n.* -(s), -(s) 〖스포츠〗 ① 혼합복식(경기). ② 남녀 혼합 복식조〔팀〕.
Mixed drink 《engl.》 *m.* - -(s), - -s 칵테일 음료.
Mixed grill 《engl.》 *m.* - -(s), - -s 혼합 그릴.
Mixed-media-Veranstaltung *f.* ↑ Multimediaveranstaltung.
Mixed Pickles [míkst píkəlz, ..kəls] 《engl.》 *pl.* 믹스트피클(야채를 섞어 양념한 식초에 절인 것).
mixen [míksən] *t.* ① (술을) 혼합하다. ② 믹서로 갈아 뒤섞다. ③〖방송·영화〗 음향을 합성〔혼성〕하다. ④〖아이스하키〗 스틱으로 퍽을 이리저리 몰다.
Mixer 《engl.》 *m.* -s, - ① 술을 섞는 사람, 바텐더. ② 믹서. ③〖영화〗 ↑ Tonmischer.
Mix≈gerät *n.* 칵테일 혼합기. **~getränk** *n.* 혼합 음료, 칵테일. **~maschine** *f.* (과일즙 따위를 만드는) 믹서, 혼합기. **~pickles** *pl.* ↑ Mixed Pickles.
Mixtum Compositum [míkstum kɔmpóːzitum] 《lat.》 *n.* - -, ..ta ..ta 혼란, 혼잡; 뒤범벅.
Mixtur [mɪkstúːr] 《lat.》 *f.* -en ① 혼합물. ②〖藥〗 조제〔혼합〕 물약. ③〖음악〗 혼성음.
mk =Markka 마르카(핀란드 화폐).
mkg =Meterkilogramm 킬로그램미터.
MKS-System *n.* =Meter-Kilogramm-Sekunden-System 미터법.
ml =Milliliter 밀리리터.
mlat. =mittellateinisch 중세 라틴어의.
Mlle. =Mademoiselle 영양, 아가씨.
Mlles. =Mesdemoiselles; Mlle. 의 복수형.
MM. =Messieurs; Monsieur 의 복수형.
mm =Millimeter 밀리미터.
mm² =Quadratmillimeter 제곱 밀리미터.
mm³ =Kubikmillimeter 세제곱 밀리미터.
μm =Mikrometer 마이크로미터.
M.M. =Mälzels Metronom 멜첼 박절기.
Mme. (schweiz.: Mme) =Madame 부인, 마님.
Mmes =Mesdames(↑ Mme 의 복수형).
Mn 〖化〗 =Mangan 망간.
mnd. =mittelniederdeutsch 중저(中低) 독일어.
Mneme [mnéːmə] 《gr.》 *f.* 기억(력).
Mnemonik [mnemóːnɪk] *f.* ① 기억술. ②〖컴〗 기계어에서 사람이 알아보기 쉬운 형태로 표시된 단어.
Mnemoniker *m.* -s, - 기억술사.
mnemonisch *a.* 기억술의.
Mnemosyne [mneːmozýːnə, ..móːzyneː] *f.* 〖그리스신화〗 므네모쥐네(기억의 여신; Musen 의 어머니).
Mnemotechnik *f.* -en 기억술.
Mo¹ =Molybdän 몰리브덴.
Mo² =Montag 월요일.
MΩ =Megaohm 백만 옴.
Moa [móːa] *m.* -(s), -s 〖動〗 모아(멸종된 뉴질랜드의 타조 비슷한 날개 없는 새).
Moab [móːap] ① 모아브(요르단 동쪽 지대). ②〖구약〗 모아브(롯(Lot)의 아들).
Moabiter [moabíːtər] *m.* -s, - ① 모아브인(모아브의 후손). ② 모아비터(베를린의 한 구역).
Moar [mɔ́ər] *m.* -s, -e (빙상 사격에서) 4인조 경기의 주장.
Moarschaft *f.* -en (빙상 사격에서) 4인조 팀.
Mob [mɔp] 《engl.》 *m.* -s (Pöbel) 하층민, 천민; 군중; 폭도, 어중이떠중이.
Mobbing *n.* -s 〖사회〗 직장에서 특정인을 따돌리거나 괴롭히는 것.
***Möbel** [mǿːbəl] *n.* -s, - ① 가구, 가재 도구, 집기(什器), 실내 장식품: 〖속어〗 altes ~ 오래 같이 산 늙은 하인; 〖반어〗 sauberes ~ 역겨운〔맹랑한〕 놈; jm. die ~ geraderücken 〔geradestellen〕 누구를 훈계하다. ② 덩치가 커서 다루기 불편한 물건.
Möbel≈arbeiter *m.* 가구장이. **~fabrik** *f.*

가구 공장. **~geschäft** *n.* 가구 상점. **~-handel** *m.* 가구상. **~händler** *m.* 가구 상인. **~kattun** *m.* 무늬를 날염(捺染)한 (가구용) 무명. **~lack** *m.* 가구용 니스. **~lager** *n.* 가구 창고. **~magazin** *n.* ↑ ~lager.
möbeln *t.* 〖고어〗 ① …에 가구를 비치하다. ② 〖구어〗 (누구를) 깎아내리다.
Möbel≠packer *m.* 이삿짐 센터의 포장 일꾼 및 짐꾼. **~politur** *f.* 가구용 왁스. **~-spediteur** *m.* 이삿짐 운반업자. **~stoff** *m.* 가구용 천. **~stück** *n.* (하나하나의) 가구. **~tischler** *m.* 가구 제조공. **~träger** *f.* 가구 운반인. **~transporteur** *m.* 가구 운반업자. **~wagen** *m.* 가구 운반차: 〖軍·속어〗 fliegender ~ 수송기.
mobil [mobíːl] *a.* ① 움직이는; 활발한, 민첩한. ② 〖軍〗 동원된: ~ machen 동원하다. ③ 〖商〗 환금하기 쉬운, 유동성의.
Mobil *n.* -s, -e 〖구어〗 자동차(Automobil).
Mobile [móːbilə] *n.* -s, -s 모빌.
Mobil·funk *m.* 〖통신〗 이동 통신.
Mobiliar [mobiliáːr] 《lat.》 *n.* -s, -e 동산(動産); 가구.
Mobiliar≠erbe *m.* 〖法〗 동산 상속인. **~kredit** *m.* 〖고어〗 동산 담보 대부. **~masse** *f.* 〖고어〗 (파산자의) 동산 재단. **~vermögen** *n.* 동산. **~versicherung** *f.* 〖고어〗 개인 재산 보험.
Mobilien [mobíːliən] 《lat.》 *pl.* 동산; 가구 (Möbel).
Mobilien·kredit *m.* ↑ Mobiliarkredit.
Mobilisation [mobilizatsióːn] 《frz.》 *f.* -en ① 〖軍〗 동원. ② 활성화.
mobilisieren [mobilizíːrən] *t.* ① 〖軍〗 동원하다. ② 〖經〗 유동화〔현금화〕하다. ③ 활성화하다. ④ 〖醫〗 (다시) 움직이게 하다: Kaffee mobilisiert die Lebensgeister 커피는 활력을 불어넣는다.
Mobilisierung *f.* -en 동원; 유동〔현금〕화, 활성화.
Mobilismus *m.* - 〖지질〗 지각 이동설.
Mobilist *m.* -en, -en 〖구어〗 (자가) 운전자.
Mobilität [mobilitέːt] 《lat.》 *f.* ① 〖교양〗 유연성, 활발; 이동성, 기동성. ② 〖軍〗 동원〔임전〕 태세. ③ 사회적 이동성.
mobil≠|machen *t.* 동원하다. **~machung** *f.* 〖軍〗 동원.
Mobilmachungs≠befehl *m.* 〖軍〗 동원령. **~bestimmung** *f.* 동원 규정. **~plan** *m.* 동원 계획. **~station** *f.* 이동 방송국〔스튜디오〕.
möblieren [møblíːrən] 《frz.》 《Ⅰ》 *t.* …에 가구를 비치하다. 《Ⅱ》 **möbliert** *p.a.* ↑ möbliert.
möbliert 《Ⅰ》 *p.p.* ↑ möblieren. 《Ⅱ》 *p.a.* 가구가 딸린, 가구가 비치된: ~ wohnen 가구가 딸린 방에 세들어 살다; eine ~e Wohnung zu vermieten 가구 딸린 방 세놓음(광고 문구); 〖구어·농담〗 ein ~er Herr 가구 딸린 방에 세든 남자, 하숙인.
Möblierer *m.* -s, - 가구 상인.
Möblierung *f.* -en ① 가구 비치. ② 가구, 세간.
Mobster *m.* 《engl.》 -s, - ↑ Gangster.
Mocca [mɔ́ka] *m.* -s, - ↑ Mokka.
MO-CD = Magnet-Optische CD *f.* 〖컴〗 여러 번 저장할 수 있는 CD 모양의 저장 매체.
Mocha·leder [mɔ́xa.., mɔ́ka..] *n.* 부드러운 양〔염소〕 가죽(예멘의 항구 도시 Mocha 의 이름에서).
mochte [mɔ́xtə] ↑ mögen 의 과거형.
möchte [mœ́çtə] ↑ mögen 의 접속법 Ⅱ식.
Möchtegern [..gɛrn] *m.* -(s), -s/-e 〖구어·반어〗 자만에 빠진 사람, 잘난 체하는 사람; (무엇으로) 행세하는 사람.
Möchtegern≠dichter *m.* 시인 행세하는 사람. **~künstler** *m.* 예술가 행세하는 사람.
Mocke [mɔ́kə] *f.* -n (fränk.) 씨돼지, 종돈(種豚).
Mocken [mɔ́kən] *m.* -s, - 〖방언〗 커다란 덩이, 조각; (빵·고기의) 두툼한 조각.
Mockturtle·suppe [mɔ́ktœrtəl..] 《engl.》 *f.* 〖요리〗 가짜 자라 수프(송아지 머리로 만듦).
Mod *m.* -(s), -s 모드(1960 년대의 히피와는 반대로 깔끔한 차림을 중시한 10 대).
mod. = moderato 보통 빠르기로.
modal [modáːl] 《lat.》 *a.* 상황〔양상〕에 관련된; 상황〔양상〕을 나타내는; 〖문법〗 양태(樣態)의: das ~e Hilfszeitwort 화법 조동사.
Modal·bestimmung *f.* 〖언어〗 양상(樣相) 규정어(부사 및 부사구).
Modalität [modalitέːt] *f.* -en 상황, 사정; 방법, 방식; 양식; 〖哲·논리〗 양상, 양식.
Modalitäten·logik *f.* ↑ Modallogik.
Modal≠logik *f.* 양상(樣相) 논리학. **~satz** *m.* 〖문법〗 양상(樣相) 부사절. **~verb** *n.* 〖문법〗 화법 조동사.
Modder *m.* (nordd.) -s 소택지; 수렁, 진창; 오물.
modderig *a.* 수렁〔진창〕의; 더러운.
moddrig *a.* ↑ modderig.
*__Mode__ [móːdə] 《frz.》 *f.* -n 유행, 시류, 풍조, 패션, 모드: (in) ~ sein 유행하고 있다; ~ werden 유행되다; aus der ~ (gekommen) sein 한물 갔다; eine neue ~ aufbringen 새로운 유행을 만들다; et. in ~ bringen 무엇을 유행시키다; mit〔nach〕 der ~ gehen, der ~ gehorchen〔folgen〕, die ~ mitmachen 유행을 따르다.
Mode≠artikel *m.* 유행품, 인기 품목. **~ausdruck** *m.* 유행어. **~beruf** *m.* 인기 직업. **~bewußt** *a.* 유행을 의식하는. **~branche** [..brãːʃə] *f.* ↑ ~geschäft. **~dame** *f.* 유행을 좇는 여자, 멋쟁이 여자. **~designer** [..dizaɪnər] *m.* 패션 디자이너. **~designerin** [..nərɪn] *f.* ↑ ~designer 의 여성형. **~dichter** *m.* 유행〔인기〕 작가. **~farbe** *f.* 유행색. **~-fimmel** *m.* 〖구어·폄어〗 유행 선호증. **~-geschäft** *n.* 최신 유행복점, 패션점. **~-gestalter** *m.* 유행 창안자. **~graphik** *f.* 상업 그래픽. **~haus** *n.* ① 유행복 전문점. ② 패션 전문 기업. **~heft** *n.* ↑ ~zeitschrift. **~journal** [..ʒurnaːl] *n.* ↑ ~zeitschrift. **~-kram** *m.* 최신 유행 액세서리, 방물. **~-krankheit** *f.* 유행병.
Model[1] [móːdəl] *m.* -s, - ① 형(型), 주형(鑄型), 목형(木型). ② 〖數〗 모수(母數), 계수, 율. ③ 〖건축〗 모형(도). ④ 날염 무늬 형판.
Model[2] *n.* -s, -s ↑ Modell.
*__Modell__ [modέl] *n.* -s, -e ① 형(型), 본, 모형, 주형, 틀; 모범, 견본, 본보기. ② 초안, 초고: ein ~ entwerfen 모형〔견본〕을 설계하다. ③ 〖조각·畫〗 모델: einem Maler ~ ste-

hen〔sitzen〕 어떤 화가의 모델이 되다. ④ 마네킹. ⑤ 모델 의상. ⑥〖은폐〗 창녀, 콜걸.
Modell≈bauer *m.* 모형 제작자. **~eisenbahn** *f.* 모형 기차. **~fall** *m.* 전형, 모델 케이스.
Modelleur [modɛlǿːr] 《frz.》 *m.* -s, -e 모형 제작자.
modellhaft *a.* 모범적인, 모델 케이스의.
Modellier·bogen [..líːr] *m.* 오려내기 종이본(어린이의 장난감).
modellieren 《I》 *i.* (h.) 모형〔모델〕을 만들다: (den) Ton ~ 진흙으로 모형을 빚다; er modelliert gerade an einer Büste 그는 지금 막 흉상 모형을 만들고 있다. 《II》 *t.* ① …의 모형〔모델〕을 만들다: eine Maske ~ 모형 가면을 만들다; 〖비유〗 ein fein modelliertes Gesicht 모델처럼 잘 생긴 얼굴. ②〖비유〗 구성〔형상화〕하다: der Dichter hat seine Figuren nach dem Leben modelliert 그 작가는 자신의 등장 인물들을 삶에 맞게 형상화했다.
Modellierer *m.* -s, - ↑ Modelleur.
Modellier≈holz *n.* 조소용(彫塑用) 주걱. **~masse** *f.* 모형 제작용 재료.
Modellierung *f.* -en ① 모형〔모델〕 만들기, 조소. ② 조형물. ③〖畫〗 (대상의) 입체 효과 내기.
modellig *a.* 견본의; 모범의.
Modell≈kleid *n.* 견본 의상. **~puppe** *f.* 〖재봉〗 의상 제작용의 동체(胴體) 모형; (쇼윈도용) 마네킹. **~schutz** *m.* 〖法〗 실용 신안 형(型)의 보호. **~steher** *m.*, **~steherin** *f.* 모델(이 되는 사람). **~theater** *n.* 모형 극장. **~tischler** *m.* 목형(木型) 제작자. **~versuch** *m.* ① 모형 실험. ②〖교양〗 솔선수범. **~zeichnen** *n.* 모델화(畫).
modeln [móːdəln] 《<Model》 《I》 *t.* 무늬를 넣다, 성형하다: Leinwand ~ 마포(麻布)에 문양을 그리다; jn. nach einem Vorbild ~ 누구를 모델에 따라 성형하다.
Model·tuch *n.* 〖복수: ..tücher〗 (Stickmuster) 자수 본.
Modelung *f.* -en 무늬〔모델〕 만들기.
Modem *m./n.* -s, -s 〖컴〗 모뎀.
Mode≈macher *m.* ↑ ~gestalter. **~narr** *m.* 유행광(狂), 멋장이. **~närrin** *f.* ↑ ~narr 의 여성형.
Moden≈haus *n.* ↑ Modehaus ①. **~schau** *f.* 패션 쇼. **~welt** *f.* ↑ Modewelt. **~zeitschrift** *f.* ↑ Modezeitschrift. **~zeitung** *f.* ↑ Modezeitung.
Mode≈püppchen *n.* 〖구어·폄어〗 최첨단 유행 의상을 차려 입은 여자애. **~puppe** *f.* ① 마네킹 인형. ② ↑ ~närrin.
Moder [móːdər] *m.* -s ① 부패; 부패물; 곰팡이: in ~ zerfallen 부패하다; nach ~ riechen 썩는 냄새가 나다. ② 습지, 수렁, 진창. ③ 답답〔퀴퀴〕한 공기.
Moderamen *n.* -s, -/..mina ①〖고어〗 제한, 절제. ②〖개신교〗 (교구 자치회의) 간부단.
Moderantismus 《lat.》 *m.* - 온건주의.
moderat [moderáːt] *a.* 〖교양〗 온건〔신중〕한.
Moderateur [..tǿːr] 《frz.》 *m.* -s, -e ↑ Moderator.
Moderateur·lampe *f.* 기름의 유출 조절 장치가 있는 램프.
Moderation [moderatsióːn] 《lat.》 *f.* -en ① 완화, 제한, 경감, 조절. ② 신중한 행동, 온건. ③〖TV〗 프로그램의 진행, 사회.
moderato [..ráːto] 《it.》 *adv.* 〖음악〗 보통 속도로.
Moderator [..ráːtɔr, ...toːr] *m.* -s, -en [..tóːrən] ①〖工〗 검속기(檢速器), 속도 조절기. ②〖物〗 (원자로의) 중성자 감속제(減速劑). ③〖개신교〗 교구 자치회 의장;〖가톨릭〗 주교회의의 장. ④〖TV〗 진행자, 사회자.
Moderatorin *f.* -nen ↑ Moderator ④ 의 여성형.
Moder≈duft *m.* ↑ ~geruch. **~erde** *f.* 부식토(腐蝕土). **~flecken** *m.* (종이 따위에 생기는) 곰팡이 슨 자국. **~fleckig** *a.* 곰팡이 슨 자국이 있는. **~geruch** *m.* 썩은〔곰팡이〕 냄새.
modericht *a.* ↑ moderig.
moderig *a.* ① 부패한, 곰팡이 투성이의; 썩은 냄새가 나는, 곰팡이 냄새의. ② 습지〔수렁〕의.
moderieren [moderíːrən] *t.* ① 제한〔조절〕하다. ②〖방송〗 사회를 보다, 진행하다.
Moder≈lieschen *n.* 〖動〗 (중부 유럽의 호수에서 사는) 잉어의 일종. **~luft** *f.* 곰팡내 나는 공기, 답답〔퀴퀴〕한 공기.
modern[1] [móːdərn] 《I》 *i.* ① (h.) 썩어 있다. ② (s.) 부패하다. 《II》 *t.* ① einen Hafen ~ 항만을 준설하다. ② …에 부식토(腐蝕土)를 거름으로 주다.
***modern**[2] [modɛ́rn] 《frz.》 *a.* ① 근대〔현대〕의. ② 새 유행의, 현대적인, 오늘날의: nicht mehr ~ sein 유행에 뒤떨어지다.
Moderne [modɛ́rnə] *f.* 근대, 현대; (예술의) 근대적〔현대적〕 경향, 모더니즘.
modernisieren [modɛrnizíːrən] *t.* 근대화〔현대화〕하다; 최신 기술에 맞추어 개조하다.
Modernisierung *f.* -en 현대〔근대〕화.
Modernismus *m.* -, ..men ① 현대풍, 모더니즘. ② 근대〔현대〕주의.
Modernist *m.* -en, -en 근대〔현대〕주의자.
Modernität [..nitɛ́ːt] *f.* -en 근대〔현대〕성.
Modern Jazz [mɔ́dən dʒǽz] 《engl.》 *m.* - - 모던 재즈(1945 년 이후 미국에서 발전한 재즈의 형식).
Modernjazz 新정서 ⇦ Modern Jazz.
Moder·wasser *n.* 썩은 진창의 물.
Mode≈sache *f.* 〖다음 용법으로〗 etwas ist (eine) ~ 무엇이 유행하다(시대의 취향에 맞다). **~salon** *m.* 패션 양장점. **~schaffen** *n.* 유행 창조. **~schau** *f.* ↑ Modenschau. **~schmuck** *m.* 유행 장신구. **~schöpfer** *m.* 유행 창조자. **~schöpferin** *f.* ↑ ~schöpfer 의 여성형. **~schrift·steller** *m.* 유행〔인기〕 작가.
modest [modɛ́st] *a.* (bescheiden) 겸손〔신중〕한, 얌전한.
Mode≈stoff *m.* 유행 옷감. **~sucht** *f.* 유행을 좇는 성벽, 유행광(狂). **~tanz** *m.* 유행춤. **~torheit** *f.* 유행광(狂). **~tracht** *f.* 유행복. **~waren** *pl.* 유행품; 장신구. **~welt** *f.* 패션계. **~wort** *n.* 유행어. **~zeichner** *m.* ↑ ~designer. **~zeichnerin** *f.* ↑ ~designerin. **~zeitschrift** *f.* 패션 잡지. **~zeitung** *f.* 유행 소개 신문, 패션 신문.
Modi ↑ Modus 의 복수형.
Modifikation [modifikatsióːn] 《lat.》 *f.* -en

①〖교양〗변화, 변경. ②〖生〗환경에 따른 변이. ③〖化〗변태. ④〖언어〗수식, 꾸밈.

Modifikator [..ká:tɔr, ..to:r] *m.* -s, -en [..tó:rən] ① 변이 요인. ② 다른 유전자에 변이를 일으키는 유전자.

modifizieren [..tsí:rən] *t.* 변경〔수정〕하다; 제한〔조절〕하다; 수식〔형용〕하다.

Modifizierung *f.* -en 변경, 수정; 수식.

modisch [mó:dɪʃ] 《<Mode》 *a.* 유행의; 시류에 맞는: ~ gekleidet 유행하는 옷을 입은.

Modist [modɪ́st] *m.* -en, -en 패션점 운영자.

Modistin *f.* -nen 패션 모자를 제조해 판매하는 여자.

modrig *a.* ↑ moderig.

Modul[1] [mó:dul] 《lat.》 *m.* -s, -n ①〖數〗 **(a)** 계수. **(b)** 공약수. **(c)** 절대값. ②〖物〗율, 계수. ③〖건축〗(기준) 척도, 모듈(건축물의 각 부분 비율의 단위; 원주 밑둥의 반지름으로 함). ④〖기계〗모듈(톱니바퀴의 크기를 정하는 수치).

Modul[2] [modú:l] 《engl.》 *n.* -s, -e〖컴〗모듈.

modular *a.* 모듈의.

Modulation [modulatsió:n] 《lat.》 *f.* -en〖음악〗조바꿈;〖理〗변조(變調).

Modulations·fähigkeit *f.*〖음악〗(음향·목소리 등의) 가변성.

modulieren *t.* 조바꿈〔변조(變調)〕하다.

Modul·zeichen *n.*〖음악〗조표(調標).

***Modus** [mó:dus, mɔ́d..] 《lat., „Maß"》 *m.* -, ..di ① 방법, 수단, 양식. ②〖문법〗화법(직설법·명령법·접속법 등). ③〖음악〗선법(旋法).

Modus operandi [..operándi] *m.* - -, ..di -〖교양〗행동 양식, 처리 방식.

Modus procedendi [..protsedɛ́ndi] *m.* - -, ..di -〖교양〗진행 방식, 절차.

Modus vivendi [..vivɛ́ndi] *m.* - -, ..di - 협조적 생활 양식; (특히 정당간의) 협조 방식, 공조 체제.

Mofa [mó:fa] *n.* -s, -s〖↑ Motorfahrrad 의 약칭〗오토바이.

Mofa·fahrer *m.* 오토바이 운전자.

mofeln [mó:fəln] *i.* (h./s.)〔구어〕오토바이를 타고 다니다〔가다〕.

Mofette [mofɛ́tə] 《it.》 *f.* -n〖지질〗(화산 활동 최종기에 나오는 유독성) 탄산 분기(噴氣), 분기구(口).

Mogadischu [mogadíʃu] 모가디슈(소말리아의 수도).

Mogelei [mo:gəláɪ] *f.* -en〔구어〕(Betrügerei) 속이기; (도박의) 속임수.

mogeln [mó:gəln] *i.* (h.)〔구어·비어〕① 속이다:〖카드〗beim Kartenspiel ~ 속임수를 쓰다. ② 교묘히 끼워 넣다: faule Birnen zwischen〔unter〕 die einwandfreien ~ 썩은 배를 성한 배 사이에 교묘히 끼워 넣다.

Mogel·packung *f.* 과대 포장.

mögen [mǿ:gən] (mochte, gemocht) 《Ⅰ》 *i.* (h.) ①〔가능·개연성·추측〕…일지도 모른다, …일 것이다: er mag krank sein 그는 앓고 있는지도 모른다; er mag etwa vierzig Jahre alt sein 그는 40 세 정도일 것이다; das mag der Teufel tun (악마라면 모르되) 누가 그런 짓을 하랴;〔겸손·완곡 표현에서는 접속법 Ⅱ 식을 씀〕Sie möchten sich wohl irren 당신이 잘못 생각하신 게 아닐까요; daraus möchte wohl nichts werden 그것은 아마 아무것도 안 될 것이다;〔회답을 기대하지 않는 의문〕wer mag das sein? 그것이 누구일까?; wie mag's dem Kranken gehen? 환자의 병세는 어떤지요? ②〔양보·용인〕…하더라도, …일지라도, …하든: er mag sagen, was er will 그가 무슨 말을 하든; es mag so teuer sein, was es will 그것이 얼마나 비싸든; was ich auch immer tun mag 내가 무엇을 하든; er mag wollen oder nicht 그가 원하든 원하지 않든; wo er auch sein mag 그가 어디에 있든; wie dem auch sein mag 그것이 어떻든. ③〔허가·재촉〕…해도 좋다, …해도 상관 없다: Sie ~ mitgehen 같이 (가고 싶다면) 가도 괜찮습니다; es mag geschehen 내버려 두게; mag es tun, wer (es) kann 누구든지 할 수 있는 사람이라면 해도 좋다; sie ~ sich nur in acht nehmen〔vorsehen〕 놈들은 조심하는 것이 좋을 거다〔조심해야 한다〕. ④〔소망·희망·기원·요구; 흔히 접속법을 씀〕…하고 싶다, …되기를 바란다: ich mag nicht nach Hause (gehen) 나는 집으로는 가고 싶지 않다; sage meinem Bruder, er möge zu mir kommen 내 형(제)에게 그가 나 있는 곳에 오도록 말해 주게; er möchte kommen a) 그는 오고 싶어한다, b) (나는) 그가 왔으면 싶다: möchte er doch sein Unrecht einsehen! 그가 자기 잘못을 알면 좋겠는데!; möchte es doch geschehen 아무쪼록 그렇게 되었으면 좋겠는데; ich möchte fliegen lernen 나는 나는 법을 배우고 싶다; ich möchte nicht, daß er es erführe 나는 그에게 그것을 알리고 싶지 않다; fast möchte ich weinen 나는 울고 싶을 지경이다; ich hätte es ihm nicht sagen ~ 나는 그것을 그에게 말하고 싶지 않았는데. 《Ⅱ》 *t.* 〔4 격 지배의 독립 동사로서〕좋아하다: et. (gern) ~ 무엇을 좋아하다; ich mag es nicht 난 그것을 좋아하지 않는다; ich mag ihn nicht leiden 나는 그가 싫다; niemand hat sie gemocht 아무도 그녀를 좋아하지 않았다; et. lieber ~ 무엇을 더 좋아하다.

Mogler [mǿ:glər] 《<mogeln》 *m.* -s, - 사기꾼, 야바위꾼.

***möglich** [mǿ:klɪç] *a.* 가능한, 할 수 있는, 있을〔일어날〕 수 있는; 성취〔실행〕할 수 있는; 일어날지도 모르는: es ist ~, daß ich morgen verreise 나는 내일 여행을 떠날지도 모르겠다; alles ∼e versichern〔zusichern, versprechen〕 할 수 있는 데까지는 하겠다고 약속하다; alle ~en Fälle 가능한 모든 경우; so bald wie ~ 될 수 있는 대로 빨리; et. ~ machen 무엇을 가능하게〔실행될 수 있게〕 하다.

möglichen·falls [mǿ:klɪçənfáls] *adv.* 할 수 (만) 있으면, 가능하다면.

möglicher·weise [mǿ:klɪçərváɪzə] *adv.* 아마, 혹시.

***Möglichkeit** [mǿ:klɪçkaɪt] *f.* -en ① 가능(성); 있을 수 있는 일, 개연(성); 가능한 방법〔수단〕; 기회: es bleiben noch einige ~en (offen) 아직 몇 가지 가능성이 남아 있다; nach ~ 될 수 있는 한, 되도록; es ist keine ~ 그것은 불가능하다; ich sehe keine ~, ihn zu retten 내가 보기엔 그를 구할 가망이 없다; ist das (denn) die ~? 그게 가능해? (놀라움의 표시); nicht die entfernteste ~ 생각조차 못할 일; ich werde die letzte ~ versuchen 최후의 수단을 강구해 봐야지. ②〔복수〕능력,

재력: meine finanziellen ~en sind ausgeschöpft 내 재력은 소진되었다; das Land der unbegrenzten ~en 무한한 가능성의 나라(미국).
Möglichkeits·form *f.* 〖문법〗 접속법(Konjunktiv).
möglichst 〔möglich 의 최상급〕《I》*a.* 될〔할〕 수 있는 대로의: sein ≈es tun 최선을 다하다. 《II》*adv.* 할〔될〕 수 있는 대로, 가급적: ~ groß 될 수 있는 대로 크게.
Mogul [mó:gʊl] *m.* -s, -n 〖史〗 (16 세기에 인도를 정복한) 무굴 제국의 황제.
Mohair [mohɛ́:r] 《engl.》 *m.* -s, -e ↑ Mohär.
Mohammed [mó:hamɛt] *m.* 마호메트(이슬람교의 창시자, 570-632).
Mohammedaner [..medá:nər] *m.* -s, - 이슬람교도.
mohammedanisch *a.* 이슬람교(도)의.
Mohammedanismus [..danísmʊs] *m.* - 이슬람교.
Mohär [mohɛ́:r] *m.* -s, -e 앙고라 염소의 털; (앙고라 염소털로 짠) 직물.
Mohikaner [mohiká:nər] *m.* -s, - 모히칸 족(아메리칸 인디언의 일족): der Letzte der ~ 〔der letzte ~〕 a) 최후의 모히칸 사람; 마지막으로 남은 사람〔물건〕, b) 〖구어·농담〗 쓰다 남은 돈, 마지막 한푼.
Mohn [mo:n] *m.* -(e)s, -e 〖植〗 양귀비: wilder ~ 들양귀비.
Mohn≈beugel *n.* (öst.) 양귀비 빵. **~blatt** *n.* 양귀비 잎; 〖구어·농담〗 매우 얇게 자른 빵: dünn wie ein ~ 아주 얇은. **~blume** *f.* 〖植〗 ↑ Mohn. **~brötchen** *n.* 표면에 (제빵·제과용) 양귀비씨를 뿌린 작은 빵. **~gewächse** *pl.* 〖植〗 양귀비속(屬). **~kapsel** *f.* 양귀비의 씨앗 주머니. **~korn** *n.* 양귀비 씨앗. **~-kuchen** *m.* 양귀비씨가 든 케이크. **~öl** *n.* 양귀비 기름. **~saft** *m.* 〖藥〗 (Opium) 아편. **~samen** *m.* 양귀비 씨. **~säure** *f.* 〖化〗 메콘산. **~stoff** *m.* 〖化〗 나르코틴. **~strudel** *m.* ↑ ~beugel.
***Mohr**[1] [mo:r] 《lat.》 *m.* -en, -en ① 무어인(서북 아프리카의 이슬람교 원주민); (일반적으로) 흑인; 〖비유〗 굴뚝 청소부; 〖비유〗 einen ~en weiß waschen wollen 흑인의 피부를 씻어서 희게 하려 하다, 안 되는 일을 억지로 하려고 하다, 거짓 증거로 죄인을 무죄로 보이게 하려 하다. ② 〖化〗 흑색 황화 금속.
Mohr[2] *m.* -(e)s, -e ↑ Moiré.
***Möhre** [mø̂:rə] 《germ.》 *f.* -n 〖植〗 ① 당근. ② 우엉.
mohren [mó:rən] ↑ moirieren.
Mohren≈falter *m.* 지옥나비. **≈farbig** *a.* 흑인색의, 새까만. **~fürst** *m.* 무어족의 군주.
mohrenhaft *a.* ↑ mohrisch.
Mohren≈hirse *f.* 〖植〗 수수. **~kopf** *m.* ① 무어인〔흑인〕의 머리. ② 초콜릿을 바른 둥근 케이크. ③ 갈기가 검은 말. ④ 검은 머리의 흰 비둘기. ⑤ 〖動〗 할미새의 일종. ⑥ 〖광물〗 전기석(電氣石)의 일종. **~land** *n.* 무어인의 나라; 흑인국. **≈schwarz** *a.* 무어인처럼 검은. **~tanz** *m.* ① 무어인의 무용. ② 옛날 영국의 가장 무용. **~taube** *f.* 검은 머리의 비둘기. **~wäsche** *f.* 〖비유〗 헛수고, 불가능한 일.
Mohrin *f.* -nen 〖고어〗 ↑ Mohr[1] ① 의 여성형.
mohrisch *a.* 무어인의〔같은〕, 흑인의〔과 같은〕.
Mohr·rübe [mó:r..] *f.* 〖植〗 (nordd.) 당근.
Mohshärte [mó:shertə] *f.* 〖지질〗 (광물의) 모스, 경도(硬度) (독일 광물학자 F. Mohs(모스)의 이름에서).
Moira [mɔ́yra] 《gr.》 *f.* ..ren 〖그리스신화〗 운명의 여신; 운명.
Moire [..rə] *f.* -n ↑ Moiré.
Moiré [moaré:] 《frz.》 *m./n.* -s, -s ① 물결무늬. ② 물결무늬 직물; (다색 인쇄에서) 실수로 겹쳐 찍힌 무늬; 〖TV〗 어른거리며 겹친 화면.
moirieren [moarí:rən] 《I》 *t.* (천·종이에) 물결무늬를 넣다. 《II》 **moiriert** *p.a.* ↑ moiriert.
moiriert 《I》 *p.p.* ↑ moirieren. 《II》 *p.a.* 물결무늬의.
mokant [mokánt] 《frz.》 *a.* (spöttisch) 조롱하는, 놀리는 듯한.
Mokassin [mokasí:n, mɔ́kasi:n] 《indian.》 *m.* -s, -s/-e 모카신 구두(아메리칸 인디언의 (사슴) 가죽신).
Mokassin·schlange *f.* 모카신 독사(미국 남부의 습지에 사는 독사).
Mokett [mokɛ́t] 《frz.》 *m.* -s 모켓(가구나 식탁보로 쓰는 우단 비슷한 천).
Mokette *f.* ↑ Mokett.
Mokick [mó:kɪk] *n.* -s, -s (페달 시동 장치가 달린) 오토바이(최고 시속 40 km 이하임).
mokieren [mokí:rən] 《frz.》 *refl.* sich über jn. ~ 누구를 조롱하다, 놀리다.
Mokka [mɔ́ka] 《I》 모카(예멘의 항구 도시). 《II》 *m.* -s, -s 모카 커피.
Mokka≈kaffee *m.* ↑ Mokka 《II》. **~tasse** *f.* (모카 커피용) 작은 찻잔.
Mol [mo:l] 《lat.》 *n.* -s, -e 〖化〗 몰, 그램 분자.
Mol. = Molekül 분자.
Molar [molá:r] 《lat.》 *m.* -s, -en 〖해부〗 어금니(Mahlzahn).
molar *a.* 몰의.
Molar·zahn *m.* ↑ Molar.
Molasse [molásə] 《schweiz.》 *f.* 〖지질〗 (특히 남부 독일이나 스위스에 발달한) 무른 사력암층(沙礫岩層).
Molch [mɔlç] *m.* -(e)s, -e ① 〖動〗 도롱뇽. ② 〖농담〗 귀여운〔기분 좋은〕 녀석; 우스운 녀석. ③ 〖드물게〗 싫은 놈; 무서운 것, 요괴.
Moldau [mɔ́ldaʊ] *f.* ① 몰다우〔블타바〕강(엘베강의 왼쪽 지류). ② ↑ Moldawien.
moldauisch, moldavisch *a.* 몰다우의, 몰도바의.
Moldawien 몰도바(독립 국가 연합을 구성하는 한 국가).
Mold·wolf *m.* 〖動〗 땅강아지.
Mole[1] [mó:lə] *f.* -n 방파제, 부두.
Mole[2] 《lat.》 *f.* -n 〖醫〗 귀태(鬼胎); 무정란(無精卵).
Molekel [molé:kəl] 《lat.》 *f.* -n 〔(öst.) *n.* -s, -〕 ↑ Molekül.
Molekül [molekÿ:l] 《lat.》 *n.* -s, -e 〖化〗 분자.
molekular [molekulá:r] *a.* 분자의.
Molekular≈anziehung *f.* 〖化〗 분자 인력, 분자간의 당기는 힘. **~bewegung** *f.* 분자 운동.

~biologe *m.* 분자 생물학자. **~biologie** *f.* 분자 생물학. **~genetik** *f.* 분자 유전학. **~gewicht** *n.* 분자량. **~kraft** *f.* 분자(응집)력. **~wärme** *f.* 분자열.

Molen·kopf *m.* ⟪<Mole[1]⟫ 방파제의 해안쪽 돌출 부분의 끝머리.

Mole·skin [mó:lskın] ⟪engl.⟫ *m./n.* 〚직조〛 몰스킨면포(부드러운 털이 있는 두꺼운 능직 면직물).

Molesten [mo|ɛ́stən] ⟪lat.⟫ *pl.* 〔방언〕 고뇌, 성가심, 번거로움, 방해.

molestieren *t.* 〔고어·방언〕 성가시게 하다. 괴롭히다, 번거롭게 하다.

Molette [molɛ́tə] ⟪lat. -frz.⟫ *f.* -n 〚기계〛 (금속에 홈을 내는 톱니가 있는) 롤러차(車), (우표 제조 때에 절취선을 내는) 톱니 롤러.

Molière [mɔliɛ́:r] *m.* Jean Baptiste Poquelin ~ 몰리에르(프랑스의 희극 작가, 1622-73).

molierisch *a.* 몰리에르풍의.

molk [mɔlk] ↑ melken 의 과거형.

Molke *f.* -n 유장(乳漿).

Molken [mɔ́lkən] *m.* -s, - 〔방언〕 ↑ Molke.

Molken·dieb *m.* 〚動〛 (obd.) 나비(의 일종). **~eiweiß** *n.* 유장(乳漿) 단백질. **~kur** *f.* 〚醫〛 유장 요법. **~sauer** *n.* 응결한 유장. **~trank** *m.* 밀크주(酒)(더운 우유를 포도주로 응결시킨 음료). **~werk, ~wesen** *n.*, **~-wirtschaft** *f.* ↑ Molkerei.

Molkerei [mɔlkəráı] *f.* -en 낙농업; 낙농장.

Molkerei·butter *f.* 보통 등급의 버터. **~-genossenschaft** *f.* 낙농 조합. **~produkt** *n.* 낙농 제품.

molkicht *a.* ↑ molkig.

molkig *a.* ① 유장(乳漿)으로 만들어진. ② 유장과 같은; 〔비유〕 탁한(trübe).

Moll[1] [mɔl] ⟪it.⟫ *n.* -, - ① 〚음악〛 (↔ Dur). 단조(短調): a-Moll 가단조. ② 〔비유〕 우울: 〔농담〕 auf ~ gestimmt sein 기분이 매우 슬프고 우울하다.

Moll[2] *m.* -(e)s, -e/-s ↑ Molton.

Moll[3] *m.* -(e)s, -e(n) 〚動〛 두더지류(類).

Molla [mɔ́la] ⟪ar.⟫ *m.* -s, - ↑ Mullah.

Moll·akkord *m.* 〚음악〛 단음계(短音階) 화음. **~drei·klang** *m.* ↑ ~akkord.

Molle [mɔ́lə] ⟪<Mulde⟫ *f.* -n ① (반죽하는) 나무통. ② (nordd.) **(a)** 맥주컵. **(b)** (berl.) 맥주 한 잔. **(c)** (obersächs.) 침상, 잠자리; 나룻배, 작은 배: (berlin.) mit ~n gießen 비가 퍼붓다. ③ 빵의 속 부분.

Mollen·friedhof *m.* 〔경박〕 (berl.) (남자의) 뚱뚱한 배, 맥주〔술〕 배.

Möller [mœ́lər] *m.* -s, - ① 〚제련〛 광석과 용제(溶劑)의 혼화물. ② (md., ndd.) 물방앗간.

möllern [mœ́lərn] *t./i.* (h.) 〚제련〛 광석에 용제(溶劑)를 섞다; (용광로에) 위의 혼화물을 넣다.

mollert [mɔ́lərt] *a.* (obd.) ↑ mollig.

Molli [mɔ́li] *f.* 〔↑ Marie 의 애칭〕 몰리.

mollicht *a.* ↑ mollig.

mollig [mɔ́lıç] *a.* ① 따뜻한; 격의 없는, 정다운; 쾌적한, 편한. ② 둥그스름한, (살이) 통통한, 포동포동한; 보드라운. ③ 〔속어〕 굵은, 두꺼운; 꼴사나운, 예절을 모르는.

Mollino [mɔlí:no] *m.* -(s), -s 면포(綿布), 무명.

Moll·maus *f.* 〚動〛 물쥐류(類)의 쥐.

Moll·ton *m.* 〚음악〛 단조. **~ton·art** *f.* ↑ ~ton. **~ton·leiter** *f.* 단음계.

Molluske [mɔlʊ́skə] *f.* -n 〚動〛 연체 동물.

mollusken·artig *a.* 연체 동물의.

Molo [mó:lo] (öst.) *m.* -s, ..li ↑ Mole[1].

Moloch [mó:lɔx, mɔ́l..] ① *m.* 몰렉, 몰록(소의 모습을 한 페니키아인의 화신(火神)). ② *m.* -s, -e 〔비유〕 막대한 인명의 희생을 요구하는 것의 상징: der ~ Krieg 엄청난 희생을 강요하는 전쟁.

Molotow-Cocktail [mó:lotɔf kɔkteıl] *m.* -s, -s 화염병 (구소련의 외무장관 W.M. Molotow 의 이름에서).

molsch *a.* (südwestd.) (과일이) 너무 익은, 썩기 시작한.

molschen *i.* (h./s.) 너무 익다, 썩(기 시작하)다.

Moltke [mɔ́ltkə] *m.* Helmuth von ~ 몰트케 (프로이센의 육군 원수, 1800-91).

molto [mɔ́lto] ⟪it., „sehr"⟫ *adv.* 〚음악〛 대단히: ~ allegro 아주 빠르게.

Molton [mɔ́ltɔn] ⟪frz.⟫ *m.* -s, -s 모슬린(주로 안감으로 쓰는 부드러운 면직물).

Moltopren [mɔltopré:n] *n.* -s, -e 가벼운 폴리우레탄 스펀지 소재의 포장재.

Molukken [molʊ́kən] *pl.* 몰루카 군도(인도네시아의 동쪽에 있는 향료의 주산지).

molum ⟪hebr.⟫ *a.* 〔방언〕 (angetrunken) 한 잔 마신 기분의; 얼큰한.

Moly ⟪gr.⟫ *n.* -s 〚그리스신화〛 몰리풀(흰꽃에 검은 뿌리가 있다는 전설상의 마법의 풀).

Molybdän [molʏpdɛ́:n] *n.* -s 〚化〛 몰리브덴 (기호: Mo).

Molybdän·säure *f.* 몰리브덴산(酸).

*__Moment__[1] [momɛ́nt] ⟪lat. movēre⟫ *n.* -(e)s, -e ① 동인, 동기, 이유; 계기: das wichtigste ~ zu seiner Verurteilung 그가 유죄 판결을 받은 가장 중요한 사유. ② 〚理〛 힘의 능률, 역률(力率). ③ 결정적 상황; 특징; 관점, 요점: ein ~ ständiger Unruhe 지속적인 소요의 상황.

*__Moment__[2] *m.* -(e)s, -e 순간, 찰나; 시점, 시각, 시기: der große〔entscheidende〕 ~ 중대한〔결정적인〕 시기; (nur) einen ~ bitte! 잠깐 기다려 주시오〔실례합니다〕!; einen lichten ~ haben 〔lichte ~e haben〕 잠시 제정신이 들다, 좋은 생각이 번쩍 떠오르다; er hat den ~ verpaßt 그는 시기를 놓쳤다.

momentan [momɛntá:n] *a.* ① 당분간, 현재의: ~ geht es uns gut 현재로선 우리는 잘 지낸다. ② 잠깐 동안의, 일과성의, 급작스러운.

Moment·aufnahme *f.* 〚사진〛 순간 촬영; 스냅 사진. **~bild** *n.* 스냅 사진. **~verschluß** *m.* 순간 폐쇄기, 셔터. **~weise** *a.* 잠깐 동안, 잠깐씩.

Monaco [mó:nako, monáko] ① 모나코 왕국. ② 모나코 왕국의 수도.

Monade [moná:də] *f.* -n 〚哲〛 단자(單子).

Monaden·lehre *f.* 단자론.

monadisch *a.* 단자의.

Monadologie [monadologí:] *f.* 단자론.

Monako *n.* ↑ Monaco.

*__Monarch__ [monárç] ⟪gr.⟫ *m.* -en, -en 군주, 세습 군주, 주권자.

Monarchie [monarçí:] *f.* -n ① 군주 정체, 왕정. ② 군주국.

Monarchin *f.* -nen ↑ Monarch 의 여성형.
monarchisch *a.* ① 군주의. ② 군주 정체의. ③ 군주국의.
Monarchismus *m.* - 군주 정체, 군주제.
Monarchist *m.* -en, -en 군주 (정체)주의자.
monarchistisch *a.* 군주 (정체)주의(자)의.
Monasterium [monasté:riʊm] 《gr. -lat.》 *n.* -s, ..rien [..riən] ↑ Kloster(kirche).
monastisch *a.* 수도사의, 금욕적인.
***Monat** [mó:nat] *m.* -(e)s, -e ① (달력의) 달: Ihr Schreiben vom 10. dieses ~s 이(번) 달 10 일자 귀하의 서한(약어: d.M.); laufenden ~s 이달에(약어: lfd.M.); am 1. (des) nächsten ~s 내달 1 일에(약어: n.M.); am 26. (des) vorigen ~s 지난 달 26 일에(약어: v. M.); vorigen〔letzten〕 ~ 지난 달에; jeden ~ 매달; am Anfang〔Ende〕 des ~s 월초〔월말〕에; er wurde zu zwei ~en (Gefängnis) verurteilt 그는 두 달의 징역형을 선고받았다; die Frau ist im vierten ~ 저 여자는 임신 4 개월이다; alle drei ~e 〔jeden dritten ~〕 3 개월마다; ~ für ~ 다달이; in drei ~en 3 개월 후에: drei ~(e) nach heute 3 개월 후에. ② 〖속어〗 월경.
monate·lang 《I》 *a.* 수개월간의. 《II》 *adv.* 수개월간.
monatig [mó:natɪç] *a.* 1 개월간의.
..monatig *suf.* "…개월의"의 뜻(보기: drei~ 3 개월간의).
monatlich [mó:natlɪç] 《I》 *a.* 매달의: das ~e, die ~e Reinigung 월경. 《II》 *adv.* 매달: das Gehalt wird ~ überwiesen 봉급은 매달 이체된다.
..monatlich *suf.* "…개월마다"의 뜻(보기: drei~ 3 개월마다(의)).
Monats≈abschluß *m.* 월말〔월차〕 결산. **~anfang, ~beginn** *m.* 월초. **~beitrag** *m.* 월정액(달마다 납입하는 금액). **~bericht** *m.* 월보(月報). **~binde** *f.* 〖醫〗 생리대(Damenbinde). **~blutung** *f.* 월경(Menstruation). **~budget** *n.* 〖농담〗 한달 예산, 용돈. **~einkommen** *n.* 월수입. **~ende** *n.* 월말. **~erste*** *der* 매달의 첫날: die Miete ist am Monatsersten fällig 월세는 매달 1 일날 지급해야 한다. **~fluß** *m.* ↑ Menstruation. **~frist** *f.* 1 개월의 기간. **~gehalt** *n.* 월급. **~geld** *n.* ① 월급. ② 매월의 가계비〔생활비〕. **~hälfte** *f.* 한 달의 반: in der ersten ~ 한 달의 전반부〔상반기〕에. **~heft** *n.* 월간 잡지. **~karte** *f.* 한 달 정기(승차)권. **~letzte*** *der* 한 달의 마지막 날. **~lohn** *m.* 월급, 수업료. **~miete** *f.* 월세. **~name** *m.* 달 이름. **~rate** *f.* 월부금. **~ration** *f.* 한 달분 배급(량). **~schluß** *m.* 월말. **~schrift** *f.* 월간 잡지. **~verdienst** *m.* ↑ ~gehalt. **~wechsel** *m.* 〖고어〗 매달 보내는 학비〔생활비〕. **~weise** *adv.* ↑ monatweise. **~zuteilung** *f.* ↑ ~ration.
monat·weise *adv.* 매월, 다달.
***Mönch** [mœnç] 《gr.》 *m.* -(e)s, -e ① 승려, 수도사: ein buddhistischer ~ 스님; wie ein ~ leben 은둔 생활을 하다. ② 〖건축〗 **(a)** ~ eines Fensters 창의 세로 칸막이. **(b)** 수키와 (↔ Nonne). **(c)** 나선 계단의 중심 기둥. ③ 〖工〗 타인기(打印器). ④ 〖植〗 민들레. ⑤ (obd.) 거세한 수말. ⑥ 〖動〗 휘파람새과(科)의 일종. ⑦ 〖사냥〗 가지뿔이 없는 수사슴. ⑧ 〖印〗 잉크가 엷은 부분. ⑨ (nordd.) 탕파(湯婆). ⑩ (연못의) 배수 장치.
Möncherei [mœnçərái] *f.* -en 승려〔수도사〕 생활〔기질〕; 〖폄어〗 승려 근성.
mönchisch [mǿnçɪʃ] *a.* ① 승려〔수도사〕풍의; 〖폄어〗 중 티가 나는. ② 은둔적인, 금욕적인: ein ~es Leben führen 은둔 생활을 하다.
Mönchlein *n.* -s, - 〖↑ Mönch 의 축소형〗 어린 승려〔수도사〕, 동승(童僧).
Mönchs≈geier [mœ́nçs..] *m.* 콘도르(새)의 일종. **~kappe** *f.* ① 승모(僧帽). ② 〖植〗 바곳. **~kloster** *n.* 수도원. **~kutte** *f.* 승복(僧服). **~latein** *n.* 〖반어〗 (중세 수도사의) 파격적 라틴어. **~leben** *n.* 수도사〔승려〕 생활. **~orden** *m.* 승단, 교단, 수도회. **~pfeffer** *m.* 서양모형나무 (열매). **~robbe** *f.* 〖動〗 물범속. **~schrift** *f.* ① 중세 수도사의 글씨체; 〖印〗 흑자체(黑字體), 고딕 활자체. ② 승려의 저작.
Mönchstum [mœ́nçstu:m] *n.* ↑ Mönchtum.
Mönchs≈wesen *n.* ① 승려〔수도〕 생활. ② 수도원 제도. ③ 승려〔수도사〕 기질. **~zelle** *f.* 승방(僧房). **~zucht** *f.* 승려〔수도사〕의 기율, 종규(宗規), 계율.
Mönchtum *n.* -(e)s ① ↑ Mönchswesen. ② 〖총칭〗 승려, 수도사.
***Mond** [mo:nt] *m.* -(e)s, -e [..də] ① 달: der ~ ist voll 만월이다; der ~ geht auf〔unter〕 달이 뜨다〔지다〕; der ~ nimmt zu〔ab〕 달이 차다〔이지러지다〕; das erste〔letzte〕 Viertel des ~es 상현〔하현〕달; du bist wohl auf dem ~? 정신 나갔니?; 〖경박〗 ich könnt' 〔möchte〕 ihn auf den〔zum〕 ~ schießen 나는 그 녀석을 달로 보내버리고 싶다; 〖구어〗 den ~ am hellen Tage suchen 대낮에 달을 찾다, 헛수고하다; 〖비유·구어〗 gegen den ~ bellen 〔den ~ anbellen〕 a) (개가) 달을 보고 짖다, b) 입으로만 으르렁거리다; im ~ sein 멍해 있다; 〖비유·구어〗 weit 〔drei Meilen〕 hinterm ~ sein 〔hinter dem ~ wohnen〕 시대에 뒤떨어져 있다; der Mann im ~ a) (민간 전설에서 달에 산다는) 남자, b) 바보, 멍청이; 〖비유·구어〗 in den ~ gucken 아무 성과가〔소득이〕 없다; ein Loch in den ~ bohren 빚쟁이를 속이고 도망치다; 〖구어〗 et. in den ~ schreiben 무엇을 잃어버린 것으로 생각하다; 〖구어·농담〗 deine Uhr geht nach dem ~ 네 시계는 맞지 않는다; nach dem ~ greifen 달을 따려 하다(얻기 힘든 것을 바라다); unter dem ~ 이 세상에서. ② 〖天〗 위성: die ~e des Jupiter 목성의 위성. ③ 〖시어〗〖고어: -en, -e(n)〗 (달력의) 달: seit ~en 수개월 이래. ④ 달 모양의 빵〔물건〕: 〖軍〗 halber ~ 반월보(半月堡). ⑤ 〖속어·농담〗 대머리: einen ~ auf dem Kopf haben 대머리다. ⑥ 〖농담〗 따분한 녀석, 바보, 멍청이.
Mond·alter *n.* 달의 나이.
Mondamin [mɔndamí:n] 《indian.》 *n.* -s 탈지(脫脂)한 옥수수 전분.
mondän [mɔndɛ́:n, mɔ̃d..] 《lat.》 *a.* 세속적인, 세련된, 매력적인; 사교계의, 상류 사회풍의: eine ~e Welt 상류 사회(의 사람): ein ~er Badeort 상류층이 찾는 온천.
Mondäne [mɔndɛ́:nə, mɔ̃d..] *f.* -n 세련된 상류 사회의 부인, 사교 부인.

Mondänität *f.* 세련; 상류 사회〔사교계〕풍.

Mond≈aufgang *m.* 월출, 달돋이. **~auge** *n.* 〖수의〗 (말의) 월맹증(月盲症). **~auto** *n.* 달 탐사용 자동차. **~bahn** *f.* 달의 궤도. **~bein** *n.* 〖해부〗 반월상골(半月狀骨). **~beschienen** *a.* 달빛에 비친: eine ~e Landschaft 달빛에 펼쳐진 풍경. **~beschreibung** *f.* 〖天〗 월리학(月理學). **~blind** *a.* ①〖수의〗 월맹의. ②〖醫〗 야맹의, 새눈의. **~blindheit** *f.* 〖수의〗 (말의) 월맹증.

Möndchen [mǿntçən] *n.* -s, - 〖↑ Mond 의 축소형〗 ① 작은 달. ② 초승달; 초승달 같은 것. ③ 뿔 모양의 과자. ④ 속손톱.

Monden·glanz *m.* 달빛. **~schein** *m.* 〖시어〗 ↑ Mondschein.

Mondes≈finsternis *f.* (öst.) ↑ Mondfinsternis. **~glanz** *m.* 〖시어〗 ↑ Mondenglanz. **~licht** *f.* 〖시어〗 ↑ Mondlicht.

Mond≈fähre *f.* ↑ ~landefähre. **~finsternis** *f.* 〖天〗 월식. **~fläche** *f.* 달표면. **~fleck** *m.* ①〖動〗 ↑ ~vogel. ②〖대개 복수〗 달의 반점. **~flug** *m.* 달 비행. **~förmig** *a.* 달 모양의. **~gebirge** *n.* 〖天〗 달 속의 산. **~göttin** *f.* 달의 여신. **~hell** *a.* 〖雅語〗 달 밝은. **~hof** *m.* 달무리. **~jahr** *n.* 음력의 (한) 해, 태음년. **~kalb** *n.* ①〖生〗 귀태(鬼胎); 〖비유〗 보기 흉한 것: er guckt〔glotzt〕 wie ein ~ 그는 정신이 박약하다. ②〖경박〗 바보. **~karte** *f.* 월면도. **~krater** *m.* 달 표면의 분화구. **~kraut** *n.* 〖植〗 사설초. **~kult** *m.* 〖인류〗 달〔태음〕 숭배. **~kultus** *m.* ↑ ~kult. **~lande·fähre** *f.* 달 착륙선. **~landschaft** *f.* ① 달 표면(모습). ②〖雅語〗 달빛 속의 풍경. **~landung** *f.* 달 착륙. **~lauf** *m.* 달의 운행.

Möndlein [mǿnt..] *n.* -s, - ↑ Möndchen.

Mond·licht *n.* 달빛, 월광.

mondlos *a.* 달(빛)이 없는.

Mond≈mobil *n.* ↑ ~auto. **~monat** *m.* 음력의(한) 달, 태음월(月). **~nacht** *f.* 달밤. **~ober·fläche** *f.* 달 표면. **~phase** *f.* 월상(月相), 달이 바뀌는 모습. **~preis** *m.* ①〖經·은어〗 (나중에 할인해 주기 위해서) 일부러 높인 정가. ②〖구어·폄어〗 지나치게 높은 가격. **~rakete** *f.* 달 로켓. **~raute** *f.* 〖植〗 사설초. **~scheibe** *f.* 둥근 달, 월륜(月輪). **~schein** *m.* 달빛; 〖농담〗 대머리: 〖구어〗 der kann mir im ~ begegnen 그런 놈은 어떻게 되든 나와 상관 없다. **~schein·tarif** *m.* 〖經〗 (전화의) 야간 할인 요금〔요율〕. **~sichel** *f.* 초승달. **~sonde** *f.* 달 탐사선. **~stein** *m.* 〖광물〗 월장석(月長石). **~sucht** *f.* ↑ ~süchtigkeit. **~süchtig** *a.* 몽유병에 걸린. **~süchtigkeit** *f.* 몽유병. **~uhr** *f.* 달시계. **~umlauf** *m.* 달의 회전. **~umlauf·bahn** *f.* 〖우주비행〗 달의 주위를 도는 궤도. **~untergang** *m.* 월몰. **~viertel** *n.* 현(弦) (달의 주기의 4 분의 1). **~vogel** *m.* 〖動〗 노랑무늬범고래나방. **~wandlung** *f.*, **~wechsel** *m.* 〖天〗 달의 변화, 월상(月相). **~zirkel, ~zyklus** *m.* 〖天〗 태음 순환기.

Monegasse *m.* -n, -n 모나코 사람.

Monegassin *f.* -nen ↑ Monegasse 의 여성형.

monegassisch *a.* 모나코의.

Monere [monéːrə] 《gr.》 *f.* -n 〖動〗 단충류.

monetär [monetɛ́ːr] *a.* 〖經〗 화폐의, 통화의.

Moneten [monéːtən] 《lat.》 *pl.* 〖구어〗 화폐, 돈: keine ~ haben 돈이 없다.

monetisieren [monetizíːrən] *t.* 〖經〗 화폐화하다, 환금하다.

Monetisierung *f.* 〖經〗 현금화, 자본화.

Mongölchen [mɔŋgǿːlçən] *n.* -s, - 몽고증을 앓는 어린이.

Mongole [mɔŋgóːlə] *m.* -n, -n 몽고인(종).

Mongolei [mɔŋgoláɪ] 몽고.

Mongolen≈falte *f.* 〖醫〗 몽고 주름(눈꼬리의 주름살). **~fleck** *m.* 〖인류〗 몽고 반점.

Mongolentum *n.* -(e)s 몽고족.

mongolid [mɔŋgolíːt] *a.* 몽고족 특유의.

Mongolide [..líːdə] *m.* ↑ Mongole.

mongolisch [..góːlɪʃ] *a.* ① 몽고의. ② 몽고인〔족·어〕의.

Mongolismus [..golísmus] *m.* - 〖醫〗 몽고증, 몽골리즘, 다운 증후군.

mongoloid [..loíːt] *a.* ① 몽고인과 비슷한: ~e Gesichtszüge 몽고인과 비슷한 인상. ② 〖醫〗 몽고증을 보이는.

Mongoloide* [..loíːdə] *der/die* ① 몽고 인종, 황색 인종. ② ↑ Mongölchen.

Monier·bauweise [moníːr..] *f.* 〖건축·구식〗 (모니에) 철근 콘크리트 건축 방식(프랑스의 원예가 J. Monier 의 이름에서).

monieren [moníːrən] 《lat.》 *t.* ① 독촉〔재촉〕하다; 충고〔훈계·경고〕하다; 책망〔비난〕하다. ② 적어 놓다; 알리다.

Monismus [monísmus] 《gr.》 *m.* - 〖哲〗 (↔ Dualismus) 일원론.

Monist *m.* -en, -en 일원론자.

monistisch *a.* 일원(론)적인.

Monita ↑ Monitum 의 복수형.

Moniteur [monitǿːr] *m.* -s, -e 모니퇴르(옛 프랑스 정부의 신문).

Monitor [móːnitɔr, ..toːr] 《lat.》 *m.* -s, -en [..tóːrən] ①〖교양·구식〗 독촉자, 충고자, 경고자, 감독자. ②〖動〗 큰도마뱀. ③〖軍〗 모니터함(연안 작전용 포함). ④〖工〗 모니터, 감시 장치. ⑤〖컴〗 화면 표시기, 모니터. ⑥ 방사능〔광맥〕 탐색기.

Monitorium *n.* -s, ..rien [..riən] 〖격식·구식〗 독촉장, 훈계장, 경고장.

Monitum *n.* -s, ..ta 〖교양〗 ① 충고, 훈계, 경고. ② 견책, 질책, 문책.

Mono *n.* -s 모노 방송: eine Aufnahme in ~ 모노 방송 녹음.

mono.. 《gr.》 *pref.* "단일·단독"의 뜻.

Monochord [monokɔ́rt] 《gr.》 *n.* -(e)s, -e [..də] 〖음악〗 모노코드; 〖物〗 1 현(弦)의 음향 측정기.

monochrom [..króːm] 《gr.》 *a.* 〖畫〗 단색의.

Monochrom·bildschirm *m.* 〖컴〗 흑백 모니터.

Monodie [monodíː] 《gr.》 *f.* 〖음악〗 ① 독창곡, 제창곡. ② 단성 악곡.

monodisch *a.* 〖음악〗 ① 독창곡의, 단성 악곡의. ② 독창곡 양식으로 된, 모노의.

Monodrama [..dráːma] 《gr.》 *n.* -s, ..men 〖연극〗 1 인극, 모노드라마.

monofil *a.* 〖섬유〗 한 가닥의 실로 된.

monogam *a.* (↔ polygam) ① 일부 일처(제)의. ② 한 상대자와만 성관계를 갖는.

Monogamie [..gamíː] 《gr.》 *f.* 일부 일처(제) (↔ Polygamie).

monogamisch *a.* ↑ monogam.
Monogamist *m.* -en, -en 일부 일처주의자.
monogen *a.* ①〖生〗단일 씨의, 단일 민족의. ②〖유전〗단일 유전자로 결정된.
Monogenese [..genéːzə], **Monogonie** [..goníː] 《gr.》 *f.* 〖生〗①무성(無性)〔단성(單性)〕생식. ②동태(同態) 발생.
Monografie 新정서 ⇦ Monographie.
Monogramm [monográm] 《gr.》 *n.* -s, -e ① 모노그램, 결합 문자, 성명의 머리글자: ~e in die Wäsche sticken 속옷에 이름의 머리글자를 수놓다; 〖경박〗 ich könnte mir ein ~ in den Bauch〔Hintern〕 beißen 나는 자제력을 잃을 만큼 격분해 있다. ② 화압(花押), 낙관(落款).
Monographie [..grafíː] *f.* -n [..fíːən] 특정 주제 또는 인물에 관한 연구〔학술〕 저서.
Monokel [monɔ́kəl] 《gr.》 *n.* -s, - 외알 안경.
monoklin [..klíːn] 《gr.》 *a.* ①〖광물〗단사 정계(單斜晶系)의. ②〖植〗자웅 동화(同花)의.
Monokotyledone [..kotyledóːnə] 《gr.》 *f.* -n〖植〗외떡잎〔단자엽〕식물.
monokular [..kuláːr] 《gr.》 *a.* 외눈의.
Monokultur [móːnokultuːr] *f.* -en〖經〗①〖구어〗단종 농업〔재배〕. ② 단종 재배 농지. ③〖대개 복수〗단종 재배 식물. ④〖교양〗흑백 문화, 억압적 통치 문화.
Monolatrie [..latríː] *f.* 〖宗〗유일신 숭배〔사상〕.
Monolith [..líːt, ..lít] 《gr.》 *m.* -(e)s/-en, -e(n) 모놀리스, 통돌 기둥〔비석〕.
monolith *a.* ↑ monolithisch.
monolithisch *a.* ①〖건축〗통돌로 된: ~e Bauweise 이음새 없는 건축 방식. ②〖전기〗단일 반도체 소자(素子)로 구성된.
***Monolog** [monolóːk] 《gr.》 *m.* -s, -e [..gə] (↔ Dialog)〖연극〗독백, 혼자말: 〖구어〗 halt' keine ~e〔spar dir deine ~e〕! 그렇게 혼자서만 얘기하지 마라!
monologisch *a.* 독백〔혼자말〕의.
monologisieren *i.* (h.) 〖폄어〗독백〔혼자말〕하다.
Monom 《gr.》 *n.* -s, -e〖數〗단항식.
monoman *a.* 편집증(偏執症)의, 편집증에 시달리는.
Monomane *m.* -n, -n〖心〗편집광(偏執狂).
Monomanie [..maníː] 《gr.》 *f.* -n〖心·醫〗편집(偏執) 망상증, 편집증.
Monomer [monoméːr] *n.* -s, -e ↑ Monomere.
monomer *a.* 〖化〗단량체의.
Monomere* [..méːrə] *das* 〖化〗단량체.
monomisch *a.* 〖數〗단항(식)의.
Mononom [..nóːm] *n.* -s, -e ↑ Monom.
mononomisch *a.* 〖數〗↑ monomisch.
Monopetale 《gr.》 *f.* -n〖植〗합판화(合瓣花) 식물아류.
monophon *a.* 〖음향〗모노의: die Sendung wird ~ übertragen 방송은 모노로 중계된다.
Monophonie *f.* 모노 방송.
Monophthong [monoftɔ́ŋ] *m.* -s, -e〖음성〗단모음.
Monophthongierung *f.* -en〖음성〗단모음화.
monophyletisch *a.* 〖生〗단일 씨의, 단일 원형에서 유래하는.
Monoplegie [..plegíː] 《gr.》 *f.* -n [..gíːən]〖醫〗부분 마비.
***Monopol** [..póːl] 《gr.》 *n.* -s, -e〖商〗① 전매(권), 독점. ② 독점 기업.
Monopol·brennerei *f.* 독점 화주 양조장.
monopolisieren [..polizíːrən] *t.* 독점하다.
Monopolisierung *f.* -en 독점〔전매〕화.
Monopolist *m.* -en, -en 전매자, 독점 기업, 독점 기업가, 독점론자.
monopolistisch *a.* 〖經〗독점의, 전매의: ~e Konkurrenz 독점적 경쟁.
Monopol≈kapital *n.* 〖폄어〗독점 기업〔자본〕. **~kapitalismus** *m.* 〖마르크스주의〗독점 자본주의. **~kapitalist** *m.* 독점 자본가. **~kapitalistisch** *a.* 독점 자본주의의. **~preis** *m.* 독점 가격. **~presse** *f.* 독점 언론. **~stellung** *f.* (시장에서의) 독점적 지위. **~verbot** *n.* 독점 금지.
Monoposto *m.* -s, -s〖모터스포츠〗1인승 무개 경주용차, 모노포스토.
Monopteros [monɔ́pterɔs] *m.* -, ..ren〖건축〗기둥 위에 둥근 지붕을 올린 벽 없는 고대의 작은 사원.
monosem [monozéːm] *a.* 〖언어학〗단의미(單意味)의.
Monosemie [..zemíː] *f.* 〖언어학〗단의미.
monostichisch [monostíçɪʃ] *a.* 〖문학〗한 시구의 운율을 반복하는, 단행시의.
monostichitisch *a.* ↑ monostichisch.
Monostichon [monɔ́stɪçɔn] *n.* -s, ..cha〖문학〗단행시.
monosyllabisch [..zʏláːbɪʃ] 《gr.》 *a.* 〖언어학〗단음절의.
monosyndetisch *a.* 〖문체〗모노신데톤의.
Monosyndeton [..zʏ́ndetɔn] *n.* -s, ..ta〖문체〗모노신데톤(나열식 문장의 최종 단어 앞에서만 접속사를 사용하는 방식; 보기: alles lacht, jubelt *und* schreit).
Monotheismus [..teísmus] 《gr.》 *m.* -〖宗〗(유)일신교〔론〕(↔ Polytheismus).
Monotheist [..teíst] *m.* -en, -en (유)일신교도〔론자〕.
monotheistisch *a.* (유)일신교〔론〕의.
***monoton** [..tóːn] 《gr.》 *a.* 단조로운, 변화 없는; 단음절의; 지루한.
Monotonie [..toníː] *f.* -n [..níːən] 단조로움, 무변화.
Monotype [mɔ́notaɪp, móːno..] 《gr.》 *f.* -s〖印〗모노타이프.
Monotypie [..typíː] *f.* -n [..píːən]〖그래픽〗① 일회용 복제 방식. ② 일회용 복제(품).
monovalent *a.* 1가(一價)의.
Monoxid [moːnɔksíːt] *n.* -s, -e, **Monoxyd** [móːnɔksyːt, mɔnɔksýːt] *n.* 〖化〗일산화물.
Monozelle *f.* -n 소형 건전지.
Monözie [monøtsíː] *f.* 〖植〗자웅 동체.
monözisch [monǿːtsɪʃ] *a.* 〖植〗자웅 동체의.
Monozyt [..tsýːt] *m.* -en, -en〖醫〗백혈구.
Monozytose [..tsytóːzə] *f.* -n〖醫〗백혈구의 이상 증가.
Monroe·doktrin [mɔnróː.., mɔ́nro.., mənróː..] *f.* 〖政〗먼로주의.
Monseigneur [mõsɛnjǿːr] 《frz.》 *m.* -s, -e/-s (약어: Mgr.) ① (프랑스의 제후·고위 성직자 등의 존칭으로) 나리, 각하, 전하. ② Monseigneur 칭호 소유자.

Monsieur [məsiǿ:, ..sjǿ] 《frz.》 *m.* -(s), Messieurs [mɛsiǿ:, mesjǿ] 군, 님, 씨, 귀하 (약어: M., *pl.* MM.).

Monsignore [mɔnzɪnjó:rə, ..re] 《it.》 *m.* -(s), ..ri (약어: Mgr., Msgr.) ① (이탈리아 고위 성직자의 존칭으로) 예하(猊下). ② Monsignore 칭호 소유자.

***Monster** [mɔ́nstər] *n.* -s, - 괴물, 요물.

monster.. *pref.* "거대한·무서운"의 뜻(보기: ∼bau 거대한 건축물).

Monstera *f.* -e [..rɛ:] 〖植〗 몬스테라(열대 아메리카 지역의 덩굴 식물로 관상용임).

Monster≈bau *m.* 〔대개 폄어〕 초대형 건축물. **∼film** *m.* ① 초대작 영화. ② 괴물〔괴기〕 영화. **∼prozeß** *m.* 대규모 소송. **∼veranstaltung** *f.* 대규모 행사〔집회〕.

Monstra ↑ Monstrum 의 복수형.

Monstranz [mɔnstránts] 《lat.》 *f.* -en 〖가톨릭〗 성체 현시대(聖體顯示臺).

***monströs** [mɔnstrǿ:s] 《lat.》 *a.* ① 〖醫〗 기형의. ② 기괴한; 괴물의: ein Tier von ∼em Aussehen 기괴한 동물. ③ 〔대개 폄어〕 거대한, 엄청난; 터무니 없는: eine ∼e Veranstaltung 거대한 행사. ④ 〔대개 폄어〕 비상한.

Monstrosität [mɔnstrozitɛ́:t] *f.* -en ① 기괴(함). ② 괴물. ③ 〖醫〗 기형.

Monstrum [mɔ́nstrum] *n.* -s, ..stren/..stra 괴물, 요괴; 〖醫〗 기형아; 잔인한 사람, 비인간; 거대, 거액.

Monsun [mɔnzú:n] 《ar.》 *m.* -s, -e 〖기상〗 (인도양의) 계절풍, 무역풍, 몬순.

Monsun·regen *m.* 〖기상〗 (몬순에 따른) 장마.

***Montag** [mó:nta:k] 《germ.》 *m.* -(e)s, -e 월요일: 〔구어〕 blauer ∼ (결근을 하여) 쉬는 월요일; ich mache morgen einfach einen blauen ∼ 내일 월요일은 그냥 쉬어야겠다.

Montage [mɔntá:ʒə, mɔ̃n..] 《lat.》 *f.* -n ① 〖工〗 장치; 조립, 구성: 〔구어〕 er ist auf ∼ 그는 조립 작업중이다, 조립 작업을 위해 출타중이다. ② 〖영화·사진〗 몽타주 (편집). ③ (보석의) 끼우기. ④ 〖印〗 (인쇄의) 제판(製版) (부서). ⑤ 〖예술〗 몽타주 (작품). ⑥ 〖문학〗 몽타주 기법.

Montage≈bau *m.* ① ↑ ∼bauweise. ② 〔복수: -ten〕 조립식 건축물. **∼bau·weise** *f.* 조립식 공법〔건축법〕. **∼halle** *f.* 조립 홀. **∼zeit** *f.* 조립 시간.

montägig [mó:ntɛ:gɪç], **montäglich** [..tɛ:klɪç] *a.* (매) 월요일의.

montags *adv.* (매) 월요일에.

Montags·auto *n.* 〔구어·폄어〕 결함이 많은 신차(근무에 집중하지 못하는 월요일에 제작된 차가 결함이 많은 데에서).

montan [mɔntá:n] 《lat.》 *a.* ① 산의. ② 광산(업)의.

Montan≈aktien *pl.* 광산 주식. **∼anstalt** *f.* 광산 학교. **∼industrie** *f.* 〖經〗 광산업.

Montanist [mɔntaníst] *m.* -en, -en ① 채광 야금 전문가. ② 〖宗〗 몬타누스교도.

montanistisch *a.* ↑ montan ②.

Montan≈mitbestimmung *f.* 〖經·法〗 광산업에서의 경영 참여(권). **∼union** *f.* 유럽 석탄 철광 연합〔공동체〕. **∼wachs** *n.* (갈탄에서 추출한) 몬탄납(蠟). **∼werte** *pl.* 광산주(株); 광산주의 주가〔시황(市況)〕.

Montbretie [mɔ̃bré:tsjə] 《frz.》 *f.* 〖植〗 몽브레치에(남아프리카에 분포하는 붓꽃의 일종).

Montenegro [mɔntené:gro] 《it.》 몬테네그로 (유고슬라비아 연방의 한 구성 공화국).

Monteur [mɔntǿ:r, mɔ̃n..] 《lat.》 *m.* -s, -e 〖工〗 기계 조립 기사, 조립공.

Montgolfiere [mɔ̃gɔlfjɛ́:rə] 《frz.》 *f.* -n 〖空〗 열기구(熱氣球) (발명자인 프랑스의 몽골피에(Montgolfier) 형제의 이름에서).

montieren [mɔntí:rən, mɔ̃..] 《lat.》 *t.* ① 〖工〗 (기계 따위를) 조립하다, 설치하다. ② (보석을) 박아 넣다, 끼워 붙이다: einen Griff an ein Gerät ∼ 기구에 손잡이를 달다. ③ (가구를) 비치하다. ④ 〖海〗 ein Schiff ∼ (승무원을) 배에 승선시키다. ⑤ 〖軍〗 (a) 말을 공급하다. (b) (포를) 장치하다; (비행기를) 정비하다: eine Kanone ∼ 대포를 장치하다. (c) Soldaten ∼ 군대에 군복을 공급하다. ⑥ (영화의 장면들을) 합성〔편집〕하다. ⑦ 〖요리〗 소스 따위에 버터를 첨가해서 휘저어 풀다.

Montierer *m.* 조립공, 제판공.

Montierung *f.* -en ① 〖工〗 (기계의) 조립, 설치. ② (보석을) 박아 넣음. ③ (가구의) 비치. ④ 〖海〗 승무원 배치. ⑤ 〖軍〗 (a) (포의) 장치; (비행기의) 정비. (b) 군복 공급. (c) 근무복, 제복, 피복 장구.

Montierungs≈depot [..po:] *n.*, **∼kammer** *f.* 〖軍〗 피복 창고. **∼stücke** *pl.* 피복. **∼werkstatt** *f.* 〖工〗 기계 조립 공장.

Montur [mɔntú:r] 《lat.》 *f.* -en ① 〖軍·고어〗 근무복, 군복, 피복 장구. ② 제복, 주인이 하인에게 해 입히는 옷: seine ∼ anlegen 제복을 입다. ③ 〔구어〕 작업복: in der ∼ eines Mechanikers 기계공의 작업복을 입고; in voller ∼ 완벽하게 차려 입고.

***Monument** [monumɛ́nt] 《lat.》 *n.* -(e)s, -e ① 〔교양〕 (예술적) 기념물. ② 기념비; 기념상(像); 기념 건축물.

monumental [..mɛntá:l] *a.* 기념의; 기념비와 같은; 장대한; 화려한; 불멸의.

Monumental≈bau *m.* 〔복수: -ten〕 기념 건조물, 웅장한 건축물. **∼film** *m.* 호화판 초대작 영화. **∼gemälde** *n.* 웅장한〔대형〕 그림.

Monumentalität [..talitɛ́:t] *f.* 장대, 웅대.

Moon·boots [mú:nbu:ts] 《engl.》 *pl.* 합성 재료로 만든 안감이 두껍게 대어진 겨울용 장화.

***Moor** [mo:r] 《mnddt. mor „Sumpf(land)"》 *n.* -(e)s, -e 늪, 소택지(沼澤地), (저)습지, 수렁: im ∼ umkommen 늪에 빠져 죽다.

Moor≈bad *n.* ① 〖醫〗 진흙욕(浴) (요법): jm. Moorbäder verordnen 누구에게 진흙욕을 처방하다. ② 진흙욕장. **∼baden** *i.* (h.) 〔부정형으로만〕 진흙욕하다. **∼boden** *m.* 늪바닥. **∼ente** *f.* 〖動〗 (북부 독일) 늪지대에 사는 오리의 일종. **∼erde** *f.* (수렁의) 진흙. **∼fund** *m.* 늪의 발굴물. **∼gegend** *f.* 늪 지대. **∼grund** *m.* 질퍽한 땅. **∼hahn** *m.*, **∼henne** *f.*, **∼huhn** *n.* 뇌조(雷鳥)의 일종.

mooricht *a.* ↑ moorig.

moorig [mó:rɪç] *a.* 소택(沼澤) (모양)의; 소택이 많은, 습지의: eine ∼e Senke 움푹한 소택지.

Moor≈kohle *f.* 토탄(土炭). **∼kolonie** *f.* 늪지대 마을. **∼kultur** *f.* 소택지 개발〔경작〕. **∼leiche** *f.* 소택지에서 발견된 시체〔미라〕. **∼packung** *f.* (치료 목적의) 진흙 도포(塗布)

법. ~**siedlung** *f.* ↑ ~kolonie.

***Moos**[1] [mo:s] *n.* -es, -e [..zə]/Möser ①〔복수: -e〕〖植〗(늪에 생기는) 이끼, 선태류(蘚苔類):〔구어〕etwas hat schon ~ angesetzt 무엇은 이미 구식이다, 더 이상 현실적이지 않다. ②〔복수: -e/Möser〕〔고어〕(obd.) 질퍽한 땅, 습지대.

Moos[2] 《hebr.》 *n.* -es〔은어·경박·학생〕돈, 현금: sie hat ganz schön〔viel〕~ 그녀는 아주 많은 돈을 갖고 있다.

Moos≈art *f.* 이끼의 종류. ≈**artig** *a.* 선태류〔이끼 모양〕의. ~**bank** *f.*〔복수: ..bänke〕이끼가 낀 벤치. ≈**bedeckt** *a.* 이끼로 덮인. ~**beere** *f.* ① 덩굴 월귤나무. ② 덩굴 월귤. ≈**bewachsen** *a.* 이끼가 난〔무성한〕. ~**biume** *f.*〖植〗눈동이나물. ~**farn** *m.*〖植〗바위손. ~**flechte** *f.*〖植〗늪의 지의류(地衣類). ≈**grau** *a.* 고색창연한. ≈**grün** *a.* 이끼 같은 녹색의. ~**hütte** *f.* 지붕을 이끼로 덮은 오두막.

moosicht *a.* ↑ moosig.

moosig [mó:zıç] 《<Moos[1]》 *a.* ① 이끼가 낀; 이끼 모양의. ② (obd.) 늪 지대의.

Moos≈krepp *m.*〖섬유〗(이끼 모양의) 크레이프. ~**kunde,** ~**lehre** *f.* 선태학(蘚苔學). ~**polster** *m.* 융단처럼 두텁게 낀 이끼덩굴. ~**rose** *f.*〖植〗이끼장미. ~**tier,** ~**tierchen** *n.*〖動〗외항류(外肛類).

Mop [mɔp] 《engl.》 *m.* -s, -s 대걸레.

Moped [mó:pεt, ..pe:t] *n.* -s, -s 경〔소형〕오토바이.

moppen [mɔ́pən] 《I》 *i.* (h.) (대걸레로) 닦다, 훔치다. 《II》 *t.* (바닥을) 걸레로 닦다: die Treppe ~ 계단을 걸레로 닦다.

Mopp 新정서 ⇦ Mop.

Moppe 《令 Mops》 *f.* -n (ndd.) ① 따귀. ② 빵. ③ 차양〔테〕없는 모자.

Moppel [mɔ́pəl] *m.* -s, -〔구어〕땅딸보, 뚱뚱한 아이.

Mops [mɔps] *m.* -es, Möpse [mœ́psə] ① 몹스(불도그처럼 흉하게 생긴 작은 개). ②〔구어〕(얼굴을 찌푸린다는 뜻에서) 찌무룩한 사람, 불평꾼; 우둔한 사람; 땅딸보, 뚱보. ③〔복수〕〔학생·경박〕돈.

Möpschen [mœ́psçən] *n.* -s, - ↑ Mops 의 축소형.

möpseln [mœ́psəln] *i.* (h.) (ndd.) 악취를 풍기다.

mopsen [mɔ́psən]〔구어〕《I》 *t.* ① 화나게 하다. ② 훔치다. 《II》 *refl.* sich ~ ① 따분(한 나머지 찌푸린 얼굴을)하다. ② 불쾌〔찌무룩〕해지다, 성나다.

mops≈fidel *a.*〔구어〕매우 기분 좋은. ≈**gesicht** *n.*〔구어〕찌푸린 얼굴.

mopsicht *a.* ↑ mopsig.

mopsig [mɔ́psıç] *a.* ① 몹스(개)와 같은;〔구어〕땅딸막한. ② 따분한. ③ 오만한:〔방언〕sich ~ machen 뽐내다, 오만 떨다;〔방언〕~ werden 뻔뻔스러워지다, 오만해지다.

Möpslein [mœ́pslaın] *n.* -s, - ↑ Möpschen.

Mops·nase *f.* 사자코; 납작코(인 사람).

moquant [..kánt] *a.* ↑ mokant.

Mora[1] [mó:ra] *f.* ..ren ① (고대 로마법의) 지급 지체〔연기〕. ②〖문학〗단위 음량(音量).

Mora[2] *f.* 이탈리아의 손가락 놀이.

***Moral** [morá:l] 《lat. mos, „Sitte"》 *f.* -en ① 도덕, 윤리 규범: gegen die ~ verstoßen 도덕을 어기다;〔펌어〕jm. ~ predigen 누구에게 도덕을 설교하다. ② 사기(士氣), 자신감;〖軍〗군기(軍紀). ③ (이야기·우화 따위에 포함된) 윤리적 가치, 교훈:〔삽입구로〕und die ~ von der Geschicht'... 그리고 결국에는….

Moral≈begriff *m.* 도덕 개념, 윤리관. ~**feind** *m.* 반도덕가. ~**gesetz** *n.* 도덕률.

Moralin [moralí:n] *n.* -s〔펌어〕위선.

moralin·sauer *a.*〔펌어〕위선의.

***moralisch** *a.* ① 도덕의, 도덕적〔윤리적〕인; 도의에 맞는, 품행 방정한; 교훈적인: eine ~e Pflicht 도덕적 의무; eine ~e Ohrfeige 엄한 질책;〔구어〕einen ≈en haben 꺼림칙하게 느끼다, 양심의 가책을 받다; die ~e Dichtung 교훈시;〖法〗~e Person 법인. ② 정신적인, 내적인.

moralisieren [moralizí:rən] 《I》 *t.* 교화〔선도〕하다. 《II》 *i.* (h.) ①〔펌어〕도덕을 논하다. ②〔교양〕도덕군자연하다.

Moralismus *m.* - 도덕(지상)주의.

Moralist *m.* -en, -en ① 윤리학자, 도덕가; 도덕주의자. ②〔펌어〕도덕 군자, 도학자.

moralistisch *a.* 도덕(지상)주의의.

Moralität [..litέ:t] *f.* ① 도덕(성), 도의심; 도의; 덕행. ②〖문학〗(중세의) 교훈적 종교극, 권선징악극.

Moral insanity [mɔ́rəl insǽniti] 《engl.》 *f.*〖心·醫〗도덕적 정신 박약, 도덕 불감증.

Moral≈kodex *m.* 도덕〔윤리〕규범(집). ~**pauke** *f.*〔구어〕↑ ~predigt. ~**philosophie** *f.* 도덕 철학, 윤리학. ~**prediger** *m.*〔펌어〕도덕 설교가. ~**predigt** *f.*〔펌어〕도덕적 설교〔훈계〕;〔구어〕격려 연설. ~**prinzip** *n.* 도덕 원리. ~**theologie** *f.* ① 윤리 신학. ②〖哲〗(칸트의 물리적 신학에 대한) 도덕적 신학. ~**unterricht** *m.* 도덕〔수신〕교육. ~**vorstellung** *f.* 윤리〔도덕〕관.

Moräne [morέ:nə] 《frz.》 *f.* -n〖지형〗(빙하로 생긴) 빙퇴석(氷堆石).

Morast [morást] 《lat.》 *m.* -es, -e/..räste [..rέstə] 진흙, 진창, 수렁; 소택지, 습지: im ~ stecken bleiben 수렁〔궁지〕에 빠져 있다; im ~ waten 진창 속을 걸어서 가다; der Regen hatte den Weg in einen ~ verwandelt 비가 와서 길이 진창으로 변했다.

morastig *a.* 진흙이 많은, 진흙투성이의; 소택지의, 질퍽질퍽한.

Moratorium [morató:rium] 《lat. mora》 *n.* -s, ..rien [..riən] ①〖經〗(법적으로 정해진) 지급 유예, (국가간의) 모라토리엄. ②〖政〗(위험한 활동의) 일시적 정지〔연기〕.

morbid [mɔrbí:t] 《lat.》 *a.* ① 병적인; 병약한;〖畫〗부드러운, (색조 따위가) 엷은. ② 타락한, 부패한.

Morbidität [mɔrbiditέ:t] *f.* ① 병약, 허약. ②〖醫〗이환율(罹患率).

morbiphor [mɔrbifó:r] *a.*〖醫〗전염성의.

Morbosität [mɔrbozitέ:t] 《lat.》 *f.*〖醫〗병약.

Morbus [mɔ́rbus] *m.* -, ..bi〖醫〗(질)병: ~ Addison 애디슨병.

Morchel [mɔ́rçəl] 《<Möhre》 *f.* -en〖植〗그물우산버섯.

***Mord** [mɔrt] *m.* -(e)s, -e 살인, 살해;〖法〗모살(謀殺);〔시어〕유혈 참사; 살육;〔드물게〕

살인의 흔적, 피: ~! 사람 죽인다, 사람 살려!; einen ~ begehen 살인죄를 범하다; einen ~ an js. Unschuld begehen 누구의 순결을 더럽히다; 〖비유·구어〗 es gibt ~ und Totschlag 유혈극〔큰싸움〕이 벌어졌다; 〖비유·구어〗 das ist ja reiner〔der reinste〕~! 그것은 무자비하다, 가공할 만하다!; (ndd.) es friert auf ~ 살인적인 추위다.

Mord≈anfall *m.* 살인을 하기 위한 습격. **~anklage** *f.* 살인죄에 의한 기소: er steht unter ~ 그는 살인죄로 기소당했다. **~anschlag** *m.* 살해 기도: der Minister fiel einem ~ zum Opfer 장관은 살인 음모의 희생이 되었다. **~axt** *f.* ① 살인에 사용된 도끼. ②〔고어〕 전투용 도끼. **~begierde** *f.* 살의(殺意). **≈begierig** *a.* 살기 등등한. **~beil** *n.* ↑ ~axt. **~blick** *m.* 살기를 품은 시선. **~brand** *m.* 살인 방화. **~brenner** *m.*〔구식〕살인 방화범. **~brennerei** *f.*〔구식〕살인 방화. **~bube** *m.*〔구식·雅語〕살인자, 하수인. **~drohung** *f.* 살해 협박〔위협〕.

morden [mɔ́rdən] 《<Mord》《I》 *i.*(h.) 살인하다: sie zogen ~d und plündernd durch das Land 그들은 전국에서 살인과 약탈을 자행했다. 《II》 *t.* ① 살인하다; 학살하다. ②〔비유〕(자유·평화를) 유린하다. ③〔구어〕(어떤 나라 말을) 서투르게 말하다.

Mordent [mɔrdɛ́nt] 《lat.》 *m.* -(e)s, -e 〖음악〗 모르덴트, 연음(連音), 장식음.

Mörder [mœ́rdər] *m.* -s, - ① 살인자, 살인범; 〔비유〕(자유·평등의) 유린자. ②〖사냥〗(길고 날카로운 뿔을 가진) 사슴, 노루.

Mörderei [..dəráɪ] *f.* -en 〔구식〕 살인 (행위); 암살.

Mörder≈grube *f.* 살인자의 소굴〔은신처〕: 〔구어〕 aus seinem Herzen keine ~ machen 숨김 없이〔솔직하게〕 말하다. **~hand** *f.*〖雅語〗살인자의 손. **~höhle** *f.* ↑ ~grube.

Mörderin [..dərɪn] *f.* -nen ↑ Mörder 의 여성형.

mörderisch [mœ́rdərɪʃ] 《I》 *a.* ① 살인(자)의; 흉악〔잔인·살벌〕한. ②〔구어〕(기후 따위가) 살인적인, 무서운, 지독한: in einem ~en Tempo 매우 빠른 속도로. 《II》 *adv.* 〔구어〕 무섭게, 지독히.

mörderlich [..dərlɪç] *a.* ↑ mörderisch《I》②.

Mord≈fall *m.* 살인 사건. **~fliege** *f.* 〖動〗 왕파리(Raubfliege). **~gedanke** *m.* 살의: ~ hegen 살의를 품다. **~geschichte** *f.* ① 살인담(談). ② 공포 소설. **~geselle** *m.* ↑ ~bube. **~gier** *f.* 살의, 살기. **≈gierig** *a.* 살의가 있는, 살기등등한. **~instrument** *n.* ① 살인 도구. ②〔구어〕흉기.

mordio [mɔ́rdio] *int.* 〔고어〕 사람 살려.

Mord≈kommission *f.* (경찰의) 살인 사건 전담 수사반. **~lust** *f.* ↑ ~gier. **≈lustig** *a.* ↑ ≈gierig. **~nacht** *f.* 살인 사건이 있던 밤. **~raupe** *f.* 나방과의 식육성 유충.

mords.. *pref.* 〖Mord 의 2 격으로 기초어의 뜻을 세게 함〗〔구어〕"대단한·무서운·엄청난"의 뜻.

Mords·arbeit *f.* 〔구어〕 몹시 힘든 일〔작업〕.

Mord·schlacht *f.* 혈전(血戰).

Mords≈durst *m.* 심한 갈증. **~dusel** *m.* ↑ ~glück. **~gaudi** *n./f.* 〔구어〕 굉장한 구경거리. **~geschrei** *n.* 〔구어〕 굉장한 고함 소리. **~glück** *n.* 굉장한〔뜻밖의〕 행운. **~hitze** *f.* 〔구어〕 굉장한 열〔더위〕. **~hunger** *m.* 〔구어〕 굉장한 허기. **≈kalt** *a.* 무섭게 추운. **~kerl** *m.* 〔구어〕 ① 대단한 남자, 굉장한 놈. ② 좋은 녀석, 친구. ③ 키가 크고 건장한 남자, 큰 동물. **~krach** *m.* 〔구어〕 ① 엄청난 소음. ② 격렬한 싸움. **~lärm** *m.* 야단 법석. **≈mäßig** 《I》 *a.* 〔구어〕 굉장한, 대단한. 《II》 *adv.* 굉장히: ~ betrunken 몹시 취한. **~schreck** *m.* 〔구어〕 엄청난 충격. **~schrecken** *m.* ↑ ~schreck. **~spaß** *m.* 〔구어〕 대단한 농담〔해학〕. **~spektakel** *m.* 엄청난 장면, 대소동.

Mord≈sucht *f.* 살의(殺意). **≈süchtig** *a.* 살의가 있는, 피에 굶주린.

mords≈wenig *a.* 〔구어〕 아주 적은. **~wut** *f.* 〔구어〕 격분.

Mord≈tat *f.* 살인 행위. **~verdacht** *m.* 살인 혐의. **~versuch** *m.* 살인 미수〔기도〕. **~waffe** *f.* 흉기. **~wespe** *f.* 〖動〗 구멍벌과(科).

More[1] [mó:rə] *f.* -n 〖문학〗 단위 음량(↑ Mora[1] ②).

More[2] 《lat.》 *f.* -n (alem.) 어미 돼지.

Möre [mǿ:rə] *f.* -n 〖그리스신화〗 (Moira) 운명의 여신(로마 신화의 Parze에 해당함).

Morelle [morɛ́lə] 《lat.》 *f.* -n 〖植〗 ①〔방언〕 살구(나무·열매) (Aprikose). ② 신맛이 강한 버찌.

morendo *adv.* 점점 약하게, 모렌도로.

Morendo *n.* -s, -s/..di 〖음악〗 모렌도곡.

Mores [mó:re:s] 《lat.》 *pl.* 예의, 예법, 행실: 〔구어〕 jn. ~ lehren a) 누구에게 행실〔예절〕을 가르치다, b) 호되게 책망하다.

Moresca [morɛ́ska] *f.* ↑ Moriska.

Moreske [morɛ́skə] 《lat.》 *f.* -n ↑ Maureske.

morganatisch [mɔrganá:tɪʃ] 《germ.》 *a.* 귀천 상혼(貴賤相婚)의: ~e Ehe (신부에게 Morgengabe 만을 주는 결혼이라는 뜻에서) 귀천 상혼(귀족이 하층민 여자와 결혼하는 일).

***Morgen** [mɔ́rgən] *m.* -s, - ① 아침, 새벽, 오전: der anbrechende ~ 새벽, 여명; des ~s 아침에, 아침마다; diesen ~ 오늘 아침; eines ~s 어느 날 아침(에); am ~ 아침에; gegen ~ 밝을녘에; des ~s〔am ~〕früh 이른 아침에; früh am ~ 이른 아침에; bis in den hellen ~ schlafen 한낮이 될 때까지 자다; der ~ dämmert〔der ~ bricht an, es wird ~〕날이 새고있다, 동이 트고있다; guten ~! 밤새 안녕하십니까!; schön〔frisch〕 wie der junge ~ 젊고 생기 발랄한; 〔부사화하여〕 heute ~ 오늘 아침에; den〔am〕 nächsten ~ 이튿날 아침; 〔비유〕 der ~ des Lebens 인생의 청춘. ②〔고어〕(아침 해가 뜨는 방향의 뜻에서) 동쪽, 동방; 동양: gegen ~ 동쪽을 향해서. ③〔옛 토지 면적의 단위〕모르겐(두 필의 소가 오전 중에 경작할 수 있는 넓이; 약 2 에이커): einige ~ Land 몇 모르겐의 토지. ④〔시어〕시작, (발전의) 최초단계: der ~ Europas 유럽의 시작.

***morgen** *adv.* ① 내일(에): ~ um diese Zeit 내일이 무렵에; ~ in einem Jahr 일년 후 내일; ~ früh 내일 아침에: ~ ist auch (noch) ein Tag! 내일도 날이다! ② (가까운) 장래에, 미래에: ~ sieht der Stand der Technik ganz anders aus 미래의 기술 수준은 완전히 다를 것이다; 〔비유〕 der Stil von ~ 미래의 스타일. ③ 아침〔오전〕에: heute〔gestern〕 ~ 오늘〔어제〕 아침에.

Morgen≈andacht *f.* 아침 예배〔기도〕. **~anzug** *m.* 〔고어〕 실내복. **~ausgabe** *f.* (신문의) 조간판. **~besuch** *m.* 오전의 방문. **~bier** *n.* ↑ Warmbier. **~blatt** *n.* 조간 신문. **~brot** *n.* 〔구식〕 아침 식사.

morgend [mɔ́rgənt] *a.* 〔구식·시어〕 내일의.

Morgen·dämmerung *f.* 여명.

morgendlich [mɔ́rgəntlıç] *a.* 아침의, 오전의; (아침과 같이) 신선한: der ~e Berufsverkehr 아침 출근 시간대의 교통.

Morgen≈duft *m.* 새콤달콤한 큰 사과의 일종. **~essen** *n.* (schweiz.) 아침 식사. **~frisch** *a.* 〔시어〕 ① 신선한 아침의. ② 싱싱한. **~frühe** *f.* 이른 아침: in der ~ 새벽에. **~gabe** *f.* 〔고어〕 ① 결혼 다음 날 아침에 신랑이 신부에게 주는 선물. ② ↑ Mitgift. ③ ↑ Hochzeitsgeschenk. **~gebet** *n.* 아침 기도. **~gegend** *f.* 동방(의 나라); 동양. **~glocke** *f.* 새벽종. **~göttin** *f.* 〖그리스신화〗 새벽의 여신(Aurora). **~grauen** *n.* 새벽(녘), 먼동: beim〔im〕 ~ 새벽녘에. **~gruß** *m.* 아침 인사. **~gymnastik** *f.* 아침 체조. **~haube** *f.* 부인이 침실〔집〕에서 쓰는 머릿수건. **~kleid** *n.* ↑ ~rock. ***~land** *n.* 〔구식〕 동방의 나라, 동양, 근동국(近東國) (동부 지중해 연안의 나라들): die drei Weisen aus dem ~ 세 명의 동방 박사들. **~länder** *m.* 〔구식〕 동양〔근동〕인. **~ländisch** *a.* 동양〔근동〕의. **~licht** *n.* 〔雅語〕 아침 햇빛. **~lied** *n.* 아침의 노래. **~luft** *f.* 아침 공기〔바람〕: 〔비유〕 ~ wittern 좋은 기회임을 알아채다. **~mantel** *m.* ↑ ~rock. **~muffel** *m.* 늦게 일어나면서 투덜대는 사람. **~post** *f.* 아침에 배달되는 우편. **~punkt** *m.* 〖天〗 동점(東點). **~rock** *m.* 아침 가운, (여성의) 화장옷. **~rot** *n.* ① 아침놀, 서광. ② 〔비유〕 시초, 초기: das ~ der Freiheit 자유의 서광. **~röte** *f.* ↑ ~rot.

morgens [mɔ́rgəns] 《<Morgen》 *adv.* 아침에, 아침마다: früh ~ 〔~ früh〕 이른 아침에; um 6 Uhr ~ 〔morgens um 6 Uhr〕 오전 6 시에; von ~ bis abends 아침부터 저녁까지.

Morgen≈schein *m.* 서광. **~schlaf** *m.* 아침잠. **~seite** *f.* 동쪽. **~sonne** *f.* 아침해. **~spaziergang** *m.* 아침 산책. **~ständchen** *n.* (경의를 표하기 위해 누구 집 문 앞에서 연주하는) 아침의 세레나데. **~stern** *m.* ① 〖天〗 (Venus) 샛별, 금성. ② 〔고어〕 (끝에 철가시가 달린) 철퇴(중세의 무기). **~stunde** *f.* 아침(의 시간): 〔속담〕 ~ hat Gold im Munde 이른 아침 시간은 천금의 값을 지닌다. **~tau** *m.* 〔雅語·시어〕 아침 이슬. **~toilette** *f.* 〔雅語〕 아침 화장. **~trunk** *m.* 아침 식사 때 마시는 것. **~unterhaltung** *f.* 아침 음악회, 마티네. **~wache** *f.* 〖海·고어〗 (4 시부터 8 시까지의) 아침 당직. **~wärts** *adv.* 〔구식〕 동쪽으로. **~wind** *m.* ① 아침 바람. ② 〔구식〕 동풍. **~zeitung** *f.* 조간 신문.

morgig [mɔ́rgıç] *a.* 〔부가어로만〕 내일의: die ~e Vorlesung 내일의 강의.

Morgue [mɔ́rg(ə), mɔrk] 《frz.》 *f.* -n [..gən] (사고로 죽은 사람의) 시체 공시장(公示場).

moribund *a.* 〖醫〗 죽어 가는, 빈사의: ~e Kranke 임종이 임박한 환자.

Mörike [mǿ:rıkə] Eduard ~ 뫼리케(독일의 시인, 1804-75).

Morinell [morinɛ́l] 《sp.》 *m.* -s, -e, **Morinelle** [..nɛ́lə] *f.* -n 〖動〗 작은부리물떼새.

Morio-Muskat [mó:riomuská:t] *m.* -s 〖독일의 포도 재배자 P. Morio의 이름에서〗 ① 머스캣(포도 품종). ② 머스캣 포도주.

Moriska 《span.》 *f.* ..ken 〖음악〗 모리스카 (15-17 세기에 발에 방울을 달고 추던 춤).

Moriske [morískə] 《sp.》 *m.* -n, -n (에스파냐의) 무어 사람.

Morisken·tanz *m.* ↑ Moriska.

Moritat [mó:rita:t] 《<Mordtat》 *f.* -en ① 모리타트(살인이나 공포 사건을 소재로 한 떠돌이 가수의 발라드풍의 노래). ② 모리타트풍(風)의 시〔노래〕.

Moritaten≈lied *n.* ↑ Moritat ①. **~sänger** *m.* 모리타트 가수(살인 등 무서운 내용을 소재로 한 노래를 떠돌며 부르는 가수).

Moritz [mó:rıts] 《lat.》 *m.* 모리츠(남자 이름): 〔구식·농담〕 einen ~ lehren 예의 범절을 가르치다; 〔구어〕 wie sich der kleine ~ et. vorstellt 철부지 아이가 생각하듯.

Mormone [mɔrmó:nə] *m.* -n, -n 〖宗〗 모르몬교도(북아메리카의 한 종파).

Mormonentum [..nəntu:m] *n.* -(e)s 〖宗〗 모르몬 종파.

Mornell [mɔrnɛ́l] *m.* -s, -e, **Mornelle** [..nɛ́lə] *f.* -n ↑ Morinell.

moros [moró:s] 《lat.》 *a.* 〔고어·교양〕 무뚝뚝한; 부루퉁한.

Morosität [morozitɛ́:t] *f.* 〔고어·교양〕 기분이 언짢음.

Morphe [mɔrfé:] *f.* 외관, 형태.

Morphem [mɔrfé:m] *n.* -s, -e 〖언어학〗 형태소(의미를 지니는 가장 작은 단위).

Morphematik *f.* 〖언어학〗 형태소론.

morphematisch *a.* 형태소(론)적인.

morphemisch ↑ morphematisch.

Morpheus [mɔ́rfɔʏs] 《gr. morphē „Gestalt"》 *m.* 〖그리스신화〗 꿈(과 잠)의 신: 〔구어〕 in ~' Armen ruhen〔liegen, schlafen〕 편안하게 잠자다; 〔구어〕 in ~' Armen sinken 편안히 잠들다; 〔구어〕 aus ~' Armen gerissen werden 갑자기 잠에서 깨다.

Morphin [mɔrfí:n] *n.* -s ↑ Morphium.

Morphinismus *m.* - 〖병리〗 ↑ Morphiumsucht.

Morphinist *m.* -en, -en 모르핀 중독자.

Morphium [mɔ́rfium] *n.* -s 모르핀.

Morphium≈esser *m.* 모르핀 중독자. **~spritze** *f.* 모르핀 주사(기). **~sucht** *f.* 〖병리〗 모르핀 중독. **~süchtig** *a.* 〖병리〗 모르핀 중독의. **~vergiftung** *f.* ↑ ~sucht.

Morphogenese *f.* -n 〖生〗 형태 발생.

Morphogenesis *f.* ..genesen [..gené:zən] ↑ Morphogenese.

morphogenetisch *a.* 〖生〗 형태 발생(학)의.

Morphologe [mɔrfoló:gə] *m.* -n, -n 형태론 연구자.

Morphologie [mɔrfologí:] *f.* -n [..gí:ən] ① 〖哲〗 형태론. ② 〖生〗 형태학. ③ 〖언어학〗 형태론, 어형론. ④ 〖지형〗 지형학(↑ Geomorphologie 의 약칭).

morphologisch *a.* 형태(학)상의.

Morphonem [..né:m] *n.* -s, -e 〖언어학〗 형태 음소.
Morphonemik *f.* 〖언어학〗 형태 음소론.
morphonemisch *a.* 형태 음소에 관한.
***morsch** [mɔrʃ] 《I》 *a.* 썩은, 부식한; 무른: ~e Zähne 충치; 〖비유〗 alt und ~ werden 노쇠해지다. 《II》 *adv.* 무르게; 우지직, 뚝.
morschen [mɔ́rʃən] *i.* (s./h.) 썩다.
Morschheit *f.* 썩음, 부식.
Morse [mɔ́rzə, (engl.) mɔrs] Samuel ~ 모스 (미국의 전보 부호 발명자, 1791-1872).
Morse=alphabet *n.* 모스 부호. **~apparat** *m.* 모스식 전신기.
Morselle [mɔrzɛ́lə] 《lat.》 *f.* -n 〖醫〗 당의정제(糖衣錠劑).
morsen [mɔ́rzən] 《<Morse》 《I》 *i.* (h.) (모스식 전신기로) 전보를 치다. 《II》 *t.* 모스식 전신기로 타전하다.
Mörser [mœ́rzər] *m.* -s, - ① 절구; 절구 모양의 나침반대(臺): et. im ~ zerstampfen 무엇을 절구에 넣어 빻다. ② 〖軍〗 **(a)** 박격포. **(b)** 유탄 발사기.
Mörser·keule *f.* 절굿공이, 가는 공이, 막자.
mörsern *t.* (절구에 넣어) 빻다, 갈아 으깨다.
Mörser·stößel *m.* ↑ ~keule.
Morse=schrift [mɔ́rzə..] *f.* 모스 부호. **~taste** *f.* 모스식 전신기의 키. **~zeichen** *n.* 모스 부호.
Mortadella [mɔrtadɛ́la] 《lat. -it.》 *f.* -s (베이컨 조각이 섞여 있는)모르타델라 소시지.
Mortalität [mɔrtalitɛ́:t] 《lat.》 *f.* -en 〖통계〗 사망수, 사망률; 죽을 운명〔성질〕.
Mörtel [mœ́rtəl] *m.* -s, - 회반죽, 모르타르.
Mörtel=gips *m.* 회반죽용 석고. **~kalk** *m.* 회반죽용 석회. **~kelle** *f.* 흙손.
mörteln [mœ́rtəln] *t.* …에 모르타르를 칠하다.
Mörtel=pfanne *f.*, **~trog** *m.* 회반죽용 통.
Mortifikation [mɔrtifikatsió:n] 《lat.》 *f.* -en 〖고어〗 ① 금욕, 고행. ② 〖醫〗 괴저(壞疽). ③ 〖法〗 **(a)** 상각(償却). **(b)** 무효 선언. ④ 모욕, 무례.
Mortifikations·erklärung *f.* ↑ Mortifikation ③ (b).
mortifizieren *t.* 〖고어〗 ① 금욕하다. ② 괴사(壞死)시키다. ③ 〖法〗 …의 무효를 선언하다; 상각하다. ④ 모욕하다.
Mortuarium *n.* -s, ...rien [..riən] ① (중세 때 현물로 내는) 상속세. ② 수도원의 묘지; (공동 묘지의) 영안실.
Mosaik [mozaí:k] 《gr. -lat. -frz.》 *n.* -s, -e/ -en 모자이크, 모아 박는 세공, 쪽매붙임.
Mosaik=arbeit *f.* 모자이크 세공. **~artig** *a.* 모자이크 모양〔무늬〕의. **~boden** *m.* ↑ ~fußboden. **~fuß·boden** *m.* 모자이크로 장식된 마루. **~stein** *m.* 모자이크 돌.
mosaisch [mozá:ɪʃ] 《<Moses》 *a.* 모세의; 유대의: die ~e Religion 유대교.
Mosaismus [mozaísmus] *m.* - 〖고어〗 모세의 율법; 유대교.
Mosch [mo:ʃ] *m.* -es 〖구어〗 폐물, 잡동사니.
moschen 《<Mosch》 *i.* (h.) ① 처먹다, 게걸스레 먹다. ② 〖구어〗 낭비하다: mit et.[3] ~ 무엇을 낭비하다.
Moschee [mɔʃé:] 《ar.》 *f.* -n 이슬람 사원.
Möschen [mø̌:sçən] *n.* -s, - 〖↑ Moos의 축소형〗 작은 이끼.
Mosch·papier *n.* (md.) 종이 조각, 휴지.
Moschus [mɔ́ʃus] 《pers.》 *m.* -, -se 사향(麝香); 인조 사향.
moschus·artig *a.* 사향(麝香) 모양의.
Moschus=beutel *m.* 〖動〗 사향(麝香) 주머니. **~bock** *m.* 〖動〗 사향 하늘소. **~drüse** *f.* (사향노루의 생식기에 있는) 사향선(腺). **~geruch** *m.* 사향 냄새. **~kraut** *n.* 〖植〗 연복초. **~ochse** *m.* 〖動〗 사향소. **~tier** *n.* 〖動〗 사향노루.
Möse [mø̌:zə] *f.* -n 〖경박〗 ① 음문, 보지. ② 〖비어·욕설〗 계집, 창녀.
Mosel [mó:zəl] *f.* 모젤강(라인강의 지류).
Moselaner *m.* 모젤 지방 주민.
Mosellaner *m.* ↑ Moselaner.
Mosel·wein *m.* 모젤 포도주.
Möser [mø̌:zər] ↑ Moos[1] 의 복수형.
mosern *i.* (h.) 〖구어〗 투덜거리다, 불평하다: über et. ~ 무엇에 대해 불평하다.
Moses[1] [mó:zəs, zɛs] 《hebr.》 *m.* 〖聖〗 모세 (이스라엘의 지도자·입법자): die fünf Bücher Mosis〔Mose〕 모세 오경(五經).
Moses[2] *m.* 〖海〗 ① 말단 선원. ② (모선에 부속된) 작은 배〔보트〕.
Moskau [mɔ́skau] 모스크바.
Moskauer [..ər] 《I》 *m.* -s, - 모스크바의 주민. 《II》 *a.* 모스크바의.
moskauisch [..ɪʃ] *a.* 모스크바(사람)의.
***Moskito** [mɔskí:to, ..kíto] 《sp. mosquito》 *m.* -s, -s 〖動〗 모기.
Moskito·netz *n.* 모기장.
Moskowiter [mɔskoví:tər] 《<Moskau》 *m.* -s, - ① 모스크바 사람. ② 〖고어〗 러시아인.
Moskowitertum [mɔskoví:tərtu:m] *n.* -(e)s 모스크바 사람의 기질.
moskowitisch *a.* ↑ moskauisch.
Moskwa [mɔ́skva, (russ.) maskvá] ① *f.* 모스크바강. ② ↑ Moskau.
Moslem [mɔ́slɛm] 《ar.》 *m.* -s, -s (Mohammedaner) 이슬람교도.
mosleminisch *a.* ↑ moslemisch.
moslemisch *a.* 이슬람교도의.
Moslime *f.* -n ↑ Moslem 의 여성형.
Mossad *m.* 모사드(이스라엘 첩보 기관).
mosso 《it.》 〖음악〗 활발하게, 생동감 있게: molto ~ 매우 빠르게; più ~ 보다 빠르게.
***Most** [mɔst] 《lat.》 *m.* -es, -e ① 포도즙. ② 〖방언〗 과일즙; 과실주; 발효 중인 포도즙(회백색이며 알코올 농도가 강함). ③ 〖비유〗 청춘(의 혈기): 〖속담〗 junger ~ sprengt alte Schläuche 새 술은 새 부대에.
mosteln [mɔ́stəln] 《I》 *i.* (h.) 새 포도주 맛이 나다. 《II》 *t.* ↑ mosten.
mosten [mɔ́stən] 《I》 *t.* (과일의) 즙을 짜다: Trauben ~ 포도를 짜다. 《II》 *i.* (h) 과일즙을 만들다.
Moster *m.* -s, - 포도즙을 짜는 인부.
Mostert *m.* -s ↑ Mostrich.
Most=kelter, ~presse *f.* 과즙기.
Mostrich 《it.》 *m.* -(e)s, -e (포도즙에 섞어 조제한) 겨자.
Motel [mó:təl, motɛ́l] 《engl.》 *n.* -s, -s 모텔.
Motette [motɛ́tə] 《it.》 *f.* -n 〖음악〗 모테트(성서 구절에 의거하여 작곡한 다성(多聲)의 무반주 악곡), 경문가(經文歌).

Motilität [motilitɛ́:t] *f.* 〖醫〗 운동성, (특히 근육의) 운동 기능.
Motion [motsió:n] *f.* -en ①〖교양〗(신체의) 운동, 동작; (정신적) 자극. ② (schweiz.)〖의회〗동의, 발의. ③〖문법〗남성 명사의 여성 명사화(보기: Minister → Ministerin).
Motionär [motsionɛ́:r] *m.* -s, -e (schweiz.) 동의안 제출자, 발의자.
***Motiv** [motí:f] *n.* -s, -e ① 동기, 동인. ② 목적. ③ 주제, 테마, 취향, 취지. ④〖음악〗악상, 모티프. ⑤〖문학〗모티프, 동기.
Motivation *f.* -en ①〖心·교육〗동기 부여〔유발〕: ~ erzeugen 동기를 유발하다. ②〖언어학〗유연성(有緣性), 언어의 대상과의 연관성.
Motiv·forschung *f.* ①〖문학〗모티프 연구. ②〖사회〗구매 동기 조사〔연구〕.
motivieren [..ví:rən] *t.* 이유〔근거〕를 들다; …에게 동기를 주다, 자극하다: jn. zur Arbeit ~ 누구를 자극하여 일을 시키다; schlecht motiviert 이유〔동기〕가 박약한.
Motivierung *f.* -en 동기 부여〔유발〕.
Motivik *f.* (예술 작품의) 모티프.
motivisch *a.* 모티프의, 동기의.
Motiv·sammler *m.* 주제별 우표 수집가.
Moto *n.* -s, -s (schweiz.) ↑ Motorrad.
Motocross 新정서 ⇦ Moto-Cross.
Moto-Cross 《engl.》 *n.* -s 모터크로스 경기.
Motodrom *n.* -s, -e 오토바이 경기장.
***Motor** [mó:tɔr, ..to:r] *m.* -s, -en [..tó:rən] ① 발동기, 모터, 엔진: den ~ anlassen〔abstellen〕 시동을 걸다〔끄다〕. ②〖비유〗원동력, 동인: der ~ des Wirtschaftslebens 경제생활의 원동력.
Motor≈anlasser [mɔ́:tɔr.., motó:r..] *m.* 전동 기동기(起動機), 엔진〔모터〕 스타터. **~block** *m.* 〖車〗 엔진 본체. **~boot** *n.* 모터 보트. **~bremse** *f.* 〖車〗 엔진 브레이크(장치). **~defekt** *m.* 엔진 결함. **~dreh·zahl** *f.* 〖車〗 엔진 회전수.
Motoren≈bau [motó:rən..] *m.* 엔진 제작. **~geräusch** *n.* 엔진 소리〔소음〕. **~haus** *n.* 발전소. **~lärm** *m.* 엔진 소음. **~öl** *n.* ↑ Motoröl. **~raum** *m.* 기관실.
Motor≈fahrzeug [mó:tɔr.., motó:r..] *n.* (schweiz.) 자동차. **~generator** *m.* 〖工〗 전동 발전기. **~haube** *f.* 〖車〗 보닛.
..motorig 《lat.》 *suf.* "…모터를 갖춘"의 뜻 (보기: zwei~ 쌍발의).
Motorik *f.* ① 운동학. ②〖醫〗 근육 운동: Ausdrucks~ 표정의 움직임. ③〖음악〗리듬.
Motoriker *m.* -s, -〖교양〗운동형 인간.
motorisch *a.* ①〖醫〗 운동(성)의;〖心〗운동형의. ②〖工〗 모터로 움직이는, 모터의. ③ 리드미컬한.
motorisieren [..rizí:rən] 《Ⅰ》 *t.* ① 동력화하다; 엔진을 달다: bist du motorisiert? 너는 차〔오토바이〕를 갖고 있느냐? ②〖軍〗 기계화하다. 《Ⅱ》 *refl.* sich ~ 차량을 구입하다.
Motorisierung *f.* -en 기계화, 전동화.
Motor≈jacht [mó:tɔr.., motó:r..] *f.* 모터 요트. **~leistung** *f.* 〖車〗 엔진의 출력. **~öl** *n.* 엔진 오일. **~panne** *f.* 〖구어〗 엔진 고장. **~pflug** *m.* 경운기. **~rad** *n.* 오토바이.
Motorrad≈brille [mó:tɔr.., motó:r..] *f.* 오토바이 운전자용 보안경. **~fahrer** *m.* 오토바이 운전자. **~rennen** *n.* 오토바이 경주.
Motor≈roller [mó:tɔr.., motó:r..] *m.* (모터) 스쿠터. **~säge** *f.* 전기톱. **~schalter** *m.* 엔진 시동 스위치. **~schiff** *n.* 발동기선. **~schlepper** *m.* 트랙터. **~schlitten** *m.* 모터 썰매. **~segler** *m.* 〖스포츠〗 모터 글라이더. **~sport** *m.* 자동차〔오토바이〕 경주. **~störung** *f.* 엔진 고장. **~unfall** *m.* 자동차 사고. **~wagen** *m.* ① 자동차. ②〖철도〗 전동차, 기동차. **~winde** *f.* 동력 자아틀〔윈치〕.
***Motte** [mɔ́tə] *f.* -n ①〖動〗(Kleider~) 좀나방, 좀: in den Mantel sind ~n gekommen 외투에 좀이 생겼다;〖구어〗du kriegst die Motten! (놀라움의 표현) 제기랄, 젠장!; ich kriege die ~n, der hat doch alles alleine aufgegessen 제기랄 저 자식이 혼자서 다 먹어 치웠잖아; das fressen die ~n 그것은 전혀 도움이 되지 않는다;〖경박〗die ~n haben 폐〔신장〕결핵을 앓다. ②〖動〗 나방;〖비유〗쾌활〔경솔〕한 사람;〖폄어〗소녀, 계집아이. ③〖비유〗망상: du hast ~n (im Kopf)! 자넨 묘한 것을 생각하고 있군!
motten≈echt, ~fest *a.* 좀이 먹지 않는. **~≈fraß** *m.* 좀의 피해. **~kiste** *f.* 좀 방지용 옷상자; 고물 상자: alte Geschichten aus der ~ holen 옛날 고리짝 같은 이야기를 다시 끄집어 내다. **~kraut** *n.* 〖植〗 백산다(白山茶). **~kugel** *f.* 좀약, 나프탈렌. **~pulver** *n.* 가루〔분말〕 좀약. **~schutz·mittel** *n.* 좀약. **~sicher** *a.* 좀이 슬지 않는. **~zerfressen** *a.* 좀먹은.
mottig [mɔ́tıç] *a.* 좀투성이의, 좀이 먹은.
***Motto** [mɔ́to] 《it.》 *n.* -s, -s ① 금언, 격언. ② 표어, 모토, 좌우명. ③ 제사(題詞).
Motuproprio 《lat.》 *n.* -s, -s〖가톨릭〗교황의 특별 칙령.
Motze *f.* -n 유리 제조용 형틀.
motzen *i.* (h.) 〖구어〗 ① 불평〔비난〕하다: über die Schule ~ 학교에 대해 불평하다. ② (obd.) 주저하다, 망설이다. ③ 시무룩해 있다, 화가 나 있다. ④ 반항적이다.
motzig *a.* 〖구어〗불만족스러운, 반항적인.
Mouchard [muʃá:r] 《frz. mouche》 *m.* -s, -s 밀정, 탐정, 스파이.
Mouche [muʃ] 《frz.》 *f.* -n ①〖스포츠〗소구경 사격에서 표적의 중앙점. ② (애교로 얼굴에 붙이는) 검은 점, 애교점. ③ 입술 밑의 수염.
mouillieren [mují:rən] 《frz. <lat. mollis, „weich"》 *t.* ① 축이다, 적시다. ②〖언어〗(프랑스어의 l 및 gn 을) 연하게 발음하다.
Mouillierung *f.* 연하게 발음하기; 연한 발음.
Moulage [mulá:ʒə] 《frz.》 *m.* -, -s [..eʒs] 〔*f.* -n〕 원형(을 뜨는 일), 주형(鑄型);〖醫〗(해부학 교재용의) 밀랍 인형.
Moulinage [muliná:ʒə] 《frz.》 *f.* 〖구식〗생사(生絲)꼬기.
Mouliné [muliné:] *m.* -s, -s ① 꼰실. ② 꼰실로 만든 천.
Moulinet [muliné:] 《frz.》 *m.* -s, -s ① 작은 풍차. ② 검을 휘두르는 무용 동작.
moulinieren [mulinί:rən] *t.* 〖섬유〗 (생사(生絲)를) 꼬다.
Mount Everest [maʊnt ɛ́vərıst] 《engl.》 *m.* - -(s) 에베레스트산.
Mousse [mus] 《frz.》 *f.* -s〖요리〗① 무스 케이크(거품 모양의 보드라운 빵). ② 무스(이겨서

만든 전채 요리의 일종).

Mousseline [musəlí:n] *m.* -s, -s [..lí:n] ↑ Musselin.

Mousseux [musø̍:] 《frz.》 *m.* -, - 〖고어〗 기포가〔거품이〕 생김.

moussieren [musí:rən, mu..] *i.* (h.) (샴페인 따위에서) 거품이 일다: 〖비유〗 ~de gute Laune 날아오를 듯한 상쾌한 기분.

Moustérien [musteriɛ̃́:] 《frz.》 *n.* -(s) [..riɛ̃́:(s)] 〖선사〗 무스티에기(期).

Möve [..fə] *f.* -n 〖방언〗 ↑ Möwe.

movieren *t.* 〖문법〗 (남성 명사를) 여성 명사화시키다: movierte Feminina 남성 명사에서 파생된 여성 명사.

Movierung *f.* -en ↑ Motion ③.

Möwe [mø̍:və] *f.* -n 〖動〗 ① 갈매기. ② 집비둘기의 일종.

Möwen·schrei *m.* 갈매기의 (울음) 소리.

Moxa [mɔ́ksa] 《jap.》 *m.* -s, - 〖醫〗 뜸쑥.

Mozart [mó:tsart] *m.* Wolfgang Amadeus ~ 모차르트(오스트리아의 작곡가, 1756-91).

mozartisch *a.* 모차르트풍의.

Mozart≈kugel *f.* 모차르트 쿠겔(럼주를 넣은 초콜릿). **~zopf** *m.* 뒷머리를 땋은 짧은 변발(辮髮), 모차르트 변발.

mp 〖음악〗 =mezzopiano 《it.》 조금 약하게.

Mp [empé:] =Maschinenpistole 경기관총, 자동 권총.

M.P. [ɛ́mpí:] 《engl.》 ① =Member of Parliament (영·미의) 하원 의원. ② =Military Police (미국 육군의) 헌병.

Mr. [místər] 《engl.》 =Mister 씨, 군, 님.

Mrd. =Milliarde(n) 10 억.

Mrs. [mísɪz, mísɪs] 《engl.》 =Mistress 부인.

Ms. =Manuskript 원고.

m.s. 《it.》 〖음악〗 =mano sinistra 왼손으로.

m/s(ec) =Meter je Sekunde, Metersekunde 초속 거리.

Msgr =Monsignore 예하(猊下).

Mskr. =Manuskript 원고.

Mss. *pl.* =Manuskripte 원고.

mt =Metertonne 천 킬로그램미터.

MTA [emte:|á:] *f.* -s =medizinisch-technische Assistentin 의료 기술 보조원.

Muchtar [muxtá:r] *m.* -s, -s 터키의 지방 태수〔장관〕.

Muck [mʊk] *m.* -(e)s, -e ↑ Mucks.

Mucke [mʊ́kə] 《↑ Mücke 의 별형》 *f.* -n ① (südd.) ↑ Mücke. ② 〖복수〗 언짢은 기색; 찌푸린 얼굴: er hat (seine) ~n 그는 자기 고집이 있다; ~n machen〔ziehen〕 상을 찌푸리다; die Sache hat ihre ~n 일이 잘 되어 가지 않는다. ③ (schwäb.) ↑ Fliege. ④ 〖방언〗 암퇘지. ⑤ 〖은어〗 음악가의 부업.

***Mücke** [mʏ́kə] *f.* -n ① 모기(Stech~); 하루살이; (südd.) 파리(Fliege); 〖비유〗 (모기같이) 무기력한 사람; 고혈을 짜는 관리: nach jeder ~ schlagen 소소한 일에 구애되다; 〖구어〗 (eine) ~ machen 빨리 사라지다, 도망가다; 〖구어〗 aus einer ~ einen Elefanten machen 침소 봉대하여 말하다, 〖비유〗 소소한 일에 얽매여 큰일을 잊다. ② 〖醫〗 fliegende ~ 비문증(飛蚊症). ③ ↑ Schönheitsfleck. ④ 〖사냥·고어〗 (Korn) (총의) 가늠쇠. ⑤ 〖드물게〗 ↑ Mucke ②. ⑥ 〖방언·경박〗 돈, 마르크: kannst du mir mal 'ne ~ leihen? 너 내게 돈 좀 빌려 줄 수 있느냐?

Mucke·fuck [mʊ́kəfʊk] *m.* 〖구어〗 싱거운 싸구려 커피; 대용 커피.

mucken[1] [mʊ́kən] 〖의성어〗 《Ⅰ》 *i.* (h.) ① (입속에서) 중얼거리다. ② 투덜거리다: mucke nicht〔nicht gemuckt〕! 닥쳐, 투덜거리지 마라! ③ 기분이 언짢아 가만히 있다, 시무룩해 있다. ④ meine Zähne ~ 이가 쑤신다. ⑤ 〖구어〗 die Sache muckt damit 일이 잘 되어가지 않는다. 《Ⅱ》 *refl.* sich ~ (몸을) 움직이다; 불평하다. 《Ⅲ》 *t.* 침묵하게 하다.

mucken[2] *i.* (h.) 〖은어〗 음악가가 다른 관현악단에서 부업을 통해 추가로 돈을 벌다.

Mücken≈bein *n.* 모기 다리, 모기 다리 같은 다리. **~dreck** *m.* ① (südd.) ↑ Fliegendreck. ② 〖구어〗 사소한 일: er kümmert sich um jeden ~ 그는 모든 사소한 일에 신경 쓴다. **~fett** *n.* 〖비유〗 황당무계한 일: jn. nach ~ schicken (만우절에) 사람을 속이다. **~klatsche** *f.* ↑ Fliegenklatsche. **~kopf** *m.* (ostmd.) 고집쟁이. **~netz** *n.* 모기장. **~plage** *f.* 모기로 인한 괴로움. **~schiß** *m.* ① 〖경박〗 ↑ ~dreck. ② (südd.) *pl.* 주근깨. **~schutz·mittel** *n.* 모기약. **~schwarm** *m.* 모기떼. **~sehen** *n.* 〖醫〗 ↑ Mücke ②. **~sieber** *m.* 하찮은 일로 시끄럽게 구는 사람. **~stein** *m.* 〖광물〗 석영의 일종. **~stich** *m.* 모기에 물린 상처.

Mucker [mʊ́kər] 《<mucken》 *m.* -s, - 〖구어·폄어〗 ① 투덜거리는 사람, 불평가. ② 음험한〔비뚤어진〕 사람; 버릇이 나쁜 말. ③ 신앙심이 두터운 체하는 사람. ④ ↑ Mucks.

Muckerei [mukəráɪ] *f.* -en 〖구어·폄어〗 ① 위선, 사이비 신앙심. ② 〖복수〗 위선자.

muckerhaft, muckerisch *a.* 〖구어·폄어〗 신앙심이 두터운 체하는, 위선의.

muckern *i.* (h.) ① 신앙심 있는 체하다. ② ↑ mucken[1] 《Ⅰ》 ③.

Muckertum [mʊ́kərtu:m] *n.* -(e)s ↑ Muckerei.

muckig, muckisch 《<Mucke》 *a.* 투덜거리는, 변덕스러운.

Mucks [mʊks] *m.* -es, -e 〖구어〗 ① 중얼거리는 소리, 투덜거림: keinen ~ machen〔von sich geben〕 찍소리도 내지 않다, 숨소리 하나 없다; keinen ~ mehr machen〔von sich geben〕 죽었다, 고장났다. ② 〖비속〗 용기.

mucksch [mʊkʃ] *a.* 〖방언〗 모욕당한, 투덜거리는.

muckschen [mʊ́kʃən] *i.* (h.) 〖방언〗 시무룩해 있다, 성난 표정을 짓다.

mucksen [..sən] *i.* (h.) / *refl.* (sich) ~ ↑ mucken[1] 《Ⅱ》.

Muckser *m.* -s, - 〖구어〗 ↑ Mucks.

mucks·mäuschen·still *a.* 〖구어〗 쥐죽은 듯이 조용한.

Mud [mʊt] *m.* -s 〖海〗 (ndd.) 질퍽한 땅〔섬〕.

muddelig *a.* 질퍽질퍽한, 진창의; 더러운.

muddeln *i.* (h.) (md., nordd.) ① 진흙을 갖고 놀다. ② (일을) 계획 없이 하다, 겉날림으로 하다.

muddig [mʊ́dɪç] *a.* (ndd.) ↑ muddelig; 〖구어〗 (과일의) 속이 썩기 시작한.

***müde** [mý:də] 《본래 mühen 의 *p.p.*》 *a.* ① 피로한, 지친: ~s Wetter 몸이 나른한 날씨; ein ~s Gesicht 지쳐 보이는 얼굴; zum Sterben ~ 지쳐 죽을 지경인; jn. ~ machen 누구를 지치게 하다; bei et.³ 〔durch et., von et.³〕 ~ werden 어떤 일 때문에 지치다; 〖구어〗 den ~n Heinrich spielen 지친 척하며 굼뜨게 일하다; nicht ~ werden, et. zu tun 지칠 줄 모르고 무엇을 하다; 〖구어〗 dafür gebe ich keine ~ Mark 나는 그것에는 단 한푼도 낼 수 없다; sich ~ arbeiten 일하여 지치다. ② 〖2격·4격·부정법 따위와 함께〗 싫증난, 질린: 〖雅語〗 des Lebens ~ 삶에 싫증난; ich bin es〔dessen〕 ~ 나는 그것에 지쳤다; ich bin die Bücher ~ 나는 책에 질렸다; ich bin es ~, immer dasselbe zu hören 언제나 똑같은 소리에 이젠 넌더리가 난다.

Müdigkeit [mýːdıçkaıt] *f.* 피로, 권태, 지침: vor ~ umsinken〔umfallen〕 피로 때문에 쓰러지다; 〖구어〗 (nur) keine ~ vorschützen! 자, 어서, 계속해라!

Müesli *n.* -s, -s (schweiz.) ↑ Müsli.

Muezzin [muέtsiːn] 《ar. -türk.》 *m.* -s, -(s) 〖이슬람〗 무에친(기도 시간을 알리는 사람).

Muff[1] [muf] 《㊇ Mops》 *m.* -(e)s, -e ① 으르렁거리는 소리, 짖는 소리; 짖는 개. ② 〖비유〗 고래고래 소리 지르는〔꾸짖는〕 사람. ③ 투덜투덜 불평하는 사람, 무뚝뚝한 사람.

Muff[2] *m.* -(e)s, -e (ndd.) 곰팡이, 곰팡내.

Muff[3] 《ndl.》 *m.* -(e)s, -e (여성용의) 토시, 머프(모피로 만든 둥근 통 모양의 것으로 좌우로 손을 넣음).

Müffchen [mÝfçən] *n.* -s, - 〖↑ Muff³의 축소형〗 ① 작은 토시, (여성용의) 벙어리장갑. ② 머핀(살짝 구운 둥근 빵).

Muffe [mʊ́fə] *f.* -n ① 〖工·전기〗 이음 파이프; (전선) 접합부: 〖구어〗 jm. geht die ~ (eins zu hunderttausend) 누구는 몹시 두려워한다; ~ haben〔kriegen〕 두려움에 사로잡히다. ② 〖비속〗 ↑ Vulva.

Muffel[1] [mʊ́fəl] *m.* -s, - ① 〖動〗 (특히 반추 동물의) 주둥이, 코; 〖비속〗 (사람의) 입. ② 두툼한 입술이 처진 동물(특히 개). ③ 〖비유〗 투덜거리는 사람, 기분이 언짢은 사람; 말이 불분명한 사람. ④ 〖건축〗 장식용 짐승 얼굴(특히 사자의). ⑤ 〖사냥〗 (고라니 굴 따위의) 통풍구.

Muffel[2] 《< Muff²》 *f.* -n 〖工〗 머플(도자기 가마의 간접 가열실).

Muffel[3] 《frz.》 *n.* -s, - ↑ Mufflon.

Muffel[4] *m.* -s, - (md.) 한 입, 소량.

Muffel·farbe *f.* (도기(陶器)의) 구어 낸 색채.

Muffel·gesicht *n.* 〖구어〗 ① (동물의) 코. ② 호박같이 생긴 얼굴; 못생긴 얼굴.

muffelig [mʊ́fəlıç] 《< Muffel¹》 *a.* 〖구어·폄어〗 ① 입을 비쭉 내민, 시무룩〔뿌루퉁〕한. ② 썩은, 곰팡내 나는.

muffeln[1] [mʊ́fəln] 〖구어〗 《I》 *i.* (h.) 〖대개 폄어〗 부루퉁해 있다, 기분이 언짢다. 《II》 *t.* 불분명하게 말하다.

muffeln[2] 《mhd. muntvoll, „Mundvoll"》 *i.* (h.) 〖구어〗 입이 미어지게 먹다; 입을 우물우물하며 씹다〔먹다〕.

muffeln[3], **müffeln** [mÝ..] *i.* (h.) 〖방언〗 곰팡내가 나다, 썩은 냄새가 나다.

Muffel·ofen *m.* 〖工〗 머플로(爐).

Muffel·wild *n.* ↑ Mufflon.

muffen[1] [mʊ́fən] 《< Muff¹》 *i.* (h.) 투덜투덜〔불평을〕 말하다, 뿌루퉁하다.

muffen[2], **müffen** [mÝfən] 《< Muff²》 *i.* (h.) 〖방언〗 ↑ muffeln³.

Muffen≠kuppelung *f.* ↑ ~kupplung. **~kupplung** 《< Muff³》 *f.* 〖기계·工〗 접속 연결. **~rohr** *n.* 접속관(管). **~sausen** *n.* 〖구어〗 두려움, 공포. **~verbindung** *f.* ↑ ~kupplung.

muffig [mʊ́fıç] *a.* ① ↑ muffelig. ② 〖비유·구어〗 소시민적인, 편협한, 완고한.

Muffigkeit *f.* ① 시무룩한 태도. ② 곰팡내 나는 공기.

Muff·knaster *m.* 바리나스산(産)의 (고급) 담배.

mufflig *a.* 〖구어·폄어〗 ↑ muffelig.

Mufflon [mʊ́flɔn] 《it. -frz.》 《I》 *m.* -s, -s [..lɔns, ..lɔ̃s] 〖動〗 (Sardinia 섬이나 Corsica 섬 산 속에 사는) 갈색의 야생양, 머프론. 《II》 *n.* -s, -s [..lɔns, ..lɔ̃s] 한 살짜리 몽고 염소의 모피.

Mufti [mʊ́ftiː] 《ar., „Entscheider"》 *m.* -s, -s 이슬람교의 고위 사제(겸 최고 법관).

Mugel [múːgəl] *m.* -s, -(n) ① (öst.) 작은 언덕. ② 〖광산〗 둥근 흙덩어리.

mugelig [múːgəlıç] *a.* (보석·유리가) 볼록하게 가공된.

muglig [múːglıç] *a.* ↑ mugelig.

muh [muː] *int.* 〖의성어〗 음매(소가 내는 소리).

Müh [myː] *f.* ↑ Mühe.

***Mühe** [mýːə] 《< mühen》 *f.* -n ① 〖고어〗 (schweiz.) 슬픔; 근심. ② 〖聖·고어〗 사악(邪惡); 부정. ③ 수고, 애씀, 고심, 노력: verlorene ~ 헛수고; viel ~ und wenig Lohn 〔kleinen Gewinn〕 고생만 하고 보람이 없음; mit großer〔vieler〕 ~ 크게 애써서, 고생고생한 끝에, 겨우; die Prüfung mit ~ und Not bestehen 간신히 시험에 합격하다; ohne ~ 어렵지 않게: sich³ mit et.³ 〔um et., von et.³〕 ~ geben 무엇을 위해 애쓰다〔노력하다〕; jn. ~ kosten 누구에게 폐를 끼치다; es lohnt die ~ nicht 그건 헛수고다; die ~ kannst du dir sparen 그것은 애쓴 보람이 없는 일이다; jm. ~ machen 누구에게 수고를 끼치다; sich³ mit et.³ 〔um et.〕 ~ machen 어떤 일로 애쓰다〔고생하다〕, 걱정하다; keine ~n scheuen 〔sich die ~ nicht verdrießen lassen〕 노력을〔수고를〕 아끼지 않다; er hat es nicht (für) der ~ wert gehalten, sich zu entschuldigen 그는 한 마디 사과조차 할 필요가 없다고 생각했다; sich³ die ~ nehmen, et. zu tun 노력을〔수고를〕 아끼지 않고 무엇을 하다; etwas macht〔kostet〕 jm. ~ 무엇이 누구를 수고하게 하다, 누구에게 노고를 끼치다; machen Sie sich³ keine ~! 애쓰지 마십시오!; die Sache ist der 〔die〕 ~ wert 그 일은 애쓸 가치가 있다.

mühelos *a.* 힘들지 않는, 쉬운: er hob den schweren Stein ~ auf 그는 무거운 돌을 힘들이지 않고 들어올렸다.

Mühelosigkeit *f.* 용이, 쉬움.

muhen [múːən] 《< muh》 *i.* (h.) (소가) 음매하고 울다.

mühen [mýːən] 《germ.》 《I》 *t.* ① 〖고어〗 (südd.) 괴롭히다, 고생시키다. ② 노고를 끼치다, 폐를 끼치다, 번거롭게 하다, 수고시키다. 《II》 *refl.* 〖시어〗 sich ~ 고생하다, 애쓰다, 수

고하다(↑ sich bemühen).
mühe=voll [mý:əfɔl] *a.* 노고가 많은, 수고스러운, 귀찮은. **~waltung** *f.* 〔격식〕수고, 노력: für Ihre ~ dankend (대개 업무상의 편지의 끝말로) 당신의 수고에 감사드리면서.
Muh·kuh *f.* 〔아동〕음매 소.
Mühl=bach [mý:l..] *m.* 물방아를 돌리는 개울. **~bursch** *m.* ↑ ~bursche. **~bursche** *m.* (물)방앗간의 젊은이〔머슴〕. **~damm** *m.* ↑ ~wehr.
***Mühle** [mý:lə] 《lat. molina》 *f.* -n ① **(a)** 제분기, 맷돌; (커피·후추를 빻는) 분쇄기. **(b)** 제분소; 물방아(간) (Wasser~); (Wind~) 풍차(집); 〖工〗 공장(보기: Papier~ 제지 공장). **(c)** 〔비유〕 das ist Wasser 〔Wind〕 auf seine ~ 그것은 바라던 대로다; ihre ~ steht nie still 그녀는 끊임없이 지껄인다; sich mit (Wind)~n schlagen (돈키호테식으로) 거대한 적의 환영과 맞싸우다. ②〖놀이〗 말판놀이의 일종; 말판놀이에서 3개의 말이 나란히 놓인 상황. ③〖레슬링〗 둘러 메치기. ④〔구어〕 버스; 팽이. ⑤〔구어〕 (낡은) 차, 비행기.
Mühlen=bau *m.* 물방아(간) 구조(물). **~-bauer** *m.* 방앗간 짓는 목수. **~bereiter** *m.* 제지 공장의 직공. **~berg** *m.* 풍차가 있는 언덕. **~bescheider** *m.* 제분소의 우두머리 일꾼. **~besitzer** *m.* 방앗간 주인. **~beutel** *m.* 선별기의 일종. **~bremse** *f.* 풍차의 제동기. **~flügel** *m.* 풍차의 날개. **~gerinne** *n.* 물방아의 도랑. **~haus** *n.* 풍찻간. **~meister** *m.* 방앗간 주인. **~rad** *n.* ↑ Mühlrad. **~sand-stein** *m.* 맷돌용〔마석용〕 경사암(硬砂岩). **~stein** *m.* ↑ Mühlstein. **~teich** *m.* ↑ Mühlteich. **~wehr** *n.* ↑ Mühlwehr. **~zwang** *m.* ↑ Mühlzwang.
Mühle·spiel *n.* ↑ Mühle ②.
Mühl=gang *m.* ↑ Mahlgang. **~gerinne** *n.*, **~graben** *m.* 물방아의 도랑. **~knappe**, **~knecht** *m.* ↑ ~bursche. **~lauf** *m.* 물방아의 물레바퀴. **~rad** *n.* 수차〔풍차〕 바퀴. **~spiel** *n.* ↑ Mühle ②. **~stein** *m.* ① 맷돌, 연자방아. ② ↑ ~spiel 용의 돌. **~stein-kragen** *m.* ①〖유행〗 (17 세기의) 맷돌형 칼라. ② (작센 지방의 기독교 성직자의 옷깃의) 주름 장식. **~teich** *m.* 물방아용 못. **~-trichter** *m.* 맷돌 깔때기. **~wehr** *n.* 물방아둑. **~werk** *n.* 물방아. **~zwang** *m.* 〔고어〕 제분소 지정법(일정한 지역의 농민에게 일정한 제분소를 지정).
Mühmchen [mý:mçən] *n.* -s, - ↑ Muhme 의 축소형.
***Muhme** [mú:mə] 《㊀ Mutter》 *f.* -n 〔구식·농담〕① **(a)** 숙모, 백모. **(b)** 종자매(從姉妹), 사촌 누이. **(c)** 조카딸. **(d)** (일반적으로) 여자 친척. ② 아주머니; (특히) **(a)** (Kinder~) 보모, 산파. **(b)** 가축을 돌보는 여자. ③〔고어〕(schweiz.) 마녀; 물의 요정(Wasser~); 바람둥이 처녀.
Mühmlein [mý:mlaın] *n.* -s, - ↑ Mühmchen.
Muhr(e) *f.* -(e)n ↑ Mure.
Mühsal [mý:za:l] 《<Mühe》 *f.* -e 〔雅語〕 신고(辛苦), 고난, 곤란, 비참; 곤궁.
***mühsam** [..za:m] *a.* ①〔고어〕노고〔노력〕하는, 애쓰는. ② 괴로운, 힘드는, 어려운: sich ~ ernähren 가까스로 생계를 이어가다.
Mühsamkeit *f.* -en 수고, 노력; 곤란.
mühselig [mý:ze:lıç] 《<Mühsal》 *a.* 고통스러운, 매우 곤란한, 어려운; 비참한.
Mühseligkeit *f.* -en 곤란, 고통; 비참, 곤궁.
Müh·waltung *f.* ↑ Mühewaltung.
mukos [mukó:s], **mukös** [..kǿ:s] 《lat.》 *a.* 〖醫〗 점액을 함유한; 점액(모양)의; 끈적거리는: ~e Drüse 점액선(腺).
Mukosa [..kó:za] *f.* ..sen [..zən] 〖醫〗 점막.
Mulatte [mulátə] 《sp.》 *m.* -n, -n 물라토(백인과 흑인의 혼혈아).
Mulattin *f.* -nen ↑ Mulatte 의 여성형.
Mulch [mulç] *m.* -(e)s, -e 〖원예〗 (습기 보존을 위해) 땅 위에 까는 짚〔건초〕.
mulchen [múlçən] *t.* 〖원예〗 (…에) 짚을 깔다.
Muld·brett [múlt..] *n.* 땅을 고르는 기계.
***Mulde** [múldə] 《lat.》 *f.* -n ①〔구식·방언〕 타원형통; 반죽통; 길죽한 함지: 〔비유〕 es gießt〔regnet〕 wie mit ~n 비가 억수같이 쏟아진다; Mehl in die ~ schütten 밀가루를 통에 붓다. ②〖제련〗 금속의 주괴(鑄塊). ③ 움푹 패인 땅, 분지.
Mulden=blei *n.* 〖제련〗 납덩이. **~förmig** *a.* 통 모양의; 함지 모양의; 〖지질〗 향사(向斜)의. **~gewölbe** *n.* 함지 모양의 둥근 천장. **~-hauer** *m.* 통〔함지〕 만드는 사람. **~see** *m.* 계곡의 호수.
muldig [múldıç] *a.* ↑ muldenförmig.
Muleta *f.* -s (투우사의) 붉은 천〔수건〕.
Muli[1] ↑ Mulus 의 복수형.
Muli[2] *n.* -s, -(s) (südd., öst.) ↑ Maulesel.
Mulinee [muliné:] 《frz.》 ↑ Mouliné.
mulinieren *t.* ↑ moulinieren.
Mull[1] [mul] 《engl.》 *m.* -(e)s, -e 면사; 〖醫〗 가제: Windeln aus ~ 면 기저귀.
Mull[2] *m.* -(e)s, -e (ndd.) 부식토.
Mull[3] *m.* -s, -e 〖動〗 두더지.
Müll [mʏl] 《㊀ Mahlen》 *m.* -(e)s 쓰레기, 폐기물: Industrie~ 산업 폐기물; Atom~ 핵폐기물.
Müll=abfuhr *f.* ① 쓰레기 수거. ② 청소과. **~ablade·stelle** *f.* 쓰레기 하치장.
Mullah [múla:] 《ar.》 *m.* -s, -s 〖이슬람〗 물라(성직자〔학자〕에 대한 칭호).
Mulläppchen *n.* -s, - 무명천 조각.
Müll=auto *n.* ↑ ~wagen. **~berg** *m.* 쓰레기 더미. **~beutel** *m.* 쓰레기 (수거) 봉투.
Mull·binde 《<Mull[1]》 *f.* 무명 붕대.
Müll=container [..kɔnte:nər] *m.* 쓰레기 컨테이너. **~deponie** *f.* 쓰레기 하치장. **~ei-mer** *m.* 쓰레기통. **~entsorgung** *f.* 쓰레기 처리.
***Müller** [mʏ́lər] 《lat.; <Mühle》 *m.* -s - ① 방앗간〔제분소〕 주인: wie ein ~ schlafen 세상 모르고 깊이 잠들다. ②〖動〗 거저리(곡물의 해충). ③ 뮐러(사람의 성).
Müller=blau *n.* 담청색. **~blau** *a.* 담청색의. **~bursch** *m.* ↑ ~bursche. **~bursche** *m.* 〔구식〕방앗간〔제분소〕의 수습공.
Müllerei [mʏlərái] *f.* -en 제분업, 방앗간.
Müller=esel *m.* 방앗간의 당나귀. **~gaze** [..ga:zə] *f.* 가루를 받는 비단 가제. **~gesell** *m.* ↑ ~geselle. **~geselle** *m.* 방앗간 도제.
Müllerin [mʏ́lərın] *f.* -nen ↑ Müller ① 의 여성형.

Müllerin-Art *f.* 〖다음 용법으로만〗〖요리〗 nach〔auf〕 ~ (생선을) 밀가루에 묻혀 버터에 굽는 요리 방식으로.
Müller≈knappe, ~knecht *m.* ↑ Müllergeselle.
müllern [mʏlərn] *i.* (h.) 〖스포츠〗 뮐러식 체조를 하다(덴마크 출신의 창안자 J.P. Müller의 이름에서).
Müllern *n.* -s 뮐러(식) 체조.
Müller-Thurgau *m.* - ① 뮐러-투르가우종 포도. ② 뮐러-투르가우 포도주.
Müll≈fahrer *m.* ↑ ~kutscher. **~grube** *f.* 쓰레기 구덩이. **~haufe** *m.* ↑ ~haufen. **~haufen** *m.* 쓰레기 더미. **~kasten** *m.* 쓰레기통. **~kippe** *f.* 쓰레기 하치장.
Mull·kleid 《<Mull[1]》 *n.* 면 모슬린의 옷.
Müll≈kutscher *m.* 〖구어·농담〗 쓰레기 수거인. **~mann** *m.* 〖복수: ..männer〗〖구어〗 쓰레기 수거자. **~schaufel** *f.* 쓰레기 모으는〔치는〕 삽. **~schlucker** *m.* 쓰레기 투입구. **~tonne** *f.* 대형 쓰레기통. **~tüte** *f.* 쓰레기 봉투. **~verbrennung** *f.* 쓰레기 소각. **~verbrennungs·anlage** *f.* 쓰레기 소각장. **~verbrennungs·ofen** *m.* 쓰레기 소각로. **~verwertung** *f.* 쓰레기 재활용. **~wagen** *m.* 쓰레기 운반차. **~werker** *m.* ↑ ~mann.
Mulm [mulm] 《ndd.》 *m.* -(e)s, -e ① 산산이 부서진 것; 부식토(양); 풍화한 암석. ② 썩은 나무. ③ 부식, 풍화.
mulmen [múlmən] 《I》 *t.* 썩히다, 부식〔풍화〕시키다. 《II》 *i.* (h.) 부식〔풍화〕하다.
mulmicht *a.* 〖고어〗 ↑ mulmig.
mulmig *a.* ① 썩은, 부패〔부식〕한; 벌레먹은, 풍화한; (공기가) 탁한. ② 〖구어〗 **(a)** 의심스러운, 위험한. **(b)** 불쾌한.
mulsch 《↑ molsch 의 별형》 *a.* 〖방언〗 너무 익은; 썩기 시작한.
mulsterig, mulstrig *a.* ① 곰팡 냄새가 나는. ② ↑ mulmig ①.
multifunktional [multifuŋktsioná:l] *a.* 〖교양〗 다기능적인.
multilateral *a.* 〖政·經〗 다변적, 다자간의: 〖法〗 ein ~er Vertrag 다자간 조약.
Multimedia [multimé:dia] *pl.* 멀티미디어.
multimedial *a.* 〖교양〗 여러 매체의, 여러 매체로 구성된.
Multimedia·veranstaltung *f.* 멀티미디어 공연.
Multimillionär 《<lat. multus》 *m.* -s, -e 대부호, 억만 장자.
multinational *a.* 〖經·政〗 ① 여러 국가로 구성된. ② 다국적인: ~es Unternehmen 다국적 기업.
multipel [multí:pəl] *a.* 복합의, 복식의, 다수의, 다양한; 〖數〗 배수의.
Multiplan *m.* -(e)s, -e 다엽(多葉)식 비행기.
Multiple·choice·verfahren, Multiple-Choice-Verfahren 新정서 ⇦ Multiple-choice-Verfahren.
Multiple-choice-Verfahren [miltɪpltʃɔ́ɪs..] *n.* -s, - 선다형 테스트 방식.
multiplex [múltiplɛks] *a.* 복합의, 복식의, 다양한.
Multiplex≈betrieb *m.* 〖통신〗 다중 정보 전달 시스템. **~kino** *n.* 〖영화〗 복합 상영관.
Multiplikand [..plikánt] *m.* -en, -en [..dən] 〖數〗 피승수(被乘數)
Multiplikation [..plikatsió:n] *f.* -en 〖數〗 (Vervielfältigung) 곱셈.
Multiplikations·zeichen *n.* 곱셈 부호(×).
Multiplikativum *n.* -s, ..va 〖언어학〗 배수를 나타내는 수사(보기: dreimal, vierfach).
Multiplikator [..pliká:tɔr, ..to:r] *m.* -s, -en [..tó:rən] ① 〖數〗 승수, 적분 인자. ② 〖전기〗 (전류의) 배율기(倍率器). ③ 〖사진〗 한 장의 건판으로 여러 번 거듭 찍을 수 있는 카메라. ④ 〖교양〗 (지식이나 정보의) 확대 재생산자, 확대 재생산 매체(교사·목사·도서관 등).
multiplizieren [..plitsí:rən] 《lat. multiplicare》 *t.* ① 〖數〗 곱하다: 5 mit 2 multipliziert gibt 10 5에 2를 곱하면 10이 된다; mit sich[3] selbst ~ 제곱하다. ② 〖교양〗 늘리다, 증대시키다.
Multiplum *n.* -s, ..pla 〖數〗 배수, 승적(乘積).
Multiprogrammierung *f.* 〖컴〗 다중 처리, 멀티프로그래밍.
Multiprozessor·system *n.* 〖컴〗 다중 처리 시스템.
multivalent [multivalέnt] *a.* 〖교양〗 다가(多價)의, 여러 가지 해석이 가능한.
Multivalenz *f.* ① 〖心〗 (심리 상태의) 다의성. ② 〖사회〗 (사고 방식 또는 가치관의) 다양성.
Multivibrator *m.* -s, -en [..tó:rən] 〖전기공학〗 다조파(多調波) 발진기.
Multon, Multum *m.* ↑ Molton.
multum, non multa [múltum no:n múlta] 《lat.》 〖교양〗 해박하되 산만하지 말지어다.
Mulus [mú:lus] 《lat.》 *m.* -, ..li [..li] 〖구식·학생〗 예비 대학생.
***Mumie** [mú:miə] 《it. mummia》 *f.* -n 미라; 〖비유〗 바싹 마른〔무미건조한〕 사람: eine ägyptische ~ 이집트의 미라.
mumienhaft [mú:miənhaft] *a.* 미라 같은: ein ~es Aussehen 미라 같은 모습.
Mumien·sarg *m.* 미라의 관(棺).
Mumifikation [mumifikatsió:n] *f.* -en ① 미라화(化). ② 〖병리〗 건성괴사(乾性壞死).
mumifizieren 《I》 *t.* ① 미라로〔처럼〕 만들다. ② 〖醫〗 (조직을) 마비〔고사〕시키다. 《II》 *i.* (s.) 미라가 되다: (조직이) 마비되다.
Mumifizierung *f.* -en 미라화.
mum(m) *int.* 〖의성어〗 음(중얼거리는 소리); 쉿(조용히 하라는 소리): er wagt nicht ~ zu sagen 그는 도무지 대꾸를 않는다.
Mumm [mum] *m.* -(e)s 〖구어〗 ① 의욕, 기분; 결단력, 용기: ~ haben 기개가 있다; keinen ~ haben 기개가 없다, …할 마음이 없다; er hat keinen ~ 그는 용기가〔의욕이〕 없다. ② 원기, 정력.
Mumme[1] [múmə] *f.* 〖양조〗 맛이 강한 맥아제(製) 맥주.
Mumme[2] 《frz. -ndl.》 *f.* -n 〖고어〗 ① 가면, 복면; 위장. ② 가면〔복면〕을 쓴 사람, 위장한 사람.
Mummel[1] [múməl] *m.* -s, - 도깨비, 유령; 위장한 사람.
Mummel[2] *f.* -n ① 〖植〗 수련(睡蓮). ② 물의 요정.
Mümmel [mʏ́məl] *f.* -n ① ↑ Mummel[2]. ② 인어.
Mümmelchen *n.* -s, - ↑ Mümmel 의 축소형.

Mummel·greis *m.* 〔구어·폄어〕늙은이.
Mümmel·mann *m.* 〔농담〕(ndd.) 토끼.
mummeln[1] [mʊ́məln] 《의성어》〔방언〕《I》 *t.* 우물우물〔투덜투덜〕 말하다. 《II》 *i.* (h.) / *t.* ↑ mümmeln.
mummeln[2] 《<Mumme²》 *t.* 〔구어〕 싸다, 씌우다; 복면을 씌우다, 변장시키다: ich hatte mich fest in eine alte Decke gemummelt 나는 낡은 이불로 몸을 꼭 감쌌다.
mümmeln [mʏ́məln] 〔구어〕《I》 *i.* (h.) (토끼가) 우물우물 씹다. 《II》 *t.* 무엇을 계속 씹다.
mummen *t.* ↑ mummeln².
Mummen≈gesicht [mʊ́mən..] *n.* 가면, 복면, 마스크. **~kleid** *n.* 가장용〔변장용〕 의상. **~schanz** 《원뜻 „Würfelspiel der Masken"》 *m.* ① 가장 무도회. ② 가장, 변장. ③〔비유〕 지나친〔과도한〕 지출, 낭비. **~spiel** *n.* 가장 무도회; 가장 행렬.
Mummerei [mʊmərái] *f.* -en 〔고어〕 ① ↑ Mummenschanz. ② 가장, 복면(하기). ③〔비유〕 위장, 겉치레.
mumpfeln, mumpfen *i.* (h.) ↑ muffeln².
Mumpitz [mʊ́mpɪts] 《<Mumme²+Butze》 *m.* -es 〔구어·폄어〕 바보 같은 짓, 허튼 수작, 난센스; 속임수.
Mumps [mʊmps] 《engl.》 *m.* -〔(구어) *f.*〕 〖醫〗 유행성 이하선염, 볼거리.
München [mʏ́nçən] 뮌헨(독일 Bayern 주의 수도).
Münch(e)ner [mʏ́nç(ə)nər] 《I》 *m.* -s, - 뮌헨 사람. 《II》 *a.* 뮌헨의: das ~ Bier 뮌헨 맥주; 〖史〗 das ~ Abkommen 뮌헨 협정.
Münchhausen [mʏ́nçhauzən] ① Freiherr von ~ 뮌히하우젠(독일의 가공 모험담 작가, 1720-97). ② 허풍선이, 거짓말꾼.
Münchhausiade [..ziá:də] *f.* -n 뮌히하우젠류의 황당무계한 모험담; 허풍.
münchhausisch *a.* 뮌히하우젠의, 허풍선이의.
***Mund**[1] [mʊnt] *m.* -(e)s, Münder [mʏ́ndər] /(드물게) -e/Münde [mʏ́ndə] ① (**a**) 입; 동물의 입(Maul): einen ~ voll 한 입 가득. (**b**) 입술: üppiger ~ 두툼한 입술. (**c**) (발성 기관으로서의) 입: 〔구어〕 den ~ halten 입을 다물다, 조용히 하다; wes das Herz voll ist, des geht der ~ über 마음에 가득한 것을 입으로 말함이라(마태 12: 34). ② 〔동사 보족어〕 den ~ aufsperren〔aufreißen〕 (놀라서) 입을 딱 벌리다; einen bösen〔losen〕 ~ haben 입버릇이 나쁘다; einen großen ~ haben 큰소리치다, 허풍떨다; den ~ auf dem rechten Fleck haben 입담이 좋다, 말을 잘하다; 〔구어〕 sich³ den ~ fusselig〔fransig〕 reden (성과도 없이) 집요하게 설득을 시도하다; seinen〔den〕 ~ über et. halten 어떤 일에 대해서 침묵〔비밀〕을 지키다; 〔비유·구어〕 den ~ voll nehmen 과시〔자랑〕하다; jm. den ~ stopfen〔verbieten〕 누구의 말문을 막다, 누구를 침묵케 하다; 〔비유·구어〕 sich³ den ~ verbrennen 설화(舌禍)를 당하다; sich³ den ~ voll stopfen 게걸스럽게 먹다; sich³ den ~ wischen a) (식후에) 입을 닦다, b) 〔비유〕 아무것도 얻는 바가 없다; der ~ wässert jm. danach 누가 그것에 군침을 흘리다; 〔구어〕 jm. den ~ wäßrig machen 누구의 입에 군침이 돌게 하다. ③〔전치사와 함께〕 **an** js. ~ hängen 누구의 말을 주의 깊게 듣다; den Finger **auf** den ~ legen 잠자코 있도록 신호하다; wie auf den ~ geschlagen sein (기가 막혀) 말문이 막히다; 〔비유·구어〕 nicht auf den ~ gefallen sein 말재주가 좋다, 기지가 있다; wie **aus** einem ~e 이구동성으로; Sie nehmen mir die Worte aus〔von〕 dem ~ 그게 바로 내가 하고자 한 말입니다; jemand 〔etwas〕 kommt **in** den ~ der Leute 누가〔무엇이〕 사람들의 구설수에 오르다; in aller ~e sein 사람들 입에 오르내리다, 유명하다; et. 〔jn.〕 im ~ dauernd führen 무엇을〔누구의 이름을〕 끊임없이 입에 담다; aus〔von〕 der Hand in den ~ leben 하루살이 생활을 하다, 근근이 목숨을 부지하다; jm. et. in den ~ legen 누가 무엇을 말하게 하다; er hat mir die Antwort in den ~ gelegt 그는 내가 그런 대답을 하도록 이끌었다; jm. das Wort im ~ herumdrehen 누구의 말을 곡해하다; 〔속담〕 bitter im ~ ist dem Magen gesund 양약은 입에 쓰다; **mit** offenem ~ (놀란 나머지) 입을 딱 벌리고; mit hängendem ~ a) 맥없이, b) 반항적으로; mit breitem ~ 이를 드러내고; jm. **nach** dem〔zum〕 ~ reden 누구의 말에 동조하여 말하다, 맞장구치다; jm. **über** den ~ fahren 누구의 말을 무례하게 가로막다, 누구에게 대들다; jm. Honig **um** den ~ schmieren 누구의 비위를 맞추다; **von** ~ zu ~ gehen 입에서 입으로 전해지다, 구전되다; ein Schloß **vor** dem ~ haben 입을 다물지 않을 수가 없다; kein Blatt vor den ~ nehmen 숨김없이 말하다. ④ (**a**) (상처의) 벌어진 자리; (땅의) 갈라진 틈, (묘 따위의) 구멍. (**b**) 〖軍〗 포구, 총구; (하천 따위의) 입구; (난로·광갱(鑛坑) 따위의) 입구; 〖工〗 구멍; 환기 구멍. (**c**) 〖해부〗 위문(Magen≈); 자궁구(口) (Mutter≈).
Mund[2] 《lat. manus, „Hand"》 *f.* 〔고어〕 (고대 게르만법에서 가부장의) 보호(감독)권.
mundan [mundá:n] 《lat.》 *a.* 〔구식〕 (weltlich) 현세의, 세속적인.
Mundant [mundánt] 《lat.》 *m.* -en, -en 〔고어〕 (관청의) 서기.
***Mund·art** [mʊ́nt|a:rt] *f.* 사투리, 방언: die deutschen ~en 독일어의 방언들.
Mundart≈dichter *m.* 방언 작가. **~dichterin** *f.* ↑ ~dichter의 여성형. **~dichtung** *f.* 방언 문학.
Mund≈art(en)·forschung *f.* 방언 연구. **~art·grenzen** *pl.* 방언 분포 경계선.
Mundartlich *a.* 방언의.
Mundart≈sprecher *m.* 사투리 쓰는 사람. **~wörter·buch** *n.* 방언 사전.
Mund≈atmung *f.* 구강 호흡. **~bäcker** *m.* 궁정 전속의 빵 제조인. **~becher** *m.* (궁정에서) 애용하는 술잔. **~bedarf** *m.* 〔고어·농담〕 식료품. **~bissen** *m.* 한 입 거리(의 음식물). **~brötchen** *n.* 〔방언〕 작은 우유빵.
Mündchen [mʏ́ntçən] *n.* -s 〔↑ Mund의 축소형〕 ① 작은〔귀여운〕 입. ②〔방언〕 입맞춤 (Kuß).
Mund·christ *m.* 입으로만 믿는 기독교 신자.
Mündel [mʏ́ndəl] 《<Mund²》 *n.* / *m.* -s, -〔(드물게) *f.* -n〕 피후견인, 미성년자.
Mündel≈geld *n.* 〖法〗 (후견인이 관리하는) 피후견인 소유의 돈. **~gut** *n.* 피후견인의 재산.

~**sicher** *a.*〖商〗 피후견인의 재산을 투자해도 좋을 만큼 안전한. ~**sicherheit** *f.* 피후견인 재산 투자의 안전성. ~**stand** *m.* 피후견인의 신분, 미성년자(임).

munden [mʊ́ndən] 《<Mund¹》 *i.* (h.) ① 마음에 들다, 입에 맞다: die Speise mundet mir 이 음식은 내 입맛에 꼭 맞는다; sie haben sich den Kuchen ~ lassen 그들은 케이크를 맛있게 먹었다. ② 맛이 있다: es mundet gut 그것은 맛이 좋다.

*__münden__ [mʏ́ndən] *i.* (h./s.) ① (하천 따위가) 흘러(서) 들어가다: die Donau mündet ins Schwarze Meer 다뉴브 강은 흑해로 흘러들어간다. ② (어디로) 통하다, 이르다: diese Straße mündet auf den Markt 이 도로는 시장으로 통한다. ③ 도달하다: das Gespräch mündete in eine Auseinandersetzung 대화로 시작하던 것이 결국 언쟁으로 끝났다.

Mund≠entzündung 《<Mund¹》 *f.*〖병리〗 구강염. ~**faul** *a.*〔구어〕 말수가 적은, 뚱한. ~**fäule**〖醫〗 화농성 구강염; (어린이의) 아구창(牙口瘡). ~**faulheit** *f.*〔구어〕 과묵. ~**fertig** *a.*〔드물게〕 ① 입담 좋은, 재치 있는. ② 가공하지 않고 먹을 수 있는. ~**flora** *f.*〖생리〗 구강 서식 세균. ~**gerecht** *a.* ① 먹기 편한: den Braten in ~e Stücke schneiden 구운 고기를 먹기 편한 크기로 자르다. ② 취향에 맞는: jm. et. ~ machen 무엇을 누구의 마음에 들도록 하다. ~**geruch** *m.* 입냄새, 구취. ~**glaube** *m.* 말뿐인 신앙. ~**glieder·maßen** *pl.*〖生〗 절지 동물의 입. ~**harfe** *f.* ↑ ~harmonika. ~**harmonika** *f.*〖악기〗 ① 하모니카. ② 구금(口琴) (Maultrommel). ~**hobel** *m.*〔방언〕 ↑ ~harmonika. ~**höhle** *f.*〖해부〗 구강(口腔).

mundieren [mʊndíːrən] 《lat., <Mundum》 *t.*〔고어〕 청서〔정서(淨書)〕하다.

Mundierung *f.* -en〔고어〕 청서, 정서.

*__mündig__ [mʏ́ndɪç] 《<Mund²》 *a.* ① 성년이 된: ~ werden 성년이 되다; (für) ~ erklären〔sprechen〕 성년이 되었음을 선언하다. ② 성숙한, 분별력이 있는.

Mündigkeit *f.* 성년; 성숙.

Mündigkeits·erklärung *f.* 성년 선언.

mündig≠|sprechen* *t.* 성년이 되었음을 선고하다. ~**sprechung** *f.* ① 성년 선언. ②〔비유〕 해방.

Mundium [mʊ́ndiʊm] *n.* -s, ..dien [..diən]/ ..dia ↑ Mund².

Mund≠klemme *f.*〖醫〗 턱(의) 경련. ~**knebel** *m.* 재갈. ~**koch** *m.*〔구식〕 궁정 전속 요리사.

*__Mündlein__ [mʏ́ntlaɪn] *n.* -s, -〖雅語〗 ↑ Mündchen.

mündlich [mʏ́ntlɪç] *a.* (↔ schriftlich) 구두〔구술〕의, 대화 형식〔구전〕의: ein ~er Auftrag 구두 계약; ~e Prüfung 구술〔면접〕 시험; alles Weitere ~! 나머지는 직접 뵈옵고!

Mündlichkeit *f.*〖法〗 구두 형식: ~ des Verfahrens 구두 소송.

Mund≠loch *n.* 갱구(坑口). ~**mehl** *n.* 최상품 밀가루. ~**offen** *adv.* 입을 벌리고. ~**öffnung** *f.* (동물·사람의) 입. ~**orgel** *f.*〖악기〗 입풍금. ~**partie** *f.* 입 부분. ~**pflege** *f.* 구강 위생(법). ~**portion** *f.* 하루 분의 양식, 구량(口糧); (수도사의) 급여. ~**propaganda** *f.* 구전되는 선전. ~**raub** *m.*〖法〗 음식물〔생활용품〕 절도. ~**recht** *a.* ↑ ~gerecht. ~**rohr** *n.*〔구식〕 ↑ ~stück.

Mundschaft [mʊ́nt|ʃaft] 《<Mund²》 *f.* 후견〔보호〕 관계.

Mund≠scheibe *f.* (방독 마스크의) 입 구멍. ~**schenk** *m.* (궁정 또는 귀족 저택의) 음료 담당관. ~**schleim·haut** *f.* 구강 점막. ~**schutz** *m.* ① (수술용) 마스크. ②〖권투〗 마우스피스. ~**spalte** *f.* (동물의) 입. ~**sperre** *f.*〖醫〗 개구(開口) 불능, 교경(咬痙). ~**spiegel** *m.*〖醫〗 구강경.

M-und-S-Reifen [ɛm|unt|ɛ́sraɪfən] *m.* = Matsch-und-Schnee-Reifen 스노 타이어.

Mund≠stellung *f.* (발음할 때의) 입 모양. ~**stück** *n.* ① (담뱃대·관악기 따위의) 물부리, 입대는 곳; (말의) 재갈. ② ↑ ~werk. ③ 단정치 못한 입;〔비유〕 철면피.

mund·tot 《<Mund²》 *a.* ①〖法·고어〗 법률상 무능력자로 인정된. ②〔다음 용법으로〕 er hat seinen Gegner für immer ~ gemacht 그는 그의 적으로 하여금 영원히 입을 다물게〔찍소리 못 하게〕 만들었다.

Mund·tuch *n.*〔복수: ..tücher〕〔구식〕 냅킨 (Serviette).

Mundum [mʊ́ndʊm] 《lat. mundus, „rein"》 *n.* -s, ..da〔고어〕 정서(正書).

Mündung [mʏ́ndʊŋ] *f.* -en ① (강이나 도로의) 합류점, 강어귀, 해협;〖철도〗 종점, 시발역. ② 입, 구멍, (병의) 주둥이, (파이프의) 구멍;〖軍〗 총구, 포구(砲口);〖動〗 기문(氣門), 기공(氣孔).

Mündungs≠arm *m.* 강어귀의 지류. ~**deckel** *m.*〖軍〗 총구의 마개. ~**feuer** *n.* 총구〔포구〕의 섬광. ~**gebiet** *n.* 삼각주. ~**geschwindigkeit** *f.* (탄알의) 초속(初速). ~**kappe** *f.*〖軍〗 ↑ ~schoner. ~**schoner** *m.* ①〖軍〗 총구 마개. ②〖軍·농담〗 콘돔. ~**weite** *f.*〖軍〗 (총포의) 구경.

Mund≠voll *m.* 한 입 가득, 한 입, 한 모금. ~**vorrat** *m.* 양식, 휴대 식량. ~**wasser** *n.* 구강 세척수. ~**wässernd** *a.* 침을 흘리게 하는, 유혹적인. ~**wasser·schale** *f.* 구강 세척수 컵; 식후에 손가락을 씻는 바리. ~**werk** *n.* 입; 말재주: ein großes ~ haben 호언장담하다; jm. über das ~ fahren 누구의 말을 가로막다. ~**werkzeug** *n.*〖生〗 (절지 동물의) 입. ~**winkel** *m.* 입가, 입언저리.

Mund-zu≠-Mund-Beatmung *f.*〖醫〗 (입에서 입으로 하는) 인공 호흡. ~**-Nase-Beatmung** *f.*〖醫〗 (코를 통해 공기를 불어넣는) 인공 호흡.

Mungo¹ [mʊ́ŋgo] 《ind.》 *m.* -(s), -s〖動〗 몽구스.

Mungo² 《engl.》 *m.* -(s), -s 재생한 인조 양털.

Mungo·wolle *f.* ↑ Mungo².

Muni *m.* -s (schweiz.) ① 종우(種牛), 씨소. ② 동물의 수컷. ③ 기분이 언짢음.

Munin〖북구신화〗 보단(Wodan)신의 까마귀.

Munifizenz [munifitsɛ́nts] 《lat.》 *f.* -en〔고어〕 아낌없이 주는 일; 관용.

Munition [munitsióːn] 《frz.》 *f.* -en〖軍〗 군수품; 탄약: er hat seine ~ verschossen 그는 자기 몫의 탄약을 다 쏘아 버렸다;〔비유·구어〕 die ~ ist ihm ausgegangen 그는 비장의 무기

가 바닥나 버렸다.
munitionieren [munitsioníːrən] *t.* ① (총포를) 장전하다. ② (토론에 대비해) 준비시키다: er hatte sich gut für die Debatte munitioniert 그는 토론 준비를 잘 해 두었다.
Munitionierung *f.* -en 장전하기.
Munitions≈bunker *m.* 지하 탄약고. **~depot** *n.* 탄약고. **~fabrik** *f.* 군수 공장. **~kammer** *f.* 탄약고. **~kasten** *m.* 탄약 상자. **~kolonne** *f.* 탄약 보급 부대. **~lager** *n.* ↑ ~depot. **~nachschub** *m.*, **~versorgung** *f.* 탄약 보급. **~wagen** *m.* ① 탄약차. ②〘철도〙 탄수차(炭水車). **~zug** *m.* 탄약 운반 열차.
munizipal [munitsipáːl] ⟪lat.⟫ *a.* 〔고어〕 도시의; 시 당국의.
Munizipal≈beamte* *der* 시 공무원. **~behörde** *f.* ↑ Munizipalität. **~garde** *f.* 도시 수비병.
Munizipalität [munitsipalitɛ́ːt] *f.* -en 〔구식〕 시 당국, 시 공무원 전체.
Munizipium [munitsíːpium] *n.* -s, ..pien [..piən] ①〘史〙 (고대 로마의) 자치 도시. ②〔구식〕 시청; 시 행정.
Munk [muŋk] *m.* -(e)s, -(e) (schweiz.) 마멋.
Munkelei [muŋkəláɪ] *f.* -en 귓속말, 수군거림.
munkeln [múŋkəln] ⟪niedd.⟫ *i.* (h.) ① 소곤거리다, 밀담〔뒷공론〕하다: man munkelt davon 〔es wird davon gemunkelt〕 그런 소문이 은밀히 떠돈다. ② 비밀리에 음모를 꾸미다: 〔속담〕 im Dunkeln ist gut ~ 어둠은 음모의 온상. ③ es munkelt 날씨가 수상하다.
Munster [múnstər] *m.* -s, -〘식품〙 엘자스 (Elsaß)산(産) 연질 치즈.
***Münster**[1] [mʏ́nstər] ⟪lat.⟫ *n.* -s, - 대성당, 주교좌(主教座)가 있는 성당.
Münster[2] 뮌스터(독일 북서부의 도시).
Münsteraner [mʏnstəráːnər] *m.* -s, - 뮌스터 주민.
Münster≈bau *m.* 대성당의 건물. **~käse** *m.* 〘식품〙 ↑ Munster. **~turm** *m.* 대성당의 뾰족탑.
Munt [munt] *f.* ↑ Mund².
***munter** [múntər] *a.* ① 깨어 있는(↔ schläfrig): der Kaffee hat mich wieder ~ gemacht 커피를 마시니 다시 잠이 깬다. ② 원기 왕성한(↔ matt); (↔ finster) 쾌활한, 즐거운; 경쾌한; 밝은: ~er Laune sein 기분이 명랑하다; er hat immer ein ~es Liedchen auf den Lippen 그는 언제나 경쾌한 노래를 부른다. ③ 튼튼한: der Kranke ist schon wieder ganz ~ 그 환자는 벌써 몸이 다 나았다. ④ 무사태평한: ohne nach links und rechts zu schauen, geht er ~ über die Straße 좌우도 살피지 않고 그는 유유히 거리를 횡단한다.
Munterkeit *f.* 명랑, 쾌활.
Munter·macher *m.* 〔구어〕 각성제.
Münz≈abdruck [mʏ́nts..] *m.* 〔복수: ..drücke〕 화폐의 주형(鑄型). **~amt** *n.* ↑ ~anstalt. **~anstalt** *f.* 조폐국. **~apparat** ↑ ~automat. **~automat** *m.* 자동 판매기. **~beamte*** *der* 조폐국 공무원. **~beschickung** *f.* 화폐용 금속의 합금. **~beschreibung** *f.* 화폐지(誌), 고전지(古錢誌). **~buch·stabe** *m.* 〘화폐〙 조폐국을 나타내는 알파벳(보기: D는 München). **~einwurf** *m.* 동전 투입구.
Münze[1] [mʏ́ntsə] *f.* 〘植〙 박하(Minze).
***Münze**[2] ⟪lat.⟫ *f.* -n ①〔고어〕 조폐국(Münzstätte). ② 화폐, 주화, 경화(硬化): eine goldene ~ 금화; bare〔klingende〕 ~ 현금; 〔비유〕 jn. mit〔in〕 gleicher ~ bezahlen〔heimzahlen〕 누구의 짓에 똑같은 짓으로 보복하다; 〔비유〕 et. für bare ~ nehmen 무엇을 곧이듣다, 맹신하다. ③ 기념 주화(Denk~).
Münz·einheit *f.* 화폐의 단위.
münzen [mʏ́ntsən] *t.* ① 화폐로 주조하다: gemünztes Gold 정금. ②〔다음 용법으로〕 〔구어〕 auf jn.〔et.〕 gemünzt sein 누구를〔무엇을〕 겨냥하다, 빗대다: diese Bemerkung ist auf dich gemünzt 이 발언은 너를 겨냥한 것이다.
Münzen·sammlung *f.* ① 화폐〔메달〕 수집. ② ↑ Münzkabinett.
Münzer *m.* -s, - 〔구식〕 화폐 주조공.
Münz≈fälscher *m.* 주화 위조자. **~fälschung** *f.* 주화 위조. **~fern·sprecher** *m.* (동전을 넣고 쓰는) 공중 전화기. **~freiheit** *f.* 화폐 주조권. **~fuß** *m.* 〘화폐〙 화폐의 금 함유율; 주화율. **~gehalt** *m.* 화폐 금량(金量). **~gepräge** *n.* 화폐 인장(印章). **~gerechtigkeit** *f.* ↑ ~hoheit. **~gesetz** *n.* 화폐법. **~gewicht** *n.* 주화 중량. **~gold** *n.* 화폐용 금, 표준금. **~herr** *m.* ① 화폐 주조권자. ② 조폐 감독관. **~hoheit** *f.* 화폐 주조권. **~justierer** *m.* 주화 분석자. **~kabinett** *n.* 주화 진열실〔수집실〕. **~konvention** *f.* ↑ ~vertrag. **~kosten** *pl.* 화폐〔주화〕 주조비. **~kunde** *f.* 고전학(古錢學)(교재). **~liebhaber** *m.* 화폐〔주화〕 수집가. **≈mäßig** *a.* 화폐와 같은. **~meister** *m.* 조폐국의 기능장. **~muschel** *f.* 〘動〙 자패(紫貝). **~ordnung** *f.* 화폐법, 조폐 법규. **~politik** *f.* 화폐 정책. **~prägung** *f.* 화폐 주조. **~presse** *f.* 화폐면의 인쇄. **~probe** *f.* 주조 화폐의 시험〔분석〕. **~recht** *n.* ↑ ~hoheit. **~regal** *n.* 화폐 주조권. **~sammlung** *f.* 화폐 수집. **~schlag** *m.*, **~schlagen** *n.* 화폐 주조. **~schrift** *f.* 화폐면의 문자. **~sorten** *pl.* 화폐의 종류. **~sortier·maschine** *f.* 화폐 자동 선별기. **~stadt** *f.* 조폐국이 있는 도시. **~stätte** *f.* 조폐국. **~stecher** *m.* (화폐) 찍는 틀〔인장(印章)〕 조각자, 화폐 찍는 사람. **~stempel** *m.* 화폐 인장(印章). **~stück** *n.* (개개의) 화폐. **~system** *n.* 화폐 제도. **~tank** *m.* (주화) 급유 자판기. **~umlauf** *m.* 화폐 유통. **~verbrechen** *n.* 화폐 관련 범죄. **~vertrag** *m.* 통화 조약. **~waage** *f.* 화폐 조정 저울; 시금(試金) 천칭. **~währung** *f.* 화폐 본위. **~wardein** *m.* 〔고어〕 화폐(의 순도 및 중량) 검사관. **~wechsler** *m.* 자동 주화 교환기. **~wesen** *n.* 화폐 제도; 조폐 사항. **~wissenschaft** *f.* ↑ ~kunde. **~zeichen** *n.* ↑ ~buchstabe. **~zusatz** *m.* 화폐의 합금.
Muräne [murɛ́ːnə] ⟪gr.⟫ *f.* -n 〘動〙 알락곰치.
***mürb** [mʏrp] *a.* ↑ mürbe.
mürbe [mʏ́rbə] ⟪♧ morsch⟫ *a.* ① 무른, 취약한; 썩은; 쉽게 부스러지는; 연한, 흐물흐물한; 무르익은: ein ~s Gebäck 쉽게 부스러지는 과자; Fleisch ~ klopfen 고기가 연해질 때까

지 두드리다. ②〖비유〗 녹초가 된, 지친, 전의를 상실한: von Angst um ihren Sohn ist sie völlig ~ geworden 아들에 대한 걱정 때문에 그 여자는 완전히 녹초가 되었다; sein ewiges Betteln macht mich (ganz) ~ 그의 끊임없는 구걸은 나를 (완전히) 지치게 만든다.

Mürbe *f.* ↑ Mürbheit.

Mürbe≈braten *m.* (nordd.) 소의 등심구이; 〖사냥〗 붉은 사슴의 엉덩잇살 부분. **~kuchen** *m.* 말랑말랑하게 살짝 구운 과자, 쇼트케이크.

mürben 《I》 *i.* (s.) 연하게〔무르게〕 되다. 《II》 *t.* 지치게 만들다: hör bitte auf, das mürbt mich 제발 그만둬, 내가 녹초가 될 지경이야.

Mürbe·teig *m.* 말랑말랑한 반죽.

Mürbheit *f.* 취약, 유연, 무름.

Mürbigkeit *f.* 〔고어〕 ↑ Mürbheit.

Mur·bruch [múːr..] *m.* 〖지형〗 ↑ Mure.

Mure [múːrə] 《♧ morsch》 *f.* -n (산사태로 인한) 토석류(土石流).

muren *t.* 〖海〗 (배를) 정박시키다.

Mur·gang *m.* ↑ Mure.

Muriat 《lat. muria》 *n.* -(e)s, -e 염산염.

muriatisch [muriáːtɪʃ] *a.* 염산을 함유한.

Muriazit *m.* -(e)s, -e (Anhydrit) 무수(無水) 석고, 경(硬)석고.

murig *a.* 쇄암(碎岩)으로 된, 산사태가 자주 일어나는.

Muring *f.* -e 〖海〗 (닻이 두 개인) 정박 장치.

Murkel [múrkəl] *m.* -s 〔방언〕 꼬마; 볼품없이 생긴 (키작은) 사람.

murkelig [múrkəlɪç] *a.* 작고 볼품없게 생긴.

murkeln [múrkəln] *t.* 〔방언〕 마구 찢다, 접다, 구기다, 부수다.

Murks [murks] *m.* -es 〔경박〕 엉터리 일, 실패작, 졸작: hier habe ich ~ gemacht 여기서 나는 실패작을 만들었다; das ist alles ~ ! 모든 게 다 엉터리야!

murksen[1] [múrksən] 〔경박〕《I》 *i.* (h.) ① 일을 서투르게〔날림으로〕 하다: du hast aber bei dieser Arbeit gemurkst 너는 그런데 이 일을 잘못했다. ② (서툴러서) 오래 꼼지락거리며 작업하다: er murkst schon drei Stunden an seinem Auto 그는 벌써 세 시간 동안 자동차를 손보고 있다. 《II》 *t.* 남몰래 해치우다〔죽이다〕; 망치다.

murksen[2] 《의성어》 *i.* (h.) (brummen) 투덜투덜하다, 투덜투덜 불평을 하다.

Murkser [múrks..] *m.* -s, - ① 엉터리로 일하는 사람, 날림일을 하는 사람. ② 살인자, 살해자, 자객.

Murmel[1] [múrməl] 《<Marmor》 *f.* -n (놀이용) 구슬(원래는 대리석공).

Murmel[2] 《lat.》 *m.* -s ① ↑ Murmeln. ②〖動〗 ↑ Murmeltier.

Murmel·fisch *m.* 〖動〗 아프리카산(産) 강물고기.

murmeln[1] [múrməln] 《<Murmel[1]》 *i.* (h.) 유리구슬을 가지고 놀다.

*__murmeln__[2] 《의성어》 *i.* (h.)/*t.* ①〔시어〕 살랑살랑〔졸졸〕 소리나다; 살랑거리다: der Bach murmelt 시냇물이 졸졸 흐르다. ② **(a)** 중얼거리다: er murmelte etwas Unverständliches 그는 알아들을 수 없는 말을 중얼거렸다; 〔구어〕 et. in seinen Bart ~ 무엇을 알아들을 수 없게 말하다. **(b)** 속삭이다. **(c)** (군중 따위가) 소란해지다, 술렁거리다.

Murmeln *n.* -s 중얼거림.

Murmel≈spiel 《<Murmel[1]》 *n.* 구슬놀이. **~stein** *m.* 구슬놀이용 돌. *__~tier__ *n.* 〖動〗 마멋(다람쥣과): 〔비유〕 wie ein ~ schlafen 오랫동안 죽은 듯이 자다.

Murner [múrnər], **Murr** [múr] 《<murren》 *m.* -s (우화에 나오는) 수고양이의 이름.

Murr·bart *m.* ↑ ~kopf.

murren [múrən] 《의성어》 *i.* (h.)/*t.* ①〔시어〕 우르릉 소리 나다, 꾸르륵거리다. ② 투덜대다: über das schlechte Essen ~ 형편 없는 식사에 대해 불평하다. ③ (조심스럽게) 반발하다: er murrt gegen meine Anweisungen 그는 나의 지시 사항들에 대해 조심스럽게 반발한다.

mürrisch [mʏrɪʃ] *a.* 불친절한, 무뚝뚝한, 투덜거리는: ein ~es Gesicht machen 무뚝뚝한 표정을 짓다.

Mürrischkeit *f.* 무뚝뚝함, 투덜거림.

Murr≈kater *m.* ↑ ~kopf. **~kopf** *m.* 〔구식〕 투덜투덜〔불평〕하는 사람, 무뚝뚝한 사람. **≈köpfig, ≈köpfisch** *a.* 〔구식〕 ↑ mürrisch. **~sinn** *m.* 불평, 불만; 시무룩함; 부루퉁함. **~wetz** *m.* ↑ ~kopf.

Mus [muːs] *n.* -es, -e 죽; 잼: Apfel≈ 사과잼; 〔비유·비속〕 jn. zu ~ machen〔schlagen〕 a) 누구를 두들겨 패다, b) 혼내 주다.

Musa *f.* -(s) 《ar.》 바나나의 일종.

Musaget [muzagéːt] 《gr., „Musenführer"》 *m.* -en, -en 〖그리스신화·구식〗 아폴로신의 별명; 〔구식〕 문예·미술의 보호자.

mus·artig *a.* 죽 모양의, 잼 같은, 걸쭉한.

Muscadet [myskadɛ́] *m.* -(s), -s (프랑스 낭트산(産)) 백포도주.

Musche [múʃə] 《frz.; 원뜻 „Fliege"》 *f.* -n ① (과녁 따위의) 흑점; (애교로 얼굴에 붙이는) 검은 점. ② (obd.) 창녀.

*__Muschel__ [múʃəl] 《lat.》 *f.* -n ①〖動〗 조개; 조가비. ②〖해부〗 귓바퀴(Ohr≈); (전화기의) 수화기, 송화기; 〔비속〕 (여성의) 외음부. ③ (öst.) 〔구어〕 양변기통.

muschel≈ähnlich, ~artig *a.* 조가비 같은. **≈arbeit** *f.* 자개 세공(細工). **≈bank** *f.* 〔복수: ..bänke〕 조개류의 서식처.

Müschelchen [mʏʃəlçən] *n.* -s, - ↑ Muschel 의 축소형.

Muschelei [muʃəláɪ] 《<muscheln》 *f.* -en 〔방언〕 (Mogelei) 속임(수), 사기〔부정〕 행위.

Müschelein *n.* -s, - ↑ Muschel 의 축소형.

Muschel≈erde *f.* ↑ ~sand. **≈förmig** *a.* 조가비 모양의. **~gehäuse** *n.* 조가비. **~geld** *n.* ①〖動〗 자패. ② 패각 화폐. **~gold** *n.* 위금(僞金), 채색금(彩色金), 금니(金泥). **~-horn** *n.* 〔복수: ..hörner〕 고둥; 소라고둥. **~hut** *m.* 조가비로 장식한 순례자의 모자.

muschelig[1] [múʃəlɪç] 《<Muschel》 *a.* 〖광산·지질〗 ① 조가비 모양의. ② (단층면에서) 불규칙적인 물결 모양의.

muschelig[2] 《<muscheln》 *a.* 숨기는, 기만적인; 믿을 수 없는.

Muschel≈kabinett *n.* 패류 진열실〔수집실〕. **~kalk** *m.* ① 패각 석회. ②〖지질〗 패각 석회암층. **~kalk·stein** *m.* 패각 석회석. **~kenner** *m.* 패류학자. **~krebs** *m.* 〖動〗 조개 모양의 껍질을 가진 게의 일종. **~kunde, ~-lehre** *f.* 패류학. **~linie** *f.* 〖數〗 나사선(螺絲線). **~marmor** *m.* 조개 및 갑각류의 화석을

포함하고 있는 대리석.
muscheln [mʊ́ʃəln] *i.* (h.) (westd.) ① 속임수를 쓰다, 교묘히 끼워 놓다. ② 카드를 치다.
Muschel=rauschen *n.* 조개가 부딪혀 달그닥거리는 소리. **~reich** *a.* 패각이 많은, 패각투성이인. **~sammlung** *f.* 패각 수집. **~sand** *m.* 패각 모래; 〖지질〗 패각을 함유하는 제 3 기 사력층(砂礫層). **~schale** *f.* 조가비. **~schicht** *f.* 〖지질〗 패각층. **~silber** *n.* (특히 도자기 채색용) 은니(銀泥). **~tier** *n.* (굴과 같이 굳은 껍데기가 있는) 연체 동물. **~vergiftung** *f.* (상한 조개에 의한) 조개 중독. **~werk** *n.* 자개 세공; (로코코식의) 조가비 모양의 장식.
Müschen [mý:sçən] *n.* -s ↑ Mus의 축소형.
Muschi [mʊ́ʃi, mú:ʃi] *f.* -s ① 〖아동〗 고양이. ② 〖비속〗 보지, 음문.
Muschick [mʊ́ʃɪk, mʊʃɪ́k] 《russ.》 *m.* -s, -s (제정 러시아의) 농부; 〖비유〗 시골뜨기, 야인.
Muschkote [mʊʃkó:tə] 《<Musketier》 *m.* -n, -n 〖펌어〗 보병 부대의 졸병〔사병〕.
muschlig *a.* ↑ muschelig.
***Muse** [mú:zə] 《gr.》 *f.* -n ① 〖그리스신화〗 뮤즈, 문예·학술을 관장하는 여신; 시신(詩神). ② 〖비유〗 문예, 학술; (특히) 시가의 도(道): die leichte〔heitere〕 ~ 오페레타, 오락성 예술; 〖농담〗 die zehnte ~ a) 카바레, b) 영화; 〖농담〗 er wurde von der ~ geküßt 그는 작품의 영감을 받았다. ③ 〖動〗 독나방.
museal [muzeá:l] *a.* ① 박물관〔미술관〕의. ② 유물에 속하는. ③ 〖교양〗 낡은, 유행에 뒤떨어진.
Museen [muzé:ən] ↑ Museum의 복수형.
muselig *a.* (westd.) 더러워진(beschmutzt).
Muselman [mú:zəlman] 《<Moslem》 *m.* -en, -en [..ma:nən, mu:zəlmá:nən] ① 〖고어·농담〗 모슬렘, 이슬람 교도. ② (나치 시대의) 수용소 수감자.
Muselmanin *f.* -nen ↑ Muselman의 여성형.
Muselmännin *f.* -nen ↑ Muselman의 여성형.
muselmanisch *a.* 이슬람 교도의(moslemisch).
muselmännisch *a.* ↑ muselmanisch.
Musen=almanach [mú:zən..] *m.* 문학 연감 (18-19 세기의 문학 작품집). **~berg** *m.* 시신(詩神)이 사는 영산(靈山) (파르나스 또는 헬리콘). **~born** *m.* 시신〔시상〕의 샘. **~dienst** *m.* ① 시신 숭배. ② 〖비유〗 시작(詩作). **~freund** *m.* 예술 애호가〔보호자〕. **~fürst, ~gott** *m.* 〖그리스신화〗 아폴로.
musenhaft [mú:zənhaft] *a.* 시신(詩神)과 같은, 시적인, 시인 같은.
Musen=halle *f.* 시신(詩神)에게 바친 방; 박물관, 미술관. **~kunst** *f.* 시가. **~pferd, ~roß** *n.* 뮤즈의 애마(Pegasus). **~quell** *m.* ↑ ~born. **~sitz** *m.* 뮤즈의 자리; 〖비유〗 아카데미, 대학. **~sohn** *m.* 젊은 작가〔시인〕; 대학생. **~stadt** *f.* 대학 도시. **~stall** *m.* 〖연극〗 극장. **~tempel** *m.* 시신의 전당; 극장.
Museologie [..logí:] *f.* 박물관학.
museologisch [..ló:gɪʃ] *a.* 박물관학에 관련된.
Musette [myzɛ́t] 《frz.》 *f.* -s ① 〖악기〗 (17-18 세기 프랑스의) 작은 백파이프. ② 〖음악〗 뮈제트(17-18 세기의 프랑스 무곡).
***Museum** [muzé:ʊm] 《lat.》 *n.* -s, ..seen [..zé:ən] ① 박물관, 미술관. ② 〖고어〗 서재; 열람실. ③ 학술 잡지〔총서〕.
Museums=aufseher *m.* 박물관 감시인. **~diener** *m.* 〖구식〗 ↑ ~aufseher. **~führer** *m.* ① 박물관 안내원. ② 박물관 안내 책자. **~katalog** *m.* 박물관 소장품 목록. **~reif** *a.* 〖구어·농담〗 시대에 뒤떨어진, 박물관에나 갖다 놓을. **~stück** *n.* ① 박물관 전시품. ② 〖반어〗 구시대의 산물: man belächelte ihn als (ein) ~ 사람들은 그를 구시대의 산물이라고 비웃었다. **~wärter** *m.* ~aufseher. **~wert** *m.* 박물관에나 보내야 할 정도의 가치: dein Wagen hat ja schon ~ 네 차는 정말 너무 낡았다.
Musica [mú:zika] *f.* 음악: 〖농담〗 Frau ~ 음악; ~ antiqua 고대 음악; ~ instrumentalis 음악(기악 및 성악을 포함한 중세 용어); ~ mensurata (중세의) 정량(定量) 음악; ~ nova 신음악; ~ sacra 종교〔교회〕 음악; ~ viva 현대 음악.
Musical [mjú:zɪkəl] 《engl.》 *n.* -s, -s 뮤지컬; 뮤지컬 작품: ein ~ schreiben 뮤지컬 작품을 쓰다.
musiert [muzí:ɐt] 《<Mosaik》 *a.* (musivisch) 모자이크의, 상감(象嵌) 세공의.
***Musik** [muzí:k] 《lat. musica》 *f.* ① 음악; 음악 작품, 악곡: ~ studieren 음악을 공부하다; ~ im Blut haben 음악에 소질이 있다; Kirchen~ 교회 음악; Film~ 영화 음악; Kammer~ 실내악; ~ machen 음악을 연주하다; ~ treiben 음악을 하다, 음악에 종사하다; einen Text in ~ setzen 가사에 곡을 붙이다; 〖비유〗 ohne ~ abziehen 가만히〔몰래〕 가 버리다; 〖구어〗 das ist〔liegt〕 ~ drin 그것은 나쁘지는 않다; diese Nachricht ist ~ in meinen Ohren〔für meine Ohren〕 이것은 내게 아주 반가운 소식이다; seine ~ aufführen 그의 음악(작품)을 공연하다. ② 〖구어〗 악단; (군)악대.
Musik=abend *m.* 음악의 밤. **~akademie** *f.* 음악 대학.
Musikalien [muziká:liən] 《gr.》 *pl.* 음악 작품(Tonstücke); 악보(Noten).
Musikalien=halter *m.* 악보 꽂이. **~händler** *m.* 악보 상인. **~handlung** *f.* 악보 가게.
***musikalisch** [muziká:lɪʃ] 《lat.》 *a.* ① 음악(상)의; 음악적인: er hat eine gute ~e Ausbildung erhalten 그는 훌륭한 음악 교육을 받았다. ② 음악을 아는〔좋아하는〕; 음악에 소질이 있는: ~es Talent 음악적 재능; ~es Gehör 음악을 알아듣는 귀. ③ 음악적인, 음악 같은; 울림이 풍부한: Italienisch ist eine ~e Sprache 이탈리아어는 음악적인 언어다.
Musikalität [muzikalitɛ́:t] *f.* 음악적 감수성〔재능〕: sie spielte Mozart mit einer kaum zu übertreffenden ~ 그 여자는 모차르트 연주에서 아무도 거의 능가하지 못할 음악성을 보여주었다.
Musikant [..kánt] *m.* -en, -en ① 〖구식〗 (중세의) 유랑 악사(Spielmann). ② 〖펌어〗 (특히 오락 음악을 연주하는) 악사: fahrende ~en 유랑 악단; da liegt ein ~ begraben! 이크

위험하다 ! (발부리가 무엇에 채였을 때); 〖속어·비유〗 da sitzen die ~en a) (호주머니를 두드리면서) 여기에 현금이 있다, b) 거기에 탈이〔문제가〕 있는 것이다. ③〖구어〗음악광, 타고난 음악가.

Musikanten·bande *f.* (순회) 악단. **~-knochen** *m.* 〖구어〗팔꿈치끝의 뼈. **~tisch** *m.* 〖구어〗(하인용의) 결상.

Musikantin *f.* -nen ↑ Musikant 의 여성형.

musikantisch [muzikántɪʃ] *a.* 연주를〔음악을〕 즐기는.

Musik·ästhetik *f.* 음악 미학. **~aufführung** *f.* 음악 연주. **~automat** *m.* 주크박스, 자동 전축. **~bande** *f.* (음)악단, 악대. **~-begleitung** *f.* 음악 반주. **~besessen** *a.* 음악에 미친〔매혹된〕. **~bibliothek** *f.* 음악 도서관. **~box** *f.* 주크〔뮤직〕박스. **~chor** [..ko:*r*] *m.* 악단. **~direktor** *m.* 음악 감독 (약어: MD). **~dirigent** *m.* (악대의) 악장, 지휘자. **~dose** *f.* 자동 악기, 자명악, 오르간. **~drama** *n.* (특히 바그너의) 가극; 가극 작품.

Musiker [mú:zikə*r*] *m.* -s, - 음악가; 교향악단 단원.

Musikerin *f.* -nen ↑ Musiker 의 여성형.

Musik·erziehung *f.* 음악 교육. **~fest** *n.* 음악제. **~fest·spiele** *f.* ↑ ~fest. **~freund** *m.* 음악 애호가. **~geschichte** *f.* 음악사. **~gesellschaft** *f.* 음악 협회. **~hochschule** *f.* 음악 대학. **~instrument** *n.* 악기. **~instrumenten·industrie** *f.* 악기 산업. **~kapelle** *f.* (소규모) 악단, 악대. **~kassette** *f.* 음악 녹음 테이프. **~kenner** *m.* 음악 전문가. **~konserve** *f.* 〖구어〗음반, 녹음 테이프. **~korps** [..ko:*r*] *n.* (군)악대. **~-kritik** *f.* 음악 비평; (신문 따위의) 음악평. **~kritiker** *m.* 음악 비평가〔평론가〕. **~kritikerin** *f.* ↑ ~kritiker 의 여성형. **~leben** *n.* 음악 생활, 음악계. **~lehrer** *m.* 음악 교사. **~lehrerin** *f.* ↑ ~lehrer 의 여성형. **~lexikon** *n.* 음악 사전. **~liebend** *a.* 음악을 즐기는. **~liebhaber** *m.* ↑ ~freund. **~meister** *m.* 〖고어〗(군악대의) 악장; 음악 교사. **~narr** *m.* 음악광.

Musikologe *m.* -n, -n ↑ Musikwissenschaftler.

Musikologie [muzikologí:] *f.* ↑ Musikwissenschaft.

Musikologin *f.* -nen ↑ Musikologe 의 여성형.

Musik·pavillon *m.* (야외 연주용) 소음악당. **~preis** *m.* 음악상. **~probe** *f.* 음악의 시연(試演), 리허설. **~saal** *m.* 음악홀. **~-schule** *f.* 음악 학교. **~stück** *n.* 악곡, 음악 작품. **~stunde** *f.* 음악 수업 (시간). **~-theater** *n.* 악극. **~truhe** *f.* 컴퍼넌트 전축. **~übertragung** *f.* 음악 중계 방송. **~-untermalung** *f.* 배경 음악. **~unterricht** *m.* 음악 수업.

Musikus [mú:zikus] *m.* -s, ..sizi [..zitsi]/-se ①〖농담〗 악사. ②〖연극·농담〗 음악가.

Musik·verein *m.* 음악 클럽. **~verlag** *m.* 음악 출판사. **~verleger** *m.* 악보 발행자. **~verständig** *a.* 음악에 조예가 깊은. **~-verständige*** *der/die* 음악을 잘 이해하는 사람. **~werk** *n.* ① ↑ ~automat. ② 음악 작품. **~wissenschaft** *f.* 음악학. **~wissenschaftler** *m.* 음악 학자, 음악 학도. **~wissenschaftlerin** *f.* ↑ ~wissenschaftler 의 여성형. **~zeitschrift** *f.* 음악 잡지. **~zentrum** *n.* 음악의 중심지.

musisch [mú:zɪʃ] 《gr.》 *a.* ① 예술적 소질〔교양〕이 있는, 심미안이 있는. ② 예능의, 예술과 관련된: die ~en Fächer 예능 과목; ~ veranlagt 예능에 소질이 있는.

Musiv·arbeit [muzí:f..] 《lat.》 *f.* 모자이크 (세공). **~gold** *n.* 위금(僞金), 채색금(彩色金), 금분(金粉).

musivisch [muzí:vɪʃ] 《<Mosaik》 *a.* 모자이크(세공)의.

Musiv·silber *n.* 〖畫〗 은니(銀泥).

Musizi ↑ Musikus 의 복수형.

musizieren [muzitsí:rən] 《<Musik》 《I》 *i.* (h.) 음악을 연주하다: am Abend wird musiziert 저녁에 음악 연주가 있다. 《II》 *t.* (작품을) 연주하다: eine Sinfonie ~ 교향곡을 연주하다.

musizier·freudig [muzitsí:*r*..] *a.* (musikantisch) 연주를〔음악을〕 즐기는. **~stil** *m.* 연주 스타일.

Musje [musjé:] 《<frz. Monsieur》 *m.* -s, -s 당신, 자네, 젊은이.

Muskat [muská:t, múska:t] 《lat.》 *m.* -(e)s, -e ①〖植〗 머스캣, 육두구 열매(향료·약용에 씀). ② ↑ Muskateller.

Muskat·baum *m.* 육두구 나무. **~blüte** *f.* 육두구꽃(겉껍질은 말려서 향료·약용에 씀).

Muskate *f.* -n 〖구식〗 ↑ Muskat ①.

Muskateller [muskatɛ́lə*r*] 《it.》 *m.* -s, - ① 머스캣 포도(나무). ② 머스캣 포도주.

Muskateller·apfel *m.* 머스캣 사과. **~birne** *f.* 머스캣배. **~traube** *f.* ↑ Muskateller ①. **~wein** *m.* ↑ Muskateller ②.

Muskat·nuß *f.* ↑ Muskat ①. **~nuß-baum** *m.* 육두구 나무. **~nuß·öl** *n.* 육두구 기름. **~traube** *f.* 머스캣 포도. **~wein** *m.* ↑ Muskateller ②.

***Muskel** [múskəl] 《lat.》 *m.* -s, -n 〖해부〗 근(筋); 근육: einen ~ entspannen〔anspannen〕 근육을 이완〔긴장〕시키다; bei diesem Training bekommt man ~n 이 운동을 하면 근육이 생긴다.

Muskel·anstrengung *f.* 근육 사용〔혹사〕. **~atrophie** *f.* ↑ ~schwund. **~band** *n.* 〖복수: ..bänder〗 인대. **~bau** *m.* 근(筋)구조. **~bepackt** *a.* 건장한, 근육이 잘 발달한. **~beschreibung** *f.* 근구조 묘사. **~bewegung** *f.* 근(筋)운동. **~entzündung** *f.* 근염(筋炎). **~faser** *f.* 근섬유. **~gewebe** *n.* 근조직. **~haut** *f.* 근막(膜).

muskelig [múskəlɪç] *a.* 근(육)의, 근(육)으로 이루어진.

Muskel·kater *m.* 근육통. **~kraft** *f.* 근력. **~krampf** *m.* 근육 경련. **~magen** *m.* (새의) 모래 주머니. **~mann** *m.* 근육질 남자. **~paket** *n.* 〖구어〗 ① 우람한 근육: seine ~e zur Schau stellen 자신의 우람한 근육을 드러내 보이다. ② ↑ ~mann. **~protz** *m.* 〖폄어〗 (체력과 근육을 뽐내는) 육체파. **~rheumatismus** *m.* 근육 류머티즘. **~riß** *m.* 근육 열상(裂傷). **~schmerz** *m.* 근육통. **~schwund** *m.* 근위축(증). **~sinn** *m.* 근육

감각, 근각(筋覺). **~spiel** *n.* 근육 운동. **~-stark** *a.* 근력이 있는. **~stärke** *f.* 근력. **~starre** *f.* 〖醫〗 근육 경직. **~strecker** *m.* 완력기(체조 용구). **~system** *m.* 근조직. **~zergliederung, ~zerlegung** *f.* 근육 해부. **~zerrung** *f.* 근육의 과도 신장(伸張). **~zucker** *m.* 〖化〗 이노지트.

Muskete [mʊskéːtə] 《lat. muscetus》 *f.* -n 머스켓총(화승총의 일종).

Musketen≈feuer *n.* 소총 사격, 머스켓총 발사. **~kugel** *f.* 소총탄. **~salve** *f.*, **~schuß** *m.* 소총 사격.

Musketier [mʊsketíːr, mʊ́sketiːr] 《원뜻 „Musketenschütze"》 *m.* -s, -e 〖고어〗 ① (머스켓총으로 무장한) 보병. ② (17-18 세기 프랑스의) 근(위) 기병.

Muskote *m.* -n, -n 〖고어〗 보병.

Muskovit *m.* -s, -e 〖광물〗 백운모.

Muskowit [mʊskovíːt, ..vít] *m.* -s, -e ↑ Muskovit.

Mus·kuchen *m.* 잼이 든 과자.

muskulär [mʊskulɛ́ːr] 《lat.》 *a.* 근(筋)의, 근육(질)의.

Muskulatur [mʊskulatúːr] 《<Muskel》 *f.* -en 〖총칭〗 근육; 근육 조직: Herz≈ 심(心)근육; Übungen zur Lockerung der ~ 근육 이완 훈련.

muskulös [..lǿːs] 《lat.》 *a.* 근육이 억센〔강한〕.

Müsli [mýːsli] *n.* -(s), -(s) 뮈슬리(귀리·견과류 따위를 우유에 타 아침 식사에 대용함).

Muslim [mʊ́slɪm] 《gr.》 *m.* -, -e 회교도 (Moslem).

Muslime [mʊslíːmə] *f.* -n ↑ Moslime 의 여성형.

muslimisch *a.* 회교도의 (moslemisch).

Muspel·heim [mʊ́spəl..] *n.* 〖북구신화〗 불의 나라, 불의 거인이 다스리는 왕국.

Muspilli *n.* -s 세계적 대화재 (세계 멸망에 대한 옛 독일시의 제목).

muß [mʊs] ↑ müssen 의 1·3 인칭 단수 현재형.

Muß [mʊs] 《<müssen》 *n.* - (Zwang) 어쩔 수 없는〔부득이한〕 일, 강제, 의무: es ist ein ~ 그것은 부득이한 일이다; 〖속담〗 ~ ist eine harte Nuß 〔ein bitteres Kraut〕 의무는 괴로운 것.

Muss 新정서 ⇦ Muß.

muss 新정서 ⇦ muß.

Muß·bestimmung *f.* 〖法〗 강제 규정(↔ Kannbestimmung).

***Muße** [múːsə] 《mhd. muoze》 *f.* 여가, 여유, 짬, 휴식: mit ~ 여유 있게, 천천히; in aller ~ 천천히, 서두르지 않고; (Zeit und) ~ haben 여가가 있다; ~ für et. finden 짬을 내어 무엇을 하다.

Muß·ehe *f.* 〖구어〗 (임신에 따른) 마지 못해 하는 결혼.

Musselin [mʊsəlíːn] 《ar.》 *m.* -s, -e 〖직물〗 모슬린, 메린스.

musselinen *a.* 모슬린으로 만든.

müssen [mʏ́sən] (mußte, gemußt) ① …하지 않으면 안 되다, …해야 한다. **(a)** 〖내적 필연성〗 alle Menschen ~ sterben 모든 인간은 죽는다; wenn es sein muß〔müßte〕 부득이하다면, 꼭 그래야 한다면; das mußte nun einmal so sein 그것은 그렇게 될 운명이었다; ich mußte lachen, als ich ihn sah 나는 그를 보았을 때 웃지 않을 수 없었다; er muß immer zanken 그는 싸우지 않고서는 못 배기는 성질이다. **(b)** 〖내적·사회적 강제〗 im kalten Richterton sagte er dem Heinrich, daß er jetzt sterben müsse 재판관은 차가운 어조로 그는 하인리히에게 지금 죽어야 한다고 말했다; 〖구어〗 sie muß heiraten 그녀는 (임신했기 때문에 어쩔 수 없이) 결혼해야 한다; wieviel muß ich bezahlen? 내가 얼마를 지급해야 합니까?; alle Kinder ~ in die Schule gehen 모든 어린이는 학교에 다녀야 한다. **(c)** 〖불가피한 경우〗 es kam, wie es kommen müßte 올 것이 왔다; muß das sein? (비난조로) 꼭 그래야만 합니까? ② 〖자신 있는 추측·확신〗 …에 틀림없다, …일 수밖에 없다, …하게 되어 있다: er muß wohl krank sein 그는 아마 앓고 있음에 틀림없다; er muß es wissen 그는 틀림없이 그것을 알고 있다; er muß jetzt ein alter Mann sein 그는 이제는 노인이 되었음에 틀림없다; es müßte mit dem Teufel zugehen (만일 …라면) 그건 보통 일이 아니다, 터무니없는 일이다; das muß nicht wahr sein 그것은 사실일 리가 없다. ③ 〖명령〗 Sie ~ das nächste Mal vorsichtiger sein 당신은 다음에는 좀더 신중하시오. ④ 〖협정〗 …하기로 되어 있다: sie muß bald kommen 그 여자는 곧 오기로 되어 있다. ⑤ 〖도덕적 의무〗 …할 의무가 있다: das müßtest du eigentlich wissen 그 점을 너는 마땅히 알고 있어야 한다; ich hätte es gestern tun ~ 나는 어제 그것을 했어야 했다; das mußt du nicht tun 너는 그렇게 할 필요가 없다. ⑥ 하필이면 …하다: muß dich der Teufel auch gerade jetzt herbeiführen! 하필이면 지금 자네가 찾아오다니!; es mußte sich zutragen, daß ... 공교롭게도 …한 일이 일어났다. ⑦ (nordd.) 〖부정문에서: nicht ~ 〖구어〗 =nicht dürfen, sollen〗 du mußt das nicht so ernst nehmen 너는 그것을 그다지 심각하게 받아들여서는 안 된다; Du mußt es nicht tun 너는 그 일을 해서는 안 된다. ⑧ 〖의문문에서; =können, dürfen〗 wer muß〔mag〕 es ihm gesagt haben? 누가 그것을 그에게 이야기했을까?; wer muß es nur gewesen sein? 그건 도대체 누구였을까? ⑨ 〖희망〗 man müßte noch mal von vorn anfangen 처음부터 다시 시작할 수 있으면 좋겠다; ich müßte viel Geld haben 돈이 좀 많으면 좋겠다; es müßte immer Sonntag sein 매일 일요일이라면 좋겠다. ⑩ 〖본동사 생략의 경우〗 ich muß (mal) 화장실에 가야 한다; wir ~ nach Hause 우리는 집으로 돌아가야 한다. ⑪ 〖denn 을 수반하는 접속법 Ⅱ 식〗 〖雅語〗 es müßte denn... 〔es sei denn〕 …이 아니라면: das werde ich nie glauben, er müßte es mir denn selbst sagen 그의 입에서 직접 듣지 않는다면, 나는 결코 그것을 믿지 않는다; es besteht keine Hoffnung mehr, es müßte denn ein Wunder geschehen 기적이 일어나지 않는 한 더 이상 희망이 없다. ⑫ davon ~ 죽다.

Musseron [mʊsərɔ̃ː] 《frz.》 *m.* -s, -s 〖植〗 식용 버섯의 일종.

Muße≈stunde *f.* 한가한〔여가〕 시간. **~zeit** *f.* ↑ Muße.

Muß·heirat *f.* ↑ ~ehe.

***müßig** [mýːsıç] 《<Muße》 *a.* ①〖고어〗(무엇을 할) 짬이 있는. ② (**a**) 일이 없는, 빈둥거리는, 한가한: ~ gehen 빈둥거리다; ~es Leben 한가한 생활. (**b**) 쓰이지 않는: ~es Kapital 유휴 자본; 〚商〛 ~ liegen (돈이) 잠자고 있다. ③ 불필요한, 무익한; 무의미한; 무효의; 헛된, 소용 없는: ~e Frage 쓸데없는 질문; ~es Geschwätz 쓸데없는 이야기, 한담, 잡담. ④〖고어〗 eines Dinges 〔js.〕 ~ gehen 무엇〔누구〕 없이 (그런 대로) 지내다, 무엇을 절제〔절약〕하다.

müßigen [mýːsıgən] 〖고어〗《I》 *t.* 억지로 … 시키다: sich gemüßigt sehen, et. zu tun 무엇을 할 수밖에 없는 상태다; ich sah mich gemüßigt, dies zu tun 나는 좋든 싫든 이것을 하지 않으면 안 되었다. 《II》 *refl.* sich eines Dinges ~ (**a**) 무엇을 삼가다, 억제하다. (**b**) (어디에) 종사하다.

Müßig≈gang 《<müßig gehen》 *m.* 무위(無爲), 게으름: 〖속담〗 ~ ist aller Laster Anfang 게으름은 모든 악덕의 시초. **~gänger** *m.* 게으름뱅이, 빈둥거리는 사람. **~gängerin** *f.* ↑ ~gänger 의 여성형. **≈gängerisch** *a.* 게으른, 빈둥거리는. **≈gehen** *i.* 빈둥거리다.

Müßigkeit *f.* 〖雅語〗 ① 빈둥거림. ② 무익, 헛됨.

Mussolini [mussolíːni] *m.* Benito ~ 무솔리니(이탈리아의 독재자, 1883-1945).

Mus·spritze *f.* 〖구어·농담〗 우산.

mußt [must] ↑ müssen 의 2인칭 단수 현재형.

musst 新정서 ⇦ mußt.

mußte [mústə] ↑ müssen 의 과거형.

musste 新정서 ⇦ mußte.

müßte [mýstə] ↑ müssen 의 접속법 Ⅱ식.

müsste 新정서 ⇦ müßte.

Muß·teil *m.* ↑ Musteil.

Muß·vorschrift *f.* 〚法〛 강제 규정.

Mustang [mústaŋ] 《engl.》 *m.* -s, -s 무스탕 (북아메리카산(產) 야생마).

Mus·teil [múːs..] 《<Mus》 *m.* 〖구식〗(Witwenteil) 과부의 몫(독일의 최고(最古) 법령서인 작센 법전(Sachsenspiegel)의 용어).

***Muster** [mústər] 《it. <lat. monstra》 *n.* -s ①〖고어〗 겉모양. ② 견본: 〚우편〛 ~ ohne Wert 상품 견본. ③ 규격, 표준; 선례; 본보기, 모범; 이상: er ist das ~ eines guten Lehrers 그는 훌륭한 교사의 본보기다; sich³ jn. zum ~ nehmen 〔sich³ ein ~ an jm. nehmen〕 누구를 모범으로 삼다. ④ 형(型), 모형, 유형, 도안, 디자인; (특히 옷의) 무늬: Tapeten≈ 벽지 무늬; nach ~ zeichnen 도안에 따라 그리다; das Kleid ist nach einem italienischen ~ gefertigt 이 옷은 이탈리아식 디자인에 따라 만들어졌다; Verhaltens≈ 행동 표본, 행동형(型). ⑤〚영화〛 (편집 이전의) 오리지널 필름.

Muster≈anstalt *f.* 모범 학교〔시설〕. **~beispiel** *n.* 범례; 전형, 귀감. **~betrieb** *m.* 시범 공장; 모범 경영. **~bild** *n.* ① 밑그림, 도안. ② ↑ Muster ③. **~brief** *m.* 모범 서한. **~buch** *n.* ①〚예술〛 (중세의) 도안집, 의장집(意匠集); 벽지〔옷감〕 견본철; 〚商〛 견본장. ② 모범서; 고전. **~ehe** *f.* 모범적 결혼.

Musterer *m.* -s, - 〚軍〛 검열관.

Muster≈exemplar *n.* ① 모범, 귀감. ② 견본, 샘플. **~gatte** *m.* 모범적인 남편. **~geist** *m.* 독창적 정신(의 사람), 걸물, 위인; 기인. **≈getreu** *a.* 격식대로의. **≈gültig** *a.* 표준이 되는; 모범적인. **~gültigkeit** *f.* 표준적임, 모범적임. **~gut** *n.* 시범 농장.

musterhaft [mústərhaft] *a.* 모범적인, 전형적인; 훌륭한: eine ~e Arbeit 모범적인 작품.

Musterhaftigkeit *f.* 모범적임, 훌륭함.

Muster≈herr *m.* 〖고어〗 ① 모범적 신사. ② ↑ ~schreiber. ③〖농담〗 업무 여행자. **~junge** *m.* ① 모범 생도〔소년〕. ② 도안가의 도제. ③ 징병 검사를 받는 장정. **~karte** *f.* 견본이 붙은 카드; 견본장. **~klammer** *f.* (상품 견본 봉투의) 죔쇠. **~knabe** *m.* 〖폄어〗 모범생. **~koffer** *m.* 상품 견본 가방. **~lager** *n.* 〚商〛 견본 진열소; 재고 견본. **~land·wirtschaft** *f.* 시범 농장. **~mensch** *m.* 모범적〔훌륭한〕 인물, 군자. **~messe** *f.* 견본 전시회.

***mustern** [mústərn] 《I》 *t.* ① (**a**) 검사〔검열〕하다; 자세히 관찰하다: jn. von Kopf zu Fuß ~ 누구를 유심히 훑어보다. (**b**) 〚軍〛 (부대를) 사열하다. (**c**) 흠을 잡다, 혹평〔비난〕하다. (**d**) 징병 검사를 하다: ist Ihr Sohn schon gemustert? 당신의 아들은 벌써 징병 검사를 받았습니까? ② 무늬를 뜨다〔짜넣다〕: gemusterte Tapeten 무늬가 든 벽지. ③〖방언·폄어〗 볼품없이 옷을 입히다: wie kann man nur ein Kind so ~! 어쩜 아이의 옷을 저렇게 입히다니! 《II》 *refl.* 〖구어〗 sich ~ 무취미한 복장을 하다. 《III》 **gemustert** *p.a.* ↑ gemustert.

Muster≈paß *m.* 〚구기〛 정확한 패스. **~papier** *n.* (종이에 뜬) 밑그림 종이, 본. **~platz** *m.* 〚軍〛 사열장. **~probe** *f.* 견본. **~prozeß** *m.* 판례가 될 재판. **~recht** *n.* 의장법(意匠法). **~register** *n.* 의장 등록부. **~reisende*** *der/die*, **~reiter** *m.* 견본을 갖고 주문 받으러 다니는 사람. **~rolle** *f.* ①〚海〛 선원 명부. ②〚經〛 실용 신안 의장(意匠) 목록. **~sammlung** *f.* 상품 견본집. **~schneider** *m.* ① 문양〔모형〕 제작자. ② 유행 의상 전문 재봉사. **~schreiber** *m.* 〖고어〗 검열부원. **~schrift** *f.* ① 서식. ② 모범서. **~schriftsteller** *m.* 모범〔고전〕 작가. **~schule** *f.* 모범〔시범〕 학교. **~schutz** *m.* 의장(意匠) 보호. **~schüler** *m.* 모범생. **~schülerin** *f.* ↑ ~schüler 의 여성형. **~sendung** *f.* 견본 우송. **~stück** *n.* ↑ ~exemplar. **~tuch** *n.* (뜨개질용) 밑그림 천.

Musterung [mústərʊŋ] 《<mustern》 *f.* -en ① 검사, 감정, 점검, 음미: die Ware vor dem Kauf einer genauen ~ unterziehen 구입하기 전에 상품을 엄격히 검사하다. ② 징병 검사: sich der ~ unterziehen 징병 검사를 받다. ③ 무늬, 문양.

Musterungs≈bescheid *m.* 〚軍〛 징병 검사 통지서. **~geschäft** *n.* 검열〔징병〕 업무. **~rolle** *f.* 검열〔징병 검사〕부. **~tag** *m.* 검열〔징병 검사〕일.

Muster≈werk *n.* 모범적〔고전적〕 작품. **~wirtschaft** *f.* 모범 농장. **~wort** *n.* 〚문법〛 범례. **~zeichner** *m.* 도안가, 의장가, 의상 디자이너. **~zeichnung** *f.* 도안, 의상 디자인.

~**zimmer** *n.* 견본 진열실.
Mus·topf *m.* 잼 단지: 〔비유〕 aus dem ~ kommen 아무 것도 모르다, 깜깜하다.
***Mut** [mu:t] 《ahd. muot》 *m.* -(e)s ① 〔구식〕 마음, 기분: guten ~es sein〔bleiben〕 좋은 기분이다; mit frischem ~ an die Arbeit gehen 새로운 기분으로 작업에 임하다; jn. bei gutem ~(e) halten 누구의 기분을 즐겁게 하다; mir ist schlecht zu ~e〔zumute〕 기분이 나쁘다. ② (…하고 싶은) 마음, 감정; 원한, 노여움. ③ 〔일반적 의미〕 의기, 용기, 대담; 배짱, 담력; 자신: angetrunkener ~ 한 잔 마신 데서 생긴 객기; fester ~ 확고 부동한 용기; persönlicher ~ 개인적인 용기; ~ fassen 용기〔원기〕를 내다; ~ haben 용기가 있다; sich³ ~ machen 용기를 내다; jm. ~ einflößen〔machen〕 누구에게 용기를 나게 하다, 격려하다; jm. den ~ nehmen 누구의 용기를 꺾다; nur ~ (gefaßt)! 용기를 내!
Muta [mú:ta] 《lat. mutus》 *f.* ..tä 〖음성·구식〗 폐쇄음(g, d, b; k, t, p).
mutabel [mutá:bəl] 《lat. mutabilis》 *a.* 〖生〗 변이 가능한, 가변적인.
Mutabilität [mutabilitέ:t] *f.* 〖生〗 변이 가능성; 가변성.
Mutant *m.* -en, -en (öst.) 변성기 소년.
Mutante *f.* -n 〖유전〗 돌연변이를 일으킨 개체.
Mutation [..tsió:n] 《lat. mutatio》 *f.* -en ① 〖醫〗 (소년의) 변성. ② 〖유전〗 돌연변이. ③ 〔구식〕 변화.
mutatis mutandis [mutá:ti:s mutándi:s] 〔교양〕 필요한 변경을 가하여(약어: m.m.).
mut·beseelt *a.* 용감한, 의기양양한.
Mütchen [mý:tçən] *n.* -s 《↑ Mut의 축소형》 sein ~ (an jm.) kühlen (누구에게) 화풀이하다.
muten [mú:tən] *t.* ① (**a**) 〔물건이 주어〕 jn. 〔jm.〕 ~ 누구의 마음을 끌다. (**b**) gemutet sein 마음 내키다: wohl gemutet sein 기분 좋다. ② 〖광산〗 채굴권을 신청하다: eine Grube ~ 광산 채굴 허가를 신청하다. ③ 〔구식〕 마이스터〔장인〕 자격을 청구하다.
Muter *m.* -s 〖광산〗 채굴권 신청자.
mut·erfüllt *a.* ↑ mutig.
Mut·geld *n.* 〔고어〕 장인 자격 심사료.
mutieren [mutí:rən] 《lat.》 *i.* (h.) ① 〖醫〗 변성(變聲)하다. ② 〖生〗 돌연변이하다.
***mutig** [mú:tıç] *a.* 용기 있는, 대담한: 〔속담〕 dem ∼en lächelt das Glück 용기 있는 자에게 행운이 온다.
..mütig *suf.* "…한 마음의"의 뜻(보기: weich~ 마음이 부드러운, 유화한; groß~ 마음이 너그러운).
Mutilation [mutilatsió:n] 《lat.》 *f.* -en 〖醫〗 (Verstümmelung) 절단, 단절.
Mut·jahr 《<muten》 *n.* 〔고어〕 마이스터〔장인〕 자격을 얻기 위한 시험 작품 제작 시기; 편력 시대.
Mütlein [mý:tlaın] *n.* -s ↑ Mütchen.
mutlos *a.* 용기〔기력〕 없는, 겁에 질린, 낙담한: jn. ~ machen 누구의 기를 꺾다.
Mutlosigkeit *f.* 의기소침.
***mutmaßen** [mú:tma:sən] (du mutmaßest/mutmaßt; *p.p.* gemutmaßt) *t.* 추측하다; 가정하다: ich kann nur ~, wer es war 그가 누구였는지 나로서는 추측할 수 있을 뿐이다.
mutmaßlich *a.* 추측상의; 개연적인, 그럴 듯한; 외견상의: der ~e Täter 범죄 용의자: sie kommt ~ etwas später 그 여자는 아마 조금 늦게 올 것이다.
Mutmaßung *f.* -en 추측, 추정; 가정: ~en anstellen 추측하다.
Mut·probe *f.* 담력 테스트: wer in die Bande aufgenommen werden will, muß eine ~ bestehen 그 패거리에 끼고 싶은 사람은 담력 테스트를 통과해야 한다.
Mut·schein 《<muten》 *m.* 〖광산〗 채굴 허가증.
***Mutter** [mŭtər] *f.* Mütter ① (**a**) 어머니, 모친; 〔비속〕 할머니: eine leibliche ~ 친모; eine ledige ~ 미혼모; eine alleinstehende ~ 편모; sich ~ fühlen〔wissen〕 임신을 자각하다; sie ist ganz die ~ 그녀는 어머니를 쏙 빼박았다; eine werdende ~ 임신부; 〔비유〕 an ~s Rock〔Rockschößen〕 hängen 엄마 치마폭에 매달리다, 의존적이다; wie bei ~(n) 내 집에 있는 것처럼 편한; sei ~ an ihm 〔über ihn〕! (어머니 대신) 그를 돌보아주게!; sie ist den Armen eine wahre ~ 그 여자는 빈민의 인자한 어머니다; die ~ Gottes 성모 마리아. (**b**) (양육자로서의) 어머니: Pflege∼ 양어머니; Stief∼ 계모; ~ Oberin 수녀원장(의 호칭); Königin∼ a) 태후, 모후, b) 왕자〔왕녀〕를 둔 여왕; 〖軍〗 ~ der Kompanie 중대 선임 하사. (**c**) 〔비유〕 어머니와도 같은 것: ~ Erde 어머니와도 같은 대지; 〔雅語〕 ~ Natur 자연; die ~ von et.³ sein 무엇이 생겨나는 근원이다; 〔속담〕 Vorsicht ist die ~ der Weisheit 주의는 지혜의 어머니; 〔속담〕 bei ~ Grün übernachten 야외에서 밤을 지내다, 노숙하다. ② (**a**) 〔구식〕 자궁 (Gebär∼): 〖聖〗 die ~ brechen 태어나다. (**b**) (보석 등의) 겉싸개; (Perl∼) 진주모(母), 진주 껍질; 〖광산〗 (Erz∼) 모암(母岩), 광석을 함유하는 암괴. (**c**) 오목한 곳; 부리〔끼는〕 구멍(Öse); 〖印〗 (Gieß∼) 모형(母型), (연판 인쇄의) 지형. (**d**) 침전물, 앙금; 효모; 〖化〗 (Essig∼) 아세트산균. ③ 〔복수: -n〕 〖工〗 너트, 암나사. ④ (동물의) 암컷.
Mutter≈band *n.* 〔복수: ..bänder〕 〖해부〗 자궁 인대; 복대. ~**baum** *m.* 모수(母樹), 씨(받이) 나무.
Mütter·beratungs·stelle [mýtər..] *f.* 육아 상담소.
Mutter≈bild *n.* 어머니상. ~**bindung** *f.* 〖心〗 어머니에 대한 애착. ~**boden** *m.* ① (토양의 맨 위) 부식 토층. ② 자궁; 〔비유〕 모체. ~**bruder** *m.* 외숙, 외삼촌. ~**brust** *f.* 어머니의 젖가슴〔품속〕: das Kind saugt an der ~ 어린아이가 엄마 젖을 빨고 있다.
Mütterchen [mýtərçən] *n.* -s 《↑ Mutter의 축소형》 ① 〔어머니의 애칭〕 엄마. ② 나이 든 부인, 아주머니, 할머니. ③ 남의 일을 잘 돌봐 주는 처녀.
Mutter≈erde *f.* ① ↑ ~boden ①. ② 고향땅: nach langer Abwesenheit wieder ~ betreten 오랜 타향살이 끝에 다시 고향 땅을 밟다. ~**faß** *n.* ① 식초 공장의 발효통. ② (숙성용의) 오래된 술통. ~**fieber** *n.* 산욕열. ~**freuden** *pl.* 어머니로서의 기쁨: 〔雅語〕 ~ genießen 막 아이를 낳다; ~ entgegensehen

출산을 기다리고 있다, 임신 중이다. **~füllen** *n.* 작은 암말〔암나귀〕. **~gang** *m.* ①〖해부〗 질. ②〖工〗 암나사.

Mụttergenesungs=heim *n.* 부녀자 휴양 센터. **~werk** *n.* 부녀 복지 재단.

Mụtter=gesellschaft *f.* 모회사, 본사. **~-gestein** *n.*〖지질〗①모암(母岩). ②석유를 함유한 암석. **~gottes** *f.* 성모 마리아. **~-gottes·bild** *n.* 성모상. **~gut** *n.* 어머니 재산. **~hals** *m.*〖해부〗 자궁 경부(頸部). **~haus** *n.* ①〖기독교〗 간호사 양성소. ②〖가톨릭〗 (교단의 지도부가 있는) 수도원 본원. ③본사. **~herrschaft** *f.* 모권(母權) 사회(Matriarchat). **~herz** *n.* 어머니의 심정〔마음〕: ein ~ kann immer wieder verzeihen 어머니의 마음을 가지면 언제라도 용서할 수 있다. **~kind** *n.* ①사람의 자식, 인간. ②어머니의 귀염둥이, 응석받이. **~kirche** *f.*〖가톨릭〗모(母)성당. **~komplex** *m.* ①(아들의) 어머니 콤플렉스. ②(여성의) 모성 본능. **~korn** *n.*〖植〗(지혈제·자궁 수축제로 쓰이는) 맥각(麥角). **~kraut** *n.*〖植〗①카밀레속(屬). ②어머니풀(민간 요법에서 부인병 치료제로 쓰이는 약초의 총칭). **~kreuz** *n.* (나치 시대의) 다산모(多産母) 십자 훈장. **~kuchen** *m.* ①〖醫〗 태반. ②〖植〗 태좌(胎座), 화탁(花托). **~land** *n.* ①(제품의) 생산국, (사상·제도 따위의) 모국, 발상지. ②(식민지에 대한) 본국. **~lauge** *f.*〖化〗모액(母液), 잿물, 간수. **~-leib** *m.* 모태; 자궁: vom ~ an 태어날 때부터.

Mütterlein [mʏ́tərlaın] *n.* -s, -〖雅語〗↑ Mütterchen.

mütterlich [mʏ́tərlıç] *a.* ①어머니의, 어머니 같은: jn. ~ umsorgen 누구를 어머니처럼 따뜻하게 돌보다; eine ~ Frau 어머니 같은 여자. ②모계의: Oheim von ~er Seite 외숙.

mütterlicher·seits *adv.* 외가쪽으로: die Abkunft ~ 모계 혈통.

Mütterlichkeit *f.* 어머니다움; 모성애, 어머니다운 보살핌.

Mụtter·liebe *f.* 어머니의 자애, 모성애.

mutterlos *a.* 어머니가 없는.

Mụtter=mal *n.*〔복수: -e〕 배냇점, 모반(母斑). **~mensch** *m.* ↑ ~kind. **~milch** *f.* 모유:〖비유〗 et. mit der ~ einsaugen 무엇을 젖먹이 때부터 배우다. **~mord** *m.* 모친 살해. **~mörder** *m.* 모친 살해자. **~mund** *m.*〖해부〗 자궁구(口).

mụttern *i.* (h.)/*refl.* (sich) ~ 어머니를 닮다.

mụtter·nackt *a.* 발가벗은, 맨몸뚱이의.

Mụttern=fabrik *f.* 암나사 제조 공장; 활자 모형(母型) 공장. **~schlüssel** *m.* 나사돌리개, 스패너.

Mụtter·paß *m.* (의사가 발급하는) 임산부 진찰 기록 증명서.

Mütter·paß *m.* ↑ Mutterpaß.

Mụtter=pfennig *m.* (어머니가 아들에게 주는) 푼푼이 남몰래 모은 돈. **~pferd** *n.* ↑ ~stute. **~pflanze** *f.* 어미 나무, 모수(母樹). **~pflicht** *f.* 어머니의 의무. **~recht** *n.*〖인종〗 모권제, 모계 상속. **~ring** *m.* 자궁륜(輪), (피임용) 페서리. **~rolle** *f.* ①(시·읍·면 따위의) 부동산 대장. ②장정 명부, 병적. ③어머니의 역할. **~sau** *f.* 어미 돼지, 암퇘지. **~-schaf** *n.* 어미 양, 암양.

Mụtterschaft *f.* -en 어머니임, 어머니가 됨, 모성.

Mụtterschafts=geld *n.* 출산 수당. **~hilfe** *f.*〖法〗(임산부 및 산모에게 지급되는) 출산 보조. **~urlaub** *m.*〖法〗 출산 휴가.

Mụtter=scheide *f.*〖해부〗질. **~schiff** *n.* 모선; 모함. **~schmerz** *m.*〖醫〗자궁통; 진통. **~schnitt** *m.*〖醫〗제왕 절개술. **~schoß** *m.*〖雅語〗①자궁, 모태. ②〖비유〗자애: im ~ sitzen 귀여움을 받고 있다. **~schraube** *f.*〖工〗 암나사.

Mütter·schul·kurs *m.* 어머니를 위한 강습회.

Mụtter=schutz *m.*〖法〗산모〔산욕부〕 보호. **~schutz·gesetz** *n.*〖法〗 임산부〔산욕부〕 보호법. **~schwein** *n.* ↑ ~sau. **~schwester** *f.*〖구식〗이모. **~seele** *f.* 인간: es ist keine ~ da 거기에는 사람의 그림자도 없다. **~-seelen·allein** *a.* 전적으로 혼자인: die Kinder sind ~ zu Hause 아이들은 집에 전적으로 혼자 남겨져 있다. **~söhnchen** *n.*〖구어·폄어〗어머니의 귀염둥이, 응석받이, 의타적인 아이〔사람〕. **~sprache** *f.*〖언어학〗① 모국어(↔Fremdsprache). ②모어(母語)(↔Tochtersprache). **~sprachler** *m.* 원어민, 네이티브 스피커. **~staat** *m.* ↑ ~land ②. **~stadt** *f.* ①태어난 도시, 고향. ②수도(Hauptstadt). ③모국의 도시. **~stand** *m.* ↑ Mutterschaft. **~stelle** *f.* 어머니 입장: bei〔an〕 jm. ~ vertreten 누구의 어머니 역할을 하다. **~stock** *m.* ①산의 주맥(主脈). ②모수(母樹), 종자나무. ③(꿀)벌집(Bienenstock). **~stute** *f.* 어미 말, 암말. **~tag** *m.* 어머니날(5월 둘째 일요일). **~teil** *m./n.* 어머니의 유산. **~tier** *n.* 새끼를 낳은 어미 짐승. **~trompete** *f.*〖해부〗나팔관. **~weh** *n.* 진통; 히스테리. **~witz** *m.* 타고난 재치. **~-wurz** *f.*〖植〗아르니카(약용 국화과(科) 식물). **~wut** *f.*〖醫〗여자의 병적 성욕증.

Mutti [mʊ́ti] *f.* -s ①〖↑ Mutter의 애칭〗엄마. ②〖구어〗가정 주부, 어머니처럼 보이는 여자.

Mụttich, Mụttig ⟪<Moder⟫ *m.* -(e)s, -e (obd., md.) ①(과실의) 비밀 저장(소). ②(schweiz.) 이토(泥土); 쓰레기, 먼지.

mutual [mutuá:l] ⟪lat.⟫ *a.*〖교양〗상호간〔쌍방간〕의.

Mutualịsmus *m.* - ①〖교양〗상호 인정. ②〖生〗 상리공생(相利共生).

mutuell [..tuɛ́l] *a.* ↑ mutual.

Mutung [mú:tʊŋ] ⟪<muten⟫ *f.* -en〖광산〗채굴 허가 신청.

mụt·voll *a.* 용기 충만한, 대담한.

*__Mu̲t=wille__ *m.* -ns ①악의, 불손: aus (bloßem) ~n (순전히) 악의로. ②〖聖·고어〗방종, 사악(한 행위). ③경솔; 장난, 지근덕거림: du ~! 이 장난꾸러기야!, aus ~n 기분〔장난〕으로; ~n treiben 지근덕거리다. **~-willig** *a.* 악의적인; 불손한; 경솔〔경박〕한; 지근덕거리는; 고의적인: ~er Bankrott 사기(詐欺) 파산; et. ~ beschädigen 무엇을 고의로 망가뜨리다. **~williger·weise** *adv.* 제멋대로, 악의적으로; 변덕스럽게; 고의로. **~-willigkeit** *f.* 고의(성), 악의, 방자.

Mutz[1] [muts] *m.* -es, -e (md., obd.) ①꼬리를 (짧게) 자른 동물. ②다 닳도록 쓴 도구. ③

짧은 (담배) 파이프. ④ 짧은 상의. ⑤ 바보.

Mutz² *m.* -en, -en (schweiz.) ① 곰(Bär). ② 베른주(州). ③ 베른주 주민.

Mützchen [mýtsçən] *n.* -s, - ↑ Mütze 의 축소형.

***Mütze** [mýtsə] *f.* -n ① (머리와 어깨를 가리는) 승모(僧帽). ② 두건; (테 없고 차양 달린) 모자, 학생모: die ~ aufsetzen〔abnehmen〕 모자를 쓰다〔벗다〕; 〖구어〗 eine ~ voll Schlaf nehmen 잠깐 눈을 붙이다; eine ~ voll Wind 산들바람, 미풍; 〖구어〗 et. auf die ~ bekommen〔kriegen〕 꾸중듣다, 야단맞다; et. unter der ~ haben 술 취해 있다; 〖구어〗 das ist ihm nicht nach der ~ 그것은 그에게 맞지 않는다, 그는 그것을 좋아하지 않는다. ③ 모자 모양의 덮개: der Berg hat eine ~ aus Schnee 그 산은 (꼭대기에 눈이 쌓여) 눈모자를 쓰고 있다. ④〖植〗 선모(蘚帽), 근관(根冠). ⑤ 반추 동물의 제 2 위(胃).

Mützen≈aufschlag [mýtsən..] *m.* 모자의 차양 부분. **~band** *n.* 〖복수: ..bänder〗 테 없는 모자의 끈. **≈förmig** *a.* 모자 모양의. **~futter** *n.* 모자의 안감. **~macher** *m.* 모자 제조인. **~schild** *n.* ↑ ~schirm. **~schirm** *m.* 모자의 차양.

Mutzi *f.* (bayr.) ↑ Mutz².

Mützlein [mýtslaın] *n.* -s, - 〖雅語〗 ↑ Mützchen.

MV =Megavolt 100 만 볼트.

MW ① =Megawatt 100 만 와트. ② =Mittelwelle 중파(中波).

m.W. ① =meines Wissens 내가 아는 바로는, 사견(私見)으로는. ② =mit Wonne 〖방언〗 아주 기뻐서.

m.w. [ɛmvé:] =machen wir! 그렇게 하자, 오케이!

MwSt. =Mehrwertsteuer 부가 가치세.

My [my:] *n.* -(s), -s ① 그리스 자모의 열두째 자(*M*, *μ*). ② =Mikron 1000 분의 1 mm.

Myalgie [myalgí:] *f.* -n [..gí:ən] 〖醫〗 근육통.

Myanmar 미얀마(옛 버마).

Myanmare *m.* -n, -n 미얀마 사람.

myanmarisch *a.* 미얀마의, 미얀마 사람의.

Myasthenie [myastení:] *f.* -n [..ní:ən] 〖醫〗 근무력증.

Myatonie *f.* -n [..ní:ən] 〖醫〗 (선천성) 근이완증.

Myelitis [myelí:tıs] 《gr.》 *f.* ..tiden [..tí:dən] 〖醫〗 척수 또는 골수염.

Mykenä [myké:nɛ], **Mykene** [..ké:nə] 미케네(그리스의 고대 문명 발상지).

mykenisch [myké:nıʃ] *a.* 미케네의.

Mykologie [mykologí:] 《gr. mýkēs, „Pilz"》 *f.* 〖植〗 (Pilzkunde) 세균학; 사상(絲狀)균학.

mykologisch *a.* 세균학의.

Mykorrhiza [mykɔrí:tsa] *f.* ..zen 〖植〗 균근(菌根) (Wurzelpilzsymbiose).

Mylady [milé:di] 《engl.》 마님(Lady 의 칭호를 가진 부인에 대한 호칭).

Mylonit [myloní:t, ..nít] *m.* -s, -e 〖지질〗 압쇄암(壓碎岩), 밀로나이트.

Mylord [milɔ́rt, mılɔ́:d] 《engl.》 영감마님, 나으리; 재판관님(Lord 의 칭호를 가진 남자 또는 영국 변호사의 재판관에 대한 호칭).

Mynheer [məné:*r*] *m.* -s, -s ① (네덜란드 사람의 호칭으로) 신사 양반. ②〖구어·농담〗 네덜란드 사람.

myo.. 《gr. mŷs, „Muskel"》 *pref.* "근(筋)…"의 뜻.

Myokard [myokárt] 《gr.》 *n.* -(e)s, -e 〖해부〗 심(장)근층.

Myokardie [myokardí:] *f.* -n [..dí:ən] 〖병리〗 심근비염.

Myokard·infarkt *m.* 〖병리〗 심근 경색.

Myokarditis [..dí:tıs] *f.* ..tiden [..tí:dən] 〖병리〗 심근염(心筋炎).

Myokardose *f.* -n 〖병리〗 ↑ Myokardie.

Myologie [..logí:] *f.* 〖醫〗 근육학.

Myom [myó:m] *n.* -s, -e 〖醫〗 근종(筋腫).

myop [myó:p] 《gr.》 *a.* 〖醫〗 근시의.

Myope* *der/die* 〖醫〗 근시인 사람.

Myopie [myopí:] *f.* -n [..pí:ən] 근시(↔Hypermetropie).

myopisch [myó:pıʃ] *a.* ↑ myop.

Myosin [myozí:n] *n.* -s 〖생화학〗 미오신(근육 단백질의 일종).

Myositis [myozí:tıs] *f.* ..tiden [..tí:dən] 〖醫〗 근염.

Myotomie *f.* -n [..mí:ən] 〖외과〗 근육 절단 수술.

Myotonie *f.* -n [..ní:ən] 〖醫〗 근육 경련.

myria.. 《gr. myrias, „zehntausend"》 *pref.* ① "1 만 배"의 뜻. ② 아주 많은, 다수의.

Myriade [myriá:də] 《gr.》 *f.* -n 〖雅語〗 ① 1 만(의 수). ②〖복수〗 ~n 무수, 셀 수 없이 많음.

Myria≈gramm [myriagrá:m] *n.* 1 만 그램. **~meter** *m.* 1 만 미터.

Myriapode *m.* -n, -n ↑ Myriopode.

Myriopode *m.* -n, -n 〖動〗 다족류(多足類).

Myrmekologie *f.* 개미학.

Myrmidone [mʏrmidó:nə] *m.* -n, -n 〖그리스신화〗 미르미도네인(아킬레우스를 따라 트로이 전쟁에 참가한 테살리아 사람); 〖비유〗 종자(從者), 충복, 경호원.

Myrobalane *f.* -n 〖植〗 미로발란(무두질액과 약용으로 쓰이는 견과(堅果)).

Myrre [mýrə] 新정서 ⇦ Myrrhe.

Myrrhe [mýrə] 《lat.》 *f.* -n 몰약(沒藥), 미르라(향료·약용으로 하는 근동산(近東産) 수지).

Myrrhen≈öl [mýr..] *n.* 미르라 기름. **~tinktur** *f.* 몰약(沒藥) 팅크(잇몸 질환과 구강 세척에 사용).

***Myrte** [mýrtə] 《lat.》 *f.* -n 〖植〗 미르테, 은매화(銀梅花), 도금양(桃金孃).

Myrten≈kranz [mýr..] *m.* 도금양의 화환(순결을 상징하는 신부의 화관). **~zweig** *m.* 도금양 가지.

Mystagog [mʏstagó:k] 《gr.》 *m.* -en, -en 밀교 사제; 신비주의자.

Mystagoge [..gó:gə] *m.* -n, -n ↑ Mystagog.

Mysterien ① ↑ Mysterium. ② (고대 그리스·로마의) 비밀 종교 의식, 비제(祕祭), 비교(祕教).

Mysterien·spiel *n.* (교회 축일에 공연하는 중세의) 종교극.

mysteriös [mʏsteriǿ:s] 《lat.》 *a.* 비밀의, 신비한, 불가사의한, 현묘한.

Mysterium [mʏsté:riʊm] *n.* -s, .rien [..riən] ① 비밀, 신비, 불가사의. ② 신비설. ③〖복수〗 ↑ Mysterien ②. ④〖복수〗 ↑ Mysterienspiel.

Mystifikation *f.* -en ①〔교양〕 신비화. ②〔구식〕 기만, 속임수, 현혹; 우롱.
mystifizieren [mʏstifitsí:rən] 《lat.》 *t.* ①〔교양〕 신비화하다: der schon zu Lebzeiten mystifizierte Revolutionsführer 생전에 이미 신비의 베일에 싸인 혁명 지도자. ②〔구식〕 기만〔현혹〕하다, 속이다; 우롱하다.
Mystifizierung *f.* -en 신비화; 현혹, 기만.
***Mystik** [mʏ́stɪk] *f.* 신비설, 신비주의.
Mystiker [mʏ́s..] *m.* -s, - 신비가, 신비주의자.
mystisch [mʏ́stɪʃ] *a.* 〔교양〕 ① 신비주의의; 신비한, 불가사의의, 비밀스러운. ② 불분명한, 이해할 수 없는.
Mystizismus [mʏstitsísmʊs] *m.* -, ..men 〔교양〕① 신비주의, 신비론. ② 몽상.
mystizistisch *a.* 〔교양〕 신비주의의, 광신적인.
Mythe [mý:tə] 《lat.》 *f.* -n ↑ Mythos ①.
Mythen⸗bildung *f.* 신화의 형성. **~forschung** *f.* 신화 연구, 신화학.
mythenhaft *a.* ↑ mythisch.
mythisch [mý:tɪʃ] *a.* 신화적인, 신화(풍)의; 가공의.
mythisieren *t.* 〔교양〕 ↑ mythologisieren.
Mythisierung *f.* -en 〔교양〕 신화화.
Mytholog [mʏtoló:k] *m.* -en, -en ↑ Mythologe.
Mythologe [mʏtoló:gə] *m.* -n, -n 신화학자, 전설학자.
***Mythologie** [mytologí:] *f.* -n [..gí:ən] ①〔총칭〕 신화: die griechische ~ 그리스 신화; die antike ~ 고대 신화. ② 신화학; 신화 연구.
mythologisch *a.* 신화적인.
mythologisieren [..zí:rən] *t.* 신화화하다.
Mythologisierung *f.* -en 신화화.
***Mythos** [mý:tɔs] 《gr.》 *m.* -, ..then 〔교양〕 ① 신화, 설화, 전설: einem alten heidnischen ~ zufolge 오래된 이교도 신화에 따르면. ② 전설적 사건〔인물〕: der Schauspieler wurde schon zu Lebzeiten zum ~ 그 배우는 생전에 이미 전설적인 인물이 되었다.
Myxödem [mʏksødé:m] 《lat.》 *n.* -s, -e 〖醫〗 (갑상선 기능 장애에 따른) 점액 수종(水腫).
Myxomatose [mʏksomató:zə] *f.* -n 〖수의〗 (토끼 따위에 나타나는) 점액 종증(腫症).
Myxomyzet [mʏksomytsé:t] *m.* -en, -en 〖植〗 점균(粘菌).
Myzel [mytsé:l] 《gr.》 *n.* -s, -ien [..liən] ↑ Myzelium.
Myzelium 《gr. -lat.》 *n.* -s, ..lien [..liən] 〖植〗 균사체(菌絲體).
Myzet [mytsé:t] *m.* -en, -en 〖生〗 버섯.
Myzetismus [mytsetísmʊs] *m.* -, ..men 〖醫〗 버섯 중독.
Myzetologie [..tologí:] 《gr.》 *f.* 〔고어〕 세균학(Mykologie).

N

N, n [ɛn] *n.* -, - 독일어 자모의 열네째 자.
N ① =Nord(en) 북쪽;〖天〗 북풍. ② =Nitrogen(ium)〖化〗 질소. ③ =nachmittags〖철도〗 (시각표에서) 오후. ④ 로마 숫자의 900. ⑤ =Newton〖物〗 뉴턴(힘의 단위). ⑥ = Neper〖전기〗 네퍼(감쇠의 비율 단위). ⑦〖數〗 자연수 집합. ⑧ =Nahschnellverkehrszug 근거리 급행 열차.
N. ①〖문법〗 =Nomen 명사. ② =Numerus 수(數). ③ =Neutrum 중성(명사). ④ =Nominativus 제 1 격.
n ① ↑ 'n. ② =normal 정상의;〖化〗 규정의, 표준의. ③ =Nano... 10 억분의 1…. ④ = Neutron 중성자. ⑤〖數〗 유한수를 가리키는 기호. ⑥ =netto 실중량, 실금액.
'n [n] ① =ein, einen: so'n dummer Kerl 저런 어리석은 놈. ② =ihn, ihm: ich hab'n gern 나는 그가 좋다; ich habs'n gesagt 나는 그것을 그에게 말했다. ③ =hin(보기: 'nab= hinab). ④ (rhein.)〔곤혹스러운 감정의 표현〕 'ndoch 에, 그렇지만 말이야.
Na [ɛn|á:]〖化〗 =Natrium 나트륨.
na [na] *int.*〔구어〕① **(a)**〔재촉·권유〕 자, 어디: ~, mach! 자, 빨리 해! **(b)**〔초조〕 야, 여봐: ~, wird's bald? 야, 곧 되니? ②〔위로〕 자자: ~, nur nicht hitzig! 자자, 그렇게 흥분하지 마라! ③ **(a)**〔위협〕 야, 이봐: ~, warte nur! 야, 기다려! **(b)**〔거부〕 에이, 뭐라고: ~, laß mich in Ruhe! 에이, 나 좀 가만히 놔둬! ④ **(a)**〔경탄·의아〕 호오, 거참, 어라, 어머나: ~ nu! 어쩌구 어째, 호 괜찮구먼, 어럽쇼!; ~, so was 허참, 기가 막혀. **(b)**〔의혹·불신〕 뭐라구, 설마; ~, wer das glaubt! 설마, 누가 그런 것을 곧이듣겠나! ⑤〔단념〕 자, 그러면: ~, dann laß es bleiben! 자, 이만 해두자! ⑥〔안심〕 하아, 휴우: ~, da wären wir ja glücklich angelangt 아아, 무사히 도착했다. ⑦〔예상이 적중했을 때〕 거봐, 어때: ~, siehst du! 그것 봐라! ⑧〔주저한 연후의 결심·승낙〕 그럼 좋아: ~, ja 글쎄, 그럼 좋다; ~, da hast du's 그러면 할 수 없지, 너 가져라. ⑨〔남에게 주는 인상을 상상해서〕 ~, das wird eine Freude sein 이봐, 그러면 참 좋겠지. ⑩〔중간에서 이야기를 중단할 때〕 ~, es wird sich ja zeigen 두고 봐, 차차 알게 될 테니. ⑪〔말을 건넬 때 주의를 끌기 위해〕 야, 저. ⑫〔말 사이를 채워서〕 에에, 그런데. ⑬〔찬성의 뜻을 강조하여〕 ~ (und) ob! 확실히 그래, 물론이지! ⑭〔친근하게 말을 건넬 때〕 ~, Kleiner, was möchtest du denn? 얘, 아가, 뭘 갖고 싶니? ⑮〔상대의 비난하는 듯한 말에 반발할 때〕 du bist homosexuell? — ~ und? 너 동성 연애자지? — 그래서 (어쨌다는 거야)?
Nabe [ná:bə] *f.* -n〖기계〗 바퀴통(바퀴 중앙에 축을 끼우는 부분);〖海〗 (추진기의) 중심부;〖空〗 프로펠러통.

***Nabel** [ná:bəl] (⊕ Nabe) *m.* -s, - ① 배꼽:〔비유〕 der ~ der Welt 세계의 중심. ②〖植〗 배꼽(과실의 꽃받침이 붙었던 자리); 배(胚). ③〖紋〗 방패의 중심점. ④〖건축〗 홍석(虹石).
Nabel≈binde *f.*〖醫〗 (신생아의) 배꼽 싸개. **~bruch** *m.*〖醫〗 배꼽 헤르니아〔탈장〕.
Näbelchen [nɛ́:bəlçən] *n.* -s, -〔↑ Nabel 의 축소형〕 작은 배꼽.
nabel≈förmig *a.* 배꼽 모양의. **~gegend** *f.* 배꼽노리, 배꼽 주위. **~grube** *f.* 배꼽의 홈. **~kraut** *n.*〖植〗 꿩비름과(科)의 풀.
nabeln 《I》 *t.* ein Kind ~ 갓난아이의 탯줄을 잡아매다. 《II》 **genabelt** *p.a.* ↑ genabelt.
Nabel≈schau *f.* ① 자기 도취; 자기 반성: ~ halten 자기 도취에 빠지다, 반성을 하다. ②〔구어·농담〕 과다 노출. **~schnur** *f.* 탯줄: ~ durchtrennen 탯줄을 잘라내다. **~schwein** *n.*〖動〗 사향멧돼지속(屬). **~strang** *m.*〖醫〗 탯줄;〖生〗 알끈, 주병(珠柄).
Naben≈bohrer *m.* (수레바퀴 제조공의) 큰 송곳. **~büchse** *f.*〖工〗 바퀴통 상자. **~holz** *n.* 바퀴통용 목재. **~ring** *m.* 바퀴통의 테두리.
Naber, Näber *m.* -s, - (obd.) 천공기, 송곳.
Nabob [ná:bɔp] 《ar.》 *m.* -s, -s ① (인도 북부 회교주의) 총독, 태수; 인도에 가서 부자가 된 사람. ②〔비유〕 대부호, 큰 부자.
***nach** [na:x, (약하게) nax] 《I》 *prp.*[3] ①〔방향〕 …의 쪽으로, …을 향해서: **(a)** ~ links〔oben, Süden〕 왼쪽〔위쪽, 남쪽〕으로; ~ dem Kind blicken 아이 있는 쪽을 바라보다; das Haus liegt ~ Norden 그 집은 북향이다. **(b)**〔대개 zu 또는 hin 과 함께〕 ~ dem Abend zu 서쪽으로; das Fenster geht ~ der Straße hin 창문이 거리에 면하고 있다. **(c)**〔목적지; 대개 고유 지명과 함께〕 ~ Paris fliegen 파리로 날아가다; ~ Korea bestimmte Post 한국행 우편(물); ~ Hause gehen 귀가하다. ②〔의지·욕망·노력의 대상〕 ~ et. streben 무엇을 얻고자 노력하다; mit der Hand ~ dem Apfel reichen 사과를 잡으려고 손을 뻗다; ~ dem Arzt schicken 의사를 부르러 보내다; ~ Brot schreien 빵을 달라고 외치다; ~ Hilfe rufen 도와달라고 외치다; die Jagd ~ dem Glück 행복의 추구; sich ~ der Liebe sehnen 애인을〔사랑을〕 그리워하다; ~ der Scheibe schießen 과녁을 (겨누어) 쏘다; ~ der Ursache fragen 원인을 묻다; die Suche ~ dem Vermißten 실종자 수색; ~ mir fragt niemand 아무도 나를 염려해 주지 않는다; der Hund schnappte ~ mir 개가 나를 물려고 달려들었다. ③〔순서·직위〕 …의 다음〔뒤〕에, …에 뒤이어: ~einander 잇달아; einer ~ dem anderen 한 사람씩, 차례차례; er kam ~ mir 그는 내 다음에 왔다; bitte ~ Ihnen! 먼저〔앞서〕 가십시오!; Sie sind

nach mir an der Reihe 당신은 제 다음 차례입니다; er ist ~ dem Kaiser der erste Mann 그는 황제의 다음 가는 사람이다. ④〖시간〗…의 후에: ~ Ablauf der Frist 기한 만료 후; ~ Christi Geburt 서력 기원 후(약어: n. Chr. G.); ~ dem Essen 〔~ Tisch〕 식후에; ~ der Arbeit〔Arbeitszeit〕 일이〔근무가〕 끝나고서; ~ einigen Jahren 몇 년 후; ~ der Kirche 예배 후에; zwei Minuten ~ eins 1시 2분; 〖商〗 ~ Sicht 일람 후에; drei Jahre ~ seinem Tod 그가 죽은 지 3년이 되어; ~ 4 Uhr 4시 이후에; gleich ~ seiner Rückkehr 그가 돌아온 직후에. ⑤〖모범·기준·방법; 이 경우 nach 는 명사 앞에나 뒤에 놓일 수 있음〗 (**a**) …와 같은, …을 닮아: hier riecht es ~ Rosen 이곳에서는 장미꽃 향기가 난다; es schmeckt ~ Wein 포도주 맛이 난다. (**b**) (gemäß) …에 따라, …에 따르면, …에 의거하여: ~ dem Alphabet 알파벳순으로; allem Anschein 〔allen Anzeichen〕 ~ 추측컨대, 외관상(으로 보면); meiner Ansicht〔Meinung〕 ~ 내 의견으로는; ~ einem Befehl handeln 명령에 따라서 행하다; ~ Belieben 뜻〔마음〕대로; ~ der Diät leben 식이 요법을 하다; ~ Diktat schreiben 받아쓰다; ein Lustspiel ~ dem Französischen 프랑스식 희극; ~ deutschem Geld 독일 돈으로는; dem Gerücht ~ 소문에 따르면; ~ dem Gesetz 법률에 따라; ~ Kräften 힘 닿는 한; ~ Noten spielen 악보를 보면서 연주하다; ~ bestimmten Regeln 정해진 규칙에 따라; ~ der Reihe 〔der Reihe ~〕 순서대로, 순번에 따라; ~ dem Takt tanzen 박자에 맞추어 춤추다; je ~ Umständen 형편〔사정〕에 따라서(는); ~ seiner Weise 그의 방식대로; der Wirklichkeit ~ 실은, 실제는; alles ging ~ Wunsch 만사가 뜻대로 되어갔다. (**c**) …에 관해서는, …의 범위 내에서: ~ bestem Wissen 아는 한도 내에서는; jn. nur dem Namen ~ kennen 누구를 이름만 알고 있다. (**d**) 〖도량·단위〗 …의 단위로: Stoff ~ Metern abmessen 옷감을 미터 단위로 마르다; ~ dem Gewicht kaufen 무게로 사다; ~ der Stunde bezahlen 시간당 얼마로 지급하다. ⑥ (öst.) 〖2격의 대용으로〗 Martha M., Witwe nach dem Beamten M. 공무원 M 씨의 미망인 마르타 M 부인. 《Ⅱ》 *adv.* ① 뒤에서, 뒤따라: mir ~! 나를 따라와!; er kam ~ 그는 뒤따라왔다. ② ~ und ~ 차츰차츰, 차차, 점차로, 서서히, 조금씩; ~ wie vor, 여전히, 여느 때와 같이; im Jahre 2000, vor oder ~ 2000년 전후에. ③ 〖danach, wonach 와 같은 부사의 분리형으로〗 da habe ich schon lange ~ gesucht 나는 이미 오랫동안 그것을 찾아왔다.

nach.. *pref.* 분리 전철로서 "후속·반복·갈망·추구·모방·준거·열등" 따위의 뜻(자동사의 경우는 대개 3격을 지배함).

nach|achten *i.* (h.) 〖고어〗 지키다, 따르다, 준수하다.

Nachachtung *f.* 〖고어〗 준수; 고려, 참고: zu Ihrer ~ 참고로 하시기를.

nach|äffen [ná:x|ɛfən] *t./i.* (h.) 〖펌어〗 우스꽝스럽게〔과장되게, 놀리며〕 흉내내다, 맹목적으로 모방하다.

Nachäffer [..|ɛfər] *m.* -s, - 〖펌어〗 흉내쟁이, 흉내꾼, 모방자.

Nachäfferei [na:x|ɛfəráɪ] *f.* -en 과장되고 조롱기 섞인 흉내, 맹목적인 모방.

Nachäffung *f.* -en ↑ Nachäfferei.

nachahmbar *a.* 모방할〔흉내낼〕 수 있는.

***nach|ahmen** [ná:x|a:mən] 《Ⅰ》 *t.* ① 흉내내다, 모방하다: er kann fast jeden Schlagersänger ~ 그는 거의 모든 유행가 가수를 흉내낼 수 있다; et. täuschend ähnlich ~ 무엇을 거의 똑같이 모방하다. ② 본받다, 모범으로 삼다: er versucht, seinen Vater nachzuahmen 그는 자기 아버지를 본받고자 한다. ③ 모조〔복제〕하다. 《Ⅱ》 **nachgeahmt** *p.a.* ↑ nachgeahmt.

nachahmend *p.a.* 흉내내는, 모방적인.

nachahmens·wert *a.* 모방할 가치가 있는, 모범으로 삼을 만한.

Nachahmer [..|a:mər] *m.* -s, - 모방자, 모조자.

Nachahmerei *f.* -en 흉내내기, 맹목적인 모방.

***Nachahmung** *f.* -en ① 흉내, 모방, 모사. ② 모조품, 복제물: die Perle ist nicht echt, sondern nur eine gute ~ 이 진주는 진짜가 아니라 잘 만든 모조품에 불과하다.

Nachahmungs≈gabe *f.* 모방의 재능. **~sucht** *f.* 모방벽(癖)〔광(狂)〕. **~talent** *n.* ↑ ~gabe. **~trieb** *m.* 〖심리〗 모방 본능. **≈wert, ≈würdig** *a.* ↑ nachahmenswert.

Nacharbeit *f.* -en ① 잔무, 남아서 하는 일〔공부〕. ② 손질, 다듬기, 보정(補正), 개수(改修). ③ 모조(품), 복제물.

nach|arbeiten 《Ⅰ》 *i.* (h.) ① 뒤진 일을 만회하다, 빼먹은 작업〔공부〕 시간을 보충하다: der Schüler mußte ~ 그 학생은 남아서 공부하지 않으면 안 되었다. ② 모범으로 삼다, 본받다: dem Meister ~ 기능장을 본받아 일하다; einem Muster ~ 모형대로 세공하다. 《Ⅱ》 *t.* ① 손질하다, 다듬다: einen maschinell hergestellten Gegenstand mit der Hand ~ 기계로 만든 물건을 다시 손으로 다듬다. ② 모조〔복제〕하다, 본뜨다.

nach|arten *i.* (s.) jm. ~ 누구를 닮다.

***Nachbar** [náxba:r] *m.* -n/(드물게) -s, -n ① 이웃, 이웃 사람, 옆방〔옆자리〕 사람; 〖대개 복수〗 이웃 나라, 인접 국가: ~s Garten 이웃집 정원; unsere östlichen ~n 우리의 동쪽 인접 국가들; 〖구어·펌어〗 scharf〔spitz〕 wie ~s Lumpi sein 호색한이다, 섹스를 밝히다. ② 〖알지 못하는 옆 사람에 대한 호칭〗〖고어〗 Herr ~! 여보시오!

Nachbar≈dienst *m.* 이웃간의 상호 부조, 품앗이. **~disziplin** *f.* 인접 학문〔학과〕. **~dorf** *n.* 이웃 마을. **~garten** *m.* 이웃집 정원. **~haus** *n.* 이웃집.

Nachbarin *f.* -nen ↑ Nachbar 의 여성형.

Nachbar≈kinder *pl.* 이웃집〔옆 동네〕 아이들. **~land** *n.* 이웃 나라, 인접 국가.

nachbarlich [náxba:rlɪç] *a.* ① 이웃의, 이웃에 속하는: der ~e Garten 이웃집 뜰. ② 이웃간의: ~er Verkehr 이웃끼리의 왕래; ~ verkehren 가깝게 지내다.

Nachbar≈organ *n.* 〖醫〗 (인체의) 인접 기관. **~ort** *m.* 인접지(역), 이웃 마을, 인근 부락. **~recht** *n.* 〖法〗 상린권(相隣權).

Nachbarschaft [náxba:rʃaft] *f.* ① 이웃 관계, 이웃간의 정: mit jm. gute ~ halten 누구와 선린 관계를 유지하다. ② 이웃, 부근, 근처:

N

sie leben in der ~ 그들은 근처에 살고 있다. ③〘총칭〙 이웃 사람들: die ganze ~ spricht davon 그것은 온 동네의 화젯거리다.
nachbarschaftlich *a.* ↑ nachbarlich ②.
Nachbarschafts=heim *n.* 마을 회관, 동민〔구민〕 회관. **~hilfe** *f.* (지역 주민들 간의) 상호 부조, 이웃돕기, 노약자〔극빈자〕 구호.
Nachbars=familie *f.* 이웃〔옆집〕 가족. **~frau** *f.* 이웃집 여자. **~kind** *n.* 이웃집 아이. **~leute** *pl.* 이웃 사람들. **~mann** *m.* 이웃집 남자.
Nachbar=staat *m.* 이웃 나라, 인접 국가. **~stadt** *f.* 이웃 도시. **~tisch** *m.* 옆 테이블. **~volk** *n.* 이웃 나라 국민. **~wissenschaft** *f.* 인접 학문.
Nachbau [ná:xbau] *m.* -(e)s, -e/-ten 증축(가옥).
nach|bauen [ná:xbauən] *t.* ① 모조하다, 모형에 따라 만들다. ② 넓혀 짓다, 증축하다; 나중에 추가로 짓다.
nach|beben *i.* (h.) (소리가) 뒤이어 울리다; (지진이) 뒤이어 일어나다.
Nachbeben *n.* -s, - 〘지질〙 여진(餘震).
nach|bedenken* *t.* 사후(事後)에 숙고하다.
nach|behalten* *t.* (학생을) 방과 후에 붙잡아 두다, 남아 있게 하다.
nach|behandeln *t.* ① 사후 처치하다, 추가 손질하다. ② (본격적인 치료 후) 계속 더 치료하다: den Kranken zu Hause ~ 환자를 집에서 후속 치료하다.
Nachbehandlung *f.* -en 후속 처치〔치료〕.
nach|bekommen *t.* ① 추가로 더 받다〔얻다〕: kann ich noch Pudding ~? 푸딩을 (추가로) 더 주실 수 있습니까? ② 나중에 추가로 구입하다.
nach|bellen *i.* (h.) jm. ~ 누구 뒤에서 짖다〔소리치다〕, 짖으며〔소리치며〕 누구를 뒤쫓다.
nach|berechnen *t.* 추가로 계산에 넣다, 추가로 청구하다.
Nachberechnung *f.* -en 추가 계산〔청구〕.
nach|bereiten *t.* ① (음식 따위를) 추가로 마련하다. ② (학습 내용을) 복습하다, 추후에 평가〔활용〕하다.
Nachbereitung *f.* -en ① 추가 마련. ② 복습, 추후 평가〔활용〕.
nach|bessern [ná:xbɛsərn] *t.* ① 완성〔제작〕 후에 고치다, 수리〔수선·수정〕하다. ②〘法〙 (인도·배달 후 발생한 하자를) 보수하다.
Nachbesserung *f.* -en 수선, 개량.
nach|bestellen *t.* 추가로〔추후에〕 주문하다.
Nach·bestellung *f.* -en 추가 주문.
nach|beten *t./i.* (h.) ① jm. (et.) ~ 누구를 따라 (무엇을) 기도하다, 누구를 따라 (무엇(기도문))을 외다. ②〘구어·폄어〙 (남의 말·견해를) 기계적으로 반복하다, 비판 없이 받아들이다: die Schüler sollen nicht nur ~, was der Lehrer vorgetragen hat 학생들은 선생님이 가르친 내용을 그대로 따라하기만 해서는 안 된다.
Nachbeter *m.* -s, - 〘구어·폄어〙 남의 말을 비판 없이 받아들이는 사람; 귀가 엷은 사람, 부화뇌동자.
Nachbeterei, Nachbetung *f.* -en 맹목적 수용, 기계적 반복, 부화뇌동.
nach|bewilligen *t.* 추후에 승인하다.
Nachbewilligung *f.* -en 추후 승인.
nach|bezahlen *t.* 추가로〔추후에〕 지급하다.
Nachbezahlung *f.* -en 추가〔추후〕 지급, 후불.
nachbezeichnet *a.* 〘商〙 후기(後記)한, 아래에 명시된: ~e Waren 다음에 명시한 상품.
Nachbier [ná:xbi:r] *n.* -(e)s (찌꺼기로 만든) 알코올 성분이 적은 맥주.
nach|bieten* *t.* ① 나중에 값을 매기다. ② (전에 매긴 값보다) 더 비싼 값을 매기다: eine Mark ~ 1마르크 더 비싸게 매기다.
Nachbild [ná:xbɪlt] *n.* -(e)s, -er ①〘고어〙 (예술품의) 위조, 모조. ②〘物〙 잔상(殘像).
nach|bilden *t.* 모조〔복제〕하다.
Nachbildner *m.* -s, - 모조〔복제·위조〕자.
Nachbildung *f.* -en ① 모조, 모사, 복제. ② 모조품, 복제물.
nach|blättern *t./i.* (h.) (어구·낱말 따위를) 찾으려고 책을 뒤적이다.
nach|bleiben* *i.* (s.) 〘방언〙 ① 뒤에 남다, 잔류하다; 뒤쳐지다, 열등하다: im Unterricht ~ 수업을 따라가지 못하다. ② (흔적 따위가) 남다, 잔존하다: eine kleine Narbe wird ~ 작은 흉터가 남을 것이다. ③ 방과 후 학교에 남다: ~ lassen 학교에 붙잡아두다, 남아서 공부하게 하다. ④ 살아남다, 보다 오래 살다: nachgebliebenes Vermögen 유산. ⑤ 되지 않은 상태로 있다: es ist nachgeblieben 그것은 그대로 였다. ⑥ (시계가) 늦게 가다.
Nachbleiber *m.* -s, - 뒤쳐진〔열등한〕 사람; 남으라고 지시받은 학생.
Nachbleibsel [..psəl] *n.* -s, - 남은 물건, 유류품; 유품; 뒤에 남은 인상.
nach|blicken *i.* (h.) ① jm. ~ 누구를 눈으로 배웅하다(nachsehen ①). ② 확인〔검사〕해보다(nachschauen ②).
nach|blühen *i.* (h.) 뒤늦게〔다시〕 꽃이 피다.
Nachblüte [ná:xbly:tə] *f.* -n ① 뒤늦은〔또 한 번의〕 개화; 〘農〙 늦게 나는 싹. ② (전성기 이후의) 또 한번의 번영기.
nach|bluten [ná:xblu:tən] *i.* (h.) 피가 다시 나다.
Nachblutung *f.* -en 〘醫〙 후〔재〕출혈.
nach|bohren [ná:xbo:rən] 《I》 *t.* (구멍을) 다시 뚫다, 더 잘 뚫다. 《II》 *i.* 〘비유·구어〙 꼬치꼬치 캐묻다.
Nachbörse [ná:xbø:rzə, ..bœr..] *f.* -n 〘經〙 (주식의) 장외 거래, 마감 시간 후의 거래: auf der ~ 거래소 마감 시간 후의 거래에서.
nachbörslich [ná:xbø:rslɪç, ..bœrslɪç] *a.* 장외 거래의, 마감 시간 이후 거래의.
nach|bringen* *t.* 나중에〔뒤쫓아〕 갖다 주다: jm. den vergessenen Schirm ~ 누구에게 잊고 간 우산을 갖다 주다.
nach|brummen *i.* (h.) 〘학생〙 방과 후 학교에 남다.
nach|buchstabieren *t.* 철자를 따라 말하다.
nach Christi Geburt (약어: n. Chr. G.) ↑ nachchristlich.
nachchristlich *a.* 그리스도 탄생 이후의, 기원 후의.
nach Christo, nach Christus (약어: n. Chr.) ↑ nachchristlich.
nach|datieren *t.* ① (↔ vordatieren) 실제 작성일보다 앞선 날짜로 적다; 〘商〙 (수표 따위를) 선일부(先日附)로 하다. ②〘드물게〙 추후에 제 날짜를 적어 넣다.
Nachdatierung *f.* -en 실제보다 앞선 날짜

기입.

*nach·dem [..dé:m] 《I》 adv. ① 후에, 그 후. ② je ~ 사정〔형편〕에 따라서. 《II》 cj. ① je ~ …에 따라서, 비례해서: je ~ es kommt 되어 가는 형편에 따라. ②〔시간〕…한 후에: ~ er angekommen war, begann es zu regnen 그가 도착한 후에 비가 오기 시작했다. ③ (obd.) …때문에: ~ das einmal so ist 그것은 사실 그러하니까.

Nachdenken [ná:xdɛŋkən] n. -s 숙고, 사색, 반성: in tiefes ~ versinken 깊은 생각에 잠기다; nach reiflichem ~ 충분히 생각해 본 뒤에; bei weiterem ~ 다시 생각해 보니까.

nach|denken i. (h.) ① 깊이〔곰곰이〕 생각하다: über et. ~ (〔구식·雅語〕 et.[3] ~) 무엇에 대해 숙고하다; ich dachte lange über dich nach 나는 너에 대해 오랫동안 곰곰이 생각했다; 〔구어〕 (über et.) laut ~ (무엇에 대해) 자신의 생각을 널리 알리다. ②〔구식·雅語〕 jm. ~ 누구의 사상을 추적하다, 이어받다.

nachdenkend p.a. 숙고〔반성〕하는.

nachdenklich [ná:xdɛŋklıç] a. ① 생각에 깊이 잠긴, 숙고하는: er sah ~ aus dem Fenster 그는 깊은 생각에 잠겨 창 밖을 바라보았다. ② 사려깊은, 사색적인, 신중한: ein ~es Kind 생각이 많은〔깊은〕 아이. ③ 생각하게 하는, 염려스러운: sein Verhalten stimmte 〔machte〕 mich ~ 그의행동은 나를 걱정스럽게 했다. ④〔구식·雅語〕 숙고할 가치가 있는, 심사숙고할 만한: ~e Worte 숙고할 필요가 있는 말.

Nachdenklichkeit f. 심사숙고; 신중; 우려.

nach·der·hand adv. 그 후, 나중에.

nach|dichten[1] 《< dicht》 《I》 t. (통 따위를) 새지 않도록 꼭 막다, 밀폐시키다. 《II》 i. (h.) 물이 새지 않게 되다; 긴밀해지다.

nach|dichten[2] t. 번안〔개작〕하다.

Nachdichtung f. -en 번안, 개작.

nach|dieseln [ná:xdi:zəln] i. (h.) 〔工〕 (스위치를 끈 후에도 엔진이) 잠시 계속 회전하다.

nach|donnern 《I》 i. (h.) ① jm. ~ 누구를 쫓아〔따라〕 화를 내다. ② imp. es donnert noch nach 천둥 소리가 계속 난다. 《II》 t. jm. Flüche ~ 누구에게 뒤에서 욕을 퍼붓다.

Nachdoppel n. -s, - (schweiz.) 재사격.

nach|doppeln i. (h./s.) (schweiz.) (사격 대회에서) 재사격하다.

nach|drängen 《I》 t. 뒤에서 밀다, 밀어 붙이다. 《II》 i. (h.) (계속) 밀어닥치다, 밀려들다.

nach|drehen t. ① 다시 한번 돌려서 조절하다. ②〔영화〕 재촬영하다.

nach|dringen* i. (s.) ① jm. ~ 누구의 뒤를 쫓다〔추격하다〕. ② 자꾸 들러붙다.

nach|drohen i. (h.) 뒤에서 위협하다.

nach|dröhnen i. (h.) 나중에 울려 퍼지다.

*Nachdruck[1] [ná:xdrʊk] m. -(e)s ① 다시 누름; (포도의) 두 번째 짠 즙. ② (a) 강조, 역점: auf et. besonderen ~ legen 무엇을 특히 강조하다; et. mit ~ sagen 무엇을 힘주어〔강조해서〕 말하다. (b) 단호, 확고, 강력: et. mit ~ betreiben 무엇을 강력히 추진하다; wir wenden sich mit ~ dagegen 우리는 그것에 단호히 반대한다.

*Nachdruck[2] m. -(e)s, -e 〔印〕 ① 재판, 중판; 복제, 복사: ~ verboten 복제 금지. ② 불법 복제(물).

nach|drucken t. 재인쇄하다, 복제하다, 다시 찍다; 불법 복제하다.

nach|drücken t./i. (h.) 뒤에서 밀다, 계속해서 밀다, 재차 압착하다.

Nachdrucker m. -s, - (불법) 복제자.

Nachdruckerei f. -en 불법 복제.

Nachdruck·erlaubnis f. 복제 허가.

nachdrücklich [..drʏklıç] a. 강조하는, 힘을 준; 단호한, 확고한, 강력한, 엄중한: ~ auf et. hinweisen 무엇을 강조해서 지적하다; et. ~ hervorheben 무엇을 강조하다, 뚜렷하게 부각시키다; jn. ~ auffordern, et. zu tun 누구에게 무엇을 하도록 강력히 촉구하다.

Nachdrücklichkeit f. 강력, 단호, 확고.

Nachdruck·verbot n. 복제 금지. ~verfahren n. 〔印〕 (사진 촬영 기법에 의한 지형이 없는 인쇄물의) 복제〔재인쇄〕 방법.

nachdrucks·voll a. ↑ nachdrücklich.

nach|dunkeln i. (h./s.) 차차 어두워지다; (빛깔이 연기·먼지 따위로) 검게 되다, 칙칙해지다.

Nachdurst m. -es 과음 뒤의 갈증.

Nacheifer [ná:x|aıfər] m. -s ↑ Nacheiferung.

Nacheiferer m. -s, - 남을 본받으려고 열심히 노력하는 사람.

nach|eifern [ná:x|aıfərn] i. (h.) jm. ~ 누구를 본받으려고 노력하다, 누구에게 뒤지지 않으려고 애쓰다.

nacheiferns·wert a. 본받을〔경쟁할〕 만한.

Nacheiferung [ná:x|aıfərʊŋ] f. -en 본받으려는〔뒤지지 않으려는〕 노력: zur ~ reizen 경쟁심을 불러일으키다.

Nacheile [ná:x|aılə] f. 〔法〕 경찰의 추적.

nach|eilen [ná:x|aılən] i. (s.) jm. 〔et.[3]〕 ~ 급히 누구〔무엇〕의 뒤를 쫓다, 〔비유〕 누구를 뒤따라 죽다.

*nach·einander [na:x|aınándər] adv. 차례차례, 잇달아, 연속해서: fünf Tage ~ 5일간 계속하여; bitte ~ eintreten 순서대로 들어가시오.

nach·eiszeitlich a. 빙하기 이후의.

Nach·empfängnis f. 〔醫〕 과(過)임신, 중복수정(受精).

nach|empfinden* i. (h.)/t. ① 뒤에 느끼다, 느낌이 남다. ② 그대로 느끼다, 동감하다: js. Schmerz ~ 누구의 고통을 똑같이 느끼다. ③ 모방해 만들다: eine dem Sturm und Drang nachempfundene Dichtung 슈투름 운트 드랑 풍(風)을 모방한 문학 작품.

Nach·empfindung f. -en 〔心〕 ↑ nachempfinden 의 명사형.

Nachen [náxən] 《germ.》 m. -s, - 〔시어·방언〕 작은 배, 편주(扁舟); 거룻배, 나룻배.

Nachen·führer m. 뱃사공.

nachend adv. (niederrhein.) ↑ nachher.

nach|entrichten t. 납기 후에 지급하다, 후불하다.

Nachentrichtung f. 납기 후 지급, 후불.

nacher 〔↑ nachher 의 단축형〕 (obd.) 《I》 prp. ↑ nach. 《II》 adv. ↑ nachher.

Nacherbe [ná:x|ɛrbə] m. -n, -n 〔法〕 (↔ Vorerbe) 부상속인, 차〔후〕순위 상속인.

nach|erben t./i. (h.) 〔法〕 차〔후〕순위 상속인으로서 상속하다.

Nacherbschaft f. -en 〔法〕 차순위〔후순위〕

상속 재산.

nach|erleben *t.* ① 추억으로 떠올리다, 회상하다: der Film läßt uns die Urlaubsreise ~ 그 영화는 우리에게 휴가 여행을 떠올리게 만든다. ② (읽거나 들은 것을) 나중에 따라 체험하다, 추체험하다: der Roman weckte den Wunsch, alles nachzuerleben 그 소설은 모든 것을 나중에 스스로 체험해보고 싶은 마음을 불러일으켰다.

Nach·ernte [ná:x|ɛrntə] *f.* -n 〖農〗 2차 수확, 재수확; (건초의) 두 번째 베기; 이삭줍기 (Ährenlese).

nach|erzählen *t.* ① (읽거나 들은 것을) 자기 말로 다시 이야기하다. ② 흉보다, 험담하다.

Nacherzählung *f.* -en (특히 작문 연습에서 읽은) 이야기의 재현〔재구성〕.

nach|essen* 《Ⅰ》 *t.* 나중에 먹다, 입가심으로 먹다. 《Ⅱ》 *i.* (h.) 〖구어〗 남보다 늦게 식사하다.

Nachessen *n.* -s, - 후식 (Nachtisch).

nach|exerzieren *i.* (h.) ① 〖軍〗 (벌로) 추가 훈련을 하다. ② (벌로) 과외의 일을 하다; 〖농담〗 남보다 늦게 식사하다.

nach·exilisch [ná:x|ɛksi:lɪʃ] *a.* (유대인의) 바빌론 유수(幽囚) 이후의.

Nachf. = Nachfolger(in) 후계자.

Nachfahr [ná:xfa:*r*] *m.* -s/-en, -en ↑ Nachfahre.

Nachfahre [..fa:rə] *m.* -n, -n 〖드물게〗 (↔ Vorfahre) 자손, 후예.

nach|fahren* 《Ⅰ》 *i.* (s.) ① 차로 뒤쫓아가다; 나중에 뒤따라가다. ② 〖광산〗 감독〔감시〕하다. 《Ⅱ》 *t.* ① 나중에 실어다 주다. ② (흐리게 씌어진 글자 위에) 덧쓰다, 따라 쓰다.

Nachfahren·tafel *f.* 계보, 족보.

Nachfahrer *m.* -s, - ① ↑ Nachfahre. ② 〖광산〗 감독자, 감시자.

Nachfährte [ná:xfɛ:*r*tə] *f.* -n 〖사냥〗 ① (짐승의) 뒷발자국. ② (짐승이 되돌아가면서 남긴) 발자국.

Nach·fall *m.* -s 〖광산〗 (갱내에 떨어지는) 광석〔석탄〕 조각.

nach|fallen *i.* (s.) ① 계속〔연이어〕 떨어지다. ② 〖사냥〗 (다른 새를 뒤따라) 내려앉다.

nach|färben *t.* 다시 물들이다, 한번 더 염색하다.

nach|fassen 《Ⅰ》 *i.* (h.) ① 다시〔고쳐〕 잡다. ② (더 물어보기 위해) 말을 가로막다. 《Ⅱ》 *t.* 〖軍〗 (식사 따위를) 한번 더 받다.

Nachfeier [ná:xfaɪə*r*] *f.* -n (본잔치 후의) 뒷잔치, 뒤풀이; 뒤늦은 파티〔잔치〕.

nach|feiern [ná:xfaɪə*r*n] *t.* 뒤늦은 잔치를 벌여 축하하다; 뒤풀이하다.

nach|feilen *t.* 〖工〗 다시 줄질을 하다; 〖비유〗 다듬다, 수정하다.

nach|feuern *i.* (h.) ① jm. ~ 누구 뒤에서 발포하다. ② 연료를〔장작을〕 더 지피다.

nach|finanzieren *t.* (재정을) 추가로 지원하다.

Nach·finanzierung *f.* -en (재정의) 추가 지원.

nach|fliegen* *i.* (s.) 뒤쫓아 날아가다: jm. ~ 누구를 뒤쫓아 비행기를 타고 가다; 〖비유·구어〗 du wirst (ihm) gleich ~ 너도 (그에 뒤이어) 곧 해고될거야〔짤릴거야〕.

nach|fließen* *i.* (s.) 나중에〔재차〕 흐르다: dem Toten fließen Tränen nach 고인을 생각하면서 눈물을 흘리다.

nach|fluchen *i.* (h.) jm. ~ 누구를 뒤에서 욕〔비난〕하다.

Nachfolge [ná:xfɔlgə] *f.* -n ① 승계, 계승, 후임: js. ~ antreten 누구의 후임자가 되다; etwas findet (keine) ~ 무엇이 승계〔단절〕되다. ② 추종자〔제자〕 무리: 〖宗〗 ~ Christi 그리스도의 제자들. ③ 순서, 계속.

nachfolge·berechtigt *a.* 계승권이 있는.

nach|folgen [ná:xfɔlgən] *i.* (s.) ① 뒤따라가다, 뒤쫓다: jm. auf den Fersen ~ 누구의 바로 뒤를 따라가다. ② 계승〔승계〕하다: jm. im Amt ~ 누구의 직위를 물려받다; 〖雅語〗 jm. im Tode ~ 누구를 뒤따라 죽다. ③ 〖雅語〗 따르다, 추종〔신봉〕하다: jm. als Muster ~ 누구를 본받다. ④ 나중에 뒤따라가다: ich folge (euch) in ein paar Tagen nach 나는 며칠 후 (너희들을) 뒤따라 가겠다.

nachfolgend *p.a.* 뒤따르는, 바로 다음의, 후속의: die ~en 수행원들; die ~e Infanterie 후속 보병대; die ~en Generationen 다음〔후속〕 세대; im ~en 아래〔다음〕에.

Nachfolge·organisation *f.* 후계 조직.

Nachfolger [ná:xfɔlgə*r*] *m.* -s, - 후계자, 계승자, 후임자; 추종자, 제자, 문하생: jn. zu seinem ~ bestimmen 누구를 그의 후임자로 정하다.

Nachfolge·recht *n.* 계승권.

Nachfolgerin *f.* -nen ↑ Nachfolger 의 여성형.

Nachfolgerschaft *f.* 계승; 〖총칭〗 계승자.

Nachfolge·staat *m.* 〖史〗 계승국(제1차 세계 대전 후 구(舊)오스트리아·헝가리 제국에서 독립한 나라; 체코슬로바키아·유고슬라비아·오스트리아·헝가리·폴란드·루마니아).

nach|fordern *t.* 나중에 요구하다, 추가로 청구하다.

Nachforderung *f.* -en 추가 청구.

nach|formen *t.* 본떠 만들다, 모조하다.

nach|forschen *i.* (h.) ① 조사하다, 탐색하다: wir werden ~, wo das Geld geblieben ist 우리는 그 돈이 어디에 있었는지 조사할 것이다. ② 〖雅語〗 규명하다, 파헤치다: einem Geheimnis ~ 비밀을 파헤치다.

Nachforscher *m.* -s, - 연구〔탐색·조사〕자.

Nachforschung *f.* -en 연구, 탐색, 조사.

***Nachfrage** [ná:xfra:gə] *f.* -n ① 문의, 조회: 〖격식〗 nach jm. [et.³] ~ halten 누구〔무엇〕에 대해서 문의하다; danke der (gütigen) ~! 염려해 주셔서 감사합니다! (반어적으로도 쓰임). ② 〖經〗 수요 (↔ Angebot): die ~ sinkt 〔nimmt ab〕 수요가 감소하다; die ~ steigt 〔nimmt zu〕 수요가 증가하다; die ~ befriedigen 수요를 충족시키다; es besteht wenig ~ nach〔in〕 dieser Ware 이 상품에 대한 수요는 거의 없다; es herrscht starke ~ nach Butter 버터의 수요가 대단히 많다.

nach|fragen 《Ⅰ》 *i.* (h.) ① 문의〔조회〕하다: bei jm. ~ 누구에게 문의하다; nach et³ ~ 무엇에 대해 문의하다; ich habe in mehreren Geschäften nach dem Ersatzteil nachgefragt 나는 몇몇 가게에서 부속품에 대해 문의했다. ② 재차 묻다, 거듭 질문하다. 《Ⅱ》 *t.* 〖대개 수동으로〗 (특정 상품을) 찾다: ältere Hammel werden kaum noch nachgefragt 늙은 숫양은 수요가 거의 없다. 《Ⅲ》 **nachgefragt** *p.a.* ↑

nachgefragt.

Nachfrist [ná:xfrɪst] *f.* -en 기간 연장, 유예 기간.

Nachfrost [ná:xfrɔst] *m.* -es, ..fröste 늦서리, 여한(餘寒).

Nachfrühling *m.* -s, -e 늦은 봄, 늦봄; 봄 이후의 봄날씨.

nach|fühlen *t./i.* (h.) ① 나중에 느끼다, 느낌이 남다. ② 똑같은 느낌을 갖다, 공감하다: jm. den Schmerz〔Verlust〕 ~ 누구의 고통〔손실〕을 함께 느끼다; das kann ich dir ~ 그것은 너와 동감이다.

nachfühlend *p.a.* 공감하는.

nach|führen *t.* 나중에 나르다.

nach|füllen *t.* (잔·통 따위를) 다시 채우다; (휘발유 따위를) 다시 채우다, 보충하다.

Nachfüllung *f.* -en 〘드물게〙 ① 다시 채움, 보충. ② 보충액.

nach|gaffen *i.* (h.) 〘폄어〙 jm. ~ 입을 헤벌리고〔눈만 멀뚱멀뚱하니〕 누구를 말없이 바라보면서 떠나보내다.

Nachgang [ná:xgaŋ] *m.* 〘다음 용법으로〙〘격식〙 im ~ 추가로, 추후에.

nach|gären(*) *i.* (h./s.) 다시 발효하다.

Nachgärung *f.* -en 재발효, 추가 숙성.

nachgeahmt 《I》 *p.p.* ↑ nachahmen. 《II》 *p.a.* 모방한, 흉내낸; 모조의, 복제된.

nach|gebären* 《I》 *t.* (아이를) 아버지 사후에 낳다. 《II》 **nachgeboren** *p.a.* ↑ nachgeboren.

nach|geben [ná:xge:bən] 《I》 *t.* 나중에〔추가로〕 주다: noch Geld ~ 돈을 추가 지급하다; sich Fleisch ~ lassen (식사할 때) 고기를 더 달라고 하다; die ausgefallene Stunde ~ 휴강을 보강하다. 《II》 *i.* (h.) ① 느슨해지다; 무너지다, 약해지다: der Boden unter seinen Füßen gab plötzlich nach 그의 발 아래 지면이 갑자기 내려 앉았다. ② 양보하다, 굴복〔승복〕하다, 지다: einer Laune ~ 기분 내키는 대로 하다; einer Verlockung ~ 유혹에 빠지다, 넘어가다; sie gab seinen Bitten nach 그녀는 그의 부탁을 들어주고 말았다. ③ 뒤지다, 미치지 못하다: jm. an et. nicht〔nichts〕 ~ 어떤 일에서 누구에게 뒤지지 않다, 필적하다; er gibt seinem Freund an Ausdauer nichts nach 그는 인내심에서 그의 친구에게 조금도 뒤지지 않는다. ④ (가격·환율 따위가) 떨어지다, 하락하다.

nachgebend *p.a.* 남의 뜻에 따르는, 양보하는, 유순한, 관대한.

nachgeboren 《I》 *p.p.* ↑ nachgebären. 《II》 *p.a.* ① 아버지 사후에 태어난; 이혼 후에 태어난: ein ~es Kind 유복자. ② 다른 형제들 보다 한참 뒤에 태어난, 늦동이로 태어난.

Nachgeborene* *der/die* ① 유복자; 늦동이. ② 〘복수로만〙 다음 세대, 후세대.

Nachgebot *n.* 더 비싼 값을 매김; 추가 입찰.

Nachgebühr [ná:xgəby:r] *f.* -en 〘우편〙 (Strafporto) (우표가 붙어있지 않거나 부족할 경우의) 추징 요금.

Nachgeburt [ná:xgəbu:rt] *f.* -en ① 후산(後産); (출산 후 태막(胎膜)과 함께 나온) 태반. ② 〘비속·폄어〙 인간 말종, 악한.

nachgefragt 《I》 *p.p.* ↑ nachfragen. 《II》 *p.a.* 〘商〙 수요가 있는.

Nachgefühl [ná:xgəfy:l] *n.* -(e)s, -e 〘雅語〙 뒷감정, 후속 감정; 뒷맛, 여운.

nach|gehen* *i.* (s.) ① (↔ vorgehen) (**a**) (시계가) 늦게 가다: die Uhr geht 5 Minuten nach 이 시계는 5분 늦게 간다. (**b**) 나중이다: das Geschäft geht vor, alles andere (geht) nach 업무가 우선이고, 그 외는 모두 나중 문제다. ② (**a**) 뒤따라가다, 뒤쫓다: jm. auf Schritt und Tritt ~ 가는 데마다 누구의 뒤를 따라다니다. (**b**) 몰두〔전념〕하다, 추구하다: seinen Geschäften ~ 그의 업무에 전념하다; dem Vergnügen ~ 향락을 추구하다. (**c**) 추적하다, 조사하다: einem Problem ~ 어떤 문제를 파고들다. ③ 머릿속에서 떠나지 않다, 마음 속에 남아 있다: seine Worte gehen mir noch nach 그의 말이 아직 내 머리에서 맴돌고 있다.

nachgehends [..ge:ənts] *adv.* 나중에, 뒤에.

nachgelassen 《I》 *p.p.* ↑ nachlassen. 《II》 *p.a.* 남겨진; 유고〔유작〕의: die ~en Werke des Dichters 작가의 유작; die ~en 유가족.

nachgemacht 《I》 *p.p.* ↑ nachmachen. 《II》 *p.a.* 모방한, 모조〔인조〕의, 위조〔가짜〕의: ~e Edelsteine 인조 보석; ~e Blumen 조화(造花); ~er Geldschein 위조 지폐.

Nachgenuß [ná:xgənus] *m.* ..nusses, ..nüsse 즐거운 추억, (좋은) 뒷맛.

nachgeordnet 《I》 *p.p.* ↑ nachordnen. 《II》 *p.a.* 낮은 등급〔직급〕의, 하위의: die ~en Behörden 하급 관청.

nachgerade [ná:xgəra:də, na:xgərá:də] *adv.* ① 점차로, 차츰차츰, 조금씩. ② 마침내, 결국, 드디어. ③ 말하자면, 정말로.

nach|geraten *i.* (s.) jm. ~ 누구를 닮다.

Nachgesang [ná:xgəzaŋ] *m.* -(e)s, ..sänge 그리스극의 마지막 코러스〔합창〕 부분.

Nachgeschmack [ná:xgəʃmak] *m.* -(e)s 뒷맛; 여운, 기억: bitterer ~ 씁쓸한 뒷맛, 쓰라린 추억; 〘비유〙 nun kommt der metallische ~ 자 이제 돈을 치를 차례다.

nachgewiesener·maßen [ná:xgəvi:zənər-má:sən] *adv.* 입증〔명시〕된 바와 같이.

nachgiebig [ná:xgi:bɪç] 《<nachgeben》 *a.* ① 잘 휘는〔구부러지는〕, 늘어지기〔허물어지기〕 쉬운. ② 남의 뜻에 잘 따르는, 쉽게 양보〔굴복〕하는, 유순〔관대〕한: seine Eltern sind zu ~ 그의 부모는 너무 관대하다. ③ 〘法〙 ~es Recht 임의법.

Nachgiebigkeit *f.* 잘 휘어지는〔구부러지는〕 성질; 양보(심), 관용.

nach|gießen* *t.* ① 더 따르다, 더 부어서 채우다. ② 모형대로 주조하다, 부어서 만들다.

Nachglanz *m.* -es, -e 저녁놀, 여광(餘光).

Nach≈glimm·licht *n.* ↑ ~glühen. **~glühen** *n.* (진공관 따위의) 잔광(殘光).

nach|graben* *i.* (h.) et.³ ~ 무엇을 파헤쳐 찾다, 발굴하다.

Nachgrabung *f.* -en 발굴; 발굴물.

Nachgras *n.* -es 재벌풀, 두번째 벤 마른 풀.

nach|grübeln *i.* (h.) ~ 곰곰〔골똘〕히 생각하다, 숙고하다: über et. ~, 〘雅語〙 et.³ ~ 무엇을 깊이 생각하다.

Nachgrum(me)t *n.* -(e)s 〘農〙 세 번째 벤 마른 풀.

nach|gucken *i.* (h.) 〘구어〙 ① 말없이 바라보면서 보내다. ② 검사〔확인〕하다.

Nachguß [ná:xgus] 《<nachgießen》 *m.* ..gusses, ..güsse ① 재차 부어서 채움. ② 주조

해 만든 모조품.
nach|haken *i.* (h.) ①〖스포츠〗(뒤에서) 상대방의 발을 걸다. ②〔구어〕↑ nachfassen《I》②.
Nachhall [ná:xhal] *m.* -(e)s, -e ① 반향, 메아리, 공명(共鳴), 잔향(殘響). ②〔雅語〕여운, 여파, 여세.
nach|hallen 《I》 *i.* (h.) 공명(共鳴)하다, 반향을 일으키다; 여운을 남기다. 《II》 *t.* (음을) 반향시키다.
nach|halten* 《I》 *t.* 나중〔뒤〕에 행하다. 《II》 *i.* (h.) 오래 지속되다, (영향·작용이) 나중까지 남다.
***nachhaltig** *a.* 영속적〔지속적〕인, 오래 가는〔남는〕: einen ~en Eindruck hinterlassen 잊혀지지 않는 인상을 남기다; von ~er Wirkung 지속적으로 작용하는〔영향을 미치는〕; 〖林〗 ~e Nutzung 지속적 이용(목재 생산의 계속성과 균일성을 유지하기 위한 벌목 원칙).
Nachhaltigkeit *f.* 지속성.
Nachhand [ná:xhant] *f.* ..hände [..hɛndə] ①〖카드〗맨 나중에 패를 내는 사람. ② 짐승의 뒷다리.
nach|hangen* *i.* ↑ ~hängen. **~|hängen*** *i.* (h.) ① 골몰〔몰두〕하다: einem Problem ~ 어떤 문제에 몰두하다; seinen Gedanken ~ 그의 생각에 잠기다. ②〔구어〕처지다, 더디다: mit dem Manuskript ~ 원고 작업이 지지부진하다; er hängt in mehreren Fächern nach 그는 몇 과목에서 성적이 처진다. ③〖사냥〗(짐승의 발자국을) 사냥개와 함께 뒤쫓다.
nach|hauen* 《I》 *i.* (h.) 칼을 들고 덤벼들다; 〖펜싱〗 받아치다; 〖軍〗 추격하다. 《II》 *t.* (조각상을) 모조하다, 모형대로 조각하다.
nachhause [na:xháʊzə] *adv.* (자기) 집으로 (↑ Haus).
Nachhause≈gehen *n.* 귀가. **~weg** *m.* 귀로.
nach|heilen *i.* (h./s.) 더디게〔차차〕낫다.
nach|heizen *t./i.* (h.) 연료를 대다, 장작을 지피다.
nach|helfen* *i.* (h.) ① jm. ~ 누구를 거들어 주다, 후원하다: hast du das ganz allein gemacht, oder hat die Mutter nachgeholfen? 그걸 전적으로 너 혼자서 한 거니, 아니면 어머니가 함께 도와 주신 거니? ② et.[3] ~ 무엇을 촉진〔진척〕시키다: 〔반어·은폐〕 wir haben unsere Methoden, deinem Gedächtnis nachzuhelfen 우리에게는 네 기억을 되살려 줄 나름의 방법이 있다(고문의 암시).
Nachhelfer *m.* -s, - 후원자.
***nach·her** [na:xhé:r, ná:xhe:r] *adv.* ① (↔ vorher) 그 후에, 그리고 나서, 그것에 이어: ich fahre erst zur Post, ~ mache ich noch einen Stadtbummel 나는 먼저 우체국에 가고, 그런 다음에는 시내 구경을 할 거야. ② 나중에, 후에: die Bedeutung seiner Worte wurde mir erst ~ klar 나는 그가 한 말의 의미를 나중에야 분명하게 깨달았다.
Nachherbst [ná:xhɛrpst] *m.* -(e)s, -e 늦가을; 가을 이후의 가을과 같은 날씨.
nachherig [na:xhé:rɪç] *a.* 그 후의, 바로 다음의; 나중의.
Nachhieb [ná:xhi:p] 《< nachhauen》 *m.* -(e)s, -e [..bə] 〖펜싱〗 받아치기.
Nachhilfe [ná:xhɪlfə] 《< nachhelfen》 *f.* -n ①〔드물게〕 후원, 지원, 도움. ② 보충〔과외〕 수업: er bekommt ~ in Mathematik 그는 수학 과외를 받는다.
Nachhilfe≈kurs *m.* 보충 학습〔수업〕 과정. **~schüler** *m.* 과외〔보충〕 수업 학생. **~stunde** *f.* ↑ ~unterricht. **~unterricht** *m.* 과외〔보충〕 수업.
nach·hinein *adv.* 〔다음 용법으로〕 im ~ 나중에, 추후에.
nach|hinken *i.* (s./h.) ① jm. ~ 누구의 뒤를 절뚝거리며 따라가다. ②〔비유·구어〕 처지다, 뒤떨어지다, 낙오하다.
Nachhol·bedarf *m.* 〖經〗 보충 수요.
***nach|holen** *t.* ① (남겨진 물건·사람을) 뒤이어 가져오다〔데려오다〕: ich werde die Familie nach München ~ 나는 가족을 뮌헨으로 데려올 것이다. ② 회복〔만회·보충〕하다: Schlaf ~ 밀린 잠을 자다; versäumten Unterricht ~ 빠진 수업을 보충하다.
Nachhol·spiel *n.* 〖스포츠〗 추후 보충 경기.
Nachhut [ná:xhu:t] *f.* -en 〖軍〗 후위(後衛), 후군(後軍).
nach|jagen 《I》 *i.* (s./h.) ① 추격〔추적〕하다, 쫓아가다: einem Verbrecher ~ 범죄자를 추적하다. ② 추구하다, 뒤쫓다: dem Erfolg 〔Ruhm〕 ~ 성공〔명성〕을 추구하다. 《II》 *t.* 급히 뒤쫓아보내다: jm. einen Boten ~ 누구를 뒤쫓아 사자(使者)를 보내다; jm. ein Telegram ~ 누구에게 급히 전보를 보내다.
Nachjahr [ná:xja:r] *n.* -(e)s, -e (obd.) ① 〖가톨릭〗 대사(大赦)의 해. ② 가을.
nach|karten *t.* 〔구어〕 추가로〔추후에〕 발언하다.
nach|kauen *t.* 되풀이해서 씹다: 〔비유〕 jm. et. ~ 누구의 무엇(말·의견)을 기계적으로 되풀이하다.
nach|kaufen *t.* 추가로〔추후에〕 사다, 사서 보충하다: das Besteck läßt sich nicht mehr ~ 그 식사 도구 세트는 더 이상 추가로 구입할 수 없다.
Nachkind [ná:xkɪnt] *n.* -(e)s, -er [..dər] 부친〔모친〕이 재혼하여 난 자식, 후처 소생.
Nachklage [ná:xkla:gə] *f.* -n ① 애도, 추도. ② 뒤에서 하는 불평. ③〖法〗 맞고소.
nach|klagen *i.* (h.) jm. ~ ① 누구의 불평을 흉내내다. ② 누구를 애도하다.
Nachklang [ná:xklaŋ] *m.* -(e)s, ..klänge ① 반향, 메아리; 공명(共鳴); 여운. ② 추억, 회상; 인상.
Nachklapp [ná:xklap] *m.* 〔구어〕 추서(追書).
nach|klingen* *i.* (h.) 공명하다, 반향을 일으키다, 계속 울리다; 여운〔인상〕이 남다, 계속 기억되다: seine Worte klingen lange in mir nach 그의 말은 내 기억 속에 오랫동안 남아 있다.
***Nachkomme** [ná:xkɔmə] *m.* -n, -n ① (↔ Vorfahr) 후손, 자손, 후예: er hat keine ~n 그는 제 피붙이가 하나도 없다. ② 지각생, 낙오병.
***nach|kommen** *i.* (s.) ① **(a)** 뒤에 오다, 뒤따르다: geht schon voraus, ich komme gleich nach 먼저들 가, 곧 뒤따라갈게; 〔비유〕 hoffentlich kommt da nichts nach 후환이 없었으면 좋겠다. **(b)** (제대로) 따라하다, 보조를 맞추다: beim Diktat nicht ~ 받아쓰기를 제

대로 하지 못하다; er kommt mit seiner Arbeit nicht nach 그는 일〔공부〕에서 뒤쳐진다. ② 따르다, 응하다, 이행하다: einem Befehl ~ 명령에 따르다; einer Forderung ~ 요구에 응하다; seiner Pflicht ~ 의무를 다하다; Ihrer Bitte ~d 귀하의 요청에 따라서. ③ (술 마실 때) 건배를 따라 외치다: jm. ~ 누구의 건배에 응답하다. ④〔방언〕mit jm. ~ 누구와 친하다, 사이좋게 지내다.

Nachkommenschaft *f.* 후손〔자손〕전체.

Nachkömmling [..kœmlɪŋ] *m.* -s, -e (터울 큰) 늦자식.

nach|können* *i.* (h.) 따라갈 수 있다.

Nachkontrolle *f.* -n 추가 검사.

nach|kontrollieren *t.* 〔구어〕 재검사하다, 추가 검사하다.

Nachkost [ná:xkɔst] *f.* 디저트, 후식.

Nachkrankheit *f.* 후유증.

nach|kriechen* *i.* (s.) jm. ~ 누구 뒤에서 기어가다.

Nachkriegs=erscheinung *f.* 전후 현상. **~generation** *f.* 전후 세대. **~zeit** *f.* 전후 시대, 세계 대전 후의 시대.

Nachkunft *f.* ① 지체; 후속. ② 후손.

Nachkur [ná:xku:*r*] *f.* -en 〖醫〗 병후 요양.

nach|laden *t.* (총기를) 재장전하다.

Nachlaß [ná:xlas] *m.* ..lasses, ..lasse/..lässe [..lɛsə] ① 이 완; 태 만: ohne ~ arbeiten 쉬지 않고 일〔공부〕하다. ② 경감, 면제; (Rabatt) 공제, 할인: unter〔mit〕~ von 10 % 10 퍼센트 할인으로. ③ 유산, 상속 재산, 유물: literarischer ~ 유고(遺稿), 유작. ④ 두 번째 유출물(溜出物).

nach|lassen 《I》 *t.* ① (**a**) 뒤에 남기다, (얼룩 따위를) 남기다. (**b**) 〔구식〕 죽은 뒤에 남기다; 유산으로 남기다. ② 부어서 채우다: Wasser in die Wanne ~ 물을 대야에 부어 채우다. ③ 그만두다, 중지〔중단〕하다: eine Gewohnheit ~ 어떤 습관을 버리다. ④ 늦추다, 풀다: ein Tau ~ 밧줄을 느슨하게 하다; den Zügel ~ 말고삐를 늦추다. ⑤ jm. et. ~ 누구에게 무엇을 허락하다, 너그럽게 봐주다. ⑥ (벌·빚 따위를) 경감하다; (값을) 할인하다: keinen Pfennig vom Preis ~ 값을 1 페니히도 깎아주지 않다. ⑦〖工〗 (강철을) 다시 달구다, 벼리다. 《Ⅱ》 *i.* (h.) ① 그만두다, 삼가다: ich lasse nicht eher nach, bis ich dein Geheimnis herausgefunden habe 나는 네 비밀을 파헤칠 때까지 그만두지 않겠다. ② 느슨해지다, 누그러지다; 조용해지다, 진정되다; 감소되다, 약해지다, 그치다: das Fieber〔der Wind〕ließ nach 열이 내렸다〔바람이 잤다〕; die Nachfrage ließ nach 수요가 줄었다;〔구어·농담〕o Schmerz, laß nach! (불쾌한 일을 당했을 때) 아이구 맙소사!; nicht ~! 힘내! 《Ⅲ》 **nachgelassen** *p.a.* ↑ nachgelassen.

Nachlassenschaft *f.* -en 유산.

Nachlasser *m.* -s, - 피상속인.

Nachlaß·gericht *n.* 〖法〗 유산〔상속〕 재판소.

***nachlässig** [ná:xlɛsɪç] *a.* 소홀한, 부주의한; 무관심한, 냉담한, 성의 없는; 단정치 못한, 너절한: et. ~ verrichten 무엇을 무성의하게〔소홀히〕 하다; sie ist ~ gekleidet 그녀는 옷을 아무렇게나 입는다.

nachlässiger·weise [ná:xlɛsɪgə*r*váɪzə] *adv.* 부주의하게, 성의없게, 너저분하게.

Nachlässigkeit *f.* -en 태만, 부주의; 냉담, 무관심; 너저분함, 단정치 못함.

Nachlaß=pfleger *m.* 〖法〗 유산 관리인. **~steuer** *f.* 상속세.

Nachlassung [ná:xlasʊŋ] *f.* -en ① 죽은 후에 남김, 유증(遺贈). ② (병 따위의) 완화; 경감, 면제, 사면. ③ 할인, 공제. ④ 중단, 중지, 방기(放棄). ⑤ 이완, 감소, 쇠퇴.

Nachlaß·verwalter 〖法〗 유산 관리인.

Nachlauf [ná:xlauf] *m.* -(e)s, ..läufe [..lɔʏfə] ① 뒤쫓아 달리기: ~ spielen (아이들이) 붙잡기 놀이를 하다. ②〖物〗 반류(伴流). ③〖化〗 마지막 증류액, 후유출액(後溜出液).

nach|laufen* *i.* (s.) ① 뒤따라 달리다, 뒤쫓다: die Kinder liefen dem Drehorgelspieler nach 아이들은 손풍금 악사의 뒤를 졸졸 따라다녔다;〔구어·농담〕 diese Kleider laufen sich in der Stadt nach 이 옷은 그 도시에서 유행이다. ②〔비유·구어〕 따르다, 추종하다: einer Idee ~ 어떤 이념을 추종하다.

Nachläufer [..lɔʏfə*r*] *m.* -s, - ① 뒤따라 달리는 사람;〔비유〕 추종자. ②〔당구〕 친 공에 맞아 움직이는 공.

nach|leben *i.* (h.) 본받아 살다, 삶의 모범으로 삼다: js. Rat ~ 누구의 충고에 따라서 생활하다; versuche, ihm nachzuleben! 그의 생활 태도를 본받아라!.

Nachleben [ná:xle:bən] *n.* -s (후손의 기억 속에 살아 있는) 고인의 삶.

nach|legen *t.* 더 놓아 주다, 더 넣다, 첨부하다: Holz ~ (모닥불에) 장작을 더 넣다.

nach|lernen *t.* 배워서 만회하다, 보충하여〔과외로〕 배우다.

Nachlese [ná:xle:zə] *f.* -n ① 추가〔2 차〕 수확; 이삭줍기. ② 추가〔2 차〕 수확물; 주워 모은 이삭. ③〔비유〕 추가본, 보유(補遺): eine ~ Goethescher Gedichte 괴테 시집 추가본.

nach|lesen* *t./i.* (h.) ① 추가로 수확하다, 이삭을 줍다;〔비유〕 (나머지를)주워 모으다. ② jm. ~ a) 누구의 읽는 법을 본뜨다, b) 누가 읽는 대로 따라 읽다. ③ 읽어서 확인〔검토〕하다, 참조하다: das〔darüber〕 kannst du im Lexikon ~ 그것은 사전에서 찾아볼 수 있다, 사전에 나와 있다.

nach|leuchten *i.* (h.) ① 잔광(殘光)을 발하다. ② jm. ~ 누구의 뒤를 비추다.

nach|liefern *t.* 〖商〗 나중에〔늦게〕 인도하다; 추가로〔보충하여〕 공급하다.

Nachlieferung *f.* -en 추후 인도, 추가 공급.

nach|lösen *t.* eine Fahrkarte ~ a) (차 안에서) 승차 후에 차표를 사다, b) (추가 요금을 내고) 상급의 차표로 바꾸다.

Nachlösung *f.* -en 추후〔추가〕 차표 구입.

nachm. =nachmittags 오후에.

nach|machen 《I》 *t.* 〔구어〕① 나중에〔뒤늦게〕 하다: die Prüfung ~ 시험을 나중에 (따로) 보다. ② 모방하다, 따라하다; mach es mir nach! 내가 하는 대로 해!; js. Stimme ~ 누구의 목소리를 흉내내다. ③ 모조〔위조〕하다. 《Ⅱ》 **nachgemacht** *p.a.* ↑ nachgemacht.

Nachmacher *m.* -s, - 모방자, 모조〔위조〕자.

Nachmahd [ná:xma:t] *f.* 〖農·방언〗 ↑ Grummet.

N

nach|mähen *t./i.* (h.) ① 추가〔2차〕로 풀을 베다. ② jm. ~ 누구를 뒤따라 풀을 베다.
nach|malen *t.* ① (남의 그림을) 모사〔복사〕하다. ② 한번 더 칠해 분명하게 하다: 〖구어〗 die Lippen ~ 입술에 루즈를 다시 바르다.
nachmalig [ná:xma:lıç] *a.* 〖구식·격식〗 나중의; 그 후의: der ~e Kaiser 장래의 황제; ~e Erkenntnisse 나중에 얻은 인식.
nachmals [ná:xma:ls] *adv.* 〖구식〗 나중에, 후에.
Nachmann *m.* -(e)s, ..männer 〖商〗 (어음 따위의 배서인(背書人) 중) 후순위자.
nach|messen* *i.* (h.) / *t.* 다시 재다, 측량을 확인하다.
Nachmieter [ná:xmi:tər] *m.* -s, - 후계 임차인.
***Nachmittag** [ná:xmıta:k] *m.* -s, -e [..gə] ① 오후: heute ~ 오늘 오후에; den ganzen ~ 오후 내내; spät am ~ 오후 늦게; am ~, 〔雅語〕 des ~s 오후에. ② 오후 행사〔모임〕.
nachmittägig [..tɛ:gıç] *a.* 오후의: ein ~es Seminar 오후의 세미나.
nachmittäglich [..tɛ:klıç] *a.* 매일 오후의, 오후마다 일어나는〔반복되는〕.
***nachmittags** [ná:xmıta:ks] *adv.* 오후에 (약어: nachm.): um zwei Uhr ~ 오후 2시에; Dienstag〔dienstags〕 ~ 화요일 오후에〔오후 마다〕.
Nachmittags≈gottes·dienst *m.* 오후 예배. **~kaffee** *m.* 오후 커피. **~predigt** *f.* 오후 설교. **~ruhe** *f.*, **~schlaf** *m.*, **~schläfchen** *n.* 낮잠, 낮 휴식. **~sitzung** *f.* (의회에서의) 오후 회의. **~stunde** *f.* 오후 시간. **~unterricht** *m.* 오후 수업. **~vorstellung** *f.* 오후 공연〔상연〕.
Nachmolke *f.* -n (obd.) 응유(凝乳).
nach|müssen* *i.* (h.) 따라가야 하다.
Nachnahme [ná:xna:mə] *f.* -n 〖우편〗 ① (요금의) 수취인 부담, 대금 상환: per〔als, gegen, mit, unter〕 ~ 수취인 부담으로, 대금 상환으로. ② ↑ Nachnahmesendung.
Nachnahme≈betrag *m.* 수취인 부담 금액. **~gebühr** *f.* 수취인 부담 우편 수수료〔요금〕. **~sendung** *f.* 수취인 부담 우편물.
Nachname [ná:xna:mə] *m.* -ns, -n (↔ Vorname) 성(姓).
nach|nehmen* *t.* ① 나중에 받다. ② 〖商〗 (대금을) 수취인 부담 우편 방식으로 받다. ③ 추가로〔더〕 먹다: nimm dir doch Gemüse nach! 야채 더 들어!
nach|ordnen 《Ⅰ》 *t.* ① 나중에 정리하다, 고쳐 정돈하다. ② 다음〔아래〕 자리에 두다. 《Ⅱ》 **nachgeordnet** *p.a.* ↑ nachgeordnet.
nach|pfeifen* 《Ⅰ》 *t.* (노래 따위를) 휘파람으로 흉내내다. 《Ⅱ》 *i.* (h.) jm. ~ 누구의 뒤에서 휘파람을 불다: 〖구어〗 ich kann meinem Geld ~ 나는 그만한 돈쯤은 없어도 끄떡없다.
nach|pfuschen *t./i.* (h.) 어색하게 흉내내다.
nach|plappern *t./i.* (h.) (뜻도 모르면서) 남의 말을 되풀이하다〔따라하다〕; 〖폄어〗 생각 없이〔기계적으로〕 따라 말하다. **~|plaudern** ↑ ~plappern.
nach|polieren *t.* 한 번 더 광을 내다.
Nachporto *n.* -s, -s/..ti ↑ Nachgebühr.
nach|prägen *t.* ① (원본에 따라) 다시〔새로〕 각인〔주조〕하다. ② 추가로 주조하다: Münzen betrügerisch ~ 화폐를 위조하다.
Nachprägung *f.* -en 추가 주조; 추가로 주조한 동전.
Nachprobe *f.* -n 재검사, 재음미, 재〔추가〕 시험.
nachprüfbar *a.* 검사〔확인〕할 수 있는.
Nachprüfbarkeit *f.* ↑ nachprüfbar 의 명사형.
nach|prüfen *t.* ① 확인〔검토〕하다, 검사〔조사〕하다: ich werde ~, ob er die Wahrheit gesagt hat 나는 그가 진실을 말했는지 확인해 볼 것이다. ② 나중에〔다시〕 시험하다, 재〔추가〕시험 치르게 하다.
Nachprüfung *f.* -en 확인, 검토, 검사, 조사; 재〔추가〕 시험.
nach|quellen* *i.* (s./h.) 나중에 솟아나오다, 계속해서 흘러나오다.
Nachraum [ná:xraum] *m.* -(e)s ① 〖林〗 나무 부스러기; 질 낮은 제품. ② 허섭스레기, 폐물.
nach|räumen [ná:xrɔymən] *t.* (남이 어질러 놓은 것을) 치우다, 정돈하다.
nach|rechnen *t./i.* (h.) ① 나중에 계산하다. ② 검산하다. ③ 산출하다: laß mich ~, seit wann wir uns kennen 우리가 언제부터 알고 지내는지 한번 따져 보자.
Nachrechner *m.* -s, - 검산자; 감사역, 회계 감사관.
Nachrechnung *f.* -en ① 검산, 산출; 회계 감사. ② 추가 계산서.
***Nachrede** [ná:xre:də] *f.* -n ① (↔ Vorrede) 끝맺는 말, 에필로그: Vorrede spart ~ 미리 말하면 뒷말이 필요없다. ② 험담, 비방: jn. in üble ~ bringen 누구를 비방하다. ③ 〖法〗 피고의 재답변.
nach|reden [ná:xre:dən] *t./i.* (h.) ① jm. ~ 누구의 말투를 흉내내다, 누가 말한 것을 그대로 이야기하다. ② 나쁘게 말하다, 뒤에서 욕하다; jm. Schlechtes〔Übles〕 ~ 누구를 비방하다; ihm wird allerlei nachgeredet 그에 대해서 온갖 (나쁜) 소문이 떠돌고 있다. ③ (남의 말을) 자기 말처럼 말하다.
Nachreder *m.* -s, - 나중에 말하는 사람; 비방자, 뒤에서 욕하는 사람.
nach|reichen *t.* 추가로 제출하다, 나중에 보내다: meine Zeugnisse werde ich Ihnen ~ 추후에 제 증명서를 당신에게 보내 드리겠습니다.
Nachreife [ná:xraıfə] *f.* -n 수확 후의 성숙.
nach|reifen *i.* (s.) (과일이) 수확 후에 익다.
Nachreise [ná:xraızə] *f.* -n 뒤쫓아가는 여행.
nach|reisen [ná:xraızən] *i.* (s.) jm. ~ 누구를 뒤쫓아 여행하다, 누구의 여행길을 따라가다.
nach|reiten* [ná:xraıtən] 《Ⅰ》 *i.* (s.) jm. ~ 말을 타고 누구를 뒤따르다〔쫓다〕. 《Ⅱ》 *t.* 〖학생〗 einen Unterricht ~ 결석한 수업을 보충하다.
nach|rennen* [ná:xrɛnən] *i.* (s.) 〖구어〗 jm. ~ 누구를 뒤따라 달리다.
***Nachricht** [ná:xrıçt] *f.* -en ① 소식, 정보: eine ausführliche ~ 상보(詳報); eine ~ bekommen〔empfangen, erhalten, hören〕 소식을 접하다〔듣다〕; eine ~ bringen〔mitteilen, senden, übermitteln〕 소식을 전하다; jm. ~

über et. 〔von et.³〕 geben 누구에게 무엇에 대해서 알리다; über et. ~ einziehen 무엇에 관해서 조회하다, 정보를 수집하다; zur ~! 알림, 광고!; 〖속담〗 schlimme ~ kommt stets zu früh 나쁜 소식은 항상 너무 일찍 온다, 무소식이 희소식이다. ② 〖언론〗 뉴스; 〖복수〗 뉴스 방송: ~en aus aller Welt 해외 뉴스; die neuesten ~en 최신 뉴스; ~en hören 〔sehen〕 뉴스 방송을 듣다〔보다〕.

nach|richten *t.* ① 나중에 고치다〔정리하다〕. ② (어떤 모범·목표 등에) 맞추다, 따르다.

Nachrichten≈abstand *m.* 통신 가능 거리. **~abteilung** *f.* 보도부; 〖軍〗 정보부. **~agentur** *f.* 〖언론〗 통신사. **~büro** *n.* ↑ ~agentur. **~dienst** *m.* ① 정보〔뉴스〕의 규칙적인 수집과 전달. ② ↑ ~agentur. ③ 〖구식〗 뉴스 방송. ④ 〖政〗 국가 비밀 정보 기관. **~dienstlich** *a.* 국가 비밀 정보 기관의. **~magazin** *n.* 〖언론〗 뉴스 잡지. **~mittel** *n.* 보도 매체, 통신 수단. **~satelit** *m.* 통신 위성. **~sendung** *f.* 뉴스 방송. **~sperre** *f.* 보도 관제〔금지〕. **~sprecher** *m.* 뉴스 앵커〔아나운서〕. **~sprecherin** *f.* ↑ ~sprecher 의 여성형. **~technik** *f.* 정보 통신 기술. **~truppe** *f.* 〖軍·구식〗 통신 부대. **~übermitt(e)lung** *f.* 정보 전달. **~wesen** *n.* 정보 통신 제도〔시스템〕.

Nachrichter [ná:xrɪçtər] *m.* -s, - ① 〖고어〗 형리(刑吏), 사형 집행인. ② 〖구어〗 뉴스 종사자, 기자. ③ 〖軍·구식〗 통신 부대원.

nachrichtlich [ná:xrɪçtlɪç] *a.* 통지〔보고〕에 따른, 뉴스에 관한.

nach|rücken [ná:xrʏkən] 《I》 *i.* (s.) ① 뒤따라 움직이다: bitte ~! 뒤이어 앞으로 나아가시오!; sie rückten der kämpfenden Truppe nach 그들은 전투 부대의 뒤에 붙어서 움직였다. ② 후임으로 취임하다: in eine höhere Stelle ~ 승진하다. 《II》 *t.* 승진〔진급〕시키다.

Nachrücker *m.* -s, - 후임자.

Nachruf[1] [ná:xru:f] *m.* -(e)s, -e ① 추도사, 추모 연설; (신문의) 부고(訃告): jm. einen ~ widmen 누구를 추도하다; einen ~ auf jn. schreiben 누구에 대한 추모사를 쓰다. ② ↑ Nachruhm.

Nachruf[2] *m.* -(e)s, -e 뒤에서 부름, 되불러오기.

nach|rufen* [ná:xru:fən] *i.* (h.) / *t.* ① 뒤에서 외치다: jm. einen Fluch ~ 누구에게 뒤에서 저주의 말을 퍼붓다; jm. Abschiedsworte ins Grab ~ 누구의 묘에서 고별사를 말하다. ② jn. ~ 누구에게 따라오라고 하다.

Nachruhm [ná:xru:m] *m.* -(e)s 사후의 명성.

nach|rühmen [ná:xry:mən] *t.* (부재 중인 사람에 대해) 칭찬하다: man rühmt ihm nach, ein exzellenter Koch zu sein 사람들이 그를 탁월한 요리사라고 칭찬한다.

nachrüsten [ná:xrʏstən] 《I》 *t.* 〖기계〗 (성능 개선을 위해) 추가 부품을 달다. 《II》 *i.* (h.) 〖軍〗 군비를 확장하다.

Nachrüstung [..tʊŋ] *f.* -en 〖기계〗 추가 부품 설치; 〖軍〗 군비 확장.

nach|rutschen *i.* (s.) (흙·작은 돌 따위가) 계속 미끄러져 떨어지다.

nach|sagen *t.* ① 되풀이해서〔따라〕 말하다: Papageien sagen viele Wörter nach 앵무새는 많은 말을 흉내낸다. ② (부재 중인 사람에 대해) 말하다, 험담하다: man kann ihm nichts Böses ~ 그에게는 나무랄 데가 하나도 없다; man sagt ihm nach, er sei ein Trinker gewesen 사람들은 그가 주정뱅이였다고 말한다; das lasse ich mir nicht ~! 그것은 중상모략이야!

Nachsaison [ná:xzɛzɔ̃:] *f.* -s/-en [..zo:nən] (↔ Hochsaison) 〖관광〗 비수기(非需期).

nach|salzen *t.* 소금을 더 치다: die Suppe ~ 수프에 소금을 더 치다.

Nachsatz [ná:xzats] *m.* -es, ..sätze [..zɛtsə] ① 〖문법〗 후행문(↔ Vordersatz). ② 〖논리〗 결론, 귀결. ③ 부록, 추신, 주석. ④ 〖음악〗 후악절(後樂節).

nach|schaffen^(*) *t.* ① 〖강변화〗 본떠서 만들다, 모조하다: et.³ et. ~ 무엇을 모방하여 무엇을 만들다; das Gedicht ist Goethes Alterslyrik nachgeschafft 이 시는 괴테가 노년에 쓴 서정시를 모방하여 지어진 것이다. ② 〖약변화〗 (a) 〖드물게〗 추가로〔새로〕 구입하다. (b) (südwestdt.) 보충〔만회〕하다.

nach|schauen *i.* (h.) ① ↑ nachsehen ①. ② 점검하다, 확인하다.

nach|schenken *t.* (음료 따위를) 다시 채워주다: darf ich Ihnen (Kaffee) ~? 더 따라 드릴까요?

nach|schicken *t.* ① 나중에 보내다, 추송(追送)하다. ② 보충하여 덧붙이다: eine Frage ~ 보충 질문하다.

Nachschickung *f.* -en 추송.

nach|schieben* [ná:xʃi:bən] 《I》 *t.* 추가로 밀어넣다; 〖軍〗 (군대를) 추가 파병하다; (질문이나 요구 따위를) 추가로 하다. 《II》 *i.* (h.) 〖속어〗 jm. ~ 누구를 뒤따라가다.

nach|schießen* [..ʃi:sən] 《I》 *t.* ① (달아나는 사람을 향해) 쏘다, 사격하다: jm. eine Kugel ~ 누구의 뒤를 향해 한 발 쏘다. ② 뒤늦게 발사하다. ③ 〖구어〗 (돈을) 추가로〔더〕 내다. 《II》 *i.* (s.) ① 〖구어〗 급히 뒤쫓다〔뒤따르다〕: der Raubvogel schoß einer Taube nach 맹금(猛禽)이 쏜살같이 비둘기의 뒤를 쫓았다. ② 잇따라 추락〔붕괴〕하다: das Dach schoß nach 뒤따라 지붕도 무너졌다. ③ 나중에 싹이 나다, 곧 이어 자라다. ④ 〖구기〗 다시 슛하다.

nach|schiffen *i.* (s.) jm. ~ 누구보다 늦게 배로 가다, 누구를 배로 좇아가다.

Nachschimmer *m.* -s, - 저녁놀.

***Nachschlag** [ná:xʃla:k] *m.* -(e)s, ..schläge ① (망치질이나 도리깨질의) 두 번째 타격. ② 〖음악〗 뒤꾸밈음. ③ 색인. ④ 〖비유〗 영향, 여파. ⑤ 화폐의 개주(改鑄). ⑥ (obd.) 경매인의 지분(持分). ⑦ 〖구어〗 추가 배식. ⑧ 추가 요구〔인상〕: Lohn≈ 임금의 추가 인상.

Nachschlage≈bibliothek [ná:xʃla:gə..] *f.* (관외 대출이 되지 않는) 참고〔비치〕 도서관. **~buch** *n.* ↑ Nachschlagewerk.

nach|schlagen 《I》 *i.* (h.) ① jm. ~ 누구를 뒤에서 치다, 쫓아가서 때리다. ② 〖광산〗 einem Gange ~ 광맥을 찾아서 파다. ③ 찾아보다, 참조하다: schlag im Lexikon nach! 사전을 찾아봐라! ④ (s.) jm. ~ 누구를 닮다: das Kind schlägt dem Vater nach 아이는 아버지를 닮는다. 《II》 *t.* ① (못 따위를) 나중에 박다. ② 찾아보다, 참조하다: ein Buch ~ 어

면 책을 참조하다; ein Wort im Wörterbuch ~ 어떤 단어를 사전에서 찾다; schlagen Sie Seite 3 nach! 3 페이지를 참조하시오! ③ (화폐를) 개주(改鑄)〔위조〕하다. ④〖비유〗(울음소리 따위를) 흉내내다.

Nachschlagen [ná:xʃla:gən] *n.* -s 참조, 참고: beim ~ 참조할 때; das Buch zum ~ 참고서.

Nachschlage·werk *n.* (사전·편람 따위의) 참고 서적.

nach|schleichen* [ná:xʃlaɪçən] *i.*(s.) jm. ~ 몰래 누구의 뒤를 밟다, 미행하다.

nach|schleifen[1] *t.* 다시 한 번 갈다, 정교하게 갈다〔연마하다〕: vor dem Lackieren haben wir die Fläche noch einmal nachgeschliffen 래커칠을 하기 전에 우리는 표면을 다시 한 번 매끄럽게 갈았다.

nach|schleifen[2] *t.* ① 질질 끌다: er schleift ein Bein nach 그는 한 다리를 질질 끌며 간다. ②〖음악〗 eine Note ~ 음표에 이음줄〔연결선〕을 붙이다, 음표를 연결하여 연주하다. ③ 썰매로 끌어서 운반하다.

nach|schleppen 《I》 *t.* ① 뒤따라가면서 힘겹게 날라다 주다. ② 질질 끌다: ein Schiff ~ 배를 끌다, 예선(曳船)하다; sein Bein ~ 다리를 질질 끌며 따라가다. 《II》 *refl.* sich mühsam ~ 다리를 질질 끌며 간신히 뒤따라가다.

Nachschlüssel [ná:xʃlʏsəl] *m.* -s, - (몰래, 불법으로 만든) 복제 열쇠.

Nachschlüssel·diebstahl *m.* 복제 열쇠를 이용한 절도.

Nachschmack *m.* -(e)s 〔시어〕 뒷맛.

nach|schmecken 《I》 *i.*(h.) 뒷맛이 있다. 《II》 *t.* 다시 즐기다.

nach|schmeißen *t.* 〔구어〕 뒤에서 던지다: jm. et. ~ 누구의 등을 향해 무엇을 던지다.

nach|schmieren *t.* ① 다시 기름을 치다. ② (버터 따위를) 더 바르다.

nach|schneiden* *t.* ① (더 좋게 하기 위해) 다시 자르다: ein Gewinde ~ 나선형 홈을 다시 한 번 잘 깎아 넣다. ② 모형대로 자르다〔새기다〕; (의복 따위를) 모형대로 재단하다.

nach|schreiben* 《I》 *t.* ① 나중에 쓰다, (쓰다 남은 것을) 마저 쓰다: einem Brief et. ~ 편지에 무엇을 추신으로 달다. ② 본떠서 쓰다: die Buchstaben ~ 서체(書體)를 본뜨다. ③ 간추려 쓰다, 요점을 기록하다: einen Vortrag 〔eine Vorlesung〕 ~ (요점을 간추려서) 강연〔강의〕 내용을 받아 적다; ein nachgeschriebenes Heft 강의 필기 노트. 《II》 *i.*(h.) ① 기록〔필기〕하다, 노트하다. ② jm. ~ 누구의 필적을〔서체를〕 본뜨다, 누구의 저작을 표절하다. ③ 과제물을〔시험지를〕 다른 학생보다 늦게 쓰다〔내다〕.

Nachschreiber *m.* -s, - ① 필기자, 속기사, 타자수. ② 표절자. ③ 타자기.

nach|schreien* 《I》 *i.*(h.) jm. ~ 누구의 뒤에서 큰 소리로 부르다〔소리치다〕. 《II》 *t.* jm. Schimpfreden ~ 뒤에서 누구를 욕하다.

Nachschrift [ná:xʃrɪft] *f.* -en ① 필기, 받아적기. ② 필기 노트; 필사본. ③ **(a)** 추신(追伸) (약어: NS). **(b)** 결어, 발문(跋文).

nachschriftlich *a.* 추신의; 부록〔후기〕의; 필사본의.

Nach|schub [ná:xʃu:p] 《<nachschieben》 *m.* -(e)s, ..schübe [..ʃy:bə] 〖軍〗 ① 보급: den Gegner vom ~ abschneiden 적의 보급로를 차단하다. ② 보급품: keinen ~ bekommen 보급품을 받지 못하다.

Nachschub⸗kolonne *f.* 〖軍〗 보급 차량 행렬. **~truppe** *f.* 〖軍〗 보급 부대. **~weg** *m.* 보급로.

nach|schüren *t./i.*(h.) 불을 쑤셔 일으키다; 〖비유〗 선동〔자극〕하다.

Nachschuß [ná:xʃʊs] 《<nachschießen》 *m.* ..schusses, ..schüsse ①〖經〗 추가 투자금(액). ②〖스포츠〗(골키퍼가 쳐낸 공이나 골대를 맞고 튀어나온 공을) 다시 한 번 슛하기. ③〖植〗 새싹. ④ 한 번 더 짜낸 화주(火酒).

Nachschuß·pflicht *f.* 〖經〗 (주주의) 추가 투자 의무.

nach|schütten *t.* 더〔추가로〕 붓다〔쏟다〕.

Nachschwarm [ná:xʃvarm] *m.* -(e)s, ..schwärme 후위(後衛) 무리〔떼〕.

nach|schwatzen *t.* 〔구어·폄어〕〖방언〗(다른 사람이 한 말을) 생각 없이 반복하다.

nach|schwätzen *t.* ↑ ~schwatzen.

nach|schwimmen* *i.*(s.) jm. ~ 누구를 뒤따라 헤엄치다, 헤엄쳐서 누구의 뒤를 쫓다.

nach|schwingen *i.*(h.) ① (악기의 현이) 잠깐 더 떨다. ②〖雅語〗(감정 따위가) 여운을 남기다.

nach|segeln *i.*(s.) 배〔요트〕로 뒤따르다.

nach|sehen [ná:xze:ən] 《I》 *i.*(h.) ① 말없이 바라보면서 보내다: jm. 〔dem Zug〕 ~ 누구〔기차〕의 뒷모습을 바라보며 떠나보내다. ② 살펴보다, 확인하다, 조사하다: ich habe in allen Zimmern nachgesehen 나는 방을 모두 다 살펴보았다; sieh nach, wer da ist! 누가 왔나 가보고 오너라! ③ 찾아보다, 참조하다: im Wörterbuch ~ 사전을 찾아보다; bei einem Schriftsteller ~ 어떤 작가의 저작을 참조하다. 《II》 *t.* ① 관대히 봐주다: er sah dem Kind alles nach 그는 그 아이가 하는 짓은 무엇이나 관대히 보아 넘겼다. ② 참조하다, 찾아보다: eine Stelle in einem Buch ~ 책의 어떤 곳을 찾아보다. ③ 검토〔조사〕하다:〖商〗 seine Bestände ~ 재고품을 조사하다.

Nachsehen *n.* -s 〔다음 용법으로〕 das (leere) ~ haben 헛수고를 하다, 아무 소득이 없다; mir blieb das ~ 내게는 아무 소득도 없었다.

Nachsende·auftrag *m.* 추송(追送) 주문〔의뢰〕.

nach|senden(*) *t.* ↑ ~schicken: bitte ~! 추송(追送)을 바랍니다!

Nach·sendung *f.* -en 추송(追送).

nach|setzen 《I》 *t.* ① 뒤에 놓다: das Subjekt dem Prädikat ~ 주어를 술어 다음에 두다. ② 뒤로 미루다, 제쳐 놓다: seine eigenen Interessen ~ 자신의 관심사를 뒤로 제쳐놓다; seine Pflichten dem Vergnügen ~ 쾌락을 위해 의무를 소홀히 하다. ③ (나무를) 추가로 심다; (도박에서 돈을) 더 걸다;〖제련〗(광석을) 더 넣다. 《II》 *i.*(h.) ① 재빨리 추적하다: einem Flüchtling 〔dem Wild〕 ~ 도망자를〔짐승을〕 추적하다. ②〖음악〗 **(a)** ↑ nachtreten ③. **(b)** ↑ nachschießen.

Nachsetzung *f.* -en ↑ nachsetzen 의 명사형.

***Nachsicht** [ná:xzɪçt] 《<nachsehen》 *f.* -en ① 관용, 관대: mit ~ 관대히; mit jm. 〔et.[3]〕 ~ haben〔üben〕 누구를〔무엇을〕 관대히 봐주

다; jn. um ~ bitten 누구에게 관대히 봐달라고 부탁하다; 〖속담〗 je mehr Einsicht, je mehr ~ 이해가 많을수록 그만큼 더 관대해지게 마련이다. ② (나중의) 주의, 검사, 교열, 점검: 〖속담〗 Vorsicht ist besser als ~ 미리 조심하면 나중에 신경쓸 필요 없다, 유비무환. ③ (Dispens) 특별 면제, 사면.

nachsichtig *a.* 관대한, 너그러운.

Nachsichtigkeit *f.* 관대; 관대한 자세〔태도〕.

Nachsichts·tage *pl.* 〖商〗 유예 기간. **~voll** *a.* ↑ nachsichtig. **~wechsel** *m.* 〖經〗 일람후 정기 출급 어음.

Nachsilbe [ná:xzɪlbə] *f.* -n 〖문법〗 후철, 접미어.

nach|singen* *t.* 따라서 노래하다: singe mir das Lied nach! 나를 따라 노래를 불러라!

nach|sinken* *i.* (s.) 뒤따라〔잇따라〕 가라앉다.

nach|sinnen* *i.* (h.) 숙고하다: js. Äußerungen ~ 누구의 말에 대해 숙고하다.

Nachsinnen *n.* -s 숙고, 심사, 명상.

nachsintflutlich *a.* (노아의) 대홍수 이후의.

nach|sitzen* *i.* (h.) (학생이 벌로) 방과 후 학교에 남아 있다.

Nachsitzer *m.* -s, - 벌로 방과 후 남아 있는 학생.

Nachsitzung *f.* -en 나중의〔다음〕 회의.

Nachsommer [ná:xzɔmər] *m.* -s, - ① 늦여름; 여름 같은〔같이 화창한〕 가을 날씨. ② 〖비유·雅語〗 늦바람; 만년의 행복.

Nachsorge *f.* 〖醫〗 (만성 질환·암 환자의 퇴원 후의) 후속 간호.

nach|spähen *i.* (h.) jm. ~ 누구의 행동을 몰래 엿보다, 뒤를 밟다; et.³ ~ 무엇을 깊이 파고 들다, 꼬치꼬치 캐다.

Nachspann *m.* -(e)s, -e 〖영화·TV〗 상영〔방영〕 후의(작가·등장 인물 등을 알려 주는) 자막.

Nachspeise [ná:xʃpaɪzə] *f.* -n 후식, 디저트.

Nachspiel [ná:xʃpi:l] *n.* -(e)s, -e ① 〖연극〗 (중심 극이 끝난 후에 이어지는) 짧은 (대개는 희극적인) 막후극. ② 〖음악〗 예배 후의 오르간곡; 후주곡. ③ 〖비유〗 (부정적인) 결과, 여파, 후속 사건: der Streit wird noch ein ~ vor Gericht haben 이 다툼은 법정에서 또 다른 싸움으로 이어질 것이다. ④ 성교 후의 애무.

nach|spielen 《Ⅰ》 *i.* (h.) ① jm. ~ 누구를 흉내내어 연기〔연주〕하다. ② 〖구기〗 규정 시간을 넘겨 경기하다: der Schiedsrichter läßt ~ 심판이 (로스 타임을 적용하여) 경기를 연장시킨다. 《Ⅱ》 *t.* ① (다른 곳에서) 재연주〔재상연〕하다: ein Stück nach dem Gehör ~ 어떤 악곡을 듣고 외워서 연주하다. ② 〖카드〗 eine Karte ~ (으뜸패로 잡아온 카드를 낸 후에) 어떤 카드를 치다〔내다〕.

nach|spionieren *i.* (h.) jm. ~ 누구를 몰래 정탐하다.

nach|spotten 《Ⅰ》 *i.* (h.) jm. ~ 누구를 뒤에서 조소〔우롱〕하다. 《Ⅱ》 *t.* jm. seine Sprache ~ 누구의 말을 흉내내어 놀리다.

nach|sprechen* *t.* 따라 말하다; die Eidesformel ~ 선서용 문구를 따라 말하다; jm. Übles ~ 뒤에서 누구의 험담을 하다.

Nachsprecher *m.* -s, - 따라 말하는 사람.

nach|sprengen *i.* (s.) 〖雅語〗 jm.〔et.³〕 ~ 말을 달려 누구를〔무엇을〕 뒤쫓다.

nach|springen* *i.* (s.) jm.〔et.³〕 ~ 누구를〔무엇을〕 뒤쫓아달리다〔뛰어들다〕: die Kinder sprangen dem Ball nach 아이들은 공을 뒤쫓아 뛰어다녔다; ich sprang ihm ins Wasser nach 나는 그의 뒤를 따라 물 속으로 뛰어들었다.

Nachsprößling *m.* -s, -e (Nachkomme) 자손, 후예.

nach|spülen *t./i.* (h.) ① 다시 한번 헹구다. ② 〖구어·농담〗 (술을) 추가로〔입가심으로〕 마시다: Wir brauchen noch einen zum ∼ 우리들은 입가심용으로 한잔 더 해야겠다.

nach|spüren 《Ⅰ》 *i.* (h.) 몰래 뒤를 쫓다, 추적〔탐색〕하다: einem Geheimnis ~ 비밀을 추적하다; 〖사냥〗 einem Hasen ~ 토끼의 발자국이나 냄새를 뒤쫓다. 《Ⅱ》 *t.* 나중에 느끼다.

Nachspürung *f.* -en 추적, 탐색.

***nächst** [nɛ:çst] 〖nahe 의 최상급〗 《Ⅰ》 *a.* ① 〖거리〗 가장 가까운, 근접한, 이웃의: das ~e Dorf〔Haus〕 이웃 마을〔집〕; der〔die, das〕 ~e beste (가장 가까운 것이 가장 좋다는 뜻에서) 닥치는 대로의, 임의의 사람〔것〕; nimm das ~e beste Stück Papier! 어떤 것이든 좋으니 아무 종이나 한 장 집어라! ② 〖관계〗 가장 친밀한〔가까운〕: die ~en Freunde 가장 친한 친구들; nach meinem Bruder ist er mir der ∼e 내 형〔동생〕 다음으론 그가 가장 가깝다. ③ 〖시간〗 바로 다음〔뒤〕의: im ~en Augenblick 다음 순간에; ~en Jahres 내년에 (약어: n.J.); die ~e Vergangenheit 가장 가까운 과거; ~es Mal 다음 번; ~en Monat 내달에 (약어: n.M.); ~en Sonntag 다음 일요일에; die ~e Woche 내주. ④ 〖순서〗 바로 다음의: das ~e Kapitel 다음 장(章); mit ~er Post 다음 우편으로; an der ~en Ecke 이 다음 모퉁이에. ⑤ ↑ ~best, ~liegend. 《Ⅱ》 *adv.* 바로 다음에, 가장 가까이: ~ **an**〔**bei**〕 meinem Hause 내 집 바로 곁에; am ~en 가장 가까이; es kommt meinem Ideal am ~en 그것은 내 이상에 가장 가깝다; dieser Grund liegt am ~en 이 이유가 가장 타당하다; **fürs** ~e 현재로서는, 당분간; **mit** ~em 〖구식〗 다음 기회에. 《Ⅲ》 *prp.*³ 〖雅語〗 ① 바로 곁에: ~ der Brücke 다리 가까이에; ~ dir 자네 곁에. ② 바로 다음으로: ~ ihnen ist er mir der Liebste 그들 다음으론 그가 내가 가장 사랑하는 사람이다.

nächst·besser *a.* 제 2 위의, 차선의.

nächst·best *a.* 〖der, die, das 와 함께〗 가장 우선적으로 찾을 수 있는, 가장 가까이에 있는.

Nächst·beste* ① *der/die* 아무나 가장 가까이 있는 사람. ② *das* 아무 것이나 가장 가까이 있는 것.

nächst·dem *adv.* 〖구식〗 얼마 안 있어, 곧 이어.

Nächste* [nɛ́:çstə] ① *der/die* (**a**) 가장 가까운〔친한〕 사람. (**b**) 이웃 사람, 동포; 〖聖〗 이웃: 〖속담〗 jeder ist sich selbst der ~e 제 몸보다 소중한 것은 없다. ② *das* 가장 가까운 것, 최대의 관심사: das ~ und Beste ↑ nächstbest; 〖商〗 mit unserm ~n 다음 편으로; das ~, was ich tue 내가 당면한 일.

nach|stechen* 《Ⅰ》 *t.* 본떠서〔모방해서〕 새기다. 《Ⅱ》 *i.* (h.) 나중에 조각하다.

nach|stehen* 《Ⅰ》 *i.* (h.) ① 〖구식〗 뒤에 서다, 다음에 위치하다: das Prädikat steht dem

Subjekt nach 술어는 주어의 다음에 온다. ② 못 미치다, 뒤지다: jm. an Verdienst ~ 업적에 있어서 누구보다 못하다; jm. im Range ~ 누구보다 지위가 낮다; er steht keinem nach 그는 아무에게도 뒤지지 않는다. ③〔고어〕↑ nachstreben, nachtrachten.

nachstehend *p.a.* ① 다음의, 다음〔아래〕에 나오는: wie im ~en bemerkt 다음〔아래〕에 언급되어 있듯이; das ~e 다음 사항; ~ finden Sie eine Liste der Teilnehmer 아래에 참석자들의 명단이 나와 있습니다. ② 못 미치는, 뒤지는.

nach|steigen* *i.* (s.) ① 뒤따라 오르다: jm. auf der Leiter ~ 누구를 뒤따라 사다리를 오르다. ②〔구어〕귀찮게 따라다니다: er steigt jedem Rock nach 그는 치마〔여자〕만 보면 따라다닌다.

nach|stellen 《I》 *t.* ① 뒤에 두다; 〖문법〗 후치시키다: seinen Nutzen dem allgemeinen Besten ~ 공익을 자신의 이익보다 우선시하다; das nachgestellte Verb 후치된 동사. ② (시계 바늘을) 뒤로 돌려놓다: die Uhr 5 Minuten ~ 시계를 5분 늦추다. ③ 나중에 다시 조정하다: Ventile ~ 밸브를 재조정하다. ④ 견본에 따라 묘사하다: eine Szene ~ 어떤 장면을 그대로 모방하여 묘사하다. 《II》 *i.* (h.) ①〖雅語〗 추적하다, 붙잡으려고 노력하다: einem Diebe ~ 도둑을 추적하다; dem Wilde ~ 짐승을 뒤쫓다. ② 추근거리며 따라다니다: einem Mädchen ~ 처녀의 꽁무니를 따라다니며 구애하다.

Nachsteller *m.* -s, - 추적자, 뒤쫓는 사람.

Nachstellung *f.* -en ① 뒤에 두기; 〖문법〗 후치. ②〔대개 복수〕추적, 뒤쫓기. ③ 성가신 구애, 추근거림: sich gegen js. ~en wehren 누구의 성가신 구애를 물리치다.

Nächsten·liebe *f.* 이웃에 대한 사랑, (그리스도의) 사랑, 박애.

nächstens [nɛ́:çstəns] *adv.* ① 이내, 곧. ②〔구어〕마침내, 결국: ~ fängt er an zu trinken! 결국 그는 술을 마시기 시작하는군!

Nachsteuer [ná:xʃtɔʏər] *f.* -n ① (18세기 중엽까지) 해외 도피 재산에 대한 세금. ② (schweiz.) 추징세.

nach|steuern[1] *i.* (h.) 추징세를 내다.

nach|steuern[2] *i.* (s.) jm. ~ 누구를 배로 쫓아가다 (nachschiffen).

nächst≈folgend *a.* 바로 다음의: ~er Tag 이튿날; der ~e Abschnitt 다음 단락; der 〔die〕 ~e 다음 사람. **~gelegen** *a.* 가장 가까이 위치한: in dem ~en Ort 가장 가까운 곳에. **~höher** *a.* 다음으로 높은.

Nachstich [ná:xʃtɪç] *m.* -(e)s, -e (동판 따위의) 모각(模刻).

nächst≈jährig *a.* 다음 해에 개최되는. **~liegend** *a.* ① 가장 가까이 놓인. ② 가장 먼저 떠오르는: die ~e Lösung 우선적으로 떠오르는 해결책. **~liegende*** *das* 가장 우선적인 문제〔일〕. **~möglich** *a.* 우선적으로 가능한.

Nachstoß [ná:xʃto:s] *m.* -es, ..stöße ① 제 2격(擊), 두 번째 차기. ②〖펜싱〗 되받아 찌르기.

nach|stoßen* 《I》 *t.* 뒤에서 떠밀다〔찌르다〕, 떠밀어 보내다; (공을) 다시 차다. 《II》 *i.* ① (s.) 뒤쫓다, 추격하다. ② (h.)〔구어〕되풀이해서 질문〔요구〕하다. ③ (h.)〖펜싱〗 되받아 찌르다.

Nachstrahlung [ná:xʃtra:lʊŋ] *f.* -en 〖理〗 잔광(殘光).

nach|streben *i.* (h.)〖雅語〗 ① jm. ~ a) 누구에게 지지 않으려고 기를 쓰다, b) 누구를 모범으로 삼고 따르다. ② et.[3] ~ 무엇을 얻으려고 노력하다, 열망〔추구〕하다.

nach|streichen* 《I》 *t.* 다시 칠하다〔바르다〕: noch etwas Butter ~ 버터를 조금 더 바르다. 《II》 *i.* (s.)〔구어〕뒤에서 몰래 따라가다: einem Mädchen ~ 처녀를 미행하다.

nach|strömen *i.* (s.) ① 계속해서 흘러나오다〔솟아나오다〕. ②〔비유〕떼지어 뒤따라가다: die dem Festzug in großer Zahl ~den Menschen 축제 행렬의 뒤를 따라가는 수많은 사람들.

Nachstück *n.* -(e)s, -e (소·돼지의) 허리 뒷부분의 고기.

nach|stürmen *i.* (s.) jm. ~ 누구를 뒤쫓아 돌진하다, 허둥지둥 누구를 뒤쫓다.

nach|stürzen 《I》 *i.* (s.) ① 뒤이어〔잇따라〕 무너져내리다. ② ↑ nachstürmen. 《II》 *t.* 뒤에서 밀쳐 떨어뜨리다. 《III》 *refl.* sich ins Wasser ~ 뒤따라 물속으로 뛰어들다.

nächst≈vergangen *a.* 방금 지나간, 바로 최근의. **~vorhergehend** *a.* 바로 전의, 선행한.

Nachsuche *f.* -n〖사냥〗 쏘아 맞힌 사냥감 찾기; 탐색.

nach|suchen 《I》 *i.* (h.) ① 집중적으로 찾다, 뒤지다: in allen Schränken ~ 장롱을 모두 뒤지다. ②〖雅語〗 공식적으로 요청하다: bei jm. um et. ~ 누구에게 무엇을 청원하다; (특허를) 출원하다; um eine Besuchsgenehmigung ~ 면회 허가를 신청하다. 《II》 *t.*〔구식〕 찾다, 수색하다.

Nachsucher *m.* -s, - 탐색자; 청원〔출원〕자.

Nachsuchung *f.* -en 탐색; 청원, 출원, 요청.

nachsündflutlich *a.* 노아의 홍수 이후의 (nachsintflutlich).

***Nacht** [naxt] *f.* Nächte [nɛ́çtə] ① (↔ Tag) 밤, 야간: eine finstere ~ 깜깜한 밤; die Heilige ~ 크리스마스 전야; Tausendundeine ~ 천일야화; in den zwölf Nächten 크리스마스날부터 예수 공현 대축일(1월 6일)까지의 사이에; den Tag zur ~ und die ~ zum Tag machen 밤에는 깨어 있고 낮에 자다; es wird ~ a) 밤이 된다, b) (südd.) 저녁때가 된다, 어두워진다; die ~ kommt 〔die ~ senkt sich nieder〕 날이 저문다, 밤이 된다; der Kranke hatte eine schlaflose ~ 환자는 꼬박 밤을 새웠다; gute ~! 안녕히 주무세요, 잘 자!; jm. gute ~ wünschen 누구에게 안녕히 주무시라고〔잘 자라고〕 말하다; Freiheit, gute ~! 자유여, 안녕!; 〔구어〕 na, dann gute ~! 그래 잘 해 봐라! (실망·체념의 표현); 〔구어〕 sich[3] die ~ um die Ohren schlagen (어떤 이유로) 밤에 자지 않다, 철야하다. ②〔부사적〕 **(a)**〔부사적 4격〕 die ganze ~ (hindurch) 밤새도록; drei Nächte (lang) 사흘 밤이나; die letzte〔vorige〕 ~ 지난밤에; Dienstag≈ 화요일의 밤; ich habe diese ~ schlecht geschlafen 나는 간밤에 잘 자지 못했다. **(b)**〔부사적 2격〕 des ~s 밤에;

eines ~s 어느날 밤에. ③〔전치사와 함께〕〔방언〕 **auf** die ~ 저녁에; **bei** ~ 밤에; bei ~ und Nebel verschwinden 야밤 도주하다; 〔속담〕 bei ~ sind alle Katzen grau 밤에는 모든 고양이들이 잿빛으로 보인다(밤에는 사람을 분간할 수 없다); **bis** tief〔spät〕 in die ~ (hinein) arbeiten 밤늦게까지 일하다; **für** die ~ 밤 동안에는; **in** der ~ 밤〔야간〕에; tief〔mitten〕 in der ~ 심야〔한밤중〕에; **über** ~ a) 밤 사이에, 밤새도록, b) 〔비유〕 하룻밤 사이에, 갑자기; der Krieg kam über ~ 전쟁은 갑자기 발발했다; die ~ über 그 밤 내내, 밤을 새워; **vor** ~ 날이 저물기 전에; (südd.) zu(r) ~ essen 저녁 식사를 하다. ④〔비유〕 schwarz wie die ~ 칠흑 같은, 새까만; häßlich wie die ~ 아주 못 생긴; dumm 〔blöd, doof〕 wie die ~ 아주 멍청한; ein Unterschied wie Tag und ~ 천양지차; das ist wie Tag und ~ 그것은 천양지차가 난다. ⑤ 밤의 여신; 야회(夜會); 〖畫〗 야경화: italienische ~ 연등 축제(Lampionfest). ⑥ 〔비유〕 **(a)** 암흑, 어둠: 〔시어〕 ewige ~ a) 죽음, b) 평화; die ~ der Zukunft 암담한 장래. **(b)** 어두운〔깊은〕 곳, 심연; 저승, 황천, 지옥. **(c)** (나무) 그늘; 여명, 어스름빛. **(d)** die ~ der Blindheit a) 먼눈, b) 무지, 몽매; 〔경박〕 ~ der langen Messer 학살, 숙청, 무자비한 탄압; er ist ~ in seinem Geiste 그는 미치광이다; ihm wurde (es) ~ vor Augen 그는 실신했다. **(e)** 〔雅語〕 암흑기, 공포〔죽음〕의 시대: die ~ der Barbarei 〔des Faschismus〕 야만〔파시즘〕의 어두운 시대. **(f)** 어두운 운명, 깊은 비애〔우울〕. **(g)** 화(禍), 흉사; 죄악. **(h)** 비밀, 신비. **(i)** 새까만 빛깔; 검은 머리.

Nachtag [ná:xta:k] *m.* -(e)s, -e ① 다음날. ② 결혼식 다음날, 결혼식 일주일 후의 피로연날. ③〖商〗 어음의 연기일〔유예일〕.

nacht·aktiv *a.* 〖動〗 야행성의. **~anbruch** *m.* 황혼. **~angel** *f.* 밤낚시의 낚싯바늘. **~angriff** *m.* 〖軍〗 야간 공격. **~anzug** *m.* 잠옷. **~arbeit** *f.* 야간 작업〔노동〕; 밤공부. **~arbeiter** *m.* 야간 작업자〔근무자〕. **~asyl** *n.* (집 없는 사람들을 위한) 무료 숙박소. **~ausgabe** *f.* (일간지의) 석간(판). **~bar** *f.* 새벽까지 영업하는 술집. **~bild** *n.* 〖畫〗 야경(화); 〔비유〕 어두운 면의 묘사. **~blau** *a.* 검푸른색의. **~blind** *a.* 야맹(증)의. **~blindheit** *f.* 〖醫〗 야맹증. **~dieb** *m.* 밤도둑. **~dienst** *m.* (↔ Tagdienst) 야근, 숙직: ~ machen〔haben〕 야근하다. **~dunkel** *a.* 〔雅語〕 밤처럼 어두운, 밤이 되어 어두운. **~dunkel** *n.* 〔雅語〕 밤의 어두움.

***Nachteil** [ná:xtaɪl] *m.* -(e)s, -e (↔ Vorteil) ① 불리, 불이익, 손해: jm. ~ bringen 누구에게 해를 입히다, 손해를 끼치다; im ~e sein 〔sich im ~e befinden〕 불리한 입장이다, 손해보고 있다; mit ~ verkaufen 손해를 보고 팔다; ohne ~ seiner Rechte 자신의 권리를 침해받지 않고; jm. zum ~ gereichen 누구에게 불리해지다, 손해가 되다. ② 단점, 결점: dieser Plan hat den ~, daß... 이 계획에는 …한 단점이 있다.

nachteilig *a.* (↔ vorteilhaft) 불리한, 해로운, 손해가 되는: ~es Getränk 유해 음료; jn. ~ beeinflussen 누구에게 불리한 영향을 미치다.

nächte·lang [nɛ́çtə..] *a.* 여러 날 밤 지속되는.

nachten [náxtən] (< Nacht) *i.* (h.) / *imp.* 〔시어〕 (schweiz.) es nachtet 밤이 된다, 날이 저문다; wenn das Leben uns nachtet 우리의 인생이 저물 때.

nächten[1] [nɛ́çtən] 〔드물게〕 《Ⅰ》 *i.* (h.) ↑ nächtigen. 《Ⅱ》 *t.* jn. ~ 누구를 숙박시키다.

nächten[2] *adv.* 지난 밤; 밤에.

nächtens *adv.* 〔시어〕 밤(중)에 (nachts).

Nacht·essen *n.* 〔방언〕 (südd.) 저녁 식사 (Abendessen). **~eule** *f.* ①〖動〗 (헛간 등에 사는) 올빼미의 일종. ②〔비유〕 도깨비 같은 사람. ③〔구어·농담〕 밤늦도록 자지 않는〔야행성인〕 사람. **~fahrt** *f.* 야간 주행. **~falter** *m.* 〖動〗 나방. **~farben** *a.* 흑색의. **~flug** *m.* 야간 비행. **~frau** *f.* 마녀, 요괴. **~frost** *m.* 밤서리, 밤추위. **~gebet** *n.* 밤기도. **~gebühr** *f.* 야간 요금. **~geist** *m.*, **~gespenst** *n.* 도깨비, 유령. **~ge·schirr** *n.* 〔雅語〕 실내용 변기, 요강. **~gewand** *n.* 〔雅語〕 잠옷. **~gleiche** *f.* 〖天〗 (↑ Tagundnachtgleiche) 분점(分點) (춘분점·추분점 등), 춘분, 추분. **~gleich·punkt** *m.* 〖天〗 분점. **~glocke** *f.* (약국의) 밤시간용 초인종. **~haube** *f.* 〔옛뜻〕 (부인용) 잠자리용 모자〔나이트캡〕. **~hemd** *n.* 잠옷. **~herberge** *f.* 숙박소. **~himmel** *m.* 어두운 밤하늘.

nächtig [nɛ́çtɪç] *a.* ①〔구식〕 밤의, 밤과 같이 어두운. ②〖사냥〗 (짐승의 발자국이) 밤에 생긴.

***Nachtigall** [náxtɪgal] („Nachtsängerin") *f.* -en ①〖動〗 나이팅게일, 밤꾀꼬리: 〔구어〕 ~, ich hör' dir trapsen 나는 너의 진짜 의도를 잘 알겠다. ②〔비유〕 미성(美聲)의 여가수; 〔비속〕 요강.

Nachtigallen·schlag *m.* 나이팅게일의 울음〔노래〕 소리.

nächtigen [nɛ́çtɪgən] *i.* (h.) (öst.) 〔雅語〕 (übernachten) 밤을 지내다, 묵다: unter freiem Himmel ~ 노천에서 자다, 노숙하다.

***Nachtisch** [ná:xtɪʃ] *m.* -(e)s, -e 후식, 디저트: was gibt es heute zum ~? 오늘은 후식으로 무엇이 나오나요?

Nacht·jacke [náxt..] *f.* (여성용) 잠옷 윗도리. **~jäger** *m.* 〖軍〗 야간 전투기. **~kästchen** *n.* (südd., öst.) 침대 옆의 설합장(~tisch). **~kerze** *f.* ① 양초. ②〖植〗 금달맞이꽃. **~kittel** *m.* (어린이의) 잠옷. **~kleid** *n.* 잠옷; 취침용 가운. **~klub** *m.* 나이트클럽. **~kühle** *f.* 〔雅語〕 밤의 냉기, 서늘한 밤공기. **~lager** *n.* ① 숙소, 침소; (임시 변통의) 침상. ②〖軍〗 야영, 숙영지. **~lampe** *f.* (빛이 약한) 침실용 전등〔스탠드〕. **~leben** *n.* ① (도시의) 야간 유흥업. ②〔대개 농담〕 밤의 환락. ③ 야행성 동물. **~leuchter** *m.* 침실용 촛대.

nächtlich [nɛ́çtlɪç] *a.* ① 밤〔야간〕의: ~er Angriff 야습. ②〔비유〕 어두운, 음울한; 새까만; 고요한.

nächtlicher·weile *adv.* 〔드물게〕 밤(중)에.

Nacht·licht *n.* ① 침실의 약한 불빛. ②〔구어·농담〕 ↑ ~mensch.

nächtlings *adv.* 밤(중)에.

Nacht·lokal *n.* ↑ ~bar. **~luft** *f.* 밤공기. **~mahl** *n.* (südd., öst.) 저녁 식사〔밥〕, 만찬.

≈**mahlen** *i.* (h.) (öst.) 저녁 식사를 하다, 만찬을 들다. **~mahr** *m.* ① ↑ ~gespenst. ② 악몽, 가위눌림. **~marsch** *m.* 〖軍〗 야간 행군. **~mensch** *m.* 〔구어〕 야행성인 사람. **~messe** *f.* 〖가톨릭〗 자정 미사. **~musik** *f.* 〖음악〗 소야곡, 세레나데. **~mütze** *f.* ① 〔옛뜻〕 남성용 나이트캡. ② 〔구어·농담〕 멍청이, 게으름뱅이, 산만하고 졸리운 듯한 사람.

nach|tönen *i.* (h.) 되울리다, 메아리치다.

N

Nacht≈pfauen·auge *n.* 〖動〗 참나무산누에나방의 일종. **~pförtner, ~portier** *m.* 야간 수위. **~posten** *m.* 〖軍〗 야간 보초. **~-quartier** *n.* (하룻밤 묵기 위한) 숙소.

Nachtrab [ná:xtra:p] *m.* -(e)s, -e 〖軍〗 후위: 〖비유〗 im ~ sein 시대에 뒤져 있다.

Nacht·rabe *m.* 〖動〗 푸른 백로, 해오라기.

nach|traben *i.* (s.) jm. ~ 누구를 빠른 걸음으로 뒤좇다〔뒤따르다〕.

nach|trachten *i.* (h.) ① (nachstreben) 모범으로 삼고 따르다, 열망하다. ② 〔고어〕 뒤좇다 (nachstellen 《Ⅱ》).

Nachtrag [ná:xtra:k] *m.* -(e)s, ..träge [..trɛ:gə] 추가 기록, 부록, 증보; 추신.

nach|tragen* 《Ⅰ》 *t.* ① 나중에〔뒤좇아〕 갖다 주다: ich mußte ihm seinen Schirm wieder einmal ~ 나는 그에게 (그가 놓고 간) 우산을 또다시 가져다 주어야 했다. ② (오래) 마음에 두다, 쉽게 용서해 주지 않다: sie hat ihm seine Vorwürfe lange nachgetragen 그녀는 그가 한 비난의 말을 오래도록 잊지 못했다, 앙심을 품었다. ③ (a) 추가로 기입하다: er hat in dem Artikel noch einige Beispiele nachgetragen 그는 글에 몇 가지 예를 더 써넣었다. (b) 추가로 언급하다, 덧붙여 말하다.

nachtragend *p.a.* 원한을 잊지 않는, 잘 용서해 주지 않는, 꽁한.

nachträgerisch *a.* 〖雅語〗 ↑ nachtragend.

nachträglich [ná:xtrɛ:klıç] *a.* ① 나중의, 뒤늦은, 추가의: ~er Einfall 뒤늦게 떠오른 생각〔착상〕; ~ et. einfügen 추가로 무엇을 끼워 넣다. ② 불리한, 이득 없는: jm. ~ sein 누구에게 손해다〔불리하다〕. ③ ↑ nachtragend.

Nachträglichkeit *f.* -en ↑ nachträglich 의 명사형.

Nachtrags≈artikel *m.* 추가 항목〔조항〕. **~etat** [..eta:] *m.* ↑ ~haushalt. **~haus·halt** *m.* 〖政〗 추가 경정 예산. **~zahlung** *f.* (기일 후의) 후불; 추가 지급; 잔액 지급.

nach|trauern *i.* (h.) ① 〔드물게〕 애도하다: einem Verstorbenen ~ 고인을 애도하다. ② 아쉬워하다, 애석하게 여기다: einer verpaßten Gelegenheit ~ 놓친 기회를 안타까워하다.

nach|treiben* *t.* ① (가축을) 뒤에서 쫓다; (뗏목의 목재를) 뒤에서 밀어 흘러가게 하다. ② (싹·봉우리를) 늦게 틔우다.

Nacht·reise *f.* 야간 여행, 밤길.

nach|treten* *i.* (s.) ① 뒤에서 걷다, 따라가다. ② 〔비유〕 (맹목적으로) 따라 하다, 추종하다. ③ 〖스포츠〗 (앞서 있었던 반칙에 보복하려고) 상대 선수를 뒤에서 차다.

Nachtreter *m.* -s, - (맹목적인) 모방자, 추종자, 아류.

Nachtrieb [ná:xtri:p] *m.* -(e)s, -e 새싹.

nach|trinken* *t.* ① jm. ein Glas ~ a) 누구 다음에 한 잔 마시다, b) 누구의 축배에 답하여 한 잔 마시다. ② Wasser auf eine Arznei ~ 약을 먹고 물을 마시다.

Nacht≈rock *m.* 잠옷. **~ruhe** *f.* 밤의 휴식, 수면; 밤의 정적: js. ~ stören 누구의 수면을 방해하다. **~runde** *f.* 야간 순찰.

Nachtrupp [ná:xtrup] *m.* -s, -s 〖軍〗 후위 (Nachtrab).

nachts [naxts] *adv.* 밤(중)에.

Nacht≈sack *m.* 여행용 작은 가방〔주머니〕. **~schatten** *m.* ① 야음, 밤의 어둠. ② 〖植〗 가짓과의 식물(특히 까마종이·벨라돈나 따위). **~schatten·gewächs** *n.* 〖植〗 가짓과 식물 (감자·토마토 따위). **~schicht** *f.* ① 야간 작업〔교대〕, 야근: in dieser Woche habe ich ~ 이번 주에 나는 야근이 있다. ② 야간 작업〔교대〕조, 야간 작업원 전체. **~schlaf** *m.* 밤잠. ≈**schlafend** *a.* 〔다음 용법으로만〕 bei 〔zu〕 ≈er Zeit 모든 사람이 잠든 시간에, 한밤중에. **~schmetterling** *m.* 〖動〗 나방. **~-schränkchen** *n.* ↑ ~tisch. **~schwalbe** *f.* 〖動〗 쏙독새속(屬)의 새. **~schwärmer** *m.* ① 〔농담·구어〕 밤의 환락을 좇는 사람. ② 〖動〗 (불)나방(~falter). **~schweiß** *m.* (잠잘 때의) 식은땀; 〖醫〗 침한(寢汗), 도한(盜汗). **~schwester** *f.* 야근 간호사. **~seite** *f.* 〖雅語〗 어두운〔부정적인〕 면: die ~ des Lebens 인생의 어두운 면. **~speicher·ofen** *m.* (심야에 값싼 전기로 가열했다가 사용하는) 축열난로. **~ständchen** *n.* 〖음악〗 ↑ ~musik. **~stille** *f.* 밤의 정적. **~strom** *m.* 심야 전기. **~stück** *n.* ① 〖畫〗 야경화(夜景畫). ② 〖음악〗 야상곡. ③ 〖문학〗 무서운 밤 장면을 묘사한 낭만주의 소설. **~stuhl** *m.* 환자용 변기. **~stunde** *f.* 야간, 밤시간.

nachts·über *adv.* 밤새도록, 밤새.

Nacht≈tarif *m.* (전기·전화 등에서) 야간 특별 할인 요금. **~tier** *n.* 야행성 동물. **~tisch** *m.* 침대 옆 탁자. **~topf** *m.* (~geschirr) 실내용 변기, 요강. **~trunk** *m.* 잠자리 술. **~-übung** *f.* 〖軍〗 야간 훈련.

nach|tun* [ná:xtu:n] *t.* ① 나중에 하다. ② 부가〔첨가〕하다: Salz in die Suppe ~ 수프에 소금을 치다. ③ 모방하다: jm. et. ~ 누구의 무엇을 흉내내다; es jm. ~ wollen 누구와 겨루다, 지지 않으려고 하다; keiner kann es ihm ~ 그와 견줄 만한 사람은 아무도 없다.

Nacht-und-Nebel-Aktion *f.* (야간) 기습작전.

Nacht≈viole [..vio:lə] *f.* 〖植〗 노란장대속(屬)의 일종. **~vogel** *m.* ① 야행성 조류, 야조(夜鳥). ② 〔비유〕 나방(~falter). **~wache** *f.* ① 야간 당직〔경비〕, 야간 보초〔순찰〕. ② 야간 당직자〔경비원〕, 야간 보초병〔순찰자〕. **~-wächter** *m.* ① 〔옛뜻〕 야경꾼. ② 야간 당직자〔경비원〕. ③ 〔경박〕 미련퉁이, 게으름뱅이: das ist unter dem ~ 그것은 말도 안 된다, 경멸할 가치조차 없다. ④ (컵의) 마시다 남은 맥주. ⑤ 〔경박·은어〕 (길가의) 똥덩어리: in einen ~ treten 똥을 밟다.

nacht≈wandeln (*p.p.* genachtwandelt) *i.* (h./s.) 자면서 걸어다니다, 몽유하다. ≈**wanderung** *f.* 밤 산책. ≈**wandler** *m.* 몽유병환자. **~wandlerisch** *a.* ① 몽유병의: mit ~er Sicherheit 몽유병자 같은〔본능적인〕 정확성으로. ② 꿈꾸는 듯한. ≈**wäsche** *f.* 잠옷. ≈**wind** *m.* 밤바람. ≈**zeit** *f.* 야간: zur

∻ 밤중에. ∻**zeug** *n.* 〖구어〗 숙박용 물건들(잠옷·침구류 등). ∻**zug** *m.* 야간 열차; 밤낚시질; 〖軍〗 야간 행군. ∻**zuschlag** *m.* 야근 특별 수당.

nach|untersuchen *t.* 재검진하다.

Nachuntersuchung *f.* -en 재검진.

Nachurlaub [ná:x|u:rlaup] *m.* -(e)s, -e 추가 휴가.

nach|verlangen *t.* 추가로 요구하다.

Nachvermächtnis *n.* -ses, -se 추가 유증(遺贈).

nach|versichern *t.* 추가 보험에 들다.

Nachversicherung *f.* -en 〖法〗 추가 보험.

nach|verzollen *t.* (상품에 대해) 추가 관세를 물다.

nachvollziehbar [ná:xfɔltsi:ba:r] *a.* 추(追)체험〔공감〕할 수 있는: eine für Außenstehende kaum ~e Reaktion 국외자로서는 거의 공감할 수 없는 반응.

nach|vollziehen [..ti:ən] *t.* 공감하다.

nach|wachsen* [..ksən] *i.* (s.) ① (식물·치아가) 다시 자라다〔나다〕. ② 뒤를 잇다.

nachwachsend *p.a.* 뒤를 잇는, 후계의.

nach|wägen* *t.* 다시 저울질하다, 중량을 확인하다; 〖비유〗 재고하다, 고쳐 생각하다.

nachwäglich [ná:xvɛ:klɪç] *a.* (nachdenklich) 깊이 생각하는, 숙고하는.

Nachwahl *f.* -en ① 재선거. ② 보궐 선거.

Nachwährschaft *f.* -en (schweiz.) (가옥이나 가축의 매매 후에 발견된 결함에 대한) 하자(瑕疵) 보증〔담보〕.

Nachwaise *f.* -n 유복자(遺腹子).

nach|wandeln *i.* (s.) jm. ~ 누구를 모범으로 따르다.

nachwärtig *a.* 〖방언〗 나중의, 뒤의.

nachwärts *adv.* 나중에, 뒤에.

Nachweh [ná:xve:] *n.* -(e)s, -e 뒤에 남는 고통〔슬픔〕.

Nachwehe *f.* -n ① 〖醫〗 후진통(後陣痛). ② 〖雅語〗 후유증.

Nachwein *m.* -(e)s, -e 두 번째 거른 포도주, 저급의 포도주.

nach|weinen 《Ⅰ》 *i.* (h.) jm. ~ 누구와의 사별〔이별〕을 슬퍼하여 울다. 《Ⅱ》 *t.* jm. keine Träne ~ 누구와의 사별〔이별〕에 눈물 한 방울 흘리지 않다.

***Nachweis** [ná:xvaɪs] *m.* -es, -e [..zə] ① 〖고어〗 보고, 통지; 소개, 안내. ② 증명, 입증, 증거; 표, 색인; 〖化〗 검출: der ~ der Unschuld des Angeklagten 피고의 무죄 입증; den ~ erbringen〔führen, liefern〕 입증하다, 증거를 대다. ③ 〖복합어 요소로〗 안내소, 소개소: Arbeits∻ 직업 소개소; Hotel∻ 호텔 일람표.

nachweisbar *a.* 입증될 수 있는, 명백한.

Nachweis(e)≈amt *n.*, **~anstalt** *f.*, **~büro** *n.* ↑ Nachweis ③.

nach|weisen [ná:xvaɪzən] 《Ⅰ》 *t.* ① 지시하다, 알려 주다, 소개〔안내〕하다: jm. Arbeit〔eine Stellung〕 ~ 누구에게 일거리〔일자리〕를 알선하다. ② 증명〔입증〕하다; 〖化〗 검출하다: et. wissenschaftlich ~ 무엇을 학문적으로 증명하다; jm. ein Verbrechen ~ 누구의 범죄를 입증하다. 《Ⅱ》 *i.* (h.) jm. (mit Finger) ~ 누구를 (손가락으로) 가리키다.

Nachweiser *m.* -s, - ① 지시자, 안내자, 소개자. ② 일람표, 목록, 명부; 안내서, 소개서. ③ 〖印〗 (책의) 가리킴표, 참조 부호(☞, ↑ 따위).

Nachweis(e)≈zahl *f.* 〖商〗 (원장(元帳)의) 페이지 수. **~zeichen** *n.* (책의) 참조 부호(활자) (*, ↑ 따위).

nachweislich *a.* 입증된, 증명된 바와 같은: er ist ~ dort gewesen 입증된 바와 같이 그는 거기에 있었다.

nach|weißen *t.* (벽을) 다시 하얗게 칠하다.

Nachweisung [ná:xvaɪzʊŋ] *f.* -en 〖드물게〗 ↑ nachweisen 의 명사형.

***Nachwelt** [ná:xvɛlt] *f.* ① 후세, 후대, 후손: et. der ~ überliefern〔hinterlassen〕 무엇을 후대에 전하다. ② 〖哲〗 후(後)세계 (Vorderwelt 에 대응되는 형이상학적 세계).

nach|werfen* [ná:xvɛrfən] *t.* ① 뒤에서 던지다: jm. Steine ~ 누구의 등 뒤로 돌을 던지다. ② 추가로 투입하다: einige Markstücke ~ (공중 전화에) 몇 마르크를 더 집어 넣다. ③ 〖구어〗 jm. et. ~ 누구에게 무엇을 쉽게 얻게 하다: den Schmuck bekommt man dort nachgeworfen 그곳에서는 보석을 싸게 구입할 수 있다.

nach|wiegen* *t.* (nachwägen) 다시 저울질하다, 다시 무게를 달다.

Nachwind [ná:xvɪnt] *m.* -(e)s, -e [..də] 〖海〗 뒤에서 부는 바람, 순풍.

nach|winken *i.* (h.) jm. ~ 떠나가는 사람에게 뒤에서 작별 인사로 손을 흔들다.

Nachwinter [ná:xvɪntər] *m.* -s, - 늦겨울; 늦추위, 꽃샘 추위.

nach|wirken *i.* (h.) ① 뒤늦게 작용하다, 늦게 효력을 나타내다. ② 오래 영향을 끼치다, 여파가 남다: diese Tablette wird doch etwa eine halbe Stunde ~ 이 알약은 아마 반 시간 동안은 효과가 지속될 것이다.

Nachwirkung *f.* -en 여세, 여파; 영향.

nach|wollen* *i.* (h.) 〖구어〗 jm. ~ 누구를 따라가려고 하다.

Nachwort [ná:xvɔrt] *n.* -(e)s, -e (↔ Vorwort) 결어, 후기(後記), 발문(跋文).

***Nachwuchs** [ná:xvu:ks] *m.* -es, ..wüchse ① 〖드물게〗 뒤에 자라남, 다시 남, 재생. ② 어린 나무〔가지〕, 새싹. ③ (특정 분야의) 젊은 층, 후진, 후속 세대: den ~ fördern 후진을 육성하다. ④ 〖구어〗 (한 가족의) 자녀, 후손: bei ihnen hat sich ~ angemeldet 그들에게 아이가 하나 생겼다.

Nachwuchs·mangel *m.* 후진의 부족.

nach|würzen *t.* 추가로 양념을 치다: das Fleisch ~ 고기에 양념을 더 치다.

nach|zahlen [ná:xtsa:lən] *t.* ① 나중에〔뒤늦게〕 지급하다. ② 추가로 지급하다; 〖철도·연극〗 할증금을 지급하다: das Gehalt ~ 봉급을 추가로 지급하다.

nach|zählen *t.* 다시 계산하다, 검산하다.

Nachzahlung *f.* -en ① 후불; 추가 지급, 할증금 지급. ② 후불금; 추가 지급금.

Nachzählung *f.* -en 다시 셈하기, 검산.

nach|zeichnen *t.* ① (그림을) 모사하다, 본떠서 그리다: 〖雅語〗 einen Werdegang ~ 성장 과정을 묘사하다. ② (서명하여) 추가로 결재하다: eine Anleihe ~ 추가로 융자를〔차관을〕 받다.

Nachzeichnung *f.* -en 모사(模寫) (한 것).

Nachzeit [ná:xtsaıt] *f.* -en (↔ Vorzeit) 장래, 후일, 후대.
Nachzeitigkeit *f.* 〖문법〗 (부문장의) 시간적 후속성(보기: ich warte so lange, bis du zurückkommst).
nach|ziehen* 《I》 *t.* ① 뒤에 끌다, 끌고 가다: 〖海〗 ein Schiff am Schlepptau ~ 배를 밧줄로 연결해 예인하다; das wird nichts Gutes ~ 그것은 좋지 않은 결과를 가져올 것이다; 〖속담〗 ein Unglück zieht ein anderes nach 화불단행(禍不單行), 설상가상; ein Bein ~ 다리를 질질 끌며 걷다. ② 덧그려 뚜렷하게 하다: Augenbrauen ~ 눈썹을 그리다. ③ (나사못을) 더〔다시〕 죄다. ④ (식물을) 추가로 재배하다. 《II》 *i.* (s.) ① 뒤쫓다, 뒤따르다: dem Wild ~ 사냥감을 뒤쫓다; einer Fahne ~ 군기(軍旗)를 따라 진군하다. ② 뒤따라 이사가다: er ist seinem Freund nach Berlin nachgezogen 그는 친구를 따라 베를린으로 이사했다. ③ 〖체스〗 상대방을 따라 말을 움직이다, 손따라 두다. ④ 〖구어〗 (남이 하는 대로) 따라하다.
nach|zittern *i.* (h.) 뒤따라 떨다〔떨리다〕; 〖비유〗 (전율이) 오래 남다.
Nachzoll [ná:xtsɔl] *m.* -(e)s, ..zölle 추가〔추징〕 관세.
nach|zotteln *i.* (s.) 〖구어〗 건들건들〔느릿느릿〕 뒤따라가다.
Nachzucht [ná:xtsuxt] *f.* -en ① **(a)** (가축의) 번식. **(b)** 씨짐승〔종축(種畜)〕의 새끼, 부화한 병아리. ② 나중에 부화한 꿀벌의 애벌레.
Nachzug [ná:xtsu:k] *m.* -(e)s, ..züge [..tsy:gə] ① 후속 이주〔진군〕. ② 〖軍〗 후위. ③ 〖철도〗 후속 임시 열차. ④ 〖체스〗 후수(後手).
nach|zügeln *i.* (s./h.) 뒤처지다, 낙오하다.
Nachzügler [ná:xtsy:klər] *m.* -s, - ① 지각자, 낙오자. ② 〖비유〗 흐리멍텅한 사람, 일이 더딘 사람. ③ 유복자(遺腹子). ④ 〖구어·농담〗 늦게 본 자식, 늦둥이.
nachzüglerisch [..tsy:klərıʃ] *a.* 뒤처진, 낙오의.
Nackedei [nákədaı] 《ndd.; <nackt》 *m.* -s, -e/-s 〖구어·농담〗 ① 발가벗은 아이. ② (영화·해수욕장의) 발가벗은 사람.
***Nacken** [nákən] 《⊕ nicken, Genick》 *m.* -s, - 목덜미: sie warf stolz den Kopf in den ~ (zurück) 그녀는 거만하게 고개를 (뒤로) 젖혔다(거부·저항의 뜻); 〖雅語〗 jm. den ~ beugen 누구를 굴복시키다; 〖雅語〗 vor jm. den ~ beugen 누구에게 굴복하다; einen harten〔steifen〕 ~ haben 완고하다, 고집이 세다; 〖雅語〗 mit unbeugsamem ~ 굽히지 않는, 불굴의; 〖雅語〗 einen unbeugsamen ~ haben 불굴의 성격을 지니고 있다; 〖雅語〗 jm. den ~ steifen 누구를 격려해서 완강히 저항하도록 하다; den ~ steifhalten 굴복하지 않다; den ~ hoch〔steif〕 tragen 목에 힘주고 다니다, 거만하다; 〖雅語·구식〗 jm. auf dem 〔im〕 ~ sitzen a) 누구를 바싹 뒤쫓다〔추적하다〕, b) 누구를 괴롭히다; jn. im ~ haben 누구의 추적〔괴롭힘〕을 받고 있다; jm. den Fuß auf den ~ setzen 누구를 완전히 굴복시키다; 〖구어〗 einen〔den〕 Schelm im ~ haben 늘 장난치고 싶어하다, 장난기가 많다; jm. den ~ ins Joch zwingen 누구를 굴복〔예속〕시키다; jm. in den ~ schlagen 누구에게 끈덕지게 달라붙다, 누구를 심술궂게 다루다; jm. sitzt der Geiz im ~ 누구는 지독한 구두쇠다; jm. sitzt die Furcht im ~ 누구는 몹시 무서워하고 있다.
nackend [nákənt] *a.* 〖방언〗 ↑ nackt.
Nacken≈grube *f.* 〖해부〗 항와(項窩). **~haar** *n.* 목덜미에 난 털. **~hebel** *m.* 〖레슬링〗 넬슨(목조르기 기술; 미국 선수의 이름에서). **~schlag** *m.* ① 목덜미 가격〔치기〕. ② 〖비유〗 개인적 불행, 굴욕, 봉변: einen ~ erhalten 혼나다, 봉변을 당하다. **~schleier** *m.* (옛날 여성 모자의) 목덮개. **~schutz** *m.* (햇빛을 막는) 목덮개; (소방용 헬멧의) 목덜미 보호대; (갑옷의) 목덜미 부분. **~starre** *f.* 〖醫〗 경부(頸部) 경직. **~steif** *a.* 고집이 센, 완고한, 불굴의. **~stütze** *f.* (의자·좌석의) 목받침, 머리 받침.
nackert [nákərt] (öst.) 〖구어〗 *a.* ↑ nackt.
Nack·frosch *m.* 〖드물게〗 ↑ Nacktfrosch.
nackicht *a.* 〖방언〗, **nackig** *a.* 〖구어〗 ↑ nackt.
..nackig 《<Nacken》 *suf.* "…한 목의, …한 목을 가진"의 뜻(보기: kurz~ 목이 짧은).
***nackt** [nakt] *a.* ① **(a)** 벌거벗은, 나체의: ~e Brust 드러낸 가슴; ~e Füße 맨발; jn. ~ ausziehen 누구를 벌거벗기다; eine ~e Figur 나체상. **(b)** 머리털이 없는, 수염을 깎은. **(c)** 얇은 옷을 입은; 헐벗은, 가난한: 〖시어〗 ~ und bloß 가난〔영락〕한. ② 〖動〗 깃털이 나지 않은, 털〔비늘〕이 없는. ③ 〖植〗 잎이 없는, 앙상한: ~e Bäume 잎이 떨어진 나무; ~e Knospen 여름눈; ~e Jungfer〔Hure〕 콜키쿰(약용 식물의 하나). ④ 〖사물에 관해서〗 덮개가 없는, 노출된: **(a)** 초목이 없는, 불모의: der ~e Boden 불모지. **(b)** 덮개가〔장식이〕 없는, 물건이 놓여 있지 않은: der ~e Tisch 책상보를 덮지 않은 탁자; ~e Wohnung 가구가 없는 주택; ~e Wände 장식 없는 벽; auf der ~en Erde 〔auf dem ~en Boden〕 schlafen 맨땅〔맨바닥〕에서 자다. **(c)** 무장하지 않은: mit ~em Auge 육안으로. **(d)** ein ~es Schwert 칼집에서 뽑은 칼. ⑤ 〖비유〗 **(a)** 분명〔명백〕한: ~e Lüge 새빨간 거짓말; ~e Wahrheit 적나라한 진실; ~ zur Schau stellen 있는 그대로 내보이다. **(b)** 꾸미지 않은, 솔직한, 사실대로의: eine ~e Aufzählung der Tatsachen 있는 그대로의 사실 열거; mit ~en Worten 말을 꾸미지 않고, 솔직히. **(c)** 다만 그것뿐인: das ~e Leben 그저 목숨만 부지하는 생활; nur das ~e Leben retten 겨우 목숨만 건지다.
Nackte* 《I》 *der/die* 나체의 사람. 《II》 *das* 〖畫〗 나체, 나체화〔상〕.
nackt≈armig *a.* 팔을 드러낸, 맨팔의. **~baden** *n.* 나체 수영. **~bade·strand** *m.* 나체 해수욕장. **~beinig** *a.* 다리를 드러낸, 맨다리의. **~blütig** *a.* 〖植〗 꽃덮이가 없는. **~frosch** *m.* 〖구어·농담〗 벌거벗은 아이, 빨가숭이. **~fußig** *a.* 맨발의.
***Nacktheit** [nákthaıt] *f.* -en ① 벌거숭이, 알몸 상태. ② 적나라, 앙상, 황량, 삭막: die ~ einer Landschaft 살풍경; das Elend in seiner erschreckenden ~ darstellen 참상을 끔찍스러울 정도로 적나라하게 묘사하다.
Nackt≈keimer *m.* 〖植·고어〗 무자엽(無子

葉) 식물. ~**kultur** *f.* 나체 문화, 나체주의 문화 운동. ~**malerei** *f.* 나체화. ~**modell** *n.* 나체〔누드〕모델. ~**samer** *m.* -s, -〖植·고어〗 겉씨〔나자(裸子)〕식물. ≈**samig** *a.*〖植〗나자(裸子)의(↔bedecktsamig). ~**schnecke** *f.*〖動〗민달팽이. ~**tänzerin** *f.* 나체 여자 무용수.

*__Nadel__ [ná:dəl] *f.* -n ① 바늘: (**a**) 바느질용 바늘(Näh≈); 뜨개질 바늘(Strick≈): die ~ einfädeln 바늘에 실을 꿰다; sich auf die ~ verstehen 바느질을 잘하다. (**b**) 핀(Steck≈); 브로치(Brust≈); 안전핀(Sicherheits≈); 머리핀(Haar≈); 넥타이핀(Krawatten≈); 축음기의 바늘(Grammophon≈); 주사바늘(Injektions≈): et. mit ~n befestigen 무엇을 핀으로 고정하다;〖은폐〗an der ~ sein 〔hängen〕 마약에 중독되어 있다. (**c**) 나침(Kompaß≈); 자침(磁針)(Magnet≈); 에칭용 조각침(Ätz≈);〖軍〗공이(Zünd≈), 격침(擊針). ② 바늘 모양의 것: (**a**)〖動〗(고슴도치의) 가시. (**b**)〖植〗침엽(針葉). (**c**) 뾰족바위, 뾰족한 산, 첨봉(尖峯). (**d**)〖광물〗침상(針狀) 결정; 첨정석(尖晶石). (**e**)〖건축〗첨탑(尖塔). ③〖비유〗et. keiner ~ wert achten 무엇을 하찮게 여기다; es konnte keine ~ zur Erde fallen 입추의 여지도 없었다; man hätte eine ~ fallen hören können (떨어지는 바늘 소리가 들릴 만큼) 쥐죽은 듯이 조용했다; et. wie eine ~ suchen 무엇을 샅샅이 찾다;〖구어〗et. auf der ~ haben 야단맞을 일을 하고 있다;〖구어〗wie auf ~n sitzen 〔stehen〕 바늘 방석에 앉은 것 같다, 안절부절 못하다; eine ~ im Heuhaufen suchen 가망 없는 일을 시작하다; **mit** ~n stechen 신랄하게〔짓궂게〕 말하다;〖구어〗et. mit der heißen ~ machen 무엇을 서둘러 날림으로 하다; es ist mit heißer ~ genäht 바느질이 엉성하다.

Nadel≈arbeit *f.* 바느질, 재봉; 자수. ~**ausschlag** *m.* 자침(磁針)의 편향(偏向). ~**baum** *m.* 침엽수(↔Laubbaum). ~**blatt** *n.*〖植〗침엽(針葉). ~**brief** *m.* 봉투 모양의 바늘쌈. ~**buch** *n.* 책 모양의 바늘쌈. ~**büchse** *f.* 바늘갑, 핀 통.

Nädelchen [nɛ́:dəlçən] *n.* -s, -〖↑Nadel 의 축소형〗작은 바늘.

Nadel≈draht *m.* 바늘 제조용 철사. ~**drucker** *m.*〖컴〗핀 프린터〔인쇄기〕. ~**fabrik** *f.* 바늘 공장. ≈**fein** *a.* 바늘처럼 가는〔섬세한〕. ≈**fertig** *a.*〖섬유〗곧 재봉에 들어갈, 바느질할 채비가 된. ~**fisch** *m.*〖動〗실고기. ≈**förmig** *a.* 바늘 모양의. ~**gehölz** *n.*〖植〗↑Nadelholz ①(a). ~**geld** *n.* ①〖옛뜻〗남편이 아내에게 또는 아버지가 결혼한 딸에게 주는 돈. ② 미혼 공주의 연금. ~**holz** *n.* ① (**a**) 침엽수(↔Laubholz). (**b**) 침엽수 목재. ②〖방언〗소금에 절인〔훈제한〕 쇠고기. ~**holz·baum** *m.* 침엽수.

nadelig [ná:dəlıç] *a.* 바늘 모양의, 바늘처럼 길고 뾰족한.

Nadel≈kissen *n.* 바늘꽂이. ~**kluppe** *f.* (동판화에서) 드라이포인트용의 조각침. ~**knopf,** ~**kopf** *m.* 압정〔핀〕의 대가리. ~**loch** *n.* 바늘귀, 바늘구멍. ~**malerei** *f.*〖재봉〗자수화(畫).

nadeln [ná:dəln]《I》*t.* ① 바늘〔핀〕을 꽂다. ② 핀으로 고정시키다. ③ 깁다; (가죽 따위를) 꿰매붙이다.《II》*i.* (h.) ① (침엽수가) 잎이 지다. ②〖구어〗뜨개질하다. ③〖사냥〗(들꿩이) 침엽수의 잎을 자르다.

Nadel≈öhr *n.* ① ↑~loch. ②〖구어〗(교통의) 상습 정체 구간, 병목 지점. ≈**recht** *a.* ↑≈fertig. ~**sonde** *f.*〖醫〗탐침(探針). ~**spitze** *f.* ① 바늘 끝. ② 수제(手製) 레이스. ~stechen *n.* ↑~stich ①. ~**stich** *m.* ① 바늘로 찌름;〖醫〗침자(鍼刺). ②〖재봉〗한 땀, 한 바늘. ③ 바늘에 찔린 상처〔자리〕,〖사진〗바늘구멍. ④〖구어〗풍자(하는 말): jm. ~e versetzen 누구를 슬쩍 비꼬다. ~**streifen** *m.*〖유행〗(옷감의) 가는 줄무늬. ~**telegraf** *m.*〖전기〗지침(指針) 전신기. ~**telegraph** *m.* ↑~telegraf. ~**wald** *m.*, ~**waldung** *f.* 침엽 수림.

Naderer [ná:dərər] *m.* -s, - (öst.)〖구어〗밀고자, 밀정.

Nadir [nadí:r, ná:dır]《ar.》*m.* -s〖天〗천저(天底)(천정점과 정반대의 점).

Nadler [ná:dlər] *m.* -s, -〖구식〗제침공(製針工), 핀 제조인.

Nadler·ware *f.* 바늘〔핀〕류.

nadlig *a.* ↑nadelig.

Nafta *n.* -s〔*f.*〕① 나프타. ②〖고어〗석유.

NAFTA《engl.》=North American Free Trade Agreement〖政〗북아메리카 자유 무역 협정, 나프타.

nafzen *i.* (h.) (obd.) (꾸벅꾸벅) 졸다; 졸린 듯하다.

Nagaika [nagáıka]《russ.》*f.* -s (카자흐 기병의) 가죽 채찍.

Nagana *f.*〖수의〗(체체파리로 인해) 가축에게 발병하는 전염병(↑Tsetsekrankheit).

*__Nagel__ [ná:gəl] *m.* -s, Nägel ① 손톱, 발톱: Finger≈ 손톱; Fuß〔Zehen〕≈ 발톱; eingewachsener ~ 살 속으로 파고 들어간 발톱; sich³ die Nägel putzen〔schneiden〕 손톱을 다듬다〔깎다〕; jn. mit den Nägeln kratzen 누구를 손톱으로 할퀴다. ②〖비유〗keinen ~ breit weichen 한 발짝도 물러서지 않다; an 〔auf〕 den Nägeln kauen a) 손톱을 잘근잘근 씹다, b) 기분이 언짢다, 화를 참고 있다, c) 당황해하고 있다; et. auf dem ~ können 〔wissen〕 무엇에 정통〔숙달〕해 있다;〖구어〗sich³ et. unter den ~ reißen〔ritzen〕 무엇을 슬쩍하다, 날치기하다;〖구어〗es brennt mir auf〔unter〕 den Nägeln 그것은 나에게 시급한 일이다, 사태가 급박하다;〖구어〗er hat nicht das Schwarze unter dem ~ 그는 땡전 한 푼 가진 게 없다;〖학생〗die Nägel von et.³ lassen 무엇을 하지 않고 차라리 그냥 두다. ③ 손톱 모양의 것: (**a**)〖음악〗(기타를 칠 때 손가락 사이에 끼는) 픽(pick). (**b**)〖植〗(특히 술패랭이꽃의) 꽃자루. (**c**)〖醫〗각막 반월상(半月狀) 궤양. ④ 못; 나무못(Holz≈); 장식못(Zier≈); 제도용 핀(Reiß≈); 구두징(Schuh≈); 말굽징(Huf≈); (Krampe) 걸쇠, 꺾쇠: geschmiedeter ~ 수제(手製)못; geschnittener ~ 기계로 만든 못; Schuhe mit Nägeln beschlagen 구두창에다 징을 박다; einen ~ einschlagen 못을 박다;〖구어〗et. an den ~ hängen 오랫동안 해오던 일을 그만두다;〖구어〗Nägel mit Köpfen machen 〔schmieden〕 일을 끝까지 해내다, 중도에 그

만두지 않다; 〖구어〗 den ~ auf den Kopf treffen 핵심을 파악하다, 정곡을 찌르다; 〖경박〗 ein ~ zu js. Sarg sein 누구의 수명을 단축시키다, 골치를 썩히다; 〖구어〗 einen ~ im Kopf haben 어리석게도 우쭐대다, 어리석다; 〖속담〗 ein ~ treibt den andern 이독제독(以毒制毒)하다. ⑤〖사냥〗 (오리·거위 등의 부리 앞 부분에 형성된) 각피.

Nagel≈auszieher *m.* ↑ ~zieher. **~bein** *n.* 〖해부〗 누골(淚骨). **~bett** *n.* 손톱〔발톱〕 밑. **~blüte** *f.* 손톱의 흰 반점(행운의 표시로 여김). **~bohrer** *m.* 〖수공〗 (못구멍을 뚫는) 송곳. **~bürste** *f.* 손톱 청소솔.

Nägelchen [nɛ́:gəlçən] *n.* -s, - 《↑ Nagel 의 축소형》 ① 작은 손톱. ② 작은 못. ③ 〖구식·방언〗 ↑ Näglein ②.

Nagel≈eisen *n.* 〖수공〗 못뽑이, 배척. **~falz** *m.* 손톱 뿌리를 덮고 있는 피부의 홈. **~feile** *f.* 손톱 손질용 줄. **~fest** *a.* ↑ niet- und nagelfest. **~fleck** *m.* ① ↑ ~blüte. ② 〖動〗 티(T)자형 흰무늬 날개의 나비. **~fluh** *f.* 〖지질〗 (알프스 산악의) 못대가리처럼 솟아오른 암괴. **~form** *f.* 못의 주형. **~geschwür** *n.* 〖醫〗 생인손〔발〕. **~haut** *f.* 손발톱 아래에 자라는 피부. **~haut·entferner** *m.* 손발톱 밑동에 자라는 살갗을 제거하는 용액. **~holz** *n.* 〖방언〗 소금에 절인〔훈제한〕 고기(Nadelholz ②). **~kasten** *m.* 못상자, 못통.

Nägel·kauen *n.* 〖醫·心〗 손톱을 물어뜯는 버릇.

Nagel≈kopf *m.* 못대가리. **~krankheit** *f.* 손톱〔발톱〕의 병. **~kuppe** *f.* 못대가리; 손톱〔발톱〕 끝. **~lack** *m.* 매니큐어. **~lack-entferner** *m.* 매니큐어 제거제. **~mal** *n.* ① 손톱〔발톱〕 자국; 못자국. ② ↑ ~fleck.

nageln [ná:gəln] 《Ⅰ》 *t.* ① (a) 못박아 붙이다: ein Bild an die Wand ~ 못질하여 그림을 벽에 걸다. (b) 못질해 조립하다: eine genagelte Kiste 못을 박아 짜맞춘 상자; den gebrochenen Knochen ~ (접골용 못으로) 부러진 뼈를 접골하다. ② 못〔징〕을 박다: genagelte Schuhe 바닥에 징을 박은 구두. 《Ⅱ》 *i.* (h.) ① (모터가) 강하게 소음을 내다. ② 〖사냥〗 (짐승이) 땅에 발톱 자국을 남기다.

nagel·neu [ná:gəlnɔ́ʏ] *a.* 〖구어〗 (funkelnagelneu) 갓 만든, 아주 새 것인.

Nagel≈pflege *f.* 손톱〔발톱〕 손질, 매니큐어. **~probe** *f.* 술을 다 마셨다는 증거로 왼쪽 엄지 손톱 위에 술잔을 뒤집어 놓아 보이는 관습: bis auf die ~ (술잔의) 마지막 한 방울까지; sein Glas bis zur ~ leeren 술을 한 방울 남기지 않고 잔을 다 비우다; die ~ machen 철저히 검토하다, 엄밀히 조사하다; das wird zur ~ für eine Freundschaft 그것은 우정의 시금석이 된다. **~reiniger** *m.* 손톱 다듬는 용구. **~schere** *f.* ① 손톱 가위. ② 못을 끊는 큰 가위. **~schmied** *m.* 못 제조인. **~schmiede** *f.* 못 공장. **~schuh** *m.* (등산화 등) 스파이크화. **~wall** *m.* 조곽(爪郭)(손톱 양 옆 가장자리를 감싸고 있는 피부). **~wurzel** *f.* 손톱〔발톱〕 뿌리. **~zange** *f.* ① 손톱깎이. ② 〖수공〗 집게식 못뽑이. **~zieher** *m.* 못뽑이. **~zwang** *m.* 〖醫〗 생인손〔발〕.

***nagen** [ná:gən] 《Ⅰ》 *i.* (h.) ① 쏠다, 갉(아먹)다, 물어뜯다: die Maus nagt am Holz 쥐가 나무를 갉는다; 〖구어·농담〗 am Hungertuch ~ 굶주리다, 먹을 것이 하나도 없다. ② 〖비유〗 (a) 조금씩 깎아내다, 침식하다: die Meeresbrandung nagt am Felsen 끝없이 밀려오는 파도로 해안가 바위는 서서히 침식된다. (b) 괴롭히다, 들볶다, 좀먹다: eine Krankheit nagt an meiner Gesundheit 병이 내 건강을 좀먹고 있다. (c) an et.³ ~ 무엇을 물고 늘어지다, 무엇에 전념하다. 《Ⅱ》 *t.* 조금씩 갉아먹다〔물어뜯다〕: das Fleisch vom Knochen ~ 뼈에서 살을 갉아먹다; 〖구어〗 nichts zu ~ und zu beißen haben 먹을 것이 전혀 없다, 굶주리다; das Gewissen nagt ihn 그는 양심의 가책으로 고민하고 있다.

nagend *p.a.* ① 갉아먹는, 물어뜯는. ② 좀먹는, 괴롭히는. ③ 〖動〗 설치류의.

Nager [ná:gər] *m.* -s, - 〖動〗 ↑ Nagetier.

nägen *num.* (ndd.) 아홉(neun).

Nage≈tier *n.* 설치류 동물. **~zahn** *m.* 〖動〗 설치류 동물의 앞니.

Näglein [nɛ́:glaɪn, nɛ́:k..] *n.* -s, - ① ↑ Nägelchen ① ②. ② 〖방언〗 패랭이꽃, 정향(丁香).

Nagler [ná:glər] *m.* -s, - 〖구식〗 ↑ Nagelschmied.

NAGRA, Nagra [ná:gra] 《<Fachnormenausschuß für das graphische Gewerbe》 *m.* -s 그래픽 인쇄 규격 위원회.

***nah** [na:] 《Ⅰ》 *a.* (nahe) 가까운, 근처의: von 〔aus〕 ~ und fern 사방에서. 《Ⅱ》 *prp*³. 〖드물게〗 …의 가까이에.

Näh·arbeit [nɛ́:..] 《<nähen》 *f.* ① 바느질, 재봉. ② 바느질감.

Nah≈aufnahme *f.* 근접 촬영, 클로즈업. **~-bereich** *m.* ① 〖사진〗 근거리(↔ Fernbereich). ② 〖지리〗 인접〔인근〕 영역. ③ 〖통신〗 단거리 지역.

Näh·beutel 《<nähen》 *m.* 바느질 주머니, 반짇고리.

***nahe** [ná:ə] 《Ⅰ》 (näher, nächst) *a.* (↔ fern) ① 〖공간〗 가까운, 인접한: die ~ Stadt 인근 도시; der ~ Osten 근동〔중동〕; ~ aneinander 서로 가까이 붙어서; ~ bei der Kirche 교회 가까이에; bis ~ 〔~ bis〕 an die Stadt 도시 가까이까지; von ~m 가까이에서, 바로 근처에서; von ~m betrachtet 자세히 들여다보면; wir sahen den Gipfel zum Greifen ~ vor uns 정상은 손에 잡힐 듯이 우리 눈 앞에 가까이 보였다; 〖비유〗 er war seinem Ziel schon ganz ~ 그는 어느 새 거의 목표에 근접해 있었다. ② 〖시간〗 가까운, 임박한: die ~ Zukunft 가까운 장래; et.³ ~ sein 무엇하기 직전이다; sie war der Verzweiflung ~ 그는 절망 직전이었다. ③ 〖관계〗 가까운, 친한, 혈족의, 근친의: zu jm. in ~r Beziehung stehen 누구와 밀접한 관계다; er ist ~ mit mir verwandt 그는 나와 가까운 친척이다; der alte Goethe stand der Romantik ~ 노(老) 괴테는 낭만파와 가까웠다. ④ 거의 (…할 뻔): ~ daran sein, et. zu tun 거의〔하마터면〕 무엇을 할 뻔하다; er war ~ daran zu ertrinken 그는 하마터면 물에 빠져죽을 뻔했다; er war einer Ohnmacht 〔dem Tod〕 ~ 그는 하마터면 실신할〔죽을〕 뻔했다; ich stand ~ auf dem Punkt, ihm alles zu sagen 나는 그에게 모든 것을 말할 뻔했다. ⑤ 〖부사 an 과 더불어〗 거의, 대략: ~ an 50 약 50; 〖구어〗 es ist schon ~ an 9 Uhr 벌써 아홉 시가 다 되었다; 〖구어〗 ~ an die Zwanzig sein 거의 20 살이다. ⑥〖동사와 함께〗 jn. ~ angehen 누구와 밀접한 관계가 있다; jn. ~ berühren 누구를 깊이 감동시키다; 〖비유〗 jm. zu ~ kommen 누구에게 손대려고 하다, 누구를 위협하다; 〖구어〗 komm mir bloß nicht zu ~! 다가오지 마, 날 건드리지 마!; 〖비유〗 jm. zu ~ treten 누구를 모욕하다, 누구의 감정〔기분〕을 상하게 하다; js. Ehre zu ~ treten 누구의 명예를 훼손하다. 《Ⅱ》 *prp.*³ 〖雅語〗 …의 근처에: ~ dem Hause 집 근처에; das alte Schloß ~ dem Dorf 마을 근처의 고성.

***Nähe** [nέːə] *f.* 가까움, 근접, 인접; 가까운 곳, 인근, 근처; (시간의) 임박, 접근; (관계의) 친밀, 근친, 측근: ganz in der ~ 아주 가까이에; in der ~ der Stadt 그 도시 근처〔부근〕에; et. aus der ~ betrachten 무엇을 가까이서 관찰하다; in js. ~ kommen 누구에게 가까이 다가가다; jn. gern in seiner ~ haben 누구를 가까이 두고 싶어하다; seine ~ ist mir lästig 그가 옆에 있으면 성가시다; js. ~ suchen 누구와 사귀려 하다; 〖雅語〗 die ~ des Todes fühlen 죽음이 임박해 있음을 느끼다; der Termin liegt in unmittelbarer〔greifbarer〕 ~ 기일이 코 앞으로 닥쳐왔다.

nahe=bei [náːəbáɪ] *adv.* 바로 곁에, 가까이에. **~|bringen*** *t.* 접근시키다, 가까이〔친숙〕하게 하다; 가르치다, 흥미를 불러일으키다: gemeinsames Erleben brachte beide einander nahe 공통의 체험이 두 사람을 서로 친해지게 만들었다; den Schülern die moderne Literatur ~ 학생들에게 현대 문학을 가르치다. **~|gehen*** *i.* (s.) 충격〔감동〕을 주다, 몹시 슬프게 하다: sein Tod ist mir sehr nahegegangen 그의 죽음은 내게 큰 슬픔을 주었다.

nahe·hin *adv.* 거의, 대부분; 가까이에.

Nah·einstellung *f.* ①〖사진〗 근접 촬영을 위한 초점 조절. ②〖영화〗 근접 촬영 (Nahaufnahme).

nahe=|kommen* *i.* (s.) ① 가까이하다, 친하게 지내다: es ist schwer, ihm nahezukommen 그와는 친해지기가 어렵다. ② **(a)** 접근하다: dem Ziel ~ 목표에 근접하다. **(b)** 거의 같아지다, 다를 바 없다: das kommt ja einer Aufforderung zum Betrug nahe! 그 말은 곧 (나더러) 사기치라고 하는 것이나 마찬가지야! **~|legen** *t.* ① 권하다, 촉구〔종용〕하다: jm. den Rücktritt ~ 누구에게 물러날 것을 권고하다; ich habe ihm nahegelegt, seinen Plan aufzugeben 나는 그에게 계획을 포기하라고 권고하였다. ② (…한 추측·생각이) 들게 하다, 암시〔시사〕하다: das legt die Vermutung nahe, daß… 그것은 …한 추측을 불러일으킨다. **~|liegen*** *i.* (h.) 쉽게 이해〔짐작〕되다, 즉시 떠오르다: der Verdacht liegt nahe, daß… 자연히 …한 의혹이 든다. **~liegend** *p.a.* 당연한, 명백한, 쉽게 떠오르는: ein ~er Gedanke〔Schluß〕 금방 떠오르는 당연한 생각〔결론〕; aus ~en Gründen 쉽게 생각할 수 있는 이유에서.

nahen [náːən] 〖雅語〗《Ⅰ》 *i.* (s.) 〖시간적〗 가까이 다가오다: der Sommer naht 여름이 다가온다; es naht Gefahr 위험이 다가온다. 《Ⅱ》 *refl.* 〖공간적〗〖구식〗 sich ~ 다가가다, 다가오다, 접근하다: sich jm. mit einer Bitte ~ 누구에게 부탁하러 가다.

***nähen** [nέːən] 《⊕ Naht, Nadel》 《Ⅰ》 *t.* ① 꿰매다, 꿰매어 달다〔붙이다〕: Knöpfe ans Hemd ~ 셔츠에 단추를 달다; 〖구어〗 sich³ die Finger wund ~ a) 바느질하다가 손가락을 다치다, b) 매우 많이〔부지런하게〕 바느질하다. ②〖醫〗 (찢어진 상처를) 봉합하다: 〖구어〗 er wurde genäht 그는 몇 바늘 꿰맸다, 봉합 수술을 받았다. 《Ⅱ》 *i.* (h.) 바느질하다: ~ lernen 바느질을 배우다; mit der Hand〔Maschine〕 ~ 손으로〔기계로〕 바느질하다; mit großen Stichen ~ 가봉하다.

Näher [nέːər] *m.* -s, - 재봉사.

***näher** [nέːər] 《nahe 의 비교급》 *a.* ① 더 가까운, 더 접근한: in ~er Zeit 곧, 얼마 안 있어; 〖구어〗 dieser Weg ist ~ 이 길이 더 가깝다; 〖구어〗 durch den Wald ist es ~ 숲길로 가면 더 빨리 갈 수 있다. ② 더 상세한: ~e Auskunft 보다 더 상세한 정보; bei ~er Betrachtung 더 자세히 관찰해 보면; des ~en 더 상세〔정확〕히.

näher|bringen* *t.* 설명하다, 이해시키다, 친숙하게 만들다: den Schülern den Geist der Klassik ~ 학생들에게 고전주의의 정신을 설명하다.

Nähere* [nέːərə] *das* 보다 상세한 사정〔내용〕: ~s erfahren 더 상세한 사정을 알게 되다; das ~ auseinandersetzen 자세한 내용을 설명하다; ~s folgt 더 자세한 사연〔내용〕은 다음과 같다; alles ~ wird sich finden 모든 상세한 내용은 곧 밝혀질 것이다; ~s kann ich nicht sagen 더 자세한 것은 말할 수 없다.

Näherei [nεːəráɪ] 《<nähen》 *f.* -en 바느질, 재봉; 바느질감.

Nah·erholungs·gebiet *n.* 대도시 주변의 휴양지.

Näherin *f.* -nen ↑ Näher 의 여성형.

näher=|kommen* *i.* (s.) 친해지다, 더 정확〔자세〕히 알게 되다: jm. persönlich〔menschlich〕 ~ 누구와 개인적〔인간적〕으로 친해지다; wir sind uns〔einander〕 nähergekommen 우리는 서로를 더 잘 알게 되었다. **~|liegen** *i.* (h.) 더 쉽게 이해되다, 더 먼저 떠오르다: es lag näher, zuzustimmen, als… …하는 것보다 동의하는 편이 더 합당했다.

***nähern** [nέːərn] 《<näher》 《Ⅰ》 *t.* 갖다 대다, 접근시키다: er näherte das Messer ihrer Kehle 그는 그녀의 목에 칼을 갖다대었다. 《Ⅱ》 *refl.* sich ~ ① 가까이 가다, 접근하다: niemand durfte sich dem Kranken ~ 아무도 그 환자에게 접근해서는 안 되었다; der Sommer nähert sich seinem Ende 여름이 끝나가고 있다. ② 다가오다, 가까이 오다: der Frühling nähert sich 봄이 오고 있다. ③ 사귀려고 하다, (어떤 의도를 갖고) 접근하다: sich jm. vertraulich ~ 누구에게 허물없이 접근하다. ④ 근접하다, 거의 같아지다: seine Wut näherte sich der Raserei 그의 격분은 광분 직전에 이르렀다. ⑤〖雅語〗 (의견이) 서로 가까워지다, 일치에 이르다: unsere Standpunkte haben sich (einander) genähert 우리의 입장은 서로 접근하였다.

Näher=recht *n.* 〖法·고어〗 선매권(先賣權). **~|stehn*** *i.* (h.) 더 친하다, 더 친밀한 관계다: sie steht mir näher, als ihr denkt 그 여

자와 나는 너희들이 생각하는 것 이상으로 가까운 사이이다. ~|**treten*** *i.*(s.) 깊이 관계하다, 상세히 다루다: dem Vorschlag ~ 제안을 긍정적으로 검토하다; ich möchte Ihnen gern ~ 당신과 더욱 친해지고 싶습니다.

Näherung [nɛ́:ərʊŋ] *f.* -en ①〖고어〗 접근. ②〖數〗 근사(近似).

Näherungs·wert *m.*〖數〗 근삿값.

nahe=|stehen* *i.*(h.) ① 친하다, 가깝다: einst hat er mir sehr nahegestanden 한때 그는 나와 아주 친한 사이였다. ② (사상적으로) 친밀하다, 가깝다: dem Sozialismus ~ 사회주의에 동조하다. ③ (특성이) 비슷〔유사〕하다. **~stehend** *p.a.* 친한, 친밀한; 유사한: die den Konservativen ~e Zeitung 보수 계열의 신문; einander in ihrer Wirkung ~e Stoffe 작용이 서로 유사한 물질들. ~|**treten*** *i.*(s.) jm. ~ 누구와 친밀해지다. **~zu** [ná:ətsú:] *adv.* 거의, 대략, 사실상 …나 마찬가지(이다).

Näh=faden *m.*, **~garn** *n.* 재봉실.

Nah=kampf 《<nahe》 *m.*〖軍〗 근접전, 육박전;〖권투〗 근접전. **~kampf·mittel** *n.*〖軍〗 근접전용 무기(수류탄·화염 방사기).

Näh=kästchen 《<nähen》 *n.*〔↑ Nähkasten 의 축소형〕:〔구어·농담〕 aus dem ~ plaudern 비밀을 퍼뜨리다. **~kasten** *m.* 바느질 용구함, 반짇고리. **~kissen** *n.* 바늘꽂이. **~korb** *m.* 바느질 바구니. **~kränzchen** *n.* 자선 재봉 모임.

nählen *i.*(h.) (nölen) 느릿느릿 말하다, 꾸물거리다.

nählig *a.*〔방언〕 굼뜬(nölig).

Nähling *m.* -s, -e 바느질실(Nähtling).

Nähl·peter 《<nählen》 *m.* (Nölpeter) 느림보, 멍청이.

nahm [na:m] ↑ nehmen 의 과거형.

Näh=mädchen *n.*, **~mamsell** *f.* 여자 재봉사(Näherin). **~maschine** *f.* 재봉틀: sich eine Bluse auf〔mit〕 der ~ nähen 재봉틀로 자신의 블라우스를 재봉하다.

Näh·maschinen·öl *n.* 재봉틀 기름.

nähme [nɛ́:mə] ↑ nehmen 의 접속법 Ⅱ식.

Näh·nadel *f.* 바느질용 바늘.

Nah·ost [na:|ɔ́st] 〔관사없음〕 근동(近東): von ~ 근동의〔에서〕.

nah·östlich [..|œstlɪç] *a.* 근동의, 근동 지역에 관한.

Näh·rahmen *m.* 수예틀.

Nähr=boden [nɛ́:r..] 《<nähren》 *m.* ① 옥토(沃土). ② (버섯·세균의) 배지(培地), 배양기(培養基). ③〔비유〕 성장〔발달〕의 터전, 온상. **~creme** *f.* 피부 영양 크림.

***nähren** [nɛ́:rən] 《Ⅰ》 *t.* ① 양분〔영양〕을 공급해 기르다: ein Kind mit der Flasche〔mit Muttermilch〕 ~ 아이를 우유〔모유〕로 키우다; sie kann (ihr Kind) nicht selbst ~ 그녀는 젖이 나지 않는다; schlecht genährt sein 영양 결핍이다. ②〖雅語〗 **(a)** 부양하다, 먹여 살리다: er hatte eine große Familie zu ~ 그는 대식구를 부양해야만 했다;〔비유〕 das Handwerk nährt seinen Mann 손재주가 사람을 먹여 살린다;〔속담〕 ein Vater nährt eher zehn Kinder als zehn Kinder einen Vater 한 아버지 열 자식 키워도 열 자식 한 아버지 봉양 못 한다. **(b)** (사랑·증오 등을) 품다, 자라게 하다: eine Hoffnung im Herzen ~ 가슴속에 희망을 키우다. 《Ⅱ》 *refl.*〖雅語〗 sich ~ ① 살아나가다, 영양을 섭취하다: sich von Gemüse〔Fleisch〕 ~ 채식〔육식〕하다; das Tier nährt sich von Insekten 그 동물은 곤충을 먹고 산다. ② 생계로 삼다, 연명하다: sich kümmerlich ~ 근근이 살아가다, 겨우 입에 풀칠하다; sich von〔mit〕 seiner körperlichen Arbeit ~ 막일을 해서 생계를 유지하다. 《Ⅲ》 *i.*(h.) 영양이 풍부하다: Milch nährt 우유는 영양가가 높다; ~de Speisen 영양가가 높은 음식.

Nährer *m.* -s, - 〔구식·雅語〕 양육〔부양〕자, 가장.

Nähr=flocken [nɛ́:r..] *m.* ↑ ~hefe. **~freiheit** *f.* 식량 자급(Nahrungsfreiheit). **~gehalt** *m.* ↑ ~stoffgehalt. **~gewebe** *n.*〖植〗 (종자의) 영양 조직, 배젖.

***nahrhaft** [ná:rhaft] *a.* ① 영양이 풍부한, 영양가가 높은, 든든한: ~e Kost 영양식;〔구어·농담〕 das ~e Gewerbe 식품업. ②〔비유〕 **(a)** 비옥한, 기름진: ~er Boden 옥토. **(b)** 이익이 남는, 유익한, 생산적인.

Nahrhaftigkeit *f.* ↑ nahrhaftig 의 명사형.

Nähr·hefe *f.* (식용·약용의) 자양 효모.

nährig [nɛ́:rɪç] *a.* ①〔구식〕 ↑ nahrhaft. ② (ndd.) 알뜰한, 검소한, 인색한.

Näh·ring 《<nähen》 *m.* (재봉용의) 골무.

Nähr·kraft 《<nähren》 *f.* 영양분.

nährlich 《Ⅰ》 *a.* ① ↑ nährig ②. ② 정확한, 철저한. ③ 감정을 건드리는, 경멸적인. 《Ⅱ》 *adv.* 거의 …하지 않다, 겨우.

nahrlos *a.* 영양분이 없는.

Nähr=lösung *f.* ①〖醫〗 주사용 영양제. ②〖生〗 배양액. ③ (수경(水耕) 재배용의) 영양액. **~mittel** *n.* ①〔복수〕 곡물 식품(밀가루 식품을 제외한 오트밀·시리얼 등). ② ↑ ~präparat. **~mutter** *f.*〔구식〕 유모(乳母) (↑ Amme). **~präparat** *n.* (유아용·환자용의) 영양 식품. **~quelle** *f.* 생계의 밑천, 호구지책. **~salze** *pl.* 영양 염류(塩類).

nährsam *a.*〔고어〕 ↑ nahrhaft.

Nähr=stand *m.*〔고어〕 생산 계급(노동자와 농민) (↔ Wehrstand, Lehrstand). **~stoff** *m.* 영양소(특히 단백질·지방·탄수화물).

nährstoff=arm *a.* 영양소가 적은. **~belastung** *f.*〖생태학〗 영양소 과다에 따른 해수 오염. **~gehalt** *m.* 영양소 함량. **~reich** *a.* 영양소가 풍부한.

***Nahrung** [ná:rʊŋ] (⇔ nähren) *f.* -en ① 양분, 음식물, 식량, 먹이: ~ und Kleidung 의식(衣食); eine pflanzliche〔tierische〕 ~ 식물성〔동물성〕 식품; eine flüssige ~ 유동식; ~ zu sich[3] nehmen 음식을 들다; seine ~ besteht meist in Gemüse 그의 식사는 대개 야채다;〔비유〕 ein gutes Buch ist geistige ~ 좋은 책은 마음의 양식이다; et.[3] (neue) ~ geben〔zuführen〕 무엇을 조장〔고무〕하다; js. Verdacht〔Mißtrauen〕 ~ geben 누구의 의심〔불신〕을 불러일으키다;〖雅語〗 dem Feuer〔den Flammen〕 ~ geben 불씨를 헤쳐 불을 살리다; (neue) ~ erhalten〔finden〕 새로운 활력을 얻다, 강화되다; dadurch erhielt sein Verdacht neue ~ 그로 인해 그의 의심은 더욱 커졌다. ②〔고어〕 생계 수단, 밥벌이, 생업: jn. in ~ setzen 누구에게 일자리를 주다.

Nahrungs=aufnahme *f.* 영양〔음식물〕 섭

취. **~bedarf** *m.* 적정 영양 섭취량. **~-besitzer** *m.* 〔고어〕 수익성 부동산 소유자. **~brei** *m.* ①〖醫〗 유미(乳糜)(음식물이 위장에서 소화되어 반유동체로 된 것); 유상액(乳狀液). ② 영양죽, 미음. **~freiheit** *f.* (한 나라의) 식량 자급. **~kanal** *m.*〖醫〗 영양관(管). **~kette** *f.*〖생태학〗 먹이 사슬. **~lehre** *f.* 영양〔이론〕.

nahrungslos *a.* ① 영양가 없는. ② 불모의, 척박한. ③ 생계 수단을 잃은; 수익이 없는. ④ (장사가) 침체한: ≈e Zeiten 불황기.

Nahrungslosigkeit *f.* 영양 부족〔결핍〕.

Nahrungs≈mangel *m.* 영양 결핍, 식량 부족. **~mittel** *n.* 식료품, 식량, 먹이: konservierte ~ 통조림 식품.

Nahrungsmittel·chemie *n.* 식품 화학. **~-gesetzgebung** *f.* 식품 위생법. **~industrie** *f.* 식품 산업. **~vergiftung** *f.*〖醫〗 식중독.

Nahrungs≈pflanze *f.* 식용 식물. **~quelle** *f.* 영양〔식량〕 공급원. **~saft** *m.* ①〖醫〗 유미(乳糜)(~brei). ② (식물의) 자양 수액〔즙〕. ③ 죽; 식품; 소득원. **~sorge** *f.* 밥벌이 걱정, 생활고. **~steuer** *f.* 식품세. **~stoff** *m.* 영양소(3 대 기본 영양소 외에 비타민·미네랄도 포함; ↑ Nährstoff). **~suche** *f.* (동물들의) 먹이찾기: auf ~ gehen 먹이를 찾아나서다. **~wert** *m.* ↑ Nährwert. **~zufuhr** *f.* 영양 공급. **~zweig** *m.* 직업의 한 부문; (개인의) 생업.

Nähr≈vater *m.* 〔구식〕 (Pflegevater) 양아버지, 양부(養父). **~wert** *m.* 영양가: ein Nahrungsmittel mit geringem〔hohem〕 ~ 영양가가 적은〔높은〕 식품.

Nah·schnell·verkehrs·zug *m.* 〔고어〕 근거리 급행 열차(약어: N).

Näh≈schule *f.* ① 양재 학원. ② 양재 교본. **~seide** *f.* 재봉용 명주실. **~stunde** *f.* 재봉수업 시간.

***Naht** [na:t] 《<nähen, Nadel》 *f.* Nähte ① (옷의) 솔기, 재봉선, 봉합선: eine ~ auftrennen 솔기를 풀다; die ~ ist geplatzt〔aufgegangen〕 솔기가 터졌다. ②〖醫〗 봉합, 봉합 부위;〖해부〗 (두개골의) 봉합선;〖植〗 봉선(縫線). ③〖工〗 잇댄 자리, 이음새, 접합선;〖軍〗 인접한 부대간의 경계선. ④〔비유〕 jm. auf die ~ fühlen 누구의 의향을 타진하다; auf die ~ greifen〔klauben〕 남은 돈을 긁어모으다; davon ist die ~ weg 그것은 한도 끝도 없다; 〔구어〕 aus allen Nähten platzen a) 뒤룩뒤룩 살찌다, b) 미어터질 정도다; 〔구어〕 einander auf den Nähten sitzen 좁은 곳에서 다닥다닥 붙어살다; 〔구어〕 jm. auf die Nähte rücken〔gehen〕, jm. auf den Nähten knien 누구를 못살게 하다, 들들 볶다. ⑤〔경박〕 매우 많이(viel): eine (tüchtige) ~ beziehen 무지하게 많이 매맞다; eine ~ arbeiten 엄청나게 일하다; eine (große, dolle) ~ draufhaben 차를 (매우) 빠른 속력으로 몰다.

Näh·tasche *f.* 바늘쌈.

Nähterei [nɛ:tərái] *f.* -en 〔구식〕 (Näherei) 바느질(감).

Nähterin [nέ:tərɪn] *f.* -nen 〔구식〕 ↑ Näherin.

Näh·tisch *m.* 재봉대.

nahtlos [ná:tlo:s] *a.* ① 솔기가 없는, 이은 자리가 없는:〖工〗 ~e Rohre 이음매가 없는 파이프. ② 결합된 흔적이 없는, 연결이 매끄러운: die beiden Teile gehen ~ ineinander über 그 두 부분은 서로 매끄럽게 이어진다.

Naht·stelle *f.* ①〖工〗 용접 자리, 이음매: das Rohr ist an der ~ wieder gebrochen 그 파이프는 용접 자리가 또 부러졌다. ② 접합점, 연결 지점: die ~ zwischen Ost und West 동서가 서로 만나는 지점. ③〖컴〗 인터페이스(복수의 구성 요소를 결합하여 공유할 수 있게 한 장치). ④〖軍〗 인접 부대와의 접촉 지점.

Näh·unterricht *m.* 재봉 수업.

Nah·verkehr *m.* -s 근거리 교통(↔ Fernverkehr).

Näh·zeug *n.* (실·가위·바늘 등의) 재봉 도구.

Nah·ziel *n.* (↔ Fernziel) ① 당면 목표. ② (여행에서) 다음〔근거리〕 목표 지점.

Näh·zwirn *m.* 바느질실.

***naiv** [naí:f] 《frz. naïf》 *a.* ① 자연 그대로의, 본래적인, 가식 없는, 소박한: eine ~e Schilderung 꾸밈 없는 묘사;〖문예〗 ~e Dichtung 소박 문학(F. Schiller 미학에서 성찰문학에 반대되는 문학 개념). ② 천진난만한, 악의 없는, 순진한: ein ~es Lächeln 천진난만한 미소; den ≈en〔die ≈e〕 spielen 아무것도 모르는 체하다, 어리석은〔결백한〕 체하다. ③〔대개 폄어〕 단순한, 어리석은, 고지식한: das klingt aber ~! 그 말은 참 고지식하게 들린다!

Naive* [..və] 《I》① *der/die* 순진한 남자〔여자〕. ② *die*〖연극〗 나이 어린 정부(情婦) 역을 하는 여배우. 《II》 *das* ↑ Naivität.

Naivität [naivitέ:t] *f.* -en 소박, 순진, 단순.

Naivling [naí:flɪŋ] *m.* -s, -e 〔구어〕 순진〔고지식〕한 사람.

na ja *int.* 글쎄(↑ na).

Najade [najá:də] 《gr.》 *f.* -en ①〖그리스신화〗(강·샘·호수에 살며 미녀의 모습을 한) 물의 요정. ②〖動〗 마합(馬蛤) 조개류(Flußmuschel).

Naltrexon〖藥〗 (마약 중독증 치료 때) 금단증상을 예방해 주는 마취약.

Nama *m.* -(s), -(s) 나마족(서남 아프리카 원주민의 일족).

Nämchen [nέ:mçən] *n.* -s, - ↑ Name 의 축소형.

***Name** [ná:mə] *m.* -ns, -n ① (**a**) 이름, 명칭, 칭호: ~n der Länder〔Straßen〕 나라〔거리〕 이름; kennst du den ~n dieser Pflanze? 이 식물의 이름을 알고 있니?; et.³ einen ~n geben 무엇에 이름을 붙이다; er führt den ~n des Großen 그는 대제의 칭호를 지니고 있다; Schwachheit, dein ~ ist Weib! 약한 자여, 그대 이름은 여자니라!; ~ ist Schall und Rauch 이름은 덧없는 것(괴테의 "파우스트" 1 부); 〔비유·구어〕 die Dinge〔das Kind〕 beim rechten ~n nennen 어떤 일을 솔직하게 〔곧이곧대로〕 말하다; 〔비유·구어〕 das Kind muß einen ~n haben 우리는 이것에 대한 적합한 명칭을 찾아야 한다. (**b**) (사람의) 이름, 성함, 성: wie ist Ihr ~ (bitte)? 성함이 어떻게 되십니까?; ein Mann mit ~n Erich 에리히라는 이름의 남자; einen falschen ~n annehmen 가명을 쓰다; seinen ~n ändern 개명하다; dem Kind den ~n Peter geben 아

이에게 페터라는 이름을 지어 주다; die ~n der Schüler verlesen 학생들의 이름을 호명하다; der Hund hört auf den ~n Peter 이 개는 페터라는 제 이름을 알고 있다; unter einem fremden ~n reisen 가명으로 여행하다; nur dem ~n nach 명목상으로만; ich kenne ihn nur dem Namen nach 나는 그를 이름만 알고 있다, 개인적으로 잘 모른다; 〖농담〗 mein ~ ist Hase 나는 아무것도 모릅니다. ② 명성, 평판, 신망: seinen ~n beflecken〔verlieren〕 이름을 더럽히다〔신망을 잃다〕; einen großen〔guten〕 ~n haben 큰 명성을 얻다〔평판이 좋다〕; sich³ einen ~n machen 명성을 떨치다, 유명해지다; ein Mann von ~n 명성이 자자한 사람, 유명〔저명〕한 사람; du hast den ~n, daß... 너는 …라는 소문이 있다; ich will den ~n nicht haben, daß.... 나는 …라는 말을 듣고 싶지 않다. ③ 명의, 명목: in js. ~n 누구의 이름으로, 누구를 대신하여, 누구의 위임을 받아; du kannst es in meinem ~n abholen 너는 내 대신 그것을 찾을 수 있다; das Konto lautet auf den ~n seiner Frau 계좌는 그의 아내 명의로 되어 있다; im ~n des Volks 국민의 이름으로, 국민을 대표해서; im ~n des Gesetzes verhaften 법의 이름으로 체포하다; in Gottes ~n a) 신의 이름으로, 맹세코, b) (내 염려는 마시고) 마음대로 하세요; in des Teufels〔Henkers〕 ~n! 빌어먹을!; ich bürge mit meinem ~n 내 이름을 걸고 보증한다; unter dem ~n des Friedens 평화의 이름으로; zu diesem Werk hat er nur den ~n hergegeben 이 작품에 그는 이름만 빌려주었다. ④ 어떤 이름을 가진 사람: berühmte ~n 명성이 자자한 사람들, 저명 인사들; js. ~n ausrotten〔vertilgen〕 누구의 집안을 멸하다; die großen ~n der Geschichte 역사의 위인들. ⑤ 〖문법〗 명사.

Namen [ná:mən] *m.* -s, - ↑ Name.

Namen≈buch *n.* 이름〔성명〕 사전. **~christ** *m.* 이름만 걸어 놓은 기독교 신자. **~deutung, ~erklärung** *f.* 성명〔지명〕의 해석. **~forscher** *m.* 성명〔지명〕 학자. **~forschung** *f.* ↑ ~kunde. **~geber** *m.* 명명자(命名者). **~gebung** *f.* ① 명명. ② 〖구동독〗 ↑ Namensweihe. **~gedächtnis** *n.* 이름 기억(력). **~-Jesu-Fest** *n.* 〖가톨릭〗 예수의 성명 축일 (1월 2일 또는 1월 2일과 5일 사이의 일요일). **~kunde** *f.* 성명〔지명〕학. **~kundlich** *a.* 성명학〔지명학〕의. **~liste** *f.* ↑ ~verzeichnis.

***namenlos** *a.* ① 이름 없는, 무명의; 익명의: der Spender will ~ bleiben 그 기부자는 익명을 원하고 있다; er ist noch ~ 그는 아직 무명이다; ≗er du! 신이여! ② 〔雅語〕 **(a)** 형언키 어려운, 이루 말할 수 없는: ein ~er Schmerz 이루 말할 수 없는 고통. **(b)** 〔부사적 강조어〕 몹시, 극도로: sie war ~ enttäuscht 그녀는 몹시 실망했다.

Namenlose* *der/die* 무명〔익명〕의 사람.

Namenlosigkeit *f.* 무명〔익명〕의 상태, 무명〔익명〕성.

Namen≈nennung *f.* ↑ Namensnennung. **~papier** *n.* ↑ Namenspapier. **~register** *n.* 명부; 명칭표, 인명 색인.

namens [ná:məns] 《I》 *a.* …라는 이름의: ein Mensch ~ Hans 한스라는 사람. 《II》 *prp.*² 〔격식〕 …의 이름으로, …의 위임을 받아서: ~ des Staates〔Königs〕 국가의 위임을 받아〔국왕을 대신하여〕; ~ meines Vaters 아버지의 명령에 따라서.

Namens≈aktie *f.* 〖經〗 기명 주식. **~änderung** *f.* 개명, 개칭, 명의 변경. **~aufruf** *m.* 점호, 출석 점검. **~bruder** *m.* 〔雅語〕 ↑ ~vetter.

Namen·schild *n.* ↑ Namensschild.

Namens≈fest *n.* 〖가톨릭〗 ↑ ~tag. **~form** *f.* 이름의 언어적 형태. **~forschung** *f.* ↑ Namenkunde. **~gebung** *f.* ↑ Namengebung. **~genosse** *m.* ↑ ~vetter. **~karte** *f.* 명함. **~nennung** *f.* (자신의) 이름을 밝힘〔언급함〕. **~papier** *n.* 〖經〗 기명식 증권. **~patron** *m.* (세례명과 이름이 같은) 수호 성인. **~schild** *n.* ① 문패. ② 명찰. **~schwester** *f.* 〔雅語〕 (친척은 아니면서) 이름이 같은 여자. **~tag** *m.* 〖가톨릭〗 수호 성인의 날. **~unterschrift** *f.* 서명. **~vetter** *m.* (친척은 아니면서) 이름이 같은 사람. **~weihe** *f.* 〖구동독〗 (기독교의 세례식 대신에 치르는) 신생아 명명식. **~zeichen** *n.* 이름의 약식 표기. **~zeichnung** *f.* 서명, 수결(手決). **~zug** *m.* ① (독특한 형태의) 자필 서명. ② 모노그램, 수결(手決) (멋부려 그린 이름의 머리글자).

***namentlich** [ná:məntlıç] 《I》 *a.* 이름을 밝히는, 기명의: ~e Abstimmung 기명 투표; die Mitarbeiter waren alle ~ erwähnt 함께 일하는 사람들의 이름이 모두 언급되었다. 《II》 *adv.* 특히, 무엇보다도, 주로: unter der Kälte hatten ~ die Armen zu leiden 특히 빈민들이 추위에 시달려야 했다.

Namen≈verwechselung *f.* 이름의 착오〔혼동〕. **~verzeichnis** *n.* 인명 색인, 명부. **~wechsel** *m.* 개명, 개칭. **~wort** *n.* 〖문법〗 명사.

***namhaft** [ná:mhaft] 《<Name》 *a.* ① 〔격식〕 이름을 밝히는: jn.〔et.〕 ~ machen 누구〔무엇〕의 이름을 대다〔알아내다〕, 지명하다; 〔비유〕 Ausdruck, der ein Ding ~ macht 어떤 것의 명확한 표현. ② 유명한, 잘 알려진, 명망 있는: ein ~er Wissenschaftler 저명한 과학자. ③ 중요〔현저·상당〕한: ein ~er Unterschied 현저한 차이; er stiftete einen ~en Betrag 그는 거액의 금액을 기부했다.

Namhaft·machung [..maxuŋ] *f.* 〔격식〕 거명, 이름 공표.

Namibia [namí:bia] 나미비아(서남 아프리카 대서양 연안에 있는 나라).

Namibier *m.* 나미비아 사람.

..namig *suf.* "이름이 …한"의 뜻(보기: falsch~ 이름이 틀린, 가명을 쓴).

***nämlich** [né:mlıç] 《I》 *adv.* ① 〔언급한 내용을 구체적으로 열거함〕 즉, 더 자세히 말하자면: er ist schon zweimal dagewesen, ~ gestern und heute 그는 벌써 두 번이나 왔다, 즉 어제와 오늘. ② 〔문두 이외의 곳에 쓰임; 언급한 내용의 근거를 설명〕 왜냐하면, …때문에: er kann nicht kommen, er hat ~ eine Grippe 그는 올 수 없다, 감기에 걸렸기 때문이다. 《II》 *a.* 〔알고 있는 대상을 지칭함〕 〔雅語〕 바로 그 (사람·것), 동일한 (사람·것): er sagt immer das ~e 그는 늘 그 똑같은 말만 해댄다; der ~e Polizist 바로 그 경찰관.

Nämlichkeit *f.* (세관 검사 때의) 일치.

Nämlichkeits·bescheinigung *f.* 동일품 확인 증명서.
na, na [naná] *int.* 자자, 어(↑ na).
Nancy [nã:si, nãsí] 낭시(프랑스의 도시).
Nandu [nándu:] 《sp.》 *m.* -s, -s 〖動〗 레아, 아메리카 타조.
Nanga Parbat [náŋga párbat] *m.* - - 낭가 파르바트(히말라야의 산맥 중의 제 9 의 고봉).
Nänie [nɛ́:niə] 《lat.》 *f.* -n 조사(弔辭), 조가(弔歌); (고대 로마의) 만가(挽歌), 비가(悲歌).
Nanismus [nanísmus] *m.* - 〖醫〗 소인증, 발육 위축증.
Nanking [náŋkɪŋ] 《Ⅰ》 (중국의) 난징(南京). 《Ⅱ》 *m.* -s, -s/-e 남경 무명.
Nanna [nána] *f.* 〖북구신화〗 나나(빛의 신 Baldr 의 처).
nannte [nántə] ↑ nennen 의 과거형.
nano.. *pref.* 단위 앞에 붙어서 "10 억분의 1(10^{-9}); 미소(微小)의"의 뜻(보기: ≈meter 10 억분의 1 미터, 나노미터).
Nanofarad [nanofará:t] *n.* -s, - 〖전기〗 10 억분의 1 패럿, 나노패럿(약어: nF).
Nanometer *n./m.* -s, - 10 억분의 1 미터, 나노미터(약어: nm).
Nanosekunde *f.* -n 10 억분의 1 초(약어: ns).
Nanotechnologie *f.* -n 〖工〗 나노테크놀로지, 미세 공학.
Nansen-Paß [nánzən.., nánsən..] *m.* 무국적자를 위한 신분 증명서〔임시 여권〕.
Nantes [nã:t] 낭트(프랑스의 도시).
nanu [nanú:] *int.* 우와, 어머나(놀라움의 표현): ~, wer kommt denn da? 우와, 이게〔저게〕 누구야?
Napalm [ná:palm] 《engl.》 *n.* -s 〖化〗 네이팜.
Napalm·bombe *f.* 〖軍〗 네이팜탄.
***Napf** [napf] 《germ.》 *m.* -(e)s, Näpfe [nɛ́pfə] ① 주발, 사발, 대접: der Katze einen ~ Milch hinstellen 고양이에게 우유 한 대접을 놓아 주다. ② 〖植〗 잔 모양의 꽃받침, 깍정이.
Näpfchen [nɛ́pfçən] 〖↑ Napf 의 축소형〗 작은 대접〔사발〕: 〖비유〗 ins ~ treten 실수하다, 바보짓을 하다; bei jm. ins ~ treten 누구의 비위를 거스르다.
Napf·kuchen *m.* (사발 모양의) 카스텔라.
Näpflein *n.* -s, - 〖↑ Napf 의 축소형〗 ↑ Näpfchen.
Napf·schnecke *f.* 〖動〗 파텔라 조개.
Naphtha [náfta] 《gr.》 *n.* -s 〔*f.*〕 ① 〖구식〗 석유. ② 〖工〗 나프타(유).
Naphthalin [..ftalí:n] 《lat.》 *n.* -s 나프탈렌.
Naphthen [..ftéːn] *n.* -s, -e 〖化〗 나프텐.
Naphthol [..ftó:l] *n.* -s, -e 〖化〗 나프톨.
Napoleon [napó:leɔn, (드물게) ..leɔ̃] 《Ⅰ》 *m.* Bonaparte ~ 나폴레옹 1 세(프랑스의 황제, 1769-1821). 《Ⅱ》 *m.* -s, -s 〔단위를 나타낼 때: -〕 ↑ Napoleondor.
Napoleondor [napo:leɔndó:r, ..leɔ̃..] *m.* -s, -e 〔(단위) -, -〕 나폴레옹 금화(나폴레옹 1 세와 3 세 시대의 금화; 20 프랑 상당).
Napoleonide [..leoní:də] *m.* -n, -n 나폴레옹 1 세의 후예.
napoleonisch [napoleó:nɪʃ] *a.* 나폴레옹에 관한, 나폴레옹적인: ~er Unternehmungsgeist 나폴레옹식 사업 정신.
Napoleonisch *a.* 나폴레옹의: ~e Feldzüge 나폴레옹 원정.
Napoleonist [napoleó:nɪst] *m.* -en, -en 나폴레옹당의 사람, 나폴레옹 신봉자.
Napoli [ná:poli] 나폴리(이탈리아의 도시).
Napolitain [napolitɛ̃:] 《frz.》 *n.* -s, -s 작은 판 모양의 초콜릿.
Napolitaine [napolitɛ́:n] *f.* 나폴리산(產) 모슬린.
Nappa [nápa] *n.* -(s), -s 나파〔산양〕 가죽.
Nappa·leder [nápa..] *n.* ↑ Nappa.
nappieren [napí:rən] 《frz.》 *t.* 〖요리〗 꾸미〔소스〕로 덮다.
Närbchen [nɛ́rpçən] *n.* -s, - 〖↑ Narbe 의 축소형〗 작은 흉터.
***Narbe** [nárbə] *f.* -n ① 상처 자국, 흉터: Operations≈ 수술 자국; ~ von Blattern 마맛자국; 〖속담〗 die ~ bleibt, wenn auch die Wunde heilt 상처는 나아도 흉터는 남는다; eine ~ ansetzen〔bekommen〕 흉터를 남기다〔얻다〕. ② 〖제혁〗 ↑ Narben. ③ 〖植〗 암술머리, 주두(柱頭). ④ 〖農〗 (풀이 자란) 상층토.
narben [nárbən] 《Ⅰ》 *t.* ① (…에) 흉터를 남기다. ② (a) (모피를) 탈모 처리하여 거죽면이 드러나게 하다. (b) (가죽을) 우툴두툴하게 만들다: genarbtes Leder 우툴두툴한 가죽. ③ 〖農〗 상층의 흙을 제거하다. 《Ⅱ》〖고어〗 *i.* (h.) (흉터를 남기고) 아물다. 《Ⅲ》 *refl.* sich ~ 흉터가 남다. 《Ⅳ》 **genarbt** *p.a.* ↑ genarbt.
Narben *m.* -s, - 〖제혁〗 가죽의 털을 제거한 뒤의 우툴두툴한 거죽면.
Narben≈bildung *f.* ① 흉터의 생성. ② 흉터, 반흔(瘢痕). **~geschwulst** *f.* 〖醫〗 반흔종(腫). **~gewebe** *n.* 〖醫〗 상처의 결체(結締) 조직. **~leder** *n.* 우툴두툴한 가죽.
narbenlos *a.* 흉터가 남아 있지 않은.
Narben≈seite *f.* 〖제혁〗 (가죽의) 우툴두툴한 면. **~strich** *m.* (가죽의) 단. **~striktur** *f.* 〖醫〗 반흔〔흉터〕 협착. **≈tragend** *a.* 〖植〗 암술머리〔주두(柱頭)〕가 있는. **~verengung** *f.* ↑ ~striktur. **≈voll** *a.* 흉터투성이인.
narbicht [nárbɪçt] *a.* ↑ narbig.
narbig [nárbɪç] *a.* ① 흉터가 많은; (상처가) 아문, 딱지진. ② (가죽이) 우툴두툴한. ③ 〖植〗 암술머리〔주두〕가 있는.
Närblein [nɛ́rp..] *n.* -s, - ↑ Närbchen.
Narcissus [nartsísus] *m.* ↑ Narziß.
Narcophin [narkó:fɪn] 《gr.》 *n.* -s 〖藥〗 나르코핀(진정제).
Narde [nárdə] 《skt.》 *f.* -n ① 감송(甘松); 〖복수〗 방향(芳香)이 있는 식물. ② 감송향(香). ③ 목제 과자 접시(팔츠산(產)).
Narden·öl *n.* 감송향유(甘松香油).
Nargileh [nargilé:, nargílə] 《skt.》 *f.* -(s) 〔*n.* -s, -s〕 수연통(水煙筒).
Narkomanie [narkomaní:] 《gr.》 *f.* -n [..ní:ən] 〖醫〗 마취제〔수면제〕 중독.
***Narkose** [..kó:zə] *f.* -n 〖醫〗 마취: jn. in ~ versetzen 누구를 마취시키다; er ist noch nicht aus der ~ erwacht 그는 아직 마취에서 깨어나지 않았다.
Narkose≈apparat *m.* 마취 도구〔장치〕. **~arzt** *m.* 마취 전문의. **~ärztin** *f.* ↑ ~arzt 의 여성형. **~gewehr** 〖수의〗 마취총. **~maske** *f.* 마취 마스크. **~mittel** *f.* 마취제.

~schwester *f.* 마취 전문 간호사.
Narkotikum [narkó:tikum] 《gr.》 *n.* -s, ..ka 마취제, 최면제.
Narkotin [narko:tí:n] *n.* -s 〖藥〗 나르코틴 (아편 알칼로이드의 일종; 기침을 멎게 함).
narkotisch [narkó:tɪʃ] *a.* 마취(성)의; 도취시키는, 황홀케 하는.
narkotisieren 《gr.》 *t.* 마취시키다.
Narkotismus 《gr.》 *m.* - ①〖心〗 최면 상태. ②〖醫〗 ↑ Narkomanie.
***Narr** [nar] *m.* -en, -en ① 바보, 멍청이, 얼간이, 천치: ich bin ein ~, daß ich ihm immer wieder vertraue! 그를 번번이 믿은 내가 바보지!; ~ der Liebe 사랑에 눈먼 사람; sich zum ~en machen〔hergeben〕 웃음거리가 되다; jn. zum ~en halten〔haben〕, 〔드물게〕 sich aus jm. einen ~en machen 누구를 놀리다, 바보 취급하다; einen ~en an jm.〔et.³〕 gefressen haben 누구를〔무엇을〕 지나치게 좋아하다, 누구〔무엇〕에 홀딱 반하다; 〔속담〕 die alten ~en sind die schlimmsten 나이 먹은 바보는 고칠 도리가 없다; 〔속담〕 Kinder und ~en reden die Wahrheit 어린이와 바보는 정직하다; 〔속담〕 ein ~ kann in einer Stunde mehr fragen, als zehn Weise in einem Jahr beantworten können 현자 열 명이 바보 한 명의 질문을 당해내지 못한다; 〔속담〕 jedem ~en gefällt seine Kappe 바보도 자기 잘난 맛에 산다. ② 익살꾼; (Hof∼) 궁정 광대; 카니발 참가자; 코믹한 인물: er ist der ~ für alle 그는 늘 사람을 잘 웃긴다. ③〔드물게〕 광인, 미친 사람: Bücher∼ 독서광. ④〔방언〕 식물의 줄기·잎·과실의 기형(畸形). ⑤〔구식〕 장기의 졸. ⑥ (obd.) 〖植〗 갈란투스.
narrativ [..tí:f] *a.* 〖문학〗 이야기체의, 설화적〔서사적〕인, 서술적인.
Närrchen [nɛ́rçən] *n.* -s, - ↑ Narr 의 축소형.
narren [nárən] 《I》 *i.* (h.) 바보짓을 하다; 익살부리다. 《II》 *t.* 바보 취급하다, 놀리다, 조롱하다: narrt mich nicht mein Gedächtnis, so ... 내 기억이 틀리지 않다면 …이다.
Narren≈fest [nárən..] *n.* ① 가장〔사육제〕 무도회. ②〖중세〗 (교회 의식을 풍자한) 학교 축제. **~freiheit** *f.* ① (중세 궁정 광대에게 허용된) 욕을 해도 좋은 특권. ② (사육제 때) 예의에 어긋나도 탓하지 않는 풍습. ③〔비유〕 전결권, 재량권. **~geschwätz** *n.* 바보 같은 이야기〔말〕.
narrenhaft [nárənhaft] *a.* 바보 같은, 어리석은.
Narren≈hände *pl.* ~ beschmieren Tisch und Wände 책상이나 벽에는 바보 천치나 낙서하는 법이야(벽이나 물건을 더럽힌 사람에 대한 꾸중의 말). **~haus** *n.* 〔구식〕 정신 병원. **~herrschaft** *f.* 〔폄어〕 바보 천하〔정치〕. **~jacke** *f.* 〔구식〕 ↑ ~livree. **~kappe** *f.* ① 학생에게 벌로 씌우는 모자; 방울이 달린 광대 모자; 카니발 참가자들이 쓰는 알록달록한 작은 배 모양의 모자. ②〖動〗 새조개. ③〖植〗 바곳. **~kleid** *n.* 〔雅語·드물게〕 ↑ ~kostüm. **~kolbe** *f.*, **~kolben** *m.* 광대의 지팡이. **~kopf** *m.* 〔속담〕 ~ wird nimmer klug 바보를 고치는 약은 없다. **~kostüm** *n.* 어릿광대의 복장; 카니발 의상. **~liebe** *f.* (바보처럼) 홀딱 빠진 사랑. **~livree** *f.* 얼룩점이 있는 광대옷. **~mäßig** *a.* 바보 같은, 어리석은, 미친. **~paradies** *n.* 바보들의 천국; 행복의 환영(幻影). **~posse** *f.* 〔雅語〕 바보 같은 짓, 터무니없는 말〔농담〕, 난센스. **~schiff** *n.* 바보의 배(독일의 S. Brant 의 풍자시에서). **~seil** *n.* 〔구어〕 jn. am ~ führen 누구를 우롱하다. **~sicher** *a.* 〔구어〕 바보라도 쉽게 다룰 수 있는, 지극히 간단한. **~spiel** *n.* 바보 흉내, 바보짓.
Narrens·possen *pl.* ↑ Narrenposse.
Narren≈streich *m.* 터무니없는 장난, 바보짓. **~teiding** *m.* 〔구식〕 ↑ ~posse.
Narrentum [nárəntu:m] *n.* -s 익살꾼들의 세계; 익살스러운 행동.
Narren≈turm *m.* 〔구식〕 정신 병원. **~zepter** *n.* 궁정 어릿광대의 지팡이.
Narretei [narətáɪ] *f.* -en 〔雅語〕 ① 터무니없는 농담, 우스꽝스러운 장난. ② 남을 조롱하는 몸동작. ③ ↑ Narrheit ②.
Narrheit *f.* -en ① 어리석음, 단순. ② 바보짓, 우행(愚行). ③ ↑ Narretei ①.
Narrhalla·marsch [nárhalamarʃ] *m.* 카니발 행진.
Närrin [nɛ́rɪn] *f.* -nen ↑ Narr 의 여성형.
***närrisch** [nɛ́rɪʃ] *a.* ① 어리석은, 멍청한; 익살맞은, 해학적인; 이상한, 정신 나간, 상식을 벗어난: ein ~er Kerl 익살꾼; ein ~er Kauz 기인, 괴짜; ein ~er Einfall 기발한 착상; so etwas könnte mich ~ machen 그렇게 되면 나는 머리가 이상해지고 말 거야; auf jn〔et.〕 ~ sein 누구를〔무엇을〕 지나치게 좋아하다; er ist ganz ~ darauf 그는 그 일에 푹 빠져 있다; bist du ~? 너 제정신이니? ② 현저한; 〔구어〕 굉장한: eine ~e Freude 벅찬 기쁨; er ist ganz ~ in sie verliebt 그는 그 여자에게 홀딱 반했다. ③ 카니발의, 카니발적인: die ~e Zeit 카니발 시즌.
Närrlein *n.* -s, - ↑ Närrchen.
Narvik [nárvik] 나르빅(노르웨이의 항구 도시).
Narwal [nárva(:)l] 《dän., schwed.》 *m.* -s, -e 〖動〗 일각(一角) 고래(돌고랫과의 일종).
***Narziß** [nartsís] 《gr.》 *m.* -/..zisses, ..zisse ① 나르시스(남자 이름). ②〖그리스신화〗 나르시스. ③〔비유〕 미남인 체하는 남자, 병적인 자기 도취자.
Narzisse [nartsísə] 《pers.》 *f.* -n 〖植〗 수선화.
narzissen≈artig *a.* 〖植〗 수선화의; 수선화 모양의. **~blüte** *f.* 수선화꽃.
Narzißmus *m.* - 자기애, 자기 도취(증).
Narzißt [..tsíst] *m.* -en, -en 자기 도취에 빠진 사람.
narzißtisch [..tsístɪʃ] *a.* 자기 도취적인, 나르시스즘〔자기애〕의.
Narzylen 《gr.》 *n.* -s 〖化〗 =Azetylen.
NASA [ná:za] 《engl.》 *f.* National Aeronautics and Space Administration (미국) 항공우주국.
nasal [nazá:l] 《lat.》 *a.* ①〖醫〗 코의, 코에 관한. ②〖음성〗 비음(鼻音)의. ③ 콧소리의, 콧소리가 섞인.
Nasal *m.* -s, -e 〖음성〗 비음(鼻音).
nasalieren [nazalí:rən] *t.* 〖음성〗 코로 발음하다, 비음을〔콧소리를〕 내다: ein nasalierter Vokal 비모음.

Nasalierung *f.* -en 비음 발음, 비음화.
Nasalis [ná:zalıs] *m.* -, ..les ↑ Nasal.
Nasalität [..litɛ́:t] *f.* 〚문법〛 비음성(鼻音性).
Nasal≠laut *m.* ↑ Nasal. **~vokal** *m.* 〚음성〛 비모음(鼻母音).
Nasch·dose *f.* 과자〔사탕〕 담는 통.
Naschen [náʃən] *m.* -s, - (ndd.) 둥근 나무 상자.
***naschen** 《ahd. nascon》 《Ⅰ》 *i.* (h.) ① 군것질하다, 단것을 먹다: sie nascht gern 그녀는 군것질을 좋아한다; 〚속담〛 ~ macht leere Taschen 군것질을 많이 하면 주머니가 거덜난다. ② (몰래) 조금 집어먹다, 훔쳐먹다: wer hat am〔vom〕 Kuchen genascht? 누가 케이크를 떼어먹었니?; sie hat am Essen nur genascht 그녀는 식사를 조금 뜨다 말았다, 맛있는 것만 골라 먹었다; 〚비유〛 in einem Buch ~ 책을 여기저기 조금씩 읽어보다; 〚비유〛 von allem nur ~ 모든 것을 조금씩 알다. 《Ⅱ》 *t.* 군것질하다; 즐겁게 먹다: sie nascht gern Süßigkeiten 그녀는 단것을 즐긴다; 〚결과를 나타내어〛 den Teller leer ~ 조금씩 집어먹어 접시를 다 비우다. 《Ⅲ》 *refl.* 〚결과를 나타내어〛 sich in Leckereien arm ~ 식도락으로 파산하다, 먹어서 거덜나다.
Näschen [nɛ́:sçən] *n.* -s, - 〚↑ Nase 의 축소형〛 작고 예쁜 코.
Nascher [náʃər] *m.* -s, - 군것질〔단것〕을 좋아하는 사람.
Näscher [nɛ́ʃ..] *m.* -s, - ↑ Nascher.
Nascherei [naʃəráı] *f.* -en ① 군것질. ② 군것질거리, 단것.
Näscherei [nɛʃəráı] *f.* -en ↑ Nascherei.
Nascherin, Näscherin *f.* -nen ↑ Nascher 의 여성형.
naschhaft [náʃhaft] *a.* 군것질을 좋아하는: er war schon als Kind so ~ 그는 어렸을 적부터 이미 군것질을 몹시 좋아했다.
Naschhaftigkeit *f.* 군것질 버릇.
näschig [nɛ́ʃıç] *a.* 〚구식〛 ↑ naschhaft.
Nasch≠kätzchen *n.* ↑ ~katze. **~katze** *f.* ① 도둑고양이. ② 〚비유·구어〛 군것질 좋아하는 사람(특히 여자). **~lust** *f.* ↑ ~sucht. **~markt** *m.* 군것질거리를 파는 시장. **~maul** *n.* 〚구어〛 군것질 좋아하는 사람. **~mäulchen** *n.* ↑ ~maul. **~sucht** *f.* 군것질벽; 〚비유〛 사치벽. **~süchtig** *a.* 군것질 벽이 있는. **~werk** *n.* 〚고어〛 군것질거리, 단것.
***Nase** [ná:zə] *f.* -n ① 코; (곤충의) 주둥이; 후각 기관; 〚비유〛 …한 코를〔후각을〕 가진 사람; 머리(수), 사람(수); eine aufgeworfene ~ 들창코; eine gebogene ~ 매부리코; aus der ~ bluten〔triefen〕 코피가 나다〔콧물 흘리다〕; durch die ~ singen 콧노래 부르다; mit dem Finger in der ~ bohren 손가락으로 코를 후비다; 〚농담〛 das beleidigt meine ~ 그것은 냄새가 고약하다; eine gute ~ haben a) 냄새를 잘 맡다, b) 눈치가 빠르다. ② 〚동사와 함께〛 ihm läuft die ~ 〔seine ~ läuft〕 그가 콧물을 흘린다; 〚비유〛 die ~ wackelt ihm 그는 거짓말하고 있다; 〚구어〛 die ~ kriegt Junge 코에 사마귀가 생기다; er sieht nicht weiter als die ~ reicht 그는 코 앞의 것밖에 못 본다, 소견이 좁다; jm.(B) paßt〔gefällt〕 js.(A) ~ nicht 누가(A) 누구(B)의 마음에 들지 않다; sich³ die ~ schnauben〔putzen〕 코를 풀다; 〚구어〛 die ~ hoch tragen〔halten〕 콧대가 높다, 거만하다; die ~ aufwerfen〔aufblähen, aufblasen〕 식식거리다, 의기양양해하다, 뽐내다; Maul und ~ aufsperren 놀라서 입을 딱 벌리다, 아연실색하다; 〚구어〛 die ~ hängen lassen 기가 죽어 어깨를 축 늘어뜨리다, 실망스러워하다; 〚구어〛 sich³ die ~ begießen a) 술에 취하다, b) 술을 마시다; daß du die ~ im Gesicht behältst! 침착하게 하라!; 〚구어〛 jm. eine ~ drehen〔machen〕 누구를 비웃다, 놀리다; 〚구어〛 jm. eine lange ~ machen〔schneiden〕 (엄지손가락은 코에 대고 나머지 손가락들은 편 채로) 누구를 놀리다, 바보 취급하다; das hat eine ~ 그것에는 문제가〔어려움이〕 있다; js. ~ auf falsche Fährte führen〔leiten〕 누구를 나쁜 길로 끌어 넣다; das Recht hat eine wächserne ~ 법률은 해석하기 나름이다; die ~ über jn. rümpfen〔runzeln, ziehen〕 누구를 깔보다, 멸시하다; die ~ von〔aus〕 et.³ lassen 무엇에 관여〔간섭〕하지 않다; 〚구어〛 seine Nase in et. stecken 무엇에 쓸데없이 참견〔간섭〕하다; in alles〔in jeden Quark〕 steckt〔begräbt, hängt〕 er seine ~ 그는 사사건건 참견하고 다닌다; 〚구어〛 die ~ ins Buch stecken 책과 씨름하다; die ~ zu tief ins Glas stecken 코가 삐뚤어지도록 마시다; von et.³ die ~ voll haben 무엇에 싫증을〔넌더리를〕 내다: jetzt hab ich die ~ aber (gestrichen) voll davon! 그 일이라면 이제 지긋지긋하다!; die ~ vorn haben 두각을 나타내다, 앞〔선두에〕 서다. ③ 〚전치사와 함께〛 den Finger **an** die ~ legen 생각에 잠기다; jn. an der ~ herumführen〔ziehen〕 누구를 놀리다, 속이다, 농락하다; 〚구어〛 jm. et. an der ~ ansehen 누구의 표정에서 무엇을 즉시 알아채다; faß dich an deine eigene ~〔zieh〔zupf〕 dich an deiner eigenen ~〕 (남을 헐뜯기 전에) 네 일이나 잘 해; jm. et. **auf** die ~ binden 누구에게 무엇을 쓸데없이 말하다, 공연히 밝히다; 〚구어〛 jm. auf der ~ sitzen 누구를 감시하다; jm. eins auf die ~ geben 누구를 되게 나무라다, 누구의 코를 납작하게 해주다; eins auf die ~ bekommen 꾸중 듣다, 한방 얻어맞다; auf die ~ fallen 실패하다; auf der ~ liegen 엎드려 있다, 몸져 누워 있다; jm. auf der ~ herumtanzen 누구한테 기어오르다, 버릇없이 굴다; jm. et. **aus** der ~ rücken 누구에게서 무엇을 빼앗다; jm. die Würmer aus der ~ ziehen 누구에게 교묘〔집요〕한 질문을 던져 무엇을 말하게 하다, 누구를 꾀어 비밀을 알아내다; 〚구어〛 sich et. aus der ~ gehen lassen 무엇을 놓치다; jm. eine Feder **durch** die ~ ziehen 누구를 우롱하다, 속이다; jm. den Ring durch die ~ ziehen 누구를 굴종시키다; das ist nichts **für** deine ~ 이것은 네가 나설 일이 아니다; **in** die ~ gehen〔fahren, steigen, ziehen〕 냄새가 고약하다; et. in der ~ bekommen 무엇을 알아채다, 감지하다; 〚구어〛 et. in die ~ haben 무엇을 예감〔감지〕하다; 〚구어〛 das sticht mir in die ~ 그것이 나를 자극〔유혹〕한다; etwas beißt〔kribbelt〕 jn. in die ~ 무엇이 누구를 화나게 하다; 〚구어〛 es ist mir in die ~ gefahren〔gestiegen〕 그 일로 나는 화가 치밀었다; 〚구어〛 jn. **mit** der ~ auf et. stoßen 〔drücken〕 누구에게 무

엇을 하도록 분명히 말해 주다; mit langer ~ abziehen 실망한 채 (성과 없이) 떠나가다; immer mit der ~ vorn sein 아는〔잘난〕 체하다, 쓸데없이 나서다; immer der ~ nach! 계속 쭉〔똑바로〕 가! ; 〖구어〗 nach js. ~ sein 누구의 생각과 일치하다, 누구의 마음에 들다; 〖구어〗 das ist nicht nach meiner ~ 그것은 내 취향에 맞지 않는다; 〖구어〗 nach js. ~ gehen 누구의 뜻대로 되다; 〖구어〗 **pro** ~ 1인당; es fehlt ihm **über** der ~ 그는 좀 모자란다, 바보다; er hat sich[3] den〔viel〕 Wind **um** die ~ gehen〔wehen〕 lassen 그는 세상 경험이 많다, 세상 물정에 밝다; jm. et. **unter** die ~ reiben 누구에게 무엇을 따끔하게 알아듣게 해주다; jm. die Faust unter die ~ halten 누구에게 종주먹을 대다, 누구를 위협하다; **vor** der ~ 코〔눈〕 앞에: es liegt vor deiner ~! 그것은 바로 네 앞에 있잖아! (그것도 못 봐?); 〖구어〗 et. vor der ~ haben 무엇을 바로 옆에 가지고 있다; 〖구어〗 jm. die Tür vor der ~ zuschlagen〔zuwerfen〕 누구의 면전에서 문을 덜컥 닫다, 누구를 매정하게 쫓아버리다; den lasse ich mir nicht vor die ~ setzen 나는 그 사람을 상관으로 모실 수 없다; jm. vor der ~ wegfahren (기차·버스가) 누구의 코 앞에서 떠나버리다; jm. et. vor der ~ wegfischen〔wegschnappen〕 누구에 앞서서 무엇을 획 잡아채다, 일(계획 따위)을 망치다. ④ 감각: eine gute ~ für die Käuferinteressen haben 고객이 무엇을 원하는지 잘 알다; 〖구어〗 er hat die richtige ~ dafür 그는 그것을 잘 안다. ⑤ 〖구어〗 비난, 질책: eine ~ bekommen 꾸중 듣다. ⑥ 바위의 돌출부; 갑(岬), 반도; 뱃머리, 선수(船首); (비행기의) 기수(機首); 쑥 내민 것; (건물의) 돌출부; (성벽에 있는) 작은 망루. ⑦ 〖工〗 대패의 손잡이; 〖건축〗 Wasser≈ 빗물막이 누름돌. ⑧ 〖건축〗 고딕식 창 격자의 장식 무늬. ⑨ 〖動〗 잉어의 일종. ⑩ 〖비속〗 음경, 남근: die ~ hochtragen 남근을 발기시키다.

nase·lang [ná:zəlaŋ] *adv.* ↑ nasenlang.

Näseler [nɛ́:zlər] *m.* -s, - 콧소리 내는 사람.

näseln [nɛ́:zəln] *i.* (h.) ① 코로 숨을 쉬다; 코를 킁킁〔훌쩍〕거리다. ② 콧소리로 말하다.

nasen [ná:zən] *t.* 〖구어〗 비난하다.

Nasen≈affe *m.* 〖動〗 코원숭이. **~bär** *m.* 브라질의 밀림에 사는 긴 코의 작은 곰. **~bein** *n.* 〖해부〗 비골(鼻骨). **~bluten** *n.* 코피가 남, 비출혈: ~ bekommen 코피가 나다. **~blutung** *f.* ↑ ~bluten. **~bremse** *f.* ① 코뚜레. ② 양파리의 유충. **~dusche** *f.* 〖醫〗 코 세척. **~flügel** *m.* 비익(鼻翼), 콧방울. **~gewächs** *n.* ↑ ~polyp. **~höhle** *f.* 비강. **~katarrh** *m.* 〖醫〗 코감기(Schnupfen). **~klemmer, ~kneifer** *m.* 코안경. **~knorpel** *m.* 〖해부〗 비(鼻)연골. **≈lang** *adv.* 〖다음 표현으로만〗 alle ~ 매우 자주, 수시로, 자꾸. **~länge** *f.* 〖경마〗 ① 말머리 하나의 길이. ② 〖구어〗 근소한 우위〔앞서기〕: jm. um eine ~ voraus sein 간발의 차이로 누구를 앞서다; jn. um (eine) ~ schlagen 근소한 차이로 누구를 이기다. **~laut** *m.* 〖언어〗 비음(m, n, ng 등). **~loch** *n.* 콧구멍: 〖구어〗 (jm.) verliebte Nasenlöcher machen 반해서 (누구를) 넋이 나간 채 쳐다보다; 〖구어〗 freundliche Nasenlöcher machen 다정한 표정을 짓다. **~polyp** *m.* 〖醫〗 콧구멍에 생긴 종기. **~popel** *m.* ① 코딱지. ② 〖비유〗 코흘리개; 초라한 사람. **~-Rachen-Raum** *m.* 비후강(鼻喉腔). **~-ring** *m.* ① 코뚜레. ② (장식용) 코걸이. **~-rücken** *m.* 콧마루. **~scheide·wand** *f.* 〖해부〗 코청, 비격막(鼻隔膜). **~schleim** *m.* 콧물. **~schleim·haut** *f.* 비점막(膜). **~-schmuck** *m.* 코 장신구, 코걸이. **~schneller** *m.* ↑ ~stüber ①. **~spiegel** *m.* ① 〖醫〗 비경(鼻鏡). ② (포유동물의 털이 나지 않은) 콧등, 코끝. **~spitze** *f.* 코끝. **~stimme** *f.* 콧소리. **~stüber** *m.* ① (핀잔을 주기 위해) 손가락으로 코끝을 가볍게 때림: jm. einen ~ geben〔versetzen〕 손가락으로 누구의 코끝을 가볍게 튕기다. ② 단풍나무 열매. ③ 〖비유·구어〗 가벼운 질책, 핀잔. **≈stübern** *t.* 손가락으로 코끝을 살짝 튕기다. **~tropfen** *m.* ① 〖복수〗 코에 넣는 물약. ② 콧물 방울. **~wärmer** *m.* ① 목도리. ② 〖농담〗 짧은 담배 파이프. **~wurzel** *f.* 비근(鼻根).

Nase≈rümpfen *n.* (경멸·불신의 표시로) 코 찌푸리기. **≈rümpfend** *a.* (경멸·불신의 표시로) 코를 찌푸리는.

***nase≈weis** *a.* 시건방진, 참견하는, 아는 체하는. **≈weis** *m.* -es, -e Herr〔Jungfer〕 ~ 건방진 사내〔처녀〕. **≈weisheit** [..haɪt] *f.* 버릇없음, 주제넘음.

nasführen [ná:sfy:rən] (*p.p.* genasführt) 《< Nase》 *t.* ① 우롱하다, 놀리다; 제마음대로 부리다. ② 속이다, 기만하다.

Nas·horn [ná:shɔrn] 《gr.》 *n.* 〖動〗 코뿔소, 무소.

Nashorn≈käfer *m.* 〖動〗 투구풍뎅이. **~-vogel** *m.* 〖動〗 무소새(열대산(產)).

..nasig *suf.* "…한 코의"의 뜻(보기: adler~ 매부리코의).

..näsig *suf.* ↑ ..nasig.

Nasi Goreng [ná:zi gorɛ́ŋ] *n.* -(s), -s 나지 고렝(쌀·야채·고기·향료를 섞어 만드는 인도네시아의 요리).

nas·lang [ná:slaŋ] ↑ nasenlang.

Näslein [nɛ́:slaɪn] *n.* -s, - 〖↑ Nase 의 축소형〗 ↑ Näschen.

***naß** [nas] (nasser/nassest; nässer/nässest) 《♧ netzen》 *a.* (↔ trocken) ① 젖은, 축축한: nasser Boden 젖은 지면; nasses Wetter 궂은 날씨; mit nassen Augen 눈물을 글썽거리며; ~ machen〔werden〕 적시다, 젖다; 〖구어·농담〗 ~ wie ein Pudel 흠뻑 젖은; durch und durch 〔bis aufs Hemd, bis auf die Haut〕 ~ 흠뻑 젖은; es wird nasse Augen geben 〔setzen〕 (슬픈 장면으로 인해) 눈이 축축이 젖어들 것이다. ② 액상(液狀)의: nasse Waren 액체 상품. ③ 비가 내리는: ein nasses Jahr 비가 많은 해; es geht ~ nieder 비가 내리고 있다. ④ 〖방언〗 für ~ 공짜로, 무료로; ich durfte für ~ hinein 나는 공짜로 들어갈 수 있었다. ⑤ 〖비유〗 sich[3] die Kehle ~ machen 목을 축이다, 한잔 하다; ein nasser Bruder 주객, 술꾼; ein nasses Grab finden 익사하다; das Bett〔die Hose〕 ~ machen 침대〔바지〕에 오줌을 싸다; 〖방언〗 sein Geld ~ machen 술값으로 돈을 탕진하다; Amerika ist wieder ~ geworden 미국은 금주령을 해제하였다; 〖구어〗 noch ~ hinter den Ohren sein 아직 머리에 피도 안 말랐다, 경험이 미숙하다;

jn. ~ machen a) 트릭을 써서 누구(상대 선수)를 속이다, b) 누구(상대 선수)에게 압승을 거두다; 〖經〗 ~e Stücke 비양도성 유가 증권; 〖방언〗 ich werd(e) mich ~ machen! (그런 일을 하지 않도록) 조심할께!

Naß [nas] *n.* Nasses ① 〖雅語·농담〗 물: ins kühle ~ springen 시원한 물 속으로 뛰어들다; gut ~! 안녕하세요! (수영하는 사람들끼리의 인사말). ② 〖시어〗 비. ③ 〖시어〗 음료, 술(특히 맥주·와인).

Nassau [násau] 나사우(1866 년까지 공국; 현재 Rheinland-Pfalz 주의 한 도시).

Nassauer[1] [násauər] *m.* -s, - ① 나사우 주민. ② 나사우 출신의 사람. ③ 〖구어·폄어〗 식객, 남을 등쳐 먹고 사는 사람.

Nassauer[2] *m.* -s, - 〖농담〗 소나기.

nassauern [násauərn] *i.* (h.) 〖구어〗 남의 등을 쳐서 먹고 살다, 남에게 폐를 끼치다.

nassauisch [násauɪʃ] *a.* 나사우의.

***Nässe** [nέsə] 《<naß》 *f.* 축축함, 습기; 습윤; 수분, 물기: vor ~ bewahren〔schützen〕! 습기 주의!; wir haben viel ~ gehabt 비오는 날이 잦았다.

nässeln [nέsəln] 〖고어·방언〗 《I》 *i.* (h.)/*t.* 약간 축축하다〔축축하게 하다〕, 조금 젖다〔젖게 하다〕. 《II》 *imp.* es nässelt 는개〔안개비〕가 내리고 있다.

nässen [nέsən] 《I》 *t.* 〖雅語〗 적시다, 축축하게 하다: das Bett ~ 잠자리에 오줌을 싸다. 《II》 *i.* (h.) 젖다; 〖醫〗 (상처에) 진물이 나다: 〖醫〗 ~de Flechte 습윤성 습진.

Naß≈fäule *f.* (감자의) 습기로 인한 부패. ≈-**fest** *a.* 내습(耐濕)의. ≈**forsch** *a.* 〖주로 폄어〗 용감한 척하는; 허세를 부리는(술 취했을 때만 용감하다는 뜻에서). ≈**geschwitzt** *a.* 땀으로 흠뻑 젖은.

Naßheit *f.* 축축함, 젖음; 습기, 습윤; 물기.

nässig [nέsɪç] *a.* ↑ näßlich.

Naß-in-Naß-Druck *m.* 〖印〗 (채색 인쇄 때 먼저 인쇄한 물감이 마르기 전에 두 번째 색을 인쇄하는) 비건조 연속 인쇄.

naß·kalt *a.* 비가 간간이 내리면서 추운, 냉습한.

näßlich [nέslɪç] *a.* 약간 축축한; 습기 타는.

Naß≈messer *m.* 습도계. ~**rasierer** *m.* ① (전기 면도기를 쓰지 않고) 비누나 면도 크림을 바르고 면도하는 사람. ② 젖은 면도용 전기면도기. ~**rasur** *f.* 비누나 면도 크림을 바르고 하는 면도. ~**schnee** *m.* 진눈. ~**wäsche** *f.* ① (세탁소에서 세탁만 하고 말리지 않은) 축축한 세탁물. ② 건조나 광택을 내지 않고 물로 씻기만 하는 세차. ~**zelle** *f.* 〖건축〗 수도관이 가설된 공간.

Nastie [nastí:] *f.* 〖植〗 경성(傾性).

Nas·tuch 《<Nase》 *n.* (obd.) 손수건.

Nas·vogel *m.* 〖動〗 무소새.

Näs·water *m.* (ndd.) 파렴치한(漢); 코흘리개.

naszierend [nas|tsí:rənt] 《lat.》 *a.* (특히 화학 물질이) 발생〔생성〕 중인.

Natalie [natá:liə] *f.* 나탈리에(여자 이름).

Natalität [natalitέ:t] 《lat.》 *f.* 출산율.

Natan [ná:tan] *m.* ↑ Nathan.

Natascha *f.* 나타샤(여자 이름).

Nathan [ná:tan] 《hebr., „Geschenk"》 *m.* ① 나단(유대의 예언자). ② 나탄(남자 이름).

Nathanael *m.* 나타나엘(남자 이름).

***Nation** [natsió:n] 《lat.》 *f.* -en ① 민족, 민족 공동체: eine geteilte ~ 분단 민족; der Kampf um die Unabhängigkeit und Freiheit der ~ 민족의 독립과 자유를 위한 투쟁. ② 국가: die Vereinten ~en 국제 연합(약어: VN); Vielvölker≈ 다민족 국가. ③ 〖구어〗 국민: die ganze ~ trauerte um ihn 온 국민이 그의 죽음을 애도하였다. ④ (중세 대학의) 출신지별 학생단체.

***national** [natsioná:l] *a.* ① 민족의, 국가의, 국민의; 국유〔국립〕의: eine / ~e Minderheit 소수 민족; ≈e Volksarmee(약어: NVA) 국가인민군(구동독의 정규군); ≈e Front (사회주의 국가의) 국민 전선(약어: NF). ② 국내〔내국〕의: ~e Meisterschaft 국내 선수권 (대회). ③ 애국적인, 민족주의적인: eine ~e Gesinnung 애국적인 성향〔신념〕.

National≈anleihe *f.* 국채(國債). ~**bank** *f.* 〖복수: -en〗 국립 은행. ≈**bewußt** *a.* 국민〔민족〕 의식을 지닌. ~**bewußt·sein** *n.* 국민〔민족〕 의식. ~**charakter** *m.* 국민성. ~-**dank** *m.* (국민이 설립한) 자선 단체〔기관〕, (상이 군인을 위한) 자선 기금. ≈**demokratisch** *a.* ① 독일 민족 민주당(NPD)의. ② (특히 제 3 세계 국가들에서) 민족 민주주의적인(민족 독립을 추구하고 반제국주의적 성향을 가짐). ~**denkmal** *n.* 국민적〔국가적〕 기념비. ~**dreß** *m.* 〖스포츠〗 국가 대표팀의 유니폼.

Nationale [natsioná:lə] *n.* -s, - (öst.) ① 신상 기록, 인적 사항 명세. ② 신상 명세서.

National≈einkommen *n.* 국민 소득. ~-**ehre** *f.* 국민적〔국가적〕 체면, 나라의 명예. ~**einheit** *f.* 국민적 통일. ~**elf** *f.* (주로 축구의) 국가 대표팀. ~**epos** *n.* 〖문학〗 민족 (영웅) 서사시. ~**farbe** *f.* 나라의 상징색, 국기의 빛깔. ~**feier·tag** *m.* 국경일. ~**fest** *n.* 국민적 축제. ~**flagge** *f.* 국기. ~**galerie** *f.* 국립미술관. ~**garde** *f.* ① (프랑스 혁명 당시의) 국민군. ② (미국의) 민병대. ~**gardist** *m.* ① 국민병. ② 민병대원. ~**gedanke** *m.* 국가 사상. ~**gefühl** *n.* 국민〔민족〕 감정. ~**geist** *m.* 민족 정신. ~**gericht** *n.* 민족 고유의 음식. ~**getränk** *n.* 민족 고유의 음료. ~**heiligtum** *n.* 민족 성지〔성전〕. ~**held** *m.* 민족〔국민〕적 영웅. ~**hymne** *f.* 국가(國歌).

nationalisieren [natsionalizí:rən] 《<Nation》 *t.* ① jn. ~ 누구에게 국적〔시민권〕을 부여하다, 누구를 귀화시키다. ② 국유화〔국영 기업화〕하다.

Nationalisierung [..ruŋ] *f.* -en 국유화; 〖法〗 국적 부여, 귀화.

***Nationalismus** *m.* - ① 민족〔국수〕주의, 과도한 민족 감정. ② 민족 의식, 민족 독립 운동.

Nationalist *m.* -en, -en 민족〔국수〕주의자.

nationalistisch *a.* 민족〔국수〕주의적인.

***Nationalität** *f.* -en ① 국적: welcher ~ ist sie? 그녀는 국적이 어디냐? ② 민족〔국민〕성. ③ (한 나라 안의) 소수 민족.

Nationalitäten≈frage *f.* 국적 문제. ~**politik** 민족 정책. ~**staat** *m.* (↔ Nationalstaat) 다민족 국가.

Nationalitäts≈frage *f.* 국적 문제. ~**grenze** *f.* 인종학적 국경. ~**prinzip** *n.* 〖法〗 국적주의. ~**streit** *m.* 국적 분규.

National≈liga *f.* 〖스포츠〗 내셔널 리그(오스트리아와 스위스에서의 상위 리그전). **~kirche** *f.* 국교(國教) 교회. **~konvent** *m.* ① (프랑스의) 국민 의회(1792-95). ② (미국 정당의 대통령 후보 지명을 위한) 전국 대의원 대회. **~kultur** *f.* 국민〔민족〕 문화. **~leben** *n.* 국민 생활. **≗liberal** *a.* 민족 자유당의: ≗e Partei 민족 자유당(1867-1918 년 빌헬름 제국 시대 중도 우파 정당). **~literatur** *f.* 민족〔국민〕 문학. **~mannschaft** *f.* 〖스포츠〗 국가 대표팀. **~ökonom** *m.* 국민 경제학자. **~ökonomie** *f.* 국민 경제학. **~park** *m.* 국립 공원. **~preis** *m.* 〖구동독〗 국가(공로)상. **~preis·träger** *m.* 국가(공로)상 수상자. **~rat** *m.* ① (오스트리아·스위스의) 국회. ② 국회 의원. **~reichtum** *m.* 국부(國富). **~schuld** *f.* 국채(國債). **~sozialismus** *m.* 국가 사회주의, 나치즘(약어: NS). **~sozialist** *m.* 국가 사회주의자, 국가 사회주의 당원, 나치. **≗sozialistisch** *a.* 국가 사회주의(당)의, 나치의: die ~e Diktatur 나치 독재; ≗e Deutsche Arbeiterpartei 국가 사회주의 독일 노동당(약어: NSDAP) (Hitler 치하의 유일 정당). **~spieler** *m.* 국가 대표팀 선수. **~spielerin** *f.* ↑ ~spieler 의 여성형. **~sport** *m.* 국민 스포츠, 국기(國技). **~sprache** *f.* 표준어. **~staat** *m.* (단일) 민족 국가(↔ Nationalitätenstaat). **≗staatlich** *a.* (단일) 민족 국가의. **~stolz** *m.* 국민적 자부심. **~straße** *f.* (스위스·이탈리아·프랑스의) 고속 도로, 자동차 전용 도로. **~tanz** *m.* 민속 무용. **~theater** *n.* 국립 극장. **~tracht** *f.* 민속 의상. **~trikot** *n.* 〖스포츠〗 국가 대표팀의 유니폼. **~versammlung** *f.* ① 국민 의회. ② 의회, 국회. **~volk** *n.* 국가를 형성하고 있는 민족.

nativ [natí:f] 《lat.》 *a.* ① 자연(그대로)의, 천연의, 가공하지 않은. ② 타고난, 천성의; 토착의.

Native [né:tɪf, néɪtɪv] 《lat.-engl.》 《Ⅰ》 *f.* -s 〖대개 복수〗 천연 굴조개. 《Ⅱ》 *m.* -s, -s (주로 영국 식민지의) 원주민, 현지인.

Nativismus [nativísmus] *m.* - ① 〖心〗 생득설(生得說). ② 〖인종〗 전통 문화 보호 주의.

Nativist [nativíst] *m.* -en, -en 생득설 주장자; 전통 문화 보호 주의자.

nativistisch *a.* ① 생득설의, 생득설에 관한. ② 〖醫·生〗 타고난, 선천적인, 유전에 따른.

Nativität [nativitɛ́:t] *f.* -en ① 〔구식〕 출생, 탄생. ② 〖점성술〗 출생 때의 별자리〔천궁도〕: jm. die ~ stellen (운세를 점치기 위해) 누구의 천궁도를 만들다.

Nativitäten·steller *m.* 점성술사.

***NATO** [ná:to] 《engl.》 *f.* = North Atlantic Treaty Organisation 북대서양 조약 기구.

natogrün [ná:togry:n] *a.* 회록색.

***Natrium** [ná:trium] 《gr.》 *n.* -s 〖化〗 나트륨 (기호: Na).

Natrium≈chlorid *n.* 〖化〗 염화나트륨; 식염(食塩). **~dampf·lampe** *f.* 〖전기〗 나트륨 램프. **~sulfat** *n.* 〖化〗 황산나트륨, 황산소다.

Natron [ná:trɔn] 《ar.-sp.》 *n.* -s 〖化〗 나트륨염; 중탄산소다.

Natron≈glas *n.* 소다 석회 유리, 크라운 유리. **~lauge** *f.* 가성소다액. **~salpeter** *m.* 질산소다. **~salz** *n.* 소다염.

Natté [naté:] *m.* -(s), -s 〖섬유〗 (모직·견직의) 체크무늬 천.

Natter [nátər] *f.* -n 〖動〗 ① 뱀. ② 〔비유〕 음흉〔간사〕한 사람: 〖雅語〗 eine ~ am Busen nähren 배은망덕할 놈을 먹여 살리다; 〔구어〕 wie von einer ~ gebissen aufspringen 뱀에 물린 듯이 펄쩍 뛰어오르다.

Nattern≈biß *m.* 뱀이 문 상처. **~brut** *f.* 〖폄어〗 악당의 무리. **~gezücht** *n.* ↑ ~brut. **~kopf** *m.* 〖植〗 질경이속의 일종. **~kraut** *n.* 〖植〗 뱀지치. **~zunge** *f.* ① 뱀의 혀; 〔비유〕 독설가. ② 〖植〗 나도고사리삼.

***Natur** [natú:r] 《<lat. natura》 *f.* -en ① 자연, 자연계, 대자연, 천지 만물; 자연〔창조〕의 힘; 조물주: die Geheimnisse〔Gesetze〕 der ~ erforschen 자연의 신비를〔법칙을〕 탐구하다; die erwachende ~ (겨울잠에서) 깨어나는 대자연; die drei Reiche der ~ 자연의 삼계(三界) (광물계·식물계·동물계); in die freie ~ (hinaus) gehen 야외에 나가다; 〖시어〗 bei Mutter ~ übernachten 노숙〔야숙〕하다; 〖비유〗 der ~ seine Schuld zahlen 〔seinen Tribut entrichten〕 a) 죽다(제가 뿌린 씨는 제가 거둔다), b) 병들다; sie ist von der ~ stiefmütterlich bedacht〔behandelt〕 worden 그녀는 못생겼다〔불구다〕. ② **(a)** 본성, 천성, 기질, 소질, 성질, 성격: sie hat eine heitere ~ 그녀는 명랑한 성격이다; eine leicht erregbare ~ 흥분하기 잘 하는 성격; von ~ (aus) 본성상, 천성적으로, 본래; er ist von ~ (aus) schüchtern 그는 천성적으로 수줍음을 잘 탄다; jm. zur andern〔zweiten〕 ~ werden 누구의 굳어진 습관이 되다; das ist gegen meine ~〔das geht mir gegen〔wider〕 die ~〕 그것은 내 성미에 맞지 않는다; seine Verletzungen sind nur leichter ~ 그의 상처는 경미한 수준이다; das Eis ist seiner ~ nach kalt 얼음이란 본디 찬 것이다; das liegt in der ~ der Sache 그것은 그 일의 성격상 당연하다. **(b)** (…한) 성격의 사람〔존재〕: faustische ~en 파우스트 같은 성격의 사람들; wir sind endliche ~en 우리는 유한한 존재들이다; die beiden sind einander widersprechende ~en 그 두 사람은 서로 성격이 맞지 않는다. ③ **(a)** 체질, 신체 조건〔상태〕: sie hat eine gesunde〔schwache〕 ~ 그녀는 건강한〔약한〕 체질이다; er hat eine eiserne ~ 그는 강철 같은 신체를 지니고 있다; der Stimme der ~ folgen 본능적으로 행동하다; (obd.) seine ~ erleichtern 소변 보다. **(b)** (obd.) 성기. **(c)** (öst.) 정액. ④ (↔ Kunst, Kultur) 천연〔자연〕 상태: nach der ~ 있는〔자연〕 그대로; et. nach der ~ malen〔zeichnen〕 무엇을 사생(寫生)하다; zurück zur ~! 자연으로 돌아가라!; mein Haar ist ~ 내 머리카락은 생머리다.

natur *a.* 〖늘 명사 뒤에 쓰임〗 (가구가) 자연〔원목〕 그대로의, 채색되지 않은: Schrank in Kiefer ~ (유럽) 소나무 원목 장롱.

Natural≈abgabe [naturá:l..] *f.* 물납(物納)(세). **~bezug** *m.* 현물 급여. **~einkommen** *n.* 현물 수입(↔ Geldeinkommen). **~gewicht** *n.* 원(原)중량.

Naturalien [naturá:liən] *pl.* ① 자연의 산물, 농산물, 원료: in ~ bezahlen 현물로 지급하다, 물납하다; 〖농담〗 sie hat ihn in ~ bezahlt 그녀는 그와 동침했다. ② 박물 표본.

Naturalien≈kabinett *n.* ↑ ~sammlung. **~sammlung** *f.* 박물 표본실.

Naturalisation [naturalizatsió:n] 《lat.》 *f.* -en 〖法〗 시민권〔국적〕 부여, 귀화.

naturalisieren [..zí:rən] *t.* 귀화시키다, 시민권〔국적〕을 부여하다: sich ~ lassen 귀화하다.

Naturalisierung [..ruŋ] *f.* -en 귀화.

***Naturalismus** [naturalísmus] 《lat.》 *m.* -, ..men ① (**a**) 자연주의(19 세기말의 문학·예술 유파). (**b**) (예술 작품의) 자연주의적 요소〔특징〕. ②〖哲〗 자연주의. ③〖宗〗 자연 신앙; 자연신론.

Naturalist *m.* -en, -en ① 자연주의자; 자연주의 작가〔예술가〕. ② 자연 연구자, 박물학자.

Naturalistin *f.* -nen ↑ Naturalist 의 여성형.

naturalistisch [..lístɪʃ] *a.* 자연주의의; 사실적인, 자연에 충실한; 자연 그대로의, 꾸밈없는.

Natural≈kontribution *f.* 〖軍〗 (점령지의 주민에게 부과하는) 현물 공납, 공물(貢物). **~leistung** *f.* 〖法〗 현물 급부(給付). **~lohn** 현물 급여. **~obligation** *f.* 〖法〗 (법적 청구권이 없는) 자연 채무. **~tausch** *m.* 물물 교환. **~verpflegung** *f.* 〖軍〗 현물 급양(給養). **~wirtschaft** *f.* 물물 교환 경제.

Natur≈anlage *f.* 자질, 소질, 천성; 기질, 체질. **~anschauung** *f.* ↑ ~auffassung. **~apostel** *m.* 〔농담·폄어〕 (자연식·자연 요법을 신봉하는) 반문명 생활 신봉자. **~arzt** *m.* (schweiz.) 자연 요법 전문의(Heilpraktiker). **~auffassung** *f.* 자연관. **~begabung** *f.* 천부적 재능(의 소유자). **~begebenheit** *f.* 자연계의 현상〔사건〕. **≈belassen** *a.* 자연〔천연〕 그대로의, 가공되지 않은. **~beobachtung** *f.* 자연 관찰. **~beschreibung** *f.* 박물지(誌), 자연계에 대한 기술. **~beseelung** *f.* 애니미즘, 물활론(物活論). **~bild** *n.* 풍경화, 자연 풍경. **≈blond** *a.* 타고난 금발의. **~bursche** *m.* ① 야성적인 젊은이. ②〔연극〕 야성적인 젊은이 역. **~butter** *f.* 천연 버터(↔ Kunstbutter). **~darm** *m.* 내장을 사용한 소시지 껍질. **~denkmal** *n.* 천연 기념물. **~dichter** *m.* 타고난 시인; 자연 시인. **~dichtung** *f.* 자연 문학. **~dienst** *m.* 〖宗〗 자연 숭배. **~dünger** *m.* 천연 비료.

nature [natý:r] 《frz.》 *a.* 〔주로 명사 뒤에 옴〕 〖요리〗 특별한 첨가물〔양념〕을 넣지 않은.

Naturell [naturɛ́l] 《lat. -frz.》 *n.* -s, -e 천성, 본성, 성미, 기질.

naturell *a.* ① 자연의, 자연 그대로의, 가공〔채색〕되지 않은. ②〔대개 명사 뒤에 옴〕〖요리〗 ↑ nature.

Natur≈ereignis *n.*, **~erscheinung** *f.* 자연 현상. **~erzeugnis** *n.* 천연 산물. **~farbe** *f.* 천연색. **≈farben** *a.* 천연색〔자연색〕의, 색소를 첨가하지 않은. **~farben·druck** *m.* 〔복수: -e〕〖印〗 원색판; 원색 인쇄. **~faser** *f.* 천연 섬유. **~fehler** *m.* 타고난 나쁜 버릇. **~film** *m.* 자연의 세계를 다룬 영화, 자연 다큐멘터리. **~forscher** *m.* 자연 연구자〔과학자〕. **~forschung** *f.* 자연 연구〔과학〕. **~freund** *m.* 자연 애호가. **~gabe** 천부적 재능. **~gas** *n.* 천연 가스. **~gefühl** *n.* ① 자연과의 일체감〔교감〕. ② 자연에 대한 태도〔체험 방식〕, 자연관. **≈gegeben** *a.* 숙명적인, 피할 수 없는. **≈gemäß** *a.* ① 자연에 어울리는〔적합한〕, 자연 조건에 순응하는. ② 본성에 맞는, 본능적인. **~geschichte** *f.* ①〔구식〕 (동물학·식물학·지질학·광물학 따위의 총칭으로서) 박물학(↑ ~kunde ②). ② 발생학. **≈geschichtlich** *a.* 박물학의; 발생학의. **~gesetz** *n.* 자연 법칙. **≈getreu** *a.* 자연 그대로의, 사실적인. **~glaube** *m.* 자연 신앙. **~größe** *f.* 실물 크기.

naturhaft [natú:rhaft] *a.* ① 본능적인. ② 자연 그대로의; 소박한, 꾸밈없는.

Natur·haushalt *m.* 모든 자연 요소들의 복합적인 영향 구조.

Naturheil≈kunde *f.* 자연 요법. **~kundige*** *der/die* 자연 요법사〔치료사〕. **~verfahren** *n.* 자연 요법에 의한 치료.

Natur·historiker *m.* 박물학자; 발생학자.

Naturismus *m.* - 나체주의.

Naturist *m.* -en, -en 나체주의자.

Natur≈katastrophe *f.* 자연 재해. **~kind** *n.* ↑ bursche. **~kraft** *f.* 자연의 힘, 자연력. **~kunde** *f.* ① (초등 학교의) 자연 과목. ② 박물학. **≈kundlich** *a.* 박물학의, 자연에 대해 박식한. **~laut** *m.* 자연음. **~lehre** *f.* 〔구식〕 물리·화학 과목. **~lehr·pfad** *m.* 자연 학습로(자연 교육을 위해 동식물의 명칭을 표시해 놓은 길).

***natürlich** [natý:rlɪç] 《Ⅰ》 *a.* ① (**a**) (↔ künstlich) 자연〔천연〕의, 자연 그대로의: ~es Licht 자연광, 일광; ~e Blumen a) 생화, b) 실물대로 그려진 꽃; ~e Haare 생머리; 〖法〗 ~e Person 자연인(↔ juristische Person); 〖음악〗 die ~e Tonleiter 자연 음계; ~e Zuchtwahl〔Auslese〕 자연 도태; ~es Mineralwasser 천연 광천수. (**b**) 본래〔본연·고유〕의; (angeboren) 타고난, 선천적인: ~e Anlage 소질, 천분; eine ~e Begabung 천부적인 재능; die ~en Verrichtungen des Körpers 신체 본래의 기능; eines ~en Todes sterben 자연사하다; ein ~es Bedürfnis befriedigen 본능적 욕구를 충족시키다; die ~en Teile〔Glieder〕 음부. ② (**a**) 자명〔당연〕한: ein sehr ~er Wunsch 지극히 당연한 소원; es ist ~, daß...〔nichts ist ~er, als daß...〕 …은 (지극히) 당연하다. (**b**) 자연스런, 정규의, 정상적인: der ~e Weg〔Gang, Verlauf〕 einer Krankheit 병의 자연스런 경과: das geht nicht mit ~en Dingen zu 이건 정상이 아니다. (**c**) 보통의, 평범한: das ist die ~ste Sache von der Welt 이것은 세상에 아주 흔한 일이다. ③ 참된, 실제의; 생생한, 사실적인; jn. sehr ~ malen 누구를 아주 사실적으로 그리다; ~e Größe 실물 크기. ④ 어색하지 않은, 꾸밈없는, 단순〔소박·순진〕한: ~es Benehmen 자연스런 태도; sie hat ein ~es Wesen 그 여자는 꾸밈이 없다. ⑤ 혼외〔서출〕의: ein ~es Kind a)〔구식〕 사생아, b)〖法〗 (양자가 아닌) 친자. ⑥ (↔ geistig) 〖宗〗 육적인, 교화되지 않은: 〖聖〗 der ~e Mensch 태어날 때의 인간(고린도 전서 14:44), 아직 구제받지 못한 인간; ~e Religion 이성만을 중시하는 종교. ⑦〔고어〕 자연에 관한: ~e Geschichte 박물학. 《Ⅱ》 *adv.* ① 자연히, 저절로, 자연적으로: ~ spielen 자연스럽게 연기하다; die Sache geht

ganz ~ zu 그것은 아주 자연스런 일이다. ② 물론, 당연히: das Geld reichte ~ nicht (aus) 돈은 물론 충분하지 않았다; gehst du auch zur Versammlung? — ~! 너도 모임에 가니? — 물론!
natürlicher·weise [natý:rlıçərváızə] *adv.* ① 자연히, 저절로. ② 물론, 당연히.
Natürlichkeit [..lıçkaıt] *f.* ① 자연스러움, 소박성, 사실성: die ~ einer Geste 동작의 자연스러움. ② 자명, 당연.
Natur=mensch *m.* 자연인; 원시인; 자연 애호가〔찬미가〕. **∼nah** *a.* ① 자연〔흙〕과 밀접한, 자연 친화적인. ② 본성에 가까운〔맞는〕. **∼nahe** *a.* ↑ ~nah. **~nähe** *f.* 자연과의 친밀성. **∼notwendig** *a.* 절대로 필요한; 본성상 필연적인. **~notwendigkeit** *f.* 본래적 필연성, 물리적 필연, 인과율. **~park** *m.* ↑ ~schutzpark. **~philosophie** *f.* 〖哲〗 자연 철학. **~produckt** *n.* 천연〔자연〕 산물(특히 농산물). **~recht** *n.* 〖法〗 자연법. **~reich** *n.* 자연계. **∼rein** *a.* 천연의, 자연 그대로의, 첨가물을 넣지 않은. **~religion** *f.* ① 〖宗〗 (자연력·자연 현상을 신으로 숭배하는) 자연 종교〔숭배〕. ② 원시 종교. **~schau·spiel** *n.* 대자연의 장관(壯觀). **~schilderung** *f.* 자연 묘사. **~schönheit** *f.* 자연미. **~schutz** *m.* 자연 보호: 〘경박〙 sie steht ja noch unter ~ 그녀는 아직 미성년이다, 연애하기에는 너무 어리다. **~schutzer** *m.* 자연 보호가.
Naturschutz·gebiet *n.* 자연 보호 지역. **~gesetz** *n.* 자연 보호법. **~park** *m.* 대단위 자연 보호 구역.
Natur=seide *f.* 천연 비단. **~sinn** *m.* 〘雅語〙 자연에 대한 미적 감각〔감수성〕. **~spiel** *n.* 불가사이한 자연 현상, 자연의 조화. **~talent** *m.* 타고난 재능(의 소유자). **~theater** *n.* (17-18 세기 궁정 연극의) 야외 무대, 노천 극장. **~treue** *f.* 실물 그대로의 묘사. **~trieb** *m.* 자연적 충동, 본능. **∼trüb** *a.* (과즙 등이 첨가제를 넣지 않은 상태에서) 본래 탁한. **∼verbunden** *a.* 자연 친화적인, 자연과 친밀한. **~volk** *n.* 원시〔미개〕 민족. **∼wahr** *a.* ↑ ∼getreu. **~wesen** *n.* 자연물. **∼widrig** *a.* 자연 법칙에 어긋나는, 자연을 거스르는. ***~wissenschaft** *f.* 자연 과학(↔ Geisteswissenschaft). **~wissenschaftler** *m.* 자연 과학자. ***∼wissenschaftlich** *a.* 자연 과학의, 자연 과학적인. **∼wüchsig** *a.* ① 자연생의, 야생의. ② 〘비유〙 있는 그대로의, 꾸밈없는, 소박한. ③ 자(연발)생적인. **~wüchsigkeit** *f.* 야생성; 자생성; 꾸밈없음, 소박. **~wunder** *n.* 자연계의 경이; 〘비유〙 경이로운 일〔사건〕. **~zerstörung** *f.* 자연 파괴. **~zustand** *m.* ① 자연〔원시〕 상태. ② 〘드물게〙 옷을 입지 않은 상태, 나체 상태.
Nauarch [nau|árç] 《gr.》 *m.* -en, -en (고대 그리스의) 함대 사령관, 제독.
Naue [náʊə] 《lat.》 *f.* -n ↑ Nauen.
Nauen [náʊən] *m.* -s, - (obd.) 작은 배, 나룻배.
'nauf [naʊf] (주로 südd.) ↑ hinauf.
Nau·fahrt [náʊ..] *f.* (Donau 강의) 하항(下航).
Naumburg 나움부르크(잘레 강변의 도시).
Naupe [náʊpə] 《♧ Noppe》 *f.* -n 〘방언〙 희한한 생각, 변덕: ~n im Kopf haben 기묘한 생각을 하고 있다, 엉뚱한 생각에 잠기다.
Nauplius [náʊplius] 《gr. -lat.》 *m.* -, ..plien [..pliən] 〖動〗 갑각류의 유충.
'naus [naʊs] (주로 südd.) ↑ hinaus.
Nausea [naʊzé:a, náʊzea] 《gr.》 *f.* 〖醫〗 구토증, 배멀미.
Nausikaa [naʊzí:kaa:] *f.* 나우시카(전설적 왕 Alkinoos 의 딸; "오디세이"에 나오는 인물).
Nautik [náʊtık] 《gr.》 *f.* 항해론〔학〕.
Nautiker *m.* -s, - 〖海〗 항해사.
Nautilus [náʊtilʊs] *m.* -, -(se) 〖動〗 앵무조개.
nautisch *a.* 항해(학)의: ~e Karten 항해 지도.
naval [navá:l] 《lat. navis》 *a.* 해군의; 항해의, 배의.
Navel [ná:vəl, néı] 《engl.》 *f.* -s ↑ Navelorange.
Navel·orange [..|orã:ʒə] 《engl.》 *f.* 네이블 오렌지.
Navigation [navigatsió:n] *f.* 〖海·空〗 항해술, 항법.
Navigations=akte *f.* (1651 년 크롬웰이 발령한) 영국 항해 조례. **~fehler** *m.* 항법상의 실수〔과실〕. **~instrument** *n.* 항법 도구(나침반·컴퍼스·크로노미터). **~offizier** *m.* 〖海〗 항해사, 항해장. **~raum** *m.* 해도실(海圖室). **~schule** *f.* 항해 학교.
Navigator [navigá:tɔr, ..to:r] *m.* -s, -en [..tó:rən] 항해사, 항법사.
navigatorisch [..rıʃ] *a.* 항해〔항법〕에 관한, 항해〔항법〕의.
navigieren [navigí:rən] 《lat.》 *t./i.* (h.) (배·비행기를) 조종하다.
Nazaräer [natsarɛ́:ər] *m.* -s, - ① der ~ 나사렛 사람(예수). ② 〘복수〙 die ~ 초기 기독교도; 나사렛파 교도.
Nazarener [..ré:nər] *m.* -s, - ① ↑ Nazaräer. ② 나사렛파 신자. ③ 나사렛파 화가(19 세기 초 종교화의 혁신을 꾀한 낭만주의 유파).
Nazareth [ná:tsarɛt] 나사렛(이스라엘 북부에 있는 도시; 그리스도의 부모의 출생지).
***Nazi** [ná:tsi] *m.* -s, -s 〘폄어〙 (Nationalsozialist) 국가 사회주의자, 나치.
Nazi=diktatur *f.* 〘폄어〙 나치 독재. **∼-herrschaft** *f.* 〘폄어〙 나치 지배(1933-45). **~partei** *f.* 나치당.
***Nazismus** [natsísmʊs] *m.* - 〘폄어〙 나치주의, 나치즘(Nationalsozialismus).
nazistisch [..stıʃ] *a.* 〘폄어〙 나치의.
Nazi=verbrecher *m.* 〘폄어〙 나치 범죄자. **~zeit** *f.* 나치 시대.
NB =notabene! 주의하라!
Nb [ɛnbé:, nió:p] 〖化〗 =Niob 니오브.
n.B., n.Br. =nördlicher Breite 북위.
NBC =《engl.》 National Broadcasting Company (미국의) 내셔널 방송사.
Nchf. =Nachfolger(in) 후계자; 후임자.
n. Chr. =nach Christo〔Christus〕 기원 후.
n. Chr. G. =nach Christi Geburt 기원 후.
Nd [ɛndé, neodý:mi] 〖化〗 =Neodym 네오딤.
nd., ndd. =niederdeutsch 저지(低地) 독일(어)의.
NDP(D) =National-Demokratische Partei Deutschlands 독일 국민 민주당.

NDR =Norddeutscher Rundfunk 〖방송〗 북독일 방송(국).

Ne [ɛn|éː, néːɔn] 〖化〗 =Neon 네온.

ne [neː] 〔구어〕 ↑ nein.

ne (nordd.) ↑ nicht.

'ne [nə] 〔구어〕 ↑ eine: hast du ~ Zigarette für mich? 담배 한 대 빌릴까?

NEA =《engl.》 Nuclear Energy Agency 핵에너지 위원회.

Neandertaler [neándərtaːlər] *m.* -s, - 네안데르탈인.

Neandertal·rasse *f.* ↑ Neandertaler.

Neapel [neáːpəl] 나폴리(이탈리아의 도시).

Neapler [..plər] 《I》 *m.* -s, - 나폴리 사람. 《II》 *a.* 나폴리 (사람)의.

Neapel·gelb [neáːpəlgɛlp] *n.* 〖化〗 네이플 옐로(황색 안료).

Neapolitaner 《I》 *m.* -s, - 나폴리 사람. 《II》 *a.* 나폴리(사람)의. 《III》 *m.* -s, - (öst.) 와플과자.

Neapolitaner·schnitte *f.* ↑ Neapolitaner 《III》.

neapolitanisch [..nɪʃ] *a.* 나폴리(식)의.

Nearktis [neárktis] 《gr.》 *f.* 〖지리〗 신(新)북구(그린란드·캐나다·미국·멕시코를 둘러싼 지대).

nearktisch [..tɪʃ] *a.* 신북구의: ~e Region 신북구.

nebbich [nɛ́bɪç] 《jid.》 《I》 *int.* 유감스럽게도; 〔경박〕 뭐 그렇다면(할 수 없지) 《II》 *a.* (bedauernswert) 가련〔불쌍〕한, 유감스러운.

***Nebel** [néːbəl] 《germ.》 *m.* -s, - ① 안개, 운무, 연무: der ~ hängt 안개가 끼어 있다; bei Nacht und ~ 야음을 틈타, 몰래; 〔농담〕 wegen ~(s) ausfallen (불분명한 이유로 행사가) 갑자기 취소되다. ② 〔비유〕 안개 같은 상황, 불분명, 몽롱, 의혹, 불안: im ~ der Zukunft verborgen sein 알 수 없는 미래의 일로 남게 되다; ein ~ von Zigarettenrauch 자욱한 담배 연기; im ~ sein 취해 있다. ③ 〖軍〗 연막; die Fabrikanlage wird in ~ gehüllt 공장 시설이 연막에 휩싸이다. ④ 〖天〗 성운(星雲): der ~ des Orion 오리온 자리의 성운.

Nebel=alarm·zeichen *m.* 〖海〗 안개 경보. **≈artig** *a.* 안개 같은; 막연〔애매〕한. **~bank** *f.* 〔복수: ..bänke〕 수평으로 넓게 깔린 안개. **~bild** *n.* ① 안개 낀 경치, 몽롱한 풍경(화). ② 희미한 상(像). **~bildung** *f.* 안개의 생성. **~bogen** *m.* 〖기상〗 안개 속에 나타나는 희미한 무지개. **~boje** *f.* ① 〖海〗 (안개 낄 때 울리도록 장치한) 무적(霧笛) 부표. ② 〖軍〗 해상 연막탄, 농무(濃霧) 부표. **~bombe** *f.* 〖軍〗 연막탄. **~decke** *f.* 짙은 안개층. **~duft** *m.* ↑ ~dunst. **~dunst** *m.* 엷게 낀 안개. **~feld** *n.* 안개 구역. **~ferne** *f.* 아득히 먼 곳. **~fetzen** *m.* (사라지고 있는) 안개의 흔적〔자취〕. **~fleck** *m.* ① 〖天〗 분산성 성운(星雲). ② 〖醫〗 각막 박예(薄翳); (오줌의) 혼탁. ③ (보석의) 티. **≈frei** *a.* 안개가 걷힌. **~gebilde** *n.*, **~gestalt** *f.* 안개 속의 모습, 몽롱한 모습, 환영(幻影). **~glocke** *f.* ① 짙게 낀 안개. ② 〖海〗 무종(霧鐘). **≈grau** *a.* 회백색의, 뿌연.

nebelhaft [néːbəlhaft] *a.* 안개가 낀〔짙은〕; 〔비유〕 불명료〔희미〕한: mir ist es ~ 나는 잘 이해가 되지 않는다.

Nebel=haube *f.* ↑ ~kappe. **~heim** *n.* 〖북구신화〗 (지구 최북단의 어둡고 추운) 안개의 나라. **~horn** *n.* 〖海〗 (안개낄 때 울리는) 무적(霧笛).

nebelig [néːbəlɪç] *a.* ↑ neblig.

Nebel=kammer *f.* 〖物〗 (윌슨의) 안개 상자. **~kanone** *f.* 〖海〗 무중 호포(霧中號砲). **~kappe** *f.* ① 산꼭대기를 덮고 있는 안개〔구름〕. ② 〖신화〗 (몸을 보이지 않게 하는) 요술 두건. **~kerze** *f.* 〖軍〗 (수류탄처럼 생긴) 안개탄. **~krähe** *f.* 〖動〗 뿔까마귀. **~lampe** *f.* 〖車〗 안개등. **~land** *n.* ① 안개가 많은 지방. ② ↑ ~bank. **~monat** *m.* 〔고어〕 (November) 11 월. **~mond** *m.* 〔고어〕 ↑ ~monat.

nebeln [néːbəln] 《I》 *i.* (h.) / *imp.* (**a**) es nebelt 안개가 낀다〔끼어 있다〕. (**b**) der See nebelt 호수에서 안개가 피어난다. 《II》 *t.* 분무하다.

Nebel=nässen *n.* 짙은 안개 속의 보슬비. **~pfeife** *f.* 〖海〗 무적(霧笛). **~regen** *m.* 안개비. **~reißen** *n.* ① 안개가 낌. ② (öst.) 이슬비. **~schein·werfer** *m.* ↑ ~lampe. **~schicht** *f.* ↑ ~bank. **~schleier** *m.* ① 〔시어〕 엷은 안개, 연무(煙霧). ② 〖軍〗 연막. **~schluß·leuchte** *f.* 〖車〗 (자동차 후미의) 안개등. **~schwaden** *m.* 자욱이 떠다니는 안개. **~signal** *n.* 〖海〗 안개 경보(기). **~stern** *m.* 〖天〗 성운(星雲)의 중심별. **~streifen** *m.* 안개 띠, 엷게 퍼진 안개.

Nebelung [néːbəlʊŋ] *m.* -s, -e 〔고어〕 11 월 (November).

nebel=verhangen *a.* 〖雅語〗 안개 낀, 안개로 뒤덮인. **≈wand** *f.* 짙은 안개벽. **≈wetter** *n.* 안개 낀 날씨. **≈warnschlag** *m.* 〖철도〗 안개 주의 경적. **≈werfer** *m.* 〖軍〗 (제 2 차 세계 대전 당시 독일군이 사용한) 로켓포.

***neben** [néːbən] *prp.*[3/4] ① …의 옆에, …곁에, …와 나란히: ~ dem Fluß läuft ein Kanal 강 옆으로 운하가 나 있다; sie ging ~ ihm 그녀는 그와 나란히 갔다; wir leben ~einander statt miteinander 우리들은 함께 사는 것은 아니고 이웃에서 살고 있다: 〔비유〕 in diesem Kampfe stand nur meine Mutter ~ mir 이 싸움에서는 어머니만이 내 편이었다; stell die Schale ~ den Eingang! 그 대접을 입구 바로 옆에 놓아라!; 〔비유·구어〕 (genau) ~ das Ziel treffen 목표를 (완전히) 빗나가다; 〔비유〕 er stellt Ossian ~ Homer 그는 오시안을 호머와 동렬에 놓는다; 〔방언〕 ~ die Schule gehen 학교를 빠지다. ② 〔3 격 지배〕 …와 동시에, …이외에: er treibt dies ~ seinen übrigen Geschäften 그는 다른 일을 하면서 이것을 하고 있다; ~ seinem Gehalt hat er noch Einkünfte durch sein Haus 그는 봉급 외에도 자기 집에서 오는 수입이 있다; 〖聖〗 du sollst nicht andere Götter haben ~ mir 너는 나 외에는 다른 신들을 섬기지 말지어다(출애굽기 20 : 3). ③ 〔3 격 지배〕 …와 비교하면, …에 비해: ~ dir ist selbst Raffael ein Stümper! 자네와 비교하면 라파엘조차도 엉터리 화가일세!; er läßt niemand ~ sich aufkommen 그는 타의 추종을 불허한다; er kann ~ dir nicht aufkommen 그는 너와는 상대가 안 된다.

Neben=abgabe *f.* 부가세. **~abrede** *f.* 〖法〗 (계약서 이외의) 구두〔이면〕 약속. **~absicht**

f. 2 차적인 의도, 저의. **~achse** *f.* 〖數〗(타원의) 짧은 축, 단축(短軸). **~altar** *m.* 〖宗〗(성당의 큰 제단 옆에 있는) 보조 제단. **~amt** *n.* ① 겸직, 부직. ② (전화국의) 분국, 지국. **≈-amtlich** *a.* 겸직〔부직〕의. ***≈an** [ne:bən|án] *adv.* 나란히, 바로 옆에 인접하여: im Zimmer 〔Haus〕~ 옆방〔옆집〕에; ich gehe mal kurz nach ~ 옆방〔집〕에 좀 잠깐 갔다올게. **~anmerkungen** *pl.* 방주(傍註). **~anschluß** *m.* (동일 번호의) 추가〔증설〕 전화; 구내(교환) 전화. **~anstalt** *f.* 지사(支社), 지점. **~arbeit** *f.* ① 부업. ② 덜 중요한 일. **~auge** *n.* 〖動〗(곤충의) 홑눈, 단안(單眼), 안점(眼點). **~ausgabe** *f.* ① 별도〔추가〕 지출. ② 특별판, 호외. **~ausgang** *m.* 옆문, 옆쪽 출구. **~bahn** *f.* 〖철도〗 지선(支線). **~bau** *m.* ↑ ~gebäude. **~bedeutung** *f.* ① 제 2 의〔부차적〕 의미. ② 숨은 뜻. **~begriff** *m.* 부개념. ***≈bei** [ne:bənbáɪ] *adv.* ① 나란히, 곁에, 이웃에. ② 그 밖에, 별도로, 틈틈이, 부업으로: er arbeitet ~ als Bedienung in einem Lokal 그는 틈틈이 술집의 웨이터로 일하고 있다. ③ …하는 김에, 아울러: ~ bemerkt 곁들여 말해두지만, 말이 나왔으니 말이지. **~beruf** *m.* 부업; 겸업. **≈beruflich** *a.* 부업의. **~beschäftigung** *f.* ①〖法·經〗↑ ~beruf. ② 부수적인〔덜 중요한〕 일〔활동〕. **~bestand·teil** *m.* 부성분. **~betrachtung** *f.* 부차적인 관찰. **~beweis** *m.* 방증(傍證). **~bewohner** *m.* ↑ ~wohner. **~blatt** *n.* 〖植〗 턱잎. **~blick** *m.* 곁눈질. **~bruder** *m.* 동포; 동무, 동료, 이웃 사람. **~buch** *n.* 〖商〗 보조 장부. ***~buhler** *m.* 경쟁자, 적수; 연적. **≈buhlerisch** *a.* 경쟁(자)의, 경쟁적인; 대항적인. **~buhlerschaft** *f.* 경쟁, 각축; 연적 관계. **~bürge** *m.* 〖商〗 부〔연대〕보증인. **~bürgschaft** *f.* 〖法〗 연대 보증. **~ding** *n.* 〖복수〗 ↑ ~sache. **~draht** *m.* 〖전기〗 부선(副線), 보조선, 2 차(회)선. **~effekt** *m.* 부수 효과; 부작용. ***≈einander** [ne:..án..] *adv.* 서로 나란히, 일렬로; 동시에: nicht alle ~ haben 그다지 온전한 정신이 아니다; ~ bestehen 병존〔공존〕하다; ~ stellen 나란히 놓다, 비교하다.

Neben·einander *n.* 병존, 공존: ein friedliches ~ von arm und reich 가난한 자들과 부유한 자들의 평화로운 공존.

nebeneinander≈her *adv.* (서로) 나란히, 병행해서. **~|schalten** *t.* 〖전기〗 병렬로 접속하다. **≈schaltung** *f.* 〖전기〗 병렬 접속. **~|sitzen** *i.* (h.) 서로 나란히 앉아 있다. **~|stellen** *t.* 서로 나란히 세우다. **≈stellung** *f.* 나란히 놓음〔세움〕.

Neben≈eingang *m.* 옆문, 옆쪽 입구. **~-einkunft, ~einnahme** *f.* 부수입. **~erbe** *m.* 공동 상속인. **~erscheinung** *f.* 부수 현상. **~erwerb** *m.* 부업. **~erwerbs·landwirtschaft** *f.* 부업으로 하는 농업. **~-erzeugnis** *n.* ↑ ~produkt. **~fach** *n.* ① 부전공: er studiert im ~ Philosophie 그는 부전공으로 철학을 공부한다. ② 측면 서랍. **~fall** *m.* 부대(附帶) 사건. **~farbe** *f.* 두 원색을 같은 비율로 섞은 색. **~figur** *f.* (↔ Hauptfigur) ① 조연; 부차적 인물, 주변 인물. ② (장기의) 작은 말. ③ (그림의) 점경(點景). **~flügel** *m.* 〖건축〗 익랑(翼廊). **~fluß** *m.* 〖지리〗 (강의) 지류. **~folge** *f.* 부차적 결과. **~forderung** *f.* 부대 요구. **~form** *f.* 또 다른〔부차적인〕 형태, (어떤 단어의) 이형(異形). **~frage** *f.* 부차적〔지엽적〕 문제. **~frau** *f.* 첩; 정부. **~gang** *m.* ① 옆길, 샛길. ②〖건축〗 측랑(側廊). ③〖광산〗 병행 광맥. ④ 곁들여나오는 요리 (코스). **~gasse** *f.* ↑ ~straße. **~gebäude** *n.* ① 옆 건물, 별채. ② 부속 건물. **~gebühr** *f.* 추가〔할증〕 요금. **~gedanke** *m.* ① 부수적인 생각. ② 배후 의도, 저의. **~geleise** *n.* 〖철도〗 ↑ ~gleis. **~gemach** *n.* 옆방, 곁방. **~geräusch** *n.* 잡음, 방해음; 〖醫〗(병의 징후로 나타나는 인체 기관의) 잡음. **~gericht** *n.* 〖요리〗 (주요리 이외의) 곁들인 요리; 전채(前菜). **~geschäft** *n.* ① 부업; 임시로 하는 일. ②〖商〗 지점. **~geschmack** *m.* 부수적인 맛, 뒷맛. **~-geselle** *m.* (여행의) 길동무; 동료. **~-gesetz** *n.* 부칙, 보칙(補則). **~gestein** *n.* 〖지질〗 주위와는 다른 암반〔암석층〕. **~-gewinn** *m.* 부〔추가〕 수입. **~gewinst** *m.* ↑ ~gewinn. **~gleis** *n.* 〖철도〗 측선(側線), 대피선. **~handlung** *f.* ① 부수적인 행위. ②〖연극〗 (중심 줄거리 외의) 부수적인 줄거리, 삽화. ③〖商〗 지점. **~haus** *n.* ① ↑ ~gebäude. ② 이웃집. **≈her** [ne:bənhé:r] *adv.* ① ↑ ≈bei ②. ②〖드물게〗↑ ≈bei ③. **≈her|fahren** *i.* (s.) (차량이) 나란히 달리다. **≈her|gehen** *i.* (s.) 나란히 걷다. **≈her|-laufen** *i.* (s.) (사람이) 나란히 달리다. **≈-hin** [ne:bənhín] *adv.* ① 옆에: ~ schießen 과녁을 빗나가다. ② ↑ ≈bei ③. **~höhle** *f.* 〖해부〗 부강(副腔), 비강(鼻腔). **~intervention** *f.* 〖法〗 중재, 간섭. **~job** *m.* 부업. **~kirche** *f.* 분회당(分會堂), 말사(末寺). **~klage** *f.* 〖法〗 부대 소송. **~kläger** *m.* 〖法〗 부대 소송의 원고. **~klang** *m.* 〖음악〗 배음(倍音), 공명음. **~kosten** *pl.* 부대 비용, 잡비. **~krater** *m.* 〖지리〗 기생 (분)화구. **~-kriegs·schau·platz** *m.* (주요 격전지에서 떨어져 있는) 소규모의 격전지. **≈läufig** *adv.* ↑ beiläufig. **~leistung** *f.* 〖法〗 부수 급부, 부대 용익(用益). **~leitung** *f.* 〖전기〗 2 차 도선. **~linie** *f.* ① 평행선. ② (혈통상의) 방계(傍系). ③〖철도〗 ↑ ~strecke. ④〖음악〗 덧줄. **~mann** *m.* 〖복수: ..männer〗 ① 옆사람: mein ~ zur Rechten 내 오른쪽 옆사람. ②〖스포츠〗 ↑ ~spieler. **~mensch** *m.* 〖드물게〗 ① 동포. ② 옆사람, 이웃. **~metall** *n.* 〖광물〗 부수적으로 얻는 금속. **~mond** *m.* 〖天〗 달무리. **~motiv** *n.* ① 2 차적 동기. ②〖음악〗 부주제. **~niere** *f.* 〖해부〗 부신(副腎). **~note** *f.* 〖음악〗 변위음(變位音), 보조 음부. **~nutzung** *f.* 부차적인 이용〔이득〕. **≈|ordnen** *t.* 〖문법〗 병렬시키다: ~des Bindewort 병렬〔등위〕 접속사. **~ordnung** *f.* 〖문법〗 병렬, 등위. **~person** *f.* ↑ ~figur. **~pfarre** *f.* 분교구(分敎區). **~pfarrer** *m.* 분교구의 목사. **~pferd** *n.* 〖고어〗 (쌍두 마차의) 오른쪽 말. **~produkt** *n.* 부산물. **~raum** *m.* ① 옆 공간〔방〕, 인접 공간. ② 부속실(욕실·창고). **~reaktion** *f.* 부작용. **~rolle** *f.* 〖연극〗 조연, 조역(助役): 〖비유〗 das spielt für mich nur eine ~ 그것은 내게 그리 중요한 일이 아니다. **~rücksicht** *f.* 부차적〔부수적〕인 고려.

nebens [né:bəns] =neben das.

***Neben⸗sache** *f.* 중요하지 않은〔사소한〕 일: das ist ~ 그것은 중요치 않다; der Preis ist ~ 가격은 문제가 되지 않는다. * **~sächlich** *a.* 종속적〔부수적·지엽적·2 차적〕인, 중요하지 않은, 사소한. **~sächlichkeit** *f.* 중요하지 않음, 사소. **~saison** *f.*〖관광〗(여행의) 비수기(非需期). **~satz** *m.*〖문법〗부문장, 종속문;〖음악〗부주제, 제 2 주제. **~schalten** *t.*〖전기〗병렬 접속시키다(parallelschalten). **~schaltung** *f.* 병렬 접속(Parallelschaltung). **~schiff** *n.*〖건축〗(교회의) 측랑(側廊); (좌석 사이의) 복도. **~schild·drüse** *f.*〖해부〗부(副)갑상선. **~schluß** *m.*〖전기〗분로(分路). **~schluß·widerstand** *m.* 분로 저항. **~schoß, ~schößling** *m.*〖植〗옆에 나는 새싹. **~seite** *f.* 다음 페이지. **~sonne** *f.*〖天〗햇무리. **~spieler** *m.*〖스포츠〗바로 옆 자리의 선수. **~spielerin** *f.* ↑ ~spieler의 여성형. **~stehend** *a.* 옆〔가까이〕에 서 있는, 곁에 있는; 본문 옆의, 난외의: die ~en 방관자들; das ~e 난외에 적힌 것, 방주(傍註). **~stelle** *f.* ① 지점, 지국. ② ↑ ~anschluß. **~strafe** *f.*〖法〗부가형(刑). **~straße** *f.* 골목〔사잇〕길. **~strecke** *f.*〖철도〗지선(支線). **~strom** *m.* ① 지류(支流). ②〖전기〗유도 전류. **~stück** *n.* ① 부속지(地); 부속품. ② 한 쌍의 한쪽. **~stunde** *f.* 한가, 여가. **~tätigkeit** *f.*〖經·法〗부업, 부직; 부수적 활동. **~tisch** *m.* 옆 책상〔테이블〕. **~titel** *m.* 부제. **~ton** *m.* ①〖문법〗제 2 악센트. ②〖음악〗배음(倍音) (장식음의 일종; 주요음의 2 도 위 또는 아래 음). **~tonig** *a.*〖문법〗제 2 악센트가 있는. **~tür** *f.* ① 옆문, 쪽문. ② 바로 옆에 있는 문. **~umstand** *m.* 부수적 사정〔상황〕; 상세, 세목; 상보(詳報). **~ursache** *f.* 부수적 원인. **~valenz** *f.*〖化〗부(副)원자가. **~verdienst** *m.* 부수입. **~vormund** *m.* 부후견인. **~weg** *m.* 옆길, 샛길. **~weib** *n.*〔고어〕↑ ~frau. **~werk** *n.* 별로 중요하지 않은 작품. **~winkel** *m.*〖數〗보각(補角). **~wirkung** *f.* 부작용. **~wohner** *m.* 옆집〔옆방〕사람, 이웃. **~wohnung** *f.* 이웃집, 옆집. **~wort** *n.*〖문법〗부사. **~zimmer** *n.* 옆방; 건넌방. **~zoll** *m.* 특별〔부가〕관세. **~zweck** *m.* ↑ ~absicht. **~zweig** *m.* ① 곁〔작은〕가지, 새순. ②〔비유〕방계 (회사). ③〔비유〕중요하지 않은 부분 영역.

neblig [né:blɪç] ↑ nebelig.

Neblung *m.* -s, -e ↑ Nebelung.

Nebraska 네브래스카(미국의 주).

nebst [ne:pst] (<neben) *prp.*³〔구식〕…와 함께, …을 포함해: Brautkleid ~ Schleier zu verkaufen 웨딩드레스에 면사포를 끼워 팖.

nebst·bei [ne:pstbáɪ] *adv.* (öst.) ↑ nebenbei.

nebulos [nebuló:s] *a.* ↑ nebulös.

nebulös [..lø:s] (lat. nebulosus) *a.* ① 안개 낀, 흐린. ② 뚜렷하지 않은, 애매〔몽롱〕한.

Necessaire [nesɛsɛ́:r] (lat.) *n.* -s, -s 여행용 작은 가방; 화장품〔세면 도구〕 케이스.

Neck [nɛk] (schwed.; <Nix) *m.* -en, -en〖신화〗(남성의 모습을 한) 물의 정령(精靈).

Neckar [nɛ́kar] *m.* -s 네카강(라인강 지류).

***necken** [nɛ́kən] (♧ nagen) (I) *t.* 놀리다, 우롱하다, 약올리다: sie neckt gern 그녀는 남을 놀려대기 좋아한다; ihr sollt mich nicht immer damit ~ 너희들 그런 일로 자꾸 나를 놀리려 하지 마라; jn. mit et.³ ~ 누구를 무슨 일로 조롱하다. (II) *refl.* sich ~ 서로 놀려대다, 장난하다:〔속담〕was sich liebt, das neckt sich 사랑하는 사람끼리는 서로 장난을 잘 친다.

Necker [nɛ́kər] *m.* -s, - 놀리는 사람, 입버릇이 나쁜 사람.

Neckerei [nɛkəráɪ] *f.* -en 놀림, 우롱, 야유.

Necking [nɛ́kɪŋ] (engl.) *n.* -(s), -s (성기 이외의 부분에 대한) 애무.

neckisch [nɛ́kɪʃ] *a.* ① 놀리기 좋아하는, 짓궂은, 입버릇이 나쁜: mit einem ~en Lächeln 짓궂은 미소를 띠며. ② (차림이) 자극적인, 야한: sich ~ anziehen 야한 옷차림을 하다.

Neck·name [nɛ́k..] *m.*〔드물게〕별명.

necksen〔방언〕↑ necken.

nedder *a.* (ndd.) 낮은.

neden *t.* (ndd.) 징을 박다.

nee [ne:] ↑ ne.

Neer [ne:r] *f.* -en (nordd.) ① 소용돌이; 여울. ② 신장(腎臟), 콩팥.

Neer·strom *m.* (nordd.) 소용돌이를 동반한 물의 흐름.

Nefas [né:fas] (lat.) *n.* - 신들에 의해 금지된 것, 부정(不正): per ~ 부정하게.

***Neffe** [nɛ́fə] (lat. nepos.) *m.* -n, -n ① 조카. ②〖聖·고어〗손자.

Neffen·begünstigung *f.* 친인척 비호〔등용〕.

Negation [negatsió:n] (lat. negatis) *f.* -en ①〖문법〗부정, 부정사(否定詞). ② 부정, 부인, 거부, 반대.

***negativ** [né(:)gati:f, negatí:f] *a.* ① (↔ positiv) 부정적인, 소극적인, 거부하는: eine ~e Haltung einnehmen 부정적인 태도를 취하다. ② 불리한, 바람직하지 않은, 좋지 않은: ein ~er Wahlausgang 불리한 선거 결과. ③ 음성〔마이너스〕의:〖數〗~e Zahlen 음수;〖전기〗~e Elektrizität 음전기; eine ~e Reaktion 음성 반응.

Negativ [né(:)gati:f, négati:f] *n.* -s, -e [..və]〖사진〗음화.

Negativ⸗bild *n.*〖사진〗인화된 음화상. **~druck** *m.*〔복수: -e〕〖印〗음화식〔네거티브〕인쇄(검은 바탕에 흰 글자·그림이 나오게 찍음).

Negative [né(:)gati:və, negatí:və] (lat.) *f.* -n〔드물게〕부정, 반대; 반대 투표: sich in der ~ halten 끝까지 반대하다.

Negativ·image *n.* 부정적인〔불리한〕 이미지.

Negativität [..vitɛ́:t] *f.* 부정적인 태도〔입장〕;〖전기〗음성.

Negativ·prozeß *m.*〖사진〗현상.

Negatron [né:gatrɔn, negatró:n] (lat.) *n.* -s, -en [..tró:nən]〖物〗음전자(陰電子).

***Neger** [né:gər] (frz. nègre) *m.* -s, - ① 흑인, 니그로;〔폄어〕검둥이;〔비유〕피착취자, 힘없는 자:〔구어〕sie war braun〔schwarz〕wie ein ~ 그녀는 피부가 새까맣게 탔다;〔구어〕ich bin doch nicht dein ~! 나는 네 노예가 아니야!;〔구어〕angeben wie zehn nackte ~ 엄청나게 허풍떨다;〔구어〕das haut den stärksten ~ um! 그것은 엄청난 허풍이다, 믿을 수 없는 이야기다! ②〖은어〗 (영화 촬영 때 조명 조절용이나 기억 보조용으로 대사를 써 놓은) 흑판.

neger [né:gər] *a.* (öst.) 〖다음 용법으로〗〖구어〗 ~ sein 돈이 한푼도 없다, 파산 상태다.

neger≈artig *a.* 흑인 같은. **~chor** [..ko:r] *m.* 흑인 합창단. **≈frage** *f.* 흑인 문제. **≈guitarre** *f.* 〖음악〗 밴조.

negerhaft [né:gərhaft] 〖드물게〗 *a.* 흑인 같은, 피부가 검은.

Neger≈haar *n.* 흑인 곱슬머리. **~handel** *m.* 〖商〗 흑인 노예 매매〔무역〕. **~hirse** *f.* 〖植〗 아프리카 수수.

Negerin [né:gərɪn] *f.* -nen ↑ Neger ① 의 여성형.

negerisch [né:gərɪʃ] *a.* 흑인의.

Neger≈korn *n.* ↑ ~hirse. **~kuß** *m.* 크림이 든 초콜릿 과자 (Mohrenkopf). **~nuß** *f.* 구근(球根), 알뿌리 (땅콩 따위). **~rasse** *f.* 흑인종. **~sänger** *m.* 흑인 가수. **~schiff** *n.* 노예 (무역) 선. **~sklave** *m.* 흑인 노예.

negieren [negí:rən] 《lat.》〖교양〗 *t.* 부정〔부인〕하다, 거절〔거부〕하다, 무시하다.

Negierung *f.* -en 부정, 부인; 거부; 무시.

Negligé [negliʒé:] 《frz.》 *n.* -s, -s [..ʒé:s] 실내복, 잠옷, 네글리제.

negligeant [negliʒánt] *a.* 〖교양·드물게〗 소홀〔태만〕한, 단정치 못한, 무책임한, 부주의한.

negligente 《it.》 *adv.* 〖음악〗 넬리젠테 (아무렇게나).

negligieren [..ʒí:rən] *t.* 〖교양·드물게〗 등한시〔소홀히〕하다, 간과하다.

Negotium *n.* -s, ..tien [..tiən] 〖고어〗 (Geschäft) 장사, 거래, (특히) 큰 장사.

negoziabel [negotsiá:bəl] 《lat.》 *a.* 〖經〗 (어음·유가 증권이) 매매〔양도〕 가능한.

Negoziant [..tsiánt] *m.* -en, -en 〖고어〗 ① 상인; (특히) 도매 상인. ② 중계 상인.

negoziieren [..tsií:rən] *t./i.* (h.) ①〖고어〗 매매 계약을 맺다, 상거래하다. ②〖經〗 어음을 양도〔발행〕하다.

negrid [negrí:t] 《frz.》 *a.* 〖인류〗 흑인종의.

Negride* *der/die* 〖인류〗 아프리카의 원주민, 흑인.

Negrito [negrí:to] 《sp., „Negerlein"》 *m.* -(s), -(s) 필리핀에 사는 난쟁이 흑인.

Negritude [negríty:d] 《frz.》 *f.* (프랑스어권 아프리카 국가들의) 문화 자립주의.

negroid [negroí:t] 《frz.》 *a.* 〖인류〗 흑인계의.

Negroide* *der/die* 〖인류〗 흑인계의 사람, 흑인 피가 섞인 사람.

Negro Spiritual [ní:groʊ spírɪtjuəl] 《engl.》 *n./m.* - -s, - -s 흑인 영가.

Negus [né:gus] 《äthiop., negusa = „König"》 *m.* -, -(se) 네구사 (에티오피아왕의 옛 칭호).

Nehemia [nehemí:a] 네헤미아 (남자 이름).

nehmen [né:mən] (nahm, genommen) 《I》 *t.* ① (**a**) (ergreifen) 잡다, 쥐다; 받다, 얻다; 취하다, 가지다: jn. bei〔an〕 der Hand ~ 누구의 손을 잡다; das Baby aus dem Kinderwagen ~ 아기를 유모차에서 들어내다; nimm, was man dir gibt 주는 것이라면 받아둬라; wieviel ~ Sie für diesen Korb? 이 바구니는 얼마입니까?; 〖구어〗 woher ~ und nicht stehlen? 훔치지 않고서야 (돈없이) 어디에서 얻겠니?; et. ~, wie es kommt 무언가를 되는 대로 받아들이다. (**b**) (einnehmen) 먹다, 마시다, 들다: Arznei ~ 약을 복용하다; der Patient hat nichts zu sich³ ~ können 환자는 음식물을 전혀 섭취할 수 없었다; da ~ Sie〔~ Sie nur〕! 자 드세요! (음식을 권할 때); 〖구어〗 einen ~ (술을) 한 잔 하다. (**c**) (anstellen) 채용〔고용〕하다: einen Rechtsanwalt〔Lehrer〕 ~ 변호사〔교사〕를 채용하다. (**d**) (benutzen) 쓰다, 이용하다: den Zug ~ 기차를 이용하다. (**e**) (wählen) 고르다, 택하다: jn.〔et.〕 zum Vorbild ~ 누구를〔무엇을〕 모범으로〔본보기로〕 삼다; nimm diesen Streich 이 계책을 쓰시오. (**f**) (entziehen) 빼앗다, 탈취하다: jm. das Leben ~ 누구의 생명을 빼앗다; sich³ das Leben ~ 자살하다; jm. die Hoffnung〔den Glauben, die Freude〕 ~ 누구의 희망〔믿음, 기쁨〕을 빼앗다; ~ Sie sich³ Zeit 천천히 하십시오; sie ~ sich³ beide nichts 그들 둘은 서로 막상막하다; 〖구어〗 einander nichts ~ 서로 필적하다, 비기다; sich³ zu et.³ die Zeit ~ 무슨 일로 지연되다; sich³ et. nicht ~ lassen 무엇을 계속 고집하다; das Biertrinken läßt er sich³ nicht ~ 그는 아무리 말려도 맥주를 끊지 않는다; ich lasse es mir nicht ~, daß ich ihn gesehen habe 누가 뭐라고 하더라도 나는 그를 만났다는 주장을 바꾸지 않겠다. (**g**) (erobern) 정복〔점령·극복〕하다; 〖海〗 나포하다: 〖軍〗 eine Stellung ~ 진지를 점령하다; das Auto nahm den Berg im dritten Gang 그 차는 3단으로 산을 넘었다; mit Sturm ~ 기습하다. (**h**) (auffassen) 이해〔파악·판단〕하다: et. übel〔leicht〕 ~ 어떤 일을 언짢게〔만만하게〕 보다; sich wichtig ~ 뽐내다, 우쭐대다; es mit et.³ ernst ~ 무엇을 진지하게 생각하다; im ganzen genommen 전체적으로 보면; genau genommen 엄밀하게 생각〔말〕하면; wie man es nimmt 생각에 따라서, 어떻게 보느냐에 따라서. (**i**) (sich vorstellen) 생각〔상상〕하다; (…으로) 여기다, 간주하다: nun nehme man die Sitte der ältesten Zeit 자 태고 시대의 풍속을 상상해 봅시다; ich nehme es für ein günstiges Zeichen 나는 그것을 좋은 징조로 본다. (**j**) (behandeln) 취급하다, 다루다: er nimmt alles sehr genau 그는 만사를 매우 정확하게 처리한다; du verstehst ihn nicht zu ~ 너는 그를 다룰 줄 모른다. ②〖명사와의 관용적인 결합〗〖宗〗 das Abendmahl ~ 성찬을 받다; Abrede ~ 협정하다; von jm. Abschied ~ 누구와 작별하다; von et.³ Abstand ~ 무엇을 그만두다, 포기〔해약〕하다; seinen Anfang ~ 시작하다; Anlauf ~ (도약을 위하여) a) 도움닫기하다, b) 〖비유〗 준비하다; Anstand ~ 주저하다; an et.³ Abstoß ~ 무엇에 분노하다, 무엇으로 감정이 상하다; seinen Aufenthalt ~ 체류〔체재〕하다; ein Bad ~ 목욕하다; ein Ende ~ 끝나다, 다하다; ~ wir den Fall, daß ... …의 경우를 가정해 보자; die Flucht ~ 도망하다; eine Frau ~ 장가들다; sich³ die Freiheit ~, et. zu tun 감히〔무엄하게도〕 무엇을 하다; Hindernisse ~ 장애를 뛰어넘다; Kenntnis von et.³ ~ 무엇을 알게 되다, 무엇에 대해 듣다; jm. Maß zu einem Anzug ~ 누구의 양복

치수를 재다; sich³ die Mühe ~ 수고하다, 애쓰다; von et.³ Notiz ~ 무엇에 주의〔조심〕하다; für jn. Partei ~ 누구의 편을 들다, 누구를 지지하다; Platz ~ 앉다, 자리 잡다; Reißaus ~ 도망치다; auf et. Rücksicht ~ 무엇을 고려〔참작〕하다; Schaden ~ 손해를 입다; 〖비유〗 den Schleier ~ 수녀가 되다; 〖카드〗 einen Stich ~ 패를 잡다; Stunde 〔Unterricht〕 ~ 수업을 받다; an et.³ Teil ~ 무엇에 관여하다; Urlaub ~ 휴가를 얻다; den Weg ~ 나아가다, 진행하다; das Wort ~ 발언하다; jm. das Wort ~ 누구 말을 가로채다, 중단시키다. ③〖형용사나 부사와 함께〗 beiseite ~ 옆으로 제쳐놓다, 치우다, 제거하다; mit et.³ fürlieb~〔vorlieb~〕 무엇으로 만족하다; überhand~ 만연〔우세·창궐〕하다; den Mund 〔die Backen, das Maul〕 voll ~ 큰소리치다, 허풍떨다. ④〖전치사와 함께〗 et. **an** sich ~ a) 무엇을 돌보다, 맡다, b) 무엇을 보관하다; jn. an seinen Tisch ~ 누구를 식사에 초대하다; et. **auf** sich ~ 무엇(힘든 일·책임 따위)을 떠맡다, 감수하다; et. auf seine (eigene) Kappe ~ 어떤 일의 책임을 지다; jm. den Wind **aus** den Segeln ~ 〔jm. die Trümpfe aus der Hand ~〕 누구의 공을 가로채다, 누구의 장기(長技)를 가로채다; jm. eine Bemerkung 〔das Wort〕 aus dem Munde ~ 누가 하려던 말을 가로채다; jn. beim Worte ~ 누구의 말을 곧이듣다; jn.〔et.〕 **für** et. ~ 누구를〔무엇을〕 무엇으로 여기다; et. für bare Münze ~ 무엇을 곧이곧대로 받아들이다; jn. für seinen Bruder ~ 누구를 그의 형으로 잘못 알다; ~ Sie es nicht für ungut, wenn ... 만약 …하더라도 용서하십시오; für die Ware Geld ~ 물품의 대금을 청구하다; et. **in** Angriff ~ 어떤 일을 착수하다; 〖비유〗 jn. ins Gebet ~ 누구를 엄히 문책하다, 누구의 양심에 호소하다; et. in die Hand ~ 무엇을 손에 넣다, 인수하다; ein Gut〔Haus〕 in Pacht ~ 토지를〔가옥을〕 임대하다; et. in Besitz ~ 무엇을 점유하다; et.〔jn.〕 **mit** sich³ ~ 무엇을 휴대하다〔누구를 대동하다〕; jn. **nach** Hause ~ 누구를 집으로 데려가다; eine Decke **über** die Füße ~ 발에 담요를 덮다; et. über sich ~ 무엇을 인수하다; den Mantel **um** die Schultern ~ 어깨에 외투를 걸치다; **von** et.³ ~ 무엇의 일부를 취하다〔덜다·떼어내다〕; et. von jm. ~ a) 무엇을 누구에게서 취하다〔넘겨받다〕, b) 누구에게서 무엇을 제거하다, 누구를 무엇에서 구해내다; 〖비유〗 er nimmt's von den Lebendigen 그는 터무니없는 값을 불렀다; et. **zu** sich³ ~ a) 무엇을 호주머니에 넣다, 착복하다, b) (음식 따위를) 들다, 먹다; sich³ et. zu Herzen 〔zu nahe〕 ~ 무엇을 마음에 새기다, 슬퍼하다, 걱정하다; Speise zu sich³ ~ 음식물을 섭취하다; jn. zu sich³ ~ 누구를 끌어오다〔불러오다〕, 떠맡다; jn. zur Ehe ~ 누구와 결혼하다; et.〔jn.〕 zum Vorbild ~ 무엇을〔누구를〕 본보기로 삼다; ~ Sie es nicht so sehr zu Herzen 그것 때문에 너무 속썩이지 마십시오. 《Ⅱ》 *refl.* sich ~ ① (…하게) 행동〔처신〕하다(↑ benehmen 《Ⅱ》). ② (…하게) 보이다, 두드러지다(↑ ausnehmen 《Ⅱ》). ③〔결과를 나타내어〕 der Milde gibt sich reich, der Geizhals nimmt sich arm 온유한 자는 줌으로써 부유해지고, 탐욕한 자는 빼앗음으로써 가난해진다.

Nehmen *n.* -s 받음: 〖聖〗 Geben ist seliger denn ~ 주는 것이 받는 것보다 복이 있다(사도 행전 20 : 35).

Nehmer [né:mər] *m.* -s, - ① **(a)** 〖복합어〗 받는 사람: Kredit~ 채무자; Arbeit~ 피고용인, 노동자. **(b)** 〖드물게〗 매수인: ~ eines Wechsels 어음의 인수인. ②〖海〗 (배의) 나포자.

Nehmer·qualität *f.* 〖복수〗〖권투〗 맷집.

Nehmfall [né:mfal] *m.* -(e)s, ..fälle 〖문법·드물게〗 탈격(Ablativ).

nehmlich [né:mlıç] *adv.* 〖고어〗 즉, 그러니까(nämlich).

Nehrung [né:ruŋ] *f.* -en 〖지리〗 사주(砂洲).

***Neid** [naıt] *m.* -(e)s ①질투, 시기: der blasse ~ (얼굴이 창백해질 정도의) 격렬한 질투; der ~ frißt an jm. 질투심이 누구의 가슴을 좀먹다; vor ~ vergehen 질투 때문에 어찌할 바를 모르다; vor ~ erblassen 시기심에 새파랗게 질리다. ②〖드물게〗 부러움, 선망(羨望).

neiden [náıdən] *t.* 〖雅語〗 시기〔질투〕하다 (beneiden).

neidens·wert *a.* 부러운(beneidenswert).

Neider [náıdər] *m.* -s, - 질투〔시기〕하는 사람(Neidhammel).

neid≈erfüllt [náıt|ɛrfʏlt] *a.* 시기심에 찬. **~-hammel** *m.* 〖구어·폄어〗 시기심이 많은 사람.

Neidhard [náıthart] 나이트하르트(남자 이름).

Neidhart 《중세의 연애 시인 ~ von Reuenthal 의 이름에서》 *m.* -(e)s, -e 〖고어·방언〗 ↑ Neidhammel.

neidig [náıdıç] *a.* 〖고어·방언〗 ↑ neidisch: jm. ~ sein 누구를 질투〔시기〕하다.

Neiding [náıdıŋ] *m.* -s, -e 〖고어〗 ↑ Neidhammel.

***neidisch** [náıdıʃ] *a.* ①질투가 심한, 시기심이 많은, 시샘하는: auf jn.〔et.〕 ~ sein 누구를〔무엇을〕 질투〔시기〕하다; 〖드물게〗 mit et.³ ~ sein 무엇을 남에게 주기 싫어하다, 독점하려 하다. ② (obd.) (ärgerlich) 화를 잘 내는, 기분이 좋지 않은. ③〖방언〗 욕심 많은, 남에게 양보하지 않는.

Neidling [náıtlıŋ] *m.* -s, - 〖구어·폄어〗 ↑ Neidhammel.

neidlos [náıtlo:s] *a.* 질투〔시기〕하지 않는.

Neidlosigkeit [..kaıt] *f.* 시기심 없음.

Neid·nagel [náıt..] *m.* 〖드물게〗 손거스러미 (Niednagel).

neidschen [náıt|ʃən] *t./i.* (h.) (md.) 질시하다; 혹독하게 취급하다.

neid·voll [náıtfɔl] *a.* 질투심에 찬, 시샘하는.

***Neige** [náıgə] *f.* -n ①〖고어〗 몸을 굽힘; 절, 목례. ②〖구식〗 (↑ Neigung) 경사, 기울기, 비탈: auf der ~ 비스듬히, 기울어져; an der ~ eines Hügels 비탈진 언덕에서. ③〖비유〗 감소, 쇠퇴, 종말: an der ~ der Jahrhunderts 세기 말에; auf die 〔zur〕 ~ gehen 기울다, 쇠하다, 끝나다; der Tag geht auf die ~ 날이 저문다; es geht mit ihm auf die ~ 그는 몰락해 가고 있다; 〖商〗 unser Lager geht auf die ~ 우리 재고품은 얼마 안 남았다. ④ (Überbleibsel) (병·통 속의) 찌꺼기, 나머지:

die ~ stehen lassen〔austrinken〕 잔을 다 비우지 않고 남기다〔완전히 비우다〕; sein Glas bis zur ~ leeren 잔을 남김없이 비우다; 〖비유〗 seine Jugend〔Freiheit〕 bis zur ~ auskosten 젊음을〔자유를〕 만끽하다; 〖비유〗 die Organisation hat er bis zur bitteren Neige kennengelernt 그는 그 조직의 쓴맛을 속속들이 알게 되었다.

***neigen** [náɪgən] ⟪mhd. nigen⟫ ⟪Ⅰ⟫ *t.* 굽히다, 기울이다, 구부리다, 숙이다: ein Glas〔ein Faß〕 ~ 잔〔통〕을 기울이다; den Körper nach links ~ 몸을 왼쪽으로 굽히다; 〖구식〗 jm.〔et.³〕 sein Ohr ~ 누구에게〔무엇에〕 귀를 기울이다. ⟪Ⅱ⟫ *refl.* sich ~ ① 몸을 기울이다〔굽히다〕, 절하다: sich vor jm. ~ 누구에게 절〔인사〕하다; sie neigte sich zärtlich über das Kind 그녀는 부드럽게 아이에게 몸을 굽혔다. ② **(a)** 기울다: die Waage neigt sich nach dieser Seite 저울이 이쪽으로 기운다. **(b)** 끝나가다, 쇠하다: sein Leben neigt sich zum Ende 그의 인생은 종말을 향해 기울고 있다. ⟪Ⅲ⟫ *i.* (h.) ① 경향〔버릇〕이 있다; 기울다, 경도(傾倒)하다, 애착을 가지다: er neigt zum Alkohol〔Trinken〕 그는 술을 좋아한다. ② (…한) 체질이다: er neigt zu Erkältungen〔zum Dickwerden〕 그는 감기에 잘 걸리는〔살찌기 쉬운〕 체질이다. ⟪Ⅳ⟫ **geneigt** *p.a.* ↑ geneigt.

***Neigung** [náɪgʊŋ] *f.* -en ① 기울기, 경사, 비탈, 낙차: der Turm hat eine ~ nach rechts 그 탑은 오른쪽으로 기울어져 있다; 〖物〗 ~ der Magnetnadel 자침의 내려본각. ② (몸을) 굽힘, (머리를) 숙임, 절: sie grüßte ihn mit einer flüchtigen ~ des Kopfes 그녀는 살짝 머리를 숙여 그에게 인사했다. ③ 경향, 성향, 소질, 체질; 기호, 취미, 애호, (…하고 싶은) 마음; 〖商〗 (주식 따위의) 동향: ~ zu et.³ haben 무엇을 좋아하다; eine ~ zum Theater〔Trinken〕 haben 연극 관람을〔음주를〕 좋아하다; eine ~ zu Migräne 편두통 경향; ich habe〔verspüre〕 wenig ~ dazu 나는 그러고 싶은 마음이 별로 없다. ④ 〖雅語〗 애착, 연정: zu jm.〔für jn.〕 eine ~ fassen 누구에게 반하다; js. ~ erwidern 누구의 사랑을 받아들이다.

Neigungs≈anzeiger *m.* 〖철도〗 경사 표지판. **~ebene** *f.* ↑ ~fläche. **~ehe** *f.* ↑ ~heirat. **~fläche** *f.* 경사면〔지〕. **~grad** *m.* 경사도. **~heirat** *f.* 연애 결혼. **~messer** *m.* 〖物〗 경사계. **~nadel** *f.* 부각(俯角) 컴퍼스〔자침〕. **~winkel** *m.* 경사각.

***nein** [naɪn] ⟪<ahd. ni ein, „nicht eines"⟫ *adv.* ① (↔ ja) 아니, 아니오, 그렇지 않다; (부정의 물음에 대해서는) 예: ist er nicht gekommen? — ~! 그는 오지 않았습니까? — 예! (오지 않았습니다); o〔ach〕 ~! 아, 아니야!; ~ doch! 그럼 아니고 말고!; ~ und abermals ~! 아냐 절대로 아냐!; ich hoffte endlich durchzudringen, aber ~! 드디어 성취되나 싶었는데 아니었어!; mit ~〔mit einem ~〕 antworten 아니라고 대답하다; zu einem Vorschlag ~ sagen 어떤 제안을 거부하다. ② 〖강조: 자문자답의 형태로〗 das geht nicht, ~ 그렇게는 안 돼, 안 되고 말고; ~, das geht zu weit 안 돼, 그건 너무 심해. ③ 〖뜻밖의 느낌·경탄·의심을 나타내어〗 ~! 오오 아니야, 설마 그럴 리가!; ~, so etwas! 원, 그럴 수가!; er ist durch die Prüfung gefallen — ~! 그가 시험에 떨어졌다니, 말도 안 돼!; ~! das darf doch nicht wahr sein 오오 아니야! 그럴 리가 없어; ach ~, wie nett! 거 참, 귀엽기도 하지! ④ **(a)** 〖앞 문장의 부정의 뜻을 되풀이하여, sondern 또는 vielmehr 의 뜻으로〗 nicht die Umstände sind schuld, ~, deine Unbesonnenheit 상황 탓이 아니라 네가 신중치 못한 탓이야. **(b)** 〖앞의 말을 고쳐 말하면서 정도를 더 높여 표현할 때〗 Hunderte, ~ Tausende erfaßte die Begeisterung 수 백, 아니 수 천의 사람들이 감격했다; er schätzte ihn nicht, ~, er verachtete ihn sogar 그는 그를 대수롭지 않게 여겼다, 아니 심지어 경멸하기까지 했다.

***Nein** *n.* -, -s 부(否), 부정, 부인, 반대, 반대 투표: das ~ überwiegt 반대(투표)가 우세하다; jn. mit einem kurzen ~ abfertigen 누구를 일언지하에 거절하다; das Ja und das ~ 찬반; 〖속담〗 ein ~ zur rechten Zeit erspart viel Widerwärtigkeit 제때에 한 한 번의 거절이 열 번의 수고를 던다.

'nein [naɪn] *adv.* 〖방언〗 ↑ hinein.

Nein≈sagen *n.* 부정, 반대, 거절. **~sager** *m.* 〖폄어〗 사사건건 반대만 하는 사람. **~stimme** *f.* 반대표(↔ Jastimme).

Neiße [náɪsə] *f.* 나이세강(오데르강의 지류).

nekro.. ⟪gr. „tot"⟫ *pref.* "죽음·사자(死者)·시체"의 뜻.

Nekrobiose [..bió:zə] ⟪gr. nekrós „Leichnam"⟫ *f.* -n 〖醫〗 세포 괴사(壞死).

Nekrolog[1] [..ló:k] *m.* -(e)s, -e [..gə] ① 사망자의 이력. ② 〖교양〗 (Nachruf) 추도〔애도〕사.

Nekrolog[2] *m.* -(e)s, -e ↑ Nekrologium.

Nekrologium [..ló:giʊm] *n.* -s, ..gien [..giən] (수도원의) 사망자 명부, 과거장(過去帳), 귀적(鬼籍).

Nekromant [..mánt] *m.* -en, -en 무당, 영매(靈媒), 강신술자(降神術者).

Nekromantie [..mantí:] *f.* 영매를 통한 예언, 무술(巫術), 강신술.

Nekrophilie [..filí:] *f.* 〖心〗 시간증(屍姦症).

Nekropole [..pó:lə] *f.* -n ↑ Nekropolis.

Nekropolis [nekró:polɪs] *f.* ..polen [..pó:lən] 사자(死者)의 도시, (고대의) 공동 묘지.

Nekropsie [nekrɔpsí:] *f.* ..sien [..sí:ən] (Leichenschau) 검시(檢屍), 시체 해부.

Nekrose [nekró:zə] *f.* -n 〖醫〗 ① 세포 조직의 사멸, 괴사(壞死), 괴저(壞疽). ② (Knochenbrand) 카리에스, 골저.

Nekrospermie [nekrospɛrmí:] *f.* -n [..mí:ən] 〖醫〗 정자 사멸증, 사정자증(死精子症).

nekrotisch [nekró:tɪʃ] *a.* 괴사〔괴저·카리에스〕의.

Nektar [nɛ́ktar] ⟪lat.⟫ *m.* -s, -e ① 〖그리스 신화〗 신주(神酒), 신의 음료; 〖비유〗 감로, 미주(美酒). ② 〖植〗 화밀(花蜜), 꽃의 꿀. ③ 넥타(음료) (탄산수의 일종).

Nektarine [nɛktarí:nə] *f.* -n 〖植〗 천도〔승도〕복숭아.

nektarisch [..tá:rɪʃ] *a.* 〖시어〗 신주〔감로〕 같은, 감미로운.

Nektarium [..tá:rium] *n.* -s, ..rien [..riən] 〖植〗 (꽃의) 꿀샘, 밀선(蜜腺).

nektarn [nɛ́ktarn] *a.* 〖시어〗 ↑ nektarisch.
Nekton [nɛ́ktɔn] 《gr. nektos》 *n.* -s 유영(游泳) 동물(↔ Plankton).
nektonisch [..nɪʃ] *a.* 유영 동물의.
***Nelke** [nɛ́lkə] 《ndd. negelke》 *f.* -n ①〖植〗 카네이션, 패랭이꽃(등의 석죽과 식물). ②〖식품〗 정향(丁香) (Gewürznelke).
nelken≈artig *a.* 패랭이꽃속(屬)의. **~baum·holz** *n.* 〖植〗 정향나무. **~öl** *n.* 정향유. **~pfeffer** *m.* 〖식품〗 피멘토, 자메이카 후추. **~stock** *m.* ①〖植〗 스톡. ② 패랭이꽃의 그루. **~strauß** *m.* 카네이션의 꽃다발. **~wurz** *f.* 〖植〗 뱀무(장미과).
Nell *n.* -s (schweiz.) 야스(스위스 카드 놀이) 게임 때의 으뜸패 9(Jaß): (schweiz.) jm. das ~ abstechen 누구를 능가하다.
Nelli 넬리(여자 이름).
Nelly ↑ Nelli.
Nelson [nɛ́lzɔn, nɛlsn] *m.* -(e)s, -(s) 〖스포츠〗 (Nackenhebel) 넬슨, 목조르기(미국 레슬링 선수의 이름에서).
Nematisch 〖化〗 네마틱(액정 구조의 하나).
Nematode [nematóːdə] 《gr., „Faden"》 *m.* -n, -n 〖動〗 선충류(線蟲類) (Fadenwurm).
Nemesis [néː(ː)mezɪs] 《gr.》 *f.* ①〖그리스신화〗 복수의 여신. ②〖교양〗 천벌, 응보, 정의.
NE-Metall [ɛn|éːmetal] *n.* 〖化〗 비철 금속 (Nichteisenmetall).
nemo [néːmoː] 《lat.》 *prn.* 아무도 …없다(niemand): Herr ~ 무명씨(無名氏).
'nen [nən] 〖구어〗 ↑ einen.
nennbar [nɛ́nbaːr] *a.* ① 이름 붙일 수 있는. ② 언급할 가치가 있는, 이렇다할.
Nenn·betrag *m.* 〖經〗 ↑ ~wert.
nennen [nɛ́nən] 《nannte, genannt》 《Ⅰ》 *t.* ① 이름짓다, 명명하다, …라고 부르다: er nennt ihn Friedrich 〔sinen Herrn〕 그는 그 남자를 프리드리히〔주인님〕이라고 부른다; ich kann nichts mein ~ 나는 아무 것도 내 것이라고 말할 수 없다; jn.〔et.〕 nach et.³ ~ 누구에게〔무엇에〕 무엇의 이름을 붙이다; das nenne ich einen Freund 그래서 친구라는 것이다; 〖농담〗 das nenn' ich geschlafen! 멍청한 짓을 했군!; Gertrud, aber man nennt mich Trude 내 이름은 게르트루트인데 사람들은 나를 트루데라고 부른다. ② 거명〔언급〕하다, 이름을 말하다〔들다〕: er hat den Täter nicht genannt 그는 범인의 이름을 대지 않았다; nennen Sie mir die Summe 총액을 말해 주세요; jn. mit 〔beim〕 Namen ~ 누구의 이름을 말하다〔들다〕; sie nannte ihn beim Vornamen 그녀는 그를 이름으로 불렀다(친하기 때문에 성으로 부르지 않고); 〖비유〗 das Kind beim rechten Namen ~ 거리낌없이〔솔직히〕 말하다; alle Pflanzen nach ihren botanischen Namen ~ 모든 식물의 학명을 말하다; einen Kandidaten ~ 후보를 지명하다; ein Pferd ~ 경마 참가를 신청하다; können Sie mir ein gutes Hotel ~? 좋은 호텔을 하나 소개해 주실 수 있나요? ③〖형용사·분사와 함께〗 (…하다고) 말하다: man kann sie wohl hübsch, aber nicht schön ~ 그 여자는 귀엽다고는 할 수 있어도 미인이라고는 할 수 없다; ich muß das Schicksal grausam ~ 나는 운명이 가혹하다고 말하지 않을 수 없다; man muß sein Verhalten weitblickend ~ 그의 처신은 선견지명이 있었다고 말하지 않을 수 없다. 《Ⅱ》 *refl.* sich ~ ① 자처하다, 스스로 …라고 하다: er nennt sich (einen) Dichter 그는 자신이 시인이라고 주장한다. ② …라고 불리다, …라는 이름이다: ich nenne mich Martin 나는 마르틴이라고 합니다; sich nach seiner Mutter ~ 어머니의 성을 따르다. 《Ⅲ》 **genannt** *p.a.* ↑ genannt.
nennens·wert *a.* 언급할〔이렇다할〕 만한, 두드러진, 중요한: in letzter Zeit ist nichts ~ es passiert 최근에는 이렇다할 일이 아무것도 발생하지 않았다.
***Nenner** [nɛ́nər] *m.* -s, - ①〖數〗 분모(↔ Zähler): auf den kleinsten ~ bringen 약분하다; gemeinsamer ~ 공통 분모. ②〖비유〗 일치, 조화: et. auf einen (gemeinsamen) ~ bringen 무엇(대립·모순 등)을 일치〔조화〕시키다: einen (gemeinsamen) ~ suchen〔finden〕 공동의 토대를〔공통점을〕 찾다〔발견하다〕.
Nenn≈fall *m.* 〖문법〗 (Nominativ) 1격, 주격. **~form** *f.* 〖문법〗 부정법(↑ Infinitiv). **~form·satz** *m.* 〖문법〗 부정사구(Infinitivgruppe). **~geld** *n.* 〖스포츠〗 (한 팀의) 경기 참가(신청)비. **~leistung** *f.* 〖기계〗 정격(定格) 출력〔용량〕. **~onkel** *m.* 아저씨(라고 부를 수 있는 친한 사람). **~tante** *f.* 아주머니(라고 부를 수 있는 친한 사람).
Nennung [nɛ́nʊŋ] *f.* -en ① 명명, 호명, 지명, 언급. ②〖스포츠〗 참가 신청.
Nennungs≈geld *n.* 〖스포츠〗 ↑ Nenngeld. **~liste** *f.* 참가자 명단. **~schluß** *m.* 〖스포츠〗 참가 신청 마감.
Nenn≈wert *m.* 〖經〗 (↔ Ausgabewert) 액면가, 명목 가치. **~wort** *n.* 〖복수: ..wörter〗 〖문법〗 명사(Substantiv).
neo.. 《gr. „neu"》 *pref.* "새로운, 젊은, 신(新)"의 뜻.
Neodym [neodýːm] *n.* -s 〖化〗 네오딤(희토류 원소; 기호: Nd).
Neofaschismus [neofaʃísmus] *m.* - 네오파시즘, 신(新)파시즘.
Neofaschist [..faʃíst] *m.* -en, -en 네오파시스트.
neofaschistisch [..faʃístɪʃ] *a.* 네오파시즘의.
Neogen [neogéːn] *n.* -s 〖지질〗 신(新)제삼기.
Neoklassizismus [neoklasitsísmus] *m.* - 신고전주의.
Neokolonialismus [neokolonialísmus] *m.* - 신식민주의.
Neokom [neokóːm] *n.* -s 〖지질〗 네오콤계(階)(백악층의 최하부).
Neoliberalismus [neoliberalísmus] *m.* - 〖政〗 신자유주의.
Neolithikum [..líːtikum, ..lít..] *n.* -s 〖지질〗 신석기 시대.
neolithisch [..líːtɪʃ, ..lít..] *a.* 〖지질〗 신석기 시대의.
Neologe [neolóːgə] *m.* -n, -n ① (기존 이론의) 개혁자. ② 개혁론자.
Neologie [..logíː] *f.* -n [..gíːən] ① 혁신, 개혁. ② 신조어 만들기.
Neologismus [..logísmus] 《lat.》 *m.* -, ..men ① 혁신열(熱). ②〖언어〗 신조어.

Neomarxismus [..marksísmus] *m.* - 〖政〗 네오마르크시즘.

***Neon** [né:ɔn, neó:n] 《gr.》 *n.* -s 〖化〗 네온(기호: Ne).

Neonazi [neoná:tsi] *m.* -s, -s ↑ Neonazist.

Neonazismus [..natsísmus] *m.* - 〖政〗 신나치즘.

Neonazist [..tsíst] *m.* -en, -en 신나치주의자.

Neon·fisch [né:ɔn..] *m.* 〖動〗 네온테트라(수족관 물고기의 한 종류).

Neon≠glüh·lampe *f.* 네온 전구. **~lampe** *f.* 네온등. **~licht** *n.* 네온 사인. **~röhre** *f.* 네온관. **~schrift** *f.* 네온 (사인) 글자.

Neophyt [neofý:t] 《gr.》 *m.* -en, -en ① 〖기독교〗 성년 세례자; 새 신자〔신도〕. ② 〖식물〗 (Adventivpflanze) 비(非)자생〔외래〕 식물.

Neoplasma [..plásma] *n.* -s, ..men 〖醫〗 (Neubildung) 종양(Geschwulst).

Neoplatonismus [..platonísmus] *m.* - 〖哲〗 ↑ 신플라톤주의(Neuplatonismus).

Neopositivismus [..pozitivísmus] *m.* - 〖哲〗 신실증주의.

Neotenie [neotení:] *f.* 〖生〗 유형(幼形) 성숙.

neotropisch [neotró:pɪʃ] *a.* 〖지리〗 신열대의: ~e Region 신열대 지역(멕시코·남아메리카).

Neovitalismus [..vitalísmus] 《gr.》 *m.* - 〖哲〗 신생기론(新生起論), 신활력설.

Neozoikum [..tsó:ikum] 《lat.》 *n.* -s 〖지질〗 신생대(Känozoikum).

neozoisch [..tsó:ɪʃ] *a.* 〖지질〗 신생대의.

Nepal [né:pal, nepá:l] 네팔.

Nepaler [nepá:lər] *m.* -s, - ↑ Nepalese.

Nepalese [nepalé:zə] *m.* -n, -n 네팔 사람.

nepalesisch [..palé:zɪʃ], **nepalisch** [..lɪʃ] *a.* 네팔(사람)의.

Nephelin [nefelí:n] 《lat.》 *m.* -s, -e 〖광물〗 하석(霞石).

Nephelometrie [..metrí:] *f.* 〖化〗 비탁법(比濁法) (세균 또는 화합물의 입자에 의해 생기는 용액의 혼탁도를 측정하는 법).

Nephograph [nefográ:f] *m.* -en, -en 〖기상〗 구름 사진 촬영기.

Nephoskop [nefɔskó:p, ..fɔs..] *m.* -s, -e (구름의 고도·방향·속도를 측정하는) 측운기, 운측계(雲測計).

Nephralgie [nefralgí:] 《gr.》 *f.* -n [..gí:ən] 〖醫〗 신장통(Nierenschmerz).

Nephrit [nefrí:t, ..rít] *m.* -(e)s, -e 〖광물〗 연옥(軟玉)(석).

Nephritis [nefrí:tɪs] *f.* ..tiden [..tí:dən] 〖醫〗 신장염.

Nephrose [nefró:zə] *f.* -n 〖醫〗 신장증(症), 네프로시스(비염증성의 신장병).

Nepomuk [né(:)pomuk] *m.* ① 보헤미아의 수호 성도. ② 네오무크(남자 이름).

Nepote [nepó:tə] 《lat.》 *m.* -n, -n ① 〔고어〕 (Neffe) 조카, 생질; 종형제(Vetter). ② 〔고어〕 손자(Enkel). ③ 친척.

Nepotismus [nepotísmus] *m.* - 〔교양〕 친족 중용, 정실 등용, 족벌주의.

Nepp [nɛp] *m.* -s 〔구어〕 폭리 취하기, 바가지 씌우기, 사기.

neppen [nɛ́pən] *t.* 〔구어·폄어〕 속이다, 사기치다; 바가지 씌우다.

Nepper [nɛ́pər] *m.* -s, - 〔구어·폄어〕 바가지 씌우는 악덕 상인, 사기꾼, 협잡꾼.

Nepperei [nɛpəráɪ] *f.* -en 바가지 씌우기, 사기, 협잡.

nepperig [nɛ́pərɪç] *a.* 〔방언〕 쩨쩨한, 인색한.

Nepp·lokal *n.* 〔구어·폄어〕 바가지 술집.

Neptun [nɛptú:n] 《lat.》 *m.* -s ① 〖로마신화〗 로마의 해신(海神)(〖그리스신화〗 Poseidon에 해당하는 바다의 신): 〔농담〕 (dem) ~ opfern 배의 난간 너머로 몸을 굽혀 토하다. ② 〖天〗 해왕성.

neptunisch [..tú:nɪʃ] *a.* ① 해왕성의. ② 〖지질〗 수성론(水成論)의, 물의 영향으로 생긴: ~e Gesteine 침전암, 수성암.

Neptunismus [..tunísmus] *m.* - 암석 수성론(水成論).

Neptunist [..tuníst] *m.* -en, -en 암석 수성론자.

Neptunium [..nium] *n.* -s 〖化〗 넵투늄(인공 방사성 원소; 기호: Np).

Nereide [nereí:də] *f.* -n ① 〖그리스신화〗 바다의 요정(Nereus의 50명의 딸). ② 〖動〗 갯지네.

Nereus [né:rɔʏs] *m.* 〖그리스신화〗 바다의 신.

Nerfling [nɛ́rflɪŋ] *m.* -s, -e 〖動〗 황어(잉어의 일종)(Aland).

Nergelei [nɛrgəláɪ] *f.* 〔고어〕 (Nörgelei) 불평, 잔소리.

nergeln [nɛ́rgəln] *i.* 〔고어〕 불평하다(nörgeln).

nerkisch [nɛ́rkɪʃ] *a.* 싸움을 좋아하는.

Nernst·lampe [nɛ́rnst..] *f.* 〖物〗 네른스트 전구(독일 물리학자·화학자인 W. Nernst의 이름에서).

Nero [né:ro] ① 네로(기원 후 1세기의 잔학한 로마 황제, 37-68). ② *m.* -s, -s (**a**) 〔비유〕 잔학한 폭군. (**b**) 개의 이름.

neronisch [neró:nɪʃ] 《<Nero》 *a.* (네로와 같은) 폭군의, 잔혹한.

Neroli·öl [né:roli|ø:l] 《gr.》 *n.* 〖化〗 등화유(橙花油)(향수의 원료).

Nerthus [nɛ́rtus] 네르투스(게르만족의 여신).

Neruda Pablo ~ 네루다(칠레의 시인, 1904-73).

***Nerv** [nɛrf] 《lat. nervus》 *m.* -s/-en [..fən, ..vən], -en [..fən, ..vən] ① 신경; 〔대개 복수〕 신경 계통, 정신력; 〔비유〕 용기, 기백, 배짱; 핵심, 정수, 진수: den ~ im Zahn töten 치아의 신경을 죽이다; in jedem ~ spürte er die Krise 그는 온 신경〔몸〕으로 위기를 느꼈다; 〔구어〕 er hat ~en aus Stahl 그는 강심장이다; 〔구어〕 er hat ~en wie Drahtseile 〔Stricke〕 그는 신경이 동아줄처럼 튼튼하다; 〔구어〕 den ~ haben, et. zu tun 무엇을 할 뱃심이 있다; gute〔starke〕 ~en haben 배짱이 두둑하다, 담력이 있다; schwache ~en haben 신경이 약하다; an den ~en leiden 신경이 예민하다; im ~ treffen 핵심을 찌르다; 〔구어〕 jm. den ~ töten 누구를 신경질나게〔귀찮게〕 하다; 〔구어〕 ~en zeigen 신경질부리기 시작하다; 〔구어〕 jm. auf die ~en fallen〔gehen〕 누구의 신경을 건드리다, 누구를 짜증나게 하다; 〔구어〕 (vielleicht) ~en haben (평소와 다른) 이상한 행동〔말·생각〕을

하다; es hat sich bei ihr auf die ~en geschlagen 그 여자는 그 일로 괴로워하고 있다; die ~en verlieren 평정을 잃다; der ~ aller Dinge 만물의 근원(특히 금전; ↑ Nervus rerum); der ~ der Sache 사물의 핵심. ② 〖植〗 잎맥. ③〔고어〕 힘줄. ④〖음악〗 악기의 현(弦). ⑤〔시어〕 활의 시위; 활줄.

Nerva Marcus Cocceius ~ 네르바(로마의 황제, 30 ? -98).

Nervatur [nɛrvatúːr] *f.* -en ①〖植〗 잎맥. ②〖動〗 시맥(翅脈).

Nervchen [nɛ́rfçən] *n.* -s, - 〖↑ Nerv 의 축소형〗 미세한 신경.

nerven [nɛ́rfən, ..vən] *t.* 〔경박〕 신경을 건드리다, 짜증나게〔귀찮게〕 하다.

Nerven=anfall [nɛ́rfən.., ..vən..] *m.* 〖醫〗 신경성 발작. **~anspannung** *f.* 과도한 심적 긴장; 정신 집중. **~arzt** *m.* ① 신경과 의사. ②〔구어〕 심리 치료사. **~ärztin** *f.* ↑ ~arzt 의 여성형. **~ast** *m.* 신경 가지. **~aufpeitschend** *a.* 극도의 긴장감을 주는. **~aufregung** *f.* 신경 흥분. **~aufreibend** *a.* 신경을 극도로 소모시키는, 정신적 부담을 주는. **~bahn** *f.* 〖해부〗 신경 섬유, 신경삭(索). **~belastung** *f.* 정신적 부담. **~beruhigend** *a.* 신경을 안정시키는: ein ~es Medikament 신경 안정제. **~beruhigungsmittel** *n.* 신경 안정제. **~beschreibung** *f.* 신경학. **~boten·stoff** *m.* 〖생화학〗 신경 전달 물질. **~bündel** *n.* ①〖해부〗 신경 다발(신경 섬유의 묶음). ②〔구어〕 극도로 신경질적인 사람. **~chirurgie** *f.* 신경 외과. **~durchschneidung** *f.* 신경 절단. **~entzündung** *f.* 신경염. **~faser** *f.* 신경 섬유. **~fieber** *n.* 〔고어〕 발진티푸스(↑ Fleckfieber). **~fluß** *m.* 졸중(卒中). **~gas** *n.* 신경 가스. **~geflecht, ~gewebe** *n.* 신경 조직, 신경총(叢). **~gift** *n.* (특히 신경 조직을 손상시키는) 신경 독소(니코틴·알코올 따위). **~heil·anstalt** *f.* 신경과〔정신과〕 병원. **~hügel** *m.* 신경절(節). **~kern** *m.* 신경핵. **~kitzel** *m.* 〔구어〕 스릴, 흥분, 전율. **~klinik** *f.* ① 신경과 병원. ②〔구어〕 정신 병원. **~knoten** *m.* 신경절(Ganglion). **~kostüm** *n.* 〔구어·농담〕 신경망, 신경 조직: ein starkes ~ haben 강심장이다. **~kraft** *f.* 정신력, 담력. **~krank** *a.* 신경 질환을 앓는. **~krankheit** *f.* ① 신경 질환, 신경병. ② 정신병, 노이로제. **~krieg** *m.* 신경전. **~krise** *f.* ①〖醫〗 위기적 신경통. ② 신경성 위기. **~kunde, ~lehre** *f.* 신경학. **~leiden** *n.* ↑ ~krankheit. **~leidend** *a.* 신경병의, 신경 질환을 앓는. **~leitung** *f.* 신경 전도(傳導).

nervenlos *a.* 신경이 없는.

Nerven=mark *n.* 신경 수질(髓質) (Myelin). **~mittel** *n.* (Beruhigungsmittel) 신경 안정제, 신경약. **~mühle** *f.* 〔경박〕 스트레스가 심하게 쌓이는, 피곤한 직장. **~nahrung** *f.* 신경 강장제. **~naht** *f.* 신경 봉합. **~probe** *f.* 극도의 심리적 시련. **~reflex** *m.* 신경 반사. **~reiz** *m.* 신경 자극. **~sache** *f.* 〔대개 다음 용법으로〕 das ist eine reine ~ 그것은 순전히 심리적인 문제다. **~säge** *f.* 〔구어〕 몹시 신경 쓰이는 사람〔일〕. **~schlag·fluß** *m.* 졸도. **~schmerz** *m.* 신경통(Neuralgie). **~schnitt** *m.* 〖醫〗 (신경통 제거를 위한) 신경 절제. **~schock** *m.* (놀람·흥분 따위로 일어나는) 신경 쇼크. **~schwach** *a.* 신경 쇠약의, 신경질을 잘 부리는. **~schwäche** *f.* 신경질, 신경 쇠약. **~stark** *a.* 강심장의, 뱃심좋은. **~stärke** *f.* 강심장, 뱃심, 배짱. **~stärkend** *a.* 신경을 강화시키는: ~es Mittel 신경 강장제. **~strang** *m.* 〖해부〗 ↑ ~bündel ①. **~substanz** *f.* 신경 물질. **~sucht** *f.* 히스테리. **~system** *n.* 신경계(통): sympathisches ~ 교감 신경계. **~tätigkeit** *f.* 신경 기능. **~voll** *a.* 건장한, 힘센. **~zelle** *f.* 〖해부〗 신경 세포. **~zentrum** *n.* 〖해부〗 신경 중추. **~zergliederung** *f.* 신경 해부. **~zerrüttung** *f.* 신경 과민 상태. **~zucken** *n.* (근육의) 신경 경련. **~zusammen·bruch** *m.* 신경 쇠약.

nervicht [nɛ́rvɪçt] *a.* ↑ nervig.

nervig [nɛ́rvɪç, ..fɪç] 《<Nerv》 *a.* ① 힘줄이 툭툭 불거진: eine ~e Faust 힘줄이 튀어나온 주먹. ②〖비유〗 (문장 따위가) 힘찬, 강건한. ③〖植〗 잎맥이 있는.

nervlich [nɛ́rflɪç] *a.* 신경의, 신경에 관한: er ist ~ sehr labil 그는 신경이 몹시 불안정하다.

***nervös** [nɛrvǿːs] 《frz.》 *a.* ① 신경질적인, 신경과민의: sie ist heute sehr ~ 그녀는 오늘 신경이 몹시 날카롭다; über et. ~ sein 무엇에 대해 짜증을 내다. ② 신경성〔계〕의: seine Magenschmerzen sind ~ bedingt 그의 위경련은 신경성이다.

Nervosität [nɛrvozitɛ́ːt] *f.* 신경과민.

nerv·tötend [nɛ́rftøːtənt] *a.* 극도로 신경을 날카롭게 하는.

Nervus probandi [nɛ́rvʊs probándiː] 《lat.》 *m.* - - 〔교양〕 결정적 논거, 주요 증거.

Nervus rerum [..réːrʊm] 《lat., „der Nerv aller Dinge"》 *m.* - - 사물〔사태〕의 핵심, 원동력, 모든 노력의 목표; 〔농담〕 돈.

Nerz [nɛrts] 《sl.》 *m.* -es, -e ①〖動〗 밍크. ② 밍크 털가죽; 밍크 모피 제품.

Nerz=farm *f.* 밍크 사육 농장. **~fell** *n.* 밍크 털 가죽. **~kragen** *m.* 밍크 칼라〔옷깃〕. **~mantel** *m.* 밍크 외투. **~stola** *f.* 밍크 숄, 밍크 목도리.

Nescafé [nɛ́skafe, ..feː] 네스카페(스위스 Nestlé 사의 커피 상표).

Neschi [nɛ́sçi, nɛ́ski] 《ar.》 *n./f.* - 아라비아의 곡선 문자.

Nessel [nɛ́səl] *f.* -n ①〖植〗 (**a**) 쐐기풀(Brennnessel): 〔구어〕 wie auf ~n sitzen 가시 방석에 (앉듯이) 앉아 있다; 〔구어〕 sich mit et.[3] in die ~n setzen 무슨 일로 궁지에 빠지다. (**b**) 쐐기풀 모양의 식물: chilenische ~ 로아사 라테리티아; taube ~ 광대수염속(屬). ②〖복수〗 ↑ ~fieber. ③ (모슬린과 비슷한) 쐐기풀 섬유로 짠 직물(책 제본용).

Nessel=anschlag *m.* ↑ ~fieber. **~artig** *a.* 〖植〗 쐐기풀과(科)의〔같은〕. **~ausschlag** *m.* 〖醫〗 두드러기, 심마진(蕁麻疹). **~brand** *m.* 쐐기풀에 쏘임. **~faden** *m.* 〖動〗 (해파리의) 자사(刺絲). **~falter** *m.* 〖動〗 쐐기멋쟁이(큰멋쟁이속의 나비). **~fieber** *n.* 〖醫〗 발열성 두드러기. **~friesel** *m./n.* 〖醫〗 ↑ ~fieber. **~garn** *n.* 쐐기풀에서 뽑은 실; (오늘날에는) 무명실. **~könig** *m.* (nordd.) 〖動〗 굴뚝새(Zaunkönig). **~mal** *n.* 〖醫〗 두드러기의 일

종. **~pflanze** *f.* 〖植〗 쐐기풀. **~qualle** *f.* 〖生〗 (북해의) 푸른 해파리. **~seide** 〖植〗 기생 만초(寄生蔓草)의 일종. **~sucht** *f.* ↑ ~-ausschlag. **~tier** *n.* 〖動〗 유자포류(有刺胞類). **~tuch** *n.* ↑ Nessel ③.

Nessos [nέsɔs] *m.* ↑ Nessus.

Nẹssus *m.* 〖그리스신화〗 Herakles 에게 살해된 반인 반마(半人半馬)의 괴물(Zentaur).

Nẹssus≈gewand *n.* ↑ ~hemd. **~hemd** *n.* 〖그리스신화·교양〗 파멸을 가져다주는 선물, 위험한 선물(Nessus 가 복수 행위로 Herakles 의 옷에 자신의 중독된 피를 묻힌 데에서).

***Nest** [nɛst] *n.* -es, -er ① (특히 새와 작은 동물의) 집, 둥지, 보금자리: die Vögel bauen 〔hüten〕 ihr ~ 새들이 둥지를 짓는다〔지킨다〕; 〖비유〗 das junge Paar baute sich ein ~ 그 젊은 부부는 보금자리를 마련했다. ② 〖비유〗 고향, 자기 집, 양친의 집: ins ~ zurückkehren 집〔고향〕으로 돌아가다; sein eigenes ~ beschmutzen 자기 집안〔회사·나라〕에 먹칠하다; 〖구어〗 sich ins gemachte 〔warme〕 ~ setzen 노력하지 않고 높은 자리에 오르다, 좋은 상황에 이르다; 〖구어〗 aufs leere ~ kommen 집에 와 보니 아무도 없다. ③ 〖구어〗 (Bett) 침대, 잠자리: ins ~ kriechen 잠자리에 기어들다. ④ 〖구어·폄어〗 작은 도시, 시골 마을: in diesem ~ gibt es noch nicht einmal ein Kino 이 촌구석엔 아직 영화관 하나 없다. ⑤ (범죄자들의) 소굴, 은신처: das ~ ausheben 일당을 일망타진하다. ⑥ 땋아올린 머리, 쪽, 결발(結髮). ⑦ 〖지질〗 소광상(小鑛床), 광소(鑛巢). ⑧ 〖해부〗 소뇌소와(小腦巢窩). ⑨ (철봉이나 링 체조에서) 수평으로 엎드린 모양의 동작. ⑩ 함께 뒤얽혀 있는 무리〔떼〕: ein ~ Läuseeier 한 무리의 서캐. ⑪ 〖軍〗 (잘 은폐된) 군사 기지〔진지〕.

Nẹst≈bau *n.* 둥지〔보금자리〕의 짓기. **~beschmutzer** *m.* 〖폄어〗 자기 집안을〔나라를〕 헐뜯는 자. **~blutt** *a.* (obd.) 깃털이 나지 않은(ungefiedert). **~blutter** *m.* (obd.) 깃털도 나지 않은 햇병아리〔어린 새〕.

Nẹstchen *n.* -s, -/Nesterchen 〖↑ Nest 의 축소형〗 작은 보금자리.

Nẹst·ei *n.* (부화 욕구를 자극하기 위해) 둥지 속에 넣어 두는 가짜 알.

Nestel [nέstəl] *f.* -n 〖구식·방언〗 ① (의복의) 끈, 띠; 구두끈: jm. die ~ knüpfen 누구의 허리띠를 졸라매어 아이가 생기지 않게 하다 (옛날의 미신적 관습). ② 쪽, 낭자, 상투.

Nẹstel≈beschlag *m.* ↑ ~stift. **~knüpfen** *n.* (옛날 민간의 피임법으로) 허리 졸라매기(↑ Nestel ①). **~loch** *n.* 끈 꿰는 구멍, 단춧구멍. **~macher** *m.* 끈 제조인.

nesteln [nέstəln] 《I》 *i.* 매만지다, 만지작거리다: an einer Schnur ~ 끈을 매만지다. 《II》 *t.* 매만져 달다〔풀다〕: sich³ eine Nadel ins Haar ~ 머리에 헤어핀을 꽂다; sie nestelte ihren Schmuck vom Hals 그녀는 목걸이를 만지작거려 풀었다.

Nẹstel≈nadel *f.* ① 끈이나 띠에 꽂는 바늘. ② 머리핀. **~stift** *m.* 끈의 끝에 붙은 쇠붙이.

Nẹsterchen *pl.* ↑ Nestchen 의 복수형.

Nẹst≈feder *f.* (병아리의) 솜털, 갓난 털. **~flüchter** *m.* 〖動〗 (↔ ~hocker) 부화 후 곧 둥지를 나올 수 있는 새(닭·오리 따위), 이소성(離巢性)의 동물. **~häkchen** *n.* ① 아직 깃털이 나지 않은 갓난 새. ② 마지막까지 둥지에 남은 어린 새. ③ 〖비유〗 (버릇없는) 막내둥이, 응석받이. **~hocker** *m.* 〖動〗 (↔ ~flüchter) 부화 후 오랫동안 둥지에서 어미새에게 키워지는 새(비둘기 따위), 유소성(留巢性)의 동물. **~junge** *n.* 〖動〗 (아직 둥지에 있는) 어린 동물〔새〕. **~küken** *n.* ↑ ~häkchen.

Nẹstlein *n.* -s, - ↑ Nestchen.

Nẹstler 《<Nestel》 *m.* -s, - 〖고어〗 끈 제조인.

Nestling [nέstlɪŋ] *m.* -s, -e ① 아직 날지 못하는 새 새끼. ② 〖비유〗 ↑ Nesthäkchen ③.

Nestor [nέstɔr, ..to:r] 《I》 〖그리스신화〗 네스토르(트로이 전쟁 때 그리스군의 노지장(老智將)). 《II》 *m.* -s, -en [..tó:rən] 〖비유·교양〗 원로, 노대가(老大家): er ist der ~ der modernen Sprachwissenschaft 그는 현대 언어학의 대가다.

Nestorianer [nɛstoriá:nər] 《lat.》 *m.* -s, - 〖宗〗 네스토리우스파, 경교도(景教徒).

Nestorianismus [..rianísmus] *m.* - 〖신학〗 네스토리우스의 교의(教義), 경교(景教).

Nestorius 네스토리우스(고대 시리아의 콘스탄티노플 대주교, ?-451).

Nest·quakelchen [nέstkva:kəlçən] *n.* ↑ ~häkchen.

Nestroy [nέstrɔʏ] Johann ~ 네스트로이(오스트리아의 극작가, 1801-62).

Nẹst≈treue *f.* 보금자리에 대한 애착. **~warm** *a.* 보금자리의 온기가 남아 있는, 갓 태어난: ~e Eier 갓 꺼내온 달걀. **~wärme** *f.* 보금자리의 온기, 가정의 따스함.

Netiquette [nétiket] 《engl.》 *f.* 〖컴〗 통신상의 예절.

Netizen [nétizən] 《engl.》 〖컴〗 네티즌.

***nett** [nɛt] 《frz. net》 《I》 *a.* ① 말쑥〔산뜻〕한, 기분 좋은, 귀여운: ein ~es Kleid 멋진 옷; einen ~en Abend verbringen 기분 좋은 저녁 한때를 보내다; 〖반어〗 das sind ja ~e Zustände 이것 참 일이 묘하게 되어 버렸는데. ② 호감을 주는, 상냥한, 친절한: seien Sie so ~ und reichen Sie mir den Zucker 죄송하지만 그 설탕 좀 건네주십시오; das ist ~ von Ihnen! 당신의 친절에 감사합니다! ③ 〖구어〗 꽤 큰, 대단〔상당〕한: das ist eine ~e Summe 이건 상당한 액수다. 《II》 *adv.* ① 〖구어〗 솔직히, 명료하게: rund und ~ 명료하게, 의심할 여지없이; ich sagte ihm ~ meine Meinung 나는 그에게 내 의견을 솔직히 말했다. ② 〖방언〗 (gerade) 바로, 꼭: ich war ~ angekommen 나는 막 도착했다. ③ 매우, 대단히: du schwitzt ja ganz ~ 너는 정말 땀을 많이 흘리는구나.

netter·weise [mέtərváɪzə] *adv.* 〖구어〗 친절하게, 상냥하게, 귀엽게.

Nettheit [nέthaɪt] *f.* ↑ Nettigkeit.

Nettigkeit [nέtɪçkaɪt] *f.* -en 산뜻함, 귀여움; 친절, 애교; 상냥한 말, 아첨: er sagte ihr ein paar ~en ins Ohr 그는 그녀에게 몇 마디 듣기 좋은 말을 했다.

***netto** [néto] 《it.》 *adv.* (↔ brutto) 〖商〗 ① 포장을 계산하지 않고, 순량(純量)으로: das Gewicht der Kiste beträgt ~ 100 Kilo 그 상자의 무게는 포장을 제하고 100 킬로다. ② (비용과 세금을 제외한) 순(純) 액수로: sein Gehalt beträgt ~ 3700 Mark 그의 봉급은 실

수령액으로 3700 마르크다.

Netto *n.* -s 순중량, 순수입.

Netto≈betrag *m.* (경비와 세금을 공제한) 실수령액, 순량(純量). **~einkommen** *n.* 순수입〔소득〕(↔ Bruttoeinkommen). **~ertrag** *m.* 순소득, 실수입. **~gewicht** *n.* 실(제) 중량. **~gewinn** *m.* ↑ ~ertrag. **~lohn** *m.* (세금 따위를 공제한) 실질 임금. **~prämie** *f.* 순보상금, 순보험료. **~preis** *m.* 실제 가격, 정가(正價). **~register·tonne** *f.* 〖海〗 등록 톤, 순톤수(약어: NRT). **~tara** *f.* 정미 포장 용기. **~tonnen·gehalt** *m.* 순톤수. **~verdienst** *m.* 순소득(↔ Bruttoverdienst).

***Netz** [nɛts] *n.* -es, -e ① 그물, 네트, 망; 〖비유〗 함정, 책략: Fischer≈ 어망; Einkaufs≈ (그물 모양의) 장바구니; Haar≈ 헤어 네트; ein ~ aufstellen 그물을 치다; 〖테니스·배구〗 der Ball hat das ~ berührt 볼이 네트에 닿았다; 〖비유〗 in js. ~ fallen〔geraten〕, jm. ins ~ gehen 누구의 함정에 빠지다, 계략에 넘어가다; 〖비유〗 jm. ein ~ stellen 누구에게 올가미를 씌우다; 〖비유〗 jn. ins ~ locken 감언이설로 누구를 속여 함정에 빠지게 하다; 〖비유〗 sich in eigenen ~ verstricken 자승자박하다; 〖비유〗 er hat überall seine ~e ausgeworfen 그는 (목적을 이루기 위해) 사방에 관계를 맺어 두었다. ② 거미줄. ③ 그물 모양의 체계〔조직〕(교통망·통신망·방송망 등): ~ von Straßen〔Eisenbahnen〕 도로〔철도〕망; ~ der sozialen Sicherung 사회 보장망; Strom≈ 전력 공급망; das ~ der Adern〔Nerven〕 혈관〔신경〕망; das Grad≈ der Erde 지구의 경위도망(經緯度網). ④〖數〗 (입체의) 전개도. ⑤〖해부〗 장간막(腸間膜).

Netz≈anschluß *m.* 〖전기〗 전원 연결(기). **~anschluß·gerät** *n.* 〖전기〗 (전자 기기의) 전원 연결용 어댑터. **~arbeit** *f.* (Filetarbeit) 레이스〔조각〕 뜨기; 필레레이스(커튼·식탁보용). **≈artig** *a.* 망상(網狀)의, 그물 모양의. **~ätzung** *f.* 〖印〗 단색 사진판 인쇄(↑ Autotypie). **~auge** *n.* 〖動〗 (곤충의) 복안(複眼) (Facettenauge). **~ball** *m.* 〖테니스·탁구〗 네트볼. **~bruch** *m.* 〖醫〗 장간막(腸間膜) 탈장. **~bürger** *m.* 〖컴〗 네티즌. **~druck** *m.* 〖복수: -e〗 ↑ ~ätzung.

Netze [nɛ́tsə] 《< naß》 *f.* -n 습기.

Netz≈ebene *f.* 〖理〗 격자면(格子面). **~empfänger** *m.* ↑ ~anschlußgerät.

***netzen**[1] [nɛ́tsən] 《< naß》《I》 *t.* 〖雅語〗 적시다, 축이다: er netzte ihre Stirne mit Wasser 그는 그녀의 이마를 물로 적셔 주었다. 《II》 *i.* (h.) ①〖사냥〗 소변 보다. ②〖방언〗 (nieseln) es netzt 가랑비가 내리다.

netzen[2] *t.* 그물 모양으로 뜨다.

Netz≈figuren *pl.* 평면에 그린 다면체의 면. **~fischerei** *f.* 그물로 하는 어업. **~flügler** *m.* 〖動〗 맥시류(脈翅類) (잠자리 따위). **≈förmig** *a.* 그물 모양의. **~gerät** *n.* 〖전기〗 ↑ ~anschlußgerät. **~gewölbe** *n.* 〖건축〗 후기 고딕 건축의 망형(網形) 둥근 천장(그 뼈대가 그물 모양임). **~gleich·richter** *m.* 〖전기〗 전원 정류기(整流機). **~gurke** *f.* 〖植〗 수세미외 (Luffa). **~haut** *f.* 〖해부〗 (눈의) 망막.

Netzhaut≈ablösung *f.* 망막 박리증(剝離症). **~entzündung** *f.* 〖醫〗 망막염.

Netz≈hemd *n.* 그물 러닝 셔츠. **~jagen** *n.* 그물로 하는 사냥. **~karte** *f.* 〖철도〗 특정 교통권내에서 일정 기간 유효한 자유 이용권. **~magen** *m.* 벌집위, 봉소위(蜂巢胃) (반추 동물의 둘째 위). **~mittel** *n.* 〖의약〗 상처 세정제 (Detergens). **~nadel** *f.* 그물 뜨는 바늘. **~plan** *m.* 〖經〗 선형(線形) 계획도. **~plantechnik** *f.* 〖經〗 선형 계획법(복잡한 노동 과정의 계획 및 통제의 방법). **~roller** *m.* 〖테니스·탁구〗 네트 맞고 떨어진 공. **~spannung** *f.* 〖전기〗 공공 배전(配電) 전압. **~-spieler** *m.* ①〖테니스〗 네트 플레이어. ②〖배구〗 전위(前衛). **~spinne** *f.* 〖動〗 (거미줄 치는) 거미. **~stecker** *m.* 〖전기〗 플러그. **~transformator** *m.* 〖전기〗 전원 변압기. **~werk** *n.* ① (그물 모양으로 결합된) 전선망, 배관망, 혈관망. ② 네트워크, 방송망, 통신망, 전자 회로망. ③〖經〗 ↑ ~plan.

Netzwerk≈betriebs·system *n.* 네트워크 운영 시스템. **~technik** *f.* ↑ Netzplantechnik.

Netz·wühle *f.* 〖動〗 회백색의 발 없는 도마뱀.

Netz·zuleitung *f.* 〖전기〗 전원 인입선(引入線).

***neu** [nɔʏ] 《I》 *a.* ① (↔ alt) 새, 새로운, 참신한; 햇, 풋; 최신〔최근〕의, 현대적인; 처음 듣는, 신기〔진기〕한; 신참〔신규〕의; 갱신된, 새로워진: ein ~es Haus 새 집; 〖속담〗 ~e Besen kehren gut 새 비는 쓸기 편하다(새로 들인 고용인은 일을 열심히 한다); jm. zum ~en Jahre Glück wünschen 누구에게 새해 인사를 하다; die ~este Mode 최신 유행; die ~eren Sprachen 근대어(고전어의 대립 개념으로); die ~ere Geschichte 근대사; in ~erer〔~ester〕 Zeit 최근에; einen ~en Anfang machen 새 출발을 하다; ~e Truppen an die Front werfen 전선에 추가 병력을 투입하다; 〖商〗 ~es Kapital 신규〔추가〕 자본; das ≈e Testament 신약 성서(약어: N.T.); ~er Wein a) 새 포도주, 올해 만든 포도주, b) 방금 마개를 딴 포도주; ≈e Welle 뉴 웨이브, 새 물결; die ≈e Welt 신세계(아메리카 대륙); ≈e Sachlichkeit 신즉물(新卽物)주의; ich bin noch ~ hier 나는 이곳이 아직 낯설다; das ist mir ~ 그것은 금시초문이다; ~ machen 고치다, 수선〔갱신〕하다; das Buch ist alt und wirkt ganz ~ 이 책은 오래된 것이나 감명은 아주 새롭다; schlechte Laune ist mir ~ an ihm 그가 기분이 좋지 않은 것은 처음 본다. ②〖명사화되어〗 Altes und ≈es 〔das Alte und das ≈e〕 낡은 것과 새것; was gibt es ≈es? 무슨 새로운〔색다른〕 일이 있나요?; 〖속담〗 es geschieht nichts ≈es unter der Sonne 태양 아래 새로운 것은 없다; es gibt nichts ≈es 별다른 일이 없다; 〖구어〗 auf ein ~es! (술 마실 때의 말로) 새로운 시작을 위하여!; er ist aufs ≈e erpicht 그는 새것만 좋아한다; aufs ~e 〔von ~em〕 새로이, (또) 다시; seit ~estem 요즈음, 최근에. 《II》 *adv.* 새로이, 다시, 재차; 최근에, 요즈음; 막, 갓, 방금; et. ~ schreiben 무엇을 다시 쓰다; das ~ eröffnete Geschäft 갓 개업한 상점; er hat die Stelle erst ~ angetreten 그는 최근에야 그 자리에 부임했다.

Neu≈adlige* *der/die* 신흥 귀족. **~aktie** *f.* 신주(新株). **~anfang** *m.* 새 출발, 새로운 시작. **~anfertigung** *f.* ① 신제품 제작. ② 신

제품. **~angekommene*** *der/die* 신출내기, 신참자. **~angeworbene*** *der/die* 〖軍〗 신병, 보충병. **~ankömmling** *m.* 신출내기, 신참자. **~anschaffung** *f.* 새로 구입함, (가구 따위의) 새로 맞춤; 새로 구입한〔맞춘〕 것. **≈apostolisch** *a.* 〖기독교〗 신(新)사도신경(信經)의. **≈artig** *a.* 신종〔신식〕의. **~artigkeit** *f.* 신종, 신형, 신식. **≈aufgelegt** *a.* 신판〔개정판〕의. **~auflage** *f.* ① 신판, 증보판. ②〔비유〕 재판(再版), 되풀이: das ist nur eine ~ der alten revisionistischen Theorie 그것은 옛 수정주의 이론의 재판일 뿐이다. ③〖스포츠〗 재대결, 재격돌. **~aufnahme** *f.* ① 새로운 수용. ② 새로 수용한 것. ③ 재촬영, 재녹음. **~ausgabe** *f.* 〖印〗 신판. **≈backen** *a.* ① 갓 구운. ②〔비유〕 갓 된: ein ~er Ehemann 새 신랑. **~bau** *m.* 〔복수: ..bauten〕 ① 건축〔신축〕 중인 집〔건물〕: 〔농담〕 du wohnst 〔wir wohnen〕 doch nicht im ~ 문 좀 닫고 다녀라(신축 중인 건물에 문을 아직 달지 않은 경우에서); 〔구어·농담〕 im ~ geboren sein 문을 열어 두고 다니다. ② 신축, 개축; 신축한 집〔건물〕. ③〖工〗 (자동차의) 신모델. **~-bauer** *m.* 〖구동독〗 (1945 년 토지 개혁으로 농토를 얻은) 신농민.

Neubau≈viertel *n.* 신시가지, 신축 건물 지역. **~wohnung** *f.* 신축 아파트, 새집.

neu·bearbeitet *a.* 개정된: ~e Auflage eines Buches 어떤 책의 개정판.

Neu≈bearbeitung *f.* ① 개정. ② 개정판, 신판. **~bekehrte** *der/die* 신(新)개종자, 새신자. **~besetzung** *f.* 신규 임명, 교체. **~bewaffnung** *f.* 재무장, 무기 교체, 신무기 도입. **~bildung** *f.* ① 새로운 것의 형성〔발생〕; 개조, 개혁; (내각의) 개각. ② 새로운 형성물; 신조어. **~blau** *n.* 남(藍)에서 뽑은 밝은 담청색 염료.

Neu·brandenburg [nɔʏbrándənbʊrk] 노이브란덴부르크(독일의 지명).

Neu·braunschweig [nɔʏbráunʃvaɪk] (engl. New Brunswick) 뉴 브런즈윅(캐나다의 주(州)).

Neu≈bruch *m.* 〖農〗 개간(지). **~buch** *n.* (10 Hefte) (종이) 100 장. **~bürger** *m.* 새로 이주한 시민, 이주자.

Neuchatel [nøʃatέl] 뇌샤텔(↑ Neuenburg 의 프랑스식 이름).

Neu≈deutsch *n.* 근대 독일어. **~druck** *m.* 〔복수: -e〕 (책의) 신판, 재인쇄.

Neue [nɔ́ʏə] *f.* ①〖사냥〗 방금 내려서 발자국이 생기는 눈, 신설(新雪). ②〔드물게〕 새로움 (Neuheit).

Neu≈einstellung *f.* ① 신규 채용. ② 신입 사원. **~einstudierung** *f.* ① 새로 익힘〔연습함〕. ② (새로운 상연을 위한 희곡의) 재해석.

Neue Kerze [nɔ́ʏə kέrtsə] *f.* 〖物〗 (1949 년까지 독일에서 사용된) 광도의 단위(기호: NK).

neuen [nɔ́ʏən] 〔고어·시어〕 《I》 *t.* 개혁하다 (erneuern). 《II》 *i.* (h.) die Bienen ~ 꿀벌이 새 벌집을 짓다.

Neuenburg [nɔ́ʏənbʊrk] 노이엔부르크(스위스의 도시 및 주(州); ↑ Neuchatel).

Neu·england [nɔ́ʏɛŋlant] (engl. New England) 뉴잉글랜드(미국의 동북부).

Neu≈entdeckung *f.* ① 새로운 것의 발견. ② 새로 발견된 것. ③ 재발견. **~entwicklung** *f.* ① 새로운 것의 개발〔전개〕. ② 새로 개발된 것. **≈erbaut** *a.* 신축의.

***neuerdings** [nɔ́ʏərdíŋs] *adv.* ① 요즈음, 요사이, 최근에. ② (obd.) 새로이, 다시, 또.

Neuerer [nɔ́ʏərər] 《russ. nowator》 *m.* -s, - ① 개혁자; 언어 개혁자(Neologist). ②〖구동독〗 (기술·생산 혁신에 기여하는) 개혁 노동자.

Neuerer·bewegung *f.* 〖구동독〗 생산 혁신 운동.

neuerlich [nɔ́ʏərlɪç] 《I》 *a.* 다시〔새롭게〕 하는. 《II》 *adv.* ① (neulich) 최근에, 얼마전에. ② 새로이, 또다시.

neuern [nɔ́ʏərn] *t./i.* (h.) 갱신〔개혁·혁신〕하다.

neu≈eröffnet *a.* 신장 개업한, 막 문을 연. **≈-eröffnung** *f.* 신장 개업; 재개장. **~erscheinung** *f.* 신간 서적〔음반〕. **~erschienen** *a.* 신간의.

Neuerung [nɔ́ʏərʊŋ] *f.* -en ① 개혁〔혁신·개선〕된 것: technische ~en 기술적으로 개선된 것들; ~en einführen 개혁안〔개선책〕을 도입하다. ② 개혁, 혁신, 개선: die grundsätzliche ~ der Besitzverhältnisse 소유 관계의 근본적인 혁신.

Neuerungs≈geist *m.* 개혁 정신. **~liebe, ~lust, ~sucht** *f.* 개혁〔혁신〕열, 새로운 것을 좋아함. **≈süchtig** *a.* 새로운 것을 좋아하는, 개혁열에 사로잡힌.

Neu≈erwerb *m.*, **~erwerbung** *f.* ① 신규 구입. ② 새로 구입한 것.

neuestens [nɔ́ʏəstəns] *adv.* 〔드물게〕 (neuerdings) 근자에, 최근, 요즈음.

Neu≈fänger *m.* 〖광산〗 신광맥 발견자. **~-fassung** *f.* ① 신판〔개정판〕의 제작. ② 신판, 개정판. **≈französisch** *a.* 근대 프랑스어의.

Neu·fundland [nɔʏfʊ́ntlant] (engl. Newfoundland) 뉴펀들랜드(캐나다 동북부의 섬 및 주(州)).

Neu≈gänger *m.* ↑ ~fänger. **≈gebacken** *a.* ① (빵을) 갓 구운(↑ ≈backen). ②〔구어〕 새로〔갓〕 …이 된: ein ~er Ehemann 갓 결혼한 신랑. **≈geboren** *a.* ① 갓난, 갓 태어난. ② 재생〔부활〕한: sich wie ~ fühlen 되살아난 기분이다. **~geborene*** *das* 갓 태어난 아이, 신생아. **~geburt** *f.* 〔雅語〕 신생, 갱생, 부활. **≈gemacht** *a.* ① 새로 만든, 신제(新製)의. ② 고쳐 만든, 수선한. **≈geschaffen** *a.* 신설된, 갓 만들어진. **~gestaltung** *f.* 재편성, 재구성, 개조, 변경. **≈gewaschen** *a.* 갓 세탁한. **≈geworben** *a.* 새로이 손에 넣은. **~-gewürz** *n.* (öst.) ↑ Piment. ***~gier** *f.* 호기심: eine brennende〔wissenschaftliche〕 ~ zeigen 불타는〔학문적인〕 호기심을 보이다; das erregt〔reizt, weckt〕 meine ~ 그것은 내 호기심을 불러일으킨다. **~gierde** *f.* ↑ ~gier. **≈gierig** *a.* 호기심이 많은, 캐기 좋아하는: jn. ~ machen 누구의 호기심을 돋우다; auf et. ~ sein 무엇을 알고〔보고〕 싶어하다. **~gliederung** *f.* 새로운 구분, 재편성. **~grad** *m.* 〖數〗 ↑ Gon 의 옛날 명칭(직각의 100 분의 1). **~grieche** *m.* 근대 그리스인. **~griechisch** *n.* 근대 그리스어. **≈griechisch** *a.* 근대 그리스(어)의. **~groschen** *m.* (Sachsen 에서 사용된) 10 페니히 화폐. **~gründung** *f.* ① 창립, 신설: die ~ einer Partei 창당. ② 신설〔창립〕된 것. ③ 재창설,

재창당.

Neuguinea [nɔʏginé:a] 뉴기니(오스트레일리아 북쪽의 섬).

Neu=hegelianer *m.* 신헤겔주의자. **~hegelianismus** *m.* 신헤겔주의. **~heidentum** *n.* 〖宗〗 신이단(新異端)(특히 가톨릭에서 모든 비기독교 종파를 부르는 말).

Neuheit [nɔ́ʏhaɪt] *f.* -en ① 새로움, 참신성, 독창성; 기억에 생생함: den Reiz der ~ verlieren 참신한 매력을 잃다. ② 새것, 새로운 사물; (특히) 새 상품, 신제품: ~en vorlegen 신제품을 선보이다; die literarischen ~en der diesjährigen Buchmesse 올 도서 박람회의 신간 문학 작품.

neu=hoch·deutsch *a.* 신고(新高) 독일어의 (약어: nhd.; 약 1500년 이후 현대에 이르는 표준 독일어): das ~e 신고 독일어. **~humanismus** *m.* 〖교양〗 신인문주의.

Neuigkeit [nɔ́ʏɪçkaɪt] *f.* -en ① 새로운 사건, 색다른 일; 새 소식〔정보〕, 뉴스: die ~en des Tages 그 날의 새로운 사건들〔뉴스〕; allerlei ~en 여러 가지 새로운 소식들; auswärtige ~en 해외 뉴스. ② 〖드물게〗 ↑ Neuheit.

Neuigkeits=blatt *n.* 신문. **~jäger** *m.* 뉴스거리를 찾아다니는 사람, 잘 참견하는 사람. **~krämer** *m.* 〖구어〗 새로운 정보를 시시콜콜 알고 떠벌리는 사람, 소식통.

Neu=inszenierung *f.* 새로운 연출; 재상연. *__~jahr__ [(또는) nɔʏjá:r] *n.* 새해, 신년, 정월 초하루, 설날: Prosit ~! 새해 복 많이 받으세요!; jm. zu ~ gratulieren 누구에게 신년을 축하하다; 〖기독교〗 Hohes ~ 주현절(主顯節) (1월 6일)(↑ Epiphania). **~jährchen** [nɔʏ jɛ́:rçən] *n.* 〖구어〗 (집배원·미화원 등에게 주는) 새해 선물〔복돈〕.

Neujahrs=abend *m.* 제야(除夜), 섣달 그믐날 밤. **~ansprache** *f.* (대통령이나 교황의) 신년사. **~botschaft** *f.* (특히 교황의) 신년 축사. **~brief** *m.* ↑ ~karte. **~fest** *n.* 신년 축하 파티. **~geschenk** *n.* 새해 선물. **~glück·wunsch** *m.* 신년 축하, 연하(年賀). **~gratulation** *f.* 연하(年賀). **~gruß** *m.* 새해 인사. **~karte** *f.* 연하장. **~tag** *m.* ↑ Neujahr. **~wunsch** *m.* ↑ ~glückwunsch.

Neu=kantianer *m.* 〖哲〗 신칸트 학파의 학자. **~kantianismus** *m.* 〖哲〗 신칸트주의. **~kauf** *m.* 새 상품의 구입. **~klassik** *f.* 신고전주의(1900년경의 문예 유파). **~klassizismus** *m.* 〖문학〗 신고전주의, 신의고(擬古)주의. **~konstruktion** *f.* 신형, 신구조. **~land** *n.* ① 신개발지. ② 처녀지, 미지의 땅. ③ 〖교양〗 미개척 분야. **~latein** *n.* 근대 라틴어. **~lateinisch** *a.* 근대 라틴어(1500년 이후)의.

*__neulich__ [nɔ́ʏlɪç] 《Ⅰ》 *a.* 요즈음의, 최근의, 일전의. 《Ⅱ》 *adv.* 요즈음, 최근에, 얼마 전에: ~ habe ich ihn getroffen 최근에 나는 그를 만났다.

Neu·licht *n.* (ostpreuß.) ↑ ~mond.

Neuling [nɔ́ʏlɪŋ] *m.* -s, -e ① 신참자, 초보자, 무경험자, 신출내기, 풋내기: ein ~ in et.[3] sein 무엇에 미숙하다. ② 〖스포츠〗 **(a)** 시합에 처음 출전하는 선수, 신인. **(b)** 실력을 알 수 없는 사람〔팀〕, 다크호스.

Neu=lot *n.* 〖고어〗 10 그램(Dekagramm).

~lust *f.* (schweiz.) 좋다가 만 즐거움, 헛물켜기; 기대를 가졌을 당시의 즐거움. **~mark** *f.* 노이마르크(브란덴부르크의 동부 지역).

Neume [nɔ́ʏmə] 《lat. (p)neuma》 *f.* -n 〖음악〗 네우마(악보법 사용 전 중세의 단음 음악의 표기에 사용된 기호).

neu=modisch *a.* 〖대개 폄어〗 너무 현대적이어서 거부감이 드는, 최신식의, 새로 유행하는. **~mond** *m.* 초승, 초생달.

*__neun__ [nɔʏn] *num.* 〖명사적으로는 ~e 로도 씀〗 구, 아홉: ~ Mark 9 마르크; früh um ~ (Uhr) 아침 아홉 시에; sie ist jetzt ~ (Jahre alt) 그녀는 지금 아홉 살이다; wir sind zu ~(en) 우리들은 (모두) 아홉 사람이다; alle ~(e)! a) (독일식 볼링에서 제 1구로 9개의 핀을 모두 쓰러뜨렸을 때의 외침) 스트라이크!, b) (실수로 물건들이 와르르 무너져 내릴 때의 외침) 스트라이크!

Neun *f.* -en ① 숫자 9. ② 〖구어〗 9번선 버스〔전차〕: mit der ~ fahren 9번을 타고 가다. ③ 9가 표시된 카드. ④ 〖구어〗 (ach) du grüne ~e! (몹시 놀랐을 때의 외침) 아이구 저런!

Neun=auge *n.* 〖動〗 칠성장어. **~eck** *n.* 9각형. **~eckig** *a.* 9각형의. **~einhalb** *num.* 9와 2분의 1.

Neuner [nɔ́ʏnər] *m.* -s, - 〖구어〗 ① 아홉으로 이루어진 것. ② 숫자 9. ③ 9인조 그룹. ④ 9 연대의 병사. ⑤ 9가 붙은 해의 포도주(보기: 1809년산(産)). ⑥ (독일식 볼링에서) 9개의 핀을 모두 쓰러뜨리는 투구. ⑦ (südd.) 9번 버스〔전차〕(↑ Neun ②).

neunerlei [nɔ́ʏnərlái] *a.* 9가지〔종류〕의.

Neuner·probe *f.* 〖數〗 9제법(除法).

neun=fach *a.* 9배의, 9겹의. **~fältig** *a.* ↑ ~fach. **~flach** *n.* 〖數〗 9면체. **~flächig** *a.* 9면체의. **~hundert** *num.* 9백. **~hundertst** *a.* 900번째의. **~jährig** *a.* 아홉 살의, 9년(간)의. **~jährlich** *a.* 9년마다 반복되는. **~mal** *adv.* 아홉 번.

neunmal·gescheit *a.* 〖구어〗 ↑ ~klug.

neun·malig *a.* 아홉 번의.

neun=klug *a.* 〖구어〗 똑똑한〔아는〕 체하는: Herr ~ 무엇이나 아는 체하는 사람(을 조롱조로 부르는 호칭). **~weise** *a.* 〖구어〗 ↑ ~klug.

neun=männig *a.* 〖植〗 9개의 수술이 있는. **~monatig** *a.* 9개월된, 9개월간의. **~monatlich** *a.* 9개월마다의. **~punktschrift** *f.* 〖印〗 9포인트 (활자). **~schwänzig** *a.* 〖海·고어〗 ~e Katze (반란을 일으킨 자들을 때리던) 여러 가닥의 가죽 채찍. **~seitig** *a.* 〖數〗 9면의, 9변의. **~stellig** 아홉 자리 수의. **~stündig** 아홉 시간의.

neunt [nɔʏnt] *a.* 제 9의, 아홉번 째의: der ~e Januar 〔9. Januar〕 1월 9일; zu ~ 9명이 함께 (〖구어〗에서는: zu neunen).

neun=tägig *a.* 9일간의. **~täglich** *a.* 9일마다의. **~tausend** *n.* 9천.

neunt·halb [nɔ́ʏnthálp] *a.* 8과 2분의 1의, 여덟 개 반의.

Neuntel *n.*/(schweiz.) *m.* -s, - 9분의 1.

neuntel *a.* 9분의 1의.

neuntens [..təns] *adv.* 9번째로, 제 9번째에.

Neun=töter *m.* 〖動〗 때까치속의 일종(민간 설화에 따르면 이 새는 매일 9마리의 동물을 죽인다는 데서). **~und·einhalb** [..nɔ́ʏn..hálp] *num.* ↑ ~einhalb. **~und·neunziger** [nɔ́ʏn..nɔ́ʏn..] *m.* 〖농담〗 약장수(100을 99로 속이는 교활한 사기꾼). **~und·zwanzig** [nɔ́ʏn..tsván..] *num.* 29(의): 〖농담〗 hoch in den ~ sein 아직은 20대다(30세가 넘은 여성의 나이를 말할 때). **~weibig** *a.* 〖植〗 9개의 암술이 있는. **~zahl** *f.* 9의 수. **~zehn** *num.* 19(의). **~zehnt** *a.* 제 19의. **~zehntens** *adv.* 19번째로, 제 19번째에.

neunzig [nɔ́ʏntsɪç] *num.* 90(의).

Neunzig *f.* -en 90의 수.

neunziger [nɔ́ʏntsɪgər] *a.* 90년대의: in den ~ Jahren 90년대에.

Neunziger *m.* -s, - ① 90세〔대〕의 사람. ② 〔복수〕 90대의 연령: sie ist Mitte der ~ 그녀는 90대 중반이다; er ist hoch in den ~n 그는 90세를 훨씬 넘었다. ③〔복수〕 90년대. ④ 90년산(産) 포도주(1890년산, 1990년산). ⑤〖軍〗 제 90연대의 사병. ⑥ (↑ Pikett 게임에서) 게임 시작 전에 얻는 90점.

neunzigst [nɔ́ʏntsɪçst] *a.* 제 90의: das ~e Jahr erreichen 90세에 달하다.

neunzigstel [..tsɪçstəl] *a.* 90분의 1의.

Neunzigstel *n.* -s, - 90분의 1.

neunzigstens [..tsɪçstəns] *adv.* 90번째로.

Neu≈ordnung *f.* 신질서, 새로운 규정〔배열〕. **~organisation** *f.* 신조직, 신기구. **~orientierung** *f.* 새로운 방향 정립, 다른 관점〔가치·목표〕의 확립. **~philologe** *m.* (특히 게르만·로만·슬라브 언어권의) 근대 어문학자. **~philologie** *f.* 근대 어문학. **~philologisch** *a.* 근대 어문학의. **~platoniker** *m.* 신플라톤주의자. **~platonismus** *m.* 신플라톤주의. **~prägung** ①〖언어〗 (단어의) 신조(新造); 신조어. ②〖화폐〗 새로운 주조〔발행〕.

neur.. *pref.* ↑ neuro...

Neuralgie [nɔʏralgí:] *f.* -n [..gí:ən] 〖醫〗 신경통.

Neuralgiker [..kər] *m.* -s, - 〖醫〗 신경통 환자.

neuralgisch [..rálgɪʃ] *a.* ① 〖醫〗 신경통성(性)의. ②〔교양〕 특히 문제가 많은, 교란이 잘 되는: ein ~er Punkt in der Verkehrsführung 교통이 잘 막히는 지점, 상습 정체 지역.

Neurasthenie [nɔʏrastenі́:] *f.* -n [..ní:ən] 〖醫〗 신경 쇠약.

Neurastheniker [..rasté:nikər] *m.* -s, - 〖醫〗 신경 쇠약증 환자.

neurasthenisch *a.* 신경 쇠약의.

Neu≈regelung *f.* 신규정, 재조정. **~reich** *a.* 〔폄어〕 벼락 부자인, 졸부의: der〔die〕 ~e 벼락 부자; Familie ~ 졸부 집안〔가족〕.

Neurer [nɔ́ʏrər] *m.* -s, - ↑ Neuerer.

Neurin [nɔʏrí:n] 《lat.》 *n.* -s 〖化〗 노이린(단백질 부패 때 생기는 맹독성 물질).

Neuritis [nɔʏrí:tɪs] 《gr.》 *f.* ..tiden [..tí:dən] 〖醫〗 신경염.

neuro.. 《gr., „Nerv"》 *pref.* "신경"의 뜻(모음 앞에서는 neur..가 됨).

Neurobiologie *f.* 〖理〗 신경 생물학.

Neurochirurg [..çirʊ́rk] *m.* -en, -en 〖醫〗 신경 외과 의사.

Neurochirurgie [..çirurgí:] *f.* -n [..gí:ən] 〖醫〗 신경 외과.

Neurocomputer *m.* -s, - 〖컴〗 신경망 컴퓨터(인간의 뇌구조를 모방한 컴퓨터).

neurogen [nɔʏrogé:n] *a.* 〖生〗 신경으로 이루어진; 신경으로 인한, 신경성(性)의.

Neurologe [..ló:gə] *m.* -n, -n (Nervenarzt) 신경과 전문의; 신경학자.

Neurologie [..logí:] *f.* ① 신경학. ②(병원의) 신경과.

neurologisch [..ló:gɪʃ] *a.* 신경학의.

Neurom [nɔʏró:m] *n.* -s, -e 〖醫〗 신경종(腫).

Neu≈romantik *f.* 신낭만파(19세기 말 독일의 한 문예 사조). **~romantiker** *m.* 신낭만주의자.

Neuron [nɔ́ʏrɔn] 《gr., „Nerv"》 *n.* -s, -e(n) / (드물게) ..ren 〖해부〗 뉴런(신경 단위).

Neuropathie [nɔʏropatí:] 《gr. páthos》 *f.* -n [tí:ən] 〖醫〗 신경 질환〔장애〕.

neuropathisch [..pá:tɪʃ] *a.* 신경 질환의〔에 따른〕.

Neuropathologie [..patologí:] *f.* 〖醫〗 신경 병리학.

Neuropsychologie *f.* 신경 심리학.

Neuroptere [nɔʏrɔpté:rə] *f.* -n 〖動〗 맥시류(脈翅類) (Netzflügler).

***Neurose** [..ró:zə] *f.* -n 〖醫〗 신경증, 노이로제.

***Neurotiker** [nɔʏró:tikər] *m.* -s, - ① 신경증 환자. ②〔교양·욕설〕 신경질적인 사람.

***neurotisch** *a.* ① 신경증의, 노이로제로 인한. ②〔교양·폄어〕 신경질적인, 괴팍한.

neurotisieren *t.* 노이로제에 걸리게 하다.

Neurotomie [nɔʏro:tomí:] *f.* -n [..mí:ən] 〖醫〗 신경 절단 수술(Nervenschnitt).

Neurung [nɔ́ʏrʊŋ] *f.* -en ↑ Neuerung.

Neu≈satz *m.* 〖印〗 ①(동일한 활판면의) 새로운 조판. ② 새로 짠 판. **~scheffel** *m.* 〖商〗 헥토리터의 반. **~scholastik** *f.* 〖哲〗 신스콜라주의(19세기 말 가톨릭 철학 내부의 개혁 운동). **~schöpfung** *f.* 새것의 창조; 새로운 창조물.

Neuschottland 노바스코샤(캐나다 남동부의 주).

Neuseeland *n.* 뉴질랜드.

Neuseeländer *m.* -s, - 뉴질랜드 사람.

neuseeländisch *a.* 뉴질랜드(사람)의.

Neu≈silber *n.* 양은(구리·니켈·아연의 합금). **~silbern** *a.* 양은으로 된, 양은의. **~sprachler** *m.* 근대어 학자; (특히) 영어〔프랑스어〕 교사. **~sprachlich** *a.* 근대어의. **~stadt** *f.* 신시가지(↔ Altstadt).

Neustrien [nɔ́ʏstriən] (↑ Austrien) 노이스트리엔(옛 프랑크 왕국의 서부 지역).

Neu≈strukturierung *f.* 구조 조정, 개편, 재구성: die ~ des Hochschulwesens 대학 학제의 개편. **~testamentler** *m.* 신약(新約) 학자. **~testamentlich** *a.* 신약 성서의. **~töner** *m.* 〔대개 반어〕 신음악의 작곡가〔대표자〕. **~tönerisch** *a.* 〔대개 폄어〕 신음악풍의.

***neutral** [nɔʏtrá:l] 《lat. neutralis》 *a.* ① 중립의, 어느 편에도 속하지 않는; 공정한, 불편부당의: 〖권투〗 eine ~e Ecke 중립 코너; in dieser Sache hat er eine ~e Position eingenommen 그는 이 문제에서 중립적인 입장을 취했다. ②〖化〗 산성도 알칼리성도 아닌, 중성의; 〖物〗 음전기도 양전기도 아닌, 중성의, 대전(帶電)하지 않은. ③〖문법〗 중성의(sächlich). ④ 무난한, 무엇에나 잘 어울리는: eine ~e Farbe 무난한 색. ⑤ 효과가 없는(unwirksam) ; 이것도 저것도 아닌(gleichgültig). ⑥ 색이 바랜, 개성 없는, 무색무취의: ein ~er Geschmack 특성 없는 취미.

Neutralisation [..lizatsió:n] *f.* -en ① 중립화; 중성화; 무효화. ②〖化〗 중화(中和). ③〖스포츠〗(점수 계산이 잠정적으로 멈추는) 경기의 중단.

***neutralisieren** [..zí:rən] *t.* ① 무효화〔상쇄〕하다: den bitteren Geschmack eines Medikaments durch Zucker ~ 약의 쓴맛을 설탕으로 상쇄시키다. ② 중립화하다: ein Gebiet ~ 어떤 지역을 중립 지역으로 만들다. ③〖化〗 중화시키다. ④〖스포츠〗 잠시 중단시키다.

Neutralisierung [..ruŋ] *f.* 중립화; 중성화; 무효화.

Neutralismus [nɔʏtralísmus] *m.* -〖政〗 중립주의, 중립 정책.

Neutralist [..líst] *m.* -en, -en 중립주의자.

neutralistisch [..lístɪʃ] *a.* 중립주의의, 중립 정책의.

***Neutralität** [nɔʏtralitɛ́:t] *f.* ① 중립, 불간섭, 불개입: die ~ wahren 중립을 지키다;〖政〗 dauernde ~ 영구 중립. ② 불편부당, 공평무사: die ~ des Schiedsrichters 심판의 공정성. ③ 무난, 무색무취. ④ (전기나 원소의) 중성.

Neutralitäts≈abkommen *n.* 중립 협정. **~bruch** *m.* 중립 파기. **~erklärung** *f.* 중립 선언. **~politik** *f.* 중립 정책. **~verletzung** *f.* 중립 위반.

Neutrino [nɔʏtrí:no] 《it.》 *n.* -s, -s〖핵물리〗 중성 미자(微子).

Neutron [nɔ́ʏtrɔn] 《gr.》 *n.* -s, -en [..tró:nən]〖物〗 중성자.

Neutronen≈bombe *f.*〖軍〗 중성자탄. **~reaktor** *m.*〖핵물리〗 중성자 반응로. **~strahlen** *pl.* 중성자 광선. **~waffe** *f.*〖軍〗 중성자 무기.

***Neutrum** [nɔ́ʏtrum] *n.* -s, ..tra/..tren ①〖문법〗 중성, 중성 명사(약어: *n.*). ②〔폄어〕 성적인 매력이 없는 사람.

neu≈vermählt *a.* 갓 결혼한, 신혼의. **~verschuldung** *f.* 추가 차입, 차관의 새로운 도입. **≈wahl** *f.* 재선거. **~waschen** *a.* 갓 세탁한. **≈welt** *f.* ① 신세계, (특히) 아메리카. ② ↑ ≈zeit. **~weltlich** *a.* 신세계의. **≈wert** *m.* ① 신품 가격. ②〖마르크스주의〗(노을 통해) 새로 창조된 가치.

neuwertig *a.* 새것이나 다름없는.

neu≈wertlich *a.* 신품 가격의. **≈wertversicherung** *f.* 신품 보장 보험. **≈wort** *n.* 〔복수: ..wörter〕 신어.

Neuyork [nɔʏjɔ́rk] 뉴욕(New York 의 독일어식 표기).

Neuyorker [..kər] 《I》 *m.* -s, - 뉴욕 시민. 《II》 *a.* 뉴욕의.

***Neu≈zeit** *f.* ① 근대(대략 1500 년 이후 현재까지의 시기). ②〔드물게〕 현대. **~zeit·feindlich** *a.* 근대〔현대〕를 싫어하는. **~zeitlich** *a.* 근대〔현대〕의, 근대적〔현대적〕인. **~zoll** *m.* 〔고어〕 센티미터. **~züchtung** *f.* 신품종 재배〔사육〕. **~zugang** *m.* ① 신규 가입. ② 새로 들어온 사람〔물건〕. ③〖스포츠·은어〗 새로 스카웃된 선수. **~zulassung** *f.* ① 자동차의 신규 인가. ② 신규 인가된 자동차. **~-zustand** *m.* 신품의 상태.

Neveu [nəvǿ:] 《frz.》 *m.* -s, -s 조카(Neffe).

New Beatle〖車〗 폭스바겐사의 소형차 모델.

New·comer [njú:kʌmər] 《engl.》 *m.* -, -s 신인 유망주, 떠오르는 샛별.

New Deal [njú:dí:l] 《engl.》 *m.* - - 뉴 딜 (1933 년 미 대통령 F.D. Roosevelt 가 채택한 신경제 정책).

New Look [njú:lʊ́k] 《engl.》 *m.* - -(s) 〔교양〕 새로운 스타일, 신형, 새로운 노선.

New-Orleans-Jazz [nju:ɔ:lí:nz..] 《engl.》 *m.* 뉴올리언스 재즈(미국 뉴올리언스에서 흑인들에 의해 즉흥적으로 연주된 재즈 유형).

News [njú:z] 《engl.》 *pl.* 〔은어〕 ① 최신 보도, 뉴스. ② 최신 상품〔모델〕.

News·group [..gru:p] 《engl.》〖컴〗 뉴스그룹 (특정 테마에 대해 정보를 주고 받는 게시판).

Newton [njú:tən] *m.* Isaac ~ 뉴턴(영국의 물리학자·수학자, 1643-1727).

Newton·meter [njú:tən..] 《engl.》 *n.*〖物〗 에너지의 물리적 단위(기호: nm).

Nexus [nɛ́ksus] 《lat.》 *m.* -, - 관련, 연관, 결합, 관계.

NF [ɛn|ɛ́f] = Niederfrequenz 저주파.

NF = Neues Forum 신(新)포럼(1989 년 구동독 지역에서 결성된 반체제 시민 운동 단체).

nF [nanofará:t] = Nanofarad 10 억분의 1 패럿.

N.F. = Neue Folge 속편.

N.H. [nɔrmá:lhø:ənpʊnkt] = Normalhöhenpunkt 수준 원점(原點).

nhd. = neuhochdeutsch 신고(新古) 독어의.

Ni [ɛn|í:, níkəl]〖化〗 = Nickel 니켈.

Niagara·fälle [niagá:rafɛlə] *pl.* 나이아가라 폭포.

nibbeln [níbəln] *t.* (양철 따위를) 자르다.

Nibbler [níblər] *m.* -s, - 절단기.

nibeln [ní:bəln] 《< Nebel》 *i.* (h.) (obd.) es nibelt 안개〔안개비〕가 내린다.

Nibelungen [ní:bəluŋən] 《„Kinder des Nebels"》 *pl.* 〖북구신화〗 니벨룽겐족(전설 속의 난쟁이족으로 Nibelungenhort 를 소유함).

Nibelungen≈hort *m.* 니벨룽겐족의 보물. **~lied** *n.* 니벨룽겐의 노래(독일 중세의 영웅 서사시). **~sage** *f.* 니벨룽겐 전설.

Niblick [níblɪk] *m.* -s, -s〖골프〗 아이언 9 번 (머리 부분이 쇠로 된 무거운 골프채).

Nicaragua [nikará:gua] 니카라과.

Nichrom [níkro:m] *n.* 니크롬(니켈과 크롬의 합금).

Nichrom·draht *n.* 니크롬선.

***nicht** [nɪçt] *adv.* ① … 아니다, … 않다: das glaube ich ~ 나는 그렇게 생각하지 않는다; gar〔durchaus, überhaupt〕 ~ 전혀〔결코〕 … 아니다; bitte ~ ! 그만두게 !; soviel ich weiß, ~ 내가 아는 바로는 그렇지 않다; nur das ~ ! 그것만은 결코 아니다〔안 된다〕 !; ~ doch ! a) 결코 그렇지 않다 !, b) 〔구어〕 하지 마라, 안 된다 !; warum ~ ? 왜 안 되지 ? ② ~ **anders** als … …에 지나지 않다; ~ **eben** 〔**gerade**〕 별로 …이 아니다; ~ **einmal** …조차 아니다; ~ das **geringste** 〔~ im geringsten〕 결코 … 아니다; ~ **mehr** a) 더 이상 … 아니다, b) 이미 …이 아니다; ~ **nur**〔**allein, bloß**〕…, sondern (auch) … …뿐만 아니라 …

도 또한 …; er ist ~ ohne Sorge 그는 근심이 없지 않다; ~ **sowohl**〔**sosehr**〕... als (vielmehr) ... …이 아니고 오히려; ~ **viel** 크게 …않다, 대단치 않게; das ist ~ **weit** her 그것은 대단한 일이 아니다; ~ **wenig** 적지 않게; ~ weniger ... als ... …못지 않게 …하다. ③ (**a**)〔동사 부정은 문장 전체의 부정〕er hat meinen Bruder ~ gegrüßt 그는 내 형에게 인사하지 않았다. (**b**)〔부분 부정에서는 그 말 앞에〕er hat ~ meinen Bruder gegrüßt 그는 내 형에게는 인사하지 않았다; ~ alles ist Gold, was glänzt 번쩍이는 것 모두가 금은 아니다. ④〔긍정을 기대하는 의문문 중에〕wollen Sie ~ mit mir gehen? 나와 함께 가지 않으시렵니까?; ich darf kommen, ~ (wahr)? 가도 되겠죠, 그렇죠?; das ist schön, ~ (wahr)? 멋지지요, 그렇죠? ⑤〔놀라움·체념을 나타내는 감탄문 중에서는 생략해도 같은 뜻이 됨〕wie erschrak sie (~)! 그녀는 얼마나 놀랐던가!; was die Kinder (~) alles wissen! 어떻게 저 아이들은 모든 것을 아는가! ⑥〔이중 부정으로 제한적 긍정의 의미〕~ uninteressant〔unfreundlich〕그런 대로 재미있는〔대체로 친절한〕.

Nicht *n.* -(e)s ↑ Nichts.

Nịcht≈abgabe *f.* 불교부(不交付). **~achtung** *f.* 무시, 경시: jn. mit ~ strafen 누구를 의도적으로 무시하다. **≈amtlich** *a.* 비공식의, 사적인. **~anders·können** *n.* 달리 방도가 없음, 불가피. **~anerkennung** *f.* 불인정. **~angriffs·pakt** [(또는) nɪçt|ángrɪfs..] *m.* 불가침 협정. **~annahme** *f.*〘商〙불인수, 인수 거절. **~arbeitend** *a.*〔격식〕비노동〔무직〕의. **~arier** *m.* 비(非)아리아 사람. **≈-arisch** *a.* 비아리아 인종의. **~beachtung** *f.*〔격식〕경시, 무시. **~befolgung** *f.*〔격식〕(명령·규칙 따위를) 준수하지 않음, 위배. **~beobachtung** *f.* ↑ ~befolgung.

nịchtberufs≈tätig *a.* 무직의. **≈tätige*** *der/die* 무직자.

Nịcht≈bezahlung *f.* 미지급; (어음의) 불인수. **~christ** *m.* 비기독교도. **~christlich** *a.* 비기독교의. **~dasein** *n.* 비존재. **~-duldung** *f.* 불관용, 편협;〘宗〙(타종파의) 배척.

***Nichte** [níçtə] *f.* -n (↔ Neffe) 조카딸, 질녀.

Nịcht≈einbringungs·fall *m.* (ost.)〔다음 용법으로〕im ~ 지급 불능인 경우에는. **~-einhaltung** *f.*〘商〙불이행: die ~ einer Verabredung 약속 불이행. **~einmischung** *f.*〘政〙불간섭, 불개입. **~eisen·metall** *n.*〘工〙비철 금속(약어: NE-Metall). **~erfüllung** *f.*〘法〙불이행, 불실행. **~erscheinen** *n.*〔격식〕① 불참, 결석, 불출두. ② (서적 따위의) 미간행. **≈euklidisch** *a.*〘數〙비유클리드의: die ~e Geometrie 비유클리드 기하학. **~fach·mann** *m.* 비전문가, 문외한. **≈-flektierbar** *a.*〘문법〙어미 변화할 수 없는 (unbeugbar). **~gefallen** *n.*〘商〙불만족, 미흡. **~gelehrte*** *der/die* ① 학자가 아닌 사람. ② 무식한 사람. **~gelingen** *n.* 성공하지 못함, 실패. **~geschäfts·fähige*** *der/die* 실무 능력이 없는 자;〘法〙무능력자. **~-gewünschte*** *das* 바라지〔원치〕않는 것. **~haltung** *f.* ① (회의의) 불개최, 유회(流會). ② ↑ ~befolgung, ~erfüllung. **~-Ich** *n.*〘哲〙(J.G. Fichte 의) 비아(非我), 외계, 사물 세계.

***nichtig** [níçtɪç] *a.* ① 실질이 없는, 무(無)의, 공허한. ②〘法〙무효의: für null und ~ erklären 무효로 선언하다; ~ machen 무효로 하다, 파기하다. ③ 중요치 않은, 사소한; 헛된, 무상한: der Anlaß des Streits war eine ~e Angelegenheit 논쟁의 발단은 별것도 아닌 일이었다.

Nịchtigkeit *f.* -en ① 내용이 없음. ② 무가치한〔하찮은〕것. ③〘法〙무효.

Nịchtigkeits≈beschwerde *f.*〘法·구식〙재심, 상고(↑ Revision). **~erklärung** *f.* ↑ ~urteil. **~klage** *f.*〘法〙무효 확인 소송. **~urteil** *f.*〘法〙무효 판결.

Nịcht≈inanspruch·nahme *f.*〔격식〕요구하지 않음. **~jude** *m.* 비(非)유대인. **~-kämpfer** *m.* 비전투원. **~katholik** *m.* 비가톨릭 교도. **~kenner** *m.* 익숙치 않은 사람, 초심자, 아마추어. **~kombattant** *m.*〘法·軍〙① 민간인. ② 직접 전쟁에 참가하지 않은 사람. **≈kommunistisch** *a.* 공산주의가 아닌: ~e Länder 비공산권 국가. **≈krieg-führend** *a.* 전쟁에 참여하지 않은, 비교전의, 중립의. **≈leitend** *a.* 부도체의, 절연체의. **~leiter** *m.*〘전기〙부도체, 절연체. **≈-leuchtend** *a.* 빛을 내지 않는. **~metall** *n.* 비금속. **~mitglied** *n.* 비회원. **≈öffentlich** *a.* 비공개〔비밀〕의. **≈organisiert** *a.* 조직되지 않은; 비노조의: ~e Arbeiter 노조 비가입 노동자. **~raucher**[1] *m.* 비흡연자. **~raucher**[2] *n.*〔구어〕↑ ~raucherabteil 의 약칭: sich ins ~ setzen 금연 칸에 앉다.

Nịchtraucher≈abteil〘철도〙금연 칸. **~-gaststätte** *f.* 금연 음식점. **~schutz** *m.*〘法〙비흡연자 보호법. **~zone** *f.* 금연 구역.

nịcht·rostend *a.* 녹슬지 않는: ~er Stahl 스테인리스 스틸.

***nichts** [nɪçts] *prn.*〔부정 대명사로 어미 변화 없음〕① (↔ etwas) 아무것도 …않다〔없다〕: ~ tun 아무것도 하지 않다; ~ ahnend 무심히, 아무것도 모르고; durchaus ~〔gar ~, ~ in der Welt〕전혀 아무것도 (…없다);〔구어〕macht ~! 괜찮아, 아무 일도 아니야!;〔구어〕~ da! 그건 아무 일도 아니야, 그런 것은 문제 안 돼!;〔구어〕wie ~ 순식간에, 재빨리;〔구어〕~ wie weg! 썩 꺼져!; sonst〔weiter〕~? 그것뿐이냐, 그 밖엔 없어?; wenn es weiter ~ ist! (부탁 따위를 승낙할 때) 단지 그것뿐이라면(받아들이겠습니다)!; ~ als ... … 이외에는 아무것도 아니다, 오로지 …뿐이다; ~ anderes als ... … 외에 아무것도 아니다, 바로 …이다; ~ weniger als ... a) 전혀〔결코〕… 아니다(부정의 강조), b) 다름 아닌 바로 …이다(긍정의 강조); er ist ~ weniger als reich 그는 조금도 부자가 아니다; dieses Auto ist ~ weniger als ein Rennwagen 이 자동차가 바로 경주용 자동차다; mir〔dir〕~ 다짜고짜, 덮어놓고, 무턱대고; soviel〔so gut〕wie ~ 없는 것이나 마찬가지; es läßt sich ~ machen〔daran ändern〕그것은 어떻게 할 도리가 없다; ~ zu machen〔~los〕! 그만둬라, 안 된다!; ~ zu danken! 별 말씀을요! (감사하다는 말에 대해); das hat ~ zu sagen 그것은 문제삼을 것이 못된다; er ist ~ 그는 쓸모없는 인간이다, 무능한 자다.

②〖전치사와 함께〗 es ist ~ **an**〔mit〕 ihm 그는 시시한 녀석이다; mir liegt ~ daran 그런 것은 나와 아무 상관 없다; das hat ~ **auf** sich[3] 그것은 하찮은 일이다; es wird ~ (Rechtes) **aus** ihm werden 그는 변변한 인물이 되지 못할 것이다; ich mache mir ~ daraus 나는 그것을 문제 삼지 않는다; mach dir ~ daraus! 그 일로 괜히 마음쓰지 마!; ich mache mir ~ aus Kuchen 나는 케이크를 별로 좋아하지 않는다; aus ~ wird ~ 무에서 유를 만들 수는 없다; ~ **für** ungut! 나쁘게 생각지 마십시오!; für ~ achten 무시하다; du bist auch für gar ~ zu haben 자네는 아무 일에도 전혀 흥미가 없는 인간이다; für〔um〕 ~ und wieder ~ 정말 쓸데없이, 헛되이; das ist ~ für mich 그것은 내 것〔일〕이 아니다; ich habe ~ **dagegen** 나는 그것에 반대할 이유가 없다; sich von et.[3] **in** ~ unterscheiden 무엇과 아무 차이가 없다; es ist ~ **damit** 그건 아무것도 아니다; damit habe ich ~ zu tun 나는 그 일과 무관하다; **um** ~ gebessert sein 조금도 개선되어 있지 않다; es ist mir aber um ~ weniger lieb 하지만 그것도 못지 않게 기쁘다; er hat ~ **von** seinem Vater 그는 아버지를 조금도 닮지 않았다; ~ von Bedeutung 아무런 의미도 없는, 전혀 중요하지 않은: von ~ kommt ~ 무에서 유가 나올 수는 없다; **zu** ~ kommen 실패하다, 수포로 돌아가다; er wird es zu ~ bringen 그는 성공〔출세〕하지 못할 것이다; er ist zu ~ nutze 그는 쓸모〔가망〕 없는 인간이다; ich hatte ~ davon 나는 그 일로 아무 득이 없었다. ③〖중성 명사화된 형용사와 함께〗 ~ Neues 새로운 일〔신기한 것〕이 하나도 없다; von ihm ist ~ Gutes zu erwarten 그에게서는 좋은 것을 기대할 수 없다; ich weiß ~ Näheres〔Genaues〕 나는 자세〔정확〕한 내용은 모른다. ④〖부사적〗 er bekümmerte sich ~ darum 그는 그것을 조금도 걱정하지〔개의치〕 않았다; das schadet〔verschlägt〕 ~ 그것은 전혀 무관하다, 괜찮다.

*__Nichts__[1] [nɪçts] *n.* -, -e ① 무(無), 공(空), 공허; vor dem ~ stehen 알거지가 되다, 아무 대책이 없다; dieser Schriftsteller ist aus dem ~ aufgetaucht 이 작가는 혜성처럼 뜻밖에 우리 앞에 나타났다; all seine Hoffnungen endeten im ~ 그의 모든 희망은 수포로 돌아갔다. ②〖폄어〗 무가치, 미천; 하찮은 것〔사람〕: wollt ihr euch um so ein ~ streiten? 너희들 그런 하찮은 일로 싸우려 드는 거냐?; ein ~ in der Unendlichkeit 무한 속의 (티끌처럼) 미미한 존재; jn. aus dem ~ hervorziehen 누구를 미천한 지위에서 발탁하다. ③ 극소량, 극소수: ein ~ an〔von〕 et.[3] haben 무엇을 극히 적게 지니고 있다.

Nichts[2] 《lat. (o)nychitis》 *n.* - 〖化〗 (Zinkoxyd) 산화아연, 아연화(華).

nichts≈ahnend *a.* 아무것도 모르는: ~ wollte sie mit dem Unterricht beginnen 그녀는 아무런 낌새도 알아채지 못하고 수업을 시작하려고 했다. **~bedeutend** *a.* 중요하지 않은, 하찮은.

Nicht≈schwimmer *m.* 수영 못 하는 사람. **~schwimmer·becken** *n.* (수영 못 하는 사람을 위한) 물이 얕은 풀장.

nichtsdesto≈minder [nɪçtsdɛstomɪndər] *adv./cj.* 〖드물게〗 ↑ ~weniger. **~trotz** *adv./cj.* 〖농담〗 ↑ ~weniger. **~weniger** *adv./cj.* 그럼에도 불구하고(trotzdem).

Nicht≈sein [nɪçtzaɪn] *n.* 비(非)존재, 무, 공(空); 허무, 죽음; 『불교』 열반(↑ Nirwana). **≈selb·ständig** *a.* ① 비자립적인. ②〖經〗 남의 회사에서 일하는.

Nichtser [nɪçtsər] *m.* -s, - 무가치한 사람, 보잘것없는 사람.

Nicht·seßhafte* [nɪçtzɛshaftə] *der/die* 〖격식〗 주거〔주소〕 부정자(不定者), 떠돌이.

Nichts≈könner *m.* 〖폄어〗 무능력자, 미숙한 사람. **~nutz** *m.* 〖폄어·욕설〗 아무짝에도 쓸모없는 사람, 놈팽이, 건달. **≈nutzig** *a.* 쓸모없는, 변변치 못한, 무능한, 건달의. **~-nutzigkeit** *f.* 쓸모없음, 무능. **≈sagend** *a.* 내용 없는, 무의미한; (얼굴·눈 따위가) 무표정〔공허·멍청〕한: sie hat ein ~es Gesicht 그녀는 멍한 표정을 짓고 있다. **~tuer** *m.* 〖폄어〗 무위도식자, 빈둥거리는 사람, 게으름뱅이. **≈tuerisch** *a.* 무위도식하는, 게으른. **~tun** *n.* 〖폄어〗 무위도식, 빈둥거림: seine Zeit mit ~ verbringen 시간을 빈둥거리며 보내다. **~wisser** *m.* 무식한 사람, 무학자. **≈-würdig** *a.* 보잘것없는, 하찮은; 비열한, 경멸스러운, 파렴치한. **~würdigkeit** *f.* 비열, 천박.

Nicht≈tänzer *m.* 춤 못 추는 사람. **~teilnahme** *f.* 무관여, 불참. **~übereinstimmung** *f.* 불일치. **~vollziehung** *f.* 실행〔집행〕하지 않음. **~vorhanden·sein** *n.* 〖구어〗 없음, 부재. **~weiter·gabe** *f.* 확산 금지〔억제〕: die ~ von Kernwaffen 핵무기의 확산 금지. **~widerstand** *m.* 무저항. **~wissen** *n.* 모름, 무지(無知). **~wollen** *n.* 마음이 내키지 않음. **~zahlung** *f.* 〖격식〗 지급하지 않음, 체납. **≈zielend** *a.* 『문법·구식』 자동사의(intransitiv): ~es Zeitwort 자동사. **~-zulassung** *f.* ① 입장 금지. ② 불허, 불승인. **~zutreffende*** *das* 맞지〔적절치〕 않은 것.

Nick [nɪk] *m.* -(e)s, -e (Kopfnicken) 끄덕임, 수긍.

Nick·bewegung *f.* 『工』 (가속·제동 때 발생하는) 차체의 흔들림.

Nickel[1] [nɪ́kəl] *m.* -s, - 〖↑ Nikolaus의 단축형〗 ① 산타 클로스. ②〖농담·욕설〗 고집불통, 망나니. ③『신화』 (Nöck) 물의 요정, 수마(水魔). ④ 짐말, 조랑말.

Nickel[2] *n.* -s 『化』 니켈(기호: Ni).

Nickel[3] *m.* -s, - 〖고어〗 니켈화(貨), 10 페니히짜리 백통화.

Nickel[4] *n.* -s, - 〔*f.* -n〕 〖고어·방언·욕설〗 행실 나쁜 계집, 잡년.

Nickel≈blüte *f.* 『광물』 니켈화(華). **~brille** *f.* 〖구식〗 니켈테 안경. **~chrom·stahl** *n.* 니켈 크롬강(鋼). **~geld** *n.* 니켈화(貨). **~-hoch·zeit** *f.* 니켈혼식(특히 북독일에서 결혼 12년 반이 지난 후 치루는). **~mann** *m.* 〖복수: ..männer〗 물의 요정(↑ Nickel[1] ②). **~münze** *f.* 니켈화〔백통화〕 동전. **~stahl** *m.* 니켈강(鋼)(철과 니켈의 합금). **~stück** *n.* ↑ ~geld.

*__nicken__[1] [nɪ́kən] 《I》 *i.* (h.) ① (긍정·동의·이해의 표시로) 고개를 끄덕이다; 고개를 숙여 인사하다: er hat zustimmend genickt 그는 고

개를 끄덕여 동의를 표했다; er grüßte mit dem leichten ~ 그는 가볍게 고개를 숙여 인사했다. ② (동물들이) 걸어가며 고개를 끄덕끄덕하다. ③〖구어〗(앉아서) 꾸벅꾸벅 졸다. ④ 〖工〗(자동차가) 앞뒤로 흔들리다(가속 또는 제동 때). 《Ⅱ》*t.* ①〖雅語〗고개를 끄덕여 표현하다: jm. Dank ~ 누구에게 고개를 끄덕여 감사를 표하다. ②〖스포츠〗살짝 헤딩하다: den Ball ins Aus ~ 가벼운 헤딩으로 볼을 라인 밖으로 쳐내다.

nịcken[2] *t.*〖사냥〗(짐승의) 목덜미를 찔러〔쳐서〕죽이다.

Nicker[1] [níkər] *m.* -s, - ① 끄덕이는 사람; 〖폄어〗수위. ② 한번 고개를 끄덕임(Nick). ③〖구어〗↑ Nickerchen.

Nịcker[2] *m.* -s, -〖사냥〗↑ Nickfänger.

Nickerchen [níkərçən] *n.* -s, -〖↑ Nicker의 축소형〗〖구어〗꾸벅꾸벅 조는 가벼운 잠: ein ~ machen 잠깐 눈을 붙이다.

Nịck≈fänger *m.*〖사냥〗(짐승의 목덜미를 찔러 죽이는) 사냥칼(Genickfänger). **~haut** *f.* 〖해부〗순막(瞬膜).

nickköppen [nıkkœpən] *i.* (h.) / *t.* (ndd.) 고개를 끄덕이다(nicken[1]).

Nicol *n.*/*m.* -s, -s ↑ Nicol-Prisma의 약칭.

Nicole [nikɔ́l] 니콜(여자 이름).

Nịcol-Prisma *n.* -s, ..men〖광학〗니콜 프리즘(편광 프리즘; 영국의 물리학자 W. Nicol의 이름에서).

nid [niːt] 《mhd. nide; ↑ nieden》*prp.*[3] (obd.) (↔ ob) 아래에, 하부에: ~ dem Berg 산기슭에.

Nidation 《lat. nidus, „Nest"》*f.*〖生〗(수정란의) 자궁내 착상(↑ Implantation).

Nidel [níːdəl] *m.* -s (schweiz.) 크림, 유지.

Nịdle *f.* (schweiz.) ↑ Nidel.

***nie**[1] [niː] *adv.*〖본래는 과거 시칭에만 쓰였으나 오늘날에는 nimmer의 의미로 미래 시칭에도 쓰임〗결코 …아니다, …한 적이 없다: so etwas habe ich noch ~ gesehen 그런 것은 아직 본 적이 없다; ~ wieder Krieg! 이제 다시는 전쟁이 일어나지 않기를!; ~ im Leben hätte er an so etwas gedacht! 그는 그런 것을 평생 한번도 생각해 보지 못했을 것이다!; 〖속담〗besser spät als ~ 늦게 하는 것이 하지 않는 것보다는 낫다; ~ und nimmer (mehr) 절대로 …하지 않다(↑ nimmermehr); jetzt oder ~ 지금이야말로 다시없는 기회다.

nie[2] *a.* (ndd.) 새로운(neu).

niebeln *i.* (h.) / *imp.* (nordd.) ↑ nebeln ①.

nied[1] [niːt] *a.* (alem.) (niedlich) 맛있는, 부드러운, 상냥한.

nied[2] *prp.* (alem.) ↑ nid.

nieden [níːdən] 《mhd. niden(e)》*adv.* ①〖시어〗(danieder) 아래로, 아래에. ② (hie~) 지상〔현세〕에서.

***nieder** [níːdər] 《mhd. nider》《Ⅰ》*adv.* ① (↔ empor) 아래로, 낮게: auf und ~ 오르락내리락, 왔다갔다; ~ mit der Diktatur! 독재 타도!; die Waffen ~! 무기를 버려라〔내려놓아라〕! ②〖sein과 함께〗die Sonne ist schon ~ 해는 벌써 졌다; das Haus ist ~ (gebrannt) 집이 불타서 내려앉았다. ③〖조동사 wollen, müssen 등과 함께〗die Sonne will schon ~ 해는 벌써 지려 하고 있다. ④ 〖고어〗아래에. 《Ⅱ》*a.* (↔ hoch) ①〖방언〗낮은(niedrig): eine ~e Stirne 낮은 이마; eine ~e Zimmerdecke 낮은 천장; ~e Löhne 〔Preise〕 저 임금〔물가〕; ein ~er Blutdruck 저혈압. ② 지위가〔계급이〕 낮은, 저급한, 비천한: die ~en Stände 낮은〔천한〕 신분; hoch und ~ 〔Hohe und ≈e〕 귀천의 구별 없이, 누구든지. ③ 저열〔비열〕한: ~e Instinkte〔Triebe〕 저열한 본능〔충동〕. ④〖生〗하등의: ~e Tiere〔Pflanze〕 하등 동물〔식물〕. ⑤〖사냥〗 ~e Jagd ↑ ≈jagd.

nieder.. *pref.* ① 분리 동사나 명사의 전철로서 "하강·타도·집필·취침"의 뜻(보기: ~schlagen, ~schießen, ~schreiben). ② 지명의 경우에는 "저지(低地)"의 뜻(보기: ≈deutschland, ≈rhein).

nieder≈|arbeiten *t.* jn. ~ 일〔공부〕에서 누구를 누르다〔이기다〕. **~|beugen** 《Ⅰ》*t.* 아래로 굽히다〔숙이다〕, 꺾어 내리다〔낮추다〕:〖雅語〗den Oberkörper ~ 상체를 굽히다; jn. ~ 누구를 억압하다, 굴복시키다; js. Mut ~ 누구의 용기를 꺾다. 《Ⅱ》*refl.* sich ~ 몸을 숙이다. **~|biegen*** *t.* 아래로 휘게 하다〔구부리다〕. **~|blasen*** *t.*〖제련〗einen Hochofen ~ 용광로의 가동을 중지시키다. **≈blatt** *n.*〖植〗저출엽(低出葉). **~|blicken** *i.* (h.)〖대개 雅語〗시선을 떨구다, 내려다보다. **~|brechen*** 〖雅語〗《Ⅰ》*t.* (건물 등을) 허물다. 《Ⅱ》*i.* (s.) 허물어지다; 풀썩 주저앉다, 푹 쓰러지다. **~|brennen*** 《Ⅰ》*t.* (가옥·마을 등을) 태워 버리다, 잿더미로 만들다. 《Ⅱ》*i.* (s.) 불타 없어지다, 소실되다. **~|bringen*** *t.* 쳐부수다, 이기다;〖광산〗(갱도를) 파 내려가다(↑ abteufen). **~|brüllen** *t.*〖구어〗고함쳐 말을 못 하게 만들다. **~|bücken** *refl.* sich ~ 몸을 깊이 숙이다.

nieder≈deutsch** *a.* (↔ hochdeutsch) 저지(低地) 독일(어)의(약어: nd., ndd.): der ≈e 저지 독일인. **≈deutsch** *n.*, **≈deutsche *das* 저지 독일어. **≈deutschland** 저지 독일.

nieder|donnern 《Ⅰ》*t.* ① 쾅하고 넘어뜨리다. ②〖구어〗큰소리를 질러 아무 말을 못 하게 하다. 《Ⅱ》*i.* (s.) 쾅하고 떨어지다:〖구어〗Vorwürfe donnern auf jn. nieder 비난이 누구에게 쏟아진다.

Nieder≈druck *m.*〖복수: ..drücke〗① 내리누름, 억압. ②〖工〗(↔ Hochdruck) 저압. **~druck·dampf** *m.*〖工〗저압 증기. **≈|drücken** 《Ⅰ》*t.* 내리누르다;〖商〗(물가를) 내리다;〖비유〗기를 꺾다, 풀이 죽게 하다. 《Ⅱ》**niedergedrückt** *p.a.* ↑ niedergedrückt. **~druck·heizung** *f.*〖工〗저압 증기 난방.

nieder|ducken *refl.* sich ~ 머리를 깊숙이 숙이다;〖비유〗굴종하다: sich hinter einer Mauer ~ 담장 뒤에서 쭈그리다.

niederer〖nieder의 비교급〗*a.* 보다 아래의, 보다 낮은.

nieder≈|fahren*〖雅語〗《Ⅰ》*i.* (s.) (탈것으로) 내려가다:〖聖〗zur Hölle ~ 지옥에 떨어지다;〖비유〗zur Grube ~ 죽다. 《Ⅱ》*t.* 치어 넘어뜨리다. **≈fahrt** *f.* 강하;〖聖〗지옥에 떨어짐. **≈fall** *m.* 낙하, 추락;〖비유〗몰락. **~|fallen*** *i.* (s.)〖雅語〗① 떨어지다;〖비유〗몰락하다: vor jm. (auf die Knie) ~ 누구 앞에서 무릎을 꿇다. ②〖化〗침전되다. **≈flur·wagen** *m.* 발판 없이 지면에서 직접 승

차할 수 있는 차. **~frequent** *a.* 저주파의. **≈-frequenz** *f.* ①〖전기〗 저주파. ②〖음향〗 가청 주파. **≈gang** *m.* ① 강하; 몰락, 쇠퇴. ② 일몰; 〖聖〗 서쪽(West). ③〖海〗 갑판 아래로 내려가는 계단. **~gedrückt** 《Ⅰ》 *p.p.* ↑ niederdrücken. 《Ⅱ》 *p.a.* 〖商〗 불경기의; 〖비유〗 의기소침한, 풀이〔기가〕 죽은. **≈gedrücktheit** *f.* 의기소침, 침울; 〖商〗 불경기, 불황. *~|**gehen*** *i.* (s.) ① (**a**) 강하〔낙하〕하다. (**b**) (비 등이) 쏟아지다, 떨어지다: 〖구어·농담〗 zu Hause ging ein Donnerwetter über ihm nieder 집에서 그에게 불호령이 떨어졌다. (**c**) (무대의 막이) 내리다. (**d**) (해·별이) 지다. (**e**) 착륙하다. ②〖고어〗 취침하다. ③〖비유〗 몰락〔쇠퇴〕하다. ④〖권투〗 쓰러지다. **≈gelassene*** *der/die* (schweiz.) 정주자(定住者), 영주민. *~**geschlagen** 《Ⅰ》 *p.p.* ↑ ~schlagen: ein ~er Aufstand 진압된 봉기. 《Ⅱ》 *p.a.* 의기소침〔낙심·울적〕한, 풀이 죽은. **≈geschlagenheit** *f.* 의기소침, 상심, 낙심. **~gestimmt** *a.* 언짢은; 기죽은, 겁먹은. ~|**halten*** *t.* ① 바닥에 눌러 두다, 일어나지 못하게 하다. ② 억누르다, 억제〔억압〕하다; (반란 따위를) 진압하다. **≈haltung** *f.* 억압, 억제, 진압. ~|**hangen*** *t.* ↑ ~hängen. ~|**hängen*** *i.* (h.) 〖雅語〗 (나뭇가지 따위가) 아래로 축 처져 있다. ~|**hauen** *t.* 베어〔찍어〕 넘어뜨리다, 때려눕히다. ~|**hocken** *i.* (s.) / *refl.* (sich) ~ (몸을) 쪼그리다, 웅크리다. ~|**holen** *t.* (기·돛을) 내리다. **≈holz** *n.* 〖林〗 복층림(複層林)의 최하층 입목, 덤불숲. **≈jagd** *f.* 〖사냥〗 작은 짐승의 사냥(↔ Hochjagd). **~kämpfen** *t.* ① 싸워서 이기다, 꺾다, 제압하다. ②〖雅語〗 (감정을) 억제하다. ~|**kauern** *refl.* sich ~ 바닥에 웅크리고 앉다. ~|**klappen** *t.* (뚜껑·내리닫이를) 쾅하고 내려 닫다. ~|**knallen** *t.* 〖비속〗 잔인하게 쏘아 죽이다. ~|**knien** *i.* (s./h.) / *refl.* (sich) ~ 무릎 꿇다. ~|**knüppeln** *t.* 〖구어〗 곤봉으로 때려눕히다: einen Aufstand ~ 군경을 투입해서 폭동을 진압하다. ~|**kommen*** *i.* (s.) ①〖드물게〗 내려오다, 강하하다; 눕다. ②〖雅語〗 출산〔분만〕하다: mit einem Jungen ~ 사내 아이를 낳다. **≈kunft** *f.* 〖복수: ..künfte〗 ①〖고어〗 강하. ②〖雅語〗 출산, 분만: glückliche ~ 순산; unzeitige ~ 조산, 유산. ***≈lage** 《<niederlegen》 *f.* ① 패전, 패배: eine ~ erleiden〔erleben〕 패배를 당하다; jm. eine ~ bereiten〔beibringen〕 누구에게 패배를 안겨주다, 누구를 패배시키다; 〖교양〗 kannensische ~ 참패. ②〖商〗 저장소, 창고; 화물 야적장. ③〖드물게〗 지점, 지사.

***Nieder≈lande** *pl.* 네덜란드(Holland). **~länder** *m.* 네덜란드인. **≈ländisch** *a.* 네덜란드(인·어)의: ~e Sprache 네덜란드어.

nieder≈|lassen* 《Ⅰ》 *t.* 〖구식〗 낮추다, (화물·깃발·막을) 내리다. 《Ⅱ》 *refl.* sich ~ ① 앉다, 착석하다. ② (새가) 내려앉다. ③ 정착하다, 정주하다, 살림을 차리다, 개업하다: er hat sich als Arzt in Berlin niedergelassen 그는 베를린에서 의사로 자리잡았다; 〖구어〗 sich irgendwo häuslich ~ 어딘가에 정착하여 편안히 살다. **≈lassung** *f.* ① 거주, 정주; 개업. ②〖복수: -en〗 (**a**) 거주〔거류〕지. (**b**) 〖經〗 영업소, 공장 소재지. (**c**) 지점, 지사.

***nieder|legen** 〖雅語〗 《Ⅰ》 *t.* ① 내려놓다, 눕히다: am Grabmal einen Kranz ~ 묘비에 화환을 내려놓다; das Kind ~ 아이를 재우려고 눕히다; 〖비유〗 die Waffen ~ 무기를 내려놓다, 항복하다. ② 간직해 두다, 보관시키다; (돈·귀중품을) 맡기다, 기탁하다; 적어 두다, 기록해 두다: Forschungsergebnisse in einem Buch ~ 연구 결과를 한 권의 책에 수록해 두다. ③〖드물게〗 (건축물을) 허물다, 철거하다; (나무를) 베어 넘어뜨리다. ④ 포기하다, 그만두다: ein Amt〔Geschäft〕 ~ 퇴직〔폐업〕하다; die Arbeit ~ 파업하다. 《Ⅱ》 *refl.* sich ~ 눕다, 잠자리에 들다; 〖구어〗 (südd.) da legst di(ch) nieder! 이것 참 놀라 자빠지겠군!

Niederlegung [..le:gʊŋ] *f.* -en 내려놓음; 그만둠, 포기; 보관, 기탁: Kranz≈ 헌화(식); Amts≈ 사임, 사직; Arbeits≈ 파업.

nieder≈|liegen* *i.* (h.) ① (병으로) 누워 있다. ② (daniederliegen) 부진하다. ~|**machen** *t.* 〖구어〗 ① 닥치는 대로 죽이다. ② 마구 나무라다〔욕을 퍼붓다〕. ~|**mähen** *t.* (풀을) 베어 넘기다; 〖비유〗 (기관총을 쏘아) 대량으로〔마구〕 쓰러뜨리다. ~|**metzeln** *t.* (칼·총검으로) 대량 학살하다. **~ohmig** *a.* 전기 저항이 적은.

Niederösterreich 니더외스터라이히(오스트리아 동북부의 주).

nieder≈|prasseln *i.* (s.) (비·우박 따위가) 후두둑하고 쏟아지다: 〖비유〗 auf jn. ~ (욕·저주가) 누구에게 퍼부어지다. ~|**rauschen** *i.* (s.) (물·비가) 쏴하고 쏟아지다〔내리다〕. ~|**reden** *t.* 설득〔설복〕시키다. ~|**regnen** *i.* (s.) 비처럼 쏟아지다: Konfetti regnete auf die Gäste nieder 색종이 조각이 손님들에게 비처럼 뿌려졌다. ~|**reißen*** *t.* ①〖드물게〗 잡아당겨 쓰러뜨리다. ② (건축물·장벽을) 허물다, 파괴〔철거〕하다. **≈reißung** *f.* 철거, 파괴. ~|**reiten*** *t.* 말을 타고 짓밟다〔유린하다〕. ~|**rennen*** *t.* 뛰어와서 밀쳐 넘어뜨리다.

Nieder≈rhein *m.* 라인강의 하류. **≈rheinisch** *a.* 라인강 하류(지방)의.

nieder≈|ringen* *t.* 〖雅語〗 격투하여 쓰러뜨리다; 〖비유〗 (감정을) 억누르다, 억제하다. ~|**säbeln** *t.* 〖드물게〗 (긴 칼로) 베어 죽이다. ~|**schießen*** 《Ⅰ》 *t.* (잔인하게) 쏘아 죽이다, 총살하다. 《Ⅱ》 *i.* (s.) (비행기·새가) 쏜살같이 내려가다, 급강하하다: 〖비유〗 auf et. ~ 무엇에 사납게 덤벼들다, 무엇을 덮치다.

Nieder≈sachse *m.* 니더작센 사람. **~sachsen** 니더작센(독일의 주). **≈sächsisch** [..zɛksɪʃ] *a.* 니더작센(어)의.

***Niederschlag** [ní:dərʃla:k] *m.* -(e)s, ..schläge [..gə] ① (**a**) 〖권투〗 상대를 때려 눕히는 강타, 녹아웃: nach dem dritten ~ wurde der Kampf abgebrochen 세 번째로 녹다운된 후 경기는 중단되었다. (**b**) 〖음악〗 (↔ Aufschlag) 하박(下拍), 소절(小節)의 강부(強部). ② (**a**) 〖化〗 침전, 침전물, 앙금. (**b**) (유리면의) 흐려짐, 이슬, 결로. ③ (**a**) 〖기상〗 강우, 강설; 대기 중에서 형성되어 내리는 것들 (눈·비·우박·서리 따위). (**b**) 낙진: radioaktiver ~ 방사능 낙진. ④ (사상 따위의) 반영된 표현: die innenpolitischen Spannungen finden ihren ~ auch in der Außenpolitik 국내 정치의 긴장은 외교 정책에서도 나타난다.

nieder|schlagen 《I》 *t.* ①쳐서 넘어뜨리다: einen Gegner ~ 적을〔상대를〕 때려눕히다; schwerer Hagel schlägt das Getreide nieder 심한 우박으로 곡물이 쓰러지다. ②(폭동·반란을) 진압하다. ③〖法〗 기각하다. ④〖醫〗 가라앉히다, 진정시키다: Fieber ~ 열을 내리게 하다. ⑤(의심·협의를) 해소시키다, 풀다. ⑥(눈·시선을) 내리깔다: errötend schlug sie die Augen nieder 그녀는 얼굴을 붉히며 시선을 떨구었다. 《II》 *refl.* sich ~ ① **(a)** (수증기가) 결로되다. **(b)**〖化〗 침전되다. ②반영되어 나타나다, 표현되다: die Angst schlug sich in seinen Äußerungen nieder 불안감이 그의 말 속에 표출되었다. 《III》 **nieder-geschlagen** *p.a.* ↑ niedergeschlagen.

niederschlagend *p.a.* ①〖化〗 침전성의. ②〖醫〗 진정시키는: ~e Mittel〔Pulver〕 진정제.

Niederschlags⸗arbeit *f.* 〖化〗 침전법. **~-arm** *a.* 강수량이 적은. **~frei** *a.* (대개 일기예보에서) 비가〔눈이〕 오지 않는: mittags leicht bewölkt, jedoch ~ 정오에 약간 흐리겠으나 비는 오지 않음. **~menge** *f.* 〖기상〗 강수량. **~reich** *a.* 강수량이 많은.

Niederschlagung [..ʃla:gʊŋ] *f.* -en ①진압. ②〖法〗 기각, 각하; 강제 징수〔집행〕 취하.

nieder⸗|schmettern *t.* ①때려눕히다, 박살내다. ②〔대개 현재 분사나 과거 분사로〕 큰 충격〔타격〕을 주다, 의기 소침하게 하다: eine ~de Nachricht 몹시 충격적인 소식; vollkommen niedergeschmettert 완전히 나자빠진, 극심한 충격을 받은. **~|schreiben*** *t.* ①적어 놓다, 기록하다. ②글로 공격〔비난〕하다, 논파하다. **~|schreien*** *t.* 고함쳐서 더 이상 말을 못 하게 하다. **~schrift** *f.* ①기록, 집필. ②기록 문서, 회의록. **~|senken** 《I》 *t.* ①내리다, 낮추다;〔고어〕 매장하다. ②〖광산〗 (수직갱을) 파 내려가다. 《II》 *refl.* sich ~ 〔시어〕 내려앉다, 내려오다: die Nacht senkt sich nieder 밤이 되다. **~|setzen** 〔雅語〕《I》 *t.* ①아래에 놓다, 내려놓다: eine Last ~ 짐을 내려놓다. ②임명〔설치〕하다. 《II》 *refl.* sich ~ 앉다; (새가) 내려앉다; 침전하다: sich auf die〔der〕 Bank ~ 벤치에 앉다;〔비유〕 sich zwischen zwei Stühle ~ 양다리를 걸치다. **~|sinken*** *i.* (s.) 〔雅語〕 가라앉다, 침몰하다; 쓰러지다: ohnmächtig ~ 졸도해서 푹 쓰러지다. **~|sitzen*** (obd.) 《I》 *i.* (s.) 앉다, 착석하다. 《II》 *t.* 걸터앉아 누르다. **~-spannung** *f.* 〖전기〗 저전압(250 볼트 이하). **~|sprechen*** *t.* 심하게 꾸짖다, 매도하다. **~|spülen** *t.* 씻어내리다.

niederst [ní:dərst] 〔nieder 의 최상급〕 *a.* 최하의, 최저의.

nieder⸗|stampfen *t.* 마구 짓밟다. **~|stechen*** *t.* 찔러 죽이다. **~|steigen*** *i.* (s.) 〔雅語〕 내려오다: die Leiter〔Treppe〕 ~ 사다리를〔계단을〕 내려오다. **~|stimmen** *t.* 투표로 부결시키다. **~|stoßen*** 《I》 *t.* (밀)쳐서 넘어뜨리다, 찔러 죽이다. 《II》 *i.* (s.) (맹금류가 먹이를 향해) 사납게 내리 덮치다; (비행기가 목표물을 향해) 급강하하다. **~|strecken** 〔雅語〕《I》 *t.* (주먹·총·칼로) 때려눕히다, 베어〔쏘아〕 죽이다. 《II》 *refl.* sich ~ 팔다리를 쭉 뻗고 눕다: sich auf der Wiese ermattet ~ 기진맥진하여 풀밭 위에 벌렁 드러눕다. **~|strömen** *i.* (s.) 〔雅語〕 흘러내리다. **~|-stürzen** 〔雅語〕《I》 *t.* 밀쳐 쓰러뜨리다〔떨어뜨리다〕. 《II》 *i.* (s.) ①푹 쓰러지다, 털썩 주저앉다: er stürzte vor ihr (auf die Knie) nieder 그는 그녀 앞에 (무릎을 꿇고) 납작 엎드렸다. ②쏟아지듯 떨어지다, 추락하다; ~des Gestein 와르르 굴러 떨어지는 암석. **~tourig** [..tu:..] *a.* 〖工〗 회전수가 적은.

Nieder⸗tracht [ní:dərtraxt] *f.* ①비열한 생각〔행위〕: er ist einer solchen ~ nicht fähig 그는 그런 비열한 행동을 할 사람이 아니다. ②비열한 사람, 파렴치한(漢). ***~trächtig** *a.* ①〔고어·방언〕 낮은, 천한; 겸손한; 상냥〔싹싹〕한; 풀이 죽은. ②비열한, 파렴치한; 기분 나쁜, 불쾌한: wie ~! 정말 치사하다! ③〔구어〕 몹시 강한, 지독한: es ist ~ kalt 날이 되게 춥다. **~trächtigkeit** *f.* ①〔고어〕 겸손; 상냥스러움, 친절; 의기소침, 낙담. ②비열, 비열한 생각〔행위〕.

nieder⸗|trampeln *t.* 〔구어〕 ①짓밟다, 짓밟아 망가뜨리다〔죽이다〕: die Blumen ~ 꽃을 밟아 뭉개다. ②einen Redner ~ 심하게 발을 굴러 연사의 말을 막다. **~|treten*** *t.* ①짓밟다, 짓밟아 납작하게 하다: Rasen ~ 잔디를 짓밟다. ②밟아 다지다(festtreten): niedergetretener Schnee 사람들이 밟아 단단해진 눈. ③〔雅語〕 **(a)** 자주 밟아 닳게〔망가지게〕 하다. **(b)** 오래 신고다녀 닳게 하다: niedergetretene Absätze 오래 신어 닳아버린 구두 뒤축. **~|trinken*** *t.* 마셔 넘기다; 술마시기 경쟁에서 이기다.

Niederung [ní:dərʊŋ] *f.* -en (↔ Höhe) ①낮은 곳, 저지, 골짜기. ②〔雅語〕 저급한 환경, 뒷골목: er ist aus den ~en des Lebens emporgestiegen 그는 열악한 환경을 딛고 대성했다.

Niederungs·moor *n.* 〖지리〗 (평지의) 늪지대, 저습지(Flachmoor).

Nieder⸗wald *m.* ①〖林〗 벌목 후 새롭게 생성되는 관목림, 맹아림(萌芽林). ②라인 강변 Taunus 서남부의 산등성이. **~|walzen** *t.* (롤러로) 평평하게 하다; (차량 등이) 짓밟고 지나가다: die Panzer walzten alles nieder 전차들이 모든 것을 깔아뭉개 버렸다;〔비유〕 der Gegner wurde einfach niedergewalzt 적은 간단히 처치되었다. **~wärts** *adv.* 〔雅語〕 (↔ aufwärts) 아래쪽〔지상·낮은 곳〕으로. **~wasser** *n.* ↑ Niedrigwasser. **~|-werfen*** 《I》 *t.* 〔雅語〕 ①물리치다, 이기다; 진압하다. ② **(a)** 병상에 눕게 하다: die Krankheit warf sie für mehrere Wochen nieder 그 병으로 그녀는 수주일 동안 병상에 누워 있었다. **(b)** 큰 충격을 주다. 《II》 *refl.* sich ~ 넙죽 엎드리다, 무릎꿇다. **~werfung** *f.* 물리침, 진압. **~wild** *n.* (토끼나 사슴과 같은) 작은 사냥감. **~|ziehen*** *t.* 끌어내리다, 아래로 잡아당기다; 낮추다. **~|zwingen** *t.* 〔雅語〕 짓누르다, 눌러 버리다; 입다물게 하다.

niedlich [ní:tlɪç] 《<mhd. nietlîche》 *a.* ①〔고어〕 달콤한, 맛좋은. ②귀여운, 사랑스러운, 예쁜: das Kleid ist aber ~! 그 옷 참 예쁘다!;〔반어〕 das ist ja recht ~! 그것 참 좋은 이야긴데!

Niedlichkeit *f.* ①귀여움, 예쁨. ②〔복수: -en〕 귀엽고 예쁜 것.

Niednagel [ní:t..] 《ndl. nijdnagel, „Neidnagel“》 *m.* (손가락 끝의) 거스러미.

***niedrig** [ní:drıç] 《<nieder》 *a.* ① (↔hoch) (높이·키가) 낮은: eine ~e Stirne 낮은〔좁은〕 이마; als Hügel hoch, als Berg ~ 언덕으로는 높고 산이라 하기에는 낮은; ein ~es Zimmer 천장이 낮은 방; Schuhe mit ~en Absätzen 굽이 낮은 구두; ~ fliegen 저공으로 날다; 〖비유〗 et. ~er hängen 무엇을 대수롭지 않게 취급하다. ② (수치가) 낮은, 적은: ~e Temperaturen 낮은 온도; ~e Löhne 저임금; ein ~er Zinsfuß〔Preis〕 낮은 이율〔가격〕; mit ~er Geschwindigkeit 저속으로; die Kosten sind zu ~ veranschlagt 비용이 너무 낮게 책정되어 있다. ③ (신분·계급이) 낮은, 천한: hoch und ~ 〔Hohe und ≗e〕 지위 고하를 막론하고, 누구나 다; 〖고어〗 das ~e Volk 무지한〔천한〕 백성; von ~er Geburt〔Herkunft〕 태생〔혈통〕이 비천한; er ist ~ geboren 그는 태생이 비천하다. ④ 저급한, 저질의, 비열한: ein ~er Geschmack 저속한 취미; 〖法〗 ~e Beweggründe 비열한 동기; ~ gesinnt〔denkend〕 근성이 야비한; die ~en Instinkte im Menschen wecken 인간의 저열한 본능을 불러일으키다. ⑤〖음악〗 낮은, 깊은. ⑥〖畫〗 담청색의.

Niedrig·haltung *f.* (물가의) 억제.

Niedrigkeit *f.* 낮음; 비천, 저급, 저열.

Niedrig≈lohn *m.* 저임금. **~lohn·land** *n.* 저임금국. **~preis** *m.* 염가, 저가. **≗prozentig** (비교급 niedrigerprozentig; 최상급 niedrigstprozentig) *a.* 비율이 낮은: ~er Wein 알코올 함유율이〔도수가〕 낮은 포도주. **≗stehend** *a.* 〔비교급 niedrigerstehend; 최상급 niedrigststehend〕 문화 수준이 낮은, 미개한. **~wasser** *n.* ① (강 등의) 저수위. ② (썰물 때의) 최저 수위.

niellieren [niεlí:rən] *t.* 〖畫〗 흑금 상감(黑金象嵌)을 하다.

Niello [niέlo] 《it. -lat. niger, „schwarz“》 *n.* -(s), -s/..llen/..lli 〖畫〗 ① 흑금 상감용 합금 (금속 조각면에 박는 은·동·납·황의 흑색 합금). ② 흑금 상감 세공품. ③ 흑금 상감용 합금판으로 찍은 판화.

Niello·arbeit *f.* 흑금 상감 세공.

niemalen *adv.* 〔구식〕 ↑ niemals.

***niemals** 〔↑ nie 의 강조형〕 *adv.* 결코〔한번도〕 …아니다: das werde ich ~ tun 나는 그것을 두 번 다시 하지 않을 것이다; 〔속담〕 besser spät als ~ 늦어도 안하기보다는 낫다.

***niemand** [ní:mant] 《<nie man (=Mann)》 *prn.* 〔2 격: -(e)s, 3 격: -(em), 4 격: -(en)〕 (↔jemand) 아무도 …않다, 한 사람도 …않다: ich habe es ~em〔〖드물게〗 ~〕 erzählt 나는 그것을 아무에게도 이야기하지 않았다; ~ als er war dabei 거기에 그 사람 외에는 아무도 없었다; es kann ~ anders gewesen sein als er 그것은 그 이외의 다른 사람일 수 없다; ich habe dort ~ Bedeutendes getroffen 나는 그곳에서 이렇다할 만한 사람을 아무도 만나지 못했다; sie spricht mit ~ Fremdem 〔Fremdes〕 그녀는 모르는 사람하고는 누구와도 이야기하지 않는다; ~ Geringeres als er 다름 아닌 바로 그 사람.

Niemand *m.* -(e)s 〔구어·폄어〕 중요하지 않은 사람, 무명인 사람: das hat der ~ getan 그것은 그 형편없는 사람이 했다; der böse ~ a) 누군지 모르는 악인, b) 악마; der reine ~ 전혀 세력이 없는 사람, 무지렁이; musikalisch ist er ein ~ 그는 음악적으로는 완전히 무명의 존재다.

Niemands·land [ní:mants..] *n.* ① (적군과 아군 사이의) 무인〔비무장〕 지대. ② 미지〔무소유〕의 땅. ③ 사람이 거주하지 않는 땅.

***Niere** [ní:rə] 《germ.; 예전엔 „Lende, Hode“의 뜻도 있었음》 *f.* -n ① 〖해부〗 신장, 콩팥: 〖醫〗 künstliche ~ 인공 신장; jn. auf Herz und ~n prüfen 누구의 마음속을 속속들이 떠보다; 〔구어〕 er hat es an den ~n 그는 신장병을 앓고 있다; 〔구어〕 das geht mir an die ~n 그것이 내 신경을 건드린다, 마음에 걸린다. ② 〖요리〗 짐승의 콩팥. ③ 〖광물〗 광맥 속에서 발견되는 작은 광괴(鑛塊).

Nieren≈becken *n.* 〖해부〗 신우(腎盂). **~becken·entzündung** *f.* 〖醫〗 신우염. **~braten** *m.* 송아지 콩팥 구이. **~entzündung** *f.* 〖醫〗 신장염. **~fett** *n.* 신장 주위의 지방 조직. **≗förmig** *a.* 콩팥 모양의. **~grieß** *m.* ↑ ~stein ①. **~kolik** *f.* 〖병리〗 신장 산통(疝痛). **≗krank** *a.* 신장병을 앓는. **~krankheit** *f.*, **~leiden** *n.* 신장병. **≗leidend** *a.* ↑ ≗krank. **~schmerz** *m.* 신장통. **~schrumpfung** *f.* 〖醫〗 신장 위축. **~stein** *m.* ① 〖醫〗 신장 결석(結石). ② 〖광물〗 (콩팥 모양의) 공작석(孔雀石) (Malachit). **~steiner** *m.* ↑ Niersteiner. **~stück** *n.* 〖요리〗 (특히 송아지의) 콩팥이 딸린 등심. **~tisch** *m.* 콩팥 모양의 상판이 있는 소형 책상. **~transplantation** *f.* 〖醫〗 신장 이식. **~tuberkulose** *f.* 〖醫〗 신장 결핵.

nierig *a.* (특히 광물이) 콩팥 모양의.

Niersteiner [ní:rʃtaınər] *m.* -s, - 라인 강변 Nierstein 산(産) 포도주.

nieseln [ní:zəln] *i.* (h.) ① 코를 킁킁거리다 (näseln). ② *imp.* es nieselt 보슬비가 내린다. ③ 〔방언〕 느릿느릿 행동〔말〕하다.

Niesel·regen *m.* 보슬비.

niesen [ní:zən] 《germ.》 *i.* (h.) 〔농담조로는 과거 분사가 genossen 으로도 쓰임〕 재채기하다: 〔구어〕 auf et. ~ 무엇을 입에 올리지도 않다, 깔보다; ich werde dir (et)was ~! 딱 질색이다!; 〔경박〕 ich werde dir eins ~! 내가 너를 도와주마!

Niesen *n.* -s 재채기.

Nies≈krampf [ní:s..] *m.* 경련성 재채기. **~pulver** 《<niesen》 *n.* 〖醫〗 재채기 유발제(가루). **~reiz** *m.* 재채기 자극〔유발〕.

Nieß≈brauch 《<neißen》 *m.* 〖法〗 용익권. **≗brauchen** *t.* …의 용익권을 갖다. **~braucher** *m.* 용익권자. **~brauchs·recht** *n.* 용익권.

nießen [ní:sən] *t.* 〔고어〕 향유(享有)하다.

Nieß≈nutz *m.* 〔드물게〕 ↑ ~brauch. **≗nutzen** *t.* 〔드물게〕 ↑ ~brauchen. **~nutzer** *m.* 〔드물게〕 ↑ ~braucher.

Nies·wurz [ní:svʊrts] *f.* 〖植〗 미나리아재빗과의 식물: Schwarze ~ 크리스마스 로즈.

Niet [ni:t] *m.* -(e)s, -e ↑ Niete[1].

Niet·bolzen *m.* ↑ Niete[1].

Niete[1] *f.* -n 리벳, 대갈못: et. mit ~ verbinden 무엇을 리벳으로 접합시키다.

Niete[2] 《ndl. niet, „nichts“》 *f.* -n ① (↔ Treffer) (복권·제비뽑기에서의) 꽝, 허탕친

제비: eine ~ ziehen 복권에서 꽝을 뽑다. ② 〔구어〕 실패: der Film war eine ~ 그 영화는 실패작이었다. ③〔구어〕 쓸모없는 자, 무능력자: auf diesem Gebiet ist er eine ~ 그는 이 분야에서는 맥을 못 춘다.

nieten [ní:tən] 《<Niet》 *t.* 리벳으로 접합시키다〔죄다〕, (…에) 리벳을 박다.

niet≈fest *a.* ↑ niet- und nagelfest. **≈hammer** *m.* 리벳 망치. **≈kopf** *m.* 리벳 대가리. **≈maschine** *f.* 리벳을 박는 기계. **≈nagel**[1] *m.* 〔드물게〕 ↑ Niete[1].

Niet·nagel[2] *m.* ↑ Niednagel.

niet- und nagel·fest *a.* 〔다음 용법으로〕 〔구어〕 alles, was nicht ~ ist 휴대할〔가져갈〕 수 있는 모든 것.

Nietung [ní:tuŋ] *f.* -en 리벳 접합〔박기〕.

Niet·verbindung *f.* 리벳 접합.

Nietzsche [ní:t(s)ʃə] Friedrich ~ 니체(독일의 철학자, 1844-1900).

Nife [ní:fə, ..fe] 《<Nickel+Ferrum》 *n.* -〖지질〗 니페(철과 니켈로 이루어졌다고 가정되는 지구의 중심핵).

Niflheim [ní:flhaɪm, ní:fl..] 《nord., „Nebelwelt"; ↑ Nibelung》 *n.* -(e)s 〖북구신화〗 안개와 추위의 북쪽 나라, 저승.

Niftel *f.* -n 〔고어〕 조카딸, 질녀(↑ Nichte).

nigel·nagel·neu *a.* 〔방언〕 아주 새로운, 최신의(↑ funkelnagelneu).

Niger [ní:gər] *m.* 니제르(서아프리카 사하라 사막 남부의 공화국).

Nigeria [nigé:ria] 나이지리아.

Nigger [nígər] 《engl.》 *m.* -s, -〔폄어〕 (Neger) 검둥이, 흑인.

Night·club [náɪtklʌb] 《engl.》 *m.* -s, -s 나이트클럽.

Nigritien [nigrí:tsiən] 수단의 이명(異名).

Nigromant [nigrománt] *m.* -en, -en 〔교양〕 마술사.

Nigromantie *f.* 〔교양〕 마술.

Nigrosin [nigrozí:n] *n.* -s, -e 니그로진(합성 염료의 일종).

nihil [ní:hɪl] 《lat.》 *prn.* 무(無), 공(空), 허무.

***Nihilismus** [nihilísmus] *m.* -〔교양〕 허무주의, 니힐리즘.

***Nihilist** *m.* -en, -en 허무주의자.

***nihilistisch** *a.* 〔교양〕 허무주의적인, 니힐리즘의: eine ~e Position einnehmen 허무주의적 입장을 취하다.

Nike [ní:kə, ní:ke] 《gr., „Sieg"》 *f.* 〖그리스신화〗 니케(승리의 여신; 〖로마신화〗 Viktoria 에 해당).

Niklas [ní:klas, níklas] ↑ Nikolaus.

***Nikolaus** [ní:kolaus, ník..] *m.* -es, -e/(구어) ..läuse ① 니콜라우스(남자 이름). ② 성 니콜라우스, 산타클로스: im Kindergarten war heute der ~ 유치원에 오늘 산타클로스가 왔었다. ③ 초콜릿으로 만든 산타클로스. ④ ↑ Nikolaustag.

Nikolaus·tag *m.* 성니콜라우스 축일(12 월 6 일).

Nikolo [níkolo, nikoló:] *m.* -s, -s (öst.) ↑ Nikolaus.

***Nikotin** [nikotí:n] *n.* -s 〖化〗 니코틴(프랑스에 담배를 처음으로 소개한 외교관 J. Nicot 의 이름에서).

nikotin≈arm *a.* 니코틴이 적은. **≈brühe** *f.* 담배를 졸인 액(구충용). **~frei** *a.* 니코틴이 없는. **≈gehalt** *m.* 니코틴 함유량: eine Zigarette mit hohem ~ 니코틴 함유량이 많은 담배. **~haltig** *a.* 니코틴을 함유한. **≈-haltigkeit** *f.* 니코틴 함유.

Nikotinismus *m.* -〖醫〗 만성 니코틴 중독.

Nikotin·vergiftung *f.* 니코틴 중독.

Nil [ni:l] *m.* -(s) 나일강.

Nil·pferd *n.* 〖動〗 하마(Flußpferd).

Nil≈delta *n.* 나일강의 삼각주. **~gans** *f.* 〖動〗 나일 거위.

nilotisch *a.* 나일강의.

Nimbostratus 《lat.》 *m.* -, ..ti 〖기상〗 난층운(亂層雲), 비층구름.

Nimbus [nímbus] 《lat., „Wolke"》 *m.* -, -se ①〔고어〕 ↑ Nimbostratus. ② (신격자(神格者)의 머리 주변에 있는) 둥근 빛무리, 후광. ③〔교양〕 명망, 명성, 영광: im ~ der Heiligkeit stehen 성인과 같은 명망을 누리다.

nimm [nɪm] ↑ nehmen 의 2 인칭 단수 명령형.

***nimmer** [nímər] *adv.* 《mhd. niemer》 ① 〔雅語〕 결코 …않다: nie〔nun〕 und ~ ↑ ~mehr. ② (obd.) 더 이상 …않다: et. ~ aushalten können 무엇을 이제는 더 참을 수 없다.

Nimmer≈leins·tag *m.* 〔농담〕 영원히 돌아오지 않을 날: am〔auf den〕 ~ 결코 …않다; wahrscheinlich wirst du dein Geld am ~ wiederbekommen 아마도 너는 네 돈을 절대로 돌려받지 못할거야; bis zum (Sankt) ~ 영원히, 무한정. **≈mehr** 〔↑ nimmer 의 강조형〕 *adv.* ①〔구식〕 결코 …아니다(nie, niemals). ② (obd.) 이제는〔다시는〕 …않다: dort gehe ich ~ hin 이제 다시는 그곳에 가지 않겠다. **~mehrs·tag** *m.* ↑ ~leinstag. **≈müde** *a.* 〔雅語〕 피로를〔지칠 줄〕 모르는: ein ~r Kämpfer für den Frieden 지칠 줄 모르는 평화의 투사. **≈satt** *a.* 〔구어〕 만족할〔물릴〕 줄 모르는, 욕심 많은. **~satt** *m.* ① 만족을 모르는 사람; 대식가. ②〖動〗 (Ibis) 따오기의 일종(아프리카와 남아시아에 서식).

Nimmers·tag *m.* ↑ Nimmerleinstag.

Nimmer·wiedersehen *n.* 〔다음 용법으로만〕〔구어〕 auf ~ 영원히(안녕): ein Abschied auf ~ 영원한 작별.

nimmst ↑ nehmen 의 2 인칭 단수 현재형.

nimmt ↑ nehmen 의 3 인칭 단수 현재형.

Nimrod [nímrɔt] 《hebr.》 *m.* -s, -e ①〖聖〗 니므롯(사냥을 좋아했던 바빌로니아의 왕). ② 〔비유〕 사냥광, 뛰어난 사냥꾼.

Ninivit *m.* -en, -en (고대 아시리아 왕국의 수도인) 니네베의 주민.

Niob [nió:p] *n.* -s 〖化〗 니오븀(기호: Nb).

Niobe [ní:obe] *f.* 〖그리스신화〗 니오베(Tantalus 의 딸; 자식이 많음을 자랑하다 신들의 원한을 사서 자식 14 명을 모두 잃고 비탄의 눈물을 흘리는 대리석이 됨).

Niobide [niobí:də] *m.* -n, -n 〔*f.* -n〕 니오베의 아들〔딸〕.

Niobium [nió:bium] *n.* -s 〖化〗 ↑ Niob.

Nipf *m.* -(e)s (öst.) 〔구어〕 용기, 원기: jm. den ~ nehmen 누구의 기를 꺾어 놓다.

Nipp[1] [nɪp] *m.* -(e)s, -e (ndd.) ① 코(Nase). ② (새의) 부리, 주둥이(Schnabel).

③ (Pips) (새의) 혓병, 구강염.

Nipp[2] 《<nippen[2]》 *m.* -(e)s, -e 〖방언〗 졸음.

Nipp[3] *m.* -(e)s, -e 한 모금, 한 입, 한 술: einen ~ tun 한 모금 마시다.

Nippe *f.* -n ↑ Nipp[3].

Nippel *m.* -s, - 〔↑ Nipp[1] 의 축소형〕 ①〖工〗 니플(나선이 있는 접속용 파이프). ②〔구어〕 작은 돌기〔꼭지〕. ③〖경박〗 젖꼭지. ④ 윤활유 〔그리스〕 주입 돌기〔꼭지〕.

***nippen**[1] [nípən] *i.* (h.) ① 살짝 스치다. ② 홀짝홀짝 마시다, 조금 맛보다: am Leben ~ 인생의 고초를 겪다; vom Wein ~ 포도주를 홀짝홀짝 마시다.

nippen[2] *i.* (h.) (ndd.) 꾸벅꾸벅 졸다, 잠시 눈을 붙이다.

Nippes [nípəs, nɪp(s)] 《frz.》 (유리·도자기로 만든) 작은 장식품.

Nipp≈flut 《<nippen[1]》 *f.* 소조(小潮) (↔ Springflut). **~sachen** *pl.* ↑ Nippes. **~tide** *f.* ↑ ~flut. **~tisch** *m.* 작은 장식품을 올려놓는 탁자. **~zeit** *f.* ↑ ~flut.

nirgend [nírgənt] ↑ nirgends 의 고형.

Nirgend≈heim *n.* ① 이상향, 유토피아. ② von ~ 부랑〔유랑〕의, 정처 없는: er ist ein Herr von ~ 그는 무숙자다. **~her** *adv.* ↑ nirgendsher. **~hin** *adv.* ↑ nirgendshin.

***nirgends** [nírgənts] 《<nie irgend(s)》 *adv.* 어디에도 …없다, 어디에서도 …하지 않다: ich habe ihn ~ gesehen 나는 그를 어디서도 보지 못했다; ich fühle mich ~ so wohl wie hier 내게 여기만큼 편안한 느낌이 드는 곳은 아무데도 없다; ein Überall und ~ a) 뜨내기, b) 의지가지 없는 남자.

nirgends≈her *adv.* 어디로부터도 …않다. **~hin** *adv.* 어디로도 …않다. **~land** *n.* 유토피아. **~wo** *adv.* ↑ nirgendwo. **~wohin** ↑ nirgendwohin.

nirgend≈von *adv.* (md.) 어디에서도 … 않다. **~wo** *adv.* 어디에도 …없다, 어디에서도 …않다. **~wohin** *adv.* 어디로도 …않다.

Nirosta =nichtrostender Stahl 스테인리스 스틸.

Nirwana 《skt., „Erlöschen"》 *n.* -(s) 〖宗〗 열반, 입멸(入滅): ins ~ eingehen 입적하다, 죽다.

..nis 《germ.》 *suf.* 〔여성 또는 중성 명사를 만드는 후철〕 ① 행위·동작(보기: Hinder~). ② 성질·상태(보기: Düster~). ③ (…한 성질의) 장소(보기: Wild~). ④ 행위의 결과(보기: Erzeug~).

***Nische** [níːʃə, níʃə] 《frz. niche》 *f.* -n 〖건축〗 ① 니치, 벽감(壁龕)(꽃병 등을 놓는 벽의 오목한 부분). ② 공간의 작은 확장 부분: der Schrank paßt genau in die ~ 장은 움푹 들어간 자리에 꼭 들어맞는다. ③ 틈새: 〖生〗 ökologische ~ 생태학적 최소 환경 단위, (희귀 동식물의) 생존 가능 지역.

Nischel *m.* -s, - (md.) 〖비속〗 대가리(↑ Kopf).

Nischen·altar *m.* 우묵한 곳에 설치된 제단.

Niß *f.* Nisse 〖구식〗 ↑ Nisse.

Nisse [nísə] *f.* -n 서캐, 이의 알.

Nissen·hütte *f.* 퀀셋, 골함석으로 만든 반원형의 간이 막사(발명자인 영국 장교 P.N. Nissen 의 이름에서).

Nisser *m.* -s, - ① 이투성이인 사람; 불결한 사람. ②〖動〗 쇠파리, 말파리.

nissig *a.* 서캐투성이인; 불결한.

***nisten** 《<Nest》 *i.* (h.) / *refl.* (sich) ~ 둥지를 틀다, 깃들이다: 〖비유〗 Trauer nistet in ihrem Herzen 슬픔이 그녀의 마음속에 자리잡고 있다.

Nist≈höhle [níst..] *f.* (나무 구멍을 이용한) 새집. **~kasten** *m.* 인공 새둥지, 벌집 상자. **~platz** *m.*, **~stätte** *f.* 〔雅語〕 새둥지. **~zeit** *f.* 새가 둥지를 트는 기간.

nit [nɪt] *adv.* (obd.) ↑ nicht.

Niton [níːtɔn] 《lat.》 *n.* -s, -e 〖化·구식〗 니톤 (Radon 의 옛 이름; 기호: Nt).

Nitra·lampe [níːtra..] *f.* 가스(아르곤·질소)가 든 전구.

Nitrat [nitráːt] 《lat.》 *n.* -(e)s, -e 〖化〗 질산염, 아세트산염.

Nitrid [..tríːt] 《gr.》 *n.* -s, -e 〖化〗 질(소)화물.

nitrieren *t.* ①〖化〗 질산으로 처리하다. ②〖제련〗 (강철을) 질소로 단단하게 하다.

Nitrifikation [nitrifikatsióːn] *f.* -en 〖化·農〗 질(소)화, 니트로화.

nitrifizieren *t.* 질(소)화〔니트로화〕하다.

Nitrifizierung *f.* -en ↑ Nitrifikation.

Nitril *n.* -s, -e 〖化〗 니트릴.

Nitrit [nitríːt; ..rít] *n.* -s, -e 〖化〗 아질산염.

Nitro≈benzol *n.* 〖化〗 니트로벤졸. **~gelatine** *f.* 젤라틴 다이너마이트(폭약의 일종).

Nitrogen *n.* -s, **Nitrogenium** *n.* -s 〖化〗 질소(기호: N).

Nitro≈glyzerin *n.* 〖化〗 니트로글리세린. **~seide** [ní..] *f.* 질산 인조 견사. **~zellulose** *f.* 니트로셀룰로오스, 질산 섬유소(화약·셀룰로이드의 재료로 쓰임).

Nitrum [níːtrum] *n.* -s 〖化·구식〗 질산칼륨, 초석(硝石) (Salpeter 의 옛 이름).

nitscheln *t.* 〖방직〗 (양모) 원사(原絲)로 가공하다.

nitschewo [nitʃevóː] 《russ.》 *int.* 〔구어·농담·구식〕 괜찮아, 아무것도 아니야.

***Niveau** [nivóː] 《frz. <lat.》 *n.* -s, -s ① 수평면, 고도: die beiden Siedlungen liegen auf gleichem ~ 그 두 촌락은 고도가 같다. ② 수준, 정도: das ~ der Löhne 임금 수준; das kulturelle ~ 문화적 수준; das entspricht nicht ihrem ~ 그것은 그녀의 수준에 맞지 않는다; kein ~ haben 정신적 수준이 낮다, 수준 미달이다. ③ 〖핵물리〗 (핵 또는 분자의) 에너지 준위(準位).

Niveau≈differenz [nivóː..] *f.* ↑ ~unterschied. **~fläche** *f.* 수준〔수평〕면. **~frei** *a.* 〖교통〗 입체적으로 교차하는: eine ~e Kreuzung 입체 교차로. **~gleich** *a.* 〖교통〗 동일한 수평면에서 교차하는: eine ~e Kreuzung 평면 교차로. **~linie** *f.* 등고선.

niveaulos *a.* (정신적) 수준이 낮은, 저급한.

Niveau≈senkung [nivóː..] *f.* 수준의 저하. **~übergang** *m.* 〖교통〗 (도로와 철로의) 평면 교차, 건널목. **~unterschied** *m.* ① 고도 차이. ② 수준 차이. **~voll** *a.* (정신적) 수준이 높은: ein ~er Vortrag 수준 높은 강연.

Nivellement [..vɛləmã́ː] 《frz.》 *n.* -s, -s [..mã́ːs] ①〔교양〕 평준화. ②〖측량〗 **(a)** 수준 측량. **(b)** 수준 측량치.

***nivellieren** *t.* ①〖측량〗 수준기로 재다, 수준

측량하다. ②〔드물게〕수평이 되게 하다, 평평하게 고르다. ③〔교양〕평준화하다: soziale Unterschiede ~ 사회적 격차를 해소하다.
Nivellier≈instrument [nivɛlíːr..] *n.* 〖측량〗 수준기(水準器). **~latte** *f.* 〖측량〗 함척(函尺)(수준 측량에 쓰이는 자).
***Nivellierung** *f.* -en ① 수준〔고저〕 측량. ② 평준화, 격차 해소. ③〔드물게〕땅고르기.
Nivellier·waage *f.* 〖측량〗 수준기.
Nivose [..vóːz] 《frz.》 *m.* -(s), -s [..vóːzəs] 설월(雪月)(프랑스 혁명력의 넷째 달; 태양력의 12 월 21 일부터 1 월 19 일까지).
nix [nɪks] *prn.* 〔구어〕(특히 südd.) ↑ nichts: da kann man halt ~ machen 도무지 어쩔 도리가 없다.
Nix 《germ.》 *m.* -es, -e 〖북구신화〗 물의 정령.
Nixchen *n.* -s, - ↑ Nixe 의 축소형.
Nixe *f.* -n 〖북구신화〗 물의 요정, 물귀신(Nix 의 여성형; 인어의 모습): 〔구어〕 wie eine ~ schwimmen 수영을 아주 잘하다.
Nizza [nítsa] 《frz. Nice》 니스(프랑스 동남부의 항구 도시).
Nizzaer [nítsaər] 《I》 *m.* -s, - 니스 시민. 《II》 *a.* 니스의.
n.J. =nächsten Jahres 내년의〔에〕.
nkr =norwegische Krone 노르웨이 크로네(화폐 단위).
Nm =Newtonmeter 뉴턴미터(에너지 단위).
n.M. =nächsten Monats 다음 달의〔에〕.
nm. =nachmittags 오후(에).
NN =Normalnull 평균 해수 평면.
N.N. [ɛn|ɛ́n] ① ↑ NN. ②《=lat. nomen nescio, „den Namen kenne ich nicht“》 이름 모름: Herr ~ 모씨(某氏).
NNO (öst.: NNO.) =Nordnordost(en) 북북동.
NNW (öst.: NNW.) =Nordnordwest(en) 북북서.
NO (öst.: NO.) =Nordost(en) 북동.
No. 〔고어〕, **N°** 〔고어〕 =Numero 번호, 호수(지금은 Nr.).
No 〖化〗 =Nobelium 노벨륨.
Noah [nóːa] 《hebr., „Ruhe“》 *m.* 〖聖〗 노아(인류의 선조): Arche ~ 노아의 방주(方舟).
Nobel[1] [nobɛ́l] *m.* Alfred ~ 노벨(스웨덴의 화학자; 다이너마이트 발명; 노벨상을 제정함, 1833-96).
Nobel[2] [nóːbəl] *m.* -s ① 노벨(동물 우화의 사자왕). ②〔복수: -〕 노블(영국의 옛날 금화).
nobel [nóːbəl] 《frz. noble》 *a.* ①〔雅語〕 고귀〔고결〕한, 기품 있는: ein nobler Charakter 고결한 성품. ②〔구어〕 세련된, 고상한, 호화로운, 값비싼: ein nobles Hotel 고급 호텔; noble Passionen 호사스러운 취미; 〔반어〕 ~ geht die Welt zugrunde 인생은 짧으니까 멋지게 살아야지(사치스러운 생활·가구를 보고); immer ~, wenn dich auch hungert! 굶어 죽더라도 옹색하게 살지 않기를! ③ 돈 잘 쓰는, 통 큰: ein nobles Trinkgeld 두둑한 팁; er hat sich stets ~ verhalten 그는 늘 통이 큰 모습을 보였다.
Nobel≈garde *f.* 귀족〔교황〕의 친위대. **~herberge** *f.* 〔반어〕 호사스러운 고급 호텔. **~hotel** *n.* 고급 호텔.
Nobelium *n.* -s 〖化〗 노벨륨(인공 방사성 원소; 기호: No).
Nobel·marke *f.* 값비싼 상표, 고급 브랜드.
***Nobel·preis** 《<Nobel[1]》 *m.* 노벨상(1895 년 제정): jn. für den ~ vorschlagen 누구를 노벨상 후보로 추천하다. **~preis·träger** *m.* 노벨상 수상자. **~stiftung** *f.* 노벨 재단.
Nobilität *f.* ① **(a)** 〔교양〕 귀족 (계급). **(b)** (고대 로마의) 고위 귀족, 원로원 지도층. ②〔드물게〕 귀족, 명문; 고귀, 탁월, 저명.
nobilitieren *t.* (adeln) 귀족의 일원으로 만들다; 〔드물게〕 고상하게 하다.
Nobis≈haus *n.* ① **(a)** ↑ ~krug. **(b)** 연옥. ②〔학생〕(schweiz.) 감옥. **~krug** 《nordd.》 *m.* 〔구식〕 지옥. **~wirt** *m.* 〔구식〕 악마.
Noblesse [noblɛ́sə] 《frz.》 *f.* ①〔구식〕 귀족(사회). ②〔교양〕 고귀, 고상, 기품: die ~ seiner Gesichtszüge 그의 용모에 흐르는 기품.
noblesse oblige [nɔblɛ́s ɔblíːʒ(ə)] 《frz.》〔교양·농담〕 신분이 높으면 거기에 걸맞는 덕망을 갖춰야 한다.
***noch** [nɔx] 《I》 *adv.* ① 아직, 지금도, 여전히, 역시, 그래도: ~ nicht ... 아직 …아니니다; ~ immer 〔immer ~〕 여전히, 변함 없이; ~ jetzt 〔jetzt ~〕 지금도 역시; ~ einige Zeit 아직 잠깐만, 잠시만 더; ~ vor kurzem 조금〔얼마〕 전까지만 해도; es ist ~ Zeit 아직 시간이 있다; ~ ist es Zeit! 이제부터라도 늦지는 않다!; er wird schon ~ kommen 그는 반드시 올 것이다; er erreichte den Zug gerade ~ 그는 겨우〔간신히〕 기차 시간에 댔다; das mag ~ hingehen 그 정도의 일은 그래도 너그럽게 봐줄 수 있다; du bist ~ zu jung 〔klein〕, um das zu begreifen 너는 그것을 파악하기에는 아직 너무 어리다; ~ ist Polen nicht verloren 〔die Sache wird schon ~ werden〕 아직 한 줄기의 희망이 있다. ②〔제시된 시간보다 늦지 않음을 나타냄〕 … 중에: ~ heute 〔heute ~〕 a) 오늘 안으로, b) 오늘도 아직; er starb ~ am gleichen Tag 그는 그날을 못 넘기고 죽었다. ③ **(a)** 〔첨가〕 또, 더: ~ einmal 한번 더; 〔구어〕 ~ einmal so groß 두 배 더 큰; ~ dazu 게다가 또(↑ dazu ④); ~ etwas 조금 더, 또 무언가; Kellner, ~ ein Bier 웨이터, 맥주 한 잔 더; wer war sonst ~ dort? 그 밖에 또 누가 거기 있었는가?; der Junge ist ~ gewachsen 이 아이는 더 자랐다; ~ und ~, 〔농담〕 ~ und nöcher 많이, 끝도 없이, 계속해서; er hat Geld ~ und ~ 그는 돈을 엄청나게 많이 가지고 있다. **(b)** 〔형용사의 비교급과 함께 강조어로〕 더욱더: ~ größer als ... …보다도 더 큰; ~ fünfmal schöner 5 배나 더 아름다운. ④〔양보문 또는 양보적 의미의 부가어와 함께〕 아무리 (…라 할지라도): wäre er auch ~ so reich 설사 그가 아무리 부자라 할지라도; jede ~ so kleine Gabe wird gern angenommen 아무리 적은 희사액이라도 기꺼이 받고 있습니다. ⑤〔의문문에서 잠시 기억이 나지 않을 때〕 wie hieß doch ~ das Restaurant? 그 레스토랑 이름이 뭐였더라? ⑥〔감탄문에서 강조어로〕 das hat mir ~ keiner gesagt! 나한테 그것을 말해 준 사람은 정말 아무도 없었지 뭐냐!; da kannst du ~ lachen? 그런데 넌 어떻게 웃을 수가 있니? ⑦〔고어〕 그런데, 그럼에도 불구하고. 《II》 *cj.* 〔선행하는 부정사(否定詞)와 대

응하여 부정을 되풀이함〕 또한 아니다: wir sind **weder** arm ~ reich 우리는 가난하지도 부유하지도 않다; weder Wein ~ Bier ~ Schnaps 포도주도 맥주도 화주도 아니다; er spricht **nicht**, ~ denkt er 그는 말하지도 않고 생각하지도 않는다; 〔雅語〕 er besaß nicht Geld ~ Gut 그는 가진 게 아무것도 없었다.

Noch·geschäft *n.* 〖經〗 배증(倍增) 거래(특권 거래의 일종).

noch≠mal *adv.* 〔구어〕 또 한번, 다시: ~ so groß 배나 큰. **~malig** *a.* 다시 한 번의, 재차의: bei ~er Durchsicht der Akten 서류를 다시 한번 검토해 보면. ***~mals** *adv.* 한번 더, 다시, 재차.

Nock[1] [nɔk] 《ndl.》 *n.* -(e)s, -e 〔*f.* -en〕 〖海〗 ① 둥근 돛대목의 끝: ~ einer Rahe 돛 활대 끝. ② 사령교(司令橋)의 측면 돌출부.

Nock[2] *m.* -(e)s, -e (bayr., öst.) 바위, 바위 머리; 언덕, 구릉.

Nöck [nœk] *m.* -(e)s, -e ↑ Neck.

Nocke [nɔ́kə] *f.* -n (bayr., öst.) ①〔구어·폄어〕 잘난 체하는 어리석은 여자. ②〖요리〗 ↑ Nockerl ①.

Nocken [nɔ́kən] 《I》 *m.* -s, - 〖工〗 굴대의 돌출부, 캠. 《II》 *f.* - (bayr., öst.) ↑ Nocke.

Nocken·welle *f.* 〖工〗 캠이 달린 굴대〔회전축〕.

Nockerl *n.* -s, -(n) (bayr., öst.) ①〖요리〗 (수프에 넣는) 작은 경단. ②〔구어·농담〕 잘난 체하는 젊은 아가씨, 철부지 소녀.

Nockerl·suppe *f.* 작은 경단을 넣은 수프.

Nocturne [nɔktýrn] 《frz.》 *n.* -s, -s 〔*f.* -s〕 〖음악〗 ① 야상곡, 녹턴(19 세기에 유행하던 몽환적 분위기의 소곡). ②〔드물게〕 ↑ Notturno.

Noesis [nóezɪs] 《gr.》 *f.* 〖哲〗 노에시스. ①〖플라톤철학〗 정신 활동, 사유. ②〖현상학〗 사색 과정〔행위〕.

Noetik [noéːtɪk] 《gr.》 *f.* 인식론, 사유론.

noetisch *a.* 사유론〔인식론〕의; 사고〔인식〕에 관한.

no future [nóː fjúːtʃər] 《engl.》 (우리에게는) 미래가 없다(1970-80 년대의 청소년 사이에서 유행한 전망의 부재를 뜻하는 표어).

no iron [..áɪrən] 《engl.》 〖섬유〗 다리미질이 불필요한(bügelfrei).

Noisette [noazɛ́t] 《frz.》 *f.* -s ① 개암가루를 섞은 초콜릿. ②〖요리〗 (송아지·양 따위의) 작고 둥근 등심살.

Noisette·schokolade *f.* ↑ Noisette ①.

Nokturn [nɔktʊ́rn] 《lat.》 *f.* -en 심야 기도.

Nokturne *f.* -n ↑ Nocturne.

nölen [nǿːlən] *i.* (h.) (ndd.) 〔폄어〕 ① 느려터지다, 꾸물대다; 느릿느릿하게 말하다. ② 울먹이는 소리로 투덜거리다.

nolens volens 《lat., „nicht wollend oder wollend"》〔교양〕 싫든 좋든(간에).

nölerig [nǿːlərɪç] *a.* ↑ nölig.

nölig [nǿːlɪç] 《<nölen》 *a.* 〔폄어〕 ① 굼뜬, 느려터진. ② 투덜거리는, 우는 소리 잘 하는.

noli me tangere [nóːliː me táŋgərə, ..re] 《lat., „rühr mich nicht an!"》〖聖〗 나를 만지지 마라! (부활 후 예수가 무덤에서 막달라 마리아에게 한 말; 요한 20 : 17).

Nolimetangere [nóːlimetáŋgərə] *n.* -, - ①〖植〗 **(a)** 봉선화(Springkraut). **(b)** 함수초(含羞草). ②〖醫〗 암종(癌腫). ③〖음악〗 (오르간의) 트릴, 전음(顫音). ④〖畫〗 부활한 예수가 막달라 마리아에게 나타났던 성경 장면.

Nöl≠liese [nǿːl..] *f.* ↑ ~suse. **~peter** *m.* (nordd.) 〔폄어〕 느려터진 놈. **~suse** *f.* (nordd.) 〔폄어〕 느려터진 계집애.

Nom. = Nominativ 주격, 1 격.

***Nomade** 《lat. nomades》 *m.* -n, -n 유목인, 유랑자; 〔복수〕 유목민, 유랑민.

Nomaden·dasein *n.* ① 유목 생활. ②〔비유〕 유랑〔방랑〕 생활: als Schauspieler ein ~ führen 배우로서 떠돌이 생활을 하다.

nomadenhaft *a.* ↑ nomadisch ②.

Nomaden≠leben *n.* 유목〔유랑〕 생활. **~volk** *n.* 유목 민족.

nomadisch *a.* ① 유목(민)의. ② 거주가 일정하지 않은, 유랑의.

nomadisieren *i.* (h.) ① 유목 생활을 하다. ② 유랑〔떠돌이〕 생활을 하다.

***Nomen** 《lat.》 *n.* -s, ..mina 〖문법〗 명사(Substantiv).

Nomen acti [..ákti] (동사에서 파생된) 행위의 결과를 나타내는 명사(보기: Grube).

Nomen actionis [..aktsióːnɪs] (동사에서 파생된) 행위〔동작〕 명사(보기: Wurf).

Nomen agentis [..agɛ́ntɪs] (동사에서 파생된) 행위자 명사(보기: Reiter).

nomen est omen [..ɛst óːmən, ..óːmɛn] 〔교양〕 그 이름이 이미 암시하듯이.

Nomen instrumenti [..ɪnstrumɛ́nti] (동사에서 파생된) 도구 명사(보기: Bohrer).

Nomen·klator [..kláːtɔr, ..toːr] 《lat.》 *m.* -s, -en [..tóːrən] ① (고대 로마 때) 주인에게 그의 노예나 방문객의 이름을 대는 일을 했던 노예. ② ↑ ~klatur ②.

nomen·klatorisch *a.* 전문 용어의.

Nomen·klatur [..klatúːr] 《lat. nomenclatura》 *f.* -en ① (한 분야의) 전문어 전체; (학명·학술 용어의) 명명법. ② 전문〔학술〕 용어집.

nomen nescio [nóːmən nɛ́stsio] 이름을 모르는(↑ N.N. ②).

Nomina *pl.* ↑ Nomen.

***nominal** 《<Nomen》 *a.* ①〖문법〗 명사의: eine ~e Fügung 명사구. ② (↔ real) 〖經〗 명목 가치의, 액면 가격의, 명목상의: eine ~e Lohnsteigerung 명목상의 임금 상승.

Nominal≠betrag *m.* 〖商〗 (Nennbetrag) 액면가, 권면액(券面額). **~definition** *f.* 〖哲〗 (단어의 뜻만 제시하는) 유명적(唯名的) 정의.

Nominalismus *m.* - ①〖哲〗 (↔ Realismus) 유명론(唯名論), 명목론. ②〖經〗 (화폐 가치론의) 명목주의(↔ Metallismus).

Nominalist *m.* -en, -en 유명론〔명목론〕자.

Nominal≠kapital *n.* 〖經〗 회사의 창립〔설립〕 자본금. **~lohn** *m.* 〖經〗 명목 임금(↔ Reallohn). **~wert** *m.* 액면가(Nennwert).

Nomination 《<nominieren》 *f.* -en ①〖가톨릭〗 (영주에 의한) 주교 후보자 지명. ②〔드물게〕 (Ernennung) 지명, 임명.

***Nominativ** [nóːminatiːf, nominatíːf] *m.* -s, -e [..və] 〖문법〗 ① 1 격, 주격: ein Substantiv im ~ 주격 명사. ② 주격의 단어.

nominell [nominɛ́l] *a.* ①〔교양〕 명목상〔명의상〕의, 이름뿐인. ②〖經〗 ↑ nominal ②.

nominieren *t.* ① 명명하다. ② (후보로) 지

명하다, 공천하다: (als Kandidat) für die Wahl nominiert werden 선거의 후보로 공천을 받다.

Nominierung *f.* -en 지명, 공천; 지명받음.

Nomismus 《<gr. nómos, „Gesetz"》 *m.* 〖宗〗 율법주의, 법전 준수.

nomistisch *a.* 율법주의의, 법전 준수의: die ~e Religion 법전적 종교(유대교 따위).

Nomogramm [nomográm] *n.* -s, -e 〖數〗 노모그램, 계산 도표.

Nomographie *f.* 계산 도표학.

Non *f.* -en 〖가톨릭〗 ↑ None ②.

Nona 《lat.》 *f.* ..nen ① ↑ None. ② (옛 고등학교의) 9 학년.

Nonagon *n.* -s, -e 〖기하〗 9 각형.

Nonchalance [nõʃalã:s] 《lat. -frz.》 *f.* 〖교양〗 (애교스러운) 무관심, 냉담, 자유 분방.

nonchalant [nõʃalã:, ..lánt] *a.* 무관심한, 꾸밈없는, 스스럼없는.

None 《lat., „der neunte"》 *f.* -n ①〖음악〗 제 9 도 음정. ②〖가톨릭〗 (성무 일과의) 9 시과(時課) (오전 6 시부터 계산하므로 오후 3 시). ③ (오전 3 시부터 계산하여 제 9 시) 정오, 낮. ④〔방언〕 낮의 휴식. ⑤〔복수〕 (고대 로마력에서) 3·5·7·10 월의 7 일 및 다른 달의 5 일.

Nonen·akkord *m.* 〖음악〗 9 도 화음.

Nonett [nonɛ́t] 《it. nonetto》 *n.* -s, -e 〖음악〗 ① 9 중주곡. ② 9 중주단.

Non-food-Abteilung [nónfú:d..] *f.* -en 〖商〗 (슈퍼마켓의) 비식료품 매장〔코너〕.

Nonius [nó:nius] *m.* -, ..nien [..niən]/-se 〖工〗 부척(副尺) (주척(主尺)의 보조자로서, 포르투갈의 수학자 P. Nuñez 의 라틴어식 이름에서).

Non·konformismus *m.* - 〔교양〕 비추종주의, 비타협적 태도.

Non·konformist [nɔnkɔnfɔrmíst, no:n..] 《lat. -engl.》 *m.* -en, -en ①〔교양〕 비타협주의자, 독자 노선을 걷는 자. ②〖宗〗 (영국의) 비(非)국교도.

non·konformistisch *a.* ①〔교양〕 비타협적인: ~e Ansichten 비타협적 견해. ② (영국의) 비국교파의.

non liquet [nó:n lí:kvɛt] 《lat., „es ist nicht klar"》〖法〗 불명확, 증거 불충분.

non multa, sed multum [nó:n múlta, zɛ́t últum] 《lat., „nicht vielerlei, sondern viel"》〔교양〕 잡다하게 알기보다는 깊이있게 알아라.

Nönnchen [nœ́nçən] *n.* -s, - ↑ Nonne ① 의 축소형.

*__Nonne__ [nɔ́nə] 《lat. nonna》 *f.* -n ① 수녀, 여승(약간 경멸의 뜻이 있어서 가톨릭에서는 오늘날 Klosterfrau 라고 함). ② **(a)** (obd.) (특히 말·돼지의) 거세된 암짐승. **(b)** 〖動〗 (독나방과의) 얼룩매미나방. ③〔건축〕 암키와(↔ Mönch).

Nonnen·geräusch *n.* 〖醫〗 정맥음(靜脈音), 송도음(松濤音).

nonnenhaft *a.* 수녀 같은.

Nonnen≈kloster *n.* 수녀원. **~meise** *f.* 〖動〗 쇠박새. **~schleier** *m.* 수녀의 면사포. **~weihe** *f.* 수녀의 서품(식). **~zelle** *f.* 수녀의 방.

Nonpareille [nõparɛ́:j] *f.* -s ①〖요리〗 (과자류에 뿌리는) 색설탕. ②〖印〗 6 포인트 활자.

Nonplus·ultra [nɔnplus|últra, no:n..|últra] 《lat., „nicht darüber hinaus"》 *n.* - 〔교양〕 최상, 최고, 극도, 극치: das ~ an Frechheit 이루 말할 수 없는 철면피.

non possumus [no:n pɔ́sumus, no:n..] 《lat., „wir können nicht"》 거부의 표명(로마교황청이 속세의 권력에 거부를 표명하는 표현).

Non-Proliferation [nɔnpro:lifərέ:ʃ(ə)n] 《engl.》 *f.* 〖政〗 핵무기의 비확산〔확산 방지〕 (Nichtverbreitung).

non scholae, sed vitae discimus [no:n skó:lɛ zɛ́t ví:tɛ dístsimus] 〔교양〕 우리는 학교를 위해서가 아니라 삶을 위해서 배운다.

Nonsens [nɔ́nzɛns] 《engl.》 *m.* -(es) (Unsinn) 무의미(한 일), 어리석은 언행, 난센스.

nonstop [nɔnstɔ́p, ..ʃtɔ́p] 《engl.》 *a.* ① 중단없는, 휴식 없는. ②〖空〗 중간 착륙이 없는.

Nonstop≈flug *m.* 장거리 무착륙 비행. **~kino** *n.* 연속 상영 영화관.

non troppo 〖음악〗 = ma non troppo 마 논 트로포(그러나 너무 지나치지 않게).

Nonvaleur [nõvalǿ:r] 《frz.》 *m.* -s, -s ① 〖經〗 무가치해진 유가 증권; 재고 정리한 상품. ②〔교양〕**(a)** 〔복수: -s/-e〕〔폄어〕 무능력자, 실패자. **(b)** 무가치한 것, 쓸모 없는 것.

nonverbal [nɔ́nvɛrba:l, nó:n..] *a.* 언어의 도움 없이 행하는: ~e Kommunikation 언어를 사용하지 않는 의사 소통.

Noor [no:r] 《dän.》 *n.* -(e)s, -e (nordd.) 해안호(湖) (Haff).

Noppe [nɔ́pə] *f.* -n ①〖섬유〗 (피륙 표면의) 작은 마디, 괴깔: ein Pullover mit ~ 괴깔이 있는 스웨터. ② (고무 제품의) 돌기: ein Schläger mit ~n 우툴두툴한 러버면이 부착된 라켓.

Nopp·eisen *n.* 〖섬유〗 (핀셋 모양의) 괴깔 제거용 도구.

noppen [nɔ́pən] *t.* 〖섬유〗 ① **(a)** (피륙의) 괴깔을 없애다. **(b)** (피륙에) 괴깔을 입히다. ② (고무 제품에) 돌기를 붙이다: eine genoppte Gummimatte 표면이 우툴두툴한 고무 깔개.

Noppen≈garn *n.* [nɔ́pən..] 〖섬유〗 괴깔이 있는 실, 산모(散毛) 섬유. **~gewebe** *n.* 〖섬유〗 산모 섬유천. **~gummi** *m.* 〖탁구〗 (라켓의) 우툴두툴한 러버. **~stoff** *m.* ↑ ~gewebe.

noppig *a.* 〖섬유〗 괴깔이 돋은; 우툴두툴한 돌기가 있는.

Nopp·zange [nɔ́p..] *f.* 〖섬유〗 ↑ ~eisen.

Nora [nɔ́:ra] *f.* 〔↑ Eleonore 의 단축형〕 노라 (여자 이름).

Nörchen *n.* -s, - (nordwestd.) 선잠, 깜빡 드는 잠(Nickerchen).

*__Nord__ [nɔrt] *m.* -(e)s, -e ①〔격변화·관사없음〕 **(a)** 〖海·기상〗 북, 북쪽(↑ Norden): nach ~ 북쪽으로; aus ~ 북쪽에서. **(b)** 〔지명 뒤에 쓰여 그곳의 북쪽 지역을 나타냄; 약어: N〕 북부: Berlin ~ 베를린 북부, 북베를린. ②〖海·시어〗 북풍.

nord *adv.* 북쪽으로〔에〕.

Nord≈amerika *n.* 북아메리카. **~atlantik·pakt** *m.* 〖政〗 북대서양 조약(1949년 4월 체결) (↑ NATO). **~bewohner** *m.* 북방 주민. **~deutsch** *a.* 북(부) 독일(어)의. **~deutschland** *n.* 북(부) 독일.

Norde *m.* -n, -n 〔드물게〕 ↑ Nordbewohner.

***Norden** [nɔ́rdən] *m.* -s ① 북, 북쪽, 북방: die Wolken kommen von ~ 구름이 북쪽에서 몰려온다; das Zimmer liegt nach ~ 그 방은 북향이다. ② 북부, 북쪽 지역: im ~ von Italien 이탈리아 북부에. ③ 북국, 북쪽 나라; 북유럽, 북구: die Völker des ~s 북유럽 민족들; im hohen ~ wohnen 북쪽 끝(북극 지방)에 살다. ④ 북방(북유럽)의 주민. ⑤〖天〗 북극성.

Norder [nɔ́rdər] *m.* -s ① 멕시코만의 북풍. ②〖海〗 북쪽.

Norder≈breite *f.* 북위. **~land** *n.* ↑ Nordland. **~see** *f.*〔고어〕↑ Nordsee. **~sonne** *f.*〖海〗 북극 심야의 태양.

Nord≈europa *n.* 북유럽. **~germane** *m.* 북게르만인(Schweden, Dänen, Norweger, Isländer 의 총칭). **~halb·kugel** *f.* (지구의) 북반구. **~hang** *m.* 북쪽 경사. **~häuser** *m.* Nordhausen 산(産)의 화주. **~irland** *n.* 북아일랜드.

***nordisch** [nɔ́rdɪʃ] *a.* ① 북유럽의, 북구의, 스칸디나비아의: die ~en Länder 북유럽(스칸디나비아) 국가들. ②〖인류〗 북유럽(북구) 사람의, 스칸디나비아인의; 북게르만인(어)의.

Nordist *m.* -en, -en 북유럽 어문학 연구가.

Nordistik *f.* 북유럽 어문학.

Nord≈kap *n.* 노르카프(노르웨이 북쪽 끝의 곶). **~korea** *n.* 북한. **~küste** *f.* 북부 해안. **~land** *n.* 북국; 북유럽, 북구. **~länder** *m.* 북유럽 사람. **~land·fahrt** *f.* ↑ ~landreise. **~land·reise** *f.* 북유럽 여행. **≈ländisch** *a.* 북유럽의.

nördl. Br. =nördliche(r) Breite 북위.

***nördlich** [nœ́rtlɪc] 《Ⅰ》 *a.* 북쪽의, 북방의; 북쪽에서의; 북향의: die Wolken ziehen ~ 구름이 북쪽으로 이동하고 있다; die ~e Küste 북부 해안; ~er Wind 북풍; die Insel liegt auf dem 30. Grad ~er Breite 그 섬은 북위 30 도상에 놓여 있다; das ≈e Eismeer 북빙양; der Ort liegt weiter ~ 그곳은 더 북쪽에 놓여 있다. 《Ⅱ》 *prp.*[2] …의 북쪽에: ~ der Stadt 도시 북쪽에; 8 km ~ der Grenze 국경 북쪽 8 킬로미터 지점에.

Nord·licht *n.* ① 북극광. ② 북쪽에서 오는 빛. ③ (a)〔옛뜻〕(바이에른왕이 초빙한) 북독 출신의 학자(예술가). (b)〔폄어〕(바이에른의 관점에서) 북부 독일의 잘난 체하는 정치가.

Nordling, Nördling *m.* -s, -e 북방 주민 (Nordbewohner).

Nordnord≈ost [nɔrtnɔrtǀɔ́st] *m.* ①〖기상·海〗 ↑ ~osten. ②〖海〗 북북동풍. **~osten** *m.* 북북동(약어: NNO). **~west** *m.* ①〖기상·海〗 ↑ ~westen. ②〖海〗 북북서풍. **~westen** *m.* 북북서(약어: NNW).

Nord≈ost [nɔrtǀɔ́st] *m.* ①〖기상·海〗 ↑ ~osten ①. ②〖海·시어〗 북동풍. **~osten** *m.* ① 북동쪽(약어: NO). ② 북동부 지역. **≈östlich** [nɔrtǀœ́stlɪç] 《Ⅰ》 *a.* 북동쪽(에서)의. 《Ⅱ》 *prp.*[2] …의 북동쪽에. **~ost·wind** *m.* 북동풍. ***~pol** [nɔ́rt..] *m.* ① 북극. ② 자침의 북쪽 끝, 자북(磁北).

Nordpolar≈gebiet *n.* 북극 지방. **~land** *n.* 북극 지방의 나라.

Nordpol≈expedition *f.* 북극 탐험. **~fahrer** *m.* 북극 탐험자. **~fahrt** *f.* ↑ ~expedition.

Nord·punkt *m.*〖天·지리〗 북점(北點).

Nordrhein-Westfalen [nɔ́rtraɪnvɛstfá:lən] 노르트라인베스트팔렌(독일 서부의 주).

***Nord≈see** [nɔ́rtze:] *f.* 북해(독일 북서쪽의 바다). **~seite** *f.* 북쪽, 북측. **~stern** *m.* 북극성(↑ Polarstern). **~süd·express** *m.* (스톡홀름과 로마를 연결하는) 남북 종단 특급 열차.

Nord-Süd≈-Dialog *m.* 남북 대화. **~-Gefälle** *n.*〖政〗 남북 격차. **~-Konflikt** *m.*〖政〗 남북 갈등.

nord≈südlich *a.* 북쪽에서 남쪽으로의, 정남(正南)의. **~wand** *f.* (산 따위의) 북벽, 북향면. **≈wärts** *adv.* ① 북쪽으로. ②〔드물게〕 북쪽에. **~wasser** *n.* 한류. **~weiser** *m.* 나침반.

Nord≈west *m.* ①〖기상·海〗 ↑ ~westen ①. ②〖海·시어〗 북서풍. **~westen** *m.* ① 북서쪽(약어: NW). ② 북서부 지역. **≈westlich** *a.* 《Ⅰ》 *a.* 북서쪽(에서)의. 《Ⅱ》 *prp.*[2] …의 북서쪽에. **~west·wind** *m.* 북서풍.

Nort·wind *m.* 북풍.

nören *i.*(h.) (nordwestd.) (schlummern) 끄덕끄덕 졸다, 선잠 자다.

Norge [nɔ́rgə] (norweg.) ↑ Norwegen.

Nörgelei [nœrgəláɪ] *f.* -en〔폄어〕① 불평, 투덜거림. ② 잔소리.

Nörgel·fritze *m.* -n, -n〔구어·폄어〕↑ Nörgler.

nörgelig [nœ́rgəlɪç] *a.*〔폄어〕불평(불만)이 많은, 트집잡기 좋아하는.

***nörgeln** [nœ́rgəln]〔폄어〕《Ⅰ》 *i.*(h.) 투덜거리다, 불평(불만)을 말하다, 트집 잡다: er hat an allem zu ~ 그는 어떤 일에나 불평하는 사람이다. 《Ⅱ》 *t.* 불평을 말하며 괴롭히다.

Nörgler [nœ́rglər] *m.* -s, -〔폄어〕불평꾼, 잔소리꾼.

nörglerisch *a.* 불평꾼 기질이 있는.

nörglig *a.* ↑ nörgelig.

Nörglertum *n.* -(e)s 불평꾼 기질.

***Norm** [nɔrm] 《lat.》 *f.* -en ① 규범, 규격, 규정; 표준, 기준, 모범: soziale ~en 사회적 규범; der ~ entsprechen 기준에 들어맞다. ②〖法〗 법규범. ③ (a) 책임량, 규정 작업량: die ~ erreichen 책임량을 달성하다. (b)〔구동독〕 노르마, 기준치: Aufwands≈ 소비 기준치. ④〔스포츠〕(경기 참가에 필요한) 기준 기록. ⑤〖印〗 접지 약호(인쇄 전지의 첫 페이지 하단에 인쇄해 넣는 책 제목·저자 이름 따위).

***normal** [nɔrmá:l] *a.* (↔ abnorm) ① 표준의, 정규의, 규정대로의, 기준에 맞는, 정상적인: eine ~e Größe 표준치, 표준 사이즈; der Puls ist ganz ~ 맥박은 완전 정상이다. ② 보통의, 통상적인. ③ (정신적으로) 건강(건전)한, 정상인, 제정신인:〔구어〕bist du noch ~! 너 정신 나갔니!;〔구어〕wie der schuftet, das ist doch nicht mehr ~ 그 사람 어떻게 그토록 일만 할 수 있어, 제정신이 아니야. ④〖化〗(분자 연결이) 직선 구조인.

Normal *n.* -s, -e ① (도량형 단위의) 원기(原器). ②〔구어〕↑ ~benzin: bitte, 20 Liter ~! (휘발유) 보통으로 20 리터 넣어 주세요!

Normal≈arbeits·tag *m.* (법정) 정규 노동일. **~ausführung** *f.* 보통 정도의 설비(장식). **~bedingung** *f.*〖物·化〗 정상 조건, 표준 상태. **~benzin** *m.* 보통 휘발유. **~bürger** *m.* 보통(평범한) 시민.

Normale* 《lat.》 *die* -(n), -n 〖數〗 수(직)선; 법선(法線).
normaler·weise *adv.* 보통(의 경우에는), 통상적〔일반적〕으로: ~ kommt so etwas nicht vor 보통 그런 일은 일어나지 않는다.
Normal≠fall *m.* 보통의 경우: im ~ hätte er anders gehandelt 보통 때라면 그는 달리 행동했을 것이다. **~film** *m.* (35 mm 의) 표준 필름. **~form** *f.* ①〖논리〗 표준 진술. ②〖數〗 표준형. ③〖스포츠〗 평소 실력〔컨디션〕: unter ~ spielen 평소 실력 이하로 경기하다. **~geschwindigkeit** *f.* 규정〔통상·평균〕 속도. **~gewicht** *n.* ① 표준 체중. ② 표준 형기(衡器); 그램 당량(當量). **~größe** *f.* 표준 체격〔신장〕. **~höhen·punkt** *m.* 〖측량〗 수준 원점(原點)(약어: NH).
Normalien [nɔrmá:liən] 《lat.》 *pl.* ① 기본형, 원형; 원안, 원본. ② 규칙, 규정, 규준.
normalisieren [nɔrmalizí:rən] 《I》 *t.* 정상화하다; 규격을 통일하다; 정상 상태로 회복시키다; 기준에 맞추다; 〖化〗 (용액을) 표준화하다. 《II》 *refl.* sich ~ 정상화되다, 정상 상태로 회복되다.
Normalisierung *f.* 정상〔표준·규격〕화.
Normalität [nɔrmalitɛ́:t] *f.* ①〔드물게〕 규정대로임. ② 정상 상태. ③〖化〗 규정 용액의 농도 기준치, 노르말 농도.
Normal≠kerze *f.* 표준 촉광. **~kette** *f.* 〖化〗 (탄소 원자의) 직선형 사슬. **~lampe** *f.* 표준등〔전구〕. **~lösung** *f.* 〖化〗 규정〔노르말〕 용액. **~maß** *n.* 표준 도량〔척도〕; (도량형의) 원기(原器). **~null** *n.* 〖측량〗 (고저 측량의 기준이 되는) 평균 해(수)면(약어: NN, N.N.). **~preis** *m.* 정상〔표준〕 가격. **~profil** *n.* 〖工〗 (교량·터널 따위의) 표준 단면, 최저 높이〔폭〕; 〖철도〗 적재 규정(Lademaß). **~satz** *m.* 〖商〗 정률(定率), 정액. **~schule** *f.* ①〖교육〗 시범 학교. ② (schweiz.) (**a**) 사범〔교육〕대학. (**b**) 국립 교원 양성소. ③〔구어〕 보통 학교(↔ Sonderschule). **~sichtigkeit** *f.* 〖醫〗 정상 시력. **~spur** *f.* 〖철도〗 표준 궤간(軌間). **~spur·weite** *f.* ↑ ~spur. **~tarif** *m.* 〖철도〗 통상 운임율. **~ton** *m.* ①〖음악〗 표준음. ②〖음향〗 (일정한 주파수와 진폭을 갖고 있는) 기본음. **~uhr** *f.* 표준 시계. **~verbraucher** *m.* ① 표준적〔평균적〕 소비자. ②〔평어·농담〕 (지적 수준면에서) 보통 사람, 범인. **~zeit** *f.* 표준시. **~zustand** *m.* ① 정상〔보통〕 상태. ②〖物〗 (1 기압·0℃ 의) 표준 상태.
Normandie [nɔrmandí:] *f.* 노르망디(프랑스 북서부의 지방).
Normanne *m.* -n, -n 노르만 사람(중세 초 Skandinavien 에서 온 게르만계 민족).
normannisch *a.* 노르만인의; 노르망디 지방의.
normännisch *a.* ↑ normannisch.
normativ [nɔrmatí:f] 《lat.》 *a.* 〔교양〕 규준〔표준〕이 되는, 규범적인.
Normativ *n.* -s, -e (동유럽 계획 경제에서의) 지침, 규정, 규범.
Norm·blatt *n.* (독일 표준 협회 발행의) 표준 규격 명세서.
normen *t.* 표준에 맞추다, 규격을 통일하다; 규정〔확정〕하다: genormte Mauersteine 규격화된 벽돌.
Normen≠ausschuß *m.* 규격 통일 위원회, 표준 협회: Deutscher ~ 독일 표준 협회(약어: DNA). **~kontrolle** *f.* 〖法〗 규범 통제(헌법 재판소의 법령 심사). **~kontroll·klage** *f.* 〖法·政〗 법령 심사 소송.
normieren *t.*(h.) 〔교양〕 ① 단일화하다, 일률적으로 규정하다: normierte Verhaltensweise 통일된 행동 방식. ② ↑ normen.
Normierung, Normung [nɔ́rmuŋ] *f.* -en 〔교양〕 단일화, 규격 통일; 표준 설정〔결정〕.
norm·widrig *a.* 규범〔표준·규격〕에 맞지 않는.
Norne [nɔ́rnə] 《altnord.》 *f.* -n 〖북구신화〗 운명의 3 여신(Urd, Verdandi, Skuld)의 하나.
Norwegen [nɔ́rve:gən] 노르웨이.
Norweger 《I》 *m.* -s, - 노르웨이 사람. 《II》 *a.* 노르웨이(인·어)의.
Norweger·muster *n.* 〖수공〗 노르웨이 뜨개 본.
norwegisch *a.* 노르웨이(인·어)의.
Nörz [nœrts] *m.* -es, -e 〖動〗 밍크(Nerz).
Nosographie *f.* -n [..fí:ən] 〖醫〗 질병 기술학(記述學)〔기록학〕.
Nosologie 《gr.》 *f.* 〖醫〗 질병 분류학.
No-Spiel [nó:..] *n.* 노극(일본의 가면 음악극).
Nößel [nǿ:səl] *m./n.* -s, - ① 뇌셀(옛날 독일의 적은 체적·액량의 단위). ② 뇌셀(Klafter 의 10 분의 1; 땔나무 용적량의 단위).
Nostalgie [nɔstalgí:] 《gr.》 *f.* -n [..gí:ən] ①〔교양〕 향수, 노스탤지어. ②〖醫·心〗 향수병.
Nostalgie·welle *f.* 〔교양〕 향수〔복고풍〕의 유행.
Nostalgiker *m.* -s, - 〔교양〕 향수에 잘 젖는 사람.
nostalgisch *a.* 향수의, 향수에 젖은.
Nostrifikation 《lat.》 *f.* -en ①〖法〗 귀화(시킴), 국적 편입. ②〔격식〕 외국 학위의 국가적 인정.
nostrifizieren 《lat. noster》 *t.* ①〖法〗 귀화시키다, 국적에 편입하다. ② (외국 학위를) 국가에서 인정하다.
Nostro≠guthaben [nɔ́stro..] *n.* 〖금융〗 한 은행이 다른 은행에 가지고 있는 예금액. **~konto** *n.* 〖금융〗 (↔ Lorokonto) (거래 은행 사이의) 당점(當店) 계정.
***Not** [no:t] *f.* Nöte [nǿ:tə] ① 곤궁, 궁핍, 빈곤: ~ leiden 가난에 시달리다; js. ~ lindern 누구의 고생〔궁핍〕을 덜어 주다; in ~ leben 가난〔빈곤〕하게 살다; 〔속담〕 in der ~ frißt der Teufel Fliegen 평소에 거들떠보지 않던 것도 궁하면 귀하다; 〔속담〕 ~ macht erfinderisch 궁하면 통하기 마련이다; 〔속담〕 ~ kennt kein Gebot 사흘 굶어 도둑질 아니할 놈 없다; 〔속담〕 ~ lehrt beten 다급하면 하느님을 찾는다; 〔속담〕 ~ ist der Liebe Tod 돈 없으면 사랑에도 파탄이 온다. ② 곤경, 궁지, 고난, 어려운 상황: jn. aus der ~ retten 누구를 곤경에서 구해내다; sich in größter ~ befinden 최대의 위기 상황에 처해 있다; 〔속담〕 wenn die ~ am größten, ist Gottes Hilfe am nächsten 가장 어려울 때 가장 가까이 있는 것은 하느님의 도움이다; 〔구어·반어〕 da〔jetzt〕 ist Holland in ~ 〔Nöten〕 큰일났다, 야단났다; 〖雅語〗 in ~ und Tod zusammenhalten〔zusammenstehen〕 아무리 어려워도 꿋꿋하게 버티다; 〔속담〕 Freunde in der

~ gehen tausend auf ein Lot 어려울 때 친구가 참된 친구다; 〖속담〗 ~ bricht Eisen 궁지에 몰리면 못할 일이 없다. ③ (**a**) 곤란, 난처, 난감, 당혹. (**b**) 걱정, 고민, 마음 고생: er macht mir große Nöte 그 사람 때문에 내 속이 많이 상한다. ④ 수고, 노고, 애씀: mit knapper ~ 간신히, 가까스로; seine (liebe) ~ (mit jm.[et.³]) haben 누구〔무엇〕 때문에 고생이 심하다. ⑤ 위급, 급박, 비상: damit hat es keine ~ 그것은 급한 일이 아니다; 〖구어〗 wenn ~ am Mann ist 급한 경우에는. ⑥ 〖전치사와 함께〗 **aus** ~ 필연적으로, 부득이; aus der ~ eine Tugend machen 전화위복이 되게 하다; **in** ~〔Nöten〕 sein 곤경에 빠져 있다; 〚商〛 ein Wechsel ist in ~ 어음이 부도가 났다; in ~ geraten a) 위기〔어려움〕에 처하다, b) 조난〔난파〕하다; **ohne** ~ 필요도 없는데, 까닭 없이; **über** ~ 필요 이상으로; 〖고어〗 **von** Nöten 필요한; 〖구어〗 **zur** ~ a) 임시 방편으로, 부득이하다면, b) 간신히; zur ~ setzen wir uns auf die Treppe 정 안 되면 우리는 계단에라도 앉는다; zur ~ leben 근근이 살아가다.

not *a.* 〖다음 용법으로만〗 ~ tun 필요하다; Eile tut ~ 서두를 필요가 있다; 〖雅語·구식〗 ~ sein 필요하다; 〖구식〗 jm. ~ tun 누구에게 필요하다; mir tut es ~, daß ich bald auf Urlaub gehe 나는 곧 휴가를 얻을 필요가 있다; es tut〔ist〕 mir ~ 나는 변소에 가고 싶다.

Nota [nóːta] 《lat.》 *f.* -s ① 〖고어〗 표지, 기호; 평, 주석; 각서, 메모. ② 〚商·구식〛 계산서, 청구서; 주문: in ~ geben 주문하다; in ~ nehmen 주문 받다.

Notabeln [notáːbəln] 《frz.》 〖고어〗 *pl.* 저명인사, 명사, 실력자, 거물.

notabene [notabéːnə, ..ne] 《lat.》 *adv.* 〖감탄사적〗〖교양·구식〗 주의(하세요); 그밖에도, 그에도(약어: NB).

Notabene *n.* -(s), -(s) 〖교양·드물게〗 ① 표지, 주의 표시. ② 메모 쪽지.

Notabilität [notabilitɛ́ːt] *f.* -en ① 〖고어〗 고귀, 명망. ② 〖雅語〗 지명 인사.

Not≈achse *f.* 〚工〛 예비 차축〔굴대〕. **~adresse** *m.* ① 〚商〛 (어음의) 비상 지급인. ② 비상 연락 주소. **~anker** *m.* 비상〔예비〕 닻; 〖비유〗 마지막 희망〔수단〕.

***Notar** [notáːr] *m.* -s, -e 〚法〛 공증인.

***Notariat** [..riáːt] *n.* -(e)s, -e ① 공증인의 직책. ② 공증 사무소.

Notariat≈gebühren *pl.* 공증인 수수료. **~instrument** *n.* 공정(公正) 증서. **~recht** *n.* 공증권. **~siegel** *n.* 공증인의 도장. **~urkunde** *f.* ↑ ~instrument.

notariell [notariɛ́l] *a.* 〚法〛 공증인이 작성한, 공증인의 증명이 있는: ~e Urkunde 공정(公正) 증서.

Notarin *f.* -nen ↑ Notar 의 여성형.

notarisch *a.* ↑ notariell.

Notar·kammer *f.* 공증인 회의소.

Not≈arzt *m.* 구급의; 당직 의사; 응급실 담당 의사. **~arzt·wagen** *m.* 구급차.

Notat [notáːt] 《<notieren》 *n.* -(e)s, -e ① 주석, 주(註). ② 〚商〛 (회계 장부) 기입. ③ 비난, 질책.

Notation [notatsióːn] *f.* -en ① 〚기호〛 기호〔상징〕 체계, (분류) 기호법. ② 〚음악〛 기보법(記譜法). ③ (서양식 장기의) 기보(記譜).

Not≈aufnahme *f.* ① 〚法〛 (구동독 난민의) 긴급 수용. ② 응급 환자 수용. **~ausgang** *m.* 비상구. **~ausstieg** *m.* (비행기의) 비상구. **~baracke** *f.* 가(假)건축물. **~bau** *m.* 〖복수: -ten〗 ① ↑ ~baracke. ② 〚사냥〛 (여우 등이) 숨는 곳. **~bedarf** *m.* 비상 용품. **~behelf** *m.* 응급〔비상〕 수단, 임시 변통. **~beleuchtung** *f.* 비상등, 예비등. **~bett** *n.* 예비 침대. **~bremse** *f.* 〚철도〛 비상 제동기: 〖비유〗 die ~ ziehen 비상 조치를 취하다. **~bremsung** *f.* 비상 제동. **~brücke** *f.* 가교(假橋). **~brunnen** *m.* 예비 우물, 비상용 물. **~chirurgie** *f.* 〚醫〛 응급 외과. **~damm** *m.* 임시 제방. **~diebstahl** *m.* 〚法〛 빈곤으로 인한 절도. **~dienst** *m.* ① (의사 등의) 당직〔대기〕 근무; (약국 등의) 공휴일 개점. ② 공휴일에도 문을 여는 곳. **≈dringend** *p.a.* 위급〔긴급〕한.

***Notdurft** [nóːtdʊrft] *f.* ① 용변: seine ~ verrichten 용변을 보다; große〔kleine〕 ~ 대변〔소변〕. ② 〖고어〗 (생활) 필수품. ③ 〖드물게〗 ↑ Notdürftigkeit.

notdürftig [..dʏrftɪç] *a.* ① 충분하지 않은, 빠듯한; 임시 변통의, 궁색한: et. (nur) ~ ausbessern 무엇을 임시로〔대충〕 수선하다; von seinem Lohn kann er nur ~ leben 그는 자신의 임금으로 겨우겨우 살아갈 수 있다. ② 〖드물게〗 필수적인, 필요한.

Notdürftigkeit *f.* 〖드물게〗 궁핍, 곤궁.

***Note** [nóːtə] 《lat.》 *f.* -n ① 〚음악〛 음표; 〖복수〗 악보: ganze〔halbe〕 ~n 온〔2 분〕음표; Viertel≈ 4 분 음표; die ~n für ein Duo 2 중주를 위한 악보; nach ~n a) 악보를 보고, 악보에 따라, b) 〖비유·농담〗 철저히, 몹시; ohne ~n singen 악보 없이 노래부르다; jn. nach ~n verprügeln〔verhauen〕 누구를 흠씬 두들겨 패다, c) 원활히: das geht (wie) nach ~n 그것은 착착 잘 진행되고 있다. ② (외교상의) 문서, 각서; 〚商〛 청구서, 계산서: jm. eine vertrauliche ~ überreichen 누구에게 친서를 전달하다. ③ 〚금융〛 은행권, 지폐: ~n drucken〔fälschen〕 지폐를 인쇄〔위조〕하다. ④ 평점, 점수: eine gute ~ bekommen 좋은 점수를 받다; er hat für die Mathematik die ~ „Zwei〔gut〕" bekommen 그는 수학에서 "우"를 받았다. ⑤ 〖雅語〗 메모, 주석. ⑥ 가락, 색조, 특색; 〚哲〛 징표: der violette Teppich verleiht dem Raum eine ganz moderne ~ 보라색 양탄자가 방에 아주 현대적인 분위기를 주고 있다.

Noten≈ausgabe *f.* 〚금융〛 (금·유가 증권 매입을 위한) 은행권〔지폐〕의 발행. **~austausch** *m.* ↑ ~wechsel. **~bank** *f.* 발권 은행. **~bezeichnung** *f.* 〚음악〛 기보법. **~blatt** *n.* 악보. **~buch** *n.* ① 악보책. ② 성적표. **~deckung** *f.* (태환(兌換)을 위한) 정화(正貨) 준비(금). **~druck**[1] *m.* 성적 향상에 대한 심리적 압박. **~druck**[2] *m.* ① 은행권〔지폐〕 인쇄. ② 악보 인쇄. **~durchschnitt** *m.* ① (한 학생의) 평균 점수. ② 〚스포츠〛 (한 선수에 대한 여러 심판들의) 평균점. **~gestell** *n.* ↑ ~pult, ~ständer. **~handlung** *f.* 악보 판매(점). **~heft** *n.* ① 악보책. ② 오선지 노트. **~lesen** *n.* 〚음악〛 독보(讀譜). **~linie** *f.* 〚음악〛 오선(五線). **~papier** *n.* 악보 용지, 오

선지. **~pult** *n.* 보면대. **~reserve** *f.* 정화(正貨) 준비. **~satz** *m.* ① 악보 조판. ② 악보 인쇄용 식자(植字). **~schlüssel** *m.* 〖음악〗 음자리표. **~schreiben** *n.* 기보(記譜). **~schreiber** *m.* 기보자. **~schrift** *f.* 〖음악〗 기보법. **~ständer** *m.* 보면대. **~stecher** *m.* 악보 인각공(印刻工). **~steuer** *f.* 태환(兌換) 은행권 발행세. **~system** *n.* ①〖교육〗 성적(등급) 체계. ②〖음악〗 음표〔음계〕 체계. **~umlauf** *m.* 〖經〗 전체 통화량. **~wechsel** *m.* 〖政〗 각서 교환. **~zeichen** *n.* 〖음악〗 음표.

Not·erbe [nóːt..] *m.* 〖法〗 추정 상속인. **~fall** *m.* ① 위급〔응급〕 상황, 비상시. ② 부득이한 경우: für den ~ einen Schirm mitnehmen 만일의 경우를 대비해서 우산을 하나 가져가다. **≈falls** *adv.* 비상시에는, 위급한 경우에는; 어쩔 수 없을 때는, 부득이할 경우에는. **≈fest** *a.* 위급한 경우에도 의연한; 굳센, 대담한. **~feuer** *n.* ① 비상 신호용 불, 봉화. ②〖민속〗 (특히 가축의) 전염병을 몰아내기 위한 횃불. ③〖軍〗 저지 사격. **~flagge** *f.* 비상〔조난〕 신호기. **~frist** *f.* 〖法〗 법정〔불변〕 기간. **≈gedrungen** *a.* 부득이한, 어쩔 수 없는. **~geld** *n.* 〖經〗 임시 통화, 긴급 화폐. **~gemeinschaft** *f.* 비상 대책 협의회. **~gesetz** *n.* 〖法〗 긴급 법령. **~gewand** *n.* ↑ ~hemd. **~hafen** *m.* 〖海〗 (긴급) 피난항. **~helfer** *m.* ① 어려울 때 도와주는 사람, 구호자. ②〖가톨릭〗 die Vierzehn ~ 14 구난 성인. **~hemd** *n.* (걸치면 불사신이 된다는) 마법의 옷. **~hilfe** *f.* ① 구난, 구호. ② 응급 조치.

notieren [notíːrən] 《lat.》《I》 *t.* ① **(a)** 적어〔써〕 두다, 메모하다, 기입〔기록〕하다; 〖음악〗 기보하다: sich³ ihre Telefonnummer ~ 그녀의 전화 번호를 적어 두다. **(b)** 〔드물게〕 알아차리다, 인식하다. ②〖經〗 (증권·상품의) 시세를 확정〔공표〕하다: zum notierten Kurs 공시가(公示價)로; die Preise ~ 값을 정하다〔매기다〕. 《II》 *i.* 〖經〗 (증권·상품 등의) 시세가 …이다: die Baumwolle notiert unverändert 〔zum Vortagskurs〕 면(綿)의 시세는 보합세다〔전날 시세대로다〕.

Notierung *f.* -en ① 기입, 기재, 기록. ② ↑ Notation ①②. ③〖經〗 시세 확정, 시가.

Notifikation [notifikatsióːn] 《lat.》 *f.* -en ①〔고어〕 게시, 고지, 공고. ②〖政·法〗 (각서에 의한) 공식 통보.

notifizieren [..tsíːrən] *t.* ①〔고어〕 게시〔공고〕하다, 알리다. ②〖政〗 공식 통보하다.

notig [nóːtɪç] *a.* (obd.) 빈곤한, 궁핍한.

***nötig** [nǿːtɪç] 《<Not》 *a.* ① 필요한, 꼭해야 할: die ~en Unterlagen 필요한 서류; wenn ~, komme ich sofort 가야 한다면 즉시 가겠다; jn.〔et.〕 ~ brauchen 누구를〔무엇을〕 꼭 필요로 하다; jn.〔et.〕 ~ haben 누구를〔무엇을〕 필요로 하다; er hat Ruhe〔Urlaub〕 ~ 그는 안정이〔휴가가〕 필요하다; nicht ~ haben, et. zu tun 무엇을 할 필요가 없다; 〔구어〕 du hast es (gerade) ~! 네가 꼭 그래야만 하겠니!; 〔구어〕 du hast es (gerade) ~, so anzugeben! 네가 그렇게 큰소리칠 필요는 없어(그렇게 큰소리친다 해도 아무도 안 믿을걸); das wäre aber (doch) wirklich nicht ~ gewesen 이러실 필요가 정말 없었는데요(선물 등을 받았을 때의 인사말); 〔구어〕 ich muß mal ganz ~! 나 아주 급해! (화장실에 가야 한다); das ≈e besorgen 필요한 것을 마련하다, 돈을 조달하다. ② (obd.) 궁핍〔곤궁〕한.

***nötigen** [..tɪgən] *t.* ① 간청하다, 자꾸 권하다: jn. zum Bleiben〔Essen〕 ~ 누구에게 머무르도록 간청하다〔음식을 들도록 권하다〕; lassen Sie sich nicht ~! 사양 말고 드시지요! (식사를 권하는 표현). ② (어떤 장소로) 와〔가〕 달라고 부탁하다. ③ (상황이) …하도록 만들다: meine Stellung nötigte mich dazu 내 입장으로서는 그렇게 하지 않을 수가 없었다; er war genötigt, die Termine abzusagen 그는 일정을 취소해야 했다; durch die Umstände genötigt 사정이 부득이하여; sich genötigt sehen, et. zu tun 부득이 어떤 일을 하지 않을 수 없게 되다. ④〖法〗 협박〔강요〕하다. ⑤〔고어〕 성폭행〔강간〕하다(notzüchtigen).

nötigenfalls *adv.* 꼭 필요하다면, 부득이할 경우에는, 어쩔 수 없을 때는.

Nötigkeit *f.* ① 필요성. ② (obd.) 궁핍, 곤궁.

Nötigung [nǿːtɪgʊŋ] *f.* ① 간청, 강요, 강권. ②〖法〗 협박, 공갈, 강요. ③〔雅語〕 계기, 필요성.

***Notiz** [notíːts, ..tɪ́ts] *f.* -en ① 주의, 인식: von et.³ ~ nehmen 무엇에 주의하다; et. zu js. ~ bringen 누구에게 무엇을 알리다; zu js. ~ kommen 누구의 귀에 들어가다. ②〔대개 복수〕 비망록, 메모; 주석, 주해: sich³ ~en machen 메모하다. ③ 짤막한 기사, 단신. ④〖經〗 시세 확정.

Notiz·block *m.* (한 장씩 뜯어 쓰게 되어 있는) 메모 용지철(綴). **~buch** *n.* 메모장, 수첩. **~kalender** *m.* 메모용 달력. **~zettel** *m.* 메모용 쪽지, 메모 용지.

Not·jahr *n.* ①〔대개 복수〕 궁핍한 해. ② 흉년. **~lage** *f.* 난관, 궁지, 곤경: sich in einer ~ befinden 곤경에 처해 있다. **~lampe** *f.* 비상등. **≈landen** 《I》 *t.* 비상 착륙시키다. 《II》 *i.* (h./s.) 비상 착륙하다. **~landung** *f.* ① 비상 착륙, 불시착. ② 피난〔긴급〕 상륙. **≈leidend** *a.* ① 곤궁〔궁핍〕한, 가난에 시달리는. ②〖經〗 (이행이) 불확실한, 부도난: ~e Wechsel 부도 어음. **~leidende*** *der/die* 가난에 시달리는 사람, 어려움을 겪고 있는 사람. **~leine** *f.* 〖철도〗 비상 경적용 줄. **~leiter** *f.* 비상 사다리. **~licht** *n.* 비상등, 예비등. **~lösung** *f.* 임시 해결책; 응급 처방. **~lüge** *f.* 예의상의 거짓말, 슬쩍 둘러대는 거짓말. **~maßnahme** *f.* 비상 조치, 응급책. **~mast** *m.* 〖海〗 비상〔예비〕 돛대. **~mittel** *n.* 비상 수단; 미봉책; 응급 수단. **~nagel** *m.* 〔구어·폄어〕 대역, 대타(代打). **~operation** *f.* 〖醫〗 응급 수술. **~opfer** *n.* 긴급 구호세: ~ Berlin (옛 서독의) 베를린 구호 특별세(1949-58).

Notorietät [notorietέːt] 《lat. -frz.》 *f.* 저명, 주지, 현저.

notorisch [..tóːrɪʃ] *a.* 〔교양〕 ① 주지의, 공공연한. ②〔폄어〕 습관적인, 상습적인: ein ~er Trinker 상습 음주가.

not·peinlich *a.* 형사상의, 형벌의. **~pfeife** *f.* 비상 기적(汽笛). **~pfennig** *m.* 비상금: sich³ einen ~ zurücklegen 만일에 대비해서 저금하다. **≈recht** *n.* ① 긴급 피난권; (정당방위 등의) 자구권(自救權). ② 국가 긴급권.

Notre-Dame [nɔtrədám] 《frz., „unsere liebe Frau"》 ① 성모 마리아. ② 노트르담 성당(파리

를 비롯한 프랑스 각지의 주교좌 성당).

not≈reif *a.* 〖農〗(가뭄 등으로 인해) 여물지 않고 익은. **≈reife** *f.* ①〖農〗조기 부실 성숙. ②〔드물게〕(김나지움의) 조기 졸업.

Not≈reise *f.* 용무 여행(↔ Lustreise). **~ruf** *m.* ①(특히 경찰·소방서의) 긴급 전화. ② ↑ ~rufnummer. ③(위기에 처한 동물, 특히 조류의) 울부짖음.

Notruf≈nummer *f.* (경찰·소방서의) 긴급 전화 번호. **~säule** *f.* 긴급 연락용 직통 전화대.

Not≈sache *f.* 긴급한 일, 요건. **~schalter** *m.* 〖전기〗비상용 스위치. **≈schlachten** *i.*(h.)/*t.* 긴급 도살하다. **~schlachtung** *f.* 긴급 도살. **~schrei** *m.* ①〖雅語〗(위기에 처한 사람의) 비명, 도움을 요청하는 절규. ② ↑ ~ruf ③. **~schuß** *m.* 조난 신호포(砲). **~signal** *n.* ①조난 신호. ② ↑ ~leine. **~sitz** *m.* (펴거나 접을 수 있는) 보조석. **~stand** *m.* ①곤경, 위기. ②〖法〗비상〔긴급〕사태; 위난, 재해.

Notstands≈arbeiten *pl.* 긴급 구제 사업. **~gebiet** *n.* 비상 사태 발생 지역, 재해 지역. **~gesetz** *n.*〖法〗비상 사태법, 긴급 조치법. **~gesetz·gebung** *f.* 긴급 입법; 비상 사태법 제정.

Not≈strom *m.* 비상 전기. **~strom·aggregat** *n.* 비상용 발전기. **~taufe** *f.* 대세(代洗), 긴급 세례(피세례자가 위독할 때 평신도가 대신 하는 세례). **≈taufen** *t.* 대세를 베풀다. **~tür** *f.* 비상구.

Notturno [nɔtʊ́rno] 《lat. -it.》 *n.* -s, -s/..ni 〖음악〗녹투르노(특히 18 세기에 유행한 야외의 밤 공연을 위한 세레나데풍의 악곡).

Not≈unterkunft *f.* (이재민·노숙자 등을 위한) 임시 숙소. **~verband** *m.* 구급 붕대. **~verordnung** *f.* 〖政〗(국가 원수에 의한) 긴급 조치〔명령〕. **≈wassern** 《I》*t.*〖空〗비상 착수(着水)시키다. 《II》*i.*(s.)〖空〗비상 착수하다. **~wasserung** *f.*〖空〗비상 착수. **~wehr** *f.*〖法〗정당 방위: jn. in ~ töten 누구를 정당 방위로 살해하다.

***notwendig** [nóːtvɛndɪç, noːtvɛ́n..] *a.* ①꼭 필요한, 불가피한, (필수) 불가결의: eine ~e Voraussetzung 필수 전제; es ist ~, sofort zu beginnen 즉시 시작하지 않으면 안 된다; nur das ≈ste mitnehmen (정말로) 꼭 필요한 것만 가져가다; et. ~ brauchen 무엇을 꼭 필요로 하다;〔구어〕jn.〔et.〕als ~es Übel betrachten 누구를〔무엇을〕필요악으로 간주하다〔싫지만 필요로 하다〕;〖논리〗~e Bedingung 필요 조건(↔ hinreichende Bedingung 충분조건). ②필연적인, 당연한: das ist die ~e Konsequenz deines Vorgehens 그것은 네 행동의 필연적인 귀결이다; deine Worte mußten ~ Ärger hervorrufen 네 말은 당연히 화나게 할 수 밖에 없었다.

notwendigen·falls [..dɪgən..] *adv.* 부득이한 경우에는.

notwendiger·weise *adv.* 필연적으로, 당연히, 어떻게든지.

***Notwendigkeit** *f.* -en ①불가피성, 필연(성); 필요, 필수. ②필수품, 꼭 필요한 것; 불가피한 일: es ist einfach eine ~, das zu tun 그렇게 하는 것은 정말 어쩔 수 없는 일이다.

Not≈wohnung *f.* (피난용) 임시 주택. **~wort** *n.* ①임기 응변. ②(obd.) 변명. **~wurf** *m.*〖空〗(긴급시에 중량을 줄이기 위한 화물·장비의) 투하. **~zeichen** *n.* 비상 신호. **~zucht** *f.*〖法〗성폭행, 강간. **≈züchtigen** *t.* 성폭행〔강간〕하다. **~züchtiger** *m.* 성폭행〔강간〕범. **~züchtigung** *f.* ↑ ~zucht. **~züchtigungs·versuch** *m.* 성폭행〔강간〕미수. **~zwang** *m.* ①강요, 강제. ② ↑ ~zucht.

Nougat [núːgat, nugá(ː)] 《lat. -frz.》 *n./m.* -s, -s 누가(호두·편도·설탕·코코아로 만든 과자).

Nougat≈füllung *f.* (초콜릿 등의) 누가로 채워진 속. **~schokolade** *f.* 누가 초콜릿.

Nouveauté [nuvotéː] 《frz. <lat. novus, „neu"》 *f.* -s [..téːs]〔구식〕최신 유행(품).

Nov. = November 십일월.

Nova[1] [nóːva] *f.*〖天〗신성(新星).

Nova[2] ↑ Novum 의 복수형.

Novalis [nováːlɪs] *m.* 노발리스(독일의 시인 Friedrich von Hardenberg (1772-1801)의 필명).

Novation [novatsióːn] *f.* -en ①〔드물게〕갱신, 혁신; 변화. ②〖法〗채무 경개(更改).

Novecento [novetʃɛ́nto] *n.* -(s) 《it.》 ①20 세기. ②(실용성·합리성을 중시하는 20 세기 이탈리아 건축의) 새로운 양식.

Novel Food 《engl.》 *n.* -(s)〖식품〗유전자가 변형된 식품.

Novelle[1] [novɛ́lə] 《lat. novella(lex)》 *f.* -n〖法〗개정법, 수정 법령.

***Novelle**[2] 《it. novella》 *f.* -n〖문학〗노벨레(특이한 사건과 극적인 구성을 갖춘 중·단편 분량의 소설).

novellen≈artig *a.* 노벨레식의. **≈dichter** *m.* 노벨레 작가. **≈form** *f.* 노벨레 형식.

novellenhaft *a.* ↑ novellenartig.

Novellen≈sammlung *f.* 노벨레 모음. **~schatz** *m.* ↑ ~sammlung. **~schreiber** *m.* ↑ ~dichter.

Novellette[1] [novɛlɛ́tə] 《it.》 *f.* -n〖문학〗노벨레테(길이가 짧은 노벨레).

Novellette[2] *f.* -n〖음악〗노벨레테(낭만적이고 경쾌한 서정 소곡).

novellieren [novɛlíːrən] *t.*〖法〗(법률을) 수정〔보완〕하다.

Novellierung *f.* -en〖法〗(법률의) 수정, 보완.

Novellist [novɛlɪ́st] *m.* -en, -en〖문학〗노벨레 작가.

Novellistik *f.*〖문학〗①노벨레(Novelle) 작법. ②(특정 시대·민족의) 노벨레 전체.

novellistisch *a.*〖문학〗노벨레식의, 노벨레의 서술 형식에 따른.

***November** [novɛ́mbər] 《lat. novem》 *m.* -(s), - 11 월(고대 로마력의 9 번째 달).

November·revolution *f.*〖史〗(1918 년 독일의) 11 월 혁명.

Novene [novéːnə] *f.* -n〖가톨릭〗9 일 기도.

Novilunium *n.* -, ..nien [..niən]〖天〗(그믐달 이후의) 첫 초승달.

Novität [novitɛ́ːt] 《lat.》 *f.* -en ①새로움, 새로운 것; 신간, 신품, 신작, 신곡. ②〔고어〕뉴스.

Novitäten·zettel *m.* 신간 서적 목록.

Novize [novíːtsə] *m.* -n, -n ①〖가톨릭〗수련수사. ②〔드물게〕신참자, 초심자.

Noviziat [..vitsiá:t] *n.* -(e)s, -e 〖가톨릭〗 ① 수련 기간. ② 수련원.
Noviziat·jahr *n.* 〖가톨릭〗 수련의 해.
Novizin [..ví:tsɪn] *f.* -nen 〖가톨릭〗 ↑ Novize 의 여성형.
Novum [nó:vum, nóv..] 《lat.》 *n.* -s, ..va 〖교양〗 ① 새로운 것〔사실〕. ② 새로운 관점. ③ 〔복수로〕〔드물게〕 신간 서적류.
NOX =Stickoxid 〖化〗 산화질소.
Noxe [nɔ́ksə] 《lat.》 *f.* -n 〖醫〗 유해〔유독〕 물질; 병인(病因), 병독.
Noxin *n.* -s, -e 〖醫〗 녹신(변질된 단백질에서 생기는 유독성 물질).
Np 〖化〗 ① =Neptunium 넵투늄. ② =Neper 네퍼.
NPD =Nationaldemokratische Partei Deutschlands 독일 민족 민주당(극우 정당).
Nr. =Nummer 번호, 번.
Nrn. =Nummern(↑ Nummer 의 복수형).
NRT 〖海〗 =Nettoregistertonne 순 등록 톤수.
NS ① =Nachschrift 추신(追伸). ② =Nationalsozialismus 국가 사회주의.
N.S. 〖商〗 =nach Sicht 일람 후.
ns =Nanosekunde 10 억분의 1 초.
NSDAP =Nationalsozialistische Deutsche Arbeiterpartei 국가 사회주의 독일 노동당, 나치스.
n.St. =neuen Stils 그레고리오력(曆)에 따른 (시간 계산).
N.T. =Neues Testament 신약 성서.
n-tv 〖방송〗 베를린에 본사를 둔 시사 전문 케이블 방송국.
nu [nu:] *adv.* (md.) (nun) 자, 그래서, 이제: ~ was ist da los! 그래서 뭐가 어떻게 된 거야!; ~ also? 그래서 어찌 됐나?
Nu *m.* - 〔다음 용법으로만〕 찰나, 순간: in einem ~, im ~ 갑자기, 순식간에.
***Nuance** [nyã́:sə] 《frz.》 *f.* -n ① 뉘앙스, 미묘한 차이: ~n unterscheiden 뉘앙스를 구분하다. ② 아주 조금, 약간: eine ~ heller〔dunkler〕 살짝 더 밝게〔어둡게〕; um eine ~ anders 아주 조금만 다르게.
nuancen·reich [nyã́:sən.., nyáŋsən..] *a.* 〖교양〗 뉘앙스가 풍부한; 섬세하게 음영이 진.
nuancieren [nyãsí:..] *t.* 〔교양〕(…에) 뉘앙스를 주다, 살짝 변화를 주다; (…의) 섬세한 차이를 모두 파악〔표현〕하다.
Nuancierung *f.* -en 〔교양〕 뉘앙스 부여; 섬세한 차이의 표현.
nüber [ný:bər] *adv.* 〔방언〕 ↑ hinüber.
Nubuk *n.* -(s) (표면이 비단결 같은) 고급 쇠〔송아지〕 가죽.
***nüchtern** [nýçtərn] 《<lat. nocturnus, „nächtlich"》 *a.* ① 식사하지 않은, 공복의: eine Arznei auf ~en Magen nehmen 공복에 약을 먹다. ② 취하지 않은, 정신이 말짱한: 〔비유〕 allmählich wieder ~ werden (도취·열광 상태에서) 서서히 깨어나다. ③ (음식에) 절제하는, 삼가는. ④ 냉정한, 분별 있는, 현실 감각이 있는, 객관적인: et. ~ betrachten 무엇을 냉철히 관찰하다; ein (allzu) ~er Bericht (지나치게) 사실 위주의 보고. ⑤ 장식 없는, 무미건조한, 썰렁한: ohne die Bilder wirkt der Raum etwas ~ 그림이 없어서 방이 좀 썰렁한 느낌을 준다. ⑥ (음식이) 별맛 없는, 싱거운: eine ~e Mahlzeit 싱거운 식사.
***Nüchternheit** *f.* ① 공복 상태; 말짱한 정신. ② 냉정, 객관적인 사고 방식. ③ 실용성 위주, 무장식, 무미건조, 몰취미. ④ 〖宗〗 금식, 단식.
Nucke *f.* -n ↑ Nücke.
Nücke [nýkə] *f.* -n (특히 nordd.) 변덕, 심술: seine ~n (und Tücken) haben 변덕을 부리다, 까다롭다; das Pferd hat seine ~n 이 말은 다루기 어렵다; voller ~en und Tücken stecken 변덕이 심하다, 괴팍스럽기 짝이 없다.
Nuckel [núkəl] *m.* -s, - 〔방언·구어〕 (젖먹이용) 고무 젖꼭지(Schnuller).
nuckeln [núkəln] 《Ⅰ》 *i.* (아기가) 빨다: das Baby nuckelt am Daumen 아기가 엄지 손가락을 빨고 있다. 《Ⅱ》 *t.* (음료를) 홀짝홀짝 마시다.
Nuckel·pinne *f.* 〔구어·농담〕 작고 느린 자동차, 고물차.
nückisch [nýkɪʃ] *a.* 변덕스러운, 마음이 잘 변하는, 성격이 별난.
***Nudel** [nú:dəl] *f.* -n ① 〔대개 복수〕 국수: ~n kochen 국수를 삶다; italienische ~n 마카로니. ② (특히 거위를 살찌도록 먹이는) 동글동글한 국수. ③ 〔구어〕 여자: Betriebs≈ 분위기를 이끄는 여자; eine dicke ~ 뚱뚱한 여자; eine ulkige ~ 재미있는〔익살스런〕 여자. ④ 〔방언〕 (효모로 부풀려 기름에 튀긴) 과자. ⑤ jn. auf die ~ schieben 누구를 놀리다, 우롱하다.
Nudel≈brett *n.* ① 국수 미는 판. ② 〖연극〗 작고 초라한 무대. **≈dick** *a.* 〔구어〕 (특히 사람이) 비대한, 몹시 살찐.
Nud(e)ler *m.* -s, - 가금(家禽)을 살찌게 기르는 사람(↑ nudeln).
Nudel≈holz *n.* 국수(미는) 방망이. **~maschine** *f.* 국수틀.
nudeln [nú:dəln] 《Ⅰ》 *t.* ① (거위·오리·닭 등을) 먹여 살찌우다. ② 〔구어〕 잔뜩〔실컷〕 먹이다: ich bin (wie) genudelt 나는 포식했다, 배터지게 먹었다. ③ 〔고어〕 (반죽을) 눌러 펴다, 밀다. 《Ⅱ》 *i.* 〔고어〕 국수 반죽을 밀다.
Nudel≈salat *m.* 국수 샐러드(대개 마카로니에 소시지·완두콩 등을 섞어 만듦). **~suppe** *f.* 국수가 든 수프. **~teig** *m.* 국수 반죽. **~walker** *m.* (bayr., öst.) ↑ ~holz. **~walze** *f.* ↑ ~holz.
Nudismus [nudísmus] 《lat. nudus》 *m.* - 〔교양〕 나체주의(Freikörperkultur).
Nudist [..díst] *m.* -en, -en 〔교양〕 나체주의자.
Nudität [nuditέ:t] *f.* -en 〔교양〕 ① 벌거숭이, 맨몸, 나체. ② 〔대개 복수〕 나체화, 나체 사진; 음담, 외설적 표현.
nufer *a.* (alem.) 원기 있는, 쾌활한, 튼튼한.
Nugat [nú:gat] *n./m.* -s, -s 누가(↑ Nougat).
Nugget [nágit] 《engl.》 *n.* -(s), -s (천연) 금괴〔금덩어리〕.
***nuklear** [nukleá:r] *a.* ① 〖物〗 원자핵의: ~e Energie〔Spaltung〕 핵 에너지〔분열〕. ② 〖기술〗 핵반응에 따른: ~e Waffen 핵무기; ein ~ angetriebenes U-Boot 핵〔원자력〕추진 잠수함. ③ 핵무기로 무장한: ~e Staaten 핵무기 보유국들.

Nuklear-krieg *m.* 핵전쟁(Atomkrieg). **~macht** *f.* 〖政〗 핵(무기) 보유국, 핵강국. **~medizin** *f.* 핵〔방사선〕 의학(Atommedizin). **~physik** *f.* 핵물리학(Kernphysik). **~waffe** *f.* 〖軍〗 핵무기(Kernwaffe).

Nuklease [nukleá:zə] *f.* -n 〖化〗 핵산 분해 효소.

Nuklein [nukleí:n] *n.* -s, -e 〖化〗 ↑ Nukleoproteid.

Nuklein·säure *f.* 〖化〗 핵산.

Nukleon [nú:kleɔn, núk..] *n.* -s, -en [..ó:nən] 〖핵물리〗 핵자(核子)(양자와 중성자).

Nukleo·proteid *n.* 〖생화학〗 핵단백질.

Nukleus [nú:kleʊs, núk..] *m.* -, ..klei [..klei] ①〖生〗 세포핵; 신경핵. ②〖고고〗 석핵(石核).

***null** [nʊl] *num./a.* 0, 영, 제로: ~ Komma sechs Meter 0.6 미터; er hat im Diktat ~ Fehler 그는 받아쓰기에서 오답이 하나도 없다; 〔경박〕 heute habe ich ~ Bock (auf et.) 오늘 나는 (무엇을 하고 싶은) 마음〔의욕〕이 전혀 없다; das Spiel steht zwei zu ~ 경기 스코어는 2:0 이다; es ist ~ Uhr 밤 12 시다; es ist gerade ~ Grad 온도가 꼭 0 도다; ~ und nichtig 무효의; et. für ~ und nichtig erklären 무엇을 무효로 선언하다.

***Null**[1] *f.* -en ① 영; 영도, 빙점: eine Zahl mit fünf ~en 0 이 다섯 붙은 수; das Thermometer steht auf ~ 온도계는 영도를 가리키고 있다; es sind zehn Grad unter ~ 영하 10 도다; 〔농담〕 da mußt du aber noch einige ~en anhängen 자네는 거기에 동그라미 몇 개는 더 붙여야만 되네(상당한 액수의 금액을 내야 하네); 〔구어〕 ~ Komma nichts 전혀 아무 것도; er hat heute ~ Komma nichts gearbeitet 그는 오늘 전혀 아무런 일도 하지 않았다; 〔구어〕 in ~ Komma nichts 매우 빨리, 순식간에; gleich ~ sein 거의 없는 거나 마찬가지다; ~ für ~ aufgehen (계산·계획 등이) 정확히 맞아떨어지다; 〔구어〕 bei ~ anfangen 원점에서 시작하다; 〔비유〕 unter ~ sinken (기분·분위기가) 몹시 침체되다; Nummer ~ 〔구어〕(호텔 등의) 화장실; die Stunde ~ (전무의 상태에서 새롭게 시작되는) 영시점(특히 제 2 차 세계 대전 후의 서독에서 통용되던 표현). ②〔구어·폄어〕 무가치〔무능력〕한 사람: er ist eine absolute〔reine〕 ~ 그는 완전히 무능하다.

Null[2] *m./n.* -(s), -s 〖카드〗 스카트(Skat) 게임의 일종.

null-acht-fünf·zehn *a.* 〔구어·폄어〕 개성이 없는, 진부한, 천편일률적인(1908 년에 개조된 후 1915 년에 다시 개조된 08/15 기관총의 명칭에서): ∼-Frisur 흔한〔평범한〕 헤어스타일.

Nullage [nʊ́lla:gə] *f.* -n (계기의) 0 위치, 제로점.

nulla poena sine lege [nʊ́la pǿ:na zí:nə lé:gə] 《lat., „keine Strafe ohne Gesetz"》〖法〗 죄형(罪刑) 법정주의.

Null·diät *f.* 〖醫〗 제로 다이어트(물·무기질·비타민만 섭취).

Nulleiter [nʊ́llaɪtər] *m.* 〖전기〗 중성선, 접지선.

nullen [nʊ́lən] 《I》 *i.* (h.) 〔구어·농담〕 (나이가) 꼭 …십세가 되다: er hat heute viermal genullt 그는 오늘로 만〔꼭〕 40 세가 되었다. 《II》 *t.* ①〖전기〗 중성선에 접속시키다, 접지시키다. ② 0 을 붙이다; 무효로 하다: 〖광산〗 Wagen ~ (적재량 부족의) 차량에 0 의 표지를 붙이다.

Nuller *m.* -s, - ①〖승마〗 ↑ Null-Fehler-Ritt. ②〖스포츠〗 (schweiz.) 빗나간 사격; 도약 실패.

Null-Fehler-Ritt *m.* 〖승마〗 (장애물 비월에서의) 무실점 경기. **~grad** *m.* ↑ ~punkt.

Nullifikation [..tsió:n] 《lat.》 *f.* -en 〖法·政〗 무효〔폐기〕 선언, 무효화, 파기.

nullifizieren *t.* 〖法·政〗 무효를 선언하다, 폐기〔파기〕하다.

Nullinie [nʊ́lli:niə] *f.* (계측기의) 시작선, 영선(零線).

Nullität [nʊlitɛ́:t] *f.* -en ①〖法·고어〗 무효; 무가치. ②〔드물게·교양〕 무가치한 것, 하찮은 지위.

Nullitäts·klage *f.* 〖法·고어〗 무효 소송.

Null-linie *f.* ↑ Nullinie. **~menge** *f.* 〖數〗 공집합. **~meridian** *m.* 〖지리〗 그리니치〔본초〕 자오선. **~methode** *f.* 〖理〗 영위법(零位法). **~morphem** *n.* 〖언어학〗 영형태소(기호: ϕ). **~-Null** *n.* 〔구어〕 화장실(기호: 00).

Nullösung *f.* -en ①〖數〗 고유 함수(Eigenfunktion). ②〖政〗 제로 옵션(NATO 와 구소련 쌍방이 계획한 유럽의 전면적 핵 폐기 구상).

Null-punkt *m.* ① 영점. ② 영도, 빙점. ③ 〔비유〕 밑바닥〔최악의〕 상태: ihre Beziehung war auf dem ~ angekommen 그들의 관계는 최악에 이르렀다. **~spannung** *f.* 무〔제로〕 전압. **~spiel** *n.* ↑ Null[2]. **~stellung** *f.* (계기 바늘의) 영위(零位), 영점. **~tarif** *m.* (대중 교통 수단·박물관 등의) 무료 서비스〔승차·입장〕: zum ~ 무료로.

nullt *a.* 〔↑ Null 의 서수〕 0 번인.

Null-teiler *m.* 〖數〗 영분모. **~wachstum** *n.* 〖經〗 제로 성장, 경제 성장의 정체.

Nulpe *f.* -n 〔구어·폄어〕 멍청이, 지루한 사람, 별 볼일 없는 사람.

Numerale [numerá:lə ..mə..] 《lat.》 *n.* -s, ..lia/..lien [..liən] 〖문법〗 수사.

Numeration *f.* -en 〖數〗 계산, 산수; 번호붙이기.

Numeri [nú:meri, nʊ́me..] ① ↑ Numerus의 복수형. ② 민수기(民數記) (구약 제 4 권).

***numerieren** [numerí:rən, ..mə..] *t.* ① 세다, (일련) 번호를 붙이다: die Seiten ~ 페이지에 번호를 매기다. ②〖商〗 (…에) 정가표를 붙이다.

***Numerierung** *f.* -en 숫자세기, 번호붙이기 〔매기기〕; 일련 번호.

Numerik *f.* 〖工〗 수치(數値) 제어.

numerisch [numé:rɪʃ] *a.* ① 숫자상의. ② 숫자를 이용한. ③ 번호가 매겨진, 번호 순서에 따른. ④〖컴〗 숫자를 이용한, 디지털 방식의.

Numero [nú:mero, nʊ́m..] *n.* -s, -s 〔숫자 앞에서만 쓰임〕〔구식〕 번, 번호(약어: No): ~ eins 제 1 번.

Numerus [nú:merus, nʊ́m..] 《lat.》 *m.* -, ..ri ①〖數〗 진수(眞數). ②〖문법〗 수. ③ 조화율; 박자; 다수.

Numerus clausus [..kláuzus] 《lat.》 *m.* - - (대학의) 입학 정원제; (입사 때의) 인원 제한(약어: NC).

numinos [numinó:s] 《lat.》 *a.* 〖신학〗 경외로

운, 거룩한: das ∼e 신성(神聖).

Numismatik [numɪsmá:tɪk] 《gr. -lat.》 *f.* (Münzkunde) 화폐 연구, 화폐학.

Numismatiker *m.* -s, - 화폐 연구가〔전문가〕; 화폐 수집가.

numismatisch *a.* 화폐 연구의.

***Nummer** [nʊ́mər] 《lat. numerus》 *f.* -n (약어: Nr.) ① 번호; fortlaufende ∼n 일련〔연속〕 번호. ② (**a**) 전화 번호, 차〔방〕번호, 번지수: gib mir mal deine ∼ 네 전화 번호 좀 가르쳐 줘; unter welcher ∼ kann ich Sie erreichen? 몇 번으로 연락드리면 될까요?; der Wagen hat eine Mainzer ∼ 그 차는 마인츠의 차번호를 가지고 있다; wir wohnen Fichtestraße ∼ 10 우리는 피히테가(街) 10 번지에 살고 있다. (**b**) 〖스포츠〗 등〔참가〕 번호; 〔구어〕 (…)번 선수: die ∼ 6 erhält die gelbe Karte 6 번 선수가 옐로 카드를 받는다. ③ (신문의) 판(版), (잡지의) 호: die heutige ∼ ist schon vergriffen 오늘 판은 벌써 절판되었다; die laufende ∼ der Zeitschrift 잡지의 최근호; in monatlichen ∼n erscheinen 월간으로 나오다. ④ (옷·신발 등의) 치수: die Schuhe sind mir eine ∼ zu klein 그 신발은 내게 한 치수가 작다; 〔비유·구어〕 das ist für dich eine ∼ zu groß 그 일은 너한테 무리다. ⑤ 〔방언〕 (Note) 평점, 점수: er hat im Rechnen eine schlechte ∼ 〔die ∼ eins〕 bekommen 그는 산수에서 나쁜 점수를 받았다. ⑥ 〔구어〕 (음악의) 곡(목): das Orchester spielt eine schnelle ∼ 오케스트라가 빠른 곡을 연주한다. ⑦ (서커스·쇼 등에서의) (개별) 연기, 프로그램. ⑧ 〔구어〕 사람, 녀석: er ist eine komische ∼ 그는 우스운〔이상한〕 놈이다; er ist schon eine ∼ für sich 그는 정말 별난 녀석이다. ⑨ 〔경박〕 성교: eine ∼ machen〔schieben〕 성교하다. ⑩ 〔관용적 표현〕 die ∼ eins 최고의 인물, 가장 중요한 것; 〔구어〕 ∼ Null 화장실; 〔구어·농담〕 auf ∼ Sicher sein〔sitzen〕 감방에 들어가 있다; 〔구어〕 auf ∼ Sicher gehen 어떠한 위험도 감수하려 들지 않다; 〔구어〕 bei jm. eine gute 〔dicke, große〕 ∼ haben 누구한테서 좋은 점수를〔평가를〕 받다; er ist nur eine ∼ unter vielen 그는 한낱 평범한 사람에 지나지 않는다.

nummerisch *a.* ↑ numerisch.

nummern *t.* ↑ numerieren ①.

Nummern⸗folge *f.* 번호순. **∼girl** [..gø:rl] *n.* -s, -s (서커스·버라이어티 쇼 등에서 다음 프로그램의 번호판을 들고 다니는) 프로그램안내양. **∼konto** *n.* 〖經〗 (계좌 번호만 표시되는) 무기명 예금. **∼salat** *m.* 〔구어〕 복잡하게 뒤섞인 숫자. **∼scheibe** *f.* (전화기의) 숫자판. **∼schild** *n.* (자동차 등의) 번호판. **∼stempel** *m.* 번호 찍는 기계, 번호인(印).

Nummer⸗stein *m.* 이정표. **∼zwang** *m.* 차례의 엄수.

Nummulit *m.* -en, -en 〖고생물〗 (제 3 기층의) 석화(石化) 근족류, 유공충(有孔蟲).

***nun** [nu:n] 《ahd. nu》 《I》 *adv.* ① (**a**) 지금, 이제: von ∼ an 이제부터; ∼ bist du an der Reihe 이제 네 차례다; 〖雅語〗 ∼ und nimmer (mehr) 결코 …하지 않다; ∼ und in Ewigkeit 언제까지나, 영원히. (**b**) 이러한 상황에서: bist du ∼ zufrieden? 이제 만족하니?; was ∼? 이제 무엇을 해야 한단 말인가?; ∼ gerade! 이제야말로 정말!; ∼ endlich 〔∼ erst〕 드디어, 비로소; ∼ erst kann ich ruhig schlafen 이제야 비로소 편안히 잘 수 있다; 〔구어〕 und, was sagst du ∼? 그런데 너 지금 무슨 말하고 있는 거야? (**c**) 그 동안에: sie hat sich ∼ wieder gefangen 그녀는 이제 다시 마음을 잡게 되었다. (**d**) 오늘날에: vor einigen Jahren noch ein Dorf, ∼ eine bekannte Stadt 몇 년 전까지만 해도 시골 마을이었던 곳이 이제는 유명한 도시가 되었다. ② (**a**) 〔기대와 현실의 불일치〕 그런데, 하지만: inzwischen hat sich ∼ gezeigt, daß… 그런데 그 동안에 …라는 사실이 밝혀졌다. (**b**) 〔부정적인 답을 함축하는 의문문에서〕 아마, 혹시, 과연: hat sich das ∼ gelohnt? 그것이 과연 잘한 일이었을까? (**c**) 〔실망·두려움·초조〕 정말, 행여라도: wenn sie ∼ nicht kommt 그녀가 정말 오지 않으면. ③ (**a**) 〔명령·촉구〕 어서, 자: komm ∼ bald! 자 빨리 와!; ∼, wird es bald? 자, 곧 되는 거야?; ∼ dann〔denn〕! 자, 어서 시작하자!; ∼, ∼! 자, 자! (상대방을 달래는 말). (**b**) 따라서, 그러니까: du hast A gesagt, ∼ mußt du auch B sagen 일단 시작했으니 계속해야지〔끝장을 내야지〕. ④ 〔(ein)mal 과 결합하여〕 일단은, 하여간: er will es ∼ einmal so (haben) 하여간 그는 그렇게 바라고 있다; es ist ∼ mal nicht anders 그것은 지금으로서는 그렇게 할 수밖에 없다, 다른 도리가 없다. ⑤ 〔삼단 논법에서 소전제를 대전제에 연계시켜〕 그런데: alle Menschen sind sterblich; ∼ ist Karl ein Mensch; folglich ist er sterblich 모든 인간은 죽지 않을 수 없다, 그런데 카를은 인간이다, 따라서 그 역시 죽지 않을 수 없다. ⑥ (**a**) 〔양보문〕 er mag ∼ kommen oder nicht 〔sei es ∼, daß er kommt oder nicht〕 그가 오건 말건. (**b**) 〔무관심 또는 동의에 대한 망설임〕 뭐, 글쎄, 그야: ∼, es mag sein 뭐, 그럴지도 모르지; ∼, meinetwegen! 글쎄, 저는 괜찮은데요!; ∼ ja! 글쎄 뭐!; ∼ ja, wie dem auch sei 뭐, 어찌 됐건 간에; ∼ ja, ganz so ist es auch wieder nicht 글쎄요, 전적으로 그런 것은 또 아니겠지요; je ∼ 글쎄 (얼버무리거나 약하게 시인하는 말). ⑦ 〔da 와 결합하여 난처·체념 등을 표현함〕 da habe ich mir ∼ solche Mühe gegeben, und alles war umsonst 내가 그토록 애를 썼는데도 말이지, 모든 게 헛수고였다니. ⑧ 〔강조어〕 (**a**) 〔의문문〕 도대체: muß das ∼ ausgerechnet heute sein 그것이 도대체 하필이면 오늘이어야 하나. (**b**) 〔서술문〕 참으로: das ist ∼ wirklich nicht nötig gewesen 정말이지 그럴 필요가 없었다. 《II》 *cj.* 〔구식·雅語〕 ① …한 지금〔이상〕, …이므로: ∼ er den Fehler gemacht hat 그가 실수를 한 이상. ② …했을 때: ∼ sie ihn sah, war all ihr Ärger verflogen 그를 보자 그녀의 모든 분노는 사라져 버렸다.

Nun 〔고어〕 *m./n.* - 찰나, 순간(Nu).

nun⸗mehr [nú:nmé:r] 《I》 *adv.* 〖雅語〗 ① 금후, 지금부터. ② 이제, 지금. 《II》 *cj.* 〔고어〕 ↑ nun 《II》. **∼mehrig** *a.* 〖雅語〗 지금의, 현재의, 목하(目下)의. **∼mehro** [nu:nmé:ro:] 〔고어〕 *adv.* ↑ ∼mehr.

'nunter [nʊ́ntər] *adv.* 〔구어〕 =hinunter.

Nuntiatur [nʊntsiatú:r] 《lat.》 *f.* -en 교황

대사직〔관〕.
Nuntius [núntsiʊs] *m.* -, ..tien [..tsiən] 교황 대사.
Nunziatur [..tsiatú:r] *f.* -en ↑ Nuntiatur.
Nunzius [núntsiʊs] *m.* -, ..zien [..tsiən] ↑ Nuntius.
Nuppel *m.* -s, - (sächs.) ① 젖먹이용 고무 젖꼭지. ②〖드물게〗부당한 모욕을 받았다고 생각하는 사람; 독선가.
nuptial [nuptsiá:l]〖고어〗*a.* 결혼의, 혼례의; 부부의.
Nupturienten *pl.* 신랑 신부.
***nur** [nu:r] *adv.* ①〖선행 내용을 한정하는 접속사적 용법〗다만, 하지만, 그런데: ~ weiß ich nicht, ob ... 다만 나는 …인지 아닌지 모른다; ~ daß 단지 …만 아니라면; die Zimmer waren in Ordnung, ~ daß die Duschen fehlten 샤워실이 없는 것을 제외한다면 방들은 제대로 되어 있었다; sie ist schön, ~ müßte sie etwas schlanker sein 그 여자는 아름답다, 다만 좀더 날씬했으면. ② (**a**) 오직〔단지〕…뿐, 겨우〔불과〕…만, …밖에: alle kamen, ~ er nicht 모두 왔는데, 그 사람만 오지 않았다; ich bin doch ~ Gast hier 저는 여기서 손님일 뿐인데요; ich habe ~ (noch) 5 Mark 나는 5 마르크밖에 없다; ich konnte ~ staunen 나는 오로지 놀랄 수밖에 없었다; alles, ~ das nicht! 다른 건 다 돼도 그것만은 안 돼!; ~ nicht den Mut verlieren 용기만은 잃지 마라. (**b**) **nicht** ~ ..., sondern auch ... …뿐만 아니라 …도; er hat nicht ~ sein Geld, sondern auch seine Ehre verloren 그는 돈뿐만 아니라 명예까지도 잃었다; nicht ~, daß ... …뿐만이 아니라; ~ **noch** 〔(öst., südd.) ~**mehr**〕 a) 겨우, 가까스로, 간신히, b) 더욱더; ich habe ~ noch zehn Kronen 내게는 이제 10 크로네 밖에는 남지 않았다; es wurde ~ noch schlimmer 더욱더 악화됐다; ~ **so** a) 그저, 그냥, 특별한 이유 없이, b) 아주 심하게, 격렬하게; ich bin ~ so vorbeigekommen 나는 그냥 지나가다 들렀을 뿐이야; ich habe das ~ so gesagt 나는 그 말을 그냥 별 생각 없이 한 거야; der Wind sauste mir ~ so um die Ohren 바람은 내 귓가를 세차게 윙윙거리며 스쳤다; ~ **zu** gut 너무나도 잘; das weiß er ~ zu gut 그것을 그는 너무나도 잘 알고 있다; sei nachsichtig, ~ nicht zu sehr! 관대하라, 그렇다고 너무 지나쳐서는 안 된다! ③〖조건문과 함께〗ich gehe ~ mit, wenn du es erlaubst 네가 허락해 주기만 한다면 같이 가겠다; wenn er ~ ißt 그가 먹기만 한다면. ④〖양보적〗…이든지: wer ~ 누구든지; sie bekommt, was sie sich[3] ~ wünschen kann 〔soviel sie ~ will〕 그 여자는 무엇이든 소원대로 손에 넣는다. ⑤〖접속법 II식의 원망문에서〗wenn er ~ käme! 그가 와 주었으면 좋겠는데! ⑥〖부탁·촉구·권유〗자, 어서, 제발: schau doch ~ 제발 좀 봐; ~ Geduld! 조금만 참아!; ~ Mut! 용기를 내라구!; ~ zu! 어서 해, 겁먹지 마라!; laß mich ~ machen! 제발 나도 좀 해보자!; ~ her damit! 그것을 갖고 오라니깐!; ~ heraus damit! 터놓고 이야기 좀 해봐!; er mag ~ gehen! 갈 테면 가라지!; bitte, ~ hier keine Szene! 제발 여기서는 싸우지 좀 마라! ⑦〖의문문에서 관심이나 불쾌감의 표현〗도대체, 대관절: was hat er ~? 그가 도대체 왜 그러지?; was hat er ~ von dir gewollt? 그가 대관절 너한테서 뭘 원하든?; wie kam er ~ hierher? 그가 어떻게 이런 곳을 다 왔을까? ⑧〖고어〗이제 막, 방금.
Nur *n.* - 제외, 제한: es ist ein ~ bei der Sache 그것이 이 문제에서 하나의 특별 조건이다.
Nürburg·ring *m.* 뉘르부르크링(Eifel 산지의 Nürburg 성터를 도는 자동차 경주용 도로).
Nur·flügel·flugzeug *n.* 꼬리 날개가 없는 비행기.
Nur-Lese-Speicher *m.*〖컴〗늘기억 장치, 읽기 전용 기억 장치.
Nürnberg [nʏ́rnbɛrk] 《<nürn, „Fels"》 뉘른베르크(Bayern 주의 도시).
Nürnberger[1] [..gər] *m.* -s, - ① 뉘른베르크 시민〔사람〕. ② 뉘른베르크 소시지.
Nürnberger[2] *a.* 뉘른베르크(산(產))의: ~ Ei (16 세기경의) 달걀 모양의 회중 시계;〖농담〗~ Trichter 주입식 교수법(뉘른베르크의 G.P. Harsdörffer 가 창안한 시학(詩學) 속성 교수법에서);〖史〗~ Gesetze 뉘른베르크법 (1935 년 나치스의 뉘른베르크 대회에서 의결; 유대인과 비유대인 간의 금혼 조항이 있음);〖史〗~ Prozesse 뉘른베르크 전범 재판(1945-49).
Nurse [nœ:(r)s] *f.* -s/-n 유모, 보모.
Nus [nu:s] 《gr.》 *m.* -〖哲〗이성, 정신.
Nüschel *m.* -s, -〖고어·방언〗① (md.) 이마. ② (schweiz.) 입.
nuscheln [nʊ́ʃəln] *t./i.* (h.) ①〖구어〗분명치 않게 말하다, 우물우물 말하다, 중얼중얼하다. ② (ostd.) 느릿느릿 일하다.
nuseln *t./i.* (h.) ↑ nuscheln.
***Nuß** [nʊs] *f.* Nüsse [nʏ́sə] ①〖植〗(**a**) 견과(堅果). (**b**) 호두(Wal≈); 개암(Hasel≈): Nüsse knacken 호두를〔개암을〕 까다;〖구어〗das ist eine harte ~ 그것은 아주 까다로운 문제다;〖구어〗eine harte ~ 〔manche ~〕 zu knacken haben〔bekommen〕 골치 아픈 일을 처리해야 한다;〖구어〗das ist doch eine taube ~ 그건 아무짝에도 쓸모없어; in einer ~ 요약한, 내용이 실한; das hat Platz in einer ~ 그것은 굉장히 작다. (**c**) ↑ Nußbaum: in die Nüsse gehen a) 나무 열매를 주우러 가다, b)〖비유〗없어지다, 못 쓰게 되다. ②〖구어〗머리; 꿀밤주기: jm. eine〔eins〕 auf die ~ geben 누구 머리를 한 대 때리다; du kriegst gleich eine ~ 너 그러다 (꿀밤) 한 대 맞는다. ③〖구어〗사람, 녀석: eine alberne 〔doofe〕 ~ 바보 같은〔멍청한〕 녀석. ④〖요리〗(소·돼지 등의) 호두알 모양으로 잘라낸 넓적다리살. ⑤〖軍〗(총의) 약실. ⑥〖사냥〗(여우·늑대 등의) 음문(陰門). ⑦〖工〗복스 스패너〔렌치〕의 홈〔너트〕. ⑧〖해부〗구(球)관절.
Nuß≈baum *m.* ① 호두나무. ②〖무관사〗호두나무 재목. **~baum·holz** *n.* 호두나무 재목. **~braun** *a.* 밤색〔호두색〕의.
Nüßchen [nʏ́sçən] *n.* -s, -〖↑ Nuß 의 축소형〗① 작은 호두. ②〖식품〗↑ Nuß ④.
Nüssel·jochen *m.* 잠꾸러기, 게으름뱅이, 느림보.
nusseln [nʊ́səln], **nussen**〖방언〗↑ nuscheln.
Nuß≈farbe *f.* 호두색. **~füllung** *f.* 호두〔개

암〕 가루로 만든 과자속. **~häher** *m.* 〖動〗 산갈가마귀. **~kern** *m.* 호두〔개암〕 알맹이. **~kipfel** *n./m.* (bayr., öst.) 호두소를 넣어 구운 초승달 모양의 빵. **~knacker** *m.* ① 호두까기 (인형). ② ↑ ~häher. ③〖경박〗고약한 얼굴의 할아범. **~kohle** *f.* 호두알만한 크기의 석탄 덩어리. **~kuchen** *m.* 호두〔개암〕 케이크.

Nüßlein [nÝslaɪn] *n.* -s, - ↑ Nüßchen.

Nüßler *m.* -s, - ↑ Nüsseljochen.

Nüßli·salat *m.* (schweiz.) 들상추.

Nuß≈öl *n.* 호두〔개암〕 기름. **~schale** *f.* 견과(堅果)의 껍질; 〖비유〗 조각배, 편주. **~schinken** *m.* (돼지의) 넓적다리살로 만든 햄. **~schokolade** *f.* 개암이 든 초콜릿. **~staude** *f.*, **~strauch** *m.* 개암나무.

Nüster [nÝ:stər, nÝs..] *f.* -n (특히 말의) 콧구멍.

nüstern *i.* (h.) (bayr.) ① 코를 킁킁거리다. ② 휘젓다, 찾아 헤매다.

Nut [nu:t] *f.* -en 〖工〗 (다른 부분과의 접합·연결을 위해 파 놓은) 홈, 홈구멍.

Nutation *f.* -en ①〖植〗 전두(轉頭) 운동(보기: 덩굴이 나선형으로 휘는 것 따위). ②〖天〗 장동(章動)(지축의 주기적인 진동 현상). ③〖物〗 세차(歲差) 운동(넘어지려는 팽이의 축이 그리는 운동).

Nute *f.* -n ↑ Nut.

Nut·eisen *n.* 홈을 파는 공구.

nuten [nú:tən] *t.* …에 홈을 파다.

Nut·hobel *m.* 홈을 다듬는 대패, 홈 대패.

Nutria[1] *f.* -s 〖動〗 누트리아(남아메리카에 서식하는 설치류).

Nutria[2] *m.* -s, -s ① 누트리아 모피. ② 누트리아 모피 코트.

nutrieren [nutrí:rən] 《lat.》 *t.* 〖고어〗 …에 영양을 주다, 기르다.

Nutriment [..mɛ́nt] *n.* -(e)s, -e 〖醫〗 영양, 양분, 음식물.

Nutrition [..tsió:n] *f.* 〖醫〗 영양 섭취〔공급〕.

nutritiv [..tí:f] *a.* 〖醫〗 영양분이 많은; 영양상의.

Nutsche [nú:tʃə] *f.* -n ①〖化〗 흡인 여과기. ② 〖방언·드물게〗 유방.

nutschen [nú:tʃən, nútʃən] *i.* (h.)/*t.* ① (md.) (saugen) (쪽쪽) 빨다, 입 안에서 녹이다: am Daumen ~ 엄지손가락을 빨다; ein Bobon ~ 사탕을 빨아먹다. ②〖化〗 흡인 여과하다.

nütt *a.* (ndd.) ↑ nützlich.

Nutte [nútə] *f.* -n 〖구어·폄어〗 창녀, 매춘부.

nütten *i.* (h.)/*t.* ↑ nützen.

Nutz [nʊts] *m.* -es 〖다음 용법으로만〗〖구식〗 zu js. ~ 〔jm. zu ~ und Frommen〕 누구에게 이익이 되도록, 누구에게 유리하게.

nutz *a.* (obd.) ↑ nütze.

Nutz·anwendung *f.* (이론·체험 등의) 적용, 활용, 응용; (우화 따위가 주는) 교훈.

nutzbar [nútsba:r] *a.* 유익〔유용〕한: sich³ et. ~ machen 무엇을 이용하다; Boden ~ machen 토지를 개간〔경작〕하다.

Nutzbarkeit *f.* 유용성, 이용 가능성.

Nutzbar·machung *f.* 실용화, 이용.

Nutz≈bau *m.* 실용적 건축〔건물〕. **~bringend** *a.* 유익〔유용·유리〕한.

nütze [nÝtsə] *a.* 〖다음 용법으로만〗 (zu) et.³ ~ sein 무엇에 유용하다; das ist nichts mehr ~ 그것은 더 이상 쓸모가 없다; du bist auch zu gar nichts ~! 너는 아무짝에도 쓸모가 없다!

Nutz·effekt *m.* 효율.

***nutzen** 《I》 *i.* (h.) 유익하다, 도움이 되다, 쓸모〔효과〕 있다: das nützt mir viel〔nichts〕 그것은 내게 큰 도움이 된다〔아무 도움도 안 된다〕; wozu soll das denn ~? 그것이 도대체 어디에 쓸모가 있을까, 무슨 소용이 있겠는가?; das nutzt bestimmt 그것은 확실히 쓸만하다; was ~ alle guten Vorsätze, wenn...? 아무리 좋은 의도라도 …한다면 무슨 소용이 있을까?; bei〔gegen〕 Kopfschmerzen nutzt nur eins 두통에 잘 듣는 것은 딱 한 가지뿐이다. 《II》 *t.* ① 이용하다, 활용하다, 사용하다, 이용하여 수익을 얻다: die Sonnenenergie zur Stromerzeugung ~ 전력 생산을 위해 태양열 에너지를 이용하다; seine Freizeit sinnvoll ~ 그의 여가 시간을 의미 있게 활용하다; ich will die Zeit〔Gelegenheit〕 ~, um einen Brief zu schreiben 나는 이 시간을〔기회를〕 이용하여 편지를 써야겠다; er nutzt jede freie Minute zum Lesen 그는 틈만 나면 독서를 한다; er nutzt sein Gut jährlich auf 3000 Mark 그는 자신의 재산에서 해마다 3000 마르크의 수입을 올린다. ②〖방언〗 jn. ~ 누구에게 도움〔이익〕이 되다.

***Nutzen** [nútsən] *m.* -s, - 유용, 유익, 이득, 이익: von ~ sein 유용〔유익〕하다; jm. zum ~ sein〔gereichen〕 누구에게 이익이 되다; aus et.³ ~ ziehen 무엇을 이용하다; von et.³ (den) ~ haben 무엇으로 득을 보다.

nützen [nÝtsən] *i./t.* ↑ nutzen.

Nutzer *m.* -s, - 〖격식〗 이용자, 사용권자.

Nutz≈fahrzeug *n.* 영업용 차량, 실용차(버스·트럭 등). **~fläche** *f.* 가용 면적. **~garten** *m.* 실용 작물용 정원(과수원·야채밭 등) (↔ Ziergarten). **~holz** *n.* (↔ Brennholz) 건축용〔유용〕 목재. **~kraft·wagen** *m.* 실용 자동차. **~last** *f.* ① (건물의) 하중(荷重). ② (화물차의) 적재 중량; 〖空〗 탑재량. **~leistung** *f.* 〖工〗 실(實)능률, 유효 출력〔동력〕.

***nützlich** [nÝtslɪç] *a.* (↔schädlich) 유용〔유익〕한, 쓸모 있는: ~e Pflanzen 유용 식물〔작물〕; dein Hinweis war mir sehr ~ 네 지적은 내게 큰 도움이 되었다; jm. zu et.³ 〔bei et.³, in et.³〕 ~ sein 누가 무엇하는 데에 도움이 되다; ich hoffe, ich kann Ihnen bei der Suche ~ sein 찾으시는 일에 제가 도움이 되었으면 합니다; das Angenehme mit dem ≃en verbinden 편안함과 실용성을 결합시키다; sich ~ machen 도움이 되다, 돕다; wenn ich mich irgendwie ~ machen kann 제가 어떻게든 도움이 될 수 있다면 좋겠습니다.

Nützlichkeit *f.* 유용성, 실용성, 효용, 공리(功利).

Nützlichkeits≈denken *n.* 실용(주의)적 사고, 실리적인 생각. **~grund·satz** *m.* ↑ ~prinzip. **~lehre** *f.* ↑ ~prinzip. **~prinzip** *n.* 공리〔실리〕주의. **~rücksichten** *pl.* 실리〔유용성〕에 대한 고려. **~stand·punkt** *m.* 실용적 입장. **~theorie** *f.* 실용론〔주의〕.

Nützling [nÝtslɪŋ] *m.* -s, -e 〖農·林〗 유용〔유익한〕 동물(가축·익충·익조 따위) (↔ Schädling).

nutzlos *a.* 무익한, 소용〔쓸모〕없는, 헛된.
Nutzlosigkeit *f.* 무용, 무익.
nutz≈nießen *i.* 〖드물게〗 이익을 얻다: er versuchte, davon zu ~ 그는 그것에서 이득을 취하고자 하였다. **≈nießer** *m.* 〖法〗 용익권자; 〖폄어〗 부당 이득자. **~nießerisch** *a.* 용익(권)의; 부당 이익을 취하는. **≈nießung** *f.* ①〖드물게〗 이용, 수익, 용익. ②〖法〗 용익권. **≈pfand** *n.* 수익 담보. **≈pflanze** *f.* 유용 식물. **~tier** *n.* 유용 동물.
Nutzung [nʊ́tsʊŋ] *f.* -en ① 이용, 사용. ②〖대개 복수〗〖法〗 수익, 이득, 용익.
Nutzungs≈anschlag *m.* (토지의) 수익 견적. **~recht** *n.* ① 이용권, 수익권. ②〖法〗 특허권.
Nutz≈vieh *n.* 유용 가축. **~wert** *m.* 이용 가치. **~wild** *n.* 유용 짐승, 식용 야생 동물.
NVA =Nationale Volksarmee 〖政〗 국민군 (구동독군의 명칭).
NW =Nordwest(en) 북서(풍).
NWDR =Nordwestdeutscher Rundfunk 북서 독일 방송(후에 NDR 와 WDR 로 분리).
Ny [ny:] *n.* -(s), -s 그리스어 자모의 13 번째 글자(*N*, *ν*).
Nylon [náɪlɔn] 《engl.》 *n.* -s, -s ① 나일론. ②〖복수로만〗〖구어〗 나일론 양말〔스타킹〕.
Nylon·strumpf [náɪ..] *m.* 나일론 스타킹.
Nymfe [nʏ́mfə] *f.* -n ↑ Nymphe.
Nymphäa [nʏmfɛ́:a], **Nymphäe** 《gr.》 *f.* ..phäen 〖植〗 백수련.
Nymphäum [..fɛ́:ʊm] *n.* -s, ..phäen [..fɛ́:ən] ①〖그리스·로마신화〗 님프의 성소(聖所). ②〖건축〗 (로마 시대의 별장·정원 등에 설치된) 조각 분수대. ③〖드물게〗 여성 목욕장.
***Nymphe** [nʏ́mfə] 《gr.》 *f.* -n ①〖그리스·로마신화〗 (물가·숲속 등에 사는) 요정, 님프. ②〖구어〗 날씬한 처녀; 〖폄어〗 창부. ③〖복수: -n〗〖해부〗 소음순(小陰脣). ④〖動〗 애벌레와 번데기의 중간 단계, 약충(若蟲).
Nymphen·blume [nʏ́m..] *f.* ↑ Nymphäa.
nymphenhaft [nʏ́m..] *a.* 우아〔청초〕한, 님프 같은.
Nymphen·sittich [nʏ́m..] *m.* 〖動〗 오스트레일리아산(産) 앵무새.
nymphoman [nʏmfomá:n] *a.* 〖心〗 (여성의) 성욕이 과도한.
Nymphomanie [..maní:] *f.* 〖心〗 (여성의) 과도한 성욕, 색정증.
Nymphomanin *f.* -nen 〖心〗 색정증 여성.
nymphomanisch *a.* 〖心〗 ↑ nymphoman.
Nynorsk [ný:nɔrsk] *n.* - 신(新)노르웨이어 (19 세기말 이래로 Riksmal 과 대등하게 됨; 노르웨이 서쪽 지방의 방언과 고(古)노르웨이어에 기초).
Nystagmus [nʏstágmʊs] *m.* -〖醫〗 안구 진탕(震盪) (Augenzittern).
Nyx [nʏks] *f.* 〖그리스신화〗 밤의 여신.

O

O, o [o:] *n.* -, - 독일어 자모의 열다섯째 자: das A und (das) ~ ↑ A.

O ① = Ost(en) 동쪽. ②〖化〗= Oxygenium 산소.

Ö¹, ö [ø:] O, o 의 변음(Umlaut)으로서 œ 라고도 씀.

Ö² 《dän.》 *f.* -en (ndd.) 섬, 도서(島嶼).

O' 아일랜드 사람 이름 앞에 붙어서 "누구의 아들"이란 뜻(보기: O'Connor).

***o** [o:] *int.* 〔경악·찬탄·환희·원망·동경·동정·고통 불쾌·의문·조소 따위를 나타낼 때 외치는 감탄사로서, 보통 다른 말 앞에 놓이며 단독으로는 oh 가 쓰임〕 오, 아, 저런, 원: ①〔호격 및 1 격·4 격의 앞에〕 ~, ich Tor! 아아, 나는 얼마나 바보인가!; ~ Himmel! 저런!; ~ mich Vergeßlichen! 원, 나는 왜 이렇게 건망증이 심할까! ②〔2 격의 앞에〕 ~ des Glückes! 아아, 얼마나 행복한가! ③〔전치사 앞에〕 ~ über den dummen Kerl! 저 바보 같은 녀석이! ④〔감탄문·원망문 등에서〕 ~ weh! 아아 괴롭다!; ~ jeh! 얼마나 슬픈〔애석한〕 일인가!; ~ welche Freude! 오오, 얼마나 기쁜 일이냐!; ~ warum hab' ich nicht früher gewußt! 아아, 왜 좀더 일찍 알지 못했던고!; ~, daß er doch bald käme! 아아, 그가 빨리 와 주었으면 (좋으련만)! ⑤〔문장을 대신하는 말 앞에〕 ~ ja〔freilich〕! 물론이지요, 그렇고 말고요!; ~ nein! 아 아니지요, 원 별말씀을!

OA. ① = Oberamt 행정 구획의 일종. ② = Offizieranwärter 사관 후보생.

o.a. ① = oben angeführt 앞에서 서술한. ② = oder anderes 또는 다른 것.

o.ä. = oder ähnliche(s) 또는 비슷한 것.

OAS 《engl.》 = Organization of American States〖政〗 미주 기구.

***Oase** [oá:zə] 《ägypt.》 *f.* -n ① 오아시스. ②〔비유〕 한적한 곳: dieses Fleckchen (Erde) ist eine ~ des Friedens 이 장소는 평화의 오아시스다.

OAU 《engl.》 = Organization for African Unity〖政〗 아프리카 통일 기구.

***ob¹** [ɔp] *cj.* ①〔간접 의문문〕 …인지 아닌지: ich weiß nicht, ~ er kommt 나는 그가 올지 안 올지 모르겠다. ②〔주문장을 생략한 의문문·감탄문으로서〕 ~ er wohl wiederkommen wird? 그가 다시 돌아올까?;〔구어〕 willst du es haben? — na (und) ~! 자네는 그것을 갖고 싶은가? — 그야 물론이지!; (und) ~ ich das kenne! 내가 알고 있느냐고! (물론 알고 있다는 뜻). ③〔상반적〕 ~ ihr mich anerkennt, ~ nicht, ich bin, was ich bin 너희들이 인정하든 안하든 나는 나다; alle, ~ arm, ~ reich 가난하건 부유하건 모두. ④〔인용문〕 **~ ... auch**〔**und ~**, **~ ... gleich, ~gleich, ~ ... schon, ~schon, ~ ... wohl, ~wohl, ~ ... zwar, ~zwar**〕 비록 …지언정: ~ ich **auch** so arm sei, betteln werd' ich nicht 내 비록 가난할지언정 빌어먹지는 않을 것이다; **und** ~ die Wolke die Sonne verhülle 비록 구름이 태양을 가릴지라도; ich könnte mit ihm leben, ~ ich ihn **gleich** nicht zum Manne haben möchte 비록 내가 그를 남편으로 삼고 싶은 생각은 없지만 그와 함께 살 수는 있을 것이다;〖聖〗 ~ ich **schon** wanderte im finstern Tal, fürchte ich nicht 비록 암흑의 골짜기를 방황할지라도 나는 두려워 않으리라(시편 23:4); ~ **schon** er mich schwer beleidigt hat, so möcht' ich's ihm nicht vergelten 비록 그가 나를 심하게 모욕했지만 그에게 복수하고 싶지는 않다; ~ er **wohl** am Grabe der Schwester vorbeikam, troffen ihm die Tränen doch nicht 그는 누이동생의 무덤 옆을 지나갔지만 눈물을 흘리지는 않았다; ~ wir **zwar** ein Jahr unzertrennliche Genossen waren, hat er mich doch nie nach meiner Vaterstadt gefragt 우리들은 1 년 동안이나 서로 막역하게 지냈지만 그는 결코 내 고향을 물어본 적이 없었다. ⑤〔비현실 비교의 부문장을 이끌어서〕 **als** ~ [als|ɔ́p] 마치 …처럼: mir war, **als** ~ mich jemand berührte 누군가 내게 손을 대는 것 같았다; er tut so, **als** ~ er müde wäre 그는 피곤한 체한다; nicht **als** ~ wir nicht bisweilen kleine Unannehmlichkeiten gehabt hätten 때로는 불쾌한 일이 없었던 것은 아니다. ⑥〔구어〕 und ~! 확실한가, 정말인가! ⑦〔방언〕 ↑ ehe, bevor.

ob² [ɔp] 《Ⅰ》 *prp.*[2/3] ①〔고어·시어〕 **(a)** (schweiz.)〔3 격과 함께〕〔공간적 또는 시간적으로〕 …위에, …중에: ~ dem Wasserfall 폭포 위쪽에서; ~ dem Mahle 식사 중에; ~ dem Hause standen die schönsten Sterne 지붕 위에 별이 너무 아름답게 빛나고 있었다;〔지명과 함께〕 Rothenburg ~ der Tauber 타우버강을 내려다보는 로텐부르크. **(b)**〔2 격 또는 3 격과 함께; 원인·이유〕 …때문에; er schämte sich ~ dieses Ausspruches 그는 그렇게 말한 것이 부끄러웠다; ~ dieses Wortes〔diesem Worte〕 entstand ein Streit 이 말 때문에 싸움이 벌어졌다. ②〔드물게〕 ~ seinem Rechte bestehen 그의 권리를 주장하다. 《Ⅱ》 *adv.*〔고어〕 위에, 높은 곳에.

OB ① = Oberbürgermeister (대도시의) 시장. ② = Offizierbewerber 장교 지망자.

o. B. = ohne (krankhaften) Befund 뚜렷한 질병은 없음, 소견 없음, 이상 없음.

Obacht [ó:baxt] *f.*〔드물게〕 (südd.) 주의, 조심: ~! 주의하시오!; auf et. ~ geben〔haben〕 무엇에 주의〔유의〕하다; et. in ~ nehmen〔halten〕, sich vor et.³ in ~ nehmen 무엇에 주의〔조심〕하다, 무엇을 감시하다.

ob·angeführt, ~angezogen, ~bemeldet, ~bemerkt, ~benannt, ~berührt, ~besagt *a.*〔고어〕 상술〔상기〕한.

***Obdach** [ɔ́pdax] *n.* -(e)s 안전한 장소, 피난처; 집; 숙소: jm. ~ gewähren a) 누구를 숙박시키다, b) 보호하다, 감싸 주다; unter ~ bringen a) 숙박시키다, b) 피난시키다, 숨겨주다; bei jm. ~ suchen 누구에게 유숙을 요청하다; 보호를 요청하다; städtisches ~ 시립무료〔노숙자(露宿者)〕 숙박소.

***obdachlos** *a.* 잘〔의지할〕 곳이 없는: er hat sich als ~ gemeldet 그는 노숙자라고 신고했다.

Obdachlose *der/die* 노숙자.

Obdachlosen≈asyl *n.* 노숙자 숙소. **≈-fürsorge** *f.* (국가적) 노숙자 구호. **≈heim** *n.* 노숙자 숙소.

Obdachlosigkeit *f.* 노숙; 정처 없음.

Obduktion [ɔpduktsió:n] 《lat.》 *f.* -en 〖法·醫〗 시체 해부; 부검(剖檢).

Obduktions≈befund, ~bericht *m.* 부검〔검시〕 소견.

Obduzent [ɔpdutsɛ́nt] 《lat.》 *m.* -en, -en 〖醫〗해부의(解剖醫), 부검의(醫).

obduzieren [..dutsí:rən] *t.* (시체를) 해부하다, 부검하다.

Obe *m.* (alem.) (Abend) 밤, 저녁.

Obedienz [obediɛ́nts] 《lat. obedire, „gehorchen"》 *f.* -en 〖가톨릭〗 ① (상급 성직자에 대한) 복종, 순종. ② 편력 수도사의 통행권. ③ (a) 교황 선거인 후보자의 파벌. (b) 〖史〗 (교회 분열 시기의) 교황의 지지파. ④ 교회 영지에서 바치는 성직자의 봉급.

O-Beine [ó:..] *pl.* 〖醫〗 (↔ X-Beine) 오형(O 型) 다리, 내반슬(內反膝).

O-beinig *a.* 〔구어〕 O 형 다리를 가진.

Obelisk [obelɪ́sk] 《gr. obeliskos》 *m.* -en, -en 〖건축〗 오벨리스크, 방첨탑(方尖塔).

***oben** [ó:bən] 《I》 *adv.* (↔ unten) ① 위에, 높은 곳에; 표면에, 상층에, 선두에, 윗자리에; 〔구어〕 북쪽에: dort ~ 저 높은 곳에; 〔구어〕 ~ herum 상체〔가슴〕 부위에; 〔구어〕 ~ ohne 윗옷을 다 벗고; ~ in der Luft 공중 높이; 〖聖〗 der dort ~ 하늘에 계시는 하느님; ein Platz ~ 윗자리; er scheint ~ gut angeschrieben zu sein 그는 상관에게 잘 보이고 있는 것 같다; 〔구어〕 ~ hui, unten pfui! 겉은 번지르르하지만 속은 볼품없다!; ~ wohnen 위층에 살다; wie ~ bereits erwähnt 이미 말한 바와 같이. ② 〔전치사와 함께〕 ~ **auf** dem Berge 산 위에; 〔구어〕 mir steht die ganze Geschichte **bis** (hier) ~ (목을 가리키며) 이제는 그 이야기에는 질렸다; sein Glas bis ~ füllen (술 따위를) 컵에 넘치도록 붓다; **nach** ~ (hin) 위로, 하늘로; nach ~ gehen 위층으로 올라가다; Befehl **von** ~ 상사의 명령; alle gute Gabe kommt von ~ 모든 좋은 선물은 하느님이 주신 것이다; 〔비유〕 jn. von ~ herab behandeln 누구를 불손하게 대하다; er hat alles von ~ nach unten 〔von unten nach ~〕 gekehrt 그는 모든 것을 뒤죽박죽으로 해 놓았다; jn. von ~ bis unten besehen〔ansehen, mustern〕 누구를 머리 끝에서부터 발 끝까지 훑어보다; ~! 위! (화물의 취급 주의서); ganz ~ 아주 위에〔높이〕. 《II》 *prp.*³ (ndd.) … 위에: ~ ihm 그의 머리 위에.

Oben *n.* -s 표면; 상부, 상층, 선두, 윗자리, 상석.

oben≈ab [ó:bən|áp] *adv.* 위로부터. **~an** *adv.* 선두에; 상위에: ~ sitzen (식탁의) 윗자리에 앉다; (반의) 수석이다. **~auf** *adv.* ① 맨 위에, 꼭대기에. ② 표면에. ③ **(a)** 건강하게; 기분좋게: 〔비유·구어〕 ~ sein 건강하다, 기분이 좋다; (wieder) ~ kommen 회복하다. **(b)** 자신만만한: er ist ~ wie noch nie 그는 전에 없이 자신만만하다. **~aus** *adv.* ↑ ~-hinaus.

oben≈benannt, ~berührt, ~besagt *a.* 상술〔전술〕한, 앞서 말한.

oben≈drauf *adv.* 〔구어〕 맨 위에, 표면에: ~ (auf dem Brot) waren Gurkenscheiben (빵) 위에 오이 조각들이 놓여 있었다. **~drein** *adv.* ↑ ~ein. **~drüber** *adv.* 〔구어〕 그 위로. **~durch** *adv.* 위로 (무엇을) 통하여: den Faden mußt du einmal ~ und einmal untendurch ziehen 너는 그 실을 한 번은 위로, 한 번은 아래로 끌어당겨야 한다. **~ein** *adv.* 그 위에, 게다가, 더욱이.

oben≈erwähnt, ~gedacht, ~genannt *a.* ↑ ~benannt.

oben≈her *adv.* 위(쪽)에서; 덧붙여서, 부수적으로. **~herein** *adv.* 위쪽 안으로. **~hin** *adv.* ① 위쪽으로. ② 〖비유〗 피상적으로, 경솔하게: et. ~ abtun 무엇을 경솔하게 처리하다; er antwortete nur ~ 그는 건성으로 대답했다. ③ …하는 김에, 덧붙여서: ich habe das nur ~ gesagt 나는 그것을 다만 덧붙여서 말했다. **~hinauf** *adv.* 위로: bis ~ 위까지. **~hinaus** *adv.* 위쪽 밖으로: 〔구어〕 ~ sein 화를 내다; ~ wollen 야심을 품다.

Oben-Ohne-Bade·anzug [ó:bənó:nə..] *m.* 윗 부분이 없는 수영복, 토플리스 수영복.

Oben-Ohne-Bar *f.* 토플리스바(여급들이 토플리스로 손님을 접대하는 술집).

oben≈stehend *a.* ↑ ~benannt. **≈werk** *n.* 〖海〗 배의 흘수선 윗 부분, 건현(乾舷). **~-zitiert** *a.* 위에서 인용한.

***ober** [ó:bər] 《I》 *a.* (↔ unter) 위의, 높은, 상급〔고급〕의; 주요한, 뛰어난; 상석의, 상류의: im ~en Stockwerk 위층에; die Städte an der ~en Elbe 엘베강 상류의 도시들; die ~en Zehntausend 상류 사회, 귀족, 부유층 계급; die ~e Stadt 고위층〔상류층〕 주택 지대. 《II》 *prp.*³ (öst.; oberhalb, über) …의 위(상부)에: ~ ihm 그의 머리 위에.

***Ober** *m.* -s, - ① 독일 카드 패의 이름(여왕에 해당함). ② 〔↑ Oberkellner 의 단축형〕〔구어〕 급사장, (일반적으로) 급사: Herr ~, ein Bier, bitte! 웨이터, 맥주 한 잔 주세요!

Obere [ó:bərə] ① *der/die* **(a)** 〔복수〕 고위층: auf das, was die ~n beschließen, haben wir keinen Einfluß 고위층에서 결정하는 것에 우리들은 영향을 미치지 못한다. **(b)** 장(長), 상관; 〖가톨릭〗 수도원장. ② *das* 상부(上部)에 있는 것.

ober.. *pref.* "위·최고"의 뜻(보기: ≈begriff 상위 개념; ≈bürgermeister 시장; 강세는 긴 복합어나 지명·국명의 경우 가끔 이동하여, Oberlandesgericht, Oberlandesgericht 처럼 됨).

Ober≈admiral *m.* 해군 원수. **~amt** *n.* 〔고어〕 이전에 뷔르템베르크주에서 두었던 최하급 행정 단위(약어: OA). **~amt·mann** *m.* 〔고어〕 (뷔르템베르크주의) 최하급 행정 단위의 장; (프로이센) 황실령(皇室領) 소작인.

~appellations·gericht *n.* 〚法〛 고등 법원. **~arm** *m.* 〚해부〛 상박(上膊). **~arm·bein** *n.*, **~arm·knochen** *m.* 〚해부〛 상박골. **~-arzt** *m.* ① (과장 의사를 보좌하는) 수석 의사. ② 〚軍〛 군의관 중위. **~aufseher** *m.* 감독장, 검사〔검열〕관. **~aufsicht** *f.* (상급의) 감독, 지휘, 검사, 검열: wer hat hier die ~? 이곳 총감독은 누구냐? **~bau** *m.* ① 〚건축〛 상부 건축〔구조〕. ② 〚철도〛 노반(路盤), (철도의) 궤도. ③ 〚도로〛 상부층, 아스팔트층. **~bauch** *m.* (배꼽 위의) 상복부. **~bauch-gegend** *f.* 〚해부〛 상복부. **~bau·direktor** *m.* 토목 기사장. **~bayern** 오버바이에른. **~befehl** *m.* 〚軍〛 최고 지휘〔사령〕(권): den ~ führen〔haben〕 최고 지휘권을 가지고 있다. **~befehls·haber** *m.* 〚軍〛 (총)사령관. **~begriff** *m.* 〚논리〛 대개념, 상위 개념. **~-bekleidung** *f.* 겉옷: Geschäft für Damen- und Herren≗ 신사 숙녀용 겉옷 가게. **~-berg·amt** *n.* 상급 광산 감독국. **~bett** *n.* (오리털) 이불. **~boden** *m.* ① 다락방. ② 〚지리〛 표토(表土). **~bürger·meister** *m.* 대도시 시장(약어: OB). **~deck** *n.* ① 상(上)갑판. ② (2 층 버스의) 위층〔칸〕. **≗deutsch** *a.* 남부〔고지〕 독일(어)의, 남독일(어)의. **~deutsch** *n.*, **~deutsche***[1] *das* 〔용법에 대해서는 deutsch 《Ⅱ》 참조〕 남부〔고지〕 독일어. **~deutsche***[2] ① *das* 고지 독일적인 것. ② *der/die* 남부〔고지〕 독일인. **~deutsch-land** 고지 독일, 남독일. **~dorf** *n.* 마을의 위쪽. **~ersatz·kommission** *f.* 〚軍〛 고등 징병 위원(회). **~examinations·kommis-sion** *f.* 고등 고시 위원(회). **≗faul** *a.* 완전히 썩은; 〔구어〕 (도덕적으로) 부패한. **~-feld·arzt** *m.* 〚軍〛 ① 군의(軍醫) 중령, 의무 장교. ② 동물 담당 의무 장교. **~feld·herr** *m.* ↑ ~befehlshaber. **~feld·webel** *m.* 〚軍〛 하사관, 준사관. **~feuer·werker** *m.* 〚軍〛 포병 대장. **~finanz·präsident** *m.* 지방 재정 국장. ***~fläche** *f.* 표면, 외면; 겉, 외견, 외관: 〔비유〕 an〔auf〕 der ~ bleiben 피상적인 데 그치다, 겉핥기이다.

Oberflächen·aktiv *a.* 〚物·化〛 (알코올·비누처럼 용액의 표면 장력을 저하시키는) 표면 활성의: ~es Mittel 표면 활성제. **~behand-lung** *f.* 〚工〛 표면 처리. **~entladung** *f.* 〚전기〛 표면 방전(放電). **~härtung** *f.* 〚제련〛 표면 경화(硬化). **~spannung** *f.* 〚物〛 표면 장력. **~struktur** *f.* ① 표면 구조. ② 〚언어학〛 표층 구조. **~wasser** *n.* 〚지질〛 지표수(地表水). **~welle** *f.* 〚物〛 표면파(波); 〚지질〛 (지진의) 표면파.

ober≠flächlich** *a.* ① 표면의, 외면의. ② 피상적인, 천박한, 겉뿐인: ~e Kenntnisse 피상적인 지식; ein ~er Mensch 생각이 깊지 않은 사람. ③ 경솔한, 철저하지 못한: ~ durchge-hen 대략 훑어보다. **≗flächlichkeit** *f.* 피상적임, 천박. **≗förster** *m.* 산림 감독 주임. **≗forstrat** *m.* 산림국 감독관. **~gärig** *a.* 〚양조〛 표면〔상부〕 발효의. **≗gärung** *f.* 표면〔상부〕 발효. **≗gefreite *der* 〚軍〛 병장. **≗-gehilfe** *m.* 주임 조수. **≗gericht** *n.* 상급 법원; (스위스의) 주(州)법원. **≗geschoß** *n.* 〚건축〛 위층. **≗gewalt** *f.* 최고 권력; 주권. **≗gewand** *n.* ① 겉옷: ein faltenreiches ~ 주름이 많은 겉옷. ② (고대 로마 사람의) 긴 웃옷. **≗glied** *n.* ① 〚건축〛 관상(冠狀) 몰딩. ② 〚논리〛 대명사(大名辭). **≗grenze** *f.* 상한(上限). **≗halb** 《Ⅰ》 *prp.*[2]/(고어) *prp.*[3] (↔ unterhalb) …의 상부에, 위쪽에: ~ der Brücke 교량 위편에. 《Ⅱ》 *adv.* 위에, 북쪽에: ~ von München 뮌헨 북쪽에. **≗hand** *f.* ① 손등. ② 손목, 손목 관절. ③ 〔비유〕 우월, 상위, 우수: jm. die ~ geben 누구의 우월성을 인정하다; über jn. die ~ gewinnen〔bekom-men, erhalten〕 누구에 대해 우위를 차지하다, 누구를 압도하다. **≗handels·gericht** *n.* 〚法〛 고등 상사(商事) 재판소. **≗haupt** *n.* ① 머리 윗부분; 정상(頂上). ② 〔비유〕 우두머리, 지휘자, 수령: ~ einer Partei 당수; er war das ~ der Verschwörung 그는 모반의 주동자였다. ③ 〚海〛 상갑판 앞 부분의 한 구획(보통 별실용). **≗haus** *n.* ① 집의 상부(~stübchen). ② 〚政〛 (양원제의) 상원(↔ Unterhaus). **≗haut** *f.* 〚動〛 표피, 외피. **≗-haut(zell)gewebe** *n.* 〚動·植〛 표피(세포) 조직. **≗hemd** *n.* 와이셔츠, 남자용의 윗셔츠. **≗herr** *m.* ① 장(長); 주권자, 통치자, 원수, 군주. ② 〚史〛 봉건 영주. **~herrlich** *a.* 군주의, 주권자의; 위엄이 있는, 훌륭한, 당당한. **≗herrlichkeit** *f.* 위엄, 위풍당당. **≗-herrschaft** *f.* ① (a) 주권, 통치권. (b) 패권: Staat und Kirche stritten um die ~ 국가와 교회는 패권을 놓고 다투었다. ② ↑ ~-herr. **≗hirt(e)** *m.* 〚宗〛 고위 성직자, 주교, 교황. **≗hitze** *f.* (빵 굽는 가마에서) 위에서 나는 열. **≗hof** *m.* ① 높은 곳에 있는 농가; 농가의 바깥 마당. ② ↑ ~hofgericht.

Oberhof≠gericht *n.* 대법원. **~marschall** *m.* 시종장(侍從長). **~meister** *m.* 궁내부 장관.

Ober≠hoheit *f.* (다른 나라에 대한) 통치권. **~holz** *n.* 〚林〛 ① 활엽수. ② 나무의 상부, 우듬지.

Oberin [ó:bərɪn] 《<ober》 *f.* -nen ① 수녀 원장. ② 수간호사; (시설 등의) 여자 소장〔원장〕.

Ober≠ingenieur [..ɪnʒeniø:r] *m.* 기사장, 주임 기술자. **~inspektor** *m.* (중상위직의) 감독관. **≗irdisch** *a.* 지상의(↔ unterirdisch). **~italien** 상부〔북부〕 이탈리아(포강 유역). **≗italienisch** *a.* 상부〔북부〕 이탈리아(어)의. **~jäger** *m.* 〔고어〕 사냥터 감독. **~-jäger·meister** *m.* 사냥꾼 우두머리. **~-kämmerer, ~kammer·herr** *m.* 시종장. **~kante** *f.* 위쪽 모서리: 〔경박〕 das steht mir bis (zur) ~ Unterlippe 나에게는 그것이 지겹다, 나는 그것에 물렸다. **~kellner** *m.* 급사장. **~kiefer** *m.* 〚해부〛 상악(上顎), 위턱. **~kinn·backen** *m.* 〚해부〛 상악골, 위턱 뼈. **~kirchen·rat** *m.* ① 〚기독교〛 최고 관리 위원회. ② 최고 관리국 위원. **~klasse** *f.* ① (고등 학교의) 상급반. ② 상류 사회. **~kleid** *n.* 외투, 상의. **~kommandierende*** *der* 〚軍〛 ↑ ~befehlshaber. **~kommando** *n.* 〚軍〛 ① ↑ ~befehl. ② 최고 사령부. **~kör-per** *m.* ① 상체, 상반신. ② (보석의) 관정부(冠頂部). **~kreis·direktor** *m.* (군(郡) 의회의) 사무국장. **~kriegs·gerichts·rat** *m.* 〔복수: ..räte〕〚軍〛 고등 군법 회의 (판사). **~land** *n.* 고지(高地). **~länder** *m.* 고지대 주민. **~landes·gericht** *n.* 〚法〛 고등 법원

(약어: OLG). **~länge** *f.* 〖印〗 로마자의 소문자에서 문자가 기준선 위로 돌출한 부분(보기: b 와 l 이 보통 철자보다 위로 올라 간 경우; g 와 같이 아래로 처진 것은 Unterlänge 라 함). **~last** *f.* 〖海〗 배나 뗏목의 위쪽에 실은 짐, 윗짐. **≈lastig** *a.* 〖海〗 배의 윗짐이 너무 많아서 뒤집힐 듯한, 불안정한. **~lauf** *m.* ①〖海〗 상갑판(Oberdeck ①). ② 강의 상류. **~leder** *n.* 구두의 윗가죽. **~lehns·herr** *m.* 최고권자, 국왕, 군주; 영주. **~lehns·herrlich·keit** *f.* 국왕〔군주〕의 직위; (속국에 대한) 종주권. **~lehrer** *m.* ①〖고어〗 고등 학교 정교사. ②〖고어〗 (장기 근속) 초등 학교 교사. ③〖구동독〗 (특히 공적을 쌓은) 교사에 대한 존칭. **≈lehrerhaft** *a.* 〖폄어〗 정교사식의; 설교조의. **~leib** *m.* ↑ ~körper. **~leitung** *f.* 총지도〔지휘·관리·감독〕; 〖전기〗 공중 가선(架線). **~leitungs·omnibus** *m.* 무궤도 전차, 트롤리 버스(약어: Obus). **~leutnant** *m.* 〖軍〗 ① 육군 중위: ~ zur See 해군 중위. ② 중위 계급의 장교. **~licht** *n.* ① 위쪽에서 비치는 빛. ②〖건축〗 천창(天窓). ③〖연극〗 천장의 램프. **~liga** *f.* 〖스포츠〗 상급 리그, 본선 리그. **~ligist** *m.* 〖스포츠〗 상급 리그에 속한 팀. **~lippe** *f.* 〖해부〗 윗입술(↔ Unterlippe). **~maat** *m.* 〖軍〗 ① 해군 하사. ② 하사 계급의 해군. **~macht** *f.* 최고 권력, 주권, 대권; 패권. **~mann** *m.* 〖복수: ..männer〗 ① 상급자, 지도자. ② 승리자, 정복자. ③ 중재자; 주심(主審). ④ 독일 카드 패의 이름(Ober). ⑤ **(a)** 〖레슬링〗 상대자 위에서 공격 자세를 취하는 선수. **(b)** (곡예에서) 위에 있는 경기자. **~material** *n.* (구두의) 윗부분 재료. **~matrose** *m.* 〖구동독〗 해군 병장. **~meis·ter** *m.* ① 장(長), 우두머리. ② 하사관 계급. **~münz·wardein** *m.* 화폐 분석 검사국장. **~offizier** *m.* 고급 장교(원래는 오스트리아의 위관(尉官)).

Oberon [ó:bərɔn, ..be..] 《frz.》 *m.* 요정의 왕.

Oberösterreich 오버외스터라이히(오스트리아 북부의 주).

Ober·pfarrer *m.* ① 대성당의 주임 사제. ② 종군 사제의 경칭.

Oberpost·amt *n.* 중앙 우체국. **~direktion** *f.* 주〔지방〕 체신청.

Ober≈post·meister *m.* 주(州) 체신 장관. **~präsident** *m.* (1815-45 년 프로이센의) 주장관. **~priester** *m.* 유대의 제사장; 〖가톨릭〗 주교. **≈priesterlich** *a.* 주교의, 고위 성직자의. **~prima** *f.* 〖구식〗 김나지움의 최상급반. **~primaner** *m.* 김나지움의 최상급반의 학생. **~quartier·meister** *m.* 〖軍〗 고위 참모; 병참부장. **~rang** *m.* 우위, 상위. **~real·schule** *f.* 〖교육〗 ① 고전어 대신 근대 언어와 자연 과학을 가르치는 고등 학교. ② 실업 고등 학교(Realgymnasium). **~rechnungs·kammer** *f.* (옛 프로이센의) 회계 감사원. **~regierungs·rat** *m.* 〖복수: ..räte〗 고위 사무관. **~reichs·anwalt** *m.* 〖法〗 검찰총장. **~rhein** *m.* 라인강 상류. **~richter** *m.* (schweiz.) ① 재판장; 부장 판사. ② 상급 재판소 판사. **~rinde** *f.* (나무의) 상피(上皮), 표피. **~rock** *m.* ① (남자의) 상의. ② 여자의 스커트(↔ Unterrock).

Obers [ó:bərs] 《<über 《I》》 *n.* - (bayr., öst.) 유지, 크림.

Ober≈satz *m.* ① 제일 원리. ②〖논리〗 대전제(大前提) (↔ Untersatz). **~schenkel** *m.* 〖해부〗 허벅다리, 넓적다리. **~schenkel·bein** *n.* 〖해부〗 대퇴골(大腿骨). **~schenkel·hals** *m.* 〖해부〗 대퇴(골) 경부(頸部). **~schicht** *f.* ①〖地〗 상부 지층; 표토층(表土層). ②〖사회〗 상류층, 지도층. ③〖工〗 (무엇의) 상층. **~-schieds·richter** *m.* 〖法〗 중재 재판장; 〖스포츠〗 주심. **≈schlächtig, ≈schlägig** *a.* 상사식(上射式)의(수차(水車)의 위쪽에서 물을 낙하시켜 날개차를 회전시키는 방식), 위에서 뿌리는. **≈schlau** *a.* 〖구어·반어〗 아주 약은: das ist auch so ein Oberschlauer! 그녀석은 정말 약군!

Oberschlesien 오버슐레지엔(현재 폴란드의 영토).

Ober≈schule *f.* 실업 고등 학교(종래의 김나지움과 달리 고전어 대신 자연 과학·외국어 등에 중점을 둔 8 년제 학교). **~schüler** *m.* 실업 고등 학교 학생. **~schülerin** *f.* 실업 고등 학교 여학생. **~schwelle** *f.* 〖건축〗 상인방(문 따위의 위 가로대). **~schwester** *f.* 수간호사. **~schwingung** *f.* 〖物〗 배(倍) 진동. **~seite** *f.* 윗면. **≈seits** *adv.* 윗면에. **~sekunda** *f.* 〖학제·구식〗 김나지움의 7 학년. **~sekun·daner** *m.* 김나지움의 7 학년생.

Oberst [ó:bərst] *m.* -s/-en, -en/(드물게) -e 〖軍〗 ① 육군 대령 계급. ② 육군 대령, 연대장.

***oberst** 《ober 의 최상급》 *a.* 최고〔최상〕의; 탁월한; 고귀한, 지고의; 매우 중요한: der ~e Gerichtshof 대법원; ~e Gewalt 지상권(至上權), 주권; 〖政〗 ~e Bundesbehörden 연방 최고(위) 관청들; zu ~ auf dem Mast 마스트의 꼭대기에; er ist der ≈e 〔er sitzt zu~〕 in seiner Klasse 그는 학급에서 수석이다.

Ober≈staats·anwalt *m.* 검사장. **~stabs·arzt** *m.* 〖軍〗 군의(軍醫) 소령. **~stadt·direktor** *m.* 시 행정국장. **~stall·meister** *m.* 〖고어〗 근위 기병대장. **≈ständig** *a.* 〖植〗 (씨방이) 꽃받침 위에 있는. **~statt·halter** *m.* 총독, 태수. **~steiger** *m.* 〖광산〗 갱부장, 갱부 감독. **~steuer·direktor, ~steuer·einnehmer** *m.* 세무서장. **~steur·mann** *m.* 〖복수: ..männer/..leute〗 〖海〗 1 등 항해사. **~stimme** *f.* 〖음악〗 최고 성음〔성부〕, 소프라노.

Oberst·inhaber *m.* 〖軍〗 명예 연대장. **~-leutnant** *m.* 〖軍〗 육군 중령 계급.

Ober≈stock *m.* 위층. **~stübchen** *n.* 〖↑ ~stube 의 축소형〗 〖구어〗 머리: bei ihm ist's nicht richtig im ~ 그는 머리가 이상하다. **~stube** *f.* ① 다락방; 최상층. ② ↑ ~-stübchen. **~studien·direktor** ① 고등 학교 교장. ②〖구동독〗 교사에 대한 최고 경칭. **~studien·rat** *m.* ① 일급 정교사; 장학관. ②〖구동독〗 교사에 대한 존칭. **~stufe** *f.* ① 〖학제〗 **(a)** (9 년제) 김나지움의 상급 3 개 학년(Obersekunda, Unterprima, Oberprima). **(b)** (직업 학교에서) 3-4 년차 수습 기간에 있는 학급 전체. **(c)** 상급반 학생 전체. ② 상급; 상단(上段).

Oberst·wacht·meister *m.* 〖軍〗 (이전의) 소령: Herr ~ 소령님(Major 의 호칭형).

Ober≈tasse *f.* (커피·홍차의) 찻잔(↔ Untertasse): ~ und Untertasse 찻잔과 받침. **~-teil** *n.* 상부; 윗옷. **~tertia** *f.* 〖학제·구식〗

김나지움의 5 학년. ~**tertianer** *m.* 김나지움의 5 학년생. ~**ton** *m.* 〖음악〗 배음(倍音): harmonischer ~ 조화 배음. ~**tribunal** *n.* 최고 법원, 대법원. ~**verdeck** *n.* 〖海〗 상갑판. ~**verwaltungs·gericht** *n.* 〖法〗 상급 행정 재판소(대륙법계의 행정 국가에 고유한 특별 재판소). ~**veterinär** *m.* 〖軍〗 수의(獸醫) 중위. ~**vormund** *m.* 〖法〗 후견인; 후생국 직원. ~**vormundschaft** *f.* 후견인 위원회; 후견권; 후생국. ≈**wärts** *adv.* 위쪽으로, 상류로. ~**wasser** *n.* ① 댐의 상류쪽에 고인 물. ② (물방아의) 위쪽에 있는 물. ③〖비유〗 우월: ~ haben〔bekommen〕 우세〔유리·유력〕하다. ~**weite** *f.* ① 가슴둘레. ②〖구어〗 (여성의) 젖가슴. ~**welt** *f.* (하계(下界)에 대하여) 지상계(地上界); 현세(現世). ~**zahn** *m.* 윗니. ~**zeremonien·meister** *m.* 의전(儀典) 장관. ~**zeug** *n.* ① (↔ Futter) 양복지, 겉감. ② 상의, 외투. ~**zoll·amt** *n.* 관세청.

ob≈gedacht [ɔ́p..], ~**gemeldet** 〖구식〗, ~**genannt** (öst.) *a.* 상술한, 앞서 말한.

***ob·gleich** [ɔpgláiç], **ob ... gleich** *cj.* ① ↑ ~wohl. ② ↑ ob¹ ④.

ob≈handen 《<ob²》 *a.* (obd.) 곁에 있는, 현존의(vorhanden). * ≈**hut** *f.* 보호, 비호, 보관, 감독, 후견: jn. in seine ~ nehmen 누구를 돌보아주다, 누구를 후견하다; in js. ~ geben 누구의 보호를 받게 하다, 누구에게 보관시키다, 맡기다.

Obi [ó:bi] *m.* -s, -s ①〖유행〗 (기모노의 넓은) 허리띠. ②〖스포츠〗 (유도복의) 허리띠.

obig [ó:bıç] 《<ob²》 *a.* 위에 적은, 앞서 말한: im ~en 상술한 곳에; der〔die〕 ≈e 전기(前記)한 사람; das ≈e 전기한 사항.

Ob.-Ing. =Oberingenieur 기사장, 주임 기사.

***Objekt** [ɔpjɛ́kt] 《lat. obiectum》 *n.* -(e)s, -e (↔ Subjekt) ① 물체, 객체; 대상; 목표물; 소재, 내용; 총액: ~ einer Geschichte a) 이야기의 주제〔내용〕, b)〖비유〗 가치 있는 물건; das Landgut ist ein stattliches ~ 그 농장은 대단히 훌륭하다. ②〖광학·사진〗 피사체: der Abstand von Linse und ~ 렌즈와 피사체와의 거리. ③〖구동독〗 (매점·음식점과 같은) 공용 시설. ④〖畵〗 오브제, 대상 예술품. ⑤〖軍〗 군사 시설물. ⑥〖문법〗 목적어.

Objekt·code *m.* 〖컴〗 목적 코드.

***objektiv** [ɔpjɛktí:f] *a.* ① 물적인; 대상의, 목적물의; 실재의; 객관적인; 중립적인, 공평한: das ≈e 외계; dafür gibt es ~e Gründe 그것에 대해서는 객관적인 이유가 있다. ②〖醫〗 타각적(他覺的)인: ~e Symptome 타각 증상. ③〖문법〗 목적격의.

Objektiv *n.* -s, -e [..və] 〖광학〗 ↑ ~glas.

Objektivation [..vatsió:n] *f.* -en 〖교양〗 객관화, 객관적 묘사.

Objektiv·glas *n.* 〖광학〗 대물렌즈(↔ Okular).

objektivieren [..tiví:rən] *t.* ① 사실대로〔있는 그대로〕 묘사하다: beobachtete Erscheinungen ~ 관찰한 현상을 있는 그대로 묘사하다. ② 객관화〔대상화〕하다; 실현하다: 〖哲〗 objektivierter Geist 객관화된 정신.

Objektivierung [..ví:ruŋ] *f.* -en 객관화, 대상화.

Objektivismus [ɔpjɛktivísmus] *m.* - 〖철학〗 객관주의.

objektivistisch [..vístıʃ] *a.* 객관주의적인.

Objektivität [..vitɛ́:t] *f.* ① 객관〔대상〕성; 즉물성; 실재성. ② 객관적 보편 타당성; 공평무사.

Objekt≈kunst *f.* 〖畵〗 대상〔오브제〕 예술. ≈**orientiert** *a.* 〖컴〗 객체 지향의. ~**satz** *m.* 〖문법〗 목적절. ~**schutz** *m.* (군이나 경찰에 의한) 시설 보호〔감시〕. ~**sprache** *f.* 〖언어학〗 (연구의 대상이 되는) 대상 언어. ~**träger** *m.* 현미경의 재물대(載物臺), 슬라이드.

Oblate¹ [ɔblá:tə, ob.., (방언) ɔ́pla:..] 《lat.》 *m.* -n, -n 〖가톨릭〗 ① 수도원 학교의 학생. ② (중세기 수도원의) 수도사 지원 아동. ③ (바깥일을 전적으로 맡는) 노동 수도사. ④〖복수〗 수도원 연합회의 준회원.

Oblate² 《lat.》 *f.* -n ①〖가톨릭〗 성체(聖體), 제병(祭餠). ② (웨이퍼 비슷한) 엷게 구은 둥글고 작은 과자: Karlsbader ~n 카를스바트산(産) 과자. ③ 봉하는 풀; (편지의) 봉하는 인지; 봉함지(封緘紙). ④〖醫〗 오블라토.

Oblation [..tsió:n] *f.* -en 〖宗〗 ① (떡과 포도주의) 봉헌. ② 공양물(供養物).

Obleute ↑ Obmann 의 복수형.

ob|liegen* [ɔ́pli:gən, ɔplí:gən] *i.* ① (s.) 격투를 하여 이기다. ② (h./(드물게) s.) 〖3 격과 함께〗 (**a**) 전념하다: einem Studium ~ 연구에 몰두하다. (**b**) 〖사물이 주어〗 …의 의무〔책임〕이다: es liegt mir ob〔es obliegt mir〕 그것은 내 의무이다; die mir ~de Pflicht 내게 주어진 의무.

Obliegenheit [ɔ́p..] *f.* -en 의무, 책무, 책임.

obligat [ɔbligá:t, ob..] 《lat. obligare》 *a.* ① 〖교양〗 (**a**) 〖구식〗 의무적인; 불가결한. (**b**) 〖대개 반어〗 습관적〔통례적〕인. ②〖음악〗 오블리가토의, 반주가 필수적인: ~es Akkompagnement 필수적인 반주. ③〖醫〗 편성(偏性)의.

Obligation [..gatsió:n] *f.* -en ①〖法〗 의무, 책무. ② 채무; 채권(債券): Staats≈ 국채.

Obligationen·recht *n.* 〖法〗 채권〔채무〕법.

obligatorisch [..gató:rıʃ] *a.* ① (↔ fakultiv) 의무적인, 필수적인; dieses Lehrfach ist ~ 이 학과는 필수 과목이다. ② (법률상의) 채권 채무에 관한: 〖法〗 ein ~er Vertrag 채권계약; 〖생태〗 ~e Parasiten 기생 생물. ③〖반어〗 통상적〔습관적〕인.

Obligatorium [..tó:rium] *n.* -s, ..rien [..riən] (schweiz.) ① 채무. ② 필수 과목.

obligeant [ɔbliʒánt] 《lat. -frz.》 *a.* 〖구식〗 친절한, 호의적인, 정중한.

obligieren [ɔbligí:rən, ..ʒí:rən] *t.* 〖구식〗 …에게 (감사할) 의무를 지우다: jm. obligiert sein 누구에게 은혜를 입다.

Obligo [ó:bligo, ɔ́b..] 《lat. -it.》 *n.* -s, -s 〖經〗 지급 의무〔책임〕, 채무; 보증: das ~ für et. übernehmen 보증하다; 〖증권〗 ohne ~ 〔frei von ~〕 무담보로(약어: o.O.).

oblique [ɔblí:k, ..lí:kvə, ob..] 《lat. -frz.》 *a.* ①〖구식〗 비스듬한, 경사진; 〖비유〗 부정한, 거짓의. ②〖문법〗 종속의, 간접의: ~r [..kvər] Kasus 종속격(제 1 격 이외의 격); ~ [..kvə] 〔indirekte〕 Rede 간접 화법.

Obliquität [..kvitɛ́:t] *f.* ①〖구식〗 경사, 기울기; 허위, 부정. ②〖문법〗 종속. ③〖醫〗 (출생할 때) 태아 머리의 사위(斜位).

Obliteration [obliteratsió:n, ɔp..] 《lat.》 *f.*

O

-en ① 말소; 망각; 〖비유〗 삭제, 근절. ② 〖醫〗 (맥관(脈管) 따위의) 폐색.

obliterieren [..rí:rən] *t.* ① 말소하다; 망각하다; 〖비유〗 삭제하다; 근절하다. ② 〖醫〗 폐색(閉塞)하다.

oblong [ɔplɔ́ŋ, ɔb.., ob..] 《lat. longus》 *a.* 〖구식〗 가늘고 긴, 직사각형의.

Oblong *n.* -(e)s, -e, **Oblongum** [..lɔ́ŋgum] *n.* -s, ..gen [..lɔ́ŋ(g)ən]/..ga 〖구식〗 ① 직사각형. ② 직사각형 건축물.

Ob≈macht [ɔ́pmaxt] *f.* 〖구식〗 최고 권력, 주권; 우세. **~mann** [ɔ́pman] *m.* 《복수: ..männer/..leute》 ① 장(長), 대표자. ② 〖고어〗 승리자, 정복자. ③ **(a)** 〖스포츠〗 주심. **(b)** (obd.) 중재 재판관. **(c)** 조합〔단체〕원. **(d)** (öst.) 조합〔단체〕의 장. **~männin** *f.* ↑ Obmann 의 여성형.

Oboe [obó:ə] 《frz.》 *f.* -n 〖악기〗 ① 오보에(목제 고음 관악기). ② 오르간의 음전(音栓).

Oboist [oboíst] *m.* -en, -en 오보에 연주자.

Obolus [ó:bolʊs] 《gr. -lat.》 *m.* -, -(se)/..li ① 오볼로스(고대 그리스의 소액 은화〔(후에는) 동화〕; Drachme 의 6 분의 1). ② 오볼로스(그리스의 중량 단위; Drachme 의 10 분의 1). ③ 작은 금액; 〖비유〗 소액의 기부금. ④ 〖복수〗〖고생물〗 캠브리아 중기 이후에 생존했던 완족류(腕足類).

Obotrit [obotrí:t] *m.* -en, -en 중세 초기에 북독일에 살았던 슬라브계의 종족.

ob·oval [ɔp|ová:l] 《lat.》 *a.* 역달걀형의.

Obrigkeit [ó:brɪçkaɪt] 《< ober 《I》》 *f.* -en ① 정부; (관계) 당국: sich der ~ stellen 〔übergeben〕 자수〔출두〕하다. ② 〖法〗 직권, 공권력.

obrigkeitlich *a.* 정부로〔당국으로〕부터의: ~ genehmigen 공식으로 허가하다.

obrigkeitlicher·seits *adv.* 정부측〔관계 당국〕에서.

Obrigkeits·denken *n.* 〖폄어〗 당국에 무조건 순응〔복종〕하는 사고 방식.

Obrigkeits·staat *m.* 관료주의 국가.

Obrist [o:bríst, ó:brɪst] *m.* -en, -en ① 〖구식〗 육군 대령. ② 군사(혁명) 정부 구성원.

obs [ɔps] = ob es.

ob·schon [ɔpʃó:n], **ob ... schon** *cj.* 〖雅語〗 ↑ obwohl.

Obsequien [ɔpzé:kviən] 《lat. sequi》 *pl.* 〖가톨릭〗 ① 장례 미사, 레퀴엠. ② 장의(葬儀), 장례식.

observabel [ɔpzɛrvá:bəl] 《lat. servare》 *a.* 주목할 만한; 현저한.

Observabilien *pl.* 관찰〔관측〕의 대상.

Observant [ɔpzɛrvánt] *m.* -en, -en ① 〖교양〗 엄격한 계율의 준수자; 엄숙주의자. ② 교단 규칙을 엄격하게 지키는 수도사; 프란체스코회의 수도사.

Observanz [..vánts] *f.* -en ① 〖法〗 관습법. ② 〖가톨릭〗 (교단 규칙의) 엄격한 준수. ③ 〖교양〗 (노선 따위의) 엄격한 규율〔형식〕: Kommunisten strengster ~ 초(超)강경파 공산주의자들.

Observation [..vatsió:n] *f.* -en ① (기상 따위의) 관측. ② 감시, 검문: die ~ einer Person vornehmen 누구를 감시하다.

Observations·corps [..ko:r] *n.* 감시병.

Observator [..vá:tɔr, ..to:r] *m.* -s, -en [..tó:rən] 관찰자, 관측자.

Observatorium [..vató:riʊm] *n.* -s, ..rien [..riən] 관측소, 기상대, 감시대.

observieren [..ví:rən] *t.* 관찰〔관측〕하다; 감시하다.

Obsession [ɔpzɛsió:n] 《lat.》 *f.* -en 〖心〗 강박관념, 강박 상태.

obsi *adv.* (alem.) 위쪽으로(aufwärts).

Obsidian 《lat.》 *m.* -s, -e 〖광물〗 흑요석.

ob|siegen [ɔ́pzi:gən, ..zí:..] *i.* (h.) 이기다: jm. ~, über〔gegen〕 jn. ~ 누구에게 이기다; seinem Schmerz ~ 고통을 이겨내다.

Obsignation [ɔpzɪgnatsió:n] 《lat.》 *f.* -en 〖구식〗 ① 법원의 봉인(封印), 날인. ② 인가, 확인.

obsignieren [..gní:rən] *t.* 〖구식〗 ① 인가하다, 확인하다. ② 봉인하다, 날인하다.

obskur [ɔpskú:r] 《lat.》 *a.* 〖교양〗 ① 애매모호한. ② 미지의, 세상에 알려지지 않은. ③ 의심스러운; 평판이 나쁜: eine ziemlich ~e Gegend 상당히 평판이 나쁜 지역.

Obskurant [ɔpskuránt] *m.* -en, -en 〖교양〗 비개화론자, 반계몽주의자; 반동주의자.

Obskurantismus [..rantísmʊs] *m.* - 〖교양〗 비개화론, 반계몽주의, 비과학적 입장의 사상.

Obskurität [..ritɛ́:t] *f.* -en 〖교양〗 어둠, 암흑, 애매, 불명료, 불가해; 미지.

obsolet [ɔpzolé:t] 《lat.》 *a.* 낡은, 시대에 뒤떨어진; 노후한.

Obsorge [ɔ́pzɔrgə] *f.* 〖구식·격식〗 (öst.) 보호, 돌보아 줌; 감독.

***Obst** [o:pst] *n.* -es, (품종에 대하여) *pl.* -sorten [ó:pst..] ① 과일: ~ schälen 과일의 껍질을 벗기다; ~ ernten 과일을 수확하다; 〖구어〗 ich danke für ~ (und Südfrüchte)! 알고 싶지 않다, 귀찮다! ② 과일나무.

Obstakel [ɔpstá:kəl] 《lat. obstare》 *n.* -s, - 〖구식〗 방해, 장애(물).

Obstand *m.* -(e)s, ..stände (ndd.) 저항, 반대; 장애.

Obst≈anbau *m.* ↑ ~bau. **~art** *f.* 과일의 종류. **~bau** *m.* 과수 재배. **~bau·kunde, ~bau·lehre** *f.* 과수 재배법. **~baum** *m.* 과일나무. **~baum·zucht** *f.* ↑ ~bau. **~blüte** *f.* 과수의 개화: jetzt beginnt die ~ 이제 과수가 개화하기 시작한다. **~boden** *m.* ① 과일 저장실. ② 과수 재배에 적합한 토지. **~-brannt·wein** *m.* 과일 브랜디. **~brecher** *m.* 과일 채취기. **~bude** *f.* 과일 가게. **~darre** *f.* 과일 건조로(乾燥爐).

obsten [ó:pstən] *i.* (h.) ① 과일을 수확하다. ② (식이 요법으로서) 과일만 먹다.

Obst·ernte *f.* 과일의 수확: ~ per〔von〕 Hand 수작업에 의한 과일 수확. **~essig** *m.* 과일 식초.

Obstetrik [ɔpsté:trɪk] 《lat. obstetrix, „die Hebamme"》 *f.* 〖醫〗 산과학(産科學); 조산술(助産術).

Obst≈frau *f.* 〖구어〗 과일 파는 여인. **~garten** *m.* 과수원. **~gärtner** *m.* 과수 재배자. **~gelee** [..ʒe..] *n./m.* 과일 젤리. **~göttin** *f.* 〖로마신화〗 과일의 여신. **~handel** *m.* 과일 장사. **~händler** *m.* 과일 장수. **~handlung** *f.* 과일 판매업; 과일 가게. **~höker** *m.* 과일 노점 상인.

obstinat [ɔpstiná:t] 《lat.》 *a.* 고집이 센.

Obstipation [ɔpstipatsió:n] 《lat. stipare》 *f.* -en 〚醫〛 변비증.

Obst≈jahr *n.* 과일 농사의 일년: ein gutes 〔schlechtes〕 ~ 과일이 풍년〔흉년〕인 해. **~kammer** *f.* 과일 저장실; 〔비유〕 과일이 풍부한 지방. **~keller** *m.* 과일 저장실; 과일 가게. **~kelter** *f.* 과일 압착기. **~kern** *m.* 〔대개 복수〕 과심(果心). **~korb** *m.* ① 과일 바구니. ② ↑ ~brecher. **~kuchen** *m.* 과일 케이크. **~kultur** *f.* ↑ ~bau. **~kunde, ~-lehre** *f.* 과수 재배법.

Obstler [..lər] *m.* -s, - (südd.) ① 과일 장수. ② 과일 재배자. ③ 과일 브랜디.

Öbstler [ǿ:pstlər] *m.* -s, - ↑ Obstler ①②.

Obstlerin, Öbstlerin [..lərın] *f.* -nen (südd.) 여자 과일 장수.

Obst≈lese *f.* ↑ Obsternte. **~markt** *m.* 과일 시장. **~messer** *n.* 과도(果刀). **~monat** *m.* 8월. **~most** *m.* (미발효) 과일즙. **~mühle** *f.* 과실 분쇄기. **~mus** *n.* 과일 잼, 마멀레이드. **~pflanzung** *f.* 과수원. **~pflücker** *m.* 과일 채취인〔채취기〕. **~plantage** [..ta:ʒə] *f.* (열대 지방의) 큰 과일 농장. **~presse** *f.* (과즙을 얻기 위한) 과일 압착기. **≈reich** *a.* 과일이 풍부한.

obstruieren [ɔpstruí:rən] 《lat. obstruere》 *t.* ① 저지〔방해〕하다; 〚政〛 (의사 진행을) 방해하다: eine ~de Politik betreiben 의사 진행 방해 정책을 펴다. ② 〚醫〛 폐색(閉塞)하다.

Obstruktion [..rʊktsió:n] *f.* -en ① 저지〔방해〕; 〚政〛 의사 진행 방해. ② 〚醫〛 폐색(증).

Obstruktionist *m.* -en, -en 의사 진행 방해자.

Obstruktions·politik *f.* 〚政·폄어〛 의사 진행 방해 수법.

obstruktiv [..tí:f] *a.* ① 방해〔장애〕가 되는; 의사 진행의 방해가 되는. ② 〚醫〛 폐색의: ~e Erkrankungen der Atemwege 기도 폐색증.

Obst≈saft *m.* 과즙. **~salat** *m.* 과일 샐러드. **~schale** *f.* ① (벗겨 놓은) 과일 껍질: auf einer ~ ausrutschen 과일 껍질을 밟아 미끄러지다. ② 과일 접시. **~schaum·wein** *m.* 과일 샴페인. **~stand** *m.* 과일 판매대. **~stück** *n.* 과일 정물화. **~tag** *m.* (다이어트를 위해) 과일만 먹는 날. **~torte** *f.* 과일 케이크〔파이〕. **~wein** *m.* 과실주. **~zeit** *f.* 과일 수확기. **~-zucht** *f.* ↑ ~bau. **~züchter** *m.* ↑ ~gärtner.

obszön [ɔpstsǿ:n] 《lat.》 *a.* 〔교양〕 격분시키는; 파렴치한; 비천한; 음란한.

Obszönität [..tsønitɛ́:t] *f.* -en 〔교양〕 ① 파렴치; 음란, 외설. ② 음담패설: an die Wand gekritzelte ~en 벽에 낙서해놓은 음담패설.

obtenieren [ɔpteni:rən] 《lat. tenere》 *t.* 주장하다, 고집하다, 관철하다.

Obturation [ɔpturatsió:n] 《lat.》 *f.* -en 전색자(栓塞子)에 의한 폐색(閉塞).

Obturator [..rá:tɔr, ..to:r] 《<obturieren》 *m.* -s, -en [..tó:rən] 신체 개구부(開口部)를 닫기 위한 기구.

Obturbation [ɔpturbatsió:n] 《lat.》 *f.* -en (Verwirrung) 혼란, 분규; 방해.

obturieren [ɔpturí:rən] 《lat.》 *t.* (verstopfen) 폐쇄하다, 틀어막다.

Obus [ó:bus] 《<Oberleitungsomnibus》 *m.* -(ses), -se 트롤리 버스.

ob|walten [ɔ́pvaltən] *i.* (h.) 존재하다, (어떤 조건·상태에) 있다: hierüber waltet noch mancher Zweifel ob 이것에 대하여는 아직도 많은 의혹이 있다; 〚官〛 bei〔unter〕 den ~den Umständen 현재 상태로는.

***ob·wohl** [ɔpvó:l], **ob ... wohl** *cj.* …에도 불구하고, 비록 …이기는 하지만: er kam sofort, ~ er nicht viel Zeit hatte 그는 시간이 많지 않았지만 곧 왔다.

ob·zwar [ɔptsvá:r], **ob...zwar** *cj.* ↑ obwohl.

Occasion *f.* -en (schweiz.) 〚商〛 특매품 (Okkasion).

och [ɔx] *int.* 아아, 오오.

Ocher [ɔ́xər] *m.* -s, - 〚광물〛 ↑ Ocker.

Ochlokratie [ɔxlokratí:] 《gr.》 *f.* -n [..tí:ən] 천민 정치, 중우(衆愚) 정치.

ochlokratisch [..krá:tıʃ] *a.* 천민 정치의.

***Ochs** [ɔks] *m.* -en, -en 〔구어·방언〕 ↑ Ochse.

Öchschen [œ́ksçən] *n.* -s, - 〔↑ Ochse 의 축소형〕 작은 (수)소.

***Ochse** [ɔ́ksə] *m.* -n, -n ① 황소: 〔구어〕 die ~n hinter den Pflug spannen 〔den Pflug vor die ~n spannen〕 엉토당토 않은 짓을 하다, 본말(本末)을 전도하다; er steht da wie der ~ vorm Berg 〔vorm Scheunentor〕 그는 어찌할 바를 모르고 있다, 장애〔난관〕에 부닥쳐 있다; zu et.[3] taugen wie der ~ zum Seiltanzen 무엇에〔무엇하는 데〕 전혀 쓸모가 없다; 〔비유〕 einen ~n auf der Zunge haben 말하기가 어렵다. ② 〔구어·욕설〕 (남자에 대하여) 멍청이, 바보; 시골뜨기: so ein ~! 얼마나 바보냐!; da müßte ich doch ein (schöner, rechter) ~ sein! 나는 그렇게 바보는 아니야! ③ 〔구어〕 공부 벌레. ④ (여인숙의 간판에서) zum roten ~n 황소집(붉은 황소의 간판이 있는 여인숙).

ochsen [ɔ́ksən] *i.* (h.) 〔구어〕 ① 지독하게 공부하다; 억척스럽다. ② (암소가) 암내내다.

ochsen≈artig *a.* 소 같은, 우직한. **≈auge** *n.* ① 황소의 눈; 〚醫〛 왕방울눈. ② 〚건축〛 (바로크 양식에서) 둥근〔타원형의〕 천창. ③ 〚요리·방언〛 에그 프라이. ④ 〚植〛 프랑스 국화. ⑤ 〚動〛 굴뚝새. ⑥ 폭풍의 전조가 되는 먹구름. ⑦ 썩은 나무에 생긴 구멍. ⑧ 〚광물〛 장석(長石)의 일종. ⑨ 〚海〛 (배의) 둥근 창문. ⑩ 살구를 넣은 둥근 과자. **≈bauer** *m.* 소를 이용하여 밭을 가는 농부. **≈braten** *m.* 〚요리〛 불고기, 로스트 비프. **≈bremse** *f.* 〚動〛 쇠파리. **≈-brust** *f.* 황소 갈비고기. **~dumm** *a.* 우둔한. **≈fell** *m.* ↑ haut. **≈fiesel** *m.* 〔방언〕 ↑ ~ziemer. **≈fleisch** *n.* 쇠고기. **≈frosch** *m.* 〚動〛 (북아메리카산(産)) 식용 개구리. **≈-galle** *f.* 소의 쓸개즙. **≈gespann** *n.* ① (한 대의 수레를 끄는) 한조의 소. ② 황소가 끄는 수레.

ochsenhaft [ɔ́ksənhaft] *a.* ① 소 같은; 서투른, 손재주가 없는; 굼뜬, 우둔한. ② 터무니없는, 거대한.

Ochsen≈händler *m.* 소 장사꾼. **~haut** *f.* 쇠가죽. **~herz** *n.* ① 소의 심장. ② 〚醫〛 심장 비대. **~hirt** *m.* 소를 돌보는 사람. **~hunger** *m.* 심한 허기. **~kalb** *n.* 새끼 수송아지. **~karren** *m.* 황소가 끄는 수레. **~klaue** *f.* 쇠발굽. **~kopf** *m.* ① 황소의 머리; (말 따위의) 황소와 비슷한 머리. ② 〚動〛 물레고둥류(類)의 식용 고둥. ③ 〔비유〕 바보. ④ (berl.)

유치장. ⑤ 삼각형. ⑥〖우표〗(1858-62 년에 후작령 Moldau 에서 발행된) 들소 머리 모양의 그림이 그려진 우표. **~leder** *n.* 쇠가죽. **~markt** *m.* 우시장. **~mäßig** *a.* ↑ ochsenhaft. **~maul** *n.* ① 황소의 입술 고기. ②〖건축〗평와(平瓦). **~maul·salat** *m.* 황소의 입술을 엷게 썰어 만든 샐러드. **~schlepp** *m.* (öst.) **~schwanz** *m.* (황)소 꼬리 (고기). **~schwanz·suppe** *f.* (황)소꼬리 수프. **~stall, ~stand** *m.* 외양간. **~tour** *f.* 〚구어〛① 힘든〔고된〕일. ② (승진이 힘든) 관리〔장교〕의 인생 경로. **~treiber** *m.* ① 소몰이꾼. ②〖天〗목자자리. **~ziemer** *m.* ① 소의 음경(陰莖). ② 쇠좆매. **~züchter** *m.* 소 사육자. **~zunge** *f.* ① 우설, 소의 혀 요리. ②〖植〗서양자초. ③ 양송이 버섯.

Ochserei [ɔksəráɪ] *f.* 〚구어〛억척같이 공부함; 우둔, 어리석음.

ochsig [ɔ́ksɪç] 《I》 *a.* ↑ ochsenhaft. 《II》 *adv.* 〚구어〛(sehr) 매우, 대단히.

Öchsle [œ́ksla] *n.* -s, -, **Öchsle·grad** *n.* 〖양조〗포도즙의 비중 단위(독일 물리학자 F. Öchsle 의 이름에서).

Öchslein [œ́kslaɪn] *n.* -s, - ↑ Öchschen.

ocker [ɔ́kər] *a.* 황갈색의.

Ocker 《gr. -lat.》 *m./n.* -s, - ①〖광물〗황토. ② 황갈색의 색료. ③ *n.* 황갈색: ein in ~ gehaltener Hintergrund 황갈색으로 처리된 배경.

ocker=braun, ~farben, ~farbig, ~gelb *a.* 대자색의, 황갈색의. **~gelb** *n.* 황갈색. **~-haltig** *a.* 황토를 함유한.

Ockhamismus [ɔkamísmus, ɔkɛ...] *m.* - 〖哲〗오컴주의(중세 후기 유명론(唯名論)의 창시자인 영국 스콜라 신학자 W. Ockham 의 이름에서).

OCR 《engl.》〖컴〗=optical character recognition〔reader〕시각 문자 판독(기).

Od *n.* -(e)s〖심령〗정기(精氣)(인체에서 방출되는 신비로운 힘).

öd [ø:t] *a.* 〚雅語〛↑ öde.

od. =oder 또는.

Odal [ó:da:l] 《germ., „Grundbesitz"》 *n.* -s, -e (고대 게르만족의) 세습 토지.

Odaliske [odalískə] 《frz. odali(s)que》 *f.* -n ①〚옛뜻〛터키 후궁(後宮)의 백인 여자 노예. ② 시녀; (특히) 터키 황제의 비첩(婢妾). ③ 터키의 직업적 무희.

od. desgl., od. dgl. =oder desgleichen 〔dergleichen〕또는 그런 따위의 것, …등등.

Odds [ɔts, ɔdz] 《engl.》 *pl.* ①〖스포츠〗핸디캡, (약한 편에 주어지는) 유리한 조건. ② (경마에서) 배당율.

***Ode** [ó:də] 《gr.》 *f.* -n〖문학〗송가(頌歌), 송시(頌詩).

Öde [ǿ:də] *f.* -n ① 황야, 황무지. ② 황폐, 적막, 황량; 단조, 지루함.

***öde** *a.* ① 황폐된, 황량〔적막〕한; 단조로운, 지루한: ~s Land 황무지; ein ~s Leben 메마른 생활; ein ~s Buch 지루한 책; ~ und leer 황량하고 사람이 살지 않는; Markt und Straßen lagen ~ (da) 시장이나 거리가 조용하고 한가로웠다. ② (obd.) 고지식한(nüchtern). ③ (md.) (ungesalzen, ungewürzt) 소금을 넣지 않은, 양념을 안 친. ④ (schweiz.) 위축된; 뻔뻔한, 경박한, 악의적인.

Odem [ó:dəm] 《♧ Atem》 *m.* -s 〚고어·시어〛(md.) 숨, 호흡:〖聖〗alles, was ~ hat, lobe den Herrn 목숨이 있는 자마다 여호와를 찬양할지어다(시편 150 : 6).

Ödem [ødé:m] 《gr., „Geschwulst"》 *n.* -s, -e 〖醫〗부스럼, 수종(水腫), 부종(浮腫).

ödematisch, ödematös *a.* 부종 증세의.

öden [ǿ:dən] 〚구식〛《I》 *t./i.* (h.) (obd.) 개간하다. 《II》 *t.* ① 지루하게 하다. ② 황폐하게 하다.

Oden·dichter *m.* 송시(頌詩) 작가.

Oden·wald [ó:dənvalt] *m.* 오덴발트(남독일의 중앙 산지).

Odeon [odé:ɔn] *n.* -s, -s 〚교양〛예술의 전당(음악·연극 공연이나 무도를 위한 건물).

Oder [ó:dər] *f.* 오데르강(동부 독일의 강).

***oder** [ó:dər] *cj.* (약어: od.) ① **(a)** 또는, 혹은: das Geld ~ das Leben! 돈이냐 목숨이냐!; alles ~ (sonst) nichts 전부가 아니면 무; willst du Bier ~ Wein? 맥주로 하시렵니까, 포도주로 하시렵니까?; frage sie, ob sie einwilligt ~ nicht 그 여자가 찬성하는지 안하는지 물어 보아라; ergib dich — ~! 항복하라 — 그렇지 않으면 (가만 안 둔다)!; du willst weggehen, ~? 너 떠나가려고 하는 거지?; entweder ... ~ ... …이거나(아니면)…이거나(양자택일을 나타냄). **(b)** 〚상반의 뜻이 약해져 "어느 편〔것〕이나 좋다"의 뜻을 나타냄〛…이든 또는 …이든, 또는 …이어도(~ auch): dieser ~ jener 이것〔이 사람〕이든 저것〔저 사람〕이든; heute ~ morgen 오늘이든 내일이든(좋다); so ~ so 아무튼, 어떻든. **(c)** 〚상반의 뜻이 전혀 없어져〛Geographie ~ Erdkunde 지리학 또는 (일명) 지지(地誌); nicht kommen ~ ausbleiben 오지 않음, 즉 결석. ② (md.) ↑ aber. ③ (ndd.) ein Jahr ~ sechzig 약 60 세.

Oder=männchen *n.*, **~mennig** *m.* 〖植〗짚신나물.

Odeum [odé:um] 《gr. -lat.; Ode》 *n.* -s, Odeen ① (고대 그리스·로마의) 원형 연기장〔공연장〕. ② (오늘날) ↑ Odeon.

Odeur [odǿ:r] 《lat. -frz.》 *n.* -s, -s/-e 〚교양〛① 냄새, 향기; (특히) 방향(芳香); 〚비유〛평판, 인기. ②〚복수〛방향물, 향료.

Ödheit [ǿ:thaɪt] *f.* 황량: die ~ einer Landschaft 풍경〔경치〕의 황량함.

Ödigkeit [ǿ:dɪçkaɪt] *f.* 〚드물게〛↑ Öde ②.

Odin [ó:dɪn] 《nord.》 *m.* 〖북구신화〗오딘(최고의 신; 독일어의 Wodan).

odios [odió:s], **odiös** [odiǿ:s] 《lat. -frz.》 *a.* 미운, 싫은, 불쾌한.

Odiosa [..za] *pl.* 미운〔가증스러운〕것.

Odiosität *f.* -en 〚교양〛① 가증스러움. ② 가증스러운 물건, 가증스러운 일.

***ödipal** [ødipá:l] *a.* 〖心〗오이디푸스 콤플렉스의: die ~e Phase eines Kindes 어린이의 오이디푸스 콤플렉스 단계.

***Ödipus** [ǿ:dipus] *m.* 〖그리스신화〗오이디푸스(테베의 왕 Laios 와 Iokaste 의 아들; 아버지를 죽인 뒤 Sphinx 의 수수께끼를 풀고 테베의 왕이 되어 어머니와 결혼함).

***Ödipus·komplex** *m.* 〖心〗오이디푸스 콤플렉스.

Odium [ó:dium] 《lat.》 *m.* -s 〚교양〛① **(a)** 증오, 혐오, 적의. **(b)** 악평, 오명: ihm wird ewig das ～ des Verräters anhaften 그에게는 배신자라는 오명이 영원히 붙어 다닐 것이다. ②〖法〗 냉대; 멸시.

Öd·land [ǿ:tlant] *n.* -(e)s, ..länder 〖드물게 복수〗 미개척지, 황무지: die Kultivierung von ～ vornehmen 황무지의 개간을 계획하다.

Odol [odó:l] 《gr.》 *n.* -s 〖藥〗 오돌(치약).

Odontalgie [o:dɔntalgí:] *f.* -n [..gí:ən] 〖醫〗 치통.

Odontologie [..logí:] *f.* 치과학.

***Odyssee** [odʏsé:] *f.* -n ① 오디세이(고대 그리스 시인 Homer 작(作)이라고 일컬어지는 영웅 서사시). ②〖비유〗 방황(기), 포류, 모험 여행: die ～ einer Familie 어느 가족의 모험담.

odysseisch *a.* 오디세우스〔같은〕; 방황〔모험〕하는.

***Odysseus** [odʏ́sɔʏs, ..sɛus] *m.* 오디세이(서사시 Odyssee 의 주인공; Ithaka 의 왕).

OECD 《engl.》 〖政〗 ＝Organization for Economic Cooperation and Development (1961년에 발족한) 경제 협력 개발 기구.

OEEC 《engl.》 ＝Organization for European Economic Cooperation 유럽 경제 협력 기구 (1948년 발족, 1961년에 OECD로 개편).

Oeuvre, Œuvre [ǿ:vr(ə)] *n.* -(s), -s [ǿ:vrə] 〔교양〕 (어떤 예술가의) 전작품, 전집.

Oeuvre·katalog, Œuvre·katalog *m.* 〖출판〗 (어떤 예술가의) 작품 목록.

OEZ ＝Osteuropäische Zeit 동유럽 표준시.

Öfchen [ǿ:fçən] *n.* -s, - ↑ Ofen 의 축소형.

***Ofen** [ó:fən] *m.* -s, Öfen ① 가마, 화덕; 난로, 난방 장치: den ～ heizen〔anmachen〕 난로의 불을 피우다; der ～ hat keinen ordentlichen Zug 이 난로는 제대로 빨아들이지 않는다; 〔비유〕 hinterm ～ hocken 〔nicht hinterm ～ vorkommen〕 (외출이 싫어서) 집에 처박혀 있다; hinter dem warmen ～ sitzen 편하게 먹고 지내다; 〔비유·구어〕 dann ist der ～ aus! 그러면 기회가 더 이상 없다, 끝장이다!; er weiß den Hund hinter dem 〔vom〕 ～ zu locken 그는 요령을 알고 있다, 약삭빠르다, 빈틈없다; et. hinter den ～ werfen 무엇을 구석에 버리다〔팽개치다〕; 〖속담〗 hinterm ～ ist leicht kriegen 말하기는 쉽고 행하기는 어렵다. ②〖광산〗 바위의 갈라진 틈; (특히) 암염갱(岩塩坑)의 수평갱; (obd.) 낮고 좁은 갱도. ③〖動〗 당관속(唐冠屬)의 새. ④〖기계·軍〗 (화약 장전 전의) 약실(藥室). ⑤〖天〗 화학로자리. ⑥〖지질〗 크레이터 모양의 분화구. ⑦〖工〗 용광로; (도자기 따위를 굽는) 가마. ⑧〔경박〕 오토바이: ein heißer ～ 고성능의 오토바이.

Ofen·bank *f.* 〔복수: ..bänke〕 난로 곁의 의자. **～blech** *n.* ① 난로 앞에 깔아놓은 방화용의 금속제 깔판. ② 화덕의 잡아당기는 문. ③〔방언〕 과자 굽는 금속판(Kuchenblech). **～farbe** *f.* 흑연. **～frisch** *a.* 갓 구워낸: ～e Semmeln 갓 구워낸 흰빵. **～gabel** *f.*, **～haken** *m.* 부지깽이. **～heizer** *m.* 난로의 불을 피우는 사람; 화부. **～heizung** *f.* 난방. **～hocker** *m.* 〔구어·폄어〕 집에만 박혀 있는 사람; 〔비속〕 유약한 사람. **～kachel** *f.* 난로 제조용 타일. **～klappe** *f.* 난로의 온도 조절 장치, 환기 조절기. **～krücke** *f.* ↑ ～gabel. **～loch** *n.*, **～mund** *m.* 노구(爐口); 아궁이. **～rohr** *n.*, **～röhre** *f.* ① 난로의 연통. ② (음식 보온용의) 난로 안의 오목한 공간. ③〖농담〗 실크해트. ④〖軍〗 바주카포. **～rost** *m.* 난로의 쇠살대. **～ruß** *m.* 화덕의 그을음. **～sau** *f.* 용광로에서 나오는 찌꺼기, 슬래그, 광재(鑛滓). **～schaufel** *f.* 부삽. **～schirm** *m.* (실내의) 난로의 방열용(防熱用) 칸막이. **～schwärze** *f.* 흑연. **～setzer** *m.* 난로 놓는 사람. **～tür** *f.* 난로의 문. **～vorsetzer** *m.* 난로를 둘러싼 안전판, 스토브 가드. **～ziegel** *m.* 내화 벽돌.

off [ɔf] 《engl.》 *a.* 〖TV·영화·연극〗 (화자가) 관중의 눈에 보이지 않는.

Off *n.* -s, -s 〖TV·영화·연극〗 (화자가) 관중에게 보이지 않는 상태: er spricht aus dem ～ 그는 관중에게 보이지 않는 상태에서 말한다.

Off-beat 《engl.》 *m.* -(s) 〖음악〗 (재즈나 록 음악에서) 강세 박자들 사이에 선율적 강세를 놓는 기법.

***offen** [ɔ́fən] *a.* ① 열린, 닫히지 않은; 방해가 없는; 덮개가 없는; 열려 있는; 공공의, 공공연한, 공개의; 자유로이 출입할 수 있는; 비어 있는; 미결정의, 미해결의; 〖商〗 미지급의: ein ～es Buch 펼쳐진 책; mit ～en Augen 눈을 크게 뜨고, 놀라서; ein ～er Ausblick 탁 트인 조망; 〖軍〗 eine ～e Batterie 노천 포대; ～e Fragen 미해결〔현안〕의 문제; das muß ～ bleiben 이것은 미결인 채로 둘 수밖에 없다; ein ～es Geheimnis 공공연한 비밀; ein ～er Wagen 무개차, 오픈카; der Garten ist hinten ～ 이 정원은 뒷편에 울타리가 없다; 〖海〗 ein ～er Hafen 〔eine ～e Reede〕 자유항; der Laden ist von 8 bis 18 Uhr ～ 상점은 8시에서 (저녁) 6시까지 열려 있다; 〖商〗 eine ～e Rechnung 미지급 계정; eine ～e Handelsgesellschaft 합명 회사(약어: OHG); ein ～er Kredit 무담보 신용 대부; ～e Stadt 무방비 도시; Politik der ～en Tür 협상의 가능성을 활짝 열어 놓은 정책; eine ～e Stelle a) 공석(空席), 공직, b) 틈, 공지(空地); ein ～er Kampf 정정당당〔백중〕한 싸움; die Augen ～ haben 주의〔유의〕하다; 〖비유〗 überall ～e Türen finden 도처에서 환영〔환대〕받다; ein ～es Geschäft haben 소매업을 하다; eine ～e Hand haben 인색하지 않다; 〔비유〕 ein ～es Haus haben〔führen, halten〕 손님을 좋아하다, 손님 대접을 잘하다; ～es Ohr für et. haben 무엇을 기쁘게 들어주다; mein Haus ist〔steht〕 dir immer ～ 언제든지 오십시오; 〖사냥〗 (금렵(禁獵)·금어(禁漁)가) 해제된: die ～e Zeit 수렵〔어업〕기; 〔비유〕 er hat einen ～en Kopf 그는 두뇌가 명석하다; das Land lag dem Eroberer ～ 나라는 정복자에게 유린되었다; 〖醫〗 ～en Leib haben 통변(通便)이 잘 되다; der Weg ist nur für Fußgänger ～ 이 길은 보행자 전용이다; auf ～er Straße 백주 대로상에서, 공공연하게; das Wasser ist wieder ～ 얼음이 녹아 배가 다시 항행할 수 있다; auf ～er Tat ertappen 현행범을 체포하다; jn. mit ～en Armen empfangen 누구를 쌍수를 들어 맞이하다, 환영하다; 〔구어〕 mit ～em Mund dastehen (놀라서 또는 방심하여) 멍하니 서 있다; 〔비유〕 jm. ～es Feld lassen 누구에게 자유롭게 수완을 발휘하게 하다; 〔구식〕 ～ machen 널리 알

리다; 〖구식〗 ~ werden 널리 알려지다; es bleibt kein anderer Weg ~ 다른 가능성이 없다. ② 솔직한, 속을 터놓은, 정직〔성실〕한; 공공연한, 명백한: ~ gesagt 솔직하게 말하면; ein ~er Blick 정직한〔겁이 없는〕 눈초리; mit ~er Brust 흉금을 터놓고; in ~er Empörung 성난 빛을 드러내 놓고; ein ~er Mensch 솔직한 사람; lassen Sie mich ~ zu Ihnen sein 솔직하게 말하게 해 주십시오; das liegt ~ 그것은 명백하다; sich ~ über et. gegen jn. äußern〔aussprechen〕 누구에게 무엇에 관한 의견을 솔직히 말하다; er hat ein ~es Wesen 그는 솔직한 성격이다; ~er Feind 공공연한 적. ③ 민감한: seine Seele war jedem Eindruck ~ 그는 매우 감수성이 예민했다. ④ 틈이 벌어진, 입을 연; 〖軍〗 산개해 있는; 〖印〗 (행간·글자 사이에) 간격이 있는; 〖언어학〗 (↔ geschlossen) **(a)** 개구(開口) 음의 (모음). **(b)** (음절이) 모음으로 끝나는: eine ~e Silbe 모음으로 끝나는 음절; der weibliche Reim endet ~ 〔mit einer ~en Silbe〕 여성 운(韻)은 모음으로 끝난다. ⑤ 결빙하지 않은; 온화한: das ~e Eis 살얼음; der ~e Wind 순풍.

***offenbar** [ɔ́fənba:r, ɔfənbá:r] 《I》 *a.* 공공연한, 명백한; 주지의, 유명한: eine ~e Lüge 뻔한 거짓말; ein ~er Irrtum 명백한 오류; ~ werden 명백해지다, 널리 알려지다. 《II》 *adv.* 아마, 보아하니: er ist ~ vom Lande 그는 보아하니 시골뜨기인 것 같다.

***offenbaren** [..bá:rən] (*p.p.* offenbart/(구식) geoffenbart) 〖雅語〗 《I》 *t.* 나타내다, 드러내다, 밝히다; 공표〔공개〕하다; 마음속을 터놓다; 〖宗〗 계시하다: ein Geheimnis ~ 비밀을 발설하다; jm. sein Herz ~ 누구에게 마음속을 터놓다; die (ge)offenbarte Religion 계시 종교(특히 유대교와 기독교). 《II》 *refl.* sich ~ 나타나다, 현현(顯現)하다: Gott offenbarte sich den Menschen durch Christus 하느님은 인간에게 예수를 통하여 나타났다; sich jm. ~ 누구에게 마음속을 터놓다; die Sache hat sich als Schwindel offenbart 그 사건은 사기로 판명되었다.

***Offenbarung** [..bá:ruŋ] *f.* -en 〖雅語〗 ① 드러냄, 공표, 공개, 공시, 고백: die ~en der Angeklagten 피고의 고백. ② 각성, 깨달음: es kam wie eine ~ über mich 나는 갑자기 그것을 깨달았다. ③ 〖宗〗 계시, 묵시: ~ an Heilige 신탁(神託); 〖聖〗 die ~ Johannis 요한 계시록.

Offenbarungs≈eid *m.* 〖法〗 채무자가 자신의 재산 상태에 대한 개시(開示) 선서; 공식 파산 선언: einen ~ leisten müssen 개시 선언을 해야만 하다. **~glaube** *m.* 〖宗〗 계시 종교.

offen≈|bleiben* *i.* (s.) ① 열린 채로 있다: das Fenster bleibt über Nacht offen 창문은 밤새 열려 있다. ② 미결인 채로 있다: die Angelegenheit bleibt offen 그 사건은 미해결 상태다. **~|halten*** *t.* ① 열어 놓다: die Augen〔Ohren〕 ~ 잘 주의하다; 〖비유·구어〗 die Hand ~ 팁을 기다리다. ② 출입이 가능하게 하다. ③ sich³ et. ~ 보류하다: ich muß mir ~, dorthin zu gehen 나는 거기에 가는 일을 보류해야만 한다. ④ 〖軍〗 (뒤따르는 부대를 위해 협로〔도강로〕를) 확보해 두다.

***Offenheit** [ɔ́fənhaɪt] *f.* ① 열려 있음, 개방: seine ~ gegenüber allem Exotischen 모든 이국적인 것에 대한 그의 개방성. ② 솔직; 정직; 공명정대.

offen≈herzig *a.* ① 숨김없는, 솔직한; 공명정대한. ② 〖비유·구어·농담〗 (여성복 따위가) 가슴이 많이 드러난. **≈herzigkeit** *f.* 솔직; 공명정대. **~kundig** *a.* 공공연한, 주지의; 명백한, 터놓은, 노골적인; 거리낌없는. **≈kundigkeit** *f.* 명백, 주지(의 사실). **~|lassen*** *t.* ① (문·창 따위를) 열어 두다; (종이의) 여백을 남기다. ② (일자리를) 비워두다: eine frei gewordene Arbeitsstelle ~ 공석이 된 일자리를 충원하지 않다. ③ 미해결 상태로 두다: die Frage wurde offengelassen 그 문제는 미해결로 끝났다. **~|legen** *t.* 밝히다, 명료하게 설명하다: seine Pläne ~ 자기의 계획을 밝히다. **≈legung** *f.* (계획 따위를) 밝힘, 분명하게 함. **~leibig** *a.* 통변(通便)이 잘 되는. **≈markt·politik** *f.* 〖經〗 공개 시장 정책. **~sichtlich** [(또는) ɔfənzíç..] 《I》 *a.* 분명한, 명백한. 《II》 *adv.* 아마, 보아하니: er hat es ~ vergessen 아마 그는 그것을 잊어버렸던 것 같다.

offensiv [ɔfɛnzí:f] 《lat.》 *a.* (↔ defensiv) ① 공격적인, 공세의: eine ~e Taktik 공격적인 전술. ② 〖드물게〗 무례한, 모욕적인.

Offensiv·bündnis *n.* 공격〔공세〕 동맹.

Offensive [..və] 《frz.》 *f.* -n (↔ Defensive) 공격, 공세: die ~ ergreifen 공세를 취하다; zur 〔in die〕 ~ übergehen 공격으로 전환하다.

Offensiv≈krieg *m.* 공격전. **~spiel** *n.* 〖스포츠〗 공격 위주의 경기. **~stellungen** *pl.* 공격 진지. **~verteidiger** *m.* 〖스포츠〗 자주 공격에 가담하는 수비수. **~waffe** *f.* 공격 무기.

offen|stehen* *i.* (h./(südd.) s.) ① 열려 있다: ihr Mund stand vor Erstaunen weit offen 그녀의 입은 놀라서 딱 벌어져 있었다. ② 맡겨져 있다, 누구의 자유다: es steht dir offen, zu gehen oder zu bleiben 가든 머물든 자네 자유일세. ③ 미지급〔미결제〕 상태다: ~des Konto 미결제〔미지급〕 계정. ④ (자리가) 비어 있다.

***öffentlich** [œ́fəntlıç] *a.* ① (↔ geheim) 공공연한, 주지의: ein ~es Geheimnis 공공연한 비밀; 〖法〗 eine ~e Verhandlung 공판; ein Urteil ~ verkünden 판결을 선고하다. ② (↔ privat) 공공용(用)의, 공동체의; 공공의, 공적인: ~e Anstalt 공공 시설; ein ~er Fernsprecher 공중 전화; ~e Bücherei 공공 도서관; 〖法〗 eine ~e Beglaubigung 공증; ein ~es Haus 공창(公娼); die ~e Hand a) 국고, b) 국가, c) 시·읍·면; das ~e Leben 공적 생활; 〖교육〗 ~e Erziehung 공교육; 〖法〗 ~es Recht 공법, 공권; das ~e Wohl 공안.

***Öffentlichkeit** [..kaıt] *f.* ① 공공연함; 주지(의 사실); 공공성, 공개: 〖法〗 die ~ ausschließen (재판의) 방청을 금지하다; an die ~ kommen〔gelangen〕 공공연하게 되다, 널리 알려지다. ② 일반 대중, 공중; 세상; 여론: die ~ scheuen 세상을 꺼리다; die Flucht in die ~ antreten 〔in die ~ flüchten〕 (정보를 흘려서) 여론에 호소하다. ③ 〖복수〗 공사(公事), 공무; 세상의 사건.

Öffentlichkeits·arbeit *f.* 홍보 활동.

öffentlich-rechtlich *a.* 〖法〗 공법상의: ~e Streitigkeiten 공법 분야의 논쟁〔쟁점〕.

Offerent [ɔferέnt] 《lat.》 *m.* -en, -en 〖經〗 (Anbieter) (팔 물건의) 제공〔공급〕자.

offerieren [ɔferí:rən] *t.* 제공하다, 권하다; 〖商〗 매매를 신청하다; 살〔팔〕 값을 부르다: ein Sonderangebot ~ 특별 할인 가격으로 제공하다, 바겐세일을 하다.

Offert [ɔfέrt] *n.* -(e)s, -e (öst.), **Offerte** [ɔfέrtə] *f.* -n 제공; 〖商〗 매매 제의.

Offerten·abgabe *f.* 〖商〗 살〔팔〕 값을 매김; (경매에서) 처음 부르는 값.

Offertorium [ɔfεrtó:riʊm] *n.* -s, ..lien [..riən] 〖가톨릭〗 ① 봉헌(성찬식에서 빵과 포도주를 바침). ② 봉헌송(頌).

Office[1] [ɔ́fɪs] 《lat.》 *n.* -, -s [ɔ́fɪsɪs, ...sɪz] 사무소, 사무실.

Office[2] [ɔfís] *n.* -, -s [ɔfís] (schweiz.) 조리; 조리실(調理室).

Offiz [ɔfí:ts] 《lat.》 *n.* -es, -e 〔구식〕 직무, 복무.

Offizial [ɔfitsiá:l] *m.* -s, -e ① (öst.) (중간 직급의) 공무원. ② 〖가톨릭〗 주교구 재판소의 수석 판사.

Offizial·verteidiger *m.* 〖法〗 관선 변호인, 국선 변호사.

Offiziant [ɔfitsiánt] *m.* -en, -en ① 〔구식〕 하급 관리. ② 〖가톨릭〗 미사를 집전하는 사제.

***offiziell** [ɔfitsiέl] 《frz.》 *a.* 직무상〔공무상〕상의; 관(官)의, 공(公)의, 공인(公認)의; 공식〔정식〕의: ein ~er Besuch 공식 방문.

***Offizier** [ɔfitsí:r] 《frz. officier》 *m.* -s, -e ① 〖軍〗 **(a)** 장교 계급. **(b)** 장교, 사관: ~ auf Zeit 단기 사관; wachthabender ~ 〔~ vom Dienst〕 주번〔일직〕 장교. ② 〖海〗 고급 선원; 고급 경찰관, 고급 관리. ③ 〖체스〗 졸(Bauer) 이외의 말(König, Dame, Turm, Läufer 및 Springer).

Offizierin *f.* -nen ↑ Offizier 의 여성형.

Offizier=korps [..ko:r] *n.* 〖軍〗 장교단. **~lauf·bahn** *f.* 〖軍〗 장교 경력.

Offiziers=anwärter, ~aspirant *m.* 사관후보생. **~bursche** *m.* (장교의) 당번병. **~kasino** *n.* 장교 식당. **~korps** [..ko:r] *n.* ↑ Offizierkorps. **~messe** *f.* 〖海〗 사관실. **~patent** *n.* 장교 임명장. **~rang** *m.* 장교 계급.

Offizin [ɔfitsí:n] 《lat.》 *f.* -en ① 약국의 조제실; 〔고어〕 약국. ② 〔고어〕 인쇄소.

offizinal [ɔfitsiná:l], **offizinell** [..nέl] *a.* 약용의, 약효가 있는: ~e Kräuter 약초.

offiziös [ɔfitsiǿ:s] 《frz.》 *a.* 반관적(半官的)인, 반공식적인: eine ~e Zeitung 반관반민의 신문.

Offizium [ɔfí:tsiʊm] 《lat.》 *n.* -s, ..zien [..tsiən] ① 직무, 복무. ② 〖가톨릭〗 교황청의 최고 관청; 미사; 성무일과(聖務日課) 기도; 성직자의 직무.

off limits [ɔflímɪts] 《engl.》 출입 금지!

off line [ɔ́flain] 《engl.》 〖컴〗 오프라인, 중앙처리 장치와 직접 연결되어 있지 않은.

***öffnen** [œfnən] 《Ⅰ》 *t.* 열다; (대문의) 빗장을 벗기다; (상자의) 자물쇠를 열다; (소포를) 풀다, 펴다; 〖컴〗 (파일을) 열다; (비밀을) 털어놓다; 공개하다; 개업하다; 〖醫〗 절개하다; 해부하다: 〔비유〕 jm. die Augen ~ 누구의 눈을 뜨게 하다, 누구를 계몽하다; jm. den Blick für et. ~ 누구로 하여금 무엇을 의식하게 하다; eine Leiche ~ 시체를 해부하다; einen Brief ~ 편지를 개봉하다; 〖軍〗 Glieder ~ 산병(散兵)하다; einen Wasserhahn ~ 수도꼭지를 틀다; 〖醫〗 den Leib ~ (하제로) 통변하다; dem Laster Tür und Tor ~ 악덕이 횡행하는 대로 내버려두다; 〔목적어 없이〕 öffnet! 문을 열어 다오!; ich will gleich ~ 지금 곧 열겠습니다. 《Ⅱ》 *refl.* sich ~ 열리다: die Tür öffnet sich automatisch 이 문은 자동으로 열린다; sich jm. neue Wege ~ 누구에게 새로운 가능성이 열리다; sich jm. ~ 누구에게 속마음을 터놓다; die Reihen 〔die Glieder〕 ~ sich 열(列)이 산개하고 있다; 〔비유〕 es öffnet sich ihm ein weites Feld 그는 전도가 양양하다.

***Öffner** [œfnər] *m.* -s, - ① 문의 자동 개폐 장치. ② (병이나 통의) 따개. ③ 〖방직〗 개면기(開綿機).

Öffnung [œfnʊŋ] *f.* -en ① 엶, 개봉, 공개. ② 〖醫〗 절개, 해부, 통변. ③ 열려 있는 곳; 구멍; 입구; 틈; 갈라진〔벌어진〕 틈; (숲속의) 공지.

Öffnungs=laut *m.* 모음. **~mittel** *n.* 하제(下劑). **~winkel** *m.* 〖사진〗 사각(寫角). **~zeit** *f.* ① 개회 시간. ② 개점〔개관·영업〕 시간.

Offset=druck [ɔ́fsεt..] 《engl.》 *m.* 〔복수: -e〕 〖印〗 오프셋 인쇄(물). **~druck·maschine** *f.* 오프셋 인쇄기. **~presse** *f.* 오프셋 인쇄기.

Off-shore-Bohrung [ɔ́fʃɔ:(r)...] *f.* -en 〖광산〗 연해(沿海) 석유 시추.

Off-Sprecher *m.* -s, - 〖TV·영화·연극〗 (화면이나 무대에) 나타나지 않는 화자.

Off-Stimme *f.* -n 〖TV·영화·연극〗 (화면이나 무대에) 나타나지 않는 화자의 목소리.

Öflein *n.* -s, - 〔↑ Ofen 의 축소형〕 작은 난로.

O.F.M. =Ordinis Fratrum Minorum 〖가톨릭〗 프란체스코 교단(의 수도사).

O.F.M.Cap. =Ordinis Fratrum Minorum Capuc(c)inorum 카푸친 교단(의 수도사) (1529 년 마테오 다 바시오가 창립).

O-förmig [ó:..] *a.* O 의 모양을 한, O 형의.

***oft** [ɔft] (öfter, öftest) *adv.* 자주, 여러 번: so ~ 〔sooft〕 du kommst 네가 올 때마다; so und so ~ 자꾸자꾸, 빈번히; wie ~ fährt der Bus? 그 버스는 얼마나 자주 다니는가?; wie ~ warst du schon in Deutschland? 너는 벌써 몇 번 독일에 가 봤니?; kommen Sie, so ~ Sie wollen 언제든지 오십시오; wie ~ ist 2 in 6 enthalten? 6 은 2 의 몇 배냐?; man kann es nicht zu ~ wiederholen 그것은 아무리 되풀이해도 지나치지 않다.

öfter [œftər] 《Ⅰ》 *adv.* ① 〔oft 의 비교급〕 더 자주, 더 빈번히: je ~ ich ihn sehe, desto mehr gefällt er mir 나는 그를 만나면 만날수록 더욱더 그가 좋아진다. ② 꽤 여러 번, 비교적 자주. 《Ⅱ》 *a.* 여러 차례의: seine ~en Besuche 그의 여러 차례의 방문; durch ~e Wiederholung 몇 번이고 되풀이해서; 〔고어〕 des ~en 자주, 종종.

öfters [œftərs] *adv.* 자주, 종종: ich komme ~ dorthin 나는 종종 거기 간다.

oft·malig [..ma:lɪç] *a.* 여러 차례의, 거듭되어 일어나는.

oft·mals [..ma:ls] *adv.* 자주, 여러 번, (여러

번) 되풀이해서.
o.g. =obengenannt 위에서 언급한.
ÖGB =Österreichischer Gewerkschaftsbund 오스트리아 노동 조합 연맹.
Oger [ó:gər] 《frz.》 *m.* -s, - (동화에서) 사람을 먹는 귀신.
ogival [ogivá:l, ɔʒivál] 《frz.》 *a.* 〖건축〗 첨두형(尖頭形)의, 고딕식의.
Ogival·stil *m.* 〖건축〗 첨두식, 고딕식.
Ogle *f.* -n 〖動〗 (obd.) 두꺼비(Kröte).
OGT =Organisation Generale du Travail 프랑스 노동 조합 연맹.
***oh** [o:] *int.* ↑ o.
oha [o:há] *int.* 오, 야, 어(놀라움이나 경탄의 외침).
***Oheim** [ó:haɪm] *m.* -(e)s, -e 백부, 숙부.
OHG =Offene Handelsgesellschaft 합명 회사.
OHL =Oberste Heeresleitung 최고 사령부.
Ohl *n.* -(e), -e (westfäl.) 계곡(Tal).
oh, là, là [olalá] 《frz.》 *int.* 오, 야, 어(놀라움이나 경탄의 외침).
Ohm[1] [o:m] *m.* -(e)s, -e 〖문학〗 ↑ Oheim 의 단축형.
Ohm[2] 《<Ahm》 *n.* -(e)s, -e 옛 독일의 액량 단위(약 150 Liter 에 해당).
Ohm[3] *n.* -(s), - 〖理〗 옴(전기 저항의 단위).
Öhm [ø:m] *m.* (alem.) ↑ Oheim.
Öhmd [ø:mt] *n.* -(e)s [..ts, ..dəs] (obd.) 같은 해에 두 번째 베어 말린 풀(Grummet).
öhmden [ø:mdən], **öhmen** [ø:mən] *i.* (h.) (südwd.) 두 번째 풀을 베(어 말리)다.
Ohmet [ó:mət] *n.* -s ↑ Öhmd.
Ohm·meter [ó:mme:tər] *n.* 전기 저항 측정기.
O.H.M.S. =On his(her) Majesty's Service 공용(영국 군대의 공문서에 써 있는 문구; 공문서의 무료 대질 표시).
ohmsch [o:mʃ] 《<Ohm[3]》 *a.* 〖理〗 옴의: das ~e Gesetz 옴의 법칙.
Ohn·blatt [ó:n...] *n.* 〖植〗 수정란(水晶蘭).
***ohne** [ó:nə] 《un..》 《I》 *prp.*[4] 〖대개 관사 없는 명사와 함께〗 (↔mit) ① **(a)** …없이, …갖지 않고, …하지 않고: ~ Absicht〔Erlaubnis〕 고의가 아니고〔허가 없이〕; ~ Arbeit 무직의; 〖醫〗 ~ Befund 이상 없음(약어: o.B.); ~ Geld 돈 한푼 없이; ~ Jahr (책에서) 발행 연도가 빠진(약어: o.J.); ~ Kosten 무료로; ~ Obligo 무담보로(약어: o.O.); ~ Ort (책에서) 발행지를 기재하지 않은(약어: o.O.); sei nur ~ Sorge! 걱정하지 마라, 안심해라!; ~ weiteres 즉석에서, 갑자기, 간단히; ~ mein Wissen 내가 모르는 사이에; ~ mich! 나는 빼 라구!; er ist ~ jede Begabung für Musik 그는 음악적 재능이 없다; ~ Zweifel〔zweifels ~〕 의심할 것도 없이, 틀림없이; ~ ihn hätte ich sterben müssen 그가 없었더라면 나는 죽을 뻔했을 것이다; das sind Dinge, ~ die wir nicht leben können 그것은 없이는 살아갈 수 없는 것이다(불가결한 것이다). **(b)** 〖2·3 격 지배〗〖고어〗 (bayr.) ich kann ~ Ihrer Tochter nicht leben 나는 당신의 딸 없이는 살아갈 수가 없습니다. ② 〖때때로 뒤에 오는 명사를 생략하여〗 nicht (so) ~ sein 생각〔보기〕보다 단순하지 않다: eine Grippe ist gar nicht so ~ 감기는 생각보다 위험하다; das ist auch nicht ~ (Bedeutung, Grund) 그것에는 상당한 이유가 없지 않다; sie ist nicht ~ (Schönheit) 그 여자는 못생기지는 않았다; 〖학생〗 er ist ~ 그에게는 돈이 한푼도 없다. ③ 〖드물게〗 … 외에, …을 제외하고: es waren zwanzig Personen da, ~ die Kinder 아이들을 제외하고 20 명이 있었다; ~ mich! 저는 사양하겠습니다〔빠지겠습니다〕. 《II》 *cj.* 〖~ daß..., 부문장의 주어가 주문장과 같을 때는 ~ zu... 로 바꾸어 쓸 수 있음〗 ~ zu zögern 주저하지 않고; ~ einzuhalten 멈추지 않고, 쉬지 않고; ~ daß ich ihn darum gebeten hätte, kam er mich besuchen 초대하지 않았는데도 그는 나를 찾아왔다; wer redet, ~ gefragt zu sein 묻지 않았는데도 말하는 자; ~ daß ich den Brief sehe 〔~ den Brief zu sehen〕, werde ich es nicht glauben 편지를 읽지 않고서는 나는 그것을 믿을 수 없다.
ohne≈dạs, ~dẹm 〖고어〗, **~dịes** *adv.* ① 그렇지 않아도; 아무튼, 하여튼; 더욱이, 게다가. ② 〖방언〗 물론, 말할 것도 없이. **~einạnder** *adv.* (↔miteinander) 상대자 없이, 따로따로. **~gleichen** *a.* 비할 바 없는; 비길 수 없는: ein Erfolg ~ 엄청난 성공; seine Frechheit ist ~ 그는 뻔뻔하기 짝이 없다. **~hạlt·flug** *m.* 〖空〗 무착륙 비행. **~hịn** *adv.* ↑ ~das. **~hose** *m.* ① (Sansculotte) 상퀼로트당(프랑스 혁명 당시 하층 계급의 과격 공화당원; 귀족적인 반바지(culotte)를 입지 않는 데서). ② 〖폄어〗 프랑스 사람. **~maßen** *adv.* 과도하게, 터무니없이.
ohn·erachtet [ó:nɛraxtət] *prp.* …에도 불구하고.
ohne·weiters [o:nəváɪtərs] *adv.* 즉석에서, 갑자기, 간단히: das geht nicht so ~ 그것은 그리 만만치 않다.
ohn≈geachtet *prp.* …에도 불구하고. **~gefähr** [ó:ngəfɛ:r] *adv.* 〖고어〗 대략. **~längst** *adv.* 최근에(unlängst).
***Ohn≈macht** [ó:nmaxt] *f.* ① 〖복수: -en〗 기절, 실신, 인사불성: in ~ fallen 실신하다; aus der ~ erwachen 제정신이 들다. ② (원뜻:) 무력, 무능, 허약, 연약: er wurde sich seiner ~ bewußt 그는 자기가 무력〔무능〕함을 깨달았다. **~mächtig** *a.* ① 기절〔실신〕한: Hilfe, sie ist ~! 도와 주세요, 그녀가 실신했어요!; ~ werden 실신〔졸도〕하다(in Ohnmacht fallen). ② 무력〔무능〕한, 허약〔연약〕한: ~e Wut (성나서) 어쩔 줄 모르는 노여움; ~ (*adv.*) schimpfen 입으로만 악담을 하다. **~machts·anfall** *m.* 기절〔실신〕. **~maßen** *adv.* 과도하게(ohnemaßen).
oho [ohó:] 《<o ho》 *int.* 원, 저런, 이런(놀람·불쾌함을 나타냄): 〖구어〗 klein, aber ~! 작지만 대단하군!
***Ohr**[1] [o:r] *n.* -(e)s, -en ① 귀; 〖비유〗 청각; 주의(력); 이해(력); 듣는 사람. ② 〖형용사와 함께〗 feines〔scharfes〕 ~ haben a) 귀가 밝다, b) 예민한 감각을 갖고 있다; für süddeutsche ~en klingt die norddeutsche Aussprache geziert 남독일 사람에게는 북독일 발음이 귀에 거슬리게 들린다; geneigten ~es hören 기꺼이 듣다; die ~en anlegen 어려운 상황을 극복하기 위하여 노력하다; jm. die ~en voll jammern 끊임없는 푸념으로 누구를 괴롭히다; lange ~en machen 귀담아듣다,

경청하다; tauben ~en predigen 쇠귀에 경읽기다; für et. kein ~ haben a) 무엇인지 조금도 모르다, b) 무엇에 대한 감각을 갖고 있지 않다, c) 무엇에 귀를 기울이지 않다. ③〔주어로서〕 mir klingen die ~en a) 내 귀가 울린다, b) 귀가 가렵다(누가 내 험담을 하는 것 같다); mein ~ hat sich wohl getäuscht 아마 내가 잘못 들은 것이겠지. ④〔동사와 함께〕 js. ~ martern 싫은 소리를 내어〔하여〕 누구를 괴롭히다; js. ~ besitzen〔haben〕 누구에게 신임을 받고 있다; die ~en steifhalten 용기를 잃지 않다, 굴복하지 않다; die ~en hängen lassen 의기소침해 있다; die ~en spitzen 〔recken〕 (개·말 따위가) 귀를 쫑긋 세우다, 주의 깊게 듣다; ganz ~ sein 열심히 듣다; jm. das ~ warm machen〔reiben〕 누가 짜증날 정도로 지껄이다; jm. die ~en voll schreien 누구의 귀가 아플 정도로 소리 지르다; 〔속담〕 die Wände haben ~en 벽에도 귀가 있다. ⑤〔전치사와 함께〕 bis **an**〔hinter〕 die ~en erröten 귀밑까지 빨개지다, 얼굴을 새빨갛게 붉히다; jn. am〔beim〕 ~ zupfen a) 누구의 귀를 잡아당기다, b) 누구에게 충고〔경고〕하다; jm. eins ans〔aufs, hinters〕 ~ schlagen 따귀를 때리다; **auf** einem ~ schlecht hören 한 쪽 귀가 잘 들리지 않다; auf einem ~(e) taub sein 한쪽 귀가 먹은; sich aufs ~ legen 〔hauen〕 취침하다; sitzt er auf seinen ~en? 그가 귀가 먹기라도 했니?; sich〔einander〕 **bei** den ~en haben 움켜잡고 싸우다; bei jm. ein geneigtes〔offenes, williges〕 ~ finden 누구의 이해를 받고 도움을 약속 받다; jn. bei den ~en nehmen〔jm. die ~en langziehen〕 누구를 엄하게 꾸짖다; das ist nicht **für** fremde ~en 다른 사람이 들어서는 안 되는 일이다; sich **hinter** den ~en kratzen (멋쩍어) 머리를 긁적이다; er ist hinter den ~en noch nicht trocken 그는 아직 풋내기다, 미숙하다; sich³ et. hinters ~ schreiben 무엇을 명심하다; es dick〔faustdick〕 hinter den ~en haben 보기와는 딴판으로 아주 교활하다; jm. eins 〔ein paar〕 hinter die ~en geben 누구의 뺨을 때리다; eins〔ein paar〕 hinter die ~en bekommen 뺨을 얻어맞다; noch naß〔feucht〕 hinter den ~en sein 아직 애송이〔풋내기〕다; jm. **ins** ~ flüstern〔sagen〕 누구의 귀에다 속삭이다, 귓속말을 하다; er hat Bohnen in den ~en a) 그는 귀머거리다, b) 그는 들으려 하지 않는다; ich habe seine Worte noch deutlich im ~ 그의 말이 아직 내 귀에 쟁쟁하다; jm. in den ~en liegen 누구에게 귀찮게 굴다〔조르다〕; jm. einen Floh ins ~ setzen 누구에게 어떤 말을 하여 마음을 뒤흔들다; et. **mit** gespanntem〔halbem〕 ~ zuhören 무엇을 열심히〔멍하니〕 듣다; 〔비속〕 mit den ~en schlackern 매우 놀라다; jn. **übers** ~ hauen 누구를 속이다; jm. das Fell〔die Haut〕 über die ~en ziehen 누구를속여서 이득을 보다; bis über die ~en 머리 끝까지, 잔뜩; bis über die ~en in Schulden stecken 〔verliebt sein〕 잔뜩 빚을 지고 있다〔홀딱 반해 있다〕; sich³ die Welt〔die Nacht〕 **um** die ~en schlagen 견문을 넓히다〔밤을 지새다〕; viel **um** die ~en haben 해야 할 일과 신경 쓸 일이 많다; **vor** meinen ~en 내게 들리는 데서; jm. **zu** ~en kommen 누구의 귀에 들어가다; et. zu ~en nehmen 무엇에 귀를 기울이다, 주의하다; das geht zum einen ~ herein, zum anderen wieder hinaus 한 쪽 귀로 듣고 한 쪽 귀로 흘리다; jm. den Kopf **zwischen** die ~en setzen 누구에게 일격을 가하다; den Kopf zwischen die ~en nehmen und davongehen 목을 움츠리고 도망가다. ⑥ 귀 모양의 것; 〖生〗 아가미; (모자·두건의) 뾰족한 끝; 〖海〗 닻혀; (Öse) 작은 금속 고리; (찻잔·주전자 따위의) 손잡이; (종의) 꼭지; 책장 모서리의 접힘; 안락 의자의 목받침; 〖건축〗(돔형 지붕의) 정단(頂端); 추녀 돌림띠의 둥글게 된 모서리; 순가락의 오목한 부분; 〖動〗 프랑스산(產) 식용 달팽이.

Ohr² *f.* (ndd.) ↑ Ähre.

Öhr [øːr] *n.* -(e)s, -e ① 바늘구멍, 바늘귀; (망치·도끼·낫의) 자루를 끼우는 구멍; (물주전자·찻잔의) 손잡이. ②〔방언〕(그릇 및 그 뚜껑에 달린) 손잡이, 고리; 고리 자물쇠. ③〖광물〗 갈철광(鑛).

Öhrchen [ǿːrçən] *n.* -s, - ①〔↑ Ohr 의 축소형〕 작은 귀; 작은 귀 모양의 것. ②〔↑ Öhr 의 축소형〕 귀 모양의 작은 구멍.

Ohr·drüse *f.* 귀밑샘(Ohrspeicheldrüse).

ohren *t.* …에 귀를 붙이다, 귓불 모양의 것을 붙이다.

öhren [ǿːrən] 《I》 *t.* 에 구멍을 뚫다. 《II》 **geöhrt** *p.a.* ↑ geöhrt.

Ohren≈arzt [óːrən...] *m.* 이비인후과 의사. **~beichte** *f.* 〖가톨릭〗 비밀 고백, 고해. **≈betäubend** *a.* 귀를 멍하게 하는. **~bläser** *m.* 밀고자, 중상(中傷)자. **~bläserei** *f.* 밀고, 중상. **~brausen** *n.* 이명(耳鳴), 귀울음. **~entzündung** *f.* 〖醫〗 이염(耳炎). **≈fällig** *a.* 귀에 잘 들리는. **~fluß** *m.* 이루(耳漏). **~heilkunde** *f.* ↑ ~kunde. **~höhle** *f.* ↑ Ohrhöhle. **~klappe** *f.* 귀덮개. **~klatsch** *m.* (ndd.) 추수 감사제(Erntefest). **~klingen** *n.* 이명(耳鳴), 귀울림. **~klipp** *m.* 클립식 귀고리. **≈krank** *a.* 귓병을 앓는. **~krankheit** *f.* 귀앓이, 귓병. **~kriecher** *m.* ↑ Ohrwurm ①②. **~kunde, ~lehre** *f.* 귀〔귓병〕에 관한 학문. **~leiden** *n.* ↑ ~krankheit. **~reißen** *n.* 심한 귓속 통증. **~sausen** *n.* ↑ ~klingen. **~schmalz** *n.* 귀지. **~schmaus** *m.* 듣기에 즐거운 것. **~schmerz** *m.* 〖醫〗 이통(耳痛). **~schützer** *m.* 귀덮개. **~sessel** *m.* (등받이와 머리받이가 달린) 안락의자. **~spiegel** *m.* 〖醫〗 이경(耳鏡). **~spritze** *f.* 귀 세정기(洗淨器). **~tasse** *f.* 손잡이가 둘 달린 찻잔. **~zeuge** *m.* 들은 것을 가지고 증언할 수 있는 사람. **~zwang** *m.* 〖醫〗 이내 극통(耳內劇痛), 이통(耳痛).

Ohr≈eule [óːr..] *f.* 〖動〗 수리부엉이. **~feige** *f.* 손바닥으로 따귀를 때림: jm. eine ~ geben 〔verpassen〕 누구의 따귀를 때리다; eine ~ bekommen 따귀를 맞다. **≈feigen** *t.* 따귀를 때리다. **~feigen·gesicht** *n.* 〔구어〕 건방지고 뻔뻔스러운 얼굴. **~finger** *m.* 〔방언〕 새끼손가락. **~flügel** *m.* 귀고리, 귀걸이. **~fluß** *m.* ↑ Ohrenfluß. **≈förmig** *a.* 귀 모양의. **~gang** *m.* 〖해부〗 (외) 청도((外)聽道). **~gehänge, ~geschmeide** *n.* 귀고리. **~höhle** *f.* 이강(耳腔). **~holz** *n.* 〖海〗 선수부륵재(船首副肋材).

..ohrig *suf.* "…귀의"의 뜻(보기: lang~ 귀가

긴, 귀가 늘어진).

öhring *a.* 기분이 언짢은; 졸린.

Ohr·kissen *n.* (안락 의자의) 머리받침. **~klipp** *m.* 클립식 귀고리. **~läppchen** *n.* 귓불.

Ohrlein *n.* -s, - 〖↑ Ohr 와 Öhr 의 축소형〗 ↑ Öhrchen.

Ohr·loch [ó:r..] *n.* ①〖해부〗 외청도(外聽道). ② (귀고리를 달기 위해) 귓불에 낸 구멍. ③〖건축〗 타원형의 창문. **~löffel** *m.* ① 귀이개. ②〖史〗 전투용 곤봉. **~luft·dusche** *f.* 〖醫〗 공기 유통(전신 마취 때 폐(肺)에 공기가 유통케 하는 조치). **~marke** *f.* (종축(種畜) 표지로 끼우는) 귀표지. **~muschel** *f.* ① 귓바퀴. ②〖動〗 전복류(類). **~ring** *m.* 귀고리. **~schmuck** *m.* 귀 장신구. **~schnecke** *f.* ①〖해부〗(내이(內耳)의 와우(蝸牛). ② 달팽이 껍데기. ③〖動〗 전복류(類). **~speichel·drüse** *f.* 〖해부〗 귀밑샘. **~spülung** *f.* 〖醫〗 외이도(外耳道) 세척. **~stecker** *m.* (귓불에 구멍을 뚫어 단) 귀고리. **~trommel** *f.* 〖해부〗 고막. **~trompete** *f.* 〖해부〗 이관(耳管), 유스타키오관(管). **~waschel** *n.* (bayr.) ↑ ~-muschel ①. **~wurm** *m.* ①〖動〗 집게벌레: 〖비유〗glatt〔geschmeidig〕 wie ein ~ 무골호인(無骨好人)의; 약삭빠른. ② 아첨꾼. ③〖비유·구어〗(듣기 좋은, 감미로운) 음악, 노래. ④〖醫〗 이염(耳炎).

Oie [ɔy, ɔ́yə] *f.* -n (pommer.) 작은 섬.

o. J. =ohne Jahr 발행〔출판〕 연도가 없는.

oje(mine) [o(:)jé:(mine:)], **ojerum** [..rum] *int.* 아니 이런, 아이쿠.

ok *cj.* (ndd.) ↑ ob.

O.K., o.k. [ó:ké:, oké:] 《engl.》《I》 *a.* 잘 되어있는; 확인된. 《II》 *adv.* 좋아, 오케이.

Okapi [oká:pi:] 《afrikan.》 *n.* -s, -s〖動〗 오카피(기린과(科)의 일종).

Okarina [okarí:na] 《it.》 *f.* -s/..nen〖음악〗 오카리나(도토(陶土)로 만든 달걀 모양의 관악기).

okay [oké:, óukéi] 《engl.》 *a.* ①〔구어〕 좋아, 알았어. ② 제대로 된, 좋은. ③〖空·은어〗 확인된, 승인된.

Okay [oké:, óukéi] 《engl.》 *n.* -(s), -s〔구어〕 동의, 승낙.

Okeanide [okeaní:də] *f.* -n〖그리스신화〗 오케아니스(바다의 요정(Ozeanide)).

Okel [ó:kəl] *f.* -n (ndd.) 서까래(Dachsparren).

Ökel·name *m.* (ndd.) 별명(Spitzname).

ökern *a.* (ndd.) 근면한, 열심인, 끈기 있는.

Okkasion [ɔkazió:n] 《lat.》 *f.* -en ①〔고어〕 기회, 찬스. ②〖商〗 특매품〔염가 상품〕의 구입〔제공〕.

Okkasionalismus [ɔkazionalísmus] *m.* - 〖哲〗 기회 원인론, 우인론(偶因論).

Okkasionalist [..líst] *m.* -en, -en 기회 원인론자.

okkasionell [..zionɛ́l] *a.* 우연한, 임시의.

Okki·arbeit *f.* ① 태팅(레이스 모양의 실 뜨개질 세공). ② 실 뜨개질 레이스.

okkludieren *t.* ①〔구식〕 가두다, 에워싸다, 폐쇄〔폐색〕하다. ② 흡수하다.

Okklusion [ɔkluzió:n] 《lat.》 *f.* -en ①〔고어〕 감금; 저지; 폐쇄. ②〖化〗 내포(內包)(기체가 고체로 흡수되어 그 내부로 말려 들어가는 현상). ③〖기상〗 난류와 한류의 충돌; 〖醫〗 (상하 치열의) 교합(咬合); 장기 폐색.

Okklusiv [..zí:f] *m.* -s, -e〖언어〗 폐쇄음, 파열음(↑ Plosiv) (보기: p, k, t).

okklusiv *a.* 폐색·폐쇄성의; 내포하는.

okkult [ɔkʊ́lt] 《lat.》 *a.* 감추어진, 잠재〔잠복〕한; 신비로운, 초자연적인, 비밀의.

Okkultation [..tsió:n] *f.* -en〖天〗(별의) 엄폐, (해·달의) 식(蝕).

Okkultismus [..tísmus] *m.* - (Geheimwissenschaft)〖哲〗 신비학, 심령론.

Okkultist [..tíst] *m.* -en, -en 심령론자, 신비학 신봉자.

Okkultistin *f.* -nen ↑ Okkultist 의 여성형.

okkultistisch [..tístɪʃ] *a.* 신비학의; 심령주의의.

Okkupant [ɔkupánt] *m.* -en, -en〔폄어〕 점령자; 점령국; 점령군(의 일원).

Okkupation [ɔkupatsió:n] 《lat.》 *f.* -en ①〖法〗 점유, 선점; 〖軍〗 점령. ② 종사; 일, 업무, 직업.

Okkupations·heer *n.* 〖軍〗 점령군.

okkupieren [ɔkupí:rən] 《lat. capere》 *t.* ① 점유하다, 선점하다; 〖軍〗 점령하다. ② 몰두시키다.

Öko·laden [ǿ:ko...] *m.* -s, ..läden 무공해 상품 판매점.

***Ökologe** [økoló:gə] *m.* -n, -n 생태학자.

***Ökologie** [økologí:] 《gr. oîkos, „Haus"》 *f.* ① 생태학〔계〕. ② 유기체와 환경의 상호 관계. ③ 생태학적 고찰 방식〔이론과 실천〕.

Ökologin *f.* -nen ↑ Ökologe 의 여성형.

***ökologisch** [..ló:gɪʃ] *a.* 생태학적인; 생태계적인: ~es Gleichgewicht 생태학적인 균형.

***Ökonom** [..nó:m] *m.* -en, -en ① 경제학자. ② 농업 경영자, 농장 관리인.

***Ökonomie** [ø(:)konomí:] *f.* -n [..mí:ən] ① 경제; 경제학: die mathematische (politische) ~ 수리 (정치) 경제학. ② 경제성, 절약, 합리적 사용〔배치〕. ③〔고어〕 (öst.) 농업 (경영). ④ 검소한 생활 표준.

Ökonomie·rat *m.* 〔고어〕 농업 고문관(공로가 있는 농업인에게 준 칭호).

Ökonomik [økonó:mɪk] *f.* ① 경제학, 경제이론. ② (어떤 부분·지역의) 경제(상황); 〖구동독〗 (어떤 나라·체제의) 생산 방식, 경제 구조.

Ökonomin *f.* -nen ↑ Ökonom 의 여성형.

***ökonomisch** [økonó:mɪʃ] *a.* ① 경제상의, 경제와 관련된. ② 경제적인, 합리적인, 절약적인: ~es Prinzip (최소의 경비로 최대의 능률을 올리는) 경제 원칙. ③〔고어〕 농업(상)의.

ökonomisieren *i.* (h.) 비용을 절약하다, 검약하다.

Ökonomist [økonomíst] *m.* -en, -en 〔고어〕 경제 전문가.

Ökopax·bewegung *f.* 생태계 유지 및 평화 수호 운동.

Öko·system *n.* 생태계.

Oktaeder [ɔktaé:dər] 《gr. oktṓ, „acht"》 *n.* -s, -〖數〗 정 8 면체.

oktaedrisch [..é:drɪʃ] *a.* 정 8 면체의.

Oktagon [ɔktagó:n] *n.* -s, -e 8 각형.

Oktal·system *n.* 〖數〗 8 진법 체계.

Oktal·zahl *f.* 〖數〗 8 진 숫자(8 진법에서 사용되는 숫자; 0, 1, 2, 3, 4, 5, 6, 7 의 8 개).

Oktan [ɔktá:n] 《lat.》 *n.* -s, -e 〖化〗 옥탄.
Oktant [ɔktánt] 《lat., „der achte Teil"》 *m.* -en, -en ①〖數〗 (원주의) 8 분원. ② **(a)** 〖海〗 8 분의(分儀). **(b)** 〖天〗 8 분의자리.
Oktanzahl [ɔktá:n..] *f.* 〖化〗 옥탄가(價).
Oktav [ɔktá:f] 《lat.》 *n.* -s, -e [..və] 〖印〗 (Achtelbogengröße) 전지 8 절판(의 책 크기) (약어: 8°).
oktav *a.* 8 절판의.
Oktava [ɔktá:va] *f.* ..ven [..vən] (öst.) Gymnasium 의 8 학년.
Oktav≈band [ɔktá:f...] *m.* 8 절판의 책. **~bogen** *m.* 8 절로 인쇄된 전지(全紙).
Oktave [ɔktá:və] 《lat.》 *f.* -n ①〖음악〗 8 도; 8 도 음정, 옥타브. ②〖문학〗 8 행 시구. ③〖가톨릭〗 대축제의 8 일간 및 그 마지막 날.
Oktav·format [ɔktá:f...] *n.* ↑ Oktav.
oktavieren [ɔktaví:rən] 《<Oktave》 *i.* (h.) 〖음악〗 (관악기에서) 1 옥타브 높은 음을 내다.
Oktett [ɔktɛ́t] 《it.》 *n.* -(e)s, -e 〖음악〗 8 중주〔창〕(곡); 〖化〗 원자를 둘러싼 8 개 전자 그룹.
***Oktober** [ɔktó:bər] 《lat., „8.Monat"》 *m.* -(s), - 10 월(약어: Okt.): im ~ 10 월에.
Oktober≈fest *n.* 10 월제(祭)(뮌헨의 대축제). **~revolution** *f.* 〖史〗 (러시아의) 10 월 혁명.
Oktode [ɔktó:də] 《gr.》 *f.* -n 〖전기〗 8 극(진공)관(Achtpolröhre).
Oktodez [ɔktodé:ts] 《lat.》 *n.* -es, -e 18절판(切判) (Achtzehntelgröße).
Oktodez·format *n.* 18 절판형 (종이·책의 크기).
Oktogon [ɔktogó:n] 《gr.》 *n.* -s, -e 〖數〗 (Achteck) 8 각형; 8 각형 건물; 8 각형 우표.
oktogonal [..goná:l] *a.* 8 각형의.
Oktopode [ɔktopó:də] *m.* -n, -n 〖動〗 낙지(Achtfüßer).
Oktroi [ɔktroá] 《lat. -frz.》 *m./n.* -s, -s [..troás] ① 상인 조합에 부여된 특권. ② (특히 도시 반입 식료품에 부과하는) 식료품세.
oktroyieren [..roají:rən] *t.* ① 무리하게 강요하다. ②〔구식〕 승낙하다, 허가하다, 수여〔부여〕하다; 〖法〗 흠정(欽定)하다: oktroyierte Verfassung 흠정 헌법.
okular [okulá:r] 《lat. oculus, „Auge"》 *a.* 눈의, 눈에 관한; 시각상의.
Okular *n.* -s, -e, **Okular·glas** *n.* 〖物〗 (망원경·현미경 따위의) 접안 렌즈(↔ Objektiv): durch das ~ sehen 접안 렌즈로 보다.
Okular≈inspektion *f.* 육안으로 하는 검사, 시진(視診). **~zeuge** *m.* (Augenzeuge) (현장의) 목격자, 실지 증인.
Okulation [okulatsió:n] *f.* -en 〖植〗 (Äugelung) 접붙이기, 접목.
Okuli [ó:kuli] 《lat.》 *m.* - 〖가톨릭〗 사순절(四旬節)의 셋째 주일.
okulieren [..lí:rən] *t.* 〖원예〗 접붙이다, 접목하다: Obstbäume ~ 과일 나무를 접붙이다.
Okulier≈messer *n.* 〖원예〗 접목용 나이프. **~reis** *n.* 접목 가지.
Okulierung *f.* -en 접목, 접붙이기.
Okulist [okulíst] *m.* -en, -en 안과의(醫).
Ökumene [økumé:ne:, ..mέ..] 《gr., „bewohnte Erde"》 *f.* 지구; 〖宗〗 전세계 기독교도 및 교회.
ökumenisch [økumé:nɪʃ] *a.* 전세계의; 전반적인, 보편적인; 〖가톨릭〗 전(全)교회의: ein ~es Konzil 만국 사교(司教) 회의, 공회의(公會議); 〖기독교〗 ~e Bewegung 세계 교회 통합 운동.
Ökumenismus [..menísmus] *m.* - 〖宗〗 (초교파의) 교회 통합 운동.
***Okzident** [ɔ́ktsidɛnt, ɔktsidɛ́nt] 《lat. „Sonnenuntergang"》 *m.* -(e)s ① 서쪽; 저녁. ②〔교양〕 (↔ Orient) 서양, 유럽(Abendland).
okzidental(isch) [ɔktsidɛntá:l(ɪʃ)] *a.* 서쪽의; 서양의, 유럽의.
okzipital [ɔktsipitá:l] 《lat.》 *a.* 뒷머리의.
ö.L. = östlicher Länge 〔2 격〕 동경(東經).
ol [..o:l] *a.* (nordd.) 늙은(alt).
***Öl** [ø:l] 《lat.》 *n.* -(e)s, -e ① 올리브 기름; (일반적) 기름: ätherisches ~ 정유(精油)(방향(芳香)이 있는 휘발성유); flüchtiges ~ 휘발유; ein Gemälde in ~ 유화(油畫); fettes ~ 지방유, 불휘발성유(油); schweres ~ 중유; 〖宗〗 heiliges ~ 성유(聖油); mit ~ schmieren 기름을 바르다; eine Salatsoße mit Essig und ~ anmachen 샐러드 소스에 식초와 기름을 치다; mit ~ tränken 기름에 담그다; ~ aufs Wasser 〔auf die Wogen〕 gießen 〔schütten〕 홍분을 가라앉히다, 분쟁을 조정하다; 〔비유〕 ~ aus Kieseln pressen 불가능한 일을 하다; ~ ins Feuer gießen〔schütten〕 불에 기름을 붓다, 홍분을〔분노를〕 부채질하다, 상황을 더 악화시키다; er ist wie ~ 그는 빈틈없다(미꾸라지처럼 잘 빠져 나간다); in ~ backen〔malen〕 기름으로 튀기다〔유화를 그리다〕. ②〖문학〗 정수. ③〔드물게〕 올리브나무〔열매〕(Olive ① ②).
Öl≈abscheider *m.* 기름 분리기. **~alarm** *m.* 석유 유출 경보. **~anstrich** *m.* 기름 물감으로 칠하기. **≈artig** *a.* 기름 모양의, 유성의. **~bad** *n.* 〖醫〗 기름 목욕. **~baum** *m.* 〖植〗 올리브나무. **~beere** *f.* ①〖植〗 기름이 있는 장과(漿果); (특히) 올리브나무의 열매. ②〖動〗 식용 권패(卷貝)류의 일종. **~behälter** *m.* 기름통, 기름 탱크. **~berg** *m.* 〖聖〗 올리브산, 감람산. **~bild** *n.* 유화(油畫). **~blatt** *n.* 올리브나무의 잎. **~bohrung** *f.* 유정(油井) 시추. **~büchse** *f.* 기름통, (휘발유용의) 스페어캔. **~dämpfung** *f.* 유압 완충 (장치).
Ölbsch 《germ.》 *m.* -es, -e (obd.) 백조.
öl·dicht *a.* 방유성(防油性)의.
Oldie [ó:ldi] *m.* -s, -s ①〔구어〕 되살아난 옛것, (특히) 옛노래〔영화〕. ②〔경박〕 구세대.
Öl·druck [ø:l..] *m.* 〔복수: -e〕 ↑ Ölfarbendruck.
Öl·druck·bremse *f.* 유압 제동 장치.
Oldtimer [ó:ldtaimər] 《engl.》 *m.* -s, - ① (수집용) 구식 자동차 모델. ②〔구어·농담〕 고참. ③ 구식 모델.
olé [olέ] 《sp.》 *int.* 시작, 출발, 만세.
OLE 〖컴〗 = object linking and embedding 객체 연결(소프트웨어끼리 서로 프로그램을 차용하는 일).
Olea ↑ Oleum 의 복수형.
Oleander [oleándər] 《it.》 *m.* -s, - 〖植〗 협죽도의 한 종류(뿌리·수피는 약용).
Oleander·schwärmer *m.* 〖動〗 (유충일 때 협죽도의 잎을 먹는) 박각시나방의 일종.
Oleaster [oleástər] 《lat.》 *m.* -s, - 야생 올리브 나무.

Oleat ⟪it.⟫ *n.* -(e)s, -e 〖化〗 유산염(油酸塩).
Olefin [olefí:n] *n.* -s, -e 〖化〗 올레핀.
Olein [oleí:n] *n.* -s, -e 〖化〗 올레인.
Olein·säure *f.* 올레인산, 유산(油酸).
ölen [ǿ:lən] ⟪<Öl⟫ ⟪I⟫ *t.* ① (schweiz.) et. ~ 무엇에서 기름을 짜내다. ② 기름을 바르다; (기계에) 기름칠하다; 〖宗〗 성유(聖油)를 바르다; 〖비유〗 …에 뇌물을 주다. ⟪II⟫ **geölt** *p.a.* ↑ geölt.
Öler [ǿ:lər] *m.* -s, - ① 〖고어〗 기름 장수. ② 〖기계〗 기름 공급 장치.
Oleum [ó:leum] ⟪gr. -lat.⟫ *n.* -s, Olea ① ↑ Öl. ② 〖化〗 발연 황산.
olfaktorisch *a.* 〖醫〗 후각의, 후신경의.
Öl≈farbe *f.* 기름 물감; 유성 페인트. **~farben·druck** *m.* 기름 착색 인쇄에 따른 유화의 복제; 유화식 석판화. **~feld** *n.* 유전. **~feuerung** *f.* 기름 연소 (장치). **~film** *m.* 유막(油膜). **~filter** *m./n.* 기름 여과 장치, 오일 필터. **~firnis** *m.* 유성 니스. **~flasche** *f.* 기름병. **~fläschchen** *n.* 〖↑ ~flasche 의 축소형〗 작은 기름병; 〖宗〗 제단용의 작은 병. **~fleck(en)** *m.* 기름 얼룩. **~förderung** *f.* 채유(採油). **~frucht** *f.* 기름이 나는 과실.
OLG =Oberlandesgericht 고등 법원; 상급심 재판소.
Olga [ɔ́lga] ⟪russ., „die Gesunde"⟫ *f.* 올가(여자 이름; Helga 의 러시아어형).
Öl≈garten [ǿ:l..] *m.* 올리브 농원. **~gas** *n.* 오일 가스. **~gemälde** *n.* ↑ ~bild. **~götze** *m.* 〖구어〗 멍청이, 바보: er steht wie ein ~ da 그는 멍하니 서 있다. **≈haltig** *a.* 유성의, 기름을 함유한. **~händler** *m.* 기름 장수. **~haut** *f.* ① (기름으로 처리한) 방수포(布). ② 유막(油膜). **~heizung** *f.* 기름〔석유〕 난방 (시설). **≈höffig** *a.* 석유 산출 가능성이 있는.
ölicht [ǿ:lıçt] *a.* ↑ ölig.
Olifant [ó:lifant, olifánt] *m.* -(e)s, -e 〖사냥〗 (상아로 만든) 사냥용 호각.
ölig [ǿ:lıç] *a.* ① **(a)** 기름 모양의; 기름을 포함한, 유질〔유성(油性)〕의. **(b)** 기름이 묻은, 기름 범벅이 된. ② 〖폄어〗 점잔빼는; 〖폄어〗 알랑거리는.
Oligämie [oligɛmí:] ⟪gr.⟫ *f.* -n [..mí:ən] 〖醫〗 급성 빈혈.
Oligarch [..gárç] ⟪gr.⟫ *m.* -en, -en 과두 정치가; 과두 정치주의자.
Oligarchie [..garçí:] *f.* -n [..çí:ən] ① 과두 정치. ② 과두 정치 국가.
oligarchisch [..gárçıʃ] *a.* 과두 정치의.
Oligochäte [..goçɛ́:tə] *m.* -en, -en 〖動〗 빈모류(貧毛類)의 벌레(지렁이 등).
oligodynamisch [..dyná:mıʃ] *a.* 〖理〗 극미 작용의; 〖醫〗 미량 효능의: ~e Wirkung 극미 작용.
Oligokratie *f.* 과두 정치(Oligarchie).
Oligophrenie [..frení:] *f.* -n [..ní:ən] 〖醫〗 정신 박약.
Oligopol [..pó:l] *n.* -s, -e 〖經〗 소수 독점, 과점.
oligotroph [..tró:f] *a.* 〖생태학〗 영양소 부족의; (식물이) 비옥하지 않은 땅을 좋아하는.
Oligozän [..tsɛ́:n] *n.* -s 〖지질〗 올리고세(世).
oligozän *a.* 올리고세의.
olim [ó:lım] ⟪lat.⟫ *adv.* 이전에, 옛날에: seit ~ 아주 먼 옛날부터; 〖농담〗 (고유 명사화하여:) zu〔seit〕 ≈s Zeiten 아주 먼 옛날에〔옛날부터〕.
Öl·industrie [ǿ:l..] *f.* 석유 산업.
oliv [olí:f] *a.* 올리브색의.
Oliv *n.* -s, - 올리브색.
***Olive** [olí:və] ⟪gr. -lat.⟫ *f.* -n ① 올리브나무. ② 올리브 열매. ③ 〖건축〗 (미닫이·창의) 달걀 모양의 손잡이. ④ 〖해부〗 감람체(연수(延髓)의 추체 상부에 있는 둥근 융기). ⑤ 〖動〗 올리브조개.
Oliven≈baum *m.* ↑ Olive ①. **~ernte** *f.* 올리브 열매 수확. **~farbe** *f.* 올리브색, 황록색. **≈farben**, **≈farbig** *a.* 올리브색의. **≈grau** *a.* 올리브 회색의(고르게 회색빛이 감도는 황록색). **≈grün** *a.* 올리브색의, 황록색의. **~hain** *m.* 올리브나무의 숲. **~körper** *m.* ↑ Olive ④. **~öl** *n.* 올리브 기름. **wald** *m.* 올리브나무 숲. **~wäldchen** *n.* ↑ ~wald 의 축소형.
Olivette [..vɛ́..] ⟪frz.; <Olive⟫ *f.* -n 옛날 아프리카에서 거래 때 사용되던 올리브 모양의 산호(珊瑚), 유리 구슬.
Olivin [oliví:n] ⟪lat.⟫ *m.* -s, -e 〖광물〗 감람석(橄欖石).
Öl≈käfer *m.* 〖動〗 땅가뢰(Maiwurm). **~kanne** *f.* 기름통, 주유기(注油器). **~kelter** *f.* 착유기(搾油機). **~krise** *f.* 석유 위기. **~krug** *m.* ① 기름 단지. ② 〖動〗 고둥과의 식용 소라. **~kuchen** *m.* ① 기름으로 튀긴 과자. ② 깻묵.
oll [ɔl] (öller, öllst) *a.* (ndd.) 낡은; 나이 든: 추한, 아름답지 않은; 불필요한, 재미없는; 〖농담〗 je ~er, um so doller 나이든 사람들이 인생을 더 즐겁게 산다.
Öl≈lack *m.* 유성(油性) 니스. **~lampe** *f.* 석유 램프.
Olla podrida [ɔ́l(j)a podrí:da] ⟪sp., „fauler Topf"⟫ *f.* 〖요리〗 소시지·고기·이집트콩을 섞은 에스파냐의 요리; 〖비유〗 혼합물.
Olle* [ɔ́lə] *der/die* 노인, 노파; 〖구어〗 마누라; 집주인; 애인: mein ~r hat schlechte Laune 내 남편은 기분이 좋지 않다.
Öl·leitung [ǿ:l..] *f.* ① 송유관. ② 파이프라인.
Öl·lese [ǿ:l..] *f.* 올리브 열매의 수확.
Öl·luft·pumpe *f.* 오일 압력 펌프.
Olm [ɔlm] *m.* -(e)s, -e ① 〖動〗 올름(도롱뇽과(科)의 한 종). ② (ndd.) 곰팡이, 부패.
olmig [ɔ́l..] *a.* 곰팡이가 슨, 부패한.
Öl≈malerei *f.* 유화(油畫). **~meßstab** *m.* 〖車〗 오일 게이지. **~motor** *m.* 오일 엔진(디젤 엔진 등). **~mühle** *f.* 착유(搾油)소. **~müller** *m.* 착유자. **~multi** *m.* 다국적 석유 콘체른. **~ofen** *m.* 석유 난로. **~palme** *f.* 〖植〗 기름야자. **~papier** *n.* 기름종이. **~pest** *f.* (원유 유출에 의한) 석유 오염. **~pflanze** *f.* 〖植〗 기름을 채취할 수 있는 식물. **~preis** *m.* 유가(油價). **~presse** *f.* 착유기. **~pumpe** *f.* 급유〔송유〕 펌프. **~quelle** *f.* 유정(油井). **~raffinerie** *f.* 정유 공장, 정유소. **~same(n)** *m.* ① 올리브 열매. ② 아마인(亞麻仁); 채소 씨; 깨. **~sardine** *f.* 기름에 절인 정어리(통조림). **~säure** *f.* 유산(油酸). **~schalter** *m.* 〖전기〗 유입(油入) 개폐기, 오일 스위치. **~scheich** *m.* 석유 재벌; 석유로 부자가 된 족장(族長). **~schicht** *f.* 석유층.

~schiefer *m.* 〖광물〗 유질(油質) 혈암. **~schläger** *m.* 〖工〗 착유공(搾油工). **≈sicher** *a.* 방유(防油)(성)의. **~stand** *m.* (자동차 모터 속의) 윤활유 양. **≈ständig** *a.* 내유(耐油)(성)의. **~stein** *m.* 〖工〗 기름숫돌. **~süß** *n.* ↑ Glyzerin. **~tank** *m.* 기름 탱크. **~tanker** *m.* 유조선. **~teppich** *m.* (오염으로 인한) 기름띠. **~tuch** *n.* 유포(油布). **~vorkommen** *n.* 석유 산출. **~wanne** *f.* 〖車〗 기름받이통. **~wechsel** *m.* 〖車〗 오일 교환. **~weide** *f.* 〖植〗 (남유럽산(產)) 보리수의 일종.

Ölung [ǿ:lʊŋ] *f.* -en ① 기름치기, 주유; 급유: 〔비유〕 et.³ die letzte ~ geben 무엇에 끝손질을 하다〔마무르다〕. ② 〖가톨릭〗 (세례·견신례(堅信禮)에서) 기름을 바름: die Letzte ~ 종부 성사(終傅聖事), 병자 성사.

Olymp [olýmp] 《gr.》 *m.* -s ① 올림포스산; 〖그리스신화〗 그리스의 여러 신이 사는 산. ② 〖연극·농담〗 갤러리(맨 위층의 가장 싼 관람석).

***Olympia** [..pia] 《I》 *n.* -(s) 올림피아(고대 그리스의 Elis 평야로 Zeus 의 성지; 4년마다 경기 대회가 열렸음); 올림피아 경기 대회. 《II》 《원뜻 „die Himmlische"》 *f.* 올림피아(여자 이름).

***Olympiade** [..piá:də] *f.* -n ① (고대 그리스의) 올림피아기(紀)(올림피아 경기 대회를 행한 해부터 다음 대회까지의 4년간). ② 올림픽 경기 대회(die Olympischen Spiele). ③ 〖구동독〗 경쟁, 시합.

Olympiaden·rechnung *f.* 올림피아 기원에 의한 연차 계산법(그 원년은 기원전 776년).

Olympia≈dorf [olýmpia..] *n.* 올림픽 (경기를 위해 건립된) 마을, 선수촌. **~jahr** *n.* 올림픽 경기 개최의 해. **~mannschaft** *f.* 올림픽 선수단. **~medaille** *f.* 올림픽 메달. **~norm** *f.* 올림픽 경기 참가 선발 기준. **≈reif** *a.* 올림픽에서 우승할 만한 기록을 가진. **~sieger** *m.* 올림픽 경기 우승자. **~siegerin** *f.* 여자 올림픽 경기 우승자. **~stadion** *n.* 올림픽 주경기장. **~stadt** *f.* 올림픽 경기 개최 도시. **~teilnehmer** *m.* 올림픽 경기 참가자. **~teilnehmerin** *f.* 올림픽 경기 여자 참가자. **≈verdächtig** *a.* 〔농담〕 (올림픽에 참가할 만한 정도로) 잘하는. **~zweite*** *der/die* 올림픽 경기 준우승자, 은메달리스트.

Olympier [..piər] *m.* -s, - ① 〖그리스신화〗 Olymp 의 신. ② 〔비유〕 권위자, 대가, 거장.

Olympionike [olympioní:kə] *m.* -n, -n 올림피아〔올림픽〕 경기 대회의 승리자〔참가자〕.

Olympionikin [..kɪn] *f.* -nen 〖↑ Olympionike 의 여성형〗 올림픽 경기 여자 우승자〔참가자〕.

olympisch [olýmpɪʃ] *a.* ① 위엄이 있는, 숭고한. ② 올림피아의: die ≈en Spiele a) (옛날) 올림피아제(祭)의 경기(체육·문예의), b) (현재) 국제 올림픽 대회; ~e Sportarten 올림픽 경기 종목; die ~e Flamme 올림픽 성화; die ~en Ringe 오륜기.

Öl≈zeug [ǿ:l..] *n.* 방수복. **~zucker** *m.* 〖化〗 글리세린. **~zweig** *m.* 올리브나무의 가지(평화의 상징).

***Oma** [ó:ma] 《<Großmama》 *f.* -s ① 〔아동〕 (↔ Opa) 할머니. ② 〔구어·폄어〕 노파. ③ 〖카드〗 아주 유리한 패.

Omaijade [oma(i)já:də] *m.* -n, -n 아라비아 군주의 가계에 속하는 사람.

Omama [ó:mama] *f.* -s 〔아동〕 할머니.

Oman [omá:n] 오만(아라비아 반도의 왕국).

Omaner *m.* -s, - 오만 사람.

omanisch *a.* 오만(어)의.

Omar Cajjam [..kaijá:m] 《ar.》 *m.* 오마르 카이얌(페르시아의 시인, 11세기경).

ombriert [ɔ̃brí:rt] 《frz.》 *a.* (직물·카페트·유리에) 색의 농담(濃淡)을 준.

Ombrograph [ɔmbrográ:f] *m.* -en, -en 〖기상〗 강수량 자동 측정기.

Ombrometer [ɔmbromé:tər] 《gr. ómbros, „Regen"》 *n.* -s, - 우량계, 측우기.

Ombrometrie *f.* 우량 측정(술).

Ombudsfrau [ɔ́mbuts..] *f.* -en ↑ Ombudsmann 의 여성형.

Ombuds·mann *m.* -es, ..männer ① (관청에 대해 시민의 권리를 옹호하는) 감찰 위원. ② 믿을 만한 사람.

O.M.Cap. 카푸친 교단(↑ O.F.M.Cap).

Omega [ó:mega] 《gr. mégas, „groß"》 *n.* -(s), -s 그리스 자모의 마지막 글자(Ω, *ω*); 〔비유〕 끝: das Alpha und das ~ 처음과 끝.

Omelett [ɔm(ə)lɛ́t] 《frz.》 *n.* -(e)s, -e, **Omelette** [ɔm(ə)lɛ́t] *f.* -n 〖요리〗 오믈렛(Eierkuchen).

Omen [ó:mɛn, ..mən] 《lat.》 *n.* -s, Omina 전조, 징후: ein gutes〔böses〕 ~ 길조〔흉조〕.

OMGUS = Office of Military Government United States (제 2차 세계 대전 후 독일 지역의) 미군정청(美軍政廳).

Omikron [ó:mikrɔn] 《gr. mikrós, „klein"》 *n.* -(s), -s 그리스 자모의 열다섯째 자(O, *o*).

Omina ↑ Omen 의 복수형.

ominös [ominǿ:s] *a.* ① 나쁜 전조의, 불길한: eine ~e Miene aufsetzen 불길한 표정을 짓다. ② 수상쩍은, 의심스러운, 악평의: die ganze Angelegenheit ist äußerst ~ 모든 일이 아주 수상쩍다.

Omission [omɪsió:n] 《lat.》 *f.* -en 불이행, 태만; 〖法〗 부작위(不作爲).

Omissiv·delikt *n.* -(e)s, -e 〖法〗 부작위 범죄.

omnia ad maiorem Dei gloriam 〖가톨릭〗 모든 것을 하느님의 더 큰 영광을 위하여.

Omnibus [ɔ́mnibus] 《lat.》 *m.* -ses, -se 버스(약어: Bus) (Autobus): den ~ erreichen 버스 시간에 대다.

Omnibus≈bahnhof *m.* 버스 터미널. **~fahrer** *m.* 버스 운전사. **~fahrt** *f.* 버스 운행〔여행〕. **~halte·stelle** *f.* 버스 정류장. **~kondukteur** [..tø:r] *m.* 버스 차장. **~linie** *f.* 버스 노선. **~schaffner** *m.* 버스 차장.

omnipotent [ɔmnipotɛ́nt] 《lat. omnis, „alles"》 *a.* 전능한(allmächtig).

Omnipotenz [..tɛ́nts] *f.* 전능; 절대적 권력(의 지위).

omnipräsent [ɔmniprɛzɛ́nt] 《lat.》 *a.* 편재의, 어느 곳에나 존재하는.

Omnipräsenz [..zɛ́nts] *f.* 〔교양〕 (신의) 편재.

Omnium [ɔ́mniʊm] *n.* -s, ..nien [..niən] 〖사이클〗 다종목〔종합〕 트랙 경기.

Omnivore [ɔmnivó:rə] *m.* -n, -n 〖動〗 (육식성과 초식성을 겸한) 잡식 동물.

omnivorisch [..vóːrɪʃ] *a.* 잡식성의.
Omphale 〖그리스신화〗 옴팔레(리디아의 여왕).
Omphalitis [ɔmfalíːtɪs] *f.* ...tiden [..tíːdən] 〖醫〗 제염(臍炎).
Omsk 옴스크(시베리아의 도시).
on [ɔn] 《engl.》 *a.* 〖TV·영화·연극〗 (↔ off) 화자〔해설자〕가 화면에 나타나는〔무대에 등장해 있는〕.
On 《engl.》 *n.* - 〖TV·영화·연극〗 (화면이나 무대에) 화자〔해설자〕가 나타나 있음.
Onan [óːnan] *m.* 오난(창세기 38 : 9 의 인물).
Onanie [onaníː] *f.* 수음(手淫), 자위 행위.
onanieren [onaníːrən] *i.* (h.) 수음하다.
Onanist [..nɪ́st] *m.* -en, -en 수음하는 자.
onanistisch [..nɪ́stɪʃ] *a.* 수음의.
ÖNB ① =Österreichische Nationalbank 오스트리아 국립 은행. ② =Österreichische Nationalbibliothek 오스트리아 국립 도서관.
Ondit [õdíː] 《frz., „man sagt"》 *n.* -(s), -s [..díːs] 소문, 풍문: einem ~ zufolge 소문에 의하면.
Ondulation [ɔndulatsióːn] 《frz.》 *f.* -en ① 파마하기. ② 〖음악〗 (음향의) 파동.
ondulieren [ɔndulíːrən] *t.* 파마하다.
Ondulierung *f.* -en 파마.
Onestep [wʌ́nstɛp] 《engl.》 *m.* -s, -s 원스텝 (2/4 또는 6/8 박자의 경쾌한 사교 춤).
***Onkel** [ɔ́ŋkəl] *m.* -s, -/(구어) -s (↔ Tante) ① 아저씨(백부, 숙부). ② 〔구어〕 (이웃의) 아저씨; 남자, 사람: er ist ein riesig gemütlicher ~ 그는 아주 마음씨 좋은 사람이다; über den großen ~ laufen 안짱다리로 걷다.
Onkel·ehe *f.* (미망인 연금을 잃지 않기 위하여 정식 결혼을 피한) 내연 관계.
onkelhaft *a.* 아저씨 같은; 보호자연하는.
Onkologe [ɔŋkolóːgə] *m.* -n, -n 종양학 전문의.
Onkologie [..logíː] *f.* 〖醫〗 종양학.
onkologisch [..lóːgɪʃ] *a.* 종양학의.
on line [ɔ́nlaɪn] 《engl.》 〖컴〗 온라인, 중앙 처리 장치에 직접 연결되어 있음.
Online-Informations·dienst *m.* 온라인 정보 서비스(업체).
ONO =Ostnordost(en) 동북동.
Önologie [ø(ː)nologíː] 《gr. oînos, „Wein"》 *f.* 포도 재배법, 포도주 양조학.
önologisch [..lóːgɪʃ] *a.* 포도 재배법의, 포도주 양조의.
Önomanie [ønomaníː] *f.* 〖醫〗 주객섬망(酒客譫妄).
Onomasiologie [onomaziologíː] *f.* 〖언어〗 명칭론.
onomasiologisch [..lóːgɪʃ] *a.* 명칭론의.
Onomastik [..mástɪk] *f.* 〖언어〗 명칭학.
Onomastikon *n.* -s, ..ken [..kən]/..ka [..ka] ① 명부(名簿), 어휘집. ② 자신과 이름이 같은 성자의 탄생일을 축하하는 시.
Onomatopoetikon [onoma(ː)to-poéːtikɔn] 《gr. ónoma, „Name"》 *n.* -s, ..ka 의성어.
onomatopoetisch, onomatopöetisch [onoma(ː)to|poéːtɪʃ] *a.* 의성(擬聲)의.
Onomatopöie [..pøíː] *f.* -n [..pøíːən] 의성, 의음(擬音).
Önometer [øno..] *n.* -s, - (포도주의) 알코올 함량 측정기.
On-Sprecher *m.* -s, - 〖TV·영화·연극〗 (화면이나 무대에) 모습이 나타나는 화자.
On-Stimme *f.* -n 〖TV·영화·연극〗 (화면이나 무대에) 모습이 나타나는 화자의 목소리.
on the rocks [ɔn ðə rɔ̃ks] 《engl.》 (위스키에) 얼음 조각을 넣어.
ontisch [ɔ́ntɪʃ] 《gr.》 *a.* 〖哲〗 존재적(인).
Ontogenese [ɔntogenéːzə] 《gr. ónta, „das Seiende"》 *f.* 〖生〗 개체 발생(사).
ontogenetisch [..genéːtɪʃ] *a.* 개체 발생(사)의.
Ontogenie [..geníː] *f.* ↑ Ontogenese.
***Ontologie** [..logíː] *f.* 〖哲〗 존재론, 본체론.
ontologisch [..lóːgɪʃ] *a.* 존재론의.
Onus [óːnʊs] 《lat.》 *n.* -, Onera 무거운 짐, 부담; 의무; 조세(租稅).
Onyx [óːnʏks] 《gr., „Nagel"》 *m.* -(e)s, -e 〖광물〗 얼룩 마노(瑪瑙) (Nagelstein).
o.O. ① 〖印〗 =ohne Ort 발행지가 기재되지 않은. ② 〖商〗 =ohne Obligo 무담보로.
Oogamie [oogamíː] *f.* -n [..míːən] 〖生〗 난자 수정.
Oogenese [oogenéːzə] *f.* -n 〖醫·生〗 난(卵) 형성.
oogenetisch *a.* 난 형성의.
Oolith [oolíːt, ..lɪ́t] 《gr. ōón, „Ei"》 *m.* -(e)s/-en, -e(n) 〖지질〗 어란상암(魚卵狀岩); 어란상 석회암.
Oologie [oologíː] *f.* 〖動〗 조란학(鳥卵學).
o.ö.Prof. =ordentlicher öffentlicher Professor 국공립 대학 정교수.
o.O.u.J. =ohne Ort und Jahr 발행지 및 발행 연도가 기재되지 않은.
OP [oːpéː] *m.* -(s), -(s) 수술실(Operationssaal 의 단축형).
O.P. =Ordinis Praedicatorum 도미니크 교단 (수도사).
o.P. =ordentlicher Professor 정교수.
op. =opus ↑ Opus.
Opa [óːpa] 《<Großpapa》 *m.* -s, -s ① 〔아동〕 할아버지(↔ Oma). ② 〔구어·폄어〕 늙은이: ~s Kino 과거의 낡은 영화(예술).
opak [opáːk] 《lat.》 *a.* 불투명한.
Opal [opáːl] 《skt.》 *m.* -s, -e ① 〖광물〗 오팔, 단백석(蛋白石). ② 〖방직〗 삼베의 일종.
opalen [opáːlən] *a.* 오팔로 된; 오팔 색의, 오팔처럼 빛나는.
opaleszent [opalɛstɛ́nt] *a.* 젖빛을 내는, 단백석광을 내는.
Opaleszenz [..tsɛ́nts] *f.* 단백광(光), 유광(乳光).
opaleszieren [..tsíːrən] *i.* (h.) 단백광〔유광〕을 내다.
Opalglas [opaːl..] *n.* 오팔〔젖빛〕 유리.
opalisieren [opalizíːrən] *i.* (h.) ↑ opaleszieren.
opalisierend [opáːl..] *p.a.* ↑ opaleszent.
Opanke [opáŋkə] *f.* -n 뒤축이 없는 가벼운 신발.
Opapa [óːpapa] *m.* -s, -s 할아버지(↑ Opa).
Op-art [ɔ́paː(r)t] 《engl. optical art》 *f.* 시각미술(기하학적 원리를 응용하여 착시 효과를 노리는 현대 추상 미술의 한 기법).
Opazität [opatsitɛ́ːt] *f.* (↔ Transparenz) 불투명; 〖사진〗 암도(暗度).
OPD =Oberpostdirektion 우편 관리국.

OPEC =Organization of the Petroleum Exporting Countries 석유 수출국 기구.
Opel *m.* -s, - 오펠 자동차(회사).
Open-air-Festival [óupn ɛ́:ə fɛstiv(ə)l] 《engl.》 *n.* -s, -s 옥외〔야외〕 축제.
Open-air-Konzert 《engl.》 *n.* -(e)s, -e 옥외〔야외〕 연주회.
Open-end.. [ó:p(ə)n ɛnd] *pref.* 《engl.》 "(행사의) 종료 시간이 정해지지 않은"의 뜻(보기: ∼-Veranstaltung 종료 시간이 정해지지 않은 행사).
Open-end-Diskussion *f.* 끝마치는 시간이 정해지지 않은 토론.
***Oper** [ó:pər] 《it. opera》 *f.* -n ① 가극, 오페라: eine ∼ geben〔darstellen〕 가극을 공연하다; erzähl keine ∼(n)! 장황하게 쓸데없는 소리 마라! ② 오페라 극장. ③ 오페라단.
Opera [ó:pera, ..pə..] ↑ Opus 의 복수형.
operabel [operá:bəl] *a.* ①〖醫〗 수술 가능한. ② 실행〔조작〕 가능한.
Opera buffa [ó:pera bú:fa] 《it.》 *f.* ...re ..fe 〖연극〗 (이탈리아에서 발달한) 희(喜)가극.
Opera seria [..zé:ria] *f.* ..re ..rie 비(悲)가극.
Operand [opəránt] *m.* -en, -en 〖數·컴〗 피연산자, 연산수(① 어떠한 연산의 대상이 되는 자료. A+B 에서 A 와 B 는 피연산자이고 +는 연산자임. ②〖컴〗 기계어 명령의 대상이 되는 자료).
Operateur [operatǿ:r, opə..] 《frz.》 *m.* -s, -e ① 수술자, 외과 의사. ②〖영화〗〖구식〗 (Film-∼) 촬영 기사; 영사 기사. ③〖컴〗 연산자.
***Operation** [..tsió:n] *f.* -en ① 조작, 작업, 절차; 행위, 활동. ②〖醫〗 수술: ∼ am Hals 목 수술; sich einer ∼ unterziehen 수술을 받다. ③〖軍〗 작전. ④〖數〗 운산(運算), 연산(演算).
operational [..tsioná:l] *a.* (학문적인) 조작으로 완수되는, 조작상의.
operationalisieren [..nalizí:rən] *t.* (…의 학문적인) 조작〔처리〕 방법을 명확하게 하다.
Operations≈basis [opəratsió:ns.., ope..] *f.* 〖軍〗 작전 기지. **∼feld** *n.* 〖軍〗 작전 지역; 〖醫〗 수술 부위; 행동 반경. **∼gebiet** *n.* 〖軍〗 작전 지역. **∼karte** *f.* 작전 지도. **∼lehre** *f.* 〖醫〗 수술학. **∼linie** *f.* 작전선. **∼objekt** *n.* 작전 목표. **∼plan** *m.* 작전 계획. **∼saal** *m.* 〖醫〗 수술실. **∼schwester** *f.* 수술 보조 간호사. **∼tisch** *m.* 수술대. **∼ziel** *n.* 〖軍〗 작전 목표.
operativ [operatí:f, opə..] *a.* 작업상의; 〖軍〗 작전상의; 〖醫〗 수술상의; 직접 작용하는, 효과적인: ∼e Heilkunde 외과 의학.
Operator [opərá:tər, ..to:r] *m.* -s, -en [..tó:rən] ①〖數〗 작용소, 연산자(어떠한 연산을 나타내는 수학적 기호; 덧셈의 +, 뺄셈의 − 등). ② 오퍼레이터, 컴퓨터 운영자.
Operatorin [..ratóːrın] *f.* -nen ↑ Operator ② 의 여성형.
Operette [opərɛ́tə] 《it.》 *f.* -n ① 오페레타, 희가극. ② 오페레타 극장〔극단〕.
***Operetten≈komponist** *m.* 오페레타 작곡가. **∼melodie** *f.* 오페레타 멜로디. **∼musik** *f.* 오페레타 음악. **∼sänger** *m.* 오페레타 가수. **∼sängerin** *f.* 오페레타 여가수. **∼schlager** *m.* 오페레타의 유명한 아리아.
operettenhaft *a.* 오페레타식의, 오페레타 같은.

***operieren** [operí:rən, opə..] 《lat. operari》 《I》 *i.* (h.) 작업하다, 조작하다; 〖軍〗 작전을 수행하다. 《II》 *t.* 〖醫〗 수술하다: sich ∼ lassen 수술을 받다.
Operierte* *der/die* 수술 환자.
Operment [opɛrmɛ́nt] 《lat.》 *n.* -(e)s 〖광물〗 석웅황(石雄黃), 석황(石黃).
Opern≈abend [ó:pərn..] *m.* 가극의 밤. **∼arie** *f.* 오페라 아리아. **≈artig** *a.* 가극풍의. **∼buch** *n.* ↑ ∼text. **∼dichter** *m.* 가극 (대본) 작가. **∼glas** *n.*, **∼gucker** *m.* 오페라 글라스, 관람용 쌍안경.
opernhaft [ó:pərnhaft] *a.* ↑ opernartig.
Opern≈haus *n.* 가극장, 오페라 하우스. **∼komponist** *m.* 오페라 작곡가. **≈mäßig** *a.* ↑ ≈artig. **∼musik** *f.* 오페라 음악. **∼sänger** *m.* 오페라 가수〔배우〕. **∼text** *m.* 가극 대본; 〖드물게〗 (오페라의) 가사집. **∼text·schreiber** *m.* ↑ ∼dichter. **∼zettel** *m.* 가극의 프로그램.
***Opfer** [ɔ́pfər] 《<opfern》 *n.* -s, - ① (신에의) 제물, 희생물: dem Herrn ein ∼ bringen 신에게 제물을 바치다; ein Tier zum ∼ bringen 동물을 제물로 바치다. ② 희생(적 행위); 타인을 위해 감수하는 피해; die Eltern scheuen keine ∼ für ihre Kinder 어버이는 자식을 위하여는 어떠한 희생도 꺼리지 않는다. ③ (불상사의) 희생자; 순교자: ein ∼ der Flammen werden 화재로 목숨을 잃다; 〖구어·농담〗 du bist also das arme ∼ 네가 바로 불쌍한 희생자로구나; einem Verbrechen zum ∼ werden 범죄의 희생자가 되다; jm. 〔einem Dinge〕 zum ∼ fallen 누구〔무엇〕의 희생물이 되다; er fiel als ∼ seines Glaubens 그는 자신의 신앙〔신념〕을 위해 죽었다; das Haus fiel der Spitzhacke zum ∼ 집이 헐렸다.
Opfer≈altar *m.* 제단(祭壇). **≈bereit** *a.* 기꺼이 희생하는, 헌신적인. **∼bereitschaft** *f.* 희생할 용의. **∼brot** *n.* 〖宗〗 성찬용 빵. **∼fest** *n.* 봉헌 축제. **∼flamme** *f.* 산 제물을 태우는 불꽃. **≈freudig** *a.* ↑ ≈bereit. **∼freudigkeit** *f.* 기꺼이 희생함. **∼gabe** *f.* 제물, 공물. **∼gang** *m.* ①〖가톨릭〗 헌금을 제단에 가져가는 미사 의식의 일부. ②〖雅語〗 희생의 걸음. **∼gebrauch** *m.* 봉헌 의식. **∼geist** *m.* 희생 정신. **∼geld** *n.* 헌금. **∼kasten** *m.* 헌금함(函). **∼lamm** *n.* ① 희생양. ②〖비유〗 희생자. ③〖비유〗 그리스도. **∼leben** *n.* 희생의 생활. **∼liebe** *f.* (어머니의) 희생적 사랑. **∼messer** *n.* 제물을 바칠 때 쓰는 칼. **∼mut** *m.* 희생 정신, 희생의 용기.
***opfern** [ɔ́pfərn] 《lat.》 《I》 *t.* (…을 신에게) 바치다, …을 봉헌하다; 희생하다; 〖商〗 투매(投賣)하다: sein Leben für das Vaterland ∼ 조국을 위하여 목숨을 바치다; dem Gott ein Tier ∼ 신께 제물을 바치다. 《II》 *i.* (h.) …에 전력을 다하다: 〖비유〗 der Venus 〔dem Bacchus〕 ∼ 사랑〔음주〕에 빠지다. 《III》 *refl.* sich ∼ 헌신하다, 몸〔목숨〕을 바치다, 희생하다: sie opfert sich für die Familie 그녀는 가족을 위해 헌신한다; 〖宗〗 sich Gott ∼ 신에게 목숨을 바치다.
Opfer≈pfennig [ɔ́pfər..] *m.* 소액의 헌금. **∼priester** *m.* 제물을 바치는 사제(司祭). **∼schale** *f.* 제물의 피를 받는 접시. **∼sinn**

m. 희생 정신. **~stock** *m.* ↑ ~kasten. **~tag** *m.* 헌금일. **~tier** *n.* 제물로 바치는 짐승; 〖비유〗 희생자. **~tisch** *m.* 제단. **~tod** *m.* 희생적인 죽음; 순교; 순사(殉死): 〖宗〗 ~ am Kreuze (인류 속죄를 위한 그리스도의) 십자가상의 죽음. **~trank** *m.* ↑ ~wein.

Opferung [ɔ́pfərʊŋ] *f.* -en ① (신에게) 바침; 봉헌(식). ②〖宗〗 봉헌 기도(奉獻祈禱); 미사에 있어서 빵과 포도주의 봉헌. ③ 희생.

Opfer≈wein *m.* 신주(神酒), 제주(祭酒). **~-wille** *m.* 희생 의지. **≈willig** *a.* ↑ ≈bereit. **~willigkeit** *f.* 기꺼이 희생함.

Ophianer [ofiá:nər] 《gr. óphis, „Schlange"》 *m.* -s, - 뱀을 숭배하는 사람; 〖복수〗 배사(拜蛇) 교도.

Ophiolatrie [ofiolatrí:] *f.* (종교적) 뱀숭배.

Ophit[1] [ofí:t] *m.* -en, -en ↑ Ophianer.

Ophit[2] [..í:t, ..ít] *m.* -(e)s, -e 〖광물〗 사문석(蛇紋石) (Serpentin).

Ophthalmie [ɔftalmí:] 《gr. ophthalmós, „Auge"》 *f.* -n [..mí:ən] 안염(眼炎).

Ophthalmolog(e) [ɔ́ftalmoló:k, ..ló:gə] *m.* ..gen, ..gen 안과 의사.

Ophthalmologie [..logí:] *f.* 안과학.

Ophthalmoskop [..moskó:p, ..mɔs..] *n.* -s, -e 검안경(檢眼鏡).

Opian [opiá:n] 《gr. opós》 *n.* -s 〖藥〗 오피안 (일종의 마취약).

Opiat [opiá:t] *n.* -(e)s, -e 아편 함유 마취약.

***Opium** [ó:piʊm] *n.* -s 〖藥〗 아편: die Religion ist das ~ des Volks 종교는 민중의 아편이다(Karl Marx 의 말).

Opium≈esser *m.* 아편쟁이. **~gesetz** *n.* 아편〔마약〕 단속법. **≈haltig** *a.* 아편을 함유한: ~es Mittel 아편 함유 마취약. **~handel** *m.* 아편 매매. **~krieg** *m.* 아편 전쟁(1840-42). **~pfeife** *f.* 아편 파이프. **~raucher** *m.* ↑ ~esser. **~schmuggel** *m.* 아편 밀수. **~-spelunke** *f.* 아편굴(窟). **~sucht** *f.* 아편중독. **~tinktur** *f.* 〖藥〗 아편 팅크. **~vergiftung** *f.* 아편 중독.

Opodeldok [opodɛ́ldɔk] 《gr. opós, „Saft"》 *m./n.* -s 〖藥〗 장뇌(樟腦)·비누·암모니아수를 섞어 만든 연고(류머티스·신경통·관절염 등에 바름).

Opossum [opɔ́sʊm] 《engl.》 *n.* -s, -s ①〖動〗 (미국산(産)) 주머니쥐. ② 주머니쥐의 가죽.

öppe *adv.* 〔방언〕 때때로, 가끔; 대략, 약.

***Opponent** [ɔponɛ́nt] 《lat. opponere》 *m.* -en, -en 반대자, 상대; (토론의) 논적.

opponieren [..ní:rən] 《I》 *i.* (h.)/*refl.* (sich) ~ 반대하다, 논박하다. 《II》 *t.* (jm. et.) 반대하다, 논박하다, 저항하다. 《III》 **opponiert** *p.a.* ↑ opponiert.

opponiert 《I》 *p.p.* ↑ opponieren. 《II》 *p.a.* 대립한; 〖植〗 (잎이) 대생(對生)의; 대측(對側)의.

opportun [ɔpɔrtú:n] 《lat.》 *a.* 시기에 알맞은, 시의(時宜) 적절한; 기회를 잘 탄(↔ inopportun): eine solche Entscheidung wäre zur Zeit nicht ~ 그런 결정은 현재 적절하지 않을지도 모른다.

Opportunismus [..tunísmʊs] *m.* - ① 임기응변주의, 편의주의, 기회주의: et. aus politischem ~ tun 무엇을 정치적 기회주의에서 하다. ② (노동 운동을 분열시키려는) 기회주의.

Opportunist [..níst] *m.* -en, -en 기회주의자.

Opportunistin *f.* -nen ↑ Opportunist 의 여성형.

opportunistisch [..nístɪʃ] *a.* ① 임기응변주의의, 기회주의의. ② 기회주의자처럼 행동하는.

Opportunität [..nitɛ́:t] *f.* 형편 좋음, 시의 적절, 좋은 기회.

Opportunitäts≈grund *m.* 편의상의 이유. **~politik** *f.* 기회주의 정책. **~prinzip** *n.* 〖法〗 기소 편의주의. **~rücksichten** *pl.* 기회주의적 고려.

***Opposition** [ɔpozitsió:n] 《<opponieren》 *f.* -en ① 반대, 적대; 항론; 〖논리〗 대당(對當) 관계: eine ~ gegen jn. machen 누구에게 반론하다. ② 반대당, 야당. ③〖天〗 충(衝) (태양과 행성이 지구를 사이에 두고 정반대 위치에 있을 때). ④〖언어〗 대립. ⑤〖해부〗 대측(對側) (다른 손가락들에 대한 엄지손가락의 대립적 위치). ⑥〖장기〗 (같은 선상에서 한 눈을 사이에 둔) 두 궁(宮)의 대치. ⑦〖펜싱〗 오뽀지시옹.

oppositionell [..tsionɛ́l] *a.* 반대의; 야당의.

Oppositions≈blatt *n.* 반대당〔야당〕의 신문 및 잡지. **~geist** *m.* 반골 정신. **~mann** *m.* 반대자, 야당 당원. **~partei** *f.* ↑ Opposition ②.

Oppression [ɔprɛsió:n] 《lat.》 *f.* -en 압박, 억압, 박해; 압력, 〖醫〗 압박(감), 중압(감).

oppressiv [..sí:f] *a.* 압박하는, 숨막히는.

opprimieren [ɔprimí:rən] *t.* 압박〔억압·박해〕하다.

o. Pr. =ordentlicher Professor 정교수.

Op-Schwester *f.* 수술 보조 간호사.

Optant [ɔptánt] 《lat. optare》 *m.* -en, -en 선택하는 사람; 〖法〗 국적 선택자.

Optativ [ɔ́ptati:f, ɔptatí:f] *m.* -s, -e [..və] 〖문법〗 원망법(願望法).

optieren [ɔptí:rən] *i.* (h.) (국적을) 선택하다, …쪽으로 정하다: für jn. (et.) ~ 누구 쪽에 서서 (무엇을) 선택하다; für einen Staat ~ 어떤 국가의 국적을 선택하다.

Optierung *f.* -en 선택, (취사 선택의) 결정.

***Optik** [ɔ́ptɪk] 《gr. optikḗ》 *f.* ① 광학. ② (광학 기기의) 대물 렌즈. ③ 시각적 표현. ④ 외형, 외적 인상.

Optiker [ɔ́ptɪkər] *m.* -s, -, **Optikus** 〔고어〕 [ɔ́ptikʊs] *m.* -, ..se 광학 기계 제조인〔상인〕; 안경상.

Optima ↑ Optimum 의 복수형.

optima fide [ɔ́pt:mafí:də, ..de] 《la.》 최고의 신뢰로, 전적인 선의로.

***optimal** [ɔptimá:l] 《lat. optimus》 *a.* 최고〔최선〕의, 최적의: das ist eine ~e Lösung 그것이 최적의 해결책이다.

Optimat [..má:t] 《lat. optimas》 *m.* -en, -en ① 고대 로마의 귀족. ② 명망가, 귀족.

optimieren [ɔptimí:rən] *t.* 극대화하다, 최적화 하다.

Optimierung *f.* 극대화, 최적화.

***Optimismus** [ɔptimísmʊs] *m.* - ①〖哲〗 (↔ Pessimismus) 낙천〔관〕론. ② (일반적으로) 낙천주의. ③ 낙천적 태도.

***Optimist** [..míst] *m.* -en, -en ①〖哲〗 낙천론자. ② 낙천가: du bist vielleicht ein ~! 너는

사태를 너무 낙관적으로 보고 있어! ③ (어린이용) 일인승 요트.
Optimistin *f.* -nen ↑ Optimist 의 여성형.
optimistisch [..mɪ́stɪʃ] *a.* ① 낙천론의. ② 낙관적인.
Optimität *f.* 최적, 최고.
Optimum [ɔ́ptimʊm] *n.* -s, ..tima 최상의 것〔상태〕; 최적; 가장 유효한 것; 〖生〗(환경의) 최적 조건(↔ Pessimum).
Option [ɔptsió:n] 《lat. optio》 *f.* -en 선택; 선택권; 〖法〗 국적 선택(권); 〖컴〗 추가 선택(조건).
optional *a.* 선택적인; 별도 선택의, 추가 선택적인.
Option·feld *n.* 〖컴〗 추가 선택란.
*__optisch__ [ɔ́ptɪʃ] 《⇔ Optik》 *a.* 광학의; 시각의, 눈의; 시각효과적인: 〖物〗 ~e Achse 광축(光軸); ein ~er Betrug〔eine ~e Täuschung〕 착시(錯視); ~e Instrumente 광학기계; ~e Maus 광(光) 마우스; aus ~en Gründen 시각 효과적 이유에서.
Optometer [ɔptomé:tər] *n.* -s, - 시력계, 검안기.
Optometrie *f.* 〖醫〗 시력 검사, 검안.
opulent [opulɛ́nt] 《lat. ops, „Macht"》 *a.* ①〔교양〕(특히 식사에 관해) 풍성한, 풍부한(↔ frugal). ②〔고어〕 화려한, 호사스런.
Opulenz [..lɛ́nts] *f.* ①〔교양〕 풍성, 풍부. ②〔고어〕 화려.
Opuntie [opʊ́ntsiə] *f.* -n 〖植〗 선인장의 일종.
Opus, opus [ó:pʊs] 《lat.》 *n.* -, Opera ① 작품, 예술품. ②〖음악〗 음악 작품, 악곡(약어: op.): ~ 1 작품 제 1 번.
OR =Obligationsrecht 채권법.
Ör [ø:r] 《skand.》 *m.* -s, -e ↑ Öre.
ora et labora [ó:ra ɛt labó:ra] 《lat.》 기도하라 그리고 일하라!
*__Orakel__ [orá:kəl] 《lat. orare》 *n.* -s, - ① 신탁(神託): ein ~ befragen 신탁을 묻다. ②〔비유〕 예언, 수수께끼 같은 말: in ~n sprechen 수수께끼 같은 말을 하다. ③ 신탁소(Delphi 등). ④〔고어〕(존경받는) 충고자, 조언자.
Orakel·befragen *n.*, **~einholung** *f.* 신탁을 물음.
orakelhaft, orakel·mäßig *a.* 신탁 같은; 심오한, 신비스러운, 수수께끼 같은; 애매한.
orakeln [ora:kəln] *i.*(h.) ① 신탁을 내리다; 〔비유〕 애매하게 말하다. ② 예언하다.
Orakel·spruch *m.* 신탁.
*__oral__ [orá:l] 《lat. os, „Mund"》 *a.* ① 입에 넣는; 입의; 구강의, 구두(口頭)의. ②〖정신분석〗 ~e Phase 구순기(口唇期). ③〖언어학〗 ~er Laut 구음(口音).
*__Orange__ [orã́:ʒə, oráŋʒə] 《Ⅰ》 *f.* -n 오렌지: süße ~ 네이블 오렌지. 《Ⅱ》 *n.* -s, -(s) 오렌지색.
orange *a.* 오렌지색의.
Orangeade [orãʒá:də, oraŋʒ..] *f.* -n 오렌지에이드(음료의 이름).
Orangeat [..ʒá:t] *n.* -(e)s, -e 오렌지 껍질을 설탕에 절인 것.
orangen [orã́:ʒən, oráŋʒən] *a.* ↑ orange.
Orangen·baum [orã́:ʒən.., oráŋʒən..] *m.* 오렌지나무. **~blüte** *f.* 오렌지꽃(결혼식 때 신부의 화관에 쓰임). **~farbe** *f.* ↑ Orange 《Ⅱ》. **~farben, ~farbig** *a.* 오렌지색의. **~marmelade** *f.* 오렌지 잼. **~saft** *m.* 오렌지 주스. **~schale** *f.* 오렌지 껍질. **~schalen·öl** *n.* 등피유(橙皮油).
Orangerie [orãʒərí:, oraŋʒə..] *f.* -n [..rí:ən] 오렌지 재배 온실.
Orangerie·haus *n.* ↑ Orangerie.
orange·rot [oráŋʒ..] *a.* 등적색의.
Orang-Utan [ó:raŋ-ú:tan] 《mal.》 *m.* -s, -s 〖動〗 오랑우탄, 성성(猩猩)이.
ora pro nobis [ó:ra: pro: nó:bi:s] 《lat.》 우리를 위해 기도하소서(bete für uns).
Oratio obliqua [orá:t(s)ɪo: oblí:kva] 《lat.》 *f.* 〖문법〗 간접 화법.
Oratio recta [..rɛ́kta] *f.* 〖문법〗 직접 화법.
Orator [orá:tɔr, ..to:r] 《lat. orare》 *m.* -s, -en [..tó:rən] (Redner) 연설가, 웅변가.
Oratorianer [oratoriá:nər] *m.* -s, - 〖가톨릭〗 오라토리오 회원(재속 사제 및 수사의 모임).
oratorisch [orató:rɪʃ] *a.* ① 연설의, 연설적인. ② 감동적인, 감격적인. ③ 공허한, 내용 없는. ④ 오라토리오의, 성담곡 같은.
*__Oratorium__ [..tó:riʊm] *n.* -s, ..rien [..riən] ① 예배실, 기도실. ② 오라토리오회(會)(의 집회실). ③〖음악〗 오라토리오, 성담곡(聖譚曲), 성악극(聖樂劇).
Orbit [ɔ́rbɪt] *m.* -s, -s 〖우주비행〗 궤도.
orbital [ɔrbitá:l] *a.* ①〖醫〗 눈구멍의. ② 궤도의, 궤도를 운행하는.
Orbital·bahn *f.* 궤도. **~bombe** *f.* 〖軍〗 궤도 폭탄. **~rakete** *f.* 〖軍〗 대륙간 로켓.
*__Orchester__ [ɔrkɛ́stər, ..çɛ́s..] 《it. orchestra》 *n.* -s, - ① (극장의) 관현악단석(席), 오케스트라석(席). ② 관현악단, 오케스트라.
Orchester·begleitung *f.* 오케스트라의 반주. **~graben** *m.* 오케스트라석. **~leiter** *m.* 오케스트라 지휘자.
Orchestra [ɔrçɛ́stra] *f.* ..stren ①〖연극〗(그리스 극장 무대 전면의) 합창대석. ② 귀빈석; 연주자석.
orchestral [ɔrkɛstrá:l, ..çɛs..] *a.* 〖음악〗 관현악(풍)의: ~e Begleitung 관현악 반주.
orchestrieren [ɔrkɛstí:rən, ..çɛ..] *t.* 관현악(용)으로 편곡하다.
Orchestrierung [..rʊŋ] *f.* -en 〖음악〗 관현악(용)으로 편곡하기.
Orchestrion [ɔrkɛ́striɔn, ..çɛ́..] 《lat.》 *n.* -s, ..strien [..striən] 〖음악〗 자동 악기; 오케스트리온.
Orchidee [ɔrçidé:ə] 《gr.》 *f.* -n 〖植〗 난초과 식물.
Orchis [ɔ́rçɪs] 《gr., „Hode"》 《Ⅰ》 *m.* -, ..ches 〖醫〗 고환(睾丸). 《Ⅱ》 *f.* 〖植〗 난초의 일종.
Orchitis [ɔrçí:tɪs] *f.* ..tiden [..tí:dən] 〖醫〗 고환염(睾丸炎).
ord. =ordinär.
Ordal [ɔrdá:l] 《lat.; 원뜻 „Urteil"》 *n.* -s, -ien [..liən] 〖宗·史〗 신명(神明) 재판.
*__Orden__ [ɔ́rdən] 《lat. ordo „Regel, Ordnung"》 *m.* -s, - ① 결사, 조합; 교단, 수도회; 기사단: in einen ~ eintreten 수도회〔기사단〕에 가입하다. ② 휘장; 훈장, 공로장(章): einen ~ tragen〔anlegen〕 훈장을 달다; jm. einen ~ verleihen〔anheften〕 누구에게 훈장을 수여하다〔달아주다〕.
orden·geschmückt *a.* 훈장을 단.

Ọrdens⸗alter *n.* 입단(入團)에 필요한 연령. **~band** *n.* ① 훈장의 수(綬). ②〖動〗 밤나방과의 일종. **~bruder** *m.* ① 조합원, 결사원. ② 수도사. **~fest** *n.* 조합 창립 기념제. **~frau** *f.* 〔고어〕 수녀. **~geistliche*** *der* 수도(회) 신부. **~geistlichkeit** *f.* 〔총칭〕 교단〔수도원〕의 성직자. **~gelübde** *n.* 결사〔수도원〕 가입시의 선서; 〖宗〗 수도 서원(誓願). **~genossenschaft** *f.* 수도회. **~gesellschaft** *f.* 교단. **~haus** *n.* 수도원. **~insignien** *pl.* 조합의 휘장. **~kleid** *n.* 수도회복. **~kreuz** *n.* 십자 휘장〔훈장〕. **~leben** *n.* 수도 생활. **~mann** *m.* 〔고어〕 수도사. **~meister** *m.* 조합장, 기사단〔수도회〕장. **~regel** *f.* 조합 규칙, 수도원 계율. **~ritter** *m.* 기사단 소속의 기사. **~schloß** *n.* 기사단의 성. **~schwester** *f.* 수녀. **~spange** *f.* 훈장 부착용 핀. **~stern** *m.* ① 성형(星形) 훈장. ②〖植〗 스타펠리아의 일종. **~tracht** *f.* ↑ ~kleid. **~verleihung** *f.* 훈장 수여(식): einer ~ beiwohnen 훈장 수여식에 참가하다. **~zeichen** *n.* (조합의) 휘장.

***ordentlich** [ɔ́rdəntlıç] *a.* ① (↔ außerordentlich) 정규의, 정식의: der ~e Professor 정교수; ein ~es Mitglied 정회원; die ~e Hochzeit 정식 결혼(식). ② (↔ unordentlich) 단정한, 정돈된, 질서 있는; 질서를 잘 지키는: in seiner Kleidung war Fritz ~ 프리츠는 옷차림이 단정하였다; sein Zimmer ist ~ gehalten 그의 방은 잘 정돈되어 있다. ③ 본격적인; 진정한; 적당한, 상당한, 만족할 만한: eine ~e Schlacht 전쟁다운 전쟁; sie verdient ganz ~ 그녀는 돈을 상당히 번다; ein ~es Einkommen 상당한 수입; ich bin aber ~ erschrocken 나는 정말 깜짝 놀랐어; ich war ~ gerührt 나는 정말 감동하였다. ④ 착실한, 품행 방정한: ein ~er Mann werden 착실한 인간이 되다.

ọrdentlicher·weise *adv.* 〔고어〕 (gewöhnlich) 평상시대로, 정연(整然)히.

Ọrdentlichkeit *f.* ① 정돈, 단정. ② 착실. ③ 질서 준수.

Order [ɔ́rdər] 《lat.》 *f.* -n ① 명령; 지시: bis auf weitere ~ 차후 명령이 있을 때까지; ~ erteilen〔geben〕, et. zu tun 무엇을 하라는 명령을 내리다; 〔고어〕 ~ parieren 명령을 이행하다. ②〖商〗 주문; 위임; (어음의) 지정(指定): Ihrer ~ gemäß 귀하의 주문에 따라. ③〖軍〗 (전투의) 대형, 진형(陣形).

Ọrder⸗buch *n.* ①〖商〗 주문 장부. ②〖軍〗 명령부(簿). **~eingang** *m.* 〖商〗 수주(受注). **~forderung** *f.* 〖商〗 지정 채권. **~hafen** *m.* 〖海〗 기항지. **~papier** *n.* 〖商〗 지정 증권.

ordern [ɔ́rdərn] *t.* 〖商〗 (물건을) 주문하다: Waren im Wert von hunderttausend Mark ~ 10만 마르크어치의 물건을 주문하다.

Ordinale [ɔrdiná:lə, ..le:] 《lat. ordo, „Ordnung"》 *n.* -, ..lia, **Ordinal·zahl** *f.* 〖문법〗 서수(序數) (↔ Kardinalzahl).

***ordinär** [ɔrdinɛ́:r] *a.* ① 일상적인, 보통의: ein ganz ~er Kugelschreiber 아주 흔히 있는 볼펜. ②〔폄어〕 (gemein) 열등한, 상스러운; 저급한, 싼: eine ~e Ausdrucksweise 상스러운 표현 방식; ein ~es Parfüm 저급 향수. ③ 정가대로, 할인 없이: das Buch kostet ~ 10 Mark 그 책의 정가는 10 마르크이다.

Ordinariat [..nariá:t] *n.* -(e)s, -e ① 대학 (정)교수의 직. ②〖宗〗 주교구 사무국.

Ordinarium [..ná:rıum] *n.* -s, ..rien [..riən] (국가의) 경상 예산; (관청의) 경상비; 〖가톨릭〗 예배 의식 규정서.

***Ordinarius** [..ná:rius] *m.* -, ..rien [..riən] ① 대학 (정)교수. ②〔고어〕 (고등 학교) 담임 교사. ③〖가톨릭〗 재치권자(裁治權者) (교황·주교 등).

Ordinär·preis [ɔrdinɛ́:r..] *m.* (서적의) 정가(定價).

Ordinate [ɔrdiná:tə] *f.* -n 〖數〗 세로 좌표(↔ Abszisse).

Ordinaten·achse *f.* 세로축.

Ordination [ɔrdinatsió:n] *f.* -en ①〖기독교〗 성직 수여식, 목사 취임식; 〖가톨릭〗 서품(식). ②〖醫〗 처방; 〔고어〕 진찰 시간. ③ (öst.) 진찰실, 치료실.

Ordinations⸗hilfe *f.* (öst.) 〖醫〗 진찰실 간호사. **~stunde** *f.* 진찰 시간. **~zimmer** *n.* 진찰실.

ordinieren [ɔrdiní:rən] *t.* ①〖기독교〗 jn. ~ 누구를 목사직에 임명하다; 〖가톨릭〗 서품(敍品)하다: sich ~ lassen 성직을 받다. ②〖醫〗 (약을) 처방하다. ③ 진찰하다: Herr Doktor ordiniert heute nicht 의사 선생님께서는 오늘 진찰하지 않으십니다.

Ordinierung *f.* 서품; 처방 주기.

***ordnen** [ɔ́rdnən] 《lat.》 《Ⅰ》 *t.* (순서 바르게) 배열하다, 정리〔정돈〕하다; 〖軍〗 (군대를) 정렬시키다: Bilder nach der Größe ~ 그림들을 크기 순으로 배열하다; die Haare ~ 머리를 매만지다; seine Vorstellungen ~ 생각을 체계화하다; nach Klassen ~ 등급에 따라 분류하다; alphabetisch 〔nach dem Alphabet〕 ~ 알파벳순으로 배열하다. 《Ⅱ》 *refl.* sich ~ 나란히 서다, 정렬하다: die Leute ~ sich zum Festzug 사람들이 축제 행렬의 줄을 짓는다. 《Ⅲ》 **geọrdnet** *p.a.* ↑ geordnet.

Ordner [ɔ́rdnər] *m.* -s, - ① 정돈자; 단속원, 질서 유지원. ② 서류철, 파일; 분류함; 〖컴〗 폴더.

***Ordnung** [ɔ́rdnuŋ] *f.* -en ① 배열, 정리, 정돈. ② **(a)** 등급; 순서: nach alphabetischer ~ 알파벳순으로. **(b)** 규칙, 법규, 원칙. ③ 질서: hier herrscht ~ 여기는 질서가 잘 잡혀 있다; **aus** der ~ bringen 질서를 어지럽히다, 혼란〔문란〕시키다; **in** bester ~ 정연하게, 일사불란하게; et. in ~ bringen〔stellen, setzen〕 무엇을 정리하다; jn. in ~ bringen 누구를 (신체적으로나 정신적으로) 건강해지도록 돌보다; et. (ganz) in (der) ~ finden 무엇을 (완전히) 옳은〔적합한〕 것으로 생각하다; in ~! 좋아, 알았어!; alles in ~ a) 만사가 정상이다, b) 모든게 순조롭다; in ~ kommen 질서를〔정상을〕 회복하다; er ist in ~ 그는 건강하다, 그는 신뢰할 수 있는 사람이다; der ~ **nach** 질서 있게; **zur** ~ rufen 규칙을 지킬 것을 공식적으로 경고하다. ④〖動·植〗 목(目). ⑤〖數〗 위수(位數). ⑥〖건축〗 원주식(圓柱式). ⑦〖軍〗 대형, 진형(陣形). ⑧ (집합론의) 순서 집합.

Ọrdnungs⸗amt *n.* ① 시〔구〕청(주민등록, 여권, 영업 감찰 업무를 취급하는 관청). ② 시청 청사. **~gemäß** *a.* 규정대로의, 순서에 따른. **~halber** *adv.* 형식상, 요식 행위로. **~hüter**

m. 〖반어〗 경찰관. **~liebe** *f.* 질서를 지킴, 규율바름. **≗liebend** *a.* 질서를 지키는, 규율바른.

Ordnungslos *a.* 질서〔순서〕가 없는, 난잡한.

Ordnungs·mäßig *a.* ① 일정한 원칙〔체계〕에 따르는, 계통에 따라. ② ↑ ≗gemäß.

Ordnungs≈polizei *f.* (치안·교통) 경찰. **~-prinzip** *n.* 배열〔정리〕 원칙. **~ruf** *m.* 공식적인 규칙 엄수 경고: einen ~ erteilen〔erhalten〕 규칙 위반에 대해 주의를 주다〔주의를 받다〕. **~sinn** *m.* 질서 의식, 준법 정신. **~strafe** *f.* 〖法〗 질서 위반의 벌(징계·과료 등). **≗widrig** *a.* 질서 위반의, 불법적인. **~widrigkeit** *f.* 질서 위반, 불법. **~zahl** *f.* 〖문법〗 서수(序數); 〖化〗 원자 번호.

Ordonnanz [ɔrdɔnánts] 《frz.》 *f.* -en ①〖軍·고어〗 명령; 근무 명령, 복무 규정. ②〖軍〗 전령. ③〔방언〕 임시 우편. ④〔고어〕 (프랑스왕의) 칙령.

Ordonnanz≈dienst *m.* 〖軍〗 전령 근무. **~-kavallerie** *f.* 전령 기병. **~offizier** *m.* 연락 장교; 당직 장교. **~reiterei** *f.* ↑ ~kavallerie.

ordonnieren *t.* 지령을 내리다, 명령하다.

Ordre [ɔ́rdr, ..dər] *f.* -s 〔고어〕 ↑ Order.

Öre [ǿ:rə] 《skand.》 *n.* -s, -〔f.〕 외레(덴마크·노르웨이·스웨덴의 최소액 화폐 단위; 1/100 Krone).

Oreade [oreá:də] 《gr. óros, „Berg"》 *f.* -n 〖그리스신화〗 오레아데(산의 요정).

Orest [orέst], **Orestes** [..tεs] *m.* 〖그리스신화〗 오레스트.

ORF =Österreichischer Rundfunk 오스트리아 라디오 방송.

Orfe [ɔ́rfə] 《lat.》 *f.* -n 〖動〗 황어의 일종.

***Organ** [ɔrgá:n] 《lat. organum》 *n.* -s, -e ① (공적 조직으로서의) 기관(機關), 기구: ein ausführendes〔gesetzgebendes〕 ~ 집행〔입법〕 기관. ② 감각 기관(器官), 장기(臟器): die Einpflanzung künstlicher ~e 인공 장기 이식; die inneren ~e sind gesund 내장이 튼튼하다. ③ 목소리; 소리: ein metallisches〔unangenehmes〕 ~ 금속성의〔불쾌한〕 소리. ④ 기관의 신문 또는 잡지: ~e der Justiz 법조계의 기관지들.

Organ·bank *f.* -en 〖醫〗 장기 은행.

Organdin [ɔrgandí:n] 《frz.》 *m.* -s, **Organdy** [ɔrgándi:, ..gãdí:] 《frz.》 *m.* -s 〖방직〗 오건디(얇은 모슬린).

Organell [ɔrganέl] *n.* -s, -en, **Organelle** [..nέlə] *f.* -n 〖生〗 (다세포 생물의 기관처럼 기능하는 단세포 생물의) 소기관(小器官).

Organ≈empfänger *m.* 장기 수령자. **~entnahme** *f.* 장기 적출. **~handel** *m.* 장기 매매.

Organi·gramm [ɔrganigrám] *n.* -s, -e 어떤 조직 체계를 표시한 도표.

Organik [ɔrgánɪk] *f.* 유기체에 관한 학문.

***Organisation** [..nizatsió:n] *f.* -en ① 조직, 기구; 〖軍〗 편제; 〖生〗 (생물체의) 구성, 유기 조직; 체계화, 조직화: kapitalistische ~ 자본주의적 조직: eine ~ aufbauen〔gründen〕 조직을 건설하다〔결성하다〕. ② 조합, 연합, 협회.

Organisations≈büro *n.* 조직(체) 사무실. **~fehler** *m.* 조직상의 오류. **~form** *f.* 조직 형식. **~gabe** *f.* ↑ ~talent. **~plan** *m.* 조직 구조표. **~talent** *m.* ① 조직력. ② 조직적 재능이 있는 사람.

***Organisator** [ɔrganizá:tɔr, ..to:r] *m.* -s, -n [..tó:rən] 조직자; 조직에 능한 사람.

Organisatorin *f.* -nen ↑ Organisator 의 여성형.

***organisatorisch** [..tó:rɪʃ] *a.* 조직상의, 조직적인.

***organisch** [ɔrgá:nɪʃ] *a.* ① 유기(체)의: ~e Verbindungen 유기 화합물. ② 기관(器官)의: ~e Fehler 기관의 질병. ③〔교양〕 일정한 법칙에 따르는, 유기적인: ~ gewachsene Städte 유기적으로 성장한 도시들. ④〔교양〕 다른 것과 조화를 이루는, 유기적인: ~ miteinander verbunden sein 서로 유기적으로 결합되어 있다.

***organisieren** [..nizí:rən] 《I》 *t.* ① 계획〔준비〕하다; 조직하다, 체계화하다: organisierte Arbeiter 노동 조합원들. ②〔구어〕 (불순한 수단으로) 손에 넣다, 조달하다. 《II》 *refl.* sich ~ 조합의 일원이 되다, 조직적으로 단결하다. 《III》 **organisiert** *p.a.* ↑ organisiert.

organisiert 《I》 *p.p.* ↑ organisieren. 《II》 *p.a.* 조직화된.

Organisierung [..ruŋ] *f.* -en 계획, 준비; 조직, 체계화.

organismisch *a.* 유기체의, 유기체적인.

***Organismus** [..nísmus] *m.* -, ..men ① 유기체; 생물체. ②〔비유〕 (유기적인) 기구, 조직체.

***Organist** [..níst] *m.* -en, -en ①〖음악〗 오르간 연주자. ②〔구어〕 밀수꾼; 도둑.

Organistin [..tɪn] *f.* -nen ↑ Organist 의 여성형.

Organ≈konserve *f.* (장기 이식을 위해) 보존된 장기. **~konservierung** *f.* 장기 보존. **~mandat** *n.* (öst.) (경찰이 부과한) 벌(금).

organogen [ɔrganogé:n] *a.* ①〖化〗 유기 화합물의; 유기체 형성에 관여하는. ②〖生〗 기관을 이루는, 기관으로 이루어진.

Organographie [..grafí:] *f.* ①〖醫·生〗 기관 구조학. ②〖음악〗 악기 구조학.

organographisch *a.* ①〖醫·生〗 기관 구조학의. ②〖음악〗 악기 구조학의.

Organologie [..logí:] *f.* ①〖哲〗 유기체설. ②〖醫·生〗 기관학(器官學), 장기학. ③〖음악〗 악기 구조학.

organologisch *a.* 기관학의, 악기 구조학의.

Organon [ɔ́rganɔn] *n.* -s ① Aristoteles 의 논리학 저작물; 논리학 저서. ②〔복수: ..gana〕 (**a**) 도구; (보조) 수단. (**b**) 〖生·해부〗 기관, 장기.

Organotherapie *f.* -n [..pí:ən] 〖醫〗 장기(臟器) 요법.

Organsin [ɔrganzí:n] 《frz.》 *n./m.* -s, **Organsin·seide** *f.* 꼰 비단실(날실로 씀).

Organ≈spender [ɔrgá:n..] *m.* 장기 기증자. **~straf·verfügung** *f.* ↑ ~mandat. **~therapie** *f.* ↑ Organotherapie. **~transplantation, ~verpflanzung** *f.* 〖醫〗 장기 이식.

Organtin *m./n.* -s (öst.) ↑ Organdin.

Organza [ɔrgántsa:] *m.* -s 얇은 견직물.

Orgasmus [ɔrgásmus] 《gr. -lat.; gr. orgân, „schwellen"》 *m.* -, ..men 〖醫〗 (성적) 극치감, 오르가슴.

orgastisch [ɔrgástɪʃ] *a.* 극치감의.

***Orgel** [ɔ́rgəl] 《gr. óganon》 *f.* -n 〖음악〗 오르간, 파이프 오르간.

Orgel≈balg *m.* 오르간의 송풍기. **~bau** *m.* 오르간 제작. **~bauer** *m.* 오르간 제작자. **~bauerin** *f.* ↑ ~bauer 의 여성형. **~chor** *m.* 오르간의 여러 음을 동시에 낼 때 하나의 건반에 속하는 음관군(群).

Orgelei *f.* ① 오르간을 계속 연주하기. ②〔비유〕 서투른 음악.

Orgel·konzert *n.* 오르간 연주회.

orgeln [ɔ́rgəln] *i.* (h.) ① 오르간을 연주하다; 〔비유〕 서툴게 연주하다. ②〖사냥〗 발정해 울다. ③〔구어〕 낮은 소리로 솨솨거리다: man hörte das Wasser ~ 물이 솨솨거리는 소리가 들렸다.

Orgel≈pfeife [ɔ́rgəl..] *f.* ① 파이프 오르간의 음관. ②〔비유〕 wie die ~n dastehen (많은 아이들이) 키 순서로 열지어 서 있다. ③〔비유〕 대포; 주랑(柱廊). **~punkt** *m.* 〖음악〗 오르간 포인트, 길게 지속되는 저음(低音). **~register** *n.* ↑ ~stimme ①. **~spiel** *n.* 오르간 연주(술). **~spieler** *m.* 오르간 연주자. **~stimme** *f.* 〖음악〗 ① 오르간 음전(音栓) (같은 음색을 내는 동형 대소의 음관열(音管列)). ② 오르간 음전(音栓) 개폐 장치. **~treter** *m.* 오르간의 송풍기 페달. **~trio** *n.* 오르간 삼중주곡. **~zug** *m.* ① ↑ ~stimme ①. ② 오르간의 음관열(列).

Orgiasmus [ɔrgíasmʊs] *m.* -, ..men (고대 그리스·로마의) 광란의 축제.

orgiastisch [ɔrgiástɪʃ] 《lat.》 *a.* 광란의, 무절제한, 분방한, 방탕한, 방종한.

Orgie [ɔ́rgiə] 《lat. orgia》 *f.* -n ① 난음(亂飮)·난무(亂舞)의 주연(酒宴). ②〔비유〕 무절제: 〔비유〕 sein Haß 〔seine Rachsucht〕 feiert wahre ~n 그의 증오심〔복수심〕은 한이 없다.

***Orient** [oriέnt, ó:riεnt] 《lat. (sol) oriens》 *m.* -s (↔ Okzident) ①〔고어〕 동쪽. ② 동양; 중근동: der Vordere~ 근동.

Orientale [oriεntá:lə] *m.* -n, -n 동양 사람; 중근동 지역 사람.

Orientalin *f.* -nen ↑ Orientale 의 여성형.

***orientalisch** [orɪεntá:lɪʃ] *a.* 동양의; 동쪽의, 중근동의: ∼e Frage (터키 및 발칸 반도를 둘러싼 역사상의) 근동 문제; ~es Kaisertum 동로마 제국(특히 비잔틴 제국); 〖宗〗 ∼e Kirche 그리스 정교; 〖動〗 ~e Region 동양구(區) (인도·말레이 군도 등을 포함하는 동물 분포 구분의 하나).

Orientalismus *m.* 〖전문·교양〗 오리엔탈리즘.

***Orientalist** [oriεntalɪ́st] *m.* -en, -en 동양(어문) 학자.

***Orientalistik** [..lɪ́stɪk] *f.* 동양(어문)학.

Orientalistin *f.* -nen ↑ Orientalist 의 여성형.

orientalistisch [..lɪ́stɪʃ] *a.* 동양(어문)학의.

Orient·expreß [oriέnt, ó:riεnt..] *m.* (파리와 콘스탄티노플 간을 달리는) 국제 특급 열차.

***orientieren** [o(:)riεntí:rən] 《lat. -frz.; ↑ Orient》 《I》 *t.* ① 방위에 맞추다, 방위를 정하다: eine Karte ~ 지도를 실제의 방위에 맞춰서 놓다. ② (a) 〔비유〕 어떤 방향으로 향하게 하다: dieses philosophische Werk ist stark religiös orientiert 이 철학책은 종교적인 경향이 강하다: der Chor der Kirche ist nach Osten orientiert 교회의 합창석은 동쪽을 향하고 있다. (b) 가르치다; 알려주다: darüber bin ich nicht orientiert 그 점에 대해 나는 아는 바가 없다; er ist über die augenblickliche Lage nicht orientiert 그는 현 정세에 관해서 전혀 알지 못한다. 《II》 *refl.* sich ~ ① 올바른 방향을 찾다, 가야할 길을 알다: sich im Nebel ~ 안개 속에서 방향을 알아내다; ich orientiere mich leicht in einem fremden Gebiet 나는 낯선 곳에서 쉽게 방향을 알아낸다. ② 알게 되다: sich über et. ~ 무엇에 관하여 알게 되다. ③ sich an 〔nach〕 jm.〔et.[3]〕 ~ 관심〔생각·관점〕을 무엇〔누구〕에 맞추다, 무엇을〔누구를〕 모범으로 하다: sich am Gesamtwohl des Volkes ~ 민족의 공익에 관심을 두다. ④〖구동독〗 목표로 하다; 의도하다, 전념하다: sich auf industriemäßige Produktion ~ 대량 생산을 목표로 하다.

***Orientierung** [oriεntí:rʊŋ] *f.* -en ① 방향 설정, 방향 감각: die ~ verlieren 방향 감각을 잃어버리다; eine gute ~ haben 방향 감각이 좋다. ② 안내, 소개; 모범〔기준〕으로 함; 입장, 태도. ③〖宗〗 제단이 동쪽으로 향하도록 교회당을 짓기. ④〖心〗 정위(定位) (물건의 위치·관계를 인지하기); 지남력(指南力) (또는 소재식(所在識): 현재와 과거의 관계를 바르게 인식하는 정신 작용). ⑤〖광물〗 정위(定位). ⑥〖구동독〗 목표로 함, 의도, 전념.

orientierungslos *a.* 정해진 방향 없는, 아는 바 없는.

Orientierungs≈plan *m.* 방위도(圖). **~sinn** *m.*, **~vermögen** *n.* 방향 감각; 〖醫〗 국소(局所) 감각, 부위각(部位覺); 〖生〗 귀소 본능, (비둘기·벌의) 귀가 능력. **~stufe** *f.* 〖교육〗 (초등 학교 제 5, 제 6 학년 과정의) 조정 기간〔단계〕.

Orient≈kunde [oriέnt, ó:riεnt..] *f.* 동양학. **~teppich** *m.* (터키·페르시아 등) 동양의 양탄자.

Oriflamme [ó:riflamə] 《frz.; „goldene Flamme"》 *f.* (옛날) 프랑스 왕의 전쟁 군기(軍旗).

***original** [originá:l] 《lat. origo, „Ursprung"》 *a.* ① 원래의, 진짜인; 원본의, 사본이 아닌: ~ Schweizer Uhren 진짜 스위스 시계. ② 고유의, 독창적인; 독특한. ③〖방송〗 생방송의, 직접의: das Endspiel wird ~ übertragen 결승전은 생방송으로 중계된다.

***Original** *n.* -s, -e ① 원형, 원본. ② 원화, 원작, 원판, 원서, 원문: Zeugnisse im ~ vorlegen 증명서를 원본으로 제출하다. ③ (Sonderling) 별난 사람, 기인. ④ 모델, 본보기.

Original≈aufnahme *f.* ① (사진·테이프의) 원판. ② 현장 녹음〔녹화〕. **~ausgabe** *f.* 원서, 원판. **~band** *m.* 원서. **~dichter** *m.* 원작자. **~dokument** *n.* 원본(문서). **~druck** *m.* 원판. **~fassung** *f.* 원고의 원본. **~gemälde** *n.* 원화. **~genie** *n.* 독창적 천재. **∼getreu** *a.* 원본과 일치하는. **~handschrift** *f.* 친필〔자필〕(원고).

***Originalität** [originalitέ:t] *f.* -en ① 원형〔원본〕임; 참됨: an der ~ dieses Dokumentes besteht kein Zweifel 이 기록 문서가 진본이라는 점은 의심할 여지가 없다. ② 창의성; 독창

성; 특이성, 기발: dem Schriftsteller fehlt es an ~ 그 작가에는 독창성이 결여되어 있다.

Original≈mensch [originá:l..] *m.* 별난 사람, 기인. **~sprache** *f.* (번역문의) 원어. **~text** *m.* 원문. **~ton** *m.* 오리지널 사운드. **~werk** *n.* 원작, 원전, 원저. **~zeichnung** *f.* 원화.

originär [originɛ́:r] *a.* 본래의; 완전히 새로운, 독자적인, 자주적인.

originell [originɛ́l] *a.* ① 본원〔근원·원시〕의. ② 독특한; 기묘한, 우스꽝스러운. ③ 독창적인: ein ~er Gedanke 독창적인 생각. ④ 타고난, 선천적인, 자연 그대로의.

Orinoko [orinó:ko] *m.* (남아메리카의) 오리노코강.

Orion [orí:ɔn] 《gr.》 *m.* -(s) ①〖그리스신화〗 오리온(포세이돈의 아들). ②〖天〗 오리온자리.

Orion·nebel *m.* 〖天〗 오리온 성운.

Orkan [ɔrká:n] 《indian.》 *m.* -(e)s, -e〖기상〗 허리케인.

orkan≈artig *a.* 허리케인 같은. **~stärke** *f.* 허리케인의 위력.

Orkus [ɔ́rkus] 《lat.》 *m.* ①〖로마신화〗 오르쿠스(죽음·저승의 신). ② 명부(冥府), 저승: 〖雅語〗 jn.〔et.〕 in den ~ schicken〔stoßen, befördern〕 누구를〔무엇을〕 처치하다〔파멸시키다〕.

Orlean [ɔrleá:n, ɔrleã:] 《frz.》 *m.* -s〖化〗 오를레안(남아메리카산(産)의 같은 이름의 나무 씨앗에서 추출되는 황등색(黃橙色)의 원사·식품 착색 염료; 사용 금지되고 있음).

Orleaner [ɔrleá:nər] 《frz.》 *m.* -s, - 오를레앙의 주민.

Orleanist [..leaníst] *m.* -en, -en 오를레앙 왕가의 지지파.

Orleans [ɔrleã:, ɔ́rleã:] 《frz.》《Ⅰ》(프랑스 중부의 도시) 오를레앙: die Jungfrau von ~ 오를레앙의 소녀(Jeanne d'Arc). 《Ⅱ》*m.* -, - (프랑스의) 오를레앙 왕가의 사람. 《Ⅲ》*m.* -〖섬유〗 혼방 모직물.

Orlog [ɔ́rlo:k] 《ndl.》 *m.* -s, -e/-s〖海·고어〗 (Krieg) 전투, 전쟁.

Orlog≈deck *n.* ↑ Orlopdeck. **~schiff** *n.* 〖海·고어〗 군함(Kriegsschiff).

Orlon [ɔ́rlɔn, ɔrló:n] 《engl.》 *n.* -(s) 올론(합성 섬유의 일종).

Orlop·deck [ɔ́rlo:p..] 《engl. orlop》 *n.* 〖海〗 (특히 군함의) 맨 아래 갑판.

Ormuzd [ɔ́rmutst, ɔ́rmuzd] 《pers.》 *m.* 〖宗〗 아후라 마즈다(조로아스터교의 최고 신; 선과 빛의 신).

***Ornament** [ɔrnamɛ́nt] 《lat. ornare》 *n.* -(e)s, -e 장식, 치장, (건축의) 장식.

ornamental [ɔrnamɛntá:l] *a.* 장식이 붙은, 장식적인.

ornament·artig *a.* 장식과 같은.

Ornamenten·stil *m.* 장식체; 장식이 많은 양식.

ornamentieren [..tí:rən] *t.* 장식하다.

Ornamentik [..mɛ́ntɪk] *f.* ①〖총칭〗(특정 시대의 예술품의) 장식, 문양(文樣) (전체). ②〖음악〗 a)〖총칭〗(시대·작곡가·악기의) 장식음, b) 장식술.

Ornament·stich *m.*〖예술〗 장식이 새겨진 15세기 경의 동판화.

Ornat [ɔrná:t] *m.* -(e)s, -e 예복; (특히 성직자의) 제복(祭服): 〖비유〗 in vollem ~ 성장(盛裝)하고.

Ornis [ɔ́rnɪs] *f.*〖動〗 한 지역에 서식하는 조류 전체.

Ornithologe [ɔrnitoló:gə] 《gr.》 *m.* -n, -n 〖動〗 조류 학자.

Ornithologie [..logí:] *f.* 조류학(Vogelkunde).

Ornithologin *f.* -nen ↑ Ornithologe의 여성형.

ornithologisch [..ló:gɪʃ] *a.* 조류학의.

Ornithophilie [..filí:] *f.*〖生〗 조류를 통한 꽃가루의 수정(受精).

oro.. 《gr. óros》 *pref.* "산(山)"의 뜻.

Orogenese [orogené:zə] *f.* -n〖지질〗 조산(造山) 운동(Gebirgsbildung).

Orogenie [..gení:] *f.* 산악 생성학.

Orognosie [..gnozí:] *f.* 기술(記述) 산악학.

orognostisch [orognɔ́stɪʃ] *a.* 기술 산악학의〔에 관련되는〕.

Orographie [..grafí:] *f.* -n [..fí:ən] 지형학.

orographisch [..grá:fɪʃ] *a.* 지형학의, 지형학에 관련되는.

Orohydrographie [..hydrografí:] *f.* -n [..fí:ən] 산지 수류(水流) 연구.

orohydrographisch *a.* 산지 수류 연구의〔에 관련되는〕.

Orologie [..logí:] *f.* 비교 산학(山學).

orologisch *a.* 비교 산학의〔에 관련되는〕.

Orpheon [ɔrfé:ɔn], **Orpheum** [ɔrfé:um] 《♧ Orpheus》 *n.* -s, ..pheen [..fé:ən] ① 음악당(Tonhalle). ② (옛날의) 오락장.

Orpheus [ɔ́rfɔʏs, ..fɛus] *m.*〖그리스신화〗 오르페우스(전설적인 악사의 이름).

Orphik [ɔ́rfɪk] *f.*〖宗〗 (고대 그리스의) 오르페우스 비교(祕敎).

Orphiker [ɔ́rfɪkər] *m.* -s, - (고대 그리스의) 오르페우스 교도.

orphisch [ɔ́rfɪʃ] *a.* ① (a) 오르페우스 비교(祕敎)의. (b) 신비한. ② 오르페우스의.

Orpington [ɔ́:rpɪŋtən] *f.* -s 오핑턴(비육 오리).

Orplid [ɔrplí:t] *n.* -s 유토피아의 섬(시인 E. Mörike 와 극작가 L. Bauer 가 구상한).

***Ort** [ɔrt] 《germ., „Spitze"》《Ⅰ》*m.* -(e)s, -e/ (특정 의미) Örter [œ́rtər] ① (a) 장소, 공간, 곳: hiesigen ~(e)s 당지에서; an diesem ~ 이곳에서(hier); verdächtige Örter besuchen 수상한 곳에 출입하다; an ~ und Stelle 정해진 곳에서, 현장에서; der ~ des Verbrechens〔der Tat〕 범죄의 현장; an öffentlichen ~en 공공 장소(도로·광장)에서; die Einheit von Zeit und ~ (im Drama) (희곡에서) 때와 장소의 일치; sich am dritten ~ treffen 제 3 의 장소에서 만나다. (b) (글의) 어느 대목: am angegebenen〔angeführten〕 ~ 앞서 말한 부분에서(약어: a.a.O.). (c) 적당한 시점: dazu ist hier und jetzt nicht der ~ 지금 여기서는 그런 말을 하는 것이 부적절하다. (d)〖구어·은어〗 화장실, 변소: einen gewissen〔stillen, bewußten〕 ~ besuchen 화장실에 가다. (e)〖數〗 der geometrische ~ 궤적. (f) ohne ~ 발행지가 기재되지 않은(약어: o.O.). ②〖官〗 당국: gehörigen ~(e)s melden 당국에 신고하다. ③ 지역, 마을, 도시; 지역 주민 전체; er ist aus meinem ~ 그는 내 동향 사람이다; der ganze ~ spricht davon 그것은 온 동네 사람들의 입에 오르내리고 있다. ④ (schweiz.) 주(州): die acht alten ~e 스위스의 옛 8주. 《Ⅱ》 *n.* -(e)s, Örter 〖광산〗 (갱도 끝의) 작업장: vor ~ arbeiten 막장에서 일하다. 《Ⅲ》 *m./n.* -(e)s, -e ① 첨단, 끝: an allen ~en und Enden 도처에(서). ② (제화공의) 큰바늘. 《Ⅳ》 *m./n.* -(e)s, -e (어떤 종류의 화폐·도량형의) 4분의 1(보기: ~sgulden, ~staler).

Ort≈band *n.* 칼집의 끝을 싸는 두겁. **~baum** *m.* 숲에서 외딴 곳에 있는 나무. **~brett** *n.* 〖건축〗 방 구석의 선반.

Örtchen [œ́rtçən] *n.* -s, - 〖↑ Ort 의 축소형〗 ① 작은〔좁은〕 장소, 작은 마을. ② 〖구어〗 변소, 화장실.

orten [ɔ́rtən] 《Ⅰ》 *t.* (비행기·선박의) 현재 위치를 파악하다. 《Ⅱ》 *refl.* 〖고어〗 sich ~ 가다; 만나다.

Orter [ɔ́rtər] *m.* -s, - 항해사; (비행기의) 항법사; (배나 비행기의) 레이더 담당자.

Örter·bau [œ́rtər..] *m.* 〖광산〗 광주식(鑛株式) 채굴.

örtern [œ́rtərn] 《Ⅰ》 *t.* ① 비탈지게 하다. ② 〖광산〗 갱도를 만들다〔건설하다〕. 《Ⅱ》 *refl.* zwei Strecken〔Gänge〕 ~ sich 두 갱도가 마주친다.

Orthikon [ɔ́rtikɔn] 《gr.》 *n.* -s, -e [..kó:nə]/-s 오르티콘(텔레비전의 촬상관).

ortho.. 《gr. orthós, „recht"》 *pref.* "똑바른·옳은"의 뜻.

Orthochromasie [..kromazí:] *f.* 〖사진〗 (감광 물질의) 정색성(整色性).

orthochromatisch *a.* 〖사진〗 정색성의.

***orthodox** [ɔrtodɔ́ks] *a.* ① 〖宗〗 (↔ heterodox) (특히 종교상의) 정교를 신봉하는; 정통파의: die ~e Kirche 그리스 정교회. ② **(a)** 〖비유〗 기존의〔관습적인〕 견해나 학설을 고수하는, 정통적인. **(b)** 〖폄어〗 융통성 없는, 편협한, 완고한.

Orthodoxie [..dɔksí:] *f.*, **Orthodoxismus** *m.* - ① 〖宗〗 정교 신봉, 정통 고수. ② 기존 견해나 학설의 고수. ③ 〖비유·폄어〗 완고, 편협.

Orthoepie [..epí:], **Orthoepik** [..é:pɪk] *f.* 〖문법〗 정음학(正音學), 표준 발음법.

orthoepisch [..é:pɪʃ] *a.* 정음학의; 표준 발음의.

Orthogenese [..gené:zə] *f.* -n 〖生〗 정향(定向) 진화(설).

Orthognathie [..gnatí:] *f.* 곧바른 턱.

Orthogon [..gó:n] *n.* -s, -e 직사각형.

orthogonal [..gonáːl] *a.* 직각의, 직사각형의.

Orthografie 新정서 ⇦ Orthographie.

orthografisch 新정서 ⇦ orthographisch.

***Orthographie** [..grafí:] *f.* -n [..fí:ən] 〖문법〗 정서법(正書法).

orthographisch [..grá:fɪʃ] *a.* 정서법상의; 정서법에 맞는: ~e Fehler 정서법상의 오류들.

Orthoklas [..klá:s] *m.* -es, -e [..zə] 〖광물〗 정장석(正長石).

Orthometer *n.* 〖醫〗 안구 돌출도계(突出度計).

Orthopäde [..pɛ́:də] *m.* -n, -n 〖醫〗 정형 외과 의사(Gliederrichter).

Orthopädie [..pɛdí:] *f.* 〖醫〗 정형 외과.

Orthopädie≈mechaniker *m.* 정형 외과 기사. **~schuh·macher** *m.* 정형 외과용 특수 신발 제작자.

Orthopädin *f.* -nen ↑ Orthopäde 의 여성형.

orthopädisch [..pɛ́:dɪʃ] *a.* 정형 외과의.

Orthopädist [..pɛdíst] *m.* -en, -en 정형 외과용 보조 기구 제작자.

Orthoptere [ɔrtɔpté:rə] *f.* -n, **Orthopteron** *n.* -s, ..teren [..té:rən] 〖動〗 메뚜기목(目)의 곤충.

Orthoptist [ɔrtɔ́ptɪst] *m.* -en, -en (안과의) 시력 측정 및 사시 교정사.

Orthoptistin *f.* -nen ↑ Orthoptist 의 여성형.

Orthoskopie [..skopí:] *f.* (렌즈를 통해서) 있는 그대로 보이게 하는 시력 조정 장치.

orthoskopisch [..skó:pɪʃ] *a.* 바로 보이는; 정시(正視)의.

orthozentrisch *a.* 정중심의(렌즈의 중심이 동공의 중심과 일치된).

Örtlein [œ́rtlaɪn] *n.* -s, - 〖↑ Ort 의 축소형〗 ↑ Örtchen.

örtlich [œ́rtlɪç] *a.* ① 장소의, 장소에 관한: ~ beschränken 장소를〔지역을〕 제한하다. ② 지역적인: eine ~e Eigentümlichkeit 지역적 특색, 지방색. ③ 〖醫〗 국부의: ~e Betäubung 국부 마취.

Örtlichkeit *f.* -en ① 지역성. ② 지방, 토지. ③ 지형, 지세. ④ 〖은폐〗 eine gewisse ~ 〔die ~en〕 변소, 화장실.

Ort·mal [ɔ́rtma:l] *n.* 경계표.

Ortolan [ɔrtolá:n] 《lat.》 *m.* -s, -e 〖動〗 유럽산(産) 멧새류의 작은 새.

Orts≈adverb [ɔ́rts..] *n.* 〖문법〗 장소의 부사. **~angabe** *f.* 장소의 표시〔기재〕, 주소. **~ansässig** *a.* 특정한 곳에 거주하는. **~anwesend** *a.* 현재 있는〔출석한〕. **~arme*** *der/die* 특정한 곳의 빈민. **~armen·kasse** *f.* 빈민 구호 기금. **~ausgang** *m.* 지역의 변두리. **~behörde** *f.* 지방 관청, 읍·면사무소. **~beirat** *m.* 지방 자치 단체 자문 위원(회). **~beschaffenheit** *f.* 지역의 토질, 지형. **~beschreibung** *f.* 지방지(誌), 풍토기(記). **~bestimmung** *f.* ① (비행기·선박의) 위치의 결정〔확인〕. ② 지형 측량. ③ 〖문법〗 장소를 나타내는 상황어. **~beweglich** *a.* (기계 등이) 분리 이동이 가능한(↔ ~fest): ~e Maschinen 비고정형 기계들. **~bewegung** *f.* 이동, 운동.

Ortschaft [ɔ́rtʃaft] *f.* -en 지방, 촌락, 마을.

Ort·scheit [..ʃaɪt] *n.* 마차의 가로대.

Orts≈durchfahrt [ɔ́rts..] *f.* 지역 관통 도로. **~eingang** *m.* 마을의 진입로〔입구〕. **~fest** *a.* 고정된, 내장된, 붙박이의(↔ ~beweglich). **~fremd** *a.* 낯선, 타지역 출신인. **~gedächtnis** *n.* 장소에 관한 기억(력). **~geistliche*** *der* 한 지역의 성직자. **~gemeinde** *f.* 자치 단체, 읍면. **~geschichte** *f.* 풍토기, 향토지(誌). **~gespräch** *n.* (↔ Ferngespräch) 시내〔지역내〕 통화. **~gruppe** *f.* ① 지구당; 지방 분회. ② 〖총칭〗 지구당원; 지방 분회원. **~(gruppen)·leiter** *m.* (나치스의) 지구당 지도자. **~kenntnis** *f.* 어떤 지방에 관한 지식. **~klasse** *f.* 토지 등급; 〖구동독〗 (생계비 보조 지급액 결정 기준이 되는) 지역 등급. **~kranken·kasse** *f.* 지역

의료 보험 조합. **~kunde** *f.* ↑ ~kenntnis. **≈-kundig** *a.* 지방 사정에 밝은. **~name** *m.* 지명. **~namen·forschung** *f.* 지명 연구〔학〕. **~netz** *n.* 지역 전화망〔배선망〕. **~netz·kenn·zahl** *f.* (전화의) 지역 번호. **~obrigkeit** *f.* 지방 관청〔당국〕. **~pfarrer** *m.* ↑ ~geistliche. **~polizei** *f.* 지방 경찰. **~sender** *m.* 지방 방송국〔송신소〕. **~sinn** *m.* ① 방향〔위치〕 감각. ②〖醫〗 부위각(部位覺). ③〖動〗 귀소 본능. **~statut** *n.* 〖法〗 지방 조례. **~teil** *m.* 한 구역.

Ort·stein [ɔ́rt..] *m.* ①〖광물〗 소철광(沼鐵鑛). ②〖건축〗 주춧돌, 초석(礎石). ③ (obd.) 경계석.

orts≈üblich [ɔ́rts..] *a.* 그 지방의 관습인. **≈-umgehung** *f.* 시〔마을〕우회 도로. **≈unter-kunft** *f.* (군대의) 숙영지, 숙소. **≈veränderung** *f.* (소재지의) 이전;〖醫〗 전지(轉地). **≈verband** *m.* 지방 단체. **≈verein** *m.* 지역 협회〔조합〕. **≈verkehr** *m.* 지역 교통〔통화〕. **≈vorsteher** *m.* 읍장, 면장. **≈-wechsel** *m.* ↑ ≈veränderung. **≈wechsel·theraphie** *f.* 〖醫〗 전지 요법. **≈zeit** *f.* (↔ Normalzeit) 현지 시간; 지방시(時). **≈zu-schlag** *m.* 지역〔근무지〕 수당.

Ortung [ɔ́rtʊŋ] *f.* -en ① 위치 측정〔확인〕. ②〖광산〗 갱도의 선단(先端).

Ort·ziegel [ɔ́rt..] *m.* 〖건축〗 너새기와.

orykto.. 《gr. orýssein》 *pref.* "암석·화석"의 뜻.

Oryktognosie [orʏktognozí:] *f.* 〖지질〗 광물 분류학.

Oryktologie *f.* 광물학.

Oryktozoologie *f.* 화석 동물학.

OS 《engl.》 =operating system 운영 체계.

Os[1] [o:s] 〖化〗 =Osmium 오스뮴.

Os[2] *m./n.* -(es), -er [ó:zər] 〖지질〗 내륙 빙하의 침식 작용으로 형성된 제방상(堤防狀)의 구릉.

öS =österreichischer Schilling 오스트리아 실링(오스트리아의 화폐 단위).

ös [œs] *prn.* (bayr.) ↑ ihr.

OSB =Ordinis Sancti Benedicti 《lat.》 성(聖)베네딕트 수도회(의).

Oscar [ɔ́skar] *m.* -(s), -(s) 오스카상(미국의 영화상).

Öse [ǿ:zə] *f.* -n ① 망치·도끼의 자루를 끼는 구멍; 구두의 끈을 꿰는 구멍; 후크의 고리쇠; 작은 금속 고리. ②〖軍〗 ~ einer Handgranate 〔Handgranaten≈〕 수류탄의 안전핀 고리.

Ösel [ǿ:zəl] *m.* -s, - (ndd.) 양초 심지의 타다 남은 부분.

ösen [ǿ:zən] (ndd.) *t.* ein Boot〔Wasser〕 ~ 보트 안으로 들어온 물을 퍼내다.

Osiris [ozí:rɪs] 《ägypt.》 *m.* 〖신화〗 오시리스 (이집트의 저승의 신).

Oskar [ɔ́skar, ..ka:r] 《angelsächs. „Ase"+ „Ger"》 *m.* 오스카(남자 이름): frech wie ~ 매우 파렴치한.

Osker [ɔ́skər] *m.* -s, - 오스카인(이탈리아의 고대 민족의 하나).

oskisch [ɔ́skɪʃ] *a.* 오스카인의.

Oskulation [ɔskulatsió:n] *f.* -en 〖數〗 (두 곡선의) 접촉.

oskulieren [..lí:rən] *t.* 〖數〗 접촉하다.

Oslo [ɔ́slo:, (norw.) úslu] 오슬로(노르웨이의 수도).

Osloer 《Ⅰ》 *m.* -s, - 오슬로 사람. 《Ⅱ》 *a.* 오슬로의.

Osman [ɔ́sman, ɔsmá:n] 오스만 1세(오스만 제국의 창시자, 1259-1326).

Osmane [ɔsmá:nə] *m.* -n, -n/..manli 오스만 제국〔터키〕 사람.

Osmanentum *m.* -s 오스만 민족〔기질·문화〕.

osmanisch [..nɪʃ] *a.* 오스만 제국(사람)의.

Osmanli ↑ Osmane 의 복수형.

Osmium [ɔ́smiʊm] 《gr. osmḗ, „Geruch"》 *n.* -s 오스뮴(기호: Os).

Osmologie [ɔsmologí:] 《gr.》 *f.* 향료학.

Osmose [ɔsmó:zə] *f.* -n 〖化·生〗 삼투.

osmotisch [ɔsmó:tɪʃ] *a.* 삼투(성)의.

Osnabrück [ɔsnabrʏ́k] 오스나브뤼크(독일 니더작센주의 도시).

OSO =Ostsüdost(en) 동남동; 동남동풍.

Ösophagus [øzó:fagus] 《gr. -lat.》 *m.* -, ..gi 〖해부〗 식도(Speiseröhre).

Osram [ɔ́sram] 《<Osmium+Wolfram》 *n.* -s 〖化〗 오스람(오스뮴과 텅스텐의 합금).

Osram·lampe *f.* 오스람 전구.

Ossarium [ɔsá:riʊm] 《lat. os, „Knochen"》 *n.* -s, ..rien [..riən] ① 납골당. ② 유골 보관용 소형 석관(石棺).

Ossian [ɔ́sian] *m.* 오시안(3세기경의 켈트족의 전설적 시인).

Ossifikation [ɔsifikatsió:n] 《lat.》 *f.* -en 〖醫〗 골화(骨化).

ossifizieren [..tsí:rən] *i.* (h./s.) 〖醫〗 골화(骨化)하다.

Ossuarium [ɔsuá:riʊm] *n.* -s, ..rien [..riən] ↑ Ossarium.

***Ost** [ɔst, (때로는 방언) o:st] 《↑ Osten》 *m.* ① -(e)s 〔방위명으로는 관사 없이〕 동쪽(약어: O); 동부, 동쪽 위치〔방향〕: ~ und West 동과 서; die Spannungen zwischen ~ und West 동서 간의 긴장; der deutsche ~ 동부 독일(Ostdeutschland). ② -(e)s, -e 동풍: es wehte ein scharfer ~ 동풍이 강하게 불었다.

ost.. *pref.* "동(東)"의 뜻.

Ost≈afrika [ɔ́st|á:frika] 동부 아프리카. **≈-afrikanisch** *a.* 동부 아프리카의. **~angeln** ① *pl.* 앵글로색슨족의 일부. ② *n.* -s 앵글로색슨 왕국. **≈asiatisch** *a.* 동아시아의. **~-asien** 동아시아. **≈baltisch** *a.* 동발틱의. **~berlin** 동베를린. **~berliner** *m.* 동베를린 사람. **~block** *m.* 동유럽 블록(동유럽 공산 국가들).

Ostblock≈land *n.* 동유럽 블록국가. **~staat** *m.* 동유럽 블록 국가.

ost≈deutsch *a.* ①〔옛뜻〕 엘베강 동쪽 옛 독일 제국땅의. ② 동부 독일의. ③〔구어〕 (구서독 시각에서의) 구동독의. **~deutschland** *n.* 동부 독일; 구동독.

Ostealgie [ɔstealgí:] *f.* -n [..gí:ən] 〖醫〗 골통(骨痛).

Ostelbier [ɔ́stɛlbiər] *m.* -s, - 엘베강 동쪽 출신의 대지주.

osten *t.* (건물 등을) 동쪽으로 향하게 하다.

***Osten** [ɔ́stən, (방언) ó:s..] 《gr. ēṓs》 *m.* -s ① 〔방위명으로는 관사 없이〕 동쪽(약어: O): gegen ~ 동쪽을 향하여; es dämmert 〔graut, lichtet sich〕 im ~ 동쪽 하늘이 밝아 온다. ② 동쪽 지역의 나라: der Ferne ~ 극동. ③ (어떤 지역의) 동부: im ~ von Deutschland 독일의 동부에서. ④동유럽 블록 국가들.

ostensibel [ɔstɛnzí:bəl] 《frz. ostensible》 *a.* ①눈에 띄는. ②겉치레〔겉보기만〕의. ③공공연한, 주지의.

ostensiv [..zí:f] *a.* ①명백한, 공공연한. ②과시하는; 자극적인.

Ostentation [..tsió:n] *f.* -en ①겉치레, 과시. ②허풍.

ostent(at)iös [..t(at)siǿ:s] *a.* ↑ ostentativ①.

ostentativ [..tí:f] *a.* ①과시하는; 자극적인. ②뚜렷한, 명백한.

Osteologie [ɔsteologí:] 《gr. ostéon, „Knochen"》 *f.* 〖醫〗 골학(骨學).

Osteomalazie [ɔsteo:malatsí:] *f.* -n [..tsí:ən] 〖醫〗 골연화증(骨軟化症).

Osteomyelitis [ɔsteomyelí:tɪs] *f.* ..tiden [..tí:dən] 골수염(骨髓炎).

Osteoplastik [..plástɪk] *f.* -en 골(骨)성형술.

osteoplastisch [..plástɪʃ] *a.* 골성형술의.

Osteoporose [..poró:zə] *f.* -n 〖醫〗 골다공증(骨多孔症).

Oster *f.* -n ↑ Ostern.

Oster≈abend [ó:stər..] *m.* 〖宗〗 부활절 전날 밤. **~blume** *f.* 부활절 무렵에 피는 각종의 꽃(수선화·할미꽃 등). **~brauch** *m.* 부활절 풍습. **~ei** *n.* 부활절 달걀(부활절에 아이들에게 주는 채색한 달걀 또는 달걀 모양의 과자). **~feier** *f.*, **~fest** *n.* 부활절. **~feuer** *n.* 부활절 전날밤 (산에) 피우는 불. **~fladen** *m.* ↑ ~kuchen. **~glocke** *f.* 수선화. **~hase** *m.* 부활절 토끼(~ei 를 가져온다고 함; 토끼 모양의 초콜릿).

Osteria [ɔsterí:a], **Osterie** [..rí:] 《lat. -it.》 *f.* ..rien [..rí:ən] (Gasthaus) 여관; 선술집.

Oster≈insel *f.* 이스터섬(남태평양의 칠레령). **~kerze** *f.* ①〖가톨릭〗 부활절에 쓰이는 초. ②〖植〗 현삼과(玄蔘科)의 일종. **~kuchen** *m.* 부활절 케이크. **~lamm** *n.* ①부활절의 어린 양(유대의 유월절에 잡는 어린 양에서). ②부활절에 먹는 어린 양 모양의 과자.

osterlich [ó:stər..], **österlich** [ǿ:stər..] *a.* 부활절의: die ~e Zeit 부활절 기간(부활절 전야에서 성령 강림절 후의 일요일까지).

Oster≈lied *n.* 부활절 노래〔찬미가〕. **~luzei** [..lutsai, o:..lú:..] *f.* 〖植〗 쥐방울속(屬). **~-marsch** *m.* 평화를 기원하는 반전(反戰) 부활절 시위 (행진). **~marschierer** *m.* 부활절 시위 (행진) 참가자. **~messe** *f.* ① (라이프치히의) 부활절에 서는 장. ②부활절 미사. **~-monat, ~mond** *m.* 〖고어〗 4월. **~montag** *m.* 부활절 이튿날(제 2 제일(祭日)).

***Ostern** [ó:stərn] *n.* -, - ①〖宗〗 부활절(3월 21일 이후 첫 만월 다음에 오는 첫 일요일): ~ fällt früh 〔die ~ fallen früh〕 부활절이 (예년보다) 빨리 온다; zu ~ 부활절 때에; Frohe ~! 즐거운 부활절을 맞기를!; weiße ~ 눈이 온 부활절 〖농담〗 wenn ~ und Pfingsten zusammenfallen 〔auf einen Tag fallen〕 해가 서쪽에서 뜬다 해도(결코 …하지 않는다) (niemals). ②〖宗〗 ~ der Juden 유월절(이스라엘의 출애굽 기념일).

Oster·pflicht *f.* 〖가톨릭〗 부활절의 의무(신자들이 부활절 기간에 영성체(領聖體)할 의무).

***Österreich** [ǿ:stəraɪç] 오스트리아.

Österreicher [..çər] *m.* -s, - 오스트리아 사람.

Österreicherin *f.* -nen ↑ Österreicher 의 여성형.

österreichisch [..çɪʃ] *a.* 오스트리아의: ≈er Rundfunk 오스트리아 라디오 방송(약어: ÖRF).

österreichisch-ungarisch *a.* 오스트리아·헝가리의.

Österreich-Ungarn 오스트리아·헝가리 왕국(1867-1918 년 사이에 존속).

Oster≈sonntag [ó:stər..] *m.* 부활절 일요일(제 1 제일(祭日)). **~spiel** *n.* (그리스도 부활이 내용인) 부활절 성극. **~verkehr** *m.* 부활절 기간의 교통 혼잡. **~woche** *f.* 부활절 주간. **~zeit** *f.* 부활절 무렵.

Ost≈europa 동유럽. **≈europäisch** *a.* 동유럽의: ≈e Zeit 유럽 표준시(時)(약어: OEZ). **~fale** *m.* 오스트팔레인(작센족의 한 부족). **≈fälisch** *a.* 오스트팔레인의. **~friese** *m.* 오스트프리슬란트 사람. **~friesen·witz** *m.* 오스트프리슬란트 사람들을 소재로 한 위트. **~friesin** *f.* ↑ ~friese 의 여성형. **≈friesisch** *a.* 오스트프리슬란트의. **~fries·land** 오스트프리슬란트. **~geld** *n.* 구동독의 돈. **~germanen** *pl.* 동게르만족(族). **≈germanisch** *a.* 동게르만의. **~gote** *m.* 동고트인.

ostinato [ɔstiná:to] 《lat. -it.》 *adv.* 〖음악〗 ①오스티나토(어떤 일정한 음형(音型)(리듬·화음·선율)을 같은 음높이로 반복하기). ② Basso ~ 반복 저음.

Ost≈indien (↔ Westindien) 동인도(동남 아시아에 대한 옛 명칭); 인도의 동부. **~indien·fahrer** *m.* 〖海〗 (특히 동인도 회사의) 동인도로 운행하는 상선. **≈indisch** *a.* 동인도의.

ostisch [ɔ́stɪʃ] *a.* 알프스(계)의.

Ostitis [ɔstí:tɪs] 《gr.》 *f.* ..titiden [..tití:dən] 〖醫〗 골염(骨炎).

Ost≈kirche *f.* 동방 교회, 그리스 정교회. **~küste** *f.* 동부 해안.

***östlich** [œstlɪç, (방언) ǿ:st..] 《Ⅰ》 *a.* ①동쪽의: unter 13° ~er Länge (약어: ö.L.) liegen 동경 13°에 위치해 있다; ~er Wind 동풍. ②동쪽으로 향한: in ~er Richtung 동쪽 방향으로. 《Ⅱ》 *adv.* 동쪽에: Polen liegt ~ von Berlin 폴란드는 베를린 동쪽에 있다. 《Ⅲ》 *prp.*[2] …의 동쪽에: ~ des Rheins 라인강의 동쪽에.

Ost≈marken *pl.* 〖고어〗 (독일의) 동쪽 국경 지방. **~nord·ost(en)** [ɔst..|ɔ́st(ən)] *m.* ① 〖관사없이〗 동북동(약어: ONO). ②동북동풍. **~politik** *f.* (구서독의) 동방 정책. **~-preußen** 동프로이센. **≈preußisch** *a.* 동프로이센의. **~punkt** *m.* 〖天〗 정동(正東); 동점(東點).

Ostrakismos [ɔstrakísmɔs], **Ostrazismus** [..tsísmʊs] *m.* - 〖史〗 《gr. óstrakon, „Muschelschale, Scherbe"》 패각(貝殼) 추방(고대 그리스에서 추방자의 이름을 패각에 적어 투표한 데서).

Östreich [ǿ:straiç] ↑ Österreich.

Östrogen [œstrogé:n] 《gr.》 *n.* -s, -e 〖醫〗 에스트로겐(여성 호르몬의 하나).

Ost≈rom 동로마 (제국). **≈römisch** *a.* 동로

마의: das ~e Reich 동로마 제국. **~see** *f.* 동해, 발트해. **~see·insel** *f.* 동해〔발트해〕에 있는 섬. **~seite** *f.* 동(쪽)편. **~südost(en)** [..ɔ́st(ən)] *m.* ①〖관사 없이〗 동남동(약어: OSO). ② 동남동풍.

Ostung [ɔ́stʊŋ] 《< osten》 *f.* 동쪽으로 향하게 함.

ost≠wärts *adv.* 동쪽으로; 동쪽에(서). **~-West-Gespräch** *n.* 동서 대화. **~westlich** *a.* 동쪽에서 서쪽으로의. **~wind** *m.* 동풍. **~zone** *f.* 소련의 독일 내의 점령지구; 구동독.

Oswald [ɔ́svalt] *m.* 오스발트(남자 이름).

Oszillation [ɔstsılatsió:n] *f.* -en ①〖物〗 진동; 발진(發振). ② **(a)**〖지질〗 지각의 융기와 침강. **(b)** 해면의 동요. **(c)** 빙하 설상부(舌狀部)의 돌출과 후퇴.

Oszillator [..lá:tɔr, ..to:*r*] *m.* -s, -en [..tó:rən] 발진기; 진동자.

oszillieren [..lí:rən] *i.* (h.) ①〖物〗 진동하다. ②〖지질〗 **(a)** (지각이) 융기하거나 침강하다. **(b)** 빙하의 설상부가 녹다.

Oszillogramm [ɔstsılográm] *n.* -s, -e 오실로그램(오실로그래프로 기록한 도형).

Oszillograph [..grá:f] *m.* -en, -en 오실로그래프(기계적 진동이나 전류·전압 등의 시간적 변화를 관측·기록하는 장치).

Otiatrie [otiatrí:] 《gr. ûs, „Ohr"》 *f.* 〖醫〗 이과학(耳科學) (Ohrenheilkunde).

otiatrisch [otiá:trıʃ] *a.* 이과학의.

Otitis [otí:tıs] *f.* ..titiden [..tití:dən]〖醫〗 이염(耳炎).

Otium [ó:tsıum] 《lat.》 *n.* -(s) 〔고어〕(Muße) 한가로움, 정온(靜穩).

Otium cum dignitate [ó:tsium kum dıgnitá:te:] 《lat.》 유유자적.

Otmar [ɔ́tmar] *m.* 오트마르(남자 이름).

Otolith [otolí:t] *m.* -s/-en, -e(n)〖해부〗 이석(耳石), 평형석.

Otologie [otologí:] *f.* 〖醫〗 이과학(耳科學).

O-Ton =Originalton 원음.

Otophon [otofó:n] *n.* -s, -e 보청기(補聽器) (Hörrohr).

Otoskop [..skó:p] *n.* -s, -e〖醫〗 이경(耳鏡).

Ottave·rime, Ottave Rịme [ɔta:verí:mə, ..me] 《it. ottavo》 *pl.* 〖문학〗 8 행시.

Ottavino [ɔtaví:no] 《lat. -it.》 *m./n.* -s, -s/..ni〖악기〗 피콜로.

Otter[1] [ɔ́tə*r*] *m.* -s, - 〔*f.* -n〕〖動〗 수달(Fischotter).

Otter[2] *f.* -n〖動〗 살무사(과(科)); 독사.

Ọttern≠brut *f.* ↑ ~gezücht. **~fang** *m.* 수달 사냥. **~gezücht** *n.* 〔비유〕 악인들, 간악한 무리. **~hund** *m.* 수달을 잡는 사냥개. **~jagd** *f.* 수달 사냥. **~zunge** *f.* 수달〔살무사〕의 혀.

Ottilia [ɔtí:lia], **Ottilie** [ɔtí:liə] *f.* 오틸리아, 오틸리에(여자 이름).

Otto[1] [óto:] *m.* 오토(남자 이름).

Otto[2] *m.* -s, -s 〔경박〕 진기한 물건.

Ọttokar [ɔ́tokar] *m.* 오토카르(남자 이름).

Ottomane [ɔtomá:nə] 《I》 *m.* -n, -n 오스만 제국〔터키〕 사람. 《II》 *f.* -n 등받이가 없고 쿠션을 넣은 터키식의 긴〔안락〕 의자.

ottomanisch [..nıʃ] *a.* 오스만 제국(사람)의.

Ọtto·motor *m.* 오토 사이클 기관.

Ottone [ɔtó:nə] *m.* -n, -n〖史〗 작센가(家) (919-1024)의 오토 황제(Ⅰ·Ⅱ·Ⅲ세).

ottonisch *a.* 오토 황제의.

out [aut] 《engl.》 *a.* ①〖스포츠〗 (볼이) 아웃인. ②〔구어〕 유행이 지난; 인기가 다한.

Out 《engl.》 *m.* -(s), -(s)〖구기〗 아웃(↑ Aus).

Out≠cast [áutka:st] 《engl.》 *m.* -(s), -s ① (인도의) 카스트 외의 천민. ② (사회·집단에서) 추방된 사람. **~einwurf** *m.*〖스포츠〗 스로인(공을 장내로 던져 넣기). **~fit** 《engl.》 *n.*〔교양〕 장비, 설비, 의장. **~law** [..lɔ:] 《engl.》 *m.* ① 추방된 사람. ② 무법자, 불한당.

Out≠linie *f.* 〖스포츠〗 (öst.) 사이드 라인. **~put** 《engl.》 *m./n.* ①〖컴〗 (↔ Input) 출력(정보). ②〖전기〗 출력, 발전력. ③〖經〗 (한 기업의) 총생산.

outrieren [utrí:rən] 《frz. outrer》 《I》 *t.* 과장하다(übertreiben): sie outriert den Unfall 그녀는 그 사고를 과장하여 표현한다. 《II》 **outriert** *p.a.* ↑ outriert.

outriert [utrí:*r*t] 《I》 *p.p.* ↑ outrieren. 《II》 *p.a.* 과장된, 과도한.

Outrierung *f.* -en 과장.

Outline-Schrift [áut..] *f.* (활자의) 테두리체, 윤곽체.

Out≠sider [áut|saidə*r*] 《engl.》 *m.* -s, - 문외한; 국외자; 조합에 가입하지 않은 사람; 승산이 없는 선수〔경마말〕. **~wachler** *m.*〖구기〗 선심(線審).

***Ouvertüre** [uvɛrtý:rə] 《frz. ouvrir, „öffnen"》 *f.* -n〖음악〗 전주곡, 서곡; (19 세기의) 하나의 악장으로 된 협주곡.

Ouvrier [uvrié:] 《frz.》 *m.* -s, -s (Handwerker) 직공; 수공업자.

ouvrieren [uvrí:rən] *t.* 열다; 개시하다.

Ouzo [ú:zo] *m.* -(s), -s 그리스산(産) 아니스 화주(火酒).

oval [ová:l] 《lat. ovum, „Ei"》 *a.* (eirund) 달걀 모양의, 타원형의.

Oval *n.* -s, -e 달걀꼴, 타원형.

Ovar [ová:*r*] *n.* -(e)s, -e〖해부·動〗 난소(卵巢).

ovarial [ovariá:l] *a.* 난소의.

Ovarial·hormon *n.* 난소 호르몬.

Ovarium [ová:rium] *n.* -s, ..rien [..riən]〖해부·動〗 난소;〖植〗 씨방, 자방.

Ovation [ovatsió:n] 《lat. ovare》 *f.* -en ① 소규모 개선식. ② 열광적인 박수 갈채, 열렬한 환영: jm. ~en bereiten〔bringen〕 누구를 열렬히 환영하다.

Overall [ó:vərɔ:l, ..ral] 《engl.》 *m.* -s, -s 아래 위가 붙은 덧옷, 작업복.

overdressed [ó:və*r*drɛst] 《engl.》 *a.* 옷이 지나치게 요란한.

Overdrive [ó:və*r*draiv] 《engl.》 *m.* -(s), -s〖車〗 (주행 속도를 낮추지 않고 엔진의 회전수를 줄이는) 연료 소비 절약형 기어 장치.

Overhead-Projektor [ó:və*r*hed-] 《engl.》 *m.* 교육용 투영 장치.

Overkill [ó:vərkil] 《engl.》 *m./n.* -(s) 〖軍〗 무기의 과잉 보유.

Ovid [oví:t] *m.* 오비디우스(고대 로마 시인, 43 B.C.-17 ? A.D.).

ovipar [ovipá:*r*] 《lat.》 *a.* 〖動〗 난생(卵生)의.

ovoid [ovoí:t], **ovoidisch** [ovoí:dıʃ] *a.*〖生〗

알 모양의.
Ö.V.P. =Österreichische Volkspartei 오스트리아 국민당.
Ovulation [ovulatsió:n] 《lat.》 *f.* -en 〖動·醫〗 배란(排卵).
Ovulations·hemmer *m.* 배란 억제제(피임제). **~zyklus** *m.* 배란 주기.
Oxal·säure [ɔksá:l..] *f.* 〖化〗 수산(蓚酸).
Oxer [ɔ́ksər] *m.* -s, - ①〖승마〗 울타리 장애물. ②목장들 사이의 차단 횡목.
Oxhoft [ɔ́kshɔft] 《ndd.》 *n.* -(e)s, -e 옥스호프트(옛날 독일의 액량 단위; 200-240 리터, 일설에는 400-500 리터).
Oxid [ɔksí:t] *n.* -(e)s, -e 〖化〗 ↑ Oxyd.
oxy.. 《gr. oxýs》 *pref.* "날카로운, 산성(酸性)의"의 뜻.
Oxyd [ɔksý:t] *n.* -(e)s, -e [..də] 〖化〗 산화물: mit Wasser verbundenes ~ 수산화물; in ein ~ verwandeln 산화시키다.
Oxydation [..datsió:n] *f.* -en 〖化〗 ①산화(작용); 산화물. ②〖化·理〗 화학 원소 또는 화합물의 전자 방출 (과정).
Oxydations≈flamme *f.* 〖化〗 산화 불꽃. **~-mittel** *n.* 산화제.
oxydierbar *a.* 산화할 수 있는.
oxydieren [ɔksydí:rən] 《Ⅰ》 *t.* 〖化〗 ①산화시키다. ②〖化·理〗 전자를 방출하다. 《Ⅱ》 *i.* (s.)/*refl.* (sich) ~ 산화하다, 산화물이 되다.
Oxydierung [..ruŋ] *f.* -en ↑ Oxydation.
oxydisch [ɔksý:dɪʃ] *a.* 〖化〗 산화물을 함유한.
Oxydul [ɔksydú:l] *n.* -s, -e 저급 산화물.
Oxygen [ɔksygé:n] *n.* -s 〖化〗 산소(기호: O).
Oxygen·gas *n.* 산소 가스.
Oxygenium [..nium] *n.* -s ↑ Oxygen.
Oxyhämoglobin [ɔksyhɛmoglobí:n] *n.* -s 〖醫〗 산화 헤모글로빈.
Oxymoron [ɔksý:morɔn] 《gr. morós, „albern"》 *n.* -s, ..ra 〖修〗 모순 어법(보기: ein lautes Geheimnis 공공연한 비밀).
Oxytonon [ɔksý:..] *n.* -s, ..tona (그리스 문법에서) 마지막 음절에 악센트를 갖는 단어.
***Ozean** [ó:tsea:n, otseá:n] 《gr. -lat.》 *m.* -s, -e 대양, 해양; 〔비유〕 대량: der Pazifische 〔Stille〕 ~ 태평양; der Atlantische〔Indische〕 ~ 대서양〔인도양〕; 〖농담〗 dem ~ Tribut zahlen 뱃멀미를 하여 토하다; 〖비유〗 in einem ~ von Wonne versinken 환희(의 바다)에 빠지다, 미칠 듯이 기뻐하다.
Ozeanarium [otseaná:rium] *n.* -s, ..rien [..riən] 대형 수족관.
Ozeanaut [otseanáut] *m.* -en, -en 수중〔해저〕 탐사자.
Ozean≈dampfer *m.* 대양 횡단 대형선. **~-flug** *m.* 대양 횡단 비행.
Ozeanide [otseaní:də] 《gr.》 *f.* -n 〖그리스신화〗 바다의 요정.
Ozeanien [otseá:niən] 오세아니아주, 대양주.
Ozeanier *pl.* 오세아니아주 주민.
***ozeanisch** [..nɪʃ] *a.* ①대양의; 해양성의: ~es Klima 해양성 기후. ②오세아니아주의, 대양주의.
Ozeanographie [..grafí:] *f.* 해양학.
ozeanographisch [..grá:fɪʃ] *a.* 해양학의: ~es Museum 수족관.
Ozean·telegraphie *f.* 해저 전신(電信).
Ozelle [otsɛ́lə] *f.* -n 〖動〗 (절지 동물의) 홑눈.
Ozelot [ɔ́tselɔt, ó:tse..] 《indian.》 *m.* -s, -e/-s ①〖動〗 오셀롯(라틴 아메리카의 표범고양이). ②오셀롯 모피. ③오셀롯 모피 옷.
Ozokerit [otsokerí:t] 《gr.》 *m.* -(e)s 〖광물〗 지랍(地蠟) (Erdwachs).
***Ozon** [otsó:n] 《gr. ózein, „riechen"》 *n.*/(구어) *m.* -s ①〖化〗 오존. ②〔구어〕 신선한 공기.
ozon≈erzeugend *a.* 오존을 발생시키는. **~-gehalt** *m.* 오존 함유량. **~haltig** *a.* 오존이 들어 있는.
Ozonisator [..zá:tɔr, ..to:r] *m.* -s, -en [..tó:rən] 오존 발생기.
ozonisieren [otsonizí:rən] *t.* (미생물을 죽이기 위해) 오존으로 처리하다.
Ozon≈loch *n.* 오존 구멍. **~messer** *m.* 〖化〗 오존계. **~messung** *f.* 오존 함유량 측정. **~-meter** *n.* ↑ ~messer. **~reich** *a.* 오존이 풍부한. **~schicht** *f.* 오존층.

P

P, p [pe:] *n.* -, - 독일 자모의 열 여섯째 자.

P ①〖化〗 =Phosphor 인(燐). ② =Papier 유가 증권(증권 시세표의 약어). ③〖物〗 =Poise 푸아즈(액체·기체의 점성도 단위). ④ = Parkplatz 주차장. ⑤〖生〗 =Parentalgeneration 제 1 세대. ⑥〖植〗 =Perigon 꽃덮이, 화피(花被).

p ①〖음악〗 =piano 약하게, 부드럽게. ②〖印〗 =typographischer Punkt 포인트(활자 크기의 단위). ③ =Penni 핀란드의 화폐 단위. ④ =Penny 영국의 화폐 단위. ⑤〖物〗 a) = Piko $1/10^{12}$, b) =Pond 파운드, c) =Proton 양자.

Π, π =Pi 그리스 자모의 열 여섯째 자;〖數〗 파이, 원주율.

P. ① =Pastor 성직자. ② =Pater 신부. ③ = Papa[2] 교수.

p. ① =pinxit (누가) 그리다(화가의 서명 뒤에 씀). ② =Pagina 페이지. ③ =protestiert 인수를 거절당한(어음〔수표〕에 사용).

Pa ① =Protactinium 프로탁티늄. ② =Pascal 파스칼(압력 단위).

pa. =prima 제 1 급의, 최고급의.

p.A. =per Adresse …의 주소로, …전교(轉交), …씨 방(方).

p.a. 《lat.》 =pro anno, per annum 매년, 해마다; 1 년 기한으로.

PAA 《engl.》 =Pan American (World) Airways 팬 아메리칸 항공사.

Päan [pɛá:n] 《gr.》 *m.* -s, -e 아폴로 찬가; 축제의 노래; 승전가.

paar[1] [pa:*r*] *a.* ①〖生〗 짝을 이룬, 한 짝〔쌍〕의, 쌍생(雙生)의, 대생(對生)의: ~e Blätter 〔Flossen〕 대생의 잎〔짝을 이룬 지느러미〕. ② 짝수의: ~e〔unpaare〕 Zahlen 짝수〔홀수〕; ~ und unpaar spielen 주사위 놀이를 하다.

*__paar__[2] *num.* 〖어미변화 없음; 대개 ein 과 함께〗 두서넛의, 약간의: vor ein ~ Tagen 이삼 일 전에; ein ~ hundert 몇 백의; alle ~ Wochen 몇 주 마다;〖방언〗 ~ Mark 몇 마르크; ein ~ Zeilen schreiben 짤막한 편지를 쓰다;〖구어〗 ein ~ (Schläge) kriegen 몇 대 얻어맞다.

*__Paar__ [pa:*r*] 《lat. par》 *n.* -(e)s, -e ① 짝, 벌, 쌍, 켤레: ein ~ Augen〔Hände〕 양눈〔양손〕; ein ~ Schuhe 구두 한 켤레; drei ~ Hosen 바지 세 벌;〖數〗 ein geordnetes ~ 순서쌍. ② 쌍을 이룬 두 사람, 부부; 자웅: ein ~ mittleren Alters 중년 부부; Geschwister∼ 남매; stellt euch in ~en auf! 너희들 짝을 지어 정렬해라!; sie werden bald ein ~ 그들은 곧 결혼할 것이다;〖은폐〗 tolerantes ~ (그룹 섹스를 즐기는) 성적으로 개방적인 부부; die ~e drehen sich (im Kreise) 춤추는 사람들이 짝을 지어 빙빙 돌고 있다; ~ und〔bei, um, zu〕 ~, zu〔in, bei〕 ~en 두 개씩, 두 사람씩, 짝을 지어;〖구식〗 jn. zu ~en treiben 누구를 궁지에 몰아넣다, 제압하다.

Paar·bildung *f.* ① 짝짓기. ②〖物〗 쌍생성(입자와 반입자의 동시 생성 현상).

paaren [pá:rən] 《I》 *t.* 짝지우다; 결합〔교미〕시키다; 한 쌍〔두 개·두 사람〕씩 편성하다: Handschuhe ~ 장갑을 한 켤레씩 짝지우다; Tauben ~ 비둘기를 짝지어 주다; er paart in seinen Bemerkungen Geist mit Witz 그는 그의 논평에서 지성과 기지를 결합시키고 있다. 《II》 *refl.* sich ~ 짝〔쌍〕이 되다, 부부가 되다; 결합되다; 한 패가 되다; (동물이) 짝짓다, 교미하다: die meisten Tiere ~ sich im Frühjahr 대부분의 짐승들은 봄에 교미를 한다; bei ihm paart sich die Schnelligkeit mit Kraft 그에게는 스피드와 힘이 결합되어 있다. 《III》 **gepaart** *p.a.* ↑ gepaart.

Paar·hufer *m.* -s, -〖動〗 우제류(偶蹄類).

paarig [pá:rɪç] *a.*〖生·해부〗 쌍〔짝〕을 이룬, 한 짝〔쌍〕의: ~e Organe 쌍을 이루는 기관들 (보기: 눈·귀·손 등); ~e Zeugung 양성 생식;〖植·해부〗 ~ geteilt 갈래가 진.

Paarigkeit *f.* ↑ paarig 의 명사형.

Paar≈lauf *m.*〖스포츠〗 페어스케이팅. **∼laufen** *i.* (h./s.)〖스포츠〗 페어 스케이팅을 하다. **∼läufer** *m.*〖스포츠〗 남자 페어 스케이팅 선수.

Paarling [pá:*r*lɪŋ] *m.* -s, -e ① 한 쌍의 한 쪽. ②〖유전〗 쌍성(雙性), 대등 형질, 대립 인자.

paar·mal *adv.* 몇 차례〔번〕: ein ~ 두세 번.

Paarung [pá:rʊŋ] *f.* -en ① 짝〔쌍〕을 이룸. ② 결혼; 교미, 짝짓기; (사육을 위해) 교접시킴. ③〖스포츠〗 (대진표 작성 때) 경기 상대로서 한 팀으로 편성함.

paarungs≈bereit *a.*〖動〗 짝지을〔교미할〕 준비가 된. **∼zeit** *f.*〖動〗 ↑ Paarzeit.

paar≈weise *adv.* 한 짝〔쌍〕씩, 두 개〔사람〕씩, 쌍쌍이: ~ gehen 두 사람씩 가다;〖植〗 ~ wachsend 쌍생(雙生)의. **∼zeher** *m.*〖動〗 ↑ ∼hufer. **∼zeit** *f.*〖動〗 교미기.

Pace [peɪs, pe:s] 《engl.》 *f.*〖스포츠〗 걸음; 걸음걸이; 페이스, 속력.

Pace≈macher [péɪs.., pé:s..] *m.*〖승마〗 (선두에서 레이스의 속도를 결정하는) 선도마. **∼maker** [..mei:kə*r*] 《engl.》 *m.*〖승마〗 ↑ ∼macher.

Pacer [péɪsə*r*, pé:sə*r*] 《engl.》 *m.* -s, - 같은 쪽의 두 다리를 동시에 올려서 뛰는 말.

Pacht [paxt] 《lat. pactum》 *f.* -en ①〖드물게 복수〗 임대차 (계약); 임대차물, 소작지, 차지(借地): et. in ~ geben〔nehmen〕 무엇을 임대〔임차〕하다; et. in ~ haben 무엇을 임차하고 있다; die ~ kündigen〔verlängern〕 임대차 계약을 취소〔연장〕하다; die ~ läuft ab 임대차 계약 기한이 만료되다; die Wissenschaft in ~ haben 학계의 대표인 체하다. ② 임차료, 소작료: die ~ beträgt monatlich 500

DM 임차료는 월 500 마르크다.
Pacht·anschlag *m.* 임차지〔소작지〕 평가.
pachtbar *a.* 임대차할 수 있는.
Pacht≈bauer *m.* 소작인, 소작농. **~bedingungen** *pl.* 임대차 조건. **~besitz** *m.* 임차지, 소작지. **~brief** *m.* 임대차〔소작〕 계약서.
pachten [páxtən] 《<Pacht》 *t.* ① 임차하다; 소작하다: ein Grundstück ~ 토지를 소작하다. ②〖완료형〗〖구어〗 독점하다: sie tut so, als ob sie die Schlauheit für sich gepachtet hätte 그 여자는 혼자 똑똑한 체한다.
Pachter *m.* -s, - ↑ Pächter.
Pächter [pɛ́çtər] *m.* -s, - 임차인, 소작인.
Pacht≈geld *n.* 임차료; 소작료, 지대(地代). **~gut** *n.* 〖복수: ~güter〗 임차지; 소작지. **~herr** *m.* 임대인, 지주. **~hof** *m.* 소작지, 소작 농장. **~kontrakt** *m.* ↑ ~vertrag. **~land** *n.* ↑ ~gut. **~mann** *m.* 소작인. **~schilling** *m.*, **~summe** *f.* ↑ ~geld.
Pachtung [páxtʊŋ] *f.* -en ① 임대차, 소작. ② 차지; 소작지.
Pacht≈vertrag *m.* 임대차〔소작〕 계약. **~weise** *adv.* 임대차 형식으로. **~zins** *m.* ↑ ~geld.
Pachulke [paxʊ́lkə] 《poln.》 *m.* -n, -n 〖방언〗 ① 남자 종. ②〖은어〗 가내 노동을 하는 죄수. ③〖印〗 조수, 수습공. ④〖폄어〗 버릇없는 놈.
Pachyderme [paxydɛ́rmə] 《gr.》 *m.* -n, -n 〖動〗 후피(厚皮) 동물.
Pacific [pəsífɪk] 《engl.》 *m.* -s ↑ Pazifik.
***Pack**[1] [pak] *m.* -(e)s, -e/Päcke [pɛ́kə] ① 꾸러미, 뭉치, 다발; 소포, 소화물; 수화물: ein ~ Briefe〔Zeitungen〕 한 뭉치의 편지〔신문〕; mit Sack und ~ 모든 소지품을 휴대하고; ein ~ von 20 Stück 20개 한 꾸러미. ②〖드물게〗 한 떼의 사람.
Pack[2] *n.* -(e)s 〖구어·폄어〗 천민, 상놈; 무뢰한: so ein ~! 상놈의 자식!; 〖속담〗 ~ schlägt sich, ~ verträgt sich 상놈은 싸움도 잘 하고 화해도 잘 한다.
Packagetour [pɛ́kɪtʃ.., pǽkɪdʒ..] 《engl.》 *f.* -en/-s 패키지 여행.
Pack·an [pak|án] 《<anpacken》 *m.* -(s), -(s) ①〖드물게〗 순경, 형사. ② 집 지키는 개. ③ 용맹한 사람.
Pack≈bind·faden *m.* 짐 꾸리는 끈, 가는 노끈. **~boot** *n.* 우편선.
Päckchen [pɛ́kçən] *n.* -s, - 〖↑ Pack의 축소형〗 ① 〖우편〗 (2 kg 이내의) 소포: et. als ~ verschicken 무엇을 소포로 보내다. ② 작은 뭉치, 짐: 〖구어〗 jeder hat sein ~ zu tragen 누구나 걱정거리가 있다. ③ (일정량을 포장한) 갑, 곽; 작은 포장물: ein ~ Tee 차 한 봉지; ein ~ Zigaretten 담배 한 갑. ④〖海〗 (선원의) 작업복 꾸러미.
Pack·eis *n.* 얼음덩어리, 두꺼운 얼음(층).
Packelei *f.* -en (öst.) 〖폄어〗 공모(共謀).
packeln [pákəln] *t./i.* (h.) (öst.) 〖폄어〗 공모하다; 타협하다.
Packeln *pl.* (öst.) 〖경박〗 축구화.
***packen** [pákən] 《I》 *t.* ① 싸다, 짐을 꾸리다, 포장하다, 채워〔챙겨〕 넣다: Heringe in die Tonne ~ 청어를 통에 담다; den Koffer ~ 트렁크를 챙기다; jn.〔et.〕 in Watte ~ 누구를〔무엇을〕 조심스럽게 다루다; die Waren vom Wagen 〔aus dem Koffer〕 ~ 차〔트렁크〕에서 짐을 내리다〔꺼내다〕; sich³ die Taschen voll ~ 호주머니에 하나 가득 채워 넣다; 〖구어〗 ich muß noch ~! 나는 아직 짐을 꾸려야 해! (준비가 안 되었어); 〖구어〗 jn. ins Bett ~ 누구를 침대에 눕히(고 이불을 덮어 주)다. ② 움켜쥐다, 붙잡다; (병·공포심이) 덮치다, 사로잡다: jn. am 〔beim〕 Kragen ~ 누구의 멱살을 잡다; jn. bei der Ehre ~ 누구의 명예심에 호소하다; das Buch hat mich gepackt 그 책은 나를 감동시켰다; der Redner wußte seine Zuhörer zu ~ 그 연사는 청중을 사로잡을 줄 알았다; 〖구어〗 es hat mich gepackt 나는 병에 걸렸다〔사랑에 빠졌다〕; 〖방언〗 auf et. ~ 무엇을 갈망하다. ③ 성취하다, 일을 마치다; 〖스포츠〗 (상대를) 이기다; 〖경박〗 이해〔파악〕하다: packen wir's noch? 시간 내에 해낼까?; hast du's endlich gepackt? 이젠 알았느냐? ④〖컴〗 (파일을) 압축하다. ⑤ (südd.) pack' mer's (wieder) (우리) 계속하자. 《II》 *refl.* sich ~ 급히 떠나다, 내빼다; pack dich! 꺼져라!
Packen *m.* -s, - ① 꾸러미, 뭉치, 다발: ein ~ Wäsche 빨랫감 뭉치. ②〖구어〗 많은 양: ein (großer) ~ Arbeit 많은 일.
packend *p.a.* 사로잡는; 〖비유〗 감동시키는, 사무치는: ein ~es Stück 감동적인 (극)작품; ~ darstellen 흥미진진하게 묘사하다.
Packen·träger *m.* 행상인.
Packer [pákər] *m.* -s, - ① 짐 꾸리는〔포장하는〕 사람. ② 시계 도매상. ③ 멧돼지 사냥에 쓰는 개. ④ 화물 열차의 승무원.
Packerei [pakəráɪ] *f.* -en ① 포장·발송 담당 부서. ②〖구어·폄어〗 거듭되는〔귀찮은〕 짐꾸리기.
Päckerei [pakəráɪ] *f.* -en 수화물.
Pack·esel *m.* ① 짐나르는 당나귀: ich bin doch nicht dein ~! 나는 네 짐꾼이 아니란 말야! ②〖비유〗 악착스럽게 일하는 사람, 일을 산더미같이 맡은 사람.
Packfong [pákfɔŋ] 《chin.》 *n.* -s 양은.
Pack≈haus *n.*, **~hof** *m.* ① 짐 꾸리는〔포장하는〕 곳. ② 세관〔보세〕 창고. **~kammer** *f.* ① 짐 꾸리는 방, 포장실. ② 수화물 취급소. **~kiste** *f.* 짐〔포장용〕 상자.
Päcklein [pɛ́klaɪn] *n.* -s, - ↑ Pack의 축소형.
Pack≈knecht *m.* ① 짐 꾸리는〔포장〕 인부. ②〖軍〗 병참 부대원, 수송병. **~korb** *m.* 짐 바구니. **~lage** *f.* 노반(路盤). **~leinwand** *f.* 포장용 천〔아마포〕. **~meister** *m.* 포장 부서의 장(長), 수화물계 감독. **~nadel** *f.* (천을 꿰매는) 포장용 대바늘. **~papier** *n.* 포장지. **~pferd** *n.* 짐 싣는 말. **~raum** *m.* ① 짐 꾸리는 방, 포장실. ②〖海〗 선창. ③ 마차의 마부석 아래칸(짐을 넣는 곳). **~riemen** *m.* 짐 묶는〔안장 매는〕 가죽 끈. **~sattel** *m.* 짐 싣는 안장, 길마. **~set** *n.* 포장 용구 세트. **~stoff** *m.* 포장 용기의 빈 곳을 채우는 것. **~tasche** *f.* 안낭(鞍囊). **~tisch** *m.* 포장대, 포장용 테이블. **~träger** *m.* ① 수화물 운반인, 포터. ② (nordd.) 하인. **~tuch** *n.* ↑ ~leinwand.
***Packung** [pákʊŋ] *f.* -en ① 짐꾸리기, 포장하기; 포장한 물건, 포장한 짐; (내용물이 든) 갑, 봉지: eine ~ Zigaretten 담배 한 갑;

P

eine ~ aufreißen〔öffnen〕 봉지를 찢다〔열다〕. ② 짐싣기, 실어 넣기. ③ 움켜 쥠, 잡음. ④ 노반(路盤). ⑤〖醫〗 엄법(罨法), 찜질 (붕대): der Arzt hat mir ~en verordnet 의사는 내게 찜질을 처방해 주었다. ⑥〖工〗 틀어 막는 물건, 충전물, 패킹. ⑦〖스포츠〗 완패, 대패: eine ~ erhalten〔hinnehmen〕 완패를 당하다. ⑧〔구어〕 심한 구타: eine tüchtige ~ kriegen 심한 구타를 당하다. ⑨ (schweiz.) 짐; 〖軍〗 무장, 장비: Soldaten in leichter ~ 경무장한 병사들.

Pack≈wagen *m.* 짐을 싣는 (마)차; 〖철도〗 화차, 수화물차; 〖軍〗 수송차. **~werk** *n.* 〖水利〗 침상(沈床). **~wesen** *n.* 짐 꾸리는〔포장〕 법, 포장부(部); 〖철도〗 수화물계(係). **~zettel** *m.* ① (포장 물품에 붙인) 꼬리표. ② (포장지에 붙여 정품임을 인증하는) 검사필증. **~zeug** *n.* 짐 꾸리는 도구〔재료〕.

Pädagoge [pɛdagóːgə] 《gr., „Kinderführer"》 *m.* -n, -n 교육자, 교사; 교육학자.

P

***Pädagogik** [..gɪk] *f.* 교육학.

Pädagogin *f.* -nen ↑ Pädagoge 의 여성형.

***pädagogisch** *a.* ① 교육학적인, 교육(학상)의: ~e Hochschule 사범 대학; ~e Psychologie 교육 심리학; das ~e Begleitstudium (중등 교사가 되기 위한) 교직 과정. ② 교육적인, 교육에 이로운: ~ falsch 교육적으로 잘못된; der ~e Wert 교육적 가치.

pädagogisieren *t.* ① 교육적 관점에서 보다. ② 교육 목적으로 이용하다.

Pädagogium [pɛdagóːgium] *n.* -s, ..gien [..giən] 〔구식〕 교육 시설, 학교; 교육 대학의 예과.

Padd *m.* -(e)s, -e (ndd.) 좁은 길(Pfad).

Padde [pádə] *f.* -n (ndd.) ① 두꺼비; 개구리. ②〖수의〗 소의 고창(鼓脹).

Paddel [pádəl] 《<Padde》 *n.* -s, - 패들(끝에 물갈퀴가 있는 작은 노).

Paddel≈boot *n.* (패들로 젓는) 보트, 카누, 카약. **~boot·fahrt** *f.* 보트〔카누·카약〕 타기.

Paddler *m.* -s, - 보트〔카누〕를 타는 사람.

paddeln [pádəln] 《<Paddel》 *i.* ① (h./s.) 노를 젓다, 보트〔카누〕를 타다: mit den Händen in der Luft ~ 손으로 허공을 휘젓다. ② (s.) 보트〔카누〕를 타고 가다: wir sind über den See gepaddelt 우리는 보트를 저어 호수를 건너갔다. ③ 개헤엄을 치다.

Padden 《⊕ pedden》 *pl.* 동물의 발.

Paddock [pɛ́dɔk] 《engl.》 *m.* -s, -s 마구간에 속한 울타리 쳐진 초지, 말 사육장.

Paddy[1] [pǽdi] 《engl.》 ① *m.* -s, -s/..dies [..diːz, ..diːs] 〔구어·농담〕 아일랜드 사람.

Paddy[2] 《engl.》 *m.* -s ① 벼. ② 쌀 요리의 일종.

Päderast [pɛdərást] 《gr. paîs, „Kind"》 *m.* -en, -en (소년 상대의) 남자 동성 연애자.

Päderastie [..rastíː] *f.* (소년 상대의) 남자의 동성애, 남색.

Pädiater *m.* -s, - 소아과 의사.

Pädiatrie [..diatríː] *f.* 소아과학.

pädiatrisch *a.* 소아과의.

Padischah [padiʃáː] 《pers.》 *m.* -s, -s 〖옛 뜻〗 대왕(터키·페르시아의 군주).

Pädogenese [pɛdogenéːzə] *f.* 〖生〗 유생(幼生) 생식.

Pädogenesis *f.* ↑ Pädogenese.

pädophil [pɛdofíːl] *a.* 〖心·교양〗 어린이에 대한 이상 성욕의: ~e Neigungen 어린이에 대한 이상 성욕의 경향.

Pädophile* *der/die* 〖心·교양〗 어린이에게 성욕을 느끼는 성도착자.

Pädophilie [pɛdofilíː] *f.* 〖心·교양〗 어린이에게 성욕을 느끼는 성도착증.

Padouk [padáuk] 《engl.》 *n.* -s 자단속(紫檀屬)의 목재.

Padrone [padróːnə] 《lat.》 *m.* -s, ..ni 주인, 우두머리, 비호〔보호〕자.

Paella [paɛ́lja] *f.* -s 〖요리〗 육류·어패류·야채를 곁들인 에스파냐식 볶음밥.

Pafese *f.* -n (öst.) 기름에 튀긴 식빵.

paff[1] [paf] *a.* 〔방언〕 ~ sein 당황하다, 어리둥절하다.

paff[2] *int.* 〔의성어〕 탕, 빵, 확; ~ ging der Schuß los 탕 하고 총소리가 났다.

Paff *m.* -(e)s, -e ① 총소리, 폭발하는 소리. ② 담배 연기를 한번 내뿜기.

paffen [páfən] 《Ⅰ》 *i.* (h.) 〔구어〕 ① 담배 연기를 푹푹 내뿜다: an der Zigarre ~ 연기를 푹푹 내뿜으며 여송연을 피우다. ②〔폄어〕 담배를 피우다: mußt du den ganzen Tag ~? 하루 종일 담배를 피워야 하겠니? 《Ⅱ》 *t.* 푹푹 내뿜다.

pag. 《lat.》 = Pagina (Seite) 쪽, 페이지.

Paganini *m.* Nicolo ~ 파가니니(이탈리아의 바이올린 연주자 겸 작곡가, 1782-1840).

Paganismus [paganísmus] 《lat.》 *m.* -, ..men ①〔복수없음〕 이교, 사교(邪敎). ② 기독교 속에 포함된 이교도적 관습〔요소〕.

Pagat [pagáːt] 《it.》 *m.* -(e)s, -e (이탈리아 카드놀이의 일종인) 타로크의 으뜸패.

pagatorisch [..gatóːrɪʃ] *a.* 〖經〗 지급〔청산〕과 연관된: ~e Buchhaltung 청산 부기.

Page [páːʒə] 《frz.》 *m.* -n, -n ① 시동(侍童). ② 사환, (호텔의) 보이. ③ 옷자락을 추켜 올리는 끈.

Pagen≈dienst [páʒən..] *m.* 시동 근무. **~frisur** *f.* ↑ ~kopf. **~kopf** *m.* 단발머리. **~streich** *m.* 시동의 장난.

Pagina [páːgina] 《lat.》 *f.* -s 〔구식〕 쪽, 페이지; 〖印〗 쪽〔페이지〕 번호.

paginieren *t.* 〖출판〗 페이지를 매기다: ein Manuskript ~ 원고에 페이지를 매기다.

Paginier·maschine *f.* 〖印〗 페이지 인쇄기.

Paginierung *f.* -en ① 페이지 매기기. ② 페이지 일련 번호.

Pagode [pagóːdə] 《ind., „heiliges Haus"》 *f.* -n ① 탑; 사리탑. ②〔남성으로도〕 (öst.) 신불좌상(神佛座像); (신상이 새겨진) 인도의 옛 금화; 꼭두각시, 시키는 대로 하는 사람.

Pagoden≈dach *n.* 탑 모양의 지붕. **~kragen** *m.* 〖유행〗 탑 모양으로 겹쳐져 있는 옷깃〔칼라〕.

pah [paː] *int.* 피, 체, 흥(경멸·거절의 의미).

paille [páːjə, paɪ, páljə] 《frz.》 *a.* 짚 빛깔의, 담황색의.

Paillette [paɪjɛ́tə, pa(l)jɛ́tə] 《frz.》 *f.* -n (의복 장식용의) 금은박.

pailletten≈besetzt *a.* 금은박으로 장식한. **~kleid** *n.* 금은박으로 장식한 옷.

Pair [pɛːr] 《frz.》 *m.* -s, -s [pɛːrs] (특히 프랑스의) 상류 귀족; 상원 의원, 귀족원 의원.

Pairie [pɛríː] *f.* -n [..ríːən] 귀족의 지위, 작

위.
Pairschaft [pέ:rʃaft] *f.* ① 귀족의 지위, 작위. ②〔총칭〕 귀족.
Pairs≈kammer [pέ:rs..] *f.* 상원, 귀족원. **~schub** *m.* (반대 세력을 누르기 위하여) 일시에 다수의 상원 의원을 임명하는 일. **~-würde** *f.* ↑ Pairie.
Pak [pak] *f.* -(s) ① =Panzerabwehrkanone 대전차포. ② 대전차 부대.
*__Paket__ [paké:t] ⟪ndl.⟫ *n.* -(e)s, -e ① 꾸러미, 다발, 소포; 〖우편〗 소포(2-20 kg), 소화물: ein ~ packen〔aufmachen〕 소포를 싸다〔풀다〕; als ~ aufgeben〔befördern〕 소포로 보내다; jm. sein ~ abgeben 누구에게 재치 있게 회답하다, 점잖게 비꼬다. ② (일정량이 포장된) 통, 상자: ein ~ Kerzen〔Waschpulver〕 양초〔가루 비누〕 한 통. ③〖政·經·은어〗(동종의) 세트, 일괄 처리 사항: Maßnahmen≈ 일괄 조치들; ein ~ von Forderungen 일괄 요구 사항들. ④〖럭비〗 몰(공을 둘러싼 선수들의 밀집 상태).
Paket≈adresse *f.* 소포 우편물의 주소 용지. **~annahme** *f.* ①〔복수없음〕 소포 접수. ② 소포 접수 창구. **~beförderung** *f.* 소포 발송. **~boot** *n.* 〖海〗 우편선.
paketieren [paketí:rən] ⟪<Paket⟫ *t.* …을 소포로 포장하다.
Paketier≈maschine *f.* 소포 포장기.
Paket≈karte *f.* 소포 송장(送狀), 화물표. **~porto** *n.* 소포 우송료. **~post** *f.* 소포 우편; 소포 우편 배달차〔부〕. **~satz** *m.* 〖印〗 식자. **~sendung** *f.* 소포 우편물. **~setzer** *m.*〖印〗 식자공. **~wagen** *m.* 소포 배달차.
Pakfong [pákfɔŋ] *n.* -s (öst.) 양은(↑ Packfong).
Pakistan [pá:kɪsta:n] 파키스탄.
Pakistaner [pakɪstá:nər] *m.* -s, - 파키스탄인.
Pakistanerin *f.* -nen ↑ Pakistaner 의 여성형.
Pakistani *m.* -(s), -(s) ↑ Pakistaner.
pakistanisch *a.* 파키스탄(사람·말)의.
Pako *m.* -s, -s 알파카(남아메리카산(産)의 양).
Pakotille [pakotílja, ..tí:j] ⟪frz.⟫ *f.* -n 선원이 배에 자유로이 들일 수 있는 소화물 및 상품.
*__Pakt__ [pakt] ⟪lat.⟫ *m.* -(e)s, -e ① 조약, 동맹: der Warschauer ~ 바르샤바 조약; einen ~ mit einem Staat schließen 어떤 국가와 동맹을 맺다; einem ~ beitreten 동맹에 가입하다. ② 계약, 협정: Fausts ~ mit dem Teufel 파우스트의 악마와의 계약.
paktieren *t./i.* (h.) 〔대개 폄어〕 협정을 맺다; 결탁하다: mit dem Feind ~ 적과 결탁하다.
Paktierer *m.* -s, - 협정〔계약〕 당사자.
Paktum ⟪lat.⟫ *n.* -s, ..ten 〔구식〕 ↑ Pakt.
*__PAL__ ⟪engl.⟫ =phase alternation line 〖TV〗 팔 방식(서유럽의 컬러 텔레비전 방송 방식).
paläarktisch [palεárktɪʃ] *a.* (유라시아 및 아프리카 북부를 포함하는) 구(舊)북유럽의.
Paladin [paladí:n] ⟪frz.⟫ *m.* -s, -e ① 팔라딘(카를 대왕을 섬긴 12 용사의 하나). ② 기사, 용사; 〔교양·대개 폄어〕 측근, 충복.
Palais [palέ:] ⟪frz.⟫ *n.* - [..lέ:(s)], - [..lέ:s] ↑ Palast.
Palankin [palaŋkí:n] ⟪skt.⟫ *m.* -s, -s/-e (인도의) 가마.
paläo.. ⟪gr., „alt.."⟫ *pref.* "고(古)·원(原)"의 뜻.
Paläobiologie *f.* 고생물학.
Paläobotanik *f.* 고식물학.
Paläogeographie *f.* 고지리학.
Paläograph *m.* -en, -en 고문서 학자.
Paläographie *f.* 고문서학.
paläographisch *a.* 고문서학의.
Paläohistologie *f.* 고생물 조직학, 화석학.
Paläoklimatologie *f.* 고기후학.
Paläolith *m.* -en, -en 구석기 시대(의 석기).
Paläolithikum ⟪lat.⟫ *n.* -s 구석기 시대.
paläolithisch *a.* 구석기 시대의.
Paläolog(e) [..ló:k, ..ló:gə] *m.* ..gen, ..gen ① 정교도(正敎徒). ②〔복수〕 동로마 제국 최후의 왕조.
Paläontographie *f.* 화석학.
Paläontologe *m.* -n, -n 고생물학자.
Paläontologie *f.* 고생물학.
paläontologisch *a.* 고생물학의.
Paläophytikum [..fý:..] *n.* -s 〖植〗 고식물계.
Paläozän *n.* -s 〖지질〗 팔레오세(世).
Paläozoikum *n.* -s 〖지질〗 고생대.
paläozoisch *a.* 고생대의.
Paläozoologie *f.* 고동물학.
Palas [pálas] ⟪lat.⟫ *m.* -, -se 중세 성(城)의 본관.
*__Palast__ [palást] *m.* -(e)s, ..läste [..lέstə] 궁전, 왕궁; 호화 저택.
palast≈artig *a.* 궁전풍의, 궁전 같은, 호화로운. **≈dame** *f.* 궁녀, 나인.
Palästina [palεstí:na] 팔레스타인.
Palästina·pilger *m.* 팔레스타인 순례자.
Palästinenser [..stinέnzər] *m.* -s, - 팔레스타인 사람.
Palästinenser·führer *m.* 팔레스타인 지도자.
palästinensisch *a.* 팔레스타인의.
palästinisch *a.* ↑ palästinensisch.
Palästra [palέstra] ⟪gr.⟫ *f.* ..stren (고대 그리스의) 격투사 양성소, 격투기 연습장.
Palast≈revolte *f.* 궁중 반란. **~revolution** *f.* 〖政〗 (측근에 의한) 궁중 혁명. **~wache** *f.* 왕궁 위병(소).
Palatal *m.* -s, -e 〖음성〗 ↑ Palatallaut.
palatal [palatá:l] ⟪lat.⟫ *a.* 구개(口蓋)의, 구강(口腔)의; 〖음성〗 경구개음의.
Palatal·laut *m.* 〖음성〗 경구개음(보기: e, i 앞의 g, k 등).
Palatin[1] [palatí:n] ⟪lat.⟫ *m.* -s, -e ① 궁중백(宮中伯). ② (고대 로마의) 대관, 고관. ③ 팔라티누스 언덕(로마 7 언덕의 하나).
Palatin[2] ⟪lat. -frz.⟫ *m.* -s, -e 여성용 모피 목도리.
Palatine [..tí:nə] *f.* -n ↑ Palatin[2].
Palatinat [..tiná:t] *n.* -(e)s, -e 궁중백(宮中伯)의 지위 및 영지.
palatinisch *a.* ① 고관의; 궁중백의. ② der ≈e Hügel 팔라티누스 언덕(로마 7 언덕의 하나).
Palatschinke [palatʃíŋkə] ⟪ung. palacsinta⟫ *f.* -n (öst.) 팔라칭케(과일잼이나 고기를 넣은 크레이프).

Palau 팔라우(동남 아시아에 있는 공화국).
Palauer *m.* 팔라우 사람.
palauisch *a.* 팔라우(사람)의.
Palaver [palá:vər] 《port., „Sprache"》 *n.* -s, - ①〔옛뜻〕 아프리카 원주민과의 협상. ② 장황한 회담; 장광설, 수다: ein langes ~ abhalten 마라톤 협상을 하다. ③ 떠들썩함, 소란: ein großes ~ um et. machen 어떤 문제를 놓고 야단법석을 떨다.
palavern *i.* (h.) 〔구어〕 ① 쓸데 없이 오래 이야기〔협상〕하다. ② 열띤 대화를 나누다.
Palazzo [palátso] 《it.》 *m.* -s, ..zzi [..tsi] 궁전풍의 저택〔공공 건물〕.
Pale [pá:lə] 《<pulen》 *f.* -n (ndd.) (콩의) 깍지.
Pale Ale [pé:l é:l] 《engl.》 *n.* - - 연한 빛깔의 맥주.
palen [pá:lən] 《<Pale》 *t.* 콩깍지를 까다: Erbsen ~ 완두 콩깍지를 까다.
pälen *t.* (ndd.) …의 털을 없애다.
Paleozän [paleotsέ:n] 《gr.》 *n.* -s 〖지질〗 팔레오세(世) (Paläozän).
Paletot [páləto] 《frz.》 *m.* -s [..to:s], -s [..to:s] 〖의상〗 팔토(신사용 외투).
Paletot·marder *m.* 외투 도둑.
***Palette** [palέtə] 《lat.》 *f.* -n ①〖畫〗 팔레트, 조색판. ②〔비유〕 다양(한 선택): eine breite ~ des Kunstwerks 다양한 예술 작품. ③〖工〗 팔레트(소화물 운반 및 적재용 받침대).
paletti 〔다음 용법으로〕〔구어〕 alles ~ 모든 것이 정상이다, 만사형통이다.
palettieren *t.* 〖工〗 (상품을) 팔레트에 싣다.
Pali [pá:li] 《skt.》 *n.* -(s) 팔리어(스리랑카와 인도차이나 불교도의 문어(文語)).
Palier [palí:r] *m.* -s, -e 공사반장.
palim.. ↑ palin...
Palimpsest [palımpsέst] *m./n.* -es, -e 〖출판〗 재활용 파피루스 또는 양피지에 쓴 고문서.
palin.. 《gr.》 *pref.* "재차, 다시"의 뜻.
Palindrom [palındró:m] *n.* -s, -e 앞뒤 어디서부터 읽어도 의미를 갖는 말 또는 구(보기: Gras, Sarg; Regen, Neger).
Palingenese [..gené:zə] *f.* -n ①〖宗〗 윤회, 환생, 부활. ②〖生〗 (생물의 개체 발생에서 그 조상의 특징이 나타나는) 반복 발생. ③〖지질〗 (암석의 재용해로 마그마가 생성되는) 반복 발생.
Palingenesie [palıngenezí:] *f.* -n [..zí:ən] ↑ Palingenese ① ②.
Palinodie [palinodí:] *f.* -n [..dí:ən] ① 후렴. ② 장시의 종장. ③〖문학〗 개영시(改詠詩)(이전의 시에서 행한 비방 등을 취소하기 위해 쓴 시).
Palisade [palizá:də] 《frz.》 *f.* -n ① 말뚝, 울타리, 울짱. ②〖승마〗 장애물.
Palisaden≈pfahl *m.* ↑ Palisade ①. **~wand** *f.* 울타리(울짱) 벽.
palisadieren *t.* …에 울타리를 치다.
Palisander [palizándər] 《bras.》 *m.* -s, - 〖植〗 자단(紫檀) (목재).
Palisander·holz *n.* ↑ Palisander.
palisandern *a.* 자단 목재로 된.
palisieren [palizí:rən] 《lat.》 *t.* ① (과일 나뭇가지를 말뚝 등에) 묶다. ②〔구식〕 (öst.) 도망치다, 달아나다.
Pall *n./m.* -(e)s, -en 〖海〗 (착공기·양묘기의) 역전(逆轉) 방지쇠.
pall *a.* (ndd.) 치밀한.
Palladium[1] [pallá:dium] 《gr. -lat.》 *n.* -s, ..dien [..diən] ① 아테네 여신상(像); 〔비유〕 수호신. ② 보증, 담보.
Palladium[2] *n.* -s 〖化〗 팔라듐(기호: Pd).
Pallas [pálas] *f.* ①〖그리스신화〗 팔라스(여신 아테네의 별칭). ②〖天〗 팔라스 별자리.
Pallasch [pálaʃ] 《ung.》 *m.* -(e)s, -e 〖軍〗 (기병용의) 묵직하고 날이 넓은 긴 칼.
Pallawatch [pálavatʃ] *m.* -(e)s, -e (öst.) ①〔구어〕 뒤죽박죽. ② 무능력자.
palliativ [paliatí:f] 《lat.》 *a.* 〖醫〗 고식적인, 임시 방편의.
Palliativ *n.* -s, -e [..və] 〖藥〗 ↑ Palliativum.
Palliativ·kur *f.* 고식(故息) 요법. **~mittel** *n.* 〖藥〗 ↑ Palliativum.
Palliativum *n.* -s, ..va 〖藥〗 진통제, 진정제.
Pallium [pálium] *n.* -s, ..llien [..liən] ① (특히 고대 로마인이 외투로 사용했던) 긴 윗옷. ② (중세의 왕이나 황제의) 대관식용 망토. ③〖가톨릭〗 팔륨(미사 때 교황 및 대주교가 착용하는 Y 자형 어깨걸이). ④〖生〗 대뇌피질(皮質).
Pallottiner [palɔtí:nər] *m.* -s, - 〖가톨릭〗 팔로티 교단의 회원(창설자인 이탈리아 신부 V. Pallotti 의 이름에서).
Pallottinerin 〖가톨릭〗 *f.* -nen ↑ Pallottiner 의 여성형.
Pallottiner·orden *m.* 팔로티 교단.
Palm[1] [palm] *m.* -s, -e 길이의 단위(8-10 cm).
Palm[2] 《<Palme》 *m.* -s, -e 고난 주일 예배 때 쓰이는 녹색의 나뭇가지.
Palm·art *f.* 종려의 종류.
Palmarum [palmá:rum] 《lat.》 *m.* -(s) 〔관사·어미변화 없음〕 ↑ Palmsonntag.
Palm≈baum *m.* 〔드물게〕 ↑ Palme ①. **~blatt** *n.* 종려잎.
***Palme** [pálmə] 《lat.》 *f.* -n ①〖植〗 종려, 야자: 〔비유〕 auf die ~ gehen 화내다, 분개하다; auf der ~ sein 화가 나 있다; jn. auf die ~ bringen 누구를 화나게 하다; von der ~ (wieder) herunterkommen 화가 풀어지다, 노여움이 가라앉다. ②〖가톨릭〗 ↑ Palm². ③〔雅語〕 (승리의) 영광, 영예: die ~ (des Sieges) erringen 승리의 영광을 얻다. ④ ↑ Palmweide.
palmen 《lat.》 *t.* 〖海〗 ein Tau ~ 밧줄을 감아올리다.
Palmen≈art *f.* ↑ Palmart. **~artig** *a.* 종려 모양의. **~blatt** *n.* ↑ Palmblatt. **~farne** *pl.* 〖植〗 소철과(蘇鐵科). **~hain** *m.* 종려 숲. **~haus** *n.* 열대 식물 재배용 온실. **~herz** *n.* 〖식품〗 (야채·샐러드로 조리된) 야자 잎줄기의 속〔심(心)〕. **~kohl** *m.* ↑ Palmkohl. **~lilie** *f.* ↑ Palmlilie. **~öl** *n.* ↑ Palmfett. **~roller** *m.* (남아시아산(産)의) 사향살쾡이. **~wald** *m.* ↑ ~hain. **~wedel** *m.* ↑ Palmwedel. **~zweig** *m.* ↑ Palmzweig.
Palm·esel *m.* 고난 주일(Palmsonntag) 축하 행렬 때 그리스도상(像)을 신는 목제 당나귀.
Palmette [palmέtə] 《lat.》 *f.* -n 〖예술〗 (고대 그리스의) 종려잎 무늬〔장식〕. ②〖원예〗 격자 울타리에 기대서 종려잎꼴(U 자형) 가지로 가꾼 과일 나무.
Palm≈fett *n.* 종려 기름, 야자유. **~fett·haus** *n.* ↑ Palmenhaus. **~herz** *n.* ↑ Palmenherz.
palmig [pálmıç] 《<Palme》 *a.* 종려가 많은〔많이 나는〕; 종려 같은.
Palmin [palmí:n] *n.* -s 팔민(식용 야자유의 상표명).
Palmitin [..mití:n] *n.* -s 〖化〗 팔미틴(야자 기름의 성분).
Palm≈kätzchen *n.* (obd.) 버들가지, 유제꽃차례〔화서(花序)〕. **~kern** *m.* 종려 열매. **~kern·öl** *n.* 종려 기름. **~kohl** *m.* 〖植·식품〗 ① 종려 캐비지(종려의 잎눈으로 된 야채). ② 야자수. **~lilie** *f.* 〖植〗 유카. **~öl** *n.* ↑ ~fett. **~sonntag** [(또는) palmzɔ́nta:k] *m.* (부활절 직전의 일요일로) 그리스도의 고난 주일.
Palmtop [pá:mtɔp] 《engl.》 *n.* 〖컴〗 팜톱(손바닥에 올려 놓을 수 있는 크기의 소형 휴대용 컴퓨터).
Palm≈wachs *n.* 야자 왁스. **~wedel** *m.* 종려나무 잎. **~weide** *f.* 〖植〗 갯버들. **~wein** *m.* 종려〔야자〕술. **~woche** *f.* 부활절 전주(前週), 종려 주간. **~zucker** *m.* 〖식품〗 종려 사탕. **~zweig** *m.* ① 종려 가지. ② 고난 주일에 쓰이는 녹색의 나뭇가지.
Palmyra [palmý:ra] 팔미라(시리아 사막 북부의 폐허 도시).
Palolo·wurm [paló:lo..] *m.* 〖動〗 갯지렁잇과의 남태평양산(産) 환형 동물.
palpabel [palpá:bəl] 《lat.》 *a.* 〖醫〗 만져서 알 수 있는; 〔구식〕 명백한.
Palpation [..patsió:n] *f.* -en 만져서 앎; 〖醫〗 촉진(觸診).
palpieren *t.* 〖醫〗 촉진(觸診)하다.
Palpitation [palpitatsió:n] 《lat.》 *f.* -en 〖醫〗 동계(動悸), 맥박, 심계항진(心悸亢進).
palpitieren [..tí:rən] *i.* (h.) 〖醫〗 심장이 뛰다, 동계(動悸)〔고동〕하다.
Palpus *m.* -, ..pen 〖動〗 (절지 동물의) 촉수; 촉각 기관.
palschen *i.* (h.) (ndd.) 물을 첨벙거리다.
Paludismus [paludísmus] 《lat.》 *m.* - 〖醫〗 말라리아.
Paludrin *n.* -s 〖藥〗 팔루드린(말라리아 치료약).
Pamel *f.* -n (ndd.) 흰 빵, 밀가루빵.
Pamir [pá:mi:*r*, pamí:*r*] 《tatar.》 파미르 (고원).
Pamp [pamp] *m.* -s ↑ Pamps.
Pampa [pámpa] 《sp. <peruan., „Ebene"》 *f.* -s 〖지리〗 팜파스(남아메리카의 대초원).
Pampas·gras *n.* 〖植〗 팜파스풀.
Pampe [pámpə] *f.* -n (md.) ① 된 죽. ② 진흙탕.
Pampelmuse [pámpəlmu:zə, pampəlmú:zə] *f.* -n 자몽, 그레이프프루트.
pampen *i.* (h.) ① 포식하다. ② 미식(美食)하다.
Pampf *m.* -(e)s (südd.) ↑ Pamps.
pampfen *i.* (h.) (südd.) 한 입 가득 넣고 먹다.
***Pamphlet** [pamflé:t] 《engl.》 *n.* -(e)s, -e ① 소책자, 팸플릿. ② 〔교양·펌어〕 (시사 문제를 취급하는) 소논문; 비방문, 반박문: ein ~ gegen jn. richten〔verfassen〕 누구를 논박〔비방〕하는 글을 쓰다.
Pamphletist [..fletíst] *m.* -en, -en 〔교양·펌어〕 팸플릿의 필자.
pampig 《<Pamp》 *a.* ① 〔방언〕 죽 같은, 걸쭉한. ② 〔구어〕 뻔뻔스러운, 파렴치한.
Pamps *m.* -(es) (nordd.) 된 죽, 꿀꿀이죽.
Pampusche [pampúʃə] 《nordd.》 *f.* -n 슬리퍼.
Pams *m.* -es, -e ↑ Pamps.
Pan[1] [pa:n] 《gr.》 *m.* ① 〖그리스신화〗 판(목양신; 반인반양(半人半羊)의 피리 발명자; 경악 또는 공포의 상징). ② 경악, 공포(↑ Panik).
Pan[2] [pan] 《sl., „Herr"》 *m.* -(s), -s/-ni ① …씨, …나리. ② 소지주, 농가의 주인.
pan.. 《gr.》 *pref.* (gesamt..) "전(全)…, 범(汎)…"의 뜻.
Panache [panaʃé:] *n.* -s, -s ↑ Panaschee.
Panade [paná:də] 《frz.》 *f.* -n 〖요리〗 (고기에 묻히기 위해) 빵가루·밀가루를 달걀 등으로 반죽한 것.
Panaden·suppe *f.* (öst.) 빵가루를 넣은 수프.
panafrikanisch *a.* 범아프리카주의의; 전(全) 아프리카의.
Panafrikanismus [pan|afrikanísmus] *m.* - 〖政〗 범아프리카주의.
Pan Am [pǽnεm, pǽnæm] 《engl.》 *f.* 팬암(미국 항공사).
Panama [pá(:)nama, panamá] 《Ⅰ》 파나마 Landenge von ~ 파나마 지협. 《Ⅱ》 *m.* -s, -s ① 〖섬유〗 파나마직(정육면체형 무늬가 있는 직물). ② ↑ ~hut.
Panama≈hut *m.* 파나마 모자. **~kanal** *m.* 파나마 운하.
panamerikanisch [pan|amerikáːnıʃ] *a.* 범아메리카(주의)의; 전미(全美)의.
Panamerikanismus *m.* - 〖政〗 범아메리카주의(남북 아메리카의 정치적·경제적 협력 운동).
panarabisch *a.* 범아랍(주의)의.
Panarabismus *m.* - 〖政〗 범아랍주의.
Panaritium [panarí:tsium] 《gr.》 *n.* -s, ..tien [..tsiən] 〖醫〗 표저(瘭疽) (손가락 및 손톱 밑의 염증).
Panasch [panáʃ] 《frz. „Feder"》 *m.* -(e)s, -e (특히 모자의) (새)깃 장식.
Panaschee [panaʃé:] *n.* -s, -s 〔구식〕 ① 무지개 아이스크림. ② 여러 가지 과일로 만든 잼. ③ (맥주와 레몬수 등의) 혼합 음료.
panaschieren [panaʃí:rən] 《Ⅰ》 *t.* (직물에) 줄무늬를 (짜)넣다. 《Ⅱ》 *i.* (h.) 〖政〗 자유 명부식〔연기명〕 투표를 하다. 《Ⅲ》 **panaschiert** *p.a.* ↑ panaschiert.
Panaschier·system *n.* 〖政〗 자유 명부식〔연기명〕 투표제(스위스와 독일 일부 주의 기초 자치 단체 선거에서).
panaschiert 《Ⅰ》 *p.p.* ↑ panaschieren. 《Ⅱ》 *p.a.* 줄무늬가 있는, 얼룩진.
Panaschierung *f.* -en ① 자유 명부식〔연기명〕 투표. ② 〖植〗 잎의 흰 무늬〔반점〕.
Panaschüre [panaʃý:rə] *f.* -n 〖植〗 ↑ Panaschierung ②.
Panathenäen [pan|atené:ən, pana..] 《gr.》 *pl.* (고대 아테네의) 아테네 여신 대축제.
Panazee [panatsé:, ..tsé:ə] 《lat. <gr., „allheilend"》 *f.* -n [..tsé:ən] 만병 통치약.
panchromatisch [pankro..] 《gr.》 *a.* 〖사진〗

(모든 빛에 감응하는) 전정색(全整色)의, 팬크로매틱의.

Panda *m.* -s, -s 〖動〗 판다.

Pandaimonion [pandaımó:nin] 《gr.》 *n.* -s, ..nien [..niən] ↑ Pandämonium.

Pandämonium [pandɛmó:nium] 《gr. -lat.》 *n.* -s, ..nien [..niən] 〖그리스신화〗 ①〔총칭〕 악마〔악령〕의 무리. ② 지옥; 복마전(伏魔殿).

Pandane [pandá:nə] 《mal.》 *f.* -n 〖植〗 판다누스속(屬)의 일종.

Pandekten [pandɛ́ktən] 《lat. <gr., „allumfassend"》 *pl.* 법령 전서; 판례집.

Pandekten·reiter *m.* 〔속어〕 법학도.

Pandektist *m.* -en, -en 로마법학자.

Pandemie [pandemí:] 《gr.》 *f.* -n [..mí:ən] 〖醫〗 전국적〔세계적〕 유행병.

pandemisch *a.* 〖醫〗 범유행성의: ~e Infektionskrankheiten 유행성 전염병.

Pandero [pandé:ro] 《sp.》 *m.* -s, -s 〖음악〗 판데로(에스파냐의 탬버린).

Pandit *m.* -s, -e (인도 브라만의) 학자(의 칭호).

***Pandora** [pandó:ra] 《gr. dôron, „Geschenk"》 *f.* 〖그리스신화〗 판도라(인류에 재앙을 주려고 제우스신이 지상으로 보낸 미인): 〔교양〕 die Büchse der ~ 판도라의 상자.

Pandschab [pandʒá:p] 펀자브(인도 북서부의 주(州)).

Pandschabi *n.* -(s) 펀자브어.

Pandur [pandú:r] 《ung.》 *m.* -en, -en ①〔옛 뜻〕 무장한 하인; (17-18 세기의) 헝가리 보병. ② 사환.

Paneel [pané:l] 《lat.》 *n.* -s, -e 〖건축〗 패널, 벽판, 머름, 벽널; 문의 평판(平板).

paneelieren [panelí:rən] 《Ⅰ》 *t.* 벽판〔벽널〕을 짜 대다, 패널을 대다. 《Ⅱ》 **paneeliert** *p.a.* ↑ paneeliert.

paneeliert 《Ⅰ》 *p.p.* ↑ paneelieren. 《Ⅱ》 *p.a.* 벽널이 있는.

Panegyriker [panegý:rıkər] 《gr.》 *m.* -s, - 축사〔찬사〕를 행하는 사람; 송가(頌歌) 작가.

Panegyrikon [..gý:..] *n.* -(s), ..ka (그리스 정교회의) 성인 축일 설교집〔기도서〕.

Panegyrikos [..gý:..] *m.* -, ..koi 축사, 찬사; 축가, 찬가, 송가.

Panegyrikus [..gý:..] *m.* -, ..ken/..rizi ↑ Panegyrikos.

panegyrisch [..gý:..] *a.* 칭찬하는; 지나친 칭찬의.

Panel [pɛ́nəl] 《engl.》 *n.* -s, -s 〖통계〗 패널, 표본 집단.

Panel·technik *f.* 패널 방식(일정한 집단을 대상으로 정기적으로 행하는 조사 방식).

panem et circenses [pá:nɛm ɛt tsırtsɛ́nze:s] 《lat.》 〔교양〕 (민중을 회유하기 위한) 생계와 오락의 보장(본래 "빵과 시합을"을 뜻하는 말; 황제에 대한 고대 로마 시민의 요구).

Panentheismus [pan|ɛnteísmus] 《gr. -lat.》 *m.* - 〖哲〗 만유 재신론(萬有在神論), 범신론.

panentheistisch *a.* 〖哲〗 만유 재신론(萬有在神論)의, 범신론의.

Paneuropa [pan|ɔyró:pa] *n.* -s 〔부가어가 올 때만 관사 붙임〕 범유럽주의, 유럽 연방주의.

Pan·flöte [pá:n..] *f.* 목적(牧笛)(고대 그리스의 목양신 Pan 의 이름에서).

Pangermanismus [pangɛrmanísmus] *m.* - 범게르만주의.

Panhas *m.* - 〖요리〗 메밀 가루·저민 고기·순대국으로 만든 베스트팔렌 지방의 요리.

Panhellenismus [panɛlenísmus] *m.* - (전(全) 그리스 민족을 하나의 국가로 통일시키려는) 범그리스주의.

panhellenistisch *a.* 범그리스주의의.

Panier[1] [paní:r] *n.* -s, -e ①〔구식〕 기(旗), 군기: das ~ aufpflanzen〔ergreifen〕 기를 세우다; sich et. auf sein ~ schreiben 무엇을 목표로 삼다. ②〔雅語〕 표어, 모토.

Panier[2] *f.* (öst.) (비프스테이크·포크 커틀릿의) 튀김옷.

panieren [..í:rən] 《frz. <lat. panis, „Brot"》 *t.* (고기나 생선에) 튀김옷을 입히다.

Panier·mehl *n.* 빵가루.

Panierung *f.* -en ↑ panieren 의 명사형.

***Panik** [pá:nık] 《gr.; <Pan[1]》 *f.* -en 경악, 공포; 〖經〗 공황: in ~ geraten 공포에 사로잡히다; jn. in ~ versetzen 누구를 공포에 빠뜨리다.

panik≈artig *a.* 공포에 사로잡힌; 경악스러운. **~mache** *f.* 〔폄어〕 공포 분위기〔공황 상태〕 조성; 공갈 협박, 으름장: das ist doch reine ~ 그것은 순전히 공갈 협박이다. **~stimmung** *f.* 공포 분위기: in ~ geraten 공포 분위기에 빠지다.

Panis·brief [pá:nıs..] 《lat. panis, „Brot"》 *m.* 어떤 속인(俗人)을 부양하도록 독일 황제가 수도원에 보내는 추천장.

panisch [pá:nıʃ] 《gr. -lat.》 *a.* 공포에 사로잡힌; 급작스럽고 격렬한, 가공할 만한: ~er Schrecken 급작스런 공포.

Panislamismus *m.* - 범이슬람주의.

Panje [pánjə] 《<Pan[2]》 *m.* -s, -s ① ↑ Pan[2] 의 독일어형. ②〔농담〕 러시아 및 폴란드의 농부.

Panje≈pferd *n.* (작고 온순한) 동유럽의 말. **~wagen** *m.* (한 마리의 말이 끄는) 소형 마차.

Pankarditis *f.* ..tiden [..tí:dən] 〖醫〗 범심염(심장 전체의 미만성 염증).

Pankration *n.* -s, -s 고대 그리스의 격투기.

Pankratius [pankrá:tsius] *m.* ① 판크라티우스(남자 이름). ②〖가톨릭〗 판크라스(4 세기 초 순교한 로마의 성인).

Pankraz [pankrá:ts] *m.* ↑ Pankratius.

Pankreas [pánkreas] 《gr. kréas, „Fleisch"》 *n.* -, ..kreaten [pankreá:tən] 〖해부〗 이자, 췌장.

Pankreatin [..kreatí:n] *n.* -s 〖藥〗 판크레아틴(동물 췌장에서 추출한 소화 효소).

Pankreatitis [pankreatí:tıs] *f.* ..titiden [..tí:dən] 〖醫〗 췌장염.

Panlogismus *m.* - 〖哲〗 범논리주의.

Panmixie [..mıksí:] *f.* -n [..ksí:ən] 〖生〗 잡혼 번식.

Pann *f.* (ndd.) ① 냄비. ② 이마. ③ 압류.

Panne [pánə] 《frz.》 *f.* -n ① (차량 등의) 고장: eine ~ haben 고장나다; eine ~ beheben 고장을 수리하다. ② 실수, 오류, 과오: da ist beim Abschreiben eine ~ passiert 베껴 쓸 때 실수가 하나 있었다.

pännen *t.* (ndd.) 압류하다(↑ pfänden).

Pannen=dienst *m.* 자동차 응급 수리(센터). **~frei** *a.* 고장이 없는. **~koffer** *m.* 자동차 수리 공구함. **~kurs** 자동차 수리 교육 과정.

Pänner *m.* -s, - (ndd.) ① 집달리(Pfänder). ② 전답 관리인(Feldhüter).

Pannonien [panó:niən] 파노니아(다뉴브강 중류에 연해 있는 고대 로마 영토).

pannonisch *a.* 파노니아 지방의.

Panoptikum [panɔ́ptikum] 《gr.》 *n.* -s, ..ken 밀랍 인형 전시실; 진기품 진열실.

***Panorama** [panorá:ma] 《gr.》 *n.* -s, ..men ① 파노라마; 전경(全景), 경관: vom Aussichtsturm aus kann man das ganze ~ der Stadt überschauen 전망탑에서는 도시의 전경을 조망할 수 있다. ② 전경화(全景畫); 파노라마 사진; 〖연극〗 파노라마 무대.

Panorama=bus *m.* 전망창이 있는 관광 버스. **~fenster** *n.* 전망창. **~spiegel** *m.* (자동차의) 차내 백미러.

Panplegie *f.* -n [..gí:ən] 〖醫〗 전신 마비.

Panpsychismus [panpsyçísmus] 《gr.-lat.》 *m.* - 〖哲〗 범심론(汎心論).

panschen [pánʃən] *t./i.* (h.) ① (술·우유에) 물을 타다, 위조〔변조〕하다. ② 찰싹 때리다. ③ (md.) 비가 내리다(regnen). ④ (obd.) 〖구어〗 첨벙거리며 놀다.

Panscher *m.* -s, - 포도주〔우유〕 변조자; 부정 상인.

Panscherei [panʃəráɪ] *f.* -en 〖구어〗 ① (포도주나 우유에) 물을 타기. ② 물장구치기.

Panse [pánzə] 《frz.》 *f.* -n ↑ Pansen.

Pansen [pánzən] *m.* -s, - 〖해부〗 ① 반추 동물의 제 1 위(胃), 유위(瘤胃), 혹위. ② 불룩한 배; (ndd.) 위: sich³ den ~ vollschlagen 포식하다. ③ (ndd.) 애송이.

Pansexualismus *m.* - 〖心〗 (프로이트의) 범성욕설(汎性慾說).

Pans·flöte *f.* ↑ Panflöte.

Panslawismus [panslavísmus] *m.* - 범슬라브주의.

Panslawist *m.* -en, -en 범슬라브주의자.

panslawistisch *a.* 범슬라브주의의; 범슬라브적인.

Pansophie [panzofí:] 《gr.》 *f.* ① (백과 사전적인) 지식. ② 범지학(汎知學) (모든 학문을 하나로 통합하려는 16-18 세기의 종교 철학 운동).

Panspermie [panspɛrmí:] *f.* 배종(胚種) 발달설(생명은 배종 형태로 우주 도처에 존재하며 환경이 맞는 곳에서 발생한다는 학설).

Pantaleon *n.* -s, -s 〖악기〗 판탈레온(타현악기의 일종).

Pantalon[1] *n.* -s, -s 〖악기〗 ↑ Pantaleon.

Pantalon[2] [pantalɔ̃:, pãtalɔ̃:] 《frz.》 *m.* -s, -s, ↑ Pantalone.

Pantalone [pantaló:ne] 《it.》 *m.* -s, -s/..ni 〖연극·문학〗 판탈로네(이탈리아 민중 희극 코메디아 델라르테(Commedia dell'arte)에 나오는 인색한 늙은 베니스 상인역).

Pantalons [pãtalɔ̃:s, pan..] 《frz.》 *pl.* ① 〖유행〗 남성용 긴 바지(프랑스 혁명 때 등장). ② (스케이트 선수용) 몸에 꼭 붙는 운동복 바지, 트리코.

panta rhei 《gr. „alles fließt"》 [pánta ráɪ] 만물은 유전(流轉)한다(그리스 철학자 헤라클레이토스의 사상).

Panter *m.* -s, - ↑ Panther.

***Pantheismus** [panteísmus] 《gr. theós, „Gott"》 *m.* - 〖哲〗 범신론.

Pantheist [..teíst] *m.* -en, -en 범신론자.

pantheistisch *a.* 범신론의.

Pantheon [pánteɔn] *n.* -s, -s ① 판테온(고대 그리스·로마의 만신전). ② 영령묘(英靈廟), (특히 파리의) 명사 기념묘. ③ (다신교도들이 섬기는) 신들의 전체.

***Panther** [pántər] 《lat.》 *m.* -s, - ① 〖動〗 표범. ② 〖구어〗 (schwarzer) ~ 흑표범.

Panther=fell *n.* 표범 가죽. **~katze** *f.* 〖動〗 표범 비슷한 살쾡이.

Pantine [pantí:nə] 《frz.》 *f.* -n (nordd.) 나막신, 목제 실내화: aus den ~n kippen 기절〔아연실색〕하다.

panto.. 《gr.》 *pref.* "모든, 전(全)"의 뜻.

***Pantoffel** [pantɔ́fəl] 《it.》 *m.* -s, -n ① 슬리퍼: in ~n 슬리퍼를 신고; in die ~n schlüpfen 슬리퍼를 신다; dem Papste den ~ küssen 교황의 발에 입맞추다. ② 〖구어〗 내주장(內主張): sie hat ihren Mann unter dem ~ 그녀는 남편을 쥐고 흔든다; unter dem ~ stehen 엄처시하다; den ~ schwingen 내주장하다, 남편을 쥐고 흔들다; unter den ~ geraten〔kommen〕 아내에게 쥐여 살게 되다.

Pantoffel=baum *m.* 〖植〗 코르크나무. **~blume** *f.* 〖植〗 칼세올라리아(슬리퍼 모양의 꽃이 피는 남아메리카 원산의 관상 식물).

Pantöffelchen [pantœ́fəlçən] *n.* -s, - 〖↑ Pantoffel 의 축소형〗 작은 슬리퍼.

Pantoffel=held *m.* 〖구어·폄어·농담〗 공처가. **~holz** *n.* 코르크 목재. **~kino** *n.* 〖구어·농담〗 텔레비전. **~knecht** *m.* ↑ ~held.

Pantöffelein *n.* -s, - ↑ Pantöffelchen.

Pantoffel·macher *m.* 슬리퍼 제조인.

pantoffeln 《I》 *t.* ① (가죽을) 문질러 매끈하고 부드럽게 만들다. ② 〖구식〗 (아내가) 내주장하다, (남편을) 쥐고 흔들다. 《II》 *i.* (s.) 슬리퍼를 신고 있다〔걷다〕.

Pantoffel=regiment *n.* 〖구어·폄어·농담〗 ↑ Pantoffel ②. **~ritter** *m.* 〖드물게〗 ↑ ~held. **~tierchen** *n.* 〖生〗 짚신벌레.

Pantograph [pantográ:f] 《gr.》 *m.* -en, -en 사도기(寫圖器) (그림을 자유로 확대·축소해서 옮겨 그릴 수 있는 기구).

Pantographie *f.* -n [..fí:ən] (사도기에 의한) 확대〔축소〕도(圖).

Pantolette [pantolɛ́tə] *f.* -n 쐐기꼴 뒤축이 있는 가벼운 신발.

***Pantomime**[1] [pantomí:mə] 《frz.》 *f.* -n ① 판토마임, 무언극: eine ~ einstudieren〔aufführen〕 무언극을 연습하다〔공연하다〕. ② 몸짓.

Pantomime[2] *m.* -n, -n 판토마임〔무언극〕 배우.

Pantomimik *f.* ① (표정·몸짓 등) 신체적 표현 동작의 총칭. ② 무언극술.

Pantomimiker *m.* -s, - ↑ Pantomime².

pantomimisch *a.* 몸짓의: et. ~ darstellen 무엇을 몸짓으로 표현하다.

Pantry [pɛ́ntri] 《engl.》 *f.* -s (배·비행기의) 주방.

pantschen [pántʃən] *t./i.* (h.) ↑ panschen.

Pantschen-Lama *m.* -(s), -s 판첸 라마(라마교의 부교주(의 칭호)).

Pantscher *m.* -s, - ↑ Panscher.
Panty [pénti] 《engl.》 *f.* ..ties 팬티 거들, 팬티식 코르셋.
Pänultima [pɛnúltima, pɛn|úl..] *f.* ..mä [..mɛ]/..men [..mən] 〖문법〗 한 단어의 끝에서 둘째 음절.
Panzen [pántsən] 《lat.》 *m.* -s, - ① (obd.) 반추 동물의 첫 위, 유위(瘤胃), 혹위. ② 불룩한 배: sich den ~ vollschlagen〔vollfressen〕 배불리 먹다.
*__Panzer__ [pántsər] *m.* -s, - ① 갑옷, 갑주(甲胄), 철갑: einen ~ tragen〔anlegen〕 갑옷을 입다; 〔비유〕 er hat einen dreifachen ~ ums Herz 그는 아주 냉혹하다; 〔비유〕 sich mit einem ~ umgeben 주위 사람들과 담을 쌓고 지내다. ② 사냥개의 호신의(護身衣). ③〖植〗 씨 껍데기. ④〖動〗 곤충의 갑각; (거북 등의) 등딱지. ⑤ 장갑함(~schiff); 장갑차, 전차, 탱크: einen ~ knacken 탱크를 파괴하다. ⑥〔복수〕 기갑 부대.
Panzer≈abwehr *f.* 〖軍〗 대전차 방어. **~-abwehr·kanone** *f.* 〖軍〗 대전차포. **~-abwehr·rakete** *f.* 〖軍〗 대전차 미사일. **~ärmel** *m.* 〖軍〗 (팔목까지 보호하는) 갑옷. **~auto** *n.* 〖軍〗 장갑 자동차. **~batterie** *f.* 〖軍〗 장갑 포대(砲臺). **~blech** *n.* 〖軍〗 장갑판. **≈brechend** *a.* 〖軍〗 전차를 파괴하는: ~e Waffen 전차 파괴용 무기. **~deck** *n.* 〖海〗 장갑 갑판. **~division** *f.* 〖軍〗 기갑 사단. **~dreh·turm** *m.* 〖軍〗 장갑 선회 포탑. **~echse** *f.* 악어. **~eidechse** *f.* 〖動〗 독도마뱀. **~fahr·zeug** *n.* 장갑함〔차〕. **~faust** *f.* 〖軍〗 (휴대용) 대전차 로켓포. **~flotte** *f.* 〖海〗 장갑 함대. **~fregatte** *f.* 〖海〗 장갑 프리깃함. **~gewölbe** *n.* 금고. **~glas** *n.* 방탄 유리. **~graben** *m.* 〖軍〗 대전차호(濠). **~granate** *f.* 〖軍〗 파갑 유탄(破甲榴彈). **~grenadier** *m.* 〖軍〗 ① 기갑 보병. ②〔복수〕 기갑 부대. **~hand·schuh** *m.* 〖승마·검도〗 긴 장갑. **~-hemd** *n.* 〔옛뜻〕 쇠사슬 갑옷. **~jäger** *m.* 〖軍〗 ① 대전차병. ②〔복수〕 대전차 부대. **~kampf·wagen** *m.* 전차, 탱크. **~kraft-wagen** *m.* 장갑 자동차. **~krebse** *pl.* 〖動〗 왕새우. **~kreuzer** *m.* 〖海〗 (1900 년경의) 장갑 순양함. **~macher** *m.* 무기 제조자.
panzern [pántsərn] 《I》 *t.* …에게 갑옷을 입히다; …을 철갑으로 싸다, 장갑을 하다. 《II》 *refl.* sich ~ 갑옷을 입다, 무장하다; 〔비유〕 철저히 준비하다; 〔비유〕 sich gegen et. ~ 무엇에 대해 동요하지 않다: er panzerte sich gegen alle Fragen 그는 어떤 질문에도 동요하지 않았다. 《III》 **gepanzert** *p.a.* ↑ gepanzert.
Panzer≈platte *f.* 〖軍〗 장갑판. **~reiter** *m.* 〖軍〗 흉갑(胸甲) 기병. **~rock** *m.* 〖軍〗 갑옷 윗부분. **~schiff** *n.* 장갑〔철갑〕함. **~schrank** *m.* 철제 금고. **~späh·wagen** *m.* 장갑 정찰차. **~sperre** *f.* 〖軍〗 대전차 장애물. **~tier** *n.* 〖動〗 ① 천산갑속(屬). ② 아르마딜로속(屬). **~turm** *m.* 〖海〗 장갑 포탑. **~turm·geschütz** *n.* 〖海〗 장갑 포탑포(砲). **~turm-schiff** *n.* 〖海〗 장갑 포탑함; (예전의) 모니터함.
Panzerung [pántsərʊŋ] *f.* -en ① 장갑. ② 철갑, 갑판.
Panzer≈wagen *m.* 〖軍〗 장갑차. **~wangen** *pl.* 〖動〗 둑중갯과(科). **~zug** *m.* 〖軍〗 장갑 열차.
Päon [pɛ́:ɔn] 《gr.》 *m.* -s, -e ① 아폴로 찬가. ②〖문학〗 하나의 장음절과 세 개의 단음절로 된 시각(詩脚).
Päonie [pɛó:niə] 《lat.》 *f.* -n 〖植〗 작약속(屬).
Papa[1] [pápa, papá:] 《frz.》 *m.* -s, -s 아빠.
Papa[2] [pá:pa] *m.* -s ①〖가톨릭〗 교황. ②〖그리스정교〗 교부(教父).
Papachen [pápaçən] *n.* -s, - Papa[1] 의 애칭 (↑ Papchen ②).
Papagallo *m.* -(s), -s/..lli 〔펌어·농담〕 ① (여성 관광객을 유혹하는) 이탈리아의 젊은 남자. ② 바람둥이, 호색한.
*__Papagei__ [papagáɪ] 《frz.》 *m.* -s/-en, -e(n) ①〖動〗 앵무샛과(科): deutscher ~ 파랑새의 일종(유럽산(産)). ②〖動〗 만새깃과(科)의 일종. ③〔비유〕 수다쟁이: plappern〔schwatzen〕 wie ein ~ 쓸데없는 말을 계속해서 지껄이다.
papageien≈grün [papagáɪən..] *a.* 엷은 초록색의. **≈grün** *n.* (앵무새 깃털처럼) 엷은 초록색.
papageienhaft *a.* 앵무새 같은; (생각 없이) 재잘거리는; (앵무새같이) 화려하게 치장한.
Papageien·krankheit *f.* 〖醫〗 앵무병(폐렴의 일종).
Papagei≈fisch *m.* 〖動〗 ① ↑ Papagei ③. ② 비늘돔과(科). **~grün** *n.* 〖化〗 슈바인푸르트 녹(綠). **~taucher** *m.* 〖動〗 바다오릿과(科)의 일종.
papal [papá:l] 《lat.》 *a.* 교황의.
Papal·system *n.* 〖가톨릭〗 (↔ Episkopal-system) (사제단 중심 체제에 대해) 교황 중심 체제.
Papat *n./m.* -(e)s 〖가톨릭〗 교황의 직위.
Papaverazee [papa:veratsé:ə] 《lat.》 *f.* -n 〖植〗 양귀비꽃과(科)의 식물.
Papaverin *n.* -s 〖藥〗 파파베린(진경(鎭痙) 작용을 하는 아편 염기).
Papaya *f.* -s 〖植〗 ① 파파야 나무. ② 파파야 열매.
Papchen [pá:pçən] *n.* -s, - ①〔↑ Papagei 의 축소형〕 작은 앵무새. ② (ndd.) ↑ Papa[1] 의 축소형. ③〖사냥〗 큰물닭속(屬).
Pape[1] [pá:pə] *m.* -n, -n (ndd.) ① 신부, 목사. ② 채굴할 때 받침으로 쓰는 원뿔꼴의 물건. ③ 대성당의 성직자.
Pape[2] *f.* -n (nordd.) 목구멍(Gurgel).
papeln *t./i.* (h.) (ostmd.) ① 불명료〔애매〕하게 말하다. ② 재잘거리다.
Paper [péɪpə] 《engl.》 *n.* -s, -s 핸드아웃(청중들에게 미리 나눠 주는 강연 원고).
Päper *m.* -s, - (ndd.) ↑ Pfeffer.
Paper·back [péɪpəbæk] 《engl.》 *n.* -s, -s 〖제본〗 종이 표지; 종이 표지 책.
Paperdatsche *f.* -n 〔방언〕 달팽이 (모양의) 과자.
Papeterie [papɛtəri:] 《frz. papier》 *f.* -n [..rí:ən] (schweiz.) ① 문구(文具). ② 문방구점.
Papi *m.* -s, -s 〔아동〕 Papa[1] 의 애칭.
*__Papier__ [papí:r] 《gr. pápyros》 *n.* -s, -e ①〔복수없음〕 종이: chinesisches〔liniertes〕 ~ 당지〔괘지〕; ein Stück〔Blatt〕 ~ 종이 한 쪽〔장〕; ein Bogen ~ 전지 한 장; 〔구어〕 es ist kein ~ mehr da 화장지가 떨어졌다; et. in

~ einwickeln〔einschlagen〕무엇을 종이에 싸다〔포장하다〕; et. zu ~ bringen 무엇을 적다〔기록하다〕; et. aufs ~ werfen 급히 적다, 요점만 적다; das steht〔existiert〕nur auf dem ~ 그것은 유명무실하다〔탁상공론이다〕; die Abmachung ist nur ein Fetzen ~ 협정은 한 낱 종잇조각에 불과하다;〖비유〗~ ist geduldig 기록된 것이라고 해서 다 의미있는〔옳은〕것은 아니다. ② 서류, 기록; 원고; 문서;〖복수〗신분증, 여권, 면허〔허가〕증: keine ~e bei sich haben 신분증을 가지고 있지 않다; sich falsche ~ beschaffen 가짜 신분증을 구하다;〖구어〗seine ~e bekommen 제대하다〔해고되다〕. ③〖商〗(Wert≈) 유가 증권; 어음; 주식; 채권: sein Geld in ~en anlegen 증권에 투자하다; die ~e sind gestiegen 주가가 올랐다. ④〖動〗eingerolltes ~ 후새류(後鰓類) 조개의 일종; türkisches ~ a) 해산(海產) 조개의 일종, b) 자패속(紫貝屬)의 일종, c) 물레고둥의 일종.

Papier≈abfälle, ~abgänge *pl.* 휴지. **~adel** *m.* (세습이 아닌) 수작서(授爵書)에 따른 귀족. **~bahn** *f.*〖제지〗넓은 띠 모양으로 재단된 종이(초지(抄紙) 공정에서 완성 직전의 종이). **~block** *m.* (뜯어 쓸 수 있는) 종이 묶음〔철〕. **~bereitung** *f.* 종이 제조. **~blume** *f.* ① 조화(造花). ②〖植〗수레바퀴국화의 일종. **~bogen** *m.* 전지(全紙). **~boot** *n.* ↑ ~nautilus. **~brei** *m.* (제지용) 펄프 용액. **~deutsch** *n.*〖폄어〗(딱딱하고 생동감이 없는) 격식 독일어. **~drache** *m.* 연. **~drucker** *m.* 도배지 날염공〔제조인〕.

papieren [papí:rən] *a.* ① 종이로 만든: eine ~e Tüte 종이 봉투. ② **(a)** 종이 같은: seine Haut fühlt sich ~ an 그의 피부는 까칠까칠하다. **(b)** (문체·표현이) 무미건조한. ③ ~e Hochzeit 결혼 1주년 기념일.

Papier≈fabrik *f.* 제지 공장. **~fetzen** *m.* 종잇조각, 휴지. **~form** *f.* ① 지형(紙型). ②〖스포츠〗(이제까지의 성적으로 미루어 짐작한) 경기 능력. **~format** *n.*〖제지〗종이의 치수. **~geld** *n.* 지폐. **~handel** *m.* 지물상. **~händler** *m.* 지물 상인. **~handlung** *f.* ① 지물포. ② 문방구점. **~holz** *n.* 펄프재, 제지 원료. **~industrie** *f.* 제지 공업. **~kondensator** *m.*〖전기〗종이 콘덴서〔축전기〕. **~korb** *m.* ① 종이로 만든 바구니. ② 휴지통: den ~ leeren 휴지통을 비우다; et. in den ~ werfen 무엇을 휴지통에 버리다; etwas landet im ~〔etwas wandert in den ~〕무엇이 버려지다. ③〖컴〗휴지통(불필요한 정보를 모아 놓는 곳). **~krieg** *m.*〖구어·폄어〗(특히 관청과의) 지루한 서신 교환. **~laden** *m.* ↑ ~handlung. **~laterne** *f.* 색종이로 만든 초롱. **~maché** [papiemaʃé:, (öst) papí:rmaʃe:]《frz.》*n.* -s, -s 혼응지(混凝紙)(펄프에 아교를 섞어 굳힌 성형(成形) 재료): Theaterkulissen aus ~ 혼응지로 만든 연극 세트. **~macher** *m.* 제지업자. **~masse** *f.* ↑ ~brei. **~maulbeer·baum** *m.*〖植〗꾸지나무. **~messer** *n.* 종이 자르는 칼; 편지 개봉용 칼. **~mühle** *f.*〖제지〗① 제지 공장. ② 제지 원료 분쇄기. **~nautilus** *n.*〖動〗낙지의 일종. **~prüfung** *f.* 종이의 (강도) 시험. **~rolle** *f.* 두루마리 종이. **~sack** *m.* 종이 포대〔봉지〕. **~schere** *f.* 종이 자르는 가위. **~schirm** *m.* 병풍, 미닫이. **~schlange** *f.* (사육제 등에서 사용하는) 색종이 테이프. **~schneide·maschine** *f.* 종이 자르는 기계, 재단기. **~schnipsel** *m./n.* ↑ ~schnitzel. **~schnitzel** *n./m.* 종잇조각, 종이 (자른) 부스러기. **~serviette** *f.* 종이 냅킨. **~staude** *f.* ↑ Papyrusstaude. **~stoff** *m.* ↑ ~brei. **~tapete** *f.* 벽지. **~taschentuch** *n.* 종이 손수건. **~teig** *m.* ↑ ~brei. **~tiger** *m.* 종이 호랑이. **~tüte** *f.* 종이 봉지. **~umlauf** *m.* 지폐의 유통. **~verarbeitend** *a.* 종이로 가공하는: ~e Industrie 종이 가공업. **~verarbeitung** *f.* 종이 가공(포장지 생산 등). **~währung** *f.*〖經〗지폐 본위 제도. **~waren** *pl.* 지물(紙物), 종이 제품. **~waren·handlung** *f.* 지물포. **~wäsche** *f.* 종이옷깃〔커프스〕. **~wickel** *m.* (퍼머할 때 쓰는) 컬페이퍼.

Papilionazee [papilionatsé:ə]《lat.》*f.* -n 나비꽃.

papillar [papılá:r]《lat.》*a.*〖醫〗젖꼭지〔사마귀〕모양의.

Papillar≈drüse *f.*〖해부〗유선(乳腺). **~geschwulst** *f.*〖醫〗유취종, 유두종. **~körper** *m.*〖해부〗(진피(眞皮)의) 유두상(乳頭狀) 돌기층. **~linie** *f.*〖해부〗(특히 손가락 끝 부분의) 피부 융선(隆線).

Papille [papílə] *f.* -n〖해부〗돌기; 유두, 젖꼭지;〖植〗융모, 돌기모(突起毛).

Papillom *n.* -s, -e〖醫〗유두종.

Papillon [papijɔ̃:] *m.* -s, -s ①〖動〗(벨기에산(產)의 작은) 스파니엘종 개(애완용). ②〖섬유〗파피용천(털실·명주로 짠 부드러운 천).

Papillote [papijó:tə, ..jɔ́tə]《lat.-frz.》*f.* -n ① ↑ Papierwickel. ②〖요리〗파피요트(은박지에 싸서 구운 고기 요리).

Papirossa [papirɔ́sa]《russ.》*f.* ..ssy (종이로 만든 긴 물부리가 달린) 러시아의 담배.

Papismus [papísmus]《<Papa》*m.* -〖폄어〗① (경직된) 가톨릭 교리. ②〖가톨릭〗교황 대변설(代辯說)〔신성설(神聖說)〕, 교(황)권 신봉.

Papist *m.* -en, -en 교(황)권 신봉자.

papistisch *a.* 교(황)권 신봉의.

papp [pap] *int.*〖다음 용법으로만〗〖구어〗ich kann nicht mehr ~ sagen 나는 배가 불러 터질 것 같다.

Papp *m.* -(e)s, -e ↑ Pappe ①.

Papp≈arbeit *f.* 마분지〔판지〕제품〔세공〕. **~band** *m.*〖출판〗두꺼운 표지로 장정한 책(약어: Pp(bd).). **~becher** *m.* (1회용) 종이컵. **~deckel** *m.* ① 판지. ② 표지용 판지. ③ 제본기. ④ 실크해트.

***Pappe** [pápə] *f.* -n ① (obd., md.; Mehlbrei) (된) 밀가루죽: jm. ~ ums Maul schmieren a) 누구를 설득하다, b) 누구에게 아첨하다. ② 풀. ③ 판지, 마분지: ein Bild auf ~ aufkleben 사진을 판지에 붙이다;〖구어〗nicht von ~ sein 강하다, 견고하다(얕잡아볼 수 없다).

***Pappel** [pápəl]《lat. populus》*f.* -n ①〖植〗포플러속(屬): schwarze ~ 양버들. ②〖구어〗포플러 재목.

Pappel≈allee *f.* 포플러 가로수 길. **~baum** *m.* ↑ Pappel ①. **~holz** *n.* 포플러 재목.

pappeln[1] [pápəln]《<Pappel》*a.* 포플러 재목의.

pappeln[2]《<Pappe》*t./i.* (h.)〖방언〗① 먹

다. ② (입 안에서) 중얼거리다. ③ 수다떨다.

päppeln [pɛ́pəln] *t.* 〖구어〗 신경 써서 먹이다: der Kranke muß ein wenig gepäppelt werden 그 환자는 조금 신경 써서 먹여야만 한다; 〖비유〗 js. Eitelkeit ~ 누구에게 아첨하다.

Pappel≈öl *n.* 〖醫〗 백양아(白楊芽) 기름. **~salbe** *f.* 〖醫〗 백양 연고. **~schwärmer** *m.* 〖動〗 버들박각시의 일종. **~stein** *m.* 〖광물〗 공작석(孔雀石). **~weide** *f.* 〖植〗 양버들.

pappen[1] [pápən] 《<Pappe》 *a.* 두꺼운 종이로 된.

pappen[2] *t./i.* (h.) 〖구어〗 ① ↑ päppeln. ② 풀로 붙이다: einen Zettel auf〔an〕 eine Kiste ~ 상자에다 종이 쪽지를 붙이다; ~ bleiben 낙제하다. ③ 잘 뭉쳐지다〔엉겨붙다〕: der Schnee pappt 눈이 잘 뭉쳐진다.

Pappen≈blume *f.* 〖植〗 민들레. **~deckel** *m.* ↑ Pappdeckel. **~fabrikation** *f.* 판지 제조. **~form** *f.* 판지형.

Pappenheimer [pápənhaɪmər] *m.* -s, - (30년 전쟁 때 G.H. Pappenheim 장군 휘하의) 갑옷 기병: 〖구어〗 ich kenne meine ~! 나는 이 사람들(자식·제자·부하)의 특성, 특히 약점을 잘 알고 있다! (쉴러의 희곡 "발렌슈타인의 죽음" 3 막 15 장에서 유래).

Pappen≈macher [pápən..] *m.* 판지 제조인. **~stiel** *m.* 〖구어〗 하찮은 것: das ist doch kein ~ 그것은 사소한 일〔것〕이 아니다; et. für〔um〕 einen ~ kaufen 무엇을 싸게〔헐값으로〕 사다; das ist keinen ~ wert 그것은 아무런 가치도 없다.

papperlapapp [papərlapáp] *int.* 〖의성어〗 말도 안 되는 소리군, 바보 같은 소리!

Papp·form *f.* 〖印〗 지형(紙型).

pappicht 〖고어〗 *a.* ↑ pappig.

pappig [pápɪç] 《<Pappe》 *a.* 죽 같은, 걸쭉한; 풀 같은, 끈적끈적한, 점착성의; (빵이) 설구워져 진득거리는; (눈이) 쉽게 뭉쳐지는.

Papp≈kamerad *m.* 〖軍〗 (사격 연습용) 인형 표적. **~karton** *m.* ① 마분지 상자. ② 〖구어〗 마분지. **~kasten** *m.* 판지 상자. **~maché** *n.* ↑ Papiermaché. **~nase** *f.* (변장용) 종이코. **~plakat** *n.* 판지 플래카드. **~schachtel** *f.* 판지 상자. **~schädel** *m.* ↑ ~stoffel. **~-schnee** *m.* 잘 뭉쳐지는〔엉겨붙어 굳은〕 눈. **~stoffel** *m.* 멍청이, 우둔한 놈; 버릇 없는 사람. **~teller** *m.* (1 회용) 종이 접시.

Pappus [pápus] 《lat.》 *m.* -, -(se) 〖植〗 관모(冠毛), 갓털.

Papp·waren *pl.* 판지 제품.

Paprika [pá(:)prika] 《ung.》 *m.* -s, -(s) 〖植〗 ① 피망, 파프리카. ② 〖요리〗 피망〔파프리카〕 가루 양념〔조미료〕.

Paprika≈schnitzel *n.* 피망을 곁들인 커틀릿. **~schote** *f.* 피망.

paprizieren [papritsí:rən] *t.* 〖요리〗 (특히 öst.) 피망가루 양념을 넣다.

Paps *m.* 〖아동·대개 호칭으로만〗 ↑ Papa[1]의 애칭.

***Papst** [pa:pst] 《lat. pāpa》 *m.* -es, Päpste [pɛ́:stə] ① 교황; 〖속담〗 wer den ~ zum Vetter hat, kann Kardinal wohl werden 연줄이 좋으면 출세한다; 〖비유〗 er war in Rom und hat den ~ nicht gesehen 그는 좋은 기회를 놓쳤다(가장 중요한 것을 빠뜨렸다); päpstlicher sein als der ~ 필요 이상으로 엄격하다. ② 〖학생〗 (맥주 마시는 경기의) 컵 두 잔의 양. ③ 〖속어〗 (a) 변소: auf den ~ 〔zu ~e〕 gehen 변소에 가다. (b) 똥. ④ 〖動〗 둑중개속의 일종. ⑤ 〖動〗 멧새속의 일종. ⑥ 〖植〗 귀룽나무. ⑦ Bischof 과 유사한 술.

..papst *suf.* "(…분야의) 지도자·권위자"의 뜻 (보기: Mode〔Kultur〕~ 패션계〔문화계〕의 거장).

Papst·familie *f.* (성직자와 평신도로 구성된) 교황의 측근.

Päpstin [pɛ́:pstɪn] *f.* -nen ↑ Papst ① 의 여성형.

päpstisch [pɛ́:pstɪʃ] *a.* 〖고어〗 교황(직)의; 교(황)권 신봉의.

Papst≈katalog *m.* 역대 교황 명단. **~krone** *f.* 교황의 관(冠).

Päpstler [pɛ́:pstlər] *m.* -s, - 〖폄어〗 교(황)권 신봉자.

Päpstlerei [pɛ:pstlərái] *f.* -en 교(황)권 신봉.

päpstlich [pɛ́:pstlɪç] *a.* 교황(직)의; 교(황)권 신봉의: der ~e Stuhl 교황좌〔청〕; eine ~e Enzyklika 교황 교서.

Papst·name *m.* (교황으로 선출된 뒤에 갖는) 교황명.

Papsttum [pá:psttu:m] *m.* -(e)s 교황직; 교황권; 교황 제도: ein Anhänger des ~s 교황권 신봉자.

Papst≈urkunde *f.* 교황(이 썼거나 서명한) 문서(칙서·교서 따위). **~wahl** *f.* 교황 선거. **~würde** *f.* 교황의 권위.

Papua [pá:pua, papú:a] 《mal.》 *m.* -(s), -(s) 파푸아(인); 뉴기니의 원주민; (일반적으로) 오스트레일리아의 흑인.

Papua-Neuguinea [pá:puanɔʏginé:a] 파푸아뉴기니.

Papua-Neuguineer 파푸어뉴기니 사람.

papua-neuguineisch *a.* 파푸아뉴기니(사람)의.

papuanisch *a.* 파푸아(인·어)의.

Paupua·sprache *f.* 파푸아어.

Papyrin [papyrí:n] 《gr.》 *n.* -s 황산지(黃酸紙), 양피지.

Papyrograph *m.* -en, -en 등사판, 복사기.

Papyrologie *f.* 파피루스 고문서학.

Papyros [papý:rɔs] *f.* ..roy 러시아의 궐련.

Papyrus [papý:rus] *m.* -, ..ri ① 〖植〗 지사초(紙莎草), 파피루스. ② 파피루스 종이. ③ 파피루스 고문서.

Papyrus≈kunde [..pý:..] *f.* ↑ Papyrologie. **~rolle** *f.* 파피루스지로 된 고문서 두루마리. **~staude** *f.* 〖植〗 Papyrus ①.

Par *n.* -(s), -s 〖골프〗 기준 타수, 파.

par.. ↑ para..

Para[1] *m.* -, - ① 〖옛뜻〗 터키의 은화. ② 파라(유고슬라비아의 화폐 단위 100 Para=1 Dinar).

Para[2] *m.* -s, -s 《frz.》 낙하산〔공수〕 부대원.

para.. 《gr.》 *pref.* ① (neben.., bei..) "병렬·부(副)·종(從)·부가"의 뜻(보기: ~militärisch 준군사적인). ② (ver.., miß..) "부정·과실·착오"의 뜻(보기: ~plasie 기형(畸形)). ③ (gegen.., entgegen..) "반대"의 뜻(보기: ~dox 역설적인). ④ 〖化〗 "이성체(異性體)"의 뜻.

Parabase [parabá:zə] 《gr.》 *f.* -n 〚문학〛 (고대 그리스 희극에서) 합창대가 관객에게 직접 말을 거는 부분.

***Parabel** [pará:bəl] 《lat. parabola》 *f.* -n ① 〚문학〛 우화: die Ring~ von Lessing 레싱의 반지 우화. ② 〚기하〛 포물선.

parabel≈förmig *a.* 포물선 모양의. **~kurve** *f.* 포물선.

Parabellum [parabɛ́lʊm] 《lat.》 *f.* -s ↑ ~-pistole.

Parabellum·pistole *f.* 파라벨룸(베를린의 옛 무기 회사의 이름을 딴 자동 장전 권총).

Parabol·antenne *f.* 〚전기공학〛 파라볼라 안테나, 접시 안테나.

parabolisch [parabó:lɪʃ] *a.* ① 비유적인, 우화적인. ② 포물선 모양의.

parabolisieren 《Ⅰ》 *i.* (h.) 〚雅語〛 비유적으로 말하다. 《Ⅱ》 *t.* 우화로 표현하다.

Paraboloid [..loí:t] *n.* -(e)s, -e 〚기하〛 포물선체〔면〕.

Parabol·spiegel *m.* 〚광학〛 포물면경(面鏡).

***Parade** [pará:də] 《frz.》 *f.* -n ① 〚軍〛 사열식, 열병식, 퍼레이드: eine ~ abhalten〔abnehmen〕 사열식을 거행하다; 〚구어〛 mit et.³ ~ machen 무엇으로 강한〔깊은〕 인상을 주다. ② (**a**) 〚권투·펜싱·축구〛 방어 동작: eine hervorragende〔gewandte, glänzende〕 ~ 골키퍼의 선방; 〚펜싱〛 eine ~ schlagen〔ausführen〕 방어하다; sich in ~ legen 방어 태세를 갖추다; 〚구어〛 jm. in die ~ fahren 누구의 계획을 저지하다, 누구에게 강력히 반대하다. (**b**) 〚체스〛 명군. ③ 〚승마〛 정지, 감속.

Parade≈anzug *m.* 〚軍〛 (↔ Kommißanzug) 사열식 복장; 예복. **~aufstellung** *f.* 열병식. **~beispiel** *n.* 전형적인 예, 범례. **~bett** *n.* 호화 침대; (귀인의) 관(棺)을 올려 놓는 단(壇).

Paradeis [paradáɪs] 《↑ Paradies》 *n.* -es 〚구식·시어〛 ↑ Paradies.

Paradeis·apfel *m.*, **Paradeiser** *m.* -s, - (öst.) 토마토.

Paradeis≈salat *m.* (öst.) 토마토 샐러드. **~suppe** *f.* (öst.) 토마토 수프.

Parade≈kissen *n.* (원래의 베개 위에 얹어 놓는) 장식용 자수 베개. **~marsch** *m.* 〚軍〛 분열〔열병〕 행진.

Paradentose [paradɛntó:zə] *f.* -n 〚구식〛 비염증성 치주 질환(Parodontose).

Parade≈pferd *n.* ① 의장마(儀仗馬), 훌륭한 말. ② 〚경박〛 모범생, 견본용 특선품: er ist das ~ unserer Mannschaft 그는 우리 팀의 간판 선수다. **~platz** *m.* 〚軍〛 사열식장. **~schritt** *m.* 〚軍〛 분열 행진 보조(步調). **~stück** *n.* ① 비장품(祕藏品), 특선품, 백미. ② 〚반어〛 탁월한 업적: da hast du dir ja mal wieder ein ~ geleistet! 너는 또 다시 엄청난〔큰〕 일을 저질렀구나! **~uniform** *f.* ↑ ~-anzug. **~zimmer** *n.* 의식용 방〔홀〕, 호화로운 방.

paradieren [paradí:rən] 《< Parade》 *i.* (h.) ① 〚軍〛 사열〔분열〕 행진을 하다. ② 〚雅語〛 자랑〔과시〕하다: er paradiert gerne mit seinem Wissen 그는 자신의 지식을 과시하기를 좋아한다. ③ 〚雅語〛 진열〔전시〕되어 있다.

***Paradies** [paradí:s] 《lat. paradisus》 *n.* -es, -e [..zə] ① 〚복수없음〛 (구약에서의) 낙원, 에덴 동산: das verlorene ~ 실락원; sich wie im ~ fühlen 지극히 행복하다고 느끼다; das ~ auf Erden haben 더할 나위 없이 행복하다. ② 천국, 천당, 하늘 나라: im ~(e) sein 천국에 있다, 죽었다; ins ~ eingehen〔kommen〕 죽다. ③ 낙원: diese Südseeinsel ist ein ~ 남태평양의 이 섬은 낙원이다; der Fluß ist ein ~ für Angler 그 강은 낚시꾼들의 천국이다. ④ 〚연극〛 가장 위층의 좌석. ⑤ 〚건축〛 (중세 교회에서) 현관, (분수가 있는) 앞마당.

Paradies≈apfel *m.* ① 〚植〛 (발칸 원산의 작은) 야생 사과. ② 〚방언〛 토마토. ③ 석류 열매. **~bewohner** *m.* 낙원의 주민. **~feige** *f.* 〚구식〛 ↑ ~apfel ①.

paradiesisch [paradí:zɪʃ] *a.* 천국〔극락〕의; 낙원〔천국〕 같은, 더 없이 기쁜: die ~en Wonnen 지고의 희열; ein ~er Ort 낙원 같은 곳.

Paradies·vogel *m.* 〚動〛 극락조, 풍조(風鳥).

***Paradigma** [paradɪ́gma] *n.* -s, ..men/-ta 〚교양〛 범례; 모범, 본보기; 〚언어〛 활용례, 어형 변화 일람표; 계열체(서로 치환될 수 있는 같은 품사의 단어; 보기: die Frau lacht〔weint, singt〕).

***paradigmatisch** [..má:tɪʃ] *a.* ① 〚교양〛 모범적인, 범례적인. ② 〚언어〛 어형 변화(표)의, 활용례의.

***paradox** [paradɔ́ks] 《gr. -lat.》 *a.* 역설적인; 모순된, 이치에 맞지 않는; (기)묘한, 어처구니없는: das klingt ~, ist es aber nicht 그것은 모순되어 보이지만 사실은 그렇지 않다; ein ~es Verhalten 어처구니없는 행동.

Paradox *n.* -es, -e 〚교양〛 ↑ Paradoxon.

paradoxer·weise *a.* ① 역설적으로, 모순되게. ② (기)묘하게, 어처구니없게: ~ geht er trotz seiner schlechten Noten gern in die Schule 그는 성적이 나쁜데도 불구하고 묘하게도 학교에 가는 것을 좋아한다.

Paradoxie [..dɔksí:] *f.* -n [..ksí:ən] 〚교양〛 ① 모순〔역설〕(성). ② 모순된 주장〔사태〕.

Paradoxon [pará:dɔksɔn, parád..] *n.* -s, ..xa ① 〚교양〛 모순된 말〔것〕. ② 〚哲〛 패러독스, 역설, 자가당착의 설. ③ 〚物〛 기현상.

Paraffin [parafí:n] 《lat.》 *n.* -s, -e 〚化〛 ① 파라핀, 석랍(石蠟). ② 〚복수〛 지방 함유 포화 탄화수소.

paraffinieren *t.* 〚전문〛 파라핀으로 처리〔가공〕하다.

paraffinisch *a.* 〚化〛 파라핀의.

Paraffin≈kerze *f.* 파라핀 양초. **~öl** *n.* 〚化〛 파라핀유, 유동(流動) 파라핀.

Paragliding 《engl.》 *n.* -s 패러글라이딩.

Paragramm *n.* -s, -e 〚문학〛 패러그램(희화화하기 위해 이름이나 단어의 한 글자를 바꾸는 것; 보기: Nordsee(북해) → Mordsee(유혈의 바다)).

Paragraf 新정서 ⇦ Paragraph.

***Paragraph** [paragrá:f] 《gr. parágraphos, „Beischrift“》 *m.* -en, -en ① 단락; 장, 절(기호: §); 〚印〛 문단 기호. ② 〚法〛 관항(款項), 조항, 개조(個條): nach ~〔§〕 204 des Strafgesetzbuches 형법 204 조에 따르면; gegen ~ 2 der Straßenverkehrsordnung verstoßen 도로 교통법 2 조를 위반하다. ③ 〚피겨스케이팅〛

P

규정 종목의 하나(장절 기호 〔§〕 모양의 자세).
Paragraphen≈dickicht *n.* 〖대개 폄어〗 (법·조약 등의) 지나치게 많고 복잡한 조항. **~reiter** *m.* 법〔규정〕에 지나치게 얽매이는 사람.
paragraphen·weise *adv.* 단락〔문단〕 별〔단위〕로; 항목별〔조항별〕로.
Paragraphen·zeichen *n.* 단락〔장·절〕 기호 (보기: §, §§).
Paragraphie [paragrafí:] 《gr.》 *f.* -n [..fí:ən] 〖醫〗 착서증(錯書症).
paragraphieren *t.* 여러 개의 단락〔조항〕으로 나누다.
Paragraphierung *f.* -en 단락〔조항〕으로 나누기.
Paragraph·zeichen *n.* ↑ Paragraphenzeichen.
Paraguay[1] [paraguá:i, páragvaɪ] *m.* -(s) 파라과이강(남아메리카 파라나(Paraná) 강의 오른쪽 지류).
P
Paraguay[2] 파라과이(남아메리카의 공화국).
Paraguayer [paraguá:jər, páragvaɪər] *m.* -s, - 파라과이 사람.
Paraguayerin *f.* -nen ↑ Paraguayer 의 여성형.
paraguayisch *a.* 파라과이(인)의.
Parakinese [parakiné:zə] *f.* -n 〖醫〗 ① (근육의) 운동 장애〔실조증〕. ②〖生〗 돌연변이 현상.
Paraklase *f.* -n 〖지질〗 암석의 균열.
Paraklet [paraklé:t] 《gr.》 *m.* -(e)s/-en, -e(n) 〖신학〗 신의 대변〔중개〕자, 성령(聖靈).
Paralalie [paralalí:] *f.* -n [..lí:ən] 〖醫〗 언어 착오, 착음증(錯音症).
Paralexie [paralɛksí:] *f.* -n [..ksí:ən] 〖醫〗 착어(증), 착독증(錯讀症).
Paralipomenon [paralipó:menɔn] 《gr., „Ausgelassenes"》 *n.* -s, ..mena ①〖문학〗 보유, 부록. ②〖복수〗〖구약〗 (상·하) 역대기.
Parallage [parálage:] 《gr.》 *f.* -en [..gé:ən] 착오, 혼동; 〖醫〗 정신 착란.
parallaktisch [paraláktɪʃ] *a.* 〖天〗 시차(視差)의.
Parallaxe [..ksə] *f.* -n ①〖物〗 시차, 시차각. ②〖天〗 (시차에 따라 측정하는) 별까지의 거리. ③〖사진〗 패럴랙스(파인더상의 상(像)과 필름상의 상 사이의 차).
***parallel** [paralé:l] 《gr. -lat.》 *a.* ① 평행의: ~e Linien 평행선; die Straße (ver)läuft ~ zum Fluß 그 길은 강과 나란히 나 있다. ② 동시적인, 병행하는: ~e Handlungsabläufe 병행하는 줄거리. ③ 유사한, 비슷한: Unsere Ansichten sind in diesem Punkt ganz ~ 우리 견해는 이 점에서 매우 흡사하다. ④〖음악〗 같은 음의. ⑤〖전기〗 병렬의.
***Parallele** [..lé:lə] *f.* -n ①〖數〗 평행선: eine ~ ziehen 평행선을 긋다. ②〖軍〗 평행호(壕): ~ ausheben 평행호를 파헤치다. ③ 유사한〔상응하는〕 것, 유례, 유사점: ohne ~ in der Geschichte 역사상 유례가 없는; eine interessante ~ zu et.[3] 무엇과의 흥미로운 유사점; jn.〔et.〕 in ~ zu jm.〔et.[3]〕 bringen〔setzen, stellen〕 누구와〔무엇과〕 누구를〔무엇을〕 동일시하다, 비교하다. ④〖음악〗 병행(병행적 성부 진행).
Parallel·epiped [..epipe:t] *n.* -(e)s, -e [..də] ↑ ~epipedon.
Parallel·epipedon [..epí:pedɔn] *n.* -s, ..da/..den 〖기하〗 평행 6 면체.
Parallel≈erscheinung *f.* 병행 현상. **~fall** *m.* 유사한 경우, 유례. **~flach** *n.* ↑ ~epipedon.
parallelisieren [paralelizí:rən] *t.* 〖교양〗 나란히 놓다, 비교하다, 대비시키다.
Paralellisierung *f.* -en 비교, 대비.
Parallelismus [..lɪ́smus] *m.* -, ..men ① 평행, 병행; 비교, 대비; 일치, 유사. ②〖哲〗 병행론; 〖언어〗 대구법(對句法).
Parallelität [..litɛ́:t] *f.* -en ①〖복수없음〗 〖數〗 평행성. ② 유사성: die ~ dieser Ereignisse ist auffallend 이 사건들의 유사성이 눈에 띈다.
Parallel≈klasse *f.* 같은 학년의 다른 학급. **~kreis** *m.* 〖지리〗 위도권(緯度圈); 위선(緯線). **≈laufend** *a.* 평행하는. **~lineal** *n.* 평행자. **~linie** *f.* 평행선.
Parallelo *m.* -(s), -s 〖구식〗 (소매 끝을 잘라낸 가로무늬의) 스웨터.
Parallelogramm [paralelográm] *n.* -s, -e 〖기하〗 평행 4 변형.
Parallel≈projektion *f.* 〖기하〗 평행 투영. **≈schalten** *t.* 병렬로 접속하다. **~schaltung** *f.* 〖전기〗 병렬 접속(↔ Serienschaltung). **~schwung** *f.* 〖스키〗 (양 발을 모으고 하는) 점프. **~slalom** *m.* 〖스키〗 평행 슬랄롬(2 인 1 조의 회전 활강 경기). **~stelle** *f.* 유사한 (내용의) 구절: Bibel mit Angabe von ~ 참조가 붙은 성서. **~straße** *f.* 평행 도로〔거리〕. **~ton·art** *f.* 〖음악〗 병행조, 평행조. **~trapez** *n.* 〖數〗 사다리꼴.
Paralogie [paralogí:] 《gr.; < Logos》 *f.* -n [..gí:ən] 반리(反理), 배리(背理); 〖醫〗 착화〔착답〕증(錯話〔錯答〕症).
Paralogismus [..logɪ́smus] *m.* -, ..men 〖論〗 틀린 결론, 오류 추리.
***Paralyse** [paralý:zə] 《gr., „Auflösung"》 *f.* -n 〖醫〗 (완전) 마비; 뇌연화(腦軟化).
***paralysieren** [..lyzí:rən] *t.* ①〖醫〗 마비시키다: sie ist durch die Krankheit paralysiert 그녀는 그 병으로 마비되었다. ②〖교양〗 약화시키다, 무력하게 하다, 소용 없게 하다.
Paralysis [pará(:)lyzɪs] *f.* ..sen [..rалý:zən] ↑ Paralyse.
Paralytiker [..lý:..] *m.* -s, - 〖醫〗 진행성 마비〔뇌연화증〕 환자.
paralytisch [..lý:..] *a.* 마비된, 마비성(性)의.
paramagnetisch *a.* 〖物〗 상자성(常磁性)의.
Paramagnetismus [..magnetɪ́smus] *m.* - 〖物〗 상자성(常磁性).
Paramaribo 파라마리보(수리남의 수도).
Parament [paramɛ́nt] 《lat.》 *n.* -(e)s, -e 예배용 장비(제단의 휘장, 사제의 제복 등).
Paramenten·macher *m.* 예배용 장비 제조업자.
Parameter [pará:metər] 《gr.》 *m.* -s, - ①〖數〗 파라미터, 매개 변수. ②〖광물〗 표축(標軸). ③〖음악〗 (음높이·음량·음색과 같은) 변수. ④〖통계〗 표본 분포. ⑤〖工〗 (기계나 도구의 구조 및 성능을 표시하는) 제원(諸元).
paramilitärisch [pá:ra..] *a.* 준군사적인: eine ~e Organisation 준군사 조직.

Paraná *m.* -(s) (남아메리카의) 파라나강.
Paränese [parɛné:zə] 《gr.》 *f.* -n ① 권고, 충고, 훈계; 고무, 격려; 설득. ② (교훈의) 실제적 적용〔응용〕.
paränetisch *a.* 경고적인; 훈계적인, 교훈적인; 격려성의.
Paranoia [paranɔ́ʏa] 《gr.》 *f.* 〚醫〛 편집증.
paranoid [..noí:t] *a.* 〚醫〛 편집증적인.
Paranoiker [..nó:ikər] *m.* -s, - 〚醫〛 편집증 환자.
paranoisch [..nó:ɪʃ] *a.* 편집증의, 편집증적인.
paranormal *a.* 〚심령〛 정상적으로는 설명할 수 없는; 초감각적인, 초자연적인.
Paranuß [pá:ra..] *f.* ..nüsse 〚植〛 브라질 호두(브라질의 항구 도시 Parà 에서).
Paranuss 新정서 ⇦ Paranuß.
Paranuß·baum *m.* 브라질 호두나무.
Paraph [pará:f] 《frz.; <Paragraph》 *m.* -s, -e ↑ Paraphe.
Paraphe *f.* -n ① 수결(手決); 수결을 새긴 도장. ② 이름의 이니셜〔머리글자〕 서명〔사인〕.
Paraphernalien [parafɛrná:liən] 《gr. -lat.》 *pl.* 〚法〛 아내의 특정 재산.
paraphieren [parafí:rən] 《<Paraph》 *t.* 수결(手決)을 두다; (머리글자로) 서명하다; 가(假)조인하다.
Paraphierung *f.* -en 수결 둠, 서명; 가(假)조인.
Paraphrase [parafrá:zə] 《gr.》 *f.* -n 해의〔解義〕; 석의(釋義); 의역; 〚음악〛 패러프레이즈, 부연곡.
paraphrasieren [..frazí:rən] *t.* 해의〔석의〕하다; 의역하다; 〚음악〛 (멜로디를) 패러프레이즈하다, 부연 편곡하다.
Paraphrast [..frást] *m.* -en, -en ① 석의자, 해석자. ② 〚음악〛 편곡자.
Paraplasie [..plazí:] 《gr.》 *f.* -n [..zí:ən] 기형(畸形).
Paraplasma [paraplásma] 《gr.; <Plasma》 *n.* -s, ..men 〚생리〛 부형질(副形質), 난황질(卵黃質).
Paraplegie [..plegí:] *f.* -n [..gí:ən] 〚醫〛 대(對)마비, 양측 하지(下肢) 마비.
Paraplu *m./n.* -s, -s ↑ Parapluie.
Parapluie [paraplý:] 《frz.》 *m./n.* -s, -s [..plý:s] 〔구식·농담〕 우산.
Parapsychologie 《gr.》 *f.* (심령 현상을 연구하는) 초(超)심리학.
parapsychologisch [..ló:gɪʃ] *a.* 초(超)심리학의.
***Parasit** [parazí:t] 《lat.》 *m.* -en, -en ① 〚生〛 기생 식물〔동물〕, 기생충: 〔비유·폄어〕 er ist ein ~ am Volksvermögen 그는 국민의 재산을 좀먹는 기생충 같은 인간이다. ② 〚문학〛 식객(고대 희극의 인물 유형의 하나). ③ 〚지형〛 측화구(側火口), 기생 화구.
***parasitär** [..zitɛ́:r] *a.* ① 〚生〛 기생 생물의 기생적인; 기생 생물에 원인이 있는. ② 기생충같이 사는, 식객 근성의: ~e Lebensweise 의존적 생활 방식.
Parasitentum *n.* -s 기생〔기식〕 (생활).
parasitisch *a.* 〔교양〕 ↑ parasitär.
Parasitismus *m.* - 〚生〛 기생 (생활).
Parasitologie *f.* 기생 생물학, 기생충학.
Paraski *m.* - 〚스포츠〛 파라스키(낙하산 하강과 스키의 대회전을 결합한 경기).
Parasol[1] [parazó:l, ..zɔ́l] 《frz.; <parieren[1]》 *m./n.* -s, -s 〔구식〕 양산, 파라솔.
Parasol[2] *m.* -s, -e/-s ↑ Parasolpilz.
Parasol·pilz *m.* 〚植〛 (식용의 대형) 삿갓 버섯.
Parästhesie [parɛstezí:] 《gr.》 *f.* -n [..zí:ən] 〚醫〛 지각〔감각〕 이상.
Parasympathikus *m.* - 〚해부·생리〛 부교감 신경.
parat [pará:t] 《lat.》 *a.* ① 준비가 된: immer eine Antwort〔Ausrede〕 ~ haben 항상 대답〔변명〕을 준비하고 있다. ② 〔구식〕 출발 준비가 된.
parataktisch [paratáktɪʃ] 《gr.》 *a.* 〚문법〛 병렬적인(↔ hypotaktisch).
Parataxe [..táksə] *f.* -n 〚문법〛 병렬(↔ Hypotaxe).
Parataxis [pará(:)taksɪs] *f.* ..xen ↑ Parataxe.
Paratyphus [paratý:fus] 《gr.》 *m.* 〚醫〛 파라티푸스, 의사(擬似) 티푸스.
Paravent [paravɑ̃́:] 《frz.》 *m./n.* -s, -s 〔구식〕 병풍, 칸막이.
par avion [paravjɔ̃́:] 《frz., „durch Luftpost"》 〚우편〛 항공편으로.
parazentrisch *a.* 〚數〛 중심점 주위의.
parbleu [parblǿ:] *int.* 〔구식·농담〕 아무렴, 저런, 빌어먹을! (인정·경탄·불쾌의 표현).
Pärchen [pɛ́:rçən] *n.* -s, - 〔↑ Paar 의 축소형〕 한 쌍의 작은 물건; 한 쌍의 짐승; 젊은 부부; 한 쌍의 연인.
Pärchen·zwilling *m.* 남매 쌍둥이(2 란성 쌍둥이).
Parcours [parkú:r] 《frz.》 *m.* -, - ① 〚모터스포츠〛 코스. ② 〚승마〛 장애물 경마 코스: einen ~ reiten 장애물 코스를 달리다.
Pard [part] *m.* -en, -en 〔구식〕 표범.
pardauz [pardáuts] *int.* 〔구식·농담〕 어이쿠, 저런! (넘어질 때 외치는 소리).
Pardel [párdəl], **Parder** 《gr. -lat.》 *m.* -s, - 〔구식〕 ↑ Pard.
par distance [pardistɑ̃́:s] 〔교양〕 일정한 거리를 두고; 멀리에서: sie verkehren ~ miteinander 그들은 형식적인 교제를 하고 있다.
***Pardon** [pardɔ́:n, ..dɔ̃́:] 《frz.》 *m./n.* -s 〔구식〕 용서, 관대, 관용: ~! 미안합니다!; ~ geben〔gewähren〕 용서하다; jn. um ~ bitten 누구에게 용서를 구하다; kein(en) ~ kennen 인정사정없다.
pardonieren [pardoní:rən] *t.* 〔구식〕 용서하다.
Pardun [pardú:n] 《ndl.》 *n.* -(e)s, -s ↑ Pardune.
Pardune [..dú:nə] *f.* -n 〚海〛 (마스트를 지탱하는) 뒤쪽 밧줄.
Parenchym [parɛnçý:m] 《gr., „Füllsel"》 *n.* -s, -e ① 〚植〛 유(柔)〔유연〕 조직. ② 〚動〛 (편충류에서) 체강 조직. ③ 〚生·해부〛 (결체 조직이나 지지 조직과는 다른) 실질 조직.
Parentation [parɛntatsió:n] 《lat.》 *f.* -en 〔구식〕 장례식; 조사(弔辭).
Parentations·halle *f.* (사원의) 관(棺) 안치소.
Parentel [..té:l] *f.* -en 〚法〛 ① 친족, 혈족. ② 후손, 자손.

Parentel·system *n.* 〖法〗 상위 등급 계열 우선 상속제.
Parenthese [parɛnté:zə] 《lat.》 *f.* -n ①〖언어〗 삽입구〔문〕. ② 묶음표, 괄호: 〔교양〕 in ~ 아울러, 부가적으로; ein Wort in ~ setzen 단어를 괄호 안에 넣다.
parenthetisch *a.* ①〖언어〗 삽입한, 괄호에 넣은; 삽입구〔삽입문〕의. ②〔교양〕 부수적인, 부가적으로, 아울러, 참고 삼아.
Parere [paré:rə, ..re] 《lat. -it.》 *n.* -(s), -(s) ①〔구식〕 (상업상의 분규에 관한) 전문가의 소견. ② (öst.) 의사의 진단.
Parerga ↑ Parergon 의 복수형.
Parergon [par|érgɔn] 《gr.》 *n.* -s, ..ga 〔고어〕 ① 부록, 보유(補遺). ② 소논문집, 소품 문집.
Parese [paré:zə] 《gr.》 *f.* -n 〖醫〗 부전(不全) 마비, 경증 마비.
par excellence [parɛksɛlã́:s] 《frz.》 〔교양〕 전형적으로, 완벽하게, 문자 그대로, 진정한 의미로: ein Kavalier ~ 뛰어난 기사.
par exemple [parɛgzã́:pl] 예를 들면, 가령 (약어: p.e.).
Parfait [parfɛ́] *n.* -s, -s 〖요리〗 최고급: Eis-~ 최고급 아이스크림.
par force [..fɔ́rs] 《frz.》 *adv.* 〔교양〕 강제로, 무리하게; 무조건, 절대적으로.
Parforce≈hund [parfɔ́rs..] *m.* 사냥개. **~-jagd** *f.* (말을 타고 사냥개를 쓰는) 몰이사냥. **~kur** *f.* 거친 치료〔수술〕. **~peitsche** *f.* 사냥 채찍. **~reiter** *m.* 몰이 사냥의 기수(騎手). **~ritt** *m.* ①〔구식〕 긴 구간을 빨리 통과하는 승마. ②〔교양〕 매우 힘든 일, 강행군.
Parfum [parfœ̃:] *n.* -s, -s ↑ Parfüm.
***Parfüm** [..fý:m] 《frz.》 *n.* -s, -e/-s 향수, 방향(芳香).
Parfümerie [parfymərí:] *f.* -n [..rí:ən] ① 향수〔화장품〕 가게. ② 향수〔화장품〕 제조 공장.
Parfümerie≈geschäft *n.* 향수〔화장품〕 가게. **~händler** *m.* 향수〔화장품〕 판매업자.
Parfümeur [parfymǿ:r] 《-frz.》 *m.* -s, -e 향수 제조 전문가.
Parfüm≈fläschchen *n.* ↑ ~flasche 의 축소형. **~flasche** *f.* 향수병. **~handlung** *f.* ↑ Parfümeriegeschäft.
parfümieren [parfymí:rən] 《Ⅰ》 *t.* ① 향수를 뿌리다: ein Taschentuch ~ 손수건에 향수를 뿌리다. ② 향료를 첨가하다: parfümierte Zigaretten 향료를 넣은 담배. 《Ⅱ》 *refl.* sich ~ (의복·신체 따위에) 향수를 뿌리다.
Parfüm·zerstäuber *m.* 향수 뿌리개.
pari [pá:ri] 《it.》 *adv.* ①〔증권〕 액면 가격으로: zu ~ 액면 가격으로; der Kurs steht über 〔unter〕 ~ 시세는 액면가 이상〔이하〕이다. ② ~ stehen 동등하다, 미정이다: zwischen den beiden Mannschaften steht es ~ 양팀이 이길 확률은 반반이다.
Pari *n.* -s 〖經〗 액면 가격(Nennwert).
Paria [pá:ria] *m.* -s, -s ① 파리아(인도 계급 제도에서 최하층의 천민); 〔비유〕 천민. ②〖사회·교양〗 경제적·사회적 소외 계층; 부랑민.
parieren[1] [parí:rən] 《lat. -it. -frz.》 *t.* ①〖스포츠〗 막아내다, 방어하다: 〖펜싱〗 einen Hieb 〔Stoß〕 (beim Fechten) ~ 치는〔찌르는〕 공격을 막아내다; 〖축구〗 den Schuß ~ 슛을 막아내다. ②〖요리〗 (고기의) 기름기와 껍질을 제거하다. ③ (질문에) 대답할 준비가 되어 있다. ④〖승마〗 (말을) 정지시키다, 모으다.
parieren[2] 《lat. -frz.》 *t./i.* (h.) 내기하다: mit ihm ~ 그와 내기를 하다; was wollen wir ~? 무슨 내기를 할까?
parieren[3] 《lat.》 *i.* (h.) 〔구어〕 (jm.) ~ (누구에게) 복종〔순종〕하다.
parietal [parietá:l] *a.* ①〖해부〗 두정골(頭頂骨)의; 체강벽〔혈관벽〕의, 체벽의. ②〖植〗 외엽(外葉)의; 측벽(側壁)의.
Parietal≈auge *n.* 〖해부〗 송과안(眼). **~-organ** *n.* 〖해부〗 송과선, 송과체.
Pari·kurs *m.* 〖經〗 액면 가격.
Paris[1] [pá:rɪs] *m.* 〖그리스신화〗 파리스(트로이의 왕자; 헬레나를 유괴하여 트로이 전쟁을 일으킴).
***Paris**[2] [parí:s, (frz.) parí] *n.* 파리.
parisch [pá:rɪʃ] *a.* 파로스(Paros)섬의.
Pariser[1] [parí:zər] 《<Paris》 *m.* -s, - ① 파리 사람. ②〔복수〕 (a) 동양풍의 슬리퍼. (b) 찌르기에 주로 사용되는 가늘고 긴 쌍날칼. ③ 〔경박〕 콘돔.
Pariser[2] *a.* 파리의: 〖史〗 ~ Bluthochzeit 성(聖)바돌로매제(祭)의 밤(위그노〔신교도〕 살육 사건이 일어남); ~ Rot 연단(鉛丹).
Pariser≈arbeiter *m.* 〔고어〕 금도금 제품 제조인. **~blau** *n.* 〖化〗 감청 색소.
Parisienne [parizién] *f.* ① (1830 년의) 프랑스 혁명가(歌); 자유의 노래. ②〖印〗 루비형(型)의 활자. ③ 금속실로 작게 무늬를 짜넣은 비단.
parisisch [parí:zɪʃ] *a.* 파리(Paris)의.
Parisismus [parizísmus] *m.* -, ..men 파리식 어법.
parisyllabisch [parizylá:bɪʃ] *a.* 〖문법〗 (모든 격에서) 음절수가 동일한.
Parisyllabum [parizýlabum] *n.* -s, ..ba 〖문법〗 (모든 격에서) 음절수가 동일한 명사.
Parität [paritɛ́:t] 《lat.; <Pari》 *f.* -en ①〔교양〕 동등, 평등. ② 각 계파 동수의 위원회 구성. ③ (금) 평가(平價) (Gold~); 〖經〗 (환(換)시세의) 평준(平準) (Kurs~). ④〖컴〗 패리티, 홀짝 맞춤.
paritätisch *a.* 동등한, 등가(等價)의.
Pari·wert *m.* 평가(平價), 등가(等價), 액면 가격.
***Park** [park] 《frz.》 *m.* -s, -s/(드물게) -e ① 동물원. ② 공원, 유원지; 정원. ③〖軍〗 무기고; 주차장; 차고; 마구간. ④〖海〗 가축 우리. ⑤ 조선소. ⑥ 굴 양식장〔저장소〕.
Parka *m.* -(s), -s 〔*f.* -s〕 파카, 방한용 재킷.
Park-and-ride-System [pá:kəndráɪd..] 《engl.》 *n.* -s 자가용·전철〔버스〕 환승 시스템.
Park≈anlage *f.* 유원지, 공원; 정원. **~-artig** *a.* 공원풍〔정원풍〕의. **~aufseher** *m.* 공원 관리인. **~bahn** *f.* 〖우주비행〗 (우주선의 출발 지점이 되는) 인공 위성의 운행 궤도, 대기(待機) 궤도. **~bank** *f.* 공원의 벤치〔의자〕. **~bucht** *f.* 〖교통〗 (차도에 만곡 형태로 나 있는) 주차 구역. **~deck** *n.* 주차 건물의 층: das unterste ~ 주차 건물의 최하층.
***parken** [párkən] *t./i.* (h.) ① 주차하다; 차량을 세우다, 주차시키다: ~ verboten! 주차 금지!; 〔농담〕 den Kinderwagen ~ 유모차를 세워 두다. ②〔구어〕 지망학과에 진학하기 위한 대기 기간 중 하는 공부(Parkstudium)를 마

치다. ③〖컴〗 파킹하다.

Parker *m.* -s, - 주차자: Dauer~ 장시간 주차자.

Parkett [parkέt] 《frz.》 *n.* -(e)s, -e ①〖건축〗 쪽매 널마루; 영역, 분야: 〔구어〕 eine kesse Sohle 〔ein flottes Tänzchen〕 aufs ~ legen 경쾌하게 춤추다; sich auf dem internationalen ~ sicher bewegen 국제적인 사교장에서 실수 없이 행동하다. ② (무대 정면 바닥에 만든) 1층 앞쪽 관람석. ③〖法〗 (법정의) 판사석(席). ④〖증권〗 **(a)** 〔원뜻〕 (파리의) 증권 거래소. **(b)** 공적인 주식 거래.

Parkett·boden *m.* 쪽매 널마루 바닥.

Parkette *f.* -n (öst.) 쪽매 널마루의 널빤지.

parkettieren *t.*〖건축〗 쪽매 널마루를 깔다.

Parkett≈leger *m.* 쪽매 널마루를 까는 사람. **~sitz** *m.* 1층 앞쪽 관람석.

Park·haus *n.* 주차 건물〔빌딩〕.

parkieren [parkí:rən] *t./i.* (h.) (schweiz.) ↑ parken.

Park≈leuchte *f.* 〖車〗 (어두운 곳에서 주차할 때 켜는) 주차등. **~licht** *n.* ↑ ~leuchte. **~lücke** *f.* (차와 차 사이의) 주차할 수 있는 틈.

Parkometer [parkomé:tər] *n./* (구어) *m.* -s, - ↑ Parkuhr.

***Park≈platz** *m.* 주차장; 차 한 대의 주차 공간. **~raum** *m.* 주차 공간. **~scheibe** *f.* (주차 개시 시각이 찍힌) 주차 표시판. **~studium** *n.* 〔구어〕 지망 학과에 진학하기 위한 대기 기간에 하는 공부. **~sünder** *m.* 〔구어〕 주차 위반자. **~tor** *n.* 공원 출입구. **~uhr** *f.* 파킹〔주차〕 미터. **~verbot** *n.* 주차 금지. **~wächter** *m.* 공원지기, 공원 경비원. **~weg** *m.* 공원길. **~zeit** *f.* 주차 시간.

***Parlament** [parlamέnt] 《lat. -frz. -engl.》 *n.* -(e)s, -e ① 의회, 국회: das ~ einberufen 〔auflösen〕 의회를 소집〔해산〕하다; im ~ sitzen 국회 의원이다; ins ~ wählen 국회 의원으로 선출하다. ② 국회 의사당.

Parlamentär 《frz.》 *m.* -s, -e (적군과의) 교섭인, 군사(軍使).

Parlamentär·flagge *f.* 군사기(軍使旗).

Parlamentarier [..tá:riər] 《frz.》 *m.* -s, - 국회 의원, 대의원.

***parlamentarisch** *a.* 〖政〗 의회〔국회〕의; 의회 제도에 따른, 〔비유〕 질서 있는, 예의 바른: das ~e System 의회 정치.

parlamentarisieren *i.* (h.) 의회 정치를 펴다.

Parlamentarisierung *f.* -en 의회 제도화.

Parlamentarismus *m.* - 〖政〗 대의 정치, 의회 정치, 의회주의.

parlamentieren *i.* (h.) ①〔구식〕 담판하다; 협의하다. ②〔방언〕 이러쿵저러쿵 이야기하다.

Parlaments≈akte *f.* 의회에서 통과된 법령. **~anhänger** *m.* (영국의) 의회주의 신봉자. **~ausschuß** *m.* 〖政〗 의회의 위원회. **~beschluß** *m.* 의회의 결의, 의결. **~dauer** *f.* 의회의 회기. **~debatte** *f.* 의회의 토론. **~ferien** *pl.* 의회의 휴회기. **~gebäude, ~haus** *n.* 국회〔의회〕 의사당. **~mitglied** *n.* 국회〔의회〕 의원. **~ordnung** *f.* (의회의) 의사 규칙. **~sitzung** *f.* 의회의 회의. **~tagung** *f.* 의회의 회의. **~verfassung** *f.* 의회 제도. **~wahl** *f.* 의회〔국회〕 의원 선거.

parlando [parlándo] 《lat. -it.》 *adv.* 〖음악〗 낭독하듯이.

Parlando *n.* -s, -s/..di 〖음악〗 낭독조의 노래.

Pärlein [pέ:rlaɪn] *n.* -s, - 한 쌍의 작은 물건 〔사람〕.

parlieren [parlí:rən] 《frz.》 *i.* (h.) / *t.* ①〔교양〕 잡담하다, 수다떨다. ②〔구식〕 외국어로 말하다: sie konnte fließend französisch ~ 그녀는 프랑스어를 유창하게 말할 수 있었다.

Parmäne [parmέ:nə] *f.* -n 〖植〗 파르멘사과의 일종.

Parmesan [parmezá:n] *m.* -(s) 〖식품〗 (이탈리아) 파르마산(産) 치즈.

Parmesan·käse *m.* ↑ Parmesan.

***Parnaß** [parnás] *m.* ..nasses ①〖그리스신화〗 (아폴로 및 뮤즈신이 사는) 파르나스산. ②〔시어〕 시〔문학〕의 본산; 문학계, 문단: der deutsche ~ 독일의 문단; den ~ besteigen 문인으로 등단하다.

Parnass 新정서 ⇦ Parnaß.

Parnassiens [parnasiέ:] 《frz.》 *m.* -s, -s 〖문학〗 (19세기 후반 프랑스의) 고답파 시인들.

parnassisch *a.* 〔시어〕 파르나스산의; 시〔문학〕의.

Parnassos *m.* - ↑ Parnaß.

Parnassus *m.* - ↑ Parnaß.

parochial [parɔxiá:l] 《gr. -lat.》 *a.* 〖기독교〗 교구의.

Parochial≈kirche *f.* 〖기독교〗 교구의 교회. **~schule** *f.* 〖기독교〗 교구 학교.

Parochian 《gr. -lat.》 *m.* -en, -en 〖기독교〗 교구민.

Parochie [parɔxí:] 《gr.》 *f.* -n [..xí:ən] 〖기독교〗 교구.

Parochus [párɔxus] *m.* -, ..chi 〖기독교〗 교구 목사, 〖가톨릭〗 교구 주임 사제.

***Parodie** [parodí:] 《gr. -lat. -frz.》 *f.* -n [..dí:ən] ①〖문학〗 패러디(작품의 형식은 모방하고 내용은 익살스럽게 고친 것). ② 패러디 (곡은 그대로 두고 가사를 교체하거나, 가사는 그대로 두고 곡을 교체하는 방식). ③〖음악〗 악곡의 부분적인 개작〔개사〕. ④〔비유〕 우스꽝스러운 모방; 조롱, 조소.

Parodie·messe *f.* 〖음악〗 (다른 악곡을 기초로 만든) 패러디 미사곡.

***parodieren** *t.* ① (어떤 작품의) 패러디를 만들다. ② 조롱하다, 비꼬다. ③〖음악〗 (곡을) 부분적으로 개작〔개사〕하다.

Parodist *m.* -en, -en 패러디 작가.

parodistisch *a.* 패러디풍(風)의.

Parodontitis [parodɔntí:tɪs] *f.* ..tiden [..tí:dən] 〖병리〗 치주염.

Parodontose *f.* -n 〖병리〗 비염증성 치주 질환.

***Parole**[1] [paró:lə] 《lat. -frz.》 *f.* -n ① 암호; 구호, 슬로건. ② 서약, 선서. ③ 장교 집합. ④ 〔폄어〕 허위 주장, 유언비어, 오보(誤報): wer hat denn diese ~ verbreitet? 누가 도대체 이 유언비어를 퍼뜨렸는가?

***Parole**[2] *f.* 〖언어학〗 파롤, 말(랑그에 대립되는 소쉬르의 개념; 개인이 쓰는 언어).

Parole≈befehl *m.* 〖軍〗 일일 명령. **~buch** *n.* 〖軍〗 암호서(書).

Parole d'honneur [parɔl dɔnœ́:r] 《frz.》 *n.* - - 〔구식〕 서약, 맹세, 선서.

Paroli [pá:roli] 《frz.》 *n.* -s, -s 〖카드〗 건 돈을 배로 늘인다는 의사 표시: ~ bieten〔biegen〕 돈을 곱으로 걸다; 〔비유·구어〕 jm.〔et.^{3}〕 ~ bieten〔biegen〕 누구에게〔무엇에〕 (같은 것으로) 대갚음하다, 응수하다.

Parömie [parømí:] 《gr.》 *f.* -n [..mí:ən] 격언, 속담, 좌우명.

Parömiographie [parømiografí:] *f.* -n [..fí:ən] 격언〔속담〕집.

Parömiologie [..logí:] *f.* 격언〔속담〕학.

Paronomasie [paronomazí:] 《gr.》 *f.* -n [..zí:ən] 〖修〗 유음(類音) 중첩법(보기: „... kümmert sich mehr um den Krug als um den Krieg“).

Paronyma *pl.* ↑ Paronymon 의 복수형.

Paronyme [..ný:mə] *pl.* ↑ Paronymon 의 복수형.

Paronymie [..nymí:] *f.* 〖언어학·구식〗 파생; 파생어.

Paronymik [paroný:mɪk] *f.* 〖언어학·구식〗 파생론.

paronymisch *a.* 〖언어학·구식〗 어근이 같은, 파생한.

Paronymon [paró:nymɔn] *n.* -s, ..ma/..me [..ný:mə] 〖언어학〗 파생어.

par ordre [.. ɔ́rdər] 《frz.》〔교양〕 명령에 의하여: ~ du〔dy〕 mufti 상부의 명령에 의하여.

Paros [pá:rɔs] 파로스섬.

Parotis [paró:tɪs] 《gr.》 *f.* ..tiden [..tí:dən] 〖해부〗 이하선(耳下腺).

Parotitis [parotí:tɪs] *f.* ..tiden [..tí:dən] 〖병리〗 이하선염(炎): ~ epidemica 유행성 이하선염.

Paroxysmus [parɔksýsmus] 《gr.》 *m.* -, ..men ①〖醫〗 **(a)** 발작, 경련. **(b)** (증세의) 최고조기. ②〖지질〗 격심한 화산 활동, 격동(기).

Paroxytonon [parɔksý:tonɔn] 《gr.》 *n.* -s, ..tona 〖음성〗 (그리스어에서) 끝에서 두 번째의 음절에 강세가 있는 말.

Parrain [parɛ̃́:] 《frz.》 *m.* -s, -s ① 대부(代父), 세례의 입회인. ② 교단에 들어갈 때 곁에서 부축하는 사람.

Parrhesie [parezí:] 《gr.》 *f.* (말의) 솔직함.

Parricida, Parrizida [paritsí:da] 《lat.》 *m.* -s, -s 부친〔근친〕 살해자; 반역자.

Parse [párzə] *m.* -n, -n 파르시교도(조로아스터교의 일파인 배화 교도).

Parsec [parzɛ́k] *n./f.* -, - ↑ Parsek.

Parsek *n./f.* -, - 〖天〗 파섹(천체 거리 단위; 3.26 광년).

Parser *m.* -s, - 〖컴〗 파서, 구문 해석기.

Parsi [párzi:] *m.* -s, - ↑ Parse.

Parsifal [párzifal] 파르치팔(중세 성배(聖杯) 전설의 영웅).

parsisch [párzɪʃ] 《<Parse》 *a.* 배화교의.

Parsismus *m.* - 파르시교(조로아스터〔배화〕교의).

Pars pro toto [párs pro: tó:to] *n.* - - - 〖언어학〗 제유법(提喩法).

***Part** [part] 《lat.-frz.》 *m.* -s, -s/-e ① 부분; 몫, 배당: ~! 여보게!; halb ~! 반씩 나누자!; ich für meinen〔an meinem〕 ~ 나로서는. ②〖음악〗 성부(聲部), 파트: seinen ~ spielen 자기의 성부〔파트〕를 연주하다. ③〔고어〕 jm. ~ von et.^{3} geben 누구에게 무엇에 관하여 통지하다. ④〔*f.* -en〕〖海〗 통삭(通索)의 색인부(索引部), 핸들. ⑤〖法〗 선박의 소유 지분. ⑥ 연극의 역: seinen ~ einstudieren 자신의 역을 연습하다.

Part. = Parterre 1 층, 최하층.

part. = parterre 1 층에(서).

Parte^1 [pártə] 《lat.-it.》 *f.* -n ↑ Part ②.

Parte^2 *f.* -n (öst.) (Todesanzeige) 사망 통지, 부고.

Parte^3 *f.* -n 〔방언〕 세입자, 임차인.

Parte^4 *f.* -n 〔구식〕 넓은 손도끼, 도끼.

***Partei** [partáɪ] 《lat.-frz.; 원래는 Partie 와 같은 말》 *f.* -en ① **(a)** 파(派), 파벌, 당파; 정당: Oppositions~ 야당; Regierungs~ 여당; eine liberale〔kommunistische〕 ~ 자유당〔공산당〕; ~ sein 편파적이다; bei js. ~ sein 누구와 한패다; js. ~ nehmen〔ergreifen〕, für jn. ~ nehmen〔ergreifen〕 누구의 편을 들다; es mit keiner ~ halten 어느 당파에도 가담하지 않다, 중립을 지키다; über den ~en stehen 당파를 초월하다, 중립적이다; sich einer ~ anschließen〔in eine ~ eintreten〕 정당에 가입하다. **(b)** (일당 지배 체제 국가의) 국가 정당, (구동독의) SED. ② (시합·경기 따위의) 편, 팀: auf der falschen ~ sein 지는 팀에 속해 있다. ③〖法〗 (소송·계약 따위의) 당사자, 상대: die ~en zu einem Vergleich bringen 분쟁 당사자들을 화해시키다. ④ (임대 주택의) 세입자, 세입자 가구: ein Haus mit drei ~en 세 세입자 가족이 살고 있는 집. ⑤〖軍·고어〗 (특별한 임무를 위하여 선발된) 1 대(隊); 유격대; (교전 중인 양군의) 한 편.

Partei≈abzeichen *n.* 당 휘장. **~amt** *n.* 당직. **~anhänglichkeit** *f.* 당파심; 일당. **~apparat** *m.* 당 기구. **~blatt** *n.* 당의 신문, 당보. **~buch** *n.* 당원 수첩: 〔구어〕 das richtige ~ haben 당원인 덕으로 출세하다. **~buch·beamte*** *der* (특채에 의한) 정당 출신의 관리〔공무원〕(↔ Berufsbeamte). **~büro** *n.* 당사무국. **~chef** *m.* 당수. **~chinesisch** *n.* 〔구어·폄어〕(외부인은 이해하기 어려운) 당(원)의 은어. **~disziplin** *f.* 〖政〗 당의 규율, 당기(黨紀).

parteien [partáɪən] 《<Partei》《I》 *t.* 당파로 나누다. 《II》 *refl.* sich ~ 당파로 갈리다.

Parteien·finanzierung *f.* 〖政〗 정당에 대한 국고 지원.

Partei≈farbe *f.* 당파색; 얼룩진 색, 잡색. **~freund** *m.* 당 동료. **~führer** *m.* 당의 지도자, 당수. **~führung** *f.* ① 당의 지도〔지휘〕: die ~ übernehmen 당권을 인수하다. ② 당 지도부: ein Wechsel in der ~ 당 지도부의 교체. **~funktionär** *m.* 당 간부. **~gänger** *m.* ① 당원; 추종자. ②〖軍〗 의용병. **~geist** *m.* 당파심, 파벌 근성; 당의 지도 정신. **~genoß** *m.* ↑ ~genosse. **~genosse** *m.* ① 나치 당원. ②〔드물게〕 (노동) 당원(대개 호칭으로 사용됨). **~genossin** *f.* ↑ ~genosse 의 여성형. **~gerichtsbarkeit** *f.* (특히 나치의) 징계 재판권. **~gruppe** *f.* (의회의) 당파; 〖구동독〗 당소조(小組)(SED 조직의 최소 단위). **~haß** *m.* 당파간의 증오, 당파 근성. **~haupt** *n.* ↑ ~führer. **~herrschaft** *f.* 정당〔당파〕 정치; 〖法〗 당사자 전단(專斷)주의. **≈intern** *a.* 정당 내의: ~e Querelen 당내 싸움.

parteiisch [partáɪɪʃ] *a.* ① 당파적인. ② 불공평한, 편파적인.

Partei≈kampf *m.* 당파간의 싸움, 당쟁. **~leidenschaft** *f.* 강렬한 당파심〔파벌 근성〕. **~leitung** *f.* ↑ ~führung.

***parteilich** [partáɪlɪç] *a.* ① 정당의: die ~en Interessen 정당의 이해 관계. ② 파당적인, 편파적인: ~ auftreten 파당적으로 행동하다. ③ (마르크스·레닌주의에서) 당파적인; 노동자 계급이나 사회주의를 옹호하는. ④〔구식〕 ↑ parteiisch.

Parteilichkeit *f.* 당파성, 편파적임.

Partei·linie *f.* 당의 노선.

parteilos *a.* 당파에 속하지 않는; 무소속의, 중립의; 공평한.

Parteilosigkeit *f.* 무소속, 중립.

Partei≈mann *m.* 〔복수: ..leute/(드물게) ..männer〕 정당인, 당원; 당파심이 강한 사람. **~mitglied** *n.* 당원. **~nahme** *f.* (한쪽에) 편듦, 가담. **~organ** *n.* ① 당의 집행부〔조직〕. ② 당 기관지, 당보. **~politik** *f.* ① 당의 정책; 당리 당략. ② 당내 정책. **~politisch** *a.* 당 정책적인; 당리 당략의. **~programm** *n.* (정당의) 강령, 정강(政綱). **~propaganda** *f.* 정당의 선전. **~prozeß** *m.*〖法〗당사자 소송. **~regierung** *f.* 정당 정치. **~rücksichten** *pl.* 당의 이해(利害) 고려. **~sekretär** *m.* 당서기, 당 사무국원. **~spitze** *f.* ① 당수, 당총재. ② 당의 수뇌부. **~staat** *m.* 정당 국가. **~streit** *m.* ↑ ~kampf. **~sucht** *f.* 강렬한 당파심〔파벌 근성〕. **~tag** *m.*〖政〗① 전당 대회. ② 전당 대회 참석 대의원 전체. **~tags·beschluß** *m.* 전당 대회의 결의. **~treiben** *n.* 당파 활동.

Parteiung [partáɪʊŋ] *f.* -en 분열, 불화.

Partei≈verrat *m.*〖法〗(변호사의) 통모죄(通謀罪). **~versammlung** *f.* 정당의 집회, 전당 대회. **~vorsitzende*** *der/die* 당 총재, 당수. **~vorstand** *m.* 당 수뇌부. **~wesen** *n.* 정당 제도. **~wut** *f.* 극도의 당파심〔파벌 근성〕.

Parteke [partéːkə] 《lat.; <Part》 *f.* -n 조각, 토막; (특히) (남에게 베푸는) 빵조각; 속세의 재보(財寶).

parterre [partɛ́r] *adv.* 1층에, 최하층에(약어: part.): ~ wohnen 1층에 살다.

***Parterre** 《frz.》 *n.* -s, -s (약어: Part.) ① 1층, 최하층: im ~ wohnen 1층에 살다. ②〖연극〗1층의 관람석; 1층 좌석의 관객. ③ (특히 바로크 정원의) 정교하게 꾸민 큰 화단.

Parterre≈akrobatik *f.* 〖스포츠〗(체조의) 마루 운동. **~besucher** *m.*〖연극〗1층 좌석의 관객. **~loge** [..loːʒə] *f.*〖연극〗아래층의 칸막이한 좌석. **~wohnung** *f.* (공동 주택의) 1층의 주택. **~zimmer** *n.* (아파트의) 1층 방.

Parte·zettel *m.* (öst.) 부고, 사망 통지.

Parthenogenese [partenogenéːzə] 《gr. parthénos》 *f.* ①〖신화〗(비범한 인간이나 신의) 동정녀에 의한 출생, 무염(無染) 출산. ②〖生〗단성(單性) 생식.

Parthenogenesis *f.* ↑ Parthenogenese.

parthenogenetisch *a.*〖生〗단성 생식의.

Parthenon *m.* -s 파르테논 신전.

Parther [pártər] *m.* -s, - 고대 이란 지방에 살았던 유목민, 파르티아(Parthia) 사람.

parthisch *a.* 파르티아 사람의.

partial [partsiáːl] 《lat.》 *a.* 〔고어〕 ↑ partiell.

Partial≈bruch *m.*〖數〗부분 분수. **~gefühl** *n.*〖哲〗부분 감정. **~obligation** *f.*〖法〗부분 채권, 일부 사채권(社債券). **~ton** *m.*〖음악〗부분음(音). **~verlust** *m.*〖經〗분손(分損).

***Partie** [partíː] 《lat.; 원래는 Partei와 동어(同語)》 *f.* -n [..tíːən] ① (Teil) 부분; 곳: die schönsten ~n eines Parkes 공원에서 가장 아름다운 곳. ② (a)〖음악〗파트, 성부; (17-18세기의) 조곡(組曲). (b) (오페라 등의) 역: diese ~ ist für sie geeignet 이 역은 그녀에게 알맞다. ③ (a) (경기에서의) 한 판: eine ~ Billard spielen 당구를 한 게임 하다; eine ~ Schach gewinnen〔verlieren〕 장기를 한 판 이기다〔지다〕. (b) 시합: in dieser ~ 이 시합에서. (c) (단체 경기의) 팀. ④ 한 무리〔패〕의 사람들, 단(團), 조(組). ⑤〖商〗한 묶음〔뭉치〕(상품 거래의 단위): der Preis bei ~n ist billiger 묶음으로 사면 싸다. ⑥〔구식〕소풍, 하이킹: eine ~ aufs Land machen 시골로 소풍가다;〔구어·비유〕 mit von der ~ sein 함께하다, 참가하다. ⑦ 혼인, 결혼, 배우자: eine gute〔schlechte〕 ~ machen 부유한〔가난한〕 배우자와 결혼하다; eine gute〔schlechte〕 ~ sein 그녀는 좋은〔나쁜〕 배우자감이다.

Partie≈führer *m.* (öst.) 반장. **~geld** *n.* 당구 게임값.

partiell [partsiɛ́l] 《frz.》《Ⅰ》*a.* 부분의, 국부의:〖天〗~e Mondfinsternis 부분 월식.《Ⅱ》*adv.* 부분적〔국부적〕으로.

partien·weise [..tíːən..] *adv.* 부분적으로, 구분〔분할〕하여.

partieren [partíːrən]《Ⅰ》*t.* ①〔구식〕나누다, 구분하다; 분배하다. ②〖음악〗파트〔각 성부〕로 나누다.《Ⅱ》*i.* (h.) 간계를 꾸미다, 사기를 치다; 밀매하다.

Partierer *m.* -s, - 소(小)상인; 장물아비.

Partiererei *f.* -en (카드 따위의) 속임수; 장물 매입.

Partie·ware *f.*〖經〗떨이 상품, 재고품.

***Partikel**[1] [partíːkəl, ..tɪ́kəl] 《lat.》 *f.* -n ①〖문법〗불변화사(보기: 접속사·전치사 따위). ②〖가톨릭〗(영성체에 사용하는) 작은 성체(聖體); 성유물(聖遺物)의 조각〔파편〕.

Partikel[2] *n.* -s, - 〔*f.* -n〕 부분, 조각; (미)립자.

partikular [partikuláːr] *a.* 개개의, 단독의, 개별적인; 일부의, 소수의: ~e Interessen 개별적인 이해 관계.

partikulär [..lɛ́ːr] *a.* ↑ partikular.

Partikular≈bestrebung *f.* (연방의) 분립 운동. **~friede** *m.* 단독 강화(講和). **~geschichte** *f.* 각국사(各國史), 지방사.

Partikularismus [partikularɪ́smʊs] 《< partikular》 *m.* -〖政·대개 폄어〗지방 분권주의, 각 주(州) 분립주의.

Partikularist *m.* -en, -en 지방 분권주의자.

partikularistisch *a.* 지방 분권〔각주 분립〕주의의; 편협한, 옹졸한.

Partikular≈recht *n.*〖法〗(독일 연방 각주의) 특별법, 주법(州法), 지방법. **~verfassung** *f.* (독일의) 연방 헌법.

Partikulier [..líːr] *m.* -s, -e (내륙 항행에서) 배를 직접 모는 선주.

Partikülier [..kylié:] 《lat.-frz.》 *m.* -s, -s 〔구식〕 ① 은퇴한 사람. ② 연금 생활자.
Partisan [partizá:n] *m.* -s/-en, -en ① 유격대원, 게릴라, 빨치산. ② 당파심이 강한 사람. ③ 신봉자, 지지자.
Partisane [partizá:nə] 《lat.-it.-frz.》 *f.* -n (15-18 세기에 사용된) 쌍 갈고리의 창(槍).
Partisanen⸗kampf *m.* 유격 전투, 게릴라전. **~krieg** *m.* 유격전, 게릴라전.
Partisanin *f.* -nen ↑ Partisan 의 여성형.
Partita [partí:ta] 《lat.-it.》 *f.* ..ten 〖음악〗 ① (16-18 세기의) 변주곡의 각 부분. ② 파르티타, 모음곡, 조곡(組曲).
Partite [..tə] *f.* -n ① 부분. ② 〖음악〗 ↑ Partita. ③ 〔복수로만〕〔구식〕 음모, 간계; 사기, 기만. ④ 〖商〗 계산서의 개별 항목.
Partiten·macher *m.* 사기꾼; 음모가.
Partition [partitsió:n] 《lat.》 *f.* -en ① 〔교양〕 분할, 구분. ② 〖논리〗 (어떤 개념·내용의) 분류. ③ 〖修〗 연설의 배열〔목차〕. ④ 〖컴〗 분할, 가르기.
Partitions·tabelle *f.* 〖컴〗 분할표, 가르기표.
partitiv [..tití:f] *a.* 〖문법〗 구분하는, 구분〔부분〕을 나타내는: ~er Genitiv 부분의 2격.
Partitur [..titú:*r*] 《lat.-it.》 *f.* -en 〖음악〗 총보(總譜).
***Partizip** [partitsí:p] 《lat.》 *n.* -s, -ien [..piən] 〖문법〗 분사: ~ Perfekt 과거 분사.
Partizipation [..tsipatsió:n] *f.* -en 〔교양〕 참여, (이익) 배당.
Partizipations·geschäft *n.* 〖經〗 (각 파트가 독립성을 유지하는) 공동 사업.
partizipial *a.* 〖문법〗 분사의, 분사적인.
Partizipial⸗bildung *f.* ↑ ~konstruktion. **~gruppe** *f.* 〖문법〗 분사구. **~konstruktion** *f.* 〖문법〗 분사 구문. **~satz** *m.* 〖문법〗 분사문(장).
partizipieren [partitsipí:rən] 《lat.》 *i.* (h.) 〔교양〕 참여하다: am Gewinn des Unternehmens ~ 기업의 이익을 배당받다.
Partizipium [..tsí:pium] *n.* -s, ..pia 〔구식〕 ↑ Partizip.
***Partner** [pártnə*r*] 《engl.》 *m.* -s, - ① 관계자, 동아리; 사원, 조합원. ② 상대; 짝, 파트너; (연극·영화에서) 공연자, 상대역: Koalitions~ 연정(聯政) 파트너. ③ 반려, 배우자; 친구: einen ~ fürs Leben suchen 인생의 반려자를 구하다. ④ 〖스포츠〗 상대, 적수. ⑤ (사업의) 공동 출자자, 동업자.
Partnerin *f.* -nen ↑ Partner 의 여성형.
***Partnerschaft** *f.* ① **(a)** 파트너〔동반자〕 관계; (노동 조합의) 경영 참가. **(b)** (파트너로서의) 협력, 연대. ② 조합; 합명 회사.
partnerschaftlich *a.* 파트너〔동반자〕 관계의.
Partner⸗staat *m.* (정치적·경제적으로 밀접한 관계인) 동반〔동맹·가맹〕국. **~stadt** *f.* 자매 도시. **~tausch** *m.* (성교) 파트너의 교환. **~wahl** *f.* 배우자 선택. **~wechsel** *m.* ① (댄스 따위에서) 파트너〔상대자〕의 교체. ② 성교 파트너의 교체.
partout [partú:] 《frz.》 *adv.* 〔구어〕 전혀, 전연; 절대로.
Partout·billet [..bıljɛt] *n.* 〖연극〗 무료 입장권.
***Party** [pá:rti, pá:ti] 《engl.》 *f.* -s/..ties [..ti:s] 파티, 사교 모임: eine ~ geben〔veranstalten〕 파티를 열다; auf eine ~ gehen 〔zu einer ~ gehen〕 파티에 가다.
Party⸗girl 《engl.》 *n.* 파티에 잘 가는 소녀, 파티 걸. **~löwe** *m.* 〔종종 폄어〕 파티에서 여자들의 이목을 끌려고 하는 남자, 파티 왕.
Parusie [paruzí:] 《gr.》 *f.* ① 〖기독교〗 그리스도의 재림(再臨). ② 〖哲〗 (사물 속에 이념의) 임재(臨在), 현존.
Parvenu [parvený:, ..və..] *m.* -s, -s ↑ Parvenü.
Parvenü [..ný:] 《frz.》 *m.* -s, -s 〔교양〕 벼락 출세한 사람; 벼락 부자, 졸부; 행운아.
parvenühaft *a.* 벼락 출세한, 졸부의.
Parze [pártsə] 《lat.》 *f.* -n 〖로마신화〗 운명의 여신; 〔비유〕 운명.
Parzellar·vermessung *f.* 토지 분할을 위한 측량.
Parzelle 《frz.》 *f.* -n 〖측량〗 한 구획〔필지〕의 토지〔대지·부지〕.
Parzellen⸗bauer *m.* 〖經〗 영세 농민. **~wirtschaft** *f.* 농지의 분할 경영.
parzellieren 《frz.》 *t.* (토지를) 분획하다; 분할〔분양〕하다.
Parzival [pártsifal] *m.* 파르치발(중세 성배(Gral) 전설의 영웅).
PAS =Paraaminosalizylsäure 〖藥〗 파스, 파라아미노살리실산(酸) (결핵약).
Pas [pa] 《frz.》 *m.* - [pa(s)], - [pas] 〖발레〗 파 (신체의 중심을 한 쪽 발에서 다른 쪽으로 옮기는 동작): ~ de deux [dədœ́:] a) 〖발레〗 파드되, 2인무, b) 〖승마〗 두 사람의 기수에 의한 연기.
Pascal[1] [paskál] *m.* Blaise ~ 파스칼(프랑스의 물리학자·수학자·철학자, 1623-62).
Pascal[2] *n.* -(s), - 파스칼(압력의 단위; 약어: Pa).
Pasch 《frz.》 *m.* -es, -e/Päsche [pɛ́ʃə] ① (주사위 놀이에서) 여러 개의 주사위에 같은 숫자가 나옴. ② (도미노 놀이에서) 더블릿(양면이 동수의 점으로 된 패).
Pascha[1] [páʃa] *m.* -s, -s ① 〔원뜻〕 파샤(터키 및 이집트의 고위 장교나 관리에 대한 칭호). ② 〔폄어〕 (여자에 대한) 폭군.
Pascha[2] *n.* -s ↑ Passah.
Paschalik [páʃalık] *n.* -s, -e/-s 터키 및 이집트의 고위 관직〔장교직〕 및 통치 구역.
Paschalis [paʃá:lıs] 《lat.》 *m.* ① 파샬리스(로마 교황의 이름). ② 파샬리스(남자 이름).
pascha⸗mäßig *a.* (터키의) 고위 관리 같은; 〔비유〕 용서 없는, 무분별한. **~wirtschaft** *f.* 터키 총독의 폭정, 전제 정치.
paschen[1] 《<Pasch》 *i.* (h.) 주사위 놀이를 하다.
paschen[2] *t.* (köln.) 압박〔압착〕하다.
paschen[3] 《hebr.》 *t./i.* (h.) ① 〔구어〕 밀수하다. ② 카드를 섞다.
paschen[4] *t.* (öst.) 박수치다.
Pascher *m.* -s, - 〔구어〕 밀수(업)자.
Pascherei [paʃərái] *f.* -en 밀수, 암거래.
Pasch·handel *m.* 〔구어〕 ↑ Pascherei.
pascholl [paʃɔ́l] 《russ.》 *int.* 〔구어〕 앞으로.
Pas de Calais [padkalɛ́] 《frz.》 *m.* 영불 해협, 도버 해협.
Pasigraphie 《gr.》 *f.* -n [..fí:ən] 〖언어학〗 세

계 공통 문자.
Pasilalie [..lalíː] *f.* 만국 공통어 운동.
Pasilingua [..lĩŋgua] *f.* 만국〔세계〕 공통어.
Paslack 《sl.》 *m.* -s, -s (nördod.) 종, 머슴.
Paso doble [pá:zo dó:blə] 《sp.》 *m.* (4 분의 2 또는 4 분의 3 박자의) 빠른 사교춤.
Paspel 《frz.》 *f.* -n 〔(드물게) *m.* -s, -〕 〖재봉〗 가장자리, 장식: eine mit ~n besetzte Bluse 가장자리 장식이 달린 블라우스.
paspelieren [..pəlí:rən] *t.* (옷 따위에) 가선〔가장자리 장식〕을 붙이다.
Paspelierung *f.* -en 가장자리 장식하기, 가선 붙이기.
paspeln *t.* ↑ paspelieren.
Pasquill [paskvíl] 《it.》 *n.* -s, -e 〖교양〗 (익명의) 비방문.
Pasquillant [..kvılánt] *m.* -en, -en 비방문의 작자; 비방자.
pasquillieren *i.* (h.)/*t.* (익명으로) 풍자〔비방〕하다.
Pasquinade [..kviná:də] *f.* -n 〖교양〗 ↑ Pasquill.
***Paß** 《frz.》 *m.* Passes, Pässe ① ↑ Paßgang. ② 〖사냥〗 짐승의 통로. ③ 협로, 샛길, 고갯길; die Pässe der Alpen 알프스의 고갯길. ④ 〖광산〗 (협착한) 가갱도(假坑道). ⑤ 신분 증명서; (Reise~) 여권; 통행〔입장〕증: jm. einen ~ ausstellen 누구에게 여권을 교부하다; der ~ ist abgelaufen 그 여권은 기간이 만료되었다; jm. die Pässe zustellen 누구(주로 외교관)의 아그레망을 취소하다, 국교를 단절하다. ⑥ 〖건축〗 고딕 건축의 꽃잎 모양으로 된 원형 무늬 장식. ⑦ (Meßglas) 눈금이 있는 글라스(또는 그 글라스의 눈금). ⑧ zu ~ kommen 마침 좋은 때에 오다(↑ zupaß). ⑨ 〖구기〗 패스: ein genauer ~ 정확한 패스.
paß *adv.* (zupaß) 적당하게, 알맞게.
Pass 新정서 ⇦ Paß.
Passa *n.* -s ↑ Passah.
passabel [pasá:bəl] *a.* ① 통행할 수 있는. ② 괜찮은, 받아들일 만한: ganz passable Noten 아주 괜찮은 성적.
Passacaglia [pasakálja] *f.* ..glien [..ljən] 〖음악〗 파사칼리아(에스파냐 무곡에서 나온 4 분의 3 박자의 완만한 기악곡).
Passade [pasá:də] *f.* -n 〖승마〗 회전보(步) (구보하는 도중의 급선회).
***Passage** [pasá:ʒə, (öst.) ..sá:ʒ] 《frz.》 *f.* -n ① **(a)** 통행, 통과: die ~ eines Kanals 운하의 통과. **(b)** 통로, 복도; (특히) 아케이드. **(c)** (배를 이용한) 긴 여행, 해외 여행; 도항(渡航), 도해(渡海); 항로. ② 과정, 경로. ③ (책의) 문구, 구절; 〖음악〗 패시지, 경과구(經過句): Tonleiter~ 음계의 경과구. ④ 〖승마〗 파사주(속보의 일종). ⑤ 〖醫·生〗 (미생물의) 배양기(基) 이동. ⑥ 〖천문〗 자오선 통과.
passager [..ʒé:r] *a.* 통과하는, 지나쳐 가는; 〖의학〗 일과성의.
***Passagier** [pasaʒí:r] *m.* -s, -e 여행자, 여객, 승객: ein blinder ~ 무임〔불법〕 승객; 밀항자.
Passagier-dampfer *m.* 여객선. **~flugzeug** *n.* 여객기. **~geld** *n.* 탑승 요금. **~gepäck** *n.* ↑ ~gut. **~gut** *n.* 여객 수하물. **~kammer** *f.* 〖海〗 선실; 1 등 선실. **~liste** *f.* 승객 명단. **~schiff** *n.* 여객선. **~stube** *f.* 대합실. **~transport, ~verkehr** *m.* 여객 수송. **~zimmer** *n.* ↑ ~stube. **~zug** *m.* 여객 열차.
Passah [pása] 《hebr.》 *n.* -s 〖宗〗 유월절의 첫째 날.
Passah-fest *n.* 〖宗〗 (유대교의) 유월절(踰月節) (출애굽을 기념하는 유대인의 명절). **~lamm** *n.* 유월절 성찬의 어린 양고기. **~mahl** *n.* 유월절 성찬.
Paß-amt *n.* 여권 교부처, 여권과.
Passant [pasánt] 《frz.》 *m.* -en, -en ① 통행인, 지나가는 사람. ② 여행자, 통과 여객.
passant [pasã:] 지나가는 길에; 하는 김에.
Passat [pasá:t] 《sp.》 *m.* -(e)s, -e 〖지리〗 계절〔무역〕풍.
Passat-wind *m.* ↑ Passat.
Paß-behörde *f.* ↑ ~amt. **~bild** *n.* 여권〔신분 증명서〕 사진. **~bureau** *n.* ↑ ~amt.
Passe 《frz.》 *f.* -n ① 〖재봉〗 요크(옷에 장식으로 대는 다른 종류의 천); (여성·아동 잠옷의) 앞깃; 여성용 모자의 차양. ② 〖미니골프〗 (경기의) 한 라운드. ③ 〖사냥〗 (산토끼 따위의 사냥을 위한) 매복(처). ④ (schweiz.) 연속, 계열.
passé [pasé:] 《frz.》 *a.* 〖구어〗 지나간, 시대에 뒤진: diese Mode ist ~ 이 유행은 한물 갔다.
passee 新정서 ⇦ passé.
Passement [pasəmɛ́nt] 《frz.》 *n.* -s, -s (Posament) 깃〔가장자리〕 장식, 레이스.
***passen** 《frz. <lat. passus》 《I》 *i.* (h.) ① 발맞추어 뛰다, 뛰어가다. ② (öst.) 잠복하다, 귀를 기울이다, 동정을 살피다, 대기하다: jm. auf die Finger ~ 누구를 감시하다. ③ **(a)** 〖카드〗 자기의 차례를 거르다, 패스하다; (답을 몰라) 포기하다. **(b)** 〖비유〗 한 패에 들지 않다: bei dieser Frage muß ich ~ 이 문제라면 나는 관계하지 않겠습니다. **(c)** (축구에서) 공을 패스하다. ④ 알맞다; 좋다, 편리하다; 어울리다, 적합하다; 마음에 들다: der Hut paßt mir nicht 이 모자는 내게 어울리지 않는다; der Deckel paßt nicht auf den Topf 뚜껑이 냄비에 맞지 않는다; wie angegossen ~ 꼭 맞다; das paßt zu ihm! 그것은 그 사람다운 일이다!; er paßt nicht zum Arzt 그는 의사라는 직업에 어울리지 않는다; 〖구어〗 haben Sie es ~d? 잔돈으로 지급하실 수 있습니까?; das paßt nicht hierher 그것은 이 경우에는 적합하지 않다; wenn es ihm paßt 그것을 그가 좋다고 한다면; der neue Mann paßte dem Chef nicht 신참은 사장의 마음에 들지 않았다; Sonntag paßt uns nicht 우리는 일요일에는 곤란하다; das könnte dir so ~! 그러면 네게는 좋겠지! (하지만 그렇게는 안 될걸). ⑤ 〖방언〗 옳다, 맞다: das könnte ~ 그게 맞을 수도 있겠다. ⑥ 〖전치사와 함께〗 **auf** et.〔jn.〕 ~ a) 무엇을〔누구를〕 감시하다, b) 무엇에〔누구에게〕 적합하다, 걸맞다; jm. auf den Dienst ~ 누구의 근무 상황을 감시하다; das Mädchen muß auf die Kinder ~ 하녀는 아이들을 잘 돌봐야 한다; das paßt wie die Faust aufs Auge 그것은 전혀 어울리지 않는다; die Brille paßt **für** mein Auge 이 안경은 내 눈에 맞는다; die Eheleute ~ nicht füreinander〔zueinander〕 이 부부는 성격이 서로 맞지 않는다; sie paßt nicht **in** diese Familie 그 여자는 이 가정에 맞지 않는다; wir

～ nicht mehr in die Zeit 우리들은 이제는 시대에 뒤떨어져 있다; paßt der Schlüssel **zu** diesem Schloss? 그 열쇠가 이 자물쇠에 맞습니까?; es paßt nicht zu dir, Bier zu trinken 맥주를 마시는 것은 네게 어울리지 않아; nicht zur Sache ～ 문제가 안 되다; zu et.³ ～ 무엇에 어울리다. 《Ⅱ》 *refl.* sich ～ 걸맞다, 적합하다: das paßt sich nicht 그것은 걸맞지 않는 일이다; das würde sich für eine Dame nicht ～ 그것은 숙녀에게는 어울리지 않는 일일 것이다; ein solches Benehmen paßt sich nicht hier 그런 행동은 여기에 적당하지 않다. 《Ⅲ》 *t.* 꼭 끼우다: et. in et. ～ 무엇을 무엇에 꼭 끼우다.

passend *p.a.* 꼭 맞는, 알맞은; 어울리는, 적절한; 균형 잡힌; 편리한: an einem ～en Ort 적당한 곳에서; bei ～er Gelegenheit 적당한 기회에; in ～er Weise 적당한 방법으로; schlecht〔nicht〕 ～ 어울리지 않는.

Passepartout [paspartú:] 《frz.》 *n.* -s, -s [..tú:s] ①〖구식〗 ↑ Passierschein. ②〖드물게〗 만능 열쇠, 마스터 키. ③ (마분지로 만든) 액자.

Passepartout·billet *n.* 〖구식〗 입장권.

Passepoil [paspoál] 《frz.》 *m.* -s, -e (öst.) ↑ Paspel.

Paß=form *f.* ① (체격에 맞춘) 재단. ②〖印〗 컬러 인쇄 판형. **～gang** *m.* 측대보(側對步) (말이 같은 쪽 앞뒷발을 동시에 들며 걷는 걸음). **～gänger** *m.* (말과 같은) 같은 쪽의 앞뒷발를 동시에 올리며 걷는 동물. **～gerecht** *a.* 꼭 맞는, 적당한. **～höhe** *f.* 고개, 재.

passibel [pasí:bəl] 《lat.》 *a.* 민감한.

Passibillität *f.* 민감(함).

Passier·ball [pasí:*r*..] *m.* 〖테니스〗 ↑ Passierschlag.

passierbar *a.* 통과〔통행〕할 수 있는.

***passieren** [pasí:rən] 《frz.; passen》 《Ⅰ》 *i.* ① (h.) **(a)** 통과하다, 통행하다: an jm. ～ 누구의 옆을 지나가다; die Ware passiert zollfrei 이 물건은 관세가 붙지 않는다. **(b)** 〖비유〗 무사 통과하다, 관대한 대우를 받다: es mag ～ 그것은 좋다고 해 두자; Fehler ～ lassen 실수를 관대히 보아주다. ② (s.) 일어나다, 생기다; 발생하다: was ist passiert? 무슨 일이 일어났느냐?; das soll mir nicht wieder ～! 그런 일은 두 번 다시 당하지 않겠다!; 〖구어〗 das kann auch nur ihm ～ 그것은 그와 같은 바보에게나 있음직한 일이다; das kann jedem(mal) ～ 그 정도는 그렇게 심한 것은 아니다; wenn mir etwas Schlimmes ～ sollte 만일 내게 불행한 일이 일어난다면; 〖구어〗 wenn du nicht bald aufhörst, passiert was! 곧 그만두지 않으면 일날 줄 알아라. ③ (h.) für et. ～ 무엇으로 통용되다. 《Ⅱ》 *t.* ① 통과하다: die Grenze ～ 국경을 통과하다; die Zensur ～ 검열을 통과하다. ②〖軍〗 Revue ～ 검열을 통과하다, 검열에 합격하다. ③〖요리〗 (체로) 거르다. ④〖테니스〗 패싱하다: den Gegner ～ 네트 근처에 있는 상대방이 공을 받지 못하도록 비켜치다.

Passier=fuß *m.* ↑ ～gewicht. **～gewicht** *n.* 〖화폐〗 (통용 주화의) 최저 기준 중량. **～maschine** *f.* (음식을 걸러 주는) 음식 여과기. **～schein** *m.* 여권, 통행증; (상품의) 수입 허가증. **～schein·abkommen** *n.* 〖政〗 (60년대에 구동독과 서베를린 사이에 맺어진) 통행증 협정. **～schein·stelle** *f.* 통행증 교부소. **～schlag** *m.* 〖테니스〗 패싱 샷. **～sieb** *n.* 음식물을 거르는 체. **～stein** *m.* ↑ ～gewicht. **～zettel** *m.* ↑ ～schein.

passim 《lat.》 *adv.* 도처에; 여기저기에 (약어: pass.).

***Passion** [pasió:n] 《lat.》 *f.* -en ① **(a)** 〖기독교〗 그리스도의 수난. **(b)** 그리스도 수난화〔수난상〕; 〖음악〗 (그리스도) 수난곡. **(c)** 순교기(록). ② 격정, 열정, 열광; 애착, 탐닉, 도락: er spielt mit ～ Schach 그는 장기에 탐닉한다.

Passional [pasioná:l] *n.* -s, -e ↑ Passionale.

Passionale *n.* -s, - ① (성인·순교자의 이야기가 담긴 중세의) 성인 전례서(典禮書). ② 13세기의 성담집.

Passionar [..ná:*r*] 《lat.》 *n.* -s, -e ↑ Passionale.

passionato 《it.》 *a.* 〖음악〗 열정적으로.

passionieren [pasioní:rən] 《lat.》 《Ⅰ》 *refl.* sich für et. ～ 무엇에 열중하다. 《Ⅱ》 **passioniert** *p.a.* ↑ passioniert.

passioniert 《Ⅰ》 *p.p.* ↑ passionieren. 《Ⅱ》 *p.a.* 정열적〔열광적·열성적〕인: ein ～er Angler 낚시광.

Passions=betrachtung *f.* 〖기독교〗 수난절의 묵상. **～blume** *f.* 〖植〗 시계풀〔꽃〕속(屬). **～buch** *n.* 〖기독교〗 순교자전(傳). **～geschichte** *f.* 〖기독교〗 그리스도 수난사. **～sonntag** *m.* 〖기독교〗 수난 주일(主日). **～spiel** *n.* (그리스도) 수난극(劇). **～weg** *m.* 〖雅語〗 고난의 길. **～woche** *f.* 성(聖)주간, 수난주(週). **～zeit** *f.* 〖기독교〗 ① 수난절(수난의 주일부터 부활절 전 토요일까지). ②〖가톨릭〗 사순절.

***passiv** [pási:f, pasí:f] 《lat. pati》 *a.* (↔aktiv) ①〖문법〗 수동의. ② 수동적인, 소극적인: 〖醫〗 ～e Immunisierung 수동적 면역; 〖法〗 ～es Wahlrecht 피선거권. ③〖經〗 결손의: ～e Handelsbilanz 적자의 무역 수지. ④〖스포츠〗 현역이 아닌: ～es Mitglied 명목상의〔현역 선수가 아닌〕 회원. ⑤〖化〗 화합하기 어려운, 부동 상태의.

***Passiv** [pási:f] -s, -e [..və] ①〖문법〗 (동사의) 수동태, 수동형. ②〖언어학〗 수동격.

Passiva [pasí:va] *pl.* ↑ Passivum ②.

Passiv·bildung *f.* 〖문법〗 수동태 만들기.

Passiven [..vən] *pl.* ↑ Passivum ②.

Passiv=geschäft *n.* 〖經〗 (은행의) 수신 업무 (↔Aktivgeschäft). **～handel** *m.* 〖經〗 타국의 상인에 의한 무역.

passivieren [pasiví:rən] 《Ⅰ》 *t.* ①〖經〗 대변에 기입하다. ②〖化〗 (금속을) 부동(不動) 상태로 만들다. 《Ⅱ》 *refl.* sich ～ 부채가 되다.

passivisch [pasí:vɪʃ] *a.* 〖문법〗 수동적인, 수동태의: eine ～e Konstruktion 수동 구문.

Passivität [pasivitɛ́:t] *f.* ① 소극적 태도, 수동, 무위; 무관심. ②〖化〗 부동(不動) 상태, 부동태: mechanische ～ 역학적 부동 상태. ③〖스포츠〗 (권투 따위에서) 일방적인 방어 자세.

Passiv=masse *f.* 〖法〗 대변〔부채〕 총액. **～posten** *m.* 〖經〗 대변 항목. **～rauchen** *n.* 간접 흡연. **～saldo** *m.* 〖經〗 대변 잔고. **～schulden** *pl.* 부채. **～seite** *f.* 대변(대차 대

조표의 우측).
Passivum [pasí:vum] *n.* -s, ..va ①〖문법·구식〗 수동(태). ②〖복수: ..va/..ven〗〖經〗 대변 부채.
Paß≈karte *f.* ① 여권. ②〖복수〗〖카드〗 나쁜 패. ③〖海〗 해도(海圖), 수로도. **~kontrolle** *f.* ① 여권 검사. ② 여권 검사대〔검문소〕. **~kugel** *f.* 〖軍〗 검경탄(檢徑彈).
paßlich 《<passen》 *a.* 〖구식〗 적합한, 어울리는; 편리한.
Paßlichkeit *f.* 적합(함), 편리(함).
Paß≈pflicht *f.* 여권 휴대 및 제시의 의무. **~recht** *a.* ↑ ~gerecht. **~stelle** *f.* 〖구어〗 여권 교부소, 여권과. **~straße** *f.* 고갯길, 샛길; 골목길.
Passung 《<passen》 *f.* -en 〖工〗 (기계의 부분을) 끼워맞춤(공법), (목공(木工)의) 사개맞춤(공법).
Passus 《lat.》 *m.* -, - ① 구절, (문장의) 구: einen ~ einfügen 어떤 구절을 삽입하다. ②〖드물게〗 사건, 문제. ③ 파수스(고대 로마의 길이의 단위; 약 2 보(步), 147.9 cm).
Paß≈wart *m.* 통행 감시인, 문지기. **~wärts** *adv.* 고갯길을 향하여〔올라서〕. **~wesen** *n.* 여권 제도; 여권 사무. **~wort** *n.* ① 암호. ②〖컴〗 비밀 번호. **~zwang** *m.* 여권 휴대 및 제시의 의무.
Pasta *f.* ..sten ① ↑ Paste. ② =Zahnpasta 치약.
Pasta asciutta [pásta aʃúta] *f.* ..te ..tte ↑ Pastasciutta.
Pasta·sciutta [pastaʃúta] *f.* ..tte 〖요리〗 파스타 슈타(다진 고기와 양파·토마토로 된 소스에 국수를 버무린 이탈리아식 요리).
Paste [..tə] 《it.》 *f.* -n ① 반죽; 풀(糊); 〖요리〗 경단; 마카로니; 페이스트; 〖藥〗 연고, 파스타제(劑). ② 일종의 당과(糖菓). ③ (보석·화폐 따위의) 석고로 만든 복제품. ④ 유리로 만든 모조 보석. ⑤ 모자이크용 연(煉)유리.
Pastell 《it.; <Paste》 *n.* -(e)s, -e ① 파스텔. ② 파스텔화, 파스텔화법. ③ 파스텔 색조.
Pastell·bild *n.* 파스텔화.
pastellen [pastɛ́lən] *a.* ① 파스텔로 그린. ② 파스텔 색조의.
Pastell≈farbe *f.* ① 파스텔. ② 파스텔색. **~farben** *a.* 파스텔 색조의. **~maler** *m.* 파스텔 화가. **~malerei** *f.* ① 파스텔 화법. ② 파스텔화. **~stift** *m.* (크레용 형의) 파스텔.
Pastetchen [pasté:tçən] *n.* -s, - 〖↑ Pastete 의 축소형〗 작은 파이〔고기 만두〕.
Pastete [pasté:tə] 《lat.》 *f.* -n ①〖요리〗 **(a)** 파이 껍질, 만두피. **(b)** 파이, 고기만두. **(c)** 고기소를 밀가루 반죽에 싸서 구운 음식. ② 불쾌한〔싫은〕 일: 〖비유〗 da liegt die ganze ~ 〔da haben wir die ~〕! 이거 곤란하게 되었구나, 큰일났다!
Pastetlein *n.* -s, - ↑ Pastetchen.
Pasteur [pastǿ:r] *m.* Louis ~ 파스퇴르(프랑스의 화학자·세균학자, 1822-95).
Pasteurisation [..tørizatsió:n] *f.* -en 〖醫〗 저온 살균.
pasteurisieren *t.* 저온 살균하다.
Pasteurisierung *f.* 저온 살균.
Pastille 《lat.》 *f.* -n 정제, 알약.
Pastinak 《lat.》 *m.* -s, -e 〖植〗 ↑ Pastinake ①.
Pastinake [pastiná:kə] *f.* -n ①〖植〗 파스닙, 아메리카 방풍나물(미나릿과). ②〖요리〗 아메리카 방풍나물의 뿌리.
***Pastor** [pástɔr, pastó:r] 《lat.》 *m.* -s, -en [..tó:rən]/(nordd.) -e [..tó:rə]/(방언) ..störe [..tǿ:rə] 〖宗〗 목회자, 목사; 신부(약어: P.).
pastoral [pastorá:l] *a.* ① 전원풍의, 목가적인. ② 목사〔종교상〕의: die ~e Pflicht 목회자의 의무. ③ 신앙심을 자아내는; 장엄한: in ~em Ton sprechen 장엄한 어조로 말하다. ④〖방언〗 점잔빼는, 거드름피우는: eine ~e Sprechweise 점잔빼는 어투.
Pastoral·brief *m.* 〖신약〗 목회 서간(牧會書簡)(성바울의 디모데 전후서(前後書)와 디도서).
Pastorale[1] [..rá:lə] *n.* -s, -s 〔*f.* -n〕 〖문학〗 목자극(牧者劇), 전원극; 〖음악〗 전원풍의 악곡, 목가; 크리스마스 음악; 〖畫〗 목인화(牧人畫).
Pastorale[2] *n.* -s, -s 〖가톨릭〗 ① 주교의 교서(教書). ② 주교장(杖).
Pastoralien [..liən] *pl.* 〖宗〗 목사의 업무.
Pastoral≈konferenz *f.* 〖宗〗 목회직 회의. **~schreiben** *n.* 〖宗〗 주교의 교서. **~theologie** *f.* 〖가톨릭〗 사목(司牧)〔목회〕 신학.
Pastorat [pastorá:t] 《<Pastor》 *n.* -(e)s, -e 〖방언〗 목사의 직; 목사관(館).
Pastorelle *f.* -n 〖문학〗 (중세의) 목가.
Pastorin [pásto:rɪn, pastó:rɪn] *f.* -nen ↑ Pastor 의 여성형.
Pastor primarius [pástɔr primá:rius] *m.* - -, -es [..tó:..] ..rii 〖가톨릭〗 대성당의 주임 주교(약어: P. prim.).
pastos [pastó:s] 《frz.》 *a.* ①〖畫〗 두껍게 칠한. ② 걸쭉한, 죽 같은.
pastös [pastǿ:s] *a.* ①〖醫〗 (피부가) 부은, 부푼. ② ↑ pastos ②.
Patagonien [patagó:niən] 파타고니아(아르헨티나의 남부 지방).
Patchen *n.* -s, - 〖가톨릭〗 대자(代子), 대녀.
Patchouli [pátʃuli] *n.* -s, -s 파슐리(↑ Patschuli).
Patch·work [pǽtʃwə:k] 《engl.》 *n.* -s ① 쪽모이 세공, 패치 워크. ②〖관사 없음〗 패치 워크〔쪽모이〕 상품.
***Pate**[1] [pá:tə] 《lat. pater》 《I》 *m.* -n, -n ① 세례 및 견신례 입회인, 대부(代父): bei einem Kind ~ sein〔stehen〕 어떤 아이의 대부(代父)다〔대부 역할을 하다〕; bei et.[3] ~ stehen 무엇에 영향을 주다, 무슨 일의 배후 (인물)이다; 〖구어〗 eine Idee hat bei et.[3] ~ gestanden 어떤 이념이 무엇의 기초가 되었다; jn. zum ~n bitten 누구에게 대부가 되어 달라고 청하다; 〖방언·구식〗 jm. die ~n sagen 누구를 꾸짖다. ② 대자(代子). ③〖구동독〗 (사회주의 사회에서 아이의 이름을 지어줄 때 참석하는) 대부. 《II》 *f.* -n 대모(代母).
Pate[2] *f.* -n (↑ Paste) 반죽, 연고.
Patella [patɛ́la] 《lat.》 *f.* ..tellen 〖해부〗 슬개골(膝蓋骨).
Patellar·reflex *m.* 〖醫〗 무릎 반사.
Paten≈betrieb [pá:tən..] *m.* 〖구동독〗 협력 기업. **~brief** *m.* 〖방언〗 (대자(代子)가 대부(代父)에게서 축하금과 함께 받는) 대부 증서. **~brigade** *f.* 〖구동독〗 협력 작업반.
Patene [paté:nə] 《lat.》 *f.* -n 〖기독교〗 성반

(聖盤), 파테나.

Paten≈geld *n.* (대자(代子)에게 주는) 세례 축하금. **~geschenk** *n.* (대부모(代父母)가 주는) 세례 축하의 선물. **~kind** *n.* 〖宗〗 (Täufling) 대자, 대녀(代女)(세례를 받는 아이). **~onkel** *m.* 대부.

Patenschaft [pá:tənʃaft] *f.* -en ① 대부 대자(代父代子) 관계. ②〖구동독〗 협력 관계.

Patenschafts·vertrag *m.* 〖구동독〗 협력 관계 계약.

Paten≈sohn *m.* 대자(代子). **~stelle** *f.* 대부모(代父母)의 지위〔역할〕.

***Patent** [paténtˈ] 《lat.》 *n.* -(e)s, -e ① (a) 특허(권), 특허증: et. zum ~ anmelden 무엇의 특허를 신청하다. (b) 특허품: ein neues ~ entwickeln 새로운 특허품을 개발하다. ② (a) 사령장, 임명장. (b) (schweiz.)(직업·활동의) 면허(장), 허가(증). ③ 칙서, 친서.

patent *a.* 〔구어〕 ① 훌륭한, 뛰어난. ②〔방언〕 잘 차려 입은; 유행에 따른, 맵시 있는: ein ~es Mädel 멋쟁이 처녀. ③ 재치 있는; 원활한: das geht ja ~ 그것은 아주 순조롭게 진척된다. ④ 실용적인, 쓸모 있는: eine ~e Idee 쓸모 있는 생각.

Patent≈amt *n.* 특허청. **~anmeldung** *f.* 특허 출원〔신청〕.

Paten·tante *f.* 대모(代母).

Patent≈anwalt *m.* 〖法〗 변리사. **~brief** *m.* 특허증. **~bruch** *m.* 〖法〗 특허권 침해. **~-fähig** *a.* 〖法〗 특허 자격이 있는, 특허권반을 조건을 갖춘. **~fatzke** *m.* 멋부리는 녀석. **~gebühr** *f.* 특허료. **~gesetz** *n.* 특허법. **~gesetzgebung** *f.* ↑ ~gesetz. **~holz** *n.* (특허의) 목재(木材) 대용품.

patentieren [patɛntí:rən] 《<Patent》 *t.* ① 특허를〔특허권을〕 주다. ②〖제련〗 (강철선을) 패턴팅〔열처리〕하다.

Patent≈inhaber *m.* 특허(권) 소유자. **~-knopf** *m.* (금속제의 암수로 된) 똑딱 단추. **~liste** *f.* ↑ ~register. **~lösung** *f.* 모든 문제를 한번에 해결할 수 있는 해법. **~nadel** *f.* 안전핀.

Paten·tochter *f.* 대녀(代女).

Patent≈recht *n.* 〖法〗 ① 특허법. ② 특허권. **~register** *n.* 〖法〗 특허 목록〔등록부〕. **~-rezept** *n.* 〔구어〕 이상적인 해결책. **~rolle** *f.* 〖法〗 특허 등록부. **~schrift** *f.* 〖法〗 특허 명세서. **~schutz** *m.* 〖法〗 특허권 보호. **~-schutz·gesetz** *n.* ↑ ~gesetz. **~sucher** *m.* 특허 출원자〔신청자〕. **~träger** *m.* ↑ ~inhaber. **~verletzer** *m.* 특허권 침해자. **~verletzung** *f.* ↑ ~bruch. **~verschluß** *m.* 안전 자물쇠.

***Pater** 《lat.》 *m.* -s, ..tres/- (약어: P., (복수) PP.) ①〖가톨릭〗 신부. ②〖史〗 아버지: ~ patriae 국부(國父).

Paterfamilias [pá:tərfamí:lias] *m.* -, -〔교양·농담〕 가장.

Paternität *f.* 〔구식〕 아버지의 신분; 부권.

Paternoster[1] [pa:tərnɔ́stər] *n.* -s, -〖宗〗 ① 주기도문. ② 로사리오의 묵주.

Paternoster[2] *m.* -s, - 자동 순환식 엘리베이터.

Paternoster≈aufzug *m.* ↑ Paternoster[2]. **~baum** *m.* 〖植〗 멀구슬나무. **~werk** *n.* 〖工〗 버킷 준설기〔양수기〕.

Pater·peccavi [pa:tərpɛkáːvi] *n.* -, -〔교양〕 참회.

pater, peccavi 《lat.》 아버지여, 저는 죄인입니다(누가 15:18).

Pathetik [paté:tɪk] *f.* 〔교양〕 (과장된) 엄숙(함), 비장.

pathétique [pateti:k] *a.* 〖음악〗 비장하게.

***pathetisch** [paté:tɪʃ] 《gr.; <Pathos》 *a.* 〔펌어〕 격한, 격앙된; (지나치게) 격정적인, 감정이 과도한; 장중한.

pathogen 《gr.》 *a.* 〖醫〗 병인성(病因性)의: ~e Bakterien 병원균.

Pathogenese *f.* -n 〖醫〗 병의 생성 발전.

Pathogenie *f.* -n [..ní:ən] 병인론(病因論).

pathogenisch *a.* 병인에 관한; 병인의.

Pathogenität *f.* 〖醫〗 병원성(病源性).

pathognostisch *a.* 〖醫〗 어떤 병에 특징적인.

Patholog *m.* ↑ Pathologe.

Pathologe [..ló:gə] *m.* -n, -n 병리학자.

Pathologie [..logí:] *f.* -n [..gí:ən] ① 병리학. ② 병리과, 병리 연구소.

pathologisch *a.* ①〖醫〗 병리학적인, 병리학의: ein ~es Institut 병리 연구소. ②〖醫〗 병적인; 〔교양〕 비정상적인.

Pathophobie [..fobí:] *f.* 〖心〗 질병 공포증, 심기증(心氣症), 히포콘드리아스.

Pathopsychologie *f.* 병리 심리학.

***Pathos** 《gr.》 *n.* -〔대개 펌어〕 격정; 정열; 파토스; 격앙.

Patience [pasiã́:s] 《frz.》 *f.* -n [..sən] ①〖카드〗 혼자 하는 카드놀이: ~n legen 혼자서 카드놀이하다. ②〖요리〗 다양한 모양의 구운 과자.

Patience·spiel *n.* ↑ Patience ①.

***Patient** [patsiɛ́nt] 《lat.》 *m.* -en, -en 병자, 환자: einen ~en behandeln 환자를 치료하다.

Patienten·stube *f.* 병실.

patientieren *i.*(h.) 〔구어〕 병을 앓다.

Patientin *f.* -nen ↑ Patient 의 여성형.

Patienz·kraut *n.* 〖植〗 참소리쟁이.

Patin *f.* -nen ↑ Pate[1] (Ⅱ)의 여성형.

Patina[1] [pá:tina] 《lat.》 *f.* 푸른 녹; (청동기 따위의) 녹청(綠青): 〔비유〕 etwas hat ~ angesetzt 무엇은 녹이 슬었다, 더 이상 참신하지 않다.

Patina[2] *f.* ..nen ↑ Patine.

Patine *f.* -n 바리때, 대접; 접시.

patinieren *t.* …에 푸른 녹이 생기게 하다.

Patio [pá:tio] *m.* -s, -s 〖건축〗 파티오(에스파냐식 가옥의 안뜰〔안마당〕).

Patisserie [patɪsərí:] 《frz.》 *f.* -n [..rí:ən] ① (schweiz.) (생)과자, 고급 케이크. ②〔구식〕 (schweiz.) 고급 제과점. ③ (호텔의) 제과점, 과자부.

Patissier [patɪsié:] *m.* -s, -s 과자〔케이크〕를 굽는 사람.

Patlein *n.* -s 〔↑ Pate 의 축소형〕 대자(代子).

Patna·reis *m.* 낟알이 딱딱하고 긴 쌀, 안남미.

Patois [patoá] 《frz.》 *n.* - [-(s)], - [-s] ① 사투리. ② 부정확해서 알아듣지 못할 말.

Patres *pl.* ↑ Pater 의 복수형(약어: PP.).

***Patriarch** [patriárç] 《gr.》 *m.* -en, -en ①〔구약〕 가장, 족장(보기: Abraham, Isaak).

② (a) 〖유대교〗 최고 협의체의 장. (b) 〖기독교〗 (5세기 이후) 대주교. (c) 〖그리스정교회〗 총주교. (d) 〖가톨릭〗 교황 및 대주교. ③ 〔폄어〕 가부장.

***patriarchalisch** [..çá:lɪʃ] *a.* ① 대〔총〕주교의. ② 가장다운, 존경스러운, 위엄 있는. ③ 가부장제의: eine ~e Gesellschaft 가부장제 사회. ④ 순종을 강요하는, 권위적인.

Patriarchal·kirche *f.* 〖가톨릭〗 (로마 교황 직속) 대성당; 대주교구의 성당.

Patriarchat [..çá:t] *n.* -(e)s, -e ① 〖가톨릭〗 총〔대〕주교의 직〔관할 구역〕. ② 가장〔족장〕의 지위 및 권한; 부권(父權). ③ 가부장 제도.

patriarchisch [patriárçɪʃ] *a.* 족장의, 존경할 만한, 외경심을 자아내는.

patrimonial 《lat.》 *a.* ① 세습의, 아버지에게서 물려받은. ② 세습 영지의; 봉건적인.

Patrimonial≈gericht *n.* 영주 재판소. **~gerichtsbarkeit** *f.* 영주 재판권. **~gut** *n.* 세습 영지, 봉토(封土).

Patrimonium [patrimó:nium] 《lat.》 *n.* -s, ..nien [..niən] 〖로마법〗 세습 영지〔재산〕; (지배자의) 사유 재산: ~ Petri (특히 중부 및 남부 이탈리아의) 로마 교회의 소유지.

***Patriot** [patrió:t] 《frz.》 *m.* -en, -en 애국자, 우국 지사.

patriotisch *a.* 애국적인, 우국의.

Patriotismus *m.* - 애국심, 우국 충정.

Patristik 《lat.》 *f.* 교부(教父) 신학.

Patristiker *m.* -s, - 교부 신학(연구)자.

patristisch *a.* 교부 신학의.

Patrize 《lat.》 *f.* -n ① 〖印〗 활자 모형의 주형(鑄型). ② 〖工〗 답인기(踏印器).

Patriziat 《lat.》 *n.* -(e)s, -e ① 명문가의 시민, 도시 귀족. ② 〖史〗 (고대 로마의) 세습 귀족(총칭).

***Patrizier** [patrí:tsiər] *m.* -s, - ① (고대 로마의) 세습 귀족(↔ Plebejer). ② (중세의) 도시 귀족; 〔비유〕 명문(名門).

Patrizier·geschlecht *n.* 명문가.

patrizierhaft *a.* (도시) 귀족의, 명문가의; 귀족다운.

Patrizier≈haus *n.* ① 도시 귀족의 저택. ② 명문가. **~herrschaft** *f.* (도시) 귀족 정치.

patrizisch *a.* (도시) 귀족의, 명문가의, 귀족풍의.

Patroklos [patró:klɔs], **Patroklus** [..klus] *m.* (그리스 전설의) 파트로클로스(아킬레스의 친구 이름).

Patrologie 《gr.》 *f.* ↑ Patristik.

***Patron** [patró:n] 《lat. pater》 *m.* -s, -e ① (고대 로마의 자유를 얻은 노예의) 보호자. ② 〖가톨릭〗 수호 성인(聖人). ③ 교회 창립자. ④ 고용주; 〔구어〕 두목. ⑤ 〖海〗 (a) 선주(船主). (b) 선장. ⑥ 〔구식〕 후원자, 고객. ⑦ 〔구어·폄어〕 놈, 녀석.

Patrona *f.* ..nä 수호 성녀(聖女), 보호자.

Patronage [patroná:ʒə] *f.* 〔교양〕 정실 인사, 측근 정치.

Patronanz [patronánts] *f.* -en ① 〔구식〕 ↑ Patronage. ② (öst.) ↑ Patronat.

Patronat *n.* -(e)s, -e ① (고대 로마의) 해방 노예 보호직〔권〕. ② 교회 창립자〔후원자〕의 지위〔직·권한〕. ③ 〔교양〕 후원, 비호, 보호.

Patronats≈fest *n.* 〖가톨릭〗 수호 성인의 축(제)일. **~herr** *m.* 교회〔학교〕의 후원자. **~pfarre** *f.* 후원자의 기부로 건설된 교회. **~recht** *n.* 〖宗〗 교회 후원자의 권리. **~verhältnis** *n.* 보호자〔후원자〕 관계.

***Patrone** [patró:nə] 《frz.》 *f.* -n ① 〖섬유〗 패턴카드, 원형(原型), 도안, 형지(型紙). ② 〖軍〗 탄환, 탄약통: blinde〔scharfe〕 ~ 공포탄〔실탄〕. ③ (발파용) 화약. ④ (만년필 속의) 잉크통, 카트리지. ⑤ (소형 카메라의) 필름 용기, 파트로네.

Patronen≈auswerfer *m.* 〖工〗 방사(放射) 펌프. **~band** *n.* 탄띠. **~gurt** *m.* ① (금속제의) 기관총용 탄띠. ② (가죽제의) 탄띠, 탄대(帶). **~gürtel** *m.* ↑ ~gurt ②. **~hülse** *f.* 탄피. **~kammer** *f.* 〖무기〗 (탄)약실. **~kasten** *m.* 탄약 상자. **~tasche** *f.* (허리띠에 고정시킨) 탄약 주머니. **~wagen** *m.* 탄약차.

patronieren [patroní:rən] 《< Patrone》 *i.* (h.) (öst.) 틀〔모형〕을 이용해서 그리다.

Patronin [patró:nɪn] *f.* -nen ↑ Patron ② ③ 의 여성형.

patronisieren [patronizí:rən] 《< Patron》 *t.* 〔구식〕 ① 보호하다, 비호하다. ② 장려하다, 지원하다.

Patronisierung *f.* -en 보호, 후원.

Patron·tasche *f.* ↑ Patronentasche.

Patronymikon [patroný:mikɔn] *m.* -s, ..ka 《gr.》 〖언어학〗 아버지〔조상〕 이름을 딴 이름(보기: Petersen = Peters Sohn).

Patronymikum [..ný:mikum] *n.* -s, ..ken/..ka ↑ Patronymikon.

patronymisch [..ný:miʃ] *a.* 〖언어학〗 아버지〔조상〕 이름을 딴.

Patrouille [patrúljə, ..trú:jə] 《frz.》 *f.* -n 〖軍〗 ① 정찰대: eine ~ losschicken 정찰대를 파견하다. ② 정찰, 척후; 순찰: ~ gehen 정찰〔순찰〕하다; auf ~ sein 정찰 중이다.

Patrouillen≈boot [patrúljən..] *n.* 초계정. **~dienst** *m.* 척후〔정찰〕 근무. **~fahrt** *f.* (탈것을 이용한) 순찰, 정찰. **~führer** *m.* 척후〔정찰〕 대장.

patrouillieren [patrulјí:rən] *i.* (h./s.) 정찰〔척후·순찰〕하다: ~de Soldaten 정찰병.

Patrozinium [patrotsí:nium] 《lat. Lw.》 *n.* -s, ..nien [..niən] ① 보호; 법률 자문. ② 〖가톨릭〗 (교회의) 수호 성인의 축제일. ③ 〖가톨릭〗 (수호 성인의) 교회 수호(권). ④ (고대 로마에서) 해방 노예에 대한 보호자의 법정 대리권.

Patroziniums·fest *n.* 〖가톨릭〗 수호 성인의 축제일.

patsch [patʃ] *int.* 〔의성어〕 (손바닥·채찍·물소리 따위의) 찰싹, 철썩.

Patsch *m.* -(e)s, -e ① 찰싹〔철썩·첨벙〕하는 소리; 따귀때리기. ② 〔아동〕 손; 악수. ③ 〔구어〕 진창, 진흙.

Pätschchen [pέtʃçən] *n.* -s, - 〔↑ Patsche 의 축소형〕 작은 손.

Patsche [pátʃə] *f.* -n 〔구어〕 ① 철썩하는 소리; 따귀치기: du bekommst gleich eine ~ 너 따귀 한 대 맞는다. ② 찰싹〔탁탁〕 치는 도구, 부지깽이, 파리채; (obd.) 목도(木刀). ③ 손, 작은 손; 짐승의 앞발. ④ (obd.) 수프; 소스; 진흙; 오물. ⑤ 곤경, 궁지: in der ~ sein 〔stecken〕 궁지에 빠져 있다; jn. aus der ~ ziehen 누구를 궁지에서 끌어내다. ⑥ (obd.) 슬리퍼(Pantoffel).

Pätsche [pέtʃə] *f.* -n 뗏목의 노 모양의 키.

patscheln, pätscheln 《I》 *t./i.* (h.) 가볍게 치다, 찰싹찰싹 치다, 노를 젓다. 《II》 *i.* (s.) 물 가운데를 철벅철벅 걷다.

patschen [pátʃən] 《I》 *i.* ① (h.) 철썩〔철벅〕 소리를 내다: der Schneematsch patschte unter seinen Schuhen 질척질척한 눈이 그의 신발 밑에서 철벅거린다. ② (s.) 〖구어〗 (물 가운데를) 철벅철벅 걷다: durch die Pfützen ~ 웅덩이를 철벅철벅 걷다. ③ (h.) (an〔auf, in〕 et.) (무엇을) 찰싹하며 치다: mit den Händen aufs〔ins〕 Wasser ~ 손으로 물을 첨벙거리다. ④ (s.) auf〔gegen〕 et. ~ 철썩하며 무엇에 부딪치다: der Regen patschte gegen das Fenster 비가 철썩철썩 창문에 부딪쳤다. 《II》 *imp.* es patscht a) (obd.) 짝 금이 간다, 짝짝 갈라진다, b) 〖구어〗 비가 좍좍 온다. 《III》 *t.* ① 찰싹 치다; 가볍게 치다. ② jm. Wasser ins Gesicht ~ 누구 얼굴에 물을 끼얹다.

patsche·naß [pátʃənás] *a.* 〖구어〗 ↑ patschnaß.

patschert *a.* (öst.) 서투른, 투박한, 요령 없는.

Patsch≈hand *f.* 〖구어·아동〗 (아이의) 작은 손. **~händchen** *n.* ↑ ~hand.

Pätschlein [pɛ́tʃlaın] *n.* -s, - ↑ Pätschchen.

patsch·naß [pátʃnás] *a.* 〖구어〗 흠뻑 젖은.

Patschuli [pátʃuli] *n.* -s, -s ①〖植〗 파슬리. ② 파슬리 향료. ③ 파슬리(향)유.

Patschuli≈essenz *f.* ↑ Patschuli ③. **~öl** *n.* ↑ Patschuli ③. **~parfüm** *n.* ↑ Patschuli ③. **~pflanze** *f.* 〖植〗 ↑ Patschuli ①.

patt [pat] 《it.》 *a.* 〖장기〗 수가 막힌, 꼼짝 못하게 된: ~ machen〔setzen〕 비김수를 쓰다; ~ sein 비기다, 꼼짝 못하다.

Patt *n.* -s, -s ①〖장기〗 무승부, 비김수. ② 우열 관계 미정, 균형 상태: ein nukleares ~ 핵 균형.

Patte [pátə] 《frz.》 *f.* -n ① (ndd.) (동물의) 앞발. ②〖재봉〗 (**a**) 호주머니의 뚜껑. (**b**) 호주머니의 가장자리 장식. (**c**) 단춧구멍에 붙인 식서; (소맷부리의) 접어 젖힌 단. ③〖印·사진〗 망판용 스크린(Raster). ④〖음악〗 5선.

Pattern [pɛ́tərn] 《engl.》 *n.* -s, -s ①〖心·사회〗 행동 양식, 사고 모델, 패턴, 형(型). ② 〖언어학〗 문형.

pattieren *t.* 5선(악보의 횡선)을 그려 넣다; 망판을 갖추게 하다.

Patt·situation *f.* ↑ Patt ②.

patzen [pátsən] 《♧ Batzen》 *i.* (h.)/*t.* 〖구어〗 ① (**a**) 서투르게 일하다, 실수를 저지르다; 익숙지 못하다; 서투르게 쓰다〔그리다〕; 엉터리 치료를 하다. (**b**) (잉크·페인트 등의) 얼룩이 묻다. ② 공처럼〔덩어리로〕 만들다〔되다〕, 굳다, 굳히다.

Patzer [pátsər] *m.* -s, - ①〖구어〗 작은〔사소한〕 실수. ②〖구어〗 서투른 사람. ③ (bayr., öst.) 악필가, 서투른 화가. ④ 돌팔이 의사.

Patzerei [patsəráı] *f.* -en ①〖구어〗 실수 연발. ② (bayr., öst.) 서투른 글씨〔그림〕.

patzig [pátsıç] *a.* 〖구어·폄어〗 ① 조야(粗野)한; 예의 없는; 오만한, 건방진: eine ~e Antwort geben 오만하게 대답하다. ② 완고한, 고집센; 무뚝뚝한, 상냥하지 않은; 쌀쌀한. ③ (bayr., öst.) 끈적끈적한, 결쭉한, 점액질의.

Patzigkeit *f.* -en ① 예의 없음, 뻔뻔스러운 태도. ② 오만한 대답〔행동〕.

Paukant [paukánt] *m.* -en, -en ①〖학생〗 결투자. ②〖구어〗 ↑ Paukenschläger.

Pauk≈arzt [páuk..] *m.* ↑ ~doktor. **~boden** *m.* 〖학생〗 결투장. **~doktor** *m.* 〖학생〗 결투 입회 의사.

***Pauke** [páukə] *f.* -n ①〖악기〗 팀파니, 북: 〖비유·구어〗 jn. mit ~n und Trompeten empfangen 누구를 요란스럽게 환영하다; mit ~n und Trompeten durchfallen 보기좋게 낙방〔실패〕하다; der ~ ein Loch machen 무엇을 갑자기 그만두다〔중지하다〕; 〖비유·구어〗 auf die ~ hauen a) 요란하게 잔치를 벌이다, b) 떠벌리다, 호언장담하다, c) (비판의 소리를) 높이다. ② 커피 볶는 기구. ③〖醫〗 (**a**) 고실(鼓室). (**b**) 가래톳. ④〖학생〗 꾸지람, 설교, 훈계: jm. eine ~ halten 누구에게 따끔한 설교를 하다.

***pauken** [páukən] 《I》 *i.* (h.) ① 팀파니를 울리다: 〖농담〗 auf dem Klavier ~ 피아노를 마구 꽝꽝 치다. ②〖구어〗 연설하다; 설교하다. ③ 〖구어〗 (**a**) (시험을 위해) 들고 파다: er paukt für seine bevorstehende Prüfung 그는 임박한 시험에 대비해서 열심히 들고판다. (**b**) mit jm. ~ 누가 시험 때문에 들고파는 것을 도와주다. ④ (sich) mit jm. ~ 누구와 결투하다. 《II》 *t.* (북을) 치다; 두들기다, 때리다, 마구 패다; 〖구어〗 주입식으로 교육하다; 벼락치기로 공부하다.

Pauken≈fell *n.* ① 팀파니의 가죽. ②〖해부〗 고막. **~höhle** *f.* 〖해부〗 (중이(中耳)의) 고실(鼓室). **~schall** *m.* 팀파니〔북〕 소리. **~-schlag** *m.* 팀파니를 침: 〖비유〗 die Verhandlung endete mit einem ~ 협상은 센세이션을 일으키며 끝났다. **~schläger** *m.* 팀파니 고수(鼓手), 북 치는 사람. **~schlegel** *m.* 북채. **~wirbel** *m.* 〖음악〗 북〔팀파니〕의 연타(連打).

Pauker [páukər] *m.* -s, - ①〖음악〗 ↑ Paukenschläger. ②〖아동〗 (Arschpauker) ("학생의 궁둥이를 두들긴다"는 뜻에서) 교사; 수험 준비를 돕는 (가정) 교사; 공부 벌레. ③ 결투자(Duellant).

Paukerei [paukəráı] *f.* 〖구어·폄어〗 ① 결투. ② 서로 치고받기, 싸움. ③ 벼락 공부.

Pauk≈hahn *m.* 결투〔검술〕의 명수. **~handschuh** *m.* 펜싱용 장갑.

Paukist *m.* -en, -en (직업적) 고수(鼓手).

Pauk·wichs *m.* 펜싱복.

Paul [paul] 《lat.》 *m.* 파울(남자 이름); 〖聖〗 바울: Peter und ~ 어중이떠중이(모두 다), 너도 나도.

Paula [páula] *f.* 파울라(여자 이름).

paulinisch *a.* 사도 바울의 가르침에 따른: ~e Briefe 사도 바울의 서간.

Paulinismus [paulinísmus] *m.* - 사도 바울의 교의(敎義).

***Paulus** [páulus] *m.* ↑ Paul: der Apostel ~ 사도 바울; Pauli Bekehrung 사도 바울의 개종(改宗).

pauperieren [pauperí:rən] 《<lat. pauper》 *i.* (s.) 〖生〗 (이종(異種) 교배로 인해) 열등하게 성장하다, 열등종(種)이 되다.

Pauperismus 《lat.》 *m.* - 〖교양〗 (산업화 이전의) 광범위한 빈곤 상태.

Paupertät [paupertɛ́:t] *f.* 〖구식〗 곤궁, 빈곤.

Paus≈back [páus..] *m.* 〔구어〕 뺨의 살이 두둑한 사람, 볼이 포동포동한 아이. **~backe** *f.* 〔구어〕 ↑ ~backen. **~backen** *m.* 살이 붉고 두툼한 뺨, 포동포동한 볼. **~backig** *a.* 〔구어〕 뺨이 두툼한, 볼이 포동포동한. **~bäckig** *a.* ↑ ~backig.

***pauschal** [pauʃá:l] *a.* ① 전체적인, 합산한, 일괄적인: eine ~e Summe 총액. ②〔교양〕 세세하게 구분하지 않는, 매우 일반적인, 개괄적인, 싸잡아서 판단을 내리는.

Pauschal≈abschreibung *f.* -en 〖經〗 일괄 상쇄〔공제〕. **~besteuerung** *f.* 〖法〗 총액 과세.

Pauschale [pauʃá:lə] *f.* -n 〔(구식) *n.* -s, ..lien [..liən]〕 ①〖經〗 일괄 배상〔지급〕: eine ~ für Überstunden 초과 근무 수당의 일괄 지급. ② 견적액; 총액, 전액, 총계.

Pauschal·gebühr *f.* 일괄〔정액〕 요금.

pauschalieren [pauʃalí:rən] *t.* 총계를 내다, 일괄하여 계산하다.

pauschalisieren [..lizí:rən] *i.* (h.) 〔교양〕 일반화하다, 일률적으로 다루다〔평가하다〕, 개괄적으로 파악하다.

Pauschalität *f.* 〔교양〕 일괄성, 일률성, 무차별성.

Pauschal≈preis *m.* 〖經〗 일괄〔균일〕 가격. **~quantum** *n.* 총량, 전량. **~reise** *f.* 패키지 여행. **~summe** *f.* 총액. **~urteil** *n.* 〔폄어〕 전체를 싸잡아서 내리는 판단.

Pausch·betrag *m.* 〖法〗 면세〔비과세〕 총액.

Pausche [páuʃə] *f.* -n ① (말 안장의) 장니, 말다래. ②〖체조〗 안마의 손잡이.

Päuschel [pɔ́yʃəl] *m./n.* -s, - 〖광산〗 큰 쇠망치.

Pauschen·pferd *n.* (체조의) 안마.

Pausch·quantum *n.* 총량. **~summe** *f.* 총액.

***Pause**[1] [páuzə] 《frz.》 *f.* -n ① 휴식, 쉼; 휴식 시간, 쉬는 시간; (일시적) 멈춤: (eine) ~ machen 휴식하다. ②〖음악〗 **(a)** 휴지 부분. **(b)** 휴지부, 쉼표. ③〖문학〗 (언어가 삽입되지 않는) 휴지 부분, 사이, 간격.

Pause[2] 《frz.》 *f.* -n ① 투사(透寫), 복사. ② 투사도, 복사도, 청사진.

pausen[1] [páuzən] 《<Pause[1]》 *t.* 투사하다, 밑에 대고 베끼다, (청사진 방식으로) 복사하다.

pausen[2] 《<Pause[2]》 ↑ pausieren.

Pausen≈brot *n.* 간식용 빵〔샌드위치〕. **~füller** *m.* ① (공연·텔레비전 프로그램에서) 막간 오락물. ② 막간 오락물 공연자. **~gymnastik** *f.* 휴식 시간의 체조. **~halle** *f.* 휴게실.

pausenlos *a.* 중단〔휴식〕 없는, (귀찮을 정도로) 계속되는.

Pausen≈pfiff *m.* 〖스포츠〗 휴식 시간을 알리는 호각 소리. **~raum** *m.* 휴게실. **~stand** *m.* 〖스포츠〗 전반전 점수. **~zeichen** *n.* ①〖방송〗 (방송의) 휴지 신호. ②〖음악〗 쉼표, 휴지부. ③ (학교에서) 쉬는 시간을 알리는 신호.

pausieren [pauzí:rən] 《lat.》 *i.* (h.) ① 잠시 중단하다: bei einer Rede ~ 연설을 잠시 중단하다. ② 중간에 쉬다〔휴식하다〕.

Paus≈leinwand [páus..] *f.* 투사포(透寫布). **~papier** *n.* ① 카본지. ② 투사 용지, 트레이싱 페이퍼.

Pavane [pavá:nə] *f.* -n 〖음악〗 ① (16 세기의) 독일 조곡(組曲)의 도입 악곡. ② (16-17 세기의) 궁중 무도.

Pavian [pá:via:n] 《frz.》 *m.* -s, -e ①〖動〗 비비(원숭이의 일종). ②〔비유〕 멋쟁이; 바보; 심술쟁이, 추한 사람. ③〖海〗 감시원.

***Pavillon** [pávıljõ, ..ljɔŋ, pavıljɔ̃:] 《frz.》 *m.* -s, -s ① (4 각의) 대형 천막, 가옥(假屋). ② 지붕이 있는 침대. ③〖건축〗 정자(亭子); 원형의 소음악당. ④〖건축〗 (큰 건물의 중앙부나 가장자리에 위치한) 돌출부. ⑤〖건축〗 (병원·학교와 같은 복합 건물에 속하는) 독립 건물. ⑥ (박람회장의) 전시관.

Pavillon·system *n.* 〖건축〗 (학교나 병원의) 분관식(分館式) 건축 양식.

Pawlatsche [pavlá:tʃə] *f.* -n (öst.) 〔구어〕 ① 퇴락한〔폐허화된〕 집. ② (집의 뜰쪽에 난) 개방된 낭하. ③ 가설 무대.

***Pax** [pa(:)ks] 《lat.》 *f.* ① 평화. ②〖가톨릭〗 **(a)** 평화의 인사. **(b)** (미사에서) 평화의 입맞춤. **(c)** 〖聖〗 ~ vobiscum! 너희에게 평강이 있을지어다! (Friede (sei) euch!; 누가 24:36). ③〖중세〗 ~ Dei 신의 휴전(중세 때 교회가 명한 전투 행위 중지).

Paying guest [pé:iŋ gέst] 《engl.》 *m.* - -, --s 민박 외국인.

***Pazifik** [patsí:fık, pá:tsi..] 《lat. pacificus》 *m.* -s 〖지리〗 태평양.

Pazifikation [patsifikatsió:n] *f.* 〔구식〕 평화의 수립, 강화; 조정, 화해; 평정, 진정(鎭定); 강화 조약 체결; 강화 담판.

Pazifik·bahn [patsí:fık..] *f.* (태평양·대서양을 잇는) 북아메리카의 대륙 횡단 철도.

pazifisch *a.* 태평양의.

Pazifismus [patsifísmus] *m.* - ① 평화주의, 평화 운동. ② 평화주의적 태도.

Pazifist *m.* -en, -en 평화주의자.

Pazifistin *f.* -nen ↑ Pazifist 의 여성형.

pazifistisch *a.* 평화주의의, 평화주의적인.

pazifizieren 《lat.》 *t.* 진정시키다, 평정하다; 평화롭게 하다.

Pazifizierung *f.* -en 평화 회복, 화해, 강화.

Paziszent [patsıstsέnt] 《lat.》 *m.* -en, -en 〔구식〕 계약 체결자, 조정 당사자.

paziszieren *i.* (h.) 〔구식〕 계약〔조약〕을 체결하다, 화해하다.

Pb 〖化〗 =Plumbum 납.

PC [pe:tsé:] *m.* -(s), -(s) 〖컴〗 개인용 컴퓨터.

p.c. [protsέnt] =pro centum 백분율, 퍼센트.

p. Chr. (n.) =post Christum (natum) 서력 기원.

Pd 〖化〗 =Palladium 팔라듐.

p.e. =《lat.》 per exemplum 예를 들면.

***Pech** [pɛç] 《lat.》 *n.* -s/(드물게) -e, -e ① 피치, 역청(瀝青); (Schuster～) (구두를 깁는 실에 칠하는) 수지랍(樹脂蠟): 〔방언〕 ~ geben〔kaufen〕 도주하다, 도망하다, 사라지다; 〔구어〕 er hat ~ an den Fingern 그는 손재주가 없다; ~ an den Hosen 〔〔구어〕 am Hintern, 〔속어〕 am Arsch〕 haben (손님으로서) 궁둥이가 무겁다; es klebt ihm an wie ~ 그것은 그에게 붙어서 떨어지지 않는다, 집요하게 붙어 다닌다; 〔구어〕 die beiden hängen zusammen wie ~ und Schwefel 그 둘은 (서로) 찰거머리같이 붙어 있다; 〔속담〕 wer ~ angreift, besudelt sich 근묵자흑(近墨者黑).

② 불운, 불행한 사건; 곤경, 궁지; 불운: ~ haben 운이 나쁘다; 〔구어〕 ~ gehabt! 운이 나빴나 보군!; 〔구어〕 ~ für dich 재수가 없었다고 생각해라(달리 도리가 없다); bei〔in, mit〕 et.³ ~ haben 무엇에서 운이 나쁘다, 곤경에 빠져 있다; mit jm. ~ haben 누구와 잘못 만나다; 〔농담〕 ~ im Spiel, Glück in der Liebe! 놀이에는 졌지만 사랑은 성공하길! (놀이에 진 사람을 위로하는 표현); jn. ins ~ bringen 누구를 궁지에 빠뜨리다; ich bin wirklich vom ~ verfolgt 나는 정말 불운하다; 〔구어〕 dein ~, wenn du nicht richtig zuhörst! 귀담아 듣지 않으면 너만 손해야! ③ (südd., öst.) 수지, 송진.

Pech≈baum *m.* 수지(樹脂)를 내는 나무. **~blende** *f.* 〖광물〗 역청(瀝青) 우라늄광(鑛). **~blume** *f.* ↑ ~nelke. **~braun** *a.* 흑갈색의. **~draht** *m.* 수지랍(蠟)을 칠한 구두 깁는 실.

pecheln (Ⅰ) *i.* (h.) ① 역청〔피치〕 냄새가 나다. ② 〔농담〕 운이 나쁘다; 곤경에 빠지다. (Ⅱ) *t./i.* (h.) ① …에서 피치〔수지〕를 뽑다〔만들어내다〕. ② 피치를 긁이다. ③ …에 피치를 바르다.

Pech≈erde *f.* 역청질의 흙. **~fackel** *f.* 역청을 칠한 횃불. **~faden** *m.* ↑ ~draht. **~fiester** *m.* 〔구어〕 ↑ ~hengst ①. **~finster** *a.* 칠흑 같은, 캄캄한. **~hengst** *m.* 〔구어〕 ① 〔폄어〕 엉터리 구두장이. ② ↑ ~vogel. **~hütte** *f.* ① 역청 제조 움막. ② 〔비유〕 지옥: bis in die (aschgraue) ~ 극력, 힘껏; bis in die (aschgraue) ~ warten 언제까지나 기다리다.

pechicht *a.* 〔고어〕 ↑ pechig.

pechig *a.* 피치〔역청〕 같은, 역청질의; 새까만, 컴컴한.

Pech≈kohle *f.* 〖광물〗 역청탄, 유연탄. **~kranz** *m.* 역청을 칠한 고리 모양의 가연성 물질(조명용·점화용). **~krücke** *f.* 피치〔역청〕를 휘젓는 기계.

Pechler [pɛ́çlər] *m.* -s, - ↑ Pechsieder.

Pech≈mann *m.* ① ↑ ~sieder. ② 〔비유〕 피로; 졸음: der ~ kommt (아이들에게) 자 어서들 자거라. ③ ↑ ~vogel. **~nase** *f.* 〖건축〗 (중세에 적에게 끓는 역청을 퍼붓기 위하여 성벽에 설치한) 역청 투하 소망루. **~nelke** *f.* 〖植〗 비스커리어(Viscaria) 속(屬), 끈끈이 대나물. **~pfanne** *f.* ① 역청을 녹이는 냄비. ② (어업용) 모닥불. **~pflaster** *n.* 〖藥〗 피치 경고(硬膏): 〔비유〕 jm. ein ~ auf den Mund legen (뇌물 따위로) 누구의 입을 막다. **~raben·schwarz** *a.* ↑ ~schwarz. **~schwarz** *a.* 〔구어〕 시커먼, 칠흑의: ~e Wolken 시커먼 구름. **~sieder** *m.* 역청 제조자. **~stein** *m.* 〖지질〗 역청석. **~strähne** *f.* 불운의 연속. **~tanne** *f.* 〖植〗 독일〔유럽〕 가문비나무. **~torf** *m.* 〖광물〗 역청이탄(泥炭). **~vogel** *m.* 〔구어〕 불운한 사람

***Pedal** [pedá:l] 《lat.》 *n.* -s, -e ① (a) 〖악기〗 (파이프 오르간의) 발로 밟는 건반; (피아노·하프의) 페달, 발판. (b) (자전거의) 페달: 〔구어〕 stärker in die ~e treten 힘차게 페달을 밟다; 〔구어〕 er hat sich ganz schön in die ~e legen müssen 그는 자전거로 전력을 기울여 달려가야만 했다. (c) (자동차의) 페달. (d) (기계의) 발판. ② 〔농담〕 발, 다리: zieh mal deine ~e ein! 발 집어넣어!

Pedal·harfe *f.* (페달로 반음을 내는) 페달 하프.

pedant [pedánt] *a.* (öst.) ↑ pedantisch.

Pedant 《it.》 *m.* -en, -en 〔폄어〕 사소한 일에 얽매이는 사람; 꼼꼼한 사람; 고루한 사람; 세밀하게 캐기 좋아하는 사람〔학자〕, 현학자; 소인, 범인.

***Pedanterie** [..tərí:] *f.* -n [..rí:ən] 〔폄어〕 ① 사소한 일에 얽매임, 꼼꼼함, 좀스러움; 옹졸함, 현학(衒學); 소인 근성. ② 꼼꼼한〔옹졸한〕 행위.

pedantisch *a.* 〔폄어〕 사소한 일에 얽매이는, 꼼꼼한, 옹졸한; 현학적인.

Pedantismus *m.* ↑ Pedanterie.

pedden (pedd; pedt) *i.* (h.) (ndd.) 밟다.

Peddig·rohr [pɛ́dɪç..] 《ndd.》 *n.* -(e)s 등나무의 심: eine Lampe aus ~ 등나무 램프.

Pedell [pedɛ́l] 《lat.》 *m.* -s, -e 〔(öst.) (대개) *m.* -en, -en〕 하인; (특히) 법정(法廷) 경위, 정리(廷吏); 포리(捕吏); 학교의 시설 관리인.

Pedest [pedɛ́st] 《lat.》 *m./n.* -es, -e 층계참(站).

pedestrisch *a.* 〔구식〕 ① 도보의. ② 〔비유〕 보통의, 평범한, 일상적인.

Pedigree [pɛ́digri] 《engl.》 *m.* -s, -s 〖生〗 (동물, 특히 말의) 혈통 증명서.

Pediküre [pedikýːrə] 《lat.》 *f.* -n ① 발관리, 발손질. ② 발치료사, 페디큐어사.

pediküren [pedikýːrən] *t.* 발을 손질하다: ich lasse mir meine Füße ~ 나는 발 손질을 받는다.

Pediment *n.* -s, -e 〖지리〗 산기슭의 평지.

Pedologie [pedologí:] 《gr.》 *f.* 〖지질〗 토양학.

Pedometer [pedomé:tər] *n.* -s, - 만보계.

peelen [pé:lən] *t.* 〖제혁〗 (가죽의) 털을 제거하다.

Peeling [pí:lɪŋ] 《engl.》 *n.* -s, -s 표피 제거술〔요법〕.

Peepshow 新정서 ⇦ Peep-Show.

Peep-Show [pí:p ʃo:] 《engl.》 *f.* -s (작은 창문을 통해 관람하는) 스트립 쇼.

Peer [pi:r] 《engl.》 *m.* -s, -s ① (영국의) 상류 귀족. ② (영국의) 상원 의원.

Peerage [píərɪdʒ] 《engl.》 *f.* ① 영국의 상류 귀족의 작위〔지위〕. ② 영국의 상류 귀족 계급〔사회〕.

Peerd [pe:ət] *n.* (ndd.) 〖動〗 말(Pferd).

Peereß [pí:rɛs, píəris] *f.* ..resses [..rɛsɪs, ..rɪsɪz] ① ↑ Peer 의 부인. ② ↑ Peer 의 여성형.

Pegasos [pé:gazɔs] *m.* - ↑ Pegasus.

Pegasus [pé:gazus] 《gr.》 *m.* - ① 〖그리스신화〗 페가수스(날개 달린 천마(天馬)): 〔교양·농담〕 den ~ satteln〔besteigen, reiten〕 문학 작품을 창작하다. ② 〖天〗 페가수스좌(座).

Pegel [pé:gəl] 《lat.》 *m.* -s, - ① 수위계, 검조의(檢潮儀). ② ↑ ~stand. ③ 〖工·物〗 (전력·전압 따위의) 레벨.

Pegel·höhe *f.* 수위.

pegeln *t./i.* (h.) ① 물의 깊이를 재다. ② 〔구어〕 벌컥벌컥 들이켜다〔마시다〕.

Pegel·stand *m.* 수위(水位).

pegern *t.* 〔은어〕 독살하다.

Pegmatit [pɛgmatí:t, ..tɪt] *m.* -s, -e 〖지질〗 페그마타이트(거정(巨晶) 화강암).

Pehlewi [péçlevi] *n.* -(s) 중세 페르시아어.
Peies [páiəs] 《hebr.》 *pl.* (동유럽 유대인의) 관자놀이에 기른 긴 곱슬머리.
Peignoir [pɛnjoá:r] 《frz.》 *m.* -s, -s 이발〔화장〕할 때 걸치는 천.
Peik [paik] *f.* (ndd.) (중세 용병의) 창(槍) (Pike).
Peil·antenne [páɪl..] *f.* 〖工〗 방향 탐지 안테나.
peilen [páɪlən] 《ndl.; pegeln》 《I》 *t.* ① 〖海〗 방위〔위치〕를 측정하다: 〖비유·구어〗 die Lage ~ 상황을 탐색하다. ② (측연(側鉛)으로) 물의 깊이를 재다: 〖비유〗 et. über den Daumen ~ 무엇을 대충 계산〔측정〕하다. 《II》 *i.* (h.) 〖구어〗 시선을 (어디로) 돌리다, 살피다: er peilte neugierig um die Ecke 그는 궁금하여 구석을 두리번거렸다.
Peiler [páɪlər] *m.* -s, - ① 방위〔위치〕 측정 기사. ② (무선) 방향〔위치〕 탐지기. ③ (어딘가로) 시선을 돌려 바라보는 사람.
Peil≈funk *m.* 〖전기〗 방향 표시 전파. **~funk-sender** *m.* 라디오 비컨, 무선〔항로〕 표지. **~gerät** *n.* 방위〔위치〕 측정기, 방향 탐지기. **~kompaß** *m.* 〖海〗 방위 나침반. **~lot** *n.* 측연(測鉛). **~rahmen** *m.* 〖工〗 루프 안테나, 프레임 안테나.
Peilung *f.* -en 방위 측정; 방향 탐지.
***Pein** [paɪn] 《lat.》 *f.* 〖雅語〗 심한 고통; 고뇌: 〖宗〗 die ewige ~ 지옥〔영겁〕의 형벌.
peinigen [páɪnɪgən] *t.* 〖雅語〗 괴롭히다, 성가시게 하다: Stechfliegen ~ das Pferd 말파리들이 말을 괴롭힌다; er peinigte sie mit stundenlangen Vorwürfen 그는 그녀를 수시간 동안 비난함으로써 괴롭혔다; ~de Kopfschmerzen 성가신 두통.
Peiniger *m.* -s, - ① 괴롭히는 사람, 귀찮게 구는 사람. ② 고통을 주는 것; 역병; 귀찮은 존재.
Peinigung *f.* -en 괴롭힘〔을 당함〕.
***peinlich** [páɪnlɪç] *a.* ① 고통스러운, 아픈, 괴로운: jn. ~ befragen 누구에게 고통스럽게 캐묻다. ② 〖法·구식〗 형사상의; 고문에 따른: ~e Gerichtsordnung 형사 소송법; ~er Prozeß 형사 소송; ~es Recht 형(사)법; ~e Hals- und Gerichtsordnung (1532년 카를 5세 때의) 독일 최초의 형법전. ③ 곤혹스러운; 난처한, 불쾌한, 귀찮은: ~e Vorkommnisse 불쾌한〔성가신〕 사건; jn. in eine ~e Lage bringen 누구를 불쾌하게 만들다. ④ 매우 양심적인; 지나치게 면밀한, 극도로 정확한: die Stube war ~ sauber 방은 지나칠 정도로 깨끗하였다.
Peinlichkeit *f.* -en ① 고통스러움, 불쾌. ② 고통스러운 상황, 불쾌한 행위〔언사〕: an diesem Abend hat es genügend ~en gegeben 이날 저녁에는 불쾌한 일이 족히 있었다.
peinsam *a.* 〖구어〗 난처한, 곤혹스러운.
pein·voll *a.* 〖雅語〗 지극히 고통스러운.
Peiping [pé:pɪŋ] 베이핑(베이징의 별칭).
***Peitsche** [páitʃə] 《poln.》 *f.* -n ① 채찍, 회초리: dem Pferd die ~ geben 말에 채찍질하다; unter der ~ des Hungers und der Not 기아와 빈곤에 시달리면서. ② 〖植〗 복지(匐枝), 덩굴진 줄기.
peitschen [páitʃən] 《I》 *t.* 채찍질하다; 몰아대다: die Meereswoge peitscht den Strand 파도가 해안에 들이친다; jn. aus dem Land ~ 누구를 국외로 추방하다; von Angst gepeitscht 불안에 쫓겨. 《II》 *i.* (h.) (비 따위가) 후두둑 때리다; 펄럭이다: das Segel peitscht 돛이 펄럭인다; der Regen peitschte an〔gegen〕 die Fenster 비가 창문을 때렸다.
Peitschen≈geknall *n.* ↑ ~knall. **~hieb** *m.* 채찍질, 매질; 〖비유〗 편달. **~knall** *m.* 채찍질 소리. **~leuchte** *f.* (기둥 윗 부분이 도로쪽으로 굽은) 가로등. **~riemen** *m.* 채찍의 가죽 끈. **~schnur** *f.* 채찍끈. **~stiel** *m.* 채찍의 손잡이. **~stock** *m.* ↑ ~stiel. **~wurm** *m.* 편충.
Peizker [páɪtskər] *m.* -s, - 〖動〗 줄미꾸라지 (↑ Beißker).
pejorativ [pejoratí:f] *a.* 〖언어학〗 (↔ meliorativ) 어의가 경멸적으로 된, 부정적 의미가 된.
Pejorativum [..vum] *n.* -s, ..va 〖언어학〗 (↔ Meliorativum) 부정적 의미어, 경멸어(보기: fromm 경건한 → frömmeln 믿는 체하다).
Pek *n.* -s, -e (ndd.) (Pech) 역청, 콜타르.
peken *t.* (ndd.) (zeigen) 보여주다, 가리키다.
Pekari *n.* -s, -s 〖動〗 페커리(열대 아메리카산(産)의 멧돼지류).
Pekesche [pekɛ́ʃə] 《ung.》 *f.* -n ① (폴란드 및 헝가리의) 모피 외투. ② (19세기부터 학생 단체 가입원이 입는 술 달린) 예복 상의.
Pekinese [pekiné:zə] *m.* -n, -n ① 베이징 시민〔출신자〕. ② 〖動〗 페키니스(베이징 원산의 발바리의 일종).
Peking [pé:kɪŋ] ① 베이징, 북경(北京). ② *m.* -s, - (세로줄 무늬가 있는) 견직물의 일종.
Peking≈hund *m.* 〖動〗 발바리. **~mensch** *m.* 〖고고학〗 베이징〔북경〕 원인(原人).
Pektin [pɛktí:n] 《gr. +lat.》 *n.* -s, -e 〖化〗 펙틴(과일에 포함된 산성 다당류).
pektoral *a.* 〖醫〗 가슴의, 흉부에 속하는.
Pektorale [pɛktorá:lə] 《lat.》 *n.* -(s), -s/..lien [..liən] ① (고대·중세의) 가슴의 장식품; (고위 성직자의) 가슴에 거는 십자가; 가슴받이. ② 〔복수〕 〖醫〗 흉부 질환 치료제.
pekuniär [pɛkuniɛ́:r] 《lat.》 *a.* 금전상〔재정상〕의, 경제적인: vom ~en Standpunkt 금전상〔재정상〕의 견지에서.
pekzieren [pɛktsí:..] 《lat.》 *i.* (h.) / *t.* 〖방언〗 죄〔과오〕를 범하다; 바보짓을 하다.
Pelagial [pelagiá:l] *n.* -s ① 〖생태학〗 (바다나 강의) 유영(游泳) 생물 구역; 유영 생물. ② 원양, 심해(深海).
pelagial [pelagiá:l] *a.* ↑ pelagisch.
pelagisch [pelá:gɪʃ] 《gr.》 *a.* 유영성(游泳性)의, 부유(浮游)의; 깊은〔먼〕 바다의; 〖지질〗 심해 침적(沈積)의; 원양의.
Pelagianer [pelagiá:nər] *m.* -s, - 펠라기우스(Pelagius) 교도(Pelagius는 아일랜드의 수사로 원죄설을 부정하여 이단 선고를 받았음).
Pelagianismus [..gianísmus] *m.* - 펠라기우스주의.
Pelargonie [pelargó:niə] 《gr.》 *f.* -n 〖植〗 양아욱속(屬).
Pelasger [pelásgər] 《gr.》 *m.* -s, - 펠라스기 사람(고대 그리스 원주민).
pelasgisch *a.* 펠라스기(사람)의.
pêle-mêle [pɛlmɛ́l] 《frz.》 *adv.* 〖교양·드물

게》 뒤죽박죽으로, 난잡하게.

Pelemele [pɛlmɛ́l] *n.* - ①〖교양·드물게〗 혼란, 혼잡, 난잡. ②〖요리〗 과일젤리와 바닐라 크림을 섞은 디저트.

Pelerine [pelərí:nə] 《lat.》 *f.* -n 펠러린(소매 없는 외투), (장교의) 망토; (여자용의) 숄, 케이프; 모피 목도리.

Peleus [pé:lɔʏs, pé:lɛus] 《gr.》 *m.* 〖그리스신화〗 펠레우스(Achilles 의 아버지).

Pelide [pelí:də] 《gr.》 *m.* -n 〖그리스신화〗 펠리데(Achilles 의 별명).

Pelikan [pé:lika:n, pelikáːn] 《gr.》 *m.* -s, -e ①〖動〗 펠리컨. ②〖醫〗 이 뽑는 집게.

Pellagra [pɛ́lagra] 《it.》 *n.* - 〖醫〗 펠라그라(비타민 B_2 의 결핍 때 나타나는 피부병).

Pelle [pɛ́lə] 《lat.》 *f.* -n ① 외피; (특히 감자·과일 따위의) 얇은 껍질: Kartoffeln in der ~ 껍질째의 감자. ②〖구어〗 피부; nicht die ~ über den Knochen haben 피골이 상접하다; aus der ~ fahren 격앙되어 정신이 없다; 〖비유〗 jm. auf die ~ rücken 누구에게 접근하다, 누구를 괴롭히다〔공격하다〕; jm. auf der ~ sitzen 〔jm. nicht von der ~ gehen〕 누구를 졸졸 따라 다니며 성가시게 굴다. ③〖비속〗 외투. ④ 순대〔소시지〕 껍질.

pellen [pɛ́lən] *t./i.* (h.) …의 껍질을 벗기다: er ist wie aus dem Ei gepellt 그는 말쑥한 옷차림을 하고 있다.

Pell·kartoffel *f.* 껍질째 삶은 감자.

pelluzid [pɛlutsí:t] 《lat.》 *a.* 투명한.

Peloponnes [pelopɔné:s] 《gr., „Insel des Pelops"》 *m.* -(es) 펠로폰네소스 반도(그리스의 남부를 이루는 반도).

peloponnesisch [..né:zɪʃ] *a.* 펠로폰네소스의; der ∼e Krieg 펠로폰네소스 전쟁.

Pelops [pé:lɔps] *m.* 〖그리스신화〗 펠롭스(Tantalus 의 아들).

Pelota *f.* 〖구기〗 (에스파냐·남아메리카의) 벽치기 구기(스쿼시와 유사).

Peloton [pelotɔ̃:] 《frz.》 *n.* -s, -s ①〖軍〗 대오(隊伍); 산개(散開) 소대; 총살 집행 분대. ②〖사이클〗 무리를 이루어 달리는 선수 집단.

Peloton·feuer *n.* 소대 사격.

Pelotte [pelɔ́tə] *f.* -n 〖醫〗 (탈장대용(脫腸帶用)의 구상(球狀)) 압박 쿠션, 펠로테.

Pelseide [pé:l..] *f.* 〖섬유〗 (저급 누에고치에서 뽑아 성기게 감은) 생사(生絲).

Pelton=rad *n.*, **~turbine** *f.* 〖工〗 (수력 터빈 내부의) 펠톤 바퀴(충격 터빈식(式)).

Peluschke [pelʊ́ʃkə] 《sl.》 *f.* -n 〖植〗 완두, 베치, 풋마마콩.

***Pelz** [pɛlts] 《lat.》 *m.* -es, -e ① (동물의) 모피: mit ~ füttern (의복에) 모피로 안을 대다. ② 모피 외투; 모피 목도리: ein eleganter ~ 우아한 모피 외투. ③〖구어〗 (인간의) 피부: sich die Sonnen auf den ~ brennen lassen 피부를 (햇볕에) 태우다; 〖비유〗 jm. den ~ ausklopfen 〔jm. tüchtig die Motten aus dem ~ klopfen〕 누구를 심하게 때리다; jm. eins auf den ~ brennen 누구에게 사격하다; jm. eins auf den ~ geben 누구를 한 대 먹이다; jm. auf den ~ rücken 〔jm. auf dem ~ sitzen〕 누구에게 무엇을 졸라대다, 성가시게 굴다; jm. Läuse 〔eine Laus〕 in den ~ setzen 누구에게 걱정거리를 주다, 근심의 씨를 뿌리다; jm. den ~ waschen 누구를 심하게 책망하다, 마구 때리다. ④ 양털 가죽. ⑤ 액체 표면에 생기는 얇은 막. ⑥〖生〗 해면질(質). ⑦ 쉰 목소리. ⑧〖섬유〗 프리제(두꺼운 섬유층).

Pelz=besatz *m.* (의복의) 모피 가장자리. **∼-besetzt** *a.* 모피로 가장자리를 댄.

pelzen[1] [pɛ́ltsən] 《<Pelz》《I》 *t.* ① …의 모피를 벗기다. ②〖비유〗 때리다. ③ (md.) 던지다. 《II》 *i.* (h.) 게으름피우다, 빈둥거리다.

pelzen[2] *a.* 〖드물게〗 모피제의.

pelzen[3] 《lat.》 *t.* 접목하다, (접붙여) 개량하다.

Pelzer 《<Pelz》 *m.* -s, - (ndd.) 모피 제조자.

Pelz=flatterer [pɛ́lts..] *m.* 〖動〗 박쥐원숭이. **~fresser** *m.* 〖動〗 (짐승털 속에 사는) 이. **~futter** *n.* 모피제 안감. **∼gefüttert** *a.* 모피로 안을 댄. **~handel** *m.* 모피 장사. **~-händler** *m.* 모피 장수.

pelzicht *a.* ↑ pelzig.

pelzig [pɛ́ltsɪç] *a.* ① 모피로 덮인; 털이 많은: ~e Wolle 숱이 많은 양모. ② (액체에) 얇은 막이 생긴. ③ 해면질의; 섬유질의, 섬유가 많은, (무 따위가) 심이 박힌. ④ (eingeschlafen) 마비된. ⑤ (목소리가) 쉰. ⑥ (입술 따위가) 메마른.

Pelz=jacke *f.* 모피 상의〔재킷〕. **~kappe** *f.* 털 모자. **~kragen** *m.* ① 모피 옷깃. ② 모피 목도리. **~mantel** *m.* 모피 외투. **~märte** *m.* (südd.) ① 산타클로스 할아버지(Knecht Ruprecht). ② 성마르틴. **~märtel** ↑ ~-märte. **~mütze** *f.* 털모자. **~nickel** *m.* (obd.) ↑ Belznickel. **~stiefel** *m.* 모피 장화. **~stola** *f.* 모피 숄. **~tier** *n.* 털가죽이 있는 짐승, 모피 동물. **~tier·farm** *f.* 모피 동물 사육장. **∼verbrämt** *a.* 모피로 테두리를 두른. **~verbrämung** *f.* 모피 테두리 장식. **~-waren** *pl.*, **~werk** *m.* 모피 제품류(類).

Pemmerl *n.* -s, -n (bayr.) ① 작은 공 (Kügelchen). ② 사슴〔염소〕의 똥.

Pemmikan [pɛ́mika:n] 《indian.》 *m.* -s, -s 말린 고기, 육포, 페미칸.

Pemphigus [pɛ́mfigus, pɛmfí:gus] *m.* - 〖병리〗 천포창(天疱瘡).

Pempsl, Pemsel, Pemstl *m.* -s, - (obd.) ↑ Pinsel[1].

Penalty 《engl.》 *m.* -(s), -s 〖스포츠〗 페널티 킥.

Penaten [pená:tən] 《lat.》 *pl.* 〖로마신화〗 페나테스(부엌 찬장을 지키는 가정의 수호신); 〖비유〗 주택, 가정: zu den ~ zurückkehren 귀가하다.

Pence [pɛns] ↑ Penny 의 복수형.

Penchant [pɑ̃ʃɑ́:] 《lat.》 *m.* -s, -s (Vorliebe, Hang) 경향, 성벽, 기호, 편애.

PEN, P.E.N., Pen-Club [pɛ́nklʊp, ..klʌb] 《engl.》 *m.* -s, -s 국제 펜〔문필가〕 클럽(Pen = Poets, Playwrights, Editors, Essayists, and Novelists).

Pendant [pɑ̃dɑ́:] 《lat.》 *n.* -s, -s 〖교양〗 ① 짝(이 되는 것), (한 쌍의) 한쪽, 대응물; 보충물. ②〖고어〗 귀고리.

***Pendel** [pɛ́ndəl] 《lat.》 *n.* -s, - 〖物〗 진자(振子), 추.

Pendel=achse *f.* 〖車〗 현수축(懸垂軸)(주로 뒤축). **~bewegung** *f.* 진자 운동. **~lampe** *f.* 현수등(懸垂燈). **~länge** *f.* 진자의 길이.

***pendeln** [pɛ́ndəln] *i.* (h.) ① (진자처럼) 진동

하다, 이리저리 흔들리다. ②〖비유〗배회하다; (집과 직장을) 왕래하다. ③〖권투〗위빙하다, 상체를 흔들다.

Pendel≈säge *f.*〖工〗스윙식 기계톱. **~schlag** *m.*, **~schwingung** *f.*, **~schwung** *m.* ↑ ~bewegung. **~tür** *f.* 안팎으로 여닫게 된 문. **~uhr** *f.* 추시계.

Pendelung *f.* 진동;〖전기〗(제어 과정의) 난조(亂調).

Pendel≈verkehr *m.* ① (단거리) 왕복 운행. ② (직장과 집 사이의 반복되는) 출퇴근. **~zug** *m.*〖철도〗(단거리) 왕복 운행 열차.

pendent *a.* (schweiz.) 계류 중인, 미결의.

Pendentif [pãdãtí:f] 《lat.》 *n.* -s, -s〖건축〗펜덴티브(정사각형의 평면 위에 가설한 돔의 네 귀퉁이에서 돔을 떠받치는 구면 삼각형 부분).

Pendenz [pɛndɛ́nts] *f.* 미해결 문제(사건).

Pendler [pɛ́ndlər] *m.* -s, -〖구어〗(교외) 통근자; 정기 승차권 사용자.

Pendler·verkehr *m.* 교외 통근.

Pendule [pãdý:lə] *f.* -n ↑ Pendüle.

Pendüle [pɛndý:lə] 《frz.》 *f.* -n 추시계.

Penelope [pené:lope] *f.*〖그리스신화〗페넬로페(Odysseus 의 아내, 정절의 귀감).

Peneplain [pí:nɪpleɪn] *f.* -s〖지질〗준평원(Fastebene).

Penes ↑ Penis 의 복수형.

penetrant [penetránt] 《lat.》 *a.* ①불쾌하게 파고 드는: ein ~er Geruch 코를 찌르는 악취. ②명민한, 통찰력〔식견〕있는. ③〖폄어〗귀찮은, 추근대는: ein ~er Kerl 성가신 녀석.

Penetranz *f.* ① (냄새가) 코를 찌름. ②통찰력; 총명. ③추근댐, 행동이 거슬림. ④〖유전공학〗(한 유전자 특징의) 출현 빈도.

Penetration [..tratsió:n] *f.* -en ①〖工〗침투, 용입(溶入), 관통; (지방 농도의 척도로서 시험 물체의 지방속으로의) 관입도(貫入度). ②〖병리〗(암 또는 이물질의) 세포 침투. ③〖교양〗(음경의) 삽입.

penetrieren 〖교양〗 *t.* 꿰뚫고 들어가다; 침입〔침투〕하다: eine Frau ~ 여성의 질에 음경을 삽입하다.

peng [pɛŋ] *int.* (총소리 등의) 탕, 쾅, 탁.

Pengö [pɛ́ŋgø] 《ung.》 *m.* -(s), - 헝가리의 옛 화폐 단위(현재는 Forint).

Penholdergriff 《engl.》 *m.* -(e)s, -e〖탁구〗펜홀더 그립.

penibel [pení:bəl] 《lat.》 *a.* ①불쾌한, 귀찮은, 번거로운: eine penible Lage 난처한 상황〔입장〕. ②지독히 면밀한〔꼼꼼한〕: sie ist ungemein ~ 그 여자는 끔찍이도 꼼꼼하다.

Penibilität *f.* -en 성가심; 지독히 꼼꼼함.

Penicillin [penitsɪlí:n] 《lat.》 *n.* -s, -e ↑ Penizillin.

Peninsula [pɛnlínzula, penín..] 《lat.》 *f.* ..suln 반도(半島) (Halbinsel).

peninsular(isch) *a.* 반도의.

***Penis** [pé:nɪs] 《lat., „Schwanz"》 *m.* -s, -se/ ..nes 음경(陰莖), 남근.

Penise *f.* (tschech., poln.) ↑ Geld.

Penis·neid *m.*〖心〗(프로이트가 주장한, 소녀의 성장기에 나타나는) 남근 선망.

***Penizillin** [penitsɪlí:n] *n.* -s, -e〖藥〗페니실린.

Penizillin≈ampule *f.* 페니실린 주사액. **~spritze** *f.* 페니실린 주사.

Pennal [pɛná:l] 《lat.; 원뜻 „Feder"》〖고어〗《Ⅰ》 *n.* -s, -e ①펜 넣는 통, 필통. ②〖학생〗고등 학교. 《Ⅱ》 *m.* -s, -e ↑ Pennäler.

Pennäler [pɛnɛ́:lər] *m.* -s, -〖학생〗고등 학생;〖폄어〗신입생(Fuchs).

Pennalismus *m.* - (16-17 세기 독일 대학에서) 상급생에 대한 신입생의 봉사.

Penn·bruder [pɛ́n..] *m.*〖농담〗① (Landstreicher) 부랑자, 떠돌이. ②잠꾸러기.

Penne [pɛ́nə] *f.* -n〖폄어〗① (싸구려) 여인숙; 부랑자 수용소. ②〖학생〗고등 학교: er geht noch immer auf die ~ 그는 아직 고등학교에 다니고 있다. ③침대(Bett). ④창녀.

pennen [pɛ́nən] *i.* (h.) ①〖구어〗자다; (여인숙에) 묵다. ②〖폄어〗부주의〔방심〕하다. ③〖경박〗성교하다: mit jm. ~ 누구와 성교하다.

Penner [pɛ́nər] *m.* -s, -〖구어〗①잠꾸러기. ②방심한 사람. ③부랑자.

Penni *m.* -(s), -(s) 페니(핀란드의 화폐 단위; 100 Penni＝1 Finnmark; 약어: p).

Pennsylvania [pɛnsɪlvé:niə] 펜실베이니아(미국의 주).

Pennsylvanien ↑ Pennsylvania.

Pennsylvanisch *a.* 펜실베이니아의.

Penny [pɛ́ni] 《engl.》 *m.* -s, Pennies [..ni:s]/ Pence [pɛns] 페니(영국의 보조 화폐; 1 Penny＝1/12 Schilling).

Pensa ↑ Pensum 의 복수형.

pensee [pãsé:] *a.* 진보라(색)의.

Pensee [pãsé:] 《lat.》 *n.* -s, -s〖植〗팬지.

pensee≈farbig *a.* ↑ pensee. **≈kleid** *n.* 진보랏빛 옷.

***Pension** [pãzión, pãsió:n] 《frz.》 *f.* -en ①연금; (공무원의) 은퇴, 연금 생활: in ~ gehen (정년) 퇴직하다. ②식비, 하숙비: volle 〔halbe〕 ~ 하루 세끼〔점심을 뺀 하루 두끼〕식비를 포함한 하숙비. ③여관; 하숙집, 기숙사; (여자) 기숙 학교: bei jm. in ~ sein 누구의 집에 하숙〔기숙〕하고 있다; das Kind in (eine) ~ geben 아이를 기숙 학교에 넣다. ④전(全) 기숙생.

Pensionär [pãzionɛ́:r, pãsi..] *m.* -s, -e ①연금 생활자. ②하숙인; 기숙 학교학생.

Pensionat [..ná:t] *n.* -es, -e 기숙 (여)학교.

pensionieren [..ní:rən] *t.* 누구에게 연금을 주고 퇴직시키다.

Pensionierung [..ní:rʊŋ] *f.* -en 연금이 딸린 퇴직.

Pensionist *m.* -en, -en《südd. schweiz. öst.》연금 생활자, 정년 퇴직자.

Pensions≈alter *n.* 연금 수령 연령; 정년(停年). **~anspruch** *m.* 연금 청구권. **~anstalt** *f.* ↑ Pensionat. **~beitrag** *m.* 퇴직 수당. **≈berechtigt** *a.* 연금을 받을 자격이 있는, 연금 연한에 달한. **~berechtigung** *f.* 연금 수령 자격, 연금 청구권. **≈fähig** ↑ ≈berechtigt. **~fonds** *m.* 연금 기금. **~gast** *m.* 숙박인, 하숙인. **~geschäft** *n.*〖經〗(어음이나 유가 증권을 담보로 한) 기채(起債). **~gesetz** *n.* 연금법. **~kasse** *f.* 연금 공제 금고, 연금 기금. **~liste** *f.* 퇴직 직원 명부;〖軍〗퇴역〔재향〕장교 명부. **~preis** *m.* (하숙 따위의) 숙식비. **≈reif** *a.* 정년 연령이 된, 연금 수령 연한에 달한. **~rück·stellungen** *f.*〖經〗(기업의) 연금 적립금. **~schule** *f.* ↑

Pensionat. **~stand** *m.* 연금 생활: in den ~ treten 연금 생활로 들어서다. **~vorsteher** *m.* ① 하숙집 주인. ② 기숙 학교장. **~wesen** *n.* 연금 제도.

Pensum [pénzum] 《lat.》 *n.* -s, ..sen/..sa ① 과제, 숙제; 벌로 과하는 일. ②〔구식〕 교재: Schul≈ 학교 교재.

pent(a).. 《gr.》 *pref.* (fünf) "5…"의 뜻.

Pentade *f.* -n 【기상】 연속된 5 일간.

Pentaeder [pɛnta|é:dər] *n.* -s, - 【數】 5 면체 (Fünfflach).

Pentagon [..gó:n] *n.* -s, -e 【數】 (Fünfeck) 5 각형; 펜타곤(미국 국방부 건물의 속칭).

Pentagondo·dekaeder *n.* 【광물】 5 각 12 면체.

Pentagramm [..grám] *n.* -(e)s, -e (Drudenfuß) 5 각의 별표(마귀를 쫓는 부호: ☆).

Pentalpha *n.* -(s), -s ↑ Pentagramm.

Pentameter [pɛntá:metər] *m.* -s, - 【문학】 오보격(五步格), 펜타미터.

Pentan *n.* -s, -e 【化】 펜탄(휘발성이 강한 탄화 수소).

Pentarchie [pɛntarçí:] *f.* -n [..çí:ən] 5 두(五頭) 정치; 5 대 강국 지배(1860-1914 년 사이 영·프랑스·독·오·러시아에 의한 유럽 지배).

Pentateuch [..tɔ́yç] *m.* -s 【聖】 모세 5 경(經) (구약 성서의 첫 5 권).

Pentathlon [pént(|)atlɔn, pɛnt|á:tlɔn] *n.* -s (고대 그리스의) 5 종 경기.

Pentatonik *f.* 【음악】 5 음 음계.

Pente·koste [pɛntekɔsté:] *f.* 【宗】 (Pfingsten) 성령 강림절, 오순절.

Pentere *f.* -n (노 젓는 단이 5 층인 고대 그리스의) 군선.

Penthaus *n.* -es, ..häuser (고층 건물의) 고급 옥상 가옥.

Penthesile(i)a [pɛntezilé:a] *f.* 【그리스신화】 펜테실레이아(여인족 Amazonen 의 여왕).

Pentode 《gr.》 *f.* -n 【전기】 5 극 진공관.

Penunse, Penunze [penúntsə] *f.* -n 〔구어〕 돈.

penzen (südd., öst.) *t./i.* (benzen) 끈질기게 조르다; (귀따갑게) 잔소리를 하다.

Peperone *m.* -, ..ni ↑ Peperoni.

Peperoni *f.* ① (식초에 절인) 고추. ② (생)고추.

Pepiniere [pepiniέ:rə] 《frz.》 *f.* -n ① 수목원, 종묘원. ②〔비유〕 학교; (특히) 베를린 군의(軍醫) 학교(1795 년 설립).

Pepita *n.* -s, -s 닭 발자국 무늬(의 천).

Pepita≈kleid *n.* 닭 발자국 무늬가 있는 원피스. **~kostüm** *n.* 닭 발자국 무늬가 있는 투피스.

Peplon [pé:plɔn] *n.* -s, -s/..plen ↑ Peplos.

Peplos 《gr.》 *m.* -, -/..plen (고대 그리스 여자의) 주름 잡힌, 소매 없는 긴 상의.

Pepo *m.* -s, -s (md.) 유아; 아이.

Pep≈mittel *n.* 〔구어〕 흥분제, 각성제. **~pille** *f.* 〔구어〕 정제로 된 흥분제〔각성제〕.

Peppi (obd.) 페피(사람 이름; ↑ Josef, Josefine 의 애칭).

Peppo 페포(남자 이름; ↑ Josef 의 애칭).

Pepsin [pɛpsí:n] *n.* -s, -e ①【생화학】 펩신, 위소화 효소. ②【藥】 펩신으로 만든 약.

Pepsis *f.* 【醫】 소화(Verdauung).

Peptisation [..tsió:n] *f.* 【化·醫】 해교(解膠), 풀림; 소화.

peptisch *a.* 소화를 돕는.

peptisieren *t.* 【化】 해교(解膠)하다, 풀리다.

Pepton [..tó:n] *n.* -s, -e 【醫】 펩톤(위액에 의하여 소화된 단백질).

Peptonurie *f.* -n [..rí:ən] 【해부】 오줌 속의 펩톤 배설.

***per** [pɛr] 《lat.》 *prp.*⁴ ① (durch, mit, mittels) …으로, …에 의해, …을 가지고: ~ Einschreiben 등기로; ~ Adresse (des) Herrn S. S 씨의 주소로(편지의 겉봉); mit jm. ~ du sein 누구와 말을 놓는 사이다; ~ Schiff 〔Eisenbahn〕 배〔기차〕로; ~ Prokura 대리로; ~ Saldo 평균하여; ~ sofort 곧, 즉각. ② (je) …마다, …당: zweimal ~ Jahr〔Monat, Woche〕 매년〔매월, 매주〕 2 번; fünf Mark ~ Pfund 1 파운드당 5 마르크. ③【商】 (zum, für) …에, …까지: ~ 1. März 1957 1957 년 3 월 1 일에〔까지〕.

per aspera ad astra [pɛr áspera at ástra] 《lat. „auf rauhen Wegen zu den Sternen"》 고난을 거쳐 영예의 별로, 고진감래.

Perborat *n.* -(e)s, -e 【化】 과붕산염.

per cassa 《it.》 현금으로(bar).

Perche-Akt [pέrʃ..] *m.* 장대 곡예.

Percht *f.* -en ① (남독일 민간 신앙에서) 마녀. ②〔복수로만〕 요괴 무리.

Perchten≈gestalten *pl.* (알프스 지방 사육제 행렬에서) 마귀 형상. **~masken** *pl.* 마귀 가면들.

Perchter *pl.* (südd.) 마귀(들).

per conto [pɛr kɔ́nto] 【商】 외상으로.

Percussion *f.* -s 【음악】 ① 타악기. ② 전자 오르간의 잔향.

per definitionem 〔교양〕 표현된 말의 의미 그대로, 명백히.

perdollsch *a.* (ndd.) 서투른, 둔한; 우둔한.

perdu [pɛrdý:] *a.* 《frz.》 잃어버린, 사라진.

pereant *int.* 〔학생〕 저 놈들을 해치워라!

pereat [pé:reat] 《lat., „er gehe zugrunde"》 *int.* ~!〔학생〕 저놈을 해치워라〔타도하라〕!: ~ die Traurigkeit! 그리 슬퍼하지 말게!

Pereat *n.* -s, -s 〔학생〕 타도: jm. ein ~ bringen 누구를 저주〔매도〕하다.

Peremption [pɛrɛmptsió:n] 《lat.》 *f.* -en 파기, 폐기, 시효에 의한 권리의 소멸.

peremptorisch *a.* 폐기〔파기〕하는, 무효로 하는; 최종적인, 결정적인; 절대적인: 【法】 ~e Einrede 무효 청구 항변〔소송〕(↔ dilatorische Einrede).

Peremtion *f.* -en ↑ Peremption.

peremtorisch *a.* ↑ peremptorisch.

perennierend [perɛní:rənt] 《lat.》 *p.a.* ①【植】 다년생의. ②【지질】 (연중) 물이 흐르는.

Perestroika [..strɔ́yka] *f.* 《russ.》 페레스트로이카(고르바초프의 체제 개혁 정책).

***perfekt** [pɛrfέkt] 《lat.》 *a.* 완전한, 흠잡을 데 없는; 완성〔완결〕된, 확정된; 【法】 (법률상) 유효한(gültig): ~ Englisch sprechen 영어를 완벽하게 구사하다; eine ~e Köchin gesucht 유능한 여자 요리사를 채용함; das Abkommen ist ~ geworden 조약이 효력을 발생했다; ich habe den Kauf des Hauses mit Herrn X ~ gemacht X 씨와 집 매매 계약을 체결했다.

***Perfekt** [pέrfɛkt, ..fέkt] *n.* -s, -e 【문법】 완료

(시칭); (특히) 현재 완료(시칭).
perfektibel [pɛrfɛktí:bəl] *a.* 〖교양〗 완벽하게 할 수 있는, 완성할 수 있는.
Perfektibilismus *m.* - 〖哲〗 완전설(完全說); 계몽주의 시대의 완전 지향 사관.
Perfektibilist *m.* -en, -en ① 〖哲〗 완전설〔완전 지향 사관〕 신봉자. ② 완벽주의자.
Perfektibilität *f.* 〖哲〗 완성 능력, 완전 지향 능력.
Perfektion [..tsió:n] *f.* 완성, 완결, 완전 무결, 완벽; (법률 행위의) 효력 발생.
perfektionieren 《Ⅰ》 *t.* 완전하게 하다, 완결〔완성〕하다. 《Ⅱ》 *refl.* sich ~ ① 완성되다, 다 되다. ② 수양하다.
Perfektionismus *m.* - ① 완벽주의. ② ↑ Perfektibilismus.
Perfektionist *m.* -en, -en ① 〔폄어〕 (지나친) 완벽주의자. ② 〖哲〗 완전설의 신봉자. ③ 〖宗〗 완전주의자. ④ 〖宗〗 원시 기독교 신봉자.
Perfektionistin *f.* -nen ↑ Perfektionist 의 여성형.
perfektionistisch *a.* ① 완벽주의의. ② 완전설의.
perfektiv [pɛrfɛktí:f, pέr..ti:f], **perfektivisch** [..vɪʃ] *a.* 〖문법〗 (↔ imperfektiv) 완료(시칭)의, 완료를 의미하는.
Perfektum *n.* -s, ..ta ↑ Perfekt.
perfid [pɛrfí:t] 《lat.》 *a.* 불성실한; 악의 있는, 음험한, 비열한.
perfide *a.* ↑ perfid.
Perfidie [..fidí:] *f.* -n [..dí:ən] 비열, 음험; 비열〔음험〕한 행위.
Perfidität [..ditέ:t] *f.* -en ↑ Perfidie.
Perforation [pɛrforatsió:n] 《lat.》 *f.* -en ① 구멍뚫기, 천공(穿孔). ② (종이나 마분지를 깨끗하게 잘라내기 위한 구멍 뚫린) 절취선. ③ 〖우표〗 (가장자리) 톱니 절취선. ④ 〖영화〗 (필름의 가장자리에 낸) 구멍. ⑤ 〖醫〗 (궤양이나 상처로 생긴) 내장 기관 천공.
Perforator [..rá:tɔr, ..rá:to*r*] *m.* -s, -en [..tó:rən] 〖工〗 천공기(穿孔機).
perforieren 《Ⅰ》 *t.* 구멍을 뚫다, 천공하다; (구멍을 일렬로 내어) 절취선을 만들다; 〖醫〗 (죽은 태아의) 머리를 꺼내기 쉽게 잘게 자르다. 《Ⅱ》 *i.* (s.) (궤양이) 천공되다.
Perforier·maschine *f.* 천공기.
Performanz *f.* 〖언어〗 언어 수행.
performatorisch *a.* 〖언어〗 수행적인(말로 표현된 행위를 동시에 수행하는).
pergamenisch *a.* 양피지의.
***Pergament** [pɛrgamέnt] 《lat.》 *n.* -(e)s, -e ① 양피지. ② 고사본(古寫本), 고문서.
pergament≈artig *a.* 양피지 같은. **~band** 《Ⅰ》 *m.* ① 양피지철의 서적, 양피지본. ② 양피지의 표지, 양피지철. 《Ⅱ》 *n.* 〖醫〗 양피지 모양의 인대(靭帶).
pergamenten *a.* 양피지로 만든, 양피지의; 양피지 같은.
Pergament≈papier *n.* 모조 양피지, (식품 포장용의) 황산지. **~rolle** *f.* 양피지 두루마리.
Pergamin 《gr.》 *n.* -s 얇은 반투명 포장지.
Pergamon [pέrgamɔn], **Pergamum** 페르가몬(소아시아 북서부의 도시).
Pergamon·museum *n.* (베를린의) 페르가몬 박물관.
Pergola [pέrgola] 《it.》 *f.* ..len 퍼걸러; 포도 덩굴 시렁; 포도 덩굴이 우거진 그늘 길; 벽이 없는 정자풍의 건물.
Perhorreszenz 《lat.》 *f.* 〖法〗 기피.
perhorreszieren [pɛrhɔrɛstsí:rən] *t.* 꺼려 피하다, 몹시 싫어하다; 〖法〗 기피하다.
Peri [pé:ri] 《pers.》 *m.* -s, -s 〔*f.* -s〕 (페르시아 우화에 나오는) 수호신; 요정.
peri.. 《gr., „um.., herum..“》 *pref.* “주위”의 뜻.
Periarthritis [peri|artrí:tɪs] *f.* ..tiden [..tí:dən] 〖醫〗 관절주위염.
Periastrum [peri|ástrum] *n.* -s, ..stren 〖天〗 근성점(近星點) (Sternnähe).
Perichondritis [periçɔndrí:tɪs] *f.* ..tiden [..tí:dən] 〖醫〗 연골막염.
Perichondrium *n.* -s, ..rien [..riən] 〖醫〗 연골막.
periculum in mora [perí:kulum ɪn mó:ra] 《lat.》 지체하면 위험하다, 좋은 일은 서둘러라.
Periderm [peridέrm] *n.* -s, -e ① 〖植〗 주피(周皮). ② 〖動〗 (극피 동물의) 포피(胞皮).
Peridot *m.* -s, -e 〖광물〗 감람석(橄欖石).
Peridotit *m.* -s, -e 〖광물〗 감람암(岩).
Perieget [peri|egé:t] 《gr., „Herumführer“》 *m.* -en, -en ① (고대 그리스의) 자연 경관 묘사 작가. ② (명승 고적 따위의) 안내인.
Perigäum [perigέ:um] *n.* -s, ..gäen 〖天〗 (행성, 특히 달이 지구에 가장 가까워지는) 근지점(近地點) (Erdnähe) (↔ Apogäum).
Perigon *n.* -s, -e 〖植〗 화피(花被), 화개(花蓋).
Perigonium [..gó:nium] *n.* -s, ..nien [..niən] ↑ Perigon.
Perihel *n.* -s, -e 〖天〗 근일점(近日點) (Sonnennähe) (↔ Aphelium).
Perihelium [..hé:lium] *n.* -s, ..lien [..liən] ↑ Perihel.
Perikard [..kárt] *n.* -(e)s, -e 〖해부〗 심낭.
Perikarditis *f.* ..tiden [..tí:dən] 〖醫〗 심낭염.
Perikardium [..dium] *n.* -s, ..dien [..diən] 〖해부〗 ↑ Perikard.
Perikarp *n.* -(e)s, -e 〖植〗 과피(果皮).
Periklas *m.* -(es), -e 〖化·광물〗 천연 산화마그네슘, 천연 고도.
Perikleisch [periklé:ɪʃ] *a.* 페리클레스의: ~es Zeitalter 페리클레스 시대.
perikleisch *a.* 페리클레스식의: ~er Geist 페리클레스적 정신.
Perikles [pé:riklɛs] *m.* 페리클레스(아테네의 정치가, 499-429 B.C.).
Perikope [perikó:pə] 《gr.》 *f.* -n 단편(斷片) (Abschnitt); 〖宗〗 (교회 의식에서의) 일일 봉독 성경 구절; 〖문학〗 시련군(詩聯群).
Perikranium *n.* -s, ..nien [..niən] 〖醫〗 두개골막.
perikulös [..kulǿ:s] 《lat.》 *a.* 〔구식〕 위험한; 불편한; 불쾌한.
Perimeter 《gr.》 《Ⅰ》 〔구식〕 [perí:metə*r*] *m.* -s, - 〖數〗 둘레, 주변, 주변의 길이. 《Ⅱ》 [perimé:tə*r*] *n./m.* -s, - 〖광학〗 시야계(視野計).
perimetrieren *f.* (시야계(視野計)로) 시야를 측정하다.
perimetrisch *a.* 시야의.
perinatal *a.* 〖醫〗 출산〔분만〕 전후의.
***Periode** [perió:də] 《gr. „Umlauf“》 *f.* -n 〖교양〗 ① 시대, 시기; 〖天〗 운행; 주기; 〖지리〗 기

(紀), 대(代); 〖林〗 시업기(施業期): Regen∼ 우기(雨期); die paläozoische ∼ 고생대. ② 주기적 반복; 〖醫〗 월경; 〖數〗 (순환 소수의) 순환 마디; 〖化〗 주기; 〖物〗 진동 주기: sie hat ihre ∼ 그녀는 지금 생리 중이다. ③〖음악〗 악단(樂段), 악절. ④〖修·문법〗 완전문, 중복문(重複文).

Periọden≈bau *m.* 〖문법〗 중복문의 구조. **∼erfolg** *m.* 〖經〗 (분)기별 성과. **∼zahl** *f.* 주파수, 주기수.

Periọdik *f.* 〔교양〕 주기성, 순환성.

Periọdikum *n.* -s, ..ka 〖출판〗 정기 간행물.

***periodisch** [perióːdɪʃ] *a.* (umlaufend) 순환하는, 주기적인, 정기의.

periodisieren [periodizíːrən] *t.* 시대별로 나누다; 시대를 확정하다.

Periodisiẹrung *f.* -en 시대〔시기〕 구분.

Periodizität *f.* 순환, 주기성(週期性).

Periodontitis [periodɔntíːtɪs] *f.* ..tiden [..tíːdən] 〖병리〗 치주염, 치근막염.

Periöke [peri|ǿːkə] 《gr.》 *m.* -n, -n (고대 스파르타의 참정권 없는) 자유민.

perioral *a.* 입 주위의.

Periost [peri|ɔ́st] *n.* -(e)s, -en 〖해부〗 (Knochenhaut) 골막(骨膜).

Periostitis [peri|ɔstíːtɪs] *f.* ..tiden [..titiːdən] 〖醫〗 골막염.

Peripatetiker 《gr. „Umhergehender"》 *m.* -s, - 〖哲〗 ① 소요(逍遙)〔아리스토텔레스〕 학파의 사람. ② 아리스토텔레스 철학의 신봉자.

peripatẹtisch *a.* 아리스토텔레스 학파의.

Perịpatos *m.* - 아리스토텔레스 학파, 소요 학파.

Peripetie [peripetíː] *f.* ..tien [..tíːən] 〖문학〗 (Umschwung) (희곡에서 파국 직전의) 급전(急轉), 전환점, (운명의) 돌연한 변화.

peripher [periféːr] *a.* ① **(a)** 주변의, 변두리의, 교외의: ∼e Stadtteile 도시 변두리. **(b)** 지엽적인, 부수적인. ② 외면의, 말초의: das ∼e Nervensystem 말초 신경계. ③〖컴〗 주변 장치의.

Peripherie 《gr.》 *f.* -n [..ríːən] ① 주변, 주위, 변두리, 교외. ②〖數〗 둘레, 원주(圓周): er wohnt an der ∼ 그는 교외에 살고 있다. ③ 〖컴〗 주변 기기〔장치〕.

Periphere≈gerät *n.* 〖컴〗 주변 장치. **∼winkel** *m.* 〖數〗 원주각.

periphẹrisch *a.* 〔구식〕 ↑ peripher.

Periphrase [perifráːzə] 《gr.》 *f.* -n 〖修〗 완곡법.

periphrạstisch *a.* 에둘러 말하는, 완곡한; 완곡 어법의.

periphrasiẹren *t.* 〖修〗 에둘러 말하다, 우회적으로 표현하다.

Periskop [perɪskóːp] *n.* -s, -e 잠망경.

periskọpisch *a.* 잠망경(모양)의; 사방을 두루 보는; 균등한 굴절〔전망용〕의 (렌즈).

Perispọmenon *n.* -s, ..mena (그리스어 중) 마지막 음절에 곡(曲)악센트(˜)를 갖는 단어 (보기: philõ).

Peristaltik [peristáltɪk] *f.* 〖醫〗 (소화·배설 기관의) 연동(蠕動) 운동.

peristạltisch *a.* 연동 운동의.

Peristase [peristáːzə] *f.* -n 〖生·醫〗 생물체의 성장에 영향을 미치는 주위 환경.

peristạtisch 〔고어〕 *a.* 환경의, 환경에 의하여 규정된.

Peristyl [peristýːl] *n.* -s, -e, **Peristylium** [..týː..] *n.* -s, ..lien [..liən] 〖건축〗 기둥으로 싸인 회랑〔안마당〕.

Peritoneum [peritonéːum] 《gr.》 *n.* -s, ..neen [..néːən] 〖해부〗 복막.

Peritonịtis *f.* ..tiden [..tíːdən] 복막염.

Perkal [pɛrkáːl] 《pers.》 *m.* -s, -e 〖방직〗 (대개 줄무늬가 있고, 아주 배게 짠) 고급 무명의 일종, 퍼케일.

Perkolạt *n.* -(e)s, -e 〖藥〗 침제(浸劑), 삼출(滲出)액.

Perkolatiọn *f.* -en ①〖藥〗 삼출법. ②〖지질〗 침투, 투수(透水).

Perkolator [..láːtɔr, ..toːr] *m.* -s, -en [..tóːrən] 〖藥〗 여과 삼출기.

Perkussion [pɛrkusióːn] 《<perkutieren》 *f.* -en 충격; 〖軍〗 (총의) 격발 (장치); 〖醫〗 타진(打診); 〖악기〗 (뢰드오르간의) 추타(搥打) 장치; 〖악기〗 타악기군.

Perkussiọns≈gewehr *n.* 〖軍〗 격발총(19 세기의 전장총). **∼hammer** *m.* 〖醫〗 타진추(打診搥); 〖軍〗 공이치기. **∼instrument** *n.* 〖악기〗 타악기. **∼schall** *m.* 〖醫〗 타진음(打診音). **∼schloß** *n.* 〖軍〗 격발 장치. **∼zünder** *m.* 〖軍〗 격발 화약, 격발 신관(信管). **∼zündung** *f.* 〖軍〗 격발.

perkussọrisch *a.* 〖醫〗 타진의; 타진에 의한.

perkutan [pɛrkutáːn] 《lat.》 *a.* 〖醫〗 피부에 침투하는, 피부를 통한.

perkutieren [pɛrkutíːrən] 《lat.》 *t.* 〖醫〗 타진하다(beklopfen).

perkutọrisch *a.* ↑ perkussorisch.

Perl [pɛrl] *f.* 〖印〗 ↑ Perlschrift 의 단축형.

pẹrl·artig *a.* 진주 같은, 진주 모양의; 〖醫〗 각막 진주반(角膜眞珠斑)의.

Pẹrl≈asche *f.* 〖化〗 진주회(眞珠灰) (조제(粗製) 탄산칼륨). **∼boot** *n.* 〖動〗 앵무조개. **∼druck** *m.* 〖印〗 5 포인트 활자(∼schrift).

***Perle** [pɛ́rlə] 《alt.》 *f.* -n ① 진주: 〔비유〕 es wird ihm keine ∼ aus der Krone fallen 그 일은 그의 품위를 전혀 손상시키지 않을 것이다. ②〔비유〕 귀중한 것, 주옥(珠玉), 정화(精華); 〔농담〕 (일 잘하는) 가정부, 하녀; 〔아동〕 진실한 여자 친구〔애인〕: ∼n vor die Säue werfen 〖聖〗 진주를 돼지에게 던지다(마태 7:6). ③〔비유〕 (진주 모양의 것) **(a)** (유리) 구슬; 이슬 방울, (비·눈물 따위의) 방울; 구슬땀 (Schweiß∼n); (샴페인 따위의) 거품; (피부·깃털 따위의) 작은 반점: Zähne wie ∼n 백옥 같은 이. **(b)** 〖사냥〗 사슴뿔의 작은 융기; 〖動〗 잠자리 (Libelle). **(c)** 〔방언〕 다래끼 (Gerstenkorn). ④〔방언〕 (버터 만드는 통 따위의) 구멍투성이의 판(板). ⑤〖植〗 트라민 지방 포도와 뮐러 투르가우 포도의 교배로 이루어진 포도.

perlen [pɛ́rlən] 《I》 *a.* 진주의. 《II》 ① *i.* (h.) (이슬·눈물 따위가) 진주같이 빛나다; (포도주 따위에) 진주 같은 거품이 일다: der Sekt perlt im Glas 샴페인이 잔 안에서 거품을 내고 있다; die Wiese perlt vom Tau 풀밭이 이슬로 덮여 반짝인다. ② *i.* (s.) 진주같이 방울방울 떨어지다; (말이 구슬구르듯) 매끄럽게 나오다: die Rede perlt 연설이 청산유수같다.

Pẹrlen≈auster *f.* ↑ ∼muschel. **∼band** *n.* ↑ ∼schnur. **∼besetzt** *a.* 진주로 장식된. **∼-**

bestickt *a.* 진주로 수놓은. **~bohrer** *m.* 진주에 구멍을 뚫는 송곳. **~fischer** *m.*, **~fischerin** *f.* 진주(조개) 채취자. **~fischerei** *f.* 진주 채취(장). **~handel** *m.* 진주 장사. **~kette** *f.* 진주를 꿴 끈, 진주 목걸이. **~kollier** *n.* 진주 목걸이. **~muschel** *f.* 〖動〗 진주 조개. **~schmuck** *m.* 진주 장식〔패물〕. **~schnur** *f.* 진주를 꿴 끈, 진주 목걸이. **~stickerei** *f.* 진주〔유리알〕 자수. **~taucher** *m.*, **~taucherin** *f.* 진주 조개 채취 잠수부.

Perl≈garn *n.* 〖섬유〗 진주사(絲). **~gras** *n.* 〖植〗 왕쌀새(볏과). **≈grau** *a.* 진주색의, 밝은 회색의. **~graupen** *pl.* 정맥(精麥)(수프용). **~huhn** *n.* 〖動〗 (서아프리카산(産)의) 뿔닭.

perlicht *a.* ↑ perlig.

perlig [pέrlıç] *a.* 진주 같은, 진주 모양의.

Perlit [pεrlíːt, ..lít] *m.* -s, -e ①〖化·금속〗 펄라이트. ②〖광물〗 진주암.

Perl≈muschel *f.* ↑ Perlenmuschel. **~mutt** *n.* -s ↑ ~mutter. **~mutter** [(보통) pεrlmύtər] *f.* 진주모(母), 진주층(조개 껍질 안쪽의 아름다운 광택이 있는 부분).

Perlmutter≈falter *m.* 〖動〗 큰표범나비. **~farbe** *f.* 진주모〔진주층〕색. **~knopf** *m.* (인조) 자개 단추. **≈muttern** *a.* 진주모의.

Perlon [pέrlɔn] *n.* -s 페를론, 펄론(나일론류의 합성 섬유).

Perlon≈strumpf *m.* 펄론 양말. **≈verstärkt** *a.* 펄론을 써 강화된.

Perl≈schnur *f.* ↑ Perlenschnur. **~schrift** *f.* 〖印〗 5포인트 활자. **~stich** *m.* 〖수공〗 (자수의) 펄스티치. **~sucht** *f.* 〖醫〗 (가축, 특히 소의) 결핵.

Perlustration [pεrlustratsióːn] *f.* -en 〖구식〗 (öst.) 정확한 조사(검사).

perlustrieren [pεrlustríːrən] 《lat.》 *t.* 자세히 조사하다, 정사(精査)하다.

Perlustrierung *f.* -en (öst.) 정밀 조사, 검문.

Perl≈wein *m.* (탄산을 함유한) 포도주, 발포성 포도주. **≈weiß** *a.* 진줏빛을 내는, 은백색의. **~zwiebel** *f.* 〖植〗 알이 작은 양파(피클의 재료), 염교.

Perm [pεrm] *n.* -s ①〖지리〗 페름(러시아의 카마 강가의 도시; 옛 이름: 몰로토프). ②〖지질〗 페름기(고생대의 마지막 기).

permanent [pεrmanέnt] 《lat.》 *a.* 영속적〔지속적〕인, 불변의; 상설의.

Permanent≈gelb *n.* (퇴색되지 않는) 내구(耐久) 황색. **~weiß** *f.* 〖化〗 불변백(황산바륨).

Permanenz *f.* 영속, 지속, 불변: in ~ 지속적〔영구적〕으로, 상설로; 〖政〗 sich in ~ erklären (의회의) 영구 불폐회를 선언하다.

Permanenz≈karte *f.* 정기(승차)권. **~theorie** *f.* 〖지질〗 영구설(지각 변동에서 대륙과 바다는 근본적인 변화를 겪지 않았다는 설).

Permanganat [pεrmaŋganáːt] 《lat.》 *n.* -(e)s, -e 〖化〗 과망간산염.

permeabel [pεrmeáːbəl] 《lat.》 *a.* 뚫고 들어갈 수 있는, 삼투〔침투·투과〕성의.

Permeabilität *f.* 〖化〗 투과성, 침투성; 〖物〗 투과율, 도자율(導磁率).

per mille [pεr mílə] ↑ pro mille.

permisch 《<Perm》 *a.* 〖지질〗 페름기〔계〕의.

Permiß 《lat.》 *m.* ..misses, ..misse 허가(증).

Permission [..sióːn] *f.* -en 허가; 동의.

permissiv *a.* 〖사회·心〗 허용하는, 관대한, 자유롭게 놓아 두는.

Permissivität *f.* 〖사회·心〗 관대한 태도.

permittieren *t.* 허가하다(erlauben).

permutabel *a.* 교환〔치환〕 가능한.

Permutation [..mutsióːn] 《lat., „Versetzung“》 *f.* -en 〖교양〗 교환, 치환; 〖數〗 순열; 치환(置換); 〖언어〗 도치.

permutieren *t.* 교환〔치환〕하다; 뒤바꾸다.

Pernambuk·holz *n.* -es 〖林〗 페르남부코 나무, 브라질 나무(적색 염료의 재료).

Pernio *m.* -, ..niones/..nionen 〖醫〗 동상.

Perniosis [pεrnióːzıs] *f.* ..sen 〖醫〗 동상; 동상으로 인한 피부병.

perniziös [pεrnitsiǿːs] 《lat., „verderblich“》 *a.* 파멸의 원인이 되는, 고약한; 〖醫〗 악성의; 치사(致死)의: ~e Anämie 악성 빈혈.

Pernod [pεrnó] *m.* -(s), - 〔(구어) -s〕 페르노(프랑스산(産)의 아니스 리큐어; 상표명).

Peronismus *m.* - 〖政〗 페론(아르헨티나의 전 대통령)주의 운동.

Peronist *m.* -en, -en 〖政〗 페론주의(신봉)자.

peronistisch *a.* 페론주의의, 페론주의적.

Peronospora [peronɔ́spora] *f.* (식물의 병을 일으키는) 반점 곰팡이.

peroral [pεr|oráːl] 《lat.》 *a.* 〖醫〗 경구(經口)의, 입을 통한.

Peroration [..oratsióːn] *f.* -en 〖구식〗 ① 연설의 결미(結尾), 결론; 열변. ② 학교 연설(훈사·식사 따위); (학교에서의) 연설 연습.

perorieren *i.* (h.) 〖구식〗 ① 연설하다; (특히) 연설을 끝맺다〔마치다〕. ② 열변을 토하다.

Peroxyd [pέr|ɔksyːt, pεr..sýːt] *n.* -(e)s, -e 〖化〗 과산화물.

per pedes (apostolorum) [pεr péːdeːs apɔstolóːrum] 《lat., „zu Fuß wie die Apostel“》, (사도(使徒)처럼) 걸어서, 도보로.

Perpendikel [pεrpεndíːkəl] 《lat.》 *m./n.* -s, - ①〖工〗 연추(鉛錘); 〖海〗 측심연(測深鉛). ②〖數〗 수선(垂線); 〖조선〗 (이물·고물에서의) 수직선(두 수직선간의 간격이 선박의 길이가 됨). ③ (시계의) 추.

perpendikular [..pεndikuláːr] *a.* 연직(鉛直)의, 수직의.

perpendikulär *a.* ↑ perpendikular.

perpetuell [pεrpetuέl] 《lat.》 *a.* ↑ perpetuierlich.

perpetuieren *t.* 지속시키다, 정착시키다.

perpetuierlich 《lat.》 *a.* (ununterbrochen) 끊임없는, 부단한; 항구적〔영구적〕인.

Perpetuum mobile [pεrpéːtuum, móːbilə] 《lat., „das beständig Bewegte“》 *n.* - -(s), - -(s)/..tua ..bilia 〖物·기계〗 (가상의) 영구 운동 기관; 〖음악〗 페르페툼 모빌레.

perplex [pεrplέks] 《lat.》 *a.* (verwirrt) 당황한, 아연한; 깜짝 놀란(bestürzt).

Perplexität *f.* 당황, 어리둥절, 아연실색.

per procura [pεr prokúːra] 《it., „in Stellvertretung“》 대리로(서) (약어: pp., ppa.).

Perron [pεrɔ̃ː, (öst.) pεróːn] 《frz. pierre, „Stein“》 *m.* -s, -s 〖고어〗 ① 섬돌, 디딤돌. ② 〖철도〗 (Bahnsteig) 승강장, 플랫폼.

per saldo [pεr záldo] 《it.》 〖商〗 (양자(兩者)) 차감하여, 결산하여; 최종적으로.

per se [pɛr zé:] 《lat., „durch sich"》 *adv.* 〖哲〗 페르 세(자기 자신에 의함); 그 자체로; 그 자신; 자명하게: das ist ～ noch kein Fortschritt 그것은 그 자체로는 아직 진보라 할 수 없다; das versteht sich ～ 그것은 자명한 사실이다.

Persekution [pɛrzekutsió:n] 《lat.》 *f.* -en 〔고어〕 (Verfolgung) 추궁; 박해.

Persenning [pɛrzɛ́nıŋ] 《ndl.》 *f.* -en ①〖海〗 (타르를 바른) 방수 범포(防水帆布)〔덮개〕, 방수 시트. ②〖섬유〗 (천막 따위의) 방수포.

Persephone *f.* 〖그리스신화〗 페르세포네(저승의 여왕; 〖로마신화〗 Proserpina).

Persepolis 페르세폴리스(고대 페르시아 제국의 수도).

Perser [pɛ́rzər] *m.* -s, - ① 페르시아인. ② 〖動〗 페르시아 고양이. ③ ↑ ～teppich.

Perserin *f.* -nen ↑ Perser ① 의 여성형.

Perser≈katze *f.* 페르시아 고양이. **～kriege** *pl.* 〖史〗 페르시아 전쟁. **～teppich** *m.* 페르시아 양탄자.

Perseus [pɛ́rzɔʏs, ..zɛus] 《gr.》 *m.* - ①〖그리스신화〗 페르세우스(Zeus 의 아들로 여괴(女怪) Medusa 를 죽인 영웅). ②〖天〗 페르세우스 자리.

Perseveranz [pɛrzeverá nts] 《lat.》 *f.* (Beharrlichkeit) 지구력, 인내력, 불요불굴.

Perseveration *f.* -en ①〖心〗 (상념·음률 따위의) 지속적인 반복 출현〔잔류〕. ②〖醫·心〗 보속증(保續症), 병적인 집착.

perseverieren *t.* 〔교양〕 ① 고집하다, 끊임없이 반복하다. ② (생각·음률 따위가) 지속적으로 반복되다, 의식에 남아 있다.

Pershing [pǿ:ʃıŋ] 《engl.》 *f.* -s 〖軍〗 퍼싱(야전용 화력 지원 탄두 미사일).

Persianer [pɛrziá:nər] *m.* -s, - ① 태어난 지 3-4 일 되는 카라쿨 새끼양의 가죽. ② 카라쿨양의 모피. ③ ↑ ～mantel 의 단축어.

Persianer·mantel *m.* 카라쿨양의 모피로 만든 외투.

***Persien** [pɛ́rziən] 페르시아.

Persiflage [pɛrziflá:ʒə] 《frz.》 *f.* -n 〔교양〕 (재치 있는) 조롱, 야유, 풍자.

persiflieren *t.* 조롱하다, 풍자하다.

Persiko [pɛ́rziko] 《frz.》 *m.* -s, -s ①〔옛뜻〕 복숭아나 아몬드씨로 만든 리큐르. ② 페르시코, 도인주(桃仁酒), 복숭아주.

Persil *n.* -s 페르질(세제(洗劑)의 상표명).

Persil·schein *m.* 〔구어〕 결백 증명서(1945 년 이후 비(非)나치 증명서에서 유래).

Persimone *f.* -n ① (북아메리카 원산의) 감나무, 고욤나무. ② 감, 고욤.

Persipan [pɛrzipá:n, pɛ́r..pa:n] *n.* -s, -e 복숭아씨 가루나 살구씨 가루에 설탕을 넣어 만든 과자(Marzipan 의 대용물).

persisch [pɛ́rzıʃ] *a.* 페르시아의: der ≈e Golf 페르시아만(灣).

persistent [pɛrzıstɛ́nt] *a.* 지속적〔내구적〕인, 끊임없는; 억척스러운, 집요한; 난치의.

Persistenz 《lat.》 *f.* ①〖醫〗 계속〔지속〕성. ② 완고, 고집, 집요.

***Person** [pɛrzó:n] 《lat. persona》 *f.* -en ①〖연극〗 등장 인물, 역(役): eine stumme ～ 대사 없는 단역(端役); die lustige ～ 어릿광대. ② (개체로서의) 사람, 인간; 인물, 인격; 〖法〗 인(人)(권리 능력이 있는 자)(↔ Sache): pro ～ 1 인당; eine juristische〔natürliche〕 ～ 법인〔자연인〕. ③ (weibliche) ～ 여자, 부인, 소녀: 〖펌어〗 eine gemeine ～ 천한 계집. ④ 몸, 신체; 자신; 개인: in (eigner) ～ (selbst) 자신이, 스스로; ich für meine ～ 나 일개인으로는; meine geringe ～ 불초(不肖) 소생; Ihre werte ～ 귀하; ohne Ansehung der ～ 상대방의 신분을 안중에 두지 않고; etwas in ～ sein 무엇의 화신이다, 무엇 그 자체다: er ist die Gründlichkeit in ～ 그는 대단히 철저한 사람이다; et. in einer ～ sein 동시에 무엇이다, 겸하고 있다: er ist Gärtner und Koch in einer ～ 그는 혼자서 정원사와 요리사를 겸하고 있다. ⑤ 외모, 체격, 풍채, 인품: groß〔schön〕 von ～ 체격이 큰〔외모가 아름다운〕; jn. von ～ kennen 누구를 개인적으로 알고 있다. ⑥〖문법〗 인칭: die erste〔zweite, dritte〕 ～ 제 1〔2, 3〕 인칭. ⑦〖宗〗 위격(位格): die drei göttlichen ～en (성부·성자·성령의) 삼위(三位).

Persona grata *f.* ①〔교양〕 호감 가는 인물. ②〖法〗 (주재국 정부에서) 환영받는 외교관.

Persona ingrata *f.* ①〔교양〕 호감이 가지 않는 인물. ②〖法〗 (외교관으로서의) 기피 인물.

personal *a.* ①〔교양〕 사람의; 인격을 갖춘: ein ～er Gott 인격신. ②〔교양·드물게〕 ↑ personell. ③ 인칭(상)의: ～e Veränderung 인칭(상의) 변화.

***Personal** [pɛrzoná:l] *n.* -s, -e (↔ Material) 〔총칭〕 인원, 직원, 종업원; 승무원; 〖연극〗 (Bühnen≈) 한 연극단(원들).

Personal≈abbau *m.* 인원 정리, 감원. **～abgabe** *f.* 인두세(人頭稅). **～abteilung** *f.* 인사과〔부〕. **～akten** *pl.* 인사 기록, 이력 서류. **～arrest** *m.* 〖法〗 인신 구류(拘留)〔구속〕. **～ausweis** *m.* 신분 증명서. **～beschreibung** *f.* 신체적 특징의 기술, 인상서(人相書). **～büro** *n.* ↑ ～abteilung. **～computer** 《engl.》 *m.* 개인용 컴퓨터(약어: PC). **～direktor** *m.* ↑ ～leiter.

Personale 《lat.》 *n.* -s, ..lien [..liən] ①〖문법〗 인칭 대명사. ②〔고어〕 (특히 고인(故人)의) 사람됨, 이력(서); 인적 사항; 신상 명세서.

Personal≈einsparung *f.* 인원 감축, 감원. **～form** *f.* 〔문법〕 정(형) 동사(인칭과 수에 따라 변화하는 동사꼴). **～frage** *f.* 신원에 관한 질문; 인사 문제.

Personalien *pl.* 인적 사항, 신상 명세.

personal·intensiv *a.* 〖經〗 노동 집약적인; 많은 인원을 요하는.

personalisieren *t.* 〔교양〕 개개 인물을 겨냥하다, 인물에 초점을 맞추다.

Personalität [pɛrzonalitɛ́:t] *f.* -en 인격, 개성.

Personalitäts·prinzip *n.* 〖法〗 속인(屬人) 주의.

personaliter *adv.* 스스로, 몸소, 자신이.

Personalityshow 新정서 ⇦ Personality-Show.

Personality-Show 《engl.》 *f.* -s 〖TV〗 스타쇼.

Personal≈kosten *pl.* 〖經〗 인건비. **～kredit** *m.* 〖商〗 대인(對人) 신용, 신용 대출. **～leiter** *m.* 인사 과장〔부장〕. **～planung** *f.* 〖經〗 인사 계획. **～politik** *f.* 〖經〗 인사 정책. **～-**

pronomen *n.* 〖문법〗 인칭 대명사. **~rat** *m.* 〖法〗(공직자들의) 직원 협의회(일반 회사의 Betriebsrat 에 해당함). **~referent** *m.* 인사 담당자. **~stand** *m.* 신분; 인구의 현상태(출산·사망 따위): Ihr ~? 성함과 직업은? **~steuer** *f.* ↑ ~abgabe. **~union** *f.* ①〖政〗 동군연합(同君聯合)(동일한 군주를 모실 뿐 각자의 주권을 유지하는 국가간의 연합 관계). ② 겸무, 겸임: zwei Funktionen in ~ ausüben 두 기능을 겸무로 수행하다. **~verwaltung** *f.* 인사과〔부〕.

Persona non grata [pɛrzó:na no:n grá:ta] *f.* ↑ Persona ingrata.

Persönchen [pɛrzǿ:nçən] *n.* -s, - 〖↑ Person 의 축소형〗(귀여운) 소녀, 아가씨.

personell [pɛrzonɛ́l] 《lat.》 *a.* ① (기업·기관 등의) 인원〔직원〕에 관한, 인사상의: die ~e Zusammensetzung der Regierung 정부의 인적 구성. ② 개인적인, 일신상의.

Personen≈aufzug *m.* 승객용 엘리베이터(↔ Lastenaufzug). **~bahnhof** *m.* 여객 승강장. **~beförderung** *f.* 여객 수송. **~beschreibung** *f.* 인물 기술〔묘사〕, 인상서(人相書), 경력서. **~dampfer** *m.* 여객선. **~firma** *f.* 회사명에 인명을 붙인 회사. **~gebunden** *a.* 특정 인물에 관련〔한정〕된. **~kraft·wagen** *m.* 승용차(약어: Pkw, PKW). **~kreis** *m.* (특정 부류의) 사람들; (교제·그룹의) 범위. **~kult** *m.* -(e)s 〖폄어〗 개인 숭배. **~name** *m.* 인명. **~schaden** *m.* (↔ Sachschaden) 인명 피해, 인적 손실. **~schiffahrt** *f.* 여객 운송 항해. **~schutz** *m.* (경찰 등의) 대인(對人) 보호. **~stand** *m.* (Familienstand) 신원, 호적 사항. **~standsregister** *n.* 호적; 학적(Matrikel). **~tarif** *m.* 여객 운임. **~verkehr** *m.* 여객 운송. **~verzeichnis** *n.* 인명록, 〖연극〗 등장 인물 명단, 프로그램. **~versicherung** *f.* (생명 보험 따위의) 인(人)보험. **~waage** *f.* 체중계. **~wagen** *m.* 승용차; 〖철도〗 객차. **~zahl** *f.* 인원, 사람수. **~zug** *m.* 〖철도〗 ① 여객 열차(↔ Güterzug). ② 완행 열차(↔ Eilzug).

Personifikation [pɛrzonifikatsió:n] 《lat.》 *f.* -en 인격화; 의인화; 체현(體現); 화신.

personifizieren *t.* 인격화하다, 의인화하다; 체현하다(verkörpern): die personifizierte Bosheit 악의 화신.

Personifizierung *f.* -en ① 의인화. ② 체현.

Persönlein *n.* -s, - ↑ Persönchen.

***persönlich** [pɛrzǿ:nlıç] *a.* ① 사람의; 인사(人事)의; 인간적인, 마음을 터놓는; 〖宗〗 인격적인; 〖문법〗 인칭의: ~e Beziehung 친밀한 관계; 〖法〗 die ~e Souveränität 대인 주권(對人主權); ein ~er Gott 인격신(神). ② 자신〔본인〕의; 개성적인; 개인적인: ein ~er Sekretär 개인 비서; eine sehr ~e Handschrift 매우 개성적인 필체; ein ~er Angriff 인신 공격; 몸소, 직접: (편지에서) ~! 친전(親展)!; er kommt ~ 그가 직접 온다.

***Persönlichkeit** *f.* -en ① **(a)** 사람됨됨이, 인격; 개성: die freie Entfaltung der ~ 개성의 자유로운 전개. **(b)** (개성적) 인간, (중요한) 인물: eine hochstehende ~ 신분이 높은 사람; trotz seiner Jugend ist er eine ~ 그는 비록 젊으나 어엿한 인물이다. ② 개인적인 일, 사사(私事).

persönlichkeits≈bewußt *a.* 자각한, 자부하는. **≈entfaltung** *f.* 인격〔인성〕 계발. **~fremd** *a.* 인물〔인격〕에 걸맞지 않은. **≈kult** *m.* 〖드물게·폄어〗 개인 숭배. **≈leben** *n.* 사생활. **≈recht** *n.* 〖法〗 인격권(人格權). **≈spaltung** *f.* 이중 인격. **≈wahl** *f.* 〖政〗(↔ Listenwahl) 인물 선거, (정당이 아닌) 후보자 개인에게 하는 투표. **≈wert** *m.* 인격 가치, 인간으로서의 가치.

Persons·beschreibung *f.* (öst.) ↑ Personenbeschreibung.

Perspektiv [pɛrspɛktí:f] 《lat.》 *n.* -s, -e 소형 망원경(Fernrohr).

***Perspektive** [..tí:və] *f.* -n ① (풍경의) 조망; 〖畫〗 원경; 원근법, 투시도법: hier stimmt ~ nicht 여기는 원근법이 맞지 않는다. ② (장래의) 전망, 발전 가능성: berufliche ~ 직업 전망. ③ 시각, 관점, 시점. ④ 〖문학〗 서술 시점, 관점.

perspektivisch *a.* 원경의; 원근법의; 시각상〔관점상〕의; 장래를 내다보는; 미래의.

Perspektivlosigkeit *f.* 관점〔전망·희망〕 없음.

Perspektiv·planung *f.* 장기 종합 계획.

Perspiration [pɛrspiratsió:n] *f.* 〖醫〗 피부 호흡.

perspiratorisch *a.* 피부 호흡의.

persuadieren [pɛrzuadí:rən] 《lat.》 *t.* (überreden) 설득하다, 권유하다; 믿게 하다.

Persuasion *f.* -en 설득, 권유.

persuasiv [..zí:f] *a.* 설득하는, 설득적인.

Pertinens [pɛ́rtinɛns] 《lat.》 *n.* -, ..nenzien [..nɛ́ntsiən] ↑ Pertinenz.

Pertinenz *f.* -en 〖고어〗 부속, 소속; 부속물〔품〕.

Perturbation [pɛrturbatsió:n] 《lat.》 *f.* -en 〖天〗 섭동(攝動)(천체가 다른 천체의 인력에 의해 궤도에서 빗나가는 일); 〖비유〗 혼란, 교란; 동요(Unruhe).

Peru [perú:, pé:ru] 페루.

Peruaner [peruá:nər] *m.* -s, - 페루 사람.

peruanisch *a.* 페루(사람·말)의.

Peru·balsam [perú:.., pé:ru:] *m.* 〖藥〗 페루 발삼(피부병이나 외상에 사용함).

***Perücke** [pɛrʏ́kə] 《frz. peruque》 *f.* -n ① 가발: 〖구어〗 jm. in die ~ fahren 누구의 가면을 벗기다; 〖비유〗 alte ~ 시대에 뒤진 사람, 고루한 사람. ② 〖사냥〗(사슴 따위의 뿔에 생긴 병적인) 혹.

Perücken≈macher *m.* 가발 제조자. **~stock** *m.* (모자 모양의) 가발대(臺).

pervers [pɛrvɛ́rs] 《lat.》 *a.* 거꾸로의(verkehrt); 비틀어진; 타락한(verderbt); 자연에 거스르는; 〖心〗 성도착(性倒錯)의, 변태의.

Perversion *f.* -en (비정상적인 방향으로의) 전도, 왜곡, 곡해; 오용, 악용; 〖心〗 성도착증.

Perversität *f.* -en 전도(顚倒); 타락; 〖心〗(성적) 도착증, 변태적 언행.

pervertieren 〖교양〗 《I》 *i.* 규범에서 벗어나다. 《II》 *t.* et. ~ 무엇을 도착〔전도·타락〕시키다.

Pervertiertheit *f.* -en 도착성(倒錯性), 전도성; 타락성.

Pervertierung *f.* -en 도착(倒錯), 전도; 타락.

Pervitin 《lat.》 *n.* -(e)s 페르비틴(흥분제).

Perzent *n.* -(e)s, -e (öst.) =Prozent.
perzeptibel *a.* 〚哲〛 지각〔인지〕할 수 있는.
Perzeptibilität *f.* 〚哲〛 ① 지각〔인지〕 가능성. ② 지각〔인지〕 능력.
Perzeption 《lat.》 *f.* -en ① 지각, 인지. ② 〚法〛 수득(收得), 수입.
perzeptiv *a.* 지각〔인지〕하는, 지각〔인지〕의.
perzeptorisch *a.* ↑ perzeptiv.
Perzipient *m.* -en, -en 〔고어〕 수취인.
perzipieren *t.* ① 지각하다, 인지하다. ② 〚法〛 (einnehmen) 영수(領收)하다, 수취하다: 〔고어〕 (Geld) ~ (돈을) 받다.
Pesade [pezá:də] 《lat.》 *f.* -n 〚승마〛 페자드 (앞다리를 들고 뒷다리로 일어선 자세).
pesante [pezánte] 《lat.》 *adv.* 〚음악〛 무겁게, 장엄하게; 길게 끄는.
Pesante *n.* -s, -s 〚음악〛 장중한 악곡.
Pesel [pé:zəl] 《lat.》 *m.* -s, - (ndd.) 농가의 화려한 거실(특히 Holstein 지방).
pesen 《lat. pes, „Fuß"》 *i.* (s./h.) 〔경박〕 서두르다; 뛰다; 날뛰다.
Peseta [pezé:ta], **Pesete** 《sp., Peso 의 축소형》 *f.* ..ten/..s (약어: Pta) ① 페세타(에스파냐의 화폐 단위; 1 Pta=100 Céntimos). ② 〔복수: ..ten〕 〔구어〕 돈.
Peso [pé:zo, (sp.) péso] 《it.》 ① *m.* -s, ..si 페소(이탈리아의 무게 단위). ② *m.* -(s), -(s) 페소(원래는 에스파냐, 현재는 멕시코 및 남아메리카 각국의 화폐 단위).
Pessar [pɛsá:r] 《gr.》 *n.* -s, -e 〚醫〛 페서리 (피임용 기구) (Mutterring).
***Pessimismus** 《lat.》 *m.* - (↔ Optimismus) ① 〚哲〛 염세주의: Schopenhauers philosophischer ~ 쇼펜하우어의 철학적 염세주의. ② 비관(적 태도).
***Pessimist** *m.* -en, -en 염세주의자; 비관론자.
Pessimistin *f.* -nen ↑ Pessimist 의 여성형.
***pessimistisch** *a.* 염세주의적인; 비관적인.
Pessimum [pésimum] *n.* -s, ..ma 〚생태학〛 최악의 (생존) 환경 조건(↔ Optimum).
***Pest**[1] [pɛst] 《lat.》 *f.* -en ① 〚醫〛 페스트, 흑사병; (광의로는) 악성 전염병. ② 〚수의〛 전염병; (Pestdunst) 나쁜 병의 기운, 독기(毒氣): daß dich die Pest hole! 망할 녀석 뒈져 버려라!: 〔구어〕 jm. die ~ an den Hals wünschen 누가 잘못되기를 바라다; jn.〔et.〕 wie die ~ hassen 누구를〔무엇을〕 몹시 증오하다, 싫어하다. ③ 〔비유〕 싫은 것; 해독, 화(禍).
Pest[2] ↑ Budapest.
Pestalozzi *m.* Johann Heinrich ~ 페스탈로치(스위스의 교육가, 1746-1827).
pest≈artig *a.* 페스트 같은; 강한 전염성의; (냄새가) 지독한, 역겨운. **~beule** *f.* ① 페스트 선종(腺腫). ② 〔비유〕 해독, 화; 내부의 부패. **~dunst** *f.* ↑ ~hauch. **~geruch** *m.* 몹시 역겨운 냄새. **~hauch** *m.* ① 독기(毒氣). ② 치명적인 악영향. **~haus** *n.* 전염병 전문 병원.
Pestilenz [pɛstilénts] 《lat.》 *f.* -en 〔고어〕 (Pest) 페스트, 흑사병; 악성 전염병.
pestilenzialisch *a.* ↑ pestartig.
Pestizid *n.* -s, -e (농약 따위의) 살충제.
pest≈krank *a.* 페스트에 걸린. **~kranke*** *der/die* 페스트 환자. **~luft** *f.* 페스트 병균을 함유한 공기; 독기, 장기(瘴氣). **~ordnung** *f.* 페스트 예방 규칙. **~stoff** *m.* 페스트 병균. **~wurz** *f.* 〚植〛 서양머위의 일종.
peta.. 《gr.》 *pref.* 단위를 나타내는 말에 붙어 10^{15}, 곧 1000 조 배를 나타냄(보기: ~joule= 10^{15} Joule).
Petarde [petárdə] 《lat.》 *f.* -n ① 〚軍·옛뜻〛 폭약; (원뿔꼴의) 폭뢰(爆雷)(성문 폭파용). ② 폭죽. ③ 〚철도〛 안개 주의 신호〔경적〕.
Petent [petént] 《lat.》 *m.* -en, -en (Bittsteller) 청원자, 신청인.
***Peter** 《<Petrus》 *m.* ① 페터(남자 이름); St. ~ a) 성(聖)베드로, b) 〚動〛 ↑ Petersvogel; 〚가톨릭〛 ~ und Paul(s-Tag) 베드로와 바울 사도 대축일(6 월 29 일). ② 〔비유〕 사람, 놈: ein dummer ~ 바보, 멍청이; Schwarzer ~ 카드 놀이의 일종; 〔비유〕 jm. den Schwarzen ~ zuschieben〔zuspielen〕 누구에게 책임을 전가하다.
Peterchen *n.* -s, - ① 〚植〛 ↑ Petersilie. ② 결쇠(Nachschlüssel).
Peterle *n.* -(s) ↑ Petersilie.
Peterling *m.* -s ↑ Petersilie.
Peter·männchen *n.* 〚動〛 독가시치.
petern *i.* (h.) 만지작거리다, 주무르다.
Peters·fisch *m.* 〚動〛 달고기속.
Petersil 《gr.》 *m.* -s (öst.) ↑ Petersilie.
Petersilie [pe:tərzí:liə] 《gr.》 *f.* -n 〚植〛 파슬리: 〔비유〕 ihm ist die ~ verhagelt〔verregnet〕 그의 일이 잘 안 되다, 그는 일이 잘 안 되어 의기소침해 있다; ~ pflücken (여자가) 춤출 상대가 없이 서 있다.
Petersilien≈kartoffeln *pl.* 〚요리〛 파슬리 고명을 얹은 감자 요리. **~wurzel** *f.* 파슬리 뿌리.
Peters≈kirche *f.* 성(聖)베드로 성당(로마 가톨릭교의 대성당. **~pfennig** *m.* 교황에의 헌금. **~schlüssel** *m.* 천국의 열쇠(↑ Himmelsschlüssel). **~vogel** *m.* 〚動〛 바다제비 (↑ Sturmvogel).
Peter·wagen *m.* 〔구어〕 (nordd.) 무선 순찰차.
Petit [pətí:] 《frz.》 *f.* 〚印〛 8 포인트 활자.
Petitesse *f.* -n 하찮은 일, 사소한 일.
Petition 《lat.》 *f.* -en 청원(서), 진성(서).
petitionieren *i.* (h.) (um et.) ~ (무엇에 관하여) 청원하다, 청원서를 제출하다.
Petitions≈ausschuß *m.* 〚法·政〛 (의회의) 청원 처리 위원회. **~recht** *n.* 청원권〔법〕. **~weg** *m.* auf dem ~(e) 청원〔진정〕하여.
Petitor [..tí:tɔr, ..to:r] *m.* -s, -en [..tó:rən] 〔고어〕 ① (공직) 지원자. ② 청원자, 신청인; 〚法〛 원고.
petitorisch *a.* 점유권의(↔ possessorisch).
Petit point [pəti poẽ́] *n./m.* -- 프티포앵 (고블랭직 바늘땀으로 자수하는 섬세한 바느질).
Petit≈satz *m.* 〚印〛 8 포인트 활자 조판(물). **~schrift** *f.* 8 포인트 활자.
Petits fours [pətifú:r] *pl.* (설탕옷을 입힌) 작은 케이크.
Petitum *n.* -s, ..ta 청원; 신청; 고소.
Petra *f.* 페트라(여자 이름).
Petrefakt [petrefákt] 《gr. pêtros, „Stein"》 *n.* -(e)s, -e(n) 〚고생물·고어〛 화석화, 경화; 화석.
petrefakt *a.* ↑ petrifiziert.

Petrefakten·kunde *f.* 화석학.
Petri [pé:tri:] ↑ Petrus 의 2 격: ~ Heil! 많이 낚으시기를! (낚시꾼 사이의 인사).
Petrifikation [petrifikatsió:n] ⟪gr. pétros⟫ *f.* -en 화석화(化) (작용).
petrifizieren ⟪I⟫ *t./i.* (h.) 석화시키다; 화석이 되다. ⟪II⟫ **petrifiziert** *p.a.* ↑ petrifiziert.
petrifiziert ⟪I⟫ *p.p.* ↑ petrizifizieren. ⟪II⟫ *p.a.* 화석이 된.
Petri·jünger *m.* 〔농담〕 낚시광, 낚시꾼.
Petri·kirche *f.* 〖宗〗 성베드로 교회.
Petrinisch *a.* 성베드로의: ~e Briefe 베드로서(書).
petrinisch *a.* 성베드로파의: ~er Lehrbegriff 성베드로파의 교의(教義).
Petrochemie *f.* ① 〔옛뜻〕 암석 화학. ② 석유 화학.
petrochemisch *a.* 암석 화학의, 석유 화학의.
Petrodollar ⟪engl.⟫ *m.* -(s), -s (산유국의) 석유〔오일〕 달러.
Petrogenese ⟪gr.⟫ *f.* ① 암석 형성(Gesteinsbildung). ② 암석 형성 과정 분석학.
petrogenetisch *a.* 암석 성인론의.
Petrograph *m.* -en, -en 암석 분류 학자.
Petrographie *f.* 암석 분류학(Gesteinsbeschreibung).
petrographisch *a.* 암석 분류학의.
Petrol *n.* -s (schweiz.) 석유(Petroleum).
Petrol=chemie *f.* 석유 화학. **~chemisch** *a.* 석유 화학의.
***Petroleum** [petró:leum] ⟪lat., „Steinöl"⟫ *n.* -s 〔고어〕 석유, 등유.
Petroleum=äther *m.* 석유 에테르. **~koch-apparat** *m.* ↑ ~kocher. **~kocher** *m.* 석유 풍로. **~lager** *n.* 석유의 광맥. **~lampe** *f.* 석유 램프. **~ofen** *m.* 석유 난로. **~quelle** *f.* 유전. **~schacht** *m.* 유정(油井).
Petroleur [petrolǿ:r] *m.* -s, -s, **Petroleuse** [..lǿ:zə] *f.* -n (1871 년 프로이센·프랑스 전쟁 중 파리 포위 때의) 석유 방화 범인.
Petrologe *m.* -n, -n 암석학자.
Petrologie [..logí:] *f.* 암석학.
Petrus [pé:trus] ⟪gr.⟫ *m.* ..tri 〔des ~〕 〔독일어에서는 주로 Peter 를 씀〕 페트루스(남자 이름): der heilige ~ 성베드로(사도의 이름); Petri Stuhl 교황의 위(位).
Petschaft [pétʃaft] ⟪tschech.⟫ *n.* -s, -e 〔고어〕 (Signet) 인장(印章), 도장, 스탬프; 봉인.
Petschaft·stecher *m.* 도장 새기는 사람.
Petschier *n.* -s, -e ↑ Petschaft.
petschieren *t.* 날인하다, 봉인하다.
petschiert *a.* 날인한, 봉인한; (öst.) 〔구어〕 곤경에 처한, 몰락한.
Petschier=ring *m.* 인장 붙은 반지(Siegelring). **~stock** *m.* 도장 모양(의 손잡이).
Petticoat [pétiko:t] ⟪engl.⟫ *m.* -s, -s 페티코트.
Petting ⟪engl.⟫ *n.* -(s), -s 페팅, 애무.
petto [péto] ⟪it.⟫ 마음속에, 비밀리에(=in petto).
Petulanz [petulánts] ⟪lat.⟫ *f.* 〔고어〕 자유 분방; 격정.
Petunie [petú:niə] ⟪lat.⟫ *f.* -n 〖植〗 페튜니아.
Petz [pɛts] *m.* -es, -e (우화속의) 곰(곰의 애칭): Meister ~ 곰 아저씨.
Petze[1] [pɛ́tsə] *f.* -n 암캐.
Petze[2] *f.* -n ① 〔비유〕 방탕한 여자. ② ↑ Petzer.
petzen [pɛ́tsən] ⟪I⟫ *t.* ① ↑ pfetzen. ② 고문하다. ③ (술을) 한잔하다. ⟪II⟫ *i.* (h.) 〔학생·폄어〕 고자질하다.
Petzer *m.* -s, - 〔학생·폄어〕 고자질쟁이, 밀고자.
peu à peu [pøapǿ] ⟪frz.⟫ *adv.* 조금씩, 점차로.
pexieren [pɛksí:rən] ⟪lat.⟫ *t./i.* (h.) …의 죄를〔잘못을〕 저지르다(pekzieren).
Pf. =Pfennig 페니히(독일의 화폐 단위).
p.f. =pour féliciter [purfelisité:] ⟪frz.⟫ 축하〔경축〕합니다.
***Pfad**[1] [pfa:t] *m.* -(e)s, -e 좁은 길, 오솔길; 〖컴〗 경로: ein dorniger ~ 가시밭길; 〖雅語〗 krumme ~e 〔auf krummen ~en〕 wandeln 부당한 짓을 하다; 〖雅語〗 die ausgetretenen ~e verlassen 도식적인 사고나 행위를 벗어나다, 독자적인 길을 걷다; 〖雅語〗 auf dem ~ der Tugend wandeln 미덕의 길을 걷다, 품행이 방정하다.
Pfädchen [pfɛ́:tçən] *n.* -s, - 〔↑ Pfad 의 축소형〕 좁은 길, 작은 길.
pfaden *t.* (schweiz.) 길을 내다, 트다.
Pfader *m.* -s, - (schweiz.) ↑ Pfadfinder.
Pfad·finder *m.* ① 개척자, 선구자. ② 보이스카우트, 소년 단원(영국의 Boy-Scouts 를 본받아 창설되었으나, Hitler-Jugend 의 성립으로 없어짐).
Pfadfinder·bund *m.* 소년단.
Pfädlein [pfɛ́:tlaɪn] *n.* -s, - 〔↑ Pfad 의 축소형〕 ↑ Pfädchen.
pfadlos *a.* 길이 없는; 통행할 수 없는.
Pfäffchen [pfɛ́fçən] ⟪gr.⟫ *n.* -s, - 〔↑ Pfaffe 의 축소형〕 ① ↑ Pfaffe ②. ② 〖動〗 **(a)** 피리새(Gimpel). **(b)** 〖動〗 검은 딱새의 일종(↑ Braunkehlchen).
***Pfaffe** [pfáfə] ⟪gr.⟫ *m.* -n, -n ① 〔원뜻〕 성직자의 존칭; 목사, 승려; 〔(루터 이래로) 폄어〕 사이비 성직자. ② **(a)** 〖動〗 잠자리; 검은 딱새; ↑ Pfäffchen ②. **(b)** 〖工〗 압형(押型) 해머. **(c)** 〖광산〗 원뿔꼴의 채광용 받침대(↑ Pape).
Pfaffen=baum *m.* 〖植〗 서양 참빗살나무. **~beere** *f.* 〖植〗 까치밥나무. **~gasse** *f.* 성직자 거리, 사원〔성당〕 도시; 〔농담〕 라인 지방(연안에 성당이 많으므로). **~herrschaft** *f.* 〔폄어〕 성직자 정치. **~hütchen** *n.* 〖植〗 ① ↑ ~baum. ② 서양메꽃. **~knecht** *m.* 〔폄어·고어〕 성직자에게 굴종하는 사람, 교회 맹신자. **~köchin** *f.* 〔방언〕 ↑ Pfaffe ②(a). **~straße** *f.* ↑ ~gasse.
Pfaffentum [pfáfəntu:m] *m.* -(e)s 〔폄어〕 ① 〔총칭〕 성직자 사회〔계급〕. ② 성직자풍(風); 성직자 기질; 성직자 정치.
Pfaffen=wesen *n.* ① 성직자 제도. ② ↑ Pfaffentum ②. **~wirtschaft** *f.* 〔폄어〕 성직자 활동; 성직자 정치.
pfäffisch *a.* 〔폄어〕 성직자(풍)의, 성직자 같은.
Pfäfflein *n.* -s, - 〔↑ Pfaffe 의 축소형〕 〖雅語·반어〗 어린 성직자.
Pfäffling *m.* -s, -e 〖植〗 사과의 일종.
***Pfahl** [pfa:l] ⟪lat.⟫ *m.* -(e)s, Pfähle [pfɛ́:lə] ① **(a)** 말뚝; 지주(支柱); 기둥: jn. an den ~

stellen 누구를 기둥에 묶어 망신을 주다(형벌); 〖비유〗 in〔zwischen〕 meinen vier Pfahlen 내 집에서, 내 세력권 내에서; 〖聖〗 ein ~ im Fleische a) 육체의 가시(고린도 후서 12:7), b)〖비유〗늘 마음에 걸리는 일, 걱정거리. (b) 〖복수〗 말뚝 울타리, 울짱. ②〖紋〗 방패에 수직으로 그어진 줄무늬.

Pfahl≈bau *m.* -(e)s, -ten ①〖토목〗 말뚝 박는 공사. ②〖복수: ~bauten〗수상 가옥. **~bauer** *m.* 수상 가옥 건축자〔거주자〕. **~brücke** *f.* 말뚝 다리. **~bürger** *m.* ①〖중세〗 시민권을 가지면서 도시 밖에 사는 사람. ②〖고어·폄어〗 속물.

Pfählchen [pfέ:lçən] *n.* -s, - 〖↑ Pfahl 의 축소형〗 작은 말뚝, 작은 기둥.

Pfahl·dorf *n.* ①〖선사〗 수상 가옥 마을. ②〖중세〗 도시 밖에 있는 마을.

pfählen [pfέ:lən] *t.* ①(무엇에) 말뚝을 박다; 말뚝으로 둘러싸다. ② 지주를 대다, 버팀목을 세우다. ③ 말뚝에 꽂아 죽이다; 말뚝형에 처하다.

Pfahl≈graben *m.* 말뚝으로 단단하게 만든 호(濠). **~gründung** *f.* 〖건축〗 말뚝〔파일〕을 박는 기초 (공사). **~haus** ↑ ~bau ②. **~mast** *m.* 〖海〗 외나무 마스트. **~muschel** *f.* 섭조개. **~ramme** *f.* 말뚝 박는 기계. **~rost** *m.* 〖토목〗 말뚝 구조(물).

Pfählung [pfέ:luŋ] *f.* -en ①말뚝박기, 버팀목 세우기; 말뚝에 의한 사형. ② ↑ Pfahlwerk.

Pfahl≈werk *n.* 〖토목〗 말뚝 공사; 울짱. **~wurm** *m.* 〖動〗 좀조개. **~wurzel** *f.* 〖植〗 (↔ Seitenwurzel) 직근(直根), 원뿌리. **~zaun** *m.* 말뚝 울타리.

Pfaidler [pfáɪdlər] *m.* -s, - ↑ Pfeidler.

Pfalz [pfalts] 《lat.》 *f.* -en ①〖중세〗 (왕이나 황제가 지방 순시 때 일시적으로 머물던) 성(城). ② 국왕·황제·제후의 영지; 라인란트팔츠 지방.

Pfälzer [pfέltsər] 《I》 *m.* -s, - ① 팔츠 출신 사람, 팔츠주의 주민. ② 팔츠 와인. 《II》 *a.* 팔츠(주)의.

Pfalz≈graf *m.* 궁중백(宮中伯), 제령백(帝領伯). **~gräfisch** *a.* ↑ ~gräflich. **~gräflich** *a.* 궁중백의, 제령백의. **~grafschaft** *f.* 궁중백의 지위 또는 영지.

pfälzisch [pfέltsɪʃ] *a.* ① 궁중백령(領)의. ② 팔츠주(州)의.

***Pfand** [pfant] 《lat.》 *n.* -(e)s, Pfänder [pfέndər] ① 저당, 담보; 보증금, 예치금: bewegliches〔unbewegliches〕 ~ 동산〔부동산〕 저당; das ~ der Liebe 사랑의 담보(아이); et. als ~ geben〔bieten, lassen〕 무엇을 담보로 제공하다; in〔zum〕 ~ nehmen 담보로 잡다; das Wort zum ~ setzen 언질을 주다, 약속하다; ein ~ einlösen 저당물을 찾다; das ~ ist verfallen 저당물을 찾을 기한이 지났다. ② (벌금 놀이에서) 벌금: Pfänder spielen 벌금 놀이를 하다. ③〖광산〗 말뚝으로 둘러친 곳의 지주(支柱). ④〖토목〗 제방 수리의 분담 부분. ⑤〖아어〗 증거, 표시: Liebes≈ 사랑의 징표.

pfandbar 《<Pfand》 *a.* 저당물이 될 수 있는.

pfändbar 《<pfänden》 *a.* (저당물로서) 압류할 수 있는; 압류의 대상이 되는.

Pfand≈brief *m.* 〖商〗 저당 증권〔채권〕, 담보 증권. **~bruch** *m.* 〖法〗 저당물 훼손. **~bürge** *m.* 인질(Geisel). **~effekten** *pl.* 대출 상환 보증 유가 증권.

pfänden [pfέndən] *t.* ① 저당으로〔담보로〕 잡다〔압류하다〕: jn. ~〔jm. et. ~〕누구의 재산〔무엇〕을 압류하다. ②〖비유〗 빼앗다: den Mund um einen Kuß ~ 강제로 입맞추다.

Pfänder *m.* -s, - (südd.) ① 집달관. ② 전답 감시인(Flurschutz).

Pfänder≈geber *m.* 〖法〗 질권 설정자, 저당 잡히는 사람. **~spiel** *n.* 벌금 놀이.

Pfand≈flasche *f.* 〖환경〗 재활용 병(병을 반납하면 병 값을 되돌려 줌). **~geld** *n.* 보증금, 예치금. **~gläubiger** *m.* 질권자; 저당권자. **~gut** *n.* 저당 잡힌 땅. **~haus** *n.* 전당포(Leihhaus). **~hinterlegung** *f.* 저당 잡힘. **~kehr** *f.* 〖法〗 (저당권자로부터의) 저당물 부당 탈취〔회수〕. **~leih·anstalt** *f.* 공설 전당포. **~kontrakt** *m.* 저당 계약. **~leihe** *f.* ① 전당업. ② ↑ ~haus. **~leiher** *m.* 전당포 영업자. **~leih·geschäft** *n.* ↑ ~haus. **~lösung** *f.* 전당물 찾기. **~nehmer** *m.* 전당 잡는 사람, 질권자. **~objekt** *n.* 전당물. **~recht** *n.* 담보 물권, 질권, 저당권. **~rechtlich** *a.* 저당권의. **~schein** *m.* 질(質) 증권; 전당표. **~schuld** *f.* 질(質) 채무. **~schuldner** *m.* ↑ Pfändergeber. **~sicherheit** *f.* 질(質) 담보. **~stück** *n.* 저당물.

Pfändung [pfέnduŋ] *f.* -en 〖法〗 압류.

Pfändungs≈auftrag *m* 압류 위임. **~befehl** *m.* 압류 명령. **~beschluß** *m.* 압류 결정. **~schutz** *m.* (과도한 압류로부터의) 채무자 보호. **~verfügung** *f.* 압류 처분.

Pfand≈verschreibung *f.* ↑ ~brief. **~vertrag** *m.* 저당 계약. **~weise** *adv.* 저당으로, 담보로. **~zettel** *m.* ↑ ~schein.

Pfännchen [pfέnçən] *n.* -s, - 〖↑ Pfanne 의 축소형〗 작은 냄비.

***Pfanne** [pfánə] 《gr.》 *f.* -n ① 냄비, 프라이팬: 〖비유〗 jn. in die ~ hauen 누구를 엄하게 꾸짖다, 누구를 때려눕히다; die Kelle nicht an der ~ kleben lassen 날쌔다, 약삭빠르다; bei jm. in die ~ treten 누구의 성질을 건드리다. ② (a)〖工〗 (선광용·야금용) 큰 가마(솥): ~ einer Saline 소금 가마. (b)〖기계〗 축받이. (c) 모르타르통. (d)〖醫〗 관골구(髖骨臼), 비구(髀臼). (e) 암키와. (f)〖軍〗 (옛날 화승총의) 점화관: 〖비유〗 et. auf der ~ haben 무엇을 할 준비가 돼 있다, 무엇을 꾀하고 있다; vor der ~ brennen 목적을 이루지 못하다; 〖농담〗 etwas Pulver auf die ~ schütten 한잔 들다. ③ (남아프리카 건조 지대의) 작은 분지(盆地).

Pfannen≈dach *n.* 기와 지붕. **~deckel** *m.* ① 냄비 뚜껑. ②〖기계〗 베어링 끼움쇠, 베어링 메탈. **~flicker** *m.* 땜장이. **~gericht** *n.* 프라이팬 요리. **~haus** *n.* 제염장(製塩場). **~kuchen** *m.* ↑ Pfannkuchen. **~schmied** *m.* 냄비 만드는 사람. **~stiel** *m.* 냄비의 손잡이. **~ziegel** *m.* 왜(倭)기와.

Pfänner [pfέnər] *m.* -s, - 제염소 주인; 제염회사 주주(株主); 제염업자.

Pfännerschaft *f.* ① 제염업자 조합. ② (a) 〖총칭〗 제염업 관계자. (b) 식염천(食塩泉)업자 조합.

Pfann·kuchen *m.* 〖요리〗 ① 팬케이크(Eierkuchen): platt wie ein ~ sein 어이없어하다, 매우 당황하다. ② (nordd.) 기름으로 튀긴 밀

가루 과자: Berliner ~ (잼이 들어있는) 베를린 도넛.

Pfännlein *n.* -s, - ↑ Pfännchen.

Pfarr *m.* -en, -en 〖구어〗 ↑ Pfarrer.

Pfarr≈acker *m.* 목사〔주임 신부〕관(館) 소속의 밭. **~administrator** *m.* (주교구의) 관리자. **~amt** *n.* ① 목사〔주임 신부〕관(館), 목사〔주임 신부〕의 집무소. ② 목사〔주임 신부〕직. **~bezirk** *m.* ↑ Pfarrei ①. **~buch** *n.* 교구 대장(臺帳). **~dienst** *m.* ① ↑ ~amt. ② 목사〔주임 신부〕에게 하는 교구민의 봉사. **~dorf** *n.* 한 교구를 이루는 마을.

Pfarre [pfárə] 《gr.》 *f.* -n ↑ Pfarrei.

Pfarrei *f.* -en ① 주교구, 교구. ② 목사〔주임 신부〕의 직. ③ 목사〔주임 신부〕관. ④ 교구의 교회.

pfarreilich *a.* 교구의.

***Pfarrer** [pfárər] *m.* -s, - 목사; 〖가톨릭〗 주임 신부.

Pfarrerin *f.* -nen (특히 신교의) 여목사.

Pfarrers≈frau *f.* ↑ Pfarrfrau. **~kind** *n.* ↑ Pfarrkind ①. **~köchin** *f.* 목사관 요리사. **~tochter** *f.* 목사의 딸: unter uns Pfarrerstöchtern 우리끼리 얘기지만.

Pfarr≈frau *f.* 목사의 아내. **~frone** *f.* ↑ ~dienst ②. **~gehilfe** *m.* 목사보(補), 부(副)목사. **~gemeinde** *f.* ↑ ~sprengel. **~genosse** *n.* 교구민. **~gut** *n.* 교구 소유지. **~haus** *n.* ↑ ~wohnung. **~helfer** *m.*, **~helferin** *f.* (평신도인) 목사〔주임 신부〕보조자. **~herr** *m.* ↑ Pfarrer. **~hof** *m.* 목사〔주임 신부〕관. **~kind** *n.* ① 목사의 아이. ② ↑ ~genosse. **~kirche** *f.* 교구의 교회.

pfarrlich *a.* 목사〔주임 신부〕의; 교회의.

Pfarr≈schule *f.* 교구의 학교. **~sprengel** *m.* 주교구, 교구. **~stelle** *f.* 목사〔주임 신부〕의 지위〔직〕. **~vikar** *m.* ① 〖가톨릭〗 대리 신부, 보좌 신부. ② 〖기독교〗 목사 시보, 부목사. **~wohnung** *f.* 목사〔주임 신부〕관(館). **~zehnte** *m.* 10 분의 1 교구세(教區稅).

***Pfau** [pfaʊ] 《lat.》 *m.* -(e)s, -en ① 〖動〗 (인도) 공작: stolz wie ein ~ 공작처럼 허영심이 강한; der ~ schlägt (ein) Rad 공작이 꼬리와 날개를 펴다. ② 〖天〗 공작자리.

Pfauen·auge *n.* ① 공작의 눈. ② 공작의 꼬리 깃에 있는 눈 모양의 무늬. ③ 눈 모양의 무늬가 있는 대리석. ④ 〖動〗 공작나비.

pfauchen [pfáʊxən] 《öst.》 *i.* 동물이 쉭쉭 소리를 내다(fauchen).

Pfauen≈feder *f.* 공작의 깃. **~rad** *n.* ↑ ~wedel. **~spiegel** *m.* ↑ ~auge ②. **~wedel** *m.* 부채 모양으로 펼친 공작의 깃.

Pfau≈fasan *m.* 〖動〗 동양산(産) 꿩의 일종. **~hahn** *m.* 공작의 수컷. **~henne** *f.* 공작의 암컷.

Pfd. =Pfund 파운드.

Pfd. St. =Pfund Sterling 파운드(화폐 단위).

Pfebe [pféːbə] 《gr.》 *f.* -n 〖植〗 호박; 멜론류; 펌킨.

***Pfeffer** [pfɛ́fər] 《gr. péperi》 *m.* -s, - ① 〖植〗 후추(나무의 열매): ~ und Salz a) 소금과 후추, b) 〖紋〗 희고 검은 점이 뒤섞인 무늬; roter 〔spanischer, türkischer〕 ~ 매운 고추 양념; sie hat ~ im Hintern〔〖경박〗 Arsch〕 그녀는 안절부절못하고 있다; in den ~ geraten 궁지에 빠지다; da liegt der Hase im ~! 그것이 난점이다!; bleib 〔geh hin〕, wo der ~ wächst! 어디든 멀리 사라져 버려라! ② (a) 심한 것, 신랄한 언사; 모진 매질. (b) 열기, 활기: jm. ~ geben 누구를 자극〔독려〕하다; 호되게 몰아붙이다. ③ 후추가 든 고깃국 및 그것을 넣은 요리(보기: ↑ Hasen≈). ④ 〖軍〗 화약: es gibt ~ 맹렬한 포격이 있다.

Pfeffer≈baum *m.* 〖植〗 후추나무: japanischer ~ 초피나무. **~blatt** *n.* 〖植〗 국화속(屬). **~boden** *m.* 말총으로 짠 천(쳇불용). **~büchse, ~dose** *f.* 후추 그릇. **~fleisch** *m.* 후추를 친 고기 요리. **~fresser** *m.* 〖動〗 큰부리새. **~gurke** *f.* 후추에 절인 오이.

pfefferig [pfɛ́fərɪç] *a.* ↑ pfeffrig.

Pfeffer·korn *n.* 후추알, 통후추. **~kraut** *n.* 〖植〗 ① 조름나물. ② 다닥냉이속. **~kuchen** *m.* 후추 과자. **~kuchen·häuschen** *n.* 집 모양으로 만든 후추 과자. **~land** *n.* 후추밭: 〔비유〕 jn. ins ~ wünschen 누가 멀리 가 버려 주었으면 하고 바라다.

Pfefferling *m.* -s, -e 〖植〗 살구버섯.

Pfeffer≈minz [(또는) pfɛfərmínts] *m.* 박하, 페퍼민트(술). **~minz·bonbon** [(또는) pfɛfərmínts..] *n.* 박하 사탕. **~minze** [(또는) pfɛfərmíntsə] *f.* 〖植〗 박하.

Pfefferminz≈likör *m.* 박하향 리큐어, 박하주. **~pastille** *f.* 박하향 정제. **~plätzchen** *n.* 박하를 넣은 드롭스. **~schnaps** *m.* 박하술. **~tee** *m.* 박하차(茶).

Pfeffer·mühle *f.* 후추를 빻는 도구, 후추 분쇄기.

pfeffern [pfɛ́fərn] 《I》 *t.* (무엇에) 후추를 뿌리다, 후추로 맛을 내다; 〔비유〕 맵게 하다; 〔구어〕 세게 집어 던지다; 〔경박〕 누구를 때리다, 혼내다: 〔경박〕 jm. eine ~ 누구에게 세게 한방 먹이다; eine gepfeffert kriegen 한 대 얻어맞다; 〔구어〕 er pfefferte das Zeug in die Ecke 그는 몹시 노해서 도구를 구석에 집어던졌다. 《II》 *i.* (h.) 아리다, 맵다; 〔비유〕 신랄하다. 《III》 **gepfeffert** *p.a.* ↑ gepfeffert.

Pfeffer·nuß *f.* (작고 둥근) 후추 과자.

Pfefferone *m.* -, ..ni/-n 고추(Peperone).

Pfefferoni *m.* -, - (öst.) 고추(Peperoni).

Pfeffer≈sack *m.* 〔구식·폄어〕 ① 후추 자루. ② (사업 수완이 뛰어난) 거상(巨商). **~staude** *f.* ↑ ~steak. **~steak** *n.* 〖요리〗 후추 양념 고기〔스테이크〕. **~strauch** *m.* 〖植〗 후추나무.

Pfeffer-und-Salz-Muster *n.* 〖紋〗 희고 검은 작은 점이 뒤섞인 무늬.

pfeffrig *a.* 후추를 많이 친, 후추맛이 강한.

Pfeidler [pfáɪtlər] 《gr.》 *m.* -s, - (öst.) 속옷을 만들거나 파는 사람.

***Pfeife** [pfáɪfə] 《lat.》 *f.* -n ① 피리; 휘파람; 저(Quer≈); (Signal≈) 호적(號笛), 호각 (Triller≈); 오르간의 음관(音管) (Orgel≈): 〔비유〕 nach js. ~ tanzen 누구의 장단에 춤추다, 누가 하라는 대로 하다; die ~ in den Sack (ein)stecken 꺽소리도 못 하게 되다; man muß sich ~n schneiden, während man im Rohr sitzt 물실호기(勿失好機) (갈대밭에 있을 때 피리를 만들어라). ② 담뱃대, 파이프; 한 대의 담배: eine ~ rauchen 한 대 피우다. ③ 관(管), 취관(吹管); 유리 부는 관; 공기 파이프; 통; 〔경박〕 음경. ④ 〔비유〕 (아스파라거

스·흙 따위의) 어린 가지. ⑤〔구어·폄어〕 실패자, 무능력자, 겁쟁이.

pfeifen [pfáɪfən] (pfiff, gepfiffen) 《Ⅰ》 *i.* (h.) (장소의 이동을 나타낼 때 s.) ① 피리를 불다: auf einer Querpfeife ~ 저를 불다; 〔비유〕 auf dem letzten Loch ~ 임종이 다가오다, 끝나려고 하다, 아주 비참한 (빈털터리) 처지에 놓이다. ② 휘파람을 불다: 〔구어〕 sich³ eins ~ a) 혼자서 휘파람을 불다, b) 무관심한 척하다, 딴청을 부리다; ich werde dir was ~ 나는 (네가 원하는 것을) 할 생각이 없다; 〔비유〕 auf jn.〔et.〕 ~ 누구를〔무엇을〕 중요시하지 않다; ich pfeife darauf 나는 그런 것은 무시한다. ③ (탄환·바람 따위가) 휙 소리를 내며 지나가다; (작은 새 따위가) 지저귀다; (쥐 따위가) 찍찍 소리를 내다; 호각을 불어 선언하다; (기관차가) 기적 소리를 내다: einen Elfmeter ~ 페널티 킥을 선언하다; 〔비유〕 pfeift der Wind daher? 그러한가? ④〖醫〗 천명(喘鳴)을 내다. ⑤〔은어〕 자백〔실토〕하다; 누설하다. 《Ⅱ》 *t.* (노래·멜로디를) 휘파람으로〔피리로〕 불다, (누구를) 휘파람으로 부르다: den Hund zu sich ~, den Hund zurück ~ 개를 휘파람으로 부르다; 〔구어〕 einen ~ 한잔 쭉 들이켜다.

Pfeifen *n.* -s 피리〔휘파람〕불기; 〖醫〗 천명(喘鳴); 〖전기〗 잡음.

Pfeifen≈baum *m.* 〖植〗 라일락; 쥐방울덩굴. **~beschlag** *m.* 담뱃대나 파이프의 쇠장식. **~besteck** *n.* 파이프 용구 한 벌. **~deckel** *m.* (담뱃대나 파이프의) 담배통 뚜껑. **~kopf** *m.* 파이프의 대통. **~mann** *m.* 〖스포츠〗 심판. **~räumer** *m.* 파이프 청소기. **~raucher** *m.* 파이프 애연가. **~reiniger** *m.* 파이프 청소기. **~ständer** *m.* 파이프 걸이. **~rohr** *n.* 담배〔파이프〕 설대. **~spitze** *f.* 담배 물부리. **~stiel** *m.* 파이프의 축. **~stopfer** *m.* 파이프에 담배를 채우는 기구. **~strauch** *m.* 〖植〗 일본 고광나무속. **~stummel** *m.* (사기로 만든) 짧은 파이프. **~tabak** *m.* 파이프용 담배.

Pfeif≈ente *f.* 〖動〗 홍머리오리. **~kessel** *m.* (물이 끓으면 소리를 내는) 삐삐 주전자. **~konzert** *n.* 〔구어〕 (불만의 표시로 관객들이 한꺼번에 계속 부는) 휘파람 소리.

Pfeifen≈ton *m.* 네덜란드 파이프용의 백도토(白陶土). **~werk** *n.* 파이프 오르간의 음관(音管)(의 총칭).

Pfeifer [pfáɪfər] *m.* -s, - ① 피리 연주자, 적수(笛手); 휘파람을 부는 사람: 〖음악·고어〗 관악기 연주자; 〖중세〗 (길드 소속의) 악사. ② 〔완곡하게〕 악마(Teufel). ③〖動〗 (a) 마멋. (b) 기름종개의 일종.

Pfeifer·dampf *m.* 말의 후두부의 병.

Pfeiferei *f.* -en 지속적으로 부는 휘파람〔피리〕 소리.

***Pfeil** [pfaɪl] 《lat.》 *m.* -(e)s, -e ① 화살, 살: schnell wie ein ~ 쏜살같이, 재빨리; 〔비유〕 der Sonne≈ 햇살; Amors ~ hat ihn getroffen 그는 사랑의 화살에 맞았다〔노예가 되었다〕; seine ~e sind verschossen 그에게는 더 이상 논거가〔방도가〕 없다. ②〔비유〕 화살 모양의 물건: (a) 〖天〗 화살 자리. (b) (방향 지시의) 화살표. (c) 〖動〗 동갈양태속(屬)에 속하는 물고기의 일종. (d) 〖數〗 ~ eines Bogens 원호(圓弧)의 법선(法線). (e) 화살 모양의 머리 장식. ③〖건축〗 ↑ ~höhe.

***Pfeiler** [pfáɪlər] 《lat.》 *m.* -s, - ①〖건축〗 (a) 기둥, 지주; 대각(臺脚); 교각; 창의 설주. (b) 주신(柱身). ②〔비유〕 기둥이 되는 물건〔사람〕; 기초적 원리; 주춧돌, 대들보; 〖광산〗 (기둥 역할을 하는) 단단한 암석; 광주(鑛柱), 탄주(炭柱).

Pfeiler≈basilika *f.* 〖건축〗 각주랑(角柱廊) 성당. **~bau** *m.* 〖광산〗 광주식(鑛柱式) 채굴. **~schränkchen** *n.* 벽장. **~spiegel** *m.* 창의 설주에 걸어 놓은 거울. **~stein** *m.* 〖광산〗 현무암. **~weite** *f.* 기둥 사이의 거리.

pfeil≈förmig *a.* 화살 모양의. **~gerade** [pfáɪlgərá:də] *a.* 화살같이 곧은. **~geschwind** *a.* 화살처럼 빠른.

Pfeil≈gift *n.* (화살촉에 바르는) 화살독. **≈grade** [pfáɪlgrá:də] *a.* 〔구어〕 ↑ ~gerade. **~hecht** *m.* 〖動〗 꼬치고기(육식어). **~höhe** *f.* 〖건축〗 아치의 기선(基線)에서 꼭대기까지의 거리, 아치의 높이. **~köcher** *m.* 화살통, 전통(箭筒). **~kraut** *n.* 〖植〗 쇠귀나물. **~naht** *f.* 〖醫〗 시상봉합(矢狀縫合). **~regen** *m.* 빗발치듯 날아오는 화살. **~richtung** *f.* 화살표 방향. **~schnell** [pfáɪlʃnɛ́l] *a.* 쏜살같이 빠른. **~schuß** *m.* 화살쏘기. **~schütze** *m.* 활의 사수, 궁수(弓手). **~schwanz** *m.* 〖動〗 ① (고생물) 검미류(劍尾類)의 총칭. ② 물오리속(屬)의 일종. **~spitze** *f.* 화살촉. **~taste** *f.* 〖컴〗 화살표 키. **~wurm** *m.* 〖動〗 화살벌레속(屬). **~wurz** *m.* 〖植〗 울금의 일종; 〖動〗 (열대산(產)의) 마란타속. **~wurzel** *f.* 〖植〗 ↑ Pfahlwurzel.

pfelzen *a.* 가죽으로 된(↑ pelzen³).

***Pfennig** [pfɛ́nɪç] *m.* -(e)s, -e (가격을 표시할 때: *pl.* -) (약어: Pf.) ① 페니히(100 분의 1 마르크): für einen ~ 푼돈 때문에; ohne einen ~ 땡전 한푼 없이; auf die ~e sein 인색하다; nicht für fünf ~ 전혀 …아니다: er hat nicht für fünf ~ Anstand 그는 조금도 점잖치 않다; 〔속담〕 ~e sparen und Taler wegwerfen 푼돈을 아끼다가 목돈을 잃다; keinen ~ wert sein 한푼의 값어치도 없다; bei 〔auf〕 Heller und ~ bezahlen 주머니를 털어서 지급하다; 〔구어〕 bis auf den letzten ~ 마지막 한푼까지; 〔구어〕 jeden ~ (dreimal) umdrehen 〔auf den ~ sehen〕 매우 절약하다, 인색하다; 〔구어〕 für jn.〔et.〕 keinen ~ geben 누구를〔무엇을〕 (가치 없다고) 포기하다, 무시하다; auf jeden ~ angewiesen sein 한푼이 아깝다(여유가 전혀 없다); mit dem ~ rechnen müssen 한푼이라도 절약해야 한다. ② 패각(貝殼)류의 화석 이름(보기: ↑ ~stein).

Pfennig≈absatz *m.* (여자 구두의) 높고 뾰족한 굽. **~betrag** *m.* (몇 페니히의) 푼돈. **~fuchser** *m.* 〔구어·폄어〕 수전노, 구두쇠. **~fuchserei** *f.* 쩨쩨함, 인색. **≈fuchsern** *i.* (h.) (knausern) 인색하다, 돈을 아끼다. **≈groß** *a.* 1 페니히 동전 크기만한. **~kraut** *n.* ①〖植〗 말냉이. ② 좀가지풀속의 덩굴풀. **~meister** 〔고어〕 *m.* 세리(稅吏). **~schenke** *f.* 선술〔목로〕집. **~stein** *m.* 산호(珊瑚)의 화석. **~stück** *n.* 1 페니히 동전. **~ware** *f.* 〔비유〕 작은 물건, 보잘것없는 물건. **≈weise** *adv.* ~ verkaufen 푼돈 장사를 하다: 〔농담〕 bei ihm fällt der Groschen ~ 그는 이해력이 부족하다.

***Pferch** [pfɛrç] ⟪lat.⟫ *m.* -(e)s, -e ① 울짱, 울타리; (가축 특히 양을 가두는) 울타리 친 곳, 우리. ② 울짱 안의 가축 떼(의 똥); (일반적으로) 동물의 똥; 비료. ③ 양을 밤에는 우리에 가두고 토양에 거름을 주는 목축.

pferchen ⟪I⟫ *t.* ① (가축을) 울타리 안으로 몰아넣다; 〖비유〗 좁은 장소에 밀어 넣다. ② 가축의 분뇨를 거름으로 주다. ⟪II⟫ *i.* (h.) 방뇨하다.

Pferch≈recht *n.* 가축의 울짱을 치는 권리. **~schlag** *m.* 목책을 두르기.

***Pferd** [pfe:*r*t] ⟪gr.⟫ *n.* -(e)s, -e ① 말: ein feuriges ~ 사나운 말; wie ein ~ arbeiten 말처럼 지칠 줄 모르고 힘든 일을 하다; 〖구어〗 das beste ~ im Stall 가장 실력 있는〔유능한〕 부하〔동료〕; sich **aufs** ~ setzen 〔aufs ~ steigen〕 말에 올라타다; 〖비유〗 sich aufs hohe ~ setzen 거만하게 굴다, 건방지게 굴다; 〖구어〗 aufs falsche〔richtige〕 ~ setzen 상황을 잘못〔옳게〕 판단하여 행동하다; das ~ **beim** Schwanze aufzäumen 〔die ~e hinter den Wagen spannen〕 일을 거꾸로 하다, 본말을 전도하다; **vom** ~ auf den Esel kommen 격(格)이 떨어지다, 영락하다; **zu** ~e 말을 타고; 20 Mann zu ~e 기병(騎兵) 20 명; 〖구어〗 mit dem kann man ein ~ mausen 그는 무엇이든 못 하는 일이 없다; es hängt ein ~ in der Luft (싫은) 일이 눈 앞에 닥쳐 있다; 〖구어〗 das hält ja kein ~ aus 그것은 참을 수 없다; 〖구어〗 immer sachte mit den jungen ~en 너무 성급히 굴지 마라; 〖구어〗 jm. gehen die ~e durch 누가 자제력을 잃다; 〖구어〗 die ~e scheu machen 불안을 조성하다, 겁주다; 〖구어〗 keine zehn ~e bringen mich dahin 나는 무슨 일이 있어도 거기에 가지 않겠다; 〖구어〗 mit jm. kann man ~e stehlen 누구와 함께라면 무슨 일이라도 할 수 있다; 〖경박〗 ich glaub, mich tritt ein ~ 이럴 수가 없다(내 눈과 귀를 믿을 수 없다). ② 〖軍〗 기병; 〖고어〗 병사. ③ 〖비유〗 **(a)** 목마(木馬); 죽마: Trojanisches ~ 트로이의 목마. **(b)** 〖체스〗 말. **(c)** 〖天〗 조랑말 자리. **(d)** 〖海〗 (활대 밑에 매어 다는) 비겟줄. **(e)** 〖植·구어〗 Großes ~ 큰고랭이; Halbes ~ 수영, 괭이밥. ④ 〖체조〗 안마.

Pferdchen *n.* -s, - 〖↑ Pferd 의 축소형〗 작은 말, 망아지; 〖은어〗 (포주에 딸린) 매춘부.

Pferde≈ameise *f.* 〖動〗 붉은가슴개미. **~apfel** *m.* (사과 모양같이 둥근) 말똥. **~arbeit** *f.* 말이 하는 일; 〖비유〗 중노동, 고역(苦役). **~artig** *a.* 말 같은, 말 종류의. **~arzt** *m.* 말 의사, 수의(獸醫). **~ausstellung** *f.* ↑ ~schau. **~bahn** *f.* 마차 철도; 〖구어〗 전차. **~behang** *m.* 마구(馬具), 말장식. **~beschlag** *m.* 편자. **~binse** *f.* 〖植〗 큰고랭이. **~bohne** *f.* ① 〖植〗 잠두, 누에콩. ② 말의 앞니에 생기는 반점(말의 나이를 헤아림). **~bremse** *f.* 〖動〗 등에의 일종; 말파리. **~decke** *f.* 안장 덮개; (올이 거친) 모포. **~dieb** *m.* 말 도둑. **~dressur** *f.* 말의 조련. **~droschke** *f.* (합승) 마차. **~egel** *m.* 〖動〗 말거머리. **~eisen·bahn** *f.* ↑ ~bahn. **~fleisch** *n.* 말고기. **~fliege** *f.* ↑ ~bremse. **~fuß** *m.* ① 말의 다리. ② **(a)** 말발굽; 첨족(尖足)(사람발의 기형). **(b)** 악마의 다리; 〖비유〗 간계; (숨겨진) 단점: da schaut der ~ hervor 〔da guckt der ~ heraus〕 마각(馬脚)이 드러난다. **~futter** *n.* 말먹이. **~gebiß** *n.* (말 이빨처럼 유난히 크고 긴) 치열. **~geschirr** *n.* 마구(馬具). **~gesicht** *n.* 〖구어〗 말상, 긴 얼굴. **~haar** *n.* ① 말총. ② (말총같이 굵은) 머리카락. **~hai** *m.* 〖動〗 돌묵상어. **~händler** *m.* 말장수. **~huf** *m.* 말굽. **~junge** *m.* 마부. **~kamm** *m.* ↑ ~striegel. **~kenner** *m.* 말에 정통한 사람〔학자〕, 말장수. **~knecht** *m.* 마부. **~koppel** *f.* ① 한 떼의 말. ② 말의 방목장. **~kraft** *f.* 〖고어〗 ↑ ~stärke. **~krippe** *f.* 구유, 여물통. **~kunde** *f.* 말에 관한 지식〔학문〕. **~kundige*** *der* ↑ ~kenner. **~kur** *f.* 말의 치료; 〖비유〗 (환자의 고통을 돌보지 않은) 거친 치료(Roßkur); 과감한 개혁. **~länge** *f.* 말의 길이, 마신(馬身). **~leine** *f.* 말고삐. **~lenker** *m.* 마차 모는 사람. **~mähne** *f.* 말갈기. **~makler** *m.* 말 거간꾼, 말장수. **~mäkler** *m.* ↑ ~makler. **~markt** *m.* 마시(馬市), 말시장. **~mäßig** *a.* 말 같은; 〖비유〗 극도의, 대단한. **~mist** *m.* 말의 분뇨. **~natur** *f.* 〖구어〗 ① 강인한 체질. ② 강인한 체질의 소유자. **~-renn·bahn** *f.* 경마 트랙. **~rennen** *n.* 경마. **~schau** *f.* 말의 공진회(共進會). **~schlitten** *m.* 말이 끄는 썰매. **~schwanz** *m.* ① 말의 꼬리: 〖비유〗 포니 테일(조랑말 꼬리처럼 뒤로 늘어뜨린 소녀의 머리). ② 〖植〗 속새, 쇠뜨기. **~schwemme** *f.* 말 씻는 곳, 말에게 물을 먹이는 곳. **~sport** *m.* 말(이 사용되는) 경기. **~stall** *m.* 마구간, 외양간. **~stärke** *f.* 말의 힘; 〖物〗 마력(약어: PS, HP). **~staupe** *f.* 〖醫〗 말의 유행성 감기. **~striegel** *m.* 말 솔. **~tränke** *f.* ↑ ~schwemme. **~verleiher, ~vermieter** *m.* 말을 세놓는 사람, 말 대여자. **~wechsel** *m.* 말 갈아타기; 갈아타는 말. **~wirt** *m.* ① 마부. ② 마부업. **~zeug** *n.* 마구(馬具). **~zucht** *f.* 말 사육. **~züchter** *m.* 말을 기르는 사람.

..pferdig *suf.* "…마(력)의"의 뜻(보기: sechs~ 6 마력의).

Pferdlein *n.* -s, - 〖↑ Pferd 의 축소형〗 ↑ Pferdchen.

Pferd·sprung *m.* -(e)s 〖체조〗 안마, (안마의) 도약, 점프.

Pfette [pfɛ́tə] *f.* -n 〖건축〗 (Dachbalken) 도리(서까래·개판(蓋板) 따위를 받치는 나무).

pfetzen [pfɛ́tsən] ⟪♧ petzen⟫ *t.* (obd.) (kneifen) 꼬집다, 집다, 물다.

Pfiesel [pfí:zəl] ⟪♧ Pesel⟫ *m.* -s, - ① (obd.) 거실(Pesel). ② (제염소의) 건조실.

***Pfiff** [pfɪf] ⟪<pfeifen⟫ *m.* -(e)s, -e ① 날카로운 휘파람〔피리〕 소리: einen ~ tun 휘파람을〔피리를〕 불다. ② 〖구어·구식〗 **(a)** 계략, 속임수, 트릭, 요령: Kniffe und ~e 온갖 술책, 권모술수; den ~ heraushaben (어떤 일에) 정통하다. **(b)** (이목을 끄는) 포인트, 매력: ein Ding mit ~ 사람의 눈을 끄는〔멋진〕 것. ③ 〖비유〗 순간, 찰나; 사소한 일, 보잘것없는 일. ④ 액량(液量)의 단위(8 분의 1 리터): sich[3] einen ~ einschenken lassen 한 잔 따르게 하다.

pfiff ↑ pfeifen 의 과거형.

Pfifferling [pfɪ́fərlɪŋ] ⟪<Pfeffer⟫ *m.* -s, -e 〖植〗 살구버섯; 〖비유〗 무가치한 것: keinen ~ wert sein 전혀 아무런 가치도 없다; er kümmert sich nicht einen ~ darum 그는 그

것에 대해 전혀 관심이 없다.

pfiffig [pfífıç] 《<Pfiff》 *a.* (listig) 간교한, 교활한, 영리한, 요령이 좋은, 빈틈없는.

Pfiffigkeit *f.* -en 간교, 교활, 요령 좋음.

Pfiffikus [pfífikus] *m.* -, -se 〔농담〕 교활한 사람, 능청스러운〔빈틈없는〕 녀석.

Pfingst≈abend [pfíŋst..] *m.* 〖宗〗 성령 강림절 전야. **~bier** *n.* (민간에서 행하여지는) 성령 강림절 때의 주연(酒宴). **~blume** *f.* 〖植〗 ① 작약. ② 백수선화.

Pfingsten [pfíŋstən] 《gr., „der 50. Tag (nach Ostern)"》 *n.* -s, - 〖宗〗 성령 강림절, 오순절: ~ fällt dieses Jahr früh 올해는 성령 강림절이 일찍 온다; zu〔an〕 ~ 성령 강림절에; 〔농담〕 wenn Ostern und ~ auf einen Tag fallen... 결코 …하지 않다.

Pfịngst≈feiertag *m.* 성령 강림 축일: der erste ~ 성령 강림절 일요일; der zweite ~ 성령 강림절 월요일. **~fest** *n.* 성령 강림절.

pfingstlich [pfíŋstlıç] *a.* 성령 강림절의.

Pfịngst≈montag *m.* 성령 강림절 월요일〔둘째 날〕. **~ochse** *m.* ① 성령 강림절의 소(이 무렵에 소를 꽃으로 장식하여 여름의 방목지로 데려감); 〔폄어〕 멋을 내어 차려 입은 사람. ② 〔구어·폄어〕 wie ein ~ herausgeputzt〔aufgeputzt〕 지나치게 치장한. **~rose** *f.* 〖植〗 작약. **~schießen** *n.* 성령 강림절 사격 대회. **~sonntag** *m.* 성령 강림절 일요일〔첫째 날〕. **~tag** *m.* ↑ ~feiertag. **~verkehr** *m.* 성령 강림절 때의 교통 혼잡. **~vogel** *m.* ① 〖動〗 꾀꼬리. ② 성령 강림절 사격 대회에 표적으로 쓰는 나무로 만든 새. **~woche** *f.* 성령 강림절 주간. **~zeit** *f.* 성령 강림절 기간.

Pfinz·tag [pfínts..] 《gr.; „der Fünfte"》 *m.* (bayr.) 목요일(Donnerstag).

Pfirsche [pfírʃə] *f.* -n 복숭아의 열매.

Pfirsich [pfírzıç] 《lat.》 *m.* -(e)s, -e/(남독일) *f.* -e ① 〖植〗 복숭아 나무. ② 복숭아.

Pfịrsich≈baum *m.* 〖植〗 복숭아 나무. **~blüte** *f.* 복숭아꽃. **~blüten** *a.* 복숭아꽃(빛깔)의. **~bowle** *f.* 복숭아를 넣은 포도주 혼합 음료. **~farben** *a.* 복숭아 색의, 담홍색의. **~haut** *f.* ① 복숭아 껍질. ② 부드럽고 매끈한 장밋빛 얼굴 피부. ③ 〖섬유〗 듀베틴(표면에 보풀을 세운 천). **~kern** *m.* 복숭아의 씨. **~kraut** *n.* 〖植〗 봄여뀌.

Pfister [pfístər] 《lat. pistor, „Bäcker"》 *m.* -s, - 〔구식〕 빵 굽는 사람, 빵 제조업자.

Pfitzner [pfítsnər] *m.* Hans ~ 피츠너(독일의 작곡가, 1869-1949).

pflag [pfla:k] pflegen 의 과거형 pflegte 의 옛 형태.

Pflanz *m.* - (öst.) 속임수, 사기.

pflạnzbar *a.* 심을 수 있는; 경작이 가능한.

Pflänzchen [pflέntsçən] *n.* -s, - 〔↑ Pflanze 의 축소형〕 작은 식물, 어린 나무, 묘목: 〔반어〕 ein nettes ~ 버릇이 없는 놈, 나쁜 놈.

Pflanze [pflántsə] 《lat.》 *f.* -n ① 식물, 초목. ② 사람(Person): eine echte Berliner ~ 베를린 토박이; 〔반어〕 eine nette〔saubere, schöne〕 ~ 버릇 없는 놈, 나쁜 놈.

Pflạnz·eisen *n.* 〖원예〗 모종삽

pflanzen [pflántsən] 《I》 *t.* ① 심다; 재배하다; 초목을 심다, 식수(植樹)하다: Blumen aufs〔auf dem〕 Beet ~ 화단에 꽃을 심다; 〔비유〕 Haß in js. Brust ~ 누구의 가슴에 증오심을 심다. ② (확실하게) 세우다, 두다: die Fahne auf das Dach ~ 지붕에 깃발을 세우다; jm. die Faust ins Gesicht ~ 누구의 얼굴에 주먹을 날리다. ③ jm. eine ~ 누구를 한 방 갈기다. ④ (öst.) 〔구어〕 우롱하다, 바보 취급하다. ⑤ (pfropfen) 접목하다, 접붙이다. 《II》 *refl.* sich ~ 심어지다, 심어져 있다: 〔비유〕 sich aufs Sofa〔in einen Sessel〕 ~ 소파〔안락 의자〕에 털썩 앉다; sich vor jn. (hin) ~ 누구 앞에 버티어 서다.

Pflạnzen≈alkali *n.* 〖化〗 식물성 알칼리. **~anatomie** *f.* 식물 해부학, 식물 내부 형태학. **~art** *f.* 식물(의 종)류. **~artig** *a.* 식물류〔식물성〕의. **~base** *f.* 〖化〗 식물 염기, 알칼로이드. **~bau** *m.* 식물 재배. **~beet** *n.* 묘상(苗床), 화단. **~beschreibung** *f.* 식물 도해, 식물지(誌). **~butter** *f.* 식물성 유지, 마가린. **~daunen** *pl.* 케이폭(목화보다 가볍고 보온성이 풍부하여 이불속으로 사용). **~decke** *f.* (일정한 지역을) 뒤덮고 있는 식물. **~diät** *f.* 식물성 건강식. **~ei·weiß** *n.* 식물성 단백질. **~erde** *f.* 부식토, 썩은 땅, 옥토. **~esser** *m.* 채식(주의)자. **~exemplar** *n.* 식물 표본. **~extrakt** *m./*(전문어) *n.* 식물 추출물. **~faser** *f.* 식물 섬유. **~faser·stoff** *m.* (식물) 섬유소. **~fressend** *a.* 초식(草食)의. **~fresser** *m.* 초식 동물. **~geographie** *f.* 식물 지리학〔분포학〕. **~gift** *n.* 식물(성) 독. **~grün** *n.* 〖化〗 엽록소, 클로로필.

pflạnzenhaft *a.* 식물 같은, 식물성의.

Pflạnzen≈keim *m.* 식물의 싹, 맹아. **~kenner** *m.* 식물학자. **~kost** *f.* 식물성 식품. **~krankheit** *f.* 식물의 병. **~kunde** *f.* 식물학. **~leben** *n.* 식물의 삶; 〔비유〕 ein ~ führen 무위도식하다. **~lehre** *f.* ① 식물학. ② 식물학 교과서. **~milch** *f.* 식물 체내의 유액(乳液); 수액. **~nahrung** *f.* ↑ ~kost. **~öl** *n.* 식물성 기름. **~papier** *n.* 젤라틴 반창고. **~physiologie** *f.* 식물 생리학. **~reich** *n.* 식물계(↔ Tierreich, Steinreich). **~saft** *m.* ① 식물의 체액, 수액(樹液). ② 식물의 즙. **~sammler** *m.* 식물 채집자. **~sammlung** *f.* 식물 채집; 식물 표본집. **~schleim** *m.* 식물 점액질(質). **~schutz** *m.* ① 식물 보호 (조처). ② (야생 식물에 의한) 식물학적 자연 보호. **~schutz·mittel** *n.* 식물의 병충해 방제 약품(농약 따위). **~soziologie** *f.* 식물 사회학〔군락학〕. **~stoff** *m.* 식물성 소재. **~system** *n.* 식물 계통〔분류〕. **~tiere** *pl.* (산호·해면 같은) 식물성 동물. **~wachs** *n.* 식물성 납. **~wachstum** *n.* 식물의 생장. **~welt** *f.* 식물계. **~wuchs** *m.* ① 식물의 생장〔성장〕. ② (일정한 지역의) 식물〔초목〕(의 전체). **~zucht** *f.* 식물 재배.

Pflanzer [pflántsər] *m.* -s, - ① (초목을) 심는 사람, 재배자. ② 정착〔이주〕민. ③ (해외의) 농장 소유자. ④ 〖원예〗 ↑ Pflanzholz.

Pflạnzerin *f.* -nen ↑ Pflanzer 의 여성형.

Pflạnz≈garten *m.* 재배지, 종묘원. **~holz** *n.* 〖원예〗 파종 꼬챙이. **~kartoffeln** *pl.* 씨감자.

Pflänzlein [pflέntslaın] *n.* -s, - ↑ Pflänzchen.

pflanzlich *a.* 식물(성)의.

Pflänzling [pflέntslıŋ] *m.* -s, -e ① (옮겨 심기 위한) 묘목, 어린 나무; 싹. ② (학교를 떠나는) 제자, 학생.

Pflanz≈ort *m.* ① 식물을 심는 땅, 재배지. ② 식민지(Kolonie). **~reis** *n.* ① (옮겨 심기 위한) 묘목. ② 접지, 접수(椄穗). **~schule** *f.* ① 재배지, 종묘원(種苗園). ②〖비유〗양성소(Pflegestätte): ~ für Verbrechen 범죄의 온상. **~staat** *m.* 식민지. **~stadt** *f.* (고대 그리스의) 식민 도시. **~stätte** *f.* 재배지, 종묘원; 양성소. **~stock** *m.* ①〖원예〗파종 꼬챙이. ② 벌통.

Pflanzung [pflántsʊŋ] *f.* -en ① 식물 심기, 재배, 식수, 조림. ② (인공) 조림 지역, 재배지: eine ~ bewässern 조림지에 물을 주다. ③ 플랜테이션 농업, 농장. ④ 식민, 식민지.

Pflanz≈volk *n.* 식민, 이민. **~wetter** *n.* 모종에 적당한 기후. **~zeit** *f.* 모종기, 재배기.

***Pflaster** [pflástər] 《lat.》 *n.* -s, - ① (a)〖藥〗반창고, 고약: ein ~ aufkleben〔auflegen〕 반창고를 붙이다. (b) 진통제, 완화제; 위로, 위안: jm. et. als ~ (auf seine Wunde) geben 누구에게 무엇을 주어 (상처를) 위로하다; ein ~ bekommen (손해를) 보상받다. ② (도로의) 포석(鋪石), 포장; 포장 도로: ~ legen (도로를) 포장하다;〖구어〗das ~ wurde ihm zu heiß (unter den Füßen) 그는 신변의 위험을 느꼈다; ~ treten 장시간 시내를 배회하다; ein teures ~ 생활비가 비싼 곳; ein gefährliches ~ 위험한 곳; jn. auf das ~ werfen 누구를 거리로 내쫓다, 해고하다; (wieder) auf dem ~ sitzen (다시) 실업자가 되다. ③ (a) 나무의 상처에 바르는 회반죽(Baum≈). (b)〖軍〗기름 형겊.

Pflaster·arbeit *f.* (도로) 포장 (공사).

Pflästerchen [pflέstərçən] *n.* -s, -〖↑ Pflaster의 축소형〗① 작은 고약〔반창고〕. ② (Schönheits≈) 미점(美點)(얼굴에 바르거나 붙이는 점). ③ 상해 보상금, 위자료.

Pflasterer *m.* -s, - (도로) 포장 공사 인부〔업자〕.

Pflästerer [pflέstərər] *m.* (schweiz.) ↑ Pflasterer.

Pflaster≈geld *n.* 포장 도로 유지세(稅). **~käfer** *m.*〖動〗가뢰과(科). **~kasten** *m.* ① 고약 상자. ②〖방언〗외과 의사; 위생병; 군의관. **~kocher** *m.*〖폄어〗약제사; 돌팔이〔엉터리〕 의사(Quacksalber).

Pflästerlein *n.* -s, - ↑ Pflästerchen.

Pflaster≈maler *m.* (인도(人道) 등에 그림을 그리는) 보도(步道) 화가. **≈müde** *a.* ① (시내를) 돌아다녀 지친. ② 도회 생활에 지친.

pflastern [pflástərn] *t.* ① 고약을〔반창고를〕 붙이다: eine Wunde ~ 상처에 고약을 붙이다; Stiefel ~ 장화에 가죽 조각을 대다;〖비유〗jm. eine ~ 누구의 따귀를 갈기다. ② 포장하다, 포석을 깔다:〖구어〗mit Akademikern kann man heute die Straße ~ 요즘은 길에 깔린 것이 대졸자들이야. ③ 포격〔총격〕하다.

pflästern [pflέ..] *t.* (schweiz.) ↑ pflastern.

Pflaster≈ramme *f.* (도로) 포장용 망치. **~schere** *f.*〖醫〗고약 가위. **~setzer** *m.* (도로) 포장 인부. **~stein** *m.* ① 도로 포(장)석. ② 후추 과자. **~straße** *f.* 포장 도로. **~-streicher** *m.* ① 도로 포장 인부. ② ↑ ~kocher. **~treter** *m.*〖구어·폄어〗시내를 배회하는 사람; 빈둥거리는 사람; 부랑자.

Pflasterung [pflástərʊŋ] *f.* -en ① 고약 바르기. ② 포(장)석, 포장; 포장 도로.

Pflästerung [pflέ..] *f.* (schweiz.) ↑ Pflasterung.

Pflaster≈weg *m.* 포도(鋪道). **~ziegel** *m.* (길이나 건물 바닥에 까는) 포장용 벽돌.

Pflatsch [pflatʃ] *m.* -es, -e (obd.) ① 웅덩이, 습지. ② 소나기, 장대비. ③ 흙탕물이 튀긴 얼룩.

Pflatschen [pflátʃən] *n.* -s, - ↑ Pflatsch.

pflatschen 《I》 *i.* (s.) ① (obd.) (비가) 억수같이 내리다. ② (obd.) (물 위에) 철썩 떨어지다. 《II》 *t.* 진한 물감으로 물들이다.

Pfläumchen [pflɔ́ʏmçən] *n.* -s, -〖↑ Pflaume의 축소형〗① 작은 자두. ②〖비유〗놀림, 조롱.

***Pflaume** [pfláʊmə] 《lat.》 *f.* -n ①〖植〗자두, 오얏: gedörrte ~ 말린 오얏;〖속담〗die ersten ~n sind immer madig 첫번째 자두는 늘 벌레먹은 것이다, 초장 끗발은 개끗발이다 (카드·도박판의 속어). ②〖비속〗빈정거리는〔경멸의〕 말. ③〖비속〗질, 외음부. ④〖폄어〗무능하고 유약한 사람.

pflaumen [pfláʊmən] *i.* (h.) 빈정거리다, 놀리다.

Pflaumen≈august *m.*〖구어·폄어〗바보 같은〔우둔한〕 남자. **~baum** *m.* 자두나무. **~-blüte** *f.* 자두나무꽃. **~brannt·wein** *m.* 자두로 담은 화주〔브랜디〕. **~kern** *m.* 자두의 씨. **~kuchen** *m.* 자두를 넣은 과자. **~mus** *n.* 자두 잼. **~schnaps** *m.* 자두 화주. **≈-weich** *a.* (익은) 오얏처럼 부드러운;〖구어·폄어〗우유부단한, 유약한.

Pfläumlein *n.* -s, - ↑ Pfläumchen.

***Pflege** [pflé:gə] 《<pflegen》 *f.* -n ① 돌봄; 양육, 부양; 병구완, 간호; (학문의) 보호, 육성, 진흥, 장려; (빈민의) 구호; 재배; 손질, 관리: ~ des Kindes 어린아이의 양육; ~ der Gesundheit 보건; ~ des Leibes 몸을 돌보기, 섭생; ein Kind in ~ geben〔nehmen〕 아이의 양육을 맡기다〔맡다〕, 아이를 양자로 주다〔받다〕; einem Kranken gute ~ angedeihen lassen 환자를 잘 간호하다〔돌보다〕. ② (schweiz.)〖구식〗(관리의) 직책, 관할 구역.

Pflege≈amt *n.* 사회 복지국. **~bedürftig** *a.* 부양을〔구호를〕 요하는; 손질을 요하는. **~-befohlene*** *der/die* 피보호자, 피부양자, 보호가 필요한 사람〔환자〕. **~eltern** *pl.* 양(養)부모. **~fall** *m.* (죽을 때까지) 보호가 필요한 환자. **~geld** *n.*〖法〗(재해 보험에 따른) 상해 수당. **~heim** *n.* 구호 시설, 양호원. **~kind** *n.* 양자; 피후견인. **≈leicht** *a.* (의복·기계 따위가) 손질이 쉬운:〖경박·농담〗ein ~er Typ 까다롭지 않은 사람. **~mutter** *f.* ① 양어머니. ② 보모(保姆).

***pflegen**(*) [pflé:gən] 《I》 *t.*〖옛날에는 2격을 지배하는 자동사로도 쓰였음〗〖약변화〗① 돌보다, 양육〔부양〕하다; 간호하다, 보호〔장려〕하다, 육성하다, 손질하다, (기계·건물을) 관리〔보관〕하다: ein gepflegtes Äußeres 말끔한〔잘 손질된〕 외모; das Haar ~ 머리를 매만지다; die Künste und Wissenschaften ~ 예술과 학문을 장려하다; ein gepflegtes Deutsch 바르고 정확한 독일어; seinen Leib〔seines Leibes〕 ~ 몸을 돌보다, 건강에 신경쓰다, 섭생하다. ② *refl.* sich ~ (a) 몸을 돌보다, (b) 외모를 잘 가꾸다. ③ *t./i.* (h.)〖2격 지배〗(강변화: pflog/pflag, gepflogen) 애써 유지하다,

계속하다, (행)하다: der Ruhe ~ 휴식을 취하다; eines Amtes ~ 어떤 직무를 (계속) 맡다; mit jm. Freundschaft ~ 누구와 우정을 지속하다; mit jm. Umgang ~ 누구와 교제하다; mit jm. Rats ~ 누구와 상담〔상의〕하다. 《Ⅱ》 *i.* (h.) 〚약변화; zu 부정사와 함께〛 (…하는) 버릇이 있다, 습관적으로 …하다: zum Essen pflegt er zu trinken 그는 식사 때 술 마시는 버릇이 있다; wie man zu sagen pflegt 흔히 말하듯이; wie es so zu geschehen pflegt (세상에) 흔히 있듯이; so pflegt es meist zu gehen 〔geschehen〕 세상이란 대개 그런 법이다. 《Ⅲ》 **gepflegt** *p.a.* ↑ gepflegt.

Pflege·personal *n.* 간병인, 간호 요원.

Pfleger [pflé:gər] *m.* -s, - ① 돌보는 사람; 양육자, 부양자; 후견인; (학예) 보호자; (빈민) 구호자; (Kranken≈) 간호사, 간병인; (동물) 사육사. ② (재산·소유지 따위의) 관리인; (직무 따위의) 집행자; 지방 장관(Land≈). ③ 〚방언〛 부(副)목사, 부사제(副司祭). ④ (권투) 세컨드.

Pflegerin *f.* -nen 〚↑ Pfleger 의 여성형〛 ① 여자 사육사. ② 간호사. ③ 보모.

pflegerisch [pflé:gərɪʃ] *a.* (남을) 도와 주기 좋아하는; 양육자의; 간호(인)의; 보호하는.

Pflege≈satz *m.* 병원 입원에 따른 (보험의) 총 지급 기준액. **~sohn** *m.* 양자. **~station** *f.* 병실, 병동. **~stätte** *f.* 문화재 보존소. **~-tochter** *f.* 양딸. **~vater** *m.* 양아버지. **~-versicherung** *f.* 간호 보험.

pfleglich [pflé:klɪç] *a.* ① 세심한, 꼼꼼한, 조심스러운; 경제적인, 검소한. ② (md.) 보통의, 관행의.

Pflegling [pflé:klɪŋ] *m.* -s, -e ① 피보호자, 피부양자. ② 양자, 수양아들. ③ 사육 동물, 재배 식물.

pflegsam [..za:m] *a.* 신중한, 세심한.

Pflegschaft *f.* -en ① 보호; 후견. ② 〚法〛 (금치산자 등의) 재산 관리(Kuratel).

***Pflicht**[1] [pflɪçt] 《<pflegen》 *f.* -en ① 의무, 본분, 책임; 직무(Amts≈); 근무(Dienst≈): auf ~ und Gewissen 충실히, 성심성의로; einem Verstorbenen die letzte ~ abstatten 고인의 장례에 참석하다; 〚雅語〛 jn. in die ~ nehmen 누구에게 의무〔과제〕를 부과하다; jm. et. zur ~ machen 누구에게 무엇의 이행을 명령하다; (verdammte) ~ und Schuldigkeit 당연한 의무. ② (obd.) (Zins) 조세; 이자. ③ 〚드물게〛 본래의 모습〔양식〕, 평상시 상태: alles ist wieder in seiner ~ 모든 것이 다시금 본래의 모습으로 되돌아와 있다. ④ 〚체조·피겨스케이트〛 규정 연기〔종목〕.

Pflicht[2] 《lat.》 *f.* -en 〚海〛 앞 갑판.

Pflicht≈anker *m.* 중심 닻; 비상〔예비〕 닻. **~anteil** *m.* 몫, 분담(액), 할당(금); 〚軍〛 분견대, 분견 함대. **~arbeit** *f.* 의무 노동. **~-beitrag** *m.* ↑ ~anteil. **~besuch** *m.* 의무적〔의례적〕인 방문. **≈bewußt** *a.* 의무감〔책임감〕 있는; 양심적인. **~bewußtsein** *n.* 의무〔책임〕감. **~bruch** *m.* 의무 불이행; 불충, 부정(不貞). **≈brüchig** *a.* 의무를 위반한, 부정(不貞)의. **~eifer** *m.* 의무〔직무〕 수행의 열의. **≈eifrig** *a.* 열심히 의무를 수행하는. **~-einstellung** *f.* 의무 고용.

Pflichten≈kreis *m.* 책임 범위. **~lehre** *f.* 〚哲〛 의무론; 윤리학. **~wider·streit** *m.* 의무의 상호 충돌.

Pflicht≈erfüllung *f.* 의무〔직무〕 이행〔수행〕. **~exemplar** *n.* (도서관에의) 납본(納本). **~fach** *n.* 필수 과목. **≈frei** *a.* 의무가 없는 〔면제된〕. **~gebot** *n.* 도덕〔양심〕의 명령. **~gefühl** *n.* 의무감. **≈gemäß** *a.* 의무에 따른〔알맞은〕; 의무적인, 당연한. **≈getreu** *a.* 의무에 충실한, 본분을 지키는.

pflichtig [pflíçtɪç] *a.* 의무가 있는, 의무를 진.

..pflichtig *suf.* "…의 의무를 진"의 뜻(보기: schul~ 취학 의무가 있는).

Pflicht≈jahr *n.* (나치 때 소녀의) 의무 가사 노동의 해. **~korn** *n.* 공물로 바치는 곡물. **~kür** *f.* 〚피겨스케이트〛 규정 종목. **~lauf** *m.* 〚피겨스케이트〛 규정 연기. **~laufen** *n.* ↑ ~lauf. **~leistung** *f.* ① 의무의 이행. ② 충성의 서약. ③ 납세. ④ 사회 보험의 법정 최저액. ⑤ 〚구동독〛 규정 업무량. **~lektüre** *f.* 필독서.

pflichtlos *a.* ① ↑ pflichtfrei. ② ↑ pflichtwidrig.

pflicht≈mäßig *a.* ↑ ~gemäß. **≈platz** *m.* (신체 장애자를 위한) 의무 고용 일자리. **≈-reserve** *f.* 〚經〛 (주식 회사의) 법정 준비금. **~schuldig** *a.* 의무상〔의례상〕 당연한: eine ~e Höflichkeit 당연히 베풀어야 할 친절.

Pflicht≈stück *n.* ↑ ~exemplar. **~teil** *n./m.* 〚法〛 법정 상속분. **≈treu** *a.* ↑ ≈getreu. **~treue** *f.* 의무에 대한 충실, 책임감. **~-übung** *f.* 〚피겨스케이트·체조〛 규정 연기. **~umtausch** *m.* 의무 환전(액). **≈verges-sen** *a.* 의무를 망각한, 직무 태만의. **~ver-gessenheit** *f.* 의무 망각, 직무 태만. **~verletzung** *f.* 의무 위반. **~versäumnis** *f.* 의무〔직무〕 태만. **≈versichert** *a.* 의무 보험에 가입한. **~versicherung** *f.* 〚法〛 의무〔강제〕 보험. **~verteidiger** *m.* 〚法〛 국선 변호인. **≈widrig** *a.* 의무에 위반되는, 본분에 어긋나는. **~widrigkeit** *f.* 의무 위반.

***Pflock** [pflɔk] *m.* -(e)s, Pflöcke [pflœkə] (작은) 말뚝; 나무못, 쐐기: 〚구어〛 einen ~ 〔ein paar Pflöcke〕 zurückstecken 적은 요구를 하다; einen ~ davorstecken (무엇을) 저지하다.

Pflock·ahle *f.* (구둣방의) 송곳.

Pflöckchen [pflœkçən] *n.* -s, - 〚↑ Pflock 의 축소형〛 작은 말뚝; 작은 나무못.

pflocken [pflɔ́kən], **pflöcken** [pflœkən] *t.* ① 나무못으로 고정시키다, 나무못을 박다. ② Bäume ~ 나무의 우듬지를 치다.

Pflock·holz *n.* (제화용의) 나무못으로 쓰이는 재목.

Pflöcklein *n.* -s, - ↑ Pflöckchen.

pflog [pflo:k] ↑ pflegen 의 과거형.

pflöge [pflø:gə] ↑ pflegen 의 접속법 Ⅱ식.

Pflotsch [pflɔtʃ] *m.* -(e)s (schweiz.) ① 질척질척한 눈. ② (도로 위의) 진창.

PFLP 《engl.》 = Popular Front for the Liberation of Palestine 팔레스타인 해방 인민 전선.

Pflücke [pflʏ́kə] 《<pflücken》 *f.* -n (schwäbisch) (과일 따위의) 수확, 추수.

***pflücken** [pflʏ́kən] *t.* ① 털을 뽑다〔뜯다〕: Vögel ~ 새의 털을 뽑다; 〚비유〛 ein Hühnchen mit jm. zu ~ haben 누구에게 할 말이

있다. ② (꽃·과실을) 따다, 꺾다, 떼내다.
Pflụcker *m.* -s, - (과일·차·면화를) 따는〔수확하는〕 사람〔기구〕.
Pflụckerin *f.* -nen ↑ Pflücker 의 여성형.
Pflück≈reife [pflʏ́k..] *f.* 수확에 적합한 상태. **~salat** *m.* 상추.
Pflücksel [pflʏ́ksəl] *n.* -s, - 따낸 부스러기.
Pflüder [pflʏ́:dər] *m.* -s (schweiz.) 진창.
*__Pflug__ [pflu:k] *m.* -(e)s, Pflüge [pflʏ́:gə] ① 보습, 쟁기: 〖비유〗 beim ~ bleiben 본분을 지키다; die Hand an den ~ legen 일에 착수하다; die Ochsen hinter den ~ spannen 본말을 전도하다; 〖雅語〗 unter dem〔den〕 ~ sein〔kommen〕 경지로 이용되고 있다〔경지가 되다〕. ② **(a)** 〖海〗 키. **(b)** 〖史〗 부역으로 하는 밭갈이 일꾼. **(c)** (Hufe) 플루크(지적의 단위; 한 쟁기가 1년 동안 갈 수 있는 넓이). **(d)** (스키의) 전제동(全制動). ③ (ndd.) (특히 이탄(泥炭) 채굴 때) 감독 한 명이 통솔하는 한 무리의 노동자.
Pflug≈arbeit *f.* 쟁기질, 땅을 갊. **~balken** *m.* ↑ ~baum. **~baum** *m.* 쟁깃술.
pflugbar *a.* 갈 수 있는, 경작에 알맞은.
pflügbar [pflʏ́:kba:r] *a.* ↑ pflugbar.
Pflug·eisen *n.* 쟁기의 날, 보습.
*__pflügen__ [pflʏ́:gən] 《I》 *t./i.* (h.) ① 쟁기로 파헤치다; 갈다, 경작하다; 고랑을 만들다: 〖비유〗 die Luft〔den Sand, das Wasser〕 ~ 헛수고하다; mit fremdem Kalb ~ 남의 소로 쟁기질하다; 〖비유〗 남의 업적을 이용하다. ② 〖비유〗 **(a)** 파 뒤집다; 파괴하다. **(b)** (얼굴을) 찌푸리다. **(c)** 가르다, 헤치고 가다: das Meer ~ 파도를 헤치고 나아가다. ③ 〖海〗 바다 밑을 훑으며 지나가다. 《II》 *refl.* sich ~: ein Dampfer pflügt sich durch das Wasser〔die Wellen〕 기선이 바닷물을〔파도를〕 가르며 나아간다.
Pflüger *m.* -s, - 쟁기질하는〔밭가는〕 사람; 농민.
Pflug≈land *n.* 경지(耕地). **~messer** *n.* ↑ ~schar. **~rodel** *m.* 보습 청소기. **~schar** *f.* ① 쟁기의 날, 보습. ② 〖해부〗 (코의) 서골(鋤骨), 보습뼈. **~schar·bein** *n.* ↑ ~schar ②. **~sterz** *m.* ① 쟁기의 자루. ② 〖植〗 지중해 연안산(産)의 콩과(科)에 딸린 풀(Ononis 속(屬)).
pfnausen *i.* (h.) (obd.) 가쁘게 숨쉬다.
Pfnüsel *m.* -s, - 〖방언〗 코감기.
Pfort·ader [pfɔ́rt..] *f.* 〖해부〗 문정맥(門靜脈).
Pförtchen [pfœ́rtçən] *n.* -s, - 〖↑ Pforte 의 축소형〗 작은 문, 쪽문.
*__Pforte__ [pfɔ́rtə] 《lat. porta》 *f.* -n ① (작은) 문, 입구; 현관: eine Ausstellung öffnet ihre ~n 전시회가 열린다; die enge〔schmale〕 ~ 좁은 문; 〖雅語〗 seine ~n schließen 폐점〔폐업〕하다. ② **(a)** 〖지리〗 (두메 산골의) 좁은 길, 산간의 저지〔분지〕, 골짜기: Burgundische ~ 부르고뉴 분지. **(b)** 〖시어〗 문, 문턱: die ~ des Lebens 삶의 문턱. ③ 〖해부〗 간문맥(肝門脈) (Leber≈). ④ 〖海〗 현문(舷門); (군함의) 포문(Stück≈). ⑤ die (Hohe) ~ 터키 왕궁, (1918 년까지의) 터키 정부. ⑥ (obd.) 도시의 감옥.
Pforten·ring *m.* (노크하기 위한) 문에 달린 둥근 고리.
Pförtlein *n.* -s, - 〖↑ Pforte 의 축소형〗 ↑ Pförtchen.
Pförtner [pfœ́rtnər] *m.* -s, - ① 문지기, 수위; 정문 접수계. ② 〖해부〗 유문(幽門). ③ 〖방언〗 간수.
Pförtnerin *f.* -nen ↑ Pförtner 의 여성형.
Pförtner≈klappe *f.* 〖해부〗 유문(幽門) 괄약근. **~loge** *f.* 수위실.
Pforzheim 포르츠하임(독일 바덴뷔르템베르크(Baden-Württemberg) 주의 공업 도시).
Pföstchen *n.* -s, - 〖↑ Pfosten 의 축소형〗 작은 기둥.
Pfoste [pfɔ́stə] *f.* -n ↑ Pfosten.
*__Pfosten__ [pfɔ́stən] 《lat. postis.》 *m.* -s, - ① 〖건축〗 수직재(垂直材); 기둥, 지주(支柱); 버팀목: Tür≈ 문설주. ② 〖스포츠〗 골문, 골포스트: zwischen den ~ stehen 골문을 지키다, 골키퍼를 맡다.
Pfötchen [pfǿ:tçən] *n.* -s, - 〖↑ Pfote 의 축소형〗 ① 작은 (앞)발: der Hund gibt das ~ 개가 앞발을 내민다. ② (어린이의) 작은 손, 귀여운 손.
Pfote [pfó:tə] *f.* -n ① (동물의) 발, 앞발. ② 〖경박·폄어〗 손: sich³ die ~n waschen 손을 씻다; sich³ die ~n nach et.³ lecken 무엇을 욕심내다; sich³ an〔bei〕 et.³ die ~n verbrennen 무엇으로 애먹다〔따끔한 맛을 보다〕; jm. auf die ~n klopfen〔eins auf die ~n geben〕 누구를 따끔하게 꾸짖다; sich³ et. aus den ~n saugen 무엇을 날조하다. ③ 〖구어〗 악필.
Pfötlein *n.* -s, - ↑ Pfötchen.
Pfriem¹ [pfri:m] *m.* -(e)s, -e ① (구두장이의) 송곳, 구멍 뚫는 연장: 〖옛뜻〗 Meister ~ 구두장이. ② 〖드물게〗 쐐기(Keil); 키. ③ 〖비유〗 **(a)** 가늘고 길며 앞이 뾰족한 경지(耕地). **(b)** 〖動〗 죽순고둥과(科)의 한 종류.
Pfriem² *m.* -(e)s, -e 〖植〗 금작화(Ginster).
Pfrieme [pfrí:mə] *f.* -n ↑ Pfriem¹, Pfriem².
pfriemeln *i.* (h.) / *t.* 〖방언〗 손가락으로 이리저리 돌리다, 비비 꼬다.
Pfriemen *m.* -s, - ↑ Pfriem¹.
pfriemen *t.* 큰 침〔송곳〕으로 찌르다〔뚫다〕.
Pfriemen≈gras *n.* 〖植〗 아프리카 나래새(밧줄·바구니·베·종이의 원료). **~kraut** *n.* 〖植〗 금작화의 일종. **~schnecke** *f.* 〖動〗 ↑ Pfriem¹ ③(b).
pfriemen≈spitzig *a.* 송곳처럼 뾰족한. **~strauch** *m.* ↑ Pfriem².
Pfrill [pfrɪl] *m.* -s, -e ↑ Pfrille.
Pfrille [pfrílə] *f.* -n 〖動〗 연준모치.
*__Pfropf__¹ [pfrɔpf] 《<pfropfen¹》 *m.* -(e)s, -e 〖원예〗 접지(接枝), 접수(接穗), 접목.
Pfropf² *m.* -(e)s, -e (관통을 막는) 작게 뭉친 덩어리; 〖醫〗 핏덩어리, 혈전(血栓).
Pfropf·bastard *m.* 〖원예〗 접목 잡종.
Pfröpfchen [pfrœ́pfçən] *n.* -s, - ↑ Pfropf² 의 축소형.
*__Pfropfen__ [pfrɔ́pfən] 《I》 *m.* -s, - ① ↑ Pfropf¹. ② (코르크) 마개; 〖軍〗 (포나 총구의) 마개; 〖건축〗 자른 기둥의 덧댄 부분; 〖농담〗 뚱보, 땅딸보: 〖비유〗 auf dem ~ sitzen 곤궁에 처하다; die ~ knallen lassen 샴페인을 마구 터뜨리다〔들이켜다〕; jn. am ~ riechen lassen (마개 냄새만 맡게 하고) 아무것도 주지 않다; das ist für den ~ 그것은 아무런 도움도 되지 않는다. 《II》 *n.* -s ① 접목, 접지, 이

식. ② 마개 막기; 채우기, 충전.

pfropfen[1] [pfrɔ́pfən] ⟪lat. propagare⟫ *t.* ① 〖원예〗 접지〔접목〕하다, 접붙이다: einen jungen Zweig auf einen Baum ~ 나무에 어린 가지를 접목하다. ② 이식하다.

pfropfen[2] ⟪<Pfropf[2]⟫ *t.* ① (…에) 마개를 막다: Flaschen ~ 병을 마개로 막다. ② 채우다; 쑤셔 넣다: Sachen in einen Koffer ~ 트렁크에 물건들을 채워 넣다; gepfropft voll 만원인. ③ 〖건축〗 잇다, 잇대다.

Pfropfen≈geld *n.* (Korkgeld) (마개를 따주고 받는) 팁. **~zieher** *m.* 마개뽑이.

Pfröpflein *n.* -s, - 〖↑ Pfropfen의 축소형〗 작은 마개.

Pfröpfling [pfrœ́pflɪŋ] ⟪<Pfropf[1]⟫ *m.* -s, -e 〖원예〗 접목 묘목; 접지(接枝).

Pfropf≈messer *n.* 접목용 칼. **~reis** *n.* 접수(接穗), 접지. **~schule** *f.* 묘포(苗圃).

Pfründe [pfrýndə] ⟪lat. provenda⟫ *f.* -n ① 〔고어〕 영주가 주는 녹(祿), 부조금. ② **(a)** 〖가톨릭〗 성직록(聖職祿), 교회록. **(b)** (녹(祿)을 받는) 성직(聖職). ③ 〔구식〕 (양로원 따위에서의) 무료 급양; 불로소득: diese Stellung ist für ihn eine fette ~ 이 자리는 그에게는 놀고 먹는 자리다.

Pfründen·besetzungs·recht *n.* 목사(牧師) 추천권.

Pfründer *m.* -s, - (schweiz.) ↑ Pfründner.

Pfründ·haus *n.* ① 목사 저택(Pfarrhaus). ② 양로원, 복지 시설.

Pfründner *m.* -s, - ① 교회록〔성직록〕 수령자. ② 〔구식·방언〕 양로원〔복지 시설〕 수용자.

Pfründnerin *f.* -nen 여자 양로원 수용자.

Pfuhl [pfu:l] *m.* -(e)s, -e ① 큰 웅덩이, (더러운) 못; 늪: 〖聖〗 der feurige ~ 지옥의 불바다. ② (obd.) **(a)** 분뇨(거름). **(b)** 쓰레기. ③ 〔비유〕 불결한 곳, 암흑가: der ~ der Großstadt 대도시의 암흑가.

Pfühl [pfy:l] *m./n.* -(e)s, -e ① 〔시어〕 베개; (Polster) 쿠션, 시트; 〔비유〕 침대, 잠자리; 안락 의자. ② 〖건축〗 쇠시리 조형.

pfühlen *t.* 잠자리에 눕히다: weich gepfühlt 푹신한 침상에서 잠을 잔.

Pfuhl·fisch *m.* 〖動〗 미꾸라지(Schlammbeißer).

*__pfui__ [pfʊɪ] *int.* ① 피, 체, 퉤(혐오·분노·경멸의 표현): ~ rufen 퉤 소리를 내다; ~ über dich! 에잇, 요 빌어먹을 자식!; ~ Teufel ~ 피, 망할 놈의 것. ② 관둬, 손대지 마: ~, laß das! 관둬, 내버려두라구!

Pfui *n.* -s, -s 피〔체·퉤〕 소리.

Pfui·ruf *m.* 피〔체·퉤〕하는 외침, 야유 소리.

Pfülbe *f.* -n ↑ Pfulmen.

Pfülme *f.* -n ↑ Pfulmen.

Pfulmen [pfúlmən] *m.* -s, - (schweiz.) 베개.

*__Pfund__ [pfʊnt] ⟪lat.⟫ *n.* -(e)s, -e/(수량·가격) - (약어: Pfd.) ① 파운드(독일: 500 g, 영미: 454 g): 2 ~ Salz 2 파운드의 소금; ein gutes 〔knappes〕 ~ 1 파운드는 족히 나가는〔못 나가는〕 무게. ② 파운드(영국 화폐 단위; 기호 £): 〔비유〕 sein ~ vergraben 재능을 썩히다(마태 25:18); mit seinem ~e wuchern 재능을 활용하다(누가 19:11). ③ (축구의) 강슛; 강한 슈팅력.

Pfund≈apfel *m.* 큰 사과. **~birne** *f.* 큰 배.

Pfündchen [pfýntçən] *n.* -s, - ↑ Pfund의 축소형.

..pfünder *suf.* 〔수사에 붙어〕 ① "…파운드로 무게를 재는 것(빵·동물·사람)"의 뜻(보기: Acht~ 8 파운드짜리 동물, 체중이 8 파운드인 신생아). ② 〔고어〕 "…파운드의 포탄을 장착한 대포"의 뜻(보기: Zehn~ 10 파운드포).

Pfund≈gewicht *n.* 파운드량. **~hefe** *f.* 독일 〔압착〕 효모(酵母).

pfundig [pfúndɪç] *a.* 멋진, 근사한, 굉장한: ein ~er Kerl 멋진 녀석; das hast du ~ gemacht! 자네가 멋지게 해냈군!

..pfündig *suf.* 수사에 붙어 "무게가 …파운드인"의 뜻(보기: ein~ 1 파운드의).

Pfund≈leder *n.* (파운드 단위로 파는) 구두창 가죽. **~note** *f.* 1 파운드짜리 지폐.

Pfunds·kerl *m.* 멋진〔근사한〕 녀석.

Pfund≈spaß *m.* 〔구어〕 굉장한 재미. **~stein** *m.* 1 파운드의 돌 분동(分銅)〔저울추〕.

Pfund Sterling [pfúnt ʃtέrlɪŋ] *n.* -(e)s -, - 영국의 통화 단위 파운드의 정식 명칭(약어: Pfd. St., 기호: £).

pfund·weise *adv.* 파운드 단위로.

Pfusch·arbeit [pfúʃ..] *f.* 〔구어·폄어〕 서투른 일; 서투른 솜씨.

*__pfuschen__ [pfúʃən] ⟪I⟫ *i.* (h.) 〔의성어〕 ① 슈 소리를 내다, (화약이) 불발로 끝나다. ② (h./s.) 획 지나가다. ③ **(a)** (천 따위가) 쭉 찢어지다. **(b)** 〔구어·폄어〕 서투르게〔솜씨 없게〕 일하다, 날림으로 일하다; 서투르게 연주하다: bei der Reparatur ~ 날림으로 수리하다; jm. ins Handwerk ~ 누구의 일에 간섭하다〔누구의 세력 범위를 침범하다〕. ④ 〖카드〗 속이다: das ist gepfuscht! 이것은 속임수다! ⑤ 〖農〗 (땅을 갈아) 그루를 뒤엎다. ⑥ 〔방언〕 커닝하다: er wurde beim Pfuschen ertappt 그는 커닝하다 들켰다. ⑦ (öst.) 불법 노동을 하다. ⟪II⟫ *t.* ① 서투르게〔솜씨 없게〕 만들다, 잘못 만들다. ② 〖農〗 (그루를) 갈아 뒤엎다. ③ 훔치다, 횡령하다.

Pfuscher *m.* -s, - ① 쉿하는 소리를 내기 (Zischen). ② (↔ Meister) 날림으로 일하는 사람, 서투른 일꾼; 돌팔이 의사. ③ 〖카드〗 속임수를 쓰는 사람; 〔비유〕 야바위꾼.

Pfuscherei [pfuʃəráɪ] *f.* -en 〔구어·폄어〕 ① 날림일, 서툰 작업. ② 〔방언〕 눈속임, 커닝. ③ 졸작.

pfuscherhaft [pfúʃərhaft] *a.* 서투른, 졸렬한, 날림의; 본업이 아닌.

Pfuscherin *f.* -nen ↑ Pfuscher의 여성형.

pfutsch *a.* (futsch) 상실한, 없어진.

Pfützchen [pfýtsçən] *n.* -s, - 〖↑ Pfütze의 축소형〗 작은 웅덩이.

Pfütze [pfýtsə] *f.* -en ① (더러운 물이 괸) 웅덩이. ② 〖광산〗 **(a)** 구덩이에 괸 물. **(b)** ↑ Pfützeimer. ③ 〔구어〕 (마시다 남은) 물; 잔에 남은 김빠진 맥주: 〔비유〕 eine ~ hinterlassen (동물이 집 안에다) 오줌누다; 〔농담〕 über die große ~ fahren 해외로 나가다.

Pfütz·eimer *m.* 두레박(Schöpfeimer).

pfützen *t.* 〖광산〗 두레박으로 물을 퍼내다.

Pfützen·wasser *n.* 괸물, 구정물.

pfützig *a.* 웅덩이 같은, 진창 같은, 진창의.

Pfützlein *n.* -s, - ↑ Pfütze의 축소형.

PGH = Produktionsgenossenschaft des Handwerks 〖구동독〗 수공업 생산 협동 조합.

PGiroA =Postgiroamt 지로 우체국.
PH =Pädagogische Hochschule 교육 대학.
pH =PH-Wert pH 가(價).
ph =Phot 포트(조명도 단위: 1 ph=10000 Lux).
Phäake [fɛáːkə] 《gr.》 *m.* -n, -n ①〖그리스신화〗(오디세이가 표착(漂着)한) 페아케섬의 사람. ②〔교양〕아무 근심 없이 향락에 젖어 사는 사람.
Phäaken≈insel *f.* 〖그리스신화〗(오디세이가 표착한) 페아케 섬. **~leben** *n.* 향락적 생활.
Phädra [fɛ́ːdra] 《gr.》 *f.* 〖그리스신화〗 페드라(미노스왕의 딸; 불륜 때문에 죽음).
Phaethon [fáːetɔn] 《gr.》 *m.* 〖그리스신화〗 파에톤(태양신 Helios 의 아들; 아버지의 마차를 잘못 부려 제우스의 번개에 맞아죽음).
Phaeton [fáːetɔn] *m.* -s, -s 무개 4 륜 마차.
Phage *m.* -n, -n 〖세균〗 박테리오파지(박테리아를 죽이는 바이러스와 유사한 미생물).
Phagozyte [fagotsýːtə] 《gr.》 *m.* -n, -n 〖生〗 식(食)세포.
Phalanx [fáːlaŋks] 《gr.》 *f.* ..langen [faláŋən] ①〖軍〗(고대 마케도니아의) 밀집 전투 대형: eine ~ bilden 잘 짜인 전선을 만들다. ②〖해부〗 손가락〔발가락〕의 마디뼈. ③ 일종의 사회주의 조합(프랑스의 F.M.C. Fourier 가 창안). ④ 집단, 단체: sich zu einer ~ zusammenschließen 결속을 굳히다.
phallisch [fálɪʃ] 《gr.》 *a.* 〔교양〕 음경의, 음경 같은: die ~e Stufe〔Phase〕 남근기(期).
Phallokratie [falokratíː] *f.* 〔폄어〕 남성 우월주의.
Phallos [fálɔs] *m.* ↑ Phallus.
Phallus [fálus] *m.* -, ..lli/..llen/-se 〖해부〗(발기된) 음경; 남근상(像)(생식력의 상징).
Phallus≈kult *m.* 〖민속〗 남근 숭배. **~symbol** *n.* 남근 상징.
Phanerogame [fanerogáːmə] 《gr.》 *f.* -n 〖植〗 종자〔현화(顯花)〕 식물(↔ Kryptogame).
phanerogamisch *a.* 종자〔현화〕 식물의.
Phänologie [fɛnologíː] 《gr.》 *f.* 생물 계절학.
*__Phänomen__ [fɛnoméːn] 《gr.》 *n.* -s, -e ① 현상. ② 일대 사건, 보기 드문 일, 기적; 특이〔비범〕한 인간, 천재. ③〖醫〗 징후.
phänomenal [..menáːl] *a.* ① 현상에 관한, 현상의. ② 보기 드문, 놀랄 만한, 탁월한, 뛰어난: ein ~er Künstler 뛰어난 예술가.
Phänomenalismus [..menalísmus] *m.* - 〖哲〗 현상론.
Phänomenologie [..menologíː] *f.* 〖哲〗 현상학.
phänomenologisch *a.* 현상학의, 현상학적인.
Phänomenon *n.* -s, ..na ↑ Phänomen ①.
Phänotyp [fɛnotýːp] *m.* -s, -en 〖生〗 ↑ Phänotypus.
phänotypisch *a.* 표현형의.
Phänotypus *m.* -, ..pen 〖生〗 표현형(생물이 나타내는 성질).
*__Phantasie__ [fantazíː] 《lat.》 *f.* -n [..zíːən] ① 공상(력), 상상(력): viel〔wenig〕 ~ haben 상상력이 풍부〔부족〕하다; das existiert nur in deiner ~ 그것은 네 상상 속에 있을 뿐이야. ② **(a)** 상상의 산물, 공상적인 이야기. **(b)**〖음악〗 환상곡, 판타지. **(c)**〖心·醫〗 환각.
phantasie≈arm *a.* 상상력이 빈곤한. **~artikel** *m.* 팬시 상품. **~begabt** *a.* 상상력을 갖춘. **~beleuchtung** *f.* 전기 조명, 일류미네이션. **~bild** *n.* 환영(幻影), 환상. **~blume** *f.* 상상〔환상〕의 꽃. **~gebilde** *n.* 공상(의 산물), 환영(幻影). **~kostüm** *n.* ①(사육제의) 환상적 의상. ②〖유행〗 팬시 드레스, 환상적인 의상. **~lampe** *f.* 장식 전구.
phantasielos *a.* ① 상상력이 없는. ② 상상력의 결핍을 보여 주는.
Phantasielosigkeit *f.* 상상력 결핍.
Phantasie≈mensch *m.* 공상가. **~papier** *n.* 다채로운 색종이. **~reich** *a.* 상상력〔공상력〕이 풍부한.
phantasieren [fantazíːrən] 《gr.-lat.》 *i.* (h.)/*t.* ① 상상하다, 공상에 잠기다;〖醫〗(고열로) 헛소리하다: von einer großen Zukunft ~ 위대한 미래를 꿈꾸다. ②〖음악〗(악곡에 의하지 않고) 즉흥적으로 연주하다.
Phantasie≈spiel *n.* 〖음악〗 즉흥 연주. **~steine** *pl.* 눈부신 보석. **~stück** *n.* ① 공상적 작품. ②〖음악〗 소환상곡. **~voll** *a.* ↑ ~reich. **~vorstellung** *f.* 망상, 환각. **~waren** *pl.* ↑ ~artikel.
Phantasma [fantásma] 《gr.》 *n.* -s, ..men/-ta ①〖醫·心〗 환상, 망상; 환각. ② 환영.
Phantasmagorie [..goríː] *f.* -n [..ríːən] ① 마술 환등, (조명을 사용한) 환영〔유령〕의 투영. ②〔교양〕(Halluzination) 환각; 망상.
phantasmagorisch *a.* 환각〔망상〕의.
Phantast [fantást] 《< Phantasie》 *m.* -en, -en 공상가; 망상가; (Sonderling) 기인(奇人), 별난 사람; 바보.
Phantasterei [fantastəráɪ] *f.* -en 몽상, 망상, 난센스.
*__phantastisch__ *a.* ① 현실과 동떨어진, 비현실적인. ② 상상의, 공상의: ~er Film 공상 영화. ③〔구어〕 멋진, 훌륭한: ~es Wetter 화창한 날씨. ④ 믿을 수 없는, 엄청난: die Preise sind ~ gestiegen 물가가 엄청나게 올랐다.
*__Phantom__ [fantóːm] 《⊕ Phantasie》 *n.* -s, -e ① 환영, 환상, 허깨비; 유령: er jagt einem ~ nach 그는 환영을 쫓고 있다. ②〖醫〗(실습용) 인체 모형: Übungen am ~ 모형(에 의한) 실습.
Phantom≈bild *n.* (범인의) 몽타주 사진. **~schmerz** *m.* 〖醫〗 환지통(幻肢痛); 환상통.
Pharao [fáːrao] 《gr.》 《Ⅰ》 *m.* -(s), -nen 파라오(고대 이집트 왕의 칭호). 《Ⅱ》 *n.* -s ↑ Pharo.
Pharao·ameise *f.* 〖動〗 집각시개미.
Pharaonen≈grab [faraóːnən..] *n.* 〖고고〗 파라오의 무덤. **~reich** *n.* (고대 이집트의) 파라오 제국.
pharaonisch *a.* 파라오의.
Pharaons·ratte *f.* 〖動〗 (Ichneumon) 이집트 몽구스(사향(麝香)고양이과(科)의 족제비 비슷한 동물).
Pharisäer [farizɛ́ːər] 《gr.; 원뜻 „Abgesonderter"》 *m.* -s, - ①〖聖〗 바리새인, 바리새파의 사람. ②〔비유〕 위선자, 편협한〔독선적인〕 인간.
pharisäerhaft *a.* 〔교양〕 독선적〔위선적〕인.
Pharisäertum [..tuːm] *n.* -s ① 바리새주의; 〔비유〕 위선. ②〔총칭〕 바리새 교인.

pharisäisch [farizέ:ɪʃ] *a.* 바리새파〔주의〕의; 〖비유〗 (heuchlerisch) 위선적인.
Pharisäismus [farizɛísmus] *m.* - ↑ Pharisäertum.
Pharma·industrie [fárma..] *f.* 약품 산업.
Pharmakant [farmakánt] *m.* -en, -en 제약 기술자.
pharmako.. *pref.* (명사·형용사 따위에 붙어) “약·약제”의 뜻(보기: ~logie 약리학, 약물학).
Pharmakognosie [farmakognozí:] *f.* 〖藥〗 (Arzneistoffkunde) 생약학, 약물학.
Pharmakologe [..ló:gə] *m.* -n, -n 약리학자, 약물학자.
Pharmakologie [..logí:] *f.* 약물〔약리〕학.
Pharmakologin *f.* -nen ↑ Pharmakologe 의 여성형.
pharmakologisch [..ló:gɪʃ] *a.* 약물학의, 약리학의.
Pharmakon *n.* -s, ..ka ① 약, 약제. ② 미약(媚藥).
Pharmakopöa [..kopǿa] *f.* ..pöen ↑ Pharmakopöe.
Pharmakopöe [..kopǿ:(ə)] *f.* -n [..pǿ:ən] 약조제서(調劑書).
Pharma·referent *m.* 의약품 판매 대리인.
Pharmazeut [..tsɔ́ʏt] *m.* -en, -en ① 약제사, 약(제)학자. ② 약학 전공 학생.
Pharmazeutik [..tsɔ́ʏtɪk] *f.* ↑ Pharmazie.
Pharmazeutiker *m.* -s, - ↑ Pharmazeut.
Pharmazeutikum [..tsɔ́ʏtikum] *n.* -s, ..ka 약, 약품, 약제.
Pharmazeutin *f.* -nen ↑ Pharmazeut 의 여성형.
pharmazeutisch *a.* ① (제)약학의. ② 약제의.
Pharmazie [..tsí:] *f.* 약(물)학, 제약학.
Pharming =pharmazential farming 유전자 조작 가축을 이용한 제약.
Pharo [fá:ro] 《frz.》 *n.* -s 파로(카드놀이의 일종).
Pharos [fá:rɔs] 《gr.》 *m.* -, -(se) ① 파로스(고대 알렉산드리아 근처, 나일강 하구에 있었던 작은 섬): der Leuchtturm von ~ 파로스의 등대(프톨레마이오스(Ptolemäer) 왕조가 세운 등대, 세계 7 대 불가사의의 하나). ② 등대.
Pharus [fá:rus] *m.* -, -(se) ↑ Pharos.
Pharyngitis [farʏŋgí:tɪs] 《gr.》 *f.* ..tiden [..tí:dən] 〖醫〗 인두염(咽頭炎).
Pharyngoskop [..gɔskó:p] *n.* -s, -e 인두경(鏡).
Pharyngoskopie [..kopí:] *f.* -n [..pí:ən] 인두경 검사법.
Pharynx [fá:rʏŋks] *m.* -, ..ryngen [farʏ́ŋən] 〖해부〗 인두(咽頭).
***Phase** [fá:zə] 《gr. phásis》 *f.* -n ① 〖天〗 (천체의) 상(相), 위상; 〖物〗 (음파·광파 따위의) 위상; 〖化〗 상(相), 형상: die flüssige ~ 액상; 〖전기〗 상(相). ② (발전〔변화〕의) 단계, 국면, 시기.
Phasen≈bild *n.* 〖영화〗 애니메이션의 개별 장면. **~kontrast·mikroskop** *n.* 위상차(位相差) 현미경. **~messer** *m.* 〖전기〗 위상계(計). **~unterschied** *m.* 〖전기〗 (교류 전기의) 상차. **~verschiebung** *f.* 〖物〗 (위)상차.
..phasig *suf.* (수사·형용사 따위에 붙어) “…(위)상((位)相)의” 뜻(보기: 〖전기〗 drei~ 3 상의).
phasisch [fá:zɪʃ] *a.* 주기적인; 단계적인.
Phenazetin [fenatsetí:n] 《gr.》 *n.* -s 〖藥〗 페나세틴(해열·진통제).
Phenol [fenó:l] *n.* -s 〖化〗 (Karbolsäure) 페놀, 석탄산.
Phenol·phthalein *n.* 〖化〗 페놀프탈레인.
Phenoplast [fenoplást] *n.* -(e)s, -e 〖化〗 페놀 수지(樹脂).
Phenyl [fenʏ́:l] *n.* -s 페닐기(基).
Phenyl·gruppe *f.* 〖化〗 ↑ Phenyl.
Pheromon [feromó:n] *n.* -s, -e 〖생화학〗 페로몬.
Phi [fi:] *n.* -(s), -s 그리스어 자모의 스물 한 번째 자(Φ, φ).
Phiale [fiá:lə] 《gr.》 *f.* -n (바닥이) 평평한 접시〔병〕.
phil. [fi:l, fɪl] =philosophiae [filozó:fiɛ:] 《lat.》 철학의.
phil.. *pref.*, **..phil** *suf.* 《gr. phílos, „lieb, freund"》 “…을 사랑하는〔좋아하는〕”의 뜻(보기: biblio~ 책을 좋아하는).
Philadelphia [filadέlfia, (engl.) fɪlədέlfjə] 필라델피아(고대 시리아 및 현대 미국의 도시 이름).
Philanthrop [filantró:p] *m.* -en, -en (Menschenfreund) 박애주의자, 자선가.
Philanthropie [..tropí:] *f.* 박애.
Philanthropin *n.* -s, -e 〖哲〗 범애교(汎愛校) (바제도(Basedow)가 1744 년에 세운 교육기관).
Philanthropinismus [..tropinísmus] *m.* - 〖哲〗 박애주의(교육), 범애(汎愛)주의.
philanthropisch *a.* 박애주의적인, 자비로운.
Philanthropismus *m.* - 박애주의.
Philargyrie *f.* (Habsucht) 배금, 탐욕.
Philatelie [filatelí:] *f.* 우표 연구〔수집법〕.
Philatelist *m.* -en, -en 우표 연구가〔수집가〕.
philatelistisch *a.* 우표 수집(가)의.
Philemon [filé:mɔn] *m.* 〖그리스신화〗 필레몬(바우키스(Baucis)의 남편): ~ und Baucis 필레몬과 바우키스(그리스 신화의 친절한 노부부).
***Philharmonie** [fɪlharmoní:, fi:l..] *f.* -n [..ní:ən] 필하모니 관현악단.
Philharmoniker [..mó:nikər, fí:l..mo..] *m.* -s, - ① 필하모니 관현악 단원. ② 〖복수〗 필하모니 관현악단(원 전체): Wiener ~ 빈 필하모니 관현악단.
philharmonisch *a.* ① 음악을 좋아하는. ② 필하모니의.
Philhellene [fɪlhɛlé:nə, fi:l..] *m.* -n, -n ① 고대 그리스(문화) 애호가〔심취자〕. ② 〖史〗 (19 세기 초반의) 그리스 독립 운동 지지자.
philhellenisch *a.* 그리스를 지지하는.
Philhellenismus [..hɛlenísmus] *m.* - (19 세기 초의) 그리스 독립 지원 운동.
Philipp [fí:lɪp] *m.* 필립(남자 이름).
Philipper·brief [filípər..] *m.* 〖신약〗 빌립보서(書).
Philippika [filípika] *f.* ..ken ① 마케도니아 왕 필립에 대한 그리스의 데모스테네스의 공격 연설. ②〖비유〗(격렬한) 비난〔탄핵〕 연설.
Philippinen [..pí:nən] *pl.* 필리핀 군도.
Philippiner [..nər] *m.* -s, - 필리핀 사람.
philippinisch *a.* 필리핀(인)의.
philippisch *a.* 필립의: ~e Reden ↑ Philippika.
***Philister** [filístər] (hebr. pālāsch) *m.* -s, - ①〖聖〗 블레셋 사람: 〖비유〗 ~ über dir! 위험이 네게 닥쳐 왔다! ② (a)〖학생〗 대학생이 아닌 사람; 사회인이 된 선배; (Haus~) 하숙집 주인; 술집 주인; (Pferde~) 삯말집 주인. (b) 속물, 세속적 인간, 고루한 사람. ③ 잔 속의 마시다 남은 술; 파이프 안의 피우다 남은 담배.
Philisterei [filıstəráı] *f.* -en ① 속물 근성, 편협, 고루. ② 속물적인 언행〔사고〕.
philisterhaft *a.* 속물적인, 범속한, 실리주의적인.
philisteriös [..teriǿ:s] *a.* ↑ philisterhaft.
Philisterium [..té:rium] *n.* -s ①〖구식〗(대학 졸업 후의) 사회〔소시민〕 생활. ②〖학생·총칭〗 대학생이 아닌 사람들.
philistern *i.* (h.) / *t.* 속물처럼 행동하다.
Philistertum [filístərtu:m] *n.* -(e)s (Spießbürgertum) 속물 근성, 편협, 고루.
philiströs [filıstrǿ:s] *a.* 편협한, 고루한.
Phillumenie [fılumení:] *f.* 성냥갑 (상표) 수집.
Phillumenist *m.* -en, -en 성냥갑 (상표) 수집가.
philo.. *pref.* 〖모음, h, l 앞에서는 phil〗 "…을 사랑하는 (사람)"의 뜻(보기: Philanthrop 박애주의자, 자선가).
Philodendron [filodέndrɔn] (gr.) *n.* -s, ..dren〖植〗 서양 토란의 일종(관엽 식물).
Philodoxie *f.* 명예욕; 청운의 뜻.
Philogyn [..gý:n] *m.* -en, -en 호색가, 색골.
Philogynie *f.* 여자를 좋아함, 호색.
***Philologe** [..ló:gə] *f.* (gr. phílos) *m.* -n, -n ① 문헌학자, 어문학자: Alt~〔klassischer ~〕 고대 어문학자; Neu~〔moderner ~〕 근대 어문학자. ②〖드물게〗어학 교사; 어학을 배우는 학생. ③ 어문학 계열의 대학생.
***Philologie** [..logí:] *f.* -n [..gí:ən] ① 어문학: die deutsche ~ 독어 독문학. ② 문헌학.
Philologin *f.* -nen ↑ Philologe 의 여성형.
philologisch *a.* ① 어문학의, 어문학에 관한: ein ~es Fach studieren 어문학 분야를 전공하다. ② 문헌학의. ③〖교양〗지나치게 꼼꼼한〔세세한〕.
Philomela [filomé:la] *f.* ..len ①〖그리스신화〗 필로멜라(구혼을 피하기 위하여 나이팅게일로 변한 공주). ②〖비유〗 나이팅게일 (Nachtigall).
Philomele [..lə] *f.* -n ↑ Philomela.
Philosemit [..zemí:t] *m.* -en, -en (↔ Antisemit) 유대인 옹호자, 친유대주의자.
philosemitisch *a.* 유대인 옹호(운동)의, 친유대주의적인.
Philosemitismus [..zemitísmus] *m.* - 유대인 옹호주의, 친유대주의.
***Philosoph** [filozó:f] (gr. philosophus) *m.* -en, -en ① (a) 철학자. (b) 철인, 현인. ②〖구어〗 사색가; 처세에 능한 사람.
Philosophaster [..zofástər] *m.* -s, - 철학자인 체하는 사람, 사이비 철학자.
Philosophem [..fé:m] *n.* -s, -e ① 철학의 학설〔가르침〕. ② 철학자의 주장〔발언〕.
***Philosophie** [filozofí:] (gr. „Weisheitsliebe") *f.* -n [..fí:ən] ① 철학: Geschichts~ 역사 철학; die idealistische ~ 관념 철학. ② 처세술; 개인의 인생관〔세계관〕.
philosophieren *i.* (h.) ① 철학하다, 명상하다, 사색하다. ② 논하다, 대화를 통해 인식을 추구하다.
Philosophikum [..zó:fikum] *n.* -s, ..ka (독일 교원 임용 고시의) 철학 시험.
***philosophisch** *a.* ① 철학의: ~e Fakultät (종합 대학의) 철학부, 문학부. ② 사색적인, 명상적인; 현명한, 냉철한: die Welt ~ betrachten 세상을 냉철하게 바라보다.
Phimose [fimó:zə] (gr.) *f.* -n〖醫〗 포경(包莖).
Phimosis *f.* ..sen ↑ Phimose.
Phiole [fió:lə] (<Phiale) *f.* -n 목이 긴 병(甁), 플라스크.
Phlebitis [flebí:tıs] *f.* ..tiden [..tí:dən]〖醫〗 정맥염.
Phlegma [flέgma] (gr.) *n.* -s ①〖醫〗 (Schleim) 점액, 점액성 침전물. ② 둔감, 무기력, 둔중, 무관심.
Phlegmatiker [..má:tikər] *m.* -s, - 점액질의〔둔중한〕 사람.
Phlegmatikus *m.* -, -se〖농담〗 점액질의 인간; 무기력한 사람, 둔감한 사람.
phlegmatisch *a.* 점액질의, 굼뜬, 냉담한, 뚱한:〖心〗 ~es Temperament 점액질.
Phlegmone [flεgmó:nə] *f.* -n〖醫〗 플레그몬, 급성 결합 조직염.
phlogistisch [flogístıʃ] (gr. phlogízein) *a.* 〖化〗 가연성의;〖醫〗 염증의.
Phlogiston *n.* -s (Brennstoff) 연소(燃素), 플로지스톤(산소가 발견되기 이전, 연소된 후 방출된다고 믿었던 가공의 물질).
Phlox [flɔks] (gr.) *m.* -es, -e〔*f.* -e〕〖植〗 플록스(꽃창포과의 화초).
Phloxin [flɔksí:n] *n.* -s〖化〗 플록신.
Phlyktäne [flʏktέ:nə] (gr.) *f.* -n〖醫〗(눈의 각막이나 결막에 생기는) 수포(水疱).
Phöbe [fǿ:bə] *f.*〖天〗 달;〖그리스신화〗 포이베 (달의 여신; Artemis, Diana 라고도 함).
Phobie [fobí:] (gr.) *f.* -n [..fí:ən]〖醫〗 공포증.
Phöbos *m.* ↑ Phöbus.
Phöbus [fǿ:bus] (gr.) *m.*〖그리스신화〗 포이보스(해의 신; 아폴로의 별칭); 태양.
Phoenix [fǿ:nıks]〖방송〗(독일 제 1 방송 (ARD)에서 설립한) 기록물 전문 교양 방송.
Phon [fo:n] (gr.) *n.* -s, -s/(단위) - ① 폰(소리의 강도 단위; 기호: phon). ②〖음성〗 폰(음성학에서 소리를 분석할 때 쓰는 최소 단위).
Phonem [foné:m] *n.* -s, -e ①〖음성〗 음소(音素). ②〖복수〗〖醫·心〗(정신병 환자의) 음성 환청.
***Phonetik** [foné:tık] *f.* -en 음성학.
Phonetiker *m.* -s, - 음성학자.
phonetisch *a.* 음성학의; 발음대로의 (lautgemäß): ~es Lautzeichen 발음 기호; ~e Schrift 표음 문자.
Phöniker [fǿní:kər] *m.* -s, - ↑ Phönizier.
Phönikien [..kiən] ↑ Phönizien.
phönikisch *a.* ↑ phönizisch.

***Phönix** [fø:nɪks] 《gr.》 *m.* -(es), -e ①〖이집트신화〗 피닉스, 불사조; 〖비유〗 불멸의 상징: wie (ein) ~ aus der Asche steigen 〔erstehen, sich erheben〕 불사조처럼 다시 일어나다. ② 〖天〗 봉황새자리.

Phönizien [føní:tsiən] 페니키아(고대 시리아의 해안국).

Phönizier [..tsiər] *m.* -s, - 페니키아인.

phönizisch *a.* 페니키아(인)의.

phono.. *pref.* 《모음 앞에서는 phon..》 "음향·음성의"의 뜻(보기: ~graph 축음기).

Phonodiktat *n.* -(e)s, -e 녹음기를 통한 구술.

Phonogramm [fonográm] 《gr.》 *n.* -s, -e ① 〖언어〗 표음 문자. ② 녹음. ③ 레코드.

Phonograph [fonográ:f] 《gr.》 *m.* -en, -en (에디슨이 발명한) (납판) 축음기.

Phonographie [..grafí:] *f.* -n [..fí:ən] ① 표음 기록술, 표음 속기술. ② 녹음.

phonographisch *a.* 표음 기록술(상)의; 녹음의.

Phonokoffer *m.* -s, - 〖구식〗 휴대용 전축.

Phonolith [..lí:t, ..lít] *m.* -s/-en, -e(n) 〖광물〗 (Klingstein) 향암(響岩), 포노라이트.

Phonologie [fonologí:] *f.* 음운론.

phonologisch [..ló:gɪʃ] *a.* 음운론의.

Phonometer *n.* -s, - 〖理〗 (Tonmesser) 측음기(測音器), 음성 측정기.

Phonometrie [..metrí:] *f.* ① 음성 강도(強度) 측정. ② 〖언어학〗 계량(計量) 음성학.

Phonothek *f.* -en 음성 (녹음) 자료실.

Phonotypistin *f.* -nen 여성 속기 타자수.

Phon·zahl *f.* 폰수(數) (폰으로 표시한 소리의 세기).

Phosgen [fɔsgé:n] 《gr. phôs》 *n.* -s 〖化〗 포스겐(제 1 차 세계 대전 때 사용한 독가스).

Phosphat [..fá:t] *n.* -(e)s, -e 〖化〗 인산염(塩).

Phosphin *n.* -s, -e 〖化〗 ① 인화수소, 포스핀. ② 〖복수〗 (독성) 인화수소 화합물.

Phosphit [fɔsfí:t, ..fít] *n.* -s, -e 〖化〗 아인산염(亞燐酸塩).

***Phosphor** [fɔ́sfɔr, ..fo:r] 《gr.》 *m.* -s, -e 〖化〗 ① 인(燐) (기호: P). ② 인광 물질, 인광체.

Phosphor·bronze [..brɔ̃:sə] *f.* 인청동(燐青銅).

Phosphoreszenz [fɔsforɛstsɛ́nts] *f.* 인광(성) (Finsterleuchten).

phosphoreszieren [..tsí:rən] *i.* (h.) ① 인광을 발하다, 야광을 내다: die ~den Ziffern der Uhr 시계의 야광 숫자판. ② 어둠 속에서 반짝거리다: die ~den Augen einer Katze 어둠 속에서 반짝거리는 고양이의 눈.

phosphor·haltig *a.* 인을 함유한.

phosphorig *a.* 인의: ~e Säure 아인산.

phosphorisch *a.* 인성(燐性)의.

phosphorisieren *t.* 인과 화합시키다, 인을 가하다.

Phosphorit [..rí:t, ..rít] *m.* -(e)s, -e 〖광물〗 인회토(燐灰土) (비료용).

Phosphor=latwerge *f.* 황린제(黃燐製)의 쥐약. **~metall** *n.* 〖化〗 인화 금속, 금속 인화물(燐化物). **~sauer** *a.* 인산의. **~säure** *f.* 인산. **~vergiftung** *f.* 〖醫〗 인중독(燐中毒). **~wasserstoff** *m.* 〖化〗 인화(燐化) 수소. **~zünd·hölzchen** *n.* 함린(含燐) 성냥.

Phot [fo:t] 《gr.》 *n.* -s, - 〖전기〗 포트(광량(光量) 단위; 1 Phot＝10000 Lux).

Photo [fó:to] *n.* -s, -s ↑ Photographie 의 단축형.

photo.. 《gr. phôs》 *pref.* (＝foto..) "빛·사진의"의 뜻(보기: ~apparat 사진기).

Photo=album *n.* 사진첩(Fotoalbum). **~apparat** *m.* 사진기(Fotoapparat). **~bakterien** *pl.* 〖動〗 발광균류(發光菌類). **~cell** *f.* 〖전기〗 ↑ ~zelle. **~chemie** *f.* 광화학. **~chemi·graphie** *f.* 사진 제판.

Photochromie [..kromí:] *f.* 컬러 사진술.

Photo=effekt *m.* 〖物〗 광전(光電) 효과. **~elektrizität** [fo:..tɛ́:t] *f.* 광전기. **~elektron** *n.* 〖전기〗 광전자. **~element** *n.* 〖전기〗 광전지.

photogen [fotogé:n] *a.* 사진이 잘 받는(fotogen).

Photogen *n.* -s 〖理〗 발광소(발광 동물〔식물〕의 발광원(源)).

Photo·geschäft *n.* 사진 재료점.

Photo=gramm *n.* 측량용 사진. **~grammetrie** *f.* 사진 측량(법). **~grammetrisch** *a.* 사진 측량의, 사진 측량에 따른.

Photograph [fotográ:f] *m.* 사진사(Fotograf).

***Photographie** [..grafí:] *f.* (Fotografie) 사진(기)술; 사진.

photographieren [..grafí:rən] *i./t.* 사진 찍다, 촬영하다(fotografieren).

photographisch [..grá:fɪʃ] *a.* 사진(술)의(fotografisch): ~e Aufnahme 사진 촬영.

Photo=gravüre [fotogravý:rə] *f.* 사진 요판(凹版)(술); 그라비어판. **~industrie** [fó:toɪndustri:] *f.* 사진 산업(Fotoindustrie). **~kopie** *f.* 사진 복사(Fotokopie). **~lithographie** *f.* 사진 석판(술). **~mechanisch** *a.* 사진 제판〔복사〕의. **~meter** *n.* 〖物〗 측광기, 광도계. **~metrie** *f.* 광도 측정(술), 측광(법). **~metrisch** *a.* 광도 측정(술)의, 광도 측정(술)에 관한. **~modell** [fó:tomodɛl] *n.* 사진 모델(Fotomodell). **~montage** [fó:tomɔnta:ʒə] *f.* (Fotomontage) ① 사진 몽타주. ② 몽타주〔합성〕 사진.

Photon [fó:tɔn, fotó:n] 《gr.》 *n.* -s, -en 〖物〗 (Lichtquantum) 광자(光子), 광양자.

Photo=phon *n.* 광(선) 전화기(Lichtsprecher). **~rahmen** [fó:tora:mən] *m.* 사진틀. **~reporter** [fó:torepɔrtər] *m.* 사진 기자(Fotoreporter). **~satz** [fó:tozats] *m.* 〖인쇄〗 사진 식자(Fotosatz). **~sphäre** *f.* 〖天〗 광구(光球) (태양의 표면에서 흰 빛을 발하는 곳). **~synthese** *f.* 〖化·植〗 광합성. **~taktisch** *a.* 〖生〗 주광성(走光性)의.

Photothek *f.* (Fotothek) 사진 자료실〔수집관〕.

Photo·therapie *f.* 〖醫〗 광선 요법.

phototrop [fototró:p] *a.* ① 〖植〗 굴광성의. ② 〖物·광학〗 (렌즈가) 빛을 받으면 변색하는.

phototropisch *a.* ↑ phototrop ①.

Phototropismus [..tropísmus] *m.* - 〖植〗 굴광성.

Phototypie *f.* -n [..pí:ən] 사진 철판(凸版) (술).

Photo=zeitschrift *f.* 사진 잡지(Fotozeitschrift). **~zelle** *f.* 〖物〗 광전지, 광전관(光電管).

*__Phrase__ [frá:zə] 《gr. phrázein, „sprechen"》 *f.* -n ① (a) 판에 박힌 말, 관용구; 상투어. (b) 〔폄어〕 헛〔허튼〕소리, 미사여구, 빈말: ~n machen〔drechseln, dreschen〕 미사여구를 늘어놓다. (c) 〖문법〗 구: Nominal~ 명사구. ② 〖음악〗 악구(樂句), 악절.

Phrasen=drechsler *m.* ↑ ~drescher. **~-drescher** *m.* 〔폄어〕 미사여구를 늘어 놓는 사람, 판에 박은 듯한 말만 해대는 사람. **~-drescherei** [fra:..ráɪ] *f.* 〔폄어〕 끊임없이 지껄이는 헛소리, 장광설.

phrasenhaft *a.* ① 숙어적인, 관용어법의. ② 내용이 빈, 공허한.

Phrasen=held, ~macher *m.* 공론가, 미사여구를 늘어놓는 사람; 요설가. **~macherei** *f.* 미사여구를 늘어놓기.

Phraseologie [frazeologí:] *f.* -n [..gí:ən] ① 관용어법론, 숙어론. ② 숙어집, 관용어 모음.

phraseologisch [..ló:gɪʃ] *a.* 관용어〔숙어〕의; 관용어법상의.

Phraseur [frazǿ:r] *m.* -s, -e ↑ Phrasenmacher.

phrasieren [frazí:rən] *t.* 〖음악〗 악구〔악절〕로 나누다.

Phrasierung *f.* -en 〖음악〗 ① 악구 구획법, 프레이징. ② 나뉜 악구〔악절〕.

Phrenesie [frenezí:] 《gr.》 *f.* -n [..zí:ən] 〖醫·드물게〗 정신병, 정신 착란.

phrenetisch *a.* 정신 착란의: 〔비유〕 ~er Applaus〔Beifall〕 열광적인 갈채.

Phrenitis [frení:tɪs] *f.* ..tiden [..tí:dən] 횡격막염.

Phrenologe [..noló:gə] *m.* -n, -n 골상학자.

Phrenologie *f.* 골상학.

phrenologisch *a.* 골상학의.

Phrygien [frý:giən] 프리지아(옛날 소아시아에 있었던 나라 이름).

Phrygier [frý:giər] *m.* -s, - 프리지아 사람.

phrygisch [frý:gɪʃ] *a.* 프리지아(사람)의: ~e Mütze 프랑스 혁명 당시 자코뱅당의 원뿔꼴 모자(자유의 상징).

Phryne [frý:nə] *f.* ① 프리네(미모와 부로 유명한 아테네의 여인). ② 〔복수: -n〕〔비유〕 요부(妖婦).

Phthal·säure [ftá:l..] 《gr.》 *f.* 〖化〗 프탈산.

Phthisis [ftí:zɪs] 《gr.》 *f.* ..sen ① (신체나 장기의) 쇠약. ② 〖醫〗 (폐)결핵.

pH-Wert [pe:há:..] *m.* 〖化〗 pH 가(價), 수소이온 농도.

Phykologie [fykologí:] *f.* 〔구식〕 조류학(藻類學).

Phylax [fý:laks] 《gr. phylássein, „wachen"》 *m.* -(e)s, -e (Wächter) 감시인, 파수꾼.

Phyle [fý:lə] 《gr.》 *f.* -n 고대 그리스의 한 부족; (아테네의) 사회 계급; (고대 그리스 도시 국가의) 주(州), 구(區).

phyletisch *a.* 〖生〗 계통의, 계통(사)적인.

Phyllit [fylí:t, ..lít] 《gr. phýllon》 *m.* -s, -e 〖광물〗 천매암(千枚岩).

Phyllokaktus *m.* -, ..teen 〖植〗 잎선인장.

Phyllokladium *n.* -s, ..dien [..diən] 〖植〗 (잎의 기능을 대신하는) 잎 모양의 줄기, 엽상지(葉狀枝).

Phyllophage *m.* -n, -n 〖生〗 초식 동물.

Phyllopode *m.* -n, -n 〖生〗 엽각류 동물.

Phyllotaxis *f.* ..xen [..táksən] 〖植〗 잎의 배열, 엽열(葉列).

Phylloxera *f.* ..ren 〔구식〕 포도나무 뿌리의 진디, 포도혹벌레.

Phylogenese [..né:zə] 《gr. phylē, „Stamm"》 *f.* (↔ Ontogenese) 계통 발생(사).

phylogenetisch *a.* 계통 발생의.

Phylogenie *f.* 계통 발생학.

Phylogonie *f.* -n [..ní:ən] 계통 발생.

Phylum [fý:lum] *n.* -s, ..la 〖生〗 (동식물을 분류하는 단계로서) 문(門).

Physalis [fý:zalɪs] *f.* ..len [..zá:lən] ① (유대 여인의 머리쓰개와 꽃 모양이 유사한) 꽈리. ② 가짓과 식물의 일종.

Physharmonika [fʏsharmó:nika] 《gr. physân, „blasen"》 *f.* 〖음악〗 하모늄이 발명되기 이전 이와 유사했던 악기.

Physiater [fyziá:tər] 《gr. phýsis, „Natur"; iatrós, „Arzt"》 *m.* -s, - 〖醫〗 자연 치유론자.

Physiatrie [fyziatrí:] *f.* 자연 요법.

*__Physik__ [fyzí:k, ..zík] 《gr. phýsis, „Natur"》 *f.* 물리학.

physikalisch *a.* ① 물리학의; 물리(학)적인: die ~e Chemie 물리 화학; eine ~e Therapie 물리 요법. ② 〔구식〕 자연의, 물적인: ~e Geographie 자연 지리학.

physikalisch-chemisch *a.* 물리 화학적인.

Physikat *n.* -(e)s, -e 〔구식〕 공의(公醫), 보건소 의사의 직책.

*__Physiker__ [fý:zɪkər] *m.* -s, - ① 물리학자. ② 물리학 전공 학생.

Physikerin [fý:zɪkərɪn] *f.* -nen ↑ Physiker 의 여성형.

Physiko=chemie *f.* 물리 화학. **~chemisch** *a.* 물리 화학의, 물리 화학적인.

Physikum [fý:zɪ..] *n.* -s, ..ka (의학 전공 학생이 4 학기 수료 후 치르는) 예과 졸업 시험.

Physik·unterricht *m.* 물리학 수업.

Physikus [fý:zɪ..] *m.* -, -se 〔구식〕 ① 물리학자. ② 공의(公醫), 보건소 의사.

Physiognom [fyziognó:m] 《gr. phýsis》 *m.* -en, -en 골상학자, 관상가.

Physiognomie [..gnomí:] *f.* -n [..mí:ən] ① 인상, 용모, 골상. ② 〖植〗 (식물의) 외형, 외관, 특징.

Physiognomik [..gnó:mɪk] *f.* 골상학, 관상학.

Physiognomiker *m.* -s, - ↑ Physiognom.

physiognomisch *a.* 골상학상의; 골상의.

Physiognomist [..gnomíst] *m.* -en, -en 골상학자; 관상가.

Physiographie [fyziografí:] *f.* 〔구식〕 ① 자연 기술(記述), 박물지(博物誌). ② 자연 지리학.

Physiokrat *m.* -en, -en 중농주의자, 중농학파의 사람.

Physiokratie [..kratí:] *f.* 〔구식〕 자연의 지배.

physiokratisch *a.* 중농주의의: ~es System 중농주의.

Physiokratismus [..kratísmus] *m.* - 중농주의.

Physiologe [fyzioló:gə] 《gr.》 *m.* -n, -n 생리학자.

*__Physiologie__ [..logí:] *f.* 생리학.

physiologisch *a.* ① 생리학의, 생리학적인. ② 신체(상)의.
Physiotherapeut [..terapɔ́ʏt] *m.* -en, -en 물리 치료사.
Physiotherapeutin *f.* -nen ↑ Physiotherapeut 의 여성형.
Physiotherapie *f.* 물리 치료.
Physis [fý:zɪs] *f.* ①〖교양〗신체 (상태), 육체적 조건, 체질: eine gesunde ~ 건강 체질. ②〚哲〛자연(력).
***physisch** [fý:zɪʃ] *a.* ① 자연의: die ~e Geographie 자연 지리학; eine ~e Landkarte 지형도. ② 물질적인, 형이하의; 육체적인, 생리적인; 관능적인: die ~e Liebe 성애; ~ stark gebaut sein 건강한 체질을 가지고 있다.
phyto.. 《gr. phytón, „Gewächs"》 *pref.* (명사·형용사 따위에 붙어) "식물"을 뜻함.
Phytochemie *f.* 식물 화학.
phytogen *a.* 식물에서 생겨난, 식물성의.
Phytogeographie *f.* 식물 지리학.
Phytognosie *f.* 식물학, 식물 감식학.
Phytomedizin *f.* (식물의 병을 다루는) 식물 의학.
Phytopathologie *f.* 식물(성) 병리학.
phytophag [..fá:k] *a.* 초식(성)의.
Phytophage [..fá:gə] *m.* -n, -n〚生〛초식 동물.
Phytopharmazie *f.* 식물 약학.
Phytoplankton *n.* -s〚植〛식물성 플랑크톤.
Phytotheraphie *f.* (약초에 의한) 식물 요법.
Phytozoon [..tsó:ɔn] *n.* -s, ..zoen [..tsó:ən] 식물성 동물(강장 동물·태선충(苔蘚蟲)류 따위의 모양이 식물을 닮은 동물의 옛 이름).
Pi [pi:] *n.* -(s), -s 파이(그리스 자모의 열여섯째 자(*Π, π*));〚數〛파이, 원주율(약 3.14):〖구어〗~ mal Daumen〔Schnauze〕대충 어림해서.
Piaffe [piáfə] 《frz.》 *f.* -n〚승마〛피애프(앞다리를 높이 들고 하는 제자리걸음).
Pianino [pianí:no] 《lat.》 *n.* -s, -s〚음악〛소형 피아노.
pianissimo [pianísimo] *adv.*〖piano 의 최상급〗〚음악〛매우 약하게(약어: pp).
Pianist [pianíst] *m.* -en, -en 피아노 연주자.
pianistisch *a.* 피아노 연주(기술)상의.
Piano[1] [piá:no] *n.* -s, -s/..ni 약주(弱奏).
Piano[2] *n.* -s, -s 피아노(Klavier).
piano *adv.*〚음악〛약하게(약어: p).
Piano·forte [pianofɔ́rtə] *n.* ↑ Piano².
Pianola [pianó:la] *n.* -s, -s 자동 피아노.
Piano·sessel *m.* 피아노용 의자.
Piarist *m.* -en, -en 피아리스트(청소년 교육을 목표로 1597 년 로마에 세운 수도회 회원).
Piassava [piasá:va] 《port.》 *f.* ..ven〚植〛(남아메리카산(産)의) 종려잎 섬유.
Piassava≈besen *m.* 종려잎으로 만든 비. **~faser** *f.* Piassava 의 거친 섬유.
Piaster [piástər] 《it.》 *m.* -s, - 피아스터(터키·이집트 및 레바논의 화폐 단위).
Piazza [piátsa] 《gr.》 *f.* ..zze 광장, 네거리, 시장; 가두(街頭).
Piazzetta [piatséta] *f.* ..tten (이탈리아 도시의) 작은 광장.
Pica [pí:ka] *f.* (타자기용) 표준 규격 활자.
Picasso *m.* Pablo ~ 피카소(에스파냐의 화가, 1881-1973).
Piccolo *m.* -s, -s (öst.) ↑ Pikkolo.
Pichel [píçəl] *m.* -s, - 턱받이(Geifertuch).
Pichelei [pɪçəláɪ] *f.* -en〖구어〗폭음, 통음.
Picheler *m.* -s, - ↑ Pichler.
picheln [píçləm] *i.* (h.) / *t.*〖구어〗통음〔폭음〕하다: einen ~ gehen 한잔 하러 가다.
Pichelsteiner Fleisch *n.* - -(e)s ↑ Pichelsteiner Topf.
Pichelsteiner Topf *m.* - -(e)s〚요리〛네모로 자른 쇠고기와 야채 및 감자로 만든 스튜.
pichen [píçən] 《<Pech》《Ⅰ》 *t.*〚工〛역청(瀝靑)을 칠하다;〚海〛메움칠을 하다.《Ⅱ》 *i.* (h.) (역청처럼) 점착(粘着)하다, 달라붙다.
Pich≈holz [píç..] *n.* 구둣방에서 구두의 윤을 낼 때 쓰는 나무. **~wachs** *n.* 밀랍(密蠟).
Pichler *m.* -s, - 술꾼, 술고래.
Pick [pɪk] *m.* -s, -e ① 찌름, 때림, 쪼기. ②〖비유〗원한: einen ~ auf jn. haben 누구에게 원한을 품고 있다. ③〖방언〗거세한 돼지.
pick *int.*〖의성어〗~! 똑딱(시계 소리); 콕콕(새가 쪼는 소리); 푹(찌르는 소리).
Picke [píkə] *f.* -n 곡괭이.
Pickel [píkəl] *m.* -s, - ① 곡괭이, (얼음 깨는) 도끼, (등산용) 피켈. ② 작은 종양, 부스럼, 여드름. ③ 소금에 절인 오이.
Pickel≈flöte 《Pikkoloflöte 의 독일어형》 *f.*〚음악〛피콜로. **~haube** *f.* ①〚軍〛프로이센풍의 군모(꼭지에 뾰족한 쇠붙이를 붙인 가죽 투구); 헬멧. ② (berl.) 순경. **~hering** *m.* ① 소금에 절인 청어. ② 어릿광대. ③〚植〛제비난초속(屬)의 일종.
pickelig [píkəlɪç..] *a.*〚醫〛작은 종양이 난, 여드름투성이인.
pickeln [píkəln] *t.*/*i.* (h.) 쪼다; 곡괭이로 파다, 곡괭이를 가지고 일하다.
picken [píkən] 《Ⅰ》 *t.* ① **(a)** 쪼아먹다; 쪼다: Obst ~ 과일을 쪼(아먹)다. **(b)** (돌 따위를) 쪼다, 파다. ②〖농담〗먹다. ③ den Schlitten ~ 피켈로 썰매를 앞으로 밀다. ④ (뾰족한 것으로) 꺼내다, 끄집어내다.《Ⅱ》 *i.* (h.) ① 쪼다, 빼개다: auf et. ~ 무엇을 빼개다, 쪼다. ② (obd.) (시계가) 째깍거리다. ③〖방언〗달라붙다: an et.³ ~ 무엇에 딱 달라붙다. ④ (obd.) 상수리 나무 열매로 쪼개기 놀이를 하다.
Pickerl *n.* -s, -n (öst.)〖구어〗(붙일 수 있는) 쪽지, 표찰, 스티커, 기념 배지.
Pick·hammer *m.* (채굴용) 압축 공기 해머.
Pickles [píkəls] 《engl.》 *pl.* 소금〔초〕에 절인 것(특히 오이).
picklig *a.* ↑ pickelig.
Picknick [píknɪk] 《engl.》 *n.* -s, -s/-e 피크닉, 야외에서의 식사: auf einer Wiese ~ machen (소풍 가서) 풀밭에서 식사하다.
picknicken [píknɪkən] *i.* (h.) 소풍가다, (소풍가서) 야외에서 식사하다: auf der Lichtung haben wir gepicknickt 숲속의 빈터에서 우리는 식사를 했다.
Picknick·korb *m.* 피크닉 바구니.
Pick-up [pɪkʌ́p] 《engl.》 *m.* -s, -s (전축의) 픽업.
pico.. *pref.* ↑ piko...
picobello [pí:kobélo, pík..] *a.* 최고급의, 나무랄 데 없는, 세련된: ein ~ Wein 최상급 포도주.
Picot [pikó:] *m.* -s, -s〚수공〛피코(편물·레이스의 가장자리 장식으로 만든 작은 동그라미).

Pidgin [pídʒɪn] ⟪engl. business 의 중국어 사투리⟫ *n.* - 피진(두 언어 사이에 의사 소통을 위해 극도로 단순화시킨 혼합어).

Pidgin-Englisch [pídʒɪn|ɛŋlɪʃ] *n.* - 피진 영어(영어와 동아시아나 아프리카 언어가 혼합된 상업 영어).

Piece [pié:s(ə), piɛ́:s(ə)] ⟪frz.⟫ *f.* -n ①〖음악〗 악곡; 소품, 소곡(小曲). ② (소품의) 희곡 작품. ③ 방. ④ (obd.) (나무) 통. ⑤ 장난, 놀림, 희롱.

Piedestal [piedɛstá:l] ⟪frz.⟫ *n.* -s, -e〖건축〗 원주(圓柱)를 괴는 대석(臺石); (미술품·조상(彫像)의) 받침(대); (서커스에서 동물 곡예용의) 대(臺).

Piefke [pí:fkə] *m.* -s, -s ① (md.)〖펌어〗속물, 고루한 인간; 잘난 체하는 허풍선이. ② (어린) 소년. ③ (öst.)〖펌어〗독일놈.

Piek [pi:k] *f.* -en〖海〗① (선수와 선미의) 최하단부. ② 기움돛활대의 상부; 이물〔고물〕의 좁고 뾰족한 부분.

Pieke [pí:kə] *f.* -n〖카드〗스페이드.

pieken [pí:kən] *t.* ①〖海〗die Riemen ~ 노를 세우다(해상에서의 경례). ② (nordd.) 찌르다, (구멍을) 뚫다: ein Loch ins Papier ~ 종이에 구멍을 뚫다.

piek⸗fein [pí:kfáɪn] ⟪ndl. puik, „auserlesen"⟫ *a.* 뛰어나게 좋은, 특급의. **~sauber** *a.* 〖구어〗나무랄 데 없이 깨끗한.

piep *int.*〖의성어〗삐악삐악:〖구어〗nicht (einmal) ~ sagen 한 마디도 하지 않다;〖구어〗nicht mehr ~ sagen können a) (놀라거나 당황하여) 아무 말도 할 수 없다, b) 죽어 있다; solange ich noch ~ sagen kann 내가 살아 있는 한.

Piep [pi:p] *m.* -s, -e ① 새 새끼가 우는 소리, 짹짹〔찍찍〕거리는 소리: keinen ~ (mehr) sagen 한 마디도 않다; keinen ~ mehr machen〔sagen, tun〕 죽다; ich will keinen ~ mehr hören 이제 좀 조용히 해. ② 광기: du hast ja einen ~ 너 미쳤구나. ③ (ndd.) (썰물 때 바닥이 드러나는) 좁은 수로.

Piepe [pí:pə] *f.* -n (nordd.) 피리, 휘파람; 큰 통.

piepe *a.*〖서술적〗es ist mir ~ 그것은 내게는 어떻든 상관없다.

piep·egal [pí:p|egá:l] *a.*〖구어〗전혀 중요하지 않은, 아무래도 좋은: das ist (mir) ganz ~ (나로서는) 그게 전혀 문제가 되지 않아.

piepen *i.* (h.) ① (병아리가) 삐악삐악 울다; (쥐가) 찍찍 울다; 신음하다. ②〖구어〗bei dir piept's wohl? 자네 돌지 않았나?; es ist zum Piepen! 그것은 정말 웃긴다!

Piepen [pí:pən] *pl.*〖구어〗① 돈: keine ~ haben 무일푼이다. ② 마르크.

Pieper *m.* -s, - ① 엉엉 우는 사람; 환자. ② 〖動〗논종다리의 일종. ③ 작은 새.

Piep·hacke *f.*〖수의〗말의 발에 생기는 종기.

piephaft, piepicht, piepig, piepisch *a.* ① (소리가) 높고 가는: eine ~e Stimme 삐악삐악〔찍찍〕우는 소리. ② (특히 piepig) 병약한, 작고 연약한. ③ 상등품의, 세련된.

Piep⸗hahn *m.*〖구어〗(어린아이의) 자지, 고추. **∼jung** *a.* 새끼새의;〖비유〗풋내기의. **~lerche** *f.* 논종다리의 일종. **~matz** *m.* ① 〖아동〗새 새끼, 작은 새: wie ein ~ essen 아주 조금 먹다. ② 광기(狂氣):〖구어·농담〗 einen ~ haben 약간 돌았다, 제 정신이 아니다. ③ 훈장: der ~ im Knopfloch 가슴의 훈장. **~mätzchen** *n.*〖아동〗새 새끼, 작은 새.

pieps *int.* ↑ piep.

Pieps *m.* -es, -e〖구어〗↑ Piep.

piepsen [pí:psən] *i.* (h.) ↑ piepen.

Piepser *m.* -s, -〖구어〗① 삐삐 소리. ② 삐삐, 호출기.

piepsig *a.* ↑ piepig.

Piepsigkeit *f.* ① (소리가) 높고 날카로움. ② 병약.

Piep·vogel *m.*〖아동〗(작은) 새.

Pier[1] [pi:r] ⟪engl.⟫ *m.* -s, -e/-s〖海〗(Hafendamm) 부두, 방파제, 선창(船艙).

Pier[2] *m.* -(e)s, -e〖動〗갯지렁이(낚싯밥).

Pier·aas *n.* ↑ Pier[2].

Pieriden [pierí:dən] ⟪gr.⟫ *pl.*〖그리스신화〗 피에리데스(뮤즈의 다른 이름).

pierisch *a.* 피에리데스의.

Pierrette [piɛrɛ́tə] ⟪frz.⟫ *f.* -n ↑ Pierrot.

Pierrot [piɛró:] ⟪frz.⟫ *m.* -s, -s〖연극〗피에로, 광대.

piesacken [pí:zakən] *t.* (ndd.) (quälen) 괴롭히다, 귀찮게 굴다.

Piesackerei [pie:zakəráɪ] *f.* -en 지속적인 괴롭힘.

pieseln *i.*〖구어〗① 추적추적 비가 내리다. ② 오줌누다.

Pieta [pietá(:)], **Pietà** [pietá] ⟪it.⟫ *f.* -s〖미술〗(Vesperbild) 피에타(예수의 시체를 안고 슬퍼하는 마리아상).

Pietät [..tɛ́:t] *f.* ① (신에 대한) 독실한 믿음. ② (사람에 대한) 경건, 외경. ③ (어버이에 대한) 효성. ④ (은인에 대한) 감은(感恩). ⑤〖방언〗장의사.

pietätlos *a.* 신앙이 얕은, 경건하지 않은.

Pietätlosigkeit *f.* 불경건, 불경스러운 언행.

pietät·voll *a.* 독실한; 경건한.

***Pietismus** [..tísmus] *m.* - ①〖宗〗경건주의 (루터파 교회의 일파). ②〖펌어〗독실한〔경건한〕 체함.

Pietist [pietíst] *m.* -en, -en ①〖宗〗경건주의자. ②〖펌어〗독실한 체하는 신도, 사이비 신도.

Pietisterei *f.* -en ↑ Pietismus ②.

pietistisch *a.* ①〖宗〗경건주의의. ②〖펌어〗 독실한 체하는.

Pietsch [pi:tʃ] *m.* -(e)s, -e (sächs.) 술고래, 술꾼.

pietschen [pí:tʃən] *t./i.* (h.) 폭음하다.

piezoelektrisch [pietso|elɛ́ktrɪʃ] *a.* 압전기 〔피에조 전기〕의: ~er Effekt 압전 효과.

Piezoelektrizität [..tritsitɛ́:t] ⟪gr.⟫ *f.*〖전기〗압전기, 피에조 전기.

Piezometer *n.* -s, -〖物〗유압계, 액주(液柱) 압력계.

Piezoquarz [pié:tsokva:rts, pietsokvá:rts] *m.* -es, -e〖工〗압전성 수정판.

piff [pɪf], **paff** [paf] *int.*〖의성어〗빵빵, 탕탕(총소리 따위).

Pigeon-English [pídʒɪn..] *n.* - ↑ Pidgin-Englisch.

Pigment [pɪgmɛ́nt] ⟪lat. pingere⟫ *n.* -(e)s, -e〖生〗생체내(內) 색소;〖理〗안료, 염료.

Pigmentation [..tsió:n] *f.* -en〖理〗색소 침착, 착색.

Pigment·druck *m.* ①〖섬유〗 안료 날염법. ②〖印·사진〗 카본 인화법. ③〖印·사진〗 카본 인화법으로 만든 사진〔그림〕. **~fleck** *m.* 〖醫〗 색소반(斑). **~geschwulst** *f.* 〖醫〗 색소 종양, 흑색종(腫).

pigmentieren [pɪgmɛntíːrən] 《Ⅰ》 *t.* ① (안료·색소를) 미세 가루로 만들다. ② (피부 따위를) 착색하다, 물들이다: hell pigmentiert 밝게 착색한. 《Ⅱ》 *i.* (h.) 물들다, 착색되다.

Pigmentierung *f.* -en 염색; 색소 형성; 색소 침착(沈着).

pigmentlos *a.* 색소가 없는, 무색소의.

Pigment·mal *n.* 〔雅語〕 색소반(斑).

Pignole [pɪnjóːlə] *f.* -n 잣.

Pignolie [pɪnjóːliə, pɪgnóːliə] *f.* -n (öst.) 잣.

Pijacke [píːjakə] *f.* -n 〖海·구식〗 (해군복의 일종으로) 두터운 모직으로 만든 상의.

Pik[1] [piːk] 《frz.》 *m.* -s, -e/-s (Bergspitze) 산꼭대기, 뾰족한 봉우리.

Pik[2] 《frz.》 *n.* -(s), -(s) 〖카드〗 스페이드; 스페이드가 으뜸패인 카드놀이.

Pik[3] 《frz. pique》 *m.* (Groll) 원한, 울분: 〔구어〕 einen ~ auf jn. haben 누구에게 원한을 품다.

pikant [pikánt] *a.* ①〖요리〗 자극성의, 매운, 알알한. ②〔비유〕 신랄한; 비꼬는; 빗대는; 매력적인, 재미 있는. ③ 외설스러운, 야한: ein ~er Witz 야한 농담.

Pikanterie [pikantəríː] *f.* -n [..ríːən] ① 매력; 자극, 자극적인 맛; 신랄. ② 기행(奇行). ③ 자극적인 발언, 야한 언행, 외설스러운 이야기.

pikanter·weise *adv.* 자극적으로, 신랄하게.

pikaresk *a.* 악한의: ~er Roman (악한이 주인공인) 피카레스크 소설.

pikarisch *a.* ↑ pikaresk.

Pik·as *n.* 〖카드〗 스페이드의 에이스. **~dame** *f.* 스페이드의 여왕〔퀸〕.

Pike [píːkə] 《frz. pique》 *f.* -n ①〖軍〗 창(槍) (중세 말엽의 용병 및 보병의 무기): 〔구어〕 von der ~ auf dienen〔lernen〕 업무를 철저히 익히다; 바닥에서부터 경력을 쌓아가다. ② 원한.

Pikee [pikéː] *m.*/(öst.) *n.* -s, -s 피케, 이중으로 짠 면직물.

pikee·artig [pikéː..] *a.* 피케〔이중으로 짠 면직물〕 성질〔종류〕의. **~kragen** *m.* 피케 옷깃. **~weste** *f.* 피케 조끼.

piken [píːkən] *t.* 〔구어〕 찌르다.

Pikenier [pikəníːr] *m.* -s, -e, **Piken·träger** *m.* 〖軍〗 창병(槍兵).

Pikett [pikɛ́t] 《Ⅰ》 *n.* -(e)s, -e ①〖복수: -s〗 (측량용의) 말뚝, 푯말. ②〖軍·고어〗 전초(前哨). ③ (schweiz.) (군이나 소방대의) 출동 가능 부대; 출동 태세, 대기. 《Ⅱ》 *n.* -(e)s 피케트(카드놀이의 일종).

Pikett·stellung *f.* (schweiz.) (출동) 준비.

pik·fein [píːkfáɪn] *a.* 최고급의(piekfein).

pikieren [pɪkíːrən] 《♧ Pike》 《Ⅰ》 *t.* ①〖원예〗 (묘목을) 옮겨 심다. ②〖재봉〗 (양복에) 심을 대다. ③ 화나게 하다, 자극하다. 《Ⅱ》 *refl.* sich auf et. ~ 무엇을 명예로 여기다. 《Ⅲ》 **pikiert** *p.a.* ↑ pikiert.

pikiert 《Ⅰ》 *p.p.* ↑ pikieren. 《Ⅱ》 *p.a.* 마음을 상한; 성난, 기분이 언짢은; 예민한, 쉽게 화내는: auf jn. ~ sein 누구를 원망하고 있다.

Pikkolo [píkolo] 《it.; 원뜻 „Kleiner"》 《Ⅰ》 *m.* -s, -s (öst.) ① (음식점의) 수습 종업원, 보이. ② (0.2 *l* 들이) 작은 샴페인 병. 《Ⅱ》 *n.* -s, -s 〖음악〗 피콜로.

Pikkolo·flasche *f.* 작은 샴페인 병. **~flöte** *f.* ↑ Pikkolo 《Ⅱ》.

piko.. *pref.* 단위명 앞에 붙어 "1 조분의 1, 10^{-12}"의 뜻.

Pikofarad *n.* -(s), - 〖物〗 10^{-12}〔1 조분의 1〕 패럿.

Pikör [pikǿːr] 《frz.》 *m.* -s, -e 〖사냥〗 (말을 타고 앞서 달리는) 사냥꾼 조수, (몰이 사냥에서) 개떼의 감시자.

Pikrat *n.* -(e)s, -e 〖化〗 피크린산염(酸塩), 피크린산 에스테르.

Pikrin 《<gr. pikrós》 *n.* -s 〖化〗 피크린.

pikrin·sauer *a.* 피크린산(酸)의. **~säure** *f.* 피크린산(酸).

Piksieben [píːkziːbən] *f.* 〖카드〗 스페이드의 7: 〔구어〕 wie ~ dastehen〔dasitzen, gucken〕 망연자실해 있다.

Pikte [píktə] 《klt.》 *m.* -n, -n 픽트 사람(고대 스코틀랜드의 동부에 살던 종족).

Piktogramm *n.* -s, -e 픽토그램(국제적으로 통용되는 그림 문자).

Pilar [piláːr] *m.* -en, -en 〖승마〗 (말을 길들일 때) 고삐를 매어 놓는 기둥, 조마주(調馬柱).

Pilaster [pilástər] 《lat.》 *m.* -s, - 〖건축〗 필라스터, 벽기둥, 간주(間柱).

Pilatus [piláːtus] 《lat.》 *m.* Pontius ~ 빌라도(예수를 처형시킨 로마 총독): 〔비유〕 wie ~ ins Credo 전혀 우연히; von Pontius zu ~ laufen (어떤 일을 해결하느라고) 여기저기 뛰어다니다; 분주하게 이리저리 돌아다니다.

Pilau *m.* -s ↑ Pilaw.

Pilaw [piláf] *m.* -s 필라프, 육반(肉飯) (쌀에 고기·야채를 섞어 기름에 볶아 향료를 가미한 요리).

Pile [paɪl] 《engl.》 *m./n.* -s, -s 파일, 원자로.

***Pilger** [pílgər] 《lat.》 *m.* -s, - 순례자; 〔비유〕 편력자, 나그네.

Pilger·chor *m.* (특히 바그너의 악극 탄호이저의) 순례자의 합창. **~fahrt** *f.* 순례 여행. **~flasche** *f.* 순례자의 물병. **~hut** *m.* 순례자의 모자(중세의 순례자가 썼던 가리비 조개껍질로 장식한 차양이 큰 모자).

Pilgerin *f.* -nen ↑ Pilger 의 여성형.

Pilger·kleid *n.*, **~kleidung** *f.* 순례복. **~leben** *n.* ① 순례 생활, 성지 순례. ②〔비유〕 인생(의 나그넷길), 일생. **~muschel** *f.* 가리비(조개의 일종으로 중세의 순례자들은 이 패각을 모자에 달고 다녔음).

pilgern [pílgərn] *t.* (h./s.) ① (성지를) 순례하다, 참배하다. ② 멀리 도보로 여행하다.

Pilgerschaft *f.* -en ① 순례 (여행), 성지 참배. ② 순례자임, 순례자 신분.

Pilger·schar *f.* 순례자의 무리, 순례단. **~stab** *m.* 순례자의 지팡이. **~tasche** *f.* 순례자의 배낭. **~zug** *m.* ① (성지) 순례 여행. ② 순례(자) 행렬. ③ 순례자용 특별 열차.

Pilgrim [pílgrɪm] *m.* -s, -e 〔시어〕 ↑ Pilger.

pilieren *t.* (비누를) 빻다, 잘게 썰다.

Pilke [pílkə] *f.* -n 〖낚시〗 (갈고리가 달린) 물고기 모양의 금속제 미끼.

pilken [pílkən] *i.*(h.) 물고기 모양의 금속제 미끼를 써서 낚시질하다.

*__Pille__ [pílə] 《lat., „Bällchen"》 *f.* -n ①〖醫〗알약, 환약, 정제: ~n machen〔drehen〕 환약을 제조하다. ②〔비유〕 불쾌한 일〔것〕; 잔소리, 꾸지람, 질책, 꾸중: eine bittere ~ (für jn.) sein (누구에게) 극도로 언짢은 일이다; eine (bittere) ~ schlucken 고언을 받아들이다; jm. eine bittere ~ zu schlucken geben 누구에게 불쾌한 이야기를 하다, 누구를 불쾌하게 하다; jm. eine bittere ~ versüßen〔verzuckern〕 누구에게 듣기 싫은 말을〔불쾌한 일을〕 완곡히 말하다〔참을 만하게 하다〕. ③〖정관사와 함께 단수로만〗〖구어〗 경구 피임약. ④〖구기·은어〗 공, 볼.

Pillen≈dose *f.* 알약 갑〔곽〕. **~dreher** *m.* ①〖動〗 뿔풍뎅이, 말똥구리. ②〖구어·농담〗 약제사. **~farn** *m.*〖植〗 필루라리아(네가래과(科)의 수생 양치 식물의 하나). **~förmig** *a.* 알약 모양의. **~käfer** *m.*〖動〗 뿔풍뎅이의 일종. **~knick** *m.* (피임약 보급으로 인한) 출산율 저하. **~kraut** *n.* ↑ ~farn. **~masse** *f.* 환약 재료. **~schachtel** *f.* ↑ ~dose.

*__Pilot__ [piló:t] 《frz. pilote》 *m.* -en, -en ①〖海·고어〗 수로 안내인, 도선사. ② **(a)**〖空〗 조종사, 파일럿. **(b)**〖스포츠〗 자동차〔오토바이〕 경주자; 봅슬레이의 조종자. ③〖動〗 고등어속(屬)의 물고기. ④〖섬유〗 두껍고 질긴 면직물의 일종.

Pilotage [..tá:ʒə] *f.* -n ① **(a)**〖海〗 도선술;〖空〗 조종술. **(b)** 도선료. ②〖건축〗 말뚝 공사, 말뚝 울타리.

Pilot≈anlage *f.*〖工〗 시험 설비; 시운전 중인 시설. **~ballon** *m.*〖空〗 (조종사 없는) 학술용 경기구(輕氣球), 측풍(測風) 기구.

Pilote [piló:tə] *f.* -n〖건축〗 (기초 공사용) 말뚝.

Piloten≈kanzel *f.*〖空〗 조종실(Cockpit). **~schein** *m.* 조종사 면허증.

Pilot·film *m.*〖방송〗 (시청자의 반응을 알아보려는) 시험 방송 필름.

pilotieren [pilotí:rən] *t.* ① **(a)**〖海〗 …의 수로 안내를 하다(lotsen). **(b)** (항공기나 경주용 차를) 조종하다. ②〖건축〗 (기초 공사용 말뚝을) 박다.

Pilotin *f.* -nen ↑ Pilot ② 의 여성형.

Pilot≈sendung *f.*〖방송〗 시험 방송(물). **~studie** *f.* (시험적인) 예비 연구. **~ton** *m.* ①〖영화·TV〗 파일럿 고주파음(영상과 소리를 분리하여 재생할 때 부가적으로 녹음한 고주파음). ②〖工〗 파일럿 고주파(스테레오 프로그램을 해독하기 위해 부가적으로 송출된 고주파 신호). **~versuch** *m.* 시험적 시도.

Pilsen [pílzən] 《tschech. Plzeň》 필젠(체코 보헤미아 서부의 도시).

Pilsener [pílzənər] 《I》 *m.* -s, - 필젠 사람. 《II》 *a.* 필젠 (사람)의. 《III》 *n.* -s, - 필젠(산(産)) 맥주.

Pilsner [pílznər] *m./n./a.* ↑ Pilsener.

pilsner·blond *a.* 필젠 맥주색의.

*__Pilz__ [pılts] 《lat.》 *m.* -es, -e ① 버섯: ~e suchen〔sammeln〕 버섯을 따다; in die ~e gehen a) 버섯 따러 가다, b)〖비유〗 없어지다, 은둔하다, 실패하다: wie ~e aus der Erde〔dem (Erd)boden〕 schießen〔wachsen〕 a) 우후죽순처럼 자라다, b) 순식간에 퍼지다. ②〖植·醫〗 균류(菌類), 진균(眞菌). ③〖醫〗 피부 사상균(絲狀菌).

pilz≈ähnlich, ~artig *a.* 버섯 같은, 균 모양의. **~faden** *m.*〖植〗 (Hyphe) 균사(菌絲), 곰팡이의 본체. **~förmig** *a.* 버섯 모양의. **~gericht** *n.* 버섯 요리.

pilzhaft *a.*〖드물게〗 ↑ pilzähnlich.

Pilz·hut *m.* 균산(菌傘), 버섯의 갓.

pilzicht〖드물게〗, **pilzig** *a.* ↑ pilzähnlich.

Pilz≈kenner *m.* 세균학자. **~kopf** *m.*〖구어〗 ① 버섯 머리 두발형. ② 버섯머리 모양의 헤어스타일을 한 사람. **~krankheit** *f.*〖醫〗 진균성(眞菌性) 질환, 사상균병(絲狀菌病). **~kunde** *f.* 균학(菌學). **~mutter** *f.* 균사(菌絲). **~sammler** *m.* 버섯 따는 사람. **~spore** *f.* 균포자(菌胞子). **~stadt** *f.* (버섯처럼) 급속히 성장한 도시. **~vergiftung** *f.* 버섯 중독(증).

Piment [pimɛ́nt] 《sp.》 *m./n.* -(e)s, -e〖요리〗 자메이카 후추(서인도산(産)의 피멘토 열매에서 채취).

Piment·pfeffer *m.* ↑ Piment.

Pimmel [píməl] *m.* -s, -〖구어·비속·아동〗 자지.

pimpe *a.* (nordd.) 무관심한(↑ gleichgültig).

Pimpelei [pımpəlái] 《원래는 의성어》 *f.* -en〖구어·폄어〗 ① (늘 반복되는) 우는 소리, 푸념, 넋두리. ② 연약, 유약; 병약, 허약.

Pimpeler *m.* -s, - 유약한 사람, 병자.

Pimpel·fritz *m.* 유약〔병약〕한 남자.

pimpelig [pímpəlıç] *a.*〖구어·폄어〗 연약한, 유약한; 과민한, 신경질적인; 병약한, 허약한.

Pimpel·liese [pímpəl..] *f.* 유약한 여자.

pimpeln [pímpəln] *i.*(h.)〖구어·폄어〗 ① 우는 소리를 하다, 과민 반응을 하다. ② 앓기 일쑤다, 병약하다.

Pimperlinge [pímpərlıŋə] *pl.*〖구어〗 돈, 동전, 마르크.

pimpern[1] [pímpərn] *i.*(h.) (bayr., öst.) ① ↑ pimpeln. ② 딸랑〔덜커덩〕거리다.

pimpern[2] *i.*(h.)/*t.*〖비속〗 성교하다.

Pimpernell [pımpərnɛ́l] 《frz.》 *m.* -s, -e〖植〗 ① 오이풀, 수박풀. ② 수박풀뿌리.

Pimpernell·wurzel *f.* 수박풀뿌리.

Pimpernuß *f.* ..nüsse 서양 고추나무(의 씨).

Pimpernuß·baum *m.* 서양 고추나무.

Pimpf [pımpf] *m.* -s, -e ①〖구어〗 (öst.) 소년, 청소년; 바보. ② **(a)** (나치 시대의) 소년단원. **(b)** (1920 년경의) 청년 운동의 최연소 회원.

Pimpinelle [pımpinɛ́lə] *f.* -n 수박풀.

pimplig *a.* ↑ pimpelig.

PIN[1] *f.* =persönliche Identifikations-Nummer〖컴〗 개인 식별 기호(사용자를 확인하기 위한 보안 번호나 기호).

Pin[2] *m.* -s, -s ①〖볼링〗 쓰러뜨린) 핀. ②〖醫〗 뼈 고정용의 가는 핀〔못〕.

Pinakoid [pinakoí:t] 《gr. pínax》 *n.* -(e)s, -e〖광물〗 탁면(卓面)(다면 중 두 면이 대칭인 결정체형).

Pinakothek [pinakoté:k] 《gr. pínax》 *f.* -en ① (고대 그리스 아크로폴리스의) 봉납물 보관소. ② (뮌헨의) 피나코텍 미술관.

Pinasse [pinásə] 《frz., ndl.》 *f.* -n ①〖海〗 (군함에 적재된) 경정(輕艇). ② 돛대가 3개인

17 세기의 범선.

Pincenez [pɛ̃s(ə)néː] 《frz. pincer, „kneifen“+nez „Nase“》 *n.* - [..néːs], - [..néːs] 〔고어〕 코안경(Kneifer).

Pincette [pɛ̃sɛ́tə] 《frz.》 *f.* -n 핀셋(Pinzette).

Pindar [pɪ́ndar] *m.* 핀다로스(고대 그리스의 서정 시인, 522-446 B.C.).

pindarisch *a.* 핀다로스풍의.

Pindaros *m.* ↑ Pindar.

Pinge [pɪ́ŋə] *f.* -n 〖광산〗 (광갱이 무너져 생긴) 깔대기 모양의 구덩이(Binge).

pingelig [pɪ́ŋəlɪç] *a.* 〔구어〕 지나치게 양심적인〔꼼꼼한〕: sei doch nicht so ~! 그렇게 너무 꼼꼼하게 굴지 마라!

Pingeligkeit *f.* 지나친 꼼꼼함.

Pingpong [pɪ́ŋpɔŋ] 《engl.》 *n.* -s, -s 탁구(Tischtennis).

Pingpong=platte *f.* 탁구대. **~schläger** *m.* 탁구 라켓.

Pinguin [pɪ́ŋguiːn, pɪŋguíːn] 《lat. pinguis》 *m.* -s, -e 〖動〗 펭귄.

Pinie [píːniə] 《lat. pinus》 *f.* -n 〖植〗 ① (지중해 연안의) 소나무, 삿갓솔: 〔구어〕 jn. auf die ~ bringen 누구를 화나게 하다; 〔구어〕 auf die ~ klettern 화내다, 분개하다; 〔구어〕 auf der ~ sein 화가 나 있다. ② 삿갓솔의 씨앗, 잣. ③ ↑ Pinienwolke.

Pinien=baum *m.* ↑ Pinie ①. **~kern** *m.* ↑ Pinie ②. **~kiefer** *f.* ↑ Pinie ①. **~nuß** *f.* ↑ Pinie ②. **~wald** *m.* 삿갓솔 숲. **~wolke** *f.* (화산 따위의) 삿갓솔 모양의 먼지 구름. **~-zapfen** *m.* 삿갓솔 솔방울.

Pink [pɪŋk] *n.* -s, -s 핑크색.

pink[1] *a.* 핑크색의, 분홍빛의.

pink[2] *int.* 〔의성어〕 땡, 딸깡, 핑.

Pinke [pɪ́ŋkə] *f.* -n ① 대장간. ② 〖植〗 갯질경이. ③ 〖動〗 **(a)** 뱀장어. **(b)** 작은 연어. **(c)** 연준모치. ④ 〖海·구식〗 (돛대가 3 개인) 범선. ⑤ 〔구어〕 돈, (도박에서) 건 돈; 주머니, 지갑: er hat keine ~ mehr 그는 이제는 한 푼도 없다; es kostet ~, ~ 비용이 많이 든다.

Pinkel [pɪ́ŋkəl] *m.* -s, -(s) ① 〔구어·폄어〕 (시시한) 남자: ein feiner ~ 겉멋쟁이, 고상한〔세련된〕 체하는 사람. ② 오줌, 소변.

pinkeln [pɪ́ŋkəln] *i.* (h.) 〔경박〕 (harnen) ① 오줌 누다. ② *imp.* 비가 조금씩 내리다.

Pinkel·pause *f.* 〔구어〕 (오랜 여행 따위에서) 용변을 위한 휴식.

pinken [pɪ́ŋkən] *t.* (h.) 땅땅〔탕탕〕 치다, 쇠망치로 두들기다; 단련하다.

Pinke·pinke *f.* ↑ Pinke ⑤.

Pinne [pɪ́nə] 《lat.》 *f.* -n ① 날개, 깃; 〔드물게〕 지느러미. ② 〖動〗 조개의 일종. ③ 〖軍〗 (표적권의) 흑점. ④ 〔방언〕 압정, 핀; 나무못. ⑤ (장도리의) 노루발. ⑥ 〖海〗 **(a)** (나침반 바늘의) 추축(樞軸). **(b)** (키의) 손잡이. **(c)** 클러치, 노받이. **(d)** (선미재(船尾材)의) 방추(紡錐).

pinnen [pɪ́nən] *t.* 압정으로 고정시키다.

Pinn·wand *f.* (압정을 사용하는) 게시판.

Pinocchio [pinɔ́kio] *m.* -(s) 피노키오.

Pinole 《lat. pinea》 *f.* -n (선반 심압대(心押臺)의) 물림쇠(가공물 고정 장치).

Pinscher [pɪ́nʃər] 《engl.》 *m.* -s, - ① 〖動〗 핀셔(영국산(產) 사냥개). ② 〔경박·폄어〕 (지식도 능력도 없는) 보잘것없는 사람.

pinschern *t.* (s.) 서두르다; 달리다.

***Pinsel**[1] [pɪ́nzəl] 《lat.》 *m.* -s, - ① 〖사냥〗 (꼬리·귀·음부 따위에 난) 텁수룩한 털. ② 〔구어·비속〕 자지, 음경. ③ 브러시, 솔; 붓, 화필: den ~ führen 그림을 그리다; er malt mit leichtem〔kühnem〕 ~ 그는 가벼운〔대담한〕 터치로 그린다; 〔구어·경박〕 auf den ~ drücken〔treten〕 액셀을 밟다, 속력을 내다. ④ 〖컴〗 붓, 브러시(그래픽 프로그램의 그림 그리는 도구). ⑤ 〔드물게〕 묶음, 다발; 총생(叢生). ⑥ 〖動〗 연형(蠕形) 동물의 일종.

Pinsel[2] 《ndd.》 *m.* -s, - 〔구어·폄어〕 바보, 멍텅구리: so ein (alberner) ~! 이런 얼간이 같은 놈!

Pinsel·äffchen *n.* 비단원숭이. **~artig** *a.* 바보 같은.

Pinselei [pɪnzəlái] *f.* -en ① 《<Pinsel[1]》 〔구어〕 서투른 그림(을 그림). ② 《<Pinsel[2]》 〔구어〕 바보 같은 짓, 미련한 짓.

Pinseler [pɪ́nzələr] 《<Pinsel[1]》 *m.* -s, - ① 브러시 제조인; 페인트공. ② 미숙한 화가.

pinsel=förmig *a.* 붓모양의. **~führung** *f.* 붓 사용법, 운필(運筆): eine kräftige ~ 힘찬 필법. **~griff** *m.* 붓자루.

pinselhaft, pinselig *a.* ① 붓털처럼 가느다란, 붓털 모양의. ② 우둔한, 바보의.

***pinseln**[1] [pɪ́nzəln] 《<Pinsel[1]》 *i.* (h.) / *t.* ① 〔구어〕 붓으로 그리다; 〔폄어〕 서투른 그림을 그리다, 마구 붓을 놀리다. ② 〔구어〕 칠하다: den Zaun grün ~ 울타리를 녹색으로 칠하다. ③ 〔구어〕 천천히 조심스레 쓰다: die Hausaufgaben ins Heft ~ 숙제를 노트에 정성들여 쓰다. ④ 붓으로 쓰다: politische Parolen an die Wand ~ 벽에 정치적 구호를 쓰다. ⑤ (액체 약을) 붓으로 바르다. ⑥ 화장품을 바르다: die Lippen ~ 입술 화장을 하다; die Nägel ~ 손톱에 매니큐어를 칠하다.

pinseln[2] 《<Pinsel[2]》 《I》 *i.* (h.) ① 어리석은〔미련한〕 짓을 하다. ② (ndd., md.) 울며 말하다; (입을 비죽거리며) 훌쩍훌쩍〔찔찔〕 울다. 《II》 *i.* (h.) / *t.* (ndd., md.) 값을 깎다.

Pinsel=schimmel *m.* 〖生·醫〗 (붓 모양의) 푸른〔갈색〕 곰팡이; (음식물에 곰팡이를 슬게 하는) 사상균(絲狀菌). **~schwein** *n.* 〖動〗 서아프리카에 서식하는 멧돼지의 일종(귀가 브러시 모양임). **~stiel, ~stock** *m.* 붓대. **~strich** *m.* 일필, 필치, (붓)터치: kühner ~ 대담한 필치; er tut keinen ~ mehr a) 그는 지금은 그림을 그리지 않는다, b) 〔비유〕 그는 죽었다. **~trog** *m.* 붓 헹구는 통. **~züngler** *m.* 〖動〗 (혀 끝에 브러시 모양의 털이 난) 앵무새의 일종.

Pinsler *m.* -s, - ↑ Pinseler.

Pint [pɪnt] *n.* -s, -s 파인트. ① 영국의 용량 단위(기호: pt(=0.568 리터)). ② 북아메리카의 용량 단위. **(a)** 액체 양의 단위(기호: liq pt (=0.473 리터)). **(b)** 고체 양의 단위(기호: dry pt(=0.550 리터)).

Pinte [pɪ́ntə] 《frz.》 *f.* -n ① 그림 무늬가 있는 잔〔컵〕. ② 핀테(옛 액량의 단위; 0.9 리터). ③ 〔구어〕 주점, 술집. ④ (schweiz.) 핀테(면적의 단위; 1/8 Morgen).

Pintscher *m.* -s, - ↑ Pinscher.

Pin-up-girl [pɪn|ápgøːrl, pɪ́nʌpgəːl] 《engl.》 *n.* -s, -s (벽에 붙이는) 미녀 사진(의 모델).

pinx. =pinxit.

pinxit [pɪ́ŋksɪt] 《lat. 원뜻 „er hat es gemalt"》〖畫〗 …이〔가〕 그림(그림에 작가의 서명 앞 또는 뒤에 쓰임)(약어: p. 또는 pinx.).

Pinzette [pɪntsɛ́tə] 《frz. pincette》 *f.* -n 핀셋.

Pinzgau [pɪ́ntsgaʊ] *m.* -(e)s 핀츠가우(잘츠부르크 서부의 주).

Piombi *pl.* 베니스 총독 관저의 국사범 교도소.

***Pionier** [pioníːr] 《frz.》 *m.* -s, -e ①〖軍〗공병. ②〔비유〕 개척자, 선구자. ③〖구동독〗 소년 소녀 (개척) 단원.

Pionier≈arbeit *f.* ① 선구적인 일〔연구〕; 기초 연구. ②〖구동독〗 소년 소녀(개척) 단원으로서의 활동. **~geist** *m.* 개척 정신. **~lager** *n.* 〖구동독〗 소년 단원들의 야외 수련장. **~leiter** *m.* 〖구동독〗 소년단의 지도자. **~pflanze** *f.* 〖植〗 (불모지에 처음 정착한) 개척 식물. **~truppe** *f.* 공병대. **~zeit** *f.* 개척 시대.

Pioupiou [pjuːpjúː] 《frz.》 *m.* -s, -s 〔폄어〕 (Fußsoldat) 보병, 졸병, 전투병.

Pipapo *n.* -s 〔경박〕 (없어도 될) 일체의 부수물: ein Haus mit Swimmingpool und allem ~ 수영장과 온갖 부대 시설을 갖춘 집.

Pipe[1] [píːpə] 《frz.》 *f.* -n ① (ndd.) **(a)** 파이프, 피리. **(b)** 담뱃대. **(c)** 길쭉한 술통〔기름통〕. ② 통마개, 수도 꼭지. ③〔구어〕 (berl.) das ist mir ganz ~! 그 따위는 내 알 바 아니다!

Pipe[2] [paɪp, píːpə] 《engl. pipe》 *n./f.* -, -s 파이프(액량의 단위; 영국에서는 572.5 리터, 미국에서는 476.9 리터).

Pipe·line [páɪplaɪn] 《engl.》 *f.* -s 송유관, 천연 가스 수송관: eine ~ legen 송유관을 깔다.

Piperin *n.* -s 〖化〗 피페린.

Piperin·säure *f.* 피페린산(酸).

Pipette [pipɛ́tə] 《frz.》 *f.* -n 피펫, 흡액(吸液) 유리관, 이액관(移液管), 사이펀.

pipettieren *t.* (einsaugen) 빨아올리다.

Pipi [pipíː] *n.* -s 〔아동〕 오줌: ~ machen 오줌 누다, 쉬하다.

Pipifax *m.* - 〔구어〕 불필요한 것, 무의미한 것.

Pippau [pɪ́paʊ] *m.* -(e)s, -e 〖植〗 뽀리뱅이.

Pips [pɪps] 《lat.》 *m.* -es ① 조류(鳥類)의 병적인 설태(舌苔)(구강염·비강염 따위). ②〔비유·구어〕 질병, 감기: den ~ haben 병을 앓다, 감기 들다. ③ 종기의 근. ④〔농담〕 꼬마, 애송이, 풋내기.

pipsig [..psɪç] *a.* 고질의, 허약한.

piqu.. ↑ pik...

Pique [piːk] 《frz.》 *n.* -(s) -s [piːks] 〖카드〗 스페이드(↑ Pik²).

Piqué[1] [pikéː] *m.* -s, -s ①〖섬유〗 피케(Pikee). ②〖당구〗 뒤깎아치기.

Piqué[2] *n.* -s, -s ①〖발레〗 한쪽 다리를 쭉 뻗어 발끝을 바닥에 댄 후 그 다리로 중심을 옮겨가는 스텝. ② 피케(다이아몬드의 이물질 혼입도).

Pirandello *m.* Luigi ~ 피란델로(이탈리아의 소설가·극작가, 1867-1936).

Piranha [piránja] *m.* -(s), -s 〖動〗 피라니아(남아메리카의 강에 사는 육식어).

Pirat [piráːt] 《lat.》 *m.* -en, -en 해적(Seeräuber).

Piraten≈schiff *n.* 해적선. **~sender** *m.* (대개 공해상의) (무허가) 해적 방송국.

Piratentum *n.* -(e)s ↑ Piraterie.

Piraterie [piratəríː] *f.* -n [..ríːən] ① 해적 행위, 해상 약탈. ② 선박〔비행기〕 납치. ③ (전쟁 중 군함에 의한) 중립 선박 공격.

piratieren *t.* (h.) 해적질하다.

piratisch *a.* 해적의, 해적행위를 일삼는.

Piräus [pirɛ́ːʊs] 피레우스(아테네의 항구 도시).

Piraya *m.* -(s), -s ↑ Piranha.

Pirmassens 피르마센스(독일 라인란트팔츠주에 있는 도시).

Piroge [piróːgə] 《sp.》 *f.* -n (인디언들의) 통나무배.

Pirogge [pirɔ́gə] 《russ. pirog》 *f.* -n (고기를 넣고 효모로 반죽한) 러시아식 파이.

Pirol [pirɔ́ːl] 《의성어》 *m.* -s, -e 〖動〗 꾀꼬리.

Pirouette [piruɛ́tə] 《frz.》 *f.* -n ① 팽이. ②〖발레·피겨스케이팅〗 피루엣(한 쪽 발 끝으로 서서 회전하기). ③〖승마〗 (말이 뒷다리를 중심으로 도는) 회전. ④〖레슬링〗 (불리한 자세를 면하기 위한) 급회전 동작. ⑤〖비행스포츠〗 (급상승·급하강하면서 빙글빙글 도는 비행기의) 회전 (묘기). ⑥〖체조〗 (도약·비상 중 선 자세로 도는 몸의) 회전.

pirouettieren *i.* (h.) (한 쪽 발로) 선 자세로 돌다, 급선회를 하다.

Pirsch [pɪrʃ] *f.* 〖사냥〗 (천천히 조심스럽게 행하는) 수렵, 사냥: auf die ~ gehen 사냥하러 가다.

pirschen [pɪ́rʃən] 《frz. berser》 《Ⅰ》 *i.* (h./s.) 〖사냥〗 (몰래 접근하여) 사냥하다: auf Hirsch ~ 사슴을 사냥하다. 《Ⅱ》 *i./refl.* 살금살금 접근하다: er pirschte sich leise in die Nähe der Tür 그는 문 가까이로 소리 죽여 살금살금 다가갔다.

Pirsch·gang *m.* 〖사냥〗 =Pirsch.

Pisa [píːza, (it.) písa] 피사(이탈리아의 도시).

Pisaner 《Ⅰ》 *m.* -s, - 피사의 시민. 《Ⅱ》 *a.* 피사의.

pisacken *t.* ↑ piesacken.

Pisang [píːzaŋ] 《mal.》 *m.* -s, -e 바나나.

Pisang≈fresser *m.* 〖動〗 (아프리카의) 뻐꾸기와 비슷한 새. **~frucht** *f.* 바나나.

pisanisch [pizáːnɪʃ] *a.* 피사의(↑ Pisa).

pisch [pɪʃ] *int.* 쉿, 입 닥쳐, 조용히.

pischen (md.) 《Ⅰ》 *t.* 잠재우다. 《Ⅱ》 *i.* (h.) ① 소변 보다. ② 쉿 소리가 나다.

Pisee [pizéː] 《frz. pisé》 *m.* -s 〖건축〗 다진 (찰)흙.

Pisee·bau *m.* 연토(煉土) 공법(판벽(板壁) 사이에 (찰)흙을 다져 넣음). **~wand** *f.* 연토벽, 토담.

Pisolith [pizolíːt, ..lɪ́t] 《gr.》 *m.* -(e)s/-en, -e(n) 〖광물〗 두석(豆石) (Erbsenstein).

pispeln [pɪ́spəln], **pispern** [pɪ́spərn] *i.* (h.) 속삭이다, 밀담하다; 살랑거리다.

Piß [pɪs] *m.* Pisses 〔비속·드물게〕 ↑ Pisse.

Piß·anstalt *f.* 〔비속〕 (소변 전용) 화장실.

Pissarro Camille ~ 피사로(프랑스의 인상파 화가, 1830-1903).

Pisse [pɪ́sə] *f.* -n 〔비속〕 오줌, 소변.

pissen [pɪ́sən] *i.* (h.) ①〔비속〕 소변 보다, 방

뇨하다: an den Baum ~ 나무에 대고 오줌누다. ②〔경박〕비가 주룩주룩 내리다.
Pisser *m.* -s, - ①방뇨자. ②요도(尿道).
pissern *imp.* 오줌 마렵다: es pissert mich, mich pissert 나는 오줌이 마렵다.
Pissoir [pɪsoá:r] 《frz.》 *n.* -s, -e/-s 공중 화장실(남자용).
Piß=ort *m.* ↑ ~anstalt. **~topf** *m.* 요강. **~winkel** *m.* ↑ ~anstalt.
Pistazie [pɪstá:tsiə] 《lat.》 *f.* -n 〖植〗 ① ↑ Pistazienbaum. ②(지중해 지방산(産)의) 유향수(乳香樹) 열매, 파스타치오.
Pistazien=baum *m.* 〖植〗 유향수속(屬). **~frucht** *f.* ↑ Pistazie ②. **≈gelb** *a.* 담황색의. **≈grün** *a.* 엷은 녹색의. **~mandel, ~nuß** *f.* ↑ Pistazie ②.
Piste [pístə] 《frz.》 *f.* -n ①스키 활강로, 슬로프; 자동차〔자전거〕 경주로. ②대상로(隊商路). ③〖空〗활주로. ④발자국, 바퀴 자국. ⑤비포장 도로. ⑥〖펜싱〗피스트(시합을 하는 바닥). ⑦〖서커스〗원형 공연장과 관람석 사이의 바닥 공간.
Pisten=sau *f.* 〔은어〕(난폭하게 스키를 타는) 활강로의 무법자. **~schwein** *n.* ↑ ~sau.
Pistill [pɪstɪ́l] 《lat.》 *n.* -s, -e ①〖藥〗유봉(乳棒), 공이, 막자. ②〖植〗암술(Stempel).
Pistoia 피스토이아(이탈리아 북부의 도시).
Pistol [pɪstó:l] *n.* -s, -e ↑ Pistole¹.
***Pistole**¹ [pɪstó:lə] 《tschech.》 *f.* -n 권총, 피스톨: auf ~n losgehen 〔sich auf ~n schlagen〕 권총으로 결투하다; jn. auf ~n fordern 누구에게 권총 결투를 신청하다; (sich) mit einer ~ erschießen 권총으로 사살〔자살〕하다; auf jn. eine ~ abschießen 누구에게 권총을 발사하다; jm. die ~ auf die Brust setzen a) 누구의 가슴에 권총을 들이대다, b) 〔비유〕 누구를 협박〔강요〕하다; 〔비유〕 (wie) aus der ~ geschossen 갑자기, 당장에, 주저 없이.
Pistole² 《frz.-sp.》 *f.* -n 피스톨(옛 에스파냐·프랑스·독일의 금화).
Pistolen=duell *n.* 권총 결투. **~forderung** *f.* 권총 결투 신청. **~griff** *m.* 권총 손잡이. **~halfter** *f./n.* 권총 케이스. **~knauf** *m.* (끝이 둥근) 권총 손잡이. **~kugel** *f.* 권총 탄알. **~lauf** *m.* 권총 총신. **~schaft** *m.* 권총 손잡이. **~schieß·platz** *m.* 권총 사격장. **~schuß** *m.* 권총 사격. **~schuß·weite** *f.* 권총의 사정 거리. **~schütz** *m.* 권총 사수. **~stand** *m.* ↑ ~schießplatz. **~tasche** *f.* 권총 집.
Piston [pɪstɔ̃:] 《frz.》 *n.* -s, -s ①〖工〗피스톤. ②〖음악〗 **(a)** (금관 악기의) 피스톤 장치, 조성판(調聲瓣). **(b)** 코넷(고음의 금관 악기). ③〖무기〗(전장총(前裝銃)의) 발사 장치, 화문(火門).
Piston·bläser *m.* 코넷 연주자.
Pita=faser [pí:ta..] *f.* ↑ ~hanf. **~hanf** 《indian.-sp.》 *m.* 용설란의 섬유.
Pitaval [pitavál] ①François Gayot de ~ 피타발(프랑스의 법학자, 1673-1743). ② *m.* -(s), -s 피타발 형사 판례집.
Pitch·pine [pɪ́tʃpaɪn] 《engl.》 *f.* -s 〖植〗 ①송진을 채취하는 북아메리카산(産) 소나무의 총칭(리기다소나무 따위). ②〔구어〕 ↑ Pitchpineholz.
Pitch·pine·holz *n.* 송진을 채취하는 북아메리카산(産) 소나무의 목재.
Pite·hanf *m.* ↑ Pitafaser.
Pithekanthropos [pitekántropɔs] 《gr. Pithekos „Affe“ + anthropos „Mensch“》 *m.* -, - 〖인류〗 자바 원인(猿人), 직립 원인.
Pithekanthropus [..pus] *m.* -, ..pi 〖인류〗 ↑ Pithekanthropos.
pithekoid 《gr.》 *a.* 직립 원인 비슷한.
pitschepatschenaß *a.* ↑ pitschnaß.
pitschnaß [pɪ́tʃnás] *a.* 흠뻑 젖은.
pitsch, patsch *int.* 철썩철썩, 철벅철벅(물이나 젖은 물건에 부딪쳐 나는 소리).
pitschpatschnaß *a.* ↑ pitschnaß.
Pitt·öl *n.* 〖광물〗 석유, 광물유(油).
pittoresk [pɪtorέsk] 《frz. pittoresque》 *a.* 그림 같은, 그림처럼 아름다운.
Pius [pí:us] 《lat., „der Fromme“》 ①피오(교황의 칭호; 12세까지 계속됨). ② *m.* 피우스(남자 이름).
Pivot¹ [pivó:] 《frz.》 *m./n.* -s, -s 〖工〗 굴대, 회전축; 선회점, 운동의 중심점.
Pivot² [pívət] *m.* -s, -s (농구에서) 센터.
Pivot·lager *n.* 굴대〔회전축〕 받침.
Piz [pi:ts] 《ladin.》 *m.* -(es), -(e) 〔방언〕 산꼭대기.
Pizarro [pitsáro, (sp.) piθáro] *m.* Francisco ~ 피사로(에스파냐의 항해자, 1470?-1541).
Pizz. =pizzicato.
Pizza [pɪ́tsa] 《it.》 *f.* -s/Pizzen 피자(파이).
Pizza·bäcker *m.* 피자 굽는 사람, 피자 가게 주인.
Pizzeria [pɪtserí:a] *f.* ..rien [..riən]/-s 피자 가게.
pizzicato [pɪtsiká:to] 《it.》 *adv.* 〖음악〗 피치카토(현을 손끝으로 뜯어서).
Pizzikato *n.* -s, -s/..ti 피치카토 주법.
Pjöngjang [pjœŋjáŋ] 평양(平壤).
PKK =Partîya Karkerên Kurdistan 쿠르드 노동당(쿠르드족의 독립을 주장하는 터키내 쿠르드인 정당).
Pkt. =Punkt 점.
Pkw =Personenkraftwagen 승용차.
PKW [pe:ka:vé:, pé:ka:ve:] =Pkw.
pl. =Plural 복수.
Placebo [platsé:bo] *n.* -s, -s 〖藥〗 가짜 약, 위약(僞藥).
Placement [plasəmã́:] 《frz.》 *n.* -s, -s ①〔드물게〕 임명; 배치. ②〖商〗 판매, 매각, 처분. ③〖商〗 투자; 대부, 융통.
Placet [plá:tsεt] 《it.》 *n.* -s, -s ↑ Plazet.
plachandern [plaxándərn] *i.* (h.) (ostd.) ①한가로이 걷다, 빈들빈들 돌아다니다. ② **(a)** 지껄이다, 수다떨다. **(b)** (혓바닥 따위로) 쩍쩍 소리를 내다.
Plache [pláxə] *f.* -n (öst.) 아마포, 삼베(↑ Blahe).
placieren [plasí:rən, ..tsí:..] ↑ plazieren.
Placierung *f.* -en ↑ Plazierung.
Plack¹ [plak] *m.* -s, -s ↑ Plackerei.
Plack² *m.* -s, -s 〔방언〕 ① **(a)** 지반; 장소; 평면. **(b)** 오점, 얼룩. ② **(a)** (덧댄) 헝겊〔가죽·고무〕 조각. **(b)** 천 위의 실마디. ③(떼어낸) 뗏장(Plagge).
Placke *f.* -n ↑ Plack².

Placken [plákən] 《원뜻 „Flecken, Flicken"》 *m.* -s, - ↑ Plack².

***placken**¹ [plákən] 《↑ plagen 의 강세형》《I》 *t.* 괴롭히다, 학대하다, 착취하다. 《II》 *refl.* sich ~ 〖구어〗 고생하다, 죽도록 일하다: sich für die Prüfung ~ 아주 힘들여 시험 준비를 하다.

placken² *t.* 〖방언〗 ① (양털을) 빗다. ② 덧대다, 덧붙이다; (광고 따위를) 붙이다. ③ 짓밟다, 밟아 다지다.

Placker¹ [plákər] 《≒ Placken》 *m.* -s, - ① 오점, 얼룩. ② 쇠똥. ③ 실책, 실수. ④ (합주에서의) 고르지 못한 음; 〖軍〗 불시의 사격.

Placker² 《<placken¹》 *m.* -s, - 학대자, 착취자.

Plackerei *f.* -en ① 학대, 착취. ② (지속적인) 고생, 중노동, 힘든 일.

plackern *i.* (h.) ① 실수하다. ② 엉뚱한 음을 내다; 〖軍〗 제멋대로 사격하다.

pladauz *int.* (nordd.) 어이쿠(pardauz).

pladdern [pládərn] 《nordd.》《I》 *i./imp.* 비가 좍좍 내리다, 억수로 퍼붓다: den ganzen Tag pladderte es pausenlos 하루 종일 비가 쉴새없이 퍼부었다. 《II》 *i.* (h.) (비가) 요란한 소리를 내며 부딪치다: der Regen pladdert aufs Dach 비가 후두둑거리며 지붕에 떨어진다.

Plädeur [plɛdǿːr] 《frz.》 *m.* -s, -e 〖구식〗 (Verteidiger) (형사 사건) 변호인, 옹호자.

plädieren [plɛdíːrən] 《frz. plaider》 *i.* (h.) ① 〖法〗 (변호사가) 변론하다; (검사가) 논고하다: der Verteidiger plädierte auf Freispruch 변호사는 변론에서 무죄 판결을 주장했다; die Staatsanwaltschaft plädiert auf〔für〕 schuldig 검찰은 논고에서 유죄를 주장한다. ② 〖교양〗 지지〔찬성〕하다: für Neuwahl ~ 재선거를 지지하다.

***Plädoyer** [plɛdoajéː] *n.* -s, -s [..jéːs] ① 〖法〗 (변호사의) 변론; (검사의) 논고. ② 〖교양〗 (찬성·반대의) 연설, 의견 표명: ein ~ für den Frieden 〔gegen die Todesstrafe〕 halten 평화 옹호〔사형 반대〕 연설을 하다.

plaff *int.* 탕, 쾅, 쿵.

Plafond [plafɔ̃ː] 《frz.》 *m.* -s [..fɔ̃ːs], -s [..fɔ̃ːs] 〔구식·öst.〕 ① 천장. ② 〖연극〗 (대개 아마포로 꾸며진) 무대용 천장. ③ 〖經〗 (세금 누진이나 신용 대출의) 최고 한도액.

Plafond·malerei *f.* 천장화(畫).

plafonieren *t.* ① (특히 schweiz.) 상한을 두다: Beträge ~ 최고 금액을 정하다. ② 〖구식〗 (천장을) 장식용 석고로 바르다.

Plafonierung *f.* -en 상한 설정.

***Plage** [pláːgə] 《lat. plaga》 *f.* -n ① 재앙, 천벌; 역병. ② **(a)** 괴로움, 고민, 고생, 고통: Mücken~ 모기에게 들볶임. **(b)** 〖구어〗 골치거리, 힘든 일. ③ (schweiz.) 불행, 불운.

Plage=geist 〔복수: -er〕 *m.* ① 사람을 괴롭히는 마귀; 학대자. ② 〖구어〗 사람 잡는 놈, 성가신 놈. **~leben** *n.* 괴로운 생활, 고난의 일생.

plagelos *a.* 괴로움 없는, 마음 편한.

***plagen** [pláːgən] 《I》 *t.* 괴롭히다, 귀찮게 굴다, 들볶다: den ganzen Tag plagten die Kinder die Mutter 아이들은 하루 종일 엄마를 볶아댔다; von Langeweile geplagt 지루함에 지쳐서; 〖비유〗 ihn plagt der Teufel 그는 악마에 씌웠다, 제정신이 아니다. 《II》 *refl.* sich ~ 괴로워하다, 고생하다, 애쓰다: sich mit jm. ~ 누구의 일로 괴로워하다; sich von morgens bis abends für die Familie ~ 가족을 위해 아침부터 저녁까지 고생하다; 〖속담〗 Meister muß sich immer ~ 대가가 되려면 부단히 노력해야만 한다.

Plagerei *f.* -en (끊임없는) 고생, 힘든 일.

Plagge [plágə] 《≒ Plack²》 *f.* -n (ndd.) ① (떼어낸) 뗏장, 떼흙. ② 천 조각, 걸레.

plaggen *t.* ① 뗏장을 뜨다. ② 뗏장을 입히다; (땅을) 뗏장으로 기름지게 하다.

plaghaft *a.* 괴로운; 번거로운, 귀찮은.

Plagiar [plagiáːr] *m.* -s, -e, **Plagiarius** *m.* -, ..rii 〖구식〗 ↑ Plagiator.

Plagiat [plagiáːt] 《lat. plagium》 *n.* -(e)s, -e 〖교양〗 ① 표절: ein ~ begehen〔aufdecken〕 표절을 하다〔밝혀내다〕. ② 표절 작품: diese Doktorarbeit ist ein ~ 이 박사 논문은 표절한 것이다.

Plagiator [plagiáːtɔr, ..toːr] *m.* -s, -en [..tóːrən] 〖교양〗 표절자.

plagiatorisch *a.* 〖교양〗 표절의.

plagiieren *i./t.* 〖교양〗 표절하다: sein Werk wird häufig plagiiert 그의 작품은 자주 표절된다.

Plagioklas [plagiokláːs] 《gr. plagios》 *m.* -es, -e [..zə] 〖광물〗 사장석(斜長石).

Plagoskop 《gr.》 *n.* -s, -e 풍신기(風信旗).

Plaid [pleːt, pleɪd] 《engl.》 *n./m.* -s, -s ① 대형 모직 숄. ② (체크 무늬의) 여행용 모포.

Plaideur [plɛdǿːr] 《frz.》 *m.* -s, -e ↑ Plädeur.

plaidieren *i.* (h.) ↑ plädieren.

Plaid=nadel [pléːt..] *f.* 안전핀. **~riemen** *m.* 숄의 가죽 끈. **~stoff** *m.*, **~zeug** *n.* 체크 무늬의 모직천.

Plaine [plɛːn] *f.* -n ↑ Pläne.

plaisant [plɛzã́ː] *a.* ↑ pläsant.

Plaisir 《frz.》 *n.* -s, -e/(öst.) -s ↑ Pläsier.

***Plakat** [plakáːt] 《frz. placard》 *n.* -(e)s, -e 게시, 광고; 벽보, 포스터, 플래카드: ~e ankleben verboten 벽보 부착 금지.

Plakat=anschlag *m.* 벽보〔포스터〕 부착〔게시〕. **~anzeiger** *m.* 삐라, 광고.

plakatieren [plakatíːrən] *t.* ① 벽보를 붙이다〔게시하다〕: in der ganzen Stadt war für das Sportfest plakatiert 온 시내에 체육 대회의 포스터가 나붙었다. ② 포스터로 알리다〔선전하다〕: die Veranstaltung 〔das Konzert〕 ~ 행사〔콘서트〕를 벽보로 알리다.

Plakatierung *f.* -en 벽보 선전, 포스터 광고.

plakativ [plakatíːf] *a.* 〖교양〗 ① 포스터 방식의: ~e Darstellung 포스터 식의 표현. ② 〖폄어〗 피상적인, 섬세하지 못한. ③ 의도적으로 강조된, 두드러진, 인상 깊은.

Plakat=kunst *f.* 광고화(畫), 포스터 그림〔미술〕. **~malerei** *f.* 포스터 그림〔그리기〕. **~säule** *f.* 광고탑〔기둥〕. **~schrift** *f.* 〖印〗 광고용 대형 활자. **~träger** *m.* ① 광고 기둥, 포스터용 벽. ② 샌드위치 맨. **~wand** *f.* 포스터용 벽〔게시판〕. **~werbung** *f.* 포스터에 의한 광고〔선전〕.

Plakette [plakɛ́tə] 《frz. plaquette》 *f.* -n ① 휘장, 배지, 마크: eine ~ tragen 배지를 달고

다니다. ② (가구·기기 따위에 붙은) 기념 표지, 상징 마크.

plakieren 《frz.》 *t.* (금·은을) 입히다, 도금하다.

Plakoderm [plakodérm] 《gr.》 *n.* -s, -en 〖고생물〗 판피류(板皮類) (Panzerfisch).

Plakodont *m.* -en, -en 〖고생물〗 트라이아스기(紀)의 파충류.

Plakoid·schuppe [plakoí:t..] *f.* -n 〖動〗 상어 비늘.

plan [pla:n] *a.* 《lat. planus》 ① 평평한, 평면의: eine ~e Fläche 평면. ② 〔비유〕 **(a)** 명료한, 명백한: eine ~e Erklärung 명료한 설명. **(b)** 단순한, 간단한, 평이한. ③ 〔폄어〕 피상적인: die ~e Vereinfachung 피상적 단순화.

Plan[1] 《lat. planus》 *m.* -(e)s, Pläne 〔구식〕 ① 평지, 평야. ② 유원지, 놀이터. ③ 경기장, 투기장: auf den ~ treten 〔auf dem ~ erscheinen〕 a) (경기에) 출장하다, b) 등장하다, 출현하다; jn.〔et.〕 auf den ~ rufen 누구〔무엇〕의 반대를〔저항을〕 야기하다. ④ 무도장. ⑤ 〖畫〗 바탕; 〖연극〗 (무대의) 전경(前景): der vordere ~ der Bühne 무대의 전면. ⑥ 숲속의 빈 땅. ⑦ 〖사냥〗 (동물의) 교미 장소.

***Plan**[2] [pla:n] 《frz. plan》 *m.* -(e)s, Pläne [plé:nə] ① 설계도, 도면, 계획도: er entwarf den ~ für das neue Rathaus 그는 새 시청 청사를 설계하였다; auf dem ~ stehen 계획되어 있다. ② 계획, 구상; 의도, 복안: einen ~ fassen〔schmieden, entwerfen〕 계획을 세우다; js. Pläne durchkreuzen〔stören〕 누구의 계획을 방해하다; Grüner ~ 녹색 계획(구서독 정부가 매년 작성했던 농업 및 식량 정책 보고서). ③ 세부 지도: Stadt~ 시내 지도.

Planar [planá:*r*] 《lat.》 *n.* -s, -e 사진 제판용 대물(對物) 렌즈.

Planarie [planá:riə] *f.* -n 〖動〗 플라나리아(편형(扁形) 동물의 일종).

Plan·aufgabe *f.* 〖經〗 (사회주의 국가에서 특정 기관에 부여하는) 계획 과제〔목표〕.

Planche [plã:ʃ] 《frz.》 *f.* -n 〖펜싱〗 경기장.

Plänchen [plɛ́:nçən] *n.* -s, - ↑ Plan[1] 의 축소형.

Planchette [plãʃɛ́tə] 《frz.》 *f.* -n 코르셋 받침살〔대〕.

Planck [plaŋk] *m.* Max ~ 플랑크(독일의 물리학자, 1858-1947).

Plane [plá:nə] 《<Blahe》 *f.* -n (큰) 덮개, 포장, 커버: ein Boot mit einer ~ abdecken 보트를 덮개로 씌우다.

Pläne [plɛ́:nə] 《frz. plaine》 *f.* -n 〔구식〕 ↑ Plan[2] ①.

Pläne·macher *m.* ↑ Planmacher.

***planen** [plá:nən] 《Ⅰ》 *t.* 계획하다, 입안하다; …할 계획〔예정〕이다: die Stadt plant, eine Grünanlage zu schaffen 시당국은 녹지대를 만들 계획이다. 《Ⅱ》 *i.* (h.) (독수리·매 따위가 먹이를 찾아) 공중에 떠돌고 있다.

Planer [plá:nə*r*] *m.* -s, - 계획〔입안〕자.

Pläner [plɛ́:nə*r*] *m.* -s 〖광물〗 플라우엔 이회토(泥灰土) (공업 원료의 일종으로 Dresden 근교의 Plauen 이란 지명에서).

Plan·erfüllung *f.* 〖經〗 (사회주의 국가에서) 계획 달성〔완수〕.

planerisch *a.* 계획상의, 계획으로 확정된: ~e Maßnahmen 계획된 조치들.

Pläne≈schmied *m.* 〔구어〕 계획을 세우기 좋아하는 사람. **~schmieden** *n.* 〔구어〕 계획, 기획.

***Planet** [plané:t] 《gr. planos „umherschweifend"》 *m.* -en, -en 〖天〗 행성, 혹성, 유성(遊星): unser ~ 지구.

planetarisch [planetá:rɪʃ] *a.* ① 행성의, 행성 같은. ② 헤매는, 떠돌아다니는. ③ 〖점성술〗 별의 영향을 받는. ④ 〔비유〕 현세의. ⑤ 〔드물게〕 지구 전체의, 전세계적인.

Planetarium *n.* -s, ..rien [..riən] 〖天〗 ① 천상의(天象儀), 행성의(行星儀), 플라네타륨. ② 천문관(天文館).

Planeten≈bahn *f.* 행성의 궤도. **~bewegung** *f.* 행성 운동. **~jahr** *n.* 행성년(행성의 공전 주기). **~getriebe** *n.* 〖工〗 유성(遊星) 기어(중심 기어와 맞물려 그 주위를 도는 기어). **~konstellation** *f.* 행성계의 위상, 행성들의 배열. **~lauf** *m.* 행성의 운행. **~maschine** *f.* ↑ Planetarium. **~rad** *n.* 〖기계〗 행성륜(輪). **~stand** *m.* (떠돌이) 별자리. **~system** *n.* 〖天〗 행성계(系).

Planetoid [planetoí:t] 《gr.》 *m.* -en, -en 〖天〗 소행성(小行星).

Plan≈fest·stellung *f.* 〖法〗 공공 사업 계획의 확정. **~fest·stellungs·verfahren** *n.* 〖法〗 (공공 사업의) 계획 확정 방식〔절차〕. **~film** 《<Plan[2]》 *m.* 〖사진〗 판(板) 필름(↔ Rollfilm). **~gemäß** *a.* ↑ planmäßig ①. **~hammer** *m.* ↑ Planierhammer.

Planheit 《lat.》 *f.* -en ① 평면성, 평평함. ② 명료성, 평이성.

Planier≈amboß [planí:*r*..] *m.* 〖工〗 두들겨 편평하게 하는 모루. **~bank** *f.* 〔복수: ..bänke〕 〖工〗 속이 빈 둥근 금속물을 만드는 기계〔선반〕.

planieren [planí:rən] 《lat.》 *t.* ① 평평〔판판〕하게 하다, 두들겨 펴다; 〖토목〗 (땅을) 고르다, 정지(整地)하다. ② 〖제련〗 갈다, 닦다. ③ 〖제본〗 (아교풀을) 칠하다. ④ 〔드물게〕 ↑ planen 《Ⅰ》.

Planierer *m.* -s, - ① 〖토목〗 땅을 고르는 인부. ② 〖제본〗 아교풀칠하는 사람.

Planier≈hammer *m.* 〖工〗 평평하게 펴는 망치. **~kessel** *m.* 〖제본〗 아교풀을 끓이는 냄비. **~kolben** *m.* 평평하게 두들기는 방망이. **~kreuz** *n.* 아교 도포용(塗布用) 직각기(直角器). **~raupe** *f.* 불도저. **~schild** *m.* 불도저의 철판. **~wasser** *n.* 아교풀.

Planierung [planí:ruŋ] *f.* -en 평평하게 하기, 땅고르기, 정지 작업.

Planifikation 《frz. planification》 *f.* -en 〖經〗 (프랑스 정부나 공기업의) 경제 계획.

Planiglob [planigló:p] 《lat. planus „flach" +globus „kugel"》 *n.* -en, -en (지구의) 반구(半球) 평면도.

Planiglobium [..gló:bium] *n.* -s, ..bien [..biən] ↑ Planiglob.

Planimeter [planimé:tə*r*] 《lat. planus》 *n.* -s, - 〖기하〗 (Flächenmesser) 면적계(面積計), 평면 측량기, 플래니미터.

Planimetrie [..metrí:] 《lat.》 *f.* -n [..rí:ən] 〖기하〗 ① 면적 측량. ② 평면 기하학.

planimetrisch [..mé:trɪʃ] *a.* 평면 기하학의.

Plan≈kalkulation *f.* 계획〔예정〕 비용 산출

〔평가〕. **~kammer** *f.* 〖軍〗 지도실, 설계실.

***Planke** [pláŋkə] 《frz. planche》 *f.* -n ① 두꺼운 널빤지〔판자〕; 〖海〗 선판(船板), 현판(舷板). ② 〔복수〕〔시어〕 배. ③ (**a**) 판자 울타리. (**b**) 〔복수〕〖승마〗 횡목 장애물.

Plänkelei [plɛŋkəláɪ] *f.* -en ① 〖軍·구식〗 소규모 전투, 가벼운 총격전. ② 사소한 말다툼.

plänkeln [plɛ́ŋkəln] *i.* (h.) ① 〔구식〕 소규모 전투를 벌이다, 몇번 총격을 주고 받다. ② 가볍게 다투다, 티격태격하다.

planken [pláŋkən] *t.* …에 판자를 대다, 판자로 둘러막다.

Planken≈bekleidung *f.* 판자를 댐, 판자로 둘러막음. **~gang** *m.* 〖海〗 뱃전판, 배밑판. **~werk** *n.* 판자 울타리. **~zaun** *m.* ① 판자 울타리. ② ↑ Planke ③(b).

plänkern *i.* (h.) ↑ plänkeln.

Plänkler [plɛ́ŋklər] *m.* -s, - 〔구식〕 가벼운 분쟁의 당사자.

plan≈konkav *a.* 〖광학〗 평요(平凹) 렌즈의. **~konvex** 〖광학〗 *a.* 평철(平凸) 렌즈의.

Plan≈kosten *pl.* 〖經〗 계획〔예정〕 비용. **~-kosten·rechnung** *f.* 〖經〗 계획〔예정〕 비용 산정〔계산〕.

Plankton [pláŋktɔn] 《gr. planktos》 *n.* -s 〖生〗 플랑크톤, 부유 생물: tierisches〔pflanzliches〕 ~ 동물성〔식물성〕 플랑크톤.

planktonisch *a.* (플랑크톤처럼) 수중에 부유하는, 플랑크톤의.

Plankton·netz *n.* 플랑크톤 (채집용) 그물.

Planktont [plaŋktɔ́nt] *m.* -en, -en 〖生〗 (개체로서의) 플랑크톤.

Plankung *f.* -en 널빤지로 울타리치기.

planlos *a.* (↔ planmäßig ①) 무계획적인, 막연한, 무분별한.

Planlosigkeit *f.* 무계획성.

Plan≈macher *m.* 설계자, 계획자, 입안자. **∼-mäßig** *a.* ① 계획대로의, 계획성 있는, 조직적인, 정연한: die Arbeiten verliefen ~ 일들이 계획대로 진행되었다. ② (교통 수단이) 운행 시각표에 따른, 예정대로의: die Züge verkehren wieder ~ 열차들이 다시 시각표대로 운행한다. **~mäßigkeit** *f.* 계획〔예정〕대로임.

plano 《lat. planus》 *adv.* 〖제본〗 접히지 않게, 접힌 선이 없게, 매끈하게.

Plan·quadrat *n.* (지도상의) 바둑판식 4 각형.

Plan·rück·stand *m.* 〖經〗 (사회주의 국가에서) 계획 미달(량).

plansch [planʃ] *int.* 철썩, 첨벙.

Plansch·becken *n.* (유원지 따위의) 얕은 풀〔수영장〕.

planschen [plánʃən] 《의성어》 *i.* (h.) 물장난하다, 물장구치다, 첨벙첨벙 물을 튀기다: die Kinder ~ in der Badewanne 아이들이 욕조에서 첨벙거리며 논다; 〔농담〕 in Wonne ~ 좋아서 껑충껑충 뛰다.

Plan·scheibe *f.* 〖工〗 평면판(板).

Plan≈schießen *n.* 〖軍〗 (포병의) 도상(圖上) 사격. **~schulden** *pl.* ↑ ~rückstand. **~soll** *n.* 〖經〗 (사회주의 국가에서) 계획 목표(량), 계획 과제, 할당량: das ~ erfüllen〔übererfüllen〕 계획 목표를 달성〔초과 달성〕하다.

Plan·spiegel *m.* 〖理〗 평면경(鏡).

Plan≈spiel *n.* 도상 연습, 도상 (군사) 훈련, 예행 연습. **~sprache** *f.* 인공어(Kunstsprache). **~stelle** *f.* (예산에 반영된) 공공 분야의 일자리〔정원〕: mehr ~n schaffen 공공 분야의 일자리를 늘리다.

Plantage [plantá:ʒə] 《frz.》 *f.* -n ① (**a**) 재배. (**b**) 이식(移植); 식민(植民). ② (**a**) (열대 지방의) 대규모 농장〔영농〕, 플랜테이션. (**b**) 식민지.

Plantagen·besitzer [..tá:ʒən..] *m.* 농장주.

Plantagenet [plæntǽdʒɪnɪt] *m.* -(e)s, -s (1154-1399 년까지 잉글랜드를 지배한) 플랜태저넷 왕가의 사람.

Plantagen·wirtschaft [plantá:ʒən..] *f.* (대규모) 농장 경영, 플랜테이션 농업〔경영〕.

plantar [plantá:r] 《lat.》 *a.* 〖醫〗 발바닥의.

Plantsch *f.* -n 금속판.

plantsch *int.* ↑ plansch.

plantschen [plántʃən] *i.* (h.) ↑ planschen.

Planum [plá:num] 《lat. planus》 *n.* -s, 〖토목〗 ① (도로나 철도 공사를 위해 다듬어 놓은) 평지, 노반(路盤). ② (신축 건물의) 시공 기면(基面), 지상(地床).

***Planung** [plá:nuŋ] *f.* -en ① 계획 수립, 기획, 입안; (수립된) 계획, 계획된 일: Stadt∼ 도시 계획; eine langfristige ~ 장기 계획 (수립); sich streng an die ~ halten 계획을 철저하게 지키다. ② 평면, 평지; 평면화.

Planungs≈abteilung *f.* 기획부〔과〕. **~büro** [..byro:] *n.* ↑ ~abteilung. **~kommission** *f.* 기획 위원회. **~rechnung** *f.* 〖數〗 (크기·특성 따위의 최적화 문제를 다루는) 수리 계획법. **~stadium** *n.* 계획 단계: sich noch im ~ befinden 아직 계획 단계에 있다.

plan·voll ↑ planmäßig.

Plan·wagen *m.* 포장 마차, 덮개 마차.

Plan≈wirtschaft *f.* 〖經〗 계획〔통제〕 경제(↔ Marktwirtschaft). **~zeichnen** *n.* 제도(製圖), 설계. **∼zeichnen** 《부정형과 과거 분사로만》 *i.* (h.) 제도하다, 설계도〔약도〕를 그리다. **~zeichner** *m.* 제도사, 도면 제작자. **~zeichnung** *f.* 설계, 제도. **~ziel** *n.* 〖經〗 (사회주의 국가 경제의) 계획 목표.

Plapperei [plapəráɪ] *f.* -en 〔구어·폄어〕 요설(饒舌), 잡담; 끊임없는 수다.

Plapperer [plápərər] *m.* -s, - 〔구어〕 수다쟁이, 떠버리.

plapperhaft *a.* 〔구어〕 수다스러운.

Plapperhaftigkeit *f.* 〔구어〕 수다스러움.

Plapper·hans *m.* 〔폄어〕 수다쟁이.

plapperig [plápərɪç] *a.* ↑ plapperhaft.

Plapperin *f.* -nen ↑ Plapperer 의 여성형.

Plapper≈liese *f.* 〔구어〕 수다쟁이 부인〔여자〕. **~maul** *n.*, **~mäulchen** *n.* 〔구어〕 수다쟁이, 떠버리. **~tasche** *f.* ↑ ~maul.

***plappern** [plápərn] 《원래는 의성어》 *t./i.* (h.) 〔구어〕 ① 종알거리다, 수다떨다: die Kleine plappert den ganzen Tag 그 여자애는 하루 종일 종알댄다. ② 〔폄어〕 말하다, 지껄이다: sie hat viel Unsinn geplappert 그녀는 허튼소리를 많이 했다.

Plappрer *m.* -s, - ↑ Plapperer.

Plaque [plak] 《frz.》 *f.* -s 〖醫〗 ① (피부의) 돌출 반점. ② 치석(齒石).

plarren *i.* (h.)/*t.* ↑ plärren.

plärren [plɛ́rən] 《원래는 의성어》 〔구어·폄어〕 《I》 *i.* (h.) ① (소·양 따위가) 울부짖다, 요란하게 울어대다. ② (아이가) 악을 쓰며 울다:

der Säugling fing sofort an zu ~ 젖먹이가 즉시 응애응애 울기 시작했다. ③ 빽빽 소리지르다, 고함치며 말하다, 듣기 괴로운 소리를 내다: „komm her", plärrte er "이리와" 하고 그가 꽥 소리질렀다; der Lautsprecher plärrt 스피커가 지지직 하는 소리를 낸다. 《Ⅱ》 *t.* 듣기 괴로운 큰 소리로 표현하다: ein Lied ~ 노래를 꽥꽥 부르다.

pläsant [plɛzã́:] 《frz.》 *a.* 즐거운, 유쾌한, 재미있는, 명랑한.

Pläsanterie [plɛzantərí:] *f.* -n [..rí:ən] 〔구식〕 농담, 익살, 장난.

Pläsier [plɛzí:*r*] 《frz. plaisir》 *n.* -s, -e/-s 〔구식〕 ① 즐거움, 재미. ② 농담, 해학, 재담.

pläsierlich *a.* 〔구식〕 유쾌한, 즐거운.

Plasma [plásma] 《gr. plássein, „bilden"》 *n.* -s, ..men ① 〖生〗 (세포) 원형질 (Proto~). ② 〖醫〗 혈장(血漿) (Blut~). ③ 〖광물〗 농록옥수(濃綠玉髓). ④ 〖物〗 플라스마.

Plasma≈bild·schirm *m.* 〖컴〗 플라스마 화면 표시 장치. **~chemie** *f.* 플라스마 화학. **~physik** *f.* 플라스마 물리학. **~therapie** *f.* 〖醫〗 혈장 요법.

Plasmochin [..moçí:n] *n.* -s 〖醫〗 플라스모힌(말라리아 치료제).

Plasmodium [plasmó:dium] *n.* -s, ..dien [..diən] ① 〖生〗 플라스모듐(다핵의 원형질 덩이). ② 말라리아 원충(原蟲).

Plasmogonie *f.* -n [..ní:ən] 자생(自生), 자연발생.

Plasmon [plasmó:n] *n.* -s 〖유전〗 플라스몬(세포 원형질 속의 유전자 총체).

Plast 《gr. plastos》 *m.* -(e)s, -e 〖구동독〗 플라스틱, 합성 수지.

Plaste [plástə] *f.* -n 〖구동독〗 ↑ Plast.

Plaste·tüte *f.* 〔방언〕 ↑ Plastiktüte.

Plastics [plǽstɪks] 《engl.》 *pl.* 플라스틱 (Kunststoff).

Plastide [plastí:də] *f.* -n 〖生〗 (세포의) 색소체, 유색체.

Plastidul *n.* -s, -e 원형질 소체(小體).

***Plastik**[1] [plástɪk] 《gr., „bildende Kunst"》 *f.* -en ① 조소(彫塑), 조각; 조소 작품, 조각품: antike ~en 고대의 조각품들. ② 조형 미술〔예술〕. ③ 〖醫〗 정형〔성형〕술. ④ 구상성, 구체성.

Plastik[2] 《engl. plastic》 *n.* -s, -s 플라스틱(제품), 비닐, 합성 수지: Behälter aus ~ 플라스틱 통〔용기〕.

Plastik≈beutel *m.* 비닐 봉지〔주머니〕. **~bombe** *f.* 플라스틱 폭탄. **~einband** *m.* 비닐 제본〔표지〕.

Plastiker *m.* -s, - 조각가, 조형 예술가.

Plastik≈folie *f.* (포장용) 비닐 포일. **~geld** *n.* 신용 카드: mit ~ bezahlen 신용 카드로 지불하다. **~helm** *m.* 플라스틱 헬멧. **~sack** *m.* 비닐 자루〔부대〕. **~trage·tasche** *f.* 비닐 가방. **~tüte** *f.* 비닐 봉지.

Plastilin [plastilí:n] *n.* -s, **Plastilina** 《gr. +lat.》 *f.* 조소용〔수공용〕 점토.

***plastisch** *a.* ① 조소의, 조형적인: ~e Kunst 조형 미술. ② 입체적인, 3차원적인: ~es Hören 서라운드〔스테레오〕 청취; ~er Film 입체 영화. ③ 〖醫〗 성형의: ~e Operation 성형 수술. ④ 유연한, 조형 가능한: ein Stoff, der bei allen Temperaturen ~ bleibt 어느 온도에서나 조형이 가능한 재료. ⑤ 〔교양〕 구체적인, 선명한, 구상적인: et. ~ darstellen 무엇을 생생하게 묘사하다.

Plastizität [plastitsitɛ́:t] *f.* ① 구상성, 구체성, 입체성. ② (재료의) 유연성, 조형 가능성.

Plastron [plastrɔ̃́:] 《frz.》 *m./n.* -s, -s ① (중세 기사의) 흉갑(胸甲). ② (구두 수선공의) 앞치마. ③ 〖펜싱〗 **(a)** (훈련용) 가슴받이. **(b)** (가슴과 팔에 대는) 보호대(袋). ④ (남자용 예복의) 가슴 부분, (여성용 의복의) 가슴 장식 레이스. ⑤ 〔고어〕 (남자 예복의) 넓은 비단 넥타이. ⑥ 〖승마〗 (승마복의) 넓고 흰 넥타이. ⑦ (거북의) 복갑(腹甲).

Platäa [platɛ́:a] 플라타이아이(고대 그리스 중부의 도시).

Platane [platá:nə] 《lat.》 *f.* -n 〖植〗 플라타너스.

Platanen·blatt *n.* 플라타너스 잎.

Plateau [plató:] 《frz.》 *n.* -s, -s ① 쟁반, 받침. ② **(a)** 고원, 고지대. **(b)** 산 정상의 평지. ③ 모래톱. ④ 〖心〗 플래토, 고원 현상(학습 과정상의 일시적인 정체 현상).

plateau·förmig *a.* 고원 모양의.

Platen [plá:tən] *m.* August Graf von ~ 플라텐(독일의 시인, 1796-1835).

plateresk [platerɛ́sk] 《sp. plateresco》 *a.* 〔구식〕 기이하게 장식된: ~er Stil 플라테레스코 양식(에스파냐의 후기 고딕 및 이탈리아의 초기 르네상스 건축 양식).

Platin [plá:ti:n, platí:n] 《sp. plata》 *n.* -s, **Platina** *f.* 〖化〗 백금(기호: Pt).

Platin≈blase [plá:ti:n.., platí:n..] *f.* 백금 증류기. **~blond** *a.* 백금색 금발의. **~chlorid** *n.* 염화 백금. **~draht** *m.* 백금선(線). **~druck** *m.* 백금 사진.

Platine [platí:nə] 《frz. platine》 *f.* -n ① 〖전자〗 (구리나 은을 입힌) 전자 회로판, 플라틴; 〖컴〗 보드, 기판(基板). ② 〖방직〗 (직조기에서 실을 끌어올리는) 갈고리 막대; (편물 기계의) 바늘판. ③ 〖제련〗 (얇은 금속판으로 가공되기 전단계의) 납작한 금속괴(塊). ④ 〖工〗 (금속) 상판(床板), 대판(臺板).

Platin≈elektrode [plá:ti:n.., platí:n..] *f.* 〖工〗 백금 전극. **~feuer·zeug** *n.* 〖工〗 백금 발화기. **~haltig** *a.* 백금을 함유한.

platinieren [platiní:rən] *t.* 〖工〗 백금을 입히다, 백금 도금을 하다.

Platinierung *f.* -en 백금 도금.

Platin·metall *n.* 〖化〗 백금속(屬).

Platinoid [platinoí:t] *n.* -(e)s, -e 플래티노이드(백금에 부수되어 산생되는 금속의 총칭), 양은의 일종.

Plantinotypie *f.* 〖印〗 백금 사진판.

Platin≈schwamm [plá:ti:n..] 〖化〗 *m.* 백금해면, 해면 모양의 백금(수소와 산소를 활성화하여 촉매제 역할을 함). **~schwarz** *n.* 〖化〗 백금흑(黑) (백금의 미세한 흑색 분말). **~tiegel** *m.* 백금 도가니. **~verbindung** *f.* 백금 화합물.

Platitude 新정서 ⇦ Platitüde.

Platitüde [platitý:də] 《frz. platitude》 *f.* -n 〔교양〕 ① 평범; 진부, 천박. ② 상투적 문구, 진부한 어구: sich in ~n ergehen 진부한 말을 늘어놓다.

Plato [plá:to], **Platon** [plá:tɔn] 플라톤(고대 그리스의 철학자, 427-347 B.C.).

Platoniker *m.* -s, - 플라톤 학파의 사람, 플라톤주의자.

Platonisch *a.* 플라톤의: die ~e Lehre 플라톤의 학설.

platonisch *a.* ① 플라톤적인, 플라톤 철학〔학파〕의: ~er Idealismus 플라톤적 이상주의. ② (**a**) 〖교양·비유〗 순수하게 정신적인, 비관능적인, 플라토닉한: ~e Liebe 정신적〔숭고한〕 사랑. (**b**) 〖반어〗 실속 없는, 공허한, 빈 말의: er gab nur eine ~e Erklärung dazu ab 그는 그 일에 대해 공허한 해명만을 내놓았을 뿐이다.

platonisieren *i.* (h.) ① 플라톤 철학을 신봉하다. ② 정신적인 연애를 하다.

Platonismus [platonísmus] *m.* - 플라톤 철학〔주의〕.

Platonist *m.* -en, -en ↑ Platoniker.

platsch [platʃ] *int.* 〔의성어〕 철썩, 풍덩.

Platsch *m.* -es, -e ① 철썩〔풍덩〕하는 소리; 낙하, 추락. ② 〖비유〗 우둔한〔덜 떨어진〕 사람, 조야한〔버릇없는〕 사람. ③ 얼룩. ④ 호우, 폭우.

platschen [pláṭʃən] 《Ⅰ》 *i.* ① (**a**) (h./s.) 철썩철썩 부딪치다: das Wasser platscht an den Kahn 물이 철썩철썩 뱃전을 친다. (**b**) (h.) 찰싹찰싹 부딪치는 소리를 내다: der Regen platscht 비가 후두둑하고 떨어진다. ② (h./s.) 〖구어〗 첨벙거리다, 첨벙거리며 뛰어 놀다〔건너다〕. ③ (s.) 〖구어〗 첨벙 뛰어들다, 철썩〔털썩〕 떨어지다: sie hat sich aufs Bett ~ lassen 그녀는 침대 위로 털썩 몸을 던졌다. 《Ⅱ》 *imp.* (h.) 〖방언〗 비가 세차게 내리다: es platscht den ganzen Tag 비가 온종일 억수로 퍼붓고 있다. 《Ⅲ》 *t.* 때려 납작하게 하다, 때려 부수다: eine geplatschte Nase 납작코.

plätschen [plɛ́tʃən] *i./t.* ↑ platschen.

platschern *i./t.* ↑ plätschern.

plätschern [plɛ́tʃərn] 《Ⅰ》 *i.* ① (h.) (물이) 졸졸〔찰싹찰싹〕 소리내다: der Bach 〔Brunnen〕 plätschert 시내가 졸졸 흐른다〔분수가 찰싹찰싹 떨어져 내린다〕. ② (s.) 찰싹〔찰방〕거리며 움직이다: im Wasser ~ 물속에서 찰방거리다. ③ (s.) (대화나 연설이) 피상적으로 가볍게 진행되다. 《Ⅱ》 *t.* 소리나게 붓다〔따르다〕: das Wasser in Becken ~ 물을 양푼에 주르륵 붓다.

Platsch≈fuß *m.* 편평족. **≈füßig** *a.* 발바닥이 편평한.

platschig [pláṭʃɪç] *a.* ① 철썩철썩 소리나는. ② 발바닥이 편평한. ③ 〖비유〗 우둔한, 재주 없는, 서투른, 조야한, 덜된.

platsch·naß *a.* 흠뻑 젖은, 푹 젖은.

Platt [plat] *n.* -(s) 저지 독일어.

***platt** 《frz. plat》 *a.* ① (**a**) 판판〔평탄〕한, 편평한: eine ~e Nase 납작코; ~es Land 평지, 저지; ~er Reifen 바람 빠진 타이어; ~ machen〔drücken, schlagen〕 편평하게 하다〔눌러 찌부러뜨리다, 두들겨 펴다〕; ~ auf dem Bauch 〔der Erde〕 liegen 땅에 납작 엎드리다. (**b**) 〖구어〗 몹시 놀란: als er das hörte, war er ~ 그것을 듣고 그는 깜짝 놀랐다. (**c**) 저지 독일(어)의; 방언의, 시골 사투리의. ② 〖비유〗 속된, 천박한, 평범〔진부〕한: 몰취미〔무미건조〕한: ihre Scherze waren ziemlich ~ 그녀의 농담은 상당히 진부했다. ③ 〖비유〗 순전한, 명백한, 노골적인, 단호〔결연〕한: ~ abschlagen 단호히 거절하다; das ~e Gegenteil 정반대; eine ~e Lüge 새빨간 거짓말; ~ vor dem Wind 바람을 바로 등지고.

plättbar [plɛ́t..] *a.* 두드려 펼 수 있는.

Plätt≈bolzen *m.* ↑ ~stahl. **~brett** *n.* 다리미판. **~bügel** *m.* 다리미.

Plättchen [plɛ́tçən] *n.* -s, - 〖↑ Platte 의 축소형〗 ① 작은 판〔쟁반〕. ② 〖動〗 아가미판; 〖植〗 버섯 삿갓의 주름; 〖醫〗 엷은 피부〔막〕; 〖건축〗 솔대.

Platt≈decke *f.* 〖건축〗 평천장. **~deutsch** *n.* 저지 독일어. **≈deutsch** *a.* 저지 독일(어)의.

***Platte**[1] [plátə] 《lat.》 *f.* -n ① (**a**) 〖가톨릭〗 삭발(한 머리) (Tonsur). (**b**) 대머리(Glatze). ② 벌거숭이 땅, 불모의 땅; 숲속의 공지; (바위나 산 위의) 편평한 곳, 고원. ③ (**a**) 판(板), 박(箔), 포석(鋪石), 타일: den Boden mit ~n auslegen 바닥에 타일〔석판·널판〕을 깔다. (**b**) 너럭바위; 사주(砂洲), 여울. (**c**) 〖건축〗 주추; 원주의 관판(冠板); 부형(敷桁). (**d**) 〖印〗 인쇄판, 연판, 금속판. (**e**) 음반 (Schall≈): Kompakt≈ 컴팩트 디스크(CD); 〖비유·구어〗 immer〔ständig〕 dieselbe 〔die gleiche, die alte〕 ~ (laufen lassen) 늘 똑같은 말(을 하다); 〖비유·구어〗 eine neue 〔andere〕 ~ auflegen 새로운〔다른〕 이야기를 하다; 〖비유·구어〗 die ~ kenne ich schon 그것은 내가 이미 (자주 들어서) 잘 아는 것이다; et. auf der ~ haben 무엇을 잘 알다〔하다〕. (**f**) 〖사진〗 (유리) 건판, 감광판: jn. auf die ~ bannen 누구의 사진을 찍다; 〖비유·구어〗 nicht auf die ~ kommen 있을〔용인될〕 수 없다. (**g**) 의치(義齒), 틀니. (**h**) 쟁반, 받침; 쟁반(에 담은) 요리: gemischte〔kalte〕 ~ 소시지·햄 따위의 냉육에 샐러드를 곁들인 요리, 냉육 요리. ④ 〖농담〗 돈. ⑤ 〖방언〗 도둑떼, 범죄자 집단. ⑥ (전기 레인지 따위의) 열판(熱板) (Herd≈, Koch≈). ⑦ (Tisch≈) 책상판, 탁자판. ⑧ 묘를 덮은 대리석〔청동〕판(Grab≈). ⑨ (전산의) 자기(磁氣) 테이프(Magnet≈). ⑩ 〖지질〗 지각판(地殼板). ⑪ 〖컴〗 하드디스크.

Platte[2] *f.* -n 〖다음 용법뿐임〗 〖구어〗 die ~ putzen 슬그머니 사라지다〔내빼다〕.

Plätte [plɛ́tə] *f.* -n ① (obd.) 평저선(平底船). ② (ndd., md.) 다리미(Bügeleisen).

Plattei [platáɪ] *f.* -en (주소 인쇄용) (금속) 주소 카드.

Platt≈eis *n.*, **~eise** *f.* ↑ Plattfisch.

Plätt·eisen *n.* 다리미(Bügeleisen).

plätteln [plɛ́təln] *t.* (südd.) (손바닥으로 신발 밑창·무릎·바지를 번갈아가며 때리는) 민속춤을 추다.

platten *t.* 〖방언〗 ↑ plätten.

plätten [plɛ́tən] *t.* ① 판〔석판·판자·타일〕을 깔다〔붙이다〕. ② (nordd.) 다림질하다(bügeln): 〖경박〗 geplättet sein 말문이 막히다.

Platten≈abzug *m.* 〖印〗 인쇄판의 교정쇄. **~album** *n.* 앨범식 음반집, 레코드 앨범. **~archiv** *n.* 음반 수집〔보관실〕. **~bauweise** *f.* (철근 콘크리트판의) 조립식 건축법. **~belag** *m.* 판〔타일〕으로 된 바닥(재). **~druck** *m.* 〖印〗 스테레오판 인쇄. **~formerei** *f.* 〖제련〗 주형판(鑄型版). **≈förmig** *a.* 판 모양의, 납작한 판의, 얇은 막〔가죽〕 모양의. **~fuß·boden** *m.* 포석상(鋪石床).

~halter *m.* 〖사진〗 건판 받침대. **~hülle** *f.* 음반 케이스. **~jockey** *m.* 디스크자키. **~-kamera** *f.* 〖사진〗 유리 건판을 사용하는 사진기. **~kiel** *m.* 〖海〗 (주로 석탄을 운반하는) 평저선(平底船). **~kondensator** *m.* 평판 축전기. **~korrektur** *f.* 〖印〗 스테레오판 교정. **~kultur** *f.* 〖醫〗 (세균의) 평판 배양. **~leger** *m.* 타일공. **~panzer** *m.*, **~panzerung** *f.*, **~rüstung** *f.* 철갑판. **~sammlung** *f.* 음반 수집. **~schrank** *m.* (전축에 딸린) 레코드장(欌), 음반 보관함. **~schrift** *f.* 〖印〗 스테레오판(板).

Plattensee [plátənze:] 볼로톤호(헝가리 최대의 호수).

Plattenseer *m.* -s 블로톤호 지역에서 산출되는 포도주.

Platten≈spieler *m.* 레코드플레이어, 전축. **~stecher** *m.* 〖印〗 동판공(銅版工). **~teller** *m.* (전축의) 턴테이블, 회전판. **~wechsler** *m.* 음반 자동 교환 연주기, 레코드 오토 체인저. **~weg** *m.* 포석(鋪石)이 깔린 길.

Plätter [plɛ́tər] *m.* -s, - (nordd., md.) ① 다림질하는 직공(Bügler). ② ↑ Plättner.

Platt·erbse *f.* 〖植〗 연리초속(屬).

platterdings [plátərdíŋs] *adv.* 〖구어〗 전혀, 절대로(schlechterdings) : ~ unmöglich 전혀 불가능한.

Plätterei [plɛtəráɪ] *f.* -en ① 다리미질. ② 세탁소.

Plätterin *f.* -nen 다림질하는 여자, 세탁부(婦).

Platt≈fisch *m.* 〖動〗 넙치속(屬). **~form** *f.* ① 옥상 테라스, 전망대. ② 높은 자리, 연단, 교단. ③ (구식 전차나 기차의) 승강대〔단〕 발판; 승강장, 플랫폼. ④〖비유〗(행동·의도·목표 설정 따위의) 기반, 토대 : nach einer gemeinsamen ~ suchen 공통의 기반을 찾다. ⑤〖軍〗 포대. ⑥〖스포츠〗(다이빙의) 도약대.

Plätt≈frau *f.* ↑ Plätterin.

Platt≈frost *m.* 서리. **~fuß** *m.* ①〖醫〗 편평족(의 사람). ②〖구어〗 바람 빠진 타이어. ③〖海〗 (오후 6-8 시의) 갑판 당직. **~fuß·einlage** *f.* 편평족 교정용 깔창. **≈füßig** *a.* 발바닥이 편평한, 편평족의. **~fuß·indianer** *m.* ①〖경박〗 편평족인 사람〔놈〕. ②〖욕설·농담〗 (대개 젊은 남자에 대해) 바보, 멍청이. ③〖軍〗 보병. **≈gedrückt** *a.* 눌려 찌부러진, 짜부라진.

Plattheit [pláthaɪt] *f.* -en ① 평탄, 편평(扁平). ②〖비유〗 평범, 천박, 피상, 진부; 진부한 의견, 상투어.

Platt≈hirsch *m.* 뿔이 없는 수사슴. **~hufer** *m.* 〖動〗 편제류(扁蹄類) 동물. **≈hufig** *a.* 편제류의.

plattieren [platí:rən] *t.* ①〖工〗 귀금속을 입히다, 도금하다 : galvanisch ~ 전기 도금하다. ②〖섬유〗 섞어짜다, 덧짜기하다; plattierte Waren 혼방(混紡) 직물.

Plattierer *m.* -s, - 〖工〗 도금공(工).

Plattierung *f.* -en 도금.

Plattier·verfahren *n.* ① 도금법. ②〖섬유〗 혼방 처리, 덧짜기법.

plattig [plátɪç] *a.* 〖등산〗 (바위 따위가) 반들반들한, 매끄러운.

Platting [plátɪŋ] (ndd.) *f.* -e 〖海〗 강철 섬유로 만든 삭구(索具).

Plättisch *m.* -(e)s, -e 다림질판.

Platt·kopf *m.* ① 납작한 머리. ②〖비유〗 바보, 범용(凡庸)한 사람.

Plattler [plátlər] *m.* -s, - ↑ Schuhplattler.

Plätt·maschine *f.* (nordd.) 기계식 다리미.

Platt·menage [platmená:ʒə] 《frz.》 *f.* 양념〔조미료〕통, 향료병, 조미용 접시.

Platt≈mönch *m.* 〖動〗 꾀꼬릿과(科)의 새. **~nase** *f.* 납작코. **≈nasig** *a.* 납작코의.

Plattner, Plättner *m.* -s, - ① 함석〔맴〕장이. ②〖고어〗 갑옷 만드는 사람.

Plätt·ofen *m.* 다리미용 스토브.

Platt≈schiene *f.* 〖철도〗 철판 궤조. **~schiff** *n.* 〖海〗 평저선(平底船). **≈|schmeißen*** *t.* ↑ ≈werfen. **~schote** *f.* 〖植〗 납작콩. **~-schwanz·gecko** *m.* 〖動〗 꼬리가 납작한 도마뱀. **≈schwänzig** *a.* 〖動〗 납작꼬리를 가진.

Plätt·stahl *m.* (구식 다리미 속의) 달굼쇠.

Platt≈stich *m.* 〖수예〗 새틴 스티치. **~-stickerei** *f.* 새틴 스티치 자수. **~stück** *n.* 〖건축〗 대들보.

Plätt≈tisch *m.* ↑ Plättisch. **~tuch** *n.* ↑ Plättuch. **~wäsche** *f.* 다림질할 세탁물.

Plättuch *n.* -(e)s, ..tücher [..ty:çər]/-e 다림질 천.

platt≈weg [plát..] *adv.* 명확히, 단연코; 솔직히, 명백히. **~|werfen*** *t.* 〖海〗 (노를) 가로두다, 쓰러뜨리다. **≈wurm** *m.* 〖動〗 편충. **≈-ziegel** *m.* 암키와. **~zu** *adv.* ↑ plattweg.

Platz[1] [plats] *m.* -es, -e/Plätze [plɛ́tsə] 빠지직〔빵·탕〕(하는) 소리.

***Platz**[2] 《lat. platea》 *m.* -es, Plätze ① 광장, 네거리 : grüner ~ 잔디밭; Potsdamer ~ 포츠담 광장; auf dem ~ 광장에서; ein ~ vor der Kirche 교회 앞 광장. ② 지역, 도시 : Handels≈ 상업 도시 : das beste Geschäft am ~e 이 지역〔도시〕의 가장 좋은 상점; es ist davon nichts mehr am ~e 이제 그 물건은 품절입니다; offener ~ 무방비 도시. ③ (**a**) 장소, 곳, 소재(지); 부지, 토지 : ein ~ an der Sonne 양지 바른 곳, 인생에서의 행복과 성공; in et.[3] keinen ~ haben 무엇에는 (설)자리가 없다〔어울리지 않다〕: Träume haben in seinem Leben keinen ~ 꿈은 그의 인생에 어울리지 않는다; hier ist nicht der ~ davon zu sprechen 여기는 그런 것에 대해 말할 장소가 아니다; ~ greifen 뿌리를 내리다, 널리 퍼지다, 생기다; etwas hat ~ 무엇이 뿌리를 박고 있다, 행해진다. (**b**) 빈자리, 공간, 여지 : das Buch hat keinen ~ mehr im Regal 책장에는 그 책을 꽂을 자리가 더 이상 없다; zuviel ~ einnehmen 자리를 너무 많이 차지하다; ~ finden a) (빈) 자리를 발견하다, 잠자리를 구하다, b)〖비유〗 허락되다, 받아들여지다; ich will den Einwendungen ~ geben 나는 항의를 받아들이겠다; jm. 〔für jn.〕 ~ machen 누구에게 자리를 비켜 주다; sich[3] ~ machen 비집고 들어가다; macht ~!, ~ gemacht!, ~ da! 자리를 내라, 비켜라!; dem Koffer ist noch ~ 아직 트렁크를 둘 자리는 있다; wir haben noch einen freien ~ im Büro 우리 사무실에는 아직 자리가 하나 비어 있다. ④ 자리, 좌석 : erster ~ im Theater 극장의 일등석; ~ zum Stehen 입석; reservierter ~ 예약석; jm. einen ~ anweisen 누

구에게 자리를 지정해 주다, 자리를 안내하다; Plätze angewiesen erhalten 좌석을 지정받다; bitte, behalten Sie ~! 제발 자리를 뜨지 말아 주십시오!; einen ~ belegen 자리를 예약해두다〔잡아두다〕; jm. den ~ einräumen 누구에게 자리를 양보하다; nehmen Sie ~! 앉으십시오!; ~! (개에게) 앉아!; der ~ ist besetzt〔frei〕 이 자리는 임자가 있다〔비어 있다〕. ⑤ 지위, 신분; 직장, 관직: seinen ~ ausfüllen 자신의 직분을 다하다; seinen ~ behaupten 자신의 지위를 고수하다; den ersten ~ einnehmen 수석을〔최고의 지위를〕 차지하다; ~ verlassen 퇴직〔사직〕하다; ~ verlieren 실직하다. ⑥ 경기장, 운동장, Tennis≈ 테니스 코트; Golf≈ 골프장; einen neuen ~ bauen 경기장을 신설하다; einen Spieler vom ~ stellen〔des ~es verweisen〕 선수를 퇴장시키다; auf eigenem〔gegnerischem〕 ~ 홈 그라운드〔원정 경기장〕에서. ⑦ 전장, 싸움터: auf dem ~e bleiben 전사하다. ⑧〖사냥〗 숲 속의 빈터(교미기에 수사슴이 싸우는 곳). ⑨〖스포츠〗 순위: den ersten ~ erobern 1 등을 차지하다; auf den zweiten ~ kommen 2 위가 되다. ⑩ ↑ Plätzchen ②. ⑪〘전치사와 함께〙 et. wieder **an** seinen ~ bringen〔tun〕 무엇을 다시 제자리로 가져가다; (nicht) am ~(e) sein a) 제자리에 있(지 않)다, b)〘비유〙 적합하(지 않)다; der Vorwurf ist nicht am ~ 그런 비난은 당치도 않다; er war der rechte Mann am rechten ~ 그는 적재적소의 인물이었다; wenn ich an deinem ~ wäre 내가 만일 자네의 지위〔입장〕에 있다면, 내가 자네라면; **auf** dem ~ 당장에, 즉석에; (immer) auf dem ~ sein (항상) 준비가 되어 있다, 빈틈없다; auf die Plätze, fertig, los! 제자리에, 준비, 출발! (육상 단거리 달리기의 출발 구령); jn. auf die Plätze verweisen 누구를 따돌리다, 따돌리고 우승하다; auf ~ wetten (경마에서) 특정 말의 순위를 놓고 도박을 하다; jn. **aus**〔von〕 seinem ~e verdrängen 누구를 그의 지위에서 몰아내다; sich nicht **vom** ~ rühren, nicht vom ~ weichen 한 발자국도 물러서지 않다.

platz *int.* 〘의성어〙 빠지직, 빵, 탕!

Platz≈adjutant *m.* 〖軍〗 요새 부관(副官). **~angst** *f.* ①〖醫·心〗 광장 공포(증) (Agoraphobie). ②〘구어〙 폐소(閉所) 공포증, 과밀 공간 공포증. **~anweiser** *m.* (극장 따위의) 좌석 안내원. **~anweiserin** *f.* ↑ ~anweiser의 여성형. **~bedarf** *m.* ① 좌석〔공간〕 수요, 소요 면적. ②〖商〗 한 지방의 수요. **~beleuchtung** *f.* 국부 조명. **~büchse** 《<platzen》 *f.* 위협 사격용 총.

Plätzchen [plɛ́tsçən] *n.* -s, - 〘↑ Platz 의 축소형〙 ① 작은 광장〔장소〕. ②〘방언〙 납작한 과자류; 쿠키, 크래커. ③〖醫〗 정제(精製).

Platz·deckchen *n.* 식탁의 (접시) 받침판.

Platze [plátsə] *f.* -n 〘방언〙 (Platzen) 파열, 폭발: vor Ärger〔Lachen〕 die ~ kriegen 격분하다〔웃음을 터뜨리다〕; sich³ die ~ (an den Hals) ärgern 몹시 화를 내다; ~ schieben (격분·당황하여) 얼굴이 시뻘개지다.

Plätze [plɛ́tsə] *f.* ①〖工〗 일종의 곡괭이. ② 고기 써는 나이프〔식칼〕. ③〖사냥〗 암퇘지의 견갑골(肩胛骨).

platzen¹ [plátsən] 《<platz》 *i.* (s.) ① 팡〔빵〕하고 터지다, 부서지다, 폭발하다: ein Reifen〔Luftballon〕 platzte 타이어가〔풍선이〕 터졌다; Bomben ~ 폭탄이 폭발하다; es regnet, daß es platzt 비가 억수로〔사납게〕 퍼붓는다. ② 찢어지다, 파열하다: die Hose〔Naht〕 ist ihr beim Bücken geplatzt 그녀가 몸을 굽히자 바지〔옷솔기〕가 터졌다. ③〘비유·구어〙 (갑자기) 무산〔결렬〕되다, 허사가 되다: die Reise ist geplatzt 여행이 무산되었다. ④〘비유·구어〙 들통나다, 발각되다: die Lüge〔der Spionagering〕 ist geplatzt 그 거짓말〔간첩망〕은 들통이 났다. ⑤〖금융·은어〗 부도나다: einen Wechsel ~ lassen 어음을 부도내다; ein geplatzter Scheck 부도 수표. ⑥ (분노·질투심·웃음 따위를) 터뜨리다, 폭발시키다: vor Ärger ~ 격노하다; vor Lachen ~ 까르르 웃다. ⑦ 불쑥 나타나다; 급속히 돌진하다: er platzte uns unerwartet ins Haus 그는 예기치 않게 우리 집에 불쑥 나타났다; mit et.³ heraus〔hervor〕 ~ (별안간 또는 참지 못하여) 무엇을 불쑥 입 밖에 내다; aufeinander ~ 충돌하다, 맞부딪치다.

platzen² 《<Platz》 *refl.* 〘농담〙 sich ~ 앉다, 착석하다: bitte platz dich 앉아라.

Platzen *n.* -s 폭발, 파열.

Plätzen [plɛ́tsən] *m.* -s, - (öst.) ↑ Plätzchen ②.

plätzen *t./i.* (h.) ①〘방언〙 빵〔탕〕하고 쏘다. ② 찰싹〔철썩〕 치다〔때리다〕. ③ (달군 쇠를) 칙하고 물에 넣다. ④〖林〗 (벌채의 표시로 나무에) 표를 새기다. ⑤〖사냥〗 (사슴·멧돼지 따위가) 앞발로 땅을 긁다〔파다〕.

..plätzer *suf.* (schweiz.) (..sitzer) "…인승 차(량), 좌석이 …개인 차(량)"의 뜻(보기: Vier~ 4 인승 자동차).

Platz≈furcht *f.* ↑ ~angst. **~geschäft** *n.* 〖商〗 한 지역 내의 거래, 동지(同地) 거래. **~halter** *m.* ①〘드물게〙 (다른 사람을 위하여) 좌석을 잡아주는 사람. ②〖언어〗 상관사(相關詞)(보기: 가주어·가목적어 따위). **~hirsch** *m.* 교미 장소에서 가장 강한 수사슴.

platzieren 新정서 ⇦ plazieren.

..plätzig *suf.* "…인승의"의 뜻(보기: vier~ 4 인승의).

Platz≈karte *f.* 〖철도〗 좌석권, 좌석 지정〔예약〕권. **~kommandant** *m.* (schweiz.) 주둔군 사령관. **~konzert** *n.* (특히 휴양지에서의) 야외 연주회. **~kosten·rechnung** *f.* 〖經〗 (개별 부서의 경비까지 계산한) 경비〔원가〕 계산.

Plätzli [plɛ́tsli] *n.* -s, - (schweiz.) ① (Schnitzel) 슈니첼(커틀릿의 일종). ② 납작한 조각. ③ 납작한 과자류, 쿠키, 비스킷.

Platz≈major *m.* 〖軍〗 요새 참모. **~mangel** *m.* 좌석〔장소〕 부족. **~meister** *m.* ① ↑ ~wart. ②〘원뜻〙 (특히 댄스 파티에서) 질서 유지하는 사람. **~miete** *f.* ①〖연극〗 (극장의) 정기 입장료〔좌석료〕. ② 장소 임대료〔사용료〕, 자리세. **~ordner** *m.* 〖스포츠〗 경기장 질서 유지인. **~patrone** 《<platzen》 *f.* ① 공포탄(사격): mit ~n schießen 공포를 쏘다. ② 연습탄. **≈raubend** *a.* 장소〔자리〕를 뺏는〔막는〕. **~regen** 《<platzen¹》 *m.* 폭우, 집중 호우, 세찬 비. **~reisende*** *der/die* 〖商〗 소속 영업소가 있는 지역의 외판원; 주문 담당자. **~runde** *f.* ①〖스포츠〗 **(a)** 경기장〔트랙〕 한

바퀴: zum Aufwärmen ein paar ~n laufen 워밍업으로 트랙을 몇 바퀴 달리다. **(b)**〖골프〗 코스의 전체 길이〔전장(全長)〕, 라운드. ②〖空〗(착륙 전의) 선회 비행; 지정 착륙 항로.
~sparend *a.* 공간을〔자리를〕 차지하지 않는: ~e Einbauschränke 공간 절약형 붙박이장.
~verhältnisse *pl.*〖스포츠〗 경기장 상태.
~verkauf *m.* 동일 지역 판매. **~vertreter** *m.*〖商〗 지역 대리인, 지방 대리점. **~verweis** *m.*〖스포츠〗(반칙으로 인한) 선수 퇴장. **~vorschrift** *f.* (좌석) 배치 규정. **~wart** *m.* 경기장 관리인. **~wechsel** *m.* 장소〔좌석〕 변경;〖스포츠〗(팀 내의) 자리 바꿈, 위치 변경;〖商〗 발행지 지급 어음(↔ Distanzwechsel). **~wette** *f.* (경마에서) 복승식(複勝式), 복승식으로 걸기. **~wunde** 《<platzen¹》 *f.* 열상(裂傷), 찢어진 상처. **~ziffer** *f.*〖스포츠〗(피겨 스케이팅·체조 따위에서 다수의 심판이 순위를 매기는 방식의) 평점, 순위점.

Plauderei [plaʊdəráɪ] *f.* -en 수다, 잡담, 만담; (신문의) 만평, 만필.

Plauderer [pláʊdərər] *m.* -s, -s 요설가, 수다쟁이, 만담〔만필〕가.

plauderhaft *a.* 요설의, 다변의; 수다스러운.

Plauder·hans *m.* ↑ ~tasche.

Plauderin *f.* -nen ↑ Plauderer 의 여성형.

Plauder≈liese *f.*, **~matz** *m.*, **~maul** *n.*〖폄어〗 ↑ ~tasche.

***plaudern** [pláʊdərn] 《spätmhd. plûdern, „rauschen"》 《I》 *i.* (h.) ① (물 따위가) 찰랑찰랑 소리를 내다; (비단 따위가) 스쳐서 워석거리다; (앵무새 따위가) 지저귀다, 재잘거리다. ② 수다떨다, 잡담하다, 스스럼없이〔재미있게〕 이야기하다: er plauderte von seinen Erlebnissen 그는 자신의 경험담을 재미있게 늘어놓았다; mit ihm läßt sich gut ~ 그와는 허물없이 이야기할 수 있다. ③ 함부로 지껄이다, 누설하다: erzähle ihm nichts, er plaudert 그에겐 아무 얘기도 하지 마라, 그는 함부로 지껄이는 사람이다. 《II》 *refl.* 재잘거리다, 잡담하다: sich müde ~ 지치도록 수다떨다.

Plauder≈ort, ~platz *m.* 잡담하기에 좋은 장소. **~stündchen** *n.*, **~stunde** *f.* 잡담 시간, (잠시 동안의) 잡담. **~tasche** *f.*〖폄어〗(특히 여자) 수다쟁이, 잡담꾼. **~ton** *m.* 잡담조(調): im ~ schreiben 잡담조로 글을 쓰다.

Plaudrer *m.* -s, - ↑ Plauderer.

Plaudrerin *f.* -nen ↑ Plauderin.

Plaue [pláʊə] 《⊕ Blahe》 *f.* -n (schles.) (Plane) (화차 따위의) 덮개, 포장.

Plauen 플라우엔(작센주 남서부의 도시).

Plauener 《I》 *m.* -s, - 플라우엔 사람. 《II》 *a.* 〖어미변화 없음〗 플라우엔의.

plauensch *a.* 플라우엔(풍)의.

Plauer Kanal *m.* 플라우에 운하(Plaue 는 브란덴부르크주의 동부).

Plauer See *m.* 플라우 호수(Plau 는 메클렌부르크주의 도시).

Plausch [plaʊʃ] *m.* -(e)s, -e〖구어〗 잡담, 담소: mit jm. einen kleinen ~ halten 누구와 잠시 담소하다; die Nachbarn sind zu einem ~ zusammengekommen 이웃들이 잡담을 나누기 위해 모여들었다.

plauschen [pláʊʃən] *i.* (h.) ①〖구어〗 즐겁게 이야기하다, 담소〔잡담〕하다: komm, wir ~ noch ein Stündchen miteinander 이리와, 우리 한 시간쯤 더 잡담을 나누자. ② (öst.) (비밀 따위를) 함부로 지껄이다, 누설하다. ③ (öst.) 과장하다, 속이다: geh, plausch nicht! 가라, 허풍치지 말고!

plausibel [..zíːbəl] 《frz. plausible》 *a.* 수긍〔동의〕할 수 있는, 그럴 듯한; 명백〔분명〕한: plausible Gründe 납득할 만한 이유; jm. et. ~ machen 누구에게 무엇을 납득시키다.

Plausibilität [..zibilitɛ́ːt] *f.* ①〔교양〕 명백함, 그럴 듯함, 신뢰성. ②〖컴〗(프로그램 입력 자료의) 신뢰도 (검사).

plaustern [pláustərn] *t.* (깃털을) 펴다, 세우다(↑ plustern).

Plautus *m.* Titus Maccius ~ 플라우투스(고대 로마의 희극 작가, 251 ?–184 ? B.C.).

plauz [plaʊts] *int.*〔의성어〕 쿵, 쾅(부딪치거나 떨어지는 소리): ~, da lag das Kind! 꽈당, 아이가 넘어졌다.

Plauz *m.* -es, -e〖구어〗 ① 쿵〔쾅〕하고 부딪치는〔떨어지는〕 소리: mit dem ~ flog die Tür zu 쾅하고 문이 바람에 닫혔다; einen ~ machen 꽈당하고 넘어지다. ②〔복수〕 구타: ~e kriegen 얻어맞다; es gab tüchtige ~e 심한 몸싸움이 있었다.

Plauze [pláʊtsə] 《poln.》 *f.* -n (ostmd.)〖방언·경박〗 ① 폐, 가슴: es auf der ~ haben 심한 기침병〔천식〕을 앓고 있다. ② 침대: auf der ~ liegen 병을 앓고 있다. ③ 매질, 구타. ④ 배, 복부: sich die ~ vollschlagen 배 터지게 먹다.

plauzen [pláʊtsən] 《I》 *i.* ① (h.) 쾅〔쿵〕하고 울리다, 쾅하는 소리를 내다: plauz doch nicht so mit den Türen! 문을 그렇게 쾅 닫지 마라! ② (s.) 쿵하고 떨어지다, 쾅하고 넘어지다: das Buch plauzte auf den Boden 책이 툭하고 바닥에 떨어졌다. 《II》 (h.) *imp.* es plauzt 쾅 소리가 나다, 불호령이 떨어지다, 화가 폭발하다. 《III》 *t.* (문 따위를) 쾅하고 닫다: plauz doch die Tür nicht so! 문을 그렇게 쾅 닫지 마라!

Play·back [pléːbɛk, pléɪbæk] 《engl.》 *n.* -, -s ① (가수가 노래할 때 틀게 될) 녹음 반주(곡): gegen die überlauten ~s ansingen 매우 시끄러운 녹음 반주에 질세라 (더 크게) 노래하다. ② 프리리코딩, 프리스코어링(립싱크(lip sync)용 노래나 대사를 미리 녹음하는 일). ③ ↑ Playbackverfahren.

Play-back 新정서 ⇦ Playback.

Play·back·verfahren *n.* ① 프리리코딩〔프리스코어링〕 방식. ② (노래 또는 대사의) 더빙; 오케스트라에 성악을 더빙하는 일.

Play·boy [pléːbɔy, pléɪbɔɪ] 《engl.》 *m.* -s, -s 플레이보이, 바람둥이.

Play·girl [pléːgøːrl, pléɪgəːl] 《engl.》 *n.* -s, -s ① 플레이걸, 향락을 좇는 젊은 여자. ② 콜걸, 호스티스.

Play-off [pleːɔ́f, pleɪɔ́f] 《engl.》 *n.* -, -〖스포츠〗 ① (시즌 종료 후의) (준)우승 결정전, 플레이오프. ② (무승부·동점일 때의) 결승〔연장〕 시합.

Play-off-Runde *f.*〖스포츠〗(준)우승 결정전 시리즈: die erste ~ 플레이오프 1 차전.

Plazenta [platsɛ́nta] 《lat.》 *f.* -s/..ten ①〖醫·生〗 태반, 후산(後産). ②〖植〗 태좌(胎座), 태자리(암술의 한 부분).

plazental *a.* 〖구식〗 ↑ plazentar.
plazentar *a.* 〖醫·生〗 태반의, 태반에 관한.
Plazet [plá:tsɛt] ⟪lat. placet⟫ *n.* -(s), -s 〖교양〗 허가, 동의, 재가, 비준: js. ~ (für et.) einholen (무엇을 위해) 누구의 동의〔허가〕를 얻다.
plazieren [platsí:rən] ⟪frz. placer⟫ ⟪I⟫ *t.* ① (a) 배치하다, 두다: wohin soll ich die Kiste ~? 상자를 어디에 둘까요?; dieses Foto muß auf der Titelseite plaziert werden 이 사진은 제 1 면에 실어야 한다. (b) (schweiz.) (…에) 묵게 하다, 숙소를 정해 주다. ② (a) 〖구기〗 (공을) 차넣다, 쳐보내다. (b) 〖권투·펜싱〗 (주먹·검을) 명중시키다: eine Rechte an des Gegners Kinn ~ 상대방 턱에 오른손 주먹을 명중시키다. ③ 〖商〗 (자본을) 투자하다. ④ 〖經〗 (상품·유가 증권을) 시장에 내놓다, 팔다. ⟪II⟫ *refl.* (h.) sich ~ ① 〖농담〗 앉다: wohin sollen wir uns ~? 우리 어디에 앉아야 할까? ② (일정한 순위를) 차지하다: sich auf dem zweiten Platz〔Rang〕 ~ 2 위를 차지하다.
Plazierung *f.* -en ① 배치; 착석. ② 〖經〗 (물건·유가 증권의) 판매. ③ 〖스포츠〗 입상, 순위: eine gute ~ erreichen 상위권에 오르다.
Plazierungs·vorschrift *f.* ① (좌석) 배치 규정. ② 〖스포츠〗 입상〔순위〕 규정.
Plebejer [plebé:jər] ⟪lat. plebeius, „bürgerlich"⟫ *m.* -s, - ① (고대 로마의) 평민, 서민. ② 〖교양·폄어〗 천박〔무식〕한 사람; 야인, 필부.
Plebejertum *n.* -(e)s 서민 계급, 평민 신분; 서민풍.
plebejisch [plebé:jɪʃ] *a.* 서민의, 평민적인; 〖교양·폄어〗 천한, 비천한, 세련되지 못한.
Plebiszit [plebɪs|tsí:t] *n.* -(e), -e 〖史·政〗 국민〔주민·인민〕 투표; (고대 로마의) 평민 결의(법령).
plebiszitär [..tsitɛ́:r] *a.* 〖政〗 국민〔주민〕 투표에 의한〔관한〕: ~e Demokratie 직접 민주주의(↔ repräsentative Demokratie).
Plebs[1] [plɛps, ple:ps] ⟪원뜻 „Menge"⟫ *f.* (고대 로마의) 평민〔서민〕 (계층).
Plebs[2] *m.* -es 〖교양·폄어〗 (Pöbel) 민중, 우민(愚民), 천민.
Pleinair [plɛnɛ́:r] ⟪frz. „Freilicht"⟫ *n.* -s, -s ① 〖畫〗 외광(外光); 외광파 회화(인상파 화가들이 옥외에서 그림을 그렸기 때문에 붙여진 이름). ② 외광화, 외광 기법에 의한 그림.
Pleinair≈maler *m.* 외광파 화가. **~malerei** *f.* 외광파 회화.
Pleistozän [plaɪstotsɛ́:n] ⟪gr.⟫ *n.* -s 〖지질〗 홍적세; 빙하기.
Pleite [pláɪtə] ⟪hebr.⟫ *f.* -n 〖구어〗 ① (Bankrott) 파산, 지급 불능 상태: ~ machen〔eine ~ schieben〕 파산하다. ② 실패(작): die ganze Sache war eine ~ 그 일은 모두 실패였다.
pleite *a.* 〖구어〗 파산한: ~ gehen〔werden〕 파산하다; ~ sein 파산 상태다; 〖농담〗 ich bin vollkommen ~ 나는 완전히 무일푼이다.
Pleite≈geier *m.* 파산의 독수리(파산 위기를 상징함): der ~ schwebt〔kreist〕 über der Firma 그 회사는 파산할 위험에 처해 있다. **~macher** *m.* 파산자.
Plejade [plejá:də] ⟪gr.⟫ *f.* -n ① 〖그리스신화〗 플레이아데스(Atlas 와 Plejone 사이에서 난 7 명의 딸 중의 하나). ② 〖天〗 칠요성(七曜星), 묘성(昴星).
Plektron [plɛ́ktrɔn], **Plektrum** ⟪gr.⟫ *n.* -s, ..tren/..tra 〖악기〗 (현악기의) 채, (손톱모양의) 픽.
Plempe[1] [plɛ́mpə] *f.* -n ① 〖軍〗 패검(佩劍) (허리에 차는 외날의 칼). ② (md.) 경찰관.
Plempe[2] *f.* 〖구어〗 ① 싱거운〔물을 탄〕 음료. ② 〖은어〗 맥주.
Plempel *m.* -s, - 〖방언〗 ① (시계의) 추. ② 조악한 음료; 하등품.
plempern [plɛ́mpərn] *t./i.* (h.) 〖구어〗 ① (물을) 붓다, 타다. ② 낭비〔허비〕하다. ③ 빈들〔빈둥〕거리다. ④ 과음하다, 술독에 빠지다.
plempig *a.* ① 물을 탄, 싱거운. ② 볼품없는, 솜씨없는.
plemplem [plɛmplɛ́m] *a.* 〖구어〗 미친, 우둔한, 멍청한: du bist wohl ~? 너 미친 게 아니니?
plenar.. *pref.* "전체의, 총(總)…"의 뜻.
Plenar·saal *m.* 전체 회의장, 총회장.
Plenar≈sitzung, ~versammlung *f.* 전체 회의, 총회.
plenipotent *a.* 〖구식〗 전권을 가진, 전능한.
Plenipotenz [plenipotɛ́nts] ⟪lat. plenus, „voll" + potentia, „Macht"⟫ *f.* 〖구식〗 전권(全權), 전능.
pleno organo ⟪lat.⟫ (풍금·오르간의) 음전(音栓)을 모두 사용하여.
pleno titulo 〖구식〗 (öst.) (성명 앞에 붙여) 칭호 생략(약어: P.T.).
Plente [plɛ́ntə] ⟪it.⟫ *f.* -n 〔*m.* -s, -〕 〖구식〗 (südd.) 메밀〔옥수수〕 가루죽(Polenta).
Plenter·betrieb [plɛ́ntər..] *m.* 〖林〗 (수령이 다른 나무의) 혼성 영림(營林), 택벌(擇伐)〔간벌〕 작업.
plentern *t./i.* (h.) 택벌〔간벌〕하다.
Plenter·wald *m.* 택벌한 삼림.
***Plenum** [plé:nʊm] ⟪lat. plenus⟫ *n.* -s, ..nen/..na 총회, 전체 회의; 전원, 총원: das muß im ~ entschieden werden 그것은 총회에서 결정되어야 한다.
pleo.. *pref.* "다(多), 중복"의 뜻.
Pleochroismus [pleokroísmʊs] ⟪gr. pleon, „mehr" + chroma, „Farbe"⟫ *n.* - (결정체의) 다색성(多色性).
pleomorph *a.* 〖광물·生〗 다형(多形)의, 다형성의.
Pleonasmus [pleonásmʊs] ⟪gr.⟫ *m.* -, ..men 〖修·문체〗 중복 어법, (말의) 중복, 췌언, 중어(重語) (보기: ein alter Greis).
pleonastisch *a.* 중복 어법의, 중복된.
Pleonexie [pleonɛksí:] *f.* ① 〖心·교양〗 탐욕. ② 간섭벽(癖)(아무데나 끼여들어 장황하게 말을 늘어놓는 성향).
Plesiopie [pleziopí:] ⟪gr.⟫ *f.* -n 〖醫〗 수정체 철성(凸性) 근시.
Plesiosaurier [pleziozáuriər] *m.* -s, -, **Plesiosaurus** *m.* -, ..re/..rier [..riər] 〖고생물〗 플레시오사우루스(목이 길고 네 발이 노처럼 납작했던 바다 공룡).
Pleß 플레스(옛 제후국의 이름).
Plethi [plé:ti] ↑ Krethi und Plethi.
Plethora [pletó:ra] ⟪gr.⟫ *f.* ..ren 충만, 과다; 〖醫〗 다혈증(多血症).
Plethysmograph [pletʏsmográ:f] ⟪gr.

plethysmos》 *m.* -en, -en 〖醫〗 플레시스모그래프, (기관의) 용적〔체적〕 변동 측정기.

Pleuel [plɔ́yəl] 《<Bleuel》 *m.* -s, -, **Pleuelstange** 《<Bleuel》 *f.* 〖工·車〗 (피스톤과 크랭크축을 연결하는) 연결봉(棒).

Pleura [plɔ́yra] 《gr.》 *f.* ..ren 〖해부〗 ① 늑막 (Rippenfell). ② 흉막 (Brustfell).

Pleuresie [..rezí:] *f.* -n [..zí:ən] 늑막염, 흉막염.

Pleureuse [plørǿ:zə] 《frz.》 *f.* -n ① (a) 상장(喪章); 상복(喪服)의 가장자리 장식〔레이스〕; 18 세기 여성 상복의 술. (b) 편지지의 검은 테두리. (c) 여성용 모자의 타조 깃 장식. ②〖연극〗 (18 세기 파리의 극장에서 관객을 슬픈 분위기로 이끌기 위해) 우는 역할을 했던 여자.

Pleuritis [plɔyrí:tɪs] *f.* ..tiden [..tí:dən] ↑ Pleuresie.

Pleurodynie [plɔrrodyní:] 《gr. odýnē》 *f.* -n [..ní:ən] 〖醫〗 늑막통, 측흉통(側胸痛).

Pleuropneumonie *f.* -n [..ni:ən] 〖醫〗 늑막폐렴.

plexiform *a.* 〖醫〗 그물 모양의, 덩굴 모양의, 총상(叢狀)의, 망상(網狀)의.

Plexiglas [plέksɪgla:s] 《lat. plexus》 *n.* -es 플렉시글라스(아크릴 수지제 플라스틱 유리의 상표명; 비행기 창유리 따위에 쓰임).

Plexus [plέksʊs] 《lat.》 *m.* -, - 〖해부〗 (신경·혈관 따위의) 총(叢), 망상(網狀) 조직.

Pli [pli:] 《frz.》 *m.* -s (westd.) ① 세련, 숙련, 재치: (viel) ~ haben (매우) 세련되다, 재치있다. ② 봉투.

Plicht [plɪçt] 《ndd.》 *f.* -en 〖海〗 (Cockpit) (요트나 모터보트의) 뒷좌석, (돛단배의 지붕 없는) 선원석.

Plicht·anker *m.* 비상용〔예비〕 닻.

Plier·auge *n.* (nordd.) (울어서) 퉁퉁 부은 눈.

plieren [plí:rən] *i.* (h.) (nordd.) ① 눈을 깜박이며 바라보다, 눈을 가늘게 뜨고 보다: er plierte verdutzt auf den Gast 그는 놀라서 눈을 깜박이며 손님을 바라보았다. ② 축축하다; 불결하다. ③ 울다: sie pliert bei jeder Kleinigkeit 그녀는 사소한 일에도 잘 운다.

plierig [plí:rɪç] *a.* ① 울어서 눈이 퉁퉁 부은: ~ gucken 울어서 퉁퉁 부은 눈으로 바라보다. ② 울어서 빨갛게 된: ein ~es Gesicht 울어서 붉어진 얼굴. ③ 더러운, 축축한.

Pliesterer *m.* -s, - 〔방언〕 (Stuckarbeiter) 칠〔석고〕 세공사.

pliestern *t.* 〔방언〕 칠 세공을 하다, 석고를 바르다.

plietsch *a.* (nordd.) 영리한, 약삭빠른, 교활한: die ist ganz schön ~! 그 여자 아주 약삭빠르다!

Plievier Theodor ~ 플리비어(독일의 소설가, 1892-1955).

pliieren [plií:rən] 《frz.》 〔구식〕 《I》 *t.* 접다, 꺾다, 구부러뜨리다; 주름을 잡다; (말 따위를) 길들이다. 《II》 *i.* (h.) 굽다, 구부러지다; 〖軍〗 퇴각〔철수〕하다.

Plinius [plí:niʊs] Gaius ~ Caesilius Secundus 플리니우스(고대 로마의 소설가·행정 관리, 62-113).

plinkern [plɪ́ŋkərn] *i.* (h.) (ndd.) (눈을) 깜박거리다, 깜박거리며 바라보다: mit den Augen ~ 두 눈을 깜박거리다.

Plinse [plɪ́nzə] *f.* -n (ostmd.) ① (달걀·우유 따위를 넣은) 팬케이크. ② 감자 팬케이크, 감자전〔부침〕.

plinsen [plɪ́nzən] *i.* (h.) (nordd.) (특히 아이가) 귀찮게 징징거리며 울다.

Plinsen·teig *m.* (ostmd., ostndd.) 팬케이크용 반죽.

Plinthe [plɪ́ntə] 《gr. plinthos》 *f.* -n 〖조각·건축〗 (원기둥이나 입상의) 사각 받침돌〔주춧돌〕.

Plinz *m.* -es, -e 〔*f.* -en〕, **Plinze** [plɪ́ntsə] *f.* -n ↑ Plinse.

Pliozän [pliotsέ:n] 《gr.》 *n.* -s 〖지질〗 플라이오세, 선신세(鮮新世) (신생대 제 3 기 최후의 지질 시대).

Plissee [plɪsé:] 《frz. plissé》 *n.* -s, -s [..sé:s] 〖재봉〗 ① (옷·옷감의) 주름: Stoff mit einem engen ~ 주름이 촘촘하게 잡힌 천. ② 주름 천: ein Rock aus ~ 주름 치마. ③ 주름잡기.

plissieren *t.* (fälteln) (천에) 주름을 잡다.

plitsch 《<politisch》 *a.* (ndd.) 교활한, 꾀 많은.

PLO 《engl.》 = Palestine Liberation Organization 팔레스타인 해방 기구.

Plock·wurst *f.* 〖식품〗 저장용 소시지.

Plombe [plɔ́mbə] 《frz. plomb》 *f.* -n ① 납〔금속〕 봉합〔봉인〕: eine ~ aufbrechen 납 봉합을 열다. ② 〖치과〗 (치아의) 봉.

plombieren *t.* ① 납〔금속〕으로 봉(합)하다: eine Kiste 〔ein Stromzählgerät〕 ~ 상자〔전기 계량기〕를 납으로 봉하다. ② 〔구어〕 (충치에) 봉을 박다.

Plombierung *f.* -en 납 봉합, 봉박기.

Plongee [plɔ̃ʒé:] 《frz.》 *f.* -n [..ʒé:ən] 〖軍〗 흉장(胸墻)의 기울기.

plongieren [..ʒí:..] *t.* 가라앉히다, 낮추다; 〖軍〗 (포구(砲口)를) 내리다.

Plongier·schuß *m.* 〖軍〗 내려쏘기.

Plörre *f.* -n (nordd.) 멀건 음료, 묽은 수프.

Plot [plɔt] 《engl.》 *m./n.* -s, -s ① 〖문학〗 플롯, 줄거리. ② 〖컴〗 플로터로 제작한 도면〔도표〕.

Plotter 《engl.》 *m.* -s, - ① 〖컴〗 컴퓨터 제도기 플로터(데이터를 도면화하는 출력 장치). ② 〖海·空〗 항로 관제 모니터, 플로터.

Plotz [plɔts] 《원래는 의성어》 *m.* -es, -e 탕하는 소리: (md.) auf den ~ 갑자기, 격렬히.

plotz *a.* (md.) 돌연한.

Plötz [plœts] 《sl.》 *m.* -es, -e ↑ Plötze.

Plötze [plœ́tsə] *f.* -n 〖動〗 ① 붉은배지빠귀. ② 구릿빛 황어.

plotzen [plɔ́tsən] 《<Plotz》 〔방언·구어〕 《I》 *i.* (s.) 쿵〔툭〕 떨어지다: geplotzte Birnen 낙과(落果)한 배. 《II》 *t.* ① 〔폄어〕 (담배를) 뻑뻑 피우다. ② 힘들게 일하다.

***plötzlich** [plœ́tslɪç] *a.* 돌연한, 갑작스러운: ein ~es Ereignis 돌발 사건; ~ fiel es ihm ein 문득 그것이 그의 머리에 떠올랐다; 〔구어〕 bitte, etwas ~! 자, 어서 좀 해!; 〔구어〕 nur nicht so ~! 그렇게 서두르지 좀 마라!

Plötzlichkeit *f.* -en 갑작스러움, 돌발성; 돌발적인 사건.

Pluder·hose [plú:dər..] *f.* (무릎 아래나 발목에 묶는 끈이 달린) 헐렁한 바지.

pluderig [plú:dərɪç] *a.* (옷 따위가) 헐렁한, 불룩한.

pludern [plúːdərn] *i.* (h.) (옷이) 헐렁하다.
pludrig *a.* ↑ pluderig.
Plugge, Plügge 《ndd.》 *f.* -n 작은 말뚝, 나무 못.
Plumbum [plúmbum] 《lat.》 *n.* -s 〖化〗 납 (Blei)의 라틴어 표기(기호: Pb).
Plumeau [plymóː] 《frz.》 *n.* -s, -s 새털〔깃털〕 이불(Federbett).
Plump [plump] *m.* -es, -e ↑ Plumps.
***plump**[1] *a.* ① 둔한, 굼뜬: ~er Gang 둔중한 걸음걸이. ② 볼품없는, 모양 없는: sie hat ~e Füße 그 여자의 발은 투박하게 생겼다. ③ 서투른, 어설픈; 교양 없는, 졸렬한, 상스러운: eine ~e Lüge 서투른 거짓말; ein ~er Witz 세련미 없는 위트.
plump[2] *int.* ↑ plumps.
Plumpe [plúmpə] *f.* -n ① (nordd., ostmd.) 펌프(Pumpe). ② 〖植〗 자라풀.
plumpen[1] [plúmpən] *t.* (nordd. md.) ↑ pumpen.
plumpen[2] *i.* ↑ plumpsen.
Plumpheit *f.* -en ① 둔함, 서투름. ② 거친 언행, 굼뜬 행동.
plumps [plumps] *int.* 〖의성어〗 쿵, 퍽, 풍덩, 털썩(무거운 물체가 떨어질 때 나는 둔탁한 소리).
Plumps *m.* -es, -e 〖구어〗 쿵〔쾅〕하고 떨어짐〔넘어짐〕; 쿵〔쾅〕하는 소리: mit einem ~ ins Wasser fallen 첨벙하고 물 속에 떨어지다.
Plump·sack *m.* ① (수건돌리기 놀이의 매듭지은) 손수건: der ~ geht (her)um (매듭 지은) 손수건이 돈다, 수건돌리기 놀이를 한다. ② (수건돌리기 놀이의) 술래. ③ 〖구어〗 뚱뚱하고 둔한 사람.
plumpsen [plúmpsən] *i.* ① (h.) *imp.* 쿵〔쾅〕하는 소리가 나다: es hat richtig geplumpst, als er hinfiel 그가 넘어지자 쿵하는 소리가 요란하게 났다. ② (s.) (둔하거나 서툴러서) 쿵〔쾅〕하고 떨어지다〔넘어지다〕: er ist ins Wasser geplumpst 그는 풍덩 물에 빠졌다.
Plumps·klo(sett) *n.* 〖구어〗 (구덩이 위에 설치한) 간이 화장실.
Plum·pudding [plʌ́mpudɪŋ, plúm..] 《engl.》 *m.* (영국에서 성탄절에 먹는) 건포도 푸딩.
plump-vertraulich *a.* 거칠게 친밀감을 표시하는: jm. ~ auf die Schulter klopfen 허물없이 누구의 어깨를 탁 치다.
***Plunder** [plúndər] *m.* -s, -n 〖폄어〗 ① 잡동사니, 허섭스레기; 누더기, 넝마: 〖비유〗 in dieser Vorlesung hört man doch nur den alten ~ 이 강의에서는 낡고 쓸데없는 것만 배운다. ② ↑ ~teig. ③ ↑ ~gebäck. ④ (obd.) 삼베; 흰 하의류(下衣類).
Plunder⸗brezel *f.* ↑ ~gebäck. **~büchse** *f.* 모양 없는 구식총. **~gebäck** *n.* 플룬더 파이.
Plünderei [plʏndəráɪ] *f.* -en 〖폄어〗 (상습적인) 약탈 (행위): es kam zu Brandstiftungen und ~en 방화와 약탈이 자행되었다.
Plünderer *m.* -s, - 약탈자.
plunderhaft, plunderig *a.* 쓰레기의, 잡동사니 같은, 쓰레기로 가득 찬, 쓸모 없는.
Plünderin *f.* -nen ↑ Plünderer 의 여성형.
Plunder⸗kammer *f.* 잡동사니를 넣어 두는 방, 헛간. **~kasten** *m.*, **~kiste** *f.* 잡동사니〔헌옷〕 상자〔궤〕. **~kram** *m.* ↑ Plunder. **~mann, ~matz** *m.* 넝마주이, 고물상. **~markt** *m.* 〖드물게〗 벼룩 시장(Flohmarkt). **~milch** *f.* 탈지(脫脂)한 발효유.
***plündern** [plʏ́ndərn] 《<Plunder》 *t./i.* (h.) 약탈〔노략질〕하다, 싹쓸이하다: die Stadt wurde von den Soldaten geplündert 그 도시는 병사들에 의해 약탈당했다; jn. ~ 누구를 거덜내다, 누구의 소지품을 모조리 빼앗다; einen Bienenstock ~ 벌집에서 꿀을 꺼내 가다; einen Obstbaum ~ 과수의 열매를 다 따 버리다; 〖비유〗 einen Dichter 〔ein Buch〕 ~ 어떤 작가를〔책을〕 표절하다; 〖농담〗 den Weihnachtsbaum ~ (성탄절 끝 무렵에) 크리스마스 트리에 달린 과자류를 모두 따먹다; 〖구어〗 den Kühlschrank ~ 냉장고 속의 것을 다 먹어 치우다.
Plunder·teig *m.* 여러 층으로 된 효모 반죽, 플룬더 반죽.
Plünderung *f.* -en 약탈, 강탈: Brandstiftungen und ~en begehen 방화와 약탈을 저지르다.
Plünderungs·sucht *f.* 약탈욕, 강탈욕.
Plündrer *m.* -s, - ↑ Plünderer.
Plündrerin *f.* -nen ↑ Plünderin.
Plunger [plándʒər, plʌ́ndʒə] 《engl.》 *m.* -s, - 〖기계〗 (압착 펌프·수압기 따위의) 플런저.
Plünnen [plʏ́nən] *pl.* (nordd.) (낡은) 옷, 누더기: zieh dir die nassen ~ aus! 그 젖은 누더기나 좀 벗어라!
Plunze [plúntsə] 《poln. pluca》 *f.* -n (bayr., ostmd.) (Blutwurst) 선지를 넣은 소시지.
Plunzen *f.* ↑ Plunze.
Plur. =Plural 복수.
***Plural** [plúːraːl, pluráːl] 《lat.》 *m.* -s, -e 〖문법〗 ① 복수(약어: Pl.): dieses Wort wird nur im ~ gebraucht 이 단어는 복수로만 사용된다. ② (단어의) 복수형: „Häuser“ ist der ~ von „Haus“ “Häuser”는 “Haus”의 복수형이다.
Plural·endung *f.* 복수 어미.
Pluraletantum [pluraletántum] *n.* -s, -s/Pluraliatantum 복수로만 쓰이는 명사(보기: Leute).
Pluralis [pluráːlɪs] *m.* -, ..les 〖문법·구식〗 ↑ Plural.
Pluralis majestatis [..majɛstáːtɪs] 《lat. „Plural der Majestät“》 *m.* - -, ..lia - (군주가 자신을 지칭하며 쓰는) 군주의 복수형(wir): wir, Friedrich Ⅲ, Kurfürst von Sachsen 작센 선제후, 프리드리히 3세인 짐(朕)은.
Pluralis modestiae [..modɛ́stiɛ] 《lat., Plural der Bescheidenheit“》 (ich 대신에 쓰는) 겸양의 복수형(wir): im folgenden werden wir zu der Frage Stellung nehmen 다음에서 저는 그 문제에 대해 입장을 밝히겠습니다.
Pluralis reverentiae 《lat., „Plural der Hochachtung“》 존칭의 복수형(보기: 독일어에서 du 대신 쓰이는 Sie, 프랑스어에서 tu 대신 쓰이는 vous).
pluralisch [pluráːlɪʃ] *a.* 〖문법〗 복수(형)의; 두 개 이상의.
Pluralisierung *f.* -en 〖언어〗 복수화.
***Pluralismus** [pluralɪ́smus] *m.* - ① 〖哲〗 다원론(현실이 통일성 없는 독자적인 다수의 본질들로 구성되어 있다는 이론). ② (a) 다원성: den ~ in Wissenschaft und Forschung wah-

ren 학문과 연구의 다원성을 유지하다. (**b**) 다원주의.

pluralistisch *a.* 다원론의, 다원주의의: die ~e Demokratie 다원주의적 민주주의.

Pluralität [pluralitɛ́:t] *f.* 〖교양〗 ① 다원성, 다양성, 복수성; 다원주의. ② 다수, 과반수.

Plural·wahl·recht *n.* 복수 투표권〔선거권〕(특권층이 2 표 이상의 투표권을 가지는 불평등 선거 제도).

pluriform *a.* 다양한 형태의, 다변적인.

Pluripara *f.* ..ren 〖醫〗 경산부(經產婦), 다산모(多產母).

***plus** [plus] 《lat.》 (기호: +) (↔ minus) 《Ⅰ》 *cj.* 〖數〗 더하기, 플러스: sechs ~ zwei ist 〔macht, gibt〕 acht 6 더하기 2는 8이다(6+2=8). 《Ⅱ》 *prp.*³ …을 더한〔합한〕: die ersparte Summe ~ den Zinsen von 2 Jahren ergibt rund 6500 Mark 저축액에 2년간의 이자를 합하면 대략 6500 마르크쯤 된다. 《Ⅲ》 *a.* ① 영상, 플러스: ~ 30°〔30° ~〕 영상 30 도; drei ~ 3 플러스(평점 3(befriedigend)보다 조금 나은 성적). ② 〖전기〗 양극의: die Elektronen wandern von minus zu ~ 전자는 음극에서 양극으로 이동한다.

***Plus** *n.* -, - ① 초과(액), 잉여; 이윤, 흑자: ich habe jetzt ein ~ von 12 Stunden 내게는 지금 추가로 12 시간이 더 있다; ein Geschäftsjahr mit einem ~ abschließen 사업 연도를 흑자로 마감하다. ② 장점, 이점: ein weiteres ~ dieses Modells ist der geringe Benzinverbrauch 이 모델의 또 다른 장점은 연료 소모가 적다는 것이다.

Plus·betrag *m.* 초과액, 잉여액.

Plüsch [ply:ʃ, plyʃ] 《frz.》 *m.* -es, -e ① 플러시(긴 털이 있는 무명 벨벳): ein mit dunkelrotem ~ überzogenes Sofa 진홍색 플러시 천으로 씌운 소파; 〖교양〗 Sehnsucht nach ~ und Spitzendeckchen 플러시와 레이스 달린 식탁보에 대한 동경(안락하고 낭만적인 시절을 상징함); 〖교양·폄어〗 das ist ~ 그것은 (조화로움 등에 대한) 싸구려 감상이다; 〖방언·농담〗 die Einrichtung des Hotels ist ~ und Plümowski 그 호텔의 시설은 화려하기는 하지만 완전히 퇴색했다. ② 보풀이 긴 편물.

plüsch·artig *a.* 플러시와 같은.

Plüsch·augen *pl.* 〖구어〗 순진하고 몽상적인 눈.

plüschen [plý:ʃən, plýʃən] *a.* ① 플러시로 만든: ein ~er Polsterbezug 플러시 쿠션 커버. ② 〖교양〗 속물적인, 소시민적인.

Plüschen⸗kragen *m.* 플러시 옷깃. **~sofa** *n.* 플러시(천을 씌운) 소파.

plüschig [plý:ʃɪç, plýʃɪç] *a.* ① 플러시(천)로 만든, 플러시(천)의. ② 〖교양〗 (**a**) 낭만적인, 안락한, 고풍스런: ein ~es Lokal 아늑한 술집. (**b**) 〖폄어〗 싸구려 낭만의, 저속한, 속물적인: ein ~ geschriebener Roman 저속한 감상으로 씌어진 소설.

Plüsch⸗ohren *m.* 〔다음 용법으로〕〖농담〗 Klein Doofi mit ~ 멍청이. **~sessel** *m.* 플러시(천을 입힌) 안락 의자. **~teppich** *m.* 플러시 융단〔양탄자〕. **~tier** *n.* (플러시로 만든) 봉제 동물〔완구〕.

Plus⸗macher *m.* 장부를 속여서 흑자를 만드는 사람; 부정 축재자. **~macherei** *f.* 장부를 속여 흑자를 만드는 일; 부정 축재.

Plus⸗pol *m.* 〖전기·물리〗 양극; (자석의) 플러스극, N극. **~punkt** *m.* ① 득점: der Sieg bei dem Auswärtsspiel brachte der Mannschaft zwei wichtige ~e 팀은 원정 경기의 승리로 소중한 2점을 얻었다; 〖비유〗 bei jm. ~e sammeln 누구에게 점수 따다. ② 장점, 이점(↑ Plus ②).

Plusquamperfekt [plʊ́skvampɛrfɛkt, plus..fɛ́kt] 《lat.》 *n.* -(e)s, -e 〖문법〗 ① 과거 완료(시제). ② 동사의 과거 완료형.

Plusquamperfektum *n.* -s, ..ta ↑ Plusquamperfekt.

Pluster·backen [plú:stər..] *pl.* 탐스러운 볼.

plusterig [plú:stərɪç] *a.* (옷이) 헐렁헐렁한, 불룩한; (털이) 곤두선, (머리카락이) 부시시한; (새가) 깃을 세운.

plustern [plú:stərn] 《ndd.》 《Ⅰ》 *t.* (h.) (깃털을) 펴다, 세우다: ein Vogel plustert die Federn 새가 깃털을 세운다. 《Ⅱ》 *refl.* sich ~ ① 깃털을 세우다: ein Vogel plustert sich 새가 깃털을 세운다. ② 〖드물게〗 으스대다, 잘난 체하다.

Plus·zeichen *n.* 플러스 기호(+).

Plutarch [plutárç] 플루타르코스(고대 그리스의 전기 작가, 46-120?).

Pluto[1] [plú:to] *m.* 《gr.》 〖그리스신화〗 ① 플루토(저승의 신 Hades 의 별칭). ② 플루토(부와 풍요의 신).

Pluto[2] *m.* - 〖天〗 명왕성.

Plutokrat [plutokrá:t] 《<Plutos》 *m.* -en, -en 〖교양〗 금권 정치가, 재벌, 부호.

Plutokratie [..kratí:] 《<Plutos》 *f.* -n [..tí:ən] 〖교양〗 ① 금권 정치, 금권주의, 부호〔재벌〕 지배 체제. ② 금권 정치 국가.

Pluton[1] [plú:tɔn] *m.* ↑ Pluto[1].

Pluton[2] *m.* -s, -e 〖지질〗 플루톤(지하에서 형성된 심성암체(深成岩體)).

plutonisch [plutó:nɪʃ] 《lat.》 *a.* ① 〖신화〗 저승(세계)의, 지하 세계의. ② 〖지질〗 지각(地殼) 심층의 열(熱)에 따른, 화성(火成)의, 심성(深成)의: ~e Gesteine 심성암.

Plutonismus [plutonísmus] *m.* - 〖지질〗 ① 지각 심층부의 마그마 활동. ② (↔ Neptunismus) 암석 화성설(火成說)(암석은 마그마가 식어서 된 것이라는 학설).

Plutonist *m.* -en, -en 〖지질〗 화성론자.

Plutonium [plutó:nium] 《lat.》 *n.* -s 〖化〗 플루토늄(기호: Pu).

Plutos 《gr., „der Reichtum"》 *m.* 〖그리스신화〗 부(富)의 신.

plutze *adv.* (ostd.) ① 갑자기(plötzlich). ② (sofort) 곧, 속히, 즉시.

Plutzer [plʊ́tsər] *m.* -s, - (öst.) ① 도자기 병(瓶). ② 〖폄어〗 대가리. ③ 〖비유〗 거친〔무례한〕 사람〔녀석〕. ④ (tirol.) 큰 실수, 과오.

pluvial [pluviá:l] 《lat. pluvia》 *a.* 〖지질〗 비의, 우기(雨期)의, 강우 작용에 따른.

Pluviale [pluviá:lə] 《lat.》 *n.* -s, -(s) (일종의) 비옷; 〖가톨릭〗 (사제들의 제복인) 반원형의 예배용 외투.

Pluvial·zeit *f.* 〖지질〗 (고위도 지역의 빙하기에 해당하는 저위도 지역의) 다우기(多雨期).

Pluvio⸗graph [pluviográ:f] *m.* 〖기상〗 강수량 측정 자동 기록기(Ombrograph). **~meter** *n.* 측우기.

Pluvionivo·meter [pluvionivomé:tər] *n.*

〚기상〛 (눈·비의) 강수량 측정기.
Pluviose [plyvjːóz] 《frz.》 *m.* -(s), -s 우월(雨月), 프랑스 혁명력(歷)의 5 월(1 월 20 일-2 월 18 일).
Pluvius [plúːvius] 《lat., „Regengeber"》 *m.* 플루비우스(Jupiter 의 별명).
Plymouth [plíməθ] 플리머스(영국 남서부의 군항; 미국의 도시; 미국산 자동차).
Plymouth Rock ① 플리머스 바위(1620 년 영국 Pilgrim Fathers 가 Mayflower 호를 타고 처음 상륙했다는 바위). ② 플리머스 록(산란 또는 식육용의 미국산 닭).
PLZ =Postleitzahl 우편 번호.
Plzen [pə́lzɛn] ↑ Pilsen 의 체코어.
Pm 〚化〛 =Promethium 프로메튬.
p.m. 《lat.》 ① =post meridiem 오후. ② =post mortem 사후(死後). ③ =pro memoria 기념하기 위하여. ④ =pro mille 천(千)에 대하여, 천당(千當) (기호: ‰).
Pneu [pnɔʏ] *m.* -s, -s ① ↑ Pneumatik². ② ↑ Pneumothorax.
Pneu≈anlage *f.* 〚醫〛 인공 기흉술(氣胸術). **~behandlung** *f.* 인공 기흉 요법.
Pneuma [pnɔ́ʏma] 《gr.》 *n.* -s ① 기(氣), 숨, 호흡; 공기, 바람; 〚哲〛 (스토아 학파의) 프노이마, 영(靈) (인간 생명의 근원). ② 〚宗〛 (그노시스주의의) 영(靈); (기독교의) 성령.
Pneumatik¹ [pnɔʏmáːtɪk] *f.* -en ① 〚物〛 기체 역학. ② 〚工〛 공기 압축기, 송풍 장치: die ~ einer Orgel 오르간의 송풍 장치.
Pneumatik² *m.* -s, -s 〔(öst.) *f.* -en〕 (자동차 따위의) 공기 타이어, 고무 바퀴.
pneumatisch *a.* ① 〚哲〛 프노이마의, 영적〔정신적〕인. ② 〚宗〛 성령에 관한〔의한〕. ③ 〚工〛 (압축) 공기에 의한, 공기 작용에 의한: ~e Bremsen 기압식 제동기〔브레이크〕; ~es Kissen 공기 베개; 〚醫〛 ~e Kammer 기압 조정 치료실. ④ 〚生〛 함기성(含氣性)의: ~e Knochen 기공(氣孔)이 생긴 뼈.
Pneumograph [pnɔʏmográːf] *m.* -en, -en 〚醫〛 호흡 운동 기록기.
Pneumokokkus [..kɔ́kʊs] *m.* -, ..ken 〚醫〛 폐렴구균(肺炎球菌).
Pneumokoniose [..konióːzə] *f.* -n 〚병리〛 진폐(증) (Staublunge).
Pneumonie [pnɔʏmoníː] *f.* -n [..níːən] 폐렴.
Pneumoperikard [..perikárt] *n.* -(e)s 〚醫〛 심낭 기종(心囊氣腫).
Pneumopleuritis [pnɔʏmoplɔʏríːtɪs] *f.* ..tiden [..tíːdən] 〚醫〛 폐렴성 늑막염.
Pneumothorax [..tóːraks] *m.* -(es), -e 〚醫〛 기흉(氣胸) (술).
Pneumotomie *f.* -n [..míːən] 〚醫〛 폐 절개술.
Po¹ *m.* -(s) 포강(이탈리아 북부의 강).
Po² *m.* -s, -s ↑ Popo 의 친근한 약칭.
Po³ *m.* -s, -s 〔농담〕 엉덩이(Podex).
Po⁴ 〚化〛 =Polonium 폴로늄.
PO. =politische Organisation (나치스의) 정치 조직.
P.O. =Professor ordinarius 정교수.
***Pöbel** [pǿːbəl] 《frz. peuple》 *m.* -s 〔폄어〕 천민, 하층민; 오합지중(烏合之衆): gemeiner 〔entfesselter〕 ~ 비천한〔속박에서 풀려난〕 천민.
Pöbelei [pøːbəláɪ] *f.* -en 〔구어〕 ① 야비, 난폭. ② 상스러운 언행: auf diese ~en würde ich gar nicht antworten 이런 상스러운 언행에 대해서라면 나는 전혀 대꾸도 하지 않을 것이다.
pöbelhaft [pǿːbəlhaft] *a.* 천민 같은, 비천한; 야비한, 난폭한.
Pöbelhaftigkeit *f.* -en 야비, 비천, 난폭; 야비〔비천〕한 언행.
Pöbel≈haufe *m.* 천민〔폭도〕의 무리. **~herrschaft** *f.* 〚폄어〛 (Ochlokratie) 천민〔우민〕 정치. **~justiz** *f.* 사형(私刑), 린치.
pöbelig *a.* ↑ pöbelhaft.
pöbeln [pǿːbəln] 〔구어〕 *i.* (h.) 야비하게 굴다, 천박한 언행을 하다.
Pöbel≈sprache *f.*, **~wort** *n.* 속어, 비어.
Poch [pɔx] *m./n.* -(e)s, -e ① 똑똑 두드리는 소리, 노크. ② 포흐(카드놀이의 일종).
poch *int.* 〔의성어〕 똑똑(두드리는 소리).
Poch·brett *n.* 〚카드〛 포흐 놀이판.
Poche [pɔ́xə] *f.* -n ① ↑ Poch ②. ② ↑ Pochwerk. ③ (md.) 구타: ~ kriegen 몰매를 맞다.
***pochen** [pɔ́xən] *i.* (h.)/*t.* ① **(a)** (똑똑) 두드리다, (탕탕) 치다: an die Tür ~ 문을 두드리다; den Wirt aus dem Bett ~ (문을) 두드려 주인을 깨우다; einen Nagel in die Wand ~ 벽에 못을 두드려 박다. **(b)** 문을 두드리다, 노크하다: laut〔leise〕 ~ 큰〔낮은〕 소리로 노크하다; es pocht 누가 문을 두드린다. **(c)** (심장·맥박이) 격하게 뛰다, (가슴이) 두근거리다: das Herz 〔die Brust〕 pocht mir 나는 가슴이 두근거리다. **(d)** 〚연극〛 (관객이 불만·비난의 표시로) 발을 구르다. ② 〚工〛 (금 세공사·구두장이 등이) 망치로 두들기다; (삼 따위를) 두드려 부수어뜨리다; (광석 따위를) 빻아 부수다, 분쇄하다. ③ **(a)** 〚비유〛 주장〔고집〕하다: auf et. ~ 무엇을 주장하다, 집요하게 요구하다; er pocht auf sein Recht 그는 자신의 권리를 주장한다. **(b)** 도전하다, 반항하다; 호되게 꾸짖다, 혼내 주다. ④ 〚카드〛 포흐(놀이)를 하다. ⑤ 〔방언〕 두들겨 패다, 구타하다.
Pocher *m.* -s, - ① 노크하는 사람. ② 망치질하는 사람; 〚광산〛 광석 깨는 사람; 쇄광(碎鑛) 망치. ③ 포흐(놀이)를 하는 사람.
Pocherei [pɔxəráɪ] *f.* (귀찮게) 자꾸 두드림.
Poch·erz *n.* (쇄광장에서 깨버리는) 빈광(貧鑛).
pochieren [pɔʃíːrən] 《frz. pocher》 *t.* 〚요리〛 ① (음식을) 약한 불로 서서히 삶다. ② (달걀을) 깨어 끓는 물에 반숙하다: pochierte Eier 수란(水卵).
Poch≈mehl *n.* 쇄광 망치, 쇄광기(機). **~mühle** *f.* ↑ ~werk. **~spiel** *n.* ↑ Poch ②. **~werk** *n.* 쇄광장(碎鑛場), 쇄광 시설. **~stempel** *m.* (쇄광기의) 쇄광봉(棒).
***Pocke** [pɔ́kə] *f.* -n 〚醫〛 ① 천연두 부스럼, 우두 자국; 〔방언〕 종기, 부스럼. ② 〔복수〕 천연두, 마마: (die) ~ haben 천연두에 걸리다; gegen ~ geimpft sein 우두〔천연두 예방 주사〕를 맞았다. ③ 〚수의〛 천연두 비슷한 동물의 질병.
Pocken≈fieber *n.* 천연두〔두창〕열. **~gift** *n.* 천연두〔두창〕독. **~grube** *f.* ↑ ~narbe. **~impfung** *f.* ↑ ~schutzimpfung. **~kranke*** *der/die* 천연두 환자. **~lymphe** *f.* 우두, 두묘(痘苗). **~narbe** *f.* 마맛자국, 두흔(痘痕). **~narbig** *a.* (얼굴에) 마맛자국이 있는, 얼

굴이 얽은: ~es Gesicht 곰보. **~schutzimpfung** *f.* 종두, 천연두 예방 접종. **~virus** *n.* 천연두 바이러스.

Pocket·kamera [pɔ́kɪt..] *f.* 《engl.》 소형 카메라.

Pock·holz [pɔ́k..] *n.* 〚植〛 (옛날에 천연두 치료제로 사용된) 유창목(癒瘡木).

pockicht *a.* ↑ pockig.

pockig *a.* 천연두 같은; 마맛자국이 있는.

poco [pɔ́ko, pɔ́:ko] 《it.》 〚음악〛 조금, 약간: ~ allegro 조금 빠르게; ~ *a* ~ 점차, 조금씩.

Podagra [pó:dagra] 《gr. podos „Fuß"+agra „Fang"》 *n.* -s 〚醫〛 (Fußgicht) 족부(足部) 통풍, (엄지) 발가락 통풍.

podagrisch [podá:grɪʃ] *a.* 족부 통풍의, 족부 통풍을 앓는.

Podagrist *m.* -en, -en 족부 통풍 환자.

Podalgie [..gí:] 《gr. podos „Fuß"+álgos „Schmerz"》 *f.* -n [..gí:ən] 〚醫〛 족부 통증, 족통(足痛).

Podest [podέst] 《gr.》 *m./n.* -(e)s, -e ① 층계참(站). ② 연단, 교단, 단: jn. auf ein ~ stellen〔heben〕 a) 누구를 단상에 세우다, b) 〚비유〛 누구를 추켜세우다.

Podesta [podεstá] 《it.》 *m.* -(s), -s 〚史〛 ① (중세 때의) 북부 이탈리아 시장(市長). ② (파시스트 정부가 임명한) 이탈리아 시장.

Podex [pó:dεks] 《lat.》 *m.* -(es), -e 〚농담·아동〛 엉덩이(Gesäß).

Podium [pó:diʊm] 《lat.》 *n.* -s, ..dien [..diən] ① **(a)** 〚건축〛 (기둥 따위의) 주춧돌, 주각(柱脚). **(b)** (방직기의) 디딤판; (마차의) 발판. ② 무대. ③ 연단, 교단: auf dem ~ sitzen (토론의 참석자 등으로) 단상에 앉다.

Podiums≈diskussion *f.* 단상 토론. **~gespräch** *n.* ↑ ~diskussion.

Podo·meter [podomé:tər] 《gr.》 *n.* 만보계, 보수(步數) 기록계.

Podsol [pɔtsɔ́l] 《russ.》 *m.* -s, -e 〚지질〛 포드졸, 회백토(한대 습윤지의 토양).

Poe [po:, poʊ] *m.* Edgar Allan ~ 포(미국의 소설가·시인, 1809-49).

Po·ebene *f.* (이탈리아) 포강 유역의 평야.

Poem [poé:m] 《lat. poema》 *n.* -s, -e 〚교양·구식·반어〛 시, 시가, 운문.

***Poesie** [poezí:] *f.* -n [..zí:ən] ①〚구식〛 시학, 문학, 문예, 시작(詩作): ein Meister der ~ (시)문학의 대가. ② 시 작품, 시문; 시, 운문: ein Liebhaber Rilkescher ~ 릴케시의 애호가. ③〚비유〛 시정(詩情), 시적인 매력〔분위기〕: die ~ eines japanischen Gartens 일본 정원의 시적 정취.

Poesie·album *n.* (소녀 등의) 추억의 문집.

poesielos *a.* 시정(詩情)이 없는, 산문적인; 무미건조한, 범속한: die Welt ist ~ geworden 세상이 메말라 버렸다.

Poesielosigkeit *f.* 시적 감각〔정취〕의 부재.

Poet [poé:t] 《lat.》 *m.* -en, -en ①〚구식·반어·농담〛 작가. ② (서정) 시인.

Poeta doctus [poé:ta dɔ́ktʊs] 《lat. „gelehrter Dichter"》 *m.* - -, -e [..tε] ..ti [..ti] 〚문학〛 박학다식한 작가〔문필가〕.

Poeta laureatus [poé:ta laureá:tʊs] 《lat.》 *m.* - -, -e [..tε] ..ti [..ti] 계관(桂冠) 시인.

Poetaster [poetástər] *m.* -s, - 〚폄어·구식〛 (Dichterling) 변변찮은〔재능 없는〕 시인.

Poeterei *f.* 〚구식·농담〛(도락적) 시쓰기; 변변찮은 시작(詩作).

***Poetik** [poé:tɪk] *f.* -en ① 시학, 시이론, 작시법, 문학론. ② 시학서, 시 이론서.

Poetin *f.* -nen ↑ Poet 의 여성형.

***poetisch** [poé:tɪʃ] *a.* ① 시(문학)의. ② 시적인, 문학적인, 시정(詩情)이 있는: eine ~e Ader haben 시인의 소질이 있다.

poetisieren [poetizí:rən] 《I》 *t.* ① 운문으로 만들다, 시로 표현하다. ②〚교양〛 시화〔미화〕하다; 이상화하다. 《II》 *i.* (h.) 시를 쓰다.

Pofel [pó:fəl] 《⊕ Pöbel》 *m.* -s (südd.) ① 저질 상품, 불량품. ② 떼, 무리: ein ~ Schafe 〔Kinder〕 양떼〔한 무리의 아이들〕.

pofen [pṓ:fən] *i.* (h.) 〚경박〛 잠자다.

Pofese [pofé:zə] *f.* -n (öst., bayr.) 빵에 잼이나 송아지 두골을 끼워 튀겨낸 것(Pafese).

Pogatsche 《ung.》 *f.* -n (öst.) (베이컨을 넣어 만든 작고 납작한) 계란 케이크〔쿠키〕.

Pogge [pɔ́gə] *f.* -n (obd.) 〚動〛 개구리.

Poggen·stuhl *m.* 〚植〛 버섯(Pilz).

Pogrom [pogró:m] 《russ.》 *m./n.* -s, -e 소수 민족〔종교 집단〕 박해〔학살〕: ~e gegen Juden 유대인 학살.

Pogrom≈nacht *f.* 소수 민족 학살의 밤. **~opfer** *n.* 소수 민족 학살의 희생자.

poikilotherm [pɔʏkilotέrm] *a.* 〚生〛 (wechselwarm) 냉혈성의, 변온성의: ~e Tiere 변온 동물.

Poilu [poalý:] 《frz.》 *m.* -(s), -s 털보(제 1 차 세계 대전 당시 프랑스 병사의 별명).

Point [poε̃:] 《frz., „Punkt"》 *m.* -s, -s ① (주사위의) 눈. ②〚카드〛 점(수); 득점: 〚구어〛 auf den letzten ~ 최후의 순간에, 가까스로. ③〚당구〛 캐넌 점수. ④ **(a)** 첨단; 갑(岬). **(b)** 〚복수〛〚軍〛 야영기(旗).

Point d'honneur [poε̃: dɔnǿ:r] *m.* - - 〚구식〛 명예심; 체면 문제.

***Pointe** [poε̃:tə] 《frz.》 *f.* -n 요점, 핵심; (농담 따위의) 정곡, 급소: 〚구어〛 die ~ verhauen 핵심에서 벗어난 말을 하다.

Pointer[1] [pɔ́ʏntər] 《engl.》 *m.* -s, - 포인터(사냥개).

Pointer[2] *m.* -s, - 〚컴〛 포인터, 지시 표지(모니터 화면에서 눈에 보이는 커서나 화살표).

Pointeur [poε̃tǿ:r] 《frz.》 *m.* -s, -s ↑ Pointierer.

pointieren [poε̃tí:rən] 《frz. pointer》 《I》 *t.* ①〚교양〛 강조하다, 부각시키다, 핵심을 찌르다. ② 뾰족하게 하다. ③ (…에) 점선을 치다; 얼룩지게 하다. ④ (총포·망원경 따위를) 조준하다. 《II》 *i.* (h.) (도박 따위에서) 돈을 걸다. 《III》 **pointiert** *p.a.* ↑ pointiert.

Pointierer *m.* -s, - 〚카드〛 (돈을) 거는 사람.

pointiert 〚교양〛《I》 *p.p.* ↑ pointieren. 《II》 *p.a.* 강조된, 부각된; 신랄한, 핵심을 찌른, 재치 있는: eine Geschichte ~ erzählen 이야기의 요점을 간추려서 말하다.

Pointillismus [poε̃tijɪ́smʊs, ..tɪlɪ́smʊs] *m.* - 〚畫〛 점묘 화법, 점묘파.

Pointillist [poε̃tijɪ́st, ..tɪlɪ́st] *m.* -en, -en 〚畫〛 점묘파(點描派) 화가.

pointillistisch *a.* 점묘파(풍)의.

Poise [poá:zə] *n.* -, - 〚物〛 푸아즈(액체나 기체의 점도(粘度) 단위; 프랑스 의사 Poiseuille의 이름에서; 기호: P).

Pojatz [pó:jats] *m.* -, -e (ostndd.) 어릿광대.

*__Pokal__ [poká:l] 《it.》 *m.*-s, -e ① 굽이 있는 금속 잔. ②〖스포츠〗 우승배〔컵〕, 트로피: den ~ gewinnen 우승하다. ③ 우승배 쟁탈 경기〔대회〕.

Pokal≈end·spiel *n.* 〖스포츠〗 우승배 쟁탈 결승전. **~sieger** *m.* 우승배 쟁탈전의 우승팀〔우승자〕. **~spiel** *n.* 우승배 쟁탈전. **~system** *n.* 〖스포츠〗 우승배 쟁탈 대회의 운영 방식. **~verteidiger** *m.* 〖스포츠〗 우승배 쟁탈 대회의 챔피언 방어팀〔전대회 우승팀〕. **~wettbewerb** *m.* 〖스포츠〗 우승배 쟁탈 경기〔대회〕.

Pökel [pǿ:kəl] 《ndd.》 *m.* -s, - 〖요리〗 (Salzlake) (소금절이용) 소금물, 간국.

Pökel≈faß *n.* 소금절이용 통. **~fleisch** *n.* 소금에 절인 살코기. **~hering** *m.* 소금에 절인 청어. **~lake** *f.* ↑ Pökel.

pökeln [pǿ:kəln] *t.* ①〖요리〗 (고기·생선을) 소금에 절이다: gepökeltes Rindfleisch 소금에 절인 쇠고기. ②〔비유〕 너무 오래 저장하다.

Poker [pó:kər] 《engl.》《I》 *n.* -s 포커(카드놀이): (eine Runde) ~ spielen 포커를 (한 판) 치다. 《II》 *m.*/(드물게) *n.* -s 〔비유〕 (포커 게임에서와 같은) 암투, 신경전: der〔das〕 ~ um die Kandidatenliste 후보자 명단에 오르기 위한 각축전.

Pöker *m.* -s, - 〔아동〕 (ndd.) 엉덩이.

Poker≈face 《engl.》 *n.* -, -s ① 포커페이스, 속마음을 드러내지 않는 얼굴: ein ~ machen 〔aufsetzen〕 시치미를 떼다. ② 속마음을 감추는 사람, 시치미 떼는 사람. **~gesicht** *n.* ↑ ~face. **~miene** *f.* ↑ ~face ①.

pokern [pó:kərn] *i.* (h.) ① 포커를 치다. ②〔비유〕 (사업·협상 따위에서) 모험〔도박〕을 하다, 속임수와 책략을 써서 협상을 하다: um Handelsvorteile ~ 상업적 이익을 놓고 줄다리기를 하다.

Poker·spiel *n.* ↑ Poker.

Pökling [pǿ:klɪŋ] (ⓐ Pökel) *m.* -s, -e 〔구식〕 훈제 청어(Bückling); 얼간 청어(Salzhering).

pokulieren [pokulí:rən] 《lat.》 *i.* (h.) 〔교양·구식〕 폭음〔통음〕하다.

*__Pol__[1] [po:l] 《gr. pólos》 *m.* -s, -e ① 극(極), 끝(지점); 〖天〗 천극(天極); 북극성: der obere ~ der Niere 신장의 위쪽 끝; Kälte≈ 한극, 극한 지대; 〖지리〗 Nord≈ 북극. ②〖數〗 극, 원점. ③〖전기공학〗 전극; 〖物〗 자극: Minus≈ 음극; Plus≈ 양극; magnetischer ~ 자극(磁極); positiver〔negativer〕 ~ 양극〔음극〕. ④ 목표(점).

Pol[2] 《frz. poil, „Haar"》 *m.* -s, -e (우단·양탄자 등의) 겉면.

Polack [polák, pɔ..] 《poln.》 *m.* -en, -en 〔구어〕 ①〔욕설〕 (Pole) 폴란드 놈; 폴란드에서 온 독일인 이주자; 바보, 멍청이. ② 폴란드말(馬). ③〔농담〕 거세한 수탉. ④〔학생〕 **(a)** 컵에 남은 맥주. **(b)** 파이프에 남은 담배. ⑤ 채찍으로 때리기.

Polacke [polákə] *m.* -n, -n 〔구어〕 ↑ Polack.

Polackei [..lakái] *f.* 〔폄어〕 폴란드.

Polacker 《frz.》 *m.* -s, - 돛이 3개인 범선.

*__polar__ [polá:r] 《gr.; ↑ Pol[1]》 *a.* ①〖天·物·지리〗 극(極)의, 양극의, 극지의; 자극〔전극〕의, 극성이 있는; 〖數〗 대극성(對極性)의. ②〔비유〕 정반대의, 양극적인: wir haben ~e Gegensätze mit ihnen 우리는 그들과 정반대의 입장〔생각〕이다. ③〖化〗 ~e Bindung 이온결합(Ionenbindung).

Polar≈achse *f.* 〖지리〗 지축(地軸). **~bär** *m.* 〖動〗 (Eisbär) 북극곰, 흰곰.

Polare [polá:rə] (《<polar》) *f.* -n 〖기하〗 극선(極線).

Polar≈eis *n.* 〖지리〗 극지의 얼음. **~expedition** *f.* 극지 탐험. **~fahrt** *f.* ↑ ~expedition. **~forscher** *m.* 극지 탐험가. **~forscherin** *f.* ↑ ~forscher의 여성형. **~forschung** *f.* 극지 탐험. **~front** *f.* 〖기후〗 극전선(極前線), 한대 전선. **~fuchs** *m.* 〖動〗 북극 여우. **~gebiet** *n.*, **~gegend** *f.* 극지방. **~gürtel** *m.* 극지대, 한대(寒帶). **~hund** *m.* 〖動〗 에스키모개, 극지 탐험용 개.

Polarimeter [polarimé:tər] 《gr. -lat.》 *n.* -s, - 〖광학〗 편광계(偏光計).

Polarisation [..zatsió:n] 《lat.》 *f.* -en ①〖化〗 편극(偏極)〔분극〕 (작용). ②〖物〗 편광.

Polarisations≈ebene *f.* 〖광학〗 편극면(偏極面); 편광면(偏光面). **~filter** *m.* (전문어) *n.* 〖사진〗 (편광) 필터. **~mikroskop** *n.* 〖광학〗 편광 현미경. **~strom** *m.* 편극 전류. **~winkel** *m.* 편광각.

Polarisator [polarizá:tɔr, ..to:r] *m.* -s, -en [..tó:rən] 〖광학〗 편광자(偏光子).

polarisieren 《I》 *t.* ①〖化〗 (전기·자석에) 극성(極性)을 주다, 편극시키다. ②〖物〗 편광시키다. 《II》 *refl.* sich ~ ① 극성을 띠다, 편극하다; 편광하다. ② 대립〔양극화〕하다.

Polarisierung *f.* -en ①〖化·物〗 편극(화), 편광. ② 첨예한 대립, 양극화.

Polarität *f.* -en 〖物·天·지리〗 ① (양(兩))극성, 편극성. ②〔교양〕 (양극적) 대립성, 대립관계, 상반성: die ~ der Geschlechter 남녀〔양성〕의 대립 관계.

Polar≈jahr *n.* 극년(極年). **~kreis** *m.* 〖지리〗 극권(圈). **~land** *n.* (남·북극의) 극지방. **~licht** *n.* 극광. **~luft** *f.* 〖기상〗 극지의 대기〔공기〕. **~meer** *n.* 북극〔남극〕해. **~nacht** *f.* ① 극지의 밤. ②〖天〗 극야(極夜) (↔ ~tag).

Polaroid·kamera *f.* 폴라로이드 카메라.

Polar≈stern *m.* 북극성. **~strom** *m.*, **~strömung** *f.* 극류(極流). **~tag** *m.* 극지의 낮, 백야(白夜). **~zone** *f.* 〖지리〗 한대(寒帶).

Polder [pɔ́ldər] 《ndl.》 *m.* -s, - ① (Kog) 폴더, 간척지. ②〖海〗 계선주(繫船柱).

Polder·deich *m.* 간척지 방조제.

Pole [pó:lə] *m.* -n, -n 폴란드인.

Polei [polái] 《lat.》 *m.* -(e)s, -e 〖植〗 박하속(屬), 폴라이 박하.

Polei·minze *f.* 〖植〗 =Polei.

*__Polemik__ [polé:mɪk] 《gr. pólemos, „Krieg"》 *f.* -en 논쟁, 필전(筆戰); 논박, (인신) 공격; (신학상의) 논쟁법: eine ~ führen〔entfachen〕 논쟁을 벌이다.

Polemiker [..kər] *m.* -s, - 논쟁자.

Polemikerin *f.* -nen ↑ Polemiker의 여성형.

polemisch [..mɪʃ] *a.* 논쟁적인, 적의에 찬: sich ~ äußern 논박하다.

polemisieren *i.* (h.) gegen jn.〔et.〕 ~ 누구를

(무엇을) 논박(공격)하다.

*Polen [pó:lən] (russ., „Feld") 폴란드: 〖다음 용법으로〗 noch ist ~ nicht verloren 아직 한 가닥 희망은 있다; da(dann) ist ~ offen! 그러면 큰 소동이 벌어질 것이다!

polen t. 〖物·전기공학〗 전극에 연결하다.

Polen·aufstand m. 폴란드의 반란.

Pol·ende n. 〖전기〗 전극.

Polen=frage f. 폴란드 문제. ~land, ~reich n. 폴란드.

Polenta [poléntа] (it.) f. ..ten/-s 옥수수죽.

Polente (jidd.) f. 〖은어〗 경찰.

Polentum [pó:ləntu:m] n. -(e)s ① 폴란드 혼(魂)(기질). ② 〖총칭〗 폴란드 국민.

Pole-position [poulpəzíʃən] (engl.) f. 〖모터스포츠〗 선두 출발 위치, 폴 포지션.

Pol·höhe (<Pol[1]) f. 〖지리〗 극(極)의 고도, 위도.

Police [polí:sə] (frz.) f. -n 〖商〗 보험증(서).

Policinello [politʃinélo] (it.) m. -s, -s/..lli 〖구식〗 어릿광대, 익살꾼(이탈리아 민속 즉흥희극의 우스꽝스러운 하인).

Polier [polí:r] (frz. parlier, „Sprecher") m. -s, -e 작업 반장, 현장 감독.

Polier·bürste f. (구두 등의) 광내는 솔.

*polieren [polí:rən] (lat.) t. ① (a) 광(윤)내다. (b) 갈다, 닦다: 〖식품〗 polierter Reis 정백미(精白米). ② 매끄럽게 다듬다, 마무리하다; (문장 등을) 퇴고하다: jn. ~ 누구를 세련되게 하다; ein polierter Mensch 세련된 사람.

Polierer [polí:rər] m. -s, - ① 연마공, 마무리공. ② ↑ Polier.

Polier=feile f. 마무리용 줄. ~lappen m. 윤내는 천. ~leder n. 광내는 가죽. ~mittel n. 연마제, 광택제. ~pulver n. 연마 분. ~rot n. 산화제 2 철(연마제 또는 적색 안료로 쓰임). ~scheibe f. 연마용 선반(旋盤). ~stahl m. 연마용 공구. ~tuch n. 광내는 헝겊. ~wachs n. 광내는 왁스.

Poliklinik [pó(:)likli:nɪk, polikli:nɪk] (gr. pólis, „Stadt") f. -en ① (종합 병원의) 외래 진료과, (외래 전문) 종합 병원. ② 〖드물게〗 외래 환자 임상 강의; 외래 진료; 왕진 치료; 시립 병원.

poliklinisch a. 외래 진료의, 외래 전문 종합 병원의.

Polin [pó:lɪn] f. -nen ↑ Pole 의 여성형.

Polio [pó(:)lio] ↑ Poliomyelitis 의 단축형.

Polio=infektion f. 〖醫〗 급성 회백수염균(灰白髓炎菌) 감염. ~myelitis [poliomyelí:tɪs] (gr. -lat.) f. ..tiden [..tí:dən] 〖醫〗 급성 회백수염(灰白髓炎), 척수성 소아마비.

Polis [pɔ́lɪs] f. ..leis [..leis] 〖政〗 (고대 그리스의) 도시 국가, 폴리스.

Polisander [polizándər] m. -s, - 〖植〗 자단(紫檀) (Palisander).

Politbüro [polítbyro:] (russ.) n. -s, -s (옛 소련 등의) 공산당 정치국.

Politesse[1] [politésə] f. -n (주차 위반 단속 등을 맡는) 보조 여경(女警).

Politesse[2] [politésə] (frz.) f. 〖구식〗 예의, 정중, 공손; 세련.

politieren [politί:rən] t. (öst.) 광(윤)내다.

*Politik [polití:k] (gr. pólis) f. -en ① 〖드물게〗 정치학, 정책학, 국가학. ② 정치; 정책: die internationale ~ 국제 정치; die innere (auswärtige) ~ 대내(대외) 정책. ③ 처세에 능란함; 노회. ④ 정략, 권모술수, 책략: das ist bei ihm doch alles nur ~! 그가 하는 짓은 모두 술책에 지나지 않는다니까!

Politikaster m. -s, - 〖교양·폄어〗 허풍선이 정론가(政論家).

*Politiker [polí:tikər] m. -s, - ① 정치가, 정론가(政論家), 정객; 〖드물게〗 정치학자. ② 교활한 사람.

Politikerin f. -nen ↑ Politiker 의 여성형.

Politikum n. -s, ..ka 정치적 문제(쟁점).

Politikus m. -, -se 〖농담〗 아마추어 정치인, 정치에 관심이 많은 사람.

*politisch a. ① 정치적인, 정치의; 〖드물게〗 정치학의, 정치가의: ein ~er Flüchtling(Verbrecher) 정치적 난민(정치범); im ~en Leben stehen 정계에 몸을 담고 있다. ② 정책적(정략적)인, 노회한; 현명한: diese Entscheidung war nicht sehr ~ 이 결정은 그다지 현명하지 못했다.

politisieren (Ⅰ) i. (h.) 정치를 논하다; 정치 활동을 하다. (Ⅱ) t. ① jn. ~ 누구의 정치적 관심을 불러일으키다. ② et. ~ 무엇을 정치(문제)화하다: das kulturelle Leben ~ 문화 생활을 정치적 관점에서 다루다.

Politur [politú:r] (<polieren) f. -en ① 〖드물게〗 닦음, 연마. ② 연마제, 니스. ③ 윤, 광택; 〖비유〗 세련, 우아; 예의 범절.

*Polizei [politsáɪ] (gr. politeía) f. -en 경찰(당국); 경찰서; 경찰(관): 〖구어·농담〗 er ist dümmer, als die ~ erlaubt 그는 매우 멍청하다; sich bei der ~ (an)melden 경찰에 신고(출두)하다.

Polizei=aktion f. 경찰의 (검거·단속) 작전. ~amt n. 경찰서. ~apparat m. 경찰 기구(조직). ~aufgebot n. 기동 경찰대, 경찰의 출동. ~aufsicht f. 〖法·옛뜻〗 경찰의 보호 관찰. ~auto n. 경찰차. ~beamte* der 경찰관. ~beamtin f. ↑ ~beamte 의 여성형. ~behörde f. 경찰서. ~büro n. ↑ ~amt. ~chef m. ↑ ~präsident. ~diener m. 경찰관. ~direktion f. 경찰청(본부). ~direktor m. 경찰 서장(청장). ~einsatz m. 경찰 투입(출동).

Polizeier m. -s, - 〖방언〗 ↑ Polizist.

Polizei=eskorte f. 경찰의 호위. ~funk m. 경찰 전용 무전 (통신). ~gefängnis n. 유치장. ~gericht n. 즉심, 즉결 처분. ~gewahrsam m. (경찰의) 감금, 유치, 구류; 〖드물게〗 유치장. ~gewalt f. ① 경찰권: die ~ ausüben 경찰권을 행사하다. ② 경찰력. ~hund m. 경찰견. ~knüppel m. 경찰봉. ~kommissar m. 경감. ~kommissär m. (schweiz., öst.) 경감. ~kommissarin f. ↑ ~kommissar 의 여성형. ~kontingent n. 경찰력 할당수(분담수). ~kontrolle f. 경찰의 검문(통제). ~kräfte f. 경찰(력).

*polizeilich [politsáilɪç] a. 경찰의, 경찰에 의한: die ~e Meldepflicht 경찰 신고 의무; ~e Verordnung 경찰령; unter ~er Aufsicht 경찰 감시(보호) 아래; sich ~ anmelden(abmelden) 경찰에 전입(전출) 신고를 하다.

Polizei=mann m. ↑ Polizist. ~mäßig a. 경찰 규칙에 따른. ~meister m. 경위. ~ober·meister m. 경정, 총경, 경찰 간부.

~ordnung *f.* 경찰 규칙. **~organ** *n.* 경찰 기구〔기관〕. **~präsident** *m.* 경찰 청장. **~präsidium** *n.* 경찰청. **~revier** *n.* ① 관할 경찰서〔지서〕. ② 경찰서의 관할 구역. **~richter** *m.* 즉심 판사. **~sache** *f.* 경찰 업무〔본분·임무〕. **~schutz** *m.* 경찰의 보호. **~sirene** *f.* 경찰(차의) 사이렌. **~soldat** *m.* 헌병. **~spion** *m.* ↑ ~spitzel. **~spitzel** *m.* 경찰의 정보원. **~staat** *m.* 경찰 국가. **~strafe** *f.* 경찰의 벌금〔과태료〕. **~streife** *f.* ① (경찰의) 순찰. ② (경찰의) 순찰대〔경관〕. **~stunde** *f.* 〖法〗 (음식점 등의) 법정 폐점 시간. **~truppe** *f.* 경찰 부대. **~verfügung** *f.* 〖法〗 경찰 처분. **~verordnung** *f.* 〖法〗 경찰 명령. **~vorsteher** *m.* 경찰 서장. **~wache** *f.* 파출소. **~wesen** *n.* 경찰 제도〔조직〕. **~widrig** *a.* 경찰 명령 위반의; 〘농담〙 무허가의: ein ~es Gesicht 몹시 추악한 얼굴; ~ schnell fahren 규정 이상의 속력으로 달리다; ein ~ dummer Mensch 천치, 바보.

Polizist [politsíst] *m.* -en, -en 경찰(관).

Polizistin *f.* -nen ↑ Polizist 의 여성형.

Polizze [polítsə] *f.* -n (öst.) ↑ Police.

Pölk [pœlk] *n./m.* -(e)s, -e (nordd.) 거세된 수퇘지.

Polka [pɔ́lka] ⟪tschech.⟫ *f.* -s 폴카(4분의 2 박자의 경쾌한 윤무〔원무〕 또는 그 악곡).

polken [pɔ́lkən] (nordd.) 〘경박〙 ⟪Ⅰ⟫ *t.* 손가락으로 후벼내다〔파내다〕: Popel aus der Nase ~ 코딱지를 후벼내다. ⟪Ⅱ⟫ *i.* (h.) 손가락으로 후비다〔파다〕: in der Nase ~ 코를 후비다.

Pol·klemme [pó:l..] *f.* 〖전기〗 단자(端子).

Pollack [pɔ́lak] *m.* -s, -s 〖動〗 (동부 대서양산(産)) 대구(류).

Pollen [pɔ́lən] ⟪lat.⟫ *m.* -s, - 〖植〗 꽃가루, 화분(花粉).

pollen *t.* 〖컴〗 폴링하다.

Pollen≈analyse *f.* 화분 분석. **~blume** *f.* 〖植〗 화분화(花粉花). **~korn** *n.* 화분핵(核), 화분립(粒). **~schlauch** *m.* 〖植〗 꽃가루관, 화분관.

Poller [pɔ́lər] *m.* -s, - ① 〖海〗 계선주(繫船柱). ② 〖교통〗 (원뿔 발광체 등의 도로 교통 유도용) 지시 표지물.

Pöller *m.* -s, - (obd.) 호도까개(Böller).

Poll·mehl *n.* 중급품 밀가루.

Pollopas [pɔlopás] *n.* - 폴로파스, 요소 수지(尿素樹脂)(열경화성 플라스틱).

Pollution [pɔlutsió:n] ⟪lat.⟫ *f.* -en ① 〖醫〗 몽정. ② 환경 오염.

Pollux [pɔ́luks] *m.* ① 〖그리스신화〗 폴룩스 (Zeus 의 아들로 Kastor 의 쌍둥이 형제): 〘교양·고어〙 wie Kastor und ~ sein 둘도 없는 친구 사이다. ② 〖天〗 폴룩스(쌍둥이 자리의 베타성(星)).

polnisch [pɔ́lnɪʃ] *a.* ① 폴란드의, 폴란드어〔사람〕의: die ~e Sprache 〔das ~e〕 폴란드어; ~e Wurst 폴란드산(産) 소시지. ② 〘드물게·비유〙 무질서한, 난잡한; 불결한: ~er Reichstag 혼잡한 회합, 소란한 장소; ~e Wirtschaft 대혼란, 난맥.

Polnisch *n.* -(s) 폴란드어.

Polnische* *das* ↑ Polnisch.

Polo [pó:lo] *n.* -s, -s 〖스포츠〗 폴로.

Polo≈bluse *f.* 〘드물게〙 폴로 블라우스. **~hemd** *n.* 폴로 셔츠.

Polonaise [polonέ:zə] ⟪frz., „polnischer Tanz"⟫ **Polonäse** [..nέ:zə] *f.* -n 폴로네즈 (3/4 박자의 폴란드 민속 무용, 또는 그 곡).

Polonia [poló:nia] ↑ Polen의 라틴어 명칭.

polonisieren *t.* 〘드물게〙 폴란드화하다.

Polonist [poloníst] *m.* -en, -en 폴란드 어문학자.

Polonistik [..nístɪk] *f.* 폴란드 어문학.

Polonistin *f.* -nen ↑ Polonist 의 여성형.

polonistisch *a.* 폴란드 어문학의.

Polonium [poló:nɪum] *n.* -s 〖化〗 폴로늄(방사성 원소; 기호: Po.).

Pol≈schuh *m.* 〖전기〗 자극편. **~schwankung** *f.* 〖物〗 극(極) 운동. **~spannung** *f.* 극의 장력(張力). **~stärke** *f.* 〖자력〗 자극의 세기. **~stein** *m.* 천연 자석.

***Polster** [pɔ́lstər] ⟪⇨ Balg⟫ *n./*(öst.) *m.* -s, - 〔öst., Pölster〕 ① (의자 등의) 충전물. ② 방석, 쿠션. ③ 〖植〗 방석 모양의 생장 형태. ④ 〖工〗 충전물(充塡物); 〖海〗 선수 방호재(船首防護材); 〖건축〗 (이오니아식 기둥 머리의) 받침돌. ⑤ 〘구어〙 피하 지방. ⑥ (의복의) 심, 패드. ⑦ (경제적인) 뒷받침, 여유; 비축금: ein finanzielles ~ 재정적 여유, 저축. ⑧ (öst.) 베개, 쿠션.

Polster≈bank *f.* 쿠션이 있는 긴 의자. **~bett** *n.* 소파.

Polsterer *m.* -s, - (obd.) (의자 등의) 피장공(被裝工); 실내 장식공.

Polster≈garnitur *f.* 소파 세트. **~haar** *n.* (쿠션의) 속털. **~klasse** *f.* 〘옛뜻〙 (쿠션 좌석이 있는) 1·2 등실 객차. **~möbel** *n.* (소파 등의) 가죽〔천〕 가구.

polstern [pɔ́lstərn] *t.* ① (가죽·천으로) 겉을 싸다, (소파 등에) 속을 넣다〔쿠션을 대다〕: Stühle mit Roßhaar ~ 의자 속에 말총을 채워 넣다; 〘구어·농담〙 sie ist gut gepolstert 그녀는 상당히 뚱뚱하다; 〘구어·비유〙 für ein solches Geschäft muß man gut gepolstert sein 그런 장사를 하려면 비축금이 충분히 있어야 한다. ② (옷에) 심을 넣다.

Polster≈sessel *m.* 안락 의자. **~sitz** *m.* 쿠션 좌석. **~stuhl** *m.* 쿠션 의자.

Polsterung [pɔ́lstərʊŋ] *f.* -en ① 천갈이; 속넣기; 실내 장식(업). ② (의자 등의) 속, 쿠션.

Polter *m./n.* -s, - ① (südd., westd.) 장작더미. ② 〘드물게〙 떠들썩한 소리, 소음.

Polter·abend *m.* 결혼식 전야제(축하객이 행복을 기원하기 위하여 신부 집 앞에서 병·사기 그릇 등을 깨뜨리며 법석댐).

Polterer *m.* -s, - 〘구어〙 ① 법석 대는 사람. ② (악의 없이) 야단치는 사람. ③ 불평 분자. ④ ↑ Poltergeist ②.

Polter·geist *m.* 〔복수: -er〕 ① ↑ Polterer ①-③. ② 소리만 나고 모습이 보이지 않는 요정; 시끄러운 장난을 좋아하는 도깨비.

polterig *a.* 떠들썩한; 큰 소리로 야단치는; 거드럭거리는, 허풍선이인.

Polter·kammer *f.* 광, 고방(庫房).

***poltern** [pɔ́ltərn] ⟪의성어⟫ *i.* ① **(a)** (h.) 덜커덩〔쿵쿵·덜컥〕 소리를 내다, 시끄러운 소리를 내다: an die Tür ~ 문을 탕탕 두드리다. **(b)** *imp.* (h.) 정체 모를〔이상한〕 소리가 나다: es poltert 무언가가 덜커덩 소리를 내며 떨어

진다(구른다·움직인다); draußen, auf dem Dach polterte es 바깥 지붕 위에서 이상한 소리가 났다. ② (h.) (구리 세공에서) 두들겨 매끄럽게 하다. ③ (h.) 〖구어〗 (악의 없이) 호통치다, 시끄럽게 잔소리하다. ④ (h.) 〖구어〗 결혼식 전날 밤을 축하하다(Polterabend): heute abend wird bei uns gepoltert 오늘 저녁 우리 집에서 결혼식 전야제가 있다. ⑤ (s.) 시끄러운 소리를 내며 움직이다: ein Wagen poltert über die Brücke 마차가 다리 위를 덜거덕거리며 지나간다; die Erdschollen polterten auf den Sarg 흙덩어리가 우르르 관(棺) 위로 떨어졌다.

Polter·wagen *m.* 대형 포장 마차.

poltrig *a.* ↑ polterig.

Poltron [pɔltrɔ̃] 《frz.》 *m.* -s, -s 〔구식〕 비겁한 사람, 겁쟁이; 유약한 사람; 허풍선이.

Pol≈wechsler *m.* ↑ ~wender. **~wender** *m.* 〖전기〗 (자동) 전류 전환기(직류를 교류로 바꾸는 장치).

poly.. 《gr.》 *pref.* "다수"의 뜻.

Polyacryl [polyakrý:l] *n.* -s 〖化〗 폴리아크릴.

Polyamid [polyamí:t] *n.* -s, -e 〖化〗 폴리아미드.

Polyandrie [polyandrí:] *f.* 일처 다부제.

polyandrisch [polyándrɪʃ] 《gr.》 *a.* 일처다부의; 〖植〗 수술이 많은.

Polyarthritis [..artrí:tɪs] *f.* ..tiden [..tí:dən] 〖醫〗 다발성(多發性) 관절염.

Polyästhesie [polyɛstezí:] *f.* 〖醫〗 다감각(한 군데만 자극해도 여러 군데에서 느끼는 이상 지각).

Polyäthylen *n.* -s, -e 〖化〗 폴리에틸렌.

polychrom [polykró:m] 《gr.》 *a.* 〖미술·사진〗 다색(多色)의.

Polychromie [..kromí:] *f.* -n [..mí:ən] 〖미술·사진〗 다색(화법〔장식〕), 다색 인쇄법.

polychromieren [..kromí:rən] *t.* 〔드물게〕 (건축물·조각을) 다색으로 채색하다.

Polydaktylie [..daktylí:] *f.* 〖醫〗 다지증(多指症), 지지(指趾) 과잉증.

Polyeder [..é:dər] 《gr.》 *n.* -s, - 〖기하〗 다면체.

Polyeder·krankheit *f.* (누에의) 다각체병(多角體病).

polyedisch *a.* 다면체의.

Polyester [..ɛ́stər] *m.* -s, - 〖化〗 폴리에스테르.

Polyethylen ↑ Polyäthylen.

Polyfon 新정서 ⇦ Polyphon.

polygam [polygá:m] 《gr.》 *a.* ① (↔ monogam) 일부다처〔일처다부〕의, 복혼(複婚)의. ② 〖植〗 자웅혼주(混株)의.

Polygamie 《gr., „Vielehe"》 *f.* ① 일부다처, 일처다부, 복혼. ② 〖植〗 자웅혼주(混株).

polygamisch *a.* 일부다처〔일처다부〕의; 자웅혼주(混株)의.

Polygamist *m.* -en, -en 〔교양〕 일부다처 주의자; 여러 아내를 거느린 남자.

polygen [..gé:n] *a.* ① 다인성(多因性)의. ② 〖유전〗 다원(多元) 발생의.

polyglott [..glɔ́t] *a.* 〔교양〕 여러 언어로 쓰여진; 여러 나라 말을 하는.

Polyglotte[*1] 《gr., „Vielsprachiger"》 *der/die* 여러 나라 말에 능통한 사람.

Polyglotte[2] *f.* -n ① 여러 나라말로 쓰여진 책(특히 성서). ② 〔구식〕 다국어 대역 사전, 여러 언어를 대비해 놓은 사전.

Polyglotten·bibel *f.* 다국어 대역 성경.

polyglottisch *a.* ↑ polyglott.

Polygon [..gó:n] 《gr.》 *n.* -s, -e 〖기하〗 다변형, 다각형.

polygonal [..goná:l] *a.* 〖기하〗 다각형의, 다변의.

Polygon≈ausbau *m.* 〖광물〗 다각 갱도(坑道) 받침틀. **~boden** *m.* 〖지질〗 다각 무늬 지표(地表).

Polygraph [..grá:f] 《gr.》 *m.* -en, -en ① 폴리그래프, 다원(多元) 기록기(호흡·맥박 등의 신체 활동 기록기; 거짓말 탐지기 따위). ② 〖구동독〗 그래픽 종사자〔전문가〕. ③ 〔드물게〕 다(多)작가. ④ 〔드물게〕 등사판, 복사기.

Polygraphie [...grafí:] *f.* ① 〖醫〗 다원(多元) 기록법(엑스선 사진을 사용하는 진단법). ② 〖구동독〗 그래픽 분야.

Polygynie [...gyní:] *f.* 〖민속〗 (↔ Polyandrie) 일부다처(제) (Vielweiberei).

Polyhistor [..hístɔr, ..to:r] 《gr.》 *m.* -s, -en [..tó:rən] 〔교양〕 박식한 사람.

Polyhymnia [..hýmnia] 《gr.》 *f.* 〖그리스신화〗 폴리힘니아〔폴림니아〕(서정시〔찬가〕의 여신: 9 Muse의 하나).

polykarp [..kárp] *a.* 〖植〗 다(多)결실의(다년초처럼 되풀이해서 열매맺는 경우).

polykarpisch [..pɪʃ] *a.* ↑ polykarp.

Polykladie [polykladí:] *f.* 〖植〗 손상 부위의 발아(현상).

Polykondensation [..kɔndɛnzatsió:n] *f.* 〖化〗 중축합(重縮合), 축합 중합.

Polymathie [..matí:] 《gr.》 *f.* 〔구식〕 박학, 다식.

polymer [..mé:r] 《gr., „vielteilig"》 *a.* 〖化〗 중합체(重合體)의.

Polymere [..mé:rə] *n.* -n, -n 〖化〗 중합체(重合體).

Polymerie [..merí:] *f.* -n [..rí:ən] ① 〖유전〗 동의(同義) 유전. ② 〖化〗 중합(重合)(상태).

Polymerisat [..merizá:t] *n.* -(e)s, -e 〖化〗 중합체(重合體).

Polymerisation [..tsió:n] *f.* -en 〖化〗 중합(작용).

polymerisierbar *a.* 중합 가능한.

polymerisieren 《Ⅰ》 *i.* (h.) 중합(重合)하다. 《Ⅱ》 *t.* …을 중합시키다.

Polymerisierung *f.* -en 중합(하기).

Polymeter [polymé:tər] *n.* -s, - 〖기상〗 폴리미터(모발 습도계의 일종).

Polymetrie [..metrí:] *f.* -n [..rí:ən] ① 〖문학〗 복수 운율〔율격〕, 다(多)운율. ② 〖음악〗 복박절(複拍節)(다성 음악에서 여러 박자가 동시에 어울리는 것).

Polymnia [polýmnia] *f.* ↑ Polyhymnia.

polymorph [polymɔ́rf] 《gr.》 *a.* 〖生·광물〗 다형(多形)의, 다형성(性)의.

Polymorphie [..mɔrfí:] *f.* ① 〖광물〗 다형 현상. ② 〖生〗 ↑ Polymorphismus.

Polymorphismus [..mɔrfísmʊs] *m.* - 〖生〗 동질 다상〔이상〕(多像〔異像〕), 다형(성), 다형 현상.

Polynesien [polyné:ziən] 《gr., „Vielinselland"》 폴리네시아(제도(諸島)).

Polynesier *m.* -s, - 폴리네시아 사람.
Polynesierin *f.* -nen ↑ Polynesier 의 여성형.
polynesisch *a.* 폴리네시아(풍·어)의.
Polynom [polynó:m] 《gr.》 *n.* -s, -e 〚數〛 다항식.
polynom(isch) *a.* 〚數〛 다항(식)의.
polynukleär *a.* 〚醫〛 다핵(성)의, 복핵(複核)의.
Polyopie [polyopí:] 《gr.》 *f.* 〚醫〛 다시증(多視症).
Polyp [polý:p] 《gr., „Vielfuß"》 *m.* -en, -en ①〚動〛 두족류(頭足類) (Krake). ②〚動〛 해파리; 착생 폴립, 히드라. ③〚醫〛 폴립, 용종(茸腫). ④〘경박〙 경관.
polypen≈artig [..lý:..] *a.* 폴립과 유사한. **~arm** *m.* 〚動〛 히드라류〔해파리류〕의 촉수. **~gehäuse** *n.* 개개(個個)의 히드라, 산호충. **~qualle** *f.* 해파리.
Polypetale 《gr.》 *f.* -n 〚植〛 다판화(多瓣花).
Polyphage [polyfá:gə] *m.* -n, -n 〚생태학〛 잡식 동물.
Polyphagie [..fagí:] 《gr.》 *f.* ①〚생태학〛 잡식성. ②〚醫〛 다식증(多食症).
Polyphem [polyfé:m] *m.* 〚그리스신화〛 폴리페모스(포세이돈의 아들인 외눈박이 거인).
Polyphemos [polý(:)femɔs] ↑ Polyphem 의 그리스어형.
polyphon [..fó:n] *a.* 〚음악〛 다음〔다성〕의.
Polyphonie [..foní:] 《gr.》 *f.* 〚음악〛 다음, 다성; 다성(부) 음악.
polyphonisch [..fó:nɪʃ] *a.* ↑ polyphon.
Polypionie *f.* 〚醫〛 비만(증).
polyploid [..ploí:t] *a.* 〚유전〛 배수체(倍數體)의(염색체 수가 배수인 현상).
Polyreaktion *f.* -en 〚化〛 중합 반응.
Polyrhythmik [..rýtmɪk] *f.* 〚음악〛 다(多)리듬(대조적 리듬이 동시에 연주되는 것).
polyrhythmisch [..rýt..] *a.* 〚음악〛 다리듬(법)의.
Polysaccharid [..zaxarí:t] *n.* -(e)s, -e 〚생화학〛 다당류(多糖類).
Polysacharid *n.* -(e)s, -e ↑ Polysaccharid.
polysem *a.* 〚언어학〛 다의(多義)의.
polysemantisch [..zemántɪʃ] *a.* ↑ polysem.
Polysemie [..zemí:] *f.* -n [..mí:ən] 〚언어학〛 다의성(多義性).
Polystyrol [polystyró:l] 《gr.+lat.》 *n.* -s, -e 〚化〛 폴리스티렌, 스티롤 수지.
polysyndetisch [..zʏndé:tɪʃ] *a.* 〚문체〛 접속사 중첩의.
Polysyndeton [..zʏ́ndetɔn] 《gr.》 *n.* -s, ..ta 〚문체〛 접속사 중첩(보기: und es wallet und siedet und brauset und zischt).
polysynthetisch [..zʏnté:tɪʃ] 《gr.》 *a.* ① 다종(多種) 종합의; 복합의, 합성의. ②〚언어학〛 포합적(抱合的)인: ~e Sprachen 포합어. ③〚광물〛 (여러 결정형이 결합하여 덩어리를 이루는) 취합의.
Polysynthetismus [..zʏntetísmʊs] *m.* - 〚언어학〛 포합(抱合), 포합적 언어 구조.
Polytechniker [polytɛ́çnɪkər] 《gr.》 *m.* -s, - 〘구식〙 공업 전문 학교 학생.
Polytechnikum [..tɛ́çnikʊm] *n.* -s, ..ken/..ka 〘구식〙 공업 전문 학교.
polytechnisch [..tɛ́çnɪʃ] 《gr.》 *a.* 다방면의 기술을 갖춘〔포괄하는〕.
Polytheismus [polyteísmʊs] 《gr.》 *m.* - 〚宗〛 다신교, 다신론.
Polytheist *m.* -en, -en 다신교도, 다신론자.
polytheistisch *a.* 다신교〔론〕의, 다신교를 신봉하는.
Polytonalität [..tonalitɛ́:t] 《gr.》 *f.* 〚음악〛 (현대 음악의) 다조성(多調性).
polytrop [polytró:p] *a.* 〚生〛 적응력이 강한.
Polyvinylchlorid [..viný:lklori:t] *n.* -(e)s 〚化〛 폴리 염화비닐(약어: PVC).
pölzen [pœltsən] *t.* (öst.) (벽 등을) 지주〔판자〕로 받치다: eine Mauer ~ 벽을 받침대로 받치다.
Pomade[1] [pomá:də] 《frz.》 *f.* -n ① 포마드, (남자용) 머릿기름. ② 입술 연고(Lippen~).
Pomade[2] 《russ. pomale》 *f.* -n 〘드물게·구어〙 쾌적; 더딤, 느림; 평정; 무관심, 냉담: das geht wie ~ 일의 진행이 더디다.
pomade *a.* 〘방언〙 느릿느릿한; 태만한: das ist mir ~ 그것은 내게는 아무래도 좋다.
Pomaden≈büchse *f.* 포마드 용기. **~hengst** *m.* 〘구어〙 멋쟁이. **~stange** *f.* 스틱(형) 포마드.
pomadieren *t.* ↑ pomadisieren.
pomadig[1] [pomá:dɪç] 《<Pomade[1]》 *a.* 포마드를 바른.
pomadig[2] 《<Pomade[2]》 *a.* ①〘구어〙 마음 편한, 느긋한; 느린; 게으른, 태만한. ②〘방언〙 거만한, 우쭐대는.
pomadisieren 《frz.》 *t.* 포마드를 바르다.
Pomeranze [pomərántsə, pɔ..] 《it.》 *f.* -n ① 〚植〛 등자; 등자나무. ②〚植〛 오렌지(Apfelsine). ③〘구어〙 촌색시(Land~).
Pomeranzen≈baum *m.* 등자나무. **~blüte** *f.* 등자나무의 꽃. **~falter** *m.* 〚動〛 노랑나비속(屬)의 일종. **~farben** *a.* 주황색의. **~öl** *n.* 등피유(橙皮油). **~saft** *m.* 등자즙〔주스〕. **~schale** *f.* 등자(나무) 껍질.
Pommer[1] [pɔ́mər] *m.* -s, - ① 옛 사석포(射石砲). ②〚음악〛 포머(오보에의 전신).
Pommer[2] *m.* -n, -n ① 포메른 사람. ② 포메라니아종(種)의 개.
Pommerin *f.* -nen ↑ Pommer 의 여성형.
pommerisch *a.* 포메른 지방의.
Pommerland [pɔ́mərlant] *n.* -(e)s 〘드물게〙 ↑ Pommern.
Pommern [pɔ́mərn] 《russ. pomore》 포메른 (발트해에 면한 북독일 지방 이름).
pommersch [pɔ́mərʃ] *a.* ↑ pommerisch.
Pommes *pl.* ↑ Pommes frites.
Pommes croquettes [pɔm krokɛ́t] 《frz.》 *pl.* 〚요리〛 감자 크로켓.
Pommes Dauphine [pɔm dofí(:)n] 《frz.》 *pl.* 〚요리〛 으깬 감자와 치즈로 만든 크로켓.
Pommes frites [pɔm frít] 《frz.》 *pl.* 〚요리〛 감자 튀김, 프렌치 프라이.
Pomolog [pomoló:k] *m.* -en, -en ↑Pomologe.
Pomologe [..ló:gə] 《lat. pomum, „Baumfrucht"》 *m.* -n, -n 과수(果樹) 원예학자〔전문가〕.
Pomologie *f.* 과수 원예학.
pomologisch *a.* 과수 원예학의.
Pomona [pomó:na] *f.* 〚로마신화〛 포모나(과

수·원예의 여신).

Pomp [pɔmp] 《gr. -frz.》 *m.* -(e)s 화려, 호화, 허식.

Pompadour [pɔ́mpadu:r] 《frz.》 *m.* -s, -e/-s 퐁파두르 핸드백(주머니 모양의 천 핸드백; 루이 15세의 애첩 Pompadour 부인의 이름에서).

Pompei [pɔmpé:ji] ↑ Pompeji.

Pompejaner [pɔmpejá:nər] 《Ⅰ》 *m.* -s, - 폼페이 사람. 《Ⅱ》 *a.* ↑ pompejanisch.

pompejanisch *a.* 폼페이의.

Pompeji [pɔmpé:ji] 폼페이(서기 79년 Vesuvius 화산의 폭발로 인하여 매몰된 이탈리아의 옛 도시).

pompejisch [pɔmpé:jɪʃ] *a.* ↑ pompejanisch.

Pompelmus 《indisch. -holl.》 *m.* -es, -e,

Pompelmuse [pɔ́mpəlmu:zə] *f.* -n 〖植〗 왕귤나무 또는 그 열매.

pomphaft [pɔ́mphaft] 《<Pomp》 *a.* 〔폄어〕 화려한, 호화스러운; 겉치레의.

Pomphaftigkeit *f.* 화려; 허식.

Pompier [pɔ̃pié:] 《frz.》 *m.* -s, -s 소방수.

Pompon [pɔ̃pɔ̃:, pɔmpɔ̃:] 《frz.》 *m.* -s, -s (모자·실내화 등의 털실) 리본〔술〕 장식; (군모의) 앞 장식.

pompös [pɔmpǿ:s] 《lat. -frz.》 *a.* 호화찬란한; 야단스럽게 치장한; 과장한: ein ~er Titel 과장된 제목.

Pomuchel [pomúxəl] 《russ. -ndd.》 *m.* -s, - 〖動〗 (nordostd.) (새끼) 대구.

Pomuchels·kopp [..skɔp] *m.* -s, ..köppe (nordd.) 바보, 멍청이; 교활〔오만〕한 졸부〔출세자〕.

Pön [pø:n] 《lat.》 *f.* -en 〖法·구식〗 (öst.) 형벌; 벌금.

pönal [pøná:l] *a.* 형벌의, 형법상의.

Pönale [pøná:lə] *n.* -s, ..lien [..liən] 〔구식〕 (öst.) 형벌; 벌금.

Pönal·gesetz *n.* 〖가톨릭〗 (신자로서 지켜야 하나 어겨도 죄가 되지 않는) 의무 규정.

pönalisieren *t.* ①〔교양〕 처벌하다. ②〖스포츠〗 벌칙을 적용하다.

Pönal·kodex *m.* 형법전(刑法典).

Ponceau [pɔ̃só:] *n.* -s, -s 진홍〔주홍〕색.

ponceau 《frz.》 *a.* 진홍의, 주홍색의.

Poncho [pɔ́ntʃo] 《sp.》 *m.* -s, -s ① 판초(라틴아메리카식 망토). ②〖의상〗 (여성용·아동용) 망토.

poncieren [pɔ̃sí:rən] 《frz.》 *t.* ① 속돌로 갈다. ② 숯가루 주머니로 문질러 베끼다.

Pond [pɔnt] 《lat.》 *n.* -s, - 폰트(힘의 단위; 1977년부터 뉴턴(N)으로 대체됨; 기호: P).

ponderabel 《lat. -frz.》 *a.* 〔구식·교양〕 (무게를) 달 수 있는; 계량할 수 있는.

Ponderabilien [..bí:liən] *pl.* 〔구식·교양〕 계량할 수 있는 것, 중량이 있는 물체〔물질〕.

ponderieren *t.* ① (저울로) 달다. ② 숙고하다.

Ponente 《it.》 *f.* 일몰; 서(西); 서양, 유럽.

ponieren [poní:rən] 《lat.》 *t.* 〔구식〕 ① 가정하다. ②〔학생〕 대접하다; 선심 쓰다, 돈을 내어 주다.

Pönitent [pønitɛ́nt] 《lat.》 *m.* -en, -en 고해자, 속죄자, 참회자.

Pönitentiar [..tsiá:r] *m.* -s, -e 고해 신부.

Pönitenz 《lat.》 *f.* -en 참회, 속죄; 고해 성사; 회개의 고행, 보속(補贖) 행위.

Pönitenziar *m.* -s, -e 고해 신부.

Ponte [pɔ́ntə] 《it.》 *f.* -n 〔방언〕 다리; 나룻배.

Ponticello [pɔntitʃɛ́lo] *m.* -s, -s/..el/li 〖악기〗 폰티첼로(현악기의 기러기발).

Pontifex [pɔ́ntifɛks] 《lat.》 *m.* -, ..fizes [pɔntí(:)fitse:s] (고대 로마의) 대신관(大神官); 사제, 주교.

Pontifex maximus [..máksimus] *m.* - -, ..fizes ..mi [pɔntí(:)fitse:s..] ①〔원뜻〕 (고대 로마 신전의) 최고 신관. ② 로마 황제의 칭호. ③ (르네상스 이후) 교황의 칭호.

pontifikal *a.* 〖가톨릭〗 ① 주교(소속·관할)의. ②〔드물게〕 사제의; 로마 교황의.

Pontifikal·amt *n.* 〖가톨릭〗 주교 집전 미사.

Pontifikale *n.* -(s), ..lien [..liən] 〖가톨릭〗 주교용〔사제용〕 전례서(典禮書).

Pontifikalien [..ká:liən] *pl.* 〖가톨릭〗 ① 고위 성직자의 제복 및 장식. ② 고위 성직자의 제식(祭式). ③ ↑ Pontifikale의 복수형.

Pontifikal·messe *f.* 〖가톨릭〗 주교 집전 미사(~amt).

Pontifikat [..ká:t] *n./m.* -(e)s, -e 주교직, 교황직; 교황〔주교〕의 임기.

Pontifizes [..tsé:s] ↑ Pontifex의 복수형.

Pontinische Sümpfe *pl.* 폰티나 소택지(沼澤地) (로마의 동남쪽에 있는 늪 지대).

pontisch [pɔ́ntɪʃ] *a.* ①〖지리〗 흑해의. ②〖植〗 (남러시아의) 초원지에서 나는.

Pontius [pɔ́nt(s)iʊs] 〔다음 용법으로만〕〔구어〕 von ~ zu Pilatus laufen (무슨 일로) 바쁘게 이리저리 돌아다니다(누가 23 : 6-11).

Ponton [pɔ̃tɔ̃:, pɔntɔ̃:, (öst.) pɔntó:n] 《frz., „Brückenboot"》 *m.* -s, -s ① 배다리용의 납작한 배. ② 부함(浮函) (배를 떠오르게 하거나 나룻배 탈 때 발판이 되는 부양함).

Ponton≈brücke *f.* 선교(船橋), 부교(浮橋). **~form** *f.* 선교용 작은 배 모양, (임시용의) 부교 형태.

Pontonier [pɔ̃toní:r, pɔnt..] *m.* -s, -e〖軍〗 가교병(架橋兵).

Pontus [pɔ́ntʊs] 《lat. -gr.》 *n.* 폰토스(소아시아 흑해 연안의 고대 왕국).

Pontus Euxinus [pɔ́ntʊs ɔʏksí:nʊs] *m.* 흑해.

Pony [pó:ni:, pɔ́ni] 《engl.》 《Ⅰ》 *n.* -s [..ni:s], -s 포니(작은 말의 일종). 《Ⅱ》 *m.* -s, -s 가지런히 잘라 늘어뜨린 앞 머리, 포니 머리.

Pony≈franse *f.* 이마에 빗어내린 앞머리 다발. **~frisur** *f.* 앞머리를 내린 머리 모양, 포니 머리. **~haare** *pl.*, **~locke** *f.* ↑ Pony 《Ⅱ》.

poofen *i.* (h.) 〔경박〕 자다.

Pool [pu:l] 《engl.》 *m.* -s, -s ①〖經〗 풀제(制) (이윤 분배 카르텔); 공동 출자. ②〖도박〗 거는 돈. ③ ↑ ~billard. ④ 수영장(Swimmingpool의 단축형).

Poolbillard [pú:lbɪljart] *n.* -s 포켓볼.

***Pop** [pɔp] 《engl.》 *m.* -(s) ① 팝, 통속 예술. ② ↑ Popmusik. ③〔구어〕 현대적인〔눈에 띄는〕 특징: modisch mit ~ und Pep bekleidet 유행에 맞춰 현란하고 자극적으로 차려입은.

Popanz [pó:pants] 《tschech.》 *m.* -es, -e ① 도깨비, 무서운 형상; 허수아비. ②〔비유〕 우스꽝스러운 형상의 인형; 악마; 바보; 기이한 것. ③〔폄어〕 꼭두각시.

Pop-Art ↑ Pop-art.
Pop-art [pɔ́p|a:rt] 《engl.》 *f.* 팝아트〔대중 예술(작품)〕.
Pop·corn [pɔ́pkɔrn] 《engl.》 *n.* -s 팝콘.
Pope [pó:pə] 《gr. -russ.》 *m.* -n, -n ①〖드물게〗로마 교황. ② 그리스 정교의 교구 성직자. ③〖폄어〗신부, 목사, 성직자.
Popel *m.* -s, -〖구어〗(md., obd.) ① 코딱지. ② 코흘리개, 더러운 아이. ③〖폄어〗시시한 녀석.
popelig *a.*〖구어·폄어〗① 초라한, 볼품없는: ~ angezogen sein 초라한 옷차림을 하고 있다. ② 진부한, 평범한. ③ 인색한.
Popelin [popəlí:n] *m.* -s, -e ↑ Popeline.
Popeline *f.* 〔*m.* -s, -〕〖섬유〗포플린 (옷감).
popeln [pó:pəln] *i.* (h.) 〖구어〗콧구멍을 후비다.
Pop≠farbe *f.* 현란한〔눈에 띄는〕색(채). **~farben** *a.* 현란한〔자극적인〕색의. **~festival** [..vəl, ..val] *n./m.* 대중 음악제, 팝페스티벌. **~gruppe** *f.* 팝그룹. **~konzert** *n.* 팝콘서트, 대중 음악회. **~kunst** *f.* 대중 예술, 팝아트.
poplig *a.* ↑ popelig.
Pop≠mode *f.* 팝모드. **~musik** *f.* 팝뮤직, 대중〔통속〕음악.
Popo [popó:] *m.* -s, -s〖구어〗엉덩이: das Kind bekam einen Klaps auf den ~ 그 아이는 찰싹하고 볼기를 한 대 맞았다.
poppig [pɔ́pɪç] *a.* 팝아트풍의, (색채와 구성이) 특이〔기발〕한.
Pop≠sänger *m.* 팝송〔유행가〕 가수. **~sängerin** *f.* ↑ Popsänger 의 여성형. **~star** *m.* 팝송 스타, 인기 가수. **~szene** *f.* 대중 연예계.
***populär** [populɛ́:r] 《frz. populaire》 *a.* ① 대중적인, 평민적인; 공익이 되는. ② 인기 있는, 널리 알려진: der Film hat den Schauspieler über Nacht ~ gemacht 그 영화 덕분에 그 배우는 하룻밤새에 유명해졌다. ③ 통속적인, 평이한: eine ~e Darstellung des Problems 문제의 평이한 서술〔표현〕. ④ 널리 행해지는, 일반화된.
popularisieren *t.*〖교양〗① 민중〔대중〕에게 보급〔유포〕하다, 인기 있게 하다: neue Gedanken ~ 새로운 사상을 보급하다. ② 통속화〔대중화〕하다, 평이하게 하다.
Popularisierung *f.* 대중〔통속·일반〕화.
Popularität *f.* ① 인기, 명망, 평판, 대중성; 유행: seine ~ verlieren 인기를 잃다. ②〖드물게〗통속성, 평이.
Populär≠philosophie *f.* 통속 철학. **~wissenschaftlich** *a.* 통속 과학의.
Population [populatsió:n] 《lat.》 *f.* -en ①〖교양〗인구; 주민. ②〖生·생태학〗(한 구역 내의) 개체군, 집단. ③〖天〗성단(星團). ④〖통계·드물게〗모(母)집단.
Populations·dichte *f.*〖생태학〗개체군 밀도.
Populismus [populísmus] *m.* - ①〖문학〗포퓰리즘, 대중주의. ②〖대개 폄어〗대중 영합주의.
Populist *m.* -en, -en ①〖문학〗포퓰리스트, 대중 작가. ② 대중 영합주의자.
populistisch *a.* 대중 영합주의적인.
Pore [pó:rə] 《gr. póros》 *f.* -n ① 미세한 구멍. ② 땀구멍, 숨구멍.
Poren≠pilz *m.* ↑ Porling. **~tief** *a.*〖광고〗구멍〔피부〕 깊숙이 파고드는: das Waschmittel wäscht ~ rein 이 세제는 옷감 속속들이 스며들어 깨끗이 빨아 준다.
porig *a.* (porös) 구멍이 있는〔많은〕.
..porig *suf.* "…한 (미세한) 구멍을 가진"의 뜻 (보기: klein~ 미세한 구멍을 가진).
Pörkel [pœ́rkəl], **Pörkelt** *n.* -s ↑ Pörköl, Pörkölt.
Pörköl, Pörkölt [pœ́rkœlt] *n.* -s 헝가리식 스튜 요리.
Porling [pó:rlɪŋ] *m.* -s, -e〖植〗말굽〔영지〕버섯.
Porno *m.* -s, -s〖구어〗외설 영화〔소설〕.
Pornografie 新정서 ⇦ Pornographie.
Pornograph [pɔrnográ:f] *m.* -en, -en 외설물 제작자.
***Pornographie** [pɔrnografí:] 《gr. porneía》 *f.* -n [..fí:ən] ① 외설(적인 묘사). ② 외설물〔작품〕.
pornographisch [..gráfɪʃ] *a.* 외설적인; 음란한.
pornophil *a.*〖교양〗외설(물)을 좋아하는.
porös [porø̀:s] 《< ↑ Pore》 *a.* ① 구멍이 있는〔많은〕;〖動·植·해부〗숨〔땀〕구멍이 있는. ② 기공(氣孔)이 있는; 통기성〔투과성〕의, 침투성의.
Porosität *f.*〖교양〗다공성, 통기〔투과〕성.
Porphyr [pɔ́rfy:r, ..fʏr] 《gr.》 *m.* -s,〖종류〗-e [pɔrfý:rə]〖지질〗반암(斑岩).
porphyrig [..fý:..] *a.* porphyrisch.
porphyrisch [..fý:..] *a.* 반암질의.
Porphyrit [..fyrí:t, ..rít] *m.*〖지질〗-(e)s, -e 분암(玢岩).
Porree [pɔ́re:] 《lat.》 *m.* -s, -s〖植〗대파.
Porridge [pɔ́rɪtʃ, pɔ́rɪdʒ] *m./n.* -s 포리지 (특히 영국에서 아침에 먹는 오트밀).
Porsch *m.* -s, -e ↑ Porst.
Porsche *m.* -s, -s〖상표〗포르셰(독일제 스포츠카); 포르셰사(社)(그 자동차 제조 회사).
Porst [pɔrst] *m.* -es, -e〖植〗백산차.
Port[1] [pɔrt] 《lat.》 *m.* -(e)s, -e〖구식·시어〗① 항구;〖비유〗피난처, 휴식처. ② (obd.) 질그릇, 냄비;〖工〗도가니.
Port[2]〖컴〗포트.
portabel [pɔ́rtabəl] 《lat. portare》 *a.* 운반할 수 있는, 이동 가능의, 휴대용의.
Portabilität *f.*〖컴〗이식성(移植性).
***Portal** [pɔrtá:l] 《lat. porta》 *n.* -s, -e ①〖건축〗(교회·궁전 등의 화려하게 장식된) 정문, 정면 입구. ②〖工〗(기중기의) 문형(門形) 반침; 교문(橋門: 다리 등의 지주가 되는 교각).
Portal·verzierung *f.* 정문의 장식.
Portament [pɔrtamɛ́nt] 《it.》 *n.* -(e)s, -e〖음악〗포르타멘토(한 음에서 다른 음으로 부드럽게 옮겨가는 창법〔연주법〕).
portativ [..tí:f] 《lat.》 *a.*〖구식〗↑ portabel.
Portativ *n.* -s, -e 휴대용 소형 오르간.
portato [pɔrtá:to] *a.*〖음악〗포르타토(하나하나의 음을 부드럽게 끊어서).
Porte *f.* -n (nordd.) ↑ Pforte.
Portechaise [pɔrt(ə)ʃɛ́:zə] 《frz.》 *f.* -n〖구식〗가마.
Portefeuille [pɔrtf(ə)ø̀:j] *n.* -s, -s ①〖구식〗지갑; 서류철〔가방〕. ②〖政〗장관의 업무 영역

〔소관 사항〕; 장관의 직〔지위〕: Minister ohne ~ 무임소 장관; sein ~ niederlegen 장관직을 사임하다. ③〖經〗(은행·회사 등의) 금융자산〔유가 증권〕 보유고.

Portemonnaie [pɔrtmɔné:] *n.* -s, -s 지갑: 〖비유·구어〗 ein dickes ~ haben 돈이 많다; 〖비유·구어〗 das ~ zücken 돈을 내려고 하다.

Portepee *n.* -s, -s 〖軍〗 칼자루의 술 달린 장식끈.

Portepee·träger *m.* 〖軍·구식〗 장교.

Porter [pɔ́rtər] 《engl.》 *m./n.* -s, - (영국산(産)) 흑맥주.

Porter·house·steak [pɔ́:tərhauzsté:k] 《engl.》 *n.* 〖요리〗 포터하우스스테이크(등심과 갈비뼈가 붙은 두툼한 로스트 비프).

Portfolio [pɔrtfó:lio] 《it.》 *n.* -s, -s ①〖印〗 영인본 화집〔사진첩〕. ② ↑ Portefeuille.

Porti ↑ Porto 의 복수형.

Portier [pɔrtjé:, (öst.) ..tí:r] 《frz.》 *m.* -s, -s [..tjé:s]/-e [..tjé:rə] ① 문지기, 수위, (호텔의) 도어맨. ②〖구식〗 건물 관리인: stiller ~ (건물·아파트의) 입주자 명부.

Portiere [pɔrtjɛ́:rə] *f.* -n ①〖구식〗 문지기의 아내. ② 마차의 문〔입구〕. ③ (현관의) 커튼.

portieren *t.* ① 후보로 추천하다〔내세우다〕. ②〖컴〗 이식(移植)하다.

Portiers·frau [..tjé:s.., (öst.) ..tí:rs..] *f.* ① 문지기의 아내. ② 여자 문지기〔수위〕.

Portikus [pɔ́rtikʊs] 《lat.》 *m./f.* -, -/..ken 〖건축〗 주랑(柱廊) 현관.

***Portion** [pɔrtsió:n] 《lat.》 *f.* -en ① 부분, 일부; 몫, 할당, 배당; 상속분. ② 1 인분; 〖軍〗 식량: 〖구어·대개 폄어〗 er ist nur eine halbe ~ 그는 매우 야위었다〔작다〕, 약골이다; zwei ~en Fleisch 고기 2 인분. ③〖구어〗(적지 않은) 양: eine gehörige ~ Frechheit 상당한 뻔뻔스러움.

Portiönchen [..çən] *n.* -s, - 〖구어·대개 농담〗 ↑ Portion 의 축소형.

portionen·weise *a.* ↑ portionsweise.

portionieren [pɔrtsioní:rən] *t.* 1 인분씩 나누다.

portions·weise *adv.* 한 사람 몫씩, 1 인분씩.

Portland·zement *m.* 포틀랜드 시멘트(최초의 시멘트가 영국 포틀랜드섬의 석재와 비슷한 데서).

Portmonee 新정서 ⇦ Portemonnaie.

Porto [pɔ́rto] 《lat. -it》 *n.* -s, -s/..ti ① 우편료: das ~ beträgt 80 Pfennig 우편 요금이 80 페니히다. ②〖구어·드물게〗(Nach~) 부족〔미납〕 우편 요금.

Porto≈auslage *f.* 우편료, 우송비. **~buch** *n.* 우편료 장부〔지출부〕. **~einnahme** *f.* 우편료 수입. **~frei** *a.* 우편료가 면제된〔없는〕. **~freiheit** *f.* 우편료 면제. **~gebühr** *f.* 우편료. **~kasse** *f.* 우편료 지급 창구; 우편료 보관함. **~pflichtig** *a.* 우편료를 내야 하는. **~satz** *m.* 우편료 요율. **~tarif** *m.*, **~taxe** *f.* 우편 요금표. **~vergütung** *f.* 우편료 보상〔할인〕. **~zuschlag** *m.* 할증〔추가〕 우편료.

Portrait [pɔrtrɛ́:] *n.* -(e)s, -s ↑ Porträt.

***Porträt** [pɔrtrɛ́:] 《frz.》 *n.* -(e)s, -s/-e ① 초상(화): von jm. ein ~ machen〔malen〕 누구의 초상화를 그리다; jm. ~ sitzen 누구에게 자신의 초상화를 그리게 하다. ② 성격 묘사, 인물평.

Porträt·aufnahme *f.* 인물〔초상〕 사진(촬영).

porträtieren [..trɛtí:rən] *t.* jn. ~ 누구의 초상화를 그리다; 〖비유〗 성격을 묘사하다, 인물을 평하다.

Porträtist [pɔrtrɛtíst] *m.* -en, -en 초상화가.

Porträt≈maler *m.* 초상화가. **~malerei** *f.* 초상화; 초상화법. **~statue** *f.* 〖畵〗 인물 조상(彫像)〔입상(立像)〕. **~studie** *f.* 초상화 습작〔소묘〕. **~zeichnung** *f.* 인물 스케치.

Portugal [pɔ́rtugal] 포르투갈.

Portugaleser *m.* -s, - 포르투갈레저(옛 금화).

Portugiese [..gí:zə] *m.* -n, -n 포르투갈인.

Portugieser [..zər] *m.* -s, - 〖포도재배〗 ① 포르투갈 포도(흑포도의 일종). ② (포도로 만든) 포르투갈 포도주.

Portugiesin *f.* -nen ↑ Portugiese 의 여성형.

Portugiesisch *n.* -(s) 포르투갈어.

portugiesisch *a.* 포르투갈(사람·어)의.

Portugiesische* *das* 포르투갈어.

Portulak [pɔ́rtulak] 《lat.》 *m.* -s, -e/-s 〖植〗 쇠비름.

Port·wein [pɔ́rt..] *m.* 포트와인(포르투갈산(産) 적포도주).

Porung *f.* -en 구멍투성이로 만듦.

***Porzellan** [pɔrtsɛlá:n] 《it.》 *n.* -s, -e ① (도)자기, 사기: sie ist wie aus〔von〕 ~ 그녀는 부서질 듯 연약하다. ② 자기〔사기〕 그릇: chinesisches ~ 중국제 자기; 〖비유·구어〗 ~ zerschlagen (부주의한 언동으로) 손해를 끼치다, 일을 그르치다. ③ 자기류(類).

Porzellan·blümchen *n.* 〖植〗 그늘범의귀.

porzellanen *a.* 도기〔자기〕의, 자기 같은; 〖비유〗 부서지기〔깨지기〕 쉬운.

Porzellan≈erde *f.* 고령토, 도토(陶土). **~fabrik** *f.* 도자기 공장. **~gechirr** *n.* 도자기〔사기〕 그릇. **~handlung** *f.*, **~laden** *m.* 도자기점(店). **~jaspis** *m.* 〖광물〗 푸른빛을 띤 석영질(石英質)의 암석 결정. **~malerei** *f.* 도자기의 그림〔상감〕 문양, 채화(彩畵). **~manufaktur** *f.* ↑ ~fabrik. **~marke** *f.* 도자기 상표. **~ofen** *m.* 도자기 가마. **~schnecke** *f.* 〖動〗 자패과(紫貝科). **~tasse** *f.* 사깃잔. **~teller** *m.* 사기 접시. **~ton** *m.* ↑ ~erde. **~ware** *f.* 도자기 제품.

Pos. 〖商〗 = Position ⑧ 명세, 내역.

Posada [pozá:da] 《sp.》 *f.* ..den (에스파냐어권의) 여인숙, 여관.

Posament [pozamɛ́nt] 《frz.》 *n.* -(e)s, -en 〖의상〗 가장자리〔마무리〕 장식, (장식끈·레이스 등) 트리밍.

Posamenter [..tər] *m.* -s, - ↑ Posamentierer.

Posamenterie *f.* -n [..rí:ən] ① 가장자리 장식〔레이스〕 제품. ② 레이스〔장식끈〕 가게.

Posamentier *m.* -s, -e ↑ Posamentierer.

posamentieren *t.* 가장자리 장식을 하다.

Posamentierer *m.* -s, - 가장자리 장식 제조업자〔판매업자〕.

Posamentier≈arbeit *f.* 가장자리 장식 세공(품). **~ware** *f.* 가장자리 장식용품.

***Posaune** [pozáʊnə] 《lat. -frz.》 *f.* -n ①〖악

기》 트롬본, 나팔: 〖聖〗 die ~ des Jüngsten Gerichts 최후 심판의 나팔(고린도 전서 15 : 52) ; (die) ~ blasen, in die ~ blasen 〔stoßen〕 나팔불다, 〖비유〗 널리 알리다; ein guter Arzt bedarf keiner ~ 명의(名醫)에게는 광고가 필요치 않다. ② 〖음악〗 (파이프) 오르간의 음전(音栓). ③ 〖動〗 물레고둥속.

posaunen 《Ⅰ》 *i.* (h.) 〖구어〗 트롬본을 불다. 《Ⅱ》 *t.* ① eine Melodie ~ 트롬본으로 멜로디를 연주하다. ② 〖구어·대개 폄어〗 (승리 등을) 나팔로 알리다, 떠들썩하게 퍼뜨리다.

Posaunen⸗bläser *m.* 트롬본 (연)주자. **~chor** *m.* 트롬본 합주(대). **~engel** *m.* ① (회화·조각에서) 나팔부는 천사. ② 〖구어·농담〗 뺨이 포동포동한 아이. **~ruf** *m.* 나팔 소리. **~schall** *m.* 트롬본〔나팔〕 소리〔음향〕. **~stoß** *m.* 나팔 취주. **~ton** *m.* 트롬본 소리〔음조〕.

Posauner *m.* -s, - ↑ Posaunist.

Posaunist [pozaunɪ́st] *m.* -en, -en 트롬본(연)주자.

Posaunistin *f.* -nen ↑ Posaunist 의 여성형.

Posche 《frz.》 *f.* -n (obd.) 주머니(Tasche).

Pose[1] [póːzə] *f.* -n ① (ndd.) 깃대, 깃촉; 깃펜; 〖복수〗 침대: ab in die ~n! 잠자라, 취침! ; nach ~n reisen 취침하다. ② (낚시의) 찌.

***Pose**[2] 《frz.》 *f.* -n (모델·배우 등의) 자세, 몸가짐, 포즈: eine ~ einnehmen〔machen〕 일부러 자세〔포즈〕를 취하다; seine Empörung ist nur ~ 그는 겉으로만 성난 체했을 뿐이다.

Poseidon [pozáidɔn] 《gr.》 *m.* 〖그리스신화〗 포세이돈(바다의 신) (Neptun).

Posemuckel [poːzəmʊ́kəl] 〖관사 없음〗〖구어·대개 폄어·농담〗 시골〔외딴〕 마을, 벽지: der sieht aus, als ob er aus ~ käme 저 친구 시골뜨기처럼 보이는군.

Posemukel ↑ Posemuckel.

posen *i.* (nordd.) 잠자다.

Poseur [pozǿːr] 《frz.》 *m.* -s, -e 〖교양·대개 폄어〗 젠체하는 사람, 거드름피우는 사람.

posieren *i.* (h.) ① 포즈〔자세〕를 취하다. ② 태도를 (짐짓) 꾸미다.

***Position** [pozitsióːn] 《lat.》 *f.* -en ① 위치, 장소. ② (**a**) 지위, 직책, 부서. (**b**) 〖스포츠〗 포지션: der Spieler wechselt während des Spiels ständig seine ~ 그 선수는 경기 도중 끊임없이 포지션을 바꾸었다. ③ 관점, 태도, 입장; 상황. ④ 〖軍〗 진지. ⑤ 〖발레〗 다섯 가지 기본 발 자세의 하나. ⑥ 〖음악〗 화음에서 음의 배치; 운지법(運指法). ⑦ 〖哲〗 명제 (설정); 긍정. ⑧ 〖商〗 명세, 내역.

positionell *a.* 〖교양〗 위치〔지위〕에 관한.

positionieren *t.* 〖교양〗 일정한 지위〔위치〕를 부여하다, 특정 장소에 두다, 배치〔배열〕하다.

Positionierung *f.* 배치, 배열.

Positions⸗bestimmung *f.* 입장〔태도〕 결정; (선박·항공기 등의) 위치 지정. **~geschütz** *n.* 〖軍〗 진지포. **~krieg** *m.* 진지전(陣地戰). **~lampe** *f.*, **~laterne** *f.*, **~licht** *n.* (비행기의) 위치 (표시)등; 〖海〗 항해등, 현등(舷燈), 선미등. **~winkel** *m.* 〖天〗 위치각.

***positiv** [póːzitiːf, pozitíːf] 《lat.》 *a.* (↔ negativ) ① 확정된, 실제의, 구체적인; 〖구어〗 확실〔분명〕한, 절대적인; 기존의; 단호한, 확언적인: ~e Moralität 기성 도덕; ~es Recht 실정법; ~e Theologie 실증 신학; ~e Kenntnisse 실제적인 지식; ~es Wissen 확실한 지식; ~ behaupten 단호히 주장하다; ~ wissen 명확하게 알다. ② 〖哲〗 실재하는, 실증적인: ~e Philosophie 실증 철학. ③ 긍정적〔적극적〕인: sich zu et.³ ~ äußern 무엇에 찬성를 표하다. ④ 〖數〗 영보다 큰, 양〔플러스〕의; 〖理·전기〗 양(성)의; 〖사진〗 양화의; 〖醫〗 양성의, 실제로 나타나는: 〖사진〗 ein ~es Bild 양화; ~e Elektrizität 양전기; eine ~e Größe 정량(正量) ; eine ~e Zahl 정수(正數). ⑤ 유리한, 바람직한; 우수한, 좋은: sich ~ entwickeln 사태가 유리하게 진전되다; ein ~er Charakter 좋은 품성.

***Positiv** 《Ⅰ》 *m.* -s, -e [..və] 〖문법〗 (형용사의) 원급. 《Ⅱ》 *n.* -s, -e ① 〖사진〗 양화. ② 〖음악〗 소형 오르간(페달은 없고 건반은 한 벌뿐임).

positiv·elektrisch *a.* 양전기의.

Positivismus [pozitivɪ́smus] *m.* - 실증주의, 실증 철학.

Positivist *m.* -en, -en 실증론자, 실증주의자.

positivistisch *a.* ① 실증주의의, 실증주의적인. ② 〖교양·종종 폄어〗 (학문 연구에서) 실증에만 주력하는, 실증 위주의.

Positivität *f.* 현실; 명백, 확실(성) ; 긍정; 적극성; 절대성.

Positivum *n.* -s, ..va 〖교양〗 (부정적인 면을 완화시키는) 긍정적 특성〔요인〕.

Positron 《„positives Elektron"의 뜻》 *n.* -s, -en 〖핵물리〗 양전자(↔ Negatron).

Positur [pozitúːr] 《lat.》 *f.* -en 의도적〔인위적〕인 자세〔태도·몸가짐〕: 〖종종 폄어〗 sich in ~ setzen〔stellen, werfen〕 어떤 자세를 취하다, 빼기다.

***Posse** [pɔ́sə] 《frz. bosse》 *f.* -n ① 〖드물게〗 해학, 재담; 익살, (떠들썩한) 유희; 〖대개 복수〗 바보 같은 행동: ~n! 이런 망할, 빌어먹을! ; mit jm.〔et.³〕 ~n treiben 누구를〔무엇을〕 조롱하다; laß die ~n! 그따위 짓 그만 둬라! ② 〖문학·연극〗 익살극, 소극(笑劇).

Possekel [pɔséːkəl] *m.* -s, - 대장간의 큰 망치.

***Possen** [pɔ́sən] 《◇ Posse》 *m.* -s, - (못된) 장난, 희롱, 놀림; 시시한 익살: jm. zum ~ 누구를 야유하여; ~ reißen〔treiben〕 익살떨다, 웃기다; jm. einen ~ spielen〔tun〕 누구에게 못된 장난을 걸다, 놀리다.

Possen·dichter *m.* 익살극〔소극〕 작가.

possenhaft *a.* 소극 같은; 익살맞은, 우스꽝스러운, 실없는, 허튼수작의.

Possenhaftigkeit *f.* -en ① 익살맞음, 우스꽝스러움. ② 익살맞은 행동〔일〕.

Possen⸗macher *m.* ↑ ~reißer. **~reißer** *m.* 익살꾼, 어릿광대. **~reißerei** *f.* 익살극, 소극. **~spiel, ~stück** *n.* ↑ Posse ②. **~spieler** *m.* 소극(笑劇) 배우; 익살꾼.

Possession [pɔsɛsióːn] *f.* -en 〖구식〗 소유.

possessiv [pɔsɛsíːf, pɔ́sɛsiːf] 《lat.》 *a.* 〖문법〗 소유를 나타내는: ein ~es Fürwort 소유 대명사.

Possessiv [pɔsɛsíːf, pɔ́sɛsiːf] *n.* -s, -e [..və] ↑ ~pronomen.

Possessiv·pronomen *n.* 〖문법〗 소유 대명사.

Possessivum [..síːvum] *n.* -s, ..va ↑ Possessivpronomen.

possessorisch [pɔsɛsóːrɪʃ] *a.* 〖法〗 소유에 관한, 소유의.

possibel [pɔsíːbəl] 《lat.》 *a.* 〔구식〕 가능한, 할 수 있는.

Possibilität *f.* -en 〔구식〕 가능(성).

possierlich [pɔsíːrlɪç] 《<possieren》 *a.* 귀엽고, 익살맞은; 기묘한, 색다른.

Possierlichkeit *f.* 귀엽고 익살맞음; 기묘.

***Post**[1] [pɔst] 《it. <lat. posita》 *f.* -en ①〔옛뜻〕 역참(제도); (~wagen) 역마차, 우편 마차〔차량〕: ~ nehmen 역마차로 여행하다; 〔구어〕 ab geht die ~ 지체없이 출발하다, 일에 즉시 착수하다. ② 체신, 우편; 우편물; 우체국(~büro): die ~ betreffend 우편(사무)의; et. mit der ~ verschicken 무엇을 우편으로 부치다; ist ~ für mich da? 제게 온 우편물이 있습니까?; Pakete bei der ~ abholen 우체국에서 소포를 찾아오다; mit gleicher ~ 동시 우편으로. ③ (**a**) 간이 우체국(↑~haus). (**b**) 〔고어〕 (역마차의) 역참(~station). ④〔구식〕 소식, 보도, 통신: schlimme ~ 흉보. ⑤ (신문·잡지 등의 이름) Die Augsburger ~ 아우크스부르크 신문. ⑥〖商〗 ↑ Posten².

Post[2] 《frz.》 *m.* -en, -en 〖사냥〗 사냥용 총알, 산탄(霰彈).

Post[3] *m.* -s, -s 〖농구〗 (포스트 플레이에서의) 센터, 포스트.

post.. 《lat.》 *pref.* (↔ prä.., ante..) "…의 뒤에, 후에"의 뜻.

Post·abholer *m.* 우편물 수령인. **~ablage** *f.* ① 우편물 보관실. ② (오스트리아·스위스 등의) 간이 우체국. **~agentur** *f.* (특히 시골의) 간이 우체국.

postalisch [pɔstáːlɪʃ] *a.* 우편(사무)의, 우체국의: auf ~em Weg verschicken 우편으로 보내다.

Postament [postamɛ́nt] 《lat.》 *n.* -(e)s, -e 〖건축〗 (기둥·조각·동상 등의) 받침, 기저(基底), 주각(柱脚).

Post·amt *n.* 우체국; 〔드물게〕 우체국원 직(職). **~amtlich** *a.* 체신 당국에 의한〔의해 규정된〕. **~annahme** *f.* 우편물 접수 창구. **~anstalt** *f.* 우체국. **~anweisung** *f.* ① 우편환. ② 우편환 용지. **~arbeit** *f.* 《öst.》 시급한 일. **~auftrag** *m.* (문서의) 특수 배달 (신청); 현금 추심 우편, 추심환 어음. **~auto** *n.* ① 우편 (업무) 차량. ② 우편 노선 버스. **~-bar·scheck** *m.* 우편환. **~beamte** *der* 우체국원. **~beamtin** *f.* ↑ ~beamte 의 여성형. **~beförderung** *f.* 우편물 송달〔운송〕. **~behörde** *f.* 우편〔체신〕 당국. **~beutel** *m.* 우편낭. **~bezirk** *m.* 우편 배달 구역. **~bote** *m.* 집배원. **~brief·kasten** *m.* 우편함, 우체통. **~büro** *n.* 우체국. **~bus** *m.* 우편 노선 버스.

Pöstchen [pœ́stçən] *n.* -s, - 〔↑ Posten¹의 축소형〕 하찮은 지위〔자리〕; 부업, 겸직.

post Christum natum [pɔst krístum náːtum] 《lat.》 〔교양〕 서기, 서력 기원 후(약어: p. Chr. n.).

Post·dampfer *m.* 〔구식〕 우편선(船).

postdatieren [pɔstdatíːrən, pɔ́stdatiː..] 《lat.》 *t.* ① 실제보다 앞선 날짜로 하다. ② 날짜를 실제보다 늦추어 달다.

Post·debit *m.* 신문 잡지의 우송 판매. **~diebstahl** *m.* 우편물 절취. **~dienst** *m.* ① 우편〔체신〕 업무. ② 우체국 근무. **~-direktion** *f.* 우편 본국(本局), 체신청. **~-direktor** *m.* 우체국장. **~einlieferungs-schein** *m.* 우편물 송달증. **~einzahlung** *f.* ↑~anweisung.

postembryonal [..ɛmbryonáːl] *a.* 〖醫·生〗 태아기 이후의.

posten *i.* (h.)/*t.* (schweiz.) ① (일용품·식품을) 구입하다, 사다. ② 심부름 가다, 위임〔부탁〕받은 일을 하다.

***Posten**[1] [pɔ́stən] 《it. posto》 *m.* -s, - ① (**a**) 〖軍〗 초소, 보초, 보초병: ~ schieben〔stehen〕 보초를 서다; einen ~ ablösen〔ausstellen〕 보초병을 교대〔배치〕하다; (auf) ~ stehen 보초를 서다, 〔비유〕 경계하고 있다; auf dem ~ sein a) 몸 상태가 좋다, b) 조심하다; auf verlorenem ~ stehen〔kämpfen〕 가망 없는 싸움을 벌이다, 성공의 전망이 없다. (**b**) 〖海〗 부서, 배치; 감시: jeder gehe an seinen ~! 각자 자기 위치로! (**c**) (담당) 부서: auf seinem ~ bleiben 담당 부서에 머무르다; auf dem ~ sein a) 부서에 붙어 있다, b) 건강하다, 잘 지내다; sind Sie wieder auf dem ~? 건강이 회복되었습니까?; sich nicht (ganz) auf dem ~ fühlen 건강이〔몸상태가〕 별로 좋지 못하다. ② 지위, 직장, 임무, 관직: einen ~ bekleiden 어떤 지위를 차지하고 있다; sich um einen ~ bewerben 어떤 자리를 얻으려고 지원하다. ③〖스포츠〗 (팀에서의) 위치, 역할, 포지션.

Posten[2] 《it. posta》 *m.* -s, - ①〖商〗 (**a**) (계산서·총액 등의) 명세, 항목: eingetragener ~ 기입액; unbezahlter ~ 미지급액. (**b**) (1 회에 거래하는) 상품량, 한 뭉치, 한 조(組). ② (**a**) 〖광산〗 한 차분의 광석. (**b**) (제분에서) 한 번 빻는 분량의 곡식. ③〖사냥〗 굵은 산탄(霰彈).

Posten[3] ↑ Post² 의 복수형.

Posten·dienst *m.* 〖軍〗 보초 근무. **~jäger** *m.* 〔폄어〕 승진에 급급한 사람, 출세주의자. **~kette** *f.* 〖軍〗 보초선.

Poster[1] [pɔ́stər, póː..] 《engl.》 *m./n.* -s, -(s) 포스터.

Poster[2] *m.* -s, - 〔방언〕 ↑ Postbeamte.

poste restante [pɔ́st restɑ̃́ːt] 《frz.》 ↑ postlagernd.

Posteriora [pɔsterióːra] 《lat.》 *pl.* ①〔교양·구식〕 뒤따르는 일, 후발(後發) 현상. ②〔농담·구식〕 엉덩이, 둔부.

Posteriorität *f.* 〔구식〕 하위(계급·관직).

Posterität [pɔsteritɛ́ːt] *f.* -en 자손, 후예; 후세.

Post·expedition *f.* ① 우체국. ② 우송. **~-fach** *n.* (우편) 사서함. **~fach·nummer** *f.* 사서함 번호. **~fähig** *a.* 우송할 수 있는.

post festum [pɔst fɛ́stum, (lat.)..féːs..] 《lat.》 〔교양〕 나중에, 뒤늦게.

Post·flagge *f.* 우체국 깃발. **~flug** *m.* 우편 비행. **~flugzeug** *n.* 우편 (수송) 기. **~-form·blatt** *n.* 우편 서식 용지. **~frei** *a.* 우편료를 납부한, 우표를 붙인. **~gebühr** *f.* 우편료. **~gefälle** *pl.* 우편료에 따른 수익. **~geheimnis** *n.* 〖法〗 통신의 비밀; 우체국원

의 직무상 비밀 유지 의무. **~gehilfe** *m.* 우체국원. **~geld** *n.* 우편료; 〖史〗 승합 우편 마차의 삯. **~giro·konto** *n.* 우체국 지로 계좌. **~giro·verkehr** *m.* 우체국 지로 거래.

postglazial [pɔstglatsiá:l] 《lat.》 *a.* 〖지질〗 빙하기 후의, 후빙기의.

Post≈gut *n.* 우편물; 특수 할인 소포. **~halt** *m.*, **~halte** *f.* (우편 마차의) 역참. **~halter** *m.* ① 간이 우체국장. ②〔옛뜻〕 역참장; 역마차 차주. **~halterei** *f.* ① (obd.) 우체국, 간이 우체국. ②〔옛뜻〕 역참, 역사(驛舍). **~halte·stelle** *f.* 역마차 서는 곳. **~hand·buch** *n.* 우편 안내서. **~haus** *n.* ↑ ~halterei. **~hilfs·stelle** *f.* 우체국 출장소, 간이 우체국. **~horn** *n.* ① **(a)** 〖악기·옛뜻〗 우편마차의 (발착 신호) 나팔. **(b)** (우편 업무를 상징하는) 우편 나팔. ②〖動〗 스피룰라. ③〖植〗 리마콩.

posthum [pɔst(h)ú:m] *a.* ↑ postum.

postieren [pɔstí:rən] 《frz.》 《Ⅰ》 *t.* 놓다, 세우다; 배치하다, 지위〔부서〕에 앉히다. 《Ⅱ》 *refl.* sich ~ (보조로) 서다; 지위〔부서〕에 앉다.

Postierung *f.* 배치.

Postille [pɔstílə] 《lat.》 *f.* -n ① 설교집. ② 기도서. ③〔폄어〕 잡지.

Postillion [pɔstıljó:n, pɔ́stıljo:n] 《lat.-frz.》 *m.* -s, -e ①〔구식〕 역마차 마부. ②〖動〗 노랑나비.

Postillon *m.* -s, -e ↑ Postillion.

Postillon d'amour [pɔstijɔ̃ damú:r] 《frz.》 *m.* - -, -s - [..jɔ̃:..] 사랑의 사자; 연애 편지 전달자.

postkarbonisch *a.* 〖지질〗 석탄기 이후의.

***Post≈karte** *f.* ①〖史〗 우편 마차 연락망 지도. ②〖史〗 우편 마차의 편지·승객 등의 일람표. ③ 우편〔그림〕 엽서: ~ mit Ansicht〔Antwort〕 그림〔왕복〕 엽서. **~karten·größe** *f.* 엽서 크기. **~karten·gruß** *m.* 우편 엽서로 보낸 인사 (편지). **~kasten** *m.* 우체통, 우편함. **~knecht** *m.* ↑ Postillion ①.

Post·kolonialismus *m.* 〔전문어〕 탈(脫)식민주의.

Post≈konferenz *f.* 〖經〗 (우편물 다량 접수 회사의 일일) 우편물〔우편 관계〕 회의. **~kunde** *m.* 우체국 방문자〔이용자〕. **~kutsche** *f.* 〔옛뜻〕 역마차, 승합 우편 마차. **~lagernd** *a.* (수신인이 찾아갈 때까지 우체국에 유치해 두는) 유치 우편의.

Pöstlein *n.* -s, - ↑ Pöstchen.

Postleit≈vermerk *m.* ↑ ~zahl. **~zahl** *f.* 우편 번호.

Postler *m.* -s, - 〔구어〕 우체국(직)원.

Pöstler *m.* -s, - (schweiz.) ↑ Postler.

postlich *a.* ↑ postalisch.

Post≈mandat *n.* ↑ ~auftrag. **~marke** *f.* 〔드물게〕 우표. **~meister** *m.* 우체국장.

post meridiem [pɔst merí:diɛm] 《lat.》 오후에(nachmittags) (약어: p.m.).

Post≈minister *m.* 체신부 장관. **~ministerium** *n.* 체신부.

postmodern [pɔ́stmodern] *a.* 탈근대(주의)의, 포스트모더니즘의.

Postmoderne *f.* 탈근대(주의), 포스트모더니즘; (특히 건축의) 근대주의, 모더니즘.

Post·monopol *n.* (국가의) 체신 사업 독점.

postmortal *a.* 〖醫〗 사후(死後)의, 사후(시체)에 나타나는.

post mortem [pɔst mɔ́rtɛm] 《lat.》〔교양〕 사후(死後)에(약어: p.m.).

Post·nachnahme *f.* 대금 상환 우편, 수취인 부담 우편.

postnatal *a.* 〖醫〗 산후〔출생 후〕(나타나는).

Post·neben·stelle *f.* 우체국 출장소(~hilfsstelle).

postnumerando [pɔstnumerándo] 《lat.》 *adv.* 후불로, 수취〔인수〕한 뒤에.

Postnumeration *f.* -en 〖經〗 후불.

postnumerieren *t.* 후불하다.

Posto [pɔ́sto] 《it.》 *m.* -s 위치, 자리; 확고한 지위: 〖軍·구식〗 ~ fassen 자리잡다, (일정한 장소에) 서다, 보초서다.

postoperativ *a.* 〖醫〗 수술 후의, 수술 후에 나타나는.

Post≈ordnung *f.* 우편 법규. **~paket** *n.* 소포 우편. **~papier** *n.* 편지지. **~pferd** *n.* 역마(驛馬).

postponieren [pɔstponí:rən] 《lat.》〔구식〕 《Ⅰ》 *t.* 연기하다; 경시하다. 《Ⅱ》 *i.* (h.) 〖醫〗 늦게 발생하다.

Post≈porto *n.* 우편료. **~praktikant** *m.* 우편 업무 실습생. **~rat** *m.* 체신 참사관. **~recht** *n.* 우편법. **~regal** *n.* 우편 사업 독점권. **~reisende*** *der/die* 역마차 여객. **~reiter** *m.* 〖史〗 기마 우편 배달인; 역마차의 마부; 파발군. **~reklame** *f.* 우편 광고; (전화 번호부 등의) 체신 매체 광고. **~route** [..ru:tə] *f.* 우편로(路), 역마차 노선. **~sache** *f.* ① 우편물. ② (요금 없이 우체국이 보내는) 공공 우편물. **~sack** *m.* 우편낭. **~schaffner** *m.* 역마차의 차장; 우편 집배원, (하급) 우체국원. **~schalter** *m.* 우체국 창구. **~scheck** *m.* 우편환.

Postscheck≈amt *n.* 우편 대체 예금국. **~konto** *n.* 우편 대체 계좌. **~verkehr** *m.* 우편환의 유통.

Post≈schein *m.* 우편물 수령증; 역마차 차표. **~schiff** *n.* 〔구식〕 우편선. **~schließ·fach** *n.* 우편 사서함. **~schluß** *m.* (당일 발송) 우편물 접수 마감. **~sekretär** *m.* 우체국 서기. **~sendung** *f.* 우편물.

Postskript [pɔst|skrípt] 《lat.》 *n.* -(e)s, -e (편지의) 추신(Nachschrift) (약어: PS).

Postskriptum [..tʊm] *n.* -s, ..ta ↑ Postskript.

postsparen *i.* (h.) 우편 저금을 하다.

Postspar≈kasse *f.* 우편 예금 (창구). **~kassen·amt** *n.* 우편 예금국. **~kassen·dienst** *m.* 우편 예금 업무. **~schein** *m.* 우편 예금증서〔통장〕.

Post≈station *f.* 〔옛뜻〕 역마차의 역참. **~stempel** *m.* ① (우편물의 소인) 인장, 스탬프. ② 우편의 소인.

Post·strukturalismus *m.* 〖전문〗 탈〔후기〕 구조주의.

Post≈straße *f.* 〔옛뜻〕 우편 마차도(로); 국도. **~stunden** *pl.* 우체국 업무 시간.

Postszenium *n.* -s, ..nien [..niən] 무대 뒤, 분장실.

Post≈tag *m.* (벽지의) 우편물 배달일. **~tarif** *m.* 우편 요금표. **~taube** *f.* 전서구(傳書鳩).

post≈tertiär *a.* 〖지질〗 제 3기(紀) 이후의. **~traumatisch** *a.* 〖醫〗 부상〔쇼크〕에 따른,

부상으로〔쇼크로〕 인한.

Postulant *m.* -en, -en ①〘교양·구식〙 지원자. ②〘가톨릭〙 수도사 지원자, 수습 수도사.

*__Postulat__ [pɔstulá:t] 《lat.》 *n.* -(e)s, -e ①〘교양〙 (도덕적·윤리적) 요청, 요구; 계명. ②〘철학〙 공준(公準)(이론·사색의 전제 또는 명제). ③〘數〙 공리. ④〘가톨릭〙 수도사〔수녀〕 수습 기간. ⑤ (스위스의) 심의 요청(법안이나 특정 조치의 필요성을 검토하도록 의회가 연방 상원에 위임하는 절차).

postulieren *t.* ①〘교양〙 요구〔요청〕하다. ②〘교양〙 …이 진실임을〔틀림 없다고〕 확언〔주장〕하다. ③〘哲〙 공준으로 삼다, 진실〔기정 사실〕로 가정하다.

Postulierung *f.* 요구; 확언; 공준화.

postum [pɔstú:m] 《lat.》 *a.* 〘교양〙 ① 아버지 사후(死後)에 태어난, 유복(遺腹)의. ② 사후에 출판된, 유고(遺稿)의, 유작의. ③ 사후의.

Postumus [pɔ́stumus] *m.* -, ..mi 〘교양〙 아버지 사후에 태어난 자식, 유복자.

Postur [pɔstú:*r*] *f.* -en ① (인위적) 자세, 몸가짐(Positur). ② (schweiz.) 모습, 체격.

post urbem conditam [pɔst ʊ́rbɛm kɔ́nditam] 《lat.》 로마 건국 기원(약어: p.u.c.).

Post≈verband *m.* ↑ ~verein. **~verbindung** *f.* 우편(교통)망, 우편 연락. **~verein** *m.* 우편 연합〔동맹〕. **~verkehr** *m.* ① 우편 (차량편의) 교통. ② 우편 업무. ③ (개인간의) 우편 연락, 서신 교환. **~vertrag** *m.* 우편 조약. **~verwalter** *m.* 우체국 관리자, 우체국장. **~verwaltung** *f.* 우편 행정, 우편 행정 당국. **~verwaltungs·gesetz** *n.* 우편 관리법. **~verwaltungs·rat** *m.* 우편 관리 위원회. **~vollmacht** *f.* 우편물 수취 위임(장). **~vorschuß** *m.* ↑ ~nachnahme. **~wagen** *m.* ① 우편(업무) 차량; 〘구식〙 역〔우편〕 마차. ② (철도의) 우편용 화차. **~wechsel** *m.* 역마의 교대. **≈wendend** *adv.* 받는 대로 즉시; 다음 편에; 곧. **~wertzeichen** *n.* 우표. **~wesen** *n.* 우편 사무〔제도〕. **~wurf·sendung** *f.* 대량의 (선전용) 인쇄 우편물 (발송). **~zeichen** *n.* 우편물의 소인. **~zug** *m.* 우편 열차. **~zustellung** *f.* 우편물 배달. **~zwang** *m.* 〘法〙 (특정 발송물에 적용되는) 우편 이용 의무.

Pot[1] [po:] 《frz.》 *m.* -, -s 단지, 항아리, 우묵한 냄비; 옛 액체의 단위(pint 에 가까움).

Pot[2] [pɔt] *n.* -s 〘마약〙 마리화나, 대마초.

Pot[3] *m.* -s 〘카드〙 판돈 전액.

Potage [potá:ʒə] 《frz.》 *f.* -n 〘구식〙 포타주(크림이 들어간 걸쭉한 수프의 일종).

Potacke *f.* -n (obd.) 감자.

Pot·asche [pɔ́t..] *f.* ↑ Pottasche.

Potemkin [potɛ́mkin, (russ.) pɔtjɔ́m..] G.A. ~ 포템킨(제정 러시아의 여왕 Katharina 2 세의 총신(寵臣), 1739-91).

Potemkinsche Dörfer *pl.* 포템킨촌〔마을〕; 〘비유〙 기만, 겉치레, 가식(Katharina 2 세에게 남러시아의 번영상을 과시하기 위해 Potemkin 이 황무지에 위장 촌락을 급조하여 보인 데서).

potent [potɛ́nt] 《lat.》 *a.* ① (남자가) 성(교) 능력〔생식력〕이 있는. ②〘교양〙 **(a)** 능력 있는, 능률이 좋은. **(b)** 힘센, 세력 있는; 재력이 막강한, 부유한.

Potentat [potɛntá:t] *m.* -en, -en 〘교양·대개 폄어〙 실력자, 세력가; 지배자.

potential [..tsiá:l] *a.* ①〘교양〙 가능성이 있는, 잠재적인. ②〘언어학〙 가능성을 나타내는. ③〘哲〙 (잠재적) 가능성에 관한, 가능성으로(만) 존재하는.

*__Potential__ *n.* -s, -e ①〘교양〙 가능성, 잠재력; 가용 수단〔자원〕. ②〘物〙 전위, 포텐셜; (물체의) 위치 에너지.

Potential≈differenz *f.*, **~gefälle** *n.* 〘物〙 전위차. **~funktion** *f.* 〘문법〙 포텐셜 함수.

Potentialis [potɛntsiá:lɪs] *m.* -, ..les [..lɛs, ..le:s] 〘문법〙 가능법.

Potentialität [..tsialitɛ́:t] *f.* 〘哲〙 가능성; 잠재력.

potentiell 《lat. -frz.》 *a.* 가능한, 잠재하는: 〘物〙 ~e Energie 위치 에너지.

Potentilla *f.* ..tillen 양지꽃속(屬).

Potentiometer *n.* -s, - 〘전기공학〙 전위차계(電位差計).

potentiometrisch *a.* 전위차 분석〔측정〕에 관한〔따른〕.

*__Potenz__ [potɛ́nts] 《lat.》 *f.* -en ① 힘, 능력, 활력, 세력. ② (남성의) 성교 능력; 생식력. ③〘生〙 (세포의) 분화력. ④〘數〙 제곱, (자)승: die dritte ~ von drei ist siebenundzwanzig 3 의 세제곱은 27 이다; 〘구어〙 in höchster ~ 대단히, 극히. ⑤〘醫〙 약제의 희석도.

Potenz≈exponent *m.* 〘數〙 제곱 지수. **~pille** *f.* 정력제.

potenzial 新정서 ⇦ potential.

potenziell *a.* ↑ potentiell.

potenzieren *t.* ①〘數〙 제곱하다. ②〘교양〙 강화〔보강〕하다, 증가시키다. ③〘醫〙 희석하다.

Potenzierung *f.* ①〘數〙 제곱, 누승법(累乘法); 〘기하〙 대합(對合). ② 강화, 보강, 증가. ③〘醫〙 희석; 〘드물게〙 퇴행, 퇴축.

Potenz≈reihe *f.* 〘數〙 멱급수. **~schwäche** *f.* 성기능 저하(증), 정력 부족. **≈steigernd** *a.* 성기능〔정력〕을 증진시키는.

Poterie [potərí:] 《frz. pot》 *f.* -n [..rí:ən] 〘구식〙 도기, 사기 그릇류; 도기 제조소〔제조법〕.

Potpourri [pɔ́tpuri:, (öst.) pɔtpurí:] 《frz.》 *n.* -s, -s ① (고기·야채 등의) 잡탕; 혼합물, 뒤범벅. ②〘음악〙 접속곡, 메들리.

Potsdam [pɔ́tsdam] 포츠담(베를린 근처의 도시).

Potsdamer [..mə*r*] 《I》 *m.* -s, - 포츠담 사람. 《II》 *a.* 포츠담의: ~ Konferenz 포츠담 회담.

Pott [pɔt] 《frz.》 *m.* -(e)s, Pötte [pœ́tə] ① (nordd.) 항아리, 우묵한 냄비: 〘구어〙 mit jm. 〔et.[3]〕 zu ~e kommen 누구를 잘 다루다〔무엇을 잘 처리하다〕. ②〘복수〙 옛 액체 단위(Pot[1]). ③〘구어〙 낡은 배. ④ 도박의 판돈. ⑤〘사냥〙 토끼굴.

Pott≈asche *f.* 〘化〙 탄산칼륨(Kaliumkarbonat). **~bäcker** *m.* 〘방언〙 도공(陶工). **~fisch** *m.* 〘動〙 향유고래. **~harst** *m.* ↑ ~hast. **≈häßlich** *a.* 〘구어〙 몹시 추한〔흉한〕. **~hast** *m.* 〘요리〙 각종 야채를 넣은 쇠고기 요리.

Pottlot 《ndl. -ndd.》 *n.* -(e)s 〘광물〙 흑연, 석묵.

Pott≈sau *f.* 〘비속·욕설〙 ① 더러운 놈. ② 고약한 인간, 쓰레기 같은 놈. **~wal** *m.* 〘動〙 향유고래.

potz [pɔts] *int.* 〔경악·저주·분노 등을 나타냄〕 ~ ! 〔~ Blitz !, ~ tausend !, ~ Wetter !〕 원, 어럽쇼; 제기랄, 저런, 빌어먹을 !

Poudrette [pudrɛ́tə] 《frz.》 *f.* 〖農〗 분뇨 비료.

Poulard [pulá:r] *n.* -s, -s ↑ Poularde.

Poularde [pulárdə] 《frz.》 *f.* -n 살찐 어린 닭〔영계〕.

Poule [pú:l(ə)] *f.* -n ① 도박의 판돈. ② 도박〔내기〕 당구.

Poulet [pulé:] *n.* -s, -s [..lé:s] 살찐 영계.

Pour le mérite [pur lə merít] 《frz.》 *m.* - - - ① (프로이센) 무공 훈장. ② (독일의) 학예 공로 훈장.

Pourparler [purparlé:] 《frz.》 *n.* -s, -s 〔구식〕 외교상의 토의, 외교 교섭.

Poussade [pusá:də] *f.* -n Poussage.

Poussage [pusá:ʒə] 《frz.》 *f.* -n 〔구식〕 ① 정사(情事); 연애 (관계). ② 연인, 애인; 소녀, 처녀.

poussieren [pusí:rən] 《frz. pousser》 〔구어〕 《Ⅰ》 *t.* ① 〔드물게〕 찌르다; 밀다, 밀고 나아가다. ② 〔드물게〕 jn. ~ 누구를 원조〔지지〕하다, 누구의 편을 들다; et. ~ 무엇을 실행〔완성〕하다. ③ jn. ~ 누구에게 구애하다, 누구의 환심을 사려고 애쓰다. 《Ⅱ》 *i.* (h.) 〔방언〕 mit jm. ~ 누구의 비위를 맞추다, 누구와 노닥거리다. 《Ⅲ》 *refl.* 〔드물게〕 sich ~ 밀어 젖히고 나아가다; 출세하다.

Poussier·stengel [pusí:r..] *m.* 〔구어·구식〕 연애 대장, 난봉꾼, 호색한.

Pouvoir [puvóa:r] *n.* -s, -s (öst.) 총대리권(總代理權), 상업 대치권.

power [pó:vər] 《frz. pauvre》 *a.* 〔구어·폄어〕 가난한; 가련한, 비참한: der alte Mantel sieht ~ aus 낡은 외투가 초라해 보인다.

Powidel *m.* -s, - ↑ Powidl.

Powidl 《tschech.》 *m.* -s, - (bayr., öst.) 자두잼: 〔경박〕 ~ sein 아무래도 좋다〔상관 없다〕.

Powidl·knödel *m.* (öst.) 자두 잼(을 넣은) 경단.

Pozz(u)olan·erde *f.* ↑ Puzzolan.

PP. =Patres 신부.

P.P. =praemissis praemittendis.

pp =〖음악〗 pianissimo 아주 여리게.

pp. ① =perge, perge 기타 등등. ② =ppa.

p.p. ↑ ppa.

ppa. =per procura 대리로(대리인이 서명할 때).

Pp(b), Ppbd. =Pappband (본)양장; (본)양장책.

P.prim. =Pastor primarius 대성당의 주임 사제(司祭).

p.ptr. =präterpropter 약, 대략, 대충.

PR =Public Relations 홍보〔선전〕 활동.

Pr =〖化〗 Praseodym 프라세오딤.

Pr. A. =Prachtausgabe 호화판(版), 특제본(本).

Prä [prɛ:] *n.* -s, -s 우월, 우선 (순위), 상위: das ~ vor jm. haben 누구보다 윗자리〔유리한 자리〕를 차지하다.

prä.. 《lat. pare, „vor"》 *pref.* "전(前)·선(先)"의 뜻.

Präambel [prɛámbəl] 《lat.》 *f.* -n 머리말, 서문, 전문(前文); 〖음악〗 전주곡.

präambulieren *i.* (h.) ① 머리말을 늘어놓다; 막을 열다. ② 객쩍은 말을 지껄이다.

Präbendar [prɛbɛndá:r] 《lat.》 *m.* -s, -e ↑ Präbendarius.

Präbendarius *m.* -, ..re/..rien [..riən] ① 봉급을 받는 성직자; 주교좌(座) 성당 참사 회원, 수도 참사 회원. ② 연금 수혜자.

Präbende 《lat. praebenda》 *f.* -n (Pfründe) 성직록(祿), 녹을 받는 성직.

PR-Abteilung [pe:|ɛ́r..] *f.* -en 홍보〔공보〕부.

Pracher [práxər] 《sl. Lw.》 *m.* -s, - (성가시게) 졸라대는 거지.

prachern *i.* (h.) ① (성가시게 따라다니며) 구걸하다, 졸라대다. ② 〔구식〕 욕심부리다. ③ 〔구식〕 자랑하다, 뽐내다.

***Pracht** [praxt] *f.* ① 휘황, 화려, 호화; 장려; 호사; 허식: in aller ~ und Herrlichkeit 호화찬란하게. ② 장관(壯觀); 뛰어난〔훌륭한〕 것, 상등〔우량〕품: das ist eine wahre ~ 그것은 참으로 훌륭하다; 〖雅語〗 die weiße ~ 눈(雪); 〔구어〕 er entwickelt sich, daß es eine ~ ist 그가 발전하는 모습은 경탄을 금할 수 없을 정도다. ③ 즐거움, 기쁨.

Pracht≈aufwand *m.* 사치, 호사, 낭비. **~-ausgabe** *f.* (책의) 호화판, 특제본. **~band** *m.* 호화 장정본, 특제본. **~bau** *m.* 크고 훌륭한 건축물. **~bett** *n.* ① 호화 침대. ② 귀인의 관을 모신 호화로운 단(壇). **~einband** *m.* ↑ ~band ①. **~exemplar** *n.* ① 상등품. ② 특제본(本). ③ 〖비유〗 모범; 멋진 사람〔물건〕. **~fink** *m.* 〖動〗 피리샛과에 속하는 화려한 색채의 열대새. **~finke** *m.* ↑ ~fink. **~hans** *m.* (obd.) 허풍선이, 떠버리. **~himmel** *m.* ① 쾌청한 하늘. ② 옥좌·침대에 드리우는 휘장; 〖가톨릭〗 행렬 따위에 사용하는 이동용 햇빛가리개.

***prächtig** [prɛ́çtıç] 《<Pracht》 *a.* (glänzend) 현란한, 화려한; 장려〔웅장〕한; 사치스러운; 대단히 아름다운; 훌륭한, 뛰어난: eine ~e Erscheinung 장관(壯觀); ein ~es Mahl 성찬(盛饌); ein ~er Mensch 훌륭한 인물; ein ~es Wetter 화창한 날씨.

Prächtigkeit *f.* -en 화려, 훌륭함.

Pracht≈junge *m.* 〔구어〕 모범적인 소년. **~-käfer** *m.* 〖動〗 비단벌레. **~kerl** *m.* 훌륭한 인물, 멋진 남자. **~kleid** *n.* ① 나들이옷, 성장(盛裝). ② 〖動〗 교미색(교미기의 화려한 깃빛깔). **~liebe** *f.* 사치를〔화려함을〕 좋아하는 마음. **≈liebend** *a.* 사치를〔화려함을〕 좋아하는. **~mädel** *n.* ① 착한〔기특한〕 소녀. ② 굉장한 미인. **~mensch** *m.* ↑ ~kerl. **~straße** *f.* 번화가, 화려한 중심가. **~stück** *n.* ① 상등품. ② 화려한 것, 사치품. **~sucht** *f.* ↑ ~liebe. **≈voll** *a.* ↑ prächtig. **~wagen** *m.* 의장(儀裝) 마차. **~weib** *n.* 〔구어〕 멋진〔근사한〕 여자. **~werk** *n.* ① 상등품. ② 특제본, 호화판(版). **~zimmer** *n.* 훌륭한〔호화로운〕 방; 큰 홀.

Pracker *m.* -s, - (öst.) 〔구어〕 ① 양탄자 털개. ② 타격, 때리기.

Prädestination [prɛdɛstinatsió:n] 《lat.》 *f.* ① 〖宗〗 숙명, 예정. ② 〖신학〗 예정설. ③ 〔교양〕 자질, 재능, 적성.

Prädestinations≈gläubige* *der/die* 숙명론자. **~lehre** *f.* 숙명론, 예정설.

prädestinieren 《lat. destinare》 《Ⅰ》 *t.* ① 예정하다, 운명짓다. ② 〔교양〕 (무엇에) 적합하

게 하다: sein Mut prädestiniert ihn zum Anführer 그는 우두머리가 될 수 있는 용기를 가진 인물이다. 《Ⅱ》**prädestniert** *p.a.* ↑ prädestiniert.

prädestiniert 《Ⅰ》*p.p.* ↑ prädestinieren. 《Ⅱ》*p.a.* 숙명적인, 예정된; 적합한: für et.~ sein 무엇에 적합하다.

Prädestinierung *f.* 예정.

Prädikant [prɛdikánt] 《lat.》*m.* -en, -en 설교자, 목사; 부(副)목사.

Prädikanten·orden *m.* 도미니크 수도회.

***Prädikat** [prɛdiká:t] 《lat.》*n.* -(e)s, -e ①〖문법〗술어. ②〖논리〗빈사(賓辭)(명제에서 주사(主辭)에 결합되어 그것을 규정하는 개념), 술어부. ③작위, 칭호, 직함; 별명. ④평어(評語), 평점.

prädikatisieren *t.* 품평하다, 등급을 매기다: einen Film ~ 영화의 등급을 매기다.

prädikativ *a.* 〖문법〗술어적인.

Prädikativ [prɛ:dikatí:f] *n.* -s, -e [..və]〖문법〗술어 보족어.

Prädikativ·satz *m.* 〖문법〗술어문(술어 보족어로 쓰이는 부문장).

Prädikativum [prɛdikatí:vʊm] *n.* -s, ..va 〔고어〕↑ Prädikativ.

Prädikats≈examen *n.* 좋은 성적으로 합격한 시험. **~nomen** *n.* 〖문법〗술어 명사. **~wein** *m.* 품질 표시가 있는 고급 포도주.

Prädilektion [prɛdilɛktsió:n] 《lat. dilectio, „Liebe"》*f.* -en 편애, 편벽.

prädisponieren [prɛdɪsponí:rən] 《♧ disponieren》*t.* ①〔교양〕미리 정하다, 예정하다. ②〖醫〗(병에) 걸리기 쉽게 하다, 소질〔소인(素因)〕을 부여하다: für eine Krankheit prädisponiert sein 어떤 질병에 걸릴 소질을 지니고 있다.

Prädisposition [..tsió:n] *f.* -en ①마련, 채비. ②〖醫〗(질병에 걸릴) 소인(素因), 성향.

prädizieren [prɛditsí:rən] 《lat. praedicere》《Ⅰ》*t.* ①진술하다; 주장〔확언〕하다. ②〖논리〗술어부를 붙이다, (어떤 개념을) 술어부로 규정하다. 《Ⅱ》**prädiziert** *p.a.* ↑ prädiziert.

prädiziert 《Ⅰ》*p.p.* ↑ prädizieren. 《Ⅱ》*p.a.* 칭호가 있는; 평판의, …한 평가를 받는: das ist gut ~ 그것은 좋은 평가를 받고 있다.

Prado *m.* 프라도(마드리드의 국립 미술관).

prädominieren [prɛdominí:rən] 《♧ dominieren》*i.*(h.) 우위를 차지하다, 우월〔우세〕하다.

praemissis praemittendis [prɛmísis, prɛmɪténdis]〔고어〕마땅한 칭호를 먼저 말씀드린 것으로 하옵고(편지 따위에서 개별적인 서두 대신 쓰던 말; 약어: P.P.)

Präexistenz [prɛlɛksɪsténts] 《lat.》*f.* 〖신학〗(육체와 합일하기 전의) 영혼의 선재(先在); (물질 세계가 생기기 전에 존재한) 신의 이념 세계.

präexistieren [prɛlɛksɪstí:rən] *i.*(h.) (이념으로서) 선재(先在)하다.

präfabrizieren [prɛ:fabritsí:rən] *t.* 〔교양〕미리 확정〔제작·제조〕하다.

Präfation [prɛfatsió:n] 《lat. praefari》*f.* -en ①머리말, 서문. ②〖가톨릭〗영성체송(領聖體頌). ③〖기독교〗성찬 예배 서언(序言).

Präfekt [prɛfékt] 《<lat. praeficere》*m.* -en, -en ①(고대 로마 및 1800년 이후 프랑스의) 지방 장관, 지사. ②부지휘자, 대리 지휘 생도. ③〖가톨릭〗지도 신부. ④(기숙 학교에서 하급 학생들을 감독하는) 생도 사감, 고참 학생.

Präfektur [..fɛktú:r] *f.* -en ①지사〔지방 장관〕의 직. ②지사 관저, 관사.

präferentiell [prɛferɛntsiɛ́l] *a.* 〖經〗최혜국 대우의.

Präferenz [prɛferénts] 《lat. praeferre》*f.* -en ①〔교양〕우월, 상위, 우선. ②〖카드〗으뜸패. ③〖經〗최혜국 대우, 특혜; (수요자측의) 선호, 애호, 우선. ④〖사회〗(인물·목표·가치의) 상대적 선호.

Präferenz≈liste *f.* 우선 순위 목록. **~spanne** *f.* 〖經〗특혜 관세와 일반 관세의 세율차. **~stellung** *f.* 〖經〗최혜국 지위. **~zoll** *m.* 〖經〗특혜 관세.

präferieren *t.* 우선권을〔특혜를〕주다.

präfigieren [prɛfigí:rən] 《lat. praefigere》*t.* ①(날짜를) 결정〔확정〕하다. ②〖문법〗전철을〔접두어를〕붙이다.

***Präfix** [prɛfíks] *n.* -es, -e 〖문법〗전철(前綴), 접두어.

Präformation *f.* 전성(설)(前成(說))(생물의 각 부분이 배(胚) 세포 속에 이미 존재하고 있다는 학설).

präformieren [prɛfɔrmí:rən] 《lat.》*t.* 〔교양〕배자(胚子) 속에서 미리 형성하다.

Präformierung *f.* 미리 형성함, 전성(前成).

Prag [pra:k] 프라하(체코의 수도).

prägbar *a.* 주조〔각인〕할 수 있는.

Prägbarkeit *f.* 주조〔각인〕할 수 있음.

Präge [prɛ́:gə] *f.* -n ①↑ ~anstalt. ②(동전이나 메달의) 각인.

Präge≈anstalt [prɛ́:gə..] *f.* 조폐 공사. **~bild** *n.* 〖화폐〗(화폐 표면의) 각인(된 상·그림). **~druck** *m.* ①〖印〗양각〔음각〕인쇄. ②〖섬유〗엠보싱, 직물에 압판으로 눌러서 무늬 박기. **~eisen** *n.* 각인(刻印)의 주형, 타형(打型). **~form** *f.* 〖화폐〗(주화의) 주형. **~maschine** *f.* 화폐〔주화〕주조기.

***prägen** [prɛ́:gən] 《<brechen》*t.* ①무늬 또는 인장(印章)을 누르다, 압인〔각인〕하다; 주조하다; Münzen ~ 화폐를 주조하다; 〖비유〗Gesetze ~ 법률을 제정하다; die Fußspur war deutlich in den Sand geprägt 발자국이 뚜렷이 모래 위에 남아 있었다. ②〖비유〗인상을 남기다, 감명을 주다, 명심시키다: präge es dir ins Gedächtnis 그것을 명심해라. ③(영향을 끼쳐) 특징짓다, 특징을 부여하다: die Literatur der Klassik ist durch Goethe und Schiller geprägt worden 고전주의 문학은 괴테와 실러를 통해 특징지워졌다. ④(말·개념 따위를) 만들어내다: neue Wörter ~ 새 단어를 만들어내다.

Präge≈ort *m.* 화폐 주조 장소. **~presse** *f.* 인각기; 타인기(打印機), 엠보스 가공기.

Prager [prá:gər] 《Ⅰ》*m.* -s, - ①프라하 주민〔시민〕. ②방랑 음악가. 《Ⅱ》*a.* 프라하의.

Präger *m.* -s, - 인각공, 주조공, 조폐공.

Präge≈satz *m.* (화폐) 주조비, 조폐료. **~stätte** *f.* ①인각실(室). ②↑ ~ort. **~stempel** *m.* 인각, 주형. **~stock** *m.* ①↑ ~stempel. ②인각기, 압인기, 조폐기.

präglazial [prɛglatsiá:l] 《lat.》*a.* 〖지질〗빙하기 이전의.

Pragmatik [pragmá:tɪk] 《gr.》 *f.* -en ①〖교양〗 실용주의, 실용 지식. ②〖언어학〗 화용론(話用論). ③ (öst.)〖격식〗(공무원의) 복무 규정.

Pragmatiker *m.* -s, - 〖교양〗 ① 실용주의자. ② 실용주의적인 역사 기술의 지지자〔대표자〕.

Pragmatikerin *f.* -nen ↑ Pragmatiker 의 여성형.

*__pragmatisch__ *a.* ① 사무적인, 사무에 능통한; 실제적인, 실용적인; 교훈적인, 유익한; 계몽적인; 무미건조한: ~e Geschichtsschreibung 실용주의적〔교훈적〕인 역사 기술. ②〖史〗 국사〔내정〕의: ∼e Sanktion (1713 년 독일 황제 카를 6 세가 낸) 국사 조서(國事詔書). ③〖언어학〗 화용론(話用論)의〔에 관한〕: eine ~ fundierte Kommunikationstheorie 화용론에 기초를 둔 의사 소통 이론.

pragmatisieren [..matizí:rən] *t.* (öst.)〖격식〗 공무원으로 임용하다.

Pragmatisierung *f.* 공무원 임용.

Pragmatismus *m.* - ①〖哲〗 실용주의, 프래그머티즘. ②〖교양〗 실용(주의)적 관점〔사고방식·행동〕.

Pragmatist *m.* -en, -en 실용주의자.

prägnant [prɛgnánt] 《lat.》 *a.* ① 임신한. ② 의미심장한, 함축성이 있는; 중요한; 간결한; 정확한.

Prägnanz *f.* 간명, 의미심장.

Präg·schneider *m.* (Präger) 인각공, 주조공.

*__Prägung__ [prɛ́:gʊŋ] 《<prägen》 *f.* -en ① 인각(印刻), 각인; 화폐 주조. ② 인각된 것. ③ 특징, 특질: ein Mensch von (ganz) eigener ~ (아주) 독특한 특징을 지닌 인물. ④ 신조어, 새로운 표현: dieses Wort ist eine neue ~ 이 단어는 신조어다.

Praha ↑ Prag 의 체코어.

Prähistorie [prɛhɪstó:riə, prɛ́:hɪsto:riə] 《lat.》 *f.* 선사 시대(사), 선사학.

Prähistoriker *m.* -s, - 선사 시대 전문가, 선사학자.

Prähistorikerin *f.* -nen ↑ Prähistoriker 의 여성형.

prähistorisch *a.* 유사 이전의, 선사 시대의, 선사학의.

*__prahlen__ [prá:lən] *i.* (h.) 〖폄어〗 ① 자랑〔자만〕하다, 거만하게 뽐내다; 과시하다, 자랑삼아 보이다: mit seinen Erfolgen ~ 자기의 성공을 뽐내다. ② 사람의 눈을 끌다; 빛나다, 훌륭하다. ③ (obd.) 소리지르다, 큰 소리로 떠벌리다.

prahlend *p.a.* 화려한, 자랑〔과시〕하는.

Prahler *m.* -s, - 허풍선이, 떠버리.

Prahlerei [pra:lərái] *f.* -en 자만, 허풍, 호언장담.

Prahlerin *f.* -nen ↑ Prahler 의 여성형.

prahlerisch *a.* 자만〔자랑〕하는, 거만한, 허풍치는; 과시하는, 화려한; 과장된.

Prahl-hans *m.* ↑ Prahler. **~hanserei** *f.* ↑ Prahlerei. **~sucht** *f.* 자만벽(自慢癖), 떠벌리는〔호언장담하는〕 버릇, 허영. **∼süchtig** *a.* 허풍떠는 버릇이 있는, 허영기가 있는.

Prahm [pra:m] 《tschech.》 *m.* -(e)s, -e/Prähme [prɛ́:mə] ①〖海〗 바지선, 평저선(平底船). ② (ndd.) (밧줄로 끄는) 나룻배.

Prahm·geld *n.* 나룻배 삯.

Praia [praíə] 프라이아(아프리카 서단의 공화국 카보베르데의 수도).

Prairial [prɛriál] 《frz.》 *m.* -s, -s 프랑스 혁명력의 제 9 월(태양력의 5 월 20〔21〕일~6 월 18〔19〕일까지).

Präjudiz [prɛjudí:ts] 《lat.》 *n.* -es, -e ①〖法〗 판례, 선례; 선결, 예단(豫斷). ②〖교양〗 편견, 선입견. ③〖法〗 (위법 행위로 인한) 손해, 불이익.

Präjudiz·fall *m.* 선례; 〖法〗 판례.

präjudizial [..juditsiá:l], **präjudiziell** *a.* ①〖法〗 판례가 되는, 판례〔선례〕에 해당하는. ② 선결〔예단〕의.

präjudizieren 《I》 *t.* 〖法·교양〗 ① (판결 따위를) 미리 결정〔선결〕하다, 예단하다. ② 편견을 품게 하다. ③ 손해를〔불이익을〕 끼치다. 《II》 **präjudiziert** *p.a.* ↑ präjudiziert.

präjudizierlich *a.* 선결〔예단〕의; 손해를 끼치는, 불이익이 되는.

präjudiziert 《I》 *p.p.* ↑ präjudizieren. 《II》 *p.a.* 인수를〔지급을〕 거절당한: ~er Wechsel 인수 거절 어음.

Präkambrium *n.* -s〖지질〗 선(先)캄브리아기(紀)(원생대와 시생대로 나뉨).

präkarbonisch *a.*〖지질〗 석탄기 이전의.

präkardial *a.*〖醫〗 전흉부(前胸部)의, 심장 앞쪽에 있는.

Präkardialgie *f.* -n [..gí:ən] 전흉부〔심장 앞쪽의〕 통증.

Präkaution [prɛkaʊtsió:n] 《lat.》 *f.* -en 〖고어〗 조심, 주의; 방지; 사전 조치, 예방(책).

präkavieren [..ví:rən] *i.* (h.) 〖고어〗 조심하다; 사전 조치를 취하다, 예방하다.

präkludieren [prɛkludí:rən] 《lat.》 *t.* ① 닫다; 배제〔제외〕하다. ②〖法〗 (기한 초과로) 실권(失權) 처리하다, 저당물 반환 청구권을 상실하다.

Präklusion [..zió:n] *f.* -en ① 배제, 제외. ②〖法〗 저당물 반환 청구권의 상실, 실권(失權), 제권(除權).

präklusiv [..zí:f] *a.* 배제하는; 권리 상실의, 실권(失權)의, 제권(除權)의.

Präklusiv·frist *f.* 〖法〗 실권〔제권〕(失權〔除權〕) 기간.

präklusivisch [..zí:vɪʃ] *a.* ↑ präklusiv.

präkolumbisch *a.* 콜럼버스 이전의, 아메리카 대륙 발견 이전의.

präkordial *a.* 전흉부의(präkardial).

Präkonisation [prɛkonizatsió:n] 《lat.》 *f.* -en ① 고시(告示), 공고, 공포. ② 칭찬, 찬미. ③〖가톨릭〗 교황의 주교 임명 공고〔고시〕.

präkonisieren *t.* ① 널리 알리다, 고시〔공고〕하다. ② 칭찬하다. ③ (교황이 신임 주교 임명을) 고시하다.

Prakrit [prá:krɪt] 《skt.》 *n.* -(e)s 프라크리트 (기원전 5-10 세기 사이에 표준어인 산스크리트어와 함께 쓰인 인도 중부의 방언들).

prakritisch *a.* 프라크리트의.

prakt. Arzt *m.* (전문화하지 않고 전과목을 진료하는) 일반의(醫), 개업의(開業醫).

praktifizieren *t.* 〖교양〗 실행〔실천〕하다, 실제로 응용하다.

Praktifizierung *f.* -en 실행, 실용화.

Praktik [práktɪk] 《lat. practica》 *f.* -en ① 실행〔취급〕 방법, 처치 방식, 조작법. ② 책략,

간계. ③ (15-17 세기의) 농민력(農民曆) (농사 지침·일기 예측법·점성술 따위가 곁들여져 있음).

Praktika ↑ Praktikum 의 복수형.

Praktikabel *n.* -s, - ①〖연극〗 소도구, (그린 것이 아닌) 실물(같이 만든) 무대 장치. ②〖영화〗 (조명등이나 촬영기를 높은 곳에 설치할 때 쓰이는) 이동식 구조물.

praktikabel *a.* ① 실행할 수 있는; 실용적인, 유용〔유익〕한. ②〖연극〗 (무대 장치가 그린 것이 아니라) 실제의: eine ~e Tür (배경에 그린 것이 아니라) 실제로 출입할 수 있는 문.

Praktikabilität *f.* 실용성, 실행 가능성.

Praktikant *m.* -en, -en ① 실무자, 개업한 사람; 개업의(醫). ② 실습생, 시보, 수습생; 후보자; 수습 사원; 도제(徒弟).

Praktikantin *f.* -nen ↑ Praktikant 의 여성형.

Praktiker *m.* -s, - ① (↔ Theoretiker) 실행가, 실무자, 실제 경험자. ② 실무에 능한 사람, 수완가. ③〖醫·은어〗 개업의(開業醫), 일반의(醫).

Praktikum *n.* -s, ..ka/..ken 실습, 연습.

Praktikus *m.* -, -se ↑ Praktiker.

***praktisch** [práktɪʃ] *a.* ① 실무에 종사하는, 실행하는; 실제적인, 실지의; 응용할 수 있는: ~er Arzt (비전문) 일반 개업의(開業醫), 일반의; ~e Erfahrungen 실무 경험; die ~e Vernunft 실천 이성; et. ~ erlernen 무엇을 실습을 통하여 배우다: ~ bedeutet dies, daß... 실제로〔사실상〕 이것은 …임을 뜻한다. ② 숙련된, 노련한; 실무에 밝은; 수완 있는; 분별 있는; ein ~er Mensch 수완가, 솜씨〔재간〕 있는 사람. ③ 유용〔유익〕한, 쓸모 있는; 실용적인. ④〔부사적〕〔구어〕 어느 정도, 사실상: er kann ~ nichts allein entscheiden 그는 사실상 혼자서는 아무것도 결정하지 못한다.

***praktizieren** 《I》 *t.* ① 실제에 적용하다, 실행〔실천〕하다: eine Methode ~ 어떤 방법을 적용하다; er ist ~der Christ 그는 실천하는 기독교 신자다. ②〔구어〕 살그머니 꺼내다〔넣다〕: jm. et. aus der 〔in die〕 Tasche ~ 무엇을 누구의 호주머니에서 살그머니 꺼내다〔속에 살그머니 넣다〕. 《II》 *i.* (h.) (의사로) 개업하고 있다: er praktiziert als Neurologe 그는 신경과 의사로 개업하고 있다.

präkulmisch *a.* 〖지질〗 하부(下部) 석탄기 이전의.

Prälat [prɛlá:t] 《lat.》 *m.* -en, -en ①〖가톨릭〗 고위 성직자(주교·수도원장·교황청 고관). ②〖기독교〗 (남부 독일 교회의) 감독, 교구장. ③ Burgund 산(産) 포도주.

Prälatur [prɛlatú:r] *f.* -en 고위 성직자의 직〔집무실·저택·관할 구역〕.

Prälegat [prɛlegá:t] 《lat.》 *n.* -(e)s, -e〖法·고어〗 미리 결정된 특정 유증(遺贈).

präliminar [prɛliminá:r] 《lat. prae limine》 *a.* 예비의, 머리말의; 일시적〔잠정적〕인.

Präliminar·bestimmung *f.* 잠정 규정.

Präliminare *n.* -s, ..rien [..riən] 예비, 준비; 예비 회담; 가〔잠정〕조약: die Präliminarien abschließen 잠정〔가〕 조약을 맺다.

Präliminar·friede *m.* 예비 평화 조약.

Präliminarien [..ná:riən] ↑ Präliminare 의 복수형.

präliminieren *t.* 〔드물게〕 잠정적으로 정하다.

Praline [pralí:nə] 《frz.》 *f.* -n (크림·과일·브랜디를 속에 넣은) 초콜릿.

Praliné [praliné:, práline:] *n.* -s, -s (obd., schweiz.) ↑ Praline.

Pralinee [praliné:, práline:] *n.* -s, -s (obd.) ↑ Praline.

pralinieren *t.* 설탕을 입히다.

prall [pral] (↔ schlaff) *a.* ① (터질 듯이) 속이 가득 찬: ein ~er Beutel 속이 가득 찬 (돈) 주머니. ② 팽팽한; 탄력있는, 탄탄한; 통통한; 옷이 몸에 꽉 끼는: eine ~ sitzende Uniform 몸에 꼭 맞는 제복. ③ 잘 정돈된. ④ (햇빛이) 직접 내리쬐는, 더운: in der ~en Sonne 땡볕 속에.

Prall *m.* -(e)s, -e 충돌, 충격; 되튀김, 반발, 반동.

***prallen** [prálən] *i.* (h./s.) ① 충돌하다; 되튀기다: der Wagen prallte an die Leitplanke 〔gegen einen Baum〕 그 차가 도로변 가드레일〔나무〕에 부딪혔다. ② (햇빛이) 쨍쨍 내리쬐다: die Sonne prallte auf die Erde 햇빛이 땅 위에 쨍쨍 내리쬐었다.

Praller *m.* -s, - 〖음악〗 ↑ Pralltriller.

Prallheit *f.* 팽팽함, 긴장; 풍만, 포동포동함.

prallig *a.* 〔드물게〕 ① ↑ prall. ② 가파른.

Prall=kraft *f.* 탄력, 반발력. **~licht** *n.* 반사광. **~schuß** *m.* ↑ Prellschuß. **~stein** *m.* ↑ Prellstein. **~triller** *m.* 〖음악〗 프랄트릴러, 상방회음(上方回音) (본음에서 위쪽 2 도의 음을 짧게 한번 올려주고 다시 본음으로 돌아오는 꾸밈음).

Pralluft·schiff *n.* 〖空〗 연식(軟式) 비행선.

prall=voll *a.* 〔구어〕 꽉 찬, 탱탱한: ein ~ gefülltes Kissen 속이 꽉 찬 쿠션. **≈winkel** *m.* 〖物〗 반사각.

präludieren [prɛludí:rən] 《lat. praeludere》 *i.* (h.) 〖음악〗 전주하다, 전주곡을 연주하다, 즉흥적으로 연주하다.

***Präludium** [..lú:dium] *n.* -s, ..dien [..diən] ①〖음악〗 전주곡, 서곡; (독립된 곡으로서의) 서곡. ② 서언, 머리말. ③ 전조(前兆), 징후.

prämatur [prɛmatú:r] 《lat.》 *a.* 조숙한; 조급한, 시기 상조의.

Prämaturität [prɛmaturitɛ́:t] *f.* 〖醫〗 조숙, 미숙; 미숙아; 조급, 시기 상조.

Prämeditation [prɛmeditatsió:n] 《lat.》 *f.* -en 〖哲〗 미리 생각〔계획〕함; 미리 숙고함.

prämeditieren *t.* 미리 계획〔숙고〕하다.

***Prämie** [prɛ́:miə] 《lat.》 *f.* -n ① 상, 상품; 당첨금, 〖복권〗 상금; 보수, 사례: eine ~ bekommen 상품을 받다. ②〖經〗 배상〔보상〕금; 위약금, 해약금; 할증 배당, 특별〔초과〕수당, 상여금; (은행·국가 기관의) 보조금; 액면 초과금, 프리미엄. ③ 보험료: die ~ festsetzen〔zahlen〕 보험료를 결정〔지급〕하다.

Prämien=anleihe *f.* 할증 채권(이자 대신 추첨에 따라 할증금이 주어짐); 액면가액 이상으로 매매되는 공채〔사채〕. **~auslosung** *f.* 할증금 추첨. **≈begünstigt** *a.* 할증금〔장려금〕이 붙은. **~depot** *n.* 〖보험〗 보험료 예탁금. **~dumping** [..dʌmpɪŋ] *n.* 장려금에 의한 덤핑. **~frei** *a.* 배당금〔장려금〕이 없는. **~geschäft** *n.* 〖經〗 특권 거래, 선택 거래(상대방에게 프리미엄〔위약금〕을 치르는 조건으로 일방적 해약을 할 수 있는 거래). **~lohn** *m.* 〖經〗 할증 임금, 성과급. **~lohn·system** *n.* 성과급 제도; 성과급 산정법. **~los** *n.* 할증 채권(의 증서). **~lotterie** *f.* 할증금이 붙은 복권. **~reserve** *f.* 책임 준비금, 보험료 적립금. **~rück·gewähr** *f.* 보험료 환급 보증. **~-schein** *m.* 할증(금이 붙는) 채권. **~spa-ren** *n.* (저축자 중 추첨하여 보너스 이자를 주는) 보너스 금리 저축. **~sparen** *i.* (h.) 〖대개 부정형〗 (추첨으로) 장려금을 지급하는 저축에 가입하다. **~sparer** *m.* 장려금 지급 저축 가입자. **~spar·vertrag** *m.* 장려금 지급 저축의 가입 계약. **~system** *n.* 성과급 제도. **~zahlung** *f.* 장려금 지급. **~zettel** *m.* ↑ ~schein.

prämiieren [prɛmiíːrən] 《lat., <Prämie》 *t.* 상을 주다, 표창하다; 장려금을 주다: ein prämiierter Film 상을 받은 영화.

Prämiierung *f.* -en 표창하기, 수상(受賞).

***Prämisse** [prɛmísə] 《lat.》 *f.* -n ① 〖교양〗 전제(조건), 가정, 가설: man ist bei der Planung dieses Projektes von einer falschen ~ ausgegangen 이 프로젝트를 구상할 때 잘못된 전제에서 출발했다. ② 〖논리〗 (논리적 추론의) 전제.

Prämonstratenser [prɛmɔnstraténzər] 《lat.》 *m.* -s, - 〖가톨릭〗 프레몽트레 수도회원.

pränatal *a.* 〖醫〗 출생 전의.

Prandtl-rohr [prántəl..] *n.* 〖物〗 유압계(流壓計).

***prangen** [práŋən] *i.* (h.) 〖雅語〗 ① **(a)** 휘황찬란하다: Sterne ~ am Himmel 하늘에 별들이 찬란하게 빛나고 있다. **(b)** 눈에 확 들어오게 놓여〔걸려〕 있다: auf der Kommode prangt eine kostbare Vase 옷장 위에 귀한 꽃병이 놓여 있어 눈에 확 뜨인다. ② 〖방언〗 mit et.³〔jm.〕 (vor jm.) ~ (누구에게) 무엇을〔누구를〕 자랑〔과시〕하다. ③ 〖海〗 모든 돛을 펴다. ④ (ndd.) 성체(聖體) 행렬에 참가하다.

Pranger [práŋər] *m.* -s, - 형벌 기둥: 〖비유〗 jn.〔et.〕 an den ~ stellen 누구를〔무엇을〕 공개적으로 모욕〔치욕〕을 주다; am ~ stehen 공개적으로 비난받다〔조소당하다〕.

Pranke [práŋkə] 《lat. branca》 *f.* -n ① (맹수의) 앞발. ② 〖농담·폄어〗 크고 거친 손, 우악스러운 손. ③ (맹수의) 다리 아래 부분.

Pranken·hieb *m.* (맹수가) 앞발로 후려침.

Pränomen *n.* -s, ..mina (고대 로마인들이) 성(姓) 앞에 붙인 이름(보기: 키케로 *Marcus* Tullius Cicero).

pränumerando [prɛnumerándo] 《lat.》 *adv.* 〖商〗 선불로, 선(지)급으로.

Pränumerant *m.* -en, -en 선금 지급자; 예약자.

Pränumeration [..tsióːn] *f.* -en 선(지)급, 선불; 예약.

pränumerieren *i.* (h.)/*t.* 선(지)급〔선불〕하다: auf et. ~ 선금을 내고 무엇을 예약하다.

Pranz *m.* -es (ostmd.) 허풍, 뻐기기.

pranzen *i.* (h.) (ostmd.) 허풍떨다, 뻐기다.

Pranzer *m.* -s, - (ostmd.) 허풍선이, 떠버리.

Präokkupation [prɛ|ɔkupatsióːn] 《lat.》 *f.* -en 〖고어〗 ① 선점(先占). ② 선입견, 편견; 편파.

präokkupieren [prɛ|ɔkupíːrən] 《I》 *t.* 〖고어〗 ① 선점(先占)하다. ② 편견을 가지게 하다, 잘못된 생각을 갖게 하다. 《II》 **präokku-piert** *p.a.* ↑ präokkupiert.

präokkupiert 《I》 *p.p.* ↑ präokkupieren. 《II》 *p.a.* ① 선점된. ② 선입견에 사로잡힌. ③ 다른 일에 몰두하고 있는; 방심한, 멍청한.

Präparand [..paránt] 《lat.》 *m.* -en, -en [..rándən] 〖옛뜻〗 교원 양성소 수험 준비생.

Präparande *f.* -n 〖구어·옛뜻〗 ↑ Präparandenanstalt.

Präparanden·anstalt *f.* (19 세기 전반의) 교원 양성소 수험 예비 학교.

Präparant *m.* -en, -en ↑ Präparator.

Präparat 《lat. praeparatum》 *n.* -(e)s, -e ① 조제약, 약제, 제제(製劑); (화학) 제품. ② 〖生·醫〗 표본, 박제, (현미경용) 프레파라트: anatomische ~e 해부학용 표본; ein ~ anfertigen 표본을 제작하다.

Präparaten·sammlung *f.* 표본 (수)집.

Präparation [..tsióːn] *f.* -en ① 〖生·醫〗 조제; 표본 제작. ② 〖교양·고어〗 준비, 예비, 예습.

Präparations·heft *n.* 예습 공책.

Präparator [prɛparáːtɔr, ..toːr] *m.* -s, -en [..tóːrən] 표본 제작자.

präparieren 《I》 *t.* ① 〖교양〗 준비하다; 예습하다. ② 〖교양〗 (특정 목적을 위해) 제작하다, 조제하다, 마무리하다: den Malgrund ~ 그림의 바탕색 처리를 하다. ③ **(a)** 〖生·醫〗 표본으로 만들다: einen Vogel ~ 새를 박제하다. **(b)** 해부하다, 해부 실습을 하다. ④ 〖사진〗 …에 감광성(感光性)을 주다; präpariertes Papier 감광지. ⑤ 준비시키다: jn. auf et. ~ 누구를 무엇에 대비하여 준비시키다. 《II》 *refl.* sich ~ 준비하다: sich für die Schule ~ (학과의) 예습을 하다.

präpeln [prɛ́ːpəln] *i.* (h.) 〖방언〗 (좋은 음식을) 먹다.

präponderant [prɛpɔnderánt] 《lat.》 *a.* 우세한, 우월한.

Präponderanz [prɛpɔnderánts] *f.* 우세, 우월.

präponderieren *i.* (h.) 〖구식〗 우세〔유력〕하다.

***Präposition** [prɛpozitsióːn] 《lat., „Vorsetzung"》 *f.* -en 〖문법〗 전치사.

präpositional [..tsionáːl] *a.* 〖문법〗 전치사의: eine ~e Fügung 전치사구.

Präpositional·attribut *n.* 부가적 전치사구. **~fall** *m.* ↑ ~kasus. **~gefüge** *n.* 전치사구. **~kasus** *m.* 전치사의 격. **~objekt** *n.* 전치사 목적어.

Präpositur [..túːr] *f.* -en ↑ Präpositus 의 직(職)〔지위〕.

Präpositus [prɛpóːzitus] *m.* -, ..ti ① 상사, 상관. ② **(a)** 〖가톨릭〗 주교좌 성당의 수석 신부; 수도원장 대리. **(b)** 〖기독교〗 감독 교구장.

präpotent [prɛpotɛ́nt] 《lat.》 *a.* ① 〖고어〗 우세〔우월〕한. ② (öst.) 주제넘은, 불손한.

Präpotenz *f.* ① 〖고어〗 우세, 우월, 막강. ② (öst.) 주제넘음, 불손, 뻔뻔스러움.

Präputium [prɛpúːtsium] *n.* -s, ..tien [..tsiən] 〖해부〗 포피(음경〔음핵〕을 덮는 피부).

Präraffaelit [prɛrafaelíːt] *m.* -en, -en 〖畫〗 (1848 년 런던에서 창립된 영국 화가들의 모임인) 라파엘로 전파(前派)의 화가.

PR-Arbeit *f.* 공보〔홍보·섭외〕 활동.
Prärie [prɛrí:] ⟪frz.⟫ *f.* -n 초원, 목장; (특히 북아메리카의) 대초원.
Prärie·auster *f.* 〖요리〗 프레리 오이스터(달걀 노른자에 오이스터소스·식용유·브랜디를 섞어 만든 음료). **~gras** *n.* 대초원〔프레리〕의 초목. **~hund** *m.* 프레리도그. **~indianer** *m.* 프레리 지대의 인디언. **~wolf** *m.* 코요테.
Prärogativ [prɛrogatí:f] *n.* -s, -e [..və] ↑ Prärogative.
Prärogative [..tí:və] ⟪lat. praerogativa⟫ *f.* -n ①〖고어〗 특권, 우선권. ② (군주의) 대권(大權).
Prasem [prá:zəm] ⟪gr. práson⟫ *m.* -s, -(e) 〖광물〗 녹(綠)석영.
Prasen *m.* -s, - ↑ Prasem.
Präsens [prɛ́:zɛns] ⟪lat. praesens⟫ *n.* -, ..sentia [..zɛ́ntsia]/..senzien [..zɛ́n..] 〖문법〗 현재 (시제), (동사의) 현재형: historisches ~ 역사적 현재.
Präsens·partizip *n.* 〖문법〗 현재 분사.
präsent [prɛzɛ́nt] *a.* 〔교양〕 ① 현재의; 현존하는, 출석 중인, 현재 있는. ② 현재 이용할 수 있는; 기억하고 있는: et. ~ haben 무엇을 현재 가지고〔기억하고〕 있다; das ist mir im Augenblick nicht ~ 그것이 당장은 기억나지 않는다. ③ 침착한, 제정신인.
Präsent ⟪원뜻 „das Dargebotene"⟫ *n.* -(e)s, -e (조그만) 선물(Geschenk).
präsentabel *a.* ① 내보일〔내세울〕 만한. ② 멋진, 훌륭한, 당당한.
Präsentant *m.* -en, -en 〖經〗 어음〔증서〕 제시자; 제안자, 추천자.
Präsentation [..tsió:n] *f.* -en ①〔교양〕 제출, 제시, 프레젠테이션; 추천, 천거. ② 〖經〗 어음의 제시.
Präsentations·recht *n.* (관직 따위의) 추천권; 제의〔제안〕권; 〖가톨릭〗 성직자 추천권.
präsentieren ⟪Ⅰ⟫ *t.* 〔교양〕 ① 바치다, 내어놓다, 제공하다: er präsentierte ihr Kaffee und Gebäck 그는 그녀에게 커피와 과자를 대접했다; eine neue Show ~ 새로운 쇼를 보여주다. ② 제시하다: eine Rechnung ~ 계산서를 제시하다; 〔비유〕 jm. die Rechnung (für et.) ~ 누구에게 (무엇에 대해) 책임질 것을 요구하다. ③ 추천〔천거〕하다. ④〖軍〗 받들어총하다: präsentiert das Gewehr! 받들어총! ⟪Ⅱ⟫ *refl.* sich jm. ~ 누구 앞에 나타나다, 면회하다; sich gut ~ 잘 보이다, 좋은 인상을 주다.
Präsentia [prɛzɛ́ntsia] ↑ Präsens 의 복수형.
Präsentier·brett *n.* ↑ ~teller. **~marsch** *m.* 열병 행진곡. **~teller** *m.* 〔고어〕 (편지나 명함을 건넬 때 쓰는) 쟁반: 〔구어〕 auf dem ~ sitzen 눈에 잘 뜨이는 곳에 앉아 있다, 뭇 사람의 주목을 받다, 구경거리가 되다; jm. et. auf dem ~ entgegenbringen 누구에게 무엇을 증정〔제공〕하다.
Präsentierung *f.* -en ↑ Präsentation.
präsentisch *a.* 〖문법〗 현재(시제)의.
Präsent·korb *m.* (진미를 담은) 선물 바구니.
Präsenz [prɛzɛ́nts] ⟪lat.⟫ *f.* 〔교양〕 ① 현존; 출석, 임석; 주둔. ②〔총칭〕 출석자. ③ 현병력.
Präsenz·bibliothek *f.* (관외 대출을 하지 않는) 열람식 도서관. **~bücherei** *f.* ↑ ~bibliothek. **~dienst** *m.* (öst.) 연방군 복무, 군복무, 병역. **~geld** *n.* 일당.
Präsenzien ↑ Präsens 의 복수형.
Präsenz·liste *f.* 출석부. **~stand** *m.* 〖軍〗 현재원. **~stärke** *f.* 〖軍〗 현재 병력, 현인원. **~zeit** *f.* 출석 시간.
Praseodym [prazeodý:m] ⟪gr.⟫ *n.* -s 〖化〗 프라세오딤(기호: Pr).
Präsepe [prɛzé:pə] ⟪lat.⟫ *n.* -s, ..pien [..piən] ① 구유 속의 예수 탄생 그림 및 모형. ② 〖天〗 프레제페(게자리에 있는 산개 성단(散開星團)).
Praser [prá:zər] *m.* -s, - 녹석영(↑ Prasem).
Präservativ [prɛzɛrvatí:f] ⟪lat.⟫ *n.* -s, -e [..və] (남성용) 피임 용구, 콘돔.
Präservativ·mittel *n.* ↑ Präservativ.
Präserve [..zɛ́rvə] *f.* -n 〖식품〗 (말린 야채나 절인 과일 같은) 반저장〔보존〕 식품.
präservieren [..ví:..] *t.* 〔고어〕 ① 보호하다, 지키다. ② 보존〔간수·갈무리〕하다.
Präses [prɛ́:zɛs] ⟪lat.⟫ *m.* -, ..sides/..siden [..zí:dən] ① (로마 제국의) 지방 총독, (최하급의) 지방관. ②〖가톨릭〗 주교구 평의회 의장, 지도 사제. ③〖기독교〗 당회장(堂會長); 주(洲)의 종교 회의 의장.
Präside [prɛzí:də] *m.* -n, -n 〔학생〕 (대학생) 술자리의 좌장(座長).
***Präsident** [..dɛ́nt] ⟪lat. praesidere, „voransitzen"⟫ *m.* -en, -en ① 좌장, 상석자, 사회자; (의회의) 의장: zweiter ~ 부의장. ② (단체의) 장(長), 이사장, 총재, 교장; 회장, 사장. ③ 대통령: Bundes~ 연방 대통령.
Präsidenten·stelle *f.* 대통령〔의장〕의 지위. **~stuhl** *m.* 대통령〔의장〕석(席). **~wahl** *f.* 대통령〔의장〕 선거.
Präsidentin *f.* -nen ↑ Präsident 의 여성형.
Präsidentschaft [prɛzidɛ́ntʃaft] *f.* ① 대통령〔의장〕직(職)〔지위〕. ② 대통령〔의장〕의 임기.
Präsidentschafts·kandidat *m.* 대통령〔의장〕 후보.
Präsides ↑ Präses 의 복수형.
präsidial [..diá:l] ⟪lat.; Präses⟫ *a.* 의장〔장관·대통령〕의.
Präsidial·demokratie *f.* 〖政〗 대통령제 민주주의. **~erlaß** *m.* 대통령의 훈령〔포고〕. **~gewalt** *f.* 대통령〔의장〕의 권한. **~regierung** *f.* 대통령 중심제 정부. **~system** *n.* 〖政〗 대통령제 민주주의(의 헌법 체계).
präsidieren [prɛzidí:rən] ⟪Ⅰ⟫ *i.* (h.) 의장직(職)을 맡다, (단체·회의를) 이끌다: einem Gremium ~ 위원회 의장직을 맡다. ⟪Ⅱ⟫ *t.* (schweiz.) ein Gremium ~ 위원회 의장직을 맡다.
Präsidium [prɛzí:diʊm] *n.* -s, ..dien [..diən] ① 의장〔사회〕역; 감독, 관리, 지배: das ~ übernehmen〔führen〕 의장역〔의사(議事) 진행〕을 맡다. ② 의장단, 회장단, 간부진: er wurde in das ~ gewählt 그는 의장단으로 선출되었다. ③ 경찰서〔청·본부〕.
präsilurisch *a.* 〖지질〗 실루리아기(紀) 이전의.
präskribieren [prɛskribí:rən] ⟪lat.⟫ ⟪Ⅰ⟫ *t.*

①〖교양〗 규정〔제정〕하다, 명령하다. ②〖法·구식〗 시효 만료 판결을 내리다. 《Ⅱ》**präskribiert** *p.a.* ↑ präslribiert.

präskribiert 《Ⅰ》 *p.p.* ↑ präskribieren. 《Ⅱ》 *p.a.* 규정된, 시효가 만료된.

Präskription [..skrɪptsió:n] *f.* -en 〖교양〗 ① 규정, 규칙; 지시, 명령. ②〖法〗 시효; (특히) 소멸 시효.

präskriptiv *a.* 〖언어학·교양〗 규범적인.

Praß [pras] *m.* Prasses ①〖구어〗 소란; 분노, 격분: ich hab' nen richtigen ~ auf ihn 나는 그에게 정말 화가 난다. ②〖고어〗 잡동사니, 허섭스레기. ③ 도락, 방탕.

Prassel·kuchen *m.* 바삭거리게 구운 과자.

prasseln [prásəln] *i.* ① 후두둑〔따닥따닥〕 소리나다〔울리다〕, (비가) 후두둑 쏟아지다: kurz darauf prasselten die Schüsse 그러자마자 총성이 콩 볶듯이 들렸다; der Regen prasselte gegen die Fensterscheiben 비가 유리창에 부딪쳐 후두둑거렸다. ② (불이) 탁탁 소리를 내며 타다: das Holz brennt ~d 나무가 탁탁 소리를 내며 타오른다; Fleisch prasselt in der Pfanne 고기가 프라이 팬에서 지글거린다. ③ (h.) 〖비유〗 뽐내다; 거짓말하다, 허풍떨다. ④〖사냥〗 Auerhähne ~ 사냥꾼이 위치를 옮길 때 나뭇가지를 꺾어 딱딱 소리내어 신호하다.

prassen [prásən] *i.* (h.) 흥청거리다; 미식(美食)하다; 방탕 생활을 하다.

Prasser *m.* -s, - 사치스럽게〔흥청거리며〕 사는 사람.

Prasserei [prasərái] *f.* -en 도락, 방탕한 생활.

prästabel [prɛstá:bəl] 《lat.》 *a.* 능력 있는, 유능한.

prästabilieren [prɛstabilí:rən] 《lat.》 *t.* 〖교양·구식〗 예정하다, 미리 확정〔규정〕하다: 〖哲〗 prästabilierte Harmonie 예정 조화.

Prästandum [prɛstándum] 《lat.》 *n.* -s, ..da 〖구식〗 ① 의무, 의무 이행. ② 조세, 공과(公課).

Prästant *m.* -en, -en 〖악기〗 (오르간의) 기본 음전(音栓).

Prästanz *f.* 능력; 장점; 품위, 고귀.

Prästation [..tsió:n] *f.* -en 〖구식〗 ① 이행, 수행. ② 보증.

prästieren *t.* 〖구식〗 ① 완수하다, 실행〔이행〕하다; Prästanda ~ (납세) 의무를 다하다. ② 보증하다. ③ 참다, 인내하다.

präsumieren [prɛzumí:rən] 《lat. sumere》 *t.* 〖法·哲·교양〗 ① 예상〔전제〕하다, 가정〔추정〕하다. ② 상상〔공상〕하다.

Präsumtion [..zumtsió:n] *f.* -en 〖法·哲·교양〗 ① 전제, 예상, 가정, 추정. ② 상상, 공상.

präsumtiv [..tí:f] *a.* 〖法·哲·교양〗 예상한, 가정적인, 추측상의; 개연성이 있는.

Präsumtiv·erbe *m.* 추정 상속인.

Prätendent [prɛtɛndɛ́nt] 《frz. prétendant》 *m.* -en, -en 〖교양〗 (관직·요직 특히 왕위를 바라는) 요구자, 왕위 계승 요구자.

prätendieren 《Ⅰ》 *i.* (h.) 〖교양〗 요구하다, 노리다: auf ein Amt ~ 관직을 요구하다. 《Ⅱ》 *t.* 주장하다.

Prätension [..zió:n] *f.* -en ↑ Prätention.

Prätention [..tsió:n] *f.* -en 〖교양〗 ① 요구, 요망. ② 오만불손.

prätentiös [..tsiø:s] *a.* 〖교양〗 ① 요구가 많은. ② 외람된; 독단적인.

Prater [prá:tər] ① *m.* -s 프라터(오스트리아의 빈에 있는 공원). ② *m.* -s, - 유원지.

präterieren [prɛtərí:rən] 《lat. prater》 *t.* 간과하다; 생략하다.

Präteritio [..rí:tsio], **Präterition** [..tsió:n] *f.* ..tionen 〖修〗 암시적 생략법.

Präteritopräsens [prɛteritoprɛ́:zɛns] *n.* -, ..sentia [..zɛ́ntsia]/..senzien [..zɛ́ntsiən] 〖문법〗 과거형 현재 동사(원래 과거형이었으나 오늘날 현재형으로 쓰는 동사) (보기: dürfen, können, wissen).

Präteritum [prɛté:ritum] *n.* -s, ..ta 〖문법〗 ① 과거(시제). ② (동사의) 과거형.

präterpropter [prɛ́:tərprɔ́ptər] 《lat., „nahe vorbei"》 *adv.* 〖교양〗 약, 대략, 대충.

Prätext [prɛtɛ́kst, prɛ́:tɛk..] 《lat. praetexere》 *m.* -(e)s, -e 구실, 핑계.

Prätor [prɛ́:tɔr, ..to:r] 《lat.》 *m.* -s, -en [..tó:rən] (고대 로마의) 대법관, 집정관.

Prätorianer [prɛtoriá:nər] *m.* -s, - (고대 로마 황제의) 근위병, 친위병.

pratschen *i.* (h.) (md.) 뽐내다, 자만하다.

Prätur [prɛtú:r] 《lat.》 *f.* -en (고대 로마의) 대법관〔집정관의〕 직위〔임기〕.

Pratze [prátsə] 《lat.》 *f.* -n (südd., öst.) ① (맹수의) 앞발. ②〖농담〗 크고 거친 손.

Prau *f.* -e (말레이의) 작은 돛단배.

prävalent [prɛvalɛ́nt] 《lat.》 *a.* 〖교양〗 우세한, 위력 있는, 주요〔중요〕한, 탁월한.

Prävalenz *f.* 우세, 유력, 우월.

prävalieren 《Ⅰ》 *i.* (h.) 〖교양〗 우세〔유력·우월〕하다. 《Ⅱ》 *refl.* sich ~ 손실을 만회하다.

prävenieren [prɛvení:rən] 《lat.》 *i.* (h.) 〖교양〗 ① 앞지르다, 선수치다. ② (병을) 예방하다; 예고하다.

Prävenire [prɛvení:rə] *n.* -(s) 〖고어〗 앞지르기, 선수(先手): jm. das ~ spielen 누구의 기선을 제하다, 선수를 치다.

Prävention [prɛvɛntsió:n] *f.* -en 〖전문·교양〗 ① 선수(先手)치기. ② (질병 따위의) 예방. ③ 예고, 경고.

Präverb *n.* -s, -ien [..biən] 〖언어〗 동사의 분리 전철.

präventiv [..tí:f] *a.* 〖교양〗 예방의.

Präventiv=behandlung *f.* 〖醫〗 예방 조치. **~impfung** *f.* 예방 접종. **~krieg** *m.* (적의 공격을 봉쇄하기 위한) 선제 공격, 예방 전쟁. **~maßnahme** *f.* 예방 조치〔책〕. **~maßregel** *f.* ↑ ~maßnahme. **~medizin** *f.* 예방 의학. **~mittel** *n.* 〖醫〗 예방약; 예방책, (특히) 피임약. **~schlag** *m.* 기습 (핵무기) 선제 공격. **~verkehr** *m.* 〖醫〗 피임 (대책을 세운) 성교.

präverbal *a.* 언어 습득 이전의.

Prawda [právda] *f.* 프라우다지(紙).

***Praxis** [práksɪs] 《gr.》 *f.* ..xen ① 실행, 실천; 실제: et. in die ~ umsetzen 무엇을 실천에 옮기다; in der ~ sieht das alles ganz anders aus 실제로는 그 모든 것이 다르게 보인다. ② (실무) 경험, 숙련: eine langjährige ~ besitzen 오랜 실무 경험을 지니다. ③ 처리〔취급〕 방식: das ist eine einigermaßen seltene ~ 그것은 상당히 보기 드문 처리 방식이다. ④ (의사·변호사의) 활동〔영업〕 범위; 환자〔고객〕층: eine große〔gutgehende〕 ärztliche〔juristische〕 ~ 많은 환자〔법률 고객〕. ⑤ 진료실; 변호사 사무실: zu einem Arzt in die ~ kommen 의사의 진료를 받으러 오다.

praxis≈bezogen *a.* 실제〔실무〕와 관련된: eine ~e Ausbildung 실무 교육. **~bezug** *m.* 실제〔실무〕와의 연관. **~fern** *a.* 실제〔실무〕와 무관한. **~fremd** *a.* 실제〔실무〕 경험이 없는. **~gerecht** *a.* 실제〔실무〕에 적합한. **~nah** *a.* 실제〔실무〕와 밀접한. **~verbunden** *a.* 실제〔실무〕와 연관된.

Praxiteles [praksí:telɛs] 프락시텔레스(고대 그리스의 조각가, 370 ? -330 ? B.C.).

Präzedens [prɛtsé:dɛns] 《lat.》 *n.* -, ..denzien [..dɛ́ntsiən] 〔교양〕 선례, 전례.

Präzedenz [prɛtsedɛ́nts] *f.* -en 〔교양〕 상위, 우선; 〖가톨릭〗 상좌.

Präzedenz≈fall *m.* 선례, 전례, 판례. **~streit** *m.* ↑ ~streitigkeit. **~streitigkeit** *f.* 우선(권) 다툼; 순위 다툼.

Präzeptor [prɛtsɛ́ptɔr, ..to:*r*] 《lat.》 *m.* -s, -en [..tó:rən] 〔고어〕 (가정) 교사; 교육자.

Präzession [prɛtsɛsió:n] 《lat.》 *f.* -en ① 〖物〗 세차(歲差) 운동(회전체의 회전축 방향이 변하는 운동). ② 〖天〗 세차 현상.

Präzipitantia [..tsia] 《lat.》 *n./pl.* 〖化〗 침전제(沈澱劑).

Präzipitat [prɛtsipitá:t] *n.* -(e)s, -e ① 〖지질〗 분리된 광물의 침전으로 형성된 퇴적물〔암〕. ② 〖化·고어〗 침전물. ③ 〖醫〗 각막 후면 침전물; 침전물.

Präzipitation [..tatsió:n] *f.* -en 〖醫·化〗 침전, 침강, 석출(析出).

präzipitieren *t.* 〖醫·化〗 침전〔석출〕시키다.

Präzipitin *n.* -s, -e 〖醫〗 혈액의 침강소(沈降素).

präzis(e) [prɛtsí:s, ..tsí:zə] 《lat.》 *a.* 정확〔정밀·엄밀〕한, 명확한, 꼼꼼한; 간명한.

präzisieren *t.* (좀더) 정확하게 규정〔표현〕하다.

Präzisierung *f.* -en (보다) 정확하게 규정〔표현〕하기.

Präzision [..tsizió:n] *f.* 정확, 정밀, 엄밀; 간결, 간명.

Präzisions≈arbeit *f.* 정밀 작업; 정밀 기계 작업. **~gewehr** *n.* 〖軍〗 정교한 총. **~instrument** *n.* 〖工〗 정밀 기계. **~uhr** *f.* 정밀 시계. **~waage** *f.* 정밀 저울.

Predella [predɛ́la] 《it.》 *f.* -s/..dellen ↑ Predelle.

Predelle [predɛ́lə] 《frz.》 *f.* -n 〖畫〗 프리델러(제단 장식의 기저판).

*__predigen__ [pré:dɪgən] *i.* (h.)/*t.* ① 설교〔설법〕하다; 알리다, 전파하다: über ein bestimmtes Bibelwort ~ 특정 성경 말씀에 대해 설교하다; das Evangelium ~ 복음을 전파하다. ② 〔구어〕 (장황하게) 훈계하다; 촉구하다, 호소하다; jm. Ordnung ~ 누구에게 질서를 지키라고 훈계하다; gegen et. ~ 무엇을 비난하다, 무엇에 반대하여 설교하다; 〔속담〕 tauben Ohren ~ 쇠귀에 경읽다; Gelehrten ist gut ~ 배운 사람이 이해도 빠르다.

*__Prediger__ *m.* -s, - ① 설교자; 목사, 사제, 성직자; 〖聖〗 예언자: ~ Salomo(nis) 전도자 솔로몬, (구약의) 전도서. ② 〔구어〕 훈계자, 옹호자. ③ 〔농담〕 이야기를 길게 늘어놓는 사람, 수다쟁이.

Prediger·amt *n.* 성직(聖職).

Predigerin *f.* -nen ↑ Prediger 의 여성형.

Prediger≈mönch *m.* 〖가톨릭〗 도미니크파의 수도사; 전도사. **~orden** *m.* 도미니크회. **~seminar** *n.* (신교의) 신학교.

*__Predigt__ [pré:dɪçt] *f.* -en ① 설교, 설법: die ~ halten 설교를 하다. ② 〔구어〕 (Strafrede) 훈계, 타이름, 꾸짖음, 견책.

Predigt≈amt *n.* (대개 목사직을 겸한) 설교사직, 성직. **~buch** *n.* 설교집. **~stuhl** *m.* 〔고어〕 설교단, 강단. **~text** *m.* 설교용 성경 본문.

Preference [preferɑ̃́:s] *f.* -n 프레페랑스(세 사람이 32 장의 카드로 하는 프랑스식 카드놀이).

preien [práɪən] 《lat.》 *t.* 〖海〗 (다른 배를) 부르다.

*__Preis__[1] [praɪs] 《frz. <lat.》 *m.* -es, -e ① 값, (매매) 가격; 요금, 수수료; 비용, 경비; 대가: zivile ~e 그리 비싸지 않은 가격, 받아들일 만한 가격; feste ~e 고정 가격, 정가; herabgesetzte ~e 할인 가격; ortsübliche ~e 지방 가격; 〖商〗 ~e auszeichnen (상품에) 가격표를 붙이다; Senkung der ~e 물가 하락; die ~e festsetzen 값을 정하다; einen hohen ~ haben 값이 비싸다; (auf) die ~e drücken (싸게 불러) 값을 깎아내리다; nicht auf den ~ sehen 가격에 구애받지 않다; hoch〔gut〕 im ~e stehen 값이 좋다(높은 값에 쉽게 팔 수 있다); 〔비유〕 um jeden ~ 반드시, 어떠한 대가를 치르더라도; 〔비유〕 um keinen ~ 결코 …하지 않다; et. unter (dem) ~ verkaufen 무엇을 싸게 팔다; 〔구어〕 zu billigem〔hohem〕 ~e 헐값〔비싼 값〕으로; zum ~e von… …의 값으로; die ~e fallen〔steigen〕 물가가 내리다〔오르다〕; die ~e schlagen auf 〔geben nach〕 물가가 오르다〔내리다〕; die ~e erholen sich 물가가 회복되다; etwas sinkt 〔steigt〕 im ~e 무엇의 값이 싸지다〔비싸지다〕; der ~ für die Hose beträgt 70 Mark 바지 값이 70 마르크에 달한다; das ist ein stolzer ~ 그것은 대단히 비싸다; ich mache dir einen guten ~ 나는 네게 싼 값에 판다. ② (**a**) 상, 상금, 보상, 포상: erster ~ 1 등상; ~ in Geld 상금; ~e stiften〔aussetzen〕 현상(금)을 걸다; jm. den ~ geben〔zuerkennen〕 누구에게 상을 수여하다; einen ~ auf js. Kopf (aus)setzen 누구의 목에 현상(금)을 걸다; mit einem ~ auszeichnen 포상을 주어 표창하다; sich um einen ~ bewerben 현상에 응모하다; 〔속담〕 ohne Fleiß kein ~ 노력하지 않으면 소득도 없다. (**b**) (상(금)을 건) 경기: 〖승마〗 ~ der Nationen 국가 대항 장애물 경기. ③ 〔시어〕 칭찬, 찬양; 명예, 영광: jm. Lob und ~ singen 누구를 찬양하다; Lob und ~ sei Gott 〔Gott sei ~ und Dank〕! 신에게 영광이 있으라! ④ 정화(精華), 모범. ⑤ 〔드물게〕 가치.

Preis[2] *m.* -es, -e (수놓은) 가장자리; 끈, 띠.

Preis≈abbau *m.* 가격 인하. **~abschlag** *m.* 〖商〗 (가격) 인하〔할인〕. **~absprache** *f.* 〖經〗 (생산자들 사이의) 가격 협정〔담합〕. **~angabe** *f.*, **~ansatz** *m.* 가격표, 시세표. **~anstieg** *m.* 가격〔물가〕 상승. **~aufgabe** *f.* 현상 (공모) 과제〔퀴즈〕. **~aufschlag** *m.* 가격 상승. **~auftrieb** *m.* 물가 상승, 물가

등귀. ~**ausschreiben** *n.* 현상 (모집): sich an einem ~ beteiligen 응모하다. ~**ausschreibung** *f.* ↑ ~ausschreiben. ~**behörde** *f.* 물가 (통제) 당국. ~**bewegung** *f.* 물가 등락. ~**bewerber** *m.* 현상(공모) 응모자. ~**bewerbung** *f.* (상이 걸린) 경쟁, 현상(懸賞). ≈**bewußt** *a.* 가격을 중시〔의식〕하는. ~**bildung** *f.* 〖經〗 물가〔가격〕 형성. ~**bindung** *f.* 〖經〗 정가 준수 의무; 〖출판〗 (덤핑 방지를 위한) 가격 제한. ~**boxer** *m.* 〔옛뜻〕 상금을 놓고 경기하는 권투 선수. ~**brecher** *m.* 협정 가격 위반자. ~**drücker** *m.* (처음에 싼 값을 불러) 값을 깎는 사람; 시세 하락을 유발하는 증권 거래인.

Preise [práɪzə] *f.* -n ↑ Preis².

Preisel·beere [práɪzəl..] 《tschech.》 *f.* -en 〖植〗 ① 월귤나무. ② 월귤나무 열매(월귤).

***preisen** [práɪzən] (pries, gepriesen) *t.* 칭찬하다; 찬양하다; 찬미하다: jn. glücklich ~ 누구를 행복하다고 말하다.

Preis≈empfehlung *f.* 〖經〗 권장 소비자 가격. ~**entwicklung** *f.* 물가〔가격〕 추세〔동향〕. ~**erhöhung** *f.* 가격〔물가〕 인상. ~**ermäßigung** *f.* 할인, 값깎기. ~**explosion** *f.* 물가〔가격〕 폭등. ~**fahren** *n.* (자동차의) 현상 경주. ~**frage** *f.* ① ↑ ~aufgabe. ② 〔비유·구어〕 어려운 문제: das ist eine ~! 그것은 까다로운 문제다! ③ 가격(에 좌우되는) 문제: ob wir uns jetzt das Auto kaufen, das ist nicht zuletzt eine ~ 우리가 지금 그 자동차를 살 것인지는 무엇보다도 가격에 달려 있다.

Preis·gabe [práɪs..] *f.* 포기, 단념; (비밀) 누설.

preis|geben 《I》 *t.* ① 내맡기다, 넘겨 주다, 희생하다: das Boot war dem Wind und den Wellen preisgegeben 배는 풍파에 내맡겨졌다. ② 포기〔단념·체념〕하다: sie hat ihre Ehre preisgegeben 그녀는 자신의 명예를 포기했다. ③ (비밀을) 지키지 못하다, 누설하다. 《II》 *refl.* sich ~ 몸을 맡기다, 자포자기하다; (여자가) 몸을 허락하다, 몸을 팔다; sich dem Gelächter ~ 웃음거리가 되다.

preis·gebunden *a.* 정가 준수 의무가 있는, 지정 가격에 묶인.

Preis·gebung *f.* ① 포기, 단념. ② 몸을 허락함〔더럽힘〕.

Preis≈gefälle *n.* 가격차. ~**gefüge** *n.* 〖經〗 물가〔가격〕 구조, 가격 관계. ≈**gekrönt** *a.* 상을 받은: ein ~er Dichter 계관 시인. ~**gericht** *m.* 현상 (공모) 심사 위원회. ~**gesang** *m.* ① 찬미가. ② 입선가(入選歌). ~**gestaltung** *f.* ① 가격 정책. ② 가격 형성. ~**grenze** *f.* 가격의 등락 한계: obere〔untere〕 ~ 상한〔하한〕가. ≈**günstig** *a.* 가격이 유리한. ~**herabsetzung** *f.* 가격 인하. ~**index** *m.* 〖經〗 물가 지수. ~**kalkulation** *f.* 〖經〗 가격 산출. ~**kämpfer** *m.* 상금을 놓고 경기하는 (권투) 선수. ~**kartell** *n.* 〖經〗 가격 카르텔〔협정〕. ~**kegeln** *n.* 상금이 걸린 볼링 경기. ≈**kegeln** *i.* (h.) 상금이 걸린 볼링 경기를 하다〔열다〕. ~**klasse** *f.* 가격 등급. ~**konjunktur** *f.* 〖經〗 가격 경기(물가 상승을 동반한 호경기). ~**kontrolle** *f.* 〖經〗 물가 감시〔통제〕. ~**konvention** *f.* 〖經〗 가격 협정〔담합〕. ~**korrektur** *f.* 가격 변경. ~**kurant** *m.* 〔고어〕 정가표, 가격표〔목록〕. ~**lage** *f.* 시세, 가격 수준〔등급〕.

preislich [práɪslɪç] *a.* ① 가격의, 가격에 관한: ~e Unterschiede 가격 차이; ~ günstig 가격면에서 유리한. ② 〔시어〕 칭찬할 만한.

Preis≈lied *n.* ① 찬가, 송가. ② 〖문학〗 (게르만 문학의 가곡 형식으로 영웅시와 달리 즉석에서 당대 인물을 칭송하는) 찬가. ③ 현상 공모 가곡〔가요·시〕. ~**liste** *f.* 가격표, 품목별 가격 목록. ~**-Lohn-Spirale** *f.* 〖經〗 물가와 임금의 나선적(螺旋的) 상승. ~**nachlaß** *m.* 〖經〗 할인. ~**niveau** *n.* 〖經〗 가격〔물가〕 수준. ~**politik** *f.* 〖經〗 물가 정책. ~**rätsel** *n.* 현상 퀴즈〔과제〕. ~**regelung** *f.* 〖經〗 가격 조정. ~**richter** *m.* (현상 공모·경기의) 심사원, 심판원. ~**richterin** *f.* ↑ ~richter 의 여성형. ~**rück·gang** *m.* 물가 하락. ~**schießen** *n.* 현상이 걸린 사격 대회. ~**schild** *n.* 가격〔정가〕표. ~**schlager** *m.* 〔구어〕 특별 할인가〔할인품〕, 염가(품). ~**schrift** *f.* 현상 논문. ~**schwankung** *f.* 가격〔물가〕 변동.

Preißel·beere *f.* 월귤나무(Preiselbeere).

Preis≈senkung *f.* 물가 〔가격〕 하락. ~**singen** *n.* (상금이 걸린) 노래 (자랑). ~**skat** *m.* 상금이 걸린 스카트 놀이. ≈**stabil** *a.* 가격이〔물가가〕 안정된. ~**stabilität** *f.* 〖經〗 물가 안정. ~**steigerung** *f.* 물가 상승〔등귀〕. ~**steigerungs·rate** *f.* 〖經〗 물가 상승률. ~**stopp** *m.* 〖經〗 (정부 당국의) 가격 동결. ~**stopp·verordnung** *f.* 가격 동결령. ~**sturz** *m.* 물가〔가격〕 폭락. ~**tafel** *f.* 가격〔정가〕표. ~**träger** *m.* 수상자, 현상 모집 당선자. ~**trägerin** *f.* ↑ ~träger 의 여성형. ≈**treibend** *a.* 〔폄어〕 물가를 인상시키는. ~**treiber** *m.* 〔폄어〕 값·시세를 올리는 사람. ~**treiberei** *f.* 〔폄어〕 물가 올리기, 인위적인 물가 인상. ~**überwachung** *f.* 〖經〗 (국가의) 물가 감시. ~**überwachungs·stelle** *f.* 물가 통제 당국. ~**vergleich** *m.* 가격 비교. ~**verteilung** *f.* 시상(施賞). ~**verzeichnis** *n.* ↑ ~liste. ~**vorschrift** *f.* 〖經〗 물가 관리법〔규정〕. * ≈**wert** *a.* ① 칭찬할 만한. ② (품질에 비해) 싼. ~**wucher** *m.* 〔폄어〕 바가지 요금. ≈**würdig** *a.* ① 〔고어〕 알맞은 가격의, 비싸지 않은. ② 〔雅語〕 칭찬〔상〕받을 만한; 걸출한. ~**würdigkeit** *f.* 알맞은 가격, 가격이 적당함. ~**zettel** *m.* 가격표, 정가표. ~**zuschlag** *m.* (물가의) 할증금, 가격 할증.

prekär [prekɛ́:r] 《lat. precari, „bitten"》 *a.* 〔교양〕 불쾌한, 곤란한, 불안(정)한; 불확실한; 위험한; eine ~e Frage 곤란한 문제.

prell *a.* (ndd.) 빠른; 활기 있는.

Prell≈ball *m.* 〖스포츠〗 프렐발(배구 비슷한 경기). ~**bock** *m.* ① 〖철도〗 (선로 끝에 설치된) 열차 정지 장치. ② (프렐발 경기장의) 중앙 분리대, 횡목. ③ 〔비유·구어〕 매사에 책임이 떠넘겨지는 사람: sie muß immer als ~ dienen 〔herhalten〕 그녀는 항상 모든 걱정거리를 떠맡아야 한다. ~**draht** *m.* 〖전기〗 (고압선 밑의) 보호선.

prellen [prɛ́lən] 《<prall》 《I》 *i.* (h./s.) ① (s.) auf〔gegen〕 jn.〔et.〕 ~ 충돌하다, 부딪치다. ② (s.) 〔방언〕 (맹수나 사냥개로부터) 급히 도망치다. 《II》 *t.* ① **(a)** 〖핸드볼〗 공을 바운드시키다, (프렐발에서) 주먹으로 공을 바닥에 쳐서 튕겨 넘기다. **(b)** 강하게 치다〔차다〕. **(c)** 부딪쳐 상처를 입히다. ② 〖사냥〗 einen Fuchs

～ (사냥에서 잡은) 여우를 팽팽한 모포나 그물 위에 올려놓고 계속 하늘 높이 던져올려 괴롭히다(옛날 사냥 풍습). ③〔구어〕속이다, 기만하다; 속여 빼앗다: jn. um et. ～ 누구에게서 무엇을 사취하다; die Zeche ～ 무전 취식하다. ④〔방언〕자랑하다. 《Ⅲ》 *refl.* sich³ et. 〔sich an et.³〕 ～ 무엇을 세게 부딪쳐 다치다; ich habe mir die Hand geprellt 나는 손을 부딪쳐 다쳤다; ich prellte mich an der Schulter 나는 어깨를 부딪쳤다.

Prẹller *m.* -s, - ① 충돌, 충격. ② 사기꾼, 무전 취식자. ③ 유탄 사격(Prellschuß).

Prellerei [prɛləráɪ] *f.* -en 사기, 기만; 부딪치기, 충돌.

Prẹll≈netz *n.* 〖사냥〗 ① (짐승이 도망가는 길목에 쳐놓는) 그물. ② 잡은 여우를 던져올리는 그물. **～schuß** *m.* 〖軍〗 (장애물 또는 바닥에 맞고 빗나가는) 유탄(流彈) 사격. **～stein** *m.* (자동차의 충돌을 막기 위한) 방충석(防衝石).

Prẹllung *f.* -en (피)멍, 타박상.

Prélude [prelýd] *n.* -s, -s 〖음악〗 전주곡, 서곡(Präludium 의 프랑스어 형태).

Premier [prəmié:, pre..] 《frz. <lat. primarius》 *m.* -s, -s [..mié:s] ↑ Premierminister 의 단축형.

premier.. *pref.* "최고의, 수위(首位)의"의 뜻.

*__Premiere__ [prəmié:rə, pre..] 《frz.》 *f.* ① 초연(初演), 첫 흥행. ② 초연의 각본. ③ (가극의) 주역 여가수.

Premieren≈abend *m.* 초연일〔개봉일〕 저녁. **～besucher** *m.* 초연〔개봉 영화〕 관객〔입장객〕. **～publikum** *n.* 초연〔개봉 영화〕 관객.

Premier≈leutnant *m.* 육군 중위. **～minister** *m.* 국무 총리, 수상. **～ministerin** *f.* ↑ ～minister 의 여성형.

premium 《lat. -engl.》 *a.* (같은 종류의 다른 물건들에 비해) 최고의 품질을 가진.

Presbyter [prɛ́sbytər] 《gr. présbys, „alt"》 *m.* -s, - ①〔옛뜻〕(원시 기독교 공동체의) 장로. ②〖가톨릭〗 사제. ③〖기독교〗 장로, (교구에서 선출되는) 장로회 위원, 교회 관리 위원.

Presbyterat *n.* -(e)s, -e 〖가톨릭〗 사제의 서계(敍階).

Presbyterial·verfassung *f.* 〖기독교〗 장로(회) 제도.

Presbyterianer *m.* -s, - 장로회 제도주의자; 장로교〔장로 교회파〕 신도.

Presbyterianerin *f.* -nen ↑ Presbyterianer 의 여성형.

presbyterianisch *a.* 장로(제) 교회의; 장로회파의, 장로교 소속의.

Prẹsbyterin *f.* -nen ↑ Presbyter 의 여성형.

Presbyterium *n.* -s, ..rien [..riən] ①〖기독교〗 장로회 교회 관리 위원회; 교구 회의. ②〖가톨릭·총칭〗 교구 소속 사제단. ③ 성당의 사제석(司祭席); 성가대석. ④ 사제관(館).

preschen [prɛ́ʃən] *i.* (h./s.) ①〔방언〕 조급히 서두르다; 질주하다, 뒤쫓다: sie ～ auseinander 그들은 사방으로 흩어진다. ② [pré:ʃən] *imp.* 〔구어〕 es prescht 비가 억수로 쏟아진다.

Presenning [prezɛ́nɪŋ] *f.* -e(n)/-s ①〖海〗 방수포(防水布)로 된 보호 커버. ②〖섬유〗 방수포.

Pre-Shave [prí:ʃe:v] *n.* -(s), -s, **Pre-Shave-Lotion** [..louʃən] 《engl.》 *f.* -s (면도 전에 바르는) 로션(↔ After-Shave-Lotion).

preß *a.* ①〔방언〕 밀착한, 근접한, 긴밀한: 〖건축〗 ～ an ～ (모르타르 없이도) 빈틈없이 밀착한; ～ anliegen〔sitzen〕 (옷 따위가) 꼭 끼다; er kam ～ vor dem Mittagessen 그는 점심 식사 직전에 왔다: einen Gegner〔Mann〕 ～ decken〔nehmen〕 (특히 농구에서) 상대방을 밀착 방어하다. ② (md.) 답답한, 압박하는.

press 新정서 ⇦ preß.

press.. 新정서 ⇦ preß..

Prẹß·angelegenheit *f.* 언론 관계 일〔업무〕.

pressant [prɛsánt] *a.* (obd.) 절박한, 긴급한; 급한.

Prẹß·ball *m.* 〖축구〗 두 사람이 동시에 찬 공.

preßbar [prɛ́sba:r] *a.* 압착〔압축〕할 수 있는.

Prẹß≈bau *m.* 〖광산〗 폐갱(廢坑). **～bengel** *m.* ①〖印〗 수동 인쇄기의 손잡이; 제본기의 압목(壓木). ②〔농담〕 신문 기자, 엉터리 글쟁이. **～bureau** *n.*, **～büro** *n.* 통신사.

*__Presse__ [prɛ́sə] 《lat.》 *f.* -n ① 압박, 압착; 서로 밀치기, 혼잡; 곤란, 낭패; 〔비유〕 곤경: in der ～ sein 곤경에 처해 있다. ②〖工〗 압착〔압축〕기, 프레스; 주서(juicer): Abfall in der ～ zerkleinern 쓰레기를 압착기로 분쇄하다; Obst～ 과일 주서. ③〖印〗 인쇄기: in die ～ gehen 인쇄되다; in〔unter〕 der ～ 인쇄 중; die Zeitung hat gerade die ～ verlassen〔die Zeitung kommt eben aus der ～〕 신문이 지금 막 나왔다. ④ 출판계, 언론계, 신문(업·계), 언론(인); 출판물, 신문, 잡지, 정기 간행물; 신문〔잡지〕의 평: das Urteil der ～ 언론의 판단〔평가〕; die Freiheit〔Knechtung〕 der ～ 출판〔언론〕의 자유〔억압〕; sie ist von der ～ 그녀는 기자다; eine gute 〔schlechte〕 ～ haben 언론에서 호평〔악평〕을 받다. ⑤ 광택, 윤; 광택내기; 끝손질, 마무리. ⑥〔구어〕 (사립) 보습(補習) 학원〔학교〕(성적이 나쁜 학생들을 위한 시험 준비 사립 학교).

presse.. *pref.* "신문·출판"의 뜻.

Prẹsse≈agentur *f.* 통신사. **～amt** *n.* (정부의) 공보실, 홍보실. **～ausweis** *m.* 기자증. **～bericht** *m.* 언론〔신문〕 보도. **～berichterstatter** *m.* 리포터, 통신원, 특파원. **～büro** *n.* 통신사. **～chef** *m.* 공보실〔홍보실〕장. **～dienst** *m.* ① (조직의) 홍보실. ② 홍보 자료. **～empfang** *m.* 언론인 연회〔리셉션〕. **～erklärung** *f.* 보도용 성명. **～freiheit** *f.* 〖法〗 언론·출판의 자유. **～gesetz** *n.* 언론·출판법. **～information** *f.* ① 신문 보도, 신문에 발표된 정보. ② 보도 자료.

Prẹß·eis *n.* 드라이 아이스.

Prẹsse≈kampagne *f.* 신문〔언론〕에 의한 여론 환기〔캠페인〕. **～knebelung** *f.* (정부의) 언론 탄압. **～kommentar** *m.* 신문 논평, 기사 해설. **～konferenz** *f.* 기자 회견: eine ～ einberufen〔abhalten, geben〕 기자 회견을 하다. **～meldung** *f.* 신문〔언론〕 보도.

*__pressen__ [prɛ́sən] 《<Presse》 *t.* ① 압박〔압착〕하다, 찍어내다, 내리누르다; 눌러 굳히다〔다지다〕; 으깨다, 짜다; 죄다; 인쇄하다: Blumen〔Pflanzen〕 ～ 꽃〔식물〕을 눌러 표본을 만들다; eine Schallplatte ～ 음반을 찍어내다; Obst ～ 과일즙을 짜내다; et. glatt

〔dünn〕 ~ 무엇을 눌러 매끄럽게〔얇게〕 하다; et. voll ~ 무엇을 가득 처넣다; in den engen Raum waren 20 Leute gepreßt 좁은 방에 20 명이 빼곡이 들어차 있었다; in seine Arme 〔ans Herz〕 ~ 꽉 끌어안다; ich preßte mich eng an die Hauswand 나는 담벼락에 바짝 달라붙었다; er preßte mir die Hand 그는 내 손을 꽉 잡았다; das preßt ihm Tränen aus den Augen 그것이 그의 눈에서 눈물을 흘리게 한다. ②〖비유·고어〗 억압〔착취〕하다: die Feudalherren haben die Bauern gepreßt 봉건 영주들은 농민들을 억압했다. ③ 강요하다, 강제로 모집하다: die Feudalherren preßten Abgaben aus dem Volk 봉건 영주는 백성에게서 세금을 짜냈다; Soldaten ~ 군대를 강제로 모집하다; jn. zu et.³ ~ 누구에게 무엇을 강요하다;〖비유〗 seine Gedanken in ein Schema ~ 자기 생각을 틀에 억지로 끼워 맞추다;〖海〗 ein Schiff ~ 배에 출항 정지를 명령하다. ④ 억지로 갖다 맞추다: du mußt den Ausdruck 〔das Wort〕 nicht zu sehr ~ 너는 그 말을 그렇게 억지로 해석하면 안 된다. ⑤〖海〗 Segel ~ 돛을 (풍량에 비해 필요 이상으로) 많이 달다. ⑥ 벼락 공부를 시키다: für ein Examen gepreßt werden 시험에 대비하여 벼락 공부를 하다. ⑦〖구기〗 einen Gegner ~ 상대방을 밀착 방어하다.

Prẹsse≈notiz *f.* (짤막한) 신문 보도: sein Tod wurde nur in einer kurzen ~ erwähnt 그의 죽음은 짧은 토막 기사에서만 언급되었다. **~ordnung** *f.* 언론 출판 법규. **~organ** *n.* 기관지(紙).

Presser [prɛ́sər] *m.* -s, - ①〖工〗 압착공; (과일) 즙 짜는 사람. ②〖고어·경박〗 강요자, 압제자, 박해자. ③ 강제 모집인.

Prẹsse≈recht *n.* 〖총칭〗 언론·출판법. **~referent** *m.* 공보관. **~referentin** *f.* ↑ ~referent 의 여성형. **~sachen** *pl.* 신문 기사 (거리). **~schau** *f.* (라디오·텔레비전의) 신문 논평, 신문 기사 요약. **~sprecher** *m.* 공보관, 홍보 담당자. **~stelle** *f.* 홍보〔공보〕실. **~stimme** *f.* (다른 언론 기관에서 소개하는) 신문의 논평〔논조〕. **~tribüne** *f.* (행사장의) 언론〔보도〕 기관 대표석. **~vergehen** *n.* 언론·출판에 관한 법률 위반. **~vertreter** *m.* 신문사〔언론 기관〕 대표, 기자. **~wesen** *n.* 신문업〔출판업〕(계), 저널리즘; 신문. **~zensur** *f.*〖法〗 보도〔언론·출판〕 검열. **~zentrum** *n.* 프레스 센터, 보도 본부.

Preß≈erzeugnis *n.* 인쇄〔출판〕물. **~fehde** *f.* 언론계〔신문계〕의 불화. **~form** *f.*〖工〗 모형(母型), 형틀, 형판(型板). **~freiheit** *f.*〖고어〗 출판〔신문·언론〕의 자유. **~futter** *n.* 압축 사료. **~gang** *m.*〖海〗 선원 징집단;〖軍〗 (강제) 징병대. **~gas** *n.* 압축 가스. **~gesetz** *n.* 언론 출판법. **~glanz** *m.* (눌러서 내는) 광택, 윤. **~glas** *n.*〖工〗 가압성형 유리, 압착 유리. **~hebel** *m.* 압착용 지레. **~hefe** *f.*〖식품〗 (빵 제조에 쓰이는) 압착 효모. **~holz** *n.* 압착 목재 연료;〖工〗 압착 목재.

pressieren [prɛsíːrən] 《frz. <lat. pressare, „drücken"》 (Ⅰ) *t.* 몰다, 재촉하다, 서두르다;〖드물게〗 누르다, 밀다. (Ⅱ) *i.* (h.) 급하다, 바쁘다, 절박하다: es pressiert nicht 서두를 필요는 없다;〖구어〗 es pressiert mir 〔ich bin pressiert〕 나는 급하다.

Pression [prɛsióːn] *f.* -en 〖교양〗 압력, 압박; 강제; 강요: eine ~ (auf jn.) ausüben (누구에게) 압력을 가하다.

Preß≈kohle *f.* (연탄·조개탄 따위) 압착 성형 석탄. **~kolben** *m.* 압축기〔압착기〕의 피스톤. **~kopf** *m.* ①〖식품〗 (젤라틴화된 양념) 머릿고기로 속을 채운 소시지. ② 압착기의 굵은 나사 대가리. ③ 통풍기. **~kosak** *m.*〖폄어〗 어용 기자, 비열한 기자.

Preßling [prɛ́slɪŋ] 《<pressen》 *m.* -s, -e ① 프레스〔압착〕 가공물. ② 연탄. ③ (눌러서 수분을 뺀 사료용) 사탕무 조각.

Preß·luft *f.* 압축 공기.

Preßluft≈bohrer *m.*〖工〗 압축 공기식 착암기. **~hammer** *m.*〖工〗 (압축) 공기 해머. **~flasche** *f.*〖工〗 압축 공기 실린더.

Preß≈ordnung *f.* 언론 출판 법규〔조례〕. **~platte** *f.* 압착판. **~prozeß** *m.* 언론 출판법 위반 소송. **~sachen** *pl.* 신문 기사 (거리). **~sack** *m.* ① ↑ ~kopf ①. ② 짜는 자루. **~schlag** *m.*〖축구〗 두 사람이 동시에 공을 참. **~schraube** *f.* 압착기의 나사. **~span** *m.* (단단하고 광택이 나는) 압착 판지. **~stoff** 〖工〗 가소성(可塑性) 재료. **~stroh** *n.* 압착하여 다발로 만든 짚단. **~tätigkeit** *f.* 언론 활동. **~tribüne** *f.* ↑ Pressetribüne.

Pressung [prɛ́sʊŋ] 《<pressen》 *f.* -en ① 압박, 압착; 인쇄, 압인(押印); 억제; 억압;〖軍〗 강제 징병. ② 압착하여 만든 물품: eine schlechte ~ von einer Schallplatte 저질 (복제) 음반.

Pressure-group [prɛ́ʃərgruːp] 《engl.》 *f.* 〖사회〗 압력 단체.

Preß≈verein *m.* 신문〔언론〕 협회. **~vergehen** *n.* 언론 출판법 위반. **~walze** *f.* 압착 롤러. **~wehe** *f.*〖醫〗 분만 직전의 진통. **~wurst** *f.* ↑ ~kopf ①. **~zucker** *m.* 각설탕. **~zwang** *m.* 출판 자유의 제한〔억압〕.

Prẹsti ↑ Presto 의 복수형.

Prestidigitateur [prɛstidiʒitatǿːr] 《frz.》 *m.* -s, -e 요술쟁이, 마술사.

***Prestige** [prɛstíːʒə] 《lat. -frz.》 *n.* -s ① 요술, 마술. ② 명성, 신망, 위신; 권세, 강국의 지위: Berufs∼ 직업적 명망; er hat durch diese Affäre an ~ verloren 그는 이 사건으로 위신을 잃었다; sein ~ aufpolieren〔aufmöbeln〕 그의 명망을 새롭게 하다.

Prestige≈denken *n.* 체면치레를 중시하는 생각. **~frage** *f.* 위신〔체면〕 문제. **~gewinn** *m.* 신망얻기, 인기 상승. **~grund** *m.* 위신을 세우려는 이유: sie macht das nur aus Prestigegründen 그녀는 단지 위신 때문에 그것을 한다. **~sache** *f.* 위신〔체면〕 문제, 위신에 관계되는 일. **~verlust** *m.* 체면〔신망〕을 잃음.

Prestigiateur [..ʒiatǿːr] *m.* -s, -e 요술쟁이.

Prestissimo [prɛstísimo] *n.* -s, -s/..mi〖음악〗 ① 아주 빠른 템포. ② 프레스티시모 악곡 〔부분〕.

prestịssimo *adv.*〖음악〗 매우 빠르게.

Prẹsto *n.* -s, -s/..sti〖음악〗 ① 빠른 템포. ② 프레스토 악곡 (부분).

presto 《it.》 *adv.*〖음악〗 빠르게.

Prêt-à-porter [prɛtapɔrtéː] 《frz.》 *n.* -s, -s (패션 디자이너의) 기성복.

pretiös 新정서 ⇦ preziös.

Pretiose [pretsió:zə] 《lat.》 *f.* -n 귀중품; 금은 장신구, 보석류.
Pretoria 프리토리아(남아프리카 공화국의 행정 수도).
Pretze *f.* -n (obd.) 8 자 모양의 비스킷.
Preuße [prɔ́ʏsə] *m.* -n, -n ① 프로이센인. ②〖비유·고어〗(프로이센 관리처럼) 의무·정확성·엄격성을 중시하는 사람: 〖구어〗 du bist ein richtiger ~! 너는 너무 융통성이 없다! ③〖복수〗〖구어·고어〗 군대, 군복무: 〖비유·구어〗 so schnell schießen die ~n nicht 일이란 그렇게 빨리 진척되는 것이 아니다. ④〖폄어〗 북독일 출신의 융통성 없는 사람.
***Preußen** [prɔ́ʏsən] ① 프로이센 (왕국). ② 제 2 차 세계 대전 이전 독일의 주.
Preußen≈fresser *m.* 프로이센을 싫어하는 사람. **~gänger** *m.* 동부 독일의 품팔이 농부.
Preußin *f.* -nen 〖↑ Preuße ① 의 여성형〗 프로이센 여자.
***preußisch** *a.* 프로이센(사람)의, 프로이센적인, 프로이센 사람다운: ~e Sparsamkeit 프로이센 사람다운 절약 정신; zwei sind ~ miteinander 두 사람은 사이가 좋지 않다; ~es Pflichtbewußtsein 프로이센적인 의무감.
Preußisch·blau *n.* 프로이센 블루〔청(靑)〕, 페렌스(청색 안료의 이름).
Prezel *f.* -n 〖방언〗 8자 모양의 비스킷(Brezel).
preziös [pretsiǿ:s] 《lat.-frz.》 *a.* ① 비싼, 귀중한. ②〖교양〗 멋부린, 부자연스러운, 젠체하는: ein ~er Stil 멋부린 문체.
Preziöse [..zə] *f.* -n 새침데기, 새침한 여자.
Preziose *f.* -n 귀중품, 귀금속 장신구(Pretiose).
Priamel [priá:məl] 《lat.》 *f.* -n 〔*n.* -s, -〕 ① (독일 12-16 세기경의) 격언시. ②〖음악〗 전주곡.
Priamos [prí:amɔs] *m.* 〖그리스신화〗 프리아모스(트로이 왕).
Priamus *m.* ↑ Priamos.
priapeisch [priapé:ɪʃ] *a.* 〖고어〗 ① 프리아포스의. ②〖고어〗 음탕한, 외설스러운.
Priapismus *m.* - 《gr.》〖醫〗 지속 발기(勃起), 음경 강직증.
Priapos *m.* - ①〖그리스신화〗 프리아포스(거대한 남근을 가진 풍요·생산의 신). ② 음탕한 사람, 호색가.
Priapus *m.* - ↑ Priapos.
Pricke [príkə] *f.* -n 〖방언〗 ①〖動〗 (Bricke) 칠성장어, 다목(多目)장어. ②〖海〗 수로(水路) 표지목(木).
Prickel *m.* -s, - ① 소시지 속을 채운 후 묶는 고리. ② 짜릿한 자극, 간지러움.
prickelig [príkəlɪç] *a.* ① 짜릿한, 간지러운. ②〖비유〗(성적으로) 흥분시키는, 자극성의.
prickeln [príkəln] 《I》 *i.* (h.) ① (*imp.*) 간질거리다, 짜릿짜릿하다, 알알하다: es prickelt mir unter der Haut 〔in den Fingerspitzen〕 나는 속살갗이〔손가락 끝이〕 찌릿찌릿거린다. ② 거품을 일으키다, 방울지다: der Sekt prickelte im Glas 잔 속에서 샴페인이 거품을 일으킨다; der Regen prickelte auf meinen Schirm 빗물이 내 우산 위로 방울져 떨어졌다. 《II》 *t.* 가볍게 흥분시키다, 불안감을 약간 자아내다.
prickelnd *p.a.* ein ~er Schmerz 알알한 아픔; ~e Witze 신랄한 풍자; der ~e Reiz der Neuheit 새로운 것이 주는 짜릿함; eine ~e Atmosphäre 들뜬 분위기.
pricken [príkən] *t.* (ndd.) ① 찌르다, 쑤시다. ② 구멍을 뚫다. ③〖海〗 수로 표지를 하다.
pricklig *a.* ↑ prickelig.
Prieche [prí:çə] *f.* -n (nordd.) 성당의 측면 2 층석.
Priel *m.* -(e)s, -e 〖海〗 개펄의 수로(水路)〔물줄기〕.
Priele *f.* -n 〖海〗 ↑ Priel.
Priem [pri:m] 《ndl. Lw., „Pflaume"》 *m.* -(e)s, -e ① (한 입 분량의) 씹는 담배. ② (ndd.) 큰 바늘, 송곳.
Priemchen *n.* -s, - ↑ Priem 의 축소형.
priemen [prí:mən] *t./i.* (h.) (ndd.) ① (씹는) 담배를 씹다. ② 단단히 죄어 꿰매다.
Priem·tabak *m.* 씹는 담배.
pries [pri:s] ↑ preisen 의 과거형.
Priese [prí:zə] *f.* -n (obd.) 수놓은 가장자리 (Preise, Preis[2]).
priese ↑ preisen 의 접속법 Ⅱ식.
Prießnitz [prí:snɪts] ① *m.* Vincenz ~ 프리스니츠(프리스니츠 냉습포(冷濕布) 요법의 창시자, 1799-1851). ② *m.* -es, -e 〖醫〗 ↑ Prießnitzumschlag.
Prießnitz·umschlag *m.* 프리스니츠 냉습포.
***Priester** [prí:stər] 《♧ Presbyter》 *m.* -s, - 목사, 사제, 신부, 승려, 성직자: zum ~ weihen 성직에 임명하다.
Priester≈amt *n.* 신부〔사제·승려〕의 직. **~beffchen** *n.* 성직자가 두르는 띠 장식. **~gewand** *n.* 성직자의 옷, 법의(法衣).
priesterhaft *a.* 성직자풍의〔다운〕.
Priester≈hemd *n.* 흰 사제복(셔츠), 흰 법의. **~herrschaft** *f.* 성직자 정치〔지배〕.
Priesterin *f.* -nen 〖↑ Priester 의 여성형〗 수녀, 비구니, 여사제; 무당.
Priester·käppchen *n.* 사제 모자.
priesterlich *a.* ① 사제〔성직자〕의; 성직자풍의, 성직자에 관한. ② 장중한, 위풍 있는.
Priester·rock *m.* 성직자의 제복, 사제복, 법의.
Priesterschaft *f.* ① 성직, 성직자의 신분. ②〖총칭〗 성직자 계급.
Priester≈seminar *n.* 〖가톨릭〗 신학교. **~stand** *m.* ① 성직자 신분〔계급〕. ②〖총칭〗 성직자 계급, 성직계.
Priestertum [prí:stərtu:m] *n.* -s ① 성직자 기질, 성직자풍. ② 성직자 직〔신분·계급〕.
Priester·weihe *f.* 성직 수여, 신품 성사(神品聖事), 서품식(敍品式): die ~ empfangen 〔vollziehen〕 사제 서품을〔신품 성사를〕 받다.
Prim [pri:m] 《lat. prima》 *f.* -en ①〖가톨릭〗 아침 기도. ②〖음악〗 ↑ Prime ③. ③〖펜싱〗 제 1 자세, 프라임 8 가지 방어 자세 중의 하나.
Prim. ① =Primararzt 과장 의사. ② = Primarius 장, 두목, 수석 목사〔사제〕.
***prima** *a.* 〖어미변화 없음〗 ①〖商·고어〗 제 1 급품의, 최고〔최상급〕의: eine ~ Ware 최상품. ②〖구어〗 뛰어난, 멋진, 훌륭한: das hast du ~ gemacht 너는 그것을 대단히 잘 해내었다.
Prima [prí:ma] 《I》 *f.* ..men 〖구식〗 ① (**a**) 독일 김나지움의 상급 2 학년(12·13 학년) 중의 하나. (**b**) (오스트리아 김나지움의) 1 학년. ②

반장, 수석. 《Ⅱ》 *m.* -s, -s 〖商〗 ↑ Primawechsel.

Prima≈ballerina 《it.》 *f.* 주역〔프리마〕 발레리나. **~donna** 《it.》 *f.* ..donnen ① 가극의 주연 여가수, 프리마 돈나. ② 〖폄어〗 우쭐거리는〔변덕스러운〕 사람, 응석받이. **~donnenallüren** *pl.* (프리마 돈나같이) 우쭐거리는 행동.

Primage [primáːʒə] 《frz.》 *f.* -n 〖商〗 (화주(貨主)가 선장〔선주〕에게 주는) 할증 운임, 사례금.

Primaner [primáːnər] 《<Prima》 *m.* -s, - 독일 김나지움의 최상급생; (오스트리아 김나지움의) 최하급생: du benimmst dich wie ein ~ 너는 서투르게〔수줍게〕 행동한다.

primanerhaft *a.* 〔비유〕 미숙한, 서투른; 수줍어하는, 어쩔 줄 모르는.

Primanerin *f.* -nen ↑ Primaner 의 여성형.

Prima≈nota *f.* 일기(日記), 일지; 〖商〗 분개장. **~qualität** *f.* 최우량품, 최고급품.

Primar *m.* -s, -e (öst.) ↑ Primararzt.

***primär** [primɛ́ːr] 《lat.》 *a.* 〔교양〕 ① 처음〔최초·초보〕의; 원시〔원래〕의: 〖전기〗 ~e Spule 1차 코일; 〖지질〗 ~es Gebirge 원생 산맥; das ~e Stadium einer Krankheit 병의 초기 단계〔제 1 기〕; 〖사회〗 ~e Gruppe (가족·이웃 등의) 1차〔기초〕 집단; 〖化〗 ~es Kohlenstoffatom 1차 탄소 원자. ② 우선적인, 본질적인, 주요한: das ist für uns von ~er Wichtigkeit 우리에게는 그것이 본질적으로 중요하다.

Primär·affekt *m.* 〖醫〗 (전염병의) 초기 증상, 초기 경결(硬結).

Primar≈arzt (öst.) *m.* (각 과(科)의) 과장 의사; (병원의) 주임 의사. **~ärztin** *f.* ↑ Primararzt 의 여성형.

Primär≈element *n.* 〖物〗 1차 전지. **~energie** *f.* 1차 에너지.

Primaria *f.* ..iae [..riɛː] ↑ Primarärztin.

Primarius [primáːrius] 《lat.》 *m.* -, ..rien [..riən] ① 장, 두목, 수석. ② 〔고어〕 수석〔담임〕 목사, (대성당의) 주임 사제〔신부〕. ③ 〖음악〗 (실내악에서) 제 1 바이올린 주자. ④ (öst.) ↑ Primararzt.

Primär·kreis *m.* (코일의) 1차 회로.

Primar·lehrer *m.* (schweiz.) 초등 학교 교사.

Primär≈literatur *f.* 1차 문헌. **~schule** *f.* ① (schweiz.) 〖교육〗 초등 학교. ② 초등 교육(과정). **~strom** *m.* 〖전기〗 (변압기의) 1차 전류.

Primar·stufe *f.* 〖교육〗 초등 교육 (과정).

Primär·wicklung *f.* 〖전기〗 1차 코일.

Primas [príːmas] 《lat.》 *m.* -, -se ① 장, 우두머리, 수석. ② 〖가톨릭〗 (주의) 수석 대주교. ③ 〖음악〗 (집시 악단의) 제 1 바이올린 주자.

Prima·sorte *f.* 최우량품, 최고급품(Primaqualität).

Primat [primáːt] 《lat.》 *m./n.* -(e)s, -e ① 〖가톨릭〗 (주교들에 대한) 교황의 수위권(首位權); 교황의 지위. ② 장자 상속권. ③ 〔교양〕 상위, 우세, 우선: 〖法〗 ~ des Völkerrechts (국내법에 대한) 국제법의 우위.

Primaten *pl.* 〖動〗 영장류.

prima vista [príːma vísta] 《it.》 ① 〖음악〗 악보를 한 번 본 뒤에. ② 〖商〗 일람 후(출급).

Prima≈ware *f.* 일등품, 최고급품. **~wechsel** *m.* 〖商〗 1호 어음.

Prime [príːmə] 《lat. Prim》 *f.* -n ① 〖펜싱〗 제 1 의 자세, 프라임(8가지 방어 자세 중의 하나). ② 〖宗〗 아침 기도. ③ 〖음악〗 (음계의) 제 1 음, 기음(基音); 같은 2 음 사이의 간격, 동음 화음. ④ 〖印〗 인쇄 전지(全紙)의 첫 페이지(에 붙은 접는 기호), 프라임 기호. ⑤ 〖數〗 소수(素數).

Primel [príːməl] 《lat.》 *f.* -n 〖植〗 앵초속(屬): eingehen wie eine ~ **(a)** 〔구어〕 심신이 위축되다. **(b)** 〔경박〕 대패하다; 엄청난 손해를 보다, 망하다.

Primen ↑ Prim, Prime 의 복수형.

Prim≈geige *f.* 〖음악〗 제 1 바이올린. **~geiger** *m.* ↑ Primarius ③. **~geld** *n.* 〖商〗 ↑ Primage.

primissima *a.* 〔구어〕 걸출한, 뛰어난.

***primitiv** [primitíːf] 《lat.》 *a.* ① 원시의, 미개한 (상태의), 원초의: ~e Völker 원시 종족; 〖心〗 ~e Reflexe 유아기의 (원초적인) 반응. ② 〔폄어〕 단순한, 초라한: ~e Geräte 간단한 도구들; eine ~e Wohnung 초라한 주택. ③ 〔폄어〕 (정신적·문화적으로) 저급한, 유치한: seine Witze sind mir zu ~ 그의 익살은 내게는 너무 유치하다. ④ 〔구식〕 ~e Kunst 원시 예술, 선사 시대 예술, 아마추어 예술.

Primitive* [..tíːvə] *der/die* 원시〔미개〕인, 원시〔미개〕 민족.

primitivisieren [..tivizíːrən] *t.* 〔교양〕 (지나치게) 단순화하다.

Primitivisierung *f.* -en 〔교양〕 단순화.

Primitivismus *m.* -, ..men 원초〔원시〕주의 (현대 예술의 한 경향).

Primitivität *f.* -en 원시성; 단순; 미개; 유치(한 행동·견해).

Primitiv·kultur [..tíːf..] *f.* 원시〔미개〕 문화.

Primitivling [..tíːf..] *m.* -s, -e 〔구어〕 원시인, 미개인; 유치한〔세련되지 못한〕 사람.

Primitivum *n.* -s, ..va 어간 (단어), 어근.

Primiz [primíːts] 《lat.》 *f.* -en 〖가톨릭〗 신임 사제의 첫 미사.

Primiziant *m.* -en, -en 〖가톨릭〗 신임 사제〔신부〕.

Primizien [..tsiən] *pl.* (로마의 여러 신들에게 바치는) 첫 제물.

Primogenitur [primogenitúːr] 《lat.》 *f.* -en ① 장자임, 장자의 신분. ② 장자 상속권.

Primus [príːmus] *m.* -, ..mi/-se 수석 학생.

Primus inter pares [príːmus íntər páːreːs] *m.* - - -, ..mi - - (동료 중의) 제 1 인자.

Primus·kocher *m.* 석유 풍로〔솥〕의 일종.

Prim·zahl *f.* 〖數〗 소수(素數).

Prince of Wales [príns əv wéːlz] 《engl.》 *m.* - 영국 황태자의 칭호.

Printe [príntə] 《holl. prent》 *f.* -n 프린테(향신료를 넣은 크리스마스용 쿠키; 전에는 성자상(聖者像)을 찍어 넣어서 만듦).

Printed in Germany [príntɪd ɪn dʒə́ːmənɪ] 《engl.》 독일에서 인쇄된(판권장에 기재함).

printen *i.* (h.) (ndd.) 인쇄〔인화〕하다.

Printer [príntər] 《engl.》 *m.* -s, - 인화기, 프린터.

Print·medien *pl.* 인쇄 매체.

***Prinz** [prɪnts] 《frz. prince》 *m.* -en, -en ①

〔고어〕 영주. ② 왕자, 공자, 왕손; 왕족; 〔비유〕 귀공자, 귀염둥이: 〔농담〕 unser kleiner ~ 우리 왕자님(귀여운 아들). ③ (칭호로서의) 왕자, 공(公).

Prinzen≈erzieher *m.* 왕자의 가정 교사. **~garde** *f.* 카니발 왕자(사육제 기간 왕자 복장을 하고 광대역을 하는 사람)의 친위대. **~paar** *n.* 카니발 왕자 부부.

Prinzeß [prıntsɛ́s] 《<Prinz》 *f.* ..zessen ↑ Prinzessin.

Prinzeß·bohne *f.* 〖식품〗 (까지 않고 요리하는) 풋콩.

Prinzessin [prıntsɛ́sın] *f.* -nen ① **(a)** 공주, 왕자비. **(b)** (칭호로서의) 공주. ② 〔총칭〕 표범나빗과 곤충. ③ 〔비유·농담〕 과민한.

Prinzeß≈kleid *n.* 공주형 원피스(상반신은 몸에 꼭 맞게 하고 허리에서 아랫단은 퍼지게 한). **~rock** *m.* 레이스가 달린 치마.

Prinz·gemahl *m.* 여왕의 남편.

Prinz-Heinrich-Mütze *f.* 선원의 차양 모자 (해군 대장 Prinz Heinrich von Preußen 의 이름에서).

***Prinzip** [prıntsí:p] 《lat.》 *n.* -s, -e/-ien [..piən] ① 원칙, 주의(主義), 신조: et. aus ~ tun 신조에 따라 무엇을 하다; im ~ habe ich nichts dagegen 나는 원칙적으로 그것에 반대하지 않는다; ein Mensch mit〔von〕 ~ien 신조가 있는 사람; seinen ~ien treu bleiben 자신의 원칙〔신조〕에 충실하다. ② 법칙, 규범: das ~ der Gewaltenteilung 권력 분립〔삼권 분립〕의 원칙; Majoritäts≈ 다수결의 원칙. ③ 원리.

Prinzipal [prıntsipá:l] 《Ⅰ》 *m.* -s, -e 〖고어〗 ① (상점) 주인, 사장. ② (도제의) 스승. ③ 극단의 단장, 극장장. 《Ⅱ》 *n.* -s, -e 〖음악〗 ① 프린시펄(오르간의 기본 음전). ② (예전의) 저음 트럼펫, 트럼펫의 저음부.

prinzipal *a.* ① 최초의. ② 주요한; 우수한.

Prinzipal·gläubiger *m.* 〔↑ Hauptgläubiger〕 주(主)채권자.

Prinzipalin *f.* -nen ↑ Prinzipal 《Ⅰ》의 여성형.

prinzipaliter *adv.* 〔고어·현재는 교양어〕 ① 우선, 특히. ② 원칙상, 기본적으로.

Prinzipat [prıntsipá:t] *m./n.* -(e)s, -e ① 〔고어〕 상위, 우위. ② 〖史〗 원수제(元首制)(초기 로마 제정 시대의 제도).

***prinzipiell** [..piɛ́l] *a./adv.* 원칙상(의), 원칙적인, 원칙에 따르는, 근본적인〔으로〕: das tue ich ~ nicht 나는 원칙적으로 그것은 하지 않는다; ~e Probleme 근본적인 문제.

prinzipien≈fest [..tsí:piən..] *a.* 원칙을 고수하는, 원칙에 충실한. **≈frage** *f.* 원칙상의 문제.

prinzipienlos *a.* 원칙이 없는.

Prinzipienlosigkeit *f.* 무원칙.

Prinzipien≈reiter *m.* 〔비유·구어〕 원리 원칙을 부르짖는 사람; 독단가; 융통성 없는 원칙론자. **≈streit** *m.* 원칙에 관한〔신조상의〕 논쟁. **~treu** *a.* 원칙에 충실한. **~treue** *f.* 원칙에 충실함, 원칙 고수.

prinzlich [prĭntslıç] 《<Prinz》 *a.* ① 왕자〔공자〕의, 왕자 같은. ② 〔비유〕 장려(壯麗)한, 화려한.

Prinz≈metall *n.* 〖광물〗 모조금(模造金). **~regent** *m.* 섭정 전하.

Prion 〖醫·化〗 프리온(크로이츠펠트·야곱병을 일으키는 단백질 분자).

Prior [prí:ɔr, ..o:r] 《lat.》 *m.* -s, -en [prió:rən] ① (특정 교단의) 수도원장, 승려원장. ② 수도원 부원장〔분원장(分院長)〕.

Priorat [priorá:t] *n.* -(e)s, -e ① 수도원장직. ② 수도원 분원.

Priorin [prió:rın, prí:orın] *f.* -nen ↑ Prior 의 여성형.

***Priorität** [prioritɛ́:t] *f.* -en ① 〔시간적〕 앞섬, 선재(성)(先在(性)): die ~ einer Erfindung vor einer anderen 어떤 발명이 다른 것보다 시간적으로 앞서 있음. ② 상위, 우위: die Einhaltung des Termins hat absolute ~ 기한 엄수가 절대적으로 우선이다; 〔복수〕 ~en setzen 우선 순위를 정하다. ③ 〖法〗 선순위 우선권(선행 권리가 후 설정 권리보다 우선한다는 원칙). ④ 〔복수〕 〖經〗 우선주.

Prioritäts≈aktien *pl.* 〖經〗 우선주. **~anleihe** *f.* 우선 공채 (증서). **~anspruch** *m.* 우선 청구권. **~obligation** *f.* 우선 채권, 담보부 사채. **~recht** *n.* 우선권. **~streit** *m.* 우선권 다툼.

Prischen [prí:sçən] *n.* -s, - 〔↑ Prise 의 축소형〕 아주 조금, 반줌(작은 한줌).

Prise 《frz.》 *f.* -n ① 〖法〗 (전쟁 중의) 포획물, 노획물, 나포물; eine ~ aufbringen〔machen, nehmen〕 포획물을 얻다, 배를 나포하다; jm. eine ~ geben 누구에게 약점을 보이다, 빈틈을 보이다. ② 조금, 한줌: eine ~ Salz〔Zucker〕 소금〔설탕〕 한 줌; eine ~ Schnupftabak 코담배 한 줌; 〔비유·구어〕 eine ~ Toleranz 알량한 관용. ③ (alem.) 비난, 질책; 모욕.

prisen *i.*(h.)/*t.* 코담배를 맡다〔들이마시다〕.

Prisen≈geld *n.* 〖海〗 포획 상금. **~gericht** *n.* 포획 심판소. **~hof** *m.* ↑ ~gericht. **~kommando** *n.* 포획〔나포〕 작전 부대, 포획단. **~recht** *n.* 〖法〗 (상선) 포획권, 나포권.

***Prisma** [prísma] 《gr.》 *n.* -s, ..men ① 〖數〗 각기둥, 모기둥; (Polyeder) 다면체. ② 〖광학〗 프리즘. ③ 〖광물〗 각기둥 모양의 결정(結晶).

prismatisch [prısmá:tıʃ] *a.* ① 각기둥〔모기둥〕 모양의. ② 프리즘의〔에 의한〕: ~e Farben 무지개색.

Prismatoid [..matoí:t] *n.* -(e)s, -e 〖기하〗 각뿔대.

Prismen≈feld·stecher [prísmən..] *m.* ↑ ~fernrohr. **~fern·rohr** *n.*, **~glas** *n.* 프리즘 망원경. **~sucher** *m.* 〖사진〗 (리플렉스 카메라의) 핀트글라스, (피사체) 투시경.

Prison [prizɔ̃:] 《frz.》 *f.* -s 교도소, 감옥.

pritsch 《sl.》 (ostd.) 《Ⅰ》 *adv.* 꺼져, 없어져: ~! 사라져라! 《Ⅱ》 *a.* 콧대 센, 오만한.

Pritsche [prítʃə] *f.* -n ① (납작한 나뭇조각으로 만든 어릿광대의) 딱딱이. ② 나무 망치; 배트. ③ 나무 침상; 〖軍〗 (야전용) 간이 침대. ④ 썰매 부리는 자리. ⑤ 화물차의 개폐식 적재함〔판〕. ⑥ 〖軍〗 영국식 안장. ⑦ (schweiz.) 수문이 있는 수로. ⑧ (obd.) 제방, 둑. ⑨ (obd.) 곡창(穀倉). ⑩ 〔비속〕 매춘부, 갈보.

pritschen [prítʃən] *t.* ① (어릿광대의) 딱딱이로 딱딱〔탕탕〕 치다, 때리다: 〔비유〕 ich bin gepritscht 나의 기대가 어긋났다(한 방 먹었다). ② 〖배구〗 토스〔오버핸드 패스〕하다.

Pritschen≈meister *m.* 어릿광대. **~wagen** *m.* (개폐식 적재함이 있는) 화물 트럭.
Pritsch·meister *m.* 어릿광대.
Pritstabel [prɪ́tstabəl] ⟪sl.⟫ *m.* -s, - 〖구식〗 (ndd.) 어장(漁場)〔어로〕 감시인〔감독자〕.
***privat** [privá:t] ⟪lat.⟫ *a.* ① 개인의, 개인적인. ② 친밀한, 은밀한: eine Feier in ~em Kreis 가까운 사람들끼리의 축하연. ③ 사적인, 비공식의, 공무〔근무〕 이외의: jn. ~ sprechen 누구와 사적으로 이야기하다; ~e Mitteilung 비공식 통보. ④ 비공개의, 사용(私用)의: ~er Eingang (개인) 전용 입구; ~ wohnen 민박하다. ⑤ 사립〔사설〕의, 사유의, 사비의: Verkauf nur an ~ 개인 대상 매각; von ~ (위탁 판매가 아닌) 개인〔자영〕 판매의; von〔aus〕 ~er Hand 개인에게서(의); ~e Unternehmen 사기업.
Privat≈abkommen *n.*, **~abmachung** *f.* 사적〔개인적〕 협정. **~absicht** *f.* 개인적인 목적. **~adresse** *f.* 집〔자택〕 주소. **~angelegenheit** *f.* 사적인 일〔용무〕. **~angestellte*** *der/die* 개인의 고용인. **~arbeit** *f.* 개인의 일. **~audienz** *f.* 비공식 알현〔접견〕. **~bahn** *f.* 사유〔사설〕 철도. **~bank** *f.* 민영은행. **~besitz** *m.* 사유(私有). **~brief** *m.* 사신(私信). **~detektiv** *m.* 사립 탐정. **~dozent** *m.* 대학 강사. **~dozentin** *f.* ↑ ~dozent 의 여성형. **~druck** *m.* (비매품으로 찍어낸) 자비 출판본. **~eigentum** *n.* ① 사유권; 사유 재산; 〖法〗 사유 재산 제도. ② 〖마르크스주의〗 사적 소유(물). **~fern·sehen** *n.* 민영 텔레비전. **~flugzeug** *n.* 자가용 비행기. **~gebrauch** *m.* 사용(私用); 자가용. **~gelehrte*** *der/die* 재야 학자. **~gesellschaft** *f.* 개인 회사. **~gespräch** *n.* ① 사적인 대화, 사담(私談). ② 사적인 전화 통화. **~gläubiger** *m.* 〖經〗 개인 채권자. **~hand** *f.* 〖다음 용법으로〗 ein Gemälde aus〔von〕 ~ kaufen 어떤 그림을 개인 소장자에게서 사다; in ~ 개인 소유〔사유〕인: das Bild ist 〔befindet sich〕 in ~ 그 그림은 개인이 소장하고 있다. **~haus** *n.* 사저, 개인집.
Privatier [privatié:] ⟪lat.⟫ *m.* -s, -s 〖구식〗 ① ↑ Privatperson. ② 연금〔이자〕 생활자.
Privatiere [..tiɛ́:rə, ..tiɛ́:rə] *f.* -n ↑ Privatier 의 여성형.
privatim [privá:tɪm] *adv.* ① 사적으로; 비공식적으로, 비공개로. ② 은밀하게.
Privat≈initiative [..tsiatɪvə] *f.* 개인적〔사적〕 제안〔발의〕, 자발적 행위. **~interesse** *n.* 개인적 이해(利害), 사리(私利).
Privation [..vatsió:n] *f.* -en ① 〖구식〗 강탈, 약탈. ② 〖구식〗 박탈, 몰수. ③ 〖논리〗 성질 결여, 결성(缺性).
privatisieren [privatizí:rən] ⟪Ⅰ⟫ *i.* (h.) (직업 없이) 모아 놓은 재산〔이자·연금〕으로 생활하다. ⟪Ⅱ⟫ *t.* 〖經〗 사유화〔민영화〕하다.
Privatisierung *f.* -en 〖經〗 사유화, 민영화.
privatissime [..tísime] *adv.* 〖교양〗 아주 친밀〔은밀〕하게, 극히 사적으로, 가장 가까운 사이에서.
Privatissimum [..tísimum] *n.* -s, ..ma ① 〖교양〗 소규모 청중을 위한 강의〔특강〕. ② 〖비유·농담〗 개인적인 훈계, 귀찮은 설교.
Privatist [..tɪ́st] *m.* -en, -en (öst.) 검정 고시 준비생.
privativ [..tí:f] *a.* ① 〖교양〗 부정적인; 박탈하는; 배타적인; 독점적인. ② 〖언어〗 박탈을〔제거를〕 뜻하는: ~e Affixe 결여〔결성〕 접사 (보기: un.., ..los); ~es Verb 결여 동사(보기: häuten).
Privat≈kasse *f.* 개인(의) 돈, 수중의 돈. **~klage** *f.* 〖法〗 사소(私訴). **~klinik** *f.* 개인병원. **~kolleg** *n.* 개인적으로 하는 강의. **~leben** *n.* 사생활; 개인 생활: sich ins ~ zurückziehen (공직에서) 은퇴하다. **~lehrer** *m.* 개인〔가정〕 교사. **~lehrerin** *f.* ↑ ~lehrer 의 여성형. **~lektüre** *f.* 교양〔개인〕 독서. **~leute** ↑ ~mann 의 복수형. **~mann** *m.* ① 직업 없이 모아 놓은 재산으로〔이자로〕 생활하는 자, 연금 생활자. ② 사인(私人), 개인. **~meinung** *f.* 개인 의견, 사견. **~mittel** *pl.* 사비, 자비. **~patient** *m.* 비〔사(私)〕보험 환자. **~patientin** *f.* ↑ ~patient 의 여성형. **~person** *f.* 사인(私人): als ~ 개인 자격으로. **~quartier** *n.* 민박 (숙소). **~recht** *n.* 〖法〗 ① 사법(私法). ② 사권(私權). **~rechtlich** *a.* 사법상의. **~rücksichten** *pl.* aus ~ 개인적인 이유로. **~sache** *f.* ↑ ~angelegenheit. **~schule** *f.* 사립 학교. **~sekretär** *m.* 개인 비서; (학자의) 조수. **~sekretärin** *f.* ↑ ~sekretär 의 여성형. **~sphäre** *f.* 사적〔개인적〕 영역. **~station** *f.* 비〔사〕보험 환자용 병동. **~stunde** *f.* 개인 지도〔교습〕. **~theater** *n.* 상업〔사설〕 극(단). **~unterricht** *m.* ↑ ~stunde. **~vergnügen** *n.* 〖구어〗 개인적〔사적〕인 재미, 스스로 좋아서 하는 일. **~vermögen** *n.* 〖經〗 개인〔사유〕 재산. **~versichert** *p.a.* 사(私)보험에 가입한. **~versicherung** *f.* 사(私)보험. **~vertrag** *m.* 사적 계약. **~vorlesung** *f.* ↑ ~kolleg. **~weg** *m.* 사용(私用)〔사설〕 도로: auf dem ~ 사적으로, 비밀히. **~wirtschaft** *f.* 사(私)경제〔민간〕 경제. **~wirtschaftlich** *a.* 사〔민간〕경제의. **~wohnung** *f.* 사택, 자택. **~zimmer** *n.* 사실(私室), 개인방, 독실. **~zweck** *m.* 개인적 목적〔용도〕.
Privé [..vé:] ⟪lat. -frz.⟫ *n.* -s, -s ① 화장실. ② 밀실.
***Privileg** [privilé:k] ⟪lat. privus, „eigen"; lex, „Gesetz"⟫ *n.* -s, -ien [..giən] (Vorrecht) 특권, 특전, 우선권; 특허(장): jm. ein ~ gewähren〔einräumen〕 누구에게 특권을 보장하다〔주다〕.
privilegieren [..legí:rən] ⟪Ⅰ⟫ *t.* jn. ~ 누구에게 특권을 부여하다. ⟪Ⅱ⟫ **privilegiert** *p.a.* ↑ privilegiert.
privilegiert ⟪Ⅰ⟫ *p.p.* ↑ privilegieren. ⟪Ⅱ⟫ *p.a.* 특권을 가진, 특허를 받은: die ~e Klasse 특권층; ~e Bank 특허 은행; die ~en 특권층의 인사들.
Privilegium [privilé:gium] *n.* -s, ..gien [..giən] ↑ Privileg.
Prix [pri:] ⟪frz.⟫ *m.* - [pri:(s)], - [pri:s] 상: Grand ~ 대상.
PR-Mann [pe:|ɛ́r..] *m.* -(e)s, ..Leute 〖經·은어〗 섭외〔홍보·광고〕 담당자〔요원〕.
pro ⟪lat.⟫ [pro:] ⟪Ⅰ⟫ *prp.*[4] (für) …을 위하여, …에 대하여, …당(當), …마다: 10 Mark ~ Stück 한 개에 10 마르크; der Verbrauch ~ Kopf 1 인당 소비. ⟪Ⅱ⟫ *adv.* 찬성하여(↔ kontra).

Pro *n.* - 찬성(Für): das ~ und Kontra 찬반, 가부(可否).

pro.. *pref.* ①"앞으로, 앞에"의 뜻(보기: ~gressiv). ②"찬성하는, 친(親)"의 뜻(보기: ~arabisch).

pro anno [pro: áno:] 1년마다, 매년.

probabel [probá:bəl] ⦅lat.⦆ *a.* 〖교양〗 있을 법한, 그럴 듯한, 그럴싸한.

Probabilismus [probabilísmus] *m.* - ①〖哲〗개연론(蓋然論)(절대적 진리는 없고 단지 개연성만 있다는 일종의 회의론). ②〖가톨릭〗 개연설, 결의론(決疑論)(도덕적 규범보다 양심에 따라 행동할 수 있다는 원칙).

Probabilität *f.* -en 개연성; 〖數〗 확률.

Proband [probánt] ⦅lat.⦆ *m.* -en, -en ①족보로 혈통이 증명되는 사람. ②〖心·醫〗 시험〔검사·조사〕 대상자. ③보호 관찰 대상자, 가석방자, 보석 출소자.

Probandin *f.* -nen ↑ Proband의 여성형.

Probandus [probándus] ⦅lat.⦆ *m.* -, ..di/..den ↑ Probekandidat.

probat [probá:t] *a.* 시험을 거친; 확실한; 〖구식〗 효능이 입증된; (gut) 좋은, 우수한: ein ~es Mittel 특효약.

Probation [..tsió:n] *f.* -en 〖구식〗 시험(Prüfung); 증명(Beweis).

probatum est [probá:tum|ɛst] ⦅lat.⦆ 약효를 보증함.

Pröbchen [prǿ:pçən] *n.* -s, - 〖↑ Probe의 축소형〗 소형 견본〔표본·샘플〕.

*__Probe__ [pró:bə] ⦅lat.⦆ *f.* -n ①시험, 검사; 음미; 실험; 〖제련〗 시금(試金); 〖數〗 검산: jn.〔et.〕 auf die ~ stellen 누구를〔무엇을〕 시험하다; eine ~ mit jm.〔et.[3]〕 machen〔vornehmen, anstellen〕 누구를〔무엇을〕 시험삼아 써보다; die ~ bestehen〔aushalten〕 시험에 합격하다; jn. auf ~ nehmen 누구를 수습 사원으로 채용하다; der Wein hat bei der ~ gut abgeschnitten 그 포도주는 시음회에서 좋은 평가를 받았다; auf eine Rechnung die ~ machen 검산하다; die ~ aufs Exempel machen 구체적인 실례를 들어 검증하다; auf ~ 시험적으로, 수습으로. ②〖연극〗 연습 공연, 예행 연습, 리허설; 청취 테스트, 오디션: ~ spielen〔halten〕 리허설을 시행하다; ein Stück zur ~ bringen 대본을 시연(試演)하다. ③(Muster) 견본, 표본; 시료(試料), 샘플: Kauf zur ~ 시험적인 매입; et. nach〔zur〕 ~ kaufen 견본을 보고 무엇을 사다; inliegend drei ~n unseres Briefpapiers 당사의 편지지 3종류 견본 재중(在中); nicht die ~ 약에 쓸 만큼도 없는, 조금도 없는(gar nichts). ④(Beweis) 증거, 증명; 실행, 실제: eine ~ von Mut〔Geduld〕 geben〔liefern〕 용기〔인내〕를 증명해 보이다. ⑤(Zeichen) 기호, 부호.

Probe≈abdruck, ~abzug *m.* 〖印〗 견본쇄, 시험 인쇄본. **~alarm** *m.* (훈련) 연습 경보. **~anwärter** *m.* 수습생, 시보(試補). **~arbeit** *f.* ①시작품(試作品); 습작품. ②시험삼아 하는 일. **~aufnahme** *f.* ①시험 촬영; (음반 따위의) 시험 녹음〔취입〕. ②시험 촬영물〔녹음물〕. **~band** *m.* 〖제본〗 장정(裝幀)〔표지〕 견본. **~belastung** *f.* 〖工〗 하중(荷重) 시험. **~bestellung** *f.* 〖商〗 시험 주문. **~bild** *n.* 습작 그림. **~blatt** *n.*, **~bogen** *m.* (한 장의) 시험 인쇄본; (신문 따위의) 견본쇄. **~bohrung** *f.* 시추(試錐). **~druck** *m.* 〖印〗 ↑ ~abdruck. **~entnahme** *f.* 샘플〔견본〕 추출〔채취〕. **~exemplar** *n.* 견본, 샘플. **≈fahren** *i.* (s.)/*t.* 시운전〔시승(試乘)〕하다. **~fahrt** *f.* 시운전, 시승(試乘). **≈fest** *a.* 시험에 합격한, 검사필의; 확실한, 보증된. **~flug** *m.* 시험 비행. **~gewicht** *n.* 표준 형기(衡器). **~gold** *n.* 표준 함량의 금. **≈halber** *adv.* 시험삼아, 시험적으로. **≈haltend** *a.* ↑ ~haltig. **≈haltig** 〖고어〗 *a.* ①시험에 합격한; 검사필의; 표준대로의. ②(echt) 진정한, 순수한. **~heft** *n.* 서적〔잡지〕 견본. **~jahr** *n.* 1년의 수습〔시보〕 기간, 수습년. **~kandidat** *m.* 예비〔시험을 거쳐야 하는〕 후보. **~kolumne** *f.* 〖印〗 견본란. **~lauf** *m.* ①〖工〗 시운전, 시험 가동. ②〖육상〗 시주(試走). **≈laufen*** *i.* (s.) ①〖工〗 시운전〔시험 가동〕되다. ②〖스포츠〗 시주(試走)하다. **~lehrer** *m.* (öst.) (김나지움) 수습 교사. **~lektion** *f.* 〖드물게〗 (수습 교사의) 연구〔시범〕 수업. **~maß** *n.* 표준 도량형기.

pröbeln [prǿ:bəln] *i.* (h.) (schweiz.) 온갖 시도를 해보다, 이것저것 시험해 보다.

*__proben__ [pró:bən] ⦅<Probe⦆ ⦅Ⅰ⦆ *t.* ①해보다, 시험하다, 음미하다. ②(예행) 연습하다, 리허설을 하다: den Ernstfall ~ 실제 상황에 대비하여 연습하다. ③〖제련〗 Gold und Silber ~ 금은에 낙인을 찍다. ⦅Ⅱ⦆ *i.* (h.) 〖연극〗 공연 연습을 하다.

Proben≈arbeit *f.* 〖연극〗 공연 연습 (작업). **~buch** *n.* 견본첩(帖). **~karte** *f.* 견본을 붙인 종이. **~reisende*** *der/die* 〖구어〗, **~reiter** *m.* 〖농담〗 (견본을 들고다니는) 외무사원, 외판원.

Probe·nummer *f.* (신문·잡지의) 견본(호(號)).

Proben·zimmer *n.* 견본〔샘플〕 진열실.

Probe≈papier *n.* 〖化〗 시험지. **~predigt** *f.* (목사 지원자의) 시험 설교.

Prober [pró:bər] *m.* -s, - 시험자, 검사자.

Probe≈rennen *n.* 〖스포츠〗 예선 경주. **~ritt** *m.* 말의 시승(試乘). **~rolle** *f.* 〖연극〗 첫 무대의 배역. **~schießen** *n.* 시험 발사〔사격〕. **≈schreiben** *i.* (h.) (시험적으로) 써보(이)다. **~schrift** *f.* 필적 견본, (서예의) 글씨본. **~schuß** *m.* ①시험 발사〔사격〕. ②조준(시험)탄. **~schwester** *f.* ①〖가톨릭〗 수습 수녀. ②수습 간호사. **~seite** *f.* 〖印〗 견본 페이지. **~sendung** *f.* 〖商〗 견본 송부(送付)〔발송〕. **~silber** *n.* 표준 함량의 은. **≈singen** *i.* (h.) 노래를 해보(이)다. **~stein** *m.* 시금석. **~stück** *n.* ①견본품. ②시험용 재료. ③습작품. **≈turnen** *i.* (h.) 〖체조〗 (본경기에 앞서) 시연(試演)하다. **≈weise** *adv.* 시험삼아, 시험적으로; 수습으로. **~zeit** *f.* ①수습〔임시 채용〕 기간. ②(schweiz.) 보호 관찰〔집행 유예〕 기간.

Probier·dame [probí:r..] *f.* ↑ ~fräulein.

*__probieren__ [probí:rən] ⦅lat. probare⦆ ⦅Ⅰ⦆ *t.* ①시험〔검사〕하다; 시험삼아 해보다; 맛보다, 시식〔시음〕하다: ich will es mit ihm ~ 시험삼아 그를 써 보겠다; probiere einmal den Wein! 이 포도주를 한번 맛보게!; 〖속담〗 ≈ geht über Studieren 실제 해보는 것이 학식보다 낫다, 백문이 불여일견. ②〖제련·광물〗 시

금(試金)하다, 분석 시험하다. ③『연극』 연습 공연하다. ④ (옷 따위를) 입어 보다. 《II》 *i.* (h.) 『연극』 (공연을 앞두고) 예행 연습하다.

Probierer *m.* -s, - ① 시험자, 검사자. ②『광물』 시금자, 분석 시험자.

Probier≈fräulein *n.* 마네킹 걸(기성복점에서 옷을 입어 보이는 여자). **~gefäß** *n.* 시금(試金) 접시. **~gewicht** *n.* 시금용 저울추. **~glas** *n.*, **~gläschen** *n.* 시험관; 시음용 잔〔글라스〕. **~hahn** *m.* 『기계』 (증기 기관의) 험수(驗水) 콕; 시험용 콕. **~kunst** *f.* 『제련』 시금법, 분석 시험. **~mamsell** *f.* 〖고어〗 ↑ ~fräulein. **~methode** *f.* 검사법; 시금법. **~nadel** *f.* 시금용 바늘; 『재봉』 가봉용 바늘. **~papier** *n.* 『化』 시험지. **~schacht** *m.* 『광물』 시굴(試堀)갱. **~stein** *m.* 시금석. **~stube** *f.* ① 견본 진열실. ② (포도주 따위의) 시음실. **~tiegel** *m.* 시험용 도가니. **~waage** *f.* 시험용〔시금용〕 저울〔천칭〕.

Probiotische Produkte *f.* 『식품』 살아 있는 미생물로 만든 건강 식품.

Probität [probitɛ́:t] 《lat.》 *f.* 〖구식〗 정직, 성실.

Pröblein [prǿ:plaɪn] *n.* -s, - ↑ Pröbchen.

*__Problem__ [problé:m] 《gr.》 *n.* -s, -e ① 문제(점), 과제: vor einem ~ stehen 문제에 봉착하다; ~e der Zeit 시대의 여러 문제; ein ~ lösen〔erörtern〕 문제를 해결〔논의〕하다; ~e wälzen 문제에 대해 오랫동안 숙고하다; 〖구어〗 kein ~! 그것은 간단해〔문제 없어〕!; nicht js. ~ sein 누구의 문제가 아니다, 누가 관여할 바가 아니다. ②〖복수〗 난점, 어려운〔곤란한〕 일.

Problematik [problemá:tɪk] *f.* 문제성, 문제점, 문제 제기: auf eine ~ hinweisen 문제점을 지적하다.

*__problematisch__ [..tɪʃ] *a.* ① 어려운, 용이하지 않은, 문제가 많은: sie ist eine ~e Natur 그녀는 다루기 힘든〔성질이 비뚤어진〕 사람이다; die Lage ist ~ 상황이 어렵다. ② 의심스러운, 불확실한: sein Einspruch macht eine Einigung ~ 그의 이의 제기로 합의가 불확실해지고 있다.

problematisieren [..matizí:rən] *t.* et. ~ 무엇의 문제점을 드러내다〔토론하다〕, 무엇을 문제화하다.

Problem≈bewußtsein *n.* 문제 의식〔인식〕. **~film** *m.* (사회 문제 따위를 다룬) 문제 영화. **~kind** *n.* 문제아; 〖비유〗 문젯거리. **~kreis** *m.* 복합적인〔상호 관련된〕 문제.

problemlos *a.* 문제가〔어려움이〕 없는.

problem≈orientiert *a.* ① 특정 문제에 대응한, 특정 문제를 대상으로 한: eine ~e Forschung 문제 중심의 연구. ②『컴』 특정 과제 해결과 관련된. **≈schach** *n.* 『체스』 묘수풀이. **≈stellung** *f.* 문제 제기; 제기된 문제, 토의 주제. **≈stück** *n.* 『문학』 문제극.

Probst [pro:pst] *m.* -es, Pröbste [prǿ:pste] ↑ Propst.

Procedere [protsé:dərə] 《lat.》 *n.* -, - 〖교양〗 (Prozedere) 절차, 취급 방법.

pro centum [pro: tsɛ́ntum] 《lat.》 백분율, 퍼센트(약어: p.c.(=v.H.); 기호: %).

Prodekan [pró:deka:n] 《lat.》 *m.* -s, -e (대학의) 학장 대리.

Prodigalität [prodigalitɛ́:t] 《lat.》 *f.* 〖구식〗 낭비; 낭비벽.

Prodigium [prodí:giʊm] *n.* -s, ..gia/..gien [..giən] 『史』 ① 불길한 징조(고대 로마에서 신의 노여움의 표시인 지진·홍수 따위). ② 기형, 괴물.

pro domo [pro: dó(:)mo] 《lat.》 자기를 위하여, 자신의 이익을 위하여.

Prodrom [prodró:m] *n.* -s, -e 『醫』 전구(前驅) 증세, 전조(前兆).

Prodromal·symptom [prodromá:l..] *n.* ↑ Prodrom.

Producer [prodjú:sər] 《engl.》 *m.* -s, - ① 생산자, 제조자. ② 영화 제작자, 프로듀서.

*__Produkt__ [prodʊ́kt] 《lat.》 *n.* -(e)s, -e ① (Erzeugnis) (생)산물, 제품; 제작물, 작품; 수익, 수확: ein ~ der Landwirtschaft 농업 생산물. ②〖비유〗 결과, 성과; 소산(所産): das ~ unserer Erziehung 우리 교육의 소산. ③『數』 **(a)** 서로 곱한 수, 적수(積數): das ~ aus〔von〕 drei mal vier ist zwölf 3 곱하기 4는 12 이다. **(b)** 곱하기 표시. ④ 효과. ⑤ (신문·잡지의) 한 공정에서 인쇄된 부분.

Produkte·erpressung *f.* 제품 협박(제품에 독극물 따위를 넣겠다고 협박하여 돈을 갈취하려는 행위).

Produkten≈ausstellung *f.* 제품〔상품〕 품평회. **~börse** *f.* 『經』 상품〔농산물〕 거래소. **~handel** *m.* ① 농산물〔생산물〕 거래. ② 넝마 장사. **~händler** *m.* ① (농)산물 상인. ② 넝마 상인. **~makler** *m.* (농)산물 중간상(인). **~markt** *m.* (농)산물 시장.

*__Produktion__ [produktsió:n] 《lat.》 *f.* -en ① 산출, 생산; 제조, 제작; 창작; 『광물』 채광; 『法』 제출, 제시. ② (생)산물; 제품, 작품; 수익, 수확, 생산고; 『광물』 채굴량: die ~ eines Jahres 연간 생산고. ③『연극』 연출, 상연; 『음악』 연주; 『영화』 프로덕션, 영화 제작(소); 〖구식〗 예술 프로그램; 연기: akrobatische ~en 곡예 프로그램〔연기〕. ④〖구어〗 (생산) 활동; 생산 부서; 제작 부서: in der ~ arbeiten 생산부에서 근무하다.

Produktions≈anlagen *pl.* 생산 시설. **~apparat** *m.* 생산 기구. **~ausfall** *m.* 생산의 결손〔감손〕. **~brigade** *f.* 『구동독』 생산 작업반. **~erfahrung** *f.* 생산 (활동) 경험. **≈fähig** *a.* 생산력〔창작력〕이 있는. **~fähigkeit** *f.* 생산 능력. **~faktor** *m.* 『經』 생산 요소(토지·노동·자본 따위). **~form** *f.* 생산 양식〔형식〕. **~gang** *m.* 생산 공정. **~genossenschaft** *f.* 『經』 (특히 구동독의) 생산 협동조합. **~güter** *pl.* 생산재. **~kapazität** *f.* 생산 능력. **~kollektiv** *n.* 『구동독』 생산 공동체. **~kosten** *pl.* 생산〔제작〕비. **~kraft** *f.* 생산력. **~leiter** *m.* ①『영화』 프로듀서, (영화) 제작자. ②『구동독』 생산 지도원. **~menge** *f.* 생산량〔고〕. **~methode** *f.* 생산 방법. **~mittel** *n.* ①『經』 생산 요소. ②『마르크스의』 생산 수단. **~plan** *m.* 『구동독』 생산 계획. **~preis** *m.* 생산 가격. **~prozeß** *m.* 생산 과정. **~stätte** *f.* 제작소, 작업장, 공장. **~steigerung** *f.* 생산(량) 증가. **~überschuß** *m.* 생산 과잉. **~verfahren** *n.* 생산 방식. **~verhältnisse** *pl.* 『經·마르크스주의』 생산 관계. **~volumen** *n.* 생산량. **~weise** *f.* 생산 양식〔방식〕. **~ziffer** *f.* 생산량. **~zweig** *m.* 생산 부문.

*__produktiv__ [produktí:f] ⟪lat.⟫ *a.* ① 생산적인; 생산력이 풍부한, 다산(多產)의; 수익〔수확〕이 있는; 〖醫〗 증식성의. ② 창조적인, 창조력이 있는.

Produktiv=assoziation *f.*, **~genossenschaft** *f.* 생산 협동 조합.

*__Produktivität__ [..tivité:t] *f.* ① 생산성, 생산력; 다산; 다수확; 다수익. ② 창조력; 다작.

Produktivitäts=effekt *m.* 생산성 효과. **~rente** *f.* 생산성 연동(連動) 연금. **~steigerung** *f.* 생산성 향상. **~stufe** *f.* 생산성의 단계.

Produktiv=kräfte *pl.* 〖政·마르크스주의〗 생산력. **~kredit** *m.* 〖經〗 시설 자금 융자.

*__Produzent__ [produtsént] *m.* -en, -en ① 생산자; 제조인, 제작자. ② 〖法·商〗 (어음·증명서 따위의) 제출자, 제시자. ③ 〖生〗 (먹이 사슬의 1차) 생산자.

Produzentin *f.* -nen ↑ Produzent 의 여성형.

*__produzieren__ [produtsí:rən] ⟪lat.⟫ ⟪Ⅰ⟫ ① 산출〔생산〕하다; 제조〔제작〕하다; 창조〔창작〕하다; 〖광산〗 채굴하다: bedarfsgerecht ~ 수요에 맞게 생산하다; Kinder ~ 아이들을 낳다. ② 〖法·商〗 (schweiz.) 제출〔제시〕하다. ③ 〖연극〗 (darstellen) 연출〔상연〕하다; 〖음악〗 연주하다. ④ 〔구어〕 (행)하다, 발생〔야기〕시키다: Unsinn ~ 어리석은 짓을 저지르다. ⟪Ⅱ⟫ *refl.* 〔구어〕 sich ~ (자신을 과시하려고) 눈에 띄는 행동을 하다; 자기의 역량〔기량〕을 보이다: sich gern (vor anderen) ~ (남 앞에) 나서기를 좋아하다; sich als Schriftsteller ~ 작가로서 기량을 보이다.

Produzierung *f.* -en ↑ Produktion.

Proenzym *n.* -s, -e 〖생화학〗 전(前)효소, 효소원(源).

Prof. =Professor 교수.

profan [profá:n] ⟪lat.⟫ *a.* ① 신성하지 않은, 불경스러운; 세속적인, 비종교적인. ② 일상의, 평범한; 범속한.

Profanation [..fanatsió:n] *f.* -en 〔교양〕 신성 모독, 독신(瀆神); 세속화; 비종교화; 남용, 악용.

Profan-bau *m.* 〔복수: -ten〕 비종교적〔세속적〕 용도의 건축물(↔ Sakralbau).

Profane* *der/die* ① 신을 모독하는 사람; 민음이 없는 사람. ② 속인, 현세주의자.

Profan·geschichte *f.* (교회사에 대한) 사회사, 세속사.

profanieren [profaní:rən] *t.* 〔교양〕 신성을 모독하다; 세속화하다; 악용〔남용〕하다; 창피를 주다.

Profanierung *f.* -en ↑ Profanation.

Profanität [profanité:t] *f.* -en 〔교양〕 ① 세속성. ② 일상성; 평범한 일.

pro·faschistisch *a.* 친(親)파쇼적〔파시즘적〕인.

Pro·ferment *n.* -s, -e 〖생화학〗 ↑ Proenzym.

Profeß [profés] ⟪lat. profiteri⟫ ⟪Ⅰ⟫ *f.* ..fesse 〖가톨릭〗 수도 서원(誓願)(식): ~ tun〔ablegen〕 수도 서원하다, 수도원에 들어가다. ⟪Ⅱ⟫ *m.* ..fessen, ..fessen 〖가톨릭〗 서원 수(도)사.

Profession [profεsió:n] *f.* -en 〔구식〕 직업, 본업, 전업; 생업: eine ~ erlernen〔betreiben〕 일을 배우다〔일에 종사하다〕; seiner ~ nachgehen 자기의 본업에 전념하다; von〔aus〕 ~ 본업의, 전문의: ein Lehrer von〔aus〕 ~ 타고난 교사.

Professional [..sioná:l] ⟪engl.⟫ *m.* -s, -e/(영어식) -s 〔약어: Profi〕 프로 선수.

professional *a.* 〔드물게〕 ↑ professionell.

professionalisieren [..sionalizí:rən] *t.* 직업〔생업〕으로 삼다〔인정하다〕.

Professionalisierung *f.* 직업〔생업〕화.

Professionalismus [..sionalísmus] *m.* -(대개 스포츠에서) 프로 활동〔생활〕; 프로 근성〔기질〕.

Professionalität *f.* ↑ Professionalismus.

*__professionell__ [profεsionél] *a.* ① 직업적인; 직업화된: ein ~er Sportler 직업〔프로〕 선수. ② 전문(가)적인; 전문가용의: ein ~es Urteil 전문(가)적인 판단. ③ 〖병리〗 ~e Lähmung (과로로 인한) 마비 증세.

professioniert [..ní:rt] *a.* (berufsmäßig) 직업적인, 본업의; 장사의.

Professionist [..nístl] *m.* -en, -en ① (öst.) 기능공. ② 전문가. ③ 경영자, 실업가.

professions·mäßig *a.* 직업적인, 본업의.

*__Professor__ [profésɔr, ..so:r] *m.* -s, -en [..só:rən] (약어: Prof.) ① 대학 교수: außerordentlicher ~ a) 조교수, b) 객원〔초빙〕 교수; ordentlicher ~ 정교수; ~ an der Universität Heidelberg 하이델베르크 대학 교수; er wurde zum ~ ernannt 그는 교수로 임명되었다; ~ der Germanistik 독어 독문학 교수; 〔구어·농담〕 ein zerstreuter ~ (정신이) 산만〔멍청〕한 사람. ② 〔공로 있는 학자·예술가·의사 등에 대한 경의의 칭호〕 Herr ~! 선생님! ③ (öst., schweiz.) 〔칭호〕 김나지움 교사.

professoral [profεsorá:l] *a.* ① 교수의, 교수다운: ~e Würde 교수의 품위. ② 〔폄어·조롱〕 교수연하는, 근엄한 체하는, 점잔 빼는; 현실과 동떨어진〔담쌓은〕.

Professorat *n.* -(e)s, -e ① ↑ Professur. ② 강좌.

Professoren=kollegium *n.* ① (한 대학의) 교수진. ② 교수의 강의. **~mäßig** *a.* 교수다운; 학자에 알맞은.

Professorenschaft *f.* (한 대학의) 교수진.

Professoren·titel *m.* 교수의 칭호.

Professorin [profεsó:rın, profésorın] *f.* -nen ① ↑ Professor 의 여성형. ② 〔구어〕 교수 부인.

Professors·frau *f.* 〔구어〕 교수 부인.

Professor·titel *m.* ↑ Professorentitel.

Professur [profεsú:r] *f.* -en 교수의 직〔지위〕.

Profi [pró:fi] *m.* -s, -s 〔구어〕 ① 직업〔프로〕 선수. ② 전문가, 프로.

Profi·boxer *m.* 〖스포츠〗 프로 권투 선수.

proficiat [profí:tsiat] ⟪lat.⟫ 〔교양·구식〕 (식사할 때) 많이 드십시오; (축배·건배할 때) 건강을 위하여.

Profi·fußball *m.* 〖스포츠〗 프로 축구.

profihaft *a.* 프로다운.

*__Profil__ [profí:l] ⟪lat.⟫ *n.* -s, -e ① 옆얼굴, 얼굴 옆모습, 프로필: ein scharfes ~ haben 선이 뚜렷한 프로필을 지니고 있다; jn.〔et.〕 im ~ darstellen 누구〔무엇〕의 옆모습을 그리다. ② 측면(도), 종단면. ③ 〖건축〗 (돌림띠 따위

의) 측면 돌출부. ④〖지질〗(지층의) 단면도. ⑤(타이어·구두창의) 홈이 팬 부분. ⑥〖교통·구식〗(통로의) 높이와 폭, 종단면. ⑦〖工〗(다양한 횡단면을 지닌) 성형 건축재, 성형물. ⑧〖교양〗(뚜렷한) 성격, 개성, 특징; 신망, 명망: ein Mann mit ~ 개성이 뚜렷한〔명망 있는〕 사람; ~ haben 개성〔특색〕이 있다.

Profi·lager *n.*〖스포츠·총칭〗프로 선수: ins ~ wechseln 프로로 전향하다.

Profil≈bild *n.* 프로필〔측면〕 그림〔사진〕. **~eisen** *n.*〖구식〗↑ ~stahl.

profilieren [profilí:rən] *t.* 《I》①홈을 파다, 요철 모양을 만들다: die Sohle ~ 신발 바닥에 요철 모양을 내다. ②〖드물게〗프로필을 그리다. ③개성〔특징〕을 부여하다. 《II》*refl.*〖교양〗sich ~ ①능력을 발휘하여 인정받다: sich als Plitiker ~ 정치가로 명성을 얻다. ②프로필이 드러나다. 《III》**profiliert** *p.a.* ↑ profiliert.

profiliert 《I》*p.p.* ↑ profilieren. 《II》*p.a.* ①홈이 파진, 올록볼록한: ~e Reifen 홈이 팬 타이어. ②특색 있는, 개성적인; 탁월한, 뛰어난.

Profilierung *f.* -en 옆모습 그리기; 능력 발휘.

profillos *a.* 특색〔개성〕 없는; 홈이 패지 않은.

Profil≈neurose *f.* (남에게 인정 받으려는) 이미지 관리 강박증〔노이로제〕. **~sohle** *f.* 홈이 팬 구두창.

Profil≈stahl *m.* (T·H 형 같은 특정 횡단면을 가진) 형강(型鋼). **~tiefe** *f.* (타이어 따위의) 홈의 깊이.

Profi·sport *m.* 프로 스포츠.

*__Profit__ [profí:t] 《lat.》 *m.* -(e)s, -e ①〖폄어〗이득, 이익, 득: ~ aus et.³ schlagen〔ziehen〕 무엇에서 이득을 보다; ~ machen 이익을 보다〔남기다〕; sehr auf ~ aussein 돈벌이에 혈안이 되어 있다. ②〖經〗수익, (자본) 이윤: mit ~ arbeiten 이윤을 남기면서 일하다.

profitabel [profitá:bəl] *a.* 이익이 있는, 벌이가 되는, 남는.

profit·bringend *p.a.* 수익(성)이 있는.

Profitchen [profí:tçən, ..fít..] *n.* -s, - ①〖↑ Profit 의 축소형〗약간의 이익〔벌이〕, 부정〔부당〕한 이익. ②양초꽂이 못.

Profiteur [..tø̌:r] 《frz.》 *m.* -s, -e〖교양·폄어〗수익자, 부당 이득자.

Profit·gier *f.* 탐욕적인 이윤〔이익〕 추구.

profitieren [profití:rən] *i.* (h.) 이익을 얻다, (돈을) 벌다; (이)득을 보다: von et.³ ~ 무엇으로 이익을 보다; bei einem Handel ~ 장사해서 돈을 벌다.

Profit·jäger *m.*〖폄어〗잇속꾼, 돈벌레, 모리배.

profitlich *a.* ① **(a)**〖구식〗자기 잇속만 차리는, 이익만 추구하는. **(b)** 이익이 있는. ②(obd.) 검약하는(sparsam).

Profit≈macher *m.* 이익을 추구하는 사람; 잇속꾼, 모리배; 이기주의자. **~rate** *f.* ①〖經〗이윤율, 수익률. ②〖마르크스주의〗잉여 가치율. **~streben** *n.* 이윤 추구, 잇속 차리기.

pro forma [pro: fɔ́rma:] 《lat.》 형식상; 외견상, 체면상.

Proforma·wechsel *m.*〖商〗융통〔백지〕 어음.

Profos [profó:s] 《frz.》 *m.* -es/-en, -e(n) ①〖軍〗(옛날의) 법무관. ②간수(장); 형(특히 사형) 집행자.

Profoß [profó:s, ..fɔ́s] *m.* ..fosses /..fossen, ..fosse(n) ↑ Profos.

profund [profúnt] 《lat.》 *a.* ①깊은; 심원한; 근본적인, 철저한: ~e Kenntnisse 심오한 지식. ②〖醫〗심재성(沈在性)의: eine ~e Vene 심부 정맥.

profus [profú:s] 《lat.》 *a.* ①〖교양〗사치스런, 호사한. ②〖醫〗과도한, 극단적인; 격렬한, 강렬한: ~e Schweißabsonderung 다한(多汗)(증). ③장황한.

Progenitur [progenitú:r] *f.* -en 자손, 후예.

Progesteron [progɛsteró:n] *n.* -s〖생리〗프로게스테론(난소 황체가 생산하는 여성 호르몬).

Prognose [prognó:zə] 《gr.》 *f.* -n 예측, (일기의) 예보;〖醫〗예후: eine ~ für〔über〕 et. stellen 무엇을 예측하다.

Prognostik [prognɔ́stɪk] *f.*〖醫〗예후학, 예후 판정; 예언학, 운세 판정.

Prognostikon [..kɔn] *n.* -s, ..ken/..ka〖교양〗전조, 징후; 예언: jm. das ~ stellen 누구의 운명을 예언하다.

Prognostikum *n.* -s, ..ken/..ka ↑ Prognostikon.

prognostisch *a.* 예후 판정의, 예측하는.

prognostizieren [prognɔstitsí:rən] *t.*〖교양〗예측〔예언〕하다, 예후를 판정하다.

Prognostizierung *f.* -en 예측(하기), 예후 판정.

*__Programm__ [prográm] 《lat. <gr. prográphein》 *n.* -s, -e ①(연극·영화·방송 따위의) 프로그램, 공연 내용〔순서〕, 연주 곡목: ein buntes〔schlechtes〕 ~ 다채로운〔빈약한〕 프로그램; das ~ aufstellen〔veröffentlichen〕 프로그램을 편성하다〔발표하다〕. ②정강(政綱), 강령; 기본 정책: das ~ einer Partei 정당의 정강. ③학보, 교지. ④계획, 의도; 예정: et. in sein ~ aufnehmen 무엇을 계획에 집어 넣다;〖비유〗das steht nicht auf unserem ~ 그것은 우리가 의도한 것이 아니다: es verkauft alles nach ~ 예상대로 매진되었다. ⑤〖컴〗프로그램. ⑥〖商〗두루 갖춘 물건의 품목: Möbel~ 가구 컬렉션.

Programm≈ablauf *m.* 프로그램의 진행〔경과〕. **~ablauf·plan** *m.* 프로그램 순서도(작업 순서를 기호와 도형으로 표시한 것). **~änderung** *f.* 프로그램 변경. **~anzeiger** *m.*〖방송〗프로그램 안내판〔안내 화면〕.

program·mäßig *a.* 프로그램에 관해서는; 프로그램대로의, 순서〔예정〕대로의.

Programmatik *f.* 목표〔프로그램〕 설정.

Programmatiker *m.* -s, - 프로그램〔정강 정책·강령〕 입안자.

programmatisch *a.* ①강령〔정강〕에 일치하는, 강령의. ②방향〔방침〕을 제시하는, 목표를 설정하는.

Programm≈direktor *m.*〖방송〗프로그램〔방송〕 편성국장. **~eigenschaft** *f.* 프로그램 등록 정보. **~fehler** *m.*〖컴〗버그(프로그램의 오류). **~folge** *f.* 프로그램〔공연〕 순서. **~füller** *m.* (여백을 메우는) 단편 기사;〖방송〗막간〔시간때우기〕 프로〔방영물〕. **~gemäß** *a.* 프로그램대로의, 순서대로의.

~generator *m.* 〖컴〗 프로그램 제너레이터〔생성기〕. **~gestaltung** *f.* 프로그램 편성. **~gesteuert** *a.* 〖컴〗 프로그램에 제어〔운용〕되는. **~heft** *n.* 프로그램(집), 공연 안내장, 팸플릿. **~hinweis** *m.* 방송〔프로그램〕 안내.

programmierbar [..mí:ɾba:ɾ] *a.* 기획할 수 있는, 프로그래밍이 가능한.

***programmieren** [..gramí:rən] *t.* ① 프로그램을 짜다, 기획〔계획〕하다. ②〖컴〗 프로그래밍하다. ③ 미리 확정하다, 예정하다: er ist ganz auf Karriere programmiert 그의 성공은 예정되어 있다〔필연적이다〕; ein programmierter Unterricht 프로그램(에 따른) 학습.

Programmierer [..rəɾ] *m.* -s, - 〖컴〗 프로그래머.

Programmiererin *f.* -nen 〖컴〗 ↑ Programmierer 의 여성형.

Programmier·sprache *f.* 〖컴〗 프로그램 언어.

Programmierung *f.* -en 〖컴〗 프로그램짜기, 프로그래밍.

Programm⸗punkt *m.* 프로그램의 항목. **~steuerung** *f.* 〖컴〗 프로그램에 의한 자동 제어.

Programmusik *f.* -en 〖음악〗 표제 음악.

Programm⸗vorschau *f.* (방송) 프로그램 예고. **~zeitschrift** *f.* 방송 (프로그램) 안내 잡지. **~zettel** *m.* 예정표, 프로그램.

progredient 《lat.》 *a.* 〖醫〗 진행성〔악성〕의.

Progreß [progrɛ́s] 《lat.》 *m.* ..gresses, ..gresse 〔교양〕 전진, 진행; 진보, 발전.

Progress 新정서 ⇦ Progreß.

Progression [progrɛsió:n] *f.* -en ① 전진, 진행; 진보, 발전; 향상, 증가; 순서, 단계. ②〖재정〗 누진(累進), 상승. ③〖數·구식〗 수열.

Progressismus [progrɛsísmus] *m.* - (극단적) 진보론, 진보(지상)주의.

Progressist [progrɛsíst] *m.* -en, -en 진보주의자; 진보당원, 진보당 지지자.

progressistisch *a.* (극단적으로) 진보적인, 진보주의의.

***progressiv** [..grɛsí:f] *a.* ① 진보적인, 진보주의의: die ~en Kräfte 진보 세력. ② 점진적인, 발전하는; 누진적인; 단계적인, 순차적인; 〖醫〗 진행성의: die ~e Steuer 누진세; ~e Paralyse 진행성 마비.

Progressivist [..víst] *m.* -en, -en ↑ Progressist.

Progressiv·steuer *f.* 누진세(稅).

Progymnasium [pró:gʏmna:zium] 《gr.》 *n.* -s, ..sien [..ziən] 〖교육〗 (9년제 김나지움에 비해 상급 3년 과정이 없는) 6년제 김나지움.

prohibieren [prohibí:rən] 《lat.》 *t.* 〔구식〕 방해하다; 저지하다; 금(지)하다.

Prohibition [..tsió:n] *f.* -en ①〔구식〕 저지, 방해; 금지. ② 금주령(禁酒令), 주류 제조〔판매〕 금지.

Prohibitionist [..tsioníst] *m.* -en, -en 금주론자, 주류 제조 판매 금지론자.

prohibitiv [..tí:f] *a.* ① 저지하는, 방해하는; 금지하는. ② 예방적인.

Prohibitiv⸗gesetz *n.* 금지법. **~maß·regel** *f.* 금지 조치; 예방책. **~system** *n.* 보호 무역 제도, 금지 관세 제도. **~zoll** *m.* 〖經〗 ① 금지 관세. ② 보호 관세.

Prohibitorium [prohibitó:rium] 《lat.》 *n.* -s, ..rien [..riən] 〔구식〕 금지령; 금지; (특정 품목의) 수출입 금지(령).

***Projekt** [projɛ́kt] 《lat.》 *n.* -(e)s, -e ① (대규모 연구·사업의) 계획, 기획, 프로젝트: ein realitätsfernes ~ 현실과 동떨어진 기획; ~e zur Energiegewinnung 에너지 개발 계획. ②〖교육〗 (학생들의 공동) 연구 과제.

Projektant [projɛktánt] *m.* -en, -en 입안자, 기획자.

Projekt 21 *n.* 〖교통〗 프로젝트 21(슈투트가르트·뮌헨·프랑크푸르트의 지상 정거장을 지하화하는 것을 골자로 한 정거장 개조 계획).

Projekten·macher *m.* 계획자, 발기인; 〔비유〕 모사꾼; 〔구어·폄어〕 실현성 없는 기획을 끊임없이 하는 사람.

Projekt·gruppe *f.* 프로젝트〔기획〕팀, 기획진(陣).

projektieren [projɛktí:rən] *t.* ① 계획하다, 구상하다. ②〖數〗 투영하다.

Projektierung *f.* -en 기획〔구상·입안〕(하기).

Projektil [projɛktí:l] *n.* -s, -e ①〖軍〗 탄환, 포탄. ②〔구어〕 로켓, 미사일, 우주선.

***Projektion** [..tsió:n] *f.* -en ①〖心〗 투사(投射), 투영(投影). ②〖광학〗 투사, 영사(映寫). ③〖數〗 사영(射影), 투영(법); 〖제도〗 투영도(법); 〖工〗 투영. ④ 계획, 기획, 구상.

Projektions⸗apparat *m.* ↑ Projektor. **~ebene** *f.* 투영면. **~fläche** *f.* 영사막, 스크린. **~gerät** *n.* ↑ Projektor. **~lampe** *f.* 영사기용 전구. **~lehre** *f.* 투영학. **~schirm** *m.* ↑ ~wand. **~verfahren** *n.* 투영법. **~wand** *f.* 스크린, 영사막.

Projektor [projɛ́ktɔr, ..to:ɾ] *m.* -s, -en [..tó:rən] 환등기; 영사기; 투영기; 탐조등.

***projizieren** [projitsí:rən] 《lat.》 *t.* ① 투사〔투영〕하다: 〖영화〗 영사(映寫)하다; 〖數〗 사영(射影)〔투영〕하다. ②〖제도〗 et. ~ 무엇의 투영도를 그리다. ③〔교양〕 전이〔전염〕시키다, 옮기다: eigene Ängste auf jn. ~ 자신의 불안을 누구에게 옮기다.

Projizierung *f.* -en 투영, 투사, 영사(映寫).

Proklamation [proklamatsió:n] 《lat.》 *f.* -en 〔교양〕 선언; 공포, 포고; 성명(서): die ~ der Menschenrechte 인권 선언(서).

proklamieren [..klamí:rən] *t.* 〔교양〕 포고〔고시〕하다; 선언하다: den Ausnahmezustand 〔eine neue Verfassung〕 ~ 비상 사태를〔새 헌법을〕 선포하다.

Proklamierung *f.* -en 포고〔고시·공포·선언〕(하기).

Proklise [proklí:zə] 《gr.》 *f.* -n 〖언어학〗 (↔ Enklisis) 후접(後接)(강세가 없는 단어가 후속 단어의 일부처럼 발음되는 현상; 보기: ein Kind → 'n Kind).

Proklisis [pró:klizɪs, prók..] *f.* ..klisen [..lí:zən] ↑ Proklise.

Proklitikon [proklí:tikɔn] *n.* -s, ..ka 〖언어학〗 후접어(後接語).

proklitisch *a.* 〖언어학〗 후접(後接)의.

prokommunistisch *a.* 친(親)공산주의적인.

Prokonsul [prokɔ́nzul, pró:kɔn..] 《lat.》 *m.* -s, -n (고대 로마 제국의) 전(前) 집정관, 집정관 출신 지방 총독; 식민지 총독; 대리 영사.

Prokonsulat [prokɔnzuláːt, próːkɔnzulaːt] *n.* -(e)s, -e ① 집정관 출신 지방 총독의 직위. ② 총독 관구.

pro Kopf [..kɔ́pf] 1 인당, 두당.

Pro-Kopf-Verbrauch *m.* 1 인 평균 소비량.

Prokrustes [prokrʊ́stɛs] 〖그리스신화〗 프로크루스테스(손님을 쇠 침대에 눕혀 키가 더 길면 자르고 짧으면 잡아늘여 죽였다고 하는 Attica 의 강도); 〔비유〕 견강부회를 일삼는 사람.

Prokrustes·bett *n.* 〔교양〕 프로크루스테스의 침대; 융통성 없는 규칙〔형식·체제〕; 옴짝달싹 못할 곤경.

Proktalgie [prɔktalgíː] 《gr.》 *f.* -n [..gíːən] 〖醫〗 직장〔항문〕(신경)통.

Proktitis [prɔktíːtɪs] *f.* ..titiden [..tíːdən] 〖醫〗 직장염.

Proktologe [proktolóːgə] *m.* -n, -n 〖醫〗 직장병〔항문병〕 전문의.

Proktologie [prɔktologíː] *f.* 〖醫〗 직장병〔항문병〕학.

proktologisch *a.* 〖醫〗 직장병〔항문병〕의.

Proktospasmus [prɔktospásmus] *m.* -, ..men 〖醫〗 직장〔항문〕 경련.

Proktostase [prɔktostáːzə] *f.* -n 〖醫〗 직장 마비성 변비.

Prokura [prokúːra] 《lat.》 *f.* ..ren 대리〔대행〕(권), 위탁; 〖商〗 업무 대리권(독일 상법상의 특수한 대리권): in〔per〕 ~ 대리로(per procura); jm. ~ erteilen 누구에게 대리권을 위임하다; ~ besitzen〔haben〕 대리를 위임받고 있다.

Prokura·führer *m.* ↑ Prokurist.

Prokuration [prokuratsióːn] 《lat.》 *f.* -en ① 대리; 대행, 위임. ② 대리인〔전권 위원〕에 의한 (계약의) 체결; 전권 위임. ③ 〖가톨릭〗 순석비(巡錫費) (떠돌이 수도사에게 수도원에서 주는 돈).

Prokurator [prokuráːtɔr, ..toːr] *m.* -s, -en [..tóːrən] ① (고대 로마의) 지방 총독. ② (중세 베네치아 공화국의) 집정관(9 인이 있고 그 중에서 총독이 선출됨). ③ 〖가톨릭〗 법무상의 전권 대리인; (수도원의) 재산 관리인. ④ 대리인, 전권 위원; 〖商〗 지배인, 업무 대리인.

Prokura·träger *m.* ↑ Prokurist.

Prokurist [prokuríst] *m.* -en, -en 업무 대리인, 지배인.

Prokuristen·stelle *f.* 대리인 자리〔직위〕.

Prokuristin -nen *f.* ↑ Prokurist 의 여성형.

Prolaps [proláps] 《lat.》 *m.* -es, -e 〖醫〗 (장기의) 탈출(증) (자궁탈(脫), 탈항(脫肛) 따위).

Prolapsus [prolápsus] *m.* -, - ↑ Prolaps.

Prolegomenon [prolegóːmenɔn, ..gó..] 《gr.》 *n.* -s, ..mena ① 서론, 서문, 머리말. ② (초고 단계의) 학술 논문.

Prolepse [prolɛ́psə] 《gr.》 *f.* -n ① 선취; 예기. ② 〖醫〗 조기 발작; 〖植〗 어린 가지의 조발(早發). ③ 〖修〗 예변법(豫辯法) (반대론을 예기하여 미리 반박해 두는 법). ④ 〖문법〗 선취적 객어 용법(후속 부문장의 주어를 선행하는 주문장에서 미리 4 격으로 언급하는 구문법; 보기: hörst du, wie der Bach rauscht? 를 hörst du den Bach, wie er rauscht? 로 표현). ⑤ 〖哲〗 프롤렙시스(반복되는 지각(知覺)에 따라 성립하는 보편 개념).

Prolepsis [..psɪs] *f.* ..psen ↑ Prolepse.

proleptisch *a.* 선취하는, 선취적인.

Prolet [proléːt] 《<Proletarier》 *m.* -en, -en 〔구어·폄어〕 ① 무식〔천박〕한 놈, 무뢰한, 상놈. ② 무산(계급)자.

***Proletariat** [proletariáːt] *n.* -(e)s, -e (↔ Bourgeoisie) ① (고대 로마의) 최하층 계급, 천민층. ② 〖마르크스주의〗 프롤레타리아트, 무산〔노동자〕 계급: akademisches ~ 고학력 실업자 집단.

***Proletarier** [..táːriər] 《lat. proles》 *m.* -s, - ① (고대 로마의) 최하층민, 천민. ② 〖마르크스주의〗 프롤레타리아, 임금 노동자, 무산자.

Proletarier·kind *n.* 무산 계급 출신의 아이〔자식〕.

proletarisch *a.* ① 무산 계급 출신의. ② 프롤레타리아의.

proletarisieren [proletarizíːrən] *t.* 무산자〔프롤레타리아〕로 만들다, 무산 계급화하다.

Proletarisierung *f.* -en 무산 계급화.

proletenhaft *a.* 천한, 교양 없는.

Prolet·kult 《russ.》 *m.* -(e)s (10 월 혁명기 러시아의) 프롤레타리아 문화 혁명.

prolifer [próːlifər] 《lat.》 *a.* 〖生〗 (세포·맹아가) 증식〔번식〕하는.

Proliferation[1] [proliferatsióːn] *f.* -en ① 〖醫〗 (병적인) 번식, 세포 증식. ② 〖植〗 (기형적) 중복 개화(開花).

Proliferation[2] [proulɪfəréɪʃən] 《engl.》 *f.* -en 〖政〗 핵(무기) 확산.

proliferieren [..feríːrən] *i.* (h.) 〖醫〗 (세포 조직 따위가) 증식하다, 번식하다.

prolifik *a.* 열매를 맺는, 생산력이 있는; 다산의.

Prolifikation [..fikatsióːn] *f.* -en 번식, 증식; 〖植〗 중복 개화(開花).

prolix [prolíks] 《lat.》 *a.* 〔구식〕 장황한; 상세한.

***Prolog**[1] [prolóːk] 《lat. prologus》 *m.* -(e)s, -e (↔ Epilog) ① 머리말, 개회사. ② 〖연극·음악〗 서곡, 서막; 서시(序詩), 서언(序言); 〔비유〕 서막적 사건, 발단. ③ 〖사이클〗 (여러 날 치러지는 경기의) 개막 경기.

Prolog[2] *m.* 〖컴〗 프롤로그(Lisp 와 함께 가장 대표적인 프로그램 언어).

Prolongation [prolɔŋgatsióːn] 《<prolongieren》 *f.* -en ① 〖經〗 (지급 기일의) 연기, 유예; (차용 증서·어음 따위의) 개서(改書). ② (öst.) (영화 상연 기간 따위의) 연장.

Prolongations=gebühr *f.* 〖商〗 연기 수수료, 갱신료. **~geschäft** *n.* 〖商〗 (주식 거래의) 이연(移延) 거래. **~wechsel** *m.* 〖經〗 갱신 어음, 신(新)만기 연장 어음.

prolongieren [prolɔŋgíːrən] 《lat.》 *t.* ① 〖商〗 (지급 기한을) 연기〔유예〕하다; (어음 따위를) 개서(改書)〔갱신〕하다. ② 늘이다, 연장하다: einen Vertrag ~ 계약을 연장하다; einen Film ~ 영화를 연장 상연하다.

Prolongierung *f.* -en 유예, 연기, (어음 따위의) 개서(改書); 연장.

pro memoria [proː memóːria] 《lat.》 기념으로, 기념하여(약어: p.m.).

Promemoria [promemóːria] *n.* -s, ..rien [..riən] ① 각서, 건의서, 청원서, 진정서. ② 메모, 비망록.

Promenade [promənáːdə] 《lat.》 *f.* -n ① 산

책: eine ~ machen 산책하다. ② 산책로: auf der ~ spazierengehen 산책로를 거닐다. ③ 『발레』 회전 연결 동작.

Promenaden≈anzug *m.* 산책〔외출〕복. **~-deck** *m.* (여객선의) 상(上)〔산책〕 갑판. **~konzert** *n.* 산책로〔야외〕 연주회. **~mischung** *f.* 〖구어·농담〗 잡종개. **~weg** *m.* 산책로.

promenieren [promənί:rən] *i.* ① (h.) 산책〔소요〕하다. ② (s.) 산책가다.

Promesse [promέsə] 《lat.》 *f.* -n 서면 약속; 『商·구식』 채무 증서; 약속 어음; 주권(株券).

prometheisch [prometé:ɪʃ] 《gr.》 *a.* 프로메테우스 같은, 거인 같은: ~e Taten 웅대한 행위; ~er Trotz 프로메테우스적〔하늘을 거역하는〕 반항.

Prometheus [promé:tɔʏs, ..tεus] *m.* 『그리스 신화』 프로메테우스(반신(半神) 거인; 불을 훔쳐 사람에게 준 죄로 독수리에게 간이 쪼아먹힘).

Promethium [promé:tium] *n.* -s 『化』 프로메튬(기호: Pm).

pro mille [pro: mίle] 《lat.》 1000 에 대하여, 1000 마다; 1000 분의(약어: p.m.(=v.T.); 기호: ‰).

Promille [promίle, ..lə] *n.* -(s), - ① 프로밀, 천분율, 1000 분의 1(기호: ‰). ② 〖구어〗 혈중 알코올 농도.

Promille≈grenze *f.* (법정) 혈중 알코올 농도 허용치〔한계치〕. **~satz** *m.* 1000 분율(기호: ‰).

prominent [prominέnt] 《lat.》 *a.* ① 걸출한, 탁월한, 유명한, 저명한, 권위〔영향력〕 있는: ~e Persönlichkeiten 저명 인사들. ② 현저한, 중요한, 결정적인: von ~er Bedeutung sein 중요한 의미가 있다.

Prominente* *der/die* 저명 인사, 명사.

Prominenz [prominέnts] *f.* -en ① 〖총칭〗 명사진(陣): die ~ von Bühne und Film 연극과 영화계의 저명 인사(진). ② 〖복수〗 저명〔유명〕 인사들. ③ 저명(함), 명성; 〖구식〗 중요성.

promiscue [promίskue] 《lat. miscere》 *adv.* 〖교양〗 혼합되어, 뒤섞여, 뒤범벅이 되어.

Promiskuität [promɪskuitέ:t] *f.* 혼합; 난혼(亂婚)(제), 난교, 문란한 성관계.

promiskuitiv [..kuitί:f] *a.* 성관계가 문란한; 난혼(亂婚)의.

promissorisch [promɪsó:rɪʃ] 《lat.》 *a.* 〖구식〗 약속하는; 약속을 어기지 않는: 『法』 ~er Eid 진술 전의 선서.

Promittent [promɪtέnt] *m.* -en, -en 〖구식〗 약속한 사람, 계약자.

Promorphologie *f.* 『生』 원형(原形)학(동식물의 원시 형태학).

Promoter [promó:tər] 《engl.》 *m.* -s, - ① (프로 스포츠의) 프로모터, 흥행업자. ② (연주회 등의) 프로모터, 주최자. ③ 『經』 판촉 요원.

***Promotion**[1] [promotsió:n] 《lat.》 *f.* -en ① 박사 학위 취득; (öst.) 박사 학위 수여식. ② 『스포츠』 (schweiz.) 1 부〔상위〕 리그 진출.

Promotion[2] [prəmóuʃən] 《engl.》 *f.* 『經』 광고, 홍보, 판매 촉진: ~ für einen Film machen 영화를 홍보하다.

Promotions·schrift [promotsió:ns..] *f.* 박사 학위 논문.

Promotor [promó:tɔr, ..to:r] *m.* -s, -en [..tó:rən] ① 후원자, 지지자, 장려자. ② (öst.) (총장·학장 따위의) 박사 학위 수여자. ③ 『化』 활성제.

Promovend [promovέnt] *m.* -en, -en 박사 학위 취득 예정자.

***promovieren** [..movί:rən] 《I》 *i.* (h.) ① 박사 학위를 취득하다: zum Doktor der Theologie ~ 신학 박사 학위를 취득하다; er promovierte 2001 in Hamburg mit der Dissertation „ ...“ 그는 2001 년 함부르크에서 “…”라는 논문으로 박사 학위를 취득했다. ② (öst.) (학위 수여식에서) 박사 학위를 받다. ③ über et. ~ 무엇을 주제로 박사 학위 논문을 쓰다. ④ 『스포츠』 (schweiz.) 1 부〔상위〕 리그에 진출하다. 《II》 *t.* 〖구식·교양〗 촉진하다, 후원〔지원〕하다; 박사 학위를 수여하다: jn. zum Doktor der Medizin ~ 누구에게 의학 박사 학위를 수여하다.

prompt [prɔmpt] 《<lat. promptus》 《I》 *a.* 민첩한, 잽싼, 즉석에서의; 즉각적인, 지체 없는: 『商』 ~e Bezahlung 현금 결제; eine ~e Antwort 즉답; ~e Bedienung 눈치 빠른 서비스. 《II》 *adv.* 〖구어〗 여지〔어김〕없이, 예상대로: sie wollten mich veralbern, und ich bin auch ~ darauf hereingefallen 그들은 나를 골려 주려 했는데, 나는 여지없이 거기에 걸려들었다.

Promptheit [prɔ́mpthaɪt] *f.* -en 즉각적임, 신속; 민첩, 기민.

Promulgation [promulgatsió:n] 《lat.》 *f.* -en 〖구식〗 고지, 포고; (법령 따위의) 발포, 공포.

promulgieren [..mulgί:rən] *t.* 〖구식〗 (법령 따위를) 발포〔공포〕하다; (교의(教義)를) 선포하다.

Pronomen [proná:mən, ..mεn] 《lat.》 *n.* -s, -/..mina 『문법』 대명사.

pronominal [pronominá:l] *a.* 『문법』 대명사의, 대명사적인.

Pronominal≈adjektiv *n.* 『문법』 대명사적 형용사(보기: viele, verschiedene). **~adverb** *n.* 『문법』 대명사적 부사(보기: hiermit, daran, wozu).

Pronominale [pronominá:lə] *n.* -s, ..lia/..lien [..l:ən] 『문법』 질량 (표시) 대명사.

prononcieren [pronɔ̃sί:rən] 《lat.》 《I》 *t.* ① 〖교양〗 명료하게〔강하게〕 발음하다; 강조〔역설〕하다. ② 공언〔선언〕하다. 《II》 **prononciert** *p.a.* ↑ prononciert.

prononciert [..nɔ̃sί:rt] 《I》 *p.p.* ↑ prononcieren. 《II》 *p.a.* 명백〔분명〕한, 단호한; 두드러진.

Prontosil *n.* -s 『藥』 프론토질(Azo 색소의 유도체).

Pronunziamento [pronuntsiamέnto] 《lat. -it.》 *n.* -s, -s ↑ Pronunziamiento.

Pronunziamiento 《lat.》 *n.* -s, -s ① 혁명 선언(서), 격문. ② 군사 쿠데타.

Proömium [proǿ:mium] 《lat. <gr. oimos》 *n.* -s, ..mien [..miən] ① 서언, 서론. ② 『음악』 서곡; 『문학·연극』 (고대 그리스의 음유 시인이 서사시 낭독 전에 부른) 찬가, 서막, 서곡, 발단부.

Propädeutik [propεdɔ́ʏtɪk] 《gr.》 *f.* -en ① 예비 교육〔지식〕, 입문: philosophische ~ 철학 입문. ② 입문서, 개론서.

Propädeutikum [..dɔ́ytikum] *m.* -s, ..ka (schweiz.) 의사 예비〔1차〕 시험.
propädeutisch *a.* 예비 교육〔지식〕의, 입문(서)의.
***Propaganda** [propagánda] 《lat.》 *f.* ① (특정 사상·이념 따위의) 선전, 유세; 광고, 홍보; 〖종교〗 선교, 전도, 포교: für et. ~ machen (treiben) 무엇을 선전〔유세·광고〕하다; 〖구어〗 das ist alles nur ~! 그것은 모두 선전에 불과해! ②〖軍〗 심리 전술. ③〖가톨릭〗 선교〔포교〕 성성(聖省) (1622 년 로마 교황 Urban 8 세가 창립한 전도 평의 위원회; congregatio de propaganda fida 의 약자).
Propaganda≈apparat *m.* 선전 기관〔기구〕. **~feldzug** *m.* (대대적인) 선전 유세, 캠페인. **~film** *m.* 선전 영화. **~kompanie** *f.* 〖軍〗 (특히 제 2 차 세계 대전 때의) 종군 기자단, 정훈 중대. **~lüge** *f.* 허위 선전. **~material** *n.* ① 선전 자료. ②〖經〗 광고〔홍보〕 자료. **~ministerium** *n.* (나치의) 선전성(省). **~schrift** *f.* 선전 문서〔물〕. **~sendung** *f.* 선전 방송. **~wesen** *n.* 선전〔전도〕 기관〔체제〕. **~wirksam** *a.* 선전이 효과 있는.
propagandieren [propagandí:rən] *t.* ↑ propagieren.
Propagandist [..díst] *m.* -en, -en ① 선전자, 선전원. ②〖구동독〗 (정치적 이념·정강 따위의) 선전 요원. ③〖經〗 (새 제품의) 선전 판매원, 광고 요원. ④〖교양〗 후원자, 옹호자, 장려자.
Propagandistin *f.* -nen ↑ Propagandist 의 여성형.
propagandistisch *a.* 선전에 관한, 선전의.
Propagation [..gatsió:n] *f.* -en 확장; 전파, 유포, 보급; 선전.
Propagator [propagá:tɔr, ..to:r] *m.* -s, -en [..tó:rən] 후원자, 옹호자, 장려자.
propagieren [propagí:rən] *t.* 보급〔유포〕시키다; 선전하다.
Propagierung *f.* -en 선전, 보급.
Propan [propá:n] 《gr.》 *n.* -s 프로판 (가스).
Propan·gas *n.* 프로판 가스.
Proparoxytonon [proparɔksý(:)tonɔn] 《gr.》 *n.* -s, ..tona 〖언어학〗 프로파락시토논(그리스어에서 끝에서 세 번째 음절에 강세를 갖는 단어; 보기: Analysis).
***Propeller** [propɛ́lər] 《lat. -engl.》 *m.* -s, - ① 프로펠러, 추진기; (특히) 나선 추진기, 스크루. ② 스크루 추진(기)선.
Propeller≈antrieb *m.* 프로펠러 추진 (장치). **~flügel** *m.* 프로펠러의 날개. **~flugzeug** *n.* 프로펠러(비행)기. **~generator** *m.* 프로펠러 발전기. **~turbine** *f.* 프로펠러 터빈.
Propen [propé:n] *n.* -s 〖化〗 ↑ Propylen.
proper [prɔ́pər] 《lat. -frz.》 *a.* ①〖고어〗 자기의, 고유의; 독특한. ② 정결한, 참한; 말쑥한, 깔끔한, 정돈된. ③ 세심한, 꼼꼼한.
Proper·geschäft *n.* 〖經〗 자영업.
Properispomenon [properispó:menon] *n.* -s, ..mena 〖음성〗 프로페리스포메논(그리스어에서 끝에서 둘째 음절에 장음 기호(˜)를 갖는 단어; 보기: dõron).
Propertät *f.* 청결, 깔끔함; 꼼꼼함.
Prophase *f.* -n 〖유전〗 전기(前期) (핵의 유사분열 제 1 기로, 핵질에서 염색체가 신장하여 핵끈을 형성하는 시기).
***Prophet** [profé:t] 《gr.》 *m.* -en, -en ① 예언자, 선지자: der ~ gilt nichts in seinem Vaterlande 선지자는 고향에서는 존경받지 못한다(마태 13:57); ein falscher ~ 거짓 선지자, 못 믿을 사람; 〖구어〗 ich bin (doch auch) kein ~! 나는 예언자가 아니라구! (내가 그걸 알 리 있겠나) ②〖기독교〗 구약의 예언서. ③ 마호메트.
Propheten·gabe *f.* 예언 능력, 예견력, 예언자적 재능.
Prophetie [profetí:] *f.* -n [..tí:ən] 〖雅語〗 예언, 예견.
Prophetin *f.* -nen ↑ Prophet ① 의 여성형.
prophetisch *a.* ① 예언자의. ② 예언적〔예고적〕인.
***prophezeien** [profetsáiən] (*p.p.* prophezeit) *t.* 예언〔예견〕하다.
Prophezeiung [..tsáiuŋ] *f.* -en ① 예언. ② 예언〔예견〕(된 것), 예보.
Prophylaktikum [profyláktikum] *n.* -s, ..ka 〖醫〗 예방약, 예방제.
prophylaktisch [..tiʃ] 《gr.; ↑ Phylax》 *a.* ①〖醫〗 예방적인, 방역적인. ②〖교양〗 (어떤 사태를) 방지하는.
Prophylaxe [..láksə] *f.* -n ① (질병) 예방, 방지. ② 예방 치료(법), 예방법.
Prophylaxis *f.* ..xen ↑ Prophylaxe.
Proponendum [proponɛ́ndum] 《lat.》 *n.* -s, ..da 신청, 제의, 제안.
Proponent [proponɛ́nt] *m.* -en, -en 〖구식〗 제안자, 신청자.
proponieren [proponí:rən] *t.* 〖구식〗 제안〔제출〕하다, 추천하다, 신청하다.
***Proportion** [proportsió:n] 《lat.》 *f.* -en ① 비례적 관계; 비율; 균형, 조화: 〖구어〗 gute ~en haben 균형잡힌 몸매를 지니고 있다; die ~ zwei zu drei 2 대 3 의 비율. ②〖數〗 비례(식): in umgekehrter ~ 반비례하여. ③〖음악〗 (정량 음악 기보법(記譜法)의) 비례.
proportional [..tsioná:l] *a.* ① 비례하는, 균형 잡힌: Druck und Dichte des Gases sind direkt ~ zueinander 기체의 압력과 밀도는 서로 정비례한다. ②〖數〗 비례의. ③〖문법〗 ~e Konjunktion 비교 상관 접속사(보기: je ..., desto ...).
Proportionale [..lə] *f.* -n 〖數〗 비례 항(項): mittlere ~ 비례 중항.
Proportionalität [proportsionalitɛ́:t] *f.* -en ① 비례, 균형, 조화, 상응. ②〖數〗 (변수 사이의) 비례 관계.
Proportional≈schrift *f.* 비례 서체(문자의 폭을 다르게 만든 서체). **~wahl** *f.* 비례 대표제 선거(제).
proportionell [..nɛ́l] *a.* (öst., schweiz.) 비례 대표제의〔에 따른〕.
proportionieren [..ní:rən] 《I》 *t.* 비례하게 하다; 균형을 잡다, 균형을 유지시키다. 《II》 **proportioniert** *p.a.* ↑ proportioniert.
proportioniert 《I》 *p.p.* ↑ proportionieren. 《II》 *p.a.* 비례 관계인; 균형 잡힌.
Proportioniertheit *f.* 균형 (잡힘).
Proportions·gleichung *f.* 〖數〗 비례식.
Proporz [propɔ́rts] *m.* -es, -e ① (öst., schweiz.) 비례 대표제 선거(제). ② (득표수에

따른 의석 따위의) 비례 배분.

Propọrz≈denken *n.* 〖폄어〗 비례 배분적 사고 방식. **~wahl** *f.* (öst., schweiz.) ↑ Proportionalwahl.

Proposition [propozitsió:n] 《lat.》 *f.* -en ① 〔구식〕 제의, 제안, 신청. ②〖승마〗 경기(일시·조건)의 공시(公示). ③〖문학〗 서언, 머리말. ④〖修〗 (주제의) 도입부. ⑤〖언어학〗 진술〔문장〕 내용.

Propositum [propó:zitum] *n.* -s, ..ta 〔구식〕 ① 발언, 진술, 담화. ② 의도, 계획.

Proppen [prɔ́pən] *m.* -s, - (ndd.) 마개, 코르크 마개(Pfropfen).

prọppen·vọll *a.* 〔구어〕 가득〔꽉〕 찬: der Saal war ~ 홀은 초만원이었다.

Proprätor [proprɛ́:tɔr, ..to:r] 《lat.》 *m.* -s, -en [..tó:rən] (고대 로마에서 집정관 출신의) 지방 총독.

Proprätur *f.* -en (고대 로마에서 집정관 출신의) 지방 총독의 직위.

propre [prɔ́pər] 《lat.-frz.》 *a.* ↑ proper.

Prọpre≈geschäft *n.*, **~handel** *m.* 〖經〗 자영업, 자가 영업.

Propretät [prɔpərtɛ́:t] 《lat.》 *f.* 〔구식〕 청결, 깔끔함, 꼼꼼함; 청렴.

Proprietär [..prietɛ́:r] *m.* -s, -e 〔구식〕 소유주.

Proprietät [..tɛ́:t] *f.* -en 〔구식〕 ① 소유(물). ② 소유권.

Proprietäts·recht *n.* 소유권; 〖軍〗 사병용 소도구류.

Propst [pro:pst, prɔpst] 《lat.》 *m.* -es, Pröpste [prø:pstə] ①〖가톨릭〗 수도원장(대리); 대성당〔주교좌 성당〕 수석 신부. ②〖기독교〗 감독, 교구장, 총회장; 교회 재산 관리자.

Propstei [pro:pstáɪ] *f.* -en ① ↑ Propst 의 교구. ② ↑ Propst 의 직위.

Pröpstin [prø:pstɪn] *f.* -nen 〖기독교〗 ↑ Propst ② 의 여성형.

propulsiv [propulzí:f] 《lat.》 *a.* ① 추진하는, 추진력이 있는. ②〖醫〗 전방 돌진(성)의.

Propusk [pró:pusk] 《russ.》 *m.* -s, -e 신분증, 통행증.

Propyläon [propylɛ́:ɔn] 《gr.》 *n.* -s, ..läen ① (대건축물의) 앞뜰; (신전의) 열주문(列柱門); (특히) 고대 아테네 Akropolis 입구의 성문; 주랑(柱廊) 현관; 〔비유〕 입구, 현관. ② 〔비유〕 (소장 미술품 따위의) 안내서.

Propylen [propylé:n] *n.* -s 〖化〗 프로필렌.

pro rata (parte) [pro: rá:ta (pártə)] 《lat.》 *adv.* …의 비율로, …에 비례하여.

Prorektor [pró:rɛktɔr, ..to:r] 《lat.》 *m.* -s, -en [..tó:rən] 대학 총장〔학장〕 대리, 부총장〔학장〕; 전직 대학 학장〔총장〕.

Prorektorat [..rɛktorá:t] *n.* -(e)s, -e ① 대학 학장〔총장〕 대리직. ② 대학 학장〔총장〕 대리(집무)실.

Prorogation [prorogatsió:n] 《lat.》 *f.* -en ① 〔구식〕 (임기의) 연장. ② 〔구식〕 연기, 정회(停會). ③〖法〗 (민사 소송 당사자간의 관할 법원에 관한) 합의.

prorogativ [..tí:f] *a.* 〔구식〕 연기하는, 정회(停會)하는, 휴회 중의.

prorogieren [..gí:rən] *t.* 〔구식〕 연기〔정회〕하다; 연장하다.

***Prosa** [pró:za] 《lat.》 *f.* ① 산문: 〔구어〕 gereimte ~ 서투른 시, 운율이 맞지 않는 시; ein Band mit ~ 산문집. ②〔雅語〕 단조로움, 무미건조(한 것), 평범(한 것): die ~ des Alltags 일상의 단조로움, 무미건조한 일상.

Pro̱sa·dichtung *f.* 〖문학〗 산문 문학.

Prosaiker [..zá:ikər] *m.* -s, - ① ↑ Prosaist. ②〔비유·폄어〕 산문적인〔무미건조한〕 사람.

prosaisch [..zá:ɪʃ] *a.* ① 산문의. ②〔비유〕 산문적인, 무취미한, 일상의, 단조로운.

Prosaist [..zaíst] *m.* -en, -en 산문 작가.

Prosaịstin *f.* -nen ↑ Prosaist 의 여성형.

Pro̱sa≈schrift·steller *m.* 산문 작가. **~werk** *n.* 산문 작품.

prọschen 《sl. Lw.》 *i.* (h.) (ostd.) 걸식하다, 돈을 구걸하다.

Prosektor [pró:zɛktɔr, ..to:r] 《lat.》 *m.* -s, -en [..tó:rən] ①〔옛뜻〕 (시체) 해부 담당자; 병리 해부과 조교. ② 병리 해부학자, 병리 해부과장.

Prosektur [prozɛktú:r] *f.* -en 〖醫〗 (종합 병원의) 병리 해부과〔실〕.

Prosekution [prozekutsió:n] 《lat.》 *f.* -en 〖法〗 기소, 소추.

Prosekutor [prozekú:tɔr, ..to:r] *m.* -s, -en [..tó:rən] 기소자, 소추자.

Proselyt [prozelý:t] 《gr.》 *m.* -en, -en ① 유대교로 개종한 이방인; 개종자. ② 갓 귀의(歸依)한 사람; 〖폄어〗 전향자: ~en machen 성급하게〔억지로〕 전향〔개종〕시키다, 전향〔개종〕 운동을 벌이다.

Proselyten≈macher [..lý:..] *m.* 〔교양·폄어〕 집요한 개종〔전향〕 운동가. **~macherei** *f.* 〔교양·폄어〕 집요한 개종〔전향〕 활동.

Proseminar [pró:zemina:r] 《lat.》 *n.* -s, -e (대학의) 초급 세미나〔연습〕(Hauptseminar 의 전단계).

Proserpina [prozɛ́rpina] *f.* ①〖로마신화〗 프로세르피나(명부(冥府)의 여왕; 그리스 신화의 Persephone 에 해당). ②〖天〗 프로세르피나(소행성; 1853 년 발견).

***prosit** [pró:zɪt] 《lat.》 *int.* 〔구어〕 (건배하면서) 건강을〔잘 되기를〕 축복〔기원〕합니다!: ~ Neujahr! 새해를 위해 건배!; 〔반어〕 na denn〔dann〕 ~! a) 달갑지 않은 일이 생길지도 모르겠군!, b) 〔고어〕 (재채기를 했을 때) 실례했습니다!; ja ~ Mahlzeit! 괜찮습니다! (사절하는 말), 이거 큰일나겠군!

Pro̱sit *n.* -s, -s 축배(의 말), 건배: ein ~ dem Gastgeber! (초대해 주신) 주인을 위해 건배!; ein ~ auf jn. ausbringen 누구를 위해 건배하다.

proskribieren [proskribí:rən] 《lat.》 *t.* 〔교양〕 추방하다, 배척하다; (누구의) 법(률)적 보호를 정지시키다.

Proskription [proskrɪptsió:n] *f.* -en 〔교양〕 법(률)적 보호의 박탈, 추방(의 공고), 배척.

Proskriptio̱ns·liste *f.* 추방자〔법(률)적 보호 박탈자〕 명단.

proskriptiv [..tí:f] *a.* 추방의, 추방적인.

Proskynese [prɔskyné:zə] 《gr.》 *f.* -n 흠모, 경모; (무릎을 꿇고 이마를 바닥에 대는) 경배, 부복(俯伏); 비굴한 숭배.

Prosodie [prozodí:] 《gr., „Zugesang"》 *f.* -n [..dí:ən] ① (고전 시학의) 운율 체계, 음절의 장

단과 고저. ② 운율론, 시형학. ③〖음악〗멜로디와 가사의 조화. ④〖음운〗음조(론)(강세·억양·음조 따위를 다룸).

Prosodik [..zó:dɪk] *f.* -en 운율학, 시형학.

prosodisch [..zó:dɪʃ] *a.* 음조(론)의, 운율학〔시형학〕의.

Prosopopöie [prozopopøí:] 《gr.》 *f.* -n [..pøí:ən]〖修〗의인화(擬人化), 활유(活喩)법.

prosowjetisch *a.* 〖옛뜻〗친(親)소비에트적인, 친소적(親蘇的)인.

***Prospekt** [prospέkt] 《lat.》 *m.* -(e)s, -e ① (장래의) 전망, 앞날의 형세. ②〖畫·그래픽〗(도시나 지역의) 전경도(全景圖), 개관도. ③ 안내서, 팸플릿; 취지서, 요강; 가격표: ~e über et. anfordern 무엇에 관한 안내서를 요구하다. ④〖연극〗무대의 배경도. ⑤〖음악〗(파이프 오르간의) 전면관(前面管). ⑥〖금융·증권〗재무 제표. ⑦ (russ.) 중앙로, 대로.

prospektieren [prospɛktí:rən] *i.* (h.)〖광산·지질〗탐사〔채굴〕하다.

Prospektierung *f.* -en〖광산·지질〗(광맥·유전 따위의) 탐사, 채광, 시굴.

prospektiv [..tí:f] *a.* 〖교양〗① 예상할 수 있는, 가망이 있는. ② 장래의, 예견〔전망〕하는:〖출판〗~e Bibliographie 근간 도서 목록. ③ 앞으로의 발전에 관한.

Prospektor [prospέktɔr, ..to:*r*] *m.* -s, -en [..tó:rən]〖광산·지질〗탐사〔채광·시굴〕자.

Prospektus *m.* -, ..te 안내지, (학교·회사 설립 따위의) 취지서, 강령, 요강.

Prosper [prɔ́spə*r*] 《lat.》 *m.* 프로스퍼(남자 이름).

prosperieren [prɔsperí:rən] *i.* (h.) 〖교양·전문〗번영〔번창·발전〕하다.

Prosperität [prɔsperitέ:t] *f.* ① 번영, 번창, 융성, 발전. ②〖經〗호경기, 호황 국면.

Prospermie [prɔspɛrmí:] *f.* -n [..mí:ən]〖醫〗조루(早漏).

prospizieren [prospitsí:rən] 《lat.》 *t.* 앞을 내다보다; 예견〔예측〕하다; 예방책을 강구하다.

prossen *t.* (abschälen) (나무 껍질을) 벗기다.

prost [pro:st] *int.* ↑ prosit.

Prost *n.* -(e)s, -e ↑ Prosit.

Prostata [prɔ́stata] 《gr. -lat.》 *f.* 〖해부〗전립선(Vorsteherdrüse).

Prostatiker [prɔstá:tikə*r*] *m.* -s, -〖醫〗전립선 비대(증) 환자.

Prostatitis [prɔstatí:tɪs] *f.* ..titiden [..tí:dən]〖醫〗전립선염.

prosten [pró:stən] *i.* (h.) 〖드물게〗건배하다: auf seinen Erfolg ~ 그의 성공을 위해 건배하다.

prösterchen [prǿ:stərçən] *int.* 〖농담〗↑ prost, prosit.

Prösterchen *n.* -s 〖농담〗↑ Prost, Prosit.

prostituieren [prɔstituí:rən, pro..] 《lat. -frz.》〖교양〗《I》 *t.* ①〖고어〗(사람) 앞에 드러내 보이다, 맡기다. ② 더럽히다, 욕되게 하다, 천한 목적을 위해 악용하다. 《II》 *refl.* sich ~ 자기 명예를〔몸을〕더럽히다; 매음〔매춘〕하다.

Prostituierte* *die* 매춘부, 창녀(Dirne).

Prostitution [..tsión] *f.* ① 매춘 (제도). ② 〖교양〗지조의 포기, 타락.

Prostration [prostratsió:n] 《lat.》 *f.* -en ① 의기 소침;〖醫〗허탈, 탈진; 피로. ②〖가톨릭〗복례(伏禮)(바닥에 엎드려 올리는 예배 의식).

Proszenium [prostsé:nium] 《gr. -lat.》 *n.* -s, ..nien [..niən]〖연극〗① (그리스·로마 극장의) 앞무대; (근대 극장의) 무대의 앞쪽(막과 관람석 또는 오케스트라석 사이). ② (↑ Proszeniumsloge) 귀빈석, 특별석.

Proszeniums≈lampe *f.* 헤드라이트. **~loge** [..ʒə] *f.* 무대 앞 양쪽의 관람석, 귀빈〔특별〕석.

prot. = protestantisch 신교(도)의.

Protactinium [protaktí:nium] *n.* -s〖化〗프로트악티늄(방사성 원소; 기호: Pa).

***Protagonist** [protagonɪ́st] 《gr.》 *m.* -en, -en ①〖연극〗(고대 그리스극의) 제 1 배우, 주연 배우. ②〖교양〗중심〔핵심〕인물; 선구자, 주창자. ③ 투사.

Protagonistin *f.* -nen ↑ Protagonist 의 여성형.

Protaktinium [protaktí:nium] *n.* -s ↑ Protactinium.

Protegé [proteʒé:], **Protégé** [..ʒé:] 《lat. -frz.》 *m.* -s, -s (öst.) (Schützling) 피보호자, 피후원자; 심복; 측근(자).

protegieren [proteʒí:rən] *t.* 비호〔보호〕하다, 돌봐주다; 후원〔장려〕하다.

Proteid [proteí:t] *n.* -(e)s, -e〖생화학〗프로테이드, 복합 단백질.

Protein [proteí:n] 《gr.》 *n.* -s〖化〗단백질.

proteisch [proté:ɪʃ] 《<Proteus》 *a.* 〖교양〗변화하기 쉬운, 변덕스러운, 믿을 수 없는.

Protektion [protɛktsió:n] *f.* -en 보호, 비호; 후원, 장려; 애호: unter js. ~ stehen 누구의 비호를 받고 있다.

Protektionismus [..tsionɪ́smus] *m.* -〖經〗보호 무역주의〔정책〕.

Protektionist [..nɪ́st] *m.* -en, -en 보호 무역주의자.

protektionistisch *a.* 보호 무역주의의.

Protektions≈system *n.* 보호 무역 제도. **~wirtschaft** *f.* 측근 등용, 정실 인사.

Protektor [protέktɔr, ..to:*r*] *m.* -s, -en [..tó:rən] ① 보호자, 옹호자; 후원자; 패트런;〖구식〗명예 회장. ② 보호령, 보호국. ③〖工〗타이어의 (홈이 팬) 바닥면.

Protektorat [..tɛktorá:t] *n.* -(e)s, -e ①〖교양〗보호, 비호; 후원;〖구식〗명예 회장의 직〔지위〕. ②〖法〗보호령, (피)보호국, (국제법상의) 보호 관계.

Protektorats·land *n.* (피)보호국.

pro tempore [pro: tέmpore] 《lat.》 *adv.* 당분간, 우선, 목하(目下)(약어: p.t.).

Proterozoikum [proterotsó:ikum] *n.* -s〖지질〗원생대.

***Protest** [protέst] 《lat. -it.》 *m.* -es, -e ① 항의, 항변, 이의 (신청): gegen et. ~ erheben〔einlegen〕무엇에 항의하다; einen ~ zurückweisen 이의 (신청)을 기각〔반려〕하다; unter ~ 이의를 신청하여, 반대하여; es hagelte ~e 항의가 빗발치듯했다. ②〖經〗(어음 따위의) 인수〔지급〕거절, 거절 증서: einen Wechsel zu ~ gehen lassen 어음의 지급 거절을 통보하다; mit ~ zurückkommen (물품 따위가) 지급〔인수〕거절로 인해 반송되다. ③〖海〗해난(海難) 보고서. ④〖法·구동독〗(검사의) 항소.

protest. =protestantisch ② 신교도의.
Protest·aktion *f.* 저항〔항의〕 행위.
***Protestant** [protɛstánt] *m.* -en, -en ①〘드물게〙 이의 제기자, 항의자. ②〘기독교〙 신교도, 프로테스탄트. ③〘法〙 어음 인수 거절자.
Protestantin *f.* -nen ↑ Protestant 의 여성형.
***protestantisch** *a.* ①〘드물게〙 이의를 제기하는, 항의하는. ② 신교도의.
Protestantismus [..tɛstantísmus] *m.* - (↔ Katholizismus) 신교; 프로테스탄티즘; 〘총칭〙 신교도, 신교 교회.
Protestation [..tsió:n] *f.* -en ①〘구식〙 ↑ Protest. ②〘史〙 die ~ von Speyer (im Jahre 1529) (1529 년의) 슈파이어의 이의(슈파이어에서 열린 제국 의회에서 1521 년의 보름스 칙령을 고수한다는 결의에 대해 신교측이 제기한 이의).
Protest≠bewegung *f.* 저항〔반대〕 운동. **~-demonstration** *f.* 항의〔반대〕 시위〔데모〕. **~haltung** *f.* 저항적 태도.
***protestieren** [protɛstí:rən] 《lat.》 《Ⅰ》 *i.* (h.) gegen et. ~ 무엇에 대하여 항의〔항변〕하다, 이의를 제기하다. 《Ⅱ》 *t.* 〘商〙 (어음의) 인수를〔지급을〕 (정식으로) 거절하다.
Protest·kundgebung *f.* 항의 시위〔집회〕.
Protestler [protɛ́stlər] *m.* -s, - ①〘폄어〙 항의자, 이의 제기자. ②〘복수〙 1871 년 이후 독일 제국 의회에서 Elsaß-Lothringen 병합에 반대한 당원.
Protest≠marsch *m.* 항의 행진. **~note** *f.* (외교에서) 항의 각서. **~resolution** *f.* 항의 결의(안). **~ruf** *m.* 항의〔야유〕의 외침 (소리). **~sänger** *m.* 저항 가수. **~sängerin** *f.* ↑ ~sänger 의 여성형. **~schreiben** *n.* 항의서〔문〕. **~song** *m.* 저항곡〔가요〕. **~streik** *m.* 항의 파업. **~sturm** *m.* 거센 항의〔저항〕. **~versammlung** *f.* 항의 집회. **~wähler** *m.* 〘政〙 항의 투표자(지지하던 정당에 대한 반감에서 다른 정당에 투표하는 사람). **~welle** *f.* 항의의 물결.
Proteus [pró:tɔʏs, ..tɛus] *m.* -, - ①〘그리스 신화〙 프로테우스(예언과 변신술에 능한 해신(海神)). ②〘교양〙 변덕쟁이, 주견이 없는 사람; 〘醫〙 변형균(菌), 프로테우스(하우저씨 부패균); 〘動〙 도롱뇽과의 양서 동물의 일종.
protheus·artig *a.* 여러 가지로 변하는.
protheushaft *a.* 변덕스러운.
Protheus·natur *f.* 변덕(스러운 성질); 변덕쟁이.
Protevangelium [protevaŋgé:lium] *n.* -s, ..lien [..liən] ↑ Protoevangelium.
Prothese [proté:zə] 《gr.》 *f.* -n ①〘음성〙 어두음(語頭音) 첨가(보기: 라틴어 spiritus 에서 프랑스어 esprit 가 파생될 때 모음 e 가 첨가되는 현상). ② 인공 (신체) 장구; 의수(義手) (Arm∼), 의족(Bein∼); 의치(Zahn∼); 의안(Augen∼). ③〘修〙 (주제의) 도입부.
Prothesen·träger *m.* (의족 따위의) 인공 (신체) 장구를 단 사람.
Prothetik [..té:tɪk] *f.* 〘醫·工〙 보철학(補綴學), 인공(신체) 기관학.
prothetisch *a.* ① 보철학의. ②〘工〙 의족〔의수〕의. ③〘음운〙 어두음 첨가의.
Protist [protíst] 《gr. prṓtistos》 *m.* -en, -en 〘生〙 단세포〔원생〕 생물.
Protoevangelium *n.* -s, ..lien [..liən] 〘가톨릭〙 원(原)복음(메시아(구세주)의 출현에 대한 예고; 창세기).
protogen [protogé:n] 《gr.》 *a.* 〘지질〙 초생(初生)의, 현재 출토지에서 생성된.
***Protokoll** [protokɔ́l] 《lat. protocollum》 *n.* -s, -e ① 회의록, 의사록; 〘法〙 (법정·경찰의) 조서(調書); (실험·진료 따위의) 기록: ein ~ aufnehmen〔anfertigen〕 기록하다, 조서를 작성하다; et. zu ~ geben〔bringen〕 무엇을 조서에 기록되도록 진술하다; et. zu ~ nehmen 무엇을 조서로 꾸미다; das ~ führen 회의록을〔조서를〕 작성하다. ②〘외교〙 의정서, 외교 문서; 의전, 외교 의례. ③〘印〙 전산 조판용 텍스트〔데이터〕. ④〘史〙 (중세 때 문서 첫머리의) 공식 문구. ⑤〘구어〙 (교통 법규 위반) 범칙금 (납부) 통지서. ⑥〘컴〙 (통신) 규약.
Protokoll·abteilung *f.* 의전실(儀典室).
Protokollant [..kɔlánt] *m.* -en, -en ↑ Protokollführer.
Protokollantin *f.* -nen ↑ Protokollant 의 여성형.
protokollarisch [..kɔlá:rɪʃ] *a.* ① 기록의, 조서 형식의: et. ~ festhalten 무엇을 기록으로 남기다. ② 의정서에 따른〔부합되는〕.
Protokoll≠aufnahme *f.* 기록〔조서〕 작성. **~buch** *n.* 〘商〙 기록(장)부. **~chef** [..ʃɛf] *m.* 의전실장〔과장〕. **~eintragung** *f.* (기록부에의) 기재, 기입. **~führer** *m.* 기록계; 조서 작성자, 서기.
protokollieren [protokɔlí:rən] 《Ⅰ》 *t.* 기록하다, (무엇의) 조서를 꾸미다. 《Ⅱ》 *i.* (h.) 기록하다, 조서를〔의사록을〕 작성하다: wer protokolliert heute? 오늘은 누가 기록합니까?
Protokollierung *f.* -en 기록(하기).
protokoll·mäßig *a.* ↑ protokollarisch.
Proton [pró:tɔn] 《gr. prôtos》 *n.* -s, -en ①〘핵물리〙 양성자〔프로톤〕(기호: p). ②〘化〙 프로톤 원자의 핵.
Protonen·beschleuniger [protó:nən..] *m.* 〘핵물리〙 양성자 가속기(Protonensynchrotron).
Protonotar [protonotá:r] *m.* -s, -e ①〘史〙 (교황청·왕궁의) 서기장. ② apostolischer ~ 교황청의 (7 명의) 최고 기록관; 교황청 고관(에게 주어지는 명예 칭호).
Protophyt [..fý:t] *m.* -en, -en 〘生〙 단세포 식물, 원생 식물.
Protophyton [protó:fytɔn] *n.* -s, ..phyten 〘生〙 ↑ Protophyt.
Protoplasma [protoplásma] *n.* -s 〘生〙 원형질.
***Prototyp** [pró:toty:p, prototý:p] *m.* -s, -en ① 전형(적인 인물), 원형, 모범: der ~ eines romantischen Dichters 낭만주의 시인의 전형. ② 표준 척도; 원기(原器). ③〘印〙 초판. ④ (차량·기계 따위의) 시제품, 원형. ⑤〘스포츠〙 (주문 제작된) 경주용 자동차.
Prototype [..tý:pə] *f.* -n ↑ Prototyp ①.
prototypisch [..tý:pɪʃ] *a.* 전형의, 전형적인, 모범적인.
Protozoe [..tsó:ə] *f.* -n ↑ Prototyp ③.
Protozoon [..tsó:ɔn] *n.* -s, ..zoen [..tsó:ən] 〘動〙 원생 동물, 원충(原蟲).
protrahieren [protrahí:rən] *t.* 〘醫〙 (약효 따위를) 연장〔오래 지속〕시키다.

Protuberanz [protuberánts] ⟪lat.⟫ *f.* -en ① 〚해부〛 돌기, 융기, 혹. ②〚天〛(태양의) 홍염(紅焰).

Protz[1] [prɔts] *m.* -es/-en, -e(n) ① 허풍선이, 호언가, 뽐내는 사람. ②〔단수 2격: -es; 복수 없음〕 뽐내기, 허풍; 호화 사치.

Protz[2] *m.* -en, -en 〚林〛 기형으로 웃자란 나무.

Protze [prɔ́tsə] ⟪lat. -it.⟫ *f.* -n 〚軍·옛뜻〛(2 륜 마차로 된) 화포 견인차.

protzen [prɔ́tsən] ⟪I⟫ ⟪<Protz[1]⟫ *i.* (h.) ① 뽐내다, 자랑하다; 허풍떨다; 우쭐거리다: mit seinen Erfolgen ~ 자기의 성공을 뽐내다. ② (obd.) (입술이나 입을) 삐죽 내밀다, 얼굴을 찌푸리다, 기분이 언짢아하다. ③ 화려하(게빛나)다, 화려하여 눈에 띄다: an der Wand protzten Gemälde 벽에는 그림들이 화려하게 장식되어 있었다. ⟪II⟫ ⟪<Protze⟫ *t.* 〚軍〛(화포 따위에) 견인용 2륜 마차를 연결하다.

protzenhaft *a.* ↑ protzig.

Protzenhaftigkeit *f.* 우쭐거리기, 뽐내기.

Protzentum [..tu:m] *n.* -(e)s〔구어〕자랑, 허풍; 자만, 오만.

Protzer *m.* -s, - 허풍선이, 호언가; 자랑꾼.

Protzerei [prɔtsəráɪ] *f.* -en ① 뽐내기, 과시, 자랑. ② 화포 견인차. ③ 호화 사치.

Protz≈gestell *n.* 〚軍·옛뜻〛 화포 견인차의 받침대. **~haken** *m.* 〚軍·옛뜻〛(화포 견인차와 화포의) 연결 고리〔부〕.

protzig [prɔ́tsɪç] ⟪<Protz⟫ *a.* ①〔구어〕 뽐내는, 잘난 체하는; 돈자랑하는; 호화로운, 사치스런. ② 얼굴을 찌푸린, (입을) 삐죽 내민.

Protzigkeit *f.*〔구어〕↑ protzig의 명사형.

Protz≈kasten *m.* 〚軍·옛뜻〛 화포 견인차의 탄약 상자. **~loch** *n.* 〚軍·옛뜻〛 화포 견인차의 연결 고리 구멍. **~verbindung** *f.* 〚軍·옛뜻〛 화포 견인차(와) 연결(시키는) 틀. **~wagen** *m.* ↑ Protze.

Prov. =Provinz 주(州).

Provence [..vã́:s] ⟪lat.⟫ *f.* 프로방스(프랑스의 남동쪽 지방).

Provencer·öl [..vã́:sər|ø:l] *n.* 프로방스산(産) 올리브유.

Provenienz [proveniénts] ⟪lat.⟫ *f.* -en 〔교양〕 ① 기원, 출처; 혈통; 〚經〛(특히 수입품의) 원산지, 생산지. ②〔복수〕 외래품.

Provenzale [provɛntsá:lə] *m.* -n, -n ① 프로방스 주민. ② 프로방스 출신의 사람.

Provenzalin *f.* -nen ↑ Provenzale의 여성형.

provenzalisch *a.* ① 프로방스(출신)의. ② 프로방스어〔문학〕의.

Proverb [provɛ́rp] ⟪lat.⟫ *n.* -s, -en 〔교양〕 속담, 격언; 〚연극〛 격언극.

proverbial [provɛrbiá:l] *a.* 〔교양〕 속담(식)의, 뭇 입에 오르내리는, (속담처럼) 잘 알려진.

proverbialisch *a.* ↑ proverbial.

proverbiell [..biɛ́l] *a.* ↑ proverbial.

proverbiös *a.* 속담〔격언〕이 많은, 속담〔격언〕을 많이 쓰는.

Proverbium [provɛ́rbium] *n.* -s, ..bien [..biən] 〔구식〕 ↑ Proverb.

***Proviant** [proviánt] ⟪lat.⟫ *m.* -s, -e (여행용) 식량, 식품, 양식; 〚軍〛 군량: genügend ~ mitnehmen (휴대) 식량을 충분히 가져가다; jn. mit ~ versorgen 누구에게 식량을 공급하다.

Proviant≈amt *n.* 〚軍〛 병참부, 군수처 식량계. **~beamte*** *der* 병참부원. **~fuhre** *f.* 식량 운반차. **~haus** *n.* 식량 창고.

proviantieren *t.* 〔구식〕 양식을 공급하다.

Proviantierung *f.* -en 식량 공급.

Proviant≈kolonne *f.* 〚軍〛 군량 보급대. **~magazin** *n.* 식량 창고. **~meister** *m.* 병참 장교; (해군의) 조달관. **~schiff** *n.* 식량 운반선. **~wagen** *m.* 식량 보급차. **~wesen** *n.* 식량 보급〔조달〕 업무.

providentiell [providɛntsiɛ́l] ⟪lat.⟫ *a.* 〔구식·교양〕 신의 섭리에 따른, 천명의; 숙명적인.

Providenz [providɛ́nts] *f.* -en 〔구식·교양〕 선견; 섭리, 신의 뜻.

***Provinz** [provínts] ⟪lat.⟫ *f.* -en ① (고대 로마의) 주(州), 속주(屬州), 지방(로마 본토 이외의 총독이 지배하는 영토): abhängige ~en 속령. ② (행정 구획으로서) 도, 주, 성(省): die ~ Ostpreußen 동프로이센주. ③〔비유·雅語〕(정신적) 영역, 분야: alle ~en der Liebe 사랑의 모든 영역들. ④〚가톨릭〛 대주교 관할구; 수도회 교구. ⑤〔구어〕 지방, 시골; 〔폄어〕 촌; 〔비유〕 단조로움, 지루: aus der ~ kommen〔stammen〕 시골 출신이다; das ist ja tiefste ~ (hier)! (여기는) 정말 벽촌이군!

Provinz≈bewohner *m.* 〔대개 폄어〕 시골 사람, 촌뜨기. **~bühne** *f.* ↑ ~theater.

provinzial [..vɪntsiá:l] *a.* 지방〔시골〕의; 지방 사람〔말〕의.

Provinzial *m.* -s, -e 〚가톨릭〛(수도회의) 교구장.

Provinzial·blatt *n.* ① 지방 신문. ②〔폄어〕 저급 신문.

Provinziale *m.* -n, -n 〔구식〕 ↑ Provinzbewohner.

Provinzialismus [provɪntsialísmus] *m.* -, ..men ①〚언어〛 지방 사투리, 방언. ②〔교양〕 지방색, 지방(인) 근성, 편협(성).

Provinzial≈land·tag *m.* 지방〔주〕 의회. **~regierung** *f.* 지방 정부〔행정〕. **~schule** *f.* 주립〔지방 공립〕 학교. **~schul·kollegium** *n.* 지방 교육 위원회. **~stadt** *f.* 지방 도시. **~tag** *m.* ↑ ~landtag.

provinziell [provɪntsiɛ́l] *a.* ①〔대개 폄어〕 지방〔시골〕의, 시골티가 나는, 촌스러운, 고루〔편협〕한: er hat ~e Ansichten 그는 생각이 고루하다. ②〚언어〛 사투리〔방언〕의.

Provinzler [províntslər] *m.* -s, - 〔구어·폄어〕(↔ Großstädter) 촌놈, 시골뜨기; 편협한 놈.

provinzlerisch [..lərɪʃ] *a.* 〔구어〕 시골의; 편협한, 고루한, 촌놈 같은.

Provinz≈nest *n.* 〔구어·폄어〕 시골〔촌〕 구석. **~stadt** *f.* 지방 도시. **~theater** *n.* ① 지방 극장. ②〔폄어〕 촌스러운〔저급〕 연극〔극장〕.

Provision [provizió:n] ⟪lat.⟫ *f.* -en ① ↑ Proviant. ②〚가톨릭〛 성직(聖職) 서임(敍任). ③〚商〛(판매·중개에 대한) 수수료, 구전, 커미션, 이익 배당.

Provisions≈basis *f.* 중개 수수료의 기준: 〔대개 다음 용법으로〕 auf ~ 커미션제로, (중개) 수수료를 받는 조건으로. **~frei** *a.* 수수료가 없는. **~reisende*** *der/die* 〖商〗 커미션제〔실적 급여〕의 세일즈맨〔외판원〕. **~weise** *adv.* 위탁을 받아; 수수료를 붙여서.

Provisor [proví:zɔr, ..zo:r] 《lat.》 *m.* -s, -en [..zó:rən] ①〖구식〗(약국의) 고용 약사. ②〖가톨릭〗교구 관리자, 교구 임시 사제; 〖기독교〗교회 재산 관리인; (schwäb.) 조교.

provisorisch [provizó:rɪʃ] *a.* 일시적인, 잠정의, 임시(방편)의: eine ~e Regierung〔Verfassung〕 임시 정부〔헌법〕.

Provisorium [..riʊm] *n.* -s, ..rien [..riən] ① 임시〔응급〕 조치, 가처분; 잠정적〔과도적〕 제도; 잠정 협약; 응급 시설. ②〖우표〗임시 발행 우표.

Provitamin [pró:vitami:n] *n.* -s, -e 〖생화학〗 프로비타민(체내에서 비타민화하는 물질).

Provo [pró:vo] *m.* -s, -s 프로보(1965 년 암스테르담에서 시작된 반문화 운동의 지지자).

provokant [provokánt] *a.* 〖교양〗 도발적인, 선동적인.

Provokateur [provokatǿ:r] 《lat.-frz.》 *m.* -s, -e 〖교양〗 선동자, 교사자, 도발자, 유발자; 간첩, 첩자.

***Provokation** [..tsió:n] 《lat.》 *f.* -en ①〖교양〗 도발, 도전; 자극, 선동. ②〖法〗 교사(教唆). ③〖醫〗 유발.

provokativ [..tí:f] *a.* 〖교양〗 도발적인, 선동적인.

provokatorisch [..tó:rɪʃ] *a.* 〖교양〗 도발적인, 선동적인, 도발〔선동〕 목적의.

***provozieren** [provotsí:rən] 《lat.》《Ⅰ》 *t.* ① 선동〔교사(教唆)〕하다, 고무〔자극〕하다: jn. zu et.[3] ~ 누구를 선동〔교사·고무〕하여 무엇을 시키다. ② 유발〔야기〕하다: Widerstand ~ 저항을 유발하다; ein Unglück ~ 불행을 초래하다. ③〖醫〗 (진단·치료 목적으로 어떤 증상을) 유발하다. 《Ⅱ》 *i.* (h.) auf et. ~ 무엇을 내세우다, 증거(證據)로 하다, 무엇의 탓으로 돌리다.

Provozierung *f.* -en ↑ Provokation.

pröwen *t.* (ndd.) 시험하다; 맛보다.

proximal [proksimá:l] *a.* 〖醫〗 (↔distal) 기부(基部)의, 중추〔몸 중심〕에 가까운.

Proz. =Prozent 퍼센트.

Prozedere [protsé:dərə] 《lat.》 *n.* -s 〖교양〗 (행동·사태 따위의) 진행; (진행상의) 절차, 수순; 〖法〗 소송〔의사(議事)〕 절차; 취급 방법, 조치.

prozedieren [..tsedí:rən] *i.* (h.) 〖구식〗 ① (어떤 방식으로) 진행되다. ② 조치〔처리〕하다; 절차를 밟다. ③〖法〗 (schweiz.) 소송을 제기하다.

Prozedur [protsedú:r] *f.* -en ① (대개 번잡한) 절차, 조치, 처리 방식. ②〖컴〗 일괄 처리, 배치 처리. ③〖法〗 소송 절차.

***Prozent** [protsέnt] *n.*/(schweiz.) *m.* -(e)s, -e ① 퍼센트, 백분율, 1/100(약어: p.c., v.H.; 기호: %). ②〖복수〗〖구어〗이자율, 이윤, (거래액에 따른) 수수료; 할인: zu hohen ~en 고리〔고율〕로; ~e geben 할인하다.

..prozentig *suf.* "…퍼센트의"의 뜻(보기: fünf~ 〔5~〕 5 퍼센트의).

prozentisch [protsέntɪʃ] *a.* 〖구어〗 ↑ prozentual.

Prozent≈kurs *m.* 〖증권〗 (액면가에 대한) 백분율 주식 시세(↔Stückkurs). **~punkt** *m.* 퍼센트 수치(의 차이). **~rechnung** *f.* 백분율 계산. **~satz** *m.* 백분율. **~spanne** *f.* 〖商〗 (백분율로 표시한) 매매 이윤(폭), 마진.

prozentual [protsεntuá:l] *a.* 〖서술적으로는 못씀〗 백분율의: der ~e Anteil von Frauen in technischen Berufen 기술 분야 직업에서 여성이 차지하는 몫의 백분율.

Prozentual·gebühren *pl.* 비율(에 따른) 요금.

prozentualiter *a.* 〖교양〗 백분율로 (보아).

prozentuell [protsεntuέl] *a.* (öst.) ↑ prozentual.

prozentuieren *t.* 백분율〔퍼센트〕로 산정하다〔나타내다〕.

Prozent·wert *m.* 백분율 표시 가치.

***Prozeß** [protsέs] 《lat.》 *m.* ..zesses, ..zesse ① 진행, 계속. ② 경과; 과정; 처리, 방법; 공정: ein chemischer ~ 화학 작용 (과정); der ~ der Demokratisierung 민주화 과정. ③〖法〗 소송 (절차), 재판, 심리(審理): einen ~ gegen jn. anstrengen〔führen〕 누구를 상대로 소송을 제기하다; einen ~ gewinnen〔verlieren〕 승소〔패소〕하다; einen ~ mit jm. um et. führen 누구를 상대로 무엇에 관하여 소송하다; jm. den ~ machen 누구에게 소송을 제기하다, 누구를 고소하다; mit et.[3] kurzen ~ machen 무엇을 간단히 해치우다; mit jm. kurzen ~ machen a) 누구를 심하게 꾸짖다, b) 누구를 즉결 처분하다. ④〖컴〗 처리, 프로세스.

Prozess 新정서 ⇦ Prozeß.

Prozeß≈akten *pl.* 소송 기록. **~bericht** *m.* 소송에 관한 보도〔보고〕. **~beteiligte*** *der/die* 소송 관계인. **~bevollmächtigt** *a.* 소송 대리권을 가진. **~bevollmächtigte*** *der/die* 소송 대리인. **~fähig** *a.* 소송을 진행할 수 있는. **~fähigkeit** *f.* 소송 능력. **~form** *f.* 소송 방식. **~formel** *f.* ↑ ~form. **~führend** *a.* 소송〔심리〕 중인. **~führer** *m.* 〖法〗 원고, 소송인. **~führung** *f.* 소송〔심리〕 진행. **~gegner** *m.* 소송 상대자. **~hansel** *m.* 〖구어〗 소송을 좋아하는 사람, 상습적인 소송 제기자. **~hansl** *m.* ↑ ~hansel.

prozessieren [protsεsí:rən] 〖法〗《Ⅰ》 *i.* (h.) 소송을 제기하다: gegen jn. ~ 누구를 상대로 소송을 제기하다; um et. 〔wegen et.[2]〕 ~ 무엇에 관해 소송하다. 《Ⅱ》 *t.* 〖구식〗 고소하다.

Prozession [protsεsió:n] 《lat.》 *f.* -en (행렬의) 행진; (축제 따위의) 행렬: eine ~ halten 〔mit der ~ gehen〕 행렬을 이루어 행진하다; an einer ~ teilnehmen 행렬에 참가하다.

Prozessions≈kreuz *n.* 행렬 선두의 대형 십자가. **~raupe** *f.* 모기의 유충(행렬을 지어 이동함). **~spinner** *m.* 〖動〗 밤나방의 일종(애벌레가 행렬을 지어 이동함).

Prozeß·kosten *pl.* 소송 비용.

Prozessor [protsέsɔr, ..so:r] *m.* -s, -en [..só:rən] 〖컴〗 프로세서(컴퓨터 내부의 명령 실행 장치).

Prozeß≈ordnung *f.* 소송 (절차) 규칙. **~partei** *f.* 〖法〗 소송 당사자(의 한 쪽). **~rechner** *m.* 〖컴〗 프로세스 컴퓨터. **~recht** *n.* 〖法〗 소송법. **~sache** *f.* 소송 사건. **~sucht** *f.* 소송벽〔광〕, 소송을 좋아함. **~süchtig** *a.* 소송을 좋아하는.

prozessual [protsεsuá:l] *a.* ①〖法〗 소송(상)

의. ② 과정(상)의.
prozessualisch *a.* ↑ prozessual.
Prozeß=unfähigkeit *f.* 소송 능력 결여. **~verfahren** *n.* 소송 절차. **~vergleich** *m.* 〖法〗 재판상의 화해. **~verschleppung** *f.* 〖法〗 소송 지연〔연기〕. **~vollmacht** *f.* 〖法〗 (소송) 대리권. **~voraussetzung** *f.* 소송 (성립) 조건. **~wesen** *n.* 소송 제도. **~wut** *f.* 소송광(狂).
pr. pa. =per procura 대리로.
prozyklisch [..tsý́k..] *a.* 〖經〗 경기(景氣) 상태에 준한, 경기에 맞춘.
prr *int.* 싫거나 공포를 느낄 때 부르짖는 소리, 몸을 떠는 표현.
pruddeln *i.*(h.) ↑ prudeln[1].
prüde [prý:də] 《lat. –frz.》 *a.* 〖폄어〗 (특히 성적인 면에서) 정숙〔얌전〕한 체하는, 내숭떠는, 시치미떼는; 새침한, 쌀쌀한.
Prudel[1] [prú:dəl] *m.* -s, - (schles.) (뜨개질·자수 따위에서의) 실수.
Prudel[2] *m.* -s, - ① 〖방언〗 소용돌이, 비등(沸騰). ② 〖사냥〗 (멧돼지가 뒹구는) 웅덩이, 진흙 구덩이.
Prudelei [pru:dəláı] *f.* -en (schles.) 서투름, 솜씨 없음, 졸렬; 졸작.
prudelig [prú:dəlıç] *a.* (schles.) 서투른, 솜씨 없는.
prudeln[1] [prú:dəln] *i.*(h.) (schles.) (뜨개질·자수 따위에서) 실수하다, 잘못 뜨다.
prudeln[2] 《Ⅰ》 *i.*(h.) 〖방언〗 소용돌이치다, 비등하다. 《Ⅱ》 *refl.* 〖사냥〗 sich ~ (멧돼지가) 진창 속을 뒹굴다.
Prüderie [pry:dərí:] 《lat. –frz.》 *f.* -n [..rí:ən] 새침함, 시치미떼기, 얌전한 체하기, 내숭떨기.
prudlig *a.* ↑ prudelig.
Prüf·automat [prý:f..] *m.* 〖工〗 (제품 따위의 자동) 검사〔시험〕 장치.
prüfbar [prý:fba:r] *a.* 검사〔시험〕할 수 있는.
Prüf·bericht *m.* 검사〔시험〕(결과) 보고서.
***prüfen** [prý:fən] 《lat. probare》 《Ⅰ》 *t.* ① 시험해 보다: jn. ~d ansehen 누구를 꼼꼼히 뜯어보다; jn. auf et. ~ 누구를 무엇으로 시험해 보다. ② (지식 따위를) 시험〔평가〕하다: jn. mündlich〔schriftlich〕 ~ 누구를 구두〔필기〕 시험으로 평가하다; jn. in Mathematik ~ 누구의 수학 실력을 평가하다; 〖목적어 없이〗 er prüft streng 그는 엄하게 시험을 치른다〔엄격한 시험관이다〕. ③ 〖雅語〗 시련을 주다〔겪게 하다〕: 〖대개 수동〗 er ist vom Schicksal hart geprüft 그는 운명의 혹독한 시련을 겪었다. ④ (기계 따위의 성능을) 검사〔시험〕하다; (주장의 진실성을) 검사〔조사〕하다; 맛보다, 시식하다: die Qualität des Materials ~ 재료의 품질을 검사하다; et. auf seine Richtigkeit ~ 무엇의 타당성〔정당성〕을 검사〔조사〕하다; den Geschmack einer Speise ~ 음식을 맛보다. ⑤ 〖스포츠〗 (상대편을) 시험해 보다, 최고의 기량을 발휘하게끔 몰아붙이다. 《Ⅱ》 *refl.* sich ~ 스스로를 반성하다, 성찰하다.
Prüfer [prý:fər] *m.* -s, - 검사자, 심사자, 시험관; 회계 검사관; 〖제련〗 시금자.
Prüfer·bilanz *f.* 〖經〗 회계사의 결산 보고서.
Prüferin *f.* -nen ↑ Prüfer 의 여성형.
Prüf=feld *n.* 〖工〗 (전자 제품 따위의) 검사 부문; 검사실, 시험장. **~gerät** *n.* 〖工〗 검사 장비, 시험 기기. **~glas** *n.* 〖化〗 시험관.
Prüfling [prý:flıŋ] *m.* -s, -e ① 수험자. ② 시제품.
Prüf=methode *f.* 검사〔시험〕 방법. **~norm** *f.* 검사 기준. **~stand** *m.* 〖工〗 검사대: 〖비유〗 auf dem ~ stehen 검사를 받고 있는 중이다. **~stein** *m.* 시금석; 〖비유〗 시험, 비판의 기준. **~stelle** *f.* (품질) 검사소, (영화) 검열국.
***Prüfung** [prý:fuŋ] *f.* -en ① 시험, 고사: eine ~ ablegen〔machen〕 시험을 치르다; eine ~ bestehen 시험에 합격하다; in〔bei〕 einer ~ durchfallen 시험에 떨어지다; sich einer ~ unterziehen 시험을 치르다; sich auf〔für〕 eine ~ vorbereiten 시험을 준비하다. ② 〖雅語〗 시련; 간난, 고난: eine ~ überstehen 시련을 견디다〔이겨내다〕. ③ 검사, 조사, 테스트, 심사: die ~ auf Haltbarkeit 보존성 검사; et. einer ~ unterziehen 무엇을 테스트하다. ④ 〖스포츠〗 평가전.
Prüfungs=angst *f.* 〖心〗 시험 공포증. **~arbeit** *f.* 시험 답안. **~aufgabe** *f.* 시험 문제. **~ausschuß** *m.* ↑ ~kommission. **~bedingungen** *pl.* 시험〔수험〕 요건. **~behörde** *f.* 심사 위원회, 검사국. **~bestimmungen** *pl.* 시험〔심사〕 규정. **~bilanz** *f.* ↑ Prüferbilanz. **~fach** *n.* 시험 과목. **~fahrt** *f.* ① (자동차의) 시험 주행. ② (운전 면허 취득을 위한) 주행 시험. **~frage** *f.* 시험 문제. **~gebühr** *f.* 수험료. **~kommission** *f.* 시험〔심사〕 위원회. **~lokal** *n.* 시험장, 고사장. **~mitglied** *n.* 시험 위원(의 한 사람). **~ordnung** *f.* 시험〔심사〕 규정. **~recht** *n.* 심사권, 조사권. **~tag** *m.* 시험일, 고사일. **~termin** *m.* 시험 기간〔일정〕. **~unterlagen** *pl.* 시험 관련 서류. **~verfahren** *n.* 시험〔심사〕 방법〔절차〕. **~vermerk** *m.* 시험 채점 (표시). **~weise** *adv.* 시험삼아. **~zeit** *f.* ① 시험 시간〔시각〕. ② 시련기. **~zeugnis** *n.* 시험 성적표; 합격 증명서, 면허장.
Prüf=verfahren *n.* ↑ Prüfungsverfahren. **~vorschrift** *f.* 검사 규정. **~zeit** *f.* ↑ Prüfungszeit.
***Prügel** [prý:gəl] 《mhd.》 *m.* -s, - ① 막대기, 몽둥이, 곤봉: mit einem ~ auf jn. einschlagen 몽둥이로 누구를 때리다; 〖구어〗 jm. ~ zwischen die Beine werfen 누구를 곤경에 빠뜨리다. ② 〖복수〗〖구어〗 매질, 구타: ~ bekommen 매맞다; eine (tüchtige) Tracht ~ 심한 구타. ③ 베틀에서 바디를 달아놓은 대. ④ 총포, 매질. ⑤ 〖비속〗 좆, 음경.
Prügelei [pry:gəláı] *f.* -en ① 구타, 매질. ② 치고 받고 싸우기, 드잡이, 격투.
Prügeler *m.* -s, - 구타자.
Prügel=holz *n.* ↑ Prügel ①. **~junge** ↑ ~knabe. **~knabe** *m.* 〖구어〗 남 대신 벌을 받는 사람; 〖구식〗 왕후의 자제를 대신해서 체벌을 받는 소년: den ~n für jn. ablegen 누구를 대신해서 벌을 받는 역을 떠맡다.
***prügeln** [prý:gəln] 《Ⅰ》 *t.* 몽둥이로 때리다, 구타하다; 태형에 처하다; 때려서 혼내다: jn. aus dem Lokal ~ 누구를 때려 술집에서 내쫓다. 《Ⅱ》 *refl.* 〖구어〗 sich mit jm. ~ 누구와 치고 받고 싸우다.
Prügel=strafe *f.* 태형. **~suppe** *f.* 〖농담〗 심한 매질. **~szene** *f.* ① (영화·연극의) 구타 장

면. ② 구타 사건. **~weg** *m.* 〔방언〕 통나무(를 깐) 길〔도로〕.
Prük *f.* -en (ndd.) 가발(Perücke).
Prüker *m.* -s, - (ndd.) 도가머리〔관모(冠毛)〕가 있는 비둘기.
Prünelle [prynɛ́lə] 《lat.-frz.》 *f.* -n ① 말린 자두〔오얏〕. ② 천도복숭아. ③〖植〗 꿀풀.
prünen [prý:nən] *t./i.* (h.) (ndd.) 아무렇게나〔엉성하게〕 바느질하다.
prünig *a.* (ndd.) 바느질 솜씨가 서투른.
***Prunk** [pruŋk] 《ndd.》 *m.* -(e)s 화려, 호화; 호사, 사치: mit großem ~ 매우 화려하게, 한껏 치레하여.
Prunk≈bau *m.* 〔복수: -ten〕 호화 건축물. **~bett** *n.* (왕후의) 호화 침대.
prunken [prúŋkən] 《Ⅰ》 *i.* (h.) ① 눈부시게 빛나다, 화려하다; 〔구어〕 깨끗하다: 〖雅語〗 in allen Farben ~ 다채로운 빛깔로 휘황찬란하다. ② 자랑〔과시〕하다: mit seinem Reichtum 〔Besitz〕 ~ 자신의 부를〔재산을〕 과시하다.
prunkend *p.a.* ↑ prunkhaft.
Prunk≈essen *n.* 향연, 성찬. **~gemach** *n.* (특히 궁성의) 화려한 방; 귀빈실. **~gewand** *n.* 예복; 성장(盛裝).
prunkhaft [prúŋkhaft] *a.* 화려한; 찬란한.
Prunk≈liebe *f.* 호사를 좋아함. **~liebend** *a.* 호사를 즐기는.
prunklos *a.* 겉치레를 하지 않은; 수수한.
Prunklosigkeit *f.* ↑ prunklos 의 명사형.
Prunk≈mahl *n.* 대연회, 향연. **~otter** *f.* (라틴 아메리카산(產)) 무늬가 화려한 독사. **~rede** *f.* 미사여구를 늘어놓는 연설. **~saal** *m.* (특히 궁전의) 화려한 홀. **~sessel** *m.* 호화로운 안락 의자. **~sitzung** *f.* 호화스런 사육제 회합. **~stück** *n.* 호화(소장)품, 자랑거리: 〔농담〕 du bist mein ~! 너는 내 보물이다〔자랑거리다〕! **~sucht** *f.* 〔폄어〕 호사벽. **~süchtig** *a.* 〔폄어〕 호사벽이 있는. **~voll** *a.* ↑ prunkhaft. **~wagen** *m.* 호화 마차; 의장마차. **~zimmer** *n.* ↑ ~gemach.
Prurigo [prurí:go] 《lat.》 *f.* ..gines 〔*m.* -s, -s〕 〖醫〗 양진(몸이 가려운 신경성 피부 질환).
pruschen [prú:ʃən] *i.* (h.) (ndd.) ↑ prusten ②.
prüschen *i.* (h.) (ndd.) 코담배를 맡다.
Prüschen *n.* -s, - (한 줌의) 코담배.
prusten [prú:stən] 《ndd.》 《Ⅰ》 *i.* (h.) 헐레벌떡거리다; 숨을 몰아쉬다; 〔구어〕 세게 재채기하다: vor Lachen ~ 와아 웃음을 터뜨리다. 《Ⅱ》 *t.* 내뿜다: jm. Wasser ins Gesicht ~ 누구의 얼굴에 물을 내뿜다; jm. eins ~ 누구를 퇴짜 놓다, 거절하다.
Prutsch *f.* -e (westd.) (삐죽일 때의) 일그러진 입.
prütsch *a.* 화를 잘 내는, 성급한; 무뚝뚝한.
prutzeln [prútsəln] 《Ⅰ》 *i.* (h.) (지글지글) 구워지다. 《Ⅱ》 *t.* 지글지글 굽다, 기름에 튀기다.
pruzeln 《alem.》 *i.* (h.) 구워지다, 프라이되다; 그을다.
Pruzze *m.* -n, -n 프루체인(15-16 세기에 멸종된 발트해 연안 종족).
Prytane [prytá:nə] *m.* -n, -n 프리타니스(고대 그리스 도시 국가의 시의원).
Prytaneion [prytanáɪɔn] *n.* -s, ..neien [..naiən], **Prytaneum** [prytané:ʊm] *n.* -s, ..neen [..né:ən] 프리타네이엄(고대 그리스 도시 국가의 시 의사당〔공관〕).
PS[1] [pe:|ɛ́s] =Pferdestärke 마력.
PS[2], **PS.** [pe:|ɛ́s] =Postskript(um) 추신.
ps *int.* 쉿, 조용히!
Psaligraphie [psaligrafí:] 《gr.》 *f.* (종이를 오려서 만드는) 가위 세공(술).
psaligraphisch *a.* 가위 세공의.
psallieren [psalí:rən] *i.* (h.) 찬미가를 부르다, 음송하다.
Psalm [psalm] *m.* -s, -en 〖聖〗 (구약 성서 시편에 있는 개개의) 시; 〔구어〕 단조로운 말, 지루한 수다.
Psalm≈buch *n.* 〖聖〗 시편; 찬미가집(集). **~dichter** *m.* 시편 작자.
Psalmen≈dichter [psálmən..], **~sänger** *m.* 시편 작자.
Psalmist [psalmíst] 《lat.》 *m.* -en, -en ① 시편〔찬송가〕의 작자; 〔비유〕 종교 음악 작곡가. ② 찬송가를 부르는 사람.
Psalmodie [psalmodí:] *f.* -n [..dí:ən] 시편 낭송.
psalmodieren [psalmodí:rən] *i.* (h.) 시편을 낭송하다.
psalmodisch [psalmó:dɪʃ] *a.* 시편 낭송 방식의.
Psalter [psáltər] *m.* -s, - ① ↑ Psalmbuch. ②〖악기〗 중세 하프의 일종. ③〖動〗 (md.) 겹주름위.
Psalterium [..té:riʊm] *n.* -s, ..rien [..riən] ↑ Psalter ①②.
psaltieren *i.* (h.) ↑ psallieren.
PSchA =Postscheckamt 환대체과(換對替課).
pscht [pʃt] *int.* ↑ ps.
Pseudepigraph [psɔʏdepigrá:f] *n.* -s, -en ①〖출판〗 (원작자의 이름이 잘못 전해진) 위서(僞書). ②〖宗〗 성서 외전(外典).
***pseudo..** 《gr. pseúdos》 *pref.* "가짜의, 허위의, 사이비의, 겉보기의"의 뜻.
Pseudodiphtherie *f.* -n [..rí:ən] 〖醫〗 가성(假性) 디프테리아.
Pseudodoxie *f.* -n [..ksí:ən] 위설, 사설(邪說).
Pseudograph *m.* -en, -en 문서 위조자.
Pseudokrupp *m.* -s 〖병리〗 가성 크루프, 위막성(僞膜性) 후두염.
Pseudologie *f.* -n [..gí:ən] 〖心〗 (병적인) 과장증, 허언증.
pseudomorph *a.* 〖광물〗 가정(假晶)〔가상(假像)〕의.
Pseudomorphose *f.* -n 〖광물〗 가정(假晶), 가상(假像), 가성 광형(假性鑛形).
Pseudonym [..ný:m] *n.* -s, -e 가명, 익명, 필명: unter (einem) ~ erscheinen 가명으로 출간되다.
pseudonym [..ný:m] *a.* 익명〔가명〕의.
Pseudonymität *f.* 가명〔익명〕의 사용.
Pseudophilosoph *m.* -en, -en 사이비 철학자.
Pseudopodium *n.* -s, ..dien [..diən] 〖動〗 (원생 동물의) 가족(假足), 위족(僞足).
Pseudoskop *n.* -s, -e (요철(凹凸)을 거꾸로 보이게 하는) 좌우 착시경.
pseudowissenschaftlich *a.* 〔폄어〕 사이비 학문의.
PSF =Postschließfach 사서함; 우편함.

Psi[1] [psi:] *n.* -(s), -s 그리스어 알파벳의 스물세째 글자(Ψ, ϕ).

Psi[2] *n.* -s 〖심령〗 프시(염력·텔레파시·투시력 같은 초자연적·심령적 현상).

Psilomelan *m.* -s, -e 〖광물〗 경(硬)망간광.

Psi-Phänomen *n.* -s, -e 〖심령〗 심령학적 현상.

Psittakose [psıtakóːzə] 《gr.》 *f.* -n 〖醫〗 앵무병.

Psoriasis [psoríːazıs] 《gr.》 *f.* ..sen 〖병리〗 마른버짐, 건선.

PS-stark *a.* 〖車〗 (엔진이) 출력이 강한.

pst [pst] *int.* ① 쉿, 조용히 해. ② (남을 부를 때) 어이, 잠깐.

Psychagoge [psyçagóːgə] *m.* -n, -n 〖醫〗 심리 요법 전문가.

Psychagogik [..gık] *f.* 심리 요법.

Psychagogin *f.* -nen ↑ Psychagoge의 여성형.

***Psyche** [psýːçə] 《gr.》 *f.* -n ① 〖그리스신화〗 프시케(에로스(Eros)가 사랑한 미녀). ② 〖교양〗 영혼, 정신; 마음: die kindliche ~ 아동 심리. ③ 〖天·고어〗 행성의 이름. ④ 〖動〗 도롱이나방. ⑤ (öst.) (거울 달린) 화장대. ⑥ 〖가구〗 (19세기의) 세워두는 전신용 거울.

psychedelisch [psyçedéːlıʃ] *a.* ① 환각을 일으키는: ~e Drogen 환각제. ② 환각 상태에 빠진: ~e Zustände 환각 상태. ③ 환각 상태에서 생긴: ~e Literatur 환각 문학.

Psychiater [psyçiáːtər] *m.* -s, - 정신과 의사, 정신병 학자.

Psychiatrie [psyçiatríː] *f.* -n [..ríːən] ① 정신 의학; 정신병 치료법; (öst.) 정신병학 임상 강의. ② 〖구어〗 정신 병원, 정신과.

psychiatrieren [psyçiatríːrən] *t.* (öst.) jn. ~ 누구를 정신 감정을 받게 하다, 누구의 정신 감정을 하다.

psychiatrisch [psyçiáːtrıʃ] *a.* 정신병학의; 정신병 의사의: ein ~es Krankenhaus 〔eine ~e Klinik〕 정신 병원.

***psychisch** [psýːçıʃ] *a.* 영혼의, 정신의, 심적인: ~e Störungen 정신 장애〔착란〕; unter ~em Druck stehen 정신적인 압박을 받고 있다.

***Psychoanalyse** [psy(ː)ço|analýːzə] *f.* ① (프로이트의) 정신 분석(학). ② 정신 분석(에 따른) 치료: sich einer ~ unterziehen 정신 분석 치료를 받다.

psychoanalysieren *t.* (누구를) 정신 분석에 따라 진료〔치료〕하다.

***Psychoanalytiker** *m.* -s, - 정신 분석가, 정신 분석 전문의.

Psychoanalytikerin *f.* -nen ↑ Psychoanalytiker의 여성형.

psychoanalytisch *a.* 정신 분석(학)의〔에 관한〕.

Psychodiagnostik *f.* 정신 진단법〔학〕.

Psychodrama *n.* -s, ..men ① 〖心〗 사이코드라마. ② 〖문학〗 심리극.

psychogen [psyçogéːn] *a.* 〖醫·心〗 (↔ somatogen) 정신 작용에 따른, 심인성(心因性)의.

Psychogenese *f.* -n ↑ Psychogenesis.

Psychogenesis [..gé(ː)nezıs, ..gέn..] *f.* ..sen [..néːzən] 〖心〗 정신 발생(학).

Psychogramm *n.* -s, -e 〖心〗 ① 심리학적 인격 프로필, 정신 묘사도. ② 심리학적 인격 연구.

Psychograph 《gr.》 *m.* -en, -en 〖心〗 정신 묘사 도구, 사이코그래프.

psychoid *a.* 〖心〗 정신〔영혼〕과 유사한.

Psychokinese *f.* 〖심령〗 염동(念動) (염력(念力)에 의한 물체의) 움직임.

Psychokrimi *m.* -(s), -(s) 심리 추리 영화〔소설·극〕.

Psycholinguistik *f.* 언어 심리학.

***Psychologe** *m.* -n, -n ① 심리학자. ② 심리학 전공 대학생. ③ 심리에 정통한 사람.

***Psychologie** *f.* ① 심리학. ② 심리적 통찰력). ③ 〖구어〗 심리(상태).

Psychologin *f.* -nen ↑ Psychologe의 여성형.

***psychologisch** *a.* ① 심리학의, 심리학적인: eine ~e Analyse 심리학적 분석. ② 심리적인; 〖구어〗 심리 파악에 능숙한.

psychologisieren 〖폄어〗 *t./i.* (h.) 심리적 측면을 강조하다, 심리학적으로 해석하다〔다루다〕.

Psychologisierung *f.* 심리 분석; 심리적 측면의 강조.

Psychologismus *m.* - 〖哲〗 심리주의.

Psychomantie *f.* 정신 감응, 영통(靈通), 교령(交靈).

Psychometrie *f.* -n [..ríːən] ① 정신〔심리〕 측정(학). ② 〖심령〗 천리안적 인지 능력(만지거나 접근함으로써 사물을 통찰하는 초자연적 능력).

Psychoneurose *f.* -n 〖心·醫〗 정신 신경증.

Psychopath *m.* -en, -en ① 〖心·醫〗 정신 질환자. ② 〖교양·욕설〗 비정상적인 사람.

Psychopathie *f.* -n [..tíːən] 〖心·醫〗 정신병.

Psychopathin *f.* -nen ↑ Psychopath의 여성형.

psychopathisch *a.* 정신병의, 정신병 증세가 있는.

Psychopathologie *f.* 정신 병리학.

Psychopharmakon *n.* -s, ..ka 향정신성(의) 약품.

Psychophysik *f.* 정신 물리학.

psychophysisch *a.* 정신 물리학의; 물심(物心) 양쪽의: ~er Parallelismus 심신 병행론〔평행론〕.

Psychose *f.* -n 정신병, 정신 이상.

Psychosomatik *f.* 〖醫·心〗 심신 상관〔정신 신체〕 의학.

psychosomatisch *a.* 〖醫·心〗 심신 상관의.

Psychotechnik *f.* -en 정신 공학.

Psychoterror *m.* -s 정신적 폭력.

Psychotherapeut *m.* -en, -en 정신〔심리〕 요법 의사.

Psychotherapeutik *f.* 〖心·醫〗 정신〔심리〕 치료법.

psychotherapeutisch *a.* 〖心·醫〗 정신〔심리〕 치료법의: sich in ~e Behandlung begeben 정신 치료를 받으러 가다.

Psychotherapie *f.* -n [..píːən] 정신〔심리〕 요법(에 의한 치료).

Psychothriller [..θrılə] *m.* -s, - 〖문학·영화〗 심리 공포 소설〔영화〕.

psychotisch *a.* 정신병의.

Psychrometer [psʏkroméːtər, ..çro..] 《gr.》 *n.* -s, - 〖기상〗 건습계, 건습구 습도계.

P.T. =pleno titulo 《lat., „nach Vorausschickung des Titels"》 (호칭할 때) 칭호 생략, (편지의 서두에 쓰는) 관생, 관략.
Pt 〚化〛 =Platin 백금.
pt =pint 파인트(영국과 미국의 액량 단위).
p.t. =pro tempore 목하, 현재.
Pta =Peseta 페세타(에스파냐의 화폐 단위).
Pteranodon [pterá:nodɔn] *n.* -s, -ten [..dɔ́ntən] 〚고생물〛 프테라노돈(백악기에 번성했던 익룡류).
Pterodaktylus *m.* -, ..tylen [..tý:lən] 〚고생물〛 프테로닥틸루스(익룡의 일종).
Pteropode *m.* -n, -n 〚動〛 익족류.
Pterosaurier *m.* -s, - 〚고생물〛 프테로사우루스(익룡의 일종).
Pterygium [pterý:gium] *n.* -s, ..gia ① (동물의) 비막(飛膜); 물갈퀴. ② 〚醫〛 익상편(翼狀片)(눈자위에서 각막에 이르는 삼각형의 결합 조직).
Ptisane [ptizá:nə] 《gr.》 *f.* -n 보리차; 탕약.
Ptolemäer [ptolemέ:ər] *m.* -s, - ① 프톨레마이오스 왕조(기원전 323-30 년에 이집트를 지배한 왕가). ② 프톨레마이오스 왕가의 사람.
ptolemäisch *a.* ① 프톨레마이오스 왕조의. ② 천문학자 프톨레마이오스의.
Ptolemäus *m.* 프톨레마이오스(그리스의 천문·지리학자; 이집트왕).
Ptomain [ptomaí:n] 《gr. ptôma》 *n.* -s, -e 〚化〛 프토마인.
PTT *pl.* (schweiz.) =Schweizerische Post-, Telefon- und Telegrafenbetriebe 스위스 우편·전화·전신 기업체.
Ptyalin *n.* -s 〚생화학〛 프티알린.
Pu [pe:|ú:] 〚化〛 =Plutonium 플루토늄.
Pub [pʌb] 《engl.》 *n./m.* -s, -s ① (영국의) 주점, 대폿집. ② (영국 술집풍의) 주점, 바.
Pubertät [pu:bɛrtέ:t] 《lat. pubertas》 *f.* 성적(性的) 성숙기, 사춘기.
pubertär [pubɛrtέ:r] *a.* 〔교양〕 ① 사춘기 특유의: ~e Trotzreaktionen 사춘기 특유의 반항적 반응. ② 사춘기의, 사춘기에 처한. ③ 〔폄어〕 미성숙한, 유치한.
Pubertäts·zeit *f.* 사춘기.
pubertieren [..tí:rən] *i.* (h.) 〔교양〕 사춘기를 맞다, 사춘기이다.
Pubeszenz [pubɛstsέnts] *f.* 성적 성숙, 사춘기에 달함.
publice [pú:blitse] 《lat.》 *adv.* 〔교양〕 공공연하게, 공개하여.
Publicity [pʌblísiti] 《engl.》 *f.* ① 널리 알려짐, 공개; 명성: er ist gierig nach ~ 그는 명성을 열망한다. ② 광고, 선전: ~ für jn. machen 누구를 선전하다.
publicity·scheu *a.* 널리 알려지기를 꺼리는.
Public Relations [pʌblık rıléıʃənz] 《engl.》 *pl.* 〚經〛 홍보 활동(약어: PR): die für ~ zuständige Abteilung 홍보 담당 부서.
Publicrelations 新정서 ⇦ Public Relations.
publik [publí:k] *a.* 공공의, 공공연한, 공개의, 주지(周知)의: ~ werden〔sein〕 공개〔공표〕되다〔되어 있다〕; geheime Dokumente ~ machen 비밀 문서를 공개하다.
Publikandum *n.* -s, ..da 〔구식〕 광고 전단.
***Publikation** [..tsió:n] *f.* -en ① 공개, 공포, 공시. ② 출판, 간행, 발행. ③ 출판〔간행〕물.
Publikations·mittel *n.* (언론·방송 같은) 출판 매체. **~organ** *n.* (신문·잡지 같은) 출판 기관지. **~reif** *a.* 출판 준비가 된. **~verbot** *n.* 출판 금지.
***Publikum** [pú:blikum] *n.* -s, ..ka/..ken ① (**a**) 공중, 세상. (**b**) 청중, 관객, 독자(계). ② (식당·행사의) 방문객, 손님: 〔구어〕 er braucht immer ein ~ 그는 항상 다른 사람들 앞에서 잘난 체하기를 좋아한다. ③ 〔구식〕 (대학의) 공개 강의. ④ 〔구어〕 경청하는 사람.
Publikums·erfolg *m.* ① 관객〔독자〕 사이에서의 성공: das Stück hatte großen ~ 그 작품은 크게 인기를 끌었다. ② 인기를 끈 성공작〔성공적 행사〕. **~geschmack** *m.* 관객〔독자〕의 취향. **~interesse** *n.* 관객〔독자〕의 관심. **~liebling** *m.* 인기 연예인〔예술가〕. **~verkehr** *m.* (관공서에서의) 민원 업무. **~wirksam** *a.* 관객〔독자〕에게 영향을 끼치는; 청중의 관심을 끄는: ~e Aufmachung einer Zeitung 관심을 끄는 신문 머릿기사.
publizieren *t.* 공표하다; 출판〔간행〕하다.
publizier·freudig *a.* 글을 발표하기 좋아하는.
***Publizist** *m.* -en, -en ① (**a**) 신문 방송학자. (**b**) 신문 방송학 전공 학생. (**c**) 시사 평론 기자, 시사 평론가, 신문 기자. ② 〚드물게〛 공법(公法)학자.
***Publizistik** *f.* ① (**a**) 신문(기자)업, 저널리즘; 정치 논평, 시사 평론. (**b**) 신문 방송학. ② 〚法〛 공법학, 국제법학.
Publizistin *f.* -nen ↑ Publizist 의 여성형.
publizistisch *a.* ① 신문 방송의, 보도 매체에 의한. ② 신문 방송학의.
Publizität *f.* ① 〔교양〕 널리 알려짐; 공개. ② 〚經〛 (기업 현황의) 공개, 공시. ③ 〚法〛 (등기부 등록을 통한) 권리 의무 관계의 명시.
P.U.C. =post urbem conditam 《lat.》 로마 건립 후.
Puccini [putʃí:ni] *m.* Giacomo ~ 푸치니(이탈리아의 작곡가, 1858-1924).
Puck [puk, pʌk] 《engl.》 *m.* -s, -s ① 퍽(영국 전설상의 장난꾸러기 꼬마 요정; Shakespeare 의 "한 여름 밤의 꿈"에 나오는 인물); 〔비유〕 장난꾸러기. ② 〚아이스하키〛 퍽.
Puckel [púkəl] 《Buckel 의 북부 독일어형》 *m.* -s, - 〔구어〕 (obd.) 혹; 등.
puckeln *t.* 〔방언〕 업다, 지다; 나르다.
Pückeln *pl.* (ndd.) 피부의 작은 종양.
pucken *i.* (h.) 〔드물게〕 ↑ puckern.
pückerig *a.* (ndd.) 꼼꼼한; 번거로운.
puckern [púkərn] 《ndd. pucken》 *i.* (h.) 〔구어〕 고동치다, (톡톡) 두드리다, 두근거리다; (상처가) 쑤시다: es puckert in der Wunde 상처가 욱신욱신 쑤신다; sein Herz puckert 그의 심장이 두근거린다.
puckt *a.* (alem.) 무뚝뚝한, 뚱한.
Pud [pu:t] 《russ.》 *n.* -, - 푸트(러시아의 중량 단위; 약 16.38 kg).
Puddel·eisen *n.* 〚제련〛 연철(鍊鐵). **~hütte** *f.* 연철〔정련〕 공장.
puddeln[1] [púdəln] 《engl.》 *t.* 〚제련·옛뜻〛 정련하다, 강철로 만들다.
puddeln[2] 《ndd.》 *i.* (h.) ① (südwd.) 물속에서 첨벙거리다. ② (rhein.) 물을 찰싹거리며 씻다. ③ 잔일을 하다. ④ 기어다니다; 모랫속을 휘젓다. ⑤ 물거름을 주다.

Puddel≈ofen 《<puddeln[1]》 *m.* 연철로(爐). **~stahl** *m.* 정련강. **~verfahren** *n.* 〖제련〗 교련법(攪鍊法). **~werk** *n.* ↑ ~hütte.

Pudding [púdɪŋ] 《engl.》 *m.* -s, -e/-s 〖요리〗 ① (후식용의) 푸딩: 〔구어〕 er hat ~ in den Armen〔Beinen〕 그는 팔〔다리〕의 근육이 약하다; 〔구어·경박〕 auf den ~ hauen 자랑〔과장〕하다; 기분내다. ② (주식용의) 푸딩.

Pudding≈form *f.* (후식용의) 푸딩틀. **~pulver** *n.* 푸딩 파우더. **~stein** *m.* 〖지질〗 역암(礫岩).

*__Pudel__[1] [pú:dəl] 《<Pudelhund; 원뜻 „Pfützenhund"》 *m.* -s, - ① 푸들(애완견): 〔구어〕 wie ein begossener ~ abziehen〔dastehen〕 매우 당황하다〔부끄러워하다〕; 〔비유〕 das also war des ~s Kern 그것이 바로 본심〔요점〕이었구나(Goethe 의 "Faust"에서 "이것이 푸들개의 정체였더냐"라는 대사에서). ②〔구어〕 과실, 실책, (독일식 볼링에서) 잘못 던짐: einen ~ machen〔werfen〕 실패하다. ③ 잡일꾼, 머슴; 〔학생·폄어·구식〕 (학교의) 수위, 사환. ④ ↑ ~kopf. ⑤ 단정치 못한 여자, 창부. ⑥ 이마에 털이 있는 수소. ⑦ 따뜻한 의류. ⑧ ↑ ~mütze.

Pudel[2] 《♧ Pfuhl》 *f.* -n (bayr.) ① (상점의) 판매대. ② (독일식) 볼링장. ③〔방언〕 (더러운 물이 괸) 웅덩이; 더러운 물.

pudel·dick *a.* 굉장히 살찐; 배부른: sich ~ essen 배불리 먹다.

Pudel≈hund *m.* 푸들. **~kopf** *m.* 봉두난발인 머리(의 사람). **~mütze** *f.* ① 모피 모자. ② 두꺼운 털모자.

pudeln [pú:dəln] 《Ⅰ》 *i.* (h.) ①〔방언〕 물속에서 첨벙거리다; 개헤엄치다. ②〔구어〕 (볼링 공을) 잘못 던지다; 실수하다. ③〖사냥〗 잘못 쏘다, 총알이 빗나가다. 《Ⅱ》 *t.* (사람을) 마구 부리다; 괴롭히다, 냉대하다.

pudel≈nackt *a.* 〔구어〕 알몸뚱이의, 벌거벗은. **~närrisch** *a.* 〔구어〕 매우 우스꽝스러운〔익살스러운〕. **~naß** *a.* 〔구어〕 흠뻑 젖은. **~wohl** *a.* 〔구어〕 아주 기분 좋은.

*__Puder__ [pú:dər] 《frz.》 *m.*/(구어) *n.* -s, - (화장·의료용의) 파우더, 분, 분말; 가루약: Baby ~ 베이비 파우더; ~ auftragen〔auflegen〕 분을 바르다.

Puder≈beutel *m.* 파우더 주머니. **~büchse, ~dose** *f.* 분통, 휴대용 분곽, 콤팩트.

puderig [pú:dərɪç] *a.* 가루 (모양)의, 가루 같은, 가루투성이의.

Puder≈mantel *m.* (머리)분을 뿌릴 때 입는 화장옷. **~mehl** *n.* 고운 밀가루.

pudern [pú:dərn] 《Ⅰ》 *t.* ① 분을 뿌리다〔바르다〕: ein Kind ~ 아이에게 분을 발라 주다. ② 〔방언〕 eine Frau ~ 어떤 여자와 성교하다. 《Ⅱ》 *refl.* sich ~ 화장하다, 분을 바르다.

Puder≈quast *m.*, **~quaste** *f.* 분첩. **~zucker** *m.* 가루 설탕.

Puderung *f.* -en ↑ pudern 의 명사형.

pudrig *a.* ↑ puderig.

Pueblo [pué:blo] *n.*/*m.* -s, -s ① 푸에블로(푸에블로 인디언의 촌락). ② (중앙 및 남아메리카의) 도시 기능을 가진 작은 집촌(集村).

Pueblo·indianer *m.* 푸에블로 인디언.

pueril [puerí:l] 《lat. puer, „Kind"》 *a.* ① 〖心〗 어린애의; 어린애 같은: ~es Verhalten 어린애 같은 행동. ②〔교양〕 유치한.

Puerilität [..litɛ́:t] *f.* 유치, 어린애 같음, 소아성(性).

Puerperalfieber [puɛrpərá:l..] *n.* -s 〖醫〗 산욕열.

Puerperium *n.* -s, ..rien [..iən] 〖醫〗 산욕기.

Puertoricaner [puɛrtoriká:nər] *m.* -s, - ① 푸에르토리코 사람〔거주자〕. ② 푸에르토리코 출신의 사람.

puertoricanisch *a.* 푸에르토리코(사람)의.

Puerto-Rico [púɛrto rí:ko] 푸에르토리코(서인도 제도의 섬).

puff [puf] *int.* 〔의성어〕 ① 딱, 칙, 탕, 빵, 펑. ② (증기가 나오는 소리) 씨익, 쏴.

Puff[1] [puf] *m.* -(e)s, Püffe [pʏ́fə]/(드물게) -e ① (주먹으로) 침, 때림: jm. einen ~ in den Rücken geben 누구의 등을 때리다; 〔구어〕 einen ~ 〔einige Püffe〕 vertragen können 주먹 한 대〔몇 대〕는 견딜 수 있다, 웬만한 일에는 꿈쩍도 하지 않다. ② 둔탁한 소리, 탕〔퍽〕하는 소리. ③ (bayr.) 차용(借用), 신용: auf ~ 외상으로. ④〖농담〗 (ndd.) 도취, 황홀. ⑤ (obd.) 효모 정제(錠劑).

Puff[2] *m.* -(e)s, -e ① (등받이와 다리가 없는) 원통형의 쿠션 의자. ②〔복수: -e/-s〕 세탁물통: Wäsche≈ 세탁물통. ③〔구식〕 불룩한 것, (옷·소매의) 어깨심, 퍼프 소매. ④ 기만, 거짓; 과장된 찬사〔선전〕.

Puff[3] *m.*/*n.* -s, -s 〔경박〕 ① 유곽, 사창가. ② 〔폄어〕 일, 사업: das ist doch der letzte ~ hier! 그것이 여기에서의 마지막 사업이다!

Puff[4] *n.* -(e)s 서양 주사위 놀이.

Puff≈ärmel *m.* 퍼프 소매. **~bohne** *f.* 〖植〗 잠두(콩의 일종). **~brett** *n.* 서양 주사위판.

Püffchen [pʏ́fçən] *n.* -s, - ↑ Puff 의 축소형.

Puffe [púfə] *f.* -n ↑ Puff[2] ②③.

Püffelchen *n.* -s, - ↑ Puff[1] ⑤.

puffen 《<puff》 《Ⅰ》 *i.* (h.) 〔구어〕 ① 쏴〔칙〕하고 소리나다〔소리내다〕; 칙 소리내며 움직이다. ②〔구어〕 탕하고 총쏘다: der Wachtposten puffte in die Luft 보초가 공중으로 총을 탕 쏘았다. ③ (ndd.) 부풀다. ④ 서양 주사위 놀이를 하다. 《Ⅱ》 *t.* ①〔구어〕 치다, 때리다; 쿡쿡 찌르다; (팔꿈치로) 밀치다: jn. leicht ~ 누구를 가볍게 치다; jn. zur Seite ~ 누구를 옆으로 밀치다; 〔비유〕 zu allem muß man ihn ~ 그는 무엇이든 자발적으로는 하지 않는다. ②〔구식〕 (옷에 심을 넣어서) 부풀리다: gepuffte Ärmel 퍼프 소매. ③〔구어〕 소음을 내며 내뿜다: die Lokomotive puffte schwarzen Qualm in die Luft 기관차가 칙 소리를 내며 검은 연기를 공중으로 내뿜었다. ④ (곡물을) 튀기다: gepuffter Mais 팝콘. ⑤ (obd.) 빌리다.

Puffer *m.* -s, - ① 툭툭 치는 사람; 툭툭 치기. ② 부풀리는 사람. ③〔구식〕 작은 권총, 공기총. ④ (nordd.) 〖요리〗 감자 팬케이크. ⑤ (궤도 차량의) 완충기, 완충 장치. ⑥〖化〗 ↑ ~lösung. ⑦〖컴〗 (속도가 다른 두 디지털 정보 처리기 사이에 설치하는) 완충 기억 장치.

Puffer≈apparat *m.* ↑ Puffer ⑤. **~batterie** *f.* 〖工〗 완충 〔부동〕 축전지. **~feder** *f.* 완충 스프링. **~lösung** *f.* 〖化〗 완충(용)액. **~staat** *m.* 〔비유〕 완충국.

Puffert *m.* -(e)s, -e ↑ Puffer ④.

Puffer·zone *f.* ①〖政〗 중립 국가〔세력〕. ② 완충 지대.

puffig [púfɪç] *a.* ① 불룩한, 부푼: ~e Ärmel 퍼프 소매. ②〖방언〗 조야한; 야한.
Puff≈mais *m.* 팝콘. **~mutter** *f.* 〖경박〗 여자 포주, 유곽의 여주인. **~otter** *f.* 퍼프 애더(남아프리카산(産)의 큰 독사). **~reis** *m.* 튀밥, 쌀 튀긴 것. **~spiel** *n.* 서양 주사위 놀이.
puh [pu:] *int.* 〖의성어〗 ① 후유(안도의 한숨을 쉴 때 내는 소리). ②〖혐오·경멸·거절의 뜻을 나타냄〗 체, 흥, 피.
puhlen [pú:lən] *t./i.* (h.) (nordd.) ↑ pulen.
Puk *n.* -s, -e (ndd.) 작은 침실; 침대.
puken [pú:kən] *t./i.* (h.) (ndd.) 긁다, 긁어 일으키다; 쥐어뜯다, 꼬집다.
Puker [pú:kər] *m.* -s, - (ndd.) 대가리가 둥근 놋쇠못〔징〕.
Pülcher [pýlçər] 《<Pilger》 *m.* -s, - (öst.) 〖구어〗 부랑자, 떠돌이.
Pulcinell [pultʃinél] *m.* -s, -e, **Pulcinella** [..tʃinéla] *m.* -(s), ..nelle (나폴리 민속 즉흥 희극에서의) 어릿광대, 익살꾼.
Pulcinello *m.* -s, -s/..nelli ↑ Pulcinella.
pulen 《I》 *i.* (h.) (in〔an〕 et.[3]) (손가락으로) 집다, 잡아뜯다; 후비다, (송곳으로) 뚫다; 긁다: in der Nase ~ 코를 후비다. 《II》 *t.* (nordd.) (껍질을) 벗기다, 뜯어내다: die Rosinen aus dem Kuchen ~ 케이크에서 건포도를 발라내다.
Pulk 《poln.》 *m.* -(e)s, -s/ (드물게) -e ①〖軍〗 **(a)** 부대. **(b)** 전투기 편대. ② **(a)** (사람이나 차량의) 무리, 집단. **(b)**〖스포츠〗 (중장거리 경주에서 중간쯤에 있는) 선수 집단.
Pulle [púlə] 《ndd. „kleine Flasche"》 *f.* -n 〖경박〗 ① (술)병: eine ~ Wein 와인 한 병; volle ~ fahren 전속력으로 달리다. ② (특히 md.) 도자기로 된 둥근 병. ③ 우유병.
pullen [púlən] *t./i.* (h.) ① **(a)** 끌다;〖승마〗 (말이) 고삐를 뿌리치고 돌진하다. **(b)**〖海〗 노를 젓다. ②〖방언〗 오줌 누다, 소변보다.
pullern *i.* (h.) (ndd.) ↑ pullen ②.
Pulli *m.* -s, -s 가벼운 스웨터.
Pullman≈kappe *f.* (öst.) 바스크 모자, 베레모. **~wagen** *m.*〖철도〗 풀먼차(미국인 풀먼 (Pullman)이 설계한 일종의 침대차).
Pull·over [..ó:vər] 《engl.》 *m.* -s, - 스웨터, 풀오버.
Pullunder [..ʊ́ndər] 《engl.》 *m.* -s, - 소매 없는 풀오버, 탱크탑, 조끼.
pulmonal [pulmoná:l] *a.*〖醫〗 폐의, 허파의.
Pulmonie [pulmoní:] *f.* -n [..ní:ən]〖醫·구식〗 폐결핵.
Pulp[1] [pulp] 《frz.》 *m.* -s, -en〖動〗 두족류; 오징어.
Pulp[2] 《frz.》 *m.* -s, -en ① 잼용 과육(果肉). ② (사료용) 녹말 찌꺼기.
Pulpa 《lat., „Fleisch"》 *f.* -e [..pɛ:] ①〖醫〗 **(a)** 비장 조직〔수질(髓質)〕. **(b)** 골수, (특히) 치수(齒髓). ②〖植〗 과육.
Pulpa·höhle *f.* 치수강(齒髓腔).
Pulpe[1] [púlpə] 《frz.》 *m.* -n, -n ↑ Pulp[1].
Pulpe[2] 《frz.》 *f.* -n ① ↑ Pulp[2]. ② 치수(齒髓).
Pülpe [pýlpə] *f.* -n ↑ Pulp[2].
Pulpitis [pulpí:tɪs] *f.* ..tiden [..tí:dən] 치수염(齒髓炎).
pulpös [pulpǿ:s] *a.* 육질(肉質)의, 살〔과육〕이 많은; 골수질 모양의.
Pulque [púlkə] *m.* -(s) 용설란주(酒).
***Puls** [puls] 《lat. pulsus》 *m.* -es, -e ①〖해부〗 맥, 맥박; (1분당) 맥박수;〖비유〗 (생명·감정의) 움직임, 맥동(脈動); 의향: jm. den ~ fühlen a) 누구의 맥을 짚다, b)〖비유〗 누구의 의향을〔정신 상태가 올바른지〕 타진하다; der ~ der Großstadt 대도시의 활기; den ~ messen 맥박수를 재다. ② 종이 한 번 울리는 소리: in 3 ~en läuten (종이) 세 번 울리다. ③〖物〗 펄스.
Puls·ader *f.*〖醫〗 동맥.
Pulsader≈geschwulst *f.* 동맥류(動脈瘤). **~kropf** *m.* 동맥성 갑상선종. **~lehre** *f.* 동맥학. **~öffnung** *f.* 동맥 절개.
Pulsar [pulzá:r] *m.* -s, -e〖天〗 펄서.
Pulsation [pulzatsió:n] *f.* -en ① 심장 박동. ②〖天〗 항성의 규칙적인 수축·팽창 작용.
Pulsator [..zá:tɔr, ..to:r] *m.* -s, -en [..tó:rən] 〖工〗 펄세이터(착유기처럼 압력의 주기적인 변화나 파동을 일으키는 장치).
pulsatorisch *a.* 맥박성의, 고동하는.
Pulsator·maschine *f.*〖工〗 ↑ Pulsator.
Puls·druck *m.* 맥압(脈壓).
pulsen [púlzən] 《I》 *i.* (h.) ↑ pulsieren. 《II》 *t.* ①〖醫·은어〗 맥박을 재다: jn. ~ 누구의 맥박을 재다. ②〖통신〗 (전파를) 펄스로 내보내다.
Puls≈frequenz *f.*〖醫〗 (1분간의) 맥박수. **~hammer** *m.*〖物〗 비등구(沸騰球)(구내(球內)의 액체가 손의 온기 때문에 순간적으로 비등하는 장치).
pulsieren [pulzí:rən] *i.* (h.) 맥박이 뛰다, 고동치다;〖비유〗 (생명·감정이) 약동하다: ~der Schmerz 주기적으로 반복되는 고통.
Pulsieren *n.* -s ↑ Pulsation.
Pulsion *f.* -en 충격; 박동, 맥동; 진동.
Puls·messer *m.* 맥박계.
Pulso·meter [pulzomé:tər] 《gr.》 *n.*〖工〗 기압 양수기, 고동 펌프;〖醫〗 맥박계.
Puls≈schlag *m.* ① (한 번의) 맥박. ②〖비유·雅語〗 생동감 있는 삶: der ~ der Stadt 도시의 생동감 넘치는 생활. **~schreiber** *m.* ↑ ~messer. **~still·stand** *m.*, **~stockung** *f.* 맥박 정지, 절맥(絕脈). **~uhr** *f.* 맥박 곡선 표시기. **~wärmer** *m.* 토시, 손목 보호대. **~welle** *f.* 맥파(脈波).
***Pult** [pult] 《고형(古形)은 Pulpet》 *n.*/ (bayr.) *m.* -(e)s, -e ① **(a)** 경사진 책상〔교탁〕. **(b)**〖음악〗 보면대; 지휘자용 악보대: am ~ stehen 지휘하다. **(c)**〖宗〗 설교단, 강단. ②〖軍〗 피복(被覆) 참호. ③ 개폐대, 제어반.
Pult·dach *n.*〖건축〗 한쪽으로 경사진 지붕.
pulterig, pultig *a.* (ndd.) 파손된, 써서 낡은, 넝마가 된.
***Pulver** [púlfər, ..vər] *n.* -s, - ① 가루, 분말; 〖醫〗 가루약: zu ~ zerreiben〔mahlen〕 가루로 만들다; ~ (ein)nehmen 가루약을 복용하다. ② 화약: ~ und Blei 탄약;〖구어〗 er hat das ~ nicht erfunden 그는 대단한 인물은 못된다, 머리가 별로 좋지 않다;〖구식〗 er hat noch kein ~ gerochen 그는 아직 실전(實戰)의 경험이 없다;〖구식〗 er kann kein ~ riechen 그는 용기가 없다, 겁쟁이 군인이다; 〖구어〗 er hat sein ~ schon verschossen 그는 논거를 다 써 더 이상 쓸 방법이 없다; er hält sein ~ trocken 그는 항상 대비하고 있

다, (전투) 준비를 갖추고 있다; 〖구어〗 keinen Schuß ~ wert 한 푼의 가치도 없다. ③〖경박〗 돈: es fehlt mir am nötigen ~ 나는 필요한 돈이 부족하다.
pulver·artig *a.* 분말 같은.
Pülverchen *n.* -s, - 〖↑ Pulver 의 축소형〗 보드라운 분말; 가루약; 독약(마약) 가루.
Pulver≈dampf *m.* 포연, 화약 연기. **~fabrik** *f.* 화약 공장. **~faß** *n.* 화약통: 〖비유〗 (wie) auf dem ~ sitzen 위기에 처해 있다; ein Funke im ~ sein 극적인 사건의 도화선이다; den Funken ins ~ schleudern 싸움을 유발하다; einem ~ gleichen 화약고와 같다, 일촉즉발의 상태다. **≈fein** *a.* 가루처럼 고운. **~flasche** *f.* 화약병. **~haus** *n.* 화약고. **~holz** *n.* 〖植〗 서양 갈매나무. **~horn** *n.* 〖史〗 뿔 모양의 화약통.
pulverig [púlfərıç, ..və..] *a.* 분말(모양)의; 분쇄된; 화약의.
Pulverisator [pulverizá:tɔr, ..to:*r*] *m.* -s, -en [..tó:rən] 분쇄기; 제분기.
pulverisieren [..zí:rən] *t.* 가루로 만들다, 갈다; 분쇄하다: 〖비유〗 im ersten Rennen pulverisierte er den bisherigen Rekord von X 그는 첫 경주에서 X 의 종전 기록을 깼다.
Pulverisierung *f.* -en 분말로 만듦; 분쇄.
Pulver≈kaffee *m.* 가루(인스턴트) 커피. **~kammer** *f.* ① 화약고. ② (총의) 약실. **~karren** *m.* ↑ ~wagen. **~ladung** *f.* 화약 장전. **~magazin** *n.* 화약고. **~maß** *n.* 화약 계량 용기. **~metallurgie** *f.* 〖금속〗 분말 야금. **~mine** *f.* 지뢰. **~mühle** *f.* 〖구식〗 화약 공장.
pulvern [púlfərn, ..vərn] 《Ⅰ》 *t.* ① ↑ pulverisieren. ②〖구어〗 돈을 쏟아넣다: Geld in et.³ ~ 무엇에 돈을 (불필요하게) 많이 지출하다. 《Ⅱ》 *i.* (h.) ① (schweiz.) 사격하다: in die Luft ~ 공중으로 사격하다. ②〖비유〗 분노를 터뜨리다.
Pulver≈niederlage *f.* 화약고. **~presse** *f.* 화약 압착기. **~probe** *f.* 화약 시험. **~rauch** *m.* ↑ ~dampf. **~sack** *m.* (총의) 약실; 화약 주머니. **≈scheu** *a.* 화약을 무서워하는; 〖비유〗 겁많은. **~schlag** *m.* 폭죽, 꽃불. **~schleim** *m.* 〖사냥〗 (총신의) 화약 찌꺼기. **~schnee** *m.* 가랑눈. **~schwärmer** *m.* 꽃불류(類). **~tonne** *f.* ↑ ~faß. **≈trocken** *a.* 바싹 마른, 몹시 건조한. **~turm** *m.* 〖옛뜻〗 (탑 모양을 한) 화약고. **~verschwörung** *f.* (1605 년 영국 국회를 폭파하려던) 화약 음모 사건. **~wagen** *m.* 화약차. **~zünd·schnur** *f.* 도화선.
pulvrig *a.* ↑ pulverig.
Puma 《peruan.》 *m.* -s, -s 〖動〗 퓨마.
pumm *int.* 〖의성어〗 쿵, 탕.
Pummel [púməl] (nordd.) *m.* -s, - 〖구어〗 뚱보.
Pummelchen [..çən] *n.* -s, - ↑ Pummel 의 축소형.
pumm(e)lig *a.* 〖구어〗 뚱보의, 살찐.
pump [pump] *int.* 〖의성어〗 쿵, 통탕, 꽝.
Pump¹ *m.* -(e)s, -e ① 불룩한 주름; 불룩한 것. ② 둔탁한 소리.
Pump² 《<Pumpe》 *m.* -s 〖구어·학생〗 빚, 외상: einen ~ bei jm. aufnehmen 누구에게서 돈을 꾸다; auf ~ nehmen(bekommen) 외상으로 사다; auf ~ leben 빚내서 살다.
Pump·brunnen *m.* 펌프 우물.
***Pumpe** [púmpə] *f.* -n ① 펌프. ②〖경박〗 심장: die ~ will nicht mehr 마음이 더 이상 내키지 않는다. ③〖마약〗 마약용 주사기.
Pumpel, Pumper *f.* -n (schweiz., westd.) 호주머니.
pumpelig (nordd.) *a.* 〖구어〗 ① 굼뜬; 둔중한. ② (옷이) 몸에 맞지(어울리지) 않는.
pumpeln *i.* 〖구어〗 굼뜨다.
Pumpel·rose *f.* 〖植〗 작약.
***pumpen** [púmpən] (nordd.) 《Ⅰ》《<pump》 *i.* (h.) ① 펌프 작용(운동)을 하다: die Maschine pumpt zu langsam 이 기계는 펌프 작용이 너무 느리다. ②〖스포츠〗 팔굽혀펴기(엎드려뻗쳐)를 하다. ③〖요트〗 (속도 조절을 위해) 돛의 밧줄을 당겼다 놓았다 하다. ④ 쿵(통탕) 하고 소리내다. 《Ⅱ》《<Pumpe》 *t.* ① 펌프로 퍼내다(올리다): Wasser in einen Eimer ~ 펌프로 물을 퍼서 양동이에 담다; das Herz pumpt das Blut durch den Körper 심장이 피를 펌프질해 몸 속을 흐르게 한다. ②〖物〗 에너지를 가해 원자를 들뜨게 하다. ③〖구어〗 빌리다; 빌려 주다: (sich) et. von jm. ~ 누구에게서 무엇을 빌리다; ich möchte mir von dir deine Schuhe ~ 나는 네 구두 좀 빌리고 싶다; jm. et. ~ 누구에게 무엇을 빌려 주다.
Pumpen≈bohr·loch *n.* 펌프 가운데의 구멍. **~eimer** *m.* 펌프의 물받이통. **~gerät** *n.* 펌프 장치. **~gestänge** *n.* 펌프 손잡이. **~haus** *n.* 펌프실. **~hebel** *m.* 펌프 손잡이. **~heimer** *m.* 〖농담〗 물. **~hub** *m.* 한 번의 펌프질. **~kasten** *m.* 펌프 덮개. **~klappe** *f.* ↑ ~ventil. **~kolben** *m.* 펌프의 피스톤. **~rohr** *n.*, **~röhre** *f.* 펌프 파이프. **~schuh** *m.* (펌프의) 흡입 밸브. **~schwengel** *m.*, **~stange** *f.* 펌프 손잡이. **~stiefel** *m.* 펌프 몸통. **~ventil** *n.* 〖악기〗 (금관 악기에서 음높이를 바꾸는 데 사용하는) 피스톤 밸브. **~werk** *n.* 펌프장, 양수장. **~zug** *m.* ↑ ~hub. **~zylinder** *m.* 펌프 몸통.
Pumper·mette *f.* 〖가톨릭〗 부활절 전주(성(聖)주간)의 수요일에서 금요일까지 주로 오후에 행해지는 미사.
pumpern 《<pump》 *i.* (h.) ①〖구식〗 방귀 뀌다. ②〖구어〗 쿵(쾅·통탕) 소리를 내다; 쾅쾅 두드리다: an die Tür ~ 문을 쾅쾅 두드리다; sein Herz pumperte vor Angst 그는 무서워서 심장이 두근두근했다.
Pumper·nickel [púmpər|nıkəl] *m.* ① 뚱보 (특히 어린 아이). ② 거친 호밀 가루로 만든 검은 빵(Westfalen 의 명물).
Pump·hose *f.* 니커보커스.
Pumpje 《frz.》 *m.* -s, -s (köln.) 소방대원.
pumplig [púmplıç] *a.* 〖구어〗 ↑ pumpelig.
Pump·rad *n.* 양수차(揚水車).
Pumps [pœmps] 《engl.》 *m.* -, - 펌프스(끈이나 훅이 없고 발등이 깊이 파진 여성화).
pumps [pumps] *int.* 〖의성어〗 쿵, 꽝.
pumpsen *i.* (h./s.) 쿵 하고 떨어지다; 쳐서 맞히다; 부딪다.
Pump≈speicher·werk *n.* 양수식 수력 발전소. **~station** *f.* 양수장; 〖철도〗 급수소. **~stiefel** *m.* ↑ Pumpenstiefel. **~werk** *n.* 펌프장, 양수장.

pums *int.* 〖의성어〗 쿵, 탕.
pumstig *a.* (köln.) 갑작스러운.
Puna [pú:na] *f.* 푸나(남아메리카 안데스 산맥의 초원성 고원 지대).
Punch [pantʃ] ⟪engl.⟫ *m.* -s, -s ① 펀치(영국 희극 및 인형극의 어릿광대). ② 펀치지(誌)(1841 년에 창간된 영국의 유명한 유머 잡지). ③〖권투〗 펀치, 타격(력).
Puncher [pánʃər] ⟪engl.⟫ *m.* -s, - 강펀치를 가진 권투 선수.
Punching·ball [pántʃɪŋ..] ⟪engl.⟫ *m.* 〖권투〗 (연습용의) 펀칭 볼.
punctum saliens [pʊ́ŋktʊm zá:lɛns] ⟪lat.⟫ *n.* - - 〔교양〕 요점, 주안점, 문제의 핵심.
Pund [punt] *n.* (ndd.) 파운드(Pfund).
Pungel [pʊ́ŋəl] *n.* -s, - (nordd.) 작은 단〔묶음〕.
Punier [pú:niər] ⟪lat.⟫ *m.* -s, - 카르타고 사람.
punisch *a.* 〖史〗 카르타고(사람)의: die ∻en Kriege 포에니 전쟁(로마와 카르타고의 싸움); ~e Treue 불신(不信).
Punk [paŋk] ⟪engl.⟫ *m.* -(s), -s ① (1970 년대 후반 영국에 나타난 청소년의 반체제적 풍속 현상인) 펑크. ② 펑크족(族).
Punker [páŋkər] *m.* -s, - ① 펑크족. ② 펑크록 가수.
Punk·rock *m.* 펑크록.
***Punkt** [puŋkt] ⟪lat. punctum⟫ *m.* -(e)s, -e ① 점; 작은 반점: **(a)** 미세한 것: die Bluse ist rot mit weißen ~en 그 블라우스는 하얀 반점 무늬가 있는 붉은색이다; der ~ auf 〔über〕 dem i a) i 위의 점, b) 미세한 점, 최후의 일점, 끝마무리. **(b)** 〖數·物〗 점, 곱셈 부호(·); 〖음악〗 부점, 스타카토; 〖기하〗 (길이·면적이 없는 위치만으로서의) 점; 〖문법〗 구두점, 마침표, 종지부: einen ~ machen〔setzen〕 a) 구두점을 찍다, b) 종결하다; der Satz endet mit drei ~en 그 문장은 생략 부호(…)로 끝난다; 〔구어〕 nun mach aber mal einen ~! 이제 그만해둬!; 〔구어〕 ohne ~ und Komma reden 쉬지 않고 이야기하다; (bis) auf den ~ 한 점의 틀림도 없이, 면밀하게. **(c)** (주사위의) 눈; 과녁의 중심점. **(d)** 〔복수: -〕〖印〗 포인트(활자 크기의 단위; 약어: P). ②〔비유〕(공간의) 어떤 점, (특정한) 장소: **(a)** (중요) 지점, 요점; der höchste ~ Deutschlands 독일에서 제일 높은 곳(Zugspitze 산의 다른 이름); 〖軍〗 beherrschender ~ 통제 지점; den rechten ~ treffen〔verfehlen〕 바로 맞히다〔못 맞히다〕; 〖권투〗 den ~ treffen 턱을 맞히다; der springende ~ a) 〖動〗 도약 지점, b) 〔비유〕 (주)요점; 〔비유〕 ein wunder〔schwacher, neuralgischer〕 ~ 약점, 예민한 곳, 급소; ein dunkler ~ (in js. Vergangenheit) (누구의 과거의) 오점; 〖工〗 toter ~ 사점(死點); 〔비유〕 막다른 골목: ich habe den toten ~ jetzt wieder überwunden 나는 이제 다시 막다른 골목에서 벗어났다; 〔비유〕 an einem bestimmten ~ nicht mehr weiterkommen 어떤 지점에서 일〔협상〕이 지지부진하다. **(b)** (문제가 되는) 점, 논점; 항목, 문제: streitige ~e 쟁점; die einzelnen ~e des Vertrages 계약의 각 조항; ~ für ~ 조목조목, 하나하나, 차례로. **(c)** 시점, 시기, 순간: der höchste ~ im Laufe des Lebens 생애의 전성기; auf dem ~ stehen, et. zu tun 막 무엇을 하려고 하다; er kam auf den ~ (genau) 그는 정시에 왔다; ~ 12 Uhr (정각) 12 시(에). **(d)** et. in ~ setzen (일에 착수하려고) 만반의 준비를 하다. ③ 득점; 평점, 점수: nach ~en (be)siegen〔verlieren〕 판정으로 이기다〔패하다〕; er bekam 20 ~e von 30 möglichen 그는 30 점 만점에 20 점을 얻었다.
..punkt *suf.* "(지)점"의 뜻(보기: Gesichts~, Kern~, Stand~).
punkt *adv.* (schweiz., öst.) 정각 …시에.
Punktal·glas [puŋktá:l..] *n.* 〖광학〗 점상(點像) 렌즈(상의 일그러짐을 방지하는 특수 렌즈).
Punktation [puŋktatsió:n] ⟪lat.⟫ *f.* -en ① 점찍기; 〖문법〗 구두점 찍기. ②〖醫〗 침술(鍼術)(을 행하기). ③〖法〗 가계약〔협정〕 초안. ④〖언어〗 (헤브라이어의) 모음 부호.
Punkt·ball *m.* ①〖권투〗 소형 펀칭 볼. ②〖당구〗 제 2 구(흑점이 표시된, 상대방의 흰색 공).
Pünktchen [pýŋktçən] *n.* -s, - 〔↑ Punkt 의 축소형〕 작은 (반)점; 〔비유〕 미세, 미량, 사소한 일: 〔비유·구어〕 da fehlt nicht das ~ auf dem i! 일이 마무리되었다!
Punkte·kampf *m.* 〖스포츠〗 ↑ Punktspiel.
pünkteln *t.* (작은) 점을 찍다.
punkten [pʊ́ŋktən] ⟪I⟫ *t.* ① 점을 찍다: gepunkteter Stoff 물방울〔점〕 무늬 천. ②〖스포츠〗 **(a)** (심판이) 채점하다. **(b)** 〖권투〗 포인트를 따다. ⟪II⟫ **gepunktet** *p.a.* ↑ gepunktet.
Punkte·spiel *n.* 〖스포츠〗 ↑ Punktspiel.
punkt≈förmig *a.* 점처럼 작은〔배열된〕; 점 모양의. **~gleich** *a.* 동점인. **∻gleichheit** *f.* 동점.
Punktier·buch *n.* 점복술서(占卜術書).
punktieren [puŋktí:rən] *t.* ① 점을 찍다; 〖문법〗 구두점을 찍다; (히브리어의) 모음의 점을 찍다. ②〖음악〗 **(a)** 부점(附點)을 찍다: ein punktiertes Achtel 점 8 분음표. **(b)** 〖오페라〗 가창 부분을 가수의 음역에 맞춰 바꾸다. ③ 침으로 찌르다; 구멍을 뚫다; 〖조각〗 (동판을) 점각(點刻)하다; 〖醫〗 천자(穿刺)하다; 침을 놓다: sich[3] die Haut ~ 문신(文身)하다; 〔구어〕 er mußte punktiert werden 그는 천자를 받아야 했다. ④ den Frieden ~ 평화 조약의 원안을 작성하다. ⑤ 점복술로 점을 치다. ⑥〖商〗 지급을 정지하다.
Punktierer *m.* -s, - 〖印〗 동판 점각자(點刻者); 점묘 화가; 점술가.
Punktier≈feder *f.* (제도용의) 점선 가막부리. **~kunst** *f.* 점복술. **~manier** *f.* 〖印〗 (동판) 점각법(點刻法). **~maschine** *f.* 〖조각〗 점각기. **~nadel** *f.* 점각침; 〖醫〗 천자침. **~rad** *n.* 〖工〗 타점륜(打點輪: 손잡이 끝에 붙은 톱니 바퀴를 굴려 점선을 그어 나감).
Punktierung *f.* -en ① ↑ punktieren 의 명사형. ② 점으로 표시된 선〔면〕.
Punktion [puŋktsió:n] *f.* -en 〖醫〗 천자법〔술〕(穿刺法〔術〕).
Punkt·landung *f.* (항공기 또는 우주선의 예상 지점) 안착(安着).
***pünktlich** [pýŋktlɪç] *a.* ① 시간을 엄수하는, 정시의; 정확한; 신속한, 즉석의: ~ auf die Minute 일 분도 틀리지 않고; ~ zahlen (기일

대로) 어김없이 지급하다; aufs ~ste besorgen 즉석에서〔신속히〕 처리하다. ②〖구식〗 양심적인, 고지식한, 성실한.

Pünktlichkeit *f.* 시간 엄수; 정확, 치밀: ein Mensch von großer ~ 시간을 엄수하는 사람, 매우 정확한 사람.

Punkt≈linie *f.* 점선. **~niederlage** *f.*〖스포츠〗 판정패.

punkto *prp.*[2]〖구식〗 …에 관하여.

Punkt≈richter *m.*〖권투·체조〗 채점을 맡은 심판, 채점관. **~roller** *m.* ① (표면에 돌기가 있는) 안마용 고무봉. ②〖구어〗 (경찰의) 고무곤봉. ③〖畫〗 점선 에칭용 롤러. **~schrift** *f.* 점자(點字) (인쇄물). **~schweißen** *t.* (h.)〖부정형과 과거 분사로만〗 스폿 용접하다. **~schweißung** *f.*〖기계〗 스폿 용접. **~sicher** *a.* 아주 정확한. **~sieg** *m.*〖스포츠〗 판정승. **~spiel** *n.*〖스포츠〗 리그전 경기. **~strich** *m.*〖문법〗 세미콜론(;). **~system** *n.* ① (활자 크기의) 포인트 방식. ②〖스포츠〗 점수〔승점〕제. ③〖교육〗 성적 평가의 점수제.

Punktualität *f.*〖교양·구식〗 엄밀; 정확; 꼼꼼함.

punktuell *a.* 개개의, 항목별의.

Punktum [pʊ́ŋktum] *n.* -s, ..ta ①〖문법〗 구두점, 마침표. ②〖비유〗 종말: und damit ~ ! 그것으로 끝이다, 이제 끝났다 !

Punktur [puŋktúːr] *f.* -en〖醫〗 ↑ Punktion.

Punkt≈verlust *m.*〖스포츠〗 실점. **~weise** *a.* 개개의, 항목별의, 상세한. **~wertung** *f.*〖스포츠〗 점수 판정(제). **~zahl** *f.*〖스포츠〗 득점, 점수.

Punn *n.* (ndd.) 파운드(Pfund).

punnig *a.* 무거운.

Punsch [pʊnʃ] *m.* -(e)s, -e/Pünsche [pʏ́nʃə] 펀치, (럼주에 설탕·레몬·차·물을 탄) 오색주.

Punsch·bowle [..boːlə] *f.* ① 펀치 볼. ② 펀치 음료.

punschen *i.* (h.) 펀치를 마시다.

Punsch≈essenz *f.* 농축 펀치. **~gesellschaft** *f.* 펀치(애음(愛飮))회. **~glas** *n.* 펀치용 컵〔잔〕. **~löffel** *m.* 펀치 숟가락. **~napf** *m.*, **~schüssel** *f.*, **~terrine** *f.* ↑ ~bowle.

Punz·arbeit [pʊ́nts..] *f.* (금속의) 타각 세공, 엠보싱〔압인〕 가공.

Punze [pʊ́ntsə] 《it. punzone》 *f.* -n ① (öst., schweiz.) (귀금속의 순도를 표시하는) 각인. ②〖工〗 (금속·가죽의 각인을 위한) 스탬프, 타인〔각인〕기. ③ (öst., schweiz.) 검인(檢印), 품질 보증인(印). ④ 측량 기구나 저울추의 각인. ⑤〖印〗 인쇄용 활자에서 잉크가 묻지 않은 부분. ⑥〖비속〗 (여성의) 질(膣).

punzen [pʊ́ntsən] *t.* ① (가죽·금속에) 타인〔각인〕하다. ② (öst., schweiz.) 각인〔검인〕을 찍다.

Punzen *m.* -s, - ↑ Punze.

Punz(en)·hammer *m.* 각인용 해머〔망치〕.

punzieren [puntsíːrən] *t.* ↑ punzen.

Pup [puːp] 《원래는 의성어》 *m.* -(e)s, -e〖구어〗 방귀.

pupen *i.* (h.)〖구어〗 큰 소리로 방귀 뀌다.

pupig *a.* 가엾은; 궁색한.

Pupill [pupíl] 《lat.; pupus 의 축소형》 *m.* -en, -en〖法·구식〗 미성년자, 피후견인; 아동; 고아.

pupillar [pupɪláːr] *a.* ①〖法〗 피후견인의. ②〖醫〗 동공(瞳孔)의.

pupillarisch *a.*〖法·구식〗 ↑ pupillar ①.

***Pupille** [pupílə] 《Ⅰ》 *m.* -n, -n ↑ Pupill. 《Ⅱ》 《lat. pupilla》 *f.* -n ① ↑ Pupill 의 여성형. ②〖해부〗 동공:〖구어〗 eine ~ hinschmeißen 주의〔주시〕하다, 관찰하다; eine ~ riskieren 훔쳐보다;〖구어·농담〗 sich[3] die ~ 〔die ~n〕 verstauchen 알아보기 힘든 것을〔작은 글씨를〕 보려고 애쓰다.

Pupillen≈erweiterung *f.*〖병리〗 동공 확대. **~gelder** *pl.*〖고어〗 피후견인의 재산. **~verengerung, ~verengung** *f.*〖병리〗 동공 축소.

Pupinspule [pupíːn..] *f.* -n〖工·옛뜻〗 장하(裝荷) 코일.

pupipar [pupipáːr] *a.*〖動〗 (곤충의 애벌레가) 태어난 즉시 번데기가 되는.

Püppchen [pʏ́pçən] *n.* -s, -〖↑ Puppe 의 축소형〗 ① 작은 인형. ② (여아·애인에 대한 애칭으로) 인형 같은 아이, 귀여운 사람.

***Puppe** [pʊ́pə] 《lat. pupa, „Mädchen"》 *f.* -n ① **(a)** 인형. **(b)** 꼭두각시;〖비유〗 허수아비: sie ist nur eine ~ in seinen Händen 그녀는 그의 수중에 있는 허수아비에 불과하다;〖비유〗 die〔alle〕 ~n tanzen lassen a) 아랫사람들을 마음대로 부리다, b) 사람들을 신나게〔흥청거리게〕 하다. **(c)** 마네킹. ②〖비유·구어〗 (↑ Püppchen ②) **(a)** 처녀, 애인, 여자 친구: sie ist seine ~ 그녀는 그의 여자 친구다. **(b)** 잘 차려입은 여자; 멋쟁이. **(c)**〖방언〗 창녀. ③〖動〗 번데기. ④ 낟가리, 건초더미. ⑤〖펌어〗 애티 나는 것. ⑥ 서양 장기의 말. ⑦〖구어〗 das ist ~ ! 그것 참 근사하군 ! ; über die ~n 터무니없이, 대단히; (berl.) bis in die ~n 한없이, 대단히 멀리〔오랫동안〕.

puppen [pʊ́pən] 《Ⅰ》〖방언〗 *i.* (h.) 인형을 가지고 놀다. 《Ⅱ》 *refl.* sich ~ 번데기로 되다.

Puppen≈balg *m.* 알몸뚱이의 인형. **~bildung** *f.*〖動〗 번데기화(化). **~doktor** *m.*〖구어·농담〗 인형 수선공. **~film** *m.*〖영화〗 인형 영화. **~gesicht** *n.* 인형의 얼굴; 예쁘지만 무표정한 여자 얼굴.

puppenhaft *a.* 인형 같은.

Puppen≈haus *n.* ① 인형의 집(장난감). ②〖농담〗 아주 작은 집. **~hülle, ~hülse** *f.*〖動〗 번데기 껍질. **~kleid** *n.* 인형의 옷. **~klinik** *f.* 인형 수선점. **~kopf** *m.* 인형의 머리. **~kram** *m.* 인형 가게; 장난감류(類). **~küche** *f.* ① 인형의 집 부엌(장난감). ②〖농담〗 아주 작은 부엌. **~mutter** *f.* 인형의 엄마 (인형 놀이에서 엄마 역할을 하는 소녀). **~räuber** *m.*〖動〗 번데기를 먹는 갑충; 딱정벌레의 일종. **~spiel** *n.* ① **(a)** 인형 놀이; 인형극. **(b)** 인형극 작품. **(c)** 인형 극장. ② (손으로 하는) 요술. **~spieler** *m.* 인형 조종하는 사람, 인형극 연희자. **~stube** *f.* 인형의 방. **~theater** *n.* ① 인형극. ② 인형 극장. **~wagen** *m.* 인형 유모차. **~wohnung** *f.* ① 인형의 집. ②〖비유·구어〗 매우 작고 예쁜 집. **~zeug** *n.* 인형의 옷. **~zustand** *m.*〖動〗 번데기기(期)〔상태〕.

puppern 《원래는 의성어》 *i.* (h.)〖구어〗 와들와들 떨다; (가슴이) 두근거리다, 쿵쿵거리다.

puppig 《<Puppe》 *a.*〖구어〗 인형 같은, 귀여운.

Püpplein *n.* -s, - 〖↑ Puppe의 축소형〗 ↑ Püppchen.

Pups [pu:ps] *m.* -es, -e 〖구어〗 ↑ Pup.

pupsen *i.* (h.) 〖구어〗 방귀 뀌다.

pur [pu:r] 《lat. purus》 《Ⅰ》 *a.* 맑은, 순수한, 순결한; 순전한; 혼합〔희석〕하지 않은: ~es Wasser 맑은 물; ~es Gold 순금; Whisky ~ trinken 위스키를 스트레이트로 마시다: 〖비유〗 es ist ~e Wahrheit 있는 그대로의 사실이다; 〖구어〗 ~er Wahnsinn 완전한 미친 짓. 《Ⅱ》 *adv.* 다만, 오직.

pure *adv.* 맞대놓고; 딱 잘라서: et. ~ ablehnen 무엇을 딱 잘라 거절하다.

Püree [pyré:] 《frz.》 *n.* -s, -s 퓌레(감자·콩·야채 따위를 갈아 만든 죽): ein flockiges ~ 부드러운 죽.

Purgans [pʊrgáns] 《lat.》 *n.* -, ..ganzien [..tsiən]/..gantia [..tsia] 〖藥〗 연한 하제(下劑).

Purgativ *n.* -s, -e 〖藥〗 강한 하제(下劑).

Purgatorium *n.* -s ①〖藥〗 하제. ②〖宗〗 연옥. ③〖法〗 결백〔무죄〕 선서.

purgieren [pʊrgí:rən] 《Ⅰ》 *t.* 〖구식〗 ① 깨끗이하다, 정화하다: einen Text ~ 어떤 글의 외설스러운 부분을 수정하여 다듬다. ②〖醫〗 설사시키다, 하제를 쓰다. 《Ⅱ》 *i.* (h.) 〖醫〗 하제를 복용하다, 배변하다.

Purgier=gurke *f.* 〖植〗 콜로신스(박과(科) 식물). **~körner** *pl.* 〖植〗 파두(巴豆)의 종자; 피마자(씨). **~kroton** *m.* 〖植〗 파두(巴豆). **~mittel** *n.* 〖藥〗 하제. **~nuß** *f.* 피마자 열매. **~pille** *f.* 하제 환약. **~pulver** *n.* 하제 가루약. **~salz** *n.* 사하염(瀉下塩).

pürieren [pyrí:rən] 《Ⅰ》 *t.* 퓌레로 만들다: Kartoffeln ~ 감자를 으깨어 퓌레를 만들다. 《Ⅱ》 *i.* (h.) 퓌레를 만들다.

Purifikation [purifikatsió:n] 《lat.》 *f.* -en ①〖교양〗 정화(淨化). ②〖가톨릭〗 (미사에서 영성체 후에 행하는) 성배(聖杯)의 세정.

Purifikations·eid *m.* 〖法〗 결백〔무죄〕 선서.

purifizieren [..tsí:rən] *t.* 〖교양〗 깨끗이하다, 정화하다.

Purim [purí:m, pú:rɪm] 《hebr. Pûrîm》 *n.* -s, -e, **Purim·fest** *n.* 퓨림절(유대인이 매년 3월 1일에 행하는 연례 축제; Haman이 계획한 유대인 학살을 모면한 날을 기념함; 에스더서 9장).

Purin *n.* -s 〖化〗 퓨린.

Purismus [purísmʊs] 《lat. purus》 *m.* - ① 정화주의; (특히) 국어 정화주의. ②〖畫〗 순수주의. ③〖哲〗 도덕적 순수주의.

Purist *m.* -en, -en (극단적인) 국어 정화주의자; 순수주의자.

Puristin *f.* -nen ↑ Purist의 여성형.

puristisch *a.* 국어 정화주의의; 순수주의의.

Puritaner [puritá:nər] *m.* -s, - ①〖宗〗 청교도. ② 엄격한 도덕주의자; 엄정한 사람.

Puritanerin *f.* -nen ↑ Puritaner의 여성형.

***puritanisch** *a.* ① 청교도의, 청교도적인: ~e Strenge 청교도적 엄격함. ② 도덕적으로 엄격한: ein ~er Lebenswandel 도덕적으로 엄격한 품행. ③ 간소한, 검약하는: eine ~e Ausstattung 간소한 실내 설비.

***Puritanismus** [puritanísmʊs] *m.* - 청교도주의; 청교도 기질; (도덕상·종교상의) 엄격주의.

Puritāt [puritɛ́:t] *f.* 순수; 품행 방정; 순결.

Pürk [pyrk] 《<Prük》 *f.* (köln.) 가발(Perücke).

Purpeln 《<Purpur》 *pl.* (md.) (Röteln) 홍역, 홍진; 장미진(薔薇疹).

***Purpur** [pʊ́rpʊr] 《lat. purpura》 *m.* -s ① **(a)** 자색, 심홍색, 보라색. **(b)** (다소 강한 푸른빛이 섞인) 심홍색. ② 자포(紫袍), (왕·추기경의) 자의(紫衣): den ~ tragen 제왕〔추기경〕이다; nach dem ~ streben 왕이 되려고 하다; im ~ geboren 왕후로 태어난. ③〖비유〗 호화, 존귀, 고귀, 권세.

purpur-bekleidet *a.* 자의(紫衣)를 입은. **~farben, ~farbig** *a.* 보라색의, 심홍색의, 자색의: sie wurde purpurfarbig 그녀는 얼굴이 새빨개졌다.

Purpur=fieber *n.*, **~friesel** *n./m.* 〖醫〗 자반병(紫斑病). **~gewand** *n.* ↑ Purpur ②. **~holz** *n.* 자단(紫檀). **~kleid** *n.* ↑ ~gewand. **~lippen** *pl.* 〖시어〗 심홍색〔앵두 같은〕 입술. **~mantel** *m.* (왕·추기경의) 자포(紫袍), 자의(紫衣).

purpurn [pʊ́rpʊrn] *a.* ↑ purpurfarbig.

purpur=rot *a.* ↑ ~farbig. **~röte** *f.* 자색, 심홍색, 보라색. **~säure** *f.* 〖化〗 푸르푸르산(酸). **~schnecke** *f.* 〖動〗 (보라색〔자주색〕의 원료가 되는) 조개류. **~träger** *m.* 자포(紫袍)〔자의(紫衣)〕를 입은 사람(왕·추기경). **~weide** *f.* 〖植〗 고리버들.

purr *int.* ① 체(혐오를 나타내는 말). ② 워(말을 세울 때 하는 말). ③ 팡하는 소리. ④ 덜덜덜(떠는 소리).

purren[1] [pʊ́rən] *i.* (h./s.) ① (갑충이) 붕붕거리다. ② (말에게) 워하고 소리지르다.

purren[2] 《ndd.》 《Ⅰ》 *t.* ① (nordd.) 〖비유〗 (jn.) 자극하다, 안달나게 하다; 놀려대다; 방해하다. ②〖海〗 (당직 교대를 하려고) 깨우다. 《Ⅱ》 *i.* (h.) (nordd.) (뾰족한 끝으로) 쑤시다, 후비다: er purrt in seiner Pfeife 그는 자기 파이프를 후빈다.

Pürsch [pyrʃ] *f.* 〖고어〗 ↑ Pirsch.

pürschen *t./i.* (h.) ↑ pirschen.

Purser [pə́:sə] 《engl.》 *m.* -s, - ① 선박의 회계관, 사무장. ② 비행기의 사무장, 수석 스튜어드.

Purt [pʊrt] *f.* (ndd.) (Pforte) 문, 입구.

Purte *f.* (ndd.) 버들피리.

purulent [purulɛ́nt] 《lat.》 *a.* 〖醫〗 화농성의, 곪은.

Purzel [pʊ́rtsəl] *m.* -s, - ①〖구어〗 땅딸보; 귀여운 아이; 꼬마. ② 작은 과자. ③〖스포츠〗 ↑ Purzelbaum.

Pürzel [pýrtsəl] *m.* -s, - (동물의) 짧은 꼬리.

Purzel=baum *m.* 재주넘기, 공중제비: einen ~ machen〔schlagen, schießen〕 재주를 넘다. **~bock** *m.* ↑ ~baum. **~mann** *m.* 〖복수: ..männer〗 오뚝이.

purzeln [pʊ́rtsəln] *i.* (s.) 〖구어〗 떨어지다, 곤두박질치다, 쿵 넘어지다; 공중제비를 하다: aus dem Bett ~ 침대에서 굴러 떨어지다; die Preise ~ 값이 급격히 떨어지다.

Purzel·taube *f.* 〖動〗 공중제비비둘기.

Puschel [pʊ́ʃəl] *m.* -s, - 〔*f.* (nordd.) -n〕 ① (장식의) 술. ② 변덕; 취미, 도락.

Püschel [pýʃəl] *m.* -s, - (ostmd.) ↑ Puschel ①.

Puschel·kopf *m.* 머리 꼭대기, 정수리; (새의) 볏.
puschen[1] [púʃən] *i.* (h.) 〖방언〗 오줌 누다.
puschen[2] *t.* 촉진〔분발〕시키다: den Verkauf eines Artikels ~ (대대적 선전으로) 물품의 판매를 촉진시키다.
puschen[3] 新정서 ⇦ pushen.
pushen [púʃən] 《engl.》 *t.* ① (마약을) 거래하다. ② ↑ puschen[2]. ③〖골프〗(오른쪽〔왼쪽〕으로) 너무 멀리 가게 공을 치다.
Pusher [púʃər] 《engl.》 *m.* -s, -〖구어〗마약 상인〔밀매꾼〕.
Pushkin [púʃkɪn] *m.* Aleksandr Sergeevich ~ 푸슈킨(러시아의 시인, 1799-1837).
Push-Technologie *f.* 〖컴〗사용자가 원하는 주제와 관련된 정보를 인터넷에서 자동적·정기적으로 전해주는 기술.
Puß *f.* 나비(고양이를 부르는 이름).
puß [pus] *int.* 나비야(고양이를 꾀는 소리).
Pussel·arbeit *f.* 힘드는〔까다로운〕 일.
Pusselchen [púsəlçən] *n.* -s, -〖구어〗사랑스러운 아이(어린이·작은 동물에 대한 애칭).
pusselig *a.* ① 사랑스러운, 귀여운. ②〖구어〗하찮은 일에 지나치게 열심인; 까다로운. ③ 인내와 정확성을 요구하는.
pusseln [púsəln] (ndd.) *i.* (h.) 〖구어〗① 하찮은 일에 마음을 쓰다; 안달복달하다. ② 자질구레한 일을 하다.
pussieren [pusí:rən] *t.* ↑ poussieren.
pußlig *a.* ↑ pusselig.
Puß·mäulchen *n.* (가벼운) 키스.
Pußta [pú:sta] 《ung. puszta》 *f.* ..ten (헝가리의) 초원, 목장지, 방목지.
Pust·backen *m.* 포동포동한 볼.
Puste [pú:stə] 《ndd.; <pusten》 *f.* ①〖구어〗호흡, 숨: ganz außer 〔aus der〕 ~ sein 아주 숨이 차다. ②〖비유〗힘; 금전; 지구력: ihm ging die ~ aus 〔ihm verging die ~〕 그는 녹초가 되었다, 그는 자금이 다 떨어졌다.
Puste≈blume *f.* (둥글게 씨만 붙어 있는) 민들레 꽃자리. **~kuchen** *int.* 〖구어〗(ja) ~! 개떡같은 소리 그만해, 그렇지 않아!
Pustel [pústəl] 《lat.》 *f.* -n 〖醫〗농포(膿疱), 고름주머니; 작은 종양.
Pustel·bildung *f.* 농포 형성.
pusten [pú:stən] 〖구어〗《Ⅰ》 *i.* (h.) ① (ndd.) (**a**) 숨이 차다, 헐떡이다: ~d kam er die Treppe herauf 그는 헐떡거리면서 계단을 올라왔다. (**b**) 불다: in einen Luftballon ~ 풍선에 바람을 불어넣다; 〖비유〗ich werde dir was ~! 네 부탁 따위는 딱 질색이다!; 〖구어〗~ müssen 음주 측정계를 불어야 하다. ② 〖장기〗상대방 말을 판에서 잡아내다. ③ (바람이) 세차게 불다: draußen pustet es ganz ordentlich 바깥에는 바람이 정말 세차게 분다. 《Ⅱ》 *t.* ① 불어서 보내다, 불어 날리다: jm. den Rauch ins Gesicht ~ 누구의 얼굴에 연기를 불어 보내다; den Staub vom Buch ~ 책에서 먼지를 불어 없애다. ②〖무전·은어〗(전화·전신을) 보내다.
Püster *m.* -s, -〖방언〗풀무.
Puste·rohr *n.* (장난감) 바람총.
pustig *a.* 〖방언〗숨가쁜, 숨찬.
Pust·rohr *n.* ↑ Pusterohr.
pustulös [pustulǿ:s] *a.* 〖醫〗농포가 있는, 농포(성)의.

put [put] *int.* 〖의성어〗구구구구(닭을 부르는 소리).
putativ [putatí:f] 《lat. putare》 *a.* 〖法〗추정상의; 오판(誤判)에 의한.
Putativ≈delikt *n.* 〖法〗오상(誤想) 범죄〔범행〕. **~ehe** *f.* 〖法·가톨릭〗오상 혼인. **~notwehr** *f.* 〖法〗오상〔착각〕 방위(정당 방위의 조건이 있다고 착각한 방어 행위).
Putchen [pú:tçən] *n.* -s, - 〖↑ Pute의 축소형〗① 작은 칠면조. ②〖아동〗병아리; 〖애칭〗귀여운 사람.
Pute [pú:tə] 《ndd.; 의성어》 *f.* -n ①〖방언〗암칠면조. ② ↑ Putte. ③〖구어·욕설〗(허세부리는) 처녀, 여자: dumme ~! 멍청한 년!
***Puter** [pú:tər] *m.* -s, - 칠면조의 수컷.
Puter·hahn *m.* ↑ Puter.
puterrot *a.* 칠면조(의 볏)처럼 새빨간: vor Zorn ~ werden 격분해서 얼굴이 새빨개지다.
Put≈hahn *m.* ↑ Puter. **~henne** *f.* 〖아동〗꼬꼬(닭).
put put [putpút] *int.* 구구구구(닭을 부르는 소리).
Put·put 《<put》 *n.* -s, -(s) ① 닭을 부르는 소리. ②〖아동〗꼬꼬(닭).
Putrefaktion *f.* -en 〖醫〗부패.
Putreszenz [putrɛstsɛ́nts] 《lat.》 *f.* -en ↑ Putrefaktion.
putreszieren [putrɛstsí:rən] *i.* (s.) 썩어 없어지다, 부패하다.
putrid *a.* 〖醫〗부패한, 악취가 나는; 부패로 인한.
Putsch [putʃ] 《schweiz.; 의성어》 *m.* -(e)s, -e ① (schweiz.) 찌름; 때림, 타격; 억수, 큰비. ② 쿠데타, 반란: sich an einem ~ beteiligen 쿠데타에 가담하다.
putschen 《Ⅰ》 *i.* (h.) / *t.* (schweiz.) 밀치다, 돌진하다, 부딪(게 하)다. 《Ⅱ》 *i.* (h.) 〖폄어〗쿠데타를〔반란을〕 일으키다; 선동하다.
Putscheneller 《<frz. polichinelle》 *m.* -s, - (obd.) (중세의) 어릿광대.
pütscherig [pýtʃərɪç] *a.* (nordd.) 지나치게 꼼꼼한, 까다로운; 양심적인 체하는.
pütschern *i.* (h.) (nordd.) 꼼꼼하고 느리게 일하다.
Putschismus 《<Putsch》 *m.* -, ..men (공산주의자의) 교란책, 폭동 선동.
Putschist [putʃɪ́st] *m.* -en, -en 쿠데타 주동자, 폭동자; 선동자.
Putt [put] *m.* (ndd.) 단지, 항아리.
putt *int.* ↑ put.
Pütt [pʏt] *m.* -(e)s, -s/-e 〖광산〗① 광산, 수갱, 탄갱. ② 광산〔광업〕 지대.
Putte [pútə] 《↑ Putto》 *f.* -n 〖예술〗(바로크·로코코 양식의 큐피드와 같은) 나체 동자상(童子像).
putten 《engl.》 *t.* 〖골프〗퍼팅하다.
Putter *m.* -s, - ① 퍼터(퍼팅용 골프채). ② 퍼팅하는 사람.
Püttings≈bolzen [pýtɪŋs..] *m.* 〖海〗체인플레이트(돛대줄 끝을 고정시키기 위해 선체에 부착한 금속판)용(用) 볼트. **~wanten** *pl.* (돛대 꼭대기에서 양쪽 뱃전으로 뻗친) 돛대줄.
Püttjer [pýtjər] *m.* -s, - (ndd.) ① 도공(陶工). ② 사소한 일에 구애받는 사람.
püttjerig [pýtjərɪç] *a.* 사소한 일에 구애받는.
Putto [púto] 《lat. -it.》 *m.* -s, Putti/Putten

↑ Putte.

Putz[1] [puts] ⟪südd.; Butz⟫ *m.* -es, -e ① (obd.) 요괴, 집의 요정; 말괄량이. ② (md.) 작은 아이.

***Putz**[2] ⟪<putzen⟫ *m.* -es ①〖구식〗 장식(품); 장신구류(類); 정장, 좋은 옷; (여자용의) 화장품: sie gibt viel Geld für den ~ aus 그녀는 멋을 내는데 많은 돈을 쓴다; im (vollen) ~ 성장(盛裝)하여. ②〖복수: -e〗〖건축〗 회칠, 모르타르: Mauern mit ~ verkleiden〔bewerfen〕 담벽에 회칠하다;〖구어〗 auf den ~ hauen a)〖폄어〗 과장하다, 허풍치다; 기분내며 돈을 낭비하다, b) 매우 즐거워하다〔기분내다〕. ③ 청소: Wohnungs~ 집안 청소. ④〖구어〗 말다툼, 격렬한 논쟁: ~ machen 말다툼을 시작하다; 법석을 떨다, 매우 흥분하다.

Pütz [pyts] *f.* -en〖海〗 양동이, 물통.

Putz≈arbeit *f.* ① 장신구, 화장품. ②〖건축〗 미장칠; 회칠. **~artikel** *pl.* ↑ ~arbeit ①. **~bürste** *f.* 닦는 솔. **~dame** *f.* 화장을〔멋부리기를, 사치를〕 좋아하는 여자.

Putze *f.* -n ①〖고어〗 (양초의) 심지 자르는 가위. ②〖방언〗 칼가는 대(臺). ③〖구어〗 청소부.

Pütze [pýtsə] ⟪ndl.⟫ *f.* -n〖海〗 ↑ Pütz.

Putzen *m.* -s, - ①〖印〗 활자에 낀 때; (인쇄물의) 얼룩. ② (obd.) 과심(果心); 덩어리; 결절, 혹.

***putzen** [pʊ́tsən] ⟪I⟫ *t.* ① 깨끗하게 하다; 청소하다; 닦다, 윤내다, 손질하다: Bäume ~ 나뭇가지를 치다; (öst.) Kleider ~ 의복을 드라이 클리닝하다; die Kerze ~ 양초의 심지를 자르다;〖비유·구어〗 Klinken ~ (물건을 팔기 위해) 이집 저집 다니다; ein Pferd ~ 말을 손질하다;〖구어〗 den Teller leer ~, das Essen vom Teller rein〔weg〕 ~ 접시의 음식물을 깨끗이〔전부〕 먹어 치우다; (sich³) die Nase ~ 코를 풀다; sich³ den Bart ~ 수염을 다듬다; sich³ die Schuhe〔die Zähne〕 ~ 구두〔이〕를 닦다; Fisch〔Gemüse〕 ~ 물고기〔채소〕를 다듬다. ② **(a)** 장식하다: ~ den Weihnachtsbaum 크리스마스 트리를 장식하다. **(b)**〖목적어 없이〗〖구식〗 장식이 되다, 눈에 띄다, 화려하다: die neue Tapete putzt sehr 새 벽지는 매우 화려하다. ③〖건축〗 회칠하다. ④〖고어〗 jn. ~ 누구를 꾸짖다. ⑤〖스포츠〗 (md.) 격퇴하다, 이기다. ⑥ (märk.) 면도하다. ⟪II⟫ *refl.* sich ~ 차려 입다, 모양내다, 화장하다; (새가) 깃을 고르다: die Katze putzt sich 고양이가 제 몸을 핥는다.

Putzer *m.* -s, - ①〖구어〗 청소하는 사람, 닦는 사람;〖건축〗 회칠을 하는 사람: Fenster~ 창문닦이. ② 청소 기구; 닦는 도구. ③ ↑ Putzlappen. ④ 견책. ⑤〖軍·구식〗 장교 당번.

Putzerei [putsəráɪ] *f.* -en ①〖구어〗 지긋지긋한 청소〔닦는 일〕. ② (öst.) 세탁소.

Putz≈fimmel *m.*〖폄어〗 결벽증. **~frau** *f.* 청소부. **~gemach** *n.* ① (침실에 딸린) 화장실. ② ↑ ~stube. **~geschäft** *n.*, **~handel** *m.* (여자용) 화장품점, 장신구점. **~händler** *m.* 화장품 상인. **~handlung** *f.* 화장품상.

putzig [pʊ́tsɪç] ⟪nordd.; <mhd. butze⟫ *a.*〖구어〗 ① 익살스러운, 괴상한, 우스꽝스러운: ein ~es Tier 우스꽝스러운 동물. ② (md., ndd.) (zwergig) 작은, 왜소한.

Putz≈kästchen *n.* 화장품〔장신구〕 상자. **~-kasten** *m.* 청소용구 보관함. **~kram** *m.* 장식품, 장신구; 화장품. **~laden** *m.* 여자 장신구점, 화장품점. **~lappen** *m.* (마른) 걸레〔천〕. **~leder** *n.* 창닦는 가죽. **~leiste** *f.* (창의) 장식용 테두리. **~liebend** *a.* 옷사치하는, 멋쟁이인. **~macher** *m.* 모자 제조공. **~macherin** *f.* ↑ ~macher의 여성형. **~-mittel** *n.* 세제(洗劑). **~munter** *a.*〖구어〗 ① 아주 쾌활한, 의욕이 있는. ② 완전히 깨어 있는. **~narr** *m.* 호사바치, 멋쟁이. **~-pulver** *n.* 연마분(研磨粉), 연마사(砂). **~-schachtel** *f.* (보석·의복·모자를 넣는) 종이상자 또는 얇은 판자로 된 상자. **~schere** *f.* 양초 심지를 자르는 가위;〖방직〗 작은 가위. **~stein** *m.* (벽을 장식하는) 타일. **~stock** *m.*〖軍·구식〗 꽂을대. **~stube** *f.* 장식을 한 방, 객실(客室);〖드물게〗 화장실. **~sucht** *f.* 치장벽, 겉치레〔멋부리기〕에 치중함. **~-süchtig** *a.* 겉치레를 중시하는. **~tag** *m.* (대)청소일. **~teufel** *m.*〖비유·구어〗 ① 지나치게 청소하는 여자. ② 결벽증: den ~ haben 결벽증이 있다. **~tisch** *m.* 화장대. **~tuch** *n.* 행주. **~waren** *pl.* 장식품, 장신구; 화장품. **~werk** *n.* 장식품. **~wolle** *f.* 기계〔도구〕를 닦는 털실 뭉치. **~zeug** *n.* 청소 도구.

Puz [puts] *m.* -es, -e 어린아이; 요괴.

puzzeln [pázəln, pásəln] *i.* (h.) 퍼즐을 풀다.

Puzzle [pʌ́zəl] ⟪engl.⟫ *n.* -s, -s ↑ Puzzlespiel.

Puzzler [pázlər] *m.* -s, - 퍼즐을 푸는 사람.

Puzzle·spiel [pázəl..] *n.* 퍼즐(게임).

Puzzolan [putsolá:n] *n.* -s, -e (이탈리아산(産)) 화산 응회암; 화산재.

Puzzolan·erde *f.* ↑ Puzzolan.

PVC =Polyvinylchlorid 폴리염화비닐.

Pyämie [pyɛmí:] ⟪gr.⟫ *f.* -n [..mí:ən]〖醫〗 농혈증(膿血症).

Pyelitis [pyelí:tɪs] *f.* ..tiden [..tí:dən]〖병리〗 신우염.

Pyelogramm *n.* -s, -e〖醫〗 신우(腎盂)〔신장〕 뢴트겐 사진.

Pyelographie *f.* -n [..fí:ən]〖醫〗 신장〔신우(腎盂)〕 뢴트겐 사진술.

Pygmäe [pʏgmɛ́:ə] ⟪gr., „Fäustling"⟫ *m.* -n, -n ① 주먹만한 것; 난쟁이. ②〖신화〗 (에티오피아의) 난쟁이족. ③ (남아프리카·동아시아의) 피그미족.

pygmäenhaft *a.* 난쟁이 같은.

pygmäisch *a.* ① 난쟁이족〔피그미족〕의. ② 왜소한, 아주 작은.

Pygmalion [pʏgmá:liɔn] ⟪gr.⟫ *m.*〖그리스 신화〗 피그말리온(Zipern 섬의 국왕; 자기가 만든 여신상(像)에 반해 Venus에게 청해 생명을 부여받아 아내로 삼았음).

Pyjama [pʏdʒá:ma, pidʒá:..] ⟪engl.⟫ *m.*/(schweiz., öst.) *n.* -s, -s 파자마, 잠옷.

Pykniker [pýknɪkər] *m.* -s, -〖醫〗 비만형(의 사람).

pyknisch [pýk..] *a.*〖醫·心〗 비만형의, 뚱뚱한.

Pyknometer *n.* -s, - (액체) 비중계, 밀도계.

Pylades [pý:ladɛs] ⟪gr.⟫ *m.* 필라데스(오레스테스(Orestes)의 친구);〖비유〗 동무, 친구, 문경지교(刎頸之交)의 벗.

Pylon [pyló:n] ⟪gr., „Tor"⟫ *m.* -en, -en, **Pylone** [pyló:nə] *f.* -n ①〖건축〗 문; (특히)

파일론(고대 이집트 궁전·사원의 탑문). ②〘空〙(비행장의) 지시탑. ③ 현수교의 (주)탑. ④ (비행기의) 파일론(동력 장치 부착 장치). ⑤ (도로 차단에 사용하는) 원추형 표지.
Pylorus [pylóːrʊs] 《lat., „Pförtner"》 *m.* –, ..ren〘해부〙유문(幽門).
Pylorus≈stenose *f.*〘醫〙유문 협착. **~-verschluß** *m.* 유문 폐색.
pyogen [pyogéːn] 《gr. pŷos》 *a.*〘醫〙화농성의.
Pyorrhö [pyɔrø̃ː] 《gr. rhoḗ, „Fluß"》 *f.* –en〘병리〙농루(膿漏).
Pyorrhöe [pyɔrø̃ː] *f.* –n ↑ Pyorrhö.
pyorrhoisch *a.*〘병리〙농루를 수반하는.
Pyothorax [pyːotóːraks] *m.* –(es), –e〘병리〙화농성 늑막염.
pyramidal [pyramidáːl] 《lat.》 *a.* ① 첨탑(형)의; 피라미드 모양의. ②〔비유·구어〕거대한, 웅대한, 엄청난.
***Pyramide** [pyramíːdə] *f.* –n ① 피라미드; 금자탑, 첨탑. ②〘數〙각뿔, 각추. ③ 크리스마스트리;〘軍〙Gewehr≈ 걸어총. ④〘해부〙추체(椎體)(등골뼈를 이루는 둥글납작한 부분).
pyramiden≈förmig *a.* 피라미드〔금자탑·첨탑〕모양의;〘數〙각뿔상의. **≈pappel** *f.*〘植〙서양고리버들, 포플러. **≈stumpf** *m.*〘기하〙각뿔대.
pyramidisch *a.* ↑ pyramidenförmig.
Pyramidon 《원뜻 „kleine Pyramide"》 *n.* –s 작은 첨탑;〘藥〙피라미돈(해열제·진통제의 상표명).
Pyranometer *n.* –s, –〘기상〙전천(全天) 일사계(日射計).
Pyrenäen [pyrenɛ́ːən, pyrə..] *pl.* die ~ 피레네 산맥.
Pyrenäen·halbinsel *f.* 피레네 반도(이베리아 반도의 다른 이름).
pyrenäisch *a.* 피레네 산맥의.
Pyrethrum [pyréːtrʊm] *n.* –s, ..thra [..tra] ①〔구식〕국화. ② 제충국(말린 국화꽃으로 만든 살충제).
Pyretikum *n.* –s, ..ka〘藥〙발열제.
pyretisch *a.*〘藥〙발열의.
Pyrexie [pyrɛksíː] *f.* –n [..ksíːən]〘醫〙발열.
Pyrit [pyríːt, ..rít] 《lat.》 *m.* –(e)s, –e〘광물〙황철광.
pyro.. 《gr. pŷr, „Feuer"》 *pref.* "불(火)…, 열(熱)…"의 뜻(보기: ≈phor, ≈meter).
Pyrogallol [pyrogalóːl] *n.* –s ↑ Pyrogallussäure.
Pyrogallus·säure [pyrogálʊs..] *f.*〘化〙피로갈롤, 피로갈산(사진 현상약).
pyrogen [pyrogéːn] *a.*〘醫〙발열(성)의;〘지질〙마그마로 형성된, 화성(火成)의.
Pyrogen *n.* –s, –e〘化〙열소(熱素), 발열성 단백질; 등유.
Pyrolyse [pyrolýːzə] *f.* –n〘化〙열분해.
Pyromane [pyromáːnə] *m.* –n, –n〘心〙방화벽이 있는 사람, 방화광(狂).
Pyromanie *f.*〘心〙방화벽.
Pyrometer *n.* –s, –〘物〙고온계.
pyrophor [pyrofóːr] *a.*〘化〙자연 발화하는, 발화성이 있는.
Pyrophor 《원뜻 „Feuerträger"》 *m.* –s, –e〘化〙자연 발화물.
Pyrotechnik [..tɛ́ç..] *f.* 불꽃 제조술;〘軍〙화공(술).
Pyrotechniker *m.* –s, – 불꽃 제조인;〘軍〙화공병(火工兵).
pyrotechnisch *a.* 불꽃 제조(술)의; 불꽃 같은, 찬연(燦然)한.
Pyroxen [pyrɔkséːn] *m.* –s, –e〘광물〙휘석(輝石).
Pyrrhon [pýrɔn] *m.* 피론(고대 그리스의 철학자로 회의론의 시조, 360-270 B.C.).
Pyrrhonianer *m.* –s, – Pyrrhon 철학 신봉자; 회의론자.
Pyrrhonismus *m.* –〘哲〙피로니즘(Pyrrhon 의 철학설); (일반적으로) 회의론.
Pyrrhos [pýrɔs], **Pyrrhus** [pýrʊs] *m.* 피루스(옛 그리스 북서부 Epirus 의 왕, 319-272 B.C.).
Pyrrhus·sieg [pýrʊs..] *m.*〔교양〕피루스의 승리,〔비유〕(Pyrrhus 왕이 로마군을 격파한 때처럼) 희생이 많은 유명무실한 승리.
Pyrrol [pyróːl] *n.* –s〘化〙피롤(방향(芳香)을 지닌 무색의 액체).
Pythagoräer [pytagorɛ́ːər] *m.* –s, – (öst.) ↑ Pythagoreer.
Pythagoras [pytáːgoras] *m.* 피타고라스(고대 그리스의 철학자, 570-497 ? B.C.).
Pythagoreer [..réːər] *m.* –s, – 피타고라스 학파의 철학자.
Pythagoreisch *a.* 피타고라스의.
pythagoreisch *a.* 피타고라스풍〔학파〕의:〘數〙der ~e Lehrsatz 피타고라스 정리.
Pythia [pýːtia] 《gr.》 *f.* ..thien [..tiən] 피티아(Delphi 의 Apollo 신전에 있던 고대 그리스의 무녀(巫女));〔구어·비유〕미래를 점치는 여자.
pythisch [pýːtɪʃ] *a.* ① 피티아의: ≈e Spiele 피티아 경기 대회(고대 그리스의 Delphi 에서 4 년마다 행해진 경기). ② 신탁(神託)〔수수께끼〕같은, 애매한, 풀기 힘든.
Python [pýːtɔn] 《gr.》 *m.* –s, –s/–en〘그리스 신화〙Apollo 가 죽인 Delphi 의 큰 뱀;〘動〙(열대산(產)의) 이무기.
Python·schlange [pýːtɔn..] *f.* ↑ Python.
Pyxis [pýksɪs] 《gr. pýxis, „Büchse"》 *f.* ..xides〘가톨릭〙성체함; 성체기(器).

Q

Q, q [ku:] *n.* -, - 독일어 자모의 열일곱째 자.
Q[1] 로마 숫자의 500,000.
Q[2], **q**[1] =Quadrat 제곱, 정 4 각형.
Q. =Quintus 〖음악〗 (16-17 세기의 악곡에서) 제 5 음.
q[2] =Quintal 100 킬로그램(↑ Meterzentner).
qcm =Quadratzentimeter 제곱 센티미터(약어: cm²).
qdm =Quadratdezimeter 제곱 데시미터(약어: dm²).
q.e.d. =quod erat demonstrandum 이상 증명 필(畢)(수학에서 답 뒤에 씀).
Qindar [kíndar] *m.* -(s), -ka 킨다르카(알바니아의 화폐 단위).
qkm =Quadratkilometer 제곱 킬로미터(약어: km²).
qm =Quadratmeter 제곱 미터(약어: m²).
qmm =Quadratmillimeter 제곱 밀리미터(약어: mm²).
Q.S. =Quecksilbersäule 수은주.
qu. =quästioniert 문제가 되고 있는, 문제의.
qua [kva:] 《lat.》 ① *cj.* 〖官〗 (als) …의 자격으로, …로서: ~ Notar 공증인의 자격으로. ② *prp.*[2] 〖대개 뒤따르는 명사가 어미 변화 않음〗 (**a**) …에 따라서: ~ Wille des Verstorbenen 고인의 뜻에 따라. (**b**) …에 의하여: et. ~ Vertrag vereinbaren 무엇을 계약에 의해 합의하다.
Quabbe[1] [kvábə] *f.* -n 모캐(대구과의 민물고기) (Quappe).
Quạbbe[2] *f.* -n, **Quạbbel** *m.* -s, - ① 물렁한 덩어리; 비계〔지방〕 덩어리; 아교질 물체; 젤리. ② (사람·동물의) 지방 덩어리. ③ (소의 목에 늘어진) 군가죽. ④ 소택지, 습지.
quạbbelicht *a.* ↑ quabbelig.
quạbbelig *a.* ① 물컹물컹한; 부들부들한; 질퍽질퍽한: 〖구어〗 mir ist ganz ~ 나는 기분이 나쁘다. ② 〖구어〗 살찐, 투실투실한: ~e Person 뚱뚱보.
quạbbeln *i.* (h.) 〖구어〗 (nordd.) 부들부들하다, 물컹거리다, 축 늘어지다; (진흙·늪이) 질퍽거리다.
quạbbig, quạbblicht, quạbblig *a.* ↑ quabbelig.
Quạck·born *m.* 〖고어〗 (전설상의) 회춘의 샘 (Quickborn).
Quackelei [kvakəlái] *f.* -en 〖구어〗 ① 망설임; 동요; 희롱, 시시덕거림. ② 잡동사니, 찌끼. ③ 〖방언〗 수다, 군말.
Quạckeler *m.* -s, - 우유부단한 사람; 수다쟁이; 불평꾼; 잔소리꾼.
quạckelig *a.* 머뭇거리는, 흔들흔들하는, 비틀거리는.
quackeln [kvákəln] *i.* (h.) ① 비틀거리다, 머뭇거리다; 〖방언〗 갈지자걸음을 걷다. ② 수다떨다; 투덜거리다; 휘갈겨 쓰다. ③ 돈을 허비하다. ④ 인색하다.

Quackler [kváklər] *m.* -s, - ↑ Quackeler.
***Quacksalber** [kvákzalbər] *m.* -s, - 돌팔이〔엉터리〕 의사, 무면허 의사.
Quacksalberei *f.* 〖폄어〗 엉터리 치료〔약〕.
Quạcksalberin *f.* -nen ↑ Quacksalber 의 여성형.
quạcksalberisch *a.* 돌팔이 의사(식)의.
quạcksalbern *i.* (h.) 〖폄어〗 엉터리로 치료〔진단〕하다.
quad 《ndl.》 *a.* (schlecht) 나쁜; 어려운; (ungünstig) 비호의적인, 심술궂은.
Quaddel [kvádəl] *f.* -n ① 두드러기, 구반(丘斑). ② ↑ Quaddelsucht.
quạddeln *i.* (h.) / *t.* 수다떨다(quasseln).
Quạddelrei *f.* -en ↑ Quackelei.
Quạddel·sucht *f.* ↑ Nesselfieber.
Quade [kvá:də] *m.* -n, -n 콰디인(고대 서게르만족의 한 종족).
Quader [kvá:dər] 《lat.》 *m.* -s, -〔(드물게) *f.* -n〕 ① 〖건축〗 (네모진) 마름돌, 네모돌. ② 〖數〗 직 6 면체.
Quader=bau *m.* ① 마름돌 건축. ② 마름돌 건물. **~bruch** *m.* 채석장; (돌을 뜬 후의) 우묵한 땅〔구덩이〕. **~mauer** *f.* 마름돌 벽〔바닥〕.
quadern [kvá:dərn] *t.* 네모나게 자르다.
Quader=stein *m.* ↑ Quader ①. **~werk** *n.* 채석 공사; 〖건축〗 마름돌〔다듬돌〕쌓기.
Quadragesima [kvadragé:zima] 《lat. quadragesimus》 *f.* 〖가톨릭〗 ① 사순절. ② 사순절 기간의 제 1 일요일.
Quadrangel [kvadráŋəl] *n.* -s, - 4 각형.
Quadrant [kvadránt] 《lat.》 *m.* -en, -en ① 〖數〗 (**a**) 사분원(四分圓). (**b**) 사분면. ② 〖天·海·軍〗 4 분의(儀).
Quadrạnten·elektro·meter *n.* 〖전기〗 상한(象限) 전위계.
Quadrạnt·system *n.* 〖物〗 전자기 단위계.
***Quadrat** [kvadrá:t] 《lat.》 *n.* -(e)s, -e ① (**a**) 4 각형; 정 4 각형: magisches ~ (마)방진 a) 〖數〗 가로·세로·대각선 어느 쪽 합계도 동수가 되는 배수표, b) 가로·세로의 자모가 같은 글자가 되는 배치. (**b**) 도시의 정 4 각형 모양의 구역. ② 〖數〗 제곱·자승: 〖구어〗 im ~ 곱절로; 완전히, 특별히. ③ 〖음악〗 제자리표(♮). ④ 〖印〗 공목(空木).
Quadrat=bein *n.* 〖動·해부〗 방골(方骨). **~dezimeter** *n.* 제곱 데시미터(약어: qdm, dm²).
quadräteln [kvadrɛ́:tləln] *i.* (h.) 〖印·은어〗 (식자공들이) 공목(空木) 던지기를 하다.
Quadraten·kasten *m.* 〖印〗 공목(空木) 보관 상자.
quadrat=förmig *a.* 정 4 각형의, 네모진. **~fuß** *m.* 제곱 피트.
quadratisch [kvadrá:tɪʃ] *a.* ① 정 4 각형의: ~es Fenster 정 4 각형 창문. ② 〖數〗 2 차의: eine ~e Gleichung 2 차 방정식.

Q

Quadrat≈kilometer *n.* 제곱 킬로미터(약어: qkm, km²). **~latschen** *pl.* 〖구어·농담〗① 큰 구두. ② 큰 발, 왕발. **~maß** *n.* 〖數〗 면적 측량〔표시〕 단위(계). **~meile** *f.* 제곱 마일. **~meter** *n.* 제곱 미터(약어: qm, m²). **~millimeter** *n.* 제곱 밀리미터(약어: qmm, mm²). **~rute** *f.* 제곱 루테(옛날의 면적 단위; 약 14 제곱 미터; 기호: □R). **~schädel** *m.* 〖구어·농담〗① 네모난 커다란 머리. ② 고집쟁이. **~schuh** *m.* 제곱 피트(~fuß). **~stab** *m.* ↑ ~meter.

Quadratur [kvadratúːr] *f.* -en ① 4각형만들기. ②〖數〗 구적법(求積法): die ~ des Zirkels〔Kreises〕 a) 원의 구적법, b) 〖비유〗 불가능한 과제〔일〕; das Problem bedeutete die ~ des Kreises 그 문제는 불가능한 일이었다. ③〖天〗 구(矩).

Quadratur·malerei *f.* 〖畵〗 벽화와 천장화에 의해 실내를 넓게 보이게 하는 미술.

Quadrat≈wurzel *f.* 〖數〗 제곱근(根). **~zahl** *f.* 〖數〗 (1, 4, 9, 16 따위) 제곱수. **~zentimeter** *n.* 제곱 센티미터(약어: qcm, cm²). **~zoll** *m.* 제곱 인치.

Quadriennale [kvadriɛnáːlə] *f.* -n 4년마다 열리는 전람회〔영화제〕.

Quadriennium [kvadriéniʊm] *n.* -s, ..nien 〖고어〗 4년의 기간.

quadrieren [kvadríːrən] 《Ⅰ》 *t.* ①〖數〗 제곱하다. ② 정 4각형으로 만들다. ③ (벽 따위를) 마름돌 쌓기 모양으로 만들다. 《Ⅱ》 *i.* (h.) 적당〔적합〕하다: mit et.³ ~ 무엇에 적합하다.

Quadriga [kvadríːga] 《lat.》 *f.* ..gen (Viergespann) (고대 로마의) 4두 2륜 마차.

Quadrille [kadríljə, (öst.) kadríl, kadríːj] 《frz.》 *f.* -n [..íl(j)ən, ..íːjən] ① 카드리유(남녀 4조가 추는 춤). ②〖음악〗 카드리유 곡.

Quadrillion [kvadrɪlióːn] 《lat.》 *f.* -en ① 백만의 4제곱. ② (미국에서는) 천조(10^{15}).

Quadrinom [kvadrinóːm] 《lat.》 *n.* -s, -e 〖數〗 4항(四項).

Quadrireme [kvadriréːmə] *f.* -n (고대 그리스·로마의 노젓는) 4층 갤리선.

Quadrivium [kvadríːviʊm] 《lat.》 *n.* -s ① 십자로. ② 4학(중세 대학의 상위 4학과: 음악·산술·기하·천문).

Quadro 《lat.》 *n.* -s 〖구어〗 ↑ Quadrophonie의 단축형.

Quadrofon 新정서 ⇦ Quadrophon.

Quadrofonie 新정서 ⇦ Quadrophonie.

quadrofonisch 新정서 ⇦ quadrophonisch.

Quadrone [kvadróːnə] 《lat.》 《Ⅰ》 *m.* -n, -n 〔*f.* -n〕 콰드룬(백인과 반백인 사이에서 태어난 혼혈아; 흑인의 피 1/4, 백인의 피 3/4). 《Ⅱ》 *f.* -n 〖재봉〗 주름 장식.

quadrophon *a.* 4채널 음향 재생 방식의.

Quadrophonie *f.* 4채널 음향 녹음 재생.

quadrophonisch *a.* 4채널 음향 재생 방식의.

Quadrosound [kvá(ː)drosaunt] 《engl.》 *m.* 4채널 음향.

Quadrumane [kvadrumáːnə] 《lat.》 *m.* -n, -n 〖動·구식〗 (Vierhänder) 4수(手) 동물(원숭이처럼 4지(肢)를 손처럼 사용하는 동물).

Quadruped [..péːt] *m.* -en, -en ↑ Quadrupede.

Quadrupede [..péːdə] *m.* -n, -n 〖動〗 네발짐승(Vierfüßler).

Quadrupel [kvadrúːpəl] *m.* -s, - (Vierfaches) 4겹으로 된 것; 〖數〗 일정한 순서로 나열된 4개의 숫자.

quadrupel *a.* (vierfach) 4겹의.

Quadrupel·allianz *f.* (특히 제 1차 세계 대전 때의) 4국 동맹.

Quagga [kvága] 《hottentott.》 *n.* -s, -s 〖動〗 얼룩말의 일종(1850년에 멸종).

quah *int.* 〖의성어〗 까옥(까마귀 따위의 울음소리).

Quai [kɛː, keː] 《frz.》 *m.* -s, -s ↑ Kai.

quak [kvaːk] *int.* 〖의성어〗 꽥꽥, 개골개골(개구리·집오리의 우는 소리).

Quäke [kvɛ́ːkə] *f.* -n 〖사냥〗 토끼 유인용 피리(토끼와 비슷한 소리를 냄).

Quakelchen *n.* -s, - 〖농담〗 어린아이.

quakeln [kváːkəln] *i.* (h.) (개구리·닭이) 꽥꽥 울다; (rhein.) 불분명하게 지껄여대다.

quaken [kváːkən] *i.* (h.) (개구리·집오리가) 꽥꽥 울다; 〖구어·비유〗 시끄럽게 말하다, 떠들어 대다: quake nicht 아가리 닥쳐.

quäken [kvɛ́ːkən] *i.* (h.) 〖구어〗 낑낑〔꽥꽥·끽끽〕 소리가 나다; 칭얼거리다.

Quaker *m.* -s, - 꽥꽥〔까악까악〕 우는 것(개구리 따위).

Quäker¹ *m.* -s, - 꽥꽥〔짹짹〕 울어대는 것(특히 피리새 종류).

Quäker² 《engl.》 *m.* -s, - 〖宗〗 영국의 퀘이커 교도.

Quäker·bund *m.* 퀘이커파 교회.

Quakerei *f.* 계속 꽥꽥 우는 소리.

Quäkerei 《<Quäker²》 *f.* 퀘이커 교(敎)(의 교리 습관).

quäkerisch *a.* 퀘이커 교도(풍)의.

Quäker Oats [kvɛ́ːkər oːts, kvéː..] 《engl.》 *pl.* 오트밀(Haferflocken).

Quäkertum *n.* -(e)s 〖宗〗 ① 퀘이커 교도의 교리〔관습〕. ② 퀘이커 교도 전체.

Quak·frosch *m.* 〖아동〗 개구리.

quaksen [kváːksən] *i.* (h.) ↑ quaken.

***Qual** [kvaːl] *f.* -en 고문; (육체적·정신적인) 고통, 고민, 가책; 근심: ~en empfinden〔ertragen〕 고통을 느끼다〔참다·견디다〕; die ~en des Gewissens 양심의 가책; die ~en unerwiderter Liebe 실연의 괴로움; js. ~ erleichtern 〔mildern〕 누구의 고통을 덜어주다; Ort der ~ 지옥; 〖농담〗 die ~ der Wahl 선택의 어려움; 〖속담〗 wer die Wahl hat, hat die ~ 선택에는 어려움이 따르기 마련이다.

qual·beladen *p.a.* 근심이 가득 찬.

***quälen** [kvɛ́ːlən] 《Ⅰ》 *t.* ① 괴롭히다, 고통을〔고뇌를〕 주다; 가책을 받게 하다; (…에 대한 가책으로) 불안하게 하다: jn. bis aufs Blut ~ 누구를 죽도록 괴롭히다; jn. mit Vorwürfen ~ 누구를 몹시 비난하다. ②〖비유〗 귀찮게〔성가시게〕 굴다; 강요하다: ein gequältes Lächeln 억지 미소. ③〖비유〗 지루하게 하다. 《Ⅱ》 *refl.* sich ~ ① sich (mit et.³) ~ (무엇으로) 괴로워하다, 고민하다; 고생하다, 애쓰다: mancher Lehrer muß sich mit Schülern ~ 학생 때문에 애먹는〔골치 앓는〕 교사가 적지 않다. ② sich (irgendwohin) ~ (어딘가로) 애쓰며 나아가다: erschöpft quälte sie sich nach Hause 그녀는 녹초가 되어 억지로 집으로 향하였다.

Q

quälend *p.a.* ↑ qualvoll.

qual·entladen *p.a.* 고뇌에서 해방된.

Quäler *m.* -s, - ① 고통을 주는〔괴롭히는〕 사람; 귀찮은〔성가신〕 사람. ② (ndd.) 가난뱅이.

Quälerei *f.* -en ① 괴롭히기; 학대: Tier≈ 동물 학대. ② (**a**) (Qual) 가책, 고뇌. (**b**) 힘든 일, 고역.

Quälerin *f.* -nen ↑ Quäler 의 여성형.

quälerisch *a.* 고통스러운, 괴롭히는, 귀찮은: selbst~ 자학적인.

Quäl·geist *m.* 〖구어〗 귀찮게 구는 사람(특히 아이).

***Qualifikation** [kvalifikatsió:n] *f.* -en ① 성질〔특성〕 부여; 명명(命名). ② 자격 부여〔증명〕. ③ 자격; 능력; 권한. ④ 〖스포츠〗 (**a**) 경기 참가 자격. (**b**) 예선(경기). ⑤ 〖法〗 법률 관계의 성질 결정.

Qualifikations≈attest *n.* 자격 증명서. **~rennen** *n.* 〖스포츠〗 예선 경주. **~runde** *f.* 〖스포츠〗 예선 토너먼트. **~spiel** *n.* 〖스포츠〗 예선 경기.

***qualifizieren** [kvalifitsí:rən] 《I》 *t.* ① 〔교양〕 성질을 나타내다, 규정〔분류〕하다: jn. 〔et.〕 als ... 누구를〔무엇을〕 …로 분류〔규정〕하다. ② (**a**) 자격〔권한〕을 부여〔증명〕하다: jn. als et. ~ 누구에게 무엇의 자격을 주다. (**b**) 자격을 얻도록 교육〔훈련〕시키다. ③ 〖法〗 법률 관계의 성질을 결정하다. 《II》 *refl.* sich für et. 〔zu et.[3]〕 ~ (**a**) 무엇에 대한 자격〔권한〕을 가지다: sich zum Facharbeiter ~ 숙련공의 자격을 얻다. (**b**) (어떤 대회의) 참가 자격을 얻다, 예선을 통과하다; sich fur die Olympischen Spiele 올림픽 참가 자격을 얻다. 《III》 **qualifiziert** *p.a.* ↑ qualifiziert.

***qualifiziert** 《I》 *p.p.* ↑ qualifizieren. 《II》 *p.a.* ① (**a**) 자격〔권한〕 있는; 적임의, 능력 있는: ~e Arbeitskräfte 자격 있는 노동력. (**b**) (특별한) 자격을 요하는: eine ~e Arbeit 자격을 요하는 일〔작업〕. ② 실질적인, 결정적인; 가중의: ein ~er Diebstahl 가중 절도죄; 〖法〗 ~e Gründung 변태(變態) 설립; 〖商〗 ~e Annahme 조건부 인수.

Qualifizierung *f.* -en ↑ Qualifikation.

***Qualität** [kvalitɛ́:t] 《lat.》 *f.* -en (↔ Quantität) ① (**a**) 질, 성질, 소질; 품질; 특질, 특성: ~, nicht Quantität 양보다 질. (**b**) 〖음성〗 음색, 음질. ② 〖商〗 우량품; 품종 (Sorte): das ist ~ 그것은 훌륭하다〔우량품이다〕. ③ 〖체스〗 (말의) 가치.

***qualitativ** *a.* 성질(상)의; 품질의; 정성(定性)의: 〖化〗 ~e Analyse 정성 분석.

Qualitäts≈arbeit *f.* 고급 작업, 고도의 정밀 작업; 상등품. **~bewußt** *a.* 품질을 중시하는. **~bewußtsein** *n.* 품질 중시 의식. **~bezeichnung** *f.* 상품의 등급 표시. **~-einbuße** *f.* 품질 손상. **~erzeugnis** *n.* 우량품. **~kontrolle** *f.* (상품의) 품질 검사〔관리〕. **~minderung** *f.* 품질 저하. **~norm** *f.* 상품의 품질 규준〔규격〕. **~steigerung** *f.* 품질 향상. **~stufe** *f.* 품질 등급. **~ware** *f.* 상등품. **~wein** *m.* 고급 포도주.

Quall [kval] 《♧ Quelle》 *m.* -(e)s, -e ① 거품이 일어남; 분수. ② 샘.

Qualle [kválə] *f.* -n ① 〖動〗 해파리. ② 〔방언〕 가래, 담.

quallig *a.* 해파리 같은; 아교질의.

***Qualm** [kvalm] 《<Quelle》 *m.* -(e)s ① 자욱한 연기, 뭉게뭉게 이는 김, 연기 같은 구름: dicker ~ 짙은 연기. ② (obd.) (Dunst) 증기, 안개, 아지랑이. ③ (obd.) 솟는 물, 샘. ④ 〔구어·비유〕 싸움, 충돌: 〖구어〗 der ~ in der Küche〔Bude〕 가정 내의 불화; mach nicht so viel ~! 그렇게 떠들지 마라!; 〖구어〗 jm. ~ vormachen 누구를 속이다〔골리다〕.

***qualmen** 《I》 *i.* (h.) ① 자욱하게〔뭉게뭉게〕 연기가 일다〔나다〕: 〖구어〗 bei dem qualmt's! 그 녀석은 노발대발하고 있다!; 〖구어·비유〗 aber dann qualmt's! 그러면 혼날거야! ② 〖구어·비유〗 (담배 연기를) 뻐끔뻐끔 내뿜다. ③ 객쩍은 수다를 떨다. 《II》 *t.* 담배 연기로 채우다, (담배 따위를) 피우다: die Stube voll ~ 방 안을 담배 연기로 자욱하게 하다; eine Pfeife ~ 파이프를 피우다.

Qualmer *m.* -s, - 골초, 애연가.

qualmhaft *a.* ↑ qualmig.

qualmicht *a.* ↑ qualmig.

qualmig *a.* 짙은 연기 같은; 연기가 자욱한〔가득 찬〕, 보얗게 안개 낀.

Qualster [kválstər] 《<Qualle》 *m.* -s, - (ndd.) (Auswurf) 가래, 담(痰).

qualsterig *a.* 가래 같은, 끈적끈적한.

qualstern *i.* (h.) (ndd.) 가래를〔담을〕 뱉다.

qualstrig *a.* ↑ qualsterig.

quäl≈süchtig *a.* 짓궂은. **~teufel** *m.* ↑ Quäler ①.

qual·voll *a.* 고통스러운, 고뇌에 찬; 번민이 많은.

quammig *a.* (ndd.) 흐늘흐늘한, 물컹물컹한, 연한.

Quandel [kvándəl] *m.* -s, - (숯굽는 가마의 중앙에 있는) 연기 배출구.

Quant [kvant] 《lat.》 *n.* -s, -en 〖物〗 양자(量子).

quanteln [kvántəln] *t./i.* (s.) 〖物〗 ① 양자화(化)하다. ② 양자의 존재에 입각한 물리적 조건을 끌어들이다. ③ (고전 물리학의 방법론에서) 양자론적 방법론으로 이행하다.

Quanten≈bahn *f.* 〖핵물리〗 양자(量子) 궤도. **~biologie** *f.* 양자 생물학. **~elektro·dynamik** *f.* 양자 전자기(電磁氣) 역학. **~-mechanik** *f.* 〖物〗 양자 역학. **~physik** *f.* 양자 물리학. **~sprung** *m.* 〖物〗 양자 비약. **~theorie** 《lat.》 *f.* 〖物〗 양자론; 〖醫〗 용적 법칙. **~zahl** *f.* 〖物〗 양자수.

quantifizieren [..zí:rən] *t.* 수로〔양으로〕 나타내다〔제시하다〕.

Quantifizierung *f.* -en 수량화.

***Quantität** [kvantitɛ́:t] 《lat. quantus》 *f.* -en (↔ Qualität) ① (**a**) 양; 수(량), 정도. (**b**) 일정량, 분량, 복용량, 액수; 중량: eine größere ~ nehmen 상당한 수량〔액수〕에 달하다. ② 〖언어학〗 음량; 한 음절의 길이. ③ 〖음악〗 템포, 박자.

quantitativ *a.* 양의, 분량상의; 정량의: 〖化〗 ~e Analyse 정량 분석.

Quantitäts·theorie *f.* 〖經〗 (화폐) 수량설.

Quantité négligeable [kɑ̃tité: negliʒá:bəl] 《frz.》 *f.* 무시해도 좋은〔사소한〕 분량; 〔비유〕 문제로 삼을 것도 못 되는 일, 하찮은 일.

quantitieren [kvantití:rən] *t.* 〖문학〗 음절의 장단에 따라 운(韻)을 정하다.

Quäntschen 新정서 ⇦ Quentschen.
***Quantum** [kvántum] 《lat.》 *n.* -s, ..ten 양; 몫, 할당량; 총계; 액수; 〖理〗 양자(量子).
Quappe [kvápə] *f.* -n 〖動〗 ① (Aal～) 모캐 (대구과의 민물 고기). ② 올챙이.
Quarantäne [karantɛ́:nə, karɑ̃..] 《frz.》 *f.* -n ① 〖海〗 (전염병 예방을 위한) 격리 기간, 검역 정선(停船) 기간(40 일): ein Schiff ～ verhängen 배에 (검역) 격리를 명하다. ② 교통 차단.
Quarantäne=anstalt *f.* 검역소. **～aufseher** *m.* 검역관. **～flagge** *f.* 검역기(旗). **～gesetz** *n.* 검역법. **～haus** *n.* 검역소. **～maß·regeln** *pl.* 검역 규칙. **～station** *f.* 검역소.
Quarg [kvark] *m.* -(e)s, Quärge [kvɛ́rgə] (obd.) ↑ Quark.
Quargel [kvárgəl] *m.* -s, - (öst.) 산유(酸乳)로 만든 조그마한 둥근 치즈.
Quärgel [kvɛ́rgəl] *m.* -s, - ↑ Quargel.
Quark[1] [kvark] 《engl.》 *m.* -s ① 응유(凝乳). ② 흰〔응유〕 치즈. ③ 진창, 진흙; 더러운 것, 오물. ④〖비유·구어〗잡동사니, 쓰레기; 시시한 것; 엉터리: 〖구어〗einen ～ 전혀 …않다; das geht dich einen ～ an 그것은 너와는 아무 상관없는 일이다; rede keinen ～! 시시한 소리는 그만 둬라!; kümmere dich nicht um jeden ～! 하찮은 일에 신경 쓰지 마라!
Quark[2] [kwɔ:k] *n.* -s, -s 〖핵물리〗 쿼크(소립자의 복합 모델에서의 기본 구성자).
Quark·brot *n.* 흰 치즈를 바른 빵.
quarkig *a.* 응유〔흰 치즈〕 모양의; 〖비유〗쓸데없는, 시시한, 하찮은.
Quark=käse *m.* (희고 부드러운) 응유 치즈. **～käulchen** *n.* ↑ ～keulchen. **～keulchen** *n.* 〖요리〗 치즈 핫케이크. **～kuchen** *m.* 치즈케이크. **～speise** *f.* 응유 치즈를 넣어 만든 후식.
Quarre [kvárə] 《<quarren》 *f.* -n (ndd.) 앙앙 울어대는 아이; 잔소리 심한 여자.
Quarré [karé:] 《frz.》 *f.* -n ↑ Karree.
quarren [kvárən] *i.* (h.) (ndd.) ① (아이가) 빽빽 울다; 〖비유〗 시끄럽게 불평을 늘어놓다: jm. die Ohren voll ～ 누구의 귀가 왱왱 울리도록 울어대다. ② (개구리 따위가) 꽥꽥거리며 울다. ③〖사냥〗 (도요새가) 짝을 부르는 소리를 내다.
quarrig *a.* (ndd.) 연방〔줄곧〕 울어대는; 징징우는.
Quart[1] [kvart] 《lat.》 *f.* -en ①〖음 악〗 ↑ Quarte. ②〖펜싱〗 제 4 의 자세(오른쪽에서 적의 왼쪽을 내려치는 자세).
Quart[2] 《lat. quartus》 *n.* -(e)s, -e ① (전체의) 4 분의 1. ② 크바르트(독일의 옛 액량 단위; 0.24-1.1 리터). ③〖印〗 4 절판(-용지); 4 절판의 책.
Quarta [kvárta] 《lat.》 *f.* ..ten ①〔고어〕 김나지움의 제 3 학년. ② (öst.) 김나지움의 제 4 학년.
Quartal 《lat.》 *n.* -s, -e 4 분의 1 년; 3 개월.
quartaliter [..tá:litər] *adv.* (vierteljährlich) 3 개월마다, 4 분기마다.
Quartal·kündigung *f.* 3 개월 전의 (해약) 예고.
Quartals=abonnement [..abɔnəmɑ̃:] *n.* (신문·잡지의) 3 개월 예약 구독. **～abschluß** *m.* 〖商〗 4 분기 결산.
Quartal·schrift *f.* 계간지.
Quartals=säufer *m.* 〖구어〗 주기적 폭음증 환자. **～tag** *m.* 4 분기 종료일〔개시일〕. **～weise** *adv.* 3 개월마다, 4 분기마다.
quartan [kvartá:n] *a.* 4 일마다의.
Quartana *f.* ..nen 〖醫〗 4 일열(약 4 일 간격으로 발병하는 말라리아형 열병).
Quartaner [kvartá:nər] 《<Quarta》 *m.* -s, - 김나지움의 제 3 학년〔(öst.) 제 4 학년〕 학생.
Quartanerin *f.* -nen ↑ Quartaner 의 여성형.
Quartan·fieber *n.* 〖醫〗 4 일열(四日熱).
Quartant [kvartánt] 《lat.》 *m.* -en, -en 〖구식〗 ↑ Quartband.
Quartär [kvartɛ́:r] *n.* -s 〖지질〗 제 4 기(紀) (인류가 출현한 시대).
quartär 《frz.》 *a.* ①〖지질〗 제 4 기(층)의. ②〖드물게〗 줄의 4 번째 자리에 있는. ③〖化〗 4 차의; 4 기(基)의: ～e Verbindungen 4 차 화합물.
Quartär·formation *f.* 〖지질〗 ↑ Quartär.
Quart=band *m.* 〖출판〗 4 절판 책. **～blatt** *n.* 4 절판 종이. **～buch** *n.* ↑ ～band.
Quarte [kvártə] 《lat.》 *f.* -n 〖음악〗 ① 음계의 4 번째 음. ② 4 도 음정.
Quartel 《lat.》 *n.* -s, - (bayr.) 맥주나 포도주의 액량 단위(4 분의 1 리터).
Quarter [kwɔ́:tə] 《engl.》 *m.* -s, - ① 영국의 무게 단위(12.7 kg). ② 영국의 용량 단위 (290.95 리터).
Quarter·deck [kvártər..] 《engl.》 *n.* 〖海〗 (배의) 후갑판.
quarternär *a.* ↑ quaternär.
Quarteron [kvartəró:n] 《sp.》 *m.* -en, -en 〖구식〗, **Quarterone** *m.* -n, -n 〖구식〗 ↑ Quadrone ①.
Quartett [kvartɛ́t] 《lat.》 *n.* -(e)s, -e ①〖음악〗 4 중주; 4 중창; 4 중주〔중창〕곡; 4 중주〔중창〕단. ②〖카드〗 **(a)** 4 매 맞추기. **(b)** 4 매 맞추기 카드. **(c)** 〖카드〗 네 짝 한 쌍. ③〖구어〗 4 인조. ④〖문학〗 (소네트의) 4 행시 구절.
Quart=format *n.* 4 절판(의 형(型)). **～heft** *n.* 〖출판〗 4 절판의 공책.
***Quartier** [kvartí:r] 《frz.; 원뜻 „Viertel"》 *n.* -s, -e ① 숙소; 주거; 하숙: 〖雅語〗 ～ nehmen 숙박하다, (여관에) 들다; jm. ～ geben 누구를 숙박시키다; er hat auf Erden kein bleibendes ～ 그는 하늘 아래 발 붙일 곳이 없다. ②〖軍·구식〗 숙영: ～ machen 숙영하다, 숙소를 마련하다; im ～ liegen 숙영하고 있다. ③〖軍〗 ～ geben a) 자비를 베풀다, b) 살려두다, c) 포로로 하다. ④ (schweiz., öst) 시구(市區). ⑤ (농원·과수원의) 구획. ⑥ (obd.) 벽돌의 1/4 조각. ⑦ (obd.) 구두굽의 가죽. ⑧ 용적의 단위(약 1 리터).
Quartier=amt *n.* 〖軍〗 병참부, 경리부. **～anweisung** *f.*, **～billet** *n.* 〖軍〗 숙영증(證).
quartieren *t.* ↑ einquartieren.
Quartier=entschädigung *f.* 〖軍〗 숙영(宿營) 보상. **～frei** *a.* 〖軍〗 숙영이 면제된. **～geber** *m.* 숙(박)소 주인. **～macher** *m.* 〖軍〗 설영병(設營兵), 설영대(隊). **～meister** *m.* ① 〖軍·구식〗 **(a)** 참모부 보급 장교. **(b)** ↑ ～macher. ②〖海〗 (정박 중의) 감시 계장. **～pflichtig** *a.* 〖軍〗 숙영(宿營) 의무가 있는.

~verteilung *f.*〖軍〗숙사 할당. **~wirt** *m.* 숙소 주인. **~zettel** *m.*〖軍〗숙영권(券).

Quartiers·frau *f.* 숙박소 여주인.

Quarto [kvárto]《lat.》*n.* –(s)〖출판〗↑ Quartformat.

Quart≈seite *f.*〖출판〗↑ ~blatt. **~sext-akkord** *m.*〖음악〗4·6 도 화음.

Quarz [kva:rts] *m.* –es, –e〖광물〗석영.

quarz≈ähnlich, ~artig *a.*〖광물〗석영질(石英質)의. **≈druse** *f.*〖광물〗석영 정족(晶簇). **≈filter** *m./n.*〖전기〗수정 여파기(水晶濾波器); 수정 진동자. **≈gang** *m.*〖지질〗석영 광맥. **~gesteuert** *a.* 수정 제어 장치의. **≈glas** *n.* 석영 유리. **~haltig** *a.* 석영을 함유한. **~hältig** *a.* ↑ ~haltig.

quarzig *a.* ① 석영(石英)을 함유한. ② 석영과 같은, 석영(질)의.

Quarzit [kvartsí:t, ..tsít] *m.* –(e)s, –e〖광물〗규암(珪岩).

Quarz≈kristall *m.*〖광물〗수정(水晶)(석영(石英) 결정). **~lampe** *f.* 석영 수은등(燈). **~oszillator** *m.* 수정 발진기(發振器). **~sand** *m.*〖광물〗규사(珪砂), 석영사(砂). **~steuerung** *f.*〖전기〗수정 제어 장치. **~uhr** *f.* 수정 시계.

Quas [kva:s]《sl.》*m.* –es, –e (nordd.) (Gelage) 연회, 성찬, 향연.

Quasar [kvazá:r] *m.* –s, –e〖天〗퀘이사, 준(準)항성(천)체, 준성(準星)(약어: QSS).

quasen [kvá:zən] *i.*(h.) (nordd.) ① 맛 좋은 음식을 먹다. ② 낭비〔탕진〕하다: mit et.[3] ~ 무엇을 낭비〔탕진〕하다. ③ 사치하다.

quasi [kvá:zi]《lat.》*adv.* 말하자면; 마치, 흡사; 외견상으로는, 얼핏〔겉으로〕 보기에: er ist ~ ein Boß 그는 거의 우두머리격이다.

***quasi..** 《lat.》*pref.* "가(假)·준·유사·사이비"의 뜻.

Quasi≈besitz *m.*〖法〗준(準) 점유. **~delikt** *n.*〖法〗준불법 행위. **~entmündigte*** *der/die*〖法〗한정 치산자(治産者). **~gelehrte*** *der/die* 사이비 학자. **~kontrakt** *m.*〖法〗가(假)계약. **~künstler** *m.* 사이비 예술가.

Quasimodogeniti [kva:zi..gé:niti]《lat.》*pl.*〖宗〗부활절 다음 제 1 일요일.

quasi≈offiziell *a.* 거의〔준(準)〕공식적인. **~-optisch** *a.*〖物〗빛과 같은, 빛처럼 퍼지는. **≈souveränität** *f.* 준(準)주권. **≈vertrag** *m.*〖法〗가계약.

Quasselei [kvasəláɪ] *f.* –en 수다, 요설.

quasseln [kvásəln]《ndd. quassen》*i.*(h.)/*t.* (quatschen) ① 수다 떨다. ② 지껄이다: Unsinn ~ 허튼소리를 지껄이다.

Quassel·strippe [kvásəl..] *f.* –n ①〖농담〗전화, 전화기: an der ~ hängen 오랫동안 전화하다. ② 요설가, 수다 떠는 사람.

Quassia [kvásia] *f.* ..ssien [..siən], **Quassia·baum** *m.*〖植〗소태나뭇과의 식물.

Quassie [kvásiə] *f.* –n [..siən]〖植〗① 쿠아시아, 소태나뭇과의 약용 식물. ② 쿠아시아에서 추출한 쓴맛의 액체.

Quast [kvast] *m.* –es, –e (nordd.) ①〖고어〗무성한 나뭇잎; (ndd.) 나뭇가지. ② (작은 가지의) 다발; 비; 긴자루 걸레; 화필. ③〖드물게〗↑ Quaste. ④ 시무룩한 사람; 기인, 괴짜; 광대.

Quästchen [kvɛ́stçən] *n.* –s, – ①〖↑ Quast 의 축소형〗작은 다발, 작은 솔〔비〕. ②〖↑ Quaste 의 축소형〗작은 술.

Quaste *f.* –n ① (a) (커튼 따위의) 장식용 술. (b) 솜〔섬유〕뭉치: Puder≈ 분첩(粉貼). ②〖動〗술 모양의 꼬리 부분.

Quasten≈behang *m.* 술 달린 커튼. **~-flosser** *m.*〖動·고생물〗총기류(總鰭類)의 어류(양서류와 그 밖의 육상의 척추 동물의 조상; 현재는 멸절). **≈förmig** *a.* 술 모양의〔같은〕.

quastig *a.* ① 술 달린, 술로 장식된. ② 기분이 언짢은; 괴상한, 괴팍한.

Quästion [kvɛstió:n]《lat.》*f.* –en (Frage) 질문; 의문; 문제, 쟁점.

quästionieren 《I》*t.* (fragen) 묻다, 의문시하다, 심문하다. 《II》**quästioniert** *p.a.* ↑ quästioniert.

quästioniert 《I》*p.p.* ↑ quästionieren. 《II》*p.a.* 문제가 되고 있는, 문제의(약어: qu.).

Quästlein [kvɛ́st..] *n.* –s, – ↑ Quästchen.

Quästor [kvɛ́:stɔr, to:r]《lat.》*m.* –s, –en [..tó:rən] ① (고대 로마의) 재무관. ② (대학의) 경리과장. ③ (schweiz.) (협회의) 회계 담당.

Quästur [kvɛstú:r] *f.* –en ① (고대 로마의) 재무관직. ② (대학의) 경리과.

Quatember [kvatɛ́mbər]《lat.》*m.* –s, – ① 4분기의 개시일. ②〖가톨릭〗사계(四季)의 대재일(大齊日)(사계 초에 기도와 단식을 하는 수·금·토요일).

Quatember·fasten *n.* ↑ Quatember.

quaternär [kvatɛrnɛ́:r]《lat.》*a.*〖化〗4 개의 성분으로 이루어진, 제 4(차)의: ~es Kohlenstoffatom 제 4 탄소(炭素) 원자.

Quaternär *n.* –s ↑ Quartär.

Quaterne *f.* –n〖복권·고어〗4 개의 맞는 숫자.

Quaternio *m.* –, –nen ①〖드물게〗4 개로 된 것, 4 개짜리. ②〖출판〗2 절지 4 장으로 제본된 중세 필사본.

Quatsch[1] [kvatʃ] *m.* –(e)s ① 철썩 침, (손바닥으로) 찰싹 때림. ② (ndd., md., schwäb.) 걸쭉한 것〔죽〕; 진창: einen Apfel zu ~ zerdrücken 사과를 죽처럼 으깨다.

***Quatsch**[2] 《ndd. quat, „schlecht"》*m.* –(e)s〖구어〗① 쓸데없는 소리: (ach) ~! 어리석은 소리 작작 해!; ~ mit Soße! 허튼 소리로군! ② 어리석은〔잘못된〕일; 악의 없는 장난, 농담: hier hast du ~ gemacht 여기서 너는 잘못을 저질렀다: ich habe das nur aus ~ gesagt 나는 그것을 단지 농담으로 말했을 뿐이다. ③ 시시한〔쓸데없는〕것〔짓〕: hört endlich auf mit dem ~! 쓸데없는 짓 좀 그만해라!

quatsch[1] *int.*〖의성어〗철썩, 철벙, 철퍽.

quatsch[2] *a.* 어리석은, 시시한.

***quatschen**[1] 《I》*i.*(h.) ①〖구어·폄어〗쓸데 없는〔시시한〕말을 지껄이다, (자꾸) 노닥거리다: mit jm. ~ 누구와 담소하다〔노닥거리다〕; quatsch nicht so dumm! 그런 어리석은 말 좀 그만해라! ②〖구어〗비밀을 퍼뜨리다: er hat schon wieder gequatscht 그는 또다시 비밀을 떠들어댔다. 《II》*t.*〖구어·폄어〗말하다, 지껄이다: Unsinn ~ 허튼 소리를 지껄이다.

quatschen[2] 《I》*i.*(h.) (ndd.) (a) 철썩철썩〔찰싹찰싹〕소리를 내다; (진흙 따위가) 질척거리다. (b) 철썩철썩 소리를 내며(진창을) 걸어가다. 《II》*t.* (ndd.) 눌러 부수다, 으깨다.

Quatscherei 《↑ quatsch[1]》*f.* –en ↑ Quatsch[1].

quatschig[1] *a.* (ndd.) 물렁한; 질퍽한, 걸쭉한.
quatschig[2] *a.* ①〔구어·폄어〕어리석은, 쓸데없는. ② 멀미나게 하는, 재미없는.
Quatsch=kopf *m.* 〔구어〕바보 같은〔너절한〕 이야기를 하는 남자. **~michel** *m.* ↑ ~kopf. **~peter** *m.* ↑ ~kopf.
quatsch·naß *a.* 〔구어〕① 매우〔흠뻑〕 젖은. ② 질퍽한, 진흙투성이의.
Quattrocentist [kvatrotʃɛntíst] 《it.》 *m.* -en, -en 15 세기 이탈리아의 예술가.
Quattrocento [..tʃɛ́nto] *n.* -s 15 세기 초 이탈리아 문예 부흥기의 예술.
Quebec [kwıbɛ́k] 퀘벡(캐나다 동부의 주).
Quebracho [kebrátʃo] 《sp》 *n.* -s ① 케브라초나무(남아메리카산(産) 옻나뭇과 교목)의 목재. ② 케브라초나무 껍질에서 추출한 무두질 원료.
Quebracho·rinde *f.* 케브라초나무 껍질.
queck [kvɛk] *a.* (ndd.) (quick) 활발한, 활기 있는.
Quecke *f.* -n 〖植〗 개밀(잡초).
Quecken=gras *n.*, **~weizen** *m.* ↑ Quecke.
queckig *a.* 개밀이 무성한.
*__Queck·silber__ [kvɛ́kzılbər] 《< queck》 *n.* -s ①〖化〗 수은(기호: Hg) : et. mit ~ verbinden〔legieren〕 무엇으로 아말감을 만들다, 무엇을 수은과 화합시키다. ②〔구어·비유〕끊임없이 움직이는 것; 침착성이 없는 사람: er hat ~ im Leib〔Hintern〕 그는 가만히 있지 못한다.
quecksilber=ähnlich, ~artig *a.* 수은 같은; 끊임없이 움직이는, 침착하지 못한. **~-barometer** *n./m.* 〖기상〗 수은 기압계. **~-chlorid** *n.* 〖化〗 염화제 2 수은. **~chlorür** *n.* 〖化〗 염화제 1 수은. **~dampf** *m.* 〖化〗 수은 증기.
Queckdampf=gleich·richter *m.* 〖전기〗 수은 (증기) 정류기. **~lampe** *f.* 〖工〗 수은등.
Queck=erz *n.* 〖광물〗 수은광. **~gefäß** *n.* (기압계 따위의) 수은 용기, 수은조(槽). **~-haltig** *a.* 수은을 함유한. **~horn·erz** *n.* 〖광물·구식〗 각(角)수은광.
queck·silberig *a.* ↑ ~silberähnlich.
Quecksilber=jodid *n.* 〖化〗 요오드화 제 2 수은. **~kur** *f.* 〖醫〗 수은 요법. **~lampe** *f.* 〖전기〗 수은등. **~leber·erz** *n.* 〖광물〗 간(肝) 수은. **~legierung** *f.* 〖化〗 아말감, 수은 합금. **~mittel** *n.* 〖醫〗 수은제(劑).
quecksilbern *a.* ① (a) 수은의, 수은질(質)의. (b) 수은처럼 번쩍이는. ②〔비유〕침착하지 못한, 안절부절 못 하는, 마음을 졸이는.
Quecksilber=natur *f.* 〔비유〕침착하지 못한 성격, 경박한 성격; 싹싹한 성질. **~nieder-schlag** *m.* 수은 침전. **~oxyd** *n.* 〖化〗 산화 제 2 수은. **~oxydul** *n.* 산화 제 1 수은. **~präparat** *n.* 〔구식〕 수은 소독약. **~-pflaster** *n.* 수은 고약〔반창고〕. **~pille** *f.* 청홍(青汞) 환약. **~präzipitat** *n.* 〖化〗 (적강홍(降汞)·백강홍 따위와 같은) 강홍. **~salbe** *f.* 수은 연고. **~säule** *f.* (온도계 따위의) 수은주(柱). **~sulfid** *n.* 〖化〗 황화 수은. **~thermometer** *n.* 수은 온도계. **~ver-giftung** *f.* 〖병리〗 수은 중독. **~wanne** *f.* (청우계 따위의) 수은조(槽).
queck·silbrig *a.* ↑ ~silberähnlich.
Queder [kvé:dər] *m.* -s, - (ndd.) (상의·스커트의) 띠, 끈.
Queen [kwi:n] *f.* -s ① 영국 여왕. ②〔구어〕 가장 인기 있는 여자. ③〔은어〕남성 역을 하는 여성 동성 연애자.
Queene *f.* -n (nordd.) 새끼를 낳지 않은 (어린) 암소.
Queens·land [kwí:nslənt] 퀸즐랜드(오스트레일리아 동북부의 주).
Quehle [kvé:lə] *f.* -n ① 도관, 홈통, 배수구(溝). ② (ostmd.) 수건; 테이블보.
Quell [kvɛl] 《ahd. quellan „schwellen"》 *m.* -(e)s, -e 〔시어〕 (obd.) ① 샘, 수원(水源); 시내. ② 물: den ~ trinken 물을 마시다. ③〔비유〕근원, 원천, 출처: ein ~ der Freude 기쁨의 원천.
Quell=ader *f.* 수맥. **~bewölkung** *f.* 뭉게구름(이 낀 날씨). **~bezirk** *m.* 수원지(水源池). **~bottich** *m.* 〖양조〗 (간장·술의) 숙성조(槽); (야채 따위의) 침지통(浸漬桶). **~code** *m.* 〖컴〗 소스 코드, 원천 부호.
*__Quelle__ [kvɛ́lə] *f.* -n ① 샘, 원천, 수원(水源); 우물; 분수, 샘물, 맑은 물: warme ~ 온천; eine ~ sprudelt〔versiegt〕 샘이 솟다〔마르다〕; die ~n des Rheins 라인강의 수원. ② (a) 〔비유〕기원; 근원; 원인; 출처: ~ des Lebens 생명의 근원〔원천〕; ~ aller Leiden 온갖 괴로움의 근원. (b) 소식통, 정보원: Nachrichten aus sicherer〔zuverlässiger〕~ 확실한 소식통의 정보. ③ 원전, 출전, 문헌: geschichtliche ~n 사료; die ~n angeben 문헌〔출전〕을 제시하다; ~n benutzen〔zitieren〕 문헌을 이용〔인용〕하다. ④ 본바닥, 본고장, 원산지: 〔구어〕an der ~ sitzen (상품·소식 따위를) 생산자에게서〔출처에서〕 직접 구하다〔얻다〕; wir haben das an der ~ gekauft 우리는 그것을 본고장〔원산지〕에서 샀다; Sprachen muß man an der ~ lernen 말은 그 본국에서 배우지 않으면 안 된다. ⑤〖物〗(힘이나 에너지의) 근원.
QUELLE *f.* 크벨레(독일 통신 판매 회사).
quellen(*)[1] [kvɛ́lən] *i.* (s./(드물게) h.) ① (눈물·피·물 따위가) 솟아나오다, 샘솟다; 흐르다(fließen); 〔비유〕 생기다, 유래하다: Blut quillt aus der Wunde 상처에서 피가 난다; vor Zorn quollen ihm fast die Augen aus dem Kopf 그는 화가난 나머지 눈알이 튀어나올 지경이었다(화가 머리끝까지 났다). ② (a) (속에서) 부풀다, 솟아오르다, 부풀어오르다. (b) (습기로) 팽창하다, 붇다: Holz quillt durch die Feuchtigkeit 목재가 습기 때문에 부푼다.
quellen*[2] 《원래 ahd. quellan 의 사역 동사》 *t.* 〖약변화, (드물게) 강변화〗 ① 솟아나게〔내뿜게〕 하다. ② (물에 적시어) 부풀리다: Linsen muß man vor dem Kochen ~ 콩은 삶기 전에 물에 담가 불려야 한다. ③ (südwestd.) 삶다: Kartoffeln ~ 감자를 삶다.
Quellen=angabe *f.* 출전 제시. **~arm** *a.* 샘〔출전〕이 부족한. **~finder** *m.* ① 수맥을 찾는 사람. ② 수맥에 밝은 사람. **~forscher** *m.* 자료〔문헌〕 연구자. **~forschung** *f.* 〖史〗 자료〔문헌〕 연구. **~kritik** *f.* 문헌〔자료〕 비평. **~kunde** *f.* 문헌학. **~material** *n.* 문헌 자료. **~mäßig** *a.* 문헌을 기초로 한, 근거 있는. **~nachweis** *m.* 출전(出典)〔전거〕 지시〔제시〕. **~reich** *a.* 샘이 많은; 전거가 풍부한.

Q

~sammlung *f.* 〖출판〗 문헌집. **~schrift** *f.* 전거, 출전. **~steuer** *f.* 〖재정〗 원천 과세. **~studium** *n.* ↑ ~forschung.

Quẹller *m.* -s, - 〖植〗 퉁퉁마디, 질경이.

Quẹll≈fleisch *n.* ↑ Wellfleisch. **~fluß** *m.* 〖지리〗 수원(水源). **≈frisch** *a.* 샘물처럼 신선〔상쾌〕한. **~gebiet** *n.* 〖지리〗 ↑ ~bezirk. **~grund** *m.* ① 샘의 밑바닥. ② 샘〔수원〕이 많은 토지.

quẹllicht, quellig [kvέlıç] *a.* 샘이 있는.

Quẹll≈nymphe *f.* 〖그리스신화〗 물〔샘〕의 요정. **~sand** *m.* 유사(流砂). **~stein** *m.* (md.) 샘의 돌뚜껑(Brunnendeckel). **~wasser** *n.* 샘물. **~wolke** *f.* 〖기상〗 뭉게구름, 적운.

Quẹllung 《<quellen²》 *f.* -en 솟아오름; 〖化〗 팽윤.

Quempas [kvέmpas] *m.* - 크리스마스 자정 미사의 대창(對唱)〔교대 합창〕.

Quẹmpas·lied *n.* 크리스마스 미사의 대창곡(對唱曲)〔교대 합창곡〕.

Quendel [kvέndəl] *m.* -s, - 〖植〗 백리향(百里香).

Quengelei [kvɛŋəláı] *f.* -en 〖구어〗 ① 잔소리; 불평. ② 칭얼거림: hör mit der ~ auf! 그만 좀 칭얼거려라!

Quengel≈fritze [kvέŋəl..], **~hans** *m.* ↑ Quengler.

quẹngelig *a.* ① 투덜거리는, 불평〔불만〕의. ② 칭얼거리는, 잘 우는.

quengeln [kvέŋəln] 《♧ zwängen》 *i.* (h.) ① 〖폄어〗 잔소리하다; 불평〔고충〕을 말하다, 울며 하소연하다. ② 칭얼거리다, 졸라대다.

Quẹngler *m.* -s, - 〖구어〗 잔소리꾼, 불평꾼; 시무룩한 사람.

quẹnglig *a.* ↑ quengelig.

Quent [kvɛnt] 《lat. quentinus, „Fünftel"》 *n.* -(e)s, -e 크벤트(옛 독일의 중량 단위; 1.67 g).

Quẹntchen *n.* -s, - 〖↑ Quent 의 축소형〗〖구식〗 조금, 극소량: ein ~ Salz〔Zucker〕 소량의 소금〔설탕〕; ein ~ Glück 조그마한 행운; ein ~ Hoffnung 일루의 희망.

quẹntchen·weise *adv.* 극히, 조금씩.

Quẹntlein *n.* -s, - ↑ Quentchen.

***quer** [kve:*r*] 《Ⅰ》 *a.* ① 가로의; 가로지른; 비스듬한, 엇갈린: ~e Wege 십자로. ② 거꾸로의, 반대의; 비틀린, 일그러진; (성격이) 비뚤어진, 심술궂은: der Alte ist ~ im Kopf 그 노인은 괴팍스럽다. 《Ⅱ》 *adv.* 가로로; 비스듬히; 가로질러; 〖비유〗 반대로, 거꾸로; 뒤틀려: ~ blicken a) 곁눈질하다, b) 〖비유〗 시새우다, 질투하다; ~ durch den Wald 숲을 가로질러; ~ über die Straße 길을 횡단하여; ~ übereinander legen 엇갈리게 포개 놓다; kreuz und ~ 사방팔방으로; die Sache geht ~ 일〔사정〕이 생각대로 되어 가지 않는다; das kam mir ~ 일이 내 뜻에 어긋났다〔틀어졌다〕.

Quer≈achse *f.* 횡축, 가로〔수평〕축. **~ader** *f.* 〖광산〗 횡(橫)광맥. **~axt** *f.* 십자형 도끼; (옛날의) 전투용 양날 도끼; 양날 곡괭이. **~-bahn·steig** *m.* 횡단 플랫폼. **~balken** *m.* ① 〖건축〗 대들보, 가름보. ② 〖음악〗 이음줄. ③ 〖축구·핸드볼〗 골문 위의 가로대. **~bau** *m.* ① ㄱ자로 연결된 건축물. ② 본 건물에 직각으로 이어진 건물. **~baum** *m.* ① 횡목(橫木), 빗장. ② 〖스포츠〗 철봉. ③ 〖海〗 활대. **≈beet** *a.* 〖구어〗 곧장〔무작정〕 (가로질러). **~brett** *n.* 선반, 시렁. **~denker** *m.* 엉뚱한 생각을 하는 사람. **~denkerin** *f.* ↑ ~denker 의 여성형. **≈durch** *adv.* 가로질러. **~durchschnitt** *m.* 횡단면.

***Quere** [kvέ:rə] 《<quer》 *f.* 가로(방향), 비스듬함, 교차: die ~ 〔der² ~, in die ~, in der ~, der ~ nach〕 가로로, 비스듬히, 교차하여; wir liefen in die Kreuz und (in die) ~ 우리는 뿔뿔이 흩어져 달렸다; 〖구어·비유〗 die Sache geht der ~ 일이 어긋나다; 〖구어〗 etwas kommt der ~ 무엇이 적당하지〔어울리지〕 않다; 〖구어〗 jm. in die ~ kommen 누구의 길을 가로막다; da kam ihm ein Fußgänger in die ~ 그때 한 보행자가 그의 길을 가로막았다.

Querele [kveré:lə] 《lat.》 *f.* -n 고소; 다툼, 소송; 고충; 항고(抗告).

queren [kvέ:rən] 《<quer》 *t./i.* (h.) 〖구식〗 넘어〔건너〕가다, 가로지르다, 횡단하다: eine Straße ~ 길을 건너가다.

quer·feld·ein [kve:rfɛlt|áın] *adv.* 들판을 가로질러.

Querfeldein≈lauf *m.* 〖육상〗 크로스컨트리 경주. **~rennen** *n.* 〖사이클〗 크로스컨트리 자전거 경주.

Quer≈fenster *n.* 횡창(橫窓), 교창(交窓). **~flöte** *f.* 〖악기〗 가로 피리, 독일 플루트. **~format** *n.* 가로가 세로보다 더 긴 형태의 인쇄물〔그림〕. **~frage** *f.* 반문; (남의 말을 가로막는) 방해 질문: jm. ~ stellen 누구의 말을 반문으로 가로막다. **~furche** *f.* 가로 주름; 가로지른 고랑. **~gang** *m.* 〖등산〗 횡도(橫道), 갈림길; 교차로; 〖광산〗 수평갱. **~gäßchen** *n.* 옆〔골목〕길, 샛길. **~gasse** *f.* 교차로, 골목. **≈gehen** *i.* (s.) 〖구어〗 ① (일이) 잘못되다: es geht ihm alles ~ 그는 이도저도 안 된다. ② 〖드물게〗 jm. ~ 누구에게 거슬리다, 누구를 성나게 하다. **≈gestreift** *a.* 가로 줄무늬가 있는. **~griff** *m.* (지팡이 따위의) 정자(丁字)형 손잡이. **~haus** *n.* 〖건축〗 교회당의 익랑(翼廊). **~hieb** *m.* (목재를) 가로로 켬. **≈hin** *adv.* 〖고어〗 가로질러. **~holz** *n.* 가름보; 횡목(橫木). **~kissen** *n.* 팔꿈치 괴는 긴 베개. **~kopf** *m.* ① 대갈못. ② 〖구어·폄어〗 심술궂은〔괴팍한〕 사람. **≈köpfig** *a.* 〖구어·폄어〗 심술궂은, 괴팍한. **~köpfigkeit** *f.* 심술궂음, 괴팍스러움.

Querl *m.* -(e)s, -e ↑ Quirl.

Quer≈lage *f.* 〖醫〗 (태아의) 횡위(橫位); 〖空〗 횡경사(橫傾斜). **~lähmung** *f.* 〖醫〗 하반신 불수. **~latte** *f.* ① 횡목(橫木), 가로대. ② 〖스포츠〗 크로스바. **≈laufend** *p.a.* 가로의, 가로지른, 횡단의. **≈legen** *refl.* 〖구어〗 sich ~ 거스르다, 반항〔저항〕하다. **~linie** *f.* 횡선, 사선(斜線); 교차선, 대각선. **~maul** *n.* 〖복수: ..mäuler〗〖動·구식〗 (상어나 가오리와 같은) 횡구류(橫口類). **~naht** *f.* ① 가로꿰매기. ② 〖醫〗 가로 봉합. **~paß** *m.* (축구 따위의) 크로스 패스. **~pfeife** *f.* 소형 플루트. **~pfeifer** *m.* 소형 플루트 주자. **~profil** *n.* 횡단면. **~riegel** *m.* ① ↑ ~stück. ② 마차의 횡목. **~rinne** *f.* 가로지른 도랑〔배수로〕. **~riß** *m.* 가로찢기; 〖건축〗 횡단면. **~ruder** *n.* 〖空〗 보조익(翼). **~sack** *m.* 작은 연장용 자루, 휴대품 주머니. **~säge** *f.* 동가리톱(나

무를 가로로만 자르는 톱). **~sattel** *m.* (여성용) 가로 안장. **~|schießen** *i.* (h.) 〖구어〗 훼방놓다, (심술궂게) 방해하다. **~schiff** *n.* ① (십자형 교회의) 익랑(翼廊). ②〖건축〗 익랑. **~schiffs** *adv.* 〖海〗 배를 가로질러(배의 용골선(龍骨線)에 대하여 직각을 이루고). **~schlag** *m.* 〖광산〗 수평갱. **~schläger** *m.* ①〖軍〗 유탄(流彈). ②〖구어·비유〗 훼방꾼. **~schnitt** *m.* ①〖기하〗 가로로〔수평으로〕 자름; 횡단면: der ~ eines Kugels 구의 횡단면. ②〖비유〗 시대상의 단면〔축소판〕.

Quer≈schnitt·gelähmte*, **~schnitts·gelähmte*** *der/die* 하반신 불구자.

Quer≈schott *n.* 〖海〗 횡격벽(橫隔壁), 가로벽. **~|schreiben*** *i.* (h.) 수표를〔어음을〕 인수하다; 수표〔어음〕에 배서하다. **~schuß** *m.* 〖구어〗 훼방. **~schwelle** *f.* 〖건축·광산〗 버팀목, 침목. **~spant** *n.* 〖海〗 (배의) 늑재(肋材). **~sprung** *m.* (스키의) 크로스 점프. **~-steuer** *n.* ↑ ~ruder. **~stange** *f.* ① 횡목, 가로대. ② (특히 아이스하키의) 크로스바. **~straße** *f.* 골목; 십자로. **~streifen** *m.* 가로줄 무늬. **~strich** *m.* ① **(a)** 횡선, 사선, 교차선. **(b)** 〖문자〗 활자〔문자〕 위에 그은 횡선. ②〖비유〗 차질, 어긋남. **~stück** *n.* 횡목, 난간. **~summe** *f.* 〖數〗 (여러 자릿수의) 가로 합계: die ~ von 253 ist 10 253 의 가로 합계는 10 이다. **~tal** *n.* 〖지리〗 횡곡(橫谷), 산맥을 가로지른 골짜기. **~träger** *m.* 〖工〗 횡목, 선반받이; 〖건축〗 서까래. **~treiber** *m.* 〖구어·폄어〗 선동가; 훼방꾼. **~treiberei** *f.* 〖구어·폄어〗 선동, 훼방; 음모. **~über** *adv.* ① (gegenüber) (…을) 향하여, 마주 보고; 비스듬히 (향하여). ② 가로질러.

Querulant [kverulánt] 《<Querele》 *m.* -en, -en (Nörgler) 불평꾼, 잔소리꾼.

Querulantin *f.* -nen ↑ Querulant 의 여성형.

Querulation [..latsió:n] *f.* -en 〖고어〗 ① 불평, 불만. ②〖法〗 고소, 소송, 항고.

querulieren [..lí:rən] *i.* (h.) 〖교양〗 (수시로) 소송을 제기하다; 불평을 잘 하다.

Quer≈verbindung *f.* ① (두 지역을) 가로지르는 연결선〔로〕. ② **(a)** 하위 조직 사이의 직접적인 연결. **(b)** 〖비유〗 주제·분야간의 공통 접(촉)점. **~verweis** *m.* 참조〔참고〕(지시). **~wall** *m.* 〖軍〗 가로〔차단〕벽. **~wand** *f.* 가로벽, 격벽(隔壁). **~weg** *m.* 횡단로, 지름길; 교차로.

Querzetin [kvɛrtsetí:n] 《lat.》 *n.* -s 케르세틴 (황색 염료).

Querzitron [kvɛrtsitró:n] 《lat.》 *n.* -s 케르시트론(황색 색소).

Quese [kvé:zə] *f.* -n (nordd.) ① **(a)** 〖醫〗 포진(疱疹), 마찰성 수포, 물집. **(b)** (손바닥 따위에 생긴) 못. ②〖動〗 개의 (장에 기생하는) 촌충 애벌레〔유충〕.

quesen *i.* (h.) 〖구어〗 (nordd.) ↑ quengeln.

Quesen·band·wurm *m.* 개의 촌충.

quesig *a.* (nordd.) ① 불평이 많은, 칭얼거리는. ② 비틀어진; 미친. ③ (양 등이) 회선증(回旋症)에 걸린. ④ (손바닥에) 못이 생긴.

Quetsch [kvɛtʃ] *m.* -(e)s, -e 서양 자두로 만든 맑은 화주(火酒).

Quetsche[1] [kvɛ́tʃə] *f.* -n ↑ Zwetsche.

Quetsche[2] *f.* -n 〖구어〗 ①〖방언〗 압착기, 분쇄기. ② 딜레마, 곤경: 〖구어·비유〗 in der ~ sein 곤경에 처해 있다; in die ~ geraten 곤경에 빠지다. ③ 소규모 가게; 작은 마을〔주점·기업〕; 수험 예비 학교: der Zug hält an jeder ~ 그 기차는 마을마다 정차한다.

***quetschen** [kvɛ́tʃən] 《I》 *t.* ① **(a)** 눌러부수다, 빻다; 으깨다, 짜내다: Kartoffeln〔Trauben〕 ~ 감자〔포도〕를 으깨다〔뭉개다〕; den Saft aus der Zitrone ~ 레몬 즙을 짜내다. **(b)** 힘을 주어 누르다〔죄다〕: er quetschte ihn an〔gegen〕 die Mauer 그 남자는 그를 벽에 대고〔벽 쪽으로〕 밀쳤다. **(c)** (비좁은 곳에) 밀어〔처〕 넣다. ② 타박상을 입히다: gequetschter Finger 으깨진 손가락. 《II》 *refl.* sich ~ (비좁은 공간을) 힘껏 밀치고 나아가다.

Quetscher *m.* -s, - 압착기; 화폐 주조공; 〖醫〗 (작은) 타박상; 〖당구〗 쿠션에 붙어 있는 공에 공을 맞춤.

Quetsch≈erbsen *pl.* 〖요리〗 으깬 완두. **~-falte** *f.* ①〖재봉〗 (스커트 따위의) 맞주름. ② 접은 금, 주름살. **~hahn** *m.* 〖工〗 (호스 따위의 수량 조절용) 물리개, 핀치콕. **~kartoffeln** *pl.* 〖요리·방언〗 으깬 감자. **~kommode** *f.* 〖농담〗 손풍금, 아코디언. **~laut** *m.* 〖음성〗 치음(齒音)과 마찰음의 결합(보기: ..tsch). **~mühle** *f.* 〖農〗 도정기(搗精機).

Quetschung *f.* -en ① 으깸, 분쇄, 압착. ② **(a)** 〖醫〗 타박상. **(b)** 타박상 부위.

Quetsch≈walz·werk, ~werk *n.* 파쇄기. **~wunde** *f.* 〖醫〗 타박상.

Quetzal [kɛtsál] 《I》 *m.* -s, -s 케잘(과테말라의 국조(國鳥)로 꽁지깃이 아름다움). 《II》 *m.* -s, -s 케트샬(과테말라의 화폐 단위; 약어: Q).

Queue [kø:] 《frz.》 《I》 *m.* -s, -s 〖당구〗 큐. 《II》 *f.* -s ①〖고어·교양〗 (기다리는 사람의) 장사진: eine ~ bilden 장사진을 이루다. ② 〖軍·고어〗 행군 대열의 후미〔끝〕: ~ machen (후퇴할 때 후미에서 적을 막는) 후군(後軍)이 되다; 종렬(縱列)을 지어 가다.

Quiche [kiʃ] 《frz.》 *f.* -s [kiʃ] 〖요리〗 키시(치즈·베이컨 따위로 맛을 낸 파이).

Quick [kvɪk] *m.* -(e)s ↑ Quecksilber.

quick 《<keck》 *a.* 〖방언〗 발랄〔활발〕한; 신속〔경쾌〕한.

Quick≈arbeit *f.* 아말감법, 혼홍법(混汞法). **~beutel** *m.* 〖工〗 아말감용 용기〔주머니〕. **~-born** *m.* 〖고어〗 (전설의) 젊어지는 샘 (Jungbrunnen). **~brei** *m.* 〖工〗 아말감.

quicken *t.* ① ↑ erquicken. ② (무엇에서) 아말감을 만들다, 수은을 섞다.

Quick≈erz *n.* 〖광물〗 수은광. **~gold** *n.* 홍화금(汞和金). **~lebendig** *a.* 〖구어〗 매우 활발〔명랑〕한. **~mühle** *f.* 〖工〗 합금용 분쇄기. **~sack** *m.* ↑ ~beutel. **~sand** *m.* (Flugsand) (사막에서) 바람에 쓸려온 모래더미. **~step** *m.* 〖스포츠댄스〗 퀵스텝. **~test** *m.* 〖醫〗 퀵 테스트(혈액 응고 시간의 검사). **~-wasser** *n.* 〖工〗 제 2 염화수은 용액(전기 도금용). **~wert** *m.* 퀵테스트 수치〔결과〕.

Quidam [kví:dam] 《lat.》 *m.* - 〖교양〗 아무개, 모씨(某氏), 어떤 사람.

Quidproquo [kvɪtprokvó:] 《lat.; 원뜻 „dies für das"》 *n.* -s, -s 〖교양〗 착오, 혼동; 오류.

Quie *f.* -n ↑ Queene.

quiek [kvi:k] *int.* 〖의성어〗 끽끽, 꽥꽥, 꿀꿀 (돼지·쥐의 울음소리).
quieken *i.* (h.) ① (돼지 새끼 따위가) 꽥꽥거리다. ② 〖구어〗 몹시 웃다; (놀라서) 괴성을 지르다: es ist zum ~! 그것은 매우 우습다!
quiekig *a.* ① (grell) 귀청이 떨어질 듯한, 듣기 싫은. ② 꽥꽥거리는.
quieksen [..ksən] *i.* (h.) ↑ quieken.
Quiekser *m.* -s, - 〖구어〗 날카로운 소리: einen ~ ausstoßen 날카로운 소리를 내다〔지르다〕.
quiemen [kví:mən] *i.* (h.) ↑ quienen.
quienen [kví:nən] *i.* (h.) (nordd.) 병약하다; 아파서 신음하다〔낑낑거리다〕.
quieren 《<quer》 *t.* (밭을) 가로로 갈다.
Quieszent [kviɛs|tsέnt] 《lat., quies, „Ruhe"》 *m.* -en, -en 퇴직〔휴직〕자.
Quieszenz *f.* ① 〖구식〗 퇴직, 휴직. ② 〖구식〗 휴지, 정지.
quieszieren [kviɛs|tsí:rən] 〖구식〗 《Ⅰ》 *i.* (h.) 퇴직〔휴직〕하다; 쉬고〔정지하고〕 있다; 잠자코 있다; 침착해지다. 《Ⅱ》 *t.* 퇴직시키다. 《Ⅲ》
quiesziert *p.a.* ↑ quiesziert.
quiesziert 《Ⅰ》 *p.p.* ↑ quieszieren. 《Ⅱ》 *p.a.* 퇴직〔휴직〕한; 정지한.

Quietismus [kvietísmus] *m.* - 〖哲〗 퀴에티즘, 정적(靜寂)주의; 〖宗〗 (17세기 가톨릭 교회의) 정관파(靜觀派) 신비주의.
Quietist *m.* -en, -en 〖哲〗 정적(靜寂)주의자; 〖宗〗 (17세기 가톨릭 교회의) 정관파(靜觀派) 신비주의자.
quietistisch *a.* 정적(靜寂)주의의.
Quietiv [..tí:f] *n.* -s, -e 〖醫〗 진정제.
quietsch *a.* ↑ quiek.
quietschen [kví:tʃən] *i.* (h.) ① 날카로운 소리를 (길게) 내다, (문·브레이크 따위가) 끼익하고 소리를 내다, (계단 따위가) 삐걱거리다: die Tür quietscht 문이 끼익 소리를 낸다. ② 〖구어〗 (감정에 북받쳐) 큰 소리를〔괴성을〕 지르다(quieken ②): zum ~ sein 우스꽝스럽다.
Quietscher *m.* -s, - 날카로운 소리, 괴성.
quietsch=fidel *a.* 〖구어〗 매우 명랑〔유쾌〕한. **~vergnügt** *a.* 〖구어〗 매우 유쾌〔흡족〕한.
quill [kvɪl] ↑ quellen의 2인칭 단수 명령형.
Quillaja [kvɪlá:ja] 《bras.》 *f.* -s 〖植〗 무환자(無患者) 나무.
Quillaja·rinde *f.* 무환자나무 껍질.
Quillaya *f.* -s ↑ Quillaja.
quillen* [kvílən] *i.* (s./h.) 〖시어〗 ↑ quellen[1].
quillst [kvɪlst] ↑ quellen[1]의 2인칭 단수 현재형.
quillt ↑ quellen[1]의 3인칭 단수 현재형.
Quillung *f.* -en 배〔제방〕의 새는 곳.
Quilt *m.* -s, -s, **Quilt·decke** *f.* 누비 이불.
quilten *t.* (속을 넣어서) 누비다.
Quinar [kviná:r] 《lat., „Fünfer"》 *m.* -s, -e 고대 로마의 은화.
quinär *a.* 5(개)로 이루어진; 5중〔배〕의.
Quincaillerie [kɛ̃kajərí:] 《frz.》 *f.* -n, **Quincaillerie·waren** *pl.* 철물; 장식물(여성 화장용의 자잘한 물건).
quinkelieren [kvɪŋkəlí:rən] 《lat.》 *i.* (h.) 〖구어〗 (nordd.) ① 가냘픈 목소리로 노래하다; 지저귀다. ② 구실을 붙이다, 핑계대다.
quinkeln *i.* (h.) ↑ quinkelieren.
Quinkunx [kvíŋkuŋks] 《lat. quinque, „fünf"》 *m.* - (주사위의) 5점형(⁙); (과수 따위를) 5점형으로 심기.
Quinquagesima [..gé:zima] *f.* 〖宗〗 〖관사·어미변화 없음〗 오순절의 주일(부활절 전 50일째날).
quinquennal *a.* 5년간의, 5년 마다의.
Quinquennium [kvɪŋkvέniʊm] *n.* -s, ..nnien [..niən] 〖구식〗 5년(간) (Jahrfünft).
quinquilieren *i.* (h.) ↑ quinkelieren.
Quinquillion [kvɪŋkvɪlió:n] *f.* -en ↑ Quintillion.
Quint [kvɪnt] *f.* -en ① 〖펜싱〗 제5자세(오른쪽 허리 쪽에서 왼쪽 어깨 또는 관자놀이를 향해 찌르는 자세). ② 〖음악〗 ↑ Quinte.
Quinta [kvínta] *f.* ..ten 〖학제〗 ① 〖구식〗 김나지움의 2학년. ② (öst.) 김나지움의 5학년.
Quintal [kɛ̃tál, kɪn..] 《frz.》 *m.* -s, -e 퀸탈 (스위스·프랑스·에스파냐·포르투갈·라틴 아메리카의 중량 단위(100 kg); 약어: q).
Quintana [kvɪntá:na] 《lat.》 *f.* ↑ Quintanafieber.
Quintana·fieber *n.* 〖병리〗 5일열.
Quintaner [kvɪntá:nər] *m.* -s, - ① 〖구식〗 김나지움의 2학년 학생. ② (öst.) 김나지움 제5학년 학생.
Quintanerin *f.* -nen ↑ Quintaner의 여성형.
Quinte [kvíntə] 《lat.》 *f.* -n ① 〖음악〗 제5음; 5도 음정; 제5현; 바이올린의 E현(弦): 〖비유〗 ihm springt die ~ 그는 발끈 화를 낸다. ② 5매(枚) 연속되는 같은 종류의 카드. ③ 〖비유〗 책략, 음모, 속임수.
Quinten·zirkel *m.* 〖음악〗 5도권(度圈).
Quinterne [kvɪntέrnə] *f.* -n 〖고어〗 (복권에서) 5개의 당첨 숫자.
Quinteron 《sp., „Fünftelneger"》 *m.* -en, -en ↑ Quinterone.
Quinterone *m.* -n, -n 〖구식〗 백인과 흑백 혼혈인을 부모로 한 혼혈여자와 백인 남자 사이에 태어난 혼혈아.
***Quintessenz** [kvɪnt|ɛsɛnts, ..tɛsɛ..] 《lat., „fünftes Wesen"》 *f.* -en 정수, 진액(津液); 핵심; 결과: die ~ einer Diskussion 토론의 핵심(적 결과).
quintessenziert *a.* 진액으로〔정수로〕 된.
Quintett [kvɪntέt] 《it.》 *n.* -(e)s, -e 〖음악〗 5중창〔중주〕곡; 5중주〔중창〕(단).
Quintillion *f.* -en 백만의 5제곱(10^{30}).
Quintole *f.* -n 〖음악〗 5연음(連音).
Quint·sext·akkord *m.* 〖음악〗 5·6화음.
Quintus [kvíntus] *m.* - 〖음악〗 (16-17세기의 악곡에 종종 첨가되는) 제5음.
Quiproquo [kvi:prokvó:] 《lat.》 *n.* -s, -s 〖교양〗 착각; 오인(誤認).
Quipu [kvípu:] *n.* -(s), -(s) (Knotenschrift) (잉카인의) 결승(結繩) 문자.
Quirinal [kviriná:l] *m.* -s ① 퀴리누스(로마의 7언덕 중의 하나). ② 퀴리누스 언덕에 있는 궁전. ③ 이탈리아 대통령 관저; 〖비유〗 이탈리아 정부.
Quirite [kvirí:tə] 《lat.》 *m.* -n, -n 고대 로마의 완전한 시민권을 가진 시민.
Quirl [kvɪrl] *m.* -(e)s, -e ① (요리용) 거품기(器), 교반기; 나무공이. ② 〖植〗 윤생(輪生).

③〖林〗 침엽수의 새싹: die Fichten stehen im 8. ~ 이 소나무〔가문비나무〕는 8 년 되었다. ④〖구어·농담〗 침착하지 못한 사람, 덜렁쇠: du bist ein richtiger ~ 너는 그야말로 덜렁쇠다.

Quirl·blume *f.* 〖植〗 윤생화(輪生花).

quirlen 《I》 *t.* 〖요리〗 혼합기〔거품기〕로 휘젓다, 거품을 내다, 섞다: 〖印〗 gequirlter Satz 난잡한 조판. 《II》 *i.* (h./s.) 선회하다, 소용돌이치다: in〔durch〕 et. ~ (소용돌이치며) 무엇을 지나가다.

quirl·förmig *a.* 〖植〗 윤상(輪狀)의.

quirlig *a.* ① 덜렁거리는, 침착하지 못한; 활기 있는. ②〖植〗 ↑ quirlförmig.

quirl·ständig *a.* ↑ ~förmig.

Quisisana [kui:sisá:na] 《it.》 *n.* - 온천숙(宿), 요양소.

Quisling [kvíslıŋ] *m.* -s, -e 〖폄어〗 배반자, 매국노.

Quisquilien [kvıskví:liən] 《lat.》 *pl.* 〖교양〗 부스러기, 쓰레기; 잡동사니; 시시한 물건〔일〕.

Quiste *f.* -n 〖구어〗 (Verlust) 손실, 손해.

Quito [kí:to] 키토(에콰도르의 수도).

***quitt** [kvıt] 《frz.》 *a.* 〖대개 서술적〗 자유로운, (의무·책임을) 면한, 대차(貸借)가 없는, 잃은: 〖구어〗 et. 〔eines Dinges〕 ~ sein 무엇을 잃고 있다, 무엇에서 해방되어 있다; mit jm. ~ sein a) 누구와의 분쟁이〔문제가〕 해결되어 있다, b) 누구와 절교 중이다; et. ~ werden 무엇을 잃다, 무엇에서 손떼다; et. ~ machen 무엇을 청산〔결산〕하다; wir sind ~ 우리들 사이에는 아무런 빚이 없다; meinen Hut bin ich ~ 나는 모자를 잃었다.

Quitte [kvítə, (öst.) kítə] 《lat.》 *f.* -n 〖植〗 마르멜로(의 나무 및 열매) (유럽 모과).

quitte·gelb *a.* 마르멜로색〔산뜻한 황색〕의.

Quitten=apfel *m.* 마르멜로의 열매. **~baum** *m.* 〖植〗 마르멜로나무. **~brot** *n.* 마르멜로〔유럽 모과〕잼 과자. **~farben** *a.* ↑ ~gelb. **~gelb** *a.* ↑ quittegelb. **~gelee** *n./m.* 마르멜로〔유럽 모과〕 젤리. **~käse** *m.* ↑ ~brot. **~kern** *m.* 마르멜로의 씨. **~marmelade** *f.* 마르멜로잼. **~mus** *n.* ↑ ~marmelade.

quittieren [kvıtí:rən] 《frz.》 *t.* ① 포기하다, 그만두다: ich habe mein Amt quittiert 나는 사직하였다. ② 영수증을 쓰다: eine Rechnung ~ 계산서를〔수령증을〕 쓰다. ③ (어떤 태도나 사건에) 반응하다.

***Quittung** [kvítuŋ] *f.* -en ① 영수증; 수령증: eine ~ ausstellen 영수증을 교부하다; jm. et. gegen ~ leihen〔aushändigen〕 수령증을 받고 누구에게 무엇을 빌려 주다〔건네주다〕. ② 보답, 보복: das ist die ~ für euer Benehmen 이것이 너희들의 행동에 대한 보답이다.

Quittungs=block *m.* 영수증 용지. **~buch** *n.* 영수부(簿), 수령 대장. **~formular** *n.* 영수증 용지. **~marke** *f.*, **~stempel** *m.* 수령인(印).

Quivive [kiví:f, ..í:və] 《frz.》 *n.* 〔다음 어구로〕〖구어〗 auf dem ~ sein〔stehen〕 경계하고 있다.

Quiz [kvıs] *n.* -, - (Fragespiel) 퀴즈, 퀴즈놀이: ein ~ veranstalten 퀴즈 대회를 개최하다.

Quiz=frage *f.* 퀴즈 문제. **~master** *m.* 퀴즈 대회 사회자.

quizzen [kvísən] 〖구어〗《I》 *i.* (h.) ① 퀴즈놀이를 하다. ② (사회자가) 퀴즈 문제를 내다. 《II》 *t.* 퀴즈에서 (답을) 하다.

quod erat demonstrandum [kvɔ́t ɛ́rat demɔnstrándum] 《lat.》〖교양〗 이상으로 증명되었음(약어: q.e.d.).

Quodlibet [kvɔ́tlibɛt] 《lat. quod libet, „was beliebt"》 *n.* -s, -s ①〖구식〗 혼란; 뒤섞임, 뒤범벅; 임의적 선택. ②〖음악〗 해학 혼성곡, 메들리, 접속곡.

quoll [kvɔl] ↑ quellen[1] 의 과거형.

quölle [kvœ́lə] ↑ quellen 의 접속법 Ⅱ 식.

Quorum [kvó:rum] 《lat.》 *n.* -s, ..ren 〖法〗 (schweiz.) (의결) 정족수(定足數).

quos ego [kvó:s ɛ́go] 《lat.》〖교양〗 너희들 그냥 두지 않겠다, 너희들 혼내줄 테다.

Quotation [kvotatsió:n] *f.* -en ①〖증권〗 시세 기록. ② 배당 정산.

***Quote** [kvó:tə] 《frz.》 *f.* -n ① **(a)** 〖통계〗 (배)분수(分數), 비율, 율; (Anteil) 몫, 배당 할당액〔량〕. **(b)** 〖복권·승마〗 (정산한) 당첨금. ② 해당자〔참여자〕 수: Zuschauer~ 관중수.

Quoten=aktie *f.* 〖經〗 비례주(株), 무액면주. **~regelung** *f.* 여성 비율 할당 규정. **~verhältnis** *n.* 〖數〗 비례 배분. **~vertrag** *m.* 〖經〗 비례 재보험. **~zahlung** *f.* 배당금 지급.

Quotient [kvotsiɛ́nt] 《frz.》 *m.* -en, -en 〖數〗 ① 분수. ② 상(商), (나눈) 몫, 수치.

quotieren [..tí:rən] *t.* 〖經〗 (bewerten) 평가하다; 시세를 기록하다〔알리다〕.

quotisieren [..tizí:rən] *t.* 몫〔지분〕에 따라 분배〔분할〕하다.

Quotisierung *f.* -en ①〖經〗 분배. ②〖法〗 (그 해의) 세율 결정.

Quotum 《lat.》 *n.* -s, ..ta ↑ Quote.

quousque tandem [kvoú:skve tándɛm, kvo|ʊ́skvə..] 《lat.》〖교양〗 아직 얼마나 더 계속될 것인가(Catilina 를 탄핵한 Cicero 연설의 첫 구절; 초조한 외침의 표현).

Quo vadis [kvó: vá:dis] 《lat. „wohin gehst Du?"》〖교양〗 (주여) 어디로 가시나이까(베드로가 그리스도에게 물은 말; 폴란드의 소설가 H. Sienkiewicz 의 같은 제목의 소설에서); 〖비유〗 (대개 걱정·회의의 표현으로) 일의 결과가 어떻게 될 것인가.

q.v. = quantum vis 《lat. „soviel du (nehmen) willst"》 임의로(처방전의 문구).

R

R, r [ɛr] *n.* 독일어 자모의 열여덟째 자.
R ① 로마 숫자의 80. ② =Reaumur (온도계의) 열씨(列氏). ③ =Rand 여백, 가장자리.
P, ρ =Rho 로(그리스 자모의 열일곱째 자).
R, r =Radius 반지름.
R. =Regiment 연대(Reg., Regt. 로도 씀).
r. ① =rechts 오른쪽에. ② =rund 대략.
'r =er 그 (사람).
RA =Rechtsanwalt 변호사.
Ra[1] (이집트의) 태양신(Re).
Ra[2] 〖化〗 =Radium 라듐.
Raa [ra:] *f.* -en 〖海〗 (돛대의) 활대(↑ Rahe).
Raabe [rá:bə] *m.* Wilhelm ~ 라베(독일의 소설가, 1813-1910).
RAB =Reichsautobahn (나치 때의) 독일 제국 고속 도로.
rab *adv.* (ndd., obd.) 아래로(herab).
rabanzen, rabasteln, rabastern *i.* (h.) (nordd., westd.) 바쁘다; 마음이 가라앉지 않다; 이리저리 돌아다니다; 열심히〔악착같이〕 일하다.
Rabat 라바트(모로코의 수도).
Rabatt [rabát] 《it.》 *m.* -(e)s, -e 할인: ~ geben〔gewähren〕 할인하다; bei Barzahlung erhalten Sie 3 % ~ 현금 지급 때는 3 % 의 할인을 받습니다.
Rabatte [rabátə] 《frz.》 *f.* -n ① (옷의) 가장자리 선, 가선. ② (담장 밑·길가의) 꽃밭, 화단. ③ (ndd.) 턱받이.
rabbattieren [rabatí:rən] 《it.》 *t.* 〖商〗 할인〔에누리〕하다: Großaufträge ~ wir Ihnen mit 7 % 대량 주문을 하시면 7 %를 할인해드립니다.
Rabattierung *f.* -en 할인.
Rabatt≈marke *f.* 〖商〗 할인권. **~rechnung** *f.* 〖商〗 할인 계산.
Rabatz [rabáts] *m.* -es 〔구어〕 ① 소란, 소동, 야단법석: im Lokal gab es gestern abend ~ 어제 저녁 술집에서 소동이 벌어졌다; was ist denn hier für ein ~! 대체 이 무슨 난리야! ② 격렬한 항의: ~ machen 큰 소리로 항의하다.
Rabau [rabáʊ] 《ndl.》 *m.* -s/-en, -e(n) ① 〖植〗 스타킹(청사과의 일종). ② (md.) ↑ Rabauke.
Rabauke [rabáʊkə] *m.* -n, -n 〔구어〕 버르장머리없는 놈(특히 젊은이); 불량배, 깡패.
Rabauz *m.* -en, -en ↑ Rabauke.
Rabbi [rábi] 《hebr.》 *m.* -(s), -s/-nen ① 랍비(유대의 (율법) 학자에 대한 칭호〔호칭〕), 선생님. ② 유대의 (율법) 학자, 랍비.
Rabbinat [rabiná:t] *n.* -(e)s, -e 랍비의 직(위).
Rabbinen·amt *n.* ↑ Rabbinat.
Rabbiner *m.* -s, - 유대의 율법 학자, 유대교 신학자〔성직자〕.
rabbinisch *a.* 랍비의: ~e Sprache 랍비어(신히브리어).
Räbchen [rɛ́:pçən] *n.* -s, - ① ↑ Rabe 의 축소형. ② 〔방언〕 악동, 개구쟁이.
***Rabe** [rá:bə] *m.* -n, -n ① (큰) 까마귀: 〔구어〕 schwarz wie ein ~ 〔die ~n〕 a) 새까만, b) 몹시 더러운; ein weißer ~ 괴짜, 기인; 별난 것; gierige ~n 욕심쟁이들; 〔구어〕 stehlen wie ein ~ 자주 훔치다, 손버릇이 나쁘다; jn. den ~n überliefern 누구를 교수형에 처하다. ② 까마귀가 그려진 금화: die güldenen 〔gelben〕 ~n 금화. ③ 〖動〗 잉어. ④ 〖天〗 까마귀 자리. ⑤ 〖史〗 끝에 쇠갈고리가 달린 고대의 무기. ⑥ 〖動〗 에스카르고(식용 달팽이의 일종).
Räbe *f.* -n 〖植〗 (westd.) 순무.
Raben≈aas *n.* ① (동물의) 썩어 문드러진 살. ② 〔욕설〕 속이 시커먼 놈, 교활한 놈. **~art** *f.* ① 까마귀 종류. ② 까마귀 같은 성질. ③ 무자비한 부모의 학대. **~braten** *m.* ↑ ~aas ②. **~dukaten** *m.* ↑ Rabe ②. **~ei** *n.* ① 까마귀 알. ② 〖植〗 말불버섯. **~eltern** *pl.* 〔구어·폄어〕 매정한 부모(까마귀는 새끼를 둥지 밖으로 내던진다는 속설에서). **~haar** *n.* 흑발(黑髮). **~krähe** *f.* 〖動〗 까마귀. **~mutter** *f.* 〔구어·폄어〕 매정한 어미. **~schlacht** *f.* 〖문학〗 라벤나의 싸움(이탈리아의 Ravenna 에서 Dietrich von Bern 이 벌였던 전투를 묘사한 중세 영웅 서사시; Ravenna=Raben). **~schnabel** *m.* ① 까마귀의 부리. ② (외과용) 겸자(鉗子). ③ 〖工〗 굽은 정〔끌〕. **~schnabel·fortsatz** *m.* 〖動·해부〗 오탁골, 오훼골, 오훼돌기. **~schwarz** *a.* 새까만, 칠흑의. **~stein** *m.* ① 형장, 교수대. ② 〖지질〗 흑색 벨렘나이트(고생대 두족류의 해생(海生) 화석 동물). **~vater** *m.* 〔구어·폄어〕 매정한 아비.
rabiat [rabiá:t] 《lat.》 *a.* ① 거친, 난폭한, 무분별한, 미쳐 날뛰는: jn. ~ machen 누구를 격분시키다. ② 엄격한, 과격한, 극단적인: ~e Forderungen〔Maßnahmen〕 극단적인 요구〔조치〕.
Rabies [rá:biɛs] 《lat.》 *f.* 〖醫〗 광견병, 공수(恐水)병.
Rabisch *m.* -es, -e 〔고어〕 (bayr.) (나무에 금을 새겨 거래 관계를 표시하는) 셈 나무(Kerbholz).
Rabitz·wand [rá:bɪts..] *f.* 〖건축〗 라비츠벽(안에 철망이 들어 있는 석회벽; 발명자의 이름에서).
Rabulist [rabulíst] 《lat.》 *m.* -en, -en 〔교양·폄어〕 법률 곡해자, 꼬치꼬치 따지는〔캐는〕 사람.
Rabulistik *f.* 〔교양·폄어〕 법률 곡해, 궤변, 꼬치꼬치 따지기〔캐기〕.
Rabulisterei *f.* -en ↑ Rabulistik.
rabulistisch *a.* 〔교양·폄어〕 법률을 곡해한, 억지설을 늘어놓는, 꼬치꼬치 따지는〔캐는〕.

Rabuse [rabú:zə] *f.* 노획(물), 강탈(물)(↑ Rapusche).

Rạch·begierde *f.* ↑ ~gier.

***Rache** [ráxə] *f.* 복수, 보복, 앙갚음, 징벌, 설욕: eine blutige ~ 피의 복수; 〖구어〗 die ~ des kleinen Mannes (약자의) 가벼운 분풀이〔앙갚음〕; an jm. ~ nehmen〔üben〕 누구에게 복수하다; für〔wegen〕 et. ~ nehmen〔üben〕 무엇에 대해 보복하다; das ist die ~ für deine Untat 그것은 네가 한 못된 짓에 대한 벌〔응보〕이다; 〖농담〗 ~ ist Blutwurst〔süß〕! (위협하는 말로) 복수해 줄 거야!

Rạche≈akt *m.* 복수 행위, 앙갚음, 보복. **~durst** *m.* 〖雅語〗 ↑ Rachegier. **≈dürstend** *a.* ↑ ~durstig. **≈durstig** *a.* 〖雅語〗 ↑ rachegierig. **~engel** *m.* 복수의 천사. **~gedanke** *m.* 원한, 복수심, 복수 계획: ~n keimten in ihm auf 그의 마음 속에 복수심이 싹텄다. **~geist** *m.* 복수심; 복수의 망령. **~gelüste** *pl.* 〖雅語〗 복수욕〔심〕. **~göttin** *f.* 복수의 여신.

***Rachen** [ráxən] *m.* -s, - ① 〖해부〗 인두(咽頭); 인후, 목구멍: der ~ ist gerötet 인후가 빨갛게 부어 있다. ② (큰 동물, 특히 맹수의) 벌린 입, 아가리: der Hai sperrte seinen ~ auf 상어가 아가리를 쩍 벌렸다. ③ 〖구어·경박〗 입, 아가리: jm. gerade in den ~ laufen 누구의 밥이〔호구가〕 되다; jm. den ~ stopfen (원하는 것을 주어) 누구의 입을 틀어막다, 누구를 침묵시키다; jm. et. aus dem ~ reißen 누구에게서 무엇을 강탈하다; 〖경박〗 jm. et. in den ~ werfen〔schmeißen〕 무엇을 (필요로 하지 않는) 누구에게 한사코 주다, 억지로 맡기다, 부자에게 더 많은 돈을 주다; 〖경박〗 den ~ nicht voll kriegen (können) 아무리 먹어도 속이 차지 않다, 욕심이 한이 없다; in js. ~ lügen 누구에게 새빨간 거짓말을 하다; den ~ (weit) aufreißen 큰소리치다, 허풍떨다. ④ 〖시어〗 심연, 나락: der ~ des Todes 죽음의 심연.

***rächen**(*) [rέçən] 〖*p.p.* gerächt/(구식·농담) gerochen〗 《I》 *t.* 복수〔보복〕하다, 원수를 갚다, 원한을 풀다, 응징하다: jn. ~ 누구를 위해 복수하다, 누구의 원수를 갚아 주다; den ermordeten Freund an jm. ~ 살해당한 친구를 위해 누구에게 복수하다; et. ~ 무엇에 대해 복수하다, 무엇을 앙갚음하다: er schwor, diese Schmach zu ~ 그는 이 치욕에 대한 보복을 하겠다고 맹세했다. 《II》 *refl.* ① sich an jm. ~ 누구에게 복수하다: für diese Beleidigung werde ich mich an ihm ~ 이 모욕을 그에게 되갚아 줄 것이다. ② 〖사물이 주어〗 벌받다, 보복이 돌아오다, 결과가 좋지 않다: das Unrecht rächt sich 부당한 일은 벌을 받기 마련이다, 인과응보다; es wird sich (noch) ~, daß du so leichtsinnig bist 너 그렇게 경솔하게 굴다간 큰코다친다.

Rạchen≈blume *f.* 〖植〗 ① 순형 화관, 입술꽃부리. ② 물꽈리아재비속(屬). **~blüte** *f.* ↑ ~blume ①. **≈blütig** *a.* 〖植〗 목구멍 모양의, 입술 모양의, 개구상(開口狀)의. **~blütler** *m.* 〖植〗 현삼과(玄蔘科)의 식물(꽃 모양이 Rachen 과 같음). **~bräune** *f.* 〖구식〗 디프테리아(Diphtherie). **≈förmig** *a.* ↑ ≈blütig. **~höhle** *f.* 인두강(咽頭腔). **~katarrh** *m.* 〖醫〗 인두염, 인두 카타르. **~lehre** *f.* 〖工〗 캘리퍼스. **~mandel** *f.* 〖해부〗 인두 편도선. **~putzer** *m.* 〖농담〗 신 포도주; 독한 화주(火酒). **~spiegel** *m.* 〖醫〗 인두경(鏡).

Rạche·plan *m.* 복수 계획.

Rächer [rέçər] *m.* -s, - 복수자, 응징자.

Rächerin *f.* -nen ↑ Rächer 의 여성형.

rạche≈schnaubend *a.* 〖시어〗 ↑ rachsüchtig. **~schreiend** *a.* 복수하겠다고 외치는. **≈schwur** *m.* 복수의 맹세.

Rạch≈gefühl *n.* 원한, 복수심. **~gier** *f.* 불타는 복수심. **~gierde** *f.* ↑ ~gier. **≈gierig** *a.* 복수심에 불타는, 복수심으로 가득 찬.

Rachitis [raxí:tɪs] 《gr.》 *f.* ..tiden [..tí:dən] 〖醫〗 구루병.

rachịtisch *a.* ① 구루병을 앓는, 구루병 증세가 있는. ② 구루병의, 구루병으로 인한.

Rạch≈lust *f.* ↑ ~gier. **≈lustig** *a.* ↑ ≈gierig. **~sucht** *f.* 〖雅語〗 ↑ ~gier. **≈süchtig** *a.* 〖雅語〗 ↑ ≈gierig.

Rack[1] [rak] 《frz.》 *m.* -s, -e 〖↑ Arrak 의 단축형〗 (쌀·당밀로 만든) 동인도 및 중근동 지역의 화주(火酒).

Rack[2] 《ndd.》 *n.* -s, -e ① (nordd.) 선반; 수납대. ② 〖海〗 활대를 돛대에 고정시키는 Y 자형의 쇠붙이.

Rack[3] [ræk] 《engl.》 *n.* -s, -s 오디오 설치대〔선반〕.

rack *a.* (ndd.) ① 완전히(ganz). ② 갑자기 (plötzlich). ③ 뻣뻣한, 굳은(steif, starr).

Racke [rákə] 《<의성어》 *f.* -n 〖動〗 파랑새과의 새.

Rackel·huhn [rákəl..] *n.* 〖動〗 들꿩의 일종.

rackeln [rákəln] 〖의성어〗 *i.* (h.) 〖사냥〗 (들꿩이 교미기에) 소리를 지르다.

Rạckel·wild *n.* ↑ ~huhn.

Racker [rákər] 《ndd.》 *m.* -s, - ① 〖고어〗 가죽 벗기는 사람, 박피공; 형리 밑에서 일하는 사람, 옥졸. ② 〖구어〗 개구쟁이; 건달, 불량배, 깡패: so ein ~! 요런 개구쟁이 녀석!

rạckerig *a.* ① 거친, 버릇 없는. ② 더러운. ③ (ndd.) 격분한.

Rackerei *f.* 〖구어〗 힘들고 험한 일, 죽을 고생.

rackern [rákərn] 《I》 *t.* 혹사시키다, 죽도록 부려먹다. 《II》 *i.* (h.)/*refl.* 〖구어〗 뼈빠지게 일하다: er hat sein Leben lang für seine Kinder geracker 그는 평생 동안 자식들을 위해 죽도록 일했다.

Rạcker·zeug *n.* 불량배; 천민.

Racket [rέkət] 《engl.》 *n.* -s, -s 〖스포츠〗 라켓(↑ Rakett).

Raclette [ráklɛt, raklέt] 《frz.》 *f.* -s 〔*n.* -s, -s〕 ① 라클렛(스위스 치즈 요리의 일종; 라클렛 치즈를 그릴에 녹여 삶은 감자와 함께 먹음). ② 라클렛용 그릴 기구.

Raclette·käse [ráklɛt.., raklέt..] *m.* 라클렛 치즈(스위스의 딱딱한 치즈).

***Rad** [ra:t] *n.* -(e)s, Räder [rέ:dər] ① 바퀴, 수레바퀴: ein ~ (aus) wechseln (자동차의) 바퀴를 갈다〔교체하다〕; 〖비유·雅語〗 das ~ der Geschichte〔Zeit〕 läßt sich nicht zurückdrehen〔anhalten〕 역사〔시간〕의 수레바퀴는 되돌릴〔멈출〕 수 없다; 〖비유·雅語〗 das ~ des Schicksals rollt über uns hinweg 운명의 수레바퀴는 쉼없이 돌아간다, 인생의 변화는 끝없이 계속된다; 〖비유·구어〗 das fünfte ~

am Wagen sein 무용지물이다; ins ~ greifen 브레이크를 밟다; unter die Räder kommen 〔geraten〕 a) 차에 치이다, b) 〖비유·구어〗 도덕적으로 타락하다, 경제적〔사회적〕으로 영락하다; 〖속담〗 das schlechteste ~ am Wagen knarrt am meisten 변변치 않은 놈일수록 말이 많다. ② (기계·도구의) 바퀴 모양의 부품: Zahn⁓ 톱니바퀴; Lenk⁓ 운전대, 핸들; 〖비유·구어〗 bei ihm ist ein ~ locker, bei ihm fehlt ein ~〔Rädchen〕, er hat ein ~ ab 그는 정상이 아니다〔좀 이상하다〕; nur ein ~ 〔Rädchen〕 im Getriebe sein 기계의 한 부품일 뿐이다, (시키는 대로 하는) 말단 지위다. ③〖↑ Fahrrad 의 단축형〗 자전거: vom ~ springen 자전거에서 훌쩍 뛰어내리다. ④ (중세 때) 환형용(轘刑用)의 회전차(回轉車): jn. zum ~ verurteilen 누구를 환형에 처하다; jn. aufs ~ flechten〔binden〕 누구를 환형차에 묶다. ⑤ 둥근 모양, 원형: ein ~ schlagen a) 칼을 원형으로 휘두르다, b) (공작이) 꼬리를 부채 모양으로 활짝 펴다, c) 〖체조〗 옆으로 재주넘다. ⑥ (md.) 소시지의 조각.

Rad⸗abweiser *m.* 차량 제동기. **~achse** *f.* 차축(車軸). **~arm** *m.* 수레바퀴의 살.

Radar [radá:r, rá:dar] 《engl., radio detecting and ranging 의 단축어》 *m./n.* -s, -e ① 전파 탐지 기술〔법〕(Funkmeßtechnik): den Standort eines Schiffes durch ~ 〔mittels ~s〕 feststellen 배의 위치를 레이더로 확인하다. ② (Funkmeßgerät) 레이더, 전파 탐지기: mit ~ ausgerüstet sein 레이더를 갖추고〔장착하고〕 있다.

Radar⸗astronomie *f.* 레이더 천문학(전파 탐지법을 천문 연구에 응용한 천문학의 한 분야). **~falle** *f.* 〖구어〗 무인 속도 감시기. **~gerät** *n.* 레이더, 전파 탐지기. **~kontrolle** *f.* 〖교통〗 (스피드 건 등에 의한) 경찰의 속도 감시〔단속〕. **~meteorologie** *f.* 레이더 기상학. **~peilung** *f.* 레이더에 의한 위치〔수심〕 측정. **~schirm** *m.* 레이더 스크린. **~station** *f.* 레이더 관측소. **~techniker** *m.* 레이더 기사, 전파 탐지 전문가. **~wagen** *m.* (전파 탐지기를 갖춘) 속도 감시용 경찰차.

Radau [radáu] *m.* -s 〖구어〗 요란한 소리, 야단법석, 소동; 행패: ~ machen〔schlagen〕 소란피우다, 행패부리다.

Radau⸗bruder *m.* ↑ ~macher. **~macher** *m.* 〖구어·폄어〗 소란 피우는 사람, 난동자, 행패꾼. **~schläger** *m.* ↑ ~macher.

Rad⸗ball *m.* 〖스포츠〗 자전거 축구(자전거 바퀴로 공을 차 넣는 공놀이). **~baller** *m.* 자전거 축구 선수. **~ball·spiel** *n.* 자전거 축구 경기. **~band** *n.*, **~bandage** [..da:ʒə] *f.* 타이어.

Radber [rá:tbɛr] *f.* -en (ostmd.) ↑ Radeber.

Rad⸗bewegung *f.* 바퀴의 회전(~lauf). **~bremse** *f.* 차바퀴 제동기, 브레이크. **~bruch** *m.* 바퀴의 파손〔부서짐〕.

Rädchen [rɛ́:tçən] *n.* -s, - 〖↑ Rad 의 축소형〗 ①〖복수: Räderchen〗 작은 바퀴; 작은 톱니바퀴; 작은 자전거, 세발 자전거: die ~ des Uhrwerks 시계의 톱니 바퀴 부속; hol mal dein ~! 네 자전거 좀 가져와 봐! ② **(a)** (반죽을 자르기 위한) 작은 회전 바퀴. **(b)** (종이 위에 재단본을 긋기 위한) 룰렛. ③〖動〗 근족충(根足蟲).

Rad⸗dampfer *m.* 〖海〗 외륜(外輪) 기선. **~decke** *f.* (자전거·자동차의) 흙받기.

Rade [rá:də] *f.* -n ①〖植〗 선옹초(Korn⁓). ② (obd.) 관절.

Radeber [rá:dəbɛr] *f.* -en (ostmd.) 바퀴가 하나인 손수레.

radebrechen [rá:də..] (*p.p.* geradebrecht) *t./i.* (h.) (외국어를) 더듬거리며 말하다, 서투르게 말하다: er radebrechte Englisch 그는 영어를 더듬거리면서 말했다; einige Brocken in Deutsch ~ 독일어 몇 마디를 더듬거리며 말하다.

Rade⸗hacke *f.* 개간용 곡괭이(Rodehacke). **~haue** *f.* (obersächs.) ↑ ~hacke. **~krankheit** *f.* 선충(線蟲)에 의해 밀의 이삭이 마르는 병. **~kuchen** *m.* (당면 가루로 만든) 도넛.

Rädel *m.* -s, - (ndd.) 체, 여과기.

radeln [rá:dəln] *i.* (s.) 〖농담〗 자전거를 타(고 가)다: zur Großmutter ~ 자전거를 타고 할머니한테 가다.

rädeln [rɛ́..] *t.* ① 룰렛으로 (재단본을) 뜨다. ② (반죽을) 톱니 바퀴 모양의 도구로 잘라내다.

Radel(s) *n.* -(s), - (ndd.) 수수께끼, 의혹(↑ Rätsel).

Rädels·führer [rɛ́:dəls..] *m.* 〖法·폄어〗 (음모·반란 등의) 주모자, 괴수: der ~ des Aufruhrs 소요의 주동자.

Rade·macher *m.* -s, - (nordd.) ↑ Radmacher.

Raden *m.* -s, - ↑ Rade.

raden *t.* (obersächs.) 개간하다(roden).

Räder *m.* -s, - (ndd.) ↑ Rädel.

Räder·boot *n.* ↑ Raddampfer.

Räderchen *pl.* ↑ Rädchen ①.

Räder⸗dampf·schiff *n.* ↑ Raddampfer. **~gehäuse** *n.* (시계의) 케이스; 〖海〗 (증기선의) 외륜 덮개. **~getriebe** *n.* 〖기계〗 톱니바퀴 전동 장치.

..räderig *suf.* ↑ ..rädrig.

rädern [rɛ́:dərn] 《I》 *i.* ① (h./s.) 수레〔차〕를 타고 가다. ② (h.) (공작이) 꼬리를 부채 모양으로 펴다. 《II》 *t.* ① (중세 때 죄인을) 환형(轘刑)에 처하다. ②〖비유·구어〗 (wie) gerädert sein 녹초가 되다.

Räderschneide⸗maschine *f.*, **~zeug** *n.* 〖기계〗 기어 커팅 머신(기어의 이를 만드는 기계).

Räder⸗tierchen *n.* ↑ ~tiere. **~tiere** *pl.* 〖動〗 윤충류(輪蟲類). **~werk** *n.* (기계의) 톱니바퀴 장치: 〖비유〗 das ~ der Verwaltung 톱니바퀴 장치와 같은 행정 조직.

Radetzky [radɛ́tski] ① Jesepf Graf ~ von Radetz 라데츠키(오스트리아의 장군, 1766–1858). ② *m.* -s, - (öst.) 〖구어〗 고무 지우개.

Radetzky·marsch *m.* 라데츠키 행진곡.

rad|fahren* [rá:t..] *i.* (s./h.) 〖분리하면 rad 는 Rad 로〗 ① 자전거를 타다〔타고 가다〕: er fährt gern Rad 그는 자전거 타기를 좋아한다. ②〖구어·폄어〗 윗사람에게 굽신거리다〔아부하다〕.

Rad⸗fahren *n.* 자전거 타기: jm. das ~ beibringen 누구에게 자전거 타는 법을 가르쳐 주다. **~fahrer** *m.* ① 자전거 타는 사람; 〖軍〗 자전거병(兵). ②〖구어·폄어〗 윗사람에게 굽신

거리는〔아첨하는〕 사람. **~fahrerin** *f.* ↑ Radfahrer 의 여성형.

Radfahrer=bahn *f.* 자전거길, 자전거 경주로. **~falle** *f.* (자전거의 교통 규칙 위반을 단속하기 위한) 경찰 감시 지점. **~künstler** *m.* 자전거 곡예사.

Radfahr=sport *m.* 자전거 경주. **~weg** *m.* 자전거 도로.

Rad=felge *f.* 바퀴의 테. **~felgen·kranz** *m.* ↑ ~kranz. **~fenster** *n.*〖건축〗바퀴〔장미꽃〕 모양의 창문. **≈förmig** *a.* 바퀴 모양의. **~gehäuse** *n.*〖海〗(기선의) 외륜 덮개. **~gelenk** *n.*〖해부〗회전〔전동(全動)〕 관절.

Radi [rá:di] *m.* -s, - (bayr., öst.)〖植〗무: einen ~ kriegen 야단 맞다, 꾸지람 듣다.

radial [radiá:l] 《lat.》 *a.* ① 방사상(狀)의: ~ verlaufende Straßen 방사상으로 뻗어나간 도로. ②〖數〗반지름의;〖天〗시선(視線) 방향의;〖해부〗요골(橈骨)의.

Radial=arterie *f.*〖해부〗요골 동맥. **~bohr·maschine** *f.*〖기계〗레이디얼 드릴링 머신(같은 면에 여러 개의 구멍을 뚫는 도구). **~geschwindigkeit** *f.*〖天·物〗시선 속도. **~linie** *f.* (öst.) 방사상 도로〔전철 노선〕. **~reifen** *m.* 레이디얼 타이어. **~straßen** *pl.* 방사상 도로. **~symmetrie** *f.*〖生〗방사 대칭(Strahlensymmetrie). **~system** *n.* (도로 등의) 방사식, 방사형.

radiant [radiánt] 《lat.》 *a.* (빛을) 방사〔복사〕하는; 빛나는, 눈부신, 찬란한.

Radiant *m.* -en, -en ①〖天〗(유성군(流星群)의) 복사점. ②〖數〗라디안(각도의 단위; 기호: rad).

radiär [radiɛ́:r] 《frz.》 *a.* 방사형의, 빛줄기〔광선〕 모양의.

Radiat *m.* -en, -en〖動〗방산충(放散蟲).

Radiation [radiatsió:n] *f.* -en 방사; 발광(發光).

Radiator [..á:tɔr, ..to:r] *m.* -s, -en [..tó:rən] 방열기, 라디에이터.

Radicchio [radíkio] 《it.》 *m.* -s〖植〗이탈리아산(產) 치코리(Zichorie)의 일종.

Radien [rá:diən] ↑ Radius 의 복수형.

radieren [radí:rən] 《lat.》 *t.* ① (글자 등을) 지우다, 삭제하다: auf dieser Seite ist dreimal radiert 이 페이지에는 세 군데가 지워져 있다. ②〖畫〗부식 동판에 부각〔식각〕하다, 에칭하다.

Radierer *m.* -s, - ① 부식 동판화가. ② ↑ Radiergummi.

Radier=firnis, ~grund *m.*〖工〗식각판용 도포제(塗布劑)(내식층(耐蝕層)으로 쓰이는 내산성(耐酸性) 물질). **~gummi** *m.* 고무 지우개. **~kunst** *f.* 에칭, 부각술(腐刻術). **~messer** *m.* 글자 지우는 칼. **~nadel** *f.* 에칭용 철침(鐵針), 부각침.

Radierung [radí:ruŋ] 《lat.》 *f.* -en ① ↑ Radierkunst. ② 부식〔식각〕 동판화.

Radies [radí:s] 《lat., „Wurzel"》 *n.* -es, -e ↑ Radieschen.

Radieschen [radí:sçən] *n.* -s, -〖植〗(뿌리의 껍질이 대개 붉고 둥근 모양의 작은) 무.

***radikal** [radiká:l] 《frz.》 *a.* ① 철저한, 근본적인, 비타협적인: eine ~e Umgestaltung 철저한 변혁; mit der Tradition ~ brechen 전통과 완전히 결별하다. ② 단호한, 가차없는, 엄격한: gegen et. ~ vorgehen 무엇에 단호히 맞서다〔대처하다〕. ③ (정치적·사상적으로) 급진적〔극단적〕인, 과격한: er ist ~ rechts 그는 극우파다.

Radikal *n.* -s, -e〖化〗기(基);〖數〗근(根).

Radikale* *der/die* (정치적) 급진주의자, 과격론자, 극단론자.

Radikalen·erlaß *m.*〖政〗(구서독의) 과격파 공직 금지령.

Radikal·essig *m.*〖化〗빙초산.

Radikalinski *m.* -s, -s〖구어·폄어〗↑ Radikale.

radikalisieren *t.* 급진화시키다, 과격하게 하다.

Radikalisierung *f.* -en 급진〔과격·극단〕화.

Radikalismus *m.* -, ..men 급진주의, 과격론; 과격한 태도, 극단적 사고 방식.

Radikalist *m.* -en, -en ↑ Radikale.

Radikalität *f.* 과격성, 급진성.

Radikal=kur *f.* ① 근본적 치료, 근치〔원인〕 요법. ②〖비유〗특단의 조처, 극약 처방. **~mittel** *n.* 근치적〔강렬한〕 치료제. **~operation** *f.*〖醫〗근치적 수술, 병소(病巢) 절제 수술. **~wort** *n.*〖문법〗어근, 어간.

Radikand [radikánt] *m.* -en, -en〖數〗근호 속의 수, 피개수(被開數).

***Radio** [rá:dio] 《engl.》 *n.* -s, -s ① *m./n.* (südd., schweiz.) 라디오: das ~ einschalten 〔abschalten, ausschalten〕 라디오를 켜다〔끄다〕; das ~ lauter stellen 라디오의 소리를 크게 하다, 볼륨을 높이다. ② (a) 라디오 방송: er hört gerne ~ 그는 라디오를 즐겨 듣는다;〖구어〗was gibt's 〔kommt〕 denn heute im Radio? 라디오에서 오늘 무엇을 하는데? (b)〖관사없음; 도시 이름과 함께〗방송국: ~ Bremen 브레멘 방송국.

radio.. *pref.* "빛·무선"의 뜻(보기: ≈telegrafie 무선 전신).

radioaktiv *a.*〖物〗방사성〔능〕의, 방사능이 있는: ~er Niederschlag 방사능 낙진; ~e Verseuchung 방사능 오염. **≈aktivität** *f.* 방사능.

Radioamateur *m.* 아마추어 무선사, 햄.

Radioanlage *f.* ↑ ≈apparat.

Radioapparat *m.* -(e)s, -e 라디오, 라디오 수신기.

Radioastronomie *f.* 전파 천문학.

Radiochemie *f.* 방사(능) 화학(방사능 물질과 그 산업적 응용 방법의 연구).

Radioelement *n.* -(e)s, -e 방사성 원소.

Radiogerät *n.* -(e)s, -e ↑ ≈apparat.

Radiogramm *n.* -s, -e ① 방사선〔엑스선〕 사진. ②〖옛뜻〗무선 전보.

Radiographie *f.* -n [..fí:ən] ① 방사선〔엑스선〕 사진 촬영. ② 방사성 입자 조사, 방사능 물질 검사.

Radioindikator [..ká:tɔr, ..to:r] *m.* -s, -en [..tó:rən]〖物〗방사성 (지)시약.

Radiolarie [..riə] *f.*〖動〗방산충(放散蟲) (Strahlentierchen).

Radiologe [radioló:gə] *m.* -n, -n 방사선(과) 전문의.

Radiologie [ra:diologí:] *f.* 방사선학(과).

radiologisch *a.* 방사선학(과)의.

Radiometeorologie *f.* 전파 기상학.

Radiometer *n.* -s, - 라디오미터, 복사계(輻

R

射計), 방사계.

Radiometrie *f.* 〖物〗 ① (열) 복사 측정. ② (암석의) 방사능 측정.

Radiophonie *f.* 무선 전화(술).

Radioprogramm *n.* -s, -e ① 방송 프로(그램). ② 방송 프로 책자〔안내서〕.

Radiorecorder *m.* -s, - 라디오 리코더(카세트 리코더와 라디오가 붙어 있는 전자 제품).

Radioröhre *f.* -n 〖전자〗 진공관.

Radioskopie *f.* 〖醫〗 방사선 투시법.

Radiosender *m.* -s, - 방송 송신기; 방송국.

Radiosonde *f.* -n 라디오 존데(전파에 의하여 상층 기상을 관측하는 기계).

Radiostation *f.* -en (라디오) 방송국(Rundfunkstation).

Radiostern *m.* -(e)s, -e 〖天·구식〗 전파별.

Radiosteuerung *f.* -en 무선 조종.

Radiotechnik *f.* 무선 통신 공학.

Radiotelegrafie *f.* 무선 전신.

Radiotelegraphie *f.* ↑ ~telegrafie.

Radiotelephonie *f.* -n [..ní:ən] ↑ ~phonie.

Radioteleskop *n.* -s, -e 〖天〗 전파 망원경.

Radiotherapie *f.* -n [..pí:ən] 〖醫〗 방사선 요법.

Radiowelle *f.* -n 전파.

***Radium** [rá:dium] 《lat.》 *n.* -s 〖化〗 라듐(기호: Ra).

Radium≈bestrahlung *f.* 〔구식〕 라듐 조사(照射). **~emanation** *f.* 〖化·구식〗 라돈(Radon). **≈haltig** *a.* 라듐을 함유한. **~heilverfahren** *n.*, **~theraphie** *f.* 〖醫〗 라듐 요법.

Radius [rá:dius] 《lat.》 *m.* -, ..dien [..diən] ①〖數〗 반지름, 반경(약어: r, R). ② 행동 반경; 영역, 지평. ③〖해부〗 요골(橈骨)(Speiche).

Radius·vektor *m.* 〖物·數〗 동경(動徑)(벡터).

Radix [rá:dıks] 《lat.》 *f.* ..dizes [radí:tse:s] ①〖植〗 뿌리. ②〖해부〗 (신경·기관의) 뿌리, 근부(根部).

radizieren [raditsí:rən] *t.* 〖數〗 eine Zahl ~ 어떤 수의 근(根)을 구하다.

Rad≈kappe *f.* (자동차의) 바퀴통 덮개. **~kasten** *m.* 〖기계〗 예비 바퀴〔스페어 타이어〕 보관 칸; 〖海〗 (증기선의) 외륜 덮개. **~kranz** *m.* ① 바퀴의 테, 외륜. ② 톱니바퀴의 톱니 테두리. **~lauf** *m.* 바퀴의 회전.

Radler [rá:dlər] *m.* -s, - ① (특히 südd.) 자전거(↑ Radfahrer). ② (bayr.) ↑ Radlermaß.

Radler·maß *f.* (bayr.) 맥주와 레몬수의 혼합 음료.

Rad≈linie *f.* 〖數〗 (Zykloide) 사이클로이드, 파선(擺線). **~macher, ~maker** *m.* (ndd.) 수레 목수. **~mantel** *m.* ①〔옛뜻〕 둥근 모양의 넓은 외투. ② (타이어의) 외피. **~nabe** *f.* 바퀴통. **~nagel** *m.* 바퀴테 고정 못.

Radom [radó:m] 《engl.》 *n.* -s, -s 레이돔, 레이더 덮개(외부 레이더 안테나 보호용).

Radon [rá:dɔn, radó:n] 《lat.》 *n.* -s 〖化〗 라돈(기호: Rn).

Radotage [radotá:ʒə] 《frz.》 *f.* -n 〔고어〕 쓸데없는 잡담, 허튼소리.

radotieren [radotí:rən] *i.* (h.) 허튼소리를 지껄이다, 시시한 이야기를 늘어놓다.

Rad≈polo *n.* 〖스포츠〗 자전거 폴로(자전거를 타고 스틱으로 공을 치는 여자 구기). **~reifen** *m.* 타이어(Reifen). **~renn·bahn** *f.* 자전거 경주장〔로〕, 벨로드롬. **~rennen** *n.* 자전거 경주. **~satz** *m.* (같은 굴대에 끼운) 한 쌍의 바퀴.

..rädrig *suf.* "…의 바퀴가 달린"의 뜻(보기: vier~ 4 륜의).

Radscha [rá:dʒa] 《hindustan.》 *m.* -s, -s (인도·말레이시아의) 세습 왕족〔귀족〕(에 대한 칭호).

Rad≈schaufel *f.* (물레방아 등의) 회전 물받이, 날개바퀴. **~scheibe** *f.* 〖철도〗 전차대(轉車臺); 윤심반(輪心盤). **~schiene** *f.* 바퀴테. **≈|schlagen*** *i.* (h.) 〖체조〗 옆으로 재주 넘다. **~schloß** *n.* (16 세기 총의) 톱니바퀴식 점화 장치. **~schuh** *m.* (기차 바퀴 앞에 설치하는 쐐기 모양의) 제동 장치. **~speiche** *f.* 바퀴의 살, 스포크. **~sperre** *f.* ↑ ~schuh. **~sport** *m.* 자전거 경기〔경주〕. **~sportler** *m.* 자전거 선수〔경주자〕. **~spur** *f.* 바퀴 자국. **~stand** *m.* 축간 거리, 축거(軸距). **~stern** *m.* (수레의) 별 모양의 바퀴살. **~sturz** *m.* 차바퀴 경사〔캠버〕(바퀴의 윗부분이 안쪽이나 바깥쪽으로 기우는 현상). **~tour** *f.* 자전거 소풍〔하이킹〕. **~umdrehung** *f.* 바퀴의 회전. **~-wanderung** *f.* ↑ ~tour. **~wasser** *n.* 물레방아를 돌리는 물. **~wechsel** *m.* 바퀴〔타이어〕 교체. **~welle** *f.* 바퀴축〔굴대〕. **~-wett·fahren** *n.* 자전거 경주. **~zahn** *m.* 톱니바퀴의 이.

RAF =Rote-Armee-Fraktion 적군파(좌익 테러 조직).

R.A.F. [a:reıέf] 《engl.》 =Royal Air Force 영국 공군.

raf *adv.* (ndd.) (herab) 아래로.

Räf *n.* -s, -e (schweiz.) 등에 메는 바구니, 들것(↑ Reff²).

Rafe *f.* -n 〔방언〕 서까래.

Raff [raf] *m.* -(e)s, -e 〔구어〕 긁어모은 것, 강탈물; 낚아채기, 날치기, 강탈.

Raffael [ráfaεl] *m.* Raffaello Santi ~ 라파엘(이탈리아의 화가, 1483-1520).

rafaelisch *a.* 라파엘(풍)의.

Raffel [ráfəl] *f.* -n 〔방언〕 ① 딸랑이. ②〔폄어〕 **(a)** 크고 흉한 입. **(b)** 가벼운 입. **(c)** 수다스러운 여자, 잔소리가 심한 여자. ③ 갈퀴, 아마를 훑는 빗. ④ 강판.

raffeln [ráfəln] 〔방언〕 《I》 *i.* (h.) ① 딸랑딸랑 울리다. ②〔폄어〕 수다 떨다, 재잘대다, 흉보다. 《II》 *t.* ① (과일·야채 등을) 강판으로 갈다. ② (아마·삼 등을) 빗으로 훑다.

***raffen** [ráfən] 《I》 *t.* ① 홱 낚아채다, 와락 움켜쥐다: sie raffte in aller Eile ein paar Kleider aus dem Schrank 그녀는 황급히 옷 몇 가지를 장롱에서 꺼냈다. ②〔폄어〕 (재물 등을) 긁어모으다, 축재하다: er will immer nur Geld ~ 그는 늘 돈 모으는 데에만 정신이 팔려 있다. ③ (옷·커튼 등을) 걷어올리다, 걷다: beim Treppensteigen raffte sie ihre Schleppe 계단을 오를 때 그녀는 긴 옷자락을 살짝 들어올렸다. ④ (글·보고서 등을) 요약하다. ⑤〔경박〕 알아듣다, 이해하다: hast du's nun endlich gerafft? 이제 드디어 알아들었니? 《II》 *refl.* sich ~ 재빠르게 일어서다: er raffte sich geschwind von seinem Lager 그는 재빨리 침상에서 일어났다.

Raffer [ráfər] *m.* -s, - 〖구어·폄어〗 탐욕스런 사람, 욕심 많은 사람.

Raff≠gier *f.* 〖폄어〗 탐욕. **~gierig** *a.* 〖폄어〗 탐욕에 사로잡힌, 탐욕으로 가득 찬. **~gut** *n.* 강탈〔탈취〕물. **~holz** *n.* 숲속에서 주워 모은 나뭇가지, 삭정이.

raffig *a.* 〖구어·폄어〗 ↑ raffgierig.

Raffinade [rafiná:də] 《frz.》 *f.* -n 정제 설탕.

Raffinade·zucker *m.* ↑ Raffinade.

Raffinat *n.* -(e)s, -e 정제(된 제)품.

Raffination [..tsió:n] *f.* -en (특히 설탕·석유의) 정제(精製).

Raffinement [rafinəmã́:, ..mɛ́nt] *n.* -s, -s ① (특히 예술적·기술적인) 세련미, 섬세, 정교. ② ↑ Raffinesse ①.

Raffinerie [rafinərí:] *f.* -n [..rí:ən] (특히 설탕·석유의) 정제 공장, 정유 공장; 제련소, 정련소.

Raffinesse [rafinɛ́sə] *f.* -n ① 영리, 치밀한 사고, 용의주도한 행동. ② (기술적) 세련, 정교: der Wagen ist mit allen ~n ausgestattet 그 자동차는 온갖 첨단 장비를 갖추고 있다.

Raffineur [..nǿ:r] *m.* -s, -e 펄프 정제기.

raffinieren 《I》 *t.* (설탕·석유·광석 등을) 정제하다, (금속을) 정련하다. 《II》 *i.* (h.) auf 〔über〕 et. ~ 무엇에 관하여 심사숙고하다. 《III》 **raffiniert** *p.a.* ↑ raffiniert.

Raffinier≠ofen *m.* 〖제련〗 정련 (용광)로. **~stahl** *m.* 정련 철강.

raffiniert 《I》 *p.p.* ↑ raffinieren. 《II》 *p.a.* ① 정제〔정련〕된. ② 〖비유〗 세련된, 우아한; 정교한, 치밀한; 영리한, 영리하게 생각해 낸, 능숙한.

Raffiniertheit *f.* -en 세련, 정교, 영리; 세련된〔교활한〕 행동 방식.

Raffinose [rafinó:zə] *f.* -n 〖化〗 라피노스(사탕무·면화씨 등에서 얻은 설탕의 일종).

Raffke [ráfkə] 《<raffen》 *m.* -(s), -s 〖폄어·농담〗 탐욕스러운 사람; 벼락 부자: Familie ~ 무식한 졸부 집안.

Raff·sucht *f.* 〖폄어〗 ↑ ~gier.

Raffung [ráfuŋ] *f.* -en 강탈, 탈취; 요약, 축약.

Raff·zahn *m.* ① 〖구식〗 (특히 맹수의) 송곳니 〔앞니〕. ② 〖구어〗 튀어나온 윗앞니, 뻐드렁니. ③ 〖구어·폄어〗 탐욕스런 사람.

Raft [ra:ft] 《engl.》 *n.* -s, -s 뗏목, 부교.

Rafting [rá:ftɪŋ] 《engl.》 *n.* -s (고무 보트로 하는) 급류타기.

Rag [ræg] 《engl.》 *m.* -(s) ↑ Ragtime 의 단축어.

Rage [rá:ʒə] 《frz.》 *f.* 〖구어〗 격분, 분노; 극도의 흥분 상태: in der ~ 흥분한〔들뜬〕 나머지; in ~ sein 격노해 있다; jn. in ~ bringen 누구를 격분시키다; in ~ kommen〔geraten〕 격분하다.

Rägen *m.* -s (ndd.) 어란(魚卵) (↑ Rogen).

***ragen** [rá:gən] *i.* (h.) 우뚝〔높이〕 솟다, 돌출하다; 〖비유〗 빼어나다, 뛰어나다: Berggipfel ~ in den Himmel 산봉우리들이 하늘높이 솟아 있다.

Ragione [radʒó:nə] 《it.》 *f.* -n (schweiz.) 상업 등기부에 등록된 회사, 등록 회사.

Ragionen·buch *n.* (schweiz.) (상업 등기부에 등록된) 등록 회사 목록.

Raglan [rǽglən, rákla:n] 《engl. <Lord Raglan》 *m.* -s, -s ① 래글런식 외투. ② ↑ Raglanschnitt.

Raglan·ärmel *m.* 래글런 소매. **~schnitt** *m.* 래글런식 재단.

Ragnarök [rágnarœk] 《altnord., „Götterschicksal"》 *f.* 〖북구신화〗 세계의 멸망〔몰락〕.

Ragout [ragú:] 《frz.》 *n.* -s, -s ① 〖요리〗 라구 (스튜 요리의 일종). ② 〖비유〗 뒤범벅, 잡동사니.

Ragoutfin [ragufɛ̃́:] *n.* -(s), -(s) [ragufɛ̃:] 〖요리〗 라구펭(파이 또는 조개 껍데기 속에 넣어 만든 스튜).

Rag·time [rǽgtaɪm] 《engl.》 *m.* ① 래그타임 (당김음을 많이 사용한 미국 흑인의 대중적인 피아노 음악·재즈의 초기 형태). ② 래그타임 풍의 재즈곡.

Rag·wurz [rá:kvʊrts] *f.* 〖植〗 중부 유럽산(産) 난초과 식물(오색 꽃이 피고 곤충처럼 보임).

Rahe [rá:ə] *f.* -n 〖海〗 (돛대의) 활대: mit bloßen ~n 돛을 내리고.

Rahel [rá:(h)ɛl] 《hebr.》 *f.* ① 라헬(여자 이름). ② 〖聖〗 라헬(야곱의 아내, 요셉의 어머니).

***Rahm**[1] [ra:m] *m.* -(e)s (obd.) (생)크림, 유지(乳脂): 〖비유·구어〗 er hat den ~ schon abgeschöpft 가장 좋은 것은 그 녀석이 먼저 차지해 버렸다.

Rahm[2] *m.* -(e)s (berl.) 그을음; 때.

Rähm [rɛ:m] 《<Rahmen》 *m.* -s, -e 〖건축〗 (수평의) 지붕 들보.

Rähmchen [rɛ́:mçən] *n.* -s, - 〖↑ Rahmen 의 축소형〗 작은 틀〔테〕, 작은 액자; 〖印〗 (인쇄기의) 종이 집게〔누르개〕.

***Rahmen** *m.* -s, - ① 틀, 테, 테두리, 액자: 문틀, 창틀, 자수틀; (기계·자동차·자전거 등의) 뼈대, 프레임: das Bild aus dem ~ nehmen 그림을 액자에서 빼내다; nach dem Unfall war der ~ verzogen 사고가 난 후 차체가〔프레임이〕 찌그러졌다. ② 〖비유〗 주변, 환경, 범위; 규격, 규범, 규모, 한계: im ~ bleiben 일정한 한도를 벗어나지 않다; et. im ~ halten 무엇을 한정시키다: den ~ (von et.³) sprengen, über den ~ (von et.³) hinausgehen (무엇의) 틀을〔한계를〕 타파하다〔벗어나다〕; et.³ einen feierlichen ~ geben 무엇에 장중한 분위기를 더하다; aus dem ~ fallen 일정한 규범〔규격〕에서 벗어나다, 눈에 잘 띄다, 돋보이다; ein Geschenk, das aus dem ~ des Üblichen fällt 이색적인 선물; im ~ einer Sache a) 무엇의 범위 내에서, b) 〖격식〗 무엇의 진행 중에, c) 무엇과 관련하여; im ~ des Möglichen 가능한 범위 내에서; im ~ einer Feierstunde 식이 진행되는 동안에; im ~ seiner Entwicklung 그의 발전과 관련하여; sich im ~ von et.³ halten 무엇의 범위 안에 머무르다; in größerem〔kleinerem〕 ~ 큰〔작은〕 규모로; in den ~ von et.³ passen 〔sich in den ~ von et.³ einfügen〕 무엇과 어우러지다, 일치하다; er paßte schlecht in diesen bäuerlichen ~ 그는 이런 시골 환경에는 맞지 않았다. ③ 대다리(구두의 울과 바닥창을 잇대어 꿰맨 곳). ④ 〖印〗 체이스(인쇄 판면을 죄는 쇠테). ⑤ 〖문학〗 (액자 소설의) 액자.

rahmen[1] [rá:mən] *t.* 틀〔테〕에 끼우다, 틀에

끼워 팽팽히 하다.

rahmen[2] 《< Rahm[1]》《I》 *i.* (h.) (우유의) 표면에 크림이 형성되다. 《II》 *t.* 탈지하다, 크림을 〔유지를〕 걷어내다: Milch ~ 우유에서 크림〔유지〕를 빼내다.

Rahmen⸗abkommen *n.* 〖政〗 (세부 규정이 없는) 총괄 협정, 기본 합의. **~antenne** *f.* 〖전기〗 루프 안테나. **~arbeit** *f.* 자수(刺繡). **~bau** *m.* 〖건축〗 골조 공사, 목골 구조. **~-bedingung** *f.* (세부 규정이 유보된) 기본〔한정〕 조건. **~bruch** *m.* (자전거 등의) 프레임 파손. **~einfassung** *f.* 뼈대, 틀. **~erzählung** *f.* 〖문학〗 액자〔틀〕 소설(한 이야기 속에 또 이야기가 들어 있는 소설 형식). **~genäht** *a.* (구두 등의) 가장자리에 봉합선이 있는. **~gesetz** *n.* (일반 원칙만을 규정한) 총괄 법규. **~heer** *n.* 현역군. **~kollektiv·vertrag** *m.* 〖구동독〗 총괄적 노동 계약. **~lafette** *f.* 〖軍〗 틀 모양의 포가(砲架). **~naht** *f.* (구두 창과 가죽을 잇는) 봉합선. **~plan** *m.* 종합적 기본〔전체〕 계획. **~programm** *n.* (행사의) 보조〔부대(附帶)〕 프로그램. **~richt·linie** *f.* (주 정부의 교육부가 정하는) 기본적 교육 방침〔지침〕. **~rohr** *n.* (자전거의 프레임을 구성하는) 파이프. **~säge** *f.* 틀톱. **~sohle** *f.* 대 다리에 잇댄 바닥창. **~spiegel** *m.* 테 두른 거울. **~stickerei** *f.* 자수. **~sucher** *m.* 〖사진〗 이코노미터(카메라의 거리 측정용 투시 파인더). **~tarif** *m.* 총괄적 협정 임금(Manteltarif). **~vereinbarung** *f.* 총괄 협정, 기본 협약. **~vertrag** *m.* (원칙만을 정하는) 기본 협정, 포괄 조약. **~werk** *n.* 뼈대, 틀.

rahm⸗farben, ~farbig *a.* 크림 빛깔의.

rahmig[1] [rá:mɪç] 《< Rahm[2]》 *a.* (berl.) 그을은, 그을음투성이의; 더러운.

rahmig[2] 《< Rahm[1]》 *a.* (obd.) 크림이 많이 들어 있는; 크림 모양의.

..rahmig 《< Rahmen》 *suf.* "…한 테두리의"의 뜻(보기: gold~ 금테의).

Rahm⸗käse *m.* 크림 치즈. **~kuchen** *m.* 크림 케이크. **~löffel** *m.* 크림용 스푼. **~-schnee** *m.* 거품 모양의 크림. **~soße** *f.* 크림 소스.

Rähmlein *n.* -s, - ↑ Rähmchen.

Rahmung *f.* -en ① 틀에 끼움. ② 〔드물게〕 ↑ Rahmen.

rahn [ra:n] *a.* (fränk., hess.) 홀쭉한, 가냘픈, 여윈.

Rahne [rá:nə] *f.* -n (südd.) ① 바람에 꺾인 나무. ② 〖植〗 사탕무.

Rah⸗schiff 《< Rahe》 *n.* 〖海〗 4각 가로 돛을 단 배. **~segel** *n.* 〖海〗 4각 가로돛(돛대 중간에 설치하여 풍향을 조절함).

Raid [re:d, reɪd] 《engl.》 *m.* -s, -s ① 기습, 습격. ② 〖軍〗 정찰, 제한 공격.

Raiffeisen·bank [ráɪf|aɪzən..] *f.* 라이프아이젠 은행, 농업 신용 조합(독일의 농업 협동 조합 창시자 F.W. Raiffeisen 의 이름에서).

Rai·gras [ráɪ..] *n.* -es 〖植〗 독보리 속(호밀풀).

Raillerie [rajərí:] 《frz.》 *f.* -n [..rí:ən] 〔고어〕 농담, 조롱, 야유.

Raimund [ráimʊnt] 라이문트(남자 이름).

Rain [raɪn] *m.* -(e)s, -e ① 밭둑, 논둑; 논밭의 경계. ② (südd.) 비탈, 경사면.

rainen [ráɪnən] 《I》 *i.* (h.) (obd.) an jn. ~ 누구의 논밭과 경계를 접하고 있다; 누구와 이웃하고 있다. 《II》 *t.* 〔구식〕 (논밭을) 구획하다, 경계짓다: ~ und steinen 돌로 경계를 짓다.

Rain·blume *f.* 〖植〗 데이지.

Rainer 라이너(남자 이름; Reiner).

Rain⸗farn *m.* 〖植〗 쑥국화. **~stein** *m.* 경계석. **~weide** *f.* 〖植〗 쥐똥나무의 일종.

Rainung [ráɪnʊŋ] *f.* -en (경작지의) 구획, 경계 설정.

Raison [rɛzɔ̃:] 《frz.》 *f.* 〔드물게〕 이성, 논리 (Räson).

Raize [ráɪtsə] *m.* -n, -n 그리스 정교를 믿는 세르비아 사람.

Raja(h)[1] [rá:jə:] *m.* -s, -s ↑ Radscha.

Raja(h)[2] [rá:ja] 《ar.》 *m.* -, -(s) 라야(오스만 제국 내의 피정복민인 비이슬람 교도).

rajolen [rajő:lən] 《frz.》 *t.* 도랑을 파다, 깊이 갈다(rigolen).

Rake *f.* -n 〖動〗 파랑새(↑ Racke).

Rakel 《ndl.》 *f.* -n ① 〖印·염색〗 (남은 염료를) 긁어내는〔닦아내는〕 도구. ② 〖印〗 (실크 스크린 인쇄 때 스크린을 통해) 색을 문지르는 칼 모양의 도구.

räkeln *refl.* sich ~ 〔구어〕 기지개를 펴다(↑ rekeln).

raken (ndd.) 《I》 *t.* ① 긁다, 깎다; 밀다, 밀치다: sich ~ und straken 싸우다가 화해하다. ② 감동시키다, 마음을 움직이다: das rakt mich nicht 그것은 내게 별 감명을 주지 않는다. 《II》 *i.* (h.) 〖海〗 an〔auf〕 den Grund ~ 좌초하다.

***Rakete** [raké:tə] 《it., „Spindel"》 *f.* -n ① 로켓, 미사일, 분사식 엔진: Interkontinental~ 대륙간 탄도 미사일; mehrstufige ~n 다단계 로켓; eine ~ in den Weltraum schießen 로켓을 우주 공간에 쏘아 올리다; 〔구어〕 wie eine ~ 쏜살같이. ② (쏘아 올리는) 폭죽; 〖軍·고어〗 불화살, 화전(火箭): ~n abbrennen 폭죽을 쏘아 올리다. ③ 〔구어〕 로켓처럼 빠른 물체(경주용 자동차 따위).

Raketen⸗abschuß·rampe *f.* 〖軍〗 미사일 발사대. **~abwehr** *f.* 〖軍〗 적의 미사일 방어. **~angriff** *m.* 〖軍〗 미사일 공격. **~antrieb** *m.* 로켓〔분사식〕 추진(력). **~apparat** *m.* 〖海〗 (해난 구조용) 밧줄 발사기. **~auto** *n.* ↑ ~wagen. **~basis** *f.* 〖軍〗 미사일 발사 기지. **~bestückt** *p.a.* 미사일로 무장한. **~brenn-kammer** *f.* 로켓의 연소실. **~feuer** *n.* 폭죽의 불꽃. **~flugbahn** *f.* 로켓 비행 궤도. **~flugzeug** *n.* 로켓〔분사〕 추진식 비행기. **~hülse** *f.* 폭죽의 화약통; 〖軍·고어〗 화전 약포(藥包). **~schlitten** *m.* (고속 실험용) 로켓 추진 궤도차. **~start** *m.* 로켓〔미사일〕 발사. **~start·tisch** *m.* ↑ ~abschußrampe. **~stock** *m.* 꽃불의 모형; 〖軍·고어〗 화전 모형. **~stufe** *f.* 다단식 로켓의 각 단계. **~stütz·punkt** *m.* 〖軍〗 ↑ ~basis. **~treib-stoff** *m.* 로켓 연료. **~trieb·werk** *n.* 로켓 엔진. **~waffe** *f.* 미사일 무기. **~wagen** *m.* 분사식〔로켓〕 자동차. **~werfer** *m.* 〖軍〗 미사일 발사 장치. **~zeit·alter** *n.* 로켓 시대.

Rakett [rakɛ́t] 《frz.》 *n.* -(e)s, -e/-s 라켓.

Raki 《türk.》 *m.* -(s), -s (아니스씨와 건포도로 만든) 터키 화주.

Ralf 랄프(남자 이름; Ralph).

Ralle [rálə] 《frz.》 *f.* -n 〖動〗 뜸부기.

ralliieren [raliíːrən] 《frz.》 *t.* 〖고어〗 (흩어진 부대를) 다시 모으다, 집결시키다.
Rallye [ráliː, rɛ́liː] *f.* -s [(schweiz.) *n.* -s, -s] 〖스포츠〗 랠리(자동차 경주의 일종).
Rallye-Cross *n.* - 랠리 크로스(Moto-Cross와 비슷한 자동차 경주). **~fahrer** *m.* 랠리 선수.
RAM 《engl.》 *n.* -(s), -(s) 〖컴〗 램(random access memory; 컴퓨터의 기억 장치).
Ramadan [ramadáːn] 《ar., „der heiße Monat"》 *m.* -(s) 라마단(이슬람교도의 금식월; 이슬람교력의 제 9 월로 이 기간 중 일출에서 일몰 시간까지는 먹고 마시는 것이 금지됨).
Ramasan [..záːn] *m.* -(s) ↑ Ramadan.
Ramajana 《sanskr.》 *m.* - 라마야나(인도 민족의 서사시).
Ramasuri [ramazúːri] 《it.》 *f.* (bayr., öst.) 대혼란, 뒤죽박죽.
Rambouillet·schaf [rãbujéːʃaːf] *n.* 랑부예산(産) 양(프랑스 면양의 한 품종).
Rambur [rambúːr] 《frz.》 *m.* -s, -e 람부르 (사과의 일종으로 시큼한 맛이 강함).
Rạmel *n.* -s, - (obd.) ① 껍데기, 외피. ② 푸딩 냄비에 눌어 붙은 더께.
Ramie [ramíː] 《mal.》 *f.* -n [..míːən] 〖植〗 ① 저마(苧麻), 모시풀. ② 라미 섬유.
Ramie-faser *f.* 라미 섬유. **~gewebe** *n.* 라미직(織).
Ramm [ram] *m.* -(e)s, -e ① 〖고어〗 ↑ Rammsporn. ② (schwäb.) 숫양. ③ 〖수의〗 (소나 말의) 슬개골[무릎뼈] 탈구병.
Rạmm·arbeit *f.* 〖건축〗 말뚝 박기 공사.
Rammaschine [rámmaʃiːnə] *f.* 〖건축〗 말뚝 박는 기계.
Rạmm-bär *m.* 〖건축〗 말뚝 박는 메[망치]; (흙을 다지는) 달구. **~block** *m.* ↑ ~bär. **~bock** *m.* ① ↑ Ramm ②. ② 〖고어〗 성벽을 부수는 무기. **~dösig** *a.* 〖구어〗 (머리가) 띵한, 어지러운, 혼미한: dieser Lärm macht mich ganz ~ 시끄러워서 머리가 완전히 돌 것 같다.
Ramme [rámə] *f.* -n 〖工〗 (말뚝 박는) 메, 망치; (흙을 다지는) 달구: 〖비유〗 Mann bei der ~ a) 믿음직한 남자, b) 권력을 쥔 남자.
Rammel [ráməl] 《Ⅰ》 *m.* -s, - ① 〖고어〗 ↑ Rammbär. ② 〖방언〗 숫양. ③ 〖방언·폄어〗 우락부락한 사람. ④ 〖비속〗 성교, 계집질. 《Ⅱ》 *f.* -n ① 〖구식〗 ↑ Ramme. ② 음란한 여자.
Rammelei [raməláɪ] *f.* -en ① 〖구어〗 계속해서 쾅쾅 내려침[두드림]; 계속 툭탁거리며 싸움, 밀치락 달치락함. ② 〖비속〗 성교, 교미.
rạmmelig *a.* ① (토끼가) 발정한, 암내나는. ② 〖비유·구어〗 미친, 돈.
rammeln [rámәln] 《Ⅰ》 *t.* 〖구어〗 때려 박다, 처넣다. 《Ⅱ》 *refl.* sich ~ (특히 아이들이) 툭탁거리며 싸우다. 《Ⅲ》 *i.* (h.) ① **(a)** (토끼가) 교미하다. **(b)** 〖비속〗 성교하다. ② 〖방언〗 마구 뒤흔들다: an der Tür ~ 문을 심하게 흔들다. 《Ⅳ》 **gerạmmelt** *p.a.* ↑ gerammelt.
Rạmmel·zeit *f.* (토끼의) 교미기.
rammen [rámən] *t.* ① 힘껏 때려 박다(처박다): einen Pfahl in die Erde ~ 말뚝을 땅 속에 박다. ② 힘껏[심하게] 들이받다: ein Lkw hat seinen Wagen gerammt 트럭이 그의 차를 들이받았다.
Rạmm-hammer *m.* 말뚝 박는 해머. **~klotz** *m.* ↑ ~bär.
Rammler [rámlər] *m.* -s, - (특히 토끼의) 수컷.
Rạmm-maschine *f.* ↑ Rammaschine. **~schiff** *n.* 〖고어〗 (적을 공격하기 위한) 뾰족한 돌출부를 지닌 전함.
Rạmms-kopf *m.* ↑ ~nase. **~nase** *f.* 콧마루가 둥글게 휜 말의 머리.
rạmm-spörig *a.* (md.) (아무에게나) 마구 화내는, (기분이) 언짢은, 찌무룩한. **~sporn** *m.* 〖고어〗 적선을 부수기 위해 뱃머리에 설치한 뾰족한 돌출부.
Rampe [rámpə] 《frz.》 *f.* -n ① 경사로, 비탈길; (건물 입구의 약간 비탈진) 차대는 곳; (고가 도로·입체 교차로 등의) 경사진 진입로. ② (창고 앞의) 짐 싣는[내리는] 곳; (기차역의) 화물 전용 플랫폼; 부두; 하역장. ③ (로켓·미사일 등의) 발사대(Startrampe). ④ 〖연극〗 (각광이 설치되어 있는) 무대의 제일 앞쪽: an [vor] die ~ treten 무대에 등장하다; 〖구어〗 über die ~ kommen[gehen] 관객들에게 호평을 받다, 성공하다; dieses Drama hat nie das Licht der ~ erblickt 이 희곡은 한번도 상연되지 못했다.
Rạmpen-fieber *n.* (무대에 서기 전의) 극도의 긴장(Lampenfieber). **~licht** *n.* 〖연극〗 각광, 푸트라이트: ins ~ treten 무대에 등장하다; 〖비유〗 im ~ stehen 세상의 주목을 받다, 각광받다.
ramponieren [ramponíːrən] 《it.》 《Ⅰ》 *t.* 〖구어〗 손상[파손]하다, 훼손하다. 《Ⅱ》 **rampo-niert** *p.a.* ↑ ramponiert.
ramponiert 《Ⅰ》 *p.p.* ↑ ramponieren. 《Ⅱ》 *p.a.* 손상된, 파손된: 〖비유〗 das ~e Ansehen des Staates 국가의 실추된 위신.
Rams *m.* -es, -e 〖植〗 (schweiz.) 야생 마늘 (Bärenlauch).
Ramsch[1] [ramʃ] 《frz.》 *m.* -(e)s, -e ① 〖폄어〗 떨이, 싸구려 상품; 잡동사니, 고물: im ~ verkaufen 떨이로[헐값으로] 팔다. ② 〖집합적〗 떨이[덤핑] 책, (잘 안 팔려서) 헐값으로 파는 신간본.
Ramsch[2] 《frz.》 *m.* -(e)s, -e ① 〖카드〗 스카트 놀이의 일종(점수가 가장 많은 사람을 진 것으로 함). ② 〖옛뜻·학생〗 결투의 원인이 되는 학생간의 싸움.
rạmschen[1] *t.* ① 떨이로 싸게 사다. ② 〖구어·폄어〗 탐욕스럽게 긁어모으다[움켜쥐다].
rạmschen[2] *i.* 〖카드〗 ↑ Ramsch[2] ① 을 하다.
Ramscher [rámʃər] *m.* -s, - 싸구려 상품을 사는 사람.
Rạmsch-laden *m.* 싸구려 상품을 파는 가게. **~verkauf** *m.* 헐값에 팔기, 투매. **~ware** *f.* 싸구려[떨이] 상품, 투매품. **~weise** *adv.* 싸구려[떨이]로.
Ran [ran] *f.* 〖북구신화〗 란(바다의 여신).
ran *adv.* 〖구어〗 = heran: ~ an die Arbeit [ans Werk]! 자, 시작하자!
Ranch [rɛntʃ, raːntʃ] 《engl.》 *f.* -(e)s (북아메리카 서부의) 대단위 목장[목축장].
Rancher [rɛ́ntʃər, ráːntʃər] *m.* -s, -(s) 북아메리카의 목장주[목축업자].
***Rand**[1] [rant] *m.* -(e)s, Ränder [rɛ́ndər] ① 가, 가장자리; 변두리, 외곽, 언저리; 테, 테두리, 울타리; 여백, 난외(欄外): Stadt~ 시 외곽; Brillen~ 안경테; dunkle Ränder um die

R

Augen haben 눈 언저리가 거뭇거뭇하다; et. an den ~ schreiben 무엇을 여백에 써넣다; 〖비유〗 jn. an den ~ der Verzweiflung bringen〔treiben〕 누구를 절망으로 몰고 가다; die Krankheit brachte ihn an den ~ des Grabes 〔Todes〕 그는 병으로 목숨이 경각에 이르렀다; 〖비유〗 er ist am ~e seiner Kraft 그는 힘이 다 빠졌다. ② 〖비유·구어〗 (nur) am ~e 덧붙여, 부차적으로, 중요하지 않게; außer ~ und Band sein 상규를 벗어나다, 방종하게 행동하다; (어떤 이유로) 어쩔 줄 모르다; et. zu ~e bringen 무엇을 해내다, 성취하다; mit et.[3] zu ~e kommen 무엇을 잘 해내다; mit jm. zu ~e kommen 누구와 사이좋게 지내다, 누구와 잘 해나가다; et. am ~e bemerken 무엇을 지나는 말로〔덧붙여〕 언급하다; ich habe das nur am ~e miterlebt 나는 그것을 방관자로서 체험했을 뿐이다; das versteht sich am ~e 그것은 말하지 않아도 뻔하다〔자명하다〕. ③ 〖비속〗 주둥이: halt den ~! 주둥이 닥쳐! ④ (obd.) 뛰기, 달리기, 튀기.

Rand[2] *m.* -s, -(s) 랜드(남아프리카 공화국의 화폐 단위; 1 Rand＝100 Cents; 약어: R.).

Randal [randá:l] *m.* -s, -e 〖구어·고어〗 소란, 소동, 행패, 야단법석.

Randale [..lə] *f.* 〖학생〗 난동이 벌어지는 행사〔시위〕, 소란: ~ machen 난동을 벌이다.

randalieren *i.* (h.) 소란〔소동〕을 피우다, 난동을〔행패를〕 부리다: auf der Straße randalierten Betrunkene 거리에서 술 취한 사람들이 난동을 부렸다.

Randalierer *m.* -s, - 난동자.

Rand≈anmerkung *f.* ↑ ~bemerkung. **~ausgleich** *m.* (타자기·식자기 등의) 오른쪽 여백 조정, 우측선 정렬. **~beet** *n.* ① ↑ Vorgewende. ② ↑ Rabatte. **~bemerkung** *f.* ① 난외(欄外)의 주석, 방주(傍註). ② 부수적 언급; 빈정대는 말. **~bezirk** *m.* 변두리 지역. **~dukaten** *m.* 둥근 금화〔은화〕.

Rändchen [rɛ́ntçən] *n.* -s, - 〖↑ Rand 의 축소형〗 작은 테(두리); 좁은 여백.

Rande *f.* -n 〖植〗 (schweiz.) 빨강무(↑ Rahne).

Rand·einstellung *f.* 〖컴〗 여백 주기.

Rändel≈mutter *f.* 〖복수: -n〗 머리 부분이 톱니 모양인 암나사. **~rad** *n.* 룰렛(양재에서 점선을 치는 톱니바퀴).

rändeln [rɛ́ndəln] *t.* (화폐·나사 등의 가장자리에) 톱니 자국을 내다, 톱니 모양으로 만들다.

Rändel·schraube *f.* 머리 부분이 톱니 모양인 나사.

Rändelung *f.* 톱니 자국 내기〔새기기〕.

randen *t.* ① ↑ rändeln. ② (obd.) (지붕을) 널빤지로 이다.

..ränderig *suf.* ↑ ..randig.

Rand·erklärung *f.* ↑ ~bemerkung.

rändern [rɛ́ndərn] *t.* 테를 두르다, 테두리를 하다: schwarzgeränderte Augen 언저리가 거무스름한 눈.

Rand≈erscheinung *f.* 부수〔주변〕 현상. **~figur** *f.* 부차적 인물, 조역. **~gebiet** *n.* ① 변두리 지역, 변경, 교외: Stadt≈ 도시 외곽 지역. ② 별로 중요치 않은 영역, 주변 영역; (학문의) 주변 분야: die ~e der Medizin 의학의 주변 분야. **~gebirge** *n.* 가장자리 산맥. **~glosse** *f.* ↑ ~bemerkung. **~gruppe** *f.* 〖사회〗 소외 집단(하층민·장애자·소수 인종 등). **~härchen** *pl.* 〖植·動〗 섬모(纖毛). **~holz** *n.* 숲 가장자리.

..randig *suf.* "가장자리가 …한"의 뜻(보기: breit~ 가장자리가 넓은).

Rand≈lage *f.* ↑ ~gebiet ①. **~leiste** *f.* (책 페이지의) 테두리〔둘레〕 장식.

randlos *a.* 테(두리)가 없는: ~e Brille 테 없는 안경.

Rand≈löser *m.* (타자기의) 여백 설정 해제 키. **~notiz** *f.* (책의) 여백(에 적은) 메모. **~schrift** *f.* (메달·화폐 등의) 둘레에 새겨 놓은 글씨. **~siedlung** *f.* 교외의 주택지. **~staat** *m.* ① 변경 국가. ② 주변국, 위성국. **~stein** *m.* (인도와 차도를 구분짓는) 연석(緣石) (↑ Bordstein). **~steller** *m.* (타자기의) 여백 조절기. **~streifen** *m.* ① 테두리〔가장자리〕 선. ② 〖도로〗 (차도 양편의) 경계선. **~vermerk** *m.* ↑ ~notiz. **~verzierung** *f.* 둘레〔테두리〕 장식. **≈voll** *a.* 넘칠 듯이 가득 찬: 〖경박〗 er ist ~ 그는 인사불성으로 취했다. **~zeichnung** *f.* 난외〔여백〕의 삽화. **~zone** *f.* ↑ ~gebiet.

Ranft [ranft] 《＜Rand》 *m.* -(e)s, Ränfte [rɛ́nftə] 〖방언〗 ① 빵껍질. ② 빵의 귀퉁이. ③ 〖시어〗 가장자리(↑ Rand).

Ränftchen [rɛ́nftçən] *n.* -s, - 〖방언〗 ↑ Ranft ② 의 축소형.

Ränftlein *n.* -s, - ↑ Ränftchen.

***Rang** [raŋ] *m.* -(e)s, Ränge [rɛ́ŋə] ① 지위, 신분, 서열, 계급; 고위, 고관: er steht im ~(e) eines Hauptmanns 그는 계급이 대위다; im höheren〔tieferen〕 ~ stehen 지위가 높다〔낮다〕; ein Mann von ~ und Würden 지체 높은 남자; ein Mann ohne ~ und Namen 알려지지 않은 평범한 남자; alles, was ~ und Namen hat 각계의 모든 유명 인사들; zu ~ und Würden〔Ehren〕 kommen 명사가 되다; jm. den ~ streitig machen 누구와 자리를 놓고 경쟁하다; jm. den ~ ablaufen 누구를 앞지르다〔능가하다〕. ② 등급, 수준; 질, 류; 중요성: ein Künstler von (hohem) ~ 일류 예술가; ein Hotel dritten ~es 삼류 호텔; ein Problem ersten ~es 대단히 중요한 문제. ③ 〖스포츠〗 순위, 등수; (복권의) 당첨 등수: im zweiten ~ gewinnen 2 등에 당첨되다. ④ 〖연극〗 관람석의 층; 〖스포츠〗 관람석: vor überfüllten〔leeren〕 Rängen spielen 초만원의〔텅 빈〕 관객석 앞에서 연기〔경기〕하다.

rang [raŋ] ↑ ringen 의 과거형.

Rang≈abzeichen *n.* 〖고어〗 계급장(Dienstgradabzeichen). **~älteste*** *der/die* (같은 계급·서열 중의) 최고참자.

Range [ráŋə] 《♧ Rank》 *f.* -n 〔(특히 öst.) *m.* -n, -n〕 ① 버릇없는 아이, 말썽〔장난〕꾸러기, 말괄량이. ② (md.) 암퇘지. ③ (ndd.) 〖植〗 **(a)** 붉은 사탕무. **(b)** 실새삼의 일종.

ränge [rɛ́ŋə] ↑ ringen 의 접속법 Ⅱ 식.

ran|gehen *i.* (s.) 〖구어〗 ① 접근하다(↑ herangehen). ② 목표를 향해 곧장 달려들다: der geht aber ran! 그는 물불 안 가리고 달려든다, 저돌적이다!

Rangelei *f.* -en (끊임없는) 싸움질, 티격태격.

rangeln [ráŋəln] 〖구어〗 《I》 *i.* (h.) ① 맞붙잡

고 싸우다, 아귀다툼하다: um das größte Stück ~ 서로 가장 큰 것을 차지하려고 싸우다. ② 기어오르다. 《Ⅱ》 *refl.* sich ~ 사지를 쭉 뻗고 드러눕다.

Ranger *m.* -s, - (schweiz.) 교수대(↑ Pranger).

Ranger [réɪndʒə] 《engl.》 *m.* -s, -s ① (미군의) 특공 대원. ② (미국의) 기마 순찰 대원.

Rang=erhöhung *f.* 승진, 진급. **~folge** *f.* ↑ ~ordnung. **≈gleich** *a.* 지위〔등급·순위〕가 같은. **~höchste*** *der/die* (한 집단에서) 최고위직(의 사람), 우두머리. **≈höher** *a.* 지위가 비교적 높은, 고위급의.

Rangier=bahnhof [rãʒíːr.., raŋʒíːr..] *m.* 〖철도〗 조차(操車)역. **~dienst** *m.* 조차 근무.

rangieren [rãʒíːrən, raŋ..] 《frz.》《Ⅰ》 *t.* ① (열차를) 조차(操車)하다, 선로를 옮기다: die Güterwagen auf die Ausfahrgleise ~ 화물 열차를 출발 선로로 이동시키다. ② 〖구식·방언〗 정리〔정돈·배열〕하다, 가지런히 하다. 《Ⅱ》 *i.* (h.) (어떤) 지위〔자리〕에 있다: er rangiert gleich hinter〔unter〕 dem Abteilungsleiter 그의 지위는 부장 바로 다음〔아래〕이다; er rangiert im Dienstalter hinter mir 그는 나보다 재직 연한이 짧다; der Intelligenz nach rangiert er ganz vorne 그는 지능이 아주 뛰어나다; in seinem Leben rangierte seine Familie nur am Rand 그의 인생에서 가족은 늘 뒷전이었다; an erster Stelle 〔als erster〕 ~ 수석을 차지하다.

Rangierer [rãʒíːrər] *m.* -s, - 〖철도〗 조차(계)원.

Rangier=geleise *n.* ↑ ~gleis. **~gleis** *n.* 〖철도〗 조차용 선로, 측선(側線). **~lok** *f.* ↑ ~lokomotive. **~lokomotive** *f.* 〖철도〗 조차용 기관차. **~maschine** *f.* ↑ ~lokomotive. **~meister** *m.* 〖철도〗 조차계장.

Rangierung [..ʒíː..] *f.* -en ① **(a)** 〖철도〗 조차, 편성. **(b)** 지위 획득, 자리 차지. ② 〖軍·구식〗 부대 배치.

rangig [ráŋɪç] 《<Range》 *a.* (md.) ① 버릇없는, 못된. ② 난폭한, 거친, 분방한. ③ 욕심 많은, 탐욕스러운.

..rangig *suf.* "특정 지위·의미를 갖는"의 뜻 (보기: erst~ 일등의, 최상의).

Rang=klasse *f.* 관등, 계급; (물품의) 등급. **~liste** *f.* ① 〖軍〗 현역 장교 명부; 고급 공무원 명부. ② 〖스포츠〗 순위표. **~loge** [loːʒə] *f.* 〖연극〗 (칸막이한) 특별(관람)석, 로열 박스. **≈mäßig** *a.* 지위〔서열〕에 따른, 등급순의. **~ordnung** *f.* ① 계급, 등급, 순위, 서열: die Probleme in ihrer ~ betrachten 문제를 중요한 순서대로 고찰하다. ② 〖사회〗 위계 질서, 계급 체계. **~schiff** *n.* 〖海〗 일등 전함, 기함. **≈stolz** *a.* 지위를〔신분을〕 자랑하는, 권세를 믿고 뽐내는. **~stolz** *m.* 지위〔신분〕에 대한 자부심. **~streit** *m.* ↑ ~streitigkeit. **~streitigkeit** *f.* 순위 다툼, 서열 싸움. **~stufe** *f.* ↑ ~ordnung ①. **~sucht** *f.* 지위욕, 명예심. **≈süchtig** *a.* 높은 지위에 집착하는, 명예심이 강한.

Rangun [raŋgúːn] 랑군(미얀마의 수도 양곤의 옛 이름).

Rang·unterschied *m.* 지위〔신분·계급〕의 차이〔구별〕.

ran|halten *refl.* sich ~ 〖구어〗 서두르다; 계속하다, 중지하지 않다.

rank [raŋk] *a.* 〖雅語〗 ① 날씬한, 유연한: ein ~es Mädchen 날씬한 소녀; ~ und schlank 날씬하고 유연한. ② 〖海〗 (배가) 잘 기우는, 안정감이 없는.

***Rank** [raŋk] *m.* -(e)s, Ränke [rɛ́ŋkə] ① (obd.) 길의 굴곡〔만곡〕, 커브(길). ② 〖복수로만〗〖비유·雅語〗 책략, 음모, 간계: Ränke schmieden 〔spinnen〕, mit Ränken umgehen 음모를 꾸미다, 계략을 짜다; er ist voller List und Ränke 그는 권모 술수에 능하다. ③ (schweiz.) 방도, 요령; den (rechten) ~ finden 곤경에서 벗어날 방법을〔묘책을〕 찾아내다.

Ranke[1] [ráŋkə] *f.* -n 〖植〗 덩굴, 넝쿨, 덩굴손〔줄기〕: ~n bedecken die Garagenwand 덩굴이 차고 벽을 뒤덮고 있다; Gurken≈ 오이 덩굴.

Ranke[2] Leopold von ~ 랑케(독일 역사가, 1795-1886).

ränkeln [rɛ́ŋkəln] *i.* (h.) ① (schweiz.) 핑계거리를〔달아날 길을〕 찾다. ② 〖구식〗 다투다.

Ränke·macher 《<Rank》 *m.* ↑ ~schmied.

ranken [ráŋkən] *i.* (h./s.) / *refl.* ① (sich) ~ (식물이) 덩굴을 뻗어 기어오르다〔높이 자라다〕; 덩굴이 휘감아 오르다: die Bohne rankt (sich) an den Stangen in die Höhe 강낭콩이 받침나무를 타고 높이 오른다; Efeu rankt sich um den Baum 담쟁이덩굴이 나무를 타고 기어오른다; ~de Pflanzen 덩굴 식물. ② 〖비유·雅語〗 sich ~ (이야기가) 전개되다: um die Stadt ~ sich viele Geschichten 그 도시는 수많은 이야기들의 중심지다.

Ranken *m.* -s, - 〖방언〗 거칠고 굵은 빵덩어리.

ranken=artig *a.* 〖植〗 덩굴 모양의. **≈füßer** *m.* 〖動〗 만각목(蔓脚目)(착생 생활을 하는 갑각류). **≈gewächs** *n.* 〖植〗 덩굴 식물. **≈werk** *n.* ① 덩굴. ② 〖예술·건축〗 덩굴 무늬 장식, 당초무늬.

Ränke=schmied *m.* 음모꾼, 책략가. **~spiel** *n.* 책략, 술수, 음모. **~spieler** *m.* ↑ ~schmied. **~sucht** *f.* 음모 꾸미기를 좋아함. **≈süchtig** 〖폄어〗 *a.* 음모를 즐기는, 술수에 능한. **≈voll** *a.* 음모로 가득 찬, 교활한, 음흉한.

rankig *a.* 덩굴이 있는, 덩굴로 자라는, 덩굴(손) 모양의.

ran|klotzen *i.* (h.) 〖구어〗 중노동을 하다, 맹렬하게 공부하다.

ran|kriegen *t.* 〖구어〗 jn. zu et.³ ~ 누구에게 힘든 일을 떠맡기다.

Rankūne [raŋkýːnə] 《frz.》 *f.* -n 〖교양·구식〗 원한, 적개심, 앙심.

ran|müssen *i.* (h.) 〖구어〗 an et. ~ 어떤 일을〔과제를〕 떠맡아야 하다.

rann [ran] ↑ rinnen 의 과거형.

rannte [rántə] ↑ rennen 의 과거형.

ran|schmeißen *refl.* 〖비속·폄어〗 sich an jn. ~ 누구에게 알랑거리다, 누구의 환심을 사려고 하다.

Ranunkel [ranúŋkəl] 《lat.》 *f.* -n 〖植〗 미나리아재빗과(科)(의 식물).

Ränzchen [rɛ́ntsçən] *n.* -s, - 〖↑ Ranzen 의 축소형〗 작은 책가방〔배낭〕.

Ranze 《<ranzen》 *f.* -n (bayr., schlesisch)

R

암퇘지; 〖비유〗 음란한 여자.

Ränzel [réntsəl] *n.* -s, - [(nordd.) *m.* -s, -] ① ↑ Ranzen. ②〖옛뜻〗(떠돌이 직인(職人)의)여행 보따리.

ranzen [rántsən] *i.*(h.) ① (여우·오소리 등이) 교미하다, 짝짓기하다. ②〖경박〗퉁명스럽게〔거칠게〕 말하다, 호통치다.

***Ranzen** [rántsən] *m.* -s, - ① **(a)** 〖드물게〗배낭. **(b)** (등에 메는) 책가방: die Bücher in den ~ stecken 책가방 안에 책을 집어넣다. ② 〖비유·구어〗(불룩한) 배: 〖비속〗sich den ~ vollschlagen 엄청나게 먹어대다. ③〖비유·구어〗(곱사)등(Buckel): jm. eins auf den ~ geben 〔jm. den ~ voll hauen〕 누구를 마구 때리다, 흠씬 두들기다; den ~ voll kriegen 심하게 매를 맞다.

Ranzer [rántsər] *m.* -s, - 질책, 호된 꾸지람.

ranzig[1] [rántsɪç] *a.* 교미기의, 발정한; 음란한.

ranzig[2] 《frz.》 *a.* (버터·기름이 변질되어) 맛이〔냄새가〕 고약한: die Butter riecht ~ 버터에서 고약한 냄새가 난다.

Ranzion [rantsió:n] 《frz.》 *f.* -en〖고어〗(전쟁 포로에 대한) 몸값; (나포된 배에 대한) 배상금.

ranzionieren *t.* 〖고어〗(전쟁 포로나 나포된 배를) 몸값을 치르고 구해 내다(freikaufen).

Ränzlein *n.* -s, - 〖↑ Ranz 의 축소형〗 ↑ Ränzchen.

Ranz·zeit *f.* (여우·오소리 등의) 교미기, 짝짓기 철.

Rap [ræp] 《engl.》 *m.* -(s), -s 랩 음악(이야기하듯이 부르는 팝 음악의 한 종류).

Rapé, Rapee [rapé:] 《frz.》 *m.* -s, -s 가루로 된 값싼 코담배.

Rapfen [rápfən] *m.* -s, - 〖動〗잉어의 일종.

Raphael [rá:faɛl, ..fae:l] 《hebr.》 *m.* ① 라파엘(남자 이름). ② 3 대 천사의 하나.

Raphia [rá(:)fia] 《gr.》 *f.* ..phien [..fiən] ① 〖植〗라피아 야자 (나무). ② ↑ ~bast.

Raphia·bast *m.* 라피아 야자의 속껍질.

Raphiden [rafí:dən] 《gr.》 *pl.* 〖植〗(세포 내에 있는) 침상(針狀) 결정(체).

rapid(e) [rapí:t, ..də] 《lat.》 *a.* 급속한, 신속한, 매우 빠른: ein ~er Anstieg der Arbeitslosenquote 실업률의 급속한 증가.

Rapidität *f.* 급속(도), 신속(성), 빠른 속도.

Rapier [rapí:r] 《frz.》 *n.* -s, -e (결투용·펜싱용) 장검(長劍).

rapieren *i.*(h.) ① (과일·야채 등을) 강판으로 갈다. ② (담배잎을) 빻다, 잘게 썰다.

Rapp[1] [rap] 《frz.》 *m.* -s, -e 〖방언〗(포도송이의) 줄기(Traubenkamm).

Rapp[2] *m.* -s, -e (obd.) ①〖動〗까마귀의 일종. ②〖植〗유채.

rapp *a.* (ndd.) 느슨한, (자물쇠가) 잘 채워지지 않는.

Rappe[1] [rápə] 《<Rabe》 *m.* -n, -n ①〖방언〗까마귀. ② 가라말(털빛이 새까만 말): 〖비유〗Schusters ~n 구두; auf Schusters ~n reisen 〔reiten〕 도보로 여행하다; sich auf den tollen ~n schwingen 격분하다, 날뛰며 화를 내다.

Rappe[2] 《mhd., „Krätze"》 *f.* -n 〖수의〗마족발진병(馬足發疹病).

Rappe[3] 《frz.》 *f.* -n 〖구식〗강판(Reibeisen); 이가 거친 줄(Raspel).

Rappel [rápəl] 《⊕ raffen》《I》 *m.* -s, - 〖구어〗발작, 발광, 정신 착란: einen ~ kriegen 발광하다. 《II》 *f.* -n (ndd.) ① 삼빗. ② (↑ Raspel) **(a)** (나무·뿔을 다듬는) 이가 굵은 줄. **(b)** 주방용 강판.

rappelig *a.* 〖구어〗① 미친, 발광한: der Lärm macht mich ganz ~ 이 소음이 나를 완전히 돌게 만든다. ② 침착하지 못한, 초조한, 불안한. ③ 덜그덕거리는, 딸그락거리는.

Rappel⸗kopf *m.* 〖구어〗① 화를 잘 내는 사람; 미쳐 날뛰는 사람, 미치광이. ② 고집쟁이, 고집불통. **~köpfig** *a.* 〖구어〗① 화를 잘 내는, 미치광이의. ② 고집 센, 완고한. **~köpfisch** *a.* ↑ ~köpfig.

Rappell [rapɛ́l] *m.* -s, -e ① 소환(장). ② 〖軍〗점호 (나팔).

rappeln [rápəln] 《⊕ raffen》《I》 *i.*(h./s.) 덜그덕〔딸그락〕거리다, 덜그덕〔덜커덩〕거리며 가다: der Wecker rappelt 자명종이 따르릉하고 울린다; der Wind rappelt an den Fensterläden 바람에 창의 덧문이 덜그덕거린다; der Zug ist über die Brücke gerappelt 기차가 다리 위를 덜커덩거리며 지나갔다; 〖비유·구어〗bei ihm rappelt es (im Kopf) 그는 머리가 좀 이상하다, 제정신이 아니다; 〖아동〗오줌을 싸다. 《II》 *refl.* sich ~ ① 간신히 일어나다. ② 기운을 차리다, 회복되다: endlich rappelte er sich in die Höhe 마침내 그는 기운을 회복하고 벌떡 일어섰다.

rappel·trocken *a.* 〖구어〗바짝 마른.

Rappen [rápən] 《<Rappe[1]》 *m.* -s, - 라펜(스위스 화폐 단위; 100 Rappen=1 Franken; 약어: Rp.).

Rappen·spalter *m.* (schweiz.) 〖폄어〗구두쇠, 수전노.

Rappes [rápəs] 《<Rapp[1]》 *m.* (obd.) 두 번째 짠 포도주.

Rapping [rǽpiŋ] 《engl.》 *n.* -s ↑ Rap.

rapplig *a.* ↑ rappelig.

Rapport [rapɔ́rt] 《frz.》 *m.* -(e)s, -e ①〖특히 軍〗보고(서), 신고: er ist beim Kommandeur zum ~ 그는 보고하러 사령관에게 가 있다; einen ~ schreiben 보고서를 쓰다; jm. ~ erstatten 누구에게 보고하다. ② **(a)** 〖교양〗(상호) 관계, 연관. **(b)** 〖심리〗라포르(최면 요법·정신 분석 치료에서 치료 시술자와 환자 간의 직접적 교감〔소통〕). ③ (직물의) 반복 무늬.

rapportieren *t./i.*(h.) ①〖구식〗보고하다, 알리다. ②〖교양〗관계하다, 교감을 갖다. ③ 〖직조〗(무늬가) 계속 반복되다.

Rapps *m.* -es, -e (nordd.) ① (가볍게) 치기. ② ↑ Rappel 《I》. ③ ↑ Raps.

Rapp·schimmel *m.* 흰 얼룩이 있는 검정말.

rappsen *t./i.*(h.) ↑ rapschen.

Rappuse *f.* ↑ Rapusche.

raps [raps] *int.* 휙, 홱, 싹(물건을 잽싸게 낚아챌 때의 동작을 나타냄): und ~ hat ihm der Hund das Brot weggeschnappt 그리고 휙하고 개가 그에게서 빵을 채갔다.

Raps *m.* -es, -e 〖植〗유채(의 씨).

Raps⸗acker *m.* 유채밭. **~blüte** *f.* 유채꽃.

rapschen [rápʃən] *t./i.*(h.) 〖구어·방언〗낚아채다, 꽉 붙잡다.

Rapse 《<rapsen》 *f.* (ndd.) (↑ Raspel) ①

(나무·뿔 따위를 다듬는) 이가 굵은 줄. ② 주방용 강판.

rapsen *t./i.* (h.) (특히 nordd.) ↑ rapschen.

Raps≈feld *n.* 유채밭. **~kuchen** *m.* (기름을 짜고 남은) 유채씨 찌꺼기, 유채 깻묵. **~öl** *n.* 유채씨 기름. **~saat** *f.* 유채씨.

Raptus [ráptus] 《lat.》 *m.* -, - [..tu:s]/-se ①〖心〗 갑작스런 격분〔흥분〕. ②〖구어〗 ↑ Rappel.

Rapünzchen [rapýntsçən] *n.* -s, - ↑ Rapunzel ①.

Rapünzchen·salat *m.* ↑ Rapünzchen 샐러드.

Rapunze [rapúntsə] *f.* ↑ Rapunzel ①.

Rapunzel [rapútsəl] 《lat.》 *f.* -n ① 들상추. ② 동화 속의 소녀.

Rapusche [rapú:ʃə] *f.* (md.) ① 강탈, 약탈. ② 약탈물, 노획물. ③ 혼란, 뒤죽박죽, 난장판: et. in die ~ geben 무엇을 포기하다; in die ~ gehen〔kommen〕 없어지다.

rar [ra:r] 《lat.》 *a.* 희귀한, 드문, 귀중한: ein ~er Vogel 희귀조; Freunde in der Not sind ~ 어려울 때 도와 주는 친구는 보기 드물다;〖구어〗 sich ~ machen 드물게 나타나다, 보기 어렵다; in letzter Zeit hast du dich ~ gemacht 요새 너 보기 참 어렵구나.

Rarheit *f.* 희귀성, 희소성.

Rarität *f.* -en ① 드묾, 희소, 진귀; 드문 일〔것〕, 희귀〔희소〕 현상: Erdbeben sind hier eine ~ 이곳에서는 지진이 드문 일이다. ② 희귀품, 골동품, 진품(珍品): seine Bibliothek birgt viele ~en 그의 장서에는 희귀본들이 많이 있다.

Raritäten≈kabinett *n.* 골동품 진열실, 희귀품 보관실. **~kammer** *f.* ↑ ~kabinett. **~kasten** *m.* 요지경. **~sammler** *m.* 골동품〔희귀품〕 수집가. **~sammlung** *f.* 골동품〔희귀품〕 수집.

Rarum [rá:rum] *n.* -s, ..ra 희귀본.

Ras 《ar.》 *m.* -, - ① 산봉우리. ② (옛 에티오피아의) 추장, 족장.

rasant [razánt] 《frz.》 *a.* ①〖軍〗 (탄도가) 직선〔수평〕에 가까운. ②〖구어〗 눈부시게 빠른, 번개 같은, 고속의, 맹렬한: eine ~e Karriere 눈부시게 빠른 성공〔출세〕; ein ~er Aufstieg 고속 성장〔발전〕; ein ~er Spurt 맹렬한 전력 질주. ③〖구어〗 매력적인, 열정적인.

Rasanz [razánts] *f.* ①〖軍〗 탄도 수평. ②〖구어〗 무서운 속력, 고속; 매력, 생기발랄, 날렵: mit unheimlicher ~ 무시무시한 속력으로; eine Frau von seltener ~ 드물게 보는 매력적인 여자; er nahm die Kurve mit gekonnter ~ 그는 무서운 속도로 커브를 돌았다.

rasaunen [razáunən] *i.* (h.) 〖구어〗 법석을 떨다, 소란을 피우다, 왁자지껄한 소리를 내다.

Rasauner *m.* -s, - 소란꾼.

***rasch** [raʃ] *a.* ① 재빠른, 신속한, 민첩한; 즉석의: ein ~er Entschluß 신속한 결단; mit ~en Schritten 잽싼 걸음으로; ~ machen 서두르다; ein ~er Kopf 두뇌 회전이 빠른 사람:〖속담〗 wer ~〔gleich, schnell〕 gibt, gibt doppelt 즉석의 도움이 최대〔최선〕의 도움이다. ② 성급한, 경솔한: er hat ein ~es Maulwerk 그는 입이 싸다; mein Mann ist etwas ~ 제 남편은 좀 성급합니다.

Rasch *m.* -es, -e〖직물〗 세루, 사지.

rascheln [ráʃəln] *i.* ① (h.) 바스락〔바삭〕거리다, 바스락〔바삭〕거리는 소리를 내다: Mäuse ~ im Stroh 짚단 속에서 쥐들이 바스락바스락한다; er raschelt immerzu mit der Zeitung 그는 계속 신문을 들척이며 바스락대고 있다. ② (s.) 바스락거리며 지나가다: die Schlange ist durch das Laub davongeraschelt 뱀이 바스락 소리를 내며 나뭇잎 사이로 달아났다.

raschestens [ráʃəstəns] *adv.* 가능한 한 빨리, 즉시로.

Raschheit *f.* 신속성, 민첩성; 성급, 경솔.

rasch≈hin *adv.* 활발히, 힘차게; 민첩하게. **~lebig** *a.* (schnellebig) 황망한, 분주한; 명이 짧은, 단명의.

***rasen** *i.* ① (h.) 미친 듯이 날뛰다; (바다·바람 등이) 노호하다: die Zuschauer rasten vor Begeisterung 관객들이 열광한 나머지 미친 듯이 날뛰었다; er raste vor Eifersucht 그는 질투로 제정신이 아니었다; das Feuer rast 불이 사납게 타오르고 있다; er hat auf dem Ball gerast 그는 무도회에서 미친 듯이 춤추었다. ② (s.)〖구어〗 질주하다, 고속으로 달리다: das Auto raste in den Fluß 그 자동차는 미친 듯이 달려 강물 속으로 추락하였다; er ist mit dem Auto gegen einen Baum gerast 그는 자동차로 나무를 향해 돌진하였다;〖비유〗 die Zeit rast 시간이 쏜살같이 흘러간다.

***Rasen** [rá:zən] *m.* -s, - 잔디, 잔디밭; 경기장: einen ~ anlegen 잔디를 입히다, 잔디밭을 만들다;〖비유〗 er ruht schon lange unter dem ~, ihn deckt schon lange der grüne〔kühle〕 ~ 그는 이미 죽은 지 오래다; er wurde in der 85. Minute vom ~ geschickt 그는 후반 40 분에 퇴장당했다.

rasen≈artig *a.* 잔디와 같은. **~bank** *f.* 잔디 벤치(길게 솟아오른 둔덕에 잔디가 덮여 있는 곳). **~bedeckt** *a.* 잔디로 뒤덮인. **~bekleidung** *f.*, **~belag** *m.*〖軍〗 풀로 만든 위장용 덮개. **~bewachsen** *a.* 잔디가 난. **~bleiche** *f.* 잔디밭에 천을 널고 표백하는 일; 천을 널고 표백하는 풀밭, 표백 장소.

rasend *p.a.* ① 미쳐 날뛰는, 미친〔미칠〕 듯한, 사나운, 맹렬한: jn. ~ machen 누구를 미칠 듯이 짜증나게 하다; der ~e Sturm 사나운 폭풍우; das Feuer breitete sich mit ~er Schnelligkeit aus 불길은 맹렬한 속도로 퍼져 갔다. ② (a) 극렬한, 엄청난, 대단한: ~e Kopfschmerzen 극심한 두통; ich habe einen ~en Hunger 나는 굉장히 배고프다. (b)〖부사적 강조어〗 극도로, 엄청나게, 몹시: ~ viel Geld 엄청나게 많은 돈.

Rasen≈decke *f.* 잔디로 빽빽이 덮인 땅. **~(eisen)erz** *n.*, **~(eisen)stein** *m.*〖광물〗 소철광(沼鐵鑛). **~fläche** *f.* 잔디 덮인 평지, 잔디밭. **~hügel** *m.* 잔디 덮인 언덕. **~läufer** *m.*〖광산〗 얕고 짧은 광맥. **~mäher** *m. f.* 잔디 깎는 기계, 예초기(刈草機). **~mäh·maschine** *f.* ↑ ~mäher. **~meister** *m.*〖방언〗 가죽 벗기는 사람. **~plagge** *f.* (네모나게 뜬) 잔디 떼, 뗏장. **~platz** *m.* 잔디밭. **~sitz** *m.* ↑ ~bank. **~spiel** *n.*〖축구·골프〗 잔디 경기. **~sport** *m.* (↔ Hallensport) ↑ ~spiel. **~sprenger** *m.* 잔디밭 살수기, 스프링클러. **~stechen** *n.* 뗏장 떠내기. **~streifen** *m.* 잔디선〔줄〕. **~stück** *n.* ↑ ~plagge. **~tennis**

n. 잔디 코트에서 하는 테니스. **~teppich** *m.* 〔雅語〕 융단 같은 잔디밭. **~weg** *m.* 잔디밭 길.

Raser [rá:zər] *m.* -s, - 〔구어〕 과속 운전자, 폭주자.

Raserei *f.* -en ① 광란, 미친 짓, 광포한 행위: bis zur ~ 미치도록; jn. zur ~ bringen〔treiben〕 누구를 미칠 듯하게 만들다. ②〔구어〕 질주, 폭주, 과속 주행: die ~ auf der Autobahn 고속 도로에서의 과속.

Raseur [razǿ:r] 《<rasieren》 *m.* -, -e〔구식〕 이발사.

Rasier≈apparat *m.* 전기 면도기. **~becken** *n.* 면도용 그릇. **~creme** *f.* 면도용 크림.

***rasieren** [razí:rən] 《frz.》 *t.* ① 면도기〔칼〕로 깎다, 면도하다: sich³ den Bart ~ (자신의) 수염을 깎다; sich³ die Beine ~ (자신의) 다리를 면도질하다; sich elektrisch〔trocken〕 ~ 전기 면도기로 면도하다; jm. eine Glatze ~ 누구의 머리를 삭발하다〔빡빡 밀다〕. ②〔대개 수동〕〔구어〕 평평하게 하다, 완전히 파괴하다, 쑥대밭으로 만들다: die Straße wurde rasiert 거리가 완전히 쑥밭이 되었다; wenn er sich nicht fügt, wird er rasiert 그놈이 말을 듣지 않으면 처치해 버릴 테다. ③〔경박〕 속임수를 쓰다, 속이다: sich ganz schön ~ lassen 감쪽같이 속다.

Rasierer *m.* -s, - 전기 면도기.

Rasier≈flechte *f.* 〖醫〗 (면도 독기(毒氣)로 인한) 백선(白癬), 버짐. **~klinge** *f.* 안전 면도날. **~messer** *n.* ① 면도칼. ②〖動〗 맛조개의 일종. **~pinsel** *m.* 면도솔. **~schaum** *m.* 면도용 크림의 거품. **~seife** *f.* 면도용 비누. **~sitz** *m.* 〔농담〕 (영화관 등의) 맨 앞줄의 좌석(면도할 때처럼 고개를 뒤로 젖혀야 하기 때문). **~spiegel** *m.* 면도용 거울. **~wasser** *n.* ① 면도용 (더운) 물. ② 면도용 화장수(Aftershave). **~zeug** *n.* 면도 도구.

rasig [rá:zıç] *a.* 〔드물게〕 잔디가 깔린.

Räson [rɛzɔ̃:] 《frz.》 *f.* 〔구식〕 이성, 분별, 통찰: ~ annehmen 도리를 따르다〔지키다〕, 분별 있게 행동하다; jn. zur ~ bringen 누구를 이성적인〔분별 있는〕 행동을 하게 하다; zur ~ kommen 분별력 있게〔이성적으로〕 되다, 철이 들다.

räsonabel [rɛzoná:bəl] *a.* 이성적인, 분별 있는.

Räsoneur [rɛzonǿ:r] *m.* -s, -e ①〔구식〕 불평가; 다변가, 요설가. ②〖연극〗 해설자역.

räsonieren *i.*(h.) ①〔구식·방언〕 큰 소리로 불평을 늘어놓다, 투덜거리다, 욕하다. ②〔교양·반어〕 꼬치꼬치 따지다, 장황하게 이야기하다, 궤변을 늘어놓다: ~de Bibliographie 주석을 붙인 참고 문헌.

Räsonnement [rɛzɔnəmã:] *n.* -s, -s 〔교양〕 이성적 판단, 신중한 반성, 논리적 추론.

Raspa 《sp.》 *f.* -s 〔(구어) *m.* -s, -s〕 (1950 년경에 유행한 6/8 박자의) 라틴 아메리카의 사교춤.

Raspe [ráspə] 《frz.》 *f.* -n (ndd.) ① ↑ Raspel ①. ②〖수의〗 마족 발진병(馬足發疹病) (↑ Rappe²). ③〖植〗 원추화서(圓錐花序) (↑ Rispe). ④ 선태류(蘚苔類)의 일종.

Raspel [ráspəl] *f.* -n ① (나무·뿔·가죽 등을 다듬기 위한) 이가 굵은 줄. ② (과일·야채 등을 가는) 부엌용 강판.

Raspel≈barsch *m.* 〖動〗 비늘이 거친 농어속(屬). **~brot** *n.* 프랑스 빵. **~haus** *n.* (강제 노역을 시키는) 교도소.

Raspeln 《<Raspel》 *pl.* (특히 초콜릿·코코넛을) 강판으로 간 것.

raspeln *t.* ① (나무·뿔·가죽 등을) 줄로 다듬다, 줄질하다. ② (과일·야채 등을) 강판으로 갈다: Äpfel〔Möhren〕 ~ 사과를〔당근을〕 강판에 갈다.

raß [ra:s] *a.* ↑ räß.

räß [rɛ:s] *a.* (obd.) ① (음식·음료가) 얼얼한, 칼칼한, 톡 쏘는: ein ~er Schnaps 톡 쏘는 독주. ② (바람이) 매서운, 살을 에는 듯한. ③ (짐승, 특히 말이) 사나운, 길들이기 힘든. ④ (사람, 특히 여자가) 표독스런, 쌀쌀맞은. ⑤ (농담이) 음탕한.

***Rasse** [rásə] 《frz.》 *f.* -n ① (**a**) (동·식물의) 종, 종류, 품종: eine reine ~ 순종; eine gekreuzte ~ 잡종; eine neue ~ züchten 신품종을 재배〔사육〕하다; zwei ~n kreuzen 두 품종을 교배하다; das liegt in der ~ 그것은 유전이다. (**b**) 〖生〗〔↑ Art 의 하위 구분〕 아종(亞種) (Unterart). ② (Menschenrasse) 인종, 종족: die gelbe〔weiße〕 ~ 황인종〔백인종〕; jn. wegen seiner ~ diskriminieren 누구를 인종 차별하다; 〔농담〕 die Ärzte sind schon eine seltsame ~ 〔eine ~ für sich〕 의사들은 좀 별난 사람들이다, 별종이다. ③〔구어〕 혈기, 열정, 활력: sie hat ~ 〔sie ist eine Frau von ~〕 그녀는 성격이 활달하다, 열정적이다; das Pferd hat ~ 이 말은 혈기왕성하다; ~ haben〔sein〕 a) 명문 출신이다, b) (말이) 순종이다; mit〔von〕 Rasse 명문 출신의, 훌륭한, 순종의. ④ 포도주의 독특한 맛.

rasse≈betont *a.* 인종〔종족〕 중심적인, 인종〔종족〕을 강조하는. **~bewußt** *a.* 인종〔종족〕 의식이 강한. **~hund** *m.* 순종의 개.

Rassel [rásəl] *f.* -n 딸랑이, 딸랑거리는 장난감.

Rassel·bande *f.* 〔구어〕 개구쟁이〔말썽꾸러기〕 패거리.

Rasselei *f.* -en 끊임없이 딸랑거림.

Rassel·geräusch *n.* ① 딸랑거리는 소리. ②〖醫〗 (폐에서 나는) 수포음(水泡音).

***rasseln** [rásəln] *i.* ① (h.) 딸랑〔딸그락〕거리다, 쩔그렁 소리를 내다: mit dem Schlüsselbund ~ 열쇠 뭉치를 쩔그렁거리다; ein ~des Geräusch beim Atmen 숨쉴 때 나는 그르렁거리는 소리. ② (s.) (**a**) 쩔그렁 소리를 내며 나아가다: die Gepanzerten rasselten ins Gemach 갑옷을 입은 병사들이 쩔그렁 소리를 내며 방으로 들어갔다. (**b**) 〔비유·구어〕 durchs Examen ~ 시험에 떨어지다.

Rassen≈biologie *f.* 인종 생물학. **~diskriminierung** *f.* 인종 차별. **~forscher** *m.* 인종 학자. **~forschung** *f.* 인종 연구. **~frage** *f.* 인종 문제. **~gesetz** *n.* 〖政〗 인종 차별법. **~haß** *m.* 인종적 증오, 민족간의 반감. **~hetze** *f.* 인종 차별 선동. **~hygiene** *f.* 인종〔민족〕 우생학. **~hygienisch** *a.* 우생학상의. **~kampf** *m.* 인종간의 분쟁. **~krawalle** *pl.* 인종 폭동〔소요〕. **~kreuzung** *f.* 이종(異種) 교배, 혼혈. **~kunde** *f.* 인종학. **~merkmal** *n.* 인종적 특징〔특질〕. **~mischung** *f.* (~kreuzung) 인종 혼합, 혼혈. **~pflege** *f.* ↑ ~hygiene. **~politisch** *a.* 인

종 정책상의. **~problem** *n.* ↑ ~frage. **~psychologie** *f.* 인종 심리학. **~schande** *f.* 인종적 치욕(나치의 용어: 유대인과 아리아인의 성관계). **~seelen·kunde** *f.* ↑ ~psychologie. **~trennung** *f.* 인종의 차별적 분리, 인종 분리. **~unruhen** *pl.* 인종 소요〔폭동〕(~krawalle). **~vermischung** *f.* ↑ ~mischung ①.

Rasse≈pferd *n.* 순종의 말. **~rein** *a.* 순수 혈통의, 순종의. **~reinheit** *f.* 순수 혈통, 순종. **~veredelnd** *a.* 품종 개량의.

rassig [rásıç] *a.* ① 순종의, 우량종의, 혈통이 좋은; (말이) 혈기 왕성한, 윤기가 자르르 흐르는: ein ~es Pferd 품종이 우수한 말. ② 훌륭한, 탁월한; (특히 여자가) 생기발랄한, 정열적인, 매력적인: ein ~es Mädchen 생기 넘치는 소녀; ihre Vortragsweise war ~ 그녀의 연주〔강연〕 솜씨는 훌륭하였다. ③ (포도주가) 향긋한, 독특한 맛이 나는.

rassisch *a.* 인종적인, 인종에 관한: aus ~en Gründen 인종상의 이유로.

***Rassismus** [rasísmus] *m.* - ① 인종 차별주의. ② 인종 차별〔학대〕: der ~ der Nazis 나치의 인종 차별.

Rassist *m.* -en, -en 인종〔민족〕 차별주의자.

rassistisch *a.* 인종〔민족〕 (차별)주의적인.

***Rast** [rast] *f.* -en ① (특히 여행·소풍 중의) 휴식, 휴게, 쉼: ~ machen 휴식하다, 쉬다; er gönnt sich keine ~ 그는 잠시도 쉬지 않는다; 〖雅語〗 ohne ~ und Ruh 쉬지 않고, 쉴 틈없이; weder ~ noch Ruh haben〔finden〕 쉴 틈이 없다. ②〖제련〗 용광로의 불룩 튀어나온 중간 부분.

Raste [rástə] *f.* -n ①〖기계〗 멈춤〔안전〕 장치, 제동기. ② (이발소 의자의) 발 디딤대.

Rastel [rástəl] 《lat.》 *n.* -s, - ① (öst.) 쇠그물, 철망, 격자 철책, 체. ② (obd.) (식탁 위의) 나이프 받침.

Rastel·binder *m.* (öst.) 〖구식〗 ① 체 만드는 사람(Siebmacher). ② (이곳저곳으로 돌아다니며 일하는) 땜장이(Kesselflicker).

rasten [rástən] *i.* (h.) 쉬다, 휴식하다: 〖속담〗 wer rastet, der rostet 쓰지 않으면 녹이 슨다; nun rastet des Sturmes Wut 이제 폭풍이 가라앉는다; nicht ruhen und ~ 쉬지 않고 일하다.

Raster[1] [rástər] 《lat.》 *m.* -s, - ①〖印·사진〗 망판, 망판 스크린, 그물판 유리; (망판에 의한) 점 구성〔구도〕. ②〖건축·畫〗 (바둑판식의) 괘선판(설계용). ③〖교양〗 판단〔사고〕의 틀〔체계〕, 자료 검색 체계: ein grober ~ 대강의〔거친〕 판단 기준; es paßt nicht in das ~〔es fällt durch das ~〕 그것은 상식의 틀에서 벗어난다; jeden Menschen in einen ~ einordnen 모든 사람을 하나의 틀〔기준〕에 맞추어 분류하다.

Raster[2] *n.* -s, - (특히 텔레비전의) 주사선(走査線).

Raster≈ätzung *f.* 〖印〗 망판 인쇄(를 위한) 부식(腐蝕), 망판 에칭(Autotypie). **~fahndung** *f.* 컴퓨터를 이용한 범인 수배, 컴퓨터 수사. **~mikroskop** *m.* 주사식(走査式) 전자 현미경.

rastern *t.* (그림·영상을) 무수한 점으로 분해하다, 망판화하다.

Raster≈punkt *m.* (인쇄 그림이나 텔레비전 화면의) 주사점(走査點), 영상의 점. **~tunnel·mikroskop** *n.* 〖工〗 래스터터널 현미경. **~zahl** *f.* 〖TV〗 주사선수(數).

Rast≈gärung *f.* 〖양조〗 불완전 발효. **~haus** *n.* ↑ ~stätte. **~hof** *m.* ↑ ~stätte. **~lager** *n.* 〖軍〗 휴식 막사〔캠프〕; 야영.

rastlos *a.* ① 쉬지 않는, 부단한, 꾸준한: ~ tätig sein 끊임없이 활동하다. ② 불안한, 안절부절 못하는, 차분〔침착〕하지 못한.

Rastlosigkeit *f.* 쉼 없는 움직임, 부단한 활동.

Rast≈ort *m.* ↑ ~platz. **~platz** *m.* ① 쉴 만한 곳, 휴식처. ② (고속 도로변의 휴게 시설을 갖춘) 주차장.

Rastral [rastrá:l] 《lat.》 *n.* -s, -e 〖음악〗 악보용 오선펜.

rastrieren *t.* 오선을 긋다.

Rast≈stätte *f.* (특히 고속 도로의) 휴게소. **~stunde** *f.* 휴식 시간. **~tag** *m.* (여행 중의) 휴식일.

Rasur [razú:r] 《<radieren》 *f.* -en ① 면도, 면도질: das Gesicht nach der ~ mit After Shave einreiben 면도 후 얼굴에 애프터 셰이브 로션을 바르다; eine saubere ~ 말끔한 면도. ② 지우기, 삭제; 지운 자리〔자국〕.

***Rat** [ra:t] 《원뜻 „Vorrat an Lebensmitteln"》 *m.* -(e)s, Räte [rɛ́:tə] ①〖고어〗 대비, 저장: et. zu ~e halten 무엇을 절약하다, 아껴 쓰다; seine Gesundheit zu ~e halten 건강에 주의하다. ② 좋은 생각, 묘안, 해결책, 방도: da bleibt kein anderer ~ 지금 다른 해결책은 없다; (für et.) ~ schaffen (무엇에 대한) 해결책을 마련하다; ~ (für et.) wissen (무엇에 대해) 어떻게 해야 할 지를 알고 있다, 방책을 알다; sich[3] keinen ~ (mit et.[3]) wissen (무엇에 대해) 어떻게 해야 할지를 모르다, 속수무책이다; er weiß in allen Dingen ~ 그는 어떤 일에도 막히는 법이 없다; was ~s? 어찌하면 좋을까? ; auch diesmal wird wieder ~ werden 이번에도 다시 무슨 수가 생길 거야; es ist nicht ~, das zu tun 그렇게 하는 것이 상책은 아니다; 〖격언〗 kommt Zeit, kommt ~〔die Zeit bringt ~〕 때가 오면〔기다리면〕 좋은 수가 생긴다. ③ 충고, 조언, 권고; 제의, 제안, 의견: ein fachmännischer ~ 전문가의 조언; einen ~ (von jm.) annehmen (누구의) 충고를 받아들이다; jm. den ~ geben, et. zu tun 누구에게 무엇을 하라고 충고하다; jn. um ~ fragen〔sich[3] bei jm. ~ holen〕 누구에게 조언을 구하다; gegen js. ~ handeln 누구의 충고를 듣지 않다; auf js. ~ (hin) 누구의 권고에 따라; jm. mit ~ und Tat beistehen〔zur Seite stehen〕 누구를 전면적으로 지원하다, 온갖 방법으로 돕다; da ist guter ~ teuer 몹시 어려운 상황이다. ④ 협의, 상의, 상담: (mit jm. über et.) ~ halten〔~(s) pflegen, zu ~e gehen〕 (누구와 무엇에 대해) 상담〔협의〕하다; mit sich ~ halten〔zu ~e gehen〕 스스로 깊이 생각해 보다; 〖구식〗 zu ~(e) sitzen 함께 앉아 상의하다; jn. zu ~e ziehen 누구와 상담하다, 누구의 조언을 듣다; einen Arzt zu ~e ziehen 의사의 진찰을 받다; et. zu ~ ziehen 무엇을 참조하다; ein Wörterbuch zu ~e ziehen 사전을 참조하다. ⑤ 숙고, 신중, 용의주도: mit ~ muß man Krieg führen 전쟁은 신중히 해야 한다; 〖격언〗 habe ~ vor der

R

Tat 행동하기 전에 깊이 생각하라. ⑥ (신의) 뜻, 결정, 의지: es ist bestimmt in Gottes ~ 그것은 신의 뜻 속에 예정된 것이다, 누구도 바꿀 수 없다. ⑦ (a) 심의〔의결〕 기구, (심)의회, 협의회, 자문회, 평의회, 위원회: Bundes≈ (독일 연방 의회의) 상원; Stadt≈ 시의회; Minister≈ 〖구동독〗 내각 평의회; der ~ für Gegenseitige Wirtschaftshilfe (구동유럽권의) 경제 상호 협력〔원조〕 회의, 코메콘(약어: RGW); Rundfunk≈ 방송 위원회; der Große ~ (스위스의) 주의회; der Hohe ~ (고대 예루살렘의) 최고 평의회〔재판소〕; den ~ einberufen 협의회〔위원회〕를 소집하다; in den ~ gewählt werden 의원〔위원〕으로 선출되다; im ~ sitzen 협의회〔위원회〕의 일원이다. (b) (프롤레타리아 독재를 수행하는) 혁명 평의회, 인민 위원회, 인민 대표자 회의, 소비에트: alle Macht den Räten! 모든 권력을 소비에트로! ⑧ (a) (협의회·위원회 등의) 의원, 위원, 고문: jn. zum ~ wählen 누구를 위원으로 선출하다. (b) 고급 관리〔공무원〕에 대한 칭호, 공적이 있는 사람에 대한 명예 칭호: Ministerial≈ (행정부 각부의) 사무관; Geheimer ~ 국왕 자문 위원, 추밀(원) 고문(관); Frau ~ 고문관 부인(Rätin).

Rät [rɛ:t] *n.* -s 〖지질〗 후기 트라이아스기(紀), 트라이아스계(系)의 최상층.

rät ↑ raten 의 3 인칭 단수 현재형.

Ratanhia·wurzel [ratánia..] 《indian.》 *f.* 〖植〗 라타니아 뿌리(약재로 사용됨).

Rate [rá:tə] *f.* -n 할부; 할부금, 분할 납입금, 부금: Monats≈ 〔monatliche ~〕 월부(금); et. auf ~n kaufen 무엇을 할부로 사다; in vier ~n 4 회 분할로; mit drei ~n im Rückstand sein 납입금을 3 회 체납하고 있다; am 1. April ist die zweite ~ fällig 4 월 1 일이 두 번째 할부금 납부 만기일이다.

..rate *suf.* "…율·비율"의 뜻(보기: Geburten~ 출생률; Wachstums~ (경제) 성장률).

Räte≈demokratie *f.* 인민 민주주의. **~freistaat** *m.* (Sowjetrußland) 소비에트 러시아(1991 년 12 월 해체). **~kongreß** *m.* 소비에트 연방 회의.

raten [rá:tən] (riet, geraten) 《I》 *i.* (h.) / *t.* ① 추측〔짐작〕하다, 알아맞히다: ein Rätsel ~ 수수께끼를 풀다; jm. ein Rätsel zu ~ aufgeben 누구에게 수수께끼를 내다; 〖방언〗 auf jn. 〔et.〕 ~ 누가〔무엇이〕 아닌가 하고 생각하다; rate mal, wer heute zu Besuch kommt! 오늘 누가 오는지 맞혀 봐!; das rätst du nie! 너는 결코 알아맞히지 못할거야!; falsch geraten! 틀렸어!; das habe ich nur so geraten 그냥 그렇게 추측해 보았을뿐이야; hin und her ~ 온갖 추측을 다 해보다; 〖반어〗 dreimal darfst du ~ 그것은 자명한 일이다. ② 충고〔조언〕하다, 권하다: jm. gut〔richtig〕 ~ 누구에게 좋은〔올바른〕 충고를 하다; jm. et. 〔zu et.³〕 ~ 누구에게 무엇을 충고〔권〕하다; jm. ~, et. zu tun 누구에게 무엇을 하도록 충고〔권〕하다; zu dieser langen Reise kann ich dir nicht ~ 너에게 그렇게 긴 여행을 하라고 권할 순 없다; das möchte ich dir (auch) geraten haben! 그렇게 하는 게 좋을 거야! (내 말 듣는 게 좋을 거야); sich³ von jm. ~ lassen 누구의 조언을 받아들이다; laß dir ~! 말 좀 들어라!; 〖격언〗 wem nicht zu ~ ist, dem ist auch nicht zu helfen 충고를 듣지 않는 사람은 도움을 받을 수 없다; das eine rate ich dir, laß dich nie wieder vor mir sehen! 한 가지 충고해 두겠는데, 두 번 다시 내 눈 앞에 나타나지 마라!; sich³ nicht zu raten (noch zu helfen) wissen 어찌할 바를 모르다, 속수무책이다; ich halte es für geraten 그것이 바람직하다고 생각한다(↑ geraten²). ③ 〖대개 약변화〗 상담〔협의〕하다. 《II》 **geraten** *p.a.* ↑ geraten.

Raten≈betrag *m.* 할부 금액, 분할 지급액. **~geschäft** *n.* 할부 판매〔거래〕. **~kauf** *m.* 할부 구매. **~wechsel** *m.* 〖금융〗 분할급 어음. **≈weise** *adv.* 할부로. **~zahlung** *f.* ① 분할 지급, 분납. ② (1 회) 할부금 지급〔납부〕: die erste ~ erfolgt im Januar nächsten Jahres 1 차 할부금은 내년 1 월 중에 납입된다. **~zahlungs·kredit** *m.* 분할 상환 신용 대출.

Rater 《<raten》 *m.* -s, - 알아맞히는 사람, 수수께끼 푸는 사람; 예측〔예언〕자, 점쟁이.

Räter [rɛ́:tər] *m.* -s, - ↑ Rätien 의 사람.

Räte≈regierung *f.* 인민 대표제 정부, (구소련의) 소비에트 정부: die Bayrische〔Münchner〕 ~ (1919 년의) 바이에른〔뮌헨〕 인민 공화국. **~republik** *f.* 인민 공화국. **≈russisch** *a.* 소비에트 러시아의. **~rußland** *n.* 소비에트 러시아(1991 년 12 월 해체).

Rate·spiel *n.* 알아맞히기 놀이, 퀴즈 게임.

Räte≈staat *m.* 소비에트 국가. **~system** *n.* 소비에트 체제, 인민 대표자 회의 체제.

Rate·team *n.* 퀴즈 게임 팀.

Rat≈fragen *n.* 상담, 협의, 자문. **~geber** *m.* ① 조언자, 상담원, 고문, 카운셀러. ② 안내 책자, 참고서, 입문서; ~ für Berufsanfänger 직업 초년생〔신입 사원〕을 위한 안내 책자. **~haus** *n.* 시청: 〖비유〗 im ~ sein 시의원으로 일하고 있다; ins ~ kommen〔einziehen〕 시의원으로 선출되다. **~haus·saal** *m.* 시청 회의실.

Rätien [rɛ́:tsiən] (Raetia) 래티아(고대 로마의 속주로 오늘날 스위스의 Graubünden 주에 해당됨).

Ratifikation [ratifikatsió:n] 《lat.》 *f.* -en 〖法〗 (국제 조약에 대한 의회의) 비준, 승인, 추인, 재가.

Ratifikations·urkunde *f.* 비준서.

ratifizieren [ratifitsí:rən] *t.* 〖法〗 ① (의회가 조약을) 비준하다. ② (국가 원수가 조약을) 승인하다.

Ratifizierung *f.* -en 비준, 승인.

Rätin [rɛ́:tɪn] *f.* -nen ↑ Rat ⑧ 의 여성형.

Ratio [rá:tsio] 《lat.》 *f.* 〖교양〗 (Vernunft) 이성, 분별력, 오성; 도리.

Ration [ratsió:n] 《lat.》 *f.* -en 배급〔할당〕량; 정량; 〖軍〗 하루치의 양식; 일정량의 말먹이: Brot≈ 빵 배급량; die eiserne ~ 비상 휴대 식량; jn. auf halbe ~ setzen 누구의 먹을 것〔식사량〕을 줄이다.

rational *a.* ① (a) 합리적인. (b) 이성적인, 이해력이 있는, 현명한: jn. ~ überzeugen 누구를 조리 있게 설득하다. ② 〖數〗 유리수의: ~e Zahl 유리수.

Rationalisator [..zá:tɔr, ..to:r] *m.* -s, -en [..tó:rən] 〖經〗 합리적 경영 수임자(受任者).

rationalisieren 《frz.》 *t.* ① 합리화하다, 단일화〔통일〕하다. ② (산업을) 합리화〔구조 조

정·재조직〕하다: Landwirtschaft ~ 농업을 합리화하다. ③〘心〙(행동·생각 등을) 합리화〔정당화〕하다.
Rationalisierung *f.* -en 합리화.
Rationalisierungs·maßnahme *f.* 합리화 조처.
***Rationalismus** [ratsionalísmus] *m.* - ①〘哲〙합리론, 합리주의, 이성론. ② 합리주의적 사고.
Rationalist *m.* -en, -en 합리주의자, 이성론자.
Rationalistin -nen *f.* ↑ Rationalist 의 여성형.
***rationalistisch** *a.* ① 이성에만 따르는. ②〘哲〙합리주의의〔적인〕.
Rationalität *f.* ① 합리성. ②〘心〙합리적〔이성적〕사고〔행동〕.
rationell [ratsionέl] 《frz.》 *a.* ① ↑ rational ①. ② 합목적적인. ③ 경제적인; 절약하는, 검소한.
rationen·weise *adv.* 1 일분씩; 일정량씩.
rationieren *t.* (일정량을) 분배〔배당〕하다, 할당하다, 배급하다.
Rationierung *f.* -en 배당, 분배, 배급.
rätlich [rέ:tlıç] *a.*〘고어〙① 충고의. ② 추천〔권장〕할 만한.
***ratlos** [rá:tlo:s] *a.* 어찌할 바를 모르는, 당황한: er sah mich ~ an 그는 어찌할 바를 모르고 나를 쳐다보았다: sie machte ein ~es Gesicht 그녀는 당혹한 표정을 지었다.
Ratlosigkeit *f.* 당황, 속수무책.
Rätoromane [rεtoromá:nə] *m.* -n, -n (레토로만어를 사용하는 스위스의 소수 인종인) 레토로만 사람.
rätoromanisch [rε:toromá:nıʃ] *a.* 레토로만(인·어)의: die ~e Sprache, das ~(e) 레토로만어.
ratsam [rá:tza:m] *a.* ① ↑ rätlich ①②. ② (obd.) 영리한.
rats≈bedürftig [rá:ts..] *a.* 충고를〔조언을〕필요로 하는. **~beschluß** *m.* 시의회의 결의. **~bote** *m.* 시청의 사환.
ratsch [ratʃ] 《I》 *int.*〘의성어〙(찢거나 자르거나 깎을 때 나는 소리) 죽죽, 직직, 박박, 쫙쫙. 《II》 *adv.* ① 갑자기. ② (ndd.) 전혀.
Ratsche [rá(:)tʃə] *f.* -n ① (obd.) ↑ Rassel. ②〘기계〙래치트(반대로 돌지 못하게 하는 일종의 톱니바퀴). ③ (obd.) 삼을 훑는 빗. ④〘농담〙수다쟁이, 요설가.
Rätsche [rέ(:)tʃə] *f.* -n ↑ Ratsche ①.
ratschen [rá(:)tʃən] *i.* (h.) ① 쫙쫙 (찢는) 소리를 내다; 달그락달그락 소리나다; 북북 긁다. ② 재잘〔종알〕대다. ③ 삼을 훑다.
rätschen [rέ(:)tʃən] *i.* (h.) ↑ ratschen ①.
Rätscher *m.* -s, -〘軍〙① 속사포. ② 착발 신관(着發信管)이 있는 탄환.
***Rat≈schlag** [rá:t..] *m.* ① 충고, 조언, 권고: Ratschläge geben〔erteilen〕 충고를〔조언을〕하다; Ratschläge erbitten 충고를 구하다; js. ~ folgen 누구의 충고를 따르다. ② 협의, 회의. * **~schlagen** *i.* (h.) 상담〔협의〕하다, 숙의하다. **~schlagung** *f.* 심의, 토의; 숙의. **~schluß** *m.* ①〘고어〙결의(決意), 결의(決議), 의결. ②〘宗〙신의 의지: nach Gottes unerforschlichem ~ (부고(장)에서) 하느님〔신〕의 신비한 뜻에 따라. **~schreiber** *m.* ↑ Ratsschreiber.
Rats·diener *m.* ↑ ~bote.
***Rätsel** [rέ:tsəl] 《< raten》 *n.* -s, - ① 수수께끼; 그림 퀴즈(Bilder~); 낱말 맞추기(Buchstaben~); 크로스워드 퍼즐(Kreuzwort~): jm. ein ~ aufgeben 누구에게 수수께끼를 내다,〘비유〙어려운 문제를 내놓다; ein ~ raten 수수께끼를 알아맞히다; ein ~ lösen 수수께끼를 풀다; vor einem ~ stehen 어려운 문제에 직면하다. ②〘비유〙비밀, 신비; 정체 불명의 사람, 이해할 수 없는 것: in ~n sprechen 이해할 수 없는 말투로 말하다; das bleibt〔ist〕 mir ein ~ 그것은 내게는 수수께끼이다. ③ 작은 악마; 양미간을 찌푸린 사람.
Rätsel≈aufgabe *f.* 퀴즈〔수수께끼〕문제. **~deuter** *m.* 퀴즈〔수수께끼〕를 푸는 사람. **~dichter** *m.* 퀴즈〔수수께끼〕문제를 내는 사람. **~ecke** *f.* (신문·잡지의) 퀴즈란. **~frage** *f.* ① 퀴즈 문제. ② 난제. **~freund** *m.* 퀴즈〔수수께끼〕풀기를 좋아하는 사람.
rätselhaft [rέ:tsəlhaft] *a.* 수수께끼 같은, 신비스러운, 풀 수 없는; 의심스러운; 난해한; 애매한: eine ~e Geschichte 수수께끼 같은 이야기; ein ~es Wesen 불가사의한 존재.
Rätselhaftigkeit *f.* -en ↑ rätselhaft 의 명사형.
Rätsel·löser *m.* 퀴즈〔수수께끼〕푸는 사람.
rätseln *i.* (h.) ① 수수께끼를 내다; 수수께끼 같은 말을 하다, 애매하게 말하다. ② 추측〔억측〕하다; 골똘히 생각하다.
Rätsel≈raten *n.* ① 수수께끼 풀기〔놀이〕. ②〘비유〙추측, 억측: das ~ um die Frage, wie das geschehen konnte 그런 일이 어떻게 일어날 수 있었는가에 대한 추측. **~spruch** *m.* 수수께끼 말. **~voll** *a.* 풀기 어려운, 수수께끼같은; 비밀에 싸인. **~zeitschrift** *f.* 퀴즈〔수수께끼〕잡지. **~zeitung** *f.* 퀴즈〔수수께끼〕신문.
Rats≈herr *m.* 시의회 의원; (Patrizier) 명망가, 문벌가. **~herrlich** *a.* 시의회 의원의. **~kammer** *f.* ① 회의실. ②〘방언〙재판소. **~keller** *m.* 시청의 지하 식당〔주점〕. **~kollegium** *n.* 시의회, 시참사회. **~mann** *m.*, **~mitglied** *n.*, **~person** *f.* 시의회 의원. **~saal** *m.* 시회의실. **~schreiber** *m.* 시의회 서기. **~sitzung** *f.* (시의회) 회의. **~stube** *f.* ↑ ~zimmer.
rätst [rε:tst] ↑ raten 의 2인칭 단수 현재형.
Rats·tag *m.* 시의회.
rat≈suchend *a.* 조언을 구하는. **~suchende*** *der/die* 조언을 구하는 사람.
Rats≈versammlung *f.* (시의회) 회의. **~verwandte** *m.* ↑ ~mitglied. **~wahl** *f.* 시의원 선거. **~zimmer** *n.* (시의회〔시청〕의) 회의실.
Rattan [rátan] *n.* -s 등나무지팡이〔줄기·회초리〕.
***Ratte** [ráte] *f.* -n ①〘動〙쥐(집쥐·들쥐·산쥐; ↑ Maus):〘비유〙wie eine ~ schlafen 숙면하다;〘구어〙auf die ~ spannen 정신을 바짝 차리다;〘속담〙die ~n verlassen das sinkende Schiff 쥐는 가라앉는 배에서 도망친다(믿을 수 없는 사람은 위험이 닥치면 도망친다). ②〘비유〙잡꾸러기;〘욕설〙역겨운 사람; 헤엄 잘 치는 사람(Wasser~);〘발레〙매력적으로 춤을 추는 아가씨: diese miese ~ 이 더

러운 놈. ③〔구어〕(독일식 볼링에서) 잘못 던짐: er schob hintereinander drei ~n〔Ratzen〕그는 연거푸 세 번 실패하였다. ④ (md., ndd.) 변덕.

Rattel *f.* -n 딸랑이 장난감(↑ Raspel ②).

Ratteler *m.* -s, ↑ Rattler.

ratteln *i.* (h.) ↑ rattern.

Ratten≈bekämpfung *f.* 쥐 잡기 (운동). **~falle** *f.* 쥐덫. **~fänger** *m.* ① 쥐잡는 개; 쥐잡는 사람; 〔비유〕(민중) 선동자: der ~ von Hameln 유괴자, 유혹자(중세 때 피리를 불어 하멜른시(市)의 쥐를 몰아내 주었는데 보상이 없어 어린이들을 모두 유괴했다고 함). ② 쥐덫 파는 사람. ③ 강모(剛毛). ④ 모자의 일종. **~gift** *n.* 쥐약; (특히) 삼산화이비소(三酸化二砒素). **≈kahl** 《I》 *a.* 완전히 벗어진; 완전히 빈. 《II》〔radikal 의 구어체〕*adv.* 전적으로, 완전히: ~ abscheren 완전히 다 깎다. **~könig** *m.* ① 악마. ② 꼬리가 서로 얽힌 몇 마리의 쥐. ③〔비유〕(여러 사건의) 얽힘: ein ~ von Prozessen 복잡하게 얽힌 소송 사건. **~nest** *n.* 쥐굴. **~pfeffer** *m.*〔植〕두루미냉이속(屬)의 식물(꿀풀과). **~pinscher** *m.* ↑ Rattler ①. **~pulver** *n.* 가루 쥐약. **~schlange** *f.*〔動〕쥐잡이왕뱀(인도산(産)). **~schwanz** *m.* ① 쥐꼬리. ② 가는 댕기머리. ③ 말의 털 없는 꼬리; 꼬리에 털이 없는 말; 〔수의〕말꼬리병의 한 가지. ④ 괴깔 있는 피륙의 접은 주름. ⑤ 꼭지가 긴 배의 일종. ⑥ 작고 둥근 줄(鑢). ⑦〔비유〕(어떤 좋지 않은 것의) 끝없는 연속. **~schwänzchen** *n.* 〔농담〕짧고 가늘게 땋은 머리. **~tod** *m.* ↑ ~gift.

Rätter [rɛ́tər] *m.* -s, - 〔*f.* -n〕〔工〕〔건축〕체, 어레미, (광석의) 선별기: 〔비유〕durch die ~ fallen 기대에 어긋나다.

rattern [rátərn] 《⊕ rasseln》 *i.* (h.) 딸가닥거리다; 딸가닥〔달그락〕거리며 나아가다.

rättern [rɛ́tərn] *t.* (sieben) 체로 치다, 가려내다, 선별하다.

Rätter·wäsche [rɛ́tər..] *f.* 세광(洗鑛).

Rattler [rátlər] *m.* -s, - ① ↑ Rattenfänger ①. ②〔방언〕은백양(Espe).

Rat·versammlung *f.* 시의회 회의(↑ Ratsversammlung).

Ratz [rats] 《<Ratte》 *m.* -es, -e (obd.) ① ↑ Ratte. ②〔動〕(악취를 풍기는) 족제비. ③〔動〕뒤쥐의 일종. ④〔動〕겨울 잠쥐; 잠꾸러기: wie ein ~ schlafen 숙면하다. ⑤ 햄스터.

Ratze[1] [rátsə] *f.* -n ①〔구어〕↑ Ratte. ② (독일식 볼링에서) 헛던짐.

Ratze[2] *m.* -s, - 〔학생〕↑ Ratzefummel 의 약칭.

Ratze≈fummel *m.* 〔학생〕고무지우개. **≈kahl** *a.* ↑ rattenkahl 《I》.

Rätzel [rɛ́tsəl] *n.* -s, - ① 함께 붙은 눈썹. ② 양 눈썹이 붙은 사람.

ratzen [rá(:)tsən] *i.* (h.) ① ↑ ratschen. ② 찢다; 긁다. ③〔비유〕숙면하다.

***Raub** [raup] *m.* -(e)s, 《드물게》 -e ① **(a)** 빼앗음, 강탈, 약탈; 강도; 횡령: einen ~ begehen 강도질하다; auf ~ ausgehen 약탈하러 가다; vom ~ leben 〔vom ~ sich nähren〕강도질로 먹고 살다. **(b)** 유괴: Kindes≈ 어린이 유괴. ② 약탈물, 전리품: den ~ verbergen〔verteilen〕약탈물을 은닉〔분배〕하다; js. ~ werden 〔jm. zum ~ fallen〕누구의 먹이가 되다, 희생이 되다; das Haus wurde ein ~ der Flammen 집이 다 타버렸다. ③〔시어〕die Bienen sammeln der Blumen süßen ~ 꿀벌이 꽃의 달콤한 꿀을 모으다; süßer ~ 강제로 한〔빼앗은〕키스. ④ (wie) auf den ~, im ~e 황급히, 서둘러서; 〔광물〕auf den ~ bauen 마구 채굴하다. ⑤ (obd.) 풍요, 풍부; 이득(Ertrag). ⑥〔방언〕짧은 방문, 얼굴을 내밂.

Raub≈anfall *m.* 약탈을 위한 습격. **~ausgabe** *f.* 해적판, 무단 출판물.

raubbar *a.* 빼앗을〔강탈할〕수 있는.

Raub≈bau *m.* 〔農〕(자연 자원의) 무분별한 개발, 과도한 경작; 남벌(濫伐); 〔광물〕남굴(濫掘); 〔비유〕낭비, 남용: 〔비유〕mit et.³ ~ treiben 무엇을 남용하다; das ist ~ mit der Gesundheit 그것은 건강을 해치는 일이다. **~begierde** *f.* 탐욕, 착취욕(~gier). **≈begierig** *a.* 약탈욕이 있는(≈gierig). **~druck** *m.* ① 불법 인쇄〔복제〕: ein Buch im ~ herstellen 어떤 책의 해적판을 찍어내다. ② 해적판(책). **~ehe** *f.* 약탈 결혼.

***rauben** [ráubən] 《I》 *t.* ① jm. et. ~ 누구에게서 무엇을 빼앗다: jm. die Ehre 〔das Herz, den Atem〕~ 누구의 명예를 훼손하다〔마음을 사로잡다, 숨을 막히게 하다〕; sich durch nichts seine Überzeugung ~ lassen 자신의 신념을 결단코 바꾸지 않다; 〔비유·농담〕einem Mädchen einen Kuß ~ 강제로 어떤 소녀에게 입을 맞추다. ② 유괴하다: ein Kind ~ 어린아이를 유괴하다. ③〔고어〕jn. ~ 누구의 물건을 빼앗다. 《II》 *i.* (h.) 약탈〔강탈〕하다; (맹수가) 먹이를 잡다〔찾다〕; 〔광산〕동바리를 제거하다; 〔광산〕남굴(濫掘)하다: 〔카드〕der niedrigste Trumpf raubt 끗수가 가장 낮은 패를 가진 자는 그것을 내놓고 대신 다른 패를 가질 수 있다.

***Räuber** [rɔ́ʏbər] *m.* -s, - ① 약탈자; 도둑, 강도; 노상 강도; 해적: ~ und Gendarm 술래잡기 놀이; er ist unter die ~ gefallen 〔geraten〕a) 그는 도둑들에게 걸려들었다, b) 〔비유〕그는 못된 패에 휘말렸다〔이용당했다〕; ~ der Herzen 난봉꾼(Herzensdieb). ②〔비유〕**(a)** 육식 동물(Raubtier). **(b)**〔방언〕초의 타다 남은 심지(Lichtschnuppe). **(c)** 헛가지. **(d)** 종이〔책장〕의 귀접이한 부분(Eselsohr). **(e)**〔化〕안티몬(Antimon).

Räuber·bande *f.* 강도의 일당, 도둑떼.

Räuberei *f.* -en 약탈〔강탈〕행위; (노상) 강도질.

Räuber≈geschichte *f.* ① 도둑〔강도〕이야기. ②〔구어·반어〕황당무계한 이야기: was erzählst du denn da wieder für ~n! 너는 도대체 또 무슨 황당무계한 이야기를 하는 거냐! **~gesindel** *n.* ↑ Raubgesindel. **~hauptmann** *m.* 도둑의 두목〔괴수〕. **~höhle** *f.* 도둑의 소굴: 〔비유〕hier sieht's ja aus wie in einer ~ 여기는 돼지 우리 같다.

Räuberin *f.* -nen ↑ Räuber 의 여성형.

räuberisch *a.* ① 노상 강도 같은, 탐욕스러운: 〔광산〕~ bauen 남굴(濫掘)하다. ② 육식성의: ein ~es Tier 육식 동물.

räubern 《I》 *i.* (h.) 강도질을 하다. 《II》 *t.* 강탈〔약탈〕하다: einen Laden ~ 상점을 털다.

Räuber≈nest *n.* ↑ ~höhle. **~pistole** *f.* 〔비유〕↑ ~geschichte. **~roman** *m.* 〔문학〕의

적 소설. **~schar** *f.* ↑ ~bande. **~volk** *n.* 약탈을 일삼는 사람들, 군도(群盜). **~zivil** *n.* 〖구어·농담〗 단정하지 않은〔더러운〕 옷.

Raub≈fisch [ráup..] *m.* 육식어. **~fliege** *f.* 〖動〗 왕파리속(屬). **~gesindel** *n.* 강도단, 노상 강도의 일당. **~gier** *f.* 약탈욕, 탐욕, 착취욕. **≗gierig** *a.* 약탈욕이 강한, 탐욕적인. **~gut** *n.* 약탈품; 전리품. **~katze** *f.* 살쾡이. **~kopie** *f.* (상품의) 무단〔불법〕 복제. **~krieg** *m.* 침략〔약탈〕전(쟁). **~lust** *f.* ↑ ~gier. **~mord** *m.* 강도 살인. **~mörder** *m.* 강도 살인범. **~pressung** *f.* ① 불법 음반 제작. ② 불법 음반. **~ritter** *m.* (중세 말기 도둑으로 영락한) 기사, 노상 강도. **~schiff** *n.* 해적선. **~schloß** *n.* 도둑 기사의 성(城). **~staat** *m.* 침략국: die ~en 북아프리카의 바바리 제국(모로코·알제리·튀니지). **~sucht** *f.* ↑ ~gier. **≗süchtig** *a.* ↑ ≗gierig. **~tat** *f.* 약탈〔강도〕 행위. **~tier** *n.* 육식 동물; 맹수. **~tier·käfig** *m.* 맹수의 우리. **~überfall** *m.* 약탈 습격. **~vogel** *m.* 육식조, 맹금. **~wild** *n.* 〖사냥〗 (사냥 대상의) 육식 동물. **~zeug** *n.* 〖사냥〗 (사냥 대상이 안 되는) 해를 끼치는 동물. **~zug** *m.* 약탈 행위.

***Rauch** [raux] *m.* -(e)s ① 연기: dichter〔dicker〕 ~ 짙은 연기; in ~ (und Flammen) aufgehen 타 없어지다, 연기처럼 사라지다; das Haus ging in ~ und Flammen auf 그 집은 완전히 타버렸다; 〖비유〗 in ~ aufgehen〔sich in ~ auflösen〕 (일이) 수포로 돌아가다; Fleisch in den ~ hängen 고기를 훈제하다; der ~ beißt in die〔den〕 Augen 연기로 눈이 맵다; 〖구어〗 ~ in der Küche 부부 싸움; 〖속담〗 kein ~ ohne Flamme 아니 땐 굴뚝에 연기나랴. ② 증기, 김, 안개; 〖비유〗 허무(한 꿈), 무상(한 것): ~ ist alles irdische Wesen 이 세상의 모든 일은 덧없는 꿈과 같다; alles ist Schall und ~ 만사가 덧없다, 헛되다; 〖비유〗 hinter ihm steigt ein ~ auf 그는 허풍을 떤다. ③ (obd.) 그을음. ④ 〖방언〗 굴뚝, 연통; 난로; 부뚜막(Herd); 아궁이; 가택(家宅).

rauch 《↔ rauh》 *a.* ① 털이 난; (zottig) 텁수룩한, 숱〔털〕이 많은; 〖植〗 강모(剛毛)가 있는: 〖農〗 ~es Holz 아직 잎이 달려 있는 나무. ② (md.) 천연의; 거친(rauh).

Rauch≈abteil *n./m.* 〖철도〗 (객차의) 흡연칸(Raucherabteil). **~abzug** *m.* 굴뚝. **~altar** *m.* 분향단. **~belästigung** *f.* 연기 피해. **~bier** *n.* 〖양조〗 표면 발효 맥주. **~bombe** *f.* 〖軍〗 연막탄.

***rauchen** [ráuxən] 《I》 *i.* (h.) ① 연기〔증기〕가 오르다. ② 연기가 나다, 그을다; 김이 나다: 〖化〗 ~de Salpetersäure 발연(發煙) 질산; ~de Schwefelsäure 발연 황산; warme Speisen ~ 더운 음식에서 김이 나다; aus einer Pfeife ~ 파이프 담배를 피다; 〖비유〗 es raucht a) 연기가 나다, b) 싸움〔분쟁〕이 일어나다; heute raucht's! 오늘은 공기〔형세〕가 험악하다!; 〖비유〗 vor Zorn〔Arbeit〕 ~ 매우 화를 내다〔바쁘다〕; er arbeitet, bis ihm der Kopf raucht 그는 머리가 멍해지도록〔아프도록〕 열심히 공부한다. 《II》 *t./i.* (h.) ① 흡연하다: eine Zigarre ~ 엽궐련을 피우다; ≗ verboten! 금연!; darf hier geraucht werden? 여기서 담배를 피워도 됩니까?; 〖구어〗 wie ein Schlot〔Schornstein〕 ~ 심하게 흡연하다. ② ↑ räuchern.

Raucher [ráuxər] *m.* -s, - ① 흡연자. ② ↑ Raucherabteil의 약칭.

Räucher·aal *m.* 훈제 뱀장어.

Raucher·abteil *n.* 〖철도〗 (객차의) 흡연칸.

Räucher·apparat *m.* 훈제 기계.

Räucherei *f.* -en 훈제(품 제조) 공장.

Räucherer *m.* -s, - (생선의) 훈제품 제조(업)자.

Räucher≈essenz *f.* 훈제용 향료〔향유〕. **~essig** *m.* 방향초(芳香酢). **~faß** *n.* 〖宗〗 (매다는) 향로(香爐) (Rauchfaß). **~fisch** *m.* 훈제 생선. **~gefäß** *n.* ↑ ~faß. **~hering** *m.* 훈제 청어.

Raucher·husten *m.* 흡연자의 (만성) 기침.

räucherig *a.* ① 연기가 자욱한〔가득 찬〕; 그을린; 〖구어〗 숨막히는. ② 담배를 피우고 싶은. ③ 희미하게 연기가 나는: es riecht ~ 어딘가 연기 냄새가 난다.

Raucherin *f.* -nen ↑ Raucher ① 의 여성형.

Räucher≈kammer *f.* 훈제실; 흡연실. **~kerze** *f.* 향기 나는 양초. **~lachs** *m.* 훈제 연어. **~männchen** *n.* 향기 내는 초의 방향을 내뿜는 작은 남자상(像).

räuchern [rɔ́ʏçərn] 《I》 *t.* (고기·생선 등을) 훈제하다; 훈증(소독)하다: Fisch ~ 생선을 훈제하다; geräucherter Aal 훈제 뱀장어; 〖구어〗 laß dich ~! 저리 가! 《II》 *i.* (h.) (향을) 피우다: mit Weihrauch ~ 향을 피우다; 〖비유〗 jm. ~ 누구의 비위를 맞추다, 아양떨다.

Räucher≈papier *n.* 방향지(芳香紙). **~pfanne** *f.* ↑ Rauchfaß. **~pulver** *n.* 가루 향료. **~schale** *f.* 향그릇. **~schinken** *m.* 훈제 햄. **~speck** *m.* 훈제 베이컨. **~stäbchen** *n.* 막대 모양의 향료.

Räucherung *f.* -en 훈제, 훈증; 분향.

Raucher·wagen *m.* (열차의) 흡연자용 객차.

Räucher≈waren *pl.* 훈제(燻製)품. **~werk** *n.* 향료, 훈증 향료.

Rauch≈fahne *f.* 길게 뻗은 연기. **~fang** *m.* ① (화덕과 굴뚝 사이의 깔때기 모양의) 연통: 〖비유〗 eine Schuld in den ~ schreiben (장부에서) 부채를 지워 주다. ② (öst.) 굴뚝. **~fang·kehrer** *m.* (öst.) 굴뚝 청소부. **~farbe** *f.* 연기 빛. **≗farben, ≗farbig** *a.* 연기 빛깔의. **~faß** *n.* 〖宗〗 (매다는) 향로. **~fleisch** *n.* 훈제 고기. **≗frei** *a.* ↑ vauchlos. **~fuß** *m.* 깃털 있는 (새의) 발(Rauhfuß). **≗füßig** *a.* 발에 깃털이 있는(rauhfüßig). **≗gar** *a.* ①《<rauch》 모피를 무두질한. ②《<Rauch》 (생선 등을) 훈제한. **~gas** *n.* 〖工〗 매연. **≗geschwärzt** *a.* 그을어 검게 된. **~glas** *n.* 흐린〔부옇게 만든〕 유리. **≗grau** *a.* 연기처럼 잿빛인. **~handel** *m.* 모피 장사. **~händler** *m.* 모피 상인. **~helm** *m.* 소방 헬멧.

rauchicht *a.* 〖고어〗 ↑ rauchig.

rauchig *a.* ① (räucherig) 연기가 자욱한; 그을린. ② 연기처럼 보이는, 타는 냄새가 나는: Whisky mit einem ~en Geschmack 단내가 나는 위스키. ③ (목소리가) 낮고 거친, 약간 쉰.

Rauch≈kabinett 《<Rauch》 *n.* ↑ ~zimmer. **~kammer** *f.* ① (증기 기관차의) 연실(煙

室). ② 건조실. ③ 훈제실. **~kanal** *m.* ↑ ~rohr. **~kater** *m.* 흡연 과다증(술에 취한 듯한 상태). **~kugel** *f.* 발연탄.
rauchlos *a.* 연기 없는, 무연의: 〖軍〗 ein ~es Pulver 무연 화약.
Rauch=maske *f.* (소방관의) 가스 마스크(호흡 보호용). **~massen** *pl.* 구름처럼 피어나는 연기, 연무(煙霧). **~melder** *m.* 연기 탐지기, 화재 경보기. **~nächte** *pl.* 〔방언〕 ↑ Rauhnächte. **~ofen** *m.* 발연통(發煙筒). **~opfer** *m.* ① 가스 질식 희생자. ② 〖宗〗 헌향(獻香). **~pfanne** *f.* (매다는) 향로. **~pulver** *n.* ↑ Räucherpulver. **~quarz** *m.* 〖광물〗 연수정(煙水晶). **~rohr** *n.* 연통. **~salon** *m.* 흡연실. **~säule** *f.* 연기 기둥. **~schirm** *m.* 〖軍〗 연막. **~schrift** *f.* (비행기가 만든 광고용) 공중 문자. **~schwach** *a.* 매연이 적은. **~schwaden** *m.* 짙은 연기. **~schwalbe** *f.* 〖動〗 바늘꼬리칼새. **~schwarz** *a.* 그을어 검어진; (기름 연기처럼) 시커먼. **~seite** 《<rauch》 *f.* (모피의) 털이 나 있는 쪽. **~stube** *f.* ↑ ~zimmer. **~tabak** *m.* 연초, 담배. **~tisch** *m.* 흡연 용구를 놓는 작고 둥근 탁자. **~topas** *m.* 〖광물〗 연수정(煙水晶). **~verbot** *n.* 금연. **~verbrennung** *f.* 완전 연소. **~vergiftung** *f.* 매연〔연기〕 중독. **~verzehrer** *m.* 완전 연소 장치; (실내 공기 정화용) 담배 연기 흡인 장치. **~verzehrung** *f.* 완전 연소. **~verzehrungsapparat** *m.* ↑ ~verzehrer. **~vorhang** *m.* 〖軍〗 연막. **~waren** 《<rauch》 *pl.* ① 모피 제품. ② 담배류.
Rauchwaren=handel *m.* 모피상. **~händler** *m.* 모피 상인. **~messe** *f.* 모피류 박람회.
Rauch=werk *n.* ① 《<Rauch》 향료(Räucherwerk). ② 《<rauch》 모피류. **~wolke** *f.* 연기 구름. **~zeichen** *n.* 발연 신호. **~zimmer** *n.* 흡연실.
räud *a.* (obd) (knorrig) 옹이가〔혹이〕 있는.
Raude [ráudə] *f.* -n ↑ Räude.
Räude [rɔ́ydə] *f.* -n ① 〖動〗 (가축의) 옴 (Krätze); 〖植〗 창가병(瘡痂病). ② (obd.) 딱지(Schorf).
Räuder *n.* -s, - (ndd.) ↑ Ruder.
Raudi 《<Rowdy》 *m.* -s, -s 무법자; 싸움꾼.
räudig 《<Raude》 *a.* 비루먹은, 옴에 걸린, 딱지가 있는: eine ~e Katze 비루먹은 고양이; 〔비유〕 ein ~es Schaf 주위에 악영향을 끼치는 놈, 골칫거리 (인물); 〖속담〗 ein ~es Schaf steckt die ganze Herde an 비루먹은 양 한 마리가 양 전체를 전염시킨다(미꾸라지 한 마리가 온 웅덩이를 흐린다).
Räudigkeit *f.* ↑ räudig 의 명사형.
Raue [ráuə] *f.* -n (md.) 문상객에 대한 대접.
rauf [rauf] *adv.* 〔구어〕 이 위로(↑ herauf); 〖드물게〗 그 위에, 그 후에(↑ darauf).
Raufbold [ráufbɔlt] *m.* -(e)s, -e 싸움쟁이, 깡패.
Rauf·degen *m.* ① 결투용 칼〔검〕. ② ↑ ~bold.
Raufe [ráufə] *f.* -n ① 건초 없는 시렁. ② 아마 훑는 빗; 〖軍〗 총가(銃架).
***raufen** [ráufən] 《♧ rupfen》 《I》 *t.* 잡아뽑다, 쥐어뜯다; (아마 등을) 훑다: jn. ~ 누구의 머리카락을 잡아당기다; sich verzweifelnd die Haare 〔das Haar, im Haar〕 ~ 절망하여 머리카락을 쥐어뜯다. 《II》 *i.* (h.) / *refl.* (sich) mit jm. ~ 누구와 싸움질을 하다: du hast dich mit ihm um das Geld gerauft 너는 돈 때문에 그 남자와 싸웠구나.
Raufer *m.* -s, - ① ↑ Raufbold. ② 싸움 잘하는 짐승〔개〕.
Rauferei *f.* -en 싸움(질), 드잡이.
Rauf=handel *m.* ↑ Rauferei. **~lust** *f.* ↑ ~sucht. **~lustig** *a.* ↑ ~süchtig. **~messer** *n.* (양털깎기용) 작은 칼. **~sucht** *f.* 투쟁욕, 호전성. **~süchtig** *a.* 싸움을 좋아하는, 호전적인.
Rauft *m.* (schweiz.) 겉껍질, 껍데기; 빵 덩어리.
Rauf·wolle *f.* 뜯은 양털.
Rau·graf [ráugra:f] 《<rauch》 *m.* 중세 Rhein 지방의 백작 (가문의 칭호).
Rauh [rau] *f.* (ndd.) (↑ Ruhe) 침묵, 평온.
***rauh** *a.* ① (↔ glatt) 거친, 거칠거칠한; 편평하지 않은; 주름진; 텁수룩한; ~e Hände 꺼칠꺼칠한 손; der Stoff ist ~ 그 천은 까칠까칠하다; ein ~er Weg 울퉁불퉁한 길; die ~e See 거친 바다. ② (날씨가) 험악한, 매서운: ~e Kälte 혹한; ~e Nacht 찬바람이 휘몰아치는 밤; eine ~e Gegend 황량한 지방; ~es Leben 험난한 인생. ③ 난폭한; 격렬한; 무서운; 불친절한; 상스러운: ~ gegen jn. sein 누구에 대하여 무뚝뚝하다〔쌀쌀하다〕; ein ~er, aber herzlicher Ton 무뚝뚝하지만 진심어린 어조; bei ihm steckt ein süßer Kern in einer ~en Schale 그는 겉보기로는 우락부락하지만 마음씨는 곱다; 〔구어〕 in ~en Mengen 막대한, 대량으로; jn. mit ~er Hand anfassen 누구를 거칠게 다루다. ④ 목쉰; (소리가) 귀에 거슬리는: ~ auf der Brust sein 〔einen ~en Hals haben〕 목소리가 쉬어 있다. ⑤ (obd.) (맛이) 떫은, 신. ⑥ (obd., md.) (roh) 자연 그대로의, 날것의, 가공하지 않은, 미완성의: aus dem ~en 조잡하게〔되는 대로〕 만든. ⑦ (obd.) 파헤친, 파엎은: ein Feld aus ~er Wurzel 그루를 파헤쳐 놓은 밭, 신개간지. ⑧ (obd.) (**a**) 상처 입은. (**b**) 꾸민, 치장한. ⑨ 〖스포츠〗 거친, 깨끗하지 않은, 공정하지 않은: ein ~es Spiel 공정하지 않은 시합〔경기〕.
Rauh=bank *f.* 〖工〗 긴 대패. **~bart** *m.* ① 강모(剛毛). ② 〖動〗 먹장어속(屬). **~bauz** *m.* 〔구어〕 거칠고 난폭한 사람. **~bauzig** *a.* 〔구어〕 거친, 난폭한. **~bein** *n.* 〔구어〕 ① (본성이 나쁘지는 않은) 거친〔과격한〕 사람. ② 비조합원; 동맹 파업 불참자. ③ 〖스포츠·은어〗 거칠게 경기하는 선수. **~beinig** *a.* ① 무례한, 버릇 없는. ② 〖스포츠·은어〗 거칠게 경기하는. **~blättrig, ~blatterig** *a.* 〖植〗 뻣뻣한 잎의. **~borsten** *pl.* 강모. **~borstig** *a.* ↑ ~beinig.
Rauhe [ráuə] *f.* ① 〔고어〕 ↑ Rauheit. ② 〖사냥〗 (물새의) 털갈이(시기) (Mauser).
Rauheit [ráuhait] *f.* ↑ rauh 의 명사형.
rauhen [ráuən] 《I》 *t.* 거칠게〔오톨도톨하게〕 하다; (옷에) 괴깔이 일어나게 하다: Leder ~ 가죽(표면)을 거칠거칠하게 만들다. 《II》 *i.* (h.) / *refl.* 〔방언〕 ein Vogel rauht (sich) 새가 털갈이를 하다.
Rauh=faser *f.* 거친 칠. **~faser·tapete** *f.* (표면이) 거칠거칠한 벽지. **~frost** *m.* 〔방언〕 ↑

~reif. **~fuß** *m.* ① (새의) 깃털 있는 발. ②〖動〗 양비둘기의 일종. **~füßig** *a.* 발에 깃털이 있는. **~futter** *n.* 섬유질이 많은 사료, 꼴. **~gewicht** *n.* (주화나 귀금속의) 총중량. **~graf** *m.* ↑ Raugraf. **~haar·dackel** *m.* 닥스훈트(뻣뻣한 털을 가진 개의 일종). **~haarig** *a.* 털이 거친(뻣뻣한).

Rauhigkeit [ráuɪç..] *f.* -en ↑ Rauheit.

Rauh≠nächte *pl.* 《방언》 (Rauchnächte) 크리스마스와 공현 축일(1월 6일) 사이 12일간의 밤(그 밤에는 악령이 나온다고 믿어졌음). **~putz** *m.* (표면이) 거친 (회)칠. **~reif** *m.* 흰 서리, 서리. **~wacke** *f.* 〖광물〗 백운암(白雲岩). **~ware** *f.* ①〖섬유〗 괴깔을 세운 직물, 표면을 보풀보풀하게 세운 직물. ② (öst.) 모피 제품, 모피류. **~zeit** *f.* 털갈이 시기. **~zeug** *n.* 귀리와 강낭콩과의 혼합 종자.

Räuk [rɔʏk] *f.* -e (ndd.) ① 질서(Ordnung). ② 돌봄(Pflege).

Rauke [ráukə] 《lat.》 *f.* -n 〖植〗 겨자.

***Raum** [raum] *m.* -(e)s, Räume ① **(a)** 공간; 크기. **(b)** 구역, 장소; 활동 여지(Spiel~); (Zwischen~) 틈, 간격; (~inhalt) 부피, 체적: leerer ~ 빈 곳; hier ist noch etwas freier ~ 여기 아직 빈 공간이 약간 남아 있다; ~ und Zeit 공간과 시간; 〖物〗 luftleerer ~ 진공; der dreidimensionale ~ 3차원 공간; seinen ~ überschreiten (원고·연설 등이) 지정된 지면〔시간〕을 넘기다; ~ zwischen den Zeilen lassen 행간을 띄우다; für uns ist ~ genug 우리가 들어갈 장소는 넉넉하다; 〖구기〗 (den) ~ decken 지역 방어를 하다; 〖건축〗 umbauter ~ 건물의 용적; ~ finden〔haben〕 (활동할) 여지〔기회〕를 찾아내다; (gebt) ~! 비켜!; hier ist kein ~ für Scherze 지금은 농담할 때가 아니다. **(c)** 방: Wohn~ 거실; dieses Haus hat drei Räume 이 집에는 방이 셋 있다; 《비유》 ein Problem steht im ~ 문제가 제기되어 있다; im ~ stehen bleiben (문제가) 해결되지 않고 있다. **(d)** 〖物〗 떨어지는 물체가 통과하는 공간(Fall~). **(e)** 〖軍〗 bestrichener ~ 피탄계(被彈界). **(f)** 〖海〗 선창(船倉)(Schiffs~): ~ eines Blockes 도르래의 한가운데의 구멍. **(g)** 〖기계〗 ~ im Lichten 기계가 움직일 수 있는 틈. ② 《비유》 여지, 기회, 가능성: et.³ ~ geben 어떤 일을 고려하다〔들어주다〕. ③ 〖海〗 공해(See~). ④ (정치적·지리적 단위로서의) 지역, 구역: im Mittelmeer~ 지중해 지역에(서); der ~ Frankfurt 프랑크푸르트 지방; der geistige ~ 정신적 영역. ⑤ 우주 (공간).

raum *a.* (md., ndd.) ① 넓은, 확 트인: die ~e See 공해. ② 〖海〗 ~er Wind 뒤에서 부는 바람, 순풍.

Raum≠akustik *f.* 실내 음향〔효과〕학. **~anker** *m.* 〖海〗 예비 닻. **~anzug** *m.* 우주복. **~aufteilung** *f.* 공간 분배, (책·신문의) 지면 배정. **~ausstatter** *m.* 실내 장식업(자). **~ausstatterin** *f.* (여류) 실내 장식가. **~balken** *m.* 〖海〗 선창 들보. **~bild** *n.* 〖광학〗 (Stereobild) 입체상; 입체 사진.

Raumbild≠messung *f.* 공중 사진 측량. **~verfahren** *n.* 〖광학〗 입체경 사용법〔제조법〕.

Räum·boot *n.* 소해정(掃海艇).

Räumchen *n.* -s, - 《↑ Raum 의 축소형》 작은 공간〔방〕.

Räumde 《<räumen》 *f.* -n 선창; 공해(↑ Räumte).

Raum≠deckung *f.* 〖구기〗 지역 방어. **~einheit** *f.* 공간〔용적〕 단위.

raumen 《<Raum》 《I》 *t.* ① (md.) ↑ räumen. ② (날짜·기한을) 정하다(anberaumen). 《II》 *i.* (h.) 〖海〗 der Wind raumt 바람이 뒤에서 불어온다, 순풍이 분다.

***räumen** [rɔ́ʏmən] 《<Raum》 《I》 *t.* ① 치우다, 옮기다; 제거하다: jn.〔et.〕 aus dem Weg ~ 누구를〔무엇을〕 제거하다〔죽이다〕; das Geschirr vom Tisch ~ 식탁을 치우다; alles in seine Stelle 〔in Ordnung〕 ~ 말끔히 정돈〔정리〕하다; Ruhe, oder ich lasse (den Saal) ~ 조용히 하세요, 그렇지 않으면 (홀에 있는 사람을) 모두 내쫓겠습니다. ② 비우다(leeren); 청소하다: das Lager ~ 재고품을 헐값으로 팔다; ein Feld ~ 들의 곡식을 거둬들이다; die Straße ~ 거리의 통행을 금지시키다; die Wohnung ~ 집을 비워 주다; jm. den Platz ~ 누구에게 자리를 양보해 주다; 《비유》 (누구를) 피하다. ③ 명도하다: 〖軍〗 das Feld ~ 퇴각〔철퇴〕하다. ④ 〖工〗 (금속에) 구멍을 뚫다. 《II》 *refl.* sich ~ 비워지다, 치워지다. 《III》 *i.* (h.) ① **(a)** 치우다, 정리하다: in〔bei, unter〕 js. Papieren ~ (찾거나 치우기 위해) 누구의 종이〔서류〕를 뒤적이다; 〖商〗 mit seinen Waren ~ 재고품을 떨이하다. **(b)** 〖海〗 der Wind räumt 순풍이 분다(↑ raumen 《II》). ② 〖사냥〗 나무를 쓰러뜨려 길을 내다.

Räumer *m.* -s, - ① 치우는 사람; 청소부. ② 청소차(도구).

raum≠ersparend *a.* 공간 절약형의. **~ersparnis** *f.* 공간 절약. **~fähre** *f.* (소형) 우주 왕복선. **~fahrer** *m.* 우주 비행사. **~fahrt** *f.* 우주 비행.

Raumfahrt≠behörde *f.* 우주 항공국. **~medizin** *f.* 우주 의학. **~programm** *n.* 우주 비행 프로그램. **~technicker** *m.* 우주 비행 기술자.

Raum≠fahrzeug *n.* 우주선. **~flug** *m.* 우주 비행. **~forschung** *f.* ① 우주 (공간) 연구; 우주 비행 연구. ② 지역 연구. **~gefühl** *n.* 공간 감각. **~gestaltung** *f.* 실내 장식. **~gleiter** *m.* 스페이스 셔틀, 유인 우주선. **~greifend** *a.* 〖스포츠〗 (보폭이) 큰. **~größe** *f.* 공간의 크기.

räumig [rɔ́ʏmɪç] *a.* 넓은(geräumig).

Räumigkeit *f.* 넓음(Geräumigkeit).

Raum≠inhalt *m.* 부피, 체적; 〖海〗 (적재) 톤수. **~kapsel** *f.* ① 소형 무인 우주선. ② 우주선 캡슐. ③ 동물 시험용 우주선.

Räum·kommando *n.* 청소반.

Raum≠kunst *f.* 실내 장식; 공간 예술. **~lehre** *f.* 《드물게》 기하학.

Räumlein *n.* -s, - 《↑ Raum 의 축소형》 작은 공간〔방〕.

räumlich [rɔ́ʏmlɪç] *a.* ① **(a)** 공간〔장소〕의: 〖物〗 ~e Ausdehnung 체적 팽창. **(b)** 공간적〔입체적〕인: die ~e Wirkung eines Bildes 그림의 입체 효과; die ~e Anschauungskraft 입체적〔3차원적〕 상상력. ② 《고어》 (geräumig) 넓은, 광활한.

Räumlichkeit *f.* -en ① 공간성, 입체성. ② 《복수》 공간, 장소, 방.

raumlos *a.* 공간이〔장소가·여지가〕 없는; 빽빽이 가득 찬; 실체가 없는.
Raum≈mangel *m.* 공간〔방〕 부족. **~maß** *n.* 용적 단위. **~meter** *m./n.* 세제곱〔입방〕미터 (목재의 충적 단위) (약어: rm).
Räum·nadel *f.* 〖기계〗 브로치(구멍 넓히는 공구); 〖軍〗 꽂을대.
Raum≈ordnung *f.* 〖政〗 지역〔토지〕 개발 계획〔규정〕. **~ordnungs·plan** *m.* 〖政〗 지역〔토지〕 개발 계획안. **~pendler** *m.* 〖우주비행〗 우주 연락선. **~pflegerin** *f.* 청소〔파출〕부. **~planung** *f.* 〖政〗 지역〔토지〕 개발 계획. **~raffer** *m.* 망원 렌즈. **~schiff** *n.* 우주선. **~schiff·fahrt** *f.* 우주 비행. **~seher** *m.* 입체경(鏡) (Stereoskop). **~sicht** *f.* 원근법. **~sinn** *m.* 입체 감각. **~sonde** *f.* 우주 탐색기. **≁sparend** *a.* 공간 절약형의 (가구). **~-station** *f.* 우주 정거장.
Räumte [rɔ́ymtə] *f.* -n ①〖海〗 선창(船倉). ② (ndd.) 공해, 대양.
Raum≈teiler *m.* (책장·옷장과 같은) 공간 분리(시설)물. **~temperatur** *f.* 실내 온도. **~transporter** *m.* 우주 왕복선.
Räumung *f.* ① 치우기, 제거: wegen ~ alle Preise radikal herabgesetzt! 점포 정리로 대폭 할인! ② 철거, 철병.
Räumungs≈arbeiten *pl.* (눈 등의) 제거 작업. **~ausverkauf** *m.* ↑ ~verkauf. **~frage** *f.* 〖軍〗 철병 문제. **~frist** *f.* 〖法〗 (집의) 명도 기한. **~klage** *f.* 〖法〗 명도 소송. **~öffnung** *f.* 맨홀. **~verkauf** *m.* 〖經〗 점포〔재고〕 정리 대매출.
Raum≈wahr·nehmung *f.* 공간 지각〔인지〕. **~welle** *f.* 〖전기〗 공간파(波). **~wirt-schafts·theorie** *f.* 〖經〗 공간 경제론. **~zeit** *f.* 〖物〗 (상대성이론에 따른) 4 차원.
raunen [ráunən] 《♧ Rune》《Ⅰ》 *i.* (h.) ① 중얼거리다, 속삭이다. ② 살랑대다. ③ über jn. 〔et.〕 ~ 누구〔무엇〕에 대해 소문을 퍼뜨리다. 《Ⅱ》 *t.* jm. et. ins Ohr ~ 누구에게 무엇을 속삭이다; man raunt, daß ... …라는 소문이다.
raunzen [ráuntsən] *i.* (h.) 〔구어·방언〕 ① 불평하다, 헐뜯다. ② 탄식하다. ③ 호통치다.
Raunzer *m.* -s, - 불평가; 헐뜯는 사람.
Raunzerei *f.* -en 불평, 불만; 헐뜯음.
Raup *m.* (ndd.) 외침(Ruf).
Räupchen [rɔ́ypçən] *n.* -s, - ↑ Raupe 의 축소형.
***Raupe** [ráupə] *f.* -n ①〖動〗 (나방·나비 등의) 애벌레, 유충, 모충(毛蟲); 〔비유〕 (Grille) 변덕, 망상: er hat ~n im Kopf 그는 이상한 생각을 가지고 있다; jm. ~n in den Kopf setzen 누구에게 이상한 생각을 갖게 하다. ② 〔비유〕 불쾌한〔싫은〕 것, 보기 싫은〔추한〕 것. ③ (Chenille) 셔닐사(비로드처럼 괴깔을 세워 짠 실); (특히) 〖軍〗 (장성의 견장에 달린) 술 장식; (헬멧·군모의) 장식; 〖기계〗 무한 궤도 (캐터필러); 캐터필러 트랙터.
raupen *t.* (수목의) 유충을 구제(驅除)하다.
Raupen≈ablesen *n.* 모충의 구제. **~antrieb** *m.* 〖기계〗 무한 궤도식〔캐터필러식〕 추진 장치. **≁artig** *a.* 유충〔모충〕의; 유충〔모충〕과 같은. **~bagger** *m.* 무한 궤도 굴착기. **~-band** *n.* 〔복수: ..bänder〕 무한 궤도. **~-fahrzeug** *n.* (장갑차·전차 따위의) 무한 궤도차. **~fliege** *f.* 〖動〗 침파리(과). **≁förmig** *a.* 송충이 모양의. **~fraß** *m.* 모충〔송충이〕의 피해. **~helm** *m.* 〖軍·고어〗 술 장식이 있는 헬멧. **~kette** *f.* 무한 궤도. **~nest** *n.* 유충〔모충〕의 보금자리. **~rad** *n.* 〖기계〗 무한 궤도식 바퀴. **~schlepper** *m.* 〖기계〗 무한 궤도식 트랙터; 〔드물게〕 참모〔고급〕 장교(↑ Raupe ③). **~töter** *m.* ↑ ~fliege. **~vertilgung** *f.* 모충의 제거〔구제(驅除)〕. **~wagen** *m.* 무한 궤도차.
raupig *a.* 유충〔모충〕투성이의.
Rauraker, Rauriker *m.* -s, - 라우라커인 (켈트족의 한 종족).
raus [raus] 〔구어〕 *adv.* (heraus, hinaus) 이쪽 바깥으로; 밖으로: ~ aufs Meer 바다로 나가다; et. ~ haben 무엇을 알고 있다; ~ damit!, ~ mit der Sprache! 자백해라!; raus aus den Klamotten! 빨리 (젖은) 옷을 벗어라.
***Rausch**[1] [rauʃ] 《<rauschen》 *m.* -es, Räusche [rɔ́yʃə] ① **(a)** 취함, 환각, 취한 상태: sich³ einen ~ holen〔kaufen, antrinken〕 취하다; er hatte einen kleinen〔gehörigen〕 ~ 그는 약간〔거나하게〕 취한 기분이었다; die Tat wurde im ~ begangen 그 범행은 환각 상태에서 저질러졌다. **(b)** 〔비유〕 도취, 황홀; 흥분, 열광: der ~ des Sieges 승리의 환희. ② (obd.) 확 타오르는 불; (md.) 짚불(Strohfeuer).
Rausch[2] 《lat.》 *m.* -es, Räusche [rɔ́yʃə] 〖植〗 ① 덩굴 월귤. ② ↑ ~beere ②.
Rausch[3] 《it., „Röte"》 *m.* -es 〖植〗 적엽병(赤葉病).
rausch≈arm *a.* 〖工〗 소음이 적은. **≁beere** *f.* 〖植〗 ① schwarze ~ 고란초(高蘭草). ② 들쭉나무. **≁brand** 《<Rausch³》 *m.* 〖수의〗 소의 탄저병(炭疽病), 비탈저(脾脫疽).
Räuschchen [rɔ́yʃçən] *n.* -s 〔↑ Rausch¹ 의 축소형〕 거나함, 얼근함.
Rausche·bart [ráuʃəba:rt] 《it.》 *m.* ① 얼굴(전체)의 털〔수염〕. ② 털보.
rauschelig *a.* 솨솨〔잘잘〕 소리 나는.
***rauschen** [ráuʃən] 《Ⅰ》 *i.* ① **(a)** (h.) (바람·물 등이) 솨솨〔잘잘〕 소리를 내다; (나무 등이) 살랑거리다; 옷자락 스치는 소리가 나다: ~de Kleider aus Seide 바스락거리는 비단옷. **(b)** (s.) 잘잘〔솨솨·살랑살랑〕 소리를 내며 가다〔흐르다·불다〕: der Bach rauscht eilig in das Tal 시냇물이 잘잘 소리를 내며 빠르게 계곡으로 흘러간다. **(c)** (s.) 〔경박〕 황급히 뛰쳐나가다. ② (h.) **(a)** 〖사냥〗 (돼지·여우 등이) 발정하다. **(b)** eine Pflanze rauscht ins Holz (열매를 맺지 않고) 나무에 가지만이 무성하다. 《Ⅱ》 *t.* den Draht ~ 철사를 펴다; 〔시어〕 der Wald hat mir die alte Zeit wach gerauscht 숲의 나무 소리가 옛 생각을 불러일으킨다.
rauschend *p.a.* 솨솨〔살랑살랑〕 소리를 내는; 웅성〔술렁〕거리는; 떠들썩한; 열렬한: ~er Beifall 우레와 같은 박수 갈채; ~es Lachen 폭소.
Rauscher *m.* -s (rhein.) 발효 중인 포도즙.
Rausch·gelb 《<Rausch³》 *n.* 〖광물〗 석웅황(石雄黃).
Rausch·gift 《<Rausch¹》 *n.* 마취제; 환각제; 마약.
Rauschgift≈bekämpfung *f.* 마약 퇴치. **~händler** *m.* 마약상. **≁süchtig** *a.* 마약에

중독된. **~süchtige*** *der/die* 마약 중독자.
Rausch≈gold *n.* 금박. **~gold·engel** *m.* 금박(을 입힌) 천사.
rauschhaft 《<Rausch》 *a.* 취한 듯한, 도취한.
Räuschlein *n.* -s, - ↑ Räuschchen.
Rausch≈mittel *n.* 흥분제(알코올·코카인 등). **~narkose** *f.* 〚醫〛 순간 마취. **~silber** *n.* (모조) 은박. **~tat** *f.* 〚法〛 취중〔환각 중〕 범행. **~zeit** *f.* 〚사냥〛 (멧돼지의) 교미기. **~zustand** *m.* 취한〔환각〕 상태.
raus≈|ekeln *t.* 〖구어〗 불친절하게 대하여 나가게 하다. **~|feuern** *t.* 밖으로 내보내다; (총을) 밖으로 쏘다. **~|fliegen** *i.* (s.) 밖으로 날아가다. **~|graulen** *t.* 〖구어〗 ↑ ~ekeln. **~|halten** *refl.* sich ~ 관여하지 않다; 자제하다. **~|kommen** *i.* (s.) 밖으로 나오다; 빠져나오다. **~|kriegen** *t.* ① 찾아내다. ②〖비유〗 (수수께끼·수학 문제를) 풀다.
Räusperer *m.* -s, - 〖구어〗 헛기침.
räuspern [rɔ́ʏspərn] *i.* (h.) / *refl.* (sich) ~ (말을 시작하기 전에) 헛기침하다: er räusperte sich und begann dann zu sprechen 그는 헛기침을 한 후 말하기 시작했다.
raus≈|rücken *t.* 밀어내다; 연기하다. **~|schmeißen** *t.* 〖구어〗 내버리다; 내쫓다; 낭비하다. **≈schmeißer** *m.* ① (술집에서 소란 피우는 손님을) 내쫓는 사람. ② (무도회에서) 마지막 춤. **≈schmiß** *m.* 내쫓음; 해고.
Räuster *f.* (ndd.) ↑ Rüster[1].
raus|werfen *t.* 〖구어〗 내버리다; 내쫓다.
Raute[1] [ráʊtə] *f.* -n ① 마름모(꼴). ② 마름모 모양의 것; 〚紋〛 (방패 등의) 마름모 무늬; (보석의) 마름모면(面); 〚건축〛 마름모 창유리; 〚카드〛 다이아몬드; (바둑·체스판의) 눈; (schweiz.) 양말 뒤축의 바대.
Raute[2] *f.* -n 〚植〛 루타(운향과(芸香科)).
rauten 《<Raute[1]》 *t.* 마름모꼴로 자르다.
Rauten≈bauer 《<Raute[1]》 *m.* 〚카드〛 다이아몬드의 잭. **~brillant, ~diamant** *m.* 브릴리언트형 다이아몬드. **~feld** *n.* 마름모꼴의 포석(鋪石). **~fläche** *f.* ①〚기하〛 마름모면. ② (보석 등의) 깎은 면, 절단면. **≈förmig** *a.* 마름모꼴의. **~glas** *n.* 마름모꼴 유리. **~kranz** *m.* ① 루타〔운향〕 화환. ②〚紋〛 루타 잎〔운향잎〕 장식이 있는 띠. **~öl** *n.* 운향유(芸香油). **~spat** 《<Raute[1]》 *m.* 〚광물〛 백운석(白雲石). **~stab** *m.* 〚건축〛 마름모 쇠시리. **~viereck** *n.* 마름모. **≈weise** *adv.* 마름모꼴로.
rautig *a.* ↑ rautenförmig.
Räuw *f.* (ndd.) 〚植〛 순무(Rübe).
ravagieren [ravaʒíːrən] 《lat.》 *t.* 〖고어〗 ① 황폐하게 하다(verheeren). ② 약탈하다.
Ravasche [..váː..] 《frz.》 *f.* -n 소동, 소요; 분노, 분격, 광포.
Ravenna [..vɛ́na] 라벤나(이탈리아 북부의 고도(古都)).
Ravioli [ravíoːli] *pl.* 〚요리〛 라비올리(이탈리아식 만두 요리의 일종).
ravvivando [ravivándo] 《it.》 *a.* 〚음악〛 다시 더 빠르게 되는.
räwer *adv.* (ndd.) 이쪽으로; 저쪽으로(↑ rüber, herüber, hinüber).
Rayé [rɛjéː] 《frz.》 *m.* -(s), -s 〖총칭〗 가는 줄무늬의 직물.
Ray·gras [raí:..] *n.* -es 〚植〛 독보리(Raigras).
Rayon[1] [rɛjɔ̃ː] 《frz.》 *m.* -s, -s ① 광선; 반경. ② **(a)** 담당 범위, 구역, 관구(管區). **(b)** 〚軍〛 요새 지대. **(c)** 백화점의 매장.
Rayon[2] *m./n.* 레이온, 인조 견사.
Rayon·chef [rɛjɔ̃ːʃɛf] *m.* (백화점의) 매장 주임.
rayonieren [rɛjoníːrən] *t.* (öst.) 배급하다; 관할 구역을 나누다, 구역에 따라 할당하다.
Rayonne [rɛjɔn] 《frz.》 *f.* (schweiz.) 레이온, 인조 견사(Reyon).
Rayons·inspektor [rajóːns..] *m.* (öst.) 관할 구역 경찰관.
razemös *a.* 〚植〛 포도송이 모양의.
Razzia [rátsia] 《ar. -frz.》 *f.* ..zzien [..tsiən] ① (Raubzug) 공략, 약탈 행각. ② (경찰의) 일제 단속〔검거〕: die Polizei machte eine ~ 경찰은 일제 단속을 폈다.
RB =Radio Bremen 브레멘 방송(국).
Rb 〚化〛 =Rubidium 루비듐.
Rbl =Rubel 루블(러시아의 화폐).
rd. =rund 약, 대략.
Re[1] [ɛr|éː] 〚化〛 =Rhenium 레늄.
Re[2] 레(이집트의 태양신).
Re[3] [reː] *n.* -s, -s 〚카드〛 레(상대편이 배로 올린 것을 다시 배로 올림).
re [re(ː)] 《it.》 〚음악〛 (음계의) 레.
re.. 《lat.》 *pref.* "뒤로·제자리로·반대로·다시·새로이" 등의 뜻.
Reader [ríːdər] 《engl.》 *m.* -s, - (학술서에서 발췌한) 독본.
Reagens [re|áːgɛns] 《lat.》 *n.* -, ..genzien [..gɛ́ntsiən]/..gentia [..gɛ́ntsia] 〚化〛 ↑ Reagenz ②.
Reagenz *n.* -, -ien [..tsiən] ① 반응. ② 〚化〛 시약, 시험액.
Reagenz≈glas *n.* 시험관(管). **~papier** *n.* 〚化〛 (리트머스) 시험지.
reagieren [reagíːrən] *i.* (h.) ① 반응하다; 반작용하다: auf et. ~ 무엇에 대해 반응을 보이다; sie reagiert viel zu empfindlich 그녀는 너무 민감하게 반응한다. ② 〚化〛 반응하다: ein chemischer Stoff reagiert sauer〔basisch〕 화학 물질이 산성〔알칼리성〕 반응을 보이다.
Reaktanz *f.* -en 〚전기〛 리액턴스, 교류 저항.
***Reaktion** [..tsióːn] *f.* -en ① **(a)** 반응, 반작용: die ~ des Publikums war stark 관객의 반응은 대단했다. **(b)** 〚化·物〛 반응: Kern≈ 핵 반응. ② 〖폄어〗 반동, 보수〔반동〕주의, 보수〔반동〕 세력: zwischen Revolution und ~ 혁명과 보수 사이에서: der Kampf gegen die ~ 보수〔반동〕 세력에 대한 투쟁.
Reaktionär [..tsionɛ́ːr] *m.* -s, -e 반동〔보수〕주의자.
reaktionär *a.* 〖폄어〗 반동적〔보수적〕인: erz ~ 골수 반동의.
reaktions≈fähig *a.* ① 반응할 수 있는. ② 〚化〛 반응의. **≈fähigkeit** *f.* 반응성, 반응(능)력: Alkohol vermindert die ~ 음주 때는 반응 능력이 감소한다. **≈geschwindigkeit** *f.* 반응 속도. **≈psychose** *f.* 〚心〛 반발적 정신 이상. **~schnell** *a.* 반응이 빠른, 반응력이 좋은. **≈spule** *f.* 반동 코일. **~träge** *a.* 〚化〛 비활성의. **≈turbine** *f.* 반동

터빈. ~vermögen *n.* 반응〔반발〕력. ~zeit *f.* 〖心〗 반응 시간(자극과 반응 사이의 시간적 간격).

reaktiv [reaktí:f] *a.* 반응〔반작용〕하는; 수동적인: er verhält sich nur ~ 그는 수동적으로 반응할 뿐이다.

reaktivieren [..ví:..] *t.* ① 복직시키다. ② 재가동시키다. ③〖化〗 화학적으로 다시 작용하다. ④〖醫〗 (신체 기관의) 기능을 정상으로 회복시키다.

Reaktivierung *f.* -en ① ↑ reaktivieren 의 명사형. ②〖物〗 (원자로의) 반응도.

Reaktivität *f.* -en 〖心〗 반동(성), 반발.

Reaktogen 《lat.》 *n.* 〖醫〗 레악토겐, 반응소(素).

Reaktor [reáktɔr, ..to:r] 《lat.》 *m.* -s, -en [..tó:rən] 〖物〗 ① 원자로. ② 반응 장치.

Reaktor≈physik *f.* 원자로 물리학. ~**technik** *f.* 원자로 공학〔기술〕. ~**unfall** *m.* 원자로 사고.

Real[1] [reá:l] 《sp.; port.》 *m.* -s, (sp.) -en/(port.) Reis 옛 에스파냐·포르투갈 및 브라질의 은화.

Real[2] *n.* -(e)s, -e 〖방언〗 서가, 선반(↑ Regal[1]).

***real** 《lat.》 *a.* ① (↔ ideal) 사실상의, 현실의, 실제의, 실재하는, 물질의: die ~e Welt 현실 세계. ② 실재적〔현실적〕인. ③〖經〗 실질적인: die ~en Zuwachsraten 실질 성장률.

Real≈akt *m.* ①〖法〗 사실 행위. ②〖官〗 (öst.) 부동산에 관한 재판. ~**büro** [..byro:] *n.* (öst.) 부동산 중개소. ~**definition** *f.* 사실의 해석; 〖哲〗 실질적 정의.

Reale* *das* 실재, 현실; 사실.

Real≈einkommen *n.* 실질 소득. ~**enzyklopädie** *f.* 전문어 (백과) 사전.

Realgar [realgá:r] 《ar.》 *m.* -s 〖광물〗 계관석(鷄冠石).

Real≈gemeinde *f.* 마을 공동체. ~**gymnasium** *n.* 실업계 고등 학교(고전어 대신 현대어·자연 과학에 중점을 둠).

Realien [reá:liən] 《< real》 *pl.* ① 실물, 실체; 사실, 실증. ② 전문 지식. ③〖옛뜻〗 (교양 기초와 교과 과목으로서) 자연 과학.

Realien·buch *n.* ①〖고어〗 자연 과학 교재. ② 전문 서적.

Real≈index *m.* 〖출판〗 (학술서의) 전문어 색인〔목록〕(↑ Sachverzeichnis). ~**injurie** *f.* 〖法〗 폭행에 의한 모욕〔명예 훼손〕.

Realisation [realizatsió:n] *f.* -en ① 실현, 현실화. ②〖商〗 현금화. ③〖영화·TV〗 영화〔방송·연극〕 제작〔연출〕.

Realisator [..zá:tɔr, ..tó:r] *m.* -s, -en [..tó:rən] ①〖영화·TV〗 제작자, 감독. ② (schweiz.) 득점한 선수.

realisierbar [realizí:rba:r] *a.* ① 실현할 수 있는. ② 현금화할 수 있는.

Realisierbarkeit *f.* 실현 가능성; 현금화 가능성.

***realisieren** *t.* ① 실현하다: einen Verkauf ~ 판매의 목표를 달성하다. ②〖商〗 현금화하다, 팔아서 돈을 만들다. ③ (a)〖교양〗 (md.) 깨닫다, 이해하다. (b) 알아보다; 인식하다: entschuldige, ich habe dich erst jetzt realisiert 이제서야 너를 알아보게 되어 미안하다.

Realisierung *f.* -en ↑ Realisation.

***Realismus** [realísmus] 《lat.》 *m.* -, ..men ① 현실감; 현실주의. ②〖문학·미술〗 사실적 묘사법, 사실주의, 리얼리즘: poetischer ~ 시적 사실주의; kritischer ~ 비판적 사실주의. ③〖哲〗 실재론(↔ Nominalismus).

Realist *m.* -en, -en ① 현실〔실리〕주의자. ② 사실주의자, 사실주의의 작가.

Realistik *f.* (묘사·서술의) 사실성; 사실적 묘사.

Realistin *f.* -nen ↑ Realist 의 여성형.

realistisch *a.* 현실〔실리〕주의의; 사실주의의, 사실적인; 〖哲〗 실재론의.

***Realität** *f.* -en ① 현실(성); 실재(성), 리얼리티. ② 사실: die ~en leugnen 사실을 부인하다. ③〖복수〗 (öst.) 토지, 부동산.

Realitäten·händler *m.* (öst.) 부동산 중개업자.

realitäts≈bezogen *a.* 현실과 관련 있는, 현실적인. ~**fern** *a.* 현실과 거리가 먼. ~**fremd** *a.* 현실을 잘 모르는. ~**nah** *a.* 현실에 가까운, 사실적인. ~**sinn** *m.* 현실 감각. ~**verlust** *m.* 현실성의 상실.

realiter *adv.* 〖교양〗 사실은, 실제(로)는.

Real≈kapital *n.* 〖經〗 물적 자본. ~**katalog** *m.* 〖출판〗 항목별〔분야별〕 색인. ~**kenntnisse** *pl.* 실과·자연 과학 및 역사에 대한 지식; 전문 지식(Sachkenntnis). ~**konkordanz** *f.* (전문 서적의) 용어 색인. ~**kontrakt** *m.* 〖法〗 요물(要物) 계약. ~**kredit** *m.* 〖商〗 대물(對物)〔물적〕 신용. ~**last** *f.* 〖法〗 토지 담보. ~**lehrer** *m.* 실업 학교의 교사. ~**lexikon** *n.* 전문어 (백과) 사전. ~**lohn** *m.* 〖經〗 실질 임금.

Realo *m.* -s, -s 〖구어〗 ↑ Realpolitiker.

Real≈obligation *f.* 〖法〗 저당 채권, 물적 채무. ~**politik** *f.* 현실〔실리〕(주의) 정치. ~**politiker** *m.* 현실주의 정치가. ~**produkt** *n.* 〖經〗 실질 국민 총생산. ~**recht** *n.* 〖法〗 물권(법) (Sachenrecht). ~**schule** *f.* 실업 (중)학교. ~**schüler** *m.* 실업 학교 학생. ~**schülerin** *f.* ↑ ~schüler 의 여성형.

Realschul≈lehrer *m.* 실업 학교 교사. ~**lehrerin** *f.* ↑ ~lehrer 의 여성형.

Real≈steuer *f.* 〖法〗 (대)물세((對)物稅). ~**union** *f.* (↔ Personalunion) 정합국(政合國); 합병. ~**wert** *m.* 실질 가치; 진가. ~**wörter·buch** *n.* ↑ ~enzyklopädie. ~**zeit** *f.* 실(實)시간.

reamateurisieren [re|amatørizí:rən] *t.* 프로 선수를 아마추어로 복귀시키다.

Reanimation *f.* -en 〖醫〗 (인공 호흡 등에 따른) 회생, 소생.

Reanimations·zentrum *n.* 소생 시술 병동.

reanimieren *t.* 〖醫〗 소생〔회생〕시키다.

Reanimierung *f.* ↑ Reanimation.

Reat [reá:t] 《lat.》 *n./m.* -(e)s, -e 범행(Straftat); 고소 상태(Anklagezustand).

Réaumur[1] [reomý:r] *m.* René Antoine Ferchault de ~ 레오뮈르(프랑스의 물리학자, 1683-1757).

Reaumur[2] [ré:omy:r] *m.* 열씨(列氏)(물의 빙점에서 비등점까지를 80°로 나눈 온도계의 단위; 약어: R).

Reb≈acker [ré:p..] *m.* 포도원. ~**auge** *n.* 포도나무 싹.

Rebbach [rɛ́bax] 《jidd.》 *m.* -s 엄청난 이득〔벌이〕(Reibach).

Reb≈bau *m.* (schweiz.) 포도 재배. **~berg** *m.* (schweiz.) 포도원.

Rebbes [rɛ́bəs] 《jidd.》 *m.* - ↑ Reibach.

***Rebe** [ré:bə] 《⊕ Rippe》 *f.* -n ① 덩굴, 덩굴손. ② 포도; 포도의 덩굴; 〖雅語〗 포도나무; (obd.) 포도원(Weinberg).

Rebeit *n.* -(e)s, -e (ndd.) 지역, 구역.

Rebekka [rebɛ́ka] 《hebr.》 *f.* 레베카(여자 이름; 구약 성서에 나오는 이삭(Isaak)의 처).

***Rebell** [rebɛ́l] 《lat.》 *m.* -en, -en ① 폭도, 교란자, 모반자. ② 반항자, 저항자.

rebellieren [rebɛlí:rən] *i.* (h.) (gegen jn.) (누구에 대항하여) 폭동〔모반〕을 일으키다: 〖비유〗 mein Magen rebelliert 나는 소화가 되지 않는다.

Rebellin *f.* -nen ↑ Rebell 의 여성형.

Rebellion [rebɛlió:n] *f.* -en ① (Aufruhr) 폭동, 반란, 봉기: eine bewaffnete ~ 무장 봉기. ② 반항, 저항.

rebellisch *a.* ① 반란〔폭동〕을 일으킨. ② 반항〔저항〕하는, 거역하는: ein ~er Dichter 저항 시인; du machst das ganze Haus ~! 너는 온 집안을 엉망으로 만들고 있구나!

rebeln [ré:bəln] 《<Rebe》 *t.* (südd., öst.) 따다, 뜯어내다: Trauben ~ 포도 송이를 따다; Mais ~ 옥수수 알맹이를 훑어내다.

Reben≈blatt [ré:bən..] *n.* 포도잎. **~blut** *n.* 〖시어〗 (적)포도주. **~gelände** *n.* 포도 재배지. **~geländer** *n.* 포도나무의 시렁. **~gott** *m.* 〖로마신화〗 바카스. **~holz** *n.* 포도나무 재목. **~hügel** *m.* 포도원. **~laub** *n.* 〖총칭〗 포도잎. **~messer** *n.* 포도원용 칼(Winzermesser). **≈reich** *a.* 포도(나무)가 많은. **~saft** *m.* 포도즙. **~stab** *m.* 〖로마신화〗 주신(酒神) 바커스의 지팡이(Thyrsus). **≈umsponnen** *a.* 포도 덩굴에 휘감긴. **~veredelung** *f.* 포도(나무) 접목. **~züchter** *m.* 포도 재배자.

Reb≈gewinde [ré:p..] *n.* 포도잎 장식. **~hendl** *n.* 〖動〗 자고(鷓鴣)(꿩과). **~hügel** *m.* ↑ Rebenhügel. **~huhn** *n.* 〖動〗 자고(Feldhuhn). **~land** *n.* 포도원(↑ ~acker). **~laus** *f.* 〖動〗 포도혹벌레. **~laus·krankheit** *f.* 포도혹벌레에 의한 병.

Rebling [ré:plɪŋ] *m.* -s, -e 포도나무의 어린 가지; 포도나무 묘목.

Rebound [ribáunt] 《engl.》 *m.* -s, -s 〖농구〗 리바운드(볼).

Reb≈pfahl *m.* 포도나무의 받침 기둥. **~schere** *f.* 포도원용 가위. **~schnitt** *m.* 포도나무의 가지치기. **~schnur** *m.* 가늘고 단단한 밧줄. **~schoß** *m.* 포도의 어린 가지. **~schule** *f.* 포도 묘목 재배지. **~sorte** *f.* 포도나무 종류. **~stecken** *m.* ↑ ~pfahl. **~stock** *m.* 포도나무 (줄기).

Rebus [ré:bus] 《lat.》 *m./n.* -, -se 그림 수수께끼(Bilderrätsel).

Rec. =recipe (의사의 처방으로) 복용하시오.

Rechaud [reʃó:] 《frz.》 *n.* -s, -s ① (obd.) 가스레인지(Gasherd). ② 음식 보온용 열판 (Tellerwärmer).

Rechen [rɛ́çən] *m.* -s, - (südd., md.) ① (Harke) 갈퀴, 레이크. ② 갈퀴 모양의 것; (수문 등의) 방진(防塵) 격자; 스크린; 〖軍〗 (성문 등에 달린) 적문(吊門); (갈퀴 모양의) 옷걸이(Kleider≈). ③ (obd.) ↑ Oberboden.

rechen *t.* (südd., md.) ① 갈퀴로 긁(어모으)다, 갈퀴로 땅을 고르게 하다. ② (obd.) 무장시키다(rüsten).

Rechen≈anlage 《<rechnen》 *f.* (전자) 계산기. **~aufgabe** *f.* 계산〔산수〕 문제. **~automat** *m.* (소형) 계산기. **~brett** *n.* 주판. **~buch** *n.* 산수 교과서.

Rechenei [rɛçənáɪ] *f.* -en 〖고어〗 회계국, 회계 검사실; 경리과.

Rechen≈exempel *n.* ↑ ~aufgabe. **~fehler** *m.* 계산 착오. **~gerät** *n.* 계산기. **~heft** *n.* 계산 공책. **~kammer** *f.* 회계 감사실〔감사원〕(Rechnungskammer). **~knecht** *m.* 계산표. **~kunst** *f.* 산수, 산술. **~künstler** *n.* 암산가, 산술가. **~lehrer** *m.* 산수 교사. **~lineal** *n.* 계산자. **~maschine** *f.* 계산기; 주판(~brett). **~meister** *m.* ① 산수 교사; 계산의 대가. ② 회계 주임. **~münze** *f.* 임시 화폐. **~operation** *f.* 연산(법). **~pfennig** *m.* 〖중세〗 (화폐 모양의) 계산용 모조 화폐; (카드놀이 등에서 돈 대신 쓰이는) 칩(Spielmarke).

***Rechenschaft** [rɛ́çənʃaft] 《<rechnen》 *f.* 〖특정 동사와만 결합〗 변명, 해명; 설명, 보고; 경위(서), 전말(서): jm. ~ von et.[3] ablegen 〔geben〕 누구에게 무엇에 관하여 변명〔해명〕하다; von jm. ~ über et. fordern 〔jn. wegen eines Dinges zur ~ ziehen〕 무엇에 관하여 누구에게 해명을 요구하다〔책임을 묻다〕; dafür bist du mir ~ schuldig 너는 내게 그 일에 대해 설명해 주어야 한다〔해명해야 한다〕.

Rechenschafts≈ablegung *f.* ↑ ~legung. **~bericht** *m.* 해명〔경위·보고〕서. **~legung** *f.* 해명(하기). **≈pflichtig** *a.* 해명할 의무가 있는.

Rechen≈scheibe *f.* 원형 계산자. **~schieber** *m.* 계산자. **~schule** *f.* 산술 학교. **~stift** *m.* (계산용) 석필(石筆): 〖비유〗 den ~ ansetzen 계산하다. **~stunde** *f.* 산수〔산술〕 시간. **~tafel** *f.* ① 석판(石板). ② 칠판(Schultafel). ③ 계산표(구구표·대수표 등). ④ ↑ ~brett. **~tisch** *m.* ① 계산대(臺). ② ↑ ~brett. **~unterricht** *m.* 산수 수업. **~virtuose** *m.* 계산의 대가. **~zeichen** *n.* 연산 부호. **~zentrum** *n.* 전(자계)산소〔센터〕.

Recherche [reʃɛ́rʃə, rə..] 《frz.》 *f.* -n 탐구, 조사: ~n (über jn.〔et.〕) anstellen (누구〔무엇〕에 대한) 조사를 하다.

Rechercheur [reʃɛrʃø:r, rə..] 《frz.》 *m.* -s, -e 탐구자, 조사인; 보고자.

recherchieren [reʃɛrʃí:rən, rə..] 《frz. rechercher》 *t./i.* (h.) ① 탐구〔조사〕하다. ② 조사하여 밝혀내다: die Hintergründe einer Tat ~ 범행의 배경을 알아내다.

Rechnei [rɛçnáɪ] *f.* -en ↑ Rechenei.

***rechnen** [rɛ́çnən] 《I》 *t./i.* (h.) ① 셈하다, 계산하다: et. nicht ~d 무엇을 계산에 넣지 않고〔제하고〕; falsch ~ 잘못 계산〔생각〕하다; aus dem 〔im〕 Kopf ~ 암산하다; an einer Aufgabe ~ 계산 문제를 풀다; eins ins 〔fürs〕 andere ~ (양자를) 차감하여 계산을 맞추다, 평균하다. ② 평가하다, 어림잡다; 고려하다: man rechnet von hier nach Berlin vier Kilometer 여기서 베를린까지는 4 킬로미터의 거리

이다; alles in allem gerechnet a) 총계〔일괄〕하여, b) 모든 것을 고려할 때; rund gerechnet 대략 계산하여; 〘비유〙 ohne den Wirt ~ 잘못 예측하다; mit jm. ~ 누구와 대차(貸借)를 청산하다; 〘비유〙 mit doppelter Kreide ~ 너무 비싼 값을 매기다〔요구하다〕; wir ~ es uns zur Ehre 우리는 그것을 영광으로 생각한다; nicht zu ~ 〔ungerechnet〕, daß ... …을 제외하고, …은 별도로 하고; gut 〔hoch〕 gerechnet 기껏해야; schlecht〔niedrig〕 gerechnet 적어도; zu hoch gerechnet 너무 높이 평가된; gegeneinander ~ 서로 비교하다. ③ 계산에 넣다, 포함시키다: er rechnet noch als Kind 그는 아직도 아이 취급을 받는다; jn.〔et.〕 zu et.^{3} 〔unter et.〕 ~ 누구를〔무엇을〕 무엇에 포함시키다; eins zum anderen ~ (양자를) 합계하다; et. für〔als〕 nichts ~ a) 무엇을 셈에 넣지 않다, b) 무시하다. ④ 의지〔기대〕하다: auf et.〔jn.〕 ~ 무엇을〔누구를〕 의지하다; er ist ein Mensch, auf den man immer ~ kann 그는 언제나 신뢰할 수 있는 사람이다; mit et.^{3} ~ 무엇을 셈에 넣다, 고려〔기대〕하다; mit dem Schlimmsten ~ 최악의 사태를 고려〔대비〕하다; mit einem Sieg ~ 승리를 예상하다; fest〔bestimmt, sicher〕 mit et.^{3} ~ 무엇을 철석같이 기대하다. ⑤ 절약하다, 알뜰하게 살림하다: sie weiß zu ~ 그 여자는 살림을 잘한다; mit dem Pfennig ~ 검약하다. 《Ⅱ》 *refl.* sich ~ 수지맞다, 이익을 가져오다: etwas rechnet sich schlecht 무엇이 수지맞지 않다.

Rẹchner *m.* -s, - ① 계산하는 사람. ② (칭호) 회계관(官). ③ 전자 계산기.

Rechnerei *f.* -en ① (힘든)계산. ② 계산값, 계산 결과.

rẹchner·gesteuert *a.* 전자 계산기〔컴퓨터〕에 따른.

rẹchnerisch *a.* ① 계산상의, 회계상의. ② 〘드물게〙 타산적인.

rẹchner·unterstützt *a.* 전자 계산기를 이용한.

***Rẹchnung** *f.* -en ① 계산, 셈: die ~ geht nicht auf 계산이 맞지 않다. ② 계정, 회계, 견적; 계산〔청구〕서; 평가, 예측; 부담, 책임; 빚: unbezahlte ~en 미지급 계정; alte ~en 묵은 빚〔원한〕; laufende ~ 당좌 계정, 상호 계산; eine ~ über 1000 DM 1000 마르크를 넘는 계산서; 〘구어〙 eine gesalzene 〔gepfefferte〕 ~ 터무니없이 비싼 계산서; et.^{3} ~ tragen 무엇을 참작〔고려〕하다; den Umständen ~ tragen 임기응변의 조치를 취하다, 모든 사정을 고려하다; der neuen Zeit ~ tragen 새 시대에 순응하다; über et. ~ (ab)legen a) 무엇의 이득을 계산하다, b) 무엇에 대해 해명하다; **auf〔für〕** Ihre ~ (und Gefahr) 당신의 책임〔비용·부담〕으로; das geht auf meine ~ 그것은 내가 지급〔계산〕하겠다; die Versendung erfolgt auf ~ und Gefahr des Empfängers 수취인의 위험 부담으로 운송된다; jm. et. auf ~ setzen 〔jm. et. in ~ bringen〕 무엇을 누구의 빚으로 하다, 누구에게 부담시키다; auf ~ kaufen〔nehmen〕 외상으로 사다; auf seine ~ kommen 그가 바라는 대로 되다; (sich^{3}) ~ auf et. machen 무엇을 기대하다; et. **außer** ~ lassen 무엇을 도외시하다, 기대하지 않다; seine ~ bei et.^{3} finden 무엇으로 보충〔만족〕하다; jm. einen Strich **durch** die ~ machen 〔jm. die ~ verderben〕 누구의 계획을 망치다; et. **in** ~ ziehen〔stellen, setzen〕 무엇을 고려하다; (jm.) et. in ~ stellen (누구에게) 무엇을 부담시키다; eine ~ in den Schornstein schreiben 부채를 탕감해 주다; mit jm.〔et.^{3}〕 seine ~ machen 누구와의〔무엇과의〕 대차(貸借)를 청산하다; das stimmt nicht **mit** meiner ~ 그것은 내 기대에 어긋난다; seine ~ ohne den Wirt machen (중요한 것을 계산하지 않아) 잘못 계산〔예측〕하다; 〘속담〙 glatte ~ erhält die Freundschaft 빚이 없어야 우정이 오래간다.

Rẹchnungs-abgrenzung *f.* 〘經〙 계정 항목의 분리. **~abgrenzungs·posten** *m.* 계정 항목. **~ablage** *f.* ① 계산〔청구〕서(류). ② 계산서〔청구서〕 보관함. **~ablegung** *f.* 계산서〔청구서〕 작성; 회계 보고, 결산. **~abnahme** *f.* 〘法〙 회계 검사. **~abnehmer** *m.* 〘法〙 회계 검사원. **~abschluß** *m.* 결산; 차감 계정: den ~ vornehmen 연말 결산하다. **~art** *f.* 계산법: die vier ~en 4 칙(則) 연산(가감승제). **~auszug** *m.* 계산서 발췌. **~beamte*** *der* 회계원. **~beleg** *m.* 영수증. **~betrag** *m.* 계산서의 총액. **~block** *m.* 계산서 용지철〔책〕. **~buch** *n.* 회계 장부. **~einheit** *f.* 〘經〙 계산 단위. **~fehler** *m.* (schweiz.) 계산 착오. **~-führer** *m.* 부기 담당; 회계원. **~führung** *f.* 부기; 회계. **~geld** *n.* 계산상의 기준 화폐. **~hof** *m.* (독일의) 회계 검사원(院). **~jahr** *n.* 회계 연도. **~kammer** *f.* 회계 검사원(院). **~legung** *f.* ↑~ablegung. **~mäßig** *a.* 계산대로의, 회계상의. **~münze** *f.* 계산상의 기준 화폐. **~nummer** *f.* 계산서상의 일련 번호. **~prüfer** *m.* 회계 검사관〔감사관〕. **~prüfung** *f.* 검산; 회계〔장부〕 검사. **~rat** *m.* ① 회계원. ② 〘칭호〙 회계 사무관. **~revision** *f.* 회계 감사. **~revisor** *m.* 회계 감사관. **~-überschlag** *m.* 어림 계산. **~wesen** *n.* 회계 (제도); 회계 사무.

***Recht** [rɛçt] 《↑ recht》 *n.* -(e)s, -e ① 옳음, 정당; 당연; 정의; im ~e sein 옳다, 정당하다; mit (Fug und) ~ 정당하게, 당연히; er wurde mit ~ bestraft 그가 벌받은 것은 당연하다; ohne ~ 부당하게, 이유 없이; das ~ ist auf meiner Seite 정의는 내 편이다; das besteht zu ~ 그것은 당연히 그래야 할 것이다; 〘다음 경우 소문자로 쓰기도 함〙 ~ haben (말·언행이) 옳다, 올바르다; immer ~ haben wollen 항상 자기 주장이 옳다고 하다〔독선적이다〕; jm. ~ geben 누구의 언행을 옳다고 (인정)하다; er hat ~ behalten 그가 옳았다; ich habe ~ bekommen 내가 옳았다; 〘속담〙 tue ~ und scheue niemand! 옳은 것을 행하고 아무도 두려워하지 마라! ② 권리, 권한, 자격: das ~ auf Leben 〔zu leben〕 생존〔생활〕권; ~ über Leben und Tod 생살여탈권; das ~ des Stärkeren 강자의 권리; gleiche ~e, gleiche Pflichten 동등한 권리에 동등한 의무; angeborene ~e 타고난 권리; ausschließliches ~ 독점권; alle ~e vorbehalten (책의) 판권〔저작권〕 보유; jm. ein ~ zu et.^{3} geben 누구에게 무엇을 할 권리를 주다; zu seinem ~ kommen (정당한) 권리를 보장받다; das ist mein (gutes) ~ 그것은 내 (당

연한) 권리다; sein ~ muß ihm gegeben werden 그 사람의 권리는 그 자신에게 주어져야 한다; auf sein ~ pochen 〔seine ~e geltend machen〕 자신의 권리를 주장하다; 〖비유〗 der müde Körper fordert sein ~ (auf Schlaf) 피로한 몸은 수면을 요구한다. ③ (Gesetz) 법, 법률, 법규: ~ muß ~ bleiben 법은 법이다; bürgerliches ~ 민법; positives ~ 실정법; 〖가톨릭〗 kanonisches ~ 교회법; geschriebenes〔ungeschriebenes〕 ~ 성문법〔불문법〕; Doktor der ~e 법학 박사; nach ~ und Gewissen〔Billigkeit〕 법과 양심에 따라〔공정하게〕; von ~s wegen 법률상; das ~ 〔die ~e〕 studieren 법률을 공부하다; das ~ verletzen 법에 저촉되다; das ~ beugen〔verdrehen〕 법을 왜곡하다; nach geltendem ~ 현행법에 따라; Gnade für〔vor〕 ~ ergehen lassen 관대하게 처리〔처분〕하다. ④ 판결 (Urteilsspruch): ~ sprechen 판결을 내리다. ⑤ 소송(Prozeß); 재판(Gericht): ich stehe redlich zu ~e 나는 재판도 판결도 꺼리지 않는다.

***recht** 《I》 *a.* ① (**a**) (richtig) 옳은, 올바른, 틀림없는, 정확한; (gerecht) 정당한, 공정〔공평〕한, 온전한; (생각·판단·의견 등이) 지당한; (passend) 적당〔적절〕한; 당연한, 정상적인; 형편이 좋은, 바람직한, 꼭 알맞은; 정돈된; 건강한; 정식의, 정규적인(ordentlich); (tüchtig) 유능한, 훌륭한; (물건의) 정면의: ein ~er Mann a) 올바른 사람, b) 적임자; der ~e Mann am ~en Platz 적소의 적재, 적임자; das ist der ~e Kerl 이놈이 꼭 적당한 녀석이다. (**b**) (언행이) 옳은: ~ haben 〔behalten〕 (언행이) 옳다, 올바르다; jm. ~ geben 옳다고 시인하다; er hat ~ bekommen 그가 옳았다; ~ tun 옳은 일을 하다; ~ daran tun 어떤 일에 올바르게 행동하다. (**c**) 좋은, 괜찮은, 옳은: das ist 〔so ist es〕 (ganz, durchaus, schon, völlig) ~ 그것으로 (아주) 좋다, 그러면 된다; mir ist's ~ 〔mir soll's ~ sein〕 나는 좋다〔괜찮다〕; es war ihm nicht ~ 그는 불만이었다; mir ist (schon) alles ~ 나는 아무래도 좋다; alle Mittel sind ihm ~ 그는 수단을 가리지 않는다; wenn es Ihnen ~ ist 괜찮으시다면; es war mir nicht ~, erkannt zu werden 나는 사람의 눈에 띄는 것이 좋지 않았다; er ist mir nicht ~ 그는 내 마음에 들지 않는다; 〖반어〗 du bist mir der ~e 네게는 볼일 없다; man kann es nicht jedermann ~ machen 만인을 다 만족시킬 수는 없다; du kommst mir (gerade) ~! 너 참 잘 왔다!, 〖반어〗 오지 말지!; komme ich (Ihnen) ~? 폐〔방해〕가 되지 않겠습니까?; sie kam (gerade) zur ~en Zeit 그 여자는 때맞춰 왔다, 〖반어〗 오지 말아야 할 때에 왔다; Sie kommen zu jeder Zeit ~ 언제든지 와 주십시오; das ist nur ~ und billig 그것은 지당하다; 〖속담〗 was dem einen ~ ist, ist dem anderen billig 갑에게 해당되는 것은 을에게도 해당된다; alles, was ~ ist, aber... 확실히 그렇지만, 그러나 …; er ist nicht ~ bei Sinnen 그는 제정신이 아니다; 〖속어〗 bist du nicht ~ hier? 너 머리가 돌지 않았니?; mir ist nicht ~ 나는 기분〔컨디션〕이 좋지 않다; bin ich hier ~ nach N.? N 에 가려면 이리 가면 맞습니까?; es ist nicht ~ von dir, so spät zu kommen 이렇게 늦게 오는 것은 좋지 않다; an den ~en geraten〔kommen〕 임자〔호적수〕를 만나다; er hat das Herz auf dem ~en Fleck 그는 공평무사한〔의리있는〕 사람이다; in allen Sätteln ~ 〔gerecht〕 sein 무엇이든지 할 수 있다, 만능이다; et. ins ~e Licht setzen 무엇의 좋은 면〔진면목〕을 보이다; das geht nicht mit ~en Dingen zu 그것은 정상적인 일이 아니다; das ~e treffen 정곡을 찌르다; nach dem ~en sehen 감독〔감시〕하다; vor die ~e Schmiede gehen 제대로 찾아가다(담당자·담당 기관 등); Mutter redete zum ~en 어머니가 조정역을 했다; er meint, er sei was ~es 그는 자기가 무슨 대단한 사람이라고 생각하고 있다; aus dem Menschen wird nichts ~es mehr 저 사람은 앞으로 쓸모있는 인물은 못될 것이다. (**d**) 진정〔진실〕한; 진짜의, 실제의: meine ~e Mutter 내 친어머니; ein ~er Narr 진짜 바보; das ist ein ~er Jammer 그것은 정말 비통한 일이다; das ist mal ein ~er Spaß 야 참 재미있다, 〖반어〗 아 참 곤란한데; 〖비유〗 das Kind beim ~en Namen nennen 시시비비를 가리다; keinen ~en Erfolg haben 성과가 별로 좋지 못하다; keine ~e Lust haben 마음이 썩 내키지 않다. ② (↔link) 오른쪽〔편〕의; 우익의(정당 등): js. ~er Arm 〔~e Hand〕 sein 누구의 오른팔〔심복〕이다; ~er Hand 오른손〔쪽〕에; ~e Seite 오른편, 우측(단: ~e Seite der Stickerei 자수의 겉); auf dem ~en Flügel stehen 우익(정당)에 속하다; Bravo auf der ~en 우익의 환성(↑ Rechte ②). ③ 〖고어〗 (gerade) 똑바른, 곧은; 직각의: ein ~er Winkel 직각. 《II》 *adv.* ① 제대로, 바르게, 진짜로, 틀림없이, 공정하게; 적절하게, 썩 잘, 당연히; 꼭, 바로; 곧게: ~ und schlecht 〔schlecht und ~〕 그럭저럭, 겨우; jn. ~ führen 누구를 올바르게 인도하다; ~ handeln 바르게 행동하다; et.〔jn.〕 ~ verstehen 무엇을〔누구를〕 바르게 이해하다; das geschieht ihm ~ 그것은 그에게는 당연한 결과이다; ich werde daraus nicht ~ klug 나는 그것을 어떻게 생각해야 할지 정말 모르겠다; sehe〔höre〕 ich ~? 내가 잘못 본〔들은〕 게 아닐까? ② 참으로, 정말(로), 실(제)로, 전혀; 매우, 아주; 대단히, 상당히: es tut mir ~ leid 정말 안됐습니다; ~ viel 아주 많이; ~ herzlichen Dank! 대단히 감사합니다!; das war etwas ~ Dummes 그것은 참으로 어리석은 일이었다; ~ gut 상당히 좋은〔잘한〕(gut 과 sehr gut 의 중간); er bekam die Note „~ gut" 그는 "우"의 성적을 받았다: erst ~ 더욱, 한층; nun erst ~ 이제는〔이렇게 된 바에야〕 더욱더; nun erst ~ nicht! 그러니까 더욱더 그렇지가 않다, 그래서는 안 된다!; nun werde ich es erst ~ tun 이렇게 된 이상 싫더라도 그렇게 해 주지.

rẹcht·drehend *a.* 〖기상〗 (바람이) 시계 바늘 방향으로 도는(↔ rückdrehend).

Rechte [rɛ́çtə] *f.* (↔ Linke) ① (**a**) 오른손: zur ~n 오른편〔쪽〕에; zu js. ~n 누구의 오른편〔쪽〕에; in meiner ~n 내 오른손에; et. in der ~n halten 무엇을 오른손에 들다. (**b**) 〖권투〗 오른손 가격: eine ~ einsetzen 오른손으로 가격하다. ② 〖비유〗 우익; 우익 정당, 보수당〔파〕: die äußerste〔gemäßigte〕 ~ 극우파〔중도 우파〕.

Recht≈eck *n.* 〚數〛 직 4 각형, 장방형. **≈-eckig** *a.* 직 4 각형의.
Rechte·hand·regel [rɛçtəhánt..] *f.* 〚物〛 (플레밍의) 오른손 법칙.
rechten 《<Recht》《I》 *i.*(h.) 법률에 호소하다, 소송을 일으키다; 〔비유〕 다투다, 말다툼하다: mit jm. über et. ~ 누구와 무엇에 관하여 논쟁하다. 《II》 *t.* 꾸짖다; (누구에게) 판결을 내리다.
Rechtens 〔Recht 의 옛 2 격; 다음 용법으로〕 das ist ~ 그것은 합법적이다〔정당하다〕.
rechtens *adv.* 당연히, 정당하게.
rechter≈hand *adv.* ↑ ~seits. **~seits** *adv.* 오른편〔쪽〕에.
recht·fertig *a.* ① ↑ ~haberisch. ② 〔고어〕 (gerecht) 공평한, 정당한.
***rechtfertigen** [rɛ́çtfɛrtɪgən] 《I》 *t.* ① 정당화하다, (…의) 정당함을 증명〔인정〕하다, (…의) 무죄를 입증〔시인·변호〕하다: dein Betragen ist nicht zu ~ 네 행위는 변명할 여지가 없다; die Produktionssteigerung rechtfertigt die hohen Investitionskosten 생산 증가는 높은 투자비를 정당화해 준다. ② 〚法·고어〛 소환하다. ③ 〚法·고어〛 심문하다; 〔비유〕 비난하다, 꾸짖다. 《II》 *refl.* sich ~ ① 변명하다, 자기의 정당함을〔무죄를〕 밝히다. ② sich aus et.[3] 〔durch et.〕 ~ 무엇에 의하여 정당화되다: sein Vorgehen rechtfertigte sich aus der Tatsache, daß ... 그의 행동은 …라는 사실을 통해서 정당화되었다.
Rechtfertigung *f.* -en ① 정당화, 변호; 변명. ② 정당성, 권리.
Rechtfertigungs≈schrift *f.* 변명서. **~-versuch** *m.* 변명의 시도.
recht≈gläubig *a.* ① 정교의, 정통 신앙의. ② 믿음이 깊은, 독실한. **≈gläubige*** *der/die* 정교 신자; 독실한 신자. **~gläubigkeit** *f.* 정교 (신봉) (Orthodoxie). **≈haber** *m.* 〔폄어〕 독선적인 사람. **≈haberei** *f.* 독선, 완고. **~haberisch** *a.* 자기 말만 고집하는, 독선적인. **≈kant** *n./m.* 〔드물게〕 (네모진) 마름돌; 직육면체. **~läufig** *a.* 올바른 진로를 택한; 〚天〛 (행성이) 순행하는, 시계 방향으로 도는. **≈lautung** *f.* 〚문법〛 표준 발음(법).
rechtlich [rɛ́çtlɪç] *a.* ① 올바른, 공정한; 정직한: ein ~er Mensch 정직한 사람. ② 법률상의, 합법적인: ~e Gültigkeit 법적 효력. ③ 〔구어〕 당연한; 어울리는, 적당한; 정당한. ④ 〔고어·구어〕 (anständig) 예의 바른, 단정한.
Rechtlichkeit *f.* ① 합법〔적법〕성. ② 정직, 성실, 공정.
recht≈liebend *a.* 법을 준수하는, 정의를 사랑하는, 공평〔공정〕한. **~linig** *a.* 〚數〛 직선의.
rechtlos *a.* ① 〔드물게〕 위법〔불법〕의. ② 법률 보호를 받지 못하는, 권리가 없는, 공권 상실의: ~e Sklaven 아무런 권리가 없는 노예들.
Rechtlosigkeit *f.* 무권리, 공권 상실.
recht≈mäßig *a.* 합법〔적법〕의, 정당한; 권리가〔자격이〕 있는. **≈mäßigkeit** *f.* 합법〔적법〕성, 정당성.
***rechts** [rɛçts] 《I》 *adv.* (약어: r.) ① 오른편〔쪽〕에〔으로〕: ~ vom Rhein 라인강의 오른쪽에; Augen ~! 우로봐!; von ~ (her) nach links (hin) 오른편에서 왼편으로; ~ vor links 우측 차량 우선의; weder ~ noch links 〔weder links noch ~〕 schauen 한눈 팔지 않고 자기의 길을 가다; nicht mehr wissen, was ~ und (was) links 〔wo ~ und links〕 ist 어찌할 바를 모르다. ② 〔구어〕 오른손으로: ~ sein 오른손잡이이다. ③ 바깥쪽에, 겉에. ④ 〚수공〛 (뜨개질에서) 오른코로. ⑤ 우익의: 〔비유〕 er steht ~ 그의 정치적 입장은 우익이다; er steht sehr weit ~ 그는 열렬한 우익〔보수〕주의자다. 《II》 *prp.*[2] …의 오른편〔쪽〕에: ~ des Rheins 라인강의 오른편에.
Rechts≈abbieger *m.* 〚교통〛 우회전 차량 (운전자). **~abtretung** *f.* 권리의 양도. **~altertümer** *pl.* 법제사 자료. **~angelegenheit** *f.* 법률 문제, 사법 사건. **~anschauung** *f.* 법률적 견해; 법 해석. **~anspruch** *m.* 권리의 요구〔주장〕, 법률상의 청구권. **~anwalt** *m.* 변호사. **~anwalt·büro** *n.* ↑ ~anwaltsbüro. **~anwältin** *f.* ↑ ~anwalt 의 여성형. **~anwalts·büro** *n.* 변호사〔법률〕 사무소. **~anwaltschaft** *f.* 변호사업〔직〕, 변호사회.
Rechtsanwalts≈kammer *f.* 변호사회. **~-kanzlei** *f.* (합동) 변호사〔법률〕 사무소. **~-praxis** *f.* 변호사 업무〔사무실〕.
Rechts≈anwendung *f.* 〚法〛 법(률) 적용. **~auffassung** *f.* 〚法〛 법 해석. **~ausdruck** *m.* 법률 용어. **~auskunft** *f.* 법률 상담. **~-auskunfts·stelle** *f.* 법률 상담소. **~-auslage** *f.* 〚권투〛 왼손잡이 복서의 기본 자세. **~ausleger** *m.* 〚권투〛 왼손잡이 복서. **~außen** *m.* 〚축구〛 라이트 윙. **~beflissene*** *der/die* 법률 연구자, 법(률)학자. **~befugnis** *f.* 〚法〛 (법적 기관의) 권한, 권능. **~beistand** *m.* ① ↑ ~anwalt. ② 법률 고문. **~belehrung** *f.* 법률상의 지시〔교훈〕. **~berater** *m.* 법률 고문〔상담자〕. **~beraterin** *f.* ↑ ~berater 의 여성형. **~beratung** *f.* 법률 상담. **~beschwerde** *f.* 항고, 소원(訴願). **≈beständig** *a.* ↑ ≈gültig. **~beugung** *f.* (고의적인) 법의 왜곡〔남용〕. **~bewußt·sein** *n.* 법의식; 정의감. **~-brauch** *m.* 법률 관례. **~brecher** *m.* 범법자. **~brecherin** *f.* ↑ ~brecher 의 여성형. **~bruch** *m.* 위법, 범법, 법률 위반. **≈-bündig** *a.* (문서 등의) 오른쪽 끝에 연결된, 오른쪽 끝을 맞춘.
rechtschaffen [rɛ́çt|ʃafən] *a.* ① 상당한, 대단한: sich ~ freuen 몹시 기뻐하다; ich habe einen ~en Hunger 나는 몹시 배고프다. ② 올바른, 정직〔성실〕한.
Rechtschaffenheit *f.* 올바름, 정직, 성실.
Recht≈schreibe·buch *n.* 정서법 교본〔사전〕. **≈|schreiben*** *i.*(h.) 〔부정형으로만〕 정서법〔맞춤법〕에 맞게 쓰다(단: er kann nicht recht schreiben 그는 글씨를 서투르게 쓴다).
Rechtschreib≈fehler *m.* 정서법상〔맞춤법상〕의 오류. **~frage** *f.* 정서법〔맞춤법〕의 문제.
recht≈schreiblich *a.* 정서법〔맞춤법〕(상)의. **≈schreib·reform** *f.* 정서법〔맞춤법〕 개정. ***≈schreibung** *f.* 정서법, 맞춤법.
Rechts≈drall *m.* ① 〚軍〛 (총의) 우회전식 강선(腔線). ② 〚사격·당구〛 오른쪽으로 벗어남. ③ 〔구어〕 우익 성향. **≈drehend** *a.* 〚理〛 오른쪽으로 감기는〔선회하는〕. **~drehung** *f.* ↑ ~drehend 의 명사형. **~eingriff** *m.* 권리 침해. **~einwand** *m.* 〚法〛 항변, 이의.

recht≈seitig *a.* ↑ rechtsseitig. **≈empfinden** *n.* 정의감.

Rechtser [rέçtsər] *m.* -s, - 〖방언〗 오른손잡이 (↔ Linkser).

rechts≈erfahren *a.* 법률에 밝은〔정통한〕. **~extrem** *a.* 극우(과격)주의〔파〕의. **≈extremismus** *m.* ① 극우 과격주의. ② 극우 과격주의 집단〔조직·정당〕. **~extremist** *m.* 극우 과격주의자. **~extremistisch** *a.* 극우주의의. **~fähig** *a.* 법률상 권능을〔권리와 의무를〕 가진, 법적 자격이 있는: ein ~er Verein 사단 법인. **≈fähigkeit** *f.* 권리 능력. **≈fall** *m.* 법률〔소송〕 사건. **~form** *f.* 법(의) 형식. **≈frage** *f.* 법률 문제. **≈freund** *m.* ↑ ~anwalt. **≈galopp** *m.* 〖승마〗 (말의) 오른발이 왼발보다 앞으로 나가는 갤럽. **≈gang** *m.* 소송 절차; 심급(審級). **≈gefühl** *n.* 정의감, 법감정. **≈gelehrsamkeit** *f.* 법률학. **~gelehrt** *a.* 법률에 정통한. **≈gelehrte*** *der/die* 법률학자, 변호사. **~geschäft** *m.* 법률 행위, 법적 처리. **~geschäftlich** *a.* 법률 행위의. **≈geschichte** *f.* 법제사(史). **≈gewinde** *n.* 〖工〗 오른나사. **≈gewohnheit** *f.* 법관습. **≈gleichheit** *f.* 권리의 평등. **≈grund** *m.* 법적 근거; (어음의) 원인 관계. **~grund·satz** *m.* 법원칙, 법리. **~gültig** *a.* 법률상 유효한, 적법의. **≈gültigkeit** *f.* 적법(성). **≈gut** *n.* 〖法〗 법적 보호 대상(보기: 생명·재산). **≈gutachten** *n.* 법적 감정(鑑定). **≈handel** *m.* 〖法·구식〗 소송. **≈händer** *m.* 오른손잡이. **≈händerin** *f.* ↑ ~händer 의 여성형. **~händig** *a.* 오른손(잡이)의. **~hängig** *a.* 소송 (계류) 중인; 심리 중인. **≈hängigkeit** *f.* 소송의 계류; 권리 구속.

rechts≈her *adv.* 〖고어〗 오른쪽에서. **~herum** *adv.* 오른쪽으로 돌아(서).

Rechts≈hilfe *f.* 법률상의 구제, 사법 공조. **~hilfe·abkommen** *n.* 〖法〗 법률상의 공조 협정.

rechts·hin *adv.* 오른쪽〔우측〕으로.

Rechts≈historiker *m.* 법사학자. **~kenner** *m.* ↑ ~gelehrte. **~kenntnis** *f.* 법률 지식. **~kniff** *m.* 법률상의 협잡. **~konsulent** *m.* 법률 고문. **~kosten** *pl.* 소송 비용. **~kraft** *f.* 〖法〗 확정력, 법(률)적 효력: materielle ~ 실체적 확정력. **≈kräftig** *a.* 〖法〗 법률상의 효력이 있는, 확정적인: ~es Urteil 확정 판결. **~kunde** *f.* 법률학. **≈kundig** *a.* 법률에 정통한. **~kundige*** *der/die* 법률학자. **~kurs** *m.* ①〖승마〗 오른쪽으로 돌아 달리는 코스. ②〖政〗 (정부의) 우익 정책 노선. **~-kurve** *f.* 우측 커브. **~lage** *f.* 법(률)적 상황〔사태〕. **≈lastig** *a.* ① 오른쪽에 하중이 쏠리는. ②〖폄어〗 극우의. **≈läufig** *a.* ①〖工〗 오른쪽으로 감기는. ② 왼쪽에서 오른쪽으로 읽도록 되어 있는. **~lehre** *f.* ① 법률학. ② 법률상의 학설. **~medizin** *f.* 법의학. **~mittel** *n.* 법률상의 수단; 상소(上訴): ein ~ einlegen 상소하다. **~mittel·belehrung** *f.* 〖法〗 상소 절차, 상소권 고지(告知). **~nachfolge** *f.* 권리 계승. **~nachfolger** *m.* 권리 계승자. **~nachfolgerin** *f.* ↑ ~nachfolger의 여성형. **~nachteil** *m.* 권리 훼손〔침해〕. **~norm** *f.* 법규범. **~ordnung** *f.* 법질서. **~partei** *f.* 〖政〗 우익〔보수〕 정당. **~person** *f.* 법인. **~-pflege** *f.* 법의 집행; 재판. **~pfleger** *m.* 사법관(리). **~pflegerin** *f.* ↑ ~pfleger 의 여성형. **~philosophie** *f.* 법철학. **~praktikant** *m.* (법관) 시보(試補) (Referendar).

Recht·sprechung *f.* 판결, 재판.

rechts≈radikal *a.* 극우(파)의, 과격 우익의. **≈radikale*** *der/die* 극우파〔주의자〕, 과격 우익. **~radikalismus** *m.* 극우주의.

rechts·rheinisch *a.* 라인강 오른쪽의.

Rechts≈ruck *m.* 〖政〗 우익의 우세, 우경화(정책). **≈rum** *a.* 〖구어〗 오른쪽으로 돌아(↑ ≈-herum). **~sache** *f.* ① ↑ ~handel. ② 법률 문제, 사법 사건. **~satz** *m.* 법규. **~schule** *f.* 법률 학교. **~schutz** *m.* 법적〔법률상의〕 보호, 권리 보호. **~schutz·versicherung** *f.* (변호사 비용 등을 위한) 법률〔권리〕 보호비 보험. **≈seitig** *a.* 오른쪽에 있는, 우측의. **~setzung** *f.* 법규범의 설정. **~sicherheit** *f.* 〖法〗 법적 안정(성). **~sprache** *f.* 법률 용어. **~spruch** *m.* 판결. **~staat** *m.* 법치국가. **≈-staatlich** *a.* 법치 국가의. **~staatlichkeit** *f.* 법의 통치; 합법성. **~stand·punkt** *m.* 법적 견해〔입장〕. **≈stehend** *a.* 우측에 서 있는; 우익의. **~stellung** *f.* 법률상〔법적〕 지위. **~streit** *m.* ↑ ~handel. **~subjekt** *n.* 〖法〗 법인, 법적 주체, 권리 주체. **~titel** *m.* 법률상의 청구권; (법적 권리의 원인·증거가 되는) 권원(權原). **~träger** *m.* 법인.

recht·suchend *a.* 법적 해결을 (요)구하는.

rechts≈ufrig *a.* 오른쪽 강변의. **~um** *adv.* 오른쪽으로 돌아서: 〖軍〗 ~! 우향우! **~umkehrt** *a.* 〖다음 용법으로〗 (schweiz.) ~ machen 뒤로 돌다. **≈unsicherheit** *f.* 법적 불안정. **≈unterzeichnete*** *der/die* (서류의) 오른쪽에 서명한 사람. **~verbindlich** *a.* 법적 구속력이 있는. **≈verbindlichkeit** *f.* 법적 구속력. **≈verdreher** *m.* ① 법률 곡해자. ②〖농담〗 (악덕) 변호사. **≈verdreherei, ≈verdrehung** *f.* 법률의 곡해. **≈-verfahren** *n.* 소송 절차. **≈verfassung** *f.* 법률 제도, 법제. **≈verhältnis** *n.* ① 법률 관계. ②〖복수〗 법적 상황. **≈verhandlung** *f.* 소송. **≈verkehr**[1] *m.* (특히 차의) 우측 통행. **≈verkehr**[2] *m.* (국제적인) 사법·법률 관련 교류. **≈verletzung** *f.* 〖法〗 위법, 범법. **≈vermutung** *f.* 법에 의한 추정. **≈-verordnung** *f.* 〖法〗 법규 명령. **~verständig** *a.* 법률에 정통한. **~verständige*** *der/die* 법률학자. **≈vertreter** *m.* 법정 대리인, 법률 대행인(변호사·법률 고문). **≈verweigerung** *f.* 재판 거부. **≈vorbehalt** *m.* 권리의 유보. **≈vorschlag** *m.* (schweiz.) (강제 집행에 대한) 채무자의 이의 제기. **≈-vorschrift** *f.* 법규. **≈wahrer** *m.* 법률가. **~wärts** *adv.* 우(측으)로, 우측에. **≈weg** *m.* 법(률)적 수단, 소송: den ~ beschreiten〔einschlagen〕 소송하다, 법률에 호소하다. **~wegen** *adv.* von ~ 법적으로, 정당하게. **≈-wendung** *f.* 우회전. **≈wesen** *n.* 법률 제도. **~widrig** *a.* 위법〔불법〕의. **~wirksam** *a.* (~gültig) 법률상 유효한, 적법의. **≈-wissenschaft** *f.* 법학. **≈wohl·tat** *f.* 법률상의 은전. **≈zug** *m.* 심급(審級) (Instanz). **≈zuständigkeit** *f.* 권능, 직권.

recht≈winkelig *a.* ↑ ~winklig. **~winklig** *a.* 〖기하〗 직각의. **~zeitig** *a.* 시간에 맞춘, 적

시(適時)의, (시기가) 늦지 않은: ~ zum Zug kommen 기차 시간에 꼭 알맞게 닿다: die Krankheit muß ~ behandelt werden 병은 제때에 치료해야 한다. ≈**zeitigkeit** *f.* ↑ 적시, 적기, 제때.

recipe [ré:tsipe] 《lat., „recipere"》 (의사 처방전의) 복용하시오(약어: Rec., Rp.).

Reck [rɛk] 《ndd.》 *n.* -(e)s, -e ①〖스포츠〗(체조의) 수평봉, 철봉: Übungen am ~ 철봉연습. ② 공중 그네.

Recke[1] [rɛ́kə] *m.* -n, -n ①〖문학〗 영웅, 용사, 전사; 거인. ② 힘센 수사슴.

Recke[2] *f.* -n 횡목(橫木) (특히 물건을 걸어 말리기 위한 장대).

Reck·eisen *n.* (thüring.) 봉강(棒鋼) (Stabeisen).

recken [rɛ́kən] 《I》 *t.* ① 뻗치다, 뻗다, 펴다: Eisen〔Wäsche〕 ~ 쇠를 늘이다〔빨래를 펴다〕; die Glieder ~ 사지를 펴다; den Hals ~ 목을 뻗다. ② (ndd.) (배를) 잡아 끌다. ③ (obd.) 다다르다. 《II》 *refl.* sich ~ ① 늘어나다; 사지를 펴다, 기지개 켜다. ② 으스대다. 《III》〔방언〕 es reckt mich 나는 구역질이 난다.

Recken·art *f.* ↑ Reckentum.

reckenhaft 《<Recke[1]》 *a.* 영웅〔전사·거인〕 같은; 대담한, 용맹스러운; 거대한.

Reckentum *n.* -(e)s 영웅적 정신, 기사도.

Reckolder [rɛ́kɔldər] *m.* -s, - 〖植〗〖방언〗 (Wacholder) 노간주나무, 두송(杜松).

Reck≈stange *f.* 〖체조〗 철봉. **~turnen** *n.* ① 철봉 체조. ② 철봉 체조 시합. **~übung** *f.* 철봉 연습. **~walze** *f.* 압연용(壓延用) 롤러.

Recorder [rekɔ́:rdər] 《engl.》 *m.* -s, - ① 녹음기, 녹화기, 리코더. ②〖음악〗 리코더, 피리.

recte [rɛ́ktə] 《lat.》 *adv.* 정확하게, 바르게, 잘.

Rector magnificus [rɛ́ktɔr magnífikus] 《lat., „erhabener Leiter"》 *m.* - -, -es ..ci [..tó:re:s ..fitsi] 대학 총장(의 칭호).

recyceln [risáıkəln] *t.* 재활용하다.

Recycling [risáıklıŋ] 《engl.》 *n.* -s 재활용, 재생.

Recycling·papier [..sáı..] *n.* 재생지(紙), 재생용지.

red *a.* (ndd.) 준비된(fertig).

*__Redakteur__ [redaktǿ:r] 《<redigieren》 *m.* -s, -e 편집자, 편찬자; (Chef≈) 주필, 편집장.

Redakteurin *f.* -nen ↑ Redakteur 의 여성형.

Redaktion [..tsió:n] *f.* -en (Schriftleitung) ① (**a**) 편집; 편집자〔장〕의 직. (**b**) (문서의) 작성; 교정; 출판, 간행; (서적의) 판(版). ② 편집국, 편집실. ③ 편집부원.

redaktionell [..tsionɛ́l] *a.* 편집상의, 편집국의, 편집자〔장〕의.

Redaktions≈besprechung *f.* 편집 회의. **~geheimnis** *n.* 편집인의 증언 거부권. **~konferenz** *f.* ↑ ~besprechung. **~schluß** *m.* 편집 종료; (원고의) 마감 기한.

Redaktor [redáktɔr, ..to:r] *m.* -s, -en [..tó:rən] ① 출판자, 발행자, 편집자. ② (schweiz.) ↑ Redakteur.

Redaktrice [..trí:sə] *f.* -n (öst.) 여자 편집자, 여자 주필.

Redder *m.* -s, - (ndd.) (생울타리 사이의) 작은 길; 들길.

Reddition [rɛditsió:n] 《lat.》 *f.* -en 〖구식〗 반환.

*__Rede__ [ré:də] *f.* -n ① 말, 말함, 이야기; 담화, 회화; 의견, 견해, 주장; 의논, 토론: die Kunst der ~ 화술, 웅변술; leere ~n 허튼 이야기, 무의미한 이야기; seine frechen ~n 그의 뻔뻔스러운 말들; ~ und Gegenrede (찬반의) 토의, 토론; die in ~ stehende Sache 화제〔문제〕가 되어 있는 일; seinen ~n nach (zu urteilen) 그의 말에 따르면; gotteslästerliche ~n ausstoßen 신을 모독하는 말을 내뱉다; lose ~n führen 만담하다, 실없는 소리를 하다; große ~n führen〔schwingen〕 큰 소리치다, 호언장담하다; 〖비유〗 etwas verschlägt jm. die Rede 무엇 때문에 (놀라서) 말문이 막히다; die ~ auf et. bringen 무엇을 화제에 올리다; bei seiner ~ bleiben 제 의견을 고집하다; jm. in die ~ fallen 〔jm. die ~ abschneiden〕 누구의 말을 가로막다; das ist meine ~! 그것은 내가 늘상 말하던 바다!; die ~ kommt〔fällt〕 auf et.〔jn.〕 무엇이〔누가〕 화제에 오르다; es war von einer Gehaltserhöhung die ~ 임금 인상에 관한 논의가 있었다; das ist nicht der ~ wert 그것은 이야기할 만한 가치가 없는 것이다; davon kann keine ~ sein 그것은 말도 안 된다; (schweiz.) et. nicht an der ~ haben wollen 무엇을 인정〔시인〕하지 않다. ② 연설, 강연; 강의; 식사, 인사: die ~ des Bundeskanzlers 연방 수상의 연설; geistliche ~ 설교; seine erste ~ 그의 처녀 연설; eine ~ halten 연설하다; 〖구어〗 eine ~ schwingen 제스처를 써 가며 연설하다. ③ (**a**) 구변, 변설, 화술: er hat die Gabe der ~ in hohem Grade 그는 말재주가 대단히 좋은 사람이다. (**b**) 화법; 문체: 〖문법〗 direkte〔indirekte〕 ~ 직접〔간접〕 화법; die erlebte ~ 체험 화법; gebundene〔ungebundene〕 ~ 운문〔산문〕; geschraubte ~ 부자연스러운 문체; ich kenne ihn an der ~ 나는 말투로 그 사람임을 안다; in freier ~ 원고 없이 연설하며. ④ 소문, 풍설; 평판: in die ~ bringen 소문을 퍼뜨리다; es geht die ~ (davon), daß ... …의 소문이 떠돌고 있다; kümmere dich doch nicht um die ~n der Leute 사람들이 말하는 것에 신경 쓰지 마라. ⑤ 해명, 변명; 답변: jn. zur ~ stellen〔setzen, ziehen〕 누구에게 답변을 요구하다; jm. (zur) ~ stehen 〔jm. ~ und Antwort stehen〕 누구에게 (자신의 행위를) 해명〔변명〕하다. ⑥ 협약, 협정.

Rede≈akt *m.* 낭독회, 웅변〔변론〕회. **~aktus** *m.* ↑ ~akt. **~akzent** *m.* 연설조. **~art** *f.* 표현 방법, 말투. **~bild** *n.* ↑ ~figur. **~blume, ~blüte** *f.* 아름다운 말, 시적 표현, 미사여구. **~duell** *n.* 논쟁, 토론. ≈**fertig** *a.* 말솜씨〔말재간〕 있는, 유창한, 달변인. **~fertigkeit** *f.* 능변, 달변. **~figur** *f.* 수사학적 표현, 형용, 비유. **~floskel** *f.* ↑ ~blume. **~fluß** *m.* 유창한 말, 능변: er stockte plötzlich in seinem ~ 그는 갑자기 술술 나오던 말문이 막혔다. **~form** *f.* ① 표현법, 화술. ②〖문법〗 화법. **~freiheit** *f.* 언론 자유. **~gabe** *f.* 말솜씨(Rednergabe). **~gesang** *m.* 〖음악〗 레치타티보, 서창(敍唱). ≈**ge-**

wandt *a.* 입심 좋은; 능변의. **~gewandtheit** *f.* 능변, 말재간. **~kunst** *f.* ① 수사학(Rhetorik). ② 웅변술. **~künstler** *m.* 웅변가. **~lust** *f.* 말하기 좋아함, 수다 떠는 버릇, 요설(饒說). **≈lustig** *a.* 말하기 좋아하는.

Redemptorist [redɛmptoríst] 《lat., „Erlöser"》 *m.* -en, -en 〖가톨릭〗 (18 세기의) 구세주(수도)회 회원.

*__reden__ [ré:dən] 《<Rede》《Ⅰ》 *i.* (h.)/*t.* ① 말하다, 이야기하다; 담화하다, 잡담하다; 논하다, 연설〔강연〕하다; 담판하다: jm. das Wort ~ 누구를 변호하다; 누구를 위하여 말해 주다; er redet nicht gerne öffentlich 그는 대중 연설을 좋아하지 않는다; vor sich hin ~ 혼자말을 하다; frei von der Leber weg ~ 거리낌〔기탄〕없이 말하다; das ist ja mein ≈ 나는 늘 그렇게 말해 왔다; Kohl〔Blech〕 ~ 시시한 소리를 하다; er redet wie ein Buch 그의 변설은 청산유수다; du redest, wie du verstehst 자네는 그것을 조금도 알지 못하고 떠들고 있는 거야; du hast gut〔leicht〕 ~ 입으로는 무언들 말 못하리(말하기는 쉽다); ≈ ist Silber, Schweigen ist Gold 웅변은 은이고 침묵은 금이다; jn. zum Reden bringen 누구에게 말을 시키다. ② 〖전치사와 함께〗 jm. et. **aus** dem Sinne ~ 누구를 설복하여 무슨 생각을 버리게 하다; aus ihm redet die Verzweiflung 절망한 나머지 그는 그런 말을 하고 있는 것이다; **gegen** jn.〔et.〕 ~ 누구를〔무엇을〕 악평〔비난〕하다; ich rede gegen eine Wand〔Mauer〕 이것은 내가 벽에다 대고 말하는 것이나 마찬가지다; jm. **ins** Gewissen ~ 누구의 양심에 호소하다; in den Wind ~ 말한 보람이 없다, 마이동풍이다; **mit** sich selbst ~ 혼자말로 중얼거리다; um mit dem Dichter zu ~ 시인의 말을 빌려 말한다면; ich habe mit Ihnen zu ~ ! 나는 당신과 할 얘기가 있습니다 ! ; er läßt (nicht) mit sich ~ 그와는 이야기가 통한다〔통하지 않는다〕; jm. **nach** dem Mund〔zuliebe, zu(m) Gefallen〕 ~ 누구의 마음에 들게 말하다, 아첨하다; dar**über** läßt sich ~ 그 일은 이야기할 만하다, 이야기하면 서로 양해가 된다; ein Langes und Breites〔langes und breites〕 über et. ~ 무엇을 장황하게 이야기하다; (viel) **von** sich ~ machen 세상을 떠들썩하게 하다, 세상의 이목을 끌다; schlecht von jm. ~ 누구를 비방하다; in so einem Dorf wird natürlich viel geredet 그런 마을에서는 이러쿵저러쿵 말이 많기 마련이다; gut〔Gutes〕 von jm.〔über jn.〕 ~ 누구를 좋게 말〔평〕하다, 칭찬하다; jm. immer da**zwischen** ~ 시종 남의 말에 참견하다. 《Ⅱ》 *refl.* sich heiser ~ 말을 너무 많이 해서 목이 쉬다; sich³ et. an den Hals ~ 말로 인하여 어떤 화를 입다; sich in Zorn〔Wut〕 (hinein) ~ 말하다가 격분하다; sich um den Hals〔Kopf〕 ~ 설화(舌禍)로 목숨을 잃다.

redend *p.a.* 말하고 있는; 웅변하는, 증명하는, 표정이 풍부한: ~e Beweise 뚜렷한 증거; ein ~er Blick (많은 것을) 말해 주는〔표정이 풍부한〕 눈빛; ~e Künste 언어 예술(수사(修辭)·연설·문학).

*__Redens≈art__ [ré:dəns|a:*r*t] *f.* ① 말씨, 말투, 어법, 표현법. ② 〖복수〗 (Phrase) 숙어, 관용구; 허튼 소리, 상투어, 미사여구: lange ~en machen 오래오래 이야기하다; jn. mit ~en besoffen machen 누구를 교묘한 말로 구슬리다〔속이다〕; machen Sie keine ~en ! 공연한 소리 하지 마시오, 허튼 말은 그만 두십시오 ! ; das ist nur so eine ~ 그것은 말뿐이야. **≈artlich** *a.* 말투의; 상투적인.

Rede·recht *n.* 발언권.

Rederei [re:dərái] *f.* -en ① 요설(饒說), 수다, 성가신 말; 상투어: das sind ~en ! 그것은 쓸데없는 말이다 ! ② 풍문, 가십: zu ~en Anlaß geben 가십 거리를 제공하다.

Rede≈satz [ré:də..] *m.* 〖문법〗 문장; 종합문, 완전문. **≈scheu** *a.* 말수 적은, 말이 없는, 과묵한. **~schrift** *f.* 일종의 속기술. **~schwall** *m.* 도도〔유창〕한 변설; 장광설. **~schwulst** *m.* 과장된 말, 호언장담. **~schwung** *m.* 강조된 어세. **~strom** *m.* ↑ ~fluß. **~teil** *m.* 〖방언〗 품사. **~teilchen** *n.* 〖↑ Redeteil 의 축소형〗 불변화사. **~ton** *m.* ↑ ~akzent. **~übung** *f.* 연설 연습. **~verbot** *n.* 발언 금지. **~weise** *f.* 표현 방법, 어법, 어투. **~wendung** *f.* 어법(~weise); 숙어, 관용구; 빈말, 미사여구. **~zeit** *f.* 발언 시간.

redigieren [redigí:rən] 《lat.》 *t.* (원고를) 정리하다; 편집하다; 교정하다: eine Zeitschrift ~ 어떤 잡지의 편집자〔주간〕이다.

Rediskont [redɪskɔ́nt] *m.* -s, -e 〖商〗 재할인.

Redingote [redɛ̃gɔ́t, rə..] 《frz.》 *f.* -n 외투.

rediskontieren [redɪskɔntí:rən] 《lat. -it.》 *t.* 〖商〗 (어음을) 재할인하다.

Rediskontierung *f.* -en 재할인.

redivivus [..ví:vʊs] 《lat.》 *a.* 소생〔부활〕한.

*__redlich__ [ré:tlɪç] 《Ⅰ》 *a.* 성실한, 곧은, 독실한, 정직한, 공정한, 의무를 지키는; 커다란, 많은: es mit jm. ~ meinen 성의를 가지고 누구를 대하다; ich habe mir ~e Mühe gegeben 나는 대단히 노력했다; ich habe ~en Hunger 나는 대단히 배가 고프다. 《Ⅱ》 *adv.* (sehr) 참으로, 대단히: sich ~ bemühen 대단히 애쓰다.

Redlichkeit *f.* 정직, 성실.

*__Redner__ [ré:dnə*r*] *m.* -s, - 연설가, 웅변가, 연사: der ~ des heutigen Abends 오늘 저녁의 연사; er ist kein ~ 그는 연설을 잘 못한다.

Redner≈bühne *f.* 연단. **~gabe** *f.* 말솜씨, 화술의 재능.

Rednerin *f.* -nen ↑ Redner 의 여성형.

rednerisch *a.* 연설(가)의; 연설조의; 능변의: eine ~e Begabung 연설의 재능.

Redner≈kunst *f.* 웅변술, 연설의 기술. **~liste** *f.* 연사 명단. **~pult** *n.* 강연〔연설〕대. **~tribüne** *f.* 연단, 강단. **~ton** *m.* 연설조.

Redoute [redú:tə] 《frz.》 *f.* -n 〖구식〗 ① 〖軍〗 각면보(루)(角面堡(壘)). ② (a) 가장 무도(회): auf eine ~ gehen 가장 무도회에 가다. (b) 무도〔연회〕장.

Redressement [redrɛs(ə)mɑ̃:] 《frz.》 *n.* -s, -s 〖醫〗 (탈구·골절의) 교정, 접골.

redressieren [redrɛsí:rən] 《frz.》 *t.* ① 〖醫〗 접골하다, (정형 외과적으로) 교정하다. ② 회복시키다; 정돈하다; 배상하다; 취소하다.

redselig [ré:tze:lɪç] *a.* ① 말이 많은, 수다스러운. ② 단어가 풍부한.

Redseligkeit *f.* 말이 많음.

Reduit [redÿí:] 《frz.》 *n.* -s, -s ① 〖雅語〗 은

신처. ②〔구식〕 요새의 보루.

***Reduktion** [reduktsió:n] 《lat.》 *f.* -en ① 경감, 삭감; 축소, 제한: ~ des Verbrauchs 소비 절감. ②〖化·제련〗 환원(↔Oxydation). ③〖논리〗 환원법, 귀납적 추론, 단순화. ④〖植·動〗 퇴화. ⑤〖數〗 환산, 약분. ⑥ 수정(관측 중 오차의 보정(補正)); 〖醫〗 정복(整復). ⑦ 정부 지정 보류 지구. ⑧ 원주민 보호 거류지. ⑨〖生〗 (분열 때) 염색체수의 감소. ⑩〖언어〗 문장의 단축; 모음의 약화〔소멸〕.

Reduktionismus *m.* -〖전문〗 환원주의.

reduktionistisch *a.* 〖전문〗 환원주의의.

Reduktions≈diät *f.* (칼로리가 적은 음식을 섭취하는) 감량 다이어트. **~faktor** *m.* 환산율. **~getriebe** *n.* 〖기계〗 감속 기어〔장치〕. **~mittel** *n.* 〖化〗 환원제. **~ofen** *m.* 〖工〗 환원 용광로. **~tabelle** *f.* 환산표. **~teilung** *f.* 〖生〗 감수 분열. **~zirkel** *m.* 비례 컴퍼스.

Reduktor [redúktɔr, ..to:r] 《lat.》 *m.* -s, -en [..tó:rən] 〖전기〗 전압을 저하시키는 데 쓰이는 특수 전구; 〖醫〗 탈구(脫臼)를 정복(整復)하는 기계.

redundant [rednndánt] *a.* 과잉의; 중복된, 중요하지 않은, 불필요한; 장황한.

Redundanz [redundánts] *f.* -en 〖언어·컴〗 중복; 과잉, 잉여; 장황.

redundanz·frei *a.* 중복되는 것이 없는; 불필요한 것이 없는, 아주 중요한 것을 집약한.

Reduplikation [reduplikatsió:n] 《lat.》 *f.* -en 중복; 〖문법〗 반복.

reduplizieren [..tsí:rən] *t.* 되풀이〔반복〕하다: ~des Verb 반복 동사.

reduzibel [..tsí:bəl] *a.* 〖數〗 약분의.

***reduzieren** [redutsí:rən] 《lat.》 《Ⅰ》 *t.* ① 경감〔삭감〕하다, 축소〔감소〕하다; 제한하다; 변형하다: die Preise auf die Hälfte ~ 가격을 반으로 내리다; die Zahl der Teilnehmer ~ 참가자의 수를 줄이다. ②〖數〗 약분하다, 환산하다. ③〖化〗 환원하다. ④ 수정〔조정〕하다. ⑤〖언어〗 (모음을) 약화시키다. ⑥ 환원〔단순화〕시키다: diese ganze Theorie läßt sich auf eine Grundidee ~이 모든 이론은 하나의 근본 이념으로 환원된다. ⑦〖요리〗 졸이다. 《Ⅱ》 **reduziert** *p.a.* ↑ reduziert.

Reduzier·getriebe [redutsí:r..] *n.* 〖기계〗 감속 장치〔기어〕.

reduziert 《Ⅰ》 *p.p.* ↑ reduzieren. 《Ⅱ》 *p.a.* 경감한, 제한한, 약분한, 환원한; 〖비유〗 초라한, 누추한: ~ aussehen 초라하게 보이다.

Reduzierung *f.* -en 환원.

Reduzier·ventil *n.* 〖工〗 감압판(瓣).

ree, rhe 돌려(범선 회전 때의 명령).

Reede [ré:də] 《ndd.》 *f.* -n 〖海〗 (항외(港外)의) 정박소; 의장장(艤裝場): auf der ~ liegen〔ankern〕 정박하고 있다.

reeden *t.* 의장(艤裝)하다.

Reeder [ré:dər] *m.* -s, - 선주; 해운업자.

Reederei [re:dərái] *f.* -en 해운업; 선박 회사.

Reederei·flagge *f.* 선기(船旗).

Reef [re:f] 《ndd.》 *n.* -(e)s, -e 〖海〗 축범(縮帆) 장치, 축범부(部).

reefen *t.* 축범(縮帆)하다.

reell [reέl] 《frz.》 *a.* ① 현실의, 진실의; 사실의, 실제적인. ② 신용 있는, 견실한, 정직한; 정식의, 푸짐한: ein ~er Mensch 신용받는 사람. ③〖數〗 ~e Zahlen 실수(實數).

Reellität [reɛlitέ:t] *f.* ↑ reell의 명사형.

Reep [re:p] 《ndd.》 *n.* -(e)s, -e 〖海〗 밧줄, 로프.

Reeper·bahn [ré:pər..] *f.* ① 밧줄 만드는 곳. ② 함부르크의 번화가.

Reeperei [re:pərái] *f.* -en 제강업(製綱業).

Reep·schläger *m.* 밧줄 만드는 사람.

Reet [ré:t] *n.* -s (nordd.) 갈대.

Reet·dach *n.* (nordd.) 갈대 지붕.

ref. =reformiert 개혁의.

REFA [ré:fa] =Reichsausschuß für Arbeitszeitermittlung 노동 시간 조사 위원회.

REFA·Fachmann *m.* 노동 시간 조사 위원.

Refaktie [refáktsiə] 《ndl.》 *f.* -n (상품 파손에 따른) 할인; 〖철도〗 운임 할인, 상환.

refaktieren [refaktí:rən] *t.* (상품의) 운임 할인을 인정하다.

REFA·Lehre *f.* ↑ REFA 이론.

Refektorium [refɛktó:rium] 《lat.》 *n.* -s, ..rien [..riən] 〖가톨릭〗 (수도원·신학교의) 식당.

***Referat** [referá:t] 《lat.》 *n.* -(e)s, -e ① (연구나 조사에 대한) 보고(서); 발표문, 강연; 서적의 단평(短評): ein ~ ausarbeiten 연구 보고서를 작성하다; ein ~ halten 발표하다. ② (관청의) 과(課), 국(局), 부(部): jm. ein ~ übertragen 누구에게 어떤 부서를 맡기다.

Referee [refərí:, ré:fəri] 《engl.》 *m.* -s, -s 심판, 레퍼리.

Referenda ↑ Referendum의 복수형.

Referendar [referɛndá:r] *m.* -s, -e 예비 교사, 교생; 사법 연수생, 판사 시보.

Referendär [..dέ:r] *m.* -s, -e ↑ Referendar.

Referendariat *n.* -(e)s, -e 예비 교사〔판사 시보〕의 수습 근무.

Referendarin *f.* -nen ↑ Refendar의 여성형.

Referendarius *m.* -, ..rien [..ri:ən] 시보(試補); 사법 연수생, 판사 시보.

Referendum [referέndum] *n.* -s, ..den/..da (스위스의) 국민 투표.

***Referent** [referέnt] *m.* -en, -en ① (연구) 보고자, 발표자, 강연자; 비평자. ② (관청의) 담당자. ③〖언어〗 지시소(指示素).

Referentin *f.* -nen ↑ Referent ①② 의 여성형.

Referenz [..rέnts] *f.* -en 추천서, 소개장; 조회처, 신원 보증인; 경의를 표함, 인사; 〖언어〗 (언어 기호 대상물 사이의) 지시 관계: jm. seine ~ erweisen 누구에게 정중한 인사를 하다; ~en sind den Bewerbungsunterlagen beizufügen 추천서를 지원서에 첨부하여야 한다.

***referieren** [referí:rən] *t./i.* (h.) (über) et. ~ ① 무엇을 보고〔발표〕하다, 강연하다, ② (책을) 논평〔비평〕하다: ~de Bibliographie 책의 내용을 간략하게 소개한 참고 서적(목록).

Reff[1] [rɛf] *n.* -(e)s, -e 말 많고 빼쩍 마르고 못생긴 여자; 〖평어〗 할망구, 할멈.

Reff[2] *n.* -(e)s, -e ① 등에 메는 바구니; 들것. ② (책)궤짝. ③〖農〗 사료 선반; 큰 낫에 장치한 갈래.

Reff[3] *n.* -(e)s, -s 축범(縮帆) 장치(Reef).

reffen *t.* 축범(縮帆)하다(reefen).

refinanzieren *t.* 〖經〗 재융자〔재할인〕하다, 신용 융자를 해주기 위해 남의 자본을 얻다.
Refinanzierung *f.* -en 재융자, 재할인.
Reflation *f.* -en 〖經〗 리플레이션.
reflationär [..tsionɛ́:r] *a.* 리플레(이션)의.
Reflektant [reflɛktánt] 《lat.》 *m.* -en, -en 지원자, 신청자; 원매자, 구매 희망자: für diese Stelle haben sich mehrere ~en gefunden 이 자리에 대한 신청자가 여러 명 있다.
reflektieren [..tí:rən] 《I》 *t.* 반사하다: der Spiegel reflektiert das Licht 거울이 빛을 반사한다. 《II》 *i.* (h.) ① über et. ~ 무엇에 관하여 곰곰이 생각〔성찰〕하다: er reflektiert über metaphysische Fragen 그는 형이상학적 문제를 숙고하고 있다. ② auf et. ~ 관심을 갖다; 무엇을 가지려고 하다, 어떤 직위를 얻으려고 애쓰다, 〖商〗 매기(買氣)가 있다: ich reflektiere nicht mehr darauf 나는 더 이상 그 자리에 관심이 없다.
Reflektor [reflɛ́ktɔr, ..to:r] *m.* -s, -en [..tó:rən] 반사 (망원)경; 반사 삿갓; 투광 조명기, 헤드〔테일〕라이트, 후미등; 탐조등; (원자로의) 반사막; 반사 장치.
reflektorisch *a.* 반사하는, 반사 작용에 따른, 반사성의: ~e Muskelbewegungen 반사적 근육 운동.
*__Reflex__ [reflɛ́ks] *m.* -es, -e ① 반사, 반영. ② 〖생리〗 반사 작용.
reflex=artig *a.* 〖생리〗 반사 작용의. **~bewegung** *f.* 〖醫〗 반사 운동. **~funktion** *f.* 반사 기능. **~handlung** *f.* 반사 행동.
*__Reflexion__ [reflɛksió:n] *f.* -en (빛·음향·열 따위의) 반사, 반영, 반향; 〖비유〗 반성, 성찰, 숙고: über et. ~en anstellen 무엇에 대하여 성찰하다.
Reflexions=faktor *m.* 〖理〗 반사율. **~gitter** *n.* 〖광학〗 반사 격자(格子). **~spiegel** *m.* 반사경. **~welle** *f.* 〖物〗 반사파. **~winkel** *m.* 〖物〗 반사각.
reflexiv [reflɛksí:f] *a.* 〖문법〗 ① 재귀적인, 재귀의. ② 반성의, 성찰의.
Reflexiv *n.* -s, -e ↑ Reflexivpronomen.
Reflexiv·pronomen *n.* 〖문법〗 재귀 대명사.
Reflexivum [..vum] *n.* -s, ..va ↑ Reflexivpronomen.
Reflex=licht *n.* 반사광. **~schaltung** *f.* 〖전기〗 반사〔2중 증폭〕 회로. **~zentrum** *n.* 〖해부〗 반사 중추.
*__Reform__ [refɔ́rm] 《lat.》 *f.* -en 개혁, 혁신, 개조, 개량, 쇄신: hier sind ~en nötig 여기는〔이곳에는〕 개혁이 필요하다.
reform. =reformiert 개혁의.
*__Reformation__ [..tsió:n] *f.* -en 개혁, 개조; 〖宗〗 종교 개혁.
Reformations=fest *n.* 〖기독교〗 종교 개혁 기념제. **~tag** *m.* ↑ ~fest. **~zeit** *f.* 종교 개혁기. **~zeit·alter** *n.* 종교 개혁 시대.
Reformator [refɔrmá:tɔr, ..to:r] *m.* -s, -en [..tó:rən] (종교) 개혁자, 혁신자.
reformatorisch [..mató:rɪʃ] *a.* (종교) 개혁의.
reform=bedürftig *a.* 개혁〔혁신〕을 요하는. **~bedürftigkeit** *f.* 개혁의 필요성. **~bestrebung** *f.* 개혁 노력. **~bewegung** *f.* 개혁〔혁신〕 운동.
Reformer [refɔ́rmər] *m.* -s, - 혁신〔개혁〕자.
Reformerin *f.* -nen ↑ Reformer 의 여성형.
reformerisch *a.* 개혁의, 개혁적인.
reform·freudig *a.* 개혁을 좋아하는. **~haus** *n.* 개량 건강식 전문점, 자연식 식품점, 유기 농산물점.
reformieren [refɔrmí:rən] *t.* 《I》 혁신〔개혁·쇄신〕하다. 《II》 **reformiert** *p.a.* ↑ reformiert.
reformiert 《I》 *p.p.* ↑ reformieren. 《II》 *p.a.* 개혁된: die ~e Kirche (칼뱅파의) 개혁파 교회.
Reformierte* *der/die* 개혁 교회의 신도.
Reformierung *f.* 개혁, 혁신.
Reformismus *m.* 사회 개량주의.
Reformist *m.* -en, -en 개혁〔혁신〕주의자, 사회 개량주의자.
reformistisch *a.* 개량주의의.
Reform=kleidung *f.* (위생적인) 개량복. **~kommunismus** *m.* 수정 공산주의. **~konzil** *n.* (15-16 세기의) 종교 회의. **~kost** *f.* 건강〔자연〕식품. **~partei** *f.* 혁신파〔당〕. **~schule** *f.* 개혁 고등 학교(하급 학년에서 고전어 대신 현대어〔외국어〕를 가르침).
Refrain [..frɛ̃:] 《frz.》 *m.* -s, -s 〖문학〗 후렴, 반복구.
refraktär [refraktɛ́:r] 《lat.》 *a.* 반항적인, 고집센; 무감각한, 마비된, 둔한: 〖動〗 die ~e Phase 불응기(不應期).
Refraktion [refraktsió:n] 《lat.》 *f.* -en 〖物〗 (광선의) 굴절(Brechung).
Refraktometer 《lat. +gr.》 *n.* -s, - 굴절계.
Refraktor [refráktɔr, ..to:r] *m.* -s, -en [..tó:rən] 〖天〗 굴절 망원경.
Refrakturierung *f.* -en 〖醫〗 재골절.
Refrigerator [refrigerá:tɔr, ..to:r] 《lat.》 *m.* -s, -en [..tó:rən] 냉동기, 냉동 장치, 냉장고.
Refugié [refyʒié:] 《frz.》 *m.* -s, -s 망명자(특히 16-17 세기에 프랑스에서 망명한 위그노파 신교도).
Refugium [refú:gium] *n.* -s, ..gien [..giən] ① 피난처. ② 〖生〗 동식물 보호 구역.
refundieren [refundí:rən] *t.* 상환하다.
Refus [rəfý:] 《lat.》 *m.* - [..fý:(s)], - [..fý:s] 거절, 사절.
Refüs [rəfý:] *m.* - [..fý:(s)], - [..fý:s] ↑ Refus.
refüsieren [rəfyzí:ren, re..] *t.* 거절〔거부〕하다, 사절하다.
regal *a.* 왕(후)의.
*__Regal__[1] [regá:l] 《♧ Riege》 *n.* -s, -e ① 서가(書架), 책장, 선반, 상품 진열대: et. ins ~ stellen 〔aus dem ~ nehmen〕 무엇을 책장에 넣다〔책장에서 꺼내다〕. ② 〖印〗 활자가(架).
Regal[2] 《lat.》 *n.* -s, -e 〖음악〗 작은 풍금, 소형 휴대용 오르간; 풍금의 음전(音栓).
Regal[3] 《lat.》 *n.* -s, -ien [..liən] 왕권, 지상권; 수익권, 수입 청구(소득)권.
Regal·brett *n.* 서가의 널빤지.
Regale [..le:] *n.* -s, ..lien [..liən] ↑ Regal[3].
regalieren [regalí:rən] 《I》 *t.* 향응〔환대〕하다, 기쁘게 하다; 선사하다. 《II》 *refl.* sich an et. ~ 무엇을 즐기다, 실컷 먹다.
Regalität [regalitɛ́:t] *f.* -en 제왕의 특권, 청구권.
Regal·wand *f.* 벽 전체를 차지하는 서가.
*__Regatta__ [regáta] 《it.》 *f.* ..gatten 경조(競漕)

(대회), 보트 레이스.

Regatta·strecke *f.* 경조(競漕) 구간.

Reg·Bez. = Regierungsbezirk (주(州) 산하의) 행정 구역.

***rege** [ré:gə] ((<regen)) *a.* 활동적인, 활기있는, 원기있는, 싱싱한; 힘센; 신속한: ~ machen 약동〔활동〕시키다, 환기하다; ~ werden 활기를 띠다; ~ Einbildungskraft 왕성한 상상력; ~r Verkehr 빈번한 교통; er ist für sein Alter noch sehr ~ 그는 나이에 비해 아직 매우 정정하다.

***Regel** [ré:gəl] ((lat.)) *f.* -n ① 상례, 통례; 규칙, 규율; 원칙, 규범: in der〔aller〕~ 보통, 일반적으로; es ist seit langem die ~, daß ... …하는 것이 오래 전부터 통례다; der ~ nach 규칙에 따라; zur ~ werden 상례가 되다; keine ~ ohne Ausnahme 예외 없는 규칙은 없다; nach allen ~n der Kunst 규정대로, 전적으로 올바르게; 철저히, 아주 꼼꼼하게, 호되게; die ~ befolgen〔beachten〕규칙을 지키다; die ~ übertreten〔verletzen〕규칙을 범〔위반〕하다. ② 월경: die ~ ist ausgeblieben 월경이 없다. ③ 교단의 계율.

Regel·anfrage *f.* (관청에서의) 합헌성 조회〔문의〕.

regelbar *a.* 규정〔조정〕할 수 있는.

Regelbarkeit *f.* 규정〔조정〕성.

Regel·blutung *f.* 월경.

Regeldetri [re:gəldetrí:] *f.* 〚數〛 비례법(3개의 기지수로 제 4의 미지수를 구하는 법).

Regel·fall *m.* 상례, 통례.

regelhaft *a.* 규칙적인, 규칙에 따르는.

regellos *a.* 불규칙한, 규칙이 없는; 무질서한, 난잡한: ein ~es Leben führen 무질서〔문란〕한 생활을 하다.

Regellosigkeit *f.* 불규칙, 무질서.

***regel≈mäßig** *a.* 규칙적인, 질서 있는; 한결같은: ~er Puls 규칙적인〔고른〕 맥박; ~er Gast 단골 손님; ~e Verben 규칙 동사; er kommt ~ zu spät 그는 매번 지각한다. **≈-mäßigkeit** *f.* 규칙적임.

***regeln** [ré:gəln] ((I)) *t.* 규칙을 세우다, 규정하다, 규칙적으로 단속하다, 정리〔정돈〕하다, 조정하다, 조화시키다: eine Angelegenheit ~ 어떤 사안을 제대로 처리하다; die Zeit einer Uhr ~ 시계의 시간을 맞추다. ((II)) *refl.* sich ~ 규율을 지키다, 규칙적인 생활을 하다, 처리되다: manches hat sich von selbst geregelt 많은 일이 저절로 해결되었다.

regel≈recht *a.* 정식의, 정규의; 〔구어〕 본격적인, 완전한: ein ~er Reinfall 완전한 속임수; eine ~e Untersuchung 정식(의) 연구. **≈studien·zeit** *f.* 〚학제〛 정규 (규정) 수학 연한. **≈technik** *f.* 측정 제어술. **≈techniker** *m.* 측정 제어술사. **≈überwachung** *f.* (요시찰 인물에 대한) 정기적 감시.

Regelung [ré:gəluŋ] *f.* 규정; 조정, 조절; 정돈, 정리, 결정.

Regelungs·technik *f.* ↑ Regeltechnik.

regel≈widrig *a.* 규칙〔규정〕에 어긋나는, 반칙의; 이상한, 불규칙한, 변칙의: ~es Verhalten 규칙에 어긋나는 행동. **≈widrigkeit** *f.* ↑ ~widrig 의 명사형.

***Regen** *m.* -s, - 비: ein anhaltender ~ 장마; ein feiner ~ 보슬비; ein kurzer ~ 소나기; starker ~ 큰 비; vom ~ durchnäßt 비에 함빡 젖어; 〚비유〛 ein ~ von Gold 큰 돈; ein ~ von Blüten〔Geschossen〕비오듯 떨어지는 꽃잎〔쏟아지는 총알〕; es sieht nach ~ aus 비가 올 것 같다; 〚구어〛 einen warmen ~ abbekommen 뜻밖에 횡재하다; jn. im ~ stehen lassen 〔in den ~ stellen〕누구를 곤경에 빠뜨리다; vor dem ~ unters Dach kommen 간신히 재난을 면하다; 〚속담〛 vom 〔aus dem〕 ~ in die Traufe kommen 갈수록 태산이다; auf ~ folgt Sonnenschein 고진감래(苦盡甘來), 고생 끝에 낙이 온다.

***regen** [ré:gən] ((♧ ragen)) ((I)) *t.* (가볍게) 움직이다, 일으키다, 환기하다, 자극하다: der Verletzte regte kein Glied 부상자의 손발은 조금도 움직이지 않았다. ((II)) *refl.* sich ~ 움직이다, 활동〔활약〕하다; 활기를 띠다, 왕성해지다; (감정 등이) 생기다, 일어나다, 싹트다; 〚구어〛 흔들리다: das Herz〔Gefühl〕regt sich 마음〔감정〕이 동하다; komm, reg dich! 게으름피우지 마라 !; es regt sich kein Lüftchen 바람 한 점 없다; hättest du dich doch eher geregt! 네가 좀더 일찍 말해 주었더라면!

regen≈arm *a.* 강우량이 적은. **≈bö** *f.* 비를 동반한 돌풍. * **≈bogen** *m.* 무지개.

Regenbogen≈farbe *f.* 무지개 빛, 7색: in allen ~n schillern 오색찬란하게 빛나다. **≈-farbig** *a.* 무지개 빛의, 7색의; 보는 위치에 따라 빛깔이 변하는, 오색이 영롱한. **~haut** *f.* 〚해부〛 홍채(虹彩) (Iris). **~haut·entzündung** *f.* 홍채염. **~presse** *f.* 통속 주간지. **~trikot** *n.* 자전거 세계 선수권자의 운동복.

Regen·cape [...ke:p] *n.* (어깨에 걸치는) 비옷.

Régence [reʒɑ̃:s] ((frz.)) *f.* ① (특히 루이 15세 시대의) 섭정 정치. ② 루이 15세 시대의 예술 양식.

Regen≈dach *n.* 달개 지붕; 처마; 차양; 〚농담〛 우산. **≈dicht** *a.* 비가 새지 않는, 비에 젖지 않는, 방수의, 내수(耐水)의.

Regenerat *n.* -(e)s, -e 재생품.

Regeneration [regeneratsió:n] ((lat.)) *f.* -en 재생, 부활; 갱신, 변형; 복구, 회복: völlige körperliche ~ 완전한 육체적 회복.

regenerations≈fähig *a.* 재생할 수 있는. **≈-fähigkeit** *f.* ↑ ~fähig 의 명사형.

Regenerativ≈feuerung [..tí:f..] *f.* 〚工〛 축열로(蓄熱爐). **~ofen** *m.* 〚제련〛 평로(平爐). **~verfahren** *n.* 〚工〛 축열법, 복열(復熱)법.

Regenerator [regenerá:tɔr, ..to:r] *m.* -s, -en [..tó:rən] 〚工〛 축열(蓄熱) 장치.

Regenerator·ofen *m.* 〚工〛 축열로(蓄熱爐).

regenerieren [regenerí:rən] *t.* 재생〔부활〕시키다, 갱신하다, 회복시키다: sich körperlich ~ 체력을 회복하다, 다시 건강해지다; Organe ~ 기관을 재생시키다.

Regenerierung *f.* ↑ Regeneration.

Regen≈fall *m.* 강우. **~fang** *m.* 빗물받이; 물통, 수조, 웅덩이. **~faß** *n.* 빗물통. **≈fest** *a.* ↑ ≈dicht. **~front** *f.* 〚기상〛 강우 전선. **~guß** *m.* 큰 비, 호우, 소나기. **~haut** *f.* 얇은 방수용 레인코트. **~hut** *m.* 방수모. **~jahr** *n.* 비가 많은 해. **~kappe** *f.* 방수모. **~karte** *f.* 강우량 분포도. **~mantel** *m.* 레인코트, 비옷. **~menge** *f.* 강우량. **~messer** *m.* 우량계. **~monat** *m.* 비가 많은 달, 우기. **≈naß**

a. 비에 젖은. **~pfeifer** *m.* 〖動〗 물떼새. **∻-reich** *a.* 강우량이 많은. **~rinne** *f.* (처마의) 빗물받이. **~rock** *m.* 비옷, 방수 외투.

Regens [ré:gɛns] 《lat.》 *m.* -/..gentes [regɛ́nte:s], ..genten [regɛ́ntən] 〖가톨릭〗 (신학교의) 교장, (수도원의) 원장.

Regen≈schatten *m.* (산맥에 막혀) 비가 적은 지방. **~schauer** *m.* 소나기, 지나가는 비.

*__Regen·schirm__ *m.* 우산: 〖구어〗 gespannt wie ein ~ 호기심으로 가득 차서; den ~ öffnen〔aufspannen〕 우산을 펴다; den ~ zuklappen〔zumachen〕 우산을 접다.

Regens chori [ré:gɛns kó:ri] 《lat.》 *m.* --, ..gentes [regɛ́nte:s..] - 〖가톨릭〗 합창대의 지휘자.

regen≈schwanger, ~schwer *a.* (먹구름이) 비를 함빡 머금은, 비가 올 것 같은. **∻-strom** *m.* 억수.

Regent [regɛ́nt] 《lat.》 *m.* -en, -en 군주, 지배자, 통치자, 주권자; 섭정(자).

Regentes ↑ Regens 의 복수형.

Regentin *f.* -nen ↑ Regent 의 여성형.

Regen≈tag *m.* 비오는 날. **~tonne** *f.* 빗물받이 통. **~tropfen** *m.* 빗방울.

Regentschaft [regɛ́nt∫aft] *f.* -en 통치; 섭정 정치, 섭정직(職); 섭정 기간.

Regentschafts·rat *m.* 섭정 위원회.

Regen≈wald *m.* 열대 우림. **~wasser** *n.* 빗물. **~wetter** *n.* 우천, 비오는 날씨: er macht ein Gesicht wie vierzehn Tage ~ 그는 우울한〔못마땅한〕 얼굴을 하고 있다. **~wind** *m.* 비를 동반한 바람. **~wolke** *f.* 비구름. **~wurm** *m.* 〖動〗 지렁이. **~zeit** *f.* 우기(雨期).

Regesten [regɛ́stən] 《lat.》 *pl.* 시대순 문서 목록.

Reggae [rɛ́gɛɪ:] 《engl.》 *m.* -(s) 레게 (음악) (자메이카에서 발생한 팝 음악의 일종).

*__Regie__ [reʒí:] 《frz.》 *f.* 국영, 관영; 감독, 지휘; 운영(권); (öst.) 정부 전매; 〖영화·연극〗 연출; (무대) 감독: in eigener ~ 독자적으로, 혼자서; die ~ bei et.[3] haben〔führen〕 무엇을 감독〔연출〕하다.

Regie≈anweisung *f.* 연출 지시문〔지침〕. **~-assistent** *m.* 조감독. **~assistentin** *f.* ↑ ~assistent 의 여성형. **~betrieb** *m.* 국영, 관영, 공영. **~einfall** *m.* 연출〔감독〕 의도〔착상〕. **~fehler** *m.* ① 연출 실수. ②〖비유〗 준비〔관리〕 실수. **~kosten** *pl.* 행정비, 관리비. **~raum** *m.* 〖방송〗 조정실. **~tabak** *m.* 연초 전매.

regielich *a.* 연출의, 지시의.

regierbar [regí:rba:r] *a.* 통치할 수 있는.

*__regieren__ [regí:rən] 《lat.》 《Ⅰ》 *t.* 지배〔통치〕하다, 제어하다, 지도〔관리〕하다; 〖문법〗 지배하다; (기계나 차를) 운전〔조정〕하다: dieser Wagen läßt sich leicht ~ 이 차는 운전하기 쉽다. 《Ⅱ》 *i.* (h.) 지배하다, 다스리다; 〔비유〕 우월하다: ~d 통치권을 갖는; der ~de Bürgermeister (von Berlin) (베를린의) 시장; das Volk regiert hier 이 나라는 주권이 국민에게 있다.

Regierer [regí:rər] *m.* -s, - 통치자, 지배자, 군주.

*__Regierung__ [regí:ruŋ] *f.* -en ① 지배; 통치; 제어, 지도, 관리; 정권: schlechte ~ 비정(秕政); zur ~ gelangen 집권〔즉위〕하다; die ~ übernehmen 집권하다; unter der ~ Georgs III 게오르크 3 세의 통치(때)에. ② 정부, 내각; 주정부: die provisorische ~ 임시 정부〔내각〕. ③ 부모.

Regierungs≈antritt *m.* 즉위, (정부 수반의) 취임. **~beamte*** *der/die* (행정) 관리. **~-bank** *f.* (국회의) 국무 위원석〔각료석〕. **~bezirk** *m.* (주 산하) 행정 구역. **~bildung** *f.* 정부 구성, 조각. **~blatt** *n.* 정부의 기관지; 관보(官報). **~chef** *m.* 정부 수반. **~chefin** *f.* ↑ ~chef 의 여성형. **~delegation** *f.* 정부 대표단. **~direktor** *m.* 고위 행정 관리. **~erklärung** *f.* 정부 성명. **∻fähig** *a.* 수권(授權) 능력이 있는; 정권 담당 능력이 있는. **~form** *f.* 정체(政體). **∻freundlich** *a.* 정부편의; 친정부의. **~gebäude** *n.* 정부 청사. **~gegner** *m.* 반정부측 사람. **~gewalt** *f.* 통수권. **~koalition** *f.* 연립 정부. **~-kreise** *pl.* 정부측. **~krise** *f.* 정권 위기.

regierungslos *a.* 무정부의.

Regierungs≈partei *f.* 여당, 집권당. **~-präsident** *m.* (~bezirk 의) 행정 수반, 지방자치 단체장. **~programm** *n.* 정강(政綱). **~rat** *m.* ① 참사관. ② (schweiz.) 주정부 위원. **~sache** *f.* 정무(政務), 국사. **∻seitig** 《Ⅰ》 *a.* 〖官〗 정부측의. 《Ⅱ》 *adv.* 정부측에서. **~sitz** *m.* 정부 청사; 정부 소재지. **~sprecher** *m.* 정부 대변인. **~sprecherin** *f.* ↑ ~sprecher 의 여성형. **~system** *n.* 정치 조직, 행정 제도. **∻treu** *a.* 친정부적인, 정부에 충성하는. **~umbildung** *f.* 개각. **~-verweser** *m.* 섭정. **~viertel** *n.* 정부 청사(가 있는) 구역. **~vorlage** *f.* 정부안. **~wechsel** *m.* 정권 교체. **~zeit** *f.* 통치 기간.

Regier·werk *n.* 〖음악〗 오르간의 조종 장치 (파이프·페달·음전 등).

Regie≈salz [reʒí:..] *n.* (정부의) 전매 소금. **~spesen** *pl.* 행정비, 관리비.

Regime [reʒí:m] 《frz.》 *n.* -s, -(s) 〖政·폄어〗 정권, 정부; 〖동독〗 체제, 시스템, 지도 규범; 국가 행정; 〔구식〕 생활 규칙, 양생법(養生法): ein totalitäres ~ 전체주의 정권〔체제〕; das ~ haben〔führen〕 지배하다.

Regime≈kritiker *m.* 체제〔정권〕 비판자. **~kritikerin** *f.* -nen ↑ ~kritiker 의 여성형.

*__Regiment__ [regimɛ́nt] ① *n.* -(e)s, -e 지배, 통치, 지도: hier führe ich das ~! 여기서는 내가 통치한다!; ein strenges ~ führen 엄격히 지도하다. ② *n.* -(e)s, -er 〖軍〗 연대.

regimenter·weise *adv.* 몇 연대씩; 연대 조직으로.

Regiments≈adjutant *m.* 연대 부관. **~arzt** *m.* 연대 배속〔소속〕 군의관. **~büro** *n.* 연대 본부〔사무실〕. **~inhaber** *m.* 〔고어〕 연대장. **~kommandeur** [..dø:r] *m.* 연대장. **~lazarett** *n.* 야전〔연대〕 병원. **~musik** *f.* 연대 소속 군악대. **~quartier·meister** *m.* 연대 급양계〔장교〕. **~stab** *m.* 연대 참모부. **~tambour** [..bu:r] *m.* 연대 고수(鼓手). **~tisch** *m.* (장교의) 회식. **~unkosten** *pl.* 〔구어〕 auf ~ leben 관비로 생활하다. **~-zahl·meister** *m.* 연대 재정관.

Regina [regí:na] 《lat.》 *f.* 레기나(여자 이름).

Regine [regí:nə] 《lat.》 *f.* 레기네(여자 이름).
Regiolekt [regiolέkt] *m.* -(e)s, -e 『언어』 (순전히 지리적 관점의) 사투리.
***Region** [regió:n] 《lat.》 *f.* -en 지방, 지역; 구역, 범위; 〖雅語〗 (예술·학문 등의) 영역; (공기의) 층; 『해부』 (신체의) 부분, 국부: in höheren ~en schweben〔weilen〕 이상〔환상〕의 영역에서 살다.
regional [regioná:l] *a.* 지방의, 지역에 따라; 일부분의, 국부의; 『哲』 영역적: ~e Nachrichten 지역 소식.
Regionalismus [regionalísmus] *m.* -, ..men (종교·문화 등의) 지방(분권)주의; 애향심, 지역주의; 지역색; (경제 문제의 해결을 위한) 지역 국가간 협력.
Regionalist *m.* -en, -en 지역주의자.
Regional≠liga *f.* (축구의) (분데스리가보다 하위의) 지역 리그. **~planung** *f.* 지역 개발 계획. **~programm** *n.* 지방 방송 프로그램. **~wissenschaft** *f.* 지역학.
***Regisseur** [..ʒısǿ:r] 《lat.》 *m.* -s, -e 『영화·연극』『영화·연극·라디오·텔레비전』 감독, 연출가.
Regisseurin [reʒısǿ:rın] *f.* -nen ↑ Regisseur 의 여성형.
***Register** [regístər] 《lat.》 *n.* -s, - ① 목록, 표; (알파벳 순의 옴폭 들어간) 색인, 찾아보기; (내용의) 색인; 기록; 명부; 등록부, 등기부; 징세 대장; 어집(語集); 『컴』 기록기: ein ~ anfertigen 목록을 작성하다; ins ~ eintragen〔im ~ verzeichnen〕 기록〔등록〕하다; im schwarzen ~ stehen 블랙리스트에 오르다; 〖비유〗 ins alte ~ gehören 늙어빠지다, 케케묵다, 한물 가다, 유행에 뒤지다; 〖구어〗 ein altes〔langes〕 ~ 늙은이〔키다리〕. ② 『음악』 (풍금의) 스톱〔음전(音栓)〕; 성역, 음역: alle ~ spielen lassen〔ziehen〕 모든 음을 내다, 전력을 다하다; andere ~ ziehen 다른 수단을 강구하다〔강경한 태도로 바꾸다〕. ③ (난로 또는 용광로 등에 붙인) 공기 조절문. ④ 『印』 안표(眼標) (인쇄한 행·난·선이 표리(表裏)가 서로 맞도록 한 표지), 다색쇄(多色刷)의 형(型)을 정확하게 맞추기.
registered [rέdʒıstəd] 《engl.》 *a.* ① 등록된; 등기의; (상표) 등록을 한; 법적 보호를 받는 (약어: reg.). ② 등기로 부치는.
Register≠führer *m.* 부기〔장부〕 담당원. **~gebühren** *pl.* 등기료. **~gericht** *n.* 등기 재판소. **~halten** *n.* 『印』 앞뒤 페이지 또는 다색(多色) 인쇄의 틀을 정확하게 맞추는 일. **~mark** *f.* 등록 마크. **~ofen** *m.* 공기 조절판이 있는 난로. **~stimme** *f.* ↑ ~zug. **~tonne** *f.* 『海』 등록 톤수. **~zug** *m.* 『음악』 스톱〔음전(音栓)〕(조작 장치).
Registrande [regıstrándə] 《lat.》 *f.* -n 등록부, 입금〔입품(入品)〕 장부.
Registrator [regıstrá:tor, ..to:r] *m.* -s, -en [..tó:rən] 기록원; 자동 기록기.
Registratur [..ratú:r] *f.* -en 기록, 등록; 기록부; 등기소, 기록소; 서류 보관대〔함·장〕; 『음악』 (풍금의) 스톱〔음전〕 조절 장치.
Registrier≠apparat [regıstrí:r..] *m.* 자동 기록기. **~ballon** [..balɔŋ] *m.* (무인) 자동 측정 기구(氣球).
***registrieren** [regıstrí:rən] 《lat.》 *t.* 기록〔등기·등록〕하다; 자동적으로 기록하다; 기입하다; 표시하다; 객관적으로 알리다; 분류〔정돈〕하다; (음을) 조절하다: amtlich ~ 관청에 등록하다; seine Äußerungen wurden genau registriert 그의 발언은 정확하게 기록되었다.
Registrier≠instrument *n.* 자동 기록 장치. **~kasse** *f.* 자동 금전 등록기. **~trommel** *f.* 기록용 드럼.
Registrierung *f.* -en 등록, 기재.
Registrier·voltmeter *n.* 자기(自記) 전압계.
***Reglement** [regləmã́:, (schweiz.) rɛgləmέnt] 《frz. réglement》 *n.* -s, -s [..mã:s]/-e [..έntə] 규정, 조례; 근무〔복무〕 규칙; 업무〔사무〕 규정: dem ~ entsprechend 규정에 따라.
reglementarisch [reglemɛntá:rıʃ] *a.* 근무〔복무〕 규칙에 따른, 규정대로의.
reglementieren *t.* 규칙에 따라 단속하다, 규제하다; 감독하다, 후견하다.
Reglementierung *f.* -en 규제, 감독.
reglement≠mäßig [regləmã́:mɛ:sıç] *a.* 규칙에 따른, 규정대로의. **~widrig** *a.* 근무규칙에 위반되는, 규정 위반의.
Regler [ré:glər] *m.* -s, - 조정자, 정리자; 〖工·기계〗 (Regulator) 조정기, 조속기(調速機).
Reglette [reglέtə] 《lat.》 *f.* -n 『印』 (행간에 삽입하는) 인테르.
Reglisse [reglísə] 《frz.》 *f.* -n 『植』 감초; 『醫』 감초 정제(진해제(鎭咳劑)).
reglos *a.* ↑ regungslos.
Reglung [ré:gluŋ] *f.* 조절(↑ Regelung).
***regnen** [ré:gnən] (Ⅰ) *i.* (h.)/*imp.* es regnet 비가 온다; es regnet in Strömen 비가 억수로 퍼붓는다; es fing an zu ~ 비가 오기 시작했다. (Ⅱ) *t./imp.* (무엇이) 비오듯 떨어지다: es regnet Steine 돌이 빗발처럼 떨어진다; es regnet Vorwürfe 비난이 빗발치듯 한다; wir wurden naß geregnet 우리들은 비에 함빡 젖었다; sie regnet Tränen auf seine Hand 그 여자는 그의 손에 눈물을 뚝뚝 떨어뜨린다.
Regner [ré:gnər] *m.* -s, - 스프링클러, 살수기.
regnerig *a.* ↑ regnerisch.
regnerisch *a.* 우천의, 비가 올 듯한: ein ~er Tag 비오는 날.
regnicht *a.* ↑ regnerisch.
Reg.-Rat =Regierungsrat 참사관, 정부 하급 사무관.
Regreß [regrέs] 《lat.》 *m.* ..gresses, ..gresse 『法』 상환 청구, 손해 배상 청구(권); (실권 또는 손해 등의) 원상 회복; 『논리』 후퇴(결과에서 원인으로 되돌아감): an jm. ~ nehmen 누구에게 상환을 청구하다.
Regress *m.* 新정서 ⇦ Regreß.
Regreß·anspruch *m.* 상환 청구권.
Regression [..grɛsió:n] *f.* -en ① 〖교양〗 퇴보, 역행, 후퇴. ② 『지질』 해퇴(海退). ③ 『心』 퇴행. ④ 『修』 추가 설명. ⑤ 『통계』 변수 분해.
regressiv [..sí:f] *a.* ① 〖교양〗 퇴보의. ② 『法』 상환 청구의. ③ 『心』 퇴행의. ④ 『哲』 원인 소급의. ⑤ 『음운』 ~e Assimilation 역행 동화.
Regreß≠nehmer *m.* 『法』 상환 청구자. **~pflicht** *f.* 상환 의무. **≈pflichtig** *a.* 상환 의무가 있는.
regsam [ré:kza:m] *a.* 활동적인, 활기 있는,

활발한: geistig ~ 정신적으로 정정〔활발〕한.

Regsamkeit *f.* 활발: ~ des Geistes 현명, 명민.

Reg(t). =Regiment 연대.

regulär [regulɛ́:r] 《lat. -frz.》 *a.* ① 규칙적인; 정규의, 정식의; 정당한: ~er Preis 정상가격; ~e Spielzeit 규정 경기 시간; 〖軍〗 ~e Truppen 정규군. ② 〖드물게〗 본격적인, 완전한.

Regular·geistliche* [regulá:r..] *der* 〖가톨릭〗 수도 사제(修道司祭).

Regularien *pl.* 〖교양〗 (회의의) 정규 안건.

Regularität [regularitɛ́:t] *f.* -en ① 〖교양〗 규칙성, 합법성; 질서 정연; 정규. ② 〖언어〗 통례적 언어 현상.

Regulation [regulatsió:n] *f.* -en 조정, 조절; 순응; 회복; (유기체의) 조정 작용.

Regulations≈störung *f.* 적응 장애. **~system** *n.* 순응 시스템.

regulativ [..tí:f] *a.* 규정하는, 규제적인; 조정 작용의.

Regulativ [..tí:f] *n.* -s, -e 조정자, 조정 요소; 규정, 조례; 사무 규정.

Regulator [regulá:tɔr, ..to:r] *m.* -s, -en [..tó:rən] ① 〖교양〗 조정자. ② 〖기계·구식〗 조정기, 조절 장치. ③ 〖구식〗 진자〔추〕시계. ④ 〖史〗 (1767 년에 창설된 미국의) 농민 혁명당; 농민 자경단.

Regulier·apparat [regulí:r..] *m.* 〖기계〗 조정기, 정속기(整速器).

regulierbar *a.* 조정〔조절〕할 수 있는.

***regulieren** [regulí:rən] *t.* ① 규정하다, 조절하다; 정리〔정돈〕하다: die Lautstärke ~ 음의 세기를 조절하다; eine Uhr ~ 시계를 맞추다; Schäden ~ 손해 배상을 하다; sich von selbst ~ 스스로 자기 조정하다, 독자적 규정에 따르다. ② einen Fluß ~ (강바닥을 정리하여) 물줄기를 바로잡다.

Regulier≈füll·ofen *m.* 〖工〗 자급(自給) 난로. **~hebel** *m.* 조절 레버, 조정 지렛대. **~schraube** *f.* 조절 나사. **~stange** *f.* 조절대.

Regulierung 《lat.》 *f.* -en ① 규정; 조절; 정리, 정돈. ② 〖商〗 결산, 청산, 지급. ③ 〖토목〗 강을 곧게 하기.

Regulier≈vorrichtung *f.* 조절 장치. **~widerstand** *m.* 〖전기〗 가변 저항(기).

Regulus [ré:gulus] 《lat.》 *m.* -, ..li/-se ① 〖복수없음〗〖天〗 사자 자리의 가장 밝은 별. ② 〖제련·고어〗 슬래그〔광재(鑛滓)〕 속에 침전한 순금속의 덩어리. ③ 〖動〗 굴뚝새.

***Regung** [ré:gʊŋ] *f.* -en ① 미동; 활동, 운동: ohne jede ~ daliegen 미동도 하지 않고 누워 있다. ② 〖비유〗 흥분; (마음의) 동요, 감동; 충동; 자극: ~ des Gewissens 양심의 동요.

Regungs·kraft *f.* 활동력, 원동력.

regungslos *a.* 움직이지 않는, 정지한; 활기 없는: er stürzte und blieb ~ liegen 그는 쓰러져서 꼼짝도 않고 누워 있었다.

Regungslosigkeit *f.* ↑ regungslos 의 명사형.

***Reh** [re:] *n.* -(e)s, -e 〖動〗 노루.

Rehabilitand [rehabilitánt] *m.* -en, -en 복권자, 복직자; (사회 복귀 훈련을 받는) 환자.

Rehabilitandin *f.* -nen ↑ Rehabilitand 의 여성형.

Rehabilitation [rehabilitatsió:n] 《lat.》 *f.* -en 복권, 복직; (장애자의) 사회 복귀.

Rehabilitations≈klinik *f.* 재활 병원. **~zentrum** *m.* 재활원.

rehabilitieren [rehabilití:rən] 《I》 *t.* ① 명예를 회복시키다; 복권시키다. ② 환자를 재활 교육시키다〔사회로 복귀시키다〕: einen Schwerbehinderten ~ 중환자를 재활 교육시키다. 《II》 *refl.* sich ~ 자기의 명예를 회복하다, 자신을 정당화하다.

Rehabilitierung *f.* -en ① 명예 회복, 복권. ② (환자의) 재활 교육.

Reh·bein 《<Rehe[1]》 *n.* 〖수의〗 (말의) 비절내종(飛節內腫), 골질췌생(骨質贅生).

Reh≈blatt *n.* 노루의 어깨 부분의 고기. **~bock** *m.* 노루의 수컷. **~braten** *m.* 노루 불고기. **~braun** *a.* ↑ ~fahl.

Rehe[1] [ré:ə] 《mhd. rœhe》 *f.* 〖수의〗 (말의) 제엽염(蹄葉炎), 말굽의 염증.

Rehe[2] *f.* -n 〖방언〗 호미 자루.

Rehe[3] *f.* -n 〖방언〗 노루의 암컷.

reh≈fahl *a.* ↑ ~farben. **~farben** *a.* 노루색의, 엷은 밤색의. **~farbig** *a.* ↑ ~farben.

Reh≈fell *n.* 노루 가죽. **~geiß** *f.* 노루의 암컷. **~junge** *m.* (öst.) ↑ ~klein. **~kalb** *n.* 노루 새끼. **~keule** *f.* 노루의 다리와 허리 부분의 고기. **~kitz** *n.* 노루 새끼. **~klein** *n.* 〖요리〗 노루 고기. **~leder** *n.* 노루 가죽. **~ledern** *a.* 노루 가죽의.

Rehling [ré:lɪŋ] *m.* ① -s, -e 노루 새끼. ② 〖植〗 (südostd.) 살구버섯(식용 버섯의 일종).

Reh≈pirsch *f.* auf die ~ gehen 노루 사냥하러 가다. **~posten** *m.* 노루 사냥에 쓰는 산탄(散彈). **~rücken** *m.* 노루의 등심 고기. **~schlegel** *m.* ↑ ~keule. **~wild** *n.* 〖집합적〗 작은 노루 종류; 노루 고기. **~ziege** *f.* 노루의 암컷. **~ziemer** *m.* 노루의 허리 부분살〔등심 고기〕.

Reibach [ráibax] 《jidd.》 *m.* -s 〖구어〗 큰 돈벌이, 수입.

Reib≈ahle [ráip..] *f.* 〖工〗 리머(구멍을 다듬는 연장).

Reib≈brett *n.* ↑ Reibebrett.

Reibe [ráibə] *f.* -n 강판, 채판; (obd.) 통의 마개; 곡선, 궁형, 만곡.

Reibe·brett *n.* (미장이가 쓰는) 다듬이 흙손.

Reib≈eisen *n.* 강판, 줄; 〖구어〗 산신(山神); 고집센〔뻿뻿한〕 여자: sie ist ein richtiges ~ 그 여자는 몹시 억세다. **~gerstel** *n.* (국수 반죽으로 만든) 수프.

Reibe·käse *m.* ① 갈아 쓸 수 있는 치즈. ② 갈아 놓은 치즈. **~kuchen** *m.* 〖방언〗 ① 감자 부침. ② 주발 모양의 케이크. **~laut** *m.* 〖문법〗 마찰음.

***reiben** [ráibən] (rieb, gerieben) 《I》 ① *t.* 문지르다, 마찰하다; 문질러 부수다〔으깨다〕, 갈아 짓이기다; 갈아〔문질러〕 닳게 하다; 문질러 넣다: nicht ~! (민감한 소재의 옷 세탁때) 비벼 빨지 말것!; Farben〔Tusche〕 ~ 물감〔먹〕을 갈다; zu Pulver ~ 갈아서 가루로 만들다. ② 문질러 어떤 상태로 만들다: ein Fenster blank ~ 창을 문질러 윤이 나게 하다; die Haut wund ~ 찰과상을 입히다; sich[3] die Hände ~ 손을 마주 비비다(남의 불행에 쾌재를 부를 때의 동작). ③ 문질러 닦아내다, 제거하다: einen Fleck aus der Hose ~ 바지의

얼룩을 비벼서 빼다; sich³ den Schlaf aus den Augen ~ 눈을 비벼서 잠을 쫓다; 〖비유〗 jm. et. unter die Nase ~ 무엇을 호되게 타이르다〔책망하다〕, 맞대놓고 듣기 싫은 소리를 하다. ④ (문질러서) 다듬다, 매끄럽게 하다. 《Ⅱ》 *i.* (h.) 쓸리다: der Stiefel reibt 장화가 쓸린다; der Kragen reibt am Hals 칼라가 목에 쓸린다. 《Ⅲ》 *refl.* sich ~ ① sich an et. ~ 무엇으로 몸을 마찰하다〔비비다〕; er rieb sich die Augen rot 그는 눈을 비벼 빨갛게 되었다; 〖비유〗 sich an jm. ~ 누구에게 화풀이하다〔싸움을 걸다〕; sich³ die Stirn ~ 이마를 만지다(생각하는 표정); er rieb sich an dem Problem 그는 그 문제에 봉착했다. ② sich 〔einander, aneinander〕 ~ 서로 스치다, 비벼대다. 《Ⅳ》 **gerieben** *p.a.* ↑ gerieben.

Reiber [ráɪbər] *m.* -s, - ① 비비는〔문지르는〕 사람; 채료를 가는 사람(Farben∼); 닦는 사람, 때밀이. ② 마찰기; 〖印〗 공판 인쇄용 문지르개; (südd.) (창·문을) 죄는 못.

Reiberei [raɪbəráɪ] *f.* -en 알력, 불화, 마찰.

Reib⸗fläche *f.* ① (성냥의) 마찰면. ② 〖구어〗 싸움의 동기〔원인〕. **~gummi** *n./m.* 고무 지우개. **~holz** *n.* ① 성냥. ② 〖海〗 방현목(防舷木). **~keule** *f.* 절굿공이. **~kissen** *n.* 〖전기〗 (발전기의) 마찰욕(褥). **~maschine** *f.* 고기 가는 기계. **~punkt** *m.* 마찰〔불화〕 요인, 쟁점. **~schale** *f.* 막자사발, 유발(乳鉢). **~scheibe** *f.* 〖기계〗 마찰 연동 원반(圓盤).

Reibsel [ráɪpsəl] *n.* -s, - 빻은 가루, 부스러진 가루.

Reib·stein *m.* 〖畫〗 채료〔염료〕를 가는 돌, 벼루, 〖印〗 잉크대(臺).

***Reibung** [raɪbuŋ] *f.* -en ① 문지름, 비빔, 가루로 만듦; 마멸; 저항, 마찰(력); 타박; 비벼 넣음, 도찰(塗擦); 연마. ② 〖비유〗 알력, 불화, 갈등, 충돌.

Reibungs⸗bremse *f.* 〖기계〗 마찰 브레이크. **~elektrizität** *f.* 〖物〗 마찰 전기. **~fläche** *f.* ① 마찰면; 〖工〗 마멸면(磨滅面). ② 〖구어〗 불화〔마찰〕 요인. **~koeffizient** *m.* 마찰 계수. **~kupplung** *f.* 〖기계〗 마찰 연동기(連動器).

reibungslos *a.* 마찰이 없는; 순조로운: die Sache ist ~ verlaufen 그 일은 순조롭게 진행되었다.

Reibungslosigkeit *f.* ↑ reibungslos 의 명사형.

Reibungs⸗verlust *m.* 마찰 손실. **~wärme** *f.* 마찰열. **~widerstand** *m.* 〖理〗 마찰 저항. **~winkel** *m.* 마찰각.

Reib⸗zeug *n.* ↑ ~kissen. **~zünd·hölzchen** *n.* 성냥. **~zunge** *f.* 〖動〗 (연체 동물의) 치설(齒舌).

***reich** [raɪç] *a.* ① 풍부한, 풍성한, 숱한, 많은: eine ~e Ernte 풍작; ~e Landschaft 변화가 많은 풍경; ~ an Gedanken 사상이 풍부한; ~ an Bodenschätzen 지하 자원이 풍부한; er besitzt in ~em Maße Fachkenntnisse 그는 전문 지식을 많이 지니고 있다. ② 부유한, 돈 많은, 유복한; 훌륭한, 호화로운, 화려한; 다양한, 각양각색의: arm und ~ 잘 사는 사람이나 못사는 사람이나 (누구든지); ~ gekleidet sein 화려한 옷차림을 하고 있다; die ~e Verzierung des Schrankes 가구의 호화스런 장식; ~ heiraten 부자와 결혼하다; 〖속담〗 heute ~, morgen arm 귀천이 물레바퀴 돌 듯 한다, 부귀영화는 뜬구름 같다.

***Reich** *n.* -(e)s, -e ① 나라; 제국; 왕국; 영토, 국토: das Heilige Römische ~ Deutscher Nation (독일 민족의) 신성 로마 제국(15 세기-1806 년의 독일 제국); das (Deutsche) ~ 독일 제국 a) (962-1806 년의) 독일 봉건 국가, b) (1871-1945 년의) 독일 민족 국가; das Dritte ~ 제 3 제국(1933-45 년의 히틀러 치하의 나치스 독일); ein ~ errichten 나라를 세우다; das ~ Gottes 신의 나라, 신국(神國); das ~ der Mitte 중(화민)국. ② 주권, 치세: sein ~ ist zu Ende 그의 치세는 끝났다. ③ 범위, 영역, 분야, 계(界): die drei ~e der Natur 자연의 3 계(동물·식물·광물); das ~ der Toten 〔Schatten〕 저승 세계, 명부; das ~ der Töne 음악; das ~ der Frau 여성의 활동 분야; das ~ der Wissenschaft 학문의 세계; et. ins ~ der Fabel verbannen〔verweisen〕 무엇을 사실이라고 생각하지 않다. ④ (한 나라 전체의) 국민: das ~ ist in Gärung 국민은 격분하고 있다. ⑤ 〖드물게〗 구(舊)독일 제국 의회의 의원(Reichsstände).

reich⸗begabt *a.* 천부적 자질이 풍부한. **~begütert** *a.* 돈많은, 부유한. **~besetzt** *a.* (음식물이) 호화롭게 차려진. **~blätterig** *a.* 〖植〗 잎이 많은. **~blättrig** *a.* ↑ ~blätterig. **~blühend, ~blütig** *a.* 〖植〗 꽃이 많은. **~busig** *a.* (해안선이) 굴곡이 심한.

Reiche* [ráɪçə] *der/die* 부자, 돈많은 사람: 〖속담〗 der ~ hat die Rinder, der Arme die Kinder 부자는 소가 많고, 가난한 사람은 아이가 많다.

***reichen** [ráɪçən] 《Ⅰ》 *i.* (h.) ① 다다르다, 미치다, 닿다: soweit mein Wissen reicht 내가 알고 있는 바로는; soweit das Auge 〔der Blick〕 reicht 눈으로 볼 수 있는 한; unser Grundstück reicht bis an den Wald 우리 땅은 숲까지 이어진다; das Wasser reicht ihm bis ans Knie 물이 그의 무릎에까지 닿는다; sein Einfluß reicht nicht sehr weit 그의 영향력은 그리 크지 않다. ② 〖고어〗 겨눌 수 있다: an jn. 〔et.〕 ~ 누구와〔무엇과〕 어깨를 겨누다, 필적하다. ③ 손을 뻗치다: (mit der Hand) nach et.³ ~ (붙잡으려고) 무엇에 손을 내밀다〔뻗치다〕. ④ 넉넉하다, 충분하다: das Geld reicht nicht 돈이 충분치 못하다; das Essen reicht auch für drei 그 음식은 세 명 먹기에도 충분하다; es reicht hinten und vorne nicht 그것은 결코 충분하지 않다; mit dem Salat ~ wir nicht 우리에게는 샐러드가 충분하지 않다; 〖구어〗 Mir reicht's! 이젠 충분해, 더 먹을 수 없어! 《Ⅱ》 *t.* ① …에 닿다, 다다르다. ② (jm. et.) 내밀다, 내주다, 건네다; 제공하다, 주다: jm. die Hand ~ 누구에게 악수를 청하다; 〖비유〗 결혼을 청하다〔수락하다〕; würden Sie mir bitte das Salz ~? 저에게 소금을 좀 건네주시겠습니까?; wir reichten uns die Hände zur Versöhnung 우리는 서로 화해의 악수를 교환하였다; jm. nicht das Wasser ~ können 누구를 도저히 따를 수 없다; hier wird nichts gereicht! 아무것도 없다! (거지 등에게).

reich⸗geschmückt *a.* ↑ ~verziert. **~haltig** *a.* 내용이 풍부한; 숱하게 많은: ~er Boden 기름진 땅; ein ~es Programm 다양한 프로그램. **∼haltigkeit** *f.* ↑ ~haltig 의 명사형. **~illustriert** *a.* 삽화가 많은.

***reichlich** [ráɪçlɪç] 《<reich》《Ⅰ》 *a.* ①〖고어〗(남에게) 잘 베푸는(freigebig). ② 풍부한, 충분한, 넉넉한; 호사스러운: eine ~e Mahlzeit zu sich nehmen 배불리〔실컷〕 먹다; wir haben noch ~ Platz 우리는 아직도 좌석이 넉넉히 남아 있다; ich habe mein ~es Auskommen 나는 유복하게 살고 있다; das ist etwas ~ 그건 너무 심하다(불쾌하거나 슬플 때); vor ~ Jahresfrist 1 년 훨씬 이전에. 《Ⅱ》 *adv.* 풍부하게, 충분히; 대단히: ~ 1000 Mark 넉넉히 1000 마르크; das war eine ~ langweilige Geschichte 그것은 아주 지루한 이야기였다; das Kleid ist ~ kurz 이 원피스는 아주 짧다.

Reichlichkeit *f.* ↑ reichlich 의 명사형.

Reichnis 《<reichen》 *f.* -se (obd.) 세금.

reichs.. [ráɪçs..; 악센트는 긴 복합어에서는 때때로 이동함] ① (1918 년 이전) 독일 제국의; (1933 년 이후 나치스 치하의) 나치스 독일의. ② (일반적으로) 독일 제국의; 국립의, 나라의; 전국의.

Reichs≈abschied [ráɪçs..] *m.* ① (1806 년까지의 독일의) 국회의 폐회. ② 옛 독일 제국 의회 결의 조례. **~abt** *m.* 제국 직속 수도원장. **~äbtissin** *f.* 제국 직속 수녀원장. **~acht** *f.* (독일 제국) 국외 추방. **~adel** *m.* (1806 년까지의) 구독일 제국 귀족. **~adler** *m.* 독일 제국 (시대의) 문장(紋章)의 독수리. **~amt** *n.* ① 중세 독일 상급 궁내 관청. ② (1871-1918 년의) 독일 제국 상급 (행정) 관청: ~ des Innern 내무성. **~angehörigkeit** *f.* 제국 신민(臣民)(임), 국적. **~anleihe** *f.* 국채. **~anstalt** *f.* 국가 영조물〔시설〕, 국립 기관: ~ für Arbeitsvermittlung und Arbeitslosenversicherung 직업 소개 및 실업 보험관청. **~anwalt** *m.* 독일 제국 검찰관. **~anzeiger** *m.* 제국 관보; (1944 년까지의) 독일국 관보. **~apfel** *m.* 황제〔국왕〕의 권력의 표장으로서의 십자가를 단 지구의 모양의 보석.

Reichsarbeits≈dienst *m.* (나치) 노동 봉사단(약어: RAD). **~führer** *m.* 노동 봉사 단장. **~gericht** *n.* (나치) 최고 노동 재판소. **~kammer** *f.* (나치스 시대의) 전국 노동 평의회. **~minister** *m.* 노동 장관. **~ministerium** *n.* 노동성.

Reichs≈archiv *n.* (1871-1945 년의) 국립 기록 보관소. **~armee** *f.* 제국 육군; (16-18 세기의) 구독일 제국 육군.

Reichs≈auto·bahn *f.* (1934-45 년의) 독일 제국 고속 도로. **~auto·straße** *f.* ↑ ~autobahn.

Reichs≈bahn *f.* (독일 제국·구동독의) 국영 철도. **~bank** *f.* 독일 제국 중앙 은행. **~banner** *n.* ① 국기. ② 국기당(1924 년에 결성된 정치 단체; 1933 년 해체). **~bauernführer** [raɪçsbáuərn..] *m.* (나치스 때의) 전국 농민 지도자. **~beamte*** *der* (독일 제국) 관리. **~behörde** *f.* (독일국) 관청.

Reichs≈berufs·wett·kampf [raɪçsberú:fs..] *m.* (나치스 때의) 전국 직업 경연 대회. **~betriebs·gemeinschaft** *f.* (18 개의 경영 협회를 포함한) 전국 경영 협회.

Reichs≈bote *m.* ↑ ~tagsabgeordnete. **~bund** *m.* 전국 동맹: ~ der Deutschen Beamten(약어: R.D.B.) 독일 공무원 협회. **~bürger** *m.* 독일국 공민; 국민.

Reichsbürger≈gesetz *n.* 독일 공민법. **~recht** *n.* 독일국 공민권.

reichs≈deutsch *a.* 독일 제국(국민)의. **≈dienst·flagge** *f.* 관청기(旗). **~druckerei** *f.* 중앙〔국영〕 인쇄국. **~eigen** *a.* 국유의. **≈einheit** *f.* 국가의 통일.

Reichs≈eisenbahn·amt *n.* 독일 철도국. **≈erb·hof·gesetz** *n.* 독일 세습 농지법.

Reichsernährungs≈minister *m.* 식량 장관. **~ministerium** *n.* 식량성(省).

Reichs·erziehungs·minister *m.* 교육 장관.

Reichs≈fahne *f.* 국기. **~farben** *pl.* 독일 국기의 색(바이마르 공화국 시대 및 현재는 흑·적·금(金)색; 나치스 때는 흑·백·적이었음). **≈feindlich** *a.* 국가의 적인.

Reichsfilm≈dramaturg *m.* 전국 영화 검열관. **~kammer** *f.* 제국 영화원(院).

Reichs≈forstmeister *m.* 제국 산림청장.

reichs·frei *a.* ↑ ≈unmittelbar.

Reichs≈freiherr *m.* ①〖史〗 최하급 귀족. ② (16 세기 이후의) 구독일 제국 직속의 남작(칭호). **~führer der SS.** *m.* (나치스당의) 친위대 중앙 지도자. **~gebiet** *n.* 독일 제국 영토. **~gericht** *n.* (1875-1945 년의) 독일 제국 대법원. **~gesetz** *n.* 독일 제국 국법. **~gesundheits·amt** *n.* 독일 위생국(1876 년 설립). **~graf** *m.* (구독일) 제국 직속의 백작. **~grenze** *f.* 독일 제국의 국경. **~gründung** *f.* (특히 1871 년의) 독일 제국 창건. **~hauptstadt** [raɪçshá͜upt..] *f.* 제국 수도. **~haushalt** *m.* (제국의) 국가 예산, 국정. **~heer** *n.* ↑ ~armee. **~insigne** *n.* (왕관·홀(笏)·보검·지구의 등의) 독일 제국 통치자의 상징물.

Reich≈jugend·führer *m.* (나치스당의) 전국〔독일〕 청소년 지도자. **~kammer·gericht** *n.* (구독일) 제국 대법원(1495-1806).

Reichs≈kanzlei *f.* 내각 사무처〔국〕. **~kanzler** *m.* ① (1806 년까지 마인츠의) 대재상; (1871-1918 년의 황제의 임명을 받고 국회에 책임지지 않는) 제국 수상; (1919-33 년의 공화국 대통령의 임명을 받는) 정부 수반; (1933-45 년의) 제국 총통. ② (1867-71 년의 오스트리아 헝가리 제국의) 제국 수상. **~kleinod** *n.*〖보통 복수 -ien 으로〗(왕관·홀(笏)·칼 등의) 황제권의 표장(表章). **~krone** *f.* 제왕의 관(冠).

Reichskultur≈kammer *f.* (나치스 시대의; 1933-45) 제국 문화원. **~senat** *m.* 제국 문화원로원.

Reichs·kurs·buch *n.* 전국 철도 시각표.

Reichs≈land *n.* ① (1806 년까지 독일 신성 로마 제국에 속하는) 제국 영토. ② (1871-1918) 엘자스 로트링겐 (Elsaß-Lothringen). ③ (1908 년부터 오스트리아 헝가리 제국의) 보스니아와 헤르체고비나. **~lehen, ~lehn** *n.* (독일) 국령(國領). **~leitung der Partei** *f.* 당 수뇌부.

Reichs≈luftfahrt·ministerium *n.* 항공성(省). **~luftschutz·bund** *m.* 전국 방공(防空) 동맹(약어: RLB).

Reichs≈marine *f.* 해군. **~marine·amt** *n.* 해군성(省). **~mark** *f.* ① 독일 제국 화폐 단위(1924-48; 약어: RM/Rmk.). ② (독일) 국경. **~minister** *m.*〖史〗(1919-45 년의) 장관: ~ des Innern 내무부 장관. **~ministerium** *n.* 제국 행정부, 부(部), 성(省): ~ für Volksaufklärung und Propaganda 독일 국민 계몽 선전성(省). ∼**mittelbar** *a.* 황제 비직속의, 영주 직속의. ∼**münze** *f.* 독일 화폐.

Reichs≈musik·kammer *f.* 전국 음악원. ∼**nährstand** *m.* 전국 식량 동맹.

Reichs≈oberhaupt *n.* 국가 원수, 제왕. ∼**patent** *n.* 독일국 특허(약어: DRP). ∼**pfennig** *m.* 독일 화폐 단위(1924-48; 약어: Rpf.; 100 Rpf=1 RM.). ∼**post** *f.* (1924-45 년의) 독일 제국 체신청(약어: RP). ∼**präsident** *m.* (1919-34 년의 7 년 임기로 선출된) 공화국 대통령.

Reichspresse≈chef *m.* (나치스의) 당 정보부장. ∼**kammer** *f.* 제국 신문(잡지)국.

Reichs≈propaganda·leiter *m.* 중앙 선전부장.

Reichs≈rat *m.* ① (1919-34 년의) 바이마르 공화국 참의원. ② (1867-1918 년의) 구오스트리아 의회. ③ (1818-1918 년의) 바이에른의 상원. ∼**regierung** *f.* (1919-45 년의) 독일 중앙 정부. ∼**ritterschaft** *f.* (1806 년까지) 독일 제국 직속 기사단. ∼**rundfunk·kammer** *f.* 제국 방송원. ∼**schatz·amt** *n.* 재무성. ∼**schrifttums·kammer** *f.* 제국 저술원. ∼**schulden** *pl.* 국채. ∼**sender** *m.* 국영 방송국. ∼**sport·führer** [raɪçsʃpɔ́rt..] *m.* (나치스 때의) 전국 스포츠 지도자. ∼**stadt** *f.* (1806 년까지의) 구독일 제국 직속의 도시, 자유시. ∼**stand** *m.* 구독일 제국 의회의 의원(제후 및 고위 성직자). ∼**statt·halter** *m.* 총독, 지방 장관(Reichsregierung 의 대표자). ∼**straße** *f.* 국도(國道). ∼**tag** *m.* 독일 제국 의회; 제국 의회 의사당.

Reichstags≈abgeordnete* *der/die* 독일 제국 국회 의원. ∼**beschluß** *m.* 독일 제국 국회 결의. ∼**brand** *m.* (1933 년 2 월 27 일의) 독일 제국 국회 의사당 화재. ∼**gebäude** *n.* 독일 제국 국회 의사당. ∼**wahl** *f.* 독일 제국 국회 의원 선거.

Reichs·theater·kammer *f.* 제국 연극원(院).

reichs≈treu *a.* 국가에 충실한. ∼**truppen** *pl.* 제국 군대.

reichs·unmittelbar *a.* 제국〔황제〕 직속의 (≈frei).

Reichs≈verband *m.* 전국 연맹〔조합〕: ∼ der Deutschen Presse (나치스 때의) 독일 신문 잡지 전국 연맹. ∼**verfassung** *f.* 제국 헌법. ∼**versicherung** [raɪçsfɛrzɪ́çə..] *f.* 제국 보험.

Reichsversicherungs≈amt *n.* 중앙 보험국. ∼**ordnung** *f.* 제국 보험법(약어: RVO).

Reichs≈verweser *m.* 옛 독일 제국 섭정. ∼**währung** *f.* 제국 화폐. ∼**wappen** *n.* 제국 문장(紋章). ∼**wehr** *f.* 국방군(특히 베르사유 조약에 따른 1919-35 년의 독일군). ∼**wirtschafts·kammer** *f.* 제국 경제 회의소.

***Reichtum** [ráɪçtu:m] 《<reich》 *m.* -(e)s, ..tümer 풍부, 많음; 유복, 부유, 재산; 다양성; 〔복수〕 재산, 재화: die Reichtümer der Erde 지하 자원; zu ∼ kommen 부를 얻다; ∼ an Bodenschätzen 풍부한 지하 자원; ∼ an Herzensgüte 넘쳐흐르는 온정; privater ∼ 사유 재산; Gesundheit geht über 〔ist besser als〕 ∼ 건강이 재산보다 중요하다〔낫다〕; damit sind keine Reichtümer zu erwerben 그것으로는 돈을 벌 수 없다.

reich≈verziert *a.* 장식이 많은〔화려한〕. ∼**weite** 《<reichen》 *f.* ① 도달 거리; 세력 범위: in ∼ sein 세력 범위 안에 있다; das liegt außerhalb meiner ∼ 그것은 내 손이 닿지 않는 곳에 있다. ②〖軍〗 사정〔착탄〕거리: ein Geschütz mit geringer〔großer〕 ∼ 착탄 거리가 짧은〔긴〕 대포. ③〖空〗 항속 거리. ④〖방송〗 방송 유효 범위. ⑤〖物〗 방사〔비행〕 거리. ⑥〖권투〗 사정 거리.

***reif** [raɪf] *a.* 익은; 성숙한; 충분히 발육한; (치즈·와인이) 숙성한; 원숙한, 숙달한; 노련한; (종기가) 곪은; 〔비유〕 준비가 다 된, 시기가 무르익은; 〔구어〕 미친: ein ∼er Mann 성년〔중년〕 남자; ein ∼es Urteil 깊이 생각한 판단; das Geschwür ist ∼ 종양이 곪았다; sie ist noch nicht ∼ genug für diese Aufgaben 그녀는 아직 이 과제를 수행할 정도가 못된다; der Anzug ist ∼ 그 양복은 세탁할 때가 되었다; der Plan ist noch nicht ∼ 이 계획은 아직 때가 되지 않았다(실현 단계에 이르지 않았다); er ist ∼ für den Galgen 그는 교수형감이다; der Greis ist zum Tode ∼ 그 노인은 죽을 때가 다 되었다; er ist ∼ zum Predigeramt 그는 목사 자격을 얻었다; 〔시에서 3 격을 지배하는 일도 있음〕 das Jahrhundert ist meinem Ideal nicht ∼ 금세기에는 내 이상이 도저히 실현되지 않는다; 〔속담〕 je früher ∼, desto früher faul 조숙조로(早熟早老).

***Reif**[1] *m.* -(e)s ① 서리; 서리 내리는 계절: mit ∼ bedeckt 서리로 덮인. ② (과일에 앉은) 서리; 희끗희끗한 머리; (특히 영양(羚羊)의) 연한 솜털: ein ∼ fiel auf seine Hoffnung 그의 희망은 서리를 맞았다, 그의 기대는 어그러졌다; der ∼ des Alters liegt auf ihm 그는 머리털이 하얗게 세었다. ③〖사냥〗 (영양의) 하얀 털끝.

***Reif**[2] *m.* -(e)s, -e ① 고리, (통 등의) 테; 쇠테, 타이어; (결혼·약혼) 반지; 머리 띠, 링 모양의 장신구, 여자의 장식용 면류관(冕旒冠); (유희용의) 굴렁쇠;〖軍〗 (포신(砲身)의) 환대(環帶);〖건축〗 (기둥의) 홈장식; 자물쇠 (구멍) 둘레의 쇠장식: einen ∼ um ein Faß legen 통에 테를 두르다; mit ∼en spielen 바퀴 놀이를 하다. ② 설화(雪靴)의 일종. ③ (ndd.) (**a**) 축범 장치(Reep). (**b**) 홈(Riefe).

Reif·binder *m.* 테 만드는 사람.

Reife [ráɪfə] 《<reif》 *f.* (과일의) 익음; 성숙; 완성; 〔비유〕 준비를 갖춤, 자격; 대학 입학 자격; 균형, 조화, 원만: die ∼ des Urteils 사려깊은 판단; zur ∼ gelangen〔kommen〕 (과실이) 익다, (대학 입학의) 자격을 얻다; mittlere ∼ 고등학교 졸업; das Zeugnis der Reife 아비투어〔김나지움 졸업〕 증명서.

Reife·grad *m.* 익은 정도, 숙성도.

Reif≈eis 《<Reif¹》 *n.* 서리. ∼**eisen** 《<Reif²》 *n.* 쇠테.

reifeln [ráɪfəln] 《<Reif²》 *t.* 무엇에 홈을 파다; (가죽 제품의 가장자리에) 장식용 선을 파다; (총열에) 강선(鋼線)을 넣다: gereifelte Büchse 라이플.

***reifen**[1] [ráɪfən] 《<reif》《I》 *t.* 익게 하다, 성숙케 하다: dieser Schmerz hat ihn gereift 이 아픔이 그를 성숙하게 했다. 《II》 *i.* (s.) ① (과실이) 익다; 성숙하다, 원숙하다; 〔비유〕

시기가 무르익다: die Äpfel ~ 사과가 다 익다; das Mädchen reift zur Jungfrau 소녀가 묘령의 처녀가 되다; die Ahnung reift zur Gewißheit 예감이 확실해지다; in ihm reifte ein Plan 그의 마음속에서 어떤 계획이 무르익었다. ②〖醫〗(종기가) 곪다.

reifen² 《<Reif¹》 *i.* (h.) / *imp.* es reift 서리가 내린다.

reifen³ 《<Reif²》《Ⅰ》 *t.* 테를 두르다, 무엇에 쇠고리를 달다: ein Faß ~ 통에 테를 두르다. 《Ⅱ》 *i.* (h.) 굴리기〔줄넘기〕를 하다.

***Reifen** *m.* -s, - (통의) 테; 쇠테; (자전거의) 타이어; (체조의) 굴렁쇠, 후프; 고리, 반지, 머리띠: dem Wagen ist ein ~ geplatzt 차의 타이어 하나가 펑크났다.

Reifen≠bahre 《<Reif²》 *f.*〖醫〗이피가(離被架). **~bruch** *m.* (타이어의) 펑크. **~druck** *m.* 타이어 압력. **~druck·prüfer** *m.* 타이어 압력계. **~heber** *m.* 타이어 잭. **~panne** *f.*, **~schaden** *m.* 타이어 펑크. **~schlagen, ~spiel** *n.* 굴렁쇠 굴리기 놀이. **~wechsel** *m.* 타이어 교환.

Reife≠prüfung 《<reif》 *f.* 고등 학교〔김나지움〕 졸업 시험. **~zeit** *f.* 성숙기; 사춘기. **~zeugnis** *n.* 고등학교 졸업 증서.

Reiferei [raɪfəráɪ] *f.* (바나나 등을 일찍 따서) 익히는 시설.

Reif·glätte *f.* (서리로 인한) 노면의 미끄러움.

Reifheit *f.* ↑ Reife.

reiflich [ráɪflɪç] 《<reif》 *a.* 충분한, 철저한: et. ~ bedenken〔erwägen〕 무엇을 충분히 숙고하다.

Reifling [ráɪflɪŋ] *m.* -s, -e ① 묘목. ② 아비투어 수험생〔취득자〕(Abiturient).

Reif·macher 《<Reif²》 *m.* 테 만드는 사람.

Reif≠monat 《<Reif¹》 *m.* 상월(霜月), 11월. **~rock** 《<Reif²》 *m.* 테를 넣은 치마, 속버팀으로 벌어진 스커트. **~schlagen, ~spiel** *n.* ↑ Reifenschlagen. **~treiber** *m.* (통의) 테를 박는 도구. **~zieher** *m.*, **~zwinge** *f.* 테를 죄는 도구.

Reifung 《<reif》 *f.* 성숙.

Reifungs·prozeß *m.* 성숙 과정.

Reig, Reige *m.* -(e)s, - (ndd.) ↑ Reife.

***Reigen** [ráɪgən] *m.* -s, - ①〖별형: Reihen〗 노래를〔음악을〕 동반하는 야외의 원무(圓舞); 원무하는 사람들; 원형의 열, 원형으로 에워싼 것: einen ~ tanzen 원무를 추다; den ~ eröffnen〔führen〕 원무의 앞장을 서다;〖비유〗 선수를 쓰다; 시작하다; den ~ beschließen (마지막 사람끼리 손을 맞잡고) 원형의 열을 짓다;〖비유〗(맨끝 사람이 되어) 뒷일을 마무리하다, 최후의 사람이다. ② 원무곡; (일반적으로) 가요.

reigen *i.* (h.) 원무하다.

Reigen·führer *m.* 원무의 지도자.

reigenhaft *a.* 원무 같은.

Reigen·tanz *m.* 원무.

***Reihe** [ráɪə] *f.* -n ① 열, 줄; 행; 선(線); 계열; 집이 늘어선 줄; 대열: eine ~ von Gedanken 일련의 생각; in ~n zu dreien marschieren 3열로 행진하다; in einer Reihe antreten 한 줄로 늘어서다〔정렬하다〕; in der vierten ~ sitzen (극장이나 음악회 등에서) 4번째 줄에 앉다; in Reih und Glied 질서 정연하게 줄지어, 줄을 맞춰; das Bild ging die ~ herum 여러 사람이 사진을 돌려보았다;〖數〗 수열 급수; arithmetische〔geometrische〕 ~ 등차〔등비〕 급수; nicht in der ~ sein 몸이 불편하다; aus der ~ fallen〔tanzen〕 규정된 순서를 지키지 않다, 다른 사람들과 달리 행동하다; (obd.) ich bin wieder in der Reih' 나는 다시 건강하게 되었다; mit jm. noch nicht in der ~ sein a) 누구와 아직 의견이 일치하지 않다, b) 누구와 필적하다; in die ~ bringen 수리하다; 병을 고치다; bunte ~ machen 남녀가 나란히 줄지어 앉다; (in der) ~ stehen 일렬로 서다; in eine ~ stellen 일렬로 세우다; in gerader ~ von jm. herstammen 누구의 직계 자손이다;〖경박〗 du hast wohl nicht alle in der ~! 넌 제정신이 아닌 모양이구나!; sich in eine ~ mit jm. stellen 누구와 비견〔필적〕하다. ② 차례, 순서: jetzt bist du an der ~, die ~ ist an dir, die ~ kommt an dich 이제 네 차례다; warte, bis du an die ~ kommst 네 차례가 올 때까지 기다려라; ich bin〔komme〕 ganz aus der ~ 나는 아주 혼란〔당황〕스럽다; außer der ~ 예외로 중간에, 규정된 질서를 따르지 않는; et. in und außer der ~ hersagen können 무엇을 완전히 암기하고 있다; wieder in die ~ kommen a) 다시 대열로 돌아가다, 다시 순번이 되다, b)〖비유〗 복구하다; nach der ~ 〔der ~ nach〕 순서대로, 차례차례; um die ~ 교대로;〖속담〗 jeder kommt einmal an die ~ 누구에게나 한 번은 차례가 온다, 쥐구멍에도 볕들 날이 있다. ③ 총서, 시리즈: eine belletristische ~ 대중 문학 시리즈;〖生〗 목(目). ④ 그룹, 팀; 진영, 계열: Verräter in den eigenen ~n haben 자신의 진영에 배반자를 갖고 있다. ⑤ 다수, 상당수, 일련: eine ganze ~ 다수, 많음; seit einer ~ von Jahren 수년 이래.

***reihen** [ráɪən] 《<Reihe》《Ⅰ》 *t.* ① 나란히〔가지런히〕 하다, 배열하다, 정리하다: an et. ~ 무엇에 접합〔부가〕하다. ② 꿰다: Perlen auf eine Schnur ~ 진주를 실에 꿰다. ③ 가봉하다. 《Ⅱ》 *i.* (h.) 여러 마리가 한 마리를 따라다니다, (닭·오리가) 교미하다;〖사냥〗(여우가) 울다. 《Ⅲ》 *refl.* sich ~ 나란히 서다, 정렬하다: ein Unglück reihte sich ans andere 불행이 잇달아 일어났다.

Reihen¹ *m.* -s, -〖고어〗 원무(Reigen).

Reihen² (♧ Rist) *m.* -s, - 발등.

Reihen≠bau *m.* 연립 주택. **~dorf** *n.* 열촌(列村)(집이 일렬로 늘어선 형태의 마을). **~folge** *f.* 차례, 순번: die ~ ändern〔einhalten〕 순번을 바꾸다〔지키다〕; in alphabetischer ~ 알파벳 순서로.

reihenhaft *a.* 줄지어; 차례의.

Reihen≠haus *n.* ↑ ~bau. **~kolonne** *f.*〖軍〗 측면 종대. **~marsch** *m.*〖軍〗 측면 행진. **~motor** *m.*〖기계〗 직렬 기관. **~sämaschine** *f.*〖農〗 조파기(條播機). **~schaltung** *f.*〖전기〗 직렬 접속. **~siedlung** *f.* (길가나 강가에) 두 줄로 늘어선 마을. **~tanz** *m.* ↑ Reigen ①. **~untersuchung** *f.*〖醫〗 집단 검진. **~weise** *adv.* 줄지어, 나란히, 차례 차례; 아주 많이, 다량으로: ~ antreten 줄을 서다. **~zahl** *f.* 수열(數列).

Reiher [ráɪər] *m.* -s, - ①〖動〗 왜가리속(屬). ②〖방언〗 오리 수컷.

Reiher≈beize *f.* 〖사냥〗 (매를 쓰는) 왜가리 사냥. **~busch** *m.* 왜가리 깃 장식. **~feder** *f.* 왜가리의 깃. **~horst** *m.* 왜가리의 집; 왜가리가 모여 집을 짓는 수풀. **~jagd** *f.* ↑ ~beize.

reihern [ráıərn] *i.* (t.) 〔경박〕 구토하다.

Reiher≈schnabel *m.* ① 왜가리의 주둥이. ② 〖植〗 양아욱속(屬)의 총칭. **~strauß, ~-stutz** *m.* ↑ ~busch.

Reih·garn [ráı..] *n.* 철(하는〔묶는〕 데 쓰는) 끈.

..reihig *suf.* "열의"의 뜻(보기: ein~ 1열의).

reih·um [raı|ʊ́m] *adv.* 차례차례로, 교대로.

Reihung [ráıhʊŋ] *f.* -en 줄지어 놓기, 정렬.

Reih·zeit *f.* 〖사냥〗 오리의 교미기.

***Reim**[1] [raım] *m.* -(e)s, -e ①〖문학〗 운(韻); 각운: männlicher〔stumpfer〕 ~ 남성운, 강음 종결운(보기: Herz, Schmerz); weiblicher 〔klingender〕 ~ 여성운, 약음 종결운(보기: Regen, Segen). ② 시구; 격언(시); 시: ~e machen〔bilden, schmieden〕 시를 짓다; die Mutter kannte viele ~e 어머니는 많은 시를 알고 있었다; 〔비유·구어〕 darauf kann ich keinen ~ finden 나는 그게 이해가 안 된다; kannst du dir darauf einen ~ machen? 너 그것을 설명해 볼 수 있겠니?

Reim[2] *m.* -(e)s, -e (obd.) (영양의) 하얀 털끝.

Reimar [ráımar] 라이마르(남자 이름).

Reim≈art *f.* 운(韻)의 종류. **~chronik** *f.* 운문 연대기.

reimen [ráımən] 《I》 *t.* 운(韻)을 맞추다, 압운(押韻)하다; 〔비유〕 일치〔조화〕시키다. 《II》 *refl./i.* (h.) (sich) ~ 운이 맞다; 〔비유〕 일치〔조화〕하다: die beiden Zeilen ~ sich nicht 그 두 행은 운이 서로 맞지 않는다; „Sang" reimt sich auf „Klang" "Sang"은 "Klang"과 운이 맞는다; das reimt sich mit seiner Klugheit nicht 그것은 그의 영리함과 어울리지 않는 일이다; 〔농담·구어〕 reim' dich, oder ich freß' dich 일이 제대로〔원만하게〕 진척되지 않으면 가만 있지 않겠다. 《III》 *i.* (h.) 시를 짓다.

Reimer [ráımər] *m.* -s, - 시인; 〔폄어〕 엉터리 시인.

Reimerei [raımərάı] *f.* -en 서투른〔엉터리〕 압운; 졸작의 시.

reim≈frei *a.* ↑ reimlos. **≈gedicht** *n.* 압운시. **≈kunst** *f.* 압운법. **≈lexikon** *n.* 압운 사전.

reimlos *a.* 무운(無韻)의, 운을 맞추지 않은.

Reim≈paar *n.* 압운 2행 연구(連句). **~-schmied** *m.* 엉터리〔가짜〕 시인. **~silbe** *f.* 운을 맞춘 음절. **~spiel** *n.* 압운 놀이. **~sucht** *f.* 작시광(作詩狂), 압운하는 버릇. **~vers** *m.* 각운이 있는 시행. **≈weise** *adv.* 운을 맞추어. **~wort** *n.* 압운어. **~wörter-buch** *n.* ↑ ~lexikon.

***rein** [rain] 《I》 *a.* ① 순수한; 맑은; 때묻지 않은, 깨끗한; 깔끔한; 결백한; 진짜의, 불순물이 없는, 순종의; 순결한; (발음이) 사투리가 없는; 〖宗〗 정화된: ~er Wein 순수한 포도주; ~e Aussprache 정확한 발음; ~es Deutsch (오류·사투리가 없는) 순수한 독일어; ~er Ertrag 순이익; ~es Gewissen haben 양심이 떳떳하다; ~es Gold 순금; ~e Gotteslehre 하느님에게서 물려받은 그대로의 교의; ~e Vernunft 순수 이성; von ~er Rasse (동물 등이) 순수한 혈통의; vom ~sten Wasser (보석의 품질·광택 따위가) 극상의, 최우수의; 〔비유〕 Aristokrat vom ~sten Wasser 순수한 (혈통의) 귀족, 정통 귀족; et. ~ heraus-sagen 무엇을 솔직하게〔명백히〕 말하다; 〔구어〕 ~en Tisch machen 가차 없이 정리하다, 모든 폐단을 일소하다, 어떤 문제를 명백하게 밝히다; 〔구어·비유〕 jm. ~en Wein ein-schenken 누구에게 사실대로 말하다; sich ~ waschen〔brennen〕 자기의 결백을 밝히다. ② 순전한, 전적인: ein ~er Zufall 순전한 우연; ~e Theorie 이론에 불과한〔검증되지 않은〕 이론; aus ~em Mitleid 전적으로 동정심에서; ~e Wahrheit sagen 거짓 없는 진실을 말하다. ③ 〔강조〕 문자 그대로의, 바로 똑같은, …와 같은: er ist der ~e Othello 그는 매우 질투심이 강하다; 〔구어〕 das ist ja der ~ste Roman 그것은 정말 소설 같은〔믿기 어려운〕 이야기다; 〔구어〕 das ist der ~ste Saustall hier 여기는 완전히 돼지우리다(지독히 더럽다); das ist ein ~es Wunder〔das ~ste Wunder〕 그것은 정말 기적 같은 일이다. ④ 깨끗〔청결·깔끔〕한: ~e Wäsche 깨끗한 속옷; von et.[3] ~ 무엇이 없는〔을 면한〕; ich bin ~ von〔an〕 dieser Tat 나는 이 행위와 관계 없다; 〔비유〕 die Luft ist ~ 근처에는 아무도 없다, 발각될 위험이 없다; ~e Bahn 〔Wirt-schaft〕 machen 일소〔정리〕하다; 〔비유〕 ~e Hände haben 결백하다; 〔구어〕 eine ~e Weste haben 죄를 지은 적이 없다; 〔구어〕 ~en Mund halten 침묵〔비밀〕을 지키다; ins 〔aufs〕 ~e schreiben 청서하다; et. ins〔aufs〕 ~e bringen 무엇을 정리〔해명〕하다; über et. ins ~e kommen 무엇의 진상을 규명하다; mit jm. ins ~e kommen 누구와 합의를 보다; mit jm.〔et.[3]〕 ins ~e kommen 누구와 화해하다〔무엇을 해결하다〕; ich bin damit noch nicht im ~en 나는 아직까지 그것을 분명하게 이해하지 못하고 있다; mit sich (selbst) im ~en sein 자기 자신과 관련된 것을〔스스로를〕 분명히 알고 있다. 《II》 *adv.* ① 완전히, 아주: ~ verrückt 완전히 미친; ~ nichts 전무(全無); das ist ~ erlogen 그것은 새빨간 거짓말이다; es ist ~ aus damit 이것으로 일은 깨끗이 끝났다; das hab' ich ~ vergessen 나는 그것을 완전히 잊고 있었다; er war ~ weg 그는 아주 당황해하고 있었다; er war ~ weg von ihr 그는 그 여자에게 홀딱 반하였다. ② 오로지, 유독, 배타적으로: er denkt ~ nur ans Arbeiten 그는 오로지 일만 생각한다; aus ~ persönlichen Gründen 순전히 개인적인 이유에서.

'rein [rain] *adv.* 〔구어〕 ↑ herein.

Rein *f.* -en 〔방언〕 냄비; 납작한 솥.

rein|≈beißen *t.* 깨물다: zum ≈ aussehen 식욕을 돋우다, 맛있게 보인다. **~buttern** *t.* 〔구어〕 (돈을) 투자하다.

Reind(e)l [ráind(ə)l] *n.* -s, - 〔방언〕 작은 냄비.

Rein·druck *m.* 〖印〗 교료쇄(校了刷).

Reine[*1] ① *der/die* 마음이 깨끗한 사람, 순결한 사람. ② *das* 순수한 것; 정서, 청서.

Reine[2] *f.* 〔시어〕 ↑ Reinheit.

Reineclaude [rɛnəklóːdə] *f.* ↑ Reneklode.

Rein≈einkommen *n.*, **~einkünfte** *pl.*, **~einnahme** *f.* 순수입(Nettoeinnahme).
Reineke [ráinəkə] 《ndd.》 *m.* 동물 우화의 주인공 여우: ~ Fuchs 중세의 서사시 및 Goethe 의 시의 제목.
Reine≈mache·frau *f.* 여자 청소부. **~machen** *n.* 〖방언〗 청소; 〖비유〗 숙청.
reinen *t.* 〖시어〗 ↑ reinigen.
Rein·erhaltung *f.* ① 청결 유지. ② (동물 혈통 등의) 순종 보존.
Rein≈erlös *m.*, **~ertrag** *m.* 순이익.
Reinette [rɛnɛ́tə] *f.* -n 레네테(사과 품종의 하나)(Renette).
reineweg [ráinəvɛk] *adv.* 전적으로, 완전히; 아주, 전혀, 정말: ~ unmöglich 전혀 불가능한.
Reinfall [ráinfal] 《<'rein》 *m.* -(e)s, ..fälle 〖구어〗 어이없는〔실망스러운〕 일; 환멸, 낙담, 실망: so ein ~! 이렇게 실망스러울 수가!
rein|fallen *i.* (s.) (빛 등이) 안으로 비추다; 빠지다, 안으로 떨어지다.
Reinfarkt *m.* -(e)s, -e 〖병리〗 경색 재발.
Reinfektion [reǀɪnfɛktsióːn] *f.* -en 〖醫〗 재감염, 재전염.
re·infizieren *t.* jn. ~ 누구를 재감염시키다.
Rein≈gewicht *n.* 실중량. **~gewinn** *m.* 〖經〗 순이익. **~gold** *n.* 순금. **~golden** *a.* 순금의, 순금으로 된.
Reinhard [ráinhart] *m.* 라인하르트(남자 이름).
rein|hauen *t.* ① jm. eine ~ 화가 나서 누구를 (특히 뺨을) 한 대 때리다. ② (많이) 먹다.
Reinheit [ráinhait] *f.* ① 깨끗함, 맑음; 순수; 청정(清淨); (혈통의) 순수. ② (발음 등의) 정확: die ~ des Tones 음정의 정확함. ③ (의도·동기 등의) 진실됨; 무죄, 결백, 순결.
Reinhold [ráinhɔlt] *m.* 라인홀트(남자 이름).
***reinigen** [ráinɪgən] 《I》 *t.* ① 깨끗하게 하다, 청소하다; (그릇을) 씻다; 세탁하다; (상처를) 닦다; (기관·단체를) 정화하다; 〖비유〗 (분쟁·불화를) 해소하다; 〖광산〗 정련(精鍊)하다; 〖化〗 정류(精溜)하다; 〖醫〗 관장(灌腸)하다; 소독하다: das Zimmer ~ 방을 청소하다; Abwasser ~ 하수를 정화하다; die Muttersprache ~ 모국어를 순화하다; 〖비유〗 ein ~des Gewitter 견해 차이를〔분쟁을〕 없애 주는 토론. ② jn. (von et.[3]) ~ 누구를 (무엇의 부담·혐의 등에서) 벗어나게 하다; jn. von Schuld ~ 누구의 채무를 면제해주다. 《II》 *refl.* sich ~ ① 몸을 (씻어) 깨끗이 하다. ② 결백을 밝히다: sich von Verdacht ~ 혐의를 풀다.
Reiniger *m.* -s, - ① 청소기; 세탁기; 세정〔세척〕제. ② 〖드물게〗 청소하는 사람; 정련〔정제〕자; (국어 등의) 순화 운동가; 〖宗〗 개혁자.
***Reinigung** *f.* -en ① 깨끗이 하기, 씻기; 청소: die ~ des Gesichts 세안; 〖비유〗 die ~ der Seele 영혼의 정화. ② 세탁소: das Kleid aus der ~ holen 옷을 세탁소에서 찾아오다. ③ 〖광산〗 정련; 〖化〗 정류(精溜); 〖醫〗 관장(灌腸); 소독; 〖印〗 교정, 삭제; 〖宗〗 정화, 목욕재계. ④ **(a)** 〖생리〗 monatliche ~ 월경(Menstruation). **(b)** 〖가톨릭〗 Mariä ~ 성모마리아의 정화의 축제(일). **(c)** 〖속어〗 징벌.
Reinigungs≈apparat *m.* (하수·가스 등의) 정화 장치; 정화기. **~creme** [..kreːm] *f.* 〖화장〗 얼굴을 씻는 (화장) 크림, 세안(洗顔) 크림. **~eid** *m.* (피고의) 무죄〔결백〕 선서. **~krem** *f.* ↑ ~creme. **~maschine** *f.* 정화기, 세척기, 세탁기, (곡물) 분리기(分離機). **~milch** *f.* 세안(洗顔)〔클렌징〕 로션. **~mittel** *n.* 세척제, 세제; (상처 등의) 세정제; 하제(下劑). **~opfer** *n.* (고대 로마의) 정화의 제물. **~politur** *f.* 세척 광택제〔유약〕. **~weg** *m.* 〖生〗 배설구〔관〕; 〖宗〗 정화의 길.
Reinkarnation [reǀɪnkarnatsióːn] 《lat.》 *f.* -en 재생, 재래(在來), 윤회.
rein|kommen *i.* (s.) 〖구어〗 들어오다.
rein|kriegen *t.* 〖구어〗 받다, 받아들이다, 얻다.
Rein·kultur *f.* ① (세균의) 순수 배양: 〖비유·구어〗 in ~ 진짜의; 명백한, 확연한; 전형적인; 〖비유〗 wir erlebten südliche Welt in ~ 우리는 남국 본연의 모습을 보았다. ② 〖林〗 단순림. ③ 〖農〗 단식(單式) 농업(지).
rein|lassen *t.* 〖구어〗 안으로 들이다, 들어오게 하다.
rein|legen *t.* 〖구어〗 ① 집어넣다, 들여놓다. ② 속이다.
rein·leinen *a.* 순마(純麻)의.
reinlich [ráinlɪç] *a.* ① 깨끗한 것을 좋아하는: die Katze ist ein ~es Tier 고양이는 깨끗한 것을 좋아하는 동물이다. ② 깨끗한, 말쑥한, 청초한. ③ 근본적인, 철저한: eine ~e Scheidung der Begriffe 개념간의 명확한 구별.
Reinlichkeit *f.* 청결, 순수.
reinlichkeits·liebend *a.* 깨끗한 것을 좋아하는; 매우 깨끗한, 정결〔말쑥〕한.
Rein≈mache·frau *f.* ↑ Reinemachefrau. **~machen** *n.* ↑ Reinemachen.
rein≈rassig *a.* 순수 혈통인; 순종의. **~rassigkeit** *f.* 순종, 단일 혈통.
rein|reißen *t.* 〖구어〗 끌어들이다, 잡아 끌고 가다.
rein|≈reiten 〖구어〗 《I》 *i.* (s.) 말을 타고 들어가다. 《II》 *t.* (어려운 상황에) 끌어들이다, 휘말리게 하다. **~schiff** *n.* 배의 대청소. **~|schlagen** *t.* ① 때려넣다, 때려박다. ② jm. eine ~ (화가 나서) 누구를〔누구의 뺨을〕 한 대 때리다. **~schrift** *f.* 정서, 완성된 원고. **~schriftlich** *a.* 정서된. **~seiden** *a.* 순견(純絹)의.
reinstallieren [reǀɪn..] 《lat.》 *t.* ① 재임명하다. ② 재설치하다.
rein|treten *i.* ① 안으로 들어가다. ② jm. 〔jn.〕 hinten ~ (화가 나서) 누구의 엉덩이를 걷어차다.
Rein·vermögen *n.* 순(純)자산.
rein|waschen *t.* 결백을〔무죄를〕 밝히다: damit hat er sich reingewaschen 그렇게하여 그는 자신의 결백을 입증하였다.
rein≈weg *adv.* ↑ reineweg. **~wollen** *a.* 순모(純毛)의. **~|würgen** *t.* 〖구어〗 jm. eine 〔eins〕 ~ 누구를 골탕먹이다. **~zucht** *f.* ① (동물의) 순종 교배. ② (균의) 순수 배양.
***Reis**[1] [rais] *m.* -es, -e 〖植〗 벼; 쌀: ~ in Hülsen 벼, 나락.
***Reis**[2] *n.* -es, -er ① 잔가지, 어린 가지; (Setz-~) 꺾꽂이 나무; 접지(接枝); 작은 가지: 〖속

담》 viele ~er machen einen Besen 작은 가지들이라도 합치면 싸리비를 만든다(백지장도 맞들면 낫다). ②〖복수〗 땔나무, 물거리: ein Bündel ~er 한다발의 땔나무〔장작〕.

Reis^{3} [réːɪs] *pl.* ↑ Real^{1}.

Reis=acker 《<Reis^{1}》 *m.* 논. **~bau** *m.* 벼농사. **~besen** 《<Reis^{2}》 *m.* 싸리비.

Reis=brannt·wein *m.* 화주, 소주. **~brei** *m.* (쌀을 설탕과 함께 우유로 끓인) 쌀죽. **~brühe** *f.* 쌀이 든 고기 수프. **~bündel** 《<Reis^{2}》 *n.* 물거리〔장작〕 다발.

Reischen *n.* -s, - 《↑ Reis^{2} 의 축소형》 잔가지, 어린 가지.

*__Reise__ [ráizə] *f.* -n ① 여행; 소풍; 〖비유〗 관찰: Gruppen~ 단체 여행; eine dienstliche ~ 출장; ~ hin und zurück 왕복 여행; eine ~ machen 여행하다; eine ~ planen〔buchen, antreten, verschieben, unterbrechen, beenden〕 여행을 계획〔예약, 시작, 연기, 중단, 종료〕하다; wohin geht die ~? 어디로 여행 가세요?; auf der ~ 〔auf ~n〕 sein 여행 중이다; sich auf die ~ machen〔begeben〕 여행에 나서다; auf ~n gehen 여행길에 나서다; die ~ durchs Leben 인생 행로; ~ ins Ausland 해외 여행; 〖宗〗 ~ ins Jenseits 〔zur großen Armee〕 저승길로 떠남; ~ mit der Eisenbahn 철도 여행; ~ nach Rom 로마로의 여행; ~ um die Welt 세계 일주 여행; eine ~ zu Lande 육로 여행; ~ zur See 항해; eine ~ zu Fuß〔Rad〕 도보〔자전거〕 여행; 〖구어〗 du hast eine richtige ~ zu deiner Arbeitsstätte 너의 직장까지는 상당히 멀구나; die letzte ~ antreten, auf die große〔letzte〕 ~ gehen 영원한〔마지막〕 여행길에 오르다(죽다); glückliche ~!, viel Glück auf die ~! a) 여행 중 무사하기를, b) 〖반어〗 자 돌아가자!, c) 잘 해보게!(안 될 줄 알지만); eine ~ in die Vergangenheit 과거의 회상; jn. auf die ~ schicken 〖스포츠〗 (축구 등에서) 같은 팀 선수에게 공을 길게 패스하여 많이 뛰게〔질주하게〕 만들다. ②〖복수〗〖聖〗 야영(野營). ③〖고어〗 출정(出征); 용병역(傭兵役); 근무. ④ (obd.) 적하〔선하〕(積荷〔船荷〕)(의 분량). ⑤〖은어〗(마약 복용에 따른) 도취〔환각〕 상태; 의식 불명 상태.

Reise=andenken *n.* 여행 기념품. **~anzug** *m.* 여행복. **~apotheke** *f.* 휴대용 구급약 상자. **~bedarf** *m.* 여행용품. **~begleiter** *m.* ① 여행의 동행인. ② 여행 안내자, 관광 가이드. **~begleiterin** *f.* ↑ ~begleiter 의 여성형. **~bekanntschaft** *f.* ① 여행에서의 사귐. ② 여행 중 사귄 사람. **~bericht** *m.* 여행 보고(서); 여행기. **~beschreiber** *m.* 기행문을 쓰는 사람, 여행가. **~beschreibung** *f.* 여행기, 기행(紀行). **~besteck** *n.* 여행용 식사도구(포크·나이프 등). **~bett** *n.* 야외용 침대. **~buch** *n.* 여행 안내서. **~buch·handel** *m.* 서적의 방문 판매. **~bündel** *n.* 소화물, 여행 보따리. **~büro** *n.* 여행사, 여행 안내소; 여행사 사무실. **~bus** *m.* (대형) 관광 버스. **~decke** *f.* 여행용 담요. **~diplomatie** *f.* 방문 외교. **~entschädigung** *f.* 여행 수당. **~erinnerung** *f.* 여행 추억〔기념〕; 여행 기념품. **~erlebnis** *n.* 여행 체험. **~fertig** *a.* 여행 준비가 다된: sich ~ machen 여장(旅裝)을 갖추다. **~fieber** *n.* 여행 전의 설레임〔들뜸〕. **~flasche** *f.* 수통(水桶). **~führer** *m.* 여행 안내자; 여행 안내서. **~führerin** *f.* ↑ ~führer 의 여성형. **~gefährte** *m.* 동행자, 같이 여행하는 사람. **~gefährtin** *f.* ↑ ~gefährte 의 여성형. **~gefolge** *n.* 여행 수행원. **~geld** *n.* ① 여비. ② 출장 경비. **~gepäck** *n.* (여행) 수하물. **~gepäck·versicherung** *f.* 여행 수화물 보험. **~geschwindigkeit** *f.* 〖海·空〗 운행 속도. **~gesellschaft** *f.* (단체) 관광(여행)단; 여행의 동행. **~gewerbe** *n.* ① 노상 영업. ② 여행〔관광〕업. **~grammophon** *n.* 휴대용 축음기, 포터블. **~hand·buch** *n.* 여행 안내(서). **~kader** *m.* 〖구동독〗 (서방 세계로의) 공무 여행자. **~karte** *f.* 여행용 지도. **~koffer** *m.* 여행 가방, 트렁크. **~korb** *m.* 여행용 행장(行裝). **~kost** *f.* 도시락. **~kosten** *pl.* 여비. **~krankheit** *f.* 〖醫〗 멀미(Kinetose). **~kredit·brief** *m.* 〖금융〗 여행자 신용장. **~land** *n.* (사람들이 많이 가는) 관광 국가; 관광 대상국. **~leiter** *m.* 관광 가이드〔안내원〕. **~leiterin** *f.* ↑ ~leiter 의 여성형. **~lektüre** *f.* 여행중 읽을거리. **~lust** *f.* ① 여행의 즐거움. ② 여행을 좋아함, 여행벽(癖). **~lustig** *a.* 여행을 즐기는〔좋아하는〕. **~mantel** *m.* 여행용 외투. **~marschall** *m.* (왕후(王侯)를 위한) 여행 수행원; 〖구어〗 (단체 여행의) 책임자. **~mobil** *n.* 주거 시설이 갖춰진 자동차, 캠핑 카. **~müde** *a.* 여행에 지친.

*__reisen__ [ráizən] 《<Reise》 《I》 *i.* (s.; 장소의 이동의 의미가 적을 때에는: h.) ① 여행하다; 여행을 떠나다: nach Italien ~ 이탈리아로 여행하다; als Diplomat viel ~ 외교관으로서 많이 돌아다니다; mit dem Schiff ~ 배로 여행하다, 배를 타고 가다; zweiter Klasse ~ 2 등칸으로 여행하다〔가다〕; 〖商〗 die Firma läßt nicht ~ 그 회사는 외판원〔출장 사원〕을 쓰지 않는다; desselben Weges 〔einen Weg, eines Weges〕 ~ 같은 길을 여행하다. ②〖전치사와 함께〗 **an** die See ~ 바닷가로 가다; auf Schusters Rappen ~ 〖구어·농담〗 도보 여행하다, 편력하다; **aufs** Land ~ 시골에 가다; auf et. ~ a) 어떤 일 때문에 여행하다, b) 무엇을 구실로 이용하다; auf eine Kunst ~ 기예 수련의 여행에 나서다; darauf kannst du ~ 너는 그것으로 먹고 살 수 있다; 〖구어〗 auf diese dumme Tour reist er immer 그는 항상 이런 한심하기 짝이 없는 방식으로 뭔가를 해 보려고 하지; **durch** einen Ort ~ 여행 중 어떤 곳을 통과하다; **in** die Ferien ~ 휴가 여행을 하다; in Gesellschaft ~ 단체로 여행하다; in Geschäften ~ 출장가다; in Sachen ... ~ … 때문에〔…를 위해서〕 여러 군데를 돌아다니다; ins Bad〔Gebirge〕 ~ 온천〔산〕으로 여행하다; **mit** der Eisenbahn 〔dem Flugzeug〕 ~ 기차〔비행기〕로 여행하다; von Berlin über Köln nach Paris ~ 베를린에서 쾰른을 경유하여 파리로 가다; **zu** Lande〔Wasser〕 ~ 육로〔수로〕로 여행하다; zu Fuß ~ 도보로 여행하다; zum Vergnügen〔Studium〕 ~ 즐기기 위해서〔연구 목적으로〕 여행을 하다. 《II》 *refl.* ①〖결과를 표시하여〗 sich arm ~ 여행하여 가난하여지다. ② *imp.* es reist sich bequem in diesem Wagen 이 차를 타면 즐겁게 여행할 수 있다. 《III》 *t.* (schweiz.) (시계 따위

를) 조정하다.
Reisende* *der/die* ① 여행자; 나그네; 여객(승객·선객 등); 관광객. ②〖商〗출장 사원: ~ für Schmidt & Co. 슈미트 회사 출장 사원.
Reise≈necessaire [..nesɛsɛ:r] *n.* (바늘 쌈지 등을 위한) 여행 용구 가방, 세면 도구. **~-onkel** *m.* 〖구어·농담〗여행을 좋아하는 사람. **~papier** *n.* (외국) 여행 서류〔증명서〕. **~paß** *m.* 여권. **~pfennig** *m.* 여비, 노자. **~plan** *m.* ① 여행 계획, 여정(旅程). ② 여행 안내(서). **~prediger** *m.* 순회 목사. **~-prospekt** *m.* (여행사 등에서 배포하는) 여행 안내 소책자〔팸플릿〕. **~proviant** [..vi..] *m.* 여행용 먹을거리.
Reiser·besen *m.* 싸리비.
Reiserchen *pl.* ↑ Reischen.
Reiserei [raizərái] *f.* 〖구어·폄어〗빈번한 여행; 여기저기 돌아다니기.
reisern [ráizərn] *i.* (사냥개가 나뭇가지 등에서) 냄새를 맡다.
Reis·ernte 《<Reis¹》 *f.* 벼의 수확〔작황〕.
Reise≈route [..ru:tə] *f.* 여행의 행로, 여정. **~ruf** *m.* (자동차를 타고 나간 사람에게) 즉시 가족에게 연락할 것을 요청하는 안내 방송. **~sack** *m.* 여행 가방. **~saison** [..zɛzɔ̃, ..zɛzoŋ] *f.* 여행 시즌; 휴가철. **~scheck** *m.* 여행자 수표. **~schilderung** *f.* 여행 기록. **~schreib·maschiene** *f.* 휴대용 타자기. **~spesen** *pl.* 출장비. **~tag** *m.* ① 여행 중의 하루. ② 여행 출발일. **~stab** *m.* 여행용 스틱; 여행 수행원. **~stipendium** *n.* 여행 장학금. **~tasche** *f.* 여행 가방. **~tip** *m.* 여행에 대한 조언〔충고〕. **~unkosten** *pl.* 여행 경비 (중 잡비). **~utensilien** *pl.* 여행 용구. **~veran-stalter** *m.* 여행사. **~verkehr** *m.* 휴가철〔여행〕 교통(량). **~vorbereitung** *f.* -en 〖대개 복수〗여행 준비. **~wagen** *m.* 여행용 대형 자동차. **~wecker** *m.* 여행용 자명종 시계, 휴대용 알람 시계. **~wetter** *n.* 휴가 여행 중의 날씨. **~wetter·bericht** *m.* 여행지〔휴가지〕 일기 예보. **~wetter·versicherung** *f.* 휴가지〔여행지〕 악천후 (대비) 보험. **~zeit** *f.* 여행 시즌, 휴가철. **~ziel** *n.* 여행의 목적지. **~-zug** *m.* 여객 열차.
Reis·feld 《<Reis¹》 *n.* 논.
Reis·holz 《<Reis²》 *n.* 나뭇가지.
reisig [ráiziç] *a.* 〖고어〗① 출전 준비가 된. ②〖반어〗다투기 좋아하는. ③ 노련한; 씩씩한.
Reisig 《<Reis²》 *n.* -s ① 마른 나뭇가지, 잔가지; 물거리, 섶나무. ② 덤불, 총림(叢林).
Reisig≈besen *m.* 싸리비. **~bund** *n.* ↑ ~-bündel. **~bündel** *n.* 물거리의 다발.
Reisige* [ráizɪgə] *der* ①〖중세〗(중무장한) 전사(戰士). ② 용병(傭兵).
Reisig·holz *n.* ↑ Reisig.
Reis·korn 《<Reis¹》 *n.* 쌀알.
Reis≈lauf 《<Reise ③》 *m.* ↑ ~laufen. **~-laufen** 《<Reise ③》 *n.* 용병(傭兵)으로 나감. **~läufer** *m.* 용병.
Reis≈mehl 《<Reis¹》 *n.* 쌀가루. **~papier** *n.* (수묵화용의) 닥종이; 한지. **~pudding** *m.* (쌀·우유·달걀 등으로 만든) 라이스 푸딩. **~rand** *m.* 〖요리〗요리의 가장자리에 놓은 밥. **~stärke** *f.* 쌀 녹말.
Reiß≈ahle [ráis..] *f.* 〖工〗(목수의) 선을 긋는 연장. **~aus** [(또는) rais-áus] 《<reiß aus!》 *m.* ① ~ nehmen 도망가다. ②〖드물게〗도망자. **~bahn** *f.* 기구(氣球)의 가스를 빼는 장치. **~blei** *n.* 〖구식〗① 연필. ② 흑연. **~brett** *n.* ① 제도판. ②〖비유·구어·폄어〗et. am ~ entwerfen 무엇을 탁상공론식으로 계획〔기획〕하다.
Reis≈schleim *m.* (특히 젖먹이의 설사 때 먹이는) 미음. **~schnaps** *m.* 소주.
reißen [ráisən] (riß, gerissen) 《Ⅰ》 *t.* ① 찢다, 잡아 찢다〔뜯다〕, 째다: Unkraut ~ 잡초를 뽑다; ein Blatt aus einem Buch ~ 책에서 (종이) 한 장을 뜯어내다〔찢어내다〕; entzwei ~ 두 쪽으로 찢다; in Stücke ~ 갈기갈기 찢다; 〖비유〗ich könnte mich in Stücke ~ 나는 나 자신에 대해 매우 화가 난다. ② 할퀴어 생채기를 내다, 할퀴다: sich an einem Nagel ~ 못에 긁혀 상처를 입다. ③〖결과를 나타내는 목적어를 취하여〗ein Loch ~ a) 찢어 구멍을 내다, b)〖in et. 와 더불어〗(무엇에) 타격〔후유증〕을 크게 남기다, 여파를 남기다; sich³ ein Dreieck in die Hose ~ 바지가 (걸려) 찢어져 삼각형 모양의 구멍이 나다; die Reise riß ein Loch in seine Ersparnisse 여행으로 인해 그는 돈을 많이 썼다. ④〖農〗den Acker ~ 땅을 갈아〔파 뒤집어〕 밭을 만들다; 〖요리〗einen Fisch ~ 생선 배를 째다; den Wein ~ 포도나무를 깎아서 손질하다. ⑤ (짐승을) 거세하다. ⑥ 잡아당기다, 잡아채다; 떼내다; 끌어내다: jn. **am** Rock ~ 누구의 저고리를 잡아당기다; et. an sich ~ 무엇을 억지로 차지하다; 강탈〔독점〕하다; die Diskussion an sich ~ 토론을 독점하다; jn. an den Haaren ~ 누구의 머리끄덩이를 잡아당기다; **aus** dem Feuer ~ 불에서 구해 내다; jm. et. aus den Händen ~ 누구 손에서 무엇을 잡아 빼앗다; aus seinem Herzen ~ 억지로 단념시키다; jn. aus der Not ~ 누구를 곤경에서 구해내다; jn. aus allen Himmeln ~ 누구에게 환멸을 느끼게 하다; er reißt sie **durch** die dichte Menge 그는 그 여자를 빽빽한 사람들 틈을 뚫고 잡아 끌고 간다; **in** die Tiefe ~ 깊숙이 끌어 넣다; 〖비유〗jn. ins Verderben ~ 누구를 파멸의 구렁텅이에 끌어 넣다; (innerlich) hin und her gerissen werden〔sein〕 (마음속으로) 갈팡질팡하다; **mit** sich (fort) ~ 채가다; sich die Kleider vom Leib ~ 옷을 서둘러 벗다; jn. **zu** Boden ~ 누구를 바닥에 쓰러뜨리다. ⑦ 문맥에서 떼어내다, (문장의 의미를) 왜곡하다. ⑧ (습관 등에서) 끌어내다, 벗어나게 하다: jn. aus dem Schlaf ~ 누구를 잠에서 깨우다; jn. aus seinen Träumen ~ a) 누구를 선잠에서 깨우다, b) 누구를 환상에서 벗어나게 하다; sich von jm.〔et.³〕 ~ 누구〔무엇〕에게서 시선을 돌리다; 〖비유·구어〗das reißt mich ja nicht gerade vom Hocker〔Stuhl〕 그것은 나를 결코 매료시키지 못한다. ⑨〖스포츠〗(역도 등에서 무거운 것을) 번쩍 들어올리다. ⑩〖구어〗…을 하다: Witze ~ 우스갯소리를 하다. ⑪〖구식〗제도하다, 그리다, 표시하다. ⑫〖사냥〗(맹수가 다른 동물을) 물어 죽이다. 《Ⅱ》 *refl.* sich ~ ① 몸을 빼다, 뿌리치고 빠져 나오다. ② 생채기를 내다. ③ sich um et. ~ 무엇을 몹시 갈구하다, 무엇을 차지하려고 다투다; man reißt sich um ihn 사방에서 그를 보려고〔차지하려고〕 덤빈다, 그는 인기가 대단하다. 《Ⅲ》 *i.* ① (h.) **(a)** 잡아당기다;

끌어당기다: der Hund riß an der Leine 개가 끈을 끌어당겼다; du darfst nicht so an den Zügeln ~! 너는 고삐를 그렇게 잡아당기면 안 돼!; in et. ~ 무엇에 사납게 덤벼들다; es reißt ins Geld 그것은 대단한 돈벌이다. (**b**) *imp.* es reißt mir in allen Gliedern 온 몸의 뼈마디가 쑤신다; mir reißt's im Magen 위가 찢어지듯 아프다. ② (s.) (**a**) 끊기다, 갈라지다, 끊어지다; 금이 가다: das Garn reißt leicht 그 실은 쉽게 끊어진다; an welcher Stelle ist das Kabel gerissen? 케이블이 어디가 끊어졌지?; wenn alle Stränge ~ 위급한 경우에는; die Geduld reißt mir 참다못해 울화통이 터진다. (**b**) 급격히 움직이다; 돌진하다. 《Ⅳ》 **gerissen** *p.a.* ↑ gerissen.

Reißen *n.* -s 〖구어〗 ① 잡아 찢기; 잡아당기기; 찢기, 째기; 〖醫〗 격통, 류머티즘. ② 〖고어〗 ↑ Raub. ③ 도면을 그리기, 제도(製圖).

reißend *p.a.* ① ~e Tiere (짐승을 찢어 먹는) 맹수. ② ~e Schmerzen 에는 듯한 아픔, 심한 통증. ③ 급속〔급격〕한: ~e Fortschritte 급속한 진보; ~e Ströme 급류, 격류; 〖商〗 ~er Absatz 날개가 돋친 듯한 매상.

Reißer [ráisər] *m.* -s, - ① 인기 상품. ② 베스트셀러 (책), (연극·영화 등에서의) 히트작. ③ 〖드물게〗 옷을 잘 찢는〔해지게 하는〕 사람; 잡아채는〔뺏는〕 사람, 강탈〔독점〕자. ④ 〖드물게〗 〖工〗 (미장이의) 줄 긋는 가느다란 솔; 철필, 줄 긋는 펜촉. ⑤ 〖스포츠〗 (**a**) 역도 선수. (**b**) 혼자 돌진하여 골을 넣는 선수.

reißerisch *a.* 〖폄어〗 ① 잘 팔리는; 히트작인; 인기〔흥행·흥미〕 위주의. ② 〖드물게〗 폭리를 취하는, 고리를 탐하는. ③ 〖드물게〗 난폭한; 효과가 큰.

Reiß≈feder *f.* (제도용) 가막부리. **∼fest** *a.* 질긴, 내구성이 강한, 잘 찢어지지 않는. **~kohle** *f.* 목탄(木炭). **~leine** *f.* ① 기구(氣球)의 가스를 빼는 장치에 달린 줄. ② 낙하산을 여는 끈. **~linie** *f.* (종이·마분지 등의) 절취선(Perforation). **~nagel** *m.* ↑ ~zwecke. **~schiene** *f.* 제도용 직각자, (보통) T 자. **~schnur** *f.* 낙하산을 여는 장치(끈). **~-spitze** *f.* ↑ ~ahle. **~stift** *m.* 줄 긋는 철필(鐵筆)〔펜촉〕. **~teufel** *m.* 〖구어〗 옷이 쉽게 해지는 사람.

Reis·suppe 《<Reis[1]》 *f.* 쌀 수프.

Reiß≈verschluß *m.* 지퍼: den ~ zumachen 지퍼를 잠그다. **~verschluß·system** *n.* 1 차선에서 교대로 왕래〔진입〕하는 교통 체제. **~wolf** *m.* (종이·섬유 등의) 파쇄기. **~werk** *n.* 〖工〗 절단기(切斷機). **~wolle** *f.* 재생한 털실; 재생 모직물. **~zahn** *m.* 〖動〗 (육식 동물의) 송곳니. **~zeug** *n.* 제도 기구. **~zirkel** *m.* 제도용 컴퍼스. **~zwecke** *f.* 압핀.

Reiste[1] [ráistə] *f.* -n (bayr.) 목재 운반 활송로.

Reiste[2] *f.* -n 아마(亞麻) 섬유의 다발.

reisten *t.* (목재를) 활송로로 운반하다.

Reis·vogel 《<Reis[1]》 *m.* ① 〖動〗 javanischer ~ 문조(文鳥). ② 〖動〗 (북아메리카산(産)의) 쌀 먹는 새.

Reis·wein 《<Reis[1]》 *m.* 청주(淸酒).

Reis·werk 《<Reis[2]》 *n.* 나뭇가지, 잔가지 (Reisig).

Reit≈anzug *m.* 승마복. **~bahn** *f.* (승마 및 조련 연습용) 마장(馬場), 마술(馬術) 연습장.

reitbar *a.* ① 승마할 수 있는. ② (말이) 승마용으로 적합한.

Reit·decke *f.* (말의 등을 덮는) 언치; ↑ Schabracke.

Reite 《<reiten》 *f.* (obd.) ① 말먹이 건조대; (일반적으로) 시렁, 평상, 대(臺). ② 만곡.

Reitel [ráitəl] *m.* -s, - (md.) ① 회전봉; (Hebel) 지레, 지렛대, 짐꾸릴 때 쓰는 죔목. ② 그네. ③ 어린 나무의 줄기.

Reitel·holz *n.* ↑ Reitel ③.

reiteln *t.* (밧줄을) 죔목으로 죄다.

reiten [ráitən] (ritt, geritten) 《Ⅰ》 *i.* 〖h.; 장소의 이동에 중점을 둘 때: s.〗 ① (말을) 타고 가다, 말을 타다; 승마를 배우다: ich bin aufs Land geritten 나는 말을 타고 시골에 갔다; er ist〔hat〕 den ganzen Tag geritten 그는 종일 말을 탔다; spazieren~ 말을 타고 바람 쐬다; geritten kommen 말타고 오다; ein Kind auf seinen Schultern ~ lassen 아이를 어깨 위에 목말을 태우다; die Hexe reitet auf einem Besen 마녀가 빗자루를 타고 간다; (im) Schritt ~ (말을) 천천히 걷게 하다; (im) Trab ~ 속보로 뛰게 하다; (im) Galopp ~ 갤럽으로〔질주하도록〕 말을 몰다; 〖비유〗 auf dem Rücken des Vaters ~ 아버지 등에 말타다, 〖비유〗 아버지에게 얹혀 (무위도식하며) 살다; auf einem faulen〔fahlen〕 Pferd ~ 기만〔부정〕 행위를 하다, 사도(邪道)를 걷다; auf einem Prinzip ~ 어떤 주의를 내세우다, 자랑하다; auf jm. (herum) ~ 누가 호인임을 악용하다. ② 〖海〗 (배가) 파도에 흔들리다: vor Anker ~ 정박 중이다. ③ (도둑 기사가) 말을 타고 다니며 약탈하다. ④ (기마 부대가) 출발하다(aufbrechen). ⑤ 〖방언〗 차를 타고 가다. ⑥ 〖방언〗 (두더지 등이) 땅을 파다(reuten). 《Ⅱ》 *t.* ① (말에) 타다; 타고 가다; (동물을) 타고 (어떤 장소로) 데려가다; (승마 테스트에) 합격하다; (승마 학교를) 졸업하다: ein Pferd zuschanden ~ 말이 쓰러지도록 타다; jn. über den Haufen 〔zu Boden〕 ~ 말타고 누구를 받아 넘어뜨리다; sich müde〔wund〕 geritten haben 말을 타서 지치다〔말을 타다가 다치다〕; 〖비유〗 jn. in die Tinte ~ 누구를 궁지에 빠뜨리다; es reitet sich gut〔schlecht〕 말타기에 좋다〔나쁘다〕. ② 〖비유〗 die Elle 〔auf der Elle〕 ~ (자로 재어 판다는 뜻에서) 작은 포목점을 열고 있다, 〖속어〗 심부름꾼으로 일해 주다; ein Heft ~ (교수가) 똑같은 노트로 강의하다; 〖商〗 Musterkarte ~ 견본을 가지고 주문받으러 다니다; Pandekten ~ 로마 법전 공부를 하다; 〖농담〗 den Pegasus ~ 시를 짓다; 〖구어〗 Prinzipien ~ 설교〔잔소리〕하다; 〖비유〗 sein Steckenpferd ~ 비장의 무기를 선보이다; 〖商〗 Wechsel ~ 공수표를 떼어 당장을 모면하다, 융통 어음을 발행하여 위기를 모면하다; der Alp reitet ihn 그는 가위 눌리고 있다; jn. reitet der Teufel 누구가 제정신이 아니다; was hat dich denn geritten! 너 도대체 어떻게 된 거냐, 제정신이 아닌 모양이구나!; das Unglück reitet ihn 불행이 그를 괴롭힌다. ③ 제압하다: ich will ihn schon ~ 그를 제압하고 말겠다. ④ (동물이) 짝짓기〔교미〕하다: der Stier reitet die Kuh 황소가 암소와 교미하다.

reitend *p.a.* 승마의, 기마의, 말타고 가는:

〖軍〗 ~e Artillerie 기마 포병; ~e Polizei 기마 경찰대.

***Reiter**[1] *m.* -s, - ① 말을 타는 사람, 기수; 기사; 곡마사: ein ~ über den Bodensee 보덴 호수 위의 기사(앞으로 닥칠 위험을 모른 채 모험을 감행하는 사람); die Apokalyptischen ~ 요한 계시록의 4기사(역병·전쟁·기아·죽음을 상징함). ②〖軍·옛뜻〗 기병; 참호: spanischer ~ (기병의 돌격을 막는) 방어책(柵). ③〖工〗 이동추, 분동(分銅). ④ (카드 식별을 위한) 색인표. ⑤ (이동) 광고대. ⑥〖드물게〗 발판, 대(臺), 시렁; (obd.)〖動〗 바구미.

Reiter[2] 《⊕ rein》 *f.* -n (südd.; öst.) (특히 곡물용의) 성긴 체, 어레미.

Reiter=angriff *m.* 〖옛뜻〗 기병 공격. **~aufzug** *m.* 〖옛뜻〗 기마 행렬; 기마복 차림. **~ausbildung** *f.* 승마 교육. **~degen** *m.* 기병(騎兵)의 칼. **~dienst** *m.* 기병 근무.

Reiterei [raitərái] *f.* -en ①〖구어〗 말타기, 마술(馬術), 서투른 마술. ②〖옛뜻〗 기병대. ③〖방언〗 회전 목마.

Reiter=fahne *f.* 기병기(騎兵旗). **~fähnrich** *m.* 기병대의 기수(旗手). **~flinte** *f.* 기병용 총(銃). **~gefecht** *n.* 기병전. **~haufen** *m.* 기병의 무리.

Reiterin *f.* -nen ↑ Reiter 의 여성형.

Reiter=kampf *m.* ↑ ~gefecht. **~koller** *n.* 승마용 조끼. **~künste** *pl.* 마술(馬).

reiterlich *a.* 승마의, 승마자의, 말타기의.

reiterlos *a.* 기수(騎手)가 없는.

reitern [ráitərn] 《< Reiter[2]》 (südd.; öst.) *t.* (곡식을) 체로 거르다.

Reiter=oberst *m.* 기병 대령. **~pferd** *n.* 기병의 말; 군마. **~pistole** *f.* (대형) 기병용 권총. **~regiment** *n.* 기병 연대.

Reiterschaft *f.* -en ①〖총칭〗 승마자; 기마대, 기병대. ② 기병의 신분.

Reiter=schar *f.* 기병대. **~schlacht** *f.* 기병전.

Reiters·mann *m.* ↑ Reiter[1].

Reiter=stand·bild *n.* 기마상(騎馬像). **~statue** *f.* ↑ ~standbild. **~stiefel** *m.* 승마용 장화.

Reiters·tod *m.* 낙마사(落馬死).

Reiter=stück *n.* 승마〔연기〕 곡예. **~sturm** *m.* (나치스 돌격대의) 기마 부대.

Reiterung 《< Reiter[2]》 *f.* -en (südd., öst.) 체로 거르기, 체질.

Reiter·zug *m.* 기마 행렬.

Reit=gerte *f.* 승마용〔짐승몰이용〕 채찍. **~haus** *n.* 건물 내의 마술소. **~hose** *f.* 승마용 바지. **~jacke** *f.* 승마용 상의. **~kissen** *n.* (말 안장 밑에 까는) 언치. **~kleid** *n.* (여성용) 승마복. **~knecht** *m.* 〖옛뜻〗 마부, 마구간 시종. **~kunst** *f.* ① (승)마술((乘)馬術). ②〖대개 복수〗〖구어〗 승마 실력〔솜씨〕. **~lehrer** *m.* 승마 교사〔교관〕. **~lehrerin** *f.* ↑ ~lehrer 의 여성형.

reitlos *a.* 말탄 사람이 없는.

Reit=mantel *m.* 승마용 외투. **~meister** *m.* ↑ ~lehrer. **~peitsche** *f.* 승마용 채찍; 짐승몰이용 채찍. **~pferd** *n.* 승마용 말; 마차용 말. **~platz** *m.* 경마장, 승마〔마술〕 시합장. **~riß** *m.* 〖방언〗 비스듬히 찢어진 금. **~rock** *m.* 승마용 윗옷. **~sattel** *m.* 승마 안장. **~schmied** *m.* 제철공(蹄鐵工). **~schule** *f.* ① 승마 학교, 마술 연습장; die spanische ~ 〔Hohe Schule〕 (특히 Wien 의) 고등 마술 학교. ② (südd., öst.) 회전 목마. **~sitz** *m.* 승마〔말탄〕 자세, 기마 자세: im ~ sein 마상(馬上)에 있다. **~sport** *m.* 승마, 마술; 경마. **~stall** *m.* ① 승마 학교. ② 마구간. ③ 승마 교습 및 승마용 말 대여 업소. ④〖드물게·농담〗 가늘고 긴 방. **~stiefel** *m.* 승마용 장화. **~stunde** *f.* 승마 교습. **~tier** *n.* (말·낙타 등) 탈 수 있는 짐승. **~turnier** *n.* 마술 경기. **~unterricht** *m.* 승마〔마술〕 수업. **~wechsel** *m.* 〖經〗 공수표, 부도 어음. **~weg** *m.* (길 옆이나 숲에 만들어 놓은) 승마용 모랫길. **~zeug** *n.* 마구(馬具).

***Reiz** [raits] 《< reizen》 *m.* -es, -e ① 자극, 자극감(刺戟感); 흥분: ein chemischer〔akustischer〕 ~ 화학적〔청각적〕 자극. ② 가려움, 따끔따끔함. ③ 매력, 유혹: der Reiz des Verbotenen 금지된 것의 매력. ④ 아름다움; 매혹적인 자태: die weiblichen ~e 여성의 매력.

reizbar *a.* ①〖植〗 자극을 받아들일 수 있는, 자극에 반응하는; 자극에 예민한. ② 예민한; 흥분 잘 하는; 화를 잘 내는, 성마른.

Reizbarkeit *f.* ①〖植〗 (식물이 살아있음을 나타내는) 자극 흡수 및 반응 능력. ② 민감, 흥분하기 쉬운 성격.

reiz·empfindlich *a.* 자극에 민감한.

***reizen** [ráitsən] 《⊕ reißen》《Ⅰ》 *t.* ① **(a)** 자극〔도발〕하다, 흥분시키다; 부추기다: das grelle Licht reizt meine Augen 강한 빛이 내 눈을 부시게 한다; den Appetit ~ 식욕을 돋우다; js. Neugier ~ 누구의 호기심을 돋우다; jn. zum Zorn ~ 누구를 성나게 하다; jn. zu et.[3] ~ 누구를 사주〔선동〕하여 무엇을 시키다. **(b)** 누구의 감정을 해치다, 화가 나 있다: es reizt mich 그것은 나를 화나게 한다; er ist sehr gereizt auf jn. 〔über et.〕 그는 누구에 대하여〔무슨 일로〕 대단히 화를 내고 있다. ② (누구의) 관심을 끌다: das Abenteuer reizt ihn 모험이 그의 호기심을 자극한다. ③〖動〗 (짐승의 소리를 흉내내어) 부르다, 꾀다. ④〖카드〗 (특히 스카트 게임에서) 다른 사람보다 높은 수를 불러 패를 잡으려 하다. 《Ⅱ》 **gereizt** *p.a.* ↑ gereizt.

***reizend** *p.a.* ① 호감이 가는; 매력적인: ein ~es Mädchen 매력적인 아가씨. ② 기분 좋은, 편안한: es war ein ~er Abend 기분 좋은 저녁이었다; 〖구어·반어〗 das ist ja eine ~e Bescherung 그것 참 고마운 (실제로는 고약한) 일이군요. ③ (사물이) 예쁜, 환상적인: ein ~es Haus 예쁜 집.

Reiz=erscheinung *f.* 〖醫〗 자극 증세. **~gas** *n.* (피부에) 자극적인 가스. **~geschwür** *n.* 과민성 궤양. **~husten** *m.* (목이 간질간질하면서 나오는) 마른 기침.

Reizker [ráitskər] *m.* -s, - 〖植〗 느타리버섯의 일종.

Reiz=klima *n.* 기온의 변화가 심한 기후(↔ Schonklima). **~körper** *m.* 자극물(체).

reizlos *a.* 흥미를 불러일으키지 않는, 재미없는; 맛 없는; 김빠진.

Reizlosigkeit *f.* 무미건조, 재미 없음.

Reiz·mittel *n.* 자극물; 자극〔흥분〕제; 〖비유〗 유인(誘因) 수단.

reizsam [ráitsza:m] *a.* 〖구식〗 ↑ reizbar.
Reizsamkeit *f.* ↑ Sensibilität.
Reiz=schwelle *f.* 〚생리〛 자극역(閾) (생체 반응에 필요한 자극의 최저 강도). **~stoff** *m.* 피부 (특히 점막) 자극 요소. **~thema** *n.* 자극적 테마〔주제〕. **~therapie** *f.* 〚醫〛 자극 요법. **~überflutung** *f.* 〚心〛 (주위 환경으로부터의) 자극 과잉, 자극의 홍수(보기: 텔레비전의 과도한 영향).
Reizung [ráitsuŋ] *f.* -en ① 자극, 선동; 매력, 아름다움: elektrische ~ 전기 자극. ② 〚醫〛 (가벼운) 염증.
reiz=voll *a.* ① 자극적인, 관심을 끄는: eine ~e Aufgabe 흥미로운〔매력적인〕 과제. ② 아름다운; 매혹적〔유혹적〕인: ein ~er Anblick 아름다운 광경. **~wäsche** *f.* 〖구어〗 ① (여성의) 자극적〔선정적〕인 속옷. ② 〖농담·반어〗 여성용 내의〔속옷〕. **~wort** *n.* 자극적인 말; 도발적인 표현; 반감을 일으키는 말.
Rejektion [rejɛktsió:n] *f.* -en ① 〚醫〛 (이식 체에 대한) 거부 반응. ② 〚法〛 기각, 각하(却下).
Rejektorium *n.* -s, ..rien [..riən] 〚法·구식〛 기각, 각하.
rejizieren [reji..] 〚法·구식〛 *t.* 기각〔각하〕하다.
Rekapitulation [rekapitulatsió:n] 《lat.》 *f.* -en 〖교양〗 결론적인 요약; 개괄; 요점의 반복.
rekapitulieren *t.* 무엇의 요점을 되풀이하여 말하다, 개괄〔요약〕하다.
Rekel [ré:kəl] 《<recken》 *m.* -s, - ① 큰 잡종개. ② 거친〔상스러운〕 사람, 버릇없는 놈.
Rekelei [re:kəlái] *f.* -en 아무때나 기지개켜는 버릇.
rekeln [ré:kəln] *refl.* sich ~ 기지개를 켜다; 몸을 쭉 뻗다.
Reklamant [reklamánt] *m.* -en, -en 〖교양〗 ① 이의 제기자; 반환 청구자: wegen dieser Ware haben wir häufig ~en 이 상품 때문에 우리는 자주 (고객의) 항의를 받는다. ② 〚스포츠〛 판정 불복자.
Reklamation [..tsió:n] *f.* -en ① 반환 청구; 이의, 항의; 소원(訴願); 불평, 고소(告訴). ② 〚스포츠〛 판정 불복.
*__Reklame__ [reklá:mə] 《lat.》 *f.* -n ① 〖구식〗 (상품) 광고, 선전: für jn. ~ machen〔schieben〕 누구의 능력을 칭찬하다〔누구를 선전하다〕; deine Leistung ist eine schlechte ~ für eure Firma 네가 한 일은 너희 회사의 명성에 누를 끼친다. ② 광고〔선전〕(물).
Reklame=artikel *m.* 광고(용의) 상품; 선전용 견본품. **~beleuchtung** *f.* 광고 조명. **~büro** *n.* 광고부. **~chef** *m.* 광고〔선전〕 부장. **~druck·sache** *f.* 광고용 인쇄물. **~-fachmann** *m.* 〖복수: ..männer〗 광고 전문인. **~feld·zug** *m.* 광고〔선전〕 목적의 가두 행진; 선전 캠페인. **~film** *m.* 광고〔선전〕 영화. **~fläche** *f.* 광고용의 벽면〔게시판〕.
reklamehaft *a.* 〖대개 폄어〗 광고투〔선전투〕의; 광고 같은 인상을 주는.
Reklame=kunst *f.* 상업 미술. **~macher** *m.* 맹렬 광고원. **~macherei** *f.* 맹렬 선전, 성가신 광고. **~mann** *m.* 광고원, 샌드위치 맨. **~plakat** *n.* 광고 현수막, 선전 플래카드. **~-preis** *m.* 선전 가격(특별 봉사 가격). **~-schild** *n.* 간판, 광고판. **~trick** *m.* 〖폄어〗 광고〔선전〕 술책. **~trommel** *f.* für et.〔jn.〕 die ~ rühren〔schlagen〕 무엇을〔누구를〕 크게 선전하다. **~wagen** *m.* 광고 마차. **~-zeichner** *m.* 광고〔광고 디자이너〕.
*__reklamieren__ [reklamí:rən] 《lat.》 《Ⅰ》 *t.* ① (무엇의 결함에 대해서) 항의하다, 보상을 요구하다: verschimmeltes Brot ~ 곰팡이가 핀 빵에 대해서 따지다(보상이나 환불을 요구하다). ② 무엇의 반환을 청구하다; (분실물에 대한) 책임을 요구하다. ③ (어떤 것에 대한) 권리를주장하다. 《Ⅱ》 *i.* (h.) 항의하다, 이의를 신청하다; 〚스포츠〛 심판의 결정에 항의하다: der Kunde hat reklamiert, weil die Fotos einen Blaustich haben 고객은 사진들이 푸르스름한 색조를 띠고 있다고 항의했다.
Rekognition [rekɔgnitsión] 《lat.》 *f.* -en ① 〖드물게〗 재인식. ② 〚法·구식〛 인증(認證), 인지(認知), 승인.
Rekognitions·schein *m.* 승인 증서; 확인증.
rekognoszieren *t.* 〖구식〗 ① 승인〔인증〕하다: jn. 〔eine Leiche〕 ~ 누구〔시체〕의 신원(이 틀림없음)을 확인하다; sich ~ lassen 신분 증명을 청구하다. ② 〚軍〛 정찰〔탐색〕하다.
Rekognoszierung *f.* 〖구식〗 ① 인증, 확인. ② 〚軍〛 정찰, 답사.
Rekognoszierungs·ritt *m.* 정찰 기행(騎行).
Rekommandation [rekɔmandatsió:n] *f.* -en 〖구식〗 ① 추천, 추천서. ② 〚우편〛 등기.
Rekommandations=gebühr *f.* 등기료. **~schreiben** *n.* 추천장.
rekommandieren [rekɔmandí:rən] *t.* 《Ⅰ》 ① 추천〔천거〕하다. ② 〚우편〛 등기로 보내다. 《Ⅱ》 **rekommandiert** *p.a.* ↑ rekommandiert.
rekommandiert 《Ⅰ》 *p.p.* ↑ rekommandieren. 《Ⅱ》 *p.a.* ① 추천〔천거〕된. ② 등기로 보낸.
Rekompens [rekɔmpɛ́ns] 《lat.》 *f.* -en 〚經·구식〛 배상, 보상, 보답.
Rekompensation *f.* -en ① 〚醫〛 기능 회복, 보정(補整). ② 〚經·구식〛 보상, 배상.
rekompensieren *t.* ① 〚醫〛 (신체 기관의) 장애를 회복하다. ② 〚經·구식〛 배상〔보상〕하다; 보답하다.
Rekomposition *f.* -en 〚언어〛 회귀 합성〔복합〕.
Rekompositum *n.* -s, ..ta 〚언어〛 회귀 합성어〔복합어〕.
rekonstruieren [rekɔnstruí:rən] *t.* ① (오랜 건물 등을) 재건〔복원·복구〕하다. ② (화석·잔존 뼈대 등을 토대로 멸종 생물의 모습을) 복원하다. ③ (사건의 경과 등을) 재구성하다: einen Tathergang ~ 범행 과정을 재구성〔재현〕하다. ④ 〚구동독〛 개선〔보수〕하다; 현대화하다.
Rekonstruierung *f.* -en ↑ Rekonstruktion.
*__Rekonstruktion__ [..tsió:n] *f.* -en ① **(a)** 재건, 복구, 복원. **(b)** 재건〔복구〕된 것, 복구물. ② **(a)** 재현; 〚문법〛 (문장의) 재구성. **(b)** 재구성물, 재현된 것.
Rekonstruktions=arbeiten *pl.* ① 복원〔복구〕 사업. ② 〚구동독〛 개선 (복구) 사업. **~-**

zeichnung *f.* 복원〔복구〕 도안.
Rekonvaleszent [rekɔnvalɛs|tsɛ́nt] *m.* -en, -en 〖醫〗 회복기 환자.
Rekonvaleszenz *f.* ① (질병의) 회복. ② (질병의) 회복기(期).
rekonvaleszieren *i.* 〖醫〗 병이 나아가다, 회복하다.
Rekonziliation [rekɔntsiliatsió:n] 《lat.》 *f.* -en 〖가톨릭〗 ① (이교자·이단자의 참회 후의) 교회에의 복귀 (허용). ② (교회나 묘지에 안치한 성물 등의) 복원, 복구.
*__Rekord__ [rekɔ́rt] 《engl.》 *m.* -(e)s, -e 〖스포츠〗 ① 최고 기록, 신기록: einen ~ aufstellen 〔brechen〕 기록을 세우다〔깨다〕; er ist ~ geschwommen 그는 수영의 신기록을 세웠다. ② 〔비유〕 타의 추종 불허: 〔반어〕 mit so viel Fehlern hältst du einen einsamen ~ 그렇게 실수를 많이 하다니 너는 타의 추종을 불허하는구나.
Rekord·besuch *m.* 기록적인 관객수; 성황: die Ausstellung verzeichnete am Sonntag einen ~ 전시회는 일요일에 엄청난 관객수를 기록했다.
Rekorder 《engl.》 *m.* -s, - 녹음기; 기록 장치.
Rekord⸗ernte *f.* (예년에 볼 수 없었던) 풍작, 기록적인 수확량. **~flug** *m.* 신기록 수립 비행. **~halter** *m.* 기록 보유자〔선수〕. **~inhaber** *m.* ↑ ~halter. **~leistung** *f.* 기록적인 성과〔역량〕. **~marke** *f.* 〖스포츠〗 신기록 수치. **~serie** *f.* 연속(적인) 기록 (수립). **~träger** *m.* ↑ ~halter. **~umsatz** *m.* 기록적 매상(고). **~versuch** *m.* 신기록 수립의 시도, 기록 도전. **~weite** *f.* (넓이〔삼단〕뛰기 등의) 신기록 수립 거리. **~zeit** *f.* 〖스포츠〗 (한 종목 안에서 걸리는) 최단 시간; 기록적인 시간: er lief die Strecke in der ~ von ... 그는 그 구간을 …의 기록으로 주파했다.
Rekreation [rekreatsió:n] 《lat.》 *f.* -en 〔구식〕 휴양, 원기 회복, 레크리에이션; 오락.
rekreieren 〔구식〕 *t.* 원기를 회복시키다; 기분을 상쾌하게 하다; 흥겹게〔즐겁게〕 하다, 위로하다.
Rekrimination [rekriminatsió:n] 《lat.》 *f.* -en 〖法·구식〗 맞고소, 맞소송.
rekriminieren *t.* 〔구식〕 맞소송〔맞고소〕하다.
Rekrut [rekrú:t] 《frz.》 *m.* -en, -en 〖軍〗 신병; 〔비유〕 신참자, 풋내기, 초심자.
Rekruten⸗ausbildung *f.* 〖軍〗 신병 교육. **~aushebung** *f.* 신병 징모, 징병; 징병 사무.
rekrutieren [rekrutí:rən] 《I》 *t.* (h.) ① (신병을) 징모〔징집〕하다: ein Regiment ~ 연대를 신병으로 보충하다. ② (조직이) …으로 구성되다. 《II》 *refl.* sich ~ 구성〔조직〕되다; (신병으로) 보충되다: die Leserschaft der Zeitschrift rekrutiert sich hauptsächlich aus Schülern und Studenten 그 잡지의 독자층은 주로 중·고생과 대학생으로 이루어져 있다.
Rekrutierung *f.* -en (신병) 모집, 징집.
rektal [rɛktá:l] *a.* 〖醫〗 직장(直腸)의; 직장을 통한.
Rektal⸗narkose *f.* 〖醫〗 직장(直腸)을 통한 전신 마취. **~temperatur** *f.* 〖醫〗 직장(直腸)에서 측정된 체온. **~untersuchung** *f.* 직장 검사〔진찰〕.
Rektangel [rɛktáŋəl] *n.* -s, - 〖지리·구식〗 직사각형, 장방형.
rektangulär [rɛktaŋgulɛ́:r] *a.* 〖지리·구식〗 직각의, 직사각형의.
Rekta·papier *n.* 〖금융〗 기명(식) 증권.
Rektaszension [rɛktastsɛnzió:n] 《lat.》 *f.* -en 〖天〗 (적도 좌표의 하나인) 적경(赤經).
Rekta·wechsel *m.* 〖금융〗 기명식 어음.
Rektifikation [rɛktifikatsió:n] 《lat.》 *f.* -en ① 〔구식〕 정정(訂正), 수정; 질책. ② 〖工·化〗 정류(精溜). ③ 〖數〗 곡선 길이 측정.
rektifizieren 《lat.》 *t.* ① 정정〔수정〕하다; 질책하다. ② 〖化〗 정류(精溜)하다. ③ 〖數〗 곡선의 길이를 측정하다.
Rektion [rɛktsió:n] 《lat.》 *f.* -en 〖문법〗 (동사·형용사·전치사의) 격지배.
Rekto [rɛ́kto] *n.* -s, -s 〖출판〗 (특히 중세에서의) 종이의 표면.
*__Rektor__ [rɛ́ktɔr, ..to:r] 《lat., „Leiter"》 *m.* -s, -en [rɛktó:rən] ① (초·중·고등 학교의) 교장. ② 대학 총장.
Rektorat *n.* -(e)s, -e ① 교장의 지위; 교장 사택; 교장 임기. ② 총장직, 총장 집무실, 총장 임기. ③ 단체장의 지위〔임기·집무실〕.
Rektorats⸗rede *f.* 총장의 취임 연설. **~übergabe** *f.* 총장 이취임식.
Rektorin *f.* -nen ↑ Rektor 의 여성형.
Rektor·rede *f.* ↑ Rektoratsrede.
Rektoskop [rɛktoskó:p] *n.* -s, -e 〖醫〗 직장경(直腸鏡).
Rektoskopie *f.* -n [..pí:ən] 〖醫〗 직장경 검사.
Rektum [rɛ́ktum] 《lat.》 *n.* -s, ..ta 〖해부〗 직장(直腸) (Mastdarm).
Rektum·karzinom *n.* 직장암(直腸癌).
rekultivieren *t.* (토지 등을) 재경작하다.
Rekultivierung *f.* -en ↑ rekultivieren 의 명사형.
Rekuperator [rekuperá:tɔr, ..to:r] 《lat.》 *m.* -s, -en [..tó:rən] 〖工〗 복열(復熱)기〔장치〕, 열 회수 장치.
Rekurrens·fieber [rekurɛ́ns..] 《lat.》 *n.* 〖병리〗 재귀열(再歸熱) (Rückfallfieber).
rekurrieren [rekurí:rən] 《lat.》 *i.* (h.) ① 〔교양〕 auf jn.〔et.〕 ~ 누구와〔무엇과〕 관련짓다, 누구에게〔무엇으로〕 소급하다, 누구를〔무엇을〕 재론하다. ② 〔구식〕 auf jn.〔et.〕 ~ 누구를〔무엇을〕 끌어대다〔방패막이로 삼다〕. ③ 〖醫〗 ~des Fieber 재귀열(再歸熱).
Rekurs [rekúrs] 《원뜻 „Rücktritt"》 *m.* -es, -e 〖法·구식〗 이의 신청, 소원(訴願), 항고(抗告); 공소, 상고: ~ einlegen〔ergreifen〕 공소〔항고〕하다.
Rekurs⸗antrag *m.* 공소〔소원〕 제기. **~instanz** *f.* 〖法〗 ① 법률 상소(上訴). ② 공소원(控訴院).
Rekursion [rekurzió:n] *f.* ① 〖數〗 순환, 귀납. ② 〖컴〗 되부름(어떤 알고리즘이나 절차가 자신을 다시 호출하여 문제를 해결하는 방법).
rekursiv [..zí:f] *a.* ① 〖數〗 귀납적인, 순환적인. ② 〖언어학〗 (문장 구성에서) 반복적인, 반복적으로 동일한 규칙들을 이용하는, 회귀적인. ③ 〖컴〗 되부르는.
Rekursivität *f.* 〖언어〗 (유한한 규칙으로 무한의 문장을 만드는 문법의) 회귀〔반복〕성.
Rekurs·verfahren *n.* 공소(控訴) 절차.

Relais [rəlɛ́:] 《frz.》 *n.* - [..lɛ́:s], - [..lɛ́:s] ① 〖옛뜻〗 (우편 마차의) 역마 교대〔교체〕; 역참. ②〖전기〗 계전기(繼電器), 릴레이, 중계 방송. ③〖軍·옛뜻〗 전령(傳令)의 연속.

Relais≠amt *n.* 〖전기〗 중계국(中繼局). **~rundfunk** *m.* 중계 방송. **~station** *f.* ①〖방송〗 중계국. ②〖옛뜻〗 역참.

Relaps [reláps] 《lat.》 *m.* -es, -e 〖醫〗 재발.

Relation [relatsió:n] 《lat.》 *f.* -en ①〖구식〗 (사회적·사업적) 거래 관계, 결속, 인연. ② 〖구식〗 보고, 통지. ③〖교양〗 관계, 관련: die ~ zwischen Aufwand und Ergebnis (들인) 수고와 결과 사이의 관계; et. in (eine) ~ zu et³ bringen 무엇을 무엇과 연관시키다.

Relations·begriff *m.* 〖논리〗 관계 개념(보기: "…은 …보다 크다" 등).

***relativ** [relatí:f] *a.* ① (↔ absolut) 상대적인; 비교에 따른: ~e Mehrheit 비교〔상대〕 다수 (투표에서 1 위는 차지했지만 절대 다수에 못 미치는 경우); ein ~er Wert 상대적 가치. ② 관계 있는, 관련된:〖문법〗 ~es Fürwort 관계 대명사. ③ 제한된 범위〔의미〕에서의; 비교적인: das ist nur ~ richtig 그것은 제한적으로만 〔특정한 관점에서만〕 옳다; er ist ~ groß 그는 비교적 키가 큰 편이다; ein ~ günstiger Umstand 비교적 유리한 상황.

Relativ *n.* -s, -e [..və] 〖문법〗 관계사(관계 대명사와 관계 부사의 상위 개념).

Relativ·adverb [..vɛrp] *n.* 〖문법〗 관계 부사.

***relativieren** 《Ⅰ》 *t.* 〖교양〗 상대화하다; …의 의미를 제한시키다: seinen Standpunkt ~ 그의 관점을 상대화하다. 《Ⅱ》 *refl.* sich ~ (어떤 것의) 유효성이 상대화되다; (어떤 것의) 중요성이〔의미가〕 상실되다.

Relativismus [relativísmus] *m.* -〖哲〗 상대주의; 상관론.

relativistisch *a.* ①〖哲〗 상대주의〔론〕의. ② 〖物〗 상대성 이론의; 상대성 이론에 근거한. ③ 〖교양〗 상관성에 근거한; 비교에 따른.

Relativität *f.* -en 〖교양〗 ① 상호 관련, 상관성; 상대성. ② 제한적인 의미〔유효성〕.

Relativitäts≠prinzip *n.* 〖物〗 상대성 원리. **~theorie** *f.* 〖物〗 상대성 이론.

Relativ≠pronomen *n.* 〖문법〗 관계 대명사. **~satz** *m.* 〖문법〗 관계문.

Relativum [relatí:vum] *n.* -s, ..va ↑ Relativ.

relaxed [rilǽkst] 《engl.》 *a.* 이완된; 긴장이 풀린; 걱정〔근심〕이 없는.

relaxen [rilɛ́ksən] *i.* 긴장을 풀다; 육체적인 피로를 풀다, 푹 쉬다; 원기를 회복하다.

Relaxing [rilɛ́ksıŋ] 《engl.》 *n.* -s 휴식; 이완; 원기 회복; 긴장 풀기〔완화〕.

Release [rilí:s] 《engl.》 *n.* -, -s ↑ Release-Zentrum.

Release-Center [rilí:ssɛntər] 《engl.》 *n.* -s, - ↑ Release-Zentrum.

Release-Zentrum [rilí:s-] *n.* -s, ..tren 약물〔마약〕 중독 치료 센터.

Relegation [relegatsió:n] 《lat.》 *f.* -en ① 추방; 퇴학, 제적. ②〖스포츠〗 (schweiz.) 등급 하향 조정, 강등.

relegieren [relegí:rən] *t.* ① (학생을) 퇴학〔제적〕시키다. ②〖스포츠〗 (schweiz.) (선수의) 등급을 하향 조정하다, 강등하다.

relevant [relevánt] *a.* 〖교양〗 중대〔중요〕한; 관계〔의미〕가 있는, 관여적인, 적절한; 시의적절한: gesellschaftlich ~ 사회적으로 중요한 (의미를 지니는).

Relevanz *f.* 〖교양〗 중요성, 관여성, 관련성, 시의성(時宜性): etwas gewinnt〔verliert〕 an ~ 무엇이 중요성을 얻다〔잃다〕.

Relevation [..vatsió:n] *f.* -en 〖구식〗 해방 (Befreiung); 경감.

***Relief** [reliɛ́f] 《frz.》 *n.* -s, -s/-e ①〖畫·건축〗 부조, 양각(陽刻), 릴리프, 돋을새김. ②〖교양〗 대조(가 되는 것); 현저, 탁월: jm.〔et.³〕 ~ geben〔verleihen〕 무엇을 두드러지게 하다. ③〖지리〗 (지표의) 기복(起伏), 고저; 기복 모형(도), 입체 지도.

Relief≠arbeit *f.* 부조 (세공). **~druck** *m.* 〖복수: ..drucke〗 철판 인쇄(본). **~globus** *m.* 입체 지구의(儀). **~karte** *f.* ↑ Relief ③. **~schreiber** *m.* 부조 세공인. **~stickerei** *f.* 돋을 자수; 수예.

***Religion** [religió:n] 《lat.》 *f.* -en ① (Glaube) 신앙, 믿음: ein Mensch ohne ~ 신앙심이 없는 인간. ② (일반적인) 종교: er hat keine ~ 그는 종교가 없다. ③ (구체적인) 종교, 종파; 신앙 고백: die evangelische ~ 개신교; die ~ des Kreuzes 그리스도교; 〖비유〗 die Vaterlandsliebe ist seine ~ 애국심은 (거의) 그의 종교다. ④〖관사없음〗 (학교의) 종교학, 종교 과목, 종교 수업〔강의〕.

Religions≠angelegenheit *f.* 종교상의 일〔문제〕. **~bekenntnis** *n.* 신앙 고백; 종파. **~buch** *n.* 종교(학) 교과서. **~duldung** *f.* (Toleranz) 종교상의 관용, 이교의 허용. **~ersatz** *m.* 종교의 대용물: eine zum ~ erhobene Ideologie 종교의 위치에 올라선 이데올로기. **~freiheit** *f.* 〖法〗 신앙〔종교〕의 자유. **~friede** *m.* 〖옛뜻〗 (기독교도와 가톨릭 교도 사이에 체결되었던) 종교 화의, 평화 조약. **~gebräuche** *pl.* 종교적 관습. **~gemeinschaft** *f.* 종교〔신앙〕 공동체. **~genoß, ~genosse** *m.* 같은 종파의 사람. **~geschichte** *f.* 종교사(史); 종교 역사학. **~gesellschaft** *f.* 종교 단체. **~krieg** *m.* 종교 전쟁. **~lehre** *f.* ① 종교 교육. ② 교의(教義)(론). **~lehrer** *m.* 종교 (과목) 교사.

religionslos *a.* 종교가〔신앙이〕 없는.

Religionslosigkeit *f.* 무종교, 무신앙.

Religions≠partei *f.* 종파. **~philosophie** *f.* 종교 철학. **~psychologie** *f.* 종교 심리학. **~satz** *m.* 교의(教義). **~schwärmerei** *f.* 광신. **~sekte** *f.* 종파. **~soziologie** *f.* 종교 사회학. **~stifter** *m.* 교조(教祖), 종교 창시자. **~streit** *m.* 종교 논쟁〔분쟁〕. **~stunde** *f.* 종교 수업 (시간). **~trennung** *f.* 교회〔종파〕의 분열. **~übung** *f.* ① 신앙 수련. ② 예배〔기도〕 수련. **~unterricht** *m.* (학교에서의) 종교 수업. **~verfolgung** *f.* 종교 박해. **~wechsel** *m.* 개종. **~wissenschaft** *f.* 종교학. **~zugehörigkeit** *f.* (특정) 종교에의 소속 (여부). **~zwang** *m.* 신앙〔종교〕의 강요〔강제〕; 이교 배척.

***religiös** [religiǿ:s] 《lat.》 *a.* ① 종교상의, 종교가〔신앙이〕 있는: ein ~es Bekenntnis 신앙 고백. ② 신앙심이 깊은, 경건한: ein ~er Mensch 신앙심이 깊은 사람.

Religiose* *der/die* 수도자, 수사(修士).

Religiosität *f.* ↑ religiös 의 명사형.
religioso [..dʒóːso] 《it.》 *adv.* 〖음악〗 경건〔장엄〕하게.
Relikt [relíkt] 《lat.》 *n.* -(e)s, -e ① 유물, 유적, 잔해, 잔존물: ~e aus der Zeit der Kolonialherrschaft 식민지 지배 시대의 유물. ② 〖生〗(예전에는 번성했으나 지금은 희귀종이 된) 잔존 생물. ③〖언어학〗 잔존 어휘; 잔존 형태.
Relịkta *f.* ..ten 과부(Witwe).
Relịkte* *der/die* 유족의 일원.
Relịkten *pl.* 〚구식〛 ① 유족; 유산. ② 잔존(물).
Relịkten≈fauna *f.* 〖生〗 잔존(해양) 동물. **~flora** *f.* 〖生〗 잔존 식물. **~gesetz** *n.* 유족 부조법(扶助法). **~versorgung** *f.* 유족 부조.
Relịkt≈form *f.* 〖언어학〗 잔존 어형(이전 단계의 언어 형식이면서 여전히 쓰이는 어휘나 문형). **~gebiet** *n.* ①〖生〗 잔존 생물〔동물·식물〕 지역〔지대〕. ②〖언어〗 잔존어 지역〔지대〕, (고어의) 잔류 지역.
Reling [réːlɪŋ] *f.* -s/-e 〖海〗 (선박의) 난간.
Reliquiar [relikviáːr] 《lat.》 *n.* -s, -e 〖가톨릭〗 성물(聖物)〔성유물〕 (보관) 함.
Reliquie [relíːkviə] 《lat.》 *f.* -n ①〖가톨릭〗 (성도(聖徒)의 유골·기념물 등의) 성유물(聖遺物). ② 귀중한 유품.
Reli̲quien≈behälter *m.* ↑ Reliquiar. **~dienst** *m.* 성유물 관리〔보관〕. **~kästchen** *n.*, **~kasten, ~schrank, ~schrein** *m.* 성유물함(聖遺物函).
Relish [rɛ́lɪʃ] 《engl.》 *n.* -s, -es [..ʃɪs, ..ʃɪz] 〖요리〗 (바비큐 요리 따위에 곁들이는) 양념 소스.
Rẹlle *f.* -n, **Rẹll·maus** *f.* 〖動〗 산쥐.
Rem [rɛm] *n.* -s, -s 렘(인체 피해도에 따른 방사선량의 단위).
Remake [rɪméːk] 《engl.》 *n.* -s, -s (고전적인 영화 작품의) 개작, 신판.
remanent [remanɛ́nt] *a.* 잔류한.
Remanenz [remanɛ́nts] 《lat.》 *f.* 〖物〗 잔류자기(磁氣).
Rembours [rɑ̃búːr] 《frz.》 *m.* - [..buː(s)], - [..búːs] 〖금융〗 (은행을 통한 해외 무역의) 가격 지급; 상환, 보상; 청산.
Remboụrs≈geschäft *n.* 〖금융〗 수입 상품 대금 지급 업무. **~kredit** *m.* 〖금융〗 (해외 무역의) 상환〔어음〕 신용(장).
remboursi̲eren *t.* (수출입 상품의 대금을) 지급〔상환〕하다.
Rembrandt [rɛ́mbrant] *m.* ~ Harmensz van Rijn 렘브란트(네덜란드 화가, 1609-69).
Rẹmbrandt·hut *m.* 테가 넓고 깃털로 장식한 여성용 모자.
remedieren [remedíːrən] 《lat.》 *t.* 〖醫·드물게〗 치료하다; (폐습 등을) 고치다, 시정〔제거〕하다.
Remedium [reméːdiʊm] *n.* -s, ..dien [..diən]/..dia [..dia] ①〖醫〗 약제(藥劑). ②〖法〗 법률상의 수단. ③ (동전 제조상의) 공차(公差)(법률이 인정하는 오차의 범위).
Remedur [remedúːr] *f.* -en 〚구식〛 교정, (폐해 등의) 제거.
Remẹnt *n.* -(e)s, -e 〚폄어〛 (ndd.) ↑ Regiment.
remẹnten *i.* (h.) 〚속어〛 욕지거리하며 떠들다 (poltern); 행패를 부리다.
Remigrant [remigránt] *m.* -en, -en 〚교양〛 역(逆)이민; 귀향 교포, (망명에서의) 귀국자.
remilitarisi̲eren *t.* (어떤 국가를) 재무장하다; (어떤 국가의) 군대를 재창설하다.
Remilitarisi̲erung *f.* 재무장, 재군비.
Reminiszenz [remɪnɪstsɛ́nts] *f.* -en 〚교양〛 ① 회상, 추억: Kindheits≈ 유년 시절의 추억; eine ~ an et. 무엇에 대한 추억. ② 생각나게 하는 것, 연상, 여운; 유사점.
Reminiszere [remɪnɪ́stsərə] 《lat.》 〚관사없음〛〖기독교〗 사순절(四旬節)의 두 번째 일요일(부활절 전 제 5 일요일).
remis [rəmíː] 《lat.》 *a.* 결정나지 않은; (게임이) 무승부의, 비긴: das Spiel ist ~ 게임은〔경기는〕 비겼다, 무승부다.
Remise [remíːzə] *f.* -n ①〚구식〛 마차 두는 곳; 창고, 헛간. ②〖사냥〗 (야생 동물의 부화장소나 보호 구역 역할을 하는) 보금자리 숲〔덤불〕. ③ (체스 등의) 무승부.
Remission [remɪsióːn] 《lat.》 *f.* -en 〚구식〛 ① (파본 등의) 반품, 반송(返送). ② 면죄; 관용. ③ 중개, 조정. ④〖醫〗 (병증세 등의) 일시적 차도. ⑤〖物〗 (비반사 물체에 대한) 빛의 반사.
Remittende [remɪtɛ́ndə] *f.* -n ① (파본·결함 등으로 인한) 반품. ②〚드물게〛 팔다 남은 상품.
Remittẹnt *m.* -en, -en ①〖商〗 어음 인수인〔수취인〕. ②〚드물게〛 반송자.
remitti̲eren 《I》 *t.* (서적 등을) 반송〔반품〕하다; 송부(送付)〔송금〕하다. 《II》 *i.* (h.) 〖醫〗 (병세가) 완화되다, 차도를 보이다: ~des Fieber 이장열(弛張熱).
Remmidemmi [rɛmidɛ́mi] *n.* -s 〚구어〛 (축제·파티 등의) 시끌벅적함, 떠들썩함; 소란, 소음.
Remolọde *f.* -n ↑ Remoulade.
Remonstration [remɔnstratsióːn] 《lat.》 *f.* -en 〖法〗 반론, 항의, 이의 신청.
remonstri̲eren 《lat.》 *i.* (s.) 〚교양〛 항의하다, 반론을 제기하다; 이의를 신청하다.
remontant [remɔntánt, remɔ̃tánt] 《lat.》 *a.* 〖植〗 회귀(回歸)하는; (꽃이) 1 년에 두 번 피는.
Remontạnt·rose *f.* (1 년에) 두 번 피는 장미꽃.
Remonte [remɔ̃ːtə, remɔ́ntə] 《frz.》 *f.* -n 〖軍·구식〗 ① 군마(軍馬) 보충. ② 보충마; 신마(新馬).
Remọnte≈depot [..poː] *n.* 신마창(新馬廠). **~pferd** *n.* ↑ Remonte ②.
remontieren [remɔntíːrən, remɔ̃..] 《lat.》 《I》 *i.* (h.) 〖植〗 (꽃이 한 해에) 두 번째로 피다. 《II》 *t.* ① 재설비〔재정비〕하다. ②〖軍·구식〗 군마(軍馬)를 보충하다.
Remonti̲erung *f.* -en 〖軍·고어〗 ↑ remontieren 의 명사형.
Remontoir·uhr [remɔ̃toáːr|uːr] *f.* 〚구식〛 태엽 감는 단추가 달린 회중 시계.
remorkieren [remɔrkíːrən] 《lat. remulcum》 *t.* (öst.) (배를) 끌다.
Remorkö̲r *m.* -s, -e ↑ Remorqueur.
Remorqueur [remɔrkǿːr] *m.* -s, -e (öst.) 소형 증기 예인선.

remorquieren [..kíːrən] *t.* (öst.) (배를) 끌다.

Remotion [remotsióːn] 《lat.》 *f.* -en 〔구식〕 ① 해임, 파면, 전보. ② 격리, 제거.

Remoulade [remuláːdə] 《lat.》 *f.* -n 〖요리〗 레물라드 (소스) (마요네즈에 겨자·향식물·양념을 넣어 만든 차가운 소스).

Remouladen·soße [..zoːsə] *f.* -n ↑ Remoulade.

removieren 《lat.》 *t.* 〔구식〕 ① (누구를) 해임〔파면〕하다. ② (어떤 것을) 제거〔격리〕하다.

Rempelei [rɛmpəlái] *f.* -en ① 〔구어〕 (어깨로 계속해서) 밀어붙이기; (완력으로) 밀쳐내기; 싸움〔시비〕걸기. ② 소동, 소요. ③ 〖스포츠〗 (축구 등에서 어깨로) 밀어내기, (상대편을) 공에서 떼내기, 태클.

rempeln [rɛ́mpəln] *t.* ① 〔구어〕 (어깨로) 밀어붙이다, (몸집으로 누구를) 밀어내다. ② 〖스포츠〗 (축구 등에서 상대편을 공에서) 밀쳐 내다. ③ 싸움을 걸다; 모욕하다. ④ (obd.) 성을 내다, 싸움투로 대들다.

REM-Phase [rɛ́m..] 《engl. <rapid eye movement》 *f.* -n 〖醫〗 렘〔급속 안구 운동〕 시기(잠자는 동안 꿈꾸고 있음을 나타내는 빠르고 경련적인 눈 운동이 일어나는 시기).

Remplacant [rãplasã́ː] 《frz.》 *m.* -s, -s 〔구식〕 대리인; (군역 의무자를 위한) 보결〔보충〕원.

Rempler *m.* -s, - ① 〔구어〕 몸으로 밀치기〔부딪치기〕. ② 〖스포츠〗 (상대방의 공을 빼앗기 위해) 몸으로〔어깨로〕 밀어내기〔부딪치기〕, 태클.

Remter [rɛ́mtər] 《lat.》 *m.* -s, - (수도원·성 등의) 식당; 홀.

Rempter [rɛ́mptər] 《lat.》 *m.* -s, - ↑ Remter.

remsen *i.* (nordd., westd.) 질주〔경주〕하다.

Remulade [remu..] *f.* -n ↑ Remoulade.

Remuneration [remunəratsióːn] 《lat.》 *f.* -en (öst.) 보상(금), 사례(금); 배상.

remunerieren 《lat.》 *t.* 〔구식〕 ① 배상〔보상·변상〕하다. ② 사례〔보답〕하다.

Ren [reːn, rɛn] 《altnord.》 *n.* -s, -s/-e 〖動〗 순록.

***Renaissance** [rənɛsã́ːs] 《frz.》 *f.* -n [..sən] ① 〔교양〕 부활, 부흥, 복고, 새로운 전성(기): die ~ einer Idee 어떤 이념의 부활. ② (고대 그리스·로마 문화에 대한) 복고주의: die karolingische ~ 카롤링거 왕조 시대의 복고주의. ③ (이탈리아에서 시작되었던) 문예 부흥, 르네상스 양식; (14-16 세기의) 문예 부흥 시대: die Malerei der ~ 르네상스(시대〔양식〕의) 회화.

Renaissance≈bau *m.* 르네상스 건축(물). **~dichter** *m.* 르네상스 (시대의) 시인〔작가〕. **~dichtung** *f.* 르네상스 문학 (작품). **~maler** *m.* 르네상스 (시대의) 화가. **~malerei** *f.* 르네상스 (시대의) 회화〔미술〕. **~musik** *f.* 르네상스 음악. **~stil** *m.* 르네상스 양식. **~zeit** *f.* 르네상스 시대.

Renate *f.* 레나테(여자 이름).

Rencontre [rãkɔ̃́ːtər, ..trə] *n.* -s, -s 〔구식〕 ↑ Renkontre.

Rendant [rɛndánt] *m.* -en, -en 〔구식〕 경리〔출납〕 담당자.

Rendantur [rɛndantúːr] 《lat.》 *f.* -en 〔구식〕 경리〔회계〕과.

***Rendezvous** [rãdevúː, rã́ːdevu] 《frz.》 *n.* - [..(s)], - [..(s)] ① 만날 약속; 약속한 모임; (연인들의) 만남, 밀회, 랑데부; 〖軍〗 집합; 집합소. ② (우주선 등의) 궤도 랑데부.

Rendezvous·manöver [rãdevúːmanøːvər] *n.* (우주선의) 궤도 랑데부 훈련.

Rendite [rɛndíːtə] 《lat. -it.》 *f.* -n 이자(율); (투자에 의한) 연수익률.

Renditen·haus *n.* (schweiz.) 임대 건물〔주택〕.

Renegat [renegáːt] 《lat. renegare》 *m.* -en, -en 〔교양〕 배교자; 개종자; (정치상의) 탈당자, 변절자, 전향자.

Reneklode [reːnəklóːdə] 《frz.》 *f.* -n 〖植〗 서양자두(나무)의 일종.

Renette [renɛ́tə] *f.* -n 〖植〗 사과의 일종.

Renforcé [rãfɔrséː] 《frz.》 *m./n.* -s, -s [..fɔrséːs] 고급 무명의 일종.

renitent [renitɛ́nt] 《lat. reniti》 〔교양〕 *a.* 반항적인, 고집이 센; (청소년이) 말을 잘 듣지 않는: ~e Jugendliche 다루기 힘든 청소년들.

Renitente* *der/die* 반항적인〔고집센, 말을 잘 듣지 않는, 잘 대드는〕 사람.

Renitenz *f.* 반항적 기질, 옹고집.

Renke [rɛ́ŋkə] *f.* -n 〖動〗 (북반구에 분포하는) 연어과의 물고기.

renken [rɛ́ŋkən] 《♧ Rank, ringen》 *t.* 비틀다, 비틀어 (돌리면서) 움직이게 하다; (손발 등을) 삐다.

Renkontre [rãkɔ̃́ːtər, ..trə] *n.* -s, -s [..tərs] 〔구식〕 조우, 충돌, 적과의 만남.

Renn≈anzug *m.* 경주〔경마〕복. **~arbeit** *f.* 〖제련〗 직접 제철(製鐵). **~auto** *n.* 경주용 자동차. **~bahn** *f.* ① 경주〔경마〕장, 경주로; 〔비유〕 인생 행로. ② 〖광산〗 녹로(轆轤)를 돌리는 말이 돌아가는 길. **~berge** *pl.* 〖광산〗 쇄광(碎鑛)〔광석 파편〕 더미. **~boot** *n.* 경기용 보트.

rennen [rɛ́nən] (rannte, gerannt) 《rinnen 의 작위 동사》 《I》 *i.* ① 〔보통 s.; 동작이 특히 강조되는 때는: h.〕 달리다, 뛰다, 질주하다: die Kinder rannten um die Ecke 아이들은 모퉁이를 돌아서 달려갔다; an〔gegen〕 et.〔jn.〕 ~ 무엇에〔누구와〕 심하게 부딪치다; jm. in die Arme ~ 우연히 누구와 마주치다; mit dem Kopf gegen die Wand ~ a) 벽에 머리를 부딪치다, b) 〔비유〕 철없이 행동하다; 〔비유〕 meine Uhr rennt wieder 내 시계는 다시 빨리 간다; wie die Uhr rennt 시간이 유수 같구나; jm. in die Hände 〔den Rachen〕 ~ 누구의 수중에 떨어지다; 〔구어〕 in sein Unglück〔Verderben〕 ~ 좋지 않은 상황에 처하게 되다; nach et.[3] ~ 무엇을 찾아헤매다; mit jm. um die Wette ~ 누구와 경주하다; mitten unter die Feinde ~ 적 가운데로 돌격하다. ② 쓸데〔분별〕없이 누구에게〔어디에〕 가다: zu jm.〔et.[3]〕 ~ 툭하면 누구에게로〔어떤 곳으로〕 가다; wegen jeder Kleinigkeit zur Polizei ~ 사소한 일이 있을 때마다 매번 경찰서로 달려가다. ③ (h.) 〖사냥〗 발정하다. 《II》 *t.* ① jm. et. ~ 누구에게 무엇을 꽂다〔찌르다〕: jm. ein Messer zwischen die Rippen ~ 누구의 갈비뼈 사이로 칼을 찌르다; jn. über den Haufen 〔zu Boden〕 ~ 누구를 달려가서 쓰러뜨리다. ② **(a)** 〖제련〗 (쇠를) 용해하다. **(b)**

(목재를) 떠내려보내다. (**c**) 응유제(凝乳劑)로 굳히다. 《Ⅲ》 *refl.* 〖결과를 나타내는 말과 함께〗 sich außer Atem ~ 달려서 숨이 가빠지다; sich fest ~ 옴짝달싹 못하게 되다; sich müde ~ 달려서 지치다; 〖비유〗 sich³ die Füße wund ~ 발바닥에 불이 나게 돌아다니다, 너무 돌아다녀 발병이 나다; 〖구어〗 sich die Zunge aus dem Hals rennen 대단히 빨리 달리다, 전력 질주하다.

Rennen *n.* -s, - ① 달리기, 질주. ② 경주; 경마: (ein) totes ~ 무승부 경주; ~ mit Hindernissen 장애물 경주; ein ~ laufen 경주하다; 〖비유〗 er ist gut im ~ 그는 장래가 유망하다; 그는 성공의 기회가 많은 자리에 있다; 〖비유〗 das ~ aufgeben 추구하던 목표를 포기하다, 희망을 버리다; 〖비유〗 das ~ machen 성공〔승리〕하다; 〖구어〗 das ~ ist gelaufen 그 일은 (이미) 끝난 문제다; 이제 모든 것이 해결〔처리〕됐다. ③ ↑ Turnier.

Renner *m.* -s, - ① (뛰어난) 경주용 말. ② 〖商〗 인기 상품, 잘 팔리는〔나가는〕 상품.

Rennerei *f.* -en 〖구어〗 분주히 돌아다님; 성급하게〔성가시게〕 왔다갔다 함.

Renn≈fahrer *m.* 자동차〔오토바이·자전거〕 경주자. **~fahrerin** *f.* ↑ ~fahrer 의 여성형. **~fahrt** *f.* 자전거〔자동차·오토바이〕 경주. **~feuer** *n.* 〖제련〗 연철로(鍊鐵爐). **~herd** *m.* 〖제련〗 연철로. **~jacht** *f.* 경주용 요트. **~jagd** *f.* 몰이 사냥. **~leiter** *m.* 자동차 경주 팀장. **~mannschaft** *f.* 경주팀. **~maschine** *f.* 경주용 자전거〔오토바이〕. **~pferd** *n.* 경주용 말, 경마말. **~piste** *f.* 경주 구간〔트랙〕. **~platz** *m.* 경주장. **~rad** *n.* 경주용 자전거. **~reiten** *n.* 경마. **~reiter** *m.* 경마 선수; 기수. **~rodel** *m.* ↑ ~schlitten. **~saison** [..zɛzɔ̃] *f.* 경기〔경마〕 시즌. **~schiff** *n.* 경주용 요트. **~schlitten** *m.* 경주용 썰매. **~schuh** *m.* 경주용 신발; 운동화; 스파이크. **~spiel** *n.* ① ↑ Turnier. ② 회전목마. **~sport** *m.* 달리기 경기(육상·경마·자동차 경주 등). **~stall** *m.* ① (개인 소유의) 경주마. ② (회사 소속의) 자동차〔자전거〕 경주팀. **~steig** *m.*, **~stieg** *m.* 경계도(境界道) (특히 Thüringer Wald 의 산등성이 길). **~stein** *m.* ① 주해, 주석. ② 인도(人道), 보도(步道). **~strecke** *f.* 경주 구간〔트랙〕. **~termin** *m.* 경마 개최일.

Renn·tier [rɛ́n..] 〖Rentier 의 잘못된 표기〗 *n.* 〖動〗 순록.

Renntier≈flechte *f.* 〖植〗 순록 이끼. **~zeit** *f.* 〖지질〗 순록 시대(최신세(最新世)의 포유 동물 화석에 의한 분류).

Renn≈wagen *m.* ① (고대의) 경주용 마차. ② 경주용 자동차. **~wette** *f.* 경마 도박. **~wolf** *m.* 경주용 썰매의 일종. **~ziel** *n.* 결승점.

Renommage [renɔmá:ʒə] 《lat.》 *f.* -n 〖구식〗 호언장담, 허풍, 자랑.

Renommee [renɔmé:] *n.* -s, -s 〖교양〗 평판, 명성: das Hotel hat ein gutes ~ 그 호텔은 평판이 좋다.

renommieren 〖교양〗 《Ⅰ》 *i.* (h.) mit et.³ ~ 무엇을 과시〔자랑〕하다, 부풀려 말하다, 허풍치다. 《Ⅱ》 **renommiert** *p.a.* ↑ renommiert.

Renommier·stück *n.* 〖교양〗 자랑거리; 내세울 만한 물건.

renommiert [renɔmí:rt] 《Ⅰ》 *p.p.* ↑ renommieren. 《Ⅱ》 *p.a.* 〖교양〗 유명한, 명성〔명망〕 있는; 평판이 좋은.

Renommist [renɔmíst] *m.* -en, -en 〖교양·폄어〗 ① 자만가, 과시하기 좋아하는 사람; 허풍선이. ② 〖드물게〗 깡패, 싸움을 잘하는 사람.

Renommisterei *f.* -en 과시, 호언장담.

Renonce [renɔ̃́:sə, rə..] 《frz.》 《Ⅰ》 *f.* -n 〖카드〗 손에 가지지 않은 패(Fehlfarbe ②): ~ sein a) 상대편이 낸 패와 같은 종류의 패를 내놓지 않다〔가지고 있지 않다〕, b) 〖비유〗 중요시되지 않다, 수에 들지 않다. 《Ⅱ》 *m.* -n, -n 〖농담·학생〗 신입생.

renoncieren [..nɔ̃sí:..] *t.* 〖구식〗 ① 포기〔단념〕하다. ② 〖카드〗 상대편과 같은 종류의 패를 내놓지〔가지고 있지〕 않다.

Renovation [renovatsió:n] 《lat.》 *f.* -en (schweiz.) ① 쇄신, 개선. ② 보수, 수리. ③ (원기의) 회복. ④ (가옥의) 개축.

***renovieren** *t.* (건물을) 보수하다; 개축하다: eine Wohnung ~ 집을 수리하다.

***Renovierung** *f.* -en 보수, 개축, 가옥 수리.

Renseignement [rɑ̃sɛnjəmɑ̃́:] 《lat.》 *n.* -s, -s [..mɑ̃:s] 〖구식〗 ① 정보, 통지, 보도. ② 조회. ③ 입증, 증거.

rentabel [rɛntá:bəl] 《lat.》 *a.* 이윤이 생기는, 수지가 맞는, 유익한: ein ~es Geschäft 채산성이 있는 사업.

Rentabilität *f.* -en 〖經〗 수익성, 채산성.

Rent·amt *n.* 〖옛뜻〗 (대학 등의) 경리과; 회계국.

***Rente** [rɛ́ntə] 《frz.》 *f.* -n ① 〖經〗 투자 수익; 이자, 이익; 지대, 집세. ② 〖法〗 (사회 보장 제도에 따른) 연금: die ~n erhöhen〔kürzen〕 연금(액)을 올리다〔줄이다〕; 〖구어〗 jn. auf ~ setzen 누구에게 연금 수령자 자격을 부여하다; 〖구어〗 in〔auf〕 ~ gehen 연금 수령자〔생활자〕가 되다; 퇴임하다; 〖구어〗 in〔auf〕 ~ sein 연금 수령자〔생활자〕이다; dynamische ~ (자동) 연동 연금.

Rentei [rɛntái] *f.* -en ↑ Rentamt.

renten 《Ⅰ》 *i.* (h.) ↑ rentieren. 《Ⅱ》 *t.* (특히 북아메리카에서) 임차하다.

Renten≈ablösung *f.* 연금 상환. **~alter** *n.* 연금 수령 연령; 정년(停年). **~anleihe** *f.* 〖經〗 연금 공채(채권자는 이자를 받을 권리만 갖고 원금을 상환받을 권리는 갖지 못함). **~anpassung** *f.* 〖法〗 (월급 액수 등을 고려한) 연금 조정. **~anspruch** *m.* 연금 청구권〔자격〕. **~anstalt** *f.* ↑ ~bank ①. **~bank** *f.* ① (농촌) 신용 금고(19 세기에 농민의 현물세 및 노역을 대신하는 채권을 발행함). ② Landwirtschaftliche ~ (독일 연방 공화국의) 농촌 신용 은행. **~basis** *f.* 〖대개 다음 용법으로〗 auf ~ 연금 지급을 근거로: ein Haus auf ~ kaufen 집을 연금으로 사다. **~berater** *m.* 〖法〗 사회 보장 제도 상담원; 연금 문제 상담원. **~berechtigt** *a.* 연금받을 자격이〔권리가〕 있는. **~brief** *m.* 〖經〗 지대(地代) 상환 채권. **~empfänger** *m.* 연금 수령자. **~empfängerin** *f.* ↑ ~empfänger 의 여성형. **~gut** *n.* 지대 농지. **~mark** *f.* 렌텐 마르크(1923 년에 인플레이션 방지를 위해 발행한 보조 화폐). **~markt** *m.* 〖經〗 채권〔공사채〕 시장. **~papier** *n.* ↑ ~wert. **~pflichtig** *a.* 연금을 지급해야 되는. **~rechnung** *f.* 〖數〗 연금

[이자] 계산. **~reform** *f.* 연금 제도의 개혁. **~schuld** *f.* 지대(地代) 채무. **~verschreibung** *f.* 〖經〗 연금 증서[채권]. **~versicherung** *f.* 연금 보험. **~wert** *m.* 〖經〗 (공·사채 등) (확정 금리) 증서.

Rentier[1] *n.* -(e)s, -e ↑ Ren.

Rentier[2] [..tié:] *m.* -s, -s 〖구식〗 ① 금리 생활자. ② 연금 수령자.

rentieren [rɛntí:rən] *refl.* sich ~ 이익이[이자가] 생기다, 벌이가 되다; 유익하다: das Geschäft rentiert sich 이 사업은 채산성이 있다.

Rentier·flechte *f.* 〖植〗 (주로 순록의 먹이가 되는) 지의류(地衣類)의 일종.

rentierlich *a.* 이윤이 생기는, 수지가 맞는, 돈벌이가 되는.

Rent≈kammer *f.* ↑ Rentamt. **~meister** *m.* 집사, (토지의) 관리인.

***Rentner** [rɛ́ntnər] *m.* -s, - 연금 생활자: er ist seit zwei Jahren ~ 그는 2년 전부터 (은퇴하여) 연금을 받고 있다.

Rentner·heim *n.* 양로원.

Rentnerin *f.* -nen ↑ Rentner 의 여성형.

Renumeration [renuməratsió:n] 《lat.》 *f.* -en 〖드물게〗 ① 상환, 지급, 반제(返濟), 환불. ② 배상, 보상; 사례.

renumerieren 《lat.》 *t.* 〖드물게〗 ① 갚다, 지급[상환·반제·환불]하다. ② 배상하다, 보상하다; 사례하다.

Renuntiation [renuntsiatsió:n] 《lat.》 *f.* -en ↑ Renunziation.

Renunziation 《lat.》 *f.* -en 포기; (군주권의) 양위, 퇴위.

renunzieren *t.* (군주가) 퇴위[양위]하다; 단념[포기]하다.

Reokkupation [re|ɔkupatsió:n] 《lat.》 *f.* -en ① 재점령. ②〖드물게〗 보충.

reokkupieren *t.* (어떤 나라를) 재점령하다.

Reorganisation [re|ɔrganizatsió:n] 《gr.》 *f.* -en 〖교양〗 ① 재조직, 재편성; (군의) 재편(제). ② 개조; 쇄신, 개혁.

Reorganisations·bestrebung *f.* 쇄신[재조직](을 위한) 노력.

Reorganisator [..zá:tɔr, ..to:r] *m.* -s, -en [..tó:rən] 〖교양〗 재조직자; 개조[개혁]자.

reorganisieren *t.* ① 재조직[재편성]하다, 개조[개혁]하다. ② 쇄신하다.

reparabel [repará:bəl] 《lat.》 *a.* 수선[수리]할 수 있는; 수복[회복]할 수 있는; 보상[보충]할 수 있는.

Reparateur [..tø̃:r] *m.* -s, -e 〖드물게〗 수선[수리]공; 정비사.

Reparation [reparatsió:n] 《lat.》 *f.* -en ① 〖대개 복수〗 (패전국에 부과되는) 피해 배상금. ②〖植·醫〗 (세포 조직의) 원상 회복, 재생. ③ 〖드물게〗 수선, 수리.

Reparations≈abkommen *n.* (승전국과 패전국 사이의) 배상 협정. **~ausschuß** *m.* 배상 위원회. **~kommission** *f.* ↑ ~ausschuß. **≈pflichtig** *a.* 배상 의무가 있는. **~schuld** *f.* 배상 채무. **~zahlung** *f.* 배상금 지급.

***Reparatur** [reparatú:r] 《lat.》 *f.* -en 수선, 수리; 회복, 복구.

reparatur≈anfällig *a.* 고장이 잦은; 자주 수선을 요하는. **≈anstalt** *f.* 수리 작업소; 정비소. **≈arbeit** *f.* 수선[복구] 작업. **~bedürftig** *a.* 수선할 필요가 있는. **≈kosten** *pl.* 수선비. **≈werk·statt** *f.* 수리 공장; 정비소.

***reparieren** [reparí:rən] 《lat.》 *t.* 수선[수리]하다; 회복하다, 복구하다: das Auto muß repariert werden 그 자동차는 수리를 받아야 한다; der Schaden ist nicht mehr zu ~ 그 손실은 이제 만회할 수 없다.

repartieren [repartí:rən] 《frz.》 *t.* 〖증권〗 ① (주식 등을) 제한적으로 할당하다; 배당[분배]하다. ② 〖드물게〗 추렴하다, 공동 부담으로 하다.

Repartition [..titsió:n] *f.* -en 〖증권〗 (증권·주식 등의) 제한 분배, 할당.

Repartitions·steuer *f.* 할당세.

repassieren [repasí:rən] 《lat.》 *t.* ① (계산을) 검토하다; 재확인하다. ② 〖工〗 연마하다, 갈다. ③ 〖섬유〗 (채색의 처리 과정을) 되풀이하다; (풀린 올을) 가다듬다.

repatriieren [repatrií:rən] 《lat.》 *t.* 〖政·法〗 ① (전쟁 포로·난민 등을) 본국으로 돌려보내다; 송환 조치하다. ② jn. ~ 누구에게 국적[시민권]을 다시 부여하다.

Repatriierung *f.* -en 〖政·法〗 ① (전쟁 포로·난민 등의) 본국 송환. ② (상실한 국적 등의) 재취득; 재부여.

Reperkussion [repɛrkusió:n] 《lat.》 *f.* -en ① 〖음악〗 (특히 그레고리오 송가에서 특정 음표들을 동일한 음높이로) 반복해서 부르기. ② 〖음악〗 (푸가 등에서) 주제 반복. ③ 〖드물게〗 되던짐, 반격; 반사, 반향.

***Repertoire** [repɛrtoá:r] 《frz.》 *n.* -s, -s [..toá:rs] ① 레퍼토리, 연출[공연] 목록; 연주곡목: ein vielseitiges ~ haben 다양한 레퍼토리를 가지고 있다; et. vom ~ streichen 무엇을 상연 목록에서 빼다. ② (한 예술가가 해낼 수 있는) 역할, 역량: damit ist mein ~ erschöpft 내가 할 수 있는 것은 그것이 전부다.

Repertoire·stück *n.* 고정적으로 상연되는 작품; 공연 목록에 반드시 들어가는 작품, 인기 작품; 자랑거리.

Repertorium [..tó:rium] 《lat.》 *n.* -s, ..rien [..riən] 〖교양·구식〗 ① 목록, 표, 색인. ② 참고 문헌[자료].

Repetent [repetɛ́nt] 《lat.》 *m.* -en, -en ① 〖구식〗 ↑ Repetitor. ② 〖교양〗 낙제생, 유급생.

repetieren 《I》 *t.* 되풀이[반복]하다; 복습하다. 《II》 *i.* ① 〖교양〗 유급하다: ich mußte ~ 나는 유급해야만 했다. ② (시계가 버튼을 누르면) 이전의 종소리를 반복하다. ③ (피아노의 음조가) 정확히 울리다: ein Ton repetiert nicht 어떤 음(정)이 제 소리가 나지 않는다.

Repetier≈gewehr *n.* 〖구식〗 연발총. **~telegraf** *m.* 전신 중계기. **~uhr** *f.* (단추를 누르면 지난 시간을 다시 알려주는) 명종(鳴鐘) 회중 시계.

Repetition [repetitsió:n] *f.* -en 〖교양〗 되풀이, 반복; 복습.

Repetitor [..tí:tɔr, ..to:r] *m.* -s, -en [..tó:rən] 〖교양〗 ① (특히 법과 대학에서) 시험 전 배운 것을 복습시키는 교사. ② 〖연극〗 (연습을 시키는) 보조 연출자.

Repetitorium [..tó:rium] *n.* -s, ..rien [..riən] 〖교양〗 ① 복습 강의. ② 복습서.

Replik [replí:k] 《lat.》 *f.* -en ① 〖교양〗 응답, 답변. ② 반론, 항의; 〖法〗 (원고의) 재항변. ③ (예술 작품의) 모조, 모조품; 복제; 사본.

replizieren 《I》 *t.* ① 반론〔답변·항의〕하다: auf einen Leserbrief ~ 독자의 글에 답변하다. ② (예술 작품을) 모조〔복제〕하다. 《II》 *i.* ① 반론〔항의〕의 글을 쓰다〔연설을 하다〕. ② 〖法〗 (원고가) 재항변하다.
reponibel [reponí:bəl] *a.* 〖醫〗 (탈구·탈장에서) 원상 회복될 수 있는, 교정 가능한.
reponieren [reponí:rən] 《lat.》 *t.* ① 〖醫〗 (탈구·탈장 등을) 원상 회복시키다; (부러진 뼈 등을) 다시 붙이다. ② 〔구식〕 제자리에 갖다 놓다, 정리하다.
***Report**[1] [repɔ́rt] 《frz.》 *m.* -(e)s, -e ① 〖언론〗 보도, 보고(서), 연구 조사(서), 기록: ein kritischer ~ zur 〔über die〕 Situation der Ausländer 외국인들의 상황에 대한 비판적 보도〔보고〕. ② 〖法〗 상신(上申).
Report[2] *m.* -(e)s, -e 〖經〗 (주식 거래 등의 이연(移延) 거래에서) 시세 인상; 거래 유예금.
Reportage [rəpɔrtá:ʒə] 《frz.》 *f.* -n ① 〖언론〗 르포; 현장 보도; 잠입 취재. ② 〖문학〗 르포 문학; 보고 문학.
Reporter [repɔ́rtər] 《engl.》 *m.* -s, - 기자, (신문의) 통신원, 리포터.
Reporterin *f.* -nen ↑ Reporter 의 여성형.
Report·geschäft *n.* 〖經〗 이연(移延) 거래.
Reposition [repozitsió:n] *f.* -en 〖醫〗 (탈구·탈장의) 원상 회복, 접골.
Repositorium [repozitó:rium] *n.* -s, ..rien [..riən] 서가(書架); 서류장.
Repositur *f.* -en ↑ Repositorium.
repräsentabel [reprɛzɛntá:bəl] 《lat.》 *a.* 〔교양〕 품격에 맞는, 격조 있는; (풍채가) 당당한; 효과적인: er ist eine ~e Erscheinung 그는 풍채가 당당하다.
Repräsentant 《lat.》 *m.* -en, -en ① 〔교양〕 대표(자), 대변자: in allem ein ~ seiner Zeit 모든 면에서 그 시대의 대변자. ② 〖政〗 국회 의원. ③ 〖經〗 (회사·기업의) 대표; 대리인, 출장 중인 영업 사원; 대행자.
Repräsentanten≈haus *n.* (미국의) 하원. **~kammer** *f.* ↑ ~haus.
Repräsentantin 《lat.》 *f.* -nen ↑ Repräsentant 의 여성형.
Repräsentanz *f.* -en ① 〖經〗 해외 지사〔지점〕: die Bank ist an der Eröffnung einer ~ in Peking interessiert 그 은행은 베이징에 지점을 개설하는 것에 관심을 두고 있다. ② 대표적임, 대표성. ③ 〔교양〕 (입장의) 대변: Volks≈ 민중 대표. ④ 〔교양〕 품위, 깊은 인상.
***Repräsentation** [reprɛzɛntatsió:n] *f.* -en ① 대표, 대리; (입장·관심 등의) 대변; 대의(정치). ② 대표부, 대표〔대리〕 기관. ③ 〔교양〕 (국가 등의) 위신; 체면; 격에 맞는 외양: Kosten der ~ 판공비; 체면 유지비. ④ 대표적 전형; 〖통계〗 표본 집단 구성. ⑤ 〖언어학〗 (수형도(樹形圖) 등을 이용한) 재현; 단위 구조 설명. ⑥ 표현, 연기, 연출.
Repräsentations≈aufwendung *f.* 〖經〗 교제〔접대〕비, 판공비. **~gelder** *pl.* ↑ ~kosten. **~kosten** *pl.* 교제〔접대·판공〕비. **~pflicht** *f.* 대표자의 의무. **~recht** *n.* 〖法〗 대표〔상속〕권. **~schluß** *m.* 〖통계〗 (전체 집단에 대한) 표본 조사를 통한 예측〔결론〕. **~system** *n.* 대의(代議) 제도. **~zweck** *m.* 사교 목적.
repräsentativ [reprɛzɛntatí:f] *a.* ① 〖政〗 대의제〔대표제〕에 따른, 대표를 통한: ~e Organe 대의 기관들. ② 〔교양〕 (국가를) 대표하는. ③ 〔교양〕 전형적〔특징적·대표적〕인: ein ~er Vertreter der modernen Lyrik 현대시의 전형적 대표자. ④ 〔교양〕 품위 있는, 인상깊은, 훌륭한; 신분에 맞는.
Repräsentativ≈befragung *f.* 〖통계〗 표본(집단을 통한) 설문 조사. **~demokratie** *f.* 대의 민주제. **~erhebung** *f.* 〖통계〗 표본 조사. **~gewalt** *f.* (국가 원수의) 국가 대표권. **~monarchie** *f.* 대표 군주제. **~system** *n.* 대의제(도); 대표 제도. **~verfassung** *f.* 대의제; 대의 헌법.
Repräsentativität *f.* 대표성, 대의성.
***repräsentieren** [reprɛzɛntí:rən] 《lat.》 *t./i.* (h.) ① 대표〔대리〕하다: X repräsentiert eine Politik der Mäßigung X 는 온건 정치를 대표한다. ② 서술하다; 나타내다, 표현〔연출〕하다: et. graphisch ~ 무엇을 도표로 나타내다. ③ 신분에 알맞게 행동하다, 체면을 지키다; 〔속어〕 젠체하다, 점잔빼다: als Frau eines Politikers muß sie ~ können 그녀는 정치가의 부인으로서 신분에 맞게 처신할 수 있어야 한다. ④ 〔교양〕 가치가 있다: das Grundstück repräsentiert einen Wert von 500000 Mark 그 토지는 500000 마르크의 가치가 있다.
Repressalie [reprɛsá:liə] 《lat.》 *f.* -n ① 〔교양〕 보복 조치: gegen jn. ~n anwenden 〔ergreifen〕 누구에 대하여 보복 수단을 취하다. ② 〖法〗 제재 (조치).
Repressalien·brief *m.* 〖海〗 보복적 나포 면허장.
Repression [reprɛsió:n] 《lat.》 *f.* -en ① 억압, 강압, 억제: die Maßnahme trägt den Charakter der ~ 그 조치는 억압적 성격을 띠고 있다. ② 〖心〗 억압.
repressions·frei *a.* 〔교양〕 억압이 없는.
repressiv [..sí:f] *a.* 〔교양〕 억압적인.
Repressiv≈maßregel *f.* 억압 수단〔조처〕. **~zoll** *m.* ↑ Schutzzoll.
Reprimande [reprimándə] 《frz.》 *f.* -n 〔고어〕 ① 훈계. ② 비난, 질책, 견책.
reprimieren 《lat. reprimere》 *t.* 억압하다, 억제하다; 저지하다.
Reprint [reprínt, rí:print] 《engl.》 *m.* -s, -s 재인쇄, 재판, 중판.
Reprise [reprí:zə] 《frz.》 *f.* -n ① 되찾음, 탈환, 재점령; (선박의) 재나포. ② 〖연극〗 재연; 재방영. ③ 〖음악〗 반복 (기호); 되풀이 (부분); (음반의) 신판. ④ 경기 회복. ⑤ 섬유 원료의 수분 농도. ⑥ 〖펜싱〗 재공격.
reprivatisieren [reprivatizí:rən] *t.* 〖政·經〗 재차 사유(재산)화하다: ein Unternehmen ~ 기업을 다시 민영화하다.
Reprivatisierung *f.* -en 〖政·經〗 재사유화, 재민영화.
Repro [ré:pro, répro] *f.* -s 〔*n.* -s, -s〕 〔은어〕 ① ↑ Reproduktion 의 단축어. ② ↑ Reproaufnahme 의 단축어.
Reproaufnahme *f.* -n 그림의 사진 복제.
Reprobation [reprobatsió:n] 《lat.》 *f.* -en ① 배척; 거절; 부인; 비난, 질책. ② 〖法〗 기각; 반증. ③ 〖宗〗 영벌(永罰).
reprobieren [..bí:rən] 《lat. reprobare》 *t.* 기각〔거부·비난〕하다.

*Reproduktion [reproduktsió:n] 《lat.》 f. -en ① (a) 모사(품), 모조(품). (b) 복사(물), 복제: Farb〔Schwarzweiß〕∼ 컬러〔흑백〕 복사. ② 재생; 〚經〛 재생산: einfache 〔erweiterte〕 ∼ 단순〔확대〕 재생산; 〚心〛 (의식의) 재생; 〚動〛 (기관의) 재생; 〚生〛 증식, 번식; 〚醫〛 생식(生殖). ③ (들은) 말의 되풀이. ④〔교양〕 재현: Kunst bedeutet eine ∼ des Lebens 예술은 인생의 재현이다.
Reproduktions=faktor m. 〚핵물리〛 증배율. **∼gerät** n. 복사기. **∼kamera** f. 〚印〛 제판용 카메라. **∼kosten** pl. 재생산비(용). **∼recht** n. 저작권. **∼stich** m. 복사 동판화. **∼technik** f. 〚印〛 복제 기술. **∼verfahren** n. 〚印〛 복사〔복제〕법.
reproduktiv [..tí:f] a. ① 재생의, 재현의. ② 모사〔복사〕의, 복제의. ③ 〚醫〛 생식의, 번식의.
***reproduzieren** [reprodutsí:rən] t. ① 재생〔재현〕하다; 〚經〛 재생산하다; 〚動〛 재생〔회복〕하다; 〚生〛 번식〔증식〕하다: ∼de Kunst 재현 예술. ② 베끼다, 모사하다; 복사〔복제〕하다; 번각하다. ③ (들은 말을) 반복하다. ④ 〚法〛 반증을 들다, 기각하다.
Reprographie [reprografí:] f. -n [..fí:ən] 〚印〛 ① 복사법. ② 복사(품).
Reps [rɛps] m. -es, -e (südd.) ↑ Raps.
Reptil [rɛptí:l] 《frz. reptile》 n. -s, -ien [..liən]/(드물게) -e ① 〚動〛 파충류. ② 〔비유〕 추종자, 비열한 사람; 어용 기자.
Reptilien=fonds [rɛptí:liən..] m. 〚政·은어〛 ① 기밀비. ② (기자에게 주는) 촌지. **∼herz** n. 〚해부〛 파충류꼴 심장, 2 방 심장. **∼presse** f. 어용 신문.
***Republik** [republí:k, ..blík] 《frz. <lat. res publica》 f. -en (↔ Monarchie) ① 공화국; 공화 (정)체. ② 공화제 국가: Bundesrepublik Deutschland 독일 연방 공화국. ③〔비유〕 (문학·학문의) 전문가 집단: Gelehrten∼ 학계.
Republikaner [..bliká:nər] m. -s, - ① 공화국민. ② 공화주의자; (특히 미국의) 공화당원. ③ (90 년대 독일의) 신나치주의자.
republikanisch a. ① 공화국의. ② 공화당의; 공화주의의.
republikanisieren t. ① 공화국화하다. ② 공화주의화하다.
Republikanismus [..kanísmus] m. - 공화주의.
Republik=flucht f. 〔구동독〕 (구동독에서 구서독으로의) 공화국 탈주. **∼flüchtling** n. 구동독의 탈주자, 난민.
Repudiation [repudiatsió:n] 《lat.》 f. -en ① 〚法·고어〛 기각; 포기. ② 〚經〛 (국가의) 채무 변제 거부.
Repuls [repúls] 《lat. repulsus》 m. -es, -e 〔격식·고어〕 거절, 거부; 기각.
Repulsion [repulzió:n] f. -en 반발, 거부.
Repulsions·motor m. 〚기계〛 반발 전동기.
repulsiv [..zí:f] a. 거부하는; 반발하는; 혐오감을 일으키는: 〚物〛 ∼e Kraft 척력(斥力).
Repunze [repúntsə] 《lat.》 f. -n (귀금속 제품의 순도를 표시하는) 품질 보증 각인.
repunzieren [..tsí:rən] t. …에 품질 보증 각인을 찍다.
Reputation [reputatsió:n] 《lat.》 f. -en 〔교양〕 평판, 명망: eine gute ∼ haben 평판이 좋다; seine ∼ verlieren 명성을 잃다.
reputierlich [reputí:rlıç] a. 〔교양·고어〕 평(판)이 좋은, 명성이 있는; 존경할 만한; 고지식한, 깔끔한.
Requiem [ré:kviɛm] 《lat. requies》 n. -s, -s/(öst.) ..quien [..kviən] ① 〚가톨릭〛 장례〔위령〕 미사, 레퀴엠, 진혼제. ② 〚음악〛 진혼곡.
requiescat in pace [rekviéskat ın pá:tsə] („er ruhe in Frieden!") 고이 잠드소서(R.I.P.로 약하여 흔히 묘비명에 쓰임).
requirieren [rekvirí:rən] t. ① 조달하다; 거두어들이다; 〚軍〛 징발하다. ② 요구하다; 〚法〛 요청〔청원〕하다.
Requisit [..zí:t] n. -(e)s, -en ① 〔교양〕 필수품, 부속물: Reise∼ 여행 필수품. ② 〚연극·영화〛 소도구: Film∼ 영화 소도구.
Requisite [..zí:tə] f. -n 〚연극·은어〛 ① 소도구실. ② 소도구 관리부.
Requisiten·kammer f. 소도구실.
Requisiteur [..tǿ:r] 《frz.》 m. -s, -e 〚연극〛 소도구 관리자〔담당자〕.
Requisition [..tsió:n] f. -en ① 〚法〛 청구, 요청. ② 〚軍〛 징발. ③ 거둬들임, 징수.
Requisitions·schein m. 청구 증서, 징발 영수증.
resch [rɛʃ] a. (obd.) ① (과자가) 바삭바삭한; (포도주가) 신. ② 활달한, 생기 있는, 쾌활한; 재치 있는.
Reseda [rezé:da] 《lat.》 f. -s ↑ Resede.
Resede [..də] f. -n 《lat.》 〚植〛 물푸레나무(옛날에 진통제로 쓰임).
Resektion [rezɛktsió:n] f. -en 〚醫〛 (뼈·관절 따위의) 절제(술).
Reservage [rezɛrvá:ʒə] 《frz.》 f. 〚섬유〛 방염제(防染劑).
Reservat n. -(e)s, -e ① 〚法〛 유보; 특(별)권, 예외법. ② (정부 지정) 원주민 거주지: Indianer∼ 인디언 거주 지역. ③ 자연 보호 지구: Wild∼ 야생 동물 보호 구역. ④ 〔교양〕 이상 세계: ∼e des Geistes 정신의 이상향.
Reservatio mentalis [rezɛrvá:tsio: mɛntá:lıs] f. -nes ..les 〚法〛 심리 유보.
Reservation [..tsió:n] f. -en ① 보존, 저장; 〚法〛 유보. ② 〔복수〕 (정부 지정) 원주민 거주지.
Reservat·recht n. 〚法〛 유보권.
***Reserve** [rezérvə] 《frz.》 f. -n ① 삼감, 사양, 조심성, 신중: sich³ keine〔zuviel〕 ∼ auferlegen 전혀 삼가는 모습이 없다〔너무 신중하다〕; 〔구어〕 jn. aus der ∼ (heraus)locken 누구를 자연스럽게 얘기하도록 유도하다; ohne alle ∼n 거리낌없이. ② 예비, 비축, 저장품, 예비품; 〔구어〕 비상금; 〚商〛 준비〔적립〕금: et. in ∼ haben 무엇을 비축해 놓고 있다; er hat keine (körperlichen) ∼n mehr 그는 (신체적으로) 여력〔버틸 힘〕이 더 이상 없다; 〚經〛 offene〔stille〕 ∼n 정규〔비밀〕 준비금. ③ 〚軍〛 예비군〔부대〕: Offizier der ∼ 예비역 장교; 〚스포츠〛 후보 선수(단〔진용〕); 〚軍〛 in ∼ liegen 예비 병력으로 대기하고 있다.
Reserve=anker m. 〚海〛 예비용 닻. **∼armee** f. (마르크스주의에서) (산업) 예비군. **∼bank** f. 후보 선수 대기석〔벤치〕. **∼bett** n. 예비 침대. **∼boot** n. 〚海〛 예비 보트. **∼dienst** m. 예비역. **∼druck** m. 〚섬유〛 방염 날염. **∼fonds** [..fõ:] m. 준비〔적립〕금. **∼kanis-**

ter *m.* 예비 기름통〔물통〕. **~kapital** *n.*〖商〗준비〔적립〕금. **~kasse** *f.* ↑ ~fonds, ~kapital. **~korps** *n.* 예비군(단). **~kraft** *f.* ① 여력. ②〖醫〗(심장의) 예비력. **~luft** *f.* (폐(肺) 내의) 저기(貯氣). **~mann** *m.*〖복수: ..leute〗① 예비병. ② 대기 선수. **~-mannschaft** *f.*〖스포츠〗2진팀. **~offizier** *m.* 예비역 장교. **~pferd** *n.* 예비말. **~pflicht** *f.* 예비역. **~rad** *n.*〖工〗예비 바퀴. **~reifen** *m.* 예비 타이어. **~spieler** *m.* 후보〔대기〕 선수. **~stoff** *m.*〖生〗저장 물질. **~stück** *n.* 예비(부)품. **~tank** *m.* (기름·물의) 예비 탱크. **~teile** *n.* ↑ Ersatzteil. **~truppe** *f.*〖軍〗예비 부대. **~übung** *f.* ↑ Reservistenübung. **~zimmer** *n.* 예비실, 내객용 침실.

***reservieren** [rezɛrví:rən] 《I》 *t.* ① (미리) 남겨 놓다, 보존〔보관·저장〕하다; 유보하다: Lebensmittel für den Notfall ~ 비상시를 대비하여 식료품을 저장해 두다. ② 적어 놓다. ③ 잡아〔비워〕 놓다, 예약하다: ein Zimmer im Hotel ~ lassen 호텔방을 예약하다. 《II》 **reserviert** *p.a.* ↑ reserviert.

reserviert [..ví:rt] 《I》 *p.p.* ↑ reservieren. 《II》 *p.a.* ① 남겨 놓은, 예비의; 미리 잡아 놓은, 예약된 (자리). ② 소극적인, 삼가는, 사양하는; 터놓지 않는: er ist sehr ~ 그는 나서기를 좋아하지 않는다; sich ~ verhalten 신중한〔소극적인〕 태도를 취하다.

Reserviertheit *f.* ↑ reserviert 의 명사형.

Reservierung *f.* -en 예약, 보존, 저장, 보류.

Reservist *m.* -en, -en ①〖軍〗예비병. ②〖스포츠〗후보 선수.

Reservisten·übung *f.* 예비군 훈련.

Reservoir [..voá:r] 《frz.》 *n.* -s, -e ① 저수지〔통·탱크〕: Kartoffeln~ 감자 저장실〔창고〕. ② 비축〔저장·보유〕량: Energie~ 에너지 비축량.

resezieren [rezetsí:rən] 《lat.》 *t.*〖醫〗절제〔절단〕하다, 잘라 내다.

Resident [rezidɛ́nt] 《lat.》 *m.* -en, -en ①〖고어〗주재관, 변리 공사. ② 총독, 지사.

***Residenz** [..dɛ́nts] 《lat. „Wohnsitz"》 *f.* -en ① 관저; 저택. ② 군주의 거주지; 수도.

Residenzler *m.* -s, - 도회지 사람, 서울 사람.

Residenz≈pflicht *f.* ① 임지(任地) 거주의 의무; (성직자의) 근무지 거주 의무. ② (변호사의) 사무소 설치 의무. **~stadt** *f.* 수도. **~theater** *n.* (옛날의) 수도(首都) 극장.

residieren [rezidí:rən] 《lat.》 *i.* (h.) 거주〔주재〕하다.

residual [rezidua:l] *a.*〖醫〗잔존의, 잔류성의.

Residuum [rezí:duum] 《lat.》 *n.* -s, ..duen [..duən]〖化·교양〗나머지, 잔여물, 잔재.

***Resignation** [rezɪgnatsió:n] 《lat.》 *f.* -en ① 단념, 체념, 포기: ~ erfaßte ihn 그는 체념했다. ② 절망, 낙담: in tiefe ~ verfallen 깊은 절망감에 빠지다. ③〖고어〗사표, 사직.

resignieren [rezɪgní:rən] 《lat.》 《I》 *i.* (h.) 단념〔체념〕하다; 절망하다: vor dem Schicksal ~ 운명 앞에서〔이라고〕 체념하다; auf et. ~ 무엇을 체념하다. 《II》 *refl.* sich in et. ~ 무엇에 인종(忍從)하다.

resigniert [..ní:rt] *p.a.* 단념〔체념〕한; 낙담한, 풀죽은; 절망한.

Resinat [reziná:t] *n.* -(e)s, -e〖化〗수지산염(樹脂酸塩).

Resistance [rezistã́:s] 《frz.》 *f.* 저항 운동, 레지스탕스.

resistent [rezɪstɛ́nt] *a.* 저항력이 있는, 내구성의.

Resistenz [rezɪstɛ́nts] 《lat.》 *f.* -en ①〖政·교양〗저항, 반항. ②〖醫·生〗저항력, 내구력: ~ gegen Malaria 말라리아에 대한 저항력.

resistieren [..tí:rən] *i.* (h.)〖醫·生〗내성(耐性)을 나타내다, 저항하다, 견디다.

resistiv [..tí:f] *a.*〖醫·生〗저항하는, 내구력이 있는.

reskribieren [reskribí:rən] 《lat.》 *i.* (h.) 문서로 답하다, 글로 알리다.

Reskript [reskrípt] *n.* -(e)s, -e ①〖法·고어〗훈령, 칙령. ②〖가톨릭〗답서, 재결서.

resolut [rezolú:t] 《lat.》 *a.* 단호〔결연〕한, 과단성 있는, 과감한.

Resolutheit *f.* 결단성, 과감, 단호.

Resolution [..tsió:n] *f.* -en ① 분해, 용해. ② 결정, 결의(안): eine ~ einbringen 결의안을 제출하다. ③ 결심, 각오; 과단, 과감. ④〖醫〗(염증 따위의) 가라앉음, 소산(消散);〖法〗해제.

Resolutions·entwurf *m.* 결의안.

resolutionieren [..tsioní:rən] *t.* 결의하다.

resolvieren [..ví:..] *t.* ① 분해〔용해〕하다. ② 결정〔결의〕하다. ③ 결심하다. ④〖數〗(작은 단위로) 환산하다.

***Resonanz** [rezonánts] 《lat.》 *f.* -en ①〖物〗공진(共振);〖음악〗공명(共鳴). ② 반향, 동감, 공감: ~ finden 공감을 얻다.

Resonanz≈boden *m.*〖음악〗울림판, 공명판. **~frequenz** *f.*〖物〗공명 진동수, 공진 주파수. **~kasten** *m.*〖음악〗공명 상자. **~körper** *m.*〖음악〗공명체. **~raum** *m.*〖物〗공진 공동(共振空洞). **~saite** *f.*〖음악〗공명현(弦). **~ton** *m.* 공명음, 콧소리.

Resonator [rezoná:tɔr ..to:r] *m.* -s, -en [..tó:rən]〖物〗공명기, 공진기.

resonieren *i.* (h.) 반향하다; 공명하다, 공진하다.

Resopal [rezopá:l] *n.* -s〖상품명〗포마이커(합성수지).

resorbieren [rezɔrbí:rən] 《lat.》 *t.*〖생리〗흡수하다.

Resorption [..tsió:n] *f.* -en 흡수.

Resorptions·fähigkeit *f.* 흡수력.

resozialisierbar [rezotsializí:r..] *a.* 사회에 복귀할 수 있는.

resozialisieren [..zí:rən] *t.* 사회에 복귀〔통합〕시키다.

resp. = respektive 각각, 각자.

***Respekt** [respɛ́kt, reʃpɛ́kt] *m.* -(e)s ①〖드물게〗고려, 주의, 관심. ② 존경, 존중; 경의, 정중, 경건, 경외(심): ~ zollen〔erweisen〕 경의를 표하다; jm. ~ einflößen 누구에게 존경심을 일으키다; jn. in ~ halten 누구를 함부로 굴지 못하게 하다; vor jm. ~ haben 누구를 존경하다, 누구를 두려워하다; sich ~ verschaffen 권위를 세우다; allen ~! 아주 잘했다!;〖고어〗mit ~ zu sagen 실례의 말씀입니다만. ③〖印〗빈 가장자리, 가장자리의 여백.

respektabel *a.* 〔교양〕 ① 존경〔존중〕할 만한, 존경받는, 훌륭한. ② 인정할 만한: respektable Gründe für et. haben 무엇에 대해 타당한 이유가 있다. ③ 상당〔대단〕한, 주목할 만한, 인상적인: ein Baum von respektabler Größe 대단히 큰 나무.

Respektabilität [..tabilitɛ́:t] *f.* ↑ respektabel 의 명사형.

Respekt≈blatt *n.* 〖印〗 책의 처음에 있는 공백지〔면지〕. **~einflößend** *a.* 존경심을 불러일으키는. **~frist** *f.* ↑ ~tag.

respektieren [respɛktí:rən, rɛs..] 《lat.》 *t.* ① (**a**) 존경〔존중〕하다, 경외하다, …에게 경의를 표하다. (**b**) 인정하다, 배려하다, 준수하다: das Gesetz ~ 법을 지키다. ② 〖商〗 (어음을) 인수하다, 지급하다.

respektierlich *a.* ↑ respektabel ①.

Respektierung *f.* ① 존경, 존중, 경의. ② 준수. ③ (어음의) 인수.

respektiv [..tí:f] *a.* 〔고어〕 ↑ jeweilig.

***respektive** [respɛktí:və] *adv.* 〔교양〕 (약어: resp.) 각각, 각자; 각각의 사정을 고려하여; 또는, 내지.

respektlos *a.* 존경심〔경외심〕이 없는, 불경한, 무례한: eine ~e Bemerkung 버릇없는 말.

Respektlosigkeit *f.* 무례(한 태도); 불경(한 언행).

Respekt·pause *f.* 〖商〗 지급 유예 기간.

Respekts·person *f.* 존경 받는 사람, 명사(名士).

Respekt≈tag *m.* 〖商〗 은혜일(어음 지급 유예 기간). **≈voll** *a.* 존경〔경외〕심에 가득 찬, 공손〔정중〕한: er grüßte ~ 그는 공손하게 인사했다. **≈widrig** *a.* ↑ respektlos.

respirabel [respirá:bəl, rɛs..] 《lat.》 *a.* 〖醫〗 호흡〔흡입〕할 수 있는, 호흡에 알맞은.

Respiration [..tsió:n] *f.* 〖醫〗 호흡 (작용).

Respirations≈apparat *m.* 〖醫〗 호흡 기관(의 총칭). **~organ** *n.* 〖해부〗 호흡 기관.

Respirator [respirá:tɔr, ..to:r] *m.* -s, -en [..tó:rən] 〖醫〗 인공 호흡기, 호흡 보조기.

respiratorisch [..rató:rɪʃ] *a.* 〖醫〗 호흡의, 호흡을 위한.

respirieren *i.* (h.) 〖醫〗 호흡하다.

Respiro [respí:ro, rɛs..] 《it. „Atem“》 *m.* -s 〖商·고어〗 지급 유예 기한.

Respit [rɛspít] 《engl.》 *m.* -s ↑ Respiro.

Respit·tag *m.* 〖商〗 ↑ Respekttag.

Respondent [rɛspɔndɛ́nt] *m.* -en, -en 응답자, 답변자; 변명자.

respondieren [rɛspɔndí:rən] 《lat.》 *i.* (h.)/*t.* ① 〔고어〕 응답〔답변〕하다; 반박하다. ② 〖음악·교양〗 응창(應唱)〔답창〕하다.

Respons [respɔ́ns, rɛs..] *m.* -es, -e 반응, 응답.

responsabel [respɔnzá:bəl, rɛs..] *a.* 〔고어〕 책임 있는(↔ irresponsabel).

Response [rɪspɔ́ns] 《engl.》 *f.* -s 〖心〗 반응.

Responsorium [respɔnzó:riʊm] *n.* -s, ..rien [..riən] 〖음악〗 응창(應唱), 응답가.

Ressentiment [rɛsãtimã́:] 《frz.》 *n.* -s, -s ① 원한, 적개심; 반감, 혐오감: Klassen≈ 계급 적대감. ② 〖心〗 증오, 복수심, 르상티망.

ressentiment·geladen *p.a.* 원한에 찬, 적의에 찬.

Ressort [rɛsó:r] 《frz.》 *n.* -s, -s ① 관할 영역, 소관 사항, 전문〔해당〕 분야; 관할권, 권한; 관할〔담당〕 부서, 과(課): das ist mein ~! 이것은 내 소관이다! (참견하지 마라); für ein ~ zuständig sein 어떤 분야를 맡고 있다. ② 〔*m.* 으로도〕 용수철, 스프링.

ressortieren [rɛsɔrtí:rən] 《frz.》 *i.* (h.) …에 관할권이 있다, …소관이다: die Sache ressortiert beim Verkehrsministerium 그 일은 교통부 소관 사항이다.

Ressort≈leiter *m.* 관할 국(과)장. **≈mäßig** [rɛsó:r..] *a.* 관할 범위 내의, 소관의, 권한 내의. **~minister** *m.* 관할〔주무〕 장관.

Ressource [rɛsʊ́rsə] 《frz.》 *f.* -n ① 〔교양〕 수단, 방책; 자금, 재원(財源): die ~n sind erschöpft 자금원이 고갈되었다. ② 〖經〗 자원: natürliche ~n 천연 자원. ③ 〔드물게〕 휴양, 오락.

***Rest** [rɛst] *m.* -(e)s, -e(r) / (schweiz.) -en ① 나머지, 잔여, 여분; 잉여, 초과; (부채·지급 따위의) 밀린 것; 먹다 남은 것; 찌꺼기; 담배 꽁초, 담뱃대에 남은 진, 양초의 타다 남은 동강; 유물, 잔재; 〖法〗 (부채를 뺀) 잔여 재산: ein ~ Brot 남은 빵; die ~e bekommt der Hund 남은 음식은 개가 먹는다; ~ machen (음식이나 음료의) 남은 것을 먹다; 〔구어〕 bei uns werden keine ~e gemacht! 우리 집에서는 남기지 말고 다 먹어야 한다!; ~e ihrer ehemaliger Schönheit 그녀의 예전의 미모의 흔적; 〔농담〕 das ist der (letzte) ~ vom Schützenfest 이것이 남아 있는 것 전부다; der ~ ist für die Gottlosen 이게 남은 것 전부야 (마지막 남은 술을 받는 사람에게); der ~ ist Schweigen 더 이상 말하지 않는 것이 좋다(셰익스피어의 햄릿 5막 2장에서); ~e untergangener Kulturen 멸망한 문화의 잔재〔유적〕; js. irdische ~e 유해, 유골. ② 〖商〗 (**a**) 잔고, 잔액: wenn die Miete bezahlt ist, reicht der ~ kaum zum Leben 집세를 내면 남은 돈으로는 거의 생활이 되지 않는다. (**b**) 〔복수: ~er〕 (옷감 따위의) 자투리, 잔품(殘品). ③ 〔비유〕 최후의 일격: jm. den ~ geben 누구에게 최후의 일격을 가하다, 누구를 파멸시키다〔죽이다〕; der Schnaps hat ihm dann den ~ gegeben 소주를 마시고 그는 완전히 취해 버렸다; $sich^3$ den ~ holen 중태에 빠지다, 중병을 얻다, 녹초가 되다. ④ (schwäb.) 결손, 부족액: einen ~ setzen 적자를 내다, 예산 이상으로 쓰다, 상점의 돈을 가지고 도망가다. ⑤ 〖數〗 (나눗셈의) 나머지. ⑥ 〖化〗 기(基), 원자단, 근(根).

Rest≈abschnitt *m.* 자투리. **~alkohol** *m.* (체내에 남은) 잔여 알코올(량).

Restant *m.* -en, -en ① 〖經〗 (**a**) 미지급자, 체납자. (**b**) 〔복수〕 미회수 대금〔채권〕; 미상환 유가 증권. ② 팔다 남은 상품, 재고품. ③ 〔비유〕 낙오자.

Restanten·liste *f.* 미회수 채권 목록.

Rest·auflage *f.* 재고본.

***Restaurant** [rɛstorã́:] 《frz.》 *n.* -s, -s 음식점, 레스토랑; 식당: im chinesischen ~ essen 중국 음식점에서 식사하다.

Restaurateur [rɛstoratǿ:r] 《frz.》 *m.* -s, -e 〔고어〕 ↑ Gastwirt.

***Restauration** [..tauratsió:n, ..to..] 《lat.》 *f.* -en ① (**a**) 〔교양〕 복구, 복원, 수리, 보수; 개

신, 부활: die ~ eines Gemäldes 미술품의 복원; eine ~ verlorengegangener Werte 사라진 가치들의 부활. **(b)**〖政·史〗부활, 복위; 왕정 복고: eine Politik der ~ betreiben 복고 정책을 추진하다. ②〖고어〗**(a)** 휴양, 원기 회복. **(b)** ↑ Restaurant.

Restaurations≈arbeiten *pl.* ① 복구〔보수〕 작업. ② (예술품의) 복원 작업. **~betrieb** [..sto..] *m.*〖고어〗① 음식점. ② 식당 경영, 음식물 판매. **~politik** *f.* 복고 정책. **~zeit** *f.* (정치적·사회적) 복고 시대. **~wagen** [..sto..] *m.*〖철도〗식당차.

Restaurator [..taurá:tɔr, ..to:r] *m.* -s, -en [..tó:rən] (예술품의) 복원(기술)자.

***restaurieren** [..tauríːrən] 《frz. restaurer》 《I》 *t.* ① 복구〔복원·보수〕하다: Gemälde ~ 그림을 복원하다. ②〖교양〗(구체제를) 부활시키다, (왕정을) 복고하다: die Universitäten ~ 대학을 구체제로 돌려놓다. ③〖컴〗되깔다. 《II》 *refl.*〖구식〗sich ~ 원기를 회복하다, 기운이 나다.

Restaurierung *f.* -en ① 복구, 복원, 보수. ②〖교양〗원기 회복.

Rest≈bestand [rɛ́s..] *m.* 잔액, 재고; 잔재. **~betrag** *m.* 잔금, 잔액.

Rester·handlung *f.*〖商〗자투리 상점.

Reste≈verkauf *m.* ① 자투리 판매. ② 재고 정리 대매출. **~verwertung** *f.* 자투리 이용.

Rest≈gruppe *f.*〖化〗기(基), 원자단. **~harn** *m.*〖醫〗잔뇨(殘尿).

restieren [rɛstíːrən] *i.*(h.)/*t.* ① 남다, 차고 남다. ② (지급이) 밀리다, 체불하다: mit der letzten Rate ~ 마지막 납입금을 체납하고 있다. ③ 빚을 지고 있다: er restiert mir noch Geld 그는 아직 내게 갚을 돈이 남아 있다.

restituieren [restituíːrən, rɛsti..] *t.*〖교양〗① 원상 복귀〔복구〕시키다, 회복시키다. ② 배상〔보상〕하다, 변제하다; 복위시키다.

Restituierung *f.* ↑ Restitution.

Restitution [..tsió:n] *f.* -en ①〖교양〗원상 복귀, 회복. ②〖法〗**(a)** (로마법에서) 복권, 복직, 권리 회복. **(b)** (국제법에서) 배상, 보상, 상환. ③〖生〗재생.

Restitutions≈edikt *n.* 회복 칙령(1626 년 독일 황제 Ferdinand Ⅱ 세가 공포한 가톨릭 교회 재산 회복령). **~klage** *f.*〖法〗원상 회복 소송, 복권 소송.

restlich [rɛ́stlɪç] *a.* 나머지의, 남은: die ~e Summe 잔액.

restlos [rɛ́stlo:s] *a.* 남김 없는, 전부의; 철저한: ~ befriedigt 아주 만족한.

Rest·posten *m.*〖商〗① 재고품, 자투리. ② ↑ ~summe.

Restriktion [restrɪktsió:n] 《lat.》 *f.* -en ①〖교양〗(권리의) 제한, 제약, 한정, 보류: jm. ~en auferlegen 누구에게 제약을 가하다. ②〖언어〗(언어 체계 내의 어법적) 제한, 한정.

Restriktions·maßnahme *f.*〖政〗제한 조치.

restriktiv [..tí:f] *a.* ①〖교양〗제한적인, 한정적인, 구속적인: ein Gesetz ~ auslegen〖法〗법을 축소 해석하다. ②〖언어〗한정적인, 제한적인: ~e Konjunktion 한정 접속사. ③〖언어〗↑ restringiert.

restringieren [restrɪŋgíːrən] *t.* 제한〔한정〕하다.

restringiert *p.a.*〖언어〗제한된, 단순한: ~er Kode 단순 언어 체계.

Rest·risiko *n.* 잔존 위험.

restrukturieren *t.* 재구성하다.

Restrukturierung *f.* 재구성, 재구조화.

Rest≈strafe *f.* 잔여 형기. **~summe** *f.* 잔액, 잔금. **~süße** *f.* 잔여 당분. **~urlaub** *m.* 잔여 휴가 기간. **~wärme** *f.* 잔여 온기. **~zahlung** *f.* 잔액〔잔금〕지급.

Resultante [rezultántə] 《lat.》 *f.* -n〖物〗합성력.

***Resultat** *n.* -(e)s, -e〖교양〗① 결과, 해답: Gesamt≈ 종합〔전체〕결과; ein endgültiges ~ der Wahlen liegt noch nicht vor 선거의 최종 결과는 아직 나오지 않았다. ② 성과, 결말; 성공: beachtliche ~e erzielen 상당한 성과를 거두다.

resultativ [rezultatí:f] *a.* 결과적인, 결과를 나타내는:〖언어〗~e Verben 결과 동사.

resultatlos *a.* 결과가 없는; 성과 없는, 실패한.

***resultieren** 《lat.》 *i.*(h./s.)〖교양〗① (무엇에서) 결과가 나오다, 결론이 나오다: daraus resultiert, daß er der Täter ist 그것에서 그가 범인이라는 결론이 나온다. ② (무엇·어떤 결론)으로 끝나다: etwas resultiert in et.³ 무엇은 무엇으로 끝난다.

Resultierende* *die*〖物〗↑ Resultante.

Resumé [..zymé:] 《frz.》 *n.* -s, -s ↑ Resümee.

***Resümee** [rezymé:] 《frz.》 *n.* -s, -s〖교양〗① 개괄, 개요; 요점, 요지, 요약: ein kurzes ~ einer Diskussion geben 토론의 내용을 짧게 요약〔개관〕하다. ② 결산, 결론, 결과: das ~ ziehen 결산〔요약〕하다.

***resümieren** [rezymíːrən] *t.* ① 개괄〔약설〕하다. ② 요약하다; 결산하다: einen Artikel ~ 논문을 요약하다.

Retabel [retá:bəl] *n.* -s, -〖건축〗(성당의) 제단 뒤의 장식 벽〔칸막이〕.

retablieren [retablíːrən] *t.*〖고어〗회복시키다, 복직〔복위〕시키다: sich ~ 정상으로 되돌아오다.

Retablissement [retablɪs(ə)mã́:] 《frz.》 *n.* -s, -s [..mã:s] 회복, 부흥; 복직.

Retard [rətá:*r*] 《frz.》 시계를 늦게 가게 하는 장치.

Retardat [retardá:t] *n.* -(e)s, -e〖고어〗(지급의) 연체, 미납금.

Retardation [..tsió:n] *f.* -en ①〖교양〗지체, 정체, 지연. ②〖醫·心〗발육 부진. ③〖인류〗(청년기의) 지체, 지연. ④〖음악〗걸림음.

retardieren 《I》 *t.*〖교양〗느리게 하다, 지체〔정체〕시키다. 《II》 *i.*(h.)〖고어〗(시계가) 늦게 가다.

Retention [retɛntsió:n] *f.* -en ①〖醫〗배설 기능 장애. ②〖心〗기억(능)력. ③〖고어〗보류. ④〖法〗유치.

Retentions·recht *n.*〖法〗유치권.

Retikül [retiký:l] *m./n.* -s, -e/-s 뜨개질 주머니(Ridikül).

retikular [retikulá:*r*] 《lat.》 *a.* ↑ retikulär.

retikulär [retikulɛ́:*r*] *a.*〖醫〗그물 모양의.

retikuliert [..líː*r*t] *p.a.* 그물 모양의 무늬가 있는.

Retina [ré:tina] *f.* -e〖해부〗망막.

Retinitis *f.* ..tiden [..tí:dən]〖醫〗망막염.

Retirade [retiráːdə] 《frz.》 *f.* -n 〔고어〕 ① 〖軍〗 철수, 퇴각. ② 피난처; 변소.

retirieren [retiríːrən] *i.* (h.) ① 〖軍·고어〗 퇴각하다. ② 〔교양·농담〕 빠져 나오다, 물러가다; 화장실에 가다. ③ 〖펜싱〗 뒤로 피하다.

Retorsion [retɔrzióːn] *f.* -en 〖法〗 보복 (조처).

Retorsions·zoll *m.* 보복 관세.

Retorte [retɔ́rtə] *f.* -n 〖化〗 증류기, 시험관, 레토르트: aus der ~ 인공적으로 만든.

Retorten·baby [..beːbi] *n.* 시험관 아기. **~graphit** *m.* 〖化〗 레토르트 탄소. **~kind** *n.* ↑ ~baby. **~kohle** *f.* ↑ ~graphit. **~stadt** *f.* 인공 도시.

retour [retúːr] 《frz.》 *adv.* 〔방언·구식〕 되돌아, 되돌려: mit dem Bus hin, mit der Bahn ~ 버스 타고 가서 기차〔전차〕 타고 돌아오다; drei Mark ~ 3 마르크 되돌려드립니다.

Retour *f.* -en ① 〔고어〕 귀로, 귀항; 반송품. ② (화물의) 반송. ③ (öst.) ↑ ~fahrkarte.

Retour·billet *n.* ↑ Rückfahrkarte.

Retoure [retúːrə] *f.* -n ① (ost.) 〔고어〕 반송. ② 〖商〗 반송품. ③ 〖금융〗 미지급 반송 수표.

Retour·fahr·karte *f.* ↑ Rückfahrkarte. **~fracht** *f.* 반송품〔화물〕. **~gang** *m.* (öst.) ↑ Rückwärtsgang. **~kutsche** *f.* ① 왕복 마차. ② 〔비유·구어〕 (같은 행동으로 맞받아치는) 대응, 보복: mit einer ~ reagieren 똑같은 말로 대응하다. **~marke** *f.* (ost.) 반송용 우표.

retournieren [returníːrən] 《frz.》 *t.* ① 〖商〗 반송하다, (öst.) 돌려주다. ② 〖테니스〗 되받아치다.

Retour·sendung *f.* ↑ Rücksendung. **~spiel** *n.* (öst.) 〖스포츠〗 (2 회 시합의) 2 차 경기. **~waren** *pl.* 반송품, 반송 화물.

Retraktion [retraktsióːn] *f.* -en 〖醫〗 (기관 따위의) 수축, 단축, 축소.

Retraite [rətrɛ́ːtə] 《frz.》 *f.* -n 〔軍·고어〕 ① 퇴각. ② 귀영 신호.

Retribution [retributsióːn] *f.* -en ① 반환; 배상, 변상. ② 〔구식〕 복수, 보복.

retro.. *pref.* ① "뒤로, 되돌아"의 뜻(보기: Retrospektive). ② 〖醫〗 "뒤에 놓인"의 뜻(보기: retrolental).

retrodatieren [retrodatíːrən] 〔고어〕 *t.* …의 날짜를 소급해서 기록하다.

retroflex *a.* ① 〖언어〗 권설음(혀말이소리)의. ② 〖醫〗 (신체 기관이) 후굴(後屈)인, 후경(後傾)인.

Retroflexion *f.* -en 〖醫〗 (자궁 따위의) 후굴증(後屈症).

retrograd *a.* 후퇴하는, 역행적인: eine ~e Amnesie 〖醫〗 퇴행성 건망증; 〖언어〗 eine ~e Bildung 역성어(逆成語).

Retrospektion *f.* -en 〔교양〕 회고, 회상.

retrospektiv *a.* 〔교양〕 회고적인, 회상적인 (↔ prospektiv): ~ gesehen 회고해 보면.

Retrospektive *f.* -en 〔교양〕 ① 회고, 회상. ② 회고전(展).

Retroversion *f.* -en ① 〖醫〗 (특히 자궁의) 후경증(後傾症). ② 원어로 되번역하기.

retrovertieren *t.* 〖醫〗 뒤로 굽히다〔기울다〕, 구부리다.

retrozedieren 《I》 *i.* (s.) 〔고어〕 물러서다, 퇴각하다. 《II》 *t.* 재양도하다; 〖經〗 재보험에 가입시키다.

Retrozession *f.* -en ① 퇴각. ② 〔고어〕 재양도, 반환; 〖經〗 재보험.

Retsina *m.* -(s), -s (송진 맛이 나는) 그리스 백포도주.

rettbar [rɛ́tbaːr] *a.* 구할 수 있는, 살릴 가망이 있는.

*__retten__ [rɛ́tən] 《I》 *t.* ① 구하다, 구조〔구출〕하다, 해방하다: jm. das Leben ~ 누구의 목숨을 구하다; jm. vor dem Ertrinken ~ 누구를 익사 직전에 구해내다; jn. aus der Gefahr ~ 누구를 위험에서 구해내다; rettet! 사람 살려!; 〔구어〕 seine Haut 〔seinen Kopf〕 ~ 난처한 상황에서 빠져나오다, 위급한 상황을 모면하다; 〔구어〕 bist du noch zu ~? 너 미쳤냐?; 〔구어〕 nicht mehr zu ~ sein 완전히 이성을 잃다, 구제 불능이다; das Fest war gerettet 축제는 잘 진행되었다; die Situation ~ 난처한 상황을 무사히 넘기다. ② 보존〔유지〕하다: altes Kulturgut in die Gegenwart ~ 옛 문화재를 현재까지 보존하다. ③ 〖스포츠〗 막아내다: der Torwart rettete auf der Linie 골키퍼가 골 라인에서 막아냈다. 《II》 *refl.* sich ~ 구조〔모면·탈출〕하다, (안전 지대로) 피난하다: sich durch die Flucht ~ 도망하여 살아나다; sich vor dem Sturm ~ 폭풍을 피하다; rette sich, wer kann! 피할 수 있는 사람은 피하라!; 〔농담〕 귀찮은 사람이 오니 자리를 피하자!

Retter *m.* -s, - 구조자; 〖宗〗 구세주.

Retterin *f.* -nen ↑ Retter 의 여성형.

*__Rettich__ *m.* -s, -e 〖植〗 ① 무과 식물. ② (식용) 무.

Rettig [rɛ́tɪç] *m.* -(e)s, -e ↑ Rettich.

rettlos *a.* 〖海〗 구할 수 없는, 구조 가망이 없는.

*__Rettung__ [rɛ́tʊŋ] *f.* -en ① 구조, 구명, 구호; 탈출, 피난: jm. ~ bringen 누구를 구조하다; für ihn kommt jede ~ zu spät 그에게 구조의 손길은 너무 늦었다; an seine ~ denken 그를 도울 방도를 생각하다; js. (letzte) ~ sein 누구를 (아주) 위급한 상황에서 돕다; auf ~ hoffen 구조를 고대하다. ② 보호, 보존, 대피: die ~ Venedigs 베니스의 보존. ③ (öst.) (a) 구조대. (b) 구조 차량.

Rettungs·aktion *f.* 구조 활동〔작업〕. **~anker** *m.* ① 〖海〗 예비 닻. ② 위급할 때의 최후의 지주. **~anstalt** *f.* 구호소. **~apparat** *m.* 구명 기구. **~arbeiten** *pl.* 구조 작업. **~bake** *f.* 〖海〗 피난 표지. **~boje** *f.* 〖軍〗 구명 부표. **~bombe** *f.* 〖광산〗 광원 구출용 철제 원통. **~boot** *n.* 구명 보트. **~dienst** *m.* ① 구조 활동. ② 구조대〔반〕. **~flugzeug** *n.* 구급〔구조〕 비행기. **~gerät** *n.* 구명 장비. **~gesellschaft** *f.* 인명 구조회. **~gürtel** *m.* 구명대. **~haus** *n.* 구호소. **~hub·schrauber** *m.* 구급 헬리콥터. **~insel** *f.* 〖軍〗 대형 구명 고무보트. **~kommando** *n.* 조난 구조대〔구조반〕. **~leine** *f.* 구명 밧줄. **~leiter** *f.* 구명용 사다리.

rettungslos *a.* ① 구할 길 없는, 구조〔구제〕의 가망이 없는. ② 개선의 여지가 없는, 구제 불능인: die Sache ist ~ verfahren 그 일은 더 이상 해 볼 도리가 없게 되었다. ③ 〔비유〕 극도로, 완전히: ~ verliebt sein 사랑에 홀딱 빠져 있다.

Rettungs≈mannschaft *f.* (조난) 구조대[반·단]. **~medaille** *f.* 인명 구조 표창 메달. **~mittel** *n.* ① 구명 용구. ② 구조 수단. **~ring** *m.* ① 구명대. ②〔농담〕(허리의) 비곗살. **~sack** *m.* 구명대. **~sanitäter** *m.* 구조 의료 대원. **~schlauch** *m.* 구명용 긴 자루. **~schlitten** *m.* 구조용 운송 수단(썰매). **~schuß** *m.* 구조 사격. **~schwimmen** *n.* 인명 구조 수영(법). **~schwimmer** *m.* 수상 구조원. **~station** *f.* 구조[구호]소. **~versuch** *m.* 구조 시도. **~wache** *f.* ↑ ~station. **~wesen** *n.* 구조 제도[체제]. **~werk** *n.*〖총칭〗구조 사업, 구조 조치.

Return [ritœ́:rn, ritœrn, rɪtə́:n] 《engl.》 *m.* -s, -s ①〖구기〗되받아치기. ②〖컴〗리턴.

Retusche [retúʃə, ..tú:ʃə] 《frz.》 *f.* -n ① (사진 따위의) 수정: ohne ~n 있는 그대로. ② 수정한 부분.

Retuscheur [retuʃǿ:r] *m.* -s, -e 수정 전문가.

retuschieren [retuʃí:rən, ..tuʃ..] *t.* 수정하다: ein Foto ~ 사진을 수정하다.

Retuschierer *m.* -s, - ↑ Retuscheur.

Reuchlianer [rɔʏçliá:nər] *m.* -s, - 로이힐린 학파의 사람.

Reuchlin [rɔ́ʏçli:n] *m.* Johannes ~ 로이힐린(독일의 인문주의자, 1455-1522).

***Reue** [rɔ́ʏə] *f.* 후회, 회한, 회오, 참회: ~ über et. empfinden 무엇을 후회하다; Reue und Leid erwecken 통한의 마음을 불러일으키다; keine ~ zeigen 후회의 빛을 보이지 않다;〖法〗tätige ~ 유효한 회오.

Reue≈bekenntnis *n.* 후회[참회]의 고백. **~gefühl** *n.* 후회하는 마음, 개전의 정.

reuelos *a.* 후회하지 않는, 개전의 정이 보이지 않는.

***reuen** [rɔ́ʏən] *t.*〔사물이 주어〕후회하게 만들다: es reute ihn, daß er das Haus verkauft hatte 그는 그 집을 판 것을 아쉬워했다; die Geldausgabe reut ihn 그는 돈의 지출을 후회한다.

reue·voll *a.* ↑ reumütig.

Reu·gefühl *n.* ↑ Reuegefühl.

reuig [rɔ́ʏɪç] *a.* ↑ reumütig.

Reu≈geld *n.* ①〖法〗해약금, 위약금. ② (경마에서) 위약 배상금, 벌금. **~kauf** *m.* ↑ ~vertrag. **≈mütig** *a.* 후회하는, 반성의 빛이 있는.

reunieren [reyní:rən] *t.*〔교양〕재통일[통합]하다, 화해시키다.

Reunion[1] [re|unió:n] *f.* -en〔교양·고어〕(Wiedervereinigung) (재)결합, (재)연합, (재)통합, (재)통일.

Reunion[2] [re|ynĩɔ́:] *f.* -s〔교양·고어〕오락회, 사교 무도회.

Reunions·kammern *pl.*〖史〗(루이 14 세 때의) 합병 주무 관청.

Reuse [rɔ́ʏzə, ..ʃə] *f.* -n ① 어살(Fisch≈). ② 새 (잡는) 그물(Vogel≈).

Reuße [rɔ́ʏsə] *m.* -n, -n〔고어〕↑ Russe.

reüssieren [re|ʏsí:rən] 《frz.》 *i.* (h.)〔교양〕성공하다: er reüssierte als Komponist 그는 작곡가로서 성공했다.

Reute [rɔ́ʏtə] *f.* -n (obd.) 개간지.

reuten [rɔ́ʏtən] *t.* 뿌리째 뽑다; 개간하다.

Reuter [rɔ́ʏtər] *m.* ↑ Heu≈.

Reut≈feld [rɔ́ʏt..] *n.* 개간지. **~hacke, ~haue** *f.* 개간용 곡괭이.

Reu≈vertrag [rɔ́ʏ..] *m.*〖法〗위약 배상부의 매매 계약. **~zug** *m.*〖畫〗(소묘(素描)의) 추가 수정.

Rev. = Reverend 목사님, 신부님(성직자의 경칭).

Revakzination [revaktsinatió:n] *f.* -en〖醫〗재접종, 추가 접종.

revakzinieren [revaktsiní:rən] *t.* 재[추가] 접종하다.

revalieren [revalí:rən] *t.* ①〖商〗(빚을) 갚다, 변제하다. ②〔고어〕보상[배상]하다.

Revalierung *f.* -en〖商〗변제, 상환.

revalorisieren *t.* 원래의 가치로 회복시키다.

Revalorisierung [revalorizí:rʊŋ] *f.* -en〖經〗통화 가치의 회복.

Revalvation [..vatsión] *f.* -en〖經〗(통화의) 평가 절상.

revalvieren *t.*〖經〗평가 절상하다.

Revanche [revɑ̃́:ʃ(ə), ..váŋʃə] 《frz.》 *f.* -n ① 보복, 복수, 앙갚음: er brannte auf ~ für die Demütigung 그는 모욕에 대한 복수심에 불탔다. ②〔농담〕보답: ein kleines Geschenk als ~ für Babysitten 아이를 봐준 데 대한 보답으로서의 작은 선물. ③〖스포츠〗설욕[복수]의 기회; 설욕전, 리턴 매치.

Revanche≈foul [..faul] *n.*〖스포츠〗보복 반칙. **~kampf** *m.* ↑ ~spiel. **~krieg** *m.* 보복[복수]전(쟁). **≈lustig** *a.* 보복할 기회를 노리는. **~partie** *f.* ↑ ~spiel. **~politik** *f.* 보복 정책. **~spiel** *n.*〖스포츠〗설욕[복수]전.

revanchieren [..vɑ̃ʃí:.., ..vaŋʃ..] 《frz. revancher》 *refl.* sich ~ ① 보복[복수]하다, 앙갚음하다: er wartete auf eine passende Gelegenheit, sich zu ~ 그는 보복할 적당한 기회를 기다렸다. ②〔농담〕보답[답례]하다: sich bei jm. für eine Einladung ~ 누구의 초대에 답례하다. ③〖스포츠〗설욕[전]을 치르다.

Revanchismus [revɑ̃ʃísmʊs, ..vaŋʃ..] *m.* -〖政〗보복주의.

Revanchist *m.* -en, -en〖政〗보복주의자.

revanchistisch *a.*〖政〗보복주의적인.

Reveille [..vɛ́ljə, ..ɛ́:jə] 《frz.》 *f.* -n〖軍·고어〗기상 나팔[신호].

Revenue [rəvəný:] 《frz.》 *f.* -n [..ý:ən]〔교양〕수입, 소득.

Reverberation [revɛrbəratsió:n] 《lat.》 *f.* -en 반사.

reverberieren *t.* 반사시키다.

Reverberier·ofen [revɛrbərí:r..] *m.* 반사로(爐).

Reverend [rɛ́vərant, ..rənd] *m.* -s, -s ① (영어권에서의) 성직자에 대한 경칭[호칭]. ② 성직자, 신부, 목사.

Reverenz [reverɛ́nts] 《frz.》 *f.* -en ① 경의, 존경, 존중: die ~ erweisen 경의를 표하다. ② 경의를 표함, 절, 경례: eine ~ machen 절을[인사를] 하다.

Reverie [rɛvərí:] 《frz.》 *f.* -n [..rí:ən]〖음악〗환상곡, 몽상곡.

Revers[1] [revé:r, ..vɛ:r, rə..] *n./m.* -, - 옷깃[칼라]의 젖힌 부분: eine Brosche am ~ tragen 옷깃에 브로치를 달고 다니다.

Revers[2] [revɛ́rs] (frz. [rəvɛ́:r]) *m.* -es, -e [(frz.) -, - [..vɛ:r]]〖화폐〗(동전·메달의) 뒷

면(↔ Avers).
Revers[3] [revɛ́rs] *m.* -es, -e 〖法〗 채무 증서.
reversibel [revɛrzí:bəl] *a.* ① 전도할〔뒤집을〕 수 있는; 가역성(可逆性)의. ②〖醫〗 치료될 수 있는, 치유 가능한.
Reversibilität [revɛrzibilitɛ́:t] *f.* 가역성(可逆性), 역행성(↔ Irreversibilität).
Reversible [revɛrzí:bl] 《Ⅰ》 *m.* -s, -s [..bls] 〖섬유〗 양면 겸용 천. 《Ⅱ》 *n.* -s, -s 양면 겸용〔뒤집어 입을 수 있는〕 옷.
Reversion [revɛrzió:n] *f.* -en ① 전도, 역전, 전도; 이면. ②〖生〗 격세 유전.
Revers·system *n.* 〖經〗 관리 가격제.
Revident [revidɛ́nt] *m.* -en, -en ①〖法〗 상고인. ② (öst.) (**a**) 고위 관직의 칭호. (**b**) 고위 관직(재직)자. ③〔고어〕 검열관, 검사관.
revidieren 《lat.》 *t.* ① 검사하다, 검열하다; 검색〔수색〕하다: die Kasse ~ 회계를 감사하다. ② 고치다, 수정하다; 개정하다: revidierte Fassung 개정판.
***Revier** [..ví:*r*] 《frz.》 *n.* -s, -e ① (담당) 구역, (활동) 영역, (관할) 지구: das ist nicht mein ~ 그것은 내 소관이 아니다. ② (**a**) 〖생태학〗 서식 지역. (**b**) 〖광산〗 광구(鑛區). (**c**) (관할) 영림 구역(Forst≈). (**d**) 사냥 구역(Jagd≈). (**e**) 관할 경찰서(Polizei≈): zur Überprüfung seiner Personalien mußte er mit aufs ~ 신원 조회 때문에 그는 경찰서로 함께 가야 했다. (**f**) 공업 지역(Industrie≈). ③〖軍〗 (**a**) 병영의 숙소. (**b**) (병영 내의) 병실, 의무실.
revieren [reví:rən] *t.* 〖사냥〗 ① (사냥개가) 샅샅이 뒤지다. ② (사냥꾼이 사냥 지역을) 조사하다.
Revier≈förster [reví:*r*..] *m.* 산림 감시인. **≈krank** *a.* 〖軍〗 영내 의무실에서 치료 중인, 병세가 가벼운. **~kranke*** *der* 〖軍〗 의무실 환자, 경환자.
Review [rivjú:] 《engl.》 *f.* -s ① 개관, 전망. ② (영미 잡지의 표제로서) 평론, 평론지.
Revindikation *f.* -en 〖法·고어〗 반환 청구.
revindizieren *t.* 반환 청구하다.
Revirement [revirəmã́] 《frz.》 *n.* -s, -s [..mã:s] ①〔교양〕 (특히 외교관의) 경질, 개각. ②〖海〗 방향 전환, (배의) 선회. ③〖商〗 청산.
***Revision** [revizió:n] 《lat.》 *f.* -en ① 검사, 검열, 검색; 〖印〗 교정, 교열; 〖經〗 회계 감사: eine ~ des Gepäcks 짐 검사: eine ~ der Bilanz vornehmen 결산 회계 감사를 하다. ② 고침, 수정, 개정, 변경: die ~ eines Gesetzes 법의 개정. ③〖法〗 상고: gegen ein Urteil ~ beantragen 판결에 불복해 상고하다.
Revisionismus *m.* - 〖政〗 ① 수정주의, 개량주의. ② 수정 (사회)주의.
Revisionist *m.* -en, -en 수정 (사회)주의자, 개량주의자.
revisionistisch *a.* 수정 (사회)주의(자)의.
Revisions≈antrag *m.* 〖法〗 상고 신청(서). **≈bedürftig** *a.* 개정〔변경〕이 필요한. **~bogen** *m.* 〖印〗 교정쇄. **~frist** *f.* 〖法〗 상고 기한. **~gericht** *n.* 〖法〗 상고 법원. **~hof** *m.* ↑ ~gericht. **~prozeß** *m.* 〖法〗 상고 소송. **~urteil** *n.* 〖法〗 상고심 판결. **~stelle** *f.* 검사소. **~verfahren** *n.* 〖法〗 상고 절차. **~verhandlung** *f.* 〖法〗 상고심(리).
Revisor [reví:zɔr, ..zo:*r*] 《lat.》 *m.* -s, -en [..zó:rən] ① (Bücher≈) 회계 검사관, 세무사. ② 시험관, 검사관. ③〖印〗 최종 교열자.
revitalisieren *t.* 재생〔소생〕시키다, …의 생기를 회복시키다; 〖生〗 자연적 균형을 회복하다: Biotope ~ 생태계를 복원하다.
Revitalisierung *f.* -en 재생, 재활성화.
Revival [rɪváɪvəl] 《engl.》 *n.* -s, -s 재상연, 재공연, 리바이벌.
Revokation [revokatsió:n] *f.* -en 취소, 철회.
Revolte [revɔ́ltə] *f.* -n 반란, 폭동, 봉기: eine ~ bricht aus 봉기가 일어난다.
revoltieren [revɔltí:rən] *i.* (h.) ① 반란을 일으키다, 봉기하다: die Arbeiter ~ 노동자들이 봉기한다; 〔비유〕 mein Magen revoltiert mir 나는 속이 거북하다. ② 반항하다, 대들다: gegen et. ~ 무엇에 반항하다.
***Revolution** [..tió:n] *f.* -en ① 혁명, 전복: die Französische〔Russische〕 ~ 프랑스〔러시아〕 혁명; eine blutige ~ 유혈 혁명; eine ~ bricht aus 〔wird niedergeschlagen〕 혁명이 일어난다〔진압된다〕; die industrielle ~ 산업 혁명. ② 혁신, 변혁, 급변: eine ~ in der Mode 유행의 혁신. ③〖天〗 (위성의) 공전(公轉). ④〖카드〗 (스카트를 더 이상 받아서는 안 될 때) 자기 카드를 펼쳐 보임.
Revolutionär *m.* -s, -e ① 혁명가. ② 개혁가, 혁신자: ein ~ in der Medizin 의학 분야의 개혁가.
revolutionär [..lutsionɛ́:*r*] *a.* 혁명의, 혁명적인; 혁신적인: ~e Erkenntnisse auf dem Gebiet der Genforschung 유전자 연구(분야)의 혁신적인 지식〔인식〕.
Revolutionärin *f.* -nen ↑ Revolutionär 의 여성형.
revolutionieren [..tsio..] *t.* ① 변혁시키다, 근본적으로 바꾸다: eine ~de Erfindung 혁명적인 발명. ② 선동하다, …에게 혁명 정신을 고취시키다: die Massen ~ 대중을 혁명으로 이끌다. ③ 혁명〔반란〕을 일으키다.
Revolutionierung *f.* -en ↑ revolutionieren 의 명사형.
Revolutions≈führer *m.* 혁명 지도자. **~gericht** *n.* 혁명 재판소. **~rat** *m.* 혁명 (최고) 회의. **~regierung** *f.* 혁명 정부. **~tribunal** *n.* 〖史〗 (프랑스 혁명 때 자코뱅파가 세운) 혁명 (특별) 재판소. **~wirren** *pl.* 혁명의 소용돌이. **~zeit** *f.* 혁명 시대.
Revoluzzer [revolútsər] *m.* -s, - 〔폄어〕 사이비 혁명가, 혁명가인 체하는 사람.
Revolver [..vɔ́lvər] 《engl.》 *m.* -s, - (회전식) 연발 권총: den ~ laden 연발 권총을 장전하다.
Revolver≈blatt *m.* 〔폄어〕 선동(적) 신문, 저급 신문. **~dreh·bank** *f.* 포탑 선반. **~geschütz** *n.* ↑ ~kanone. **~gewehr** *n.* 소구경 속사포. **~held** *m.* 걸핏하면 총질하는 무뢰한. **~kanone** *f.* 〖軍〗 소(小)속사포. **~kugel** *m.* 연발 권총알. **~presse** *f.* 선동적〔선정적〕 신문; (인신 공격을 일삼는) 악덕 신문. **~schaltung** *f.* 〖車〗 T 형 기어 변환 장치. **~schnauze** *f.* 〔구어·폄어〕 ① 험담, 독설: er hat eine ~ 그는 입이 걸다. ② 험담꾼, 독설가.
revolvieren *t.* 거꾸로 돌리다, 역전시키다;

〖經〗 회전〔순환〕시키다.
Revolving≈geschäft [rɪvɔ́lvɪŋ..] *n.* 〖經〗 회전 신용 사업. **~kredit** *m.* 〖經〗 ① 회전 신용 계좌. ② 장기 갱신 신용.
revozieren [revotsí:rən] *t.* 〖교양〗 취소하다, 철회하다.
***Revue** [revý:, rə..] 《frz.》 *f.* -n [..vý:ən] ① 검열, 〖軍〗 사열, 열병: ~ passieren 사열하다; ~ passieren lassen (사열하듯) 차례차례 머리 속에 떠올리다. ② 비평, 평론; 평론지: eine literarische ~ 문예 평론지. ③〖연극〗 리뷰(화려한 장식과 음악·춤이 있는 무대극); 리뷰 극단.
Revue≈film *m.* 리뷰 영화. **~girl** [..gə:rl] *n.* 리뷰 걸. **~theater** *n.* 리뷰 극장.
Reyon [rɛjɔ̃́:] 《am.》 *m./n.* - ↑ Rayon².
Rezensent [retsɛnzɛ́nt] 《lat.》 *m.* -en, -en 비평〔평론〕가.
Rezensentin *f.* -nen ↑ Rezensent 의 여성형.
rezensieren [retsɛnzí:rən] *t.* 비평〔평론〕하다.
***Rezension** *f.* -en ① 비평, 서평, 평론: das Buch bekam gute ~en 그 책은 호평을 받았다. ② (원전에 충실한) 비평판 (제작).
Rezensions≈exemplar *n.* 비평용 기증본. **~stück** *n.* ↑ ~exemplar.
rezent [retsɛ́nt] 《lat.》 *a.* ① (↔ fossil) 현존하는, 현재 살아 있는; 생성되고 있는: eine als ~ anzusehende Theorie 발전 가능성이 있다고 인정되는 이론; ~e Tiere 현존하는 동물. ②〔방언〕 새콤한, 매콤한.
Rezepisse[retsepíse]*n.* -(s), -〔(öst.) *f.* - *n.*〕 (우편물의) 영수증, 배달 증명서.
***Rezept** [retsɛ́pt] *n.* -(e)s, -e ① 요리법, 제과법: ein neues ~ ausprobieren 새로운 요리법을 시험해 보다. ② 처방(전): dieses Medikament ist nur auf ~ erhältlich 이 약은 처방전이 있어야만 구할 수 있다. ③〔비유〕 특효약, 방법: das ist ein gutes ~ gegen deine Angst 이것은 네 두려움을 없애 주는 좋은 방법이다.
Rezept≈block *m.* 처방철(綴). **~buch** *n.* 요리책. **~frei** *a.* 처방전이 필요 없는: ein ~es Medikament 처방전 없이 구입할 수 있는 약.
rezeptieren *t.* 처방하다, 처방전을 쓰다: ein Medikament ~ 약을 처방해 주다.
Rezeptier·kunst *f.* 처방술.
Rezeption [..tsió:n] *f.* -en ① 수용, 인수, 받아들임; 〖法〗 계수(繼受); 신입생의 (동아리) 입회. ② (문학 작품의) 수용, 이해. ③ (호텔의) 접수대, 프런트: den Schlüssel an der ~ holen 접수대에서 열쇠를 받아오다. ④〖生〗 (자극의) 수용, 인지.
Rezeptions≈ästhetik *f.* 수용(受用) 미학. **~geschichte** *f.* 수용사(史). **~termin** *m.* 면회일.
rezeptiv [..tí:f] *a.* (↔ produktiv) ① 수용력 있는, 수용적인, 받아들이는. ② 감수성이 있는; 민감한.
Rezeptivität [..tivitɛ́:t] *f.* 감수성, 수용성.
Rezeptor [retsɛ́ptɔr, ..to:r] *m.* -s, -en [..tó:rən] ①〔고어〕 수령자, 수용자. ②〖生·생리〗 수용기〔체〕.
Rezept≈pflicht *f.* 처방전 의무. **~pflichtig** *a.* 처방전이 필요한: ein ~es Medikament 처방전이 꼭 필요한 약.
Rezeptur [retsɛptú:r] *f.* -en ① (약품의) 조제; 조제실. ② 배합. ③ 음식물의 조리.
Rezeß [retsɛ́s] *m.* ..zesses, ..zesse ①〖法·고어〗 협정, 타협, 화해. ② (의회의) 휴회. ③〖商〗 지급금.
Rezession [retsɛsió:n] *f.* -en 〖經〗 경기 후퇴, 불경기.
Rezessions·phase *f.* 〖經〗 경기 후퇴기(국면).
rezessiv [..sí:f] *a.* ①〖유전〗 열성(劣性)의 (↔ dominant). ②〖經〗 경기 후퇴〔불경기〕의.
Rezidiv *n.* -s, -e [..və] ① 재발. ② 재범.
rezidiv [retsidí:f] *a.* ①〖醫〗 재발의. ②〖法〗 재범(再犯)의.
rezidivieren [retsidiví:rən] *i.* (병이) 재발하다.
Rezipient [retsipiɛ́nt] *m.* -en, -en ① 수용자, 감상자. ②〖物〗 배기종(排氣鍾).
rezipieren *t.* 받아들이다, 수용하다; 감상〔이해〕하다.
reziprok [retsipró:k] *a.* 상호의, 상관의; 호혜의; 역(逆)의: ~es Pronomen 상호 대명사; 〖數〗 ~e Zahlen 역수(逆數).
Reziprozität [..tsitɛ́:t] *f.* -en 상호 연관, 상호 관계; 호혜.
Rezital [retsitá:l] *n.* -s, -s 독창〔독주〕회, 리사이틀(Recital).
Rezitation [retsitatsió:n] *f.* -en 낭독, 낭송, 낭음(朗吟).
Rezitativ [..tí:f] *n.* -s, -e [..və] 〖음악〗 서창(敍唱), 레치타티보.
rezitativisch *a.* 서창적인, 서창조의.
Rezitator [retsitá:tɔr, ..to:r] *m.* -s, -en [..tó:rən] (문학 작품의) 낭독자.
rezitieren [retsití:rən] *t.* 서창하다; 낭독하다.
rf., rfz. =rinforzando 특히 강하게.
R-Gespräch [ɛ́r..] *n.* 〔R=Rückfrage〕 〖통신〗 수신자 부담 통화, 컬렉트 콜.
Rgt. =Regiment 연대.
Rh 〖化〗 =Rhodium 로듐.
rh, Rh =Rhesusfaktor RH 인자.
Rhabarber [rabárbər] *m.* -s, - 〖植〗 대황(大黃); 대황 줄기.
Rhabarber≈kompott *n.* 대황의 설탕 조림 요리. **~kuchen** *m.* 대황 과자.
Rhabdom [rapdó:m] *n.* -s, -e 〖醫〗 간상(桿狀) 세포, 간상체.
Rhachitis [raxí:tɪs] 《gr.》 *f.* ↑ Rachitis.
Rhagade *f.* -n 〖醫〗 (추위에 의한 피부의) 갈라짐, 터짐, 균열.
Rhapsode [rapsó:də, ..pz..] *m.* -n, -n (고대 그리스의) 음유 시인.
***Rhapsodie** [rapsodí:, ..pz..] *f.* -n [..dí:ən] ①〖문학〗 **(a)** (고대 그리스의 음유 시인이 음송하던) (서사)시. **(b)** (특히 독일의 질풍 노도기의) 광상적 자유시. ②〖음악〗 광상곡, 랩소디: die Ungarische ~ von Franz Liszt 리스트의 헝가리 광상곡.
rhapsodisch *a.* ①〖문학·음악〗 랩소디의, 음유 서사시의; 광상곡의; 형식이 자유로운. ②〔교양〕 단편적인, 연관성이 없는.
Rhät [rɛ:t] *n.* -s ↑ Rät.
***Rhein** [raɪn] *m.* -(e)s 라인강(독일의 큰 강).
rhein≈ab [raɪnáp], **~abwärts** [..ápvɛrts] *ad.* 라인강 하류로〔아래로〕. **~auf** [raɪn|áuf]

~**aufwärts** [..|áufvɛrts] *ad.* 라인강 상류로. **Rhein=bund** [ráɪn..] *m.* 라인 동맹(나폴레옹 1세 통치 때의 독일 제후의 동맹; 1806-13). ~**fahrt** *f.* 라인강 선박 여행. ~**fall** *m.* (스위스 Schaffhausen 부근의) 라인 폭포. ~**gau** *m.* 라인가우(독일의 Hessen 지방). ~**hessen** 라인헤센(독일의 중부 지역).

rheinisch [ráɪnɪʃ] *a.* 라인강의, 라인 지방의: das ≈e Schiefergebirge 마인츠 이북의 라인강 양편에 걸쳐 있는 산맥.

rheinisch-westfälisch 라인베스트팔렌 지방의.

Rhein=land *n.* 〔복수: -e〕 라인란트(라인강 중류 및 하류 지역). ~**lande** *pl.* 라인란데(라인강 연안 프랑켄 지역). ~**länder** *m.* ① 라인란트의 주민. ② 라인폴카(2/4 박자의 사교춤). ~**ländisch** *a.* 라인란트의. ~**land-Pfalz** *f.* 라인란트팔츠(독일의 주). ~**-Main--Donau-Groß·schiffahrts·straße** *f.* (라인강과 도나우강을 연결하는) 라인마인도나우 대운하. ~**provinz** *f.* (옛 프로이센의) 라인주. ~**schiffahrt** *f.* 라인강 선박 운행. ~**wein** *m.* 라인 포도주.

rhenanisch [renáːnɪʃ] *a.* ↑ rheinisch.

Rhenium [réːnium] *n.* -s 〖化〗 레늄(기호: Re).

rheo.. *pref.* "강(물)·흐름·물"의 뜻.

Rheologie [reologíː] *f.* 〖物〗 유동학(流動學).

Rheometer *n./m.* -s, - 〖전기〗 전류계.

Rheostat [reostáːt] *m.* -(e)s/-en, -e(n) 〖전기〗 (가감) 저항기.

Rhesus [réːzus] *m.* -, - ↑ ~affe.

Rhesus=affe [réːzus..] *m.* 〖動〗 (인도 원산의) 붉은털원숭이. ~**faktor** *m.* 〖醫〗 Rh인자(붉은털원숭이의 혈액에서 발견됨).

Rhetor [réːtɔr, toːr] 《gr.》 *m.* -s, -en [..tóːrən] ① 연설가, 웅변가. ② 수사학자.

***Rhetorik** [retóːrɪk] *f.* -en ① 웅변술, 수사학. ② 수사학 교본.

Rhetoriker [retóːrikər] *m.* -s, - ① 웅변가. ② 수사학자.

rhetorisch *a.* ① 수사학의, 수사적인: ~e Frage 수사학적 질문. ② 연설을 잘하는, 능변의, 웅변조의: er ist ~ sehr begabt 그는 매우 말재주가 좋다. ③ 미사여구를 늘어놓는, 말치레하는; 공허한.

Rheuma [rɔ́yma] *n.* -s 〖醫〗〖↑ Rheumatismus의 단축형〗 류머티즘.

Rheuma=bad *n.* 류머티즘(환자용) 온천(장). ~**klinik** *f.* 류머티즘 전문 병원.

Rheumatiker *m.* -s, - 〖醫〗 류머티즘 환자.

rheumatisch *a.* ① 류머티즘성(性)의. ② 류머티즘에 걸린.

Rheumatismus [rɔymatísmus] *m.* -, ..men 〖醫〗 류머티즘.

Rheumatologe [..tolóːgə] *m.* -n, -n 류머티즘 전문의.

Rheumatologie [..logíː] *f.* 류머티즘 (치료)학.

rheumatologisch *a.* ↑ rheumatisch.

Rheuma·wäsche *f.* 류머티즘 환자용 내의.

Rh-Faktor [ɛrhá..] *m.* ↑ Rhesusfaktor.

rhin.. *pref.* ↑ rhino...

Rhinitis [riníːtɪs] 《gr.》 *f.* ..tiden [..tíːdən] 〖醫〗 비염, 비(鼻)카타르.

rhino.. 《lat. rhis, „Nase"》 *pref.* "코의, 코와 관련된"의 뜻.

Rhinolalie *f.* 콧소리.

Rhinologie [rinologíː] *f.* 〖醫〗 비과학(鼻科學).

Rhinoplastik *f.* -en 조비술(造鼻術), 코 성형술.

Rhinoskop *n.* -s, -e 조비경(照鼻鏡).

Rhinoskopie [..skopíː] *f.* -n [..píːən] 비경(鼻鏡) 검사(법), 검비(檢鼻)(법).

Rhinozeros [rinóːtserɔs] *n.* -(ses), -se ① 〖動〗 코뿔소. ② 〔비속〕 멍청이, 바보.

Rhizom [ritsóːm] *n.* -s, -e 〖植〗 뿌리줄기, 근경(根莖).

Rhizopode [ritsopóːdə] *m.* -n, -n 근족충(根足蟲) (Wurzelfüßer).

Rhld. = Rheinland 라인주, 라인 지방.

Rh-negativ *a.* 〖醫〗 Rh 음성 반응의.

Rho [roː] *n.* -(s), -s 그리스어 자모의 17 번째 자(P, ρ).

Rhodamin [rodamíːn] *n.* -s, -e 〖化〗 로다민(염색·착색용 붉은 색소).

Rhodan *n.* -s 〖化〗 로단($(SCN)_2$).

Rhodeländer [róːdəlɛndər] *m.* -s, - 〖動〗 로드랜더〔로드아일랜더〕(미국 로드아일랜드산(産)의 적갈색 닭).

rhodinieren *t.* …에 로듐으로 도금하다.

Rhodium [róːdium] 《gr.》 *n.* -s 〖化〗 로듐(약어: Rh).

Rhododendron [rododɛ́ndrɔn] 《gr.》 *m./n.* -s, ..dren 〖植〗 (진달랫과 식물) 만병초, 석남(石南).

Rhodos [róːdɔs, rɔ́dɔs] *n.* 로도스(지중해에 있는 그리스령의 섬).

Rhomben·dodekaeder 《gr.》 *n.* -s, - 〖기하〗 사방 12 면체.

rhombisch [rɔ́mbɪʃ] 《gr.》 *a.* 마름모꼴의, 사방형(斜方形)의.

Rhomboeder [rɔmbo|éːdər] *n.* -s, - 〖기하〗 사방(斜方) 6 면체.

Rhomboid [rɔmboíːt] *n.* -(e)s, -e 〖기하〗 평행 4 변형, 장사방형(長斜方形).

Rhombus [rɔ́mbus] *m.* -, ..ben 마름모꼴, 사방형(斜方形).

Rhön [røːn] *f.* 뢴(중부 독일의 산악 지역).

Rhone [róːnə] *f.* (프랑스의) 론강.

Rhön·rad *n.* 〖스포츠〗 후프(쇠바퀴 안에 서서 회전하는 운동 기구; Rhön 지방에서 처음으로 사용됨).

Rhotazismus [rotatsísmus] 《lat.》 *m.* -, ..men 〖언어〗 r-음화 (현상)(s 음이 r 음으로 변하는 현상; 보기: kiesen, kor, gekoren).

Rh-positiv *a.* 〖醫〗 Rh 양성 반응의.

Rhythmen [rʏ́tmən] ↑ Rhythmus의 복수형.

Rhythmik [rʏ́tmɪk] 《gr.》 *f.* ① 율동성, 리듬성. ② 율동학; 〖음악〗 리듬론, 리듬 교육. ③ 리듬 체조.

Rhythmiker [rʏ́t..] *m.* -s, - 율동학자, 리듬〔율동〕을 중시하는 음악가.

***rhythmisch** [rʏ́t..] *a.* ① 율동적인, 리드미컬한; 주기적인: ~e Gymnastik 리듬 체조. ② 리듬에 관한, 리듬의: ~e Instrumente 리듬 악기.

Rhythmizität *f.* 주기성(週期性).

***Rhythmus** [rʏ́tmus] *m.* -, ..men ① 〖음악〗 율동, 리듬: im ~ tanzen 리듬에 맞춰 춤추

다; den ~ mitklatschen 리듬에 맞춰 손뼉치다. ②〖문학〗(고저·장단에 따른 말의) 리듬. ③주기적 변화, 규칙적 반복: der ~ der Gezeiten 밀물과 썰물의 주기.

Rhythmus≈gitarre [rʏ́t..] *f.* 리듬 기타. **~gruppe** *f.* 리듬 악기조(組). **~instrument** *n.* 리듬 악기.

Ria [ríːa] 〖↑ Maria 의 축소형〗리아(여자 이름).

Rial [riáːl] 《pers.》 *m.* -s, - 리알(이란의 화폐 단위; 약어: Rl).

RIAS [ríːas] =Rundfunk im amerikanischen Sektor (von Berlin) (옛 서베를린의) 미국 점령 지구 방송국.

Ribattuta *f.* ..ten 〖음악〗 리바투타(떤꾸밈음〔전음〕의 일종).

ribbel·fest *a.* 문질러도 갈라지지〔찢어지지〕 않는.

ribbeln [rɪ́bəln] *t.* 〖방언〗① (엄지와 검지로) 문지르다, 부비다. ② (삼을) 훑다.

Ribisel [ríːbiːzəl] *f.* -n (öst.) 〖植〗 구스베리 (Johannisbeere).

Riboflavin [riboflavíːn] *n.* -s, -e 〖생화학〗 리보플라빈(비타민 B_2 의 화학명).

Ribonuklein·säure [..nukleíːn..] *f.* 리보 핵산(RNS).

Ricarda [rikárda] *f.* 리카르다(여자 이름).

..rich 《kelt. „König"》 *suf.* 남자 이름의 후철 (보기: Dietrich).

Richard [rɪ́çart] *m.* 리하르트(남자 이름).

Richelieu·stickerei [rɪʃəliǿ..] *f.* 리슐리외 자수, 백지(白地) 자수(프랑스인 Richelieu 의 이름에서).

richt [rɪçt] *adv.* (ndd.) (geradeaus) 똑바로, 직진하여.

Richt≈antenne [rɪ́çt..] *f.* 〖방송〗 지향성(指向性) 안테나. **~bake** *f.* 〖海〗 항로 표지. **~balken** *m.* (다리의) 가름도리. **~baum** *m.* 상량식 때 용마루에 세우는 나무. **~beil** *n.* 참수용 도끼. **~blei** *n.* 측추(測錘), 중추(重錘) 수준기. **~block** *m.* 단두대. **~bogen** *m.* 〖軍〗 호형(弧形) 조준기〔구(具)〕. **~charakteristik** *f.* 〖무전〗 전자파의 진행 방향.

Richte [rɪçtə] *f.* ①방향. ②똑바른〔올바른〕 방향, 직선; 최단로(路): in die ~ gehen 똑바로〔최단 거리로〕 가다; aus der ~ kommen 길을 벗어나다, 혼란〔무질서〕해지다; in die ~ bringen 똑바로 하다, 정돈하다. ③표준, 기준.

Richt·eisen *n.* 〖工〗 교직간(矯直桿).

***richten** [rɪ́çtən] 《<recht》《Ⅰ》 *t.* ① 똑바르게〔곧게〕 하다, 바로잡다; 가지런히 하다, 정렬〔정돈〕하다; 조정〔조절〕하다, 맞추다; 〖건축〗 세우다, 상량하다: eine Antenne ~ 안테나를 조정하다; Betten ~ 침대를 정돈하다; Fallen ~ 함정을 만들다; ein Fernrohr auf et. ~ 망원경을 무엇 쪽으로 돌리다; ein Haus ~ 집을 상량하다; das Schiff ~ 출항을 준비하다; die Segel (nach dem Winde) ~ (바람 방향으로) 돛을 세우다; einen Streit ~ 싸움을 조정하다; den Tisch für die Gäste ~ 손님을 위해 식탁을 차리다; die Uhr 〔den Zeiger der Uhr〕 ~ 시계를 맞추다; einen Knochenbruch ~ 탈골을 교정하다; sich die Haare ~ 머리카락을 가지런히 하다. ② 향하게 하다; …의 방향을 바꾸다〔정하다〕, 돌리다; 〖軍〗 조준하다; (글이나 말로 누구에게) 향하다〔묻다·청하다·쓰다〕: eine Bitte 〔einen Brief, eine Frage〕 **an** jn. ~ 누구에게 청원〔편지, 질문〕 하다; seine Aufmerksamkeit **auf** et. ~ 무엇에 주의를 기울이다; 〖비유〗 seine Wut auf jn. ~ 누구에 대하여 격노하다; das Geschütz **gegen** den Feind ~ 포를 적을 향해 조준하다; den Blick **in** die Ferne ~ 먼 곳을 바라보다; et. ins Werk ~ 무엇을 실행에 옮기다; 〖비유〗 seine Pläne auf ein bestimmtes Ziel ~ 자신의 계획들을 특정 목표에 맞추다; das Schiff **nach** Norden ~ 뱃머리를 북으로 돌리다; et. **zu** Grunde〔zugrunde〕 ~ 무엇을 파멸시키다; die Antwort ist dahin (hin)gerichtet, daß ... 답은 …과 같다. ③〖雅語〗 처형하다: er ist gerichtet worden 그는 처형되었다. 《Ⅱ》 *refl.* sich ~ ① (일정한 방향으로) 향하다, 몸을 돌리다: sich in die Höhe ~ 일어서다; rechts richt't euch! 우로 나란히!; der Magnet richtet sich nach Norden 자석이 북쪽을 가리키고 있다; der Aufruf richtet sich an alle 그 호소는 모든 사람을 향한 것이다; sich auf et. ~ 무엇을 준비〔각오〕하다. ② (무엇에) 따르다, 순응하다; 표준삼다: sich nach et.[3] ~ 무엇을 표준으로 삼다, 따르다; sich nach js. Befehl ~ 누구의 명령에 따르다; sich nach den Umständen ~ 상황에 순응하다; sich nach den Vorschriften ~ 규정을 따르다. 《Ⅲ》 *i.* (h.) 재판하다, 판결하다, 심판하다: milde〔streng〕 ~ 가볍게〔엄하게〕 벌하다; über jn.〔et.〕 ~ 누구〔무엇〕에 대하여 심판하다.

***Richter** [rɪ́çtər] *m.* -s, - ①〖法〗 재판관, 사법관, 판사: oberster ~ 최고 재판관; jn. vor den ~ bringen 누구를 법정에 세우다, 고발하다; 〖속담〗 ein ~ soll zwei gleiche Ohren haben 재판관은 공평무사해야 한다. ②판정자〔관〕, 심판, 심사원: der höchste ~ 신; sich zum ~ über et. aufwerfen a) 무엇의 판정자로 자처하다, b) 무엇을 깔보다. ③〖聖〗 das Buch der ~ 사사기(士師記). ④조정자; 〖軍〗 조준수(照準手).

Richter·amt *n.* 판사〔재판관〕직.

Richterin *f.* -nen ↑ Richter 의 여성형.

richterisch *a.* ①재판관다운. ②준엄한, 엄격한.

Richter·kollegium *n.* 〖法〗 재판관 일동, 판사진.

richterlich *a.* 재판관〔판사〕의; 재판소의, 사법의: ~es Urteil 판결; ~e Gewalt 사법권.

Richterschaft *f.* -en 〖法〗 재판관〔판사〕의 총칭.

Richter·schwert *n.* 참수용 칼.

Richter-Skala [rɪ́çtərskaːla] *f.* 리히터 지진계(미국의 지진학자 C. F. Richter 의 이름에서).

Richter≈spruch *m.* ①〖法〗 판결. ②〖승마〗 심판의 판정. **~stand** *m.* ①판사의 지위〔신분〕. ②〖총칭〗 재판관, 판사. **~stuhl** *m.* 〖雅語〗 판사〔법관〕석; 판사의 직무: auf dem ~ sitzen 판사직을 수행하다; vor Gottes ~ treten 죽다.

Richt≈fall [rɪ́çt..] *m.* 〖문법〗 지배격. **~fest** *n.* (건물의) 상량식. **~feuer** *n.* 〖海〗 유도 신호등. **~funk** *m.* 〖통신〗 지향성 무선 통신. **~geschwindigkeit** *f.* 〖교통〗 권장 속도.

~holz *n.* ↑ ~scheit.

***richtig** [rɪ́çtɪç] 《<recht》 《Ⅰ》 *a.* ① (↔ falsch) (올)바른, 틀림없는; 정확한; 참된, 진실한; 실제의, 사실상의; 진짜의; 적격인, 적절〔적당·마땅〕한; 공정〔공평〕한, 정당한; 조화된, 꼭 맞는; 정상적인, 어울리는, 기대에 맞는; 정식〔정규〕의; 곧은; 솔직〔정직〕한: der ~e Weg 정도(正道); eine ~e Antwort 정답; eine ~e Meile 꼭 1마일; ein ~es Urteil 올바른 판단; sein ~es Kind 그의 친자식; der ~e Berliner 토박이 베를린 사람; der ~e Zeitpunkt 적당한 시기; der ~e Mann am ~en Platz 적재적소의 사람; das ~e Maß halten 도를 지나치지 않다, 중용을 지키다; et. ins ~e Licht rücken 무엇을 분명하게 설명하다; 〖구어·비유〗 nun ist sie im ~en Fahrwasser 그녀가 이제 제 물〔세상〕을 만났다; 〖구어〗 er hat das ~e Parteibuch in der Tasche 그는 집권 당원으로서 전도가 양양하다; wir hatten seit Jahren keinen ~en Sommer mehr 우리는 여러 해 동안 여름다운 여름을 맞지 못했다; et. beim ~en Namen nennen 무엇을 아주 솔직하게 말하다; das ist die ~e Sorte 그것은 진짜다, 그것으로 족하다; er ist ein ~er Feigling 그는 진짜 겁쟁이다. ② 〖서술적으로〗 정돈된, 질서 잡힌; 다 해치운, 마친; 조정된; (사이가) 원만한, 조화로운; 결정된: mach's ~! 정돈해라!; mit jm. ~ sein 누구와 잘 지내고〔협조하고〕 있다; das 〔die Sache〕 ist ~ 그것은 결정〔낙착〕되었다; ist alles ~? 만사가 잘 되고 있는가?; er hat alles ~ gemacht 그는 모든 것을 잘 처리했다, 그는 다 지급했다; es ist zwischen ihnen schon alles ~ 그들 사이는 이젠 아주 원만하다; der ist ~! 그 친구 괜찮아! ③ 〖부정어(否定語)와 함께〗 〖구어〗 es ist hier nicht ~ 여기는 무시무시한 곳이다, 귀신이 나온다; 〖구어〗 es ist nicht ganz ~ mit ihm, er ist nicht ganz ~ (im Kopf〔Oberstübchen〕) 그는 제정신이 아니다, 미쳤다; es ist bei seinem Tod nicht ~ zugegangen 그는 변사하였다; das geht nicht ~ mit ~en Dingen zu 그것은 참으로 이상하다. ④ 〖감탄사적〗 (ganz) ~! 정말 그렇다, 좋다!; ja ~! 아(정말) 그렇다!; ich sagte: „Er kommt gleich", und ~, da war er 그는 곧 온다고 내가 말하였더니 과연 그가 나타났다. ⑤ 〖명사적〗 das ≗e 올바른 것〔일〕, 적당한 것; das ≗e tun 옳은 일을 하다; er hat nichts ≗es gelernt 그는 제대로 배운 게 없다; er kann nichts ≗es 그는 아무것도 제대로 할 수 없다; 〖반어〗 du bist mir der ≗e! 너는 필요 없어! 《Ⅱ》 *adv.* ① 바르게, 정확히; 적당하게; 공정하게; 정식으로: ~ bezahlen 꼬박꼬박 (틀림없이) 지급하다; ~ schreiben 정확하게 쓰다; die Uhr geht ~ 시계가 맞게 간다; sein Vater beurteilte die Lage ~ 그의 아버지의 상황을 제대로 판단했다. ② (tatsächlich) 실제로, 과연, 정말로; 완전히: er hat's doch ~ falsch bestellt 그는 역시〔과연〕 일을 잘못하였다; er hat es doch ~ wieder vergessen 아니나다를까 그는 또 그것을 잊어버렸다. ③ 〖구어〗 매우; 전혀: ~ böse 몹시 성난; es war ~ nett 정말 친절했다; ~ gefreut habe ich mich 나는 무척 기뻤다.

Richtig≈befinden, ~finden *n.* 실증, 확인: nach ~ 혹시 틀리지 않으면. **~gehend** 《Ⅰ》 *a.* (시계가) 정확한, 맞는; 진짜의, 본격적인; 잘 되어가는, (부부 따위가) 사이가 좋은: ein ~er Wintertag 참으로 겨울다운 날씨. 《Ⅱ》 *adv.* 정말로, 실제로: sie wurde ~ böse 그녀는 정말로 화가 났다.

***Richtigkeit** [rɪ́çtɪçkaɪt] *f.* 올바름, 정당, 정확; 진실, 사실; 공정, 적정; 정규; 질서, 정연: in ~ bringen 정돈하다, 가지런히 하다; mit dieser Rechnung hat es seine ~ 이 계산은 정확하다; es muß alles seine ~ haben 모든 것은 규정대로 되어야 한다; die ~ der Abschrift beglaubigen 사본이 올바름을 공증하다; an der ~ zweifeln 정확성을〔진위를〕 의심하다.

richtig≈liegen *i.* (h.) 〖구어〗 유리한 쪽을 택하다, 추세를 따르다: er hat immer richtiggelegen 그는 늘 이기는 쪽 편을 들었다. **~|machen** *t.* 〖구어〗 지급하다, 청산하다. **~|stellen** *t.* 바로잡다, 고치다, 정정하다; 정돈하다, 정리하다. **~stellung** *f.* 정정; 정돈, 정리.

Richt≈kanonier *m.* 〖軍〗 (포의) 조준수〔병〕. **~korn** *n.* 〖軍〗 (총의) 가늠쇠. **~kranz** *m.* 상량식용 화환. **~kreis** *m.* 〖軍〗 (포의 조준을 위한) 각도 측정기. **~krone** *f.* ↑ ~kranz. **~latte** *f.* ↑ ~scheit. **~linie** *f.* ① 방침, 지침, 표준 원칙, 운영 요강: politische ~n 정강(政綱); die ~n beachten 〔außer acht lassen〕 방침을 존중〔무시〕하다. ② 〖軍·드물게〗 (포문의) 정중선(正中線). **~linien·kompetenz** *f.* 방침〔원칙〕 결정 권한. **~maschine** *f.* 〖工〗 교정기; 〖軍〗 조준기. **~maß** *n.* 표준 척도, 계량기. **~mikrophon** *n.* 지향성 마이크(로폰). **~platz** *m.* 형장(刑場). **~preis** *m.* 〖經〗 (↔ Festpreis) ① 공정 가격. ② 권장 (소매) 가격. ③ 잠정 가격. **~punkt** *m.* 〖軍〗 표적, 조준점. **~scheit** *n.* 〖건축〗 수준〔수평〕기. **~schmaus** *m.* ↑ ~fest. **~schnur** *f.* ① 드림추의 줄; 먹줄. ② 〖비유〗 원칙, 방침; 규범, 표준: als ~ dienen 본보기가〔모범이〕 되다; sich³ et. zur ~ seines Handelns machen 무엇을 행동 지침으로 삼다. **~schütze** *m.* 〖軍〗 ↑ ~kanonier. **~schwert** *n.* 참수용 칼. **~senden** *n.* 〖전기〗 지향(指向) 송신. **~spruch** *m.* ① 상량식의 식사(式辭). ② 선고, 판결문. **~stätte** *f.* ↑ ~platz. **~stock** *m.* 자. **~strahler** *m.* 〖TV〗 지향성 안테나, 빔 안테나. **~strecke** *f.* 〖광산〗 수평갱. **~stuhl** *m.* ① ↑ Richterstuhl. ② 처형대.

***Richtung** [rɪ́çtʊŋ] 《<richten》 *f.* -en ① 방향, 방위, 진로: die ~ verlieren〔wechseln〕 방향을 잃다〔바꾸다〕; das ist die verkehrte ~ 그것은 반대 방향이다; der Orkan bewegt sich in ~ auf Florida 허리케인은 플로리다 방향으로 이동 중이다; in ~ Hannover fahren 하노버 방향으로 가다; aus allen ~en 사방에서; 〖비유〗 die ~ stimmt 만사가 잘 되고 있다; das liegt nicht in meiner ~ 그것은 내 취향에 맞지 않는다. ② 경향, 성향, 지향; 조류, 추세, 유파; 주의, 방침, 견해: herrschende ~ 지배적인 경향, 대세; politische ~ 정치적 성향〔견해〕; eine neue ~ in der Kunst 예술의 새로운 유파.

richtung·gebend *a.* 방향〔방침〕을 정해 주

는, 결정적인.
Richtungs≈änderung *f.* 방향 전환, 진로 변경. **~anzeiger** *m.* (자동차의) 방향 지시기. **~empfindung** *f.* 방향 감각. **~finder** *m.* 방향 탐지기. **~gewerkschaft** *f.* (1933 년까지 독일의) 노선별 노동 조합. **~hörer** *m.* 〖軍〗 청음기. **~kampf** *m.* 노선〔파벌〕 투쟁. **~linie** *f.* 방향선.
richtungslos *a.* 방향〔방침〕이 없는: er lief ~ im Wald umher 그는 방향을 잃고 숲 속을 헤맸다.
Richtungslosigkeit *f.* 무방향, 무방침, 방향 상실.
Richtungs≈pfeil *m.* 방향 표지 화살표. **~punkt** *m.* 표적; 〖軍〗 조준점. **~schild** *n.* 방향 표시판. **≈stabil** *a.* 진행 방향을 안정시키는. **~stabilität** *f.* 진행 방향 안정성. **~verkehr** *m.* 〖교통〗 일방 통행. **~wechsel** *m.* 방향 전환. **~weiser** *m.* 방향 지시기. **~winkel** *m.* 〖軍〗 조준각. **~zeiger** *m.* 방향 지시기.
richtung·weisend *a.* 방향을 지시하는, 방침을 제시하는.
Richt≈visier [rîçt..] *n.* 〖軍〗 가늠쇠, 가늠자. **~waage** *f.* 수준기(水準器). **~weg** *m.* 〔고어〕 지름길. **~wert** *m.* 기준〔표준〕치. **~zahl** *f.* ↑ ~wert. **~zettel** *m.* 수령증.
Rick [rɪk] *n.* -(e)s, -e/-s ①〔방언〕 **(a)** 막대기. **(b)** 시렁. ②〖승마〗 횡목 장애물.
Ricke [ríkə] *f.* -n 암노루.
Rickli *n.* -s, -s 〔방언〕 혹, 걸쇠.
ridikül [ridikýːl] 《frz.》〔고어〕 *a.* 우스운, 우스꽝스러운, 가소로운.
Ridikül *m./n.* -s, -e/-s (특히 18-19 세기의) 뜨개질〔수예〕 주머니.
rieb [riːp] ↑ reiben 의 과거형.
riebe [ríːbə] ↑ rieben 의 접속법 Ⅱ식.
riechbar [ríːçbaːr] *a.* 냄새 맡을 수 있는, 냄새 나는; 향기로운: das Gas ist nicht ~ 가스는 냄새가 없다.
Riech·büchse *f.* 향갑(香匣).
riechen [ríːçən] (roch, gerochen) 《Ⅰ》 *i.* (h.) ① 냄새를 풍기다, 냄새가 나다; 향기〔악취〕를 풍기다: das riecht gut〔übel〕 그것은 좋은〔나쁜〕 냄새가 난다; es riecht angebrannt 눋는 냄새가 난다; es riecht nach Käse 치즈 냄새가 난다; er riecht nach Schweiß 그에게서 땀 냄새가 난다; die Luft riecht nach Schnee 눈이 올 것 같다; 〔구어〕 das riecht nach Verrat 배신할 것 같은 낌새가 보인다; 〔비유〕 das Werk riecht nach der Lampe 이 작품은 밤마다 들인 노력을 느끼게 한다; 〔비유〕 diese Art Glück riecht nicht gut, wie mir scheint 내가 보기에는 이런 식의 행운은 좋지 않다; aus dem Mund ~ 입에서 냄새가 나다. ② 냄새 맡다; 낌새 채다: fein〔scharf〕 ~ 후각이 예민하다; an einer Blume ~ 꽃의 향내를 맡다; 〔구어〕 mal dran ~ können (가질 수는 없지만) 잠시 (만져) 볼 수는 있다; daran kannst du ~? 이제는 알겠니? ③ (südd.) (rauchen) 연기〔김〕나다: der Ofen riecht 난로에서 연기가 난다. 《Ⅱ》 *t.* 냄새 맡다; 감지하다, 알아채다, 예감하다: riechst du nichts? 아무 낌새도 못 알아챘어?; ich kann Knoblauch nicht ~ 나는 마늘 냄새를 못 맡겠다〔참겠다〕; ich kann diese Art von Männern nicht ~ 나는 이런 유의 남자들을 참을 수 없다; et. nicht ~ können 무엇을 예지할 수 없다; den Braten ~ 계획을 알아채다; Lunte ~ 위험을 느끼다.
riechend *p.a.* 냄새 나는, 구린내 나는.
Riecher *m.* -s, - ① 냄새로 감정하는 사람; 〔비유〕 탐정. ②〔경박〕 코. ③ 예감, 예지 능력: einen guten ~ haben 예측〔예감〕을 잘하다; ich hatte so einen ~ 나는 그런 예감이 들었다.
Riech≈fläschchen *n. f.* 향수병, 향료병. **~kissen** *n.* 향 주머니. **~kolben** *m.* 〔농담〕 코. **~nerv** *m.* 〖해부〗 후(嗅)신경. **~organ** *n.* 후각 기관. **~salz** *n.* 향염(香塩); 탄산암모늄. **~stoff** *m.* 향료. **~wasser** *n.* 향수. **~werkzeug** *n.* ↑ ~organ.
Ried [riːt] *n.* -(e)s, -e [..də] ①〖植〗 갈대. ② (갈대가 무성한) 늪, 습지, 갈대숲.
Ried≈bock *m.* 〖動〗 (아프리카산(產)) 영양(羚羊). **~gras** *n.* 〖植〗 사초속(屬).
rief [riːf] ↑ rufen 의 과거형.
riefe ↑ rufen 의 접속법 Ⅱ식.
Riefe [ríːfə] *f.* -n ↑ Rille.
riefen [ríːfən] *t.* ↑ riefeln.
riefeln *t.* 홈을 파다, 줄을 내다.
Riefelung [ríːfəlʊŋ] *f.* -en ① 홈〔줄〕파기. ② 홈〔줄〕무늬.
riefig [ríːfɪç] *a.* 홈〔줄〕이 있는.
Riege [ríːgə] 《ndd.》 *f.* -n (특히 체조) 선수단, 조(組).
***Riegel** [ríːgəl] *m.* -s, - ① 빗장: den ~ vorschieben〔aufschieben〕 빗장을 지르다〔빼다〕; jm. 〔einer Sache〕 einen ~ vorlegen〔vorschieben〕 누구를〔무엇을〕 방해하다; jn. hinter Schloß und ~ bringen 누구를 감옥에 가두다. ②〖건축〗 횡목(橫木), 도리. ③ (동일하게 등분된) 막대 모양의 물건: ~schokolade 막대 모양의 초콜릿. ④〖軍〗 방어선. ⑤ (특히 축구에서) (빗장) 수비(진). ⑥〖재봉〗 **(a)** (외투·상의의) 뒤쪽에 양 끝을 부착시킨 가로띠. **(b)** 혁대 고리. **(c)** 단춧구멍 양 끝의 세로로 바느질한 줄. ⑦ 자물쇠청, 자물쇠의 날름쇠. ⑧ (벽에 붙은) 긴 옷걸이 막대. ⑨〖사냥〗 짐승의 통로.
riegel≈fest *a.* 빗장을 단단히 건, 문단속을 단단히 한. **≈haube** *f.* (독일 바이에른 지방의) 레이스를 단, 수놓은 부인용 모자. **≈haus** *n.* (schweiz.) 목조 가옥. **≈holz** *n.* 나무 빗장, 횡목.
riegeln [ríːgəln] 《Ⅰ》 *t.* 〔고어〕 …에 빗장을 걸다〔지르다〕. 《Ⅱ》 *i.* (h.) ①〖사냥〗 (소리 내지 않고) 몰이꾼을 써서 사냥하다. ② (특히 축구에서) 수비형 경기를 하다.
Riegel≈schloß *n.* 빗장 자물쇠. **~stellung** *f.* 〖軍〗 방어진〔선〕. **~wand** *f.* 〖건축〗 목골(木骨)벽. **~werk** *n.* 〖건축〗 뼈대, 목골.
Riegen≈führer [ríːgən..] *m.* (체조의) 선수단장, 팀장. **~turnen** *n.* 선수단〔팀〕 체조. **≈weise** *adv.* 조를 이루어, 팀을 짜서.
Riemchen *n.* -s, - ①〖↑ Riemen[1] 의 축소형〗 가느다란 끈. ②〖건축〗 벽에 붙이는 폭이 좁은 건축재.
***Riemen**[1] [ríːmən] *m.* -s, - ① (가죽·천·합성 섬유로 만든) 끈, 띠, 밴드; 혁대: mit einem ~ die Tasche auf dem Fahrrad festschnallen 끈으로 가방을 자전거에 단단히 묶다; ~

schneiden (가죽을) 잘라서 끈을 만들다; sich[3] den ~ enger schnallen 허리띠를 졸라매다, 절약하다; 〖구어〗 sich am ~ reißen 정신을 가다듬다, 분발하다; 〖비유〗 einen langen ~ schreiben 신문에 장황한 논설을 싣다; 〖속담〗 aus fremdem Leder ist gut ~ schneiden 남의 덕을 보기는 쉽다. ② 구두끈(Schuh≈). ③ 〖工〗 벨트(Treib≈). ④〖건축〗(마룻바닥에 쓰는) 길고 가느다란 나무판자. ⑤〖속어〗 남근(Penis).

Riemen[2] 《lat.》 *m.* -s, - 〖海〗 (Ruder) 노: die ~ auf! 노젓기 시작! ; sich in die ~ legen 힘껏 노를 젓다, 전력을 다하다.

riemen·angetrieben *a.* 〖기계〗 벨트〔피대〕로 움직이는.

Riemen≈antrieb *m.* 〖기계〗 벨트 전동(傳動). **~auflage** *f.* 노받이. **~blatt** *n.* 노의 물갈퀴. **~blume** *f.* 〖植〗 겨우살이속(屬). **~boot** *n.* 경주용 보트. **≈förmig** *a.* 끈 모양의. **~pferd** *n.* 가죽끈으로 맨 선두의 말. **~scheibe** *f.* (벨트의) 활차륜. **~schneider** *m.* ↑ Riemer. **~tang** *m.* 〖植〗 다시마의 일종. **~trieb** *m.* 〖기계〗 벨트 전동. **~werk** *n.* 가죽끈 편물〔세공〕. **~wurm** *m.* 〖動〗 (담수어와 물새에 기생하는) 촌충. **~zeug** *n.* ↑ ~werk.

Riemer [ríːmər] *m.* -s, - 〖방언〗 가죽끈 제조자, 마구(馬具) 제조자.

rien ne va plus [rjɛ̃nevaplý] 《frz.》 (nichts geht mehr) (룰렛 게임에서 도박장 직원의 통고의 말로써) 더 이상 돈을 걸 수 없음.

Ries[1] [riːs] *n.* -es 리스(슈바벤 알프스와 프랑켄 알프스 사이의 분지).

Ries[2] *n.* -es, -e [..zə] 〖제지〗 (전지(全紙)의 단위) 롤, 연(連) (1 련=1000 매): 4 ~ Papier 4 련의 종이.

Riese[1] [ríːzə] Adam ~ 리제(독일의 수학자, 1492-1559): 〖다음 용법으로만〗 nach Adam ~ 정확히 계산해 보면.

***Riese**[2] *m.* -n, -n ① (동화·전설·신화의) 거인; 키가〔몸집이〕 큰 사람: der böse ~ 못된 거인; gegen seine Freundin ist er ein ~ 여자 친구에 비하면 그는 거인이다; ein abgebrochener ~ (키) 작은 남자; ein ~ an Geist 대단히 지적인〔현명한〕 사람. ② 거대한 동물〔식물·산〕: die schneebedeckten ~n der Alpen 알프스 산맥의 눈덮인 고산 준령들. ③〖구어〗 ↑ Riesenfelge. ④〖天〗 거성(巨星). ⑤〖경박〗 1000 마르크 지폐. ⑥ 거대한 건물〔기업·시설〕.

Riese[3] *f.* -n ↑ Holzriese.

riesel≈fähig [ríːzəl..] *a.* 보송보송한: ~es Salz (잘 건조한) 보슬보슬한 소금. **≈feld** *n.* 하수 관개 농장, 하수 이용 경작지.

***rieseln** [ríːzəln] 《I》 *i.* (h./s.) 졸졸 흐르다, 흘러나오다; 보슬보슬〔소록소록〕 내리다: der Bach rieselt 시냇물이 졸졸 흐른다; es rieselt 가랑비가 보슬보슬 내린다, 싸락눈이 소록소록 온다; er ließ den Sand durch die Finger ~ 그는 손가락 사이로 모래를 흘러내리게 했다; 〖비유〗 es rieselt mir durch alle Glieder 나는 온몸이 와들와들 떨린다; Angst rieselt (kalt) über den Rücken 무서워서 등줄기가 오싹해진다. 《II》 *t.* 물을 붓다〔대다〕, 관개하다.

Riesel≈regen *m.* 보슬비, 가랑비. **~schotter** *m.* 조약돌, 자갈.

Rieselung [ríːzəlʊŋ] *f.* -en 관개.

Riesel≈wasser [ríːzəl..] *n.* 관개용〔농업용〕 하수. **~wiese** *f.* 하수 이용 목초지〔목장〕.

riesen [ríːzən] *t.* (südd., öst.) (목재 운반로로) 미끄러 내려뜨리다.

Riesen≈anstrengung *f.* 〖구어〗 대단한 노력. **~arbeit** *f.* 〖구어〗 대사업, 대저작. **~bau** *m.* 〖복수: ..bauten〗 대건축물. **~dummheit** *f.* 대단히 어리석은 짓. **~erfolg** *m.* 대성공. **~faultier** *n.* 〖고생물〗 (홍적기에 살았던) 대포유류. **~fehler** *m.* 대실수, 큰 잘못. **~felge** *f.* (철봉에서의) 크게 돌기, 대차륜(大車輪). **~flugzeug** *n.* 대형 비행기. **~gebirge** *n.* 리젠게비르게(독일 수데텐 지방에 있는 거대한 산맥). **~geist** *m.* 천재. **~geschlecht** *n.* 거인족. **~gestalt** *f.* 거인의 모습, 거구. **≈groß** *a.* 거대한, 엄청난, 초대형의. **~größe** *f.* 거대, 초대형.

riesenhaft [ríːzənhaft] *a.* 거인 같은, 거대한.

Riesen≈hirsch *m.* 〖고생물〗 큰 사슴. **~hunger** *m.* 〖구어〗 심한 허기: 〖구어〗 ich habe ~ 나는 매우 배가 고프다. **~krach** *m.* 〖구어〗 ① 대소동〔소란〕, 아주 시끄러운 일. ② 큰 싸움. **~kraft** *f.* 거인의 힘, 괴력. **≈mäßig** *a.* 거인 같은, 거대한. **~rad** *n.* (유원지의) 대회전차. **~roß** *n.* 〖욕설〗 멍청한 놈. **~schildkröte** *f.* 〖動〗 대형 (육지) 거북. **~schlange** *f.* 〖動〗 (열대·아열대의) 왕뱀. **~schritt** *m.* 〖구어〗 거인의 발걸음, 큰 걸음: mit ~en 큰 걸음으로, 신속히. **~schweinerei** *f.* 〖구어〗 매우 추잡한 짓, 비열한 행위. **~schwung** *m.* ↑ ~felge. **~slalom** *m.* 〖스키〗 대회전 경기.

Riesen≈spaß *m.* 〖구어〗 크나큰 재미〔즐거움〕. **≈stark** *a.* 대단히 힘이 센, 거인처럼 강한. **~stärke** *f.* 거대한 힘. **~stern** *m.* 〖天〗 거성(巨星). **~werk** *n.* ↑ ~arbeit. **~wuchs** *m.* 거대 발육증.

***riesig** [ríːzɪç] 《I》 *a.* ① 거대한, 대단히 큰〔많은·넓은〕, 웅대한: ein ~es Land 광활한 땅; eine ~e Menschenmenge 거대한 군중. ② 굉장한, 엄청난: eine ~e Hitze 폭염; ich habe einen ~en Hunger〔Durst〕 나는 몹시 배가 고프다〔목이 마르다〕. ③〖구어〗 훌륭한, 빼어난, 대단한: eine ~e Party 근사한 파티. 《II》 *adv.* 〖구어〗 매우, 대단히, 지독히: sich ~ freuen 몹시 기뻐하다.

Riesigkeit *f.* ↑ riesig 의 명사형.

Riesin [ríːzɪn] *f.* -nen ↑ Riese 의 여성형.

riesisch [ríːzɪʃ] *a.* 거인(족)의.

Riesling [ríːslɪŋ] *m.* -s, -e ① 리슬링 포도. ② 리슬링 포도주.

Riester [ríːstər] *m.* -s, - ① 구두 수선용 가죽. ②〖방언〗 쟁기〔써레〕의 자루.

riestern [ríːstərn] *t.* (구두에) 가죽을 대다, (구두를) 수선하다.

ries·weise [ríːs..] *adv.* 연(連)으로(↑ Ries).

Riet[1] [riːt] *n.* -(e)s, -e ↑ Ried.

Riet[2] *n.* -(e)s, -e ↑ Rietblatt.

riet [riːt] ↑ raten 의 과거형.

riete [ríːtə] ↑ raten 의 접속법 Ⅱ식.

Riet≈blatt *n.* 〖방직〗 (베틀의) 바디, 성구. **~bock** *m.* ↑ Riedbock.

Rif [riːf] *n.* 리프(모로코의 산 이름).

Riff [rɪf] (ndd.) *n.* -(e)s, -e 암초; 사주(砂洲), 모래톱.

Riffel [rɪ́fəl] *f.* -n ① ↑ ~kamm. ② 물결〔톱니〕 모양의 홈, 파상기복(波狀起伏).

Riffel≈glas *n.* 물결 모양의 유리. **~kamm**

m. 삼〔아마〕 훑는 빗. **~maschine** *f.* 삼〔아마〕 훑는 기계.
riffeln [rífəln] *t.* ① (삼을) 훑다. ② …에 홈을 파다.
Riffelung [rífəlʊŋ] *f.* -en ① 물결 모양을 넣음. ② (표면) 물결 모양. ③ 삼〔아마〕 훑기.
Riff·koralle *f.* 산호초.
Rififi [rífifi] *n.* -s 〘은어〙 감쪽 같은 범행 (은행털이를 다룬 프랑스 영화의 이름).
Rif·piraten *pl.* 모로코 해안의 해적.
Riga 리가 (라트비아의 수도).
Rigel [ríːgəl] *m.* - 〘天〙 리겔 (오리온자리의 베타 (*β*) 성 (星)).
Rigg [rɪk] 《engl.》 *n.* -s, -s 〘海〙 삭구 (索具), 의장 (艤裝).
riggen *t.* 〘海〙 (배에) 삭구를 장착하다.
Rig·heit [ríkhaɪt] *f.* 〘物〙 (고체의) 저항력.
rigid [rigíːt] *a.* ↑ rigide.
rigide [..də] *a.* ① 〘醫〙 경직된, 굳은, 뻣뻣한. ② 〔교양〕 엄격한, 완고한.
Rigidität [rigiditɛ́ːt] *f.* ① 〔교양〕 고집, 경직, 엄격. ② 〘心〙 적응 부족, 편집 (偏執). ③ 〘醫〙 (근육) 경직.
Rigole [rigóːlə] *f.* -n 깊은 도랑, 하수〔배수〕구: eine ~ anlegen 배수구를 설치하다.
rigolen [rigóːlən] *t.* …에 도랑을 깊이 파다, 깊이 갈다.
Rigol·pflug *m.* 도랑 파는 쟁기, 깊게 갈 때 쓰는 가래.
Rigorismus [rigorísmʊs] *m.* - 〔교양〕 (도덕적) 엄숙주의.
Rigorist *m.* -en, -en 〔교양〕 엄숙주의자.
rigoristisch *a.* 〔교양〕 엄숙주의의.
rigoros [rigoróːs] 엄격〔가혹·엄혹〕한, 가차〔용서〕 없는: eine ~e Kritik 가혹한 비판; er hat es ~ abgelehnt 그는 그것을 가차 없이 거부했다.
Rigorosität [rigorozitɛ́ːt] *f.* 엄격, 가혹, 무자비.
rigoroso [rigoróːzo] *adv.* 〘음악〙 리고로소 (박자를 정확하게).
Rigorosum [rigoróːzʊm] *n.* -s, ..sa 〔교양〕 박사 학위의 구술 시험.
Rigweda [rɪkvéːda] *m.* -(s) 리그베다 (고대 인도의 찬미가집).
Rikambio [rikámbio] 《it.》 *m.* -s, ..bien [..biən] 〘商〙 역 (逆) 〔반려〕 어음.
rikoschettieren [rikɔʃɛtíːrən] 《frz.》 *i.* (h.) (공이) 되튀어오르다; 〘軍〙 도탄 사격하다.
Rikoschett·schuß [rikɔʃɛ́t..] *m.* 도탄 사격 (跳彈射擊).
Rikscha [ríkʃa] 《jap.》 *f.* -s (동남아의) 2 륜 인력거.
Rilke [rílkə] Rainer Maria ~ 릴케 (독일 시인, 1875-1926).
Rille [rílə] *f.* -n ① 도랑, 고랑. ② (딱딱한 물체의 표면에 새긴) 가느다란 홈, 새긴 줄; 주름살: die ~n einer Schallplatte 음반의 줄.
rillen *t.* …에 도랑〔홈〕을 파다; …에 줄〔금〕을 새기다.
rillen·förmig *a.* 홈〔줄〕 모양의.
rillig [rílɪç] *a.* 도랑〔홈〕이 있는, 줄〔금〕을 새긴.
Rimbaud [rɛ̃bó(ː)] Jean Nicolas Arthur ~ 랭보 (프랑스 시인, 1854-91).
Rimesse [rimɛ́sə] 《it.》 *f.* -n 〘商〙 ① 송금〔환〕어음: ~n machen 환어음 수속을 하다, 송금하다. ② 〘펜싱〙 재공격.
Rimessen·wechsel *m.* 송금 어음, 환 (換).
Rinaldo [rinàldo] 《it., „Reinhold"》 리날도 (남자 이름).
***Rind** [rɪnt] *n.* -(e)s, -er ① 〘動〙 소, 솟과의 동물〔가축〕: ~er züchten 소를 키우다; die ~er füttern 소에게 먹이를 주다. ② 〔구어〕 쇠고기 (~fleisch): ~ ist teuer als Schwein 쇠고기가 돼지고기보다 더 비싸다.
***Rinde** [ríndə] *f.* -n ① 〘植〙 (나무의) 껍질, 외피, 수피: die ~ abschälen 나무껍질을 벗기다. ② 〘해부〙 피질 (皮質): die ~ des Hirns 뇌의 피질. ③ (빵·치즈의) 겉껍질.
rinden *a.* 나무껍질로 만든.
Rinden≈boot *n.* 나무껍질 (로 만든) 배. **~dach** *n.* 나무껍질 (로 이은) 지붕. **~hütte** *f.* 나무껍질 (로 지은) 오두막집.
rindenlos *a.* 껍질 없는.
Rinder≈braten [rínder..] *m.* 〘요리〙 쇠고기 구이, 로스트 비프. **~bremse** *f.* 〘動〙 쇠파리, 등에. **~brust** *f.* 〘요리〙 소의 안심살. **~filet** *n.* 소의 필레 (안심·등심) 살. **~gulasch** *n./m.* 〘요리〙 쇠고기 굴라쉬 (스튜식의 헝가리 요리). **~hack·fleisch** *n.* 〘요리〙 잘게 썬〔간〕 쇠고기. **~herde** *f.* 소떼. **~hirt** *m.* 소치는 목동.
rinderig [ríndərɪç] *a.* (암소가) 발정한, 암내 나는.
Rinder≈leber *f.* 소의 간. **~lende** *f.* 소의 허릿살. **~mark** *n.* 소의 골수 (骨髓).
rindern[1] [ríndərn] *i.* (h.) (암소가) 암내 내다, 발정하다.
rindern[2] *a.* 소의: ≈es 쇠고기.
Rinder≈pest *f.* 우역 (牛疫), 소의 전염병. **~rasse** *f.* 소의 품종. **~schmor·braten** *m.* 쇠고기 찜〔스튜〕. **~seuche** *f.* ↑ ~pest. **~talg** *m.* 쇠기름. **~wahnsinn** *m.* 광우병. **~zunge** *f.* ① 〘요리〙 우설, 소의 혀. ② 〘植〙 ↑ Hirschzunge.
Rind·fleisch *n.* 쇠고기.
rindig *a.* (겉)껍질이 있는.
Rind·leder *n.* ↑ Rindsleder.
Rinds≈braten *m.* ↑ Rinderbraten. **~leder** *n.* 쇠가죽. **≈ledern** *a.* 쇠가죽으로 만든. **~talg** *m.* ↑ Rindertalg.
Rind≈suppe *f.* (öst.) 쇠고기 수프. **~stück** *n.* 〘요리〙 비프스테이크 (Beefsteak).
Rinds·zunge *f.* ↑ Rinderzunge.
Rind·vieh *n.* 〔복수: ..viecher〕 ① 소 (의 총칭), 우류 (牛類). ② 〔비유·욕설〕 멍청이, 바보: so ein ~! 어쩌면 이다지도 멍청하냐!
rinforzando [rɪnfɔrtsándo] 《it.》 *adv.* 〘음악〙 린포르찬도 (특히 강하게; 약어: rf., rfz., rinf.).
***Ring** [rɪŋ] *m.* -(e)s, -e ① **(a)** 고리, 고리 모양의 물건, 환 (環). **(b)** 반지 (Finger≈): Schlüssel≈ 열쇠 고리; Ehe≈ 결혼 반지; einen ~ anstecken〔tragen〕 반지를 끼우다〔끼고 있다〕; 〔雅語〕 mit jm. die ~e wechseln〔tauschen〕 누구와 결혼하다; 〔비유〕 jm. den ~ durch die Nase ziehen (소에 코를 꿰어 길들이듯이) 누구를 굴복시키다. ② 원, 동그라미, 원형, 고리 모양, 환상 (環狀): um jn. einen ~ bilden 누구 주위에 빙 둘러서다. dunkle ~e um die Augen 눈 언저리의 검은 자위: ~ um den Mond 달무리. ③ 순환〔환

상〕 도로〔철도〕: wir wohnen am ~ 우리는 순환 도로변에 산다. ④〖植〗 나이테, 연륜. ⑤〔비유〕 순환: der ~ der Zeit 시간의 순환; mit dieser Feststellung schließt sich der ~ der Untersuchung 일련의 조사〔검사〕가 이렇게 확증을 내리며 종결된다. ⑥〖스포츠〗 (**a**) 권투 시합장; 링: er verließ den ~ als Sieger 그는 승자로 링을 떠났다. (**b**) (기계 체조에서) 링: an den ~ turnen 링 체조하다. (**c**) (포환·원반던지기의) 원형 제한선. ⑦동우회, 클럽, 패, 조(組); 도당; 카르텔, 기업 연합: einen ~ für Theaterbesuche gründen 연극 관람 동우회를 창립하다; Schmuggler≈ 밀수단.

ring *a.* (obd.) 쉬운, 용이한, 힘들지 않은.

Ring≈amsel *f.* 〖動〗 흰띠가슴지빠귀. **~anker** *m.* ①〖海〗 외고리닻. ②〖전기〗 환상 발전자(環狀發電子). **≈artig** *a.* 고리 모양의, 환상의. **~arzt** *m.* 〖권투〗 링닥터(권투 시합 임석 의사). **~bahn** *f.* 〖철도〗 순환〔환상〕 철도. **~buch** *n.* 링 노트(고리 달린 공책).

Ringchen *n.* -s, - 〔↑ Ring 의 축소형〕 작은 반지.

Ringel [rɪ́ŋəl] *m.* -s, - 〔↑ Ring 의 축소형〕 작은 고리〔원·반지〕; 고리 모양으로 만 것; 말린〔곱슬곱슬한〕 털; 꼬인 빵(과자의 일종): blaue ~ in die Luft blasen (담배 연기로) 파란 동그라미를 불어 날리다.

Ringel≈bahn *f.* ① ↑ Ringbahn. ② ↑ Karussell. **~blume** *f.* 〖植〗 금송화, 금잔화.

Ringelchen *n.* -s, - ↑ Ringchen.

Ringel≈gans *f.* 〖動〗 흑기러기. **~gedicht** *n.* 〖문학〗 론도(Rondo) 형식의 시(보통 2 종의 각운으로 된 13 행의 시). **~haar** *n.* 고수머리.

Ringelchen [rɪ́ŋəlçən] *n.* -s, - 〔↑ Ring 의 축소형〕 작은 반지〔고리〕.

ringelicht *a.* ↑ ringelig.

ringelig [rɪ́ŋəlɪç], *a.* 고리 모양〔환상〕의; 돌돌 말린, 곱슬곱슬한.

Ringel·locke *f.* 곱슬머리, 고수머리.

***ringeln** [rɪ́ŋəln] 《Ⅰ》 *t.* ① (고리처럼) 동그랗게 하다, (돌돌) 말다, 원〔나선형〕을 만들다. ② …에 고리를 꿰다; …에 고리 모양을 내다: Schweine ~ 돼지 코에 고리를 꿰다; Bäume ~ (생장 촉진을 위하여) 나무껍질을 고리 모양으로 벗기다. 《Ⅱ》 *refl.* sich ~ 동그랗게 되다, 선회하다; 말리다, 휘감기다; (머리카락 따위가) 꼬불꼬불해지다: der Schwanz des Schweines ringelt sich 돼지 꼬리가 돌돌 말린다. 《Ⅲ》 **geringelt** *p.a.* ↑ geringelt.

Ringel≈natter *f.* 〖動〗 (뱀과의) 율모기. **~piez** *m.* 〔농담〕 사교 무도회. **~reigen** *m.* ↑ ~reihen. **~reihen** *m.* 윤무(輪舞), 원무. **~reim** *m.* ↑ ~gedicht. **~rennen** *n.* ↑ Ringrennen. **~schwanz** *m.* (개·돼지의) 돌돌 말린 꼬리. **~socke** *f.* 횡선 고리 무늬가 있는 양말. **~spiel** *n.* (öst.) ↑ Karussell. **~stechen** *n.* ↑ Ringrennen. **~stück** *n.* 〖음악〗 론도, 윤선곡(輪旋曲). **~tanz** *m.* ↑ ~reihen. **~taube** *f.* ①〖動〗 산비둘기. ②〔고어·방언〕 저렴한 (물품) 구매. **~wurm** *m.* 〖動〗 노래기, 환형(環形) 동물.

ringen [rɪ́ŋən] (rang, gerungen) 《Ⅰ》 *i.* (h.) ① (**a**) 격투하다, 싸우다, 다투다; 고투〔고심·고민〕하다: sie hatten erbittert miteinander gerungen 그들은 처절하게 서로 싸웠다; 〔비유〕 er ringt mit seinem Schicksal 그는 운명과 싸우고 있다; 〔비유〕 der junge Dichter ringt noch mit der Sprache 젊은 시인은 적합한 말을 찾으려고 고심한다; 〔비유〕 mit dem Tode ~ 죽을 병에 걸려 있다; ich habe lange mit mir ~ müssen, ehe ich zu diesem Entschluß kam 이런 결정을 내리기 전에 나는 오랫동안 고민해야 했다. (**b**) 〖스포츠〗 레슬링하다: er ringt schon seit Jahren 그는 벌써 몇 년 전부터 레슬링을 하고 있다. ②전력을 다하다, 분투〔노력·투쟁〕하다: um den Sieg 〔Anerkennung〕 ~ 이기려고〔인정받으려고〕 애쓰다; sie rangen um Freiheit 그들은 자유를 위해 투쟁했다; er hat nach Worten gerungen 그는 적당한 말을 찾으려고 애썼다; 〔비유〕 er rang nach Atem 그는 간신히 숨을 쉴 수 있었다. 《Ⅱ》 *t.* ① (당황·절망하여 손을) 비비다, 비비 꼬다, 비틀다: sie rang vor Verzweiflung weinend die Hände 그녀는 절망하여 울면서 손을 비볐다. ②강제로 빼앗다: er rang dem Angreifer das Messer aus der Hand 그는 공격자의 손에서 칼을 빼앗았다. 《Ⅲ》 *refl.* sich ~ ①격투하다, 다투다: sich mit jm. ~ 누구와 레슬링〔격투〕하다. ②새어 나오다: Seufzer rangen sich aus ihrer Brust 한숨이 그 여자의 가슴에서 새어 나왔다.

Ringen *n.* -s ①격투, 레슬링. ②투쟁, 노력.

Ringer [rɪ́ŋər] *m.* -s, - 레슬링 선수, 격투자.

ringerisch [rɪ́ŋərɪʃ] *a.* 격투하는, 싸움의.

Ring≈fahndung *f.* 대수색 (작전), 포위 수색. **~finger** *m.* 약손가락, 무명지(指). **~flügel** *m.* 〖항공〗 (수직 이착륙 비행기의) 고리 모양의 추진 날개. **~flugzeug** *n.* 수직 이착륙 비행기(Coleopter). **≈förmig** *a.* 고리 모양의, 원형〔환상〕의. **≈hörig** *a.* (schweiz.) ↑ hellhörig. **~kampf** *m.* ①격투, 싸움. ②〖스포츠〗 레슬링 (경기): einen ~ austragen 레슬링 경기를 하다. **~kämpfer** *m.* ↑ Ringer. **~kasten** *m.* 반지 상자. **~knorpel** *m.* 〖해부〗 환상(環狀) 연골. **~kragen** *m.* 〔고어〕 ① (갑옷의) 반원형 목받이(기수의 근무 휘장으로 사용되었음). **~kugel** *f.* 〖天〗 아밀라리 천구(天球)(고대 천구의(儀)의 일종). **~kunst** *f.* 격투술, 레슬링 기술.

Ringlein *n.* -s, - 〔↑ Ring 의 축소형〕 ↑ Ringchen.

ringlig [rɪ́ŋlɪç] *a.* ↑ ringelig.

Ringlotte [rɪŋlɔ́tə] *f.* -n (öst.) ↑ Reneklode.

Ring≈maschine *f.* (세탁물을) 짜는 기계. **~mauer** *f.* (성·시를 둘러싼) 원형〔환상〕 외벽〔성벽〕. **~muskel** *m.* 〖해부〗 괄약근. **~ofen** *m.* (벽돌·석회를 굽는) 원형 가마. **~panzer** *m.* 쇠사슬 비늘의 갑옷. **~platz** *m.* ①격투장, 레슬링 시합장. ②〖권투〗 링사이드 관람석. **~reiten** *n.* 말을 달리면서 창으로 높이 걸린 고리를 떼는 시합〔놀이〕. **~rennen** *n.* ↑ ~reiten. **~richter** *m.* 〖스포츠〗 레퍼리, 〖권투·레슬링〗 주심.

***rings** [rɪŋs] *adv.* (무엇을 중심으로 그) 둘레에, 빙 둘러, 주위에, 환상(環狀)으로; 도처에, 사방에서; 사방팔방으로: die Kinder tanzten ~ um den Christbaum 아이들은 크리스마스 트리를 빙 둘러싸고 춤을 추었다; der Zaun läuft ~ um den Garten 울타리는 정원을 빙 둘러쳐져 있다; 〔2 격 목적어와 함께〕 ~ des Marktes 시장 주위에.

Ring≈scheibe *f.* 〖사격〗 원형 표적〔과녁〕. **~sendung** *f.* 전국 (중계) 방송.
rings·herum *adv.* 빙 둘러싸고; 주위에, 사방에: ~ war nichts zu sehen 주변엔 아무것도 보이지 않았다; ~ an den Wänden standen Bücherregale 벽을 빙 둘러 서가가 있었다.
Ring≈stechen *n.* ↑ ~reiten. **~straße** *f.* 순환〔환상〕 도로.
rings≈um [rɪ́ŋs|ʊ́m], **~umher** [..|ʊmhéːr] *adv.* 주위에, 사방에.
Ring≈tausch *m.* 순번〔윤번〕 교환. **~tennis** *n.* 덱 테니스(테니스와 유사한 규칙에 따라 고무고리를 상대방 코트에 던지는 놀이). **~vorlesung** *f.* 순환 강의(특정 주제를 놓고 여러 분야의 전문가들이 돌아가며 하는 강의). **~wall** *m.* 원형〔환상〕 방벽(유사 이전 시대의 요새 형식). **~wechsel** *m.* (결혼식의) 반지 교환. **≈weise** *adv.* 원형〔환상(環狀)〕으로, 둥글게.
Rinke [rɪ́ŋkə] 《<Ring》 *f.* -n, **Rinken** [rɪ́ŋkən] *m.* -s, - (alem.) 죔쇠, 걸쇠, 고리.
rinkeln [rɪ́ŋkəln] *t.* 죔쇠로 잠그다.
***Rinne** [rɪ́nə] *f.* -n ① **(a)** 지면에 길고 좁게 패인 곳, 고랑; 도랑, 배수구〔로〕; 홈통, (빗)물받이. **(b)** (Fahr≈) 수로, 뱃길. **(c)** 〖工〗 (기둥·철주 등의) 홈; 〖지질〗 해구(海溝); 〖天〗 기압골. ② 〖사냥〗 ↑ Rönne.
rinnen [rɪ́nən] (rann, geronnen) 《♧ rennen》 *i.* ① (s.) (천천히) 흐르다, 흘러내리다〔나오다〕: 〖雅語〗 die Stunde rinnt 시간이 흘러간다; der Schweiß rinnt ihm von der Stirn 그의 이마에서 땀이 뚝뚝 떨어진다; das Geld rinnt ihm durch die Finger 그는 돈을 물쓰듯 쓴다; ein Schauer rann ihm durch den Leib 그의 몸에 전율이 흘렀다. ② (h.) 〖방언〗 새다: der Eimer rinnt 양동이가 샌다. ③ (h.) (짐승이) 헤엄치다.
rinnen≈förmig *a.* 홈〔도랑〕 모양의. **≈pflug** *m.* 고랑 파는 쟁기, 깊이 가는 쟁기. **≈schiene** *f.* 요상(凹狀) 레일.
rinnig *a.* ① 홈〔도관〕이 있는. ② 흘러나오는, 새는; 고름이 나오는; (눈 등이) 짓무른.
Rinnsal [rɪ́nzaːl] *n.* -(e)s, -e ① 실개천, 개울, 시내; 작은 샘. ② 가늘게 흐르는 액체: ein ~ von Blut 흘러내리는 약간의 피.
Rinn·stein *m.* ① **(a)** (도로변의) 하수구, 도랑. **(b)** 〖비유〗 불행, 영락; 타락: jn. aus dem ~ auflesen 누구를 최악의 상태에서 구해내다; im ~ enden 완전히 타락하다. **(c)** (부엌의) 수채. ② (보도의) 연석, 차도와 인도의 경계석.
Rio de Janeiro [ríːo deː ʒanéːro] 리우데자네이루(브라질의 옛 수도; 단축형: Rio).
R.I.P. [ɛr|iːpéː] =requiescat in pace! 《lat., „er〔sie〕 ruhe in Frieden!"》 편히 잠드소서! (묘비명(銘)).
Riposte [ripɔ́stə] 《lat.》 *f.* -n 〖펜싱〗 되찌르기, 리포스트.
ripostieren *i.* (h.) 〖펜싱〗 되찌르다.
Rippchen [rɪ́pçən] *n.* -s, - ① ↑ Rippe 의 축소형. ② 〖요리〗 (특히 돼지의) 갈비(고기).
***Rippe** [rɪ́pə] 《♧ Rebe》 *f.* -n ① 〖해부〗 늑골, 갈빗대: jm. eine ~ brechen 누구의 갈빗대를 부러뜨리다; sich³ beim Sturz eine ~ brechen 넘어져서 갈빗대가 부러지다; 〖구어〗 ich kann mir's doch nicht aus den ~n schneiden 〔ich kann es doch nicht aus den ~n schwitzen〕 나는 그것을 도저히 납득할 수 없다; jn. in die ~n stoßen (경고 또는 격려하기 위하여) 누구의 옆구리를 찌르다; 〖구어〗 nichts in den ~n haben 공복이다; 〖구어〗 bei ihm kann man alle〔die〕 ~n zählen 그는 비쩍 말랐다〔갈비씨다〕; 〖구어〗 er hat nichts 〔zu wenig〕 auf den ~n 그는 피골이 상접해 있다. ② 〖植〗 잎맥, 엽맥(葉脈); 〖건축〗 (둥근) 천장의 뼈대, 리브; 〖海·工〗 늑재(肋材); (비행기의) 주익; 〖섬유〗 (직물의) 골지게 짠 부분. ③ 〖요리〗 갈비고기.
rippeln [rɪ́pəln] (ndd.) 《Ⅰ》 *t.* ① 물결 무늬를 새기다; 늑골 모양으로 장식하다. ② 움직이다. ③ 문지르다, 비벼대다, 마찰하다. 《Ⅱ》 *refl.* 〖방언〗 sich ~ ① 움직이다, 서두르다; 떠나다: sich nicht ~ und rühren 꼼짝하지 않다. ② 몸을 마찰하다.
rippen [rɪ́pən] 《Ⅰ》 *t.* 〖드물게〗 늑골 모양으로 하다, 늑골을 대다. 《Ⅱ》 *refl.* sich ~ (nordd.) 〖드물게〗 ↑ rippeln 《Ⅱ》 ①. 《Ⅲ》 **gerippt** *p.a.* ↑ gerippt.
Rippen≈bogen *m.* 〖해부〗 늑골궁(弓). **~braten** *m.* 갈비 구이. **~bruch** *m.* 〖醫〗 늑골 골절. **~farn** *m.* 〖植〗 청나래고사리속(屬)의 일종. **~fell** *n.* 〖해부〗 늑막. **~fell·entzündung** *f.* 〖醫〗 늑막염. **~karies** *f.* 〖醫〗 늑골 카리에스. **~resektion** *f.* 〖醫〗 늑골 절제(술). **~sammet, ~samt** *m.* ↑ Rippsammet. **~speer** *m./n.* 〖요리〗 (소금에 절인) 돼지 갈비 고기. **~stoß** *m.* (경고 또는 격려를 위해) 옆구리를 찌르기. **~stück** *n.* 〖요리〗 갈비 고기. **~weh** *n.* 〖醫〗 늑간(肋間) 신경통. **~zwischen·raum** *m.* 늑간(肋間).
Rippe·speer *m./n.* -(e)s 〖요리〗 ↑ Rippenspeer.
..rippig *suf.* "…늑골의, …늑골을 가진"의 뜻 (보기: vier~ 늑골이 넷인).
Rippli *n.* -s, - (schweiz.) (돼지의) 작은 늑골.
Ripp≈sammet, ~samt *m.* 홈〔골〕이 진 벨벳, 코르덴 비로드.
Rips [rɪps] 《engl.》 *m.* -es, -e 〖섬유〗 홈〔골〕이 진 직물.
rips *int.* 〖의성어〗 잽싸게, 왈칵, 와락(무엇을 재빠르게 나꿔 챌 때의 행동을 나타냄).
rips·raps [rɪ́psraps] *adv.* 잽싸게, 왈칵, 후닥닥.
Ripuarier [ripuáːriər] 《lat. ripa, „Ufer"》 *m.* -s, - 리푸아리아인(人)(Köln 지방에 살던 프랑켄족의 한 갈래).
ripuarisch [ripuáːrɪʃ] *a.* 라인 강변에 사는.
Risalit [rizalíːt] 《lat.》 *m.* -(e)s, -e 〖건축〗 (바로크 양식에서) 전면의 돌출 장식.
Risch [rɪʃ] *m.* -es, -e 〖植〗 갈대류(類).
risch 《ndd.; rasch의 별형》 *a.* 재빠른, 민첩한; 튼튼한; 똑바른.
rischeln [rɪ́ʃəln] *i.* (h.) 〖방언〗 바스락 소리가 나다.
***Risiko** [ríːziko] 《-lat.》 *n.* -s, -s/..ken/(öst.) Risken 위험; 모험: ein finanzielles ~ 경제적 위험 부담; auf eigenes ~ 본인이 책임〔위험 부담〕을 지고; ein ~ eingehen 〔das ~ laufen〕 위험을 무릅쓰다.
Risiko≈analyse *f.* (손실·실패의) 위험에 대

한 분석. **~bereitschaft** *f.* 위험을 감수할 각오. **~faktor** *m.* 위험 요소. **~frei** *a.* 위험이 없는. **~geburt** *f.* 〖醫〗 (산모나 아이가 위태로운) 위험 출산. **~lehre** *f.* 〖經〗 위험 (원인과 방지에 관한) 이론.

risikolos *a.* ↑ risikofrei.

Risiko·prämie *f.* 〖經〗 ① 위험 부담 보상금. ② 위험 할증금.

riskant [rɪskánt] 《frz.》 *a.* 위험한, 모험적인: ein ~es Überholmanöver 위험한 추월 행위.

riskieren [rɪskíːrən] *t.* ① 무릅쓰다, 감행하다: einen Unfall ~ 사고의 위험을 무릅쓰다; kein Wort ~ 한마디도 못 하다; 〔구어〕 einen ~ 독주(毒酒)를 한모금 들이키다. ② (목숨·명예 등을) 걸다: seinen Ruf ~ 명예를 걸다.

Risipisi (öst.) *n.* -(s) ↑ Risi-Pisi.

Risi-Pisi [riːzipíːzi] 《it.》 *n.* -(s) 〖요리〗 리시피시(쌀·완두·버터·파르마 치즈로 만든 베네치아의 특별 요리).

Riskontro [rɪskɔ́ntro] 《lat.》 *n.* -s, -s 〖商〗 할인, 차감(差減); 재고 명세서, 재고품 대장; 어음장.

Risorgimento [rizɔrdʒiméntо] 《lat., „Wiedererhebung"》 *n.* -(s) 〖史〗 (이탈리아의) 부흥·통일 운동(1815-70), 리소르지멘토.

Risotto [rizɔ́to] 《it.》 *m.* -(s), -s 〔(öst.) *n.* -, -(s)〕 〖요리〗 리소토(파르마 치즈에 토마토 소스를 친 이탈리아식 쌀밥 요리).

Rispe [ríspə] *f.* -n 〖植〗 원추 꽃차례〔화서(花序)〕, 복총상(複總狀) 화서.

rispeln *i.* (h.) 살랑살랑〔졸졸·버석버석〕 소리나다.

rispen·förmig *a.* 원추 꽃차례〔화서〕의. **~gras** *n.* 〖植〗 벼과(科) 식물.

riß [rɪs] ↑ reißen 의 과거형.

***Riß** [rɪs] 《< reißen》 *m.* Risses, Risse ①〔드물게〕 찢음, 끊어짐: der ~ des Films 필름의 끊어짐. ② (a) 찢어진 자리, 갈라진 틈, 틈새; 금, 균열: einen ~ flicken 찢어진 자리를 꿰매다. (b) 〔비유〕 분열, 불화; 공백: ihre Freundschaft hat einen ~ bekommen 그들의 우정에 금이 갔다; zwischen unseren Anschauungen klafft ein tiefer ~ 우리의 사고방식〔견해〕에는 큰 차이가 있다; einen ~ 〔Risse〕 im Hirn〔Kopf〕 haben 어리석다; einen ~ hinterlassen 공백을 남기다; sich vor den ~ stellen 〔vor den ~ treten〕 a) 공백을 메우다, b) 지급하다, c) 난국에 전력 대처하다, d) 보증하다. ③〖건축·工〗 제도(製圖); 설계도, 투영도; 계획. ④〖사냥〗 맹수에 찢긴 동물. ⑤ (obd.) 구타; 이익.

Riss 新정서 ⇦ Riß.

riss 新정서 ⇦ riß.

rispig [ríspɪç] *a.* ↑ rispenförmig.

risse [rísə] ↑ reißen 의 접속법 Ⅱ식.

riß·fest *a.* 〔드물게〕 (reißfest) 질긴, 내구력이 있는.

rissig *a.* 갈라진, 금이 간, 틈이 생긴: ~er Boden (가뭄으로) 갈라진 땅.

Rissole [rɪsóːlə] *f.* -n 〖요리〗 작은 반달 모양의 파이.

Rist [rɪst] *m.* -es, -e ①〖스포츠〗 손등, 발등. ② (특히 마소의) 앞잔등의 높은 부분.

Riste [rístə] 《⊕ Reitel》 *f.* -n 〔방언〕 아마(亞麻) 섬유의 다발.

Rist·griff *m.* 〖스포츠〗 손등이 자기쪽으로 오게 하는 철봉 잡기(↔ Kammgriff).

ristornieren [rɪstɔrníːrən] 《lat.》 *t.* 〖經〗 (보험을) 해약하다, (계약을) 취소하다; 공제하다.

Ristorno [rɪstɔ́rno] *m./n.* -s, -s 공제 계정; 변상; 〖보험〗 보험금 반환.

risvegliando [rɪsvɛljándo] 《it.》 *a.* 〖음악〗 점점 경쾌해지는.

risvegliato [rɪsvɛljáːto] 《it.》 *adv.* 〖음악〗 (다시) 경쾌하게.

ritardando [ritardándo] 《lat.》 *adv.* 〖음악〗 점점 느리게(약어: rit.).

rite [ríːtə] 《lat.》 *adv.* ①〔교양〕 규정대로, 정식으로, 올바르게. ② (박사 학위 시험에서) 최저 (합격) 점수로.

Riten·kongregation [ríːtən..] *f.* 〖가톨릭〗 (시성·시복식을 위한) 로마 교황청 의식 집회.

ritenuto [ritenúːto] 《it.》 *adv.* 〖음악〗 리테누토, 그 부분에서 느리게(약어: riten., rit.).

Ritenuto 《it.》 *n.* -s, -s/..ti 〖음악〗 리테누토의 악곡〔악장〕.

Ritornell [ritɔrnél] 《lat.》 *n.* -s, -e ①〖음악〗 리토르넬(전주·간주·후주로 여러 차례 반복되는 기악곡). ②〖문학〗 리토르넬(이탈리아 민요에서 유래한 3 행의 여러 연으로 이루어진 각운시).

Ritratte [ritrátə] *f.* -n 〖금융〗 역(逆)환어음; (부도로 인한) 반환 어음.

ritsch [rɪtʃ] *int.* 〔의성어〕 ① ↑ ratsch. ② 휙, 쌩(빠른 현상에 대한 표현): ~, ratsch! 쭉, 찍! (찢는 소리); 벅벅, 박박! (긁는 소리); 슥슥! (켜는 소리).

Ritscher [rítʃər] *m.* -s, - ↑ Ritschert.

Ritschert *m.* -s, - (öst.) 보리·훈제 고기·콩을 넣어 끓인 냄비 요리.

Ritt *m.* -(e)s, -e 기마, 승마, 말타기; 〖軍〗 기병대; 행군, 진군: ein ~ über den Bodensee 위험을 모르고 감행한 모험(독일 소설가 G. Schwab(1792-1850)의 작품 "기사와 보덴 호수"에서 유래); einen ~ machen 기마 여행을 하다; 〔구어〕 in einem 〔auf einen〕 ~ 단숨에, 한번에.

ritt [rɪt] ↑ reiten 의 과거형.

***Ritter** [rítər] 《< reiten》 *m.* -s, - ① (a) 〖史〗 기사(騎士), 기사단원: jn. zum ~ schlagen 누구에게 기사의 작위를 수여하다(칼로 어깨를 가볍게 침); ~ des Deutschen Ordens 독일 기사단원; der letzte ~ 최후의 기사(황제 Maximilian 1 세의 별명); ein fahrender ~ 모험의 여정(旅程)에 있는 기사, 편력(遍歷)의 기사. (b) 〔농담〕 ~ von der Feder〔Nadel〕 작가〔재단사〕; 〔농담〕 ein ~ des Pedals 사이클 선수; ~ von der traurigen Gestalt 우수(憂愁)의 기사(돈키호테의 별명); 〔교양〕 ein irrender ~ (모험을 추구하는) 방랑자; ein ~ ohne Furcht und Tadel 기사의 귀감, 용감한 남자. ②〔구식〕 귀부인의 봉사자〔보호자·시종자〕: er warf sich zu ihrem ~ auf 그는 자진해서 그 여자의 기사〔보호자〕역(役)을 맡았다. ③ 높은 훈장을 받은 사람(의 칭호). ④ (1918 년까지 오스트리아, 바이에른의) 하급 귀족. ⑤ 〖요리〗 arme ~ *pl.* 달걀 노른자위를 바르고 구운 빵 또는 비스킷. ⑥〖動〗 공작나비.

Ritter·akademie *f.* (16-18 세기의 귀족 자제를 위한) 기사〔귀족〕 학교. **~alter** *n.* 기사 시대, 중세. **~burg** *f.* 기사의 성. **~bürtig** *a.*

〖드물게〗 기사 신분으로 태어난. **~dach** *n.* 평기와 지붕. **~dichtung** *f.* 〖중세〗 궁정 기사 문학. **~dienst** *m.* ①〖중세〗 기사의 직무. ②〖雅語〗 기사도(여성에 대한 예의 바른 봉사). **~fahrt** *f.* 기사의 모험 여행, 기사 수업. **~gut** *n.* 기사의 영지, 기사령(領). **~guts·besitzer** *m.* 기사령의 영주. **~hof** *m.* 기사의 저택. **~lehen** *n.* 기사의 봉토(封土).

ritterlich [rítərlıç] *a.* ① 기사(계급)의; 기사다운. ② 고귀한, 기품 있는; 공정한: ~ kämpfen 정정당당히 싸우다. ③ (특히 여성에게) 예의 바른, 공손한: ein ~es Benehmen 정중한 태도.

Ritterlichkeit *f.* 기사 정신, 기사다운 태도, 고결함, 기품 있음.

ritter·mäßig *a.* 기사 같은, 기사다운.

Ritter=orden *m.* 기사단. **~roman** *m.* ① (중세 말기의) 기사 소설. ② (18 세기말부터 유행한) 의적(義賊) 소설. **~rüstung** *f.* 기사의 장비. **~saal** *m.* 성(城) 안의 연회장.

Ritterschaft [rítərʃaft] *f.* -en ① (a) 기사의 지위〔신분〕; 기사의 품위. (b) 기사령 영주의 신분. ②〖총칭〗 기사, 기사 계급; 귀족.

ritterschaftlich *a.* 기사 신분의; 기사의 품위를 가진.

Ritter=schlag *m.* (칼로 어깨와 목을 두드리는) 기사 서임식. **~schloß** *n.* 기사의 성.

Ritters·mann *m.* 〖복수: ..leute〗〖구식〗 기사; 귀족.

Ritter=spiel *n.* ①〖史〗 기사의 무술 경기. ②〖연극〗 ↑ ~stück. **~sporn** *m.* ① 기사의 박차(拍車). ②〖植〗 참제비고깔. **~stand** *m.* 〖중세〗 기사 계급〔신분〕. **~stern** *m.* 〖植〗 아마릴리스의 일종. **~stück** *n.* 〖연극〗 기사극.

Rittertum [rítərtu:m] *n.* -(e)s ① 기사 제도; 기사도(騎士道). ② 기사 시대. ③〖총칭〗 기사 계급.

Ritter=wesen *n.* ↑ Rittertum ①. **~zeit** *f.* ↑ ~alter. **~zug** *m.* 기사의 원정.

rittig 《<Ritt》 *a.* (말을) 탈 수 있도록 길들인, 조련(調練)된: ein Pferd ~ machen 말을 조련하다.

rittlings [rítlıŋs] *adv.* 말탄 자세로, 승마 자세로: sich ~ auf einen Stuhl setzen 의자에 걸터앉다.

Ritt·meister *m.* 〖軍〗 기병 대위; 병참(兵站) 대위.

***Ritual** [rituá:l] 《lat.》 *n.* -s, -e/-ien [..liən] ①〖宗〗 의식, 제식; 의례서(儀禮書), 식전(式典). ②〖사회〗 (사회적·풍습적) 예식, 의례.

Ritual=buch *n.* ① (종교적) 의식 기록서. ②〖가톨릭〗 전례〔의식〕 총서. **~handlung** *f.* 의식, 의전, 반복적〔의례적〕 행위.

Ritualismus [ritualísmus] *m.* - 의식(존중)주의(19 세기 후반 영국 교회 개혁 운동의 일환).

Ritualist *m.* -en, -en 의식(존중)주의자.

Ritual·mord *m.* 인신(人身) 제물.

rituell [rituέl] *a.* ① 의식상의, 의식에 따른. ② 반복적인, 의례적인.

***Ritus** [rí:tus] *m.* -, ..ten ① (종교상의) 의식, 전례(典禮). ② 관례, 관습, 습관.

Ritz [rıts] *m.* -es, -e ① 할퀸 자국, 생채기. ② ↑ Ritze.

Ritze [rítsə] *f.* -n 갈라진 틈, 균열(된 곳): eine ~ in der Wand dichten 벽에 금간 곳을 막다.

Ritzel [rítsəl] *n.* -s, - 〖기계〗 작은 톱니바퀴.

***ritzen** [rítsən] 《♧ reißen》 《Ⅰ》 *t.* ① 할퀴다, 생채기내다. ② 무엇에 금을 내다; (문자·도안 등을) 새겨 넣다: Glas mit einem Diamanten ~ 금강석으로 유리에 금을 긋다; eine Zeichnung in eine Kupferplatte ~ 동판에 그림을 새겨 넣다. ③ (schweiz.) 위반하다: eine Vorschrift ~ 규정을 위반하다. 《Ⅱ》 *refl.* sich ~ 할퀴어 상처가 나다, 생채기가 생기다: sich mit der Nadel 〔an einem Dorn〕 ~ 바늘〔가시〕에 찔려 상처를 입다. 《Ⅲ》 **geritzt** *p.a.* ↑ geritzt.

Ritzer [rítsər] *m.* -s, - 〖구어〗 조그마한 할퀸〔긁힌〕 자국, 작은 생채기.

ritzig [rítsıç] *a.* 금 간, 틈이 난, 벗겨진, 균열이 간; (손발이) 튼.

Ritzung *f.* -en 새겨 넣은 금.

Rival [rivá:l] 《frz. <lat. rivalis, „Bachnachbar" 논에 물대기 싸움을 하는 상대의 뜻》 *m.* -s/-en, -e(n), **Rivale** [rivá:lə] *m.* -n, -n 경쟁자, 연적(戀敵), 라이벌.

Rivalin *f.* -nen ↑ Rivale의 여성형.

rivalisieren [rivalizí:rən] *i.* (h.) 경쟁하다, 겨루다.

Rivalität [..tέ:t] *f.* -en 경쟁, 경합.

Riverboatshuffle [rívəboutʃʌfl] 《engl.》 *f.* -s (강·호수에서의) 뱃놀이.

riverso [rivέrzo] 《it.》 *adv.* 〖음악〗 (악보상의 연주 지시) 거꾸로, 역순으로.

Rizinus [rí:tsinus] 《lat.》 *m.* -, -(se) ①〖植〗 아주까리, 피마자. ②〖藥〗 ↑ ~öl.

Rizinus·öl *n.* -(e)s 〖藥〗 피마자 기름.

RKW =Rationalisierungs-Kuratorium der Deutschen Wirtschaft 독일 경제 합리화 관리국.

RLB =Reichsluftschutzbund (나치스 시대의) 제국 방공(防空) 연맹.

RM =Reichsmark 제국 마르크(독일의 옛 화폐 단위).

rm =Raummeter 입방〔세제곱〕 미터.

Rn 〖化〗 =Radon 라돈.

Roadie [róudi:] 《engl.》 *m.* -s, -s ↑ Roadmanager.

Roadmanager [róudmέnıdʒə] 《eng.》 *m.* -s, - 록 그룹의 무대 장비(의 설치 및 운반) 책임자.

Roadster [róudstə] 《eng.》 *m.* -s 로드스터(2 인승의 무개(無蓋) 자동차).

Roast·beef [ró:stbi:f] 《engl.》 *n.* -s, -s 〖요리〗 로스트 비프.

Robbe [rɔ́bə] *f.* -n 〖動〗 (물개·바다표범·해마 등과 같은) 기각류(鰭脚類).

robben [rɔ́bən] *i.* (s.) 바다표범처럼 (배를 바닥에 대고) 기어가다; 〖軍〗 포복하다.

Robben=fang *m.* 물개〔바다표범〕의 포획. **~fänger** *m.* 물개〔바다표범〕 포획꾼. **~fell** *n.* 물개〔바다표범〕 가죽. **~jagd** *f.* 물개〔바다표범〕 사냥. **~jäger** *m.* 물개〔바다표범〕 사냥꾼. **~schlag** *m.* (몽둥이로 머리를 내리쳐 잡는) 물개〔바다표범〕 사냥. **~schläger** *m.* 물개를〔바다표범을〕 몽둥이로 때려잡는 사냥꾼.

Robber [rɔ́bər] 《engl.》 *m.* -s, - (브리지와 휘스트 게임에서) 3 판 2 승의 승부.

Robe [ró:bə] 《frz.》 *f.* -n ① (재판관·성직자 등의) 법복, 관복. ② (a) 〖雅語〗 연회복, 야회

복. (b) 〔농담〕(새)옷.
Robert [ró:bɛrt] *m.* 로베르트(남자 이름).
Roberta *f.* 로베르타(여자 이름).
Robertine *f.* 로베르티네(여자 이름).
Robinsonade [robɪnzoná:də] *f.* -n ① (로빈슨 크루소풍의) 모험 소설. ② (로빈슨 크루소식의) 모험.
Robinson·liste *f.* 우송 광고물 수취 거부자 명부.
Robot [rɔ́bɔt] 《sl.》 *f.* -en 〔*m.* -(e)s, -e〕〔옛뜻〕부역, 강제 노동.
roboten [rɔ́bɔtən] *i.* (h.) ①〔옛뜻〕부역하다. ②〔구어〕중노동하다, 뼈빠지게 일하다.
Roboter [rɔ́bɔtər] *m.* -s, - ① 인조 인간, 로봇: 〔구어〕er arbeitet wie ein ~ 그는 쉬지 않고 기계처럼 일한다. ②〔옛뜻〕부역꾼.
roboterhaft *a.* 로봇 같은, 기계적인: ~e Bewegungen 기계적인 운동.
Roburit [roburí:t, ..rít] *m.* -s 로부라이트(탄광에서 사용하는 강력한 가루 폭약).
robust [robʊ́st] 《lat.》 *a.* ① 힘센, 건장한, 억센; 둔중〔둔감〕한. ② 내구성 있는, 견고한, 튼튼한: die Möbel sind ~ gebaut 그 가구들은 견고하게 만들어졌다.
Robustheit *f.* ① 건장; 둔감. ② 견고.
Rocaille [roká:j] 《frz.》 *n./f.* -, -s 〖건축〗(로코코 양식의) 조가비 모양의 장식.
Roch [rɔx] 《pers.》 *m.* -(s) 로크(새) (아라비아의 동화에 나오는 큰 새; 동화의 등장 인물).
roch ↑ riechen 의 과거형.
Rochade [rɔxá:də, ..ʃá:..] 《frz.》 *f.* -n ①〖체스〗왕과 탑의 위치를 바꾸는 수. ②〖구기〗선수의 위치 바꿈.
Roche[1] [rɔ́xə, rɔ́ʃə] *m.* -n, -n 〖체스〗(차에 해당하는) 탑(Turm).
Roche[2] [rɔ́xə] *m.* -n/-ns, -n 〖動〗↑ Rochen.
röche [rœ́çə] ↑ riechen 의 접속법 Ⅱ 식.
*__röcheln__ [rœ́çəln] *i.* (h.) (숨이 가빠서) 그르렁거리다.
Rochen [rɔ́xən] *m.* -s, - 〖動〗가오리.
Rochett [rɔʃɛ́t] 《frz.》 *n.* -s, -s 〖가톨릭〗(고위 성직자의) 의식용 흰옷, 로솃.
rochieren [rɔxí:rən, ..ʃí:..] 《frz.》 *i.* (h.) ① 〖체스〗왕과 탑〔차〕의 위치를 바꾸다; 〔비유〕위치를 자주 바꾸다. ②〖구기〗선수의 위치를 바꾸다.
Rochus [rɔ́xʊs] *m.* 〔다음 용법으로〕〔방언〕 auf jn. einen ~ haben 누구에게 화가 나 있다.
*__Rock__ [rɔk] *m.* -(e)s, Röcke [rœ́kə] ① (남자) 상의, 재킷, 저고리: der schwarze ~ a) 프록코트, b) (성직자의) 법복; der bunte ~ 제복, 군복; 〔고어〕den bunten ~ anziehen 〔ausziehen〕 입대〔제대〕하다; 〔고어〕 des Königs 〔Kaisers〕 ~ tragen 군인 신분이다; 〔고어〕 seinen ~ ausziehen müssen 장교로서 퇴역해야 하다. ② (여성용) 스커트, 치마; (schweiz.) 원피스, 드레스: 〔구어〕hinter jedem ~ hersein〔herlaufen〕 여자의 꽁무니를 쫓아다니다.
Rock and Roll [rɔ́k ɛnt rɔ́:l, rɔ́kn rɔ́:l] 《engl.》 *m.* - - -, - - -(s) ① (1950 년대 미국에서 생긴) 로큰롤(음악). ② 4 분의 4 박자의 로큰롤 춤.
Röckchen [rœ́kçən] *n.* -s, - 〔↑ Rock 의 축소형〕작은 상의; 작은 스커트.
*__Rocken__ *m.* -s, - (물레의) 실 감개: 〔고어〕 er hat Werg am ~ 그는 죄를 범하고 있다.
rocken [rɔ́kən] *i.* (h.) ① 로큰롤 음악을 연주하다. ② 로큰롤 춤을 추다.
Rocken⸗bolle *f.* 〖植〗염교, 해채(알이 작은 양파). **~stube** *f.* 〔구식〕방적실, 실 잣는 방. **~weisheit** *f.* 노파의 지혜.
Rocker [rɔ́kər] *m.* -s - 로크족(族)(대개 검은 가죽옷 차림을 한 오토바이 폭주족).
Rocker⸗bande *f.* 로크족 일당. **~braut** *f.* 로크족의 애인〔여자 친구〕.
Rock⸗falte *f.* 스커트의 주름. **~futter** *n.* 윗옷〔스커트〕의 안감.
Rock⸗gruppe *f.* 록 그룹. **~konzert** *n.* 록 콘서트.
Rock·kragen *m.* 윗옷의 깃.
Rock⸗musik *f.* 록 음악. **~musiker** *m.* 록 음악가.
Rocks [rɔks] 《engl.》 *pl.* 과일(맛) 사탕.
Rock⸗sänger *m.* 록 가수. **~sängerin** *f.* ↑ ~sänger 의 여성형.
Rock⸗schoß *m.* 윗옷〔저고리〕의 자락; 스커트의 앞부분: 〔구어·비유〕 sich an js. Rockschöße hängen 〔sich jm. an die Rockschöße hängen, an js. Rockschößen hängen〕 누구의 옷자락에 매달리다, 누구에게 의존하다. **~tasche** *f.* ①〔방언〕윗옷의 주머니. ② 스커트 주머니. **~zipfel** *m.* ① 스커트의 자락〔단〕: 〔구어·비유〕 jm. am 〔an js.〕 ~ hängen 누구에게 매달려 살다, 누구의 도움을 받고 있다 ②〔구식〕(남자용) 윗옷의 자락〔단〕: 〔구어〕 jn. am ~ halten〔erwischen〕 막 떠나가려는 누구를 붙잡다.
Rode⸗hacke [ró:də..] 《<roden》 *f.* 개간용의 곡괭이. **~haue** *f.* ↑ ~hacke.
Rodel[1] [ró:dəl] 《lat., „Papierrolle"》 *f.* -n 〔*m.* -s, Rödel〕 (alem.) 두루마리; 목록, 명부; 기록, 문서.
Rodel[2] *m.* -s, - (bayr.) 스포츠용 썰매.
Rodel[3] *f.* -n (öst.) ① 소형 썰매. ② (장난감) 딸랑이.
Rodel·bahn *f.* 썰맷길.
Rode·land *n.* -(e)s 개간지.
rodeln [ró:dəln] *i.* (h./s.) 썰매를 타다.
Rodel⸗schlitten *m.* ↑ Rodel[2]. **~sport** *m.* 썰매 경주.
roden [ró:dən] 《nordd.; ♧ reuten》 *t./i.* (h.) ① 개간하다. ② 벌목하다, 덤불을 제거하다. ③〔방언〕(감자 등을) 캐내다, 수확하다.
Rodeo [rodé:o] 《engl.》 *m./n.* -s, -s 로데오 경기.
Roderich *m.* 로데리히(남자 이름).
Rodler [ró:dlər] *m.* -s, - 썰매 타는 사람.
Rodomontade [rodomɔntá:də] 《it.》 *f.* -n 〔구식〕호언장담, 허풍.
Rodomonte 《it., „Bergumwälzer"》 *m.* -s, -s 오만한 용사(이탈리아의 시인 아리오스토(Ariosto, 1474-1533) 의 작품 „Rasender Roland" 속에 나오는 인물 이름); 호언장담하는 사람, 허풍선이.
rodomontieren *i.* (h.) 〔구식〕허풍치다, 호언장담하다.
Rodung *f.* -en 개간; 개간지.
Rogate [rogá:te] 《lat., „bittet!"》 *m.* - 〔관사·어미변화 없음〕부활절 후 제 5 일요일.
Rogation [rogatsió:n] *f.* -en 〔구식〕남을 위

한 기도(Fürbitte).

Rogen [ró:gən] *m.* -s, - 어란(魚卵).

Rogener [ró:gənər] *m.* -s, -〖動〗 산란 전의 물고기(↔ Milchner).

Rogen≈fisch *m.* 산란기의 물고기. **~stein** *m.* 〖지질〗(물고기 알 모양의) 이상암(鲕狀岩), 어란상암(魚卵狀岩).

***Roggen** [rɔ́gən] *m.* -s ①〖植〗(식물로서의) 호밀. ②(곡물로서의) 호밀(알).

Roggen≈bau *m.* 호밀 재배. **~brot** *n.* (검은) 호밀 빵. **~ernte** *f.* ① 호밀 수확. ②(특정한 해·지역의) 호밀 수확량. **~feld** *n.* 호밀밭. **~mehl** *n.* 호밀 가루. **~muhme** *f.* (게르만 신화에서) 곡물의 요정. **~stroh** *n.* 호밀 짚.

Rogner *m.* -s, -〖動〗↑ Rogener.

***roh** [ro:] *a.* ① **(a)** 날〔생〕것의; 자연 그대로의, 가공하지 않은: ~e Bücher 가제본한 책; ein ~es Ei 날 달걀; jn. wie ein ~es Ei behandeln 누구를 신중히 다루다; ~es Fleisch 날고기; ein ~es Pferd 조련(調練)하지〔길들이지〕 않은 말; ~e Seide 생사(生絲); ein ~es Bauwerk 골조 상태의〔미완성의〕 건축물〔축조물〕; et. aus dem ~en arbeiten 원료로 무엇을 만들다. **(b)** 대충의, 대략의: nach ~er Schätzung 어림짐작해 보면. ②〖비유〗 미숙한; 조야한; 상스러운, 야비한, 야만의; 잔혹한: sich ~ benehmen 거칠게 행동하다; mit ~er Gewalt 완력으로; ~e Sitten 야만적 풍습. ③〖商〗 총계의: ~er Betrag 총액. ④ (obd.) ↑ rauh. ⑤ 피부가 벗겨진, 피가 나는.

Roh≈arbeit *f.* 〖제련〗 광석의 용해. **~bau** *m.* 〔복수: -ten〕 ① 날림으로 지은 건물; 거친 벽돌 건축. ② 골격만 세운(미완성) 건축물: im ~ 미완성의, 골격만 끝낸; 〖비유〗 et. im ~ darstellen 무엇을 개략적으로 기술하다. **~bilanz** *f.* 〖經〗 시산표(試算表); 총결산. **~diamant** *m.* 세공하지 않은 다이아몬드. **~einnahme** *f.* 〖經〗 총수입. **~eisen** *n.* 〖제련〗 무쇠, 선철(銑鐵). **~eisen·gewinnung** *f.* 선철 채광.

Roheit [ró:haɪt] *f.* -en ① 날것, 생것; 가공하지 않은 상태. ② **(a)** 조야, 야만. **(b)** 조야한 태도, 야비한 행위: ~en begehen 야만적인 행위를 하다.

Roh≈entwurf *m.* 대충의 설계, 개략적인 구상. **~ertrag** *m.* 〖經〗 총수익.

roher·weise *adv.* 거칠게, 야비하게, 야만스럽게, 잔혹하게.

Roh≈erz *n.* 〖광물〗 원광(原鑛), 조광(粗鑛). **~erzeugnis** *n.* ↑ ~produkt. **~gewicht** *n.* 미가공 상태의 중량. **~haut** *f.* 생피(生皮).

Rohheit 新정서 ⇦ Roheit.

Roh≈kost *f.* 생식할 수 있는 식물성 음식: sich von ~ ernähren 생식하다. **~köstler** *m.* 생식하는 사람.

Rohling [ró:lɪŋ] *m.* -s, -e ①〔펌어〕 난폭자, 조야한 사람. ②〖工〗(가공하지 않은) 공작 재료, 미완성 제작품.

Roh≈material *n.* 원료. **~metall** *n.* 〖제련〗 미정련 금속.

Rohn *m.* -(e)s, -e, **Rohne** *f.* -n (obd.) 바람에 쓰러진 나무.

Roh≈öl *n.* 원유(原油). **~produkt** *n.* 원료품, 미가공품.

***Rohr** [ro:r] 《⊕ Röhre》 *n.* -(e)s, -e ①〖植〗 갈대: 〔구식〕 spanisches ~ 등나무 지팡이; 〔비유〕 sich auf ein schwaches ~ stützen 신뢰할 수 없는 사람을 의지하다; er ist wie ein schwankendes ~ im Wind 〔er schwankt wie ein ~ im Wind〕 그는 바람에 흔들리는 갈대와 같다, 우유부단하다, 변덕스럽다〔경박하다〕. ② 통, 관(管); 〖음악〗 피리; 〖軍〗 총신, 포신: ein ~ der Wasserleitung 수도관; 〔구어〕 voll(es) ~ 전력을 다해; et. auf dem ~ haben 무엇을 겨누다〔계획하다〕; 〔구어〕 jn. auf dem ~ haben 누구에 대해 나쁜 짓을 꾸미다〔계획하다〕; 〔비유〕 wie ein ~ saufen (술을) 퍼마시다; 〔구어〕 etwas ist im ~ 무슨 (나쁜) 일이 일어날것 같다. ③〔경박〕 남자의 성기, 남근: ein ~ verlegen 성교하다; sich[3] das ~ verbiegen 성병에 걸리다. ④ (südd., öst.) (빵굽는) 오븐.

Rohr≈ammer *f.* 〖動〗 검은머리쑥새. **~ansatz** *m.* 관(管)의 꼭지; 소켓; 촛대의 초꽂이. **≈artig** *a.* 갈대와 같은; 갈대 종류의. **~bruch** *m.* 수도관〔가스관〕 파열.

Röhr·brunnen [rø:r..] *m.* (öst.) 굴착 펌프식 우물.

Röhrchen [rø:rçən] *n.* -s, - 〔↑ Rohr 와 Röhre 의 축소형〕 작은 등나무 지팡이; 작은 관.

Rohr≈dach *n.* 갈대 지붕. **~decke** *f.* 갈대발. **~dickicht** *n.* 갈대숲. **~dommel** *f.* 〖動〗 알락백로.

***Röhre** [rø:rə] 《⊕ Rohr》 *f.* -n ① (물·가스 등의) 관, 통, 파이프. ② (빵을 굽거나 음식을 데우기 위한) 오븐 안의 빈 공간: 〔비유·구어〕 in die ~ gucken〔sehen〕 (분배할 때에) 아무것도 받지 못하다, 차별을 받다. ③〖전기〗 전자관, 진공관, 네온관〔등〕. ④〔구어·폄어〕 텔레비전 화면, 텔레비전 수상기. ⑤〖사냥〗(여우나 오소리) 굴 속의 통로.

rohren[1] [ró:rən] 《I》 *a.* 갈대로 된, 갈대로 만든. 《II》 *t.* 갈대를 베다〔제거하다〕: den Teich 〔auf dem Teich〕 ~ 연못의 갈대를 베다.

rohren[2] *i.* (h.) ↑ röhren[2].

röhren[1] [rø:rən] *t.* 관〔파이프·통〕을 설치하다.

röhren[2] *i.* (h.) ① (교미기의 사슴이) 울다. ② 〔구어〕(크고 거칠게) 소리지르다. ③〔구어〕 **(a)** (모터가) 요란한 소리를 내다. **(b)** 모터 소리를 요란하게 내며 가다.

Röhren≈anlage *f.* ↑ ~leitung. **~apparat** *m.* ↑ ~empfänger. **~bewässerung** *f.* 도관〔파이프〕에 의한 급수. **~blütler** *m.* 〖植〗 관상화 식물. **~brunnen** *m.* ↑ Röhrbrunnen. **~detektor** *m.* 진공관 검파기. **~empfänger** *m.* 진공관 수신기: Dreiröhrenempfänger 3극 진공관 수신기. **≈förmig** *a.* 관〔통·파이프〕 모양의. **~hose** *f.* 〖유행〗 통 좁은 일자 바지. **~kessel** *m.* 다관식(多管式) 보일러. **~knochen** *m.* 〖해부〗 관상골(管狀骨). **~lampe** *f.* (형광등 등의) 관형(管形) 전구. **~leitung** *f.* 도관 (장치), 수도관. **~muschel** *f.* 〖動〗 가스트로코에나 고둥. **~nudeln** *pl.* 마카로니. **~pilz** *m.* 〖植〗 그물버섯. **~qualle** *f.* 〖動〗 유자포(有刺胞) 동물, 해파리류. **~system** *n.* 배관망〔시스템〕. **~wasser** *n.* 도관〔수도〕의 물. **~werk** *n.* ↑ ~leitung. **~wurm** *m.* 〖動〗(바닷속 모래에 사는) 관주목(管住目: 환형 동물 모족류).

rohr·farben *a.* 엷은 베이지색의.

Rohr≈flechte *f.*, **~flechten** *n.* ↑ ~geflecht. **~flöte** *f.* 〖악기〗 ① 갈대피리, 목적(牧笛). ② 팬플루트. ③ (파이프 오르간의) 음전(音栓). **~gebüsch** *n.* 갈대숲, 갈대밭. **~geflecht** *n.* 등나무 세공. **~huhn** *n.* 〖動〗 큰물닭(뜸부깃과의 물새); 쇠물닭류(類)의 물새.

Röhricht *n.* -s, -e ↑ Rohrdickicht.

röhricht *a.* ↑ rohrartig.

rohrig [ró:rıç] *a.* ↑ röhrig.

röhrig [rø̃:rıç] *a.* ① 갈대가 우거진. ② 〖工〗 관〔도관〕 모양의, 파이프 모양의.

Rohr≈kolben *m.* 〖植〗 부들. **~krepierer** *m.* 〖軍〗 총신 내에서 미리 폭발하는 탄환. **~legen** *n.* 〖工〗 배관(配管), 도관 부설. **~leger** *m.* ① 〖工〗 배관공. ② (석유·천연 가스 등의 송출을 위한) 해저 파이프라인 설치선(船). **~leitung** *f.* 〖工〗 수송관, 파이프라인. **~matte** *f.* 갈대 돗자리. **~mündung** *f.* 〖軍〗 총구, 포구. **~nudeln** *pl.* 마카로니. **~pfeife** *f.* 갈대 피리. **~pflanzung** *f.* ↑ ~gebüsch. **~post** *f.* (압착 공기를 이용한) 기송관(氣送管) 우편. **~postkarte** *f.* 기송 우편 엽서. **~rücklauf** *m.* 〖무기〗 (발포 후의) 포신의 후퇴〔후좌〕. **~rücklauf·geschütz** *n.* 〖軍〗 포신 후좌포. **~sänger** *m.* 〖動〗 개개비(휘파람샛과). **~schelle** *f.* 〖工〗 홈통의 클립. **~schilf** *n.* 〖植〗 서양갈대. **~schlüssel** *m.* 〖工〗 파이프 렌치. **~schmied** *m.* 〖工〗 포신 제작공. **~schraub·stock** *m.* 파이프 고정용 바이스. **~spatz** *m.* ① ↑ ~ammer: 〖구어〗 wie ein ~ schimpfen 흥분해서 심한 욕지거리를 하다. ② 종달새의 일종(휘파람샛과에 속함). **~sperling** *m.* ↑ ~spatz. **~stock** *m.* (특히 교사가 체벌에 사용하는) 대나무 회초리; 등나무 지팡이. **~stuhl** *m.* 등나무 의자. **~weihe** *f.* 〖動〗 개구리매의 일종. **~weite** *f.* 〖軍〗 (포신·총신의) 구경(口徑). **~werk** *n.* 〖악기〗 (파이프 오르간의) 음전(音栓), 리드관 마개. **~zange** *f.* 〖광산〗 관〔파이프〕 집게. **~zirkel** *pl.* 〖工〗 총포공(工)의 컴퍼스, 캘리퍼스. **~zucker** *m.* 감자당(甘蔗糖).

Roh≈schiene *f.* 〖工〗 선철봉(銑鐵棒). **~schrift** *f.* 〖드물게〗 초안, 초고. **~schwefel** *m.* 〖광물〗 천연황. **~seide** *f.* 〖섬유〗 ① 생사(生絲). ② 생사로 짠 직물〔천〕. **~stahl** *m.* 〖工〗 조강(粗鋼). **~stahl·eisen** *n.* 〖工〗 조강용(粗鋼用) 선철(銑鐵). **~stahl·ofen** *m.* 〖工〗 전로(轉爐). **~stoff** *m.* 원료; 〖복수〗 원료품, 미제품(未製品).

rohstoff≈arm *a.* 원료가 부족한. **~frage** *f.* 원료 문제. **~mangel** *m.* 원료 부족. **~markt** *m.* 원료 시장. **~reich** *a.* 원료가 풍부한. **~verarbeitung** *f.* 원료 가공.

Roh≈tabak *m.* 건조한 미가공 담배, 잎담배. **~zucker** *m.* 원당(原糖). **~zustand** *m.* 미가공 상태.

Roi [roa] 《frz.》 *m.* 왕(König): ~ Soleil [roasolɛ́:j] 태양왕(루이 14 세의 별칭).

Roje·klampe *f.* 〖海〗 노걸이, 노받이.

rojen [ró:jən] *t./i.* (h./s.) 〖海〗 (ndd.) (보트 등을) 젓다(rudern).

Rok *m.* - (ndd.) 연기(↑ Rauch).

Rokambole [rokambó:lə] 《frz.》 *f.* -n 〖植〗 염교, 채지.

Rokitno·sümpfe [rokítno..] *pl.* 로키트노 소택지(폴란드와 러시아 국경의 대삼림 소택지).

***Rokoko** [rɔ́koko, rokɔ́ko, (öst.) rɔkɔkó:] 《frz. rococo》 *n.* -(s) ① 로코코(양식)(18 세기의 화려한 예술 양식). ② (1720-70 년까지의) 로코코 시대.

rokoko *a.* 로코코 양식〔풍〕의.

Rokoko≈stil [rɔ́koko.., rokɔ́ko..] *m.* 로코코 양식. **~zeit** *f.* 로코코 시대.

Roland [ró:lant] ① *m.* 롤란트(남자 이름). ② *m.* 롤란트(카를 대제 휘하의 전설적 12 영웅 중의 한 사람). ③ *m.* -(e)s, -e 롤란트 입상(사법권과 자유의 상징으로 독일 중북부 도시의 시장에 세워진 기사의 입상).

Roland·säule *f.* ↑ Roland ③.

Rolands≈bresche *f.* 서피레네 산고개의 이름(롤란트가 그의 군대와 함께 방어하다 옥쇄(玉碎)한 곳으로 전하여짐). **~lied** *n.* 롤란트의 업적을 노래한 중세의 서사시. **~schwert** *n.* 롤란트 입상의 손에 쥐어진 칼.

Rolf [rɔlf] *m.* 롤프(남자 이름; Rudolf 의 애칭).

Rolladen [rɔ́lla:dən] *m.* -s, -/..läden (말아 올리기) 셔터; 롤 블라인드: den ~ herunterlassen 셔터를 내리다.

Roll≈laden, ~-Laden 新정서 ⇦ Rolladen.

Rolland [rɔlã́(:)] *m.* Romain ~ 롤랑(프랑스의 작가, 1866-1944).

Roll≈angel *f.* 〖漁〗 주낙: mit der ~ angeln 〔fischen〕 주낙으로 낚시질하다. **~back** *n.* ① 〖政〗 (제 2 차 세계 대전 후 미국의 정치 전략으로 시행된) 동유럽에 대한 옛 소련의 영향력 차단, 롤백 정책. ② 〖교양〗 후퇴, 강요된 은퇴. **~bahn** *f.* ① 〖空〗 (비행장의) 활주로. ② (특히 2 차 세계 대전 때 동부 전선에 임시 가설된) 보급품 수송로. ③ (공장이나 공사장에서 쓰는 광차의) 궤도. **~balken** *m.* (öst.) ↑ Rolladen. **~ball** *m.* 〖스포츠〗 롤볼(공을 굴려서 골을 얻는 실내 팀 대항 경기).

rollbar *a.* 말 수 있는; 굴릴 수 있는.

Roll≈baum *m.* 〖空〗 선회간(旋回桿); 회전문. **~bett** *n.* 바퀴 달린 침대. **~binde** *f.* 〖醫〗 권(卷)붕대, 두루마리붕대. **~braten** *m.* 로스트용으로 말아 묶은 고기. **~brett** *n.* ① 롤러 고문 기계. ② (세탁물 등의 주름을 펴는) 압착 롤러. ③ (빵집의) (가루) 반죽 판. ④ (양초 제조인의) 압연판(壓延板). ⑤ 스케이트 보드. **~brücke** *f.* 전개교(轉開橋).

Röllchen [rœ́lçən] *n.* -s, - 〖↑ Rolle 의 축소형〗 ① 작고 좁은 롤러〔활차〕. ② 〖구식〗 (윗옷·와이셔츠의 소매에 다는) 커프스.

***Rolle** [rɔ́lə] *f.* -n ① 롤러, 땅 고르는 기계; 바퀴 달린 침대; (가구 등의) 바퀴다리, 캐스터; 실패, 감는 틀; 〖전기〗 코일; 〖기계〗 도르래, 활차; (천·종이 등을) 윤내는 기계; 〖방언〗 (세탁물의 주름을 펴는) 압착 롤러; 〖건축〗 (코린트식·이오니아식의 기둥머리 등의) 소용돌이꼴 장식: 〖해부〗 ~ des Oberarmknochens 상박골(上膊骨)의 활차(滑車); jn. durch die ~ drehen 누구를 압박하다〔괴롭히다〕. ② 감긴 것, 두루마리; 〖요리〗 롤케이크, 롤 빵: eine ~ Papier 한 통의 두루마리 종이; eine ~ Zwirn 한 꾸리의 실. ③ 〖옛뜻〗 두루마리 문서, 목록, 명부: 〖軍〗 Stamm≈ 장정 명부, 승무원 명부. ④ 〖연극〗 역, 배역; 〖비유〗 역할, 소임, 본분, 직무: Wallenstein ist eine schwierige ~ 발렌슈타인은 어려운 역이다; eine ~ lernen 어떤 역의 대사를 암기하다; (gern) eine ~ spielen mögen〔wollen〕 각광을 받고 싶어하다; bei et.[3] eine ~ spielen 무엇에 관여〔참여〕하다; eine ~ besetzen 어떤 배역을 정하다; eine ~ spielen 어떤 역을 맡아 하다; 〖비유〗어떤 역할을 하다; das spielt keine ~ 이것은 중요하지 않다, 별 영향을 미치지 않는다; aus der ~ fallen 맡은 배역에서 이탈하다, 소임〔본분〕을 망각하다, 〖비유〗신분에 맞지 않는 일을 하다; er hat seine ~ ausgespielt 그는 이미 할 일을 다하였다, 그는 명망을 잃었다; 〖雅語〗sich in seine ~ finden 자기 역할을 해내다; sich in js. ~ versetzen (können) 누구의 입장에서 생각하다〔생각할 수 있다〕; 〖雅語〗sich in seiner ~ gefallen 자신의 영향력을 내세우다. ⑤〖스포츠〗공중제비, 재주넘기; 〖空〗(곡예 비행의) 횡전(橫轉). ⑥〖海〗 부서; 근무표. ⑦〖방언〗 둥근 작은 종, 방울. ⑧〖사이클〗(선도 오토바이의 뒤쪽에 붙인) 회전대: 〖구어〗von der ~ kommen 더 이상 보조를 맞출 수 없다, 참여하지 못하다; 〖구어〗jn. von der ~ bringen 누구를 참여하지 못하게 하다; 〖구어〗von der ~ sein 제외되다, 배제되다. ⑨〖광산〗 갱정(坑井)(광물·퇴적물을 아래로 수송할 수 있는 가파른 구덩이).

*__rollen__ [rɔ́lən] 《I》 *t.* ① 굴리다; (수레·철도 등으로) 나르다: Steine von einem Berg ~ 산에서 돌을 굴리다; mit dem Kopf 〔den Kopf〕 ~ 머리를 좌우로 돌리다; 〖구어〗et. ins ~ bringen 무엇을 움직이게 하다〔진행시키다〕. ② 말다, 감다: Papier ~ 종이를 둘둘 말다; 〖軍〗 den Mantel gerollt tragen 망토를 둘둘 말아서 들고 다니다; auseinander ~ (감긴〔만〕 것을) 풀다. ③〖방언〗(리넨을) 주름 펴는 기계에 걸다: Wäsche ~ 롤러로 세탁물의 주름을 펴다; Teig ~ 반죽을 밀다. ④〖구어〗jn. ~ 누구를 치다, 두들기다. 《II》 *i.* (s.) ① 구르다, 굴러가다: der Wagen 〔das Rad〕 rollt 수레〔수레바퀴〕가 굴러간다; die Wogen ~ 물결이 인다, 파도가 넘실거린다; die Tränen rollten ihr die Wangen 그녀의 뺨에 눈물이 흘러내렸다; 〖구어〗eine Sache rollt 어떤 일이 진행 중이다; 〖구어〗eine Sache kommt ins ~ 어떤 일이 시작되다. ② (h.) das Schiff rollt 배가 흔들린다; der Donner rollt 와르르 천둥이 친다. ③ (h.) 〖사냥〗(멧돼지 등이) 발정하다, 짝짓다. 《III》 *refl.* sich ~ (잔디 위에서) 구르다; (종이 등이) 둘둘 말리다: Kinder rollen sich im Gras 아이들이 풀밭에서 뒹굴며 논다; das Haar rollt sich (zu Locken) 머리칼이 곱슬곱슬하게 되다; die Schlange rollt sich 뱀이 똬리를 튼다; der Stuhl läßt sich ~ 그 의자는 다리에 달린 바퀴로 움직인다.

__Rollen≈besetzung__ *f.* (배우의) 역할 배정, 배역. __~exerzieren__ *n.* 〖海〗 부서〔역할〕 훈련. __~fach__ *n.* 〖연극〗 역의 종류〔성격〕. __~förmig__ *a.* ① 두루마리 모양의. ② 도르래꼴의, 원통형의. __~papier__ *n.* 〖印〗 두루마리 종이. __~spezifisch__ *a.* 역할 특유의. __~spiel__ *n.* ① 〖心·사회〗 __(a)__ 역할 놀이. __(b)__ 사회적 역할에 맞는 행동. ②〖컴〗 역할 놀이(컴퓨터 게임의 하나). __~strom·abnehmer__ *m.* (전차·전동차 지붕 위의) 트롤리 폴(trolley pole). __~system__ *n.* 〖전기〗 트롤리식(式). __~tabak__ *m.* 가늘게 꼰 담배(씹는 담배의 일종). __~tausch__ *m.* 〖心·사회〗 역할 교대. __~verteilung__ *f.* ① ↑ ~besetzung. ②〖사회·心〗 (단체 내에서의) 역할 분담. __~zug__ *m.* 〖工〗 도르래, 도르래 장치, 고패와 고팻줄. __~zwirn__ *m.* 토리실.

__Roller__ [rɔ́lər] *m.* -s, - ①〖海〗 큰 물결, 노도(怒濤). ②〖動〗 하르츠(Harz)산(産) 카나리아. ③ (어린이용) 외발 굴림판; 스쿠터. ④ 압착 롤러 직공〔공원〕. ⑤〖축구〗 (땅바닥으로 굴러가는) 실패한 슈팅. ⑥〖육상〗 (높이 뛰기의 기술로) 몸을 뒤틀면서 횡목을 뛰어넘는 동작, 틀어넘기.

__Roller·brett__ *n.* 스케이트 보드.

__rollern__ [rɔ́lərn] *i.* (s./h.) 스쿠터를〔외발 굴림판을〕 타고 놀다〔가다〕.

__Rollerskate__ [róulərskeɪt] 《engl.》 *m.* -s, -s 롤러 스케이트.

__Roll≈fähre__ *f.* (öst.) 외륜선, 외차선. __~feld__ *n.* 〖空〗 활주로. __~fenster__ *n.* 내리닫이창. __~film__ *m.* 〖사진〗 두루마리 필름. __~fleisch__ *n.* 〖요리〗 둘둘 만 고기. __~fuhr·dienst__ *m.* 〖商〗 화물 운송업. __~fuhr·geschäft__ *n.* ↑ ~fuhrdienst. __~fuhr·mann__ *m.* 〖복수: ..männer/..leute〗 ①〖옛뜻〗 화물 운송 마차의 마부, 짐수레꾼. ②〖구식〗 화물차 운전사, 화물 운송인. __~geld__ *n.* 〖商〗 ① 운임, 운송료. ② 광〔윤〕을 내는 삯, 연마료(研磨料). __~gelenk__ *n.* 〖해부〗 활차 관절. __~gerste__ *f.* (öst.) ↑ Graupe. __~geschäft__ *n.* 운송업. __~gut__ *n.* 〖海〗 (상자·통 등의) 굴릴 수 있는 화물; 트럭 운송 화물. __~handtuch__ *n.* (양 끝을 맞꿰매어 고리에 매단) 회전식 타월. __~hockey__ [..hɔke/..hɔki] *n.* 〖스포츠〗 롤러 스케이트 하키. __~holz__ *n.* 밀방망이.

__rollieren__ [rɔlí:rən] 《I》 *t.* ①〖재봉〗 (천의 가장자리를) 감치다. ②〖금속〗 (표면을) 윤〔광〕 내다, 매끄럽게 하다. 《II》 *i.* (h.) 〖교양〗 윤번제〔순번제〕로 교대하다.

__Roll≈kammer__ *f.* 광택을 내는 방, 연마실(研磨室). __~kloben__ *m.* 도르래, 활차. __~knecht__ *m.* ① 운송업자의 고용인. ② 부두 노동자. __~kommando__ *n.* 〖軍·政〗 (군대·경찰의) 돌격대, 기동 타격대. __~kragen__ *m.* 스웨터의 터틀넥 칼라. __~kragen·pullover__ [..v..] *m.* 터틀넥 칼라 스웨터. __~kuchen__ *m.* (젤리를 넣은) 스위스 롤케이크. __~kugel·schreiber__ *m.* 볼펜. __~kunst·lauf__ *m.* 〖스포츠〗 롤러 피겨 스케이팅 (경기). __~kupfer__ *n.* 두루마리 동판. __~kur__ *f.* 〖醫〗 롤링 치료법(복용한 물약이 위 점막에 고루 퍼지도록 엎드린 자세를 자주 바꾸는 위염 치료법). __~kutscher__ *m.* ↑ ~fuhrmann ①. __~laden__ *m.* ↑ Rolladen. __~linie__ *f.* 〖數〗 사이클로이드, 파선(擺線). __~maschine__ *f.* 〖工〗 윤 내는 롤, 연마기(研磨機). __~maß__ *n.* 줄자, 권척(卷尺). __~material__ *n.* 〖철도〗 차량. __~mops__ *m.* ① 청어 꼬치 (소금 물에 절인 오이나 양파에 말아 꼬챙이로 고정시킨 청어의 저민 살코기; 식욕 증진 식품). ②〖방언〗 ↑ ~wagenjunge. __~muskel__ *m.* 〖해부〗 회선근(回旋筋).

__Rollo__ [rɔ́lo, rɔló:] 《Rouleau 의 독일어형》 *n.* -s, -s (감아올리는) 롤 커튼, 블라인드.

__Roll≈schiene__ *f.* (조정 경기) 활석(滑席) 레일, 슬라이딩 (시트) 레일. __~schinken__ *m.* 〖요리〗 롤 햄. __~schlittschuh__ *m.* 롤러 스케이트화(靴). __~schnecke__ *f.* 〖動〗 볼루타고둥속(屬). __~schnellauf__ *m.* 〖스포츠〗 롤러 스피드 스케이팅 (경기). __~schrank__ *m.* 롤 셔터가 달린

장. **~schuh** *m.* ↑ ~schlittschuh. **~-schuh-bahn** *f.* 롤러 스케이트장〔링크〕. **~schuh-sport** *m.* 〖스포츠〗 롤러 스케이트 경기(롤 하키, 롤러 피겨 스케이팅 등). **~schuß** *m.* 〖軍〗 활공 사격. **~schwanz** *m.* 〖動〗 (꼬리감기원숭이의) 감긴 꼬리. **~schwanz·affe** *m.* 〖動〗 (남아메리카산(産)의) 꼬리감기 원숭이. **~-sitz** *m.* (조정 경기 보트의) 활석(滑席), 슬라이딩 시트. **~splitt** *m.* (타르와 섞은) 도로 보수용 자갈. **~sport** *m.* 〖스포츠〗 ↑ ~-schuhsport. **~stein** *m.* 〖지질〗 표석(漂石). **~stuhl** *m.* 휠체어. **~treppe** *f.* 에스컬레이터. **~vorhang** *m.* (감아 올리는) 롤 커튼. **~wägelchen** *n.* (어린이용) 보행기. **~-wagen** *m.* ① (어린이용의) 보행기; 유모차. ② 트럭; 〖광산〗 광차(鑛車); 〖철도〗 무개(無蓋) 화차. ③ (16 세기의) 여행용의 큰 마차. **~wagen·junge** *m.* 트럭 운전 기사. **~-wäsche** *f.* 압착 롤러로 다림질할 빨래. **~-werk** *n.* 〖건축〗 소용돌이 장식. **~zeit** *f.* 〖사냥〗 (여우 등의) 교미기.

rọlzen, rọ̈lzen (obd.) ↑ sich balgen, tollen.

***Rom**[1] [ro:m] 로마(이탈리아의 수도): 〔속담〕 alle〔viele〕 Wege führen nach ~ 모든〔많은〕 길은 로마로 통한다, 일을 처리할 수 있는 방법은 여러 가지다; ~ ist nicht an einem Tag erbaut worden 로마는 하루(아침)에 이루어지지 않았다; ~ hat gesprochen 마침내 결정이 내려졌다.

Rom[2] *m.* -, -(a) 집시.

ROM 〖컴〗 (engl. read-only memory) 롬(읽기 전용 기억 장치), 늘 기억 장치.

Romadur [rɔ́madu:r, romadú:r] 《frz.》 *m.* -(s) 로마두어 치즈(막대 모양의 연질 치즈).

***Roman** [romá:n] 《frz.》 *m.* -s, -e ① (문학 장르로) (장편) 소설: der ~ der Aufklärung 계몽(주의) 소설. ② (개개의) 소설 작품; 〔비유〕 꾸민 이야기, 허구: der ~ handelt von Liebe 그 소설은 사랑을 다룬다; ihre Lebensgeschichte ist ein wahrer ~ 그 여자의 생애는 곧 한 편의 소설이다; schreib doch keinen (langen) ~! 장황한 얘기는 그만하게!

roman≈artig *a.* 소설 같은. **≈autor** *m.* 소설가. **≈autorin** *f.* ↑ ~autor 의 여성형.

Romancier [romɑ̃sjé:] 《frz.》 *m.* -s, -s [..sié:s] 〔교양〕 소설가; 설화시(說話詩) 작가.

Roman·dichter *m.* 소설가.

Romane [romá:nə] *m.* -n, -n ① 로만〔라틴〕 민족(프랑스·이탈리아·에스파냐·포르투갈·루마니아 사람); 라틴 민족의 남자. ② 레토 로만 사람(Graubünden, Friaul 또는 남티롤에서 살고 레토 로만어를 쓰는 민족).

Romanentum *n.* -(e)s 로만〔라틴〕 민족의 기질〔풍속·습관〕.

Roman≈figur *f.* 소설의 등장 인물. **~gestalt** *f.* ↑ ~figur.

romanhaft *a.* 소설 같은, 황당무계한, 사실 같지 않은.

Roman·held *m.* 소설의 주인공.

Romani [ró:mani, romá:ni] *n.* -(s) 집시 말, 집시어.

Romania [romá:nia] *f.* ① 〖언어학〗 로만어권. ② 〖도서관〗 로만어 문헌.

Romanik [romá:nɪk] 《lat.》 *f.* (약 1000-1250 년의) 로마네스크 양식(특히 둥근 두공(枓栱)을 특징으로 하는 건축 양식); 로마네스크풍의 시대.

Romanin *f.* -nen ↑ Romane 의 여성형.

romanisch [romá:nɪʃ] *a.* ① 로만〔라틴어계〕 민족의. ② 로만어의, 라틴어계의: ~e Sprachen 로만어(이탈리아·에스파냐·프랑스·포르투갈·루마니아어 및 그 방언). ③ 로마네스크 양식〔풍〕의: eine ~e Kirche 로마네스크 양식의 교회.

romanisieren [romanizí:rən] *t.* ① 〖史〗 로마화하다, 로마 제국에 편입시키다. ② 로만화하다, 라틴식으로 변형하다; 로마네스크 양식으로 만들다.

Romanismus [..nísmus] *m.* -, ..men ① 로마 사람의 기풍〔법식〕; 로마 가톨릭교. ② 로마 민족의 양식〔기풍〕. ③ 〖언어학〗 (비(非)로만어에 나타나는) 로만어적 특성. ④ 〖畫〗 로만 양식(이탈리아 르네상스 화풍을 도입한 16 세기 네덜란드의 회화 양식).

Romanịst *m.* -en, -en ① 라틴어 문학 연구자; 라틴어 문학 전공 학생. ② 로마법의 학자 및 교사. ③ 로만 양식 화가 (16 세기 네덜란드 화풍의 대표자〔추종자〕).

Romanịstik *f.* 라틴어 문학; 로마 법학.

Roman≈leser *m.* 소설 독자. **~literatur** *f.* 소설 문학.

Romanow [romá:nɔf] 로마노프가(家) (러시아 왕가, 1613-1917).

Roman≈schreiber *m.* ↑ ~schriftsteller. **~schriftsteller** *m.* (장편) 소설가, 소설 작가. **~schriftstellerin** *f.* ↑ ~schriftsteller 의 여성형.

***Romantik** [romántɪk] 《♧ Roman》 *f.* ① 낭만주의(특히 18 세기말 독일 문예·사상의 경향); 낭만주의 음악〔미술〕. ② 공상적〔동경적·신비적〕 경향, 중세적〔몽환적(夢幻的)·동화적〕인 것: die ~ einer Polarnacht erleben 극야(極夜)의 낭만을 체험하다.

Romạntiker [..tikər] *m.* -s, - ① 낭만주의자; 낭만파 시인〔화가·음악가〕. ② 낭만적인 사람, 공상가, 몽상가.

Romạntikerin *f.* -nen ↑ Romantiker 의 여성형.

***romantisch** [romántɪʃ] *a.* ① 낭만주의의, 낭만파의: die ~e Schule 낭만파. ② **(a)** 낭만적인, 환상적인: eine ~ Liebe 낭만적 사랑. **(b)** 열광적인, 분방한: ein ~er junger Mann 분방한 젊은이. **(c)** 신비스러운: eine ~e Landschaft 신비스러운 광경. ③ 〔원뜻〕 ↑ romanhaft.

romantisieren [romantizí:rən] *t.* 〔교양〕 ① 낭만주의풍으로 하다, 낭만주의화하다. ② 이상화하다, 미화하다.

Romantizismus [..tsísmus] *m.* - 낭만파인 체함, 낭만파 모방; 중세 취미.

Romanze [romántsə] 《frz. romance; ♧ Roman》 *f.* -n ① 〖문학〗 로만체, 로망스, 민요조의 설화시(주로 기사의 영웅담과 사랑의 모험을 다룸). ② 〖음악〗 로맨스(18 세기경 프랑스의 감상적인 사랑 노래). ③ 정사(情事), 애정 관계: eine heimliche ~ mit jm. haben 누구와 내밀한 애정 관계를 갖다.

Romanzen≈dichter *m.* 로망스 시인. **~-sammlung** *f.* 〖문학〗 로망스〔민요조의 설화시〕의 모음집.

Romanzero [..tsé:ro] *m.* -s, -s 〖문학〗 ① 로

만체로 (에스파냐의 로망스체 모음집). ② 로만체로 (하이네(H. Heine)의 로만체 모음집의 제목).

romaunsch [romáʊnʃ] *a.* (obd.) 레토로만어의, 레토로만어로 작성된: ~e Sprache 레토로만어.

romauntsch *a.* ↑ romaunsch.

römeln *i.* (h.) 〖폄어〗 (종교상으로) 로마를 숭배하다, 로마화하다.

Romeo 《it.》 *m.* 로미오(남자 이름).

Römer[1] [rǿ:mər] *m.* -s, - (녹색〔갈색〕의 불룩한) 백포도주잔.

Römer[2] *m.* -s, - ① 로마 시민. ② 고대 로마 제국의 시민. ③ (프랑크푸르트시(市)의) 뢰머 의사당(신성 로마 제국 황제의 선거를 이곳에서 하였음).

Römer≈brief *m.* 〖聖〗 (신약 성경의) 로마서. **~straße** *f.* (고대 로마인에 의해 건설된) 로마인 도로. **~topf** *m.* 로마식 냄비 (둥근 뚜껑이 있는 찜냄비).

Römertum *n.* -s 고대 로마인의 문화〔본성〕.

Römer·zug *m.* ↑ Romfahrt.

Rom·fahrt *f.* ① 로마〔교황〕 순례. ② 〖史〗 (중세의 독일〔신성 로마 제국〕 황제가 교황에 의해 대관(戴冠)받기 위한) 로마 행차〔방문〕.

***römisch** [rǿ:mɪʃ] *a.* (고대) 로마의, (고대) 로마 사람의: ~e Zeitrechnung 로마 기원(B.C. 753); ~e Ziffern 로마 숫자; das ~e Recht 로마법; das ≗e Reich 로마 제국; der ≗e Stuhl 로마 교황의 지위; das Heilige ≗e Reich 신성 로마 제국; römisch-irisches Bad 〔römisches Bad〕 로마·아일랜드식 한증탕(열기욕(熱氣浴)과 한증을 합친 것).

römisch-katholisch *a.* 로마 가톨릭의(약어: röm.-kath.).

Römling [rǿ:mlɪŋ] *m.* -s, -e 〖폄어〗 로마 (교황) 숭배자.

Rommé [rɔmé:, rɔ́me] 《frz., <engl. rummy》 *n.* -s 로메, 러미(2-6 명이 하는 카드놀이의 일종).

Rommee 新정서 ⇦ Rommé.

Romulus [ró:mulus] *m.* 로물루스(레무스(Remus)와 쌍둥이 형제로, 늑대가 키웠다는 전설상의 로마 창건자).

Ronde[1] [rɔ̃:də, rɔ́ndə] 《frz.》 *f.* -n ① 〖軍·구식〗 **(a)** 야간 순회〔순시·순찰〕: die ~ machen 야간 순찰하다. **(b)** 야간 순찰 장교. ② 〖금속〗 원형 프레스의 반(半) 가공재(材).

Ronde[2] *f.* 원자서법(圓字書法).

Rondeau[1] [rɔ̃dó:] 《frz.》 *n.* -s, -s [..dó:s] ① 〖문학〗 론도체〔윤선체(輪旋體)〕의 시(후렴이 딸린 짧은 정형시). ② 〖복수: -s/..deaux [..do:]〗 〖음악〗 **(a)** 론도(13-15 세기에 선창자와 합창단이 교대로 부른 후렴이 딸린 윤무가). **(b)** 론도(곡)(17-18 세기의 프랑스 클라브생과 오페라 음악의 후렴이 딸린 기악곡 형식).

Rondeau[2] [rɔ́ndo:] *n.* -s, -s (öst.) 원형 화단.

Rondell [rɔndɛ́l] *n.* -s, -e ① 둥그스름한 부분. ② 원형 화단; 원형의 정원길. ③ (요새의) 원형 탑

Ronden·gang *m.* 〖軍·구식〗 야간 순찰.

Rondo [rɔ́ndo] 《lat.》 *n.* -s, -s ① 〖문학〗 윤선체(輪旋體)의 시. ② 〖음악〗 론도(주제부가 반복되는 기악곡의 형식), 회선곡(回旋曲).

Rönne [rœ́nə] *f.* -n 〖사냥〗 맹금의 포획망.

rönne ↑ rinnen 의 접속법 Ⅱ 식.

Röntgen [rœ́ntgən] 《Ⅰ》 *m.* Wilhelm Conrad ~ 뢴트겐(방사선〔X 선〕을 발견한 독일 실험물리학자, 1845-1923). 《Ⅱ》 *n.* -(s), - 뢴트겐(방사선〔X선〕의 양의 단위; 약어: R, 〖구식〗 r).

röntgen [rœ́ntgən, ..çən] (*p.p.* geröntgt [gərœ́ntçt]) 《Ⅰ》 *t.* ① 방사선 검사하다, 방사선 사진을 찍다: (sich) den Magen ~ lassen 위장의 방사선 사진을 찍다. ② 〖工〗 엑스선으로 부품 검사를 하다. 《Ⅱ》 *i.* (h.) 방사선 검사하다.

Röntgen≈apparat *m.* 방사선〔X선〕 장치. **~arzt** *m.* 방사선과 전문의. **~ärztin** *f.* ↑ ~arzt 의 여성형. **~aufnahme** *f.* 〖醫·工〗 ① 방사선〔X 선〕 촬영. ② 방사선 사진. **~behandlung** *f.* 〖醫〗 방사선 치료. **~bestrahlung** *f.* 〖醫〗 방사선 조사(照射). **~bild** *n.* 〖醫·工〗 ① 방사선(투시로 생긴) 영상. ② 방사선 사진. **~diagnostik** *f.* 〖醫·工〗 방사선 진단. **~durchleuchtung** *f.* 〖醫〗 방사선 투시(법).

röntgenisieren *t.* (öst.) ↑ röntgen.

Röntgen·kinematographie *f.* 방사선 진단 기술.

Röntgenogramm [rœntgenográm] *n.* -s, -e 〖醫〗 방사선 사진.

Röntgenographie *f.* -n [..fí:ən] 〖醫·工〗 ① ↑ Röntgenuntersuchung. ② 방사선 사진술.

Röntgenologe [..ló:gə] *m.* -n, -n 〖醫〗 ① 방사선〔X 선〕 전문의. ② 방사선〔X 선〕 연구 학자.

Röntgenologie [..logí:] *f.* ① 방사선〔X 선〕학. ② 방사선〔X 선〕과.

röntgenologisch [..ló:gɪʃ] *a.* 방사선〔X 선〕과〔학〕의.

Röntgenologin *f.* -nen ↑ Röntgenologe 의 여성형.

Röntgenoskopie *f.* -n [..pí:ən] 〖醫〗 ↑ Röntgendurchleuchtung.

Röntgen≈reihen·untersuchung *f.* 〖醫〗 방사선 집단 검진. **~röhre** *f.* 크룩스(Crookes)관, 방사선관. **~schirm** *m.* 〖醫·工〗 방사선 촬영 스크린. **~schwester** *f.* 방사선〔X 선〕과 간호사. **~spektrum** *n.* 〖物〗 방사선의 스펙트럼. **~sterilisation** *f.* 방사선 피임법. **~strahlen** *pl.* 방사선. **~struktur·analyse** *f.* 〖광물〗 결정(結晶) 구조의 방사선 분석. **~therapie** *f.* 〖醫〗 방사선 요법. **~tiefen·therapie** *f.* 〖醫〗 방사선 심층 요법. **~untersuchung** *f.* 〖醫·工〗 방사선 검사. **~verbrennung** *f.* 방사선에 의한 화상.

Roob 《ar.》 *m.* -s 바짝 졸인 과일즙.

Roof [ro:f, ru:f] *m./n.* -(e)s, -e (ndd.) 〖海〗 (범선의) 갑판 침실.

Rooming-in [ru:mɪŋín] 《engl.》 *n.* -s (출산 후 병원의) 모자동실(母子同室) 수용.

Roosevelt [ró:zəvɛlt, (engl.) róʊzvɛlt] *m.* ① Franklin Delano ~ 루스벨트(미국의 제 32 대 대통령, 1882-1945). ② Theodore ~ (미국의 제 26 대 대통령, 1858-1919).

Roquefort [rɔkfó:r, rɔ́kfo:r] 《frz.》 ① 로크포르(프랑스의 마을 이름). ② *m.* -s, -s 〖식품〗 ↑ Roquefortkäse.

Roquefortkäse *m.* -s, - 로크포르치즈(일종의 양젖치즈).
roren *i.* (h.) ↑ rören.
rören [rǿːrən] *i.* (h.) (특히 교미기의 사슴이) 울다.
Rorschach-Test [róːrʃax.., rɔ́rʃax..] *m.* 〖心〗 (스위스의 정신과 의사 H. Rorschach 가 고안한) 성격 진단법, 로르샤흐 검사: 〔구어〕 einen ~ durchführen 로르샤흐 검사로 성격을 진단하다.
Rosa [róːza] 《Ⅰ》 *f.* 로자(여자 이름). 《Ⅱ》 *n.* -s, -/(구어) -s 장미색(기쁨의 상징).
rosa 《< lat. rosa, „Rose"》 *a.* 〔속어에서만 어미변화〕 ① 장밋빛의, 담홍색의, 핑크빛의: eine ~(ne) Bluse 핑크빛 블라우스; alles ~ 〔durch die ~ Brille〕 sehen 만사를 낙관하다, 모든 것을 좋게만 보다. ② 〔은어〕 동성 연애자의.
Rosa≈band *n.* 〔복수: ..bänder〕 장밋빛 리본. **≈farben, ~farbig** *a.* ↑ rosa.
Rosanilin [rozanilíːn] *n.* -s 〖化〗 로자닐린 (자줏빛을 띤 염기성 염료).
Rosarium [rozáːrium] 《lat. rosarium, „Rosengarten"》 *n.* -, ..rien [..riən] ① 장미 화환. ② 〖원예〗 장미꽃 화원. ③ 장미꽃 재배. ④ 〖가톨릭〗 로사리오, 묵주; 로사리오의 기도.
rosa·rot *a.* ↑ rosa.
Rosazeen [rozatséːən] *pl.* 〖植〗 장미과.
rösch [røːʃ] *a.* ① 〖광산〗 (광석) 덩어리가 거친 〔무른〕. ② (obd.) 파삭파삭한: eine ~e Semmel 파삭파삭한 흰빵. ③ 〔비유〕 원기 있는, 활발한.
Rösche [rǿːʃə, rœ́ʃə] (⊕ Riese[3]) *f.* -n ① 〖광산〗 (통풍·배수를 위한) 부(副)갱도. ② (südd.) 거칢, 험준.
Röschen [rǿːsçən] *n.* -s, - ① 〔↑ Rose 의 축소형〕 작은 장미. ② 〖植〗 꽃양배추의 중핵의 작은 결구(結球). ③ 〖植〗 배아(胚芽) 양배추의 작은 결구. ④ 뢰스헨(여자 이름; Rosa 의 애칭).
***Rose** [róːzə] 《lat. rosa》 *f.* -n ① 〖植〗 장미, 장미 꽃송이: eine ~ brechen 장미 한 송이를 꺾다; 〔비유〕 auf ~n gebettet sein 행복하다, 유복한 생활을 하다; nicht auf ~n gebettet sein 곤란한 상태에 있다, 재정적으로 어렵다; unter der ~ 비밀히, 은밀하게; 〔속담〕 keine ~ ohne Dornen 가시 없는 장미는 없다(기쁨이 있으면 슬픔도 따른다); mit der Zeit pflückt man (die) ~n, Zeit bringt ~n 기다리면 (좋은) 때가 온다. ② 장미 모양과 비슷한 것: **(a)** 반짝거리는 별 모양의 발광체. **(b)** 장미 무늬. **(c)** 기타나 만돌린의 울림구멍. **(d)** 24 면체(로즈형(로즈컷))의 보석. **(e)** 〖건축〗 장미, 원화(圓華)창. **(f)** 로제(브레멘 (Bremen)의 시(市)청사 천장에 있는 라인 포도주의 통). **(g)** 〔드물게〕 (타다 남은) 양초 심지. **(h)** 〖動〗 (대개 닭 종류의) 볏; (사슴 뿔의 밑둥에 생기는) 원형 돌기. **(i)** 〖海〗 (나침반의) 지시판. **(j)** 〖카드〗 (schweiz.) 로트(하트에 해당하는 독일식 카드놀이의 패). ③ **(a)** (일정한 높이에 이르면 저절로 터지는) 불꽃 기구(氣球). **(b)** 열(熱)기구. ④ 〖醫〗 (돼지의) 단독(丹毒).
Rosé[1] *m.* -s, -s 연분홍색 포도주, 로제.
Rosé[2] *n.* -s 연분홍색.
Rosegger [róːsɛgər, róːzɛgər] *m.* Peter ~ 로제거(오스트리아의 작가, 1843-1918).

Rosen≈apfel *m.* 〖植〗 ① 사과의 일종. ② 〔방언〕 들장미의 열매. ③ ↑ ~schwamm. **≈artig** *a.* ① 장미와 같은. ② 〖植〗 장미속(屬)의. **~baum** *m.* ① 장미나무. ② 〖植〗 석남속(屬). ③ 협죽도(夾竹桃). **~beet** *n.* 장미 화단. **≈bekränzt** *a.* 장미 화관(花冠)을 쓴. **~bett** *n.* 장미꽃 침상; 〔비유〕 행복한 상태. **~blatt** *n.* 장미 꽃잎. **~blüter** *pl.* 〖植〗 장미과(科). **~busch** *m.* 장미의 숲. **~dorn** *m.* 장미의 가시. **~duft** *m.* 장미꽃 향기. **~essig** *m.* 장미 식초(식초에 탄 장미 잎의 즙; 두통약으로 사용됨). **~farbe** *f.* 〔시어〕 장미색. **≈farben** *a.* 〔시어〕 장미색의. **~farbig** *a.* ↑ ~farben. **~fenster** *n.* 장미창(↑ Rose ②). **~fest** *n.* 장미축제 (성 Medardus 의 날(6 월 8 일)에 특히 프랑스 및 라인 지방에서 행해지는 마을 행사로, 가장 품행이 좋은 소녀를 장미의 여왕으로 선발함). **~finger** *m.* 장미색의 손가락. **≈fingerig** *a.* ↑ ≈fingrig. **≈fingrig** *a.* 〔구식·시어〕 장밋빛의 (손가락을 가진): die ~e Eos 〔Aurora〕 장밋빛 (손가락을 가진) 여명〔새벽의 여신〕. **~garten** *m.* ① 로젠가르텐(남(南)티롤 지방의 산맥). ② 장미 정원(기사 문학에 나오는 동화풍의 정원). **~hochzeit** *f.* 장미혼식(결혼 10 주년). **~holz** *n.* 〖植〗 ① 모과나무; 자단. ② 〔총칭〕 장미향 나는 고급 목재, 장미목. **~honig** *m.* 〖藥〗 장미꿀(벌꿀·글리세린·장미 기름으로 제조된 의약품). **~käfer** *m.* 〖動〗 꽃무지(장미꽃에 붙는 딱정벌레). **~knospe** *f.* 장미의 꽃봉오리. **~kohl** *m.* 〖植〗 꽃양배추(결구하지 않는 변종 양배추). **~kranz** *m.* ① 장미 화환; 장미꽃으로 만든 레이. ② 〔가톨릭〕 **(a)** 로사리오, 묵주. **(b)** 로사리오의 기도. ③ 〖醫〗 흉곽에 생긴 구루병 염주(念珠). **~kreuzer** *m.* (17 세기 초기에 생긴) 장미 십자회의 회원(접신술(接神術)·자연 과학·연금술 지식을 함양함). **~kriege** *pl.* 〖史〗 장미 전쟁(흰 장미를 휘장으로 하는 York 가(家)와 붉은 장미를 휘장으로 하는 Lancaster 가(家) 사이에 영국 왕위 계승권을 두고 벌어진 전쟁, 1455-85). **~laube** *f.* 장미(로 덮인) 정자. **~lippen** *pl.* 장밋빛〔붉은〕 입술. **~lorbeer** *m.* 〖민속〗 ↑ ~baum ③. **~mädchen** *n.* ① 장미팔이 소녀. ② 장미 같은 소녀. **~monat** *m.* 〔시어〕 (obd.) 장미의 달, 6 월. **~mond** *m.* ↑ ~monat.
Rosen·montag [roːzənmóːntaːk, róːzənmoːntaːk] 《< Rasenmontag, „rasender Montag"》 *m.* 〖가톨릭〗 장미〔참회〕의 월요일 (원래는 Rasenmontag(광란의 월요일)이라고 불린 사육제의 중심일).
Rosen≈montags·zug *m.* 장미 월요일의 가장 행렬. **~mund** *m.* 〔시어〕 (아가씨의) 장미 같은〔붉고 예쁜〕 입.
Rosenobel *m.* -s, - 〖史〗 로즈노벨(장미 무늬가 있던 영국의 옛 금화).
Rosen≈öl *n.* 장미 기름. **~pappel** *f.* 〖植·민속〗 접시꽃. **~paprika** *m.* 고춧가루. **~quarz** *m.* 〖광물〗 장미 석영(石英), 홍수정(紅水晶). **≈rot** *a.* 장미(의 붉은)색의. **~salbe** *f.* 〖醫〗 로즈 연고. **~schau** *f.* 장미 전시회. **~schwamm** *m.* 〖植〗 들장미(에 붙는) 오배자. **~sonntag** *m.* 단식절(사순절의 제 4 일요일). **~stahl** *m.* 〖금속〗 고급강(高級鋼). **~stein** *m.* 장미석(24 면체의 보석), 장미 모양의 다이아몬드. **~stock** *m.* ① 〖植〗 장미 나

무. ②〖사냥〗 사슴뿔의 밑동에 생기는 원형 돌기. **~strauch** *m.* 장미나무〔덤불〕. **~strauß** *m.* 장미 꽃다발. **~wasser** *n.* 장미수(장미의 잎으로 만든 향수). **~zeit** *f.* ① 장미의 개화기. ②〖비유·시어〗 청춘 시대. **~zucker** *m.* 장미 사탕절임. **~züchter** *m.* 장미 재배인.

Roseole [rozeó:lə] 《lat.》 *f.* -n 〖醫〗 장미진(疹).

Rosette[1] [rozέt] 《ar.》 로제타(나일강 어귀의 서쪽에 위치한 이집트의 항구 도시).

Rosette[2] [rozέtə] 《frz.; 원뜻 „Röschen"》 *f.* -n ① 장미꼴의 장식 무늬. ② 장미 모양의 보석. ③〖건축〗 장미창 장식; 원화창(圓華窓). ④〖軍〗 약수(略綬). ⑤〖악기〗 기타나 만돌린의 울림구멍. ⑥〖植〗 로제트(꽃이나 잎의 성상(星狀) 조성). ⑦〖비속〗 엉덩이, 항문: jm. ist flau um die ~ 누가 불안해한다.

Rosetten=fenster *n.* ↑ Rosenfenster. **~stein** *m.* 장미석(24 면체의 보석).

rosettieren *t.* (보석을) 장미 모양으로 깎다.

Rosé·wein *m.* 〖農〗 ↑ Rosé[1].

rosicht *a.* ↑ rosig.

rosig [ró:zıç] *a.* ① 장미색의, 장미 같은: ein ~es Gesicht 불그스름한 얼굴. ② 장밋빛의; 긍정적〔낙관적〕인: 〖구어〗 in ~er Laune 〔Stimmung〕 sein 즐거운 기분이다; 〖구어〗 js. Zukunft sieht nicht ~ aus 누구의 미래가 희망적으로 보이지 않는다; alles in ~em Licht 〔durch eine ~e Brille〕 sehen 만사를 좋게만 보다, 낙관하다.

Rosinante [rozinántə] 《sp.》 *f.* -n ① 로지난테(돈키호테의 말 이름). ②〖농담〗 여윈 말, 늙은〔쓸모 없는〕 말.

Rosine [rozí:nə] 《frz. roisin》《Ⅰ》 *f.* -n ① 건포도: ein Kuchen mit ~n 건포도 케이크. ②〖비유·구어〗 좋은 것, 최선의 것: (große) ~n im Kopf 〔im Sack〕 haben 터무니없는 야망을 품다; er klaubt〔pickt〕 (sich³) die ~n aus dem Kuchen 그는 가장 좋은 것만을 취한다. 《Ⅱ》 *f.* 로지네(여자 이름).

Rosinen=brot *n.* 건포도빵. **~kuchen** *m.* 플럼케이크.

rosin=farben, ~farbig *a.* 건포도색의.

Röslein [rǿ:slaın] *n.* -s, - 〖시어〗 ↑ Röschen.

Rosmarin [ró:smari:n, rɔsmarí:n] 《lat., „Meertau"》 *m.* -s ①〖植〗 로즈메리(지중해 지방 원산의 방향(芳香)이 있는 상록 관목): wilder ~ 애기만병초(철쭉과(科)의 관목). ② 로즈메리(말린 로즈메리 잎으로 만든 양념).

Rosmarin=heide *f.* 〖植〗 (소택지에 나는) 로즈메리 히스. **~öl** *n.* 로즈메리유(油).

Rosolio [rozó:lio] 《it.》 *m.* -s, -s 로졸리오(이탈리아산(産)으로) 약초로 만든 달콤한 리큐어의 일종).

***Roß**[1] [rɔs] 《ahd. (h)ros》 *n.* Rosses, Rosse/(구어) (obd.) Rösser [rǿsər] ①〖시어〗 준마: ein edles ~ 좋은 말, 준마; 〖비유〗 auf dem hohen ~ 〔hoch zu ~〕 sitzen 거만한 태도를 취하다, 젠체하다; von seinem hohen ~ heruntersteigen〔-kommen〕 거만한 태도를 버리다, 겸손해지다; jm. zureden wie einem lahmen〔kranken〕 ~ 누구를 타이르다, 설득하다; sich aufs hohe ~ setzen 교만하게 굴다, 뻐기다; 〖농담〗 hoch zu ~ 말을 타고; ~ und Reiter nennen 숨김없이〔솔직히〕 말하다. ② (obd.) 말. ③〖구어·욕설〗 바보: so ein ~! 이 바보 같은 놈아! ④ (ndd.) 포도나무의 지주(支柱).

Roß[2] [ro:s] *n.* -es, -e (md.) ↑ Wabe.

Ross 新정서 ⇦ Roß[1].

Roß=ameise *f.* 〖動〗 왕개미. **~apfel** *m.* 〖농담〗 말똥. **~arznei·kunde** *f.* 수의술(獸醫術). **~arzt** *m.* ①〖軍·구식〗 수의사. ②〖구어·농담〗 거친〔거칠게 치료하는〕 의사. **~bändiger** *m.* 조마사(調馬師). **~breiten** *pl.* 〖海〗 중위도 고기압대(아열대 지역의 무풍지대). **~bremse** *f.* 말파리.

Rößchen [rǿsçən] *n.* -s, - 〖↑ Roß[1]의 축소형〗 (obd.) 작은 말.

Rösschen 新정서 ⇦ Rößchen.

Roße [ró:sə] *f.* -n (md.) ↑ Roß[2].

Rössel [rǿsəl] *n.* -s, - (obd.) ①〖체스〗 말〔馬〕. ② ↑ Rößchen. ③〖체스〗 말길 퍼즐의 해결책.

Rosse·lenker *m.* ① 말몰이 병사(옛날 전차(戰車)를 몰던 사람). ②〖시어〗 마부.

Rössel·sprung *m.* ①〖체스〗 (obd.) 말〔馬〕의 움직임. ② 말길 퍼즐(체스의 말길을 이용하는 수수께끼). ③〖방언〗 ↑ Roße.

rossen [rɔ́sən] *i.* (h.) (암말이) 발정하다, 암내 내다.

Roßen·honig *m.* (md.) 벌집 속의 꿀, 봉방밀(蜂房蜜).

Roß=haar *n.* (쿠션용 등으로 쓰이는) 말의 꼬리털〔갈기〕. **~haar·matratze** *f.* 말털(로 채운) 매트리스. **~handel** *m.* 마필(馬匹) 매매. **~händler** *m.* (obd.) 말장수.

rossig [rɔ́sıç] *a.* (암말이) 암내 내는.

Rossini [rɔsí:ni] *m.* Gioacchino ~ 로시니(이탈리아 작곡가, 1792-1868).

Roß=käfer *m.* 〖動〗 말똥구리. **~kamm** *m.* ① 말빗. ②〖구식·폄어〗 말장수, 말거간. **~kastanie** *f.* 〖植〗 ① 마로니에. ② 마로니에의 열매. **~kur** *f.* 〖구어·농담〗 병든 말의 치료; 〖비유〗 거친 치료: die Wirtschaft mit einer ~ sanieren 경제를 과감하게 개혁하다.

Roß·leder *n.* 말가죽.

Rößlein [rǿslaın] *n.* -s, - 〖시어〗 ↑ Rößchen.

Rösslein 新정서 ⇦ Rößlein.

Roß=markt *m.* 말 시장. **~prellerei** *f.* 마술(馬術), (특히) 경마술; 〖비유〗 술책, 기만. **~schlachter** *m.* ↑ ~schlächter. **~schlächter** *m.* 〖방언〗 말 도축업자, 말고기 장수. **~schwanz** *m.* 〖방언〗 ↑ ~schweif. **~schweif** *m.* 〖雅語〗 ① 말꼬리. ② (터키의) 총독의 권표(權標). **~speik** *m.* 〖植〗 앵초속(櫻草屬). **~täuscher** *m.* ①〖구식·폄어〗 말거간, 말장수. ②〖폄어〗 (거래에서) 속임수를 쓰는 사람. **~täuscherei** *f.* ①〖구식·폄어〗 말 매매. ②〖폄어〗 거래에서의 속임수. **~täuscher·trick** *m.* 〖폄어〗 눈속임〔속임수〕의 술책.

***Rost**[1] [rɔst] (⇔ rot) *m.* -(e)s, (전문어) -e ① 녹, 녹청(綠靑): den ~ vom Eisen entfernen 쇠에서 녹을 제거하다; das Auto setzt schon ~ an 자동차가 벌써 녹이 슨다; ~ setzt sich an 녹이 슨다; edler ~ a) 구리에 슨 녹, b) 〖化〗 염기성 아세트산 구리(그것으로 만든 안료, 염료); 〖속담〗 ~ frißt Eisen, Sorge den Menschen 녹은 쇠를 좀먹고 걱정은 사람을 좀

먹는다. ②〖植·農〗(곡물류의) 녹병(病), 수병(銹病), 깜부깃병.

***Rost**^{2} [rɔst, ro:st] *m.* -(e)s, -e ① (Feuer∼) (난로 안의 위아래) 받침살대, 쇠창살; 석쇠 (Brat∼). ②〖건축〗(호안 등의 기초 공사를 위한) 말뚝틀. ③〖제련〗(광석 등의) 배소(焙燒). ④〔방언〕침대용 스프링.

Rost≠ansatz *m.* 녹이 슮; 녹슨 곳. **∼be·ständig** *a.* 녹슬지 않는; 녹스는 것을 방지한. **∼bildung** *f.* 녹의 형성.

Röst·arbeit *f.*〖제련〗배소(焙燒) 공정〔작업〕.

Rost≠braten *m.*〖요리〗로스구이, 불고기. **∼-braun** *a.* 녹 빛깔의.

Röst·brot *n.* 토스트.

Roste *f.* -n 난로의 받침살대; 석쇠.

Röste [rǿ:stə, rœ́stə] *f.* -n ① (삼 등을) 물에 담금; (삼 등의) 침지소(浸漬所). ②〖제련〗(금속의) 배소(焙燒) (시설).

rosten [rɔ́stən] *i.* (s./h.) 녹슬다;〖化〗산화하다: das Auto fängt an zu ∼ 자동차가 녹슬기 시작한다;〔비유〕alte Liebe rostet nicht 오랜 우정〔첫사랑〕은 잊혀지지 않는다.

rösten [rǿ:stən, rœ́stən] *t.* ①〖요리〗(음식을) 굽다, 볶다, 그슬리다: Fleisch ∼ 고기를 굽다; Kaffee ∼ 커피(원두)를 볶다; geröstete Kartoffeln 감자 프라이. ②〖제련〗(금속을) 배소(焙燒)하다. ③ (삼 등을) 물에 담그다.

Röster [rǿ:stər, rœ́s..] *m.* -s, - ① 굽는〔볶는〕사람; 빵 굽는 기구, 토스터. ② (öst.) 자두〔라일락 열매〕를 짓이긴 것; 설탕에 절인 자두〔라일락 열매〕.

Rösterei [rø:stəráɪ, rœs..] *f.* -en ① (커피(원두) 등을) 볶는 장치. ②〖제련〗배소 설비. ③ (삼의) 침지소.

Rost≠farbe *f.* 녹 빛깔. **∼farben** *a.* ↑ ∼farbig. **∼farbig** *a.* 녹 빛깔의. **∼fleck** *m.* ① 녹슨 자리. ② (의복 등에 남은) 녹 얼룩. **∼flecken** *m.* ↑ ∼fleck. **∼fleckig** *a.* 녹슨, 녹으로 더러워진. **∼fleisch** *n.* 불〔구운〕고기. **∼förmig** *a.* 석쇠 모양의. **∼fraß** *m.* 녹에 의한 (쇠의) 부식. **∼frei** *a.* ①〔드물게〕녹이 없는. ② 녹슬지 않는.

röst·frisch *a.* 막 구워낸: ∼er Kaffee 막 볶아낸 커피(원두).

Rösti [rǿ:sti] *pl.* (schweiz.) 볶은 감자.

Rost·gebratene* *das* ↑ Rostbraten.

rostig [rɔ́stɪç] *a.* ① 녹슨: ∼ werden 녹슬다,〔비유〕쉬다, 게을러지다;〖요리〗∼er Ritter 빵조각에 달걀 노른자를 발라 구운 요리. ② 녹을 함유한: ∼es Wasser 녹물.

Röst·kartoffel *f.* 볶은 감자.

Rost·laube *f.*〔구어·농담〕녹투성이 자동차.

Röst·ofen *m.*〖工〗배소로(焙燒爐), 반사로(反射爐).

Rost≠papier *n.* 사포(砂布), (녹을 닦는) 연마지(研磨紙). **∼pendel** *n.*〖工〗화격자(火格子) 요동 장치(연소를 돕기 위해 화격자에 왕복 운동을 시키는 장치).

Röst·pfanne *f.* 프라이팬.

Rost·pilz *m.*〖植·원예〗깜부기균.

Rostra [rɔ́stra, (lat.) ró:..] *f.* ..stren (고대 로마의) 연단, 강단.

Rostral [rɔstrá:l] 《lat.》 *n.* -(e)s, -e〖樂〗(악보의) 5선을 긋는 펜) (Rastral).

Rost≠rinder·braten *m.*〖요리〗쇠고기 구이, 쇠고기 불고기, 로스트 비프. **∼rippchen** *n.* 구운 갈비고기. **∼rot** *a.* 적갈색의.

Röst·schnitte *f.* 구운 빵조각, 토스트.

Rost≠schutz *m.* ① 녹 방지, 산화 방지. ②〔구어〕녹 방지제, 산화 방지제. **∼schutz·farbe** *f.* 산화 방지 도료(塗料). **∼schutz·mittel** *n.* ↑ ∼schutz ②.

Röstung [rǿ:stʊŋ, rœ́s..] *f.* ↑ Rösten.

Rost≠weihe *f.* ↑ Rohrweihe. **∼werk** *n.* ↑ Rost^{2} ①.

***rot** [ro:t] *a.* (röter [rǿ:tər]/(드물게) roter, rötest/(드물게) rotest) ① 붉은, 빨간색의, 불그레한, 홍조를 띤: fahl∼ 담홍색의; karmesin∼ 진홍색의; kirsch∼ 연분홍의; das ∼e As (하트 또는 다이아몬드의) 1, 에이스; sich^{3} die Lippen ∼ anmalen 입술을 빨갛게 칠하다; et. ∼ unterstreichen (기억하기 위해) 무엇에 빨간 밑줄을 긋다; ∼e Augen (울어서) 붉어진 눈; 핏발이 선 눈; ∼e Haare〔∼es Haar〕haben 머리카락이 붉다,〔농담〕불타고 있다; ∼es Gold 구리와 섞인 금;〔구식·구어〕der ∼e Hahn 불, 화재; die ∼e Rasse 홍색 인종(아메리칸 인디언); die ∼e Erde 적색 땅《<gerodete Erde》(독일 베스트팔렌주(州)의 별칭);〔구어〕er hat keinen ∼en Heller 그는 땡전 한푼 없다; Verein vom ∼en Kreuz 적십자사; das ∼e Meer 홍해(紅海); ∼e Rübe 사탕무; ∼e Ruhr 이질, 적리(赤痢); ein ∼er Faden ↑ Faden ②; ∼e Ohren〔einen(ganz) ∼en Kopf〕bekommen 얼굴을 붉히다, 얼굴에 홍조를 띠다; vor Zorn ∼ werden 화가 나 얼굴이 붉어지다;〔구어〕das ist für ihn ein ∼es Tuch 이것은 그를 흥분시킨다, 그는 이것을 참지 못한다;〔속담〕heute ∼, morgen tot 오늘의 홍안(紅顔), 내일은 백골(죽음은 예고 없이 찾아온다); das ∼e 적색, 심홍색; 홍(紅)보석. ②〖政·폄어·은어〗빨갱이의, 공산주의의, 사회(민주)주의의, 마르크스주의의: ein ∼er Bürgermeister 좌익 성향의 시장; der ∼e Terror 공산주의 테러; die ∼e Armee 붉은 군대;〔구어〕lieber tot als ∼ 공산 치하에 사느니 죽는 게 낫다.

Rot *n.* -s, -/(구어) -s ① 적색: lebhaftes ∼ 선명한 적색, 선홍색. ② 적색 염료〔도료〕. ③ 립스틱, 연지: zu viel ∼ auflegen 립스틱을 너무 많이 바르다. ④ 작열. ⑤〖카드〗붉은색의 짝패(하트, 다이아몬드); (룰렛에서 다이아몬드형(型)의) 붉은 패. ⑥ 교통 신호등의 빨간색.

Röt [rø:t] *n.* -(e)s〖지질〗반사암통(斑砂岩統) (트라이아스기(紀) 하부로 붉은 사암(砂岩) 등을 함유함).

Rota *f.*〖가톨릭〗(가톨릭 교회의 최고 법원으로) 로마 교황청의 항소원(抗訴院).

Rotang [ró:taŋ] 《mal.》 *m.* -s, -e〖植〗등(籐).

Rotang·palme *f.* (가시가 붙은) 덩굴 종려.

Rotarier [rotá:riər] *m.* -s, - 로터리 클럽 회원.

rotarisch *a.* 로터리 클럽의.

Rota Romana ↑ Rota.

Rotary Club [ró:tari klúp, (engl.) róutərɪ klʌ́b], **Rotary·klub** [ró:tariklup] 《engl.》 *m.* - -s/(영어) - -, - -s ① 국제 로터리 클럽. ② 국제 로터리 클럽(에 속한 각 지역) 지회.

Rotation [rotatsió:n] 《lat.》 *f.* -en ① 회전. ②〖數〗 회전;〖天〗 자전;〖農〗 윤작(輪作), 돌려짓기;〖醫〗 회선(回旋). ③ **(a)**〖배구〗 (시계 방향의) 위치 이동. **(b)**〖탁구〗 (공의) 회전.

Rotations=achse *f.* 회전축. **~bewegung** *f.* 회전 운동. **~druck** *m.*〖印〗 윤전식 인쇄. **~ellipsoid** *n.* 〖기하〗 회전 타원체. **~-kolben·motor** *m.*〖工〗 회전 피스톤 엔진; 로터리 엔진. **~körper** *m.*〖기하〗 회전면(체). **~maschine** *f.* 〖印〗 윤전기. **~parabo-loid** *n.*〖기하〗 회전 포물선면(대칭축 주위에 포물선의 회전으로 생기는 기하학적 형성물). **~pumpe** *f.* 〖工〗 회전 펌프. **~presse** *f.* 〖印〗 ↑ ~maschine.

Rotatorien [rotató:riən] *pl.*〖動〗 윤충류(輪蟲類).

rotatorisch *a.* 회전의, 순환하는.

Rot=auge *n.* ① 빨간 눈. ② 빨간 눈을 가진 사람〔동물〕. ③〖動〗 구릿빛 황어. **≈äugig** *a.* 빨간 눈을 가진. **≈backig** *a.* 뺨이 붉은, 혈색이 좋은 뺨을 가진. **≈bäckig** *a.* ↑ ≈-backig. **~bart** 《Barbarossa 의 독일어역(譯)》 *m.*〔구어〕① 붉은 수염. ② 붉은 수염을 가진 사람: Kaiser ~ 붉은 수염의 황제 (Kaiser Friedrich 1 세의 별명). **≈bärtig** *a.* 붉은 수염을 가진. **~blindheit** *f.* 적색맹(赤色盲). **≈blond** *a.* ① 붉은 금발의. ② 붉은 금발을 가진. **≈braun** *a.* 적갈색의, 밤색의. **≈brüchig** *a.*〖제련〗 (금속이) 적열(赤熱)에 약한. **~buch** *n.*〖政〗 (오스트리아·에스파냐·미국의) 적색 표지의 외교 문서집. **~buche** *f.*〖植〗 ① 서양너도밤나무. ② 서양너도밤나무 목재. **~dorn** *m.*〖植〗 서양붉은산사나무. **~-drossel** *f.*〖動〗 붉은 지빠귀(지빠귀속(屬)의 일종).

Rote* *der/die* ① 혈색 좋은 사람, 얼굴이 붉은 사람; 머리털이 붉은 사람. ② 홍색 인종, 아메리칸 인디언. ③ 공산주의자, 빨갱이. ④〔구어〕적포도주.

Röte [rǿ:tə] *f.* -n ① 붉은 색, 불그레한 색, 주홍색, 심홍색; (얼굴·뺨의) 홍조:〖動〗 ungewöhnliche ~ des Gefieders 깃의 이상 홍색〔홍반〕; die ~ der Gesichtsfarbe 얼굴의 불그레한 빛; die ~ des Kupfers 구리의 불그레한 빛, 적동색; die ~ stieg ihr ins Gesicht 그 여자의 얼굴이 붉어졌다. ②〖植〗꼭두서닛과의 식물. ③ ↑ Rotlauf. ④ (삼 등을) 물에 담금 (Röste ①). ⑤〖사냥·고어〗 피.

Rote-Adler-Orden *m.* (2 격 des Roten-Adler-Ordens, *pl.* die Roten-Adler-Orden) 붉은 독수리 훈장.

Rote-Armee-Fraktion *f.* (독일의) 적군파 (약어: RAF).

Rot=eisen·erz *n.*〖광물〗 적철광. **~eisen-ocker** *m.*〖광물〗 대자석(代赭石). **~eisen-stein** *m.* ↑ ~eisenerz.

Rote-Kreuz-Lotterie *f.* (2 격 der Rote(n)-Kreuz-Lotterie, *pl.* die Rote(n)-Kreuz-Lotterien) 적십자(를 위한) 복권 (추첨).

Rote-Kreuz-Schwester *f.* (2 격 der Rote(n)-Kreuz-Schwester, *pl.* die Rote(n)-Kreuz-Schwestern) 적십자 간호사.

Rötel [rǿ:təl] *m.* -s, - ① ↑ Rötelstift. ② (염료로 사용하는) 대자석과 점토의 혼합물. ③〖광물〗 ↑ Roteisenerz.

Rötel·erde *f.*〖지질〗 적토(赤土), 자토, 붉은 진흙.

Röteln [rǿ:təln] *pl.*〖醫〗 풍진(風疹), 장미진(薔薇疹), 홍진(紅疹).

röteln 《I》 *t.* 불그레한 빛을 띠게 하다, 연분홍빛으로 물들이다. 《II》 *i.* (h.) 불그레한 빛을 띠다.

Rötel=stift *m.* 빨간 연필〔분필〕. **~zeich-nung** *f.* 빨간 연필로 그린 스케치.

rot·empfindlich *a.*〖寫〗 적외선에 감광하는.

röten [rǿ:tən]〔雅語〕《I》 *t.* ① 붉게 하다, 붉게 물들이다: gerötete Wangen 홍조를 띤 뺨. ②〖工〗 (삼 등을) 물에 담그다. 《II》 *refl.* sich ~ ① 붉어지다: ihr Gesicht rötete sich vor Verlegenheit 당황한 나머지 그녀의 얼굴이 붉어졌다. ② (과일이) 익다.

Rot=erle *f.*〖植〗 오리나무. **≈fahl** *a.* 담홍색의. **~feder** *f.*〖動〗 (황어(黃魚)와 유사한) 스카르디니무속(屬)의 물고기. **~fichte** *f.*〖植〗 독일 가문비나무, 붉은잎 전나무. **~filter** *m./n.*〖사진〗 적색 필터. **≈fleckig** *a.* (특히 피부에) 붉은 반점〔얼룩〕이 있는. **~forelle** *f.*〖動〗 연어속(屬), 곤들매기. **~fuchs** *m.* ① **(a)**〖動〗 붉은 여우. **(b)** 붉은 여우의 여름털 가죽. ② 밤색 (털을 가진) 말. ③〔구어·폄어〕 머리카락이 붉은 사람. **≈gar** *a.* ↑ lohgar. **~gardist** *m.* 홍위병(紅衛兵). **≈gelb** *a.* 오렌지색의, 주황색의. **~gerber** *m.*〖工·구식〗 유피공(鞣皮工). **~gerberei** *f.*〔구식〕 유피업, 유피 공장. **≈gesichtig** *a.* 얼굴이 붉은. **≈geweint** *a.* (눈이) 몹시 울어 붉어진. **~gießer** *m.*〖工〗 놋쇠 주조공. **~gießerei** *f.* 놋쇠 주조 공장. **~giltig·erz** *n.* ↑ ~gül-digerz. **≈glühend** *a.* 빨갛게 단. **~glüh-hitze** *f.* ↑ ~glut. **~glut** *f.*〖工〗 적열(赤熱). **≈grün** *a.* 적록색의. **~grün·blindheit** *f.* 적록 색맹. **~güldig·erz** *n.* ↑ ~gültigerz. **~gültig·erz** *n.* 〖광물〗 홍은광(紅銀鑛). **~guß** *m.*〖工〗 ① 놋쇠, 황동(黃銅); 청동(青銅). ② 놋쇠 세공, 동제품(銅製品). **≈haa-rig** *a.* 빨간 머리의. **~haut** *f.*〔구어·농담〕 홍색인(紅色人); 아메리칸 인디언. **~hirsch** *m.* 〖動〗 ① (유럽·북아프리카·북아메리카·아시아 등지에 사는) 붉은 사슴, 고라니. ②〖사냥〗 붉은 사슴의 수컷. **~holz** *n.*〖植〗 ① 다목. ② 유럽소나무. **~hösler** *m.*〔방언〕 ↑ Buntspecht. **~huhn** *n.*〖動〗 자고(鷓鴣).

rotieren [rotí:rən] 《lat.》 *i.* (h.) ① 회전하다, 돌다: um eine Achse ~ 한 축을 중심으로 회전하다. ②〖배구〗 시계 방향으로 자리바꿈하다. ③ (h./s.)〔구어〕 마음이 들뜨다, 흥분하다: mit den Vorbereitungen für eine Party ins ≈ kommen 파티 준비로 마음이 들뜨다; am ≈ sein 흥분해 있다.

Rotisserie [rotɪsərí:] *f.* -n [..rí:ən] 로티세리(손님 앞에서 스테이크 등을 직접 구워 제공하는 음식점).

Rot=kabis *m.* (schweiz.) ↑ ~kohl. **~-käppchen** *n.* ① (Grimm 동화 속의) 빨간 모자 소녀. ②〔구어〕 프랑스 사람〔병정〕. **~-kehlchen** *n.*〖動〗 (유럽 원산의) 작은부리울새. **~kohl** *m.* ①〖植·農〗 붉은 양배추. ② 붉은 양배추 요리. **~kopf** *m.*〔구어〕① 붉은 머리. ② 모발이 붉은 사람. **≈köpfig** *a.* ① 붉은 머리의. ② 붉은 모발의. **~kraut** *n.* ↑ ~kohl. **~kreuz·schwester** *f.* 적십자 간호

사. **~kupfer·erz** *n.* 〖광물〗 적동광(赤銅鑛). **~lauf** *m.* 〖醫·수의〗 ① 단독(丹毒). ② 적리(赤痢); 이질. ③ 돼지 단독. **≈lauf·artig** *a.* 단독(丹毒) 같은, 단독성(性)의.

rötlich [rǿ:tlɪç] *a.* 붉은 빛을 띤, 불그레한, 연분홍색의.

rötlich·braun *a.* 적갈색의.

Rot≈licht *n.* ① (치료 혹은 사진 현상에 쓰이는) 적색 광선, 적외선. ②〔구어〕적색 광선〔자외선〕램프. **~liegende*** *das* 〖지질〗 적저통(赤底統) (페름기(紀)의 밑부분).

Rötling [rǿ:tlɪŋ] *m.* -s, -e ①〖動〗 딱새의 일종. ②〖植〗 붉은 버섯(버섯의 일종).

rot·nasig *a.* 딸기코의.

Rotor [ró:tɔr, ..to:r] 《lat.》 *m.* -s, -en [..tó:rən] ①〖工〗 (발전기·전동기의) 회전자; (헬리콥터 등의) 회전 날개. ②〖조선〗 쌍(雙)나선 추진식 선박의 보조 날개. ③〖무전·방송〗 (방향 탐지) 안테나의 회전 장치. ④ (손목 시계의) 자동 태엽 장치.

Rotor≈antenne *f.* 회전식 안테나, 방향 탐지 안테나. **~blatt** *n.* 〖工〗 (헬리콥터 등의) 회전 날개판. **~schiff** *n.* 쌍나선 추진식 선박 (Anton Flettner 가 1924 년에 발명한 돛 없는 배).

Rot≈rock *m.* ①〖사냥·농담〗 붉은 여우. ②〔구어〕 영국군 병사(원래 붉은 군복을 입었음). **~sandstein** *m.* 〖지질〗 ↑ ~liegende. **~schecke** *f.* ↑ ~schimmel. **~schimmel** *m.* (흰바탕에 검정 또는 밤색 털이 섞인) 붉은 말. **~schmied** *m.* ↑ ~gießer. **~schwanz** *m.* ↑ ~schwänzchen. **~schwänzchen** *n.*〖動〗 딱새의 일종. **≈|sehen** *i.* (h.) 〔구어〕 매우 화내다, 분개하다. **~spon** [..ʃpo:n] *m.* (nordd.) 붉은 포도주. **~stift** *m.* 빨간 연필〔분필〕: den ~ ansetzen 계획된〔예상했던〕 지출을 절약하다; dem ~ zum Opfer fallen 절약〔삭제·삭감〕되다. **≈streifig** *a.* 붉은 줄 무늬의. **~tanne** *f.*〖植〗 ↑ ~fichte.

***Rotte** [rɔ́tə] 《mhd. rot》 *f.* -n ① **(a)** 〔폄어〕 패거리, 일당, 무리: eine ~ von Räubern 산적 일당; 〖聖·교양·구식〗 (die) ~ Korah (모세를 거역한) 고라의 무리(민수기 16 장), 반역의 무리. **(b)** 〖철도·구식〗 (일단의) 선로 공사반. **(c)** 〔구식〕부대; (무장한) 무리. ②〖사냥〗 멧돼지〔이리〕떼. ③〖軍〗 **(a)** 〔옛뜻〕 종대: in ~n marschieren 종대로 행진하다. **(b)** (2 대로 구성된) 비행소(小) 편대; (2 척으로 구성된) 소함대. ④ 법원 관할구; 시·읍·면 조합. ⑤〖악기〗 (중세의) 삼각형 (모양의) 치터(튀겨 연주하는 현악기). ⑥ (ndd.) 삼의 침지(浸漬). ⑦ (obd.) ↑ Ratte. ⑧〔방언〕 ↑ Rotauge.

rotten[1] [rɔ́tən] (♧ reuten) 〔구식〕《I》 *t.* ① 모으다. ② 뿌리뽑다, 근절하다. 《II》 *refl.* sich ~ ① 모이다, 무리를 이루다, 집합〔집회〕하다. ② 도당을 짓다, 음모를 꾀하다.

rotten[2] (♧ Röste, Rotte) 《I》 *t./i.* (h.) 삼을 물에 담그다〔무르게 하다〕. 《II》 *i.* (s./h.) (ndd.) 썩다, 부패하다, 곰팡이가 나다.

rötten [rœ́tən] *t./i.* ↑ rotten².

Rotten≈abstand *m.* 〖軍〗 대오간 거리. **~aufmarsch** *m.* 〖軍〗 종대 행진. **~feuer** *n.* 〖軍〗 일제 사격. **~führer** *m.* ① 도당의 우두머리. ②〖軍〗 하사, 분대장; (비행기의) 편대장; 소함대의 지휘관. ③ 조장, 십장, 작업 반장. **~geist** *m.* 당파심. **~kolonne** *f.* 종대의 긴 대열. **~liste** *f.* 〖軍〗 내무반 명부; 반(班) 명부. **~marsch** *m.*〖軍〗 종대 행진. **≈weise** *adv.* 무리를 이루어, 떼를 지어; 대오를 지어; 〖軍〗 대오마다.

Rotterdam [rɔtərdám, rɔ́..dam] 로테르담 (네덜란드의 항구 도시).

Rotterdamer [rɔtərdámər, rɔ́..damər] 《I》 *m.* -s, - 로테르담 사람. 《II》 *a.* 로테르담의.

rottieren *refl.* 〔드물게〕 sich ~ ↑ rotten¹ 《II》.

Rottierer *m.* -s, - 공모자; 선동자.

rottig [rɔ́tɪç] *a.* (ndd.) ↑ moderig.

Rott·meister *m.* 〖軍·옛뜻〗 하사(下士).

Rottweiler [rɔ́tvaɪlər] *m.* -s, - 로트바일러 (독일의 도시 Rottweil 에서 유래한 개의 한 종류로 주로 목축견과 경찰견으로 이용됨).

rotulieren *t.* 고(古)문서를 수집·정리하다.

Rotulus [ró:tulus] 《원뜻 „Rolle"》 *m.* -, ..tuli ① (고대와 중세의) 두루마리로 된 책. ②〔구식〕문서〔서류〕뭉치; 서류의 목록. ③〖연극·구식〗 배역.

Rotunde [rotúndə] *f.* -n 〖건축〗 (지붕이 둥근) 원형 건물; (건물 내의) 원형 홀.

Rötung [rǿ:tuŋ] 《<rot》 *f.* -en 붉어짐, 붉게 물들임: eine leichte ~ der Mandeln 편도선이 약간 붉어짐.

Rotüre [rotý:rə] *f.* 〔폄어〕평민, 서민.

Rotürier [rotyrié:] 《frz.》 *m.* -s, -s ↑ Rotüre.

rot≈wangig *a.* 〔雅語〕빰이 붉은. **≈wein** *m.* ① 적포도주. ②〔구어〕적포도주 한잔.

Rot≈welsch 《mhd. rot, „Bettler"》 *n.* -(s) 〔무관사〕〖언어학〗 (악당·도적들의) 은어, 암호. **~welsche** *n.* 〔정관사와 함께〕〖언어학〗 ↑ ≈welsch. **~wild** *n.* 〖사냥〗 붉은 사슴(↔ Damwild). **~wurst** *f.* 〔방언〕 (돼지 피나 굳기름으로 만든) 검은 소시지.

Rotz [rɔts] *m.* -es ① **(a)** 〔비속〕콧물: 〔경박〕 ~ und Wasser heulen (특히 아이가) 콧물·눈물을 흘리며 엉엉 울다; 〔경박〕 frech wie (der) ~ (am Ärmel) 매우 뻔뻔스러운, 몰염치한. **(b)** 〔방언〕 눈곱. ②〖수의·醫〗 마비저(馬鼻疽) (말의 질병): 〔비속·폄어〕 der ganze ~ 지긋지긋한 모든 물건.

rotz≈behaftet *a.* 마비저에 걸린. **≈bengel** *m.* 〔비속·폄어〕 코흘리개; 〔비유〕 건방진 놈; 풋내기. **≈bube** *m.* (südd., öst.) ↑ ≈bengel.

rotzen [rɔ́tsən] *i.* (h.) 〔비속·폄어〕 ① **(a)** 코를 풀다. **(b)** 코를 흘리다〔훌쩍이다〕; 침을 내뱉다: in〔an, auf〕 et. ~ 무엇에다 침을 뱉다. ②〔구식〕 우악스럽게 말하다, 고함지르다.

Rotzer [rɔ́tsər] *m.* -s, - 〔방언〕 ↑ Rotzbengel.

Rotz≈fahne *f.* 〔비속〕손수건. **≈frech** *a.* 매우 뻔뻔스러운, 파렴치한.

rotzig [rɔ́tsɪç] *a.* ① **(a)** 〔비속〕콧물투성이의, 콧물 흘리는. **(b)** 〔경박〕 a) 건방진, 무례한, b) 능청맞은, 외설적인, 점잖지 않은. ②〖수의〗 (말이) 마비저에 걸린.

Rotz≈junge *m.* 〔경박·폄어〕 ↑ ~bube. **~kocher** *m.* 〔경박·농담〕 담배 파이프. **~krank** *a.* 〖수의〗 (말이) 마비저에 걸린. **~krankheit** *f.* ↑ Rotz ②. **~lappen** *m.* 〔비속·폄어〕손수건. **~löffel** *m.* 〔비속·폄어〕 ↑ ~bengel. **~näschen** *n.* ↑ ~nase. **~nase** *f.* ① **(a)** 〔비속〕콧물이 흐르는 코. **(b)** 〔폄어〕코. ②〔경박〕 **(a)** 〔폄어〕버릇없는〔주제넘은〕 아이. **(b)** 〔농담〕풋내기. **≈näsig** *a.*

〖비속·폄어〗① 코흘리개의. ② 버릇없는, 건방진.
Rot·zunge *f.* -n 〖動〗 가자미의 일종.
Roué [rué:] 《frz.》 *m.* -s, -s [..é:s] 〖구식·雅語〗 난봉꾼, 탕아, 플레이보이.
Rouge [ru:ʒ] 《frz.》 *n.* -s, -s [rú:ʒəs] ① 붉은색. ② 립스틱, 입술〔볼〕 연지: ~ auflegen 〔auftragen〕 립스틱을 바르다.
Roulade [rulá:də] 《frz.》 *f.* -n ① 〖요리〗 룰라드(얇게 썬 고기를 (베이컨과 양파를 넣고) 둘둘 말아 찜을 한 요리). ② 〖음악〗 룰라드; 선전(旋轉), 경과구(經過句).
Rouleau [ruló:] *n.* -s, -s [..ló:s] 감아 올리는 커튼, 블라인드.
Roulett [rulɛ́t] *n.* -(e)s, -e/-s ↑ Roulette ②.
Roulette [rulɛ́t(ə)] 《Ⅰ》 *n.* -s, -s 〖그래픽〗 (점선을 그리는 데 사용되는) 에칭용 톱니바퀴. 《Ⅱ》 *f.* -n 룰렛(일종의 도박); 룰렛 회전판.
roulieren [rulí:rən] 《Ⅰ》 *i.* (h.) 〖구식〗 ① 회전하다. ② 순환〔유통〕하다: 〖商〗 ~de Gelder 유동 자본. 《Ⅱ》 *t.* (schweiz.) (직물 등의) 가장자리를 말아넣다.
Round-Table≈-Gespräch [raundté:bəl..] *n.* **~-Konferenz** 《engl.》 *f.* 〖政〗 원탁 회의.
Rousseau [rusó:] *m.* Jean Jacques ~ 루소 (프랑스의 사상가, 1712-78).
Route [rú:tə] 《frz.》 *f.* -n 길, 도정(道程), 노선, 도로; 여정: Dampfer ohne feste ~ 부정기선; Marsch≈ 행군 코스; die kürzeste ~ 최단 거리 노선; 〖비유〗 die ~ festlegen 〔festsetzen〕 노선을 확정하다.
Routen·verzeichnis *n.* 노선〔안내 책자〕.
***Routine** [rutí:nə] *f.* -n ① 〖복수없음〗 **(a)** (Gewandtheit) 숙련, 노련, 길듦: ~ 〔keine ~〕 in einer Sache haben 어떤 일에 숙달되어 있다〔있지 않다〕. **(b)** 〖대개 폄어〗 틀에 박힌 일, 지루한 되풀이, 습관적 행동: ihr Lächeln war nur ~ 그녀의 미소는 그저 습관적 행동일 뿐이었다. ② (Übung) 연습, 훈련; 〖軍〗 (군함의) 근무 시간표〔일과표〕. ③ 〖컴〗 루틴(특정한 기능을 수행하거나, 자주 사용할 수 있는 명령군).
Routine≈angelegenheit *f.* ↑ ~sache. **~-mäßig** *a.* 정기적〔정례적〕인, 반복적〔일상적〕인: eine ~e Untersuchung 정기적인 조사 〔검사·검진〕. **~sache** *f.* 일상적〔반복적〕인 일. **~überprüfung** *f.* 정기 검사. **~untersuchung** *f.* 정기 검진.
Routinier [rutinié:] *m.* -s, -s [..nié:s] 〖교양〗 숙련자; 경험자; 틀에 박힌 사람; 단순 숙달자: ein ~ der Politik 노련한 정치가; mit der Erfahrung eines ~s 숙련자의 경험으로.
routinieren [rutiní:rən] 《Ⅰ》 *refl.* sich ~ (어떤 일에) 숙달하다; 연습하다. 《Ⅱ》 **routiniert** *p.a.* ↑ routiniert.
routiniert [rutiní:rt] 《Ⅰ》 *p.p.* ↑ routinieren. 《Ⅱ》 *p.a.* 〖교양〗 일상화된, 틀에 박힌; 숙련된, 능숙한: mit einer Angelegenheit ~ umgehen 어떤 일을 능숙하게 다루다; der ~e Torwart 노련한 골키퍼.
Rowdy [ráudi:] 《engl.》 *m.* -s, -s/..dies 〖폄어〗 (Strolch) 부랑자; 무뢰한, 무법자, 깡패: 〖농담〗 unsere Kinder sind richtige kleine ~s 우리 아이들은 정말 꼬마 망나니들이다.
rowdyhaft [..haft] *a.* 〖폄어〗 깡패 같은, 난폭한: ein ~es Benehmen 난폭한 행동, 행패.
Rowdytum *n.* -s 〖폄어〗 행패.
Royal [roajá:l] 《frz.》 《Ⅰ》 *m.* -s, -s 로아얄 (프랑스의 옛 금화, 1295-1422). 《Ⅱ》 *n.* -s ① 〖印·출판〗 로얄판(옛날의 종이와 책의 규격; 20×25 인치 및 19×24 인치). ② [rɔ́iəl] 《engl.》 〖海〗 최상부의 마스트에 다는 가로돛. 《Ⅲ》 *m.* -(s) 〖섬유〗 골이 지게 짠 비단〔모직〕.
royal *a.* 〖드물게〗 ① (königlich) 제왕의, 국왕의. ② 왕에게 충실한, 왕당파의.
Royal Air Force [rɔ́iəl ɛ́:r fɔ:rs] 《engl.》 *f.* 〖官〗 영국 공군(약어: RAF).
Royalismus [roajalísmus] *m.* - ① 제왕 취미. ② 근왕(勤王). ③ 왕권〔왕정〕주의.
Royalist [roajalíst] *m.* -en, -en 왕권주의자; 왕당파.
royalistisch [roajalístɪʃ] *a.* 왕권주의의; 근왕의: eine ~e Partei 왕당파.
Royal·papier *n.* ↑ Royal 《Ⅱ》 ①.
RP [ɛrpé:] ① = Reichspost(1924-45 년까지의) 독일 제국 우편〔우체국〕. ② = 《frz.》 Réponse payée (전보의) 반신료 납입필.
Rp = Rupiah 루피아(인도네시아의 화폐 단위).
Rp. ① = Rappen 라펜(스위스의 화폐 단위). ② = recipe 처방.
Rpf = Reichspfennig (1924-45 년까지의) 독일 제국 화폐 단위.
RSFSR [ɛr|ɛs|ɛf|ɛs|ɛ́r] = Rossijskaja Socialistitscheskaja Federatiwnaja Sowjetskaja Respublika 러시아 사회주의 연방 소비에트 공화국(Russische Sozialistische Föderative Sowjetrepublik).
RT [ɛrté:] = Registertonne 등록 톤수.
Ru [er|ú:, ruté:nium] 〖化〗 = Ruthenium 루테늄.
Ruanda [ruánda] 르완다(중앙 아프리카의 공화국).
Ruander [..dər] *m.* -s, - ① 르완다 거주자. ② 르완다 출신의 사람.
ruandisch [..dɪʃ] *a.* 르완다(출신)의.
rubato [rubá:to] 《it.》 *adv.* 〖음악〗 루바토, 템포를 자유로이 가감하여.
Rubato *n.* -s, -s/..ti (한 악곡에서) 루바토가 연주되는 부분.
rubbelig [rúbəlɪç] *a.* (nordd.) ① (rauh) 거친; (uneben) 판판하지 않은, 울툭불툭한. ② (polternd) (통탕거리며) 떠들썩한.
rubbeln [rúbəln] 《nordd.; ♧ reiben》 *t.* 〖구어〗 세게 비비다, 비벼서 말리다: jm.〔sich³〕 mit einem Handtuch den Rücken ~ 누구〔자신〕의 등을 수건으로 문지르다.
rübbeln [rý:..] *t.* ↑ rubbeln.
Rubber [rábər, rʌ́bə] 《engl.》 ① *m.* -s 고무 (Kautschuk). ② *m.* -s, - 〖카드〗 (브리지나 휘스트 게임에서) 3판 2승〔의 승부〕.
Rübchen [rý:pçən] *m.* -s, - 〖↑ Rübe 의 축소형〗 작은 순무; 〖비유〗 jm. ein ~ schaben 누구를(무를 빨리 깎는 듯한 손가락짓으로) 놀려대다.
***Rübe** [rý:bə] *f.* -n ① **(a)** 〖農·植〗 (weiße ~) (순)무: gelbe ~ 당근; rote ~ 사탕무; wie Kraut und ~ durcheinander 뒤범벅이 된, 뒤엉킨; ~n verziehen〔ziehen〕 모종을 솎아내다. **(b)** 무의 뿌리: die ~n schälen 무 껍질을 벗기다. ② 말꼬리의 육질(肉質) 부분. ③ 〖경

박·대개 농담〗건방진 놈, 장난꾸러기 녀석: so eine freche ~! 아주 뻔뻔스런 녀석이군! ④ 〖경박〗 대갈통: er hat eine auf die ~ bekommen 그는 머리통을 한 대 쥐어박혔다. ⑤ (obd.) 낙석(落石) (Steinfall).

Rubel [rú:bəl] ⟪russ.⟫ *m.* -s, - 루블(러시아의 화폐; 약어: Rbl.): 〖구어〗 da rollt der ~! 많은 돈이 유통되고 있다!

Rüben≈acker *m.* 무밭. **≈artig** *a.* 무 같은, 무 모양의; 〖드물게〗 (순)무의. **~bau** *m.* (순)무 재배. **~feld** *n.* ↑ ~acker. **≈förmig** *a.* (순)무 모양의. **~heber** *m.* 무 채취기(器). **~kohl** *m.* (Kohlrabi) 순무, 알뿌리 무. **~kraut** *n.* ① 사탕무로 만든 잼. ② 순무 머리(잎과 줄기).

Rubens [rú:bɛns, ..bəns] Peter Paul ~ 루벤스(네덜란드의 화가, 1577-1640).

Rüben≈sirup *m.* ↑ ~kraut ①. **~zucker** *m.* 사탕무에서 뽑아낸 설탕.

(')rüber [rý:bər] *adv.* 〖구어〗 ↑ herüber, hinüber.

rüber|bringen *t.* ①〖구어〗 이쪽〔저쪽〕으로 가지고 오다〔가다〕. ②〖은어〗 전달〔중계〕하다, 설명하다: der Film versucht, etwas von der Atmosphäre jener Jahre rüberzubringen 영화는 그 당시의 분위기를 전달하려고 한다.

rüber|kommen *i.* (s.) ①〖구어〗 이쪽〔저쪽〕으로 오다〔가다〕; 넘어오다, 저편에 닿다. ② 이해되다: die Message ist voll rübergekommen 그 메시지는 완전히 이해되었다. ③〖경박〗 끌려오다, 넘어가다: er kommt mit dem Geld einfach nicht rüber 그는 돈에 넘어가지 않는다.

Rübezahl [rý:bətsa:l] ⟪<mhd. rüebezagel, „Rübenschwanz"⟫ *m.* -s, -e ①〖복수없음〗 〖신화〗 (슐레지엔의) 산신령. ②〖구어〗 수염이 덥수룩한 늙은이; 힘세고 건장한 남자.

Rubidium [rubí:dium] ⟪lat.⟫ *n.* -s 〖化〗 루비듐(기호: Rb).

Rubikon [rú:bikɔn] *m.* -(s) 루비콘강(옛 이탈리아와 갈리아의 경계가 되었던 작은 강): 〖교양〗 den ~ überschreiten 중요한 결정을 내리다, 단행하다(Cäsar가 루비콘강을 건너 이탈리아를 침공한 고사에서).

***Rubin** [rubí:n] ⟪<lat. rubinus, „rot"⟫ ⟪I⟫ *m.* -s, -e 〖광물〗 홍옥, 루비: die Krone war mit ~en besetzt 왕관에는 홍옥이 박혀 있었다. ⟪II⟫ *n.* -s 적색 염료.

rubin≈farben *a.* ↑ ~rot. **~farbig** *a.* ↑ ~rot. **≈glas** *n.* 홍색 유리. **~rot** *a.* 홍옥색〔루비색〕의.

Rüb·kohl [rý:p..] *m.* -(e)s (schweiz.) (Kohlrabi) 순무, 알뿌리 무.

Rüblein [rý:plaɪn] *n.* -s, - 〖↑ Rübe의 축소형〗 작은 순무.

Rüb·öl *n.* 채종유, 유채 기름.

Rubren *pl.* ↑ Rubrum의 복수.

Rubrik [rubrí:k] ⟪lat. rubrica⟫ *f.* -en ①〖출판〗 표제, 제목. ② (Abteilung) 장, 절. ③ (Spalte) (책 또는 신문의) 난, 단: das finden Sie in der ~ „aus aller Welt" 당신은 그것을 "전세계에서"라는 난에서 찾을 수 있습니다. ④ (Klasse) 부문, 부류: in eine ~ gehören 어떤 부류에 속하다. ⑤〖가톨릭〗 전례 규정(붉은 글씨로 쓰인 법규).

Rubrikat ⟪lat.⟫ *n.* -en, -en ① 표제에 이름이 오른 사람. ② 장, 절.

Rubrikator [..ká:tɔr, ..to:r] *m.* -s, -en [..tó:rən] (중세 필사본 및 초기 인쇄본 첫머리의 대문자에) 붉은 색을 칠하는 사람.

Rubrizelle *f.* -n 〖가톨릭〗 미사용 작은 기도서.

rubrizieren [rubritsí:rən] *t.* ①〖출판〗 표제를 (붉은색으로) 쓰다. ② 장과 절을 나누다. ③〖교양〗 어떤 부류〔범주〕에 넣다, 분류하다: jn. unter die Kategorie... ~ 누구를 …의 범주에 편입시키다.

Rubrizierung [..ruŋ] *f.* 표제를 붙임, 표제어 삽입.

Rubrum [rú:brum] *n.* -s, ..bra /..bren ①〖교양〗 (Aktenaufschrift) (기록·문서의) 표제; 색인. ②〖法〗 판결문의 첫머리〔적색란〕.

Rüb≈saat *f.* 유채 씨앗. **~same** *m.* ↑ ~samen. **~samen** *m.* ↑ Rübsen.

Rübsen [rý:psən] *m.* -s 유채(油菜), 평지.

Ruch *m.* -(e)s, Rüche [rÝçə, rý:çə] ① [rux] (a)〖시어〗 냄새. (b)〖雅語〗 (나쁜·의심스러운) 평판: er steht im ~ der Bestechlichkeit 그는 매수되는 사람이라는 평판을 받고 있다. ② [ru:x] 〖動〗 (obd.) 흰부리까마귀.

ruchbar [ru:xba:r] ⟪♧ rufen, Gerücht⟫ *a.* 〖雅語〗 소문이 자자한, 주지의: ~ werden 소문이 나다, 널리 알려지다; 〖구식〗 et. ~ machen 무엇을 널리 알리다〔소문내다〕.

Ruch·gras [rúx..] *n.* 〖植〗 (벼과의) 향초.

ruchlos[1] [rúxlo:s] *a.* (obd.) 냄새가 없는.

ruchlos[2] [rú:xlo:s] ⟪원뜻 „sorglos"; ♧ geruhen⟫ *a.* 〖雅語〗 평판이 나쁜; 극악무도한; 무자비한; 비열〔야비〕한: ein ~er Mensch 양심없는 사람; ein ~es Verbrechen 극악무도한 범죄.

Ruchlosigkeit [..lo:zɪçkaɪt] *f.* -en ①〖복수없음〗 비열, 극악무도. ② 비열〔극악무도〕한 행위: er schreckt vor keiner ~ zurück 그는 어떤 포악한 행동에도 물러나지 않는다.

ruchsen [rúksən] *i.* (h.) (비둘기가) 울다.

ruchtbar [rúxtba:r, rú:xt..] *a.* 〖고어〗 ↑ ruchbar.

***Ruck** [ruk] *m.* -(e)s, -e ① 홱 당김, 밀침; 충격; 〖구어〗 (서로) 밀치기: einen ~ tun 홱 밀치다, 밀다; 〖구어〗 jm. einen ~ geben 누구를 홱 밀치다〔추진시키다〕; 〖구어〗 sich³ einen ~ geben (내키지 않는 일을 할) 결심을 하다, 마음을 다잡다; mit einem ~ 〔auf einen ~〕 홱 밀어서; 〖비유〗 급히, 단숨에, 단박에; mit einem ~ war er oben 단숨에 그는 올라가 있었다; mit ~ und Zuck 과단성 있게; die Wahlen ergaben einen starken ~ nach rechts 선거 결과 우파가 두드러진 우세를 보였다; 〖구어〗 wir fuhren in einem ~ nach Athen 우리는 아테네로 직행했다. ②⟪의성어⟫ 〖방언〗 구구(비둘기 울음소리).

ruck [ruk] *int.* ① 어영차(물건을 밀거나 들어 올릴 때 지르는 소리): ho ~! hau ~! 어영차, 이영차! ② 구구(비둘기 우는 소리).

Rück [rʏk] *n.* -(e)s, -e/-s 〖방언〗 (Rick) 막대기; 시렁.

rück *adv.* (zurück) 뒤로; 원래대로; 뒤떨어져, 체납되어.

Rück≈abtreter *m.* 재양도인. **~abtretung** *f.* 재양도, 환부(還附). **~ansicht** *f.* 〖工〗 배면(도)(背面(圖)). **~anspruch** *m.* 〖法〗 소구

권(遡求權). **~antwort** *f.* ① 회답, 회신, 항변. ②〖우편〗 반신료 선불 전보〔엽서〕: Postkarte mit ~ 반신료가 선불된 우편 엽서; ~ bezahlt 반신료 납입필(약어: RP).

ruck·artig [rúk..] 《<Ruck》 *a.* 갑작스런, 돌연한, 충격적인, 뜻밖의: er stand ~ auf 그는 갑자기 일어섰다; der Vogel machte ~e Bewegungen 새가 갑자기 움직였다.

Rück≈auftrag *m.* 〖法〗 복위임(復委任). **~äußerung** *f.* (공식적인) 회답(~antwort). **~beförderung** *f.* 반신 송달. **~berufung** *f.* 소환. **~besinnung** *f.* 재고, 숙고, 회고: die ~ auf Leben und Werk des Dichters 그 시인의 삶과 작품에 대한 회고. **~bewegung** *f.* 역행〔후퇴〕 운동. **≈bezüglich** *a.* 〖문법〗 재귀적인: ~es Fürwort 재귀 대명사. **~bildung** *f.* ①〖生〗 (기관의) 퇴화. ②〖醫〗 퇴축(退縮), 퇴행 변성: die ~ einer Geschwulst 종기가 가라앉음. ③〖언어학〗 역(逆)파생어(외견상의 기본어가 실제로는 파생어인 것). **~bleibende*** *der/die* 잔류자; 게으름뱅이. **~bleibsel** *n.* 〔구식〕 잔여, 잔금. **~blende** *f.* 〖영화·문학〗 (줄거리 진행에 삽입된) 회상부〔장면〕, 컷백. **≈blenden** *i.* (h.) 〖영화·문학〗 회상 장면을 삽입하다, 컷백하다: in dem Film wird wiederholt rückgeblendet 영화에는 거듭 회상 장면이 삽입된다. **~blick** *m.* ① 뒤돌아봄. ② 회고, 회상: im〔in〕~ auf das vergangene Jahr 지난해를 회고하며. ③ (특히 정치적인 사건에 관한 신문과 방송의) 회고문〔물〕: ein ~ auf die Ära Adenauer 아데나워 시대에 대한 회고. **≈blickend** *a.* 뒤돌아보는, 회고하는. **~blick·spiegel** *m.* (자동차의) 백 미러. **~brief·stelle** *f.* 반송 우편물을 두는 곳. **≈|buchen** *t.* 〖商〗 (계약 따위를) 해약〔취소〕하다; (기장을) 정정하다. **~buchung** *f.* 〖商〗 기장 정정. **~bürge** *m.* 〖法〗 상환 보증인. **~bürgschaft** *f.* 〖法〗 구상(求償)〔상환〕 보증. **~darre** *f.* 〖醫·방언〗 척수 결핵(Rückenmarksschwindsucht). **≈|datieren** *t.* (문서의 날짜를) 실제보다 앞선 날짜로 기재하다. **~deckungs·versicherung** *f.* 〖보험〗 연금 지급에 따른 비용 충당을 위해 기업주가 드는 보험. **~diskonto** *m.* 〖經〗 재할인, 되치르기. **≈drehend** *a.* 〖기상〗 (바람이) 시계 반대 방향으로 도는. **~einfuhr** *f.* 〖經〗 재수입, 역수입.

ruckeln [rúkəln] *i.* (h.) 〔방언〕 ① 덜거덕거리며 움직이다. ② an〔mit〕 et.[3] ~ 무엇을 가볍게 밀쳐서 움직이다: am Tisch ~ 책상을 덜거덕거리다.

rucken[1] [rúkən] 《I》 *i.* (h.) ① 덜거덕〔와락〕 움직이다(↑ rücken[1] 《III》 ② (a)): der Zug ruckte und blieb wieder stehen 기차가 덜컥 움직이다가 다시 멈춰섰다. ② an et.[3] ~ 무엇을 덜거덕〔밀쳐서〕 움직이다, 밀어당기다: er hat am Schrank geruckt 그는 장롱을 밀어 당겼다. 《II》 *t.* ↑ rücken[2].

rucken[2] *i.* (h.) 〔방언〕 (비둘기가) 구구 울다.

***Rücken** [rʏ́kən] 《ahd. rucki》 *m.* -s, - ① **(a)** 등, 잔등, 등마루: ein breiter〔krummer〕 ~ 넓은〔굽은〕 등; 〔농담〕 verlängerter ~ 엉덩이, 볼기. **(b)** 〖軍〗 후미, 배후. **(c)** (손발의) 등: Hand≈ 손등. **(d)** (의자 따위의) 등받이. **(e)** 등 모양으로 된 부분(산등성이, 밭의 두둑 따위): der ~ der Nase 콧등. **(f)** 날 있는 연장의 등(날과 반대의 부분). **(g)** 책의 등. **(h)** 육류의 등살〔등심〕. **(i)** 〖스포츠〗 배영(背泳): auf dem ~ schwimmen 배영으로 헤엄치다; sie wurde Zweite über 200 m ~ 그녀는 200 m 배영에서 2 등했다. ② 〔동사와 함께〕 vor jm. den ~ beugen 〔einen krummen ~ machen〕 누구에게 굽실거리다; 〔구어〕 man hat ihm den ~ gebeugt〔gebrochen〕 그는 굴욕을 당했다; 〔구어〕 jm. den ~ decken〔freihalten〕 누구를 후원〔보호〕하다; einen breiten ~ haben 어깨 폭이 넓다, 〔비유〕 참을성이 많다; dir〔dich〕 juckt der ~? 너 (맞고 싶어서) 등이 근질거리느냐?; den ~ steif halten 끝내 굽히지 않다, 저항하다; den ~ freihaben 방해받지 않고〔자유로이〕 행동할 수 있다; sich[3] den ~ decken〔freihalten〕 신변의 안전을 확보하다, 도망칠 길을 마련하여 두다; jm. den ~ zudrehen〔zuwenden, wenden, kehren〕 a) 누구에게 등을 돌리다, b) 〔비유〕 누구와 절교하다; jm. den ~ steifen〔stärken〕 누구를 격려하다, 고무시키다; jm. den ~ zeigen 누구에게 서먹한 태도를 보이다. ③ 〔전치사와 함께〕 ~ **an** ~ stehen 등을 맞대고 서 있다; **auf** den ~ fallen 뒤로 (나)자빠지다, 〔구어〕 몹시 놀라다; eine Last auf den ~ nehmen 짐을 등에 지다; 〔비유·구어〕 jn. auf den ~ legen 누구를 이기다; auf meinen ~ geht viel 나는 참을성이 많은 사람이다; schon viele Jahre auf dem ~ haben 벌써 몇 년 되다; er hat seine siebzig Jahre auf dem ~ 그는 70 세가 되었다; ~ **gegen** ~ 〔mit dem ~ gegeneinander gekehrt〕 등과 등을 맞대고; **hinter** js. 〔jm. hinterm〕 ~ 누구의 등뒤〔배후〕에서; hinterm ~ 남몰래, 음흉하게; jm. **in** den ~ fallen 〔jn. im ~ angreifen〕 누구의 뒷덜미를 치다; jn. im ~ haben 누구에게 의지할 수 있다; et. **mit** dem ~ ansehen müssen 무엇을 포기하지 않을 수 없다; jn. mit dem ~ ansehen 누구를 등지다〔냉대하다〕; er kämpft mit dem ~ zur Wand 그는 궁지에 몰려 싸우고 있다; es läuft mir eiskalt **über** den ~ 〔den ~ hinunter〕 나는 등골이 오싹해진다.

***rücken**[1] [rʏ́kən] 《<Ruck》 《I》 *t.* 확 밀다, 움직이다, 밀치다, (끌어〔밀어〕) 옮기다: den Tisch ~ 책상을 옮겨 놓다; von sich fort ~ 밀쳐내다; näher zu sich ~ 〔an sich heran ~〕 끌어당기다, 다가놓다; den Topf vom Feuer ~ 냄비를 불에서 내려 놓다; eine Anzeige in die Zeitung ~ 신문에 광고를 싣다; den Zeiger der Uhr ~ (바늘을 돌려서) 시계를 맞추다; den Hut ~ 모자를 살짝 쳐들며 인사하다. 《II》 *refl.* sich nicht ~ und rühren 〔sich nicht von der Stelle ~〕 꼼짝하지 않다. 《III》 *i.* ① (h.) an〔mit〕 et.[3] ~ 무엇을 움직이다〔옮기다〕: er rückte an seiner Mütze 그는 모자를 살짝 쳐들며 인사하였다; daran ist nicht zu ~ 그것은 변경될 수가 없다; mit den Stühlen ~ 의자들을 밀어 움직이다. ② (s.) **(a)** 움직이다: näher ~ 다가오다; rück' ein bißchen〔stückchen〕! 조그만 비켜줘!; die Uhr rückte auf 12 시계 바늘이 12 시에 다가갔다; 〔비유〕 an js. Stelle ~ 누구 자리에 대신 들어서다; an js. Seite ~ 누구 곁으로 다가 앉다; 〖軍〗 aus dem Lager ~ 철수하다; ins Feld ~ 출전하다; jemand〔etwas〕 ist in

den Mittelpunkt des Interesses gerückt 누가〔무엇이〕 관심의 중심이 되다; unsere Reise nach Italien ist in greifbare Nähe gerückt 우리의 이탈리아 여행은 머지 않은 장래에 실현된다; durch ein Dorf ~ 마을을 통하여 나아가다; mit den Stühlen ~ 의자들을 밀다; er rückt nicht von der Stelle 그는 그 자리에서 움직이지〔물러나지〕 않는다; vor eine Stadt ~ 어떤 도시를 공위(攻圍)하다; 〔방언〕in die Ferne ~ 방랑〔이동〕하다; 〔비유〕 jm. zu Leibe 〔auf den Pelz〕 ~ 누구에게 끈질기게 접근하여 괴롭히다, 성가시게 굴다. **(b)** 〔구어〕(berl.) 몰래 도망치다. **(c)** (자리를 양보하기 위해) 옆으로 이동하다: kannst du mal ~! 옆으로 좀 비켜주렴! ③ **(a)** 〖軍〗 an die Front ~ 전선으로 출동하다. **(b)** 〔방언〕소풍가다, 행진하다.

rụcken[2] *t.* 〖農〗 ein Beet ~ 못자리에 이랑을 만들다; 〖제본〗ein Buch ~ 책에 등을 붙이다.

Rụ̈cken≈ausschnitt *m.* (스웨터·수영복의) 패인 등 부분, 등패임. **~batterie** *f.* 〖軍〗 배후 사격 포대(砲隊). **~bein** *n.* 〖해부·고어〗 척추(Rückgrat). **~blatt** *n.* 〖건축〗 후면: ~ des Altarstückes 제단의 후면. **~brett** *n.* (자세 교정을 위한) 척추 교정판. **~darre** *f.* ↑ ~marksschwindsucht. **~deckung** *f.* ①〖軍〗 배면 엄호: jm. ~ geben 누구를 배후에서 보호하다. ②〔비유〕 후원, 지원: bei jm. ~ finden 누구의 후원을 받다. **~feuer** *n.* 〖軍〗 배후 사격. **~fläche** *f.* ① 배면. ② 손등. **~flosse** *f.* 〖動〗 등지느러미. **~flug** *m.* 배면 비행. **~frei** *a.* (의복이) 등이 패인: ein ~es Kleid 등이 패인 옷. **~halter** *m.* ① ↑ ~brett. ②〖사진〗 사진 찍히는 사람을 뒤에서 받치는 막대기. **~korb** *m.* 등에 지는 바구니. **~kratzer** *m.* 등긁이. **~kreuz** *n.* 허리, 요부. **~lage** *f.* ① 등을 바닥에 대고 누운 자세: eine Turnübung in ~ ausführen 등을 바닥에 대고 누워서 체조 연습을 하다. ②〖스키〗 후경(後傾) 자세. **~lehne** *f.* (의자의) 등받이. **~mark** *n.* 〖해부〗 척수. **~mark·entzündung** *f.* ↑ ~marksentzündung. **~märker** *m.* 〔농담〕 ↑ ~marksleidende. **~marks-darre** *f.* ↑ ~marksschwindsucht. **~marks-entzündung** *f.* 〖병리〗 척수염. **~marks-leidende*** *der/die* 척수병 환자. **~marks-schwind·sucht** *f.* 〖醫〗 척수 결핵. **~mark-substanz** *f.* 척수의 골수. **~muskel** *m.* 배근(背筋). **~muskulatur** *f.* 등근육. **~nerv** *m.* 등신경. **~platte** *f.* 뒤판, 배판(背板). **~riemen** *m.* (말 안장과 수레의 멍에를 잇는) 등띠. **~saite** *f.* 〖生〗 배삭(背索). **~schanze** *f.* 〖軍〗 배면보(背面堡). **~schild** *m.* 〖動〗 (게 따위의) 등딱지. **~schlag** *m.* 등을 침. **~schmerz** *m.* 〖醫〗 등의 통증. **~schneide** *f.* 칼등. **~schuß** *m.* 〖軍〗 배후 사격. **~-schwimmen** *n.* 〖스포츠〗 배영. **~seite** *f.* 등쪽, 뒷면, 이면. **~ständig** *a.* ↑ rückständig. **~stärkung** *f.* 정신적인 후원〔원조〕, 자의식의 강화: sich bei jm. ~ holen 누구의 후원을 구하다. **~starre** *f.* 〖醫〗 척추 강직. **~stück** *n.* 등심, 등심 고기: ein ~ vom Hirsch 사슴의 등심. **~trage** *f.* 지게; 등에 지는 광주리(Kiepe), 통(Butte). **~weh** *n.* ↑ ~schmerz.

Rück·entwicklung [rʏ́k..] *f.* -en 〖生·醫〗 퇴화, 퇴축(退縮) (↑ ~bildung ①②).

Rụ̈cken≈wehr *f.* 〖軍〗 참호 뒤의 둑. **~wind** *m.* (배의 뒤에서 부는) 순풍: 〔농담〕 mit ~ läuft mein Auto 120 km/h 내 차는 순풍을 받으면 시속 120 km 로 달린다. **~wirbel** *m.* 〖해부〗 흉추, 가슴등뼈. **~wirbel·tier** *n.* 〖動〗 척추 동물.

Rụ̈ck≈erbittung *f.* 〔격식〕 반환〔반송〕 요청: wir senden Ihnen diese Unterlagen unter ~ 우리는 당신에게 이 서류들을 반환 조건으로 보내 드립니다. **~erinnerung** *f.* 추억, 회상. **~eroberung** *f.* 탈환, 재획득. **~erstattung** *f.* ① 반환, 반려; (금전의) 환불, 상환. ②〖法〗 나치 때의 불법적인 몰수〔수용〕에 대한 배상. **~fahr·karte** *f.* 왕복표. **~fahr·schein** *m.* ↑ ~fahrkarte. **~fahr·schein·werfer** *m.* 〖車〗 미등. **~fahrt** *f.* 귀항, 귀향, 귀로: die ~ antreten 귀로에 오르다. **~fall** *m.* ①〖醫〗 재발: er hat bei seiner Krankheit wieder einen ~ gehabt〔bekommen〕 그는 병이 재발하였다. ②〖法〗 누범(累犯): Betrug im ~ 상습사기. ③ **(a)** 〖法〗 (본래 소유자에게로의) 복귀, 귀속. **(b)** (습관의) 복귀, (나쁜 상태로) 되돌아감: ein ~ in alte Fehler 예전에 한 실수를 다시 저지름; 〔경박〕 einen ~ machen 〔bauen〕 금단 요법 후에도 다시 약물을 복용하다. **~fall·fieber** *n.* 〖병리〗 재귀열. **~-fällig** *a.* ① (나쁜 버릇 따위가) 다시 나타나는. ②〖醫〗 재발의; 〖法〗 누범의; 복귀〔귀속〕될: ~er Verbrecher 상습범. **~fälligkeit** *f.* 재발, 복귀. **~fall·kriminalität** *f.* 〖法〗 누범(累犯). **~fall·täter** *m.* 〖法〗 누범〔재범〕자. **~fläche** *f.* (벽이나 그림 따위의) 이면. **~flug** *m.* 귀로 비행, 귀항: den ~ antreten 귀로 비행을 시작하다. **~fluß** *m.* 역류, 환류. **~forderung** *f.* 〖經〗 반환 청구. **~fracht** *f.* 〖商〗 복항(復航)〔반송〕 화물. **~frage** *f.* 재문의〔조회〕. **~fragen** *i.* (h.) bei jm. 누구에게 재차 문의〔조회〕하다. **~front** *f.* ① 건물의 뒷면: der Eingang ist auf der ~ 입구는 건물의 뒷면에 있다. ②〔농담〕 등: jm. seine ~ zuwenden 누구에게 등을 돌리다. **~fuhre** *f.* 〔고어〕 왕복 운송. **~führung** *f.* ① 반환, 환원, 복귀: die ~ bereits ins Ausland exportierter Waren 이미 외국으로 수출된 상품의 반송. ②〖국제법〗 (전쟁 포로·난민의) 송환. **~gabe** *f.* ① 반환: ~ der Eintrittskarte 입장권의 반환. ②〖구기·축구〗 (골키퍼에게로의) 백패스. **~gabe·recht** *n.* 〖法〗 (상품의) 반환권(리). **~gang** *m.* ① 귀환, 회귀. ② 후퇴, 퇴각; 〖天〗 역행; 〖기계〗 역행 운동. ③〖醫〗 재발, 회귀, 퇴행. ④〖商〗 (주가·물가 따위의) 하락. ⑤ 실패; 〔비유〕 퇴보, 쇠퇴: ein ~ des Exports 수출의 감소. **~gängig** *a.* 후퇴하는; 역행하는; 〖商〗 (물가가) 하락하는; 〔비유〕 이루어지지 않은; 돌이키는: et. ~ machen 무엇을 취소하다, 무효로 하다; eine Heirat ~ machen 혼인을 무효화하다; 〖法〗 einen Vertrag〔Kontrakt〕 ~ machen 계약을 해약하다; ~ werden a) 취소되다, 성립되지 않다, b) 무효화되다. **~gängig·machung** *f.* 〔격식〕 해제, 취소. **~gebildet** *a.* 〖生·醫〗 퇴화된: ~e Organe 퇴화 기관들. **~gewährung** *f.* 반려, 환부(還附); (관세의) 환급. **~gewinnung** *f.* ① 회복, 재탈환: die ~ im Krieg verlorener Gebiete 전쟁으로 빼앗긴 지역의 재탈환. ②

〖工〗(버려진 원자재의) 회수, 수집: die ~ von Rohstoffen aus Müll 쓰레기에서의 원료 회수. **~grat** *n.* ①〖해부〗척추, 척골, 척주: ein Mensch ohne ~ 줏대 없는 사람; sie hat sich³ das ~ gebrochen 그녀는 척추가 부러졌다;〖구어〗jm. das ~ brechen a) 누구의 기를 꺾어놓다, b) 누구를 파멸시키다; ~ haben〔zeigen〕줏대가 있다; jm. das ~〔den Rücken〕stärken〔steifen〕누구를 뒷받침〔지원〕하다. ②버팀목, 근간, 토대: der Holzreichtum ist das ~ der finnischen Wirtschaft 풍부한 삼림은 핀란드 경제의 근간이다. **~gratlos** *a.* ①척추가 없는. ②〖비유〗줏대 없는; (haltlos) 박약한, 근거〔정견(定見)〕없는; 위엄 없는(würdelos).

Rückgrats⸗gelenk *n.* ↑ ~wirbel. **~tiere** *pl.* 척추 동물. **~krümmung** *f.*〖병리〗척추 만곡(灣曲). **~nerv** *n.* 척추 신경. **~verkrümmung** *f.*〖병리〗척추 만곡. **~wirbel** *m.*〖해부〗척추.

Rück⸗griff *m.* ① (어떤 이념의) 재수용: der klassizistische Baustil war ein ~ auf die antike Baukunst 의고주의 건축 양식은 고대 건축술의 재수용이었다. ②〖法〗상환 청구 (Regreß). **~hall** *m.* 반향. **~halt** *m.* ① **(a)**〖軍〗원병, 원군. **(b)** (Stütze) 뒷받침, 지주: an jm. einen ~ haben 누구를 배경으로 하다. ② 유보: ohne ~ sprechen 터놓고 말하다. **~hältig** *a.* 솔직하지 못한, 숨기는. **~haltlos** *a.* 무조건적인; 사양하지 않는, 거리낌없는: jm. ~ vertrauen 누구를 무조건 신뢰하다. **~haltlosigkeit** *f.* 가차없는 태도, 무조건적임. **~haltung** *f.*〖드물게〗↑ ~halt ②. **~hand** *f.* ① (테니스 따위의) 백핸드: die ~ üben 백핸드를 연습하다. ②〖카드〗(특히 스카트에서) 패를 나누는 사람의 뒷사람. **~handschlag** *m.*〖스포츠〗① ~hand ①. ②〖권투〗반칙적 손등 가격. **~kampf** *m.*〖스포츠〗① (2 연전 중) 2 차전(↑ ~spiel). ②〖권투〗리턴 매치. **~kauf** *m.*〖商〗되사기. **~käuflich** *a.* 되살 수 있는. **~kaufs·recht** *n.*〖商〗환매권, 재매매권, 재매입권. **~kaufs·weise** *adv.* 재매입 방식으로, 재매입에 따라. **~kehr** *f.* 귀환, 복귀: nach seiner ~ 그가 돌아온 후에. **~|kehren** *i.* (s.) 되돌아오다. **~kehrer** *m.* 귀환자. **~kehrerin** *f.* ↑ ~kehrer 의 여성형. **~koppeln** *t.*〖인공지능·전기공학〗회귀시키다, 피드백시키다. **~koppelung** *f.* ↑ ~kopplung. **~kopplung** *f.* ①〖인공지능〗피드백. ②〖전기공학〗(앰프에서 나온 출력 중 일부의) 귀환, 반결합, 재생. **~kreuzen** *t.*〖유전〗어미 세대와 교배시켜 생산하다. **~kreuzung** *f.*〖유전〗어미 세대와의 교배. **~kunft** *f.*〖雅語〗↑ ~kehr. **~lage** *f.* ① 예비(자)금, 비상금: eine kleine ~ haben 약간의 비상금을 갖고 있다. ②〖經〗기업의 적립금〔준비금〕: eine gesetzliche ~ 법정 준비금. ③〖스키〗후경(後傾) 자세. **~lauf** *m.* ① 뒤로〔거꾸로〕달리기, 후퇴, 퇴각; (출발점으로) 되돌아옴, 역류. ②〖天〗역행. ③〖軍〗(발사 후의) 포신 후퇴. ④〖工〗(배 따위가) 실제로 간 길과 추진 발동기의 이론상의 길 사이의 차이. **~läufer** *m.*〖우편〗배달 불능의 우편물, 반송 우편물. **~läufig** *a.* ① 뒤로 달리는, 후퇴〔감소〕하는: eine ~e Entwicklung 후행성 발육. ②〖비유〗회귀하는: eine ~e Bewegung 회귀운동;〖언어학〗~es Wörterbuch 역순 사전. ③〖天〗역행하는;〖醫〗회귀성의. **~läufigkeit** *f.* 회귀; 역행; 후퇴. **~lehne** *f.* (의자의) 등받이. **~leiter** *m.*, **~leitung** *f.*〖전기〗회귀 전로(電路). **~leuchte** *f.* ↑ ~licht. **~licht** *n.*〖복수: -er〗(열차·자동차의) 미등(尾燈). **~lieferung** *f.* 반환, 반각(返却).

rücklings [rʏ́klɪŋs] *adv.* ① 뒤로, 뒤쪽으로: sich ~ bewegen 뒤로 움직이다; ~ fallen 뒤로 나가떨어지다; ~ zu Boden stürzen 바닥에 나자빠지다. ② 등으로, 등을 대고: ~ (auf dem Rücken) liegen (등을 대고) 반듯이 누워 있다; er lehnte ~ am Geländer 그는 난간에 등을 대고 기대었다. ③ 등을 앞으로 하고, 거꾸로: er sitzt ~ auf dem Pferd 그는 말 위에 거꾸로 앉아 있다. ④ 뒤로부터: jn. ~ angreifen 누구를 뒤에서 습격하다.

Rück⸗marsch *m.*〖軍〗퇴각, 귀영 행진: den ~ antreten 퇴각을 개시하다. **~nahme** *f.* ① 취소, 철회: die ~ eines Verbotes 금지의 해제. ② 되찾음, 회복, 복구. **~paß** *m.*〖구기〗백 패스. **~porto** *m.* 회신료, 반송료. **~prall** *m.* 되튀김, 되튐; (대포가) 뒤로 반동함; (소리 따위의) 반향;〖비유〗반동. **~rechnung** *f.*〖經〗① (부채의) 상쇄, 차감(差減). ② 감가상각. **~reise** *f.* (↔ Hinreise) 여행에서 돌아옴;〖海〗귀항: auf der ~ begriffen 귀항 중인. **~ruf** *m.* ① 소환. ②〖法〗(südd.) 취소, 철회. ③ 회신 통화, 회답 전화. **~rufs-schreiben** *n.* 소환장. **~runde** *f.*〖스포츠〗경기 연도〔시즌〕의 후반부.

Ruck·sack [rúkzak] *m.* 배낭, 륙색: den ~ packen 배낭을 꾸리다;〖구어〗ein ~ voller Sorgen〔Probleme, Fragen〕매우 많은 걱정〔문제, 질문〕.

Rucksack⸗tourist [..turɪst] *m.*〖펌어〗배낭 여행자. **~urlauber** *m.* 배낭 여행으로 휴가를 보내는 사람.

Rück⸗schau [rʏ́k..] *f.* ① 회상, 회고: ~ halten 회상하다. ② (특히 정치적 사건에 관한 신문·방송의) 회고문〔물〕(↑ ~blick ③). **~schau·spiegel** *m.* (자동차의) 백 미러 (~blickspiegel). **~schein** *m.* ① 반사, 반영. ②〖우편〗수취〔수령〕증. **~schlag·** *m.* ① (사태 따위의) 급격한 악화, 타격. ② 격세 유전(Atavismus). ③ 반동, 되튀김. ④〖醫〗재발. ⑤ (테니스 따위의) 반격, 되받아치기. **~schläger** *m.* (테니스·배구·배드민턴 등의) 반격수, 공격수(↔ Aufschläger). **~schlag·ventil** *n.*〖工〗(액체의) 역류 방지 밸브. **~schluß** *m.* 귀납적 추론〔추리〕. **~schreiben** *n.* 답서. **~schreitend** *a.*〖雅語〗후퇴〔역행·퇴보〕하는:〖지형〗~e Erosion 역류 침식. **~schritt** *m.* 후퇴, 역행;〖비유〗퇴행, 퇴화, 퇴보; 반동: ~e machen 퇴보하다; (상거래가) 부진해지다; ein ~ in der Sozialpolitik 사회 정책에서의 후퇴. **~schrittler** *m.*〖경박〗반동주의자, 반동적인 사람. **~schrittlich** *a.* 반동적인, 반동파의: ein ~er Politiker 반동적인 정치가. **~schrittlichkeit** *f.* 반동(적임). **~schrittpartei** *f.* 반동파. **~seite** *f.* 뒤(쪽); 이면; 배면;〖제본〗왼쪽의 페이지: ~ 〔Kehrseite〕 einer Münze 동전의 뒷면. **~seitig** *a.* 이면〔뒷면〕의: der ~e Ausgang 뒤쪽 출구. **~seits** *adv.* 이면〔배후〕에.

rucksen [rúksən] *i.* (h.) (비둘기가) 구구거리다.

Rück·sendung [rʏ́k..] *f.* 송환, 반송.

***Rücksicht** [rʏ́kzɪçt] *f.* -en ① 사려, 배려, 주의, 유의; 고려, 참작; 존중: auf jn.〔et.〕 ~ nehmen 누구를〔무엇을〕 고려하다; aus ~ auf et. 무엇을 고려하여; in〔mit〕 ~ auf et. 무엇을 고려하여, 무엇에 관하여; in gewisser ~ 어떤 점에서는; aus ~ für jn. 누구를 생각해서, 누구의 체면을 보아서; 〖구어〗 ohne ~ auf Verluste 어떤 일〔손실〕이 있더라도; ohne ~ auf die Kosten 비용을 고려하지 않고. ②〖복수〗 동기(Beweggründe): bestimmende〔leitende〕 ~en 주요 동기; et. aus finanziellen ~en tun 재정적인 이유에서 무엇을 하다. ③ (자동차의) 후방 시계(視界).

rụcksichtlich [..lɪç] *prp.*² (betreffs) …에 관하여, …을 고려하여: ~ seiner Gesundheit 그의 건강을 고려하여.

Rụ̈cksicht·nahme [..na:mə] *f.* 고려, 참작.

rücksichts [rʏ́kzɪçts] *adv./prp.*² ↑ rücksichtlich.

rụ̈cksichtslos [..lo:s] 《Ⅰ》 *a.* ① 고려〔참작〕하지 않는, 무분별한, 방약무인의: ein ~es Benehmen〔Verhalten〕 무분별한 행동. ② (schonungslos) 용서 없는; 무정한, 난폭한: eine ~e Kritik 가차없는 비판. 《Ⅱ》 *adv.* 고려하지 않고, 마구, 용서 없이.

Rụ̈cksichtslosigkeit [..lo:zɪçkaɪt] *f.* -en ① 무분별, 사려〔배려〕 없음, 방약무인, 이기심. ② 가혹, 엄격.

rụ̈cksichts·voll *a.* 생각이 깊은, 사고하는, 분별 있는: ein ~es Schweigen 사려 깊은 침묵.

Rụ̈ck≈siedelung *f.* 재귀국, 귀환. **~siedlung** *f.* ↑ ~siedelung. **~sitz** *m.* ① (차량의) 뒷 좌석: die Kinder müssen auf den ~ 아이들은 뒷좌석에 타야 한다. ② 뒤로 향한 좌석. **~spiegel** *m.* (자동차의) 백 미러(~-blickspiegel): vor dem Überholen in den ~ sehen 추월하기 전에 백 미러를 보다. **~-spiel** *n.* 〖스포츠〗 2연전 중의 2차전; (Revanchepartie) 복수전, 리턴 매치. **~-sprache** *f.* 상의, 의논, 상담, 협의: mit jm. ~ nehmen〔halten〕 누구와 상의〔의논〕하다. **~sprung** *m.* ① 뒤로 뛰기; (Abprallen) 튕기기. ②〖건축〗 (정면의) 요(凹)부. **~-stand** *m.* ① **(a)** (집세·세금 등의) 밀림, 연체: mit et.³ im ~ sein 무엇이 밀려 있다; in ~ kommen〔geraten〕 연체〔체납〕하다. **(b)** (작업량·목표량의) 미달. **(c)** 미지급의 차입금. ②〖化〗 잔재(殘滓), 찌꺼기: radioaktive Rückstände 방사능 찌꺼기. ③〖광산〗 선광 찌꺼기, 복대기. ④〖스포츠〗 뒤진 점수〔기록〕차: im ~ liegen 기록이 뒤져 있다. **≈stand·frei** *a.* 잔재〔찌꺼기〕가 없는, 남김없는. **≈-ständig** *a.* ① 뒤진, 늦은; 남은, 잔여의. ② 미지급의, 체불의: ~e Arbeit〔Zahlung〕 지체된 일〔체납금〕. ③〖化〗 잔재의, 찌끼의. ④ 시대에 뒤떨어진, 낡은: ~e Anschauungen 진부한 생각. ⑤ 저개발의, 후진적인, 수준낮은: ein wirtschaftlich ~es Land 경제적 후진국. **≈stands·frei** *a.* ↑ ≈standfrei. **~stau** *m.* ① 교통 체증, 정체: ein ~ auf der Autobahn 고속 도로의 교통 체증. ② (밀물로 인한) 강물의 역류 정체. **~stell·taste** *f.* ↑ ~taste. **~stellung** *f.* ①〖經〗 예비비(로 남겨둠). ② 유예, 유보, 연기: die ~ eines Termins beantragen 기일의 연기를 신청하다. **~stoß** *m.* ① 반동, 거절. ② (총포 발사 때의) 반동; 〖物〗 반동력. **~stoß·antrieb** *m.* 〖工〗 (차량·비행기의) 반동〔제트〕 추진. **~strahler** *m.* (자동차·자전거의) 후미 반사경, 캐츠아이. **~strahlung** *f.* 〖物〗 반사, 반영. **~strom** *m.* ① (액체의) 역류: 〖비유〗 der ~ der Urlauber 휴가에서 돌아오는 사람들의 물결. ② 〖전기공학〗 회귀 전류, 역전류. ③〖조선〗 반류 계수. **~taste** *f.* 〖컴〗 백스페이스 키. **~transport** *m.* 역〔복항(復航)〕수송. **~-tratte** *f.* 〖商〗 반려 환어음. **~tritt** *m.* ① 후퇴. ② 퇴직, 사직: jn. zum ~ auffordern 누구에게 사퇴를 요구하다. ③〖法〗 (계약의) 해제, 해지, 해약. ④ ↑ ~trittbremse. **~trittbremse** *f.* (자전거의 페달을 반대로 밟아서 제동하는) 코스터 브레이크. **~tritts·drohung** *f.* 사퇴〔사임〕 위협. **~tritts·gesuch** *n.* 사표: sein ~ einreichen 사표를 제출하다. **~tritts-recht** *n.* 〖法〗 해약권. **≈|übersetzen** *t.* (번역한 원문을) 원래의 언어로 재번역하다. **~übersetzung** *f.* ① (번역문의 원문으로의) 역번역. ② 역번역문. **≈|vergüten** *t.* 〘*p.p.* ~vergütet〙 환불〔변제·상환〕하다; 보상하다. **~vergütung** *f.* 상환, 환불(금), 변제; 보상. **~verladung** *f.* 반송품의 적재〔선적〕. **≈|-versichern** (*p.p.* rückversichert; rückzuversichern) 《Ⅰ》 *refl.* sich ~ (질문 등으로) 재확인하다, (지위 따위를) (재)보장받다: er rückversicherte sich 그는 신상의 안전을 도모했다. 《Ⅱ》 *i.* (h.) (보험 회사가) 재(보장)보험 상품을 내놓다. 《Ⅲ》 *t.* (보험 회사와) 재(보장) 보험 계약을 맺다. **~versicherung** *f.* 〖보험〗 재(보장)보험. **~versicherungs·vertrag** *m.* ①〖보험〗 재(보장)보험 계약. ②〖史〗 (독일의 프랑스 침공 및 러시아의 오스트리아 침공 때 각기 중립을 지키기로 했던) 독일 제국과 러시아 사이의 보장 조약(1887-90). **~verwandlung** *f.* 재개, 재변(再變). **~-wälzung** *f.* 뒤로 구르기. **~wand** *f.* ① 뒷벽, 후벽(後壁). ② 뒤판. **~wanderer** *m.* 역이민자. **~wanderung** *f.* ① 출발 지점으로의 귀환〔돌아옴〕. ② (이민지·망명지에서의) 귀향, 역이민. **~wandrer** *m.* ↑ ~wanderer. **~wandrung** *f.* ↑ ~wanderung. **≈wärtig** *a.* ① 뒤의, 후방〔배후〕의. ② 후퇴적〔역행적〕인. **≈wärts** *adv.* ① **(a)** 뒤로, 뒤를 향해서: ~ gehen 뒤로 가다, 후퇴〔역행〕하다; einen Salto ~ machen 뒤로 공중 회전하다. **(b)** 거꾸로, 뒷면을 앞으로 해서: das Auto ~ in die Garage fahren 차를 후진으로 차고에 넣다. ② 거슬러, 역으로, 반대 방향으로: die Maschine ~ laufen lassen 기계를 역회전시키다; es geht ~ mit ihm 그는 (형편·사람이) 점점 못해지고 있다; die Zeit ~ laufen lassen 시간을 되돌리다〔거꾸로 흐르게 하다〕. ③ **(a)** 〘구어〙 귀로에, 돌아오는 길에: ~ fahren wir über Bonn 귀로에 우리들은 본을 경유한다. **(b)** (südd., öst.) 뒤에: von ~ kommen 뒤에서 오다; ~ am Hause〔des Hauses〕 집 뒤에. **~wärts·gang** *m.* ①〖기계〗 후진 기어: den ~ einschalten 후진 기어를 넣다. ②〘드물게〙 뒷걸음, 뒷걸음질치기. **≈wärts|gehen*** *i.* (s.) 〘구어〙 내리막이 되다, 악화하다

(단: rückwärts gehen 후퇴〔후진〕하다) : es geht mit seinem Geschäft rückwärts 그의 장사는 내리막길이다. **~wärtsgewandt** *a.* ① 뒤로 돌린, 뒤를 향한. ② 과거를 향한: mit ~em Blick 과거 지향적 시선으로. **~wärtsler** *m.* 〖경박〗 고리타분한 사람. **~wärtsversicherung** *f.* 〖보험〗 (보험 계약 전의 모르던 피해도 보상해 주는) 소급 보장 보험. **~wechsel** *m.* 〖금융〗 반려 어음, 역어음, 역환. **~weg** *m.* 귀로; 퇴로: den ~ antreten 귀로에 오르다.

ruck·weise [rʊ́kvaɪzə] *adv.* ① 휙휙, 덜컥덜컥: ein Tau ~ anziehen 밧줄을 휙휙 당기다. ② 단속적〔간헐적〕으로. ③ 변덕스럽게; 〖구어〗 기분내키는 대로: 〖방언〗 bei dir kommt's wohl ~? 너 정신이 좀 이상한 것 아니니?

Rück≈wendung *f.* (원래 방향으로의) 반전, 복귀: die ~ des europäischen Katholizismus nach Rom 유럽 가톨릭 교회의 로마로의 복귀. **≈wirkend** *a.* ① 반작용하는, 역행적인. ② 소급적인: ~e Kraft 소급력; die Erhöhung des Lohns gilt ~ vom 1. Februar 임금 인상은 2월 1일로 소급해서 시행된다. **~wirkung** *f.* ① 반응, 반작용: die wechselseitige ~ 상호 반응. ② 〖法〗 소급력, 소급 효과. **≈zahlbar** *a.* 변제할 수 있는; 상환 가능한. **~zahlung** *f.* 변제, 상환. **~zieher** *m.* ① 〖구어〗 취소, 철회; 계획 변경: den ~ machen (너무 높게 잡은 목표, 지나친 발언 따위를) 취소〔철회〕하다. ② 〖축구〗 오버헤드킥. ③ 〖경박〗 (피임법으로서의) 질외 사정 성교. **≈zielend** *a.* 반사적인; 〖문법〗 재귀적인. **~zoll** *m.* 〖商〗 (역수출 때의) 관세 환급. **~zollgüter** *pl.* 관세가 환급되는 화물. **~zollschein** *m.* 관세 환급 증서.

ruck, zuck [rʊ́k, tsʊ́k] *adv.* 〖구어〗 후딱후딱, 번개같이: es ging alles ~ 모든 것은 번개같이 진행되었다.

Rück≈zug *m.* ① 〖軍〗 후퇴, 퇴각: den ~ antreten 후퇴를 개시하다; zum ~e blasen 퇴각 나팔을 불다. ② 〖철도〗 돌아오는 열차. ③ 귀환, 귀로; 〖비유〗 양보, 철회. ④ 〖사냥〗 철새들의 동계 서식지에서 부화 장소로의 이주. **~zugs·gebiet** *n.* ① 〖인종〗 소수 민족 거류 지역. ② 〖生·생태학〗 동식물 보호 구역. **~zugs·gefecht** *n.* 퇴각 엄호 전투.

Rüde [rý:də] *m.* -n, -n ① 〖사냥〗 (특히 멧돼지를 쫓는) 사냥개. ② (개·이리 따위의) 수컷.

rüde [rý:də] 《frz.》 *a.* 조야한, 거친; 버릇없는, 교양없는: ein ~s Benehmen 버릇없는 행동.

Rudel [rú:dəl] 《< Rotte》 *n.* -s, - ① 짐승의 떼: Wölfe jagen im ~ 〔in ~n〕 이리들은 무리를 지어서 먹이를 사냥한다. ② 〖구어〗 (사람의) 무리, 도당, 패, 단, 대; 〖구어〗 er hat ein ganzes ~ Kinder 그는 애가 여럿이다. ③ (schlesisch) ↑ Ruder. ④ 〖방언〗 소문, 풍문.

rudel·weise *adv.* ① (짐승이) 떼를 지어. ② 〖구어〗 여럿이서, 패를 지어.

***Ruder** [rú:dər] *n.* -s, - ① **(a)** 〖조선〗 키: 방향타: der Mann am ~ 키잡이; das ~ führen, am ~ stehen〔sitzen〕 a) 배를 조종하다, b) 〖비유〗 주도하다; das Schiff läuft aus dem ~ 선박의 키가 갑자기 말을 듣지 않게 된다; 〖海〗 das ~ umlegen 키의 방향을 돌리다, 배의 진로를 바꾸다. **(b)** 〖비유〗 지배권, 정권, 권력: 〖구어〗 am ~ sein〔bleiben〕 권력〔지배권〕을 장악하고 있다; 〖구어〗 das ~ ergreifen, ans ~ kommen〔gelangen〕 권력을 장악하다. **(c)** 〖空〗 방향타: Höhen≈ 승강타(舵). ② 〖구어〗 노(Riemen); (술을 만들 때) 젓는 막대: sich (kräftig) in die ~ legen a) 힘껏 노를 젓다, b) 〖비유·구어〗 열심히 일하다. ③ 〖사냥〗 **(a)** (백조와 같은 유금류(游禽類)의) 발. **(b)** (수컷 뇌조(雷鳥)의) 펼친 꼬리. **(c)** 〖시어〗 날개.

Rudera [rú:dəra] 《lat.》 *pl.* 〖고어〗 (Trümmer) 부스러기, 잔재, 폐허.

Ruderal·pflanze *f.* 〖植〗 폐허〔돌무더기〕에서 자라는 식물.

Ruder≈apparat *m.* ↑ ~maschine. **~bank** *f.* 〖복수: ..bänke〗 노 젓는 좌석〔자리〕. **~barke** *f.* 노 젓는 작은 배. **~blatt** *n.* ① 〖조선〗 키의 블레이드〔물갈퀴〕. ② 노깃. **~boot** *n.* 보트, 노를 젓는 배. **~dolle** *f.* 노걸이, 노받이.

Ruderer [rú:dərər] *m.* -s, - ① 노 젓는 사람. ② 조정 선수. ③ 〖動〗 (약 8 cm 크기의) 남아메리카 청개구리.

..ruderer *suf.* "노가 …개 달린 배"의 뜻(보기: Drei~ 노가 셋 있는 배).

Ruder≈fahrt *f.* (강·호수에서의) 뱃놀이; 노를 저어 가기. **≈förmig** *a.* 노 모양의. **~fuß** *m.* 〖動〗 물갈퀴. **~füßer** *m.* 〖動〗 ① 물갈퀴가 있는 물새류. ② (늪지에 기생하는) 아주 작은 갑각류. **~füßler** *m.* ↑ ~füßer. **~gabel** *f.* ↑ ~dolle. **~gatt** *m.* ↑ ~dolle. **~gänger** *m.* 〖海〗 조타수. **~griff** *m.* 노의 손잡이. **~haken** *m.* 노걸이; 키받이 꺽쇠. **~haus** *n.* 〖조선〗 조타실.

..ruderig *suf.* "노가 …개 있는"의 뜻(보기: drei~ 노가 셋 있는).

Ruderin *f.* -nen ↑ Ruderer 의 여성형.

Ruder≈jacke *f.* 조정용(漕艇用) 재킷. **~kahn** *m.* 노 젓는 배. **~kette** *f.* 키사슬. **~klampe** *f.* 노받이. **~klub** *m.* 조정(漕艇)〔보트〕 클럽. **~knecht** *m.* 노 젓는 사람, 노잡이; (갤리선의) 노를 젓는 노예〔죄수〕. **~kommando** *n.* 조타 명령. **~kopf** *m.* 키머리. **~kunst** *f.* 조정술(漕艇術). **~loch** *n.* ↑ ~dolle. **~maschine** *f.* 〖조선〗 (선박의) 큰 키를 작동시키는 기계. **~meister** *m.* ① 갤리선의 노 젓는 반장. ② 우수한 조타수.

***rudern** [rú:dərn] 《I》 *i.* (h./s.) ① **(a)** 노를 젓다, 노를 저어 나아가다: gegen die Strömung ~ 물결을 거슬러 노를 젓다; er rudert ans Land 그는 배를 저어 육지에 댄다; wir gehen heute ~ 우리는 오늘 보트 타러 간다. **(b)** 조정 경기를 하다. ② **(a)** (s.) 〖사냥〗 (물새가) 헤엄치다: der Schwan rudert mit den Füßen 백조는 발로 헤엄친다; 〖비유〗 die Vögel ~ in der Luft mit ihren Flügeln 새가 날개를 치며 공중을 날고 있다. **(b)** (h.) 노를 젓듯이 움직이다: 〖비유〗 mit den Armen ~ (걸을 때) 두 팔을 노젓듯 흔들다. 《II》 *t./refl.* (sich) ~ ① 노를 젓다: das Boot rudert sich leicht 이 배는 젓기 쉽다; ein Boot ~ 보트를 젓다; jn. 〔et.〕 ~ 누구를〔무엇을〕 노를 저어 운반하다. ② (조정 경기에서) …의 기록을 내다: eine neue Bestzeit ~ 조정 경기에서 신기록을 세우다.

Ruder=nachen *m.* ↑ ~kahn. **~nagel** *m.* ↑ ~dolle. **~partie** *f.* ↑ ~fahrt. **~pforte** *f.* (뱃전의) 노 놓는 자리. **~pinne** *f.* 키〔노〕의 손잡이. **~platte** *f.* ↑ ~blatt. **~rad** *n.* (Schaufelrad) 외차(外車), (기선의) 외륜; 타륜(舵輪). **~regatta** *f.* 〖수상스포츠〗 보트 경기, 레가타. **~schaufel** *f.* 노깃, 노의 폭이 넓은 아랫부분. **~schiff** *n.* 갤리선; ↑ ~barke. **~schlag** *m.* 노젓기, 노를 한 번 저음. **~schnecke** *f.* 〖動〗 익족류(翼足類) (Flügelschnecke). **~schwanz** *m.* 꼬리지느러미. **~sklave** *m.* 갤리선을 젓는 노예〔죄인〕. **~spieker** *m.* 타침(舵針). **~sport** *m.* 조정(漕艇) 경기. **~stange** *f.* 삿대; (보트를 끌어 잡아당기는 데 쓰이는) 갈퀴 달린 상앗대. **~stock** *m.* ① 타간(舵幹). ② ↑ ~pinne. **~verband** *m.* 조정 협회. **~verein** *m.* ↑ ~klub. **~volk** *n.* 〔총칭〕 노 젓는 사람, 보트의 선수단. **~werk** *n.* 조정(漕艇) 용구〔장치〕. **~wett·fahrt** *f.* ↑ ~regatta. **~zug** *m.* 노를 힘껏 잡아당김, 스트로크.

Rüdesheim [rý:dəshaɪm] 뤼데스하임(독일 Hessen-Nassau 에 있는 도시).

Rüdesheimer [..mər] 《I》 *m.* -s, - ① 뤼데스하임 사람. ② 뤼데스하임산(産) 포도주. 《II》 *a.* 뤼데스하임의.

Rüdheit [rý:dhaɪt] *f.* -en ① 난폭, 버릇없음. ② 거친〔버릇없는〕 언동.

rüdig [rý:dɪç] 《<rüde》 *a.* 〔구어〕 (grob) 조야한, 거친; 뻔뻔스러운(frech).

Rüdiger [rý:dɪgər] *m.* 뤼디거(남자 이름).

Rudiment [rudimέnt] 《lat.》 *n.* -(e)s, -e ① 〔복수〕〔구식〕 기초: die ~e der Algebra 대수학의 기초 지식. ② (**a**) 〔교양〕 (Überbleibsel) 나머지, 잔여: ~e alter Lebensformen 옛날 생활 양식들의 잔재. (**b**) 〖生〗 흔적 기관.

rudimentär [rudimɛntέ:r] *a.* ① 〔교양〕 (unausgebildet) 미발달의, 발육 부진의, 미진한: unsere Zusammenarbeit blieb ~ 우리의 공동 작업은 아직 미진했다. ② 〖生〗 (verkümmert) 퇴화된, 위축된: ~es Organ 퇴화〔흔적〕 기관.

Ruditat [ruditέ:t] 《lat.》 *f.* -en 〔고어〕 (Roheit) 조야, 버릇없음.

Rudolf [rú:dɔlf] *m.* 루돌프(남자 이름).

Rudrer [rú:drər] *m.* -s, - 〔드물게〕 ↑ Ruderer.

Rudrerin *f.* -nen ↑ Rudrer 의 여성형.

..rudrig *suf.* ↑ ..ruderig.

***Ruf** [ru:f] *m.* -(e)s, -e ① (Schrei) 외침, 외치는 소리; (새의) 울음소리: da erscholl der ~: halt! 그 때 멈춰라 하고 외치는 소리가 울려왔다; auf seinen ~ eilten alle herbei 그의 외침 소리에 모두들 급히 모여들었다; Kuckucks~ 뻐꾸기 울음소리. ② 〔복수없음〕 (**a**) 부름, 소환, 요청, 권유, 호소: der ~ zu den Waffen 무기를 들라는 호소; der ~ zur Mitarbeit erging an alle 협력하라는 권고가 모든 사람에게 내려졌다; dem ~ des Vaters folgen 아버지의 부르는 소리에 응하다; 〔비유〕 dem ~ des Herzens 〔der Natur〕 folgen 마음〔자연〕의 (부르는) 소리에 따르다. (**b**) 공식적인 요구: der ~ zur Ordnung 질서를 지키라는 요청; der ~ nach der Todesstrafe (공식적인) 사형 요청. ③ 권유(Angebot), 초빙(Berufung); 천직: er hat einen ~ als Professor nach Berlin erhalten 그는 베를린에 교수로 초빙되었다. ④ (나팔·종 따위에 의한) 신호: der ~ der Trompete 트럼펫 신호. ⑤ 〔복수없음〕〔구식〕 소문(Gerücht): es geht der ~, daß ... …이라는 소문이 돌고 있다. ⑥ 〔복수없음〕 세평, 평판; 〖商〗 성가(聲價), 신용; 명성(Berühmtheit): weitverbreiteter ~ 세상에 널리 알려진 신용; ~ bekommen 명성을 얻다, 유명해지다; einen guten ~ haben〔genießen〕 좋은 평판을 누리다; jn. in üblen ~ bringen 누구를 중상하다, 누구의 명성을 훼손하다; jn. in den ~ bringen, daß 〔als ob〕 er geizig sei 누구는 인색하다는 평판을 퍼뜨리다; 〔속담〕 guter ~ ist Goldes wert 좋은 평판은 황금만큼 값지다; er kam in den ~, ein Verräter zu sein 그는 배신자로 간주되었다; im ~ des Edelmuts stehen 고결하다는 평판을 받고 있다; einen großen ~ erlangen 명성을 얻다; sie sind besser als ihr ~ 그들은 듣기〔평판〕보다는 괜찮다; bei jm. in gutem〔üblem〕 ~ stehen 누구의 호평〔악평〕을 받다; ein Mann von ~ 유명한〔명망있는〕 사람. ⑦ 〔복수없음〕 (**a**) 전화 번호. (**b**) 〔방언〕 전화 (통화), 장거리 통화: einen ~ erhalten 전화를 받다. ⑧ 〔사냥〕 짐승을 꾀는 피리. ⑨ (schweiz.) 공시, 공고.

Rufe [rú:fə] *f.* -n ① (obd.) 가피(痂皮) (Schorf); (상처의) 딱지. ② (obd.) 외피, 나무껍질(Rinde); (Rauhigkeit) 거칠, 매끄럽지 않음. ③ (schweiz.) ↑ Rüfe.

Rüfe [rý:fə] 《lat.》 *f.* -n (schweiz.) (산)사태; 암반 붕괴; (Sturzbach) 격류, 분류(奔流).

rüfeln [rý:fəln] *i./t.* (ndd.) 작게 쌓이다〔쌓아올리다〕(häufeln).

rufen [rú:fən] (rief, gerufen) 《I》 *i.* (h.) ① 외치다: aufgeregt ~ 흥분하여 소리치다. ② 부르다: (**a**) nach jm. ~ 누구를 부르다; um 〔nach〕 Hilfe ~ 도와달라고 외치다; zu Gott ~ 하느님께 호소하다; über jn. ~ 누구를 부르다: 〖軍〗 ins Gewehr 〔an die Gewehre〕 ~ 징집〔소집〕하다. (**b**) 〔3격을 지배하여〕〔드물게〕 jm. ~ 누구를 부르다, 누구에게 큰 소리〔경고조〕로 외치다〔불러대다〕; dem Kellner ~ 종업원을 부르다. ③ (동물, 특히 사슴·뻐꾸기·올빼미 등이) 울다; (종이) 울리다: dem Männchen ~ 수컷을 부르다; die Glocke ruft zum Essen 식사 시간을 알리는 종이 울린다. ④ (어디로) 전화하다: nach Köln ~ 쾰른으로 전화하다. 《II》 *t.* ① 부르다, 외치다: jn. ~ 누구를 부르다, 불러대다; einen Schutzmann ~ 경관을 부르다; den Arzt ~ lassen 의사를 부르게 하다〔데리러 보내다〕; Diebe〔Feuer〕! ~ 도둑〔불〕이야! 하고 외치다; das Volk zu den Waffen ~ 국민에게 무기를 들라고 호소하다, 징집하다; 〔구어〕 er kam wie gerufen 그는 때마침 잘 왔다; 〔연극〕 das Publikum hat ihn wiederholt gerufen 청중〔관객〕은 그의 이름을 연거푸 불러댔다; 〔비유〕 die Stunde ruft mich 나에게 때가 (다가)왔다; 〔시어〕 der Tod ruft (mich) (나는) 죽음이 임박했다; 〔雅語〕 jn. bei〔mit〕 seinem Namen ~ 누구의 이름을 부르다; allgemein wird er nur Karli gerufen 그는 보통 카를리로만 불린다; jn. beiseite ~ 누구를 옆으로 부르다; jm. et. ins Gedächtnis ~ 누구에게 무엇을 상기시키다; jn. wieder ins Leben ~ 누구를 소생시

키다; jn. zu Hilfe ~ 누구에게 도와달라고 외치다; jn. zur Ordnung ~ 누구에게 정숙하라고 소리치다; jn. zu sich ~ 누구를 자신에게 불러들이다, 소환하다; jn. wach ~ 누구를 불러 깨우다; 〖雅語〗 Gott hat ihn zu sich gerufen 신이 그를 곁으로 부르셨다(그는 죽었다). ② 외쳐 알리다: die Stunden ~ 시각을 알리다. ③ (a) 전화로 부르다, 전화하다: sie können mich unter der Nummer 361736 ~ 당신은 나에게 361736 번으로 전화할 수 있습니다. (b) 〖무전〗 무전으로 부르다: Alpha ruft ihn 알파가 그에게 무전을 친다. 《Ⅲ》 *refl.* 〖결과를 표시하여〗 sich heiser ~ 목이 쉬도록 외치다.

Rufer [rú:fər] *m.* -s, - ① 부르는〔외치는〕 사람: der ~ in der Wüste 〖聖〗 광야에서 외치는 자(세례자 요한) (요한 1:23); ein ~ in der Wüste 〔비유〕 쓸데없이 훈계〔경고〕하는 사람, 세상에 인정받지 못하는 개혁자; 〔비유〕 der ~ im Streit 전투 지휘자. ② (a) 전화벨. (b) 〖海〗 (Sprachrohr) 전성관(傳聲管), 메가폰. ③ 〔고어〕 경매인(Versteigerer).

Ruferin *f.* -nen ↑ Rufer 의 여성형.

Ruff [ruf] *m.* (ndd.) (Griff) (붙)잡음, 쥠: in einem ~ 갑자기, 홀연히.

Ruf·fall *m.* 〖문법〗 호격(Vokativ).

Rüffel [rʏ́fəl] *m.* -s, - ① 〔구어〕 (Zurechtweisung) 꾸짖음, 책망: jm. einen ~ erteilen 누구를 야단치다; einen ~ bekommen 야단맞다. ② (md.) 톱니 모양의 산등성이(Riffel).

rüffeln [rʏ́fəln] *t.* 〔구어〕 꾸짖다, 야단치다.

rüffig [rʏ́fıç] *a.* ↑ rufig.

Rüffler [rʏ́flər] *m.* -s, - 〔구어〕 꾸짖는 사람.

Ruf≈glocke *f.* (전화 따위의) 벨. **~haus** *n.* (md.) 조합 회관(Innungshaus).

Rufi [rú:fi:] *f.* ..fenen/- 〔(시어) *m.* -(s), -〕 (산) 사태(Rüfe).

rufig [rú:fıç] *a.* 〔방언〕 (schorfig) 딱지가 앉은, 가피(痂皮)가 많은.

Ruf≈mord *m.* 중대한 명예 훼손, (사회적으로 매장될 수 있는) 인신 공격, 중상. **~nähe** *f.* ↑ ~weite. **~name** *m.* (Vorname) 호명, 통칭. **~namen** *m.* ↑ ~name. **~nummer** *f.* 전화 번호: ich bin unter der ~ 14013 zu erreichen 나는 전화 14013 번으로 연락이 됩니다. **~pfeife** *f.* 새 꾀는 피리. **~station** *f.* 전화 교환국. **~strom** *m.* 〖전기〗 신호 회로. **~taste** *f.* 〖전기〗 신호 버튼, (전화기의) 누름단추.

rüften *refl.* sich ~ 가피(痂皮)〔껍질〕로 덮이다.

Ruf≈weite *f.* 소리가 미치는 거리〔범위〕: in ~ bleiben 소리가 미치는〔들리는〕 곳에 머물다. **~zeichen** *n.* ① (öst.) 〖문법〗 느낌표(Ausrufezeichen). ② 〖무전·통신〗 호출 부호, 콜사인. ③ (전화의) 신호음.

rug *a.* (ndd.) 거친, 황량한, 사나운.

rügbar [rý:kba:r] *a.* 비난받을, 비난해야 할.

Rügbarkeit [..kaıt] *f.* 비난할〔받을〕 짓〔행위〕.

Rugby [rákbi, rʌ́gbi:] 《engl.》 *n.* -(s) 럭비.

Rüge [rý:gə] *f.* -n ① 비난(Tadel), (Verweis) 질책, 징계: jm. eine ~ erteilen 누구를 질책하다, 혼내다; 〔구어〕 eine ~ einstecken 비난을 참다〔감수하다〕. ② 〔고어〕 (Anklage) 고소, 기소; 처벌, 처형. ③ 〖法〗 (a) (사법부에 대한 정당의) 항의, 이의 제기. (b) (구입 물품의) 결함 통보.

Rüge≈amt *n.* 〔고어〕, **~gericht** *n.* (하급) 재판소; (오늘날에는 특히 경범죄를 다루는) 즉결 재판소. **~graf** *m.* 재판장. **~herr, ~meister** *m.* ① (출판물·연극 따위의) 검열관. ② 치안 판사(~richter).

Rügen [rý:gən] 뤼겐(발트해에 있는 섬).

rügen *t.* ① 비난하다(verweisen); 질책하다(tadeln); 벌하다: an jm. et. ~ 누구의 무엇을 비난하다; ich will dich deshalb nicht ~ 그렇다고 해서 내가 너를 나무라려는 것은 아니다; in ~dem Ton 비난하는 어투로; js. Benehmen ~ 누구의 행동을 비판하다; Mängel ~ 결함을 나무라다. ② 〖法·고어〗 벌하다(strafen); 고발하다(anklagen); 재판하다(richten).

Rügener [..gənər] 《Ⅰ》 *m.* -s, - 뤼겐 사람. 《Ⅱ》 *a.* 뤼겐(사람)의.

rügensch [rý:gənʃ] *a.* 뤼겐의.

rügens·wert [rý:gəns..] *a.* 비난할 만한, 비난받아야 할.

Rüger [rý:gər] *m.* -s, - 비난하는 사람.

Rüge≈richter *m.* 〔고어〕 치안 판사. **~sache** *f.* 경범〔경찰〕 심판 사항.

Rugier [rú:giər] *m.* -s, - 루기 사람(고대 게르만의 종족).

rügisch [rý:gıʃ] *a.* ↑ rügensch.

Ruh [ru:] *f.* ↑ Ruhe.

***Ruhe** [rú:ə] 《⊕ Rast, Rüste》 *f.* ① (Unbewegtheit) 휴지, 정지, 부동; (Stille) 정적, 고요; 평화, 평온; (Gemächlichkeit) 안심, 침착, 안정; 태연(Unerschütterlichkeit); (Erholung) 휴양, 보양; 휴식; 은거, 은퇴; (Schlaf) 잠, 수면; 영면(Tod): 〖구어·비유〗 die ~ vor dem Sturm a) 폭풍 전의 고요, b) 〖비유〗 싸움〔논쟁〕 전의 (잠복된) 긴장; es ist ~ im Lande 국내는 평온하다; ~ und Ordnung 안녕과 질서; ~ seiner Asche 〔~ sei mit ihm〕! 그의 영혼이 고이 잠들기를!; keine ~ bei Tag und Nacht! 밤낮으로 마음 편할 때가 없다!; meine ~ ist hin 내 마음의 안정은 사라졌다; er ist die ~ selbst 그는 (어떤 상황에서도) 아주 침착〔태연〕하다; ~ nach der Arbeit 일하고 난 후의 휴식; ~ von der Arbeit 일을 멈추고 휴식함; angenehme ~! 편히 쉬시오, 좋은 꿈 꾸시오!; die ewige 〔selige〕 ~ 영면; 〖농담〗 ~ auf den billigen Plätzen 〔~ im Saal〕! 조용해 주십시오! ② 〖동사와 함께〗 einem Hund〔Kind〕 ~ bedeuten (동작으로) 개〔아이〕를 조용히 하라고 하다; gebt ~, Kinder! 애들아, 조용히 해다오!; er hat endlich in dieser Sache ~ gegeben 그는 더 이상 이 일을 고집하지 않았다; dem Geist ~ gönnen 머리를 쉬다; jm. keine ~ gönnen 누구에게 휴식을 주지 않다, 마음 놓을 틈을 주지 않다; er hat auf keinem Flecke 〔nirgends〕 ~ 그는 어디에 가든지 침착하지 못하다; ich habe keine ~ vor ihm 〔et.[3]〕 나는 그 사람〔무엇〕 때문에 안심〔안정〕이 되지 않는다; jm. keine ~ geben 누구를 끈질기게 조르다〔괴롭히다〕; ich möchte meine ~ haben! 나는 방해받고 싶지 않다!; 〖구어〗 jetzt hat die liebe〔arme〕 Seele Ruhe a) 이제야 녀석은 자기 소망을 실현했다, b) 〖반어〗

녀석은 고생을 겪고 나서야 사람이 되었다; (haltet) ~! 잠자코 있어, 조용히 해!; ~ herstellen 안정을 회복하다: ~ stiften 화해시키다, 조정하다; jm. keine ~ lassen 누구를 끊임없이 괴롭히다, 귀찮도록 조르다; laß mir ~ 귀찮게 굴지 마라; sein Leiden läßt ihm keinen Augenblick ~ 그는 고통으로 잠시도 편할 때가 없다; 〖구어〗 nur die ~ kann es bringen 서두르면 아무것도 이루어질 수 없다; 〖구어〗 Sie werden uns doch die ~ nicht mitnehmen 하지만 좀 앉으십시오, 서두르지 않아도 괜찮으실 텐데요; 〖雅語·구식〗 der ~ pflegen 휴식하다, 쉬다; die öffentliche ~ stören 공안을 어지럽히다; die ~ suchen 안식을 구하다; 〖구어〗 die ~ weghaben 태연〔침착〕하다, 서두르지 않다; Maschinen in den Zustand der ~ (ver)setzen 기계의 운전을 중지하다; jm. ~ wünschen 누구에게 안녕히 주무시라고 말하다. ③〖전치사와 함께〗 durch nichts **aus** der ~ zu bringen sein 어떤 일이 있어도 태연하다; **in** aller ~ 아주 조용히, 침착하게, 태연자약하게; jn. (mit et.³) in ~ lassen 누구를 (무엇으로) 귀찮게 하지 않다〔괴롭히지 않다〕; lassen Sie mich in ~! 나를 가만히〔조용히〕 내버려두십시오!; laß mich damit in ~! 그 일이라면 아예 나는 싫다!; in ~ verweilen 언제까지나 꼼짝 않고 있다, 움직이지 않다; das will ich mir in 〔**mit**〕 ~ überlegen 나는 그것을 (침착히) 잘 생각해보겠다; mit (aller) ~ 침착〔태연자약〕하게; 〖구어〗 immer mit der ~! 마음 편히〔느긋하게〕 해라!; **ohne** ~ und Rast 〔Rast und Ruh〕 쉬지 않고, 꾸준히; ein Mann **von** großer ~ 차분하고 조용한 사람; **zur** ~ bringen 조용하게 하다, 진정시키다; jn. zur letzten ~ begleiten〔bestatten〕 누구의 장례식에 참석하다〔누구를 매장하다〕; 〖雅語〗 zur ewigen 〔in die ewige〕 ~ eingehen 영면하다; zur ~ gehen a) 취침하다, b) 죽다; sich zur ~ begeben 취침하다; zur ~ kommen 조용해지다, 가라앉다, 침착해지다; einen Beamten mit Pension zur ~ setzen 어떤 관리에게 연금을 주어 퇴직시키다; sich zur ~ setzen 퇴직〔은퇴〕하다. ④〖사냥〗 짐승의 잠자리, 숨는 곳. ⑤〖軍〗 (총의) 안전 위치: ein Gewehr in ~ setzen 총을 안전 위치에 놓다.

Ruhe≈bank *f.* 〔복수: ..bänke〕 휴식용 벤치. **~bedürfnis** *n.* 휴식에 대한 욕구〔소망〕. **≈-bedürftig** *a.* 휴식이 필요한. **~bett** *n.* 〖구식〗 휴식용 침대; (휴식용) 소파. **~gehalt** *n.* 연금. **≈gehalts·fähig** *a.* 연금에 계산되는, 연금 급여의 대상이 되는: die ~e Dienstzeit 연금에 계산되는 근무 기간. **~geld** *n.* 양로 연금. **~genuß** *m.* (öst.) 〖官〗 (양로) 연금. **~kammer** *f.* 휴게실; (특히) 〖시어〗 묘. **~kissen** *n.* (부드러운) 베개: 〖속담〗 ein gutes Gewissen ist ein sanftes ~ 양심이 바르면〔마음이 편하면〕 잠자리도 편하다; dies Amt ist kein ~ 이 직책은 놀고서는 감당 못한다. **~lage** *f.* ①〖物·工〗 (물체의) 정지 상태, (기계의) 동력을 끈 상태: das Pendel befindet sich in (der) ~ 진자는 정지 상태다. ②〖醫〗 (신체 부위의) 고정〔부동〕 상태, 안정위. **~lager** *n.* ↑ ~bett. **≈liebend** *a.* 휴식을 즐기는, 조용한 것을 좋아하는.

ruhelos *a.* 쉬지〔안정되지〕 않는; 싱숭생숭한; 불안한(unruhig); 흥분한(aufgeregt): in ~-er Bewegung sein 안절부절 못하다.

Ruhelosigkeit *f.* 불안, 안정되지 않음.

Ruhe·masse *f.* 〖物〗 (상대성 이론에서) 정지(靜止) 질량.

***ruhen** [rúːən] 《I》 *i.* (h.) ① 정지하다, 멈추다; 중단〔중지〕되다; 쉬다, 휴식하다; 자다; 영면하다: die See ruht 바다는 잠잠하다; die Waffen ~ 〔die Schlacht ruht〕 전운은 가셨다, 전쟁은 끝났다; der Acker ruht 그 밭은 휴경지다; die Arbeit ruht 일이 중지되어 있다; die Verhandlungen ~ 협상이 중단 상태다; der Donner der Geschütze ruht 대포의 폭음이 멈추었다; ein Vertrag ruht während des Krieges 조약은 전쟁 중에는 효력이 정지된다; unser Briefwechsel ruht 우리들의 서신 왕래는 끊어져 있다; von seiner Arbeit ~ 일을 쉬다; 〖속담〗 nach getaner Arbeit ist gut〔sanft〕 ~ 일을 끝내 놓고 쉬어야 기분이 좋다; ich werde nicht eher ~, bis es durchgeführt ist 이것이 성취될 때까지 나는 쉴 수 없다; nicht ~ und rasten 〔weder ~ noch rasten〕 쉬지 않고 일〔노력〕하다; die ~de Venus 잠자는 비너스(그림의 제목); der ~de Löwe (문장(紋章)·기념비 따위의) 누워 있는 사자; ~des Kapital 고정 자본; im Bett ~ 침대에 드러눕다; er ruht nun in Frieden 그는 영면하였다; ich wünsche (Ihnen) wohl zu ~! 안녕히 주무십시오! (밤 인사); ich wünsche, wohl geruht zu haben! 편안히 주무셨습니까!; 〖雅語〗 er ruht im Grabe 그는 죽었다; hier ruht (in Gott)... …의 무덤; sanft ruhe seine Asche! 그의 영혼에 안식이 있기를!; ~der Verkehr 정체되어 있는 교통; sein in Gott ~der Vater 돌아가신 그의 부친; 〖비유〗 der ~de Pol 언제나 침착하여 위안이 되는 사람; ein in sich³ ~der Mensch 안정된〔침착한〕 사람. ②〖lassen 과 함께〗 eine Arbeit ~ lassen 일을 중지하다; wir wollen die Sache ~ lassen 그만두자; die Toten soll man ~ lassen 죽은 사람을 비난해서는 안 된다; Vergangenes ~ lassen 과거는 과거지사로 해두다〔재론하지 않다〕; Ihre Erfolge lassen ihn nicht ~ 당신의 성공에 그는 초조해하고 있습니다; einen Streit〔Prozeß〕 ~ lassen 싸움〔소송〕을 중지하다. ③ 머무르다, 깃들이다: sein Blick ruhte auf mir 그는 나를 응시하고 있었다; der Abend ruht auf Wald und Flur 숲도 들판도 저녁 빛에 물들어 있다; auf seinen Lorbeeren ~ 입신양명하고 있다; ein Verdacht ruht auf dem Mann 그 남자는 어떤 혐의를 받고 있다; die Macht ruht in seinen Händen 권력이 그의 수중에 있다. ④ (**a**) (auf et.³) (무엇을) 토대〔근거〕로 하고 있다: es ruht auf mir 그것은 내 책임이다; die Brücke ruht auf Pfeilern 다리는 교각을 토대로 하고 있다; 〖비유〗 die ganze Verantwortung ruht auf seinen Schultern 모든 책임은 그가 다 지고 있다. (**b**) (in et.³) (무엇 속에) 보관되어 있다: die Kamera ruht in einem stoßsicheren Gehäuse 카메라는 충격에 안전한 케이스에 보관되어 있다. 《II》 *t.* 쉬게 하다: den Geist 〔den Körper〕 (sich) ~ 정신을〔몸을〕 쉬게 하다. 《III》 *refl.* sich ~ 쉬다, 휴식하다: hier ruht sich's sanft 여기서는 푸근히 쉴

수 있다, 여기는 아늑하고 편한 곳이다.

ruhen|lassen [rúːənlasən] *t.* (일을) 당분간 거론하지 않다, 중지하다, 미해결 상태로 남겨 놓다: ein Problem bis auf weiteres ~ 어떤 문제를 당분간 거론하지 않다; wir haben den Fall erst mal ~ [《드물게》 ruhengelassen] 우리는 그 사건을 우선 보류해 놓았다.

Ruhe≈ort *m.* ↑ ~stätte. **~pause** *f.* 휴식 시간, 중간 휴식: sich³ eine ~ gönnen 휴식하다. **~platz** *m.*, **~plätzchen** *n.* ① ↑ ~stätte. ② 〖건축〗 층계참(站). **~punkt** *m.* ① (a) 망중한(을 즐기는 곳). (b) 쉬는 곳. ② 〖음악〗 휴지부; 〖문학〗 (시행(詩行) 중간의) 중간 휴지; 〖物〗 (지렛대의) 지점(支點). **~quartier** *n.* 〖軍〗 휴게소. **~raum** *m.* 휴게실.

ruhesam *a.* ↑ ruhsam.

ruhe≈selig *a.* 《구식》 ↑ ~voll. **≈sessel** *m.* 안락 의자. **≈sitz** *m.* ① (정원의) 의자, 벤치. ② (a) 지방 귀족의 저택, 별장. (b) 노후의 거주지[별장]. **≈stand** *m.* ① 은퇴, 퇴직(자의 신분): in den ~ treten[gehen] 은퇴하다; Richter im ~ 퇴직 판사. ② (광의의) 연금 생활. **≈ständler** *n.* 퇴직 관리, 연금 생활자. **≈statt** *f.* 《雅語》 ↑ ~stätte. **≈stätte** *f.* 《雅語》 쉬는 곳: letzte ~ 묘; jn. zu seiner letzten ~ begleiten 누구의 장례식에 참석하다. **≈stelle** *f.* ↑ ~stätte. **≈stellung** *f.* ① 정지[고정] 상태(~lage). ② 〖軍〗 휴전 상태. **≈stifter** *m.* 화해시키는 사람, 조정자, 중재자. **~störend** *a.* 평화를[안정을] 방해하는: ~er Lärm 평온을 방해하는 소음. **≈störer** *m.* 평화의 파괴자: nächtliche ~ 밤에 소란을 피우는 사람들, 안면 방해자. **≈störung** *f.* 난동; 소동; 말다툼, 치안 파괴. **≈stunde** *f.* 휴식[휴양] 시간, 한가한 시간. **≈tag** *m.* ① (정규적인) 휴점[휴업]일, 휴무일, 쉬는 날: montags haben wir (unseren) ~ 우리는 월요일에는 휴무다. ② 공휴일, 휴일. **~voll** 《雅語》 *a.* 조용[고요·평온]한. **≈zeichen** *n.* 〖음악〗 휴지 기호. **≈zeit** *f.* 휴식 시간, 한가한 때. **≈zustand** *m.* 〖物〗 정지[부동] 상태.

***ruhig** [rúːɪç] *a.* ① 정지한, 멎은, 고요한; 조용한, 말없는: die ~e See 잔잔한 바다; die Arme ~ halten 팔을 움직이지 않다; ~e Nachbarn 조용한 이웃 사람들; sei doch endlich einmal ~! 이제 그만 조용히 해라!; ein ~es Zimmer 소음이 없는 방: ~ da! 거기 조용히 해주시오!; das Geschäft ist zur Zeit ~ 장사는 지금 한산하다[침체 상태다]. ② 평온[유유]한, 끄떡없는, 침착[냉정]한: die Sitzung nahm einen ~en Verlauf 회의는 돌발 사건 없이 진행되었다; sei ~, es wird sich schon alles machen 안심하게, 틀림없이 만사가 잘될 것이네; nur ~ (Blut)! 자, 흥분하지 마라!; ~es Gemüt 침착함; bei ~em Blut 흥분을 가라앉히고; bei ~er Überlegung 냉정히 생각하면; 《구어》 er schiebt eine ~e Kugel 그는 평온한 생활을 한다; 《비유》 ~e Farben 안정감을 주는 색채; 《구어》 das läßt mich ~ 그런 일로 나는 속타지 않아; ~en Gewissens 양심의 거리낌없이; ~ machen 조용하게 하다, (소동 따위를) 진정시키다, (아이 따위를) 달래다; ~ bleiben [sich ~ verhalten] 조용히 하고 있다; ~ werden (사람이) 침착해지다, (바람이) 자다, (바다가) 잔잔해지다; ~ schlafen 편안히 잠 자다; sei deswegen ganz ~! 그런 일에 신경쓰지 마라!; 《구어》 Sie können das ~ tun 자네가 그것을 해도 나는 아무렇지 않다; dem Tode ~ entgegensehen 죽음에 임하여 태연하다. ③ 은퇴한; 한가한.

ruhig|stellen [rúːɪçʃtelən] *t.* 〖醫〗 ① (부러진 팔 따위를) 고정시키다, 움직이지 않게 하다; (일시적으로) 기능 정지 상태로 하다; 가만히 놓아 두다(단: ruhig stellen 조용히 두다). ② jn. ~ 누구를 진정시키다: einen Patienten ~ 환자를 (약물 투여를 통해) 진정시키다.

Ruhig·stellung [..luŋ] *f.* 〖醫〗 (부러진 팔 따위의) 고정.

***Ruhm** [ruːm] *m.* -(e)s ① 명성, 명예; 고명; 칭찬, 호평; 영광; 공적, 공로: ~ ernten [davontragen, erlangen, erringen] 명성을 얻다; jm. zum ~e gereichen 누구의 명예가 되다; 《雅語》 die Zeitungen sind seines ~es voll 신문들은 온통 그에 대한 칭찬 일색이다; den ~ muß man ihm lassen 공적은 그의 것이다; sich³ et. zum ~e machen 무엇을 과시[자랑]하다; zu ~ und Ehre gelangen 영달하다; ohne ~ zu melden 내 자랑은 아닙니다만; Hektor, der ~ seines Geschlechtes 가문의 명예인 헥토르; 《구어·반어》 da hast du dich ja nicht gerade mit ~ bedeckt[bekleckert] 거기에서 별로 큰 성과는 못 거두었군. ② 평판: sein ~ ist nicht fein 그의 평판은 좋지 않다.

Ruh·masse *f.* 〖物〗 정지 질량(Ruhemasse).

ruhm≈bedeckt *a.* 명예를 지닌, 명성이 자자한: ein ~er Künstler 명성이 자자한 예술가; ~ heimkehren 금의환향하다. **≈begier** *f.* 《雅語》 ↑ ~begierde. **≈begierde** *f.* 명예욕, 명예[공명]심. **~begierig** *a.* 명예욕[공명심]이 있는. **~bekränzt** *a.* 《시어》 ↑ ~bedeckt.

***rühmen** [rýːmən] 《I》 *t.* (preisen) 기리다, 칭찬하다; 찬양하다; 추천[권장]하다(empfehlen): et. jm. ~ 누구에게 무엇을 권장하다; das ist von ihm zu ~ 그것은 그가 칭찬받을 만한 점이다; et. an jm. ~ 누구의 무엇을 칭찬하다; das muß besonders ~d erwähnt[hervorgehoben] werden 그것은 특별히 기려야 할[칭찬할] 점이다; man rühmt ihn als tapfer 그는 용감하다고 칭찬받는다; viel ≈s von jm. [et.³] machen 누구를[무엇을] 크게 칭찬하다, 절찬하다. 《II》 *refl.* sich ~ 자랑하다: sich eines Dinges ~, sich wegen eines Dinges [mit et.³] ~ 무엇을 자랑하다, 뽐내다; ohne mich ~ zu wollen 자랑은 아니지만; ich rühme mich ein Deutscher zu sein 나는 독일 사람임을 자랑으로 여긴다.

rühmens·wert [rýːmənsvɛːrt] *a.* 칭찬[추천]할 만한, 훌륭한: eine ~e Tat 칭찬할 만한 행위.

Ruhmes≈blatt [rúːməs..] *n.* 업적이 기록된 역사의 장, 영광의 한 페이지; 칭찬할 만한 일: ein[kein] ~ (von et.³) sein (무엇은) 칭찬할 만한[명예로운] 일이다[일이 아니다]; ein ~ der deutschen Geschichte 독일사를 장식하는 훌륭한 한 페이지. **~feier** *f.* 위인의 기념 축제. **~glanz** *m.* 《시어》 광영, 영광. **~halle** *f.* (인물·사건) 기념관. **~tag** *m.* 기념일, 추모일; 명예의 날. **~tat** *f.* 명예로운 행위, 영웅적 행위: eine sportliche ~ 스포츠맨다운 영웅적 행위. **~tempel** *m.* ↑ ~halle.

ruhm·gekrönt *a.* ↑ ~bedeckt.
rühmlich [rý:mlıç] *a.* 칭찬〔찬양〕할 만한, 명예로운, 훌륭한: ~ bekannt 고명한; ein ~es Ende 유종의 미; et. zu einem ~en Ende führen 무엇을 훌륭하게 끝내다, 무엇에서 유종의 미를 거두다.
Rühmlichkeit [..kaıt] *f.* 칭찬할 만한 일〔업적〕, 영광(스러움).
Ruhm·liebe *f.* 명예심.
Rühmling [rý:mlıŋ] *m.* -s, -e (Prahler) 허풍선이, 호언장담하는 사람.
ruhmlos [rú:mlo:s] *a.* 불명예의, 명성이 없는; 무명의: ein ~es Ende nehmen〔finden〕 불명예스러운 종말을 맞다.
Ruhmlosigkeit *f.* 불명예, 수치.
ruhm≈redig *a.* 〖雅語〗 제 자랑만 하는, 우쭐거리는: ein ~er Mensch 제 자랑만 하는 사람. **~redigkeit** *f.* 〖雅語〗 자화자찬, 제 자랑하는 행동. **~reich** *a.* ↑ ~voll. **~sucht** *f.* 명예욕, 공명심. **~süchtig** *a.* 명예욕이 강한. **~voll** *a.* 영광스러운; 고명한: der ~e Feldherr 영광스러운 총사령관. **~würdig** *a.* 칭찬할 만한. **~würdigkeit** *f.* 칭찬할 만함.
Ruhn [ru:n] *m.* -s, -e (schweiz.) (Rahm) 크림, 유지(乳脂).
*__Ruhr__[1] [ru:*r*] 《♧rühren》 *f.* -en ①〖병리〗 (Dysenterie) 이질, 적리(赤痢): rote ~ 적리; weiße ~ 백리(白痢). ②〖農〗 (흙 따위를) 파헤치기〔호미로 김매기〕, 끝 호미질. ③〖사냥〗 후림새(Lockvogel).
Ruhr[2] *n.* (ndd.) (Rohr) ①〖植〗 갈대. ② 통, 관.
Ruhr[3] *f.* ① 루르(라인강의 지류). ② ↑ ~-gebiet.
Rühr [ry:*r*] *f.* (ndd.) (Röhre) 관, 통, 파이프.
Ruhr≈anfall *m.* 〖醫〗 이질의 발작. **~artig** *a.* 이질〔적리〕 같은.
rührbar [rý:*r*ba:*r*] *a.* ① 움직일 수 있는. ② 감동하기 쉬운.
Rühr·ei [rý:*r*|aı] *n.* 〖요리〗 스크램블드 에그 (풀어 지진 달걀).
*__rühren__ [rý:rən] 《I》 *t.* ① (몸의 일부를) 움직이다: kein Glied ~ können 팔다리를 꼼짝할 수 없다; keinen Finger ~ 손가락 하나 까딱하지 않다, 아무것도 하지 않다; alle Kräfte ~ 분발〔분투·노력〕하다. ②〖음악·雅語·구식〗 치다, 타다: die Trommel ~ 북을 치다; die Harfe ~ 하프를 타다; 〖비유·구어〗 für jn. 〔et.〕 die Reklametrommel〔Werbetrommel〕 ~ 누구를〔무엇을〕 대대적으로 선전하다. ③ 휘젓다, 휘저어 섞다: Teig〔Brei〕 ~ 반죽〔죽〕을 휘젓다; ein Ei in die Suppe ~ 달걀을 수프에 풀다; Farben mit Wasser ~ 물감에 물을 섞어 휘젓다. ④ 치다, …에 부딪다: 〖구어〗 ihn rührte der Schlag 그는 졸도하였다. ⑤ (berühren) 접촉하다, …에 (손을) 대다, 닿다: mit der Stirn den Boden ~ 이마를 땅에 대다. ⑥ 감동시키다, (마음을) 뒤흔들다: js. Herz ~ 누구의 마음을 움직이다; rührt dich das nicht? 그래도 너는 아무것도 느끼지 못하니?; der Roman rührt mich zu Tränen 나는 이 소설에 눈물이 나도록 감동했다. ⑦ (obd., ndd.) 갈다, 파헤치다: das Feld ~ 밭을 갈다, (쟁기로) 파헤치다. 《II》 *i.* (h.) ① (an et.) (무엇을) 손대다, 건드리다, 닿다; 흔들어 움직이다; 〖비유〗 (무엇을) 언급하다, 기억나게 하다: rühre nicht an diese Wunde! 이 상처에 손을 대지 말게!; rühre nicht daran! 그 일은 건드리지〔말하지〕 마라!; an die Wolken ~ 구름에 닿다. ② (herrühren) 유래〔기인〕하다, 일어나다: dieser Einfall rührt von seinem Freund 이 생각은 그의 친구에게서 나온 것이다. ③ 휘젓다: mit einem Löffel im Topf ~ 숟가락으로 냄비 속을 휘젓다. 《III》 *refl.* sich ~ 움직이다; 활동하다: sich ~ und regen 움직이다; es rührt sich nichts 모든 것이 고요하다; kein Lüftchen〔Blättchen, Hälmchen〕 rührt sich 바람 한 점 없다; rühr' dich ein bißchen! 꾸물대지 마라, 좀 움직여 봐라!; 〖軍〗 rührt euch! 열중쉬어!; er kann sich nicht ~ vor Schmerzen 그는 통증 때문에 움직일 수가 없다; 〖구어〗 sich nicht ~ können 꼼짝달싹을 못하다(재정적으로 매우 제한받다).
Rühren *n.* -s 감동: er fühlte〔verspürte〕 ein menschliches ~ a) 그는 인간적 동정을 느꼈다, b) 〖은폐·농담〗 그는 허기를 느꼈다, c) 〖은폐·농담〗 그는 용변이 보고 싶어졌다.
*__rührend__ *p.a.* 감동적인, 마음을 움직이는, 눈물나게 하는: eine ~e Geschichte 심금을 울리는 이야기; ein ~er Auftritt 감동적인 장면; das ist ~ von Ihnen 친절하게 대해 주셔서 감사합니다.
Rührer [rý:rər] *m.* -s, - 휘젓는 사람; 교반기.
Rühr·faß *n.* 버터 제조용의 교유기(攪乳器) (Butterfaß).
Ruhr·gebiet *n.* 루르 지방(독일 북서부의 공업 지대).
rührig [rý:rıç] *a.* (flink) 활발한; 활동적인, 근면한, 바쁜: ein ~es Treiben 분주한 활동.
Rührigkeit [..kaıt] *f.* 활발, 근면, 바쁜 생활.
Rühr·kelle [rý:*r*..] *f.* 교반용의 나무 국자〔주걱〕.
ruhr≈krank *a.* 이질의, 이질〔적리〕에 걸린. **~kranke*** *der/die* 적리〔이질〕 환자. **~-kraut** *n.* 〖植〗 (이질에 쓰는) 떡쑥.
Rühr≈krücke *f.* 교반기. **~löffel** *m.* 〖요리〗 (긴 손잡이와 구멍이 있는) 교반용 (나무) 주걱. **~maschine** *f.* (밀가루의 반죽을 위한) 반죽 기계, 교반기. **~mich·nicht·an** *n.* 〖植〗 봉선화(노랑 물봉선화): 〖구어·조롱〗 das Kräutlein〔Fräulein〕 ~ 민감하고〔수줍고〕 까다로운 아가씨.
rührsam [rý:*r*za:m] *a.* 〖구식〗 ① ↑ rührig. ② 감상적〔감정적〕인: ein ~es Lied 감상적인 노래.
Rühr≈scheit *n.* 〖양조〗 (교반용의) 교반봉(棒); 〖化·藥〗 주걱. **~selig** *a.* ① 다감한, 감상적인, 민감한: sie ist sehr ~ 그녀는 매우 감상적이다. ② 감상을 자극하는: ein ~es Buch 감성에 호소하는〔최루성의〕 책. **~-seligkeit** *f.* 감상(적인 본성). **~spatel, ~stock** *m.* ↑ ~scheit. **~stück** *n.* 〖문학〗 (계몽주의 시대의) 감상극, 멜로드라마. **~-szene** *f.* 〖연극〗 감동적인 장면. **~teig** *m.* 휘저어 갠 케이크용 반죽.
Rührung [rý:ruŋ] *f.* ① 움직이기, (북을) 치기; (거문고 따위를) 타기; 휘젓기, 교반(攪拌): unter ~ der Trommeln 북을 두드리면서. ② 감동, 감격, 동정, 측은한 마음이 생김: ~ empfinden〔hervorrufen〕 동정을 느끼다〔유

발하다]; vor ~ nicht sprechen können 감격한 나머지 말을 하지 못하다.

Rühr·werk [rý:r..] *n.* ①〖工〗교반기. ② 케이크용 반죽기〔교반기〕.

ruhsam [rú:za:m] *a.* 〖고어〗 조용하고 쾌적한.

ruhselig *a.* 〖구식〗 고요한(ruhevoll).

Ruin [ru|í:n] 《lat.》 *m.* -s 붕괴, 몰락, 쇠망, 파멸: am Rand des ~s stehen 파멸에 직면해 있다; 〖구어〗 diese Frau war sein ~이 여자가 그를 파멸시켰다.

***Ruine** [ruí:nə] 《frz.》 *f.* -n ① 폐허; 〖복수〗 (폐허로 남은) 잔해: die ~n des Krieges 전쟁의 폐허. ②〖비유·구어〗 폐인, 패잔자.

ruinen≈artig *a.* ↑ ruinenhaft. **≈grund·stück** *n.* 폐지(廢止).

ruinenhaft [ruí:nənhaft] *a.* 폐허 같은; 황폐한.

Ruinen·landschaft *f.* ① 폐허 지역. ②〖畫〗 폐허를 그린 풍경화.

***ruinieren** [ruiní:rən] 《frz.》 《I》 *t.* 폐허로 만들다, 멸망시키다, 못쓰게 만들다: der Alkohol hat seine Gesundheit ruiniert 술이 그의 건강을 망쳤다. 《II》 *refl.* sich ~ 파괴되다, 파멸하다, 손상되다. 《III》 **ruiniert** *p.a.* ↑ ruiniert.

ruiniert 《I》 *p.p.* ↑ ruinieren. 《II》 *p.a.* ① 파괴된, 멸망한: ich bin ~ 나는 망했다, 끝장이다; ein ~er Mann 몰락한 남자; mit ~er Gesundheit 건강을 망쳐. ②〖商〗 파산한.

ruinös [ruinǿ:s] 《frz.》 *a.* ①〖구식〗 붕괴된, 황폐한: sich in einem ~en Zustand befinden 붕괴된 상태다. ② 유해한, 파멸을 초래하는: 〖經〗 ~er Wettbewerb 파멸을 자초하는 경쟁.

Ruländer [rú:lɛndər] *m.* -s, - ① (백포도주용의) 룰렌더 포도. ② 룰렌더 백포도주.

Rülp [rʏlp] *m.* -(e)s, -e ↑ Rülps.

Rülps [rʏlps] *m.* -es, -e [..psə] 〖방언·폄어〗 ① ↑ Rülpser. ②〖욕설〗 버르장머리 없는 놈 (Flegel).

rülpsen [rʏ́lpsən] *i.* (h.) 〖구어〗 트림하다: jm. ins Gesicht ~ 누구의 얼굴에 대고 트림하다.

Rülpser [..psər] *m.* -s, - 〖구어〗 ① 트림. ② 트림하는 사람.

Rum[1] [rum] 《engl.》 *m.* -s, -s 럼주(酒).

Rum[2] *m.* -s, (ndd.) 공간, 장소.

rum *adv.* 〖구어〗 ↑ herum 의 단축형.

Rumäne [rumɛ́:nə] 《<Romania》 *m.* -n, -n 루마니아 사람.

Rumänien [rumɛ́:niən] 루마니아.

Rumänier [..niər] *m.* -s, - 루마니아 사람.

Rumänin *f.* -nen ↑ Rumäne 의 여성형.

rumänisch [rumɛ́:nɪʃ] *a.* 루마니아(사람·말)의.

Rumänische* *das* 루마니아어.

Rumba [rúmba] 《sp.》 *f.* -s 〔(öst.) (구어) *m.* -s, -s〕 룸바(사교 댄스의 일종).

rumbumbum [rúmbumbum] *int.* 〖의성어〗 둥둥(북소리).

Rumelien 루멜리엔(터키의 옛 이름).

Rumelier *m.* -s, -, **Rumeliot** *m.* -en, -en 루멜리엔 사람.

rumeliotisch, rumelisch [..tɪʃ, ..lɪʃ] *a.* 루멜리엔의.

Rum·flasche [rúm..] *f.* 럼주병.

rum|hängen [rúmhɛŋən] *i.* (h.) 〖구어〗 ① 어지럽게 여기저기 걸려 있다. ② 전전하다: er hängt den ganzen Tag in Kneipen rum 그는 온종일 술집을 전전한다.

rümig [rýmɪç] *a.* (ndd.) ↑ rum.

ruminieren [ruminí:rən] 《frz.》 *t.* ①〖動〗 되새김질〔반추〕하다(wiederkäuen). ②〖교양·구식〗 숙고를 거듭하다. ③〖醫·心〗 반추증을 보이다.

rum|kriegen [rúmkri:gən] *t.* 〖구어〗 ① 설득시키다, (여성을) 꾀다. ② (시간을) 보내다.

Rum·kugel [rúm..] *f.* 럼주가 들어 있는 둥근 초콜릿 (과자).

rum|machen [rúmmaxən] 《I》 *i.* ① (h.) (herummachen) 장시간 (누구를) 상대하다, (무엇에) 종사하다: an einem Auto ~ 자동차를 오랫동안 손질하다. ② (h.) 〖경박·폄어〗 mit jm. ~ 누구와 (성)관계를 갖다: sie macht jetzt schon seit Wochen mit diesem X. rum 그녀는 몇 주 전부터 이미 이 X와 관계를 맺고 있다. ③ (s.) (어느 장소에서) 어슬렁거리다, 배회하다. 《II》〖구어〗 둘레에 감다: da mußt du einen Verband ~ 너는 거기에 띠를 감아야 한다.

Rummel[1] [rúməl] 《<frz. ronfle, „Pikettspiel"》 *m.* -s, - 〖고어〗 ① (피켓 게임에서) 같은 빛깔의 패. ② (일의) 내막, 사정: 〖경박〗 er kennt〔versteht〕 den ~ 그는 만사에 능통하다, 일의 내막까지 잘 알고 있다.

Rummel[2] 《ndd.》 *m.* -s ①〖경박·폄어〗 잡동사니, 고물: im ~ kaufen 도거리로〔싸구려로〕 사다; der ganze ~ 통틀어 모두. ②〖구어〗 떠들썩함, 야단법석; (사람들의) 북적거림, 웅성거림: Weihnachts≈ 크리스마스 인파의 혼잡: ich mache den ~ nicht mehr mit 나는 이런 터무니없는 소동에 더 이상 말려들기 싫다. ③ 난장판. ④〖農〗 체(Sieb). ⑤ (nordd.) 대목장, 구경거리가 많은 광장, 유원지: auf den ~ gehen 시장에 가다.

Rummel[3] *f.* -n 〖방언〗 사탕무.

rummeln [rúməln] *i.* (h.) 〖방언〗 우르릉〔쪼르륵〕하고 소리나다: in meinem Bauch rummelt es 내 배에서 쪼르륵하는 소리가 난다; es rummelt (멀리서) 천둥이 우르릉거린다.

Rummel·platz *m.* (nordd.) 대목장〔큰 장〕이 서는 광장, 유원지.

Rummy [rœ́mi, rʌ́mi] 《engl.》 *n.* -s (öst.) 일종의 카드놀이(Rommé).

Rumor [rumó:r] 《lat.》 *m.* -s 〖고어·방언〗 떠들썩함, 소란, 동요; (Getümmel) 혼란; 폭동, 반란; 〖醫〗 잡음(Geräusch).

rumoren [..rən] *i.* (h.) 〖구어〗 ① (poltern) 떠들다, 시끄러운 소리를 내다: es rumort im Schornstein 굴뚝에서 꾸르렁거리는 소리가 난다. ② 꼬르륵 소리가 나다: js. Magen rumort 〔es rumort in js. Magen〕 누구의 배가 꼬르륵거린다. ③ 동요를〔불안감을〕 일으키다: diese Geschichte rumorte noch lange in seinem Kopf 이 이야기는 아직 오랫동안 그의 머리 속에서 혼란을 일으켰다. ④ 소요가 일어나다: im Volk rumort es 민심이 들끓고 있다.

Rumorer [..rər] *m.* -s, - 소란을〔소요를〕 일으키는 사람.

Rump [rump] *m.* -en, -en ① (nordd.) **(a)** 몸통. **(b)** 상자, 바구니. ② (niederrhein.) 물고기.

Rumpel[1] [rʊ́mpəl] *m.* -s (südd., md.) ① (마차가) 덜컹거림. ② 잡동사니, 잡살뱅이.
Rumpel[2] *f.* -n (südd., md.) 빨래판.
Rumpelei [..láɪ] *f.* -en ① (Gerümpel) 잡동사니, 잡살뱅이. ② 소음(Lärm).
rumpelig [..lɪç] *a.* ① 덜커덩거리는 소리를 내는. ② (holprig) 울퉁불퉁한, 평탄하지 않은. ③ (md.) 주름이 있는.
Rumpel≈kammer *f.* 〖구어〗 헛간, 잡동사니를 두는 곳: in der ~ aufbewahren〔abstellen〕 헛간에 보관하다; 〖비유〗 das gehört in die ~! 그것은 더 이상 아무짝에도 쓸모없다! **~kasten** *m.* ① 잡동사니 통〔상자〕. ② 〖구어·비유〗 낡고 덜거덕거리는 마차. **~mette** *f.* 〖가톨릭·민속〗 부활절 전 오후 미사.
rumpeln [rʊ́mpəln] 《I》 *i.* ① (s.) 〖구어〗 (poltern) 덜커덩거리며 가다: der Wagen rumpelt auf dem Steinpflaster 마차가 포석 위를 덜컹거리며 달려간다. ② (h.) (돼지가) 교미하다. ③ (h.) 〖구어〗 덜커덕거리는 소리를 내다; es rumpelt 천둥 소리가 난다. ④ (h.) (md.) 주름이 잡히다: gerumpelte Haut 주름진 피부. 《II》 *t.* ① (md.) 세게 문질러 닦다〔씻다〕: die Wäsche〔Haut〕 ~ 세탁물을〔피부를〕 세차게 문지르다. ② 뒤섞다, 뒤범벅이 되게 하다.
Rumpelstilzchen [rʊ́mpəlʃtɪltsçən] *n.* -s 룸펠슈틸츠헨(동화에 나오는 심술궂은 요정).
***Rumpf** [rʊmpf] 《원뜻 „Baumstumpf"》 *m.* -(e)s, Rümpfe [rʏ́mpfə] ① 그루터기; (머리와 사지를 제외한) 몸(통), 동체. ② 주요 부분; 기체; 선체; 차체: mit ~ und Stumpf 모조리, 모두; der ~ des Flugzeuges 비행기의 기체. ③ (obd.; Mühltrichter) 맷돌의 깔때기.
rümpfen [rʏ́mpfən] *t.* (주름잡히게) 찌푸리다: die Nase ~ a) 코를 찌푸리다(경멸·조롱의 표정), b) 〖비유〗 경멸하다; den Mund 〔das Maul〕 ~ 입을 비죽거리다.
Rumpf≈kreisen *n.* 〖스포츠〗 허리돌리기 운동. **~parlament** *n.* 잔해 의회(1648 년의 영국 의회와 1849 년의 독일 의회에 대한 악명; 소수 의원만으로 심의하였음). **~stück** *n.* ↑ Rumpsteak 의 독일어 표기.
rumplig [rʊ́mplɪç] *a.* ↑ rumpelig.
Rump·steak *n.* -s, -s 홍두깨살 스테이크.
rums [rʊms] *int.* 〖의성어〗 쿵〔덜컥〕(하는 소리): ~, flog die Tür zu 쿵하고 문이 닫혔다.
rumsen [rʊ́msən] *i.* 〖구어〗 ① (h.) *imp.* 쿵〔덜컥〕하는 소리가 나다: bei jm. rumst es 누구의 집에 싸움이 났다; es hat gerumst 충돌 사고가 있었다. ② (s.) auf〔gegen〕 et. ~ 무엇에 쿵하고 부딪치다: er ist mit dem Wagen gegen einen Baum gerumst 그는 차로 나무에 쿵하고 부딪쳤다.
Rum≈topf *m.* ① (럼주와 설탕에 절인) 과일. ② (럼주에 과일을 절이는 데 쓰는) 단지. **~verschnitt** *m.* 럼주와 다른 술을 섞어 만든 혼합주.
Run [rən, rʌn] 《engl.》 *m.* -s, -s 돌진, (인파의) 쇄도: ein ~ auf die Banken 은행 예금 인출 소동.
***rund** [rʊnt] 《I》 *a.* ① 둥근, 원형의; 둥그스름한; 구형의: länglich ~ 타원형의; eine Konferenz am ~en Tisch (참가자의 권리가 동등한) 원탁 회의; ~e Augen machen (놀라서) 눈을 둥그렇게 뜨다; 〖제본〗 ~er Rücken 밖으로 둥그렇게 튀어나온 책등; das ist mir zu ~ 내게는 너무 막연하다, 이해되지 않는다; 〖비유〗 der Ball ist ~ 공은 둥글다(시합·사태의 결과를 예측할 수 없다). ② 포동포동한, 살찐: ~ (und dick) werden 포동포동하게 살찌다; sich dick und ~ essen 잘 먹어 통통하게 살찌다. ③ 완성된: ~ machen a) 둥그렇게 하다, b) 완성하다; eine ~e Stimme 낭랑한 소리; das Werk steht schön und ~ vor uns da 작품은 훌륭히 완성되어 우리 눈 앞에 있다; ein Wein mit einem ~en Geschmack 숙성된 맛을 지닌 포도주; 〖구어〗 ~ laufen a) 잘되다, b) (엔진 따위가) 원활하게 작동하다; bei ihm läuft alles ~ 그는 모든 것이 잘되고 있다; 〖구어〗 es war ein ~es Fest 그것은 훌륭한〔성공적인〕 축제였다. ④ 꽉찬, 뭉뚱그려진, 우수리가 없는: eine ~e Summe 목돈, 아귀 맞는 돈; ein ~er Geburtstag 10, 20, 30 일 등의 생일; in ~er Zahl 어림수로; 〖구어〗 einen Betrag ~ machen 금액의 우수리를 잘라 버리다. ⑤ 단호한, 명백한: ein ~es Nein 단호한 부정〔거부〕. ⑥ 〖방언〗 술취한. 《II》 *adv.* ① 똑똑〔명백〕히, 딱 잘라: ~ abschlagen 단호하게 거절하다; jm. ~ heraus sagen 누구에게 솔직히 터놓고 말하다. ② 빙 돌아서: ~ um et. 〔jn.〕 herum 무엇〔누구〕의 둘레를 돌아서; ~ um die Uhr 밤낮으로, 쉬지 않고, 항상; acht Kilometer ~ umher 8 킬로미터 사방. ③ 대략, 약: ~ eine Stunde 대략 한 시간 동안. ④ 〖구어〗 es geht ~ a) (장사 따위가) 대성황이다, b) 인정 사정 없다, c) 대단한 싸움이다.
Rund *n.* -(e)s ① 원, 구; 원체, 구체, (특히) 지구: das ~ des Himmels 천구(天球). ② (Umkreis) 원주(圓周), 주변: rings im ~ 빙글빙글 빙 원을 그리며.
Runda [rʊ́nda] *n.* -s, -s 〖방언〗 윤창가(輪唱歌); 음주가.
runda *int.* 쭉 들이켜라(옛날 술 마실 때 외치던 소리).
rund≈bäckig *a.* 뺨이 볼록한. **≈bank** *f.* 〖복수: ..bänke〗 원형 벤치〔의자〕: eine ~ um einen Baumstamm 나무 둘레를 싸고 있는 원형 벤치. **≈bau** *m.* 〖복수: ..bauten〗 〖건축〗 원형 건(축)물. **≈beet** *n.* 원형 화단〔묘판〕. **≈blick** *m.* ① 파노라마, (주위의) 전경, 전망: vom Gipfel hat man einen herrlichen ~ 꼭대기에서는 멋진 전망이 펼쳐진다. ② 주변〔사방〕을 둘러봄. **≈blick·fern·rohr** *n.* 파노라마 망원경. **≈bogen** *m.* (↔ Spitzbogen) 〖건축〗 (문·창문 따위의) (반)원형 아치, 로마식 아치. **≈bogen·fenster** *n.* 〖건축〗 (반)원형 아치식 창문. **≈bogen·stil** *m.* 〖건축〗 로마 양식, (반)원형 아치식. **≈brief** *m.* ↑ ~schreiben. **≈dorf** *n.* 원형 마을.
***Runde**[1] [rʊ́ndə] 《♧ rund》 *f.* -n ① **(a)** 소규모 모임, 회합, 동료, 서클; 원탁 모임: Tafel≈ 회식자 모임. **(b)** 원, 환(環); 단란; 회전; 순환; (무도자의) 윤무(輪舞): rings in der ~ 주위에, 빙 둘러; zehn Meilen in die ~ 사방으로 10 마일 거리에; den Becher die ~ machen lassen 잔을 돌리다; in der ~ gehen 순찰〔순회·회진〕하다. **(c)** (술) 순배(巡杯): eine ~ Bier ausgeben 둘러앉은 사람들에게 맥주를 한 잔씩 돌리다, 한턱 내다; meine ~! (이번은) 내가 낼 차례다! ② 〖스포츠〗 **(a)** (트랙의) 한 바퀴, 구분된 경기 시간. **(b)** 〖권투〗

(경기의) 한 라운드: 〖구어〗 über die ~n kommen 힘들게 난관을 극복하다; 〖구어〗 et. über die ~n bringen 무엇을 성공적으로 마무리짓다; 〖구어〗 jm. über die ~n helfen 〔jn. über die ~n bringen〕 누가 난관을 극복하도록 도와 주다. **(c)** 〖카드〗 한판의 승부. ③〖수공〗 (뜨개질의) 한 단: in der nächsten ~ jede dritte und vierte Masche zusammenstricken 다음 단에서는 두 코 건너 한 코를 줄이다.

Runde[2] 《ar. Arobt, „Rundgangswache"》 *f.* -n 순찰; 순찰병: die ~ machen 순찰하다, 〖비유〗 순회〔회진(回診)〕하다.

Ründe [rʏ́ndə] *f.* 〖구식〗 ① 둥긂. ②〖건축〗 아치형(Bogenrundung).

Rund·eisen [rʊ́nt..] *n.* ① 둥근 철봉. ② 둥근 끌.

Rundell [rʊndɛ́l] *n.* -s, -e (↑ Rondell) ① (건축물의) 둥근 부분; 원탑. ② 원형 화단.

runden [rʊ́ndən] 《I》 *t.* ① 둥글게 하다: 〖음성〗 einen Vokal ~ 어떤 모음을 입술을 둥글게 해서 발음하다; 〖海〗 eine Boje ~ 부표를 돌아 항해하다. ② 마무르다, 완성하다: die Summe ~ 돈의 아귀를 맞추다, (봉사료 조로) 거스름돈을 받지 않다. ③〖數〗 eine Zahl ~ 숫자의 우수리를 자르다, 반올림하다. 《II》 *refl.* sich ~ 둥글게 되다, 마무리되다: 〔雅語〕 ein Jahr rundet sich 한 해가 마감된다. 《III》 *i.* (h.) 순찰〔순회·회진〕하다.

ründen [rʏ́ndən] *t.* 〖시어〗 ↑ runden.

Rụnden≈rekord *m.* 〖모터스포츠〗 구간 기록. **~zeit** *f.* 〖스포츠〗 한 경주 구간에 소요된 시간, 구간(경주) 시간.

rụnd≈erhaben *a.* 요철(凹凸)의, 울퉁불퉁한. **≗erlaß** *m.* 지시 회람〔회장(回章)〕, 회문(回文). **~erneuert** *a.* 〖車〗 (자동차의) 타이어를 재생한. **≗erneuerung** *f.* (자동차의) 타이어 재생. **≗fahrt** *f.* ① 회람, (도시 따위의) 유람. ② 일주 여행. ③〖사이클·모터스포츠〗 일주 경주. **≗flug** *m.* ① 순회 비행; 유람 비행. ②〖항공스포츠〗 경비행기 경기. **≗frage** *f.* 설문 조사, 앙케트.

*__Rund·funk__ [rʊ́ntfʊŋk] *m.* ① (무선) 전송(電送). ②〔총칭〕 라디오·텔레비전 방송. ③ 라디오: im ~ übertragen 라디오로 중계하다. ④ 방송 시설〔설비〕, 방송국: beim ~ arbeiten 방송국에서 일하다. ⑤ 방송국 건물.

Rụndfunk≈ansager *m.* 〖방송〗 아나운서. **~anstalt** *f.* 방송국. **~apparat** *m.* ↑ ~gerät. **~empfänger** *m.* ↑ ~gerät.

rụnd·funken [..kən] (*p.p.* gerundfunkt) *t./i.* (h.) (라디오로) 방송하다.

Rụndfunk≈frequenz *f.* 방송 주파수. **~gebühr** *f.* 방송 청취료. **~gerät** *n.* 방송 수신기, 라디오. **~gesellschaft** *f.* 방송 회사. **~hörer** *m.* 라디오 청취자. **~hörerin** *f.* ↑ ~hörer 의 여성형. **~kommentator** *m.* 라디오 방송 해설자. **~kommentatorin** *f.* ↑ ~kommentator 의 여성형. **~orchester** *n.* 방송 관현악단. **~programm** *n.* ① 방송 프로(그램). ② 방송 프로(그램) 책자〔안내서〕. **~rede** *f.* 라디오 강연. **~sender** *m.* 라디오 방송 시설〔방송국〕. **~sprecher** *m.* 아나운서. **~sprecherin** *f.* ↑ ~sprecher 의 여성형. **~station** *f.* 방송국. **~stelle** *f.* ↑ ~station. **~technik** *f.* 방송 기술, 무선 공학. **~teilnehmer** *m.* 라디오 소유자〔청취자〕. **~teilnehmerin** *f.* ↑ ~teilnehmer 의 여성형. **~übertragung** *f.* 라디오 중계 방송. **~werbung** *f.* 방송 광고. **~zeit·schrift** *f.* 라디오나 텔레비전 프로그램을 실은 주간 잡지.

Rụnd≈gang *m.* ① 회전. ② 순회, 순찰, 한 바퀴 돌기: der Wächter macht den planmäßigen ~ 야경꾼이 계획에 맞추어 순찰을 한다. ③ 회랑; 순회로. **~gebäude** *n.* (둥근 지붕이 있는) 원형 건물. **≗|gehen** *i.* (s.) ① 순회〔순찰〕하다: der Lehrer ging rund, um die Hausaufgaben zu überprüfen 선생님은 숙제 검사를 하기 위해서 순회했다. ② 퍼져 나가다, 전달되다: die Weinflasche geht rund 포도주병이 좌중에서 한 바퀴 돈다; das Gerücht geht rund 소문이 퍼져 나간다; 〖구어〗 es geht rund 분주하게 돌아간다, 할 일이 많다. **~gemälde** *n.* 파노라마. **~gesang** *m.* ①〖음악〗 글리(glee) 합창곡, 코러스가〔후렴이〕 달린 노래. ② 모임에서의 노래. ③ 돌림노래: einen ~ anstimmen 돌림노래를 시작하다.

Rundheit [rʊ́nthaɪt] *f.* 둥긂, 원형, 궁형.

rund≈heraus [rʊ́ntheráus] *adv.* 솔직히, 있는 그대로: ~ gesagt 솔직히 말하자면. **~herum** [..hɛrʊ́m] *adv.* ① 주위에, 빙 둘러. ② 둥글게: er dreht sich ~ 그는 원을 그리며 돈다. ③ 도처로, 사방으로: ~ blicken 사방을 살피다〔둘러보다〕. ④〖구어〗 완전하게: ich bin ~ satt 나는 배가 꽉 찼다.

rụnd≈hohl *a.* 요면(凹面)의; 움푹 패인. **≗holz** *n.* ①〖海〗 (돛대·활대 따위의) 둥근 목재. ② 국수 방망이. **≗horizont** *m.* 〖연극〗 반원형 지평.

rundieren [rʊndíːrən] *t.* 둥글게 하다, 둥글리다; 완성하다, 마무르다; (보석 따위를) 깎다.

Rundigkeit [rʊ́ndɪçkaɪt] *f.* ↑ Rundheit.

Rụnd≈kopf *m.* ①〖인류〗 단두(短頭)(인 사람). ②〔대개 복수〕 단두당(1642-49 년 영국 내란 때 왕당파에 대항한 청교도 의회파의 별칭; 머리를 짧게 깎았던 데서). **~kurs** *m.* 〖스포츠〗 서킷, 라운드 트랙. **~lauf** *m.* ① (놀이터의) 회전 그네. ② 줄회전 체조기. ③ 순환, 회전(Kreislauf).

rundlich [rʊ́ntlɪç] *a.* ① 둥그스름한. ② 약간 뚱뚱한, 포동포동한: eine ~e Frau 통통한 여자.

Rụndlichkeit [..kaɪt] *f.* 둥그스름함, 포동포동함.

Rụndling [..lɪŋ] *m.* -s, -e 원형 마을.

Rụnd≈maul *n.* 〖動〗 원구류(圓口類). **~reim** *m.* 〖문학〗 (Kehrreim) 후렴, 반복운. **~reise** *f.* 일주 여행. **~reise·billet** *n.* ↑ ~reisekarte. **~reise·karte** *f.* 일주 여행 (할인) 기차표. **~rücken** *m.* 〖醫〗 굽은 등. **~ruf** *m.* (무선·전화를 통한) 전원 호출: der Vorstand wurde durch ~ informiert 전원 호출을 통해 이사진에 통보되었다. **~säule** *f.* 원주; 둥근 통. **~schädel** *m.* 〖인류〗 원형 두개골. **~schau** *f.* ①〔雅語〕 (주위를) 둘러봄, 전망. ② (독일의 신문·잡지 이름으로) 동향, 전망, 평론. **~schild** 《I》 *m.* 둥근 방패. 《II》 *n.* 작은 원판. **~schlag** *m.* ①〖스포츠〗 훅, 돌려침. ② (여러 인물·기관을 싸잡아서 퍼붓는) 전방위 공격〔비난〕: die Rundschläge des Politikers gegen die Presse 언론을 싸잡아 퍼붓는 그 정치가의 비난. **~schreiben** *n.* ① (여러 사람

-이 돌려보는) 통지서. ② 회람, 회보. **~-schrift** *f.* (일종의 장식적인) 원형 글씨체. **~sicht** *f.* (~blick ①) 전경, 전망, 파노라마. **~spruch** *m.* (schweiz.) 방송(Rundfunk). **~stab** *m.* ① 단면이 원형인 나무 막대기. ② 『건축』 (로마네스크 양식에서) 단면이 반원형인 기둥 장식, 쇠시리. **~strecke** *f.* 『사이클·모터스포츠』 서킷, 라운드 ~ 트랙. **~-stricken** *i.* (h.) 편물을 원통형으로 짜다. **~strick·nadel** *f.* 원통형 뜨개 바늘. **~stück** *n.* (nordd.) ① 원형 화단. ② 도너스. ③ 스웨덴의 작은 화폐. **~tanz** *m.* 윤무(輪舞). **~teil** *n.* ① 단면이 원형인 부품〔공작 재료〕. ② 〔구식〕 (Rondell) **(a)** 둥그스름한 부분. **(b)** 원형 화단. **(c)** 원형탑. **~ting** *adv.* (ndd.) ↑ rund, rundum. **~trunk** *m.* 잔 돌려 마시기. **~um** [(또는) runt-ʊ́m] *adv.* ① 둘레에, 빙 둘러, 부근에. ② 〔구어〕 ↑ ~herum ④. **~umher** *adv.* ↑ ~herum ① ③.

Rundung [rʊ́ndʊŋ] 〔드물게〕 *f.* -en ① 둥글게 함; 마무름; 성숙한 모양, 원숙. ② **(a)** (Ründe) 원형, 궁륭형: die ~ der Wange 뺨의 볼록함. **(b)** 〔복수〕〔경박〕 여성의 균형잡힌 몸매. ③ 원형의 물건. ④ (Aufbauschung) 부풂, 팽창. ⑤ 『음성』 원순음(圓脣音)(화) (o, u, ö, ü, sch 따위).

Ründung [rʏ́ndʊŋ] *f.* -en ↑ Rundung.

Rund=wander·weg *m.* 순환 산책로. **~weg** *m.* 환상(環狀)〔순환〕 도로. **~weg** *adv.* 단호히, 딱 잘라. **~wurm** *m.* 『動』 선충류(線蟲類), 회충. **~zange** *f.* 『工』 원두(圓頭) 집게〔펜치〕.

Rune [rúːnə] 《원뜻 „Geheimnis"; raunen》 *f.* -n (고대 독일의) 루네 문자.

Runen=alphabet *n.* 루네 문자의 알파벳. **~forschung** *f.* 루네 문자 연구. **~hügel** *m.* 분묘; 돌무덤, 석총(石塚), 기념총(塚). **~-schrift** *f.* 루네 문자(의 책). **~stein** *m.* 루네 문자가 쓰여진 비석.

Runge [rʊ́ŋə] *f.* -n ① (짐수레 따위의) 측면 지주〔살대〕. ② (md.) 게으름뱅이(Faulpelz).

Rungen·wagen *m.* (양쪽에 반침 살대가 있는) 짐마차.

runisch [..nɪʃ] *a.* 루네 문자(시대)의.

Runke [rʊ́ŋkə] *m.* -ns, -n ↑ Runken.

Runkel [rʊ́ŋkəl] *f.* -n (öst.) ↑ Runkelrübe.

Runkel·rübe *f.* 『植』 ① (가축) 사료용 무. ② 사탕무.

Runkel·rüben·zucker *m.* 첨채당(糖).

Runken [rʊ́ŋkən] *m.* -s, - (md.) 큰 빵덩어리.

Runks [rʊŋks] *m.* -es, -e 〔구어〕 ① 덜렁쇠, 껄렁이, 버릇없는〔세련되지 못한〕 사람. ② 큰 개. ③ (md.) ↑ Runken.

runksen [rʊ́ŋksən] *i.* (h.) 〔구어〕 ① (경기에서) 비신사적인 플레이를 하다. ② (ndd.) 퉁명스럽게 굴다(schnauzen); (poltern) 퉁퉁탕탕하고 소리를 내다, 떠들다. ③ 버릇없이 행동하다.

Runk·unkel *f.* 〔구어·고어〕 노파.

Runolog [runolóːk] *m.* -en, -en ↑ Runologe.

Runologe [..lóːgə] 《altnord. +gr.》 *m.* -n, -n 루네 문자 연구가.

Runs [rʊns] *m.* -es, -e ↑ Runse.

Runse [rʊ́nzə] 《<rinnen》 *f.* -n 『지형』 (obd.) 계류, 계곡; 도랑.

'runter [rʊ́ntər] 〔구어〕 ↑ herunter, hinunter.

runter=|fallen *i.* (s.) 〔구어〕 아래로 떨어지다: das Glas ist mir runtergefallen 내가 컵을 떨어뜨렸다; hinten ~ 지다, 굴복하다, (성적따위가) 뒤떨어지다. **~|fliegen** *i.* (s.) ① 아래로 떨어지다. ② 〔경박〕 쫓겨나다. **~|hauen** *t.* 〔구어〕 ① (한 방) 때리다: er hat mir eine 〔ein paar〕 runtergehauen 그는 내 뺨을 한〔몇〕 대 때렸다. ② 〔폄어〕 타자기를 빠르게 두들겨대다: eine Rede ~ 연설을 빠르게 타자로 받아 치다. **~|holen** *t.* 〔구어〕 ① 아래로 데려오다〔가져오다〕: die Koffer ~ 트렁크들을 아래로 가져오다. ② 〔비속〕 sich〔jm.〕 einen ~ 자위 행위를 하다〔누구에게 수음을 해주다〕. **~|kommen** *i.* (s.) 〔구어〕 내려오다; 타락하다; 쇠약해지다. **~|lassen** *t.* 〔구어〕 내리다, 낮추다; 흘러내리게 하다. **~|putzen** *t.* 〔구어〕 닦아세우다; 깎아내리다: der Chef putzte ihn vor allen Angestellten runter 사장은 모든 직원들 앞에서 그를 꾸짖었다. **~|-rutschen** *i.* (s.) 〔구어〕 미끄러져 내려가다〔떨어지다〕: vom Stuhl ~ 의자에서 내려오다; 〔경박〕 rutsch mir den Buckel runter! 나를 조용히 내버려 두어라! **~|schlucken** *t.* 〔구어〕 삼키다.

***Runzel** [rʊ́ntsəl] *f.* -n 주름; (특히 얼굴의) 주름살: ein Gesicht voller ~n 주름살투성이의 얼굴.

runzelig [rʊ́ntsəlɪç] *a.* 주름살이 있는, 주름살투성이의.

runzeln [rʊ́ntsəln] 《I》 *t.* (찌푸려) 주름살을 짓다. 《II》 *refl.* sich ~ 주름살이 생기다.

runzlig [rʊ́ntslɪç] *a.* ↑ runzelig.

Rüpel [rýːpəl] *m.* -s, - 〔폄어〕 우악스러운 놈, 버릇없는 녀석.

Rüpelei [ryːpəlái] *f.* -en 〔폄어〕 ① 거친〔껄렁껄렁한·우악스런〕 태도. ② 버릇없음, 무례.

rüpelhaft [rýːpəl..] *a.* 〔폄어〕 우악스러운, 본데없는.

Rüpelhaftigkeit [..tɪçkaɪt] *f.* 〔폄어〕 거친〔버릇없는〕 행동.

rupfen[1] [rʊ́pfən] 《I》 *t.* ① 쥐어뜯다, 집어 당기다, 뜯어내다, 낚아채다, 잡아채다, 뽑다: Vögel ~ 새의 깃털을 뽑다; jn. an den Haaren ~ 누구의 머리카락을 잡아채다; ich habe mit ihm noch ein Hühnchen zu ~ 나는 그에게 한바탕 따져야 할 일이 있다; 〔경박〕 er sieht aus wie ein gerupftes Huhn 그는 털 뽑힌 닭꼴이다; Gras ~ 풀을 뽑다. ② 〔경박〕 (jn.) (누구에게서) 돈을 갈취하다〔옭아내다〕, 감언으로 속이다. 《II》 *i.* (h.) ① 〔방언〕 (an et.[3]) (무엇을) 잡아당기다. ② 〔은어〕 불규칙적으로 움직이다.

rupfen[2] *a.* 〔드물게〕 아마천으로 된〔만든〕.

Rupfen *m.* -s, - (südd.) (벽지나 포대로 쓰는) 마대천.

Rupfen·lein·wand *f.* ↑ Rupfen.

Rupfer [rʊ́pfər] *m.* -s, - ① 모피의 털을 뽑는 사람. ② (md.) 급격한 통증, (특히) 예비 진통.

Rupiah [rúːpia] *f.* 루피아(인도네시아의 화폐 단위; 약어: Rp).

Rupie [rúːpiə] 《skt., „Silber"》 *f.* -n 루피(인도·스리랑카·파키스탄의 화폐 단위).

ruppen [rúpən] *t.* (nordd.) ↑ rupfen.
ruppicht [rúpıçt] *a.* 〔드물게〕 ↑ ruppig.
ruppig [rúpıç] *a.* ①〔폄어〕 털을 뜯어낸 것 같은; 해어진, 너덜너덜한: ein ~er Hund 초라한 개. ② 우악스러운; 버릇〔본데〕없는: ein ~er Mensch 버릇없는 사람.
Ruppigkeit [..kaıt] *f.* -en ①〔복수없음〕 버릇 없음, 버릇없는 태도. ② 버릇없는 말〔행동〕.
Rupp·sack *m.* 〔구어·폄어〕 덜렁쇠.
Ruprecht [rú:prɛçt] *m.* 루프레히트(남자 이름): Knecht ~ 종자(從者) 루프레히트(산타클로스나 아기 예수를 따라다니는 종자), 산타클로스.
Ruptur [ruptú:*r*] 《lat.》 *f.* -en ①〚醫〛 (Zerreißung) 파열, 터짐, 열상: Muskel≈ 근육 파열. ②〚지질〛 (암석 따위의) 균열.
Rur [ru:*r*] *f.* 루르(독일 라인강의 지류).
rural [rurá:l] 《lat.》 *a.* 〔구식〕 (ländlich) 촌스러운, 시골풍의; 농부 같은(bäuerlich).
Rusch [rʊʃ] 《lat.》 *m.* -(e)s, -e (ndd.) (Binse) 골풀, 등심초: ~ und Busch 가시덤불, 숲; durch〔in〕 ~ und Busch 남김없이, 철저하게, 완전히.
Rüsche [rý:ʃə] *f.* -n ① 주름장식, 벌집 모양 주름: eine mit ~n verzierte Bluse 주름으로 가장자리 장식을 한 블라우스. ② (nordd.) 어살(Reuse). ③ ↑ Rusch.
Ruschel [rúʃəl] *f.* -n 〔*m.* -s, -〕 〔구어〕 ①〔방언·폄어〕 **(a)** 칠칠치 못한 사람. **(b)** 성급하게〔아무렇게나〕 일하는 사람. ②〚지질〛 (암석에) 심한 균열이나 단층이 있는 지대.
Ruschelei [..láı] *f.* -en 칠칠치 못한 행동, 아무렇게나 해치운 일.
ruschelig [rúʃəlıç] *a.* 〔방언·폄어〕 ① (huschelig) 경솔한, 아무렇게나 해치우는; 성급한(hastig). ② 칠칠치 못한(unordentlich); (schlampig) 불결한, 지저분한: eine ~e Person 칠칠치 못한 사람.
ruscheln [rúʃəln] *i.* (h.) 〔폄어〕 (특히 nordd.) ① 일을 날림으로 해치우다(pfuschen). ② 와삭와삭 소리나다(rascheln); 단정하지〔침착하지〕 못하다, 안절부절하다.
Rüschen≈bluse *f.* 주름 장식을 한 블라우스. **~hemd** *n.* 주름 장식이 있는 와이셔츠.
ruschlig [rúʃlıç] *a.* ↑ ruschelig.
rusern *i.* (h.) / *refl.* (sich) ~ (ndd.) 탈피하다, 털갈이를 하다(mausern).
Rush-hour [rʌ́ʃauə] 《engl.》 *f.* -s 러시아워, (출퇴근) 교통 혼잡 시간.
***Ruß** [ru:s] *m.* -es ① 그을음, 검댕, 매연; 〚化〛 카본 블랙. ②〔비유·구어〕 장황하게 지껄임: ~ machen 번거롭게 하다, 괴롭히다. ③〚植〛 (obd.) (Rost) 깜부깃병, 흑수병(黑穗病). ④〚수의〛 새끼 돼지의 옴.
ruß≈artig *a.* 검댕〔그을음〕 같은. **~beschmutzt** *a.* 검댕〔그을음〕으로 더럽혀진, 검댕투성이인. **≈brand** *m.* 〚植〛 깜부깃병, 흑수병(黑穗病). **≈braun** *n.* 흑갈색(물감); 비스터색. **≈druck** *m.* 〔복수: -e〕 (에칭에서) 그을음에 의한 동판 인쇄.
***Russe** [rúsə] *m.* -n, -n ① **(a)** 러시아 사람. **(b)** 동슬라브족 사람. **(c)** 소비에트 연방 사람. ②〔구어〕 (Küchenschabe) 바퀴, 진딧물. ③〔방언〕 딱지, 두창.
Rüssel [rýsəl] *m.* -s, - ① (코끼리·돼지 따위의) 긴 코. ②〔경박〕 **(a)** (Nase) 코, 큰 코. **(b)** 자지, 음경. ③ (곤충의) 주둥이.
rüssel≈artig *a.* ↑ ~förmig. **~förmig** *a.* 긴 코 모양의.
rüsselig [rýsəlıç] *a.* 긴 코를 가진.
Rüssel≈käfer *m.* 〚動〛 바구미. **~maus** *f.* 〚動〛 사향뒤쥐. **~tier** *n.* 〚動〛 (코끼리와 같은) 장비류(長鼻類)의 동물.
rußen [rú:sən] 《I》 *i.* (h.) 그을음을 내다; (램프 따위가) 그을다. 《II》 *t.* ① 그을음투성이로 만들다, 그을다. ② (schweiz.) 그을음을 제거하다: den Ofen ~ 난로의 그을음을 제거하다.
Russen≈bluse [rúsən..] *f.* (깃이 높고 헐렁한) 러시아식 블라우스. **~freund** *m.* 친러시아주의자, 친러시아파. **~furcht** *f.* 러시아 공포(증). **~kittel** *m.* ↑ ~bluse. **~stiefel** *m.* (구두 위에 덧신는) 러시아 장화.
Ruß≈farbe *f.* ↑ ~braun. **≈farbig** *a.* ↑ ≈farben. **≈farben** *a.* 검고 윤이 나지 않는. **~fleck** *m.* 그을음, 얼룩, 오점. **≈geschwärzt** *a.* 그을음으로 검어진: ein ~es Gesicht 그을음으로 검어진 얼굴.
rußicht [rú:sıçt] *a.* 〔드물게〕 ↑ rußig.
russifizieren [rusifitsí:rən] *t.* 러시아화하다, 러시아식으로 하다.
rußig [rú:sıç] *a.* ① 그을린, 그을음으로 검게 된: ~e Hände 그을음으로 검게 된 손. ② (보리가) 깜부깃병〔흑수병(黑穗病)〕에 걸린.
Russin [rúsın] *f.* -nen ↑ Russe의 여성형.
***russisch** [rúsıʃ] *a.* 러시아(사람·말)의; 러시아식의: ~es Bad 러시아식 목욕탕, 한증; 〚광물〛 ~es Glas 백운모; die ≈e Sozialistische Föderative Sowjetrepublik 러시아 사회주의 연방 소비에트 공화국(약어: RSFSR); der ≈e Kaiser 러시아 황제, 차르; das ≈e Reich 러시아 제국; die ~e Literatur 러시아 문학; ~es Roulett(e) 러시아 룰렛(회전식 연발 권총으로 생사를 걸고 하는 게임).
Russisch [rúsıʃ] *n.* -(s) ↑ Russische ①.
Russisch Brot *n.* - -(e)s 알파벳 모양의 딱딱하고 연갈색의 윤이 나는 빵.
Russische* *das* ① 러시아어 (용법은 deutsch 《II》 참조). ② 러시아적인 것, 러시아적 특성: das typisch ~ an ihm 그의 전형적인 러시아적 특성.
Russisch≈grün *n.* 투명한 진초록(안료). **≈-orthodox** *a.* 러시아 정교의: ~e Kirche 러시아 정교회.
Rußki [rúski] *m.* -(s), -(s) 〔경박·폄어〕 러시아인〔군인〕.
Ruß≈kohle *f.* 〚광물〛 석탄, 매탄(煤炭). **~kreide** *f.* 검은 분필.
***Rußland** [rúslant] 러시아.
rüßlich [rýslıç] *a.* ↑ rüsselig.
Russomanie [rúsomani:] *f.* 러시아광.
Russophil [rúsofi:l] *m.* -en, -en ↑ Russenfreund.
Russophobie [rúsofobi:] *f.* 러시아 혐오(Russenscheu).
Ruß≈sack *m.* 그을음 주머니. **~schreiber** *m.* 〚전기〛 탄소 수신기. **~schwarz** *n.* 소나무 매연, 유연(油煙). **≈schwarz** *a.* 시커먼.
Rüst≈anker [rýst..] *m.* 〚海〛 비상용 닻. **~baum** *m.* 〚건축〛 비계용 목재. **~bock** *m.* 비계, 받침대. **~brett** *n.* 발판 판자.
Rüste[1] [rýstə] *f.* 〔시어〕 휴식: das Jahr geht

zur ~ 한 해가 저물다; die Sonne geht zur ~ 해가 지다, 날이 저물다.

Rüste[2] *f.* -n 〖海〗 (쇠사슬·닻 고정용) 뱃전의 현판.

***rüsten** [rÝstən] 《Ⅰ》 *t.* 준비〔채비〕하다, 무장시키다: jn. mit et.[3] ~ 누구에게 무엇을 갖추어 주다; die Gegner waren gut gerüstet 적은 군비를 잘 갖추고 있었다(전투 준비가 잘 되어 있었다); ein Haus ~ 집을 지으려고 비계를 걸치다; (schweiz.) Gemüse ~ 야채를 씻다〔조리하다〕. 《Ⅱ》 *refl.* sich ~ 군비〔장비〕를 갖추다: sich zur Reise ~ 여행 준비를 하다; sich zum Kriege 〔für den Krieg〕 ~ 전쟁 준비를 하다. 《Ⅲ》 *i.* (h.) ① 무장(경쟁)하다: alle Welt rüstet 온 세계가 전쟁 준비를 하고 있다. ② 비계를 걸치다.

Rüster[1] [rÝ:stər] *f.* -n ①〖植〗 느릅나무(Ulme). ② 느릅나무 목재.

Rüster[2] *m.* -s, - 〖軍·海〗 정비원〔병〕; (westd.) 구두 수선 때 대는 가죽 조각(Schuhflicken).

rüstern [rÝ:stərn, rÝs..] *a.* 느릅나무제의, 느릅나무로 만든.

Rüster·holz *n.* 느릅나무 목재.

Rüstern·holz *n.* ↑ Rüsterholz.

Rüst·haus *n.* ↑ ~kammer.

***rüstig** [rÝstıç] 《<rüsten》 *a.* ① 강건〔건장〕한, 정정한; er ist trotz seines Alters 〔für sein Alter〕 noch sehr ~ 그는 늙었음에도〔나이에 비하여〕 아직 매우 정정하다. ② 민첩〔활발〕한, 힘센.

Rüstigkeit [..kaıt] *f.* 강건, 민첩.

rustik [rÚstik] 《lat.》 *a.* ↑ rustikal.

Rustika [rÚstika] *f.* 〖건축〗 거친 돌벽〔담장〕(Bossenwerk).

rustikal [rustikáːl] *a.* ① 시골풍의, 농촌식의: das ~e Leben 시골 생활. ② 단순〔견실〕한: Stoffe mit ~em Muster 단순한 무늬의 천. ③ 소박〔순수〕한: ein ~er Mann 소박한 남자. ④〖구식·폄어〗 촌스러운, 조야한.

Rustikus [rÚstikus] *m.* -, -se/..stizi 〖구식〗 굼뜬〔둔한〕 사람, 예의 없는 사람.

Rustizität [rustitsitɛ́:t] *f.* 〖구식〗 시골〔전원〕풍, 촌스러움; 조야; 굼뜸, 둔함; 무례(Tölpelei).

Rüst≈kammer [rÝst..] *f.* 병기창(廠)(Zeughaus); 무기고(Waffenkammer). **~material** *n.* 비계 재료. **~meister** *m.* 병기 관리자; 병기창장(長). **~platz** *m.* 장비소(裝備所); (군사 등의) 집합소. **~saal** *m.* ↑ ~kammer. **~stange** *f.* 〖건축〗 비계의 통나무〔철봉〕. **~tag** *m.* ① 준비일. ②〖가톨릭〗 (**a**) 안식일의 준비일, 유대교의 금요일. (**b**) 준비일인 성(聖)금요일.

***Rüstung** [rÝstuŋ] *f.* -en ① 준비, 채비; 무장; 군비; 동원: die atomare〔nukleare〕 ~ 핵무장. ② (**a**) 장비, 연장, 도구; 〖海〗 밧줄, 삭구(索具). (**b**) (건축용의) 비계(Baugerüst). (**c**) (중세 기사의) 갑옷, 투구: ein Ritter in voller ~ 완전 무장한 기사; die ~ anlegen 갑옷을〔투구를〕 착용하다. (**d**) 쇠뇌.

Rüstungs≈abbau *m.* 군비 삭감〔감축〕. **~auftrag** *m.* 군수품 주문. **~begrenzung** *f.* ↑ ~beschränkung. **~beschränkung** *f.* 군비 축소. **~fabrik** *f.* 군수 공장. **~industrie** *f.* 군수 산업〔공업〕. **~kontrolle** *f.* (국제적인) 군비 통제〔관리〕. **~spirale** *f.* (타국을 능가하기 위한) 경쟁적 군비 확장. **~wett·lauf** *m.* 군비 경쟁. **~zentrum** *n.* 군수품 생산 중심지.

Rüst≈wagen *m.* ①〖軍〗 보급차, 탄약차. ② 양쪽에 사다리꼴의 테가 있는 짐마차. **~zeit** *f.* ①〖宗〗 공동 수양〔정양(靜養)〕 기간, 수양회 개최 기간. ②〖經〗 (작업 전의) 준비 기간〔시간〕. **~zeug** *n.* ① 무기. ② 도구, 장비. ③ 비계. ④〖비유〗 어떤 일에 필요한 능력〔기능·예비 지식〕: das nötige ~ für diesen Posten 이 직책에 필요한 지식.

Rütchen [rÝ:tçən] *n.* -s, - ↑ Rute 의 축소형.

***Rute** [rú:tə] *f.* -n ① (**a**) 가늘고 긴 나뭇가지. (**b**) 매, 회초리; 〖비유〗 감독, 형벌: die ~ bekommen 채찍을〔회초리를〕 맞다; jm. die ~ geben 누구를 매질하다; sich unter js. ~ beugen 누구의 권력에 복종하다; unter js. ~ stehen 누구의 휘하에 있다, 누구의 감독을 받다; mit der eisernen ~ 무자비하게, 매우 엄하게; 〖구식〗 sich[3] (selbst) eine ~ aufbinden (스스로) 골치아픈 의무를 지다, 짐을 떠맡다; der ~ entwachsen sein 성장하여 보호·감독이 필요 없게 되다, 감당할〔다룰〕 수 없게 되다; sich[3] die ~ selber flechten 곤란을 자초하다. ② 낚싯대(Angelrute). ③ 옛날 길이의 단위(2.8-5.3 미터); 지적(地積)의 단위(14 제곱미터). ④〖사냥〗 (**a**) (개·늑대의) 꼬리. (**b**) (개·늑대의) 음경. ⑤〖폄어〗 자지. ⑥ (ndd.) 마름모꼴(Raute); 마름모꼴의 창. ⑦ (수맥이나 광맥을 찾는 데 사용되는) 마술 지팡이: mit der ~ gehen (막대로) 수맥〔광맥〕을 찾다.

Ruten·bündel [rú:tən..] *n.* ① 회초리 다발〔묶음〕. ② 고대 로마의 집정관의 권위 표장, 파시스트 이탈리아의 표장(막대기 다발 사이로 도끼의 날을 나타낸 것)(Faszes).

Rutene [rutéːnə] *m.* -n, -n ↑ Ruthene.

ruten≈förmig *a.* 회초리〔막대기〕처럼 생긴. **≈gänger** *m.* 마술 지팡이로 수맥·광맥을 찾는 사람. **≈gängerei** *f.* 마술 지팡이로 수맥 찾기. **≈hieb, ≈schlag** *m.* 채찍질(함). **≈segel** *n.* 〖海〗 작은 배의 삼각 돛. **≈streich** *m.* ↑ ≈hieb.

Rüter [rÝ:tər] *m.* -s, - (ndd.) 기마〔승마〕자(Reiter).

Ruth [ru:t] *f.* ① 루트(여자 이름). ② 룻(구약 성경에 나오는 여성): das Buch ~ (구약 성서의) 룻기(記).

Ruthene [rutéːnə] *m.* -n, -n 〖구식〗 루테니아 사람(우크라이나인의 한 종족).

Ruthenien 루테니아(우크라이나의 한 지방).

ruthenisch [rutéːnıʃ] *a.* 루테니아(인·어)의.

Ruthenium [rutéːnium] *n.* -s 〖化〗 루테늄(금속 원소의 하나; 기호: Ru).

Rutherfordium [rʌðərfɔ́rdium] *n.* -s 〖化〗 러더퍼듐(원자 번호 104 의 초우라늄 원소; 영국 물리학자 E. Rutherford 의 이름에서; 기호: Rf).

Rutil [rutíːl] *m.* -s, -e 〖광물〗 금홍석(金紅石).

Rutilismus [rutilísmus] *m.* - ① 붉은 머리. ②〖醫·心〗 (얼굴이) 병적으로 붉어지는 성향.

Rutine [rutíːnə] *f.* ↑ Routine 의 독일어화.

rutiniert *a.* ↑ routiniert.

Rütlein [rÝ:tlaın] *n.* -s, - 〖시어〗 ↑ Rütchen.

Rütli [rÝ:tli:] *m.* -s 뤼틀리(피르발트슈테터

호수(Vierwaldstätter See)의 좌안 목초지).

Rütli≈lied *n.* 스위스의 성가, 찬미가. **~≈schwur** *m.* 뤼틀리의 서약(1291년 오스트리아에 대항해서 스위스 건국의 기초를 이룩한 Uri, Schwyz, Unterwalden 세 지방의 맹약); 〖비유〗 의형제를 맺음.

rutsch [rʊtʃ] *int.* 〔의성어〕 쪼르르, 쭈루룩, 쩍(미끄러질 때의 소리).

***Rutsch** *m.* -es, -e ①〔구어〕 **(a)** 미끄러짐, (산)사태, 무너져내림; 〔비유〕 파산: einen ~ machen 미끄러지다; 〔구어〕 in einem〔auf einen〕 ~ 갑자기, 단번에, 순식간에. **(b)** (경사지의) 붕괴토(土). ②〔구어〕 짧은 여행; 소풍, 드라이브: guten ~! 잘 다녀오시기를!; guten ~ ins neue Jahr! 새해 복많이 받으십시오!; wir sind auf einen ~ nach Bonn gefahren 우리는 잠시 본에 다녀왔다.

Rutsch·bahn *f.* ① **(a)** (Gleitbahn) 미끄럼대, 활주로; 자동 철도. **(b)** 〔구어〕 미끄러운 곳, 빙판: die Straßen verwandelten sich in ~en 도로들은 빙판으로 바뀌었다. ② (Eisbahn) 활빙장(滑氷場), 스케이팅 링크.

Rutsche [rʊ́tʃə] *f.* -n ① 미끄럼길, 산중의 목재 활송로. ② (obd.) (발을 올려 놓고 쉬는) 발판(Fußbank). ③〔방언〕 그네(Schaukel).

***rutschen** [rʊ́tʃən] *i.* (h./s.) ① **(a)** 미끄러지다; (흙이) 무너져내리다; 〔구어〕 et. ~ lassen 무슨 일을 일부러 게을리하다; die Sache rutscht 일이 술술 잘 되어 간다; das rutscht noch 아직 희망을 버리기는 이르다; ins Rutschen kommen 지주〔근거〕를 잃다, 몰락하다; die Ladung kam ins Rutschen 적재 화물이 무너졌다; Holz ~ lassen (산·언덕배기에서) 목재를 미끄러뜨려 내려보내다; 〔구어〕 das Essen will nicht ~ 음식이 목구멍을 잘 넘어가지 않는다. **(b)** (의복이) 슬쩍 벗겨지다: die Hose rutscht 바지가 흘러내린다. **(c)** 〔방언〕 미끄럼 타다(schlittern): über das Eis ~ 얼음 지치다. **(d)** 〔구어〕 움직이다, 비키다: könnt ihr ein wenig ~? 너희들 조금 비켜 줄래? ②〔구어〕 짧은 여행을 하다; 〔구어·비유〕 zum Wochenende rutscht man aufs Land 주말에 사람들은 잠시 시골에 다녀온다. ③〖사냥〗 (토끼 따위가) 먹이를 먹으면서 천천히 이동하다.

Rutscher [rʊ́tʃər] *m.* -s, - 〔구어〕 ① (öst.) 짧은 여행. ②〔방언〕 갤럽(4분의 2박자의 빠른 원무(圓舞)). ③〔대개 복수〕 (어린이용의) 매우 짧은 스키.

Rutscherei [rutʃəráɪ] *f.* 〔구어〕 (계속적인) 미끄러짐.

Rutsch≈fahrt *f.* ① 마차 소풍. ② 미끄러지며 골짜기 내려가기. **≈fest** *a.* 잘 미끄러지지 않는: ein ~er Bodenbelag 잘 미끄러지지 않는 바닥재. **~gefahr** *f.* 미끄러질 위험: bei Regen besteht ~ 비가 올 때는 미끄러질 위험이 있다. **~güter** *pl.* 〖商〗 자루〔상자〕에 넣은 화물.

rutschig [rʊ́tʃɪç] *a.* 미끌미끌한, 미끄러운.

Rutsch≈partie *f.* 〔구어〕 ① **(a)** 〔농담〕 미끄러져 떨어지기: eine ~ machen 넘어져 미끄러지다. **(b)** 미끄럼대에서 미끄러짐. ② 짧은 여행, 소풍. **≈sicher** *a.* ↑ ~fest. **~tuch** *n.* 활강포(布)(소방대의 구명구).

Rutte [rʊ́tə] *f.* -n (ndd.) ①〖動〗 모캐(대구과의 담수어) (Aalraupe). ② 마름모(꼴) (Raute).

Rüttel·beton [rʏ́təlbetɔŋ] *m.* 〖건축〗 (진동시켜 강도를 세게 한) 진동 콘크리트.

Rüttelei [rʏtəláɪ] *f.* -en (계속적으로) 흔듦.

Rüttel≈falke *m.* 〖動〗 황조롱이(맷과). **~≈fischer** *m.* 〖動〗 뿔호반새속(屬). **~herd** *m.* 〖제련〗 진동로(振動爐). **~holz** *n.* (천·가죽 따위의) 솔기를 판판하고 매끄럽게 하는 도구.

***rütteln** [rʏ́təln] 《< rütten》 《I》 *t.* ① 뒤흔들다, 진동시키다: Getreide ~ 곡식을 체로 치다, 까부르다; jn. aus dem Schlaf ~ 누구를 흔들어 깨우다; 〔비유〕 ein gerüttelt (und geschüttelt) Maß, voll gerütteltes Maß 잘 흔들어서〔추슬러서〕 충분히 채운 분량; den〔an dem〕 Baum ~ 나무를 흔들다; 〖건축〗 Beton ~ 콘크리트를 진동시켜 다지다. ② (솔기를) 판판하게 하다(glätten). 《II》 *i.* (h.) ① 흔들리다, 동요하다: an et.[3] ~ 무엇을 흔들다, 〔비유〕 습격하다, 무엇의 근저를 위태롭게 하다: der Wagen rüttelt sehr 마차가 몹시 흔들린다; der Sturm rüttelt an der Tür 폭풍이 문을 마구 뒤흔들고 있다; diese Auffassung rüttelt an den Grundfesten des Staates 이 설은 국가의 근본을 뒤흔든다〔위태롭게 한다〕; daran ist nicht zu ~ 이것은 변경할 수 없다, 확고부동하다. ②〖사냥〗 (맹금이) 날개를 치며 공중을 맴돌다: der Falke rüttelt über der Beute 매가 먹이감 위에서 날개를 퍼덕이며 맴돌고 있다.

Rüttel·sieb *n.* (모터로 작동하는) 진동망〔체〕.

rütten [rʏ́tən] 《♧ reuten》 *t.* 호되게 흔들어 움직이다.

Rüttler [rʏ́tlər] *m.* -s, - 〖건축〗 (콘크리트를 진동시켜 다지기 위한) 진동기.

Rütt·stroh *n.* 깔개 짚.

Ruwer [rúːvər] 《I》 *m.* -s 루버강(독일 모젤(Mosel)강의 지류). 《II》 *m.* -s, - 루버 강변에서 나는 포도주.

ruwwerig 《rubbelig 의 별형》 *a.* (md.) 거친, 울퉁불퉁한.

RVO [ɛr|faʊ|oː] = Reichsversicherungsordnung (옛 독일의) 국가〔전국〕 보험법.

RWE [ɛr|veː|éː] = Rheinisch-Westfälisches Elektrizitätswerk 라인베스트팔렌 전력 회사.

Rytmus [rʏ́tmʊs] *m.* 리듬(↑ Rhythmus).

S

S, s [ɛs] *n.* -, - 독일어 자모의 열아홉째 자: ein großes S〔kleines s〕 대문자 S〔소문자 s〕.

S[1] ①〖化〗=Sulfur 유황. ②=Schilling 실링(오스트리아의 화폐 단위). ③=Siemens 지멘스(물체의 전도율 단위). ④=Süd(en) 남(쪽), 남풍.

S[2] 로마 숫자의 90,000.

s ①=Shilling 실링(영국의 화폐 단위). ②=Sekunde 초(秒).

S.[1] ①=San, Sant', Santa, Santo 성(聖). ②=Seite 페이지.

S.[2], **Se.** =Seine: S. Exzellenz 각하; S. Majestät 폐하.

s. =sieh(e)! 보라, 참조하라!

's, ..s [s] ①〖구어·시어〗=es: 's hat keinen Zweck mehr 그건 이제 소용없어. ②〖고어〗=des: in's Teufels Namen 악마의 이름으로. ③=das: aufs(=auf das) Land 시골로. ④ (obd.) =sie: da kommen's 저기 그들이 온다. ⑤〖방언〗=Sie: Entschuldigen's! 실례합니다!

S' (bayr., öst.)=Sie: kommen S' herein! 들어오십시오!

$ =Dollar 달러.

Σ, σ, ς =〖數〗 Sigma 시그마.

SA [ɛs|á:] =Sturmabteilung 나치스 돌격대.

Sa =Samstag, Sonnabend 토요일.

Sa. =Summa 총계, 총액.

S.a. ①=sine anno 연도(의 기재) 없이, 연대 미상. ②=siehe auch 다음 것도 참조하라.

sa [sa, za] *int.* ① 자아(사냥개를 부추기는 소리). ② 자, 힘내라(기쁨·격려의 소리).

***Saal** [za:l] *m.* -(e)s, Säle [zɛ́:lə] ① (집회·기념식을 위한) 넓고 큰 실내 공간, 홀, 식장, 강당: Speise∼ 식당; Vortrags∼ 강연장; Hör∼ (대학의) 강의실; Tanz∼ 댄스 홀, 무도장; einen ∼ mieten 식장을 빌리다. ② 식장〔홀〕에 모인 사람들: bei seinem Auftritt tobte der ganze ∼ 그가 등장하자 장내의 모든 사람들이 열광하였다. ③ 법정 (Gerichts∼). ④〖방언〗 현관; 곁방, 대기실.

Saal·bahn 《<Saale》*f.* 잘레강 연안의 철도.

Saal·bau *m.*〖건축〗 식장〔강당〕 건물.

Saale [zá:lə] *f.* 잘레강(작센 안할트주(州)와 튀링엔주(州)를 흐르는 엘베강의 지류).

Saal⸗einrichtung *f.* 홀〔식장〕 안의 시설. **∼miete** *f.* 홀〔식장〕 임대료. **∼ordner** *m.* 식장 경비원, 장내(場內) 정리인. **∼schlacht** *f.* (대개 정치 집회에서의) 장내 난동〔난투극〕. **∼theater** *n.* 홀〔식장〕 안의 무대. **∼tochter** *f.* (schweiz.) (레스토랑의) 웨이트리스, 여급. **∼tür** *f.* 홀〔식장〕의 문〔입구〕.

Saanen·käse [zá:nən..] *m.* (스위스 베른 주(州)의) 자넨 산(産) 치즈.

Saar [za:r] *f.* 자르강(독일과 프랑스의 국경을 흐르는 모젤강의 지류).

Saarbrücken 자르브뤼켄(독일 Saarland 주(州)의 수도).

Saarbrücker 《I》*m.* -s, - 자르브뤼켄 사람. 《II》*a.* 자르브뤼켄의.

Saargebiet *n.* ① 자르 지방. ② Saarland 의 옛이름(제 1 차 세계 대전 후 1935 년까지 국제 연맹의 관리 아래 있었음).

Saarland 자르란트(독일의 주(州)).

Saarländer *m.* 자르란트 주의 사람. **∼-länderin** *f.* ↑ ∼länder 의 여성형.

saarländisch *a.* 자르란트 주(州)의.

***Saat** [za:t] 《<säen》*f.* -en ① 씨뿌리기, 파종(播種): es ist Zeit zur ∼ 파종할 시기이다;〔속담〕 wie die ∼, so die Ernte 뿌린 대로 거두는 법, 인과응보. ② 씨앗, 종자, 알뿌리: die ∼ bestellen 〔in die Erde bringen〕 씨를 뿌리다; die ∼ geht auf 씨가 싹트다;〖비유〗 die ∼ der Zwietracht 〔des Bösen〕 불화〔악〕의 씨앗;〖비유〗 aus der ∼ des Hasses kann nichts Gutes gedeihen〔hervorgehen〕 증오심은 결코 좋은 결과를 낳을 수 없다. ③ (곡류의) 모종: die ∼ steht gut 모종의 발육 상태가 좋다〔농사가 잘 되었다〕.

Saat⸗bestellung *f.* 씨뿌리기, 파종. **∼bohne** *f.* 파종용 콩.

Saaten⸗pflege *f.* 종자 관리. **∼stand** *m.* 파종 후 씨앗의 발육 상태.

Saat⸗feld *n.*〖農〗 파종할〔파종된〕 경작지. **∼frucht** *f.* 종자로 쓰일 곡물. **∼gerste** *f.* 씨(앗)보리. **∼getreide** *n.*〖農〗 파종용 곡물. **∼gut** *n.*〖農〗 파종용 씨앗. **∼kartoffel** *f.* 씨감자. **∼korn** *n.*〖農〗 파종용 알곡, (우수한) 종자. **∼krähe** *f.*〖動〗 떼까마귀(유럽산(産)).

Saatling *m.* -s, -e〖植〗 종자가 달린 삼.

Saat⸗pflug *m.* 파종 쟁기. **∼wechsel** *m.*〖農〗 돌려 짓기, 윤작, 윤재(輪栽). **∼zeit** *f.* 파종 시기.

Saba [zá:ba] 사바(남아라비아의 고대 왕국으로 지금의 예멘에 해당).

Sabäer [zabɛ́:ər] *m.* -s, - ① 사바 사람. ②〖宗〗 별(星) 숭배자.

Sabäismus [zabɛɪ́s...] *m.* -s 별 숭배.

säbar [zɛ́:ba:r] 《<säen》*a.* 씨뿌릴 수 있는.

***Sabbat** [zábat] 《hebr. -gr.》*m.* -(e)s, -e (유대교의) 안식일(금요일 저녁에서 토요일 저녁까지): den ∼ heiligen 안식일을 지키다.

Sabbatarier *m.* -s, -, **Sabbatist** *m.* -en, -en〖宗〗(토요일을 안식일로 하는) 안식교도.

Sabbat·jahr *n.* ① (옛 유대인들이 7 년마다 경작을 쉬는) 안식년. ② (대학 교수의) 안식년.

sabbatlich [zábatlɪç] 《I》*a.* 안식일의, 안식일을 엄수하는. 《II》*adv.* 안식일마다.

Sabbat⸗ruhe *f.* 안식일의 휴식〔고요〕. **∼-schänder** *m.* 안식일 위반자. **∼schändung** *f.* 안식일 위반. **∼stille** *f.* ↑ ∼ruhe. **∼tag** *m.* ↑ Sabbat.

Sabbel [zábəl] *m.* -s, -n ①〖방언·폄어〗 입, 주둥이. ②〖방언〗 ↑ Sabber.

S

sabbeln *i.* (h.)/*t.* 〖방언〗 ① 수다를 떨다, 쓸데없는 말을 지껄이다: den ganzen Tag nur Unsinn ~ 하루 종일 쓸데없는 말을 지껄이다. ② ↑ sabbern ①.

Sabber *m.* -s 〖구어〗 (질질 흐르는) 침, 군침: vor Gier läuft ihm schon der ~ aus dem Mund 탐이 나서 그의 입에서는 벌써 침이 흘러나온다.

Sabberei [zabəráı] *f.* -en 〖구어〗 ① 침을 질질 흘림. ② 〖드물게〗 수다, 요설.

Sabberer *m.* -s, - 침 흘리는 사람.

Sabber=latz *m.* ↑ ~liese. **~lätzchen** *n.* 〖구어·농담〗 ↑ ~tuch. **~liese** *f.*, **~matz** *m.* 침 흘리는 사람.

sabbern [zábərn] *i.* (h.)/*t.*/*refl.* 〖구어〗 ① 침을 흘리다, 침으로 적시다〔더럽히다〕: das Baby hat sich vollgesabbert 아기가 침투성이가 되었다. ② 〖펌어〗 (침을 튀기며) 마구 지껄이다, 재잘거리다, 주절대다: dummes Zeug ~ 말도 안 되는 소리를 지껄여대다. ③ 핥다, 빨다; 입맞추다.

Sabber·tuch *n.* 턱받이.

Sabel *m.* 〖방언·농담〗 ↑ Säbel.

***Säbel** [zɛ́:bəl] 《poln.》 *m.* -s, - ① (외날의) 휘어진 칼, 군도(軍刀), 사벨: mit blankem ~ 번쩍이는 사벨을〔칼을〕 뽑아 들고; den ~ schwingen〔ziehen〕 칼을 휘두르다〔뽑다〕; jn. auf ~ fordern 누구에게 (사벨) 결투를 신청하다; 〖비유〗 mit dem ~ rasseln 무력으로 위협하다. ② (펜싱의) 사브르.

Säbel=bajonett *n.* 〖軍〗 총검. **~beine** *pl.* 〖구어·농담〗 O 형 다리, 안짱다리. **~beinig** *a.* 〖구어·농담〗 O 형 다리의. **~bohne** *f.* 〖植〗 강낭콩. **~duell** *n.* 사벨로 하는 결투. **~fechten** *n.* 〖스포츠〗 사브르 펜싱. **~förmig** *a.* 사벨 모양의. **~gehenk** *n.* 검대(劍帶). **~gerassel** *n.* 〖비유·펌어〗 ↑ ~rasseln. **~griff** *m.* 사벨의 칼자루. **~herrschaft** *f.* 〖펌어〗 (무자비한) 군부 통치, 무단(武斷) 정치. **~hieb** *m.* 사벨로 내려침; 사벨로 베인 상처. **~klinge** *f.* 사벨의 날. **~koppel** *n.*/*f.* ↑ ~gehenk.

säbeln [zɛ́:bəln] *t.*/*i.* (h.) ① 〖구어〗 서투르게 칼질하다, 무딘 칼로 자르다. ② 사벨로 내려치다.

Säbel=rasseln *n.* 〖펌어〗 무력 시위, 호전적 태도. **~rasselnd** *a.* 〖펌어〗 무력〔군사 행동〕으로 겁을 주는, 호전적인. **~raßler** *m.* 〖펌어〗 무력 시위자, 군국주의자, 주전론자. **~regiment** *n.* ↑ ~herrschaft. **~scheide** *f.* (사벨용) 칼집. **~schnäbler** *m.* 〖動〗 뒷부리장다리물떼새. **~tasche** *f.* (기병 사관용) 배낭. **~troddel** *f.* 사벨에 달린 장식용 술. **~wuchs** *m.* (나무가) 휘어져 자라는 현상.

Sabena *f.* = Société Anonyme Belge d'Exploitation de la Navigation Aérienne 사베나(벨기에 항공사).

Sabina *f.* 자비나(여자 이름).

Sabine *f.* 자비네(여자 이름).

Sabiner [zabí:nər] 《lat.》 *m.* -s, - 사비니 사람(중부 이탈리아의 고대 종족).

sabinisch *a.* 사비니 사람의.

Sabon [sabɔ̃:] 《frz.》 *f.* 〖印〗 굵은 활자.

Sabot [zabó:] 《frz.》 *m.* -s, -s ① 〖옛뜻〗 나무신발, 나막신. ② (굽이 높은) 여름용 샌들.

***Sabotage** [zabotá:ʒə] 《frz.》 *f.* -n 사보타주, 태업(怠業), 조업 방해〔거부〕; 방해공작.

Sabotage·akt *m.* 사보타주〔태업〕 행위.

Saboteur [zabotǿ:r] *m.* -s, -e 태업 행위자, (조업) 방해자.

sabotieren 《I》 *i.* (h.) 사보타주하다, 태업하다. 《II》 *t.* (기계·제품을) 고의로 파손하다; (조업을) 계획적으로 방해하다: js. Wiederwahl ~ 누구의 재선을 방해하다.

Sabre [zá:brə] 《hebr.》 *m.* -s, -s 이스라엘에서 태어난 유대인.

SAC =Schweizer Alpen-Club 스위스 산악회.

Saccharase [zaxará:zə] 《gr.》 *f.* 〖化〗 인베르타아제, 사카라제(사탕수수 당분을 분해하는 효소).

Saccharimeter [zaxari..] *n.* -s, - 검당계(檢糖計).

Saccharimetrie [..metrí:] *f.* 〖化〗 검당(법).

Saccharin *n.* -s 사카린(인공 감미료).

Sachalin [zaxalí:n] 사할린.

Sach=angabe *f.* 사실 보고〔진술〕. **~anlage** *f.* 〖經〗 (기업의) 물적 자산, 고정 자산.

Sacharase [zaxará:zə] *f.* ↑ Saccharase.

Sacharimeter [zaxari..] *n.* ↑ Saccharimeter.

Sacharin [zaxarí:n] *n.* ↑ Saccharin.

Sach=bearbeiter *m.* 담당자, 전문가. **~bemerkung** *f.* 해당 사건〔당면 문제〕에 관한 평〔소견〕. **~bereich** *m.* 전문〔주제〕 분야. **~beschädigung** *f.* 〖法〗 (고의적) 물건 훼손, 기물 파괴. **~beweis** *m.* 물적 증거, 실증. **~bezogen** *a.* 일〔사건〕의 핵심과 관련된. **~bezüge** *pl.* 〖經〗 현물 급여. **~buch** *n.* (전문 분야의) 안내서, 실용서. **~dienlich** *a.* 당면한 일에 도움이 되는; 〖官〗 (사건 해명에) 유용한: jn. um ~e Informationen bitten 누구에게 유익한 정보를 부탁하다. **~diskussion** *f.* 해당 사건〔현안〕에 대한 토론.

***Sache** [záxə] *f.* -n ① **(a)** (↔ Person) 사물, 물건: 〖문법〗 Genitiv der ~ 사물의 2 격; der Mensch wird zur ~ 인간이 사물화되다; der Sklave wurde nur als ~ angesehen 노예는 물건으로만 간주되었다. **(b)** 〖복수〗 것, 소지물, 물건, 소지품; 일용품; 가재 도구, 집기, 가구; 수화물, 짐; 옷, 의류; 음식, 음료: alte ~n 고물; bewegliche〔unbewegliche〕 Sachen 동산〔부동산〕; die ~n des Reisenden 여행자의 휴대품; die ~n zum Malen 화구(畫具); meine sieben ~n 내 소지품 일체; wem gehören die ~n? 이 물건들은 누구겁니까?; wo bekommt man solche ~n her? 그런 것들은 어디서 구할 수 있니?; paß auf die ~n gut auf! 이 짐 좀 잘 봐라! ; du mußt sofort aus den nassen ~n heraus 그 젖은 옷을 당장 벗어야 해; sie half ihm in die ~n 그녀는 그가 옷 입는 것을 도와주었다; er trinkt nur scharfe ~n 그는 독한 술만 마신다; er ißt gern scharfe ~n 그는 매운 음식을 좋아한다; ich habe meine ~n vorgelesen 나는 내 작품을 낭독했다. ② 일, 사건, 사실; 볼일, 용건; 과제, 의무, 책무: eine wichtige〔gefährliche〕 ~ 중요〔위험〕한 일; eine abgekartete ~ 날조된 사건; erzähl doch einmal den Hergang der ~ 사건의 자초지종을 한번 이야기해봐라; sich in fremde ~n mischen 남의 일에 간섭하다; in eine unangenehme ~ verwickelt sein〔in eine dumme ~ hineingeschlittert sein〕 달갑지 않은 사건에 연루되어 있다; sich klug aus einer ~ ziehen 어떤 일〔사건〕에서 용케 빠져 나오다; mit jm. gemeinschaftliche〔gemeinsame〕 ~ machen 누구와 협력하다; die ~ mit der Bank 은행 관련 일; die ~ mit dem verschwundenen Schlüssel 열쇠 분실 사건; bei der ~ mache ich nicht mit 나는 그 일에 관여하지 않을 것이다; was hat die Polizei zu der ~ gesagt? 그 사건〔일〕에 대해 경찰은 뭐라고 했습니까?; das ist (eine) beschlossene ~ 그것은 결정난 일이다〔해결됐다〕; solche ~n liegen mir nicht 나는 그런 일에는 관심이 없다; 〖구어〗die ~ macht sich 일이 그런대로 되어 가고 있다; das liegt in der Natur der ~ 그것은 당연〔불가피〕한 일이다; jede ~ hat zwei Seiten 무슨 일이든 양면성〔득실〕이 있게 마련이다; 〖구어〗das ist keine große ~ 그것은 별일 아니다; es ist nicht meine ~ 그것은 내가 할 일이 아니다, 내 알 바가 아니다; das ist eine andere ~〔das ist eine ~ für sich〕 그것은 별개의 일〔문제〕이다; er macht seine ~ gut 그는 맡은 일을 잘 한다; er versteht seine ~ 그는 자신의 업무를 잘 파악하고 있다; das ist nicht jedermanns ~ 그것은 누구나 좋아하는 것이 아니다〔누구나 할 수 있는 일이 아니다〕; Lügen ist nicht seine ~ 그는 거짓말을 할 사람이 아니다; er ist sich³ seiner ~ sicher〔gewiß〕 그는 자신의 말〔행동〕이 옳다는 것을 확신하고 있다; es ist ~ der Behörden, das zu entscheiden 그것은 관청이 결정할 일이다; das ist ~ der Eltern〔des Staates〕 그것은 부모〔국가〕가 해야 할 일이다; 〖구어〗das ist so eine ~ 그것은 만만치 않은 일이다; 〖구어〗das ist ~ (mit Ei)! 야, 그거 멋지다〔대단하다〕! (특히 청소년들끼리의 말); 〖구어〗jm. sagen, was ~ ist 누구에게 문제의 핵심을 (터놓고) 말하다; 〖구어〗 was machst denn du für ~n? a) 이게 무슨 (바보 같은) 짓이냐?, b) 아니 이게 어찌 된 일이냐? (아픈 친구를 만나거나 방문했을 때); 〖구어〗 mach keine ~n! a) 설마! (그럴 리가 있나), b) 엉터리 같은 소리 작작해!; ~n gibt's (, die gibt's gar nicht)! 그런 일이 있다니〔있을 수 있나〕! ③ 문제, 주제, 핵심, 중심, 요점: eine ~ der Erziehung〔des Taktes〕 교육〔전술〕상의 문제; diese ~ muß ich erst noch einmal beschlafen 이 문제는 일단 하룻밤 더 생각해봐야겠다; mehr kann ich zu der ~ nicht sagen 그 문제에 대해 나는 더 이상 할 말이 없다; nicht wissen, was ~ ist 무엇이 문제인지 알지 못하다; bei der ~ bleiben 주제를 벗어나지 않다; bei der ~ sein 방심하지 않다, 집중하고 있다; zur ~ 본론으로 들어가자면; zur ~ kommen 본론에 들어가다, 문제의 핵심에 이르다; zur ~ reden〔sprechen〕 문제의 핵심을 말하다; zur ~! 주제를 벗어나지 마, 본론을 말해봐라!; das tut nichts zur ~ 그것은 중요치 않다; das gehört nicht zur ~ 그것은 상관없는 일이다; um die ~ herumreden (핵심을 말하지 않고) 말을 빙빙 돌리다. ④〖法〗 소송 사건, 법률 문제: eine ~ verteidigen 어떤 사건을 변호하다; eine ~ gewinnen〔verlieren〕 승소〔패소〕하다; eine ~ (bei Gericht) abhängig machen〔eine ~ (vor Gericht) bringen〕 사건을 법원에 제소하다; in ~n Umweltschutz 환경 보호 문제에 있어서. ⑤ 상황, 형편, 사정: so steht die ~〔die ~ verhält sich so〕 사정은〔형편은〕 이렇습니다; man muß dabei verschiedene ~n berücksichtigen 그 경우엔 여러 가지 상황을 고려해야 한다. ⑥ 목적, 이상(理想), 대의(大義): die ~ der Freiheit vertreten 자유의 이상을 옹호하다; für die ~ der Demokratie kämpfen 민주주의의 대의를 위해 싸우다; um der ~ willen 자신의 이익을 돌보지 않고; unverrichteter ~ 헛되이, 목적을 이루지 못하고. ⑦〖구어〗(직접 언급하기 곤란한 것을 가리켜) 그것, 거시기: seine ~n verrichten 대변〔소변〕을 보다; sie hat ihre ~ 그 여자는 지금 월경 중이다. ⑧〖복수〗〖구어〗 시속: mit 100 ~n eine Kurve nehmen 시속 100 킬로로 커브를 돌다.

Sach·einlage *f.* 〖經〗 (창업 때의) 현물 출자.

Sächelchen [zɛ́çəlçən] *n.* -s, - 〖↑ Sache 의 축소형〗① 작은 것〔물건〕, 자질구레한 일. ②〖복수〗(특히 선물용의) 작고 예쁜 물건. ③〖복수〗〖구어〗 수상한〔야비한〕 일: ja, das sind so ~! 그래, 그건 좀 수상한 사건이야!

Sachen·recht *n.* 〖法〗 물권(物權)(법).

Sach·erklärung *f.* 사안 설명.

Sacher·torte *f.* 초콜릿 케이크의 일종(빈의 호텔 경영자였던 Sacher 의 이름에서).

sach⸗fällig *a.* (südd.) 패소(敗訴)한. **∼firma** *f.* 제품이나 업종에 따라 이름을 지은 회사(↔ Personenfirma). **∼frage** *f.* 사항이나 사안 자체에 관한 문제. **∼fremd** *a.* 주제를 벗어난, 부적절한. **∼führer** *m.* 업무 집행자, 대변자. **∼gebiet** *n.* 전문〔해당〕 분야. **∼gedächtnis** *n.* 사물〔사건〕에 대한 기억력. **∼gemäß** *a.*, **∼gerecht** *a.* 일〔사물〕의 속성에 맞는, 실정에 맞는, 타당한: bei ~er Anwendung 적절히 사용하면. **∼gründung** *f.* 〖經〗 현물 출자에 의한 회사 설립. **∼gut** *n.* 물적 재화, 유형 재산. **∼katalog** *m.* 주제별〔분야별〕 도서 목록. **∼kenner** *m.* 전문가, 권위자. **∼kenntnis** *f.* 전문 지식, 조예(造詣), 풍부한 경험: 〖반어〗von keinerlei ~ getrübt 자신이 하는 말을 제대로 이해하지 못하고서. **∼kunde** *f.* ① ↑ ∼kenntnis. ② (초등 학교의) 사회 및 자연 과목. **∼kundig** *a.* 전문 지식이 있는; 조예가 깊은, 정통한, 노련한. **∼kundige*** *der/die* 전문가. ***∼lage** *f.* 사정, 사태, 상황, 형세: in Unkenntnis der ~ 사정〔상황〕을 모르고서. **∼legitimation** *f.* 〖法〗 (기소를 위한) 물적 구성 요건, 당사자 해당 요건.

Sächlein [zɛ́çlaɪn] *n.* -s, - 〖↑ Sache 의 축소형〗〖시어〗 작은 물건〔것〕.

Sach·leistung *f.* 현물 급여(↔ Geldleistung).

***sachlich** [záxlɪç] *a.* ① 물적인, 사실적인, 실제의, 핵심적인, 실질적인: ~e Gründe anführen 사실상의〔실제적인〕 이유를 들다; rein ~ hast du recht 오로지 그 일 자체만을 보자면 네 말이 옳다; et. aus ~en Gründen ablehnen 무엇을 실질적인 이유로 거부하다. ② 객관적인, 공정한, 편견이 없는, 냉정한, 사무적인: ~e Urteile〔Beschreibung〕 객관적 판단〔묘사〕; et. ~ behandeln 무엇을 공정하게 다루다; immer ~ bleiben! 늘 공정성〔객관성〕을 잃지 마라!; et. in einem ~en Ton sagen 무엇을 사무적인 말투로 말하다. ③ 실용적인,

소박한, 장식적이지 않은: ein ~er Baustil 실용적인 건축 양식; ein ~es Design 심플한 디자인.

sächlich [zέç..] *a.* ①〖문법〗중성의: das ~e Substantiv 중성 명사. ②〔드물게〕사실적인, 사실에 입각한.

Sachlichkeit *f.* -en ① 객관성, 공정성, 사실성, 즉물성: ein Mensch von unbestechlicher ~ 무엇에도 흔들리지 않는 공정한 사람; die Neue ~ 신즉물(新卽物)주의(제 1 차 대전 후 독일에서 일어난 예술 운동 및 양식의 하나). ② 실용성, 기능성.

Sach=lieferung *f.* 현물 급부. **~mängel-haftung** *f.* 〖法·經〗(상품에 대한) 하자 보증. **~mittel** *pl.* ①〔격식〕재료, 자재. ②설비, 비품. **~recht** *n.* ↑ Sachenrecht. **~register** *n.* 내용〔사항〕색인 (↔ Personenregister).

Sachs[1] [zaks] *m.* Hans ~ 작스(독일의 장인(匠人) 시인, 1494-1576).

Sachs[2] *m.* -es, -e (고대 게르만족의) 단검(短劍).

Sach·schaden *m.* (↔ Personenschaden) 물적 손실, 재산 피해.

Sachse [záksə] 《ahd. sahsnotas, „Schwertleute" 의 단축형》 *m.* -n, -n ① 작센 사람. ② 작센족, 색슨족(서게르만족의 일파).

sächseln [zέksəln] *i.* (h.) 작센 사투리를 쓰다.

***Sachsen** [záksən] (독일의) 작센 주〔지방〕.

Sachsen-Anhalt 작센-안할트(구동독 지역의 주(州)).

Sachsen-Anhalter *m.* 작센-안할트주(州)의 사람

sachsen-anhaltisch *a.* 작센-안할트주(州)의.

Sachsen=gänger *m.* 〔고어〕뜨내기 농업 노동자(옛날 작센 지방으로 일하러 왔던 폴란드 노동자에서 유래). **~spiegel** *m.* 작센 법전(독일 중세의 법령서). **~wald** *m.* 남부 홀슈타인의 삼림 지대: der Alte vom ~ 작센발트 출신의 노인(비스마르크의 별명).

Sächsin [zέksın] *f.* -nen ↑ Sachse 의 여성형.

sächsisch [zέksıʃ] *a.* 작센(방언)의.

Sach·spende *f.* 현물 기부.

***sacht(e)** [zaxt(ə)] 《ndd.》 *a./adv.* 〔부사어로는 대개 sachte〕① 조용한, 부드러운, 가벼운, 거의 알아챌 수 없는; 슬며시, 살짝, 가만히: sich mit ~en Schritten nähern 발소리를 죽이고 슬며시 다가가다; jn. ~(e) streicheln 누구를 부드럽게 쓰다듬다; et. ~(e) berühren 무엇에 가만히 손을 대다. ② 조심스러운; 느린, 완만한; 조심스럽게, 천천히: eine ~(e) ansteigende Straße 완만한 오르막길; nimm die Kurve bitte etwas ~er 좀더 조심스럽게 커브를 돌아라; 〔구어〕~e, ~e! 조심, 조심!; 〔구어〕nur (mal) ~e! 〔immer ~e!〕 자 천천히 해! 좀 덤비지 마라!, 침착해라!; 〔격언〕wer ~ fährt, kommt auch an 차분한 사람이 성공한다. ③ (ndd.) 쾌적한, 기분 좋은. ④〔부사로만〕쉽사리, 힘들이지 않고: das ist ~ möglich 그것은 무리없이 가능할 것이다.

sachtchen [záxtçən] *adv.* (obersächs.) ↑ sachte: nun mal ~! 자 침착하게!

Sachtheit *f.* 조심, 주의, 신중; 조용, 부드러움, 완만.

Sach=verhalt *m.* 사정, 형세, 사태, 실태, 실상, 내용: den wahren ~ mitteilen 진상을 알리다. **~verhältnis** *n.* ↑ ~verhalt. **~versicherung** *f.* 대물(對物) 보험, 재산 보험. **~verstand** *m.* 전문적 지식〔판단〕, 조예: über großen ~ verfügen 전문 지식이 풍부하다. **≗verständig** *a.* ↑ ≗kundig. **~verständige*** *der/die* 전문가, 권위자, 감정인. **~verständigen·gutachten** *n.* 전문가의 감정〔의견서〕. **~verzeichnis** *n.* ① 물품〔상품〕목록. ② ↑ ~register. **~walter** *m.* ①〖雅語〗재산 관리자, 대리인, 옹호자. ②〖法〗화의(和議) 실행 감독자, 관재인(管財人). **~-walterin** *f.* ↑ ~walter 의 여성형. **~-weiser** *m.* 〔드물게〕↑ ~register. **~wert** *m.* ① 실물〔실질〕가치, 재산 가치. ②〔복수〕유가물(有價物)(주식·부동산·예술품·보석 등 가치가 보장된 것). **~wort** *n.* 〖문법〗보통 명사. **~wörter·buch** *n.* (Reallexikon) 전문 분야의 개념 사전, 전문어 사전. **~zusam-menhang** *m.* (물적·사실적) 연관 관계. **~zwang** *m.* 외부 상황에 의한 강제〔제한〕.

***Sack** [zak] 《lat. saccus》 *m.* -(e)s, Säcke [zέkə] ① 자루, 포대, 부대: Plastik≗ 비닐 봉지; Ruck≗ 배낭; Schlaf≗ 침낭, 슬리핑 백; einen ~ zubinden〔aufbinden〕 자루를 묶다〔풀다〕; 〔비유〕~ und Seil verlieren 가진 것을 모조리 잃다; 〔비유·구어〕der ~ ist noch nicht zugebunden 일은 아직 끝나지 않았다; 〔비유·구어〕jm. den ~ geben 누구를 해고하다, 내쫓다; grob wie ein ~ 몹시 투박스러운 (sackgrob); ein Himmel wie ein ~ 우중충한 잿빛 하늘; wie ein ~ hinfallen 풀썩 쓰러지다; 〔구어〕wie ein ~ schlafen 푹 자다; 〔구어〕er ist voll wie ein ~ 그는 만취해 있다; es ist hier so dunkel wie ein ~ 여기는 매우 어둡다; 〔경박〕ihr habt wohl zu Hause Säcke vor der Tür 너희 문 좀 닫고 다닐 수 없겠니, 웬 꼬리가 그렇게 기냐; 〔속담〕den ~ schlägt man, (und) den Esel meint man 나귀를 찰 것을 애매한 자루를 찬다(누구를 나무라지만 사실은 다른 사람을 겨냥하다); 〔고어〕jn. in einen ~ stecken und im Wasser ersäufen 누구를 자루에 넣어 익사시키는 형에 처하다; 〔욕설〕~ Zement! 빌어먹을, 염병할! ②〔복수: -〕(한) 자루(용량의 단위로): ein ~ Kartoffeln 감자 한 부대; drei ~ Mehl 밀가루 세 부대; 〔구어〕einen ~ voll Neuigkeiten bringen 진기한 이야기를 한보따리 가져오다; jm. einen ~ voller Lügen auftischen 누구에게 거짓말을 잔뜩 늘어놓다; 〔구어·농담〕es ist leichter, einen ~ Flöhe zu hüten als euch 너희들을 지키느니 벼룩 떼를 지키는 게 더 쉽겠다. ③〔전치사와 함께〕die Katze **aus** dem ~ lassen 비밀을 무심코 누설하다; jm. die Hand **im** ~ erwischen 누구를 현행범으로 체포하다; 〔구어〕jn. im ~ haben 누구의 목숨을 손아귀에 쥐고 있다〔누구를 제압하다〕; et. im ~ haben a) 무엇을 손아귀에 쥐고 있다, b) 무엇이 넉넉하다; Lachen und Weinen in einem ~ haben a) 웃다 울다 하다, b) 희비가 교차하다; 〔구어〕in den ~ hauen a) 내빼다, 도망치다, b) 직장을 그만두다, 일을 집어치우다; die Katze im ~ kaufen 물건을 잘 살펴보지 않고 사다; eine

Faust im ~ machen 속으로 화내다〔욕하다〕; alles in einen ~ stecken 모든 것을 한데 뭉뚱그리다; 《구어》 jn. in den ~ stecken a) 누구를 압도하다, b) 누구를 농락하다〔속이다〕; es denkt jeder in seinen ~ 누구나 제 실속은 차리게 마련이다; 《구어》 **mit** ~ und Pack 모든 소지품을 휴대하고. ④ **(a)** 〖聖〗 (굵은) 베옷; in ~ und Asche trauern 베옷을 입고 재에 앉아 회개〔참회〕하다(마태 11 : 21); 《구식》 in ~ und Asche gehen 속죄하다. **(b)** 헐렁한 옷, 자루 모양의 옷. ⑤ (öst., südd.) 호주머니; 지갑, 돈주머니. ⑥ **(a)** (노인들의) 늘어진 아랫눈두덩. **(b)** 《농담》 배, 불뚝배: seinen ~ füllen 배를 채우다. **(c)** 《비속》 (Hoden∼) 불알, 음낭(陰囊): jm. auf den ~ fallen 〔gehen〕 누구의 신경에 거슬리다, 누구를 괴롭히다; der kriegt eins auf den ~ 그 녀석 한 번 혼 좀 나야 해〔쓴맛을 보게 될 거야〕; 〖軍〗 jm. auf den ~ niesen〔husten, treten〕 누구를 호되게 야단치다, 누구를 엄하게 훈련시키다. ⑦ 《욕설·비속》 야비한 놈, 음흉한 놈: so ein blöder ~ 이런 멍청한 놈.

sack·artig *a.* 자루 모양의, 주머니꼴을 한.

Sack=bahn *f.* 〖철도〗 막혀 있는 선로. **~bahnhof** *m.* 〖철도〗 선로가 막혀 있는 종착역 (Kopfbahnhof). **~band** *n.* 《복수: ..bänder》 자루 매는 끈.

Säckchen [zέkçən] *n.* -s, - 《↑ Sack 의 축소형》 ① 작은 자루〔포대〕. ② (obd.) 작은 주머니〔돈지갑〕.

Säckel [zέkəl] 《<Sack》 *m.* -s, - ① (südd., öst.) 지갑, 돈주머니: 《구어》 tief in den ~ greifen 많이 지출하다; 《구어》 in den eigenen ~ arbeiten 사리사욕을 위해 자신의 직위를 이용하다. ② (südd., öst.) 바지〔양복〕 주머니. ③ 《방언·욕설》 ↑ Sack ⑦.

Säckel·meister *m.* (obd.) ↑ ~wart.

säckeln [zέkəln] *t.* 《방언》 자루에 담다.

Säckel·wart *m.* (südd., öst., schweiz.) 경리〔회계〕 책임자.

sacken[1] [zákən] 《<Sack》 《I》 *t.* ① 자루에 담다: Getreide ~ 곡물을 자루에 담다; gesackte Ware 자루〔부대〕에 담은 상품. ② (주머니 등을) 채우다: sich³ die Tasche voll ~ 주머니를 가득 채우다; sich³ den Bauch voll ~ 배불리 먹다. ③ (schweiz.) 잘〔충분히〕 흔들다. 《II》 *refl.* sich ~ (nordd.) 부풀어 오르다, 둥글게 뭉쳐지다: die Wolken ~ sich 구름이 뭉게뭉게 피어 오른다.

sacken[2] 《ndd.》 *i.* (s.) ① (사람이) 쓰러지다, 주저앉다; (건물·땅이) 꺼지다, 침하하다; (점수가) 떨어지다: zur Seite ~ 옆으로 쓰러지다; 《구어》 ich bin in Englisch von zwei auf vier gesackt 나는 영어 성적이 '우'에서 '양'으로 떨어졌다; in die Knie ~ 풀썩 무릎을 꿇다; von einem Schuß getroffen, sackte er zu Boden 그는 총에 맞아 땅에 풀썩 쓰러졌다. ② 〖海〗 (배가) 침몰하다; 뒤처지다, 낙오하다: das Schiff begann tiefer zu ~ 배가 더 깊이 가라앉기 시작했다.

säcken [zέkən] 《<Sack》 *t.* 《고어》 (친족 살해범을) 자루에 넣어 익사시키다.

sackerlot [zakərló:t] 《<frz. sacrelote》 *int.* 《구어》 제기랄, 빌어먹을, 이런(격분·놀라움의 소리).

Sackerloter, Sackerlöter [..lǿ:tər] *m.* -s, - 《구어》 나쁜 놈, 괘씸한 놈, 교활한 놈.

sackerment [zakərmέnt] 《<lat.》 *int.* 《구어》 ↑ sackerlot.

Sackermenter *m.* -s, - 《구어》 ↑ Sackerloter.

säcke·weise *adv.* 자루에 담아서; 다량으로.

sack·förmig *a.* 자루 모양의, 주머니꼴의.

Sack=garn *n.* 굵은〔거친〕 베실. **~gasse** *f.* 막다른 골목; 《비유》 곤경, 진퇴양난: einen Ausgang aus der ~ suchen 궁지에서 빠져 나갈 길을 찾다; die Verhandlungen sind in eine ~ geraten 협상이 교착 상태에 빠졌다. **~geige** *f.* 〖음악〗 현(絃)이 세 개 있는 작은 바이올린. **~geld** *n.* (südd., öst., schweiz.) 쌈짓돈, 용돈. **~geschwulst** *f.* 〖醫〗 낭종(囊腫). **~grob** *a.* 《구어》 몹시 거친, 우락부락한. **~hüpfen** *n.* (하반신을 자루 속에 넣고 뛰는) 자루 경주. **~hüpfen** *i.* (s.) 자루 경주를 하다.

sackig [zákıç] *a.* 자루 같은; 헐렁헐렁한.

Sack=jackett *n.* 신사복의 상의. **~karre** *f.*, **~karren** *m.* (자루 운반용) 손수레.

Sack·laufen *n.* ↑ ~hüpfen.

sack|laufen* *i.* (s.) ↑ ~hüpfen.

Säcklein [zέklaın] *n.* -s, - ↑ Säckchen.

Sack=leinen *n.* (자루를 만드는) 굵은 삼베. **~leinen** *a.* 굵은 삼베의. **~leinwand** *f.* ↑ ~leinen.

Säckler [zέklər] *m.* -s, - ① 피혁공, 가방 제조공, 가죽옷 재단사. ② ↑ Säckelmeister.

Sack=linnen *n.* ↑ ~leinen. **~nadel** *f.* 자루를 꿰매는 굵은 바늘, 포장용 바늘. **~paletot** [..to:] *m.* ↑ ~überzieher. **~pfeife** *f.* 〖음악〗 (Dudelsack) (가죽 바람주머니가 달린) 낭적(囊笛), 백파이프. **~pistole** *f.* (südd.) 주머니 권총. **~siede·grob** *a.* ↑ ~grob. **~tragend** *a.* 〖動·植〗 유낭(有囊)의, 소낭계(小囊系)로 된. **~träger** *m.* ① 자루를 져 나르는 인부, 짐꾼; 《비유》 바보: 《속담》 ein Esel schilt den andern ~ 똥 묻은 개가 겨 묻은 개를 흉본다. ② 〖動〗 도롱이벌레(도롱이나방과(科)의 유충). **~tuch** *n.* 《복수: ..tücher》 ① ↑ ~leinen. ② (südd.) 손수건. **~überzieher** *m.* 헐렁한 외투. **~uhr** *f.* 《구식》 회중〔주머니〕 시계(Taschenuhr). **~voll** *f.* 가득 찬 한자루(의 분량); 《비유》 대량. **~weise** *adv.* 자루에 담아서, 한 자루씩. **~zwirn** *m.* 굵은 삼베실, 삼베끈.

SADC = South African Development Cooperation 남아프리카 개발 연합.

Sadduzäer [zadutsέ:ər] 《hebr.》 *m.* -s, - 〖聖〗 사두개 사람(옛 유대교의 한 교파, Pharisäer 와 대립).

Sade·baum [zá:də..] *m.* 〖植〗 노간주나무속(屬).

Sadhu [zá:du] 《sanskr.》 *m.* -(s), -s 은둔 고행자로 살아가는 힌두교도.

***Sadismus** [zadísmus] *m.* - ① 〖心〗 (↔ Masochismus) 사디즘, 학대 음란증(프랑스의 작가 Marquis de Sade에서). ② (약자에 대한) 학대 취미, 잔혹 행위.

***Sadist** *m.* -en, -en 〖心〗 사디스트, 학대 음란 행위자.

Sadistin *f.* -nen ↑ Sadist 의 여성형.

***sadistisch** *a.* 사디즘적인, 학대 음란증의.

***Sado·masochismus** [zadomazɔxísmus] *m.*

〘心〙 사도마조히즘, 가학 피학적 성향.

***sado·masochistisch** *a.* 사도마조히즘적인, 가학 피학적 음란증의.

Säe≈mann [zɛ́:ə..] *m.* 〘복수: ..männer〙 씨 뿌리는 사람. **~maschine** *f.* 파종기(機).

***säen** [zɛ́:ən] 《germ.》《Ⅰ》 *t./i.* (h.) 씨뿌리다, 파종하다: Karotten〔Weizen〕 ~ 당근〔밀〕의 씨를 뿌리다; maschinell 〔mit der Hand〕 ~ 기계로〔손으로〕 씨를 뿌리다; 〘비유〙 Haß 〔Zwietracht〕 ~ 증오〔불화〕의 씨를 뿌리다; 〘속담〙 wer Wind sät, wird Sturm ernten 자업자득, 자승자박; 〘聖〙 was der Mensch sät, wird er ernten 사람이 무엇으로 심든지 그대로 거두리라(갈라디아서 6 : 7). 《Ⅱ》 *refl.* sich ~ (자연적으로) 씨가 뿌려지다: Gräser, die sich selbst ~ 야생의 풀, 잡초.

Säe·pflug *m.* 〘農〙 파종기(機).

Säer [zɛ́:*r*] *m.* -s, - ↑ Säemann.

Säe≈tuch *n.* 씨 담는 자루. **~wetter** *n.* 씨 뿌리기 좋은 날씨. **~zeit** *f.* 파종기(期).

Safari 《ar.》 *f.* -s ① 아프리카에서 짐꾼·낙타 등을 대동한 장거리 도보 행군〔여행〕. ② 사파리(사냥·관광을 위한 아프리카 단체 여행).

Safari·park *m.* (동물을 풀어 기르는) 야생 동물원.

Safe [se:f] 《engl.》 *m./n.* -s, -s 금고; (은행 금고실의) 대여 보관함: Bank~ 은행 금고; Wand~ 벽금고.

Safer Sex [séɪfə sɛ́ks] 《engl.》 *m.* (성병·에이즈 감염 예방 조치를 취한) 안전 섹스.

Safe·schlüssel *m.* 금고 열쇠.

Saffian [záfia(:)n] 《russ.》 *m.* -s 모로코 가죽 (붉은 옻나무로 무두질한 고급 염소가죽).

Saffian≈einband *m.* (책의) 모로코 가죽 장정. **~leder** *n.* ↑ Saffian.

Safflor, Saflor [zafló:*r*] 《ar.》 *m.* -s, -e 〘植〙 잇꽃(꽃잎이 연지·붉은 물감의 원료가 됨) (Färberdistel).

saflor≈gelb *a.* 주황색의. **~öl** *n.* 잇꽃씨 기름.

Safran [záfra(:)n] 《ar.》 *m.* -s, -e ① 〘植〙 사프란. ② (등황색(橙黃色)의) 사프란 색소〔염료〕. ③ 사프란의 노란 암술머리를 건조시켜 얻은 향미료(과자 따위의 착색용).

safran·gelb *a.* 사프란〔등황색〕의.

***Saft** [zaft] 《lat.》 *m.* -(e)s, Säfte ① 〘醫·動〙 체액(體液), 분비액: 〘구어〙 (der rote) ~ 피, 혈액; 〘구어〙 schlechte〔kranke〕 Säfte (im Körper) haben 아프다, 병들다. ② 〘植〙 수액(樹液): von den Birken den ~ abzapfen 자작나무의 수액을 짜내다; die Bäume stehen in vollem ~ 나무들이 아주 잘 자라고 있다〔물이 올라 있다〕. ③ (채소·과일의) 즙, 과즙, 주스; 시럽: Orangen~ 오렌지 주스; Apfel~ 사과 주스; einen ~ (zu)bereiten 주스를 만들다; 〘시어〙 der ~ der Reben 포도주. ④ 〘요리〙 육즙(肉汁), 육수, 고깃국물; (öst.) 고기구이용 소스: Fleisch im eigenen ~ schmoren 고기를 제 국물에 푹 고다; 〘구어·비유〙 im eigenen ~ schmoren 계속 불확실한 상태이다, 처리되지 않은 채로 있다; 〘구어·비유〙 jn. im eigenen ~ schmoren lassen 누구를 (자업자득의) 곤경 속에 그대로 내버려두다. ⑤ 〘비유〙 기력, 활력, 생기: ohne ~ und Kraft 활기 없는, 맥빠진; er hat keinen ~ in Knochen 그는 기력이〔생기가〕 없다; er ist voller ~ 그는 활력이 넘친다. ⑥ 〘경박〙 전기, 가스, 휘발유: auf dieser Dose〔Leitung〕 ist kein ~ 이 콘센트〔전선〕에는 전류가 없다; gib mehr ~ drauf〔dazu〕! 소리 좀 키워라, 속도를 좀 올려라. ⑦ 〘비속〙 정액.

Saft≈behälter *m.* 〘植〙 꿀샘. **~braten** *m.* 쇠고기찜〔스튜〕(Schmorbraten).

Säftchen [zɛ́ftçən] *n.* -s, - 〘↑ Saft의 축소형〙 〘藥〙 물약, 시럽: 〘비유〙 jm. et. in einem ~ beibringen 누구에게 어떤 궂은 일을 좋은 말로 전하다.

saften *t./i.* (h.) ① (과일의) 즙을 짜다. ② (과일이) 즙을 내다, 즙이 나오다.

Saft≈farbe *f.* 식물성 염료〔물감〕(↔ Bergfarbe). **~gang** *m.*, **~gefäß** *n.* ① 수액의 도관(導管). ② 〘해부〙 유미관(乳糜管). **~grün** *a.* ① 식물성 녹색 염료로 물들인. ② 짙은 녹색의.

***saftig** [záftɪç] *a.* ① 즙이 많은, 물기가 많은; 물오른, 싱싱한: eine ~e Birne 물이 많은 배; ~es Obst 즙이 많은 과일; ~es Grün 묻어날 듯이 짙은 녹색. ② 〘구어〙 (**a**) 센, 강렬한, 심한, 호된: das sind ja ~e Preise 이거 값이 무척 비싼 데; er hat eine ~e Ohrfeige bekommen 그는 호되게 따귀를 맞았다. (**b**) 외설스러운, 점잖치 못한: ~e Witze erzählen 점잖치 못한 농담을 하다.

Saftigkeit *f.* -en ↑ saftig의 명사형.

Saft≈kur *f.* 과즙 요법(과일이나 야채즙만 먹는 식이 요법). **~laden** *m.* 〘구어·폄어〙 부실기업〔경제〕.

saftlos *a.* ① 물기가〔수분이〕 없는, 시든. ② 〘비유〙 활기 없는, 맥빠진, 진부한: saft- und kraftlos 맥빠진.

Saft≈presse *f.* 과즙기, 녹즙기. **~reich, ~strotzend** *a.* 즙이 많은, 물기가 많은. **~tag** *m.* 과즙 요법하는 날. **~voll** *a.* ① ↑ ~reich. ② 기운 찬, 건장한.

Saga [zá(:)ga] 《altnord., „Sage"》 *f.* -s 〘문학〙 사가(12-14 세기의 아이슬란드 전설).

Sagazität [zagatsitɛ́:t] 《lat.》 *f.* 〘구식〙 (Scharfsinn) 총명, 총기, 명민.

sagbar [zá:kba:*r*] *a.* 말로 할 수 있는, 이야기할 수 있는: es ist nicht ~, wie... 얼마나 …인가는 이루 말로 표현할 수 없다.

***Sage** [zá:gə] *f.* -n ① 〘고어〙 말, 이야기, 진술. ② 소문, 풍문: es geht die ~, daß ... …라는 소문이 돌고 있다. ③ 〘문학〙 구전된 이야기, 전설, 설화: Helden~ 영웅 전설; Götter~ 신화; Volks~ 민간 설화; einer alten ~ zufolge 어느 오래 된 전설에 의하면.

***Säge** [zɛ́:gə] *f.* -n ① 톱: Band~ 띠톱; Spann~ 틀톱; Laub~ 실톱; Kreis~ 둥근톱; die Singende ~ 톱 모양의 연주용 악기; eine ~ schärfen〔ausfeilen〕 톱날을 세우다. ② (öst.) 제재소(~werk). ③ 톱 모양의 것(톱상어의 코 따위).

Säge≈band *n.* 〘복수: ..bänder〙 무한 궤도형 띠톱의 톱날. **~blatt** *n.* 톱양. **~blätt(e)rig** *a.* 〘植〙 (잎 가장자리가) 톱니꼴의. **~block** *m.* 제재한 통나무. **~bock** *m.* ① 톱질 모탕, 톱질할 때 쓰는 받침대〔목〕. ② 〘動〙 (톱날 같은 촉수를 지닌) 하늘소. **~dach** *n.* (톱니 모양의) 슬레이트 지붕(Scheddach). **~feile** *f.* 톱날 가는 줄. **~fisch** *m.* 〘動〙 톱상어. **~förmig** *a.* 톱 모양의, 톱니꼴의. **~gatter** *n.* (틀톱·기계톱의) 톱틀. **~gestell** *n.* 톱 테.

~griff *m.* 톱자루. **~grube** *f.* 내릴톱질하는 구덩이. **~maschine** *f.* 기계톱. **~mehl** *n.* 톱밥. **~mühle** *f.* 제재소. **~müller** *m.* 제재소 주인.

***sagen** [zá:gən] *t./i.* (h.) ① 말하다, 입 밖에 내다: guten Morgen ~ 아침 인사를 하다; sie hat den ganzen Tag kein Wort gesagt 그녀는 하루 종일 아무 말도 하지 않았다; das hast du aber wirklich lieb gesagt 너 그 말 정말 잘 했어; ich hätte es beinahe gesagt 나는 하마터면 그것을 입 밖에 낼 뻔했다; et. im Ernst 〔Scherz〕 ~ 무엇을 진지하게〔농담으로〕 말하다; 〖구어〗 (ach,) was sag' ich 아니 내가 무슨 말하는 거야(실언했다는 뜻); 〖구어〗 das kannst du laut ~! 네 말이 전적으로 옳다, 동감이다!; 〖구어〗 das sagt sich so leicht 그건 말하기는 쉽다(실천은 어렵다); das ist leichter gesagt als getan 그것은 말처럼 쉽지 않다; (wie) gesagt, (so) getan 말이 떨어지기가 무섭게 그대로 실행되었다; sagen wir ((ein)mal) 아마, 대략: das dauert, sagen wir mal, eine Stunde 그것은 대략 한 시간 걸린다; 〖구어〗 da sag' ich nicht nein (제안을) 기꺼이 받아들이겠다; 〖격언〗 wer A sagt, muß auch B ~ 일단 시작한 일은 끝을 맺어야 한다. ② 〖대개 jm. et. ~의 형식으로〗 (**a**) (누구에게 무엇을) 말하다, 알리다: jm. Dank ~ 누구에게 감사하다고 말하다; jm. die Wahrheit 〔seine Meinung〕 ~ 누구에게 진실〔자기 의견〕을 말하다; jm. Bosheiten 〔Grobheiten〕 ~ 누구에게 악의에 찬 말〔상스러운 말〕을 하다; 〖雅語〗 jm. Lebewohl sagen 누구에게 작별 인사를 하다; jm. et. ins Gesicht ~ 누구에게 무엇을 대놓고 말하다; jm. et. ins Ohr ~ 누구에게 무엇을 귀엣말로 전하다; sag mir deinen Namen! 네 이름을 알려 줘!; kannst du mir ~, wie spät es ist? 몇 시인지 알려 줄 수 있니?; 〖구어〗 das (eine) sag' ich dir〔ich sag' dir eins〕 한 가지 말해 두겠는데, 경고하는데; 〖구어〗 das hätte ich dir sofort 〔gleich〕 ~ können 나는 그것이 잘못 되리라는 걸 처음부터 알고 있었다; 〖구어〗 ich hab's dir ja gleich gesagt! 그런 일이 있을 거라고 너에게 이미 말했잖니!; 〖구어〗 das brauchst du mir nicht zu ~! 그건 내게 말해 줄 필요 없어(나도 잘 알고 있는 일이야)!; 〖구어〗 das kann ich dir ~! 틀림없이 그럴거야(그건 내가 자신 있게 말할 수 있어)!; 〖구어·반어〗 wem sagst du das! 너 누구한테 그런 말하는 거니(그건 내가 이미 잘 알고 있는 일이야)!; 〖구어〗 wenn ich es (dir) sage! 안심하고 내 말 믿어!; 〖구어〗 ich will dir mal was ~… 자 내 말 잘 들어봐 …; sich³ nichts mehr zu ~ haben 이젠 서로 더 이상 아무런 관계가 없다. (**b**) 입을 열다, 발설하다, 지껄이다: du darfst es aber niemandem ~! 너 그거 누구한테도 말해서는 안 돼!; jetzt sag's doch schon! 자 이제 어서 말해봐!; ich weiß nicht, ob ich das ~ darf 이런 말 해도 되는지 모르겠는데 말이야; 〖아동〗 das sag' ich! (우리 엄마·선생님에게) 난 일러줄 거야! (**c**) 〖사물이 주어〗 말하고 있다, 드러내다, 표현하다: die Musik 〔das Bild〕 sagt mir nichts 그 음악〔그림〕은 나에게 아무런 감흥을 주지 않는다; der Name sagt mir nichts 나에게는 그 이름으로 연상되는 것이 아무것도 없다; seine Schrift sagt viel über seinen Charakter 그의 글씨는 그의 성격을 잘 드러내 주고 있다; das sagt alles! 그것은 모든 것을 분명히 해준다!; sein Gesicht sagte alles 그의 얼굴에 모든 것이 쓰여 있었다; was sagt (dir) dein Gefühl? 네 느낌으로는 어떤 것 같니? ③ (**a**) 말로 표현하다: das mußt du deutlicher ~ 너는 그것을 좀 더 분명하게 표현해야 한다; das ist wirklich schwer zu ~ 그것은 정말 말로 표현하기가 어렵다; ich weiß nicht, wie ich es ~ soll 그것을 어떻게 말해야 할지 모르겠다; es ist nicht zu ~! 뭐라 할 말이 없군요, 기가 막힐 일이군요!; wenn ich so ~ darf 이렇게 말할 수 있을지 모르겠지만; wie soll ich ~ … 뭐랄까 …(적절한 표현을 찾으면서 하는 말); um es kurz zu ~ 간단히 말하자면, 요컨대; richtiger〔besser〕 gesagt 더 정확〔적절〕히 말하자면: gelinde gesagt 완곡하게 말해서; offen 〔auf gut deutsch〕 gesagt 솔직히 말하자면. (**b**) 뜻하다, 의미하다: sie hat mit wenigen Worten viel gesagt 그녀는 몇 마디 안 되는 말로 많은 것을 말해 주었다; das sage ich nicht! 내 말은 그게 아니야!; du sagst es! 그래 바로 그거야!; damit will ich ~, daß … 그것으로 나는 …하다고 말하려는 것이다〔내 말은 …하다는 뜻이다〕; was willst du damit ~? 너의 그 말은 무슨 뜻이냐?; damit soll nicht gesagt sein, daß alles umsonst war 그 말은 모든 게 다 소용 없었다는 뜻이 아니다; damit ist nichts gesagt 그건 아무런 의미도 없다; was wollen Sie damit ~! (격앙된 어조로) 그게 무슨 말씀이세요!; will ~, … 좀더 분명히 표현하자면…. ④ (사실로서) 말하다, 주장하다: er sagt, er sei unschuldig 그는 자기가 결백하다고 말한다; das hab' ich schon von Anfang an gesagt! 내가 처음부터 그럴거라고 말했지!; dasselbe kann ich auch von mir ~ 똑같은 말을 나에 대해서도 할 수 있다, 그건 나한테도 해당되는 말이다; da kann er ~, was er will, ich glaube ihm kein Wort 그가 무슨 말을 하든 나는 그의 말을 믿지 않는다; das kann (ja) jeder ~! 그런 말은 누가 못 해!; 〖구어〗 (ach,) sag das nicht! 그런 소리 하지 마! (나는 그렇게 생각 안 해); wie kannst du nur so etwas ~? 너 어떻게 그런 말을 할 수 있니?; wer sagt denn das! 도대체 누가 그런 말을 해!; das kann man nicht so (ohne weiteres) ~! 그건 그렇게 (쉽게) 말할 수 없지!; das sagst du so einfach! 너는 그걸 그렇게 쉽게 말하지! (하지만 생각보다 어려워); das kann man wohl ~! 그렇다고 할 수 있지!; 〖구어〗 na, wer sagt's denn! 글쎄 누가 뭐래! (나는 네가 할 수 있을 거라고 생각해); das ist noch nicht gesagt 그것은 아직 확실치 않다〔말 나온 바 없다〕; das wäre zu viel gesagt! 그렇게 말하면 너무 심한 것 같다!; das ist nicht zu viel gesagt 그렇게 말해도 과언은 아니다. ⑤ (**a**) (의견으로) 말하다, 생각하다: was ~ Sie dazu? 그것에 대해 어떻게 생각하십니까?; was sagt denn dein Vater, wenn du immer so spät nach Hause kommst? 네가 늘 그렇게 집에 늦게 들어가면 네 아버지는 대체 뭐라고 하시니?; das möchte 〔würde〕 ich nicht ~ 나 같으면 그렇게 말하지 않을 거야(나는 다르게 생각한다); ich möchte fast sagen, … 내 생

각에는 …; was soll man dazu ～! 그것에 대해 뭐라고 해야 좋을까! (판단하기 어렵다); was soll man dazu noch ～? 그것에 대해 무슨 할 말이 더 있을까? (더 할 말이 없다). ⑥ (논거를 가지고) 말하다, 반박하다, 응수하다: was haben Sie dazu zu ～? 그것에 대해 하실 말씀이 있습니까?; du kannst ～, was du willst, wir haben eine gute Wahl getroffen 네가 뭐라 하든 우리의 선택은 옳았다; ich will gar nichts gegen ihn ～ 나는 그에 대해 전혀 반대 의견을 말하고 싶지 않다; dagegen ist nichts zu ～ 그것에 대해선 이의가 있을 수 없다; darauf hat er nichts mehr gesagt 그것에 대해 그는 더 이상 아무 말도 못했다. ⑦ 말을 꺼내다, 언급하다: davon hat er nichts gesagt a) 그것에 대해 그는 아무런 말도 없었다, b) 〖구어〗 그는 그것을 허락〔지시〕한 적이 없다; wie gesagt 이미 말했듯이; unter uns gesagt 우리끼리 얘기지만; ganz nebenbei gesagt 이건 여담이지만, 말이 나온 김에 말하면; was ich noch sagen wollte, … 내가 덧붙여 이야기하고 싶은 것은 …; das hat er nur so gesagt! 그건 그가 그냥 해 본 말이야(진지하게 한 말은 아니었다)!; das mußte einmal gesagt werden 그건 한 번 말해 볼 필요가 있었다; dann will ich nichts gesagt haben 그렇다면 내 말은 없었던 것으로 하겠다; das oben Gesagte 앞에서 이미 언급한 것, 전술(前述)한 것. ⑧ (**a**) (…하라고) 말하다, 지시하다, 명령하다: Mutter sagt, du sollst sofort die Treppe putzen 엄마가 너더러 당장 계단을 청소하라고 하신다; etwas〔nichts〕 zu ～ haben 명령〔결정〕할 권한이 있다〔없다〕; zu Hause hat er nichts zu ～ 집에서 그는 아무 말 못한다(마누라에게 꼼짝 못한다); du hast mir gar nichts zu ～! 너는 나에게 이래라저래라 할 권리가 없어!; das ≈ haben 다른 사람에게 지시를 내릴 위치에 있다. (**b**) 〖sich³ (von jm.) … sagen lassen 의 형태로〗 (누구의) 말을 듣다, 충고〔요구〕에 따르다: meinst du etwa, ich laß' mir von ihm etwas ～? 혹시 너는 내가 그의 말을 따를 거라고 생각하니?; sie will sich³ von mir nichts ～ lassen 그녀는 내 말을 듣지 않으려고 한다(고집세다); 〖구어〗 sich³ et. nicht zweimal ～ lassen 어떤 (유리한) 기회를 냉큼 이용하다; 〖구어〗 laß dir das gesagt sein! 내 말 들어라, 명심해라! (위협·경고의 말). ⑨ (…라고) 하다, 부르다, 칭하다; (말·표현을) 쓰다, 사용하다: sag nicht immer „Fritzchen" zu mir, ich heiße Friedrich 나를 그렇게 계속 "Fritzchen"이라고 부르지 마라, 내 이름은 Friedrich야; sag „du" zu mir! 나한테 "너"라고 해라, 말을 낮춰라!; sie ～ du zueinander 〔(방언) sie ～ sich du〕 그들은 서로 반말을 쓴다; wie sagt man in Bayern 〔auf englisch〕 dazu? 그것을 바이에른에서는〔영어로는〕 뭐라고 하죠?; wie sagt man noch dazu? 그것을 달리 또 뭐라고 표현합니까?; das Wort sagt heute niemand mehr 그 단어는 오늘날엔 아무도 쓰지 않는다; das sagt man heute nur ironisch 그 말은 오늘날에는 반어적으로만 쓰인다; hier habe ich, wie man so schön sagt, das Licht der Welt erblickt 이곳에서 나는, 흔히 쓰는 표현대로, 세상의 빛을 보았다(태어났다). ⑩ 〖사물이 주어〗 (**a**) 내용으로 하다, 쓰여 있다: die Vorschrift sagt eindeutig, daß … 규정에는 명백히 …라고 되어 있다; darüber sagt der Brief nichts 그것에 관하여 편지에는 아무런 언급도 없다; was sagt das Gesetz darüber? 법률에는 그것이 어떻게 규정되어 있습니까? (**b**) 뜻하다, 의미하다(↑ ②(c)): das sagt noch nicht viel 그것은 별 의미가 없다; was will das schon ～? 그것은 무슨 뜻일까?; etwas〔nichts〕 zu ～ haben 의미가 있다〔없다〕, 중요하다〔하지 않다〕; dieser Fehler hat nicht viel zu ～ 이런 실수는 대수로운 게 아니다. ⑪ 〖sich³ et. sagen 의 형태로〗 스스로 다짐하다, 심사숙고하다: da hab' ich mir gesagt, das hat keinen Zweck mehr 내가 깊이 생각해 보았는데, 그것은 이제 소용없을 것 같다. ⑫ 〖von et.³ sagen 의 형태로〗 〖구식〗 이야기하다, 보고하다: von der Liebe singen und ～ 사랑에 대해 노래하며 이야기하다; 〖오늘날에는 다음의 용법으로〗 von Glück ～ können 감사할〔기뻐할〕 만하다: du kannst von Glück ～, daß dir nichts mehr passiert ist 너에게 더 이상 아무 일도 일어나지 않은 것은 다행이라 할 만하다. ⑬ 〖그 밖의 관용적 표현〗 〖구어〗 sag mal 〔～ Sie mal〕 이봐, 어이, 〔자, 이 보세요〕; sag mal, Peter, kannst du mir fünf Mark leihen? 야, 페터야, 나한테 5 마르크 꿔줄 수 있니?; ～ wir a) 글쎄, 가만 있자, 대략, b) 이를테면, 예컨대; ich bin, ～ wir, um 10 Uhr wieder zurück 나는, 글쎄, 한 10 시쯤이면 돌아올게; 〖구어〗 sag bloß! 정말, 설마! (놀라움의 말이나 반어적인 말로); sag bloß, es regnet! 설마, 비가 올라구! (결코 오지 않을 거야); 〖구어·반어〗 was Sie nicht ～! 무슨 말씀이세요〔설마 그럴 리가 있겠어요〕!; um nicht zu ～, … …라고까지는 말할 수 없더라도, 좀 심하게 말하면 …; ich habe mir ～ lassen, … …라고 들었다(↑ ⑧ (b)); 〖구어〗 sage und schreibe (믿어지지 않겠지만) 정말로; ich habe sage und schreibe nur fünf Minuten gebraucht 나는 정말로 5 분밖에 안 걸렸다.

***sägen** [zέːgən] 《＜Säge》 *i.* (h.)/*t.* ① 톱으로 자르다, 켜다: Bretter ～ a) 널빤지를 톱으로 자르다, b) 톱으로 켜서 널빤지를 만들다. ② 톱으로 일하다, 톱질하다: 〖비유〗 auf der Geige ～ 바이올린을 서투르게 켜다; 〖비유〗 mit den Armen durch die Luft ～ 팔을 힘차게〔세차게〕 휘두르다. ③ 〖구어·농담〗 코를 골다(schnarchen). ④ 〖모터스포츠·은어〗 (고속 주행시) 핸들을 짧게 이리저리 움직이다.

Sagen≈buch *n.* 전설〔설화〕집. **～dichtung** *f.* 전설 문학, 구비(口碑) 문학. **～forscher** *m.* 구비 문학 연구가. **～forschung** *f.* 구비(口碑) 문학 연구. **～geschichte** *f.* ① 전설, 설화. ② 구비 문학사. **～gestalt** *f.* 구비 문학 속의 인물(난쟁이·마녀·귀신 등).

sagenhaft [záːgənhaft] *a.* ① 전설적인, 전설상의, 동화풍의: die Erzählung in ein ～es Gewand kleiden 이야기에 전설의 옷을 입히다〔전설적 분위기를 부여하다〕. ② 〖구어〗 황당무계한, 터무니없는; 엄청난, 놀라운: ein ～es Durcheinander 믿을 수 없는 엄청난 혼란.

Sagen≈kreis *m.* (동일계열의) 전설군〔무리〕. **～kunde** *f.* 전설학, 전설 연구. **～kundige*** *der/die* 전설학자〔연구자〕. **～reich** *n.* 전설의 세계; 동화 속의 나라, 선경(仙境). **～reich**

a. 전설이 많은. ~**schatz** *m.* 〖雅語〗 (한 민족·시대가 남긴) 전설의 보고(寶庫).
Säge(n)·schmied *m.* 톱 만드는 대장장이.
sagen=umwoben *p.a.* 〖雅語〗 전설에 휩싸인. ≈**welt** *f.* ① 전설의 세계. ② (한 민족 등의) 전설 문학. ≈**zeit** *f.* 전설〔신화〕 시대, 유사 이전(有史以前).
Säger [zɛ́:gər] *m.* -s, - ① 톱장이. ② 〖動〗 (톱 모양의 부리를 가진) 비오리.
Sägerei [zɛ:gəráɪ] *f.* -en ① 〔구어·폄어〕 끊임없이 톱질하기; 계속 코를 골아댐. ② 제재소 (Sägewerk).
Säge=späne *pl.* 톱밥(~mehl). ~**staub** *m.* 고운 톱밥. ~**werk** *n.* 제재소, 목재 공장. ~**werker** *m.* 제재공. ~**zahn** *m.* 톱니. ≈-**zähnig** *a.* 톱니 모양의.
sagittal [zagɪtá:l] 《lat. sagitta, „Pfeil"》 *a.* 〖醫〗 화살 모양의.
Sagittal·ebene *f.* 〖醫〗 시상면(矢狀面) (시상 봉합과 평행한 면). ~**schnitt** *m.* 〖醫〗 시상 절개.
Sago [zá:go] 《mal.》 *m.* -s, -s 사고(사고야자 나무 속에서 채취한 쌀 모양의 식용 전분).
Sago=baum *m.* ↑ ~palme. ~**mehl** *n.* 사고 가루. ~**palme** *f.* 〖植〗 사고야자(나무). ~**suppe** *f.* 사고 수프.
sah [za:] ↑ sehen 의 과거형.
Sahara [zahá:ra, zá:hara] 《ar., „Wüste"》 *f.* 사하라 사막.
sähe [zɛ́:ə] ↑ sehen 의 접속법 Ⅱ 식.
Sahel [zahé:l, zá:hɛl] 《ar.》 *m.* -(s), **Sahel·zone** *f.* 사헬 지대(사하라 사막 남부와 수단의 사바나 지역 사이에 위치한 초목 지대).
Sahib [zá:hɪp] 《ar.》 *m.* -(s), - 나리, 선생(인도와 파키스탄 사람의 유럽인에 대한 경칭).
*__Sahne__ [zá:nə] (md., ndd.) *f.* ① (Rahm) 크림, 유지(乳脂): Kaffee≈ 커피용 크림: ~ schlagen 생크림의 거품을 만들다. ② 생크림 (Schlag≈).
Sahne=bonbon [..bɔ̃bɔ̃:] *m./n.* 크림맛 사탕, 버터 캔디. ~**eis** *n.* 생크림(이 많이 든) 아이스크림. ~**kännchen** *n.* (작은 주전자 모양의) 커피 크림통. ~**käse** *m.* 크림 치즈. ~**meer·rettich** *m.* (톡 쏘는 매운 맛이 나는) 겨자의 일종.
sahnen [zá:nən] 〔구식〕 《Ⅰ》 *t.* ① 크림을 채취하다: die Milch ~ 우유에서 크림을 빼내다. ② 크림을 넣다. 《Ⅱ》 *i.* (h.) (우유가) 크림을 내다, 크림이 되다, 크림 모양으로 엉기다.
Sahnen=gießer *m.* ↑ Sahnekännchen. ≈-**haltig** *a.* 크림이 든, 크림을 함유하는. ~**käse** *m.* ↑ Sahnekäse. ~**kuchen** *m.* ↑ Sahnetorte.
Sahne=soße *f.* 크림 소스. ~**torte** *f.* 생크림 케이크.
sahnig [zá:nɪç] *a.* 크림을 많이 함유한, 크림질(質)의, 크림처럼 부드러운: et. ~ schlagen 무엇을 휘저어 생크림처럼 거품이 일게 하다.
Saibling [záiplɪŋ] *m.* -s, -e 〖動〗 곤들매기(연어과의 민물고기).
saiger *a.* 〖광산〗 수직의(seiger).
Saigon [záɪgɔn, ...gɔ́n] 사이공(호치민시의 옛 이름).
Saint [sənt] 《engl.》 *m./f.*, [sɛ̃:] 《frz.》 *m.*, **Sainte** [sɛ̃:t] 《frz.》 *f.* 〔성인·지명의 앞에 붙여〕 성(聖) …: Saint Paul [sənt pɔ́:l] 성(聖) 바울; Saint-Bernard [sɛ̃: bɛrná:r] 성(聖) 베르나르; Sainte-Anne [sɛ̃:tán] 성안나.
Saint Kitts und Nevis 세인트 키츠 네비스 (카리브해의 영연방 독립국).
Saint Lucia 세인트루시아(서인도 제도 남동부의 영연방 독립국).
Saint-Simonismus [sɛ̃simonísmus] *m.* - 생시몽주의(초기 사회주의의 한 형태; 프랑스의 사회주의자 Saint-Simon 에서 유래).
Saint-Simonist *m.* -en, -en 생시몽주의자.
Sais [zá:ɪs] 자이스(나일강 삼각주에 있던 옛 이집트 도시).
*__Saison__ [zɛzɔ̃:, zɛzɔ́ŋ, sɛzɔ̃(:)] 《frz.》 *f.* -s/ (südd., öst.) -en 철, 계절, 한철, 성수기; 여행철, 바캉스 시즌; (문화 행사·스포츠의) 시즌: die ~ für Erdbeere 딸기철; 〔구어〕 ~ haben 수요가 많다, 호황을 맞다; in diesem Jahr hatten wir eine gute〔schlechte〕 ~ 올해 우리는 경기가 좋았다〔나빴다〕; in der stillen〔toten〕 ~ 철이 지난 때에, 비수기에; außerhalb der ~ ist das Hotel geschlossen 그 호텔은 여행철이 아닌 때 문을 닫는다; in dieser ~ werden die Röcke kürzer getragen 이번 시즌에는 치마를 비교적 짧게 입고 다닌다.
saison·abhängig *a.* 계절에 좌우되는.
saisonal *a.* 계절의, 계절에 따른.
Saison=arbeit *f.* (한정된 철에만 일을 하는) 계절〔한철〕 노동. ~**arbeiter** *m.* 계절〔한철〕 노동자. ~**ausverkauf** *m.* 시즌 막바지의 정리 세일. ≈**bedingt** *p.a.* ↑ saisonabhängig. ~**beginn** *m.* 시즌〔성수기〕의 시작. ≈**bereinigt** *p.a.* 계절적 요인을 무시하고 산정(算定)한. ~**betrieb** *m.* ① 계절(종속적) 사업, 한철 장사: das Hotel hat ~ 그 호텔은 시즌에만 문을 연다. ② 호황, 호경기. ~**ende** *n.* 시즌〔성수기〕의 끝. ~**eröffnung** *f.* 시즌 개막〔개시〕. ~**gewerbe** *n.* 계절에 따라 변동이 심한 산업 분야, 계절적 직업(농업·건설업 등). ~**index** *m.* 〖經〗 (계절에 따른 변동 수치를 나타내는) 계절 지수. ~**karte** *f.* 정기 승차권; (극장·스키장의) 정기 입장권. ~**kredit** *m.* 〖금융〗 계절 사업체에 대한 신용 대부. ~**schluß** *m.* 시즌의 폐막. ~**schwankung** *f.* 계절적 변동. ~**start** *m.* ↑ ~beginn. ~-**wanderung** *f.* (노동 인구의) 계절적 이동. ≈**weise** *adv.* 시즌 동안에만, 한철에만.
*__Saite__ [záɪtə] *f.* -n ① 〔고어〕 밧줄, 노끈, 실. ② (a) (현악기의) 현(絃), 줄: die ~n einer Geige〔Harfe〕 바이올린〔하프〕의 현; eine ~ ist gerissen 현이 끊어졌다; in die ~n greifen 열정적으로 현을 켜다; eine neue ~ aufziehen〔spannen〕 a) 현을 새 것으로 갈다, b) 태도를 바꾸다; ein Instrument mit ~n beziehen〔bespannen〕 악기에 현을 매우다. (b) 〖테니스·배드민턴〗 라켓 줄. ③ 〔대개 복수〕 현악기: auf den ~n spielen 현악기를 연주하다. ④ 〔비유〕 심정, 심기, 마음가짐: andere〔strengere〕 ~n aufziehen 태도를 바꾸다〔보다 강경한 조치를 취하다〕; gelindere〔mildere〕 ~n aufziehen 좀더 관대한 태도를 취하다; eine ~ bei jm. berühren 누구의 심금을 울리다; seine ~n zu hoch spannen a) 극도로 긴장하다, b) 요구가 지나치다, 고압적으로 나오다.

Saiten·bezug *m.* 〖음악〗 한 벌의 현. **~halter** *m.* 〖음악〗(현악기의) 줄 걸이판. **~instrument** *n.* 현악기. **~klang** *m.* 〔雅語〕 현음(絃音). **~künstler** *m.* 현악기 연주자. **~messer** *m.* (현의 굵기를 재는) 현(絃) 측정기. **~spiel** *n.* 〔雅語〕 현악, 현악기 연주.

..saitig *suf.* "…줄의 현이 있는"의 뜻(보기: sieben~ 7 현의).

Saitling [záɪtlɪŋ] *m.* -s, -e (장막현(腸膜絃)을 만드는) 양의 창자.

Sake [zá:kə] 《jap.》 *m.* 일본 청주, 정종.

Saker 《ar.》 *m.* -s, - 〖動〗 매의 일종.

säker *a.* (ndd.) 확실히(sicher).

Sakko [záko, (öst.) sakó:] 《it., „Sack"》 *m./n.* -s, -s 자코(콤비로 입는 신사복 상의).

Sakko·anzug *m.* 콤비 신사복.

sakra [sákra] 《it.》 *int.* (südd.) 〔경 박〕 ↑ sakrament.

sakral [zakrá:l] 《lat.》 *a.* ① 성스러운, 종교적인, 종교적 목적에 쓰이는, 성찬식〔예배〕의: ~e Bauten 교회 건축물. ②〖해부〗 천골(薦骨)의.

Sakral·bau *m.* -(e)s, -ten (↔ Profanbau) 종교적 건축물, 예배용 건축물.

***Sakrament** [zakramɛ́nt] 《lat.》 *n.* -(e)s, -e 〖宗〗 ① 성사(聖事), 성찬식: Ehe~ 혼인 성사; das ~ der Firmung〔Taufe〕 empfangen 〔spenden〕 견진 성사〔세례의 성사〕를 받다〔베풀다〕. ② 성사의 상징물, 성체, 성찬. ③〔다음 용법으로〕 ~ (noch mal)! 제기랄, 빌어먹을, 아차!

sakrament *int.* 〔비속〕 제기랄, 빌어먹을, 에이 염병할(저주·분노·불만의 소리).

sakramental *a.* 성사(聖事)〔성찬식〕의, 성사에 의한; 성스러운, 장엄한.

Sakramentalien *pl.* 〖가톨릭〗 ① (성사(聖事) 때의) 의식(성수 뿌리기, 성체 나누어 주기 등). ② (성사 때의) 성물(성수·성배 등).

Sakramenter *m.* -s, - 〔구어〕 빌어먹을 녀석, 불쌍한〔한심한〕 놈.

sakramentieren *i.* (h.) 저주하다; 서약하다.

sakramentlich *a.* ↑ sakramental.

Sakraments·häuschen *n.* 〖가톨릭〗 (성체를 모셔 두는) 성체 안치탑(安置塔).

sakrieren *t.* 〔구식〕 (weihen) 신성하게 하다, 축성(祝聖)하다.

Sakrifizium *n.* -s, ..zien [..tsiən] 〖가톨릭·드물게〗 (미사의) 제물.

Sakrileg *n.* -s, -e ① 신성 모독, 성물 절도. ②〔교양〕 (명망가에 대한) 비방, 모욕; (문화재·예술품의) 훼손.

sakrilegisch *a.* 신성 모독적인.

sakrisch [zákrɪʃ] *a.* (obd.) ① 저주받은, 빌어먹을. ②〔강조어로〕 몹시, 대단히.

Sakristan [zakrɪstá:n] *m.* -s, -e 〖가톨릭〗 (Küster) 성당지기, 교회 관리인, 성물 간수인.

Sakristei [zakrɪstáɪ] *f.* -en 성구실(聖具室), 제의실(祭衣室).

sakrosankt [..záŋkt] *a.* 〔교양〕 신성 불가침의, 성스러운, 거룩한, 감히 넘볼 수 없는.

***säkular** [zɛkulá:r] 《lat.》 *a.* ①〔雅語〕 100 년마다의; 한 세기의; 100 년간 계속되는. ②〔雅語〕 속세의, 세속적인, 현세적인, 비종교적인. ③〔雅語〕 비범한, 탁월한, 전무후무한. ④〖天·지질〗 장구한 세월에 걸쳐 진행되는.

Säkular·feier *f.* 〔雅語〕 백주년 기념제.

Säkularisation [zɛkularizatsió:n] *f.* -en ① (국가에 의한) 교회 재산〔주권〕의 몰수〔이용〕, 교회 재산의 국유화. ②〖가톨릭〗 수도원 탈퇴 허가. ③〔드물게〕 ↑ Säkularisierung ①.

***säkularisieren** *t.* ① 세속화하다, 교회의 영향에서 벗어나게 하다. ② (교회 재산을) 국유화하다, 세속인의 소유로 넘기다: Kirchengüter ~ 교회 재산을 국유화하다.

***Säkularisierung** *f.* ① 세속화, (개인·국가·사회 집단이) 종교〔교회〕의 구속〔영향〕에서 벗어남. ② ↑ Säkularisation ① ②. ③〖가톨릭〗 수도원을 떠나 살아도 좋다는 허가.

Säkularisierungs·prozeß *m.* 세속화 과정.

***Säkulum** [zɛ́:kulum] *n.* -s, ..la 〔교양〕 ① 100 년, 1 세기(Jahrhundert). ② 시대, 세계: im ~ der Aufklärung 계몽의 시대에.

..sal *suf.* 동사의 어간과 결합하여 중성 또는 여성 명사를 만듦(보기: Drang~ 고난; Schick~ 운명; Scheu~ 괴물).

Säl [zɛ:l] *n.* -s, -e (ndd.) 수문, 갑문(閘門).

Salam [zalá:m] 《ar.》 평화(이슬람 교도의 인사말): ~ alaikum! 너희에게 평화 있으라!

Salamander [zalamándər] 《lat.》 *m.* -s, - ①〖動〗 불도마뱀(불 속에 산다고 전해지는 전설상의 괴물). ② 샐러맨더(불의 요정): 〔학생·구식〕 einen〔den〕 ~ reiben 샐러맨더의 축배를 올리다(술잔을 테이블에 문지르고 건배한 다음 소리나게 잔을 내려놓는 건배법).

Salame *m.* -s, -s/..mi, **Salami** [zalá:mi] *f.* -(s) 〔(schweiz.) *m.* -s, -〕 살라미 소시지.

Salami·taktik *f.* 〔구어〕 살라미 전술(살라미를 얇게 자르듯 점진적으로 목표에 도달하는 전술).

Salär [salɛ́:r, za..] *n.* -s, -e (주로 schweiz.) 봉급, 임금, 급료.

salarieren [..larí:rən] *t.* (schweiz.) jn. ~ 누구에게 봉급〔임금〕을 지급하다.

Salarium *n.* -s, ..rien ↑ Salär.

***Salat** [zalá:t] 《it. salata》 *m.* -(e)s, -e ① 샐러드: den ~ anmachen 샐러드를 만들다. ② 샐러드용 야채; (특히) 양상추(Kopf~): ~ anbauen〔ernten〕 샐러드용 야채를 재배하다〔수확하다〕. ③〔구어〕 뒤죽박죽, 말썽: Band~ 뒤엉킨 녹음 테이프; Wellen~ 전파의 혼선, 몇 개의 방송이 뒤섞여 들리는 방송 소음; ~ machen 사소한 일로 크게 흥분하다; da〔jetzt〕 haben wir den ~! 야 이거 야단났다; 〖폄어〗 der ganze ~ 전부, 모든 것.

Salat·beet *n.* 상추밭. **~besteck** *n.* 샐러드를 버무리는 스푼과 포크. **~blatt** *n.* 상추잎. **~gewächs** *m.* 샐러드용 야채. **~gurke** *f.* 샐러드용 오이.

Salatiere [zalatiɛ́:rə] *f.* -n ↑ Salatschüssel.

Salat·kartoffel *f.* 샐러드용 감자. **~kopf** *m.* 〖植〗 머리모양의 동그란 상추. **~öl** *n.* 샐러드용 기름. **~pflanze** *f.* 샐러드용 야채(양상추·꽃상추·양갓냉이 등). **~platte** *f.* 드레싱이 된 샐러드가 담긴 쟁반; 샐러드(요리). **~schüssel** *f.* 샐러드용 주발, 샐러드 그릇. **~soße** *f.* (식초·기름·소금·후추 등을 섞어서 만든) 샐러드 소스. **~teller** *m.* 샐러드 접시.

Salbader [zalbá:dər] *m.* -s, - 〔폄어〕 ① (Quacksalber) 돌팔이〔무면허〕 의사. ② (경건한 체하며) 지루하게 지껄이는 사람.

S

Salbaderei [..dəráɪ] *f.* -en 〖펌어〗 ① 엉터리 치료〔약〕. ② (경건한 체하며 지껄이는) 지루한 말, 점잔빼는 말, 장황한 설교〔훈계〕.

salbadern *i.* (h.) 〖구어·펌어〗 ① 엉터리로 치료하다. ② (경건한 체하며) 지루한 설교를 늘어놓다, 점잔빼며 말하다.

Salband [zá:lbant] *n.* -(e)s, ..bänder [..bɛːn-dər] ① (Salkante) 식서(飾緖), 가장자리 장식. ②〖광산〗광맥과 주변 암석층과의 접촉면.

*__Salbe__ [zálbə] *f.* -n ① 연고, 고약: die Wunde mit ~ einreiben 〔~ auf eine Wunde streichen〕 상처에 연고를 바르다. ② (몸에 바르는) 향유(香油), 성유(聖油). ③〖해부〗피지(皮脂) (Haut~). ④〖海〗(배 밑바닥에 칠하는) 도유(塗油). ⑤ (obd.) 기름, 지방질.

Salbei [zálbaɪ, zalbáɪ] 《<lat. salvus, „gesund"》 *m.* -s 〔*f.*〕 〖植〗 샐비어.

Salbei·tee *m.* 샐비어 차.

*__salben__ [zálbən] 《<Salbe》 《I》 *t.* ① …에 연고〔향유〕를 바르다: das Haar ~ 머리에 향유를 바르다; jm. die Augen ~ 누구의 눈에 눈 연고를 바르다. ②〖가톨릭〗(Sakrament 의 의식 중에 이마·입에) 성유를 발라 주며 기도하다: einen Kranken〔Sterbenden〕 ~ 병자〔죽어가는 자〕에게 성유를 바르며 기도하다. ③ 성유를 발라 축성(祝聖)하다: jn. zum Priester 〔König〕 ~ 누구를 성유로 축성하여 사제직〔왕위〕에 오르게 하다. ④ (기계에) 기름을 치다: die Räder einer Maschine ~ 기계의 톱니바퀴에 기름을 치다. ⑤〖海〗(배 밑바닥에) 기름을 바르다. ⑥〖구어〗(**a**) 속이다, 기만하다. (**b**) 매수하다, 뇌물을 주다: jn. ~ 〔jm. die Hände ~〕 누구에게 뇌물을 주다. 《Ⅱ》 *i.* (h.) (obd.) ↑ salbadern ②.

Salben⸗büchse, ~dose *f.* 연고〔고약〕통. **~-duftend** *a.* 향유의 향내를 풍기는. **~händler** *m.* 향유〔연고〕 장수. **~topf** *m.* 연고병.

Salber *m.* -s, - 기름을 바르는 사람.

salbicht *a.* ↑ salbig.

salbig [zálbɪç] *a.* 연고〔향유〕 같은; 연고〔향유〕를 바른.

Salbling [zálplɪŋ], **Sälbling** *m.* -s, -e 〖動〗 곤들매기 (Saibling).

Salb·öl [zálp..] *n.* 몸에 바르는 기름, 향유; 〖가톨릭〗(도유식(塗油式)의) 성유.

Sal·buch *n.* 〖구식〗토지 대장, 토지 등기부.

Salbung [zálbʊŋ] *f.* -en ①〖드물게〗연고〔고약〕 바르기. ② (피부 미용·벌레 예방·제의적 목적으로) 몸에 기름 바르기. ③〖가톨릭〗성유 바르기, 도유식(塗油式): 〖비유〗 mit viel ~ sprechen 점잔빼며 아주 나긋나긋하게 말하다. ④ 거짓 감동, 겉으로만의 감격〔열정〕.

salbungs·voll *a.* 지나치게 엄숙한, 나긋나긋하면서도 위엄에 찬.

Sälchen [zɛ́:lçən] *n.* -s, - 〖↑ Saal 의 축소형〗작은 홀〔룸〕.

Salchow [zálço] *m.* -s, -s 샐코(피겨 스케이팅에서 공중 1 회전 점프의 하나; 스웨덴의 피겨 스케이팅 선수 이름에서).

Salden⸗bilanz *f.* 〖금융〗 잔고 결산. **~liste** *f.* 〖금융〗 잔고 명세서.

saldieren [zaldí:rən] 《it.》 《I》 *t.* ①〖금융〗(계좌를) 결산하다, (계좌의) 잔고를 조사하다. ②〖商〗(부채·채무를) 상환하다, 변제하다, (청구서의) 대금을 지불하다: eine Rechnung ~ 결산〔청산〕하다. ③ (öst.) (청구서대로의) 지불을 확인하다: dankend saldiert 정히 영수하였음; durch Gegenrechnung saldiert 공제 계산된. 《Ⅱ》 *refl.* sich ~ 상계되다; (차변·대변이) 일치하다, 맞다.

Saldierung *f.* -en 결산, 잔고 조사; 상환, 변제.

*__Saldo__ [záldo] *m.* -s, ..den/-s/..di ①〖금융〗(결산) 잔고: einen ~ vortragen 잔고를 이월시키다. ②〖商〗 부채 잔액: einen ~ ausgleichen 부채를 청산하다; im ~ bleiben 아직 부채 상태에 있다, 빚을 지고 있다.

Saldo⸗anerkenntnis *f.* 〖經〗(채권자에 대한 채무자의) 채무 잔액 인정. **~betrag** *m.* 잔고, 잔액. **~konto** *n.* 〖방언〗결제 구좌, 공제 계정, 잔고 계정. **~übertrag, ~vortrag** *m.* 잔고 이월. **~wechsel** *m.* 잔고 증서. **~-zahlung** *f.* 잔액 지급.

Salem [zá:lɛm] 《ar.》 *m.* -s 평안(Selam).

Salep [zá:lɛp] 《ar.》 *m.* -s, -s 살렙 뿌리〔가루〕(살렙은 난초과의 식물로, 뿌리를 빻아 식품·약품으로 쓰임).

Salesianer [zaleziá:nər] *m.* -s, - 〖가톨릭〗 살레지오회 수도사(제네바의 주교 Franz von Sales 에서).

Sales-manager [sé:lzmænɪdʒə] 《engl.》 *m.* -s, - 〖經〗 판매 책임자, 판매 부장.

Salesmanship [sé:lzmənʃɪp] 《engl.》 *n.* -s (상품) 판매술, 판매 전략.

Salespromoter 新정서 ⇦ Sales-promoter.

Sales-promoter [..prəmoutə] 《engl.》 *m.* -s, - 〖經〗 판매 촉진 담당자, 판촉 부장.

Salespromotion 新정서 ⇦ Sales-promotion.

Sales-promotion [..prəmouʃən] 《engl.》 *f.* 〖經〗 판매 촉진, 판촉 활동.

Salettel [zalɛ́təl] 《it.》 *n.* -s, -(n) (bayr., öst.) 정자(亭子).

Salettl 《it.》 *n.* -s, -(n) ↑ Salettel.

Sal·hof *m.* (옛날의) 자유 보유지.

Salicyl·säure [..tsý:l..] *f.* ↑ Salizylsäure.

Salier[1] [zá:liər] *m.* -s, - ① 잘리어족(프랑크족의 핵심 종족). ② (독일의) 잘리어 왕조(1024-1125)의 황제.

Salier[2] 《lat. Salii, „Tänzer"》 *m.* -s, - 고대 로마 Mars 신의 사제(司祭).

Saline [zalí:nə] 《lat.》 *f.* -n 염전; 증발 제염소.

Salinen·salz *n.* 천일염; 증발 제염소에서 생산한 소금.

Saling [zá:lɪŋ] *f.* -en 〖海〗 용총줄을 지탱해 주는 가로 막대.

salinisch [zalí:nɪʃ] *a.* ① 소금 같이 짠, 염류의. ② 소금을 함유한.

salisch [zá:lɪʃ] *a.* ① 잘리어족의. ② 잘리어 왕조의: das ~e Gesetz (여자의 왕위 계승을 금지한) 잘리어〔프랑켄〕 왕조의 헌법.

Salizin [zalitsí:n] 《lat. salix, „Weide"》 *n.* -s 〖化〗 살리신(버들의 껍질에 있는 배당체(配糖體)로서 해열제에 씀).

Salizyl [..tsý:l] *n.* -s 〖化〗 살리실산(酸).

Salizyl·säure *f.* 〖化〗 살리실산(酸).

Sal·kante *f.* 식서(飾緖), 가장자리 장식.

Salk-Vakzine *f.* 소아마비 예방 접종약(미국의 세균학자 J. Salk 에서).

Sal·land *n.* (옛날의) 면세(免稅) 토지.

Sal·leiste *f.* 〖직조〗 가장자리 장식.

Salm[1] [zalm] *m.* -(e)s, -e 〖動〗 연어(Lachs); 산란기의 연어.

Salm[2] 《< Psalm》 *m.* -(e)s, -e (nordd.) ① (시편에 있는 개개의) 시(편)(Psalm). ②〔폄어〕 수다스러운 말, 요설: einen langen ~ machen 장광설을 늘어놓다.

Salmi [zálmi] 《frz.》 *n.* -s, -s 〖요리〗 (꿩 등의) 들새고기 스튜.

Salmiak [zálmiak, zal..ák] 《ägypt.》 *m.* -s 〖化〗 염화암모늄.

Salmiak≈geist *m.* 암모니아수(水). **~lösung** *f.* ↑ ~geist. **~pastille** *f.* 염화암모늄 정제(錠劑)(카타르 약). **~salz** *n.* 탄산암모늄. **~spiritus** *m.* ↑ ~geist.

Salmler *m.* -s, - 〖動〗 (아메리카와 아프리카의 적도 지대에 사는) 잉어과의 물고기.

Salmling [zálmlɪŋ], **Sälmling** *m.* -s, -e ↑ Saibling.

Salmonelle *f.* -n 살모넬라균(미국의 세균학자 D. E. Salmon 의 이름에서).

Salmonellose *f.* -n 〖醫〗 살모넬라균에 의한 전염성 장(腸) 질환.

Salmoniden *pl.* 〖動〗 연어과(科).

Salome [zá:lome, zalómə] 《hebr.》 *f.* ① 살로메(여자 이름). ② 살로메(세례 요한의 목을 요구한 헤롯왕의 딸).

Salomo [zá:lomo], **Salomon** [..mɔn] 《hebr., „der Friedliche"》 *m.* ..mo(n)s/..monis. ① 솔로몬(남자 이름). ② 솔로몬 왕(이스라엘의 지혜로운 왕; B.C. 965-926 년경 재위): das Hohelied Salomo(ni)s (구약 성서의) 아가서(雅歌書); der Prediger Salomos 전도서; die Sprüche Salomo(ni)s 잠언.

Salomonen [zalomó:nən], **Salomon·inseln** *pl.* 솔로몬 군도.

salomonisch *a.* ① 솔로몬과 같은; 〔비유〕 지혜로운, 현명한: ~e Weisheit besitzen 솔로몬과 같은 지혜를 지니고 있다; ein ~es Urteil 명재판, 명판결. ② 솔로몬의: ~e Schriften 솔로몬의 저작.

Salomon(s)·siegel *n.* -s, - 〖植〗 둥굴레속(屬).

***Salon** [zalɔ̃:, zalɔ́ŋ] 《frz.》 *m.* -s, -s ① (큰 저택의) 응접실, 사교실, 살롱. ② 살롱(17-19 세기에 정기적으로 만나던 문인·예술가들의 모임); 〔비유〕 사교계, 상류 사회. ③ 화려하게 꾸며진 점포: Mode≈ 고급 의상실; Kosmetik≈ 미용실; Hunde≈ 개 미용실; Frisier≈ 이발소. ④ 미술 전람회; 전시실.

Salon≈bolschewist *m.* 〔폄어〕 말뿐인 과격주의자. **~dame** *f.* 〖연극〗 사교계 귀부인(역의 여배우). **≈fähig** *a.* 사교계〔상류 사회〕의 규범에 맞는, 교양 있는: ein nicht ~er Witz 교양 없는 농담. **~held** *m.* ↑ ~löwe. **~kommunist** *m.* 〔폄어〕 말뿐인 공산주의자. **~löwe** *m.* 〔대개 폄어〕 사교계의 왕자〔총아〕(특히 여성들에게 인기 있는 남자). **~musik** *f.* 경음악, 실내악. **~orchester** *n.* 소(小)관현악단, 실내악단. **~stück** *n.* ① ↑ ~musik. ② 품위 있고 가벼운 희극. **~tiroler** *m.* 〔폄어·농담〕 티롤 복장의 도회지인(등산의 경험이 없으면서 등산복을 요란하게 차려 입은 도회인). **~wagen** *m.* 〖철도〗 (살롱과 같은) 특등 객실, 풀먼 카(Pullman car).

Saloon [səlú:n] 《engl.》 *m.* -s, -s 미국 서부 영화 분위기로 실내 장식을 한 술집.

***salopp** [zalɔ́p] 《frz.》 *a.* ① 격식에 매이지 않는, 꾸밈 없는, 자유로운: eine ~e Ausdrucksweise 격의 없는〔가벼운〕 표현법. ② (의복이) 가볍고 편한, 헐렁한, 캐주얼한: ~e Freizeitskleidung 편안한 여가복; er ist immer ~ gekleidet 그는 늘 일상복 차림이다. ③ 〔고어〕 더러운, 지저분한, 칠칠치 못한.

Saloppe *f.* -n 〔고어〕 ① 칠칠치 못한〔추잡한〕 여자. ② (소매 없는 여성용) 가운, 작업복.

Saloppheit *f.* -en ↑ salopp 의 명사형.

Salpe [zálpə] 《gr.》 *f.* -n 〖動〗 살파류(類)(플랑크톤을 먹고 사는 피낭(被囊) 동물).

Salpeter [zalpé:tər] 《lat.》 *m.* -s 〖化〗 질산칼륨, 질산염, 아세트산염(화약·비료의 원료임): Kali≈ 질산칼륨〔초석(硝石)〕; Natron≈ 질산나트륨; Chile≈ 칠레초석.

Salpeter≈äther *m.* 아질산 에테르. **~bildung** *f.* 질화(窒化). **~dampf** *m.* 질소의 산화물; 화약 연기, 초연(硝煙). **~dünger** *m.* 질소 비료. **~erde** *f.* 초산토(硝酸土)(예전에 초석을 제조하는 원료로 쓰였던 석회 혼합물), 질소를 함유하고 있는 흙. **~geist** *m.* 〔고어〕 ↑ ~säure. **~grube** *f.* 〔고어〕 질산칼륨갱, 초석갱(硝石坑). **≈haltig** *a.* 질산칼륨을 함유한. **~hütte** *f.* 〔고어〕 질산칼륨 공장.

salpeterig [zalpé:tərɪç] *a.* 질산염〔아세트산염〕의: ~e Säure 질산.

Salpeter≈plantage *f.* ↑ ~grube. **~salzsäure** *f.* 〖化〗 왕수(王水). **≈sauer** *a.* 질산의: ~es Silber 질산은(銀). **~säure** *f.* 질산(기호: HNO_3). **~sieder** *m.* 〔고어〕 질산칼륨 제조자. **~siederei** *f.* 〔고어〕 ↑ ~hütte.

salpetrig [zalpé:trɪç] *a.* ↑ salpeterig.

Salpinx [zálpɪŋks] 《gr.》 *f.* ..pingen ① (고대 그리스의) 군용 트럼펫. ② 〖해부〗 이관(耳管)(Ohrtrompete); 난관(卵管), 나팔관.

Salsa 《sp.》 *m.* - 살사(라틴 아메리카의 록 음악).

Salse [zálzə] 《lat.》 *f.* -n ① 〔옛뜻〕 (짠맛이 강한) 고기 소스. ② 〖지질〗 (늪지·유전 지대의) 원추형 진흙더미, 이구(泥丘).

Salt, SALT [sɔ:lt] 《engl.》 = Strategic Arms Limitation Talks 전략 무기 제한 협정.

Salta [zálta] 《it., „spring !"》 *n.* -s 살타(각자 15 개의 돌을 모두 상대편 진영에 옮겨 놓으면 이기는 장기의 일종).

Saltarello 《it., „Hüpftanz"》 *m.* -s, ..relli 살타렐로(이탈리아·에스파냐의 3 박자의 빠른 도약 춤).

Saltato *n.* -s, -s 〖음악〗 살타토, 도궁법(跳弓法)(현악기에서 활을 현에 매우 빠른 속도로 탄력 있게 붙였다 떼었다 하며 켜는 주법).

Salt-Konferenz, SALT-Konferenz *f.* Salt 회의(↑ Salt).

Salto *m.* -s, -s/..ti 《it., „Sprung"》 〖스포츠〗 공중제비; 〖수영〗 역회전 다이빙: ein doppelter〔dreifacher〕 ~ 공중 2〔3〕 회전; einen ~ springen 공중 회전을 하다, 공중제비를 돌다.

Salto mortale [zálto mɔrtá:lə] 《it., „Todessprung"》 *m.* --, --/..ti ..li (대개 세 번쯤 도는) 공중제비, 공중 3 회전; 〔비유〕 목숨을 건 모험, 위험 천만한 일.

salü [sály, salý:] 《frz.》 (특히 schweiz.) 안녕(만날 때와 헤어질 때의 인사말).

Salubrität [zalubritɛ́:t] 《lat.》 *f.* 〖醫〗 건강한 상태, 위생적인 상태.

S

Salut [zalú:t] ⟪lat. salus, „Heil"⟫ *m.* -(e)s, -e 〖軍〗 예포(禮砲): ~ schießen 예포를 쏘다: 21 Schuß ~ 21발의 예포.

Salutation ⟪lat.⟫ *f.* -en 〔구식〕 격식을 갖춘 환영〔인사〕.

salutieren *i.* (h.) ① (열병식 등의 군의식에서) 거수 경례하다. ②〔드물게〕 예포를 쏘다.

Salut·schießen *n.*, **~schuß** *m.* 예포 발사.

Salvador [zalvadó:r, (sp.) salvaðɔ́r] ⟪lat.-sp.⟫ ① 엘살바도르(↑El ~). ② 살바도르(브라질의 도시)

Salvadorianer *m.* -s, - 엘살바도르 사람.

salvadorianisch *a.* 엘살바도르의.

Salvarsan [zalvarzá:n] *n.* -s 살바르산(매독약(藥)).

Salvation [zalvatsió:n] ⟪lat.⟫ *f.* -en 구조; 방어; 보호; 〖宗〗 구원, 구세(救世).

Salvator[1] [zalvá:tɔr, ..to:r] *m.* -s, -en [..tɔ:rən] 〖宗〗 구세주; 구제자.

Salvator[2] *m./n.* -s (도수가 강한 뮌헨의) 흑맥주.

Salvator·bier *m./n.* ↑ Salvator². **~bräu** *n.* ↑ Salvator².

Salvatorianer *m.* (1881년 로마에서 설립된) 살바토리아 가톨릭 종단(宗團)의 교인.

salvatorisch *a.* 〖法〗 보조의; 부칙의, 부수의: ~e Klausel 보충 조항.

salva venia [zálva vé:nia] ⟪lat.⟫〔고어〕 실례입니다만, 죄송합니다만(약어: s.v.).

salve [zálve] ⟪lat.⟫ *int.* 어서 오십시오, 안녕하십니까.

Salve [zálvə] ⟪frz.⟫ *f.* -n 〖軍〗 ① (일제히 쏘는) 예포, 축포. ② 일제 사격: 〔비유〕 eine ~ des Beifalls 박수 갈채.

Salvei [zálvaɪ, zalváɪ] *m.* -s, -e (*f.* -en) ↑ Salbei.

Salven·feuer *n.* 〖軍〗 일제 사격(↔ Lagenfeuer).

salvieren [zalví:rən] ⟪lat.⟫ ⟪I⟫ *t.* 구제〔구조〕하다. ⟪II⟫ *refl.* sich ~ 구출되다, 모면하다; 혐의에서 벗어나다.

salvo errore [zálvo ɛrɔ́:rə] ⟪lat.⟫ 과실(過失)은 유보하고(약어: s.e.).

salvo titulo [..tí:tulo] ⟪lat.⟫〔고어〕 정식 칭호는 생략하고(약어: s.t.).

Sal·weide [zá:l..] *f.* 〖植〗 잎이 넓은 갯버들.

***Salz** [zalts] ⟪lat. sal⟫ *n.* -es, -e ① 소금; (Koch~) 식염; (Stein~) 암염(岩塩); (See~) 바닷소금: ~ sieden (바닷물을 증발시켜) 소금을 제조하다; er hat ~ auf das gekochte Ei getan 그는 삶은 달걀에 소금을 뿌렸다; Fleisch in(s) ~ legen 고기를 소금에 절이다; das ist ohne ~ a) 그것은 싱겁다, 맛 없다, b) 〔비유〕 지루하다, 재미 없다; 〔속담〕 ~ und Brot macht Wangen rot 검소한 식사가 건강에 좋다; 〔구어〕 nicht das ~ zur Suppe 〔zum Brot〕 haben 생활이 몹시 어렵다; 〔구어〕 er kann sich nicht das ~ in der Suppe verdienen 그는 생활할 만큼 돈을 벌지 못한다; ~ auf〔in〕 die Wunde streuen 곤란한 사람을 더욱 괴롭히다, 아픈 곳을 건드리다; 〔구어〕 jm. nicht das ~ in der Suppe gönnen 누구에게 매우 좋지 않은 감정을 품고 있다. ② 〖化〗 염(塩), 염기류; basisches ~ 염기성염; englisches ~ 황산마그네슘. ③ 〔비유〕 양념, 향미, 풍미; 재미; 기지, 재치; 세련된 조소: 〔교양〕 attisches ~ 재치 있는 익살, 날카로운 기지; ~ der Ironie 재치 있는 반어, 교묘한 비꼼; das ~ der Rede 이야기의 재치, 재치 있는 말; 〔비유〕 das ~ der Erde a) 〖신약〗 세상의 소금(마태 5:13), b) 사회의 활력소〔지도자〕, 사표(師表). ④ 〔비유〕 ~ und Brot a) 생활 필수품, b) 검소한 식사〔음식〕; Kümmel 〔Pfeffer〕 und ~ 반백, 희끗희끗한 머리; an einem Ort〔mit jm.〕 einen Scheffel ~ essen 어느 한 곳에 오래 머무르다〔누구와 오래 사귀다〕; jn. bei jm. ins ~ hauen 누구를 딴 사람에게 의심받게 하다, 비방〔중상〕하다; im ~ liegen 궁지에 빠져 있다; jn. mit scharfem ~e laugen〔reiben〕 누구를 엄하게 질책〔훈계〕하다; 〔구어〕 Das ist ohne ~ 〔das hat weder ~ noch Schmalz〕 그것은 아무 맛〔내용〕이 없다. ⑤ 〔시어〕 (~wasser) (강에 들어오는) 짠물; 바다.

Salz·abgabe *f.* 염세(塩稅).

Salzach [záltsax] *f.* 잘차흐강(잘츠부르크를 통과함).

Salz·ader *f.* 암염맥(岩塩脈). **~amt** *n.* 제염국(製塩局). **~arbeiter** *m.* 제염 노동자. **~-arm** *a.* 염분이 적은. **~artig** *a.* 소금 모양의, 짠 맛의; 염류의. **~bad** *n.* ① (치료를 위한) 염수욕; 해수욕. ② 〖제련〗 염욕(塩浴). **~berg·bau** *m.* 암염 광산업. **~berg·werk** *n.* 암염갱(坑), 암염 광산. **~bildner** *m.* 〖化〗 할로겐. **~bildung** *f.* 〖化〗 염화(塩化). **~blumen** *pl.* 〖化〗 염화(塩花), 소금꽃. **~boden** *m.* 염분이 많은 땅. **~brezel** *f.* 소금을 뿌린 브레첼(비스킷). **~brühe** *f.* 소금물, 소금국. **~brunnen** *m.* 염천(塩泉).

Salzburger [záltsburgər] ⟪I⟫ *m.* 잘츠부르크인(人). ⟪II⟫ *a.* 잘츠부르크의.

salzen(*) [záltsən] (*p.p.* gesalzen/(드물게) gesalzt) ⟪<Salz⟫ ⟪I⟫ *t./i.* (h.) ① 소금을 치다, 소금으로 간맞추다; 소금에 절이다: die Suppe ~ 수프에 소금을 치다: die Suppe ist zu stark〔wenig〕 gesalzen 그 수프에는 소금을 너무 많이〔조금〕 쳤다; Steinsalz salzt besser als Brunnensalz 암염은 천일염보다 더 짜다. ② 〔비유〕 (말을) 더 재미나게 하다: die Rede mit Witz ~ 익살로 이야기의 흥미를 돋우다; jm. den Buckel ~ 누구를 심하게 때리다. ⟪II⟫ **gesalzen** *p.a.* ↑ gesalzen.

Sälzer [zɛ́ltsər] *m.* -s, - ① 제염(업)자. ② 소금 장수. ③ (고기 따위를) 절이는 사람.

Salz·faß *n.* 소금통. **~fäßchen** *n.* ① (식탁용의) 소금통. ② 〔구어〕 목과 쇄골 사이의 움푹 패인 부분. **~fisch** *m.* 소금에 절인 생선. **~fleisch** *n.* 자반. **~fluß** *m.* 〖醫〗 습윤성〔홍색〕 습진. **~flut** *f.* 소금물, 바닷물; 바다. **~-frei** *a.* 염분이 없는, 소금기를 뺀. **~garten** *m.* 염전, 갯벌. **~gehalt** *m.* 함염량(含塩量), 소금기. **~gehalts·messung** *f.* 염분 측정. **~geist** *m.* 염산. **~geschmack** *m.* 소금맛; (바닷물의) 짠맛. **~gewinnung** *f.* 소금 채취. **~glasur** *f.* (도자기에 바르는) 잿물. **~graf** *m.* 암염광 주인; 제염소 감독. **~grube** *f.* 암염갱. **~gurke** *f.* 소금에 절인 오이, 오이지. **~haltig** *a.* 염분을 함유한, 소금기 있는. **~händler** *m.* 소금 장수〔상인〕. **~haus** *n.* 소금 창고; 제염소. **~hering** *m.* 자반 청어.

salzicht *a.* 〔고어〕 ↑ salzig.

salzig [záltsɪç] *a.* 염분이〔소금기가〕 있는;

짠: ~es Fleisch 소금에 절인 육류; ~er Geschmack 짠맛; ~e Ströme 눈물.

Salz·industrie *f.* 제염업.

Salzkammergut [záltskamərgu:t] *n.* 잘츠카머구트(잘츠부르크 근방의 휴양지; 호수가 많음).

Salz≈kartoffel *f.* 소금물에 삶은 감자. **~korn** *n.* 소금 알갱이: so groß wie ein ~ 소금 알갱이만한, 미세한. **~kote** *f.* 제염소. **~kraut** *n.* 〖植〗 염생(塩生) 식물의 총칭(특히 명아줏과). **~krebs** *m.*, **~krebschen** *n.* 〖動〗 바닷가잿과(科)의 일종. **~kuchen** *m.* 〖化〗 황산나트륨 10 수화염(순도가 낮은 황산나트륨으로 유리·유약 제조에 쓰임). **~lake, ~lauge** *f.* (생선이나 야채를 절이는) 소금물. **~lecke** *f.* 〖축산〗 소금과 모래·진흙을 섞은 가축 사료, 이 사료를 둔 곳; 〖사냥〗 들짐승이 염분을 핥는 곳(건조한 갯벌 따위). **~löffel** *m.* 소금용 스푼.

salzlos *a.* 소금기 없는.

Salz≈lösung *f.* 소금 용액, 염수. **~luft** *f.* 염분이 있는 공기. **~mandel** *f.* 소금을 뿌려 볶은 아몬드. **~mann** *m.* 소금 판매인. **~messer** *m.* 〖工〗 검염기(檢塩器), 염분계(塩分計). **~meste** *f.* 소금통. **~monopol** *n.* 소금 전매(권). **~morast** *m.* 염분을 함유한 소택지. **~napf** *m.* 소금 종지〔그릇〕. **~-niederschlag** *m.* 소금(류(類))의 침전. **~pfanne** *f.* 제염용의 가마〔솥〕; 〖지질〗 염분이 있는 평원 또는 얕은 호소(湖沼). **~-pflanze** *f.* 염생(塩生) 식물. **~probe** *f.* 소금 검사. **~quelle** *f.* 염천(塩泉), 함염(含塩) 광천. **≈reich** *a.* 염분이 많은. **~rinde** *f.* 염피(塩皮). **≈sauer** *a.* 〖化〗 염산의: ≈saures Natron 염화 나트륨. **~säule** *f.* 〖구약〗 소금기둥(창세기 19 : 26) : 〖비유〗 zur ~ erstarren 깜짝 놀라 멈춰 서다. **~säure** *f.* 염산. **~see** *m.* 염호(塩湖), 함수호(鹹水湖). **~sieder** *m.* 제염자. **~siederei** *f.* 제염업; 제염소. **~sole** *f.* 소금물; 염천. **~speicher** *m.* 소금 창고. **~stange** *f.*, **~stangel, ~stangerl** *n.* (öst.) (소금을 뿌린) 막대 과자(맥주 안주). **~stein** *m.* 소금 가마의 찌꺼기; 암염(岩塩). **~steppe** *f.* 염분 표층과 염생(塩生) 식물로 뒤덮인 황야〔초원〕. **~steuer** *f.* 염세(塩稅). **~streuer** *m.* (식탁용) 소금통, 소금 뿌리개. **~teig** *m.* 소금을 넣은 밀가루 반죽. **~verwaltung** *f.* 제염소〔염갱〕의 관리. **~waage** *f.* 염분 비중계. **~wasser** *n.* 소금물; 바닷물: ~ kosten 뱃사람이 되다. **~werk** *n.* 제염소; 암염갱(岩塩坑). **~wirker** *m.* 제염소 직공, 제염공. **~wirkerei** *f.* 제염(업). **~wüste** *f.* ↑ ~steppe. **~zoll** *m.* 소금 관세(稅).

Sam [za:m, sæm] 《engl.》 *m.* ① 〖↑ Samuel 의 단축형〗 샘(남자 이름). ② Onkel ~ a) 미국(행정부), b) 미국 사람, 전형적인 미국인.

..sam *suf.* 〖원래 "동일(同一)함"의 뜻; 형용사·부사를 만드는 후철로 명사·형용사·동사의 어간에 붙어서 다음과 같은 뜻을 가짐〗 ① 현존·소유(보기: furcht~ 무서워하는, 겁많은). ② 능력·경향(보기: arbeit~ 부지런한). ③ 유사(類似)(보기: wunder~ 기적같은, 기이한). ④ (능동 또는 피동에서) 가능(보기: bieg~ 유연한).

Samael *m.* ↑ Samiel.

SA-Mann [εs|á:..] *m.* 나치스의 돌격대원.

Sä·mann [zέ:man] *m.* 〖시어〗 씨뿌리는 사람.

Samaria [zamarí:a, zamá:ria] 사마리아(팔레스타인의 도시; 고대 이스라엘의 수도).

Samaritaner *m.* -s, - ↑ Samariter.

samaritanisch *a.* 사마리아인(人)의.

Samariter [zamarí:tər, ..rítər] *m.* -s, - ① 〖聖〗 사마리아 사람; 헌신적인 사람: barmherziger ~ 자비심이 많은〔선한〕 사마리아인(누가 10 : 30-37), 〖비유〗 남 돕기를 좋아하는 사람, 어려운 사람의 참된 이웃. ② (schweiz.) 구급대원.

Samariter·dienst *m.* 구급대원 근무〔서비스〕.

Samaritertum *n.* 헌신적 봉사 (정신).

Samariter·vereine *pl.* 구급 협회.

Samarium [zamá:riʊm] *n.* -s 〖化〗 사마륨(희토류 원소; 기호: Sm).

Samarkand[1] [zamarkánt] 사마르칸트(우즈베키스탄공화국의 고도(古都)).

Samarkand[2] 노란 바탕에 원형 부조(浮彫)가 있는 밝은 색 양탄자.

Sä·maschine [zέ:..] *f.* 파종 기계.

Samba [zámba] *f.* -s 〔*m.* -s, -s〕 삼바춤.

Sambesi [zambé:zi] *m.* -(s) 잠베지강.

Sambia [zámbia] 잠비아.

Sambier *m.* -(e)s, - 잠비아 사람.

sambisch *a.* 잠비아의.

Same[1] [zá:mə] *m.* -ns, -n 〖雅語〗 씨앗.

Same[2] *m.* -n, -n 걸레.

***Samen** [zá:mən] *m.* -s, - ① 씨, 씨앗, 종자; (Blumen≈) 꽃씨; (Gras≈) 풀씨: ~ säen 씨를 뿌리다; der ~ keimt〔geht auf〕 씨앗이 싹튼다; aus ~n ziehen 씨로 길러내다〔배양하다〕; in ~ schießen (꽃에서) 씨가 되다. ② (사람·짐승의) 정충(精蟲), 정자; 물고기알, 이리; 고기 새끼; 누에씨〔애벌레〕; einjähriger ~ 물고기(특히 잉어)의 1년 자란 치어(稚魚). ③ 〖비유〗 자손, 후예, 후손; 씨족, 일가(一家); 〖구약〗 Abrahams ~ 아브라함의 자손. ④ 〖비유〗 맹아, 싹, 눈; 본원(本源); 원인: der ~ des Bösen 화근; der ~ der Zwietracht 불화의 씨앗. ⑤ 〖농담〗 돈, 금전.

Samen≈ader *f.* 〖해부〗 고환 정맥. **~anlage** *f.* 〖植〗 밑씨, 배주(胚珠); 〖生〗 난자. **~bank** *f.* 〖醫·수의〗 정자 은행. **~bau** *m.* (판매용의) 종자 재배. **~baum** *m.* 〖林〗 어미나무(씨를 채취하기 위한 나무). **~behälter** *m.*, **~-behältnis** *n.* 〖植〗 과피(果皮), 포(苞), 겉껍질(밤 따위의); 〖해부〗 정낭(精囊). **~bläschen** *n.*, **~blase** *f.* 〖해부〗 정낭선(精囊腺). **~blatt** *n.* 〖植〗 자엽(子葉), 떡잎. **~drüse** *f.* 정소(精巢), 고환. **~ergießung** *f.*, **~erguß** *m.* 정액 사출, 사정(射精). **~fach** *n.* 〖植〗 씨방, 자방(子房). **~faden** *m.* 〖生〗 정충, 정자. **~fluß** *m.* 정액루(漏). **~flüssigkeit** *f.* 정액. **~gang** *m.* 〖해부〗 (수)정관((輸)精管). **~gefäß** *n.* 〖해부〗 정계(精系) 혈관. **~-gehäuse** *n.* 〖植〗 과피(果皮). **~handel** *m.* 씨앗 장사, 종자상(商). **~händler** *m.* 종자 상인. **~handlung** *f.* 종자상(商)〔판매업〕. **~haut** *f.* 〖植〗 씨껍질. **~hülle** *f.* 〖植〗 ① (백합·붓꽃의 씨를 싸고 있는) 포자낭(胞子囊). ② 과피(果皮); 외종피(外種皮). **~hülse** *f.* 꼬투리, 껍질, 깍지. **~kapsel** *f.* 〖植〗 포자낭. **~katalog** *m.* 씨앗 목록. **~keim** *m.* 〖植〗 배

(胚). ~**kern** *m.* 〖植〗 (종자의) 인(仁); 〖生〗 정자핵(核). ~**knospe** *f.* 〖植〗 밑씨, 배주(胚珠). ~**korn** *n.* 〔복수: ..körner〕〖農〗 낟알, 씨(앗), 종자. ~**krone** *f.* 〖植〗 (민들레 따위의) 관모(冠毛). ~**kuchen** *m.* 〖해부〗 태자리, 태좌(胎座). ~**lappen** *m.* 〖植〗 떡잎, 자엽(子葉). ~**lehre** *f.* 〖醫〗 정액학(學). ~**leiter** *m.* 〖해부〗 (수)정관((輸)精管) (~gang).

samenlos *a.* 씨〔정자〕 없는, 열매를 맺지 않는; 〖비유〗 자손이 없는.

Samen≈pflanze *f.* ① 묘(목) (苗(木)), 모종. ② 종자〔현화(顯花)〕 식물. ~**schale** *f.* 〖植〗 종피(種皮). ~**schule** *f.* 모판, 못자리, 묘상(苗床). ~**spender** *m.* (정자 은행의) 정액 공급자. ~**staub** *m.* 〖植〗 꽃가루, 화분(花粉). ~**strang** *m.* 〖해부〗 정삭(精索). ~**tier,** ~**tierchen** *n.* 〖生〗 정자, 정충. ~**tragend** *a.* 〖植〗 씨가 생기는; 〖생리〗 정액을 내는, 수정(輸精)의. ~**träger** *m.* 〖植〗 태자리, 태좌(胎座). ~**übertragung** *f.* 인공 수정. ~**zelle** *f.* 정액 세포; 정충. ~**zucht** *f.* ↑ ~bau.

Sämerei [zɛːmərái] 《<Same》 *f.* -en ① 씨앗, 종자류(類). ② ↑ Samenhandlung.

Sämerei·handel *m.* 종자상(商), 씨앗 장사.

Samiel [záːmieːl, ..miɛl] 《hebr.》 *m.* 자미엘 (독일 및 유대 전설에서 악마의 우두머리).

..samig 《<Same》 *suf.* "…한 종자의"의 뜻 (보기: viel~ 씨가 많이 나는, 다(多)종자의; ein~ 단(單)종자의).

sämig [zɛ́ːmɪç] *a.* (ndd.) (국·소스가) 진한, 끈적끈적한; 조린: eine ~e Brühe 진한 고깃국; die Speisen ~ machen 음식을 조리다.

Sämigkeit *f.* ↑ sämig 의 명사형.

samisch [záːmɪʃ] *a.* (그리스) 사모스섬의.

sämisch [zɛ́ːmɪʃ] 《türk. -sl.》 *a.* ① 유지(油脂)로 가공한, 무두질한 (가죽). ② 담황색(淡黃色)의.

Sämisch≈gerber *m.* 가죽을 유지(油脂)로 무두질하는 사람. ~**gerberei** *f.* 무두질. ~**leder** *n.* 유지로 무두질한 부드러운 가죽.

Samisdat [zamɪsdát] *m.* -, -s (구소련의) 금서; 금서 자비(自費) 출판사.

Sämling [zɛ́ːmlɪŋ] 《<Same》 *m.* -s, -e 묘목(苗木); 씨앗에서 자란 어린 식물.

Sammael *m.* ↑ Samiel.

Sammel≈album [zámәl..] *n.* 스크랩북. ~**anschluß** *m.* 〖통신〗 (전화의) 공동선(線), 대표 번호. ~**auftrag** *m.* ↑ ~überweisung. ~**band** *m.* 〔복수: ..bände〕 (여러 저작을 수록한) 모음집. ~**becken** *n.* ① 저수조. ② 사람들이 많이 모이는 장소: diese Partei ist ein ~ aller liberalen Kräfte 이 정당은 모든 자유주의 세력의 집합소다. ~**begriff** *m.* 집합 개념, 총칭. ~**behälter** *m.* 저수조(槽), 취합통; (자동차 따위의) 기름통, 윤활유통. ~**bestellung** *f.* 단체 주문〔신청〕. ~**bezeichnung** *f.* ↑ ~begriff. ~**biene** *f.* 〖動〗 일벌. ~**buch** *n.* 스크랩북; 비망록. ~**büchse** *f.* 모금함, 자선냄비. ~**depot** [..poː] *n.* 〖증권〗 혼합 예탁 회사.

Sammelei *f.* -en 〖구어〗 수집·모금 행위.

Sammel≈eifer *m.* 수집욕〔열〕. ~**fahrschein** *m.* 단체〔복수〕 승차권. ~**fleiß** *m.* ↑ ~eifer. ~**frucht** *f.* 〖植〗 집합과(果), 복화과(複花果). ~**gebiet** *n.* 〖지리〗 유역, 집수(集水) 지역; 수집 분야. ~**glas** *n.* ↑ ~linse. ~**grab** *n.* 집단 묘지. ~**gut** *n.* 혼재 (탁송) 화물. ~**gut·verkehr** *m.* 혼재 화물 수송. ~**heizung** *f.* 중앙 난방(Zentralheizung). ~**kasten** *m.* 수납 상자. ~**konnossement** *n.* 〖海〗 집합 선하 증권. ~**konto** *n.* 〖商〗 혼합 계정. ~**ladung** *f.* (짐들의) 혼합 적재. ~**lager** *n.* (포로 따위의) 수용소. ~**lampe** *f.* 집광(集光) 전구. ~**leidenschaft** *f.* 수집열정. ~**linse** *f.* 수렴〔볼록〕 렌즈. ~**mappe** *f.* 서류철(綴)〔봉투〕.

***sammeln** [záməln] 《I》 *t.* ①〖사물을 목적어로〗 (**a**) (판매·소비 또는 특정한 목적을 위해) 모으다, 거둬들이다: Pilze ~ 버섯을 채취하다; Meinungen ~ 여론을 수렴하다; Unterschriften ~ 사인을 수집하다; Vorräte für den Winter ~ 겨울철에 대비하여 비축 물자를 모으다; Getreide in die Scheunen ~ 곡식을 곳간에 들여놓다. (**b**) (취미로) 수집하다: Briefmarken〔Gemälde〕 ~ 우표를〔그림을〕 수집하다. (**c**) (선의의 목적을 위해) 모으다; 모금하다: Geld〔milde Gaben〕 ~ 돈〔온정의 기부금〕을 모으다; für das Rote Kreuz ~ 적십자를 위해 모금하다. (**d**) (흩어져 있는 작품 따위를) 집성(集成)하다, 한데 모으다: aus verschiedenen Büchern ~ 편찬하다; Blumen in einen 〔zu einem〕 Kranz ~ 꽃을 모아 화환을 만들다. (**e**) (지식·경험을) 쌓다: Erfahrungen 〔Kenntnisse〕 ~ 경험〔지식〕을 쌓다; seine Sinne ~ 정신을 가다듬다; die zerstreuten Gedanken ~ 산란한 생각을 가다듬다; alle Kräfte für den 〔zum〕 Endlauf ~ 일을 마무리하는 데 온 힘을 쏟다; 〖비유〗 du hast (mir) feurige Kohlen auf mein Haupt gesammelt 너의 착한 행동이 나를 부끄럽게 했다. ②〖사람을 목적어로〗 (천천히) 모으다, 소집하다; 〖軍〗 모집하다; (부대를) 편성하다: die zerstreuten Truppen ~ 흩어진 부대를 규합하다; das (ganze) Volk um sich ~ 민중을 (모두) 자기 주위에 모으다; Schüler zu seinen Füßen ~ 제자들을 수하(手下)에 모으다; die Werber ~ Truppen 모병관(募兵官)들이 군대를 소집한다; 〖비유〗 zum ≏ blasen (출발하기 위해) 사람들을 다시 불러모으다; 〖軍〗 ≏! 모여라, 집합!; 〖고어〗 zu seinem Volk 〔zu seinen Vätern〕 gesammelt 〔versammelt〕 werden 죽다. ③ 축재하다: Reichtümer〔Schätze〕 ~ 재산을〔보화를〕 쌓다. 《II》 *i.* (h.) 저축〔축적·수집〕하다; (군대 따위가) 모이다, 집합하다: an et.³ ~ 무엇을 수집하다: an einer Galerie antiker Statuen ~ 화랑에 고대 조상(彫像)을 수집하다. 《III》 *refl.* sich ~ ① (물건이) 모여들다, 축적되다, 쌓이다: die Lichtstrahlen ~ sich im Brennpunkt der Linse 광선이 렌즈 초점에 모인다; sich zu einer Gruppe ~ 모여서 그룹이 되다; die Bächlein ~ sich zu einem Fluß 시냇물이 모여 강이 된다. ② (생각을) 가다듬다; (정신을) 집중하다; (마음이) 가라앉다, 제정신이 들다: 〖비유〗 bei diesem Lärm kann man sich nicht ~ 이런 소음 속에서는 정신 집중이 안 된다; nun sammle dich! 침착해라, 정신 차려! ③ (사람들이) 집합하다; sich wieder ~ 다시 모이다; die Soldaten sammelten sich um ihren Führer 병사들이 지휘관 주위에 모였다. 《IV》 **gesammelt** *p.a.* ↑ gesammelt.

Sammel=name *m.* 〚문법〛 집합 명사. **~nummer** *f.* 대표 전화 번호. **~platz, ~punkt** *m.* 회합 장소, 집합지〔점〕; 집산지. **~ruf** *m.* 〚軍〛 집합 신호〔구호〕. **~schiene** *f.* 〚전기〛 모선(母線). **~schrift** *f.* ↑ ~werk. **~schule** *f.* 남녀 공학 학교. **~spiegel** *m.* 〚物〛 오목 렌즈.

Sammel·surium [zaməl|zú:riʊm] 《lat.》 *n.* -s, ..rien [..riən] 잡동사니, 뒤섞임, 혼재; 난잡, 혼란.

Sammel=tag *m.* 수집일, 모금일. **~tasse** *f.* (받침접시가 딸린 화려한) 수집용 잔. **~transport** *m.* 단체 수송; 일괄 탁송. **~trieb** *m.* 수집욕. **~überweisung** *f.* (한 계좌에서 여러 계좌로의) 자동 일괄 이체. **~verwahrung** *f.* 〚금융〛 유가 증권의 일괄 보관. **~visum** *n.* -s, ..sa/..sen (여러 명에게 함께 유효한) 공동 비자, 일괄 사증(査證). **~werk** *n.* ① 총서(叢書), 선집. ② 백과사전〔전서〕. **~wert·berichtigung** *f.* 〚經〛 요구하는 값의 일괄 정정. **~wort** *n.* 〚복수: ..wörter〛 ↑ ~name. **~wut** *f.* 과도한 수집욕.

Sammet [zámət] *m.* -(e)s, -e 〚고어·시어〛 ↑ Samt.

sammeten *a.* ↑ samten.

Sammler [zámlər] 《<sammeln》 *m.* -s, - ① 모으는 사람, 채집자; 수금인; 수집가, 골동품 수집가〔애호가〕; 모금자; 편찬자; 축재자. ② 〚工〛 **(a)** ↑ Sammelbecken. **(b)** 축전지.

Sammler=batterie *f.* 축전지. **~fleiß** *m.* 수집욕. **~freude** *f.* 수집의 기쁨.

Sammlerin *f.* -nen ↑ Sammler 의 여성형.

Sammler·volk *n.* (채집·수렵 시대의) 원시 채집 민족.

***Sammlung** [zámlʊŋ] *f.* -en ① 모으기; 채집, 수납, 수집; 축적; 집합; 모금; 편집, 집대성: Altpapier~ 폐지 수집; Briefmarken~ 우표 수집; die ~ des Stoffes für das Wörterbuch 사전 편찬을 위한 자료 수집; 〚軍〛 ~ um die Fahne 군기(軍旗) 아래로의 집합; ~ zu wohltätigen Zwecken 자선을 위한 모금〔물자 모으기〕. ② 모은〔수집한〕 것: **(a)** (Gemälde~) 수집한 그림; 소장품. **(b)** 편찬서, 총서, 선집, 집록(集錄): ~ ausgewählter Stücke 희곡 선집. **(c)** (모인) 기부금, 의연금(품); eine ~ für das Rote Kreuz 적십자를 위한 의연금(품). **(d)** 〚고어〛 ↑ Versammlung. **(e)** 〚구약·고어〛 die ~ der Wasser nannte er Meer 하느님은 고인 물을 바다라 칭했다(창세기 1:10). ③ 박물관, 미술관; 화랑, 진열실: in die ~ gehen 미술관〔박물관〕에 가다; die ~ ist nur vormittags geöffnet 이 미술관〔박물관〕은 오전에만 연다. ④ 〚비유〛 침착, 냉정, 평정, 각오; 정신 통일〔집중〕: die ~ seiner Gedanken 사고의 집중(마음의 평정); keine Zeit zur (inneren) ~ haben 정신을 가다듬을 여유조차 없다.

Samnite *m.* -n, -n, **Samniter** [zamní:tər] *m.* -s, - 삼니움(중부 이탈리아의 고대 민족).

Samoa [zamó:a] 사모아(남서 태평양의 군도).

Samoa·inseln *pl.* 사모아 군도.

Samoaner [zamoá:nər] *m.* -s, - 사모아(섬) 사람.

samoanisch *a.* 사모아인의; 사모아섬 태생의; 사모아어의.

Samojede *m.* -n, -n 사모예드 사람(러시아 북부에 사는 우랄계(系) 종족).

Samos[1] [zá:mɔs] *m.* (그리스의) 사모스섬.

Samos[2] *m.* -, - (Samoswein) 사모스섬산(産) 포도주.

Samowar [zamová:r, sámova:r] 《russ.》 *m.* -s, -e 사모바르(러시아의 찻주전자).

Sampan [zámpan] 《chin.》 *m.* -s, - 삼판(소형 목조 평저선(平底船)).

Sample [zámpəl, sá:mpl, sæmpl] 《engl.》 *n.* -(s), -s 〚통계〛 표본, 추출〔표본〕 집단.

Samson [zámzɔn] *m.* 삼손(남자 이름).

***Samstag** [zámsta:k] 《gr. „Sabbattag"》 *m.* -(e)s, -e [..gə] 토요일(Sonnabend).

Samstag·abend·messe *f.* 〚宗〛 토요일 저녁 미사.

samstags [..ks] *adv.* 토요일에.

***Samt** [zamt] *m.* -(e)s, -e 〚섬유〛 벨벳, 우단: baumwollener ~ 면직 우단; 〚비유〛 sich in ~ und Seide kleiden 화려한 옷차림을 하다; sie hat eine Haut so weich wie ~ 그 여자의 피부는 우단처럼 부드럽다.

***samt** [zamt] 《I》 *adv.* 〚다음 용법으로만〛 ~ und sonders 모조리, 예외 없이. 《II》 *prp.*[3] …와 더불어, 함께: das Geld ~ dem Beutel wurde verloren 돈을 지갑째 잃어버렸다.

samt·artig *a.* 우단처럼 부드러운.

Samt=band *n.* 〚복수: ..bänder〛 벨벳〔우단〕 리본. **~blume** *f.* ① 벨벳〔우단〕 조화(造花). ② 〚植〛 전륜화; 메리골드. **~bürste** *f.* 벨벳용〔우단용〕 옷솔.

samten [zámtən] 《<Samt》 *a.* ① 벨벳〔우단〕(제)의: ein schwerer, ~er Vorhang 무거운 벨벳 커튼. ② 벨벳〔우단〕처럼 부드러운: ein ~es Fell 벨벳 같은 모피.

Samt·gemeinde *f.* 연합〔통합〕 행정 구역(특히 Niedersachsen 의 연합〔통합〕 시·읍·면).

Samt=hand *f.* 우단처럼 부드러운〔매끄러운〕 손. **~hand·schuh** *m.* 벨벳〔우단〕 장갑: 〚구어〛 jn. mit ~en anfassen 누구를 극진히 대(접)하다. **~hose** *f.* 우단 바지. **~jacke** *f.* 벨벳〔우단〕 재킷. **~kleid** *n.* 벨벳〔우단〕 옷.

samtig [zámtɪç] 《<Samt》 *a.* ① 벨벳〔우단〕처럼 곱고 부드러운: ~er Wein 순한 맛의 고급 적포도주; eine ~e Stimme 부드럽고 낮은 목소리; ~ grüne Weiden 부드럽게 빛나는 푸른 초원. ② 벨벳〔우단〕(제)의.

***sämtlich** [zɛ́mtlɪç] 《<samt》 《I》 *a.* 〚alle 보다 뜻이 강함, 관사 없는 복수 명사와 함께 쓰임〛 전체의, 모든, 통틀은; 완전한: die ~en Einwohner 전 주민; Goethes ~e Werke 괴테 전집; sein ~es Hab und Gut 그의 전 재산; ~er Besitz ging an die Witwe 전 재산은 미망인의 것이 되었다; 〚관사 있는 단수의 집합 명사 앞에서는 흔히 gesamt 가 쓰임〛 die gesamte Bürgerschaft 전 시민; 〚현재는 후속 형용사와 분사는 흔히 약변화〛 ~e Anwesenden 모든 출석자; ~e neuen〔neue〕 Vorsätze 모든 새로운 기획. 《II》 *adv.* 모두, 전부, 모조리: ich kenne sie ~ 나는 그들을 모조리 다 알고 있다; sie sind ~ ertrunken 그들은 모두 익사했다.

Samt=manschester *m.* 면(綿) 벨벳〔우단〕. **~mütze** *f.* 벨벳〔우단〕 모자. **~pfötchen** *n.* ① (고양이의) 부드러운 앞발: ~ machen (고양이가) 발톱을 감추다, 〚비유〛 본성을 숨기다,

S

선(善)을 가장하다. ② (어린이의) 작고 부드러운 손. **~schwarz** *a.* 우단처럼 검은, 칠흑의. **~tapete** *f.* 벨벳〔우단〕 태피스트리. **~teppich** *m.* 우단 카펫. **~weber** *m.* 벨벳〔우단〕 직공(織工). **~weberei** *f.* 우단 짜기〔공장〕. **~weich** *a.* 우단처럼 부드러운.

Samuel [zá:mue:l, ..muɛl] 《hebr.》 *m.* 자무엘 (남자 이름); 〖구약〗 사무엘(이스라엘의 선지자).

Samum [zá:mʊm, zamú:m] 《ar., „Giftwind"》 *m.* -s, -s/-e (북아프리카 또는 아라비아 사막의) 모래 열풍.

Samurai [zamuráɪ] 《jap.》 *m.* 사무라이.

San [san, sam, saŋ] 〖인명·지명에 붙여〗 성(聖)(스러운). ① (이탈리아에서) Sp.., St.. 이외의 자음으로 시작하는 남성 이름에 붙임(약어: S.): ~ Giuseppe 성 주세페. ② (에스파냐어에서) Do.., To.. 를 제외한 남성 이름에 붙임(약어: S.): ~ Bernardo 성 베르나르도.

Sanatogen [zanatogé:n] 《lat. +gr.》 *n.* -s 〖藥〗 사나토겐(자양(滋養) 강장제).

Sanatorium [zanató:rium] 《lat. sanare, „heilen"》 *n.* -s, ..rien [..riən] (특히 호흡기 질환자의)요양원, 요양소; 보양지(保養地).

San Bernardino *m.* - - (it.) 산 베르나르디노 고개(스위스 알프스 산맥의 고갯길).

Sancho Pansa [sántʃo pánza] *m.* - -, - -s (**a**) 산초 판자(Don Quichotte 의 하인). (**b**) 산초 판자처럼 영리한 현실주의자.

Sancta Sedes [záŋkta zé:dɛs] 《lat. „der Heilige Stuhl"》 *f.* ① 성스러운 의자. ② 〖비유〗 교황; 교황권.

sancta simplicitas [záŋkta zɪmplí:tsitas] 《lat.》 〖교양·반어〗 성스러운 단순(무지몽매한 사람을 두고 하는 말).

Sanctitas [záŋtitas] *f.* 〖가톨릭〗 장크티타스(교황의 칭호).

Sanctus [záŋtʊs] *n.* -, - 〖가톨릭〗(미사의) 찬미가.

***Sand** [zant] *m.* -(e)s, -e [..də]/Sände [zɛ́ndə] ① (**a**) 모래: Fluß~ 강(가의) 모래; Meeres~ 바닷모래; Quarz~ 규사(硅砂); Wüsten~ 사막의 모래; grober ~ 굵은 모래; mit ~ reiben 모래로 닦다〔문지르다〕; den Fußboden mit ~ bestreuen 바닥에 모래를 깔다〔뿌리다〕; Form~ 주조용 모래; Uhr~ 모래 시계용 모래; 〖비유〗 streu ~ darauf! 그 문제는 이것으로 끝맺자!; da rann kein ~ 거기서는 모래 한 알도 구르지 않았다, 시간이 가지 않았다〔지루했다〕: 〖구어〗 jm. ~ in die Augen streuen 누구의 눈을 속이다; 〖비유·구어〗 jm. ~ ins Getriebe streuen〔werfen, schmeißen〕 누구를 애먹이다; irgendwo ist ~ im Getriebe 일이 어딘선가 잘못됐다; 〖비유·구어〗 ~ über eine Sache streuen 더 이상 무엇을 생각하지 않다〔잊다〕. (**b**) 〖"많은 모래"의 뜻에서〗 wie ~ am Meer 바닷가의 모래알처럼 무수한; 〖구약〗 schwerer denn ~ am Meer 바다 모래보다 무거운(욥기 6 : 3). ② (**a**) (~boden) 모래땅〔흙〕, 사토(砂土): 〖비유〗 den ~ pflügen〔ackern〕 헛수고하다; dieser Acker ist fast reiner ~ 이 밭은 거의 다 모래땅이다; auf ~ bauen 무엇을 모래 위에 세우다, 사상누각을 짓다; 〖비유〗 et. auf〔in〕 ~ schreiben 덧〔실〕없는 짓을 하다; 〖비유·구어〗 (sich) im ~ verlaufen〔verlieren〕 (계획이) 수포로 돌아가다, 실패하다; 〖구어〗 et. in den ~ setzen 무엇을 망쳐놓다〔실패하다〕. (**b**) 모래를 깐 시합장〔경기장〕, 씨름터: 〖비유〗 jn. auf den ~ setzen〔jn. in den ~ strecken〕 누구를 실패하게 하다. (**c**) 물가, 모래밭, 바닷가: über ~ und See〔über Land und Meer〕 아득히 떨어져서. (**d**) (~bank) 사주(砂洲), 모래톱: 〖海〗 auf (den) ~ geraten〔laufen〕 (배가) 모래톱에 좌초하다; auf dem ~ sitzen a) (배가) 좌초하다, b) 〖비유〗 막다른 골목〔궁지〕에 빠져 있다.

Sand·aal *m.* 〖動〗 까나리.

Sandale [zandá:lə] 《lat.》 *f.* -n 샌들.

Sandalette [zandalɛ́tə] 《frz.》 *f.* -n (굽이 높은) 샌들.

Sandarak [zándarak] 《frz.》 *m.* -s 〖植〗 ① 산다락(아프리카 북서부 원산의 측백나뭇과의 침엽수). ② 산다락 수지(향료·유약·니스용).

sand·artig *a.* 모래(알) 같은.

Sand⸗bad *n.* 〖醫〗 모래 찜질; 〖化〗 모래 중탕(重湯). **~bahn** *f.* 〖스포츠〗 모래를 깐 트랙(오토바이 경주용). **~bahn·rennen** *n.* 〖스포츠〗 모래 트랙 경주. **~bank** *f.* 〖복수: ..bänke〗 사주(砂洲), 모래톱. **~berg** *m.* 사구(砂丘), 모래언덕. **~blatt** *n.* 〖植〗 담배 나무의 아랫잎(엽궐련용으로 씀). **~boden** *m.* 모래땅〔흙〕. **~büchse** *f.* (잉크를 말리기 위해 뿌린) 고운 모래 그릇; 〖교통〗 (미끄럼 방지용) 모래함. **~burg** *f.* 모래성(城). **~dorn** *m.* 〖植〗 서양보리수 나무(모래밭에서 잘 자라는 유자(有刺) 관목). **~dünen** *pl.* 모래 언덕, 사구. **~-ebene** *f.* 모래벌(판).

Sandel⸗baum [zándəl..] *m.* 〖植〗 백단향과(白檀香科) 나무. **~holz** *n.* 백단향 목재: rotes ~ 자단(紫檀) 목재. **~holz·öl** *n.* ↑ ~öl. **~öl** *n.* 백단향유(油).

sandeln [zándəln] 《<Sand》 《I》 *t.* ① (길 따위에) 모래를 뿌리다〔덮다〕; (…의 표면에) 모래를 뿌려 연마하다: 〖고어〗 Geschriebenes ~ 글 쓴 것에 모래를 뿌려 말리다. ② 〖工〗 Eisen ~ 쇠에 모래를 고속으로 분사하다(표면을 꺼끌꺼끌하게 하기 위해). 《II》 *i.* (h.) ① 모래 장난하다. ② (여자가) 유객(誘客) 행위를 하다.

sändeln [zɛ́ndəln] (schweiz.) ↑ sandeln ①.

sanden [zándən] ↑ sandeln 《I》 ①.

Sander[1] [zándər] *m.* -s, - (ndd.) 〖動〗 ↑ Zander.

Sander[2] *m.* -(s) 〖지질〗 (빙산의 하단에 생기는) 퇴적 모래땅.

Sanderling [zándərlɪŋ] 《<Sand》 *m.* -s, -e 〖動〗 도요새의 일종.

Sand⸗erze *pl.* 〖광물〗 사광(砂鑛). **~farben, ~farbig** *a.* 모래빛의, 엷은 황색의. **~faß** *n.* ① ↑ ~büchse. ② 모래통. **~feld** *n.* 모래벌(판), 모래밭; 사질(砂質)의 경작지. **~filter** *m./n.* 모래 여과기. **~fläche** *f.* 모래벌(판). **~floh** *m.* 〖動〗 갯벼룩. **~form** *f.* ① 〖工〗 모래 거푸집. ② ↑ ~förmchen. **~förmchen** *n.* 모래 장난용 거푸집(과일·과자 모양임). **~former** *m.* 모래 거푸집 제조인. **~-führend** *a.* (강 따위가) 모래가 많은. **~gebirge** *n.* 모래산. **~gegend** *f.* 사질(砂質) 지대. **~glas** *n.* 〖고어〗 모래 시계 (~uhr). **~grieß** *m.* 굵은 모래. **~grube** *f.* 채사장(採砂場); 모래 구덩이. **~grund** *m.* 모래땅, 모래 하상(河床). **~guß** *m.* 모래 거푸집 주조

(물). **~hase** *m.* ①〖動〗 새앙토끼속의 일종(모래가 많은 지대에 삶). ②〔농담〕(독일식 볼링에서) 잘못 던짐: einen ~n schieben 못맞추다. ③〖軍·농담〗 보병. **~haufen** *m.* 모랫더미, (퇴적에 따른) 모래산. **~hoden** *m.*〖醫〗 고환염, 고환 종창. **~hose** *f.* (사막의) 모래회오리. **~hügel** *m.* 모래 언덕, 사구(砂丘).

sandig [zándɪç] 《<Sand》 *a.* ① 모래가 많은. ② 모래로 뒤덮인: ~e Schuhe 모래가 잔뜩 묻은 신. ③ 모래처럼 깔깔한: ~e Milchschokolade 알갱이가 씹히는 밀크 초콜릿.

Sandinist *m.* -en, -en〖政〗(니카라과의 좌익 조직인) 산디니스타(민족 해방 전선)의 대원.

Sand≈käfer *m.*〖動〗 길앞잡잇과 곤충의 총칭. **~kasten** *m.* ① (놀이용) 모래 상자〔판〕. ②〖軍〗 도상(圖上) 훈련용 축소 지형(地形). **~kasten·spiel** *n.* ① 도상 훈련. ② 탁상공론. **~korn** *n.* 〔복수: ..körner〕 모래알. **~kuchen** *m.* 일종의 카스텔라. **~land** *n.* 사질 지대; 모래땅. **~latscher** *m.*〔농담〕 ↑ ~hase ③. **~läufer** *m.* ①〖動〗 사막꿩과 조류의 총칭. ②〖動〗 ↑ ~käfer. ③〖海〗 선속(船速) 측정용 모래 시계.

Sandler [zándlər] *m.* -s, - (öst.) 쓸모 없는 사람, 무익한 사람.

Sand≈loch *n.* ① ↑ ~grube. ② 자갈 두는 곳. **~mann** *m.* 〔복수: ..männer〕 ① 모래 장수. ② ↑ ~männchen. **~männchen** *n.* 〔농담〕(밤에 아이들 눈에 모래를 뿌려 잠들게 한다는 동화의) 잠의 요정, 잠귀신, 수마(睡魔): der ~ kommt 잠의 요정이 왔다, 졸립다. **~meer** *n.* 〖雅語〗 사막. **~nelke** *f.*〖植〗 술패랭이꽃. **~papier** *n.* 샌드페이퍼, 사포(沙布). **~pumpe** *f.*〖工〗 모래(퍼 올리는) 펌프.

Sand·sack *m.* (권투 연습용) 샌드백; 모래주머니: am ~ trainieren 샌드백으로 훈련하다.

Sandschak [zandʒák] 《türk.》 *m.* -s, -s 현(縣), 군(郡)(1921 년까지의 터키의 행정 구역).

Sand≈schicht *f.* 모래층. **~stein** *m.* 사암(砂岩). **~steinfels** *m.*, **~steinfelsen** *m.* 사암 절벽. **~stein·formation** *f.*〖지질〗 사암층. **≈strahlen** *t.* 분사기로 모래를 분사하다; (돌이나 금속 표면을) 분사기로 꺼끌꺼끌하게 하다: die Fassade eines Gebäudes ~ lassen 건물의 전면을 분사기로 우툴두툴하게 하다. **~strahl·gebläse** *n.*〖工〗(연마용의) 분사기(噴砂機); 모래 뿜는 기구(벽의 먼지·매연을 닦아낼 때). **~strand** *m.* 해변, 바닷가. **~sturm** *m.* (사막의) 모래 폭풍.

sandte [zántə] ↑ senden 의 과거형.

Sand≈tiegel *m.*〖工〗 모래 도가니. **~torte** *f.* ↑ ~kuchen. **~ufer** *n.* 모래톱. **~uhr** *f.* 모래 시계. **~uhr·magen** *m.*〖醫·은어〗(모래 시계처럼 가운데가 협착한) 모래 시계 위장. **~webe** *f.* ↑ ~wehe. **~weg** *m.* 모랫〔자갈〕길. **~wehe** *f.* (바람에) 불려 쌓인 모래(더미).

Sandwich [sέntvɪtʃ] 《engl.》 *n.* -es, -es [..tʃɪz] 샌드위치.

Sandwich≈bau·weise *f.* (항공기의 소음이나 무게를 줄이기 위해 벽을 겹으로 하는) 샌드위치식 제작 방식. **~mann** [..man] *m.* 샌드위치맨. **~wecken** *m.* (öst.) 가늘고 긴 식빵.

Sand≈wirbel *m.* ↑ ~hose. **~wurm** *m.*〖動〗 ① 갯지렁이. ② 모래벼룩(서인도·남아메리카 원산의 기생 곤충); 진드기의 일종. **~wüste** *f.* 사막. **~zucker** *m.* 설탕, 흑사탕. **~zunge** *f.*〖海〗(바다 안으로) 돌출한 모래톱.

sanforisieren [zanforizí:rən] *t.* (직물을 세탁해도 줄지 않게) 샌퍼라이즈〔방축(防縮)〕 가공을 하다.

*__sanft__ [zanft] *a.* ① (성품이) 다정한, 온화한: ~ wie ein Lamm 양처럼 온순한; ein ~es Wesen 성품이 온순한 사람. ② (동물이) 유순한: ein ~es Pferd 순한 말. ③ (빛깔·소리가) 연한, 약한: eine ~e Beleuchtung 은은한 조명; eine ~e Stimme 상냥한 목소리. ④ (압력이) 가벼운, 부드러운: sie streichelte ihn ~ 그녀는 그를 부드럽게 쓰다듬었다. ⑤ (비·바람이) 잔잔한, 소리 없는: ein ~er Hauch 고요한 숨결; ein ~er Regen〔Wind〕 소리 없이 내리는 이슬비〔산들바람·실바람〕. ⑥ (표현이) 조심스런: ein ~er Tadel〔Vorwurf〕 조심스런 질책〔비난〕; 〔구어〕 auf die ~e Tour (어떤 목적을 위해) 특히 친절하고 공손하게. ⑦ 평화로운, 평온한: ~ ruhen 평화로이 쉬다; ~ entschlafen 평화롭게 죽다〔영면하다〕. ⑧ (비탈의 경사가) 완만한: ein ~ ansteigender Hügel 경사가 완만한 언덕; ~e Abhänge 완만한 언덕.

Sänfte [zέnftə] *f.* -n ①〔고어〕 ↑ Sanftmut. ② 가마; (환자용의) 들것.

Sänften·träger *m.* 가마꾼; 들것 메는 사람.

Sanftheit *f.* -en 부드러움; 온순; 평온.

sänftigen [zέnftɪgən] *t.* 〔雅語〕 진정시키다, 달래다(besänftigen).

sänftiglich [..ɪk..] *adv.* 조용히, 부드럽게.

Sanft≈mut *f.* 온순한 성품. **≈mütig** *a.* 온순한, 부드러운, 상냥한: 〖신약〗 selig sind die ≈en 온유한 사람은 복이 있나니(마태 5:5).

Sanftmütigkeit *f.* 온순, 사냥.

sang [zaŋ] ↑ singen 의 과거형.

Sang [zaŋ] 《<singen》 *m.* -(e)s, Sänge [zέŋə] ①〔구식〕 가창(歌唱), 노래부르기: mit ~ und Klang a) 노래하고 연주하며, b) 〔반어·구어〕 떠들썩하게, 요란스럽게; er fiel mit ~ und Klang durchs Examen 그는 보기 좋게 시험에 떨어졌다; 〔구어·드물게〕 ohne ~ und Klang 소리도 없이, 조용히. ② 노래, 가요.

sangbar *a.* 노래 부를 수 있는, 노래하기 쉬운〔알맞은〕; 선율적인, 음조가 좋은.

Sangbarkeit *f.* ↑ sangbar 의 명사형.

Sange [záŋə] *f.* -n (obd.) 이삭단; 곡식단.

sänge [zέŋə] ↑ singen 의 접속법 Ⅱ식.

*__Sänger__ [zέŋər] 《<Sang》 *m.* -s, - ① 노래부르는 사람; 성악가, 가수; (Opern≈) 오페라 가수: Schlager≈ 유행가 가수; ich bin kein ~ 나는 노래를 잘 못한다; jn. zum ~ ausbilden 누구를 가수로 키우다. ②〖雅語〗 시인, 가인(歌人): der ~ der Ilias 일리아스의 시인(호메로스); ein fahrender〔wandernder〕 ~ (중세의) 유랑 가인; 〔비유·구어〕 darüber schweigt des ~s Höflichkeit 그것에 대해서는 말하지 않도록 하자. ③ 우는 새: die ~ des Waldes 숲속의 노래하는 새들.

Sänger≈bund *m.* 연합 합창단, 합창단 총연합회. **~chor** *m.* 합창단.

Sängerei [zɛŋərái] *f.* 직업적인 가창 제스처; 졸렬한 가창력.

Sänger·fest *n.* 합창 음악회, 가요제.
sängerhaft *a.* 가수〔시인〕 같은〔다운〕.
Sängerin *f.* -nen 〖↑ Sänger 의 여성형〗 여가수; 오페라 여가수(Opern≈).
Sänger≈knötchen *n.* 〖醫〗 성대 결절(結節). **~krieg** *m.* 노래 경연 대회.
Sängerschaft *f.* -en ① 가수〔시인〕의 직업〔자질〕. ② 합창단; 〔총칭〕 합창단원〔노래 회원〕; 시인 패거리. ③〔학생〕 노래 동아리.
Sanges≈bruder [záŋəs..] *m.* 노래 회원, 합창단원. **~freude** *f.* 노래하는 즐거움. **~freund** *m.* ↑ ~bruder. **~gabe** *f.* 노래 재주. **≈freudig** *a.*, **≈froh** *a.* ↑ ~lustig. **≈kundig** *a.* 〔구식〕 가창법을 잘 아는. **~lust** *f.* 〔구식〕 ↑ ~freude. **~lustig** *a.* 노래하기 좋아하는. **~weise** *f.* 창법, 노래하는 법.
sanghaft *a.* ↑ sangbar.
sanglos *a.* 〔다음 용법으로만〕 ~ und klanglos 눈치채지 않게, 소리 없이.
Sangria [zaŋgría, záŋgria] *f.* -s 적포도주에 과일·설탕을 넣은 에스파냐식 칵테일 음료.
Sangrita [zaŋgríta] *f.* -s 토마토·오렌지·양파를 갈아 만든 멕시코식 음료.
Sanguiniker [zaŋguíːnikər] 《lat. sanguis, „Blut"》 *m.* -s, - (↔ Melancholiker) 다혈질인 사람; 쾌활한 사람, 낙천가.
sanguinisch *a.* 다혈질의; 생기 있는; 쾌활한, 명랑한, 낙천적인: ~es Temperament 낙천적 기질.
Sanhedrin [zanhedríːn] 《Synedrium 의 히브리어형》 *m.* -s 〖史〗 공회(公會) (71 인으로 구성된 유대교 최고 법원; 마태 5:22).
Sanherib 산헤립(아시리아의 왕).
Sani [záni] *m.* -s, -s 〖軍〗 ↑ Sanitäter 의 단축형.
S
***sanieren** [zaníːrən] 《lat. sanare》 *t.* ① (주거 지역을) 재개발하다: das Elendsviertel ~ 빈민구역을 재개발하다. ② (기업을) 재정적 위기에서 구하다, 건전하게 하다, 회생시키다: 〔반어〕 er hat sich durch die Heirat ganz schön saniert 그는 결혼해서 팔자 고쳤다. ③ (경제·정치 분야를) 개혁하다, 합리화하다: das Gesundheitswesen ~ 의료 제도를 개선하다. ④ (하천·농토를) 복구하다: einen umgeschlagenen Fluß ~ (생태학적으로) 죽은 강을 되살리다; den ausgelaugten Boden ~ 산성화된 토양을 중화시키다. ⑤〖醫〗 (신체 기관을) 치유하다.
***Sanierung** *f.* -en ① 수리하기: Altstadt≈ 구시가지의 재개발. ② 재정난 해결, 회생. ③ 합리화, 개혁, 재개발. ④ 복구. ⑤〖醫〗 치유.
sanierungs≈bedürftig *a.* 수리가 필요한. **≈bilanz** *f.* 기업 재무 구조 개선 결산(서). **≈gebiet** *n.* 재개발 지역. **≈maßnahme** *f.* 재개발〔복구〕 조치. **≈objekt** *n.* 재개발 대상. **≈plan** *m.* 재개발 계획. **~reif** *a.* 재개발〔수리〕할 때가 된.
Sanikel 《lat. sanare, „heilen"》 *m.* -s 〖植〗 참반디(말의 사료).
***sanitär** [zanitέːr] 《lat.》 *a.* ① 위생(상)의, 보건의: ~e Einrichtungen (하수도 따위의) 위생 설비; ~e Anlagen (화장실·욕실 등의) 위생 시설(욕조, 변기 따위); ~e Maßnahmen 위생상의 처리〔조처〕. ②〔구식〕 건강상의.
sanitär.. *pref.* "위생"의 뜻.
Sanitär≈armatur *f.* 위생 설비 용품〔부품〕 (수도꼭지, 변기 세척기 꼭지 따위). **~einrichtungen** *pl.* 위생 설비. **~installation** *f.* ① 위생 설비 시공. ②〔대개 복수〕 설치된 위생 설비.
sanitarisch *a.* ① 위생의(sanitär). ② 국민 보건 (제도)의.
Sanitär·zelle *f.* 〖토목·건축〗 위생실(화장실·욕실 따위).
Sanität [zanitέːt] 《lat.》 *f.* -en ① 건강; 위생. ② 간호. ③ (schweiz., ost.) (국군) 병원; 구급차; 보건소; 위생 부대.
Sanitäter *m.* -s, - 〔구어〕 위생병.
sanitätlich *a.* ↑ sanitär.
Sanitäts≈anstalt *f.* 보건 시설. **~auto** *n.* 구급차. **~beamte*** *der* 보건부 공무원. **~behörde** *f.* 보건소. **~dienst** *m.* 보건〔의료〕 근무; 〖軍〗 의무대. **~hund** *m.* 〖軍〗 위생견(犬). **~kollegium** *n.* 〔총칭〕 위생국〔보건소〕 직원. **~kompanie** *f.* 〖軍〗 의무 부대. **~korps** [..koːr] *n.* 〖軍〗 위생병, 의무 대원. **~kraft·wagen** *m.* 구급차. **≈mäßig** *a.* 위생적인. **~offizier** *m.* 〖軍〗 군의관. **~personal** *n.* 〖軍〗 위생병; 보건소 직원. **~polizei** *f.* 위생 경찰. **~rat** *m.* (칭호) ① 관의(官醫). ②〖구동독·구식〗 보건 공로의(功勞醫) (공로 있는 의사에 대한 경칭; 약어: San.-Rat). **~soldat** *m.* 위생병. **~truppe** *f.* 〖軍〗 의무대(隊). **~wache** *f.* ① (공항·철도역의) 응급 치료소. ②〖軍〗 위생대 호위병. **~wagen** *m.* 구급차, 환자 운송차. **~wesen** *n.* 위생 시설〔제도〕. **~zelt** *n.* (야외 대중 집회에서의) 구급소〔막사〕.
San-José-Schildlaus [saŋxosé..] *f.* ..läuse 산호세깍지벌레(과수의 해충).
sank[1] [zaŋk] *a.* 〖海·방언〗 물보다 무거운, 물에 가라앉는.
sank[2] ↑ sinken 의 과거형.
Sanka [záŋka] *m.* -s, -s 〖軍〗 ↑ Sanitätskraftwagen 의 단축형.
sänke [zέŋkə] ↑ sinken 의 접속법 Ⅱ식.
Sankra *m.* -s, -s ↑ Sanitätskraftwagen 의 단축형.
***Sankt** [zaŋkt] 《lat.》 *a.* 〔인명·지명앞에 붙여〕 성스러운, 성(聖) (약어: St.): ~ Johannes 성 요한; ~ Bernhard 생베르나르령(領); ~ Helena 세인트 헬레나섬; ~ Peter 성베드로 대성당; die ~ Marien-Kirche 성모 마리아 교회.
Sankt-Florians-Prinzip *n.* -s 책임 전가.
sanktifizieren [zaŋktifitsíːrən] *t.* 신성화 하다; 성인 명부에 올리다.
***Sanktion** [..tsióːn] *f.* -en ① 신성하게 함. ② 〔대개 단수〕〔교양〕 인준, 승인, 비준; 동의, 재가: der Gesetzentwurf bedarf der ~ des Parlaments 그 법안은 국회의 동의를 얻어야 한다. ③〔대개 복수〕 **(a)** 〖法〗 (국제법 위반 국가에 대한) 공동 제재(조치), 응징: wirtschaftliche ~en gegen einen Staat beschließen〔aufheben〕 어떤 나라에 대한 경제적 제재 조치를 결정〔취소〕하다. **(b)** 〖사회〗 (개인이나 집단의 일탈 행동에 대한) 사회 전체의 반응〔태도〕: positive〔negative〕 ~en 긍정적〔부정적〕 반응. ④〖法〗 상벌〔제재〕 규정.
***sanktionieren** *t.* ①〖法〗 재가〔인가·비준〕하다, 법적 효력을 부여하다: ein Gesetz ~ 법을 재가하다. ② **(a)** 〔교양〕 처벌〔제재〕하다. **(b)**

〖사회〗 (어떤 행동에 대해) 특정하게 반응하다: solches Verhalten wird von der Umwelt negativ sanktioniert 그런 처신은 주변 사람들로부터 부정적 반응에 부딪힌다.

Sanktissimum [..tísimum] *n.* -s 〖가톨릭〗 성체(聖體), (특히) 성병(聖餠).

Sanktuarium [..tuá:rium] 《lat.》 *n.* -s, ..rien [..riən] 〖가톨릭〗 지성소(至聖所), 성전; 중앙 제단 주위; 성유물함(聖遺物函).

Sanktionierung *f.* -en ① (법안의) 인가, 재가. ② 제재, 응징.

Sankt-Michaelis-Tag [..mıçaé:lıs..] *m.* -(e)s, -e 성미가엘 대천사 축일(9 월 29 일).

Sankt-Nimmerleins-Tag [..nímərlaıns..] *m.* (Nimmerleinstag) 〔다음 용법으로〕 am ~ 결코〔다시는〕 …않다; auf den〔bis zum〕 ~ 무기한으로, 영원히.

Sankt Pauli 상 파울리(함부르크의 환락가).

Sankt Petersburg 상트 페테르부르크(러시아 북서부의 항구 도시).

Sankt-Wolfgang-See 장크트볼프강 호수 (Salzkammergut 에 있음).

Sanmarinese [zanmariné:zə] *m.* -n, -n 산마리노 사람.

sanmarinesisch *a.* 산마리노(사람)의.

San Marino 산마리노(이탈리아 북부에 있는 세계 최소의 공화국 및 그 수도).

sann [zan] ↑ sinnen 의 과거형.

sänne [zέnə] ↑ sinnen 의 접속법 Ⅱ식.

San.-Rat ↑ Sanitätsrat 의 단축형.

San Salvador [zan zalvadó:*r*] 산 살바도르 (엘 살바도르의 수도).

Sansculotte [sãskylɔ́tə, sã..lɔ́t] 《frz.》 *m.* -n, -n (프랑스 혁명 때의) 하층계급의 과격 공화당원, 상퀼로트(귀족에 반항하여 짧은 바지 (Culottes)를 벗고 긴 바지를 입었음).

Sansevieria [zanzevié:ria] *f.* ..rien [..riən], **Sansevierie** [zanzevié:riə] *f.* -n 〖植〗 산세비에리아, 천세란(千歲蘭).

sans facon [sãfasɔ̃:] 《frz.》 어려움〔거침〕 없이, 솔직히.

sans gêne [sãʒέn] 《frz.》 강요〔강제〕되지 않은, 자유로운; 임의로.

Sanskrit [zánskrıt] 《skt.》 *n.* -(e)s 산스크리트, 범어(옛 인도 아어(雅語)).

Sanskrit·forscher *m.* 산스크리트 연구자.

sanskritisch [..krí:tıʃ] *a.* 산스크리트의.

Sanskritist *f.* 산스크리트〔범어〕 학자.

Sanskritistik *f.* 산스크리트학.

Sanssouci [zã:susi, sãsusí] 《frz., „sorgenfrei"》 상수시궁(宮)(포츠담에 있는 프리드리히 대왕의 별궁(別宮) 및 공원).

Sant' [sant] 《it.; ↑ Sankt》 〔모음으로 시작하는 남·여성 명사 앞에서〕 성(聖)(스러운).

Santa [sánta] 〔자음으로 시작하는 이탈리아·에스파냐·포르투갈의 여성 이름 앞에 붙여〕 성(聖)(스러운): ~ Maria 성마리아.

Sante [sánte] *pl.* 〔복수의 이탈리아 여성 이름 앞에 붙여서〕 성(聖)(스러운): ~ Maria e Maddalena 성마리아와 마달레나.

Santi [sánti] *pl.* 〔복수의 이탈리아 남성 이름 앞에 붙여서〕 성(聖)(스러운): ~ Pietro e Paolo 성베드로와 바울.

Santiago [zantiá:go] 산티아고(칠레의 수도).

Santo [zánto, sánto] 〔Sp, St 및 To 로 시작되는 남성 이름 앞에서〕 성(聖)(스러운).

Santo Domingo [zánto domíŋgo] 산토 도밍고(도미니카 공화국의 수도).

Santonin [zantoní:n] *n.* -s 〖藥〗 산토닌.

São [sãu, (*port.*) sɔ̃eu] 〔자음으로 시작되는 남성 이름 앞에〕 성(聖)(스러운): São Paulo 상 파울루.

São Paulo [sã:u páulo] 상 파울루(브라질의 문화 예술의 중심 도시).

Saphir [zá:fır, zafí:*r*] 《ind. -gr. -it.》 *m.* -s, -e 〖광물〗 청옥(靑玉), 사파이어.

Saphir·nadel *f.* (레코드 플레이어의) 사파이어 바늘.

sapienti sat [zapiέnti zát] 《lat., „genug für den Verständigen!"》 이해가 빠른 사람에겐 그것으로〔한 마디면〕 족하다.

Sapin [zapí:n] *m.* -s, -e, **Sapine** *f.* -n 〖林〗 (벌목을 끄는 데 쓰는) 곡괭이의 일종.

Saponin [zaponí:n] 《lat.》 *n.* -s, -e 〖化〗 사포닌(식물에서 얻어지는 배당체(配糖體)).

Sappe [zápə, sap] 《frz. sape》 *f.* -n 〖軍〗 공격로(路), (적진을 향해 나 있는) 참호.

Sappel [zápəl] *m.* -s, - (öst.) ↑ Sapin.

sapperlot [zapərló:t], **sapperment** [..mέnt] 《lat. -frz.》 *int.* 〔고어·구어〕 아이쿠, 제기랄(sackerlot, sackerment).

Sapperloter, Sappermenter *m.* -s, - 악한; 교활한 사람.

Sappeur [zapǿ:*r*] 《Sappe》 *m.* -s, -e 〖軍〗 참호병(兵).

sapphisch [zá(p)fıʃ] *a.* ① 〖문학〗 사포(Sappho) 양식의: ~e Strophe 사포체(體)의 시. ② 레즈비언의.

Sappho [zá(p)fo] 사포(고대 그리스의 여류 시인).

sappieren [zapí:rən] 《<Sappe》 *t./i.* (h.) 〖軍〗 참호를 파다, 참호 작업을 하다.

Sappierer *m.* -s, - 참호병(兵).

sapristi 《frz.》 *int.* ↑ sapperlot.

sapro.. *pref.* '부패'의 뜻.

Saprobie [zapró:biə] *f.* -n, **Saprobiont** *m.* -en, -en (↔ Katharobie) 부식성 생물; 부생(腐生) 식물.

saprogen [zaprogé:n] *a.* 〖生〗 부패를 일으키는.

Sapropel *n.* -s, -e 부니(腐泥), 부니토.

Saprophagen *pl.* 〖生〗 부생(腐生) 생물.

saprophil *a.* 부생의, 부패물을 먹고 사는.

Saprophyt [..fý:t] *m.* -en, -en 〖生〗 부생 식물(박테리아·균류·버섯 등).

Sara [zá:ra] 《hebr., „Fürstin"》 *f.* 사라(여자 이름); 〖구약〗 사라(Abraham 의 처).

Sarabande [zarabándə, sa..] 《pers. -sp. -frz.》 *f.* -n ① (에스파냐에서) 캐스터네츠로 박자를 맞추며 추는 활발한 국민 무용. ② (프랑스에서) 17-18 세기에 유행했던 느린 궁정(宮廷) 춤. ③ 〖음악〗 사라반드(훗날 고전 모음곡의 1 악장으로 쓰였음).

Sarajevo [zarajé:vo] 사라예보(보스니아 헤르체고비나 공화국의 수도).

Sarasate Pablo de ~ 사라사테(에스파냐의 바이올린 작곡가, 1844-1908).

Sarazene [zaratsé:nə] 《lat.》 *m.* -n, -n 사라센 사람(시리아·아라비아 사막의 유목민); (특히 십자군 시대의) 이슬람교도.

Sarazenentum *n.* -(e)s 이슬람교.

sarazenisch *a.* 사라센(인)의, 이슬람교도의.
Sardanapal [zardanapá:l] *m.* 사르다나팔루스(Assurbanipal 의 그리스 이름; 기원전 7 세기경의 아시리아 왕); 〖비유〗 방탕한 사람.
Sarde [zárdə] *m.* -n, -n ↑ Sardinier.
Sardelle [zardɛ́lə] 《it.》 *f.* -n ① 〚動〛 echte ~ 멸치. ② 멸치젓. ③ 정어리(Sardine).
Sardellen≠brötchen *n.* (기름에 절인 멸치를 넣은) 샌드위치. **~butter** *f.* 기름에 절인 멸치를 넣은 버터. **~filet** *n.* 얇게 저민 청어〔정어리〕 살코기. **~paste** *f.* 안초비 페이스트(멸치류를 다져 향신료를 넣어 갠 것).
Sardin *f.* -nen ↑ Sarde 의 여성형.
Sardine [zardí:nə] 《it.》 *f.* -n 〚動〛 정어리; 청어류(類).
Sardinen·büchse *f.* 정어리 통조림.
Sardinien [zardí:niən] 사르디니아(지중해에 있는 이탈리아의 섬).
Sardinier *m.* -s, 사르디니아 사람.
Sardinierin *f.* Sardinier 의 여성형.
sardinisch, sardisch *a.* 사르디니아 사람의; 사르디니아풍(風)의.
sardonisch [zardó:nɪʃ] 《gr. -lat》 *a.* 〖교양〗 (독풀 Sardonia 를 먹으면 안면 경련을 일으키는 데서) 발작적〔경련적〕인; 냉소적인; 음흉한: ~es Lachen a) 〚醫〛 (비웃는 것처럼 보이는) 안면 경련증, b) 냉소, 음흉한 웃음.
Sardonyx [zardó:nʏks] 《gr.》 *m.* -(es), -e 〚광물〛 붉은 줄무늬가 있는 마노(瑪瑙).
***Sarg** [zark] *m.* -(e)s, Särge [zɛ́rgə] 관(棺): den ~ ins Grab hinablassen 관을 무덤 속에 내려놓다; den Toten in den ~ legen〔betten〕 죽은 자를 관 속에 넣다; 〖비유〗 (침몰 직전의) 노후선.
Sargasso 《port.》 *m.* -s 〚植〛 모자반.
Sarg·deckel *m.* ① 관의 뚜껑. ② 〚광산〛 갱도 내의 암석 덩어리.
Särglein [zɛ́rklaɪn] *n.* -s, - ↑ Sarg 의 축소형.
Sarg≠nagel *m.* 관에 박는 못; 〖비속〗 귀찮은 사람; 〖구어·농담〗 건강에 해로운 것, 담배. **~platte** *f.* 죽은 사람의 이름을 적어 관뚜껑에 붙이는 (금속)판. **~träger** *m.* 관 메는 사람, 상여꾼. **~tuch** *n.* 관을 덮는 보; 명정(銘旌).
Sari [zá:ri] *m.* -(s), -s 사리(인도 여성의 겉옷).
Sarkasmus [zarkásmus] 《gr.》 *m.* -, ..men ① 조롱, 빈정댐: sein ~ ist schwer erträglich 그의 조롱은 참기 어렵다. ② 비꼬는 말, 싫은 소리.
sarkastisch *a.* 빈정대는; 신랄한.
Sarkode [zarkó:də] *f.* 〚生〛 원형질.
Sarkom *n.* -s, -e, **Sarkoma** *n.* -s, -ta 〚醫〛 (악성) 육종(肉腫).
sarkomatös [zarkomatǿ:s] *a.* 〚醫〛 육종(肉腫)의.
Sarkomatose [zarkomató:zə] *f.* 〚醫〛 육종증(肉腫症).
Sarkophag [zarkofá:k] 《„Fleischverzehrer"》 *m.* -s, -e [..gə] (장식 있는) 석관(石棺).
Sarmate [zarmá:tə] *m.* -n, -n 사르마트(흑해의 북안에 살았던 유목 기마 민족).
Sarmatien 사르마티아(폴란드 비스툴라강과 볼가강 사이의 옛 나라).
sarmatisch *a.* 사르마티아(사람)의.
Sarong [zá:rɔŋ] *m.* -(s), -s 사롱(인도네시아·말레이의 이슬람 교도가 허리에 두르는 천).
Sarraß [záras] 《poln.》 *m.* ..sses, ..sse 날이 넓은 칼; 군도(軍刀).
Sarsaparille [zarzaparílə] *f.* -n ↑ Sassaparille.
Sarsche [zárʃə] *f.* -n ① 〚방직〛 비단 옷감의 일종(Serge). ② (자수의) 수틀(Zarge).
Sarsenet [zarzənɛ́t] 《engl.》 *m.* -(e)s, -e 〚방직〛 발이 고운 면직물(주로 안감으로 쓰임).
Sarsenett *m.* -(e)s, -e ↑ Sarsenet.
Sartre [sártr(ə)] Jean Paul ~ 사르트르(프랑스의 실존주의 작가, 1905–80).
SAS = Scandinavian Airlines System(스칸디나비아 항공사).
sasa [sása, sasá] *int.* 어서 어서(↑ sa).
säsieren [zɛzí:rən] 《frz.》 *t.* 잡아쥐다, 붙잡다; 압류하다, 압수하다.
Sa-Springen [ɛs|á:..] *n.* -s, - 〚승마〛 중장애물 경기〔도약 시험〕.
saß [za:s] ↑ sitzen 의 과거형.
Saß [zas] *m.* Sassen, Sassen ↑ Sasse.
Sassafras [zásafras] 《sp.-frz.》 *m.* -, - 〚植〛 사사프라스(북아메리카산(產)의 녹나뭇과의 식물).
Sassafras·öl *n.* 사사프라스유(油).
Sassanide [zasaní:də] *m.* -n, -n 사산 왕조(3–7 세기의 고대 페르시아 왕조)의 사람.
sassanidisch *a.* 사산 왕조 사람의.
Sassaparille 《sp.》 *f.* -n 〚植〛 사르사패릴러(열대 아메리카산(產) 청미래 덩굴, 약초); 그 뿌리(사포닌 함유).
Sasse [zásə] 《<sitzen》 *m.* -n, -n ① 〖고어〗 (a) 지주(地主), 토지 소유자. (b) 소작인. ② 정주자(定住者), 거주자(↑ Hinter∼, In∼).
säße [zɛ́:sə] ↑ sitzen의 접속법 Ⅱ 식.
sässig [zɛ́sɪç] *a.* 〖고어〗 거주하는, 정주(定住)하고 있는.
SAT. 1 독일 민영 방송국의 하나.
***Satan** [zá:tan] *m.* -s, -e 《lat.》 ① 사탄, 악마, 마왕: hol dich ~ 〔der ~ soll dich holen〕! 너 같은 놈은 악마나 잡아가라〔지옥에나 가라, 뒈져라〕! ② 〖비유〗 악마 같은 사람.
Satanas *m.* -, -se ↑ Satan.
Satang *m.* -(s), -(s) 사탕(태국의 화폐 단위 (100 Satang = 1 Baht)).
satanisch *a.* 사탄의, 악마의, 악마 같은, 흉악한.
Satanismus *m.* ① 악마 숭배; 악마주의. ② 악마주의 문학.
Satans≠braten *m.*, **~brut** *f.* 〖욕설〗 사탄〔악마〕 같은 놈. **~kerl** *m.* 〖욕설〗 악마 같은 놈; 흉악한 놈. **~pilz** *m.* 악마 버섯(일종의 독버섯). **~tücke** *f.* 간계, 음흉. **~weib** *n.* 독부(毒婦).
***Satellit** [zatɛlí:t, ..lɪt] *m.* -en, -en ① 호위자; 친위병; 종자(從者); 방조자, 동류. ② 〚天〛 위성; 위성 국가. ③ 〚우주비행〛 künstlicher ~ 인공 위성.
Satelliten≠bahn *f.* 인공 위성 궤도. **~bild** *n.* 위성 사진. **~fernsehen** *n.* 위성 텔레비전. **~flug** *m.* 인공 위성 비행. **~foto** *n.* 〚기상〛 위성 사진. **~funk** *m.* 위성 방송. **~handy** *n.* 〚통신〛 위성 무선 전화. **~navigation** *f.* 〚통신〛 위성 항법. **~programm** *n.* 위성 방송 프로그램. **~stadt** *f.* 위성 도시. **~staat** *m.* 위성 국가. **~übertragung** *f.* 위성 중계

(방송).

Satem·sprache *f.* 〖언어〗 사템어(100 을 뜻하는 고대 이란어 satem 의 첫소리를 [s]로 발음하는 데서) (↔ Kentumsprache).

Sater·tag *m.* (westfries., ostfries.) 토요일.

Satin [zatɛ̃:, zatɛ́ŋ] ⟪frz.⟫ *m.* -s, -s [..tɛ̃:s] 〖방직〗 새틴, 공단.

Satinage [zatiná:ʒə] *f.* -n (종이·직물을 광택기에 걸어서) 공단처럼 광택을 냄.

Satin·bluse *f.* 공단 블라우스.

Satinett *m.* -s, -s (견면 교직(絹綿交織)의) 가짜 공단.

Satin·holz *n.* 〖植〗 공단목(木) (목질이 단단하고 광택이 있어 가구재로 쓰임).

satinieren [zatiní:rən, sa..] *t.* 〖工〗 (종이를) 새틴처럼 윤나게 하다.

Satinierer *m.* -s, - 〖제지〗 광택공(工).

Satinier·maschine *f.* 〖工〗 광택〔연마〕기.

satiniert *p.a.* 광택이 있는, 반들반들한.

***Satire** [zatí:rə] ⟪lat., satira⟫ *f.* -n ① 풍자시, 풍자문. ② 풍자, 조롱, 비꼼: eine ~ auf jn. machen 누구를 풍자하다.

Satiren·dichter *m.* 풍자 시인〔작가〕.

Satiriker [zatí:rıkər] *m.* -s, - 풍자가; 풍자 작가.

satirisch *a.* 풍자적인, 조소적인; 신랄한, 독설적인, 빈정대는.

Satisfaktion [zatısfaktsió:n] ⟪lat.⟫ *f.* -en 〖교양·구식〗 (공개 선언을 통한) 명예 회복, 사죄, 배상; 〖학생·구식〗 (결투에 따른) 명예 회복 (선언): jm. ~ geben 누구의 결투 신청에 응하다, 누구에게 배상하다; ~ fordern 변상을〔사죄를〕 요구하다.

satisfaktions·fähig *a.* 결투〔도전〕에 응할 수 있는.

Satrap [zatrá:p] ⟪pers.⟫ *m.* -en, -en (고대 페르시아의) 총독; 〖비유〗 오만하고 사치스러운 사람.

Satrapie [zatrapí:] *f.* -n [..pí:ən] (고대 페르시아의) 총독 통치령(領).

Satrapen·wirtschaft *f.* 〖폄어〗 관청의 횡포〔전횡〕.

Satsuma [zatsú:ma] *f.* -(s) (일본의 반도 이름에서) 사쯔마 도자기.

***satt** [zat] ⟪lat.⟫ (Ⅰ) *a.* ① **(a)** 포만한, 배부른: ein ~er Leib〔Magen〕 만복, 배부름; 〖농담〗 ich kann ihn nicht ~ kriegen 나는 그를 배불리 먹일 수 없다; Nudeln machen ~ 국수는 빨리 포만감을 느끼게 한다. **(b)** 만취한: 〖구어〗 ~ sein 만취하다, 완전히 취하다. **(c)** 배부르게 하는: ein ~er Tisch 진수성찬이 가득한 식탁. ② 〖폄어〗 자족적인, 자기 만족의: in den Tag hinein ~ leben 하루하루 그럭저럭 만족해하며 살아가다. ③ 지친, 물린, 싫증난, 권태로운: ich habe〔bin〕 es satt, ihn immer wieder zu ermahnen 나는 그에게 자꾸 경고하기도 지쳤다; des Lebens ~ sein 사는 것이 지겹다; 〖구어〗 jn.〔et.〕 ~ bekommen 누구〔무엇〕에 점점 싫증을 느끼게 되다; jn.〔et.〕 ~ haben 누구에게〔무엇에〕 싫증나다〔물리다〕; sich an et.³ ~ sehen〔hören〕 무엇이 싫증나더 보고〔듣고〕싶지 않다; ich habe mich an dem Bild ~ gesehen 이 그림은 지겹도록 보았다; nicht ~ werden〔es nicht ~ kriegen〕, et. zu tun 싫증 내지 않고 무슨 일을 하다. ④ (빛깔이) 진한, 짙은: ein ~es Grün 진한 녹색. ⑤ 〖구어〗 대단한, 이목을 끄는: eine ~e Leistung 대단한 업적; ~er Preis 비싼 가격; ein ~er Schuß 완전 명중탄. ⑥ (schweiz.) (몸에) 꼭 끼는: der Pullover liegt ~ an 이 스웨터는 몸에 꼭 낀다. ⑦ 〖化〗 포화(飽和)한: ~e〔gesättigte〕 Lösung 포화 용액. (Ⅱ) *adv.* 충분히: es gab Obst〔Kuchen〕 ~ 과일이〔케이크가〕 충분히 있었다; ~ und genug 충분히.

satt≈blau *a.* 짙은 남색의. **≈dampf** *m.* 〖工〗 포화 증기.

Satte [zátə] ⟪ndd.; setzen⟫ *f.* -n (특히 크림을 만드는) 우유 단지.

***Sattel** [zátəl] *m.* -s, Sättel ① **(a)** (말의) 안장: dem Pferd den ~ auflegen 말에 안장을 얹다; jn. aus dem ~ heben a) (기사의 시합에서) 누구를 쳐〔찔러〕 말에서 떨어뜨리다, b) 〖비유〗 제압하다, c) 밀어제치다, 누구의 지위를 박탈하다; jm. in den ~ helfen 누구를 도와 말 위에 앉히다, 〖비유〗 누구를 지위〔권좌〕에 오르게 하다; jn. aus dem ~ heben 누구의 영향력〔권력〕을 빼앗다〔제거하다〕; fest im ~ sitzen a) 안장에 꼭 붙어 앉다, b) 지위가 확고하다; die Regierung sitzt fest im ~ 정부의 기반이 튼튼하다; in allen Sätteln gerecht sein 모든 분야에 정통하다, 만반의 준비가 되어 있다; sich in den ~ schwingen 훌쩍 말에 올라타다; sich im ~ halten 자신의 지위를 지키다. **(b)** (짐 나르는 동물의 등에 얹어 놓는) 짐받침, 길마. ② **(a)** (자전거·오토바이의) 안장, 새들. **(b)** 〖해부〗 콧마루(Nasen≈). **(c)** 〖건축〗 대들보; (출입구의) 흙떨이, 표준틀. **(d)** 〖지질〗 산마루의 안부(鞍部); 분지, 와지(窪地); 배사(背斜). **(e)** 〖스포츠〗 (목마의) 안부(鞍部). **(f)** 〖음악〗 (현악기의) 줄베서(지판(指板)과 줄감개집의 경계에 있는 가늘고 긴 나무받침). **(g)** 〖요리〗 (야채 위에 얹는 소시지 따위의) 첨가 음식. **(h)** 〖기상〗 기압골.

Sattel≈band *n.* 〔복수: ..bänder〕 안장 띠. **~baum** *m.* 안장의 골격. **~bein** *n.* 〖해부〗 설상골(楔狀骨), 호접골(蝴蝶骨). **~bogen** *m.* 안장머리, 길마의 앞가지. **~dach** *n.* 〖건축〗 맞배집〔박공〕 지붕. **~decke** *f.* 언치, 말안장 밑에 까는 깔개. **~druck** *m.* 안장 때문에 생긴 자국〔상처〕. **≈fertig** *a.* 말 탈 준비가 된. **≈fest** *a.* (기수(騎手)가) 능숙한; 〖비유〗 숙달된, 기술〔실력〕이 능숙한. **≈förmig** *a.* 안장 모양의. **~gurt** *m.* (말의) 복대(腹帶). **~hof** *m.* ↑ Salhof. **~holz** *n.* 〖工〗 침목, 받침〔굄〕도리. **~kammer** *f.* 마구(馬具)간. **~kissen** *n.* 안장 깔개. **~knecht** *m.* 마부. **~knopf** *m.* 안장 속대의 앞부분.

satteln [zátəln] ⟪<Sattel⟫ *t.* (말에) 안장을 얹다, 안장을 졸라매다: 〖軍〗 zum ≈ blasen 승마 준비의 나팔을 불다; 〖비유〗 für eine Prüfung gesattelt sein 시험에 대비해 만반의 준비가 되어 있다.

Sattel≈pausche *f.* 안장 속대 뒷부분(안장의 뒤쪽 약간 굽어 올라간 곳). **~pferd** *n.* 안구마(鞍具馬) (쌍두 마차의 왼쪽 말) (↔ Handpferd). **~pistole** *f.* (말 타고 쏘던) 대형 권총. **~platz** *m.* (경마장의) 말의 집합장, 안장 두는 곳. **~polster** *n.* (말 안장 밑에 까는) 언치. **~riemen** *m.* 뱃대끈. **~schlepper** *m.* 견인 자동차(뒤에 짐차를 연결함), 세미트레일러. **~seite** *f.* 마차의 좌측. **~stück** *n.* (양·

소 따위의) 등심(살). **~stütze** *f.* (자전거의) 안장 받침대. **~tasche** *f.* (안장에 매다는) 자루.

Sattelung [zátəluŋ] *f.* -en 안장얹기.

Sattel≈wagen *m.* 〖軍〗 중포신(重砲身) 운반용 4 륜차. **~waren** *pl.* 마구류(馬具類). **~zeug** *n.* 안장 및 마구류.

satt≈gelb *a.* 진노랑색의. **~grün** *a.* 진초록색의.

Sattheit *f.* ① 배부름, 포식; 충족, 충만, 만족; 포화(飽和); 권태, 싫증, 염증. ② (빛깔의) 짙음, 진함.

sättigen [zɛ́tɪgən] 《I》 *t.* ① (**a**) 배부르게 하다, 포식시키다: jn. mit Trank ~ 누구에게 마실 것을 실컷 제공하다. (**b**) 만족시키다, 채우다: js. Ehrgeiz〔Neugier〕 ~ 누구의 공명심〔호기심〕을 충족시켜 주다. (**c**) (음식이) 빨리 포만감을 느끼게 하다: das ist ein Essen, das sättigt 이것은 금방 배부르게 하는 음식이다. ②〖대개 상태 수동〗〖化〗 (용액을) 포화시키다: die Lösung ist gesättigt 이 용액은 포화되어 있다; 〖비 유〗 der Markt ist mit Waren gesättigt 시장은 상품으로 포화 상태다. 《II》 *refl.* 〖雅語〗 sich ~ ① 포식하다: ich sättige mich mit 〔an, von〕 Gemüse 나는 채소에 물렸다. ②〖化〗 포화하다. 《III》 **gesättigt** [..çt] *p.a.* ↑ gesättigt.

Sättigung *f.* -en 배부름, 배부르게 함; 만족; 물림; 포만(飽滿); 〖化〗 포화; (색의) 포화도(飽和度)(백색 혼합의 정도): ein Gefühl der ~ verspüren 포만감을 느끼다.

Sättigungs≈gefühl *n.* 포만감, 배부른 느낌. **~grad** *m.* 〖化〗 포화 농도, 용해도. **~punkt** *m.* 포화점, 중화점. **~strom** *m.* 포화 전류.

Sattler [zátlər] *m.* -s, - 안장장이, 마구사(馬具師); 피혁 세공인(細工人).

Sattler·arbeit *f.* 피혁 제조업〔제품〕.

Sattlerei [zatlərái] *f.* -en (**a**) 피혁 제조업〔가공업〕, 마구〔안장〕 제조업. (**b**) 피혁〔마구〕 제조 공장.

Sattler≈geselle *m.* 안장〔마구〕장이. **~handwerk** *n.* 안장〔마구〕 제조업.

Sattlerin *f.* -nen ↑ Sattler 의 여성형.

Sattler≈meister *m.* 마구 제조 기술자. **~waren** *pl.* 마구류(類).

Sattlung *f.* -en ↑ Sattelung.

satt·rot *a.* 진〔다〕홍색의.

sattsam [zátza:m] *adv.* 충분히, 물릴 만큼: das ist doch ~ bekannt 그것은 충분히 알려져 있다; et. ~ beweisen 무엇을 충분히 증명하다; et. ~ durchhecheln 무슨 일을 깔아뭉개다; wir haben ~ Grund, es zu glauben 우리는 그것을 믿을 만한 충분한 이유가 있다.

Saturation [zaturatsió:n] 《lat.》 *f.* -en ① 포만(飽滿); 〖化〗 포화; 중화. ② 설탕 제조법의 일종.

Saturei [zaturáɪ, zá:turaɪ] 《lat.》 *f.* 〖植〗 서양층층이꽃(꿀풀과(科)).

saturieren [zaturí:rən] 《lat.》 《I》 *t.* ① 채우다; 만족시키다; 요구에 응하다. ②〖化〗 포화시키다; 중화시키다. 《II》 **saturiert** *p.a.* ↑ saturiert.

saturiert 《I》 *p.p.* ↑ saturieren. 《II》 *p.a.* 충족한, 만족한; 배부른, 포식한: 〖구식〗 der Staat ist ~ 그 나라는 자급 자족할 수 있다.

Saturn[1] [zatʊ́rn] 《lat.》 *m.* -s ①〖로마신화〗 ↑ Saturnus. ②〖天〗 토성(土星).

Saturn[2] *n.* -s 〖고어〗 납, 연(鉛).

Saturnalien [zaturná:liən] *pl.* (고대 로마의) Saturnus 신의 제사〔축제〕.

saturnisch [zatʊ́rnɪʃ] *a.* ① ∽ 사투르누스신의. ②〖구식〗 고대(풍)의: das ~es Zeitalter 황금 시대; ~er Vers (고대 로마 시대의) 사투르누스 형식의 싯구. ③ 놀랄 만큼 큰; 소박〔질박〕한, 단순한; 행복스러운. ④〖天〗 토성의.

Saturnismus *m.* -s, ..men 〖醫〗 납중독.

Saturnus [zatʊ́rnus] *m.* 〖로마신화〗 사투르누스(고대 로마의 농업신으로 Jupiter 의 아버지; 그리스신화의 Kronos 에 해당).

Saturn·rakete *f.* 토성 탐사 우주선.

Satyr [zá:tʏr] 《gr.》 *m.* -n/-s, -n 〖그리스신화〗 사티로스(반인 반수의 숲의 신; Dionysos 의 종자); 〖비유〗 호색가, 육욕적 인간.

satyr≈artig *a.* 사티로스 같은, 호색의. **∽-drama, ∽spiel** *n.* 사티로스극(옛 그리스의 익살극; 사티로스 모습의 합창대가 등장함).

Satyriasis [zatyrí:azɪs] 《<Satyr》 *f.* 〖醫〗 (남자의) 병적 성욕증, 음란증.

***Satz** [zats] 《<sitzen》 *m.* -es, Sätze [zɛ́tsə] ① (Sprung) 껑충뛰기, 도약, 비약; 큰 걸음: einen ~ machen 껑충 뛰다; in einem ~ 한 번 뛰어서, 단번에; er sprang mit einem ~ über den Graben 그는 단번에 도랑을 껑충 뛰어 넘었다; in Sätzen 껑충껑충 뛰어서. ② (Boden∽) 찌꺼기, 앙금, 침전물: der Kaffee läßt ~ zurück 이 커피는 나중에 찌꺼기가 남는다; den ~ aus der Tasse spülen 컵에 남은 찌꺼기를 씻어버리다. ③〖구어〗 성찬(盛饌), 향응: einen ~ geben 한턱내다, 대접하다. ④〖印〗 (**a**) (Schrift∽) 식자(植字); 식자공의 일; 조판: ein Buch zum〔in〕 ~ geben 책을 조판에 넘기다; das Manuskript ist im ~ 원고가 조판 중이다. (**b**) 인쇄된〔조판된〕 텍스트. ⑤ (연장 따위의) 한 벌, 한 세트: ein ~ Schüsseln 한 벌의 주발; ein ~ Briefmarken 한 세트의 우표; 〖카드〗 같은 값을 갖는 패의 모음(3 장 또는 4 장임). ⑥ (Ein∽) (노름에서) 한 번에 거는 돈. ⑦〖음악〗 (**a**) 작곡법·악곡의 선율적 및 화성적 작법. (**b**) 악장; 악곡: eine Sinfonie pflegt vier Sätze zu haben 교향악은 보통 4 악장으로 이루어진다; vierstimmiger ~ 4 성 악곡. (**c**) (악곡 구조상의) 악절. ⑧ (**a**) 〖문법〗 문, 글(월), 문장; (한 문장으로 이루어진) 발언: Neben∽ 부문장; ein einfacher〔zusammengesetzter〕 ~ 단순문〔복합문〕; ~ für ~ 한 구절 한 구절씩; ich kann nur ein paar Sätze Italienisch 나는 이탈리아어를 몇 마디밖에 할 줄 모른다; das läßt sich nicht in〔mit〕 einem ~ sagen 그것은 한 마디로 말할 수 없다; im ganzen ~ antworten 완전한 문장으로 답하다. (**b**) (Lehr∽) 정리, 명제; (Grund∽) 공리, 원칙; (Glaubens∽) 교의(教義), 교리; 격언, 금언; 논제, 주장: einen ~ aufstellen a) 명제를 세우다, b) 원칙을 정하다; einem ~ widersprechen 원칙에 위배되다; 〖數〗 beweise diesen ~! 이 명제를 증명하라! ⑨ (**a**) 정해진 금액, 정액; 정가; 공정 가격: ein bestimmter ~ an〔von〕 Reisespesen 일정액의 여비〔출장비〕; bei diesem Kaufmann hat alles seinen bestimmten ~ 이 상인의 가게에는 모두 정가가 붙어

있다; deine Forderung überschreitet den üblichen ~ 너의 청구는 통상적인 가격보다 비싸다. (**b**) 율; 세율; 이자율(Zins≈): zu niedrigen Sätzen 낮은 이자율로. (**c**) 정량, 적량: zwei Tassen, das ist so mein ~ 두 잔, 그것이 나의 정량이오〔꼭 알맞습니다〕; das ist mein ~ im Essen 그것이 내 식사의 정량이다. ⑩〖문학〗연(聯)(Strophe). ⑪ (obd.) 저당권(Hypothek). ⑫〖테니스〗세트(6 게임으로 이루어짐): er gewann glatt in drei Sätzen 그는 쉽게 3세트를 이겼다. ⑬〖양어〗(특히 잉어의) 물고기의 한 배 새끼; 한 번에 양어장에 방류하는 치어(稚魚) 전체; 〖사냥〗(짐승 특히 산토끼의) 한 배의 새끼: ein ~ Hasen 한 배에서 난 토끼들. ⑭ 치즈를 한 번 만드는 데 드는 우유의 양. ⑮〖제련〗(용광로에) 한 번 투입하는 광석. ⑯ ein ~ Brot 한 가마(솥)에 구운 빵 전체. ⑰〖컴〗데이터 세트.

Satz≈akzent *m.* 〖문법〗문장의 악센트. **~aussage** *f.* 〖문법〗술어. **~ball** *m.* 〖스포츠〗세트 포인트(가 되는 공). **~band** *n.* 〖문법〗연사(連辭)(Kopula). **~bau** *m.* 문장 구성. **~bau·plan** *m.* 〖문법〗기본 문형. **~-bildung** *f.* 문장 구조. **~brief** *m.* 저당〔담보〕증권(독일·스위스의 저당법상의 특수한 유가 증권). **~bruch** *m.* 〖문체〗(문장의 시작과 끝이 맞지 않는) 파격 문장.

Sätzchen [zɛ́tsçən] *n.* -s, - 〖↑ Satz 의 축소형〗① 작은 도약. ②〖문법〗단문, 구.

Satz·ergänzung *f.* 〖문법〗목적어.

Satz≈fehler *m.* 〖印〗오식(誤植). **≈fertig** *a.* 인쇄 준비가 완료된. **~fügung** *f.*, **~gefüge** *n.* 〖문법〗① 문장의 결합〔합성〕. ② 겹문장, 복문. **~gegenstand** *m.* 〖문법〗주어. **~glied** *n.* 〖문법〗문장 성분.

..sätzig *suf.* 〖음악〗"…악장의"의 뜻(보기: drei~ 3 악장으로 이루어진).

Satz≈konstruktion *f.* 〖문법〗문장 구조〔구성〕. **~lehre** *f.* 〖문법〗문장론, 구문론. **~mehl** *n.* 녹말, 전분. **~reihe** *f.* 〖문법〗중문(重文)(둘 이상의 독립절을 포함하는 문장). **~spiegel** *m.* 〖印〗조판면, 책의 인쇄된 면. **~technik** *f.* 〖印〗인쇄〔조판〕기술. **~teich** *m.* 양어장. **~teil** *m.* 〖문법〗↑ ~glied.

Satzung [zátsuŋ] 《< setzen》 *f.* -en ① 규약, 정관, 회칙; 규칙, 규정; 법령; 제도, 조직; 〖宗〗교의(教義); (특히 가톨릭의) 교회법, 종규(宗規): et. in die ~en aufnehmen 무엇을 정관에 넣다. ②〖방언〗공정 가격.

satzungs≈gemäß, ~mäßig *a.* 규약〔법령〕의, 규약〔법령〕에 관한〔따른〕, 규약〔법령〕대로의; 법정의: et. ~ ausführen 무엇을 규약에 따라 이행하다. **≈recht** *n.* 성문법.

Satz≈verbindung *f.* 〖문법〗중문(重文). **~-vorlage** *f.* 〖인쇄〗(조판용의) 원고. **~-waage** *f.* 〖工〗수준기(水準器). **≈weise** *adv.* ① 뛰어(서); 〖비유〗껑충껑충 뛰어서, 무서운 속도로; 불규칙하게, 띄엄띄엄. ②〖문법〗문장마다, 한 문장씩. **≈wertig** *a.* 〖문법〗(부정형이나 분사가) 문장가(價)를 갖는. **~-zeichen** *n.* 구두점. **~zeit** *f.* (짐승의) 분만기, 번식기. **~zusammenhang** *m.* ① 한 문장내의 단어들의 관계. ②〖문법〗문맥.

***Sau**[1] [zau] 《원래는 의성어》 *f.* Säue/-en ① 암퇘지; 〖구어〗돼지: wie eine ~ schwitzen 땀투성이가 되다; 〖비속〗wie eine gestochene ~ schreien 격렬하게 소리치다; wie eine gesengte ~ a) 〖경박〗아주 빨리, 맹렬한 속도로, b) (행실이) 나쁜, 엉망인; 〖비속〗jn. zur ~ machen 누구를 심하게 질책하다〔닦아세우다〕; 〖비속〗et. zur ~ machen 제대로 취급하지〔다루지〕 못해 망가뜨리다; 〖경박〗die ~ (he)rauslassen 마시고 떠들며 놀다, 무절제하게 행동하다; 〖비속〗keine ~ 어느 놈도 …않다; aber das interessiert doch keine ~ 하지만 어느 놈도 거기에 관심이 없다; 〖聖〗ihr sollt eure Perlen nicht vor die Säue werfen 너희 진주를 돼지 앞에 던지지 말라(귀한 것을 그 가치를 모르는 자에게 주지 말라) (마태 7:6); das ist unter aller ~ a) 그건 정말 딱〔비참〕한 일이다, b) 그것은 전혀 무가치한 것이다; sein Deutsch ist unter aller ~ 그의 독일어는 형편 없다. ②〖복수: Sauen〗〖사냥〗(암) 멧돼지. ③〖복수: Säue〗〖비속·폄어〗더러운〔역겨운〕 놈; 음탕한 녀석; 불쾌한 녀석: du blöde〔gemeine〕 ~! 너 이 멍청〔비열〕한 놈아! ④ 잉크 얼룩. ⑤ 잘못, 실수. ⑥〖카드〗에이스: ~ haben (특히 카드에서) 행운이다, 운 좋다. ⑦〖제련〗용광로·굴뚝 등의 찌꺼기.

Sau[2] *f.* 자우강(도나우강의 지류인 Sava 강의 독일어 명칭).

Sau≈arbeit *f.* ①〖비속·폄어〗천한〔더러운〕 일, 고역. ② 날림일. **~balg** *m.* 〖植〗명아줏과의 식물. **~bär** *m.* (obd.) 수퇘지; 멧돼지; 〖비속〗돼지 같은 놈. **~beller** *m.* 〖사냥〗(멧돼지 사냥에 쓰던 독일종) 사냥개.

***sauber** [záubər] 《lat. sobrius》 *a.* ① 깨끗한, 맑은, 더럽혀지지 않은; 산뜻한; 예의바른, 고결한; 훌륭한, 좋은: ~e Kleidung 깨끗한 옷; ein ~er Teller 깨끗한〔아직 사용하지 않은〕 접시; das war ein ~es Spiel 그것은 정정당당한〔깨끗한〕 플레이였다; ein ~er Charakter 고결한 성품; ein ~es Mädchen 행실이 바른 소녀; 〖경박·농담〗bleib ~! 허튼 짓 마라; das Tor bleibt ~ 골을 먹지 않다; 〖반어〗du bist ja ~! 너는 대단하군!; mein Gewissen ist ~ 나는 양심에 거리낄 것이 없다; 〖구어〗er ist nicht ganz ~ 그는 믿을 수 없는 사람이다; 〖구어〗du bist wohl nicht ganz ~ 너는 제정신이 아니구나; eine ~e Lösung 공정한 해결(책); 〖비유〗~e Hände haben 죄가 없다, 고결하다; eine ~e Weste haben 깨끗한 조끼를 입고 있다, 흠잡을 곳이 없다; das Kind ist schon ~ 그 아이는 벌써 대소변을 가린다(기저귀를 떼었다); das Zimmer ~ machen 방을 청소하다; er hält sein Werkzeug peinlich ~ 그는 공구를 지나치게 깨끗이 간수한다; sich ~ halten 옷차림〔몸가짐〕이 단정하다; alles geht ~ 모든 일이 잘 되어 간다. ② 정확한, 정연한; 공들인, 솜씨 좋은: eine ~e Handschrift 또박또박 쓴 글씨〔필적〕; das ist ~ gearbeitet 그것은 솜씨 좋게 잘 처리되었다. ③〖반어〗쓸모없는, 나쁜; 더러운; 불쾌한: ~e Arbeit 더러운 일; ein ~er Bursche 불량 소년; ein ~es Früchtchen〔eine ~e Person〕 못된 놈〔인간〕; eine ~e Geschichte 터무니없는 말〔소리〕, 싫은 일〔짓〕; eine ~e Wirtschaft 혼란, 소동; du bist mir ein ~er Patron〔Geselle〕 너는 쓸모없는 녀석이다; das haben wir dem ~en Herrn X zu verdanken 그것은 그 못된 X 씨 때문이다;

(südd., öst., schweiz.) 〖동사의 뜻을 강조하여〗 er hat uns ~ betrogen 그는 우리를 감쪽같이 속였다; dem habe ich es ~ heimgezahlt 나는 그에게 보기 좋게 복수했다. ④ (obd.) 애교 있는, 귀여운, 예쁜: die ∼ste 가장 예쁜 여자. ⑤ 흠잡을 데 없는, 완벽한: das Zusammenspiel war nicht ganz ~ 그 협연은 완벽하지가 않았다; eine ~e deutsche Aussprache 정확한 독일어 발음. ⑥ (obd.) 〖구어〗 상당한, 주목할 만한, 엄청난: das war eine ~e Leistung! 그것은 대단한〔괄목할 만한〕 성과였다〔업적이었다〕! (높이 평가하거나 빈정거리는 표현); das ist ~! 굉장하군, 대단해!

sauber|halten* *t.* 청결하게〔깔끔하게〕 유지하다; 정리해 두다: die Umwelt ~ 환경을 깨끗이 보전하다; et. von et.³ ~ 무엇(원치 않는 것)으로부터 무엇을 깨끗이 지키다.

Sauberkeit *f.* ① 깨끗함, 청결: hier herrscht Ordnung und ~ 여기는 모든 것이 질서정연하고 깨끗하다. ② 정확, 꼼꼼함. ③ 단정; 고결, 청렴.

säuberlich [zɔ́ʏbərlɪç] *a.* 〖대개 부사로〗 ① 깨끗한, 질서 정연한, 신중한: et. fein ~ anfassen 무슨 일을 신중하게 취급하다; et. ~ zeichnen 무엇을 정확하게 그리다; die Kleider ~ zusammenlegen 옷을 단정하게 개다. ② 〖고어〗 단정한, 청렴한, 고결한: ein ~es Leben führen 청렴한 생활을 하다.

sauber|machen *t./i.* (h.) 깨끗이하다, 청소하다: die Wohnung ~ 집안을 청소하다; das Baby ~ 아기의 기저귀를 갈아주다; 〖구어〗 sie geht ~ 그녀는 청소부로 일한다.

Sauber·mann *m.* -(e)s, ..männer 〖농담·반어〗 ① 지나치게 깔끔떠는 사람, 결벽증 환자. ② 외모에 신경 쓰는 사람, 옷차림이 항상 단정한〔깔끔한〕 사람. ③ 청렴한 사람, 도덕 군자.

säubern [zɔ́ʏbərn] 《I》 *t.* ① 깨끗이하다, 닦다, 쓸다, 청소하다; 치우다, 정돈하다; 빨래하다, 빨다: eine Wunde ~ 상처를 소독하다; die Schuhe mit der Bürste ~ 구두를 솔질하다. ② 정화(淨化)하다: die Partei ~ 당을 쇄신〔숙청〕하다; ein Beet von Unkraut ~ 화단의 잡초를 뽑다; et. vom Schmutz ~ 무엇의 얼룩을 지우다〔빼다〕; eine Gegend von Räubern ~ 어느 지방의 도둑을 소탕하다. ③ 〖재봉〗 (솔기의 가장자리를) 감치다. 《II》 *refl.* sich ~ 몸을 깨끗이하다, 옷차림을 산뜻하게 하다; 억울함을 씻다.

Säuberung [zɔ́ʏbərʊŋ] *f.* -en ① 청소. ② 숙청.

Säuberungs≈aktion *f.* 〖政〗 숙청 작업. **~welle** *f.* 숙청 선풍.

sau≈blöd *a.* 〖비속〗 아주 멍청한, 우둔하기 짝이 없는. **~blöde** *a.* ↑ ~blöd. **~bohne** *f.* 〖植〗 누에콩, 잠두(蠶頭). **~borste** *f.* 멧돼지의 뻣뻣한 털(솔 제조에 쓰임). **~brot** *n.* 〖植〗 시클라멘(앵초과(科)에 속한 풀).

Sauce [zó:sə, (öst.) zo:s] *f.* -n ↑ Soße.

Sauce Béarnaise [sos bearnɛ́:z] *f.* 〖요리〗 베아른식 소스(식초·백포도주·버터·달걀 노른자와 양념으로 만든 진한 소스; 프랑스 베아른 지방의 이름에서).

Sauce Hollandaise [sos ɔlɑ̃dɛ́:z] *f.* 〖요리〗 네덜란드식 소스(백포도주·달걀 노른자·버터와 레몬즙으로 만든 소스).

Säuchen [sɔ́ʏçən] *n.* -s, - 〖↑ Sau¹ 의 축소형〗 새끼 돼지.

Sauciere [zosiɛ́:rə] 《lat. -frz.》 *f.* -n 소스 그릇.

saucieren [zosí:rən] *t.* (담배잎을) 향료액에 담그다; 〖요리〗 (식탁에 내기 직전에) 소스를 치다.

Saucischen [zosí:sçən] *n.* -s, - (끓는 물에 데우는) 가늘고 작은 송아지살 소시지.

Saudi [záudi] *m.* -s, -s 〖구어〗 ↑ Saudiaraber.

Saudiaraber [zaʊdi|á:rabər] *m.* -s, - 사우디아라비아인.

Saudi-Arabien [..ará:biən] *n.* -s 사우디아라비아.

saudiarabisch *a.* 사우디아라비아(사람)의.

Sau≈distel *f.* 〖植〗 방가지똥(국화과에 속한 풀). **~dumm** *a.* 〖비속〗 아주 미련〔우둔〕한.

sauen [záuən] *i.* (h.) ① 더러워지다, 지저분한 짓을 하다; 〖비유〗 음담패설을 하다. ② (돼지가) 새끼를 낳다.

***sauer** [záuər] (saurer, sauerst) *a.* ① 신(맛 나는); 식초에 절인; 산패(酸敗)한: saure Drops 새콤한 드롭스; saure Gurken 식초에 절인 오이; saure Milch 산패유(乳); ein saurer Geruch 시큼한 냄새; saurer Wein 지나치게 신 포도주; 〖격언〗 saure Trauben 신 포도(이솝 우화에서 인용; 괜한 핑계나 구실을 대는 것을 의미함); ein saures Brot a) 신〔눈물 젖은〕 빵, b) 힘든 인생사, 어려운 생활; jm. ~ aufstoßen 누가 신트림을 하다; mir stößt es ~ auf (vom Magen) (위에서) 신트림이 난다; 〖비유·구어〗 das wird ihm noch ~ aufstoßen 그것 때문에 그는 쓴맛을 보게 될 것이다; 〖비유〗 in den sauren Apfel beißen 울며 겨자 먹기로 싫은 일을 하다; 〖구어·비유〗 gib ihm Saures! 그놈 좀 호되게 패 줘라! ② 〖化〗 산을 함유한, 산성(토양)의: saure Lösung 산성 용액; 〖農〗 saurer Boden 산성토; saures Gestein 산성암; saurer Regen 산성비; saure Salze 산성염; saurer Wind (흐린 날의) 습기찬 바람(북풍 및 북서풍). ③ 〖은어〗 망가진, 고장난, 엉망인; 무기력한, 기진맥진한: den Gegner ~ machen 적을 무기력하게 만들다, 제압하다; der Rennwagen ist ~ geworden 경주차가 엔진 고장을 일으켰다; ~ werden 녹초가 되다. ④ 싫은, 불쾌한; 귀찮은, 성가신; 힘드는, 괴로운, 어려운: saure Arbeit 힘든 일; ~ verdientes Geld 힘들여〔빠빠지게〕 번 돈; saure Woche 휴일이 없는 고단한 주(週); mit saurer Mühe 매우 힘들여서; jm. das Leben ~ machen 누구의 생활을 괴롭게 만들다; es sich ~ werden lassen 몹시 애쓰다, 고생하다; die Arbeit wird mir ~ 〔die Arbeit kommt mich ~ an〕 그 일이 내게는 힘들다. ⑤ 무뚝뚝한; 〖경박〗 화를 내는, 짜증내는: ~ aussehen 상을 찌푸리고 있다; saures Lächeln 쓴 웃음; ~ reagieren a) 〖化〗 산성 반응을 보이다, b) 화를 내다, 거부하다; mit saurer Miene 찌푸린 얼굴로. ⑥ (obd., md.) 짠(salzig). ⑦ (obd.; grün) 싱싱〔생생〕한, 풋것〔생것·날것〕의, (재목이) 마르지 않은.

Sauer [záuər] *n.* -s, - 〖방언〗 ① 신맛(Säure). ② 〖印·은어〗 선금을 받고 아직 끝내지 않은 일. ③ 초를 넣어 요리한 거위나 토끼의 내장 요리; 초를 쳐서 만든 돼지〔거위〕 새끼 요리(Schwarz ~). ④ ↑ ~teig. ⑤ (ndd.) 식초. ⑥ ↑ ~milch.

Sauer·ampfer *m.* ①〖植〗 수영, 승아. ②〖구어·농담〗 지나치게 신맛의 포도주.

säuerbar [zɔ́ʏərbaːr] *a.* 〖化〗 산(성)화(酸(性)化)할 수 있는.

Sauer≈braten *m.* 초에 절인 고기 구이. **~brunnen** *m.* 탄산천; 탄산수. **~dorn** *m.* 〖복수: ..dorne〗〖植〗 매자나뭇과의 관목.

Sauerei [zauərái] 《<Sau》 *f.* -en 〖비속·폄어〗 불결; 음탕, 음담; 비열한〔괘씸한〕 짓.

Sauer≈honig *m.* 〖藥〗 옥시멜(거담제(祛痰劑)). **~käse** *m.* 시어진 우유로 만든 부드럽고 흰 치즈. **~kirsche** *f.* 〖植〗 (신맛이 나는) 서양 버찌; 서양 벚나무. **~klee** *m.* 〖植〗 애기괭이밥. **~klee·säure** *f.* 〖化〗 옥살산(酸). **~kohl** *m.* ↑ ~kraut. **~kraut** *n.* 〖요리〗 자우어크라우트(묽은 소금물에 절여 발효시킨 잘게 썬 양배추).

Sauerland [záuərlant] *n.* -(e)s 자우어란트(노르트라인·베스트팔렌주에 있는 구릉지).

Sauerländer [..lɛndər] *m.* -s, - 자우어란트 사람〔주민〕.

sauerländisch *a.* 자우어란트의.

säuerlich [zɔ́ʏərlɪç] 《<sauer》 *a.* ① 새콤한, 약간 신(맛 나는); 〖化〗 묽은 산성의. ② 불만스러운, 떨떠름한, 씁쓰레한, 불쾌한; 노처녀 같은: ~ lächeln 쓴웃음을 짓다. ③ 조금 썩은〔부패한〕: die Milch riecht schon ~ 우유가 벌써 조금 상한 냄새가 난다.

säuerlich·süß *a.* ↑ sauersüß.

Säuerlichkeit *f.* ↑ säuerlich 의 명사형.

Säuerling *m.* -s, -e ① ↑ Sauerbrunnen. ② ↑ Sauerkäse. ③ 신포도주. ④〖植〗 **(a)** ↑ Sauerampfer. **(b)** ↑ Sauerdorn. **(c)** ↑ Sauerklee. **(d)** 시어서 쓸모 없는 포도.

Sauer·milch *f.* ① 산패유(酸敗乳), 응유(凝乳). ② 발효 우유.

sauern [záuərn] *i.* (h./s.) 〖구식〗 ① 시어지다, 신맛을 띠다; 발효하다. ② 성가시게 하다, 괴롭히다: 〖속담〗 was nicht sauert, süßt nicht 고진감래(苦盡甘來).

säuern [zɔ́ʏərn] 《Ⅰ》 *t.* ① (초나 레몬즙을 넣어) 시게 하다; (음식에) 초를 치다; 발효시키다, 발효시켜 보존하다: gesäuertes Brot 효모〔이스트〕를 넣은 빵; Kohl ~ 양배추를 발효시켜 저장하다. ②〖化〗 산화시키다: verschieden gesäuert 여러 가지 산과 화합한. 《Ⅱ》 *i.* (h./s.) 시어지다; 발효하다; 쉬다: die Suppe hat 〔ist〕 schon gesäuert 그 수프는 벌써 쉬었다.

Säuernis [zɔ́ʏərnɪs] *f.* 〖雅語〗 ① 신맛. ② 불쾌감.

Sauer≈quelle *f.* ↑ ~brunnen. **~rahm** *m.* 〖요리〗 (젖산균을 넣어 발효시킨) 젖산균 크림. **~sehend** *a.* 못마땅한 얼굴을 한, 오만상을 찌푸린.

***Sauer·stoff** *m.* 〖化〗 산소(기호: O): 〖구어〗 ich muß mal ein bißchen ~ tanken 나는 신선한 공기를 좀 마셔야만 하겠다(산책을 좀 해야만 하겠다).

Sauerstoff≈apparat *m.* 산소 흡입 장치〔기구〕. **~bad** *n.* 〖醫〗 (치료를 위한) 산소욕(浴). **~dusche** *f.* 산소욕. **~flasche** *f.* 산소 보관용 금속 병. **~gas** *n.* 산소 가스. **~gerät** *n.* 산소 흡입기. **~haltig** *a.* 산소를 함유한. **~mangel** *m.* 산소 부족〔결핍〕. **~maske** *f.* 산소 마스크. **~messer** *m.* 산소 계(량)기. **~tank** *m.* (우주선의) 산소 (보관) 탱크. **~verbindung** *f.* 산화물. **~versorgung** *f.* 산소 공급. **~zelt** *n.* 〖醫〗 (중환자용) 산소 텐트(산소 공급용 천막 같은 플라스틱 기구). **~zufuhr** *f.* 산소 공급.

sauer≈süß *a.* ① 새콤달콤한, 달고 신. ② (언짢지만) 마지못해 친절한. **~teig** *m.* 효모(균), 이스트. **~topf** *m.* ① 식초를 만들기 위해 시어진 포도 찌꺼기를 보관하는 용기. ②〖구어·폄어〗 불평 분자. **~töpfisch** *a.* 불평하는, 언짢아 하는.

Säuerung [zɔ́ʏərʊŋ] *f.* -en 시게 하기, 초를 치기; (이스트를 넣어) 반죽을 발효시킴; 〖化〗 산화; (음식이) 쉼.

Sauer≈wasser *n.* 〖복수: ..wässer〗 ↑ ~brunnen. **~werden** *n.* 시어짐; 초가 됨.

Sau≈essen *n.* 돼지 먹이, 더러운〔조잡한〕 음식. **~fang** *m.* 멧돼지 사냥.

Sauf≈aus [záuf|aus] 〖구어〗, **~bold** *m.* 〖비속·폄어〗 술고래(Säufer). **~bruder** *m.* ① 술친구. ② 술고래(Säufer).

Sau·feder *f.* 멧돼지 사냥에 쓰는 창.

saufen [záufən] (soff, gesoffen) 《Ⅰ》 *t./i.* (h.) ① (짐승이 홀짝홀짝) 마시다: den Pferden zu ~ geben 말에게 물을 주다; das Vieh säuft (Wasser) 가축이 (물을) 마시다. ②〖비속〗 (사람이) 벌컥벌컥 마시다, 마구 들이켜다; 술을 많이〔습관적으로〕 마시다, 폭음하다: in 〔mit〕 einem Zug das Glas leer ~ 단숨에 잔을 비우다; er säuft wie ein Bürstenbinder 〔Loch〕 그는 한도 끝도 없이 마신다; er hatte Kopfschmerzen, weil er am Abend vorher gesoffen hatte 그는 전날 저녁에 과음을 해서 머리가 아팠다; er säuft alle unter den Tisch 그는 누구보다도 술이 세다; einen ~ gehen (술집으로) 한 잔 하러 가다. ③〖방언〗 숟가락으로 먹다. 《Ⅱ》 *refl.* sich³/⁴ ~ 마셔서 어떤 상태가 되다: sich krank〔tot〕 ~ 과음으로 병들다〔죽다〕; sich voll ~ 흠뻑 마시다〔취하다〕, 만취하다; sich³ einen ~ (기분 전환으로) 술을 한 잔 하다.

Saufen *n.* -s 폭주(暴酒), 폭음.

Saufer *m.* -s, - ↑ Säufer.

Säufer [zɔ́ʏfər] *m.* -s, - 〖비속·폄어〗 술고래, 술꾼; 〖醫〗 알코올 중독자.

Säufer·balken *m.* 〖구어·농담〗 (음주 운전으로 면허가 취소되어 재발급할 경우) 면허 시험 합격란에 그었던 사선(1979 년까지).

Sauferei [zaufərái] *f.* -en ① 폭음, 폭주. ② ↑ Saufgelage.

Säuferin *f.* -nen 〖비속·폄어〗 ↑ Säufer 의 여성형.

säuferisch [zɔ́ʏfərɪʃ] *a.* 폭음하는.

Säufer≈leber *f.* 〖구어〗 (과음으로 인한) 간경변(증). **~nase** *f.* 주독으로 빨개진 코. **~wahn** *m.* ↑ ~wahnsinn. **~wahnsinn** *m.* 〖醫〗 (알코올 중독으로 인한) 섬망증(譫妄症), 정신 착란.

Sauf≈gelag, ~gelage *n.* 술잔치, 주연. **~genoß, ~gesell** *m.* ↑ ~bruder ①. **~gesellschaft** *f.* 주연; 주연의 참석자(들). **~gurgel** *f.* ↑ Säufer.

Sau·finder *m.* 〖사냥〗 멧돼지 사냥개(Saubeller).

Sauf≈kumpan *m.* 〖비속·폄어〗 술친구, 술

꾼. ~**lied** *n.* 주연의 노래, 권주가. ≈**lustig** *a.* 호주(豪酒)를〔폭음을〕 즐기는.

Sau·fraß *m.* 〔방언·비속〕 ↑ ~essen.

Sauf≈sack *m.* ↑ Säufer. ~**schwester** *f.* 술 잘하는 여자.

säufst [zɔʏfst] ↑ saufen 의 2 인칭 단수 현재형.

säuft [zɔʏft] ↑ saufen 의 3 인칭 단수 현재형.

Saug·ader [záuk..] *f.* 〖해부〗 림프관.

Säug·amme [zɔ́ʏk..] *f.* 유모(乳母).

Sau·garten *m.* 〖사냥〗 멧돼지 방목장.

Saug≈bagger *m.* 흡입식 준설기〔선〕. ~**brunnen** *m.* 〖農〗 펌프 양수정(揚水井).

säugeln [zɔ́ʏgəln] *t.* 〖원예〗 접붙이다, 접목하다.

***saugen**^(*) [záugən] (sog/saugte, gesogen/gesaugt) *t./i.* (h.)/*refl.* ① (**a**) 빨아 마시다〔먹다〕; 흡수하다: die Mücken ~ Blut 모기가 피를 빨아먹다; die frische Luft durch die Nase ~ 신선한 공기를 코로 들이마시다; die Biene saugt Honig aus den Blumen 꿀벌이 꽃에서 꿀을 빨다; jm. das Mark aus den Knochen ~ 누구를 철저히 착취하다〔골탕먹이다〕; et. mit der Muttermilch in sich gesogen haben 어린 시절부터 무엇에 익숙해져 있다, 무엇이 몸에 배어 있다; 〔비유·구어〕 das hat er sich³ aus den Fingern gesogen 그것은 그가 지어낸 말이다, 그것은 사실이 아니다. (**b**) (젖을) 빨다: an der Brust 〔am Euter, an den Zitzen〕 ~ 젖을 먹다; an den Fingern ~ 손가락을 빨다; an der Pfeife ~ 파이프 담배를 피다. (**c**) 〔약변화〕 (진공 청소기로) 빨아들이다, 청소하다: den Teppich 〔das Wohnzimmer〕 ~ 진공 청소기로 양탄자를〔거실을〕 청소하다; der Staubsauger saugt gut 이 (진공) 청소기는 성능이 좋다. ②〔결과를 나타내어〕 et. leer ~ 무엇을 남김없이 빨다; sich fest ~ 흡착하다; sich satt ~ 실컷 빨다; sich³ voll et. ~ 무엇을 흠뻑 빨아들이다, 무엇으로 흠뻑 젖다; das Löschblatt sog sich³ voll Tinte 압지가 잉크를 흠뻑 먹었다; das Wasser hat sich in das Leder gesaugt 가죽에 물이 스며들었다. ③ (**a**) 〔비유·雅語〕 끌어내다, 획득하다: aus et.³ neue Kraft ~ 무엇에서 새로운 힘을 얻다; et. in sich ~ 무엇을 흡수하다. (**b**) (지식 등을) 열심히 흡수하다. ④ ↑ säugen. ⑤ 핥다. ⑥ *t.* 〖컴〗 (상위 컴퓨터에서) 하위 컴퓨터로 전송하다, 다운로드하다 (engl. download).

säugen [zɔ́ʏgən] *t.* 젖을 먹이다, 젖을 주다; 기르다, 보육하다: die Amme säugt das Kind 유모가 아기에게 젖을 먹이다.

Sauger *m.* -s, - ① 유아, 젖먹이; (Blut≈) 흡혈귀; 고리 대금업자. ②〖生·動〗 (**a**) (주둥이의 빨대로 양분을 흡수하는) 흡입성 동물〔곤충〕: Blut≈ 흡혈 곤충. (**b**) 서커(북아메리카산(產)의 잉어과에 가까운 식용 담수어); 〖農〗 젖이 떨어지지 않은 새끼 짐승(특히 양새끼). ③〖植〗 구강산풀(부생(腐生) 식물). ④〖工〗 (**a**) (펌프의) 판(瓣); 피스톤; 통풍기(Luft≈). (**b**) 진공 청소기(Staub≈). ⑤ (우유병의) 고무 젖꼭지; 장난감 젖꼭지; 스포이드.

Säuger [zɔ́ʏgər] *m.* -s, - ① 젖 주는 사람. ② ↑ Säugetier. ③ ↑ Sauger ②(b).

Säugerin *f.* -nen 젖 주는 어머니; 유모.

Säuge≈tier [zɔ́ʏgə..] *n.* 포유 동물. ~**tierkunde** *f.* 포유 동물학. ~**zahn** *m.* 젖니, 유치(乳齒).

Sauge·zeit *f.* 수유기(授乳期).

saug≈fähig *a.* 흡수성의. ≈**fähigkeit** *f.* 흡수성〔력〕.

Saug≈ferkel *n.* (고급 요리에 쓰이는) 젖먹이 새끼 돼지. ~**fläschchen** *n.* ↑ ~flasche 의 축소형. ~**flasche** *f.* 수유용(授乳用)의 우유병. ~**füßchen** *n.* 〖動〗 흡반각(吸盤脚). ~**glocke** *f.* 〖醫〗 ① 흡각(吸角), 사혈기(瀉血機器)(염증의 치료에 쓰임); 〖化〗 여과병. ② (출산 촉진용) 진공 흡입 분만기. ~**heber** *m.* 〖物〗 사이펀, 피펫, 흡액기(吸液器). ~**hub** *m.* 피스톤의 흡기(吸氣) 행정(Kolbenhub). ~**kappe** *f.* 〖工〗 굴뚝 등에 씌워 연기가 일정하게 나오도록 하는 덮개. ~**kolben** *m.* 〖工〗 흡입 피스톤. ~**kraft** *f.* 흡입력. ≈**kräftig** *a.* 흡입력이 강한. ~**lamm** *n.* 새끼〔젖먹이〕 양. ~**leitung** *f.* 흡입관.

***Säugling** [zɔ́ʏklɪŋ] 《<saugen》 *m.* -s, -e ① 젖먹이, (만 한 살 정도까지의) 유아; 젖떼지 않은 새끼 짐승. ② 흡혈 곤충; (특히) 벼룩. ③ 접붙일 묘목, 접수(接穗). ④ 철부지; 바보.

Säuglings≈alter *n.* 유아기. ~**ausstattung** *f.* 유아(乳兒) 용품(옷·기저귀·포대기 따위). ~**bewahr·anstalt** *f.* 〔구식〕 탁아소, 유아〔보육〕원. ~**fürsorge** *f.* 유아 복지〔진료〕(사업); 유아 상담소. ~**gymnastik** *f.* 유아 체조. ~**heim** *n.*, ~**krippe** *f.* ↑ ~bewahranstalt. ~**pflege** *f.* 유아 보육. ~**schwester** *f.* 유아 전문 간호사. ~**sterblichkeit** *f.* 유아 사망률. ~**waage** *f.* 유아용 체중계.

Sau≈glocke *f.* 〔비속〕 die ~(n) läuten 상스런 말을 하다. ~**glück** *n.* 〔경박〕 (뜻밖의) 큰 행운(↑ Sau¹ ⑥).

Saug≈magen *m.* 〖動〗 (곤충의) 흡위(吸胃). ~**maschine** *f.* 〖工〗 흡〔배〕기기(吸〔排〕氣器). ~**massage** *f.* 흡입 마사지(종 모양의 흡입 기구를 이용함). ~**muskel** *m.* 〖해부〗 수유근(筋), 흡근(吸筋). ~**napf** *m.* 〖動〗 흡반(吸盤), 빨판, 흡착기. ~**organ** *n.* 〖生〗 흡입 기관, 흡반. ~**papier** *n.* 흡수지. ~**pfropfen** *m.* 고무 젖꼭지. ~**pumpe** *f.* 〖工〗 빨펌프.

sau·grob *a.* 〔비속〕 아주 거친; 아주 버릇 없는.

Saug≈rohr *n.* 〖工〗 흡액 유리관; 〖광산〗 흡기관(吸氣管). ~**röhrchen** *n.* ↑ ~rohr. ~**rüssel** *m.* 〖動〗 (곤충의) 빨대 모양의 주둥이. ~**scheibe** *f.* ↑ ~napf. ~**ventil** *n.* 〖工〗 흡입 밸브. ~**warze** *f.* ①〖해부〗 젖꼭지, 유두(乳頭). ②〖植〗 (기생 식물의) 기생근(根). ~**werk** *n.* 빨펌프. ~**werkzeug** *n.* 〖動〗 흡인 기관(器官). ~**wirkung** *f.* 흡인 작용. ~**wurm** *m.* 〖動〗 흡충류(吸蟲類). ~**wurzel** *f.* 〖植〗 기생근(根).

Sau≈hatz, ~hetze *f.* 멧돼지 사냥. ~**haufen** *m.* 〔비속·폄어〕 오합지중(烏合之衆). ~**herde** *f.* ↑ ~haufen. ~**hieb** *m.* 〖펜싱〗 반칙타; 마구잡이 공격. ~**hirt** *m.* 돼지 치는 사람; 불결〔음탕〕한 사람. ~**hund** *m.* ①〖사냥〗 멧돼지 사냥개. ② 돼지 지키는 개. ③〔비속·폄어〕 더러운 놈, 추잡한 녀석. ④〖動〗 돔발상어속(屬)의 일종. ~**igel** *m.* ①〖動〗 고슴도치. ②〔비속·폄어〕 ↑ ~hund ③.

säuisch [zɔ́ʏɪʃ] 《<Sau¹》 *a.* ①〔폄어〕 돼지 같은; 짐승 같은; 불결한; 추잡〔음탕〕한. ②〔경

박·강조》 엄청난, 굉장한, 지독한: eine ~e Kälte 지독한 추위.

Sau≈jagd *f.* ↑ ~hatz. **≈kalt** *a.* 《경박》 지독하게 추운. **~kälte** *f.* 혹한. **~kerl** *m.* 《비속·폄어》 비열(추잡)한 놈. **~klaue** *f.* 《구어》 지독한 악필. **~koben** *m.* ↑ ~stall.

Saul [zaul] *m.* ① 사울(남자 이름). ②《聖》 사울왕(이스라엘의 초대왕(初代王)). ③ 사울(사도 바울의 원 이름): als ~ unter den Propheten erscheinen 개종하다, 뜻밖의 변신을 하다.

Sau≈lache *f.* 돼지가 뒹구는 흙탕물 웅덩이. **~laden** *m.* 《폄어》 서비스가 좋지 않은 상점.

Säulchen [zɔ́ʏlçən] *n.* -s, - 《↑ Säule의 축소형》 ①《건축》 작은 (둥근) 기둥. ②《植》 예주(蕊柱)(수술과 암술이 유착하여 생긴 기관으로 난초과 식물에 흔함). ③ (행진·시위 등의) 긴 행렬. ④ 수은주. ⑤ 계량 급유기.

*__Säule__[1] [zɔ́ʏlə] *f.* -n ①《건축》 둥근 기둥, 원주; 지주(支柱); 주상(柱像); (Gedenk≈) 기념주(柱); (Sieges≈) 승전 기념탑; 문설주: ~n aus Marmor 대리석 기둥; wie eine ~ dastehen 장승처럼 우두커니 서 있다; 《지리》 die ~n des Herakles 헤라클레스의 기둥(지브롤터 해협 양안의 두 암산(岩山)을 가리킴). ②《數》 각기둥. ③ (Heeres≈) 대열; 종대, 종렬: in fünf großen ~n rückte das Heer vor 병력이 긴 5열 종대로 전진했다. ④《해부》 Wirbel≈ 척추. ⑤ (연기·불·증기 등의) 기둥: Rauch≈ 연기 기둥; Wasser≈ 물기둥; Quecksilber≈ 수은주. ⑥ 버팀목, 주춧돌; 중진: 《비유》 zu den ~n der Gesellschaft zählen 사회의 주요 인사에 속하다. ⑦ (주유소의) 기둥 모양의 급유기, 주유기(Zap≈); 원통형의 광고탑.

Säule[2] *f.* -n (ndd.; Schusterahle) 구두 수선용 송곳.

Sau≈leben *n.* 《비속》 돼지 같은 생활. **~leder** *n.* ① 돼지 가죽(Schweinleder). ②《비속·폄어》 ↑ ~hund ③.

Säulen≈abschluß *m.* 기둥머리. **~apostel** *m.* 《宗》 중심이 되는 사도(베드로·요한·야곱의 세 사람). **≈artig** *a.* ↑ ≈förmig. **~bau** *m.* 《건축》 원주식 건축(물·법). **~bündel** *n.* 《건축》 족주(簇柱), 집합주. **≈förmig** *a.* 원주식의, 둥근 기둥 모양의. **~fuß** *m.* 《건축》 주춧대, 대좌(臺座). **~gang** *m.* 《건축》 주랑(柱廊), 열주(列柱); 열주 회랑(回廊). **~halle** *f.* 열주홀, 주랑식 현관. **~haupt** *n.* 《건축》 기둥머리. **~heilige*** *der* 《宗》 주두은자(柱頭隱者)(5-12 세기경 기둥 꼭대기에 정좌하여 금욕적 고행을 한 사람); 완고한 사람: er sitzt da wie ein ~ 그는 꼼짝 않고 거기 앉아 있다. **~kaktus** *m.* 《植》 (저녁에 꽃이 피는) 가시 없고 키 큰 선인장. **~knauf, ~knopf** *m.* 《건축》 기둥머리. **~koppel** *f.* 《건축》 쌍기둥, 쌍주(雙柱). **~laube** *f.* 열주 정자(현관). **~ordnung** *f.* 원주 양식; 원주 배열 체계, 원주와 횡목의 비율: ionische ~ 이오니아식 원주 양식. **~platte** *f.* 《건축》 (네모꼴의) 초석, 주춧돌; (주두(柱頭)의 최상부를 형성하는) 정사각형 부분. **~reihe** *f.* 열주(列柱), 주랑(柱廊). **~schaft** *m.* 둥근 기둥의 몸체 부분, 주신(柱身). **~stellung** *f.* 기둥의 배치(배열). **~stuhl** *m.* 《건축》 대(臺)좌, 주춧대; 기둥 뿌리. **~stumpf** *m.* (기둥의 중간 부분이 잘려나가 그 윗면이 평면을 이룬) 기둥 토막. **~tempel** *m.* 열주(列柱)가 있는 신전. **~weite** *f.* 기둥의 간격. **~werk** *n.* 열주, 주랑.

säulig [zɔ́ʏlɪç] 《<Säule¹》 *a.* ↑ säulenförmig.

..säulig *suf.* "…의 원기둥을 갖춘, …주식(柱式)의"의 뜻(보기: acht~ 8주식(柱式)의; viel~ 다주식(多柱式)의).

Saulus [záulus] *m.* 《신약》 사울(사도 바울이 개종하기 전의 이름): aus einem ~ wird ein Paulus 어떤 설의 반대자가 마음을 돌려 지지자가 되다, 완전히 개종하다; 아주 딴사람처럼 되다.

*__Saum__[1] [zaum] *m.* -(e)s, Säume [zɔ́ʏmə] ① (천·의복 등의) 꿰맨 가장자리, 솔기, 깃, 옷단; 술: den ~ des Kleides küssen (외경의 표시로) 옷가장자리에 키스하다; ein falscher ~ 원 옷감과 다른 천을 댄 옷자락. ②《雅語》 가, 변두리, 변경: ~ eines Waldes 숲의 가장자리; ein schmaler ~ am Horizont 지평선상의 좁아진 끝부분, 미술의 투시 도법상에 나타나는 좁아진 끝 부분.

Saum[2] 《lat. Lw.》 *m.* -(e)s, Säume [zɔ́ʏmə] (obd.) 《고어》 ① (짐승이 운반하는) 짐, 마바리(Last). ② 옛날 스위스의 액량(液量) 단위 (150 리터).

Sau·magen *m.* ①《요리》 (베이컨·감자 등을 채워 넣고 조리한) 돼지의 위장. ② 돼지와 같은 위장: 《비속》 er hat einen ~ 그는 아무거나 게걸스럽게 먹어 치운다.

sau·mäßig *a.* 《구어·비속》 ① 돼지 같은; 더러운; 아주(지독하게) 나쁜: ein ~es Zeugnis 아주 나쁜 성적; du schreibst ~ 너는 악필이다. ② 굉장한, 엄청난: ~es Glück 엄청난 행운; es war ~ kalt 엄청나게 추웠다.

Säumchen [zɔ́ʏmçən] *n.* -s, - ↑ Saum¹의 축소형.

saumen *t.* ↑ säumen¹.

säumen[1] [zɔ́ʏmən] 《<Saum²》 *t.* (obd.) ① (짐 나르는 짐승에) 실어 나르다. ② ein Lasttier ~ 짐 나르는 짐승에 짐을 싣다.

säumen[2] 《Saum¹》 *t.* ① (천·옷 등의) 가장자리를 감치다(다듬다), 가선을 두르다: einen Rock ~ 스커트에 가선을 두르다; Bretter ~ 널빤지의 가장자리를 다듬다. ② (…의) 가장자리를 장식하다, 가장자리에 줄지어 있다: Blumen ~ die Gartenwege 꽃이 정원길가를 장식하고 있다; Pappeln ~ die Allee 포플러가 길가에 늘어서 있다.

säumen[3] 《I》 *i.* (h.) / *refl.* (sich) ~ 꾸물대다; 주저하다; 지체하다: mit et.³ ~ 무엇을 주저하다(게을리하다); ohne ≈ 머뭇거리지 않고, 곧 (당장에); du darfst nicht länger ~ 너는 더 이상 지체해서는 안 된다. 《II》 *t.* 《드물게》 늦게 하다, 지체시키다; 멈추게 하다.

Sau·mensch *m.* 더러운(음탕한) 놈; 창녀.

Saumer 《<saumen》 *m.* -s, - 짐바리꾼, 짐마차꾼; 마부.

Säumer[1] [zɔ́ʏmər] 《<säumen²》 *m.* -s, - ① (옷의) 단을 붙이는 사람. ② (재봉틀에 부착해서 사용하는) (옷)단 접어 박는 기계.

Säumer[2] 《<Saum²》 *m.* -s, - ① 짐 나르는 짐승(Saumtier). ② 짐 나르는 짐승을 모는 사람, 짐바리꾼.

Säumer[3] 《<säumen³》 *m.* -s, - 꾸물(머뭇)거

리는 사람; (세금 등의) 체납자.

Säumerei [zɔʏmərái] *f.* -en 지체, 지연, 태만; 주저; 시간 낭비.

Säum·esel [zɔ́ʏm..] *m.* 짐 나르는 당나귀.

Saum·holz *n.* (다리) 난간의 가로대, 횡목.

säumig [zɔ́ʏmɪç] 《<säumen³》 *a.* 느린, 더딘; 게으른; 늦은, 지체된; 망설이는; 기한을 지키지 않는: ein ~er Zahler 체납자; ein ~er Schuldner 상환 기한을 어기는 채무자; er ist ~ mit seiner Arbeit 그는 일을 태만히 한다.

Säumigkeit *f.* -en 태만, 게으름, 지체.

Säumlein *n.* -s, - ↑ Saum¹ 의 축소형.

Saum·naht *f.* (옷의) 가장자리 감치기.

Säumnis [zɔ́ʏmnɪs] 《<säumen³》 *f.* -se 〔*n.* -ses, -se〕 ①〖雅語〗 지체, 지연, 연기, 망설임; 태만. ② 방해, 고장, 지장. ③〖法〗 출두 불이행.

Säumnis·zuschlag *m.* 과태료, 연체료, 가산금.

Saum≈pfad *m.* (짐을 진 노새 등이 다니는) 좁은 산길. **~pferd, ~roß** *n.* 짐(실는) 말.

Saumsal [záumza:l] 《<säumen³》 *f.* -e 〔*n.* -(e)s, -e〕 〖고어〗 주저, 지체; 태만(Säumigkeit).

Saum·sattel *m.* 길마.

saumselig 《<Saumsal》 *a.* 〖雅語〗 느린; 게으른, 태만한; 지체하는.

Saumseligkeit *f.* -en 게으름, 태만.

Saum·steig *m.* (짐 나르는 짐승이 다니는) 좁은 산길.

Saum·stich *m.* 〖재봉〗 옷단 박기〔대기〕, 감침질.

Saum≈tier *n.* 짐 나르는 짐승(특히 산악 지대의 노새). **~weg** *m.* ↑ ~pfad.

Sauna [záuna:, sáu..] *f.* -(s) /..nen 한증(汗蒸), 사우나.

Sauna≈bad *n.* 사우나(탕), 한증탕. **~tuch** *n.* 〖空〗 (비행기 승객에게 제공하는) 뜨거운 물수건.

saunen [záunən] *i.* (h.) ↑ saunieren.

saunieren *i.* (h.) 사우나를〔한증욕을〕 하다.

Sau·nest *n.* 더러운 곳, 누추한 집; 돼지 우리.

Saurach [záurax] *m.* -(e)s, -e 〖植〗 매자나무속(Sauerdorn).

***Säure** [zɔ́ʏrə] 《<sauer》 *f.* -n ① 신맛, 떫은 맛. ②〖化〗 산(류)(酸(類)): schwache〔starke〕 ~ 약한〔센〕 산; zuviel ~ im Magen haben 위산 과다다; die ~ greift das Metall an 산이 금속을 부식시킨다. ③ 무뚝뚝함; 까다로움, 신랄.

säure≈arm *a.* 산이 적은〔부족한〕. **≈ballon** *m.* (강산성의 물질을 넣어) 상자에 넣는 큰 유리병. **~beständig** *a.* 〖化〗 내산(성)(耐酸(性))의, 산에 강한. **~bildend** *a.* 〖化〗 산(酸)을 만드는; 산성화하는. **≈bildner** *m.* 〖化〗 산성화시키는 것, 산성화 물질. **≈-farb·stoff** *m.* 〖化〗 산성 염료. **~fest** *a.* ↑ ≈beständig. **~frei** *a.* 산을 함유하지 않은. **≈gehalt** *m.* 산 함량, 산 성분: ein Wein mit hohem ~ 산을 많이 함유한 포도주. **≈grad** *m.* 〖化〗 산성도.

Saure·gurken·zeit [zaurəgʊ́rkən..] *f.* ..(n)gurkenzeit, ..(n)gurkenzeiten 〖구어·농담〗 오이지 담그는 철; 경제·정치·문화 활동이 한산한 여름 휴가철, 비수기, 불경기: seine Ferien fielen gerade in die ~ 그의 휴가는 마침 여름철 비수기에 걸렸다.

säure≈haltig [zɔ́ʏrə..] *a.* 산이 든, 산성의. **≈-mangel** *m.* (위)산 결핍〔부족〕. **≈mantel** *m.* (박테리아의 성장을 막는) 피부 표피의 산성층, 내산 피막. **≈messer** *m.* 산정량기(酸定量器). **~schutz·anzug** *m.* 내산(耐酸) 작업복. **~überschuß** *m.* 산의 과잉, 위산 과다. **≈vergiftung** *f.* 산(酸)중독.

Saurier [záuriər] 《lat. <gr. saûros, „Eidechse"》 *m.* -s, - ①〖動〗 도마뱀류(類). ② (중생대의) 공룡류.

säurig [zɔ́ʏrɪç] *a.* ↑ säurehaltig.

Saurolith [zaurolí:t, ..lít] *m.* -en, -en 공룡류의 화석.

Sau·rüde *m.* (멧돼지 사냥용의) 독일종의 사냥개(Saubeller).

Säurung *f.* -en ↑ Säuerung.

Saus [zaus] 《♧ sausen》 *m.* -es [..zəs] ① 몹시 서두름: er kam im ~ heran 그는 쏜살같이 달려왔다. ② 야단스러운 잔치: in ~ und Braus leben 흥청망청 즐기다, 방종한 생활을 하다.

Sause [záuzə] *f.* -n 〖경박〗 ① 폭음하는 술자리: eine ~ veranstalten (폭음하는) 술자리를 열다. ② 술집 전전: eine (richtige) ~ machen 술집을 전전하다.

Sause≈braus [záuzə..] *m.* ↑ ~wind ②. **~-fahrt** *f.* (자동차 등의) 질주. **~laut** *m.* 〖문법〗 잇소리, 치찰음(s, sch, ts 등).

säuseln [zɔ́ʏzəln] 〖↑ sausen 의 축소형〗 《I》 *i.* ① (h.) (바람·나뭇잎 따위가) 바스락거리다, 살랑〔산들〕거리다: die Winde ~ in den Blättern〔Zweigen〕 바람에 나뭇잎이〔가지가〕 바스락거린다. ② (s.) 바스락바스락〔재잘재잘〕 소리내며 나아가다. 《II》 *t.* 〖반어〗 낮은 소리로 말하다, 속삭이다: jm. et. ins Ohr ~ 누구의 귀에 대고 무어라고 속삭이다; jn. in Schlaf ~ 누구에게 속삭여〔작은 소리로 노래하여〕 잠들게 하다.

***sausen** [záuzən] 《의성어》 *i.* ① (h.) (물·바람 등이) 쏴쏴〔윙윙〕 소리내다; 사납게 날뛰다〔일다〕; (화살·총알이) 퓨웅 소리내다: es saust im Walde (바람이 불어) 숲에서 쏴쏴 소리나다; 〖속어〗 einen ~ lassen 방귀 뀌다; das Fieber sauste ihr im Kopf 열로 그녀는 머리속이 욱신욱신했다; der Kopf saust mir 나는 머리가 지끈거린다; es saust mir in den Ohren 나는 귓속이 윙윙거린다. ② (s.) 쏴쏴 소리내며 나아가다, 퓨웅하고 날아가다; 급히〔서둘러〕 가다, 질주하다; 돌진하다: ein ≈der Peitschenhieb 휙 소리내는 매질〔채찍질〕; sie sauste mit dem Fahrrad an mir vorbei 그녀는 자전거를 타고 내 곁을 쏜살같이 지나갔다; die Lawine sauste in die Tiefe 우르릉거리며 눈사태가 났다; 〖구어·농담〗 er ist durchs Abitur gesaust 그는 졸업 시험에 낙방했다. ③ (h.) 흥청망청 즐기다. ④ (obd.) 발효하다, 거품이 일다.

Sausen [záuzən] *n.* -s 쏴쏴〔윙윙〕하는 소리: das ~ des Windes 쏴쏴하는 바람 소리.

sausen|lassen *t.* ① 포기〔단념〕하다: ich habe den Plan ~ 〔sausengelassen〕 나는 그 계획을 포기했다. ② 절교〔결별〕하다: sie hat ihren Verlobten ~ 〔sausengelassen〕 그녀는 약혼자와 결별을 했다. ③〖비속〗 einen ~ 방

귀를 뀌다.

Sauser *m.* -s, - ① (obd.) 아직 발효 중인 우윳빛의 포도주(Federweiße); 술취함, 대취(大醉); 술 마시며 쏘다니기: einen ~ machen 쏘다니며〔밤새도록〕 술을 마시다. ② ↑ Sausewind ②. ③ ↑ Sauselaut.

Sause·schritt *m.* 〔다음 용법으로만〕 im ~ 매우 빨리, 신속하게. **~wind** *m.* ① 광풍, 질풍, 씽씽 부는 바람. ②〔구어·농담〕 활달한〔떠들썩한〕 사람〔아이〕; 차분하지 못한 사람〔아이〕.

Säusler [zɔ́ʏzlər] *m.* -s, - 속삭이는 사람.

Sau·spieß *m.* 〖사냥〗 멧돼지 사냥용 창. **~stall** *m.* 돼지 우리; 〔비속·폄어〕 더러운 곳, 누추한 집; 무질서, 난잡.

Sauternes [sotɛ́rn] *m.* -, - (프랑스의 달고 도수가 높은) 소테른산(産) 백포도주.

Sau·trank *m.* 돼지죽, 〔비유〕 맛 없는 음료. **~trog** *m.* 돼지죽 그릇, 돼지죽통.

Sauvegarde [zo:fgárt, zovgárd(ə)] 《frz.》 *f.* -n 호위병; 통행〔여행〕증.

Sau·wetter *n.* 〔구어〕 몹시 궂은 날씨. **~wirt** *m.* 〔방언〕 무뢰한. **~wirtschaft** *f.* 서툰 경영〔관리〕; 잘못 운용된 경제; 문란; 악정. **~-wohl** *a.* 〔구어〕 아주 유쾌한. **~wut** *f.* 〔구어〕 격노. **~zote** *f.* 음담.

Savanne [zavánə, sa..] 《sp.》 *f.* -n 〖지리〗 사바나(건기와 우기가 교대로 반복되는 열대 초원).

Savannen·klima *n.* 사바나 기후.

Savoir·vivre [savwarví:vr(ə)] *n.* - 《frz.》 〔교양〕 ① 처세술. ② 예의 범절, 예절.

Savoyer·kohl *m.* 〖植〗 축엽(縮葉) 한란, 양배추.

Sax [zaks] *m.* -es, -e 중세의 양날 검 (Sachs²).

Sax·horn *n.* 〔복수: ..hörner〕 〖악기〗 색스혼.

Saxifraga [zaksí:fraga] 《lat.》 *f.* ..gen 〖植〗 범의귓과에 속하는 바위취(의 총칭).

Saxone [zaksó:nə] *m.* -n, -n ↑ Sachse 의 라틴어형.

Saxofon 新정서 ⇦ Saxophon.

Saxophon [zaksofó:n] *n.* -s, -e 〖악기〗 색소폰(벨기에의 악기 제작자 A. Sax 의 이름을 딴 금관 악기).

Saxophonist *m.* -en, -en 색소폰 연주자.

Saxophonistin *f.* -nen ↑ Saxophonist 의 여성형.

Sä·zeit [zɛ́:..] *f.* 파종기(播種期).

sazerdotal [zatsɛrdotá:l] 《lat.》 *a.* 신부(神父)의, 사제의.

Sazerdotium [..dó:tsium] *n.* -s ①〔구식〕 사제직(職), 사제의 권위. ② (중세의) 교황권.

SB [ɛsbé:] =Selbstbedienung 셀프서비스.

Sb 〖化〗 =Stibium 안티몬.

sb =Stilb 스틸브(휘도(輝度)의 단위).

S-Bahn [ɛ́s..] *f.* =Schnellbahn, Stadtbahn 도시 고속 전철.

S-Bahnhof [ɛ́s..] *m.* 급행 전철역.

S-Bahn-Wagen *m.* 급행 전철의 차량.

SBB =Schweizerische Bundesbahnen 스위스 연방 철도.

Sbirre [sbírə] 《gr. -lat. -it.》 *m.* -n, -n (옛날 이탈리아의) 경찰관, 순경(Polizeidiener).

s. Br. =südlicher Breite 남위(南緯).

Sbrinz [sbrɪnts] *m.* - (schweiz.) 스브린츠 치즈(스위스의 Brienz 에서 유래한, 강판에 갈아 쓰도록 된 딱딱한 치즈).

SB-Tankstelle [ɛsbé:..] *f.* 셀프서비스 주유소.

SBZ =Sowjetische Besatzungszone (제 2 차 세계 대전 후 독일의) 소련 점령 지역, 동독.

Sc [ɛstsé:] 〖化〗 =Scandium 스칸듐(Scandium).

sc. ① =scilicet 즉, 말하자면. ② =sculpsit (아무개) 작(作).

S.C. [ɛs-tsé:] =Seniorenkonvent 학생회 대표자 회의.

s.c. =subkutan 피하의.

Scampi [skámpi] *pl.* 가재의 일종(지중해산(産)의 손가락만한 새우 비슷한 가재).

Scandium [skándiʊm] *n.* -s 〖化〗 스칸듐(기호: Sc).

scannen [skǽn..] 《engl.》 *t.* 〖醫·컴〗 (데이터를) 스캐너로 읽다〔검사하다〕.

Scanner [skǽnə] 《engl.》 *m.* -s, - 〖醫·컴〗 스캐너.

Scanning [skǽnɪŋ] 《engl.》 *n.* -s 〖컴〗 스캐닝; 〖醫〗 스캐닝(방사성 물질의 체내에서의 움직임을 관찰함).

Scapa Flow [ská:pa fló:, (engl.) skǽpəflóu] 스캐파 플로(스코틀랜드 북쪽의 만).

Scene [si:n] 《engl.》 *f.* 〔은어〕 ① 마약 중독자들의 세계, 마약계(界). ② 비주류〔대안〕 문화 집단.

sch [ʃ(:)] *int.* 〔의성어〕 쉿(비난·제지의 소리 또는 짐승을 쫓는 소리).

Schabbes [ʃábəs] 《hebr.》 *m.* -, - 〖유대교〗 안식일(Sabbat).

Schab·baum, ~block *m.*, **~brett** *n.* ↑ Shabebaum.

Schabe [ʃá:bə] 《<schaben》 *f.* -n ① 〖動〗 **(a)** 바퀴(과의 곤충); 바퀴벌레(Küchen~). **(b)** (schweiz.) 나방(Motte). ② 〖工〗 **(a)** ↑ Schabmesser. **(b)** ↑ Schabeisen. ③ 〖醫〗 옴; 딱지; 두창(頭瘡). ④ ↑ Schabsel.

Schäbe [ʃɛ́:bə] *f.* -n ① ↑ Schabe ③. ② 〖農〗 아마〔대마〕의 껍질 부스러기.

Schabe·baum, ~block *m.*, **~brett** *n.* 〖제혁〗 무두질 판.

Schabe·fleisch *n.* 도려낸〔발라낸〕 살; 소의 살코기를 간 고기. **~hals** *m.* 〔방언〕 ↑ Schabhals.

Schab·eisen [ʃá:p..] *n.* ① 스크레이퍼, 깎아내는 기구(칼·강판(薑板)·줄 등). ② 메조틴토 동판용(銅版用) 도구(칼·줄 등). ③ ↑ ~messer.

Schabe·messer *n.* ↑ Schabmesser.

***schaben** [ʃá:bən] 《mhd.》 *t.* ① **(a)** 깎다, 밀다; 긁다, 문지르다; 벗기다; 깎아내다, 긁어 없애다: Äpfel ~ 사과의 껍질을 깎다; Leder ~ 가죽을 무두질하다; ein Werkstück ~ 제품을 스크레이퍼로 마무리하다; das Fleisch von den Knochen ~ 뼈에서 살을 발라내다; rein ~ 깎아서 다듬다; er schabte die Rinde vom Stock 그는 나무 막대기의 껍질을 깎아냈다. **(b)** 〔구어·농담〕 면도하다: jn. 〔jm. den Bart〕 ~ 누구의 수염을 밀다〔깎다〕; sich 〔sich³ den Bart〕 ~ 면도하다. **(c)** 잘게 썰다, 토막내다. **(d)** 닿다, 쓸리다: das rechte Vorderrad schabt am Kotflügel (자동차의) 오른쪽 앞바퀴가 흙받기에 닿는다. ② 〖음악〗

(현악기를) 서투르게 켜다. ③ 긁다, 문대다, 비비다: das Schwein schabt sich seinen Rücken am Pfosten 돼지가 등을 기둥에 비빈다〔문지른다〕; ich schabte mich mit dem Handrücken am Kinn 나는 손등으로 턱을 문질렀다; ich habe mir die Finger wund geschabt 나는 피부가 벗겨질 때까지 손가락을 문질렀다. ④ (수전노가 돈을) 긁어 모으다. ⑤〖학생〗sich ~ 화내다.

Schaben·kraut *n.* 〖植〗 현삼과(玄蔘科) 식물, 해란초.

Schaber *m.* -s, - ① **(a)** 깎는 사람. **(b)** 이발사. **(c)** 〔비유〕 ↑ Schabhals. ② 깎아내는 도구.

Schaberei [ʃa:bəráı] *f.* 〔구어, 대개 폄어〕(계속) 깎아대기, 긁어대기.

Schabernack [ʃá:bərnak] *m.* -(e)s, -e ① 장난, 희롱; 짓궂은〔못된〕 장난; 재미; 농담: ~ machen〔treiben〕 짓궂은 장난을 하다, 장난치다; jm. et. zum ~ tun 장난삼아 누구에게 무슨 짓을 하다; jm. einen ~ spielen〔tun〕 누구를 놀리다〔희롱하다〕; et. aus ~ tun 무엇을 재미로〔장난으로〕 하다; es war der reine ~ 그것은 순전히 장난〔농담〕이었다. ②〖구어·농담〗 장난꾸러기.

schabernacken *t.* jn. ~ 누구를 희롱하다, 누구에게 못된 장난을 하다.

schabernackisch *a.* ↑ schabernäckisch.

schabernäckisch [..nεkıʃ] *a.* 장난을 즐기는, 못된〔짓궂은〕 장난을 하는.

Schabe·wolle *f.* 무두질 털(Gerberwolle).

Schab=hals [ʃá:p..] 《<schaben》 *m.* (obd.) 구두쇠, 수전노. **~hobel** *m.* 〖工〗 (수레바퀴의) 살을 깎는 연장, 깎이용 대패.

***schäbig** [ʃέ:bıç] 〔고어〕 *a.* ①〖醫〗 옴이 오른. ② (스쳐서) 벗겨진; 닳아 떨어진, 써서 낡은: ein ~er Anzug 낡은 양복; ~ angezogen sein 낡아빠진 옷을 입고 있다. ③ 빈약한; 초라한, 불쌍한: ein ~es Trinkgeld 얄팍한 팁; ein ~es Dasein führen 초라한 생활을 하다; es war noch ein ~er Rest in der Flasche 병에는 약간의 양이 남아 있었다. ④ 인색한, 좀스러운; 비열〔비겁〕한, 천한: ein ~er Verrat 비열한 배신; sich ~ zeigen〔erweisen〕 인색하게〔좀스럽게〕 굴다〔처신하다〕.

Schäbigkeit *f.* -en ↑ schäbig 의 명사형.

Schabin [ʃa:bí:n] *n.* -s 〖工〗 (금박 제조 때 생긴) 금박(金箔) 부스러기.

Schab=kunst *f.* 〖印〗 메조틴토(동요판(銅凹板) 조판법(彫版法)의 하나; 회화 복제에 적합함). **~kunst·blatt** *n.* 메조틴토 동판화〔인쇄물〕.

Schablone [ʃabló:nə] 《lat. -frz. -ndl.》 *f.* -n ① 틀, 본, 모형; 형지(型紙), 형판(型板); 〖工〗 지그(공작물에 부착하는 고정·절삭 안내용 장치). ②〖대개 폄어〗 정해진 차례, 관습적 방식〔순서〕, 기계적 절차〔조작〕: nach der ~ 판에 박은 듯이, 천편일률적으로; in ~n denken 틀에 박힌 생각을 하다, 창의력이 없다; etwas ist zur ~ geworden 무엇은 이미 진부해졌다; der Film ist nur ~ 그 영화는 정말 진부하다.

Schablonen=arbeit *f.* 틀에 박힌 일. **~druck** *m.* ①〖印〗 등사 인쇄. ② 공판(孔版)) 날염. **~druckerei, ~malerei** *f.* 〖工〗 형지(型紙)를 대고 무늬 놓기〔찍기〕, 형판(型板)〔형지〕 대고 그리기.

schablonenhaft *a.* 판에 박은 듯한; 상투적으로, 천편일률적인.

schablonen=mäßig *a.* ↑ schablonenhaft. **~wesen** *n.* 틀, 본; 상례(常例), 관례; 상투적인 일.

schablonieren [ʃabloní:rən] *t.* ① 본을 대고 무늬를 뜨다〔찍다〕, 틀로 찍다〔뜨다·그리다〕; (제도용의) 템플릿을 사용하여 쓰다. ② 정해진 틀에 맞추다, 획일화하다: die Menschen ~ 인간을 획일화하다.

schablonisieren *t.* ↑ schablonieren.

Schab=manier *f.* ↑ Schabkunst. **~messer** *n.* 〖工〗 깎아내는〔긁어내는〕 칼, (가죽 세공, 목공용의 손잡이가 2 개인) 스크레이핑 나이프.

Schabotte [ʃabɔ́tə] 《frz.》 *f.* -n 〖工〗 모루.

Schabracke [ʃabrákə] 《türk. -ung.》 *f.* -n ① 말에 씌운 (화려한) 덮개, 안장 덮개〔깔개〕. ② (소파 등의) 장식용 덮개; 장식용 커튼. ③〖구어·폄어〗 늙은 말; 할망구; 고물, 폐물.

Schabracken·tapir *m.* 〖動〗 맥(貘)의 일종.

Schabrunke [ʃabrύŋkə] *f.* -n 안장에 달린 권총 케이스 덮개.

Schabsel [ʃá:psəl] *n.* -s, - 깎여 나온 부스러기, 줄밥, 대팻밥.

Schab·ziger 《<schaben》 *m.* (스위스의) 약초를 넣은 녹색 치즈.

***Schach** [ʃax] 《pers., „König"》 《I》 *m.* -(e)s, -e ↑ Schah. 《II》 *n.* -s, -s ① **(a)** 체스(~spiel), (서양) 장기: eine Partie ~ spielen (서양) 장기를 한 판 두다. **(b)**〖구어〗장기판(~brett). **(c)** 장군: ewiges ~ 끝없이 계속되는 장군; ~ (dem König)! 장군!; dem König ~ bieten〔geben〕 장군 부르다; ~ und matt! 외통수다, 이겼다!; im ~ stehen 장군에 걸려 있다, 장군을 받아야 하다; das ~ decken 장군을 받다; den König aus dem ~ ziehen 킹〔궁〕을 움직여 장군을 받다. **(d)**〖雅語〗 jm.〔et.³〕 ~ bieten 누구〔무엇〕에게 도전〔반항〕하다, 누구를〔무엇을〕 제지〔억제〕하다; dem Radikalismus ~ bieten 과격주의에 제동을 걸다; 〖구어〗 jn. in〔im〕 ~ halten a) 누구를 꼼짝 못 하게 통제하다; der Lehrer hatte es schwer, die Klasse in ~ zu halten 그 선생님은 학급을 통솔하기가 힘들었다. ② 정 4 각형; 마름모.

Schach=aufgabe *f.* 체스〔(서양) 장기〕 묘수풀이 문제. **~brett** *n.* 체스〔장기〕판. **~-brett·artig, ~brett·förmig** *a.* 바둑판꼴〔무늬〕의; 정자(井字) 모양의. **~brett·muster** *n.* 바둑판 무늬. **~buch** *n.* 체스〔장기〕 교본. **~computer** *m.* 체스〔장기〕 게임용 컴퓨터. **~ecke** *f.* (신문·잡지의) 체스〔장기〕란.

Schacher [ʃáxər] 《hebr.》 *m.* -s (특히 소매·행상의)폭리를 취하는 장사, 악덕〔부정〕 상행위; 〖政·官〗 독직(瀆職), 이권 다툼: ~ treiben 폭리를 취하다.

Schächer[1] [ʃέçər] *m.* -s, - ↑ Schachspieler.

Schächer[2] *m.* -s, - ①〖고어〗 도둑, 강도; 살인자; 범죄자, 악인: 〖聖〗 der ~ am Kreuz 예수와 함께 십자가에서 처형된 도둑. ② arm(selig)er ~ 가련한 녀석〔인간〕.

Schacherei [ʃaxəráı] 《hebr.》 *f.* -en 〖구어·폄어〗폭리 추구, 악덕 상행위.

Schacherer [ʃáxərər] *m.* -s, - 행상꾼, 유대인 넝마 장수; (폭리를 취하는) 악덕 상인.

Schacher=handel *m.* ↑ Schacher. **~jude**

m. ↑ Schacherer.

schachern [ʃáxərn] 《<Schacher》 *i.* (h.) 〖폄어〗 ①폭리를 취하다, 부정한 장사를 하다; 〖政·官〗 부정 축재하다, 독직(瀆職)하다: um den Preis ~ 터무니없이 값을 낮추다〔깎다〕; um eine Ware ~ 상품의 값을 깎다. ②중고품 장사를 하다.

Schach≠feld *n.* 체스〔장기〕판의 눈. **~figur** *f.* 체스〔장기〕의 말. **~förmig** *a.* 체스판 모양의, 정자(井字) 무늬의. **~matt** [ʃaxmát, ʃaxmát] *a.* ①〖체스〗 외통이 된, 외통에 몰린: dein König ist ~ 너의 킹〔궁〕은 외통에 몰렸다; jn. ~ setzen 누구를 외통으로〔코너로〕 몰다. ②〖비유·구어〗 녹초가 된, 기진맥진한, 쇠약한. **~meister** *m.* 체스 명인〔선수권자〕. **~meisterin** *f.* ↑ ~meister 의 여성형. **~-meisterschaft** *f.* 체스 선수권. **~partie** *f.* 체스 시합, 한판 대국(對局). **~problem** *n.* 체스 묘수 풀이. **~spiel** *n.* ① 체스 (놀이) ; 체스 대국. ② 체스 한 벌(판과 말). **~spieler** *m.* 체스 두는 사람. **~spielerin** *f.* ↑ ~-spieler 의 여성형. **~stein** *m.* ↑ ~figur.

***Schacht** [ʃaxt] 《ndd., <Schaft[1]》 *m.* -(e)s, -e/Schächte [ʃɛ́çtə] ①〖광산〗 수직갱: einen ~ graben 수직갱을 파다〔뚫다〕; der ~ ist abgesoffen 수직갱이 붕괴되었다. ②〖제련〗 (용광로의) 샤프트(원통형의 본체). ③ (ndd.) 장화의 몸통. ④ (ndd.) 막대기, (특히) 낚싯대: ~ kriegen 매를 맞다. ⑤산골짜기, 협곡; 우묵한 곳; 갱(坑), 굴, 수직 통로; 깊은 곳: einen ~ für den Brunnen ausheben 우물을 만들기 위해 구덩이를 파다. ⑥하수도의 맨홀. ⑦ (폭격기의) 폭탄 투하구: den ~ öffnen 폭탄 투하구를 열다.

Schacht≠arbeiter *m.* 〖광산〗 갱부; 수직갱을 파는 인부. **~bühne** *f.* 수직갱 속의 층계참. **~einfahrt** *f.* 굴 어귀, 갱구(坑口).

***Schachtel** [ʃáxtəl] *f.* -n ① (판지·플라스틱·양철로 만든) 상자, 갑(匣); 상자〔갑〕에 든 물건: hölzerne ~ 나무 상자; Pappen~ 마분지 상자; eine ~ Zündhölzer 성냥 한 갑; eine ~ Zigaretten 담배 한 갑; früher habe ich zwei ~n pro Tag geraucht 전에 나는 하루에 담배 두 갑을 피웠다. ②〖욕설〗 eine alte ~ 할망구. ③〖증권·은어〗 (25 % 이상의 주식 지분(持分)에 의한) 타회사의 지배〔참여〕.

Schachtel·boden *m.* 상자의 밑바닥.

Schächtelchen [ʃɛ́çtəlçən] *n.* -s, - 〖↑ Schachtel 의 축소형〗 작은 상자, 작은 갑: wie aus dem ~ 말쑥한 옷차림으로.

Schachtel≠deckel [ʃáxtəl..] *m.* 상자〔맨홀〕 뚜껑. **~dividende** *f.* 〖經〗 지주(持株) 배당금.

Schächtelein *n.* -s, - ↑ Schachtel 의 축소형.

Schachtel≠fisch *m.* 〖動〗 거북복. **~gesell-schaft** *f.* 〖經〗 (지분율 25 % 이상인 다른 회사의) 자(子)회사, 계열(회)사. **~halm** *m.* 〖植〗 속샛과(科), 쇠뜨기류(類). **~heu** *n.* ↑ ~halm. **~macher** *m.* 상자 제조인. **~-männchen** *n.* 마술 상자(뚜껑을 열면 뱀·고양이 등의 모형이 튀어나오는 상자).

schachteln[1] [ʃáxtəln] *t.* ① (크기순으로) 포개어 넣다: et. in et. anderes ~ 어떤 것을 다른 것 속에 끼워〔포개어〕 넣다; Sätze ~ 복잡한 겹문장을 만들다. ② (큰 것에 작은 것이 차곡차곡 들어가게) 찬합식으로 만들다.

schachteln[2] *i.* (h.) 〖은어〗 먹다.

Schachtel≠privileg *n.* 〖經〗 지주(持株) 회사에게 주는 이익 배당분에 대한 감세 혜택. **~satz** *m.* (부문장 속에 다시 부문장을 넣은 복잡한) 중첩 복합문. **~wort** *n.* 〖복수: ..wörter〗 (두 단어의 음과 의미가 혼성해서 한 단어가 된) 혼성어.

schachten [ʃáxtən] *t.* 파 내려가다; 〖광산〗 파서 수직갱을 만들다.

schächten [ʃɛ́çtən] 《hebr.》 *t.* (가축을) 유대교의 의식〔관습〕에 따라 도살하다; 〖비유〗 속이다.

Schächter *m.* -s, - (유대교의 의식에 따라 짐승을 잡는) 백정, 도살자.

Schacht≠futter *n.* 〖광산〗 수직갱 내벽 버팀재(材). **~gevier** *n.* 수직갱의 4 면 벽에 갱목으로 짜 맞춘 틀. **~hut** *m.* 갱부용 안전모.

Schach·tisch *m.* 체스용 탁자.

Schacht≠kran *m.* 수직갱에서 쓰는 기중기. **~meister** *m.* 수직갱 (공사) 감독; 〖토목〗 토목 작업 반장. **~ofen** *m.* 〖제련〗 용광로. **~öffnung** *f.* 수직갱의 어귀〔입구〕. **~rute** *f.* (옛날의) 용적의 단위. **~senker** *m.* 수직갱을 파는 갱부(坑夫).

Schächtung [ʃɛ́çtʊŋ] *f.* -en 유대교식 가축 도살.

Schach≠turnier *n.* 체스〔장기〕 시합〔대회〕. **~uhr** *f.* 체스 대국용 시계. **~welt·meis-ter** *m.* 체스 세계 선수권자. **~welt·meister-schaft** *f.* 세계 체스 선수권 대회. **~weise** *adv.* 체스판같이, 정자(井字) 무늬로. **~zug** *m.* 체스 두기〔수〕; 〖비유〗 교묘한 조치, 책략: geschickter〔diplomatischer〕 ~ 노련한〔외교적〕 조치〔계략〕.

Schadchen [ʃá:tçən] *m./n.* -s, - 〖유대교·은어〗 중매쟁이.

***schade** [ʃá:də] *a.* 〖서술적으로만〗 ①애석한, 유감스러운: das ist aber ~ 그것 참 유감입니다; (wie) ~, daß das Wetter so schlecht ist 날씨가 이렇게 나빠서 참으로 유감이다; es ist jammer~ 〔Jammer und ~〕 참으로 애석하다; o wie ~! 원통해라, 애석한지고! ; es ist ~ um die verlorene Zeit 허비한 시간이 아깝다; ~ um die Mühe! (지금껏) 애쓴 것이 분하다〔아깝다〕! ; es wäre ~ um dich 너에게 아무 일도 없어야 할 텐데; darum ist es nicht (weiter) ~ 그것은 대단한 손실이 아니다; (es ist) ~ um den netten Kerl 좋은 녀석이었는데 안 됐구나. ②아까운, 과분한: die Hose ist zu ~ für die Gartenarbeit 그 바지는 정원일을 하면서 입기에는 너무 아깝다; ich bin mir für keine Arbeit zu ~ 나는 어떤 일이라도 상관없다; dazu ist er sich wohl zu ~? 그는 그 일이 격에 맞지 않다고 생각하는가? ; 〖구어〗 bei ihm〔ihr〕 ist doch jedes Wort zu ~ 그〔그녀〕를 설득하는 것은 불가능하다〔헛수고다〕; 〖구어〗 dazu ist mir meine Zeit zu ~ 그 일을 하는 것은 내게 시간 낭비다; das ist zu ~ zum Wegwerfen 그것은 버리기에 너무 아깝다.

Schade 《ahd. scado》 *m.* -ns, Schäden 〖고어〗 ↑ Schaden.

***Schädel** [ʃɛ́:dəl] *m.* -s, - ①두개(골), 해골; 머리; 이성, 분별력, 두뇌: ein kahler ~ 대머리; 〖구어〗 eins auf〔über〕 den ~ bekommen 머리를 한 대 얻어맞다; 〖구어〗 jm. den ~ einschlagen 누구의 대가리를 때려 부수다, 누구를 죽이다; 〖구어〗 jm. eins auf〔über〕 den ~ geben〔hauen〕 누구의 머리를 한 대 쥐어박다; 〖구어〗 mir brummt〔dröhnt〕 der ~ 나는 머리가 쑤신다〔골치가 아프다〕; 〖구어〗 er will mit dem ~ durch die Wand 그는 안 될 일을 하려고 한다; 〖구어〗 sich³ (an et.³) den ~ einrennen 고집을 부리다가 혼이 나다; 〖구어〗 etwas geht jm. in den ~, etwas geht in js. ~ (hinein) 무엇이 누구에게 이해〔납득〕된다; etwas geht jm. nicht aus dem ~ 무엇이 누구에게 잊혀지지 않는다; 〖구어〗 sich³ et. in den ~ setzen 무엇을 하기로 굳게 결심하다; jn. vor den ~ stoßen 누구를 때리다; 누구에게 모욕을 주다〔상처를 주다〕; 〖구어·비유〗 einen harten〔dicken〕 ~ haben 고집이 세다; sich³ den ~ zerbrechen 골머리를 썩히다, 골똘히 생각하다. ② 사람: 〖구어·비유〗 hohler ~ 머리가 텅 빈 사람, 멍청이.

Schädel≈basis *f.* 〖해부〗 두개저(頭蓋底). **~-basis·bruch** *m.* 두개저 골절. **~bohrer** *m.* 〖醫〗 두개골 절개 기구, 두개 천공기(穿孔器). **~bruch** *m.* 〖醫〗 두개 골절. **~dach** *n.* 〖해부〗 두개관(冠). **~decke** *f.* 〖해부〗 ↑ ~dach. **~form** *f.* 두개의 모양. **~haut** *f.* 두개 골막(骨膜). **~höhle** *f.* 두개강(腔).

..schädelig *suf.* "…한 두개(頭蓋)의"의 뜻 (보기: lang~ 두개가 긴, 장두(長頭)의).

Schädel≈knochen *m.* 두개골. **~lehre** *f.* 두개학(學); 골상학(骨相學). **~messung** *f.* 두개 측정(법). **~naht** *f.* 두개골 봉합(선). **~stätte** *f.* 〖聖〗 골고다, 해골의 땅; 형장(刑場).

***schaden** [ʃáːdən] 《<Schade》 *i.* (h.) 해가 되다, 손상시키다, 손해를 끼치다: jm. ~ 누구에게 해가 되다; dem Körper ~ 몸을 해치다; jm. bei einem anderen ~ 누구를 다른 누구에게 중상하다; jm. finanziell ~ 누구에게 금전적으로 손해를 끼치다; Rauchen schadet deiner Gesundheit 흡연은 네 건강에 해롭다; es schadet nichts, wenn er einmal eine solche Erfahrung macht 그가 그런 경험을 해보는 것도 과히 나쁘지 않다; es kann〔könnte〕 nichts 〔nie etwas〕 ~, wenn ... …할지라도 상관〔별로 손해될 게〕 없을 것이다, …하는 것이 이로울 것이다; 〖구어〗 ein bißchen Sport würde dir nichts ~ 운동을 약간 하는 것은 해롭지 않을 것이다〔도움이 될 것이다〕; 〖반어〗 das schadet (ihm) gar nichts 그 녀석은 그래도 싸다, 그녀석 꼴 좋다(단: das schadet ihm nicht 그것은 그에게 해가 되지 않는다).

***Schaden** [ʃáːdən] *m.* -s, Schäden ① 손해, 손실, 손상; 불이익; 피해; 화(禍): Vermögens≈ 재산 손실〔피해〕; Personen≈ 인명 피해; großer〔geringer〕 ~ 큰〔적은〕 손해; 〖法〗 materieller ~ 유형의〔물질적〕 피해; 〖法〗 immaterieller ~ 무형의〔정신적〕 피해; ~ anrichten 〔bringen, herbeiführen, verursachen〕 손해를 끼치다; ~ erleiden〔davontragen〕 손해를 입다; jn. vor ~ bewahren 누구의 손실을 방지하다; den ~ ersetzen 〔beheben, wiedergutmachen〕 손해를 변상〔복구〕하다; es soll dein ~ nicht sein 그것으로 너에게 손해를 끼치지 않겠다; der ~ beläuft 〔beziffert〕 sich auf 300 DM, der ~ beträgt 300 DM 손해액은 300 마르크에 달한다; ~ erwächst aus ihm 그 때문에 손해본다〔손실이 생긴다〕; der ~ traf ihn hart 손해는 그에게 심한 타격을 주었다, 그에게 손해가 막심했다; 〖구어〗 als ich mir den ~ genauer besah 득실을 곰곰이 따져 보았을 때; 〖속담〗 wer den ~ hat, braucht für den Spott nicht zu sorgen 손해 본 사람은 조롱을 당하게 마련이다, 한번 실수는 병가의 상사(常事); 〖속담〗 aus 〔durch〕 ~ wird man klug 손해를 보아야 약아진다, 고생을 해야 사람이 된다; daraus erwächst dir kein ~ 그것으로 너에게 손해가 생기지 않는다; 〖속담〗 des einen ~ ist des anderen Gewinn 얻는 사람이 있으면 잃는 사람도 있다. ② (신체의) 손상, 상해, 부상, 상처; 질환; 장애, 불구: innerer〔offener〕 ~ 내상(內傷)〔외상〕; ~ am Auge 눈병, 안질; jm. ~ zufügen 누구에게 해를 입히다, 누구를 다치게 하다; sich³ einen ~ tun 부상을 입다; sich³ einen ~ zuziehen 몸에 상처를 입다; er hat einen lebenslänglichen ~ davongetragen 그는 평생 남을 부상을 당했다. ③ 훼손, 파손 (된 곳): einen ~ am Auto haben 자동차에 파손 부위가 있다; einen ~ ausbessern〔beheben, reparieren〕 파손된 곳을 고치다. ④ 〖전치사와 함께〗 **an** et.³ ~ nehmen 무엇에 손상을 입다, 무엇에서 손해를 보다; er nahm ~ an seiner Gesundheit 그는 건강을 해쳤다; **für** den ~ aufkommen〔bürgen, haften〕 손해를 보상〔보증〕하다; jm. für den ~ Ersatz leisten 누구에게 손해 배상을 하다; sich **gegen** ~ durch Feuer〔Brand〕 versichern 화재 보험에 들다; jn. **in** ~ bringen〔setzen, stürzen〕 누구에게 손해를 끼치다; in ~ geraten 손해를 입다; **mit** ~ verkaufen 손해 보고〔밑지고〕 팔다; 〖구어〗 weg〔fort, ab〕 mit ~! 아무래도 (손해를 보아도) 좋으니 그만둬라!; **ohne** ~ davonkommen 무사히 빠져나오다; **zu** meinem ~ a) 내가 손해보고, b) 내 비용으로; zu ~ kommen a) 손해를 보다, b) 부상을 입다; Personen kamen nicht zu ~ 인명 피해는 없었습니다; jn. zu ~ bringen 누구에게 손해를 입히다; zu js. 〔jm. zum〕 ~ gereichen 누구의 손해가〔불이익이〕 되다; es ist nicht zu seinem ~ 〔es gereicht ihm nicht zum ~〕, wenn er durchhält 끝까지 견뎌내야 그에게 불이익이 없을 것이다.

Schaden≈berechnung *f.* 〖法·보험〗 손해(액) 산정〔계산〕. **~bericht** *m.* 〖法·보험〗 손해 보고(서). **~betrag** *m.* 손해액. **≈-bringend** *a.* 유해한; 손실을 가져오는, 불리한. **~ersatz** *m.* 〖法〗 손해 배상(금), 변상: jm. für et. ~ leisten 누구에게 무엇에 대해 변상하다, 손해 배상하다; jn. auf ~ verklagen 누구를 상대로 손해 배상 소송을 제기하다; zum ~ verpflichtet sein 손해 배상 의무가 있다.

Schaden·ersatz≈anspruch *m.* 손해 배상 청구권. **~forderung** *f.* 손해 배상 청구. **~-klage** *f.* 손해 배상 소송. **~leistung** *f.* 〖法·보험〗 손해 배상 이행〔급부〕. **~pflicht** *f.* 〖法〗 손해 배상 의무. **≈pflichtig** *a.* 〖法〗 손해 배상 의무가 있는.

Schaden≈feststellung *f.* 〖法·보험〗 손해(액) 확정〔확인〕. **~feuer** *n.* 대형 화재. **~-freiheits·rabatt** *m.* 〖보험〗 (자동차 보험료

의) 무사고 할인. **~freude** *f.* 남의 불행을 기뻐하는(고소해하는) 마음: ~ ist die reinste Freude 남이 잘못 되는 것을 보는 기쁨이 최고의 기쁨이다. **≈froh** *a.* 남의 불행을 보고 기뻐하는(고소해하는); 심술궂은: er fühlte die ~en Blicke der anderen 그는 고소해하는 다른 사람들의 시선을 느꼈다. **~geld** *n.* 손해 배상금. **~lust** *f.* ↑ ~freude. **~nachweis** *m.* 〖法·보험〗 손해(상해) 증명(서).

Schadens≈berechnung *f.* ↑ Schadenberechnung. **~bericht** *m.* ↑ Schadenbericht. **~ersatz** *m.* ↑ Schadenersatz. **~fall** *m.* 〖法·보험〗 손해 (발생) 사건: im ~ 손해 (발생) 사건의 경우에. **~feststellung** *f.* ↑ Schadenfeststellung. **~nachweis** *m.* ↑ Schadennachweis.

Schaden≈stelle *f.* 파손된 곳. **~verhütung** *f.* 손해(파손·피해) 방지. **~versicherung** *f.* 손해 보험.

Schad·fraß [ʃáːt..] *m.* -es 병충해.

schadhaft [ʃáːthaft] *a.* 상처 입은, 손상된; 못쓰게(나쁘게) 된; 결함 있는; 변질된; 노후한; 낡아빠진: ~e Kleider 다 떨어진(누덕누덕 해진) 옷; ~e Stellen ausbessern 파손된 곳을 수선하다; in ~em (einem ~en) Zustand sein 손상된 상태다; ~e Zähne 충치; ein ~es Gebäude 허물어져가는 건물.

Schadhaftigkeit *f.* -en ↑ schadhaft 의 명사형.

schädigen [ʃɛ́ːdɪgən] *t.* 해를 끼치다, …에게 손해를 주다; 손상하다, 상처를 입히다: seinen guten Ruf ~ 그의 명성을 손상시키다; js. Ansehen ~ 누구의 체면을 손상시키다; jn. geschäftlich ~ 누구에게 사업상으로 손해를 입히다; jn. gesundheitlich ~ 누구의 건강을 해치다; ~de Einflüsse 유해한 영향; 〖격식〗 ~des Ereignis 손해(상해) 사건.

Schädiger *m.* -s, - 〖法〗 손해를 주는 사람, 가해자.

Schädigung [ʃɛ́ːdɪgʊŋ] *f.* -en ① 손상, 가해(加害). ② 피해, 손해.

Schad·insekt *n.* 해충.

***schädlich** [ʃɛ́ːtlɪç] *a.* (↔nützlich) 유해한, 해로운; 불리한; 파괴적인; 유독한; 위험한; 악성의: das ist ~ für die Gesundheit 그것은 건강에 해롭다; dieser Stoff ist dem Menschen (für den Menschen) ~ 이 물질(성분)은 인간에게 유해하다.

Schädlichkeit *f.* ↑ schädlich 의 명사형.

..schädlig *suf.* ↑ ..schädelig.

Schädling [ʃɛ́ːtlɪŋ] *m.* -s, -e ① 유해한 동식물: ~e bekämpfen(vernichten) 해충을 퇴치(박멸)하다. ②〖비유·폄어〗 해독을 끼치는 사람: ein ~ der Gesellschaft 사회에 해가 되는 사람.

Schädlings≈befall *m.* 해충 피해. **~bekämpfung** *f.* 해충 퇴치; 해충 구제. **~bekämpfungs·mittel** *n.* 살충제, 구충제.

schadlos [ʃáːtloːs] *a.* 해를 당하지 않은, 손해가(손실이) 없는: jn. für et. ~ halten 누구에게 무엇의 손해를 배상하다; sich für et. an et.³(jm.) ~ halten 무엇을 무엇으로(누구의 돈으로) 메우다(대신하다); sie hielt sich für das entgangene Essen an der Schokolade ~ 그녀는 식사를 거르고 초콜릿으로 때웠다.

Schadlos≈bürge *m.* 보상(손해 배상) 보증인. **~haltung** *f.* 손해 배상(보상).

Schador *m.* -s, -s 차도르(페르시아·인도 여성들이 솔·얼굴 가리개 용도로 사용하는 천) (Tschador).

Schad·stoff *m.* 유해 물질.

schadstoff≈arm *a.* 유해 물질이 적은. **≈ausstoß** *m.*, **≈belastung** *f.*, **≈emission** *f.* 유해 물질 배출(방출). **~frei** *a.* 유해 물질이 없는. **~gehalt** *m.* 유해 성분. **~haltig** *a.* 유해 물질을 함유한. **~reduziert** *a.* 유해 물질을 줄인. **≈reduzierung** *f.* 유해 물질 감축.

***Schaf** [ʃaːf] (mhd.) *n.* -(e)s, -e ①〖動〗 양; (Mutter≈) 암양, 어미양: ~e halten(weiden) 양을 치다(방목하다); ~e scheren 양털을 깎다; das ~ blökt 양이 매애하고 운다; geduldig(sanft) wie ein ~ 양처럼 참을성 있는(온순한); 〖속담〗 geduldige ~e gehen viele in einen Stall 순한 양들은 한 울타리에 많이 들어간다; 〖속담〗 die gezählten ~e frißt der Wolf auch, der Wolf frißt auch das gezeichnete ~ 열 사람이 한 도둑 못 막는다; 〖속담〗 ein räudiges ~ steckt die ganze Herde an 미꾸라지 한 마리가 온 개울물을 흐리게 한다; das schwarze ~ 국외자, 이단자; 〖聖〗 ein verlorenes(verirrtes) ~ 잃어버린(길) 잃은 양(마태 15:24) (〖비유〗 정도에서 벗어난 사람); die ~e von den Böcken trennen(scheiden) 양과 염소를 분별하다(마태 25:32), 〖비유〗 선인과 악인을 구별하다; 〖비유〗 der eine schert sein ~, der andere sein Schwein 어떤 사람은 많은 이득을 보고 다른 사람은 별로(전혀) 이득을 보지 못한다. ②〖구어〗 호인, 순박한 사람; 멍청한 사람, (어린이에 대한 애칭으로) 꼬마: du bist ein großes ~! 자네는 대단한 호인이군!; 〖욕설〗 dummes ~ 멍청이, 바보; mein kleines ~ 얘, 꼬마야; sie ist ein gutmütiges ~ 그녀는 순(진)하다.

Schaf≈blattern *pl.* 〖醫〗 (~pocken) 수두, 풍진. **~bock** *m.* 숫양. **~bremse** *f.*〖動〗 양등에.

Schäfchen [ʃɛ́ːfçən] *n.* -s, - 〖↑ Schaf 의 축소형〗 ① 어린(새끼) 양: 〖비유·구어〗 sein ~ scheren (sein ~ ins trockene bringen, sein ~ im trockenen haben) 사리사욕을 채우다, 크게 한 몫 챙기다. ②〖비유·구어〗 순진(순박)한 사람, 어린 양, 자식, 학생, 신도: mein ~! 나의 어린 양, 아가야, 애야! ③〖복수〗 흰 물결: das Meer hat ~ 바다에는 흰 물결이 일고 있다. ④ 권적운(卷積雲), 조개(비늘)구름: 〖비유〗 ~ zählen 밤에 잠을 이루지 못하다. ⑤〖植〗 유제(葇荑) 꽃차례(화서(花序)). ⑥〖動〗 쥐며느리.

Schäfchen·wolke *f.* ① kleine ~ 권적운(卷積雲) (Zirrokumulus). ② grobe ~ 고(高)적운(Altokumulus).

***Schäfer** [ʃɛ́ːfər] *m.* -s, - ① 양치기, 목자(牧者), 목동. ② 목사, 선교사; (전원시·목가에 나오는) 남자 애인, 연인.

Schäfer·dichtung *f.* 전원 문학(목가(牧歌)·전원시·전원 소설 등).

Schäferei [ʃɛːfəráɪ] *f.* -en ① 목양(牧羊), 사양(飼羊). ② 양을 기르는 목장. ③ 목양업. ④〖총칭〗 목동, 목자; 목동의 세계. ⑤ ↑ Schäfergedicht.

Schäfer≈gedicht *n.* 목자를 노래한 시가, 목가(牧歌), 전원시. **~hund** *m.* 양을 지키는 개, 목양견(犬): der Deutsche ~ 셰퍼드; einen ~ abrichten〔dressieren〕 셰퍼드를 훈련시키다; der Schottische ~ 콜리. **~hütte** *f.* 목자가 거처하는 오두막집.

Schäferin *f.* -nen ↑ Schäfer 의 여성형.

Schäfer≈junge *m.* 목동. **~karren** *m.* 양치기 집(바퀴 달린 이동식 오두막집). **~knabe** *m.* 목동. **~leben** *n.* 전원 생활. **~lied** *n.* 목가(牧歌). **~mädchen** *n.* 양치는 소녀. **~pfeife** *f.* 목자의 피리. **~poesie** *f.* 전원시, 목가. **~roman** *m.* 전원〔목가적〕 소설. **~spiel** *n.* 전원극. **~stab** *m.* 목자의 지팡이. **~stündchen** *n.* 연인의 밀회: ein ~ haben 연인과 밀회하다. **~stunde** *f.* 〔드물게〕 ↑ ~stündchen. **~tasche** *f.* 목자들의 멜빵 자루. **~zeit** *f.* 순박한 전원 생활 시대, 목가적 시대, 옛날의 황금 시대.

Schaff [ʃaf] *n.* -(e)s, -e ① (obd.) 통, 물(긴 는) 통; 큰 대야. ② (옷)장(Schrank).

Schaf·fäule *f.* 양의 간장병(肝臟病).

Schäffchen [ʃɛ́:fçən] *n.* -s, - (obd.) ↑ Schaff 의 축소형.

Schaffel *n.* -s, -(n) ① (obd., schlesisch) (목제) 화분; 통. ② (öst., bayr.) 작은 통; 오물통.

Schaf·fell *n.* 양의 모피.

schaffen[1] [ʃáfən] (schuf, geschaffen) *t./i.* (h.) ① 창조하다; 창출하다; 설립〔창설〕하다; (예술품을) 창작하다: 〖연극〗 eine Rolle ~ 무슨 역〔유형〕의 인물을 처음으로 만들어내다; er schuf herrliche Werke 그는 걸작을 만들었다; 〖聖〗 im Anfang schuf Gott Himmel und Erde 태초에 하느님이 천지를 창조하셨다 (창세기 1:1); er stand da, wie Gott ihn geschaffen hatte 그는 알몸으로 거기에 서 있었다; wie geschaffen für et. 〔zu et.³〕 sein 무엇에 안성맞춤이다, 제격이다: dieser Posten ist für ihn wie geschaffen 이 자리〔직위〕는 그에게 안성맞춤이다〔제격이다〕; er ist für diesen Beruf 〔zum Lehrer〕 wie geschaffen 그는 이 직업〔선생〕에 적격이다; in diesem Bereich muß eine neue Organisation geschaffen werden 이 분야에는 새 조직을 만들어야만 한다; eine Zweigstelle in der Provinz ~ 그 지방에 지점을 설립하다. ② 〔드물게 약변화〕 만들다, 조성〔형성〕하다; 준비〔마련〕하다; 유발하다: Platz〔Raum〕 (für et.) ~ (무엇이 들어갈) 자리를 만들다; gesetzliche Grundlagen ~ 법적인 토대를 마련하다; Ruhe ~ 평온한 상태로 만들다; Rat und Hilfe ~ 원조 방안을 강구하다; er weiß immer Rat〔Hilfe〕 zu ~ 그는 항상 해결책을 알고 있다; Linderung ~ 완화시키다; Unruhe〔Mißtrauen〕 ~ 불안〔불신〕을 야기하다; sich³ Feinde〔Freunde〕 ~ 적을〔친구를〕 만들다.

***schaffen**[2] (schaffte, geschafft) 《I》 *t./i.* (h.) ① (행)하다, 일〔노동〕하다; 배열〔정렬〕하다; 이루다, 성취〔달성〕하다: auf dem Feld ~ 들에서 일하다; 〔농담〕 (ich wünsche) frohes ~ 수고하세요; er schaffte den ganzen Tag 그는 하루 종일 일했다; jn. am ~ hindern 누가 일하는 것을 방해하다; 〔구어〕 so schaffst du das Examen nie 너는 그렇게 해서는 결코 시험에 합격하지 못한다; schaffst du's alleine oder soll ich dir helfen? 너는 그 일을 혼자 해낼 수 있겠니? 아니면 내가 너를 도와 줄까?; geschafft! 해냈다, 끝냈다!; beim letzten Versuch schaffte er den neuen Rekord 마지막 시도에서 그는 신기록을 수립했다; das schafft er nie! 그는 절대로 그 일을 못해낼거야!; 〔구어〕 ich schaffe das Gemüse 〔meinen Teller〕 nicht mehr 나는 그 야채를〔내 접시에 있는 음식을〕 더 이상 못 먹겠다; mit dem Gerät schafft es sich leichter 그 기구를 쓰면 일이 더 수월해진다. ② 〔zu 와 함께〕 er hat es geschafft, sie zum Mitkommen zu überreden 그는 그녀가 함께 가도록 설득하는 데 성공했다; das ist nicht zu ~ 그 일은 해낼 수 없다; jm. zu ~ geben 누구에게 일거리를 주다, 누구를 번거롭게 하다; zu ~〔tun〕 haben 해야 할 일이 있다, (귀찮은) 볼 일이 있다; mit jm.〔et.³〕 zu ~ haben 누구와〔무엇과〕 관계가 있다; was hast du mit ihm zu ~? 너는 그와 어떤 관계가 있느냐?; mit ihm will ich nichts zu ~ haben 나는 그와 아무 관계도 갖고 싶지 않다; was hast du hier zu ~? 자네는 여기에 무슨 용무가 있는 거지?; was habe ich damit zu ~? 그 일과 내가 무슨 상관이 있다는 거지?; sich³ (mit et.³) zu ~ machen 일하다, 몰두하다, 바쁘다, 만지작거리다; 일〔몰두〕하는 체하다; was machst du dir an meinem Schreibtisch zu ~? 너 내 책상에서 뭐하는 거니?; um zu lauschen, machte er sich an der Tür zu ~ 그는 엿들으려고 문가에서 할 일이 있는 체했다; jm. (viel) zu ~ machen 누구를 번거롭게 하다, 누구에게 걱정을 끼치다; diese Aufgabe macht mir viel zu ~ 이 문제로 나는 골치가 아프다. ③ 〔daß 와 함께〕 ~ Sie, daß das Essen früh fertig ist 빨리〔곧〕 식사를 준비해 주십시요. ④ 〔구어〕 (누구를) 지치게〔기진맥진하게〕 하다: Die Arbeit〔Hitze〕 hat mich heute geschafft 일〔더위〕 때문에 나는 오늘 완전히 지쳤다; 〔청소년·은어〕 sich ~ 전력을 다하다, 진을 빼다. ⑤ 진척이 있다: die Arbeit schafft 일에 진척이 있다. ⑥ 〔결과를 나타내는 말과 함께〕 et. fertig ~ 무슨 일을 성취〔완성〕하다; jn. heiter ~ 누구의 마음을 명랑하게〔즐겁게〕 하다; sich müde ~ 지치도록 일하다; sich³ die Hände wund ~ 일해서 손에 물집이 생기다〔손바닥이 벗겨지다〕; die Band schafft sich 악단이 열연하고 있다. ⑦ 〔전치사 또는 부사를 동반하여〕 옮기다, 나르다: **an** einen anderen Ort ~ 다른 장소로 옮기다; **auf** die Seite 〔**beiseite**〕 ~ 한 쪽 구석에 두다, 감추다; 횡령하다; er hat viel Geld beiseite geschafft 그는 많은 돈을 착복했다; et. **aus** den Augen ~ 무엇을 눈에 띄지 않는 곳에 두다; jn. aus dem Wege 〔der Welt〕 ~ 누구를 죽이다, 없애다; einen Streit aus der Welt ~ 분쟁을 종식시키다; jn. aus der Stadt ~ 누구를 도시에서 추방하다; den Verbrecher **ins** Zuchthaus ~ 범인을 교도소에 수감하다; sich³ et. **vom** Hals〔Leib〕 ~ 무엇을 쫓아내다〔떨쳐 버리다〕; den Brief **zur** Post ~ 편지를 우체국에 가져가다; zur Stelle ~ a) 만들어내다, 생산하다, b) 가져오다, 데려오다. ⑧ (bayr., öst.) 명령하다; 주문하다. ⑨ 〖海〗 식사하다. 《II》 **geschafft** *p.a.* ↑

geschafft.

Schaffen [ʃáfən] *n.* -s 창조, 창작; 작품; 일, 활동: dichterisches ~ 시작(詩作).

schaffend *p.a.* 창조적인, 창작력 있는; 산출〔생산〕하는: der ~e 창조〔창작〕자; die ~e Natur 자연의 창조력; die ~en 근로 계급; ~er Dichtergeist 창조적 작가 정신; ~es Gewerbe 생산업.

Schaffens≈drang *m.* 창작욕, 창작 충동: voller ~ sein 창작욕이 왕성하다. **~freude** *f.* 창조〔창작〕의 기쁨. **~freudig** *a.* 창작을 즐기는. **~freudigkeit** *f.* ↑ ~freude. **~kraft** *f.* 창조〔창작〕력. **~kräftig** *a.* 창조력〔창작력〕이 있는. **~lust** *f.* ↑ ~freude. **~lustig** *a.* 창작을 즐기는.

Schaffer [ʃáfər] *m.* -s, - ①〔드물게〕 창조자. ②〚海〛 취사 반장. ③ (südd.) 부지런한 일꾼; 숙련공. ④ (öst.) 토지〔농장〕 관리인.

Schafferei [ʃafəráɪ] *f.* -en ①〚海〛 식량〔빵〕 저장실. ② 힘든〔고된〕 일, 혹사.

Schafferin *f.* -nen ↑ Schaffer 의 여성형.

schaffig [..fɪç] 《<schaffen²》 *a.* (südd., schweiz.) 부지런한, 근면한, 활동적인.

Schaf·fleisch *n.* 양(羊)고기.

Schäffler [ʃɛflər] *m.* -s, - (obd.) 통장이.

Schäffler·tanz *m.* 〚민속〛 (7 년마다 뮌헨에서 사육제 때 공연되는) 통장이 춤.

***Schaffner** [ʃáfnər] *m.* -s, - ①〔고어〕(농장 등의) 관리인; 집사(執事); (공사장의) 감독; 사환. ② (기차·버스의) 차장, 검표원: 〔구어·농담〕 der eiserne ~ 자동 개찰기, 개표기(改票機).

Schaffnerei [ʃafnəráɪ] *f.* -en 관리인〔집사〕의 집〔지위·직업〕.

Schaffnerin *f.* -nen ↑ Schaffner 의 여성형.

schaffnerlos *a.* 차장〔승무원〕이 없는.

Schaffung [ʃáfʊŋ] *f.* -en 창조, 창작, 창시, 설립; 조성.

Schaf≈garbe *f.* 〚植〛 서양톱풀. **~geblök** *n.* 양의 울음 소리. **~gras** *n.* 〚植〛 김의털(목초) (~schwingel). **~haut** *f.* 양 가죽; 〚해부〛 양막(羊膜). **~häutchen** *n.* 〔↑ ~haut 의 축소형〕 ①〚植〛 버섯의 일종. ②〚해부〛 양막(羊膜). **~herde** *f.* 양떼. **~hirt** *m.* 양치기, 목자. **~hürde** *f.* 목양장의 울타리; 양사(羊舍), 양의 우리. **~husten** *m.* 〚醫〛 마른 기침, 백일해.

schafig [ʃá:fɪç] *a.* 양 같은, 〔방언·폄어〕 어리석은.

Schafiit [ʃafií:t] *m.* -en, -en (이슬람교 Sunna 파의 일파인) 샤피이파(派) 사람.

Schaf≈kälte *f.* 양털 깎는 시기인 6 월 20 일경에 엄습하는 추위. **~kamel** *n.* 〚動〛 라마, 아메리카 낙타. **~käse** *m.* ↑ Schafskäse. **~kopf** *m.* ↑ Schafskopf. **~kot** *m.* 염소똥; 〚병리〛 (인간의) 염소똥. **~lamm** *n.* 양새끼; 〔비유〕 사심 없는 사람. **~laus** *f.* 〚動〛 양에 기생하는 흡혈성의 파리목의 곤충. **~leder** *n.* 양가죽; 양피: 〔비유〕 wie ~ ausreißen 재빨리〔황급히〕 도망치다. **~leder·einband** *m.* 〚제본〛 (책의 배면〔등〕에 양가죽을 댄) 양피 제본〔장정〕. **~ledern** *a.* 양피(제)의.

Schäflein *n.* -s, - 〔시어〕 ↑ Schäfchen.

Schaf≈lorbeeren *pl.* 양의 똥. **~mäßig** *a.* ① 양 같은. ②〔비유〕 어리석은. **~meister** *m.* 목동〔목자〕의 우두머리. **~milch** *f.* 양젖. **~mist** *m.* 양의 똥: 〔방언〕 ein schöner ~ 혼란, 혼잡. **~mutter** *f.* 어미양, 암양. **~ochs** *m.* 〚動〛 사향(麝香)소.

Schafott [ʃafɔ́t] 《ndl.》 *n.* -(e)s, -e 단두대, 사형대: das ~ besteigen 단두대에 오르다; jn. aufs ~ bringen 누구를 단두대로 보내다; auf dem ~ enden 단두대에서 죽다.

Schaf≈pelz *m.* 양의 모피: ein Mantel aus ~ 양 모피 외투. **~pocken** *pl.* 〚醫〛 수두, 풍진(風疹). **~quese** *f.* 〚動〛 공미난충, 독방촌충, 견조충(犬條蟲) (특히 숙주의 중추 신경계에서 성장함).

Schafs·auge *n.* ① 양의 눈. ②〔비유〕 퀭한 눈; 눈이 흐릿한 사람.

Schaf≈schere *f.* 양털 깎는 가위. **~scherer** *m.* 양털 깎는 사람〔기계〕. **~schur** *f.* 양털깎기〔깎는 철〕. **~schwemmen** *n.* 양을 목욕시킴. **~schwingel** *m.* 〚植〛 김의털.

Schafs≈gesicht *n.* ① 양의 얼굴. ②〔비유〕 바보 같은 얼굴(표정); 우둔한 사람. **~kälte** *f.* ↑ Schafkälte. **~käse** *m.* 양젖 치즈. **~kleid** *n.* 〔다음 용법으로〕 ein Wolf im ~ 양의 탈을 쓴 늑대. **~kopf** *m.* ① 양의 머리. ②〔비유·폄어〕 숙맥, 바보. ③ 양머리 카드놀이(32 장으로 4 사람이 하는 독일의 전통 놀이). **~milch** *f.* ↑ Schafmilch. **~nase** *f.* ① 양의 코. ②〔비유·구어〕 멍청이, 바보. ③ (달걀 비슷한) 사과의 일종. **~pelz** *m.* 양의 모피: er ist ein Wolf im ~ 그는 양의 탈을 쓴 늑대다.

Schaf≈stall *m.* 양우리, 양사(羊舍). **~stand** *m.* (어떤 목장의) 현재 있는 양의 총 숫자. **~stelze** *f.* 〚動〛 긴발톱할미새.

Schaft[1] [ʃaft] *m.* -(e)s, Schäfte [ʃɛ́ftə] ① 자루, 손잡이, 대: Lanzen~ 창자루; Fahnen~ 깃대; der ~ eines Messers 칼자루. ②〚工〛 축(軸), 굴대; 지렛대; 〚海〛 닻채. ③ 기둥의 몸체 부분, 주신(柱身); 열쇠의 손잡이 부분. ④〚植〛 꽃줄기, 꽃자루; 수간(樹幹), 나무줄기. ⑤〚軍〛 총대, 개머리판. ⑥ (장화의) 다리 부분. ⑦〚動〛 우축(羽軸), 날개축, 털. ⑧〚해부·動〛 (여우·수달의) 음경. ⑨〚직조〛 샤프트, 헬드, 잉앗대.

Schaft[2] 《⇨ Schaff》 *m.* -(e)s, Schäfte [ʃɛ́ftə] (obd.) 찬장; 대(臺), 받침; 시렁; (Bücher~) 서가(書架), 책꽂이.

..schaft 《<schaffen¹; „Beschaffenheit"》 *suf.* 〔명사·형용사·과거 분사 등에 붙어 여성 명사를 만드는 후철〕 ①〔추상명사〕 보기: Eigen~ 개성; Bekannt~ 친교, 친분. ②〔집합명사〕 보기: Priester~ 성직자단; Arbeiter~ 노무자들; Beamten~ 관료 집단. ③〔상태〕 보기: Schwanger~ 임신 상태; Gefangen~ 포로 상태. ④〔장소〕 보기: Land~ 지방; Ort~ 촌락; Wirt~ 선술집.

Schäftchen [ʃɛ́ftçən] *n.* -s, - ↑ Schaft¹ 의 축소형.

schäften [ʃɛ́ftən] *t.* ① 자루를 달다〔맞추다〕: ein Gewehr ~ 소총에 총대를〔개머리판을〕 맞추다; ein Beil ~ 도끼에 자루를 달다; einen Stiefel ~ 장화에 목을 달다. ②〚植〛 접목하다: Pflanzen ~ 식물을 접붙이다. ③〔방언〕 매질하다, (막대기로) 때리다.

Schäfter *m.* -s, - 총대를〔개머리판을〕 만드는 기술자.

schaft·förmig *a.* 자루〔축〕 모양의.

Schaft≈halm *m.* (obd.) 쇠뜨기(속) (Schachtelhalm). **~holz** *m.* 총대 제작용 목재.

~leder *n.* 장화 제작용의 연한 가죽.
Schäftlein *n.* -s, - ↑ Schäftchen.
Schaft·leisten *m.* (벗은 다음 모양이 제대로 되게 속에 넣는) 구둣골.
..schäftig *suf.* "…(의) 자루의"의 뜻(보기: lang~ 자루가 긴).
Schaf≈trieb *m.* 목양(권) (牧羊(權)). **~trift** *f.* 목양장.
Schaft≈rinne *f.* 〖건축〗 (기둥의) 홈(무늬), 작은 구멍. **~stiefel** *m.* (군인용·승마용의) 무릎까지 오는 긴 장화.
Schaf≈wasser *n.* 〖醫〗 양수(羊水), 모래집물. **~weide** *f.* 목양장. **~wolle** *f.* 양털, 양모. **~zecke** *f.* 〖動〗 양이파리. **~zucht** *f.* 양치기, 목양. **~züchter** *m.* 양을 치는 사람, 목양업자. **~zunge** *f.* 양의 혀; 〖植〗 질경이.
Schah [ʃa:] 《pers., „König"》 *m.* -s, -s 왕(의 칭호) (이란에서 1979 년까지).
Schah-in-schah *m.* -s, -s 페르시아〔이란〕 왕(의 칭호) (이란에서 1979 년까지).
Schakal [ʃaká:l] 《türk.》 *m.* -s, -e 〖動〗 재칼(갯과(科)에 속하는 맹수).
Schake [ʃá:kə] *f.* -n (ndd.) 〖海〗 (특히 닻의) 쇠사슬고리, 링크.
Schäkel [ʃɛ́:kəl] *m.* -s, - 〖海〗 U 자형 쇠고리 (닻과 쇠사슬을 연결하는 고리).
schäkeln [ʃɛ́:kəln] *t.* 연결 고리로 연결하다.
Schäker [ʃɛ́:kər] 《hebr.》 *m.* -s, - 〖구어·구식〗 재담꾼, 익살꾼, 장난꾸러기, 건달.
Schäkerei [ʃɛ:kərái] *f.* -en 희롱, 장난, 익살, 농담, (남녀간의) 농탕질.
Schäkerer [ʃɛ́:kərər] *m.* -s, - ① 북유럽산 (産)의 지빠귓속의 일종. ②〖구어〗 재담꾼, 익살꾼.
schäkerhaft *a.* 농담의, 장난의.
Schäkerin *f.* -nen ↑ Schäker 의 여성형.
schäkern [ʃɛ́:kərn] *i.* (h.) 농담하다, 익살떨다; 장난치다; 시시덕거리다: mit einem Mädchen ~ 소녀와 시시덕거리다.
Schal [ʃa:l] *m.* -s, -s ① 목도리, 머플러, 스카프: einen ~ tragen〔umhaben〕 목도리를 두르고〔걸치고〕 있다; sich einen ~ umlegen 〔umbinden〕 목도리를 두르다. ② (창문 양쪽 가에 달린) 장식용 커튼.
***schal** 《ndd., „trocken, dürr"》 *a.* ① 맛없는, 김빠진: das Bier ist ~ 이 맥주는 김이 빠졌다. ②〖비유〗 재미 없는, 케케묵은, 진부한; 천박한, 공허한; 음울한, 우중충한: ~e Vergnügungen 재미 없는 오락; ein ~er Witz 진부한 농담; das Leben erschien ihm ~ 그에게는 인생이 공허하게 느껴졌다.
Schalander [ʃalándər] *m.* -s, - ① (schwäb.) 양조장의 휴게실. ② (schles.) 하인〔고용인〕의 거처; 숙소, 방; 〖욕설〗 부랑자.
schälbar [ʃɛ́:lba:r] *a.* 껍질을 벗길 수 있는, 껍질을 벗기기 쉬운.
Schal·brett *n.* 죽데기 널판(한쪽에 껍질이 그대로 붙어 있는 판재); 외판용(外板用)〔판벽용〕 널빤지.
Schälchen[1] [ʃɛ́:lçən] *n.* -s, - 〖↑ Schal 의 축소형〗 작은 목도리.
Schälchen[2] *n.* -s, - 〖↑ Schale[2] 의 축소형〗 작은 쟁반, 작은 접시.
***Schale**[1] [ʃá:lə] 《mhd. schal》 *f.* -n ① (과실·야채·수목의) 껍질, (콩 등의) 깍지: dicke 〔dünne〕 ~ 두꺼운〔얇은〕 껍질; ~ abziehen 〔entfernen〕 껍질을 벗기다; ~ mitessen 껍질째 먹다; 〖비유〗 in einer rauhen ~ steckt oft ein guter〔weicher〕 Kern 겉보기에는 무뚝뚝해도 알고보면 친절한〔부드러운〕 사람인 경우가 종종 있다. ② (새알의) 껍질, 껍데기; (거북의) 등딱지; (게·새우의) 갑각(甲殼): Eier≈ 달걀 껍질; Muschel≈ 조개 껍질, 조가비; Hirn≈ 두개(頭蓋); die Kartoffeln mit 〔in〕 der ~ kochen 감자를 껍질째 삶다; bei einigen Eiern ist die ~ gesprungen 몇 개의 달걀 껍질이 터졌다; der Vogel verließ die ~ 새가 알을 깨고 나왔다. ③〖사냥〗 (사슴·노루·멧돼지의) 발굽. ④〖수의〗 지골(趾骨)에 나는 혹(말의 병). ⑤〖건축〗 곡면판(曲面板), (지붕의) 곡면 슬래브; 〖工〗 (비행기의) 둥근 외판(外板), 곡면 외부 강판(鋼板). ⑥ (책의) 두꺼운 표지. ⑦〖海〗 돛대·활대를 보강하는 부목(副木). ⑧〖구어〗 옷 한 벌, 복장: 〖비유·구어〗 in ~ sein 멋진 옷차림을 하고 있다; er war sehr groß in ~ 그는 매우 멋진 옷차림을 하고 있었다; sich in ~ werfen〔schmeißen〕 멋지게 차려 입다, 나들이옷을 입다. ⑨ 겉모습, 외관; 거죽, 표면. ⑩〖핵물리〗 전자〔원자〕각(殼).
***Schale**[2] 《mhd. schâle》 *f.* -n ① (움푹 팬) 접시, 사발; 쟁반; (찻잔의) 받침접시; (öst.) 찻잔: eine ~ Tee 차 한 잔; eine gläserne ~ 유리 쟁반; eine kleine ~ zum Ablegen der Seife 비누를 담는 작은 갑; die ~ des Spottes〔Zorns〕 über jn.〔jm.〕 ausgießen 누구를 마구 조롱하다〔누구에게 화를 퍼붓다〕. ②〖工〗 주철(鑄鐵)의 거푸집. ③〖식품〗 (소나 돼지의) 뒷다리 부위. ④ 접시 모양의 물건; (천칭의) 접시; (숟가락·브래지어 등의) 오목한 부분; 카보숑(윗부분을 둥글게 연마한 보석): die linke ~ hängt tiefer 천칭의 왼쪽 저울판이 아래로 기운다.
Schäl·eisen [ʃɛ́:l..] *n.* 〖林〗 나무 껍질 벗기는 기구.
schalen 《<Schale[1]》 *t.* …에 가리개〔덮개〕를 대다; (특히) 판자로 덮다, 판자를 대다: die Bauarbeiter sind noch beim ≈ 공사장 노동자들이 아직 판자 대는 일을 하고 있다.
***schälen** [ʃɛ́:lən] 《<Schale[1]》 《I》 *t.* ① 껍질을 벗기다, 껍데기〔깍지〕를 까다; 〖農〗 탈곡하다: einen Apfel ~ 사과 껍질을 벗기다; einen Baum ~ 나무 껍질을 벗기다; gekochte Eier ~ 삶은 달걀 껍질을 벗기다; er ist immer wie aus dem Ei geschält 그는 늘 말쑥하게 차려 입고 있다; das Wild schält Bäume 들짐승이 나무 껍질을 갉아먹는다. ②〖農〗 (경작지를) 얕게 갈다. ③ 벗겨〔도려〕내다; (문제점을) 들추어〔밝혀〕내다: eine faule Stelle aus einem Apfel ~ 사과의 썩은 부분을 도려내다; 〖구어〗 jn. aus den Kleidern ~ (힘들여) 누구의 옷을 벗기다. 《II》 *refl.* sich ~ 껍질이 벗겨지다, 깍지가 터지다; (피부가) 벗겨지다; (뱀이) 허물을 벗다; (감추어진 일이) 밝혀지다: die Kartoffeln ~ sich schlecht 그 감자는 껍질이 잘 벗겨지지 않는다; du schälst dich am Rücken 너의 등껍질이 벗겨지고 있다; sich aus den Kleidern ~ 옷을 하나씩 하나씩 벗다.
Schalen≈bau·weise *f.* 〖工〗 곡면 슬래브 공법; (차량이나 항공기 제작에서) 곡면 외부 강판 공법(자동차의 차체와 차대를 일체시킨 구

조). **~gehäuse** *n.* 〖動〗 갑각(甲殼). **~guß** *m.* 〖제련〗 냉강 주조(冷鋼鑄造). **~haut** *f.* 〖해부〗 융모막; 난각막(卵殼膜). **~kreuz** *n.* (풍속계의) 십자형 풍배(風杯), 접시형의 회전 장치.

schalenlos *a.* 껍질이 없는.

Schalen≈modell *n.* 〖물리〗 (원자의) 각모형. **~obst** *n.* 〖植〗 견과(堅果). **~sessel** *m.* 〖가구〗 반구형(半球型) 안락 의자. **~sitz** *m.* (경주용 자동차에서 대개 접는 식으로 된) 반구형 운전석. **~tier** *n.* 〖動〗 갑각류(甲殼類). **~wild** *n.* 〖사냥〗 (사슴·멧돼지 따위) 우제(偶蹄) 동물.

Schalheit [ʃá:lhaɪt] *f.* 맛없음, 무미(無味), (포도주 등이) 김빠짐; 〖비유〗진부, 무미건조; 재미 없음; 무기력; 천박, 피상(皮相).

Schäl·hengst *m.* 종마(種馬), 씨말.

Schal·holz *n.* (특히 갱목용의) 나무 껍질 있는 목재; 외판용(外板用) 목재.

schalig [ʃá:lɪç] 《<Schale[1]》 *a.* 껍질〔껍데기·깍지가〕 있는; 〖動〗 갑각(甲殼)이 있는; 갑각 모양의; 〖광물〗 박편상(薄片狀)의.

..schalig *suf.* "…의 껍질의, …의 껍질이 있는"의 뜻(보기: dünn~ 얇은 껍질의).

***Schalk** [ʃalk] *m.* -(e)s, -e/Schälke [ʃɛ́lkə] 〖구식〗 ① 악한, 불량배, 무뢰한; 교활한 놈: den ~ verdecken 아주 교활하다. ② (때때로 친밀한 뜻의) 장난〔말썽〕꾸러기: er ist ein rechter ~ 그는 정말 장난꾸러기다; der kleine ~ 악동; er hat den 〔ihm sitzt der〕 ~ im Nacken 그는 보기와는 달리 장난꾸러기다; der ~ schaut〔guckt, sieht〕 ihm aus den Augen 그의 눈에는 장난기가 감돈다. ③ (**a**) 석회질 흙. (**b**) 속이 빈 양배추.

Schalke [ʃálkə] (ndd.) *f.* -n 〖海〗 창구〔해치〕 덮개.

schalken *t.* 〖海〗 …을 방수가 되도록 닫다: Schiffsluken ~ 해치를 닫다.

schalkhaft [ʃálkhaft] *a.* 장난기 많은, 까부는, 익살맞은; 교활한, 심술궂은: ein ~es Lächeln 장난기 어린 미소.

Schalkhaftigkeit *f.* ① ↑ schalkhaft 의 명사형. ②〖드물게〗 장난질, 짓궂은 언동.

Schalkheit *f.* -en ① 간악, 악한 행동. ② ↑ Schalkhaftigkeit.

Schäl·knötchen *pl.* 〖醫〗 두드러기 모양의 태선(苔癬); 치생기 발진(齒生期發疹) 소아 태선.

Schal≈korn·frucht *f.* 〖植〗 견과(堅果), 영과(穎果). **~kragen** *m.* (obd.) 숄칼라, (외투·양복 상의 등의) 접는 깃. **~krawatte** *f.* 넥타이 대용 목도리, 목도리식 넥타이.

Schalks≈auge *n.* 〔구식·雅語〕 장난기 어린 눈(매). **~freund** *m.* 교활한 친구, 신의 없는 친구. **~knecht** *m.* 〖聖〗 사악한 종(마태 18: 32); 〖비유〗 쓸모없는〔음흉한〕 놈. **~narr** *m.* ①〔구식〕 궁정 어릿광대. ② 유쾌하게 떠들어대는 사람. **~streich** *m.* 〔구식〕 간계, 나쁜 짓; 고약한 장난.

Schäl·kur *f.* (피부 질환 치료나 미용 목적의) 표피 제거 요법.

***Schall**[1] [ʃal] *m.* -(e)s, -e/Schälle [ʃɛ́lə] 소리; 음향, 울림, 반향; 소음; 〖비유〗 명성, 평판; 허무〔공허〕한 것, 실속 없음: dumpfer 〔heller〕 ~ 탁한〔맑은〕 소리; der ~ der Trompeten 나팔 소리; der ~ der Schritte 〔eines Schusses〕 발걸음 소리〔한 발의 총성〕; die Lehre vom ~ 음향학; das Flugzeug ist schneller als der ~ 그 비행기는 초음속이다; der ~ verhallte 소리가 그쳤다; die Luft trägt den ~ weit 공기는 소리를 전한다; 〖비유〗 es ist alles leerer ~ 그것은 다 허무한 짓〔일〕이다; 〖비유〗 etwas ist ~ und Rauch 무엇이 허망하다; Gefühl ist alles, Name ist ~ und Rauch 감정만이 전부요, 이름 따위는 허무한 것이오(괴테의 "파우스트" 제 1 부).

Schall[2] *f.* -en (köln.) 빗장.

Schall≈analyse *f.* 〖언어·物〗 음향 분석; (텍스트의) 음향 구조 분석. **~aufnehmer** *m.* 〖工〗 전화의 진동판; 녹음기; 마이크. **~becher** *m.* 〖악기〗 (취주 악기의) 마우스피스; (오르간의) 음관 공명체; 〖物〗 공명관(共鳴管). **~becken** *n.* 〖악기〗 심벌즈. **~boden** *m.* 〖악기〗 울림판, 공명판. **~brechung** *f.* 〖物〗 소리의 굴절. **~brechungs·lehre** *f.* 〖物〗 굴절 음향론. **~brett** *n.* ① ↑ ~boden. ②〖건축〗 비늘창에 댄 널. **~dach** *n.* ① 종루(鐘樓)의 울림 천장. ② ↑ ~deckel. **~dämmend** *a.* 〖工·건축〗 소음(消音)의, 방음의: ~e Stoffe 방음재. **~dämmung** *f.* 〖工·건축〗 소음, 방음. **~dämpfer** *m.* 〖기계〗 방음기, 방음 장치; 〖음악〗 약음기(弱音器). **~deckel** *m.* 설교단 위의 반향〔울림〕판. **~dicht** *a.* 소음〔방음〕의: eine ~e Tür 방음 장치가 된 문. **~dose** *f.* (전축의) 픽업, 사운드 박스.

Schallehre *f.* 음향학.

Schalleiter *m.* 〖음향〗 음파〔소리〕 전달 물질: Luft ist ein besserer ~ als Wasser 공기는 물보다 더 소리를 잘 전달 한다.

Schall·empfindung *f.* 청각; 음감, 음향 감각.

***schallen**(*) [ʃálən] (schallte/geschallt; scholl/geschollen) 《Ⅰ》 *i.* ① (h.) 소리 나다, 울다, 울리다; 메아리치다: ich hörte eine Stimme ~ 나는 어떤 소리가 나는 것을 들었다; die Glocken ~ über die Stadt 종소리가 온 시내에 울려 퍼진다; es schallt sehr in diesem Saal 이 홀은 소리가 잘 울린다; die Tür fiel ins Schloß, daß es schallte 문이 철커덕 하며 잠겼다; die Musik schallte〔scholl〕 mir noch lange in den Ohren 그 음악은 오랫동안 내 귀에 쟁쟁했다; der Saal schallte von dem Gelächter 홀이 웃음 소리로 가득 찼다. ② (s.) (방향을 나타내어) 음향〔평판〕이 전해지다: der Ruhm seiner Taten ist durch das ganze Land geschallt 그의 명성은 온 나라 안에 자자했다. ③ (사슴 등이) 발정하여 울다. ④〖醫·은어〗 초음파 검사를 하다. 《Ⅱ》 *t.* 〔드물게〕 큰 소리를 내어 알리다.

schallend *p.a.* 소리나는, 우는, 울리는, 반향하는: ~er Beifall 우레와 같은 박수; wir brachen in ~es Gelächter aus 우리는 폭소를 터뜨렸다.

Schall·ente *f.* 〖動〗 흰뺨오리.

Schallern [ʃálərn] *m.* -s, - (15 세기경) 기병(騎兵)의 전투용 투구.

schallern 〔구어〕 《Ⅰ》 *i.* (h.) 노래를 부르다. 《Ⅱ》 *t.* 요란하게 울리는 소리를 내다: jm. eine ~ 누구의 따귀를 때리다; eine geschallert kriegen〔bekommen〕 철썩하고 빰따귀를 얻어 맞다.

Schall=erreger *m.* 〖방송·연극〗 음향 감독. **~fänger** *m.* 보청기. **~fenster** *n.* 미늘창. **~gedämpft** *a.* 〖기계·건축〗 소음기(消音器)가 장치된, 방음 시설이 되어 있는. **~geschwindigkeit** *f.* 음속(音速). **~gewölbe** *n.* 소리를 잘 울리게 하는 둥근 천장. **~isolation** *f.* 차음(遮音), 방음. **~isolierend** *a.* 차음〔방음〕 효과가 있는. **~isoliert** *a.* 차음〔방음〕된. **~kasten, ~körper** *m.* 〖악기〗 현악기의 울림통; 공명체. **~lehre** *f.* ↑ Schallehre. **~loch** *n.* ↑ Schalloch.

Schall-Loch 新정서 ⇦ Schalloch.

Schall=mauer *f.* 음속 장벽: ein Flugzeug durchbricht die ~ 비행기가 음속을 돌파한다; 〔비 유〕 1980 wurde die ~ von 1 Million Studenten durchbrochen 1980 년에 대학생수가 1 백만 명의 벽을 넘어섰다. **~messer** *m.* 〖物〗 음향〔음파〕 측정기.

Schalloch *n.* (현악기의 (f 자 모양의)) 울림구멍; 교회 종탑의 창.

Schall·ortung *f.* 음향 측정〔탐지〕.

schallos *a.* 껍질이 없는.

Schall·platte *f.* 음반, 레코드: eine ~ abspielen〔auflegen, laufen lassen〕 레코드를 틀다〔올려놓다〕; eine ~ produzieren〔machen〕 음반을 제작하다.

Schallplatten=album *n.* 음반집, 레코드 앨범; 음반 보관용 앨범. **~archiv** *n.* (체계적으로 수집한) 음반 모음〔보관실〕. **~aufnahme** *f.* ① 음반〔레코드〕 취입〔녹음〕. ② 음반 취입곡〔노래·연설〕. **~industrie** *f.* 음반〔레코드〕 산업. **~musik** *f.* 레코드 음악.

Schall=rohr *n.* 〖악기〗 취주 악기의 음관(音管); 메가폰. **~schatten** *m.* 방음〔차음〕 구역. **~schluckend** *a.* 〖건축·기계〗 소리를 흡수하는; 소음(消音)의. **~schutz** *m.* 방음, 소음 방지. **~schwingung** *f.* 음향의 진동. **~sicher** *a.* 방음(성)의. **~stück** *n.* (취주 악기의) 마우스피스; (오르간의) 음관 공명체. **~tot** *a.* 〖工·음향〗 소리의 반사가 없는, 반향이 없는. **~trichter** *m.* ① 취주 악기의 마우스피스. ② (축음기의) 확성기; 메가폰의 나팔: die Hände zu einem ~ formen 손나발을 만들다, 두 손을 (깔대기 모양으로) 입에 대다. **~übertragung** *f.* 〖라디오·TV〗 음향 전송. **~undurchlässig** *a.* 소리가 통과하지 못하는, 방음된. **~verstärkend** *a.* 음향을 증폭시키는. **~verstärkung** *f.* 음향 증폭. **~wandler** *m.* 전기 음향 변환기. **~welle** *f.* 〖物〗 음파. **~wiedergabe** *f.* 음(향)의 재생. **~wort** *n.* 〔복수: ..wörter〕〖언어학〗 의성어. **~zeichen** *n.* 〔雅語〕 음향 신호.

Schalm [ʃalm] *m.* -(e)s, -e (ndd.) ① (옛날 채권·채무를 표시한) 나무토막; 셈, 계산. ② 〖林〗 (줄기에 도끼로 낸) 벌채 기호. ③ 말의 병(病).

Schäl·maschine *f.* (과일이나 야채의) 껍질 벗기는 기계; 탈곡기; (목재의) 박피기.

Schalmei [ʃalmáɪ] 《lat. -frz.》 *f.* -en ① 〖악기〗 샬마이(구식의 오보에); 갈대 피리; 목적(牧笛)의 일종. ② 〖음악〗 클라리넷·오르간의 음전(音栓) 이름. ③ 금속제(製)의 다음관(多音管) 민속 취주 악기. ④ 백파이프의 음관.

Schalmei·bläser *m.* (중세의 오보에 종류인) 샬마이 연주자.

Schalmeien·klang *m.* 〔시어〕 샬마이 소리.

schalmen [ʃálmən] 《<Schalm》 *t.* 〖林〗 (나무 줄기에 도끼로) 벌채 기호를 내다: einen Baum ~ 나무에 벌채 표시를 하다.

Schal·obst *n.* 견과(堅果) (Schalenobst).

Schalom 《hebr.》 샬롬(평화를 뜻하는 히브리어 인사말), 안녕.

Schalotte [ʃalɔ́tə] *f.* -n 〖植〗 백합과 골파속의 식물(향미료·야채 요리에 쓰임).

Schal·pflug *m.* 〖農〗 (수확 후 그루터기를) 뒤엎는 쟁기.

schalt [ʃalt] ↑ schelten 의 과거형.

Schalt=anlage *f.* 〖전기〗 개폐 장치. **~bild** *n.* 〖전기〗 회로도, 배선도: das ~ eines Radiogeräts 라디오의 회로도. **~brett** *n.* 〖전기〗 배전반(配電盤); (자동차·비행기 등의) 계기반. **~dose** *f.* 〖전기〗 두꺼비집, 안전기; 〖철도〗 전철〔전환〕기. **~element** *n.* 〖전기〗 회로소자(素子).

Schalte [ʃáltə] *f.* -n (obd.) ① 널, 판자; 막대기, 장대; 키; 노. ② 작은 배, 거룻배, 나룻배.

***schalten** [ʃáltən] 《I》 *i.* (h.) ① 지배하다; 관리〔단속〕하다; (마음대로) 다루다, 처리하다: über et. 〔mit et.³〕 ~ 무엇을〔누구를〕 (마음대로) 처리하다; (nach Belieben) ~ und walten 마음〔멋〕대로 행동하다. ② das Schiff schaltet 배가 (강의) 흐름을 거슬러 올라가다. ③ (**a**) 스위치 등을 돌리다: wenn das Gerät schneller laufen soll, muß man hier ~ 이 기구를 더 빠르게 작동시키려면 이 스위치를 돌려야 한다; ein Gerät auf „aus" ~ (전기) 기구를 "끄기"로 돌리다; du mußt zweimal ~ 너는 스위치를 두 번 돌려야〔눌러야〕 한다; wir ~ jetzt nach Berlin, zum Studio X 이제 베를린의 X 스튜디오로 연결하겠습니다. (**b**) (자동으로) 바뀌다, 전환되다: die Ampel schaltet selbsttätig〔gleich〕 auf Rot 신호등이 자동으로〔곧〕 빨간불로 바뀐다. ④ 기어〔변속장치〕를 바꾸다: erst die Kupplung treten, dann ~! 먼저 클러치를 밟고 다음에 기어를 넣으시오!; das Getriebe schaltet automatisch 그 기어는 자동으로 작동한다; (vom 3.) in den 4. Gang 〔in den Leerlauf〕 ~ (3 단에서) 4 단〔중립〕으로 기어를 바꾸다. ⑤ 〔구어〕 이해하다, 알아차리다: schaltest du immer so langsam〔schnell〕? 너는 항상 그렇게 한 발 늦게〔재빨리〕 알아차리니?; er schaltet schnell 그는 머리 회전이 빠르다. 《II》 *t.* ① 〖전기〗 잇다, 접속〔연결〕하다, 개폐기를 닫다: et. in Reihe〔parallel〕 ~ 무엇을 직렬〔병렬〕로 연결하다. ② ein Schiff ~ 배를 (강의) 흐름에 거슬러 가게 하다. ③ (obd.) 조종하다, 향하게 하다. ④ (ndd.) (불을) 헤집어 일으키다. ⑤ (스위치 등을) 돌리다: schalte bitte die Heizung auf „warm" 난방기를 "온(溫)"단계로 조절하시오. ⑥ 끼워 넣다, 삽입하다: eine Parenthese in einen Satz ~ 삽입문을 문장에 끼워 넣다. ⑦ 〔雅語〕 행동하다; 처리하다, 다루다: er kann mit dem Geld ~, wie es ihm beliebt 그는 마음대로 그 돈을 쓸 수 있다. 《III》 *refl.* sich ~ 돌아가다, 돌려지다, 작동되다; 변속되다: das Gerät schaltet sich leicht 그 기구는 쉽게 작동된다; der Wagen schaltet sich schwer 그 자동차는 변속하기가 힘들다〔기어가 잘 들어가지 않는다〕.

***Schalter** [ʃáltər] *m.* -s, - ① 지배자, 관리자, 주인. ② (우체국 등의) 창구; (역의) 개찰구;

매표구: der Mann am ~ 창구 직원; die ~ schließen〔öffnen〕 창구를 닫다〔열다〕; die Bank hat ihre ~ geschlossen 은행은 창구를 닫았다〔폐점 시간이 됐다〕; Pakete bitte am ~ 4 소포는 4 번 창구에서 부치시오; dieser ~ ist nicht besetzt 이 창구에는 담당자가 없다. ③ 개폐기, (전기) 스위치: den ~ anstellen 스위치를 넣다; ein ~ zum Drücken〔Drehen〕 누르는〔돌리는〕 스위치; einen ~ anmachen 〔ausmachen〕 스위치를 켜다〔끄다〕; einen ~ betätigen 스위치를 작동시키다. ④ (ndd., Ruder) 키; 노. ⑤〖컴〗 전환기.

Schalter≈angestellte* *der/die* 창구 직원. **~beamte*** *der* 창구 직원〔관리〕; (역의) 개찰 담당자. **~dienst** *m.* 창구 근무〔사무〕. **~fenster** *n.* 창구의 차단 유리. **~halle** *f.* (큰 역의) 매표소; 매표 창구가 나란히 있는 홀. **~kabinett** *n.* 〖政〗 예비 내각(집권을 대비해 구성한 야당의 내각). **~raum** *m.* 매표장, 개찰구; 창구. **~schluß** *m.* 창구 사무 종료 (시간). **~stunden** *pl.* 창구 근무 시간.

Schalt≈getriebe 《<schalten》 *n.* 〖기계〗 (자동차 등의) 변속 연동 장치, 기어. **~hebel** *m.* 조종간(操縱桿); 변속 레버; 〖전기〗 스위치 레버: an den ~n der Macht sitzen 권력을 쥐고 있다.

Schal·tier *n.* 〖動〗 조개류(類); 갑각류(甲殼類) (Schalentier).

Schalt≈jahr 《<schalten》 *n.* 윤년(閏年): alle ~e (ein)mal 매우 드물게; ihn sehe ich auch nur alle ~e mal 나도 그를 몇 년에 한 번이나 볼 정도다. **~kasten** *m.* 두꺼비집. **~knochen** *m.* 〖해부〗 (특수 용도의) 삽입골(骨). **~knüppel** *m.* (자동차의) 변속 레버. **~kreis** *m.* 〖전기〗 회로 (방식): integrierte ~e 집적 회로. **~kurbel** *f.* 스위치 레버. **~monat** *m.* 윤(閏)달. **~pause** *f.* 방송의 일시 중단. **~plan** *m.* 회로도, 배선도(~bild). **~pult** *n.* 관제실, 제어실; 배전반. **~satz** *m.* 〖언어학〗 삽입문. **~schema** *n.* 회로도, 배선도(~bild). **~sicherung** *f.* 〖전기〗 스위치 퓨즈. **~skizze** *f.* 회로도, 배선도(~bild). **~station** *f.* ①〖전기〗 ↑ ~pult. ②〖스포츠〗 링커: er war die ~ im Mittelfeld 그는 미드필드에서 주도적인 선수였다. **~stelle** *f.* 제어 장소; (사회적·정치적·군사적으로) 중추적 위치. **~tafel** *f.* 〖전기〗 배전반(配電盤), (자동차·비행기 등의) 계기반. **~tag** *m.* 윤일(閏日) (2 월 29 일). **~tisch** *m.* 제어반, 개폐대. **~uhr** *f.* (자동 개폐 장치용) 타이머, 타임 스위치.

Schaltung [ʃáltuŋ] 《<schalten》 *f.* -en ① 접속, 접선, (방송 등의) 연결: wir nehmen jetzt eine ~ ins Olympiastadion vor 우리는 이제 올림픽 경기장을 연결하겠습니다. ② 지배, 관리, 처리. ③ (자동차 등의) 변속 장치, 변속기, 기어. ④〖전기〗 회로, 배선 방식; 회로도, 배선도: eine integrierte ~ 집적 회로; eine gedruckte ~ 프린트 회로; der Fernseher hat eine sehr komplizierte ~ 텔레비전은 회로가 매우 복잡하다.

Schalt≈vorrichtung *f.* 〖전기〗 스위치, 개폐기; 변속 장치. **~werk** *n.* 〖전기〗 단속 기어, 연동 장치. **~wort** *n.* 〔복수: ..wörter〕〖언어학〗 삽입구〔어〕. **~zeichen** *n.* 배선〔회로〕 기호. **~zentrale** *f.* 〖工〗 (전기 시설의) 중앙 조정실.

Schalung [ʃá:luŋ] *f.* -en 〖건축〗 ① 판자를 대기. ② 거푸집.

Schälung [ʃɛ́:luŋ] *f.* -en 껍질 벗기기.

Schaluppe [ʃalʊ́pə] 《ndl.–frz.》 *f.* -n 〖海〗 ① 슬루프, 외돛배의 일종. ② 모선에 싣는 보트, 론치.

Schal≈wand *f.* 판자벽. **~werk** *n.* 판자때기. **~wild** *n.* (사슴·멧돼지 등의) 소목(目) 동물(Schalenwild).

***Scham** [ʃa:m] 《mhd.》 *f.* ① 부끄러움, 수줍음; 수치심, 치욕감; 순결, 정조; 수치, 치욕, 불명예: mädchenhafte ~ 소녀다운 수줍음; et. ohne ~ sagen 무엇을 부끄러움 없이 말하다; 〖비유〗 ich hätte vor ~ vergehen〔versinken〕 mögen 나는 얼굴을 들 수 없을 정도로 부끄럽다; alle ~ abgelegt haben, aller ~ bar sein, keine ~ (im Leibe) haben 후안무치하다, 뻔뻔스럽다; vor ~ erröten 〔rot werden〕 부끄러워 얼굴을 붉히다; vor ~ die Augen senken 부끄러워서 눈을 내리깔다; 〖구어·반어〗 nur keine falsche ~! 점잔빼지〔수줍어하지〕 마라(체면차릴 자리가 아니다). ②〖雅語·은어〗 음부(陰部), 생식기: männliche ~ 음경(陰莖); weibliche ~ 음문(陰門); (sich³) die ~ bedecken〔verhüllen〕 국부를 가리다〔감추다〕. ③〖聖〗 벌거숭이. ④ (obd.) 공포, 겁. ⑤〖구식〗 (수치심으로) 얼굴을 붉힘 (~röte): die ~ stieg ihr ins Gesicht 그녀의 얼굴이 (수치심으로) 붉게 달아올랐다.

Schamade [ʃamá:də] 《frz. chamade》 *f.* -n 〖軍·옛뜻〗 (북 또는 나팔에 의한) 항복 신호: ~ schlagen〔blasen〕 a) 〖구식〗 (북이나 나팔로) 항복 신호를 하다, b) 〖비유·교양·드물게〗 무기력하게 양보〔단념〕하다.

Schamane [ʃamá:nə] 《tungus.》 *m.* -n, -n 〖인종〗 샤먼, 주술사, 무당.

Schamanismus [ʃamanísmus] *m.* - 〖인종〗 샤머니즘; 무술(巫術), 무속(巫俗).

Scham≈bein *n.* 〖해부〗 치골(恥骨). **~berg** *m.* 〖해부〗 음부, 불두덩. **~bogen** *m.* 〖해부〗 치골궁(恥骨弓). **~bug** *m.* 〖해부〗 샅. **~dreieck** *n.* 〖드물게〗 삼각형 모양의 여자 음모. **~drüse** *f.* 〖해부〗 서혜(鼠蹊) 림프선.

***schämen** [ʃɛ́:mən] *refl.* ① sich ~ 부끄러워하다, 부끄럽타다, 얼굴을 붉히다: sich eines Dinges 〔wegen et., für et.〕 ~ 무엇을 부끄러워하다; sich ins Herz 〔in die Seele hinein〕 ~ 진심으로 부끄러워하다; sich in Grund und Boden ~ 부끄러워서 구멍이라도 있으면 숨어버리고 싶다; sich vor jm. ~ 누구에게 부끄럽게 생각하다; sich zu Tod ~ 부끄러워 죽을 지경이다; er schämt sich meiner 〔über mich〕 그는 나와 함께 있는 것을〔내 존재를〕 수치로 생각하고 있다; 〖구어〗 (pfui,) schäm dich! (체), 부끄러운 줄 알아!; 〖구어〗 du solltest dich (was) ~! 너는 부끄러운 줄 알아야 해!; schämst du dich gar nicht? 너는 부끄럽지도 않니, 어떻게 그럴 수가 있니?; sich³ die Augen aus dem Kopf ~ 몹시 부끄러워하다. ② 두려워하다, 꺼리다: sich vor et.³ ~ 무엇을 꺼리다; ich schäme mich, das sagen zu müssen 나는 그런 말을 해야 하는 것이 두렵다; er schämt sich, seinen Irrtum einzugestehen 그는 자신의 과오를 인정하기를 꺼린다.

scham≈erregend *a.* 수치심을 일으키게 하는. **~erröten** *n.* 부끄러워 얼굴을 붉힘, 무안.

schamfilen [ʃamfíːlən] 《Ⅰ》 *t.* 〖海〗 (로프 등을) 문질러 닳게 하다, 마손(磨損)시키다. 《Ⅱ》 *i.* (h.) 문질러져 닳다, 마손되다: eine schamfilte Leine 마손된 밧줄.

Scham≈gefühl *n.* 부끄러워 하는 마음, 수치심: (ganz) ohne ~ sein 수치심이라고는 없다; js. ~ beleidigen 누구의 수치심을 자극하다. **~gegend** *f.* 〖해부〗 음부(陰部), 치부. **~glied** *n.* 〔드물게〕 음경. **~haar** *n.* 음모.

schamhaft [ʃáːmhaft] 《<Scham》 *a.* 부끄러워하는, 부끄럼타는, 수줍은, 내성적인; 얌전한, 조심성 있는; 단정한, 행실이 바른; 순결한: ein ~es Mädchen 수줍음타는 소녀; ~ die Augen senken 수줍은 듯 눈을 내리깔다; et. ~ verschweigen 부끄러워 무엇을 말하지 못하다; ~ et. bekennen〔gestehen〕 부끄러워하며 무엇을 고백하다.

Schamhaftigkeit *f.* 수줍음, 부끄럼.

Scham·hügel *m.* 〖해부〗 불두덩, 음부.

schämig [ʃέːmɪç] 《<Scham》 *a.* 〔방언〕 부끄러워하는, 수줍은; 내성적인.

Schämigkeit *f.* ↑ schämig 의 명사형.

Scham≈knochen *m.* ↑ ~bein. **~lefzen** *pl.* ↑ ~lippe. **~leiste** *f.* ↑ ~bug. **~lippe** 〖해부〗 음순(陰脣): große〔äußere〕 ~ 대음순; kleine〔innere〕 ~ 소음순.

schamlos 부끄럼 없는, 파렴치한; 뻔뻔스러운, 대담한; 음탕한, 행실이 나쁜; 무자비한, 비양심적인: ein ~es Buch 음란 서적; ~e Forderungen 뻔뻔스런 요구; eine ~e Person 행실이 나쁜 사람; eine ~e Ausbeutung 무자비한 착취; sich ~ bereichern 비양심적인 방법으로 돈을 모으다.

Schamlosigkeit *f.* -en 파렴치, 뻔뻔스러움; 파렴치한 행동〔태도〕: eine ~ begehen 파렴치한 행동을 하다.

Schammes *m.* -, - 유대인 교회 및 교구장의 사환.

Schammott[1] *m.* -s 〔구어〕 잡동사니, 폐물: wirf den ganzen ~ auf den Müll! 잡동사니를 모두 쓰레기로 버려라.

Schammott[2] *m.* -s ↑ Schamotte.

Schamotte [ʃamɔ́tə] *f.* 〖건축〗 (내화 벽돌용의) 내화(耐火) 점토.

Schammotte≈stein *m.* 내화 석재(石材). **~ziegel** *m.* 내화 벽돌.

schammotieren *t.* (öst.) 내화 벽돌을〔석재를〕 씌우다〔입히다〕.

schampeln *i.* (s.) (nordd.) 어슬렁거리다, 건들거리며 걷다; 비틀비틀 걷다.

Schampon *n.* -s, -s 샴푸(↑ Shampoo).

schamponieren *t.* ①샴푸로 머리를 감다: jm. das Haar ~ 누구의 머리를 샴푸로 감아주다; den Wagen ~ lassen 차를 샴푸로 세차시키다. ② (목욕한 뒤 몸을) 마사지〔안마〕하다.

schampuen [ʃampúːən] *t.* ↑ schamponieren.

schampunieren 《ind.》 *t.* ↑ schamponieren.

Schampun [ʃampúːn] 《hindustan.》 *n.* -s, -s 샴푸.

Schampus [ʃámpus] *m.* - 〔농담〕 샴페인 (Champagner).

Scham≈ritze *f.* 〖해부〗 음문(陰門). **~rot** *a.* 낯을 붉히는, 부끄러워하는. **~röte** *f.* (부끄러워) 얼굴을 붉힘: die ~ stieg ihr ins Gesicht 부끄러움으로 그녀의 얼굴이 붉게 달아올랐다; sein Verhalten trieb ihr die ~ ins Gesicht 그의 태도는 그녀의 얼굴을 부끄러움으로 달아오르게 했다. **~spalte** *f.* ↑ ~ritze. **~teile** *pl.* 〖해부·드물게〗 치부, 음부. **~verletzend** *a.* 수치심을 일으키는〔자극하는〕. **~voll** *a.* 부끄러워하는, 수줍은. **~zünglein** *n.* 〖해부〗 음핵.

Schand·balg *m./n.* 뻔뻔스러운〔비열한〕 사람; (특히) 음탕한 여자, 천한 계집.

schandbar [ʃántbaːr] *a.* ① 부끄러워해야 할; 명예롭지 못한; 멸시해야 할; 비열한: ein ~es Benehmen 비열한 처신〔행동〕. ②〔구어〕 형편없는, 아주 나쁜: ein ~es Wetter 악천후; das ist ein ~ hoher Preis 그것은 형편없이 값이 비싸다.

Schandbarkeit *f.* -en 비열, 수치.

Schand≈blatt *n.* 악덕 신문; 〔폄어〕 너절한 신문. **~brief** *m.* 〔구식〕 중상하는 편지; (광의로) 비방문, 풍자문. **~bube** *m.* 〔구식〕 악한, 철면피. **~buch** *n.* 음란 서적. **~bühne** *f.* 교수〔효수〕대. **~deckel** *m.* ① 부끄러움을 감추는 핑계. ②〔구어〕 모자. **~dirne** *f.* 창부.

***Schande** [ʃándə] 《mhd.》 *f.* ① 창피, 치욕; 불명예, 면목 없음, 오명; 흠, 오점; 모욕, 비방: arge〔ewige〕 ~ 괘씸한〔씻을 수 없는〕 치욕; jm. eine ~ antun〔bringen〕 누구에게 창피를 주다, 면목을 잃게 하다; etwas bringt jm. ~ 무엇이 누구에게 오명을 초래하다; Tränen der ~ vergießen 치욕의 눈물을 흘리다; es ist eine ~ 〔eine Sünde und ~〕, daß ... …은 부끄러워해야 할 일이다; er macht seiner Familie 〔seinem Namen〕 ~ 그는 집안〔자신의 이름〕에 먹칠을 한다; er ist die ~ seiner Familie 그는 집안의 수치다; ich will dir diese ~ ersparen 나는 네게 이러한 창피는 주고 싶지 않다; er spielte so schlecht, daß es eine ~ war 그의 연기는 너무 시원찮아 망신스러웠다; Schmach und ~ über ihn 창피당해 싼 녀석; 〖대개 농담〗 mach mir keine ~ ! 너로 인해 내가 창피당하지 않도록 처신해라 ! ; es ist eine ~, daß er euch nicht geholfen hat 그가 너희들을 돕지 않은 것은 정말 있을 수 없는〔부끄러운〕 일이다; 〔속담〕 Armut ist keine ~ 가난은 수치가 아니다; 〔속담〕 der Horcher an der Wand hört seine eigene ~ 남의 말을 엿듣는 사람은 제 험담을 듣는다. ② 〔전치사와 함께〕 ~ **auf** sich laden 치욕을 당하다; unempfänglich **für** ~ 파렴치한, 뻔뻔스러운; 〔구식〕 jn. **in** ~ bringen 누구를 망신시키다; in Schimpf und ~ geraten 모욕을 당하다; in ~ sein 면목을 잃다; **mit** ~ abziehen 창피를 당하고 물러서다; mit ~ bestehen 창피를 참다; er legte ~ damit ein 그는 그 일로 창피를 당했다; 〔雅語〕 etwas gereicht jm. **zur** ~ 무슨 일이 누구에게 치욕이 되다; 〔농담〕 ich gestehe es zu meiner ~ 부끄러운 일이지만 나는 그것을 고백한다; zu ~n 훼손되어, 못쓰게 되어, 무위(無爲)로 되어.

Schan≈deck *n.* ↑ ~deckel. **~deckel** *m.* 〖海〗 뱃전, 현측(舷側).

***schänden** [ʃέndən] 《<Schande》 《Ⅰ》 *t.* ① 욕

보이다, 창피주다, (이름·명예 등을) 더럽히다, 모욕하다; 비방하다; 성폭행〔능욕〕하다: eine Kirche ~ 교회를 모독하다; 〖구식〗 ein Mädchen ~ 처녀를 성폭행하다; js. guten Namen ~ 누구의 명예를 더럽히다; den Sabbat ~ 안식일을 지키지 않다; 〖목적어 없이〗 Arbeit〔Armut〕 schändet nicht 노동〔가난〕은 수치가 아니다. ② (구체적으로) 흠을 내다, 손상시키다; 흉하게 하다, 찌그러뜨리다; 불구가〔기형이〕 되게 하다: die Mülldeponie schändet die ganze Landschaft 쓰레기 매립지가 전체 경관을 망치고 있다; eine Narbe schändet ihr Gesicht 흉터가 그녀의 얼굴을 망가뜨린다. 《Ⅱ》 *refl.* sich ~ 면목을 잃다, 자기 이름을 더럽히다.

schạnden·halber *adv.* (südd.) 〖구식·농담〗 체면상, 예의상.

Schạ̈nder 《<Schande》 *m.* -s, - 더럽히는 자, 모독자, 능욕자: ein ~ des Sabbats 안식일을 지키지 않는 사람.

Schạnd≈fleck 《<Schande》 *m.* 흠, 오점, 오명, 치욕, 불명예: jm. einen ~ anhängen 누구의 명예를 더럽히다; 〖비유〗 er ist der ~ seines Hauses 그는 가문의 수치다; 〖비유〗 die Fünf ist ein ~ auf seinem sonst guten Zeugnis 그 과목의 평점 5("E")는 그의 좋은 성적표에서 옥의 티다; 〖비유〗 einen ~ auf seiner Ehre haben 그의 명예에 오점을 남기다. **~gebot** *n.* 〖구식〗 아주 싸게 내놓은 상품. **~gedicht** *n.* ① 에로틱한 시. ② 풍자시, 조롱시. **~geld** *n.* 〖구식〗 ① 부정한 돈. ② 터무니없이 싼〔비싼〕 값. **~gemälde** *n.* ① 춘화도(春畵圖). ② 풍자화. **~gerüst** *n.* 교수대. **~geselle** *m.* 악한; 철면피한(漢). **~kauf** *m.* ① 볼품없는 매물(買物). ② 헐값 매매(賣買). **~kerl** *m.* 악한, 철면피한(漢): diese ~e! 이 악당들아! **~leben** *n.* 부끄러운〔명예롭지 못한〕 생활.

schạ̈ndlich [ʃɛ́ntlɪç] 《<Schande》 ① *a.* 수치스러운, 불명예스러운; 파렴치한, 비열한, 추악한, 천박한: ein ~es Verbrechen 흉악한 범죄; ~e Absichten〔Taten〕 비열한 의도〔행동〕; ~er Gewinn 부정 이득; ein ~er Kerl 비열한 놈; er ist ein ~es Maul 그는 몹시 입이 건 남자다; ein ~es Ende nehmen 치욕스러운 최후를 맞다; ein ~es Leben führen 부끄러운 삶을 영위하다. ② 〖구어〗 매우 나쁜, 형편없는; 엄청난: ein ~es Wetter 지독히 궂은 날씨, 악천후; sich ~ ärgern 몹시 화를 내다; 〖부사적 강조어〗 das ist ~ teuer 그것은 몹시 비싸다. ③ 〖고어〗 부끄럽게 여긴, 창피당한; 모욕하는, 중상하는.

schạ̈ndlicher·weise *adv.* 비열한 수단으로; 창피하게도, 수치스럽게도.

Schạ̈ndlichkeit *f.* -en ↑ schändlich 의 명사형.

Schạnd≈lied *n.* 음란 가요. **~mal** *n.* 〖복수: -e/..mäler〗 ① 〖옛뜻〗 (죄인의) 낙인. ② ↑ ~fleck. **~maul** *n.* 〖경박·폄어〗 ① 험구, 독설. ② 〖비유〗 독설가: sie hat〔ist〕 ein ~ 그녀는 입이 걸다. **~pfahl** *m.* 〖옛뜻〗 ↑ ~säule. **~preis** *m.* 터무니없이 싼〔비싼〕 값: er verlangt einen ~ dafür 그는 그 물건에 대해 터무니없이 비싼 가격을 요구한다. **~säule** *f.* 사람들에게 보이기 위해 죄인을 묶어 두는 기둥. **~schrift** *f.* ① 비방 문서. ② 음란 서적. **~tat** *f.* 파렴치한〔수치스러운〕 행위: er schreckt vor keiner ~ zurück 그는 어떤 비열한 행위도 서슴지 않는다; zu jeder ~〔zu allen ~en〕 bereit sein 어떤 (파렴치한) 짓도 할 수 있다.

Schạ̈ndung [ʃɛ́ndʊŋ] *f.* -en 욕보임; 모독; 모욕, 비방; 능욕, 성폭행; 훼손.

Schạnd≈weib *n.* 창부. **~wort** *n.* 〖복수: -e〗 ① 음탕한 말. ② 비방, 독설. **~zunge** *f.* ↑ ~maul.

Schangel [ʃáŋəl] *m.* -s, - (obd.) ① 프랑스 사람. ② 알자스 사람.

Schanghai [ʃáŋhaɪ, ʃaŋháɪ] 상하이(上海) (중국의 도시; 우편에서는: Shanghai).

schanghaien [ʃaŋháɪən, ʃáŋhaɪən] *t.* 〖海〗 취하게 만들어 납치한 후 선원으로 고용하다.

Schạni *m.* -s, - (öst.) ① (좋은) 친구. ② 부하, 졸개: ich bin doch nicht dein ~! 나는 네 부하가 아니다. ③ 맥줏집 종업원.

Schạni·garten *m.* (öst.) (음식점의 여름철) 옥외 정원.

***Schank** [ʃaŋk] 《<schenken》 *m.* -(e)s, Schänke [ʃɛ́ŋkə] 〖구식〗 ① 주류 소매. ② 술집; 술집의 판매대. ③ 주류 소매 면허. ④ 《<Schrank》 (elsäss., hess.) 찬장.

Schạnk≈betrieb *m.* 술집, 주점. **~bier** *n.* 생맥주. **~bursch** *m.* (öst.) 맥줏집 웨이터.

Schạ̈nke 新정서 ⇦ Schenke.

Schanker [ʃáŋkər] 《frz.》 *m.* -s, - 〖병리〗 하감(下疳): harter〔weicher〕 ~ 경성(硬性)〔연성(軟性)〕 하감, 〖韓醫〗 음식창(陰蝕瘡).

Schạnk≈erlaubnis·steuer *f.* 〖法〗 주류 소매 면허세. **~gerechtigkeit** *f.* 〖法〗 주류 소매 면허, 주류 판매권. **~gewerbe** *n.* 주류 영업. **~konzession** *f.* 〖法〗 주류 소매 면허. **~stätte** *f.* 주막, 술집. **~stube** *f.* 술집(의 홀). **~tisch** *m.* 술집의 카운터. **~wirt** *m.* 술집 주인. **~wirtin** *f.* ↑ ~wirt 의 여성형. **~wirtschaft** *f.* 술집, 주점. **~zimmer** *n.* ① ↑ ~stube. ② 〖철도〗 식당차.

Schantung [ʃántʊŋ] *m.* -s, -s ↑ ~seide.

Schạntung·seide *f.* 〖섬유〗 (중국의) 산둥(山東) 비단.

Schanz≈arbeit [ʃánts..] *f.* 〖軍·옛뜻〗 토공(土工) 작업; 참호〔보루〕 구축 작업. **~arbeiter** *m.* 공병. **~bau** *m.* 〖軍·옛뜻〗 참호〔보루〕 구축.

Schänzchen [ʃɛ́ntsçən] *n.* -s, - 《↑ Schanze 의 축소형》 ① 작은 보루. ② (md.) 나무다발.

***Schanze**[1] [ʃántsə] *f.* -n ① 〖軍·옛뜻〗 보루, 성채: eine ~ aufführen〔schleifen〕 보루를 쌓다〔철거하다〕; an der Grenze ~n errichten 국경에 성채를 구축하다. ② 〖海〗 (군함의) 선미루(船尾樓), 후갑판. ③ (hess.) 바구니. ④ 〖스키〗 도약대(Sprung≈).

Schanze[2] 《lat.-frz.》 *f.* -n 내기, 도박: sein Leben für et.〔jn.〕 in die ~ schlagen 무엇을〔누구를〕 위해 목숨을 걸다〔위험을 무릅쓰다〕.

schanzen [ʃántsən] 《<Schanze[1]》 《Ⅰ》 *i.* (h.) ① 〖軍·옛뜻〗 참호〔보루〕를 구축하다; erst mußten die Soldaten ~ 우선 병사들은 참호 구축 작업을 해야 했다; eine Stellung für das Geschütz ~ 포를 위한 진지를 구축하다. ② 〖학생〗 열심히 공부하다.

Schạnzen≈bau *m.* 〖軍·옛뜻〗 참호〔보루〕 구축. **~rekord** *m.* 〖스키〗 일정 도약대에서 이

루어진 스키 점프 기록. **~tisch** *m.* 〖스키〗 도약대의 마지막 부분(도약판).
Schanzer 《<Schanze[1]》 *m.* -s, - 〖軍·옛뜻〗 (Schanzarbeiter) 공병(工兵).
Schanz≈gerät *n.* 〖軍·옛뜻〗 야전 공사용 기구. **~gräber** *m.* ↑ ~arbeiter. **~kleid** *n.* 〖海〗 현장(舷牆). **~korb** *m.* 〔옛뜻〕 (보루용) 흙 나르는 바구니; 버들가지로 엮은 바구니. **~läufer** *m.* 〖海〗 당직 선원이 입는 외투. **~pfahl** *m.* 〖軍·옛뜻〗 (위쪽을 날카롭게 깎은) 보루용 말뚝. **~wehr** *f.* 보루, 방색(防塞). **~werk** *n.* 보루, 참호. **~zeug** *n.* 〖軍·옛뜻〗 야전 공사용〔축성용〕 기구.
Schapel [ʃápəl] 《lat. -frz.》 *n.* -s, - ↑ Schappel.
schaperonieren [ʃapərɔníːrən] 《frz.》 *t.* 보호하다; (젊은 여자들의) 보호자로 동반하다.
Schapf [ʃapf] *m.* -(e)s, -e ↑ Schapfe.
Schapfe *f.* -n (obd.) 자루가 긴 국자.
Schapirograph *m.* -en, -en 복사기.
Schapka 《sl.》 *f.* -s (모피·털) 모자.
Schapp [ʃap] *m./n.* -s, -s ① (ndd.) 옷장; 찬장. ② 〖가구〗 서랍 하나에 문이 2개 달린 17-18세기의 큰 옷장. ③ 〖海〗 옷장; 서랍; 갑판에 있는 조그만 방.
Schappe[1] [ʃápə] 《frz.》 *f.* -n 비단실 보무라지로 짠 직물; 지스러기 명주.
Schappe[2] *f.* -n 〖광산〗 굴착기, 보링.
Schappel [ʃápəl] 《frz.》 *n.* -s, - ① (중세의 여성용 머리 장식) 화관 또는 금속제 둥근관. ② 꽃·보석으로 장식한 신부의 관(민속 의상의 하나). ③ 〔방언〕 개목걸이.
Schappe≈seide *f.* 〖섬유〗 생사 지스러기〔보무라지〕로 짠 비단〔명주〕. **~spinnerei** *f.* 〖섬유〗 지스러기 명주 공장.
schappieren 《frz.》 *i.* (s.) 〔방언〕 도망치다, 달아나다.
Schapp·seide *f.* ↑ Schappe[1].
***Schar**[1] [ʃaːr] *f.* -en ① 〔구식〕 부대; (Heeres~) 군대: eine ~ Reiter 기병대; der Führer der ~ 대장; die zerstreuten ~en sammeln 흩어진 부대를 집합시키다. ② 무리, 떼, 군집; 여럿, 다수: ~en von Pferden 한무리의 말떼; eine ~ Vögel 한 무리의 새; eine ~ kunstbegeisterter Besucher 예술에 열광한 많은 관람객; ~ auf ~ 떼를 지어서; in ~en stehen 무리를 짓고 있다; in (hellen) ~en herbeiströmen (큰) 무리를 이루어 파도처럼 밀려들다; eine ~ von Leuten stand vor der Tür 많은 사람들이 문 앞에 서 있었다. ③ 〖數〗 일군(一群)의 도형.
Schar[2] *f.* -en 〔*n.* -(e)s, -e〕 ① 쟁기의 보습. ② (obd.) 여울. ③ (obd.) 층.
schär [ʃɛːr] *a.* (ndd.) ① (유리 등이) 부서지기〔깨지기〕 쉬운. ② (천 등이) 낡아빠진.
Schar·arbeit *f.* 부역(賦役) (Fronarbeit).
Scharade [ʃaráːdə] 《frz.》 *f.* -n 워드 퍼즐, 철자 맞추기〔수수께끼〕: lebende ~ (철자에 그림을 찾아 넣는) 철자〔그림〕 퀴즈.
Schar·bank *m.* (schweiz.) (손)수레.
Schär·baum 《<schären》 *m.* 〖방직〗 날실을 감은 얼레; 실꾸리.
Scharbe [ʃárbə] *f.* -n 〖動〗 ① 가마우지. ② 넙치의 일종.
Scharbe≈brett *n.* 도마. **~messer** *n.* 고기 저미는 칼.

scharben *t.* (obd., nordd.) (야채 등을) 잘게 썰다, 저미다, 채치다.
schärben *t.* ↑ scharben.
Scharbock [ʃáːrbɔk] *m.* -(e)s 〖醫·구식〗 괴혈병(壞血病).
Scharbocks·kraut *n.* 〖植〗 애기똥풀; 미나리아재비의 일종.
Schäre [ʃɛ́ːrə] *f.* -n (스칸디나비아 해안의) 암초도(岩礁島).
***scharen** [ʃáːrən] 《<Schar[1]》 《Ⅰ》 *t.* 모으다: die Jugend um sich ~ 젊은이들을 자기 주위에 모으다; er hat schon viele Anhänger um sich geschart 그는 이미 많은 팬〔추종자〕들을 확보했다. 《Ⅱ》 *refl.* sich ~ 무리를 짓다, 모이다: die Besucher scharten sich um das Kunstwerk 방문객들이 그 미술품 주위에 몰려들었다; viele junge Studenten scharten sich um den Philosophen 많은 대학생들이 그 철학자를 따랐다〔추종했다〕.
schären [ʃɛ́ːrən] *t.* (직기에) 실을 감다.
Scharen·führer 《<Schar[1]》 *m.* 대장, 두령, 총수.
Schären≈kreuzer *m.* 〖海〗 암초 해안용 요트. **~küste** 《<Schäre》 *f.* 암초 해안.
scharen·weise 《<Schar[1]》 *adv.* 떼〔무리〕를 지어, 여럿이; 많이: die Gäste kamen ~ 손님들이 떼를 지어 왔다.
***scharf** [ʃarf] (schärfer, schärfst) *a./adv.* ① (↔stumpf) 날카로운, 예리한; 잘 간, 날이 선〔서 있는〕; 뾰족한, 첨예한: ~e Dornen 뾰족한〔날카로운〕 가시; ~e Ecke a) 예각, b) 얼큰히 취한 패거리; ~e Pfeile 끝이 날카로운 화살; eine ~e Schneide 시퍼렇게 선 칼날; ~e Zähne 날카로운 이; die Bügelfalten der Hose müssen ganz ~ sein 바지의 주름은 날카롭게 세워져 있어야 한다; mit ~en Waffen fechten 진짜 칼로 싸우다; 〔속담〕 allzu ~ macht schartig 모난 돌이 정 맞는다; 〔비유〕 er führt eine ~e Klinge 그는 (토론에서) 똑 부러지게 말한다〔날카롭게 대응한다〕; 〔구어〕 ~ machen 날카롭게 하다, 갈다; das Messer schneidet ~ 이 칼은 잘 든다. ② (↔sanft, milde) 〔감각적으로〕 **(a)** 심한, 모진, 참기 어려운; 싫은; 찌르는 듯한, 알알한, 자극성의; 스며드는 듯한; 맹렬한; (화학 물질 등이) 독한, 부식성의, 가성(苛性)의; (맛이) 아린, 쓴, 짠, 매운, 신, (술의) 도수가 높은: ~er Essig 신맛이 강한 식초; ~er Geruch 코를 찌르는 냄새; ~ nach et.[3] riechen 무엇 냄새가 코를 찌르다; ~es Gift 맹독; ~e Sachen 독한 술; einen ≈en trinken 독한 술을 한 잔 마시다; ~er Senf 매운 겨자; das Essen war ziemlich ~ 그 음식은 꽤 매웠다; eine ~e Kälte 〔ein ~er Wind〕 살을 에는 듯한 추위〔바람〕; ~e Luft 찬 공기, 냉기; die Speise ist zu ~ gewürzt 이 요리에는 향신료가 너무 많이 들었다; Fleisch ~ anbraten 고기를 태우다: dieses Waschmittel ist zu ~ für das Gewebe 이 세제는 그 직물에는 너무 독하다. **(b)** (소리가) 날카로운, 째는 듯한, 금속성의: eine ~e Stimme 날카로운〔새된〕 소리. **(c)** (손에 닿는 느낌이) 거친, 꺼칠꺼칠한; 굳은: ~er Sand 거친 모래. **(d)** (빛이) 강렬한, 눈부신: ein ~er Lichtstrahl 눈부신 광선. ③ 〔정신적으로〕 격렬〔맹렬〕한; 엄한; 통렬한, 혹독한; 매정스러운, 가혹한, 표독한; 빈정대는,

신랄한: ~e Angriffe 맹공격; eine ~e Bemerkung 풍자, 비꼼; ~er Spott 신랄한 조소; ein ~er Hund 사나운 개; ein ~er Kampf 격전;〖商〗~e Konkurrenz 격렬한 경쟁; eine ~e Strafe 엄벌; ~e Zucht 엄격한 훈련; er hat eine ~e Zunge 그는 독설가다; jn.〔et.〕in ~er Form kritisieren 누구를〔무엇을〕가차없이〔신랄하게〕비판하다; sie war meine schärfste Rivalin 그녀는 나의 가장 벅찬 라이벌이었다; jn. ~ anfassen〔~ mit jm. verfahren, es mit jm. ~ nehmen〕누구를 엄하게 다루다; jn. ~ anlassen 누구를 큰 소리로 꾸짖다; ~ durchgreifen 단호한 조처를 취하다; jm.〔einer Auffassung〕~ entgegentreten 누구에게〔어떤 의견에〕단호히 맞서다〔반대하다〕; sie war sehr ~ gegen ihn 그녀는 그에게 매우 혹독했다; ein ~es Urteil fällen 가혹한 판결을 내리다; schärfsten Widerstand leisten 완강히 저항하다; auf das schärfste untersuchen 엄격하게 조사하다; das ist ja das Schärfste! 이건 너무〔심〕하다!; das Schärfste war, mich zu belügen 내게 거짓말한 건 너무했다〔나빴다〕; es ging (daselbst) ~ her a) 매우 놀라운 일이었다, b)〖軍〗격전이 있었다; (öst.) es ~ auf jn. haben 누구에게 (은밀한) 증오심을 가지다;〖구어〗den habe ich ~ 나는 저 남자를 미워한다;〖구어〗das ist ein (ganz) ≈er〔ein ~er Hund〕(융통성 없는 경찰이나 법관 등) 그는 인정 사정도 없는 사람이다. ④ 뚜렷한, 명확한, 두드러진: ~ ausgeprägt 눈에 띄는, 표가 나는; ein ~er Umriß 선명한 윤곽;〖비유〗et. ~ umreißen 어떤 것을 명확하게〔자세히〕설명하다; sie hat ~e Gesichtszüge 그녀는 이목구비가 또렷하다; et. ~ betonen 무엇을 강조하다; eine Frage ~ erfassen 어떤 문제를 명확하게 이해하다. ⑤ 예민〔명민〕한; 통찰력 있는:〖비유〗ein ~es Auge〔einen ~en Blick〕für et. haben 무엇을 꿰뚫어보는 눈을 가지다〔무엇에 대한 안목이 매우 높다〕;〖비유〗mit ~em Blick 예리한 시선으로; ein ~er Beobachter 예리한 관찰자; ein ~es Gehör〔~er Geruch〕예민한 청각〔후각〕; ein ~er Verstand 명민한 이해력; ~ hören〔sehen〕귀가〔눈이〕밝다; ~ aufpassen〔zuhören〕주의깊게 지켜보다〔귀담아듣다〕; sich ~ ausdrücken 자신의 생각을 명확하게 말하다; das Foto ist schön ~ 이 사진은 아주 선명하다; jn. ~ ansehen 누구를 응시하다; ~ nachdenken 정신을 집중하여 심사숙고하다; er hat schärfere Augen als ich 그는 나보다 시력〔관찰력〕이 좋다. ⑥ 엄밀〔엄정〕한, 정확한: ~es Fernglas 배율이 높은 망원경; ein ~er Geschäftsmann 빈틈없는 사업가; jn. ~ bewachen 누구를 엄중히 감시하다; ~ kalkulieren 정확하게 계산하다; ~ prüfen 엄밀하게 시험하다; et. ~ einstellen 무엇의 초점을 정확하게 맞추다; ~ eingestellt 초점이 맞는, 적절히 조율된. ⑦ 신속한, 매우 빠른, 급격한:〖軍〗~es Feuer 급(急)사격; ein ~er Schritt 빠른 걸음; ein ~er Lauf〔Ritt〕질주; ein ~er Schuß 강슛; ~er Trab 구보; ~ arbeiten 부지런히 일하다; ein ~es Tempo fahren 전속력으로 운전하다; einen ~en Stil fahren 맹렬히〔거칠게〕운전하다; ~ bremsen 급브레이크를 밟다; ~ gehen 빨리 걷다; eine ~e Kehrtwendung machen 갑자기 되돌아오다〔가다〕; ~ trinken 급하게 마시다. ⑧〖軍〗실탄이 든, 장정된; 실탄의: ~ laden 실탄을 재다; die Bomben ~ machen 폭탄에 폭약을 장전하다; ~e Schüsse abgeben 실탄 사격을 하다; ~ schießen a) 실탄 사격을 하다, b)〖비유〗용서치 않다,〖스포츠〗강타를 가하다;〖비유·구어〗in der Diskussion wurde ziemlich ~ geschossen 토론이 상당히 격해졌다; ~e Patronen (소총의) 실탄. ⑨〖문법〗강한 단음(短音)의(↔gedehnt): ein ~er Akzent 강한 단음의 악센트. ⑩ (a)〖구어〗호색의; 성적 매력이 있는; 굉장한, 멋진: ein ~er Bursche 호색한(漢); eine ~e Sache 음담; 음탕한 행위; ~ werden 성적으로 자극되다; jn. ~ machen 누구를 성적으로 자극하다; auf jn. ~ sein 누구에게 성욕을 느끼다. (b) 열망〔갈망〕하는, 매우 좋아하는: ~ hinter et.³ her sein 무엇을 하고자〔갖고 싶어〕하다, …에 전념〔집착〕하다; auf et. ~ sein 무엇을 무척 갖고 싶어하다;〖구어〗er ist ganz ~ darauf sie kennenzulernen 그는 그녀를 무척 사귀고 싶어한다; der Alte ist ~ wie Nachbars Lumpi〔tausend Russen, sieben Sensen〕그 늙은이는 호색한이다;〖구어〗du hast dich ~ angezogen 너는 멋지게 차려 입었구나.

Scharf [ʃarf] *n.* -(e)s, -e 뱃바닥의 예각부(銳角部); 판자 또는 각재(角材)의 뾰족한 끝.

scharf≈äugig *a.*〖드물게〗날카로운 눈을 가진, 주의깊은, 예리하게 관찰하는. **≈blick** *m.* 예리한 눈초리; 형안, 혜안, 통찰력; seinem ~ entging nichts 어떤 것도 그의 형안을 피할 수는 없었다.

***Schärfe** [ʃɛ́rfə]《<scharf》*f.* -n ① (날의) 날카로움, 예리; 뾰족함: die ~ einer Schere prüfen 가위가 잘 드는지 시험해 보다. ② 날카로운 것: (a) (송곳 등의) 날; 뾰족한 끝. (b) 모서리. (c)〖비유〗풍자, 독설, 비꼼. ③ 매운(알알한) 것, 신 것; 매운 맛, 신 맛; 자극성, 부식성(의 액체); (냄새 등이) 코를 찌름: die ~ einer Speise 음식의 매운 맛; die ~ des Senfs 겨자의 톡 쏘는 맛; die ~ der Säure 산의 부식력; er vermeidet jetzt jede ~ 그는 지금 모든 자극성 있는 것을 피하고 있다. ④〖비유〗엄함, 준엄; 격렬; 예민, 형안; 신랄; 엄밀, 정확, 면밀; 뚜렷함, 선명; 세기, 세력; (소리의) 날카로움: die ~ der Augen 날카로운 눈초리, 형안; die ~ der Prägung 각인(刻印)의 선명함; die ~ der Auseinandersetzung 논쟁의 격렬함; die ~ des Urteils 엄정한 판단; die ~ des Verstandes 명민한 이해력; die ~ des Windes 세찬 바람; die ~ des Gedächtnisses hat nachgelassen 기억력이 나빠졌다; ihre Stimme nahm an ~ zu 그녀의 목소리가 한층 더 날카로워졌다.

scharf≈eckig *a.* 예각의; 뾰족한. **≈einstellung** *f.*〖사진〗(카메라 등의) 초점을 맞춤.

***schärfen** [ʃɛ́rfən]《<scharf》《I》*t.* ① 날카롭게〔뾰족하게〕하다; 갈다, 날을 세우다: einen Bleistift ~ 연필을 뾰족하게 깎다; die Klinge des Messers ~ 칼날을 갈다; ein Pferd ~〔einem Pferd die Eisen ~〕편자에 미끄럼방지용 못을 박다. ② 강하게 하다; 활기를 띠게 하다, 자극하다; 높이다; 증가시키다; 세련되게 하다, 개량하다; 익숙하게 하다: den Appetit ~ 식욕을 자극하다; den Blick ~ 통찰

력을 키우다; das Gehör ~ 귀를 밝게 하다; js. Gewissen 〔jm. das Gewissen〕 ~ 누구의 양심을 환기시키다; die Kräfte des Geistes ~ 정신력을 강하게 하다; eine Strafe ~ 죄를 무겁게 하다; den Verstand ~ 이해력을 증진하다; die Erfahrung hat seinen Sinn für das Wesentliche geschärft 그 경험으로 인해 본질적인 것에 대한 그의 감각이 날카로워졌다; geschärfter Mitlaut 강화된 자음. ③ 선명하게〔뚜렷하게〕 하다. ④〖제본〗(표지로 쓸 가죽의 네 귀퉁이를) 자르다. ⑤〖요리〗 맵게 하다. ⑥〔은어〕 감추다, 은닉하다; (훔친 물건을) 팔다. ⑦〖사냥〗(짐승의 배를) 가르다. ⑧〔방언〕 찰과상을 입히다. ⑨〖軍〗 뇌관을 장치하다: Minen ~ 지뢰를 매설하다. 《Ⅱ》 *refl.* sich ~ 날카로워지다, 뾰족해지다; 강해지다; 높아지다, 증가하다: der Sinn für Schönheit schärft sich allmählich 미적 감각이 점차 날카로워진다.

Schärfen·tiefe *f.* 〖광학·사진〗 피사계 심도.

scharf≈gebaut *a.* 〖海〗 뱃머리가 뾰족한, 쾌속 범선형의, 속력이 빠른. **~geladen** *a.* 〖軍〗 실탄을 장전한. **~kantig** *a.* 모서리가 뾰족한. **~|machen** *t.* 〔구어〕 ① 쫓게 하다: einen Hund auf jn. 〔ein Tier〕 ~ 개를 시켜 누구를〔짐승을〕 쫓게 하다. ② 선동하다, 부추기다: jn. auf jn. ~ 누가 누구에 반대하도록 선동하다. ③ 흥미를 갖게 하다: jn. auf jn.〔et.〕 ~ 누가 누구에게〔무엇에〕 흥미를 갖게 하다. **≈-macher** *m.* ①〖석공〗 매조이꾼. ②〔구어〕 선동자; 성적 매력이 있는 남자. **≈macherei** *f.* 〔구어〕 지속적인 선동. **≈richter** *m.* 형리(刑吏), 사형 집행인. **≈richterei** *f.* 형리직. **≈schießen** *n.* 실탄 사격. **~schmeckend** *a.* 매운 맛 나는, 자극성의. **≈schuß** *m.* 실탄 사격; (구기 등에서) 슛. **≈schütze** *m.* ① 능숙한 사수. ② 슛이 정확한 선수.

Scharfschützen≈abteilung *f.*, **~korps** [..ko:*r*] *n.* 저격 부대.

Scharf≈sicht *f.* 예리한 눈초리, 통찰력, 형안. **~sichtig** *a.* ① 눈이 날카로운, 눈이 험상궂은. ②〔비유〕 명민한, 형안의. **~sichtigkeit** *f.* 명민, 형안. **~sinn** *m.* 명민; 예지, 총명; 식별력, 통찰력. **≈sinnig** *a.* 명민한; 총명한; 통찰력 있는. **~sinnigkeit** *f.* 총명, 예리한 감각.

Schärfung [ʃɛ́rfʊŋ] *f.* 〔드물게〕 날카롭게 함〔됨〕.

scharf≈winkelig *a.* 예각의. **~zackig** *a.* 아주 뾰족한: ~e Berge 뾰족뾰족한 산들. **~-zahnig** *a.* 이빨이 날카로운. **~züngig** *a.* 독설적인; 비꼬는. **≈züngigkeit** *f.* 독설(적임): sie ist für ihre ~ bekannt 그녀는 독설로 유명하다.

Scharia [ʃarí:a] *f.* 샤리아(이슬람교의 율법〔법전〕).

Scharlach [ʃárlax] 《gr.》 *m.* -s, -e ① 다홍색, 진홍색, 주홍. ②〔옛뜻〕 주홍색의 직물, 다홍빛의 옷: sich in ~ kleiden 진홍색의 옷을 입다. ③〖植〗 차조기의 일종. ④〔복수없음〕〖병리〗 성홍열(~fieber).

Scharlach·ausschlag *m.* 〖병리〗 성홍열의 발진.

scharlachen *a.* 〔雅語·드물게〕 진홍색의, 다홍빛의; 주홍색의 직물로 만든.

Scharlach≈farbe *f.* 진홍색, 다홍빛. **≈-farben** *a.* 다홍색의, 진홍색의. **~farbig** *a.* ↑ ≈farben. **~fieber** *n.* 〔구어〕 성홍열. **~friesel** *n./m.* 성홍열의 발진. **~körner** *pl.* 다홍색 물감. **~kraut** *n.* 〖植〗 샐비어. **≈-rot** *a.* ↑ scharlachen. **~röte** *f.* 진홍색, 다홍빛, 주홍색 (물감).

Scharlatan [ʃárlatan, ʃarlatá:n] 《it. -frz.》 *m.* -s, -e 협잡꾼, 야바위꾼; 돌팔이 의사; 거짓말쟁이, 사기꾼.

Scharlatanerie [..nərí:] *f.* -n [..rí:ən] 야바위, 거짓말; 엉터리 치료; 기만, 협잡.

Scharlatanismus [..nísmus] *m.* - ↑ Scharlatanerie.

Scharlei [ʃárlaɪ, ʃarláɪ] 《lat.》 *m.* -s, -e 〖植〗 ① ↑ Scharlachkraut. ② 금불초, 서양자초.

Scharm [ʃarm] 《frz. charme》 *m.* -(e)s (Charme) 매력, 매혹; 애교; 우미.

scharmant [ʃarmánt] *a.* (charmant) 매혹적인; 애교 있는, 상냥한.

Scharmante *f.* -n 〔구식〕 연인, 정부(情婦); 소녀, 처녀.

Schär·maschine 《<schären》 *f.* 〖방직〗 실감는 기계, 워핑 머신, 워퍼, 정경기(整經機).

scharmieren [ʃarmí:rən] 《frz. <Scharm》 〔구식〕 《Ⅰ》 *t.* …의 마음을 사로잡다, 매혹하다. 《Ⅱ》 *i.* (h.) mit jm. ~ 누구와 사랑의 불장난을 하다〔시시덕거리다〕.

Scharmützel [ʃarmʏ́tsəl] 《it. schermire》 *n.* -s, - 〖軍〗 소규모 전투, 작은 충돌; 〔대개 농담〕 말다툼.

scharmützeln [..tsəln] 〔구식〕 *i.* (h.) 소규모 전투를 벌이다; 티격태격하다.

scharmutzieren [ʃarmutsí:rən] *i.* (h.) 〔구식〕 ① ↑ scharmützeln. ②〔방언〕 mit jm. ~ 누구에게 추파를 던지다, (남녀가) 몰래 재미보다.

Scharn [ʃarn] *m.* -(e)s, -e (südd.) 빵집; 푸줏간, 정육점, (빵집·푸줏간의 노점) 좌판.

Scharnier [ʃarní:*r*] 《frz.》 *n.* -s, -e ①〖工〗 돌쩌귀, 경첩: ein ~ anbringen 돌쩌귀를 달다; das ~ ölen 돌쩌귀에 윤활유를 치다. ② (금은 세공용) 속이 빈 금속선. ③〖지질〗 습곡의 골짜기.

Scharnier≈band *n.* 대여섯 개가 한 줄로 연결된 돌쩌귀, 힌지프레임. **~gelenk** *n.* 경첩; 〖해부〗 경첩 관절. **~stift** *m.* 돌쩌귀의 볼트. **~ware** *f.* (금세공에서) 속이 빈 금속 제품.

Scharnitzel [ʃarnítsəl], **Scharnützel** [..nʏ́..] 《it.》 *m.* -s, - (obd.) (Tüte) (삼각) 봉지.

Schärpe [ʃɛ́rpə] 《frz.》 *f.* -n 장식 끈〔띠〕; 어깨띠; 현장(懸章), 견대(肩帶) (오른쪽 어깨에서 왼쪽 허리까지 길게 걸치는); 〖醫〗 멜빵 붕대: eine ~ tragen 장식 어깨띠를 두르다; eine ~ umbinden 어깨띠를〔현장을〕 매다.

Schärper [ʃɛ́rpə*r*] 《lat.》 *m.* -s, - 〖광산〗 작은 칼, 주머니 칼.

Scharpie [ʃarpí:] 《lat. -frz.》 *f.* (붕대용의) 아마천, 린트천.

Schär·rahmen 《<schären》 *m.* 〖방직〗 실 감는 틀.

Scharre [ʃárə] *f.* -n ① (빵집이나 굴뚝 청소부의) 긁는〔깎는·문지르는〕 도구. ② (음식 등의) 긁어낸 찌꺼기. ③ 긁기, 깎기, 문지르기. ④ 긁혀 깎아진 곳.

Scharr·eisen *n.* 긁는〔깎는·문지르는〕 철제 도구.

***scharren** [ʃárən] *i.*(h.)/*t.* ① 할퀴다, 긁다, 문지르다; 비비어 소리내다; 할퀴어 뜯다, 긁어 파다; (인사하면서 발을 뒤로[앞으로]) 끌어 옮기다[모으다]: der Hund scharrt **an** der Tür 개가 문을 긁어댄다; **in** der Erde ~ 땅을 긁어 파다; ein Loch in die Erde ~ 땅바닥을 긁어 구멍을 내다; die Hühner ~ im Mist 닭이 거름을 파헤친다; **mit** den Füßen ~ a) (동물이) 땅을 파헤치다, b) (사람이) 발을 뒤로 끌어옮기다(인사하면서), 발로 마루를 비비다, (불만·반대·초조의 표시로) 발로 바닥을 구르다; das Pferd scharrt ungeduldig mit dem Huf 말이 신경질적으로 발굽으로 땅바닥을 박박 긁고 있다; **nach** et.³ ~ 땅을 파헤쳐서 무엇을 찾다; die Hühner ~ nach Würmern 닭이 땅을 파헤치며 벌레를 찾고 있다. ② 긁어 모으다[옮기다]: alles auf einen Haufen ~ 죄다 긁어모으다; et. in die Erde ~ 무엇을 땅속에 파묻다; einfach die Leiche in die Erde ~ 긁어모은 흙으로 시체를 덮어 간소하게 매장하다; das Harz von den Bäumen ~ 나무에서 수지(樹脂)를 긁어모으다; 〖비유〗 Geld ~ [~ und geizen] 돈을 긁어모으다. ③ (obd.) 헛기침하다.

Scharren *m.* -s, - ↑ Scharn.

Scharrer *m.* -s, - ① ↑ Scharre ①. ② 긁어 모으는 사람; 구두쇠, 수전노. ③ 〖복수〗〖動〗 닭목(目) (Scharrvögel).

Scharr⸗fuß *m.* 〖방언〗 한 발을 땅에 끌 듯이 뒤로 빼며 하는 옛날식의 인사. **~füßeln** *i.* (h.) 〖방언〗 한 발을 뒤로 빼며 (격식을 차려) 인사하다.

Scharrier·eisen [ʃaríːr|..] *n.* (돌에 구멍을 뚫는) 정.

scharrieren [ʃaríːrən] 《frz.》 *t.* 정으로 쪼아 다듬다, 홈을 파다[새기다].

Scharr⸗netz *n.* 〖漁〗 예인망. **~vögel** *pl.* 〖動〗 닭목(目), 순계류(鶉鷄類).

Schar·schmied *m.* 쟁기 제조자[대장장이].

Scharte [ʃártə] 《<scheren》 *f.* -n ① 벤 자국; 톱날처럼 들쭉날쭉한 금; 날이[이가] 빠진 곳; 〖구어〗 (피부의) 갈라터진 틈: eine ~ auswetzen 〖비유〗 실패를 만회하다, 손해를 회복하다; das Messer [der Hobel] hat ~n bekommen 칼날[대패]의 이가 빠졌다; die offenen ~n an der Lippe schmerzen 입술 터진 곳이 아프다. ② (**a**) 산등성이의 잘록한 곳, 산골짝, 협곡. (**b**) 좁은 산등성이. ③ 〖軍〗 (Schieß≗) 총안(銃眼), 사격 구멍. ④ 언청이 (Hasen≗). ⑤ 〖植〗 산비장이속(屬)의 일종.

Scharteke [ʃartéːkə] 《frz. -ndd.》 *f.* -n 〖구어·폄어〗 ① 헌 책, 고본; 시시한 책. ② 쓰레기, 폐물. ③ eine alte ~ 노파, 할망구. ④ 〖구식〗 (졸작) 멜로 드라마.

Scharteken⸗händler *m.* 헌 책방. **~jäger** *m.* 헌책 수집가.

Scharten⸗kraut *n.* 〖植〗 이질풀속(屬)의 일종. **~mauer** *f.* 〖軍〗 총안벽(銃眼壁).

schartig [ʃártıç] 《<Scharte》 *a.* 벤 자리가 있는; 들쭉날쭉한; 날이 빠진; (피부가) 갈라터진; 〖軍〗 총안이 있는: ein ~es Messer 날이 빠진 칼; 〖속담〗 allzu scharf macht ~ 모난 돌이 정 맞는다.

Schär·trommel 《<schären》 *f.* 〖방직〗 실감는 북, 날실 감개.

Schartung [ʃártʊŋ] *f.* -en 〖지질〗 지층의 단층(斷層); 함몰.

Scharung [ʃáːrʊŋ] 《<scharen》 *f.* -en ① 두 강의 합류 지점에 이루어지는 작은 섬[주(洲)]. ② 〖지리〗 (두 산맥이 교차하는) 대곡(對曲). ③ 〖광산〗 광맥의 교차.

Schar⸗wache *f.* 〖구식〗 순찰대; 야경대. **~-wächter** *m.* 순찰병; 야경꾼. **~wacht-turm** *m.* 망루(望樓), 감시탑. **≗weise** *adv.* 무리[떼]를 지어.

Scharwenzel [ʃarvɛ́ntsəl] 《tschech.》 *m.* -s, - ① 〖카드〗 잭. ② 재주꾼; 어디든지 쓸모 있는 물건. ③ 〖구어〗 추종자, 아첨꾼. ④ 한 발을 뒤로 빼며 하는 인사. ⑤ 〖사냥〗 빗나간 사격.

Scharwenzelei *f.* 〖구어〗 알랑거림, 아첨, 아부.

scharwenzeln [ʃarvɛ́ntsəln] (*p.p.* scharwenzelt) *i.* (h.) ① 〖구어〗 um jn. [vor jm.] ~ 누구 앞에서 알랑거리다, 누구에게 아첨을 떨다. ② 발을 뒤로 빼며 인사하다(↑ Scharwenzel ④).

Schar⸗werk *n.* 〖구식〗 ① 부역(賦役). ② 부업. ③ 중노동: ~ verrichten 중노동을 하다. **≗werken** *i.* (h.) 〖구식〗 ① 부역에 종사하다. ② 부업을 하다. ③ 중노동하다. **~werker** *m.* 〖구식〗 ① 부역자. ② (ndd.) 날품팔이꾼.

Schaschlik [ʃáʃlık, ..lík] *m.* -s, -s (양고기·양파·고추 등으로 만든) 꼬치 요리, 샤실리크.

schassen [ʃásən] 《frz. chasser》 *t.* 〖구어〗 내쫓다, 추방하다; 퇴학시키다: paß' auf, daß du nicht geschaßt wirst! 쫓겨나지 않도록 조심해라!

schassieren [ʃasíːrən] 《frz.》 *i.* (h.) 빠른 스텝으로 미끄러지듯 춤추다.

schatten [ʃátən] 《I》 *i.* (h.) 〖시어〗 ① auf et. ~ [et.³ ~] 무엇 위에 그림자를[그늘을] 던지다: grüner schattet der Wald 숲은 더욱 짙게 녹음을 이루고 있다; 〖비유〗 Schmerz schattet über ihm 고통의 그림자가 그에게 드리워진다. 《II》 *t.* ① 그늘지게 하다. ② 그림자를[그늘을] 던지다.

***Schatten** [ʃátən] *m.* -s, - ① (↔ Licht) 그늘, 응달: Licht und ~ 빛과 그늘[그림자]; ~ geben [spenden] 그늘을 드리우다; 〖비유〗 aus dem ~ ans Licht treten 음지에서 나오다[세상에 나오다, 알려지다]; im ~ sitzen 그늘에 앉다; et. [jn.] in den ~ stellen a) 무엇을[누구를] 그늘에 두다, b) 〖비유〗 무엇을[누구를] 훨씬 능가하다[무색하게 만들다]; er hat alle Kollegen in den ~ gestellt 그는 모든 동료를 압도하였다; 〖속담〗 wo (viel) Licht ist, da ist auch (viel) ~ 빛이 있는 곳에 그늘도 있다, 호사다마(好事多魔)다; 〖비유〗 im ~ leben 숨어 지내다, 조용히 살다; in js. ~ stehen 누구의 그늘에 가려 빛을 못 보다; er stand zeitlebens [lange Zeit] im ~ seines berühmten Vaters 그는 평생[오랫동안] 유명한 아버지의 그늘에 가려 있었다; du machst mir ~! 야, 어둡다 (비켜 서라)! ② 그림자: 〖雅語〗 der ~ des Todes [der Nacht] 죽음[밤]의 그림자; die ~ der Vergangenheit 과거의 (어두운) 그림자; auf et. einen ~ werfen 무엇에 그림자를 드리우다[부정적인 영향을 끼치다]; große Ereignisse werfen ihre ~ voraus 큰 사건들에는 전조(前兆)가 나타난다; wenn die ~ länger werden 저녁이 되면; sich vor seinem eigenen ~ fürchten (자기 그림자를

무서워할 정도로) 아주 겁이 많다; er folgt ihr wie ein ~ 〔er ist ihr ~〕 그는 그 여자를 그림자처럼 따라다닌다; niemand kann über seinen (eigenen) ~ springen 아무도 자기의 본성을 감출 수는 없다; 〖속담〗 ein krummer Stecken wirft keinen geraden ~ 굽은 막대기는 곧은 그림자를 만들지 않는다〔콩심은 데 콩나고 팥심은 데 팥난다〕. ③ 암흑; 땅거미, 어스레함, 박명(薄明): (schweiz.) an ~ 구류하여(in Haft). ④ 그늘〔그림자〕 같은 모양; 어두운 부분; 오점, 결점: ~ um die Augen 눈가의 거무스름한 그늘(병의 징후); 〖구어〗 du hast ja einen ~ 너는 머리가 좀 이상하다〔미쳤다〕; schon zeigte sich ein ~ auf seiner Oberlippe 벌써 그의 코 밑에는 거뭇거뭇한 것〔수염〕이 보이기〔나기〕 시작했다; sie hat blaue ~ unter den Augen 그녀의 눈 밑에는 검푸른 그림자〔테두리〕가 있다; das wirft einen ~ auf seine Vergangenheit 그것은 그의 과거에 하나의 오점을 찍는 것이다; es fiel nicht der leiseste ~ des Verdachts auf ihn 그는 전혀 의심받지 않았다. ⑤ 겉보기, 외관; 허깨비, 환영(幻影); 하찮은 것; 흔적: bloßer ~ des Königtums 이름뿐인 왕국; er jagt doch einem ~ nach 그는 실현불가능한 목표를〔환영을〕 좇아다닌다; er war nur noch ein ~ seiner selbst 그는 (초췌하여) 옛 모습은 찾아볼 수 없었다〔병색이 완연했다〕; auch nicht der ~ eines Beweises konnte erbracht werden 증거다운 것은 하나도 댈 수 없었다. ⑥ 〖그리스신화〗 영혼, 혼백: das Reich der ~ 저승, 명부(冥府); 〔雅語〕 ins Reich der ~ hinabsteigen 죽다, 타계하다. ⑦ 명암, 농담(濃淡); 색조: sich (um) einen ~ tiefer röten 얼굴이 더 빨개지다. ⑧ 덮개, 차양; 비호. ⑨ 〔雅語〕 그늘지게 하는 나무들. ⑩ **(a)** 그림자 그림, 실루엣. **(b)** einen ~ von et.³ haben 무엇에 대하여 대략적인 관념을 갖다. ⑪ 〖動〗 조기. ⑫ 〔방언〕 부채. ⑬ 〔방언〕 나무 부스러기, 대팻밥. ⑭ (schweiz.) 유장(乳漿), 유청. ⑮ 감시인, 그림자처럼 따라다니는 사람: der Stürmer konnte sich nicht von seinem ~ lösen 그 공격수는 자기를 그림자처럼 따라다니는 수비 선수를 따돌릴 수 없었다.

Schạtten≈bild *n.* ① 그림자. ② 실루엣. ③ 허깨비, 환영(幻影), 환상. **~blümchen** *n.*, **~blume** *f.* 〖植〗 두루미꽃. **~boxen** *n.* 섀도 복싱. **~dasein** *n.* 〔다음 용법으로만〕 허망한〔비현실적〕 존재: nur noch ein ~ führen 〔fristen〕 덧없이 목숨만 부지하며 살다; aus seinem〔dem〕 ~ heraustreten〔hervortreten〕 미미한 존재〔궁색한 상태〕에서 벗어나다. **~dunkel** *n.* 응달, 어두운 그늘. **~fürst** *m.* ① 〖신화〗 염라 대왕. ② 〖政〗 허수아비 왕. **≈gebend** *a.* 그림자를 던지는, 그늘지게 하는. **~gebung** *f.* 〖畫〗 그림자를 그림, 음영을 넣음. **~glück** *n.* 덧없는 행복.

***schattenhaft** [ʃátənhaft] *a.* 〔비유〕 그림자 같은, 어렴풋한, 희미한; 비현실적인, 허망〔공허〕한, 꿈 같은: sie führen ein ~es Dasein 〔Leben〕 그들은 남의 눈에 띄지 않는 조용한 생활을 한다; im Dunkeln konnte ich nur die ~en Umrisse eines Mannes erkennen 어둠 속에서 나는 어떤 남자의 희미한 윤곽만을 알아볼 수 있었다.

Schạtten≈hut *m.* 챙이 넓은 모자. **~kabinett** *n.* 〖政〗 섀도캐비닛(야당이 정권 인수 때를 대비하여 만든 가상 내각): ein ~ aufstellen 야당이 각료 후보자를 내정하다. **~kaiser** *m.* 허수아비 황제. **~kegel** *m.* 〖天〗 (일식·월식 때의 달·지구의) 본그림자. **~könig** *m.* 허수아비 왕. **~land** *n.* ① 그늘이 많이 지는 땅. ② (Jenseits) 저승, 명부(冥府). **~leben** *n.* (저승의) 망자들의 생활; 눈에 띄지 않는 생활. **~licht** *n.* 여명, 땅거미; 〖畫〗 명암법. **~linie** *f.* 윤곽.

schạttenlos *a.* 그림자〔그늘〕 없는: 〖지리〗 ~e Völker 적도 부근의 주민.

Schạtten≈morelle *f.* 〖植〗 적갈색 신 버찌(의 열매). **~pflanze** *f.* 〖植〗 음지 식물. **≈reich** *a.* 그림자〔그늘〕진, 응달진. **~reich** *n.* ① 〖신화〗 저승, 명부. ② 〔비유〕 이름뿐인 나라〔왕국〕. **~riß** *m.* 〖예술〗 ① 실루엣, 그림자 그림. ② 그림자의 윤곽; 약도, 스케치. **~schnitt** *m.* 실루엣, (특히 월식·일식 때 태양을 기점으로 지구 또는 달을 연결할 때의) 원뿔 곡선. **~seite** *f.* (öst.) ① 그늘지는 쪽, 응달쪽; 북향: das Zimmer liegt auf der ~ 그 방은 북향이다. ② 〔비유〕 (Nachteil) 약점, 단점; 어두운 면: das sind die ~n des Planes 그것은 이 계획의 단점이다; sie hat sich immer auf der ~ des Lebens befunden 그녀는 늘 불우하게 살았다; alles hat seine Licht- und ~n 모든 것에는 장단점이 있다. **≈seitig** *a.* 응달쪽에 있는. **≈spendend** *a.* 〔雅語〕 그늘을 만드는, 그림자를 드리우는. **~spender** *m.* 그늘지게 하는 것. **~spiel** *n.* ① 그림자극; 그림자극 작품〔대본〕. ② 〔비유〕 환등(幻燈); 환영. ③ 손 그림자: ~e machen 손 그림자를 만들다. ④ 〖畫〗 솜씨 있는 명암의 대비. **~theater** *n.* 그림자극. **~vogel** *m.* 〖動〗 황새의 일종. **~welt** *f.* 저승; 관념계(界). **~wesen** *n.* 환영, 환상. **~zeiger** *m.* 해시계의 바늘.

schattieren [ʃatíːrən] 《<Schatten》 *t.* ① (색채에) 농담(濃淡)의 차를 두다: ein schattiertes Grün 음영을 넣은 초록색; diese Farben ~ gut 이 색채들은 명암을 넣기에 좋다. ② 〖畫〗 음영을 넣다: ein Bild 〔eine Zeichnung〕 ~ 그림에 명암을 주다〔음영을 넣다〕. ③ 〖원예〗 강한 햇빛을 가려 주다: Gewächshäuser ~ 온실에 햇빛을 막아 주다.

Schattierung [ʃatíːrʊŋ] *f.* -en ① 음영〔색조〕 넣기. ② 색조 차이; 뉘앙스: mit einer leisen ~ von Spott antworten 은근히 비웃는 듯한 어조로 대답하다; das Stoffmuster brachte alle ~en vom hellsten bis zum dunkelsten Blau 그 직물 견본에는 연파랑에서 감청색에 이르기까지 파랑 색상은 모두 있다; Vertreter aller politischen ~en 온갖 정치적 성향의 대표자들. ③ 그림의 명암.

schạttig *a.* ① 그늘진, 그늘이 많은: ein ~er Wald 그늘진 숲; ~e Kühle 그늘져 시원한 곳. ② 그늘을 드리우는.

Schạtt·seite *f.* (öst.) ↑ Schattenseite.

schạtt·seitig *a.* (öst.) ↑ schattenseitig.

Schatulle [ʃatʊ́lə] 《lat. -it.》 *f.* -n ① 돈궤; 보석함, 귀중품 함: et. in einer ~ aufbewahren 무엇을 함에 보관하다. ② 〔구식〕 왕후의 사재(私財).

Schatụllen≈gelder *pl.* ↑ Schatulle ②. **~güter** *pl.* 군주의 사유지.

*__Schatz__ [ʃats] *m.* -es, Schätze [ʃétsə] ① 보배, 재물, 보물, 귀중품; 부(富), 재화; (천연) 자원; (귀중한) 소장품; 〖法〗 매장물: die Schätze des Bodens 〔Meeres〕 지하〔해양〕 자원; Schätze ausgraben〔heben〕 보물을 파내다; einen ~ vergraben〔rauben〕 보물을 파묻다〔훔치다〕; Schätze sammeln 재물을 모으다, 축재하다; 〖비유〗 Gesundheit〔Freundschaft〕 ist ein großer ~ 건강〔우정〕은 큰 재산이다; das Museum besitzt einen reichen ~ an impressionistischen Gemälden 그 박물관은 인상주의 명화를 많이 소장하고 있다; sein kostbarster ~ in dieser Situation war ein Messer 이 상황에서 그에게 가장 중요한 것은 칼이었다. ②〖비유〗 풍부, 풍족: ein (reicher) ~ von Erfahrungen〔Kenntnissen〕 풍부한 경험〔지식〕; er verfügt über einen ~ an Humor 그는 유머가 풍부한 사람이다. ③〖구식〗 소중한 사람, 사랑스러운 사람; 친절한 사람; 애인, 연인: sie hat noch keinen ~ 그녀는 아직 애인이 없다; der kleine ~ 그 귀여운 꼬마; mein (lieber) ~! 여보, 내 사랑, 그대!; sei ein ~ und hol mir die Zeitung! 미안하지만 신문 좀 갖다 주렴! ④〔고어〕 조세(租稅). ⑤ (ndd.) 지참금. ⑥ (ndd.) 되(Hohlmaß). ⑦〔복수〕〖금융〗 국채(國債)(~anweisung).

__Schatz≈amt__ *n.* 국고(國庫), 재무부. **~anweisung** *f.* 국채, 국고 증권.

__schatzbar__ *a.* 〖구식〗 납세 의무가 있는.

__schätzbar__ [ʃéts..] 《<schätzen》 *a.* ① 귀중한, 소중한; 존경할 만한; 좋은, 마음에 드는: 〖商〗 Ihre ~en Aufträge 주문, 하명(下命); von ~er Seite 믿을 만한 소식통으로부터. ② 평가할 수 있는; (양을) 잴 수 있는: Perlen von kaum ~em Wert 값을 매길 수 없을 정도로 귀중한 진주.

__Schätzbarkeit__ *f.* 평가 가능성.

__Schätzchen__ [ʃétsçən] *n.* -s, - 〖↑ Schatz 의 축소형〗 귀여운 사람, 애인, 연인.

__schatzen__ [ʃátsən] 《<Schatz》 *t.* 〖구식〗 과세하다.

*__schätzen__ [ʃétsən] 《mhd.; <Schatz》 *t.* ① 평가하다, 어림잡다, 견적을 내다, 사정(査定)하다; 값을 정하다: die Entfernung auf einen Kilometer ~ 거리를 1 km 정도로 어림잡다; Grundstücke〔Vermögen〕 ~ 토지를〔재산을〕 평가하다; gering〔hoch〕 ~ 낮게〔높게〕 평가하다; zu hoch ~ 과대평가하다; der Schaden wird auf 10 000 Mark geschätzt 피해액이 1만 마르크로 추정된다; wie alt ~ Sie ihn? 그를 몇 살쯤으로 생각합니까? ②〖구어〗 …이라고 생각하다, 추측하다; 인정하다; 여기다, 믿다: es als〔für〕 eine Ehre ~ 〔es sich³ zur Ehre ~〕 그것을 명예로 여기다; 〖雅語〗 ich schätze mich glücklich, daß Sie gekommen sind 나는 당신이 와서 기쁩니다; ich schätze, du wirst so dein Ziel nie erreichen 네가 그렇게 해서는 결코 네 목적을 이루지 못하리라고 나는 생각한다. ③ 소중히 여기다, 존중하다, 존경하다, 가치를 인정하다: die Freiheit höher ~ als das Leben 목숨보다도 자유를 더 존중하다; ich schätze ihn 나는 그를 존경한다; sie weiß ihr Glück nicht zu ~ 그 여자는 자기 행복의 가치를 모른다; der Kenner weiß diesen Wein zu ~ 전문가라면 이 포도주의 진가를 알 수 있다.

__schätzen|lernen__ *t.* 무엇〔누구〕의 가치를 알다, 높이 평가하다: mit der Zeit hat er sie sehr schätzengelernt 점차 그는 그녀를 아주 높이 평가하게 되었다.

__schätzens≈wert__ *a.* 가치있는; 존중할 만한, 훌륭한. **~würdig** *a.* ↑ ~wert.

__Schätzer__ [ʃétsər] 《<schätzen》 *m.* -s, - ① 평가인, 사정인: ein amtlicher ~ 감정 평가사. ② (öst.) 중재 판정관; 심판(Schiedsrichter).

__Schatz≈freiheit__ *f.* 면세. **~fund** *m.* ①〖法〗 매장물의 발견. ② (선사 시대의) 출토품. **~gräber** *m.* 보물을 찾아 헤매는 사람. **~haus** *n.* (고대 신전의) 보고(寶庫). **~insel** *f.* 보물섬. **~kammer** *f.* ① 국고, 금고: 〖비유〗 die ~ der Natur 천연 자원이 풍부한 곳; diese Region ist die ~ des Landes 이 지방은 이 나라의 보고다(천연자원이 풍부하다). ② (영국의) 재무부. **~kammer·schein** *m.* 국채; 재정 증권. **~kanzler** *m.* 영국의 재무 장관. **~kasten** *m.* 보물〔귀중품〕 상자, 돈궤.

__Schätzlein__ *n.* -s, - 〖雅語〗 보물; 애인.

__Schatz≈meister__ *m.* 경리〔회계〕 책임자; 회계과장; 〖구식〗 (영국·미국 등의) 재무 장관. **~meisterin** *f.* ↑ ~meister 의 여성형. **~meister·amt** *n.*, **~meisterei** *f.* 경리〔회계〕 책임자직(職). **~minister** *m.* 재무부 장관. **~pflichtig** *a.* 납세의 의무가 있는.

__Schätz·preis__ *m.* 평가액.

__Schatz≈schein__ *m.* 〖금융〗 단기 재정 증권; 단기 공채. **~suche** *f.* 보물 찾기. **~sucher** *m.* 보물을 찾아 헤매는 사람.

__Schatzung__ [ʃátsuŋ] 《<schatzen》 *f.* -en ① 〖구식〗 과세. ② (schweiz.) 감정 평가.

__Schätzung__ [ʃétsuŋ] 《<schätzen》 *f.* -en ① 평가, 어림잡음, 사정(査定), 추정: nach meiner ~ 〔meiner ~ nach〕 내 짐작으로는; die ~ eines Hauses beantragen 주택 가격 평가를 요구하다. ② 존중, 존경. ③〖통계〗 표본조사.

__Schätzungs≈kommission__ *f.* 평가〔사정〕 위원회. **~weise** *adv.* 어림잡아, 대략, 대체로: sie ist ~ dreißig 그녀는 30 세 정도 된다.

__Schatz·wechsel__ *m.* 〖금융〗 단기 공채; 단기 재정 증권.

__Schätzungs·wert__ *m.* 평가〔견적〕 가격: der ~ des Vermögen 재산의 평가 가격.

*__Schau__ [ʃau] 《<schauen》 *f.* -en ① 전시; 과시; 전람(회), 전시회, 진열; 쇼; 조망, 광경, 경치; 〖軍〗 열병(식): Moden~ 패션 쇼; et. auf〔bei〕 einer ~ ausstellen〔vorführen, zeigen〕 무엇을 전람회에서 전시하다; eine ~ veranstalten 전람회를 개최하다; 〖구어〗 das ist nur〔bloße, reine〕 ~ 그것은 완전히 쇼에 지나지 않는다; 〖청소년·경박〗 die〔eine〕 ~ sein 멋지다, 굉장하다; deine Freundin ist eine ~ 네 여자 친구는 멋지다; 〖구어·경박〗 eine〔die〕 ~ machen 뻐기다, 잘난 체하다; mach keine ~! 거드름피우지 마!; 〖구어·경박〗 eine〔die〕 ~ abziehen 주목을 끌다, 과시하다; auf der Party hat sie die (große) ~ abgezogen 그녀는 파티에서 대단한 주목을 끌었다; 〖구어·경박〗 jm. die ~ stehlen 누구의 인기를〔영향력을〕 가로채다, 누구를 능가하다; nur zur ~ dienen 구경거리〔겉치레〕에 불과

하다; zur ~ stehen 공개되다, 진열〔전시〕되다; zur ~ stellen a) 진열〔전시〕하다, 관람시키다, b) 과시하다, 드러내 보이다; auf der Messe werden die neuesten Modelle zur ~ gestellt 박람회에서 최신 모델들이 전시될 것이다; die Mißverstimmung unverhohlen zur ~ stellen 불쾌감을 숨기지 않고 드러내다; zur ~ tragen a) 분명히 드러내 보이다〔과시하다〕, b) …인 체하다, 가장하다; sie wollte ihren Ärger nicht offen zur ~ tragen 그녀는 자신의 분노를 잘 드러내려 하지 않았다; sie trägt ihr neues Kleid zur ~ 그녀는 새 드레스를 과시하기 위해 입고 다닌다. ②〖雅語〗봄; 관찰, 직관; 관점, 시점; 개관; 검사, 검열, 심사: die religiöse ~ 종교관; über et. ~ halten 무엇을 검사〔검열〕하다; er gibt ein Bild deutscher Vergangenheit in neuer ~ 그는 독일의 과거를 새로운 관점에서 그려낸다. ③ ↑ ~amt.

schau [ʃaʊ] *a.* 〖청소년〗 멋진, 굉장한: ein ~er Hit 멋진 히트곡; der macht (einen) auf ~ 그는 튀는 행동으로 주목을 받으려고 한다.

Schau≈amt *n.* 검사소. **~ausstellung** *f.* 전람회.

Schaub [ʃaʊp] *m.* -(e)s, -e/Schäube [ʃɔʏbə] (obd.) ① 짚단, 볏단; 짚으로 만든 비; 〖비유〗 초가집에 사는 사람. ② 보리수 속껍질.

schaubar [ʃáʊba:r] 《<schauen》*a.* 〖雅語〗 보이는, 가시(可視)의.

Schaube [ʃáʊbə] 《ar.》*f.* -n (15-16 세기의 소매가 헐렁한) 남성용 외투.

Schau≈begier *f.* 〖雅語〗호기심. **~begierig** *a.* 〖雅語〗 호기심 있는.

Schauben≈dach *n.* 초가 지붕. **~hut** *m.* (챙이 넓은) 밀짚 모자.

Schau≈bild *n.* ① (전시용) 모형도: das ~ eines Verkehrsverlaufs 도로망의 모형도; auf diesem ~ ist der Aufbau der Maschine gut zu erkennen 이 모형도로 기계의 구조를 잘 알 수 있다. ②〖數〗 도표, 약도. **~brot** *n.* 〖聖〗 (유대 신전의) 제물용 빵. **~bude** *f.* 가설 소극장〔흥행장〕. **~buden·besitzer** *m.* 가설 흥행장 주인, 흥행사. **~bühne** *f.* 〔구식〕 무대; 극장: die politische ~ 정치 무대; die ~ des Lebens 인생 극장. **~burg** *f.* (nordd.) 극장; 영화관.

***Schauder** [ʃáʊdər] 《<schaudern》*m.* -s, - 〖雅語〗 전율, 몸서리침; 오한; 공포, 경악; 외경: ein ~ befällt〔ergreift, erfüllt〕 jn. 공포가 누구를 엄습하다〔사로잡다, 압도하다〕; ein ~ überfiel ihn 그는 공포에 휩싸였다; ein ~ fuhr〔lief〕 mir über den Rücken 나는 등골이 오싹해졌다.

schauderbar *a.* 〔농담〕 ↑ schauderhaft.

schauder≈erregend *a.* 공포를 불러일으키는. **~geschichte** *f.* ①〖폄어〗 황당무계한 이야기. ② 무서운 이야기 (Schauergeschichte).

***schauderhaft** [ʃáʊdərhaft] *a.* 〔구어〕 ① 전율케 하는, 무시무시한, 소름끼치는, 몸서리쳐지는; 참혹한, 끔찍한; 불안스럽게 하는; 불쾌한: ein ~er Anblick 무시무시한 광경; ~e Kälte 오싹한 한기(寒氣); ein ~es Unglück 끔찍한 불행. ②〔구어〕 굉장한; 매우 조잡한〔추한〕, 불쾌한: ein ~es Gedränge 굉장한 혼잡; das Essen schmeckt ja ~ 이 음식은 형편 없이 맛이 없다; ich habe ~en Hunger 나는 굉장히 배고프다; er spricht ein ~es Deutsch 그의 독일어는 형편없다; ein ~ schlechtes Wetter 지독한 악천후; der hat ja eine ~e Frisur 그는 헤어스타일이 엉망이다; ~ lange warten 무척 오랫동안 기다리다.

***schaudern** [ʃáʊdərn] 《I》*imp.* 오한을 느끼다, 소름이 돋다, 몸서리치다: es schaudert mich〔mir〕 vor et.³ 나는 무엇 때문에 몸이 오싹한다〔와들와들 떨린다〕; mir schaudert, es zu denken 그것을 생각하면 나는 소름이 끼친다; mich schaudert's bei diesem Anblick 이 광경을 보니 소름이 끼친다; mir schaudert vor Kälte 나는 추워서 오들오들 떨린다; mich schaudert vor ihm 그를 생각하면〔그를 만나면〕 나는 소름이 끼친다. 《II》 *t./i.* (h./s.) ① *t.* 소름끼치게 하다, 전율시키다, 오싹케 하다: der Schrei schauderte durch die Herzen 그 비명 소리는 사람들을 오싹하게 했다; der ~de Frost 심한 추위. ② *i.* (h.) 덜덜 떨다, 몸서리치다: vor et.³ ~ 무엇 때문에 소름이 끼치다, 몸서리치다, 전율하다; sie ~ vor Angst 그들은 불안에 떤다; vor Entsetzen〔Frost〕 ~ 두려움에 몸서리친다〔추위에 떤다〕; mir schaudert die Haut 〔das Herz〕, wenn ich daran denke 그것을 생각하면 나는 소름이 끼친다. ③ *i.* (s.) 덜덜 떨면서 움직이다.

schauderös [ʃaʊdərǿ:s] *a.* 〔구어·농담〕 (schauderhaft) 무시무시한, 끔찍한.

Schauder≈szene *f.* 무서운〔참혹한〕 광경〔장면〕. **~voll** *a.* 〖雅語〗 공포를 일으키는, 섬뜩한: eine ~e Tat 끔찍한 행위.

***schauen** [ʃáʊən] *i.* (h.) / *t.* ① 보다, 바라보다: um sich ~ 주위를 둘러보다; jm. ins Auge 〔in die Augen, ins Gesicht〕 ~ 누구를 똑바로 쳐다보다; aus dem Fenster 〔auf die Uhr〕 ~ 창 밖을 내다보다〔시계를 쳐다보다〕; 〖반어〗 schau, schau !, schau (einer) an ! 저것 좀 봐, 어서, 아니 저런, 기가 차는 일이군 ! ; gelt, da schaust (du) 어때, 깜짝 놀랐지; sich die Augen aus dem Kopf ~ (눈이 튀어나올 만큼) 주시하다; zu tief ins Glas ~ 과음하다; jm. ins Herz ~ 누구의 마음을 알아채다; ihm schaut der Neid aus den Augen 그에게서 질투의 빛이 역력히 나타난다; 〖비유〗 dem Tod ins Auge ~ 죽음에 직면하다〔죽을 위험에 처하다〕; er wird nicht lange mehr das Licht der Sonne ~ 그는 여생이 얼마 남지 않았다. ② … 한 눈매〔눈초리〕를 하다: traurig〔fragend〕 ~ 슬픈〔의아스러운〕 눈빛을 한다; besorgt in die Zukunft ~ 장래를 걱정하다; der Himmel schaute düster 하늘은 잔뜩 찌푸리고 있었다. ③ (obd.) 돌보다: nach jm.〔et.³〕 ~ 누구를〔무엇을〕 보살피다, 돌보다. ④ (obd.) 중시하다: sie schaut sehr aufs Geld 그녀는 돈을 무척 중요시한다. ⑤ (obd.) …하도록 힘쓰다, 애쓰다: ich muß ~, wie ich damit alleine fertig werde 나는 그것을 혼자 끝내야만 한다. ⑥ 조사하다, 확인하다: schau, wer an der Tür ist ! 누가 문 앞에 있는지 확인해 주렴 ! ⑦ (obd.) (설득하거나 달랠 때) schau, sei brav ! 이봐, 용기를 내 ! ; schau, daß du fortkommst ! 냉큼 꺼져 버려라 ! ; schau (mal), es ist doch gar nicht so schlimm ! 보라구, 사태가 그렇게 나쁜 것은 아니잖아 ! ⑧〖雅語〗 직관하다, 마음의 눈으로 보다: die Zukunft ~ 미래

를 직관하다.

Schauen [ʃáuən] *n.* -s 봄, 살핌, 주목; 시찰, 검사; 직관.

Schau·ende *n.* (피륙의) 견본 조각.

Schauer[1] [ʃáuər] 《<schauen》 *m.* -s, - 〖드물게〗 ① 보는 사람, 구경꾼, 참관자. ② 검사〔검열〕관. ③ 〖聖〗 예언자(Prophet).

***Schauer**[2] *m.* -s, - ① 〖기상〗 소나기; 돌풍, 질풍; (obd.) 우박: der Wetterbericht hat örtliche ~ vorhergesagt 일기 예보에서 곳에 따라 소나기가 오겠다고 예보했다. ② 〖醫〗 발작; 오한(惡寒); 소아 경련. ③ 〖雅語〗 (Schauder) 떨림, 몸서리, 전율; 두려움; 외경: ein ~ ergreift〔befällt〕 jn. 공포가 누구를 엄습하다; ein ~ lief mir den Rücken hinunter 내 등골이 오싹해졌다; ein frommer ~ 외경심. ④ 〖物〗 (제한된 공간 속으로) 쏟아져내리는 우주선(線).

Schauer[3] *m./n.* -s, - 〖방언〗 비바람을 막는 지붕(Schutzdach); 광, 헛간.

Schauer[4] 《ndd.》 *m.* -s, - 〖海〗 부두 노동자.

Schauer[5] *m.* -s, - 〖고어〗 (다리가 긴) 잔.

Schauer≈anblick *m.* 끔찍한〔무서운〕 광경. **~artig** *a.* 〖기상〗 소나기 같은. **~bad** *n.* 샤워. **~bild** *n.* 끔찍한〔무서운〕 광경. **~drama** *n.* 끔찍한 연극, 스릴러 극. **~effekt** *m.* 괴기 효과. **~erregend** *a.* 공포를 불러일으키는. **~geschichte** *f.* ① 〖폄어〗 황당무계한 이야기: erzähl doch keine ~n! 엉터리 같은 이야기하지 마라! ② 무서운 이야기.

schauerig, schauerlich [ʃáuərlɪç] 《< Schauer[2]》 *a.* 두려운, 몸서리쳐지는, 소름끼치는, 끔찍한.

Schauerlichkeit *f.* -en ① 전율, 소름. ② 〖복수〗 소름끼치는 것.

Schauer≈mann 《ndl. sjouwen》 *m.* 〖복수: ..leute〗 ↑ Schauer[4]. **~märchen** *n.* 무서운 동화, 괴기 동화.

***schauern**[1] [ʃáuərn] *i.* (h.) ① 떨다, 오한을 느끼다; sie schauerte vor Angst 그녀는 두려움에 떨었다; jm. ~ die Glieder 누구의 사지가 떨리다〔시리다〕. ② *imp.* **(a)** 오한을 느끼다: es schauert jm.〔jn.〕 누가 떨다〔오한을 느끼다〕; mich〔mir〕 schauert 나는 떨린다. **(b)** es schauert 소나기가 온다, 우박이 떨어진다.

schauern[2] *t.* 문질러 닦다〔씻다〕(scheuern).

Schauer≈regen *m.* 소나기. **~roman** *m.* 스릴러〔괴기〕 소설. **~tat** *f.* 끔찍한 행동. **~voll** *a.* 소름끼치는, 무시무시한.

Schau·essen *n.* (쇼 윈도에 진열된) 진열〔견본〕 요리.

***Schaufel** [ʃáufəl] *f.* -n ① 삽, 가래: eine ~ voll Sand 모래 한 삽; et. auf die ~ nehmen 무엇을 삽으로 뜨다; nimm die ~ in die Hand! 작업을 시작해! ② **(a)** 쓰레받기. **(b)** (수차(水車)·터빈 등의) 물받이 판. **(c)** 노의 넓적한 부분, 노깃. **(d)** 닻혀. **(e)** 피켈의 넓적한 끝머리 부분. **(f)** 〖스키〗 위로 올라간 앞부분. **(g)** 동력삽. ③ 〖사냥〗 **(a)** (엘크 사슴 등의) 뿔의 손바닥같이 넓적한 부분. **(b)** 뇌조의 (부채 모양의) 꼬리깃. ④ (obd.) (소나 양의) 앞니.

Schaufel≈bagger *m.* 회전 버킷 장착 준설기〔굴착기〕. **~brett** *n.* ↑ Schaufel ②(b).

Schäufele [ʃɔ́yfələ] *n.* -s, - 훈제한 또는 소금에 절인 돼지 어깻살.

schaufel≈förmig *a.* 삽 모양의. **~gehörn, ~geweih** *n.* ↑ Schaufel ③(a). **~hirsch** *m.* 〖사냥〗 두 살 이상된 수컷 엘크사슴(↑ Damhirsch). **~lader** *m.* 동력삽 장착차, 포클레인.

schaufelig [ʃáufəlɪç] 《<Schaufel》 *a.* 삽 모양의.

Schaufel·kunst *f.* 〖工〗 연쇄식 무자위 장치.

schaufeln [ʃáufəln] 《<Schaufel》 *t./i.* (h.) ① 삽으로 뜨다, 삽질하다; 삽질해서 옮기다; (삽으로) 파다; 〖海〗 (노를 저어) 물을 헤치다; 〖구어〗 게걸스럽게 먹다: Schnee ~ 눈을 퍼내다; einen Haufen Kohlen in den Keller ~ 석탄 한 더미를 삽으로 지하 창고에 퍼넣다; 〖비유〗 damit hat er sich[3] sein eigenes Grab geschaufelt 그는 그 일로 자신의 무덤을 팠다; 〖구어〗 schaufel nicht so! 너무 그렇게 게걸스럽게 먹지 마라!; sie mußten sich[3] einen Weg durch den Schnee ~ 그들은 삽으로 눈을 뚫고 나갈 길을 만들어야 했다. ② (외륜선이) 외륜(外輪)의 힘으로 움직이다: der Raddampfer schaufelt flußauf 외륜선이 강 상류쪽으로 거슬러 올라간다.

Schaufel≈pflug *m.* 삽 모양의 쟁기. **~rad** *n.* 〖海〗 (외륜선의) 외륜(外輪), 외차; 〖工〗 (터빈 등의) 바퀴; 준설기〔굴착기〕의 회전 버킷.

Schaufelrad≈dampfer *m.* 외륜선(外輪船). **~flugzeug** *n.* 〖空〗 프로펠러 비행기.

Schaufel≈raum *m.* 〖海〗 석탄 창고. **~voll** *a.* 한 삽 분량의. **~zahn** *m.* (소·양 등의) 앞니.

Schau·fenster *n.* 쇼 윈도, 진열창: et. im ~ ausstellen 무엇을 쇼 윈도에 진열하다.

Schaufenster≈auslage *f.* 쇼 윈도 진열(품). **~bummel** *m.* 윈도쇼핑: einen ~ machen 윈도쇼핑하다. **~dekoration** *f.* 쇼 윈도 장식; 쇼 윈도 진열. **~puppe** *f.* (쇼 윈도의) 마네킹. **~wett·bewerb** *m.* 쇼 윈도 진열 경연대회.

Schaufler [ʃáuflər] 《<schaufeln》 *m.* -s, - ① 삽일하는 일꾼; 묘를 파는 인부. ② 〖動〗 저어새. ③ 〖사냥〗 손바닥 모양의 뿔을 가진 엘크사슴. ④ 〖고어〗 삽 만드는 대장장이.

schauflig [ʃáuflɪç] *a.* ↑ schaufelig.

Schau≈fliegen *n.* 〖空〗 에어 쇼. **~flug** *m.* 시범 비행. **~gebühr** *f.* 관람〔입장〕료. **~gepränge** *n.* 〖雅語〗 화려; 허식. **~gerüst** *n.* ① 무대. ② 계단식〔스타디움식〕 관람석. ③ 관대(棺臺). **~geschäft** *n.* 흥행업, 쇼 비즈니스, 연예 사업. **~glas** *n.* 〖理〗 접안 렌즈 (Okular). **~haus** *n.* ① (신원 불명의 시체를 일시적으로 보관해두는) 시체 안치소(Leichenhaus). ② 극장. **~kampf** *m.* 〖권투〗 시범 경기. **~kästchen** *n.* ↑ ~kasten. **~kasten** *m.* 진열 상자.

***Schaukel** [ʃáukəl] *f.* -n ① 그네: auf der ~ hin und her schwingen 그네를 타고 왔다갔다 하다. ② 〖방언〗 시소(Wippe); 도약판: auf der ~ fahren 시소를 타다. ③ 〖승마〗 (일정한 걸음으로 앞뒤로 움직이는) 마술(馬術) 동작의 일종.

Schaukel·brett *n.* 그네의 걸터앉는 판; 시소판(板).

Schaukelei 《<Schaukel》 *f.* -en (계속되는) 흔들림; 그네뛰기.

schaukelig *a.* 앞뒤〔위아래〕로 흔들리는: ein ~er Stuhl 흔들의자.

***schaukeln** [ʃáukəln] 《I》 *t.* ① 앞뒤〔위아래〕로 흔들다, 흔들리게 하다; 흔들거리며 나르다: ein Kind auf den Knien ~ 어린애를 무릎 위에 앉히고 흔들다; an der Reckstange ~ 철봉 운동을 하다; die Wellen ~ den Kahn 물결이 작은 배를 요동치게 한다; der Kutscher schaukelte die Reisenden über die holprigen Wege 마부가 울퉁불퉁한 길로 마차를 몰아 여행객들의 몸이 몹시 흔들렸다. ②〔구어〕 완성하다, 끝마치다, 마무리하다: wir werden die Sache schon ~ 우리는 그 일을 해낼 것이다. 《II》 *i.* (h.) 앞뒤〔위아래〕로 움직이다, 흔들리다; 그네〔시소〕를 타다, 흔들거리며 가다: das Schiff schaukelt stark 배가 몹시 흔들린다; im Schaukelstuhl ~ 흔들의자에 앉아 흔들거리다; die Kinder ~ gern 아이들은 그네타기를 좋아한다; du darfst nicht mit dem Stuhl ~ 너는 의자를 덜커덩거려서는 안 된다; ein Betrunkener schaukelte aus der Kneipe 술취한 남자가 비틀거리며 술집에서 나왔다. 《III》 *refl.* sich ~ 몸을 앞뒤〔위아래〕로 흔들다; 그네〔시소〕를 타다.

Schaukel⸗pferd *n.* 흔들 목마. **~politik** *f.* 〔폄어〕 변덕스런〔기회주의적인〕 정치. **~reck** *n.* 〖서커스·체조〗 공중 그네. **~stuhl** *m.* 흔들의자. **~system** *n.* 무정견(無定見)한 정책, 조령모개(朝令暮改).

Schaukler [ʃáuklər] 《<schaukeln》 *m.* -s, - ① 흔드는 사람. ②〔폄어·드물게〕 변덕스런 정치인.

schauklig [ʃáuklɪç] *a.* ↑ schaukelig.

Schau⸗laufen *i.* 〖피겨스케이팅〗 시범 연기하다. **≈laufen** *n.* 〖피겨스케이팅〗 시범 연기. **~lust** *f.* 〔폄어〕 호기심, 구경하기 좋아함: die ~ befriedigen 호기심을 만족시키다. **≈lustig** *a.* 호기심이 강한, 구경하기 좋아하는. **~lustige*** *der/die* 〔폄어〕 구경하기 좋아하는 사람: viele ~ drängten sich um die Unfallstelle 많은 구경꾼들이 사고 현장에 몰려들었다.

***Schaum** [ʃaum] *m.* -(e)s, Schäume [ʃɔ́ymə] ① 거품, 포말; 떠 있는 찌꺼기: der weiße ~ der Wellen 파도의 흰 포말; ~ geben 거품을 일으키다; am Wasserfall bildet sich ~ 폭포에 물거품이 인다; dem Pferd flog der ~ ums Maul 말이 입가에 거품을 내뿜었다; er trank den ~ vom Bier ab 그는 맥주의 거품을 마셔 없앴다; ihm steht der ~ vor dem Mund [er hat ~ vor dem Mund] a) 그는 노발대발해 있다, b) 그는 지쳐서 녹초가 되어 있다; Eiweiß zu ~ schlagen 달걀 흰자위를 휘저어 거품이 일게 하다; (der) ~ trat ihm vor den Mund (발작을 일으켜) 그는 입에서 게거품을 뿜었다; 그는 게거품을 뿜으며 화를 냈다; 〔폄어〕 ~ schlagen 허풍떨다, 호언장담하다. ②〔시어〕 거품처럼 덧없는 것; 허무, 공허, 무상: alles war nur ~ gewesen 만사가 무상할 뿐이었다; zu ~ werden 수포로 돌아가다; 〔속담〕 Träume sind Schäume 꿈은 물거품과 같다, 일장춘몽.

schaum⸗artig *a.* 거품 같은, 거품 모양의. **≈bad** *n.* 목욕용 거품 비누; 거품 비누 목욕(물).

schäumbar [ʃɔ́ymba:r] *a.* 〖化〗 발포성(發泡性)의.

schaum⸗bedeckt *a.* 거품 투성이의. **≈bier** *n.* 거품이 이는 맥주. **≈bildung** *f.* 거품이 남, 거품 형성. **≈blase** *f.* 기포(氣泡). **≈brezel** *f.* 빵과자의 일종.

Schau·meister *m.* 〖고어〗 검사자, 시험자.

***schäumen** [ʃɔ́ymən] 《<Schaum》《I》 *i.* (h.) ① (액체 등이) 거품이 일다, 거품을 내다; 거품을 내며 흐르다: das Bier schäumt 맥주에 거품이 인다; die Wellen ~ 물결에 거품이 인다, 물보라가 친다; der Sekt schäumt in die Gläser 샴페인을 잔에 따르면 거품이 인다. ② 〖雅語〗 격노하다: er schäumte vor Wut 그는 격노했다. 《II》〔드물게〕 *t.* ①〖工〗 거품이 일게 하다: geschäumtes Polystyrol 발포 스티렌 수지, 스티로폴. ② 거품을 떠내다.

Schaum⸗gebäck *n.* 계란 과자(달걀 흰자위와 설탕을 섞어 만든 과자). **≈geboren** *a.* 거품에서 태어난: 〖그리스신화〗 die ≈e 거품에서 태어난 여신, 아프로디테. **≈gebremst** *a.* 〖광고〗 거품이 적게 나는: ~e Waschmittel 거품이 적은 세제류. **~glas** *n.* 기포 유리. **~gold** *n.* 모조 금박(金箔). **~gummi** *m.* 기포 고무.

schaumig [ʃáumɪç], **schäumig** [ʃɔ́ymɪç] 《<Schaum》 *a.* 거품 같은; 거품이 이는, 거품 투성이의: Butter und Zucker ~ rühren [schlagen] 버터와 설탕을 거품이 나도록 젓다; die See war ~ 바다는 거품으로 뒤덮여 있었다.

Schaum⸗kelle *f.* 거품 떠내는 국자. **~kette** *f.* (말의) 재갈. **~kraft** *f.* 발포력(發泡力) 형성 강도(強度). **~kraut** *n.* 〖植〗 황새냉이의 일종. **~krone** *f.* 물마루; 맥주의 거품: ~n auf den Biergläsern 맥주잔의 거품. **~löffel** *m.* ↑ ~kelle: 〔구어〕 den Verstand mit dem ~ gegessen haben 대단히 어리석다.

schaumlos *a.* 거품이 없는, 거품이 일지 않는; (맥주 등이) 김빠진.

Schaumlösch⸗gerät *n.* 포말 소화기. **~verfahren** *n.* 포말 소화법.

Schaum⸗rolle *f.* (öst.) 생크림 롤케이크. **~schläger** *m.* ① 거품을 일게 하는 (요리) 기구. ②〔농담〕 이발소. ③〔폄어〕 허풍선이. **~schlägerei** *f.* 〔폄어〕 허풍(떨기). **~speise** *f.* (후식용) 크림 푸딩. **~stoff** *m.* 스티로폴. **~teppich** *m.* 〖空〗 (비상 착륙 때 활주로에 뿌리는) 진화용 거품.

Schau·münze *f.* 기념 주화; 메달.

Schaum⸗wein *m.* 탄산 함유 포도주, 샴페인. **~zirpe** *f.* 〖動〗 거품벌레, 좀매미.

Schau⸗objekt *n.* 진열〔전시〕품. **~orchester** *n.* 쇼 관현악단. **~packung** *f.* (진열용) 빈 포장(상자). **~pfennig** *m.* ↑ ~münze. **~platz** *m.* 무대; (사건 등의) 현장: ~ des Verbrechens 범행 현장; vom ~ (der Welt) abtreten a) (공적인 활동에서) 은퇴하다, b) 〖雅語〗 죽다. **~programm** *n.* 〖피겨〗 시범 경기 (내용). **~prozeß** *m.* (전시용) 공개 재판.

schaurig [ʃáurɪç] *a.* ① 소름끼치는, 무시무시한, 끔찍한: ein ~es Verbrechen 끔찍한 범행. ②〔구어〕 매우 나쁜: ein ~er Gesang 형편없는 노래; ein ~er Stil 아주 조잡한 문체; es war ~ kalt 지독히 추웠다.

Schaurigkeit *f.* -en ↑ schaurig 의 명사형.

Schau·seite *f.* ① (건물·화폐 등의) 표면, 앞

면; 좋은 면: die ~ eines Gebäudes 〔einer Münze〕 건물〔동전〕의 앞면; jm. seine ~ zukehren 누구에게 자기의 좋은 점을 보이다. ②〖印〗(책·신문의) 오른쪽 면〔페이지〕.

***Schau·spiel** [ʃáuʃpiːl] *n.* ① (Anblick) 광경, 구경거리: das erhabene ~ eines Sonnenuntergangs am Meer 바닷가 일몰의 장엄한 광경; 〖구어·농담〗 das ist ein ~ für (die) Götter 그것은 우스꽝스러운 광경이다; wir wollen doch den Leuten kein ~ geben 우리는 사람들의 구경거리가 되고 싶지 않다. ② 연극; 드라마, 희곡; 해피 엔딩의 연극: trauriges ~ 비극, 슬픈 일; ein ~ anhören 극본 낭독을 듣다; ins ~ gehen 연극 구경을 가다. ③ (극장의) 연극 부문; 극장: er hat jahrelang am ~ gearbeitet 그는 수년 동안 연극 부문에서 일했다; das ~ ist wegen Umbau geschlossen 극장이 개축 때문에 문을 닫았다.

schauspiel≈artig *a.* 연극풍의, 극적인, 연극 같은. **~dichter** *m.* 극작가, 희곡 작가. **~dichtung** *f.* 극문학, 희곡, 극작품. **~direktor** *m.* 극장장(長).

***Schau≈spieler** *m.* ① 배우, 광대: guter 〔schlechter〕 ~ 훌륭한〔엉터리〕 배우; umherziehender ~ 유랑 배우. ②〖폄어〗 위선자; 꾸며 대는 사람: du bist ein guter ~ 너는 잘도 꾸며 대는구나. **~spieler·beruf** *m.* 배우 직업. **~spielerei** [ʃau..ráɪ] *f.* ① 배우 생활: die ~ an den Nagel hängen 배우 생활을 그만두다. ②〖대개 폄어〗 겉치레, 위선, 거짓꾸밈: das ist doch alles bloß ~ 그 모두가 겉치레일 뿐이다. **~spieler·gesellschaft** *f.* 배우들의 일단, 유랑 극단. **~spielerin** *f.* -nen ↑ Schauspieler 의 여성형. **~spielerisch** *a.* 배우의, 연극의; 연극풍의: eine große ~e Begabung 대단한 연기 재능; ein ~es Können 연기력. **~spieler·kunst** *f.* 연극술, 연기술.

schauspielern *i.* (h.) ①〖구어〗 연극에 출연하다, 연기〔연극〕하다. ②〖폄어〗 …인 체하다, 가장하다: glaub ihm nicht, er schauspielert nur 그를 믿지 마라, 그는 단지 연기를 할 뿐이야.

Schauspieler≈truppe *f.* ↑ ~gesellschaft. **~zimmer** *n.* 배우 준비실〔대기실〕.

Schauspiel≈haus *n.* 극장. **~kunst** *f.* 연극술, 연기술. **~schule** *f.* 연극〔배우〕 학교. **~schüler** *m.* 연극 학교 (남)학생. **~schülerin** *f.* ↑ ~schüler 의 여성형. **~unterricht** *m.* 연극〔연기〕 수업.

schau≈stehen* [ʃáuʃteːən] *i.* (h.) 〖보통 부정형으로만〗 진열〔전시〕되어 있다(↑ Schau ①). **~stellen** *t.* 〖보통 부정형으로만〗 진열〔전시〕하다(↑ Schau ①). **~steller** *m.* 흥행주; (박람회·전시회 따위에의) 출품자. **~stellerin** ↑ ~steller 의 여성형. **~stellung** *f.* 진열, 전람(회); 공연. **~stück** *n.* ① (전시용) 진귀한 진열품. ②〖드물게〗 연극 (작품). ③ 기념 주화(~münze). **~tafel** *f.* 게시판.

Schaute [ʃáutə] 《hebr.》 *m.* -n, -n 바보, 멍텅구리.

Schauten·hüter *m.* 괴상〔기발〕한 옷차림을 한 자, 도깨비(같은 모습).

schau≈tragen* 〖보통 부정사로만〗 *t.* 과시하다(↑ Schau ①). **~turm** *m.* 망루, 망대(望臺). **~turnen** *n.* 체조 시범. **~vitrine** *f.* 유리 진열장.

Schebe *f.* -n (nordd.) (아마의) 벗겨진 껍질 부스러기.

Schebecke [ʃebɛ́kə] 《it.》 *f.* -n 〖海〗 (지중해의) 삼장선(三檣船).

Schech [ʃeːç, ʃɛç] *m.* -s, -e/(드물게) -s (아랍 국가의) 수장(首長) (Scheich).

schechen *i.* (h./s.) (nordd.) ① 서두르다, 큰 걸음으로 걷다. ② 곁눈으로 보다, 사팔뜨기다. ③ es schecht 유령이 나타난다.

Schecht *m.* -(e)s, -e (ndd.) ① (연장의) 손잡이 (Schaft). ② 낚싯대.

Scheck[1] [ʃɛk] 《frz.》 *m.* -en, -en 얼룩 동물 (특히 얼룩말·얼룩소 따위).

***Scheck**[2] 《engl. cheque》 *m.* -s, -s/(드물게) -e 〖商·우편〗 수표; 우편환: ein offener ~ 보통 수표〔우편환〕; ein ungedeckter ~ 부도 수표; ein gekreuzter 〔weißer〕 ~ 횡선〔백지〕 수표; einen ~ über 100 Mark ausstellen 〔einlösen〕 액면 100 마르크의 수표를 발행하다〔현금으로 바꾸다〕.

Scheck≈abteilung *f.* 〖금융〗 수표 담당 부서. **~amt** *n.* 〖고어〗 수표 취급소. **~betrug** *m.* 〖法〗 수표 사기. **~betrüger** *m.* 수표 사기꾼〔범〕. **~betrügerin** *f.* ↑ ~betrüger 의 여성형. **~buch** *n.* 수표장(手票帳). **~diskontierung** *f.* 〖금융〗 외국 수표 할인 매입.

Schecke[1] [ʃɛ́kə] *m.* -n, -n 얼룩 황소〔숫말〕.

Schecke[2] *f.* -n 얼룩 암소〔말〕.

Schecke[3] *f.* -n 〖유행〗 (14 세기의) 꽉 죄는 남자용 외투.

Scheckel [ʃɛ́kəl] *m.* -s, - (bayr.) 채찍.

schecken [ʃɛ́kən] 《<Scheck[1]》 《Ⅰ》 *t.* 얼룩지게〔알록달록하게〕 하다. 《Ⅱ》 **gescheckt** *p.a.* ↑ gescheckt.

Scheck≈fähigkeit *f.* 〖금융〗 수표 발행 능력. **~fälscher** *m.* 수표 위조범. **~fälschung** *f.* 〖法〗 수표 위조. **~heft** *n.* 수표책〔장〕.

scheckig *a.* ① 얼룩의, 얼룩진, 반점이 있는; (bunt) 가지각색의, 얼룩덜룩한: ein ~es Fell 얼룩 무늬 털가죽; 〖구어〗 er ist hier bekannt wie ein ~er Hund 그는 여기서는 이름깨나 있는 사람이다; sein Gesicht war vor Wut ganz ~ 그의 얼굴은 분노로 붉으락푸르락했다. ②〖방언〗 못난, 어리석은: 〖구어〗 sich ~ lachen 크게 웃다, 포복절도하다.

scheckig·braun *a.* 갈색 반점이 있는.

Scheck≈inhaber *m.* 수표 지참인〔소지인〕. **~inkasso** *n.* 〖금융〗 수표 추심. **~karte** *f.* (은행이 교부하는) 수표 발행 한도 보증서. **~konto** *n.* ① 당좌 계정. ② 대체 계좌. **~recht** *n.* 〖法〗 수표법. **~sperre** *f.* 수표 지급 정지. **~verkehr** *m.* 수표 거래.

Scheck·vieh *n.* 얼룩 무늬 짐승.

Sched≈bau [ʃɛ́t..] *m.* -(e)s, -ten 〖건축〗 톱날 지붕의 단층 건물. **~dach** *n.* 〖건축〗 (공장 등의) 채광을 위한 톱날 지붕.

Schedel [ʃéːdəl], **Schedul** [..duːl] 《gr. -lat. -it.》 *f.* -n 종이 조각; 〖商〗 전표.

***scheel** [ʃeːl] *a.* ①〖고어·방언〗 (schielend) 사시(斜視)의, 사팔눈의. ② 시기〔질투〕하는, 불신하는: jn. ~ 〔mit ~en Augen, ~em Blick〕 ansehen 누구를 시기〔불신〕의 눈빛으로 쳐다보다. ③ 업신여기는, 얕보는: hier wird man ~ angesehen, wenn man kein Auto hat 여기

서는 차가 없으면 무시당한다. ④〖폄어〗 단순한, 멍청한: guck nicht so ~! 그렇게 바보처럼 쳐다보지 마! ⑤〔방언〕 눈먼; 근시안의.

Scheel·auge *n.* 〔고어〕 (schielauge) 사팔눈, 사시; 질투〔불신〕의 시선. **~äugig** *a.* ↑ **~blickend**. **~blick** *m.* 질투〔시기〕의 시선. **~blickend** *a.* 시기하는 눈초리의, 흘겨보는. **~sucht** *f.* 〔구식〕 시샘, 질투. **~süchtig** *a.* 시샘〔질투〕하는.

Schefe [ʃé:fə] *f.* -n (südd.) 〖植〗 꼬투리, 깍지; 완두콩.

Scheffel [ʃɛ́fəl] 《<Schaff》 *m.* -s, - 〔고어〕 ① 나무통: 〖聖·비유〗 sein Licht nicht unter den ~ stellen 자신의 지식이나 능력을 숨기지 않다(마태 5:15); es gießt wie mit ~n 비가 억수같이 퍼붓는다. ② 셰펠(곡량의 옛 단위: 지방에 따라 30-300 리터로 일정치 않음): in ~n 대량으로; einen ~ Salz mit jm. gegessen haben 누구를 잘 알고 있다. ③ 셰펠(토지 면적 단위: 1 셰펠의 씨앗을 뿌릴 수 있을 정도의 크기): 12 ~ Land 열 두 셰펠의 땅.

scheffeln 《I》 *t.* 〔구어·폄어〕 양껏 움켜쥐다, 대량으로 긁어모으다: Geld〔Reichtümer〕~ 축재하다. 《II》 *i.* (h.) (곡식 등이) 잘되다.

Scheffel·sack *m.* 1 셰펠들이 자루. **~weise** *adv.* 〔구어〕 많이, 다량으로: ~ Geld ausgeben 돈을 크게 쓰다.

Scheg [ʃɛk] 《germ.》 *m.* -(e)s 〖海〗 뱃머리의 장식.

Scheherazade [ʃeherazá:də] *f.* ↑ Scheherezade.

Scheherezade [..rezá:də] 《pers.》 *f.* ① 셰헤라자데("천일야화"의 여자 이야기꾼). ② 옛 동화를 이야기해 주는 여자.

Scheib·band *n.* (öst.) (짐수레를 끌 때 가슴에 두르는) 가죽끈.

Scheibchen [ʃáipçən] *n.* -s, - 〔↑ Scheibe 의 축소형〕 ① 얇고 작은 판; 작은 조각. ② 사슴의 발자국.

scheibchen·weise *adv.* ① 얇은 조각으로. ② 〔비유〕 차츰차츰, 조금씩.

***Scheibe** [ʃáibə] *f.* -n ① 원반, 둥근 면: die volle ~ des Mondes 달의 둥근 면. ② (창이나 거울의) 유리판: eine ~ (ins Fenster) einsetzen (창에) 유리를 끼우다. ③ 조각, 얇은 조각: eine ~ Brot 빵 한 조각; Äpfel in ~n schneiden 사과를 얇게 썰다; 〔구어〕 von ihm kannst du dir eine ~ abschneiden 그를 본보기로 삼으려무나. ④ (Ziel~) 과녁, 표적: nach der ~ schießen 과녁을 겨누어 발사하다. ⑤〖음악〗 음반, 디스크: eine ~ auflegen 레코드판을 올려놓다. ⑥ (도자기 굽는) 선반. ⑦〖아이스하키〗 퍽. ⑧ (원판 모양의 것) 도르래 바퀴, 피대 바퀴; (나사 등의) 와셔(Beilag~); 원반 패킹(Dichtungs~); 투원반(Wurf~); 시계 글자판(Uhr~); 벌집(Honig~). ⑨〖사냥〗 흰 얼룩, 반점. ⑩ 수관(樹冠) 바로 밑의 땅(Baum~). ⑪〔방언〕 앞치마. ⑫〔구어·은어〕 똥: so eine ~! 이런, 젠장!

scheibeln *i.* (h.) 〔방언〕 원반던지기를 하다.

scheiben *i.* (h.) (obd., md.) 독일식 볼링을 하다.

scheiben·artig *a.* 원반 모양의. **~bank** *f.* 〔복수: ..bänke〕〖工〗 철사 제조대(臺). **~blei** *n.* 납으로 된 창틀. **~blume** *f.* ↑ **~blüte**. **~blüte** *f.* 〖植〗 반상화(盤狀花). **~bremse** *f.* (자동차 등의) 원판 브레이크. **~brot** *n.* (토스트처럼) 얇게 썰은 빵, 빵조각. **~büchse** *f.* (놀이터의) 공기총. **~egge** *f.* 원판 써레. **~elektrisier·maschine** *f.* 〖理〗 마찰 기중기. **~entfroster** *m.* 유리창 성에 제거기. **~förmig** *a.* 원반〔원판〕 모양의. **~gardine** *f.* 유리창 커튼. **~glas** *n.* 판〔창〕유리. **~hantel** *f.* 〖스포츠〗 (쇠바퀴를 갈아끼울 수 있는) 바벨, 역기. **~honig** *m.* ① 벌집의 꿀. ②〔은어〕 똥. **~kleister** *m.* 〔은어〕 똥. **~kondensator** *n.* 원판 축전기. **~könig** *m.* 과녁 맞추기 대회의 우승자. **~kupplung** *f.* 〖工〗 원판 클러치. **~pilz** *m.* 〖植〗 반상균류(盤狀菌類). **~qualle** *f.* 〖動〗 원반 해파리류. **~rad** *n.* (바퀴통과 바퀴테 사이에 강철 디스크가 있는) 디스크 바퀴. **~schießen** *n.* 〖스포츠·軍〗 과녁 맞추기 훈련〔시합〕. **~schütze** *m.* (과녁 쏘기의) 사수(射手). **~stand** *m.* 궁술〔사격〕 시합장〔훈련장〕. **~tauch·sieder** *m.* (물 끓일 때 쓰는) 원반 투입 전열기. **~wasch·anlage** *f.* 〖車〗 윈도 세척 장치. **~wascher** *m.* ↑ ~waschanlage. **~weise** *adv.* 얇게 조각내어〔베어〕. **~werfen** *n.* 〖스포츠〗 원반던지기. **~wischer** *m.* 〖車〗 윈도 브러시.

scheibig [ʃáibɪç] 《<Scheibe》 *a.* ① ↑ scheibenförmig. ② 얇게 조각낸〔베어낸〕.

Scheiblein *n.* -s, - 작은 원반.

Scheib·truhe *f.* (öst.) 외바퀴 수레.

Scheich [ʃaiç] 《ar.》 *m.* -(e)s, -e/-s ① 베두인족의 족장, 수장, 촌장; 성직자, 학자. ② 샤이히(이슬람 지역 지도층 인사에 대한 존칭). ③ 연약한 인간. ④〔경박〕 남자 애인.

Scheichtum *n.* -s, ..tümer [..ty:mər] 샤이히(↑ scheich ① ②)의 통치 영역.

scheidbar [ʃáitba:r] *a.* 분리할 수 있는.

***Scheide**[1] [ʃáidə] *f.* -n ① 칼집: das Schwert aus der ~ ziehen 칼집에서 칼을 빼다. ②〖해부〗 질(膣). ③〖植〗 엽초(葉鞘); 꼬투리. ④〔구식〕 경계; 경계선. ⑤ (md.) **(a)** 통로. **(b)** 가르마. ⑥ (obd.) (가축을) 골짜기에 몰아넣기. ⑦〖광산〗 선광장(選鑛場).

Scheide[2] *m.* -ns, -n 〖動·방언〗 메기.

Scheide·bank *f.* 〔복수: ..bänke〕〖광산〗 선광대(選鑛臺). **~blick** *m.* 작별의 (마지막) 시선. **~brief** *m.* ①〔구식〕 고별의 편지. ②〔고어〕 이혼장. **~erz** *n.* 건조식 정선광(精選鑛). **~gruß** *m.* 고별 인사. **~kunst** *f.* ① 광구 측량술. ②〔고어〕 화학. **~kuß** *m.* 이별의 키스. **~linie** *f.* 분계〔경계〕선. **~mann** *m.* (md.) 중재자. **~mauer** *f.* ① 칸막이 벽. ② 방화벽. **~münze** *f.* 〔고어〕 잔돈, 소액 화폐.

scheiden [ʃáidən] (schied, geschieden/(고어) gescheiden) 《I》 *t.* ① 갈라놓다, 구별〔구분〕하다: der Ural scheidet Asien und Europa〔Asien von Europa〕 우랄 산맥이 아시아와 유럽을 갈라놓는다; die giftigen Pilze von den eßbaren ~ 독버섯과 식용 버섯을 구별하다. ② 이혼하다, 이혼시키다: eine Ehe ~ 이혼하다; eine geschiedene Frau 이혼녀; die beiden sind geschieden (worden) 그 두 사람은 이혼했다. ③ 정제〔정련〕하다; (우유를) 응유(凝乳)로 만들다; 〖化〗 분해〔분석〕하다; 〖광산〗 선광(選鑛)하다: Erz aus taubem Gestein ~ 광석을 폐석(廢石)에서 분리해내다. 《II》 *i.* (s.) ① 헤어지다; 물러나다: wir müssen von hier ~ 우리는 이 자리를 떠야 한다; das ~de Jahr 저무는 해; im guten ~ 좋게 헤어지다; aus seinem Amt〔Dienst〕 ~ 사퇴하다; aus dem Leben 〔der Welt〕 ~ 죽다, 세상을 떠나다; es muß geschieden sein 이별은 피할 수 없다. ② (우유가) 응유되다.《Ⅲ》 *refl.* sich ~ ① 갈라지다, 분리되다: die Milch scheidet sich 우유가 응유되다; hier ~ sich unsere Wege 여기서 우리의 (갈) 길이 갈라진다. ② sich (von jm.) ~ lassen (누구와) 이혼하다: er will sich von ihr ~ lassen 그는 그녀와 이혼하려고 한다.《Ⅳ》**geschieden** *p.a.* ↑ geschieden.

Scheiden *n.* -s 이별; 죽음: ~ tut weh 이별은 고통스럽다.

scheiden≈artig *a.* 칼집 모양의; 질(膣) 모양의. **≈eingang** *m.*〖해부〗질구(膣口). **≈entzündung** *f.* 질염(膣炎). **≈flora** *f.* 질의 세균〔박테리아〕. **~förmig** *a.* ↑ ~artig. **≈klappe** *f.*〖해부〗처녀막. **≈krampf** *m.* 질 경련. **≈muschel** *f.*〖動〗긴맛과의 조개. **≈öffnung** *f.* ↑ ~eingang. **≈schnabel** *m.*〖動〗물떼새의 일종. **≈spekulum** *n.*〖醫〗질경(膣鏡), 자궁경. **≈spiegel** *m.* ↑ ≈-spekulum. **≈vorfall** *m.*〖醫〗질탈(膣脫).

Scheide·punkt *m.* 분기점, 분리점;〖문법〗분음부(分音符).

Scheider 《<scheiden》 *m.* -s, - ① 나누는 사람. ②〖工〗분리기. ③〖광산〗선광부(選鑛夫). ④ 칸막이 벽. ⑤ (md.) 중재자.

Scheiderling *m.* -s, -e (md.) 논두렁, 논밭의 경계.

Scheide≈stunde *f.* ① 이별의 시간. ② 죽음의 시간, 임종. **~trunk** *m.* 이별의 술잔. **~wand** *f.* ① 칸막이 벽. ②〖植·動·해부〗격막(隔膜). ③ 횡격막. **~wasser** *n.*〖복수: ..wässer〗① 질산. ② 왕수(王水). ③〖드물게〗이별의 눈물. **~weck** *m.* (obd.) 쐐기. **~weg** *m.* 갈림길, 기로:〖비유〗am ~ stehen 기로에 서 있다; Herkules am ~ (쾌락과 도덕간의 선택의) 기로에 선 헤라클레스.

Scheiding [ʃáɪdɪŋ] 《<scheiden》 *m.* -s, -e〖고어〗9월.

Scheidung *f.* -en ① 이혼: die ~ einreichen 〔beantragen〕 이혼 소송을 제기하다; in ~ liegen 이혼 소송 중이다. ② 분리, 이별. ③ 선광;〖化〗분석. ④ 구별, 차이.

Scheidungs≈erkenntnis *n.*〖法〗이혼 판결. **~grund** *m.* 이혼 사유. **~klage** *f.* 이혼 제소. **~prozeß** *m.* 이혼 소송. **~urteil** *n.* 이혼 판결.

Scheie, Scheiele *f.* -n (obd., schweiz.) 울타리의 말뚝.

Scheik [ʃaɪk] *m.* -(e)s, -e/-s ↑ Scheich.

***Schein** [ʃaɪn] 《<scheinen》 *m.* -(e)s, -e ① 빛, 광선, 광휘, 미광(微光); (불빛의) 비춤: Mond≈ 달빛; heller ~ 밝은 빛; im ~ der Lampe 램프의 불빛을 받으며. ② 낌새, 기색, 기미: der ~ eines Lächelns huschte über ihr Gesicht 그녀의 얼굴에 얼핏 미소가 스쳐 지나갔다. ③ (↔ Wirklichkeit) 외견, 외관, 겉모양; 허상;〖哲〗가상(假象): ~ und Sein 가상과 실재; ~ und Wahrheit 허구와 진실; er gab sich³ den ~ eines Ehrenmannes 그는 신사인 체했다; es hat den ~, als ob ... …처럼 보이다; den ~ retten〔wahren〕 체면 차리다〔지키다〕; sein Erfolg ist nur ~ 그의 성공은 허울뿐이다;〖속담〗der ~ trügt 겉모양과 실제는 다르다; der ~ ist gegen mich 겉으로 보건대 내게 불리하다; dem ~ nach 외견상, 겉보기에; unter dem ~ der Freundschaft 우의(友誼)를 가장하여; zum ~ 〔des ~es wegen〕 일부러, 겉으로만 꾸며서. ④ 증서, 증명서; (대학의) 강의 수강〔성적〕 증명서, 영수〔수령〕증: einen ~ über den Empfang von et.³ ausstellen 무엇의 영수증을 교부하다. ⑤ (은행) 지폐(Geld≈); 차용 증서(Schuld≈): falscher ~ 위조 지폐; geben Sie mir bitte keine Münzen, sondern ~e 실례지만 동전은 말고 지폐를 주세요. ⑥ 갓 맺힌 포도송이. ⑦〖드물게〗도깨비불;〖점성술〗별의 모습. ⑧ 달의 현(弦): der volle ~ 보름달.

Schein≈andacht *f.* 사이비 경건성. **~angriff** *m.*〖軍〗양동 작전, 위장 공격;〖펜싱〗치는 시늉. **~architektur** *f.*〖畫〗(벽이나 천장에 그려진) 입체 그림. **~argument** *n.* 근거 없는 주장, 궤변. **~asylant** *m.* 위장 망명자.

***scheinbar** [ʃáɪnba:r] 《<Schein》 *a.* ① (사실은 그렇지 않지만) 겉으로는, 외견상으로는, 표면적으로는: die Sonne dreht sich ~ um die Erde 외견상으로는 태양이 지구 주위를 돌고 있는 것처럼 보인다; er blieb ~ ruhig, aber innerlich war er wütend 그는 겉으로는 마음이 평온한 듯 했지만, 속으로는 몹시 화가 나 있었다;〖天〗~e Helligkeit 상대적 밝기〔명도〕. ②〖구어〗보아하니 …한: er ist ~ krank 그는 보아하니 아픈 것 같다. ③〖드물게〗명백한, 뚜렷한. ④〖드물게〗눈에 띄는, 현란한. ⑤ (obd.) 진실인 듯한, 있을 법한. ⑥〖고어〗훌륭한, 화려한; 아름다운, 뛰어난.

Schein≈behelf *m.* 임시 변통, 미봉책. **~beschäftigung** *f.* 위장 직업(활동). **~beweis** *m.* 위증, 사이비 추론; 궤변. **~bild** *n.* 환상, 환영(幻影). **~blüte** *f.* ①〖植〗위화(僞花). ② 실속 없는 호황, 외면상의 번영. **~christ** *m.* 사이비 기독교도. **~dasein** *n.* ① 허깨비 같은 존재. ② 허망한 인생. **~ding** *n.* 허깨비, 환영. **~ecke** *f.* 문짝용 겹쇠. **~ehe** *f.* 위장 결혼. **~ehre** *f.* 허명(虛名), 헛된 명예.

scheinen [ʃáɪnən] (schien, geschienen) *i.* (h.) ① 빛나다; 빛을 반사하다, 비치다; 반짝이다: die Sonne scheint 해가 빛난다. ② …처럼 보이다, 여겨지다, …인 듯하다: sie ~ glücklich (zu sein), es scheint, daß sie glücklich sind 그들은 행복한 듯 보인다; er schien von der Schauspielerin begeistert (zu sein) 그는 그 여배우에게 반한 것 같았다; das scheint mir ein toller Bursch (zu sein) 내가 보기에 그 녀석은 무모한 놈이다; es scheint, als ob sie reich wären 그들은 부자처럼 보인다; er ist jünger, als er scheint 그는 보기보다 어리다. ③ (외면이 화려하여) 눈에 띄다.

Schein≈farbe *f.*〖物〗보호색. **~firma** *f.* 유령 회사. **~freude** *f.* 가짜 즐거움〔기쁨〕. **~freund** *m.* 가짜 친구. **~friede** *m.* 표면상의 평화. **≈fromm** *a.* 독실한 체하는, 위선의. **~frömmigkeit** *f.* 독실한 체함; 위선. **~frucht** *f.*〖植〗헛열매. **~füßchen** *n.*〖↑ ~fuß 의 축소형〗〖動〗(원생 동물의) 위족(僞足). **~gefecht** *n.*〖軍〗모의 전쟁; 야바위 싸움. **~gelehrsamkeit** *f.* 피상적〔겉핥기식〕

학식. **~geschäft** *n.* 〖商〗 위장 거래. **~gesellschaft** *f.* ↑ ~firma. **~gesellschafter** *m.* (주식 회사의) 위장 출자자. **~gewinn** *m.* 〖經〗 명목 이익. **~grund** *m.* 표면상의 이유; 구실, 핑계; 궤변. **~gründung** *f.* 〖經〗 회사의 위장 설립. **~heilig** *a.* 〔폄어〕 경건한 체하는; 거짓 믿음의, 위선의. **~heilige*** *der/die* 거짓 믿는 사람; 위선자. **~heiligkeit** *f.* 거짓 믿음, 위선. **~kampf** *m.* ↑ ~gefecht. **~kauf** *m.* 위장 매입. **~kaufmann** *m.* 〖法〗 명목 상인(상인으로서의 조건이 갖추어져 있지 않음에도 법률상으로는 하자가 없는 상인). **~könig** *m.* 명목상의 왕. **~krankheit** *f.* 꾀병, 엄살병. **~krieg** *m.* 〖軍〗 모의전; 위장 전쟁. **~lampe** *f.* 전조등용 전구. **~leben** *n.* 취생몽사, 무위(無僞)한 생애. **~manöver** *n.* ① 위장 군사 작전. ② 위장 행동. **~problem** *n.* (실체가 없는) 빈문제. **~schlaf** *m.* 꾀잠. **~schwangerschaft** *f.* 〖醫〗 ① 상상 임신. ② (호르몬 치료 등으로 인한) 월경 불순. **~sieg** *m.* 헛승리; 손실이 큰 승리. **~tod** *m.* 가사(假死). **~tot** *a.* ①〖醫〗 가사 상태의. ②〔경박〕 매우 늙은. **~tote*** *der/die* 가사자(假死者). **~verlust** *m.* 〖經〗 명목 손실(↔ ~gewinn). **~vertrag** *m.* 위장 계약. **~wechsel** *m.* 공수표, 융통 어음. **~welt** *f.* 환상〔공상〕 세계. **~werfer** *m.* ① 서치라이트, 탐조등: mit ~n den Himmel absuchen 탐조등으로 공중을 수색하다. ②〔구어〕 돈을 낭비하는 사람.

Scheinwerfer=kegel *m.* (탐조등 등의) 원뿔형 불빛. **~licht** *n.* 서치라이트〔탐조등〕의 불빛, 조명.

Schein=wesen *n.* 허깨비, 환영; 허위, 허식. **~widerstand** *m.* ① 표면적인 저항. ②〖전기〗 임피던스. **~wurm** *m.* 개똥벌레.

Schei·segel *n.* 맨 위의 활대에 달린 돛.

Scheiß [ʃaɪs] *m.* -〔경박·폄어〕 쓸데없는〔귀찮은〕 것〔일〕: mach keinen ~! 쓸데없는 짓 하지 마!; er kauft jeden ~ 그는 별 거지 같은 물건들을 다 산다.

Scheiß·dreck *m.* 〔경박·폄어〕 ① 똥. ② 쓸데없는〔가치 없는〕 것.

***Scheiße** [ʃáɪsə] *f.* 〔비속〕 ① 똥: ~ fahren 대변 보다, 똥누다. ②〔다음 용법으로〕 jn. aus der ~ ziehen 누구를 궁지에서 구해내다; jn. durch die ~ ziehen 누구를 험담〔모함〕하다; in der ~ sitzen〔stecken〕 난처한 입장에 처해 있다; jn. mit ~ (be)werfen 누구를 모략하다; aus der (größten) ~ heraus sein (최악의) 곤경에서 벗어나 있다. ③〖폄어〗 쓸모〔형편〕없는: das ist doch alles ~ 그런 건 모두 쓸데없는 것들이다; ~! 제기랄!; ach du ~! 이런 망할 놈!; so eine ~! 이런 젠장!

scheiß·egal *a.* 〔경박〕 (개똥처럼) 전혀 상관없는, 중요하지 않은.

scheißen [ʃáɪsən] (schiß, geschissen) *i.* (h.)/*t.* ①〔비속〕 똥을 누다: in die Hosen ~ 바지에 똥을 싸다; auf jn.〔et.〕 ~ 누구를〔무엇을〕 무시하다; ich scheiße darauf 그런 것은 아무래도 좋다; auf deine Hilfe scheiße ich 나는 네 도움은 안 받겠다; scheiß drauf! 그것은 집어치워, 중요한 게 아냐!; jm. et. ~ 누구의 무엇에 대해 전혀 신경쓰지 않다; geschissen gut 그럭저럭 쓸 만한; dem werde ich was〔etwas, eins〕 ~ 나는 저 녀석 뜻대로 해줄 생각이 전혀 없다. ②〔드물게〕 방귀를 뀌다: wie ein Waldesel ~ 거리낌없이 방귀를 뀌다.

Scheißer *m.* -s, -〔비속〕 ①〔욕설〕 so ein ~! 이런 망할 놈! ②〔폄어〕 kleiner ~ 무능〔한심〕한 놈.

Scheißerei *f.* ①〔비속〕 똥누기. ②〔경박〕 설사.

scheiß=freundlich *a.* 〔경박·폄어〕 아주 친절한 체하는. **~haufen** *m.* 〔비속〕 똥무더기. **~haus** *n.* 〔비속〕 변소, 뒷간. **~kerl** *m.* 〔비속·욕설〕 ① 재수 없는〔보기 싫은〕 놈. ②〔구식〕 겁쟁이. **~liberal** *a.* 〔경박·폄어〕 입장이 불분명한, 줏대가 없는. **~vornehm** *a.* 〔경박·폄어〕 더럽게 고상한. **~wetter** *n.* 〔경박·폄어〕 궂은 날씨.

Scheit [ʃaɪt] 《♧ scheiden》 *n.* -(e)s, -e/(öst., schweiz.) -er ① (쪼개 놓은) 나무토막, 장작: die ~e prasseln 장작이 탁탁 소리를 내며 탄다. ② (ostd.) 삽.

Scheitchen *n.* -s, - (md.) 길쭉한 케이크.

***Scheitel** [ʃáɪtəl] *m.* -s, - ① 머리 꼭대기, 정수리; 머리: kahler ~ 대머리; vom ~ bis zur Sohle 머리끝에서 발끝까지, 철두철미. ②〖雅語〗 두발: blonder〔lockiger〕 ~ 금발〔고수머리〕. ③ 가르마 탄 머리; 가르마: einen ~ ziehen 가르마 타다; er trägt den ~ links〔rechts〕 그는 가르마가 왼쪽〔오른쪽〕에 있다. ④ 정점, 절정; 꼭대기; 〖天〗 천정(天頂): die Sonne steht im ~ ihrer Bahn 해가 중천에 떠 있다. ⑤〖數〗 (3 각형 등의) 꼭짓점, 정점; 곡선의 접점.

Scheitel=abstand *m.* 〖天〗 천정(天頂) 거리. **~bein** *n.* 〖해부〗 두정골(頭頂骨). **~fläche** *f.* ① 두정(頭頂) 평면. ② 고원, 대지(臺地). ③ 수직면. **~haar** *n.* 두정모(頭頂毛), 머리털. **~höhe** *f.* ① (산의) 정상, 꼭대기. ② 탄도(彈道)의 최고 높이. **~käppchen** *n.* 〔↑ ~kappe 의 축소형〕〖가톨릭·유대교〗 성직자의) 작고 동그란 모자. **~kreis** *m.* ①〖天〗 방위권(方位圈). ②〖數〗 내접원의 일종. **~linie** *f.* 〖天〗 수직〔연직〕선.

scheitellos *a.* 가르마 없는.

scheiteln [ʃáɪtəln] 《<Scheitel》《I》 *t.* 가르마 타다: das Haar gescheitelt tragen 머리에 가르마를 하고 다니다. 《II》 *refl.* sich ~ (머리가) 갈라지다.

Scheitel=naht *f.* 〖해부〗 두정(頭頂) 봉합선. **~punkt** *m.* 정점; 〖天〗 천정(天頂); 〖數〗 (곡선의) 정점; 〖物〗 (지진의 진파선(震波線)의) 최심점(最深點). **~recht** *a.* 〔구식〕 수직의. **~wert** *m.* 〖數·物〗 최대 진동값. **~winkel** *m.* 〖數〗 맞꼭지각; 〖天〗 천정각(天頂角). **~zelle** *f.* 〖生〗 정단(頂端) 세포.

scheiten[1] [ʃáɪtən] 《<Scheit》 *t.* (schweiz.) (나무를) 쪼개다, 장작을 패다.

scheiten[2] *t.* (ndd.) 쏘다, 발사하다.

Scheiter·haufen *m.* ① 장작더미: auf dem ~ verbrennen 화형을 하다; jn. zum ~ verurteilen 누구에게 화형 선고를 내리다. ② (südd.) (빵·우유·설탕·달걀·건포도를 넣어 만드는) 디저트의 일종.

***scheitern** [ʃáɪtərn] 《I》 *i.* (s./(드물게) h.) ①〔구식〕 (배가) 난파〔좌초〕하다: das Schiff scheiterte an den Klippen 그 배는 암초에 부딪쳐 난파되었다. ② 좌절하다; 실패하다, 수포로 돌아가다: daran sind wir gescheitert

그 일로 우리는 실패했다; alle Hoffnungen sind gescheitert 모든 희망이 수포로 돌아갔다; gescheiterte Existenzen 인생의 패배자들. 《Ⅱ》〔드물게〕*t.* ① 난파〔좌초〕시키다; 좌절〔실패〕시키다, 파멸시키다. ② ↑ scheiten¹.

Scheit≈gewehr 《<scheiten²》 *n.* (ndd.) 엽총. **~holz** *n.* 장작, 땔나무. **~recht** *a.*〖건축〗수평 직선의. **~stock** *m.*〔구식〕(장작 팰 때 괴는) 받침목.

scheiweln *i.* (ndd.) 발을 질질 끌며 걷다.

Schekel [ʃéːkəl] *m.* -s, - (Sekel) 제겔(고대 유대인의 은화 또는 무게 단위).

Schelch [ʃɛlç] *m.* -(e)s, -e 〔방언〕(비교적 큰) 나룻배.

schelch *a.* (obd.) ↑ scheel, schief.

Schelde [ʃɛ́ldə] *f.* 셸데강(벨기에 북동쪽 강).

Schelf [ʃɛlf] 《engl.》 *n./m.* -s, -e 대륙붕.

Schelf·meer *n.* 대륙붕 해역.

Schelfe [ʃɛ́lfə] *f.* -n (열매의) 깍지, 껍질.

schelferig *a.* 벗어지는, 벗겨져 떨어지는.

schelfern 《Ⅰ》 *t.* 깍지〔껍질〕를 제거하다. 《Ⅱ》 *i.* (h.) 벗겨지다, 벗겨져 떨어지다: die Haut schelfert 피부가 벗겨진다. 《Ⅲ》 *refl.* sich ~ 껍데기가 벗겨지다.

Schellack [ʃɛ́lak] 《ndl.》 *m.* -(e)s, -e 셸락(니스용 수지(樹脂)).

Schelladler *m.* -s, - 작은 흑갈색 독수리.

***Schelle**¹ [ʃɛ́lə] 《♧ Schall》 *f.* -n ① 방울, 초인종, 벨: die ~ ziehen 벨을 울리다; der Katze die ~ umhängen 고양이 목에 방울달다(실행키 어려운 일을 꾀하다); jeder hat seine ~ 누구든지 제 버릇을 가지고 있다;〖聖〗eine klingende ~ 울리는 꽹과리(입에만 바른 말: 고린도 전서 13:1). ② 빰때리기: er verabreichte ihm ein paar kräftige ~n 그는 세차게 두세 번 그의 따귀를 때렸다. ③〔복수〕〖카드〗다이아몬드: ~n ausspielen 다이아몬드를 내놓다. ④〔방언〕(피부의) 수포, 물집. ⑤ (obd.) 눈자위의 거무스름한 부분. ⑥ (ndd.) 껍질, 껍데기.

Schelle² *f.* -n ① (파이프·관 등을 고정시키는) 죔쇠, 걸쇠. ②〔복수〕〔구식〕~n 수갑.

Schellen [ʃɛ́lən] *n.* -, - ↑ Schelle¹ ③.

schellen 《Ⅰ》 *i.* (h.) 〔방언〕① 벨을 울려 사람을 부르다: er schellt nach dem Diener 그는 벨을 울려 하인을 부른다. ② 벨 소리가 나다: das Telefon hat geschellt 전화벨이 울렸다; es hat (an der Tür) geschellt (문에서) 벨 소리가 났다. 《Ⅱ》 *t.* 〔드물게〕때려 부수다, 박살내다(↑ zerschellen《Ⅰ》).

Schellen≈as *n.*〖카드〗다이아몬드의 에이스. **~baum** *m.* (작은 방울을 가득 단) 반달 모양의 군악기. **~bube** *m.*〖카드〗다이아몬드의 잭. **~daus** *n.* ↑ ~as. **~geklingel** *n.* 방울〔벨〕소리. **~geläute** *n.* ① 벨 소리. ②〔집합적〕(말·썰매에 단) 방울 (세트). **~kappe** *f.* (어릿광대의) 방울 달린 모자. **~klang** *m.* 방울 소리. **~knopf** *m.*〔방언〕초인종 버튼. **~könig** *m.*〖카드〗다이아몬드의 킹: jn. über den ~ loben 누구를 극찬하다. **~kranz** *m.* 탬버린의 일종. **~ober** *m.*〖카드〗다이아몬드 퀸. **~unter** *m.*〖카드〗다이아몬드 잭. **~schlitten** *m.* 방울달린 썰매. **~tracht** *f.* (어릿광대의) 허리에 방울 단 옷. **~trommel** *f.*〖음악〗탬버린. **~zug** *m.* 초인종의 끈.

Schell·fisch [ʃɛ́lfɪʃ] *m.*〖動〗대구의 일종.

Schell·hammer *m.* 철공용 망치의 일종(리벳의 대가리를 만들 때 사용).

Schell·hengst *m.* 종마(種馬), 씨말.

schellig 《♧ Schalle》 *a.* (obd.) 싸우며 떠드는, 야단법석떠는.

Schelling Friedrich Wilhelm Joseph ~ 셸링(독일의 철학자, 1775-1854).

Schell·kraut *n.*, **~wurz** *f.*〖植〗애기똥풀.

***Schelm** [ʃɛlm] *m.* -(e)s, -e ①〔구식〕못된 사람, 악한; 사기꾼: jn. zum ~ machen 누구에 대해 악담을 하다; an jm. zum ~ werden 누구를 배반하다;〔속담〕auf einen ~ anderthalben setzen 독을 독으로 다스리다, 이이제이(以夷制夷); nur ein ~ gibt mehr, als er hat 자기 분수 이상으로 베푸는 인간은 사기꾼뿐이다; der arme ~ 불쌍한 녀석. ② 개구쟁이: den ~ hinter den Ohren〔im Nacken〕haben 겉보기와는 달리 아주 장난꾸러기다; kleiner ~! 개구쟁이, 이 녀석! ③〖문학〗피카레스크 소설의 주인공.

Schelmen≈auge *n.* 악한의 눈. **~gesicht** *n.* 악동 같은 얼굴. **~gesindel, ~gezücht** *n.* 악당, 불량배, 건달. **~lied** *n.* 저속한 노래. **~roman** *m.*〖문학〗피카레스크 소설, 악한〔악동〕소설. **~streich** *m.* ① 짓궂은 장난. ②〔고어〕사기, 기만. **~stück** *n.* ↑ ~streich.

Schelmerei 《<Schelm》 *f.* -en ① ↑ Schelmenstreich. ② 장난스런 태도, 장난기.

schelmisch [ʃɛ́lmɪʃ] *a.* ① 장난꾸러기의, 짓궂은. ②〔구식〕사기꾼의, 악당의, 못된.

Schelte [ʃɛ́ltə] *f.* -n 책망, 비난, 꾸지람:〔구어〕~ bekommen〔kriegen〕꾸지람듣다.

schelten [ʃɛ́ltən] (schalt, gescholten)〔雅語〕《Ⅰ》 *t.* ① 꾸짖다, 야단치다, 책망하다: sie schalt seine Ungeschicklichkeit 그녀는 그의 서투름을 책망했다. ② jn. ... ~ 누구에게 …라고 욕하다: sie schalt ihn faul〔einen Dummkopf〕그 여자는 그에게 게으르다고〔바보라고〕욕했다. ③〖法·고어〗이의를 제기하다; 배척하다, (조합에서) 제명하다. 《Ⅱ》 *i.* (h.) ① 꾸짖다: die Mutter schalt, als er nicht horchte 그가 말을 듣지 않자 어머니가 꾸짖었다. ② auf〔über〕jn.〔et.〕~ 누구에게〔무엇에 대해〕욕하다, 야단치다. 《Ⅲ》 *refl.*〔반어〕sich ... ~ 스스로 …으로 자처하다: er schilt sich Meister, kann aber nichts 그는 스스로 대가라고 자처하면서도 할 줄 아는 것이 아무것도 없다.

Schelter *m.* -s, - 질책〔욕〕하는 사람.

Schelt≈name *m.*〔고어〕(모욕적인) 별명.

Scheltopusik [ʃɛltopúːzɪk] *m.* -s, -e (russ.) (지중해 지역의) 도마뱀의 일종.

Schelt≈rede *f.*〔雅語〕심한 꾸지람, 질책. **~wort** *n.*〔복수: -e〕〔雅語〕욕설.

***Schema** [ʃéːma] 《gr., „Haltung, Gestalt"》 *n.* -s, -s/-ta/..men ① 도식(圖式); 기본틀; 안(案), 방안; 형(型), 형식; 견본, 본보기, 모델; 규범, 규준: nach dem ~ arbeiten 본보기에 따라 일하다;〔비유〕et. in ein ~ pressen 무엇을 억지로 틀에 끼워 맞추다;〔폄어〕nach ~ 판에 박힌 방식대로. ② 스케치, 약도, 도해: das ~ einer elektrischen Schaltung aufzeichnen 전기 회로의 도면을 그리다. ③ 서식. ④ (배전반(配電盤)의) 모의 모선(母線) (Schalt≈). ⑤ 그리스의 승복(僧服).

Schema·brief *m.* 기본 양식이 정해져 있는 편지.

schematisch [ʃemá:tɪʃ] *a.* ① 도식적인; 틀에 박힌, 형식적인, 견본대로의; 규준대로의: et. (rein) ~ behandeln 무엇을 (순전히) 판에 박힌 방식대로 처리하다. ② 개략적인, 스케치의: eine ~e Zeichnung 개략도, 일람표.

schematisieren *t.* ① 도식화〔도표화〕하다, 도표로 설명하다, 일람표로 만들다, 개요하다. ②〖폄어〗단순화하다: et. zu stark ~ 무엇을 지나치게 단순화〔도식화〕하다.

Schematisierung *f.* 도식화하기, 도표화; 단순화; 도표, 도식.

Schematismus *m.* -, ..men ①〖교양·폄어〗도식주의, 틀에 박힌 태도〔작업 방식〕, 천편일률적인 처리. ②〖드물게〗개관, 개요, 일람. ③ (öst.) 공무원 직위표. ④〖가톨릭〗교구〔수도원〕연감; 통계 편람.

Schem·bart [ʃέm..] *m.* 수염 달린 가면.

Schembart·laufen *n.* 사육제 가장 행렬.

***Schemel** [ʃé:məl] *m.* -s, - ① (등받이 없는) 의자. ② (발 올려 놓는) 발판.

Schemen[1] [ʃé:mən] ↑ Schema 의 복수형.

Schemen[2] (⟪♣ schimmern, scheinen⟫) *m./n.* -s, - ① 희미한〔뚜렷하지 않은〕형상, 불분명한 모습, 환영: die Häuser waren in der Dunkelheit nur noch als ~ zu erkennen 그 집들은 어둠 속에서 그저 희미한 형체들로만 알아볼 수 있었다. ② (obd.) (Maske) 가면, 탈.

schemenhaft *a.* 희미한, 뚜렷하지 않은, 불분명한, 허깨비〔환영〕같은.

Schemper [ʃέmpər] *m.* -s, - (nordd.) 순한 맥주.

Schengener Abkommen *n.*〖政〗셍게너 조약(유럽 연합 내 국경에서의 세관 검사의 점진적 폐지와 치안·비자·망명 문제의 공동 협력을 약속한 조약).

Schenk [ʃεŋk] ⟪<schenken⟫ *m.* -en, -en ①〖중세〗궁정 음료〔주류〕담당관. ②〖구식〗술집 주인.

schenkbar *a.* ① (술 등을) 소매할 수 있는. ② 제공할 수 있는, 증정하기에 알맞은.

Schenk·bier *n.* 잔으로 파는 맥주.

***Schenke** *f.* -n 술집, 선술집, 주막.

Schenk·eimer *m.* 맥주 양의 단위(약 64 *l*).

***Schenkel** [ʃέŋkəl] ⟪♣ Schinken⟫ *m.* -s, - ① 허벅다리, 넓적다리, 대퇴부: magere〔stramme〕~ 비쩍 마른〔튼튼한〕다리; sich[3] lachend auf die ~ schlagen 웃으며 무릎을 치다. ②〖工〗(컴퍼스·집게·가위 등의) 다리: die ~ des Zirkels öffnen 컴퍼스의 다리를 벌리다. ③〖數〗변.

Schenkel≈bein *n.*〖해부〗대퇴골. **~beuge** *f.*〖해부〗서혜(鼠蹊); 서혜구(溝). **~bruch** *m.* ① 대퇴 골절. ②〖醫〗대퇴 헤르니아〔탈장〕. **~druck** *m.*〖승마〗↑ ~hilfe. **~hals** *m.*〖해부〗대퇴(골) 경부(頸部). **~hilfe** *f.*〖승마〗종아리로 말에 가하는 압력.

..schenkelig *suf.* ↑ ..schenklig.

Schenkel≈knochen *m.* ↑ ~bein. **~muskel** *m.*〖해부〗대퇴근(大腿筋).

Schenkels·bruch *m.* ↑ Schenkelbruch.

Schenkel≈stück *n.* 햄 덩어리. **~zirkel** *m.* 컴퍼스.

***schenken** [ʃέŋkən] ⟪Ⅰ⟫ *t.* ① 선물하다; 주다: ein Buch ~ 책을 한 권 선물하다; et. zum Geburtstag〔zur Hochzeit〕~ 무엇을 생일〔결혼〕선물로 주다;〖雅語〗sie hat dem Fürsten drei Söhne geschenkt 그녀는 제후와의 사이에서 세 아들을 낳았다;〖목적어 없이도〗sie schenkt gern 그녀는 선물하기를 좋아한다;〖구어〗das ist (halb, wirklich, fast) geschenkt 그것은 거저나 다름없다, 정말 싸다;〖구어〗das möchte ich nicht geschenkt〔das ist geschenkt zu teuer〕그것은 거저 줘도 싫다;〖속담〗~ tut niemand kränken 선물받고 기분 나빠하는 사람 없다;〖속담〗geschenkt ist geschenkt 선물한 것은 선물한 것이다(돌려 달랠 수 없다); jm. das Herz ~ 누구를 좋아하다; einem Verurteilten das Leben ~ 죄수를 사면하다; einem Kind das Leben ~ 아이를 낳다; ihm ist im Leben nichts geschenkt worden 그는 인생에서 모든 것을 스스로 노력해서 얻어야 했다. ②〖기능동사로서〗…을 하다: jm. Aufmerksamkeit〔Beifall〕~ 누구에게 주목〔찬성〕하다; jm. Gehör ~ 누구 말에 귀를 기울이다; jm. seine Gunst〔Glauben, Vertrauen〕~ 누구를 우대하다〔믿다, 신뢰하다〕; jm. keinen Blick ~ 누구에게 전혀 신경쓰지 않다, 무시하다. ③〖드물게〗면해 주다: jm. eine Strafe für et. ~ 누구에게 무엇에 대한 벌을 면제하다; die Mühe soll dir geschenkt sein 그 수고를 네가 하지 않아도 된다. ④〖구식〗(음료 등을) 따르다, 붓다: Bier ins Glas ~ 맥주를 컵에 따르다. ⑤〖고어·방언〗(어린아이에게) 젖을 먹이다. ⑥ (공 등을) 던져 주다. ⟪Ⅱ⟫ *refl.* sich ~ ① 몸을 바치다, 헌신하다: sie schenkte sich ihm ganz 그 여자는 그에게 모든 것을 바쳤다. ② (불필요한 일을) 덜어 주다, 하지 않다: das Fensterputzen kann ich mir heute ~ (weil es ohnehin regnet) (어차피 비가 오므로) 나는 오늘 창문을 닦지 않아도 된다; diesen Film kannst du dir ~ 너는 이 영화를 볼 필요가 없다.

Schenken·amt *m.* (중세의) 음료〔주류〕담당관서〔업무〕.

Schenker *m.* -s, - ① 선물하는 사람, 증여〔수여〕자. ②〖고어〗술집 주인.

Schenk≈gerechtigkeit *f.* 주류 판매의 면허. **~haus** *n.* ↑ Schenke.

Schenkin [ʃέnkɪn] *f.* -nen ① 술 따르는 여자, 작부. ② 술집 여주인.

Schenk·kanne *f.* 술단지, (맥주의) 잔, 컵.

..schenklig *suf.* "…한 다리〔변〕의"의 뜻(보기: gleich~〖기하〗등변의; zwei ~ 다리가〔변이〕두 개인).

Schenk≈mädchen *n.*, **~mamsell** *f.* 여급, 접대부. **~stube** *f.* 술집, 바. **~tisch** *m.* ① 술집의 긴 탁자〔바〕. ② 조리대(臺).

Schenkung [ʃέŋkʊŋ] ⟪<schenken⟫ *f.* -en ①〖法〗증여: ~ auf den Todesfall 증여자 사후에 실행하기로 되어 있는 증여; ~ von Todes wegen 피증여자가 증여자보다 오래 산다는 전제 아래 성립되는 증여. ② 선물, 진상품; 기증품: eine ~ machen〔empfangen〕선물을 하다〔받다〕.

Schenkungs≈brief *m.* 증여 증서. **~steuer** *f.* 증여세. **~urkunde** *f.* 증여 증서. **~weise** *adv.* 선물〔증여〕하는 식으로, 선물로서.

Schenk≈wirt *m.*〖드물게〗술집 주인. **~wirtschaft** *f.* 술집, 주막(↑ Schankwirtschaft).

Scheol [ʃeóːl] 《hebr.》 *f.* (구약의) 저승.
schep [ʃɛp] *a.* (westd.) (schief) 비스듬한, 경사진.
Schepel *m.* -s, - (ndd.) ↑ Scheffel.
Scheper *m.* -s, - (ndd.) 목동(Schäfer).
schepp [ʃɛp] *a.* (md.) (schief) 비스듬한, 경사진.
scheppern [ʃέpərn] *i.* (h.) (obd.) 〖의성어〗 ① 달그락거리다, 덜커덩덜커덩 울리다: die leeren Eimer schepperten 빈 양동이들이 딸그랑거렸다; 〖경박〗 auf der Kreuzung hat es gescheppert 교차로에서 사고가 있었다. ② mit jm. ~ 누구와 재잘거리다.
Scher [ʃɛːr] *m.* -(e)s, -e 〖動〗 (obd.) 두더지.
Scher·baum [ʃéːr..] *m.* ① 〖방직〗 실 감는 굴대. ② (수레 등의) 채.
***Scherbe** [ʃέrbə] 《♧ Scherf, schroff, schürfen》 *f.* -n ① 파편, (깨진) 조각, 유리 조각: die ~n zusammenkehren 깨진 조각들을 쓸어 모으다; sich an einer ~ schneiden 유리 조각에 베이다; 〖속담〗 ~n bringen Glück 사기 그릇이 깨지면 재수가 좋다; in ~n gehen 부서지다, 박살나다; 〖비유〗 das Glück liegt in ~n 행복은 깨어지고 말았다. ② 〖고어〗 오지항아리〔단지〕; 화분. ③ 〖비속〗 단안경.
Scher·becken *n.* 면도용 세면대.
Scherbel[1] [ʃέrbəl] *f.* -n 〔*m.* -s, -〕 ↑ Scherbe의 축소형.
Scherbel[2] *f.* -n 〖경박〗 고물차, 똥차.
scherbeln 《Ⅰ》 *i.* (h.) ① 〖방언〗 춤추다. ② (schweiz.) 쨍그랑 소리가 나다. 《Ⅱ》 *t.* jm. eine ~ 〖경박〗 누구의 따귀를 한 대 때리다.
Scherben *m.* -s, - ① (südd., öst.) ↑ Scherbe. ② (südd.) 항아리, 화분. ③ 〖전문〗 유약바르기 전의 도자기.
scherben *t.* ① 〖구어〗 부수다, 깨뜨리다. ② (obd.) 받치다, (나무 등에) 버팀목을 대다.
Scherben·gericht *n.* (Ostrazismus) 도편(陶片) 추방제, 오스트라시즘(고대 아테네에서 위험 인물의 이름을 사기 조각이나 조가비에 적어서 투표하여 국외로 추방한 제도): über jn. ein ~ abhalten 누구를 여론 재판하다. **~haufen** *m.* 파편 더미: 〖비유〗 der Minister steht jetzt vor dem ~ seiner Politik 그 장관은 이제 자기가 펼친 정책의 뒤치다꺼리를 해야 할 입장이다. **~urteil** *n.* ↑ ~gericht.
Scherbett *n.* -(e)s, -e (Sorbett) 샤베트, 과즙 아이스크림.
Scher·beutel 〖고어〗 *m.* 면도칼 주머니. **~blatt** *n.* (전기 면도기의) 면도판.
***Schere**[1] [ʃéːrə] 《< Schar; scheren[1]》 *f.* -n ① 가위: Schneider∼ 재단용 가위; eine stumpfe 〔scharfe〕 ~ 무딘〔예리한〕 가위. ② 〖動〗 (새우·가재의) 집게발: 〖비유〗 den Feind in die ~ nehmen 적을 협공하다. ③ 〖체조〗 (안마에서) 두 다리를 교차하기. ④ 〖스포츠〗 두 다리로 상대방을 죄기. ⑤ 재갈의 양쪽으로 고삐와 연결되는 부분. ⑥ 〖은어〗 소매치기하는 손가락(대개 엄지와 약지). ⑦ (마차의) 한 쌍의 채 (↑ Gabeldeichsel).
Schere[2] 《↑ Schäre》 *f.* -n 암초.
***scheren**(*)[1] [ʃéːrən] (schor/scherte, geschoren/geschert) *t.* ① (동물의) 털을 깎다; (사람의) 머리를 깎다, 짧게 자르다: Schafe ~ 양털을 깎다. ② 깎아서 …한 형태로 만들다: jm. eine Glatze ~ 누구의 머리를 박박 밀다. ③ 깎아서 다듬다: eine Hecke ~ 나무 울타리를 깎아 다듬다. ④ jn. (um et.) ~ 누구에게 사기치다: sie wurden um 1000 Mark geschoren 그들은 1000 마르크를 사기당했다. ⑤ 〖방직〗 끄트머리를 잘라내다: einen Teppich ~ 양탄자의 삐죽삐죽한 끄트머리를 잘라내다. ⑥ (실을) 굴대에 감다. ⑦ 〖피혁〗 진피(眞皮)의 결체를 제거하다. ⑧ 〖비유〗 alles über einen Kamm ~ 모든 것을 획일적으로 다루다; 〖고어·비유〗 er weiß sein Schäfchen rechtzeitig zu ~ 그는 자기 이익을 잘 챙기는 사람이다.
scheren[2] 《Ⅰ》 *t./refl.* sich ~ (어디로) 가다: scher dich nach Hause! 집으로 가라!; 〖구어〗 scher dich zum Kuckuck〔Teufel〕! 꺼져! 《Ⅱ》 *i.* (s.) 〖海〗 항로를 벗어나다.
scheren[3] 《Ⅰ》 *refl.* 〖부정문의 형태로〗 sich ~ 신경쓰다, 관심을 갖다: sich nicht (den Teufel) um et.〔jn.〕 ~ 무엇에〔누구에게〕 전혀 신경쓰지 않다; 〖경박〗 ich schere mich nicht (einen Dreck) darum 그 따위엔 전혀 관심 없다. 《Ⅱ》 *t./imp.* es schert jn. nicht 누구와는 관계 없다, 누구의 관심을 끌지 않는다; was schert euch das? 그것이 너희들이랑 무슨 상관이니?
scheren[4] *t.* ① 〖스포츠〗 die Beine ~ (체조에서) 두 다리를 교차하다; (레슬링에서) 두 다리로 조르다; (농구에서) 이중 수비하다. ② 〖海〗 (밧줄을) 도르래에 걸다.
Scheren·arm *m.* 〖工〗 (가위의 팔처럼 여닫을 수 있는) 기계 부품. **∼artig** *a.* 가위 모양의. **~bahn** *f.* 〖스포츠〗 부채꼴 모양의 독일식 볼링 레인. **~deichsel** *f.* (말을 마차와 연결할 때 쓰는) Y 자형 수레채. **~fern·rohr** *n.* 〖軍〗 가위형 망원경, 쌍안경. **~futteral** *n.* 가위 주머니〔집〕. **~gitter** *n.* (밀어 접는) 철제 격자문. **~schlag** *m.* 〖축구〗 오버헤드 킥. **~schleifer** *m.* 칼(이나 가위 등을) 가는 사람. **~schnabel** *m.* 〖動〗 제비갈매기의 일종. **~schnitt** *m.* (종이나 천을) 오려 만든 것. **~treppe** *f.* (가위처럼) 접었다폈다 할 수 있는 계단. **~zaun** *m.* (가는 살을 엇비슷하게 엮어 짠) 빗살 담장〔울타리〕.
Scherer [ʃéːrər] 《< scheren[1]》 *m.* -s, - ① 이발사. ② 〖고어〗 외과 의사. ③ 양털 깎는 사람(Schaf∼). ④ 〖방직〗 털 다듬는 직공(Tuch∼).
Schererei [ʃeːrərái] *f.* -en 〔구어〕 불쾌, 번거로움, 짜증나는 일〔상황〕.
Scherf [ʃɛrf] 《♧ Scherbe》 *m.* -(e)s, -e 〖중세〗 소액의 동전(최소 단위의 절반이 되는 액수).
Scher·festigkeit *f.* 〖工〗 전단 응력(剪斷應力).
Scherflein [ʃέrflaɪn] *n.* -s, - ① ↑ Scherf. ② 소액의 성금〔기부〕: ein ~ für die Notleidenden 불우한 사람들을 위한 약간의 성금; sein ~ zu et. beitragen〔beisteuern, geben〕 무슨 일에 얼마간 기부하다.
Scher·gang *m.* 〖海〗 상갑판 밑의 최상부 현판(舷板).
Scherge [ʃέrgə] 《원뜻 „Scharführer"; ♧ Schar》 *m.* -n, -n ① 〖고어〗 정리(廷吏); 형리(刑吏). ② 〖폄어〗 (권력의) 앞잡이, 주구.
Schergen·dienst *m.* 〖구어〗 ~e leisten 권력의 앞잡이 노릇을 하다.
Scheriat·gesetz *n.* 이슬람교의 생활 계율.

Scherif [ʃerí:f] ⟪ar.⟫ *m.* -s/-en, -s/-(e)n ① 셰리프(마호메트 직계손의 칭호). ② 마호메트의 후예; (특히) 메카의 이슬람교주.

scherifisch *a.* 이슬람교주의.

Scher·kopf *m.* (전기 면도기의) 머릿부분. **~kraft** *f.* 〖工〗 전단력(剪斷力).

Scher·leine *f.* 〖海〗 예인망.

Scherling [ʃé:rlɪŋ] *m.* -s, -e 〔전문〕 (털을 깎아낸) 양의 모피.

Scher·maschine *f.* 전단기(剪斷機). **~maus** *f.* ① 〖動〗 수서(水鼠), 물쥐. ② (obd.) 두더지(Scher). **~messer** *n.* 깎는 도구; 면도날; (동물의) 털깎는 기계.

scherp *a.* (schweiz.) 건조한, 바삭바삭한.

scherpis *a.* (schweiz.) (schräg) 비스듬한, 삐딱한.

Scherwenzel [ʃɛrvɛ́ntsəl] *m.* -s, - 아첨(Scharwenzel).

scherwenzeln *i.* (h./s.) 아첨하다(scharwenzeln).

Scher·wolle *f.* 동물에서 깎아낸 털; 양모.

***Scherz**[1] [ʃɛrts] ⟪<scherzen⟫ *m.* -es, -e 농담, 익살, 놀림; 장난: ein alberner〔derber〕 ~ 황당한〔저속한〕 농담; ~ und Ernst 농담과 진담; auf einen ~ eingehen 무슨 농담에 응하다, 맞장구를 치다; aus 〔im, zum〕 ~ 장난〔농담〕으로; ~ beiseite! 진담이야!; mach keine ~e 〔keinen ~〕! 농담은 그만하고, 설마 진심은 아닐 테지!; das war ein schlechter ~ (그 상황에서) 그런 농담은 하지 말았어야 했는데; ohne ~! 이건 진심이야!; ~ mit jm. treiben 〔seinen ~ mit jm. haben〕 누구를 놀리다; sich[3] einen schlechten ~ mit jm. erlauben 누구를 우롱하다; über et. seine ~e machen 무엇을 우롱하다; er versteht keinen ~ 그는 어떤 농담도 기분 나빠 한다; solche und ähnliche ~e (나열하고 싶지 않은) 그렇고 그런 것들; 〔속담〕 aus ~ wird leicht Ernst 농담이 흔히 진담된다.

Scherz[2] *m.* -es, -e (öst., bair.) 빵조각(특히 빵의 양 끝부분을 잘라놓은 것).

scherzando [skɛrtsándo] ⟪it.⟫ *adv.* 〖음악〗 유쾌〔명랑〕하게, 장난스럽게.

Scherz·artikel *m.* (사육제 때 폭죽 등의) (어른) 장난감. **~bold** *m.* 〔구어〕 농담 잘하는 사람, 익살꾼, 장난 잘 치는 사람.

Scher·zeit *f.* (양의) 털 깎는 시기.

Scherzel [ʃɛ́rtsəl] *m.* -s, - (öst., bair.) ① ↑ Scherz². ② (홍두깨·대접·우둔 등의) 소의 뒷다리와 허리의 중간 부위 고기.

***scherzen** [ʃɛ́rtsən] ⟪I⟫ *i.* (h.) ① 농담하다, 익살부리다; 장난하다: er scherzte mit den Kindern 그는 아이들과 장난치고 있었다; Sie (belieben zu) ~! 원, 농담의 말씀을!; er läßt nicht mit sich ~ 그와는 농담할 수가 없다; damit ist nicht zu ~ 그것은 장난이 아니다; über jn. ~ 누구를 희롱하다, 놀림감으로 하다. ② 〔드물게〕 명랑하다, 재잘대다. ⟪II⟫ *t.* ① 농담으로 말하다. ② 〔고어〕 jn. ~ 누구를 조롱하다.

Scherz·frage *f.* 난센스 퀴즈. **~gedicht** *n.* 익살시(詩).

scherzhaft *a.* ① 농담의; 익살맞은, 우스꽝스러운; 조롱적〔야유적〕인, 놀리는: eine ~e Frage 장난기 있는 질문. ② 농〔해학〕을 즐기는; 명랑한, 쾌활한; 기분이 들뜬; 희롱하는.

scherzhafter·weise *adv.* 농(담)으로, 익살맞게, 우스꽝스럽게.

Scherzhaftigkeit *f.* 농담, 익살, 우스꽝스러움; 쾌활.

scherz·liebend *a.* 농을 즐기는. **~lied** *n.* 해학가(歌), 희시(戲詩). **~macher** *m.* 농담〔익살〕꾼. **~name** *m.* 별명.

Scherzo [skɛ́rtso] ⟪it.; ↑ Scherz¹⟫ *n.* -s, -s/..zi 〖음악〗 ① 스케르초(익살스러우며 빠르고 경쾌한 곡). ② (대개 피아노용의) 짧고 명랑한 곡.

scherzoso [skɛrtsó:zo] *adv.* 〖음악〗 ↑ scherzando.

Scherz·rätsel *n.* 난센스 퀴즈. **~rede** *f.* ① 만담, 재미있는 연설. ② 농담, 희롱. **~weise** *adv.* 농담〔장난〕으로. **~wort** *n.* 〔복수: -e〕 농담.

Schese [ʃé:ze] ⟪frz.⟫ *f.* -n 〔방언〕 말 한 필이 끄는 마차; 우편 마차.

schesen [ʃé:zən] ⟪frz.⟫ *i.* (s.) ① 〔구어〕 (md., nordd.) 서두르다, 급히 가다. ② (obd.) 춤추다.

***scheu** [ʃɔʏ] *a.* ① 소심한, 겁많은; 수줍은; (동물이) 사람을 꺼리는: ein ~es Kind 수줍은 아이; ein ~er Blick 겁먹은〔수줍은〕 시선. ② 경외하는: in ~er Andacht kniete das Kind nieder 그 아이는 무섭고 떨리는 마음으로 무릎을 꿇었다. ③ (말이) 놀라 날뛰는, 질겁하는: ein ~es Pferd 잘 놀라는 말; die Pferden wurden ~ und schlugen aus 말들이 놀라 발길질을 했다; 〔비유〕 mach mir nicht die Pferde ~! 내가 하는 일을 방해하지 마라!

***Scheu** *f.* ① 두려움, 공포, 겁; 수줍음; 어려워함, 주눅듦; 꺼림, 싫어함: seine ~ überwinden 두려움을 극복하다; er hatte keine ~, dort hinzugehen 그는 그곳에 가는 것을 겁내지 않았다; sie schwieg aus ~ 그녀는 겁이 나서 입을 다물었다; ohne Scham und ~ 뻔뻔스럽게; voller ~ 두려움에 가득 차; ~ vor jm. haben〔empfinden〕 누구를 두려워하다, 꺼리다. ② 경외(심): die heilige ~ 외경심.

scheuch [ʃɔʏç] *a.* (obd.) ↑ scheu.

Scheuche [ʃɔ́ʏçə] *f.* -n 허수아비(Vogel∼).

scheuchen [ʃɔ́ʏçən] *t.* ① 쫓아 버리다: er scheucht die Hühner aus dem Garten 그는 닭들을 정원에서 몰아낸다. ② 어디로 몰(아대)다: die Kinder in die Schule ~ 아이들을 다그쳐 학교에 보내다. ③ (obd.) ↑ scheuen.

Scheuel [ʃɔ́ʏəl] *n./m.* -s, - 〔다음 용법으로만〕〔고어〕 Greuel und ~ 혐오; 전율.

***scheuen** [ʃɔ́yən] ⟪I⟫ *t.* 꺼리다; 두려워하다, 겁을 내다; 피하다, 멀리하다: die Arbeit ~ 일하기를 꺼리다; ich scheue jeden Streit 나는 어떤 싸움이든 피한다; er scheut keine Mühe, ihr zu helfen 그는 어떤 수고도 마다하지 않고 그녀를 돕는다; 〖聖〗 tue recht und scheue niemand 옳은 일을 하면 두려울 것이 없다. ⟪II⟫ *refl.* sich vor jm.〔et.³〕 ~ 누구를〔무엇을〕 두려워하다, 꺼리다: sich vor keiner Arbeit ~ 그 어떤 일도 망설이지 않고 하다; sich nicht ~, et. zu tun 대담하게〔단호히〕 무엇을 하다; sie scheut sich vor niemandem 그녀는 아무도 두려워하지 않는다. ⟪III⟫ *i.* (h.) (말이) 놀라 날뛰다: die Pferde scheuten vor der Lokomotive 말들이 기관차에 놀라 날

뛰었다. 《Ⅳ》**gescheut** *p.a.* ↑ gescheut.

Scheuer [ʃɔ́ʏər] *f.* -n (obd.) ① ↑ Scheune. ②〔고어〕 차양, 차일.

Scheuer⸗besen 《<scheuern》 *m.* (nordd.) 자루가 긴 청소용 솔. **~bürste** *f.* 청소용 솔〔먼지떨이〕. **~faß** *n.* 청소함. **~frau** 〔구식〕 *f.* 청소부. **~kraut** *n.* 『植』 속새. **~lappen** *m.* 걸레. **~leiste** *f.* ① 장식 머름. ② 『海』 (정박 때 충격 방지용) 보호대. **~magd** *f.* ↑ ~frau.

Scheuermann·krankheit [ʃɔ́ʏərman..], **Scheuermannsche Krankheit** *f.* 『醫』 쇼이어만병(치료하지 않으면 곱추가 되는 척추병; 덴마크의 정형 외과 의사 H.W. Scheuermann 의 이름에서).

***scheuern** [ʃɔ́ʏərn] 《Ⅰ》 *t.* ① 문질러 닦다, 닦아 없애다, 청소하다: den Fußboden ~ 마루를 닦다, 훔치다; die Stube weiß〔sauber〕 ~ 방을 깨끗이 청소하다; Flecken von den Fingern ~ 손가락에 묻은 얼룩을 닦아내다. ② (살갗을) 쓸리게 하다; (어디에 몸을) 비벼대다: die Stiefel ~ (mir) meine Ferse wund 장화에 (내)발뒤꿈치가 쓸려 생채기가 난다; er scheuerte seinen Rücken an dem Baum 그는 나무에 등을 문질렀다. ③〔경박〕 jm. eine ~ 누구의 따귀를 한 대 때리다: 〔경박〕 eine gescheuert kriegen〔bekommen〕 따귀를 한 대 얻어맞다. 《Ⅱ》 *refl.* sich an et.³ ~ 무엇에 몸을 문지르다, 살갗이 쓸리다: das Schwein scheuert sich an der Wand 돼지가 몸을 벽에 비벼대고 있다. 《Ⅲ》 *i.* (h.) 문질러지다, 쓸리다: der Kragen scheurt (am Hals, mich am Hals, mir den Hals) 옷깃에 (목의) 살갗이 쓸린다.

Scheuer⸗papier *n.* 사포, 연마지(研磨紙). **~prahm** *m.* 외현(外舷) 청소용 보트. **~sand** *m.* ① (모래를 함유한) 청소 세제. ② 세제용 모래. **~stein** *m.* 연마석(石), (갑판을 닦는) 사암(砂岩). **~tag** *m.* 청소일.

Scheuer·tor *m.* 광〔헛간〕의 문.

Scheuer·tuch *n.*, **~wisch** *m.* ↑ ~lappen.

Scheu⸗klappe *f.*, **~leder** *n.* ① (말의) 가죽 눈가리개. ②〔비유〕 ~n (vor den Augen) haben, mit ~n herumlaufen, mit ~n durchs Leben gehen 자신의 좁은 생각에서 벗어날 줄을 모르다.

scheulos *a.* 두려워하지〔꺼리지〕 않는.

***Scheune** [ʃɔ́ʏnə] *f.* -n 곡물 창고, 광, 헛간: 〔경박〕 wie die Kuh 〔der Ochs〕 vorm ~ dastehen 대책 없이 멍하니 서 있다.

Scheunen⸗drescher *m.* 타작 인부: 〔다음의 용법으로〕 er frißt wie ein ~ 그는 대식가다. **~tenne** *f.* 타작 마당. **~tor** *n.* 곡물 창고〔헛간〕의 문: 〔농담〕 ein Mund, so groß wie ein ~ 왕창 큰 입. **~viertel** *m.* 빈민굴.

Scheu·rebe *f.* 『포도재배』 ① 쇼이 포도(실바너와 리슬링의 접종). ② 쇼이 포도로 만든 포도주(독일의 포도 육종가 G. Scheu 의 이름에서).

Scheurer 《<scheuern》 *m.* -s, - 문질러 닦는 사람, 청소부(夫).

Scheusal [ʃɔ́ʏza:l] 《<scheuen》 *n.* -s, -e/(구어) ..säler [..zɛ:lər] ① 괴물, 요괴. ② 흉악〔끔찍〕한 사람; 〔욕설〕 du ~! 이 흉악한 놈아! ③〔방언〕 허수아비.

***scheußlich** [ʃɔ́ʏslɪç] 《Ⅰ》 *a.* ① **(a)** 소름 끼치는, 섬뜩한; 징그러운, 추악한; 잔인한, 끔찍한: ein ~er Anblick 끔찍한 광경; das riecht ja ~ 냄새 한번 고약하네. ② 천한, 야비〔비열〕한: ~es Verbrechen 비열한 범죄. ③ 〔구어〕 싫은; 불편한; 괴로운: wir sind in einer ~en Lage 우리는 난처한 입장에 있다. 《Ⅲ》 *adv.* 〔강조〕 대단히, 매우: er war ~ betrunken 그는 지독히도 취해 있었다.

Scheußlichkeit *f.* -en ① 끔찍함, 흉악, 추악. ② 거친 언행, 난폭한 태도. ③ 조야〔몰취미〕한 것.

Schi [ʃi:] 《norweg. ski》 *m.* -s/(öst.) -(s), -er/(드물게) - 스키(Ski).

Schibbeke [ʃíbəkə] 《sl.》 *f.* -n (md.) 라일락 나무의 일종, 또는 그 열매.

Schibbike [ʃíbɪkə] *f.* -n ↑ Schibbeke.

Schibboleth [ʃɪbó:lɛt] 《hebr., „Ähre"》 *n.* -s, -e/-s 암호(사사기 12:5-6).

Schi·bob *m.* 스키봅(스키가 달린 레저용 썰매차(車)).

***Schicht** [ʃɪçt] *f.* -en ① 층, 켜; 『지질』 지층; 겉껍질, 외피; 막(膜): eine dicke〔dünne〕 ~ 두터운〔열은〕 층; die obere〔untere〕 ~ 상층〔하층〕; eine ~ Holz 목재 한 층; in ~en setzen 포개어 쌓다. ② 사회 계층: Bildungs∼ 교양 계층; Führungs∼ 지도층; Ober∼ 상류층; in allen ~en der Gesellschaft 사회의 모든 계층에서. ③ 교대 근무〔작업〕 시간: der Betrieb arbeitet in 3 ~en 이 공장은〔회사는〕 3 교대로 작업한다; er hat jetzt ~ 〔ist auf ~〕 그는 지금 근무 중이다; er muß zur ~ 그는 근무 교대하러 가야 한다; 『광산』 eine ~ verfahren 교대 근무하러 입갱(入坑)하다. ④ 교대 근무조〔작업조〕: die erste ~ wird bald abgelöst 제 1 근무조는 곧 교대된다. ⑤〔드물게〕 휴식, 중간 휴게: mit et.³ ~ machen 무엇을 그만두다; ~ ist's! 작업 중지!

Schicht⸗arbeit *f.* 교대 근무〔작업〕. **~arbeiter** *m.* 교대 근무 근로자. **~arbeiterin** *f.* ↑ ~arbeiter 의 여성형. **~betrieb** *m.* 교대 근무제 경영〔사업체〕. **~dienst** *m.* 교대 근무.

Schichte [ʃɪ́çtə] *f.* -n (öst.) ↑ Schicht ①.

schichten [ʃɪ́çtən] 《<Schicht》《Ⅰ》 *t.* ① 층층이 쌓다, 쌓아올리다: Holz〔Steine〕 ~ 나무를〔돌을〕 쌓아올리다. ② 『제련』 (용광로에 광석을) 채워 넣다. 《Ⅱ》 *refl.* sich ~ 포개지다, 겹치다: die Wolken fingen nun an, sich unmerklich zu teilen und zu ~ 구름은 이제 눈에 띄지 않게 흩어졌다 모였다 하기 시작했다. 《Ⅲ》 *i.* (h.) ① 『지질』 지층을 형성하다. ② (젖니가) 빠지다: der Junge schichtet 그 꼬마는 이갈이를 한다.

Schichten⸗bildung *f.* 『지질』 지층 형성, 성층(成層). **~folge** *f.* 층서(層序), 층위(層位). **~kopf** *m.* 『지질』 노두(露頭). **~kunde** *f.* 지층학. **∼spezifisch** *a.* 〔사회〕 특정 계층 특유의. **∼weise** *adv.* ↑ schichtweise.

Schicht⸗gestein *n.* 퇴적〔침적〕암. **~holz** *n.* ① 합판. ② 쌓아놓은 목재〔장작〕.

schichtig [ʃɪ́çtɪç] 《<Schicht》 *a.* ① 층을 이루는, 얇은 널판 모양의. ② (geschickt) 능숙한, 민첩한.

..schichtig *suf.* "층·겹"의 뜻(보기: mehr~ 다층적인, 여러 겹의).

Schicht⸗käse *m.* 저숙성 치즈의 일종(여러 층으로 되어 있고 층마다 지방 함유량이 다름). **~linie** *f.* 등고선.

Schicht≈lohn *m.* 교대 근무제에 따른 임금. **~löhner** *m.* ↑ ~arbeiter. **~meister** *m.* (교대 근무의) 작업 조장. **~preß·stoff** *m.* 〖工〗 적층(積層) 압축재〔플라스틱〕. **~schluß** *m.* (교대 근무에서) 조별 작업 종료. **~-spezifisch** *a.* ↑ schichtenspezifisch. **~stoff** *m.* ↑ ~preßstoff. **~stufe** *f.* 〖지질〗 단층애(崖).

Schichtung [ʃíçtuŋ] *f.* -en ① 층층이 쌓기; 지층 형성, 퇴적: die ~ des Gebirges 겹겹이 늘어선 산. ② (사회) 계층의 형성, (사회의) 계층화: die soziale ~ des deutschen Volkes 독일 국민의 사회적 계층화. ③ (어린이의) 간니 형성.

Schicht≈unterricht *m.* 2부제 수업. **~-wechsel** *m.* 작업조의 교대. **~weise** *adv.* ① 층층이, 층 모양으로; 차곡차곡: et. ~ übereinanderlegen 무엇을 층층이〔차곡차곡〕 쌓다. ② 조별로, 그룹별로: ~ arbeiten 조별로 작업하다. **~wolke** *f.* 층운(層雲), 층구름. **~zahn** *m.* 젖니. **~zeit** *f.* 교대 시간.

schick [ʃɪk] 《frz.》 *a.* ① 세련된, 유행을 따른; 우아한, 멋진: sich ~ anziehen 세련된 옷차림을 하다; die ~e Gesellschaft 〖평어〗 상류 사회. ②〖경박〗 폼나는, 예쁜: ein ~er Typ 근사한 타입. ③〖구어〗 좋은, 훌륭한: das ist ~, daß du da bist 네가 와서 좋구나.

Schick 《<schicken》 *m.* -s, - ① 우아, 세련; 우아한〔세련된〕 태도: ~ haben 옷을 세련되게 입을 줄 알다; Männer mit Charme und ~ 매력적이고 세련된 남성들; der ~, mit dem er Zigaretten hielt 그가 담배를 들고 있을 때의 멋있는 모습. ②〖방언〗 정돈, 질서; 건강미: wieder ~ in et. bringen 무엇을 다시 정돈하다; er hat seinen (richtigen) ~ nicht 그는 제정신이 아니다. ③ (schweiz.) 유리한 사업; 이익이 되는 일.

***schicken** [ʃíkən] 《ndd.》《I》 *t.* ① (물건을) 보내다; 부치다: ein Paket ~ 소포를 보내다; eine Einladung ~ 초대장을 보내다; jm. Geld ~ 누구에게 돈을 부치다. ② (사람을) 보내다: seinen Vertreter ~ 대리인을 보내다; jn. auf (die) Reisen ~ 누구를 여행 보내다; jn. in den April ~ 누구를 놀리다; die Kinder ins 〔zu〕 Bett ~ 아이들을 잠자리에 보내다〔재우다〕; jn. ins Parlament ~ 누구를 의원으로 선출하다; jn. ins Elend ~ 누구를 불행 속에 몰아넣다; jn. in den Tod ~ 〔die andere Welt ~〕 누구를 살해하다; jn. zum Teufel 〔in die Wüste〕 ~ 누구를 쫓아내다, 파면하다; jn. zur Kur ~ 누구를 요양하러 보내다; jm. jn. 〔et.〕 über den Hals ~ 누구에게 어떤 귀찮은 사람〔물건〕을 떠맡기다; er schickt um Geld 그는 돈을 받기 위해 사람을 보낸다; ein Kind auf die höhere Schule ~ 아이를 상급 학교에 보내다. ③ (신이) 섭리하다: Gott hat es so geschickt 그것은 신의 섭리다; der Zufall schickte es 그것은 우연이었다. 《II》 *refl.* sich ~ ① sich in et. ~ 무엇에 순응하다〔따르다〕: sich in sein unabänderliches Schicksal ~ 바꿀 수 없는 운명에 순응하다. ② 어울리다, 알맞다; (특히) 예의〔관습〕에 들어맞다: es schickt sich nicht, in die Nase zu bohren 코를 후비는 것은 무례한 짓이다; das schickt sich nicht! 그러면 못쓴다!; sich für et. 〔zu et.³〕 ~ 무슨 일에 (알)맞다, 어울리다; eines schickt sich nicht für alle! 십인십색(十人十色)!(모든 사람을 동일한 척도로 재어서는 안 된다). ③ 일어나다, 무슨 일이 잘 되어가다: (je) nachdem es sich schickt 사정이 허락하는 대로. ④ sich auf et. 〔zu et.³〕 ~ 무엇을 부지런히 준비하다, 무엇에 착수하다. ⑤ (bayr.) 서두르다. 《III》 *i.* (h.) (md.) ① nach jm.〔et.³〕 ~ 누구를〔무엇을〕 데리러〔찾으러〕 보내다: nach dem Arzt ~ 의사를 데리러 사람을 보내다. ② 어울리다, 적합하다. ③ 충분하다. 《IV》 **geschickt** *p.a.* ↑ geschickt.

schicker 《jidd.》 *a.* 약간〔얼근하게〕 취한.

Schickeria [ʃɪkəríːa] 《it.》 *f.* 〖구어〗 (옷 잘 입는) 상류 사회〔층〕.

Schicke·tanz *m.* 무례한〔버릇 없는〕 사람.

Schickimicki *m.* -s, -s 〖구어〗 유행에 맞는 옷차림을 유난히 중시하는 사람.

schicklich [ʃíklɪç] 《<schicken》 *a.* ①〖雅語〗 예의〔예절〕바른, 알맞은; 적당〔적절〕한: ~es Betragen 예의바른 태도; einen ~en Grund haben, et. (nicht) zu tun 어떤 것을 해야〔하지 말아야〕 하는 적절한 이유가 있다; das ist nicht ~ 그것은 예의〔관습〕에 어긋난다. ② (obd., ndd.) 쉬운, 힘들지 않은.

Schicklichkeit *f.* 〖雅語〗 ① 예의바름; 적절. ② 쉬움, 용이.

Schicklichkeits·gefühl *n.* 예의 감각〔의식〕.

***Schicksal** [ʃíkzaːl] 《<schicken》 *n.* -s, -e ① 운명, 숙명, 팔자: ein böses ~ 불운; ein trauriges ~ haben〔erleiden〕 müssen 비운을 겪어야만 하다; sein ~ hinnehmen 운명을 받아들이다; das gleiche ~ erleiden 똑같은 운명을 겪다; 〖농담〗 es ist anscheinend mein ~, immer zu spät zu kommen 항상 지각하는 것이 내 팔자인 모양이다; jn. seinem ~ überlassen 누구를 운명에 맡기다(더 이상 돌보지 않다). ② 운명의 신〔힘〕: das ~ wollte es, daß ... 운명이 …을 원했다; ein gütiges ~ hat ihn vor dem Tod bewahrt 그는 운이 좋아서 죽음을 면했다; das ~ hat es gut mit ihm gemeint 그는 운이 좋았다; er ist vom ~ geschlagen 그는 가혹한 운명을 겪어야만 했다; 〖구어〗 ~ spielen 어떤 일을 스스로 개척〔극복〕하려고 애쓰다.

schicksalhaft *a.* 운명적〔숙명적·결정적〕인.

Schicksals≈deuter *m.* 예언자, 점술가. **~-drama** *n.* 〖문학〗 운명극. **~ergeben** *a.* 운명에 내맡겨진. **~faden** *m.* 운명의 가닥〔흐름〕. **~frage** *f.* 결정적인 문제. **~fügung** *f.* 하늘의 섭리, 천명(天命). **~gang** *m.* 운명의 행보〔변천〕. **~gefährte** *m.* 운명의 동반자. **~gefährtin** *f.* ↑ ~gefährte 의 여성형. **~gemeinschaft** *f.* 운명 공동체. **~genosse** *m.* ↑ ~gefährte. **~glaube** *m.* 숙명론. **~-göttin** *f.* 운명의 여신: die ~nen 운명의 3 여신. **~linie** *f.* (손금의) 운명선. **~prüfung** *f.* 운명의 시련. **~reich** *a.* 파란곡절이 많은. **~schlag** *m.* 운명의 시련, 불행. **~-schwanger** *a.* 전조(前兆)의, 불길한. **~-schwer** *a.* 숙명적인, 파국적인, 대단원의. **~schwestern** *pl.* 운명의 3 여신. **~stern** *m.* 운명성(星). **~tag** *m.* 운명〔최후〕의 날. **~tragödie** *f.* 운명 비극. **~verbunden** *a.* 운명 공동체인. **~verbundenheit** *f.* 운명 공동체임, 운명적 관계. **~voll** *a.* 〖雅語〗 파

란만장한; 중요한 사건이 많은. **~wahl** *f.* 운명의〔중대한〕 선택. **~wechsel** *m.* 운명의 성쇠〔뒤바뀜〕. **~wende** *f.* 운명의 전환점. **~wort** *n.* 〖복수: -e〗 신의 계시, 신탁(神託).

schicksam 《<schicken》 *a.* (ndd.) ↑ schicklich.

Schick·schuld *f.* 〖法〗 송부(送付) 채무(↔ Bringschuld).

Schickse [ʃíksə] 《jüd., „Christinnen" < hebr., „Greuel"》 *f.* -n 〖구어·폄어〗 ① (멍청한) 여자애, (귀찮은) 여자. ② 바람둥이 여자.

Schicksel [ʃíksəl] *n.* -s, - ↑ Schickse.

Schickung [ʃíkʊŋ] 《<schicken》 *f.* -en 운명; 신의 뜻, 섭리, 천명: bittere ~ 가혹한 운명; eine ~ Gottes 신의 섭리.

Schieb·deckel *m.* 미닫이식 뚜껑; 미닫이(문).

Schiebe=barriere *f.* 〖철도〗 미닫이 횡목〔철책〕. **~bock** *m.* 〖방언〗 손수레. **~bühne** *f.* ①〖철도〗 천차대(遷車臺). ②〖연극〗 이동식 무대. **~dach** *n.* 〖車〗 선루프. **~deckel** *m.* 미닫이식 뚜껑. **~fenster** *n.* 미닫이 창. **~karre** *f.*, **~karren** *m.* 손수레.

schieben [ʃíːbən] (schob, geschoben) 《Ⅰ》 *t.* ① 밀다, 밀치다, 밀어 집어넣다; 밀어 옮기다: den Karren ~ 손수레를 밀다; et. zur Seite ~ 무엇을 한쪽으로 밀다; et. in die Höhe ~ 무엇을 밀어 올리다; et. in den Mund ~ 무엇을 입 속에 넣다. ② (사람을 어디로) 떼밀다, 보내다, 쫓아내다: jn. aus einem Zimmer ~ 누구를 방에서 내보내다; 〖비유〗 er muß immer geschoben werden 그는 무슨 일이든 알아서 하는 법이 없다; 〖속담〗 der letzte hat noch nicht geschoben 최후의 승자가 진짜 승자다. ③ (책임을) 전가하다; 미루다, 연기하다: du schiebst immer alles auf andere〔den Mangel an Zeit〕 너는 항상 모든 일을 다른 사람들〔시간 부족〕 탓으로 돌린다; eine Arbeit von einem Tag auf den anderen ~ 어떤 일을 하루하루 미루다; eine Last von sich ~ 부담을 면하게 되다; 〖속담〗 er glaubt zu ~ und wird geschoben 약빠른 고양이 밤눈 어둡다; Wechsel ~ 어음 지급을 연기하다; er schiebt alles auf die lange Bank 그는 만사를 질질 끈다. ④〖사냥〗 Gehörn〔Geweih〕 ~ (노루·사슴 등이) 뿔이 나다. ⑤ 암거래하다: Waren ~ 상품을 암거래하다. ⑥ 살짝 넣다, 슬쩍 틀어박다〔넣다〕: jm. einige Mark in die Hand ~ 누구의 손에 몇 마르크의 돈을 슬쩍 쥐어주다. ⑦〖구어〗 (행)하다: Kohldampf ~ 굶주리다, 배고프다; 〖軍〗 Wache ~ 보초를 서다; wir werden die Sache schon ~ 우리들은 그 일을 곧 해치울 것이다. 《Ⅱ》 *i.* (s./h.) ① 〖경박〗 느릿느릿 걷다, 어슬렁거리다: durch eine Gegend ~ 어느 지역을 배회하다. ②〖농담〗 흔들고〔춤추고〕 다니다: übers Parkett ~ 무도장 위를 춤추며 다니다. ③ 암거래하다: Er schiebt mit Drogen 그는 마약 밀매를 한다. ④〖카드〗 패스하다, 카드를 보이지 않게 다음 사람에게 넘기다. ⑤ (사슴의) 뿔이 나다; (나무의) 잎이 생기다. 《Ⅲ》 *refl.* sich ~ ① 떠밀리다, 밀쳐지다: das Buch hat sich dahinter geschoben 책이 그 뒤에 처박히고 말았다; die Menge schob sich durch die Türen 군중은 떠밀려서 문들을 통과했다. ②〖商〗 부당 이익을 얻다.

Schieber [ʃíːbər] *m.* -s, - ① 미는 사람; (독일식 볼링에서) 던지는 사람. ② 목에 멍에를 맨 소. ③ 빗장; 미닫이식 뚜껑; 미닫이 서랍〔문〕; 지퍼의 손잡이; (난로의) 통기공(通氣孔); (증기 기관 등의) 활판(滑瓣); 제빵용 긴자루 삽 (Brot∼); 손수레; (음식을 수저에 올려 주는) 소아용 식기 보조 도구; 〖軍〗 (가늠자의) 유표(遊標) (Visier∼). ④ 암거래상, 밀매업자. ⑤〖구어〗 (댄스에서) 원스텝.

Schieberei *f.* -en ① 밀기. ② 사기. ③ 밀매.

Schieber=geschäft *n.* 〖구어〗 부정 매매, 암거래. **~mütze** *f.* 〖구어〗 (여행·스포츠용) 차양 모자.

Schiebe=ring *m.* 활동륜(滑動輪). **~tür** *f.* 미닫이문. **~ventil** *n.* 〖기계〗 활판(滑瓣). **~vorrichtung** *f.* 활동(滑動) 장치. **~wand** *f.* 미닫이 벽, 칸막이; 〖연극〗 이동 무대 장치. **~widerstand** *m.* 〖전기〗 가변 저항.

Schieb=fach [ʃíːp..] *n.* 서랍. **~fenster** *n.* ↑ Schiebefenster. **~karre** *f.* ↑ Schiebekarre. **~kasten** *m.*, **~lade** *f.* ① 서랍. ② 서랍 달린 상자. **~lehre** *f.* 〖工〗 캘리퍼스.

Schiebung [ʃíːbʊŋ] 《<schieben》 *f.* -en ① 부당 특혜. ②〖카드〗 반칙, 부정 행위. ③ 암거래, 불공정 거래. ④〖理〗 응전(應剪) 변형.

schiech [ʃiːç] *a.* (obd.) ① 끔찍한, 추한. ② 화난, 성질부리는.

schied [ʃiːt] ↑ scheiden 의 과거형.

schiedig [ʃíːdɪç] *a.* (schweiz.) 빠른, 신속한, 가벼운.

schiedlich [ʃíːt..] *a.* 〖드물게〗 평화적인, 온화한.

Schieds=gericht [ʃíːts..] *n.* ①〖法〗 중재 기관〔위원회〕. ②〖스포츠〗 **(a)** 최고 중재 위원회. **(b)** 심판단. **~gerichtbarkeit** *f.* 중재 재판. **~klausel** *f.* 〖政〗 중재 약관(約款). **~mann** *m.* ①〖法〗 중재인(Friedensrichter). ②〖스포츠·드물게〗 심판. **~richter** *m.* ① 중재 재판관. ②〖스포츠〗 심판.

Schiedsrichter=ball *m.* 〖구기〗 (경기를 속개하기 위해 심판이 던지는) 점프볼. **~beleidigung** *f.* 심판 모독. **~entscheidung** *f.* 심판의 판정.

schieds=richterlich *a.* 심판의, 중재 재판(관)의. **~richtern** *i.* (h.) 중재하다, 심판을 보다. **∼richter·stuhl** *m.* (테니스 등의) 심판석〔대〕. **∼spruch** *m.* 〖法〗 중재 판정. **∼stelle** *f.* 〖法〗 중재 기관. **∼urteil** *n.* ↑ ∼spruch. **∼verfahren** *n.* 중재 판결 절차. **∼vertrag** *m.* 〖法〗 중재 계약.

schief [ʃiːf] 《germ.》 *a.* ① 비스듬한, 기울어진; 굽은; 비틀린; 젖혀진: ~er Blick 사팔눈; die ~e Ebene 경사면; der ∼e Turm zu Pisa 피사의 사탑; auf die ~e Ebene〔Bahn〕 geraten 삐딱한 길로 빠지다, 탈선하다; ein ~es Gesicht machen 얼굴을 찡그리다; einen ~en Mund ziehen〔machen〕 입을 비쭉거리다; et. ~ anfangen 무엇을 시작부터 잘못하다; 〖구어〗 jn. ~ ansehen 누구를 삐딱한〔의심하는〕 눈초리로 쳐다보다; 〖비유〗 sich ~ lachen 포복절도하다; 〖구어〗 ~ liegen (놀음판에서) 실수하다; et. ~ nehmen 무엇을 나쁘게 생각하다; ~ urteilen 그릇된 판단을 내리다; der Tisch steht ~ 이 책상은 기울어져 있다; es geht alles ~ bei ihm 그는 모든 일이 뜻대로 안 된다; es steht ~ darum 거기에는

잘못된 것이 있다; 〖구어〗 er hat ~ geladen 그는 취해 있다; 〖비유〗 ein bißchen ~ ist englisch 모자를 약간 비스듬히 쓰는 것은 멋지다; da bist du ~ gewickelt 그건 네가 크게 잘못 생각하고 있다. ② 〖비유〗 잘못된, 어긋난; 그릇된, 왜곡된: ~e Ansicht 그릇된 견해; aus einem ~en Gesichtswinkel 잘못된 관점에서; das wirft ein ~es Licht auf ihn 그것은 그를 오해하게 만든다. ③ 의심스러운, 애매한: in eine ~e Lage geraten 의심을 받는 처지에 놓이게 되다. ④ 〖드물게〗 악의 있는, 고집이 센; 시기하는.

schief⸗beinig *a.* 안짱다리의. **⁓blatt** *n.* 〖植〗 (Begonie) 추해당(秋海棠), 베고니아.

Schiefe [ʃíːfə] 《<schief》 *f.* ① 기울어짐; 경사, 사면(斜面). ② 〖비유〗 오류; 부정, 사악; 곡해; 솔직하지 못함.

***Schiefer** [ʃíːfər] 《원뜻 "Bruchstück"》 *m.* -s, - ① 〖광물〗 편암(片岩); 석판, 슬레이트; 점판암(粘板岩): kristallinischer ~ 결정 편암; ein Dach mit ~ decken 천연 슬레이트로 지붕을 덮다. ② (obd.) 쪼개진 나뭇조각.

Schiefer⸗arbeiter *m.* 석판공, 슬레이트공. **⁓artig** *a.* 편암질(片岩質)의, 편암 모양의. **~bank** *f.* 〖복수: ..bänke〗 편암층. **~blatt** *n.* 석판; 슬레이트판. **~boden** *m.* 점판암질 토양. **~bruch** *m.* 점판암 채취장. **~dach** *n.* 석판〔천연 슬레이트〕 지붕. **~decker** *m.* (obd.) 석판으로〔천연 슬레이트로〕 지붕 이는 사람, 기와장이. **⁓farben** *a.* 회청색의. **⁓farbig** *a.* ↑ ⁓farben. **~gebirge** *n.* 점판암질 산맥. **⁓grau** *a.* 회청색의. **~griffel** *m.* ↑ ~stift. **⁓haltig** *a.* 편암질의.

schieferícht *a.* ↑ schieferig.

schieferig [ʃíːfərɪç] 《<Schiefer》 *a.* ① 편암상(片岩狀)의, 편암질(質)의, 슬레이트 모양의. ② 슬레이트로 인. ③ 박편(薄片)으로 쪼개지는. ④ 〖고어〗 언짢은.

Schiefer·kohle *f.* 경탄(硬炭) (불연성 물질이 많이 함유된 저질 석탄).

schiefern[1] [ʃíːfərn] 《<Schiefer》 《I》 *i.* (h.)/*refl.* (sich) ~ 얇게 쪼개지다. 《II》 *t.* (비료로서) 점판암을 부수어 뿌리다: Weinbau ~ 포도밭에 점판암 박편을 뿌리다.

schiefern[2] *a.* ① 편암〔점판암〕으로 된, 슬레이트〔석판〕의. ② ↑ schieferfarben.

Schiefer⸗öl *n.* 〖광물·化〗 셰일유(油). **⁓papier** *n.* 지석판(紙石板). **~platte** *f.* 슬레이트판, 석판. **~schicht** *f.* 편암층. **⁓schwarz** *a.* 검은 빛이 도는 슬레이트색의. **~stein** *m.* ① 슬레이트, 석판. ② ↑ ~stift. **~stift** *m.* 석필(石筆). **~tafel** *f.* (칠판용) 석판. **~ton** *m.* 〖광물〗 이판암(泥板岩), 점토암.

Schieferung [ʃíːfərʊŋ] *f.* -en 얇게 벗겨짐; 〖광물〗 편리(片理).

Schiefer·wand *f.* 슬레이트벽(壁).

schief⸗|gehen* [ʃíːfgeːən] *i.* (s.) 〖구어〗 (일이) 실패하다: bei ihm geht alles shief 그는 되는 일이 없다; 〖농담〗 nur Mut, es wird schon ~! 힘을 내라, 잘 될 것이다! **~geladen** *a.* 〖구어〗 술에 흠뻑 취한(betrunken). **~gewickelt** *a.* 〖구어〗〖다음 용법으로〗 ~ sein 크게 오해〔착각〕하다: wenn du glaubst, ich würde das tun, da bist du (aber) ~! 내가 그 일을 할 것으로 생각한다면 그건 대단한 착각이다! **⁓hals** *m.* 〖醫〗 사경(斜頸). **~halsig** *a.* 목이〔고개가〕 비뚤어진.

Schiefheit [ʃíːfhaɪt] *f.* -en ① 비스듬함, 비뚤어짐, 기울어진 상태. ② 부정확성, 어긋난〔옳지 않은〕 표현.

Schiefigkeit 《<schief》 *f.* -en ↑ Schiefheit.

Schief⸗kopf *m.* 〖구식〗 ① 목비뚤이; 〖醫〗 사경(斜頸). ② 〖비유〗 마음이 비꼬인 사람, 시기심이 강한〔삐딱하게 생각하는〕 사람. **⁓|lachen** *t./refl.* 〖구어〗 sich ~ 자지러지게 웃다, 폭소를 터뜨리다. **~|laufen** 《I》 *t.* ↑ ~treten. 《II》 *i.* (s.) 〖구어〗 ↑ ~gehen. **~|liegen** *i.* 〖구어〗 잘못된 생각을 하다, 틀린 의견을 갖다: er liegt mit seiner Meinung schief 그는 잘못된 생각을 갖고 있다.

schiefmäulig *a.* ① 입이 비뚤어진. ② 〖구어〗 시기심 많은, 질투하는.

schiefricht, schiefrig [ʃíːfrɪç] *a.* ↑ schieferig.

schief⸗rund *a.* 〖구식〗 달걀 모양의, 타원형의. **⁓schnitt** *m.* 〖건축〗 사면도(斜面圖). **~treten** *t.* die Stufen〔Absätze〕 ~ (구두굽이) 비스듬히 닳게 신다. **~winklig** *a.* 〖數〗 빗각의, 직각이 아닌.

schieg[1] [ʃíəx] *a.* (obd.) (schiech) 추한, 불쾌한; 성미 사나운.

schieg[2] [ʃiːk] *a.* 〖구식〗 ↑ schief.

schieg·beinig *a.* ↑ schiefbeinig.

schiegen [ʃíːgən] 《I》 *i.* 〖방언〗 안짱다리로 걷다. 《II》 *t.* ↑ schieftreten.

schiel [ʃiːl] *a.* (ndd., md.) ↑ scheel.

Schiel⸗auge *n.* ① 사시(斜視), 사팔눈; 〖경박〗 사팔뜨기. ② 〖비유〗 시기심이 강한 사람: 〖구어·농담〗 ~n machen 욕심을 내다, 탐욕스럽게 쳐다보다. **⁓äugig** *a.* 사팔눈의.

***schielen** [ʃíːlən] 《<scheel》 *i.* (h.) ① 사팔뜨기다, 사팔눈이다: leicht〔stark〕 ~ 약간〔심한〕 사시(斜視)다. ② 〖구어〗 곁눈질하다, 흘끔 보다, 훔쳐 보다; (의심의 눈초리로) 흘겨보다: er schielte über die Zeitung hinweg zu ihr hinüber 그는 신문 너머로 그녀를 몰래〔흘끔흘끔〕 보았다. ③ 〖구어〗 욕심을 내다: er schielte nach dem Posten des Klassensprechers 그는 반장 자리를 차지하고 싶어했다. ④ (obd.) 빛나다(schillern).

schielend *p.a.* 사팔눈의, 곁눈의; 〖비유〗 미심쩍어하는, 호기심에 찬, 욕심내는.

Schieler *m.* -s, - ① 사팔뜨기, 사팔눈; 곁눈질하는 사람. ② 선홍색 포도주(Schillerwein).

Schiel·operation *f.* 〖醫〗 사시 교정 수술.

Schiemann [ʃíːman] *m.* -(e)s, ..männer (ndd.) ① 〖海·옛뜻〗 하급 선원, 키잡이, 갑판장의 조수. ② (해군의) 하급 장교.

schiemannen *i.* (h.) (ndd.) 하급 선원〔하급 해군 장교〕의 임무를 수행하다.

Schiemanns·garn *n.* 〖구식〗 ① (밧줄 위에 덧씌우는) 노끈. ② 뱃사람의 허풍〔거짓말〕.

schien [ʃiːn] ↑ scheinen 의 과거형.

Schien·bein *n.* 〖해부〗 정강이뼈, 경골(脛骨).

Schienbein⸗bruch *m.* 정강이뼈〔경골〕 골절. **~schoner** *m.* 〖축구·하키〗 정강이 받이〔보호패드〕. **~schützer** *m.* 〖스포츠〗 ↑ ~schoner.

***Schiene** [ʃíːnə] *f.* -n ① 궤도, 레일; 선로: die Bahn läuft auf ~n 열차가 궤도 위를 달린다; aus den ~n springen 탈선하다; 〖드물게〗 jn. aus den ~n werfen 누구를 상도(常道)를

벗어나게 하다. ② (미닫이 등의) 레일, 살(대). ③〖醫〗(접골용의) 부목(副木): ~n anlegen 〔in die ~ legen〕 부목을 대다. ④〖옛뜻〗(Arm∸) (갑옷의) 팔〔다리〕가리개; 정강이뼈, 경골(脛骨). ⑤〖옛뜻〗(obd.) (지붕을 이거나 외벽에 붙이는) 널빤지. ⑥〖은어〗노선, 방향: die Debatte muß auf eine neue ~ gebracht werden 토론의 방향을 바꿔야 한다.

schienen [ʃíːnən] *t.* ①〖醫〗부목(副木)을 대다: den gebrochenen Arm ~ 부러진 팔에 부목을 대다. ②〖옛뜻〗(갑옷에) 가리개를 대다: er war geschient 그는 갑옷과 투구로 몸을 싸고 있었다. ③〖옛뜻〗(바퀴 등이 잘 구르도록) 홈통을 대다; 궤도를 깔다.

Schienen≠bahn *f.* 철도, 궤도(용 교통 기관). **~breite** *f.* 궤(도)폭. **~bremse** *f.* (열차의) 전자식 제동 장치. **~bus** *m.* 버스형(디젤 기관) 기동차, 레일〔궤도〕식 버스. **~ersatz-verkehr** *m.* 기차 대용 임시 버스. **~eisen** *n.* 철도, 레일. **~fahrzeug** *n.* 궤도차(량). **~feger** *m.* ↑ ~räumer. **~fuß** *m.*〖철도〗레일의 아랫 부분. **∸gebunden** *a.* 궤도에서만 달리는. **~kopf** *m.*〖철도〗레일의 윗 부분. **~kreuzung** *f.* 레일의 교차. **~leger** *m.* 레일 부설자. **~netz** *n.* 철도망. **~omnibus** *m.* ↑ ~bus. **~räumer** *m.* (기차에 부착된) 선로 청소기. **~stoß** *m.* 레일 접합부. **~strang** *m.* 선로. **~strecke** *f.* 선로 구간. **~stuhl** *m.* 레일 고정쇠. **~weg** *m.* 철도 (선로). **~weite** *f.* 궤(도)폭.

schier [ʃiːr] (《今 scheinen》)《I》*a.* (ndd.) ① 순수한, 깨끗한: ~es Gold 순금. ② 순전한, 다름 아닌: das war ~er Undank 그것은 순전히 배은망덕이다. ③〖구식〗반들반들한; 날씬한, 매끄러운, 평탄한.《II》*adv.* (obd.) ① 거의; 실로, 참으로: das ist ~ unmöglich 그것은 실로 불가능하다. ② 빨리, 곧.

Schier[1] [ʃíːər] ↑ Schi 의 복수형.

Schier[2] *m.* -s, - 스키 타는 사람(Schifahrer).

Schier·apparat *m.* 달걀 투시기.

schieren [ʃíːrən] (ndd.) ① (액체를) 투명하게 만들다. ② (빛으로) 달걀의 신선도를 검사하다.

schierig *a.* (alem.) ① 어리석은, 못난. ② 뻔뻔한.

Schierling [ʃíːrlɪŋ] *m.* -s, -e〖植〗미나릿과의 유독 식물: Wasser∸ 독미나리; echter ~ 독당근.

Schierlings≠becher *m.* ①〖옛뜻〗(고대 아테네에서 사형수에게 주는) 독배(毒杯). ②〖교양〗den ~ trinken 음독 자살하다. **~tanne** *f.*〖植〗솔송나무. **~trank** *m.* (독당근·독미나리 등에서 빼낸) 독극물.

schiern (《<Schi》) *i.* (h./s.) 스키를 타다.

schierst [ʃiːrst] ↑ scheren 의 2 인칭 단수 현재형.

schiert [ʃiːrt] ↑ scheren 의 3 인칭 단수 현재형.

Schier·tuch *n.* 환히 비치는 고급 마포(麻布)〔범포(帆布)〕, 올이 가는 흰 삼베.

Schieß≠arbeit [ʃíːs..] *f.*〖광산〗폭파 작업. **~ausbildung** *f.*〖軍〗사격 훈련. **~bahn** *f.*〖軍〗사격장.

schießbar *a.* 쏠 수 있는, 사정 거리 내의.

Schieß≠baumwolle *f.*〖化〗니트로셀룰로오스. **~bedarf** *m.* 탄약. **~beere** *f.*〖植〗귀룽나무. **~befehl** *m.* ①〖軍〗발포〔사격〕명령. ② (보초의) 도주자 사격 의무. **~bereich** *m.* 사격권. **~bude** *f.* ① 오락 사격장. ②〖음악·은어·농담〗오케스트라의 타악기 전체.

Schießbuden≠besitzer *m.* 오락 사격장 주인. **~figur** *f.* 오락 사격장의 표적 인형:〖구어·농담〗aussehen wie eine ~ 우스꽝스럽게 보이다.

Schieß·eisen *n.*〖구어〗소총, 피스톨.

schießen [ʃíːsən] (schoß, geschossen)《I》*i.* (h.) ① 쏘다, 사격하다, 발포하다: mit der Pistole ~ 권총으로 쏘다. ② 사격 솜씨가 …하다; (총의) 성능이 …하다: er schießt gut 그는 사격 솜씨가 좋다; das Gewehr schießt ausgezeichnet 이 총은 아주 잘 맞는다; zu hoch〔niedrig〕~ (표적보다) 너무 높이〔낮게〕쏘다; zu kurz ~ a) 총알이 표적에 못 미치다, b)〖비유〗정성을 다하지 않다, 철저하지 못하다;〖비유〗hier wird scharf geschossen 이곳에서는 까놓고 이야기한다;〖비유〗schieß mal los 〔laß mal hören〕! 자 말해봐! ③ (무엇을〔누구를〕) 향해 쏘다: nach der 〔auf die〕 Scheibe ~ 과녁을 향해 쏘다; gegen jn. ~ 누구를 공격〔비판〕하다. ④ 공을 차다, 슛하다: knallhart ~ 강슛을 하다. ⑤ (s.) 쏜살같이 움직이다, 총알처럼 달리다: das Motorboot schießt durchs Wasser 모터보트가 물을 가르며 질주한다; das Blut ist ihm ins Gesicht geschossen 그의 얼굴이 후끈 달아올랐다;〖구어〗schieß in'n Wind! 꺼져라!; in Grund und Boden ~ 쳐부수다, 쑥대밭을 만들다; ins Schwarze ~ 표적을 정확히 맞추다; jn. über den Haufen ~ 누구를 마구 쏘다; er schoß den Vogel vom Baum 그는 나무 위에 앉은 새를 쏘아 떨어뜨렸다; jn. lahm 〔zum Krüppel〕 ~ 누구를 쏘아 불구로 만들다. ⑥ 쑥쑥 자라다: der Junge ist im letzten Jahr mächtig 〔in die Höhe〕 geschossen 이 소년은 작년에 부쩍 자랐다; in die Ähren ~ (곡식이) 빨리 여물다. ⑦ (마약을) 주사하다. ⑧ (südd.; öst.) 퇴색하다: die Vorhänge sind geschossen 이 커튼들은 색이 바랬다.《II》*t./refl.* ① 사살하다, 쏘아 맞추다〔넘어뜨리다〕; 쏘아서 …한 상태로 만들다: einen Hasen ~ 토끼를 쏘아 죽이다:〖비유〗einen Bock ~ 실책을 범하다;〖軍〗Bresche ~ (성채의) 돌파구를 뚫다; Kugeln ~ 발포하다. ② (화살 등을) 쏘다, 던지다, (공을 차서) 보내다: die Pfeile in die Luft ~ 하늘을 향해 활을 쏘다; wütende Blicke (auf jn.) ~ 분노의 눈초리를 (누구에게) 던지다; Brot in den Backofen ~ 빵을 굽다, 빵가마에 넣다; den Ball ins Tor ~ 공을 골문에 차 넣다. ③〖lassen 과 함께〗놓아 주다, 늦추다, 풀어 주다: jn.〔et.〕~ lassen 누구를〔무엇을〕 내버려 두다, 단념하다; den Leithund ~ lassen 선도견(先導犬)을 풀어놓다; einem Pferde den Zügel ~ lassen 말 고삐를 늦추다; seinen Begierden den Zügel ~ lassen 정욕을 한껏 충족시키다. ④ (스냅 사진을) 찍다: ein Foto ~ 스냅 사진을 찍다. ⑤〖광산〗폭파하다: Gestein ~ 암석을 폭파하다. ⑥ (누구의 어디를) 쏘다: jm.〔jn.〕 ins Herz ~ 누구의 가슴〔심장〕을 쏘다;〖경박〗jm. eine ~ 누구의 뺨을 한 대 갈기다. ⑦〖옛뜻〗sich mit jm. ~ 누구와 권총으로 결투

를 하다.

Schießen *n.* -s, - ① 발사, 사격, 발포, 포화; 사격 대회(Schützenfest) : ein ~ veranstalten 사격 대회를 열다; 〖구어〗(das ist) zum ~ 되게 웃기네〔희한하네〕; etwas geht aus wie das Hornberger ~ 무슨 일이 허망하게 끝나다, 야단스럽게 떠들던 일이 별볼일 없이 끝나다. ② 질주, 돌진; 급속한 성장.

schießen·lassen *t.* 〖경박〗 포기〔단념〕하다: wir haben unsere Reisepläne ~ 우리는 여행 계획을 포기했다.

Schießer *m.* -s, - ① 〖은어〗 주식 투기꾼; 마약 상용자. ② 〖드물게〗 사수(射手); 〖사냥〗 무턱대고〔함부로〕 쏘는 사람. ③ 〖광산〗 폭파공(工). ④ (빵 가마에) 빵을 넣는 사람; 빵을 넣는 도구.

Schießerei [ʃi:sərái] *f.* -en ① 〖대개 폄어〗 그칠 새 없는 사격〔총질〕. ② 짤막한 총격전: es kam zu einer wilden ~ 격렬한 총격전이 잠시 벌어졌다.

Schieß≈geld *n.* ① 사냥료. ② 〖광산〗 폭파료. **~gerechtigkeit** *f.* 수렵권. **~gewehr** *n.* 〖아동〗 소총, 화기; 〖비유〗 mit (dem) ~ spielen 위험한 짓을 하다. **~graben** *m.* 참호. **~haus** *n.* ↑ ~hütte. **~hund** *m.* 〖고어〗 (총에 맞은 사냥물을 찾아내는) 사냥개; 〖경박〗 wie ein ~ aufpassen 예의 주시하다. **~hütte** *f.* 사냥용 오두막. **~instruktion** *f.* 〖軍〗 사격 시범. **~kugel** *f.* 총알, 탄환. **~lehre** *f.* 탄도학, 사격술. **~loch** *n.* ① 〖軍〗 총안(銃眼), 포문. ② 남폿구멍. **~mal** *n.* 표적; 표적의 흑점. **~meister** *m.* 〖광산〗 폭파 전문인. **~patrone** *f.* 탄약통, 약포(藥包). **~pferd** *n.* 사냥용 말. **~platz** *m.* 사격 연습장. **~prügel** *m.* 〖경박·폄어〗 총포, 총. **~pulver** *n.* 화약: 〖구어〗 das ~ (auch) nicht erfunden haben 특별히 똑똑하지는〔생각이 기발하지는〕 않다. **~scharte** *f.* (성벽 등에 뚫어 넣은) 총안, 포문. **~scheibe** *f.* 표적. **~schule** *f.* 사격 학교. **~sport** *m.* 사격 스포츠. **~stand** *m.* 사격장. **~stätte** *f.* 사격장. **~übung** *f.* 사격 연습. **~vorschrift** *f.* 사격 규정. **~wolle** *f.* 니트로셀룰로오스. **~zeit** *f.* 수렵기. **~zeug** *n.* 사격 도구.

Schiet [ʃi:t] (nordd.) *m.* -s 똥(Scheiße).

Schiet·kram (nordd.) *m.* 잡동사니; 귀찮은 일.

Schi≈fahrer *m.* 스키타는 사람. **~fahrt** *f.* 스키타기.

***Schiff** [ʃɪf] *n.* -(e)s, -e ① 배, 선박, 함선: mit dem ~ fahren 배를 타고 가다; ein kosmisches〔interplanetares〕 ~ 우주선; 〖海〗 ~ klar zum Gefecht! 전투 준비 완료!; die Taufe des Schiffes 진수식; das ~ der Wüste 사막의 배(낙타); ein ~ bauen 배를 만들다; das ~ besteigen 배를 타다; das ~ sticht in See 배가 출항한다; per〔mit dem〕 ~ 배(편으)로; das ~ läuft vom Stapel 배가 진수한다; das ~ geht vor Anker 배가 닻을 내린다〔정박한다〕; zu ~ versenden 배〔수로〕로 나르다; zu ~ gehen 승선하다; das ~ setzt Dampf auf 배가 증기를 내뿜는다〔출항한다〕; 〖속담〗 die Ratten verlassen das sinkende ~ a) 의리 없는 사람은 상황이 어려워지면 떠나버린다, b) 최악의 상황을 맞고 있다. ② 〖건축〗 성당〔교회〕의 본당. ③ 〖방언〗 부뚜막 한 쪽에 만들어 놓은 배 모양의 물통: ~ und Geschirr 가재(家財) 도구 일체. ④ 〖방직〗 북. ⑤ 〖印〗 이어짜기 판(版). ⑥ 〖天〗 아르고자리.

Schiffahrer [ʃɪffa:rər] *m.* -s, - 선원, 항해자.

Schiffahrt [ʃɪffa:rt] *f.* 항해, 해운: ~ treiben 항해하다.

Schiffahrts≈akte *f.* 항해 조례; 항해법. **~behörde** *f.* 해운국(局). **~gericht** *n.* 〖法〗 (내륙 수운과 관련한 제 1 심 단계의) 항행 문제 재판소. **~gesellschaft** *f.* 선박 회사. **~kunde** *f.* 항해술. **~linie** *f.* 항로. **~polizei** *f.* 해양 경찰. **~recht** *n.* 항해 법규. **~schule** *f.* 해양 학교. **~straße** *f.* ↑ ~weg. **~vertrag** *m.* 항해 조약. **~weg** *m.* 뱃길, 수로, 항로. **~zeichen** *n.* 항로 표지.

schiffbar [ʃɪfba:r] *a.* 항해할〔배가 다닐〕 수 있는: ~e Gewässer 배가 다닐 수 있는 하천.

Schiffbarkeit *f.* 배가 다닐 수 있음, 항해 가능성.

Schiffbar·machung *f.* 배가 다닐 수 있도록 함, 운하 개설, 운하화(化).

Schiff≈bau *m.* ① 조선업. ② 조선. **~bauer** *m.* ① 전문 조선공(工), 선박 수리업자. ② 수습 조선공.

Schiffbau≈hof *m.* 조선소, 독. **~holz** *n.* 선재(船材), 조선용 목재. **~ingenieur** [..ɪnʒɛniø:r] *m.* 조선 기술자. **~kunst** *f.* 조선술(術). **~meister** *m.* 조선 기능장. **~platz** *m.* ↑ ~hof. **~werk·stätte** *f.* 조선소, 독. **~wesen** *n.* 조선업.

Schiff·blech *n.* 선체 외면 금속판.

Schiff≈bohrer *m.* 〖動〗 좀조개. **~boot** *n.* 〖動〗 앵무조개(Nautilus).

Schiff≈bruch *m.* 난파, 파선: nach Überlebenden des ~s suchen 난파선의 생존자 구조 작업을 하다; 〖비유〗 er hat mit seinem Vorhaben ~ erlitten 그의 계획은 좌절되었다. **~brüchig** *a.* 〖비유〗 좌초된, 실패한, 파경에 이른. **~brüchige*** *der/die* 조난자, 실종자. **~brücke** *f.* ↑ Schiffsbrücke.

Schiffchen [ʃɪfçən] *n.* -s, - 〖↑ Schiff 의 축소형〗 ① 작은 배, 편주(扁舟), 보트. ② 〖해부〗 (손의) 주상골(舟狀骨). ③ 〖植〗 나비꽃 꽃부리. ④ 〖방직〗 북. ⑤ (보트 모양의) 군인 모자. ⑥ 향로. ⑦ 〖수공〗 (길고 양끝이 뾰족한) 태팅 레이스 제작용의 도구〔북〕.

Schiffchen·arbeit *f.* 태팅(으로 짠 레이스).

schiffchen·förmig *a.* 작은 배 모양의.

schiffeln [ʃɪfəln] *i.* 〖방언〗 거룻배를 몰다〔타다〕.

schiffen [ʃɪfən] 《<Schiff》 《I》 *i.* ① (s.) 〖고어〗 항행〔항해〕하다, 배로 가다. ② (h.) 〖비속〗 소변보다. ③ 〖경박〗 비가 오다: es schifft heute den ganzen Tag 오늘은 하루종일 비가 내린다. 《II》 *t.* 배로 나르다.

Schiffer [ʃɪfər] *m.* -s, - 〖海〗 ① 선장. ② 선주.

Schiffer≈ausdruck *m.* 선원 용어. **~hosen** *pl.* 선원용 바지. **~inseln** *pl.* 사모아 군도(群島) (Samoa). **~klavier** *n.* 〖악기〗 손풍금, 아코디언. **~knoten** *m.* 옭매듭. **~lied** *n.* 뱃노래. **~mütze** *f.* 선원 모자. **~scheiße** *f.* 〖다음 용법으로〗 doof〔dumm〕 wie ~ sein 멍청하다. **~sprache** *f.* 선원 용어. **~stechen** *n.* 모의 해전; 보트〔요트〕 경주.

Schiff·fahrer 新정서 ⇦ Schiffahrer.

Schiff·fahrt 新정서 ⇦ Schiffahrt.

schiff·förmig 新정서 ⇦ schifförmig.

Schiff≈leine *f.* (배의) 계류〔예인〕 밧줄. **~-mann** *m.* 〖복수: ..leute〗 선원, 뱃사람.

schifförmig *a.* 배 모양의.

schiff·reich *a.* 배가 많은.

Schiffs≈agent *m.* 해운 회사 대리점〔대리인〕. **~angelegenheiten** *pl.* 항해〔선박〕 업무. **~art** *f.* 〖다음 용법으로〗 nach ~ 배처럼, 말쑥하게. **~arzt** *m.* 선의(船醫). **~ausrüster** *m.* ① 선주. ② 의장(艤裝) 담당자. **~ausrüstung** *f.* 의장(艤裝). **~bau** *m.* 〖복수: -ten〗 ↑ Schiffbau. **~ballast** *m.* (배의 안정을 위한) 바닥짐, 밸러스트. **~bedarf** *m.*, **~bedürfnisse** *pl.* 선박 저장품, 선구(船具). **~-befrachter** *m.* 선적업자(船積業者). **~befrachtung** *f.* 선박 화물 운송. **~bekleidung** *f.* 배의 외장(外裝). **~besatzung** *f.* 배의 승무원. **~beschlag** *m.* 배의 외장용 금속판. **~beute** *f.* 나포선(拿捕船). **~boden** *m.* 배 밑바닥. **~bohr·wurm** *m.* 〖動〗 좀조개. **~boot** *n.* ① 모선에 딸린 작은 배. ② 〖動〗 앵무조개. **~brief** *m.* ①선박 수송 우편물. ② (내륙 해운에서의) 선박 등록증. **~brücke** *f.* 부교, 배다리, 개폐교.

Schiff·schaukel *f.* (유원지 등에 있는) 배모양의 큰 그네.

Schiffs≈eigentümer *m.* 선주, 배주인. **~eigner** *m.* 선주. **~fahrt** *f.* 항해: eine ~ unternehmen 항해하다. **~flagge** *f.* 선적기(船籍旗). **~fracht** *f.* 뱃짐, 선화(船貨). **~fracht·brief** *m.* 〖經〗 선화 증권. **~freund** *m.* 선박 공동 소유자. **~führer** *m.* 선장, 함장. **~gehalt** *m.* (배의) 톤수. **~gerät** *n.* 선구, 삭구(索具), 의장(艤裝) 용구. **~gericht** *n.* (영국의) 해사(海事) 재판소. **~gerippe** *n.* 배의 뼈대〔골조〕; 배의 잔해. **~geschwader** *n.* 함대. **~glocke** *f.* 〖海〗 (식사·비상을 알리기 위한) 배의 종. **~grund** *m.* 배 밑바닥. **~halter** *m.* 〖動〗 빨판상어(과). **~hebewerk** *n.* 〖海〗 운하의 갑문. **~herr** *m.* ↑ ~eigner. **~hinter·teil** *m.* 고물, 선미. **~journal** [..ʒurna:l] *n.* 항해 일지. **~junge** *m.* 수습 선원. **~kapitän** *m.* 선장. **~-katastrophe** *f.* 해상 참사, 대형 해난 사고. **~kellner** *m.* 배의 사환. **~klassifikation** *f.* 배의 분류. **~knecht** *m.* (거룻배 등의) 선원. **~koch** *m.* 선내 요리사. **~körper** *m.* 선체. **~kreisel** *m.* (배의) 동요 방지 장치, 자이로 안정기. **~küche** *f.* (배의) 주방. **~lader** *m.* (배의) 하역부(荷役夫). **~ladung** *f.* 뱃짐, 적화(積貨), 적재량. **~last** *f.* ① 적재 톤수; 적화 중량. ② 화물 창고. **~lauf** *m.* 항로. **~lazarett** 〖軍〗 *n.* 전함 내의 병실. **~leute** *pl.* 선원, 배의 승무원. **~liste** *f.* 선박 입출항 시각표. **~luken** *pl.* 배의 승강구. **~maat** *m.* 해군 하사관; 배의 동료 승무원. **~macht** *f.* 해군력. **~makler** *m.* 선박 중개인. **~manifest** *n.* 적화 명세서. **~mannschaft** *f.* 배의 승무원. **~maschine** *f.* 선박용 기관〔엔진〕. **~miete** *f.* 용선(傭船) 계약. **~modell** *n.* 선박 모형. **~mühle** *f.* 배의 수차(水車). **~name** *m.* 배 이름. **~papier** *n.* 선박 서류. **~partner** *m.* 선박 공유자. **~patron** *m.* 선주, 선장. **~planke** *f.* 뱃전, 현측(舷側). **~proviant** *m.* 선박 비축 식량. **~raum** *m.* 선창(船倉); (배 밑의) 화물 창고. **~reeder** *m.* 선주. **~register** *n.* 선박 등록증. **~reise** *f.* 선박〔뱃길〕 여행. **~rolle** *f.* 〖軍〗 (유사시를 대비하여 정해 놓은) 각 해군병사의 역할. **~rumpf** *m.* 배의 몸체 부분. **~rüstung** *f.* 의장(艤裝). **~schaukel** *f.* ↑ Schiffschaukel. **~schlächter** *m.* 해선업자(解船業者). **~schnabel** *m.* 이물, 선수. **~schraube** *f.* 배의 추진기, 스크루. **~-soldat** *m.* 수병. **~spiegel** *m.* 고물, 선미. **~tage·buch** *n.* 〖海〗 항해 일지. **~tau** *n.* 배의 밧줄. **~taufe** *f.* 진수식, (배의) 명명식. **~tau·werk** *n.* 삭구(索具). **~tiefe** *f.* 흘수(吃水). **~tonne** *f.* 선박 톤수. **~treppe** *f.* 배의 사닥다리. **~trümmer** *pl.* 난파선의 잔해. **~unfall** *m.* 배의 조난 사고. **~verband** *m.* 선단, 선대(船隊). **~verkehr** *m.* 항해. **~verzeichnis** *n.* 선박 명부. **~volk** *n.* 〖고어〗 ↑ ~mannschaft. **~wache** *f.* (배의) 보초. **~werft** *f.* 조선소, 독. **~wesen** *n.* 선박 관련 사항; 해운업. **~winde** *f.* 선박 기중기; 권양기(卷揚機). **~wurm** *m.* 〖動〗 좀조개. **~zertifikat** *n.* 선박 등록증. **~zeug** *n.* ↑ ~gerät. **~zimmer·mann** *m.* ① 조선 목공. ② 선상(船上) 목공. **~zoll** *m.* 선박톤세. **~zwieback** *m.* (항해용) 건빵, 딱딱하게 구운 빵.

Schi·fliegen *n.* 스키 점프(점프해서 날아간 거리로 겨루는 스키 경기의 하나).

schiften[1] [ʃíftən] 〖海〗 《I》 *t.* (돛의 위치를) 바꾸다. 《II》 *i.* (볏짐)이 미끄러지다.

schiften[2] *t.* ① 〖건축〗 (들보 등을 못으로) 연결하다; (목재의 비스듬한 단면에) 괘선을 긋다; (목재의 단면을) 비스듬히 자르다. ② (ndd.) 가르다, 구분하다; 정리하다. ③ 바꾸다, 옮기다. ④ (날짐승 등이) 털갈이하다: der Habicht ist neu geschiftet 사냥매에 새 깃털이 났다. ⑤ (schäften) …에 자루를 달다.

Schifter *m.* -s, - 〖토목〗 비스듬히 자른 건축용 목재.

Schiftung *f.* -en 〖토목〗 비스듬히 자르기.

Schihaserl *n.* -s, -(n) 〖농담〗 스키 타는 아가씨.

Schiismus [ʃiísmus] *m.* - 〖이슬람교〗 시아파의 교리.

Schiit [ʃií:t] *m.* -en, -en 시아파 교도.

schiitisch *a.* 시아파의.

Schikane [ʃiká:nə] 《frz.》 *f.* -n ① (권력을 이용한) 횡포, 전횡, 트집: eine ~ des Chefs 상사의 횡포; das ist die reinste ~ 그건 순전히 트집이다. ② 〖다음 용법으로〗 〖비유·구어〗 mit allen ~n 온갖 호화로운〔편리한〕 장치가 갖추어진: ein Auto mit allen ~n 온갖 편리한 장치를 갖춘 자동차. ③ (자동차 경주 코스 중) 난코스. ④ 〖水理〗 (물살을 약화시키기 위한) 저항 장치. ⑤ 〖연극〗 속임수, 트릭.

Schikaneur [ʃikanǿ:r] *m.* -s, -e 트집꾼, 전횡자.

schikanieren *t.* 괴롭히다(quälen): er wird dauernd von seinem älteren Bruder schikaniert 그는 끊임없이 형한테 시달린다.

schikanös [..nǿ:s] *a.* 〖구어〗 (boshaft) 심술궂은, 괴롭히는, 애먹이는: ~e Maßnahmen 괴롭히기〔트집잡기〕 위한 조치들.

Schi≈kurs *m.* 스키 강습〔강좌〕. **~lauf** *m.* 스

키 타기, 스키 활주. **~laufen** *n.* 스키 활주. **~läufer** *m.* 스키 타는 사람.

Schilcher [ʃɪlçər] *m.* -s, - (öst.) 실허(오스트리아 슈타이어마르크주산(産) 포도주).

***Schild**[1] [ʃɪlt] *m.* -(e)s, -e ① 방패; 〖비유〗 보호, 비호: js. Schirm und ~ sein 누구를 비호하다; jn. auf den ~ heben〔erheben〕 누구를 지도자로 받들다(게르만족이 지도자를 뽑아 방패에 태워 알렸던 데서). ② 문장(Wappen): zu ~ und Helm geboren 고귀한 집안에서 태어난; einen Adler im ~e führen 독수리를 문장의 상징 동물로 삼다; 〖비유〗 et. 〔gegen jn.〕 im ~e führen (누구〔무엇〕에 대해) 나쁜 일을 은밀하게 꾸미다; 〖비유·고어〗 seinen ~ blank〔rein〕 erhalten 자신의 명예를 지키다. ③ (방패처럼 보이는) 모자의 긴 차양. ④ *m./n.* 〖動〗 (거북 등의) 방패 모양의 등판. ⑤〖印〗 (소나 돼지의) 어깨부위 살. ⑥〖사냥〗 멧돼지의 어깻죽지. ⑦〖工〗 원자로의 방사선 보호벽. ⑧〖총칭〗 (국가의) 방호〔방어〕 시설.

***Schild**[2] *n.* -(e)s, -er [..dər] ① 표지판, 간판; (자동차의) 번호판; 문패; 꼬리표: Verkehrs∽ 교통 표지판; Nummern∽ 번호표; Tür∽ 문패; Namens∽ 이름표; Straßen∽ 거리 이름 표지판; Preis∽ 가격표; ein ~ anbringen 간판〔표지판〕을 달다; ein ~ aushängen 개점하다; ein ~ einziehen 폐점하다; ein ~ am Koffer 트렁크의 꼬리표. ② (ndd.) 용마루(First). ③〖광산〗 (낙반으로부터 갱부를 보호하는) 이동식 보호 구조물. ④ (자고새 등의 앞가슴의) 방패 무늬.

Schilda 실다(작센 지방의 소도시): er ist 〔stammt〕 aus ~ 그는 천치다.

Schild=amt *n.* 귀족(Adel). **~blume** *f.* 〖植〗 엽란(葉蘭). **~bogen** *m.* 〖건축〗 (둥근 천장과 벽사이를 마무리하는) 블라인드 아치. **~bürger** *m.* 〖폄어〗 어리석은 사람(Schilda). **~bürger·streich** *m.* 바보짓.

Schildchen [ʃɪltçən] *n.* -s, - 〖↑ Schild 의 축소형〗 ① 작은 방패, 손방패. ② 명패, 배지. ③〖動〗 (곤충의 양날개 밑동의) 작은 방패판.

Schild=dach *n.* 〖軍〗 (방패를 든 군사들로 이루어진) 엄호물, (고대의) 귀갑형(龜甲形). **~drüse** *f.* 〖해부〗 갑상선.

Schilddrüsen=hormon *n.* 갑상선 호르몬. **~überfunktion** *f.* 갑상선 기능 항진증(亢進症).

Schilder·blau *n.* 청람(靑藍)의 일종. **~brücke** *f.* 〖교통〗 다리 모양의 교통 표지판.

Schilderei [ʃɪldəráɪ] *f.* -en 〖고어〗 ① 묘사, 회화적 표현. ② 그림.

Schilderer [ʃɪldərər] *m.* -s, - ① 서술자, 화가. ②〖工〗 염색공(Färber). ③〖고어〗 간판장이.

Schilder=haus *n.* 〖軍〗 보초막, 입초 막사. **~häuschen** *n.* ↑ ~haus 의 축소형.

Schild·erhebung *f.* 무장 봉기, 반란.

Schilder=maler *m.* 간판장이. **~malerei** *f.* 간판 그림.

***schildern**[1] [ʃɪldərn] 《ndl. schilderen》 *t.* ① 〖工〗 염색하다; 색칠하다: et. in leuchtenden Farben ~ 무엇에 환한 색깔을 칠하다. ② 묘사〔기술〕하다: seine Erlebnisse ~ 자신의 체험을 서술하다.

schildern[2] *i.* (h.) ① 보초 서다. ② (새의 가슴에) 얼룩 무늬가 생기다.

Schilderung [ʃɪldərʊŋ] *f.* -en ① 묘사, 서술. ② 그림, 스케치.

Schilder·wald *m.* 〖비유·구어〗 교통 표지판의 숲.

Schild=farn *m.* 〖植〗 방패 모양의 포막(包膜)이 있는 양치 식물. **~förmig** *a.* 방패 모양의; 〖醫〗 갑상(甲狀)의. **~halter** *m.* ① ↑ ~knappe. ②〖紋〗 좌우 양쪽에서 문장을 떠받치는 사람〔동물〕. **~knappe** *m.* 기사의 방패를 들고 따르는 종. **~knecht** *m.* ↑ ~knappe. **~knorpel** *m.* 〖해부〗 갑상(甲狀) 연골. **~krot** *n.* ↑ ~patt. **~kröte** *f.* 〖動〗 거북; 〖비유〗 멍청이.

Schildkröten=schale *f.* 거북의 등딱지, 귀갑(龜甲). **~suppe** *f.* 〖요리〗 거북이 고기 수프: echte ~ 자라 고기 수프; falsche ~ 가짜 자라 고기 수프(송아지 머리 고기로 만듦).

Schild=laus *f.* 〖動〗 연지벌레. **~lehen** *n.* 기사의 봉록(封祿), 봉토(封土). **~patt** [..pat] *n.* 별갑(鼈甲), 붉은 바다거북의 말린 등딱지. **∽patten** *a.* 별갑(鼈甲)으로 만든.

Schildrer [ʃɪltrər] *m.* -s, - ↑ Schilderer.

Schild=träger *m.* ① ↑ ~knappe. ② ~halter ②. **~wache** *f.* 〖軍〗 ① 보초. ② 보초 근무: ~ stehen 보초 서다, 감시하다. **~wacht** *f.* ↑ ~wache ②. **~wirt** *m.* 음식점 주인. **~zapfen** *m.* 〖軍〗 (포신을 포가(砲架)에 고정시키는) 포신 양쪽의 꼭지.

Schi·lehrer *m.* 스키 교사〔코치〕.

***Schilf** [ʃɪlf] 《lat.》 *n.* -(e)s, -e 〖植〗 (Rohr) 갈대; 갈대숲; (부들과 같은) 갈대 모양의 식물.

schilf=artig *a.* 갈대 같은, 〖植〗 갈대류의. **~bedeckt** *a.* 갈대로 뒤덮인. **~bewachsen** *a.* 갈대로 무성한〔뒤덮인〕. **∽dach** *n.* 갈대로 이은 지붕. **∽decke** *f.* 갈대로 엮은 멍석, 삿자리.

Schilfe [ʃɪlfə] *f.* -n 〖방언〗 깍지, 열매 껍질 (Schelfe).

schilfen [ʃɪlfən] 《I》 *a.* 갈대로 만든〔된〕. 《II》 *t.* ↑ schilfern[1].

schilferig [ʃɪlfərɪç] *a.* 〖방언〗 (schelferig) 껍질이 벗겨지는.

schilfern[1] [ʃɪlfərn] *i./t.* 〖방언〗 ① 갈대를 베다〔제거하다〕. ② 틈을 갈대로 메우다; 갈대로 지붕을 이다.

schilfern[2] 《<Schilf》 *a.* ↑ schilfen 《I》.

Schilf=gras *n.* 〖植〗 갈대풀. **~halm** *m.* 갈대 줄기. **~hütte** *f.* 갈대 지붕의 초가, 모옥(茅屋).

schilfig [ʃɪlfɪç] *a.* 갈대가 무성한; 갈대 모양의.

Schilf=klinge *f.* 양날(로 된) 검(劍). **~leinen** *n.* 〖섬유〗 방수 처리된 촘촘한 아마 직물. **~matte** *f.* 갈대 돗자리. **~meer** *n.* ① 갈대가 무성한 바다. ②〖聖〗 홍해(紅海). **~palme** *f.* 〖植〗 등나무. **∽reich** *a.* 갈대가 많은〔무성한〕.

schilfrig [ʃɪlfrɪç] *a.* 〖방언〗 ↑ schilferig.

Schilf=rohr *n.* 갈대; 갈대 줄기. **~sänger** *m.* 〖動〗 개개비의 일종.

Schi·lift *m.* 스키 리프트.

Schill [ʃɪl] *m.* -(e)s, -e (öst.) 〖動〗 가시고기 (바닷물고기의 일종) (Zander).

Schille·bold [ʃɪləbɔlt] *m.* (ndd.) 〖動〗 잠자리(Libelle).

Schiller[1] [ʃɪlər] Friedrich von ~ 쉴러(독일 시인·극작가, 1759-1805) : 〖비유〗 das ist eine Idee von ~ 그것은 좋은 착상이다.

Schiller[2] 《⊕ schielen》 *m.* -s, - ① (Farbenspiel) 아른거리는 광채, 색채 변화. ② 무지개빛, 비단벌레빛, 훈색(暈色). ③ ↑ ~wein.

Schiller≈falter *m.* 〖動〗 오색나비. **~farbe** *f.* ↑ Schiller[2] ②.

schillerig [ʃɪlərɪç] 《<schillen》 *a.* ↑ schillernd.

Schillerisch [ʃɪlərɪʃ] 《<Schiller[1]》 *a.* 쉴러의, 쉴러적인, 쉴러풍의.

schillerisch *a.* 쉴러풍(風)의.

Schiller≈kragen 《<Schiller[1]》 *m.* 〖유행〗 쉴러풍의 깃(쉴러 시대에 유행한, 세워서 열어 젖힌 넓은 깃). **~locke** *f.* (쉴러의 앞머리가 곱슬곱슬한 데서) ① 크림(을 넣은) 롤 과자〔파이〕. ② 훈제 생선 롤.

***schillern** [ʃɪlərn] 《<schielen》 *i.* (h.) 눈부시게 빛나다〔아른거리다〕: der Schmetterling schillert in vielen Farben 나비가 여러 가지 빛깔을 띤다.

schillernd *p.a.* 아른거리는; 오색영롱한; 〖비유〗 애매한: ~e Seifenblasen 오색영롱한 비누 방울; ein ~er Charakter 정체를 알 수 없는 인물; eine zwischen Ernst und Spott ~e Miene 진심인지 농담인지 분간이 안 되는 표정; ein ~er Begriff 모호한 개념.

Schiller≈seide *f.* (보기에 따라 색이 변하는) 다색(多色) 비단. **~spat** *m.* 〖광물〗 섬광암. **~stein** *m.* ↑ ~spat. **~taft** *m.* ↑ ~seide. **~wein** *m.* (적포도와 백포도로 빚은) 담홍색 포도주(Baden-Württemberg 주의 특산물).

***Schilling** [ʃɪlɪŋ] 《⊕ Schild》 *m.* -s, -e ① 실링(오스트리아의 화폐 단위; 기호: S/öS). ② 유럽의 옛날 동전. ③ Shilling 의 독일식 표기. ④ 〖수의 단위〗 12〔30〕개. ⑤ (obd., md.) 구타(Prügel).

Schillings≈gut *n.* 세습 소작지. **~pott** *m.* 값싼 항아리.

Schillum [ʃɪlum] *n.* -s, -s (담배와 대마초를 섞어 피우는) 담뱃대.

schilpen [ʃɪlpən] *i.* (h.) (참새가) 짹짹 지저귀다.

Schilten *pl.* (schweiz.) 〖카드〗 다이아몬드.

schiltst [ʃɪltst] ↑ schelten 의 2 인칭 단수 현재형.

schilt [ʃɪlt] ↑ schelten 의 3 인칭 단수 현재형.

Schimäre [ʃimɛ́:rə] 《frz. chimère》 *f.* -n 〖교양〗 환영(幻影), 허상, 망상.

schimärisch [ʃimɛ́:rɪʃ] *a.* 〖교양〗 허상의, 헛된, 현혹적인.

schimer *a.* (schweiz.) 훌륭한, 이목을 끄는.

***Schimmel** [ʃɪməl] 《⊕ Schimmer》 *m.* -s, - ① 〖植〗 곰팡이(Kahm) : auf der Speise bildet sich schon ~ 음식물에 벌써 곰팡이가 슬고 있다. ② 흰 말, 백마: 〖구어〗 jm. zureden wie einem lahmen〔kranken〕 ~ 누구를 집요하게 설득하다. ③ 관료주의(Amts≈). ④ 〖구어〗 틀에 박힌 형식; 학습 보조 수단. ⑤ 〖음악·은어〗 (유행가의 리듬을 표시하는) 보조 가사. ⑥ 〖法〗 판례.

schimmel≈artig *a.* 곰팡이 같은. **~belag** *m.* 곰팡이가 덮인 층. **~bogen** *m.* 〖印〗 (대개 실수로) 한쪽 면만 인쇄된 전지. **~fleckig** *a.* 곰팡이가 슨.

schimmelicht *a.* ↑ schimmelig.

schimmelig [ʃɪməlɪç] 《<Schimmel》 *a.* ① 곰팡이가 슨; 곰팡이 같은; 썩은: hier riecht es ~ 여기서 곰팡이 냄새가 난다; 〖방언〗 sich über et. ~ lachen 무엇에 대해 한바탕 웃다. ② 〖드물게〗 (털이) 흰, 회색의.

schimmeln [ʃɪməln] *i.* (h./s.) ① 곰팡이가 슬다, 곰팡내 나다. ② 오랫동안 쓰지 않고 버려두다: laß dein Geld nicht im Kasten ~ 돈을 금고 속에서 썩히지 마라; 〖방언〗 ein Mädchen schimmelt 소녀가 춤 상대가 없어 앉아 있다.

Schimmel≈pilz *m.* 〖植〗 사상균(絲狀菌). **~reiter** *m.* ① 백마의 기사(騎士) (독일 전설에 나오는 유령의 기사). ② 말 모양을 한 장식물.

***Schimmer** [ʃɪmər] *m.* -s, - ① 깜박이는〔가물대는〕 빛; 희미한〔어슴푸레한〕 빛, 미광(微光); (Glanz) 빛, 광택: der ~ der Sterne 별들의 깜박임; der sanfte ~ des Mondes 은은한 달빛. ② 낌새, 기미; 한 가닥: einen ~ von et.[3] haben 약간의 무엇이 있다; keinen 〔nicht den geringsten〕 ~ von et.[3] haben 무엇에 대해 아는 바가 전혀 없다. ③ 〖방언〗 여명, 어스름. ④ 〖비유〗 허식, 겉치레.

***schimmern** [ʃɪmərn] *i.* (h.) ① 가물가물 빛나다, 깜박이다; 광택이 있다: Licht schimmerte durch die Bäume 나무들 사이로 불빛이 어른거렸다. ② 희미하게 내비치다, 어슴푸레 드러나다: rosig schimmerte die Haut durch die dünnen Strümpfe 얇은 양말을 통해 장밋빛의 살갗이 희미하게 내비쳐 보였다. ③ 〖드물게〗 현혹하다.

schimmernd *p.a.* 희미하게 빛나는; 가물거리는, 명멸하는; 광택이 나는: ~e Leinwand 윤기나는 아마포.

schimmlig *a.* ↑ schimmelig.

Schimpanse [ʃɪmpánzə] 《afrikan.》 *m.* -n, -n 〖動〗 침팬지.

***Schimpf** [ʃɪmpf] 《원뜻 „Scherz"》 *m.* -(e)s, -e ① (Beleidigung) 모욕, 치욕감; 욕설, 험담, 비방: jm. einen ~ antun 누구에게 창피 주다, 모욕감을 주다; einen ~ erleiden 모욕을 당하다: jn. mit ~ und Schande davontragen 누구를 창피를 톡톡히 주어 쫓아 버리다. ② (Schande) 수치, 오욕, 불명예, 면목없음: mit ~ abziehen 불명예스럽게 물러나다; ~ und Schande! 그렇게 수치스러운 일을 하다니! (혐오의 표현). ③ (obd.) (Spaß) 농, 희롱; (Streich) 장난, 못된 짓: ~ und Ernst 농담과 진담.

Schimpfe [ʃɪmpfə] *f.* 〖다음 용법으로〗 〖구어〗 ~ bekommen〔kriegen〕 꾸지람을 듣다, 야단맞다.

***schimpfen** [ʃɪmpfən] *t./i.* (h.) ① 욕하다, 분노를 터뜨리다, 저주하다: herzhaft ~ 실컷 욕하다; sie hat furchtbar über ihren Mann geschimpft 그 여자는 자기 남편 욕을 무섭게 해댔다. ② 꾸짖다: der Vater schimpft mit seiner Tochter 아버지가 딸을 꾸짖는다; paß auf, der Papa schimpft dich! 조심해, 아빠한테 혼나! ③ 누구를 (욕하여) 무엇이라고 부르다: man schimpft ihn einen Feigling 그는 겁쟁이라는 욕을 먹고 있다; 〖사물이 주어〗 jn. ~ (무엇이) 누구의 수치로 되다; 〖반어〗 er schimpft sich Ingenieur 그 주제에 엔지니어

라니. ④ (obd.) (scherzen) 익살떨다, 농하다, 놀리다.

Schimpfer *m.* -s, - (모)욕하는 사람.

Schimpferei [ʃɪmpfəráɪ] *f.* -en (그치지 않는) 욕(설), 비방: laß doch die ~, die hilft auch nicht! 이제 욕은 그만둬, 그래봤자 소용없어!

schimpfieren [ʃɪmpfí:rən] *t.* 〖고어〗 ① 창피주다, 비방하다, 명예를 손상시키다. ②〖비속〗 망쳐 놓다, 상하게 하다.

Schimpf·kanonade *f.* 〖구어〗 한바탕 긴 욕설: sie ließ eine wahre ~ gegen ihn los 그 여자는 그야말로 한바탕 긴 욕설을 그에게 퍼부었다.

schimpflich *a.* ① 창피한, 불명예의, 치욕적인: ein ~er Friede 굴욕적 강화. ② (obd.) 익살스런, 희롱하는.

Schimpflichkeit *f.* -en ↑ schimpflich 의 명사형.

Schimpf≈lied *n.* 비방의 노래. **~name** *m.* 모욕적인 별명, 악명: jn. mit ~n belegen 누구에게 모욕적인 별명을 붙이다. **~rede** *f.* 비난연설; 일장 욕설. **~wort** *n.* 욕설, 야비한 말: jn. mit Schimpfwörtern überhäufen 누구에게 욕설을 퍼붓다.

Schin *m.* -(e)s, -e (ndd., wd.) ↑ Schein.

Schinakel [ʃináːkəl] 《ung.》 *n.* -s, -(n) (öst.) 〖구어〗 조각배 (Kahn): ~ fahren 조각배를 타고 가다.

Schind [ʃɪnt] *m.* -(e)s, -e (südd.) 비듬.

Schind≈aas *n.* 썩은 고기, (동물의) 시체(고기). **~anger** *m.* 〖고어〗 박피장(剝皮場).

Schinde 《<schinden》 *f.* -n (obd.) (Rinde) 껍질, 껍데기.

Schindel [ʃíndəl] 《lat.》 *f.* -n ① (지붕이나 외벽에 붙이는) 널빤지. ②〖紋〗 바둑판〔격자〕 무늬. ③ (md.) 부목(副木).

Schindel≈dach *n.* 널빤지(로 덮은) 지붕. **~decker** *m.* 널빤지로 지붕을 이는 사람.

schindeln [ʃíndəln] *t.* ① (지붕을) 널빤지로 이다, (건물의 외벽에) 널빤지를 붙이다. ② 부목(副木)을 대다(schienen).

schinden [ʃíndən] (schund, geschunden) 《I》 *t.* ①〖비유〗 (mißhandeln) 학대하다, 혹사시키다; 착취하다(ausbeuten); jn. zu Tode ~ 누구를 죽도록 혹사시키다; er schindet und schabt 그는 구두쇠다. ②〖구어〗 비용을 지급하지 않다; 억지로 얻어내다: Fahrgeld ~ 무임 승차하다; (bei jm.) Zigaretten ~ 담배를 (누구에게) 얻어 피우다; Zeilen ~ (원고료를 더 받으려고) 글의 분량을 늘리다; Zeit ~ 꾸물거리면서 시간을 벌다: die führende Mannschaft versucht, Zeit zu ~ 앞서가는 팀이 지연 작전을 쓰며 시간을 벌려고 한다. ③〖구식〗 (짐승의) 가죽을 벗기다. 《II》 *refl.* sich ~ 〖구어〗 ① 애쓰다, 죽을 고생을 하다, 악착같이 일하다: sich ~ und plagen 빠빠지게 고생하다. ② 생채기를 내다, 살갗이 벗겨지다: sich den Fuß beim Fallen ~ 넘어지면서 발이 까지다.

Schinder [ʃíndər] *m.* -s, - ①〖고어〗 박피공(剝皮工) (Abdecker). ② 사형 집행인: 〖경박〗 zum ~ gehen 사라지다. ③〖폄어〗 남을 괴롭히는 사람; 악질 (인간); 악질 고리 대금업자. ④〖방언〗 늙어빠진 말. ⑤ (obd.) 찬바람. ⑥〖사냥〗 무자비한 사냥꾼.

Schinderei [ʃɪndəráɪ] *f.* -en ①〖구식〗 박피(剝皮); 박피업(業), 박피장(場). ② 학대, 혹사. ③ 노고, 고생: diese Arbeit ist eine ~ 이 일은 빠빠지게 힘드는 일이다.

Schinder≈karren *m.* 〖옛뜻〗 박피공(剝皮工)의 수레. **~knecht** *m.* 〖고어〗 박피공의 조수. **~mäßig** *a.* 학대〔착취〕하는, 혹독한.

schindern *i.* (h.) (sächs.) 썰매 타다.

Schind≈grube *f.* 썩은 고기를 묻는 구덩이; 박피장(剝皮場). **~kracke** *f.* ↑ ~ mähre. **~luder** *n.* ①〖원뜻〗 동물 시체에서 벗긴 껍질. ②〖다음 용법으로〗〖구어〗 mit jm.〔et.[3]〕 ~ treiben 누구를〔무엇을〕 거칠게 다루다, 학대하다: sie hat mit ihrer Gesundheit ~ getrieben 그 여자는 자신의 건강을 돌보지 않았다. **~mähre** *f.* 늙어빠진 말.

***Schinken** [ʃɪ́ŋkən] 《♧ Schenkel》 *m.* -s, - ① (도살한 짐승〔돼지〕의) 넓적다리, 뒷다리. ② 훈제한 돼지 고기, 햄: ein mit ~ belegtes Brot 햄을 끼워넣은 빵; 〖비유〗 bei jm. 〔für jn.〕 einen ~ im Salz haben 누구와 아직 결말지을 일이 있다; 〖비유·구어〗 mit dem ~ nach der Wurst werfen 적은 것을 얻기 위해 큰 것을 투자하다(고생한 보람이 적다). ③〖구어·농담〗 (a) 크고 두꺼운 책: er las in einem alten ~ 그는 두툼한 고서적을 읽고 있었다. (b) (규모만 큰) 싸구려 그림〔연극〕: an der Wand hängen einige greuliche ~ 벽에는 꼴사나운 싸구려 대형 그림이 몇 장 걸려 있다. ④〖학생〗 하녀. ⑤〖경박〗 궁둥이, 허벅지; 〖드물게〗 다리: er sitzt auf seinem ~ 그는 앉아 있다.

Schinken≈bein *n.* (돼지 등의) 허벅다리 부위의 뼈. **~brot** *n.* 햄 샌드위치. **~brötchen** *n.* ① 햄 샌드위치. ② (햄을 얹은 상태에서 구워낸) 햄 빵. **~butter·brot** *n.* ↑ ~brot. **~fabrikant** *m.* 햄 제조업자. **~fleckerl** *n.* (bayr.) 잘게 썬 햄을 얹은 국수류. **~klopfen** *n.* (nordd., md.) ① 허리를 굽히고 눈을 감은 상태에서 누가 자기 엉덩이를 쳤는지 알아 맞히는 놀이. ② 계속해서 볼기짝을 때리기. **~knochen** *m.* ↑ ~bein. **~muschel** *f.* 〖動〗 진주조개. **~röllchen** *n.* 〖요리〗 (만두속처럼 만든 것을 햄으로 둘둘 만) 햄말이. **~speck** *m.* 햄 베이컨. **~wurst** *f.* 햄 소시지.

Schinn [ʃɪn] 《♧ schinden》 *m.* -(e)s, -en ↑ Schinne.

Schinne [ʃínə] *f.* -n 비듬.

schinnen *refl.* sich ~ 머리를 긁다.

Schintoismus [ʃɪntoɪ́smus] 《jap.》 *m.* - 〖宗〗 신도(神道) (일본 민족 고유의 전통적인 종교 이념).

Schintoist [ʃɪntoɪ́st] *m.* -en, -en 신도(神道) 신자.

schintoistisch *a.* 신도(神道)의.

Schi·piste *f.* 스키 활강로.

Schippchen [ʃɪ́pçən] *n.* -s, - 〖↑ Schippe 의 축소형〗 작은 삽〔가래〕: 〖구어·농담〗 ein ~ machen〔ziehen〕 뾰로통하다, 입을 비죽거리다.

Schippe [ʃɪ́pə] 《<schupfen》 *f.* -n (nordd., md.) ① 삽; 가래; 쓰레받기: mit der ~ Sand schaufeln 삽으로 모래를 푸다〔뜨다〕; 〖비유·구어〗 jn. auf die ~ nehmen〔laden〕 누구를 놀리다, 조롱하다. ②〖카드〗 스페이드 (Pik). ③〖구어·농담〗 뾰로통하게 내민 아랫

입술(Schmollmund): eine ~ machen〔ziehen〕 뾰로통하다, 입을 비죽거리다; jm. die ~ geben 누구를 내쫓다, 몰아내다. ④〖구어〗 긴 손톱.

schippen [ʃípən] (nordd., md.) 《Ⅰ》*i.* 삽질하다. 《Ⅱ》*t.* ① 삽으로 퍼 나르다: Schnee ~ 눈을 삽으로 치우다. ② 삽으로 파내다: eine Grube ~ 삽으로 구덩이를 파다. ③〖드물게〗 손가락으로 퉁기다〔튀기다〕(schnippen).

Schippen *n.* -, -〖카드〗스페이드.

Schippen·band *n.*〖복수: ..bänder〗경첩.

Schipper[1] [ʃípər] *m.* -s, - ① (nordd., md.) 삽질하는 사람;〖비속〗작업병(兵), 공병.

Schipper[2] *m.* -s, - (nordd.) 선장, 선주 (Schiffer).

schippern [ʃípərn] 《Ⅰ》*i.* (s.) 배를 타고 다니다: er schippert schon über 10 Jahre den Rhein hoch und runter 그가 라인강을 배를 타고 오르내린 게 벌써 10년이 넘는다. 《Ⅱ》*t.* 선박으로 수송하다: Kohle vom Ruhrgebiet ins Rheinland ~ 루르 지방에서 라인 지방까지 석탄을 배로 운반하다.

Schiras [ʃíːras] *m.* -, - 시라즈 양탄자(이란의 도시 이름에서).

Schiri [ʃíːri, ʃíri] *m.* -s, -s〖스포츠〗심판 (Schiedsrichter 의 단축어).

schirken [ʃírkən] *t.* (obd.) 팔매질하다: Steine ~ (돌로) 물수제비뜨다.

***Schirm** [ʃırm] *m.* -(e)s, -e ① 차광판(遮光板), 차열판(遮熱板); (모자의) 차양; (전등·램프의) 갓;〖TV〗스크린(Bild~); 병풍: über den ~ gehen 텔레비전에 방영되다. ② 우산; 양산, 파라솔: den ~ aufspannen〔zusammenklappen〕 우산을〔양산을〕 펴다〔접다〕; den ~ neu beziehen lassen 우산 천을 새로 갈다;〖구어·은폐〗einen ~ in die Ecke stellen 〔einen ~ (in der Ecke) stehenlassen〕 방귀 뀌다(구석에 오래 세워둔 낡은 우산에서 곰팡내가 나는 사실에서). ③ 낙하산(Fall~). ④ 반송(盤松) (~kiefer). ⑤ (해파리의) 갓. ⑥〖植〗산형(繖形) 꽃차례〔화서(花序)〕(Dolde). ⑦〖雅語〗보호, 비호; 피난처, 대피소; 보호 시설, 보호대: jn. in Schutz und ~ nehmen 누구를 보호하다;〖聖〗unter dem ~ des Höchsten stehen 신의 가호 아래 있다; sich unter js. ~ begeben 누구의 보호에 몸을 맡기다. ⑧〖사냥〗사냥꾼의 은폐 장소〔덤불〕. ⑨ 뢴트겐 촬영막(Röntgen~).

Schirm≈antenne *f.* 우산꼴 안테나. **~artig** *a.*〖植〗산형(繖形)의. **~bild** *n.*〖전문어〗① (스크린에 비춰진) 영상. ② 뢴트겐 사진.

Schirmbild≈fotografie *f.* ① 뢴트겐 촬영. ② 뢴트겐 사진. **~gerät** *n.* 뢴트겐 촬영 기구. **~reihen·untersuchung** *f.* 뢴트겐 집단 검사.

Schirm·dach *n.* 차양, 처마.

schirmen [ʃírmən] *t.* ① 가리다, 덮다. ② 보호하다: jn. vor Gefahren ~ 누구를 위험에서 보호하다.

Schirmer [ʃírmər] *m.* -s, -〖雅語〗(Schützer) 보호자, 후원자, 옹호자.

Schirmerin *f.* -nen ↑ Schirmer 의 여성형.

Schirm≈fabrik *f.* 우산〔양산〕 공장. **~fabrikant** *m.* 우산〔양산〕 제조업자. **~förmig** *a.* 우산 모양의; 산형화(繖形花) 모양의. **~futteral** *n.* 우산〔양산〕 주머니. **~gestell** *n.* 우산〔양산〕살. **~gitter·röhre** *f.*〖전기〗진공관, 가리기그리드. **~halter** *m.* 우산〔양산〕 꽂이. **~herr** *m.* 후원〔옹호〕자. **~herrin** *f.* ↑ ~herr 의 여성형. **~herrschaft** *f.* 후원, 후원자, 후원자의 직분. **~hülle** *f.* 우산〔양산〕 주머니. **~kraut** *n.*〖植〗북반구 아한대 고원 지대의 식물.

Schirmling [ʃírmlıŋ] *m.* -s, -e〖植〗↑ Schirmpilz.

Schirm≈macher *m.* ① 우산〔양산〕 제조업자. ② 우산〔양산〕 제조업 수습생. **~mütze** *f.* 차양 달린 모자. **~palme** *f.*〖植〗야자수의 일종. **~pflanze** *f.* 산형과(繖形科) 식물. **~pilz** *m.*〖植〗삿갓버섯의 일종. **~ring** *m.*〖植〗↑ ~pilz. **~ständer** *m.* ↑ ~halter. **~stock** *m.* 우산〔양산〕대.

Schirmung [ʃírmuŋ] *f.* -en〖雅語〗보호, 비호; 보호받음: die ~ vor Not und Gefahren 곤경과 위험으로부터의 보호.

Schirm≈vogt *m.* ↑ ~herr. **~wand** *f.* 병풍. **~werke** *pl.*〖軍〗방어〔차폐〕 공사. **~zwinge** *f.* 우산〔양산〕 꼭지.

Schirn [ʃırn] (⇨ Schranne) *f.* -en (rhein.) 정육점의 고기 써는 작업대(Fleischerbank).

Schirokko [ʃirɔ́ko] (ar.) *m.* -s, -s 시로코 (북아프리카에서 지중해 연안으로 부는 온난 습윤한 지역풍).

schirpen [ʃírpən] *i.* (h.) (obd.) (참새가) 짹짹거리다, (귀뚜라미가) 찌르찌르 울다(zirpen).

Schirr [ʃır] *n.* -(e)s, -e 마구(馬具) (Pferdegeschirr).

schirren [ʃírən] *t.* (말에) 마구를 달다, 마차를 매다: die Pferde ~ 마차에 말을 매다; Pferde an〔vor〕 den Wagen ~ 마차에 말을 매다.

Schirr≈kammer *f.* 마구실(馬具室). **~macher** *m.* 마구 제조인. **~meister** *m.* ① 마부, 마구 관리인. ②〖軍〗중대 차량 담당 하사관.

Schirting [ʃírtıŋ] (engl.) *m.* -s, -e/-s〖섬유〗(안감용·책장정용) 옥양목.

Schirwan [ʃírvan] *m.* -(s), -s 시르반 양탄자 (코카서스 지방에서 제조되는 양탄자; 기하학적인 무늬가 들어감).

Schischke *m.* -, -n (ostd.) 전나무 열매 (Tannenzapfen).

Schisma [ʃísma, sçís..] (gr.) *n.* -s, ..men/-ta ① 분리, 분열;〖宗〗교회의 분파〔분열〕. ②〖가톨릭〗로마 교회에 대한 불복종.

Schismatiker [ʃısmáːtıkər, sçıs..] *m.* -s, -〖宗〗① 변절자, 배신자. ② 교회 분열자, 로마 교회에 불복종하는 자.

schismatisch [ʃısmáːtıʃ, sçıs..] *a.* 교회 분열의, 종파주의적인, 배신적인.

Schi≈sport *m.* 스키 스포츠. **~springer** *m.* 스키 점프 선수. **~sprung** *m.* 스키 점프. **~spur** *f.* 스키 자국〔흔적〕.

schiss 新정서 ⇦ schiß.

Schiss 新정서 ⇦ Schiß.

schiß [ʃıs] ↑ scheißen 의 과거형.

Schiß [ʃıs] (<scheißen) *m.* ..sses, ..sse〖비속〗① 똥(Kot); 배변. ②〖비유·경박〗불안, 근심, 걱정: aus ~ vor jm. 누가 무서워서; er hat〔kriegt〕 ~ vor seinem Vater 그는 자기 아버지를 무서워한다.

Schisser [ʃísər] *m.* -s, -〖경박〗겁쟁이.

Schißlaweng *m.* (Zislaweng) 〔다음 용법으로〕 mit einem ~ 훌쩍, 단숨에.
Schi·stock *m.* 스키 스틱.
schitter *a.* (schütter) 듬성듬성한, 성긴.
Schiwa [ʃí:va] ⟪skt.⟫ *m.* -s, -s 〖宗〗 시바신(神)(힌두교의 3주신(主神)의 하나; 파괴를 상징함).
Schi·wachs *n.* 스키용 왁스.
Schiwel *m.* -s (ndd.) (말의) 발병.
schiwelig *a.* (ndd.) 불쾌한, 언짢은.
schizogen [ʃitsogé:n, sçi..] ⟪gr. schízein, „spalten"⟫ *a.* 〖生〗 분열에 따른.
Schizogonie [..goní:] *f.* 〖生〗 (분열에 따른) 무성 생식.
schizoid [ʃitsoí:t, sçi..] *a.* 〖心·醫〗 정신 분열 경향이 있는.
Schizophasie *f.* -n [..zí:ən] 〖醫·心〗 언어 분열증.
schizophren [ʃitsofré:n, sçi..] *a.* 정신 분열 증적인.
Schizophrenie [ʃitsofrení:, sçi..] *f.* -n [..ní:ən] 〖心·醫〗 정신 분열증.
Schizophyt [ʃitsofý:t, sçi..] *m.* -en, -en 〖植〗 분열 식물(분열균류와 남조류(藍藻類) 포함).
Schizophyte [ʃitsofý:tə, sçi..] *f.* -n ↑ Schizophyt.
Schlabber [ʃlábər] *f.* -n 〔방언·폄어〕 (Mund) 주둥이, 입: halt mal deine ~! 주둥이 좀 닥쳐라!
Schlabberchen *n.* -s, - 〔↑ Schlabber 의 축소형〕 ① (아주 소량의) 한 모금. ② (nordd.) 턱받이.
Schlabberei [ʃlabərái] *f.* -en ①〔구어〕 쩝쩝 핥아먹기, 게걸스럽게 먹기, 음식 흘리기. ②〔방언·폄어〕수다, 재잘거림.
Schlabberer *m.* -s, - ① 쩝쩝 소리를 내거나 게걸스럽게 먹는 사람. ② 수다쟁이.
schlabberig *a.* ① 쩝쩝 소리내며 먹는. ② 수다스러운. ③ (wässerig) 물기 많은, 묽은, (음식이) 밋밋한, 싱거운. ④ (옷감이) 부드러운, 유연한.
Schlabber≈maul *n.* 〔방언·폄어〕 ① 입, 주둥이. ② 떠벌이, 수다쟁이. **~milch** *f.* 〔방언〕 탈지(脫脂) 우유.
schlabbern [ʃlábərn] ⟪ndd.⟫ *i.* (h.) / *t.* ①〔구어〕 (동물이) 쩝쩝 핥아먹다(schlürfen); (사람이) 게걸스럽게 소리를 내며 먹다〔마시다〕: 〔농담〕 komm, wir gehn was ~ 뭘 좀 먹으러〔마시러〕 가자. ②〔구어〕 (음식을 먹다가) 흘리다, 흘려서 더럽히다: der Kleine schlabbert noch beim Trinken 그 아이는 아직도 마실 때 뭘 흘린다. ③ 침을 흘리다(geifern). ④〔방언·폄어〕 수다떨다(schwatzen). ⑤〔구어〕 (옷감이) 부드럽게 펼쳐지다, 하느작거리다.
Schlabber·wasser *n.* 탄산수, 탄산음료.
schlabbrig *a.* ↑ schlabberig.
***Schlacht** [ʃlaxt] ⟪♧ schlagen⟫ *f.* -en ① 싸움, 전투: die ~ bei〔von〕 Waterloo 워털루 전투; eine heiße ~ 격전; eine ~ gewinnen〔verlieren〕 싸움에 이기다〔지다〕; dem Feind eine ~ liefern〔schlagen〕 적을 공격하다; in die ~ gehen〔ziehen〕 싸움터에 나가다; 〔구어〕 hier sieht's ja aus wie nach einer ~ 여기는 완전히 아수라장이구나. ② 주먹질, 폭행: eine ~ zwischen zwei Schulklassen 두 반 학생들 사이의 패싸움. ③ 시합, 싸움, 경쟁: Schneeball≈ 눈싸움. ④〔고어〕 도살; 살육. ⑤〔방언〕 둑 쌓기 (Uferbefestigung). ⑥ ↑ Schlachte.
schlacht *a.* (nordd., md.) 고급〔상등〕의, 품질 좋은.
Schlachta [ʃláxta] ⟪poln.⟫ *f.* (14-18 세기 정치적으로 중요했던) 폴란드 귀족 계급.
Schlacht·bank *f.* 도살장의 작업대: 〔비유·폄어〕 jn. zur ~ führen 누구를 처형하다; 〔雅語〕 sich wie ein Lamm zur ~ führen lassen 처벌을 묵묵히 감수하다(이사야 53:7).
schlachtbar *a.* 도살 가능한, 도살하기에 적합한.
Schlacht≈beil *n.* 도살용 도끼. **~block** *m.* 도살장의 작업대. **~bericht** *m.* 전투 보고.
Schlachte *f.* -n (nordd., md.) 종(種); 종류.
Schlachte·fest *n.* ↑ Schlachtfest.
***schlachten** [ʃláxtən] ⟪I⟫ *t.* ① 도살하다: ein Huhn ~ 닭을 잡다. ② (niedermetzeln) 학살〔살육〕하다: die Soldaten schlachteten die Bauern wie Vieh 군인들은 농부들을 마치 짐승 죽이듯 학살했다. ③〔구어·농담〕 먹어 치우다; 다 써 버리다: eine Tafel Schokolade ~ 초콜릿 한 판을 먹어 치우다. ④ 제물로 바치다. ⑤〖海〗 (ein Schiff) ~ (배를) 해체하다. ⟪II⟫ *i.* (h.) 〔드물게〕 nach jm. ~ 누구와 비슷하다〔닮다〕.
Schlachten≈bummler *m.* ① (권투 등의) 구경꾼. ②〔구어〕 원정 응원군. **~denker** *m.* 전술가. **~einheit** *f.* 〖軍〗 전투 단위. **~glück** *n.* 무운, 전운(戰運). **~gott** *m.* 〖신화〗 군신(軍神) (Ares, Mars). **~göttin** *f.* 〖신화〗 전쟁의 여신(Bellona). **~lärm** *m.* 싸움터의 함성. **~lenker** *m.* 〖聖〗 만군(萬軍)의 주. **~maler** *m.* 전투 화가, 전쟁 화가.
Schlachter *m.* -s, - ① 도살자, 도축자, 백정. ② 푸줏간 주인. ③〖사냥〗 (주로 온순한 짐승을 습격하는) 곰.
Schlächter [ʃlɛçtər] *m.* -s, - ① (nordd.) ↑ Schlachter ① ②. ② 학살자, 살육자: die ~ von Millionen Juden 수백만 유대인을 죽인 학살자들.
Schlachterei [ʃlaxtərái] *f.* -en (ndd.) 푸줏간(Fleischerei).
Schlächterei [ʃlɛçtərái] *f.* -en ① (nordd.) ↑ Schlachterei. ② 학살, 살육.
Schlachter·meister *m.* 도축장 주인; 정육점 주인; 전문 도축원(屠畜員).
Schlacht≈feld *n.* 싸움터, 전장: das ~ der Arbeit 일터; das ~ behaupten 승리하다; das ~ räumen 패전하다, 퇴각하다; 〔고어〕 auf dem ~ bleiben 전사하다. **~fertig** *a.* 전투 준비를 갖춘.
Schlacht·fest *n.* ① 도축 기념 잔치. ② 도살일(屠殺日).
Schlacht≈flieger *m.* 〖軍〗 ① 전투기 조종사. ②〔구어〕 전투기. **~flotte** *f.* 〖軍〗 전투 함대. **~flugzeug** *n.* 전투기. **~geld** *n.* 도살료(料). **~gemälde** *n.* 전쟁화(畫). **~gesang** *m.* 〔옛뜻〕 전투가(歌). **~geschrei** *n.* ↑ ~ruf. **~getöse** *n.* 전쟁터의 함성. **~getümmel** *n.* ↑ ~gewühl. **~gewicht** *n.* (가죽·머리·다리·내장 등을 뺀) 도살 후의 무게. **~gewühl** *n.* 전쟁터의 소용돌이〔아수라장〕. **~glück** *n.* ↑ Schlachtenglück. **~haufe(n)** *m.* 전투 부대.

~haus *n.* ① 도살장 건물. ② ↑ ~hof. **~hof** *m.* 도살장.

..schlächtig *suf.* "…한 종류·방식인"의 뜻 (보기: ober~ (물레방아가) 낙수식(落水式) 인).

Schlacht≈jungfrau *f.* 〖북구신화〗 (전사자를 발할(Walhall) 천당으로 인도하는) 전쟁의 처녀신(Walküre). **~kreuzer** *m.* 〖軍〗 순양함. **~lied** *n.* ↑ ~gesang. **~linie** *f.* 〖軍〗 전열(戰列). **~messer** *n.* 도축용 칼. **~ochs(e)** *m.* 도축 소. **~opfer** *n.* 희생, 산 제물. **~-ordnung** *f.* 〖軍〗 전열(戰列), 진형(陣形), 전투 대형: die Truppen in ~ aufstellen 부대를 전투 대형으로 배치하다. **~pferd** *n.* 군마. **~plan** *m.* 〖軍〗 작전 계획; 〖구어〗 계획: einen ~ entwerfen 작전 계획을 세우다; 〖비유·구어〗 einen ~ machen 전략을 구상하다. **~platte** *f.* 돼지고기 요리의 일종(삶은 고기에 소시지와 시큼한 양배추를 곁들임). **≈reif** *a.* (가축의 나이가) 도살하기에 적당한. **~reihe** *f.* 〖軍〗 ↑ ~linie. **~roß** *n.* 군마. **~ruf** *m.* 전투 구호〔함성〕. **~schiff** *n.* 전함.

Schlachtschitz [ʃláxtʃɪts] 《poln.》 *m.* -en, -en 〖史〗 (14-18 세기의) 폴란드의 하급 귀족 (Schlachta 의 구성원).

Schlacht≈schüssel [ʃláxt..] *f.* ↑ ~platte. **~schwein** *n.* 도살용 돼지. **~schwert** *n.* (고깃간 등의) 큰 칼. **~steuer** *f.* 도축(屠畜)세. **~stück** *n.* ↑ ~gemälde. **~tag** *m.* ① 전투일. ② 도축일. **~tier** *n.* 도축용 가축.

Schlachtung [ʃláxtʊŋ] *f.* -en 도살, 도축; 학살.

Schlacht≈vieh *n.* ↑ ~tier. **~vieh·beschau** *f.* 도축용 가축 검사. **~zeug** *n.* 도축용 도구.

schlack [ʃlak] *a.* (südd.) (schlaff) 느슨한, 축 늘어진; 나태한, 게으른.

Schlack *m.* -(e)s (nordd.) ① 걸쭉한〔죽 같은〕 덩어리(Brei). ② 진눈깨비.

Schlack·darm [ʃlák..] *m.* (nordd.) 직장(直腸) (Mastdarm).

Schlacke[1] [ʃlákə] *f.* -n ① 〖제련〗 슬래그, 광재(鑛滓), 쇠똥. ② 탄재: mancher Koks läßt wenig ~ zurück 대부분의 코크스는 탄재를 거의 남기지 않는다. ③ 〖지질〗 용암, 분석(噴石). ④ 〖복수〗 (식품의) 섬유질. ⑤ 〖비유·雅語〗 부스러기, 찌꺼기, 앙금, 잡티.

Schlacke[2] *f.* -n 〖방언〗 ① 걸쭉한〔흐늘흐늘한〕 것. ② 진눈깨비. ③ ↑ Schlackdarm. ④ 소시지〔순대〕의 종류.

schlacken[1] [ʃlákən] *i.* (h.) 슬래그〔광재〕가 생기다: das Erz schlackt 이 광석은 슬래그를 남긴다.

schlacken[2] 《<schlack》 *i.* (h.) (nordd.) *imp.* es schlackt 진눈깨비가 내린다.

schlacken≈artig *a.* 슬래그〔광재〕 모양의; 슬래그가 많은. **≈bahn** *f.* 〖드물게〗 석탄재를 깐 경주로. **≈bildung** *f.* 광재 형성. **≈erz** *n.* 유리 비슷한 은광석. **~frei** *a.* ① 슬래그를 남기지 않는. ② 섬유질이 들어있지 않은. **≈-grube** *m.* 광재갱(鑛滓坑). **≈halde** *f.* 슬래그 더미. **≈regen** *m.* 화산탄(火山彈); 분출 용암의 비. **~reich** *a.* ① 슬래그가 많은. ② 섬유질이 풍부한. **≈staub** *m.* 분탄(粉炭); 석탄 부스러기. **≈stein** *m.* 〖건축〗 ① (석탄과 코크스의 슬래그로 만든 가볍고 구멍이 숭숭난) 벽돌. ② (구리와 슬래그로 만드는) 포석(鋪石). **≈wolle** *f.* 광재면(綿), 광물면(綿) (단열재의 일종).

Schlacker[1] [ʃlákər] 《<Schlacke》 *m.* -s, - ① 슬래그〔광재〕 긁어모으는 사람(Schlackenkratzer). ② 〖방언〗 윤활유 통.

Schlacker[2] 《<Schlack》 *m.* -s, - 〖방언〗 ↑ ~wetter.

schlackerig [ʃlákərɪç] *a.* ① 〖구어〗 느슨한, 축 처진, 흔들거리는. ② (nordd.) 눈비〔진눈깨비〕가 질금질금 내리는.

schlackern[1] [ʃlákərn] *i.* ↑ schlacken[2].

schlackern[2] *i.* ① (h./s.) (nordd., westmd.) (schlottern) 흔들거리다, 떨리다: die Knie schlackerten ihm vor Angst 그는 두려운 나머지 무릎이 덜덜 떨렸다. ② 흔들거리며 가다〔움직이다〕. ③ 흔들다: mit den Armen ~ 팔을 흔들다; der Elefant schlackert mit seinen großen Ohren 코끼리가 커다란 귀를 흔들어 댄다.

Schlacker≈schnee *m.* (nordd.) 진눈깨비. **~wetter** *n.* (nordd.) 진눈깨비 내리는 궂은 날씨.

schlackicht[1] *a.* ↑ schlackig[1].

schlackicht[2] *a.* ↑ schlackig[2].

schlackig[1] [ʃlákɪç] *a.* 슬래그〔광재〕를 함유한.

schlackig[2] *a.* (nordd.) 진눈깨비의, 진눈깨비가 내리는.

Schlack≈wetter *n.* 〖방언〗 ↑ Schlackerwetter. **~wurst** *f.* (돼지 직장(直腸)에 속을 채워서 만든) 소시지.

***Schlaf**[1] [ʃlaːf] 《germ.》 *m.* -(e)s ① (↔ Wachen) 잠, 수면; 휴식: der ewige〔letzte〕 ~ 죽음; ein leichter ~ 선잠, 풋잠; ~ haben (obd.) 졸리다; ~ lieben 피곤하다, 졸리다; 〖농담〗 den ~ des Gerechten schlafen 마음편히 푹 자다; aus〔von〕 dem ~ erwachen 잠에서 깨다; in ~ fallen〔sinken〕 잠에 곯아 떨어지다; ein Kind in den ~ lullen〔singen〕 자장가를 불러 아이를 재우다; im ~ reden 잠꼬대하다; einen langen ~ tun 오래 푹 자다: in hypnotischen ~ versenken 최면술을 걸다; jn. aus dem ~ reißen〔rütteln〕 누구를 잠에서 깨우다; ich war noch im ersten ~ 나는 잠이 들까말까 했다; nicht im ~ an et. denken 무엇을 꿈에도 생각지 않다; jm. nicht im ~ einfallen 누구를 꿈에도 생각지 못하다; 〖雅語〗 der ~ flieht ihn 그는 잠을 이루지 못한다; 〖비유·구어〗 et. im ~ beherrschen〔können〕 무엇에 통달하다, 무엇을 달달 외고 있다. ② 〖구어·농담〗 눈곱: er hat noch ~ in den Augen 그는 아직도 눈에 눈곱이 남아 있다.

Schlaf[2] *m.* -(e)s, Schläfe [ʃlɛ́ːfə] 〖해부·고어〗 ↑ Schläfe.

Schlaf≈abteil *n.* 〖철도〗 침대칸. **≈ähnlich** *a.* 잠든 것 같은. **~anzug** *m.* 잠옷, 파자마.

Schlafanzug≈hose *f.* 잠옷 바지. **~jacke** *f.* 잠옷 상의.

Schlaf≈apfel *m.* ① 장미 잎에 생기는 충영(蟲癭). ② 〖植〗 가짓과의 유독 식물(흰독말풀, 벨라도나). **≈artig** *a.* ↑ ≈ähnlich. **~baum** *m.* (새들이) 잠자는 나무. **≈befördernd, ≈-bringend** *a.* 졸리게 하는, 잠을 재촉하는. **~bursche** *m.* 〖구식〗 숙박인. **~couch** [..kautʃ] *f.* 침대겸용 소파.

Schläfchen [ʃlɛ́:fçən] *n.* -s, - 〖↑ Schlaf 의 축소형〗선잠, 풋잠: ein ~ machen〔halten〕 깜박 잠들다, 선잠〔풋잠〕 자다.

Schla̲f·deich *m.* 〚工〛 안둑, 예비 제방.

***Schläfe** [ʃlɛ́:fə] *f.* -n ①〚해부〛 관자놀이: er hielt ihm die Pistole an die ~ 그는 그 남자의 관자놀이에 권총을 들이댔다. ②〔복수〕 귀밑머리: er hat graue ~n 그는 귀밑머리가 희끗희끗하다.

schläfeln *i.* (h.) 깜박 잠들다, 풋잠 들다.

schlafen [ʃlá:fən] (schlief, geschlafen) 《원뜻 „schlaff sein"》《I》 *i.* (h.) ① (↔ wachen) 자다, 잠자다; 〔비유〕 쉬고 있다(ruhen); 〔비유〕 영면하다: lange in den Tag hinein ~ 대낮까지 자다; fest ~ 숙면하다; 〔결과를 나타내어〕 zur Mumie ~ 죽은 듯이 자다; darüber möchte ich erst (noch) mal ~ 거기에 대해서는 좀더 생각해 보겠다; schlaf (recht) gut! 잘 자!; ~ gehen 취침하다; sie schläft noch halb 그 여자는 아직 잠이 덜 깼다; 〔비유〕 mit offenen Augen 〔im Stehen〕 ~ 백일몽을 꾸다, 몽상에 빠지다; laß die Sache ~! 그것은 내버려두어라!; 〚스포츠〛 er hat ihn ~ geschickt 그는 그 남자를 K.O. 시켰다. ②〔4 격 명사와 함께〕 einen festen〔tiefen〕 Schlaf ~ 숙면하다, 깊은 잠을 자다. ③ (übernachten) 묵다, 숙박하다: kann ich heute nacht bei euch ~? 오늘 밤 너희 집에서 자도 되겠니? ④ (누구와) 동침〔성교〕하다: ich habe Lust, mit dir zu ~ 난 너와 동침하고 싶어. ⑤ (일시적으로) 마비되다: der Arm schläft mir 나는 팔이 저리다. ⑥〔비유·구어〕 주의하지 않다, 산만하다: die Schüler ~ im Unterricht 수업 시간에 학생들의 주의가 산만하다. 《II》 *refl.* 잠을 자서 …한 상태로 되다: sich gesund ~ 잠자서 원기를 회복하다. 《III》 *imp.* 잠을 잘 수 있다, 잠자기가 …하다: mit einem Glas Bier schläft es sich gut 맥주를 한 잔 마시면 잠이 잘 온다.

Schlä̲fen·bein *n.* 〚해부〛 측두골(側頭骨).

schla̲fend *p.a.* ① 자고 있는: sich ~ stellen 잠든 체하다; 〔속담〕 ~e Hunde soll man nicht wecken 긁어 부스럼 만들지 마라; 〚植〛 ~es Auge 휴면기에 있는 싹. ② 멈추고 있는; 〚工〛 고정되어 있는: ~es Feuer 꺼진 불.

Schlä̲fen·gegend *f.* 〚해부〛 관자놀이 부근.

Schla̲fen·gehen *n.* 취침.

Schla̲fens·zeit *f.* 취침 시간.

Schläfer [ʃlɛ́:fər] *m.* -s, - ① 잠자는 사람; 잠꾸러기(Lang~). ②〚動〛 ↑ Schlafmaus. ③ ↑ Schlafdeich.

schläferig ʃlɛ́:fərɪç] *a.* ↑ schläfrig.

schläfern [ʃlɛ́:fərn] 《I》 *t.* (einschläfern) 잠들게 하다, 재우다. 《II》〔드물게〕 *imp.* 졸리다: es schläfert mich 〔mich schläfert〕 나는 졸린다.

schla̲f·erzeugend *a.* 〚醫〛 최면(성)(催眠(性))의.

***schlaff** [ʃlaf] 《⊕ schlafen》 *a.* ① (schlapp) 느슨한, 헐거운: die Schnur ist zu ~ 끈이 너무 느슨하다. ② 시든, 생기 잃은; 팽팽하지 않은, 바람 빠진: ~e Haut 시든〔늘어진〕 피부; ein ~er Ballon 바람 빠진 풍선. ③ 힘 없는, 축 늘어진: die Arme ~ herabhängen lassen 두 팔을 축 늘어뜨리다; ein ~er Händedruck 힘없는 악수. ④〔비유〕 (도덕적으로) 해이한, 안이한: eine ~e Regierung (기강이) 해이해진 정부. ⑤〔구어·폄어〕 의욕적〔자발적〕이지 못한, 맥 없는, 침체된: ein ~er Chef 주도적이지 못한 사장. ⑥〔아동·폄어〕 지루한, 재미 없는: die Fete war reichlich ~ 그 파티는 진짜 지루하기 짝이 없었다.

Schla̲ffheit *f.* ↑ schlaff 의 명사형.

Schla̲f⸗gänger *m.* ① ↑ ~bursche. ②〔드물게〕 ↑ ~wandler. **~gast** *m.* 숙박객. **~gefährte** *m.* ① 룸 메이트. ② 동침자. **~geld** *n.* 숙박료. **~gelegenheit** *f.* 잠자리: eine ~ suchen 잠자리를 구하다. **~gemach** *n.* 〔시어·雅語〕 침실. **~genosse, ~gesell(e)** *m.* ↑ ~gefährte ①. **~gewand** *n.* 잠옷. **~gott** *m.* 〚그리스신화〛 수면의 신(Hypnos). **~haube** *f.* ① (여성의) 나이트 캡. ②〔구어〕 느림보(↑ Schlafmütze ③).

..schläfig *suf.* "일정한 수의 사람이 자기에게 적합한"의 뜻(보기: ein~ 한 명이 자기에게 적합한).

Schlafittchen [ʃlafɪ́tçən] 《ndd.》 *n.* -s 〔비유〕 저고리 자락(Rockschoß): 〔다음 용법으로〕 jn. am 〔beim〕 ~ nehmen〔fassen, kriegen, packen〕 누구를 붙잡고 야단치다.

Schlafittich [ʃlafɪ́tɪç] *m.* -(e)s ↑ Schlafittichen.

Schla̲f⸗kamerad *m.* ↑ ~gefährte. **~kammer** *f.* 침실. **~krank** *a.* 〚醫〛 수면병의(~süchtig). **~krankheit** *f.* 〚醫〛 수면병. **~lied** *n.* 자장가.

schla̲flos *a.* ① 꼬박 지새운, 자지 않은: mehr als eine ~e Nacht stehe ich nicht durch 나는 자지 않고 하룻밤 이상은 버티지 못한다. ② 불면의: wegen ihr hatte ich ~e Nächte 나는 그 여자 때문에 여러 날 잠을 못 이루었다.

Schla̲flosigkeit *f.* ① 불면, 잠 못 이룸. ② 〚醫〛 불면증.

Schla̲f⸗lust *f.* 졸음, 졸림. **~maus** *f.* 〚動〛 (동면을 하는) 들쥐의 일종. **~mittel** *m.* 수면제. **~mütze** *f.* ① 나이트 캡. ②〔구어〕 잠꾸러기. ③〔구어〕 느림보, 아둔패기. **~mützig** *a.* 아둔한, 굼뜬, 주의력이 산만한. **~mützigkeit** *f.* ↑ ~mützig 의 명사형. **~pelz** *m.* 모피가 달린 모닝 가운. **~pulver** *n.* (가루로 된) 수면제. **~puppe** *f.* 눕히면 눈이 감기는 인형. **~ratte** *f.* ①〚動〛 들쥐의 하나. ②〔비유〕 잠꾸러기. **~ratz** *m.* ↑ ~ratte. **~ratze** *f.* ↑ ~ratte. **~reden** *n.* 잠꼬대.

schläfrig [ʃlɛ́:frɪç] *a.* ① 졸리운; 피곤한; 졸리게 하는: der Wein macht mich ~ 포도주를 마시니 졸립다. ②〔비유〕 게으른, 느릿느릿한: mit ~en Bewegungen 느릿느릿한 동작으로.

..schläfrig *suf.* ↑ ..schläfig.

Schlä̲frigkeit *f.* ↑ schläfrig 의 명사형.

Schla̲f⸗rock *m.* ① 모닝 가운. ②〔다음 용법으로〕〚요리〛 im ~ (부풀게 구운) 파이 반죽의: Apfel im ~ 사과 파이. **~saal** *m.* (유스호스텔 등의) 공동 침실. **~sack** *m.* 침낭, 슬리핑 백. **~sessel** *m.* (잠도 잘 수 있는) 안락 의자. **~sofa** *n.* 침대 겸용 소파. **~stadt** *f.* 〔구어·반어〕 베드 타운. **~stätte** *f.* 잠자리 (침대나 긴 소파 등). **~stelle** *f.* 잠자리, 거처: (nur) eine ~ bei einer Familie haben 잠(만) 잘 수 있는 거처를 어떤 집에서 구하다. **~stube** *f.* 〔고어·방언〕 침실. **~stuhl** *m.* ↑

~sessel. **~sucht** *f.* 〖병리〗 과대 수면증. **≈süchtig** *a.* 과대 수면증의. **~trank** *m.* ↑ ~trunk. **~trunk** *m.* 〖고어〗 잠을 청하기 위해 마시는 술. **≈trunken** *a.* 잠이 덜 깬, 잠에 취한: ~ durchs Zimmer stolpern 잠에 취해 비틀거리며 방 안을 걸어가다. **~trunkenheit** *f.* ↑ ≈trunken 의 명사형. **~wachen** *n.* ① 반수(半睡) 상태; 몽유병. ② 천리안(千里眼). **~wagen** *m.* 〖철도〗 침대차. **~wandel** *m.* 몽유(병). **≈wandeln** (*p.p.* geschlafwandelt) *i.* (h./s.) 잠자며 걷다, 몽유하다. **~wandler** *m.* 몽유병자. **≈wandlerisch** *a.* 몽유병자 같은. **~zeit** *f.* 수면 시간. **~zeug** *n.* 침구(寢具), 잠옷가지. **~zimmer** *n.* 침실.

***Schlag** [ʃla:k] 《<schlagen》 *m.* -(e)s, Schläge [ʃlɛ́:gə] ① (찰싹) 때림, 치기; 휘두르기: ~ der Fittiche〔Flügel〕 날개 치기. ② **(a)** 규칙적으로 치기; 박동: ~ des Herzens 심장의 고동; ~ einer Taschenuhr 회중 시계가 가는 소리; ~ der Wellen 파도 소리; am ~ sitzen 노젓는 박자를 정하다. **(b)** 〖음악〗 박자; 〖문학〗 운율. **(c)** 〔방언〕 den ~ von et.³ wissen 무엇의 요령을 알다. **(d)** 〖工〗 (피스톤) 행정. ③ **(a)** 치기; 두들김; 타격; 구타; 말의 발길질(Huf≈): 〖구어〗 ein ~ unter die Gürtellinie 비열한 짓. **(b)** 〔비유〕 (운명·불행의) 강타, 타격: jm. einen ~ versetzen 누구에게 큰 타격을 입히다; einen vernichtenden ~ gegen jn. führen 누구에게 치명적인 일격을 가하다; 〖비유〗 zum entscheidenden ~ (gegen jn.) ansetzen〔ausholen〕 (누구에게) 치명적인 조치를 취하기 시작하다. **(c)** 뇌졸증, 졸도; (전기에 의한) 충격, 쇼크: der ~ soll dich treffen! 벼락이나 맞아라!; einen ~ bekommen 졸도하다; 〖비유·구어〗 das war ein ~ ins Kontor 그것은 날벼락 같은 일이었다; ich dachte, mich rührt der ~ 나는 너무 놀라서 까무라치는 줄 알았다; wie vom ~(e) gerührt 너무 놀라 대경실색하여; 〖비유〗 ~ auf ~ 연이어, 끊임없이; auf einen ~〔mit einem ~e〕 일격에, 단숨에; 돌연, 별안간; 〖비유〗 das war ein harter ~ für ihn 그것은 그에게 큰 충격이었다; 〖구어〗 einen ~ haben 머리가 약간 이상하다, 조금 돌았다; ein ~ ins Wasser sein 헛수고다, 헛일이다. **(d)** 〖복수〗 (벌로 가하는) 매질, 구타. ④ (악기를) 치기; 울림, (시계·종) 치는 소리: ~ der Glocke 종을 침; mit dem ~ der zehnten Stunde 10 시가 울려서; ~ zehn (Uhr) 정각 10 시(에); auf den ~〔mit dem ~e〕 정각에; 〖구어〗 einen ~ warten 잠깐 기다리다. ⑤ (종다리의) 우는 소리, 지저귐. ⑥ 〖화폐〗 주조; 각인. ⑦ (인간의) 유형, 타입; 〖드물게〗 (가축의) 품종: ein Mensch seines ~es 그 남자와 같은 타입의 사람; Leute jeden ~es 온갖 유형의 사람들; ein Mann von meinem ~e 내가 좋아하는 타입의 남자; ein schöner ~ Pferde 순종 말. ⑧ 문, 차문: jm. den ~ öffnen 누구를 위해 (마차의) 문을 열어 주다. ⑨ 새장; 닭장. ⑩ 〖林〗 벌채; 벌채 구역. ⑪ 〖農〗 (같은 품종의) 재배 구역. ⑫ 〖海〗 **(a)** (선체에 부딪치는) 큰 물결〔파도〕. **(b)** 큰 물결이 부딪치는 선체의 부분. **(c)** 키의 물에 잠기는 넓적한 판, 키 본. **(d)** 밧줄의 매듭, 밧줄을 맴. ⑬ (요트레이스에서) 전환점에서 다음 전환점에 이르기까지의 구간. ⑭ (불꽃 따위의) 약포. ⑮ 절구. ⑯ (길이 단위로) 약 1.9 미터(=1/2 Rute). ⑰ 아마, 아마의 씨; 아마 분량의 단위(=1/2 Simmer). ⑱ 〔구어〕 한 접시〔국자〕 정도의 양: noch einen ~ (Suppe) nachfassen (수프를) 한 국자 더 받다; (einen) ~ bei jm. haben 누구의 호감을 사고 있다. ⑲ 〖직조〗 (피륙의 씨실인) 우프, 웨프트. ⑳ (öst.) 생크림.

Schlag≈abtausch *m.* ① 〖권투〗 펀치의 교환, 난타(전). ② 〔비유〕 격렬한 논쟁〔언쟁〕. **~ader** *f.* 〖해부〗 동맥. **~ader·geschwulst** *f.* 동맥류(瘤). **~anfall** *m.* 〖醫〗 뇌졸중 (발작). **≈artig** *a.* ① 돌연한, 급격한, 전격적인. ② 〖醫〗 졸중성(卒中性)의. **~ball** *m.* ① 독일식 야구. ② 독일식 야구에서 사용하는 가죽공.

schlagbar *a.* ① 벌채하기에 알맞은. ② 〖스포츠〗 이길 수 있는.

Schlag≈baum *m.* ① (건널목 따위의) 차단기. ② 〖사냥〗 (담비 포획용의) 나무로 만든 덫. **~bohrer** *m.* ↑ ~bohrmaschine. **~bohrmaschine** *f.* 암반 굴착기, 착암기. **~bolzen** *m.* (총포의) 공이치기. **~brücke** *f.* 현수교. **~eisen** *n.* 〖사냥〗 둥근 철제 덫.

schläge·faul *a.* 무감각한; 게으른, 나태한.

Schlägel [ʃlɛ́:gəl] *m.* -s, - ① (광원이 쓰는) 망치: ~ und Eisen (광업의 상징인) 망치와 쇠. ② 〖악기〗 북채(Trommel≈).

Schlägel 新정서 ⇦ Schlegel¹ ①.

Schlägelchen *n.* -s, - 〖구어〗 경증 뇌졸중.

schlagen [ʃlá:gən] (schlug, geschlagen) 《I》 *t.* ① 치다, 두들기다; 때리다, 패다; (말이) 차다; (맹수가 먹이에) 덮치다: jn. mit der Hand〔dem Stocke〕 ~ 누구를 손으로〔막대기로〕 때리다; 〖비유〗 jn. hinter die Ohren ~ 누구의 뺨을 찰싹 때리다; jn.〔jm.〕 ins Gesicht〔auf den Kopf〕 ~ 누구의 얼굴을〔머리를〕 때리다; mit der Peitsche ~ 채찍질하다; 〖목적어 없이〗 heutzutage ~ die Lehrer nicht mehr 오늘날에는 교사들이 더 이상 체벌하지 않는다; 〖치는 도구를 목적어로 하여〗 das Schwert〔den Hammer〕 auf et. ~ 칼〔망치〕로 무엇을 치다; die Hände zusammen ~ 손뼉을 치다; 〖농담〗 ehe ich mich ~ lasse 맞기 전에 (네 말을 듣겠다). ② 〖고어〗 때려죽이다, 도살하다. ③ (공을) 치다, 두들기다; 걸다, 매달다: einen Ball über das Netz ~ 공을 네트 위로 쳐넘기다; Eisen ~ 쇠를 두들기다〔쳐 불리다〕; einen Nagel in die Wand ~ 벽에 못을 박다: eine Notiz an das schwarze Brett ~ 게시판에 공고를 붙이다; Jesus wurde ans Kreuz geschlagen 예수는 십자가에 못박혔다. ④ 〖결과를 나타내는 말과 함께〗 …하게 되도록 때리다〔치다·박다〕: jn. braun und blau ~ 누구를 멍들도록 때리다; breit ~ a) 두들겨 펴다, 납작하게 만들다, b) (노래의 음조를) 낮추다, c) 〖비유〗 (누구를) 설득하다; in Stücke〔Scherben〕 ~ 산산조각 내다; krumme Nägel gerade ~ 굽은 못을 두들겨 곧게 만들다; jn. tot〔zu Tode〕 ~ 누구를 때려 죽이다; 〖비유〗 sich auf et. tot ~ lassen 무슨 일에 목숨을 걸다; 〖비유〗 Geld〔die Zeit〕 tot ~ 돈〔시간〕을 낭비〔허비〕하다; 〖비유〗 sich³ den Bauch〔Leib〕 voll ~ 배불리 먹다; jn. windelweich ~ 누구를 늘씬하게 때려눕히다; kurz und klein ~ 박살내다; jn. zum Ritter ~ 누구를 기사로 임명하다. ⑤ 〖치는 도구가 주어로 되어〗 때리다, 부딪치다: der Blitz schlägt einen Baum 벼락이 나무에 떨어진다. ⑥ 죽이다; 상처내다; (운명이) 괴롭히다; (병·재난이) 덮치다; 〖체스〗 상대방의 말을) 잡다: jn. mit Blindheit〔Taubheit〕 ~ 누구를 눈멀게〔귀먹게〕 하다. ⑦ 이기다, 쳐부수다, 물리치다, 정벌하다: eine Schlacht ~ 전투를 치르다; eine Mensur ~ 결투로 승부를 가르다; den Feind (aus dem Feld) ~ 적을 격파하다〔격퇴시키다〕; den Feind aufs Haupt ~ 적을 쳐부수다; jn. in die Flucht ~ 누구를 패주시키다; 〖스포츠〗 einen Rekord ~ 기록을 깨뜨리다; 〖비유〗 sich geschlagen geben 패배를 인정하다. ⑧ 〖결과를 나타내는 4격 명사와 함께〗 야기하다, 만들어내다: 〖비유〗 alles über einen Leisten ~ 모든 것을 천편일률적으로 처리하다; Alarm ~ 경적을 울리다; Blätter ~ 잎을 내다; Blüten ~ 꽃을 피우다; Falten ~ 주름이 생기다, 주름 잡히다; Feuer aus dem Stein ~ (부싯돌로) 불을 일으키다; eine gute Klinge ~ 검을 멋있게 휘두르다; Haken ~ (토끼가) 지그재그로 달리다; einen Knoten ~ 매듭을 짓다; ein Kreuz ~ 십자를 긋다; Lärm ~ a) 경적을 울리다, b) 야단법석을 떨다; Münzen ~ 화폐〔경화〕를 주조하다; Maschen ~ (뜨개질에서) 코를 만들다; Öl ~ 기름을 짜다; einen Purzelbaum ~ 공중제비를 돌다; ein Rad ~ a) 칼을 둥글게 휘두르다, b) (공작이) 꼬리를 펴다, c) 〖스포츠〗 옆으로 재주넘다; 〖학생〗 Randal ~ 왁자지껄하다; 행패부리다; Rat ~ 의논〔상의〕하다; 〖비유〗 Schaum ~ 거짓말하다; 허풍떨다, 큰소리치다; jm. ein Schnippchen ~ 누구를 속이다; Sturm ~ 돌격의 북을 치다; 〖음악〗 den Takt ~ 박자를 치다; einen Triller ~ 떨림음을 내다; 〖카드·비유〗 die Volte ~ 속임수를 쓰다; Wellen ~ 물결을 일으키다; jm. eine schwere〔tiefe〕 Wunden ~ 누구에게 중상을 입히다; Wurzeln ~ 뿌리 박다; ein Zelt ~ 천막을 치다. ⑨ 향하게 하다, 몰아대다: die Haare nach hinten ~ 머리카락을 뒤로 넘기다; die Augen zu Boden ~ 눈을 내리깔다; kein Auge **auf** jn. ~ 누구에게 시선을 돌리지 않다; Steuern auf et. ~ 무엇에 과세하다; Vieh auf〔in〕 die Weide 〔Mast〕 ~ 가축을 목장으로〔우리로〕 몰다; auf die Zeit ~ 연기하다, 시간의 경과에 맡기다; die Augen **in** die Höhe ~ 쳐다〔우러러〕보다. ⑩ (쳐서) 내보내다; 빼내다: den Boden **aus** dem Fasse ~ 통의 밑바닥을 두들겨 빼다; jm. et. aus der Hand ~ 누구의 손을 쳐서 무엇을 떨어뜨리게 하다; et. von der Hand ~ 무엇을 거절하다; sich³ et. aus dem Kopf〔Sinn〕 ~ 무엇을 머리에서 지우다, 잊으려고 하다; **durch** ein Sieb ~ 체로 (으깨면서) 거르다. ⑪ (무엇에) 싸다, (무엇으로) 들어가게 하다; (어떤 상황에) 처하게 하다: et. in Papier ~ 무엇을 종이에 싸다; jn. **in** Fesseln ~ 누구를 잡아 매다; die Schlußfäden in die Kettenfäden ~ 씨실을 날(실)에 꿰다; sein Leben für et. in die Schanze ~ 무엇에 목숨을 걸다, 위험을 무릅쓰다; 〖비유〗 in den Wind ~ 대수롭지 않게 여기다, 경시하다; jn. in Bande ~ 누구를 구속하다; Gewänder in Falten ~ 옷에 주름잡다; et. in die Kasten ~ 무엇을 상자에 채워 넣다; 〖비유〗 sich³ die Nacht **um** die Ohren ~ 밤을 새우다, 밤새도록 술을 마시다; sich³ die Welt um die Ohren ~ 널리 세상을 견문하며 다니다; die Traurigkeit von sich ~ 슬픔을 이겨내다; **zu** Boden ~ 타도하다. ⑫ 덧붙이다, 부가하다: die Unkosten auf den Preis ~ 비용을 가격에 포함시키다; die Zinsen zum Kapital ~ 이자를 원금에 가산하다. ⑬ (손발을) 뻗다; (옷을) 걸치다: die Hände 〔Finger〕 ineinander ~ 손〔손가락〕을 꽉 맞잡다〔깍지끼다〕; die Beine übereinander ~ 다리를 꼬다; die Arme um jn. ~ 누구를 얼싸안다; einen Mantel um den Leib ~ 외투를 몸에 걸치다; den Rand eines Hutes nach oben ~ 모자의 가장자리를 위로 젖히다; die Hände vor das Gesicht ~ (절망의 표현으로) 손으로 얼굴을 감싸다. ⑭ (나무를) 베다, 넘어뜨리다: Bäume ~ 벌목하다; Gras ~ 풀을 베다. ⑮ 〖악기〗 치다, 켜다: die Harfe ~ 하프를 켜다; die Saiten ~ 현을 타다〔켜다〕; die Trommel ~ 북을 치다. ⑯ 설치하다, 세우다: eine Brücke (über einen Fluß) ~ (강 위로) 교량을 설치하다; 〖비유〗 eine Brücke zu jm. ~ 누구와 친분 관계를 맺다. ⑰ 〖요리〗 휘젓다, 거품내다: Eier zu Schnee ~ 달걀을 휘저어 거품을 내다; geschlagene Sahne 생크림. ⑱ (선을) 긋다: einen Kreis ~ 원을 그리다. 《Ⅱ》 *i.* (h./s.) ① (h.) 치다, 두들기다; 때리다, 패다; (말이) 차다; 쳐들어가다: mit den Flügeln ~ 날개치다; unter die Menge ~ 군중 속으로 돌진하다, 종횡무진 무찌르다. ② 〖무생물이 주어로 되어〗 치다, 두들기다; (돛이) 펄럭이다; (창문이) 덜컹거리다; 부딪치다, 되튕기다: der Regen schlägt mir ins Gesicht 빗방울이 내 얼굴을 때린다; das Fenster schlägt im Wind 바람에 창문이 덜컹거린다; die Büchse schlägt stark 그 총은 반동이 세다. ③ (h.) 쿵쾅거리다, 고동치다, 두근거리다: 〖비유〗 ihr Herz schlägt nach ihm 〔für ihn〕 그에 대한 사랑으로 그 여자의 가슴은 두근댄다; das Gewissen schlägt mir 나는 양심의 가책을 느끼고 있다; der Motor schlägt 모터가 통통거리며 돈다. ④ (h.) 소리를 내다, (새가) 울다, 지저귀다; (시계가) 종을 치다: Nachtigallen ~ 밤꾀꼬리가 지저귄다; die Glocke schlägt (시계의) 종이 울린다; es 〔die Uhr〕 schlägt neun 시계가 9시 종을 친다; 〖비유〗 die Stunde des Abschieds hat geschlagen 작별의 순간이 다가왔다; jedem schlägt seine Stunde 누구에게나 순서〔기회〕가 있는 법이다; nun schlägt's (aber) dreizehn! a) 이거 놀랐다!, b) 더 못 참겠다!; er weiß, was die Glocke geschlagen hat 그는 사정에 훤하다; zwei geschlagene Stunden 꼭 두 시간; die Trommel schlug zum Streite 북이 전투 개시 신호를 울렸다; 〖광산〗 der Sprengschuß hat gut geschlagen 발파는 성공리에 끝났다. ⑤ (대개 s.) …에 세게 부딪치다; 〖비유〗 거스르다, 고통을 야기하다, 해를 끼치다: der Regen schlägt an〔gegen〕 das Fenster 비가 창문을 때린다; die Welle schlägt ans Ufer 파도가 해안에 부딪친다; liebliche Töne schlugen an mein Ohr 아름다운 음향이 내 귓전을 울렸다; die Wellen ~ ihm **übern** Kopf 파도가 그의 머리 위를 덮친다; über den Strang 〔die Stränge〕 ~ 마구 날뛰다, 방종하게 살다;

heftig **um** sich ~ 닥치는 대로 치다, 마구 부수다; ich bin wie **vor** den Kopf geschlagen 나는 이성을 잃었다, 어찌할 바를 몰랐다; **auf** jn. ~ 누구를 때리다; jm. auf die Schulter ~ 누구의 어깨를 (다정하게) 톡톡 치다; fallend auf den〔zu〕Boden ~ 바닥에 쿵 하고 떨어지다; dieses Erlebnis ist ihr auf das Gemüt geschlagen 이러한 체험이 그녀의 기분을 상하게 했다;〖비유〗bei jm. auf den Busch ~ 누구의 비밀을 알려고 하다; der Hagel schlägt auf die Saaten 우박이 묘판을 망쳐 놓다; mit dem Kopf auf den Stein ~ 머리를 돌에 부딪다. ⑥ 솟아나오다, 치솟다, 뚫고 나가다〔들어가다〕: es schlägt Feuer **aus** dem Boden 마루에서 불길이 솟아오른다; die Flamme schlägt in die Höhe 화염〔불꽃〕이 하늘로 치솟는다:〖비유〗aus der Art ~ 성질이 변하다, 퇴화〔타락〕하다; **durch** die Brust ~ (총알이) 가슴을 관통하다; durchs Papier ~ (잉크 따위가) 종이에 배어들다; **gegen** et. ~ 무엇을 치다, 무엇에 부딪치다; der Blitz hat **in** die Eiche geschlagen 벼락이 참나무에 떨어졌다; der Wind schlägt in die Segel 바람이 돛을 부풀린다; es ist mir in den Leib〔die Glieder〕geschlagen 그것은 내 골수에까지 스며들었다; die Ware schlägt in die Höhe 물가가 급등한다; diese Farbe schlägt ins Blaue 이 색은 푸르스름하다;〖비유·구식〗in sich ~ 자꾸 후회하다. ⑦ (누구 쪽으로) 닮다, (무엇 쪽으로) 기울다: sie schlägt sehr nach ihrer Mutter 그 여자는 어머니 쪽을 매우 닮았다; nach der einen Seite ~ 한쪽으로 기울다; die Waage schlägt nach dieser Seite 저울이 이쪽으로 기운다. ⑧ (무엇에) 속하다: das schlägt nicht in mein Fach 그것은 내 소관이 아니다, 난 그것을 잘 모른다. ⑨〔부사와 함께〕aneinander ~ 서로 충돌하다, 맞부딪치다; hintenüber ~ 벌떡 자빠지다, 뒤로 젖혀지다; kopfüber ~ 곤두박질 치다;〖비유〗vorwärts ~ 출세하다, 재산이 늘다. ⑩ (h.)〖구식〗싸우다: mit jm. ~ 누구와 싸우다. ⑪ (h.) (물고기가) 물위로 솟구쳤다 떨어지다; 산란하다: Lachse ~ 연어들이 물 위로 솟구쳤다 떨어진다. ⑫ (s.) der Kahn schlägt voll Wasser 배가 침수되다〔물에 잠기다〕. ⑬〖체스〗상대말을 잡다:〖체스〗die Bauern ziehen gerade, schlagen aber schräg 졸은 똑바로 움직이지만, 상대 말을 잡을 때는 대각선으로 이동한다. 《Ⅲ》*refl.* sich ~ ① (서로) 치고 받다, 싸우다, 충돌하다, 대립하다; die Kinder schlugen sich um das Spielzeug 아이들이 장난감을 차지하려고 싸웠다; man schlägt sich fast um sie〔die Ware〕그 여자는〔상품은〕인기를 모으고 있다; sich mit jm. (im Duell) ~ 누구와 결투하다; die Truppe hat sich gut geschlagen 부대는 잘 싸웠다. ② (스스로) 모순되다; (자신을) 때리다, 괴롭히다: sich selbst (mit seinen eigenen Worten) ~ 자가 당착에 빠지다, 자기 모순을 범하다;〖비유〗sich mit Gedanken〔Grillen〕~ 이 생각 저 생각하다, 애타게 생각하다; sich an die Brust ~ (후회·자랑의 몸짓으로) 가슴을 치다. ③ (어떤 방향으로) 향하다: sich links〔rechts〕~ 왼쪽〔오른쪽〕으로 가다〔돌다〕; sich auf js. Seite ~ 누구를 편들다; sich durchs Leben ~ 억척스럽게 살아가다; sich seitwärts in die Büsche ~ a) 길 옆에 있는 덤불 속으로 뛰어들다, b)〖비유〗도망치다; sich ins Mittel ~ 사이에 끼다, 중재〔간섭〕하다; sich in den Sand ~ 사라지다, 무로 돌아가다; sich zu einer Partei〔Meinung〕~ 무슨 당파〔의견〕에 가담〔동조〕하다. ④ 덮다, 두르다: sich einen Schal um die Schultern ~ 어깨에 숄을 두르다.

schlagend *p.a.* ① 설득력 있는; 명백한, 결정적인: ein ~er Beweis 결정적인 증거. ② 폭발성의:〖광산〗~e Wetter (갱내의) 폭발성 가스.

***Schlager** [ʃlá:gər] *m.* -s, - ① 유행가: einen ~ komponieren〔singen〕유행가를 작곡하다〔부르다〕. ②〖광고〗인기 상품, 히트작, 베스트 셀러: der ~ der Woche 금주의 히트 상품.

Schläger [ʃlɛ́:gər] *m.* -s, - ①〖야구〗배트; 라켓;〖하키〗스틱;〖펜싱〗검. ②〖야구〗타자;〖구기〗공을 치는 사람. ③〖요리〗거품기. ④ 발버릇이 사나운 말. ⑤ 싸움꾼, 난폭한 사람. ⑥ 검객, 칼잡이. ⑦ 치는〔때리는〕사람. ⑧ 지저귀는 새.

Schläger·duell *n.* 검으로 하는 결투.

Schlägerei [ʃlɛ:gəráɪ] *f.* -en 뒤엉켜 싸우기, 드잡이, 패싸움.

Schlager⸗festival [..fɛstivəl, ..val] *n.*/(schweiz.) *m.* (국제) 가요 경연 대회. **~melodie** *f.* 히트 송.

Schläger·mensur *f.* ↑ ~duell.

Schläger·musik *f.* 유행 음악.

schlägern *t.* (나무를) 베다; (산림을) 벌채하다.

Schlager⸗sänger *m.* 유행가 가수. **~sängerin** *f.* ↑ ~sänger 의 여성형. **~spiel** *n.*〖스포츠〗중요한 경기. **~star** *m.* 인기 가수. **~text** *m.* 유행가 가사. **~texter** *m.* 유행가 작사가.

Schläger⸗trupp *m.*, **~truppe** *f.* 깡패 조직, 갱단. **~typ** *m.* 깡패 타입(같은 사람).

Schlägerung *f.* -en (öst.) (산림) 벌채, 벌목.

Schlagetot 《원뜻: „schlage tot!"》 *m.* -s, -s〖구식〗깡패.

Schlag⸗feder *f.* ① 공이 용수철; (시계의) 큰 태엽. ② (새의) 깃털, 칼깃. ***~fertig** *a.* ① 전투 준비를 갖춘. ②〖비유〗어떤 질문도 잘 받아넘기는; (답변이) 거침없는, 재치 있는. **~fertigkeit** *f.* ↑ ~fertig 의 명사형. **~fest** *a.*〖工〗충격에 강한. **~fluß** *m.*〖醫·구식〗↑ ~anfall. **~gewicht** *n.* (시계의) 추. **~gold** *n.* ① 금박(金箔). ②〖化〗뇌금(雷金). **~hand** *f.*〖권투·배구〗공격할 때 주로 쓰는 손. **~holz** *n.* ①〖스포츠〗배트, 나무 방망이. ②〖옛뜻〗빨랫방망이. ③ 벌채할 수풀〔덤불〕. **~instrument** *n.*〖음악〗타악기. **~kraft** *f.* ① 때리는 힘, 타력, 파괴력. ②〖軍〗전투력. ③ 설득력, 관철력. **~kräftig** *a.* ① 타력〔파괴력〕이 있는. ②〖軍〗전투력이 있는. ③ (주장을) 관철할 힘이 있는. ④〖비유〗(논증·예가) 설득력 있는, 적절한, 딱 들어맞는, 결정적인. **~lawine** *f.* (대규모의) 눈사태. **~leiste** *f.* (두 짝 여닫이문〔창틀〕중앙의) 양옆으로 나온 돌출부(외풍을 막음). **~licht** *n.*〔복수: -er〕(대상물을 강조하기 위한) 조명, 광선, 하이라이트:〖비유〗ein ~ auf et.

werfen 무엇을 강조하다, 다른 것보다 돋보이도록 만들다. **~licht·artig** *a.* 적확한, 간단 명료한. **~loch** *n.* (도로 표면의) 패인 곳. **~lot** *n.* 〖工〗 (땜질용의) 경랍(硬鑞). **~mann** *m.* 〔복수: ..männer〕 ①〖조정〗 키잡이, 타수(舵手). ②〖야구〗 타자. **~maschine** *f.* 〖工〗 솜틀; 두들겨 박는 기계. **~netz** *n.* ①〖테니스〗 라켓. ② (새를 잡는) 새그물; (고기를 잡는) 끌그물, 예인망(曳引網). **~note** *f.* 〖음악〗 온음표, 전음부. **~obers** *n.* (öst.) ↑ ~sahne. **~platz** *m.* ①〖林〗 벌채 구역. ②〖골프〗 가볍게 치는 구역(홀의 주위). **~pulver** *n.* ① 졸음을 쫓는 약. ② 폭약. **~rahm** *m.* 〔방언〕 ↑ ~sahne. **~regen** *m.* 〖기상〗 호우. **~reim** *m.* 〖문학〗 연달아 나오는 두 단어〔음절〕의 운(韻). **~ring** *m.* ① 격투용의 링(무기의 일종). ②〖음악〗 (치터·하프를 연주할 때 쓰는) 피크. ③ 종의 (추가 닿는) 아랫부분. **~röhre** *f.* 〖軍〗 폭관(爆管). **~sahne** *f.* ① 생크림: Eis mit ~ 생크림을 얹은 아이스크림. ② 생크림 재료. **~schatten** *m.* (↔ ~licht) 〖畫·사진〗 뚜렷한 그림자, (뚜렷하게 나타내기 위한) 투영(投影). **~schatz** *m.* 〖史〗 (옛날의) 조폐 수수료; 조폐세. **~seite** *f.* ① (선박·건물 따위의) 기울기, 경사: das Schiff hat ~ 이 배는 한쪽으로 기울어 있다; 〔농담〕 er hat ~ 그는 너무 취해서 똑바로 걷지를 못한다.

schlägst [ʃlɛ:kst] ↑ schlagen 의 2 인칭 단수 현재형.

Schlag·stock *m.* ① (경찰의) 곤봉. ② (타악기를 울리는) 채.

schlägt [ʃlɛ:kt] ↑ schlagen 의 3 인칭 단수 현재형.

Schlag=trommel *f.* 징, 꽹과리. **~uhr** *f.* 괘종 시계. **~wasser** *n.* ①〖海〗 뱃바닥에 괴는 더러운 물. ② 일종의 각성제. **~weite** *f.* 〖전기〗 불꽃간극〔틈새〕; (방전을 위한) 간극간의 틈새, 〖軍〗 사정〔유효〕 거리. **~welle** *f.* 큰 물결. **~werk** *n.* 〖기계〗 ① 낙하 해머. ② (시계의) 타종 장치. ③〖工〗 충격 시험기. **~wetter** *n.* 〖광산〗 (갱내의) 폭발성 가스. **~wirtschaft** *f.* 〖農〗 돌려짓기, 윤작. **~wort** *n.* 〔복수: ..wörter〕 ① 표어, 슬로건; 유행어; 〔폄어〕 상투어, 판에 박은 말. ②〖도서관〗 (도서의) 표제어, 색인어. **~wort·katalog** *m.* 〖도서관〗 표제어〔색인〕 목록. **~zeile** *f.* 머릿기사, 헤드라인: für ~n sorgen 〔~n liefern〕 머릿기사감이 되다, 대서특필되다; 〔비유〕 ~n machen 센세이션을 일으키다, 세간의 주목을 끌다. **~zeit** *f.* 〖林〗 벌목기. **~zeug** *n.* 〖악기〗 타악기. **~zeuger** *m.* 〖음악〗 타악기 연주자.

Schlaks [ʃla:ks] 《nordd.; ＜schlack》 *m.* -es, -e 〔구어〕 굼뜬 녀석.

schlaksig *a.* 투미한, 굼뜬.

Schlamassel [ʃlamásəl] *m.*/(öst.) *n.* -s, - 불운, 곤궁, 역경; 불쾌한〔귀찮은〕 일.

Schlamastik *f.* -en (öst.) ↑ Schlamassel.

***Schlamm** [ʃlam] *m.* -(e)s, -e/Schlämme [ʃlɛ́mə] ① 진흙탕, 진창; 수렁; 〔비유〕 더러움; 궁지: der ganze Weg war voller ~ 길은 온통 진창이었다; im ~ stecken〔bleiben〕 궁지에 빠져 있다; 〖軍〗 seinen ~ trinken 커피를 마시다; viel ~ haben 돈을 잔뜩 가지고 있다; sich im ~ walzen 진흙탕에서 뒹굴다; jn. mit ~ bewerfen 누구를 욕〔비방〕하다. ② 〖지질〗 진흙, 이토층; (강바닥 따위에 있는) 무른 진흙, 진흙 찌꺼기. ③〖광산〗 (광석의) 선광(選鑛) 찌꺼기. ④ 빈민굴.

Schlamm·aal *m.* 〖動〗 사이렌(양서류의 하나).

Schlamm·apparat *m.* 진흙을 걸러내는 기계, 세광기(洗鑛機).

Schlammasse *f.* -n 진흙덩어리, 진흙더미〔진창〕.

Schlamm=bad *n.* 진흙욕(浴). **~bagger** *m.* 〖工〗 준설기.

schlammbar *a.* 〖광산〗 진흙을 씻어내는.

Schlamm=beißer *m.* 〖動〗 미꾸라지속(屬)의 일종. **~boden** *m.* 진흙, 이토; 소택지.

schlammen [ʃlámən] 《Ⅰ》 *i.* (h.) 진흙을 침전시키다. 《Ⅱ》 *t.* 진흙으로 가득 채우다, 진흙을 바르다.

schlämmen [ʃlɛ́mən] *t.* ① (하천의) 진흙을 걸러내다, 준설하다. ② (식물에) 물을 듬뿍 주다. ③ 진흙을 씻어내다, (모래를) 세척하다; 〖광산〗 세광(洗鑛)하다, (사금을) 씻어 고르다. ④〔옛뜻〕 석회 모르타르를 바르다.

Schlamm·fänger *m.* 도랑, 개천, 수채.

Schlamm·faß *n.* 〖광산〗 세광〔세니(洗泥)〕 통.

Schlamm=fisch *m.* 〖動〗 아미아(진흙 속에 사는 민물고기). **~fliege** *f.* 〖動〗 ① 꽃등에. ② 시베리아 잠자리.

Schlamm·graben *m.* 〖광산〗 선광판(選鑛板), 선광대.

Schlamm·grube *f.* ① 도랑; 시궁창, 진창; 수렁. ②〖광산〗 선광 찌꺼기 버리는 곳; 진흙 구덩이.

schlammig *a.* 진흙투성이의; 진창의; 〔비유〕 더러운, 불결한.

Schlamm=kasten *m.* 〖광산〗 ↑ ~faß. **~kreide** *f.* 침강 탄산칼슘, 정제(精製) 백악.

Schlamm=masse 新정서 ⇦ Schlammasse. **~netz** *n.* 끌 그물, 예인망(曳引網). **~packung** *f.* 진흙 팩; 〖醫〗 찜질용 진흙 주머니. **~peizker** *m.* ↑ ~beißer. **~pfütze** *f.* 진창, 수렁.

Schlamm·putz *m.* (엷은) 모르타르〔석회〕 칠.

Schlamm=schlacht *f.* 진흙탕으로 변한 운동장에서의 시합; 〔비유〕 진흙탕의 개싸움, 이전투구. **~schnecke** *f.* 〖動〗 명주우렁이.

Schlamm=verfugung *f.* 모르타르로 메워 바르기. **~vorrichtung** *f.* 세광(洗鑛) 설비.

Schlamm=vulkan *m.* 〖지질〗 이화산(泥火山). **~werk** *n.* 세광(기)(洗鑛(機)).

Schlamp [ʃlamp] *m.* -(e)s, -e ①〔구식〕 미식(美食), 식도락; 연회. ② (ndd.) 땅에 끌리는 옷자락. ③〔구어〕 복장이 단정하지 못한 사람; 일을 엉터리로 하는 사람.

schlampampen [ʃlampámpən] *i.* (h.) ① 포식하다. ② 방탕하게 살아가다.

Schlampe [ʃlámpə] *f.* -n ① 지저분한〔칠칠치 못한〕 여자. ② 방탕한 여자. ③ 실내화, 슬리퍼. ④ (ndd.) 걸쭉한 죽(가축용). ⑤ 넝마.

schlampen 《Ⅰ》 *i.* (h.) ① 칠칠치 못하다, 야무지지 못하다; 게으르다; 일을 엉터리로 하다. ② (h./s.) 단정치 못한 옷차림으로 돌아다니다. ③ (옷이) 헐렁하다; 질질 끌리다. ④ 〔드물게〕 훌훌 들이켜다, 훌쩍거리며 마시다. 《Ⅱ》 *t.* 달이다, 졸이다.

Schlamper *m.* -s, - ① 일을 야무지지 못하게〔엉터리로〕하는 사람. ② 옷차림이 단정치 않은 사람. ③ 방탕한 사람.

Schlamperei *f.* -en〘구어〙날림으로〔엉터리로〕해 놓은 일; 단정치 못함, 소홀; 엉망.

schlampert *a.* (öst.) 칠칠치 못한, 단정하지 않은.

schlampig *a.*〘구어·폄어〙① 단정하지 못한, 지저분한, 칠칠치 못한, 게으른, 야무지지 못한, (옷차림을) 가꾸지 않는: ~ angezogen sein 옷차림이 단정하지 못하다; eine ~e Frau 칠칠치 못한〔지저분한〕여자. ② 날림으로 해 놓은, 제대로 하지 않은, 엉망인, 엉터리로 된. ③ 누덕누덕한. ④ 진눈깨비가 올 것 같은. ⑤ (음식이) 걸쭉한.

Schlampigkeit *f.* 단정하지 못함; 엉터리, 날림.

***Schlange** [ʃláŋə] 《<schlingen¹》 *f.* -n ①〘動〙뱀:〘비유·구어〙eine ~ an seinem Busen nähren 새끼 호랑이를 키운 격이다;〘구식〙es steckt eine ~ im Grase〔unter den Blumen liegt eine ~〕이 일에는 보이지 않는 난관이 도사리고 있다. ②〘구어·폄어〙(속이) 음흉한, 요사스러운 여자. ③ 뱀처럼 꾸불꾸불한 것; 긴 행렬: ~ stehen 길게 늘어서서 차례를 기다리다. ④〘工〙나선형 강관, 굽은 도관; 코일;〘天〙뱀자리;〘軍〙(중세에서 17 세기까지 사용된) 소구경·장신포의 일종.

Schlängelchen *n.* -s, -〘↑ Schlange 의 축소형〙작은 뱀.

schlängelig *a.* 뱀 같은; 구불구불한.

schlängeln [ʃlɛ́ŋəln] *t./refl.* ① (뱀처럼) 구불구불 움직이다: die Natter schlängelt sich durch das Gras 독사가 풀밭을 구불구불 지나간다; ich mußte mich durch die parkenden Autos ~ 나는 주차 중인 자동차 사이를 이리저리 헤치며 지나가야만 했다. ② (뱀처럼) 굽이쳐 흐르다: der Bach schlängelt sich durch die Wiesen 개울이 초원을 굽이쳐 흐른다. ③〘비유〙sich aus et.³〔der Affäre〕~ (달갑지 않은) 일〔사건〕에서 빠져 나오다. ④ 살금살금 걷다, 잠행하다.

schlängelnd *p.a.* (geschlängelt) 굽이친, 꼬불꼬불한, 장사진을 이룬, 길게 줄지어 서 있는.

schlangen≈ähnlich, ~artig *a.* 뱀 같은〔비슷한〕; 뱀 종류의; 뱀 모양의.

Schlangen≈anbeter *m.* 뱀 숭배자. **~anbetung** *f.* 뱀 숭배. **~auge** *n.* ① 뱀 눈. ② 음흉한〔악의에 찬〕눈초리. **~balg** *m.* 뱀 허물. **~beschwörer** *m.* 뱀 부리는 마술사. **~biß** *m.* ① 뱀에 물림. ② 뱀에 물린 상처. **~brut** *f.*〘폄어〙독사의 새끼들; 흉악한 무리. **~farm** *f.* (혈청 채취를 위한) 독사 사육장. **≈förmig** *a.* 뱀 모양의. **~fraß** *m.*〘비유·구어〙변변치 못한 식사. **~geschlecht** *n.* 뱀류. **~gezücht** *n.* ↑ ~brut. **~gift** *n.* 뱀의 독. **≈glatt** *a.* 뱀처럼 미끄러운; 거짓이 많은. **~grube** *f.*〘비유〙위험한 곳〔상황〕. **~gurke** *f.* (긴) 오이. **~haar** *n.* ①〘그리스신화〙(복수의 여신 푸리아의) 뱀으로 된 머리털. ② 심한 고수머리(털).

schlangenhaft *a.* (움직임이) 뱀 같은, 뱀처럼 유연한.

Schlangen≈haß *m.* ① 뱀을 싫어함. ② 집념, 깊은 증오. **~haupt** *n.* ① 뱀의〔같은〕머리. ②〘그리스신화〙(머리칼이 뱀인) 메두사의 머리. **~haut** *f.* 뱀 껍질. **~klugheit** *f.* 간교, 간사. **~kunde** *f.* 뱀에 대한 연구. **~linie** *f.* 구불구불한 선: ~ fahren 지그재그로 운전하다. **~leder** *n.* 뱀 가죽. **≈linig** *a.* 선이 구불구불한. **~loch** *n.* 뱀 구멍. **~mann** *m.* ① 뱀 부리는 마술사. ②〘天〙뱀자리. **~mensch** *m.* 몸을 자유자재로 구부리는 곡예사;〘軍·비속〙위생 장교〔군의관〕. **~pfad** *m.* 꼬불꼬불한 길. **~rohr** *n.*, **~röhre** *f.* 나선형 강관, 코일. **~stab** *m.* ①〘醫〙뱀이 감고 있는 지팡이 (의학의 상징; 의사들의 표징). ②〘軍〙위생병의 병과 마크. **~stein** *m.*〘광물〙사문암(Serpentin). **~sterne** *pl.*〘動〙거미불가사리 무리. **~tanz** *m.* 뱀을 몸에 감고 추는 춤. **~träger** *m.*〘天〙뱀자리. **~verehrer** *m.* ↑ ~anbeter. **≈wandelnd** *a.* 뱀처럼 구불구불한. **~weg** *m.* ↑ ~pfad. **~windung** *f.* 꾸불꾸불함, 굽이; 굴곡선. **~wurz** *f.* ↑ Kalla. **~zunge** *f.* ① 뱀의 혀. ②〘비유〙독설(가); 감언. ③〘植〙줄꽃고사리삼. **≈züngig** *a.*〘비유〙독설의, 비방 잘하는; 음흉한; 달콤한 말로 소곤대는; 교활한.

Schlänglein [ʃlɛ́ŋlain] *n.* -s, -〘↑ Schlange 의 축소형〙작은 뱀.

schlänglig *a.* ↑ schlängelig.

***schlank** [ʃlaŋk] *a.* ① 날씬한, 가늘고 긴, 호리호리한; (식물이) 균형 있게 자란, 곧게 뻗은: sie hat eine ~e Figur 그녀는 몸매가 날씬하다: ein ~er Baum 곧게 자란 나무;〘비유·농담〙die ~e Linie 날씬한 몸매;〘비유〙et. ~ machen 줄이다, 축소하다; rank und ~ 아주 날씬한. ②〘방언〙능숙한, 민첩한: in ~em Galopp〔Trab〕laufen (말이) 질주하다; ~e Schritte 빠른 발걸음. ③ (포도주에 광물질이 적어) 향이 별로 없는. ④〘조선〙(배가) 형태가 잘 잡힌.

Schlankel *m.* -s, - (öst.)〘구어〙장난꾼; 악당, 나쁜 놈.

schlanker·hand [ʃláŋkərhant] *a.*〘구어〙즉시, 망설이지 않고.

Schlankheit *f.* 날씬함.

Schlankheits·kur *f.* 체중 감량 요법.

Schlank≈jungfer *f.*〘動〙잠자리. **≈machend** *a.* ①〘구어〙살빠지게 하는: ~e Pillen 살빼는 약. ② 날씬하게 보이도록 하는. **~macher** *m.* ①〘구어〙살빼는 약. ②〘은어〙날씬하게 보이게 하는 옷. **≈weg** *adv.* 말을 돌리지 않고, 딱 잘라서: ~ ablehnen 딱 잘라 거절하다.

Schlapfen [ʃlápfən] *m.* -s, - (öst.) 슬리퍼, 실내화.

schlapp¹ [ʃlap] *a.* (ndd.) ① 팽팽하지 않은, 느슨한; 축 늘어진. ② 기운이 없는, 지친; 기력이 없는.

schlapp² *int.* ① schlipp, ~! 홀짝홀짝! (들이마시는 소리), 타박타박! (걷는 소리). ② 찰싹(치는 소리).

Schläppchen *n.* -s, -〘구어〙작고 가벼운 슬리퍼.

Schlappe¹ [ʃlápə] *f.* -n〘구어〙① 실패; 패배; 손해: eine ~ erleiden〔erhalten〕실패〔패배·손해〕를 겪다. ② (obd.) 뺨 때리기.

Schlappe² *f.* -n ①〘방언〙슬리퍼. ② (obd.) 챙이 넓은 모자; 솜브레로. ③〘방언〙주둥아리.

*__Schlappen__ [ʃlápən] *m.* -s, - 〔구어〕 슬리퍼, 실내화: zu Hause laufe ich nur in〔mit〕 ~ herum 나는 집에서는 슬리퍼만 신고 돌아다닌다; jm. auf die ~ treten 누구의 감정을 상하게 하다; jn. so (ver)prügeln, daß er die ~ verliert 누구를 두들겨 패서 줄행랑치도록 만들다.

__schlappen__ 《<schlapp》《Ⅰ》 *i.* (h.) ① 축 늘어지다; 흔들거리다: die nassen Segel ~ im Wind (비에) 젖은 돛들이 바람에 펄럭인다. ② (신발이 너무 커서) 걸을 때마다 뒤꿈치가 벗겨지다. ③ 발을 질질 끌며 걷다. 《Ⅱ》 *t.* (고양이가) 짭짭거리며 핥아먹다.

__Schlapper·milch__ *f.* 응유(凝乳).

__schlappern__ *i.* (h.) ①〔방언〕 (동물이) 짭짭 소리내며 핥아먹다; (사람이) 후루룩 쩝쩝하며 〔게걸스럽게〕 먹다. ② 덜덜 떨다.

__Schlappheit__ *f.* 무기력.

__Schlapp·hut__ *m.* 챙이 넓은 모자, 솜브레로.

__Schlappier__ [ʃlapié:] *m.* -s, -s [..pié:s] 〔학생〕 ↑ Schlappschwanz.

__schlappig__ *a.* ① ↑ schlaff. ② (복장이) 단정치 못한.

__Schläpplein__ *n.* -s, - ↑ Schläppchen.

__schlapp|machen__ *i.* (h.) 〔구어〕 버티지 못하다, 기력을 잃다, 무기력해지다, 축 늘어지다.

__Schlapp=macher__ *m.* ① 무기력한 사람. ② 빈둥거리는 사람, 건달. __~michel__ *m.* ↑ ~-schwanz. __~ohr__ *n.* ① (동물의) 축 늘어진〔처진〕 귀. ②〔농담〕 토끼. __~schuh__ *m.* ① 슬리퍼, 실내화. ② 너무 큰 신발. __~schwanz__ *m.* 〔구어·폄어·대개 욕설〕 나약한 인간, 겁쟁이, 졸장부. __~werden__ *n.* 느슨함, 이완.

__Schlaps__ [ʃlaps] *m.* -es, -e 〔방언〕 ↑ Flaps.

__Schlaraffe__ [ʃlaráfə] *m.* -n, -n ① 빈둥거리며 노는 사람. ② ↑ Schlaraffia ② 의 회원.

__Schlaraffen=land__ *n.* 〔복수: ..länder〕 게으름뱅이의 천국; (동화 속의) 놀고 먹는 세계. __~leben__ *n.* 향락에 젖은 생활.

__Schlaraffia__ [ʃlaráfia] *f.* ① ↑ Schlaraffenland. ② 국제 사교 협회, 슐라라피아회(會) (1859 년 Prag 에 창립).

__schlaraffisch__ *a.* 빈둥거리며 사는, 놀고 먹는.

__Schlarfe__ [ʃlárfə] *f.* -n 〔방언〕 헐렁하여 편안한 신발.

__Schlarpe__ [..pə] *f.* -n ↑ Schlarfe.

__schlarfen, schlarpen__ *i.* (h./s.) 〔방언〕 발을 질질 끌며 걷다(schlurfen).

*__schlau__ [ʃlau] 《ndd. slû》 *a.* ① 약삭 빠른, 교활한; 빈틈 없는, 꾀가 많은: 〔비유〕 aus jm. 〔et.[3]〕 nicht ~ werden 누구를 꿰뚫어볼 수 없다〔무엇을 이해하지 못하다〕. ②〔구어·반어〕 현명한, 똑똑한, 지적인: ein ~es Buch 학술서적; 참고서, 안내서.

__Schlaube__ [ʃláubə] *f.* -n (ndd.) 껍데기, 깍지.

__Schlau·berger__ *m.* 〔구어·농담·반어〕 약삭빠른 놈, 교활한 사람.

*__Schlauch__ [ʃlaux] *m.* -(e)s, Schläuche [ʃlɔ́yçə] ① 호스, 고무관, 관(管): Wasser~ 물호스; 〔구어〕 trinken〔saufen〕 wie ein ~ 퍼마시다, 폭음하다; 〔비유·구어〕 ein ~ sein (어떤 일이) 몹시 힘들다; auf dem ~ stehen (어려운 상황에 빠져) 어찌할 바를 모르다. ②〖植〗 물관(管); 포과(胞果). ③〔구어〕 길쭉한 공간. ④ 가죽 자루. ⑤〔농담〕 술고래. ⑥〖수의〗 포피. ⑦ (타이어) 튜브.

__schlauch=artig__ *a.* 호스〔관(管)〕 모양의. __~-boot__ *n.* 고무〔구명〕 보트.

__Schläuchelchen__ *n.* -s, - ↑ Schlauch 의 축소형.

__schlauchen__ [ʃláuxən] 《<Schlauch》《Ⅰ》 *t.* ①〔전문어〕 (액체를) 관을〔호스를〕 통해서 (용기에) 넣다. ②〔구어〕 혹사시키다, 혹독하게 훈련시키다: die Rekruten ~ 신병을 가혹하게 다루다. 《Ⅱ》 *i.* 〔구어〕 ① (무엇이) 힘드는 일이다, 고역이다. ② 폭음하다: (einen) ~ 거나하게 한잔하다.

__Schlauch=frucht__ *f.* 〖植〗 포과(胞果). __~führer__ *m.* (소방대의) 호스 담당자. __~maul__ *n.* 두툼한 입.

__schlauchlos__ *a.* 튜브가 없는: ~er Reifen 튜브 없는 타이어.

__Schlauch=pilze__ *pl.* 〖植〗 자낭균류(子囊菌類). __~rolle__ *f.* 호스 감는 틀〔릴〕. __~spritze__ *f.* 호스 딸린 증기 펌프. __~ventil__ *n.* (타이어 튜브의) 공기 밸브. __~wagen__ *m.* (소방용) 호스차.

__Schlauder__[1] [ʃláudər] *f.* -n 〖건축〗 꺾쇠.

__Schlauder__[2] *f.* -n (Schleuder) 투석기, 고무새총.

__Schlauder__[3] *f.* -n 칠칠치 못한 여자.

__Schlauder·arbeit__ 《<schlaudern[1]》 *f.* 날림일.

__schlauderig__ *a.* 칠칠치 못한, 게으른, 조심성 없는.

__schlaudern__[1] 《<Schlauder[1]》 *t.* 꺾쇠로 고정시키다.

__schlaudern__[2] 《mhd. slûr, „das Faulenzen"》 *i.* (h.) 날림으로 일하다.

__schlaudern__[3] 《♧ schlottern》《Ⅰ》 *i.* (h.) ① mit einer Ware ~ 물건을 되는 대로 팔다, 투매하다. ② 비틀비틀 걷다. ③ 여기저기 흩어져 있다. 《Ⅱ》 *t.* (투석기로) 던지다.

__Schläue__ [ʃlɔ́yə] *f.* 교활, 약삭빠름.

__schlauer·weise__ [ʃláuər..] *adv.* 약삭빠르게, 교활하게.

__Schlauf__ [slauf] *m.* -(e)s, -e, __Schlaufe__ [ʃláufə] *f.* -n ① (전차·버스의) 손잡이 고리, 가죽손잡이. ② (시계줄·벨트의) 고리, 버클. ③ (살바의) 손잡이. ④ 올가미. ⑤ (물건을) 매다는〔거는〕 것, 매다는 줄, 갈고리. ⑥ (obd.) 숨을 구멍.

__Schlau·fuchs__ *m.* 교활한 놈.

__Schlauheit__ *f.* 약삭빠름, 교활.

__Schlau=kopf, ~meier__ *m.* 〔구어〕 ↑ ~berger.

__schlaudrig__ *a.* ↑ schlauderig.

__Schlawiner__ [ʃlaví:nər] *m.* -s, - 〔구어·폄어〕 교활한 놈, 약은 녀석.

*__schlecht__ [ʃlɛçt] ① (질이) 나쁜, 열등한; 저급한: das Essen war sehr ~ 식사가 아주 형편없었다; nicht ~! 제법 괜찮은 걸, 상당히 좋아! ② 틀린, 부정확한; 부주의한: er hat eine ~e Aussprache 그는 발음이 나쁘다; deine Haare sind ~ geschnitten 자네 머리를 잘못 깎았군. ③ 편하지 않은; 평균 이하인, 능력이 모자라는: in diesen Schuhen gehe ich ~ 이 신발은 걷기가 불편하다; ~e Noten bekommen 나쁜〔낮은〕 점수를 받다; du bist ein ~er Lügner, du wirst ja rot 너는 거짓말

을 잘 못하는구나, 얼굴이 빨개지는걸. ④ 불충분한; 부적절한, 어울리지 않는: eine ~ ausgebildete Truppe 훈련을 제대로 받지 못한 군대; ein ~er Scherz (자리에) 어울리지 않는 농담. ⑤ (특히 신체 기관의) 기능이 좋지 않은, 손상된: ~ sehen 시력이 좋지 않다; ~e Zähne haben 이가 좋지 않다. ⑥ (몸이) 좋지 않은, 아픈, 약한: mir ist 〔wird〕 ~! 나는 몸의 상태가 안 좋다, 나는 몸이 좀 아프다! ⑦ (영양·건강에) 좋지 않은, 해로운: ein ~es Klima für Herzkranke 심장병 환자들에게는 해로운 기후; 〖사물이 주어〗 jm. ~ bekommen a) 누구에게 탈을 일으키다, 해롭다: Treppensteigen bekommt ihm ~ 계단을 오르는 것은 그에게 해롭다, b) 누구에게 불리한 인상을 주다: das wird dir ~ bekommen 그러면 너한테 좋지 않을걸, 넌 후회하게 될거다; 〖사냥〗 ein ~er Hirsch 뿔이 약한 사슴. ⑧ 이로울 것이 없는, 불리한: das ist eine ~e Lage für solch ein nobles Restaurant 저런 고급 레스토랑치고는 좋지 않은 위치다; keine ~ Idee 훌륭한 생각; das ist〔wäre〕 nicht ~ 그렇게 하는 것이 이롭다〔이로울 것이다〕. ⑨ 얼마되지 않는, 빠듯한; 낮은: ~ gerechnet, kommt man auf 500 Mark Gewinn 낮추어 계산하더라도, 500 마르크의 이익이 생긴다; ~e Zeiten (경제적으로) 어려운 시대; ~ zahlen 임금을 적게 주다. ⑩ 세련되지 못한, 교육을 잘 받지 못한: das ist eine ~e Angewohnheit von ihm 그것은 그의 배우지 못한 습관이다. ⑪ (품행이) 좋지 않은, 타락한: sie sind nicht ~er und nicht besser als wir 그들이 우리보다 못난 것도 잘난 것도 없다; ~es Gewissen 양심의 가책. ⑫ 저속한, 외설적인: ein Lokal mit einem ~en Ruf 평판이 나쁜 술집. ⑬ 악의의, 적대적인, 거부하는: ~ über jn. reden 누구에 대해서 좋지 않게 말하다. ⑭ 힘드는; 어려운; 드문: ich kann ~ nein sagen 나로서는 아니라고 말하기가 참 어렵다. ⑮ 〖구식·고어〗 단순한, 평범한: recht und ~ 그럭저럭 괜찮은, 보통인; mehr ~ als recht 어렵게, 힘들게.

schlẹcht≈beraten *a.* 조언을〔충고를〕 잘못 받은. **~beschaffen** *a.* 나쁜 상태의, 사악한. **~bezahlt** *a.* 보수가 형편없는. **~denkend** *a.* 악의가 있는, 음흉한, 심보 사나운.

schlechter·dings [ʃlέçtərdíŋs] *adv.* ① 〖대개 부정문에서〗 전적으로, 완전히: das ist ~ unmöglich 그것은 절대 불가능하다. ② 정말; 심지어는: es gefiel ihm ~ alles 정말 모든 것이 그의 마음에 들었다.

Schlẹcht·färber *m.* 검정색으로 염색하는 사람.

schlẹcht|gehen *i.* (s.) ① 경제 사정이 어렵다, 어려움에 처해 있다. ② 건강이 좋지 않다: nach der Operation ging es ihm lange Zeit schlecht 수술 후에도 오랫동안 그는 건강이 좋지 않았다.

schlẹcht·gelaunt *a.* 불쾌한, 언짢은.

Schlẹchtheit *f.* ↑ Schlechtigkeit.

schlecht≈hin [ʃleçthín] *adv.* ① 〖명사 뒤에서〗 전형적인, 명실상부한: Florenz ist die Kunststadt ~ 피렌체는 전형적인 예술 도시다. ② 〖의미를 강조하여〗 완전히, 전적으로, 바로: das halte ich für ~ unmöglich 난 그것이 절대 불가능하다고 생각한다. **~hinnig** *a.* 완전한, 전적인, 절대적인: 〖哲〗 ~es Abhängigkeitsgefühl 절대 의존 감정.

Schlechtigkeit [ʃlέçtɪç..] *f.* -en ① 나쁨, 열악, 타락: über die ~ der Welt klagen 세상의 (도덕적) 타락을 한탄하다. ② 그릇된〔악한〕 행위, 비열한 짓; 악담.

schlẹcht≈|machen *t.* 헐뜯다, 중상〔비방〕하다(단: schlecht machen 서투르게 하다). **~weg** *adv.* 완전히, 전혀: die Behauptung ist ~ falsch 그 주장은 완전히 틀렸다. **≈wetter** *n.* 나쁜 날씨, 악천후.

Schlẹchtwetter≈front *f.* 〖기상〗 악천후를 몰고올 전선. **≈geld** *n.* 〖經〗 악천후 휴업 보상금(악천후로 인해 건설업계에 휴업 사태가 발생할 경우 노동부에서 지급하는 보상금). **≈periode** *f.* 악천후 기간.

Schleck [ʃlɛk] 《< lecken》 *m.* -(e)s, -e ① 맛좋은 것, 미식(美食). ② 미식을 즐김, 식도락: 〖구어〗 das ist kein ~ 그것은 결코 호락호락한 일이 아니다.

schlecken [ʃlέkən] *t./i.* (h.) ① 핥다; 입맛 다시며 먹다; 야금야금 먹다: an et.³ ~ 무엇을 핥아먹다; von et.³ ~ 무엇을 조금 집어먹다; (gern) ~ 군것질을 즐기다. ② 〖농담〗 (쪽쪽) 입맞추다.

schlẹcker *a.* 미식을 즐기는; 음식을 가려 먹는, 편식하는.

Schlẹcker *m.* -s, - 미식가; 야금야금 먹는 사람; 단것〔군것질〕을 좋아하는 사람.

Schleckerei [..kəráɪ] *f.* -en ① 맛있는 것; 군것질, 주전부리. ② 미식을 즐김.

schlẹckerhaft *a.* 맛있는 것〔단것〕을 좋아하는; 군것질을 잘하는; 맛있게 야금야금 먹는.

Schlẹcker·maul *n.* ↑ Schlecker.

schleckern [ʃlέkərn] 《I》 *i.* (h.) 맛있는 것〔특히 단것〕을 즐기다. 《II》 *t.* ① 맛있게 야금야금 먹다. ② 〖다음 용법으로〗 jn. schleckert es nach et.³ 누구는 무엇을 무척 먹고 싶어한다.

schlẹckig *a.* ↑ schleckerhaft.

Schlẹck≈maul *n.* ↑ Schlecker. **~werk** *n.* 〖방언〗 맛있는 것, 단것, 과자, 군것질거리.

Schleef *m.* -(e)s, -e (nordd.) ① 〖요리〗 나무주걱. ② 〖비유〗 무례한 사람, 버릇없는 사람; 건달, 깡패.

Schleet *n.* -(e)s, -e ① 가느다란 나무. ② 홉의 덩굴을 올리는 받침나무; 지주(支柱); 서까래. ③ 널마루 (놓기).

***Schlegel**[1] [ʃlé:gəl] 《< schlagen》 *m.* -s, - ① 두드리는 기구, 나무 방망이; 망치, (광부의) 해머; 북채(Trommel≈); 배트(Ball≈); 라켓. ② 〖요리〗 (obd.) (돼지·양·송아지의) 허벅지살. ③ (schweiz.) 〖구어〗 맥주병, 포도즙병. ④ 〖광산〗 채광장. ⑤ (양어지의) 수문 막이판. ⑥ (obd.) 몸통이 불룩한 항아리, (옛날의) 말(斗). ⑦ (obd.) 큰 실책. ⑧ 썩은 음식.

Schlegel[2] *m.* August W. von ~ 슐레겔(독일의 학자, 1767-1845).

schlegeln 《I》 *t.* 망치로 때리다〔두들기다〕. 《II》 *i.* (h.) 〖방언〗 ① 마구〔닥치는 대로〕 때리다. ② (손발을) 버둥거리다, 발버둥〔몸부림〕 치다. ③ 절뚝거리다. ④ 큰 실책을 저지르다.

Schleh [ʃle:] *m.* -(e)s, -e ↑ Schlehe.

schleh 《< Schlehe》 *a.* 〖방언〗 무딘; (칼·가위가) 들지 않는; (감각이) 둔한, (맛을) 모르는; (이가) 솟은, 들뜬.

Schleh≈baum, ~busch, ~dorn *m.* 〖植〗 슬

로나무(자두 비슷한 열매를 맺는 장미과의 작은 교목).

Schlehe [ʃléːə] *f.* -n 〖植〗 슬로나무(열매).

Schlehen≈baum *m.* 슬로나무. **~blüte** *f.* (민간에서 약으로 쓰는) 슬로나무의 꽃. **~dorn** *m.* 슬로나무. **~falter** *m.* 〖動〗 도마뱀의 일종. **~likör** *m.* 슬로나무 열매로 빚은 리큐르술. **~schnaps** *m.* 슬로나무 열매로 빚은 독한 술. **~spinner** *m.* 〖動〗 갈색의 작은 독나방의 일종. **~strauch** *m.* 슬로나무.

Schlei [ʃlaɪ] *m.* -(e)s, -e ↑ Schleie.

Schleiche [ʃláɪçə] *f.* -n ① 발없는 도마뱀. ② 〔비유·구어〕 음흉한 인간; 동작이 느린 사람; 느리게 움직이는 차량.

schleichen [ʃláɪçən] (schlich, geschlichen) 《Ⅰ》 *i.* (s.) ① 기다; 살금살금〔조심조심〕 가다〔걷다〕: auf Zehenspitzen ~ 발끝으로 (소리 나지 않게) 걷다; die Zeit schleicht 시간이 (지루할 정도로) 천천히 간다; nach Beute ~ 먹이를 향해 살금살금 다가가다. ② 천천히 걷다. 《Ⅱ》 *t./refl.* (sich) ~ ① 살금살금 다가가다〔도망치다〕: sich ins Haus ~ 집안으로 몰래 들어가다; sich in js. Vertrauen ~ 교묘하게 누구의 환심을 사다; Angst schleicht sich in js. Herz 불안감이 슬슬 밀려오다; einen bösen Weg ~ 잘못된 길을 가다, 그릇된 짓을 범하다. ② schleich dich! 꺼져!

schleichend *p.a.* 천천히〔모르게〕 진행하는, 완만한, 더딘; 〖醫〗 잠행성의: ~es Fieber 잠행열; ~es Gift 만성 중독.

Schleicher *m.* -s, - ① 〔폄어〕 음흉한 사람, 위선자, 슬그머니〔남몰래〕 목적을 이루는 사람. ② **(a)** 〖動〗 파행 동물. **(b)** 〖工〗 배수관.

Schleicherei *f.* 〔폄어〕 음흉한〔위선적인〕 행동〔태도〕.

Schleich≈fieber *n.* 〖醫〗 잠행열. **~gang** *m.* 살금살금 걷기. **~gift** *n.* 완만성 독극물. **~gut** *n.* 밀수품. **~handel** *m.* 밀수출입; 암거래. **~händler** *m.* 밀수업자; 암거래상. **~katze** *f.* 〖動〗 사향고양이(과의 동물). **~patrouille** [..patruljə] *f.* 〖軍〗 잠행 척후〔탐색〕. **~pfad** *m.* ↑ ~weg. **~tempo** *n.* (기어가는 듯한) 저속(低速) (운행). **~weg** *m.* 비밀 통로; 〔비유〕 auf ~en 불법적인 방법으로. **~werbung** *f.* 〖방송〗 (신문 기사나 방송에서 특정 상품을 슬쩍 언급하는) 불법 광고.

Schleie [ʃláɪə] *f.* -n 〖動〗 유럽산(産) 잉어과의 민물 고기.

***Schleier** [ʃláɪər] 《gem.》 *m.* -s, - ① 베일, 너울, 면사포: den ~ vor das Gesicht schlagen 얼굴에 베일을 쓰다; 〔비유〕 den ~ nehmen 수녀가 되다. ② 안개, 운무, 흐릿함: einen ~ vor den Augen haben 눈이 잘 보이지 않다. ③ **(a)** 〖植〗 포막(包膜); 포피. **(b)** 종(鐘)의 하대(下帶). **(c)** 〖動〗 올빼미 따위의 눈가의 방사상(放射狀) 털. ④ 〖사진〗 (인화 과정의 잘못으로) 필름이 흐려지는 것. ⑤ 〔비유〕 가리는 것; 장막; 은폐물; 가면: der ~ der Nacht 밤의 장막; einen ~ über et. legen 무엇을 은폐하다; den ~ lüften 폭로하다; den ~ des Vergessens über et. breiten 무엇을 망각의 베일로 가리우다〔잊게 하다〕. ⑥ 사(紗), 메린스, 모슬린.

Schleier≈eule *f.* 〖動〗 올빼미속(屬). **~fahndung** *f.* 불심 검문. **~flor** *m.* 크레이프, 축면사(縮緬紗).

schleierhaft [ʃláɪərhaft] *a.* ① 베일 같은; 사(紗)를 통하여 보는 듯한. ② 〔비유〕 이해할 수 없는, 수수께끼 같은: es ist〔bleibt〕 mir ~ 난 그걸 도무지 이해할 수 없다.

Schleier≈haube, ~kappe *f.* 망사(紗)로 만든 여성 모자. **~kraut** *n.* 〖植〗 대나물(뿌리는 약용). **~lein·wand** *f.* ↑ ~flor.

schleierlos *a.* ① 베일이 없는; 〔비유〕 화장하지 않은 얼굴의, 바탕〔있는〕 그대로의. ② 〔비유〕 분명〔명백〕한.

Schleiermacher [ʃláɪərmaxər] Friedrich Ernst Daniel ~ 슐라이어마허(독일의 철학자, 1768-1834).

schleiern *t.* 베일을 씌우다; 〖사진〗 eine Platte ~ 원판을 흐리게 하다.

Schleier≈schwanz *m.* 〖動〗 금붕어의 일종. **~stoff** *m.* 베일〔면사포〕의 소재〔옷감〕. **~tanz** *m.* (긴 베일을 흔들며 추는) 베일 댄스. **~tänzerin** *f.* 베일 댄스를 추는 여자. **~taube** *f.* 〖動〗 참〔집〕비둘기의 일종. **~tuch** *n.* 〔복수: ..tücher〕 ↑ ~flor.

Schleif≈apparat [ʃláɪf..] *m.* 연마기. **~automat** *m.* 자동 연마기. **~bahn** *f.* 〖동계 스포츠〗 트랙. **~band** *n.* 〖工〗 연마 벨트. **~bank** *f.* 〔복수: ..bänke〕 연마용 선반(旋盤). **~bogen** *m.* 〖음악〗 이음줄. **~brett** *n.* 연마판(板).

***Schleife**[1] [ʃláɪfə] *f.* -n ① 매듭, 리본: eine ~ binden〔lösen〕 나비 매듭을 매다〔풀다〕. ② (머리·모자의) 리본, 나비 넥타이; 옷깃의 레이스 (장식): eine ~ im Haar tragen 머리에 리본을 달고 다니다. ③ 커브; 만곡; 〖空〗 공중 회전: eine ~ machen (길이) 구부러지다; (비행기로) 공중 회전하다. ④ 〖사냥〗 올가미. ⑤ (ℓ 자 따위의) 고리·호를 이룬 부분; (매듭의) 고리; (바늘) 귀; (도로·하천의) 환상선(環狀線); 큰 커브길; 〖數〗 나사선. ⑥ 〖컴〗 맴돌이, 루프(일련의 명령문을 반복해서 수행하는 것). ⑦ 〖전기〗 폐쇄〔닫힌〕 회로. ⑧ 〖영화〗 루프(양 끝을 이어 만든 반복 영사용 필름).

Schleife[2] *f.* -n 활주로; 목재 운반용 활송로(滑送路).

***Schleife**[3] *f.* -n ① 썰매의 일종. ② 질질 끌리는 옷자락 (따위). ③ 끌그물, 예인망. ④ (짐승을 덫 있는 쪽으로 꾀기 위한) 미끼.

schleifen[1] [ʃláɪfən] (schliff, geschliffen) 《Ⅰ》 *t.* ① (거친 표면이 매끄럽게 되도록) 갈다, 연마하다; 광택〔윤〕을 내다: das Messer ist scharf geschliffen 그 칼은 예리하게 갈아놓은 것이다; Edelsteine ~ 보석의 표면을 다듬다〔연마하다〕. ② 〔구어〕 jn. ~ 누구를 엄하게 가르치다; 〖軍〗 혹독하게 훈련시키다. 《Ⅱ》 *i.* ① 〔방언〕 미끄러지다, 활주하다: auf dem Eis ~ 얼음 위를 활주하다. ② 〔드물게〕 매듭을 짓다, 동여매다. 《Ⅲ》 **geschliffen** *p.a.* ↑ geschliffen.

***schleifen**[2] 《Ⅰ》 *t.* ① 질질 끌다, 잡아 끌고 가다: einen Sack ~ 자루를 끌고 가다; 〔비유〕 jn. ~ 누구를 억지로 끌고 가다; 〖음악〗 einen Ton ~ 어떤 음정을 그 다음 음정까지 끌며 연주하다, 활주(滑奏)하다. ② 철거하다, 헐다: 〖軍〗 eine Festung ~ 요새를 부수다. ③ 분명치 않게 빨리〔굴려〕 발음하다. ④ (굴뚝 따위를) 기울게 세우다. ⑤ 〖카드〗 (내야 할 패를) 내지 않다. 《Ⅱ》 *refl.* sich ~ 발을 질질 끌다, 몸을 가누지 못하고 걷다. 《Ⅲ》 *i.* (h.) ① 질질

끌리다; 스치다: das Kleid schleift auf dem Boden 옷자락이 땅에 끌린다. ② 예인망으로 고기잡이하다. ③ 미끼로 유혹하다. ④ 발을 질질 끌며 걷다. ⑤ alles ~ lassen 모든 일을 소홀히 하다; die Zügel ~ lassen 말고삐를 늦추다.

Schleifen≈fahrt 《<Schleife[1]》 *f.* (자전거를 타고 하는) 공중 회전. **~flug** *m.*〖空〗공중 회전 비행.

Schleifer [ʃláɪfər] *m.* -s, - ① 연마공, (칼)가는 사람; (보석) 세공사(師). ② 렌틀러춤(4 분의 3 또는 8 분의 3 박자의 왈츠풍의 느린 민속춤). ③〖음악〗실라이퍼. ④〖문법〗마찰음. ⑤〖軍〗악랄한 교관. ⑥ (schweiz.)〔구어〕악동, 건달, 허풍선이.

Schleiferei *f.* -en 연마; 연마업; 연마 공장.

Schleif≈feder 《<schleifen》 *f.*〖전기〗안테나 어스 단자(端子). **~glas** *n.* 젖빛 유리. **~-handel** *m.* 밀수(출입), 암거래.

Schleif·kanne 《<Schleife[1]》 *f.* (손잡이와 뚜껑이 있는) 원기둥꼴의 대형 컵.

Scheif≈knoten 《<schleifen》 *m.* 한 끝을 잡아당기면 저절로 풀리는 매듭. **~kohle** *f.* 연질의 숯. **~kontakt** *m.*〖전기〗마찰〔미끄럼〕접촉. **~lack** *m.* 연마용 니스. **~lack·möbel** *n.* 고급 니스를 칠한 가구. **~laut** *m.*〖문법〗마찰음. **~maschine** *f.* 연마기. **~mittel** *n.* 연마제. **~mühle** *f.* ① 연마기. ②〔비유〕엄격한 단련〔훈련〕. **~nadel** *f.* 큰 머리핀. **~-papier** *n.* 사포, 샌드페이퍼, 연마지. **~-pulver** *n.* 마분(磨粉); 금강사(金剛砂). **~-rad** *n.* ↑ ~scheibe. **~ring** *m.*〖전기〗집전고리. **~sand** *m.* 연마사(砂); **~scheibe** *f.* 회전 숫돌. **~schritt** *m.* (춤출 때) 미끄러지는 듯한 발걸음.

Schleifsel [ʃláifsəl] *n.* -s, - 연마할 때 생기는 부스러기.

Schleif≈spur *f.* ① 끌어서 바닥에 생긴 자국; 〔대개 복수〕〖경마〗변기의 똥 자국. ② (연마한 표면에 남은) 연마제 자국. **~stein** *m.* 숫돌. **~trommel** *f.*〖工〗금강사로 만든 회전 숫돌.

Schleifung *f.* -en 철거.

Schleif≈weg *m.* 비밀 통로. **~zeichen** *n.*〖음악〗꾸밈음 기호. **~zeug** *n.* (숫돌 따위의) 연마기.

***Schleim** [ʃlaɪm] *m.* -(e)s, -e ① (사람·동식물이 분비하는) 점액, 분비물; 가래, 담: ~ absondern 점액을 분비하다; Nasen≈ 콧물; Magen≈ 위액. ②〖요리〗죽: Hafer≈ 오트밀; Reis≈ 미음. ③ 수다, 다변(多辯).

Schleim·aal *m.*〖動〗먹장어. **~absonderung** *f.* 점액 분비. **≈artig** *a.* 점액성의, 끈적끈적한. **~auswurf** *m.* 객담(喀痰), 담을 뱉음. **~beutel** *m.*〖해부〗점액낭(粘液囊). **~beutel·entzündung** *f.*〖醫〗점액낭염. **~-drüse** *f.*〖해부〗점액선.

schleimen [ʃláɪmən] 《<Schleim》《Ⅰ》 *i.* (h.) ① 점액을 분비하다, 가래가〔콧물이〕나오다. ②〔구어〕아부하다, 알랑거리다, 아첨떨다. 《Ⅱ》 *t.* ① 점액을 씻어내다〔제거하다〕: Fische ~ 물고기의 해감내를 씻어내다. ②〖사냥〗(맹수가 소화되지 않은 것을) 토하다, 내뱉다.

Schleimer *m.* -s, -〔폄어〕알랑거리는 사람, 아첨꾼.

Schleim≈fieber *n.*〖醫〗점액성의 열; 장티푸스. **~fisch** *m.*〖動〗베도라치속. **~fluß** *m.*〖醫〗점액루(漏). **~geschwulst** *f.* 점액종(腫). **~harz** *n.* 고무와 수지(樹脂)의 혼합 물질. **~haut** *f.*〖해부〗점막. **~haut·entzündung** *f.* 점막염(炎).

schleimicht, schleimig *a.* ① 점액성의, 끈적끈적한. ② 점액을 함유한, 점액으로 이루어진. ③〔폄어〕비굴한, 굽신대는, 아첨떠는.

schleim·lösend *a.* 가래를 삭이는.

Schleim≈pilz *m.*〖植〗점(액)균. **~sack** *m.*〖해부〗점액낭. **~sauer** *a.*〖化·醫〗뮤신산의. **~säure** *f.*〖化·醫〗뮤신산. **~scheißer** *m.*〔비속·욕설〕간살쟁이, 아첨꾼. **~stoff** *m.* (동물체의) 점액소. **~suppe** *f.* 죽, 미음. **~-tiere** *pl.*〖動〗연체 동물류.

Schleiße [ʃláɪsə] *f.* -n〔방언〕①〔옛뜻〕털을 다 뽑아낸 깃대〔우간(羽幹)〕. ②〔방언〕엷은 대패밥. ③〖醫·고어〗붕대용 가제.

schleißen(*) [ʃláɪsən] (schliß/schleißte, geschlissen/geschleißt)《Ⅰ》 *t.*〔강변화 및 약변화〕① 찢다, 째다, 쪼개다. ② (나무 껍질 따위를) 벗기다: Federn ~ (깃대에서) 깃털을 뽑아내다. ③ 문질러 닳게 하다; (옷 따위를) 해지게 하다. 《Ⅱ》 *i.* (s.)〔강변화〕① 쉽게 찢어지다〔째지다·쪼개지다〕. ② 금방 닳다, 쉽게 해지다. ③ (schweiz.) 얼음 위를 활주하다, 얼음지치다.

Schleißen≈holz *n.* 관솔. **~schnitzer** *m.* 나무 쪼개는 칼.

Schleißer *m.* -s, - ① 깃털 뽑는 사람. ② 살림살이를 관리하는 사람, 청지기.

Schleißerin *f.* -nen〔구식〕깃털 뽑는 여자.

Schleiß≈feder *f.* 뽑아야 할 깃털. **~holz** *n.* ↑ Schleißenholz.

schleißig *a.*〔방언〕마모된, 너덜너덜하게 해진.

Schlemihl [ʃlemí:l] 《jidd. <hebr., „Taugenichts"》 *m.* -s, -e 운이 나쁜 사람.

Schlemm [ʃlɛm] 《<engl. slam》 *m.* -s, -e/-s〖카드〗전승(全勝).

schlemm *a.*〖카드〗전승(全勝)의: ~ machen〔werden, sein〕전승을 거두다.

schlemmen [ʃlɛ́mən] 《♧ Schlampen》《Ⅰ》 *i.* (h.) 푸짐하게 먹고 마시다, 포식하다; 미식을 즐기다. 《Ⅱ》 *t.* 푸짐하고 맛있게 먹다.

Schlemmer *m.* -s, - 미식가, 식도락가.

Schlemmerin *f.* -nen ↑ Schlemmer 의 여성형.

Schlemmerei *f.* -en ① 자주 미식을 즐김; 먹는 것을 즐김. ② 맛있고 푸짐한 식사.

schlemmerhaft, schlemmerisch *a.* 식도락의, 푸짐한; 미식가다운.

Schlemmer≈lokal *n.* 미식가를 위한 레스토랑. **~mahl** *n.* 미식, 진수성찬. **~mahl·zeit** *f.* ↑ ~mahl.

Schlempe[1] [ʃlɛ́mpə] 《♧ Schlamp》 *f.* -n 술지게미, 재강.

Schlempe[2] *f.* -n (obd.) ① 연결 장치. ② 빗장, 횡목.

Schlender [ʃlɛ́ndər] *m.* -s, - ①〔구식〕**(a)** 구습, 구태; 타성에 젖은 생활 (태도). **(b)** 느릿한 걸음걸이, 어슬렁어슬렁 돌아다님. ②〖의상〗**(a)** (로코코 풍의) 어깨가 넓고 허리는 없는 긴 겉옷. **(b)** (1947 년 이후에는) 래글런형 코트.

Schlenderer *m.* -s, - (어슬렁어슬렁) 거니는

사람; 건달.

Schlẹnder·gang *m.* ① 느릿한 걸음걸이; 어슬렁어슬렁 돌아다님. ② 구태, 구습; 타성에 젖은 생활 (태도).

schlendern [ʃlɛ́ndərn] *i.* (s.) 느릿하게 거닐다, 어슬렁어슬렁 돌아다니다: durch die Straßen ~ 거리를 어슬렁거리며 돌아다니다.

Schlẹnder≈schritt *m.* 느릿느릿한 걸음, 만보(漫步). **~tag** *m.* 무위의 날, 빈둥거리며 보내는 나날.

Schlendrian [ʃlɛ́ndria:n] *m.* -(e)s, -e ① 구태, 구습; 타성에 젖은 생활 (태도): er lebt weiter im alten ~ 그는 계속 구태의연하게 살아간다. ② 느릿느릿 행하는 작업: er duldet keinen ~ 그는 느릿느릿 일하는 꼴을 못 본다. ③ 구습을 고집하는 사람; 느림보.

Schlenge [ʃlɛ́ŋə] *f.* -n (ndd.) 편비내; 섶나무 다발; 둑, 제방.

Schlẹnke *f.* -n 〚지질〛 고습지의 웅덩이.

Schlenker [ʃlɛ́ŋkər] *m.* -s, - ① (급격한) 진로 변경, (급)커브틀기. ② (약간) 돌아가는 길, 우회 도로. ③〔구어〕 소용돌이 모양의 장식. ④〔구어〕 일탈, 벗어남.

Schlẹnkerich *m.* -s, -e ↑ Schlenkrich.

schlenkern [ʃlɛ́ŋkərn] 《♧ schlingen》《Ⅰ》 *t.* 흔들어대다: eine Tasche beim Gehen hin und her ~ 걸어가면서 가방을 이리저리 흔들어대다. 《Ⅱ》 *i.* (h.) ① (아무렇게나) 흔들다, 흔들거리다: mit den Armen ~ 팔을 흔들다; der Vorhang schlenkerte im Wind 커튼이 바람에 펄럭거렸다. ② 느릿느릿〔어슬렁어슬렁〕 거닐다.

Schlẹnkrich *m.* -s, -e ① 급작스런 흔들림〔진동·충동〕. ② (약간) 돌아가는 길, 우회 도로. ③ 소용돌이 모양의 장식. ④ (생활 태도가) 경박한 사람.

schlẹnzen 《♧ schlenkern》 *i.* (s.) ①〚하키·축구〛 살짝 밀어 차다〔치다〕. ②〔방언〕 떠돌아다니다, 방랑하다, 빈둥거리다; 건들건들 거닐다, 만보(漫步)하다.

Schlẹnzer *m.* -s, - 〚축구·하키〛 (공을 띄우듯이 하여) 살짝 찬〔친〕 공.

Schlepp[1] [ʃlɛp] *m.* -(e)s, -e 〔다음 용법으로〕 ① jn.〔et.〕 in ~ 〔ins Schlepptau〕 nehmen 누구를〔무엇을〕 강제로 끌고 가다. ② im ~ 〔im Schlepptau〕 (eines Fahrzeugs) (차에) 예인되어. ③〔구어〕 jn. im ~ 〔im Schlepptau〕 haben 누구를 거느리고 가다.

Schlepp[2] *m.* -(e)s, -e ↑ Schleppe ①.

Schlẹpp≈anker *m.* 작은 닻. **~antenne** *f.* (비행기에서 내려뜨린) 긴 안테나. **~boot** *n.* 예인선. **~dampf·boot** *n.*, **~dampfer** *m.*, **~dampf·schiff** *n.* 증기 예인선. **~degen** *m.* 긴 칼, 사벨. **~dienst** *m.* ① (선박) 예인업, 예인 회사. ② (선박의) 예인.

*__Schleppe__ [ʃlɛ́pə] *f.* -n ① (여성복의) 끌리는 자락, 긴 옷자락. ②〚사냥〛 (짐승을 유인하기 위해 뿌려 놓은) 인공 냄새. ③ (짐승의) 발자국. ④〚農〛 흙덩이를 고르는 도구, 써레, 쟁기. ⑤ 호객꾼, 유객꾼. ⑥ (ndd.) 건초를 담아 놓는 수레.

*__schleppen__ [ʃlɛ́pən] 《Ⅰ》 *t.* ① **(a)** 힘들게 끌고 가다; (질질) 끌다; (수행원을) 거느리고 가다; (손님을) 유인하다: die Worte ~ 느리지만 엄숙하고 무게 있게 말하다. **(b)** 억지로 끌고〔데리고〕 가다: jn. ins Kino ~ 누구를 억지로 영화관에 끌고 가다. ② (배·차량을) 끌다, 견인〔예인〕하다. ③ (옷을) 오래 입어 닳게 하다. ④ (흙덩이를) 고르다, 써레질하다. 《Ⅱ》 *refl.* sich ~ ① 질질 끌며 걷다; 힘들게 나아가다: der Kranke schleppte sich zum Bett 그 환자는 간신히 침대로 갔다. ② sich mit et.[3] ~ 무엇을 질질 끌다; 무엇의 무거운 짐을 지다; 무엇을 하느라 고생하다. ③〔결과를 나타내어〕 sich müde ~ 끌다 지치다. ④〚광산〛 (광맥이) 한 곳에서 만나다. ⑤ (소송·협상이) 질질〔오래〕 끌다: der Prozeß schleppt sich schon über Monate 재판은 벌써 몇 달째 끌고 있다. ⑥ (바닥에) 끌리다, 스치다. 《Ⅲ》 *i.* (h.) ① (바닥에) 끌리다: das Kleid schleppt 옷자락이 끌린다. ② 느릿느릿 움직이다, 오래 끌다.

schlẹppend *p.a.* ① 느린, 완만한; 더듬거리는. ② 질질 끄는.

Schlẹppen≈kleid *n.* 옷자락이 끌리는 긴 옷. **~träger** *m.* ① (의식·혼례식 때) 옷자락을 드는 사람, 들러리. ②〔비유〕 추종자, 아부하는 사람.

Schlẹpper *m.* -s, - ① 예인선. ② 견인차, 트랙터. ③〔구어·폄어〕 호객꾼; (선거의) 운동원; 공모자. ④〚광산〛 광석 운반 인부.

Schlepperei *f.* -en 〔구어·폄어〕 (지속적인) 무거운 짐나르기, 고역, 고생.

Schlẹppinsel *m.* -s, - 〚印〛 석판 수정용 붓.

Schlẹpp≈kahn *m.* (예인선에 의해 끌려가는) 거룻배. **~kasten** *m.* 〚광산〛 광차(鑛車), 트럭. **~kette** *f.* 예인용 사슬. **~kleid** *n.* 자락이 끌리는 옷(웨딩 드레스 따위). **~lift** *m.* 스키 리프트. **~lohn** *m.* 예선료(曳船料). **~netz** *n.* 저인망, 예인망, 트롤 그물. **~netz·fischer·boot** *n.* 저인망 어선, 트롤 어선. **~pflug** *m.* 〚農〛 끌 쟁기. **~säbel** *m.* (걸을 때 바닥에 끌리는) 장검. **~sack** *m.* ① 예인망. ②〚軍〛 (대공 사격 연습용 비행기에 매단) 기류(旗旒) 표적. ③〔비유〕 **(a)** 느림(보). **(b)** 유한 부인. **~schiff** *n.* 예인선. **~schiffahrt** *f.* 예항(曳航). **~seil** *n.* 예인용 밧줄: 〔비유〕 ins ~ nehmen 이끌다, 돕다. **~start** *m.* (글라이더의) 예인 이륙. **~tau** *n.*, **~trosse** *f.* ↑ ~seil. **~zug** *m.* 예인되는 거룻배의 대열.

Schlesien [ʃlé:ziən] 슐레지엔(오데르강 상·중류 일대의 지방).

Schlesier *m.* -s, - 슐레지엔 사람.

Schlesierin *f.* -nen ↑ Schlesier 의 여성형.

schlesisch *a.* 슐레지엔의, 슐레지엔 지방 출신의.

Schleswig [ʃlé:svɪç] 슐레스비히(슐레스비히 홀슈타인주(州)의 북부 지방 및 도시).

Schleswiger 《Ⅰ》 *m.* -s, - 슐레스비히의 주민. 《Ⅱ》 *a.* 슐레스비히의.

Schleswig-Hol̩stein 슐레스비히홀슈타인 (북독일의 주(州)).

Schleswig-Hol̩steiner 《Ⅰ》 *m.* -s, - 슐레스비히홀슈타인의 주민. 《Ⅱ》 *a.* 슐레스비히홀슈타인의.

schleswig-hol̩steinisch *a.* 슐레스비히홀슈타인의.

schleswig(i)sch *a.* 슐레스비히의.

schlẹtzen *t.* (schweiz.) (문을) 쾅 닫다.

Schleuder [ʃlɔ́ʏdər] *f.* -n ① 빨래 탈수기. ② 원심 분리기. ③ **(a)** 고무줄 새총. **(b)** (중세의) 투석기; 투석용의 가죽끈. ④〚레슬링〛 (상대방

을 쓰러뜨리기 위해) 오른손으로 상대방의 왼쪽 팔꿈치 윗부분을 잡는 것. ⑤ (청소년 은어로) 자동차, 오토바이. ⑥ (큰 낫의) 가죽끈. ⑦ (obd.) (이음새가 벌어지지 않도록 고정시키는) 거멀장.

Schleuder≈arbeit 《<schleudern²》 *f.* 날림일. **~artikel** *m.* 헐값으로 파는 물건, 투매(投賣) 상품. **~ausfuhr** *f.* 덤핑 수출.

Schleuder≈bahn 《<schleudern¹》 *f.* 〖空〗 (항공 모함의) 비행기 사출 장치, 사출기. **~ball** *m.* ① (가죽끈 손잡이가 달린) 투척용 공. ② 슐로이더 발, 슬링 볼(각각 8명으로 된 두 팀이 되도록 공을 멀리 던져 승패를 겨루는 구기). **~beton** *m.* 고압용 콘크리트 철근관을 써서 만든 강력 콘크리트. **~brett** *n.* ①〖스포츠〗 트램펄린. ②〖서커스〗 공중으로 튀어오를 때 쓰는) 도약판, 스프링보드.

Schleuderei *f.* -en 〔구어·대개 폄어〕 미끄러짐.

Schleuderer *m.* -s, - ① (투석기를 이용해서) 돌〔창〕을 던지는 사람. ② 헐값으로 파는 사람, 투매자. ③〖植〗 (우산이끼류의) 탄사(彈絲).

Schleuder≈flug 《<schleudern¹》 *m.* 사출 장치로 발진하는 비행. **~flugzeug** 《<schleudern¹》 *n.* 사출 장치로 발진하는 비행기. **~gang** *m.* (세탁기의) 탈수 과정. **~gefahr** *f.* (차량이) 미끄러질 위험.

Schleuder≈geschäft 《<schleudern²》 *n.* 투매, 덤핑. **~händler** *m.* 투매〔덤핑〕 상인.

Schleuder≈honig 《<schleudern¹》 *m.* (원심분리기로) 정제한 꿀. **~kraft** *f.* 원심력. **~kurse** *m.* (운전자를 위한) 미끄러짐 예방 교육 과정. **~maschine** *f.* ①〖工〗 원심기, 원심 분리기; (우유의) 크림 분리기. ②〖軍·空〗 (비행기의) 사출 장치. ③〔옛뜻〕 투석기.

***schleudern**¹ [ʃlɔ́ʏdərn] 《⊕ Schleuder》 《I》 *t.* ① (힘껏) 던지다, 내던지다: jn. zu Boden ~ 누구를 바닥에 내동댕이치다; jm. eine Antwort ins Gesicht ~ 누구에게 맞대놓고 격하게 말대꾸하다. ② 원심 분리기로 가공하다: Honig ~ 꿀을 원심 분리기로 정제하다. ③ 탈수하다: die Wäsche ~ 빨래를 탈수하다. ④ (원심 분리를 이용해) 추출하다. 《II》 *i.* ① (s.) (세탁기가) 탈수하다: die neue Waschmaschine schleudert viel besser als meine alte 새 세탁기는 내가 쓰던 옛날 것보다 탈수가 훨씬 잘 된다. ② (h./s.) 미끄러지다: in der Kurve ist〔hat〕 das Motorrad geschleudert 커브에서 오토바이가 미끄러졌다; 〔비유·구어〕 ins Schleudern geraten〔kommen〕 갈팡질팡하다, 당황하게 되다; jn. ins Schleudern bringen 누구를 갈팡질팡하게〔당황하게〕 만들다. ③ (s.) 미끄러지면서 (어떤 곳에) 부딪치다: der Wagen war gegen die Leitplanke geschleudert 자동차가 미끄러지면서 가드레일〔방호벽〕에 부딪쳤다. ④ (h.) 〖스포츠〗 뒤로 공중 회전하다. ⑤ (s.) 〖스포츠〗 (뒤로 공중 회전하여) 어떤 자세를 취하다, (철봉에서) 대차륜을 한 후 손을 뻗고 그대로 매달리다.

schleudern² *i.* (h.) ① 날림으로〔되는 대로〕 하다. ② 헐값으로 팔다, 투매하다; mit einer Ware ~ 어떤 물건을 투매하다.

Schleuder·preis *m.* 헐값, 투매〔덤핑〕 가격.

Schleuder≈pumpe *f.* 원심력 펌프. **~schiff** *n.* 사출 장치를 장비한 함정. **~sitz** *m.* 〖空〗 (비상 탈출로 위한) 사출 좌석. **~start** *m.* 사출 장치에 의한 발진. **~ware** *f.* 투매〔덤핑〕 상품. **~wurf** *m.* (투석기에 의한) 투석.

***schleunig** [ʃlɔ́ʏnɪç] 《germ.》 《I》 *a.* 신속〔조속〕한, 빠른; 즉석의. 《II》 *adv.* 즉시, 곧, 얼른: aufs ~ste 조속히, 지급으로.

Schleunigkeit *f.* 빠름, 신속.

schleunigst *adv.* 황급히, 즉각.

***Schleuse** [ʃlɔ́ʏzə] *f.* -n ①〖水理〗 **(a)** (수량 조절을 위한) 수문: die ~ öffnen〔schließen〕 수문을 열다〔닫다〕; die ~n des Himmels öffnen sich 〔der Himmel öffnet seine ~n〕 비가 많이 내리기 시작한다; die ~n seiner Beredsamkeit öffnen 열변을 토하기 시작하다. **(b)** (운하의) 갑문: in eine ~ einfahren 갑문 안으로 들어가다. ②〖空〗 에어 로크. ③〔구식〕 하수구, 배수 구멍.

schleusen *t.* ① 갑문을 열어 (배를) 통과시키다: ein Schiff durch einen Kanal ~ 갑문을 열어 배가 운하를 지나가게 하다. ② 통과시키다; 잠입〔침투〕시키다: die Reisenden wurden durch die Paßkontrolle geschleust 여행객들은 여권 검사를 받고 (국경을) 통과했다; jn. über die Grenze ~ 누구를 국경을 넘어 잠입시키다. ③ (하수 따위를) 배수하다; (가스를) 방출하다; (기밀을) 유출하다: Werkgeheimnisse ins Ausland ~ 기업 비밀을 외국으로 유출하다.

Schleusen≈bau *m.* 수문 건설〔구조물〕. **~boden** *m.* 수문의 밑바닥. **~flügel** *m.* 갑문의 개폐식문. **~geld** *n.* 갑문 통행료. **~hafen** *m.* 갑문식 독. **~kammer** *f.* 수면의 높이를 조절하는 동안 배가 잠시 머무는 갑문 안의 공간, 갑실(閘室). **~meister** *m.* 수문 관리인. **~tor** *n.* 수문〔갑문〕의 문. **~tür** *f.* 칸막이식 수문. **~wärter** *m.* 수문지기. **~wasser** *n.* ① 봇물. ② 갑실을 채울 물. **~wehr** *f.* 수문의 둑〔댐〕. **~werke** *pl.* 수문 시설. **~zoll** *m.* ↑ ~geld.

schleuß 〔구식〕 ↑ schließen 의 2인칭 단수 명령형.

schleußt 〔구식〕 ↑ schließen 의 2·3인칭 단수 현재형.

Schlich¹ [ʃlɪç] 《<schleichen》 *m.* -(e)s, -e ① 술책, 간계: deine ~e kenne ich 나는 자네의 술수를 잘 알고 있다; jm. auf die ~e kommen 〔hinter js. ~e kommen〕 누구의 책략을 알아채다. ②〔구식〕 뒷길, 샛길, 지름길.

Schlich² *m.* -(e)s, -e ①〔구식·방언〕 진흙(덩어리), 진창. ②〖광물〗 광니(鑛泥), 슬라임.

schlich ↑ schleichen 의 과거형.

***schlicht** [ʃlɪçt] *a.* ① 단순한, 검소한, 수수한, 소박한: ~ gekleidet sein 수수하게 차려 입다; eine ~e Mahlzeit 검소한 식사. ② 간단한, 꾸밈이 없는: mit ~en Worten 간단한 말로 ③ 소탈한, 솔직한, 가식이 없는: ein ~es und natürliches Verhalten 소탈하고 자연스러운 태도. ④ 다름 아닌: die ~e Wahrheit 명백한 진실. ⑤ 분명한, 오해의 여지가 없는: das ist ~ falsch 그것은 분명히 틀린 것이다; 〔구어〕 ~ und einfach 한마디로 분명히 말해서; 〔구어·농담〕 ~ und ergreifend 깡그리, 완전히; ~ um ~ 물물 교환으로. ⑥〔고어〕 평평한, 반들반들한, 매끈한.

Schlicht≈axt *f.*, **~beil** *n.* 표면 마무리용 자귀; 손도끼.

Schlichte [ʃlɪ́çtə] *f.* -n ①〖방직〗 올실에 윤기를 내는 풀. ②〖금속〗 표면〔가장자리〕 마무리.
Schlicht·eisen *n.* 〖제혁〗 무두질 연장.
***schlichten** [ʃlɪ́çtən] 《<schlecht》 *t.* ① (분쟁을) 중재하다; 조정하다. ② 평평하게 하다, 반듯〔매끈〕하게 하다; 다듬다; 줄질하다, 부드럽게 하다; (철판 따위를) 망치로 두들겨 펴다; 대패질하다; (가죽을) 무두질하다; 〖방직〗 Garn ~ 실에 풀을 먹이(어 매끈하게 하)다.
Schlichter *m.* -s, - ① (분쟁의) 중재자, 조정자. ②〖방직〗 실을 매끈하게 다듬는〔풀먹이는〕 사람.
Schlichterin *f.* -nen ↑ Schlichter의 여성형.
Schlicht≠feile *f.* 이가 고운 줄, 마무리줄. **~haarig** *a.* 머리결이 부드러운〔윤기 있는〕. **~hammer** *m.* 표면을 매끄럽게 고르는 망치.
Schlichtheit *f.* 단순, 소박, 소탈.
Schlicht≠hobel *m.* 반드럽게 미는〔끝손질용〕 대패. **~maschine** *f.* 매끈하게 다듬는〔끝손질용〕 기계; 〖방직〗 풀먹임 기계, 정사기(整絲機). **~rahmen** *m.* (가죽의) 끝손질용 공구. **~stahl** *m.* 마무리용 선반 공구.
Schlichtung *f.* -en 조정, 중재; 매끈하게 다듬기.
Schlichtungs≠ausschuß *m.* 조정〔중재〕 위원회. **~stelle** *f.* ↑ ~ausschuß. **~verfahren** *n.* 〖法〗 조정〔중재〕 절차. **~versuch** *m.* 조정〔중재〕 시도. **~wesen** *n.* 중재 재판 제도.
schlicht·weg *adv.* 완전히, 전적으로.
Schlick [ʃlɪk] (♧ Schlich²) *m.* -(e)s, -e ① (퇴적된) 진흙(층), 진창; 부드러운 진흙. ② 티 있는〔불순한〕 호박(琥珀). ③ (ndd.) 올가미.
Schlick·bank *f.* 〔복수: ..bänke〕 ① 방니제(防泥堤). ② 진흙 바닥.
schlicken [ʃlɪ́kən] 《Ⅰ》 *i.* (h.) / *refl.* (sich) ~ 진흙으로 뒤덮이다, 진창지다. 《Ⅱ》 *t.* 진흙을 제거하다.
schlickerig *a.* (nordd.) ① 진창의, 진흙길의, 질퍽질퍽한. ② 미끌미끌한.
Schlicker·milch *f.* 〔방언〕 응유(凝乳); 발효유, 산패유(酸敗乳), 사워 밀크.
schlickern [ʃlɪ́kərn] 《Ⅰ》 *i.* 〔방언〕 ① (우유가) 응고하다. ② (h.) (얼음 위에서) 미끄럼〔스케이트〕타다, 미끄러지다; (s.) 미끄럼〔스케이트〕타고 가다. ③ *imp.* es schlickert 진눈깨비가 내리다. ④ 야금야금 먹다, 군것질하다. ⑤ 〔드물게〕 진흙으로 뒤덮이다. 《Ⅱ》 *refl.* sich ~ (우유가) 굳다, 응고하다.
Schlick·grund *m.* (해저의) 진흙 바닥; 연니층(軟泥層).
schlickig, schlickrig *a.* ↑ schlickerig.
Schlick·watt *n.* (썰물 때의) 개펄.
Schlief [ʃli:f] 《<schliefen》 *m.* -(e)s, -e 〔방언〕 ↑ Schliff.
schlief ↑ schlafen의 과거형.
schliefen* [ʃlí:fən] (schloff, geschloffen) *i.* (s.) ①〖사냥〗 (소굴에) 기어 들어가다: ein Hund schlieft in den Fuchsbau 개가 여우굴 속으로 기어 들어간다. ② (südd. öst.) 미끌어지듯 잽싸게 빠져들다〔나오다〕: in die Hose ~ 바지를 잽싸게 입다. ③ 〔방언〕 (지하수를 파기 위해) 시굴〔굴착〕하다.
Schliefen *n.* -s (사냥개가) 오소리 소굴에 기어들기.
Schliefer *m.* -s, - ①〖動〗 바위너구리속(屬). ② (너구리·여우 사냥에 이용되는) 사냥개의 일종. ③ 〔방언〕 (피부에 박힌) 나뭇가시. ④ (schwäb.) (여성용) 머프(↑ Muff³).
schliefig *a.* ↑ schliffig.
schlieferig, schliefrig *a.* ① 매끄러운, 미끈한. ② ↑ schliffig.
Schlier [ʃli:r] 《<schlüpfen》 *m.* -(e)s ① (südd., öst.) 이회암(泥灰岩); 진흙 덩어리. ②〖지질〗 이판암층.
Schliere [ʃlí:rə] *f.* -n ① (obd.) 점액. ②〖工〗 (유리·거울에 생기는) 조흔(條痕), 슐리렌; 줄무늬, 줄자국. ③〖지질〗 줄무늬 암석층. ④ (obd.) 물컹물컹한 덩어리.
schlieren [ʃlí:rən] *i.* (h./s.) 〖海〗 미끄러지다; (매듭이) 풀리다.
schlierig *a.* 〔방언〕 끈적끈적한, 미끌미끌한.
Schlier·sand *m.* (öst.) 냇가의 모래.
Schließ·anlage *f.* 복합 자물쇠 (장치).
schließbar [ʃlí:sba:r] *a.* ① 닫을〔잠글〕 수 있는. ② 추론〔추정〕할 수 있는.
Schließ≠baum *m.* 〖工〗 ① 빗장. ② (항만의) 방목(防木). **~blech** *n.* (빗장의) 고리쇠. **~bolzen** *m.* 비너장, 잠금 못.
Schließe [ʃlí:sə] *f.* -n (특히 의복에 달린) 잠금 장치, 고리쇠, 똑딱단추; (혁대의) 버클.
schließen [ʃlí:sən] (schloß, geschlossen) (♧ Schloß, Schlüssel) 《Ⅰ》 *t.* ① 잠그다, 닫다, 덮다, 봉하다, 폐쇄하다: einen Koffer ~ 트렁크를 잠그다; das Fenster ~ 창문을 잠그다; ein Buch ~ 책을 덮다; 〔비유〕 jn. die Tür vor der Nase ~ 누구를 문 밖에서 따돌려 보내다; die Augen ~ a) 눈을 감다, b) 〔비유〕 잠들다, c) 〔비유〕 죽다; den Mund ~ 입을 다물다; die Ohren ~ 귀를 틀어막다, 듣지 않다; 〔비유〕 das Herz ~ 마음을 터놓지 않다; et. mit einem Deckel ~ 무엇을 뚜껑으로 닫다; der Deckel schließt die Schachtel 그 상자는 뚜껑이 닫혀 있다; das Land sperren und ~ 쇄국하다; eine Lücke ~ 빈 틈을 메우다; die Polizei hat die Versammlung geschlossen 경찰은 집회를 봉쇄하였다; 〖사냥〗 die Jagdzeit ist geschlossen 금렵기로 접어들었다; einen Brief ~ 편지를 봉하다; die Kette eines Gefangenen ~ 죄수에게 족쇄를 채우다; jn. krumm ~ 옴짝달싹 못하도록 누구를 묶다; 〖印〗 die Form ~ 판면(版面)을 죄다. ② (특정 기간 동안) 문을 닫다, 폐관〔폐점·휴업〕하다: einen Laden ~ 가게를 닫다, 폐점하다; sonntags ist das Geschäft geschlossen 일요일은 휴업이다. ③ jn.〔et.〕 in et. ~ 누구를〔무엇을〕 무엇 속에 가두다, 무엇 속에 넣어 보관하다: einen Gefangenen in eine Zelle ~ 포로를 감옥에 가두다; einen Brief in den Schreibtisch ~ 편지를 책상 속에 보관하다; jn. in die Arme ~ 누구를 포옹하다. ④ 닫아서 완전하게 하다: einen Bogen 〔die Parenthese〕 ~ 호(弧)〔괄호〕를 닫다; einen Kreis ~ 원을 다 그리다; einen Reigen ~ 원진(圓陣)을 이루다; den Zug ~ 행렬의 맨 나중에 오다; 〖軍〗 die Glieder 〔die Reihen〕 ~ 대열의 간격을 좁히다; rechts schließt euch! 우로 좁혀! ⑤ jn.〔et.〕 an et. ~ 누구를〔무엇을〕 무엇에 매다〔묶다〕: einen Hund an die Kette ~ 개를 사슬에 매다; das Fahrrad an einen Zaun ~ 자

전거를 울타리에 매어놓다; daran schloß er eine Bemerkung 그는 그것에 대해 한마디 덧붙였다. ⑥ et. in sich³ ~ 무엇을 포함하다; dieses Land schließt viele Gefahren in sich³ 이 나라는 많은 위험을 안고 있다; jn. mit in sein Gebet ~ 누구를 위해서도 기도하다. ⑦ 끝내다, 마치다, 종결하다, 완결〔완료〕하다: er schloß seinen Brief mit einem Gruß 그는 편지를 인사말로 끝맺었다; die Debatte〔Verhandlung〕 ~ 논쟁〔협상〕을 끝마치다; eine Predigt mit einem Gebet ~ 기도로 설교를 마치다; eine Rechnung ~ 셈을 치르다, 결산하다; 〖商〗 die Bücher ~ 장부를 결산하다; die Schule ~ 학교 문을 닫다; die Sitzung ~ 폐회하다. ⑧ 성립시키다, 맺다, 체결하다: einen Bund〔Vertrag〕 ~ 동맹〔조약〕을 맺다; die Ehe mit jm. ~ 누구와 결혼하다; wer hat Ihre Ehe geschlossen? 누가 당신의 결혼식 주례를 맡았습니까?; einen Handel ~ 거래를 맺다; eine Wette ~ 내기를 걸다; Freundschaft mit jm. ~ 누구와 우의〔우호 관계〕를 맺다. ⑨ aus et.³ ~ 무엇에서 추론하다, 무엇을 보고 미루어 판단하다; woher〔woraus〕 ~ Sie das? 어떻게 해서 그런 결론이 나오는 거죠? ⑩ 〖컴〗 (파일을) 닫다. 《Ⅱ》 *i.* (h.) ① 닫히다, 잠기다, 꼭 맞다: der Schlüssel schließt gut 열쇠가 잘 맞는다; das Schloß schließt nicht 자물쇠가 안 듣는다〔잠기지 않는다〕; die Tür schließt gut 문이 잘 닫힌다; der Deckel schließt 뚜껑이 딱 맞는다; ein Kleid schließt (oben) 옷이〔윗도리가〕 몸에 꼭 맞는다; 〖승마〗 der Reiter schließt 기수의 앉음새가 좋다. ② (도서관 등이) 문을 닫다; (가게가) 영업을 정지하다: die Bibliothek schließt um 17 Uhr 도서관은 17시에 문을 닫는다; das Museum hat heute geschlossen 박물관은 오늘 휴관이다; das Lokal mußte ~ 그 술집은 문을 닫아야〔영업을 정지해야〕 했다. ③ 끝나다, 종료〔마감〕되다: die Erzählung schließt hier 이야기는 여기서 끝이다; leider muß ich jetzt ~ (편지 등에서) 유감스럽지만 여기서 글을 맺어야겠군요; die Börse schloß munter 주식 시장은 활황 장세로 마감되었다. ④ 추론하다, 미루어 판단하다: von sich³ selbst auf andere ~ 자신으로 미루어 남을 추측하다; von et.³(A) auf et.(B) ~ A의 경우가 B의 경우에도 해당된다고 결론짓다, A를 근거로 B를 추론하다; auf et. ~ lassen 무엇을 지시〔암시〕하다. 《Ⅲ》 *refl.* sich ~ ① 잠기다, 닫히다, 막히다; 종결되다, 완결되다: die Tür schließt sich 문이 닫힌다; die Blume schließt sich 꽃이 오므라진다; die Wunde schließt sich 상처가 아문다. ② 계속하다, 잇따르다: an den Vortrag schloß sich eine lebhafte Diskussion 강연에 이어 활발한 토론이 행하여졌다. ③ 결론이 나오다: daraus schließt sich, daß ... 거기에서 …라는 결론이 나온다. ④ 둘러싸다, 에워싸다: sich um et. ~ 무엇을 둘러싸다. 《Ⅳ》 **geschlossen** *p.a.* ↑ geschlossen.

Schließer [ʃlíːsər] *m.* -s, - ① 수위, 현관 경비원. ② (교도소의) 교도관. ③ 잠금 장치.

Schließer·amt *n.* 수위〔간수〕직.

Schließerin *f.* -nen ↑ Schließer의 여성형.

Schließ=fach *n.* ① (역·공항의) 물품 보관함, 로커. ② 우편 사서함. ③ (은행의) 금고. **~feder** *f.* 〖工〗 폐쇄용 수철. **~frucht** *f.* 〖植〗 폐과(閉果). **~geld** *n.* (문지기·간수 등의) 문의 개폐료. **~haken** *m.* 고리못. **~kette** *f.* 잠금용 사슬, 자물쇠 딸린 사슬. **~kopf** *m.* 리벳의 머리. **~korb** *m.* 자물쇠가 달린 여행용 바구니〔함〕. **~lein** *m.* 〖植〗 아마과(亞麻科)의 일종.

***schließlich** [ʃlíːslɪç] 《<schließen》 《Ⅰ》 *adv.* ① 결국, 드디어, 마침내: 〖구어〗 ~ und endlich 드디어, 마침내; ~ gab er nach 마침내〔결국〕 그는 양보했다. ② 잘 생각해 보면, 근본적으로는, 결국은: ~ hat er doch recht 잘 생각해 보면 역시 그의 말이 맞다. 《Ⅱ》 *a.* 〖드물게〗 최종적인, 마지막의: die ~e Niederlage 마지막 패배.

Schließ=muskel *m.* ① 〖動〗 (조개 등의) 폐각근(閉殼筋). ② 〖해부〗 괄약근. **~platte** *f.* 〖印〗 활판 부착반(附着盤). **~rahmen** *m.* 〖印〗 판면(版面) 물림쇠. **~tag** *m.* 〖구동독〗 (평일 중의) 정기 휴점일.

Schließung [ʃlíːsʊŋ] *f.* -en ① 잠그기, 닫기, 폐쇄. ② 끝마침, 종결, 완결; (회합의) 해산. ③ (조약 등의) 체결. ④ 결론, 추론.

Schließ=zelle *f.* 〖植〗 공변(孔邊)〔여닫이〕 세포. **~zylinder** *m.* 자물쇠의 원통형 부분. **~zeug** *n.* 〖印〗 판면(版面)을 죄는 연장.

schliff [ʃlɪf] ↑ schleifen²의 과거형.

Schliff 《<schleifen²》 *m.* -(e)s, -e ① (다이아몬드 등의) 연마. ② 칼갈기, 칼날세우기; 날이 선 모습: beim ~ eines Messers 칼을 갈 때; der glatte ~ eines Messers 반들반들하게 갈린 칼날. ③ 매끄럽게 연마된〔다듬어진〕 부분: der schöne ~ des Glases 아름답게 연마된 유리 표면. ④ 세련된〔좋은〕 매너, 사교 예절; 〖軍〗 훈련; 완벽: jm. ~ beibringen 누구에게 세련된 매너를〔사교 예절을〕 가르치다; der Formulierung fehlt der letzte ~ 이 표현에는 마무리 손질이 안 되어 있다. ⑤ 〖방언〗 (빵의 표면이 매끄러울 정도로) 설 구워진 부분: der Kuchen ist ~ geworden 그 케이크는 덜 구워졌다; 〖비유〗 ~ backen 실패하다.

Schliff·fläche *f.* 연마된〔갈린〕 면.

schliffig *a.* 오븐에서 덜 구워진.

***schlimm** [ʃlɪm] 《mhd. slimp, „schief"》 *a.* ① 좋지 않은, 나쁜, 곤란한, 심한: ~e Erkältung 독감; eine ~e Nachricht 나쁜 소식; im ~sten Falle a) 최악〔만일〕의 경우에는, b) 아무리 나쁘게 볼지라도; in ~er Lage sein 곤경에 처해 있다; jn. aufs ~ste prügeln 누구를 호되게 갈겨 주다; aufs 〔auf das〕 ≈ste gefaßt sein 최악의 경우를 각오하고〔만일에 대비하고〕 있다; das ≈ste dabei ist, daß ... 그런 경우에 가장 나쁜〔곤란한〕 것은 …이다; 〖구어〗 das ist nicht (so) ~ a) 괜찮다, b) 너는 그것에 대해 사과할 필요가 없다; es geht ihm ~ 〔es steht ~ mit ihm〕 그는 형편이 몹시 곤란하다; die Sache nahm eine ~e Wendung 사태가 악화되었다. ② 심각〔중대〕한, 매우 우려되는, 불리한: ein ~er Fehler 중대한 실수. ③ 못된, (도덕적으로) 나쁜, 고약한: ein ~er Mensch〔Bursche〕 못된 인간. ④ 〖구어〗 아픈, 상처가 난, 편찮은: einen ~en Finger haben 손가락을 앓고 있다. ⑤ 〖구어〗 몹시, 매우: heute ist es ~ kalt 오늘은 지독히 춥다. ⑥ 〖드물게〗 열망〔탐욕〕하는: ~ nach et.³ 〔auf et.〕 sein, ~ hinter et.[3] her sein 무엇을 지독하게 탐내고 있다. ⑦ 〖방언〗 교활〔경박·방자〕한.

schlimmsten·falls [ʃlímstənfals] *adv.* ① 최악〔만일〕의 경우에는. ②〖드물게〗아무리 나쁘더라도.

Schling·beschwerden [ʃlíŋ..] 《<schlingen[2]》 *pl.* 〖병리〗 연하(嚥下) 곤란.

*__Schlinge__ [ʃlíŋə] 《<schlingen[1]》 *f.* -n ① (끈으로 만든) 고리, 코, 올가미; 멜빵 붕대; 〖植〗 덩굴손: eine ~ machen 고리를 만들다; den Arm in einer ~ tragen 팔에 멜빵 붕대를 하고 다니다. ② 올가미, 덫: ~n legen〔stellen〕 올가미를 치다, 덫을 놓다; jm. in die ~ fallen〔gehen〕 누구의 올가미에 걸리다, 함정에 빠지다; 〖비유〗 den Kopf 〔den Hals, sich〕 aus der ~ ziehen 궁지에서 빠져나오다; 〖비유〗 den Kopf 〔den Hals〕 in die ~ stecken 경솔하게 위험에 빠지다; jm. die ~ um den Hals legen 누구의 목에 올가미를 씌우다; 〖비유〗 누구를 함정에 빠뜨리다. ③ (섬유의) 괴깔. ④〖피겨 스케이팅〗 타원형 모양으로 안 쪽으로 돌며 8자 모양을 그리며 달리는 동작, 루프.

Schlingel[1] [ʃlíŋəl] *m.* -s, - 〖농담〗 악동, 장난꾸러기, 개구쟁이.

Schlingel[2] *n.* -s, - 〖방언〗 (옷의 단추 대신 사용되는) 작은 훅(쇠고리), 호크.

Schlingelchen *n.* -s, - ↑ Schlingel[1] 의 축소형.

Schlingelei [ʃlɪŋəlái] *f.* -en 장난질, 못된 짓, 짓궂음.

schlingelhaft *a.* 버릇없는, 장난이 심한.

schlingeln 《Ⅰ》 *i.* (h.) 난폭하게〔버릇없이〕 굴다. 《Ⅱ》 *t.* (jn.) 부랑자라고 욕하다.

__schlingen__[1] [ʃlíŋən] (schlang, geschlungen) 《♧ schlank, schlenkern》 《Ⅰ》 *i.* (h.) 〖고어〗 꿈틀거리다, 기다. 《Ⅱ》 *t.* ① 휘감다: die Arme um jn. 〔um js. Hals〕 ~ 누구를 얼싸안다; die Arme ineinander 〔auseinander〕 ~ 팔짱을 끼다〔풀다〕. ② 얽어매다; 짜다, 뜨다: einen Knoten ~ 매듭을 짓다; ein Band in eine Schleife ~ 리본을 나비 모양으로 매다; Kränze 〔Blumen zum Kranz〕 ~ 화환을 만들다; Reigen〔Tänze〕 ~ 윤무를 추다. ③ (바느질로) 가장자리를 감치다: ein Knopfloch ~ 단춧구멍의 가장자리를 감치다. 《Ⅲ》 *refl.* sich ~ 휘감다: sich um et. ~ a) 무엇을 휘감다. b) 무엇에 얽히다: die Schlange schlingt sich um ihr Opfer 뱀이 자기에게 걸려든 동물을 몸으로 휘감는다. 《Ⅳ》 **geschlungen** *p.a.* ↑ geschlungen.

__schlingen__[2] (schlang, geschlungen) 《♧ Schlund》 *i.* (h.) (음식을) 꿀떡꿀떡 삼키다, 급하게 먹다, 게걸스레 먹다: schling dein Essen nicht so! 음식을 그렇게 허겁지겁 삼키지 마라(꼭꼭 씹어 먹어라)!

schlingen[3] *t.* 〖海〗 (물고기를) 철사 올가미로 잡다.

Schlingen·steller *m.* 덫을 놓는 사람.

Schlinger=bewegung [ʃlíŋər..] *f.* (배가) 좌우로 흔들림. **~kiel** *m.* 〖海〗 (배가 좌우로 흔들리는 것을 억제하는) 만곡부 용골.

schlingern [ʃlíŋərn] *i.* 〖海〗 ① (h.) (배가) 좌우로 흔들리다: ins ~ kommen 심하게 흔들리기 시작하다. ② (s.) 좌우로 흔들리며 가다: die Boote schlingerten durch das Wasser 보트들이 좌우로 흔들리며 물살을 뚫고 나갔다; 〖구어〗 irgendwohin ~ 술에 취해 비틀거리면서 어디론가 걸어가다.

Schlinger·tank *m.* 〖海〗 배가 덜 흔들리도록 설치하는 물탱크.

Schling=gewächs *n.* ↑ ~pflanze. **~kraut** *n.* ↑ ~pflanze. **~pflanze** *f.* 덩굴 식물.

Schlipf [ʃlɪpf] 《♧ schlüpfen》 *m.* -(e)s, -e (schweiz.) (산·눈)사태: Schnee~ 눈사태.

Schlipp [ʃlɪp] *m.* -s, -e 〖조선〗 선가(船架), 조선대(造船臺).

Schlippe[1] [ʃlípə] 《♧ schlüpfen》 *f.* -n (ndd.) 치맛자락.

Schlippe[2] *f.* -n (md., ostmd.) 좁은 통로, 골목길.

schlippen [ʃlípən] *t.* 〖海〗 (닻줄을) 풀다, 내리다.

Schlipper *m.* -s, -, **Schlipper·milch** *f.* (ostmd., nordd.) 탈지유(脫脂乳), 응유(凝乳).

schlipperig *a.* (nordd., ostmd.) 응고하는, 엉기는.

schlippern *i.* (s.) (md., ostmd.) 응고하다: die Milch schlippert 우유가 응고한다〔시어진다〕.

schlipprig *a.* ↑ schlipperig.

Schlips [ʃlɪps] *m.* -es, -e 〖구어〗 넥타이: jm. auf den ~ 〔Schwanz〕 treten 누구를 모욕하다; 〖농담〗 sich auf den ~ 〔Schwanz〕 getreten fühlen 모욕감을 느끼다; jn. beim ~ erwischen〔nehmen〕 누구의 멱살을 잡다, 누구를 몹시 꾸짖다, 누구를 가까스로 붙잡다; das haut einen auf den ~ 그것은 믿을 수 없다, 그것은 전대미문이다.

Schlips·nadel *f.* (넥)타이핀.

schliß [ʃlɪs] ↑ schleißen 의 과거형.

Schlittel [ʃlítəl] *n.* -s, - 〖방언〗 작은 썰매.

schlitteln [ʃlítəln] (schweiz., öst.) *i.* (s./h.) 썰매 타다〔지치다〕, 썰매로 가다.

schlitten [ʃlítən] *i.* (schweiz.) ↑ schlitteln.

*__Schlitten__ *m.* -s, - ① 썰매: ein zweisitziger ~ 2인승 썰매; ~ fahren 썰매 타다; den ~ anspannen (썰매 끄는 짐승을) 썰매에 매다; 〖비유·구어〗 mit jm. ~ fahren 누구를 거칠게 다루다, 누구에게 못되게 굴다; 〖구어·구식〗 unter den ~ kommen〔geraten〕 (도덕적으로) 타락하다. ②〖工〗 활대(滑臺), 활판(滑板). ③ 조선대(造船臺), 진수대. ④〖경박〗 자동차, 오토바이, 자전거. ⑤〖저속·폄어〗 창녀.

Schlitten=bahn *f.* 썰매길, 활로(滑路). **~fahren** *n.* ↑ ~fahrt. **~fahrer** *m.* ① 썰매 타는 사람. ②〖商〗 (패거리로 몰려 다니는) 사취 상인. **~fahrt** *f.* 썰매타기, 썰매로 가기. **~geläut(e)** *n.* 썰매의 방울 소리. **~hund** *m.* 썰매 끄는 개. **~kufe** *f.* 썰매의 활목(滑木). **~läufer** *m.* ↑ ~fahrer ①. **~läuferin** *f.* ↑ ~läufer 의 여성형. **~partie** *f.* 썰매 타고 가는 소풍〔야유회〕. **~wetter** *n.* 썰매타기에 좋은 날씨.

Schlitter·bahn *f.* -en 〖방언〗 빙판, 눈위의 미끄러운 곳.

schlittern [ʃlítərn] 《schlitten 의 반복 동사》 *i.* ① (h./s.) (얼음 위에서) 미끄럼타며 놀다, 얼음을 지치다: Sie sind〔haben〕 den ganzen Nachmittag geschlittert 그들은 오후 내내 얼음을 지쳤다. ② (s.) 미끄럼타면서 가다: über den zugefrorenen See ~ 언 호수 위를 미끄럼 타면서 건너가다. ③ (s.) 미끄러워 넘어지다, 미끄러지다: sie waren in Socken über den glatten Flurboden geschlittert 그들은 양말을 신고 매끄러운 바닥에서 미끄러졌다. ④ (s.) (불쾌한 상황에) 빠지다, 처하게 되다.

*__Schlitt·schuh__ [ʃlɪtʃu:] ⟪<Schrittschuh⟫ *m.* 스케이트: die ~e anschnallen〔abschnallen〕 스케이트의 끈을 묶다〔풀다〕; ~ laufen 스케이트 타다.

__Schlittschuh=bahn__ *f.* 스케이트장. __~lauf__ *m.* 얼음지치기(Eislauf). __~laufen__ *n.* 빙상 활주, 스케이팅: ein Meister im ~ 스케이팅 우승자. __~läufer__ *m.* 스케이트 타는 사람, 스케이터. __~segeln__ *n.* 빙상 범주(帆走).

__Schlitz__ [ʃlɪts] ⟪<schleißen⟫ *m.* -es, -e ① 틈, 구멍, 틈새; 투입구: Briefkasten≈ 우편물 투입구. ② (의복의) 타진 곳; (남자 바지의) 앞타짐; (스커트의) 옆 틈새: 〖구어〗 dein ~ ist auf! 자네 바지가 열려 있어! ③〖비속〗 (여성의) 성기.

__Schlitz=auge__ *n.* ① (특히 몽고 인종에서 볼 수 있는) 가느다란 눈. ②〖욕설〗 짝 째진 눈을 가진 사람. __≈äugig__ *a.* 옆으로 째진 눈의. __~band·muschel__ *f.* 〖動〗 장자고둥.

__schlitzen__ [ʃlɪtsən] *t./i.* (h./s.) 길쭉한 틈새기를 내다; 길쭉하게 째다〔절단하다〕: ein geschlitzter Rock 옆이 트인 스커트.

__Schlitz=fenster__ *n.* 〖건축〗 예첨창(銳尖窓). __~flügel__ *m.* 〖空〗 슬롯〔보조〕 날개. __≈förmig__ *a.* 길쭉한, 옆으로〔길쭉하게〕 째진 모양의.

__schlitzig__ *a.* 길쭉이 갈라진, 틈새가 있는.

__Schlitz=messer__ *n.* 절개용 칼. __~ohr__ *n.* ① 끝이 뾰족한 귀. ②〖구어·폄어·농담〗 교활한〔약삭빠른〕 사람. __≈ohrig__ *a.* ① 귀가 뾰족한. ②〖구어〗 약삭빠른, 교활한. __~verschluß__ *m.* 〖사진〗 초점면〔포컬 플레인〕 셔터.

__schloh·weiß__ [ʃló:váɪs] *a.* 새하얀: ~es Haar 백발.

__Schlorre__ [ʃlɔ́rə] *f.* -n (nordd.) 슬리퍼.

__schlorren__ *i.* (h.) 〖방언〗 발을 질질 끌며 걷다.

__schloß__ [ʃlɔs] ↑ schließen 의 과거형.

*__Schloß__ [ʃlɔs] ⟪<schließen⟫ *n.* ..Schlosses, Schlösser [ʃlœ́sər] ① (**a**) 자물쇠: der Schlüssel steckt im ~ 열쇠는 자물쇠에 꽂혀 있다; et. unter ~ und Riegel halten 무엇을 (자물쇠를 잠가서) 안전하게 보관하다; hinter ~ und Riegel sitzen 감옥에 갇혀 있다; jn. hinter ~ und Riegel setzen 누구를 감옥에 가두다; ein ~ vor dem Mund haben 입을 다물다, 입이 무겁다; jm. ein ~ vor den Mund hängen 〔ein ~ an js. Mund legen〕 누구의 입을 봉하다〔막다〕; die Tür fiel (mit einem Krach) ins ~ 문이 (찰칵하는 소리를 내며) 잠겼다. (**b**) (짤각 닫히는) 걸쇠, 잠금쇠, 잠금장치, 고리; (책 표지를) 철(綴)하는 물림쇠. (**c**) 〖動〗 (쌍각류(雙殼類)의) 인대(靭帶). (**d**) 〖軍〗 노리쇠뭉치(Gewehr≈). ② (궁)성, 대궐, 큰 저택, 관(館); 성의 주민 전체: das ~ von Versailles 베르사유 궁전; spanische 〔böhmische〕 Schlösser 공중 누각, 공상; ein ~ auf dem 〔im〕 Mond 월궁(月宮) (비현실적인 것, 공상의 산물); Schlösser auf jn. bauen 누구를 맹신하다; ein Schloß〔Schlösser〕 in die Luft bauen 공중 누각을 짓다, 공상하다.

__Schloss__ 新정서 ⇦ Schloß.

__schloss..__ 新정서 ⇦ schloß...

__Schloß=anlage__ *f.* 성 및 그 주변 시설. __~aufseher__ *m.* 성주(城主)의 대리인. __~bau__ *m.* ① 성의 건설. ② 궁(궐). __~beamte*__ *der* 성내(城內)의 관리. __~berg__ *m.* 성이 서 있는 언덕〔산〕. __~blatt, ~blech__ *n.* 열쇠 구멍의 뚜껑.

__Schlösschen__ 新정서 ⇦ Schlößchen.

__Schlößchen__ [ʃlœ́sçən] *n.* -s, - 〖↑ Schloß 의 축소형〗 ① 작은 자물쇠. ② 작은 성〔저택〕.

__Schloße__ [ʃló:sə] *f.* -n 〖방언〗 우박.

__schloßen__ [ʃló:sən] *i.* (h.) *imp.* 〖방언〗 es schloßt 우박이 내린다.

__Schloßen=korn__ *n.* 〖방언〗 ↑ Schloße. __~schauer__ *m.* ↑ Schloße. __~stein__ *m.* ↑ Schloße. __~sturm__ *m.* ↑ Schloße. __~wetter__ *n.* ↑ Schloße.

__Schlosser__ [ʃlɔ́sər] ⟪<Schloß⟫ *m.* -s, - ① 철물〔금속〕공. ② (3 년 내지 3 년 반의 수습 과정이 필요한) 철물공 직업.

__Schlosser·arbeit__ *f.* 철물공〔금속공〕의 일, 철물〔금속〕 작업; 자물쇠 만들기.

__Schlosserei__ [ʃlɔsəráɪ] *f.* -en ① 철물공의 일〔활동〕, 자물쇠업. ② 기계 (수리) 공장, 자물쇠 공장. ③〖등산〗 등산용 철제 장비 및 보조 도구 일체.

__Schlosser=gesell__ *m.* ↑ ~geselle. __~geselle__ *m.* (자격증을 소유한) 금속〔철물〕 기능공, 자물쇠 기술자. __~hand·werk__ *n.* 금속공의 일, 철물 작업, 자물쇠업.

__Schlosserin__ *f.* -nen ↑ Schlosser 의 여성형.

__schlossern__ [ʃlɔ́sərn] *i.* (h.) 〖구어〗 철물 작업을 하다, 자물쇠 만드는 일을 하다.

__Schlosser=werk·statt__ *f.* 기계 (수리) 공장, 철공소, 자물쇠 공장. __~werkstätte__ *f.* ↑ ~werkstatt.

__Schloß=feder__ *f.* 자물쇠의 용수철. __~frau__ *f.* 성주(城主)의 부인. __~freiheit__ *f.* ① 성 주위의 광장. ②〖구식〗 성 주위의 직할 구역. __~garten__ *m.* 성의 정원. __~graben__ *m.* 성 주위에 둘러 판 못. __~haupt·mann__ *m.* 성주(의 대리). __~herr__ *m.* 성주; 지주, 영주. __~herrin__ *f.* 〖↑ ~herr 의 여성형〗 ① 여자 성주. ② 성주의 부인. __~hof__ *m.* 성의 안뜰. __~hund__ *m.* 〖구식〗 사슬에 묶여 있는 경비견: 〖구어〗 heulen wie ein ~ 큰 소리로 울다, 비통하게 울부짖다. __~kapelle__ *f.* 성 안의 예배당. __~kirche__ *f.* 성에 딸린 교회.

__Schlößlein__ *n.* -s, - 〖雅語〗 ↑ Schlößchen.

__Schloß=nagel__ *m.* 굵은 못; 핀(kleiner ~). __~park__ *m.* 성에 딸린 공원. __~platz__ *m.* 성 주위의 광장. __~riegel__ *m.* (자물쇠의) 날름쇠. __~ruine__ *f.* 허물어진 성터. __~tor__ *n.* 성문. __~turm__ *m.* 성루(城樓). __~verwalter__ *m.* 성〔큰 저택〕의 관리인. __~vogt__ *m.* 〖구식〗 성의 관리인. __~wache__ *f.* ① 성의 보초병. ② 성의 보초막〔초소〕.

__schloß·weiß__ *a.* 〖구식〗 ↑ schlohweiß.

__Schlot__[1] [ʃlo:t] *m.* -(e)s, -e/(드물게) Schlöte [ʃlǿ:tə] ①〖방언〗 (기차·기선의) 굴뚝, 연통: 〖구어〗 wie ein ~ rauchen 지독하게 담배를 피우다. ②〖구어·폄어〗 경솔한〔쓸모없는〕 놈, 천박한 인간. ③〖지질〗 분화구의 수갱; (카르스트 지형의) 돌리네, 석회정(石灰穽).

__Schlot__[2] *m.* -(e)s, -e (ndd.) (제방 뒤의) 배수로.

Schlot³ *n.* -(e)s (köln. -ndl.) 샐러드.

Schlot·baron *m.* 〖구어·폄어·구식〗(특히 루르 공업 지대의 공장의 굴뚝에 빗대어) 공장주, 으스대는 대기업가. **~feger** *m.* 〖방언〗 굴뚝 청소부. **~junker** *m.* ↑ ~baron. **~kehrer** *m.* 굴뚝 청소부.

Schlotte¹ [ʃlɔ́tə] *f.* -n ① (양파·마늘의) 속이 빈 잎〔줄기〕. ②〖植〗 골파. ③ 틈새; (변소의) 배수관.

Schlotte² *f.* -n 〖지질〗(석회암층 속의) 지하수 침식 공동(空洞).

Schlotten·zwiebel *f.* 〖植〗 골파.

Schlotter¹ [ʃlɔ́tər] *f.* -n (obd.) ① 딸랑이(장난감). ② 발효유.

Schlotter² *m.* -s, - (obd.) ① (schweiz.) 진동, 동요, 전율. ② 이염(泥塩) (소금 제조 과정에서 졸인 뒤에 남는 질퍽질퍽한 찌꺼기). ③ 체(Siebkorb).

Schlotter·bein *n.* 안짱다리, 불안정한 다리. **~beinig** *a.* 안짱다리의. **~gang** *m.* 비틀걸음, 갈짓자 걸음. **~hose** *f.* 헐렁한 바지.

schlotterricht *a.* ↑ schlottrig.

schlotterig *a.* ↑ schlottrig.

Schlotterigkeit *f.* ↑ schlottrig 의 명사형.

Schlotter·kopf *m.* 〖醫〗 체머리(병적으로 흔들거리는 머리).

Schlotter·milch *f.* 〖방언〗 발효유, 응유(凝乳).

schlottern [ʃlɔ́tərn] *i.* (h./s.) ① 덜덜 떨리다, 후들〔흔들〕거리다; 비틀거리다: seine Knie schlotterten vor Angst 그는 무서워서 무릎이 후들거렸다; ~der Wagen 덜커덩거리는 마차. ②〖비유·구어〗(옷이) 헐렁하다.

schlottricht *a.* ↑ schlottrig.

schlottrig *a.* ① 덜덜 떠는, 흔들흔들하는: ~e Knie 후들거리는 무릎. ② (옷이) 헐렁한, 아무렇게나 걸친: ~e Kleidung 헐렁한〔아무렇게나 걸친〕 옷.

schlotzen [ʃlɔ́tsən] *t.* 〖방언〗 ① 즐기며〔맛있게〕 마시다. ② (사탕 등을) 빨다.

***Schlucht** [ʃluxt] ((ndd.; ♧ schliefen)) *f.* -en ① 골짜기, 협곡: eine tiefe ~ 깊은 골짜기; durch eine ~ fahren 골짜기를 차로 지나가다. ② (ndd.) 구멍.

schluchtig *a.* 골짜기가 빽빽하게 들어찬.

***schluchzen** [ʃlʊ́xtsən] ((♧ schlucken)) 《I》 *i.* (h.) ① 흐느껴 울다, 훌쩍훌쩍 울다; 목메어 울다; (바이올린 등이) 구슬픈 소리를 내다. ②〖방언〗 딸꾹질을 하다. 《II》 *t.* 흐느끼며 말하다: „Ja!" schluchzte sie 그녀는 흐느끼면서 "예!"라고 말했다.

Schluchzen 《I》 *n.* -s 흐느낌, 오열. 《II》 *m.* -s (md.) 딸꾹질.

Schluchzer *m.* -s, - 흐느낌, 오열.

Schluchzerei *f.* -en 툭하면 훌쩍거림.

***Schluck** [ʃlʊk] ((<schlucken)) *m.* -(e)s, -e/ (드물게) Schlücke [ʃlʏ́kə] ① 한 모금(의 양), 한 입, 조금; 적은 양의 음료: einen ~ aus der Flasche nehmen 병에 든 음료를 한 모금 마시다; die haben das Bier bis auf den letzten ~ ausgetrunken 그들은 맥주를 마지막 한 방울까지 다 마셨다; hast du einen ~ Wasser für mich? 마실 물 좀 있니?; 〖경박〗 ein (kräftiger, tüchtiger) ~ aus der Pulle 큰 분량, 상당한 양. ② (알코올) 음료, 술: 〖구어〗 ein guter ~ 좋은 술; 〖구어〗 du hast ja 'nen ganz schönen ~ am Leib! 너 정말로 술을 잘 마시는구나! ③ 한 번의 삼킴, 삼키는 과정: et. in〔mit〕 hastigen ~en trinken 무엇을 급하게〔서둘러〕 마시다; das trinke ich in〔mit〕 einem ~ 나는 그것을 단숨에 마신다.

Schluck·auf *m.* 딸꾹질: einen ~ bekommen〔haben〕 딸꾹질을 하다. **~beschwerden** *pl.* 〖병리〗 음식을 잘 삼키지 못함, 연하(嚥下) 곤란.

Schlückchen [ʃlʏ́kçən] *n.* -s, - 〖↑ Schluck 의 축소형〗 한 모금.

***schlucken** [ʃlʊ́kən] 《I》 *t.* ① (꿀꺽) 삼키다, 들이키다: eine Pille ~ 알약을 삼키다; Wasser ~ (수영하다가) 물을 먹다; sich voll ~ 실컷 마시다, 배불리 먹다. ②〖구어〗(불쾌한 것을) 받아들이다, 억지로 참다: vieles ~ müssen 많은 일들을 억지로 참아야 한다; die bittere Pille ~ 고언(苦言)을 받아들이다; seinen Zorn ~ 화나는 것을 꾹 참다. ③ (의심없이) 받아들이다, 그대로 믿다: er hat die Ausrede geschluckt 그는 그 핑계를 액면 그대로 받아들였다. ④〖구어·폄어〗 집어삼키다, 횡령〔착복〕하다: er wird nicht viel dabei ~ 그가 그런다고 해서 많이 먹지는 못할 것이다; 〖비유〗 in sich ~ a) 이득을 보다, b) 참다; die Einnahme〔den Gewinn〕 in sich ~ 수익〔이익〕을 얻다. ⑤ 흡수하다, 삼키다; 〖구어〗 소비하다, 먹어 버리다〔치우다〕: diese Tapete schluckt zuviel Licht 이 벽지는 빛을 너무 많이 흡수한다; das neue Haus hat unser ganzes Geld geschluckt 우리가 가진 돈은 전부 새 집에 들어갔다. 《II》 *i.* (h.) ① 삼키다: ich kann vor lauter Schmerzen nicht mehr ~ 나는 너무 아파서 더 이상은 삼키지 못하겠다; 〖구어〗 als er das hörte, (da) schluckte er (nur) 그 이야기를 들었을 때 그는 당황했다(우선 정신을 가다듬어야만 했다). ②〖경박〗 (einen) ~ 술을 마시다: komm, wir gehen einen ~ 어이, 한잔하러 가자. ③ an et.³ ~ 무엇을 어렵게 극복〔해결〕하다: daran wird er noch lange zu ~ haben! 그가 그 일을 끝내려면 앞으로도 고생을 한참 해야 할걸! ④ 딸꾹질을 하다.

Schlucken *m.* -s 딸꾹질: den ~ haben〔bekommen〕 딸꾹질을 하다.

Schlucker *m.* -s, -〖다음 용법으로만〗〖구어〗 armer ~ 불쌍한 녀석.

Schluck·impfung *f.* 〖醫〗(주사를 놓는 대신 면역제를 삼키게 하는) 내복 면역.

Schlücklein *n.* -s, - 〔雅語〕 ↑ Schlückchen.

schlucksen [ʃlʊ́ksən] *i.* (h.) 〖구어〗 딸꾹질을 하다.

Schluckser [ʃlʊ́ksər] *m.* -s, - 〖구어〗 딸꾹질(소리).

Schluck·specht *m.* 〖구어〗 ① 술꾼, 술고래. ② 휘발유를 많이 소모하는 차〔엔진〕. **~weise** *adv.* 한 모금씩.

Schluder·arbeit *f.* 〖구어·폄어〗 날림 일, 소홀히 한 일: ~ leisten 일을 엉터리로〔날림으로〕 하다.

schluderig *a.* 〖구어·폄어〗 ↑ schludrig.

schludern [ʃlúːdərn] *i.* (h.) 〖구어·폄어〗 ① 일을 엉터리로〔날림으로〕 하다, 아무렇게나 해치우다: beim Nähen ~ 바느질을 엉망으로 하다. ② (mit et.³) 헤프게 쓰다, 낭비하다. ③

(obd.) 꿀꺽꿀꺽 마시다. ④ (ndd.) (비밀 등을) 발설하다. ⑤ 투매하다.

schludrig *a.* 〔구어·폄어〕 ① 게으른, 정리를 소홀히 하는, 피상적인: ~ arbeiten 엉터리로 일을 하다. ② (특히 의복이) 칠칠치 못한, 지저분한.

Schluf *m.* -(e)s, -e/Schlüfe [ʃlʏ́fə] (동굴 속의) 기어서만 통과할 수 있는 부분.

Schluff [ʃluf] 《<schliefen》 *m.* -(e)s, -e/Schlüffe [ʃlʏ́fə] ① 〖지질〗 (입자의 직경이 0.002-0.02 mm 인) 고령토. ② (südd.) (여성용의) 토시(의 일종), 머프. ③ (동물들이 지나가는) 좁은 통로, 구멍. ④ 껍질, 껍데기, 깍지.

schluff *a.* (ndd.) 썩은; 하찮은; 불결한.

Schlüffel [ʃlʏ́fəl] *m.* -s, - (ndd.) 건달; 조야한〔버릇없는〕 사람.

Schluft [ʃluft] 《<schliefen》 *f.* Schlüfte [ʃlʏ́ftə] 〔구식〕 ① 골짜기, 협곡. ② 피신〔은신〕처.

schlug [ʃlu:k] ↑ schlagen 의 과거형.

schlüge [ʃlʏ́:gə] ↑ schlagen 의 접속법 Ⅱ 식.

*__Schlummer__ [ʃlʊ́mər] *m.* -s 〔雅語〕 ① 깜박 잠듦, 졸음, 잠, 곤한 잠: kurzer ~ im Sitzen 앉은 채 깜빡 잠듦; in (leichtem) ~ liegen 졸고 있다; jn. aus dem ~ rütteln 〔im ~ stören〕 누구를 곤한 잠에서 깨우다〔누구의 곤한 잠을 방해하다〕. ② ↑ ~gott. ③ 〔드물게〕 잠자기 전에 마시는 술.

schlummer≈betäubt *a.* 졸음이 쏟아지는, 잠이 덜 깬. **~duft** *m.* 숙면을 돕는 방향(芳香)(제).

Schlummerer *m.* -s, - ① 조는〔선잠 든〕 사람. ② 〔비유〕 잠꾸러기, 느림보.

Schlummer≈gott *m.* 잠의 신(神). **~kissen** *n.* 〔雅語·농담〕 푹신푹신한〔부드러운〕 베개. **~kopf** *m.* 잠꾸러기; 느림보, 멍청이. **~körner** *pl.* 〖植〗 양귀비 씨앗; 〔비유〕 잠. **~lied** *n.* 〔雅語〕 자장가.

*__schlummern__ [ʃlʊ́mərn] 〔雅語〕 《Ⅰ》 *i.* (h.) ① 졸다, 눈을 잠깐 붙이다, 곤하게 자다: er schlummerte eine ganze Stunde 그는 한 시간을 꼬박 잤다; im Grab ~ 무덤에 묻혀 있다; den ewigen Schlaf ~ 영면하다. ② 〔비유〕 (기능·감정·지능 등이) 미개발 상태로 숨어 있다: ~de Talente 아직 개발되지 못한 재능; eine ~de Krankheit 잠복 중인 병; mein Vorschlag hat jahrelang im Schreibtisch des Chefs geschlummert 나의 제안은 사장의 책상 안에 여러 해 동안 묵혀 있었다. 《Ⅱ》 *imp.* es schlummert mich 〔mich schlummert〕 나는 졸린다.

Schlummer≈punsch *m.* (자기 전에 마시는) 잠자리술. **~rolle** *f.* (푹신한) 원통 모양의 베개. **~trunk** *m.* 〔雅語·농담〕 자기 전에 마시는 술.

Schlump [ʃlʊmp] *m.* -(e)s, -e (ndd.) ① 〖軍·은어〗 예기치 않은 행운, 요행; 요행의 명중: auf dem ~ 즉석에서. ② 품질이 나쁜 옷. ③ 〖海〗 (a) 슬루프형의 배. (b) 선재정(船載艇).

Schlumpe [ʃlʊ́mpə] *f.* -n ① 〔방언〕 품행이 단정하지 못한 여자. ② 헌 신발. ③ (schweiz.) 소모기(梳毛機).

schlumpen[1] [ʃlʊ́mpən] 《Ⅰ》 *i.* (h./s.) 〔방언〕 ① 칠칠치 못하다, 일을 엉터리로 하다. ② 단정치 못한 차림으로 돌아다니다. ③ (옷이) 헐렁하다. 《Ⅱ》 *t.* 〔방언〕 ① 날림일을 하다. ② (양털을) 빗다. ③ 치다, 때리다.

schlumpen[2] 《<Schlump》 *i.* (h./s.) (어떤 일이) 다행히 잘 되다, 성공하다: es hat ihm geschlumpt 그의 일은 바라던 대로 잘 되었다.

Schlumper *m.* -s, - (sächs.) ① 미식, 포식. ② 때가 낀 옷자락. ③ 점퍼. ④ 너저분한 사람.

schlumperig *a.* 〔방언〕 ↑ schlumprig.

Schlumpf [ʃlʊmpf] *m.* -(e)s, Schlümpfe [ʃlʏ́mpfə] ① (a) 〔방언·욕설〕 나쁜 놈: Sie ~, halten Sie jetzt endlich den Mund 이 고약한 양반, 이제 그만 입 좀 다무시지. (b) 〔애칭〕 작고 귀여운 사람: na, du süßer ~! 이런 깜찍한 녀석! ② (a) 스머프(만화의 난쟁이 주인공 이름). (b) 〔구어〕 키작은 사람, 난쟁이.

schlumprig *a.* 칠칠하지 못한, 지저분한.

schlumps *adv.* 요행히도.

Schlump≈schlag *m.* ↑ ~schuß. **~schuß** *m.* 〖사냥〗 우연한 명중.

schlumps·weise *adv.* ↑ schlumps.

*__Schlund__ [ʃlʊnt] 《⇔ schlingen[2]》 *m.* -(e)s, Schlünde [ʃlʏ́ndə] ① 〖해부〗 목구멍, 인두(咽頭); 식도: 〔비유〕 er jagt sein Geld durch den ~ 그는 돈만 있으면 술을 마신다; mir ist der ~ trocken 나는 목이 마르다; den ~ nicht voll genug kriegen 아무리 많이 먹어도〔마셔도〕 충분치 않다; jm. et. in den ~ werfen〔schmeißen〕 누구에게 필요하지 않은〔이미 충분히 있는〕 무엇을 주다. ② 동물의 구강, 입: der Vogel hatte den Fisch für die Jungen im ~ 새가 새끼들에게 줄 물고기를 입에 물고 있었다. ③ 〖사냥〗 (사슴·멧돼지의) 식도. ④ (무척추 동물의) 구강; (식물의) 목줄기. ⑤ 〔비유·雅語〕 (심연 같이) 깊이 파인 틈〔구멍〕; 〖軍〗 포구(砲口): der ~ eines Vulkans 화산의 분화구.

Schlund≈kopf *m.* 인두(咽頭). **~kopfspiegel** *m.* 〖醫〗 인두경(鏡). **~krampf** *m.* 〖醫〗 인두 경련. **~röhre** *f.* 〖醫〗 인두 직달관(直達管). **~sonde** *f.*, **~stößer** *m.* 〖醫〗 식도 소식자(消息子).

schlunen *i.*(h.) (südwestd.) ↑ schlummern.

schlunkern (ndd.) 《schlenkern》 《Ⅰ》 *t.* 이리저리 흔들다. 《Ⅱ》 *i.*(h.) 흔들리다, 흔들거리다.

Schlunze [ʃlʊ́ntsə] *f.* -n 〔방언·경박·폄어〕 ① 칠칠치 못한 여자, 몸가짐이 단정치 못한 여자. ② 묽은 수프; 연한 커피.

schlunzen *i.* 〔방언·경박·폄어〕 ① (s.) 건들거리며 걷다. ② (h.) 단정치 못하다, 지저분하다. ③ (h.) 일을 대충대충〔아무렇게나〕 하다.

schlunzig *a.* 〔방언·경박·폄어〕 (복장·걸음이) 단정치〔칠칠치〕 못한, 지저분한.

Schlup [ʃlu:p] 《ndd.》 *f.* -s/-en 〖海〗 외돛대 범선.

Schlupf [ʃlʊpf] *m.* -(e)s, -e/Schlüpfe [ʃlʏ́pfə] ① (obd.) (a) 빠져 나갈 구멍. (b) 은신〔피난·잠복〕처. (c) 〔구식〕 고리, 가죽끈, 넥타이. (d) 미끄러짐, 미끄러져 나옴; (병아리의) 부화. (e) (schweiz.) (Muff) 머프, (여성용의) 손토시. ② 〖工〗 (기계 부품 사이의) 유격(裕隔), 슬립. ③ 〖전기〗 이론상의 항진 거리와 실제와의 차이. ④ 〖車〗 바퀴의 이론상의 회전수와 실제 운행 속도와의 차이.

Schlupf·bluse *f.* 점퍼.

schlupfen *i.* (s.) (obd.) ↑ schlüpfen.

*__schlüpfen__ [ʃlʏ́pfən] *i.* (s.) ① (미끄러지듯이) 빠져 나가다: der Fisch ist mir aus der

Hand geschlüpft 물고기가 내 손에서 미끄러져 빠져나갔다; 〖구어〗 die Gangster sind der Polizei durch die Finger geschlüpft 악당들은 경찰의 수중에서 빠져 달아났다; kein Wort schlüpfte über seine Lippen 그는 아무 말도 하지 않았다; (schweiz.) da ist uns ein Fehler geschlüpft 우리는 부지불식간에 실수를 하나 저질렀다. ② (옷을) 미끄러지듯이 훌훌 입다〔벗다〕: in die Kleider 〔aus den Kleidern〕 ~ 옷을 스르르 입다〔훌훌 벗다〕; ich würde gern mal für einen Tag in seine Haut ~ 나는 하루만이라도 그의 처지가 되어보고 싶다. ③ (새가 알에서) 미끄러지듯이 빠져나오다, 부화하다: der Vogel schlüpft aus dem Ei 새가 알에서 부화한다.

Schlüpfer [ʃlʏ́pfər] *m.* -s, - ① (특히 여성용) 팬티, 슬립. ②〖의상〗 헐렁하고 스포티한 외투.

schlüpferig *a.* ↑ schlüpfrig.

Schlupf≈hafen *m.* (자연적인) 피난항(港), 후미. **~hose** *f.* 〖구식〗 (특히 여성용) 팬티. **~jacke** *f.* 〖구식〗 스웨터. **~käfer** *m.* 〖動〗 딱정벌레의 일종. **~könig** *m.* 〖動〗 굴뚝새. **~loch** *n.* 도망갈 구멍, 숨을 곳; 〖비유〗 핑계. **~pforte** *f.* (성벽 등의) 작은 문, 뒷문.

***schlüpfrig** [ʃlʏ́pfrɪç] *a.* ① 미끄러운: ~e Straßen 미끄러운 도로; ~ wie ein Aal (뱀장어처럼) 아주 미끄러운; 〖비유〗 er wird sich damit auf einen ~en Pfad〔Boden〕 begeben 그는 그렇게 함으로써 위험한 길로 들어설 것이다. ②〖비유·폄어〗 애매한, 외설적인: eine ~e Bemerkung 애매한 말; ein ~er Witz 음담패설.

Schlüpfrigkeit [ʃlʏ́pfrɪç..] *f.* -en ↑ schlüpfrig 의 명사형.

Schlupf≈stiefel *m.* 끈 또는 지퍼가 없는 장화. **~tor** *n.* 통용문, 후문. **~tür** *f.* 뒷문. **~wespe** *f.* 〖動〗 맵시벌. **~winkel** *m.* ①〖드물게〗 (동물의) 숨는 곳. ② 은신〔피난〕처.

Schluppe[1] [ʃlʊ́pə] *f.* -n 〖방언〗 ↑ Schlupf.

Schluppe[2] 《↑ Schaluppe 의 별형》 *f.* -n (md.) 좁은 통로, 골목길.

Schlurf[1] [ʃlurf] *m.* -(e)s, -e ① (öst.) 〖구어〗 (일하기 싫어하고) 멋부리기 좋아하는 청소년; 장발족. ②〖은어〗 기생오라비, 포주.

Schlurf[2] *m.* -(e)s, Schlürfe [ʃlʏ́rfə] 한 모금의 음료; 한 모금 마시기.

schlurfen [ʃlʊ́rfən] *i.* ① (s.) 발을 (질질) 끌며 걷다: mit den Füßen ~ 발을 끌며 걷다. ② (h.) 〖방언〗 ↑ schlürfen.

***schlürfen** [ʃlʏ́rfən] 《원래는 의성어》 《I》 *i.* ① (h.) 소리내며 마시다. ② (s.) (md.) 발을 (질질) 끌며 걷다. 《II》 *t.* ① 홀짝홀짝 마시다: den heißen Kaffee ~ 뜨거운 커피를 홀짝홀짝 마시다. ② 맛을 음미하며 천천히 마시다.

Schlurfer *m.* -s, - 발을 끌듯 걷는 사람.

Schlürfer *m.* -s, - 홀짝홀짝 마시는 사람.

schlurig *a.* (ndd.) 꾀죄죄한, 칠칠치 못한.

Schlurpen *m.* -, - (alem.) 슬리퍼.

Schlurre [ʃlʊ́rə] 《♧ schlurfen》 *f.* -n (nordd.) ① 슬리퍼. ② 노파.

schlurren *i.* (h./s.) ① ↑ schlurfen. ② 단정치 못하다.

Schluse [ʃlú:zə] *f.* -n (nordd.) ① (견과·곡물의) 껍질. ②〖복수〗〖폄어〗 위조 지폐, 가치가 떨어진 돈. ③〖방언〗 칠칠치 못한 여자.

***Schluß** [ʃlus] 《<schließen》 *m.* Schlusses, Schlüsse [ʃlʏ́sə] ① 끝, 마지막, 종료, 마감: ~ für heute! 오늘은 이상 끝!; am 〔zum〕 ~ des Jahres 연말에; gegen ~ der Veranstaltung 행사가 끝날 즈음에; ~ jetzt! 이제 그만!; ~ damit! 그쯤 해 둬라, 더 이상 듣고 싶지 않다!; (mit et.[3]) ~ machen (무엇을) 그만두다, 끝내다; 〖구어〗 mit et.[3]〔jm.〕 ist nun〔jetzt〕 ~ 무엇은〔누구는〕 이제 끝났다〔결판났다〕; 〖구어〗 es ist ~ mit ihm 그는 이제 임종을 앞두고 있다; mit sich[3] 〔mit seinem Leben〕 ~ machen 자살하다; mit jm. ~ machen 누구와의 관계를 끝내다. ② (어떤 것의) 끝부분, 결말: der Speisewagen ist am ~ des Zuges 식당칸은 기차의 맨 뒷부분에 있다; er las das Buch nicht bis zum ~ 그는 그 책을 끝까지 읽진 않았다. ③ 결론, 추론: ich bin zu dem ~ gekommen, daß ... 나는 …라는 결론에 도달했다; logischer ~ mit 3 Sätzen 삼단 논법; zu einem Schluß gelangen 어떤 결론에 도달하다; einen ~ aus 〔von〕 et.[3] auf et. ziehen 무엇에서 무엇을 추론하다; 〖반어〗 etwas ist der Weisheit letzter ~ a) 무엇은 모든 숙고 끝에 도달하게 되는 결론이다, b) 무엇은 최상의 지혜다. ④ 체결, 결의: der ~ eines Vertrages 조약의 체결; der ~ der Götter 신의 뜻; einen ~ fassen 결심하다; in einen 〔zu einem〕 ~ stimmen 의견이 일치하다; des Schlusses eins 〔einig〕 werden 만장 일치로 결의하다. ⑤〖구식〗 닫힘: er kam vor dem ~ des Tores noch hinaus 그는 성문이 닫히기 전에 나왔다. ⑥ 닫히는〔밀착되는〕 정도: die Tür hat guten ~ 그 문은 잘 닫힌다; 〖승마〗 der Reiter hat guten ~ 그 기수는 말잔등에 안정된 자세로 앉아 있다. ⑦〖음악〗 종지; 〖건축〗 (아치의 정상에 있는) 홍석(虹石). ⑧〖전기·구어〗 단락, 쇼트, 합선. ⑨〖증권〗 매매〔거래〕 단위. ⑩〖사냥〗 붉은 사슴의 오래된 발자국.

Schluss 新정서 ⇦ Schluß.

Schluß≈abstimmung *f.* 최종〔결선〕 투표. **~akkord** *m.* ①〖음악〗 종지 화음. ②〖비유·雅語〗 대단원, 대미(大尾): der ~ einer Veranstaltung 행사의 대단원. **~akt** *m.* ①〖연극·오페라〗 마지막 막(幕). ② 최종 단계, 마지막 행동. ③ (예식·행사의) 대단원, 대미. **~antrag** *m.* 〖의회〗 폐회 발의. **~art** *f.* 추론법. **~ball** *m.* 졸업〔종업〕 무도회. **~bearbeitung** *f.* 최종 가공〔편집〕. **~bemerkung** *f.* 결어. **~besprechung** *f.* 최종 협의〔토의〕. **~bilanz** *f.* 〖商〗 결산. **~bild** *n.* 〖연극·오페라〗 마지막 장면. **~brief** *m.* 〖商〗 매매 계약서. **~drittel** *n.* 〖아이스하키〗 마지막 피리어드. **~effekt** *m.* (연설·행사의) 대단원을 이루는 요소, 대미(大尾): der krönende ~ des Festes war ein Feuerwerk 그 축제의 대미를 장식한 것은 불꽃놀이였다.

***Schlüssel** [ʃlʏ́səl] 《<schließen》 *m.* -s, - ① 열쇠: Haustür~ 현관 열쇠; den ~ ins Schloß stecken 열쇠를 자물쇠에 꽂다; ~ zum Zimmer 방 열쇠; den ~ drehen〔abziehen〕 열쇠를 돌리다〔빼다〕; der ~ paßt nicht 이 열쇠는 맞지 않는다; einen ~ nachmachen lassen 열쇠 복제를 맡기다; der goldene ~ 황금 열쇠(시종(侍從)의 표지). ②〖비유〗 (해결의) 열쇠, 단서, 실마리; 해법: ~ zu einem

Geheimnis 비밀을 푸는 열쇠; das ist der ~ zu Goethe 이것이 괴테의 작품을 이해하는 비결이다; 〖聖〗 ~ des Himmelreichs 천국의 열쇠; 〖가톨릭〗 Amt der ~ ↑ ~amt. ③ (암호화된 문자의) 해독법: Chiffren≈ 암호 해독법. ④ (교과서 등의) 해답집, 문제 풀이집: es gibt einen ~ zum Englischbuch 그 영어책을 위한 문제 풀이집이 있다. ⑤ (분류·분배의) 기준: nach einem bestimmten ~ festsetzen 일정한 기준에 따라 결정하다. ⑥〖음악〗 (**a**) (Noten≈) 음자리표, (보표의) 음표 기호. (**b**) 음자리. ⑦〖軍〗 전략상 중요한 장소, 요소, 관문. ⑧〖植〗 ↑ ~blume. ⑨ (열쇠와 흡사한 도구) (**a**) (Schrauben≈) 나사돌리개, 스패너. (**b**) (피아노의) 건(鍵) (Klavier≈). (**c**) 지렛대, 쐐기. (**d**) (시계의) 태엽 감개(Uhr≈).

Schlüssel≈amt *n.* 〖가톨릭〗 교황의 권한(사면권·징계권). **~bart** *m.* 열쇠의 걸림쇠. **~begriff** *m.* 핵심〔중심〕 개념. **~bein** *n.* 〖해부〗 쇄골(鎖骨). **~bein·bruch** *m.* 〖병리〗 쇄골 골절. **~blech** *n.* ① 열쇠 구멍의 덮개. ② (호텔 등에서) 열쇠에 매달린 방 번호판. **~blume** *f.* 〖植〗 앵초. **~brett** *n.* 열쇠걸이판. **~büchse** *f.* 열쇠 모양의 장난감 권총. **~bund** *m./n.* 열쇠꾸러미.

Schlüsselchen *n.* -s, - 〖↑ Schlüssel 의 축소형〗 작은 열쇠.

Schlüssel≈dienst *m.* 열쇠 가게. **~erlebnis** *n.* 중요한〔인상적인〕 체험. **~erzählung** *f.* ↑ ~roman. **≈fertig** *a.* (신축 건물이) 완성된, 곧 입주할 수 있는 . **~figur** *f.* 중요〔중심〕 인물; (사건 해결의) 단서가 되는 인물. **~frage** *f.* 중요한〔결정적인〕 문제. **~gewalt** *f.* ① (**a**) 〖가톨릭〗 ↑ ~amt. (**b**) 〖宗〗 교권(教權). ②〖法〗 (부부 상호간의) 가사 행사권. **~industrie** *f.* 기간 산업(철강업·탄광업 등). **~kind** *n.* 〔구어〕 (집 열쇠를 가진 아이라는 뜻에서) 맞벌이 부부의 아이. **~loch** *n.* 열쇠 구멍. **~loch·schildchen** *n.* 열쇠 구멍 덮개.

schlüsseln [ʃlʏsəln] 《Ⅰ》 *t.* ① 할당〔배분〕하다. ②〖권투〗 js. Arm ~ 클린치하다. ③ 암호문으로 고치다. 《Ⅱ》 *i.* (h.) 암호문으로 쓰다.

Schlüssel≈position *f.* (결정을 내리는) 중요한 지위: eine ~ innehaben 중요한 지위를 차지하고 있다. **~punkt** *m.* 〖軍〗 요충 지점. **~reiz** *m.* 〖행동과학〗 (선천적인 본능의 작용 메카니즘을 알기 위해 가하는) 핵심적 자극. **~ring** *m.* ① (둥근) 열쇠 머리 부분. ② 열쇠고리. **~roman** *m.* 〖문학〗 (특히 바로크 시기의) 실화(모델) 소설. **~schild** *n.* ↑ ~blech ①. **~stellung** *f.* ①〖軍〗 요충지. ② 중요한〔핵심적인〕 지위. **~stück** *n.* 실제의 인물〔사건〕을 모델로 한 희곡 작품, 실화 문학. **~technologie** *f.* 핵심 기술. **~wort** *n.* 〖복수: ..wörter〗 ① 자물쇠를 여는 비밀 번호〔암호〕. ② (텍스트 해독의) 열쇠가 되는 단어, 단서. ③ 암호화된 단어, 전신 부호. ④ 핵심어.

schluß≈endlich *a.* 〔방언〕 마침내, 드디어. **≈ergebnis** *n.* 최종 결과. **≈erklärung** *f.* 최종〔종합〕 설명〔선언〕. **≈fall** *m.* 〖음악〗 종지. **≈feier** *f.* 졸업〔종업〕식. **≈fest** *n.* 졸업〔종업〕 축하 파티〔축제〕. **≈folge** *f.* ↑ ≈folgerung. **~folgern** *t.* 추론하다, 결론을 이끌어내다. **≈folgerung** *f.* (논리의) 귀결, 추론. **≈form** *f.* 추론 형식. **≈formel** *f.* (편지의) 맺음말, 결구. **~gerecht** *a.* 논리적인, 앞뒤가 맞는.

schlüssig [ʃlʏsɪç] *a.* ① 논리 정연한, 설득력 있는: eine ~e Behauptung 설득력 있는 주장. ②〖法〗 근거 있는, 정당한: ~es Handeln 적절한 행동을 통한 의사 표명 행위(보기: 입장권을 사겠다는 말을 하지는 않았지만 창구에 돈을 밀어넣음으로써 입장권 구매 의사가 표현된 것으로 간주되는 경우). ③ 결심한, 단호한: sich über et. ~ machen 〔sich³ über et. ~ werden〕 무엇을 결심하다; sich³ über et. ~ sein 무엇을 결심하고 있다. ④ 적확한, 적절한.

Schluß≈inventur *f.* 최종 재고품 목록. **~kapitel** *n.* 마지막 장(章). **~kette** *f.* 〖논리〗 연쇄적인 추리〔론〕. **~kunst** *f.* 논리학. **~kurs** *m.* 〖經〗 그날의 마감 시세, 종가(終價). **~laterne** *f.* (자동차의) 미등(尾燈). **~läufer** *m.* 〖스포츠〗 (계주의) 최종 주자. **~läuferin** *f.* 〖스포츠〗 ↑ ~läufer 의 여성형. **~leiste** *f.* 〖印〗 (출판물의) 장(章)의 끝부분 여백 등에 삽입되는 장식 도안. **~leuchte** *f.* ↑ ~laterne. **~licht** *n.* 〖복수: -er〗 ① ↑ ~laterne. ②〖비유·구어〗 최하위, 꼴찌: das ~ machen〔bilden〕 (대열의) 맨 뒤에 있다. **~mann** *m.* ①〖스포츠〗 ↑ ~läufer; 〖럭비〗 후위, 백; 〔구어〕 골키퍼. ②〔비유·구어〕 열의 맨 끝 사람. **~note** *f.* 〖法〗 (중개인이 발행하는) 계약 체결 증명서. **~notierung** *f.* 〖증권〗 종가(終價), 그날의 마감 시세. **~pfiff** *m.* 〖스포츠〗 (주심의) 경기 종료 호각 (소리). **~phase** *f.* 마지막 단계: in die ~ gehen 마지막 단계에 접어들다. **~protokoll** *n.* 〖法〗 최종 의정서. **~prüfung** *f.* 졸업〔마지막〕 시험. **~punkt** *m.* ① 종지부, 종결: einen ~ unter〔hinter〕 eine Angelegenheit setzen 어떤 일에 종지부를 찍다, 어떤 일을 종결하다. ②〖문법〗 (문장 끝의) 마침표: einen ~ setzen 마침표를 찍다. **~rechnung** *f.* ①〖法·商〗 (파산 관리인이 작성하는) 최종 결산서. ②〖數〗 비례 계산. **~rede** *f.* ① 연설의 끝부분, 폐회사. ② 에필로그. **~reihe** *f.* ① 마지막 행. ② ↑ ~folge. **~reim** *m.* 미운(尾韻); 후렴. **~rennen** *n.* 〖스포츠〗 결승전. **≈richtig** *a.* ↑ ≈gerecht. **~runde** *f.* 〖스포츠〗 ① (달리기의) 마지막 한 바퀴; (권투 등에서) 마지막 라운드. ② 최종 결선, 결승전.

Schluß-s [ʃlʊ́s|ɛs] *n.* -, - 〖문자〗 어말의 s(옛 독일 문자에서 단어 또는 음절의 끝에서 사용되는 s).

Schluß≈satz *m.* ① 결문, 마지막 문장. ②〖논리〗 결론. ③〖음악〗 마지막 악장. **~schein** *m.* 〖法〗 ↑ ~note. **~signal** *n.* 〖방송〗 종료 신호. **~sirene** *f.* 종료 사이렌. **~sitzung** *f.* 마지막 회의. **~spurt** *m.* 〖구기〗 마지막 전력 질주〔라스트 스퍼트〕. **~stein** *m.* ①〖건축〗 홍예머리, (아치의) 홍석(虹石). ②〔비유〕 완결, 완성. **~strich** *m.* 종지선: einen〔den〕 ~ unter et. ziehen〔machen〕 무엇을 종결하다〔끝내다〕. **~szene** *f.* 〖연극·오페라〗 마지막 장면. **~tag** *m.* 마지막 날. **~teil** *m.* 종결 부분. **~urteil** *n.* 〖法〗 최종 판결. **~verkauf** *m.* (여름과 겨울에 재고 물품을 정리하기 위한) 대바겐세일: Sommer≈ 여름 대 바겐세일; Winter≈ 겨울 대 바겐세일. **~verteilung** *f.* 〖法〗 배당 변제. **~vertrag** *m.* 최종 계약〔협정〕. **~vignette** [..vɪnjɛtə] *f.* ↑ ~leiste.

~widrig *a.* 모순된. **~wort** *n.* 〔복수: -e〕 ① 맺음말, 결어. ② (논문 등의) 후기. **~zeichen** *n.* (뉴스의) 종료 신호; 〖문법〗 마침표; 〖음악〗 종지 기호: 〖통신〗 das ~ geben 전화를 끊다. **~zettel** *m.* 〖法〗 ↑ ~note.

*__Schmach__ [ʃma:x] *f.* 〔雅語〕 치욕, 수치, 굴욕: (eine) ~ erleiden 치욕을 겪다, 수치를 당하다; jm. (eine) ~ antun〔zufügen, bereiten〕 누구에게 치욕을 입히다.

schmach=bedeckt *a.* 〔雅語〕 치욕을 당한, 수치스러운; 굴욕적인. **~beladen** *a.* ↑ ~bedeckt. **~frieden** *m.* 굴욕적 강화.

*__schmachten__ [ʃmáxtən] 《⚘ Schmach》 *i.* (h.) 〔雅語〕 ① (더위·갈증·기근 등에) 시달리다, 허덕이다: in der Hitze ~ 더위에 시달리다; 〔비유〕 sie ließ ihn ~ 그녀는 그의 속을 태웠다. ② nach jm.〔et.[3]〕 ~ 누구를〔무엇을〕 애타게 그리워하다〔갈망하다〕: ~, et. zu tun 무엇을 하고 싶어 못 견디다; js. Blick〔Auge〕 schmachtet 누구의 시선은 애절하다.

schmachtend *p.a.* 〔종종 조롱〕 애달픈, 애끓는, 애타게 그리워하는.

Schmachter *m.* -s, - ↑ Schmachtlappen.

Schmacht=fetzen *m.* 〔경박·폄어〕 ① 감상적인 작품. ② 상사병에 걸린 젊은이. **~hans** *m.* ↑ ~lappen.

schmächtig [ʃméçtɪç] *a.* 홀쭉한, 가냘픈; 여윈.

Schmächtigkeit *f.* ↑ schmächtig 의 명사형.

Schmacht=korn *n.* 〔복수: ..körner〕〖農〗 쭉정이. **~lappen** *m.* 〔경박·폄어〕 ① 감상적인 사람. ② 상사병에 걸린 젊은이. ③ 감상조의 유행가 가사. ④ 여윈 사람. **~locke** *f.* 〔구어·조롱〕 (여성의) 애교머리. **~riemen** *m.* 〔구어〕 ① 〔원뜻〕 (배고픔을 덜 느끼기 위해 허리에 찼던) 복대(腹帶): den ~ enger um den Leib ziehen 배고픔을 참다. ② 넓은 혁대, 허리띠.

schmach·voll *a.* 〔雅語〕 치욕적인, 수치스러운, 굴욕적인.

Schmack[1] [ʃmak] *m.* -s, Schmäcke [ʃmékə] 〔구식〕 (Geschmack) 미각, 맛.

Schmack[2] *m.* -(e)s, -e ① 옻나무. ② (옻나무의 잎과 가지로 만든) 무두질용 분말.

Schmack[3] *f.* -en ↑ Schmacke.

Schmacke [ʃmákə] 《ndd.》 *f.* -n 〖海〗 ① 연안용 소형 범선. ② 작은 어선.

schmacken *i.* (h.) (nordd.) 쩝쩝거리며 먹다.

Schmackes [ʃmákəs] *pl.* 〔다음 용법으로〕 〔방언〕 mit ~ 힘차게; (viel) ~ haben 힘이 세다.

schmackhaft [ʃmákhaft] 《< Schmack[1]》 *a.* ① 맛있는. ② 〔비유·구어〕 jm. et. ~ machen 누구에게 무엇에 흥미를 느끼게 만들다(구미가 당기게 하다).

Schmackhaftigkeit *f.* 맛있음.

Schmad 《hebr.》 *f.* -en (유대인의) 세례.

Schmadder[1] [ʃmádər] *m.* -s (ndd., md.) 질퍽질퍽하고 더러운 것.

Schmadder[2] *f.* -n (ndd.) 타다 남은 초심지.

schmaddern [ʃmádərn] (md., nordd.) *i.* (h.) ① (수프 등을 묻혀) 더럽히다: paß auf, du schmadderst mit der Suppe 수프로 더럽히지 않도록 주의해라. ② 지저분하게 쓰다. ③ *imp.* es schmaddert 진눈깨비가 내린다.

schmaden 《< Schmad》 《Ⅰ》 *t.* 세례를 주다. 《Ⅱ》 *i.* 유대교에서 다른 종교로 개종하다.

Schmäh [ʃmɛ:] *m.* -(s) (öst.) ① (금방 탄로나는) 트릭, 속임수, 핑계. ② 알랑거림, 말장난: einen ~ führen 말장난하다, 농담하다; jn. am ~ halten 누구를 놀리다〔속이다〕.

Schmäh=artikel *m.* 비방 기사. **~brief** *m.* 비방 편지.

*__schmähen__ [ʃmέ:ən] 《< Schmach》 《Ⅰ》 *t.* 비방〔욕·모욕〕하다: jn. als Lügner ~ 누구를 거짓말쟁이라고 비방하다. 《Ⅱ》 *i.* (h.) (송아지가) 음매 울다.

schmähend *p.a.* 비방하는, 모욕적인.

Schmäher *m.* -s, - 비방하는 사람.

schmählich [ʃmέ:lɪç] *a.* 〔雅語〕 ① 굴욕적〔치욕적〕인, 창피스러운. ② 〔구어〕 지독한: ~ heiß 지독하게 더운.

Schmählichkeit *f.* -en 〔雅語〕 ① 치욕적〔굴욕적〕임. ② 치욕적인〔파렴치한〕 행위: ~en über sich ergehen lassen müssen 치욕을 감수하지 않으면 안되다.

Schmäh=lied *n.* 비방〔풍자〕가(歌). **~rede** *f.* ① 비방〔탄핵〕 연설. ② 욕설, 독설: jn. mit ~n überhäufen 누구에게 욕을 퍼붓다. **~schrift** *f.* 비방문. **~sucht** *f.* 헐뜯기 잘함〔좋아함〕, 욕을 잘함. **~süchtig** *a.* 비방 잘 하는, 헐뜯기 좋아하는. **~tandler** *m.* (öst.) 〔구어〕 3류급 익살꾼.

Schmähung [ʃmέ:ʊŋ] *f.* -en 헐뜯음, 비방, 험담, 욕(설): ~en gegen jn.〔et.〕 ausstoßen 누구에게〔무엇에〕 욕설을 내뱉다.

Schmäh·wort *n.* 〔복수: -e〕 비방, 욕, 험담.

*__schmal__ [ʃma:l] (schmaler/schmäler [ʃmέ:..], schmalst/schmälst) 《원뜻 „klein"》 *a.* ① **(a)** (↔ breit) (폭이) 좁은, 가느다란: eine ~e Tür 좁은 문. **(b)** 얇은, 날씬한: ein ~er Band Gedichte 얇은 시집 한 권; eine ~e Gestalt 날씬한 체격. ② 〔雅語〕 빈약한, 빠듯한, 충분하지 못한, 근근한: ~e Bissen 빈약한 식사; ein ~es Einkommen 빠듯한 수입; es geht bei ihm ~ her 그는 근근이 지내고 있다; er wird sehr ~ gehalten 그의 수입은 쥐꼬리만하다. ③ 여윈.

schmal=bäckig *a.* 볼이 여윈〔쑥 들어간〕; (얼굴이) 빈상인. **~beet** *n.* 꽃밭. **~blätterig** *a.* ↑ ~blättrig. **~blättrig** *a.* 〖植〗 잎이 가느다란. **~brüstig** *a.* ① 가슴이 좁은 (engbrüstig). ② 〔비유〕 (폭이) 좁은; (견해가) 편협한: ein ~es Haus 폭이 좁은 집; ~e Ansichten haben 편협한 견해를 갖고 있다. ③ 품질이 떨어지는; 저급한: der Film ist ein wenig ~ 그 영화는 다소 저급하다.

schmälen [ʃmέ:lən] 《원뜻 „klein machen"》 《Ⅰ》 *t.* 〔雅語·구식〕 업신여기다, 나무라다, 꾸짖다. 《Ⅱ》 *i.* (h.) 〖사냥〗 (노루 새끼 등이) 깜짝 놀라다, 비명을 지르다.

schmälern [ʃmέ:lərn] 《Ⅰ》 *t.* ① 축소하다, 좁히다, 줄이다: jm. seine Rechte ~ 누구의 권리를 축소〔침해〕하다. ② 누구를〔무엇을〕 깎아내리다: jm. seinen Ruhm〔sein Verdienst〕 ~ 누구의 명성〔공적〕을 깎아 내리다. 《Ⅱ》 *refl.* sich ~ ① 좁아지다. ② 작아지다, 적어지다, 감소하다.

Schmälerung *f.* 좁히기; 축소, 삭감; 깎아내리기.

Schmal=film *m.* (폭이 16 mm 이하인) 소형

필름. ~**filmer** *m.* 〖구어〗 소형 필름으로 촬영하는 사람. ~**film·kamera** *f.* 소형 필름용 카메라. ~**hans** *m.* 형편이 어려운 사람, 굶주리는 사람; bei jm. ist ~ Küchenmeister 누구의 집은 겨우 입에 풀칠하고 산다.

Schmalheit *f.* 〖구어〗 ① 좁음; 날씬함. ② 빠듯함, 궁색; 소량.

schmal≈krempig *a.* (모자의) 챙이 좁은. ~**leder** *n.* 무두질한 쇠가죽(Fahlleder). ~**leibig** *a.* 호리호리한, 가느다란, 홀쭉한. ~**lippig** *a.* 입술이 얇은. ~**randig** *a.* 테〔가장자리〕가 좁은: eine ~e Brille 테가 가는 안경. ≈**reh** *n.* 〖사냥〗 새끼를 낳은 적이 없는 두 살배기 암노루. ≈**seite** *f.* (건물의) 폭이 좁은 면. ~**spur** *f.* 〖철도〗 협궤(狹軌).

Schmalspur≈akademiker *m.* 〖구어·폄어〗 대학은 나왔지만 제대로 된 지식이 없는 사람, 엉터리 대학 졸업자. ~**bahn** *f.* 〖철도〗 협궤 철도.

schmal·spurig *a.* ① 협궤의. ② 〖비유·구어·폄어〗 좁은, 편협한: ~e Denkweise 편협한 사고 방식.

Schmalt [ʃmalt] *m.* -s, -e (Email) 유약, 에나멜.

Schmalt·blau *n.* 쪽빛, 코발트 블루.

Schmalte [ʃmáltə] *f.* -n 〖化〗 (유리·에나멜의 채색에 쓰이는) 코발트 블루 색소.

schmalten [ʃmáltən] *t.* 코발트 블루색〔유약〕을 바르다.

Schmal≈tier *n.* 〖사냥〗 새끼를 낳은 적이 없는 두 살배기 암사슴. ~**vieh** *n.* 〖구식〗 (양·염소 등의) 작은 가축.

Schmalz[1] [ʃmalts] 《<schmelzen》 *n.* -es, -e ① 식용 수지(獸脂); (Schweine≈) 돼지 비계〔기름〕, 라드: Gebäck in ~ backen 라드〔동물성 유지〕로 과자를 굽다; 〖비유〗 er sitzt im ~ 그는 유복하다. ② (obd.) 버터 기름(Butter≈). ③ 귀지(Ohren≈). ④ 〖사냥〗 (오소리·기니피그 등의) 피하 지방.

Schmalz[2] *m.* -es 〖구어·폄어〗 ① 지나친〔과장된〕 감상: ein Schlager mit ~ 감상적인 유행가. ② 감상적인 노래〔시〕.

Schmalz≈birne *f.* (물이 많은) 배의 일종. ~**blume** *f.* (민들레와 같은) 노란꽃. ~**brot** *n.* 라드를 바른 빵 조각. ~**butter** *f.* 녹인〔요리용〕 버터.

Schmälze [ʃmɛ́ltsə] *f.* -n 〖방직〗 양모 가공용 수지(獸脂).

schmalzen(*) [ʃmáltsən] (*p.p.* geschmalzt/geschmalzen; (비유적) geschmalzen 을 씀) *t.* 식용 수지〔라드〕로 요리하다, 버터〔라드〕를 바르다: Nudeln ~ 국수를 기름에 볶다; 〖비유〗 weder gesalzen noch geschmalzen 덤덤한, 무미건조한; es ist mir zu geschmalzen 그것은 내게 너무 비싸다.

schmälzen [ʃmɛ́ltsən] (*p.p.* geschmälzt) *t.* ① ↑ schmalzen. ② 〖섬유〗 (양모 가공을 좋게 하기 위해서) 기름에 축이다.

Schmalz≈fleisch *n.* 〖식품〗 (빵에 발라먹는) 기름기 많은 통조림 돼지 고기. ~**gebackene*** *das* 〖요리〗 라드로 구은 과자.

schmalzig [ʃmáltsɪç] *a.* ① 지방〔기름〕이 많은, 지방분의: ein ~es Gebäck 기름기가 많은 과자〔쿠키〕. ② 〖구어·폄어〗 지나치게〔과장되게〕 감상적인: ein ~es Lied 지나치게 감상적인 노래.

Schmalz·kuchen *m.* 라드로 구은 케이크.

Schmalzler *m.* -s, - ① (특히 남독일에서) 수지(獸脂)를 바른 코담배. ② 〖고어〗 기름 장수.

Schmalz≈pfanne *f.* 프라이팬. ~**presse** *f.* 기름틀.

Schmand [ʃmant] *m.* ↑ Schmant.

Schmand·engel *m.* 〖농담〗 백의의 여성.

Schmankerl [ʃmáŋkərl] *n.* -s, -n (bayr., öst.) ① 맛있는 것〔요리〕. ② (öst.) 맛이 단 봉지 모양의 과자〔쿠키〕.

Schmant [ʃmant] *m.* -(e)s (ostmd., ndd.) ① 유지방(乳脂肪), 크림. ② 질척질척한 것, 진흙. ③ (담배의) 진, 댓진. ④ 끓인 우유의 피막. ⑤ 침전물.

schmarotzen [ʃmarɔ́tsən] (*p.p.* (ge)schmarotzt) *i.* (h.) ① 〖生〗 기생(寄生)하다: die ~den Pflanzen 기생 식물. ② 〖폄어〗 기식(寄食)하다, 식객이다; (누구에게) 빌붙다: bei jm. ~ 누구의 식객이다, 신세를 지다.

***Schmarotzer** [ʃmarɔ́tsər] *m.* -s, - ① 〖生〗 기생 동물〔식물〕. ② 〖폄어〗 기식자, 식객; 빌붙어 사는 사람.

Schmarotzerei *f.* (지속적인) 기식 행위, 빌붙음, 얹혀삶, 기생충 같은 생활.

schmarotzerhaft *a.* ↑ schmarotzerisch.

schmarotzerisch *a.* ① 〖生〗 기생하는: ~ lebende Pflanzen 기생 식물. ② 기생충 같은.

Schmarotzer≈pflanze *f.* 〖植〗 기생 식물. ~**tier** *n.* 〖動〗 기생 동물.

Schmarotzertum *n.* -s ① 〖生〗 기생 (생활). ② 식객 근성: ~ begünstigen〔fördern〕 식객 근성을 조장하다.

Schmarotzer·wespe *f.* 〖動〗 기생벌.

Schmarre [ʃmárə] *f.* -n 〖방언〗 ① (칼에) 벤 상처. ② (상처의) 자국, 흠집.

Schmarren [ʃmárən] *m.* -s, - ① (bayr., öst.) 팬케이크. ② 〖비유·구어〗 통속극〔영화〕; 헛소리: red nicht so einen ~! 그런 터무니없는 소리는 집어치워라!; einen ~ …전혀 …하지 않다(분노·거부의 표현); von Politik versteht er einen ~ 정치에 대해서 그는 아무것도 이해하지 못한다; ja ~! 엉터리다!

schmarrig 《<Schmarre》 *a.* 벤 상처〔칼자국·흠집〕투성이의.

Schmasche [ʃmáʃə] 《poln.》 *f.* -n 태어난 지 며칠 안 된〔사산(死産)된〕 새끼양의 가죽.

Schmatz [ʃmats] *m.* -es, -e/Schmätze [ʃmɛ́tsə] 〖구어〗 ① 소리 내며 하는 키스: gib mir mal 'nen ~ 내게 쪽 소리 나는 뽀뽀 한번 해봐라. ② (schweiz.) 도정(道程), 거리. ③ ↑ Schmätzer.

Schmätzchen [ʃmɛ́tsçən] *n.* -s, - 〖구어〗 ↑ Schmatz 의 축소형.

Schmatze 《it.》 *f.* (obd.) 나무 그루터기.

schmatzen [ʃmátsən] 《♧ schmecken》 《I》 *i.* (h.) ① 입맛 다시다, 짭짭거리며 먹다: die Schweine ~ laut 돼지들은 큰소리로 짭짭거리며 먹는다. ② 쪽〔짭짭〕 소리가 나다: er gab ihr einen Kuß, daß es schmatzte 그는 그녀에게 쪽 소리가 나게 키스를 했다. 《II》 *t.* ① 짭짭〔쪽쪽〕 소리 내며 하다〔먹다〕: er schmatzt mir einen Kuß auf den Mund 그는 쪽쪽 소리를 내며 내 입에 키스한다. ② 〖구어〗 (jn.) (누구에게) 소리 나게〔열렬하게〕 키스하다.

Schmätzer [ʃmɛ́tsər] *m.* -s, - 〖動〗 지빠귀의 일종.

Schmätzlein *n.* -s, - ↑ Schmätzchen.
Schmauch [ʃmaux] *m.* -(e)s 〖방언〗 짙은〔자욱한〕 연기.
schmauchen [ʃmáuxən] 《I》 *i.* (h.) 짙은〔검은〕 연기를 내다: aus einer Pfeife ~ 파이프 담배를 피우다. 《II》 *t.* ① 느긋하게〔즐기며〕 (담배를) 피우다: eine Pfeife ~ 파이프 담배를 만끽하다. ② 〔고어〕 연기를 피우다: Bienen aus dem Stock ~ 벌집에 연기를 피워 벌을 내쫓다; Tonwaren ~ 질그릇을 굽다.
schmäuchen *t.* ↑ schmauchen 《II》②.
Schmaucher *m.* -s, - 애연가.
Schmauch·feuer *n.* 연기만 나고 잘 타지 않는 불.
Schmauch≈ring *m.* 〖범죄〗 탄흔(총탄이 명중한 곳 주위에 있는 화약 자국〔찌꺼기〕). **~spur** *f.* (범인의 손이나 총기 등에 묻어 있는) 덜 탄 화약 찌꺼기, 초연 흔적.
***Schmaus** [ʃmaus] *m.* -es, Schmäuse [ʃmɔ́ʏzə] 〔구식·농담〕 ① 푸짐한 잔치 음식, 진수성찬. ② 푸짐한〔맛있는〕 음식을 즐김; 향연, 연회; 〔비유〕 즐거움, 위안: jn. zum ~ bitten 누구를 연회에 청하다.
Schmaus·bruder *m.* ↑ Schmauser.
schmausen [ʃmáuzən] 〔구식·농담〕 《I》 *i.* (h.) 맛있게 먹다, 식욕을 채우다; 향응〔주연〕을 베풀다: an der Hochzeit haben wir fein geschmaust 우리는 그 결혼식에서 참 잘 먹었다. 《II》 *t.* 즐겁게〔맛있게〕 먹다: einen leckeren Braten ~ 맛있게 구운 고기를 먹다.
Schmauser *m.* -s, - 향연〔성찬〕을 즐기는 사람, 미식가, 식도락가.
Schmauserei *f.* -en 〔구식〕 상다리 휘어지게 차려놓고 먹기, 진수성찬을 즐김.
schmausig *a.* (obd.) 입에 맞는, 맛좋은.
Schmaus·schwester *f.* ↑ Schmauser 의 여성형.
schmeckbar [ʃmɛ́kba:r] *a.* 맛볼 수 있는; 맛좋은.
Schmecke *f.* 〔방언〕 미각.
***schmecken** [ʃmɛ́kən] 《< Schmack[1]》 《I》 *i.* (h.) ① (무엇이) …한 맛이 나다: herb ~ 떫은 맛이 난다; nach Vanille ~ 바닐라맛이 나다; 〔구어〕 nach nichts ~ 아무 맛도 없다; wie Hund 〔wie eingeschlafene Füße〕 ~ 맛이 아주 나쁘다; 〔구어·비유〕 das schmeckt nach Selbstlob 그것은 자화자찬처럼 들린다. ② (jm.) (누구의) 입맛에는 …하다; 입맛에 맞다: es schmeckt ihm 그것은 그의 입맛에 맞는다; wie schmeckt Ihnen der Wein? 포도주 맛이 어때요?; lassen Sie sich's (gut) ~ 맛있게 드세요; hat's geschmeckt? 맛있게 드셨습니까? ③ (혀로) 맛을 보다, 음미하다: schmeck mal den Salat, ob noch was fehlt 뭐 부족한〔더 넣어야 될〕 것은 없는지, 샐러드 맛 좀 봐라. 《II》 *t.* ① (무엇의 맛을) 알아보다, 인식하다; 〔비유〕 (무엇을) 느끼다, 감지하다, 겪다: man schmeckt nur Paprika 피망 맛밖에는 안 난다; er mußte Verachtung ~ 그는 멸시를 맛보아〔겪어〕야만 했다; 〔구어〕 den Stock 〔die Peitsche〕 zu ~ bekommen 몽둥이〔회초리〕 맛을 보다. ② (obd.) (무엇의) 냄새를 맡다; 〔비유〕 예견하다: er hat die Suppe schon geschmeckt 그는 수프 냄새를 벌써 맡았다; jn. nicht ~ können 누구가 싫어서 못 견디다.

Schmecker [ʃmɛ́kər] *m.* -s, - ① 코. ② 〔구식〕 미식가, 식도락가. ③ 〖사냥〗 **(a)** (동물의) 주둥이. **(b)** (사슴·노루 등의) 혀.
Schmeiche [ʃmáiçə] *f.* -n 〖방직〗 (obd.) 날실을 매끄럽게 만드는 풀.
Schmeichelei [ʃmaɪçəláɪ] *f.* -en 아첨, 아부, 감언: jm. ~en sagen 누구에게 아첨을 떨다.
schmeichelhaft [ʃmáɪçəlhaft] *a.* 누구의 마음에 드는, 기분좋게 하는: danke, das ist sehr ~ für mich 내게 그런 찬사를 해줘서 정말 고마워; das Portrait von ihm ist sehr ~ 그의 초상화는 실물보다 더 잘 되어 있다.
Schmeichelhaftigkeit *f.* ↑ schmeichelhaft 의 명사형.
Schmeichel≈kätzchen *n.* 〔구어〕 ↑ ~katze. **~katze** *f.* 〔구어〕 아양 떠는〔앙증맞은〕 소녀〔아이〕.
***schmeicheln** [ʃmáɪçəln] 《I》 *i.* (h.) ① 아부〔아첨〕하다, 아양떨다: er schmeichelte ihr 그는 그 여자에게 아첨했다; er versteht zu ~ 그는 아부를 잘 한다. ② (자신감·허영심을) 북돋다, 고무하다: das schmeichelt ihrer Eitelkeit 그것은 그 여자의 허영심을 자극한다. ③ 〔목적어가 없이도〕 (실제보다) 더 나아 보이도록 하다: das Photo schmeichelt 사진이 실물보다 잘 나왔다. ④ 〔비유〕 (애정의 표현으로) 몸을 비벼대다, 쓰다듬다, 애무하다: das Kind schmeichelt gern 이 아이는 다른 사람에게 비비는 것을 좋아한다; 〔비유〕 ein ~des Lüftchen 기분을 상쾌하게 하는 미풍. 《II》 *refl.* ① sich[3] ~ 스스로 생각하다, 자처하다, 과대 망상하다: ich schmeichle mir, das gut gemacht zu haben 나는 그 일을 잘했다고 생각〔자부〕한다; er schmeichelte sich[3], ein großer Künstler zu sein 그는 스스로 대예술가로 자처했다; sich[3] mit eitlen Hoffnungen ~ 허망한 희망을 바라다, 허망한 희망으로 자위하다. ② sich ~ 아양떨다: die schöne Musik schmeichelte sich in unser Ohr 그 아름다운 노래는 유쾌하게 우리의 귀를 즐겁게 했다. 《III》 *t.* ① 비위를 맞추다, 아첨하다: es schmeichelt mich, (흔히) ich bin 〔fühle, finde mich〕 geschmeichelt 나는 기분이 그리 나쁘지 않다; sich von et.[3] 〔durch et., über et.〕 geschmeichelt fühlen 무엇으로 인해 기분이 좋아지다〔고무되다〕, 우쭐해지다; dies Bild ist geschmeichelt 이 그림은 실제보다 더 아름답다; 〖商〗 geschmeichelte Probe 실제보다 훌륭한 상품 견본. ② 아양을 떨어 빼앗다: jm. et. aus den Händen ~ 누구에게서 무엇을 구슬려 빼앗다.
Schmeichel≈name *m.* 애칭. **~rede** *f.* 아첨, 감언이설: jn. mit ~n umgarnen 누구를 감언이설로 사로잡다. **~wort** *n.* 〔복수: -e〕 알랑거리는 말, 아첨, 감언이설.
Schmeichler [ʃmáɪçlər] *m.* -s, - ① 〔폄어〕 아첨꾼. ② 〔농담〕 아양떠는 소녀〔아이〕.
Schmeichlerin *f.* -nen ↑ Schmeichler 의 여성형.
schmeichlerisch [..lərɪʃ] *a.* 아첨하는, 아양 떠는: in ~em Ton 아첨하는 어조로.
schmeidig [ʃmáɪdɪç] *a.* 〔구식〕 잘 휘는, 유연한.
schmeidigen [ʃmáɪdɪgən] *t.* 〔구식〕 유연하게 하다, 잘 휘도록 만들다.
Schmeidigung *f.* -en 〔구식〕 잘 휨〔휘어짐〕.

Schmeiß [ʃmaɪs] 《<schmeißen¹》 *m.* -es, -e 파리똥.

Schmeiße *f.* -n ↑ Schmeißfliege.

schmeißen¹ [ʃmáɪsən] (schmiß, geschmissen) 〔구어〕《I》*t.* ① 내던지다, 집어던지다, (문을) 쾅 닫다: voller Wut schmieß er den Teller auf den Boden 화가 잔뜩 나서 그는 접시를 바닥에 내던졌다; jn. aus der Schule ~ 누구를 퇴학시키다; das〔sein〕 Geld aus dem Fenster ~ 돈을 물쓰듯하다; et. aufs Papier ~ 무엇을 적어 두다; Perlen vor die Säue ~ 돼지에게 진주를 던지다(가치 있는 물건을 그 가치를 제대로 알지 못하는 사람에게 주다)(마태 7:6). ②〔구어〕 내팽개치다, 중도에 그만두다: sein Studium ~ 학업을 때려치다. ③〔구어〕 해내다, 완수하다: er wird es schon ~ 그는 꼭 그것을 해낼 것이다. ④ (공연 등을) 망치다: seine Rolle ~ 자신의 역을 망치다. ⑤ (한 턱) 내다, 기부하다: schmeiß mal ein Bier! 맥주 한 잔 사라! 《II》*i.* (h.) ① 집어던지다, 팽개치다: sie schmiß mit dem Glas nach ihm 그녀는 그를 향해 유리컵을 집어던졌다; mit dem Gelde um sich ~ 돈을 낭비하다. ② (말이) 차다. 《III》*refl.* sich ~ ① 몸을 어디로 던지다: sich aufs Bett ~ 침대에 눕다. ②〔경박〕 (옷을) 입다: schmeiß dich mal in deine Hose 바지를 입어라.

schmeißen² [ʃmáɪsən] *i.* (h.) ①〔사냥〕 (맹금(猛禽)이) 똥을 누다; (일반적으로) 더럽히다. ② (파리 등이) 알을 슬다.

Schmeiß·fliege *f.* 〖動〗 금파리.

Schmelz [ʃmɛlts] *m.* -es, -e ① 에나멜, 유약, 광택제; (매끄럽고 딱딱한) 치아의 맨 바깥층〔표면층〕(Zahn～). ②〖雅語〗 윤(기), 광택; 화음, 여린음; 부드러운 표정: der zarte ~ ihrer Haut 그녀 피부의 부드러운 윤기; der ~ ihres Gesichts 그녀 얼굴의 부드러운 표정. ③ 매의 똥.

Schmelz⸗arbeit *f.* ① 에나멜칠〔바르기〕. ② 에나멜 세공. **~arbeiter** *m.* ① 에나멜 도장공(塗裝工). ② 제련 기술자. **~bad** *n.* 〖工〗 융액(融液).

schmelzbar *a.* 녹일 수 있는, 가용성의.

Schmelz⸗blau *n.* 화려한 감청색(紺青色) (Schmaltblau). **~butter** *f.* 녹인 버터(Butterschmalz).

Schmelze [ʃmɛ́ltsə] *f.* -n ① 융해, 녹음: ~ des Schnees 눈 녹음. ②〖工〗 (고체의) 액화(물), 용해, 용액. ③ 제련소(Schmelzhütte). ④ 녹은 유리(Glassatz). ⑤〔지질〕 마그마, 용암.

schmelzen⁽*⁾ [ʃmɛ́ltsən] (schmolz, geschmolzen) 《I》*i.* (s.) ① 녹다, 융해〔용해〕하다; 액화하다: der Schnee ist (in der Sonne) geschmolzen 눈이 (햇볕을 받아) 녹았다; 〔비유〕 in Tränen ~ 눈물에 잠기다, 정신 없이 울다. ②〔비유〕 (감정이) 누그러지다, 풀리다: sein Herz schmolz, als er sie sah 그녀를 보자 그의 마음이 풀렸다. ③ (녹듯이) 없어지다, 어느덧 사라지다; (돈·사람 등이) 차차 줄다: meine Angst schmolz allmählich 나의 두려움은 서서히 사라졌다. 《II》*t.* ① 녹이다, 융해〔용해〕시키다: Butter ~ 버터를 녹이다. ②〔비유〕 (감정을) 누그러지게〔풀리게〕 하다; 감동시키다. ③〖畫〗 (빛깔을) 융합시키다. ④ 《<Schmelz》 에나멜을 바르다.

schmelzend *p.a.* ① 용해하는, 녹(이)는. ②〔비유〕 감정이 고조된, 따뜻한, 부드러운, 애잔한: ~e Töne 애잔한 음조.

Schmelzer [ʃmɛ́ltsər] *m.* -s, - ① 제련공, 주조공; 유리를 불어 모양을 만드는 기술자. ② (3년 수습 과정의) 제련공〔업〕.

Schmelzerei *f.* -en ① 용해, 융해, 액화. ② 제련소.

Schmelz⸗farbe *f.* 에나멜 도료, 도자기 유약의 색채. **~gemälde** *n.* 에나멜(을 칠한) 그림. **~glas** *n.* 에나멜. **~grad** *m.* 〖物〗 융해점. **~herd** *m.* 용광로. **~hitze** *f.* 융해열. **~hütte** *f.*, **~kammer** *f.* 제련소; 유리 공장. **~käse** *m.* 〖식품〗 (발라 먹을 수 있는) 소프트 치즈. **~küche** *f.* 화학 실험실. **~laut** *m.* 〖음운〗 유음(流音)(l, r 등)(Liquida). **~löffel** *m.* 용광용〔제련용〕 국자. **~malerei** *f.* 에나멜 칠하기; 에나멜 그림. **~mittel** *n.* 용매, 용해제. **~ofen** *m.* 〖工〗 용광로. **~perle** *f.* ①〖化〗 (붕사(硼砂)〔인염(燐塩)〕의) 용구(熔球). ②〖商〗 유리〔흑옥(黑玉)〕의 구슬(여성복의 장식에 쓰임). **~punkt** *m.* 〖物〗 녹는점, 융해〔액화〕점. **~rohr** *n.* 납땜에 쓰는 취관(吹管). **~schicht** *f.* 용광 작업 교대 근무조. **~schupper** *m.* 〖動〗 (철갑상어 등의) 경린류(硬鱗類). **~schweißung** *f.* 〖工〗 용접. **~sicherung** *f.* 〖전기〗 퓨즈. **~stahl** *m.* 생강철(生鋼鐵). **~tiegel** *m.* 도가니, 용광로. **~topf** *m.* ↑ ~tiegel.

Schmelzung *f.* -en 용해; 액화; 〖제련〗 용해 분석.

Schmelz⸗wärme *f.* 〖物〗 융해열. **~wasser** *n.* 〖지질〗 눈〔얼음〕이 녹아 생겨난 물. **~werk** *n.* ① ↑ ~hütte. ② 에나멜칠〔세공〕(~arbeit). **~zeug** *n.* 용접〔용광〕 기계〔공구〕.

Schmer [ʃmeːr] *m./n.* -s ① 지방, 굳기름; (특히) 돼지의 복부 비계. ② (md.) 윤활유, 그리스.

Schmer⸗bauch *m.* 〔구어·폄어〕 ① 불룩한〔뚱뚱한〕 배. ② 배불뚝이, 뚱뚱보. **~fluß** *m.* 〖醫〗 피지루(皮脂漏).

Schmergel [ʃmɛ́rgəl] *m.* 금강사(金剛砂).

Schmerl [ʃmɛrl] *m.* -s, -e 〔방언〕 쇠황조롱이(소리개의 일종).

Schmerle [ʃmɛ́rlə] *f.* -n 〖動〗 미꾸라지.

Schmerling [ʃméːrlɪŋ] 《<schmieren》 *m.* -s, -e ①〖植〗 (öst.) 식용 버섯의 일종. ②〖動〗 ↑ Schmerl.

Schmerz [ʃmɛrts] *m.* -es, -en ① (육체적인) 아픔, 고통: ~en aushalten 고통을 견뎌내다. ② (정신적인) 고뇌, 고통; 〔비유〕 jn. mit ~en erwarten 누구를 애타게 기다리다; jm. ~ antun〔bereiten, zufügen〕 누구에게 고통을 주다; 〔구어·반어〕 hast du sonst noch ~en? 또 뭐 필요한 것 있니?; 〔속담〕 geteilter ~ ist halber ~ 고통도 나누면 견디기가 쉬워진다; 〔구어·반어〕 ~, laß nach! 어허, 이럴 수가! (민망〔불쾌〕한 상황을 웃어 넘길 때).

schmerz⸗arm *a.* 통증이 거의 없는, 무통의: die ~e Geburt 무통 분만. **~beladen** *a.* 괴로움을 지닌, 심한 고통의. **~empfindlich** *a.* 통증에 민감한: eine ~e Körperstelle 통증에 민감한 신체 부위. **~empfindlichkeit** *f.* 통증에 민감함. **~empfindung** *f.* 통각(痛覺), 통증을 느낌.

schmerzen [ʃmɛ́rtsən] 《I》*i.* (h.) 아프게 하

다, 고통을 주다: mir schmerzt der Kopf 나는 머리가 아프다; ein solcher Verlust schmerzt natürlich 그런 상실은 물론 마음 아픈 일이다. 《Ⅱ》 *t.* ① 아프게 하다, 괴롭히다, 애태우다: mich schmerzt der Kopf 나는 머리가 아프다; sein Unglück schmerzt mich 그의 불행은 나를 가슴 아프게 한다. ② *imp.* es schmerzt mich, daß ... 나는 … 때문에 마음이 아프다.

schmerzen·reich *a.* ↑ schmerzensreich.

Schmerzens≈geld *n.* 〖法〗 보상금, 배상금, 위자료: ~ fordern〔beanspruchen〕 위자료를 청구하다. **~kind** *n.* 〔드물게〕 부모에게 걱정을 끼치는 아이, 문제아; 〔비유〕 고심작(作). **~lager** *n.* 〔구식·雅語〕 중환자의 병상, 병석. **~laut** *m.* 고통〔비탄〕의 소리. **~mann** *m.* ① 〖宗〗 수난의 그리스도. ② 〖畫〗 수난의 그리스도 상〔그림〕. **~mutter** *f.* ① 〖가톨릭〗 (그리스도 수난 후의) 슬픔에 찬 성모(Mater dolorosa). ② 〖畫〗 슬픔에 찬 성모상. **≈-reich** *a.* 〔雅語〕 괴로움이 많은, 고뇌에 찬: 〖가톨릭〗 die ≈e 슬픔에 찬 성모 마리아. **~ruf** *m.* 〔雅語〕 고통의 외침〔비명〕. **~schrei** 고통의 절규〔비명〕. **~ton** *m.* 비통한 어조.

schmerz≈erfüllt *a.* 괴로움〔고뇌〕에 가득 찬; 〔시어〕 슬픔에 잠긴. **~frei** *a.* 고통이 없는, 무통(無痛)의: ~e Behandlung 무통 치료. **≈-gefühl** *n.* 통증(을 느낌), 고통스러운 느낌. **≈grenze** *f.* 〖생리〗 ↑ ~schwelle.

schmerzhaft [ʃmɛ́rtshaft] *a.* ① (육체적으로) 고통을 주는, 아프게 하는. ② (정신적인) 고통을 불러일으키는: eine ~e Erfahrung 고통스러운 경험.

Schmerzhaftigkeit *f.* 고통(스러움).

Schmerz·klinik *f.* 통증 전문 병원.

schmerzlich [ʃmɛ́rtslɪç] *a.* (정신적으로) 고통스럽게 하는, 가슴 아픈, 쓰라린; 간절한: ein ~es Verlangen 간절한 욕구; es ist mir ~, Ihnen mitteilen zu müssen, daß ... …라는 소식을 전하게 되어 유감입니다.

Schmerzlichkeit *f.* ↑ schmerzlich 의 명사형.

schmerz·lindernd *a.* 고통을 덜어 주는, 진통 효과가 있는: ~es Mittel 진통제.

schmerzlos 《Ⅰ》 *a.* 무통의, 아프지 않은. 《Ⅱ》 *adv.* 〔비유〕 간단히, 쉽게: die Trennung ging recht ~ vor sich 결별은 아주 간단히 이루어졌다.

Schmerzlosigkeit *f.* ① 무통, 고통이 없는 상태. ② 〖醫〗 선천적인 무통각증.

Schmerz≈mittel *n.* 진통제. **~schwelle** *f.* 〖생리〗 통증을 느끼게 하는 외부 자극의 최소값, 통각 역치(閾値). **≈stillend** *a.* 진통의: 〖藥〗 ~es Mittel 진통제. **~tablette** *f.* (알약으로 된) 진통제. **≈unempfindlich** *a.* 고통에 민감하지 않은. **≈verzerrt** *a.* 고통으로 일그러진. **≈voll** *a.* ① (육체적으로) 고통스러운, 아픈: eine ~e Krankheit 통증이 심한 질병. ② (정신적으로) 괴로운, 고뇌에 찬: ein ~es Erlebnis 괴로운 체험.

Schmetten [ʃmɛ́tən] 《tschech.》 *m.* -s (öst., md.) 유지, 크림.

Schmetten·käse *m.* (öst., ostd.) 크림이 많이 함유된 응유(凝乳), 크림 치즈.

Schmetter·ball [ʃmɛ́tər..] *m.* 〖구기〗 스매싱(볼): einen ~ spielen〔schlagen〕 스매싱하다.

***Schmetterling** [ʃmɛ́tərlɪŋ] *m.* -s, -e ① 〖動〗 나비: 〔비유〕 wie ein ~ hin und her flattern 〔von einer Blume zur andern gaukeln〕 이 사람 저 사람과 연애하다; 〔비유〕 wie ein ~ aus der Puppe kriechen 우아하게 성장하다, 멋지게 발전하다. ② 〔비유〕 경박한〔들뜬〕 사람. ③ **(a)** 〖체조〗 (공중에서) 몸을 펴고 회전하기. **(b)** 〖수영〗 접영, 버터플라이 영법.

Schmetterlings≈art *f.* 나비의 종류. **≈-artig** *a.* 나비 같은; 나비 종류의. **~blume** *f.* ↑ ~blüte. **~blüte** *f.* 〖植〗 나비 모양의 꽃, 접형화(蝶形花). **~blütler** *m.* 〖植〗 접형화를 가진 콩과 식물. **~fang** *m.* 나비 채집. **~flügel** *m.* 나비의 날개. **~kasten** *m.* 나비 채집 상자. **~kunde** *f.* 나비 연구, 접류학(蝶類學). **~lehre** *f.* ↑ ~kunde. **~netz** *n.* 나비 잡는 그물. **~sammlung** *f.* 나비 표본 상자. **~stil** *m.* 〖수영〗 접영, 버터플라이.

***schmettern** [ʃmɛ́tərn] 《의성어》 《Ⅰ》 *t.* ① 힘차게〔큰 소리를 내며〕 (내)던지다, 팽개치다: jn. zu Boden ~ 누구를 땅 위에 메치다; 〖구기〗 den Ball ~ 스매싱하다. ② 〔비유·구어〕 einen (Schnaps) ~ 한잔 하다, 마시다. ③ (노랫소리를) 크게 울려퍼지게 하다: eins ~ 한 곡 부르다; der Sänger schmettert eine Arie 가수가 아리아를 큰 목소리로 불렀다. 《Ⅱ》 *i.* ① (s.) 큰소리를 내며 부딪치다〔떨어지다〕: die Tür schmettert ins Schloß 문이 쾅하고 닫힌다. ② (h.) (소리가) 크게〔맑게〕 울려 퍼지다: Musik schmetterte vom Dorfplatz 음악이 마을 광장에서 울려 퍼졌다.

Schmetter·schlag *m.* ① 〖배구〗 스매싱. ② 〖테니스·탁구·드물게〗 스매싱.

Schmicke [ʃmɪ́kə] *f.* -n (nordd.) 〔구식〕 ① 채찍; 채찍끈. ② 채찍(끈)의 끝.

***Schmied** [ʃmiːt] 《ahd. smid》 *m.* -(e)s, -e [..də] ① 대장장이. ② 철물〔주조〕공; (3 년 내지 3 년 반의 수습 기간을 거쳐 자격증을 취득한) 단조(鍛造)〔철공〕공: Gold≈ 금세공사. ③ 〔비유〕 창시자, 창조자: seines eigenen Glückes〔Schicksals〕 ~ sein 자기 행복〔운명〕의 개척자〔타개자〕다. ④ 〖곤충〗 구렁방아벌레.

schmiedbar *a.* (쇠를) 벼릴〔불릴〕 수 있는.

Schmiedbarkeit *f.* 벼릴〔불릴〕 수 있는 성질, 가단성.

***Schmiede** [ʃmíːdə] *f.* -n ① 철공소, 대장간: 〔비유〕 vor die rechte ~ gehen 적격인 사람에게 가다, 길을 제대로 들어서다. ② 단조(鍛造) 작업실.

Schmiede≈amboß *m.* 모루. **~arbeit** *f.* ① 대장장이의 일, 단조 작업: ~en an einem Wagen durchführen 차량의 단조 작업을 하다. ② 단조 제품. **~blase·balg** *m.* 대장간의 풀무. **~eisen** *n.* 단철(鍛鐵), 정교하게 단조 작업한 철; 가단철(可鍛鐵): eine Lampe aus ~ 정교하게 단조 작업한 철로 만든 램프. **≈-eisern** *a.* 단철의. **~esse** *f.* 대장간의 화덕. **~feuer** *n.* 대장간의 화롯불. **~geselle** *m.* 대장장이. **~hammer** *m.* ① 대장간의 쇠망치. ② (동력으로 작동하는) 단조용 해머. **~-hand·werk** *n.* (3 년 내지 3 년 반의 수습 기간을 거쳐야 취업할 수 있는) 대장장이직(職), 단철업. **~herd** *m.* ↑ ~esse. **~knecht** *m.* ↑ ~geselle. **~kohle** *f.* 대장간에서 쓰이는 석탄. **~kunst** *f.* 대장장이 기술, 금속 세공술, 단조 기술. **~meister** *m.* 장인 자격증이 있는

대장장이.

*__schmieden__ [ʃmíːdən] *t.* ① (달구어진 쇠를) 불리다, 단련하다: ein Messer ~ 작은 칼을 불리다. ② 불리어〔단조하여〕 고정시키다: 〖비유〗 jn. in Ketten ~ 누구를 쇠사슬에 매다; 〖속담〗 man muß das Eisen ~, solange es heiß ist 쇠는 뜨거울 때 불려야 한다(일에는 때가 있다). ③ 불리어 만들다, 단조(鍛造)하다: Nägel ~ 쇠를 불려 못을 만들다; 〖비유〗 unsere Freundschaft ist fest geschmiedet 우리의 우정은 굳건하게 맺어져 있다. ④ 〖비유〗 생각해내다, 고안하다: Pläne ~ 계획을 세우다; Ränke ~ 음모를 꾸미다.

__Schmiede≈stock__ *m.* 모루. __~stück__ *n.* 불린〔불릴〕 쇳조각, 단조품(鍛造品). __~ware__ *f.* 철물. __~werk·statt__ *f.* 대장간, 단조 공장. __~zange__ *f.* 대장간용 집게.

__Schmiege__ [ʃmíːgə] *f.* -n 〖工〗 ① 〖조선〗 만곡; 굴곡; 사면; 사각(斜角). ② 〖건축〗 각도기, 측각기(測角器). ③ (밀리미터 단위까지 잴 수 있는) 접는 자.

*__schmiegen__ [ʃmíːgən] 《I》 *refl.* sich ~ ① (무엇에·누구에) 기대다〔달라 붙다〕: sich an jn. ~ 누구에게 몸을 바싹 붙이다, 매달리다; sich in die Ecke ~ 구석에 쭈그리고 앉다〔기대다〕; sich um et. ~ 무엇에 휘감겨 붙다, 달라붙다; das Kleid schmiegt sich eng an〔um〕 ihren Körper 옷이 그녀의 몸에 꼭 들어맞다. ② 〖비유〗 따르다, 순응하다: sich biegen und ~ 설설 기다; sich dem Willen seines Vaters ~ 아버지의 의사에 따르다; sich in〔unter〕 et. ~ 무엇에 순응하다; sich vor jm. ~ 누구에게 굴복하다. 《II》 *t.* ① 부드럽게 갖다 대다, 기대게 하다; 휘감다: das Kinn〔die Wange〕 in die Hand ~ 턱〔뺨〕을 손으로 괴다. ② 〖건축〗 (각도를) 재다.

__schmiegsam__ [ʃmíːkzaːm] *a.* ① 쉽게 굽혀지는〔휘는〕; 부드러운. ② 〖비유〗 적응을 잘하는, 융통성 있는. ③ 유연한: die Kleidung betonte noch ihre ~e Gestalt 옷은 그녀의 유연한 몸매를 한층 돋보이게 했다.

__Schmiele__ [ʃmíːlə] 《원뜻 „die Schmale"》 *f.* -n 〖植〗 참억새의 일종.

__Schmiel·gras__ *n.* ↑ Schmiele.

__Schmier__ [ʃmiːr] 《<Schmer》 *n.* -(e)s, -e 굳기름.

__Schmieralie__ [ʃmiráːliə] 《<schmieren》 *f.* -n 〖구어·농담〗 ↑ Schmiererei.

__Schmier·apparat__ *m.* 급유기(給油器). __~baum__ *m.* ① 수지(樹脂)를 내는 나무(Harzbaum). ② 〖海〗 완충재. __~brand__ *m.* 〖農〗 깜부기병, 흑수병. __~buch__ *n.* 잡기〔메모〕장; 초고; 〖商〗 일기장. __~büchse__ *f.* 기름통, 급유기.

__Schmiere__[1] [ʃmíːrə] 《<schmieren》 *f.* -n ① 윤활유; 광택제; 〖구어〗 연고: Schuh~ 구두약, 왁스. ② 〔↑ Gelenkschmiere의 단축형〕 〖구어〗 관절 활액(滑液). ③ 질척질척한 쓰레기, 오물: 〖비유·구어〗 in die ~ kommen 곤란한 상황에 빠지다. ④ 〖구어·폄어〗 삼류 극장; 〖구어·구식〗 이동 무대, 유랑 극단. ⑤ 〖방언〗 빵에 바르는 것(버터·잼 등). ⑥ 〖방언〗 주먹질, 구타: ~ bekommen 구타를 당하다.

__Schmiere__[2] 《hebr.》 *f.* 〖은어〗 보초, 망보기, 파수: 〖경박〗 für jn. 〔bei et.³〕 ~ stehen 누구를 위해〔어떤 일에서〕 망을 보다.

*__schmieren__ [ʃmíːrən] 《<Schmer》 《I》 *t.* ① (기름 등을) 바르다; (기름을) 치다: ein Rad ~ 바퀴에 기름을 치다; wie geschmiert 기름 친 듯이, 마찰 없이, 순조롭게; es geht〔läuft〕 alles ja wie geschmiert 만사가 술술 잘 풀리고 있다; Stiefel ~ 가죽 장화에 구두약을 칠하다. ② (버터 등을) 바르다, 문지르다: Butter aufs Brot ~ 빵에 버터를 바르다; Salbe auf eine Wunde ~ 상처에 연고를 바르다; 〖비유·경박〗 das kannst du dir grad in die Haare ~ 그래봐야 아무 소용 없다. ③ ein Brot ~ 빵에 버터를〔잼을〕 바르다. ④ 〖폄어〗 갈겨쓰다: letzte Nacht sind wieder Hakenkreuze an die Häuserwände geschmiert worden 지난 밤에 또 여러 집의 담벼락에 나치 표시가 그려졌다. ⑤ 〖구어·폄어〗 (엉터리 글을) 날림으로 써내다: er hat mal wieder irgendeinen Artikel für die Zeitung geschmiert 그는 또 신문에 어떤 기사를 날림으로 썼다. ⑥ 〖비유·구어〗 jm. eine ~ 누구에게 따귀를 한 대 갈기다. ⑦ 〖비유〗 jm. Brei〔Honig〕 ums Maul 〔um den Mund〕 ~, jm. das Maul (mit Honig) ~ 누구에게 감언이설하다, 아첨하다; jm. einen Brei ins Maul ~ 누구를 어린애 취급하다; jm. et. ins Maul ~ 누구에게 무엇을 납득시키다; 〖구어〗 jm. den Buckel ~ 누구를 때리다; 〖비유〗 sich³ die Gurgel ~ 술을 마시다; jm. die Hände ~ 누구에게 뇌물을 쓰다; 〖경박·농담〗 sich³ die Kehle ~ 목을 축이다, 술을 마시다; 〖속담〗 wie man schmiert, so fährt man 돈이면 귀신도 부릴 수 있다. ⑧ 변조하다. ⑨ 〖비유·구어〗 jn. ~ 누구에게 뇌물을 쓰다. ⑩ 〖음악·은어〗 두 음 사이의 이동을 매끄럽게 하지 않다. ⑪ 〖카드·은어〗 자기편을 위해 점수가 높은 카드를 내놓다. 《II》 *i.* (h.) ① (윤활유의) 기능이 좋다: das Öl schmiert gut 이 기름은 윤활 기능이 좋다. ② 〖구어〗 글씨를 갈겨쓰다; 지저분하게 써지다, 번진다: du schmierst fürchterlich 너는 너무 엉망으로 갈겨 쓰는구나. ③ 〖비유·구어〗 매수하다: wenn du da was erreichen willst, mußt du ~ 네가 거기서 뭔가를 이루려면, 뇌물을 먹여야만 돼. ④ 〖음악·은어〗 두 음 사이의 이동을 매끄럽게 하지 못하다. ⑤ 〖카드〗 (자기편을 위해서) 높은 패를 내주다. 《III》 __geschmiert__ *p.a.* ↑ geschmiert.

__Schmieren≈komödiant__ *m.* 〖폄어〗 ① 삼류 소극장의 배우. ② 과장된 표정이나 제스처를 쓰는 배우. __~schau·spieler__ *m.* ↑ ~komödiant. __~theater__ *n.* 〖폄어〗 삼류 (소)극장.

__Schmierer__ [ʃmíːrər] *m.* -s, - ① 〖폄어〗 낙서꾼, 삼류 작가〔문필가·화가〕. ② 〖구어〗 글을 갈겨쓰는 사람, 악필가, 그림을 지저분하게 그리는 사람. ③ (öst.) 학교에서 금지된 책〔참고서〕.

__Schmiererei__ *f.* -en ① 갈겨쓰기, 마구 칠하기. ② 엉터리 그림; 졸작, 낙서.

__Schmier≈faß__ *n.* 〖海〗 지방(脂肪)통. __~fett__ *n.* 지방. __~film__ *m.* ① 미끌미끌한 얇은 막〔표면〕. ② 〖工〗 (마찰〔마모〕 방지용의) 윤활제막. __~fink__ *m.* 〖구어〗 ① 옷 등을 쉽게 더럽히는 사람, 지저분한 사람(특히 아이). ② 휘갈겨〔지저분하게〕 쓰는〔그리는〕 사람(특히 아이). ③ 〖폄어〗 (담장에 표어 등을 쓰는) 낙서쟁이. __~finke__ *m.* ↑ ~fink. __~geld__ *n.* 〖구어·폄어〗 뇌물: ~er bezahlen〔bekommen〕 뇌물을 주

다〔받다〕. **~hammel** *m.* ① 비루먹은 양. ② ↑ ~fink.

***schmierig** [ʃmíːrɪç] *a.* ① 미끌미끌〔끈적끈적〕한; 〖植〗 점액성의: die Fahrbahn ist ~ 차도가 미끄럽다. ② 끈적거리는, 지저분한, 깨끗하지 않은: das Hemd ist ~ 그 셔츠는 지저분하다. ③〔폄어〕 아첨하며 달라붙는: ein ~er Kerl 지저분하게 아부떠는 놈. ④〖폄어〗 음탕한, 외설적인: ~e Witze 음탕한 농담; ein ~es Lachen 짓궂은 웃음. ⑤〖海〗 안개가 자욱한, 눅눅한 (공기).

Schmierigkeit *f.* ↑ schmierig 의 명사형.

Schmier≈käse *m.* 〔구어〕 (빵에) 바르는 치즈. **~kur** *f.* 〖醫·옛뜻〗 도찰(塗擦) 요법. **~lappen** *m.* ① 기름 밴 헝겊. ② 엉터리 그림. ③ 불결한 사람. ④ 휘갈겨쓰는 사람. **~mittel** *n.* ①〖工〗 윤활제. ②〖醫〗 도찰제(塗擦劑). **~nippel** *m.* 〖工〗 그리스 니플. **~öl** *n.* 윤활유. **~papier** *n.* 연습〔메모〕지. **~presse** *f.* 〖工〗 윤활유 주입기. **~salbe** *f.* 〖醫〗 연고, 고약. **~seife** *f.* 연성 비누. **~stiefel** *m.* 구두약을 잘 칠한 가죽 장화.

Schmierung [ʃmíːrʊŋ] *f.* -en 〖工〗 기름치기, 주유(注油).

Schmier≈vorrichtung *f.* 〖工〗 주유기(注油器), 급유 장치. **~wolle** *f.* 기름때 묻은〔더러운〕 양털. **~zettel** *m.* 메모지.

schmilz [ʃmɪlts] ↑ schmelzen 의 2 인칭 단수 명령형.

schmilzt [ʃmɪltst] ↑ schmelzen 의 2·3 인칭 단수 현재형.

Schmink≈beere *f.* 〖植〗 명아주의 일종(Beermelde). **~bohne** *f.* 〖植〗 강낭콩. **~büchse** *f.* ↑ ~topf. **~dose** *f.* ↑ ~topf.

***Schminke** [ʃmíŋkə] *f.* -n ① 화장품: ~ auftragen 화장품을 바르다. ② 화장; 〔비유〕 겉치레, 허식, 가장; 〖연극〗 분장. ③ (꿀벌 유인용의) 연고(Bienen~). ④〖植〗 화장품(옛날에 화장품으로 사용되던 서양 자리공·지치·마디풀 등에 대한 토속적 총칭).

***schminken** [ʃmíŋkən] 《I》 *t.* ① (얼굴에) 화장〔단장〕하다; 〔비유〕 꾸미다, 겉치레하다; 〖연극〗 분장하다: geschminkte Lippen 화장한 입술. ②〔비유〕 미화하다: der Bericht 〔die Darstellung〕 ist geschminkt 그 보고〔묘사〕는 미화되어 있다. 《II》 *refl.* sich ~ 화장〔단장〕하다, 분을 바르다.

Schmink≈läppchen *n.* 분첩. **~mittel** *n.* 화장품. **~pflästerchen** *n.* 애교점(용모를 돋보이게 하기 위해 얼굴에 붙이는 검은 점). **~rot** *n.* 연지, 루주. **~stift** *m.* (립스틱과 같은) 막대 모양의 화장품. **~tisch** *m.* 화장대. **~topf** *m.* 화장품 상자〔통〕. **~wasser** *n.* 화장수. **~weiß** *n.* 분.

Schmirgel[1] [ʃmírgəl] 《lat.》 *m.* -s ① 연마제, 금강사(金剛砂). ②〖植〗 금매화·근대·눈동이나물과 같은 식물에 대한 토속적 총칭.

Schmirgel[2] [ʃmírgəl] 《<schmieren》 *m.* -s, - (ostmd.) 담뱃진.

Schmirgel≈leinen *n.* ↑ ~leinwand. **~lein·wand** *f.* 금강 사포(砂布).

schmirgeln[1] [ʃmírgəln] 《<Schmirgel[1]》 *t.* 금강사로 닦다〔문지르다〕, 연마하다.

schmirgeln[2] 《<Schmirgel[2]》 *i.* (h.) (obd.) ① 담뱃진 냄새가 나다. ② (파이프에) 진이 끼다. ③ 댓진을 닦아내다.

Schmirgel≈papier *n.* 사포(砂布), 샌드페이퍼. **~scheibe** *f.* 연마 원반, 회전 숫돌.

Schmiß [ʃmɪs] *m.* ..schmisses, ..schmisse ①〔복수〕 (ndd.) (매로) 때림, 구타: Schmisse bekommen 두들겨 맞다, 매맞다. ②〔학생〕 (결투의) 칼자국; 창상(創傷): Schmisse im Gesicht haben 얼굴에 칼자국이 있다. ③〔비유〕 기세, 활기: die Musik hat ~ 그 음악은 활기차다; ~ in et. bringen 무엇에 활기를 불어넣다. ④ (ndd.) 폭풍우. ⑤ (obd., md.) 똥, 오물.

schmiß ↑ schmeißen² 의 과거형.

Schmiss 新정서 ⇦ Schmiß.

schmiss 新정서 ⇦ schmiß.

schmissig *a.* ①〔고어〕 결투의 흉터가〔상흔이〕 많은. ②〔구어〕 신바람나는, 활기찬. ③〔고어〕 (채찍처럼) 날렵한, 멋진.

Schmitz [ʃmɪts] *m.* -es, -e ① ↑ Schmiß ① ②. ② 줄, 줄무늬, 띠 모양의 것. ③ **(a)** 얼룩. **(b)**〔비유〕 오점, 오욕: jm. einen ~ anhängen 누구의 명예를 더럽히다. ④〖印〗 (인쇄선의) 밀려남, 이중 인쇄. ⑤〔방언〕 채찍(질).

Schmitze [ʃmítsə] *f.* -n ① (obd.) 채찍(Schmicke). ②〖광산〗 암석의 얇은 중간층.

schmitzen [ʃmítsən] *t.* ①〔방언〕 채찍으로 때리다. ② **(a)** (beschmutzen) 얼룩지게 하다, 더럽히다. **(b)**〖印〗 어긋나게〔이중으로〕 인쇄한다. **(c)**〔비유〕 헐뜯다, 비방하다. ③ (가죽을 검게) 물들이다.

Schmock [ʃmɔk] 《sl., „Narr"》 *m.* -(e)s, -e/-s/Schmöcke [ʃmœ́kə] 줏대없는 신문 기자〔문필가〕(원래 오스트리아에 흔한 개 이름).

Schmok [ʃmoːk] 《<schmauchen》 *m.* -s (ndd.) ① 연기(Rauch). ② 지저깨비, 톱밥.

Schmöker [ʃmǿːkər] 《ndd.》 *m.* -s, - ① 흡연자(Raucher). ② (그을린) 헌 책, 고서. ③〔구어〕 **(a)** (학생이 몰래 보는) 금서(禁書) 번역본, 참고서. **(b)** 두터운 책. **(c)** 가벼운 오락 서적.

schmökern *i.* (h.) ① 담배 피우다. ②〔구어〕 오락물을 읽다; 탐독하다; 대강 읽다.

schmokig *a.* (ndd.) 그을린.

Schmolle *f.* -en (bayr., öst.) 빵의 연한 부분(Krume); 빵 부스러기.

Schmoll·ecke *f.* 〔다음 용법으로〕 in der ~ sitzen 토라져 있다(↑ ~winkel).

schmollen [ʃmɔ́lən] *i.* (h.) ① (obd.)〔구식〕 미소짓다(lächeln). ② 상을 찌푸리다, 토라지다: mit jm. ~ 누구에게 토라져 있다; ~d den Mund verziehen 토라져서 입을 삐죽거리다.

schmollieren [ʃmɔlíːrən] *i.* (h.) 〔학생〕 (누구와) 우정의 술잔을 나누다.

Schmollis [ʃmɔ́lɪs] *n.* -, - 〔다음 용법으로〕〔학생〕 mit jm. ~ trinken 누구와 우정의 술잔을 나누다.

schmollis *int.* 〔학생〕 건배, 우정을 위하여.

Schmoll≈mund *m.* 뾰로통한 입: einen ~ machen〔ziehen〕 입을 삐죽거리다. **~winkel** *m.* ①〔구어〕 ↑ ~ecke. ② 규방(閨房).

schmolz [ʃmɔlts] ↑ schmelzen 의 과거형.

Schmonzes *m.* - 〔구어〕 헛소리, 수다.

Schmonzette *f.* -n 저속물, 삼류 작품.

Schmor·braten [ʃmóːr..] *m.* 고기찜, 스튜.

***schmoren** [ʃmóːrən] (ndd., ndl.) 《I》 *i.* (h.) ①〖요리〗 뭉근한 불에 삶아지다, 스튜로 되다:

der Braten schmort schon eine Stunde 벌써 한 시간 동안 그 고기를 삶고 있다. ②〔구어·농담〕 찌는 듯한 더위에 녹초가 되다: wir schmorten in der glühenden Sonne 우리는 뙤약볕에서 녹초가 되었다; 〔비유·구어〕 jn. ~ lassen 누구를 오랫동안 기다리게 하다〔안달하게 만들다〕; 〔비유〕 et. ~ lassen 무엇을 오랫동안 묵혀 두다. ③ (전선 등이) 과열되다. 《Ⅱ》 *t.* ①〖요리〗 찌다, 뭉근한 불에 조리다, 스튜로 만들다. ②〔방언〕 담배 피우다.

Schmor≈fleisch *n.* ↑ ~braten. **~früchte** *pl.* 설탕물에 삶은〔절인〕 과일(Kompott).

schmorgen [ʃmɔ́rgən] *i.* (h.) (westd.) 궁핍하게 살다; 인색하게 굴다; 검약하다.

Schmor≈hitze *f.* ① 찌개 불. ② 찌는 듯한 더위. **~kartoffeln** *pl.* 감자 스튜. **~kohl** *m.* 양배추〔캐비지〕 스튜. **~obst** *n.* 과일 스튜. **~pfanne** *f.* 스튜용 프라이 팬. **~tiegel** *m.* ↑ ~topf. **~topf** *m.* ① 스튜용 냄비. ②〔구어〕 스튜 요리.

Schmu [ʃmu:] 《hebr., „Gerede"》 *m.* -s 〔구어〕 속임수; 가로채기, 횡령: erzähl' mir keinen ~! 거짓말〔허튼소리〕 마!; (einen) ~ machen 속임수로 부당 이득을 얻다, 부정하게 돈을 모으다.

schmuck [ʃmuk] *a.* ①〔방언〕 (biegsam) 휘기 쉬운, 연한. ② 날씬한, 아름다운; 청초한; 멋진: ein ~es Mädchen 예쁜 소녀; sich ~ machen 말쑥하게 몸단장을 하다.

***Schmuck** *m.* -(e)s, -e ① 차림, 의상. ② **(a)** 장식, 치레: 〔雅語〕 im ~ von ... …로 장식된. **(b)** 장식품: Christbaum∼ 크리스마스 트리 장식품; 〔비유〕 ~ der Rede 미사여구. ③ 장신구; 보석류(Juwelen): ~ ablegen 장신구를 떼어놓다〔빼놓다〕; einen schönen ~ tragen 멋진 장신구를 달고 있다.

Schmuck≈anlagen *pl.* 아치(雅致)가 있는 정원. **~arbeit** *f.* 장식품, 장신구, 보석류. **~arbeiter** *m.* 장신구 제작공, 보석 세공인. **~blattelegramm** *n.* (장식이 있는) 축전.

***schmücken** [ʃmʏ́kən] 《Ⅰ》 *t.* ① (누구에게) 의상을 입히다. ② 치장하다, 장식하다: die Braut ~ 신부를 치장하다; den Saal mit Blumen ~ 홀을 꽃으로 치장하다; eine Rede mit Vergleichen ~ 비유를 쓰며 연설하다. ③ 〔비유〕 꾸며대다, 구실을 붙이다. 《Ⅱ》 *refl.* sich ~ ① 옷을 차려 입다. ② sich mit et.³ ~ 무엇으로 몸치장하다; 〔비유〕 sich mit fremden Federn ~ 남의 공(功)을 자신의 공인 양 으스대다.

Schmuck≈feder *f.* 깃털 장식. **~gegenstand** *m.* ↑ ~sachen. **~handel** *m.* 장신구상, 보석상. **~händler** *m.* 장신구〔보석〕 상인. **~kästchen** *n.* 보석〔장신구〕 상자: 〔비유〕 wahres ~ von einem Hause 매우 잘 꾸민 집. **~kasten** *m.* ↑ ~kästchen. **~koffer** *m.* 보석함. **~laden** *m.* 장신구〔보석〕 상점.

schmucklos *a.* 장식〔꾸밈〕 없는, 소박한.

Schmucklosigkeit *f.* ↑ schmucklos의 명사형.

Schmuck≈nadel *f.* 장식핀, 브로치. **~platz** *m.* 잔디 깔린 정원; 작은 정원. **~ring** *m.* 장식용 반지. **~sachen** *pl.* 장식품, 장신구; 보석류. **~stein** *m.* 보석. **~stück** *n.* ① (하나하나의) 장신구, 보석: ein ~ umarbeiten 보석 세공을 다시 하다, 보석 세공 형태를 바꾸다. ② 예쁜 물건, 보배. **~telegramm** *n.* ↑ ~blattelegramm.

Schmückung [ʃmʏ́kuŋ] *f.* -en 치장; 장식품.

schmuck≈voll *a.* 장식이 많은, 꾸며댄. **∼-ware** *f.* 장신구; 귀금속, 보석류. **∼waren·industrie** *f.* 귀금속〔장신구〕 산업.

Schmuddel [ʃmʊ́dəl] *m.* -s 〔구어〕 (nordd.) ① 더러움, 더러운 것. ② 불결한 사람.

Schmuddelei [ʃmudəláɪ] *f.* -en 〔구어〕 더럽히기; 지저분한 일솜씨(Sudelei).

schmudd(e)lig *a.* 더러운, 불결한.

schmuddeln [ʃmʊ́dəln] *i.* (h.) ① 서투르게〔지저분하게〕 일하다. ② 쉽게 지저분해지다: der Kragen schmuddelt immer gleich 옷깃은 언제나 금방 더러워진다.

Schmuddel·wetter *n.* 〔구어〕 (비·눈으로) 구질구질한〔질척질척한〕 날씨.

schmudig *a.* (obd.) 무더운, 찌는 듯이 더운.

Schmuggel [ʃmʊ́gəl] *m.* -s,- (Schleichhandel) 밀수, 암거래: ~ treiben 밀수하다.

Schmuggelei [ʃmugəláɪ] *f.* -en (상습적인) 밀수, 암거래.

***schmuggeln** *i.* (h.)/*t.* ① 밀수하다; 암거래하다: Waffen ~ 무기를 밀수하다. ② 몰래 가져가다, 밀반입하다, 잠입시키다: die Nachricht wurde ins Gefängis geschmuggelt 그 소식은 감옥 안으로 몰래 전달되었다.

Schmuggel·ware *f.* 밀수품.

***Schmuggler** [..glər] *m.* -s, - 밀수업자, 밀매(매)자, 암거래자.

Schmuggler≈bande *f.* 밀수단, 밀수 패거리. **~boot, ~schiff** *n.* 밀수선(船).

Schmul [ʃmu:l] 《<Samuel》 *m.* -s 〔은어〕 유대인(Jude).

***schmunzeln** [ʃmʊ́ntsəln] *i.* (h.) ① 미소짓다: befriedigt ~ 만족해서 싱긋이 웃다. ② 교활하게 웃다: über jn.〔et.〕 ~ 누구〔무엇〕에 대해 회심의 미소를 짓다.

schmurgeln [ʃmʊ́rgəln] 〔구어〕 (nordd.) 《Ⅰ》 *t.* 약한 불에 서서히 조리다. 《Ⅱ》 *i.* (h.) 뜨거운 기름에 지글지글 익다.

schmürzeln [ʃmʏ́rtsəln] *i.* (h.) ① (schweiz., alem.) 인색하다. ② (südwestd.) 눌은내가 나다.

Schmus [ʃmu:s] 《hebr. ♧ Schmu》 *m.* -es [ʃmú:zəs] ①〔구어〕 수다, 장황한 겉치레말; 아첨: mach nicht solchen ~! 그런 아첨〔허튼소리〕 좀 그만해라! ② 부당 이득(Schmu).

Schmuse≈kater *m.* 쓰다듬기〔애무〕를 좋아하는 사람. **~katze** *f.* 쓰다듬기〔애무〕를 좋아하는 여자〔아이〕.

schmusen *i.* (h.) ① 잡담하다, 수다떨다. ② 아양떨다. ③ 어루만지다, 애무하다: miteinander ~ 서로 애무하다.

Schmuser *m.* -s, - ① 수다쟁이, 떠버리. ② 아첨꾼. ③ (결혼) 중매인. ④ 애인, 연인; 애무하기 좋아하는 사람.

Schmuserei [ʃmu:zəráɪ] *f.* -en ① (계속적인) 애무. ② 아첨.

schmustern *i.* (h.) (ndd.) (schmunzeln) 빙긋이〔교활하게〕 웃다.

Schmutt *m.* -es, - (ndd.) 부슬비, 는개.

***Schmutz** [ʃmuts] *m.* -es ① 오물, 더러운 것, 더러움; 티끌, 먼지; 오점(~fleck); 〔비유〕 추잡한 말, 음담: den ~ aufkehren〔zusammenkehren] 쓰레기를 쓸어 모으다; jn. mit ~ bewerfen 누구를 모함하다[헐뜯다]; jn. in den ~ treten[zerren, ziehen] 누구를 비방하다[헐뜯다]; etwas geht jn. einen feuchten ~ an 무엇은 누구와 전혀 상관없는 일이다; 《속담》 innen ~, außen Putz 겉은 번지르르하지만 속은 볼품없다; ~ und Schund 저속한 작품. ② (**a**) (alem.) (특히 돼지의) 비계. (**b**) (obd.) 키스(Kuß). (**c**) (Schmiß) 후려치기, 칼자국. (**d**) (schwäb.) 소나기.

schmutz·abweisend *a.* 때를 잘 타지 않는: ein ~er Umschlag 때가 잘 타지 않는 포장지.

Schmutz≈ärmel *m.* 《고어》 소매 커버, 토시. **~bartel** *m.* 《구어》 ↑ ~fink. **~blatt** *n.* 속백지(↑ ~titel). **~blech** *n.* (자동차 바퀴의) 흙받기. **~bogen** *m.* 못쓰게 된 종이. **~brett** *n.* (전차의) 흙받기. **~buch** *n.* 메모장, 잡기장. **~bürste** *f.* 흙 터는 구둣솔.

schmutzen [ʃmʊ́tsən] 《I》 *i.* (h.) 더럽타다; 더러워지다: dieses Kleid schmutzt leicht 이 옷은 더럼을 잘 탄다. 《II》 *t.* ① 더럽히다. ② (alem.) 기름칠하다(fetten).

Schmutzer *m.* -s, - (obd.) 수전노, 욕심쟁이.

Schmützer *m.* -s, - 〖動·방언〗 뾰족뒤쥐(과).

Schmutzerei [ʃmʊtsəráɪ] *f.* -en ① 더러운 짓. ② (obd.) 탐욕, 인색(Geiz). ③ 추잡(한 말), 외설.

Schmutz≈fänger *m.* ① (자동차 바퀴의) 흙받기. ② (하수관의) 흙받이 망. ③ 《비유》 더럼을 잘 타는 물건. **~farbe** *f.* 더럼 타지 않는 빛깔, 흐린 색. **~fink** *m.* 《구어》 불결한[누추한] 사람; 추잡한 사람. **~flechte** *f.* 〖醫〗 여각진(蠣殼疹). **~fleck** *m.* 오점, 얼룩; 〖印〗 얼룩 (인쇄); 《비유》 흠, 결점. **~hammel** *m.* ↑ ~fink.

Schmutzian [ʃmʊ́tsia:n] *m.* -(e)s, -e 《구식》 누추한 사람; 음탕한 사람.

***schmutzig** [ʃmʊ́tsɪç] *a.* ① 더러운, 때낀, 불결한; 누추한; (색이) 흐린: 《구어》 sich nicht gern die Hände[Finger] ~ machen 더러운[궂은] 일을 하기 싫어하다; 《비유》 ~e Wäsche waschen 다른 사람들 앞에서 싸우다[사적인 치부를 드러내 보이다]; das Restaurant machte einen ~en Eindruck 그 식당은 불결한 인상을 주었다. ② 《비유》 (**a**) 치사한, 인색한. (**b**) 추잡한: eine ~e Geschichte 음담. (**c**) (도덕적으로) 더러운: ein ~es Geschäft 떳떳치 못한 사업; ~es Geld 검은 돈. (**d**) 뻔뻔한, 건방진. ③ (obd.) (fettig) 기름진, 비계가 많은.

Schmutzigkeit *f.* -en ① 더러움, 불결. ② 추잡한[음탕한] 짓[말].

Schmutz≈kerl *m.* ↑ ~fink. **~kittel** *m.* 허드레옷, 작업복; (아이들의) 겉옷; 《비유》 누추한[불결한] 사람. **~konkurrenz** *f.* 《구어·반어》 (부당한) 손님 나꿔채기, 염가 경쟁. **~kruste** *f.* (신발 등에 묻은) (진)흙, 흙탕(물). **~lappen** *m.* ① 걸레. ② 《비유》 추잡한 계집. **~liese** *f.* ↑ ~lappen ②. **~literatur** *f.* 외설[저속] 문학. **~loch** *n.* ① 쓰레기통; 맨홀. ② 누옥(陋屋). **~papier** *n.* 때 묻은 종이. **~presse** *f.* 저속한[쌍스러운] 신문, 도색 신문. **~roman** *m.* 저속[외설] 소설. **~schicht** *f.* 먼지층. **~schrift** *f.* 외설 간행물, 에로 서적. **~seite** *f.* 〖印〗 속[안]겉장. **~titel** *m.* 〖印〗 (속표지를 보호하는) 속백지. **~wäsche** *f.* 세탁할 옷. **~wasser** *n.* 더러운 물, 구정물. **~wort** *n.* 음탕한 말. **~zulage** *f.* 더러운[궂은] 일을 할 때 받는 특별수당.

***Schnabel** [ʃná:bəl] 《ahd. snabut; ⊕ schnappen》 *m.* -s, Schnäbel [ʃnɛ́:bəl] ① (**a**) (새의) 부리, 주둥이: mit dem ~ picken 쪼아 먹다. (**b**) 《구어》 입(Mund): mach doch den ~ auf! 말 좀 해라!; (bei) ihr steht der ~ nicht eine Minute still 그녀는 쉬지 않고 주절거린다; halt den ~! 입 닥쳐, 입 조심해!; damit habe ich mir den ~ verbrannt 나는 그 말로 곤욕을 치렀다; sie wetzt ihren ~ gern an anderen Leuten 그녀는 곧잘 다른 사람을 험담한다; noch gelb[grün] um den ~ sein 아직 부리가 노랗다, 애송이다, 나이 어려 경험이 적다; jm. nach dem ~ reden [jm. um den ~ gehen] 누구에게 아첨하다; jm. eins auf den ~ geben 누구의 입을 다물게 하다; das ist nichts für seinen ~ 그것은 그의 입[취미]에 안 맞는다; 《구어》 er spricht, wie ihm der ~ gewachsen ist 그는 생각하는 바를 거리낌없이 말한다. ② (**a**) 펜촉. (**b**) (주전자 등의) 주둥이, 귀때. (**c**) 〖악기〗 (관악기의) 마우스피스; (파이프 오르간의) 발성판, 혀. (**d**) 〖海〗 이물(부리 모양의 뱃머리)(Schiffs-~). (**e**) 〖植〗 나비꽃의 용골판; 배근(胚根). ③ 〖動〗 (**a**) 첨두상과(尖頭上科). (**b**) (보덴호(湖)에 서식하는) 연어의 일종(Felche).

Schnäbelchen [ʃnɛ́:bəlçən] *n.* -s, - 《↑ Schnabel 의 축소형》 작은 부리.

Schnäbelei [ʃnɛ:bəláɪ] *f.* -en ① (서로) 부리를 비빔. ② 《구어·농담》 연거푸 키스하기(Küsserei), 계속하여 애무하기(Gekose).

Schnäbelein *n.* -s, - 《↑ Schnabel 의 축소형》 작은 부리.

Schnabel≈flöte *f.* 〖악기〗 블록 플루트(부리 모양의 마우스 뭉치가 있는 피리). **~förmig** *a.* 부리 모양의. **~hieb** *m.* 부리로 쪼기.

schnabelieren [ʃnabəlí:rən] *t./i.* (h.) 《드물게》 (맛있게) 먹다.

..schnäbelig *suf.* ↑ ..schnäblig.

Schnabel≈igel *m.* 〖動〗 바늘두더지. **~kerf** *m.* 〖動〗 매미목.

schnabellos *a.* 〖植〗 취상(嘴狀) 돌기가 없는.

schnäbeln [ʃnɛ́:bəln] *i.* (h.) / *refl.* 《I》 ① 서로 부리를 비비다: die beiden Tauben ~ (sich) 두 마리의 비둘기가 서로 부리를 비빈다. ② (남녀가) 키스하다: das Pärchen schnäbelte unaufhörlich 그 한 쌍은 쉴새없이 키스했다. 《II》 **geschnäbelt** *p.a.* ↑ geschnäbelt.

Schnabel≈schiff *n.* 이물이 부리 모양인 배. **~schuh** *m.* (중세의) 끝이 부리 모양인 신. **~spitze** *f.* 부리의 뾰족한 끝. **~tasse** *f.* (아기나 환자를 위한) 귀때 달린 잔. **~tier** *n.* 〖動〗 오리너구리(과(科)). **~weide** *f.* 《구어》 성찬, 미식(美食); 좋은 맛. **~zange** *f.* 〖醫〗 부리 모양의 핀셋(외과용).

Schnäbler *m.* -s, - ① 〖動〗 딱따구리. ② 키스하는 사람.

..schnäbler *suf.* "…부리를 가진 것(새 등)"의 뜻(보기: Krumm~ 부리가 굽은 새).

..schnäblig *suf.* "…부리의"의 뜻(보기: rot~ 빨간 부리의).

schnabulieren [ʃnabulí:rən] *t./i.* (h.) 《농담》 맛있게 먹다; 즐겁게 먹다.

Schnabus *m.* -, -se 〖농담〗 (nordd.) (Schnaps) 화주(火酒), 브랜디.

Schnack [ʃnak] *m.* -(e)s, -s/Schnäcke [ʃnέkə] (ndd.) ① **(a)** 잡담, 한담. **(b)** 만담, 재담. ② 허튼소리, 난센스: ach ~! 웬 헛소리!

schnackeln *i.* (h.) 〖의성어〗 (oberbay.) (손가락이나 혀로) 딸깍 소리를 내다: mit den Fingern ~ 손가락을 튀겨 소리를 내다; (südd.) in der Familie hat es mal wieder geschnackelt 그 집 안에서 또 한바탕 소동〔(부부) 싸움〕이 있었다; 〖구어〗 es hat geschnackelt 성공했다; bei jm. hat es geschnackelt a) 누가 마침내 알아듣다, b) 갑자기 사랑에 빠지다, c) 임신하다: sie glaubt, bei ihr hat es geschnackelt 그녀는 자기가 임신했다고 생각한다.

schnacken [ʃnákən] *i.* (h.) / *t.* ① (nordd.) 지껄이다: mit dem Nachbarn ~ 이웃과 잡담하다. ② 허튼소리하다. ③ (ndd.) 이야기하다, 잡담하다. ④ (ndd.) 폭발하다(knallen).

Schnackerl [ʃnákərl] *n.* -s, -(n) (öst.) 딸꾹질.

schnackig, schnackisch *a.* ① 잡담의, 허튼소리의. ② (seltsam) 기이한, 진기한. ③ (spaßhaft) 농담을 좋아하는, 익살맞은.

Schnackler *m.* -s, - ↑ Schnackerl.

Schnada·hüpfel [ʃná:dahʏpfəl], **Schnader·hüpferl** [..pfərl] *n.* (bayr., öst.) 슈나다 휘펄(구애(求愛)의 내용을 담은 즉흥 알프스 요들송; 대개 4 행임).

schnadern [ʃná:dərn] *i.* (h.) 재잘거리다, 잡담하다.

schnafte *a.* 〖구식〗 (berlin.) 굉장한, 훌륭한.

Schnake[1] [ʃná:kə] *f.* -n 〖방언〗 모기(과) (Stechmücke): langbeinige ~n 각다귀.

Schnake[2] *f.* -n (ndd.) ① 율모깃과(科) (Ringelnatter). ② 달팽이.

Schnake[3] 《<Schnack》 *f.* -n (ndd.) 희한한 발상, 익살, 농담.

schnäken [ʃnέ:kən] *i.* (h.) (westmd.) 군것질하다, 집어 먹다.

Schnaken≈plage *f.* 모기 피해. **~stich** *m.* 모기에 물림; 모기에 물린 상처.

schnakig, schnakisch *a.* 〖고어〗 (nordd.) 우스운, 익살맞은.

schnäkig *a.* (westmd.) ① 음식 투정하는. ② 군것질을 잘하는〔좋아하는〕.

Schnällchen [ʃnέlçən] *n.* -s, - 〖↑ Schnalle 의 축소형〗 소형 죔쇠.

***Schnalle** [ʃnálə] 《⊕ schnell》 *f.* -n ① **(a)** 버클, 죔쇠: Gürtel~ 혁대 버클; eine ~ öffnen 버클을 풀다. **(b)** (bayr., öst.) (Türklinke) (문의) 걸쇠, 손잡이, 핸들. **(c)** 〖印〗 (조판의) 죔쇠. ② 손가락〔손톱〕으로 튀기기. ③ 〖植〗 (obd.) 개양귀비. ④ **(a)** 〖사냥〗 암컷의 음부(陰部). **(b)** 〖비속〗 (obd.) 매춘부(Hure). **(c)** 〖경박〗 계집(년): diese blöde ~! 이 멍청한 년!

***schnallen** [ʃnálən] 《Ⅰ》 *t.* ① **(a)** (조여) 매다: einen Gürtel weiter ~ 혁대를 느슨하게 매다. **(b)** (어디에) 매다: den Rucksack auf den Rücken ~ 배낭을 등에 매다. **(c)** 풀다, 벗다: den Rucksack vom Leibe ~ 배낭을 벗다. ② 〖경박〗 알아차리다: hast du das geschnallt? 너는 그것을 이해했니? ③ 〖경박〗 속이다: sie haben ihn schön geschnallt 그들은 그를 감쪽같이 속였다. 《Ⅱ》 *i.* (h.) (obd.) ↑ schnalzen.

Schnallen≈dorn *m.* 버클〔죔쇠〕의 핀〔혀〕. **~gestell** *n.* 버클〔죔쇠〕의 테. **~haken** *m.* 버클〔죔쇠〕의 고리. **~loch** *n.* (버클로 죄는) 혁대 구멍. **~schuh** *m.* 죔쇠가 있는 구두. **~zunge** *f.* ↑ ~dorn.

schnalzen [ʃnáltsən] 《원래 schnallen 의 반복 동사》 *i.* (h.) ① 딱〔짝〕 소리를 내다: mit der Peitsche ~ 채찍을 휘둘러 딱 소리를 내다; mit der Zunge ~ 혀를 차는 소리를 내다, (만족해서) 입맛 다시다. ② (키스할 때) 쪽쪽 소리내다. ③ 〖드물게〗 휙 던지다.

Schnalzer *m.* -s, - ① 혀를 차는 소리. ② ↑ Schnalzlaut. ③ 튀기기, 퉁기기.

Schnalz·laut *m.* 〖언어〗 흡파음(吸破音) (남아프리카의 카필족(族) 등에서 사용됨).

Schnäpel *m.* -s, - 〖動〗 북해의 동부에 서식하는 연어의 일종.

Schnapp [ʃnap] *m.* -(e)s, -e ① 날쌘 몸짓〔움직임〕, 넙적 먹기: mit einem ~ 넙적, 한 입에. ② (rhein.) ↑ Schnäppchen. ③ (가위로) 싹독 자름. ④ 손끝으로 코 튀기기. ⑤ 노상 강도.

schnapp *int.* ① 순식간에, 찰나적으로; 〖의성어〗 찰깍; 넙적. ② (개에 대한 명령어로) ~! 물어!

Schnäppchen [ʃnέpçən] *n.* -s, - (rhein.) 유리한 구매, 싸게 사는 것: ein ~ machen 싸게 사다.

Schnäppchen·jäger *m.* 〖구어〗 값싼 물건을 찾아다니는 사람.

Schnappe *f.* -n ① ↑ Schnapp ④. ② 매, 채찍끈. ③ 〖사냥〗 이동 그물. ④ (ndd., md.) 부리(Schnabel). ⑤ (ndd., md.) 비둘기집.

***schnappen** [ʃnápən] 《mhd. snappen》 《Ⅰ》 *i.* ① (h.) (물려고) 와락 덤비다: der Hund hat nach mir geschnappt 개가 나를 물려고 덤볐다; 〖구어〗 nach Luft ~ 헐떡이다. ② (s./h.) (찰깍·탁) 튀다, 잠기다, 닫히다: der Riegel schnappt ins Schloß 빗장이 찰깍 잠긴다. ③ 휙 움직이다: 〖구어〗 es hat (bei jm.) geschnappt a) 누가 더 이상 못 참다, b) 누가 갑자기 사랑에 빠지다, c) 누가 임신하다. ④ (h./s.) (westd.) 절다, 절뚝거리다. ⑤ 찰칵찰칵 소리나다: die Schere schnappt 가위가 찰칵찰칵 소리를 낸다. 《Ⅱ》 *t.* ① 덥석 물다: der Vogel schnappte eine Fliege 새가 파리 한 마리를 덥석 잡아먹었다; ich muß noch ein wenig frische Luft ~ 나는 신선한 공기 좀 마셔야겠다. ② 날쌔게 붙잡다: (mir) meinen Mantel ~ 내 외투를 잽싸게 움켜쥐다; hat man den Dieb schon geschnappt? 도둑을 벌써 붙잡았나요?; 〖구어〗 jemand hat es geschnappt 누가 부상당했다〔병에 걸렸다〕; 〖구어〗 et. geschnappt haben 마침내 무엇을 알아차리다. ③ 훔치다(stehlen).

Schnapper *m.* -s, - (obd., md.) 〖구어〗 ① 넙적 물기〔먹기〕. ② 휙〔잽싸게〕 채기; 날치기, 훔치기. ③ (특히 수영할 때 내쉬는) 가쁜 숨, 빠른 호흡. ④ 찰깍 잠그는 소리. ⑤ 멍청이; 건방진 녀석. ⑥ 빗장. ⑦ 덫.

Schnäpper [ʃnέpər] *m.* -s, - ① 〖醫〗 사혈기(瀉血器), 사혈침(針). ② 작은 활. ③ 〖動〗 황금새의 일종(Fliegen~). ④ 용수철 자물쇠; (문의) 걸쇠. ⑤ 방아쇠. ⑥ 〖고어〗 석궁.

Schnäpperer *m.* -s, - ① 수다쟁이. ②〖당구〗 공의 옆쪽을 치기.

Schnapp≈feder *f.* 자물쇠의 용수철. **~hahn** *m.* 노상 강도, 산적. **~messer** *n.* 접칼, 잭나이프. **~ring** *m.* 호크. **~sack** *m.* (식량 휴대용) 배낭. **~schloß** *n.* 용수철 자물쇠. **~schuß** *m.* ①〖軍·사냥〗 속사(速射). ②〔구어〕 스냅 촬영, 스냅 사진. **~schütze** *m.*〖軍〗 속사수. **~verschluß** *m.* 용수철 자물쇠(장치).

schnap(p)s *int.* 《의성어》 ↑ schnapp ①.

***Schnaps** [ʃnaps] 《<Schnapp》 *m.* -es, Schnäpse [ʃnɛ́psə] ①〔구식〕 소주〔화주(火酒)〕 한 모금〔잔〕. ② 화주, 소주.

Schnaps≈brenner *m.*〔구어〕 소주〔화주〕 제조인. **~brennerei** *f.*〔구어〕 ① 소주〔화주〕 양조. ② 소주〔화주〕 양조장. **~bruder** *m.*〔구어·펌어〕 술꾼(~säufer). **~bude** *f.*〔구어·폄어〕 ↑ ~kneipe.

Schnäpschen [ʃnɛ́psçən] *n.* -s, -〔↑ Schnaps 의 축소형〕 소주 한 잔.

schnäpseln [ʃnɛ́psəln] *i.* (h.)〔구어〕 소주〔화주〕를 (찔끔찔끔) 자주 마시다.

schnapsen [ʃnápsən] *i.* (h.)〔구어〕 ① 소주〔화주〕를 마시다. ② 술꾼이다.

Schnaps≈fahne *f.*〔구어〕 입에서 풍기는 소주〔술〕 냄새. **~flasche** *f.* 소주〔화주〕병. **~glas** *n.* 소주잔. **~händler** *m.* 소주〔화주〕 상인. **~idee** *f.*〔구어〕 정신나간 생각: was ist das für eine ~? 무슨 엉뚱한 발상이냐?

schnapsig [ʃnápsɪç] *a.* ① 소주 맛이 있는, 소주〔술〕 냄새 나는. ②〔은어〕 어리석은; 미친.

Schnaps≈kneipe *f.*, **~laden** *m.* 술집, 주점. **~leiche** *f.*〔구어·농담〕 소주〔술〕에 취해 (길) 바닥에 드러누운 사람.

Schnäpslein [ʃnɛ́pslaɪn] *n.* ↑ Schnaps 의 축소형.

Schnaps≈nase *f.*〔구어〕 (술꾼의) 딸기코; 코가 붉은 사람. **~säufer** *m.* 술꾼. **~stamperl** *n.* (bayr., öst.) 소주잔. **~schenke** *f.*〔고어〕 술집. **~trinker** *m.* 술꾼. **~zahl** *f.* (33,111 처럼) 각 단위의 숫자가 서로 같은 수(주사위나 카드놀이에서 이런 수에 이르는 사람은 소주를 한턱 내야 함).

***schnarchen** [ʃnárçən] 《의성어》 *i.* (h.) ① 코골다;〔비유〕 쿨쿨 자다. ② (말이) 거칠게 숨쉬다. ③ (schnarren) 식식 소리내다: die Pumpe schnarcht 펌프가 식식 소리낸다. ④ (md.) (schnüffeln) 코를 킁킁거리다, 냄새 맡다. ⑤〔고어〕 호언장담하다.

Schnarcher *m.* -s, - ① 코고는 사람. ② 코고는 (듯한) 소리. ③ 비밀을 캐는 사람.

Schnarcherei [ʃnarçəráɪ] *f.* -en (지속적인) 코골기.

Schnarch≈klappe *f.*〖工〗 송풍관 조정기. **~konzert** *n.*〔구어·농담〕 (여러 사람이 동시에 내는) 요란한 코골기. **~laut** *m.* 코고는 소리. **~ratze** *f.*〔구어〕 코고는 사람. **~ventil** *n.*〖工〗 (보일러의) 배기 밸브.

Schnarr≈baß *m.*〖음악〗 같은 높이로 끝까지 지속되는 저음. **~drossel** *f.*〖動〗 (유럽산(産)의) 지빠귀새의 일종.

Schnarre [ʃnárə] *f.* -n ① 딸랑이(사육제 때 쓰는 어른 장난감). ② 윙윙 소리나는 물레. ③〖動〗 (**a**) ↑ Schnarrdrossel. (**b**) 뜸부기의 일종(Wachtelkönig).

schnarren [ʃnárən] 《⊕ schnarchen》 《의성어》 *i.* (h.) ① 그르렁그르렁 소리내다: die Klingel schnarrt laut 초인종이 따르릉하며 크게 울린다. ② (새·벌레가) (찌륵찌륵) 울다. ③ (**a**) r 음을 세게 울리다. (**b**) 콧소리로 말하다. (**c**) 투덜투덜〔불평〕하다, 떠들다.

Schnarr≈laut *m.* 달그락달그락〔덜컥덜컥·삐걱삐걱〕하는 소리. **~posten** *m.*〖軍〗 동초(動哨), (기병의) 교통초(交通哨). **~saite** *f.*〖음악〗 북의 밑가죽에 왱왱 울리도록 매놓는 울림줄. **~ton** *m.* ↑ ~laut. **~ventil** *n.*〖工〗 (보일러의) 배기 밸브. **~wecker** *m.*〖工〗 진동자(振動子). **~werk** *n.*〖악기〗 (파이프 오르간의) 리드관(管).

Schnat *f.* -en ↑ Schnate.

Schnate [ʃná:tə] *f.* -n (md.) ① 꺾인 어린 가지〔햇가지〕. ② (논밭의) 경계. ③ 숲속의 작은 길(Durchhau).

Schnätel [ʃnɛ́:təl] *n.* -s, - 버들피리.

Schnatterei [ʃnatəráɪ] *f.* -en ① 꽥꽥 계속하여 울음. ② 수다, 요설. ③ 소동(Lärm).

Schnatter·ente *f.*〖動〗 발구지속(屬).

Schnatt(e)rer [ʃnát(ə)rər] *m.* -s, - 수다쟁이, 떠버리.

Schnatter·gans *f.* ① 꽥꽥거리는 거위. ②〔폄어〕 수다스러운 여자.

schnatterhaft *a.* ↑ schnatterig.

Schnatter·hans *m.*〔폄어〕 ↑ Schnatterer.

schnatterig *a.* 꽥꽥거리는; 수다스러운.

Schnatterin *f.* -nen 수다스러운 여자.

Schnatter·liese *f.*〔구어·폄어〕 ↑ ~gans ②.

schnattern [ʃnátərn] 《원래는 의성어》 *i.* (h.) ① (거위나 오리가) 꽥꽥 울다. ②〔구어〕 (사람이) 재잘거리다. ③ vor Kälte〔Angst〕 ~ 추위로〔두려움으로〕 이를 달달 떨다.

schnattrig *a.* ↑ schnatterig.

schnatz [ʃnats] *a.* 예쁘게 차린.

Schnatz *m.* -es, Schnätze [ʃnɛ́tsə] (nordd., hess.) 틀어 올린 머리, 신부 머리 치장.

schnatzeln *t.*〔방언〕 ↑ schnatzen 《I》.

schnatzen [ʃnátsən] 《I》 *t.* (hess.) 치장〔장식〕하다. 《II》 *i.* (h.) / *refl.* (sich) ~ 머리를 틀어 올리다.

schnatzig *a.*〔구어〕 (fein) 멋진, 스마트한.

Schnau [ʃnaʊ] *f.* -en (ndd.)〖海〗 이물과 고물이 부리 모양이고 돛대가 둘인 배.

***schnauben**(*) [ʃnáubən] (schnaubte/schnob, geschnaubt/geschnoben) *i.* (h.) / *t.* ① 코로 씩씩거리며 숨쉬다; 헐떡이다: die Pferde ~ 말들이 씩씩거린다;〔비유〕 Flammen ~ (분노의) 기염을 토하다. ② (**a**) 몹시 흥분하다: vor Wut〔Zorn〕 ~ 노하여 씩씩거리다. (**b**) nach Luft ~ 헐떡이다;〔비유〕 (nach) Rache ~ 복수심에 불타다, 앙심을 품고 씨근거리다. ③〔약변화〕 sich ~, (sich³) die Nase ~ (힝하고) 코를 풀다: ich schnaubte mich〔mir die Nase〕 나는 코를 풀었다.

schnäubig [ʃnɔ́ʏbɪç] *a.* (hess.) 편식하는.

Schnauf [ʃnauf] *m.* -(e)s, -e 가쁘게〔거칠게〕 코로 쉬는 숨, 헐떡거림.

schnaufeln [ʃnáufəln] *i.* (h.) (obd.) ↑ schnüffeln.

schnaufen [ʃnáufən] 《schnauben 의 별형》 《I》 *i.* (h.) ① 거칠게 숨쉬다; 헐떡이다. ②〔방언〕 숨쉬다:〔비유〕 er hat nicht geschnauft

그는 가부간에 말을 하지 않았다. 《Ⅱ》〔드물게〕 *t.* kein Wort ~ 가부간에 말을 하지 않다.

Schnaufer *m.* -s, - ① 콧숨 쉬는〔헐떡이는〕 사람. ② **(a)** 〔구어〕 콧대가 센〔거만한〕 사람. **(b)** (schweiz.) 철없는 아이. ③ 거친 숨; 호흡: 〔비유〕 den letzten ~ tun 숨을 거두다.

Schnauferl [ʃnáʊfərl] *n.* -s, - ① 〔농담〕 (obd.) 소형 자동차. ② 쓸 만한 구형 자동차.

Schnaupe [ʃnáʊpə] *f.* -n (öst.) (주전자 등의) 주둥이, 귀때.

Schnauz [ʃnaʊts] *m.* -es, Schnäuze [ʃnɔ́ʏtsə] ① 콧수염; 콧수염 있는 사람. ② 〖動〗 도베르만 핀셔(테리어 개 종류). ③ 〔구어〕 (Verweis) 질책, 야단침.

Schnauz≈bart *m.* ① 많이 난 콧수염; (콧)수염 있는 사람. ② 〔비유〕 버릇없는 사람; 노병 (alter ~). **≈bärtig** *a.* 콧수염이 있는.

Schnäuzchen [ʃnɔ́ʏtsçən] *n.* -s, - 〔↑ Schnauze 의 축소형〕 ① **(a)** 콧방울. **(b)** (동물의) 작은 콧수염. ② 〔농담〕 작은 입.

***Schnauze** [ʃnáʊtsə] *f.* -n ① (짐승의) 비구부(鼻口部), 주둥이. ② 〔비속〕 **(a)** (사람의) 입: die ~ halten 입을 다물다〔열지 않다〕; die ~ nicht aufbringen〔auftun〕 입을 열지 않다; eine freche ~ haben 건방지다, 입이 험하다; eine große ~ haben 허풍이 세다; die ~ aufreißen〔(zu) voll nehmen〕 허풍을 떨다; sich³ die ~ verbrennen a) 입을 데다, b) 말을 잘못해서 곤욕을 치르다; (von et.³) die ~ voll haben (무엇에) 넌더리가 나다; jm. (mit et.³) die ~ stopfen 누구의 입을 (무엇으로) 막다. **(b)** 얼굴: jm. die ~ polieren〔jm. in die ~ hauen, jn. eins vor die ~ geben〕 누구의 얼굴을 후려갈기다; 〔구어〕 auf die ~ fallen 실패하다. ③ (주전자 등의) 주둥이, 귀때; (풀무의) 통구(筒口). ④ 눈을 치우는 가래 (Schneepflug). ⑤ 〔구어〕 nach ~ a) 피상적으로, b) 대충, 건성으로, c) 천운에 맡기고; 〔경박〕 et. frei nach ~ machen 계획 없이 일하다.

schnauzen [ʃnáʊtsən] *i.* (h.)/*t.* 〔구어〕 거칠게〔무뚝뚝하게〕 말하다; 호통치다.

schnäuzen 新정서 ⇦ schneuzen.

Schnauzer *m.* -s, - ① 〖動〗 (독일산(産)) 털이 뻣뻣한 중크기의 개. ② 〔구어〕 ↑ Schnauzbart. ③ 꾸지람, 힐책.

Schnäuzer [ʃnɔ́ʏtsər] *m.* -s, - 콧수염, 콧수염 난 사람.

schnauzig *a.* (grob) 거친, 난폭한: et. ~ sagen 무엇을 퉁명스럽게 말하다.

..schnauzig, ..schnäuzig *suf.* "…한 콧수염이 난"의 뜻(보기: groß~ 콧수염을 길게 기른).

Schnauz·krug *m.* 귀때 달린 단지〔물병〕.

Schnäuzlein *n.* -s, - ↑ Schnäuzchen.

Schneck [ʃnɛk] *m.* -s, -en (obd.) ① 〔애칭〕 귀여운 아이〔소녀〕. ② 달팽이.

***Schnecke** [ʃnɛ́kə] *f.* -n ① **(a)** 〖動〗 달팽이: nackte ~〔~ ohne Haus〕 민달팽이. **(b)** 〔비유·폄어〕 굼뜬 사람, 느림보: 〔구어〕 jn. zur ~ machen 누구를 꾸짖어서 기를 죽이다. ② **(a)** 〖해부〗 (내이(內耳)의) 와우(蝸牛), 달팽이관. **(b)** 〖건축〗 (이오니아 및 코린트식 기둥머리의) 소용돌이꼴 장식. **(c)** 〖악기〗 바이올린의 머리 부분. **(d)** 〖工〗 나선형 컨베이어; 환상(環狀) 나사(Schneckenkegel): archimedische ~ 나선(螺旋) 펌프; ~ und Trieb 웜 기어, 나선 톱니바퀴. **(e)** 소용돌이꼴의 빵. **(f)** (obd.) 나선 계단. **(g)** 나선형으로 땋아 얹은 머리. **(h)** 〖사냥〗 야생양 수컷의 뿔. **(i)** 달팽이 모양의 과자. ③ 〔경박·폄어〕 **(a)** 질(膣). **(b)** 여자, 계집. **(c)** 창녀.

Schneckel [ʃnɛ́kəl] *f.* -n 원뿔꼴 나선.

Schnecken≈antrieb *m.* 〖工〗 웜 드라이브, 나선(螺旋) 기어 구동. **≈artig** *a.* 달팽이류(類)의; 달팽이 같은; 나선형의. **~bohrer** *m.* 나사송곳. **~feder** *f.* 〖工〗 (시계의) 태엽, 나선형 스프링. **≈fett** *a.* 살찐. **≈förmig** *a.* 달팽이꼴의; 나선형의. **~frisur** *f.* 나선형으로 땋은 머리. **~fraß** *m.* (농작물의) 달팽이 피해. **~gang** *m.* ① 달팽이 걸음; 〔비유〕 느린 걸음: im ~ 느릿느릿. ② 나선형 길. ③ 〖해부〗 달팽이관. **~garten** *m.* 식용 달팽이 양식장. **~gehäuse** *n.* 달팽이 집. **~getriebe** *n.* 웜 기어, 나선 톱니바퀴. **~gewinde** *n.* 나선, 소용돌이. **~gewölbe** *n.* 〖건축〗 나선형 돔, 궁륭(穹窿).

schneckenhaft *a.* 달팽이 같은; 느린, 굼뜬.

Schnecken≈haus *n.* 달팽이 집: 〔비유〕 sich in sein ~ zurückziehen〔verkriechen〕 자기만의 세계로 빠져 들다. **~horn** *n.* 〔복수: ..hörner〕 ① 달팽이의 촉각〔더듬이〕. ② 나선형 취주 악기. **~kegel** *m.* (옛날 시계의) 원뿔꼴 도르래. **~klee** *m.* 〖植〗 개자리속(屬). **~lehre** *f.* 패류학(貝類學). **~linie** *f.* 나선, 나사선(螺絲線). **~muschel** *f.* 달팽이 껍데기. **~nudel** *f.* 달팽이 모양의 과자. **~post** *f.* 느린 운송 수단: mit der ~ fahren 느릿느릿 차를 몰다. **~rad** *n.* 웜 기어, 나사 톱니바퀴; (시계의) 평형 바퀴. **~schritt** *m.* ↑ ~gang ①. **~tempo** *n.* 느린 템포: sich im ~ bewegen 매우 느리게 움직이다. **~treppe** *f.* 나선형 계단. **~windung** *f.* 선회, 나선, 소용돌이. **~zug** *m.* ① ↑ ~gang ①. ② 〖건축·고어〗 소용돌이꼴의 장식선(線).

Schneckerl [ʃnɛ́kərl] *n.* -s, -n (bayr., öst.) 곱슬머리, 고수머리.

schneddereng(teng)teng [ʃnɛ́dərɛŋ(tɛŋ)tɛ́ŋ] *int.* 〔의성어〕 따따따(나팔 (부는) 소리).

***Schnee** [ʃne:] *m.* -s ① 눈; 〔비유〕 설백(雪白), 순백: es fällt ~ 눈이 온다; (sich mit) ~ ballen 눈싸움하다; die Straße vom ~ säubern 길의 눈을 치우다; ~ fegen〔kehren, schippen〕 눈을 쓸다〔치우다〕; langsamer ~ 스키가 잘 나가지 않는 눈; wie ~ an der Sonne schmelzen (돈 등이) 눈 녹듯이 금방 없어지다, 소비되다; 〔구어·농담〕 und wenn der ganze ~ verbrennt (die Asche bleibt uns doch) 어떤 일이 일어나도 우리는 결코 낙담하지 않는다; das ist doch ~ von gestern〔vom vergangenen Jahr〕 그것은 이미 지난〔더 이상 관심이 없는〕 일이다; aus dem Jahr ~〔(öst.) Anno ~, im Jahr ~〕 옛날 옛적의, 아주 오래된. ② 〖요리〗 달걀 흰자위로 만든 거품. ③ 〔은어〕 (가루) 코카인, 헤로인. ④ 〔구어〕 돈. ⑤ 〔구어〕 (전파 장애 때) 텔레비전 화면상의 흰 반점.

Schnee≈ammer *f.* 〖動〗 흰멧새. **~bahn** *f.* 눈길, 썰맷길. **~ball** *m.* ① 〔복수: ..bälle/(드물게) -en〕 눈덩이; 눈싸움: einen ~ werfen 눈덩이를 던지다. ② 〔복수: -en〕 〖植〗 까마귀밥여름나무. **≈ballen** (*p.p.* geschneeballt) 《Ⅰ》 *i.* (h.) 눈싸움하다. 《II》 *t.* …에 눈덩이를 던지다: sich ~ 눈싸움하다.

Schneeball≈kollekte *f.* 다단계〔피라미드식〕 모금 방법. **~schlacht** *f.* 눈싸움. **~system** *n.* 다단계〔피라미드식〕 판매 방식.

schnee·bedeckt *a.* 눈 덮인, 눈이 쌓인.

Schneebeere *f.* 〖植〗 꼭두서닛과(科)의 일종; 인동(忍冬)과의 일종. **~berg** *m.* 눈덮힌 산. **~besen** *m.* 〖요리〗 거품기(器). **≈blind** *a.* 시력이 약해진 눈으로, 눈이 먼, 설맹(雪盲)의. **~blindheit** *f.* 설맹(雪盲). **~blume** *f.* 〖植〗 ↑ ~glöckchen. **~brett** *n.* (눈사태 우려가 있는) 널빤지 모양의 눈덩이. **~brille** *f.* 눈안경(설맹 예방용 선글라스). **~bruch** *m.* ① 눈사태. ② 〖林〗 (눈으로 인해) 가지가 부러짐, 설해(雪害). **~dach** *n.* 〖철도〗 (눈사태 방지용) 눈막이. **~decke** *f.* 적설(녹지 않은 눈). **≈erhellt** *a.* 눈으로 환해진. **~eule** *f.* 〖動〗 흰올빼미. **~fall** *m.* 강설(降雪). **~feld** *n.* 설원(雪原). **~fink** *m.* 〖動〗 되새속(屬). **~fläche** *f.* 눈 덮인 땅. **~flocke** *f.* 눈송이. **~fräse** *f.* 제설기(除雪機). **≈frei** *a.* 눈이 없는. **~gans** *f.* 〖動〗 흰기러기속(屬). **~gebirge** *n.* 눈에 뒤덮인 산(맥). **~gestöber** *n.* 눈보라. **≈glatt** *a.* 눈이 얼어서 미끄러운. **~glätte** *f.* 빙판. **~glöckchen** *n.* 〖植〗 갈란투스. **~graupen** *pl.* 우박; 싸락눈. **~grenze** *f.* 설선(雪線). **~hase** *m.* (겨울에는 털이 하얗게 변하는) 산토끼. **~hemd** *n.* 〖軍〗 설상용(雪上用) 흰옷. **~höhe** *f.* 적설량. **~huhn** *n.* 〖動〗 뇌조속(雷鳥屬).

schneeig [ʃné:ɪç] *a.* ① 눈 같은; 눈이 쌓인. ② (schneeweiß) 설백(雪白)의, 순백의.

Schnee≈kanone *f.* 제설(製雪) (분사)기. **~kette** *f.* (자동차 바퀴에 감는) 스노 체인. **~könig** *m.* ① 〖動〗 굴뚝새. ② ↑ ~mann: 〖비유〗 er freut sich wie ein ~ 그는 기뻐 날뛰고 있다. **~koppe** *f.* 슈네코페(독일 동남부에 있는 높이 1603 m 의 산). **~kuppe** *f.* 눈 덮인 산꼭대기. **~lager** *n.* 환상(環狀)으로 쌓인 눈. **~landschaft** *f.* 설경(雪景). **~lawine** *f.* 눈사태. **~leopard** *m.* 〖動〗 (중앙 아시아 고지대에 서식하는) 스라소니. **~linie** *f.* ↑ ~grenze. **~luft** *f.* 눈이 올 듯한 대기〔날씨〕. **~mann** *m.* 〖복수: ..männer〗 눈사람. **~masse** *f.* 눈더미. **~matsch** *m.* (녹기 시작한) 질척질척한 눈. **~mensch** *m.* (히말라야의) 설인(雪人). **~monat** *m.* 1월, 대한(大寒). **~mond** *m.* ↑ ~monat. **~pflug** *m.* ① 눈을 치우는〔파헤치는〕 가래, 제설기(除雪機). ② 〖스키〗 전제동(全制動). **~räumer** *m.* 제설기. **~rechen** *m.* 눈 치우기, 제설 작업. **~regen** *m.* 진눈깨비. **~reifen** *m.* ① 스노 타이어. ② (눈에 빠지지 않기 위하여 덧신는) 설상화, 눈신. **~rute** *f.* 〖요리〗 (öst.) 거품기. **~rutsch** *m.* 눈사태. **~schipper** *m.* 눈 치는〔제설〕 인부. **~schläger** *m.* 〖요리〗 (철사로 둥글게 만든) 거품기. **~schleuder** *f.* 제설(製雪) 분사기, 제설 장치. **~schleuder·maschine** *f.* ↑ ~schleuder. **~schmelze** *f.* (따뜻한 날) 눈이 녹음. **~schuh** *m.* ① 눈신, 스노 슈즈. ② 〖구식〗 스키: ~ laufen 스키를 타다.

Schneeschuh≈läufer *m.* 스키어, 스키 타는 사람. **~sport** *m.* 스키 (경기).

Schnee≈schüpper *m.* ↑ ~schipper. **≈sicher** *a.* (동계 스포츠를 하기에 알맞게) 눈이 충분히 쌓여 있는. **~staub** *m.* 싸락눈. **~sturm** *m.* 눈보라. **~sturz** *m.* 눈사태. **~treiben** *n.*, **~trift** *f.* ① 눈보라, 대설. ② ↑ ~wehe. **~verhältnisse** *pl.* 적설〔강설〕 상황. **~verschüttung, ~verwehung** *f.* ↑ ~wehe. **~wächte** *f.* ① ↑ Wächte. ② 벼랑 가에 얼어붙은 눈. **~wasser** *n.* 눈 녹은 물. **~webe** *f.* 〖구식〗 ↑ ~wehe. **~wehe** *f.* 바람에 몰려 와 쌓인 눈더미. **≈weiß** *a.* 설백(雪白)의, 순백의. **~weißchen** *n.* (그림 동화) 백설 공주. **~wittchen** [ʃne:vítçən] *n.* ↑ ~weißchen 의 저지(低地) 독일어형. **~wetter** *n.* 눈오는 날씨. **~zaun** *m.* 방설책(防雪柵). **~zeit** *f.* 강설기(期).

Schnegel [ʃné:gəl] 《⇩ Schnecke》 *m.* -s, - 〖動〗 민달팽이.

Schneid [ʃnaɪt] *m.* -(e)s 〔(bayr.) *f.*〕 〖구어〗 결단력, 담력, 용기, 실천력: große(n) ~ haben 담이 크다; jm. den〔die〕 ~ abkaufen 누구의 용기를 꺾다.

Schneid≈apparat *m.* 절단기, 커터. **~backe** *f.* 펜치의 날부(절단용 부분). **~bohrer** *m.* 〖工〗 (나선형의) 홈깎이 공구. **~brenner** *m.* 〖工〗 화염 절단기.

***Schneide** [ʃnáɪdə] *f.* -n ① **(a)** (칼)날; 날 있는 물건. **(b)** (알프스 지방의) 뾰족한 산등성이; 〖건축〗 (지붕의) 마루. **(c)** 〖비유〗 es steht auf des Messers ~ 어느 쪽으로 결정이 날지 아슬아슬한 지경이다. ② 〖비유〗 **(a)** 약점을 〔급소를〕 찌르는 말, 신랄한 말, 비꼼, 독설. **(b)** (obd.) ↑ Schneid. ③ 〖시어〗 검(劍) (Degen). ④ (obd.) (소유지의) 경계(선) (Flurgrenze). ⑤ ↑ ~gras.

Schneide≈bank *f.* 〖복수: ..bänke〗 (통장이의) 작업대. **~bohne** *f.* 〖요리〗 (썰어서 요리하는) 강낭콩. **~bohrer** *m.* (암나사 깎는) 틀, 스크루탭. **~brett** *n.* 도마. **~eisen** *n.* ① 물건을 자르는 기구, 날붙이. ② 〖제련〗 굵은 철사〔철조(鐵條)〕. **~gras** *n.* 〖植〗 (열대 및 아열대의) 갈대. **~hobel** *m.* 절단용〔재단용〕 대패. **~holz** *n.* 제판용(製板用) 목재. **~klotz** *m.* 제판용 통나무. **~linie** *f.* 절단선, 재단선.

schneideln [ʃnáɪdəln] *t.* (가지를) 치다 (schneiteln).

Schneide≈lohn *m.* 벤〔자른〕 삯; 톱질 삯. **~maschine** *f.* 절단기, 작두; 절지기(切紙器). **~messer** *n.* 절단용 칼; 저미는 칼. **~mühle** *f.* 제재소.

schneiden [ʃnáɪdən] (schnitt, geschnitten) 《I》 *t.* ① **(a)** 자르다, 베다, 썰다, 끊다: den Braten ~ 구운 고기를 썰다; klein〔in Stücken〕 ~ 잘게 썰다, 다지다. ② 잘라내다, 베어내다: eine Probe vom Stoff ~ 옷감에서 견본을 잘라내다; ein Kind aus dem Mutterleibe ~ 낙태하다; jm. den Stein ~ 누구의 방광 결석을 제거하다; Getreide ~ 곡식을 추수하다; 〖드물게〗 einen Baum ~ 나뭇가지를 치다; 〖농담〗 Geld ~ 돈을 잘라먹다; ein Tier ~ (짐승을) 거세하다. ③ **(a)** 수술하다(operieren). **(b)** (출산 때) (제왕) 절개하다. ④ (차가) 끼여들다: ein Lkw schneidet mich 트럭 한 대가 내 앞으로 (급히) 끼여든다. ⑤ **(a)** 잘라서 만들다: Bretter ~ 판자를 잘라 만들다; ein Butterbrot ~ 빵을 썰어 버터를 바르다. **(b)** 새겨 만들다: Stempel ~ 도장을

새기다; Figuren in Holz ~ 나무에 상(像)을 새기다, 조각하다. ⑥〖영화〗 편집하다: den Film ~ 필름을 편집하다. ⑦ (어떤 얼굴) 표정을 하다: 〖비유〗 Gesichter〔Grimassen〕 ~ 상을 찌푸리다; einer Dame Komplimente ~ 어떤 부인에게 비위를 맞추다. ⑧ 실수로 베다, 상처내다: jn.〔jm.〕 in die Backe ~ 누구의 뺨에 상처내다. ⑨〖테니스·당구〗 einen Ball 〔eine Kugel〕 ~ 공을 깎아치다, 커트하다; 〖비유〗 jn. ~ a) 누구를 보고도 못 본 체하다〔무시하다〕, b) 누구를 속이다. ⑩ Wein ~ 포도주에 이물질을 섞어 질을 떨어뜨리다. ⑪ die Luft ist zum ~ 공기가 매우 나쁘다. ⑫ eine Kurve ~ 커브 길을 가로질러 가다. ⑬〖고어〗 수확하다(ernten). 《Ⅱ》 *i.* (h.) ① (칼날이 잘) 들다: das Messer schneidet gut 이 칼이 잘 든다. ② (**a**) (칼날이) 파고들다: das Messer schnitt ihm tief ins Fleisch 그는 칼에 살을 깊이 베었다; die Autoräder ~ in den Schlamm 차바퀴가 수렁에 빠진다. (**b**) 에다, 에는 듯이 아프다: der Wind 〔die Kälte〕 schneidet mir ins Gesicht 바람이〔추위가〕 내 얼굴을 에는 듯하다; *imp.* es schneidet mir im Leib 나는 배가 끊어질 듯이 아프다. ③ (무엇에) 조각하다: ins Holz ~ 나무에 조각하다. ④ 가르고 나아가다: das Schiff schneidet durch die Fluten 배가 물결을 헤치고 나아간다. ⑤〖카드〗 mit der Dame ~ (상대방이 더 높은 게 없다고 보고) 퀸으로 (패를 보이며) 멈추다. ⑥ 교차하다: einander rechtwinkelig ~ 서로 직각으로 만나다. ⑦ (가위로) 이발하다: er kann nicht ~ 그는 이발할 줄 모른다. 《Ⅲ》 *refl.* sich ~ ① (날붙이로) 다치다, 상처입다: sich[4/3] in den Finger ~ 손가락을 베다; 〖비유〗 sich[3] selber ins Fleisch ~ 자신에게 손해되는 짓을 하다, 자해하다. ②〖방언〗 잘못 짐작〔생각〕하다, 틀리다. ③ 서로 교차하다: 〖數〗 zwei gerade Linien ~ sich 두 직선이 서로 만나다.

schneidend *p.a.* ① (**a**) (칼날이) 잘 드는, 예리한. (**b**) 살을 에는 듯한: ~er Nordwind 살을 에는 듯한 북풍. ② 날카로운, 강렬한: ~er Schrei 귀청을 째는 듯한 날카로운 외침: ~e Farbe 강렬한 색채; ~e Reden 독설, 중상(中傷); ~e Umrisse 또렷한 윤곽; ~er Verstand 예리한 머리, 뛰어난 이해력; ~er Widerspruch 명백한 모순. ③〖醫〗 ~es Wasser 오줌 방울.

***Schneider** [ʃnáɪdər] *m.* -s, - ① 자르는〔베는〕 사람; 톱장이(Brett~); 석수(Stein~); 조각공. ② (**a**) 재단사: ein Kleid zum ~ bringen 옷을 수선시키다; 〖구어〗 frieren wie ein ~ 몹시 추위를 타다; 〖농담〗 herein, wenn's kein ~ ist! 빗쟁이가 아니면 들어오시오! (**b**) 〖비유〗 겁쟁이(Schwächling). ③ (**a**) 〖카드〗 30 점: (im) ~ sein (선(先)이 아닌 사람이) 30 점 미만에 머무르다; (선(先)인 사람이) 30 점 이하에 머무르다; aus dem ~ herauskommen 〔(heraus) sein〕 30 점 이상을 〔과반수의 점수를〕 따다, 어려운 상황에서 벗어나다; 〖농담〗 서른 살이 넘다; sie ist schon lange aus dem ~ (heraus) 그 여자는 서른 살이 훨씬 넘었다, 중년 부인이다. (**b**) 〖탁구〗 (한 세트에서) 11 점: ~ sein〔bleiben〕 11 점도 못 따다. ④〖動〗 (**a**) (포도의 순을 해치는) 투구벌레. (**b**) 잠자리의 일종(Libelle). (**c**) 좌두충목(座頭蟲目) (Weberknecht). ⑤〖구어〗 잘못 생긴 다리미질 주름. ⑥〖은어〗 게으름뱅이. ⑦ 〖사냥〗 허탕친 사냥꾼. ⑧〖사냥〗 발육이 부진한 짐승.

Schneider=arbeit *f.* 재단, 재봉, 바느질. **~bursch(e)** *m.* 수습 재단사.

Schneiderei [ʃnaɪdəráɪ] *f.* -en ① 재단(업). ② 재단소, 양복점: Änderungs~ 옷수선집.

Schneider·gesell(e) *m.* 수습 재단사.

schneiderhaft *a.* 재단사 같은; 〖비유〗 겁쟁이인.

Schneider·handwerk *n.* 재봉일, 재단업.

Schneiderin *f.* -nen ① 재단사의 아내. ② 여자 재단사〔재봉사〕.

Schneider=karpfen *m.* ①〖농담〗 청어. ② 잉어과의 민물고기. **~kleid** *n.* 맞춤옷. **~kostüm** *n.* 맞춤 의상. **~kreide** *f.* 재봉용 분필. **~lehr·bursch(e), ~lehrling** *m.* 수습 재단사. **~lohn** *m.* 재단료(裁斷料). **~mamsell** *f.* 재봉 여공. **~mäßig** *a.* ↑ schneiderhaft. **~meister** *m.* 숙련 재봉사. **~meisterin** *f.* ↑ ~meister 의 여성형. **~muskel** *m.* 〖해부〗 봉공근(縫工筋).

schneidern [ʃnáɪdərn] 《Ⅰ》 *i.* (h.) 재단하다, 재봉일을 하다: für jn. ~ 누구를 위해서 옷을 재단하다. 《Ⅱ》 *t.* ① (옷을) 짓다〔만들다〕. ② 〖은어〗 (차체를) 설계하다.

Schneider=puppe *f.* 옷 재단용 상반신 모형. **~rechnung** *f.* 재단사의 견적서〔계산서〕. **~seele** *f.* 공포심, 겁쟁이. **~sitz** *m.* 책상다리: im ~ auf dem Boden sitzen 바닥에 책상다리를 하고 앉아 있다. **~tisch** *m.* 재단〔재봉〕대(臺). **~vogel** *m.* 〖動〗 황금새속(屬). **~werk·statt** *f.* 재단사의 점포〔작업장〕. **~zunft** *f.* 재단사 조합.

Schneide=säge *f.* 〖工〗 원통 절단기. **~tisch** *m.* 〖영화〗 (필름을 편집하는) 편집 장치. **~walze** *f.*, **~werk** *n.* 〖海〗 철판 절단기. **~werk·zeug** *n.* 날붙이, 절단 도구. **~zahn** *m.* 〖해부〗 앞니. **~zeug** *n.* 날; 절단기; 날붙이.

schneidig [ʃnáɪdɪç] *a.* ① 날이 선〔있는〕; 잘 베어지는. ②〖비유〗 (**a**) 단호한; 용감한: in ~em Ton 용감한〔절도 있는〕 목소리로. (**b**) 민첩한, 재빠른. ③ 경쾌한: eine ~e Musik 신나는 음악.

Schneidigkeit *f.* -en ↑ schneidig 의 명사형.

Schneid·kluppe *f.* 〖工〗 펜치.

***schneien** [ʃnáɪən] 《<Schnee》 *i.* ① *imp.* (h.) (**a**) 눈이 오다: es schneit 눈이 온다; es schneit in dicken Flocken 함박눈이 내린다; 〖비유〗 auf dem Bildschirm schneit es (텔레비전) 화면이 어른거린다; 〖비유〗 es hat ihm in die Bude〔Hütte〕 geschneit 그는 어려운 〔귀찮은〕 일에 걸려들었다. (**b**) 눈처럼 흩날리다: es schneit Blüten 꽃이 눈처럼 흩날린다. ② (s.) (**a**) 불쑥 나타나다: 〖비유〗 jm. ins Haus ~ 누구의 집에 들이닥치다; sie ist 〔kam〕 uns ins Haus geschneit 갑자기 그 여자가 우리 집에 나타났다. (**b**) (눈처럼) 대량으로 내리다, 쏟아지다: Blütenblätter schneiten auf die Straße 꽃잎이 도로 위로 눈처럼 쏟아졌다.

Schneise [ʃnáɪzə] *f.* -n (nordd.) ① (벌채하여 생긴) 숲속 길: eine ~ in den Wald hauen

〔schlagen〕 (벌채하여) 숲에 길을 내다. ② 활주로의 진입로(Flug≈). ③〖구식〗 말총으로 만든 새잡이 올가미(Dohne).
schneiteln [ʃnáɪtəln] *t.* 〖林〗 (가지를) 치다, 가지치기하다.
***schnell** [ʃnɛl] 《ahd. snel》 *a.* ① (↔ langsam) 빠른, 신속한; 민첩한, 즉석의, 갑작스런: (mach) ~! 빨리, 서둘러라!; ein ~er Tod 급사(急死); 〖구어〗 auf die ≈e a) 신속히, 단기간에, b) 아무렇게나, 날림으로; in ~er Folge 연달아; möglichst ~ 〔auf dem ~sten Weg〕 가능한 한 빨리; so ~ als〔wie〕 möglich 될 수 있는 대로 빨리; einen ~en Blick haben 눈치가 빠르다; eine ~e Straße 빠른〔속력을 낼 수 있는〕 도로; zu ~ fahren 과속하다; nicht so ~! 그렇게 서두르지 마라!; wie heißt er noch ~? 그 사람 이름이 뭐라고 했더라?; 〖軍〗 ~e Truppen 기계화 부대; 〖핵물리〗 ~er Brüter 고속 증식로; ~es Geld 급히 구할 수 있는 돈, 급전; die ~e Mark machen 큰 돈을 빨리 벌다; ~ urteilen 신속히 판단하다; ihr Puls ging ~ 그녀의 맥박이 빨리 뛰었다. ②〖林〗 (목재가) 바람에 휜, 뒤로 젖혀진.
Schnellade·kanone *f.* 〖軍〗 자동 장전식 화포.
Schnellaster *m.* -s, - 고속 화물차.
Schnellauf *m.* -(e)s 질주; 단거리 경주, (도보) 경주; 스피드 스케이팅: im ~ 몹시 서둘러서, 고속으로.
Schnelläufer *m.* -s, - ① 단거리 육상 선수; 스피드 스케이팅 선수. ②〖工〗 고속 엔진; 〖印〗 고속 인쇄기〔윤전기〕. ③〖動〗 장지뱀속(屬). ④〖天〗 고속 주행 항성.
Schnell≈bahn *f.* 고속 철도(S-Bahn). **~-beschwingt** *a.* 날개 돋힌 듯한, 신속한. **~bleiche** *f.* ① 화학적 표백. ②〖구어〗 속성(교육) 과정. **~boot** *n.* 쾌속정. **~bote** *m.* 급사(急使), 파발꾼. **~dampfer** *m.* 〖海〗 쾌속기선. **~dienst** *m.* 신속 처리, 퀵서비스. **~dreh·stahl** *m.* 고속강(鋼). **~drucker** *m.* 〖컴〗 고속 프린터.
Schnelle [ʃnɛ́lə] 《<schnell》 *f.* -n ①〖雅語〗 ↑ Schnelligkeit. ②〖지리〗 (Strom≈) 여울, 급류. ③ 투석기(Schleuder). ④〖고어〗 교수대(絞首臺). ⑤ 손가락으로 탁 튀김(Schnalle). ⑥ (1600년경의) 뚜껑 있는 높직한 맥주잔.
schnellebig [ʃnɛ́lle:bɪç] *a.* ① 단명(短命)의. ② (유행 등이) 오래가지 않는. ③ 분주한, 성급한.
Schnellebigkeit *f.* -en ① 단명(短命). ② 조급, 분주.
schnellen [ʃnɛ́lən] 《I》 *t.* ① 갑자기 던지다〔놓다〕, 퉁겨 날리다, 튀기다: einen Pfeil ~ 화살을 쏘다; et. mit den Fingern ~ 무엇을 손가락으로 튀기다. ②〖구어〗 속이다: jn. um et. ~ 누구에게서 무엇을 갈취하다. ③〖사냥〗 (사냥개를) 줄로 힘주어 잡아당기다. ④〖방언〗 es hat mich geschnellt〔verdrossen〕 나는 까닭없이 화가 났다. 《II》 *i.* (s.)/*refl.* (sich) ~ 빠르게 움직이다, 튀겨지다: 〖비유〗 die Preise schnellten in die Höhe 물가가 갑작스럽게 올랐다; mit den Fingern ~ 두 손가락으로 튀겨 소리를 내다.
Schneller *m.* -s, - ① 튀기는 사람. ② 손가락으로 튀겨 소리내기, 손톱으로 튀기기. ③〖비유〗 농간, 속임수; 불의의 타격, 뜻밖의 일. ④ **(a)** 〖해부〗 배뇨근(排尿筋) (Harn≈). **(b)** 〖植〗 (우산이끼류의) 탄사(彈絲). **(c)** ↑ Schneller ④. **(d)** 〖工〗 (총의) 모상(毛狀) 방아쇠; (바퀴를 멈추게 하는) 사슬의 갈고리. **(e)** 〖방직〗 물레의 튀김 장치; 한 꾸리의 실. **(f)** (bayr., md.) 유리 구슬(소녀들이 손가락으로 튀겨 맞히는 장난감). ⑤〖음악〗 (Pralltriller) 상방 회음(上方回音), 턴.
Schneller Brüter *m.* 〖핵물리〗 고속(중성자) 증식로.
schnell·fassend *a.* 재치 있는, 기민한.
Schnell≈feder *f.* 용수철. **~feuer** *n.* 〖軍〗 속사(速射).
Schnellfeuer≈geschütz *n.* 속사포. **~-gewehr** *n.* 속사총(銃). **~kanone** *f.* 속사포.
schnell·füßig *a.* 걸음이 빠른, 잘 걷는.
Schnell≈füßigkeit *f.* 발 빠름, 빠른 걸음. **~gang** *m.* 고속 기어. **~gaststätte** *f.* 간이식당. **~gefrier·verfahren** *n.* 급속 냉동법. **~gericht**[1] *n.* 즉결 재판(소). **~gericht**[2] *n.* ① 인스턴트 음식. ② (음식점에서) 빨리 되는 요리. **~hefter** *m.* 서류철.
Schnellheit *f.* ↑ Schnelligkeit.
Schnelligkeit [ʃnɛ́lɪç..] *f.* -en 빠름, 신속; (Geschwindigkeit) 속력, 속도; 급함(Eile): Grund≈ 기본 속도; Reaktions≈ 반응 속도; zunehmende ~ 가속도; mit großer ~ 몹시 서둘러서〔급하게〕.
Schnelligkeits≈messer *m.* (자동차 등의) 속도계. **~prüfung** *f.* 스피드〔속도〕 시험.
Schnell≈imbiß *m.* ①〖드물게〗 간식, 간단한 식사. ② 간이 식당. **~käfer** *m.* 〖動〗 구렁방아벌레(과). **~käulchen** *n.* ↑ ~kugel. **~-koch·platte** *f.* 급속 전열판〔전기 풍로〕. **~koch·topf** *m.* 압력솥. **~kraft** *f.* 탄력. **~kugel** *f.*, **~kügelchen** *n.* (유리) 구슬 (소녀들이 손가락으로 튀겨 맞히는 장난감). **~kurs** *m.* 속성 과정.
Schnell·lauf 新정서 ⇦ Schnellauf.
Schnell·läufer 新정서 ⇦ Schnelläufer.
schnell·lebig 新정서 ⇦ schnellebig.
Schnell·lot 新정서 ⇦ Schnellot.
Schnellot *n.* -(e)s, -e 땜납, 주석.
Schnell≈paket *n.* 속달 소포. **~photographie** *f.* 속성 사진. **~post** *f.* 급행 우편 (마차). **~presse** *f.* 〖印〗 기계 인쇄; 고속 인쇄기〔윤전기〕. **~reinigung** *f.* 즉석〔고속〕 클리닝〔세탁〕. **~schreibe·kunst** *f.* 속기술. **~schreiber** *m.* ①〖구식〗 속기자, 속기사. ② 텔레타이프. ③〖구어〗 **(a)** 글씨를 빨리 쓰는 사람. **(b)** 〖반어〗 다작가(多作家). **~-schrift** *f.* 속기. **~schritt** *m.* 〖軍〗 속보(速步): im ~ 속보로. **~schuß** *m.* ①〖은어〗 급선무. ②〖軍〗 속사(速射). **~schütz(e)** *m.* 〖방직〗 비사(飛梭) (북의 일종). **~segler** *m.* 〖海〗 쾌속 범선. **~sein** *n.* 민첩, 기민. **~-stahl** *m.* 고속도강(鋼).
schnellstens *adv.* 가능한 한 빨리, 당장.
schnellst·möglich *a.* 가능한 한 빠른.
Schnell≈straße *f.* (준)고속 도로. **~taste** *f.* 〖컴〗 단축 키. **~trieb·wagen** *m.* 〖철도〗 고속 기관차. **~verfahren** *n.* ①〖法〗 즉결 심판(권): 〖구어〗 et. im ~ tun 신속히〔급히〕 처리하다. ②〖工〗 고속 처리 방법. **~verkehr**

m. ① 고속 (철도) 교통. ② 고속 교통편. **~waage** *f.* 자동 저울. **~wäscherei** *f.* 즉석 세탁소. **~zug** *m.* 급행 열차. **~zug·zuschlag** *m.* 급행 열차 할증 요금. **~zünder** *m.* 화승(火繩)(에 붙이는)불. **~züngig** *a.* 재잘거리는, 입이 잰.

Schnepfe [ʃnέpfə] 《ahd. snepfa》 *f.* -n ① 〚動〛 도요새(과); 메추리도요속(屬)(Sumpf~); 멧도요새(Wald~). ②〘경박·폄어〙 창녀, 윤락녀; 〘구어·욕설〙 계집(년). ③〘학생〙 돈. ④ (주전자 등의) 주둥이.

Schnepfen≈dreck *m.* ① 도요새의 똥. ②〚요리〛(토스트에 바르는) 도요새의 내장 요리. **~jagd** *f.* 도요새 사냥. **~strauß** *m.* 〚動〛 키위(Kiwi). **~strich** *m.* ① (봄의) 멧도요새들의 이동. ② 도요새 사냥: auf den ~ gehen a) 도요새 사냥을 가다, b) 〘비유·경박〙 창녀집에 가다. **~zug** *m.* ① 도요새 떼. ② (가을철의) 멧도요새들의 이동.

Schneppe [ʃnέpə] *f.* -n (md.) ① (주전자 등의) 주둥이(Schnabel); (두건의) 돌출부; (허리띠의) 버클; (코르셋의) 뾰족한 가슴 부분. ②〘은어〙 창녀. ③ 모서리, 가장자리.

Schnepper [ʃnέpər] *m.* ① ↑ Schnäpper. ② 〚스포츠〛 뒤로 젖힌 윗몸을 급히 세우기.

schneppern *i.* (h./s.) 〚체조〛 윗몸을 뒤로 젖혔다가 도약하다.

Schnepper·sprung *m.* 〚체조〛 윗몸을 뒤로 젖혔다가 급히 세우면서 도약하기.

Schnere *f.* -n (ndd.) 고리, 올가미.

Schnerfer *m.* -s, - 〘방언〙 배낭(Rucksack).

schnetzeln [ʃnέtsəln] *t.* (고기를) 얇게 썰다.

Schneuse *f.* -n ↑ Schneise.

Schneuß [ʃnɔʏs] *m.* -es, -e 〚건축〛 (후기 고딕 양식에서) 부리 모양의 장식.

Schneuze [ʃnɔ́ʏtsə] *f.* -n ① 양초의 심지 자르는 가위. ② (obd.) 넉가래.

schneuzen [ʃnɔ́ʏtsən] 《I》 *t.* ① 코를 풀다: sich in ein Taschentuch ~ 손수건에다 코를 풀다; die Mutter schneuzte dem Kind die Nase 어머니가 아이의 코를 풀어 주었다. ② 〘고어〙 ein Licht 〔eine Kerze〕 ~ 양초의 심지를 자르다. ③〘구어〙 속이다(betrügen): jn. um Geld ~ 누구에게서 돈을 옭아내다. 《II》 *i.* (h.) 크게 콧숨 쉬다. 《III》 *refl.* sich ~ 코를 풀다.

schnicken [ʃníkən] *i.* (h.)/*t.* (ndd.) ① **(a)** 급히 움직이다: mit dem Schwanz ~ 꼬리를 흔들다. **(b)** 튀기다: mit den Fingern ~ 손가락을 튀기다. **(c)** 흔들어 떨어뜨리다. ② 조각하다(schnitzen). ③ 훌쩍거리며 울다.

schnicker *a.* (ndd.) 아름다운, 예쁜.

Schnicker·maus *f.* 〚動〛 달팽이.

Schnick·schnack [ʃníkʃnak] *m.* (ndd.) ① 허튼소리, 수다; 수다스런 사람: ~ reden 허튼소리를 하다. ② 쓸모없는 물건, 찌꺼기: billiger ~ 싸구려 물건.

schnieben⁽*⁾ [ʃní:bən] (schniebte/schnob, geschniebt/geschnoben) *i.* (h.) ↑ schnauben ①.

schniefen [ʃní:fən] *i.* (h.) ① (ostmd.) 코가 막혀 숨을 가쁘게 쉬다. ② (obd.) 잠자다.

Schniedelwutz *m.* -es, -e 〘구어·농담〙 남근, 음경.

Schniegel *m.* -s, - (ostmd.) ①〚動〛 달팽이. ② 멋진〔예쁜〕 머리 모양〔헤어스타일〕.

schniegeln [ʃní:gəln] 《I》 *t.* 〘구어〙 (남자가) 모양내다, 반질반질하게 차려 입다: sich ~ 화장〔옷치장〕하다; 〘농담〙 er geht immer geschniegelt und gebügelt〔gestriegelt〕 그는 늘 멋내고 다닌다. 《II》 **geschniegelt** *p.a.* ↑ geschniegelt.

schnieke [ʃní:kə] *a.* ① 멋진, 우아한: ein ~r junger Mann 멋진 젊은이. ② 훌륭한, 훤칠한: (das) ist ja ~! 그거 굉장한데!

Schniepel [ʃní:pəl] *m.* -s, - ①〘방언〙 연미복(Frack). ②〘구식〙 멋쟁이, 맵시꾼. ③ 점원, 종업원. ④〘방언·경박〙 남근, 음경.

schniffeln *i.* (h.)/*t.* 〘방언〙 코로 숨쉬다, 코를 킁킁거리다(schnüffeln).

Schnigge *f.* -n 〘방언〙 고깃배, 어선.

Schnipfel *m.* -s, - (md.) ↑ Schnippel.

schnipfeln *t.* (südd.) ↑ schnippeln.

schnipp *int.* 〘의성어〙 탁, 툭; 싹둑: ~, schnapp! 싹둑싹둑!

Schnipp [ʃnɪp] *m.* -(e)s, -e ↑ Schnippchen.

Schnippchen *n.* -s, - ① (ndd., md.) 손가락〔손톱〕으로 튀기기〔퉁기기〕. ②〘다음 용법으로〙〘구어〙 jm. ein ~ schlagen a) 누구를 경멸하다, b) 누구를 조롱하다, c) 누구를 속이다, d) 누구의 계획을 좌절시키다, e) 누구를 거절하다.

Schnippel [ʃnípəl] *m./n.* -s, - 〘구어〙 (nordd., md.) ① (Schnitzel) 쪼가리, 조각; 〘복수〙 (지식 등의) 단편. ② 연미복.

Schnippelchen [ʃnípəlçən] *n.* -s, - ↑ Schnippel의 축소형.

Schnippelei [ʃnɪpəlάɪ] *f.* -en 〘구어〙 (짜증날 정도로 지속되는) 가위〔칼〕질.

schnippeln [ʃnɪpəln] 《I》 *i.* (h.) 가위〔칼〕질하다: am Kuchen ~ 케이크를 자르다. 《II》 *t.* ① (잘게) 썰다, 토막내다. ② ein Loch in Stoff〔Papier〕 ~ 옷감〔종이〕에 (가위 등으로) 구멍을 내다. ③ et. aus et.³ ~ 무엇을 무엇에서 잘라내다. ④〘경박〙 잘라 만들다.

schnippen [ʃnípən] 《I》 *t./i.* (h.) 손가락으로 튀기다〔털다〕: Krümel vom Tisch ~ 테이블의 빵부스러기를 손가락으로 튀겨 치우다; die Asche der Zigarette in den Aschenbecher ~ 담뱃재를 재떨이에 털다. 《II》 *i.* (h.) ① **(a)** mit dem Schwanz ~ (새가) 꼬리를 이리저리 움직이다. **(b)** mit der Schere ~ 빠르게 가위질하다. **(c)** (날)뛰다. ② (새가) 지저귀다.

schnippig *a.* 〘고어〙 ↑ schnippisch.

schnippisch [ʃnípɪʃ] *a.* 건방진, 버릇없는 (naseweis); 퉁명스러운, 거만한; 비웃는, 업신여기는(höhnisch); 경솔〔경박〕한: eine ~e Verhaltensweise 건방진 태도; 〘구어〙 ein ~es Ding 주제넘은 계집〔년〕.

schnipps [ʃnɪps] *int.* ↑ schnipp.

Schnipps *m.* -es, -e ↑ Schnipp.

Schnippschnapp, Schnippschnapp-schnurr *n.* -(s) 카드 놀이의 일종.

Schnip(p)sel [ʃnípsəl] *m./n.* -s, - 천〔종이〕 조각.

schnipseln *i.* (h.)/*t.* 〘구어〙 ↑ schnippeln.

schnip(p)sen *t./i.* (h.) (nordd., md.) ↑ schnippen.

Schnirkel *m.* -s, - (obd., ndd.) 곡선〔소용돌이〕 장식(Schnörkel).

***Schnitt** [ʃnɪt] *m.* -(e)s, -e ① **(a)** 자르기, 재단, 절단, 벰; 가지치기: mit dem Messer

〔der Schere〕 ~ ausführen 칼〔가위〕로 자르다. (**b**) (곡식·건초의) 베어〔거두어〕들이기, 수확; 벌채, 벌목: 〖비유〗 einen guten〔prächtigen〕 ~ bei et.³ machen 무엇으로 크게 벌다. (**c**) (매듭 등을) 끊어 풀기; (상처의) 절개(切開); (외과) 수술; 〚영화〛 편집, 컷, 삭제: Müller ~ 편집 (담당) 뮐러. ② 새긴 금, 벤 자리, 벤 흉터; 손금, 주름; 고랑(Furche); (톱으로) 켠 자리: der ~ am Bein war rasch verheilt 다리의 벤 자리는 금방 아물었다. ③ (**a**) (옷의) 모양, 디자인; 형지(型紙): können Sie mir den ~ zu diesem Kleid leihen? 이 옷의 형지를〔본을〕 빌려 줄 수 있겠습니까? (**b**) 머리 모양: ihr Haar hat einen kurzen〔modischen〕 ~ 그녀는 짧은〔유행하는〕 머리 모양을 하고 있다; ein Kleid nach neuestem ~ 최신 유행의 옷. ④ (**a**) 단면도: et. im ~ darstellen 무엇을 단면도로 나타내다. (**b**) 〚印〛 (서적의) 등 부분을 제외한 세 측면. (**c**) 〚數〛 원추 곡선(Kegel≈). (**d**) 〚數〛 (Durch≈) 교면, 교선, 교점. ⑤ (Scheibe) 쪼가리, 조각, 토막; 무엇을 바르거나 얹은 빵; 현미경 검사용의 박절편(薄切片): ein ~ Brot〔Fleisch〕 빵〔고기〕 한 조각. ⑥ 카드놀이의 일종. ⑦〖방언〗 작은 컵(에 따른 맥주나 포도주): ein ~ Bier 작은 컵 한 잔의 맥주. ⑧〖구어〗 평균(치): im ~ 평균적으로. ⑨〚구기〛 (커트에 의한) 공의 회전. ⑩〚數〛 der Goldene ~ 황금 분할. ⑪ 목판 인쇄〔조각〕.

schnitt ↑ schneiden 의 과거형.

Schnịtt≈ball *m.* 〚테니스〛 커트볼, 깎아치기. **~blume** *f.* (꽃꽂이용의) 꺾은 꽃. **~bohne** *f.* 〚植〛 강낭콩. **~brenner** *m.* 〚기계〛 절단 토치. **~brot** *n.* (얇게) 잘라 포장한 (식)빵.

Schnittchen [ʃnítçən] *n.* -s, - 〖↑ Schnitt 의 축소형〗 ① 쪼가리, 자른 조각; 작은 벤 자리〔흠〕. ② 무엇을 바르거나 얹은 작은 빵(조각). ③ (südd.) ↑ Schnitt ⑦. ④〖비유〗 보잘것없는 수입.

Schnịtte *f.* -n ①〖방언〗 얇게 자른 (빵이나 치즈) 조각. ②〖방언〗 무엇을 바르거나 얹은 빵. ③ (öst.) 와플 (과자).

Schnịtten·eisen *n.* 조철(條鐵).

Schnịtter *m.* -s, - (풀) 베는 사람, 수확자.

Schnịtterin *f.* -nen ↑ Schnitter 의 여성형.

Schnịtt≈farbe *f.* 〚印〛 (책 등의) 측면 장식색(色). **≈fest** *a.* (과실이) 잘 썰리는: ~e Tomaten 자르기 좋게 단단한 토마토. **~fläche** *f.* 절단면. **~fleisch** *n.* 〚요리〛 잘게 썬〔다진〕 고기. **~handel** *m.* 〚商〛 (피륙의) 소매(小賣). **~holz** *n.* 제재(製材)한 목재.

schnittig [ʃnítɪç] *a.* ① (곡식이) 거둬들일 수 있게 여문. ② 윤곽이 뚜렷한; 모양이 좋은: der Sportwagen ist ~ gebaut 그 스포츠 카는 생긴 모양이 날씬하다. ③〖방언〗 원기 좋은, 활발한. ④〖드물게〗 잘 드는, 예리한.

Schnịtt≈käse *f.* 얇게 자르기 좋게 굳힌 치즈(↔ Streichkäse). **~lauch** *m.* 〚植〛 파의 일종.

Schnịttling *m.* -s, -e ① ↑ Schnitzel. ②〚원예〛 (Steckling) 꺾꽂이 가지, 삽목(揷木) 가지. ③ 파의 일종(Schnittlauch). ④〚수의〛 (갓) 거세한 소〔말〕. ⑤ 머리를 짧게 깎은 사람.

Schnịtt≈linie *f.* 〚數〛 교차선, 교선; 절단선. **~meister** *m.* 필름 편집자, 커터. **~menge** *f.* 〚數〛 교집합. **~messer** *n.* ① 절단용 칼, 저미는 칼. ②〚醫〛 (외과용의) 가늘고 긴 메스. **~muster** *n.* (옷의) 본, 형지(型紙). **~muster·bogen** *m.* 본이 그려져 있는 종이. **~punkt** *m.* ①〚數〛 교점. ② 교차로, 교차 지점〔지역〕. **≈reif** *a.* ↑ schnittig ①. **~salat** *m.* 〚植〛 상추의 일종. **~stelle** *f.* 〚컴〛 사이틀, 인터페이스: parallele ~ 병렬 인터페이스; serielle ~ 직렬 인터페이스. **~ware** *f.* 〚商〛 소매 상품; 포목(자풀이되는 피륙·리본). **≈weise** *adv.* 잘라서, 잘게 썰어서. **~wunde** *f.* 벤 상처.

Schnitz [ʃnɪts] *m.* -es, -e ① (obd.) 쪼가리, 동강; (과일 등의 껍질을 벗겨 자른) 조각. ② 톱밥, 대팻밥: 〖비유〗 wir geben keinen ~ dafür 우리는 그것 때문에는 동전 한 푼 안 낸다. ③ (schweiz.) 국세(國稅).

Schnịtz≈arbeit *f.* 조각, 조각품. **~bank** *f.* 〖복수: ..bänke〗 (조각가의) 작업대. **~bild** *n.* 목각화.

***Schnitzel**[1] [ʃnítsəl] *n./m.* -s, - 〖↑ Schnitz 의 축소형〗 ① 쪼가리, 동강: ein ~ Papier 휴지. ②〖복수〗 지저깨비, 톱밥, 대팻밥. ③ (↑ ~jagd 에서) 뿌리는 종이.

Schnịtzel[2] *n.* -s, - 〚요리〛 커틀릿, 얇게 저민 송아지고기〔돼지고기〕 튀김 요리: Wiener ~ 비엔나 슈니첼(일종의 커틀릿).

Schnịtzel·bank *f.* 〖복수: ..bänke〗 ①〖고어〗 ↑ Schnitzbank. ② (사육제나 결혼식 때 들려주는) 해학시(諧謔詩).

Schnitzelei [ʃnɪtsəláɪ] *f.* -en ①〖복수없음〗 조각. ② 조각품. ③〖복수없음〗 잘게 썰기.

Schnịtzel·jagd *f.* ① 뿌려진 종잇조각들에 근거해서 목표물을 찾아내는 놀이. ②〚승마〛 여우역을 하는 사람이 종이 쪼가리로 자취를 표시하면서 달아나면 다른 사람들은 그것을 찾아내는 승마 술래잡기.

schnitzeln [ʃnítsəln] *t/i.* (h.) 잘게 썰다; 세밀히 조각하다.

schnitzen [ʃnítsən] *t./i.* (h.) ① (**a**) 조각하다, 새기다: et. in〔aus〕 Holz ~ 무엇을 목조(木彫)하다; 〖비유〗 er ist aus hartem Holz geschnitzt 그는 의지가 굳다. (**b**) 새겨서〔깎아〕 만들다: eine Krippe ~ 성탄 구유를 깎아 만들다. (**c**) 새겨 넣다: sie schnitzten ihre Initialen in die Bank 그들은 자신의 이니셜을 벤치에 새겨 넣었다. ② 잘게 썰다.

Schnịtzer *m.* -s, - ① 조각가; 목조(木彫)가. ② (조각가 등의) 칼, 조각도. ③〖비유·구어〗 잘못, 과실; 〚문법〛 문법적 오류: einen ~ machen 과실을 범하다.

Schnitzerei [ʃnɪtsəráɪ] *f.* -en ①〖복수없음〗 조각, 목조(木彫). ② 조각〔목조〕품. ③〖비유〗 실수, 오류.

schnitzern [ʃnítsərn] *i.* (h.) 〖구어〗 잘못을 저지르다, 틀리다.

schnịtzig *a.* 〖방언〗 ① (freigebig) 아끼지 않는, 돈〔선심〕 잘 쓰는. ② 열망〔갈망〕하는; 결혼할 뜻이 있는. ③ (날씨가) 좋은.

Schnịtz·kunst *f.* 조각(술), 목각(술).

Schnitzler [ʃnítslər] ① *m.* -s, - (schweiz.) ↑ Schnitzer ①. ② *m.* Arthur ~ 슈니츨러 (오스트리아 작가, 1862-1931).

Schnịtz≈messer *n.* 조각용 칼. **~ware** *f.* 〖복수: -n〗 조각품, 목조품. **~werk** *n.* 목각〔조각〕품.

schnob [ʃno:p] ↑ schnauben 의 과거형.

schnöbe [ʃnǿːbə] ↑ schnauben의 접속법 Ⅱ식.

schnobern [ʃnóːbərn] *i.* (h.) (schnüffeln ① ②) (동물이) 코를 킁킁거리다; 알아채다.

Schnock [ʃnɔk], **Schnöck** [ʃnœk] *m.* -(e)s, -e 〖動〗 (ndd.) 곤들매기(Hecht ①).

*__schnöd__ [ʃnøːt] *a.* (südd., öst.) ↑ schnöde.

Schnodder [ʃnɔ́dər] 《♧ schneuzen》 *m.* -s 〔방언〕(Nasenschleim) 콧물, 코.

schnodd(e)rig [ʃnɔ́d(ə)rɪç] *a.* 〔구어〕 ① (rotzig) 콧물투성이의, 코 흘리는. ②〔비유〕 건방진(vorlaut); 뻔뻔스러운; 호언장담하는; 무례한: in ~em Ton 건방진 말투로.

Schnodd(e)rigkeit *f.* -en 〔구어〕 ①〔복수없음〕 건방짐, 불손. ② 불손한〔건방진〕 언행.

schnoddern [ʃnɔ́dərn] *i.* (h.) 〔방언〕 뻔뻔스럽게 말하다, 호언장담하다.

schnöde [ʃnǿːdə] *a.* ①〔雅語·폄어〕 업신여기는, 모욕적인; 무례한: jn. ~ behandeln 누구를 무례하게 대하다. ②〔雅語·폄어〕 천한, 비열한; 보잘것없는; 창피한(schändlich): ~r Undank 배은망덕; er hat mein Vertrauen ~ mißbraucht 그는 내 신뢰를 비열하게 악용했다. ③ (obd., md.) 불쌍한, 초라한.

schnöden [ʃnǿːdən] *i.* (h.) (schweiz.) 경멸하는〔업신여기는〕 투로 말하다.

Schnödheit *f.* -en ↑ Schnödigkeit.

Schnödigkeit *f.* -en 〔雅語·폄어〕 ①〔복수없음〕 무례; 무가치; 비열. ② 무례〔비열〕한 언행.

schnofeln [ʃnóːfəln] *i.* (h.) ① (**a**) 코를 킁킁거리다. (**b**) 염탐하다. ② 콧소리로 말하다.

Schnoferl [ʃnóːfərl] *n.* -s, -(n) (öst.) ① 화난 얼굴: mach jetzt kein ~! 이제 그만 화를 풀어라! ② 염탐꾼.

schnop(p)ern [ʃnóːpərn] *i.* (h.)/*t.* (ndd.) ↑ schnobern.

Schnorchel [ʃnɔ́rçəl] 《♧ schnarchen》 *m.* -s, - ① 잠수함의 통풍 장치; 〔비유〕 코(Nase). ② (잠수 중에 사용하는) 호흡관.

schnorcheln *i.* (h.) 호흡관을 써서 잠수하다.

*__Schnörkel__ [ʃnœ́rkəl] *m.* -s, - ① 나선(螺旋) 곡선; 〖건축〗 (이오니아식의) 곡선〔소용돌이꼴〕 장식, 당초문(唐草紋). ② (글씨 쓸 때의) 장식 곡선; (인명·상점 이름 등의) 머리글자의 도안 무늬. ③ 미사여구, 허식. ④〖사냥〗 (멧돼지 등의) 짧은 꼬리.

Schnörkelei [ʃnœrkəláɪ] *f.* -en 당초문〔곡선〕이 (지나치게) 많이 들어가는 장식.

schnörkelhaft, schnörkelig *a.* 나선〔당초〕 무늬가 있는; 〔비유〕 허식의; 꾸민, 어색한.

Schnörkel·kram *m.* 요란스러운 장식.

schnörkeln [ʃnœ́rkəln] *t./i.* (h.) 나선형을 붙이다, 나선〔당초〕 무늬로 장식하다; 〖비유〗 꾸미다, 허식하다.

Schnörkel·schrift *f.* 장식체 글씨〔글자〕.

schnörklig *a.* ↑ schnörkelig.

schnorpsen *i.* (h.) (토끼 등이) 아작아작 깨물다(schnurpsen).

Schnorre, Schnörre [ʃnœ́rə] *f.* -n ① ↑ Schnurre. ② (alem.) 주둥이(Maul).

schnorren [ʃnɔ́rən] *i.* (h.)/*t.* 〔구어〕 ① 빌어먹다; 동냥해 얻다: er schnorrt, wo er kann 그는 할 수 있으면 어디서든지 구걸한다. ② 거저 이익을 얻다; (강의 등을) 청강하다.

Schnorrer *m.* -s, - (Bettler) 거지; 부랑자; 식객.

Schnorrerei [ʃnɔrəráɪ] *f.* -en 〔구어·폄어〕 ①〔복수없음〕 상습적인 구걸. ② 구걸하기.

Schnösel [ʃnǿːzəl] *m.* -s, - 〔구어·폄어〕 오만불손한〔건방진〕 젊은이.

schnöselig *a.* 〔구어·폄어〕 (frech) 뻔뻔스러운, 불손한.

schnübbeln [ʃnʏ́bəln] *i.* (h./s.) 헛디디다; 〔비유〕 실수하다.

schnubbs *adv.* (ndd.) 갑자기, 돌연.

Schnuck *m.* -s, -e ① (ndd., md.) 흐느낌. ② 새끼양, 귀염둥이(소녀에 대한 애칭).

Schnucke [ʃnʊ́kə] *f.* -n (북독일의) 황야에서 기르는 작은 양(Heid≈).

Schnuckelchen [ʃnʊ́kəlçən] *n.* -s, - ① ↑ Schnucke의 축소형. ②〔애칭〕 귀여운 아이: mein ~! 내 귀염둥이!

schnucken *i.* (h.) (ndd.) ① 흐느껴 울다, 훌쩍훌쩍 울다. ② 굼뜨게 움직이다.

schnückern *i.* (h.)/*t.* ↑ schnüffeln.

Schnucki *n.* -s, -s, **Schnucki·putz** *m.* 〔구어〕 ↑ Schnuckelchen.

schnucklig, schnuckrig *a.* 〔구어〕 귀여운, 사랑스러운.

schnuddelig *a.* ↑ schnuddlig.

schnuddeln *i.* (h.) 〔방언〕 코를 훌쩍이다〔들이키다〕.

schnuddlig *a.* ① (md.) 더러운, 불결한. ② 〔방언〕 코가 묻은, 코를 흘리는. ③ (berl.) 맛있는.

Schnüffelei [ʃnʏfəláɪ] *f.* -en ① 염탐, 뒷조사. ②〔폄어〕 환각제 흡입.

schnuffeln [ʃnʊ́fəln] *i.* (h.)/*t.* ↑ schnüffeln.

*__schnüffeln__ [ʃnʏ́fəln] 《♧ schnauben, schnupfen》 *i.* (h.)/*t.* ① (**a**) (개가) 코를 킁킁거리다; 냄새 맡(으며 돌아다니)다. (**b**) 코를 훌쩍거리다. ②〔비유〕 알아채다; 염탐하다; 뒷조사하다: nach Geheimnissen ~ 비밀을 염탐하다. ③ 콧소리로 말하다. ④〔은어〕(환각제를) 흡입하다.

Schnüffel·stoff *m.* 〔은어〕 환각 흡입제.

Schnüffler [ʃnʏ́flər] *m.* -s, - ① 냄새 맡는 사람〔개〕. ② 염탐꾼; 탐정, 간첩. ③〔은어〕 환각제 상습 흡입자.

schnullen [ʃnʊ́lən] *i.* (h.) 젖을 빨다(saugen): am Schnuller ~ (갓난아이가) 고무 젖꼭지를 빨다.

Schnuller *m.* -s, - 〔구어〕 고무 젖꼭지 (Lutschbeutel); 우유병의 젖꼭지.

Schnulze [ʃnʊ́ltsə] *f.* -n 〖폄어〗 통속 멜로물 (연극·영화·유행가 등).

Schnulzen≈sänger *m.* 〔구어·폄어〕 통속 멜로곡만 부르는 유행가 가수, 3류 가수. **~-sängerin** *f.* ↑ ~sänger의 여성형.

schnulzig *a.* 〔구어·폄어〕 감상적인, 눈물을 짜내는: ~e Lieder 감상적인 노래.

*__schnupfen__ [ʃnʊ́pfən] 《♧ schnauben》 *i.* (h.)/*t.* ① 코로〔코를〕 들이마시다; 코담배를 맡다: Kokain ~ 코카인을 흡입하다. ② (obd.) 흐느껴〔훌쩍훌쩍〕 울다. ③〔비유〕 das schnupft ihn, das schnupft ihm in〔vor〕 die Nase 그것이 그를 짜증나게〔화나게〕 한다. ④〖광산〗 die Zeche schnupft 한창 채굴되던 광산에서 광물이 갑자기 나지 않는다.

Schnupfen[1] *n.* -s 코담배를 맡기.

***Schnupfen**² *m.* -s, - ① 코감기: den ~ haben 코감기에 걸려 있다; ~ bekommen (sich³ den ~ holen) 감기들다. ② 임질 (Tripper).

schnupfen·artig *a.* 코감기성(性)의. **~fieber** *n.* 코감기열, 유행성 감기. **~mittel** *n.* 코감기약. **~spray** *m./n.* (코감기용) 코 스프레이 약.

Schnupfer *m.* -s, - 코담배 애용자.

Schnupferin *f.* -nen ↑ Schnupfer 의 여성형.

schnupfig *a.* 코감기에 걸린.

Schnupf·tabak *m.* 코담배. **~tabak(s)-dose** *f.* 코담뱃갑(통). **~tuch** *n.* (Taschentuch) 손수건, 콧수건.

schnuppe [ʃnúpə] *a.* 〖다음의 용법으로만〗 (jm.) ~ sein (누구에게) 상관없다, 아무래도 그만이다.

Schnuppe *f.* -n ①〖방언〗코감기. ② (md., ndd.) 까맣게 탄 초심지; 불똥; 〖비유〗하찮은 것. ③ 유성(流星) (Stern~). ④〖방언〗입.

schnuppen *i.* (h.)/*t.* ① ↑ schnupfen. ② 군것질하다(naschen). ③ 초의 심지를 자르다.

schnupper *a.* 〖방언〗거만한, 방자한.

Schnupper·lehre *f.* (schweiz.) 수습공 오리엔테이션.

schnuppern [ʃnúpərn] 《I》 *i.* (h.) (냄새를 맡으려고) 숨을 들이쉬다, 킁킁거리다. 《II》 *t.* (냄새를) 맡다, 알아차리다.

***Schnur**¹ [ʃnu:r] *f.* Schnüre [ʃný:rə]/-en ① 줄, 실; 가는 새끼; (매는) 끈; 레이스. ② 끈(줄)에 꿴 것: eine ~ Perlen 한 줄에 꿴 진주. ③〖비유〗(Richt~) 기준, 표준: bei(innerhalb, diesseits) der ~ bleiben 도에 넘치지 않다, 중용을 지키다; nach der ~ leben 분수에 맞게 생활 하다; es geht alles nach der ~ 모든 일이 규칙적으로 잘 되어간다; 〖구어〗 über die ~ hauen(treten) a) 도를 넘다, b) 방탕한 생활을 하다. ④〖고어〗혈통: weibliche ~ 모계(母系). ⑤〖사냥〗(사냥개 등을 매는) 가죽끈, 줄. ⑥〖聖〗(줄로 땅을 잰 토지의 부분) 분깃(여호수아 17:5). ⑦〖醫〗탯줄 (Nabel~); 〖광산〗광맥. ⑧ 줄자. ⑨〖전기〗코드, 전선: Telefon~ 전화선.

Schnur² *f.* -en/(드물게) Schnüre [ʃný:rə] 〖聖·고어〗며느리(Schwiegertochter).

Schnur·assel *f.* 〖動〗노래기 속(屬)(Tausendfuß). **~aufnäher** *m.* (끈실로 수를 놓는) 편조기(編組機).

Schnür·band [ʃný:r..] *n.* (코르셋의) 끈; 구두끈.

Schnur·baum *m.* ①〖원예〗넝쿨 모양으로 가꾸어진 울타리나무. ②〖植〗고삼속(苦蔘屬). **~besatz** *m.* (옷의) 레이스 장식. **~besetzt** *a.* 단의 레이스 장식이 있는.

Schnür·boden *m.* ①〖연극〗(무대 천장의) 무대 장치를(배경을) 달아매는 곳. ②〖工〗(조선·건축에서 곡선 부품들의 정확한 길이 측정을 위한) 실도면장(實圖面場). **~brust** *f.* 〖고어〗(여자의 가슴 부위를 강조하는) 조끼형 코르셋.

Schnürchen [ʃný:rçən] *n.* -s, - 〖↑ Schnur 의 축소형〗 짧고 가는 (노)끈, 가는 실, 작은 밧줄: 〖비유〗jn. am ~ haben(führen) 누구를 손아귀에 넣다(마음대로 부리다); seine Lektion am ~ haben 학과에 정통하고 있다; 〖구어〗et. wie am ~ hersagen 무엇을 유창하게 암송하다; 〖구어〗es geht wie am ~ 일이 순조롭게 되어가고 있다.

***schnüren** [ʃný:rən] 《I》 *t.* ① (**a**) (끈으로) 매다: die Schuhe ~ 구두의 끈을 매다. (**b**) 묶다: ein Bündel ~ 다발을 묶다; 〖비유〗sein Bündel ~ 짐을 꾸리다(출발하다). (**c**) 죄다, 압박하다: die Stricke schnürten ihn 밧줄이 그를 꽉 조였다; die Angst schnürte ihm die Kehle (zu) 두려운 나머지 그는 소리가 나오지 않았다; 〖비유〗geschnürte Schreibart 어색한 문체. ②〖수의〗거세하다: ein Tier ~ 동물을 (불알을 졸라매어) 거세시키다. ③〖고어〗끈(줄)을 달다; 레이스로(리본으로) 장식하다. ④ 실(끈)을 꿰다, 끼우다: Perlen ~ 진주를 줄에 죽 꿰다. ⑤〖비유〗(betrügen) 옭아내다, 기만하다. ⑥〖印〗(끈으로) 매다: ein Buch ~ 책을 매다, 철하다. ⑦〖기계〗줄자로 재다(abschnüren). 《II》 *refl.* sich ~ 코르셋을 착용하다, 코르셋으로 몸을 죄다. 《III》 *i.* (h.) 〖고어〗①〖사냥〗(여우 등이) 일직선으로 달리다. ②〖광산〗zwei Zechen ~ miteinander 2개의 광산이 나란히 붙어 있다.

Schnur·feuer *n.* 〖고어〗(불꽃놀이에서) 곧게 솟아오르는 불꽃. **~gerade** 《I》 *a.* 똑바른, 일직선의: 수직의(senkrecht). 《II》 *adv.* 곧, 바로. **~keramik** *f.* 〖고고〗승문(繩紋) 토기.

Schnür·latz *m.*, **~leib** *m.*, **~leibchen** *n.* 〖고어〗코르셋. **~leib·macher** *m.* 코르셋 제조인.

Schnürlein *n.* -s, - ↑ Schnur 의 축소형.

Schnür·loch *n.* (끈 꿰는) 작은 구멍, 끈구멍.

Schnürl·regen [ʃný:rl..] *m.* (öst.) 장대비, 장마비. **~samt** *m.* (öst.) 코르덴, 벨벳.

Schnür·mieder *n.* ①〖고어〗코르셋. ② (남부 독일 민속 의상의) 코르셋 모양의 조끼. **~nadel** *f.* 끈 꿰는 바늘.

schnurpsen *i.* (h.) (nordd., md.) (토끼 등이) 아작아작 깨물다.

Schnurrant [ʃnuránt] *m.* -en, -en 〖은어·구식〗떠돌이 악사, 장타령꾼; 거지.

Schnurr·bart [ʃnúr..] *m.* 콧수염: einen ~ tragen 콧수염을 하고 있다; sich³ einen ~ wachsen(stehen) lassen 콧수염을 기르다. **~bart·binde** *f.* 콧수염이 헝클어지지 않게 하는 붕대. **~bärtig** *a.* 콧수염이 있는.

Schnurre [ʃnúrə] 《I》 *m.* -n, -n 〖학생·고어〗(대학의) 수위; (콧수염을 한) 야경꾼; 사환(使喚). 《II》 *f.* -n ① 윙윙(달그락달그락) 소리 나는 것; 윙윙 우는 팽이; 물레; 야경꾼의 딱딱이. ② (동물의 으르렁대는) 주둥이; 주둥이 언저리의 뻣뻣한 털; 〖구어〗입. ③ (Posse) 익살극, 희극; 〖은어〗농담, 허튼 소리, 익살; 쓰레기. ④〖비유〗마귀 할멈. ⑤ 변덕.

schnurren 《의성어》《I》 *i.* (h.) ① (**a**) 윙윙 울다, 달그락달그락(그르렁그르렁) 소리나다: die Katze schnurrte behaglich 고양이가 기분이 좋아서 목을 그르렁거렸다. (**b**) 투덜대다, 불평하다. (**c**) 〖비유〗(터무니없는) 거짓말을 하다. ② (s./h.) (곤충이) 윙윙거리며 날다. ③〖고어〗구걸하며 떠돌다. ④ 줄어들다(schrumpfen). 《II》 *t./i.* (h.) 〖방언〗빌어먹다; 거저 이익을 얻다.

Schnurrer *m.* -s, - ①〖방언〗(Schnorrer) 거지; 부랑자; 식객. ②〖動〗박각시나방(Abendfalter).

Schnurrerei [ʃnʊrəráɪ] *f.* 〔방언〕 (Schnorrerei) 구걸, 동냥.
Schnụrr·haar *n.* (고양이 등의) 수염.
Schnü̲r·riemen *m.* (코르셋의) 끈, 구두끈.
schnurrig [ʃnʊ́rɪç] *a.* (drollig) 우스운, 익살맞은; 기묘한: ~er Kauz〔Kerl〕 괴짜, 기인(奇人).
Schnụrrigkeit *f.* -en ①〔복수없음〕 우스꽝스러움, 기묘함. ② 우스운〔기묘한〕 언행〔생각〕.
Schnu̲r·rock *m.* 레이스로 장식된 웃옷.
Schnụrr≈pfeife *f.* ① 넝마장수가 부는 피리. ② ↑ ~pfeiferei. **~pfeifer** *m.* 넝마장수. **~pfeiferei** *f.* 〔구식〕 ① 보잘것없는 것, 잡동사니. ② 엉뚱한〔기이한〕 생각.
Schnü̲r≈schuh *m.* 끈이 있는 신발. **~senkel** *m.* 구두끈(~band).
Schnu̲r·stich *m.* 〖수예〗 끈 자수, 카우칭.
Schnü̲r·stiefel *m.* 〔고어〕 (끈이 있는) 반(半)장화〔등산화〕.
schnu̲r·stracks *adv.* 〔구어〕 ① 일직선으로; 단도직입적으로: ~ zuwider 정반대로; er steuerte ~ auf mich zu 그는 나를 향해 똑바로 달려왔다. ② 곧, 당장에.
Schnürung [ʃnýːrʊŋ] *f.* -en 〔드물게〕 ①〔복수없음〕 (끈으로) 매기, 묶기. ② 묶는 끈〔밧줄〕.
schnurz *a.* 〔다음 용법으로만〕〔경박〕 (jm.) ~ sein (누구에게는) 아무 상관없다; das ist mir ~ und piepe 그것은 내겐 아무래도 좋다.
schnurzegal [ʃnʊ́rts|egaːl], **schnurzpiepe** [ʃnʊ́rtspɪːpə], **schnurzpiepegal** [ʃnʊ́rtspɪːp|egaːl] *a.* 〔다음 용법으로〕〔경박〕 jm. ~ sein 누구에겐 아무래도 상관없다〔그만이다〕.
Schnütchen [ʃnýːtçən] *n.* -s, - 〔↑ Schnute의 축소형〕〔애칭〕 작은〔귀여운〕 입.
Schnute [ʃnúːtə] *f.* -n 〔구어〕 ① (사람의) 입; (짐승의) 주둥이. ② 뾰로통한 입; 부루퉁한 얼굴: eine ~ ziehen〔machen〕 뾰로통한 입〔얼굴〕을 하다.
schob [ʃoːp] ↑ schieben 의 과거형.
Schober [ʃóːbər] *m.* -s, - ① (obd.) (곡식의) 더미, 가리, 무더기: Heu in ~ setzen 〔zu ~n aufschichten〕 말린 풀을 더미로 쌓아 올리다. ② (건초·저장용의) 광, 헛간, 창고. ③ 〔단위〕 60 단(짚 등).
Schöberl [ʃǿːbərl] *n.* -s, -(n) (öst.) (튀김 부스러기 같은) 수프의 건더기.
schobern [ʃóːbərn], **schöbern** [ʃǿːbərn] *t.* (öst.) 더미로 쌓(아 올리)다.
***Schock**[1] [ʃɔk] 《frz. −choc》 *m.* -(e)s, -s/-e ① 쇼크, 충격: einen ~ erleiden〔bekommen〕 충격을 받다; jm. einen ~ versetzen 누구에게 쇼크를 주다; sich von einem ~ erholen 충격에서 회복되다; unter ~ stehen 쇼크를 받은 상태다. ②〖醫〗 쇼크, 뇌졸중.
Schock[2] *n.* -(e)s, -e ① (건초) 더미, 무더기; 다수, 무리: 〔비유〕 sie hat ein (ganzes) ~ Kinder 그녀는 자식이 많다; ein ~ Donnerwetter! 빌어먹을, 제기랄! ②〔구식〕 (수의 단위) 60 개: ein ~ Eier 달걀 60 개; 〔드물게〕 20 개: ~ Groschen 20 그로센. ③ (① 의 단위에 따라 부과되는) 지세(地稅). ④〖사냥〗 염소 뿔에 단 고리.
schockant [ʃɔkánt] 《frz.; <Schock[1]》 *a.* 〔구식〕 쇼킹한, 충격적인; 음란한.
Schọck·behandlung *f.* 〖醫〗 ① 쇼크의 치료. ② 쇼크〔충격〕 요법.
schocken[1] [ʃɔ́kən] 《<Schock[2]》《I》 *t.* ① 60을 단위로 하여 세다; 60 단씩 묶다. ② 쌓아올리다. 《II》 *i.* (h.) (농작물이) 풍작이다: das Getreide schockt gut 곡식 농사가 잘 되었다.
schọcken[2] 《<Schock[1]》《I》 *t.* ①〔구어〕 깜짝 놀라게 하다; 충격을 주다. ②〖醫〗 jn. ~ 누구를 충격 요법으로 치료하다. ③〖스포츠〗 (공을) 세게 던지다. 《II》 *i.* (h.) 〖海〗 (좌초된 배가) 암초에서 떨어져 다시 뜨다.
Schọcker *m.* -s, - 〔구어〕 충격적인 작품〔사람〕.
Schọck≈farbe *f.* 지나치게 야한 색. **≈farben, ≈farbig** *a.* 지나치게 야한 색의. **≈gefroren, ≈gefrostet** *a.* 급속 냉동한.
***schockieren** [ʃɔkíːrən] 《I》 *t.* jn. ~ 누구에게 (정신적인) 충격을 주다: ich bin von seiner Kleidung schockiert 나는 그의 옷 모양에 충격을 받았다. 《II》 *i.* (s.) (köln.) 깜짝 놀라다.
schọcking *a.* (shocking) 충격적인.
schọck≈schwere·not *int.* 〔구식〕 빌어먹을, 못참겠군! **≈theraphie** *f.* 〖醫〗 충격 요법. **~weise** *adv.* ① 60 씩, 60 을 단위로. ②〔비유〕 대량으로, 떼를 지어서. **≈wirkung** *f.* ① 충격〔쇼크〕 작용. ② 쇼크의 영향. **≈zustand** *m.* 쇼크 상태.
Schof [ʃoːf] *m.* -(e)s, -e (ndd.) ① 이엉, 개초(蓋草); 짚단, 짚으로 만든 비. ②〖사냥〗 (들오리·기러기 등의) 무리, 떼.
schofel [ʃóːfəl] 《hebr.》 *a.* 〔구어·폄어〕 ① 조악한; 초라한, 형편없는; 보잘것없는: ~ aussehen 초라해 보이다. ② 비천〔야비·비열〕한; 측은〔가련〕한; 탐욕적인, 인색한: ein schofles Benehmen 야비한 태도.
Scho̲fel *m.* -s, - 〔구어·폄어〕 ① 조악품, 못쓸 물건, 쓰레기. ② 야비한 녀석〔놈〕.
scho̲felig *a.* ↑ schofel.
Schöffe [ʃœ́fə] *m.* -n, -n ①〖史〗 (중세의) 재판관; (프로이센의) 시〔읍·면〕의원. ②〖法〗 배심원.
Schọ̈ffen≈bank *f.* 배심원석. **~gericht** *n.* 〖法〗 배심 재판(소). **~stuhl** *m.* ① 배심원석; 배심원의 직무. ② (중세의) 배심 재판부: eine Strafsache vor den ~ bringen 형사 사건을 배심 재판에 회부하다.
Schọ̈ffin *f.* -nen 여자 배심원.
Schọ̈ffler *m.* -s, - (obd.) 통(桶)장이.
Schofför [ʃɔfǿːr] *m.* -s, - 자동차 운전 기사 (Chauffeur 의 독일어형).
Schogun [ʃóːgʊn] 《jap.》 *m.* -s, -e 〖史〗 (일본 막부(幕府)의) 최고 통수권자, 쇼군(將軍).
schoka̲nt *a.* ↑ schockant.
schoki̲eren *t.* ↑ schockieren.
Scho̲ko *f.* -s 〔구어〕 ↑ Schokolade 의 단축어.
***Schokolade** [ʃokoláːdə] 《ndl.》 *f.* -n ① 초콜릿: eine Tafel ~ 초콜릿 한판; in der ~ sitzen 궁핍한 생활을 하다. ② 코코아(음료): eine Tasse ~ 코코아 한 잔.
schokola̲den *a.* 초콜릿의, 초콜릿으로 만든.
schokola̲den≈braun *a.* 암갈색의, 밤색의. **≈eis** *n.* 초콜릿 아이스크림. **≈fabrik** *f.* 초콜릿 공장. **~farben, ~farbig** *a.* 초콜릿색의. **≈guß** *m.* (녹여 입힌) 초콜릿 당의(糖衣).

~oster·hase *m.* 토끼 모양의 부활절 초콜릿. **~pudding** *m.* 초콜릿 푸딩. **~seite** *f.* 〖구어〗 ① 더 낫게 보이는 쪽의 얼굴면. ② 더 나은 면: die ~ des Lebens 인생의 좋은 면. **~streusel** *pl.* 초콜릿 플레이크. **~tafel** *f.* 판(板) 초콜릿. **~torte** *f.* 초콜릿 케이크.

Scholar [ʃolá:r] 《lat. scholaris》 *m.* -en, -en 〖고어〗 (중세의) 학생, 대학생.

Scholarch [ʃolárç] *m.* -en, -en (중세의 수도원이나 주교좌 성당 부속의) 신학교 교장.

Scholastik [ʃolástɪk] *f.* ① 〖폄어〗 (학교에서 배운) 편협하고 교조적인 지식, 공리공론. ② 스콜라 철학〔신학〕.

Scholastiker *m.* -s, - ① 스콜라 철학자. ② 〖가톨릭〗 예수회의 수학 수사(修學修士). ③ 〖폄어〗 억지 이론을 펴는 사람, 공론가(空論家); 편협한〔고루한〕 사람.

scholastisch *a.* ① 스콜라 철학〔신학〕의. ② 〖폄어〗 공리공론의; 비현실적인; 자구에 구애되는, 편협한, 고루한.

Scholastizismus *m.* - ① 교조적인 스콜라 철학적 사고. ② 〖폄어〗 억지 논리〔이론〕, 궤변; 자구에 구애됨, 편협.

Scholiast [ʃoliást] *m.* -en, -en 고전주해자, 주석자.

Scholie [ʃó:liə] 《gr.》 *f.* -n, **Scholion** [ʃó:liɔn] *n.* -s, ..lien [..liən] (그리스·로마) 고전의 주석; (일반적으로) 주해.

scholl [ʃɔl] ↑ schallen 의 과거형.

***Scholle** [ʃɔ́lə] *f.* -n ① 덩어리; 흙덩이(Erd~); 얼음덩이(Eis~); 〖지질〗 지괴(地塊). ② 경작지; 땅; 고향, 향토: an die ~ gebunden 〔gefesselt〕 sein 고향에서 떠나지 않다; die Liebe zur ~ 향토애. ③ 〖動〗 가자미.

schölle [ʃœ́lə] ↑ schallen 의 접속법 Ⅱ식.

Schollen≈brecher *m.* 〖農〗 쇄토기(碎土機). **~gebirge** *n.* 〖지질〗 단층 산지(山地). **~schlegel** *m.* 흙덩이를 부수는 망치.

schollern[1] [ʃɔ́lərn] *i.* (h.) (동물이 몸에 묻은) 흙을 털어내다.

schollern[2] *i.* (h.) (토사·암석이) 떨어지는 소리를 내다, (굉음을 내며 토사·암석이) 흘러내리다.

schollern[3] *t.* (땅을) 갈다.

Scholli [ʃɔ́li] 《frz. joli, „Liebling"》 *m.* 〖다음 용법으로만〗〖구어〗 mein lieber ~! 원 세상에! (놀라움이나 불쾌감의 표현).

schollig [ʃɔ́lɪç] *a.* ① 흙덩이가 많은. ② 흙덩이 모양의, 덩어리진.

Schöll·kraut [ʃœ́l..] *n.* 〖植〗 애기똥풀.

Schollung *f.* -en 산괴(山塊) 형성.

Schölp *f.* -en (ndd.) ① ↑ Scholle. ② ↑ Schuppe.

schölte [ʃœ́ltə] ↑ schelten 의 접속법 Ⅱ식.

Scholtisei *f.* -en (ndd.) 〖고어〗 면장〔이장〕(의 직).

scholu *a.* (ndd.) ① (scheu) 수줍어하는. ② (eifersüchtig) 질투하는.

***schon** [ʃo:n] *adv.* ① 〖시간〗 (**a**) 이미, 벌써: willst du ~ gehen? 벌써 가려고?; kannst du ~ lesen und schreiben? 벌써 읽고 쓸 줄 아니?; wir warten ~ seit Stunden 우린 벌써 몇 시간 동안 기다리고 있다; das habe ich ~ lange gewußt 내가 그것을 안 지는 꽤 오래됐다; ~ oft 벌써 몇 번이나; ~ wieder 벌써 또다시; ~ früher 이전에 이미; ~ als Kind 이미 어린아이였을 때; das Konzert war ~ letzte Woche 연주회는 지난 주에 이미 열렸다; wie ich ~ sagte 이미 말했듯이. (**b**) 미리: du kannst ~ den Tisch decken 상을 미리 차려 놓아라; ich gehe ~ (mal) voraus 내가 미리 갈게. (**c**) …하자마자, …하기가 무섭게: er hatte mich kaum erblickt, da lief er auch ~ davon 그는 나를 보기가 무섭게 또 도망쳤다. ② 〖대개 문장의 첫머리에 놓임〗〖목적 달성을 위해 예상보다 훨씬 적은 양으로도 충분함을 나타냄〗 벌써, …만으로도: ~ die geringste Aufregung kann seinen Tod bedeuten 약간 흥분하는 것만으로도 그는 죽음에 이를 수 있다; das genügt ~ 그것으로도 충분하다〔족하다〕. ③ 〖다른 중요한 것은 제쳐두고 언급된 것 하나만으로도 사정을 설명할 수 있음을 나타냄〗 …만으로도, 다만, 단지: ~ aus diesem Grunde konnte er nicht mitfahren 그 이유 하나만 보더라도 그는 같이 갈 수 없었다. ④ 〖대개 강세 없음〗 (**a**) 〖확신·신뢰〗 반드시, 틀림없이, 꼭: sie wird ~ noch kommen 그녀는 반드시 올 것이다. (**b**) 〖발언의 강조〗 참으로, 정말(로): das habe ich ~ verstanden 난 그것을 정말로 다 이해했다〔알아들었다〕; das mache ich nicht, jetzt ~ gar nicht 난 그것을 하지 않을 것이다, 하물며 지금은 더욱 그렇다. (**c**) 〖의문문에서 깔보는 듯한 기분〗 과연, 도대체, 대관절: wem nützt das ~? 그것이 과연 누구에게 도움이 된단 말인가? (**d**) 〖명령문에서 조바심·재촉〗 이제는 제발, 자, 어서: hör ~ auf mit dem Quatsch! 허튼소리는 제발 좀 그만둬!; nun mach ~! 자 어서 해봐!; geh ~! 어서 가봐!; sag ~, was los ist! 무슨 일인지 어서 말해 봐! (**e**) 〖wenn 으로 인도되는 부문장을 강조함〗 어차피〔이왕〕 …하는 김에〔…할 바에야〕: wenn du ~ einkaufen gehst, kannst du mir etwas mitbringen 어차피 장보러 가는 김에, 내게도 무엇인가 좀 사다주렴; 〖구어〗 wenn ~, denn ~ 내친 걸음에〔이왕 시작한 김에〕 제대로 하다; 〖구어〗 (na,) wenn ~! (뭐,) 그렇다 치더라도, 대수롭지 않아〔상관없어〕! (**f**) 〖뒤따라 올 반박·제한을 나타내며〗 하기야 …하지만: die Aufführung war ~ gut, aber ... 공연이 좋기는 했다, 하지만…; das ist ~ möglich, jedoch ... 그건 가능하기는 해, 그렇지만…. (**g**) 〖대개 강세 있음〗〖제한적인 긍정적 답변〗 그런 대로, 그럭저럭: hat es dir gefallen?—Ja, ~ 그게 네 맘에 들었니?—응, 그런 대로. (**h**) 〖제한적 동의·찬성〗 이젠: ~ gut 이젠 됐어, 그것으로 족해, 이젠 걱정 마; ~ recht so 그것이면 이젠 됐어. (**i**) 〖의문문에서 잘 생각이 나지 않을 경우〗〖방언〗 글쎄: wie heißt er ~? 글쎄 그 사람 이름이 뭐더라?

***schön** [ʃø:n] *a.* ① 아름다운; 고운, 멋진: eine ~e Seele 아름다운 영혼(을 지닌 사람); die ~e Literatur (고급) 문학, 문예; 〖총칭〗 die ~en Künste 예술(문학·음악·회화·건축 등); ~ von Gestalt 몸매가 아름다운; die Schönste von allen 모두들 중에서 가장 아름다운 여인; ~ wie ein Bild 그림같이 아름다운; 〖구어·농담〗 du bist ~ genug 당신은 충분히 아름답소; die ~e Madonna 아이를 안고 있는 성모 마리아 상; das ~e Geschlecht 여성; jm. ~e Augen machen 누구에게 눈웃음을 치다〔교태를 부리다〕; 〖구어〗 wer ~ sein will, muß leiden 예뻐지려면 고통을 겪어야 하는 법이다; eine ~e Stimme 고운 목소리, 미성(美聲); sie hat ~ (Klavier) gespielt 그녀는 멋지게 (피아노를) 연주했다. ② (a) 쾌적한, 마음에 드는, 취향에 맞는, 기분좋은: ~e Worte machen 듣기 좋은 말을 늘어놓다; wie man so ~ sagt〔wie es so ~ heißt〕허울 좋게 흔히 말하듯;〖반어〗~ ist anders 전혀 예쁘지 않다. (b) 즐거운, 멋진, 좋은: die ~en Tage des Lebens 인생의 좋은 시절; ~es Wetter 화창한 날씨; einen ~en Tod haben〔sterben〕고통없이〔편안하게〕죽다; eines ~en Tages 언젠가;〖구어〗das Schönste kommt aber erst jetzt 이제야 핵심이 나오는군;〖구어〗es war schon nicht mehr ~ 그것은 바람직하지 못했다, 참을 수 없었다;〖구어〗ich hatte es mir so ~ vorgestellt 생각한 것과는 딴판이군;〖구어〗~ wär's (gewesen) 그러면 좋(았)을 테지만(사실은 그렇지 못하다는 뜻);〖반어〗mit ~er Regelmäßigkeit (반감·불쾌감의 표현) 규칙에 얽매여서; (nordd.) etwas schmeckt〔riecht〕~ 무엇이 맛이〔냄새가〕좋다. (c) 친절한, 좋은: das war nicht ~ von dir 그것은 네가 잘못한 거야; das ist ein ~er Zug an ihm 그것이 그의 좋은 점이다. (d)〖특히 아이에게 말할 때〗칭찬할 만한, 잘한: du hast ~ gemalt 그림을 참 잘 그렸다. (e)〖구어·반어〗〖불쾌감·역겨움〗멋진, 훌륭한: da hast du etwas ~es angerichtet 참 멋진 짓〔장한 일〕을 했더구나; du bist mir ja ein ~er Freund 너 정말 훌륭한 친구다(너에게 실망했다); das wird ja immer ~er (mit dir)! (네 꼬락서니가) 점입가경이구나!;〖하지 말았어야 할 일을 저질렀을 때〗das wäre ja noch ~er! 더 잘 하지 그랬니! ③〖구어〗(a) 상당한, 적지 않은: eine ~e Summe Geld kosten 상당한 돈〔비용〕이 들다; einen ~en Gewinn erzielen 상당한 이윤을 남기다. (b) 무척, 대단히, 아주: du bist ~ dumm 넌 참으로 어리석다; er wird ganz ~ staunen〔überrascht sein〕그는 무척 놀랄 것이다. (c)〖명령의 강조〗아주, 꼭; 제발: laß das mal ~ sein〔bleiben〕! 그것 좀 제발 가만 내버려둬라!; immer ~ der Reihe nach! 제발 순서〔차례〕대로! ④〖정중한 표현〗~en〔~sten〕Dank! 참으로 고맙습니다!; danke〔bitte〕~! 고맙습니다, 천만에요!; einen ~en Gruß〔~e Grüße〕bestellen 안부를 전하다. ⑤〖동의·찬성〗~, ich bin einverstanden 좋아요, 전 동의합니다; na〔also〕~ 그래 좋아(요).

Schön·bart·spiel *n.*〖고어〗가장무도회. **~blind** *a.*〖수의·구식〗(obd.) 흑내장(黑內障)의. **~druck** *m.*〖印·구식〗① 표면〔일면〕인쇄. ② 양면 중 먼저 인쇄된 면(↔ Widerdruck).

Schöne[*1] *die* ① (a) 아름다운 여인〔처녀〕; (일반적으로) 여인, 여자, 처녀: die Schönste auf dem Ball 무도회의 여왕;〖반어〗die ~n der Nacht 밤거리의 여인들(창녀 등). (b)〖구어〗애인, 연인. ②〖시어〗미(美), 아름다움; (schweiz.) 쾌청.

Schöne[*2] *das* 아름다운 것; 미덕, 장점: das ~ an diesem Stück 이 작품의 좋은 점; jm. etwas ~s sagen 누구에게 미사여구를 늘어놓다.

***schonen** [ʃóːnən]《I》*t.* ① 소중히 하다, 조심해서〔주의해서〕다루다; 보살피다, 보호하다; 절약하다, 아끼다: seine Gesundheit ~ 건강에 조심하다; seine Kräfte ~ 힘을 아끼다; schone deine Lunge! 이제 이쯤 해두게, 그만 지껄이게!; die Wahrheit ~ 진실을 감추다; das Wild〔die Fische〕~ 사냥을〔고기잡이를〕금하다;〖구어·농담〗sie schont ihren Kopf 그녀는 머리를 쓰지 않는다, 깊이 생각하지 않는다;〖구어·농담〗er schont sein Geld 그는 인색하다. ②〖고어〗꺼리다: ~, et. zu tun 무엇을 하기를 꺼리다.《II》〖고어〗*i.* (h.)〖2격, 드물게 3격과 함께〗js. ~ 누구에게 해를 입히지 않다, 아껴 주다.《III》*refl.* sich ~ ① 몸을 아끼다, 무리하지 않다, 건강에 주의하다: der Patient muß sich noch ~ 그 환자는 아직 무리해서는 안 된다. ② 수고를 아끼다.

schönen [ʃǿːnən]《I》*t.* ① 맑게 하다: Wein ~ 포도주를 맑게 하다. ②〖섬유〗바랜 색상을 선명하게 하다. ③ (식품 등의) 외양을 돋보이게 하다;〖비유〗아름답게 보이게 하다, 미화〔윤색〕하다.《II》〖고어〗*i.* (h.) (schweiz.) 날씨가 좋아지다; (해가) 빛나다.

schonend *p.a.* ① 소중히 하는, 조심스럽게 다루는; 인정 있는; 관대한: jn. ~ behandeln 누구를 관대히 취급하다. ② 검약〔절약〕하는: ~ mit et.³ umgehen 무엇을 절약하다.

Schoner[1] [ʃóːnər]《<schonen》*m.* -s, - ① 돌봐 주는 사람, 보호자; 검약〔절약〕가. ② 보호대, 보호기. ③〖구식〗(가구 등의) 보호 커버〔덮개〕.

Schoner[2]《engl.》*m.* -s, -〖海〗스쿠너선(船)(2-4개의 돛대에 세로돛을 장착한 범선).

Schön·färben *n.* ↑ ~färberei. **~färben** *t.* 미화해서 말하다, 교묘하게 둘러대다, 말치레하다(주의: schön färben 곱게 물들이다, 무늬 염색을 하다). **~färber** *m.* ① 미화〔윤색·말치레〕하는 사람; 낙천가. ② 무늬 염색사, 염색가. **~färberei** *f.* ① 미화, 윤색, 말치레; 낙관: ~ treiben 그럴듯하게 둘러대다. ② 무늬 염색; 염색업. **~fleck** *m.*, **~fleckchen** *n.* ↑ Schönheitsfleck.

Schon·frist *f.* -en (지급의) 유예 기간. **~gang** *m.* ①〖車〗오버드라이브 장치. ② 세탁기의 '약(弱)'코스.

Schön·geist *m.*〖복수: -er〗문예 애호가, 딜레탕트. **~geisterei** *f.* 문예 애호, 딜레탕티슴. **~geistern** *i.* (h.) 문예를 애호하다, 문학가로 자처하다. **~geistig** *a.* 문학〔예술〕을 좋아하는; 문학〔예술〕의.

***Schönheit** [ʃǿːnhaɪt] *f.* -en ① 아름다움, 미(美), 미모: die ~ der Natur 자연미; von großer ~ sein 대단히 아름답다;〖속담〗~ und Verstand sind selten verwandt 미모와 지성을 겸비한 사람은 드물다. ② 아름다운 것〔장소〕. ③ 미인, 가인. ④〖복수〗〖고어〗아첨: ~en sagen 알랑방귀를 뀌다.

Schönheits·chirurgie *f.* 미용 성형(술). **~farm** *f.* (휴양지의) (전신) 미용 센터. **~fehler** *m.* (미용상의) 결함, 흠; 결점. **~fleck** *m.* (얼굴의) 애교점. **~gefühl** *n.* 미적 감각. **~ideal** *n.* 미의 이상, 이상적인 아름다움〔미〕. **~königin** *f.* 미의 여왕. **~lehre** *f.* 미학. **~linie** *f.* 아름다운 곡선;〖미술〗S 자형 곡선. **~mittel** *n.* 화장품. **~operation** *f.* 미용 성형 수술. **~pflaster** *n.*, **~pfläster-**

chen *n.* (얼굴에 붙인) 애교점. **~pflege** *f.* 미용(술). **~salon** [..zalɔ̃:] *m.* 미장원. **~sinn** *m.* ↑ ~gefühl. **≈trunken** *a.* 〖시어〗 미에 도취된. **~wasser** *n.* 화장〔미안〕수. **~wett·bewerb** *m.* 미인 (선발) 대회.

Schon·kost 《<schonen》 *f.* 환자의 규정식(食)〔치료식〕.

Schönling [ʃǿ:nlıŋ] *m.* -s, -e 〖폄어〗 미남, 멋쟁이.

schön≈|machen 《Ⅰ》 *t.* 아름답게 하다, 장식하다, 꾸미다. 《Ⅱ》 *refl.* sich ~ 모양을 내다, 멋지게 차려 입다. 《Ⅲ》 *i.* (h.) (개가) 뒷다리로 서서 재롱부리다(주의: schön machen 잘하다). **≈pflästerchen** *n.* ↑ Schönheitspflästerchen.

Schon·platz *m.* 〖구동독〗 (회복기의 환자·임산부에게 주어지는) 쉬운 일자리.

schön≈|reden *i.* (h.) 아첨하다, 알랑방귀를 뀌다(단, schön reden 말을 잘 하다). **~redend** *p.a.* 겉치레말을 잘하는, 말재주가 있는, 그럴 듯하게 말하는, 알랑거리는. **≈rederei** *f.* 아첨, 알랑방귀. **~redner** *m.* 말치레하는 사람, 말재주 있는 사람; 아첨꾼. **~rednerei** *f.* ↑ ~rederei. **≈rednerisch** *a.* ↑ ~redend.

schonsam *a.* ↑ schonend.

Schön≈schreib·kunst *f.*, **~schreiben** *n.* 습자(習字); 서예, 서도; 정서법(正書法). **≈|schreiben*** *i.* (h.) 습자하다; 정서(正書)하다(주의: schön schreiben 보기좋게 쓰다). **~schreiber** *m.* 달필가.

Schönschreib≈heft *n.* 습자용 공책. **~übung** *f.* 습자.

Schön≈schrift *f.* ① 또박또박 쓴 필체, 정서(正書). ② 정서(淨書). **~schwätzer** *m.* 아첨꾼; 미사여구를 늘어놓는 사람, 다변가. **~seher** *m.* 낙천주의자. **~sicht** *f.* 아름다운〔멋진〕 조망; 전망대.

schönstens [ʃǿ:nstəns] *adv.* 〖구어〗 진심으로, 각별히, 대단히: er läßt Sie ~ grüßen 그가 당신께 진심 어린 안부를 전하랍니다.

Schön≈tuer *m.* 〖구어〗 아첨꾼, 알랑쇠. **~tuerei** *f.* 〖구어〗 아첨, 알랑방귀. **≈|tun*** *i.* (h.) 아양떨다, 아첨하다: jm. ~ 누구에게 아양떨다(주의: schön tun 잘하다).

***Schonung** [ʃó:nuŋ] *f.* -en ① 〖복수없음〗 소중히 다룸; 돌봄, 보호, 보전; 검약, 절약; 관대, 관용, 용서: et. mit ~ behandeln 무엇을 조심해서 다루다; ohne ~ 인정사정 없이; jn. um ~ bitten 누구에게 관대한 처분을 청하다; das Gesetz kennt keine ~ 법은 사정을 봐주지 않는다. ② 〖林〗 보호림; 금렵 구역: eine ~ anlegen 보호림을 설정하다; 〖비유〗 sich[3] eine ~ im Gesichte anlegen 수염을 기르다.

Schönung *f.* 아름답게 하기, 미화; 윤색; (액체를) 맑게 하기, 정화(淨化).

schonungs≈bedürftig *a.* 돌보아야 하는, 무리해서는 안 되는. **≈brille** *f.* 보안경.

schonungslos *a.* 인정사정 없는, 가차없는.

Schonungslosigkeit *f.* 인정사정 없음, 가차없음, 단호.

schonungs≈reich, ~voll *a.* 인정 많은, 관대한. **≈zeit** *f.* ↑ Schonzeit.

Schon·wasch·gang *m.* ↑ Schongang ②.

Schönwetter≈lage *f.* (고기압 상태의) 쾌청한 날씨. **~wolke** *f.* 적운 중의 넓적구름.

schön·wissenschaftlich *a.* 순수 학문의.

Schon·zeit *f.* 금렵기, 금어기.

Schoof *m.* -(e)s, -e (Schof) 이엉; (짐승의) 무리.

Schopenhauer [ʃó:pənhauər] *m.* Arthur ~ 쇼펜하우어(독일의 철학자, 1788-1860).

Schopenhauerianer *m.* -s, - 쇼펜하우어 추종자〔전문가〕.

schopenhauer(i)sch *a.* 쇼펜하우어적인.

***Schopf** [ʃɔpf] *m.* -(e)s, Schöpfe [ʃœpfə] ① 머리 꼭대기, 정수리; 두발, 머리털: 〖비유〗 jn. beim ~ haben〔halten, fassen, packen〕 누구의 머리털을 움켜쥐다, 누구를 단단히 붙잡고 있다; eine Gelegenheit beim ~e fassen〔ergreifen, nehmen, packen〕 기회를 포착하다. ② (말의) 앞머리 털; (새의) 도가머리, 관모(冠毛); 볏. ③ 〖林〗 우듬지, 수관(樹冠). ④ 〖天〗 혜성의 꼬리. ⑤ (md.) 원뿔꼴의 산꼭대기. ⑥ (obd.) 헛간, 곳간; 차양, 처마; 현관.

Schopf·braten *m.* (öst.) 돼지목살구이.

Schöpf≈brett *n.* (물방아의) 물받이널. **~brunnen** *m.* 우물, 두레우물.

Schöpfchen [ʃœpfçən] *n.* -s, - ↑ Schopf 의 축소형.

Schöpfe [ʃœpfə] *f.* -n 〖구식〗 ① 물긷는 통〔그릇〕. ② 물푸는 곳.

Schöpf·eimer *m.* 두레박.

***schöpfen**[1] [ʃœpfən] 《ahd. scepfen》 《Ⅰ》 *t.* ① 푸다, 긷다, (손 등으로) 뜨다; 퍼내다: Wasser (mit einem Eimer) aus dem Brunnen ~ 우물에서 (두레박으로) 물을 긷다; Suppe in〔auf〕 die Teller ~ 수프를 접시에 떠 담다; ein Faß leer〔voll〕 ~ 한 통(의 물)을 퍼서 비우다〔채우다〕; 〖비유〗 aus einem reichen Erfahrungsschatz ~ 풍부한 경험을 활용하다; 〖비유·구어〗 Wasser in ein Sieb ~ 불가능한〔허황된〕 일을 하다; aus dem vollen ~ (돈·지식이) 넉넉하다, 여유롭다; 〖비유〗 aus einem Autor ~ 어느 저자의 문구를 표절하다; aus der Quelle ~ (정보를) 직접 모으다; et. aus guter Quelle ~ 무엇을 믿을 만한 소식통한테 듣다〔알다〕. ② 〖제지〗 (반죽이 된 펄프를) 떠내어 틀에 붓다: Papier ~ 종이를 뜨다. ③ (공기를) 들이마시다: Atem〔Luft〕 ~ 숨을〔공기를〕 들이쉬다〔마시다〕; endlich kann ich wieder Luft ~ 마침내 나는 한숨 돌릴 수 있다, 안심할 수 있다. ④ 〖雅語〗 얻다, 얻어내다: (wieder) Mut ~ (다시) 용기를 얻다; (neue) Hoffnung ~ (새로운) 희망을 품다; aus js. Worten Trost ~ 누구의 말에서 위로를 받다; Verdacht ~ 불신하다; Argwohn ~ 의심을 품다; 〖海〗 den Wind in die Segel ~ 돛에 바람을 가득히 받게 하다. 《Ⅱ》 *i.* (h.) 〖사냥〗 (짐승이) 물을 마시다.

schöpfen[2] *t.* 〖고어〗 (schaffen) 만들어내다, 창작하다: neue Begriffe〔Worte〕 ~ 새로운 개념〔표현〕을 만들어 내다; 〖法〗 ein Urteil ~〔fällen〕 판결을 내리다; jm. einen Namen ~ 누구에게 어떤 이름을 지어 주다〔붙이다〕.

***Schöpfer** [ʃœpfər] *m.* -s, - ① 창조자; 창설〔창시·창안〕자; 작가: der ~ dieses Projektes 이 프로젝트의 창안자. ② 신, 조물주: der allmächtige〔ewige〕 ~ 전능한〔영원한〕 신: 〖구어〗 dank deinem ~, daß du mit so was nichts zu tun hast 그런 일에 관여하지 않아도 되는 것을 고맙게 생각해라. ③ 두레박, 국자.

Schöpfer=geist *m.* 〔雅語〕 창조〔창작〕의 재주; 창조적 정신. **~hand** *f.* 〔雅語〕 창조주의 손길.

*__schöpferisch__ [ʃœ́pfərɪʃ] *a.* 창조적〔창의적〕인; 독창적인: ein ~er Mensch 창조적인 사람; eine ~ Gabe besitzen 창조적 재능을 지니고 있다; ~e Arbeit leisten 창조적인 일을 하다; eine ~e Pause einlegen 새로운 창작을 위해 잠시 휴식을 취하다.

Schöpfer·kraft *f.* 창조력, 창작력, 독창력.

Schöpfertum *n.* 〔雅語〕 창조성.

Schöpf·gefäß *n.* 물 긷는 통〔그릇〕; (자루가 긴) 국자; 두레박.

Schopf·haar *n.* 머리털, 두발.

Schöpf=kanne *f.* 물 긷는 깡통. **~kelle** *f.* 〔고어〕 국자. **~lein** *n.* ↑ Schopf 의 축소형. **~lerche** *f.* 〖動〗 볏을 지닌 종달새. **~löffel** *m.* 국자; 수프용 스푼. **~maschine** *f.* ↑ ~werk. **~rad** *n.* ① (물을 길어 올리는) 무자위, 양수차. ② (시계의 분침의) 톱니바퀴.

*__Schöpfung__ [ʃœ́pfʊŋ] *f.* -en ①〔고어〕〔복수없음〕 긷기, 푸기. ② **(a)** 〔복수없음〕 창조, 창작; (신의) 천지 창조. **(b)** 〔복수없음〕 (신의) 창조물, 피조물, 삼라만상, 천지 만물: der Mensch als Krone der ~ 만물의 영장으로서의 인간. **(c)** 창조물, 창작품, 작품: die ~en der Literatur 문학 작품들.

Schöpfungs=akt *m.* 창조적 행위〔작업〕: der dichterische ~ 문학 창조 작업. **~bericht** *m.*, **~geschichte** *f.* 천지 창조의 역사; 〖聖〗 창세기. **~sage** *f.* 천지 창조에 관한 전설. **~tag** *m.* 창조일(천지 창조 7일의 하루): am zweiten ~ 천지 창조의 둘째 날에.

Schöpf·werk *n.* 양수 장치, 양수기.

Schöppchen *n.* -s, - 〔↑ Schoppen ② 의 축소형〕 작은 포도주잔.

Schöppe [ʃœ́pə] *m.* -n, -n (nordd.) ↑ Schöffe.

schöppeln [ʃœ́pəln] 《I》 *i.* (h.) 한 잔 마시다. 《II》 *t.* (schweiz.) einen Säugling ~ 젖먹이에게 병우유를 주다〔먹이다〕.

schoppen [ʃɔ́pən] 《<schieben》 《I》 *t.* ① 가득 채우다; 살찌게 먹이다: eine Gans ~ 거위를 살찌게 먹이다. ②〖의복〗 예쁘게 부풀리다: geschoppte Ärmel (소매 붙임선과 소맷부리에 주름을 넣어 가운데를 귀엽게) 부풀린 소매, 퍼프 슬리브. 《II》 *i.* (h.) 〖의복〗 (소매 등의 가운데 부위가) 부풀어 있다.

Schoppen 《<schöpfen》 *m.* -s, - ①〔고어〕 쇼펜(액량의 단위로 약 1/2 리터). ② 쇼펜(포도주〔(드물게) 맥주〕의 단위로 약 1/4 리터): beim ~ sitzen 포도주 1/4 리터〔한 잔〕를 마시고 있다. ③〔방언〕 ↑ Schuppen. ④ (alem.) 젖병.

Schoppen·wein *m.* 잔 포도주.

schoppen·weise 《<Schoppen²》 *adv.* 약 1/4 리터씩, 잔으로.

Schöpp·lein *n.* 〔↑ Schoppen ② 의 축소형〕 작은 포도주잔.

Schöps [ʃœps] 《sl.》 *m.* -es, -e (südostd., ostmd.) ① 거세된 숫양. ②〔비유〕 바보, 숙맥. ③ (도수가) 약한 맥주.

Schöpschen *n.* -s, - 〔↑ Schöps 의 축소형〕 어리석은 아이.

Schöps·drehe *f.* 현기증: 〔구어〕 da kriegt man die ~ 어지럽다, 현기증이 난다.

Schöpsen=braten [ʃœ́psən..] *m.* 양고기 구이. **~fleisch** *n.* 양고기.

Schöpserne* *das* (öst.) 양고기.

schöpsig *a.* (md.) 어리석은.

schor [ʃo:r] ↑ scheren¹ 의 과거형.

Schore [ʃó:rə] 《<scheren¹》 *f.* -n ①〖海〗 (선체(船體)의) 지주(支柱); 버팀목. ② (제방 공사용) 말뚝. ③〔방언〕 가래. ④ (ndd.) 〖건축〗 초엽.

schöre [ʃǿ:rə] ↑ scheren¹ 의 접속법 Ⅱ 식.

schoren *t.* 〔방언〕 (흙을) 뒤집다, 파다.

*__Schorf__ [ʃɔrf] *m.* -(e)s, -e ①〖醫〗 (부스럼) 딱지(Wund~); 옴; (머리) 비듬(Kopf~): ~ abkratzen 딱지를 긁어 떼다; der ~ fällt ab 딱지가 떨어지다. ②〖植〗 백피병(白皮病), 더뎅이병.

schorf=artig *a.* 부스럼 딱지 모양의; 비듬 같은. **~bildung** *f.* 딱지(앉기); 〖醫〗 결가(結痂).

schorfig *a.* ① **(a)** 딱지가 앉은, 딱지투성이의; 비듬이 많은: ~e Kopfhaut 딱지 앉은 머리 피부. **(b)** 〖植〗 더뎅이병이 있는. ② ↑ schorfartig. ③ 거친, 금간: ein ~er Stamm 거칠거칠한 나무줄기.

Schörl [ʃœrl] *m.* -(e)s, -e 〖광물〗 흑전기석(黑電氣石).

Schörlaken *f.* (ndd.) 주홍색(Scharlach).

Schorle [ʃɔ́rlə], **Schorlemorle** [ʃɔrləmɔ́rlə] *f.* -n 〔(드물게) *n.* -s, -s〕 탄산수를 탄 백포도주〔사과 주스〕.

*__Schornstein__ [ʃɔ́rnʃtaɪn] 《<Schore》 *m.* -s, -e 연통, 굴뚝: 〔구어〕 der ~ raucht (wieder) 사업이 (다시) 활기를 찾는다; 〔구어〕 von irgend etwas muß der ~ ja rauchen 무엇으로든〔어떤 방식으로든〕 생계를 유지해야 한다; 〔구어〕 et. in den ~ 〔Kamin〕 schreiben 무엇을 포기하다, 잃어버린 것으로 간주하다; 〔구어〕 et. zum ~ hinausjagen 무엇을 탕진하다; 〔구어〕 wie ein ~ rauchen 〔qualmen〕 골초다, 줄담배를 피다.

Schornstein=aufsatz *m.* 〖건축〗 굴뚝의 갓. **~feger** *m.* 굴뚝 청소부. **~kappe** *f.*, **~kranz** *m.* ↑ ~aufsatz.

Schose [ʃó:zə] 《lat. -frz.》 *f.* -n 〔구어〕 일; 볼일, 용건; (특히) 싫은〔궂은〕 일.

Schoss 新정서 ⇦ Schoß.

Schoß¹ [ʃɔs] 《<schießen》 *m.* ..sses, ..sse(n) / Schösse(r) 〔고어〕 조세, 세금, 관세.

Schoß² *m.* ..sses, ..sse ① 새싹, 움, 어린 가지, 맹아. ② (md.) 내리닫이(창), 벼락닫이. ③ (md.) 서랍. ④ (ndd.) 층. ⑤〔방언〕 무리, 떼. ⑥〖動〗 홍방울새(Hänfling).

*__Schoß__³ [ʃo:s] *m.* -es, Schöße [ʃǿ:sə] ① 무릎, 품: das Kind auf den ~ nehmen 아이를 무릎 위〔품〕에 안다; auf js. ~ sitzen 누구 무릎 위에 앉아 있다; 〔비유〕 dem Glück im ~ sitzen 행복하다, 운수가 좋다; die Hände in den ~ legen 수수방관〔허송세월〕하다; etwas fällt jm. in den ~ 무엇이 거저 누구의 수중에 들어오다; wie in Abrahams ~ 안전한, 확실한 보호를 받고 있는. ②〔雅語〕 모태, 모체; 품속: ein Kind im ~e tragen 임신 중이다; etwas ruht im ~ der Vergessenheit〔Vergangenheit〕 무엇이 잊혀져 있다; das liegt〔ruht〕 noch im ~ der Zukunft 그것은 지금으로선 말할 수 없다, 앞으로 밝혀질 것이다; im ~

der Familie 가족의 품에서〔보호를 받으며〕; die Wolken bergen Hagel in ihrem ~ 금방 우박이 내릴 듯한 날씨다. ③〖雅語·은어〗 여성의 음부. ④ (연미복 등의) 옷자락: mit fliegenden Schößen 옷자락을 날리며, 〖비유〗 바쁘게, 서둘러. ⑤ (md.) 갈빗살.

Schoß[4] [ʃo:s] *f.* -en/(öst.) Schöße [ʃǿ:sə] ① (öst.) 스커트. ② (schweiz.) 앞치마; (일할 때 입는) 가운.

schoss.. 新정서 ⇦ schoß...

schoss 新정서 ⇦ schoß.

schoß [ʃɔs] ↑ schießen의 과거형.

Schoß≈bein *n.* 〖해부〗 치골(恥骨). **~brett** *n.* (bayr.) (상하로 여닫는) 수문.

Schößchen [ʃǿ:sçən] *n.* -s, - 〔↑ Schoß[3]의 축소형〕 (블라우스·재킷의) 허리 부분, 허리 주름 장식.

Schösschen 新정서 ⇦ Schößchen.

schösse [ʃœ́sə] ↑ schießen의 접속법 Ⅱ식.

Schößel [ʃǿ:səl] *m./n.* -s, - (öst.) ① ↑ Schößchen. ② 연미복의 옷자락.

schossen [ʃɔ́sən] 《<Schoß[1]》《Ⅰ》 *t.* (세금을) 내다. 《Ⅱ》 *i.* (h.) 싹〔움〕트다, 가지가 나다.

Schosser *m.* -s, - ①〖動〗 되새. ② (빵을 가마에 넣거나 꺼낼 때 쓰는) 나무 주걱. ③〖植〗 웃자란 채소(일년만에 벌써 꽃이 피어 쓸모없게 된 이년생 채소).

Schösser[1] [ʃœ́sər] 〔고어〕 ↑ Schoß[1]의 복수형.

Schösser[2] *m.* -s, -e 〔고어〕 세리(稅吏).

schoß·frei *a.* 면세의, 세금이 면제된.

Schoß≈gabel *f.* (schweiz.) 〖農〗 자루가 긴 갈퀴. **~gatter** *n.* 〔고어〕 (Fallgatter) (성벽에 달린) 적문(吊門). **~gerinne** *n.* ↑ ~rinne. **~hund** [ʃó:s..] 《<Schoß[3]》 *m.* 애완견. **~hündchen** *n.* ↑ ~hund의 축소형. **~kelle** *f.* ① 마차의 짐칸. ② 짐마차의 마부석. **~kind** [ʃó:s..] *n.* 귀염둥이, 응석받이: 〔비유〕 ein ~ des Glücks 행운아.

Schößling[1] [ʃœ́slɪŋ] 《<Schoß[2]》 *m.* -s, -e ① 새싹; 어린 가지; 햇가지. ② (모종·이식용으로 키운) 어린 식물. ③〔비유〕 자손, 후손.

Schößling[2] [ʃǿ:slɪŋ] *m.* -s, -e ① ↑ Schoß-kind. ② 저고리의 자락.

schoß≈pflichtig [ʃɔ́s..] *a.* 납세 의무가 있는 (↔ ~frei). **≈reis** *n.* ↑ Schößling[1]. **≈rinne** *f.* ① 분수의 관(管). ②〖건축〗 처마 끝의 물받이 홈통. **≈sünde** *f.* 자칫 저지르기 쉬운 죄악. **≈tasche** *f.* 스커트의 주머니, 저고리의 아랫 주머니.

Schot [ʃo:t] *f.* -en 〖海〗 (ndd.) 아딧줄.

Schötchen [ʃǿ:tçən] *n.* -s, - 〔↑ Schote[3]의 축소형〕 작은 깍지, 꼬투리, 단각과(短角果).

Schote[1] [ʃó:tə] 《hebr.; <Schaute》 *m.* -n, -n 〔구어〕 바보, 천치.

Schote[2] *f.* -n 〖海〗 (ndd.) ↑ Schot.

Schote[3] *f.* -n ①〖植〗 깍지, 꼬투리; 〖植〗 협과(莢果), 장각과(長角果). ②〔복수〕〔구어〕 푸른 완두. ③〖植〗 gelbe ~n 벌노랑이. ④〖動〗 지렁이고둥과(科). ⑤〔은어〕 따귀때리기: jm. eine ~ geben 누구의 따귀를 때리다.

Schote[4] *f.* -n 〔경박〕 꾸민 이야기; 우스갯소리; 바보짓: eine ~ erzählen 우스갯소리를 하다.

Schoten≈dorn *m.* 〖植〗 아카시아; 쥐엄나무. **~erbse** *f.* 완두. **≈förmig** *a.* (콩)깍지 모양의. **~frucht** *f.* 〖植〗 협과(莢果). **~gemüse** *n.* 〖植〗 푸른 완두. **~gewächse** *pl.* 콩과(科) 식물. **~klee** *m.* 〖植〗 벌노랑이. **~pfeffer** *m.* 〖植·구식〗 고추. **~pflanze** *f.* ↑ ~gewächse. **~schnecke** *f.* 〖動〗 ↑ Schote[3] ④.

Schott[1] [ʃɔt] *n.* -(e)s, -e ①〖海〗 (배의) 수밀(水密) 격벽; 격벽: (ndd.) die ~en dicht machen 모든 문과 창문을 닫다. ② (차량·구조물의) 문.

Schott[2] *m.* -s, -s 〖지리〗 (북아프리카의) 얕은 함수호(鹹水湖) (의 마른 바닥).

Schotte[1] [ʃɔ́tə] *f.* -n ↑ Schott[1].

Schotte[2] *m.* -n, -n 스코틀랜드 사람.

Schotte[3] 《<schütten》 *f.* -n ① 유정(乳精), 유장(乳漿). ② 응유(凝乳).

Schotte[4] *m.* -n, -n (ndd.) 청어 새끼.

Schotten[1] *m.* -s, - (südd.) ↑ Schotte[3].

Schotten[2] *m.* -s, - 〖방직〗 체크 무늬의 천.

Schotten≈rock *m.* (스코틀랜드의) 바둑판 무늬의 짧은 스커트(Kilt[1]). **~witz** *m.* 〔구어〕 스코틀랜드인을 소재로 한 위트(특히 지나치게 절약하는 생활 태도를 비꼼).

Schotter[1] [ʃɔ́tər] *m.* -s, - ① (강가의) 조약돌. ② (도로 포장·철도 부설용의) 자갈, 쇄석.

Schotter[2] *m.* -s 〖경박〗 돈.

Schotter·decke *f.* (도로·철도의) 자갈층.

schottern [ʃɔ́tərn] *t.* (도로에) 자갈을 깔다.

Schotter·straße *f.* 쇄석〔자갈〕 포장 도로.

Schotterung *f.* -en ①〔복수없음〕 쇄석〔자갈〕 깔기; 자갈 바닥. ② ↑ Schotterdecke.

Schottin [ʃɔ́tɪn] *f.* -nen 스코틀랜드 여자.

schottisch [ʃɔ́tɪʃ] *a.* 스코틀랜드(사람)의: ~es Zeug (체크 무늬의) 스코틀랜드 직물.

Schottisch *m.* -en, -en, **Schottische** *m.* -n, -n 스코틀랜드식 원무(圓舞).

Schottland [ʃɔ́tlant] 스코틀랜드.

Schottländer *m.* -s, - ↑ Schotte[1].

schottländisch *a.* 스코틀랜드의.

schrad [ʃra:t] *a.* (ndd.) ↑ schräg.

Schraffe [ʃráfə] *f.* -n ① 해칭, 음영선(제도나 지도 따위에 입체감을 주기 위해 긋는 가는 평행선들). ②〖印〗 세리프(로마자 활자의 시작이나 끝부분에 있는 작은 돌출선).

schraffen *t.* ↑ schraffieren.

schraffieren [ʃrafí:rən] 《ndd.》 *t.* (제도·동판 따위에) 음영(陰影) 효과를 위해 가는 선을 긋다.

Schraffierung *f.* -en ①〔복수없음〕 음영선 넣기. ② 해칭, 음영선의 선영(線影).

Schraffung *f.* -en ↑ Schraffierung.

Schraffur [ʃrafú:r] *f.* -en ↑ Schraffierung ②.

***schräg** [ʃrɛ:k] *a.* ① 비스듬한, 기운, 경사진; 건너지른, 횡단한: ~ zur Fahrbahn parken 도로 방향에 비스듬하게 주차하다; 〖재봉〗 den Stoff ~ verarbeiten 천에 45° 각도로 가공하다(감침질하기·체크 무늬 뜨기 등); er wohnt mir ~ gegenüber 그는 내 집의 대각선 방향에 살고 있다. ② 비뚤어진, 상궤를 벗어난, 삐딱한: ein ~er Blick 불신의〔삐딱한〕 눈초리; 〔구어〕 das klingt ~ 그건 잘못된 것같다; 〔폄어〕 ~e Musik 현대 음악, 재즈; 〔구어〕 ~e Ansichten〔Vorstellungen〕 삐딱한 견해〔생각〕; 〔경박〕 ein ~er Bursche〔Vogel〕 경박한〔믿지 못할〕 놈.

Schräg≈achse *f.* 사축(斜軸). **~bau** *m.* 〖광

업』 경사층에서의 채굴.
Schräge [ʃrɛ́:gə] *f.* -n ① 경사, 기울어짐. ② 경사면, 빗면: den Raum unter der ~ nutzen 경사면 아래의 공간을 이용하다.
Schrägel·bein *n.* 〖방언〗 안짱다리.
schrägeln *i.* (h.) 〖방언〗 갈지자걸음을 걷다.
Schragen [ʃrá:gən] *m.* -s, - 〖구식·방언〗 ① (다리를 X 자(字)형으로 만든) 받침(대), 발판; (X 자형의) 톱질 모탕, 나무톱질용 받침대. ② (소매 상인의) 좌판; (발 달린) 도마. ③ 간이 침대. ④ 관(棺); 관 받침대. ⑤〖林〗 어긋매껴 쌓은 장작〔목재〕. ⑥〖商〗 세율(稅率).
schragen *t.* (나무) 다리를 X 자형으로 짜다; (각목을) 어긋나게 맞추다, 어긋매끼다.
schrägen [ʃrɛ́:gən] *t.* ① 비스듬하게 놓다, 비스듬하게 만들다: Kanten ~ (각을 없애기 위해) 모서리를 비스듬히 깎다. ② 무시하다.
Schräg≈fenster *n.* 〖건축〗 (경사진 천장에 낸) 천창(天窓), 채광창. **~feuer** *n.* 사사(斜射). **~fläche** *f.* 경사면.
Schrägheit [ʃrɛ́:k..] *f.* ↑ Schräge.
schräg·hin *adv.* 비스듬히, 어긋나게.
Schräg≈kante *f.* 〖건축〗 비스듬한 모서리〔가장자리〕. **~kreuz** *n.* X 형 십자가(Andreaskreuz). **~lage** *f.* 기울어진 상태; 〖醫〗 (태아의) 사위(斜位). **~laufend** *a.* 비스듬한, 경사진, 기울어진. **~linie** *f.* 대각선. **~maß** *n.* 〖건축·구식〗 각도기. **~schnitt** *m.* 비스듬한 단면. **~schrift** *f.* 이탤릭체. **~streifen** *m.* 〖재봉〗 바이어스. **~strich** *m.* 사선, 빗금, 슬래시(/): umgekehrter ~ 역슬래시(\). **~-über** *adv.* 〖드물게〗 비스듬히 건너편에.
Schrägung *f.* -en ① 비스듬하게 하기, 경사지게 하기. ② ↑ Schräge ②.
schrak [ʃra:k] ↑ schrecken ①.
schral [ʃra:l] *a.* (ndd.) 모자라는, 불충분한, 근소한; 〖海〗 비스듬히 불어오는 역풍의.
schralen [ʃrá:lən] *i.* (h.) 〖海〗 der Wind schralt 비스듬하게 맞바람이 분다.
Schram [ʃra:m] *m.* -(e)s, Schräme [ʃrɛ́:mə] ①〖광산〗 (채굴층 속으로 깊이 파들어간) 개착공(開鑿孔). ②〖방언〗 ↑ Schramme.
Schram·bohrer *m.* 〖광산〗 개착용 착암기〔굴착기〕.
schrämen [ʃrɛ́:mən] *t.* 〖광산〗 (광맥에) 채굴공(孔)을 뚫다.
Schräm·maschine *f.* 굴착기, 착암기.
Schramme [ʃrámə] *f.* -n ① 생채기, 찰과상. ② 긁힌 자국, 흠집.
Schrammel·musik [ʃráməl..] *f.* (바이올린·기타·아코디온을 주축으로 한) 빈(Wien)의 대중 음악의 일종(작곡가 Schrammel 의 이름에서).
schrammen [ʃrámən] 《<Schramme》《I》 *i.* (s.) (an et.³) (…에) 스치다, 스쳐 가다. 《II》 *t.* 찰과상을 입히다; 흠집을 내다.
schrammig *a.* 찰과상을 입은, 상처가 난; 흠집이 있는.
Schramm·schuß *m.* 〖軍〗 찰과 총상.
schrand [ʃrant] 〖고어〗 ↑ schrinden 의 과거형.
***Schrank** [ʃraŋk] *m.* -(e)s, Schränke [ʃrɛ́ŋkə] ① 장; (Bücher~) 책장, 서가; (Kleider~) 장롱, 옷장; 찬장(Küchen~); 캐비닛; 금고; 〖구어〗 거구의〔건장한 체격의〕 남자: 〖비유〗 nicht alle Tassen im ~ haben 제정신이 아니다. ②〖드물게〗 ↑ Schranke. ③〖사냥〗 예상했던 직선 진로(進路)와 거기서 빗겨간 (짐승의) 흔적간의 거리 간격. ④〖農〗 곡식을 묶는 새끼줄. ⑤ 톱니가 좌우로 휜 상태.
Schrank·bett *n.* 접이식 침대.
Schränkchen [ʃrɛ́ŋkçən] *n.* -s, - 〖↑ Schrank 의 축소형〗 작은 찬장〔옷장〕.
***Schranke** [ʃráŋkə] *f.* -n ① 횡목; (건널목의) 차단기; 난간; (방청석과 판사석을 가르는) 난간; 〖海〗 (항만 폐색용의) 부책(浮柵): die ~n öffnen〔aufziehen〕 차단기를 올리다; die ~n schließen〔herunterlassen〕 차단기를 내리다; 〖雅語〗 vor den ~n (des Gerichts) erscheinen〔stehen〕 법정에 출두하다〔서다〕; jn. vor die ~n (des Gerichts) fordern〔ziehen〕 누구를 법정에 소환하다. ②〖복수〗 울안, 구내; 〖옛뜻〗 경기장: jn. in die ~n fordern 누구에게 도전하다; mit jm. 〔gegen jn.〕 in die ~n treten 누구를 공격하다, 누구와 싸우다; für jn. in die ~n treten 누구를 옹호하다. ③〖대개 복수〗 한계, 경계(선), 제한; 장벽: die ~n der Wirklichkeit niederreißen 〔überschreiten, übertreten〕 현실의 벽을 허물다〔뛰어넘다〕; et.³ ~n setzen 무엇을 제한〔억제〕하다; sich in seinen ~n halten 분수를 지키다; et. in ~n halten 무엇을 통제하다; jn. in seine ~n verweisen 누구에게 자제하도록 요구하다; sich ~n auferlegen 자제하다; ~n errichten 한계를 설정하다.
Schränk·eisen *n.* 톱니의 날을 세우는 연장.
Schranken *m.* -s, - (öst.) (건널목의) 차단기.
schränken [ʃrɛ́ŋkən] 《I》 *i.* (h.) ①〖사냥〗 (짐승이) 옆길로 벗어나가다. ②〖은어〗 침입하다. 《II》 *t.* ① (톱니를) 교대로 좌우로 젖히다. ② 어긋매끼다, 교차시키다: die Arme ~ 팔짱끼다. ③ 울타리를〔목책을〕 치다.
schrankenlos *a.* ① 차단기 없는. ② 무절제한, 방종한. ③ 무제한의, 무한한.
Schrankenlosigkeit *f.* ① 방종(한 행동). ② 무제한, 무한.
Schranken·wärter *m.* 건널목지기.
Schränker [ʃrɛ́ŋkər] *m.* -s, - ① 톱니를 세우는 사람. ②〖은어〗 금고털이(범).
Schrank≈fach *n.* (장롱) 서랍. **~fertig** *a.* (장롱에 넣어도 될 만큼) 세탁물이 말끔하게 손질 된. **~koffer** *m.* (옷을 걸 수 있게 만든) 트렁크. **~spiegel** *m.* 옷장의 거울. **~tür** *f.* 장롱의 문. **~wand** *f.* 한쪽 벽면을 완전히 덮는 붙박이 장롱.
Schranne [ʃránə] *f.* -n (obd.) 〖구식〗 ① 걸상, 벤치. ② 고기 써는 대(臺); 빵 선반. ③ (빵집·푸줏간의) 진열대. ④ 곡물 시장. ⑤ 사무실(Schreibstube). ⑥ (법정의) 판사석; 법정. ⑦ ↑ Schram, Schramme.
Schrannen≈halle *f.* (obd.) 아케이드. **~-platz** *m.* 시장, 장터; 광장.
Schranz [ʃrants] *m.* -es, Schränze [ʃrɛ́ntsə] (obd.) (옷감 따위가 못같은 것에 걸려) 세모나게 찢어진 곳.
Schranze [ʃrántsə] *f.* -n 〔(드물게) *m.* -n, -n〕 〖폄어〗 ①〖구식〗 간신배. ② 알랑쇠, 아첨꾼.
schranzen *i.* (h.) 〖구식·폄어〗 알랑거리다; 〖방언〗 게걸스레 먹다.
schranzenhaft *a.* 〖폄어〗 간신배 같은, 알랑거리는.

Schrape [ʃrá:pə] *f.* -n (ndd.) ↑ Schrapper.
schrapen *t.* (ndd.) ↑ schrappen.
Schrapnell [ʃrapnɛ́l] 《engl.》 *n.* -s, -e/-s ① 〖軍·옛뜻〗 유산탄(榴散彈); 포탄〔총탄〕의 파편 (발명자인 영국 Shrapnel 대령의 이름에서). ②〘비속·폄어〙 남과 잘 다투는 중년 여인.
Schrapnell≈granate *f.* 〖軍〗 유산탄(榴散彈). **~schuß** *m.* 유산탄 사격.
Schrappe *f.* -n, **Schrapp·eisen** *n.* 긁어내는〔깎아내는〕 기구; (구두의) 흙털개.
schrappen [ʃrápən] 《I》 *t.* (ndd.) ① …의 껍질을 긁어내다: einen Fisch ~ 생선의 비늘을 긁어내다; sich³ den Bart ~ 면도하다. ② 긁어〔문질러〕 닦아내다: den Schmutz von den Schuhen ~ 신발에서 더러운 것을 털어내다. ③ 긁어 닦다: einen Topf ~ 솥을 박박 닦다. ④〘폄어〙 (돈·재물을) 긁어모으다. 《II》 *i.* ① (s.) 긁는 소리를 내며 움직이다: der Kiel schrappte über den Sand 용골이 모래 위를 긁으며 지나갔다. ② (h.) 긁는 소리를 내다: auf der Geige ~ 바이올린을 서툴게 켜다.
Schrapper *m.* -s, - (ndd.) ①〖工〗 스크레이퍼, (토목 공사용) 굴착기. ②〘방언〙 긁는〔깎는, 문지르는〕 도구; (신의 흙을 터는) 흙털이 (매트). ③〘방언·폄어〙 수전노, 구두쇠.
Schrapsel [ʃrá:psəl] *n.* -s, - 긁어낸〔깎아낸〕 지스러기.
schrat [ʃra:t] *a.* (ndd.) ↑ schräg.
Schrat *m.* -(e)s, -e, **Schrätel** [ʃrɛ́:təl] *m.* -s, -, **Schrätlein** *n.* -s, - (머리가 덥수룩한) 숲의 정령, 요마.
Schratten *pl.* 〖지질〗 (석회암이 침식되어 생긴) 협곡, (침식되어 균열이 생긴) 석회암.
Schratten·kalk *m.* (갈라진 틈이 많은) 침식된 석회암.
Schräubchen [ʃrɔ́ʏpçən] *n.* -s, - 〘↑ Schraube 의 축소형〙 작은 나사.
***Schraube** [ʃráubə] *f.* -n ① 나사, 나사못: eine ~ einschrauben〔anziehen〕 나사를 돌려 끼우다〔죄다〕; eine ~ ausschrauben〔lockern〕 나사를 돌려 풀다〔느슨하게 하다〕; et. mit ~n befestigen 무엇을 나사로 고정하다; eine ~ ohne Ende a) 〖기계〗 웜(웜기어에 맞물리는, 나사 모양의 톱니바퀴), b) 〘비유〙 악순환; 〘비유〙 die ~n (fester) anziehen 압력을 가중시키다; 〘비유〙 die ~ überdrehen (요구 등의) 도가 지나치다; jn. in die ~ nehmen 누구를 윽박지르다; 〘구어〙 jn. in der ~ haben 누구를 (…하도록) 강요〔협박〕하다; 〘구어〙 bei jm. ist eine ~ locker〔los〕 누가 제정신이 아니다. ②〖海〗 스크루; 〖工〗 프로펠러; 〖악기〗 (현악기의) 줄조이개; 〖動〗 소랏과(科)의 권패류. ③〖체조·다이빙〗 비틀어돌기; 〖空〗 나선형 강하. ④〘폄어〙 eine alte〔verdrehte〕 ~ 퉁명스런 할망구.
Schraubel *f.* -n 〖植〗 어긋나기(마디마다 하나씩 어긋매껴 나는 잎의 모습).
***schrauben**⁽*⁾ [ʃráubən] (schraubte, geschraubt; 〘고어〙 schrob, geschroben) 《I》 *t.* ① 나사로 고정시키다; 돌려서 끼우다: et. fester〔loser〕 ~ 무엇을 나사로 더 단단히 조이다〔느슨하게 하다〕; eine Glühbirne in die Fassung ~ 전구를 소켓에 끼우다; den Deckel auf das Glas ~ 뚜껑을 돌려 병을 막다. ② 나사를 풀다, 돌려서 빼다: den Kotflügel von der Karosserie ~ 나사를 풀어서 흙받기를 차체에서 떼내다; den Verschluß von der Flasche ~ 마개를 돌려서 병을 열다. ③ 돌려서 올리다〔내리다〕: einen Bürostuhl höher〔niedriger〕 ~ 의자를 돌려서 높이다〔낮추다〕. ④ 올리다, 상승〔증가〕시키다: die Preise〔Erwartungen, Ansprüche〕 in die Höhe ~ 가격을〔기대를, 요구를〕 올리다〔높이다〕; einen Rekord auf et. ~ 기록을 어디까지 향상시키다; 〘비유〙 jn. ~ a) 〘고어〙 (엄지손가락을 죄어서) 누구를 고문하다, b) (우월감을 가지고) 누구를 괴롭히다, 조롱하다; jn. um et. ~ 누구에게서 무엇을 옭아내다, 사취하다; seine Worte ~ 과장하여 말하다〔쓰다〕; seinen Stil ~ 과장하여 쓰다, 문장을 꾸미다. 《II》 *i.* (h.) ①〘구어〙 나사를 돌리다〔죄다〕; 나사를 갖고 놀다. ②〖체조·다이빙〗 몸을 틀며 회전하다. 《III》 *refl.* sich ~ ① 나선상으로〔몸을 비틀어 돌리며〕 움직이다: ein Vogel schraubt sich in die Höhe 〔in den Himmel〕 새가 빙글빙글 돌면서 하늘 높이 날아오르다; sich aus dem Sessel ~ 안락 의자에서 몸을 뒤틀며 일어서다. ② 점잔빼다, 뻐기다. 《IV》 **geschraubt** *p.a.* ↑ geschraubt.
Schrauben≈bakterium *n.* 〖植〗 나선균. **~blech** *n.* 〖기계〗 나사 절삭기. **~bohrer** *m.* 나사송곳, 타래송곳. **~bolzen** *m.* 나사못. **~dampfer** *m.* 〖海〗 스크루 (추진) 기선. **~dreher** *m.* ↑ ~zieher. **~feder** *f.* 〖工〗 코일 스프링. **~flieger** *m.* ↑ ~flugzeug. **~flügel** *m.* 프로펠러〔스크루〕의 날개. **~flugzeug** *n.* 헬리콥터. **~förmig** *a.* 나선형의. **~gang** *m.* 나사선. **~gebläse** *n.* 원심 송풍기. **~gewinde** *n.* ↑ ~gang. **~kopf** *m.* 나사 대가리. **~linie** *f.* 나사선, 나선. **~mutter** *f.* 암나사, 너트. **~nagel** *m.* 나사못. **~presse** *f.* 나선 압착기, 스크루프레스. **~rad** *n.* 〖기계〗 웜 톱니바퀴. **~salto** *m.* 〖체조·다이빙〗 공중 비틀어 돌기. **~schiff** *n.* ↑ ~dampfer. **~schlüssel** *m.* 나사돌리개, 스패너. **~schnecke** *f.* 〖動〗 죽순고둥과(科). **~schneide·maschine** *f.* 나사 깎는 기계. **~spindel** *f.* 나선축, 수나사. **~strahl** *m.* 〖空〗 (프로펠러의) 후류(後流). **~welle** *f.* 프로펠러〔스크루〕축. **~winde** *f.* 나사 잭. **~zieher** *m.* 나사돌리개, 드라이버.
Schrauberei *f.* -en ① 나사돌리기; 〘총칭〙 나사. ②〘비유〙 조롱; 공갈 협박으로 금품 빼앗기, 사취.
Schraub≈stock *m.* 〖工〗 나사 바이스. **~verschluß** *m.* 돌려 여닫는 마개. **~zwinge** *f.* 클램프, C 형 클램프.
Schraufen *m.* -s, - (öst.) ① 나사. ② (경기에서의) 패배.
Schreber≈garten [ʃré:bər..] *m.* 교외의 소규모 주말 농장(제창자인 Schreber 의 이름에서). **~gärtner** *m.* 주말 농장 소유자: 〘구어·농담〙 geistiger ~ 편협한 사람.
***Schreck** [ʃrɛk] *m.* -(e)s, -e 경악, 놀람, 공포: einen ~ bekommen 깜짝〔흠칫〕 놀라다; vor ~ aufschreien 놀라서 비명을 지르다; der ~ fuhr mir in die Knochen 공포가 내 뼛속까지 파고들었다; auf den ~ (hin) sollten wir erst mal einen (Schnaps) trinken 놀랬으니까 우선 한 잔씩 마시자; jm. einen ~ einjagen 누구를 놀라게 하다〔겁주다〕; 〘구어·농담〙 ~, laß nach! 이크, 그럴 수가!; 〘구

어』 ach du (mein) ~, (ach du) heiliger ~! 아이구 맙소사, 큰일났다!; 〖구어〗 krieg ja 〔bloß〕 keinen ~! 놀라지 마라! (미리 양해를 구하는 말)

..schreck *suf.* 〖구어〗 "혐오·공포를 불러일으키는 사람"의 뜻(보기: Kinder~ 아이들의 공포의 대상이 되는 사람).

schreckbar *a.* 〖구식〗 ① 섬뜩한, 무시무시한. ② 겁이 많은.

Schreck·bild *n.* ① 소름끼치는 광경〔모습〕. ② 도깨비, 귀신.

Schrecke [ʃrέkə] *f.* -n ①〖動〗 메뚜기. ②〖動〗 뜸부기의 일종. ③〖복수〗(제방 공사용의) 말뚝.

***schrecken**(*) [ʃrέkən] 《I》 (schrak, geschrocken) *i.* (s.) ① (소스라치게) 놀라다: aus dem Schlaf 〔einem Traum〕 ~ 놀라서 잠〔꿈〕에서 깨어나다. ②〖고어〗(도자기가) 깨지다, 금이 가다. ③ (달군 쇠 등이) 냉각되다. ④ (h.) 〖사냥〗(사슴·노루 등이 놀라서) 갑자기 소리를 지르다. 《II》〖약변화〗 *t.* ① 놀라게 하다, 겁주다: jn. aus dem Schlaf ~ 누구를 깜짝 놀라게 해 잠에서 깨우다. ②〖요리〗(물을 부어 뜨거운 것을) 갑자기 식히다. ③〖海〗(줄 등을) 늦추다. ④〖고어〗(도자기를) 깨뜨리다, 금이 가게 하다.

***Schrecken** *m.* -s, - ① 두려움, 놀람, 공포: jm. einen (schönen) ~ einflößen〔einjagen〕 누구를 겁먹게 하다; jn. in ~ (ver)setzen 〔jagen〕 누구를 공포로 몰아넣다; sprachlos vor ~ 두려운〔놀란〕 나머지 말도 못하는. ②〖대개 복수〗〖雅語〗 끔찍한〔참혹한〕 일. ③〖대개 정관사와 함께〗 공포의 대상: er ist der ~ der Nachbarschaft 그는 이웃 사람들한테는 공포의 대상이다. ④ (특히 질그릇의) 갈라진 틈〔금〕.

schrecken·erregend *a.* 섬뜩한, 소름끼치는.

Schreckens=bild *n.* 무서운 광경, 참상. **~blaß**, **~bleich** *a.* 공포에 질려 창백해진. **~bote** *m.* 흉사를〔재변을〕 알리는 사자(使者). **~botschaft** *f.* 〖雅語〗 흉보(凶報). **~herrschaft** *f.* 공포 정치. **~jahr** *n.* 재해〔변고〕가 일어난 해; 흉년. **~kind** *n.* 무서운 아이, 문제아(enfant terrible의 역어). **~mann** *m.* 공포 정치가. **~nachricht** *f.* 흉보(凶報). **~nacht** *f.* 무시무시한〔끔찍한 일이 벌어진〕 밤. **~ruf** *m.* 공포〔경악〕의 외침〔절규〕. **~tag** *m.* 무시무시한 날, 흉사가 있었던 날. **~tat** *f.* 잔학〔잔인〕한 행위. **~voll** *a.* ① 무시무시한, 끔찍한: die ~en Tage 무시무시한 시절. ② 두려움〔무서움〕으로 가득 찬: ~e Blicke 두려움으로 가득 찬 시선. **~zeit** *f.* 공포 시대.

schrecken·voll *a.* ↑ schreckensvoll.

schreck=erfüllt *a.* 겁에 질린. **~farben** *pl.* 경계색. **~geist** *m.* ↑ ~gespenst ①. **~gespenst** *n.* ① 공포의 대상(인 사람). ② 위험, 공포: das ~ des Krieges 전쟁의 공포. **~gestalt** *f.* 무시무시한 형상, 무서운 인물.

schreckhaft [ʃrέkhaft] *a.* ① 쉽게 놀라는, 겁 많은. ②〖구식〗 섬뜩한, 무시무시한.

Schreckhaftigkeit *f.* 쉽게 놀라는 성격.

***schrecklich** [ʃrέklɪç] *a.* ① 무서운, 섬뜩한; 끔찍한, 처참한: die Unfallstelle bot einen ~en Anblick 사고 현장의 광경은 처참했다; gegen diese ~e Krankheit ist der Mensch machtlos 이 무서운 질병에 대해선 속수무책이다; er war ~ in seinem Zorn 분노에 찬 그의 모습은 무시무시했다. ②〖구어·폄어〗 싫은, 지겨운, 역겨운: es ist mir ~, ihr das sagen zu müssen 그 여자에게 그것을 말해야 한다는 것은 싫은 일이다. ③〖구어〗 (a) 지독한, 대단한: sie leidet unter dieser ~en Hitze 그녀는 이 지독한 더위에 시달리고 있다. (b) 〖동사 및 부사의 강조〗 지독〔대단〕히, 끔찍이: ~ teuer 지독히 비싼.

Schrecklichkeit *f.* 참혹, 끔찍함.

Schrecknis *n.* -ses, -se ① 두려움, 공포: das ~ des Todes 죽음의 공포. ② 무서운 것; 도깨비.

Schreck=schanze *f.* 〖軍〗(사)각형 보루. **~schraube** *f.* 〖구어·욕설〗 역겨운〔징그러운·추한〕 여자. **~schuß** *m.* ① 위협〔경고〕 사격, 공포 사격. ②〖비유〗 허세, 허장 성세; 불길한 헛〔뜬〕소문. **~schuß·pistole** *f.* (호신용) 공포탄 권총. **~sekunde** *f.* 공포〔경악〕의 일순간; 〖法〗(자동차 돌발 사고 때의) 긴급 대응 시간.

Schredder [ʃrέdər] *m.* -s, - 고철 압쇄기.

***Schrei** [ʃraɪ] 《<schreien》 *m.* -(e)s, -e 부르짖음, 외치는 소리; (짐승의) 우는〔짖는〕 소리; 절규, 울부짖음, 고함: ein ~ des Entsetzens 〔der Freude〕 공포〔기쁨〕의 외침; einen ~ ausstoßen 크게 외마디 소리를 지르다; 〖雅語〗 der ~ nach et.³ 무엇을 요구하는 절규; der erste ~ (신생아의) 첫울음; 〖구어〗 der letzte ~ 최신 유행; der ~ der Farben 빛깔〔색채〕의 야함.

Schrei=adler *m.* 〖動〗(동유럽·아시아에 서식하는) 작은 점박이 수리의 일종. **~balg** *m.* 〖구어〗 잘 우는 아이; 울보.

Schreib=apparat [ʃráɪp..] *m.* 인쇄 전신기, 텔레타이프. **~art** *f.* ① 문체. ② 정서법. **~automat** *m.* 워드 프로세서. **~bedarf** *m.* 문방구, 필기 도구. **~block** *m.* 메모장. **~buch** *n.* 공책, 노트.

Schreibe [ʃráɪbə] *f.* -n 〖구어〗 ① 글로 씌어진 것: eine ~ ist keine Rede 글로 쓰는 것과 말로 하는 것은 다르다. ② 문체. ③ 필기 도구.

Schreibe=brief *m.* 〖구어·농담〗(긴) 편지. **~block** *m.* 메모장 **~buch** *n.* (Schreibheft) 공책, 필기장. **~gebühren** *pl.* 필경료(筆耕料), 대서료. **~kunst** *f.* (Schreibkunst) 필법; 서예.

schreiben [ʃráɪbən] (schrieb, geschrieben) 《lat. scribere》《I》 *t.* ① 쓰다, 적다: et. mit dem Bleistift aufs Papier ~ 무엇을 연필로 종이에 적다; et. auf〔mit〕 der Schreibmaschine ~ 무엇을 타자기로 치다; et. in ein Heft ~ 무엇을 공책에 적다; einen Aufsatz ins reine ~ 작문한 것을 정서(淨書)하다; Kurzschrift〔Stenographie〕 ~ 속기하다; seinen Namen unter et. ~ 무엇에 서명하다; ein Wort groß ~ 한 단어를 대문자로 쓰다; eine Zahl in Buchstaben ~ (수표 따위에) 숫자를 문자로 기입하다; sich³ et. hinter die Ohren ~ 무슨 잘못을 명심하다; et. in den Schornstein ~ 무엇을 포기(한 걸로 간주)하다; in den Sternen (geschrieben) stehen 아직 불투명하다, 분명치 않다; der Schmerz stand ihm an〔auf〕 der Stirn geschrieben 고통이

그의 얼굴에 다 쓰여 있었다. ② 집필하다, 저술하다; 작곡하다: Tagebuch ~ 일기를 쓰다; (über et.) einen Aufsatz ~ (무엇에 대해) 작문하다; jm. einen Brief 〔einen Brief an jn.〕 ~ 누구에게 편지를 쓰다; Berichte ~ 보고서를 작성하다; ein Rezept ~ 처방전을 쓰다; Romane〔Gedichte〕 ~ 소설을〔시를〕 쓰다; Symphonien ~ 교향곡을 작곡하다; 〖구어〗 diese Rolle ist ihr auf den Leib geschrieben 이 배역은 그녀에게 안성맞춤이다; 〖法〗 geschriebenes Recht 성문법. ③ 〖구식〗 (날짜·연도 따위를) 쓰다, 적다: den wievielten ~ wir heute? 오늘이 며칠이냐?; wir ~ heute den 1. Januar 2001 오늘은 2001 년 1 월 1 일이다; man schrieb das Jahr 1980 (그 일은) 1980 년에 일어났다. ④ 기입하다: einen Betrag auf ein Konto ~ 금액을 계정에 기입하다; et. auf js. Rechnung ~ 무엇의 비용을 누구에게 부담시키다. ⑤ …라고 진단서에 쓰다: der Arzt hat sie krank〔dienstuntauglich〕 geschrieben 의사는 그녀가 아프다고〔근무 불가능이라고〕 진단서에 썼다. ⑥ 〖문체를 표시하는 어구와 함께〗 쓰다: einen guten Stil ~ 문체가 좋은 문장을 쓰다; eine gewandte Feder ~ 문장 솜씨가 좋다; 〖구어〗 eine kräftige Handschrift ~ 따귀를 세게 때리다, 얼굴에 손자국을 남기다. 《Ⅱ》 *i.* (h.) ① (**a**) 글씨를 쓰다: deutlich〔ordentlich〕 ~ 글씨를 또박또박 쓰다; mit der Hand ~ 손으로 글씨를 쓰다; auf〔mit〕 der Schreibmaschine ~ 타자를 치다; links ~ 왼손으로 글씨를 쓰다; in 〔mit〕 lateinischen〔großen〕 Buchstaben ~ 라틴어〔대문자〕로 글씨를 쓰다. (**b**) (필기 용구가) 쓸 수 있다: die Kreide schreibt nicht mehr 이 분필은 더 쓸 수가 없다; die Tinte schreibt zu blaß 이 잉크는 색깔이 너무 엷다. ② (**a**) 문장을 쓰다: gut ~ 글을 잘 쓰다; langweilig ~ 읽기에 지루한 글을 쓰다; an et.[3] ~ 무엇을 집필 중이다; über et. ~ 무엇에 관해 (논문·기사를) 쓰다. (**b**) 저작〔저술〕 활동을 하다, 문필업에 종사하다: mein Sohn schreibt 내 아들은 문필업에 종사하고 있다; für die Zeitung 〔den Rundfunk〕 ~ 신문〔라디오〕에 기고하다; in einem Magazin ~ 잡지에 기고하다. ③ (**a**) jm. 〔an jn.〕 ~ 누구에게 편지를 쓰다: er hat versprochen zu ~ 그는 편지를 보내겠다고 약속했다. (**b**) (신문 등이) 보도하다: wie die Zeitung schreibt 신문 보도에 따르면. 《Ⅲ》 *refl.* sich ~ ① (**a**) (이름이) …라는 철자를 갖고 있다: er 〔sein Name〕 schreibt sich mit „d" am Ende 그의 이름의 끝 글자는 "d"이다. (**b**) 〖구식〗 …라고 불리다: sie ~ sich jetzt Müller 그녀의 성은 이제 뮐러다. ② 편지 왕래를 하다: wir ~ uns[3] schon lange 우리는 벌써 오랫동안 서신 왕래를 하고 있다. ③ 〖결과를 나타내는 말과 함께〗 sich müde ~ 쓰기에 지치다; sich um den Hals ~ 필화를 입어 목이 달아나다〔파면되다〕. ④ *imp.* es schreibt sich gut mit dieser neuen Feder 이 새 펜은 잘 써진다.

Schreiben [ʃráibən] *n.* -s, - ① 쓰기; 필기, 필사(筆寫), 습자: im ~ ist er gut 그는 달필이다; jm. das Lesen und ~ beibringen 누구에게 읽고 쓰는 법을 가르치다. ② 편지, 서간; 문서, 서류; 통지문: Empfehlungs∼ 추천장; Hand∼ 친서; Rund∼ 회람용 문서; ein dienstliches ~ 공문; Ihr geehrtes〔wertes〕 ~ 귀한(貴翰); päpstliches ~ 교황의 칙서; in unserem ~ fragten wir an, ob... 저희는 서면으로 …인지 문의하였습니다.

Schreiber [ʃráibər] *m.* -s, - ① 글 쓰는 사람. ② 〖폄어〗 필자, 작가. ③ 〖구식〗 필경사: ein guter〔rascher〕 ~ 달필가〔속기사〕. ④ (schweiz.) 서기, 비서. ⑤ 〖방언〗 토지 관리인. ⑥ 인쇄 전신기, 텔레타이프라이터. ⑦ 〖動〗 잉어과(科)의 일종.

Schreiber·amt *n.*, **~dienst** *m.* 서기〔비서〕의 직무.

Schreiberei [ʃraıbəráı] *f.* -en ① 〖구어·폄어〗 편지질. ② 〖구어〗 씌어진 것. ③ 서기의 일; 필경(筆耕). ④ (schweiz.) 비서실, 문서과, 서무과.

Schreiberin *f.* -nen ↑ Schreiber 의 여성형.

Schreiberling *m.* -s, -e 〖폄어〗 (특히 신문에서) 삼류 작가.

schreibern 〖고어〗 《Ⅰ》 *i.* (h.) 신문에 기고하다, 필기를〔필경을〕 하다. 《Ⅱ》 *imp.* mich schreibert('s) 나는 쓰고 싶어 손이 근질거린다.

Schreiber⸗posten *m.* ↑ ~amt. **~seele** *f.* 〖폄어〗 문자에 구애되는 사람; 융통성 없는 관료적 인간. **~stuhl** *m.* 사무용 의자.

schreib⸗faul *a.* 글〔편지〕 쓰기 싫어하는; 글쓰기가 느린. **~faulheit** *f.* ↑ schreibfaul 의 명사형.

Schreib⸗feder *f.* 펜, 깃펜. **~fehler** *m.* 잘못 씀, 오기(誤記). **~fertig** *a.* 글씨를 잘 쓰는, 달필의. **~fertigkeit** *f.* 달필. **~gebrauch** *m.* 관행적 철자(법). **~gebühr** *f.*, **~geld** *n.* 필경료(筆耕料), 대서료. **~gerät** *n.* ↑ ~waren. **~geschützt** *a.* 〖컴〗 쓰기 방지가 된. **~gewandt** *a.* ① 타자나 속기를 잘 하는, 글씨를 잘 쓰는. ② 문장력이 좋은, 글재주가 있는. **~griffel** *m.* ① (옛날의) 철필. ② 석필. **~heft** *n.* 공책, 노트; 연습장, 습자장. **~kalender** *m.* 일기장, 비망록, 메모장. **~kasten** *m.*, **~kästchen** *n.* 필통; 벼룻집. **~kraft** *f.* 타자수. **~krampf** *m.* 〖醫〗 서경(書痙) (직업적으로 글씨를 많이 쓰는 사람에게 오는 마비·경련 등의 신경증). **~kunst** *f.* 필법, 서법; 서예. **~künstler** *m.* 서예가. **~lehrer** *m.* 습자〔서예〕 선생. **~lese·methode** *f.*, **~lesen** *n.* 읽기·쓰기의 동시 교수(법). **~lust** *f.* (글)쓰기를 즐김. **~lustig** *a.* (글)쓰기를 좋아하는. **~mappe** *f.* (편지지 및 편지 보관용) 서류철, 서류 파일. ***~maschine** *f.* 타자기.

Schreibmaschinen⸗papier *n.* 타자 용지. **~schrift** *f.* 타자기로 작성한 글.

Schreib⸗maschinist *m.* 타이피스트. **~material** *n.* ↑ ~waren. **~materialienhändler** *m.* 문방구 상인. **~papier** *n.* 필기용지, 편지지. **~pergament** *n.* 양피지(羊皮紙). **~pult** *n.* (윗 면이 경사진) 책상, 필기대(臺). **~schrank** *m.* 접이식 책상이 부착된 장. **~schrift** *f.* ① 필기체. ② 〖印〗 스크립트체(體). **~schule** *f.* ① 서예〔습자〕 학교. ② 서예 교본, 글씨본. **~schüler** *m.* 서예 학교 학생. **~selig** *a.* ↑ ~lustig. **~seligkeit** *f.* ↑ ~lust. **~stift** *m.* ① ↑ ~griffel. ② 필기구. **~stube** *f.* ① 〖구식〗 사무실. ② 〖軍〗 (병영내의) 사무실. **~stuben·herrschaft** *f.* 관

료 정치; 탁상 행정. **~stunde** *f.* 서예〔습자〕 시간〔수업〕. **~sucht** *f.* ↑ ~lust. **~tafel** *f.* ① 칠판, 흑판, 메모판. ②〖고어〗필기장. ***~tisch** *m.* (사무용) 책상. **~tisch·täter** *m.* (범죄의) 배후〔막후〕 조종자. **~übung** *f.* 습자, 글씨 연습.

Schreibung [ʃráıbuŋ] *f.* -en ① 철자법; 정서법. ② ↑ Schreiben.

Schreib⸗unterlage *f.* 책받침. **~unterricht** *m.* 글씨 쓰기 수업. **~utensil** *n.* ↑ ~waren. **~verständige*** *der/die* 달필가. **~vorlage** *f.* 서예 교본, 글씨본. **~vorschrift** *f.* ① ↑ ~vorlage. ② (책·신문의) 표제, 헤드라인. **~waren** *pl.* 필기 도구.

Schreibwaren⸗geschäft *n.* 문방구점. **~handlung** *f.* 문방구점.

Schreib⸗weise *f.* ① 철자〔정서〕법. ② 서체. **~zeug** *n.* 필기 용구.

schreien [ʃráıən] (schrie, geschrie(e)n) 《I》 *i.* (h.) ① 소리치다, 외치다; 절규하다, 비명을 지르다; (짐승이) 큰 소리로 울다; (개가) 짖다; 울부짖다; (문 따위가) 삐걱거리다: nach et.³ ~ a) 무엇을 달라고 아우성치다, b) 격렬하게 무엇을 요구하다; 〖비유〗 über et. ~ 무엇의 잘못을 규탄〔비난〕하다; um Hilfe ~ 도와 달라고 외치다; vor Angst〔Schmerz〕 ~ 공포의 비명을〔고통의 신음 소리를〕 지르다; 〖구어〗 vor Lachen ~ 폭소를 터뜨리다; 〖구어〗 wie ein gestochenes Schwein 〔wie am Spieß〕 ~ 돼지 멱 따는 소리를 내다, 비명을 지르다; 〖구어〗 das ist zum ≈ 그것은 우스워 못 견디겠다〔배꼽이 빠지겠다〕. ② 〖시어〗 jm. ~ 누구에게 소리치다. 《II》 *t.* 큰 소리로 외치다: Hilfe ~ 도와 주세요〔사람 살려〕라고 외치다; Hurra ~ 만세를 부르다; 〖구어〗 Zeter und Mord(io) ~ 사람 살려 하고 외치다; Ach und Weh ~ 비명을 지르다; jm. et. ins Gesicht ~ 누구에게 무엇이라고 노골적으로 말하다; jm. die Ohren voll ~ 누구의 귀가 멍멍할 정도로 외치다; wach 〔jn. aus dem Schlaf〕 ~ 누구를 큰 소리로 불러 깨우다. 《III》 *refl.* sich heiser〔müde〕 ~ 소리 질러 목이 쉬다〔지치다〕.

schreiend *p.a.* ① 외치는 듯한; 부르짖는; 시끄러운, 소란한, 떠들썩한. ② 요란한, 야한, 울긋불긋한: ~e Farben 요란한 빛깔. ③ 뚜렷한, 현저한; 엄청난, 너무 심한: seine Taten stehen im ~en Gegensatz zu seinen Worten 그의 행동은 말과는 완전히 딴판이다.

Schreier [ʃráıər] *m.* -s, - ① (큰 소리로) 외치는 사람. ② 〖구어〗 ↑ Schreihals ②. ③ 불평꾼, 선동가. ④ 〖動〗 어치의 일종.

Schreierei *f.* -en ① (큰 소리로) 외치기, 아우성. ② 〖구어〗 고함질(치는 싸움).

Schrei⸗hals *m.* 〖구어〗 ① 〖폄어〗 아우성치는 사람. ② 울보, 우지. **~kant** *m.* 빵의 마지막 한 조각. **~kind** *n.* 〖구어〗 울보, 우지. **~krampf** *m.* 〖醫〗 히스테리성 비명 발작. **~maul** *n.* ↑ Schreier.

***Schrein** [ʃraın] *m.* -(e)s, -e ① 상자, 갑, 함; 장(欌). ② 신주함(Heiligen≈); 성골(聖骨)〔성유물(聖遺物)〕함(Reliquien≈); 관(Toten≈). ③ 〖비유〗 내부, 내심, 가슴속: et. im ~ des Herzens bewahren 무엇을 가슴속 깊이 간직하다.

Schreiner [ʃráınər] *m.* -s, - (südd., westd.) (Tischler) 소목(장이), 가구공.

Schreinerei *f.* -en (südd., westd.) 가구 제조업〔제작소〕(Tischlerei).

schreinern *i.* (h.) (südd., westd.) (tischlern) 소목장이 일을 하다, 가구를 만들다.

Schrei⸗puppe *f.* 소리 내는 인형. **~stimme** *f.* 외치는〔부르짖는〕 소리, 새된 소리.

Schreit·bein *n.* 〖動〗 (새·곤충의) 보행 기관.

schreiten [ʃráıtən] (schritt, geschritten) *i.* (s.) ① **(a)** (절도 있게) 걷다, 걸어가다: feierlich 〔aufrecht, gemächlich〕 ~ 점잖게〔꼿꼿이, 천천히〕 걸어가다; vorwärts ~ 전진하다; auf und ab ~ 이리저리 거닐다; über et. (hinweg) ~ 무엇을 넘어서 가다. **(b)** 〖댄스〗 스텝을 밟다. ② zu et.³ ~ 무슨 일을 시작〔착수〕하다: zur Abstimmung ~ 투표〔표결〕에 들어가다; zur Tat ~ 실행에 옮기다; zum Äußersten ~ 최후〔비상〕 수단에 호소하다; zur Entscheidung ~ 결단하다.

Schreit·tanz *m.* 느린 동작의 옛 사교춤.

Schreitung *f.* -en 걷기; (댄스의) 스텝.

Schreit·vogel *m.* 〖動〗 섭금류(涉禽類)(두루미·황새 따위).

Schrei·vogel *m.* 〖動〗 참새목(目)의 일종.

Schrenz [ʃrɛnts] 《원뜻 "Lumpen"》 *m.* -es, -e 〖구식〗 ↑ Schrenzpapier.

Schrenz·papier *n.* 질이 나쁜 종이; 재생지.

Schretel [ʃré:təl] *m.* -s, - (Schrätel) 숲의 정령.

Schrick [ʃrık] *n./m.* -(e)s, -e (obd.) 뗏목의 계류(繫留) 말뚝; 톱질 모탕〔받침목〕.

schrickst ↑ schrecken 《I》의 2 인칭 단수 현재형.

schrickt ↑ schrecken 《I》의 3 인칭 단수 현재형.

schrie [ʃri:] ↑ schreien 의 과거형.

Schrieb [ʃri:p] *m.* -s, -e, **Schriebs** *m.* -es, -e 〖구어·폄어〗 편지; 문서, 서류.

schrieb ↑ schreiben 의 과거형.

***Schrift** [ʃrıft] 《lat. scriptum》 *f.* -en ① (Hand≈) 필적, 필체: er hat eine schöne ~ 그의 필적은 좋다; diese ~ ist unleserlich 이 필체는 해독이 불가능하다. ② 글자, 문자; 〖印〗 활자; 활자체: die griechische ~ 그리스 문자; 〖방언〗 nach der ~ sprechen 표준어로 말하다; schräge ~ 이탤릭체. ③ (~stück) 글쓴 것; 문서, 기록, 서류, 증서; (~werk) 저서, 저작물, 저술; 논문, 논설; 간행〔출판〕물: die (Heilige) ~ 성서; Kants sämtliche ~en 칸트 전집. ④ 비명(碑銘). ⑤ 〖工〗 톱니바퀴의 피치. ⑥ 〖印〗 활판식 인쇄: Abdruck vor der ~ 얼룩잡기, 인쇄 준비. ⑦ 화폐의 뒷면(글자가 새겨진 쪽): Kopf oder ~? 앞면이냐 뒷면이냐? ⑧ 〖복수〗 (schweiz.) 신분증; 증명 서류.

Schrift⸗absatz *m.* 단락; 장(章), 절. **~art** *f.* 〖印〗 활자의 종류, 활자체; 서체. **~ausleger** *m.* 성서 주해자〔해석자〕. **~auslegung** *f.* 성서 주해〔해석〕. **~bild** *n.* ① 활자체의 모양새. ② 〖印〗 활자의 서체; 활자면(面). **≈deutsch** *a.* 문어체 독일어의. **~deutsch** *n.* 문어체 독일어. **~deutsche*** *das* 문어체 독일어.

Schriftei *f.* -en (Schreibstube) 사무실.

Schrift·eigentum *n.* 판권, 저작권.

Schriften⸗nachweis [ʃrıftən..] *m.* (참고) 문

헌 목록; 색인. **~reihe** *f.* 총서, 시리즈.
Schriftentum *n.* -(e)s ↑ Schrifttum.
Schriften·verzeichnis *n.* (참고) 문헌 목록.
Schrift≈erklärung *f.* 성서 주해〔해석〕. **~erz** *n.* 〖광물〗 침상(針狀) 텔루르. **~fälscher** *m.* 문서〔필적〕 위조자. **~flechte** *f.* 〖植〗 그라피스 이끼. **~form** *f.* 〖法〗 문서 형식, 서식. **~forscher** *m.* 성서 연구가, 성서학자. **~forschung** *f.* 성서 연구. **~führer** *m.* 기록 담당자; 서기. **~garnitur** *f.* 〖印〗 활자의 한 벌. **~gattung** *f.* ↑ ~art. **~gelehrte*** *der* 〖聖〗 유대의 율법학자; 신학자. **≈gemäß** *a.* ↑ ≈mäßig. **~gießer** *m.* 활자 주조공. **~gießerei** *f.* 활자 주조(소). **≈-gläubig** *a.* 성서(의 자구)를 절대 신봉하는. **~grad** *m.*, **~größe** *f.* 활자 크기. **~guß** *m.* 활자 주조. **~höhe** *f.* 〖印〗 활자의 높이. **~kasten** *m.* 〖印〗 활자 케이스. **~kegel** *m.* 〖印〗 활자의 굵기. **~leiter** *m.* 〔구식〕 편집자, 편집국장. **~leitung** *f.* 〔드물게〕 편집국, 편집부; 편집부원.
***schriftlich** [ʃríftlɪç] *a.* (↔ mündlich) 글자의, 문서〔서면〕의, 문서에 의한, 씌어진: eine ~e Prüfung ablegen: 필기 시험을 보다; eine ~e Erklärung abgeben 서면으로 해명하다; 〔구어〕 laß dir das ~ geben 그것을 문서로 확인받도록 해라; ich habe nichts ≈es darüber in Händen 그것에 관한 증빙 문서가 내 수중엔 없다; 〔구어〕 das würd' ich aber ~ machen! 난 그것을 문서〔서류〕로 작성하고 싶다!; 〔비유·구어〕 das kann ich dir ~ geben! 그건 내가 네게 보증〔장담〕할 수 있다!; Fragen ~ beantworten 질문에 서면으로 답하다; 〔구어〕 das ≈e 필기 시험 부분.
Schriftlichkeit *f.* -en 〖法〗 문서 형식, 서식.
Schrift≈magazin *n.* 〖印〗 활자고(活字庫). **≈mäßig** *a.* 문서에 맞는; 〖宗〗 성서에 따르는, 성서의 가르침을 지킨. **~mäßigkeit** *f.* ↑ ≈mäßig 의 명사형. **~material** *n.* 〖印〗 활자 재료. **~metall** *n.* 활자 합금. **~mutter** *f.* 〖印〗 (활자의) 모형(母型), 자모(子母). **~probe** *f.* ① 필적 견본. ② 활자 인쇄 견본. **~rolle** *f.* 〖印〗 두루마리로 된 문서; 서적. **~sach·verständige*** *der/die* 필적 감정가. **~satz** *m.* ①〖印〗 식자. ②〖法〗 답변서. **~schneide·kunst** *f.* 활자 조각술(術). **~-schneider** *m.* 활자 조각사. **~schnitt** *m.* (활자의) 자면(字面). **~seite** *f.* ① 페이지. ② (동전의) 뒷면. **~setzer** *m.* 〖印〗 식자공. **~sold** *m.* 원고료. **~spiegel** *m.* 〖印〗 인쇄된 면(의 모습) (Satzspiegel). **~sprache** *f.* 문어. **≈sprachlich** *a.* 문어체의. **~stelle** *f.* 성서의〔성서에서 인용한〕 한 구절.
***Schrift≈steller** *m.* 문필가, 문인, 작가, 저술가: freier ~ 전업 작가; 자유 기고가. **~-stellerei** *f.* 〔폄어〕 작가 활동, 저술 행위. **~stellerin** *f.* 여류 작가〔문필가〕. **≈stellerisch** 《I》 *a.* 문필가〔문인·저술가·작가〕의; 문학(상)의: eine ~e Begabung 작가적인 재능, 글재주. 《II》 *adv.* 작가〔저자〕로서: sich ~ betätigen 문필 활동을 하다. **≈stellern** *i.* (h.) 문필업에 종사하다, 작가〔저술〕 활동을 하다.
Schriftssteller≈name *m.* 필명. **~tantieme** *f.* 저자의 인세.
Schrift≈stempel *m.* 〖印〗 활자의 모형을〔자모를〕 찍어내는 강철로 된 본. **~stück** *n.* 문서, 서류, 문건. **~text** *m.* 성서의 원문.
Schrifttum [ʃríftu:m] *n.* -(e)s (특정 분야의) 저술 전체, 문헌 일체: das deutschsprachige ~ nach 1945 1945 년 이후에 독일어로 쓰여진 모든 저서.
Schrift≈type *f.* 〖印〗 활자체. **~verdrehung** *f.* 성서 곡해. **~verfälschung** *f.* 필적 위조. **~verkehr** *m.* ① 문서 교환; 서신 왕래: mit jm. in ~ stehen〔treten〕 누구와 서신 왕래를 하다〔시작하다〕. ② 교환된 문서〔서신〕: den ~ prüfen 교환된 문서를 검사하다. **≈-verständig** *a.* ① 필적 감정 전문의. ② 성서에 정통한. **~wart** *m.* ↑ ~führer. **~wechsel** *m.* ↑ ~verkehr. **~weite** *f.* 〖印〗 활자의 (가로) 너비. **~werk** *n.* 저작물, 저서. **≈-widrig** *a.* 성서(의 가르침)에 위배되는. **~zeichen** *n.* 글자, 문자. **~zeug** *n.* 〖印〗 ① 마모된 활자. ② 활자 주조용 합금. **~zug** *m.* ① 필적, 필체, 서체, 필치: mit kräftigem ~ 힘있는 필치로; in magerem ~ 가는 필체로. ② 〔복수〕 (어느 개인 특유의) 필적; 문체.
***schrill** [ʃrɪl] *a.* 새된, 날카로운, 귀청을 찢을 듯한.
schrillen [ʃrílən] *i.* (h.) 날카로운〔귀청을 찢을 듯한〕 소리를 내다〔지르다〕.
Schrillheit *f.* (소리의) 날카로움, 새됨.
Schrimp 新정서 ⇦ Shrimp.
schrinden* [ʃríndən] (schrund/schrand, geschrunden) 〔고어〕 《I》 *i.* (s./h.) 〔방언〕 금이 가다, 갈라지다; 깨지다; (살갗이) 트다: Lehm schrindet 진흙이 (말라서) 갈라지다. 《II》 *t.* 금이 가게 하다, 찢다, 쪼개다.
schrinnen [ʃrínən] *i.* (h./s.) (ndd.) (상처가) 따끔따끔〔콕콕〕 쑤시다.
Schrippe [ʃrípə] *f.* -n (berl.) 작고 길쭉한 빵.
***Schritt** [ʃrɪt] 《<schreiten》 *m.* -(e)s, -e ① 걸음, 발걸음: große〔kurze〕 ~e 큰걸음〔잔걸음〕; einen ~ näher treten 한 걸음 다가가다; den ~ beschleunigen〔verlangsamen〕 걸음걸이를 빨리 하다〔늦추다〕; im gleichen ~ und Tritt 일정한 걸음걸이로, 일사불란하게; Von der Liebe zum Haß ist nur ein ~ 사랑과 미움은 종이 한 장 차이다; 〔속담〕 ~ vor ~ kommt auch ans Ziel 천리 길도 한 걸음부터; den ~ wechseln (발을 바꾸어) 보조를 맞추다; 〔비유〕 den ersten ~ (zu et.³) machen 〔tun〕 착수〔시작〕하다, 첫걸음을 내딛다; 〔비유〕 den zweiten ~ vor dem ersten tun 순서대로 하지 않다, 뒤바뀐 행동을 하다; 〔비유〕 ~ für ~ 단계적〔점차적〕으로, 꾸준히; ~ um ~ 점점 더; 〔비유〕 ein ~ vom Wege 실족, 발을 헛디딤; auf ~ und Tritt 가는 데마다, 도처에; mit jm. ~ halten 누구와 보조를 맞추다; mit et.³ ~ halten 무엇에 뒤지지 않다; 〔비유〕 noch einen ~ weiter gehen 감히 한 걸음 더 내딛다; 〔비유〕 einen ~ zu weit gehen 한도를 넘어서다; 〔비유〕 jm. (um) einen ~ 〔einige ~e〕 voraus sein 누구보다 한〔몇〕 걸음 앞서 있다; seine ~e nach〔zu〕 et.³ lenken 무엇을 향해 발걸음을 돌리다. ② 걸음걸이, 걸음새: jn. am ~ erkennen 걸음걸이를 보고 누구인지 알아채다; 〔구어〕 du hast einen (guten) ~ an dir 〔am Leib〕 너는 발이 재다. ③ (말의) 완보(緩步): im ~

reiten 말을 타고 천천히 가다; (im) ~ fahren 차를 천천히 몰다. ④ (일정한) 발걸음, 보조: aus dem ~ kommen 보조를 흐트리다, (대오에서) 이탈하다; im ~ bleiben (다른 사람과) 보조를 유지하다. ⑤ 보폭: 〖비유〗 jm. drei ~(e) vom Leib(e) bleiben 누구에게 가까이 가지 않다; sich³ jn.〔et.〕 drei ~(e) vom Leib (e) halten 누구를〔무엇을〕 멀리하다. ⑥〖재봉〗(바짓)가랑이: ein zu enger〔kurzer〕 ~ 너무 끼는〔짧은〕 바짓가랑이; 〖구어〗 (bei) dem hängt der ~ in den Knien! 바짓가랑이가 그 사람 무릎에 걸쳐져 있다〔짧다〕! ⑦〖비유〗 조처, 조치: ein entscheidender ~ 결정적인 조치; die nötigen ~e tun 필요한 조치를 취하다.

schritt ↑ schreiten 의 과거형.

Schrittanz *m.* -es, ..tänze [..tɛntsə] 스텝 댄스(탭댄스 따위).

Schrittempo *n.* -s 보행 속도.

Schritt≈folge *f.* 〖무용〗 스텝의 순서. **~gänger** *m.* 보통 걸음으로 걷는 말. **~geschwindigkeit** *f.* ↑ Schrittempo. **~kombination** *f.* 〖스포츠〗 (피겨 스케이팅 따위에서 음악에 맞추어 연기하는) 스텝 동작. **~länge** *f.* ① 보폭. ②〖재봉〗 가랑이 길이.

schrittlings [ʃrítlɪŋs] *adv.* ① 걸어서; 걷듯이; 한걸음 한걸음, 천천히. ② (südd.) 다리를 벌리고, 말탄 자세로.

Schritt≈macher *m.* ①〖사이클〗 선도 오토바이 운전자. ②〖육상〗 페이스 메이커, 속도 조정자. ③〖승마〗 선두에서 속도를 조절해 주는 말. ④ 선도자, 선도 그룹, 선구자. ⑤〖醫〗 심장 박동 조절 장치. **~macher·maschine** *f.* 선도 오토바이. **~messer** *m.* 만보계(萬步計). **~schuh** *m.* 〖구식〗 스케이트.

Schritttanz 新정서 ⇦ Schrittanz.

Schritttempo 新정서 ⇦ Schrittempo.

Schritt≈wechsel *m.* 〖軍〗 발바꾸기, 보조 변환. **~weg** *m.* 보도. **~weise** *adv.* 한걸음 한걸음; 단계적으로. **~weite** *f.* 보폭. **~zähler** *m.* ↑ ~messer.

schriwen, schriwwen *t./i.* (h.) (ndd., westd.) 쓰다(schreiben).

schro *a.* 〖방언〗 ① 저속한. ② 추한. ③ 조야한, 거친.

schrob [ʃro:p] 〖고어〗 ↑ schrauben 의 과거형.

schröbe [ʃrǿ:bə] 〖고어〗 ↑ schrauben 의 접속법 Ⅱ 식.

Schrobel [ʃró:bəl] *m.* -s, - (ndd.) 양털을 빗는 솔(Schrubbel).

Schröder [ʃrǿ:dər], **Schröer** *m.* -s, - (obd.) ① 짐 마차꾼, 마부. ② ↑ Schröter.

Schrofen [ʃró:fən] *m.* -s, - (öst.) 바위; 암벽.

***schroff** 《<mhd. schroffe, „Klippe"》 *a.* ① 험(준)한, 가파른, 깎아지른 듯한: eine ~ abfallende Felswand 깎아지른 듯한 암벽. ② 냉혹한, 쌀쌀맞은; 거친: eine ~e Ablehnung 쌀쌀맞은 거절; et. ~ von der Hand weisen 무엇을 매정스럽게 퇴짜놓다; jn. ~ behandeln 누구를 가혹하게 다루다. ③ 급작스러운, 급격한: ein ~er Übergang 급격한 변화.

Schroff *m.* -(e)s/-en, -en (öst.) ↑ Schrofen.

Schroffe *f.* -n (öst.), **Schroffen** *m.* -s, - (öst.) ↑ Schrofen.

Schroffheit *f.* -en ①〔복수없음〕 가파름; 냉혹, 쌀쌀맞음. ② 쌀쌀맞은 언행.

schroh [ʃro:] *a.* (fränk., hess.) 거친, 투박한.

Schroll *m.* -en, -en, **Schrollen** *m.* -s, - (obd.) ① 흙덩이; 경단. ②〖動〗 농어류(類) (Kaulbarsch). ③ 풍류를〔예절을〕 모르는 사람, 촌놈, 무지렁이.

schrollig *a.* ① 덩어리진, 흙덩이로 된; 무례한, 촌스러운, 무뚝뚝한. ② (schrullenhaft) 변덕스러운.

Schrom *m.* -s, -e (ndd.) ① (Schramme) 찰과상, 긁힌 상처. ② (Strich) 스침, 찰과.

schröpfen [ʃrœpfən] *t.* ①〖醫〗 jn. ~ (염증 따위의 치료 목적으로) 누구의 피부를 울혈시켜 피를 뽑다. ②〖구어〗 (돈을) 착취하다, (속여서) 빼앗다: 〖카드〗 der ist ja ordentlich geschröpft worden! 그 사람은 (노름에서) 돈을 상당히 뜯겼다! ③〖農〗 **(a)** Getreide ~ (웃자라는 것을 막기 위해) 곡식의 끝을 잘라내다. **(b)** Obstbäume ~ (과수의 성장을 돕기 위해) 껍질에 칼자국을 내다. ④〖林〗 Holz ~ 재목을 대충 다듬다. ⑤ (obd.) (잔디를) 떠내다; 제초(除草)하다. ⑥ (obd.) (차에) 브레이크를〔제동을〕 걸다.

Schröpfer *m.* -s, - ① 흡각(吸角)으로 피 뽑는 사람. ② (금전) 착취자, 강탈자. ③〖醫·드물게〗 ↑ Schröpfkopf. ④ 브레이크.

Schröpf≈gerät *n.* 〖醫〗 흡각(기). **~horn** *n.* ↑ ~kopf. **~kopf** *m.* 〖醫〗 흡각(吸角); 뜸단지.

Schröpfung *f.* -en 피뽑기; 곡물의 끝 잘라내기; 과수에 자국내기.

Schropp·hobel [ʃrɔ́p..] *m.* 〖목공〗 막대패.

Schrot [ʃro:t] 《germ.》 *m./n.* -(e)s, -e ①〖구식〗 통나무, 오리목; (갱(坑)내의 동바리용·건축용의) 거친 통나무, 거친 통나무로 만든 동바리〔건물〕; 〖비유〗 우둔한 사람, 바보, 뚱딴지. ② 고철(Schrott). ③ (주화에 함유된 금·은의) 총중량: eine Münze von gutem ~ und Korn 표준 화폐; 〖비유〗 ein Mann von altem〔echtem〕 ~ und Korn 성실하고 강직한 사람. ④〖사냥〗 산탄: mit ~ schießen 산탄을 쏘다; 〖구어〗 dem Fasan eine Ladung ~ aufbrennen 꿩에게 산탄을 쏘다. ⑤〖農〗 거칠게 빻은 곡물 (가루). ⑥ 톱밥, 지저깨비; 쇄석(碎石), 자갈. ⑦ (obd.) **(a)** (Salband) (직물의) 가장자리 (장식). **(b)** 마(碼) (직물 폭의 단위).

Schrot≈axt *f.* 〖고어〗 (목수용) 도끼, (광부용의 끝이 뾰족한) 도끼. **~baum** *m.* 〖고어〗 (짐을 싣거나 내리는 데 사용하는) 통나무. **~beutel** *m.* ①〖사냥〗 산탄 주머니. ② 겨〔왕겨·밀기울〕 넣는 자루. **~blatt** *n.* 점각화(點刻畫) (15-16 세기 목판화의 일종). **~brot** *n.* 거친 밀가루로 만든 빵, 흑빵. **~büchse** *f.* 〖구식〗 ① ↑ ~flinte. ② 산탄통(霰彈筒). **~eisen** *n.* (쇠나 돌을 절단하는) 정.

schroten(*) [ʃró:tən] (schrotete, geschrotet/ (구식) geschroten) *t.* ① 깨뜨리다, 부수다, 썰다, 토막치다; 거칠게 빻다, 갈다; 우두둑 깨물다; (재목을) 대충 깎다〔다듬다〕; 통나무로 대충 건축하다; 〖工〗 (금속 따위를) 달군 정으로 끊어내다, 절단하다; 〖광산〗 (광층에) 비스듬히 굴을 뚫다; (고철을) 바수다: Getreide ~ 곡물을 거칠게 빻다; mit den Zähnen ~ 이로 깨물어 깨뜨리다. ②〖보통 약변화〗〖구식〗 (통나무를 밑에 깔고 무거운 짐 따위를) 밀어서 운반하다. ③ (obd.) 옷감을 마르다.

Schröter [ʃrǿːtər] *m.* -s, - ①〖動〗 사슴벌레. ② 나무꾼; 석수(石手); 고철을 바수는 사람; (금속 절단용) 정. ③ 짐마차꾼; (특히 술통의) 운반인.

Schrot≈flinte *f.* 산탄총, 엽총. **~form** *f.* 산탄 주형(鑄型). **~gießen** *n.* 산탄 주조. **~gießerei** *f.* 산탄 주조(소). **~hammer** *m.* (금속 절단용) 해머〔망치〕, 파쇄 망치.

Schroth·kur [ʃróːt..] *f.* -en 슈로트 요법(비만 억제 식이 요법).

Schrot·käfer *m.* 〖動〗 사슴벌레.

Schrot≈kleie *f.* 거칠게 빻은 보리〔귀리〕 기울. **~korn** *n.* ①〖사냥〗 산탄알. ② 거칠게 빻은 곡물 낟알. **~kugel** *f.* 산탄(알). **~ladung** *f.* 장전한 산탄. **~leiter** *f.* 〖구식〗 (술통을 올리거나 내릴 때 쓰는) 사다리.

Schrötling [ʃrǿːtlɪŋ] *m.* -s, -e 〖화폐·구식〗 (주조용) 금속편(片).

Schrot≈mehl *n.* 거칠게 빻은 곡물 (가루). **~meißel** *m.* 금속 절단용 정. **~mühle** *f.* 맷돌, 곡물 분쇄기. **~säge** *f.* 큰 톱, 내릴톱. **~schuß** *m.* 〖사냥〗 산탄 사격. **~schuß-krankheit** *f.* 잎에 곰팡이가 피는 핵과류 식물의 병. **~seil** *n.* ↑ ~tau. **~sieb** *n.* (산탄 주조용) 체; (화약 제조용) 조립기(造粒機). **~speck** *m.* 잘게 썬 베이컨.

***Schrott** [ʃrɔt] 《<Schrot》 *m.* -(e)s, -e ① 고철, 금속 폐품: ~ sammeln 고철을 수집하다; mit ~ handeln 고철 장사를 하다; 〖구어〗 ein Fahrzeug zu ~ fahren 사고로 자동차를 폐차해야 할 정도로 망가뜨리다; 〖구어〗 der ist reif für den ~ 그 자동차는 고물이 다 되었다. ②〖구어〗 쓸모없는〔망가진〕 것, 고물. ③〖구어〗 터무니없는 말, 허튼소리.

Schrot·tau *n.* (통나무 따위를 올리거나 내리는 데 쓰는) 밧줄.

schrotten *t.* 고철로 만들어 버리다, 폐품 처리하다.

Schrott≈handel *m.* 고철상, 고철 거래. **~händler** *m.* 고철 상인. **~haufen** *m.* ① 고철 더미. ②〖구어·농담·폄어〗 고물 자동차. **~platz** *m.* 고철 하치장. **~presse** *f.* 고철 압쇄기. **~reif** *a.* 고철이 다 된, 망가진.

Schrot·turm *m.* 탄환 제조탑(製造塔).

Schrott·wert *m.* 고철값, 고철 가치.

Schrot≈waage *f.* 〖구식〗 수준기(水準器). **~winde** *f.* 윈치, 권양기(捲揚機).

Schrubbel *f.* -n 〔*m.* -s, -〕 양털 빗는 빗〔솔〕 (Wollkrempel).

Schrubbel·maschine *f.* 얼레빗.

schrubbeln *t.* (양털을) 빗다.

schrubben [ʃrúbən] (ndd.) *t.* ① 박박 문지르다〔닦다〕; 문질러 닦아내다: den Fußboden ~ 바닥을 박박 닦다; Flecken vom Boden ~ 바닥의 얼룩들을 닦아내다. ②〖工〗 막대패로 밀다, 거칠게 깎다〔다듬다〕.

Schrubber *m.* -s, - 청소용 자루 긴 솔.

schrubbern *t.* ↑ schrubben.

Schrubbesen [ʃrúpbeːzən] *m.* -s, - ↑ Schrubber.

Schrubb·hobel *m.* 〖工〗 막대패.

Schrulle [ʃrúlə] 《ndd.; <schrill》 *f.* -n ① 기벽; 괴팍한〔별난〕 생각: er hat den Kopf voller ~n 그의 머리 속은 희한한 생각으로 가득 차 있다. ②〖구어·폄어〗 eine (alte) ~ 변덕쟁이〔괴팍한〕 할멈.

schrullenhaft *a.* ↑ schrullig.

schrullig *a.* 변덕스러운, 괴팍한.

Schrulligkeit *f.* -en 괴팍함, 변덕.

schrumm [ʃrum] *int.* ↑ ~fidebumm.

schrumm·fidebumm *int.* 〖의성어〗 붐붐(마침 화음부에서 현악기가 내는 소리).

Schrumpel [ʃrúmpəl] *f.* -n (ndd.) ① 옷주름; (얼굴의) 주름(살). ②〖폄어〗 (주름살 투성이의) 할멈, 노파.

schrumpelig *a.* ↑ schrumplig.

schrumpeln *i.* (s.) ↑ schrumpfen.

Schrumpf [ʃrumpf] *m.* -(e)s, - 수축, 줄어듦; 수축.

schrumpf·beständig *a.* (섬유가) 줄어들지 않는.

Schrumpfel *f.* -n ↑ Schrumpel.

***schrumpfen** [ʃrúmpfən] 《germ.》 《I》 ① *i.* (s.) / *refl.* (sich) ~ 수축하다, 오그라들다. ② *i.* (h.) 감소하다, 줄어들다. 《II》 *t.* 수축시키다, 오그라뜨리다.

Schrumpf·germane *m.* 〖구어·폄어〗 왜소한 독일인; (비게르만적 외모를 지닌) 게르만 인종주의자.

schrumpfig *a.* ↑ schrumplig.

Schrumpf≈kopf *m.* 〖풍습〗 노획하여 수축·건조시킨 적의 머리(남아메리카 인디언의 습속). **~leber** *f.* 〖醫〗 수축된 간. **~niere** *f.* 〖醫〗 수축된 신장.

Schrumpfung [ʃrúmpfʊŋ] *f.* -en ① ↑ Schrumpf. ②〖經〗 통화 수축, 디플레이션.

schrumplig *a.* 〖구어〗 ① 주름투성이의: eine ~e Haut 쭈글쭈글한 피부. ② 구겨진.

Schrund [ʃrunt] 《<schrinden》 *m.* -(e)s, Schründe ↑ Schrunde.

schrund [ʃrunt] ↑ schrinden의 과거형.

Schrunde [ʃrúndə] *f.* -n ① 찢어진〔갈라진〕 틈, 균열. ②〖지질〗 크레바스(빙하나 암벽이 깊게 갈라진 틈). ③ (피부가) 추위에 튼 자리; 생채기.

schrundig [ʃrúndɪç] *a.* 찢어진〔갈라진〕, 균열 있는; 틈투성이의; (피부가) 온통 튼, 터서 거친.

schründig *a.* ↑ schrundig.

schruppen [ʃrúpən] *t.* ↑ schrubben.

Schrupp≈feile *f.* 이가 큰 줄. **~hobel** *m.* 막대패.

Schrute *f.* -n (md., ndd.) 칠면조의 암컷.

Schrutz *m.* -es (sächs.) 조악한 물건; 폐물; 저속한 예술 작품.

Schruwe *f.* -n (ndd., westd.) 나사.

Schruz *m.* -es (sächs.) 품질이 나쁜 상품, 잡동사니.

***Schu** *f.* (ndd.) ↑ Scheu.

Schub [ʃuːp] 《<schieben》 *m.* -(e)s, Schübe [ʃýːbə] ① 밀기, 부딪치기; 부딪침, 밀치기: jm. einen ~ 〔Schups〕 geben 누구를 밀(치)다; mit einem ~ 한번 밀어서, 단숨에, 단번에. ②〖한 번에 밀어넣는 분량이란 뜻에서〗 ein ~ Brot 한 솥분〔가마분〕의 빵; ein ~ Suppe 한 숟가락의 수프; ein ~ Rauch 한 뭉치의 연기; ~ auf〔um〕 ~ 한무리씩. ③〖物〗 추진력. ④ 강제 이송〔퇴거〕, (부랑자 등의) 추방: 〖은어〗 jn. auf den ~ bringen 누구를 강제 출국

시키다; per ~ 강제로. ⑤〖수의〗(말의) 이갈이. ⑥ (독일식 볼링에서) 공 굴리기: ich habe den ~(=mein ~!) 내가 굴릴 차례다; ein ~ Kegel 한 벌의 (독일식) 볼링핀. ⑦〖방언〗서랍. ⑧〖醫〗부정기적 발작. ⑨〖物〗형태를 변형시키는 힘; 추진력. ⑩〖기계〗전단(剪斷).

Schub·beanspruchung *f.*〖物〗응력(應力).

Schubbejack [ʃʊ́bəjak] (ndd.) *m.* -s, -s/-e ↑ Schubiack.

schubben [ʃʊ́bən] *t.* (nordd.) 박박 긁다〔할퀴다〕; 문지르다.

Schuber [ʃú:bər] 《<schieben》 *m.* -s, - ① 책 케이스. ② (öst.) 빗장.

schubbern *t.* ↑ schubben.

Schubert [ʃú:bərt] *m.* Franz ~ 슈베르트(오스트리아 작곡가, 1797-1828).

Schub=fach *n.* ↑ ~lade. **~fenster** *n.* 내리닫이창, 미닫이창. **~festigkeit** *f.* 전단 강도(剪斷強度).

Schubiack [ʃú:biak] *m.* -s, -s/-e〖구어·폄어〗무뢰한, 악한.

Schub=karre *f.* ↑ ~karren. **~karren** *m.* (외바퀴) 손수레. **~kärrner** *m.* (외바퀴) 손수레꾼. **~kasten** *m.* ↑ ~lade. **~lade** *f.* 서랍. **~laden·schrank** *m.* 서랍 달린 장롱. **~lehre** *f.*〖工〗캘리퍼스, 노기스. **~leichter** *m.* (무동력의) 너벅선, 수상 컨테이너. **~leistung** *f.* 추진력.

Schüblig *m.* -s, -e (alem.) ↑ Schübling ②.

Schübling [ʃý:plɪŋ] *m.* -s, -e ① 강제 퇴거령을 받은 사람. ② 소시지의 일종.

Schub=modul *m.*〖物〗강성률(剛性率). **~paß** *m.* 강제 퇴거 여권. **~riegel** *m.* 빗장. **~sack** *m.* 포켓.

Schubs [ʃʊps] *m.* -es, -e〖구어〗(가볍게) 밀침: jm. einen ~ geben 누구를 무슨 일을 하도록 고무하다.

Schub·schiff *n.* 무동력(화물선을 밀어주는) 추진선.

schubsen [ʃʊ́psən] 《<schieben》 *t.*〖구어〗밀(치)다.

Schubserei *f.* -en〖구어〗지속적인 밀(치)기.

Schub=spannung *f.* ↑ ~beanspruchung. **~stange** *f.*〖工〗커넥팅 로드, 연접봉. **~tisch** *m.* 서랍 달린 테이블. **~ventil** *n.*〖工〗슬라이드 밸브, 활판(滑瓣). **~weise** *adv.* ① 밀어서, 밀치며. ② 한 떼〔패〕씩; 점차로, 차차로. **~wirkung** *f.* 추진 효과.

***schüchtern** [ʃýçtərn] 《ndd.; ♧ scheu》《Ⅰ》 *a.* 수줍어하는, 부끄럼타는; 소심한. 《Ⅱ》 *t.*〖고어〗(einschüchtern) 겁주다, 위협하다.

Schüchternheit *f.* 수줍어함; 소심.

Schuckelei [ʃʊkəlái] *f.* -en〖방언〗흔들림(↑ Schaukelei).

schuckeln [ʃʊ́kəln] *i.* (h.) ①〖구어〗(nordd.) 흔들리다, 진동하다; 앞뒤〔위아래〕로 움직이다; 흔들거리며 가다. ② (rhein.) 공을 던지다.

schuckern [ʃʊ́kərn] *t./imp.* (nordd.) es schuckert mich a) 나는 좀 춥다, 몸이 떨린다, b) 딸꾹질이 난다.

Schüddebold *m.* (ostd.) 잠자리(Libelle).

schüdden *t.* ↑ schuddern.

Schudder [ʃʊ́dər] 《Schauder 의 북독일형》 *m.* -s, -〖구어〗몸이 떨림.

schudderig *a.* (nordd.)〖구어〗으스스 추운.

schuddern [ʃʊ́dərn] (nordd.)〖구어〗《Ⅰ》 *i.* (h.) (몸이) 떨린다. 《Ⅱ》 *t.* (몸을) 떨리게 하다.

Schüdderump *m.* -s, -s (ndd.; alter Wagen) 낡은 마차; 영구차; 우편물 손수레.

schuf [ʃu:f] ↑ schaffen¹ 의 과거형.

schüfe [ʃý:fə] ↑ schaffen¹ 의 접속법 Ⅱ식.

Schuffel [ʃʊ́fəl] *f.* -n (nordd.) 호미.

***Schuft** [ʃʊft] *m.* -(e)s, -e 악한, 악당, 비열한 녀석; 〖수의〗(도살한 소 등의) 어깻살 고기: du ~! 이 나쁜 놈!; so ein gemeiner ~! 정말 형편없는 놈이군!

schuften [ʃʊ́ftən] *i.* (h.) ①〖구어〗빠빠지게 일하다; Sie ~ sich müde 그들은 지칠 정도로 빠빠지게 일한다. ②〖은어〗자백하다, 입을 열다.

Schufterei *f.* -en ①〖구어·폄어〗비열(한 짓). ②〖구어〗고역, 중노동.

schuftig *a.* 비열한.

Schuftigkeit *f.* -en〖폄어〗①〖복수없음〗비열. ② 비열한 짓〔행동〕.

Schuftikus *m.* -(ses), -se ↑ Schuft.

schuftisch〖고어〗*a.* ↑ schuftig.

schug *a.* (ndd.) 수줍어하는.

***Schuh** [ʃu:] *m.* -(e)s, -e ① 신발, 구두; 단화: modische ~e 최신 유행의 구두; ~ mit hohem Absatz 하이 힐; 〖구어〗wissen, wo jm. der ~ drückt 누구의 숨은 고충을 알다; 〖비유〗sich die ~e nach et. ablaufen 무엇을 얻기 위해 오랫동안 헛되이 애쓰다; 〖비유〗das habe ich mir längst an den ~en abgelaufen 〔abgetreten〕그런 일은 벌써 익히 알고 있다; 〖비유〗jm. die ~e austreten 〔in js. ~en gehen〕누구를 밀어 제치다, 누구의 지위〔처지〕를 대신하다; 〖비유〗ich möchte nicht in seinen ~en stecken 나는 그의 처지〔지위〕를 바라지 않는다; 〖비유〗in eigenen ~en stehen 독립해 있다; 〖구어〗jm. et. in die ~e schieben〔gießen, schütten〕누구에게 무엇에 대한 책임을 전가하다; 〖비유·구어〗umgekehrt wird ein ~ draus 그 반대가 옳다: das sind zwei Paar ~ 〔zweierlei ~e〕그 둘은 서로 비교할 수 없는 별개의 것이다. ② 말굽; 편자; 〖방언〗소 발톱. ③ 스케이트화(靴) (Schlitt≗); (Hemm≗) 제동기, 브레이크. ④〖복수: -〗피트(길이의 단위). ⑤〖工〗쇠장식, 쇠테; 기(旗)·창의 꽂이(Fahnen≗, Lanzen≗); 썰매날; (칼집의) 끝에 씌운 쇠.

Schuh=absatz *m.* 구두 뒤축. **~ahle** *f.* 제화공이 사용하는 송곳. **~anzieher** *m.* ↑ ~horn. **~band** *n.* 〖복수: ..bänder〗구두끈. **~bürste** *f.* 구둣솔.

Schuhchen *n.* -s, - ↑ Schühchen.

Schühchen [ʃý:çən] *n.* -s, -〖↑ Schuh 의 축소형〗작은〔어린이〕구두.

Schuh=creme *f.* 구두약. **~draht** *m.* (역청을 칠한) 구두 꿰매는 실. **~eisen** *n.* ↑ ~kratze. **~fabrik** *f.* 제화 공장. **~fleck,** **~flicken** *m.* (구두 수선용) 가죽. **~flicker** *m.* 구두 수선공. **~größe** *f.* 신발〔구두〕의 크기. **~horn** *n.* 구둣주걱. **~karton** *m.* 구두 상자. **~knöpfer** *m.* 구두 단추 고리〔끼우개〕. **~kratze** *f.* 구두의 흙털이. **~krem** *f./m.,* **~kreme** *f.* ↑ ~creme. **~laden** *m.* 신발 가게.

Schühlein *n.* -s, - ↑ Schühchen.

Schuh≈leisten *m.* 구둣골. **~löffel** *m.* 구둣주걱. **~macher** *m.* 구두장이, 제화공. **~macherin** *f.* ↑ ~macher의 여성형. **~macherei** *f.* ① ↑ ~macherhandwerk. ② 제화 작업장.

Schuhmacher≈gesell(e) *m.* 제화공(工). **~hand·werk** *n.* 제화 기술.

Schuh≈markt *m.* 구두 시장. **~maß** *n.* 구두장이의 줄자, 구두 치수. **~nagel** *m.* 구둣못; 구두징. **~nummer** *f.* 〖구어〗 신발〔구두〕의 치수〔크기〕. **~pech** *n.* (구두 꿰매는 실에 바르는) 역청. **~pflock** *m.* 구두의 나무못〔대못〕. **~plattler** *m.* 슈플라틀러춤(Bayern의 4분의 3박자의 민속 무용; 손바닥으로 발바닥·무릎·허벅지를 치면서 추는 춤). **~putzer** *m.* 구두닦이: 〖비유〗 jn. wie einen ~ behandeln 누구를 거지 발싸개처럼 취급하다(매우 업신여기다). **~riemen** *m.* 〖방언〗 구두끈: 〖비유〗 sie ist nicht wert, ihm die ~ zu lösen 그녀는 그의 구두끈을 풀 자격조차 없다. **~schmiere** *f.* ↑ ~wichse. **~schnabel** *m.* 〖動〗 넓적부리황새(과(科)). **~schnalle** *f.* 구두 죔쇠〔버클〕. **~schrank** *m.* 신발장. **~schwärze** *f.* 〖고어〗 흑색 구두약. **~sohle** *f.* 구두창: sich die ~n nach et.³ ablaufen 무엇을 위해 오랫동안 (헛되이) 애쓰다. **~spanner** *m.* 구둣골. **~spitze** *f.* 구두코.

Schuhu 〖방언〗 *m.* -s, -s 수리 부엉이.

Schuh≈wachs *n.* ↑ ~creme. **~werk** *n.* 〖총칭〗 신, 구두류. **~wichse** *f.* 〖구어〗 구두약. **~wisch** *m.* 구두 닦는 천〔솔〕. **~zeug** *n.* 〖구어〗 구두류. **~zwecke** *f.* 구둣못, 구두징.

Schuko [ʃú:ko] *m.* -s, -s 〖전기〗 〖↑ Schutzkontakt의 단축형〗 전기 안전 차단 장치.

Schuko≈steckdose *f.* 안전 콘센트. **~stecker** *m.* 안전 플러그.

Schul≈abgang *m.* 졸업. **~abgänger** *m.* 졸업생. **~abschluß** *m.* 학력: welcher ~ wird verlangt? 어떤 학력이 요구됩니까? **~abteilung** *f.* 학급, 반. **~akt, ~aktus** *m.* 학교 행사. **~amt** *n.* 교직; 교육청. **~amtskandidat** *m.* 중·고등 학교 교사 후보자. **~anfang** *m.* ① 초등 학교 입학일. ② (방학 뒤의) 개학. **~anfänger** *m.* (초등 학교의) 신입생. **~anstalt** *f.* 〖고어〗 학교. **~arbeit** *f.* 숙제. **~arrest** *m.* 방과 후에 남게 함(학생의 처벌). **~arzt** *m.* 학교 보건의(醫). **~ärztin** *f.* ↑ ~arzt의 여성형. **≗ärztlich** *a.* 학교 보건의(醫)의. **~atlas** *m.* (학교 수업용) 지도. **~aufgabe** *f.* ① ↑ ~arbeit. ② (öst.) 시험. **~aufsatz** *m.* 작문 숙제〔시험〕. **~aufseher** *m.* 장학관〔사〕; 학교 관리자, 교장. **~aufsicht** *f.* (국가의) 학교 감독(권). **~aufsichts·behörde** *f.* 학교 감독 관청. **~ausgabe** *f.* 교과서, 교재용 서적. **~ausschuß** *m.* 교육 위원회. **~bank** *f.* 〔복수: ..bänke〕 학생용 걸상: 〖구어〗 die ~ drücken 학교에 다니다; 〖구어〗 miteinander die (gleiche) ~ gedrückt haben, auf einer ~ gesessen haben 동기 동창생이다, 학교 다닐 때 같은 반이었다. **~beginn** *m.* ↑ ~anfang. **~behörde** *f.* 교육청. **~beispiel** *n.* 범례, 전형적인 예. **~bekanntschaft** *f.* 학창 시절의 친구, 동창생. **~besuch** *m.* ① 통학, 등교. ② (schweiz.) (장학사 등의) 수업 참관. **~bezirk** *m.* 학구(學區). **~bibliothek** *f.* 학교 도서관. **~bildung** *f.* 학교 교육. **~bub** *m.* 초등〔중〕학교 남학생. **~buch** *n.* 교과서. **~bus** *m.* 스쿨 버스, 통학 버스. **~chor** [..ko:r] *m.* 학교 합창단.

***Schuld** [ʃʊlt] 《♧ sollen》 *f.* -en ① (갚아야 할) 채무; 빚, 부채: ~en machen 돈을 꾸다, 빚지다; in ~en geraten 〔sich in ~en stürzen〕 빚더미에 올라앉다; eine ~ löschen 〔tilgen, begleichen〕 빚을 갚다; ~en eintreiben〔einziehen〕 빚을 거두어들이다; jm. eine ~ erlassen 누구의 빚을 면제해 주다; 〖비유〗 die ~ der Natur bezahlen 천명(天命)을 다하다, 죽다; tief 〔bis über die〔beide〕 Ohren〕 in ~en stecken 빚에 몰려 옴짝달싹 못하다. ② 〖동사와 관용적으로 사용될 때는 소문자〗 과실, 죄과; 잘못; 책임: an et.³ ≗ haben 〔an et.³ ≗ sein〕 무엇에 대해 책임이 있다; es ist nicht meine ~ 〔die ~ liegt nicht an mir〕 그것은 내 탓〔책임〕이 아니다; jm. (die) ~ beimessen 〔geben, zuschieben, zuschreiben〕 누구 탓으로 돌리다; 누구에게 책임을〔죄를〕 덮어씌우다; er wälzt die ~ auf andere ab 그는 책임을 남에게 전가한다; ihr habt euch Fehltritte zuschulden 〔zu ~en〕 kommen lassen 너희들이 과실을 범했다; das kalte Wetter ist ≗, daß ich krank wurde 내가 병에 걸린 것은 날씨가 추웠기 때문이다; eine strafrechtliche ~ 형법상의 죄; ~ und Sühne 죄와 벌; der Angeklagte leugnete seine ~ 피고는 자기 범죄를 부인했다. ③ 〖다음 용법으로〗 (tief) in js. ~ sein 〔stehen〕 누구에게 큰 은혜를 입고 있다〔신세를 지고 있다〕.

Schuld≈abänderung *f.* 〖法·經〗 부채 관계 변경 계약. **~abzahlung** *f.* 채무 변제. **~anerkenntnis** *f.* 〖法·經〗 채무 승인. **~arrest** *m.* ↑ ~haft. **≗befleckt** *a.* 죄를 범한, 죄가 있는. **~beitritt** *m.* 〖法〗 채무 인수(계약). **~bekenntnis** *n.* (유)죄의 고백. **≗beladen** 죄를 진. **≗belastet** *a.* ↑ ~beladen. **~betrag** *m.* 부채〔채무〕액. **~beweis** *m.* 유죄의 증거. **≗bewußt** *a.* 죄의식이 있는. **~bewußtsein** *n.* 죄의식. **~brief** *m.* 채무〔차용〕 증서. **~buch** *n.* 〖商〗 입차 장부; 국가 채무 기록부: 〖비유〗 unser ~ sei vernichtet! 옛일은 씻은 듯 잊어버리자! **~buch·forderung** *f.* 〖經〗 국가 채무 기록부에 기록되는 여신 요청.

schulden [ʃʊ́ldən] *t.* ① jm. et. ~ 누구에게 무엇을 빚지다: er schuldet mir noch 50 Mark 그는 내게 아직도 50마르크의 빚을 지고 있다; jm. Dank〔Erklärung〕 ~ 누구에게 감사〔설명〕해야 한다; ich schulde dir mein Leben 내가 살아 있는 것은 네 덕택이다. ② 〖드물게〗 과실을〔죄를·부정을〕 범하다.

schulden≈belastet *a.* 부채가 있는, 빚 때문에 옴짝달싹 못하는. **≗berg** *m.* 빚더미. **~frei** *a.* 부채가 없는. **≗haftung** *f.* 〖法〗 채무 보증. **~halber** *adv.* 빚〔부채〕 때문에. **≗krise** *f.* 채무 위기. **≗last** *f.* 막대한 부채. **≗machen** *n.* 빚지기. **≗macher** *m.* 빚을 내는 사람; 씀씀이가 헤픈 사람. **≗masse** *f.* 부채액. **≗tilgung** *f.* 채무 변제, 부채〔공채〕 상환.

Schuldentilgungs≈fonds *m.* 공채〔부채〕 상환 기금. **≗kasse** *f.* ↑ ≗tilgungsfonds.

Schulden≈wesen *n.* 부채, 채무.

Schuld≈erlaß *m.*, **~erlassung** *f.* 채무〔부채〕면제. **~fähig** *a.* 〖法〗 의무 이행〔채무 변제〕 능력이 있는. **~forderung** *f.* 채무 지급 요구, 채권. **~forderungs·klage** *f.* ↑ ~klage. **~frage** *f.* 〖法〗 유죄 여부 (문제). **~frei** *a.* ① ↑ schuldlos. ② ↑ schuldenfrei. **~gefängnis** *n.* 〔고어〕 채무자 구류장. **~gefühl** *n.* 죄책감. **~genoß** *m.* 공범자. **~geständnis** *n.* 죄의 자백: ein ~ ablegen 죄를 자백하다.

schuldhaft *a.* ↑ schuldig.

Schuld≈haft *f.* 〔구식〕 채무 구류. **~herr** *m.* 채권자.

Schul≈diener *m.* 〔구식〕 학교 사환. **~dienst** *m.* 학교 근무; 교직(教職).

***schuldig** [ʃʊ́ldɪç] 《<Schuld》 *a.* ① 빚이 있는, 부채〔의무〕가 있는: ~ sein, et. zu tun 무엇을 할 의무가 있다; ich bleibe〔bin〕 Ihnen 20 Mark ~ 나는 당신에게 20 마르크의 빚이 있소; ich bin Ihnen Dank ~ 나는 당신의 은혜를 입고 있소; er ist mir noch eine Antwort auf meine Frage ~ 그는 내 질문에 아직까지 대답하지 않았다〔대답해야 한다〕; ich werde ihm nichts ~ bleiben 그가 내게 한 짓을 그에게 그대로 되갚아 줄 것이다. ② 당연한, 마땅한: mit ~er Ehrerbietung 마땅한 경의를 표하고. ③ 죄진, 유죄의: ein Urteil auf ~ 유죄 선고; 〔시어〕 des Todes ~ sein 죽어 마땅하다; 〖聖〗 jm. ~ sein 누구에게 죄를 짓고 있다; vor Gott sind wir alle ~ 하느님 앞에서 우리는 모두 죄인이다; jn. ~ sprechen 〔jn. für ~ erklären〕 누구에게 유죄를 선고하다; eines Verbrechens ~ sein 〔sich eines Vergehens ~ machen〕 어떤 죄를 저지르다; die Geschworenen sprachen ihr „~“ über ihn aus 배심원들은 그의 "유죄"를 평결했다. ④ 책임 있는: an et.[3] ~ sein 무엇에 대해 책임이 있다.

Schuldige* [ʃʊ́ldɪgə] *der/die* 죄인, 유죄자.

Schuldiger *m.* -s, - 〖신약·고어〗 죄지은 자: vergib uns unsere Schulden, wie wir vergeben unseren ~n! 우리가 우리에게 죄지은 자를 사하여 준 것같이 우리 죄를 사하여 주옵소서! (마태 6 : 12).

Schuldig·erklärung *f.* 〖法〗 (배심원의) 유죄 평결; 유죄 선고〔판결〕.

schuldiger·maßen *adv.* 죄〔잘못〕에 상응하여, 당연히.

Schuldigkeit *f.* ① 의무, 책무; 책임: seine ~ tun 의무를 다하다. ② 빚, 부채: seine ~ bezahlen 빚을 갚다.

Schuldig·sprechung *f.* ↑ ~erklärung.

schuldigst *adv.* 《schuldig 의 최상급》 죄〔잘못〕에 상응하여, 당연히.

Schul≈direktor *m.* 교장. **~disziplin** *f.* 교칙; 학교의 훈육.

Schuld≈klage *f.* 채무 관계의 소송. **~komplex** *m.* 〖心〗 죄책감 콤플렉스.

schuldlos *a.* 무죄의, 결백한.

Schuldlosigkeit *f.* 무죄, 결백.

Schuldner [ʃʊ́ldnər] *m.* -s, - 채무자(↔ Gläubiger); 〔비유〕 은혜를 입은 사람.

Schuldnerin *f.* -nen ↑ Schuldner 의 여성형.

Schuldner≈land *n.* 채무국. **~mehrheit** *f.* 〖法·經〗 복수 채무자. **~verzug** *m.* 〖法〗 채무 변제의 유예.

Schuld≈post *f.* ↑ ~posten. **~posten** *m.* 〖商〗 채무〔부채〕액. **~prozeß** *m.* ↑ ~klage.

Schul·drama *n.* (16-17 세기 라틴어 학교에서 교육적인 의도로 행해진) 학교극.

Schuld≈recht *n.* 채권법. **~sache** *f.* 〔구식〕 ↑ ~klage. **~schein** *m.* 채무〔차용〕 증서. **~spruch** *m.* 유죄 선고〔판결〕. **~turm** *m.* ↑ ~gefängnis. **~übernahme** *f.* 〖法·經〗 채무 인수. **~umwandlung** *f.* 〖法〗 채무 전환. **~verhältnis** *n.* 채권자와 채무자 사이의 법적인 관계. **~verpflichtung** *f.* 채무. **~verschreibung** *f.* 채무 증서, 차용증; 채권(債券). **~voll** *a.* 죄가 있는, 유죄의. **~wechsel** *m.* 약속 어음. **~zins** *m.* 부채에 대한 이자.

***Schule** [ʃúːlə] 《lat. schola》 *f.* -n ① 학교; 교사(校舍); lateinische〔gelehrte〕 ~ ↑ Latein~; die höhere ~ 고등 학교; die mittlere ~ 중등 학교; die ~ besuchen 학교에 다니다; die ~ durchmachen〔absolvieren〕 학교를 졸업하다; 〔구어·비유〕 die ~ schwänzen, hinter〔neben〕 die ~ gehen 학교를 빼먹다; 〔구어〕 aus der ~ plaudern〔schwatzen〕 비밀을 누설하다; in die 〔zur〕 ~ gehen 등교〔통학〕하다; die ~ wechseln 전학하다: ich war 〔stand〕 in der ~ nie sehr gut 나는 재학 중 성적이 형편 없었다. ② 수업: die ~ aussetzen〔schließen〕 수업을 중지하다〔끝내다〕; 〔구어〕 die ~ ist aus 수업이 끝났다; heute ist keine ~ 〔die ~ fällt aus〕 오늘은 수업이 없다; 〔구식〕 ~ halten 수업을 (휴강하지 않고) 하다; die ~ fängt um 8 Uhr an und ist um 12 aus 학교는〔수업은〕 8 시에 시작해서 12 시에 끝난다; nach der ~ 방과 후에. ③ 〔구어〕 학생 및 교직원 전체: die ~ hat einen Ausflug gemacht 교사와 학생들이 소풍갔다; die ganze ~ 전교생과 교직원. ④ 〔비유〕 단련, 훈련, 교육: die harte ~ des Lebens 인생의 가혹한 시련; 〔구어〕 alle ~n durchsein 〔durchgemacht haben〕 인생 경험이 많다; 세상 물정에 밝다; man sieht, welche ~ er genossen hat 그가 얼마나 인생의 고초를 겪었는지 잘 알 수 있다. ⑤ 입문서, 교본: Klavier~ 피아노 교본. ⑥ 학파, 학설; 유파: die ~ Platos 플라톤 학파; die romantische ~ 낭만파; 〔비유〕 das wird ~ machen 그 일은 많은 동조자〔지지자〕를 얻을 것이다; 〔비유〕 ein Kavalier der (guten) alten ~ 매너 좋은 남자. ⑦ (말의) 걸음걸이, 조마(調馬); 승마의 연습: 〖승마〗 (die) Hohe ~ 고등 마술(馬術); 고등 기술, 높은 기량. ⑧ 〔비유〕 묘포(苗圃) (Baum~); 종묘 재배장. ⑨ 유대인의 교회당. ⑩ 고래 떼. ⑪ 〖海〗 der Wind läuft ~n 바람이 잠든다.

schul·eigen *a.* 학교 소유의, 학교에 귀속되는.

***schulen** [ʃúːlən] 《I》 *t.* ① 교육〔훈련·단련〕하다: jn. für seinen Beruf ~ 누구에게 직업 교육을 시키다; jn. fachlich ~ 누구에게 전문 교육을 시키다; die Augen 〔das Gedächtnis〕 ~ 시력〔기억력〕을 훈련〔단련〕시키다. ② (말을) 조련하다. ③ 〔목적어없이〕 (obd.) **(a)** 학교를 경영하다. **(b)** 학습하다. 《II》 *i.* (h.) (ndd.) ① 숨다: ~ laufen (학생이) 학교를 빼

먹고 숨어 돌아다니다; 〖비유〗der Wind läuft ~ 바람이 잠든다. ② (nordd.) 옆에 숨어 쳐다보다, 곁눈질하다, 엿보다. 《Ⅲ》 **geschult** *p.a.* ↑ geschult.

Schul≈englisch *n.* 학교식 영어. **≈entlassen** *a.* 학교를 졸업한. **≈entwachsen** *a.* 학령(學齡)이 지난.

***Schüler** [ʃýːlər] *m.* -s, - ① 학생; 제자, 문하생: der fahrende ~ (중세의) 편력(遍歷) 학생; ein ~ von Ranke 랑케의 문하생. ② 〖비유〗 초학〔초심〕자.

Schüler≈arbeit *f.* ① (학교의) 수업, 과제. ② (특히 미술·공작 시간에 만든) 학생 작품; 〖비유〗 졸작. **~austausch** *m.* 학생 교환〔교류〕. **~ausweis** *m.* 학생증.

schülerhaft *a.* ① 학생 같은. ② 〖비유〗 미숙한, 서투른.

Schülerhaftigkeit *f.* 미숙, 서투름.

Schülerin *f.* -nen 여학생; 여제자.

Schüler≈lotse *m.* 교통 안내·지도 담당 고학년생. **~mitverantwortung** *f.* ↑ ~mitverwaltung. **~mitverwaltung** *f.* ① (학교 문제에 관한) 학생의 참여. ② 학생(대의원)회. **~mütze** *f.* 학생모, 교모(校帽). **~parlament** *n.* (대도시의) 학생 대표(자치) 회의.

Schülerschaft *f.* ① 학생〔문하생〕 신분. ② 전교생.

Schüler≈sprache *f.* 학생 은어. **~wettbewerb** *m.* 학생들 간의 시합〔경쟁〕. **~zeitung** *f.* 학교 신문.

Schul≈erziehung *f.* 학교 교육. **~examen** *n.* 학교 시험. **~fach** *n.* (학)과목. **~fall** *m.* 범례, 전형적인 예. **~feier** *f.* 학교 행사〔축제〕. **~feierlichkeit** *f.* ↑ ~feier. **~feiertag** *m.* (학교의) 휴일〔축일〕. **~ferien** *pl.* 방학. **~fernsehen** *n.* 수업용 텔레비전 프로그램. **~fest** *n.* 학교 축제. **~flugzeug** *n.* 〖空〗 연습기. **≈frei** *a.* 수업이 없는: ~er Tag 휴교일; ~er Nachmittag 수업이 없는 오후. **~freund** *m.* 학우, 동창, 학교 친구. **~freundin** *f.* ↑ ~freund 의 여성형. **~fuchs** *m.* 〖구식〗 꼼꼼한 사람, 시시한 일에 얽매이는 사람, 옹졸한 사람. **~fuchserei** *f.* 꼼꼼함. **≈fuchsig** [..ksɪç] *a.* 까다롭게 구는, 옹졸한. **~funk** *m.* 교육 방송. **~gebäude** *n.* 교사(校舍). **~gang** *m.* 등교: der erste ~ (신입생의) 등교 첫날, 〖드물게〗 통학길. **~garten** *m.* (교육용의) 학교실습지. **~geld** *n.* 수업료. **~geld·freiheit** *f.* (헌법이 보장하는) 학비〔수업료〕 면제. **~gelehrsamkeit** *f.* 〖폄어〗 학교에서 얻는 단순한〔현실과 거리가 먼〕 지식. **~gelehrte*** *der/die* 스콜라 철학자; 공리 공론가; 고전어 연구자; 언어〔문법〕 학자; 〖구어〗 학교 교사; (특히) ↑ ~fuchs. **≈gemäß** *a.* ↑ ≈gerecht. **~gemeinde** *f.* 학교 공동체. **~genosse** *m.* 학우, 동창. **≈gerecht** *a.* ① 교칙을 따르는; 규범에 맞는, 모범〔표준〕이 되는: ~er Ausdruck 바른 표현. ② ~es Pferd 잘 훈련된 말. **~gesetz** *n.* 학칙, 교칙. **~gezänk** *n.* 학자의 논쟁. **~grammatik** *f.* 학교 문법. **~halter** *m.* 학교 교사, (사립 학교의) 교장. **~haus** *n.* ↑ ~gebäude. **~heft** *n.* 연습장(帳). **~hof** *m.* 교정, 운동장. **~hort** *m.* 〖구동독〗 학교 부속 탁아소. **~hygiene** *f.* 학교 위생〔보건〕. **~inspektor** *m.* 장학관〔사〕.

schulisch [ʃúːlɪʃ] *a.* 학교의.

Schul≈jahr *a.* ① 학년. ② 〔복수〕 학창 시절. **~jugend** *f.* (재학 중인) 청소년. **~junge** *m.* 초등〔중〕학교 남학생. **~kamerad** *m.* ↑ ~freund. **~kenntnisse** *pl.* 학교에서 얻은 지식. **~kind** *n.* 취학 연령에 달한 아동. **~klasse** *f.* ① 학급. ② 교실. ③ 학년. **~knabe** *m.* ↑ ~junge. **~kollegium** *n.* ① 교원, 교사진. ② 교육 위원회. **~kommission** *f.* ↑ ~kollegium ②. **~konferenz** *f.* 교직원〔교수〕 회의. **~krankheit** *f.* ① 학교 적응 장애 질환. ② 〖구어〗 (학교에 가기 싫어 부리는) 꾀병. **~küche** *f.* ① 〖구동독〗 학교 급식 조리실(室). ② 학교의 실습용 주방. **~land·heim** *n.* (학교 부속의) 임간(林間) 시설. **~lehrer** *m.* 교사. **~lehrerin** *f.* ↑ ~lehrer 의 여성형. **~lehrer·seminar** *n.* 사범 학교, 초등 교원 양성소. **~leiter** *m.* 학교장. **~leiterin** *f.* ↑ ~leiter 의 여성형. **~leitung** *f.* 학교 운영(진(陣)). **~lokal** *n.* ↑ ~stube. **~mädchen** *n.* 여학생. **~mann** *m.* 〖복수: ..männer〗 교사, 교육가. **~mappe** *f.* 학생〔책〕가방. **≈mäßig** *a.* ↑ ≈gerecht. **~medizin** *f.* (대학에서 연구·교육하는) 학교〔정통〕 의학. **~meister** *m.* ① 〖고어〗 교사, 교원; 초등 학교 교장. ② 〖비유〗 ↑ ~fuchs. **~meisterei** *f.* 〖폄어〗 선생티. **≈meisterlich** *a.* 〖폄어〗 교사 같은, 교사티 나는; 까다롭게 구는. **≈meistern** (*p.p.* geschulmeistert) *i.* (h.) / *t.* ① 지나치게 꼼꼼하게 가르치다. ② 교사 노릇을 하다. **~meister·ton** *m.* 교사식의 말투. **~musik** *f.* ① 학교 음악, 음악 수업. ② (음악 대학의 한 과목으로서) 음악 교수법. **~orchester** *n.* 학교 오케스트라. **~ordnung** *f.* 학칙, 교칙.

Schulp [ʃʊlp] *m.* -(e)s, -e 오징어 껍질.

Schulpe *f.* -n 조가비; 조개.

Schul≈pferd *n.* 잘 훈련된 말, 곡예마(馬). **~pflicht** *f.* 취학 의무. **≈pflichtig** *a.* 취학 의무가 있는; 학령에 달한: er wird nächstes Jahr ~ 그는 내년에 초등 학교 갈 나이가 된다. **~pflichtigkeit** *f.* 학령에 달함. **~plan** *m.* 교안; 커리큘럼. **~politik** *f.* 학교 정책. **~programm** *n.* 학교 연보(年報)〔안내〕. **~prüfung** *f.* ↑ ~examen. **~psychologe** *m.* (진로·학업 상담 담당의) 학교 소속의 심리학자. **~psychologin** *f.* ~psychologe 의 여성형. **~ranzen** *m.* (등에 메는) 책가방. **~rat** *m.* ① (öst.) 교육 (감독)청. ② 교육 위원; 장학관〔사〕. **~recht** *n.* 교육법. **~rede** *f.* 〖구식〗 훈화. **~reform** *f.* 학제〔학교〕 개혁. **~reife** *f.* 취학 능력이 있음. **~reiter** *m.* 조마사(調馬師). **~sache** *f.* 학무, 학교에 관한 일. **~sack** *m.* (schweiz.) ↑ ~ranzen. **~sattel** *m.* 마술(馬術) 연습용 안장, 조마용(調馬用) 안장. **~schiff** *n.* 〖海〗 연습선〔함〕. **~schluß** *m.* (방학 전의) 종업일; 〖방언〗 졸업. **~schrift** *f.* 학교 출판〔간행〕물; (특히) 연보. **~schritt** *m.* 〖마술〗 (승마 훈련 때) 속도가 가장 느린 걸음. **~schwänzer** *m.* 학교의 무단 결석자. **~schwester** *f.* (수도원의) 교육 담당 수녀. **~speisung** *f.* 학교 급식. **~sport** *m.* 학교 체육. **~sprache** *f.* ① 학교 용어; 학생 은어. ② 스콜라 철학의 어법. **~sprecher** *m.* 학생 대표, 학생회장. **~sprecherin** *f.* ~sprecher 의 여성형. **~-**

staub *m.* 〖비유〗 교사의 직(職); 하찮은 지식. ~**streß** *m.* 학교 생활에서 오는 스트레스. ~**stube** *f.* 〔구식〕 교실. ~**stunde** *f.* 수업 시간. ~**system** *n.* 교육 제도, 학제. ~**tafel** *f.* 칠판. ~**tag** *m.* 수업일. ~**tasche** *f.* 책가방.

***Schulter** [ʃʊ́ltər] *f.* -n ① 어깨: mit hängenden ~n dastehen 어깨를 축 늘어뜨리고 그곳에 서 있다; mit den ~n zucken (모른다는 표시로) 어깨를 으쓱하다; der Polizist legte ihm die Hand auf die ~ (체포한다는 뜻으로) 경찰이 그의 어깨에 손을 얹었다; 〖비유〗 wir arbeiten ~ an ~ 우리는 서로 협력해서 일한다; et. auf seine ~n nehmen a) 무엇을 어깨에 메다, b) (책임 따위를) 떠맡다; er nimmt gern alles auf die leichte ~ 그는 무엇이든 경솔히 생각한다; auf beiden ~n (Wasser) tragen 양다리 걸치다; auf js. ~n stehen 누구의 이론에 바탕을 두고 있다; jn. über die ~ ansehen 〔jm. die kalte ~ zeigen〕 누구를 냉대〔경시〕하다; jm. auf die ~ klopfen 누구의 어깨를 두드리다(친근감의 표시). ② (소·돼지 등의) 어깻살 부위. ③ 〚軍〛 (보루의) 견각(肩角). ④ 〚건축〛 달구. ⑤ 산등성이 중의 수평 부분.

Schulter≈band *n.* 〔복수: ..bänder〕 〚해부〛 어깨뼈 인대. ~**bein** *n.* 〚해부〛 견갑골. ~**binde** *f.* 〚醫〛 가슴 붕대. ~**blatt** *n.* 〚해부〛 견갑골. ~**breite** *f.* 어깨 너비. ~**decker** *m.* 〚空〛 (주날개가 기체 상부에 붙은 비행기) 견익기(肩翼機). ~**frei** *a.* 어깨 부분이 패인, 어깨가 노출된. ~**gehänge,** ~**gehenk** *n.* 〚軍〛 어깨 띠. ~**gelenk** *n.* 〚해부〛 어깨 관절. ~**gürtel** *m.* 〚해부〛 견갑대, 상지대(上肢帶). ~**höhe** *f.* 어깨 높이; 〚해부〛 견갑봉(峯) (견갑의 윗 부분): bis zur ~ 어깨까지; der Lichtschalter befindet sich in ~ 전등 스위치는 어깨 높이에 설치되어 있다.

..**schulterig** *suf.* "…한 어깨의"의 뜻(보기: breit~ 어깨가 넓은).

Schulter≈klappe *f.* 〚軍〛 견장(肩章). ~**knochen** *m.* ↑ ~bein. ~**lang** *a.* 어깨까지 내려오는. ~**muskel** *m.* 〚해부〛 견갑근(肩胛筋), 삼각근.

schultern [ʃʊ́ltərn] *t.* ① 어깨에 메다: ein Gewehr ~ 총을 어깨에 메다. ② 〚레슬링〛 폴로 이기다.

Schulter≈polster *n.* (양복 등의 어깨에 넣는) 패드. ~**riemen** *m.* 견대(肩帶), 멜빵. ~**schluß** *m.* (schweiz.) (서로 이해가 맞아 떨어지는 단체 간의) 협력, 협동, 단결. ~**stück** *n.* ① ↑ Schulter ②. ② 〚軍〛 견장(肩章). ~**tuch** *n.* ① 숄, 스카프. ② 〚가톨릭〛 신부가 미사 제복 안에 입는 흰색 견포(肩布). ~**verrenkung** *f.* 견갑 탈구(肩胛脫臼). ~**wehr** *f.* 〚軍·구식〛 어깨 높이의 방호벽.

Schultheiß [ʃʊ́lthaɪs] *m.* -en, -en ① (옛날의) 지방 자치 단체 기관장. ② (스위스 루체른의) 주지사. ③ 슐타이스 맥주.

Schultheißen·amt *n.* 자치 단체장직.

Schul≈theologie *f.* 〔구식〕 스콜라 신학. ~**tornister** *m.* 학생〔책〕 가방.

..**schultrig** *suf.* ↑ ...schulterig.

Schul≈tüte *f.* 초등 학생에게 입학 선물로 주는 사탕〔과자〕 봉지. ~**übung** *f.* 학과 연습.

Schulung [ʃúːlʊŋ] *f.* -en ① 교육; 훈련, 단련; (말의) 조련. ② 강습회; 수련 과정.

Schulungs≈kurs *m.* 훈련〔수련〕 과정. ~**lager** *n.* 훈련 합숙소. ~**woche** *f.* 훈련이 진행되는 주(週).

Schul≈unterricht *m.* 학교 교육; 수업. ~**verfassung** *f.* 학교 규정, 교칙. ~**versäumnis** *f.* 결석. ~**verwaltung** *f.* 학교 행정〔당국〕. ~**vorstand** *m.* ① 학교의 대표부〔이사회〕. ② 교장. ~**vorsteher** *m.* ↑ ~vorstand ②. ~**wart** *m.* (öst., schweiz.) 학교 건물 관리인. ~**weg** *m.* 통학로. ~**weisheit** *f.* 〖폄어〗 ① 학교에서 얻은 지식, 추상적인 지식. ② 스콜라 철학. ~**wesen** *n.* 학사(學事); 학교 제도, 학제(學制). ~**wissen** *n.* 학교에서 배운 지식. ~**wissenschaften** *pl.* 학교에서나 통하는 학문, 공리 공론. ~**witz** *m.* 〖구식〗 배워 터득한 기지(↔ Mutterwitz).

Schulze [ʃʊ́ltsə] *m.* -n, -n 〖구식〗 ↑ Schultheiß.

Schul·zeit *f.* ① 수업 시간. ② 학창 시절.

Schulzen·amt *n.* 〖구식〗 ↑ Schultheißamt.

Schul≈zeugnis *n.* 성적 증명서; 졸업 증(명)서. ~**zimmer** *n.* 교실. ~**zucht** *f.* 학교의 기율. ~**zwang** *m.* 취학 의무.

Schum[1] *m.* -s (ndd.) 거품.

Schum[2] [ʒum] 《poln.》 *m.* -s, -s 〖구어〗 술취함, 취기.

Schummel [ʃʊ́məl] 《I》 *m.* -s, - ① (obd., md.) 하인, 머슴; 부엌데기. ② 〖구어〗 속임수. 《II》 *f.* -n (obd., md.) 말괄량이.

Schummelei [ʃʊməláɪ] *f.* -en ① ↑ Schummel 《I》②. ② 계속 속이기.

schummeln [ʃʊ́məln] (obd., md.) 《I》 *i.* ① (s.) 살짝 빠져 나가다, 내빼다. ② (h.) (남의 눈을) 속이다; 사기치다. 《II》 *t.* jn. (weg) ~ 누구를 쫓아내다; 〖구어〗 et. (weg) ~ 무엇을 슬쩍 옮기다; 슬쩍 갖다 넣다: er schummelte ein paar alte Stücke unter die neue Ware 그는 새 상품에 중고품 몇 개를 몰래 넣었다.

Schummer [ʃʊ́mər] (♧ Schimmer) *m.* -s, - (nordd.; md.) (Dämmerung) 황혼, 여명.

schummerig *a.* 〖구어〗 ① 어스름한, 희미한. ② 무시무시한.

schummern 《I》 *i.* (h.) / (방언) *imp.* es schummert 차차 어두워지다〔밝아지다〕. 《II》 *t.* 〖전문어〗 그늘이 지게 하다, 명암〔농담(濃淡)〕을 넣다; 바림하다; (지도에서) 선영(線影)을 그려넣다.

Schummer·stunde *f.* 해질녘.

Schummerung *f.* -en ① 〖방언〗 황혼, 여명. ② (a) 〖복수없음〗 바림(하기), (지도의) 선영(線影)(넣기). (b) 지도에 선영을 표시한 지역〔지대〕.

Schummler [ʃʊ́mlər] *m.* -s, - (눈)속임꾼, 사기꾼.

Schummlerin *f.* -nen ↑ Schummler 의 여성형.

schummrig *a.* ↑ schummerig.

Schumper·lied [ʃʊ́mpər..] *n.* (ostmd.) 연가(戀歌); 속요(俗謠).

schumpern *t.* 무릎에 올려놓고 흔들다.

Schün *f.* (ndd.) (Scheune) 곳간, 헛간.

Schund [ʃʊnt] (＜schinden) *m.* -(e)s ① 〖구어·폄어〗 잡동사니, 폐물: wirf den ~ endlich weg! 그 잡동사니 이제 갖다 버려! ② 삼류 (예술) 작품: das Theaterstück ist der reinste ~ 그 연극은 아주 시시하다; ~ und

Schmutz 가치〔보잘것〕없는 예술 작품.
Schund=bauten *pl.* 낡은〔허술한〕 건물. **~blatt** *n.* (삼류의) 저속한 신문.
Schündel *f.* (ndd.) (곳간 안의) 탈곡장(場).
Schund=film *m.* 삼류 영화. **~grube** *f.* 분뇨〔쓰레기〕 구덩이; 하수구. **~heftchen** *n.* 삼류 잡지.
schundig *a.*〖방언·폄어〗삼류의; 하찮은, 가치 없는.
Schund=könig *m.* 분뇨〔쓰레기〕 수거인. **~-literatur** *f.* 삼류 문학. **~roman** *m.*〖폄어〗삼류 소설. **~ware** *f.* 저급한 물건, 가짜.
Schuner *m.* -s, - ↑ Schoner².
Schunkel [ʃúŋkəl]《nordd.》*f.* -n〖구어〗그네.
schunkeln [ʃúŋkəln]《I》*i.* (h.)〖구어·방언〗① 팔을 끼고 몸을 흔들다; 흔들거리다: wir ~ zur〔mit der〕Musik 우리는 팔을 끼고 음악에 맞추어 몸을 흔든다. ② 팔을 끼고 몸을 흔들며 걷다; 흔들거리며 움직이다.《II》*refl.* sich ~ 몸을 흔들다.
Schunkel·walzer *m.* 팔을 끼고 추는 왈츠.
schünnen *t.* (ndd.) ① (jm. et.) 말재주로 물건을 팔아먹다; (거짓말을) 곧이듣게 하다. ② 유혹하다.
Schupf [ʃʊpf]《<schieben》*m.* -(e)s, -e (obd.) (가볍게) 밀기.
schupfen [ʃúpfən] (obd.)《I》*t.* ① 밀다, 밀어붙이다, 밀어내다. ② 던지다. ③〖은어〗야바위치다, 속이다.《II》*refl.* sich ~ (가려운 곳을) 긁다, 비비다.
Schupfen *m.* -s, - ↑ Schuppen.
Schupfer *m.* -s, - 가볍게 밀기.
Schupo [ʃúːpo]《I》*f.*〖↑ Schutzpolizei 의 단축형〗보안 경찰.《II》*m.* -s, -s〖↑ Schutzpolizist 의 단축형〗보안 경찰관.
Schupp¹ [ʃʊp]《sp.》*m.* -s, -en ①〖動〗(아메리카산(產)) 너구리. ② (아메리카산(產)) 너구리 모피.
Schupp² *m.* -(e)s, -e (ndd.) (가볍게) 밀기: auf dem ~ sitzen 준비가 완료되다.
Schüppchen¹ [ʃʏpçən] *n.* -s, - ↑ Schuppe 의 축소형.
Schüppchen² *n.* -s, - ↑ Schüppe 의 축소형.
***Schuppe** [ʃúpə]《♧ schaben》*f.* -n ① (어류·파충류의) 비늘. ②〖복수〗(**a**) 비늘 (부스러기), 표피 박편(剝片):〖비유〗es fiel ihm wie ~n von den Augen 그는 실상을 불현듯 깨달았다. (**b**) 비듬(Kopfschuppen). (**c**) 갑옷 비늘. (**d**)〖광산〗광재(鑛滓). ③〖해부〗비늘뼈, 인상골(鱗狀骨). ④〖植〗인편(鱗片), 인모(鱗毛), 인엽(鱗葉). ⑤〖工〗~ im Eisen 철판의 흠〔금〕. ⑥〖動〗가랑잎 조개의 일종.
Schüppe [ʃʏpə] *f.* -n (ndd.) ↑ Schippe ①.
Schüppel [ʃʏpəl] *m.* -s, -(n) (bayr., öst.) 다발: ein ~ Stroh 짚 한 다발.
schüppeln *t.*〖고어〗밀어 운반하다.
schuppen¹ [ʃúpən]《<Schuppe》《I》*t.* ① (물고기의) 비늘을 떼다. ② 비늘을 붙이다, 비늘로 덮다.《II》*refl.* sich ~ 살갗에 비늘이 생기다〔생겨 벗겨지다〕; du schuppst dich am Bein 네 다리 살갗에 비늘이 벗겨진다.
schuppen² *f.*《<Schupp²》↑ schupfen.
***Schuppen**《<schieben》*m.* -s, - ① (지붕만 있는) 가건물; 헛간, 광; 차고; 창고. ② 젊은이들을 위한 음식점(댄스 홀).
schüppen [ʃʏpən] *t.* ↑ schippen.
Schüppen *n.* -, - ↑ Schippen.
schuppen=artig《<Schuppe》*a.* 비늘 모양의. **≈baum** *m.*〖植〗인목류(鱗木類)(석탄기의 식물). **≈bildung** *f.* 비듬이 생김; 살갗에 비늘이 생김. **~flechte** *f.*〖醫〗마른버짐, 건선(乾癬). **≈flügler** *m.*〖動〗나비목(目). **~förmig** *a.* (잎·무늬·기와 등이) 비늘 모양으로 겹친. **≈grind** *m.* ↑ ≈flechte. **≈kette** *f.*〖軍〗투구 끈.
schuppenlos *a.* 비늘이 없는.
Schuppen=panzer *m.*〖軍〗사슬 비늘 달린 갑옷. **~pelz** *m.* (아메리카산(產) 너구리의) 모피. **~tanne** *f.*〖植〗남양 삼목(南洋杉木). **~tier** *n.*〖動〗① 뱀목(目)의 동물. ② 천산갑(穿山甲). **≈weise** *adv.* 비늘 모양으로. **~wurz** *f.*〖植〗개종용(열당과(科)의 기생 식물; 줄기에 비늘이 있음).
Schupp·fisch *m.*〖動〗은빛 황어의 일종.
schuppicht *a.*〖구식〗↑ schuppig.
schuppig [ʃúpɪç] *a.* 비늘 있는; 비늘 모양의.
Schüpplein *n.* -s, - ↑ Schüppchen¹.
Schups [ʃʊps]《<schuppen²》*m.* -es, -e (südd.) ↑ Schubs.
schupsen [ʃúpsən] *t.* (südd.) ↑ schubsen.
Schur¹ [ʃuːr]《<scheren》*f.* -en ① 베기; (특히) 양털깎기; (정원수·산울타리의) 손질; (삼림의) 벌채; (풀·곡물 등의) 베어들임. ② 베어낸 것; 깎아낸 양털, 베어낸 풀. ③ ↑ Wild≈. ④ (독일식 볼링에서) 투구(投球).
Schur² *m.* -(e)s〖구어·고어〗괴롭힘, 짜증나게 하기; 귀찮은 일: jm. einen ~ tun 누구를 괴롭히다; er tut es mir zum ~ 그는 나를 괴롭히려고 그런 짓을 한다.
Schür=baum *m.* (무엇을 휘젓는) 막대기. **~eisen** *n.* 쇠부지깽이.
schüren [ʃʏːrən] *t.* ① (불씨를) 헤쳐 일으키다. ②〖비유〗부추기다, 선동하다: einen Streit ~ 싸움을 붙이다; mit dieser Rede schürte er (noch) die allgemeine Unzufriedenheit 그는 이 연설로 모든 사람들의 불만을 부채질했다. ③〖방언〗↑ scheuern《I》.
Schürer [ʃʏːrər] *m.* -s, - ① 불씨를 헤쳐 일으키는 사람; 화부(火夫);〖비유〗선동자. ② ↑ Schüreisen.
Schurf [ʃʊrf] *m.* -(e)s, Schürfe [ʃʏrfə] ①〖광산〗시굴, 탐광(探鑛). ② 오래된 구덩이〔갱〕;〖광산〗시굴갱. ③ 생채기, 찰과상. ④〖방언〗낚싯바늘. ⑤〖고어〗부스럼 딱지.
Schurf·arbeit *f.* ↑ Schürfarbeit.
Schürf·arbeit *f.*〖광산〗시굴 작업.
schürfen [ʃʏrfən]《I》*i.* (h.) ①〖광산〗탐광하다: nach Uran ~ 우라늄을 찾아 시굴하다. ②〖비유〗열심히 연구하다: in dieser Sache müssen wir noch tiefer ~ 이 일은 더 깊이 연구해 보아야 한다. ③ 긁는 소리를 내며 움직이다: die Tür schürft (auf dem Teppichboden) 문이 (카펫 위로) 북북 소리를 내며 움직인다.《II》*t.* (h.) ①〖광산〗시굴하다: Erz ~ 광석을 찾기 위해 시굴하다. ②〖방언〗푹 파내다; 대패질을 거칠게 하다. ③〖방언〗대충 갈다.《III》*refl.* sich ~ 긁혀 상처를〔찰과상을〕입다: sie hat sich beim Sturz die Knie geschürft 그녀는 넘어지면서 무릎을 긁혀 생채기가 났다; sich blutig ~ 찰과상을 입어 피가 나다.
Schürfer [ʃʏrfər] *m.* -s, -〖광산〗시굴자.

Schürf≈gezähe *n.* 〖광산〗 시굴용 기구. **~kübel** *m.* 스크레이퍼. **~loch** *n.*〖광산〗시추공. **~recht** *n.* 시추권. **~schacht** *m.*〖광산〗시굴갱(坑). **~schein** *m.*〔구식〕↑ ~zettel. **~wunde** *f.* 긁힌 상처, 찰과상. **~zettel** *m.* 시굴 허가증.

Schürfung *f.* -en ① 시굴, 탐광. ②〔드물게〕긁혀 생긴 상처.

Schürge [ʃʏ́rgə] (⊕ schüren) *m.* -n, -n 화물 운반부; 손수레꾼.

schürgen [ʃʏ́rgən] *t.*〔방언〕① 밀다. ② (가축을) 몰다.

Schür≈haken *m.* (끝이 꼬부라진) 부지깽이. **~herd** *m.*〔구식〕(보일러 등의) 아궁이; (난로의) 쇠살대; 난롯가.

..schürig *suf.* "…(번) 베는"의 뜻(보기: zwei~ 한 해에 풀〔털〕을 두 번 베는).

Schurigelei [ʃuːriːgəláɪ] *f.* -en〔구어·폄어〕①〔복수없음〕못살게 굴기, 괴롭히기. ② 괴롭히는〔못살게 구는〕방법.

schurigeln [ʃúːriːgəln] (<Schur²) *t.*〔구어·폄어〕못살게 굴다, 괴롭히다.

***Schurke** [ʃʊ́rkə] (<Schürer) *m.* -n, -n 악한, 악당, 불량배, 깡패, 건달; 배반자: ~ von (einem) Diener 못된 하인 녀석; ein abgefeimter ~ 교활한 악당;〔격언〕ein ~ verrät den andern 악당은 동료를 배신한다.

schurkenhaft *a.* ↑ schurkisch.

Schurken≈leben *n.* 깡패〔건달〕생활. **~streich** *m.*〔구식·폄어〕↑ Schurkerei. **~tat** *f.*〔구식·폄어〕↑ Schurkerei.

Schurkerei [ʃʊrkəráɪ] *f.* -en〔폄어〕못된 짓, 비행(非行), 배반 행위.

Schurkin *f.* -nen ↑ Schurke 의 여성형.

schurkisch *a.* 깡패처럼 행동하는, 야비한.

Schür·loch *n.* 난로의 아궁이; 난로의 열기 조절 밸브.

Schurre [ʃʊ́rə] (원래 의성어) *f.* -n (nordd.) (목재를 운반하는) 미끄럼길; (곡식·석탄 등의) 활송 장치; 미끄럼틀;〔드물게〕미끄러져 내려오는 조약돌(의 소리).

schurren [ʃʊ́rən] *i.* (nordd.) ① (h.) (가볍게 슬슬) 문지르다, 갈다. ② (s.) (바닥을 긁는 소리를 내며) 미끄러지다, 미끄러져 떨어지다. ③ 바닥을 긁는 소리를 내다.

Schurr·murr [ʃʊ́rmʊr] *m.* -s ① 뒤죽박죽; 혼란; 잡동사니. ②〔비유〕성급한〔성마른·잘 발끈하는〕사람.

Schür≈schaufel *f.* 석탄삽, 부삽. **~wolle** *f.* 양모. **~wollen** *a.*〔드물게〕양모의.

Schurz [ʃʊrts] (⊕ kurz) *m.* -es, -e ① 허리에 두르는 천; (열대 지방 사람들의) 요포(腰布) (Lenden~): einen ~ tragen 요포를 입다〔걸치다〕. ②〔방언〕앞치마. ③〖건축〗벽난로 장식. ④〖요리〗(거위 등의) 흉골(胸骨)에서 볼기까지의 가죽. ⑤〖農〗한 배의 돼지들. ⑥〖사냥〗한 줄에 맨 사냥개. ⑦〔방언〕당사자 쌍방의 대리인들.

Schür·zange *f.* 부집게.

***Schürze** [ʃʏ́rtsə] *f.* -n ① 앞치마:〔구어〕jm. an der ~ hängen 누구 꽁무니에 매달리다, 누구에게 종속되다. ②〔비유〕여자, 부인: hinter jeder ~ herlaufen〔hersein〕여자만 보면 꽁무니를 쫓아다닌다. ③ ↑ Schurz ④. ④〖사냥〗암노루의 음모(陰毛).

Schur·zeit *f.* (양털을) 깎는 시기, (풀·농작물을) 베는 시기.

schürzen [ʃʏ́rtsən] 《I》 *t.* ① (auf~) (옷자락을) 치켜 올리다, (소매를) 걷어올리다: die Lippen ~ (경멸·반항의 뜻으로) 입을 비죽거리다. ②〔雅語〕매다, 묶다, 매듭을 짓다:〔비유〕den Knoten eines Dramas ~ 극의 줄거리에 갈등 요소를 추가하다. ③ 앞치마를 두르다. 《II》 *refl.* sich ~ ① 옷을 걷어올리다;〔비유〕준비〔채비〕를 하다. ② 매듭으로 묶여지다:〔비유〕hier schürzt sich die dramatische Handlung zum Knoten 여기서 드라마의 줄거리가 갈등 국면에 접어든다.

Schürzen≈amt *n.*〔구어〕여자 덕으로 얻은 관직. **~band** *n.*〔복수: ..bänder〕앞치마 끈. **~herrschaft** *f.* ↑ ~regiment. **~jäger** *m.*〔구어〕여자 꽁무니를 쫓아다니는 사람. **~kleid** *n.*〖재봉〗(벨트가 달린) 블라우스 비슷한 허리까지 오는 겉옷, 튜닉. **~regiment** *n.*〔농담〕(여자가 가정의 주도권을 잡고 있는) 앞치마 정권. **~stipendiat** *m.*〔구어·농담〕여자에 기대어 사는 사람, 여자 덕을 보는 사람. **~zipfel** *m.* 앞치마 자락:〔비유·구어〕das Kind hängt der Mutter noch am ~ 그 아이는 아직도 엄마의 앞치마 자락에 매달린다, 엄마를 졸졸 따라다닌다.

Schurz·fell *n.*〔고어〕(제화공의) 가죽 앞치마.

schuss.. 新정서 ⇦ schuß...

***Schuß** [ʃʊs] (<schießen) *m.* Schusses, Schüsse [ʃʏ́sə] ① 돌진; 질주: das Wasser ist im ~ 물이 쏜살같이 흐르고 있다; ~ fahren〖스키〗직활강하다; in ~ kommen a) 질주하다, b) 번창하다, 활기를 띠다. ② (**a**) 빠른 성장: einen ~ tun〔machen〕(짧은 시간 내에) 키가 훌쩍 크다; der Junge hat im letzten Jahr einen ~ gemacht 이 소년은 지난 1 년 동안 몰라 보게 자랐다. (**b**) 쑥 뻗은 새싹〔새순·햇가지〕: wilder ~ 쑥쑥 퍼진 가지. ③ (**a**) 사격, 발사, 발포: einen ~ bekommen 한방 맞다; blinder ~ 공포(空砲) 사격; scharfer ~ 실탄 사격;〔구어〕ein ~ in den Ofen 완전한 실패;〔구어〕zum ~ kommen 기회를 얻다; einen ~ tun〔abgeben〕발포〔발사〕하다;〔비유〕ein ~ ins Schwarze 명언, 정곡을 찌르는 말, 정답. (**b**) 총탄, 총알, 화살: einen ~ erhalten 총알을 맞다; er hat einen ~ im Knie 그는 무릎에 총상을 입었다; er fiel auf den ersten ~ 그는 제 1 탄에 쓰러졌다;〔구어〕jm. einen ~ vor den Bug setzen〔geben〕누구에게 어떤 일을 하지 말라고 엄중히 경고하다;〖사냥〗et. vor〔in〕den ~ bekommen 사냥감을 맞히다. (**c**) (~weite) 사정(射程)〔착탄〕거리: im〔außer〕~ sein 사정 거리 안〔밖〕에 있다;〔비유〕weit〔weitab〕vom ~ sein a) 위험에서 벗어나 있다, b) 중심지에서 벗어나 있다; jm. vor〔in〕den ~ kommen a)〖사냥〗누구의 사정거리 안에 들어가다, b)〔구어〕(벼르는) 누구와 우연히 만나다. (**d**) 장전한 총알, 장약(裝藥):〔비유〕er ist keinen ~ Pulver wert 그는 아무 쓸모 없는 녀석이다〔쏠래도 총알이 아깝다〕. (**e**) 총성, 포성, 폭음: in der Ferne hallte wieder ein ~ durch die Nacht 멀리서 다시금 총성이 밤을 갈랐다. (**f**) 총상(銃傷), 화살에 맞은 상처:〔구어〕einen ~ haben 머리가 좀 돌다, 제정신이 아니다. (**g**)〖광산〗폭파(Spreng~). ④〖스포츠〗(축

구 등에서) 슛: ~ ins Tor 공을 골문(門)에 넣음. ⑤ 마약 주사 (한 대): jm.〔sich〕 einen ~ setzen〔drücken, machen〕 누구〔자신〕에게 마약 주사를 한 대 놓다; der goldene ~ 치사량의 약물〔마약〕 주사. ⑥ 소량, 약간: 〖양을 나타냄〗 ein ~ Geld 적은 돈; einen ~ Rum in den Tee tun 소량의 럼주를 차에 타다; 〖비유〗 ich möchte keinen ~ Pulver daran wenden 나는 그 일에는 조금도 신경쓰고 싶지 않다; er hat einen ~ deutschen Bluts in den Adern 그에게는 독일인의 피가 좀 섞여 있다. ⑦〖비유〗 요통(Hexen≈). ⑧〖방직〗 씨실. ⑨ (놀이용) 유리구슬(Schusser). ⑩ 정상: in〔im〕 ~ sein a) 정상이다, b) 건강하다; sie hat den Haushalt gut in ~ 그녀는 가정을 잘 꾸려 나간다; 〖구어〗 in ~ kommen a) 정상화되다, b) 건강해지다; 〖구어〗 et. in ~ bringen 〔haben, halten, kriegen〕 무엇을 정상화하다 〔정상으로 유지하다〕.

Schuß≈abgabe *f.* 발사. **~bändig** *a.* 〖사냥〗 (개·말 등이) 총소리에 놀라지 않는. **~bartel** *m.* (schles.) ↑ Schussel 《I》. **~bein** *n.* 〖축구〗 (선수의) 슛하는 다리. **~bereich** *m./n.* 사계(射界), 사격 범위. **≈bereit** *a.* 사격 준비가 된. **~bremse** *f.* 〖軍〗 (대포의) 주퇴기(駐退機). **~bühne** *f.* 〖工〗 (암석을 폭파할 때의) 가리개.

Schussel [ʃʊ́səl] 《<Schuß》《I》 *m.* -s, - 〔*f.* -n〕 〖구어〗 (md.) 덜렁쇠, 차분치 못한 사람, 경솔한 사람. 《II》 *f.* -n (md.) (얼음이나 눈 위의) 미끄럼틀.

***Schüssel** [ʃʏ́səl] 《lat. Lw.》 *f.* -n ① 주발, 대접, (바닥이 움푹한) 접시: 〖구어〗 aus einer ~ essen 한솥밥을 먹다; 같이 일하다; 〖비유·구어〗 vor leeren ~n sitzen 굶주려야만 하다. ② (주발 또는 접시에 담은) 음식·요리. ③〖動〗 따개비. ④〖구어〗 (오래된) 자동차. ⑤〖지형〗 분지.

Schüssel·brett *n.* ① 찬장; (이동) 식품대(食品臺). ② (그릇 등을 올려 놓는) 부엌 벽에 붙인 선반.

Schüsselchen *n.* 〖↑ Schüssel 의 축소형〗 작은 주발.

Schüssel≈förmig *a.* 접시〔대접〕 모양의. **~gestell** *n.* ↑ ~brett ②. **~glocke** *f.* 주발 뚜껑.

schusselig *a.* ↑ schußlig.

schusseln [ʃʊ́səln] *i.* (h.) ① 〖구어〗 덜렁거리다, 경솔히 행동하다. ② 〖방언〗 썰매〔스케이트〕를 타다.

Schüssel≈schrank *m.* 찬장, 식기장. **~stürze** *f.* ↑ ~glocke. **~trage** *f.* 쟁반. **~wärmer** *m.* 식기 가열기, 접시 데우는 열판(熱板) 기구. **~wäscherin** *f.* 여자 접시 닦이.

Schusser [ʃʊ́sər] 《<Schuß》 *m.* -s, - (놀이용) 유리구슬.

schussern [ʃʊ́sərn] *i.* (h.) 〖방언〗 유리구슬 놀이를 하다.

Schuß≈faden *m.* ↑ ~garn. **~fahrt** *f.* 〖스키〗 전속력의 직(直)활강. **~feld** *n.* 〖軍〗 사계(射界): in ~ sein 사정(射程) 안에 있다. **≈fertig** *a.* 사격 준비가 된. **≈fest** *a.* 방탄의. **≈frei** *a.* 사정 밖의, 탄환이 미치지 못하는. **~garn** *n.* 〖방직〗 씨실. **~gatter** *n.* 수문(水門). **~geld** *n.* ↑ Schießgeld. **~gelegenheit** *f.* 〖스포츠〗 슛 찬스. **≈gerecht** *a.* ① 사정 안의, 탄환이 닿는; (사냥감이) 명중하기 좋은 자리에 있는. ② (말 등이) 사격 소리에 익숙한; (사냥꾼이) 사격에 능한. ③ 사격법에 맞는. ④ 정확한, (총이) 잘 맞는. **~gerinne** *n.* 물레방아용의 (급류) 수로.

schussig 《<Schussel》 *a.* 〖방언〗 성급한, 성마른.

Schuß·kanal *m.* 〖醫〗 (탄환이 관통한) 총상자국.

Schußler *m.* -s, - 경솔〔성급〕한 사람.

schusslig 新정서 ⇦ schußlig.

schußlig 《<Schussel》 *a.* 〖구어〗 침착하지 못한, 덜렁거리는, 경솔한.

Schuß≈linie *f.* 〖軍〗 사선(射線): 〖비유〗 in die ~ geraten (공개적으로) 집중 비난〔공격〕을 받게 되다. **~loch** *n.* 탄환 구멍〔자국〕. **≈recht** *a.* ↑ ≈gerecht. **~richtung** *f.* 〖軍〗 사격〔포격〕 방향. **~rinne** *f.* ① 분수의 관. ② 〖건축〗 처마 끝의 홈통. **≈scheu** *a.* 사격 소리를 겁내는. **≈schwach** *a.* 〖스포츠〗 슈팅력이 약한. **~schwäche** *f.* 〖스포츠〗 슈팅력이 약함. **≈sicher** *a.* 방탄의. **≈stark** *a.* 〖스포츠〗 슈팅력이 강한. **~stärke** *f.* 〖스포츠〗 강한 슈팅력. **~tafel** *f.* 사격판. **~verletzung** *f.* 총상(銃傷). **~waffe** *f.* 화기(火器), 총포. **~wechsel** *m.* 총격전. **≈weis** *adv.* 갑자기 엄청난 수로〔양으로〕. **~weite** *f.* 〖軍〗 사정(射程) 거리. **~wirkung** *f.* 사격〔포격〕 효과. **~wunde** *f.* 총상. **~zahl** *f.* 발포수(數).

***Schuster** [ʃúːstər] *m.* -s, - ① 〖구어〗 구두장이, 제화공, 구두 수선공: 〖비유·농담〗 auf ~s Rappen reiten 걸어가다; 〖격언〗 ~, bleib bei deinem Leisten! 네가 아는 일이나 해라! ② 〖폄어〗 서투른〔솜씨 없는〕 사람. ③ 〖폄어〗 힐고자(Angeber); 아첨꾼. ④ 〖印〗 무자격〔무허가〕 장색. ⑤ 〖체스〗 ~ 〔kaputt〕 werden 두 판을 지다. ⑥ 〖植〗 버섯의 일종. ⑦ 〖動〗 (a) 하늘소. (b) 장님거미. (c) 좀날개바퀴. ⑧ 〖탁구〗 5 득점.

Schuster≈ahle *f.* 구두장이의 송곳. **~arbeit** *f.* 제화(업), 구두 수선(업). **~blume** *f.* 초롱꽃, 풍경초. **~draht** *m.* 구두 깁는 실.

Schusterei [ʃuːstəráɪ] *f.* -en 〖구어〗 ① 제화업. ② 구둣방. ③ 〖폄어〗 거친 일〔솜씨〕, 날림.

Schuster≈gesell(e) *m.* 구둣방 직공. **~handwerk** *n.* 제화업. **~junge** *m.* ① 〖고어〗 구둣방의 수습공: 〖구어·농담·비유〗 es regnet ~n 비가 엄청 온다. ② (berl.) (과거에 구두공이 먹던) 싸구려 호밀빵. ③ 〖印〗 한 쪽의 마지막에 있는 새 단락의 첫 줄. **~karpfen** *m.* (유럽산(産)) 잉어의 일종. **~kneif** *m.* (구두장이의) 작은 칼. **~laib** *m.* (obd.) 호밀빵. **~lehrling** *m.* ↑ ~junge ①. **~messer** *n.* ↑ ~kneif.

schustern [ʃúːstərn] *i.* (h.) / *t.* ① 〖구식·구어〗 구둣방을 운영하다, 구두를 만들다〔고치다〕. ② 〖비유·폄어〗 망치다, 그르치다, 날림으로 일하다. ③ 〖비유〗 아첨하다; bei jm. ~ 누구의 비위를 맞추다.

Schuster≈palme *f.* 〖植〗 엽란(葉蘭). **~pech** *n.* (구두실용) 역청. **~pfriem** *m.* (구두장이용) 송곳, 대바늘. **~pfriemen** *m.* ↑ ~pfriem. **~werk·statt** *f.* 구두장이의 작업장.

Schute [ʃúːtə] 《♧ schießen》 *f.* -n ① 〖海〗 거

롯배, 너벅선. ② (ndd.) 앞치마; 모자챙. ③ 두건 모양의 여성용 모자. ④ (nordwestd.) 삽.

***Schutt** [ʃʊt] 《<schütten》 *m.* -(e)s ① 토사, 돌〔파편〕(더미), 잔해; 〖시어〗 폐허; 쓰레기: 〖게시〗 ~ abladen verboten! 쓰레기를 버리지 마시오!; die Eroberer legten die Stadt in ~ und Asche 정복자들은 그 도시를 폐허로 만들어 버렸다; in ~ und Asche liegen〔sinken〕 폐허가 되어 있다〔되다〕. ②〖農〗 타작의 삯으로 주는 곡식. ③ 양조물에 들어간 엿기름. ④ (obd.) ↑ ~abladeplatz.

Schütt[1] [ʃʏt] *n.* -(e)s, -e (ndd.) ①〖海〗 방수격벽(防水隔壁). ② 수문.

Schütt[2] *f.* -e (südd.) ① ↑ Schutt. ② 사주(砂洲), 모래톱. ③ (schweiz.) 소나기, 우박.

Schutt≠ablade·platz *m.* 쓰레기 버리는 곳. **~ablagerung** *f.* 〖지질〗 쇄설암층(碎屑岩層). **~beton** *m.* 〖건축〗 (쏟아 붓는) 콘크리트.

Schütt·boden *m.* ①〖農〗 곡물 창고로 쓰이는 다락방; 곡창(穀倉). ②〖건축〗 매립지.

Schütte [ʃʏtə] 《<schütten》 *f.* -n ① 흙더미, 수북이 쌓아올린 흙; 둑; 퇴적, 더미. ②〖사냥〗 (멧돼지·꿩 등의) 먹이. ③ (obd.) 곡창(穀倉). ④ (obd.) (짚)단, 다발; 짚으로 깐 자리. ⑤ (obd.) 억수같이 퍼붓는 비. ⑥〖植〗 (특히 소나무 등의) 곰팡이 낙엽병. ⑦ 밀가루·석탄 등의 운반 및 보관 용기. ⑧ (설탕·소금 등을 넣어 두는 찬장의) 서랍.

Schüttel≠frost [ʃʏtəl..] *m.* 〖醫〗 오한(惡寒). **~lähmung** *f.* 〖醫〗 파킨슨병.

***schütteln** [ʃʏtəln] 《<schütten》《Ⅰ》 *t.* 흔들다, 털어내다: vor Gebrauch (zu) ~! 복용전에 잘 흔드십시오! (약병 등에 쓰인 문구); jn. aus dem Schlaf ~ 누구를 흔들어 깨우다; nun schüttle dich! 분기〔노력〕하라!; 〖비유·구어〗 ich habe ihn tüchtig aus dem Anzug geschüttelt 나는 그를 호되게 질책하였다; den Bauch ~ 포복절도하다; jm. die Hand ~ 누구와 악수하다; das Haupt 〔den Kopf〕 ~ 머리를 가로젓다(부정·의혹의 표현); et. aus dem Ärmel ~ 무엇을 대충 해치우다; 〖비유〗 den Staub von den Füßen ~ a) 자리를 박차고 가 버리다, b) 과거를 뒤로 하고 새로 이 시작하다; 〖비속〗 jm.〔sich[3]〕 einen ~ 누구에게 수음을 시켜주다〔수음하다〕. 《Ⅱ》 *imp.* es schüttelt mich vor Kälte〔Ekel〕 추워서〔역겨워〕 몸이 떨린다. 《Ⅲ》 *i.* (h.) 흔들다, 이리저리 움직이다: mit dem Kopf ~ 머리를 설레설레 젓다. 《Ⅳ》 *refl.* sich ~ 몸을 뒤흔들다; 몸을 떨다.

Schüttel≠reim *m.* (두 낱말 이상의 두운(頭韻)을 서로 교환시키는) 두운(頭韻) 전환(보기: in Wipfeln geht — von den Gipfeln weht). **~rinne** *f.* ↑ ~rutsche. **~rutsche** *f.* 〖광산〗 요동(搖動) 운반 장치, 셰이커 컨베이어.

***schütten** [ʃʏtən] 《Ⅰ》 *t./i.* (h.) ① 〖고어〗 ↑ schütteln: sich vor Lachen ~ 포복절도하다. ② (액체·분말 등을) 붓다, 쏟다: Milch in Gläser ~ 우유를 잔에 따르다; Futter ~ (gehen) a) 모이를 주러 가다, b) 〔구어·경박〕 식사하러 가다; in〔auf〕 Haufen ~ 쌓아올리다; Bier in sich (hinein) ~ 맥주를 쭉 들이켜다; seinen Grimm über〔auf〕 jn. ~ 누구에게 화풀이하다. ③ 흘리다. ④ 〖林〗 ein Baum schüttet (die Blätter) 나무가 나뭇잎을 떨군다. ⑤〖工〗 (**a**) einen Damm ~ 제방〔둑〕을 쌓다. (**b**) 모래섬〔톱〕을 만들다. ⑥〖農〗 Getreide ~ a) 곡창에 곡식을 저장하다, b) (jm.) 보수로 일정량의 곡식을 주다. ⑦ (obd.) (**a**) 〖광산〗 ein Bergwerk 〔eine Zeche〕 schüttet 이 광산은 수익이 있다. (**b**) 〖農〗 das Getreide schüttet gut〔reichlich〕 곡식의 수확이 많다. ⑧ 〖사냥〗 (개·이리 등이) 새끼를 낳다. ⑨ (ndd.) 토지를 짓밟은 남의 가축을 저당물로서 잡아 놓다. 《Ⅱ》 *imp.* 〖구어〗 es schüttet (비가) 억수로 퍼붓는다. 《Ⅲ》〖고어〗 *refl.* die Milch schüttet sich 우유가 엉긴다.

schütter [ʃʏtər] *a.* 약한, 빈약한; 성긴, 듬성듬성한: er hat schon ~es Haar 그는 벌써 머리가 많이 빠졌다.

schüttern [ʃʏtərn] 《<schütten》《Ⅰ》 *i.* (h.) (덜컥덜컥) 흔들리다, 진동하다; 몸이 떨리다: Der Boden schüttert 대지가 진동한다; ihm schütterten die Knien 그는 무릎이 덜덜 떨렸다. 《Ⅱ》 *t.* 흔들다, 휘두르다: einen Speer ~ 창을 휘휘 휘두르다.

Schütt≠gelb *n.* 황색 염료. **~gut** *n.* (곡물·석탄처럼) 부어 실을 수 있는 짐.

Schutt≠halde *f.* ① 슬래그 더미; 돌조각〔폐허〕 더미. ② 〖지질〗 애추(崖錐), 퇴적 해안〔하안〕. **~haufen** *m.* 토사〔돌·쓰레기〕 더미: 〖비유〗 in einen ~ verwandeln 황폐케 하다. **~karren** *m.* 토사〔쓰레기〕 운반용 수레. **~kärrner** *m.* 토사 운반부; 쓰레기 청소부. **~kegel** *m.* 〖지질〗 애추(崖錐), 선상지(扇狀地), 충적지(冲積地).

Schütt≠stall *m.* 가축 우리. **~stein** *m.* (schweiz.) (주방·세면대의) 개수대. **~stroh** *n.* 다발로 쌓아올린 짚.

Schüttung [ʃʏtʊŋ] *f.* -en ①〖복수없음〗 (짚·토사의) 쌓아올림, 퇴적. ② 퇴적물, 쌓아올린 것. ③ 샘의 용출량.

Schutt·winkel *m.* 쓰레기 버리는 곳.

***Schutz** [ʃʊts] 《<schützen》 *m.* -es, -e ① 방어, 수비; 보호; 원조, 후원; 지지, 찬조; 피난소, 대피소: Jugend~ 청소년 보호; Natur~ 자연 보호; rechtlicher ~ 법의 보호; jn. vor jm. 〔gegen jn.〕 in (seinen) ~ nehmen a) (누구에 대하여) 누구를 옹호〔보호〕하다, b) 〖商〗 (누구의 어음을) 인수하여 지급하다; jn. um ~ bitten 누구에게 보호를 요청하다; unter einem Baum ~ suchen 나무 밑에서 피하다; sich in〔unter〕 den ~ der Polizei begeben 경찰의 보호를 받다; unter dem ~ der Kanonen〔Nacht〕 대포의 엄호 사격 아래〔야음(夜陰)을 타서〕; zu ~ und Trutz zusammenstehen 공수(攻守) 동맹을 맺고 있다. ② 방어〔옹호·보호〕자. ③ ↑ Schütze[2].

Schütz[1] [ʃʏts] 《Ⅰ》 *m.* -en, -en ↑ Schütze[1] ①. 《Ⅱ》 *n.* -es, -e ↑ Schütze[2].

Schütz[2] *n.* -es, -e 〖전기〗 (과다 전류의 흐름을 예방하는) 전기 안전 차단기.

Schutz≠amt *n.* 안보〔안전〕 기관. **~anstrich** *m.* 보호 도장칠; 〖軍〗 위장. **~anzug** *m.* 안전 작업복; 〖軍〗 방호복, 방독의(防毒衣). **~ärmel** *m.* 소매 커버. **~aufsicht** *f.* 〖法〗 (미성년자에 대한) 보호 관찰. **~bedürfnis** *n.* 보호의 필요성. **~bedürftig** *a.* 보호를〔후견을〕 필요로 하는. **~befohlen** *a.* 보호 판정을 받은. **~befohlene*** *der/die* 피

보호자, 피후견인; 부하. **~behauptung** *f.* 〖法〗 (믿기 어려운) 자기 변호. **~blattern** *pl.* ↑ ~pocken. **~blech** *n.* (자동차 바퀴의) 흙받이판; 보호판. **~brett** *n.* ↑ Schütze². **~brief** *m.* ① (중세의) 통행증; (특정인에 대한 군주·국가의) 보호장(狀). ② (자동차 클럽에서 발행한) 서비스 카드(일종의 종합 보험 증서). **~brille** *f.* 보안용 안경. **~bündnis** *n.* 방어 동맹. **~dach** *n.* ① 차일, 차양. ② 눈사태 막이. **~damm** *m.* 둑, 제방. **~deck** *n.* 〖海〗 장갑(裝甲) 갑판. **~deckel** *m.* (책의) 커버〔표지〕.

Schütze[1] [ʃʏtsə] 《<schießen》 *m.* -n, -n ① 사수, 사격자; 사냥꾼; (포경선의) 포수; 〖軍〗 저격병(Scharf~); 궁수(弓手)(Bogen~); 〖스포츠〗 슛하는 사람(Tor~); 사격회 회원(Schützenbruder). ② 〖학생〗 (Abc-~) 초등 1년생; 초학자: 〖평어〗 lateinischer ~ 대학생; 〖軍〗 육군 졸병, 소총수: 〖구어·평어〗 ~ Arsch (im letzten〔dritten〕 Glied) 말단 졸병; 〖軍·고어〗 ~ Hülsensack 고문관. ③ 〖체스·고어〗 비숍. ④ 〖구어〗 좀도둑. ⑤ 〖고어〗 경지(耕地) 감시인(Flur~). ⑥ 〖動〗 물총고기. ⑦ (베틀의) 북. ⑧ 〖복수없음〗 (**a**) 〖天〗 사수(射手) 자리(11월 23일-12월 21일); 〖점성〗 인마궁(人馬宮), 사수궁(황도 12궁 중의 아홉째 궁). (**b**) 사수 자리 기간에 태어난 사람.

Schütze[2] 《<schützen》 *f.* -n 수문(의 문짝).

***schützen** [ʃʏtsən] 《I》 *t.* ① 막다, 보호〔방어〕하다, 지키다: jn. vor et.³ 〔gegen et., wider et.〕 ~ 무엇에 대해서 누구를 보호하다; warme Kleidung schützt (dich) vor Kälte 옷을 따뜻하게 입으면 춥지 않다; Gott schütze dich! 하느님의 가호가 있기를!: ein ~des Dach (눈·비를) 막아 주는 지붕; 〖商〗 eine Tratte ~ 어음을 결제하다; jn. in seinen Rechten ~ 누구의 권리를 보호하다; gesetzlich geschützt (전매) 특허의; 〖海〗 ein geschützter Hafen 육지로〔제방으로〕 둘러싸인 항구; ein geschützter Kreuzer 장갑(裝甲) 순양함. ② (md.) 담보로 잡다. ③ 〖水理〗 Wasser ~ (수문으로) 물을 가두다. 《II》 *refl.* sich ~ (자기의) 몸을 지키다: sich gegen et. 〔vor et.³〕 ~ 무엇에 대해서 몸을 지키다; ich suchte mich, so gut es ging, vor dem heftigen Regen zu ~ 나는 될 수 있는 대로 마구 쏟아지는 비를 맞지 않으려고 애썼다.

Schützen *m.* -s, - 〖방직〗 북.

Schützen≈auftritt *m.* 〖軍〗 (참호 안의) 디딤판(사격 또는 적정 관측용). **~bataillon** *n.* 〖軍〗 저격병 대대. **~brigade** *f.* 〖軍〗 저격병 여단. **~bruder** *m.* 사격 회원. **~fest** *n.* ① 사격 (경기) 대회. ② 〖스포츠〗 (한 쪽 편에 일방적으로) 골이 많이 터지는 경기. **~feuer** *n.* 소총〔산개(散開)〕 사격. **~gefecht** *n.* 〖軍〗 총격전.

Schutz·engel *m.* ① 수호 천사, 수호신; 보호자, 비호자. ② 〖평어〗 (매춘부의) 기둥서방.

Schützen≈gesellschaft, ~gilde *f.* ↑ ~verein. **~graben** *m.* 〖軍〗 참호. **~haus** *n.* 사격 클럽 회관. **~hilfe** *f.* 〖구어〗 지원 사격, 지원, 지지: jm. ~ leisten〔geben, gewähren〕 누구를 지원〔후원〕하다. **~hof** *m.* 사격장; 사격 클럽 회관. **~kette** *f.* (~linie) 사격수〔소총수〕의 산개 대형(散開隊形), 산병선(散兵線). **~könig** *m.* ① 사격왕. ② 득점왕. **~kunst** *f.* 사격술. **~linie** *f.* 〖軍〗 산병선(散兵線). **~loch** *n.* 초병호(哨兵壕); 참호. **~panzer** *m.* 장갑차. **~plan** *m.* ↑ ~platz. **~platz** *m.* 사격 대회장. **~schleier** *m.* (견제 경계를 하는) 전위 부대; 경계진(陣). **~stand** *m.* 〖軍〗 (1·2인용의) 소총수 참호. **~steuerung** 《<Schütz²》 *f.* 〖전기〗 ↑ Schütz². **~verein** *m.* 사격 클럽. **~wiese** *f.* ↑ ~platz.

Schützer [ʃʏtsər] *m.* -s, - 〖雅語·구식〗 ① 보호〔방어·후원〕자. ② 보호대(보기: Knie~ 무릎 보호대).

Schutz≈farbe *f.* 위장색; 도장용 도료. **~färbung** *f.* 〖動〗 보호색. **~film** *m.* (인조) 보호막. **~frist** *f.* 판권〔저작권〕 보호 기한. **~gatter** *n.* ① 방호책(柵); 〖史〗 (옛날 성의) 현수식 방어문. ② 수문. **~gebiet** *n.* ① 보호령, 보호국(國), 식민지. ② 보호 구역: Natur~ 자연 보호 구역. **~gebühr** *f.* 보증 (수수)료: der Katalog ist gegen eine ~ von zwei Mark erhältlich 이 카탈로그는 2마르크의 보증 수수료를 내면 받아볼 수 있다. **~geist** *m.* 수호신. **~geld** *n.* 보호세(稅); 상납금. **~geld·erpressung** *f.* 보호 상납금 갈취(협박). **~geleit** *n.* 수행원, 호위병; 〖海〗 호위함(艦). **~gemeinschaft** *f.* 이익〔권익〕 보호 단체: ~ Deutscher Wald 독일 삼림 보호 협회. **~gerechtigkeit** *f.* 보호권. **~gesetz** *n.* 보호법. **~gitter** *n.* 안전 격자; 방호책(柵); 〖전기〗 차폐 격자. **~glas** *n.* ① 보호 유리. ② 방탄 유리. **~gott** *m.* 〖신화〗 수호신. **~gottheit** *f.* ↑ ~gott. **~hafen** *m.* 피난항(港). **~haft** *f.* (재판을 거치지 않은) 보호 감호〔수감〕. **~haube** *f.* ① 보호〔안전〕 덮개. ② 〖기계〗 (자동차의) 보닛. **~heilige*** *der/die* 수호 성인, 수호신. **~heiligtum** *n.* 〖구식〗 수호신 상(像). **~helm** *m.* 보호 헬멧. **~herr** *m.* 보호〔후원〕자; 제후(諸侯), 영주. **~herrlich** *a.* 보호자〔후원자〕의, 제후의. **~herrschaft** *f.* 보호 통치; 종주권(宗主權). **~hülle** *f.* 피복, 보호막; (책의) 커버. **~hütte** *f.* (산악 등반자의) 대피소, 산장. **~impfen** (~impfte, ~geimpft) *t.* 예방 접종하다. **~impfung** *f.* 〖醫〗 예방 접종. **~injektion** *f.* 예방 주사. **~insel** *f.* (도로 안의) 안전 지대. **~kappe** *f.* 안전모; (기기의) 덮개. **~kind** *n.* 맡겨진 아이; 보호 아동. **~klausel** *f.* 〖法·經〗 보호 조항. **~leute** *pl.* ↑ ~mann의 복수형. **~kleidung** *f.* 안전 작업복. **~kontakt** *m.* 〖전기〗 안전 차단 장치. **~leder** *n.* 보호용 가죽, 차의 흙받이 가죽, 펜싱 경기용 가슴덮개.

Schützling [ʃʏtslɪŋ] *m.* -s, -e 피후견인.

Schutz·linie *f.* 방어선.

schutzlos *a.* 보호되지 않은, 무방비의.

Schutzlosigkeit *f.* 무방비 상태.

Schutz≈macht *f.* 방어〔방비〕력; (어떤 나라를 제3국의 침공에서 보호해 주는) 보호국; 종주국. **~mann** *m.* 〖복수: ..männer/..leute〗 ① 경관, 순경. ② ↑ ~zöllner. **~mannschaft** *f.* ① 경찰대. ② 경비대. **~marke** *f.* 〖商〗 (등록) 상표. **~maske** *f.* 보호용 마스크, 방독면. **~maß·regel** *f.* 보호 조처. **~mauer** *f.* 엄호벽(壁), 누벽(壘壁). **~mittel** *n.* 엄호〔방어〕 수단; 예방법, 예방약; 방독구(防毒具); 부적. **~ort** *m.* 피난소, 보호소; 수용소. **~patron** *m.* ↑ ~heilige. **~pocken** *pl.*

〖醫〗 (예방용) 천연두〔마마〕. **~pocken-impfung** *f.* 종두, 우두 접종. **~polizei** *f.* 치안 경찰(단축형: Schupo). **~polizist** *m.* 치안 경찰관(단축형: Schupo). **~raum** *m.* 피난소; 방공호. **~rede** *f.* 변명; (변호사의) 변호; (피고의) 항변. **~schicht** *f.* 보호 피막. **~schild** *m.* ①〖軍〗 방패. ② 방패 모양의 보호물. **~sperre** *f.* ① 보호 관세. ②〖권투〗 T.K.O. **~staat** *m.* (종주국으로부터 제 3 국의 침략에 대해 안전을 보장받은) 보호 대상 국가. **~staffel** *f.* (독일 나치스 때의) 친위대(약어: SS). **~steuerung** *f.* 〖전기〗 안전 차단 장치. **~stoff** *m.* 〖生·醫〗 항체. **~system** *n.* 〖經〗 보호 무역주의. **~teer** *m.* ↑ Goudron. **~truppe** *f.* 〖軍〗 (독일의 보호 지역에 주둔한) 식민지 보호 부대. **~umschlag** *m.* 보호 덮개〔커버〕. **~-und-Trutz-Bündnis** *n.* 〔구식〕 공수(攻守) 동맹. **~verband** *m.* ①〖醫〗 (보호) 붕대. ②〖經〗 (경제 및 산업의) 이익 보호 단체. **~vertrag** *m.* 〖政〗 보호 조약. **~verwandte*** *der/die* 〖중세〗 (시민권을 가진) 시 경계 지역 밖에 사는 거류민. **~-vorkehrung** *f.* 보호〔예방〕 조처. **~vor-richtung** *f.* 보호〔안전〕 장치. **~wache** *f.* 호위〔경비〕병. **~waffe** *f.* 방어 장비, 호신용 무기〔장구〕. **~wagen** *m.* 〖철도〗 (열차의 맨 앞에 연결된) 방호차. **~wall** *m.* 〖軍〗 방벽(防壁). **~wand** *f.* (토사의 붕괴·물의 범람을 막는) 옹벽(擁壁); 바람막이, 보호벽; 〖海〗 맨틀렛; ↑ ~mauer. **~weg** *m.* (öst.) 횡단 보도. **~wehr** *f.* ① ↑ ~waffe. ② 방어〔엄호〕물, 울타리, 성벽, 제방. ③〔비유〕 호위, 보호, 비호. ④ 수문(水門). **~zettel** *m.* ↑ ~brief. **~zoll** *m.* 〖商〗 보호 관세. **~zöllner** *m.* 〖商〗 보호 무역론자. **~zoll·politik** *f.* 보호 관세 정책. **~zoll·system** *n.* 보호 관세〔무역〕 제도.

Schw. ↑ Schwester 의 단축형.

Schwabach *n.* 슈바바흐(독일 중부 지방의 도시).

Schwabacher [ʃváːbaxər] *f.* 〖印〗 슈바바흐 활자체(글자 사이를 떼는 고딕 인쇄체; 도시 이름 Schwabach 에서 유래).

Schwabacher·schrift *f.* ↑ Schwabacher.

Schwabbelei [ʃvabəláɪ] *f.* -en ①〔방언〕 수다, 군말. ②〔구어·폄어〕 (계속해서) 흔들거림, 흐늘거림, 출렁거림.

schwabbelig *a.* 〔구어〕 ① 흐늘흐늘한. ② 수다스러운.

schwabbeln [ʃvábəln] *i.* (h.) 〔구어〕 ① 흔들거리다, 흐늘흐늘하다: der Pudding schwabbelt 푸딩이 흐늘흐늘하다. ② 말이 지나치게 많다, 수다스럽다. ③ (음료를) 마시다. ④ 광택이 나게 연마하다.

Schwabber [ʃvábər] *m.* -s, - ①〖海〗 (갑판 청소용) 걸레. ② 갑판 청소 수부.

schwabbern 《I》 *t.* 〖海〗 걸레로 갑판을 닦다, 걸레질하다. 《II》 *i.* (h.) 〔구어〕 수다스럽다.

schwabblig *a.* ↑ schwabbelig.

Schwabe[1] [ʃváːbə] *f.* -n 〖動·농담〗 바퀴벌레 (Schabe).

Schwabe[2] *m.* -n, -n 슈바벤 사람.

schwäbeln [ʃvέːbəln] *i.* (h.) 슈바벤 사투리를 쓰다.

Schwaben [ʃváːbən] 슈바벤(남독일 지방).

Schwaben=alter *n.* 〔농담〕 (슈바벤 사람들은 40 이 되어야 철이 든다는 옛말에 따라) 40세: ins ~ kommen 40 세가 되다〔철이 들다〕. **~korn** *n.* 〖植〗 슈펠트밀. **~land** *n.* ↑ Schwaben. **~spiegel** *m.* (중세의) 독일 법전. **~streich** *m.* 철없는〔무분별한〕 짓, 어리석은 짓.

Schwäbin *f.* -nen ↑ Schwabe[2] 의 여성형.

schwäbisch *a.* 슈바벤의, 슈바벤 사투리의.

Schwäbisch Hall 슈베비슈 할(독일 Baden-Württemberg 주의 한 도시).

***schwach** [ʃvax] (schwächer [ʃvέçər], schwächst [ʃvɛçst]) *a.* ① (↔ stark) **(a)** (몸이) 약한, 허약한: ein ~es Kind 허약한 아이; eine ~e Gesundheit〔Konstitution〕 허약 체질; ein ~es Herz haben 심장이 약하다; ~e Augen〔Nerven〕 haben 시력〔신경〕이 약하다; das ~e Geschlecht 여성; ~ auf der Brust〔Lunge〕 폐가 약한; 〔구어〕 mir wird ~ 나는 현기증이 난다; 〔구어〕 mach mich nicht ~ 나를 신경질나게 하지 마라. **(b)** (성격·의지가) 약한: einen ~en Charakter〔Willen〕 haben 성격이〔의지가〕 약하다; nur nicht ~ werden! 마음을 약하게 먹어서는 안 된다!; in einer ~en Stunde 〔in einem ~en Augenblick〕 gab ich nach 마음이 약해지면서 나는 양보하고 말았다; meine ~e Seite ist der Wein 나는 술이라면 사족을 못 쓴다; 〔구어〕 jn. ~ machen 누구를 유혹하다. **(c)** (재능·지적 능력이) 빈약한: ~es Gedächtnis 박약한 기억력; ein ~er Musiker 소질 없는 음악가; du bist schwach im Rechnen 너는 계산이 서투르다. **(d)** (하중에 대한 내구력이) 약한, 불충분한: ein ~es Brett 얇은 판자; ein ~er Faden 약한 실; das Eis ist noch zu ~ zum Schlittschuhlaufen 스케이트를 타기에는 아직 얼음이 너무 얇다; 〔비유〕 sie ist ~ gebaut 그녀는 약골이다; jn. an seinen ~en Stellen treffen 누구의 약점을 찌르다; deine Gründe stehen auf ~en Füßen 네 이유는 근거가 박약하다. **(e)** (효력·작용이) 약한: ein ~er Wind 약한 바람; ein ~es Licht 약한 빛; ein ~er Motor 성능이 약한 엔진; die Brille ist zu ~ für meine Augen 이 안경은 내 눈에 비해 도수가 너무 약하다. ② 아주 적은, 얼마 안 되는, 약간의: ein ~er Beifall〔Trost〕 미미한 박수갈채〔위안〕; ein ~es Lächeln 희미한 미소; ~ bevölkert 인구가 적은; eine ~ besuchte Versammlung 참석 인원이 적은 모임; soweit es in meinen ~en Kräften steht 내 미력이 미치는 한; das Geschäft ist〔geht〕 zur Zeit ~ 장사가 요즘 한산하다; die Börse war diesmal ~ 주식 시장이 이번에는 불황이었다. ③ (용액·빛깔 등의) 농도가 낮은, 묽은: ein ~er Kaffee 묽은 커피; eine ~e Brühe 묽은 고깃국물; ein ~es Gelb 옅은 노랑; die Speisen etwas schwächer würzen! 이 음식에는 조미료를 조금 적게 치시오!; ~ gesalzen〔gesüßt〕 소금〔설탕〕을 덜 친. ④ 내용이 빈약한; eine ~e Veranstaltung 내용이 시시한 행사; ein ~es Buch 내용이 빈약한 책: eine ~e Stellung haben 시시한 지위를 갖고 있다. ⑤〔문법〕 약변화의, 규칙 변화의: ~e Verben 약변화 동사들.

..schwach *suf.* "…이 약한, 작은"의 뜻(보기: willens~ 의지가 약한; einkommens~ 수입이 적은).

schwach=atmig *a.* 호흡이 약한. **~äugig** *a.*

시력이 약한. **~befähigt, ~begabt** *a.* 재능이 떨어지는, 재능없는. **~betont** *a.* 강세〔악센트〕가 약한. **~bevölkert** *a.* 인구가 적은. **~bewegt** *a.* 움직임이 적은, 겨우 움직이는.

***Schwäche** [ʃvέçə] *f.* -n ① **(a)** (체력의) 허약, 무력; 체력 부족, 탈진: die körperliche 〔physische〕 ~ 신체적 허약; sie ist vor ~ umgefallen〔zusammengebrochen〕 그녀는 탈진해 쓰러졌다. **(b)** (신체 기관의) 약함: eine ~ des Herzens 약한 심장. ② (사람의) 결점, 약점, 단점; 취약성: beim Gegner eine ~ entdecken 적의 약점을 발견하다; seine ~ auf dem Gebiet der Mathematik 수학 분야에서의 그의 약점. ③ 특히 좋아함, 선호: ich habe eine ~ für Thomas Mann 나는 토마스 만의 책들을 아주 즐겨 읽는다. ④ (사물의) 약점, 결점: künstlerische ~n eines Werkes 어떤 작품의 예술적 결함들. ⑤〘검도〙 칼 끝에서 가운데까지의 얇은 부분.

Schwäche≈anfall *m.* (갑작스러운) 졸도, 탈진. **~gefühl** *n.* 쇠약감〔증〕, 무기력증.

schwächen [ʃvέçən] 《I》 *t.* ① (힘·지위 등을) 약화시키다; (무엇의) 힘을 꺾다; 허약〔쇠약〕하게 하다; 무력하게 하다; 줄이다; (액체를) 묽게 하다; (색을) 엷게 하다; 마비시키다; 무디게 하다: durch Krankheit geschwächt 병으로 쇠약해진; ein wirtschaftlich geschwächtes Land 경제적으로 취약해진 나라; der Feind wurde in diesem Kampf stark geschwächt 적은 이 전투에서 막대한 손실을 입었다. ②〔고어〕 (누구의 명예를) 훼손하다; (누구의 처녀성을) 더럽히다. ③〔고어〕 das Recht ~ 법을 악용하다; sein Wort ~ 약속을 어기다. 《II》 *i.* (h.) 술을 마시다. 《III》 *refl.* sich ~ (쇠)약해지다; 감소하다.

schwach·entwickelt *a.* 발달〔발전·개발〕이 뒤진.

Schwäche≈punkt *m.* (취)약점. **~zustand** *m.* 쇠약 상태.

schwach·gläubig *a.* 믿음이 약한.

Schwachheit [ʃváxhaɪt] *f.* -en 약함, 허약, 나약; 약점, 결점:〔구어〕 bilde dir bloß keine ~en ein! 헛된 기대하지 마!

Schwachheits≈fehler *m.* 마음이 약해서 범한 과실〔죄과〕. **~sünde** *f.*〘宗〙 인간의 연약함 때문에 생긴 (용서받을 수 있는) 도덕적 죄.

schwach≈herzig *a.* 마음이 약한, 겁많은. **~-kopf** *m.*〔폄어〕 바보, 천치. **~köpfig** *a.*〔폄어〕 (우)둔한, 어리석은. **~köpfigkeit** *f.*〔폄어〕 우둔, 어리석음.

schwächlich [ʃvέçlɪç] *a.* (허)약한, 병약한, 쇠약해진.

Schwächlichkeit *f.* -en 허약, 쇠약.

Schwächling [ʃvέçlɪŋ] *m.* -s, -e 약한 사람; 병약자, 허약자.

Schwachmatikus [ʃvaxmá:tikus] *m.* -, -se/..tiker〔농담〕 ↑ Schwächling.

schwach≈nervig *a.* 신경이 약한, 신경 쇠약성의. **~punkt** *m.* 약점. **~schlagend** *a.* 맥박이 약한. **~sichtig** *a.* 시력이 약한. **~-sichtigkeit** *f.* 약시(弱視). **~sinn** *m.* ①〘醫〙 정신 박약. ②〔폄어〕 바보 같은 짓, 헛소리: was er da redet, ist doch ~ 그가 지껄이는 것은 말도 안 되는 헛소리다. **~sinnig** *a.* ① 정신 박약의. ②〔폄어〕 어리석은. **~sin-nigkeit** *f.* 정신 박약; 어리석음. **~stel-le** *f.* 약점, 취약점: ~n in der Abwehr entdecken (경기 등에서) 수비의 약점을 발견하다. **~strom** *m.*〘전기〙 약전류.

Schwachstrom≈leitung *f.*〘전기〙 약전류 전선. **~technik** *f.*〘전기〙 약전류를 사용해 작업하는 정보 통신 기술.

Schwächung [ʃvέçʊŋ] *f.* -en ① (허)약화(시킴); 쇠약; 감소; 무력화: eine ~ des natürlichen Abwehrsystems 자연적인 저항 체계의 약화; eine ~ der eigenen Position 자신의 입지의 약화. ②〔비유·고어〕 처녀 겁탈.

Schwad [ʃva:t] *m.* -(e)s, -e 〔구식〕 ↑ Schwaden.

Schwade [ʃvá:də] *f.* -n ↑ Schwaden[1].

Schwaden[1] [ʃvá:dən] *m.* -s, -〘農〙 한 줄로 베어 눕혀 놓은 풀〔곡식〕.

Schwaden[2] *m.* -s, - 김, 증기; 안개, 연기;〘광산〙 갱 안에 괸 질식 가스.

Schwaden[3] *m.* -s, -〘植〙 ① 미꾸리꽝이속(屬) (단액(液)을 분비함). ② 기장속(屬).

Schwaden≈gras *n.* ↑ Schwaden[3]. **~grütze** *f.* ↑ Schwaden[3]. **~weise** 《<Schwade》 *adv.* 베어 놓은 풀〔곡식〕이 일렬로 늘어선.

schwadern [ʃvá:dərn] *i.* (h.) (obd.) ① (물이) 철벅거리다, 철썩거리며 넘치다〔쏟아지다〕. ② (거위가) 꽥꽥 울다. ③ 재잘거리다, 수다떨다.

Schwadron [ʃvadró:n] 《it. squadrone》 *f.* -en〘軍·구식〙 기병 소대(기병의 최소 단위 부대).

schwadronen·weise *adv.*〘軍·구식〙 기병 소대 단위로, 각 소대별로; 여러 기병대가 잇달아.

Schwadroneur [ʃvadronǿ:r] *m.* -s, -e〔구식〕 떠벌이, 허풍선이.

schwadronieren *i.* (h.) ① 칼을 휘두르다. ②〔고어〕 어슬렁거리다, 어정거리다. ③〔구어〕 재잘대다; 호언장담하다, 허풍 떨다.

schwadrons≈chef *m.*〘軍·구식〙 기병 소대장. **~weise** *adv.* ↑ schwadronenweise.

Schwafelei [ʃva:fəlái] *f.* -en〔구어·폄어〕 수다, 허튼소리.

schwafeln [ʃva:fəln] *t./i.* (h.)〔구어·폄어〕 허튼소리하다, 쓸데없이 지껄이다.

***Schwager** [ʃvá:gər] 《⊕ Schwieger》 *m.* -s, Schwäger ① 배우자의 남자 형제, 자매〔누이〕의 남편(보기: 자형·처남·매부·형부·제부). ②〔총칭〕 친척; 친한 사람. ③〔타인에 대한 호칭〕 he, ~! 여보게, 자네! ④〔고어〕 우편 마차의 마부(Postillion). ⑤〔농담〕 샛서방, 간부(間夫). ⑥ ↑ Schwaiger.

Schwägerin *f.* -nen 남편의 누이 또는 처의 자매, 형제의 처(보기: 형수·제수·올케·시누이·처형·처제).

schwägerlich *a.* 배우자 형제〔자매〕의, 배우자 형제〔자매〕 같은: das ~e Verhältnis war getrübt 처가〔시댁〕 형제와의 관계가 나빠졌다.

Schwägerschaft *f.* -en ① 처가와〔시댁과〕의 인척 관계. ② 의형제〔자매〕. ③〔총칭〕 인척.

Schwäher [ʃvέ:ər] *m.* -s, -〔고어〕 ① 시아버지, 장인. ② ↑ Schwager.

Schwäherschaft *f.* -en〔고어〕 ↑ Schwägerschaft.

schwaien [ʃváɪən] *i.* (h.) ↑ schwoien.

Schwaige [ʃváɪgə] *f.* -n (obd.) ① (알프스산 속의) 목장에 있는 오두막. ② (알프스의) 목장; 농장.

schwaigen [ʃváɪgən] *i.* (h.) ① (알프스산 속에서) 낙농업을 하다. ② (목장에서) 치즈를 만들다.

Schwaiger [ʃváɪgər] *m.* -s, - ① (알프스의) 목동. ② (알프스의) 낙농가(버터·치즈 제조업자).

Schwaig·hof *m.* (bayr., öst.) 축산 농장〔목장〕.

Schwälbchen [ʃvɛ́lpçən] *n.* -s, - 〖↑ Schwalbe 의 축소형〗 새끼 제비.

***Schwalbe** [ʃválbə] 《germ.》 *f.* -n ① 제비; (Mauer≈, Turm≈) 명매기; 〔속담〕 eine ~ macht noch keinen Sommer 제비 한 마리로 아직 여름이 왔다고는 할 수 없다. ②〖動〗 제비섭조개. ③〔방언〕 따귀 때림. ④〖스포츠·은어〗 (프리킥 등을 얻어내기 위해) 반칙당한 척하는 행위.

Schwalben≈fisch *m.* 〖動〗 제비활치. **~flug** *m.* 제비의 비행. **~kraut** *n.* 〖植〗 ① 애기똥풀. ② 당면(唐棉). **~nest** *n.* 제비 둥우리; 군악 대원의 견장. **~schwanz** *m.* ① 제비 꼬리. ②〔농담〕 연미복; 연미복의 윗옷 뒷자락. ③〖動〗 (**a**) 소리개속의 일종. (**b**) 물총새의 일종. (**c**) 홍머리오리. (**d**) 산호랑나비. ④〖건축〗 열장 장부촉.

Schwälblein *n.* -s, - ↑ Schwälbchen.

Schwalch [ʃvalç] 《schwelgen》 *m.* -(e)s, -e 〔고어〕 ① 용광로의 연도(煙道). ② (ndd.) 인후(咽喉); 대식〔폭음〕가; 대식(大食), 폭음. ③ (ndd.) 고조(高潮); 큰 파도. ④ 증기, 안개; 짙은 연기.

schwalchen [ʃválçən] *i.* (h.) 〔고어〕 그을음을 내며 타다; 연기를 내다.

Schwalg [ʃvalk] *m.* -(e)s, -e ↑ Schwalch.

Schwalk [ʃvalk] (ndd.) *m.* -(e)s, -e (ndd.) ① 증기; 짙은 연기. ② 돌풍.

schwalken [ʃválkən] *i.* (s.) (ndd.) 빈둥거리며 돌아다니다, 배회하다.

Schwall [ʃval] 《<schwellen》 *m.* -(e)s, -e ① (한꺼번에 쏟아지는) 대량의 물, 큰 파도: ein ~ Wasser 한꺼번에 밀어닥치는 물; 범람, 홍수; 큰 파도, 거센 파도: ein ~ von Flammen 불바다; ein ~ von Worten 도도한 변설(辯舌). ② (인공의) 언덕, 흙더미. ③〖광산〗 (갱안에 괸) 지하수.

Schwalm[1] [ʃvalm] *m.* -(e)s, -e (schweiz.) ↑ Schwall.

Schwalm[2] *m.* (obd.) 야조(夜鳥).

***Schwamm** [ʃvam] *m.* -(e)s, Schwämme [ʃvɛ́mə] ① (**a**) 〖動〗 해면 동물. (**b**) 스펀지, 해면: sich〔et.〕 mit einem ~ abwischen 〔reinigen〕 몸을〔무엇을〕 스펀지로 닦다; 〔비유〕 einen ~ im Magen haben 엄청나게 많이 마시다; 〔구어〕 ~ drüber! 그 이야기는 잊어버리기로 하세!; 〔구어·농담〕 er kann sich mit dem ~ frisieren〔kämmen〕 그는 대머리다. ②〖植〗 버섯(류); (Erd≈) 송로(松露) (식용 버섯의 일종), 들버섯; 목재 부식균(Haus≈). ③ 부싯깃(Feuer≈). ④〖醫〗 해면종(海綿腫), 악성 종양; 아구창(牙口瘡)(Mund≈). ⑤〔학생〕 der ganze ~ 모든 이야기〔일〕. ⑥ 말의 다리에 생긴 종양.

schwamm ↑ schwimmen 의 과거형.

schwamm·artig *a.* 해면〔스펀지〕 모양의.

Schwämmchen *n.* -s, - 〖↑ Schwamm 의 축소형〗 ① 작은 해면: da kann man (ja) die ~ kriegen! 정말 지루하군! ②〖醫〗 아구창.

Schwamm≈dose *f.* 〔고어〕 ① 스펀지 보관용 곽; 부싯깃을 넣는 상자. ② (독일제 파이프에 붙은) 니코틴막이.

Schwammerl [ʃvámərl] *n.* -s, -(n) (bayr., öst.) 버섯.

Schwammerling *m.* -s, -e (bayr.) 버섯.

Schwamm≈fischerei *f.* 해면 채집. **~förmig** *a.* 해면 모양의.

schwammicht [ʃvámɪçt] *a.* 〔고어〕 ↑schwammig.

schwammig [ʃvámɪç] *a.* 해면 모양의; 구멍이 많은; 푸석한; 목재 부식균이 생긴; 〖醫〗 해면종의; 〖펌어〗 애매한, 불분명한.

Schwammigkeit *f.* 해면질〔상〕; 다공질(多孔質); 푸석함.

Schwamm≈kuchen *m.* 스펀지 케이크, 카스텔라. **~spinner** *m.* 〖動〗 매미나방.

Schwämmlein *n.* -s, - ↑ Schwämmchen.

Schwamm≈taucher *m.* 해면 채취자. **~tuch** *n.* 스펀지천〔행주〕.

***Schwan** [ʃvaːn] *m.* -(e)s, Schwäne [ʃvɛ́ːnə] ①〖動〗 백조, 고니; 〔비유〕 시인. ②〖天〗 백조자리. ③〔복수〕 ↑ Schwanendaunen. ④ (여관 이름) 백조장.

Schwänchen [ʃvɛ́ːnçən] *n.* -s, - 〖↑ Schwan 의 축소형〗 ① 작은 백조. ② (여행의) 작은 선물.

schwand [ʃant] ↑ schwinden 의 과거형.

schwände [ʃvɛ́ndə] ↑ schwinden 의 접속법 Ⅱ식.

schwanen [ʃváːnən] *i.* (h.) / *imp.* 〔구어〕 (…에게) 예감이 들다: mir schwant nichts Gutes 나는 불길한 예감이 든다.

Schwanen≈bett *n.* 백조의 털로 만든 침상(寢床). **~blume** *f.* 〖植〗 꽃골풀. **~busen** *m.* 새하얀 가슴. **~daunen** *pl.* 백조의 솜털. **~feder** *f.* 백조의 깃털. **~fell** *n.* 깃털이 붙어 있는 백조의 가죽. **~gesang** *m.* 백조의 노래(죽어가며 부른다고 함); 〔비유〕 최후의 작품〔노래〕. **~hals** *m.* ① 백조의 목; 〔비유〕 길고 아름다운 목. ②〖사냥〗 (이리 등을 잡는 데 쓰는) 올가미, 덫. ③ 외과용 겸자(鉗子). ④〖건축〗 S 자 모양의 관(管). ⑤ 가늘고 긴 말의 목. **~jungfrau** *f.* 〖북구신화〗 백조의 모습을 한 전쟁의 여신. **~lied** *n.* ↑ ~gesang. **~ritter** *m.* 백조의 기사; 로엔그린(중세 전설의 기사). **~teich** *m.* 백조의 호수. **≈weiß** *a.* 백조처럼 흰.

schwang ↑ schwingen 의 과거형.

Schwang [ʃvaŋ] 《<schwingen》 *m.* -(e)s 〔고어〕 ① 진동, 흔들림: eine Glocke in ~ bringen 종을 울리다. ②〔지금은 다음 어법뿐임〕 im ~e sein a) 유행하고 있다, b) 많이 논의〔회자〕되고 있다; in ~ kommen 유행되다.

schwänge [ʃvɛ́ŋə] ↑ schwingen 의 접속법 Ⅱ식.

***schwanger** [ʃváŋər] *a.* ① 임신〔잉태〕한: ~ sein〔gehen〕 임신 중이다. ②〔비유〕 충만한 (erfüllt); 배태(胚胎)한: mit großen Plänen ~ gehen 큰 계획을 품고 있다.

Schwangeren≈beratung *f.* 임산부 (건강) 상담. **~fürsorge** *f.* (정부에 의한) 임산부 정

기 검진 및 상담. **~geld** *n.* 임신 휴직 수당. **~gymnastik** *f.* 임산부 체조.

Schwạngerer *m.* -s, - 아이를 배게 한 남자; 강간자.

schwängern [ʃvέŋərn] *t.* ① (특히 남편이 아닌 자가) 임신시키다; 〖비유〗 결실을 맺게 하다, 수정시키다, 수태시키다. ② 충만시키다; 가득 차게 하다: die Luft war mit Rauch geschwängert 대기는 연기로 가득 찼다. ③ 〖化〗 포화시키다.

Schwạngerschaft *f.* -en 임신 (상태), 회임(懷妊), 수태(受胎).

Schwạngerschafts≈abbruch *m.* 임신 중절. **~gymnastik** *f.* 임산부 체조. **~test** *m.* 임신 확인 검사. **~unterbrechung** *f.* 〖醫〗 임신 중절. **~urlaub** *m.* 임신 휴가. **~verhütung** *f.* 피임.

Schwängerung [ʃvέŋəruŋ] *f.* -en 임신〔수정〕시킴; 가득차게 함; 〖化〗 포화시킴.

Schwa̲n·jungfrau *f.* ↑ Schwanenjungfrau.

***schwank** [ʃvaŋk] 《<schwingen》 *a.* ① 유연한, 휘어지기 쉬운, 휘청휘청하는; 가냘픈, (박)약한. ② 흔들거리는, 비틀거리는, 요동하는; 든든하지 못한, 건들거리는: mit ~em Schritt 비틀거리는 걸음으로.

Schwank *m.* -(e)s, Schwänke [ʃvέŋkə] ① **(a)** 농담, 익살, 해학, 익살스러운 이야기. **(b)** 〖연극〗 해학극(劇), 소극(笑劇). ② 장난질, 재미있는 사건, 객기: einen ~ aus seiner Jugendzeit erzählen 그의 어린 시절의 한 재미있는 사건을 이야기하다.

***schwanken** [ʃváŋkən] 《Ⅰ》 *i.* (h.) ① 흔들리다, 동요하다: er ist wie ein ~des Rohr (im Wind) 그는 변덕이 심하다. ② 일정하지 않다, 불확실하다; 〖商〗 (시세 등에) 변동이 있다; (날씨가) 변덕스럽다. ③ 결심을 못 하다, 주저하다, 망설이다: ich schwanke, ob ich ihn einladen soll 나는 그를 초대할까 말까 망설인다; zwischen zwei Entschlüssen ~ 양자 중에서 어느 것을 택할 것인가 결정 못 하다. 《Ⅱ》 *i.* (s.) 비틀거리며 어디론가 가다: er schwankte über die Straße 그는 비틀거리며 길을 건너갔다.

Schwankung [ʃváŋkuŋ] *f.* -en ① 흔들(거)림, 동요. ② 〖天·物〗 편의(偏倚), 편차(偏差).

Schwä̲nlein *n.* -s, - ↑ Schwänchen.

Schwa̲ns·feder *f.* 〔구어〕 ~n bekommen (무엇에 대해) 예감이 들다.

***Schwanz** [ʃvants] 《< schwanken》 *m.* -es, Schwänze [ʃvέntsə] ① 〔고어〕 옷자락, 자락이 끌리는 긴 옷. ② 꼬리: mit dem ~ wedeln (개 따위가) 꼬리치다; 〔비유〕 das Pferd beim ~ aufzäumen 본말을 전도하다; den ~ einziehen 〔hängen lassen〕 꽁무니 사리다, 의기소침하다; mit eingezogenem ~ abziehen 기가 죽어 물러가다; jm. auf den ~ treten 누구를 모욕하다; das glaubt kein ~! 아무도 그것을 믿지 않는다!; 〔농담〕 einem Tier Salz auf den ~ streuen 어떤 동물을 잡으려 하다; jm. Feuer unter dem〔den〕 ~ machen 누구에게 무엇을 하도록 몰아붙이다. ③ 〔비유〕 말단, 종말, 최후. ④ 〔비유〕 **(a)** 꼬리 모양의 것; (혜성·연 등의) 꼬리; (비행기의) 꼬리날개; 서명 글씨의 멋부린 꼬리 부분; 장사진(Schlange); 변발(辮髮), 드리운 머리; 〖음악〗 음표의 꼬리. **(b)** 종자(從者), 수행원. ⑤ 〔비속〕 자지, 음경(陰莖); 〔구어〕 남자. ⑥ 〔schwänzen 의 의미를 받아서〕 〖학생〗 수업을 빼먹기; (태만에서 생긴) 노트의 공백; 추가 시험; 시험에 낙제한 사람들: 〔구어〕 einen ~ bauen〔machen〕 한과목에 낙제하여 재시험 의무를 지다.

Schwạnz≈affe *m.* 〖動〗 긴꼬리원숭이. **~bein** *n.* 〖해부〗 미골.

Schwặnzchen *n.* -s, - ↑ Schwanz 의 축소형.

Schwặnze *f.* -n 〖商〗 매점(買占).

Schwänzelẹi *f.* 〔구어〕 아첨, 꼬리치기.

schwặnzeln 《Ⅰ》 *i.* (h.) ① (개가) 꼬리를 치다; 〔비유〕 um jn. ~ 누구에게 아부하다. ② 〔구어·반어〕 맵시를 부리고 돌아다니다. 《Ⅱ》 *i.* (s.) 경쾌한 걸음걸이로 가다.

Schwặnzel·pfennig *m.* 슬쩍 집어먹은 돈, 구전: ~ machen 속여서 구전을 챙기다.

schwặnzen 《Ⅰ》 *i.* (h.) ① 빈들거리다; *i.* (s.) 빈들빈들 걸어가다. ② 〔드물게〕 ↑ schwänzeln. 《Ⅱ》 *t.* ① (학교·수업·교회 등을) 게으름 피워 빼먹다. ② (동물에) 꼬리(표)를 달다: 〖음악〗 Noten ~ a) 음표에 꼬리를 붙이다, b) 음표의 꼬리를 생략하고 연주하다. ③ (et.) 사취하다, 슬쩍 구전을 떼어먹다: jn. um et. ~ 누구에게서 무엇을 떼어먹다.

Schwạnz·ende *n.* 꼬리의 끝부분.

Schwặnzer *m.* -s, - 게으름뱅이, (학교·교회의) 상습 결석자.

Schwạnz≈feder *f.* 〖動〗 꼬리깃. **~fläche** *f.* 〖空〗 미익(尾翼). **~flosse** *f.* ① 〖動〗 꼬리지느러미. ② 〖空〗 (항공기의) 안정판. **~hammer** *m.* 〖기계〗 (기계로 움직이는) 큰 망치.

..schwänzig *a. suf.* "…꼬리의"의 뜻(보기: lang~ 꼬리가 긴).

Schwạnz≈lampe, ~laterne *f.* (열차·자동차의) 미등(尾燈). **≈lastig** *a.* 〖空〗 미부(尾部)가 무거운; 뒷부분에 짐을 너무 많이 실은.

Schwặnzlein *n.* -s, - ↑ Schwanz 의 축소형.

Schwạnz·licht *n.* 미등(尾燈).

schwạnzlos *a.* 꼬리 없는.

Schwạnz≈lurch *m.* 〖動〗 도롱뇽목(目)의 양서류. **~meise** *f.* 〖動〗 박샛과(科)의 새. **~riegel** *m.* 〖軍〗 포가(砲架)의 옆판을 고정시키는 횡목. **~riemen** *m.* (마구의) 껑거리띠. **~schraube** *f.* 〖軍〗 개머리판 나사못. **~spitze** *f.* 꼬리 끝. **~sporn** *m.* 〖空〗 꼬리 활재(滑材)(기체 안전 장치). **~stern** *m.* 혜성. **~steuer** *n.* 〖空〗 방향키. **~stück** *n.* (생선의) 꼬리 살; (쇠고기의) 홍두깨살〔우둔살〕 뒷부분; 〖軍〗 개머리판. **~wirbel** *m.* 〖動〗 미추(골)(尾椎(骨)).

schwapp [ʃvap] *int.* 〔의성어〕 찰싹, 철벅.

Schwapp *m.* -(e)s, -e 찰싹〔철벅〕하는 소리.

schwạppelig, schwạpplig *a.* 철벅철벅하는 소리가 나는.

schwappeln [ʃvápəln] *i.* (h./s.)/*t.* ① ↑ schwappen. ② ↑ schwätzen.

schwappen [ʃvápən] 〔구어〕 《Ⅰ》 *i.* (h./s.) (물이 흔들려서) 찰랑찰랑 소리를 내다; 좍 쏟아지다. 《Ⅱ》 *t.* 좍 쏟다: Wasser aus einer Schale ~ 그릇의 물을 엎지르다.

schwạppern *i.* (h.)/*t.* ① ↑ schwappen. ② 액체를 쏟다, 흔들려 넘치게 하다.

Schwaps [ʃvaps] *m.* -es, -e ↑ Schwapp.

schwaps *int.* ↑ schwapp.

schwapsen *i.* ↑ schwappen.

Schwär [ʃvɛːr] 《⊕ schwären》 *m.* -(e)s, -e 〖고어〗 ↑ Schwäre.

Schwäre [ʃvɛ́ːrə] *f.* -n ①〖醫〗 농양, 궤양, 종기. ②〖비유〗 화, 해(害); 화근.

***schwären**(*) [ʃvɛ́ːrən] (schwor/schwärte, geschworen/geschwärt) *i.* (h.) 〖고어〗 쑤시다; 곪다: der Splitter im Finger hat geschworen 박힌 파편 때문에 손가락이 곪았다; ~de Wunden 곪은 상처.

Schwären *m.* -s 〖고어〗 ↑ Schwäre.

schwärig *a.* 곪은.

***Schwarm** [ʃvarm] *m.* -(e)s, Schwärme [ʃvɛ́rmə] ① (같은 종류의 새·곤충·물고기 등의) 떼, 무리, 군집, 집단. ② 열광; 열중: er hat einen ~ im Kopf 그는 심취해 있다, 몰두하고 있다. ③ 어수선한 연회; (obd.) 난잡한 술자리 (Orgie): im ~ leben 흥청망청 살다. ④ 우상, 숭배의 대상; dieses Mädchen ist sein ~이 소녀는 그의 우상이다. ⑤〖空〗 4 기(機) 편대. ⑥〖사냥〗 (사냥개의) 흥분 상태.

Schwarm·attacke *f.* 〖軍〗 (기병의) 산개 공격.

***schwärmen** [ʃvɛ́rmən] *i.* (h./s.) ① (**a**) 떼를 짓다, 떼지어 모이다; 우글거리다, 북적거리다: um die Blume ~ (꿀벌·나비 등이) 떼를 지어 꽃의 주위를 날다; es schwärmt von Menschen auf der Straße 거리는 사람들로 북적거린다. (**b**) (s.) 떼를 지어 이동하다, (꿀벌이) 집을 떠나다; 〖軍〗 산개(散開)하다. (**c**) 〖사냥〗 사냥개가 사냥감을 이리저리 찾다. ② 〖비유〗 들떠서 돌아다니다; 방탕한 생활을 하다, 탐닉하다. ③ 공상에 빠지다; 도취〔열광〕하다, 열중하다: für jn.〔et.〕 ~ 누구에게〔무엇에〕 정신이 빠져 있다, 열광하다. ④〖宗〗 광신(狂信)하다.

Schwärmer *m.* -s, - ① 들떠서 쏘다니는 사람; 방탕자, 탐닉자. ② 공상가, 몽상가; 열광자, 팬; 도취된 사람; 〖宗〗 광신자. ③ 폭죽의 일종; 〖軍〗 산병(散兵). ④〖生〗 유주자(遊走子). ⑤〖動〗 박각시나방과.

Schwärmerei *f.* -en ① 방탕, 탐닉. ② 몽상, 공상, 열중, 열광; 도취; 〖宗〗 광신.

Schwärmer·eifer *m.* 〖구식〗 열광; 광신.

Schwärmerin *f.* -nen ↑ Schwärmer 의 여성형.

schwärmerisch *a.* 공상적〔열광적〕인, 도취한; 꿈꾸는 듯한; 광신적인.

Schwarm·geist [ʃvárm..] *m.* 〖복수: ..geister〗 ①〖史〗 (지상에서 신의 나라를 추구하려는 16 세기의) 열광적 종교 개혁 운동의 무교회주의자. ② (종교적·정치적) 공상가; 광신자.

Schwarm·linie *f.* 〖軍〗 산병선(散兵線).

Schwärm·spore *f.* 〖生〗 유주자(遊走子) (물속에 부유하는 하등 동식물의 생식 세포).

schwarm·weise *adv.* 떼지어, 득실거리며.

Schwärm·zeit *f.* (꿀벌이) 벌집을 떠나는 시기, 분봉기(分蜂期).

Schwarte [ʃvártə, ʃváːrtə] *f.* -n ① (멧돼지의 두꺼운) 외피, 모피; (햄·베이컨 등의) 두꺼운 껍질; 수피(樹皮). ②〖구어·농담〗 (**a**) (사람의) 피부: jm. die ~ klopfen〔gerben〕 누구를 심하게 때리다; jm.〔jn.〕 juckt die ~ 그는 매맞고 싶어 근질거리는 모양이다; daß (jm.) die ~ kracht (누가) 몹시, 심하게. (**b**) 인간: eine gute ~ 선인(善人). ③〖醫〗 굳은살, 각질 피부, 못. ④ 돼지 가죽 표지의 고본(古本); 〖폄어〗 (eine alte) ~ (보잘것없는) 헌 책. ⑤〖林〗 (원목 제재 때 생기는) 죽데기. ⑥ 잡초가 우거진 밭, 휴한지(休閑地). ⑦ (md.) (Suade) 달변.

schwarten [ʃvártən, ʃváːr..] *t.* ① 탐독하다, 열심히 읽다. ② (jn.) 심하게 때리다. ③ (짐승·나무 등의 껍질을) 벗기다.

Schwarten≈hals *m.* ↑ Schwarte ②(b); ein armer ~ 가련한 녀석. **~magen** *m.* 돼지의 두꺼운 껍질·비계 등을 넣은 싸구려 소시지. **~wurst** *f.* ↑ ~magen.

schwartig *a.* 껍질이 두꺼운, 두꺼운 껍질이 있는.

***schwarz** [ʃvarts] (schwärzer [ʃvɛ́rtsər], schwärzest) *a.* ① 검은, 어두운, 짙은, 컴컴한; 〖고어〗 der ≗e Tod 흑사병; der ~e Mann a) 굴뚝 청소부, b) 아이들을 놀라게 하는 검은 옷을 입은 남자; der ~e Erdteil 아프리카; ~e Diamanten a) 흑금강석, b) 석탄; ~e Kirschen (유럽산(産)) 까치밥 나무(열매) (Johannisbeere); das ≗e Brett (대학의) 게시판; das ≗e Meer 흑해; ~ auf weiß 필기〔인쇄〕하여, 서면으로; mir wurde (es) ~ vor den Augen a) 나는 정신을 잃었다, b) 〖카드〗 좋은 패를 받지 못했다; 〖구어〗 Er kann warten, bis er ~ wird 그는 아무리 기다려도 소용없다; et. ist ~ von Menschen 무엇이 사람들로 빽빽하다; aus ~ weiß machen 뒤집어〔정반대로〕 말하다; 〖농담〗 sich ~ ärgern 대단히 화를 내다. ②〖구어〗 더러운, 추한: sich im Gesicht ~ machen 얼굴을 더럽히다; 〖구어〗 jm. nicht das ≗e unter dem Fingernagel gönnen 누구에게 악의를 품다. ③ 음울한, 불길한: ein ~er Tag 흉일, 액일(厄日); ein Brief mit ~em Rand 검은 테를 두른 편지, 부고; die ~e Woche 부활제의 전주(前週) (Karwoche); ~ gekleidet sein 검은 옷〔상복〕을 입고 있다; alles ~ sehen 만사를 비관하다. ④ 마음이 검은, 사악한; 부정한; 악마의: die ≗e Kunst a) 마술, b) 메조틴트 요판(凹版) (동판술의 일종). ⑤ 불법의, 당국의 허가없이: 〖商〗 die ~e Börse 주식〔외환〕의 암시장; ~e Listen 블랙리스트; 〖商〗 ~er Markt 암시장. ⑥〖宗〗 (**a**) 가톨릭의. (**b**) 기독교 정당과 관련된〔에 속하는〕; 매우 보수적인. ⑦〖카드〗 ≗er Peter 카드놀이의 일종; jn. ~ machen a) 누구의 패를 못쓰게 하다, 득점을 못 하게 하다, b) 누구를 중상〔악평〕하다.

***Schwarz** *n.* -(es), - ① 흑(색); 검은 것: Frankfurter ~ 프랑크푸르트산(産) 검정 물감; in ~ gekleidet gehen 검은 옷〔상복〕을 입고 가다; aus ~ Weiß machen 거꾸로 되게 하다. ②〖룰렛〗 다이아몬드형의 검은 패; 〖카드〗 흑색의 패 (↔ Rot): auf ~ reizen 패를 모두 쓰려고 하다.

Schwarz≈afrika *n.* 〖지리〗 사하라 남쪽 아프리카 지역(남아프리카 공화국은 제외됨). **~afrikaner** *m.* 사하라 남쪽 지역 주민. **~amsel** *f.* 〖動〗 ① (유럽 원산의 보통) 개똥지빠귀. ② 블랙버드(검정 깃털을 지닌 새). **~arbeit** *f.* 불법 노동. ≗**arbeiten** *i.* (h.) 불법으로 일하다; 실직 수당을 받으면서 몰래 일하다. **~arbeiter** *m.* 불법 노동자. **~auge** *n.* 검은 눈; 눈이 검은 사람. ≗**äugig** *a.* 눈이 검은. **~beere** *f.* 〖방언〗 (Heidelbeere) 월귤나

무. **~blättchen** *n.* ↑ ~plättchen. **~blattern** *pl.* 〖醫〗 흑색 두창(痘瘡). **~blau** *a.* 암청색의. **~blech** *n.* 〖금속〗 박강판(薄鋼板)(두께가 0.1 mm 이하의 얇은 강판). **~braun** *a.* 흑갈색의. **~brenner** *m.* 밀주업자. **~brennerei** *f.* 〔구어〕 밀주 제조(장). **~brot** *n.* 흑빵. **~bunt** *a.* 흑백 얼룩 무늬의: ~e Kühe 얼룩 무늬의 젖소들. **~dorn** *m.* (md., ndd.) (Schlehdorn) 인목(橉木). **~drossel** *f.* ↑ ~amsel.

Schwarze*[1] [ʃvártsə] *der/die* ① (a) 흑인. (b) 흑발을 한 사람. ② 굴뚝 청소부. ③ 검은 옷을 입은 사람; 〖가톨릭〗 교황 지상주의자, 교황 전권논자. ④ 가라말. ⑤ 악마. ⑥ (öst.) 블랙 커피. ⑦ 〔펌어〕 (독일의) 가톨릭이나 기독교 정당 소속원〔추종자〕.

Schwarze*[2] *das* 검은 것, 흑점; 눈동자; 관(과녁의 중심): ins ~ treffen a) (과녁의) 관을 맞히다, b) 〔비유〕 정곡을 찌르다, 적중하다.

Schwärze [ʃvɛ́rtsə] *f.* -n ① 검음; 어두움; 〔비유〕 암흑; 음울; 음흉, 사악; 극악. ② 검정 물감; 검정색 구두약; 인쇄용 검정 잉크. ③ 〖광산〗 흑색으로 풍화한 광석: Eisen~ 휘철광. ④ 검은 균사(菌絲)가 특징인 식물의 병.

schwärzen [ʃvɛ́rtsən] 《I》 *t.* ① 검게〔어둡게〕 하다; 더럽히다: jn. ~ a) 누구를 악평〔비방〕 하다, b) 누구의 이름을 더럽히다. ② (öst.) 밀수하다. ③ 속이다. 《II》 *refl.* sich ~ 검게〔어둡게〕 되다.

Schwärzer *m.* -s, - 검게 염색〔칠〕하는 사람; (öst.) 밀수자; 은닉자, 장물 취득자.

Schwarz·erde *f.* 〖農〗 흑토, 분토(糞土). **~erle** *f.* 〖植〗 오리나무의 일종. **~|fahren*** *i.* (s.)/*t.* ① 면허 없이 운전하다, 훔쳐 타다. ② 무임 승차하다, 표없이 타다. **~fahrer** *m.* 무면허 운전자; 무임 승객. **~färber** *m.* 흑색 염색장이; 〔비유〕 비관론자, 염세주의자. **~fahrt** *f.* 무면허 운전; 훔쳐 타기; 무임 승차. **~fäule** *f.* (식물의) 검은 무늬병. **~filter** *m.* /(전문어) *n.* 〖사진〗 (적외선만을 통과시키는) 적색 필터. **~fleisch** *n.* 훈제 베이컨.

schwarz·gallig *a.* 염세주의적인, 기분이 좋지 않은. **~gar** *a.* 검게 무두질한 가죽의. **~|gehen** *i.* (s.) ① 밀렵하다. ② 불법 월경(越境)하다. **~gelb** *a.* 흑황색의; 흑과 황의. **~gerändert** *a.* 검은 테를 두른. **~gestreift** *a.* 검은 줄무늬의. **~grau** *a.* 암회색의. **~haarig** *a.* 흑발의.

Schwarz·handel *m.* 암거래, 부정 거래. **~händler** *m.* 암거래상. **~hemd** *n.* ① 검은 셔츠(이탈리아 파시스트 정당의 제복). ② 검은 셔츠 당원. **~holz** *n.* 〖植〗 흑단(黑檀). **~|hören** *t.* (전화·방송 등을) 수신료를 내지 않고 듣다; 도강하다. **~hörer** *m.* 수신료를 내지 않고 라디오를 듣는 사람; 도강생. **~käfer** *m.* 〖動〗 거저릿과의 곤충. **~kauf** *m.* 불법 구매. **~kiefer** *f.* 〖植〗 서양 해송. **~kittel** *m.* ① 멧돼지. ② 〔펌어〕 가톨릭 성직자. ③ 〔은어〕 (검은 운동복을 입은) 축구 심판. **~kopf** *m.* 흑발의 머리〔사람〕. **~kopie** *f.* 불법 복사. **~kreide** *f.* 흑색 점판암(검정 분필제조에 씀). **~kümmel** *m.* 〖植〗 (지중해 지역에서 자생하는) 니겔라속. **~kunst** *f.* 마술, 요술. **~künstler** *m.* 마술사. **~kupfer** *n.* 〖광물〗 흑동광.

schwärzlich [ʃvɛ́rtslɪç] *a.* 거무스름한.

schwarz|malen *t.* 비관적으로 표현하다.

Schwarz·maler *m.* 〔구어〕 비관론자. **~malerei** *f.* 〔구어〕 비관적 표현. **~markt** *m.* 암시장.

Schwarzmarkt·händler *m.* 암거래 상인. **~preis** *m.* 암시장 시세.

Schwarz·meer·flotte *f.* (옛 소련의) 흑해 함대. **~nessel** *f.* 〖植〗 검은쐐기풀. **~pappel** *f.* 〖植〗 양버들. **~plättchen** *n.* 〖動〗 검은머리휘파람새. **~pulver** *n.* 흑색 화약(질산칼륨·황·목탄을 섞어 만듦). **~rock** *m.* 검은 윗옷; 검은 옷을 입은 사람; 〖가톨릭·구어·펌어〗 사제(司祭). **~rot** *a.* 암적색의, 검붉은. **~rot-gold** *a.* 흑·적·금 삼색기의: die Fahne ~-Rot-Gold (1919-1933 년 및 제 2 차 세계 대전 이후의) 독일의 국기. **~sauer** *n.* (ndd.) 〖요리〗 돼지·거위 등의 살과 내장을 다른 것과 섞어 만든 스튜. **~scheck** *m.*, **~schecke** *f.* 검은 반점이 있는 말. **~schimmel** *m.* 흑백색의 말. **~|schlachten** *i.* (h.)/*t.* 밀도살하다. **~schlachtung** *f.* 밀도살. **~|sehen** *t.* 비관적으로 생각하다〔보다〕. **~sehend** *p.a.* 비관적인. **~seher** *m.* ① 〔구어〕 비관론자, 염세주의자. ② 텔레비전 불법 시청자. **~seherei** *f.* 비관주의, 비관적 태도. **~seherisch** *a.* 비관적인, 염세적인. **~sender** *m.* 무면허 무선 방송국〔발신자〕. **~specht** *m.* 〖動〗 까막딱따구리. **~storch** *m.* 먹황새. **~sucht** *f.* 〖醫〗 위성 흑폐병(僞性黑肺病). **~tanne** *f.* 〖植〗 독일 가문비.

Schwärzung [ʃvɛ́rtsʊŋ] *f.* -en 검게 함〔물들임〕; 〔비유〕 비방, 중상.

Schwarz·wald ① *m.* 〔드물게〕 침엽 수림. ② 슈바르츠발트(독일 서남부의 고원 산지).

Schwarzwälder 《I》 *m.* -s, - 슈바르츠발트 사람. 《II》 *a.* 슈바르츠발트의: die ~ Uhr 슈바르츠발트제 시계.

Schwarzwälderin *f.* -nen 슈바르츠발트의 여자.

schwarzwälderisch *a.* 슈바르츠발트풍의.

Schwarz·wasser·fieber *n.* 〖醫〗 흑수열(오줌이 까맣게 나오는 말라리아).

schwarz·weiß *a.* 흑백의; 흑백 영상의.

Schwarzweiß·aufnahme *f.* 흑백 사진 (촬영). **~bild·schirm** *m.* (텔레비전·모니터 등의) 흑백 화면. **~fernseher** *m.* 흑백 텔레비전. **~film** *m.* ① 흑백 필름. ② 흑백 영화. **~fotografie** *f.* 흑백 사진술. **~kunst** *f.* 흑백 두 가지 색만을 사용하는 도법(圖法); 묵화법. **~|malen** *t.* 흑백 논리로 단순화시켜 서술하다. **~malerei** *f.* 흑백 논리로 단순화시켜 서술하기. **~rot** *a.* 흑·백·적 3색의(북독일 동맹(1867-71) 이후 제 1 차 세계 대전까지 독일 국기의 색; 바이마르 공화국 시대(1919-33)에는 보수·민족주의 진영에서 주장한 독일 국기의 색). **~zeichnung** *f.* 〖畫〗 묵화, 펜화.

Schwarz·wild *n.* 〖動〗 멧돼지. **~wurz** *f.* 우엉. **~wurzel** *f.* 〖植〗 ① ↑ ~wurz. ② 컴프리(유럽 원산의 다년초로 약용).

Schwatz [ʃvats] *m.* -es, -e 〔구어〕 (Geschwätz) 지껄임, 수다, 요설; 잡담.

Schwatz·base *f.* 〔구어·펌어〕 수다스러운 여자.

Schwätz·base *f.* ↑ Schwatzbase.

Schwätzchen *n.* -s, - ↑ Schwatz 의 축소형.
schwatzen [ʃvátsən] *t./i.* (h.) 지껄이다:〖비유〗in den Tag 〔ins Blaue〕 hinein ~ 되는 대로 지껄이다; aus der Schule ~ 비밀을 누설하다; der ~de Bach 졸졸 흐르는 시내.
schwätzen [ʃvɛ́tsən] *t./i.* (h.) ① (südd.) ↑ schwatzen. ② (südwestd.) 말하다(reden).
Schwätzer *m.* -s, -〖폄어〗수다쟁이, 잔소리꾼.
Schwätzerei *f.* -en〖폄어〗(Geschwätz) 잡담, 수다, 잔소리.
Schwätzerin *f.* -nen〖폄어〗↑ Schwätzer 의 여성형.
schwätzerisch, schwatzhaft *a.*〖폄어〗지껄이는, 재잘거리는.
Schwatzhaftigkeit *f.* 지껄이기를 좋아함, 수다스러움.
Schwätz≈maul *n.*, **~michel** *m.* ↑ Schwätzer. **~sucht** *f.*〖폄어〗수다를 좋아하는 성벽.
Schwebe [ʃvé:bə] *f.* ① 뜸, 부유(浮游): in der ~ sein a) 떠 있다, b)〖비유〗결정을 못 보다, 미결인 채 있다: vorläufig bleibt alles in der ~ 당분간 모든 것은 미결 상태로 유보된다. ②〖醫〗삼각건(三角巾).
Schwebe≈bahn *f.* 삭도(索道); 리프트, 케이블카 운수 시설. **~balken** *m.*〖스포츠〗평균대. **~baum** *m.* 평균대의 가로대. **~fliege** *f.*〖動〗재니등에. **~künstler** *m.* 줄타는 곡예사.
***schweben** [ʃvé:bən] *i.* (h., 장소의 이동: s.) ① 둥실둥실 떠있다〔떠돌다〕, 부유하다; 걸려 있다; 날고 있다:〖비유〗ein Lächeln schwebte auf ihren Lippen 그 여자의 입술에 미소가 떠올랐다; ihr Bild schwebt mir vor Augen 그 여자의 모습이 내 눈앞에 아른거린다; das Wort schwebt mir auf der Zunge 말이 혀끝에서 뱅뱅 돌고 나오지 않는다. ② 불안정하게 존재하다: in Gefahr ~ 위험에 처해 있다; zwischen Tod und Leben ~ 생사지간을 헤매다. ③ (문젯거리가) 미결인 채로 있다, 계류 중이다: die Sache schwebt noch 그 일은 아직 미결이다. ④〖음악〗(음이) 정확하지 않다, 탁하다.
schwebend *p.a.* ① 떠있는, 떠돌아다니는; 걸려 있는; 미결의, 현안의, 계류 중의: eine ~e Brücke 현수교; die ~e Eisenbahn 현수 철도; eine ~e Frage 미해결의 문제, 현안; ~e Insel (연못 등의) 부유물이 뭉쳐 섬처럼 된〔보이는〕 것; ~e Schritte 경쾌한 발걸음;〖商〗~e Schuld 유동 공채(公債), 단기 채무. ②〖광산〗상승하는(45 도 이하의 상승 경사).
Schwebe≈pflanzen *pl.*〖生〗식물성 부유 생물, 플랑크톤. **~reck** *n.*〖체조·곡예〗(공중) 그네. **~stange** *f.* ① (Balancierstange) (줄타기 곡예사의) 평형봉. ②〖체조〗평균대. **~stoff** *m.* ↑ Schwebstoff. **~stütz** *m.*〖체조〗몸을 팔로 버틴 채 발을 앞이나 위로 뻗는 자세. **~teilchen** *n.* ↑ Schwebstoff. **~tiere** *pl.*〖生〗동물성 부유 생물, 플랑크톤.
Schweb·stoff *m.*〖化·物〗부유(浮游) 물질〔입자〕.
Schwebung [ʃvé:buŋ] *f.* -en ① 뜨기, 부유; 걸려 있음. ②〖物〗울림, 비트; 파동. ③〖음악〗트릴, 전음(顫音); (풍금의) 전음 장치.
Schwebungs·empfang *m.*〖物〗헤테로다인 수신.
Schwede [ʃvé:də] *m.* -n, -n ① 스웨덴 사람:〖구어〗alter ~ 오래된 친우; du alter ~ 여보게 자네;〖폄어〗wie die ~n hausen (30 년 전쟁 때 독일을 유린한 스웨덴 사람처럼) 주민을 잔인하게 다루다. ② 스웨덴 말(馬); 스웨덴 화폐;〖복수〗안전 성냥.
***Schweden** [ʃvé:dən] 스웨덴.
Schweden≈kopf *m.* (18 세기 후반에 유행했던) 짧게 깎은 머리. **~küche** *f.* 스웨덴식 주방. **~platte** *f.*〖요리〗냉어육 등의 전채(前菜). **~punsch** *m.* 냉(冷)펀치. **~schanze** *f.*〖軍〗(고대의) 성채.
Schweder *m.* -s (ndd.) 송아지의 지라(요리).
Schwedin [ʃvé:dɪn] *f.* -nen 스웨덴 여자.
schwedisch *a.* 스웨덴의: die ~e Gymnastik 〔das ~e Turnen〕 스웨덴식 체조; ~e Zündhölzer 안전 성냥;〖구어〗hinter ~en Gardinen 옥중에서.
Schwedisch *n.* -(s) 스웨덴어.
Schwefel [ʃvə:fəl] *m.* -s〖化〗황(黃)(기호: S).
Schwefel≈arsen *n.*〖化〗황화비소. **~artig** *a.* 황 같은, 황 모양의. **~äther** *m.* 에틸에테르. **~bad** *n.* 유황욕(硫黃浴); 유황천(泉). **~bande** *f.*〖구어·농담·폄어〗깡패의 단체, 폭력단(1770 년 Jena 의 학생 불량배의 이름에서). **~blume, ~blüte** *f.*〖化〗승화황(昇華黃). **~dampf** *m.* 유황 증기. **~dioxyd** *n.*〖化〗이산화황. **~dunst** *m.* ↑ ~dampf. **~eisen** *n.*〖化〗황화철. **~erz** *n.*〖광물〗황철광. **~faden** *m.* 황을 입힌 노끈(성냥 대용 또는 불을 당기는데 썼음). **~farbe** *f.* 유황색. **~farben, ~färbig** *a.* 유황색의. **~gang** *m.*〖구식〗황광맥. **~gelb** *a.* 유황색의. **~geruch, ~gestank** *m.* 황 냄새. **~grube** *f.* 유황갱(坑). **~haltig** *a.* 황을 함유하는. **~holz, ~hölzchen** *n.* 성냥. **~hütte** *f.* 황 공장.
schwefelicht, schwefelig *a.* ↑ schweflig.
Schwefel≈kalium *n.* 황화칼륨. **~kammer** *f.* 황 저장소. **~kasten** *m.* 유황 훈증실(燻蒸室). **~kies** *m.* 황철광. **~kohlen·stoff** *m.* 황화탄소. **~kopf** *m.*〖植〗독밤버섯. **~kur** *f.*〖醫〗유황천(硫黃泉) 요법. **~leber** *f.* 황화칼륨. **~milch** *f.* 침강황, 밀크황(완하제·연고·살포제로 쓰임).
schwefeln [ʃvé:fəln]《I》*t.* ① 황으로 처리하다; 황화시키다; 황을 태워 살균하다. ② (과수 등의 줄기에) 황을 뿌리다. ③ (직물을) 아황산으로 표백하다.《II》*i.* (h.) ① 황의 냄새가 나다. ② (schwafeln) 지껄이다.
Schwefel≈pfuhl *m.* 유황지(硫黃池);〖聖〗지옥. **~puder** *m.*〖藥〗황가루. **~quelle** *f.* 유황천. **~regen** *m.* ①〖聖〗유황의 비(창세기 19: 24). ② 꽃가루를 함유해서 노랑빛이 감도는 빗물. **~salbe** *f.*〖藥〗황 연고. **~sauer** *a.*〖化〗황산의. ***~säure** *f.* 황산.
Schwefelung [ʃvé:fəluŋ] *f.* -en 황으로 처리하기; 가황(加黃); 황화(黃化); (아황산을 이용한) 표백·살균.
Schwefel≈verbindung *f.*〖化〗황화물. **~wasser** *n.* 황이 함유된 광천수(鑛泉水). **~wasser·stoff** *m.* 황화수소. **~zink** *n.* 황화아연, 황산아연.
schweflicht *a.* ↑ schweflig.

schweflig *a.* 황 같은, 황을 함유하는: ~e Säure 아황산.

Schweflung *f.* -en ↑ Schwefelung.

Schwegel [ʃvéːgəl] *f.* -n 〖고어〗 ① (16 세기 경에 널리 사용되던) 종적(縱笛). ② 횡적(橫笛), 피리. ③ (구식 파이프 오르간의) 금속제 음전(音栓).

Schwegler *m.* -s, - 〖고어〗 피리 부는 사람.

Schweif [ʃvaɪf] *m.* -(e)s, -e ① 휨, 만곡(彎曲). ② 끌리는 옷자락, 긴 옷자락. ③〖비유〗 말단, 후미; 종자(從者), 수행원; 야유꾼. ④〖비유〗(동물의) 긴 꼬리; 혜성의 꼬리.

schweifen [ʃváɪfən] 《Ⅰ》 *t.* ① 휘게 하다, 만곡시키다. ② 세척하다, 헹구다. ③ …에 긴 꼬리를 달다. ④〖방직〗 die Kettfäden ~ 날실을 늦추다. ⑤ (alem.) 쓸어내다. 《Ⅱ》 *i.* (h./s.) 빈둥거리며 돌아다니다, 방황하다: den Blick ~ lassen 사방을 훑어보다, 둘러보다; er läßt seine Gedanken in die Zukunft ~ 그는 이리저리 장래 일을 생각해본다. 《Ⅲ》 **geschweift** *p.a.* ↑ geschweift.

Schweif·haare *pl.* 꼬리털.

..schweifig *a. suf.* "…꼬리의"의 뜻(보기: weit~ 장황한, 광대한).

Schweif=riemen *m.* (마구(馬具)의) 껑거리띠. **~säge** *f.* 〖목공〗 스크롤 기계톱. **~stern** *m.* 꼬리별, 혜성.

Schweifung [ʃváɪfʊŋ] *f.* -en 만곡(彎曲)(선), 휨; 부풂.

schweif·wedeln (*p.p.* geschweifwedelt) *i.* (h.) ① (개가) 꼬리를 흔들다. ②〖폄어〗 알랑거리다, 아첨하다.

Schweif·wedler *m.* -s, - 아부하는 사람; 추종자.

Schweige=geld [ʃváɪgə..] *n.* 입막음을 위한 돈. **~marsch** *m.* 침묵 행진. **~minute** *f.* (죽은 자에 대한) 묵념 시간.

***schweigen**(*) [ʃváɪgən] (schwieg/schweigte, geschwiegen/geschweigt) 《Ⅰ》〖강변화〗 *i.* (h./〖고어〗s.) 침묵하다, 입을 다물다; (소동·폭풍 등이) 잠잠해지다; (음악 등이) 그치다: still ~ 침묵하다; auf eine Frage ~ 물음에 대답하지 않다; gegen jn. ~ 누구에게 말을 하지 않다; von jm. 〔über jn.〕 〔〖고어〗 js.〕 ~ 누구에 관해서 침묵을 지키다; (um) davon zu ~ 그건 그렇고, 여하간에; zu et.³ ~ 무엇에 대해서 한마디도 하지 않다; 〖비유〗 in sieben Sprachen ~ 말없이 듣기만 하다. 《Ⅱ》 *t.* ①〖강변화〗 …을 말하지 않다, 비밀로 하다: et. tot ~ 무엇을 묵살하다. ②〖약변화〗 침묵시키다: schweige deine Zunge! 조용히 해라!

***Schweigen** *n.* -s 침묵, 무언: ~ bewahren 침묵을 지키다; zum ~ bringen a) 발설하지 못하게 하다, b) 〖완곡〗 누구를 죽이다; sich in ~ hüllen 침묵을 지키다, 입을 열지 않다; es herrscht ~ im Lande 모두들 쉬쉬하는 분위기다; 〖농담〗 dann ist ~ im Walde 당혹스러워 아무도 말을 못하다.

schweigend *p.a.* 침묵하는, 무언의: ~e Übereinkunft 암묵적 합의; ~ zuhören 조용히 듣다.

Schweige·pflicht *f.* (의사·성직자·변호사 등의) 직업상 비밀 엄수의 의무.

Schweiger [ʃváɪgər] *m.* -s, - ① 말수가 적은 사람: der große ~ 프로이센의 몰트케 장군의 별명. ② (obd.) (알프스 산지의) 목부(牧夫) (Schwaiger).

Schweige·zone *f.* (소리의) 불감지(不感知) 구역(음원(音源)에서의 거리가 약 50-150 km 사이인 곳).

schweigsam [ʃváɪkzaːm] *a.* 말없는, 과묵한; 비밀을 지키는, 조심스러운.

Schweigsamkeit *f.* 과묵, 무언(無言).

***Schwein** [ʃvaɪn] *n.* -(e)s, -e ①〖動〗 돼지: ein wildes〔zahmes〕 ~ 멧〔집〕돼지; 〖구어〗 wo〔wann〕 haben wir zusammen ~e gehütet? (상대가 무람없는 말투로 나올 때) 왜 친한 척해?; 〖경박〗 da haben wir das falsche ~ geschlachtet 우리는 어처구니없는 실수를 했다; 〖비유·구어〗 er blutet wie ein ~ 그는 출혈이 심하다. ②〖비유〗 (**a**) 사람: das versteht〔kapiert〕 kein ~ 그것은 아무도 이해하지 못한다: 〖구어〗 er ist ein armes ~ 그는 불쌍한 인간이다. (**b**) 돼지고기, 제육. (**c**) 행운: ~ haben 횡재하다, 뜻밖의 행운이 굴러들어오다.

Schweine=backe *f.* 〖요리〗 돼지의 턱뼈. **~bauch** *m.* 〖요리〗 삼겹살. **~braten** *m.* 돼지구이. **~fett** *n.* 돼지 지방. **~filet** *n.* 〖요리〗 얇게 저민 돼지고기. **~finne** *f.* 〖動〗 돼지 촌충. **~fleisch** *n.* 돼지고기, 제육. **~fraß** *m.* 형편 없는 음식〔식사〕. **~futter** *n.* ① 돼지 먹이. ② ↑ ~fraß. **~hirt** *m.* 돼지 치는 사람. **~hund** *m.* ① 돼지 지키는 개; 멧돼지 사냥개. ②〖폄어〗 더러운〔지저분한〕 사람; 야비〔비열〕한 놈: innerer ~ 비겁, 연약. **~igel** *m.* ↑ Schweinigel. **~koben** *m.* 돼지 우리. **~kofen** *m.* ↑ ~koben. **~kotelett** *n.* 〖요리〗 돼지 커틀릿. **~leber** *f.* 돼지 간. **~lende** *f.* 〖요리〗 돼지 허릿살. **~mast** *f.* 돼지 비육(肥育). **~mästerei** *f.* 비육돈(肥育豚) 살찌우기, 양돈업. **~pest** *f.* 돼지 페스트. **~pökel·fleisch** *n.* 소금절이 돼지고기.

Schweinerei [ʃvaɪnəráɪ] *f.* -en 〖폄어〗 ① 더러운 상태, 불결, 지저분함. ②〖대개 복수〗 추잡한 언행; 음담. ③ (도덕적으로) 야비한〔괘씸한〕 짓.

Schweine=rippchen *n.* 〖요리〗 돼지갈비. **~rippe** *f.* 〖요리〗 돼지갈비.

schweinern [ʃváɪnərn] *a.* 돼지(고기)의; (südd.) ≈es 돼지고기.

Schweinerne* *das* (südd., öst.) 돼지고기.

Schweine=schlächterei *f.* 돼지 도살업. **~schmalz** *n.* 돼지기름. **~schmer** *m./n.* 돼지비계. **~schnitzel** *n.* 〖요리〗 (얇게 저민) 돼지고기 커틀릿. **~seuche** *f.* 돼지의 전염병. **~speck** *m.* 베이컨. **~stall** *m.* 돼지우리; 〖비유〗 돼지우리 같은 집, 더러운 집. **~treiber** *m.* 〖구식〗 돼지를 시장으로 몰고 가는 사람. **~trog** *m.* 돼지 죽통. **~volk** *n.* 불결한 사람; 천한 인간. **~wetter** *n.* 음산하고 불쾌한 날씨. **~wirtschaft** *f.* ① 양돈. ② (경영·가정 등의) 난맥(亂脈), 엉망진창. **~zeug** *n.* ↑ ~volk. **~zucht** *f.* ① 양돈(養豚). ②〖비유〗 das ist eine wahre ~ 그것은 정말로 남이 들으면 창피한 이야기다.

Schweinfurter Grün [ʃváɪnfʊrtər..] *n.* 슈바인푸르트녹(綠)(조개·해초 등이 붙지 못하도록 배밑에 칠하는 유독성 도료).

Schwein=hund *m.* ↑ Schweinehund. **~igel** *m.* ①〖動〗 고슴도치. ②〖구어·폄어〗 더러운〔불결한·추잡한〕 사람. **~igelei** *f.* 추잡한 언

행, 음담.
schwein≈igeln (*p.p.* geschweinigelt) *i.*(h.) 추잡한 말〔음담〕을 하다.
schweinisch [ʃváɪnɪʃ] *a.* 돼지 같은; 〖비유〗 불결〔추잡·음란〕한.
Schweins≈affe *m.* 〖動〗 (동남아산(產)의) 돼지꼬리원숭이. **∼äugig** *a.* 돼지 눈같이 작고 가는 눈의. **~blase** *f.* 돼지의 방광. **~borste** *f.* 돼지의 거친 털. **~braten** *m.* 돼지구이. **~feder** *f.* ① 멧돼지 사냥에 쓰는 창. ② 돼지의 강모(剛毛) (브러시용 거친 털). **~fisch** *m.* 〖動〗 돌고래. **~füße** *pl.* 돼지 족발. **~galopp** *m.* 〔다음 용법으로〕〔구어·농담〕 im ~ 급한 걸음으로, 서둘러서. **~jagd** *f.* 멧돼지 사냥. **~keule** *f.* 돼지의 허벅지 고기. **~knochen** *pl.* 〖요리〗 돼지뼈. **~kopf** *m.* 돼지 머리. **~leder** *n.* 돼지 가죽. **∼ledern** *a.* 돼지 가죽의. **~ohr** *n.* ①〖요리〗 돼지의 귀. ② 이중 나선 형태의 과자. ③ 식용 버섯의 일종. **~rippchen** *n.* ↑ Schweinerippchen. **~rücken** *m.* 돼지의 등. **~rüssel** *m.* 돼지의 긴 주둥이. **~schnitzel** *n.* (öst.) ↑ Schweineschnitzel. **~stelze** *f.* 〖요리〗 (öst.) 돼지 족발.
***Schweiß** [ʃvaɪs] *m.* -es, -e ① 땀: in ~ kommen〔geraten〕 땀을 흘리다; ich bin (wie) in ~ gebadet 나는 땀에 흠뻑 젖었다; die Arbeit kostet viel ~ 이 일은 몹시 힘든다; 〔농담〕 er kann keinen ~ riechen 그는 힘든 일은 피한다; 〖聖〗 im ~e deines Angesichtes 너의 얼굴에 땀이 흘러야, 수고해야 (창세기 3:19). ②〔비유〕 **(a)** (창유리 등에 맺힌) 물기, 이슬. **(b)** 암석의 표면에 스며나오는 수맥(水脈)〔수분〕. **(c)** 〖사냥〗 (상처 입은 짐승의) 피. ③〖醫〗 der englische ~ 속립종(粟粒腫).
Schweiß≈absonderung *f.* 땀의 분비, 발한(發汗). **~apparat** *m.* 용접기. **~arbeit** *f.* 사냥개의 사냥감 추적. **~ausbruch** *m.* 발한(發汗). **~bad** *n.* 한증. **~band** *n.* ① ↑ Schweißleder. ②〖테니스〗 (땀을 닦기 위한) 손목 밴드.
schweißbar *a.* 〖제련〗 용접〔단접〕할 수 있는.
schweiß≈bedeckt *a.* 땀에 흠뻑 젖은. **~befördernd** *a.* 땀나게 하는, 발한성(發汗性)의. **∼bildung** *f.* 발한. **∼bläschen** *n.* 땀띠. **∼blatt** *n.* (겨드랑이의) 땀받이 천. **∼brenner** *m.* 용접용 버너. **∼drüse** *f.* 〖해부〗 땀샘. **∼eisen** *n.* 〖제련〗 연철(鍊鐵), 단철.
schweißen [ʃváɪsən] 《I》 *i.* ① (h.) 〖사냥〗 (상처 입은 짐승이) 피를 흘리다. ② (h.) 습기가 배어나오다〔끼다〕. ③ (h.) (ndd., md.) 땀을 흘리다. 《II》 *t.* 〖제련〗 용접하다; 〔비유〕 융합시키다.
Schweißer *m.* -s, - 용접공.
Schweißerin *f.* -nen ↑ Schweißer 의 여성형.
Schweiß≈fährte *f.* 〖사냥〗 상처 입은 짐승이 흘리며 간 핏자국. **∼feucht** *a.* 땀에 젖어 축축한. **~fieber** *n.* 〖醫〗 발한열(發汗熱). **~fleck** *m.* (의복에 생긴) 땀 자국〔얼룩〕. **~friesel** *m./n.* 땀띠; 유행성 속립종(粟粒腫). **~fuchs** *m.* 구렁말의 일종. **~fuß** *m.* 땀이 많이 나는 발. **∼gebadet** *a.* 땀에 푹 젖은: sie erwachte ~ 그녀는 땀에 흠뻑 젖은 채 깨어났다. **~geruch** *m.* 땀내. **~grübchen** *n.* 〖해부·雅語〗 땀구멍. **~hengst** *m.* 구렁말의 수컷〔종마(種馬)〕. **~hund** *m.* (상처 입은 짐승의 피 냄새를 맡고 추적하는) 사냥개.
schweißig [ʃváɪsɪç] *a.* ① 땀투성이의, 땀에 젖은. ②〖사냥〗 (짐승이) 피투성이의, 상처입은.
Schweiß≈leder *n.* (모자 안쪽의) 땀받이 가죽테. **~loch** *n.* ↑ ~grübchen. **~mittel** *n.* 〖藥〗 발한제(發汗劑); 〖제련〗 플럭스, 용제(溶濟), 용가재(熔加材), 단접제. **~naht** *f.* 〖제련〗 용접선(線), 단접해서 이은 자리. **~perle** *f.* 구슬땀. **~pore** *f.* ↑ ~grübchen. **~pulver** *n.* 〖藥·구식〗 지한제(止汗劑); 〖제련〗 단접제. **~sekretion** *f.* 땀 분비. **~stahl** *m.* 연강(鍊鋼). **∼treibend** *a.* 땀나게 하는, 발한성의. **∼triefend** *a.* 땀방울이 떨어지는, 땀에 흠뻑 젖은. **~tropfen** *m.* 땀방울. **~tuch** *n.* 땀닦는 수건: 〖宗〗 das ~ der Veronika 성(聖)베로니카의 수건(성베로니카가 형장으로 끌려 가는 예수의 얼굴을 닦아준 수건에 예수의 얼굴이 나타났다고 함). **∼überströmt** *a.* 땀이 흘러 넘치는.
Schweißung [ʃváɪsʊŋ] *f.* -en 〖제련〗 용접.
schweiß·verklebt *a.* 땀에 젖어 짝 달라붙은.
Schweiß·wolle *f.* 탈지하지 않은 양모.
***Schweiz** [ʃvaɪts] *f.* ① 스위스: in die ~ reisen 스위스로 여행하다; die französische ~ 스위스의 프랑스어 사용 지역. ②〔비유〕 산악 지방, 명승지: die Sächsische ~ 작센의 스위스(경치가 좋은 스위스를 연상시킨다는 뜻에서).
***Schweizer** [ʃváɪtsər] 《I》 *m.* -s, - ① 스위스 사람. ②〔비유〕 문지기(스위스 사람들이 많이 종사하는 직업에서); 〖가톨릭〗 잔일 보는 사람, 수위; 용병, (특히 교황청의) 친위병; 가축을 돌보는 머슴, 젖을 짜는 사람; 낙농가. 《II》 *a.* 스위스의.
Schweizer≈degen *m.* ①〔고어〕 (스위스 용병의) 양손으로 쓰는 검(劍). ②〖印〗 식자 겸 인쇄공. **∼deutsch** *a.* 스위스(사투리) 독일어의. **~deutsch** *n.* 스위스(사투리)의 독일어.
Schweizerei [ʃvaɪtsəráɪ] *f.* -en (스위스식) 낙농가.
Schweizer≈garde *f.* 스위스에서 징모(徵募)한 용병; (특히) 교황청 친위병. **~haus** *n.* 스위스 농가식의 별장.
Schweizerin *f.* -nen ↑ Schweizer 의 여성형.
***schweizerisch** [ʃváɪtsərɪʃ] *a.* 스위스(사람·말)의: ∼e Eidgenossenschaft 스위스 연방; ∼e Bundesbahnen 스위스 연방 철도(약어: SBB).
Schweizer≈käse *m.* 스위스산(產) 치즈. **~land** *n.* 스위스. **~reise** *f.* 스위스 여행.
Schwel·brand [ʃvé:l..] *m.* 불꽃없이 연기만 내는 연소.
Schwelch·malz [ʃvɛ́lç..] *n.* (bayr.) 공기로 건조한 맥아(麥芽).
schwelen [ʃvé:lən] 《I》 *i.* (h.) 그을며 타다, (불꽃없이) 연기만 내며 타다: 〔비유〕 Haß schwelte in ihm 증오심이 그의 마음속에서 꺼지지 않았다. 《II》 *t.* 그스르다, 뭉근한 불로 굽다, (숯을) 굽다; (건초를) 불로 말리다; 〖化〗 (석탄을) 건류(乾溜)하다: Teer ~ 건류하여 타르를 채취하다.

Schwelerei *f.* -en〖化〗석탄 건류 장치.

***schwelgen** [ʃvɛ́lgən] *i.* (h.) ① 마시다, 삼키다. ② 포식〔호식〕하다: ~ und prassen 호사스럽게 살다;〔비유〕in et.³ ~ 무엇에 탐닉하다; in Wonne ~ 기쁨에 도취하다.

Schwelger *m.* -s, - 미식가, 포식가;〔비유〕탐닉자.

Schwelgerei *f.* -en 미식, 포식;〔비유〕탐닉.

schwelgerisch *a.* 미식의, 포식 삼매(三昧)의;〔비유〕향락에 빠진, 탐닉의.

Schwel≈kohle *f.* 건류용(乾溜用) 석탄(휘발분이 많음). **~koks** *m.* 건류(후에 남는) 코크스.

Schwell [ʃvɛl] *m.* -(e)s, -e ① 부풀어오름, 팽창;〖海〗큰 물결, (파도의) 굽이침; 홍수. ②〔구식〕문턱; (기둥의) 엔터시스; 바닷속에 돌출한 사주; 융기.

***Schwelle** [ʃvɛ́lə] *f.* -n ①〖건축〗문지방, 문턱;〔비유〕입구; 모두(冒頭): an der ~ des Todes 죽음에 임해서; er befindet sich an der ~ der Dreißiger 그는 30 대의 문턱에 서 있다〔곧 서른 살이 된다〕;〔속담〕der Schritt über die ~ ist der schwerste 시작이 가장 어렵다. ②〖心〗한계: die ~ des Bewußtseins 의식의 한계;〖生〗자극(의 한)계. ③〖토목〗침재(枕材);〖철도〗침목(枕木) (Eisenbahn≈); 수중보(水中洑). ④ (육지의) 융기.

***schwellen**(*) [ʃvɛ́lən] (schwoll/schwellte, geschwollen/geschwellt) 《I》〔강변화〕*i.* (s.) 팽창하다, 부풀다; 융기하다, 높아지다; (강의) 수위가 높아지다; (돛이) 바람을 안다;〖醫〗붓다; 발기하다;〖음악〗(음량이) 증대하다: die Stirnader schwoll ihm vor Zorn 그는 성이 나서 핏대를 올렸다; da schwoll ihm der Mut 그러자 그는 용기백배했다. 《II》〔약변화〕*t.* ① 부풀게 하다, 팽창시키다;〖음악〗증음(增音)하다. ② (südd.) 삶다. ③〖제혁〗가죽을 부풀리다.

Schwellen≈angst *f.* 낯선 공간에 들어가기를 꺼리는 심리; 낯선 것에 대한 두려움. **~holz** *n.* 침목용(枕木用) 목재. **~land** *n.* (선진국에 접근한) 개발 도상국. **~reiz** *m.*〖心〗역(閾) 자극. **~rost** *m.*〖건축〗파일 공사 기초(지반이 약해서 말뚝 등을 박은 건축 기초). **~wert** *m.*〖心·物〗역치(閾値), 최소 한계치.

Schweller [ʃvɛ́lər] *m.* -s, -〖음악〗(오르간의) 증음(增音) 장치 작동 레버.

Schwell≈gewebe *n.*〖해부〗해면〔발기성〕조직. **~kopf** *m.* ①〔폄어·농담〕(사람의) 어울리지 않게 큰 머리. ② (사육제 때 사용하는) 커다란 가면. ③ 가면을 쓴 사람. **~körper** *m.*〖해부〗해면체. **~ton** *m.*〖음악〗차츰 강해지는 음, 크레셴도.

Schwellung [ʃvɛ́luŋ] *f.* -en ① 팽창, 증대, 융기. ② 부은 것, 부기(浮氣); 종창, 종기; 발기. ③〖지질〗해팽(海膨).

Schwell·werk *n.* (오르간의) 증음 장치.

Schwel≈ofen *m.* (석탄) 건류로(乾溜爐). **~teer** *m.*〖化〗타르(석탄 건류 때의 부산물).

Schwelung [ʃvé:luŋ] *f.* -en 그슬리기;〖化〗건류(乾溜).

Schwemm·boden *m.*〖지질〗충적지.

Schwemme [ʃvɛ́mə] *f.* -n ① (가축, 특히 말을) 씻는 곳; 물 먹이는 곳:〔구어〕jn. in die ~ reiten a) 누구를 술마시게 유혹하다, b) 누구를 난처한 입장에 몰아넣다; in die ~ kommen 어려운〔난처한〕상황에 빠지다;〔방언〕in die ~ gehen 목욕하다. ②〔구어〕바, 선술집. ③ (ndd.) 멧목. ④〖經〗일시적 공급 과잉: Butter≈ 버터 공급 과잉; Lehrer≈ 교사 공급 과잉. ⑤ (öst.) 염가 매장; 특매장.

schwemmen [ʃvɛ́mən] 《schwimmen 의 사역동사》《I》*t.* ① 헤엄치게 하다; 물 위로 띄워 보내다: die Flut schwemmte das Schwein ans Ufer 홍수가 돼지를 물가로 떠내려보냈다. ② 물로 헹구다, 세척하다; (말을) 씻기다. ③〖제혁〗물에 불리다. ④ (öst.) (통나무를) 엮어 물에 띄우다. 《II》*i.* (h./s.) (ndd.) 헤엄치다.

Schwemm≈gebilde *n.*〖지질〗충적층(冲積層). **~land** *n.* 충적지. **~sand** *m.* 충적사(砂).

Schwemmsel *n.* -s, - 물에 떠밀려 가는 것.

Schwemm≈stein *m.*〖광물·고어〗속돌. **~teich** *m.* 말을 씻기는 연못.

Schwende [ʃvɛ́ndə] *f.* -n (obd.) 화전 개간지.

schwenden [ʃvɛ́ndən] 《schwinden 의 사역동사》*t.* einen Wald ~ 삼림을 화전(火田)으로 개간하다.

Schwengel [ʃvɛ́ŋəl] 《<schwingen》*m.* -s, - ① (Glocken≈) 종의 추, 종불알. ② 펌프의 자루(Pumpen≈); 손잡이, 핸들; 지레; 수레채. ③〔구어〕놈, 녀석. ④〔경박〕자지.

Schwengel≈brunnen *m.* 수동 펌프 우물. **~pumpe** *f.* 자루 달린 펌프.

Schwenk [ʃvɛnk] *m.* -(e)s, -s ①〖영화〗(촬영기의) 방향 전환: die Kamera machte einen ~ 카메라가 방향을 틀었다. ② (급)선회, 방향 전환.

schwenkbar *a.*〖기계〗선회〔방향 전환〕할 수 있는, 회전식의.

Schwenk≈becken *n.* 설거지통, 개수통. **~bereich** *m.* 방향 전환〔선회〕영역. **~bühne** *f.* 회전 무대.

Schwenke [ʃvɛ́ŋkə] *f.* -n (md.) 그네.

***schwenken** [ʃvɛ́ŋkən] 《I》*t.* ① 흔들다; 흔들어 털어내다. ② 돌리다, 회전시키다. ③ (컵·천 등을) 흔들어 씻다, 헹구다, 빨다; (obd.) 청소하다. ④〔방언〕내쫓다; 해고하다; 퇴교 처분하다. ⑤〖요리〗(이미 익혀 놓은 것을 버터나 소스 등에 넣고) 가볍게 흔들어 볶다. 《II》*i.* (h.) / *refl.* (sich) ~ ① 몸을 흔들다. ② 방향을 바꾸다;〖軍〗선회하다: nach rechts ~! 우향우! ③〔비유〕변절〔전향〕하다.

Schwenker *m.* -s, - ① 기를 흔드는 사람; 세탁부(夫); (그릇) 닦는 사람; 통 만드는 장인, 통장이. ② 당파를 바꾸는 사람, 변절자. ③〔비유〕(md., ostd.) 자락이 긴 웃옷. ④ 코냑 잔. ⑤〖영화〗촬영 조수.

Schwenk≈faß, ~gefäß *n.* (세탁용·식기 세척용) 통. **~glas** *n.* 불룩하고 위가 좁은 술잔(코냑잔 등). **~kessel** *m.* ↑ Schwenkbecken. **~kran** *m.* 선회 크레인. **~punkt** *m.*〖軍〗방향 전환점.

Schwenkung [ʃvɛ́ŋkuŋ] *f.* -en 흔들기;〖軍〗방향 전환;〔비유〕변절, 전향.

Schwenkungs·punkt *m.*〖기계〗선회 지축(支軸), 회전 지점(支點).

***schwer** [ʃve:r] 《I》*a.* ① 무게가 …인: fünf Kilogramm ~ 무게가 5 킬로인; wie ~ bist du? 네 체중은 얼마냐?;〔비유〕er ist mehrere Millionen ~ 그는 대단한 부자다. ② 무거운: der Wagen ist schwer beladen 그 차

에 짐이 무겁게 실려 있다; ~es Wasser 중수; die Kleider sind ~ vom Regen 옷들이 비에 젖어 무겁다: die Luft ist ~ 습도가 높다; ~er Boden 점토질 토양; mit ~er Zunge sprechen〔lallen〕(술에 취해) 혀꼬부라진 소리로 말하다; ~es Blut haben 성격이 우울하다; mir ist das Herz ~ 나는 울적하다; ~en Herzens 무거운 마음으로; die Schuld lastet ~ auf seinem Gewissen 죄의식이 그의 양심을 무겁게 짓누른다; einen ~en Gang〔Schritt〕haben 걸음걸이가 무겁다〔느리다〕; eine ~e Hand haben 손재주가 없다;〖구어〗~ von Begriff 머리가 나쁜, 우둔한; ~es Geld kosten 돈이 아주 많이 들다. ③ 중대한, 심각한: ein ~er Fehler 중대한 실수; ein ~er Schlag 심각한 타격; eine ~e Krankheit 중병; ein ~es Verbrechen 중죄(重罪); eine ~e Strafe 중벌; ein ~es Unglück 큰 사고; ~e Verletzung 중상. ④ 어려운, 곤란한, 힘든, 괴로운: ~e Musik 난해한 음악; ein ~es Problem 어려운 문제; ein ~es Leben 힘든 삶;〖雅語·비유〗ihre ~e Stunde 출산할 때; ein ~es Amt 중한 직책; ein ~er Traum 악몽. ⑤ 심한, 격심한, 격렬한; 진한, 강한, 독한: ein ~er Seufzer 깊은 한숨; ein ~es Gewitter 심한 뇌우; ein ~er Winter 엄동; ein ~es Parfüm 진한 향수; ~e Weine〔Zigarren〕독한 포도주〔여송연〕; ein ~er Verdacht 짙은 혐의. ⑥ 위에 부담이 되는: ~e Speisen 위에 부담이 되는 음식; es liegt mir schwer im Magen 음식이 소화가 안 되고 얹혀 있다.《Ⅱ》*adv.* 심하게, 매우, 몹시: ~ reich 아주 풍부한; ~ betrunken 몹시 취한; sich ~ hüten, et. zu tun 무엇을 하지 않으려고 매우 조심하다; ~ im Irrtum sein 엄청난 착각을 하고 있다.

Schwer≈arbeiter *m.* 중노동자. **~athlet** *m.* 중량 경기 선수. **~athletik** *f.* 중량 경기(역도·레슬링·권투 등).

schwer≈atmend *a.* 숨찬, 헐떡거리는. **~-atmig** *a.* 호흡 곤란의; 천식의. **~behindert** *a.* 중장애의.

Schwerbehinderten≈ausweis *m.* 중장애인 증명서. **~gesetz** *n.* 중장애인 보호법.

schwer≈beladen *a.* 무거운 짐을 진〔실은〕. **~beschädigt** *a.* 심한 손상을 입은; 중상의. **~betrübt** *a.* 몹시 슬퍼하는. **~betrunken** *a.* 몹시 취한. **~bewaffnet** *a.* 중무장한.

schwerblütig *a.* 우울〔신중〕한 기질의.

Schwerblütigkeit *f.* 우울〔신중〕한 기질.

***Schwere** [ʃvé:rə] *f.* -n ① 무거움; 무게, 중량; 압박; 부담;〖物〗중력: er spürte die bleierne ~ der Glieder 그는 사지가 납덩어리처럼 무거움을 느꼈다. ② 중대함; (병이나 죄 등의) 무거움. ③ 곤란; 고난, 어려움: die ~ des Abschieds 이별의 괴로움. ④ 정도의 심함; 강(렬)함; die ~ des Unwetters 악천후의 심각성; die ~ eines Verdachts 짙은 혐의; die ~ des Weines 포도주의 높은 도수.

Schwere·feld *n.*〖지구물리〗중력장(重力場).

schwerelos *a.* 무중력의.

Schwerelosigkeit *f.* ① 무중력 상태. ② 걱정이 없음;〖雅語〗경쾌.

Schwere≈messer *m.* 저울; 액체 비중계; 청우계. **~not** *f.*〖고어〗① 간질병(Epilepsie): es ist, um die ~ zu kriegen 거의 미칠 것 같다. ② 맙소사(분노·불쾌·놀라움의 표현): ~ (noch einmal) 제기랄; daß dich die ~! 이 머저리 같은 새끼야! **~nöter** *m.*〖구어·농담〗① 수완가. ② 난봉꾼; 경솔한 사람.

Schwer≈erde *f.*〖農〗중토(重土);〖광물〗중정석(重晶石). **≈erworben** *a.* 힘들여서 얻은. **≈erziehbar** *a.* 일반 학교 교육이 곤란한. **~|fallen*** *i.* (s.) 곤란하다: es fällt mir schwer 그것은 내겐 어렵다. **~fällig** *a.* 묵직한; 답답한; 서투른, 어색한; 둔중한, 느릿느릿한. **~fälligkeit** *f.* ↑ ≈fällig 의 명사형. **~flüssig** *a.* 녹이기 어려운; 끈적한, 점성이 있는. **~gewicht** *n.* ①〖스포츠〗(**a**) 헤비급, 중량급, (**b**) 헤비급 선수. ②〖구어·농담〗체중이 무거운 사람. ③〖비유〗주안점, 요점: das ~ auf et. legen 무엇에 중점을 두다. **≈-gewichtig** *a.* 매우 중요한; 체중이 많이 나가는. **~gewichtler** *m.* 헤비급 선수. **~gut** *n.*〖海〗(1 t 이상의) 중량(重量) 화물. **≈|halten*** *i.* (h.) *imp.* 곤란하다: es hält schwer, ihn zu überzeugen 그는 설득하기 어렵다. **≈-hörig** *a.* 난청(難聽)의, 귀먹은: er stellte sich meinen Bitten gegenüber ~ 그는 내 부탁을 못들은 체했다. **~hörigkeit** *f.* 귀먹음, 난청. **~industrie** *f.* 중공업. **≈industriell** *a.* 중공업의. **~industrielle*** *der/die* 중공업가. **~kraft** *f.*〖物〗중력. **≈krank** *a.* 중병의. **~kranke*** *der/die* 중환자. **~last·verkehr** *m.* 대형 화물 운수〔교통〕. **≈leibig** *a.* 살찐.

schwerlich [ʃvé:*r*lıç] *adv.* 거의 …않는: das wirst du ~ fertigbringen 너는 그것을 끝내기 힘들 것이다.

schwer≈löslich *a.* 잘 용해되지 않는. **~lötig** *a.* 답답한; 둔중한; 무뚝뚝한; 굼뜨고 미련한. **~|machen**《Ⅰ》*t.* 누구에게 무엇을 어렵게 만들다: er hat ihr den Aufstieg schwergemacht 그는 그녀의 승진을 어렵게 만들었다.《Ⅱ》*refl.* es sich ~ 무엇에 너무 많은 힘을 들이다: da hast du es dir aber schwergemacht 너, 그 일 참 힘들게 했구나. **≈metall** *n.*〖化〗(비중 5 이상의) 중금속. **≈mut** *f.* 우울한 기분; 우울증. **~mütig** *a.* 우울한. **≈mütigkeit** *f.* ↑ ~mut. **~muts·voll** *a.* ↑ ~mütig. **~|nehmen** *t.* 심각하게 받아들이다, 중대하다고 생각하다. **≈öl** *n.* 중유. **≈öl·motor** *m.* 중유 엔진. **≈punkt** *m.*〖物〗무게 중심;〖비유〗중점.

schwerpunkt≈mäßig *adv.* 중점적으로, 비중을 두고: wir werden den Streik ~ durchführen 우리는 주요 분야에 제한해서 파업을 할 것이다. **≈streik** *m.* (특정 지역 내지 분야에 제한된) 중점 파업. **≈thema** *n.* 중점 테마.

schwer≈reich *a.*〖구어〗아주 부유한. **≈spat** *m.*〖광물〗중정석(重晶石).

Schwerst·arbeiter [ʃvé:*r*st..] *m.* 중노동자.

***Schwert** [ʃve:*r*t] *n.* -(e)s, -er ① 검(劍), (큰) 칼; 처형용 칼(Richt≈):〖비유〗das ~ der Gerechtigkeit 사법권;〖비유〗das ~ des Demokles hängt〔schwebt〕über jn. 누가 위험에 처해 있다.〖비유〗an das ~ appellieren 무력에 호소하다; durchs ~ entscheiden 무력으로 해결하다; ein zweischneidiges ~ 장단점을 동시에 지닌 것;〖비유〗das ~ in die Scheide stecken 싸움을 그만두다. ②〖海〗(돛

배 등의) 센터보드, 수하(垂下) 용골. ③〖植〗 ↑ Schwertel.

Schwert≈bohne *f.* 〖植〗 작두콩. **~boot** *n.* 〖海〗 (센터보드·수하(垂下) 용골 따위를 갖춘) 돛 배. **~bruder** *m.* 〖史〗 기독교 기사단 (Schwertorden)의 단원.

Schwertel [ʃvéːrtəl] *m.* -s, - 〖植〗 ① 글라디올러스의 일종(Gladiole). ② ↑ Schwertlilie.

Schwerter≈geklirr *n.* 칼이 맞부딪치는 소리. **~tanz** *m.* ① 검무(劍舞); 〔비유〕 싸움. ② 〔구식〕 검술 시합.

Schwert≈feger *m.* 칼 벼리는 사람; 칼 대장장이. **~fisch** *m.* ①〖動〗 **(a)** 황새치. **(b)** 범고래. ②〖天〗 황새치자리. **≈förmig** *a.* 칼 모양의. **~fortsatz** *m.* 〖生〗 검상(劍狀) 돌기. **~knauf** *m.* 칼자루의 머리. **~lehen** *n.* 〖法〗 남자에게만 상속되는 영지(領地) (↔ Kunkellehen). **~leite** *f.* 기사 직위 수여 의식, 도례(刀禮). **~lilie** *f.* 〖植〗 붓꽃과(科) (꽃창포 등): deutsche ~ 자주 붓꽃; florentinische ~ 흰붓꽃. **~mage** *m.* 〔고어〕 아버지 쪽의 남자 친척. **~orden** *m.* 〖史〗 기독교 기사단(1202 년에 창설됨). **~schlag** *m.* ↑ ~streich. **~streich** *m.* 칼로 치기〔베기〕: ohne ~ 칼을 쓰지 않고, 무혈로. **~schlucker** *m.* 칼을 목구멍 깊이 삼키는 곡예사. **~schwanz** *m.* 〖動〗 검미류(劍尾類). **~tanz** *m.* ↑ Schwertertanz. **~träger** *m.* ① 칼 찬 사람, 검을 소지한 호위병. ②〖動〗 소드테일(송사릿과의 열대어).

schwer|tun *refl.* sich ~ 무엇을 하는 데 어려움을 겪다: du wirst dir〔〔드물게〕 dich〕 ~, das zu schaffen 너는 그것을 해내는 데 어려움을 겪을 것이다.

Schwert·wal *m.* 〖動〗 범고래.

Schwer≈verbrecher *m.* 중범자. **≈verdaulich** *a.* 소화시키기 어려운. **≈verletzt** *a.* 중상의, 중상을 입은. **≈verständlich** *a.* 난해한. **≈verträglich** *a.* 소화시키기 어려운. **≈verwundet** *a.* 중상 입은. **≈wiegend** *a.* 무거운; 중대한.

Schweser *m.* -s (ndd.) 송아지의 췌장 (요리).

***Schwester** [ʃvéstər] *f.* -n ① 자매, 누이, 누이동생; 〔비유〕 동료〔동문, 같은 계급〕인 여자, 친한 여자 친구. ② 간호사(Kranken≈; 약어: Schw.). ③〖가톨릭〗 수녀. ④〔은어〕 eine barmherzige ~ (돈을 요구하지 않는) 창녀.

Schwester≈anstalt *f.* 자매 시설〔기관〕. **~firma** *f.* 계열〔방계〕 회사. **~kind** *n.* 〔고어〕 생질(녀).

schwesterlich *a.* 자매의; 자매 같은.

Schwesterlichkeit *f.* 자매(간)의 친밀한 감정; 자매로서의 행동.

Schwester≈liebe *f.* 자매의 사랑; 자매간의 우애. **~mann** *m.* 〔복수: ..männer〕〔구식〕 자매〔누이〕의 남편, 매부, 매제, 형부, 제부.

Schwestern≈haube *f.* 간호사 모자. **~haus** *n.* 간호사 기숙사. **~helferin** *f.* 간호 보조원. **~liebe** *f.* 자매의 사랑; 자매간의 우애. **~orden** *m.* 수녀 단체. **~paar** *n.* 두 자매.

Schwesternschaft *f.* -en ①〔드물게〕 자매임, 자매간; 〔비유〕 여자의 우정. ② (한 병원의) 간호사회; 수녀 단체.

Schwestern≈schule *f.* 간호 학교. **~schülerin** *f.* 간호사 예비생. **~tracht** *f.* ① 간호사복. ② 수녀복. **~wohnheim** *n.* 간호사 기숙사.

Schwester≈partei *f.* (유사한 정치적 목표를 가진) 자매 정당. **~schiff** *n.* 자매선. **~sohn** *m.* 자매의 아들, 생질, 이질. **~sprache** *f.* 자매어(語). **~tochter** *f.* 자매의 딸, 생질, 이질녀.

Schwib·bogen [ʃvípboːgən] 《<Schwebbogen》 *m.* 〖건축〗 ① 아치. ② 부벽(扶壁) 아치. ③ 고딕식 첨두 아치.

schwichten [ʃvíçtən], **schwichtigen** *t.* ① 〔시어·방언〕 진정시키다. ②〖海〗 (로프로) 조여매다.

schwieg [ʃviːk] ↑ schweigen 의 과거형.

Schwiegel *f.* -n 피리(Schwegel).

Schwieger [ʃvíːgər] *f.* -n 〔고어〕 (~mutter) 시어머니; 장모.

Schwieger·eltern *pl.* 시부모; 장인 장모.

Schwiegerin *f.* -nen ↑ Schwiegermutter, ↑ Schwiegertochter, ↑ Schwägerin.

***Schwieger≈mutter** *f.* 시어머니; 장모. ***~sohn** *m.* 사위. ***~tochter** *f.* 며느리. ***~vater** *m.* 시아버지; 장인.

Schwiele [ʃvíːlə] *f.* -n ①〖醫〗 경피(硬皮), 경결(硬結), 굳은 살; 〔비유〕 노동의 상징. ②〖醫〗 자반(紫斑), 멍.

schwielen·artig *a.* 굳은 살 같은; 멍 모양의.

schwielicht *a.* ↑ schwielig.

schwielig *a.* 굳은 살투성이의, 굳은 살이 생긴; 멍투성이의, 멍든.

Schwiemel [ʃvíːməl] *m.* -s, - (ndd., md.) ① 어지러움, 비틀거림; 실신, 인사불성, 도취. ② 주정뱅이, 주정꾼; 방탕자.

Schwiemelei *f.* -en 야단법석 떨기; 방탕한 짓거리.

Schwiemeler *m.* -s, - ↑ Schwiemler.

schwiemelig *a.* (어지러워) 비틀거리는, 갈지자걸음을 걷는.

Schwiemel·kopf *m.* 주정뱅이; 방탕자.

schwiemeln [ʃvíːməln] *i.* (h.) (ndd.) ① 비틀거리다, 휘청거리다, 어질어질하다. ② 절제없이 지내다, 방탕하다.

schwiemen [ʃvíːmən] *i.* (h.) (ndd.) 실신하다, 인사불성이 되다.

Schwiemler *m.* -s, - 주정뱅이, 방탕자.

schwiemlich *a.* ↑ schwiemelig.

***schwierig** [ʃvíːrɪç] *a.* ① **(a)** 〔고어〕 (md.) (schwärend) 곪은; 종기투성이의. **(b)** 〔비유〕 다루기 힘든, 까다롭게 구는, 고집센: er wird langsam ~ 그는 점점 다루기 어려워진다. ② 까다로운; 어려운, 힘든: ein ~er Fall 미묘한 사건; eine ~e Frage 난문; ~er Punkt 난점; das ~ste haben wir hinter uns 우리는 가장 어려운 난관을〔고비를〕 돌파했다.

Schwierigkeit *f.* -en 곤란, 어려움; 난국, 어려운 일; 불쾌한〔불편한〕 일: jm. ~en machen 누구를 애먹이다.

Schwierigkeits·grad *m.* 난이도.

schwierst ↑ schwären 의 2 인칭 단수 현재형.

schwiert 〔고어〕 ↑ schwären 의 3 인칭 단수 현재형.

schwill [ʃvɪl] ↑ schwellen 의 명령형.

schwillst ↑ schwellen 의 2 인칭 단수 현재형.

schwillt ↑ schwellen 의 3 인칭 단수 현재형.

Schwimm≈anstalt [ʃvɪm..] *f.* 수영장. **~anzug** *m.* 수영복. **~art** *f.* 수영법. **~bad** *n.* 수영장. **~bagger** *m.* 준설선(浚渫船). **~bahn** *f.* 수영장의 레인. **~bassin** [..sɛ̃:] *n.* 수영장, 풀. **~becken** *n.* 수영장. **~bewegung** *f.* 수영 동작. **~blase** *f.* ①〖動〗부레. ②수영 튜브. **~dock** *n.*〖海〗부양식 독.

Schwimmeister *m.* -s, - 수영 교사; 수영장 감독〔관리인〕.

schwimmen [ʃvɪmən] (schwamm, geschwommen) *i.* (s./h.) ① 헤엄치다; 수영하다; 뜨다, 떠돌다: auf dem Rücken ~ 배영하다; ans Ufer ~ 물가 쪽으로 헤엄치다; mit dem Strom ~ a) 흐름을 따라 헤엄치다, b)〔비유〕시류를 따르다; ~ lassen a) 헤엄치게 하다, 띄우다, b)〔비유〕단념〔포기〕하다; Schuhe, worin der Fuß schwimmt 헐렁한 구두. ② (s.) 수영 경기에 출전하다; 수영 경기에서 일정한 기록을 달성하다: einen neuen Rekord ~ 수영 신기록을 내다. ③ 물에 잠기다, 흠뻑 젖다; 넘치다: ihre Augen schwammen 그녀의 두 눈에 눈물이 가득했다; der Boden schwimmt 마룻바닥이 흠뻑 젖었다; im〔in seinem〕Blut ~ 피투성이가 되다; in Wonne ~ 기쁨으로 넘치다; er schwimmt im Überfluß 그는 풍족하게 살고 있다. ④ (얇은 것이) 나풀거리다. ⑤〔비유〕아련히〔어렴풋이〕보이다: im Nebel ~ 안개 속에 몽롱히 보이다; es schwimmt mir vor den Augen a) 나는 눈이 아물거린다, b) 눈물이 글썽하다. ⑥ 허우적거리다;〔비유〕갈팡질팡하다: der Schauspieler schwimmt 이 배우는 갈팡질팡한다: in der Prüfung ~ 시험에서 헤매다.

Schwimmen *n.* -s 헤엄치기, 수영; (물에) 뜨기:〔구어〕ins ~ kommen 당황하여 안정을 잃다, 휘청거리다, 그로기가 되다.

schwimmend *p.a.* 헤엄치는, 떠 있는, 떠다니는, 해상〔선상〕에 있는; 흐리멍덩한, (눈이) 몽롱한: ein ~er Blick (눈물이) 글썽한 눈빛; ~e Batterie 수상 포대(水上砲臺); ~e Häuser 배; ~e Waren 해상 수송 중인 상품.

Schwimmer [ʃvɪmər] *m.* -s, - ① 헤엄치는 사람. ②〖工〗부이, 부표; (낚시의) 찌; (수상 비행기의) 플로트, 부주(浮舟).

Schwimmerei *f.*〔구어〕(계속되는) 수영, 헤엄치기.

Schwimmer·flugzeug *n.* 수상 비행기.

Schwimmerin *f.* -nen ↑ Schwimmer 의 여성형.

Schwimmer·ventil *n.*〖기계〗플로트 밸브, 부동(浮動) 밸브.

schwimm·fähig *a.* 헤엄칠 수 있는; 뜰 수 있는.

Schwimm≈farn *m.*〖植〗생이가래. **~feder** *f.* ↑ ~flosse. **~flosse** *f.*〖動〗지느러미. **~fuß** *m.*〖動〗(물새의) 물갈퀴발; (갑각류의) 유영지(游泳肢). **~gürtel** *m.* ① 구명대. ②〔농담〕허리 주위의 군살. **~halle** *f.* 실내 수영장. **~haut** *f.*〖動〗물갈퀴. **~hose** *f.* 수영 팬츠. **~jacke** *f.* 수영복. **~käfer** *m.*〖動〗물방갯과. **~kampf·wagen** *m.* 수륙 양용 전차. **~kasten** *m.*〖工〗(수중 공사용) 잠함(潛函). **~kompaß** *m.* 유동(流動) 나침반. **~kraft** *f.* 부력. **~kran** *m.* 크레인선(船). **≈kundig** *a.* 수영할 줄 아는. **~kunst** *f.* 수영 기술. **~lehrer** *m.* 수영 교사.

Schwimmmeister 新정서 ⇦ Schwimmeister.

Schwimm≈-Meister *m.* ↑ ~meister. **~platz** *m.* 수영장. **~sand** *m.*〖광물〗표사(漂砂), 유사(流砂). **~schnecke** *f.*〖動〗갈고둥과(科) 권패의 하나. **~schule** *f.* 수영 학교〔강좌〕. **~sport** *m.* 수영 경기. **~stadion** *n.* 수영(경기)장. **~stein** *m.*〖광물〗속돌. **~stil** *m.* ↑ ~art. **~vogel** *m.* 물새; 유금류(游禽類). **~waage** *f.*〖物〗액체 비중계. **~werk** *n.*〖空〗(수상 비행기의) 부주(浮舟). **~weste** *f.* 구명 조끼.

schwind *a.*〔고어〕(obd., md.) 빠른; ↑ geschwind.

Schwinde *f.* -n ①〔구식〕신속. ②〔방언〕(Flechte) (빨리 퍼지는) 수포진, 습진.

***Schwindel** [ʃvɪndəl] 《＜schwindeln》 *m.* -s, - ① 현기증, 어지러움; (가축의) 어질병: ~ haben〔bekommen〕어지럽다. ②〔비유〕**(a)** 현혹, 홀림. **(b)** 사기, 속임수, 거짓말, 가짜: das ist ein ausgemachter ~ 그건 새빨간 거짓말이다; den ~ kenne ich 나는 그런 속임수에 안 넘어간다! ③〔구어〕시시한 것〔일〕: der ganze ~ 잡동사니;〔구어·폄어〕was kostet der ganze ~? 몽땅 얼마요?

Schwindel≈anfall *m.*〖醫〗현기증의 발작. **~bank** *f.*〔복수: -en〕〖商〗사기〔엉터리〕은행. **~beere** *f.*〖植〗벨라도나.

Schwindelei *f.* -en 사기, 속임수, 거짓말.

schwindel≈erregend *a.* 현기증을 일으키는. **≈firma** *f.*〖商〗(사기를 목적으로 하는) 가짜〔유령〕회사. **~frei** *a.* 어지럽지 않은, 현기증을 느끼지 않는. **≈gefühl** *n.* 어지러운 느낌, 현기증. **≈geist** *m.* ① 사기꾼 기질. ② 사기꾼, 거짓말쟁이. **≈geschäft** *n.*〖商〗① 사기 사업. ② ↑ ~firma. **≈gesellschaft** *f.* ↑ ≈firma. **≈hafer** *m.*〖植〗독보리.

schwindelhaft *a.* ① 사기의, 사기꾼 같은, 가짜의. ② 부정직한, 교활한.

Schwindel·höhe *f.* 어지러울〔아찔할〕정도의 높이〔정도로 높은 곳〕.

schwindelig *a.* ↑ schwindlig.

Schwindel≈kopf *m.* ① 무모한 사람; 덜렁쇠. ② ↑ ~geist ②. **≈köpfig** *a.* ① 무모한; 경솔한. ② 사기꾼 같은, 가짜의.

***schwindeln** [ʃvɪndəln] 《Ⅰ》 *i.* (h.) / *imp.* ① 어지럽다, 현기증이 나다: mir schwindelt es〔der Kopf〕나는 어지럽다, 머리가 빙빙 돈다. ② 사기치다, 속임수를 쓰다; 속이다. 《Ⅱ》 *t.* 밀수하다, 속임수로 반입하다. 《Ⅲ》 *refl.* sich ~ 속임수로 …하다: sich durchs Leben ~ 속임수로 살아가다; sich durch die Sperre ~ 속임수를 써서 개찰구를 빠져나가다.

schwindelnd *p.a.* 어지러운; 현기증나는: ein ~er Abgrund 아찔하게 깊은 심연(深淵).

Schwindel·sucht *f.* ①〖醫〗어질병. ②〔비유〕사기치는 버릇, 사기꾼〔협잡꾼〕기질.

schwinden [ʃvɪndən] (schwand, geschwunden) *i.* (s.) ① 줄다, 감소〔쇠퇴〕하다; (목재·금속 등이) 수축하다; 시들다, 오그라들다; 엷어지다, 바래다: die Farben ~ a) 색이 바래다, b) 색이 섞여 뿌옇다. ② 사라지다, 없어지다; (시간이) 경과하다: mir ist aller Mut geschwunden 나는 용기가 없어졌다; ~ lassen 끄다, 없애다, 포기하다. ③ (obd.) 인사불성이 되다: es schwindet mir 나는 정신을

잃을 것 같다.

Schwịnden *n.* -s 줆, 감소; 소멸; 〖工〗 수축; 〖통신〗 페이딩: sein Ansehen ist im ~ 그의 위신은 땅에 떨어지고 있다.

Schwinderling [ʃvíndərlıŋ] *m.* -s, -e (obd.) 따귀 때리기 (Ohrfeige).

Schwịnd·grube *f.* (Schundgrube) 쓰레기 구덩이.

Schwindler [ʃvíndlər] *m.* -s, - ①〘폄어〙 사기꾼, 야바위꾼, 속임수 쓰는 사람. ②〖수의〗 어질병에 걸린 양(羊).

Schwịndler·bande *f.* 사기꾼 패거리.

schwịndlerhaft *a.* 사기의, 협잡의, 가짜의.

Schwịndlerin *f.* -nen ↑ Schwindler 의 여성형.

schwịndlerisch *a.* ↑ schwindlerhaft.

schwịndlig *a.* 어지러운, 어지러울 정도의; 현기증을 일으키는: mir wird ~ 나는 어지럽다; in ~er Höhe 아찔하게 높은 곳에서.

Schwịnd≈maß *n.* 〖工〗 수축률, 수축도. **~maßstab** *m.* 〖工〗 주물(鑄物) 자. **~spannung** *f.* 〖工〗 수축률(도). **~sucht** *f.* 〖醫〗 소모성 질환; 결핵병; 폐결핵: galoppierende ~ 급성 폐결핵; 〘비유〙 mein Beutel hat die ~ 내 지갑은 텅 비었다. **~süchtig** *a.* 소모성 질환에 걸린, 폐결핵의. **~suchts·kandidat** *m.* 〘구어〙 폐병에 걸리기 쉬운 사람, 폐병 기미가 있는 사람.

Schwịndung *f.* -en 수축.

Schwịng≈achse *f.* 〖工〗 (자동차의 뒷바퀴와 같이 좌우가 따로 독립하여 부동하는) 부동축. **~blatt** *n.* (전화기 등의) 진동판.

Schwinge [ʃvíŋə] 《<schwingen》 *f.* -n ① (곡식을 까부는) 키; 삼을 두드리는 막대기, 도리깨. ②〘시어〙 날개. ③ (obd.) 사다리의 가로장. ④ (öst.) 손잡이가 두 개 달린 바구니. ⑤〘기계〙 로커 암, 가동 암.

Schwingel [ʃvíŋəl] *m.* -s, - ①〖植〗 김의털아재비속(屬)의 식물. ②〘고어〙 종〔방울〕의 추.

***schwingen**(*) [ʃvíŋən] (schwang [ʃvaŋ]/schwingte, geschwungen/geschwingt) 《I》 *t.* ①〘약변화〙 …에 날개를 달다. ②〘강변화〙 (뒤)흔들다, 흔들어 움직이다〔올리다〕: 〘구어〙 die Füße 〔die Sohlen〕 im Tanze ~, das Tanzbein ~ 춤추다; jn. auf das Pferd ~ 누구를 말 위에 번쩍 올려 태우다; 〘비유〙 sie schwingt den Pantoffel 그 여자는 남편을 손아귀에 쥐고 있다; 〘경박〙 eine Rede ~ 연설하다; 〘경박〙 die große Klappe ~ 허풍치다; Getreide ~ 곡식을 키로 까불다; Flachs ~ 삼잎을 도리깨질해 떼어내다; Erze ~ 선광(選鑛)하다. 《II》〘강변화〙 *refl.* sich ~ ① 몸을 흔들어 움직이다: sich auf der Schaukel ~ 그네를 타다. ② 훌쩍〔휙〕 뛰어〔날아〕오르다〔내리다〕: sich in den 〔aus dem〕 Sattel ~ 훌쩍 안장에 뛰어오르다〔안장에서 뛰어내리다〕; der Adler schwingt sich in die Luft 독수리가 공중으로 휙 날아오른다; 〘비유〙 sich auf den Thron ~ 왕위에 오르다; sich zu hohen Ehren ~ 입신양명하다; schwing dich! (südd.) 꺼져, 사라져! 《III》〘강변화〙 *i.* (h.) ① 흔들리다, 진동하다; 울려퍼지다; 파동이 전파되다; 몸을 흔들다. ②〖스포츠〗 mit jm. ~ 누구와 (스위스식의) 레슬링을 하다. ③ (s.)〖스키〗 활강하다. ④〘고어〙 마상(馬上) 체조를 하다.

Schwịngen *n.* -s ① 진동; 흔들어 움직임. ②〖스포츠〗 스위스식 레슬링의 일종.

Schwịngen·flieger *m.* 날개를 상하로 흔들면서 날던 초기의 비행기.

Schwinger [ʃvíŋər] *m.* -s, - ①〖권투〗 스윙. ② 스위스식 레슬링 선수. ③〖物〗 진동자.

Schwịnget *m.* -s (schweiz.) 레슬링 대회.

Schwịng≈fest *n.* ↑ Schwinget. **~hang** *m.* (철봉의) 턱걸이. **~kolben** *m.* (파리목(目) 곤충의) 평균곤(平均棍) (Haltere). **~kreis** *m.* 〖전기〗 진동 회로. **~maschine** *f.* 〖工〗 타마기(打麻器). **~pferd** *n.* (장난감 또는 승마 연습용의) 흔들목마. **~pflug** *m.* 〖農〗 전동 쟁기. **~quarz** *m.* 〖理·전기〗 압전성(壓電性) 수정판, 수정 진동자(振動子). **~tür** *f.* 안팎으로 열리는 문(Pendeltür).

Schwingung [ʃvíŋuŋ] *f.* -en ① 흔들기; 진동, 동요: elektrische ~ 전기 진동; in ~ setzen 흔들다, 진동시키다. ② 포물선; 곡선.

Schwịngungs≈achse *f.* 〖기계〗 ↑ Schwingachse. **~dämpfer** *m.* 〖기계〗 진동 완충기. **~dauer** *f.* 진동 시간; 진동 주기. **~knoten** *m.* 〖理〗 (진동의) 마디점. **~kreis** *m.* ↑ Schwingkreis. **~weite** *f.* 진폭. **~zahl** *f.* 진동수. **~zeit** *f.* ↑ ~dauer.

schwipp[1] [ʃvıp] *a.* (ndd.) ① (geschwind) 날쌘, 재빠른. ② (schwank) 휘청휘청〔흔들흔들〕하는; 나긋나긋한, 유연한.

schwipp[2] *int.* 〘의성어〙〘구어〙 (물이 튀거나 회초리치는 소리) ~, schwupp! 찰싹, 찰싹! (회초리 소리), 탁탁! (튀는 소리), 질퍽질퍽! (진흙 등을 밟는 소리).

Schwippe [ʃvípə] *f.* -n (md.) 채찍의 휘는 끝부분; 회초리, 채찍.

schwippen [ʃvípən] 〘구어·방언〙 《I》 *i.* (h./s.) ① (채찍 등을 흔들어) 휙휙 소리내다: mit der Gerte ~ 채찍을 휙휙 휘두르다. ② (물이) 찰싹찰싹 소리를 내다, 출렁거리다; 와락 쏟아지다: das Wasser ist aus dem Eimer auf den Boden geschwippt 통의 물이 바닥으로 쏟아졌다. ③ 몹시 흔들리다.

Schwịpp·schwager *m.* 〘구어〙 시누이〔처형·처제〕의 남편.

Schwịpp·schwägerin *f.* 〘구어〙 처남〔시숙·시동생〕의 아내.

schwips [ʃvıps] *int.* ↑ schwipp.

Schwips *m.* -es, -e 〘구어〙 ① (채찍 등의) 찰싹 소리. ② (술이) 조금 취함: du hast einen ~ 자네 한잔 했군.

Schwịrbel *m.* -s (obd.) 선회; 어지러움.

schwịrbelig *a.* 〘방언〙 어지러운.

schwirbeln [ʃvírbəln] *i.* (h./s.) /*imp.* 〘방언〙 빙빙 돌다, 소용돌이치다: es schwirbelt mir 〔mir schwirbelt (es)〕 나는 어지럽다.

schwịrblig *a.* ↑ schwirbelig.

Schwirl [ʃvırl] *m.* -(e)s, -e 〖動〗 개개비(휘파람샛과의 새).

***schwirren** [ʃvírən] *i.* ① (h.) (곤충·모터 등이) 붕붕〔윙윙〕 하고 떠는 소리를 내다: die Mücken schwirrten 모기들이 왱왱거렸다; 〘비유〙 mir schwirrt der Kopf 나는 정신이 몽롱하다; *imp.* es schwirrt mir vor den Augen 나는 눈이 핑핑 돈다, 어지럽다. ② (s.) **(a)** (화살이나 총알 등이) 퓽 소리를 내며 날다, (곤충이) 붕붕〔윙윙〕거리며 날다: allerlei Gerüchte ~ durch die Stadt 갖가지 풍문들이 시중에 파다하게 퍼져 나간다; die Menschen

~ durcheinander 사람들이 우왕좌왕한다. (b)〖구어〗급히 어디로 가다: die Touristen schwirrten durch die Stadt 관광객들이 떼를 지어 시내를 급히 돌아다녔다.

Schwirr·holz *n.* 신수(神樹)의 가지(오스트레일리아·아프리카·미국 등지의 원주민의 종교 의식 때의 용구). **~vogel** *m.*〖動〗벌새 (Kolibri).

Schwitz [ʃvɪts] *m.* -es, -e 땀(Schweiß): jn. auf den ~ bringen 누구를 진땀빼게 하다.

Schwitz·bad *n.* 발한욕(發汗浴), 한증(汗蒸). **~bank** *f.*〖복수: ..bänke〗한증용 의자:〖비유〗auf der ~ sitzen a) 땀흘리며 일하다, b) 전전긍긍하다, 두려움〔불안〕에 싸여 있다.

Schwitze [ʃvítsə] *f.* -n ①〖요리〗버터나 기름에 볶은 밀가루. ②〖드물게·속어〗땀흘리기:〖工〗die Häute in die ~ bringen (털을 뽑기 위해서) 가죽을 찌다.

***schwitzen** [ʃvítsən] (⊕ Schweiß) ⟪I⟫ *i.* (h., 운동을 나타낼 때: s.) 땀을 흘리다, 땀이 나다;〖구어〗매우 애쓰다: in der Sauna ~ 사우나에서 땀을 흘리다;〖농담〗ich schwitze wie ein Braten 나는 땀을 무척 흘리는 편이다, 나는 비오듯이 땀이 난다; mich schwitzt 나는 땀이 난다; vor Angst ~ 두려워서 식은 땀을 흘리다; über einer Arbeit ~ 어떤 일을 하느라 땀깨나 흘리다, 매우 애쓰다; die Wände ~ 벽이 습기가 배어나와 눅눅하다; Bäume ~ (Harz) 나무가 진을 낸다; (südd.) ~ müssen (돈을) 지급해야 한다;〖방언〗ich kann es doch nicht durch die Rippen ~ 나도 생리적인 욕구는 억제할 수가 없다. ⟪II⟫ *t.* ① 땀을 내다, 발한(發汗)시키다: et. aus dem Leibe ~ 무엇(질병 따위)을 땀과 함께 몰아내다;〖구어〗Blut (und Wasser) ~ (두려움·긴장 때문에) 몹시 흥분하다. ②〖工〗(무두질에서 털을 뽑기 위해 가죽을) 찌다. ③ (südd.) Geld ~ müssen 돈을 지급해야 한다. ④〖요리〗(버터 등으로) 노릇노릇하게 익히다. ⟪III⟫ *refl.* sich ~ 땀을 흘려 어떤 상태에 이르다: sie schwitzte sich ganz naß 그녀는 땀을 흘려 온몸이 흠뻑 젖었다.

Schwitzer *m.* -s, - 스웨터.

schwitzig *a.* (obd.) 땀이 나는; 땀이 밴, 땀에 젖은.

Schwitz·kasten *m.* ①〖옛뜻〗발한함(發汗函)(머리를 내밀 수 있게 만든 상자형 한증막). ②〖레슬링〗헤드록. ③〖비유〗지나치게 더운 방. **~kur** *f.* 발한 요법. **~mittel** *n.* 발한제(發汗劑). **~prozeß** *m.*〖제련〗가열하여 추출하는 방법. **~pulver** *n.* 발한제. **~stube** *f.* 발한실, 한증탕;〖비유〗지나치게 더운 방.

Schwof [ʃvo:f] (<Schweif) *m.* -(e)s, -e〖구어〗무도회, 춤.

schwofen *i.* (h.)〖구어〗춤추다; 춤추러 가다, 무도회에 가다.

schwoien [ʃvɔ́yən], **schwojen** [ʃvó:jən] (altnordd. -ndl.) *t./i.* (h.)〖海〗(정박 중인 배의) 방향을 바꾸다, 방향이 바뀌다.

schwoll [ʃvɔl] ↑ schwellen 의 과거형.

schwölle [ʃvœlə] ↑ schwellen 의 접속법 Ⅱ식.

schwömme [ʃvœmə] ↑ schwimmen 의 접속법 Ⅱ식.

schwor [ʃvo:r] ↑ schwären, schwören 의 과거형.

schwöre [ʃvø:rə] ↑ schwären, schwören 의 접속법 Ⅱ식.

schwören [ʃvø:rən] (schwur/schwor, geschworen) ⟪I⟫ *t./i.* (h.) ① 맹세〔선서·서약〕하다: einen Eid ~ 선서하다; einen Meineid〔falsch〕~ 거짓 맹세하다; Stein und Bein ~, hoch und heilig〔teuer〕~ 엄숙히 맹세하다; auf die Bibel ~ 성서에 손을 얹고 맹세하다; bei et.³ ~ 무엇을 걸고 맹세하다; zur Fahne ~ 군기에 충성을 맹세하다; zum Protestantismus ~ 신교를 믿다; jm. (Treue) ~ 누구에게 (충성을) 맹세하다;〖구어〗ich könnte〔möchte〕(darauf) ~, daß ... 나는 …이라고 거의 확신한다;〖구어〗sich³ et. ~ 무엇을 하기로 다짐〔결심〕하다; ich habe mir geschworen, daß ich nicht mehr rauche 나는 다시는 담배를 피우지 않겠다고 결심했다. ②〖전치사와 함께〗〖구어〗**auf** et. ~ 어떤 것의 효력을〔가치를〕확신하다: auf et. ~ können 무엇에 대해서 확신할 수 있다, 정확히 알고 있다; auf jn. ~ 누구의 인품을 믿다. ③〖聖〗저주하다. ④ sich von der Strafe frei〔los〕~ 선서하여 형벌을 (모)면하다. ⟪II⟫ **geschworen** *p.a.* ↑ geschworen¹.

Schwuchtel [ʃvúxtəl] *f.* -n〖경박·대개 폄어〗여성 동성 연애자, 레즈비언.

schwuchten, schwuchtern, schwuddern *i.* (h.) (ndd.) ① 방탕한 생활을 하다. ② 지껄이다.

schwude [ʃvú:də] *int.* (ostd.) (links, hüst; ↔ hott) 저라! (가축을 왼쪽으로 몰 때 내는 소리).

schwuden *i.* (h.) ↑ schwuchten.

***schwul** [ʃvu:l] *a.*〖구어·종종 폄어; 동성 연애자들이 스스로를 지칭하는 표현〗① (남성) 동성 연애자의, 호모인, 동성 연애를 하는: der ~e Schauspieler 동성 연애자인 그 남자 배우. ② 동성 연애자 특유의: einen ~en Gang haben 호모처럼 걷다. ③ 동성 연애자를 위한: ~e Kneipen 동성 연애자를 위한 술집들.

***schwül** [ʃvy:l] (⊕ schwelen) *a.* ① 무더운, 후덥지근한. ② 숨막히는, 답답한, 불안한. ③ 자극적인, 색정적인: ~e Phantasien 야한 공상.

schwule *a.*〖방언〗↑ schwül.

Schwule *der*/(드물게) *die* 동성 연애자.

Schwüle [ʃvý:lə] *f.* ① 무더움, 후덥지근함. ② 숨이 막히는〔답답한〕기분, 불안감. ③ 자극적인〔에로틱한〕분위기.

Schwuli [ʃvú:li] *m.* -s, -s〖구어·농담〗동성 연애자.

Schwulibus (<schwül; ↑ Schwulität) *m.* -〖다음 용법으로만〗〖구어·농담〗in ~ sein〔kommen〕곤경에 처해 있다〔빠지다〕.

Schwulität [ʃvulitɛ́:t] *f.* -en〖구어〗어려움, 곤경, 난감, 곤혹: sich in ~en befinden 궁지에 몰려 있다; in ~en geraten〔kommen〕곤경에 처하다, 난감하게 되다.

Schwulst [ʃvʊlst] (<schwellen) *m.* -(e)s, Schwülste [ʃvýlstə]〖폄어〗①〖문학〗(특히 바로크 문학에서 성행했던) 지나치게 과장된 장식적인 문체. ② (장식 따위의) 과도, 과잉 치장; 지나친 부풀림. ③〖드물게〗종기, 종양.

schwulstig *a.* ① 부어 오른: ~e Finger 부은 손가락. ② ↑ schwülstig.

schwülstig [ʃvýlstɪç] *a.*〖폄어〗과장한, 과대의, 지나치게 꾸민: ein ~er Baustil 매우 장

식적인 건축 양식.

Schwülstigkeit *f.* -en ① 과도한 장식; 과장, 과도. ② 과장된〔지나치게 꾸민〕 표현.

Schwumm 《<schwimmen》 *m.* -s, -e (obd., md.) ① 수영; 미역. ② ↑ Not. ③ 거품. ④ 해면.

schwummerig *a.* 〖구어〗 ① 어지러운, 현기증나는. ② 불유쾌한, 찜찜한; 불안한, 걱정되는.

schwummrig *a.* ↑ schwummerig.

Schwund [ʃvunt] 《<schwinden》 *m.* -(e)s [..dəs, ..ts] ① 감소, 감퇴; 소멸. ② 〖醫〗 근육이나 지체(肢體)의 위축. ③ 〖방송〗 페이딩. ④ 〖商〗 분량〔무게〕의 감소.

Schwund·ausgleich *m.* 〖방송〗 (라디오의) 자동 음량 조절기; 페이딩 방지 장치.

***Schwung** [ʃvuŋ] 《<schwingen》 *m.* -(e)s, Schwünge [ʃvÝŋə] ① 세찬 움직임〔운동〕; 힘껏 밀기〔흔들기〕; 진동, 동요; 스윙; 도약: mit ~ 힘차게, 세차게; ~ holen〔nehmen〕 반동력〔탄력〕을 이용하다; 도움닫기하다; 힘차게 휘두르다. ② 〖비유〗 활기, 기세; (상황(商況)의) 활발; 정신적 고양, 감격, 열성; 〖구어〗 in ~ sein a) 기분이 썩 좋다, b) 일이 잘 진척되다; 〖구어〗 jn. in 〔auf (den)〕 ~ bringen 누구를 분발시키다; 닦달하다, 채근〔독촉〕하다; 〖구어〗 et. in ~ 〔~ in et.〕 bringen 어떤 것을 추진시키다, 어떤 것에 새로운 활기를 불어넣다; 〖구어〗 et. in ~ halten〔haben〕 어떤 것을 잘 진행시키다; 〖구어〗 in ~ kommen (일이) 제대로 되어가다; 〖구어〗 in et. kommt ~ 무엇이 순조롭게 진행되다. ③ (내면적인) 열정; 추진력; 충동: dichterischer ~ 시적인 충동〔열정〕; er hat ~ 그는 열정〔추진력〕이 있다. ④ 휨, 궁선(弓線), 곡선; 곡선〔커브〕 운동; (몸을) 비틀기; 커브 틀기. ⑤ 〖드물게·농담〗 (Ladenschwengel) 점원(마음대로 부릴 수 있어서). ⑥ 많은 양; 많은 수: ich habe heute einen ganzen ~ Briefe erledigt 나는 오늘 엄청나게 많은 편지(쓰기)를 처리했다.

Schwung≈bewegung *f.* 〖物〗 진동. **~brett** *n.* 〖스포츠〗 도약판, 발판.

schwünge [ʃvÝŋə] 〖고어〗 ↑ schwingen 의 접속법 Ⅱ식.

Schwung·feder *f.* 〖動〗 (새의) 칼깃: 〖비유〗 jm. die ~n ausrupfen 누구의 날개를 꺾다, 누구의 도약을 저지하다.

schwunghaft *a.* 도약하는, 활기 있는, 융성한, 비약적인; (상거래가) 활발한; 유행 중인; 열정적인; 추진력 있는.

Schwung·kraft *f.* 〖物〗 진동력; 원심력; 〖비유〗 활력, 박력; 감격.

schwunglos *a.* ① 열정 없는; 활력 없는; 나태한; 흥미 없는. ② 추진력 없는.

Schwung≈rad *n.* 〖工〗 플라이휠, 속도 조절 바퀴. **~riemen** *m.* (재봉틀 따위의) 속도 조절 벨트. **~stemme** *f.* 〖체조〗 착지 (연습). **~voll** *a.* ① 활기찬, 열정적인, 열렬한, 감격적인. ② 신속한, 박력 있는. ③ 우아한 곡선을 가진, 궁형(弓形)의.

Schwunitz, Schwunz *m.* -es, -e (md.) 〖動〗 되새(Grünfink).

schwupp [ʃvup], **schwupp·diwupp** 《schwipp, schwapp》 *int.* 〖의성어〗 (신속한 운동을 나타내는 소리) 휙(하더니), 척(하고), 후다닥, 냉큼.

Schwupp *m.* -(e)s, -e 〖구어〗 ① 잽싼〔날쌘〕 동작: et. in einem 〔auf einen〕 ~ erledigen 어떤 일을 잽싸게〔순식간에·단번에〕 해치우다. ② 밀치기, 부딪치기. ③ (물 등이) 찰싹하는 소리, 첨벙 튀는 소리.

Schwupper *m.* -s, - (md.) 과실, 실책.

Schwups *m.* -es, -e/Schwüpse [ʃvÝpsə] 〖구어〗 ↑ Schwupp.

schwups *int.* ↑ schwupp.

Schwur [ʃvu:r] 《<schwören》 *m.* -(e)s, Schwüre [ʃvÝ:rə] ① 선서, 서약, 맹세. ② 〖드물게〗 저주.

schwur ↑ schwören 의 과거형.

schwur·brüchig *a.* 선서 위반의.

schwüre [ʃvÝ:rə] 〖드물게〗 ↑ schwören 의 접속법 Ⅱ식.

Schwur≈finger *pl.* 선서할 때 드는 오른손 손가락(엄지·검지·중지). **~formel** *f.* 선서 형식. **~gericht** *n.* 배심 재판(법원).

Schwurgerichts≈hof *m.* 배심 법원. **~verhandlung** *f.* 배심 재판의 심리.

Schwur≈hand *f.* 선서할 때 드는 (오른)손. **~zeuge** *m.* 선서 증인.

Schwyz [ʃvi:ts] *f.* 슈비츠(스위스의 주 및 도시).

Schwyzer [ʃví:tsər] 《Ⅰ》 *m.* -s, - 슈비츠의 주민. 《Ⅱ》 *a.* 슈비츠의.

Schwyzer·dütsch [ʃví:tsərdy:tʃ] *n.* 스위스 독일어.

Sciencefiction 新정서 ⇦ Science-fiction.

Science-fiction [sáiənsfíkʃən] 《engl.》 *f.* ① 사이언스 픽션(소설·영화·만화 등); 〖총칭〗 공상 과학물. ② 공상 과학 문학.

Science-fiction-Roman *m.* 공상 과학 소설.

scil. =scilicet 즉.

scilicet [stsí:litsɛt] 《lat., „nämlich"》 *adv.* 즉, 다시 말하면.

Scilla [stsíla] *f.* ..len 〖植〗 무릇(Szilla).

Scirocco [ʃirɔ́ko] *m.* -s, -s 시로코(아프리카의 열풍) (Schirokko).

Scoop [sku:p] 《engl.》 *m.* -s, -s 〖은어〗 (언론에서) 특종 (기사).

Scordatura *f.* 〖음악〗 ↑ Skordatura.

Score [skɔ:] 《engl.》 *m.* -s, -s ① 〖골프〗 라운드 스코어(홀 하나에 필요한 득점). ② 〖스포츠〗 스코어, 득점. ③ 〖心〗 (테스트의) 수치적 결과.

scoren [skɔ́:rən] *i.* 스코어를 올리다, (골)득점을 하다.

Scotch [skɔtʃ] 《engl.》 *m.* -s, -s 스카치 위스키.

Scotch·terrier [skɔ́tʃ..] 《engl.》 *m.* 스카치테리어(스코틀랜드 원산의 테리어종의 개).

Scotismus [skotísmus] 《engl. scotism》 *m.* - 〖哲〗 스코투스설(토마스설에 대립하여 이성보다 의지를 강조함; 창시자인 J. Duns Scotus 의 이름에서).

Scotist 《engl. scotist》 *m.* -en, -en 〖哲〗 스코투스설 추종자.

Scotland Yard [skɔ́tlənd já:d] 《engl.》 *m.* ① 런던 경찰청 형사과. ② 런던 경찰청 본관.

Scrabble [skrɛ́bəl] 《engl.》 *n.* -s, -s 글자 짜맞추기 놀이.

Scrip [skrɪp] 《engl.》 *m.* -s, -s 〖금융〗 가(假)주권, 가증권, 가영수증.

sculps. =sculpsit.
sculpsit [skúlpsɪt] 《lat., „hat (es) gestochen"》 (아무개) 작(作) (동판화 제작자의 이름 뒤에 붙임; 약어: sculps., sc.).
Scylla [stsýla] *f.* ①〖그리스신화〗 스칠라(암벽 위에서 지나가는 선원들을 삼킨다는 괴물). ②〔다음 용법으로〕 zwischen ~ und Charybdis 진퇴양난의.
s.d. ①=sieh(e) dies! 이것을 보라(참조하라)! ②=sieh(e) dort! 같은 곳 참조!
Se 〖化〗 =Selen 셀렌(원소명).
Se. =Seine: ~ Durchlaucht 전하.
Seal [zi:l, si:l] 《engl.》 *m./n.* -s, -s ①바다표범의 가죽. ②바다표범 가죽으로 만든 옷〔외투〕.
Seal≈bisam [sí:lbi:zam] *m.* (사향쥐의 가죽으로 만든) 바다표범 가죽의 모조품. **~mantel** *m.* 바다표범 가죽으로 만든 외투. **~skin** [..skɪn] 《engl.》 *m./n.* ①바다표범의 가죽. ②바다표범 가죽을 모방한 플러시.
Séance [zeɑ̃́:sə, seɑ̃́:s] 《frz.》 *f.* -n ①〔교양·구식〕 회합, 회의. ②〖심령〗 영매(靈媒)가 낀 강령술(降靈術) 모임.
Sebastian [zebástian] *m.* 세바스찬(남자 이름).
Seborrhö [zebɔrǿ:] *f.* -en, **Seborrhöe** [..rǿ:] 《gr.》 *f.* -n 〖醫〗 지루증(脂漏症).
sec ①=Sekans 〖數〗 정할(正割); 시컨트. ②=Sekunde 초.
Secco·rezitativ [zéko..] *n.* 〖음악〗 세코 서창(敍唱)(건반 악기만이 반주에 이용됨).
Secentismus [zetʃɛntísmus] 《it.》 *m.* - 〖문학·예술〗 세첸토 양식(17 세기 이탈리아의 문학 및 예술 양식).
Secentist [zetʃɛntíst] *m.* -en, -en (17 세기 이탈리아의) 세첸토 시대의 예술가.
Secento [zetʃɛ́nto, se..] 《it., „sechshundert"》 *n.* -s 세첸토(17 세기 이탈리아의 예술 시대 또는 예술의 양식 개념).
Sech [zɛç] 《lat. secare, „schneiden"》 *n.* -(e)s, -e 쟁기의 날, 보습.
***sechs** [zɛks] *num.* 〔명사적 용법으로 쓸 때는 통속적으로 sechse로도 씀〕 6(의): wir sind unser ~(e) 〔wir sind zu ~en〕 우리들은 여섯 사람이다; mit ~en 〔~ Pferden〕 fahren 6두(六頭) 마차를 타고 가다.
Sechs *f.* -en 6, 6의 수; 6점; 6의 수를 가진 카드; (주사위의) 6자리 면: (bei) meiner ~! 맹세코 말하자면!
Sechs·achtel·takt *m.* 〖음악〗 6/8 박자.
sechse [zɛ́ksə] *num.* ↑ sechs.
Sechse *f.* -n ↑ Sechs.
Sechs≈eck *n.* 〖기하〗 6각(형). **~eckig** *a.* 6각(형)의. **~einhalb** *a.* 6과 2분의 1의. **~ender** *m.* 〖사냥〗 뿔이 6갈래인 동물(사슴·노루 등).
Sechser [zɛ́ksər] *m.* -s, - ① (berl.) 5 페니히 짜리 동전; (옛날 동전의) 6 크로이처. ② (obd.) (성적의) 6번째 등급. ③ (südd.) ↑ Sechs. ④〖복권·구어〗(6 자리가 모두 맞은) 1등 당첨수〔복권〕. ⑤ 제 6 연대의 사병; 6행시; 1잔의 값이 6 크로이처인 포도주; ((천) 몇 백) 6년산(產) 포도주.
sechserlei [zɛ́ksərláɪ] *a.* 6종의.
Sechser≈packung *f.* 6개들이 포장. **~reihe** *f.* 6줄로 이루어진 대열.
sechs≈fach, ~fältig *a.* 6배〔겹〕의. **~flach** *n.* 〖기하〗 6면체. **~flächner** *m.* 〖기하〗 ↑ ~flach. **~füßig** *a.* 〖動〗 6개의 다리를 가진; 〖문학〗 6각(脚)의: ~er Vers 6운각의 시구. **~hundert** [zɛ́kshúndərt] *num.* 6백(의). **~hundertst** [zɛ́kshúndərtst] *a.* 6백번째의. **~jährig** *a.* 6살의; 6년(간)의. **~jährlich** *a.* 6년마다의. **~kant** *n./m.* 〖工〗 단면이 정 6각형인 (금속) 물체.
Sechsling *m.* -s, -e 6쌍둥이 중의 한 명.
sechs≈mal *adv.* 6회〔번〕에; 6배로. **~malig** *a.* 6회〔번〕의; 6배의. **~männig** *a.* 〖植〗 6개의 수술을 가진. **~meilen·zone** [zɛksmáɪlən..] *f.* 6해리 영해〔해역〕. **~monatig** *a.* 6개월 된〔걸리는〕. **~monatlich** *a.* 6개월마다(의). **~paß** *m.* 〖건축〗 (고딕 양식의 기하학적 장식으로 3/4 까지만 그려진 원 6개로 만든) 꽃잎 모양 무늬. **~pfünder** *m.* 6 파운드의 무게가 나가는 것. **~pfündig** *a.* 6 파운드인. **~seitig** *a.* 6변〔면〕의. **~spänner** *m.* 6두(六頭) 마차. **~spännig** *a.* 6마리의 말이 끄는. **~stellig** *a.* (숫자가) 6자리의. **~stern** *m.* 6각형(6선형)의 별; 6각 성형(星形); 다윗의 별(유대교의 상징). **~stündig** *a.* 6시간 된; 6시간 걸리는. **~stündlich** *a.* 6시간마다(의).
sechst [zɛkst] *a.* ① zu ~ 6인으로 된. ② 제 6의: Eduard der ~e 에드워드 6세; der ~e Juni 6월 6일.
Sechs≈tage·rennen *n.* 〖사이클〗 (2인〔3인〕 1조의 팀이 펼치는) 6일간의 릴레이 사이클 경기. **~tägig** *a.* 6일간의; 생후 6일의. **~täglich** *a.* 6일마다(의). **~tausend** *num.* 6천(의).
Sechstel [zɛ́kstəl] *n.*/(schweiz.) *m.* -s, - 6분의 1: fünf ~ 6분의 5.
sechstel *a.* 6분의 1(의).
sechstens [zɛ́kstəns] *adv.* 6번째로.
sechst·halb *a.* ↑ sechst(e)halb.
Sechs·und≈dreißig·flach *n.*, **~dreißigflächner** *m.* 36면체. **~einhalb** *a.* 6과 2분의 1의, 6개 반의. **~sechzig** *n.* 카드놀이의 일종. **~sechzig** *num.* 66(의).
sechs≈weibig *a.* 〖植〗 암술이 6개인. **~winkelig, ~winklig** *a.* 6각의. **~wochen** *pl.* 6주간; 〔비유〕 산욕기. **~wöchentlich** *a.* 6주마다(의). **~wöchig** *a.* (생후) 6주(간)의; 6주 걸리는. **~wöchnerin** *f.* 산부(產婦)(산욕기가 6주여서). **~zeilig** *a.* ① 6행의. ②〖植〗 ~e Gerste 6도 보리(보리 낟알의 종류에 따른 구분). **~zylinder** *m.* 〖工〗 ① 6기통의 모터. ② 6기통의 자동차.
Sechter[1] [zɛ́çtər] 《lat.》 *m.* -s, - (약 7리터를 나타내는) 옛 곡량(穀量)의 단위.
Sechter[2] *m.* -s, - (obd.) 국자; 체(Sieb).
Sechzehn [zɛ́çtse:n] *f.* -en 16(의 수).
sechzehn *num.* 16(의).
Sechzehn·ender *m.* 〖사냥〗 뿔이 16갈래로 자란 수사슴.
Sechzehner *m.* -s, - ① 16인회 의원. ② 제 16 연대의 사병. ③ (옛날 화폐의) 16 크로이처. ④ **(a)** 1잔의 값이 16 크로이처인 포도주. **(b)** ((천) 몇 백)16년산(產)의 포도주. ⑤〖사냥〗 ↑ Sechzehnender.
Sechzehn·meter·raum *m.* 〖축구〗 벌칙 구역, 페널티 에어리어.

sechzehnt *a.* 제 16 의: Ludwig der ~e 루이 16 세.

Sechzehntel *n.* -s, - ① 16 분의 1. ② ↑ Sechzehntelnote.

Sechzehntel·note *f.* 〖음악〗 16 분 음표.

sechzehntens *adv.* 16 번째로.

Sechzig [zɛ́çtsıç] *f.* -en 60(의 수).

*__sechzig__ *num.* 60(의).

Sechziger [..gər] *m.* -s, - ① 60 세〔대〕의 사람: ein hoher ~ 70 세에 가까운 사람. ② 제 60 연대의 사병. ③ **(a)** (천 몇 백)60 년대산(産) 포도주. **(b)** ((천) 몇 백) 60 년대에 출생한 사람. ④〖복수〗60 년대.

sechziger *a.* 60 세〔년대〕의: die ~ Jahre a) 60 대, b) 60 년대.

sechzigst [zɛ́çtsıçst] *a.* 제 60 의.

Sechzigstel *n.* -s, - 60 분의 1.

sechzigstens *adv.* 60 번째에.

Seckel[1] [zɛ́kəl] *m.* -s, - (Säckel) 지갑.

Seckel[2] ⟪hebr.⟫ *m.* -s, - 세겔(고대 유대인들의 화폐, 금속 중량 단위).

Second-hand-Shop [ʃɛ́kəndhǽndʃɔp] ⟪engl.⟫ *m.* 중고품점; (특히) 중고 의류점.

Secret Service [sí:krıt sə́:vıs] ⟪engl.⟫ *m.* (영국의) 비밀 정보부.

SED =Sozialistische Einheitspartei Deutschlands 〖구동독〗 독일 사회주의 통일당.

Seda *pl.* ↑ Sedum.

Sedan [sədã́] 세당(프랑스 동부 도시로 독일·프랑스 전쟁의 격전지; 1870 년 독일군이 대승함): 〖비유〗 dem Feinde ein ~ bereiten 적을 참패시키다.

sedat [zedá:t] ⟪lat.⟫ *a.* 〖雅語·구식〗 조용〔잠잠〕한, 침착한.

sedativ [..tí:f] *a.* 〖醫〗 진정시키는, 잠들게 하는.

Sedativ *n.* -s, -e [..və], **Sedativum** [..vʊm] *n.* -s, ..va 〖醫〗 진정제 (Beruhigungsmittel).

Sedel⸗hof [zé:dəl..] *m.* (니더작센의) 자유 보유지. **~meier** *m.* 자유 보유지의 보유자.

Sedez [zedé:ts] ⟪lat. sedecimus, „der sechzehnte"⟫ *n.* -es, -e 〖印〗 전지 16 절판, 16 절판 책(기호: 16°).

Sedez·format *n.* 〖印〗 16 절판.

Sediment [zedimɛ́nt] ⟪lat., „Bodensatz"⟫ *n.* -(e)s, -e 〖化·醫〗 침전(물); 〖지질〗 퇴적물.

sedimentär [..tɛ́:r] *a.* 〖지질〗 퇴적으로 생긴; 침전으로 생긴.

Sedimentation [..tsió:n] *f.* -en ① 침전〔침강〕 작용. ② 침전〔퇴적〕물.

Sediment·gestein *n.* 〖지리〗 퇴적암.

sedimentieren *i./t.* ① 퇴적〔침전·침강〕하다; 퇴적〔침강〕시키다. ② (액체가) 앙금을 남기다.

Sedisvakanz [zedısvakánts] *f.* -en 〖가톨릭〗 교황좌〔주교좌〕의 공위(空位) 기간.

Sedition *f.* -en 〔구식〕 반란, 봉기.

seditiös [zeditsiǿ:s] *a.* 〔구식〕 반란을 일으킨; 불온한.

Seduktion [zeduktsió:n] ⟪lat.⟫ *f.* -en 〔구식〕 유혹; 매혹.

Sedum *n.* -s, ..da 〖植〗 꿩의비름.

*__See__[1] [ze:] *m.* -s [ze:s, zé:əs], -n [zé:ən, ze:n] ① 호수: am ~ 호반에. ②〔구어〕 오줌 구덩이: einen ~ mitten ins Zimmer machen 방 한가운데에 오줌을 흥건하게 싸놓다.

*__See__[2] *f.* -n [zé:ən, ze:n] ① 바다, 해양: auf ~ bleiben 바다에서 죽다; offene ~ 공해(公海); hohe ~ a) 난바다, b) 거친 바다; faule ~ 잔잔한 바다; die ~ halten〔gewinnen〕 바다에 있다〔나가다〕; die ~ geht hoch 바다가 거칠다. ②〔전치사와 함께〕 **an** die ~ gehen〔reisen〕 해안으로〔해수욕하러〕 가다; **auf** ~ 해상에, 배를 타고; **in** ~ gehen〔stechen〕 바다에 나가다, 출범하다; 〔비유〕 **über** ~ sein 취해 있다; **zu** ~ 해로로; zur ~ fahren 선원이다, 해상 무역에 종사하다, 해군이다; Handel zur ~ 해상〔해외〕 무역; Leutnant zur ~ 해군 소위〔중위〕; zur ~ gehörig 바다의, 해산(海産)의; zur ~ gehen 해군〔선원〕이 되다. ③ 물결, 파도, 격랑: schwere〔grobe, hohe〕 ~ 거친 파도; ~n übernehmen 파도를 뒤집어쓰다.

See⸗aal *m.* ①〖漁〗 돔발상어. ②〖動〗 붕장어. **~adler** *m.* 〖動〗 흰꼬리수리, 물수리. **~amt** *n.* 〖法〗 해난 심판소. **~anemone** *f.* 〖動〗 말미잘. **~artig** *a.* 호수 같은. **~assekuranz** *f.* 〖商〗 해상 보험. **~ausdruck** *m.* 뱃사람이 쓰는 표현. **~bad** *n.* ① 해변의 휴양지. ② 해수욕(장). **~bär** *m.* ①〖動〗 물개. ②〔구어〕 늙은〔노련한〕 선원. ③ 해일. **~beben** *n.* 〖지질〗 해저 지진. **~becken** *n.* 해분(海盆). **~behörde** *f.* 해양 관청: oberste ~ 해군성. **~beine** *pl.* 배가 흔들릴 때 갑판 위를 걷는 걸음걸이. **~beschädigt** *a.* 해손(海損)을 입은: ein ~es Schiff 난파선. **~beute** *f.* 해상 포획물. **~blockade** *f.* 해상 봉쇄. **~brief** *m.* 중립 선박증; 〔복수〕 항해 서류; 선상 편지.

Seeche *f.* 〔방언〕 소변, 오줌.

seechen *i.* (h.) 소변보다, 오줌누다.

See⸗dampfer *m.*, **~dampf·schiff** *n.* 해상 증기선. **~dienst** *m.* 해상 근무. **~einhorn** *n.* 〖動〗 외뿔돌고래.

Seeelefant 新정서 ⇦ ~-Elefant.

See⸗-Elefant *m.* 〖動〗 바다코끼리. **~erfahren** *a.* 항해 경험이 많은. **~-Erfahrung** *f.* 항해 경험. **~-Erz** *n.* 〖지질〗 (담수호 바다의) 금속성 침전물. **~fähig** *a.* 항해에 적합한. **~fahrend** *a.* 항해〔어업〕에 종사하는; 항해 중인. **~fahrer** *m.* 〔구식〕 항해자; 뱃사람, 선원. **~fahrt** *f.* ① 항해: ~ betreiben 항해하다; 〔농담〕 die christliche ~ 항해와 관계되는 모든 뱃일. ② 선박 여행. **~fahrt·buch** *n.* 선원 수첩(선원의 고용·해고 등이 기록됨). **~fahrts·buch** ↑ ~fahrtbuch. **~fahrt·schule** *f.* 해양 학교. **~-fahrts·schule** *f.* ↑ ~fahrtschule. **~fahrzeug** *n.* 함선, 선박.

Seefe ⟪<Seife⟫ *f.* 〔구어〕 ab ~! 끝났다, 다 했다!

see·fest *a.* ① 항해에 적당한〔견디는〕, 내항성이 있는. ② 뱃멀미하지 않는.

See⸗fisch *m.* 바닷물고기. **~fischerei** *f.* 해양 어업. **~flieger** *m.* ① 해조. ② 해군 비행사. **~flotte** *f.* 함대; 선단. **~flugzeug** *n.* 수상 비행기, 비행정. **~fracht** *f.* 뱃짐, 선화(船貨). **~fracht·brief** *m.* 〖商〗 선화 증권. **~funk** *m.* 해상 무선 (방송). **~füße** *pl.* ↑ ~beine. **~gang** *m.* 파도의 움직임〔상태〕: schwerer〔hoher〕 ~ 거친 파도. **~gebiet** *n.* 해역. **~gefahr** *f.* 해상 위험; 해난. **~ge-**

fecht *n.* 해전. **~gefrörne** *f.* ↑ ~gfrörni. **~gericht** *n.* 해난 심판소. **~geruch** *m.* 바다 냄새. **~gesetz** *n.* 해상법(海商法). **~gesicht** *n.* (해상의) 신기루. **~gewächs** *n.* 바다 식물. **~gfrörni** *f.* (schweiz.) 호수의 결빙. **~gras** *n.*〖植〗해초의 일종: gemeines ~ 거머리말. **~gras·matratze** *f.* 해초로 채운 매트리스. **~gurke** *f.*〖動〗해삼. **~hafen** *m.* 항구 (도시). **~handel** *m.* (해상) 무역. **~handlung** *f.* ① 해상(海商). ② ↑ ~handlungsgesellschaft. **~handlungs·gesellschaft** *f.* 해외 무역 회사. **~hase** *m.*〖動〗① 군솟과. ② 도치. **~held** *m.* 바다의 영웅. **~herrschaft** *f.* 제해권. **~höhe** *f.* 해발; 고도. **~hund** *m.*〖動〗바다표범속; 바다표범 가죽.

Seehunds≈fänger *m.* 바다표범을 잡는 사람. **~fell** *n.* 바다표범 가죽.

See≈igel *m.*〖動〗성게. **~jungfer** *f.* ① 인어. ②〖動〗잠자리의 일종. **~jungfrau** *f.*〖신화〗인어;〖動〗듀공. **~kabel** *n.* 해저 전선〔케이블〕. **~kadett** *m.*〖軍〗해군 사관 후보생. **~kadetten·schule** *f.* 해군 사관 학교. **~kalb** *n.* ↑ ~hund. **~karte** *f.* 해도(海圖). **~katze** *f.*〖動〗① 오징어. ② 은상어. ③ ↑ ~bär ①. **~kennung** *f.*〖海〗① 항해 표지; 위험 표지. ② 해로(海路) 지식. **≈klar** *a.* 출항 준비를 마친. **~klima** *n.* 해양성 기후. **≈krank** *a.* 뱃멀미를 하는. **~krankheit** *f.* 뱃멀미. **~krebs** *n.*〖動〗바다가재. **~krieg** *m.* 해전. **~kuh** *f.*〖動〗해우류(海牛類). **~kunde** *f.* 항해술. **~küste** *f.* 해변, 해안, 바닷가. **~lachs** *m.*〖動〗대구.

Seeland ① 제란트(네덜란드의 지방). ② 덴마크의 섬.

See·laterne *f.* ① 선등(船燈). ② 등대.

Seelchen *n.* -s, - ① 연약한〔어린〕 영혼. ②〔구어〕감정이 풍부〔예민〕한 사람; 순진한 사람. ③〔애칭〕사랑스러운 사람.

*__Seele__ [zé:lə] *f.* -n ① 혼, 혼백, 혼령, 영혼, 심령; 정신: die armen ~n in der Hölle 지옥의 가련한 망령들; die ~ ist unsterblich 영혼은 불멸이다; seine ~ dem Teufel verschreiben 영혼을 악마에게 팔아넘기다; die ~ aushauchen〔hingeben〕 죽다; die deutsche ~ 독일 정신; Leib und ~ 육체와 정신, 영육, 심신; ein Herz und eine ~ sein 일심동체〔마음을 터놓은 친구〕이다; hinter et.³〔jm.〕 hersein wie der Teufel hinter der (armen) ~ 무엇에〔누구에게〕 몹시 집착하고 있다; die ~ aus dem Leib fragen 꼬치꼬치 캐묻다; jm. die ~ aus dem Leib prügeln 누구를 심하게 때리다; sich³ die ~ aus dem Leib reden〔husten〕 진정으로 말하다〔숨넘어 갈 듯이 기침하다〕; sich³ die ~ aus dem Leib schreien 큰 소리로 외치다. ② 심정, 충정, 마음; 정서; (도덕적) 감정: sie hat keine ~ 그녀는 인정〔양심〕이 없다, 그녀는 잔인〔잔혹〕하다; er hat eine schwarze ~ 그는 성질이 못됐다, 그는 양심이라곤 없는 사람이다; die ~ brennt vor Sehnsucht 동경으로 마음이 불타고 있다; es ist mir in tiefster ~ zuwider〔verhaßt〕 나는 그것이 정말 싫다; sich (bis) in die ~ schämen 마음 깊이 부끄러워하다; in ihrem Gesang liegt keine ~ 그 여자의 노래에는 감정이 들어 있지 않다. ③〔전치사와 함께〕**an** Leib und ~ gesund sein 심신이 모두 건강하다; an der ~ Schaden leiden 마음의 상처로 고민하다; et. **auf** der ~ haben 무엇인가 말하고 싶은 것이 있다;〔雅語〕das liegt〔lastet〕 mir auf der〔fällt mir auf die〕 ~ 그것이 내 마음을 짓누른다; jm. et. auf die ~ binden 누구에게 무엇을 명심하도록 신신당부하다; jm. auf der ~ knien 누구에게 간곡히 청하다; jm. **aus** der ~ sprechen 누가 생각하는 바를 말해 주다; **(bei)** meiner ~! 맹세코, 정말로!; **in** js.〔jm. in die〕 ~ schneiden, jm. in der ~ wehtun 누구의 마음 속에 사무치다; **mit** ~ 정성들여; mit Leib und ~ a) 심신을 다하여, b) 전연, 철두철미; er ist mit Leib und ~ Soldat 그는 철두철미한 군인이다; mit ganzer ~ bei et.³ sein 무엇에 몰두하다; **von** ganzer ~ 충심으로. ④ 사람, 인간: eine schöne ~ 마음이 고운 사람; eine ehrliche ~ 정직한 사람; es ist keine ~ hier 여기엔 아무도 없군; ein Dorf mit 500 ~n 인구 500 명인 마을; er ist eine ~ von Mensch〔von einem Menschen〕 그는 좋은 사람이다. ⑤ 중심적 인물, 원동력: die Frau ist die ~ des Hauses 주부는 집안의 기둥이다; die ~ des Unternehmens 기업의 수뇌. ⑥ 핵심, 정수; 심(芯): ~ eines Herings 청어의 부레;〖海〗~ eines Taues 닻줄의 심;〖무기〗die ~ des Geschützrohrs〔Gewehrs〕 포강〔총강〕(砲腔〔銃腔〕);〖음악〗현악기의 울림 기둥. ⑦〔드물게〕 **(a)** 싹없는 감자. **(b)** 치어(稚魚). **(c)** 군자금.

See·leben *n.* 해상 생활.

Seelen≈achse *f.*〖무기〗(총포의) 강축(腔軸), 화신축(火身軸). **~adel** *m.*〔雅語〕고귀〔고상〕한 정신, 정신이 고귀한 사람. **~amt** *n.*〖가톨릭〗진혼〔위령〕 미사. **~angst** *f.* 극도의 공포. **~arzt** *m.* ① 정신적인 고통을 덜어 주는 사람. ②〔구어〕정신과 의사. **~blindheit** *f.*〖醫〗시각 실인(증)(失認(症)); 시각 인지〔인식〕 불능증. **~braut** *f.*〔雅語〕교회. **~bräutigam** *m.* 그리스도. **~durchmesser** *m.*〖軍〗(총포의) 구경. **~forscher** *m.* 심리학자. **~forschung** *f.* 심리학. **~freund** *m.* 마음의 벗〔친구〕. **~frieden** *m.*〔종종 반어〕마음의 평화. **≈froh** *a.* 진심으로 기뻐하는. **~größe** *f.* 고귀한 정신; 관대, 아량. **≈gut** *a.* 마음씨 고운, 친절한. **~güte** *f.* 선한 품성, 어짐, 인자.

seelenhaft *a.* ↑ seelenvoll.

Seelen≈heil *n.* 영혼의 구제:〔농담〕auf js. ~ bedacht sein 누가 잘 지내게 돌보다. **~heilkunde** *f.*〖醫〗정신병 요법; 정신병학. **~hirt** *m.* 성직자, 목사, 사제. **~hoheit** *f.* ↑ ~adel. **~kraft** *f.* 정신력. **~krankheit** *f.*〖醫〗정신병. **~kult, ~kultus** *m.* 영혼〔조상〕 숭배. **~kunde** *f.*〔구식〕↑ ~lehre. **≈kundig** *a.* 심리학 분야에 해박한. **~leben** *n.* 정신 생활. **~lehre** *f.*〔구식〕심리학. **~leiden** *n.* 마음의 고통.

seelenlos *a.* ① 혼이 들어 있지 않은: ~es Klavierspiel 혼이 깃들어 있지 않은 피아노 연주. ② 무정〔무심〕한, 감정 없는.

Seelen≈massage [..ʒə] *f.*〔구어〕반복적 위로〔격려〕. **~messe** *f.*〖가톨릭〗위령〔진혼〕 미사. **~mord** *m.* 정신적 살인. **~not, ~pein, ~qual** *f.*〔雅語〕마음의 고통. **~retter** *m.* 영혼의 구제자. **~ruhe** *f.* 마음의 안정, 내면의

평정: in aller ~ 마음을 가라앉히고. ≈-**ruhig** *a.* 마음이 평온한〔안정된〕.
seelens·gut *a.* ↑ seelengut.
seelen≈stark *a.* 정신적〔내면적〕으로 강한. ≈**stärke** *f.* 마음의 굳셈, 정신적 강인함. ≈**störungen** *pl.* 마음의 혼란; 〖醫〗 정신 장애. ≈**tag** *m.* 〖가톨릭〗 (Allerseelentag) 진혼의 날(11월 2일). ≈**taubheit** *f.* 〖醫〗 청각 실인(증) (失認(症)), 청각 인지 불능증. ≈-**tod** *m.* 영혼의〔정신적〕 죽음. ~**vergnügt** *a.* 〖구어〗 여유 있고 명랑한; 매우 기뻐하는. ≈-**verkäufer** *m.* 〖구어·폄어〗 ① 인신 매매자. ② 〖옛뜻〗 (식민지에 파견할) 군인 징모자, 선원 모집책. ③ (경제적인 이유로 여전히 사용되고 있는 해체 직전의) 낡은 선박. ≈**ver-mögen** *n.* 정신력. ~**verwandt** *a.* 같은 정신의, 마음이 통하는, 의기투합하는. ≈**ver-wandtschaft** *f.* 정신적인 유사성; 마음이 통함. ~**voll** *a.* 영혼이 담긴〔깃든〕, 감정이 풍부한: das ~e Spiel eines Musikers 음악가의 혼이 담긴 연주. ≈**wanderung** *f.* 〖宗〗 윤회. ≈**wandrung** *f.* ↑ ~wanderung. ≈-**wärmer** *m.* ① 〖구어·농담〗 털재킷. ② 화주, 소주. ≈**zahl** *f.* 사람 수; 인구. ≈**zu-stand** *m.* 정신〔심리〕 상태.
See≈leuchte *f.* 선등; 등대. ~**leute** *pl.* ↑ ~mann.
Seel·gerät *n.* (고인의 영혼을 구제하기 위한) 헌금.
See·lilie *f.* 〖動〗 바다나리류.
seelisch [zé:lɪʃ] *a.* 영혼〔심령〕의, 정신적〔심적〕인: eine ~e Belastung 정신적〔심리적〕 부담; das ~e Gleichgewicht verlieren〔wiederfinden〕 마음의 평정을 잃다〔다시 찾다〕.
Seel·nonne *f.* (obd.) 염장이 노파.
See·löwe *m.* 〖動〗 강치(물갯과).
Seel≈sorge *f.* 〖宗〗 영혼의 인도; 목회(牧會). ~**sorger** *m.* 영혼의 인도자; 목회자, 사제. ≈**sorgerisch, ~sorgerlich** *a.* 목회의; 목회에 관한.
See≈luft *f.* 바다 공기; 해풍. ~**macht** *f.* 해군력; 해상 강국. ~**mann** 〖복수: ..leute〗 *m.* 선원, 뱃사람: 〖구어〗 das kann doch einen ~ nicht erschüttern 인생 경험이 풍부한 사람에게 그 정도는 아무것도 아니다. ≈**männisch** *a.* 뱃사람의, 뱃사람다운; 선원 용어에 관한.
Seemanns≈amt *n.* 선원국(局). ~**beine** *pl.* ↑ Seebeine.
See·mannschaft *f.* (선원에게 필수적인) 선박 조종 지식·기술.
Seemanns≈garn *n.* 선원들의 기상천외한 모험담. ~**haus, ~heim** *n.* 선원 숙박소. ~**kunst** *f.* 항해술. ~**leben** *n.* 선원 생활. ~**lied** *n.* 뱃노래, 선원의 노래. ~**los** *n.* 〖雅語〗 뱃사람의 팔자, 선원의 운명. ~**schule** *f.* 해양 학교. ~**sprache** *f.* (특히 저지 독일어와 영어의 영향을 받은) 선원 용어. ~**tod** *m.* 선원의 익사. ~**verband** *m.* 선원 조합.
See≈manöver *n.* 〖海〗 해상 훈련〔작전〕. ~-**marke** *f.* ↑ ~zeichen. ~**maus** *f.* ① 상어 또는 가오리의 알. ② ↑ ~raupe. ~**meile** *f.* 해리(海里) (약어: sm). ~**mine** *f.* 수뢰(水雷). ~**möwe** *f.* 〖動〗 갈매기.
seen·artig [zé:ən..zé:n..] *a.* 호수 같은(seeartig).
See≈nebel *m.* 해무(海霧). ~**nelke** *f.* 〖動〗 주로 북대서양에서 서식하는 말미잘의 일종.
Seen·kunde *f.* 호소학(湖沼學).
See·not *f.* 해난.
Seenotrettungs≈dienst *m.* 해난 구조〔대(隊)〕. ~**kreuzer** *m.* 해난 구조선.
Seenot≈ruf *m.*, ~**zeichen** *n.* 해난 신호 (SOS).
Seen·platte *f.* 호수가 많은 지대.
See·nymphe *f.* 〖신화〗 인어; 바다의 요정.
s.e.e.o. =salvo errore et omissione [zálvo: ɛró:re: ɛt omɪsɪó:ne:] 《lat., „Irrtum und Auslassung vorbehalten"》 (계산의) 착오 및 탈락이 있을 수 있습니다(옛날의 상용어).
See≈offizier *m.* 해군 장교. ~**ohr** *n.* 〖動〗 전복. ~**otter** *m.* 〖動〗 해달. ~**paß** *m.* ① 선원 수첩. ② (전시(戰時)에 출발항에서 중립국 선박에 발행하는) 선박 통행증. ~**pferd** *n.*, ~**pferdchen** *n.* 〖動〗 해마속(屬). ~**pflanze** *f.* 해초. ~**pocke** *f.* 〖動〗 만각목류(굴·따개비 등). ~**rabe** *m.* 〖動〗 바다가마우지. ~**raub** *m.* ↑ ~räuberei. ~**räuber** *m.* 해적. ~-**räuberei** *f.* 해상 약탈, 해적 행위. ≈-**räuberisch** *a.* 해적의; 해적 행위의. ~-**raum** *m.* ① 〖海〗 조선(操船)하는 데 충분한 해수 공간. ② 대양. ~**raupe** *f.* 〖動〗 인충과(鱗蟲科); 아프로디테속(환형동물 다모(多毛)류의 한 과). ~**recht** *n.* 해양법. ~**reise** *f.* 해상 여행, 항해. ~**roman** *m.* 해양 소설. ~**rose** *f.* ① 〖植〗 수련(睡蓮)류. ② 〖動〗 말미잘. ~**rüstung** *f.* 해군 군비. ~**sack** *m.* 선원용 배낭. ~**salz** *n.* 해염(海塩). ~**sand** *m.* 바닷모래. ~**schaden** *m.* 〖商〗 해손(海損). ~**scheide** *f.* 〖動〗 피낭류. ~**schiff** *n.* 해선, 함선. ~**schiffahrt** *f.* 항해; 해운. ~**schla-cht** *f.* 해전. ~**schlange** *f.* ① 〖動〗 바다뱀 아과(亞科). ② 〖신화〗 (전설상의 괴물로) 큰바다뱀; 〖비유〗 신문의 오보〔허보〕, 날조 기사; 끝이 없는 것, 진부한 이야기의 되풀이. ~-**schule** *f.* ① 해양 학교. ② englische ~ 영국의 호반 시인(S.T. Coleridge, R. Southey, W. Wordsworth 등). ~**schwalbe** *f.* 〖動〗 제비갈매기. ~**soldat** *m.* 해병, 수병. ~**sperre** *f.* 해상 봉쇄. ~**sprache** *f.* 항해 용어. ~**staat** *m.* 〖드물게〗 해양국; 섬나라; 해군국. ~-**stadt** *f.* 해안 도시. ~**stern** *m.* 〖動〗 불가사리. ~**strand** *m.* 해변, 해안. ~**straße** *f.* 해로, 수로. ~**straßen·ordnung** *f.* (국제적인) 해로 협정; 해상 충돌 방지 규칙. ~-**streit·kräfte** *pl.* 해군력, 해군 부대. ~-**strich** *m.* 배의 진로, 항로. ~**strom** *m.* 해류, 조류. ~**stück** *n.* 〖畫〗 해양화(畫). ~-**sturm** *m.* 해상의 폭풍우. ~**tang** *m.* 〖植〗 (미역·다시마 등의) 해조(홍조류·갈조류). ~**teufel** *m.* 〖動〗 ① 열대산(産) 가오리. ② 아귀. ③ geräucherter ~ 훈제 철갑상어의 일종. ~**tier** *n.* 바다 동물. ~**tonne** *f.* 〖海〗 부표, 부이. ~**treffen** *n.* 해전. ~**trift** *f.* 〖商〗 해난 화물; 표류물. ≈**triftig** *a.* 〖海〗 바다 위의; 바다 위에 떠다니는, 표류하는. ~**trompete** *f.* 〖動〗 소라고둥. ≈**tüchtig** *a.* 항해에 적합한〔견딜 수 있는〕. ~**tüchtigkeit** *a.* 〖海〗 (배의) 내항(耐航) 능력. ~**ufer** *n.* 호숫가. ~**uhr** *f.* 〖海〗 크로노미터, 경선의(經線儀); 갑판 시계. ~**unfall** *m.* 해난. ~**ungeheuer** *n.* 바다 괴물. ~**ungestüm** *n.* 파도가 거칢. ~**verkehr** *m.* 해상 교통. ~**versicherung** *f.* 〖法〗 해상

보험. **~volk** *n.* ① 해양 민족. ② 선원. **~-walze** *f.* 해삼. **~warte** *f.* ① 해양 연구소. ② 해군〔해양〕 기상대. ③ 등대. **≗wärts** *adv.* 바다 쪽으로. **~wasser** *n.* ① 호숫물. ② 바닷물, 해수. **~wasser·aquarium** *n.* 해수 수족관. **~weg** *m.* (↔ Landweg) 해로, 항로. **~wehr** *f.* 해군; 해군 후비병(後備兵). **~-wesen** *n.* 해운(海運). **~wetter·dienst** *m.* 해양 기상대. **~wind** *m.* 해풍. **~wolf** *m.* ①〖動〗 베도라치속; 메기류. ②〖비유〗 해적. **~wurf** *m.*〖海〗(난파 위험에 처하여 무게를 줄이기 위한) 투화(投貨). **~zeichen** *n.*〖海〗 항로〔위험〕 표지. **~zeug·haus** *n.* 해군 무기고〔군수 공장〕. **~zunge** *f.*〖動〗 혀가자미; 혀넙치.

***Segel** [zé:gəl] *n.* -s, - ① 돛; 〖비유〗(~-schiff) 돛단배; 배: eine Flotte von 30 ~n 30 척의 선대〔함대〕; die ~ einziehen〔streichen〕 a) 돛을 걷다〔말다〕, b) (항복·경례 등의 표시로) 돛을 내리다, c)〖비유〗굴복〔양보〕하다;〖비유〗jm. den Wind **aus** den ~n nehmen 누구의 기세를 꺾다; das war Wind **in** seine ~ 그것은 순풍에 돛을 단 것 같았다; **mit** vollen ~n a) 돛에 바람을 가득 안고, b)〖비유〗온힘을 다해, 힘껏, c) 모든 수단을 다하여; **unter** ~ 돛을 달고; unter ~ gehen 승선〔출범〕하다. ② (햇볕 가리는) 차양, 장막;〖工〗 풍차의 날개;〖植〗(콩과 꽃의) 익판(翼瓣);〖해부〗 연구개(軟口蓋). ③ (ndd.) 봉인.

Segel≈baum *m.* 돛대, 마스트; 돛의 아래 활대. **~boot** *n.* 범선, 돛단배. **~fahrt** *f.* 범주(帆走). **~falter** *m.*〖動〗호랑나비의 일종. **≗-fertig** *a.* 출범 준비가 된. **≗fliegen*** *i.*〖부정형(不定形)으로만〗 활공하다; 글라이더를 타고 날다. **~flieger** *m.* 글라이더; 글라이더 조종사. **~flug** *m.* 글라이더에 의한 비행; (새의) 활공. **~flugzeug** *n.* 활공기, 글라이더. **~garn** *n.* 돛 깁는 실. **~jacht** *f.* 범주용 요트. **≗klar** *a.* ↑ ≗fertig. **~klasse** *f.*〖요트〗 배의 등급. **~lein·wand** *f.* ↑ ~tuch.

segellos *a.* 돛이 없는.

Segel≈macher *m.* ① 돛 제조 및 수선업자. ② 3 년간의 수습 과정이 요구되는 직업. **~-meister** *m.* 항해장.

***segeln** [zé:gəln] 《I》 *i.* (s./h.) ① 범주(帆走)하다, (범선으로) 항해하다: gegen den Wind ~ 바람을 안고 범주하다; mit〔vor〕 dem Winde ~ 순풍에 돛을 달고 가다; unter englischer Flagge ~ 영국기를 올리고 범주〔항해〕하다; 〖비유〗 Schriften, die unter fremden Namen ~ 남의〔다른〕 이름으로 유포되고 있는 문서; er weiß mit jedem Winde zu ~ 그는 어떠한 경우에도 적응할 줄 안다. ②〖비유〗(새·비행기가) 날다, 비행하다; (글라이더가) 활공하다. ③ 추락하다, 떨어지다: die Zeitung segelte in den Papierkorb 신문은 휴지통 속으로 떨어졌다. ④ (시험에서) 떨어지다. ⑤ (학교에서) 쫓겨나다. 《II》 *t.* (배를) 가게 하다: ein Schiff in den Grund ~ 배를 침몰시키다. 《III》 *refl.* es segelt sich 범주하다; sich gut〔schlecht〕 ~ (배가) 범주하기에 좋다〔나쁘다〕; sich tot ~ 좌초하다.

Segel≈order *f.*〖海〗출항 명령, 항해 명령. **~ordnung** *f.* 항행 서열. **~regatta** *f.* 범주〔요트〕 경기. **~schiff** *n.* 범선. **~schlitten** *m.* 아이스 요트. **~sport** *m.* 범주 스포츠. **~stange** *f.* (돛의) 활대. **~tau** *n.* 마룻줄. **~törn** *m.* 〖은어〗 범주(帆走). **~tuch** *n.* 범포(帆布). **≗tüchtig** *a.* 범주에 적합한〔잘 견디는〕. **~werk** *n.* 삭구(索具). **~wett·fahrt** *f.* 범주 경기. **~wind** *m.* 순풍.

***Segen** [zé:gən] 《<segnen》 *m.* -s, - ① **(a)** (신의) 은총, 축복, 가호: 〖속담〗an Gottes ~ ist alles gelegen 신의 은총에 모든 것이 달려 있다, 진인사대천명(盡人事待天命); den ~ bekommen〔erhalten〕 축복을 받다; jm. den ~ geben 누구에게 축복을 주다; ohne den ~ der Kirche zusammenleben 교회에서 결혼식을 올리지 않고 동거하다. **(b)** 행복, 행운: dir zum ~ 네 행복을 위해서; zum ~ der Menschheit 인류의 행복을 위하여. **(c)** 동의, 합의: seinen ~ zu et.³ geben 무엇에 동의하다; meinen ~ hat er! 나는 그에게 아무런 이의도 없다!; es ist kein ~ bei seiner Arbeit 〔auf seiner Arbeit ruht kein ~〕 그의 일은 성공할 가망이 없다. **(d)** 풍성한 수익〔결과〕; 풍작: 〖반어〗das ist der ganze ~? 그것이 전부란 말이지? (그것 참 알량하네). ②〖드물게〗 **(a)** 십자의 표: den ~ machen 성호(聖號)를 긋다. **(b)** 축복 기도: den ~ sprechen (식사 전후에 성호를 긋고) 축복 기도하다. **(c)** (성호를 긋고 외는) 기도문.

segen·bringend *a.* 축복〔행운〕을 가져오는.

Segens≈ernte *f.* 풍작. **~formel** *f.* 축도(祝禱), 축문.

segen≈spendend *a.* ↑ ~bringend. **≗spre-cher** *m.* ↑ Segner. **≗spruch** *m.* ↑ Segensspruch.

segens≈reich *a.* ① 축복받은: ein ~es Leben 축복받은 삶. ② 복받을: eine ~e Tätigkeit 복받을 행동, 선행. ③ (하느님의) 은총으로 가득 찬; 은총을 주시는. **≗spruch** *m.* 축복의 기도, 축사. **~voll** *a.* ↑ ~reich. **≗wunsch** *m.* 축복의 기원; 행복의 기원.

Seger[1] 《<Seiger》 *m.* -s, - (ndd.) 시계.

Seger[2] *m.* 제거(독일의 공학자, 1839-93).

Seger·kegel *m.*〖工〗제거 추(錐)(고온계의 일종; 독일 공학자 Seger 의 이름에서).

Segge [zέgə] *f.* -n〖植〗 사초속(莎草屬).

Segler [zé:glər] *m.* -s, - ① (범선) 항해자; 범주 스포츠를 즐기는 사람. ② 범선: guter ~ 좋은〔빠른〕 범선. ③〖시어〗 구름; 비조(飛鳥). ④ 활공기, 글라이더. ⑤〖動〗 칼새. ⑥〖드물게〗어질병에 걸린 양.

Segler·verein *m.* 요트 클럽.

Segment [zegmέnt] 《lat.》 *n.* -(e)s, -e ①〖교양〗조각, 부분. ②〖기하〗 선분(線分); 부채꼴. ③〖動·醫〗(기관이나 조직의) 체절; 분절. ④〖언어학〗 분절음, 분절소.

segmental *a.* 조각〔부분〕의; 선분〔부채꼴〕 모양의; 분절음(소)의.

segmentär [zegmεntέ:r] *a.* 조각〔부분〕으로 된.

segmentieren *t.* 〖교양〗분절하다, 부분으로 나누다.

Segmentierung *f.* -en ① 분절〔세분〕화. ②〖動〗 체절. ③〖언어〗 분절.

***segnen** [zé:gnən] 《lat. signare, „signieren"》《I》 *t.* ① 성호(聖號)를 긋다: das Kind vor die Stirn ~ 아이의 이마에 성호를 긋다. ② 축복하다; …에게 은혜를 베풀다: jn. mit et.³ ~ 무엇을 주어서 누구를 행복하게 하다;

Gott segne dich! 그대에게 신의 가호가 있기를!; die Natur hat ihn mit Talent gesegnet 그는 천부적으로 재능을 타고 났다; 〖반어〗jm. das Bad (ge)~ 누구를 괴롭히다. ③〖구식〗(축복에) 감사하다; 다행스럽게 생각하다: ich segne den Tag 행복한 오늘을 주신 것에 감사드립니다; jn. für et. ~ 누구에게 무엇에 대해 매우 감사하다. ④〖드물게〗주문을 외워서 재난을 물리치다; 저주하다; (누구와) 이별을 고하다: das Zeitliche (ge)~ 죽다. 《Ⅱ》*refl.*〖구식〗sich ~ 성호를 긋다. 《Ⅲ》**gesegnet** *p.a.* ↑ gesegnet.

Segner *m.* -s, - 축복을 비는 사람, 축도자.

Segnung *f.* -en ① 축복을 빎; 축복의 기도. ②〖종종 조롱〗은총, 혜택, 좋은 결과: die ~en des technischen Fortschritts 기술적인 진보의 혜택.

Segregat [zegregáːt] 《lat.》 *n.* -(e)s, -e 〖구식〗분리된 것, 떨어져나온 것.

Segregation [..gatsióːn] *f.* -en ①〖구식〗분리, 격리. ②『사회』격리, 차별. ③『유전자』(유전자·형질의) 분리.

segregieren *t.* 분리〔격리〕하다.

Seh·achse *f.* ①『광학』광축(光軸). ②『해부』시축(視軸). ③ 시선.

sehbar *a.* 볼 수 있는, 보이는; 지각할 수 있는.

seh·behindert *a.* 시력〔시각〕장애의.

Sehe [zéːə] *f.* -n ①〖고어〗시력. ② 눈; 눈동자.

sehen [zéːən] (sah, gesehen) 《Ⅰ》*t.* ① 보다, 관찰〔목격〕하다; 구경하다: mit eigenen Augen ~ 직접 두 눈으로 목격하다; alles doppelt ~ (취하여) 모든 것이 두 개로 보이다; es ist〔gibt〕dort nichts zu ~ 거기에는 볼 만한 것이 없다; ich sehe ihn noch vor mir 그의 모습이 아직도 내 눈 앞에 아른거린다; jn. ~, der nicht da ist 누가 없는 것이 섭섭하다; 〖부정형과 함께〗jn. kommen ~ 누가 오는 것을 보다; 〖구어〗das habe ich kommen ~ 나는 그렇게 될 줄을 (미리) 알았다. ②〖비유〗die Sonne〔das Licht der Sonne〕~ 아직 살아 있다; Gespenster ~ 허깨비를 보다, 괜히 불안해하다; sein blaues Wunder ~ 깜짝 놀라다; alles im rosigsten〔günstigsten〕Lichte ~ 만사를 낙관하다, 낙천가이다; alles schwarz〔durch eine düstere Brille〕~ 만사를 비관하다, 염세가이다; den Himmel voller Geigen ~ 무척 행복하다; du siehst den Wald vor Bäumen nicht 너는 나무만 보고 숲은 보지 못한다; bessere Zeiten gesehen haben 지금보다 더 좋은 시절이 있었다, 지금은 상태가 좋지 않다; zu ~ sein 보이다, 볼 수 있다. ③〖놀라움·의심〗den möchte ich ~, der ... 어디 …하는 사람이 있으면 나와 보라고 해; das möchte ich doch mal ~ 정말 그런 일이 가능한지 한번 보고 싶네, 설마 그럴려구. ④〖lassen 과 함께〗et. ~ lassen 무엇을 보이다, 전시하다; sich ~ lassen 모습을 나타내다, 나타나다; sich bei jm. ~ lassen 누구네 집에 나타나다, 누구를 방문하다; 〖구어〗sich ~ lassen können a) 훌륭〔의젓〕하다, b) 남앞에 나설 수 있다; sich mit jm. ~ lassen können 누구에 대해서 자부심을 느낄 만하다; sich mit et.[3] ~ lassen können 어떤 것을 입으면〔걸치면〕모양이 괜찮다, 좋은 인상을 준다. ⑤ (**a**) …를 만나다, 면회하다: Gäste bei sich ~ 손님을 맞이하다; ich freue mich, Sie zu ~ 당신을 뵙게 되어 반갑습니다. (**b**) 참다, 견디다; 〖gern 등과 함께 쓰여〗좋아하다; ich kann ihn nicht mehr ~ 나는 그를 더 이상 참을 수 없다, 그가 지겹다; et. nicht gern ~ 어떤 것을 좋아하지 않다; et. nicht mehr ~ können 어떤 것을 더 이상 참을 수 없다, 어떤것이 정말 지겹다; (bei jm.) gern gesehen sein (누구의 집에서) 환대를 받고 있다; man will ihn nirgends ~ 그는 어디를 가나 푸대접을 받는다. ⑥ 평가하다, 판단하다; 인식하다, 파악하다: ich sehe das anders 나는 그 문제를 달리 본다; menschlich gesehen 인간적으로 보면; auf Dauer gesehen 장기적으로 보면; … in jm.〔et.[3]〕~ 누구를〔무엇을〕… 하다고 생각하다; jn. als ... ~ 누구를 …으로 간주하다〔느끼다, 받아들이다〕; ich sehe, daß du recht hast 나는 네가 옳다는 것을 알고 있다; ich sehe nur zu gut, wie das gemeint ist 나는 그것이 무슨 뜻인지 잘 알고 있다; ich sehe die Dinge, wie sie sind 나는 사실을 있는 그대로 본다, 나는 사태를 냉철하게 판단한다; et. durch eine gefärbte Brille ~ 어떤 것을 색안경을 쓰고〔편견을 가지고〕바라보다. ⑦ 시험해 보다, 해보다; 힘쓰다: ich will ~, ob du die Wahrheit gesagt hast 네 말이 정말인지 알아보자; ich sehe, so bald wie möglich zu verschwinden 나는 될 수 있는 대로 빨리 물러가도록 하겠다. 《Ⅱ》*i.* (h.) ① (눈이) 보이다: gut〔schlecht〕~ 시력이 좋다〔나쁘다〕; 〖구어〗ich kann kaum ~ 나는 피곤해서 비몽사몽이다; wenn ich recht sehe, steht er dort 내 눈이 틀림없다면 그는 저기에 서 있다; 〖실망·놀라움〗sehe ich recht? 아니, 이럴 수가!; 〖구어〗und hast du nicht gesehen, war er fort 순식간에 그는 사라졌다; 〖삽입구〗du bist, wie ich sehe〔sehe ich〕, schon fertig 과연 너는 벌써 끝냈구나; 〖속담〗wer nicht ~ will, dem hilft keine Brille 분별력이 모자라는 사람은 어찌할 도리가 없다. ②〖명령형; 일반적으로 sieh! 단, 성경·장엄한 표현 그리고 종종 지시적인 뜻으로는 siehe 를 씀〗(**a**) sieh, da ist er! 이봐, 그가 여기 있다!; ei sieh doch, Sie sind's! 어머나 당신이세요!; (ei,) ~ Sie mal! 자, 보세요! (**b**)〖지시적, 주로 siehe〗siehe! 참조하라! (약어: s.); sieh(e) dort 그곳을 참조하라(약어: s.d.); sieh(e) oben 위를 참조하라(약어: s.o.); sieh(e) unten 아래를 참조하라(약어: s.u.). ③ …한 눈을 하다: traurig ~ 슬픈 눈을 하다; warum siehst du so scheel? 왜 너는 그렇게 눈을 흘기느냐? ④〖방언〗…으로 보이다, 생각되다: du siehst krank 너는 몸이 아파 보인다; jm. ähnlich〔gleich〕~ 누구를 닮다; das sieht ihm ähnlich〔gleich〕그것은 아주 그 사람답다. ⑤〖전치사와 함께〗**auf** et. ~ a) 무엇에 주의를 기울이다, b) 무엇을 중히 여기다; auf eine Kleinigkeit ~ 사소한 일에 마음을 쓰다, 까다롭다; 〖구어〗aufs Geld ~ 돈에 인색하다, 돈을 아끼다; stets auf seinen Vorteil ~ 항상 자기 이익만을 꾀하다; jm. (scharf) auf die Finger ~ 누구를 감시하다; nicht **aus** den Augen ~ können 피로해서 거의 눈을 뜨고 있을 수 없다; die Zehen ~ ihm aus den Schuhen (heraus) 그의 발가락이 구두 밖으로

나와 있다; daraus ist zu ~ 그것에서 확인할 수 있다; **durch** die Brille ~ 안경을 쓰고 보다; ich habe durch die Finger gesehen 나는 너그럽게 보아 주었다, 못 본 체했다; **hinter** jm. her ~ 누구의 뒤에서 보다; **in** den Spiegel ~ 거울을 보다; in die Zukunft ~ 미래를 바라보다; jm. ins Gesicht ~ 누구의 얼굴을 들여다보다; jm. ins Herz ~ 누구의 마음 속을 꿰뚫어보다; er läßt sich nicht in die Karten ~ 그의 의도를 알 수가 없다; **nach** et.³ ~ a) 무엇을 살펴보다, 찾다: nach neuen Möglichkeiten für et. ~ 무엇에 대한 새로운 가능성을 모색하다: nach dem〔zum〕 Rechten ~ 제대로 되고 있는지 살펴보다, b) 무엇에 주의를 기울이다, 마음 두다〔쓰다〕; nach dem Kranken ~ 환자를 돌보다, c) (무엇을) 향해 있다, (방향이) …쪽으로 나 있다: das Zimmer sieht nach dem Garten 방은 정원 쪽으로 나 있다; die Fenster ~ nach Süden 창문은 남향이다; ich sehe **vor** mich 〔meine Füße〕 나는 앞을 본다; **zu** et.³ ~ a) 무엇 쪽을 보다: zu Boden 〔zur Erde〕 ~ 눈을 내리깔다, b) 무엇에 주의를 기울이다: sieh zu deinen Worten! 말조심해라! 《Ⅲ》 *refl.* sich ~ ① sich im Spiegel ~ 거울을 보다. ② 만나다: wann ~ wir uns? 우리 언제 만날까요?; wir haben uns lange nicht gesehen 오래간만입니다. ③ …이라고 알다, 생각하다, 여기다: ich sah mich betrogen 나는 속았다는 것을 알았다; sich genötigt〔gezwungen〕 ~, et. zu tun 무엇을 꼭 하지 않으면 안 된다고 생각하다; der Statist sieht sich schon als berühmter Schauspieler 이 단역은 벌써 명배우인 체한다. ④〔결과를 나타내는 부사와 함께〕 sich an jm. nicht satt ~ können 누구를 아무리 보아도 싫증이 나지 않다; sich nach et.³ fast blind ~ 무엇을 눈이 멀 정도로 응시하다; er sah sich³ die Augen aus dem Kopf nach ihr 그는 눈이 빠지도록 그 여자를 바라보았다.

Sehen *n.* -s 보는 일, 목격; 구경, 관람; 시력: das ~ hat man umsonst 관람료는 무료다; ich kenne ihn nur vom ~ 나는 그의 얼굴밖에 모른다; es war ein Lärm, daß einem Hören und ~ verging 정신이 나갈 정도로 시끄러웠다.

sehend *p.a.* 보(이)는: 〔雅語〕 jn. ~ machen a) 누구의 시력을 회복시키다, b) 누구에게 어떤 사실의 내막을 보게 해주다; mit ~en Augen blind sein 눈뜬 장님이다; 〔雅語〕 sie rennt mit ~en Augen 〔sehenden Auges〕 in ihr Unglück 그녀는 빤히 보면서도 불행 속으로 치달리고 있다.

sehens≈wert, ~würdig *a.* 볼 가치가 있는, 한 번 볼 만한. **~würdigkeit** *f.* ① 볼 만한 것. ② 구경거리, 명소, 명승지: die ~en einer Stadt besichtigen 한 도시의 명소를 구경하다.

Seher [zé:ər] *m.* -s, - ① 보는 사람, 관람〔관찰〕자; 염탐꾼, 감시자. ② 예언자, 선지자. ③ (토끼·여우 따위의) 눈.

Seher≈blick *m.* 예언자의 통찰(하는 시선), 천리안. **~gabe** *f.* 예언 능력.

Seherin *f.* -nen ↑ Seher 의 여성형.

seherisch *a.* 예견적〔예언적〕인.

Seh≈fehler *m.* 시각〔시력〕 이상(근시·사시(斜視) 따위). **~feld** *n.* 시야. **~geschädigt** *a.* 시력이 약해진. **~hilfe** *f.* 시력 보조 기구(현미경·안경 따위). **~hügel** *m.* 〔해부〕 시상(視床). **~kraft** *f.* 시력. **~kreis** *m.* ↑ ~feld. **~linie** *f.* 시선. **~linse** *f.* 〔해부〕 수정체(水晶體). **~loch** *n.* ①〔해부〕 동공(瞳孔). ②〔건축〕 초승달 모양의 창.

sehn *t.* ↑ sehen.

***Sehne** [zé:nə] *f.* -n ①〔해부〕 건(腱). ② (활 따위의) 현; 〔기하〕 현(弦).

***sehnen** [zé:nən] 《Ⅰ》 *refl.* sich nach jm.〔et.³〕 ~ 누구를〔무엇을〕 동경하다, 그리워하다, 갈망하다: ich sehne mich fort von hier 나는 여기를 떠나고 싶어서 못 견디겠다; sie sehnte sich danach, wieder zu Hause zu sein 그녀는 집에 돌아가기를 학수고대했다. 《Ⅱ》〔고어〕 *i.* (h.) ↑ 《Ⅰ》. 《Ⅲ》 *imp.* mich sehnt (es) danach, Sie zu sehen 나는 당신이 보고 싶어 못 견디겠습니다. 《Ⅳ》 *t.* jn. herbei ~ 누가 왔으면 하고 열망하다.

Sehnen≈band *n.* 〔복수: ..bänder〕〔해부〕 건상 인대(腱狀靭帶). **~entzündung** *f.* 〔병리〕 건염(腱炎) (Tenditinis). **~haut** *f.* 〔해부〕 건막(腱膜). **~reflex** *m.* 〔醫〕 건(腱)반사. **~riß** *m.* 〔醫〕 인대 파열. **~scheide** *f.* 〔醫〕 건초(腱鞘). **~scheiden·entzündung** *f.* 〔병리〕 건초염(炎) (Tendovaginitis). **~zerrung** *f.* 〔醫〕 염좌(捻挫).

Seh·nerv *m.* 〔해부〕 시신경.

sehnicht 〔구식〕 *a.* ↑ sehnig.

sehnig [zé:nıç] *a.* ① 건(腱) (모양)의; 건〔심줄〕이 많은. ② (몸이) 억센, 강인한.

sehnlich [zé:nlıç] *a.* 동경〔갈망〕하는; 애타는: jn. ~(st) erwarten〔herbeiwünschen〕 누구를 애타게 기다리다.

***Sehn·sucht** *f.* 그리움, 동경, 연모, 갈망: ~ nach der Heimat 망향, 향수.

sehn·süchtig *a.* 그리움으로 사무친; 갈망하는, 애가 타는: jn. ~ erwarten 누구를 애타게 기다리다.

sehn·suchts·voll *a.* 〔雅語〕 ↑ sehnsüchtig.

Seh≈öffnung *f.* 〔解〕 동공(瞳孔) (Pupille). **~organ** *n.* 시각 기관, 눈. **~probe** *f.* 시력 검사표. **~punkt** *m.* 시점(視點).

***sehr** [ze:*r*] (mehr, am meisten) 《원뜻 „verletzt"》 《Ⅰ》 *adv.* 〔obd. 에서는 이 말 대신에 arg, fast, gar, recht 따위를 씀〕 매우, 몹시, 대단히: ~ arm〔reich〕 ~ 매우 가난한〔부유한〕; meine ~ geehrten Damen und Herren 존경하는 신사 숙녀 여러분; ich weiß ~ wohl, daß ... 나는 …라는 것을 분명히 알고 있다; bitte ~! 천만에요!; wie ~ er auch schilt, hat er doch unrecht 그가 아무리 욕을 퍼붓더라도 그의 말은 옳지 않다. 《Ⅱ》〔고어〕 *a.* ① 〔방언〕 상처 입은, 다친. ② 대단한.

sehren [zé:rən] *t.* 〔구식·방언〕 상처를 입히다, 해를 입히다.

Seh≈rohr *n.* (잠수함의) 잠망경. **~schärfe** *f.* 시력: auf ~ einstellen 시력에 맞추다. **~scheibe** *f.* ↑ ~rohr. **~schwäche** *f.* 약시(弱視). **~störung** *f.* 시력〔시각〕 장애. **~strahl** *m.* 시선. **~test** *m.* (특히 운전 면허를 위한) 시력 측정〔테스트〕. **~vermögen** *n.* 시력. **~weite** *f.* ① 시계(視界). ②〔醫〕 명시(明視) 거리. **~werkzeug** *n.* 시각 기관. **~winkel** *m.* 시각. **~zentrum** *n.* 〔해부〕 시각 중추.

sei[1] [zaɪ] ① sein 의 접속법 I 식의 1·3 인칭 단수형. ② sein 의 단수 명령형.

sei[2] *prn.* (ndd.) ↑ sie.

Seiber [záɪbər] *m.* -s (ndd.) (특히 유아가 흘리는) 침.

seibern [záɪbərn] *i.* (h.) 〔방언〕 침을 흘리다.

Seicento [sɛitʃɛ́nto] *n.* -s ↑ Secento.

Seich [zaɪç] *m.* -(e)s ① (md.) 오줌, 소변. ②〔폄어〕 수다, 잡담.

Seiche *f.* ↑ Seich.

seichen 《♧ sickern, seihen》 *i.* (h.) (obd., mhd.) ① 오줌 누다, 소변 보다. ②〔폄어〕 수다떨다, 잡담하다.

Seiches [sɛːʃ] 《frz.》 *pl.* 정진(靜振) (공기나 바람의 영향으로 물결끼리 부딪쳐 파도가 머물러 있는 것처럼 보이는 수면 형태).

***seicht** [zaɪçt] 《♧ Seich, sickern》 *a.* ① **(a)** (물이) 얕은; (걸어서) 건널 수 있는: ~e Stelle 물이 얕은 곳. **(b)** 〖광산〗 (산이) 평평한, 낮은. ②〔폄어〕 천박한, 피상적인, 알맹이가 없는.

Seichte *f.* -n ① 얕음; 〔폄어〕 천박한〔피상적인〕 언행. ②〔복수〕 얕은 곳〔여울〕.

Seichtheit *f.* -en 얕음; 〔폄어〕 천박.

Seichtigkeit *f.* -en ↑ Seichtheit.

seid [zaɪt] ↑ sein 의 2 인칭 복수 현재형.

***Seide** [záɪdə] *f.* -n ① 명주실, 견사, 비단실, 생사: rohe ~ 생사. ②〖섬유〗 비단, 견직물: echte〔reine〕 ~ 순견(純絹); künstliche ~ 인조견(사); 〔비유〕 in Samt und ~ 화려하게 차려 입고; damit spinnen wir keine ~ 그것은 우리들에게 아무 소용도 없다. ③〖植〗 새삼, 토사(兎絲).

Seidel [záɪdəl] 《lat.》 *n.* -s, - ① 맥주잔, 맥주조끼. ②〔옛뜻〕 자이델(용량의 단위; 대략 0.3-0.5 *l*).

Seidelbast [záɪdəlbast] *m.* -(e)s, -e 〖植〗 서양팥꽃나무.

***seiden** [záɪdən] *a.* ① 비단으로 만든: ~e Kleider 비단옷. ② 비단같이 부드러운〔가는〕: die Sache hängt an einem ~en Faden 그것은 위태위태하다.

Seiden≈abfälle *pl.* 명주실밥. **~äffchen** *n.* 〖動〗 비단원숭이. **~affe** *m.* 〖動〗 긴꼬리원숭이. **~arbeit** *f.* 견직물 제조; 견제품(絹製品). **≈artig** *a.* 비단 같은〔종류의〕. **~atlas** *m.* 〖섬유〗 공단, 수자직(繻子織). **~bau** *m.* 양잠. **~bauer** *m.* 양잠가. **~baum** *m.* ①〖植〗 뽕나무. ②〖방직〗 (베틀의) 실패. **~bluse** *f.* 실크 블라우스. **~brokat** *m.* 단자(緞子), 금란(錦襴). **~ernte** *f.* 고치 수확. **~fabrik** *f.* 견직물 공장. **~fabrikant** *m.* 견직물 제조업자, 제사업자. **~faden** *m.* 견사. **~falter** *m.* 〖動〗 ↑ ~spinner ①. **~färber** *m.* 비단 염색공. **~färberei** *f.* 비단 염색(업·술·공장). **~garn** *n.* 꼰 명주실. **~gehäuse, ~gespinst** *n.* 고치. **~gewebe** *n.* 견직물. **~glanz** *m.* 비단 광택. **≈haarig** *a.* 비단결 같은 모발을 가진. **~handel** *m.* 비단〔생사〕 장사. **~händler** *m.* 비단〔생사〕 장수. **~handlung** *f.* 비단〔생사〕 상점. **~haspel** *f./m.* 명주실을 잣는 물레. **~hut** *m.* 실크해트. **~industrie** *f.* 잠사업(蠶絲業), 견직물 공업. **~kultur** *f.* ↑ ~bau. **~papier** *n.* (무게가 30 g/m² 이하인) 얇고 투명한 종이, 박엽지(薄葉紙). **~pflanze** *f.* 〖植〗 당면(唐綿)속(남아메리카 원산; 박주가릿과). **~raupe** *f.* 〖動〗 누에. **~raupen·zucht** *f.* 양잠, 누에치기. **~samt** *m.* 본 비로드. **~schal** *m.* 실크 스카프. **~schmetterling** *m.* 〖動〗 누에나방. **~schwanz** *m.* 〖動〗 여샛과의 새. **~spinner** *m.* ①〖動〗 누에나방과; 누에나방. ② 견방적공. **~spinnerei** *f.* ① 견방적. ② 견방적 공장. **~spitz** *m.* 털이 부드럽고 귀가 뾰족한 작은 개. **~spitzen** *pl.* 명주 레이스. **~stickerei** *f.* ① 비단 자수. ② 비단 자수로 장식된 것. **~stoff** *m.* 견직물, 명주. **~straße** *f.* 실크 로드. **~ware** *f.* 견제품, 견직물; 명주실. **~weber** *m.* 견직공. **~weberei** *f.* 견직공장; 견직(업). **≈weich** *a.* 비단같이 부드러운. **~wirker** *m.* ↑ ~weber. **~wirkerei** *f.* ↑ ~weberei. **~wurm** *m.* ↑ ~raupe. **~zeug** *n.* 명주. **~zucht** *f.* ↑ ~raupenzucht. **~züchter** *m.* 양잠가.

seidig [záɪdɪç] *a.* ①〔구식〕 비단으로 된. ② 비단결 같은, 매끄러운: ihr Haar glänzt〔schimmert〕~ 그녀의 머리카락은 비단결처럼 반짝인다.

seien[1] [záɪən] ↑ sein 의 접속법 I 식의 1·3 인칭 복수형.

seien[2] *t.* (ndd.) ① 보다(sehen). ② 씨를 뿌리다(säen). ③ 거르다, 여과하다.

***Seife** [záɪfə] *f.* -n ① 비누: ~ kochen〔bereiten, sieden〕 비누를 제조하다; grüne ~ 연성 비누; 〔속담〕 der eine ißt gern Schwartenwurst, der andre grüne ~ 오이를 거꾸로 먹는 것도 제 멋이다. ②〖지질〗 표사 광상(漂砂鑛床); 사금 광상; 세광(소)(洗鑛(所)); 소택지.

seifen [záɪfən] *t.* ① **(a)** 비누로 씻어내다. **(b)** 〔구어〕 속이다, 함정에 빠뜨리다; 술 취하게 하다. ②〖광산〗 세광하다.

Seifen≈apfel *m.* ① 사과 모양의 비누. ②〖植〗 ↑ ~beere. **≈artig** *a.* 비누 같은. **~asche** *f.* 〖工〗 비누 제조용 재. **~bad** *n.* (피부의 염증 치료를 위한) 비눗물 목욕. **~baum** *m.* 〖植〗 무환자나무. **~beere** *f.* 무환자나무의 열매. **~bereitung** *f.* 비누 제조. **~bildung** *f.* 〖化〗 비누화(化). **~blase** *f.* ① 비누 거품. ②〔비유〕 헛된 것, 무상한 것. **~erde** *f.* 〖化〗 (Walkerde) 산성 백토, 표포토(漂布土). **~fabrik** *f.* 비누 공장. **~gebirge** *n.* 〖지질〗 광석 또는 보석이 매장되어 있는 산. **~gold** *n.* 〖광물〗 사금(砂金). **~kiste** *f.* 장난감 자동차 (영어 soap box 의 독역(獨譯)). **~kistenrennen** *n.* 장난감 자동차 경주. **~kraut** *n.* 〖植〗 비누풀속(석죽과의 초본; 잎의 즙은 비누 대용): das Gemeine ~ 비누풀. **~kugel** *f.* 구형(球形) 비누. **~lappen** *m.* 목욕용 타월. **~lauge** *f.* 비눗물. **~napf** *m.* ↑ ~schale. **~nuß** *f.* ↑ ~beere. **~oper** *f.* 〔구어〕 멜로 드라마 시리즈(영어 soap opera 의 독역(獨譯); 미국에서 주로 비누 회사에서 재정 지원을 받은 데서). **~pflaster** *n.* 〖醫〗 비누 경고(硬膏). **~pulver** *n.* 가루 비누. **~rinde** *f.* 비누나무 껍질(비누 대용). **~schale** *f.* 비누를 두는 접시, 비눗갑. **~schaum** *m.* 비누 거품. **~sieder** *m.* 〔구식〕 비누 제조인; 〔비유〕 속물: 〔구어〕 jm. geht ein ~ auf 누가 무엇을 깨닫다. **~siederei** *f.* ① 비누 제조. ② 비누 공장. **~spiritus** *m.* 비누 소독제. **~stein** *m.* ① **(a)** 〖광물〗 비눗돌, 활석(滑石). **(b)** 〖化〗

(비누 제조용의) 가성 소다. ②〖광물〗 ↑ ~-zinn. **~stoff** *m.*〖化〗사포닌. **~wasser** *n.* 비눗물. **~werk** *n.*〖광산〗세광장. **~wurz, ~wurzel** *f.*〖植〗↑ ~kraut. **~zäpfchen** *n.*〖醫〗비누 좌약(坐藥)(변비용). **~zinn** *n.*〖광물〗주석의 원석(原石).

Seifer[1] 《<seifen ②》 *m.* -s, -〖광산〗세광원(洗鑛員).

Seifer[2] *m.* -s〔방언〕↑ Seiber.

seifern [záɪfərn] *i.* (h.) 〔방언〕↑ seibern.

seificht *a.* ↑ seifig.

seifig *a.* ①비누투성이의; 미끈거리는, 미끄러운. ②비누 같은.

Seifner *m.* -s, -〔구식〕세광원(洗鑛員).

Seige [záɪgə] *f.* -n ①〖광산〗(갱내의 물을 뽑아 내기 위한) 배수로. ②(obd.) 물 웅덩이.

Seigel *m.* -s, - ↑ Seiger.

seigen [záɪgən] *t.* (ndd.) ↑ seihen.

Seiger 《♧ seihen》 *m.* -s, - ①저울, 천칭. ②시계, 괘종;〔고어〕탑시계. ③연추(鉛錘). ④(schweiz.; Leitersprosse) 사닥다리의 가로장. ⑤(md.) ↑ Seihe.

seiger *a.*〖광산〗수직의.

Seiger⸗abtreiber, ~arbeiter *m.*〖제련〗정련공. **~gerade** *a.* 수직의. **~herd** *m.*〖제련〗정련로. **~hütte** *f.* 정련소.

seigern [záɪgərn] 《<Seiger》《Ⅰ》*i.* (s.) / *refl.* (sich) ~ ①(액체가) 듣다, 새다;〖化〗냉각 분리되다. ②〖제련〗(가열로) 분리되다. 《Ⅱ》*t.* ①〔고어〕듣게 하다; 여과하다. ②〖제련〗가열하여 분리시키다. ③〖광산〗einen Schacht ~ 수직갱을 파 내려가다.

Seiger⸗ofen *m.*〖제련〗정련로. **~riß** *m.*〖광산〗광산의 단면도. **~schacht** *m.*〖광산〗수직갱. **~teufe** *f.*〖광산〗(수직갱의) 깊이.

Seigerung *f.* -en〖제련〗가열에 의한 분리, 용리(熔離).

Seigneur [sɛnjǿːr] 《frz.》 *m.* -s, -s ①(프랑스 봉건 시대의) 영주, 대지주; 영주의 존칭. ②〔교양·구식〕고귀한 분, 지체 높은 사람.

Seihe [záɪə] *f.* -n ①〔방언〕여과기(여과용 베·체 따위). ②찌꺼기, 앙금.

seihen [záɪən] 《♧ seichen》 *t.* ①거르다, 여과하다:〖聖〗Mücken ~ und Kamele verschlucken 하루살이는 걸러 내고 낙타는 삼키는도다(마태 23:24), 사소한 일에 구애되어 큰 일을 놓치다. ②〔방언·고어〕보다; 씨뿌리다.

Seiher *m.* -s, - ↑ Seihe.

Seih⸗gefäß *n.*, **~kasten** *m.* 여과기〔통〕. **~papier** *n.* 여과지. **~sack** *m.* 여과용 주머니. **~stein** *m.* 여과용 자갈. **~trichter** *m.* 여과용 깔때기. **~tuch** *n.* 여과용 천. **~wisch** *m.* 여과용 짚.

Seil[1] [zaɪl] *n.* -s, -s (ndd.) 돛: ~ und Treil 삭구(索具).

***Seil**[2] 《♧ Saite, Siele》 *n.* -(e)s, -e 끈, 밧줄, 로프: auf dem ~ tanzen 줄타기를 하다;〔비유〕das ist ein Tanz auf dem ~ 그것은 위험한 일이다;〔비유〕am gleichen ~ ziehen (누구와) 동일한 목표를 추구하다; sich am ~ führen lassen 남에게 조종당하다;〔비유·구어〕in den ~en hängen 기운이 떨어졌다, 더 이상 진척이 불가능하다.

Seil⸗antrieb *m.* 케이블〔로프〕운전. **~bahn** *f.* 케이블 카;〖스키〗리프트, (화물 수송용) 케이블 궤도. **~brücke** *f.* 밧줄로 엮어 만든 다리. **~draht** *m.* 강철 밧줄, 와이어 로프.

seilen[1] *i.* (s./h.) (ndd.) ↑ segeln.

seilen[2] 《Ⅰ》*t.*〔드물게〕밧줄에 매어 끌다, …에 밧줄을 매다. 《Ⅱ》*i.* (h.) 밧줄을 만들다, 새끼를 꼬다.

Seiler *m.* -s, - 밧줄〔로프〕제조자; 밧줄〔로프〕제조업:〔구식·비유〕des ~s Tochter heiraten 교수형을 당하다.

Seiler⸗arbeit *f.* 밧줄〔새끼〕꼬는 일. **~bahn** *f.* 밧줄〔새끼〕꼬는 곳.

Seilerei [zaɪləráɪ] *f.* -en ①밧줄〔새끼〕제조(업). ②밧줄 제조 공장.

Seiler⸗meister *m.* 밧줄 제조 장인. **~rad** *n.* 밧줄을 감는 바퀴. **~ware** *f.* 밧줄〔로프〕류; 밧줄로 만든 물건.

seil|hüpfen *i.* (s.) ↑ ~springen.

Seilschaft *f.* -en ①〖등산〗한 밧줄에 묶고 올라가는 등반대: eine ~ bilden 자일 등반대를 구성하다. ②〔비유·폄어〕(특히 정치 분야에서) 함께 일하는〔협력하는〕그룹.

Seil⸗scheibe *f.*〖工〗로프 도르래. **~-schwebe·bahn** *f.* ↑ ~bahn. **~|springen** *i.* (s.) 줄넘기를 하다. **~|tanzen** *i.* (h.) 줄타기를 하다. **~tänzer** *m.* 줄 타는 광대; 공중 곡예사. **~tänzerin** *f.* ↑ ~tänzer의 여성형. **~trieb** *m.*〖工〗로프 구동(驅動)〔전동(傳動)〕. **~trommel** *f.*〖工〗(로프를 감는) 바퀴, 케이블 드럼. **~waren** *pl.*, **~werk** *n.* 삭구(索具), 로프류(類). **~winde** *f.* 케이블 윈치. **~ziehen** *n.* 줄다리기 시합. **~zug** *m.*〖工〗전동(傳動) 로프.

Seim [zaɪm] *m.* -(e)s, -e〔구식·雅語〕①끈끈한 액체, 점액. ②벌꿀, 생청(生淸); (오트밀 따위의) 죽; 시럽; 사이즈(종이 만들 때 쓰는 풀의 일종).

seimen 《Ⅰ》*t.* (꿀을) 벌집에서 쏟아내다 (ausseimen): den Honig ~ 꿀을 벌집에서 흘러나오게 하다. 《Ⅱ》*i.* (h.) (보리 따위가) 끓어서 죽이 되다.

seimicht〔고어〕, **seimig** *a.*〔구식·雅語〕(벌집에) 벌꿀이 가득 찬; 진득〔끈적〕거리는.

sein[1] [zaɪn] (war, gewesen; 현재 변화: ich bin, du bist, er ist, wir sind, ihr seid, sie sind) 《Ⅰ》*i.* (s.) ①〔독립 동사로서〕**(a)** 있다, 존재하다: sie ist (zur Zeit) in München 그녀는 (지금) 뮌헨에 있다; ich denke, also bin ich 나는 생각한다, 고로 존재한다: Gott ist 〔es ist ein Gott〕신은 존재한다;〔동화의 시작 부분에서〕es war einmal eine Königin, die... 옛날에 한 여왕님이 살았는데 그 여왕님은 …; er ist bei mir 그는 내 집에 있다; hier ist gut ~ a) 여기는 있기가 좋다, b)〖聖〗우리가 여기 있는 것이 좋사옵니다(마가 9:5); muß das ~? 꼭 그래야만 되는 거야?;〔놀라움〕das darf nicht ~! 그럴 리가 없어!; das kann ~ 그럴지도 몰라; ist nicht! 결코 그럴 리 없어! **(b)** 열리다, 개최되다: der Vortrag ist morgen 강연은 내일 있다. **(c)** et. ~ lassen 무엇을 그대로 내버려두다, 중지하다: laß es lieber ~! 그것은 차라리 그만두는 편이 낫다!; laß dir das gesagt ~ 이것을 꼭 자네에게 말하고 싶네. ②〔계사(繫辭)〕**(a)** …이다; …하다: er ist Kaufmann 그는 상인이다; sie ist schön 그 여자는 아름답다; nichts ~ a) (사람이) 아무것도 이루지 못했다, 전혀 쓸모없는 인물이다, b) (사물이) 아무 의미도 없

다, 전혀 중요치 않다; so ist's 그렇단다; es ist spät 늦다; muß es gleich〔sofort〕 ~? 급한 일인가?; es ist ein Jahr (her), daß er abgereist ist 그가 여행을 떠난 지 1 년이 된다. (**b**) 의미하다(bedeuten): soll das ein Witz ~? 그걸 우스갯소리라고 하는 게야? (**c**)〖형용사적 분사와 함께 상태 수동의 의미로〗…한 상태이다: das Fenster ist geöffnet 창문은 열려 있다; die Geschäfte sind geschlossen 상점들은 닫혀 있다. (**d**)〖명령법〗sei(d) artig! 얌전히 해라!;〖구어〗 nun sei doch nicht so! 좀 아량 있게 굴어라, 여유를 가져라! (**e**)〖zu 부정형과 함께 수동의 의미〗…되어야 한다; …될 수 있다: dieses Haus ist zu verkaufen 이 집은 팔 집이다; Hunde sind an der Leine zu führen 개들은 줄에 매어 데리고 다녀야 합니다; der Wagen ist nicht zu reparieren 그 차는 수리가 불가능하다. (**f**)〖2 격과 함께〗〖雅語〗guten Mutes〔gutes Mut(e)s〕 ~ 기분이 좋다; niedriger Herkunft ~ 비천한 출신이다; ich bin der Meinung, daß... 내 의견은 …이다; tust du es, so bist du des Todes 만약 네가 그렇게 하면 죽여 버리겠다. (**g**)〖3 격과 함께 대체로 비인칭 주어가 생략되어〗누구의 상태가 …하다; 누구의 소유이다: mir ist kalt 나는 춥다;〖구어〗das Buch ist mir 그 책은 내 것이다; mir ist bange 걱정이 된다, 겁이 난다; dem ist nicht so 그렇지 않다; was ist dir? 무슨 일 있니, 어디 아프니?; wie ist Ihnen? 안녕하십니까?; jm. ist nach et.[3] 누구에게 무엇에 대한 욕구가 생기다;〖구어〗 mir ist heute nicht nach Arbeiten 나는 오늘 일하고 싶지 않다; es ist mir (zumute), als ob ... 내게는 마치 …한 느낌이 든다, …인가 싶은 마음이 든다. (**h**)〖전치사와 함께〗**aus**〔**von**〕 … ~ …출신이다; **bei** Kasse ~ 현금을 가지고 있다; bei der Bahn〔Polizei〕 ~ 철도청〔경찰〕에서 근무한다; gerade so ist es **mit** mir 바로 내가 그렇다; was ist mit dir? 너 도대체 무슨 일이 있니?; es ist eine ernste Sache **um** das Heiraten 결혼이란 중대한 문제다; es ist an dem 그것은 사실이다, 그대로다; es ist an jm., et. zu tun 누가 무엇을 해야 한다; jm. ist es um et. zu tun 누구에게는 무엇을 하는 것이 문제다. (**i**)〖문맥에 따라 과거 분사가 생략되기도 함〗sie ist in die Stadt (gegangen〔gefahren〕) 그녀는 시내로 갔다; das Glas ist in zwei Stücke (gegangen) 컵이 두 동강 났다; er ist schon aus (gegangen) 그는 벌써 가 버렸다. (**j**) (셈의 결과가) …이다: 5 und 2 ist 〔〖구어〗 sind〕 sieben 5 에 2 를 더하면 7 이 된다; 3 mal 3 ist 9 3 에 3 을 곱하면 9 가 된다. (**k**) **das ist** 즉, 바꾸어 말하면(약어: d.i.). ③〖접속법〗(**a**)〖I 식〗Gott sei Dank! 어휴, 천만다행이군!; es sei 〔so sei es, sei's denn〕! 그럼 그렇게 하지요, 저로선 아무래도 괜찮습니다!; sei's drum! 어찌됐건, 아무래도 좋다!; dem sei nun, wie ihm〔dem〕 wolle 그것은 그렇다 해두고, 어떻든 간에; wie dem auch sei 그것이 어떻든; sei es ..., sei es 〔oder〕 ... …이건 …이건 간에; es sei denn, daß ... …이 아니(라)면; es sei 〔sei es〕, daß ... …일지어다〔할지어다〕; 〖형용사적 분사와 함께〗 sei gegrüßt! 마침 잘 오셨습니다, 어서 오십시오!; Gott sei gelobt! 아유 고마워라, 고맙게도! (**b**)〖II 식〗das wär's (für heute) (오늘은) 그 정도로 하겠습니다, 이만 마치겠습니다; das wäre doch noch schöner! 그렇다면 더욱 좋겠지, 그럴 리가 없지!; wenn du nicht wär(e)st 만약 너라는 사람이 없다면. 《II》〖완료 시제의 조동사〗 ① (**a**)〖장소의 이동을 나타내는 자동사와 함께〗 es sind viele Leute angekommen 수많은 사람들이 도착했다; wir waren eben abgereist 우리가 막 출발하고 난 후였다. (**b**)〖상태의 변화를 나타내는 자동사와 함께〗ich bin erkrankt 나는 병에 걸렸다. (**c**)〖그 밖의 일부 자동사와 함께〗ich bin ihm begegnet 나는 그를 만났다; ich bin geblieben 나는 남아 있었다; du bist bei ihm gewesen 너는 그와 함께 있었다. (**d**)〖완료 수동형〗er ist geschlagen worden 그는 얻어맞았다. (**e**) (südd.)〖일부 동사에서 haben 대신에〗 ich bin gesessen 나는 앉아 있었다. (**f**)〖동사의 의미로 보아 장소의 이동이 중시되면 sein 을, 활동 자체가 중시되면 haben 을 지배하는 경우〗 ich bin〔habe〕 Schlittschuh gelaufen 나는 스케이트를 탔다. ②〖접속법〗 wenn er nicht gewesen wäre, wäre alles anders gekommen 만약 그가 없었더라면 만사는 달라졌을 것이다; auch wenn ein Arzt gekommen wäre, hätte er den Kranken denn nicht retten können 설령 의사가 왔었더라도 환자를 살릴 수는 없었을 것이다.

sein[2] [zaɪn] 《ⓒ sich》 *prn.* 《I》〖3 인칭 단수 남성 및 중성의 소유 대명사; 형용사적 용법과 명사적 용법이 있음〗 ①〖명사의 부가어로서〗그의, 그것의, 그: ~ Vater 그의 아버지; ~ Bruder 그의 형〔동생〕; einer ~er Brüder 그의 형제들 중 한 사람; der Vogel und ~ Nest 새와 그 보금자리; diese ~e Aufgabe 그의 이 임무; ~er Zeit 이전에는, 당시(seinerzeit); alles zu ~er Zeit 만사에는 그 시기가 있다. ②〖수량을 나타낼 때 강조의 의미로〗족히, 적어도: der Karpfen wog ~e 5 Pfund 그 잉어는 무게가 족히 5 파운드나 되었다; das kostet ~e neun Mark 그것은 값이 자그마치 9 마르크다;〖구어〗das dauert ~e Zeit 그것은 오래 걸린다; er hat ~e 70 Jahre auf dem Rücken 그는 70 살이다;〖구어〗dem Vater 〔des Vaters〕 ~ Stock 아버지의 지팡이(des Vaters Stock); wem ~ Hund ist das? 그것은 누구의 개인가? ③ 그의 것〔일·소유〕; 그의 가족〔부하〕: das Buch ist ~ 〔das seinige,〖구어〗~s〕 그 책은 그의 것이다; wem gehören diese Schuhe?—es sind ~e 〔die ~(ig)en〕 이 신은 누구의 것입니까? —그것은 그의 것입니다; der **Seine** 그에게 충실한 사람; die Seine 그의 배우자〔아내·신부〕; sie wurde die Seine 그녀는 그의 아내가 되었다; das Seine〔Seinige〕 그의 재산〔의무〕;〖복수〗 die Seinen〔Seinigen〕 그의 가족〔부하·친구〕; er macht seins, sie macht ihrs, beide leben für sich 그는 그대로, 그 여자는 그 여자대로, 그들은 각자의 일을 하며 나름대로 살고 있다; wegen seiner 그 (사람) 때문에(seinetwegen). ④〖대문자로 써서 존칭을 나타냄〗Seine Majestät 폐하(약어: S.M.); Seine Hoheit 전하; Seine Exzellenz 각하. 《II》〖인칭 대명사 3 인칭 단수 남성 er 및 중성 es 의 2 격〗 그, 그것: wir gedenken ~(er) 우리는 그를 잊지 않고 있다.

***Sein** [zaɪn] *n.* -s 〖哲〗 있음, 유(有), 존재, 실재; 실존, 현존: ~ und Schein 실재와 가상(假象); der Ursprung des ~s 존재의 근원; Sein oder Nichtsein, das ist hier die Frage 사느냐 죽느냐 그것이 문제로다.

Seine [zɛ́:nə] *f.* 센 강(프랑스의 강).

seinerlei *a.* 〔구식〕 그 같은; 그것과 같은.

seinerseits [záinər..] *adv.* 그의 입장에서, 그로서는.

seiner·zeit *adv.* (약어: s. Z.) ① 전에는; 그 당시: ~ gehörte das Geschäft meinem Vater 그 당시에는 그 회사가 우리 아버지 소유였다. ② (öst.) 〔구식〕 적당한 시기에, 나중에.

seinerzeitig *a.* 당시의, 그 무렵의.

seines·gleichen [záɪnəsgláiçən] *prn.* 〖雅語〗 그와 같은 사람; 그것과 동등한 것: er verkehrt nur mit ~ 그는 자기와 같은 사람들과만 어울린다; dieses Kunstwerk hat nicht ~ 이 예술 작품에 필적할 만한 것은 없다.

seinet≈halben [záɪnəthálbən] 〔구식〕 *adv.* ↑ ~wegen. **~wegen** *adv.* 그를 위해서; 그 때문에. **~willen** *adv.* 〔다음 용법으로만〕 um ~ 그를 위해서.

seinige [záɪnɪgə] *prn.* 〔소유 대명사; 3 인칭 단수 남성·중성〕 ① (**a**) 〔정관사와 함께 쓰며 형용사의 약변화 어미를 취함〕 그의 것: beide haben einen Wagen, der ~ ist ein Volkswagen 두 사람은 각각 자동차를 한 대씩 갖고 있는데, 그의 것은 폭스바겐이다. (**b**) 〔대문자로 쓸 경우, 남성·여성·복수는 사람을, 중성은 재산·의무를 나타냄〕 die Seinigen 그의 가족; das Seinige 그의 재산. ② 〔형용사로〕 그의: ein ~r Brief 그의 편지.

sein|lassen *t.* 내버려두다: du solltest das lieber ~ 너는 그것을 차라리 내버려두는 게 낫겠다.

Seising [záɪzɪŋ] *n* -s, -e 〖海〗 돛을 묶는 밧줄, 개스킷.

Seismik [záɪsmɪk] 《gr.》 *f.* ↑ Seismologie.

seismisch *a.* ① 지진학의, 지진학에 관한. ② 지진에 따른: ~e Wellen 지진파.

Seismograf 新정서 ⇦ Seismograph.

Seismogramm [zaɪsmográm] *n.* -s, -e 지진 기록, 지진도(圖).

Seismograph *m.* -en, -en 지진계.

Seismologe *m.* -n, -n 지진학자.

Seismologie *f.* 지진학.

seismologisch *a.* ↑ seismisch.

Seismometer *n.* -s, - 지진계.

seismometrisch *a.* 지진계의〔에 따른〕.

Seismoskop *n.* -s, -e 감진기(感震器) (지진계의 전신).

***seit** [zaɪt] 《I》 *prp.*³ …이래, 이후: ~ dem 2. Weltkrieg 제 2 차 세계 대전 이래; ~ einem Jahr 1 년 전부터; ~ kurzem〔neuestem〕 얼마 전부터, 최근 들어; ~ langem 오래 전부터; 〔부사와 함께〕 ~ wann bist du hier? 언제부터 너는 여기 와 있느냐?; ~ alters 옛날부터; ~ morgens warte ich 아침부터 나는 기다리고 있다. 《II》 *cj.* ~ (daß)… …이래, 이후: ~ ich ihn gesehen habe 내가 그를 만난 이래로.

seit·ab [zaɪt|áp] 《<Seite》 *adv.* 옆에, 곁에; 옆에서, 떨어져서.

seit·dem [zaɪtdé:m] 《I》 *adv.* 그때부터, 그 후: es sind ~ 20 Jahre vergangen 그 후 20 년이 지났다. 《II》 *cj.* ~ (daß)… …이래: ~ ich ihn kenne 내가 그를 알고 난 후부터.

***Seite** [záɪtə] *f.* -n ① 옆구리; 허리; 〖요리〗 옆구리 살: ~ Speck 옆구리 살로 만든 베이컨; Schmerzen in der ~ haben 옆구리가 아프다; den Säbel an der ~ tragen 허리에 검을 차다; sich³ vor Lachen die ~n halten 배를 잡고 웃다, 포복절도하다; 〔방언〕 lange ~n haben 대식가이다; 〔농담〕 js. grüne ~ 누구와 아주 가까운 거리. ② (물건의) 측면, 옆, 곁; 〖海〗 뱃전: das Schiff legt sich auf die ~ 배가 옆으로 전복되다; 〖軍〗 ein Angriff von der ~ 측면 공격. ③ (**a**) 면; 곳, 장소; 부분; (종이·천·화폐의) 한쪽; (책의) 페이지 (약어: S.): die äußere〔innere〕 ~ 바깥쪽〔안쪽〕; die beiden ~n der Münze 동전의 앞뒤; 〔비유〕 das ist aber nur die eine ~ der Medaille 그것은 동전의 한 면일 뿐이다; ein Buch von 350 ~n 350 페이지의 책. (**b**) (성격·개성의) 측면: Physik ist seine schwache ~ 물리는 그의 취약 과목이다; Süßigkeiten sind seine schwache ~ 그는 특히 단것을 좋아한다; Sport ist seine starke ~ 그는 운동을 특히 잘한다. ④ (관찰 대상이 되는 사물의) 면모, 측면: besondere ~ 특색; die technische ~ des Problems 이 문제의 기술적 측면; et. nach〔von〕 allen ~n betrachten 무엇을 모든 면에서 관찰하다; 〔비유〕 von seiner ~ haben wir nichts zu fürchten 그에 관해서는 아무것도 두려워할 게 없다; 〔속담〕 jedes Ding hat seine zwei ~n 모든 것에는 양면이 있다. ⑤ (**a**) 방면, 방향: nach dieser ~ hin 이 방향으로; von allen ~n 모든 방향에서, 온 사방에서. (**b**) 계통, 계보: mein Oheim von mütterlicher ~ her 외삼촌. (**c**) (멀리 떨어진) 한쪽: jn. auf die ~ winken 누구를 손짓하여 한쪽으로 불러내다. ⑥ 입장; 진영, 편; (특정 의견을 대변하는) 집단, 단체; (테니스 등의) 조(組): auf gegnerischer ~ 반대파측에서는; ein Vorschlag von deutscher ~ 독일측의 제의; 〖스포츠〗 ~n wechseln 진영을〔코트를〕 바꾸다; ich von meiner ~ 나로서는; 〔비유〕 auf beiden ~n Wasser tragen 양쪽 모두와 우호 관계를 유지하다; die Ehre ist an meiner ~ 오히려 제가 영광스럽습니다. ⑦ 〔전치사와 함께〕 (**a**) 〔2 격을 지배하는 전치사 용법으로 사용될 때는 소문자로 씀〕 auf ∼n 〔(öst.) ~〕 des Feindes 적편에; von ∼n 〔(öst.) ~〕 der Industrie wurde dagegen Einspruch erhoben 산업계에서 이에 대해 이의를 제기했다; zu ∼n seines Vaters 그의 아버지 옆에서. (**b**) **an** ~ 나란히; ~ an ~ 나란히, 함께, 결탁하여; jn. jm. an die 〔zur〕 ~ stellen〔setzen〕 누구를 누구와 비교하다; das Leben an seiner ~ 그와 함께 하는 (결혼) 생활; dem ist nichts an die ~ zu stellen 그것에 필적할 만한 것은 아무것도 없다; **auf** beiden ~n 양편〔양쪽〕에서; auf der einen 〔ander(e)n〕 ~ 한쪽〔다른 쪽〕에서는; sich auf die andere〔faule〕 ~ legen 몸을 뒤척이다〔빈둥거리다〕; auf der ~ liegen a) 옆으로 누워 있다, b) (병으로) 드러누워 있다; auf js. ~ sein 〔stehen〕 누구의 편이다; auf js. ~ treten〔sich auf js. ~ stellen〔schlagen〕〕 누구 편을 들다, 누구 의견을 받아들이다; jn. auf seine ~ bringen〔ziehen〕 누구를 자기편으로

끌어들이다; et. auf der ~ haben 무엇을 (따로) 치워놓다; et. auf die ~ räumen 무엇을 옆으로 치워놓다; 〖경박〗 jn. auf die ~ schaffen 누구를 제거하다〔죽이다〕; 〖구어〗 et. auf die ~ schaffen 무엇을 부정한 방법으로 조달하다; jn. auf die ~ nehmen (밀담하기 위해) 누구를 옆으로 끌고 가다; et. auf die ~ legen 무엇을 따로 놓아〔모아〕 두다; (öst.) 〖구어〗 auf die große〔kleine〕 ~ müssen 대변〔소변〕을 보고 싶다; sich auf die ~ machen 몰래 도망치다; jn. **bei** seiner schwachen ~ nehmen 누구의 약점을 잡다; die Hände **in** die ~n gestemmt 두 손을 허리에 대고; **nach** allen ~n 사방팔방으로, 곳곳으로; jn. **über** die ~ schaffen〔bringen〕 누구를 처치하다, 죽이다; **von** der ~ 측면〔옆〕에서; 〖비유〗 jn. von der ~ ansehen 누구를 곁눈으로 보다, 불신하다, 얕잡아보다; jm. nicht von der ~ gehen〔weichen〕 누구 곁에서 떠나지 않다; **zur** ~ treten 비켜 서다; jm. zur ~ stehen a) 누구 곁에 서다, b) 〖비유〗 누구를 돕다; 〖비유〗 jm. zur ~ treten 누구를 돕다; zur ~ sprechen (배우가) 관객에게 말하다, 방백(傍白)하다; dies Surrogat steht dem echten Kaffee zur ~ 이 대용품은 진짜 커피 못지않다; sich jm. zur ~ stellen 누구를 비호하다. ⑧ 〖數〗 (3 각형의) 변; (방정식의) 항, 변; (입체의) 면.

Seiten≈abriß *m.* 측면도. **~abweichung** *f.* 〖軍〗 (탄환의) 좌우 편차. **~achse** *f.* 〖數〗 대각선. **~altar** *m.* (성당의) 보조 제단. **~angriff** *m.* 〖軍〗 측면 공격. **~anmerkung** *f.* 방주(傍註). **~ansicht** *f.* ① **(a)** 측면도; 프로필. **(b)** (건물의) 측면, 옆쪽. ② 〖컴〗 (페이지) 미리 보기. **~arm** *m.* 지류(支流). **~aus** *n.* 〖구기〗 사이드 아웃. **~ausgang** *m.* (건물의) 옆 출구. **~auslinie** *f.* 〖구기〗 사이드〔터치〕 라인. **~bahn** *f.* 〖철도〗 지선. **~bau** *m.* 〖복수: -ten〗 ↑ ~gebäude. **~bewegung** *f.* ① 측면 운동; 빗나가기, 벗어나기, 탈선. ② 〖음악〗 사진행(斜進行) (두 성부 중 한쪽만이 위 또는 아래로 나아가는 것). **~blick** *m.* ① 흘끗 봄, 곁눈(질): mit einem ~ 얼핏 보아. ② 추파: jm. einen koketten ~ zuwerfen 누구에게 추파를 던지다. **~brust·wehr** *f.* (성의) 측면 방호벽. **~deckung** *f.* 〖軍〗 측면 엄호. **~druck** *m.* 〖物〗 측압(側壓). **~eingang** *m.* (건물의) 측면 입구. **~erbe** *m.* 〖法〗 방계 상속인. **~fassade** *f.* 〖건축〗 측면. **~feuer** *n.* 〖軍〗 측면 사격. **~fläche** *f.* 측면; (보석의) 새긴 면. **~flosse** *f.* 〖空〗 수직 안정판. **~flügel** *m.* ① 〖건축〗 (건물의) 측랑(側廊). ② (보조 제단의) 측면. **~front** *f.* 〖건축〗 (건물의) 각면(刻面). **~gang** *m.* ① 옆길; 〖건축〗 한 쪽에만 방이 있는 복도; (열차의) 복도; 〖연극〗 무대 옆〔안쪽〕(배경을 밀어내거나 배우가 대기하는 곳). ② 〖승마〗 횡보, 사이드 스텝. **~-gasse** *f.* 골목(길). **~gebäude** *n.* 〖건축〗 부속 건물, 별관, 별채. **~geleise** *n.* 〖철도〗 측선, 대피선. **~gewehr** *n.* 〖軍〗 총검: das ~ aufpflanzen (총에) 착검하다. **~graben** *m.* 〖토목〗 (도로·철로 변의) 옆 도랑; 〖軍〗 측면 참호. **~halbierende*** *die* 〖기하〗 (3 각형의) 중선. **~hieb** *m.* 옆을 침; 〖軍〗 측면 공격; 〖비유〗 비꼼, 빈정댐. **~hobel** *m.* 홈파기 대패. **~höhe** *f.* 〖건축〗 문설주; 함선의 현측 높이. **~kanal** *m.* ① 〖水理〗 측설(側設) 운하; 〖動〗 측선 기관. ② ↑ ~graben. **~kraft** *f.* 〖空·건축〗 분력(分力); 〖철도〗 횡력. **~lähmung** *f.* 〖醫〗 반신 불수〔마비〕. **≈lang** 《Ⅰ》 *a.* 여러 페이지에 달하는. 《Ⅱ》 *adv.* 상세하게, 폭 넓게. **~lehne** *f.* 난간, 손잡이; (의자의) 팔걸이. **~leit·werk** *n.* ↑ ~ruder. **~licht** *n.* 옆에서 비치는 빛; 〖건축〗 측면 광선; 〖海〗 현등(舷燈); 〖空〗 날개등. **~linie** *f.* ① 〖철도〗 지선(支線). ② 방계(傍系). ③ 〖구기〗 사이드라인. ④ 〖動〗 (물고기의) 옆줄. **~loge** [..lo:ʒə] *f.* 〖연극〗 측면 관람석. **~marsch** *m.* 〖軍〗 횡대 행진. **~mauer** *f.* 측벽. **~pfad** *m.* 옆길, 샛길. **~pfosten** *m.* 옆기둥. **~platte** *f.* 측판(側板). **~portal** *n.* (건물의) 옆 문, 측면 출입구. **~rand** *m.* (서적의) 옆의 여백. **~riß** *m.* 측면도. **~ruder** *n.* 〖空〗 (수직) 방향타.

seitens [záɪtəns] *prp.*² …의 측에서.

Seiten≈schiff *n.* 〖건축〗 (교회의) 측랑(側廊); (좌석 사이의) 통로. **~schmerz** *m.* 〖醫〗 옆구리 통증. **~schneider** *m.* 사이드 커팅 플라이어(가위). **~schnitt** *m.* 〖醫〗 측부 절개. **~schritt** *m.* 옆걸음질. **~schwimmen** *n.* 〖수영〗 사이드 스트로크. **~sprung** *m.* 모로 뜀; 반회전, 선회; 〖비유〗 탈선, 바람(기): einen ~ machen 바람피우다, 외도하다. **≈-ständig** *a.* 〖植〗 (잎이나 꽃이) 측생(側生)인. **~stechen** *n.* 〖醫〗 (찌르는 듯한) 옆구리 통증. **~steuer** *n.* 〖空〗 ↑ ~ruder. **~stiche** *pl.* 〖醫〗 ↑ ~schmerz. **~stoß** *m.* 옆구리 찌르기. **~straße** *f.* 뒷〔옆〕골목. **~streifen** *m.* 〖도로〗 갓길. **~stück** *n.* ① 측면(의 일)부. ② 대응물, 짝; 보충물. **~tasche** *f.* 옆주머니. **~teil** *n.* 옆부분, 측면. **~tor** *n.* 옆문. **~trakt** *m.* (건물의) 측랑. **~trieb** *m.* 옆가지. **~tür** *f.* 옆문: 〖비유〗 sich³ eine ~ offen lassen 빠져나갈 구멍을 만들어 놓다. **~türe** *f.* ↑ ~tür. **~umbruch** *m.* 〖컴〗 페이지 구분. **≈verkehrt** *a.* 좌우가 뒤바뀐. **~verwandte*** *der/die* 〖法〗 방계 친족. **~verwandtschaft** *f.* 〖法〗 혈족〔친족〕 (관계). **~vorschau** *f.* 〖컴〗 ↑ ~ansicht ②. **~wagen** *m.* 사이드카. **~wahl** *f.* 〖스포츠〗 코트의 선택. **~wand** *f.* 측벽; 〖연극〗 측면 배경. **~-wechsel** *m.* 〖스포츠〗 코트 체인지. **~weg** *m.* 옆길, 샛길: 〖비유〗 ~e gehen (무엇을) 은밀하게 하다. **~wendung** *f.* (옆길로의) 회전, 방향 전환. **~werk** *n.* 측면 공사. **~wind** *m.* 옆바람. **~zahl** *f.* ① 페이지 수; 페이지의 번호: ein Manuskript mit ~en versehen 원고에 페이지 번호를 매기다. ② 〖數〗 변의 수. **~zimmer** *n.* 옆방; 건넌방.

seit·her [zaɪthé:r] *adv.* 그 이후; 지금까지.

seitherig *a.* ① 그 이후의. ② 〖방언〗 지금까지의, 종래의.

..seitig *pref.* 대명사·수사·명사·형용사에 붙어 "…측의, 면〔페이지〕의; 변이 …개 있는"의 뜻 (보기: regierungs~ 정부측의; acht~ 변이 8 개인, 8 페이지의).

seitlich¹ [záɪtlɪç] *a.* ① 옆의, 측면의: das Auto ist ~ beschädigt 이 자동차는 옆쪽이 파손되었다. ② 옆으로(의): die Arme ~ ausstrecken 팔을 옆으로 펼치다. ③ 옆에서, 옆으로부터.

seitlich² *prp.*² …의 옆〔곁〕에: ~ des Hauses 집 옆에.

Seitling [záɪtlɪŋ] *m.* -s, -e ①〖植〗 느타리버섯의 일종. ②〖수의〗 선회병(旋回病)에 걸린 양.

seitlings *adv.* 〖구식〗 옆으로, 옆에.

Seit·pferd *n.* 〖체조〗 안마(鞍馬).

..seits *suf.* 〖형용사·소유 대명사와 결합할 때에는 …erseits, 부사·지시 대명사와 결합할 때에는 …seits 로 씀〗 "…의 측〔쪽〕에서"의 뜻(보기: väterlicher~ 아버지쪽에서; dies~ 이쪽에서).

seitwärts [záɪtvɛrts] 《I》 *adv.* ① 옆으로. ② 옆에서: sich ~ von rechts nähern 오른쪽 측면에서 접근하다. ③ 옆에: das Schloß liegt ~ 성은 옆쪽에 있다. 《II》 *prp.*[2] …의 옆에: ~ der Straße 도로 옆에.

Sejm [zaɪm, se:m, sé:ɪm, sɛjm] 《poln.》 *m.* -s ①〖옛뜻〗 폴란드의 제국 의회. ② (현재의) 폴란드 의회.

Sek. =Sekunde 초.

Sekans [zé:kans] 《lat. secans》 *m.* -, ..kanten 〖기하〗 시컨트(기호: sec).

Sekante [zekántə] *f.* -n 〖기하〗 ① (원의) 분할선. ② ↑ Sekans.

Sekel [zé:kəl] 《hebr.》 *m.* -s, - ① 세겔(고대 헤브라이·바빌로니아의 금·은 중량 단위; 약 14-16 g). ② 세겔 금화〔은화〕.

sekieren [zɛkí:rən] *t.* (bayr., öst.) ↑ sekkieren.

sekkant [zɛkánt] 《it.》 *a.* (bayr., öst.) 귀찮은, 성가신; 치근거리는; 화나는, 지긋지긋한.

Sekkatur [zɛkatú:r] *f.* -en (bayr., öst.) 귀찮음, 성가심; 놀림, 우롱.

sekkieren [zɛkí:rən] *t.* 성가시게 굴다, 괴롭히다; 화나게 하다.

Sekond [zekɔ́nt] 《it.》 *f.* -en 〖펜싱〗 세컨드(제 2 자세).

Sekond·hieb *m.* ↑ Sekond.

Sekonde·leutnant [zekɔ̃́d:ə..] *m.* 〖軍〗 소위.

Sekond·lage [zekɔ́nt..] *f.* ↑ Sekond.

sekret [zekré:t] 《lat.》 *a.* ① 비밀의. ② 분비(分泌)된, 분리된.

Sekret[1] *n.* -s, -e ①〖醫〗 분비물. ② 옥새. ③〖방언〗 변소, 뒷간.

Sekret[2] *n.* -s, -e 〖구식〗 은밀한 소식, 비밀 편지.

Sekret[3] *f.* -en 〖가톨릭〗 (미사의) 묵념 축문.

Sekretar [zekretá:r] *m.* -s, -e ①〖고어〗 지배인; 부서장. ②〖드물게〗 ↑ Sekretär.

***Sekretär** [zekretɛ́:r] *m.* -s, -e ①〖옛뜻〗 (관청의 중급) 사무원, 서기. ② 비서: Privat∼ 개인 비서. ③ (독일 관청의) 사무관, 서기관. ④ (정당이나 조직의) 서기장: General∼ 사무총장; Partei∼ 당서기. ⑤ 책꽂이 겸용 책상. ⑥〖動〗 뱀잡이수리.

Sekretariat [zekretariá:t] *n.* -(e)s, -e ① 비서실, 비서관. ② (정당·조직의) 사무국, 서기국.

***Sekretärin** *f.* -nen ↑ Sekretär ② ③의 여성형.

Sekretarius *m.* -, ..rii 〖고어〗 ↑ Sekretär.

sekretieren[1] *t.* 〖生〗 분비하다.

sekretieren[2] *t.* 숨기다, 감추다, 비밀로 하다.

Sekretion [zekretsió:n] *f.* -en ①〖生〗 분비. ②〖지질〗 (금간 암석 벽면에서 중심부를 향해 결정이 성장하는) 분비.

sekretorisch *a.* 〖生〗 분비(성(性))의.

***Sekt** [zɛkt] 《lat. -rom.》 *m.* -(e)s, -e ① 젝트주(에스파냐 및 이탈리아에서 나온 건포도로 빚은 고급 포도주). ② 백포도주, (고급) 샴페인: 〖구어〗 ~ in Zivil 천연수.

Sekte [zɛ́ktə] 《<lat. secare》 *f.* -n 〖宗〗 종파; 파벌, 분파.

Sekten≈geschichte *f.* 종파의 역사. **~wesen** *n.* 종파주의; 〖총칭〗 종파적인 행위.

Sekt≈fabrikant *m.* 샴페인 제조(업)자. **~flasche** *f.* 샴페인 병. **~frühstück** *n.* 샴페인을 곁들인 아침 식사. **~glas** *n.* 샴페인잔.

Sektierer [zɛktí:rər] 《<Sekte》 *m.* -s, - ① 종파의 신도. ② 정치적인 이단자. ③ (구공산권에서) 극좌 분파주의자.

sektiererisch *a.* 종파의, 어떤 종파에 속하는; 파벌주의적인.

Sektiertum *n.* -s 종파; 파벌주의.

***Sektion** [zɛktsió:n] *f.* -en ①〖醫〗 (사체) 해부. ② 부문, 분과; 구역, 지역; 조(組), 분대, 반; 분회, 지부. ③〖工〗 (특히 배의) 조립식 부품. ④〖구동독〗 (대학의) 학과.

Sektions≈befund *m.* (사체) 해부 소견. **~bericht** *m.* 사체 부검 조서. **~chef** [..ʃɛf] *m.* ① 부서의 장. ② (öst.) (연방 정부 각부의) 국장. ③ (schweiz.) 지방 자치 단체에 속한 병무감독관〔책임자〕. **~saal** *m.* 해부실. **~weise** *a.* 부서별〔분과별〕로; 〖軍〗 분대별로.

Sekt≈kelch *m.* (다리 부분이 긴) 샴페인잔. **~kellerei** *f.* 샴페인 양조장. **~korken** *m.* 샴페인병의 코르크 마개. **~kübel** *m.* (얼음을 채워 넣는) 샴페인통. **~laune** *f.* 샴페인을 마시고 난 후의 얼큰한 기분.

***Sektor** [zɛ́ktɔr, ..to:r] 《lat.》 *m.* -s, -en [..tó:rən] ①〖기하〗 부채꼴. ②〖컴〗 섹터, 저장테 조각. ③ (전문) 분야, 영역. ④ (제 2 차 세계 대전 후 연합군이 분할 통치한 빈과 베를린의) 점령 지구.

Sektoren·grenze *f.* 점령 지구의 경계.

Sekt≈schale *f.* 샴페인 글라스. **~steuer** *f.* 샴페인 소비세.

Sekund [zekʊ́nt] *f.* (öst.) 〖음악〗 2 도 (음정).

Sekunda *f.* ..den ①〖구식〗 (김나지움의) 제 6-7 학년. ② (öst.) (김나지움의) 제 2 학년.

sekunda [zekʊ́nda] 《lat. secundus》 *a.* 〖商·구식〗 2 등품의: die Ware ist ~ 이 상품은 2 등품이다.

Sekund·akkord [zekʊ́nt..] *m.* 〖음악〗 2 도 화음, 3 화음(Sekundquartsextakkord 의 단축어).

Sekundaner *m.* -s, - (김나지움의) 제 6-7 학년 학생.

Sekundanerin *f.* -nen ↑ Sekundaner 의 여성형.

Sekundant [zekundánt] *m.* -en, -en ① (결투의) 입회인; 〖권투〗 세컨드. ②〖비유〗 원조자, 보호자.

***sekundär** [zekundɛ́:r] *a.* 〖교양〗 ① 2 차적인, 제 2 의, 간접적인: 〖사회〗 ~e Gruppe 2 차 집단; 〖化〗 ~e Verbindung 2 차 결합. ② 부차적인, 부수적인, 종속적인: ~es Problem 부수적인 문제.

Sekundar·arzt *m.* (öst.) (종합 병원의) 일반 의사.

Sekundär≈bahn *f.* 〖철도·구식〗 지선(支線). **~elektron** *n.* 〖핵물리〗 2 차 전자(電子).

~emission *f.* 〖핵물리〗 2 차 전자 방출. ~energie *f.* 2 차 에너지. ~infektion *f.* 〖醫〗 2 차 감염. ~literatur *f.* 참고 문헌. ~rohstoff *m.* 〖구동독〗 (재활용으로 얻은) 재생 원료〔소재〕.

Sekundar·schule *f.* ① (schweiz.) 초등 학교의 상급반. ② 중(등)학교.

Sekundär·statistik *f.* (직접 조사가 아니라 관청의 통계를 활용한) 2 차 통계. ~strahlung *f.* 〖物〗 2 차 복사. ~strom *m.* 〖전기〗 2 차 전류. ~wicklung *f.* 〖전기〗 2 차 코일.

Sekunda·wechsel *m.* 〖商〗 어음 등본.

Sekündchen [zekÝntçən] *n.* -s, - 〔구어·농담〕 ↑ Sekunde.

***Sekunde** [zekúndə] 《lat.》 *f.* -n ① (a) 초(시간의 단위; 기호: s. sec, sek; 약어: Sek.). (b) 〔구어〕 순간: (eine) ~ bitte! 잠시만 기다려 주세요! (c) 〖기하〗 초(1 도의 3600 분의 1; 기호: ″). ② 〖음악〗 2 도 (음정). ③ 〖펜싱〗 제 2 동작. ④ 〖印〗 (전지(全紙)의 두 장째〔3 페이지〕에 기록한) 접지 번호〔순서〕.

sekunden·lang *a.* 수초 동안(의), 순간적인. ~meter *n.* 초속. ~pendel *n.* 초진자(秒振子). ~schnelle* *die* 〔다음 용법으로〕 in ~ 순식간에, 눈 깜짝할 사이에. ~uhr *f.* 초시계. ~zeiger *m.* (시계의) 초침.

sekundieren [zekundí:rən] 《lat.》 *i.* (h.) ① 〔교양〕 돕다, 지원하다, 보좌하다: jm. bei der Arbeit ~ 누구의 일을 돕다. ② 〔교양〕 입회하다, 증인이 되다: jm. bei dem Duell ~ 누구의 결투에 입회하다. ③ 〖음악〗 반주하다: jm. auf der Flöte ~ 플루트로 누구의 반주를 하다. ④ 〖사냥〗 (사냥개가) 교묘하게 지원하다.

Sekündlein *n.* -s, - ↑ Sekündchen.

sekundlich [zekúntlıç] *a.* ↑ sekündlich.

sekündlich [..kÝnt..] *a.* 매초의, 1 초마다의.

Sekundogenitur 《lat.》 *f.* -en 차남 상속(↔ Primogenitur); 방계 통치 지역.

sekurieren 《< lat.》 *i.* (h.)/*t.* 안전하게 하다; 보증하다.

Sekurit [zekurí:t, ..rít] *n.* -s 안전 유리.

Sekurität [zekuritέ:t] *f.* -en 〔구식·교양〕 안전; 보증.

sel. = selig 고(故)…, 죽은, 작고한.

Sela [zé:la] 《hebr.》 *n.* -s, -s 〖聖〗 셀라(구약성서 시편에 나오는 의미 불명의 주악상의 지시어; 소절의 종지를 나타냄).

sela *int.* 〔구식〕 됐어, 끝.

Selachier [zeláxiər] 《gr.》 *m.* -s, - 〖動〗 판새류(板鰓類).

Seladon[1] 《frz.》 [zeladɔ̃:, zé:ladɔn] *m.* -s, -s 셀라돈, (감상적인) 상사병 환자(프랑스 작가 뒤르페(H. d'Urfe)의 소설 "L'Astrée"의 주인공 Céladon 에서).

Seladon[2] *n.* -s, -s (중국산(産)) 청자.

Seladonit *m.* -(e)s, -e 녹토(綠土).

Seladon·porzellan *n.* ↑ Seladon[2].

Selaginelle [zelaginέlə] 《gr. -it.》 *f.* -n 〖植〗 바위손(부처손과(科)).

Selam [zé:lam, zelá:m] 《ar., „Friede, Heil"》 *m.* -s, - ① 평안(이슬람 교도들의 인사말): ~ (aleikum [aláikum])! 그대들에게 축복이 있으라! ② 사랑의 천사(독일의 시인 F. G. Klopstock 의 작품에서); (터키의) 화사(花詞), 꽃말.

Selamlik [zé:lamlık] 《türk.》 *m.* -s, -s ① 이슬람 교도의 응접실. ② 〔옛뜻〕 터키의 왕족이 금요 예배에 나가는 일〔행렬〕.

***selb..** *pref.* ① 〔보통 전치사와 결합된 정관사와 함께〕 "똑같은…, 동일한…"의 뜻(보기: im ~en Haus 같은 집에; zur ~en Stunde 같은 시각에). ② 〔구어〕〔관사 없이〕 "똑같은…, 동일한…"의 뜻(보기: in ~er Nacht 같은 날 밤에).

selb·acht, ~achte [zέlp..] *adv.* 〔구식〕 (자신을 포함해) 8 명이서. ~ander [zεlp|ándər] *adv.* 〔구식〕 (자신을 포함해) 둘이서: 〔비유〕 sie geht ~ 그 여자는 임신 중이다. ~dritt [zεlpdrít] *adv.* 〔구식〕 (자신을 포함해) 셋이서: die heilige Anna ~ 성모 마리아 및 아기 예수와 함께 있는 성 안나.

Selbend [zέlbεnt] *n.* -(e)s, -e 〔방언〕 ① 가장자리 (장식). ② 〖지질〗 광맥과 다른 암석과의 접촉면.

selber [zέlbər] *prn.* 〔구어〕 자기 자신: ~ machen! 스스로 하라!; ich muß das ~ sehen 내가 직접 그것을 보아야겠다.

Selber·machen *n.* 〔구어〕 스스로 만듦, 자가 생산: ein Regal zum ~ 조립식 책장.

selb·fünft *adv.* 〔구식〕 (자신을 포함해) 다섯 명이서.

selbig [zέlbıç] *a.* 〔구식〕 같은, 동일한: zu ~er 〔zur ~en〕 Stunde 같은 시간에.

***selbst** [zεlpst] 〔지시 대명사; 어미 변화 없음; 관련 단어 뒤에 옴; 강세 있음〕 《I》 *prn.* 자기, 자신, 그 자체; 스스로: (a) ich ~ 나 자신; erkenne dich ~! 너 자신을 알라!; ich bin es ~ 그것은 바로 나 자신이다; bestimmen Sie ~ den Tag! 당신이 직접 날짜를 정해 주시오!; er ist nicht mehr er ~ 그는 더 이상 옛날의 그가 아니다; er ist alt genug, um ~ zu denken 그는 이제 자기 스스로 생각할 수 있는 나이가 되었다; er kam ~ 그가 직접 왔다; ich habe ihr ~ geschrieben a) 내가 직접 그녀에게 편지를 썼다, b) 나는 (다른 사람 아닌) 바로 그녀에게 편지를 썼다; das kann ich ~ tun 그것은 내 스스로 할 수 있다; er trägt ~ Schuld daran 그 자신이 그 일에 대한 책임을 지고 있다; das widerspricht sich ~ 그것은 자가당착이다; ein Widerspruch in sich ~ 자기 모순; 〔속담〕 ~ getan ist bald〔wohl〕getan 자기 자신이 하는 것이 빨리〔잘〕하는 일이다; ~ ist der Mann 남자란 자기 뜻대로 하는 법; Herr N.? — ~! N 씨이시지요? — 바로 저입니다!; er kannte sich vor Wut ~ nicht mehr 그는 화가 나서 어쩔 줄을 몰랐다; er war nicht mehr Herr seiner ~ 그는 이미 자제심을 잃었다; wie geht es dir? — danke, gut! und ~? 너 어떻게 지내니? — 덕분에 잘 지내! 그런데 너는?; 〔욕에 대한 응수로〕 du bist ein Dieb! — du bist ~ einer! 너는 도둑놈이야! — 네놈이야말로 도둑놈이다!; Schuft! — ~ Schuft! 악당 같으니라구! — 네놈이야말로 정말 악당이다!; sie ist die Güte ~ 그녀는 선 그 자체다; er ist die Großmut ~ 그는 실로 너그러운 사람이다; das Haus ~ ist ganz schön, aber die Lage ist ungünstig 집 자체는 정말 멋있지만 위치가 불리하다. (b) 〔전치사와 함께〕 die Sache **an** und für sich ~ 사물 그 자체; sich **auf** sich ~ stellen 독립하다; **aus** sich[3] ~ 자발적으로, 기꺼이; das spricht **für** sich ~ 그것은 자

명한 일이다; **mit** sich³ ~ reden 혼자 중얼거리다; er tat es **um** seiner ~ willen 그는 자기 자신을 위해 그것을 했다; **von** ~ 〔(드물게) sich ~〕 자연히, 저절로; von ~ geht die Sache nicht 저절로 되는 일은 없다; das versteht sich von ~ 그것은 자명한 일이다; ich komme vor Arbeit kaum noch zu mir ~ 일을 앞두면 나는 안절부절못한다. 《Ⅱ》 *adv.* …마저, …조차; 비록 …라고 해도: ~ das Einfachste wußte er nicht 그는 아주 단순한 것조차 몰랐다; ~ wenn er wollte, könnte er das nicht tun 그가 그것을 하려고 해도, 할 수가 없을걸.

Selbst *n.* - 자기, 자신; 자아: sein zweites ~ 그의 제 2 의 자아.

Sel̦bst≈abholer *m.* 구입 물품을 직접 가져가는 사람. **~achtung** *f.* 자존(심), 자긍심. **~amputation** *f.* 〖動〗 자절(自切), 자할(自割). **~analyse** *f.* 〖心〗 자기 분석.

***selbständig** [zɛ́lpʃtɛndɪç] *a.* ① 자립적인: ~es Denken und Handeln 독자적인 사고와 행동. ② 독립적인; 자영의: ein ~er Staat 〔Kaufmann〕 독립 국가〔자영 상인〕; sich ~ machen a) 자립하다, b) 통제를 벗어나다, c) 없어지다, 사라지다; 〖문법〗 ein ~er Satz (주어와 술어를 갖춘) 독립 문장.

Sel̦bständige* *der/die* 자립적인 사람; 자영업자.

Sel̦bständigkeit *f.* 자립, 독립: die ~ der Kinder fördern 아이들의 자립성을 키워 주다; die wirtschaftliche ~ 경제적 자립.

Selbst≈anfertigung [zɛ́lpst..] *f.* 자가 생산〔제작〕. **~anklage** *f.* 자책, 자기 비판: sich in ~n ergehen 자책하다. **~anlasser** *m.* (자동차의) 시동기, 자동 스타터. **~anschluß** *m.* 〖우편·구식〗 (전화의) 자동 접속, 자동 전화 교환 (장치). **~anschluß·betrieb** *m.* (전화의) 자동 접속 조작. **~ansteckung** *f.* 〖醫〗 자기 감염. **~anzeige** *f.* ① 〖法〗 (특히 세금과 관련한) 자진 신고. ② 저자가 직접 하는 책 광고. **≈auferlegt** *a.* 스스로 (짊어)진〔부과한〕. **~aufopferung** *f.* 자기 희생, 헌신(적 행위). **~auslöser** *m.* 〖사진〗 자동 셔터. **~bedienung** *f.* (식당에서의) 셀프서비스. **~bedienungs·laden** *m.* 셀프 서비스 상점. **~befleckung** *f.* 자위, 수음, 오나니. **~-befriedigung** *f.* ① 자기 만족. ② 자위, 수음. **~befruchtung** *f.* 〖植·動〗 자가 수정. **~behalt** *m.* 〖보험〗 ↑ ~beteiligung. **~behauptung** *f.* 자기 주장. **~beherrschung** *f.* 극기, 자제. **~bekenntnis** *n.* 자기 고백; 자백: ein ~ ablegen 고백하다. **~beköstigung** *f.* 자취. **~beobachtung** *f.* 〖心〗 자기 관찰, 내성(內省). **~bescheidung** *f.* 〖雅語〗 안분지족(按分知足). **~beschränkung** *f.* (자발적인) 근신, 자숙. **~beschuldigung** *f.* ↑ ~anklage. **~besinnung** *f.* 자성, 자각. **~bestätigung** *f.* 〖心〗 (성공 체험을 통한) 자아 확인. **~bestäubung** *f.* 〖植〗 자가 수분(受粉). **~bestimmung** *f.* 자결(권), 자치(권); 자율. **~bestimmungs·recht** *n.* (민족) 자결권. **~beteiligung** *f.* 〖보험〗 자기 참여(피보험자가 손해의 일부를 분담하는 것). **~betrachtung** *f.* 자기 성찰. **~betrug** *m.* 자기 기만. **≈bewegend** *a.* 자동의. **~-beweihräucherung** *f.* 〖구어·폄어〗 자화자찬, 자만. **~bewirtschaftung** *f.* 자작농. **≈bewußt** *a.* 자각한; 자부심이 있는. **~bewußtsein** *n.* ① 자각, 자의식. ② 자부심. **~bezeichnung** *f.* 자칭(이름). **~bezwingung** *f.* 〖雅語〗 (~überwindung) 자기 극복, 자제. **~bildnis** *n.* ↑ ~porträt. **~binder** *m.* ① ↑ Krawatte. ② 〖農〗 자동 수확기. **~biographie** *f.* 자서전. **~darstellung** *f.* ① 자기 묘사, 자기 표현; 자기 연출. ② ↑ ~porträt. **~disziplin** *f.* 자기 규율〔단련〕; 자제심. **≈eigen** *a.* 〔eigen 의 뜻을 강조한 말〕 자기 자신의: seine ~ Kinder 그의 친자식들. **~einkehr** *f.* 〖宗〗 내성(內省), 자성(自省). **~einschätzung** *f.* 자기 평가; (세액의) 자체 평가. **~eintritt** *m.* ① 〖經〗 위탁 경영인에 의한 사업의 인수. ② 〖法〗 (개입권에 따라) 상급 기관이 내리는 결정, 개입.

sel̦bsten *prn.* 〔구식〕 ↑ selbst.

Sel̦bst≈entfaltung *f.* 자아 개발. **~entfremdung** *f.* 〖哲〗 자기 소외. **~entleibung** *f.* 〖雅語〗 자살. **~entmannung** *f.* 자발적 거세. **~entsagung** *f.* 자제, 극기; 무사(無私). **≈-entzündlich** *a.* 자연 발화성의. **~entzündung** *f.* 자연 발화. **~erfahrung** *f.* 〖心〗 자아 체험. **~erhaltung** *f.* 자기 보존. **~-erhaltungs·trieb** *m.* 자기 보존 욕구. **~erkenntnis** *f.* 자기 인식, 자각. **≈-ernannt** *a.* 자칭의, 참칭하는. **~erniedrigung** *f.* 자기 비하. **~erzeuger** *m.* 자급자족하는 사람. **~erziehung** *f.* 독학. **~fahrer** *m.* ① (렌트카나 관용차를 직접 운전하는) 자가 운전자. ② (환자용) 자동 휠체어. ③ 자동 승강기. ④ (내륙 수운의) 동력 화물선. **~-finanzierung** *f.* 〖經〗 (자금의) 자체 조달. **~findung** *f.* 자아 발견. **~führung** *f.* (농기계 등의) 자동 조작 장치. **~füller** *m.* 자동 주입식 만년필. **≈gebacken** *a.* (요리를) 손수 만든, 집에서 만든. **≈gebraut** *a.* (술을) 직접 담은. **≈gedreht** *a.* (담배를) 직접〔손수〕 만. **≈gefällig** *a.* 뽐내는, 자아 도취적인. **~gefälligkeit** *f.* 자아 도취. **~gefühl** *n.* 〖雅語〗 자존심, 자부심. **≈gemacht** *a.* 스스로 만든; 수제의. **≈genügsam** *a.* 자족하는. **~genügsamkeit** *f.* 자족. **≈gerecht** *a.* 독선적인. **~gerechtigkeit** *f.* 독선, 독선적 행동. **≈geschneidert** *a.* (옷을) 스스로 재단한. **≈geschrieben** *a.* 자필의. **≈gesponnen** *a.* (옷을) 스스로 짠. **~gespräch** *n.* 독백, 혼자말: ~e führen 독백하다. **≈gestrickt** *a.* ① (옷을) 직접 짠. ② 〔비유·구어〕 스스로 발견한. **≈gezogen** *a.* ① 직접 기른〔가꾼〕. ② (양초 등을) 직접 만든. **≈haftend** *a.* ↑ ~klebend.

Selbstheit [zɛ́lpst|hait] *f.* -en ① 자기, 자신; 자아. ② (Selbstsucht) 이기심, 사욕.

Sel̦bst≈herr *m.* ↑ ~herrscher. **≈herrlich** *a.* 독재적인, 독단적인. **~herrlichkeit** *f.* 독재, 독단. **~herrschaft** *f.* ① 독재 (정치). ② 〔드물게〕 극기, 자제. **~herrscher** *m.* 독재자, 독재 군주. **~hilfe** *f.* ① 자조, 자립. ② 〖法〗 자력 구제, 자구 행위, 자위 수단. **~hilfe·gruppe** *f.* (같은 어려움을 지닌 사람들의) 자조 그룹〔집단〕. **~induktion** *f.* 〖전기〗 자기 유도. **~infektion** *f.* 〖醫〗 자가 감염. **~ironie** *f.* 자기 반어; 자조.

selbstisch [zɛ́lpstɪʃ] *a.* 〔구식〕 이기적인, 자

기 본위의.
Selbst=justiz *f.* (불법적인) 사적 제재〔응징〕. **~kenntnis** *f.* 자기 인식. **~klebend** *a.* 저절로 붙는. **~kontrolle** *f.* ① 자기 통제; 자제심, 극기. ②〖언론〗자율 규제. **~kosten** *pl.* 제조 비용. **~kosten·preis** *m.*〖商〗제조 원가. **~kritik** *f.* 자아 비판. **~kritisch** *a.* 자아 비판적인: ~ werden 자기 비판하다.
Selbstlade=gewehr *n.* ↑ ~waffe. **~pistole** *f.* 자동 권총.
Selbst·lader *m.*〖軍〗자동 권총.
Selbstlade=verrichtung *f.* 자동 장전 장치. **~waffe** *f.* 자동 화기.
Selbst=laut *m.*〖음성〗모음. **~lautend** *a.* 모음의. **~lauter** *m.* ↑ ~laut. **~lerner** *m.* 독학자. **~liebe** *f.* 자기애(愛).
Selbstling [zέlpstlɪŋ] *m.* -s, -e 이기주의자.
Selbst·lob *n.* 자찬, 자만.
selbstlos *a.* 몰아적인, 사심없는; 헌신적〔희생적〕인: sich für jn. ~ einsetzen 누구를 헌신적으로 변호〔지원〕하다.
Selbstlosigkeit *f.* 사심없음; 몰아; 헌신.
Selbst=medikation *f.*〖醫〗자가 진단 및 처방. **~mitleid** *n.*〔대개 폄어〕자기 연민. **~mord** *m.* 자살;〔비유〕자살 행위: ~ begehen〔verüben〕 자살하다. **~mörder** *m.* 자살자. **~mörderisch** *a.* 자살의.
selbstmord=gefährdet *a.* 자살할 위험이 있는. **~kommando** *n.* 자살 특공대. **~rate** *f.* 자살률(인구 10만 명 당 자살자의 수). **~versuch** *m.* 자살 기도.
Selbst=öler *m.* 자동 급유기. **~porträt** *n.* 자화상. **~prüfung** *f.* (특히 종교적인) 자성(自省), 내성(內省). **~quäler** *m.* 자학자(自虐者). **~quälerisch** *a.* 자학적인. **~rache** *f.* 자력에 의한 복수. **~redend** *adv.*〔구식〕자명하게, 물론. **~reflektant** *m.* 본인: nur ~en werden berücksichtigt 신청한 본인에 한함. **~regierung** *f.* 자치. **~regulierend** *a.* 자동 기록의;〖기계〗자동 조절의. **~reinigung** *f.* ① (조리 기구 등의) 자동 세척. ②〖생태학〗자정 (작용). **~retter** *m.*〖광산〗(질식 치료용) 압착 공기 휴대 장치. **~schalter** *m.* ① 극기심이 강한 사람. ②〖전기〗(과전류를 차단하는) 자동 스위치〔개폐기〕. **~schenker** *m.*〖토목〗(하수관의) 트랩, 방취 밸브. **~schmierer** *m.* ↑ ~öler. **~schöpferisch** *a.* 독창적인. **~schreiber** *m.* 자동 기록기. **~schrift** *f.* 자필 (원고). **~schuldner** *m.*〖法〗연대 보증인. **~schuß** *m.* 자동 발사 장치. **~schutz** *m.* 자기 방어, 자위;〖法〗정당 방위. **~sicher** *a.* 자신 있는. **~sicherheit** *f.* 자신 있는 태도: viel ~ besitzen 자신만만하다. **~spielend** *a.* 자동 연주의.
selbstständig 新정서 ⇦ selbständig.
Selbst=steller *m.*〖法〗자수자, 자진 출두자. **~steuer·gerät** *n.*〖空〗자동 조종 장치. **~steuerung** *f.*〖기계〗자동 조종〔제어〕(장치). **~studium** *n.* 독학. **~sucht** *f.* 이기심, 사욕(私慾). **~süchtig** *a.* 이기적인. **~tätig** *a.* ① 자동의. ② 자발적〔자주적〕인. **~tätigkeit** *f.* ① 자동 작용. ② 자발적 행위; 자발성, 자주성. **~täuschung** *f.* 자기 기만. **~tötung** *f.*〔격식〕자살. **~überhebung** *f.*〔雅語〕자만, 거만. **~überschätzung** *f.* 자신에 대한 과대 평가. **~überwindung** *f.* 극기. **~unterbrecher** *m.*〖전기〗자동 단속기(斷續器). **~unterricht** *m.* 독학. **~verachtung** *f.* 자기 멸시. **~verblendung** *f.* 자기 기만; 무아경. **~verbrauch** *m.* 자가 소비(재); 자기 소모. **~verbraucher** *m.* 자기 소모자. **~verbrennung** *f.* 분신 자살. **~verdammung** *f.* 자책. **~verdient** *a.* 스스로〔자력으로〕 벌어들인. **~vergessen** *a.* 몰아적인; 사욕 없는. **~vergessenheit** *f.* 몰아; 사심없음. **~vergötterung** *f.* 자기 찬미〔숭배〕. **~verlag** *m.* 자비 출판. **~verleugnung** *f.* 자기 부정; 자기 희생. **~verpflegung** *f.* 자취. **~verschluß** *m.* 자동 로크. **~verschulden** *n.* 자기 책임. **~versicherung** *f.* (보험에 들지 않고 금액을 적립하여 사고에 대비하는) 자가 보험. **~versorger** *m.* ① 자급 자족자. ②〔구어·농담〕여행 중 식사를 스스로 해결하는 사람. **~verständlich** 《I》*a.* ① 자명한, 당연한, 뻔한: ~e Tatsachen 자명한 사실들; er nahm ihre Hilfe als ganz ~ an 그는 그녀의 도움을 매우 당연한 것으로 받아들였다. ② 거리낌없는, 주저 없는, 자연스러운. 《II》*adv.* 당연히, 물론: kommst du mit? — ~! 함께 갈래? — 물론이지! **~verständlichkeit** *f.* 자명, 당연. **~verstümmelung** *f.* ① 자해. ②〖生〗자절(自切). **~versuch** *m.* (자신의 몸을 실험 대상으로 삼는) 자기 실험. **~verteidigung** *f.* 자기 방어, 자위(自衛). **~vertrauen** *n.* 자신감: an ~ verlieren 자신감을 잃다. **~verwaltung** *f.* 자치. **~verwirklichung** *f.* 자기 실현. **~vorwurf** *m.* 자책.
Selbst·wähl·fern·dienst *m.*〖통신〗직통 장거리 통화.
Selbst=wert·gefühl *n.* 자존심; 자중자애. **~wille** *m.* ① 자기 의지. ② 고집, 완고. **~willig** *a.* 고집 센, 완강한. **~zerfleischung** *f.* 자기 학대, 자학. **~zerstörerisch** *a.* 자기 파괴적인. **~zerstörung** *f.* 자기 파괴. **~zucht** *f.*〔雅語〕(~disziplin) 극기(克己). **~zufrieden** *a.*〔대개 폄어〕자기 만족에 빠진. **~zufriedenheit** *f.* 자기 만족. **~zündend** *a.* 자연 발화의, 자동 점화의. **~zünder** *m.* 자동 점화기;〖化〗자연 연소물. **~zweck** *m.* 자기 목적, 목적 자체. **~zweifel** *m.* 자신에 대한 회의〔의심〕.
selb·viert *adv.*〔구식〕(자기까지) 넷이서.
Selch [zɛlç] *f.* -en (obd.) 훈제실.
selchen [zέlçən] 《I》*t.* (bayr., öst.) ① (육류를) 훈제하다. ② 말리다, 그을리다. 《II》*i.* 마르다. 《III》**geselcht** *p.a.* ↑ geselcht.
Selcher [zέlçər] *m.* -s, - (bayr., öst.) 훈제품 제조 판매인; (obd.) 돼지 잡는 사람.
Selcherei *f.* -en (bayr., öst.) 훈제품을 제조 판매하는 정육점.
Selch=fleisch *n.* (bayr., öst.) 훈제한 고기. **~kammer** *f.* 훈제실. **~karree** *n.* (öst.) 훈제 갈비. **~ware** *f.* 훈제(품).
Seldschuke [zɛldʒʊ́kə] *m.* -n, -n 셀주크 사람(터키의 한 종족).
Selekta [zelέkta] 《lat.》*f.* ..ten〔고 어〕(중학·고교의) 우수반, 영재반.
Selektaner *m.* -s, -〔고어〕우수반〔영재반〕 학생.
Selektanerin *f.* -nen〔고어〕↑ Selektaner

의 여성형.
selektieren 《I》 *t.* 〖교양〗 선출〔선발〕하다, 선택하다: die guten Schüler ~ 우수 학생을 선발하다. 《II》 *i.* (h.) (나치스의 은어) 가스실로 보낼 사람을 선별하다.
Selektion [zelɛktsió:n] *f.* -en ①〖교양〗 선발, 선택. ②〖生〗 도태. ③〖나치스은어〗 가스실로 보낼 사람의 선별. ④〖통신〗 (원하는 주파수만의) 선택.
selektionieren *t.* ↑ selektieren.
Selektions≈lehre, ~theorie *f.* 〖生〗 (다윈의) 자연 도태설.
selektiv [zelɛktí:f] 《lat.》 *a.* ①〖교양〗 선택적인. ②〖통신〗 (수신기가) 선택도〔분리도〕가 높은. ③〖物〗 ~e Absorption 선택 흡수.
Selektivität [..vitɛ́:t] *f.* ①〖전문어〗 선택. ②〖통신〗 선택〔분리〕 감도.
Selen [zelé:n] *n.* -s 〖化〗 셀렌(비금속 원소; 기호: Se).
Selenat [zelená:t] *n.* -(e)s, -e 〖化〗 셀렌산염.
Selene [zelé:nə] 《gr., „Mond"》 *f.* ①〖그리스신화〗 셀레네(달의 여신). ②속손톱.
selenig *a.* 아(亞)셀렌의, 셀렌을 함유한.
Selenit[1] [zelení:t] *m.* -en, -en 〖그리스신화〗 달나라 사람.
Selenit[2] 《gr. -lat.》 *m.* -s, -e 〖광물〗 투명〔수분 함유〕 석고, 셀레나이트.
Selenit[3] *n.* -s, -e 〖化〗 아(亞)셀렌산염.
selenitisch *a.* 셀레나이트의.
Selenit·mörtel *m.* 투명 석고 모르타르.
Selen·kupfer *n.* 〖광산〗 셀렌 동광(銅鑛).
Selenographie 《gr.》 *f.* -n 월면학(月面學).
Selenologie *f.* 월면 형태학〔지형학〕.
selenologisch *a.* 월면 형태학의〔에 관한〕.
Selen≈säure [zelé:n..] *f.* 〖化〗 셀렌산. **~zelle** *f.* 〖物〗 셀렌광(光) 전지.
Seleukide [zelɔʏkí:də] *m.* -n, -n (고대 시리아의) 셀레우코스 왕조의 사람.
Seleuzide [zelɔʏtsí:də] *m.* -n, -n ↑ Seleukide.
self.. 《engl.》 *pref.* "selbst"의 뜻.
Self≈aktor [zɛlf|áktɔr, zɛlf|ɛ́ktər] 《engl.》 *m.* 〖섬유〗 -s, -s 자동 방적기. **~government** [zɛ́lfgʌvərnmənt, ..gʌ́vərn..] *n.* -s, -s 《engl.》 ①〖政〗 자치. ② (유엔 헌장에 명시된) 국가의 주권. **~mademan** [zɛ́lfme:tmɛn, ..mɛɪd..] 《engl.》 *m.* -s, ..men [..mən] 자수 성가한 사람.
***selig** [zé:lɪç] *a.* ①축복받은, 복된; 천국으로 간, 영생을 얻은: 〖聖〗 Geben ist ~er denn Nehmen 주는 것이 받는 것보다 복이 있나니 (사도 행전 20:35); ~ werden 천국으로 가다, 구원 받다; Gott hab' ihn ~! 신의 축복이 그에게 내리기를!; die ∼en 천국에 간 사람들; Aufenthalt der ∼en 천국; ~ entschlafen 〔ein ~es Ende nehmen〕 평온한 죽음을 맞다; bis an mein ~es Ende 내가 죽을 때까지. ② 죽은, 작고한, 고(故)…(약어: sel.): der〔die〕 ∼e 고인; meine ~e Mutter 돌아가신 내 어머니; Herr N. ~en Andenkens 고 N 씨; Schmidt sel. Witwe 슈미트씨의 미망인; die Postkutsche ~en Andenkens (지금은 사용되지 않는) 추억의 역마차. ③기쁨에 가득 찬, 환희에 넘친: das Kind war ~ über das Geschenk 그 아이는 선물을 받고 매우 기뻐했다; 〖구어〗 das macht ihn ~ 그는 그것으로 황홀해져 있다; die ~e Braut 몹시 기뻐하는 신부; werde doch ~ mit deinem Geld! (난 내버려두고) 네 마음대로 해! ④〖宗〗 복자위(福者位)에 올려진. ⑤〖구어〗 술취한, 거나한.
..selig *suf.* ① "…(의 기쁨)으로 가득 찬"의 뜻 (보기: gott~ 신앙심이 깊은; vertrauens~ 지나치게 남을 잘 믿는). ② "… 상태의, …성질을 지닌"의 뜻(보기: arm~ 가난한; feind~ 적의가 있는).
Selige* *der/die* ①〖기독교〗 고인(故人). ②〖가톨릭〗 복자(福者). ③작고한 남편〔아내〕.
Selig·gesprochene* *der/die* 〖宗〗 복자위(福者位)에 올려진 사람.
***Seligkeit** [zé:lɪçkaɪt] *f.* -en ① 지복(至福); 대환희, 축복: 〖聖〗 die acht ~en〔Seligpreisungen〕 8가지 행복(그리스도의 산상 수훈 중에서); 〖宗〗 ewige ~ 영생의 행복, 명복: die ewige ~ erlangen〔gewinnen〕 천국에 들어가다, 구원받다, 극락 왕생하다; 〖은어〗 jn. in die ewige ~ befördern 누구를 죽이다; sich um die ewige ~ bringen 구원받지 못하다, 지옥으로 떨어지다. ②〖비유〗 (더없는) 행복, 기쁨: 〖구어〗 in ~ schwimmen 몹시 행복해하다.
selig≈machend *a.* 축복을 주는; 구원하는, 천국으로 이끄는. **∼macher** *m.* - 구세주. **∼machung** *f.* ①구제, 구세. ② ↑ Seligsprechung. **~|preisen*** *t.* ①〖雅語·구식〗 행복하다고 여기다〔인정하다〕; 행복을 찬양하다: er konnte sich ~, sie als seine Frau zu haben 그는 그 여자를 아내로 맞아 스스로를 행복하다고 여길 수 있었다. ②〖가톨릭〗 복자(福者)로 찬양〔선언〕하다. **∼preisung** *f.* -en ① ↑ seligpreisen 의 명사형. ②〖聖〗 (산상 수훈 중의) 8복(福). **~|sprechen*** *t.* 복자위(福者位)에 올리다. **∼sprechung** *f.* 〖가톨릭〗 (교황이 죽은 자를 복자(福者) 명부에 넣는) 시복식(諡福式). **∼zu·sprechende*** *der/die* 복자위(福者位)에 올려져야 할 사람.
Sell *m.* (ndd.) (수련을 끝낸) 도제.
Selle *f.* -n (westd.) 대들보, 지주; 토대; 하인방.
Sellerie [zɛ́ləri] 《frz.》 *m.* -s, -(s) 〔*f.* -n [..rí:ən]〕 〖植〗 셀러리(미나릿과).
Sellerie·salat *m.* 〖요리〗 셀러리 샐러드.
***selten** [zɛ́ltən] 《I》 *a.* (↔häufig) 드문, 흔하지 않은; 진기한, 보기 힘든; 대단한, 터무니없는; 뛰어난, 비범한: ein ~es Buch 희귀서; das ist ein (ganz) ~er Fall, das ist (ganz) ~ der Fall 그것은 (참) 드문 일이다; das ist nichts ∼es 그것은 흔히 있는 일이다; Sie machen sich sehr ~ 좀처럼 뵐 수가 없군요; Sie sind eine ~e Erscheinung hier 꽤 오랜만에 오셨군요; 〖비유·구어〗 ein ~er Vogel 기인; 〖구어·반어〗 ~ so gelacht! (그것은) 전혀 우습지 않아!; sie ist von ~er Schönheit 그녀는 뛰어난 미모를 가지고 있다. 《II》 *adv.* ①드물게, 좀처럼 …않다: nicht ~ 때로는, 가끔; sehr ~ 아주 드물게; das findet man ~ 그것은 흔히 있는 일〔것〕은 아니다; ich gehe so ~ wie möglich hin 나는 될 수 있으면 (그곳에) 가지 않을 생각이다; er ist so gut, wie man es ~ findet 그 사람만큼 좋은 사람은 좀처럼 볼 수 없다. ②〖형용사·부사를 강조하여〗 특히: dieser Schmetterling ist ein ~ schönes Exemplar 이 나비 표본이 특히 예

쁘다.

Selten·erd·metall [zɛ́ltən|..] *n.* 〖化〗 희토류 원소.

Seltenheit *f.* -en ① 드묾, 흔하지 않음, 희귀, 진기(珍奇). ② 드문 일, 진기한 것.

Seltenheits·wert *m.* 희소 가치.

Selters [zɛ́ltərs] *n.* - (천연) 젤터수(水), 젤터 탄산수(Niederselters 산(産)의 광천수).

Selters·wasser *n.* 〖복수: ..wässer〗 ① (상표명으로) 젤터수(水). ② 〖구어〗 광천수, 미네랄 워터.

seltsam [zɛ́ltza:m] 《<selten》 *a.* ① 독특한, 특이한, 기이한, 진기한: er ist im Alter ~ geworden 그는 나이가 들자 기인으로 변했다. ② (alem.) (**a**) ↑ selten 《I》. (**b**) 까다로운.

seltsamer·weise *adv.* 특이[이상]하게도.

Seltsamkeit *f.* -en ① 특이한 상태, 기묘. ② 드문 일[사건·현상].

seltsamlich *a.* 〖드물게〗 ↑ seltsam.

Sem [zɛm] *m.* 〖聖〗 셈(Noah 의 아들로 셈족의 시조).

Semantik [zemántık] 《gr.》 *f.* ① 〖언어학〗 의미론. ② 〖드물게〗 (단어·글의) 의미.

semantisch *a.* 〖언어학〗 의미(론)의, 의미(론)에 관한.

Semaphor [zemafó:r] 《gr.》 *n.*/(öst.) *m.* -s, -e 수기 신호; 까치발 신호(기).

semaphorisch *a.* 수기[까치발] 신호의.

Semasiologie [zemaziologí:] *f.* 〖언어학〗 의미론.

semasiologisch *a.* 의미론의[에 관한].

Semde [zɛ́mdə] *f.* -n (obd.) 레이스, (군모·바지의) 장식 선.

Semeiographie [zemaıografí:] *f.* 기호(학); 〖음악〗 기보법(記譜法).

Semeiotik *f.* 기호학(Semiotik).

Semen [zé:mən] 《lat.》 *n.* -s, ..mina 〖植〗 종자, 씨앗.

***Semester** [zemɛ́stər] 《lat. semestris》 *n.* -s, - ① 6 개월, 반년. ② (대학의) 학기. ③ 〖구어〗 …학기생: welches ~ ist er denn? 그는 도대체 몇 학기생이냐?; 〖비유·구어·농담〗 die älteren ~ 고참 학생(들).

Semester=abschluß *m.* 학기 종료. **~anfang** *m.* 학기초, 학기 시작. **~beginn** *m.* ↑ ~anfang. **~ende** *n.* 학기말. **~ferien** *pl.* 방학. **~zeugnis** *n.* 학기말 성적 증명서.

semestral [zemɛstrá:l] 《<Semester》 *a.* 〖구식〗 6 개월의, 반 년의; (한) 학기의; 반년마다의.

Semestral=prüfung *f.* 〖구식〗 학기말 시험. **~zeugnis** *n.* ↑ Semesterzeugnis.

..semestrig *suf.* 수사와 함께 "…학기(간)의" 의 뜻(보기: acht~ 8 학기의).

semi.. *pref.* "반…"의 뜻(보기: ~vokal 반모음).

Semifinale [zemifiná:lə] *n.* -s, -(s) 〖스포츠〗 준결승.

Semikolon [zemikó:lɔn] 《lat.》 *n.* -s, -s/..la 〖문법〗 세미콜론(;).

semilunar [zemiluná:r] *a.* 반달형의.

Semilunar·klappe *f.* 〖해부〗 (심장의) 반월판.

***Seminar** [zeminá:r] 《lat. seminarium》 *n.* -s, -e ① 〖옛뜻〗 (독일 여러 주의) 초등 학교 교원 양성소, 교육 대학; 〖가톨릭〗 신학교. ② (대학의) 연구소, 학과: das germanistische ~ 독어 독문학 연구소, 독어 독문학과. ③ (대학의 수업 형태로서의) 세미나, 연습: Pro~ 초급 세미나; Mittel~ 중급 세미나; Haupt~ 고급 세미나. ④ (심화 교육을 위한) 연수 과정.

Seminar·arbeit *f.* (대학의) 세미나 리포트 [논문].

seminarisch *a.* 세미나[교육 대학·신학교]의; 세미나 형식의; 교원 양성 교육을 받은: eine ~e Bildung haben [~ gebildet sein] 교육 대학 출신이다.

Seminarist *m.* -en, -en ① 신학교 학생. ② 교육 대학생.

seminaristisch *a.* ↑ seminarisch.

Seminar·übung *f.* 세미나, 연습.

Semiologie [zemiologí:] *f.* ① 〖언어〗 기호론. ② 〖醫〗 증상학(症狀學).

semiologisch *a.* 기호론의; 증상학의.

Semiotik [zemió:tık] 《gr. semeîon》 *f.* 〖전문어〗 기호학.

semiotisch *a.* 기호학의.

semipermeabel [zemipɛrmeá:bəl] 《lat.》 *a.* 반투과성의.

Semiramis [zemí:ramıs] *f.* 세미라미스(전설상의 앗시리아 여왕).

Semit(e) [zemí:t(ə)] 《<Sem》 *m.* ..ten, ..ten 셈족(의 사람).

Semitin *f.* -nen ↑ Semit(e) 의 여성형.

semitisch [..tıʃ] *a.* 셈족의; 셈어의.

Semitismus *m.* -, ..men 셈족[셈어]풍, 셈(족) 기질; 유대풍, 유대교; 친유대인 기질.

Semitist *m.* -en, -en 셈어학자.

Semitistik *f.* 셈어학.

semitistisch *a.* 셈어문학의.

Semivokal [zemivoká:l] 《lat.》 *m.* -s, -e 〖음운〗 반모음.

***Semmel** [zɛ́məl] 《<lat. simila》 *f.* -n (bayr., öst.) 제멜(Brötchen 같이 작고 껍질이 단단한 빵): 〖비유·구어〗 eine Ware geht weg wie warme ~n 물건이 갓 구운 빵처럼[날개 돋힌 듯이] 잘 팔린다.

semmel·blond *a.* ① 연한[밝은] 블론드색의. ② 연한[밝은] 금발의.

Semmel=brösel *m.*/(öst.) *n.* (südd., öst.) 빵가루. **~kloß** *m.* ↑ ~knödel. **~knödel** *m.* (bayr., öst.) (우유·달걀·양념을 넣은) 밀가루 경단. **~mehl** *n.* 빵가루. **~pilz** *m.* 〖植〗 식용 다공(多孔) 버섯의 일종. **~voß** *m.* (ndd.) 밤색 말; 연한 블론드 머리의 사람.

Semmering [zɛ́mərıŋ] *m.* -(s) 제메링(알프스에 있는 오스트리아의 고개).

semper aliquid haeret [zɛ́mpər á:likvıt hé:rɛt] 《lat., „immer bleibt etwas hängen"》 〖교양〗 (비방·중상으로) 한 번 붙은 오점은 완전히 없어지지 않는다.

semper·frei *a.* ① 〖宗〗 종교 회의에 참가할 권리가[자격이] 있는. ② 〖史〗 제국 직속의.

semper idem [zɛ́mpər í:dɛm] 《lat., „immer derselbe"》 〖교양〗 항상 변함 없는 사람.

sempern [zɛ́mpərn] *i.* (h.) 〖구어〗 (öst.) (끊임없이) 불평을 늘어놓다; (계속해서) 무엇을 갖고 싶어하다.

sempre [sɛ́mpre] 《lat. -it.》 *adv.* 〖음악〗 셈프레, 항상, 늘.

Semstwo [zɛ́mstvo] 《russ.》 *n.* -s, -s 셈스트보(제정 러시아 시대의 지방 자치 단체).

Sen [zɛn] *m.* -(s), -(s) 젠(錢)(일본의 소액 화폐 (단위): 1 Yen=100 Sen).
sen =senior 손위의, 노(老)…, 대(大)….
..sen 《원뜻 „..sohn"》 *suf.* 본래는 "…의 아들"의 뜻; 지금은 이름과 결합하여 또 다른 이름을 만듦(보기: Peter~, Paul~).
Senar [zenáːr] 《lat. senarius》 *m.* -s, -e 〖문학〗 6 각의 약강격 시구(라틴계의 운율).
***Senat** [zenáːt] 《lat.》 *m.* -(e)s, -e ① (고대 로마의) 원로원. ② (중세의) 시 참사회. ③ (미국의) 상원. ④ (대학의) 평의회. ⑤ (법원의) 부. ⑥ (함부르크·브레멘·베를린의) 시 정부.
Senator [zenáːtɔr, ..toːr] *m.* -s, -en [..tóːrən] ① (고대 로마의) 원로원 의원. ② (중세의) 시 참사회 의원. ③ (미국의) 상원 의원. ④ (대학의) 평의원. ⑤ (시〔주〕정부의) 장관.
Senatorin *f.* -nen ↑ Senator 의 여성형.
senatorisch *a.* Senat 의.
Senats⸗beschluß *m.* Senat 의 결의. **~präsident** *m.* Senat 의 의장. **~sitzung** *f.* Senat 의 회의.
Senatus Populusque Romanus [zenáːtus populúskvə romáːnus] 로마 원로원과 로마 인민 (Senat und Volk von Rom)(고대 로마의 공칭; 약어: SPQR).
Send [zɛnt] 《lat. synodus; ↑ Synode》 *m.* -(e)s, -e ①〔고어〕(중세 기독교 교구의) 종교 재판;〔구어〕종교 회의. ② (ndd.) 연말 대목장, (특히 베스트팔렌의) 자선시(慈善市). ③ (알프스 고원의) 목축업자, 낙농가.
Send⸗bote [zɛ́nt..] 《<senden》 *m.* 〔구식·雅語〕 사자(使者), 사절; 사도. **~brief** *m.*〔구식〕(여러 명에게 보내는) 공한, 회장(回章).
Sende⸗amt [zɛ́ndə..] *n.* 발송〔발신〕국. **~anlage** *f.* 〖전기〗 송신 설비, 방송 시설. **~anstalt** *f.* 방송 시설. **~beginn** *m.* (일과) 방송 시작. **~bereich** *m.* 방송권, 송신 범위. **~bühne** *f.* (라디오) 방송 스튜디오. **~einrichtung** *f.* ↑ ~anlage. **~folge** *f.* ① 방송 순서. ②〔드물게〕연속 방송물. **~gebiet** *n.* ↑ ~bereich. **~haus** *n.* 방송국 (건물). **~leiter** *m.* 방송 프로듀서.
***senden**(*) [zɛ́ndən] (sandte [zántə], gesandt; sendete, gesendet) *t.* ①〔雅語〕(사람을) 보내다, 파견하다; (물건·상품을) 부치다, 발송하다: nach jm. ~ 누구를 부르러 보내다; et. mit der Post ~ 무엇을 우송하다. ②〔약변화〕 방송하다; 발신〔송신〕하다: et. in Farbe ~ 무엇을 컬러로 방송하다.
Sende⸗pause [zɛ́ndə..] *f.* ① 방송 휴지(休止) 시간. ②〔구어〕 침묵: ~ machen 침묵하다. **~plan** *m.* 방송 계획. **~raum** *m.* 방송실.
Sender [zɛ́ndər] *m.* -s, - ① (**a**) 송신소; 방송국: Fernseh∼ 텔레비전 방송국; auf einen anderen ~ umschalten 다른 채널로 돌리다;〔경박〕auf dem ~ sein 방송되다. (**b**) 발신기, 송신기. ② 발송자; 발신인.
Sender⸗anlage *f.* ↑ Sendeanlage. **~empfänger** *m.* 송수신기, 트랜스리시버(무선 전화기).
Sende⸗reihe [zɛ́ndə..] *f.* 연속 방송물, 시리즈물. **~röhre** *f.* (라디오의) 송신용 진공관, 진공관 발진기. **~schluß** *m.* (일과) 방송 종료. **~spiel** *n.* 방송극, 라디오 드라마. **~station** *f.* 방송국, 송신소. **~stelle** *f.* ↑ ~station. **~vorrichtung** *f.* 송신 장치. **~zeichen** *n.* (방송 시작·프로그램 전환을 알리는) 방송 시그널. **~zeit** *f.* ① (무선 전신의) 송출 시간. ② (프로그램의) 방송 시간.
Send·gericht [zɛ́nt..] *n.* 〖가톨릭〗 종교 재판.
Sendling [zɛ́ntlɪŋ] *m.* -s, -e〔구식〕↑ Sendbote.
Send·schreiben *n.* ↑ ~brief.
***Sendung** [zɛ́ndʊŋ] *f.* -en ① 발송; 파견. ② 〖전기〗 송신; (라디오의) 방송, 프로그램; (화물의) 탁송. ③ 발송물; 소포; 〖商〗 발송〔선적〕된 상품. ④〔雅語〕 사명, 임무; 천직.
Sendungs·bewußtsein *n.* 사명감.
Seneca [zéːneka, zén..] *m.* 세네카(로마의 철학자·시인, 4? B.C.-65 A.D.).
Senegal [zéːnegal] *m.* -(s) 세네갈(아프리카 서부에 위치한 공화국 또는 강).
Senegalese *m.* -n, -n 세네갈 사람.
senegalesisch *a.* 세네갈(사람)의.
senegalisch *a.* 세네갈(인)의.
Senega·wurzel [zéːnega..] 《indian.》 *f.* 세네가(북아메리카산(産) 이기풀과(科)의 식물); 세네가 뿌리(약용).
Seneka *m.* ↑ Seneca.
Seneschall [zéːneʃal] *m.* -s, -e ① (프랑크 왕국 초기의) 궁내부 장관. ② (신성 로마 제국의) 궁내부 장관. ③ (중세 귀족의) 집사, 가신. ④ (재판 관할 구역의) 수석 재판관.
Seneszenz [zenɛstsɛ́nts] *f.* 〖醫〗 노화.
***Senf** [zɛnf] 《gr. -lat.》 *m.* -(e)s, -e ①〖植〗 겨자. ② 양념용 겨자. ③ 겨자씨. ④〔구어〕허튼 소리, 장광설: mach keinen langen ~! 장황한 이야기 좀 그만둬!; seinen ~ dazugeben (묻지도 않았는데) 자기 생각을 말하다.
Senf⸗brühe *f.* 겨자 수프. **~büchse** *f.* 겨자 (담는) 통. **∼farben** *a.* 겨자색의, 황갈색의. **∼farbig** *a.* ↑ ∼farben. **~gas** *n.* ① 황십자 (독가스의 표시). ② 머스터드 가스, 이페리트 (독가스의 일종). **~gurke** *f.* 겨자에 절인 오이. **~korn** *n.* 겨자씨. **~mehl** *n.* 겨자 가루. **~öl** *n.* 겨자 기름. **~papier** *n.* 겨자를 이겨서 바른 종이(붙이는 약으로 씀). **~pflaster** *n.* 〖醫〗 겨자 연고. **~spiritus** *m.* 겨자 용액. **~soße** *f.* 겨자 소스. **~teig** *m.* 〖醫〗 겨자 경고(硬膏). **~tunke** *f.* 겨자 소스. **~umschlag** *m.* 〖醫〗 겨자 찜질.
Senge [zɛ́ŋə] *pl.* (md., nordd.) 몽둥이, 채찍; 구타: ~ beziehen〔kriegen〕 두들겨 맞다, 구타당하다.
sengeln *t./i.* (h.) ↑ sengen.
sengen [zɛ́ŋən] 《I》 *t.* ① (**a**) (무엇의) 표면을 태우다. (**b**) (털을) 슬쩍 그슬리다: ein gerupftes Huhn ~ 털뽑은 닭을 그슬리다. ② 〖섬유〗 가스 불로 보푸라기를 태우다. 《II》 *i.* (h.) ① 눋다: das Bügelbrett fing an zu ~ 다리미판이 눋기 시작했다. ② 작열하다, 쨍쨍 내리쬐이다. ③〔옛뜻〕 ~ und brennen 방화·약탈하다.
sengerig [zɛ́ŋərɪç] *a.* ↑ sengrig.
sengrig [zɛ́ŋrɪç] *a.* ① 탄〔눋은〕 냄새가 나는. ②〔비유〕 수상한, 의심이 가는: die Sache kommt mir ~ vor 내가 보기엔 이 사건은 수상하다.
Senhor [zɛnjóːr, sɛn.., sɪn..] 《port.》 *m.* -s, -es (남자에 대한 포르투갈어 호칭 및 존칭) …씨, 세뇨르; 선생님, 나리.
Senhora [zɛnjóːra, sɛn.., sɪn..] *f.* -s (기혼 여

자에 대한 포르투갈어 호칭 및 존칭) …부인, 세뇨라, 사모님.

Senhorita [zɛnjorí:ta, sɛn.., sɪn..] *f.* -s (미혼 여성에 대한 포르투갈어 호칭 및 존칭) …양, 세뇨리타; 아가씨.

senil [zení:l] 《lat. senex》 *a.* ①〖醫〗 연로한, 늙은, 노쇠한: ~e Demenz 노인성 치매. ②〔대개 폄어·교양〕노망난, 망령든.

Senilität *f.* ①〖醫〗 노쇠, 노화 (현상). ②〔대개 폄어·교양〕 노령; 망령.

senior [zé:niɔr, ..nio:r] *a.* (↔junior) 손위의, 노(老)…, 대(大)…(약어: sen.).

Senior *m.* -s, -en [..ió:rən] ① …1 세, 아버지…; (회사 경영자가 2 인 이상일 경우) 노사장. ②〖스포츠〗 시니어 선수. ③ 노인, 고령자, 시니어. ④ (단체의) 최고령자, 연장자. ⑤〔학생〕(학생회의) 간부, 대표.

Seniorat [zeniorá:t] *n.* -(e)s, -e ①〖法〗 연장자 상속권. ②〔구식〕 연장자의 위엄〔지위〕.

Senior·chef [zé:niɔrʃɛf] *m.* (경영에 참여하는 아들을 둔) 노사장, 회장.

Senioren≈heim [zenió:rən..] *n.* 양로원. **~klasse** *f.* 〖스포츠〗 시니어 클래스, 고참 선수급. **~konvent** *m.* ① 장로 회의. ② (독일 연방 의회의) 운영 위원회. ③ (학생회의) 대표자 회의. **~treff** *m.* (연금 생활하는) 노인들의 회동.

Seniorin *f.* -nen ↑ Senior 의 여성형.

Seniorität *f.* 연장(임).

Senk·blei [zɛ́ŋk..] *n.* 〖海〗 (바다 깊이를 재는) 측연(測鉛), 추(錐); (목수의) 먹줄.

Senke [zɛ́ŋkə] *f.* -n ① 움푹 패인 곳, 구덩이, 저지. ②〖漁〗 끌그물의 일종. ③ 수채, 배수로. ④ (투구의) 얼굴 보호망.

Senkel [zɛ́ŋkəl] 《♧ senken》 *m.* -s, - ①〔구식〕(schweiz.) ↑ Senklot. ②〖漁〗 (낚싯줄·그물의) 추: jn. in den ~ stellen 누구를 꾸짖다. ③ (옷의) 매는 끈, 죄는 끈.

senkeln *t.* 끈으로 죄다〔매다〕.

Senkel≈nadel *f.*, **~stift** *m.* (구두끈 등의 끝에 있는) 쇠장식.

***senken** [zɛ́ŋkən] 《I》 *t.* ① 내리다, 낮추다, 숙이다, (물속에) 가라앉히다: die Arme ~ 팔을 내리다; den Sarg in die Erde 〔ins Grab〕 ~ 관을 묻다; 〔雅語·비유〕 mit gesenktem Haupt 〔gesenkten Hauptes〕 고개를 떨구고; den Blick 〔die Augen〕 ~ 시선〔눈〕을 내리깔다; die Stimme ~ 목소리를 낮추다. ② 떨어뜨리다, 감소시키다: Steuern ~ 세금을 내리다; den Blutdruck ~ 혈압을 떨어뜨리다; die Zahl der Arbeitslosen ~ 실업자수를 줄이다. ③ 시험에서 떨어뜨리다. ④〖광산〗 (굴을) 파내려가다: einen Schacht ~ 수직갱을 파내려가다. 《II》 *refl.* sich ~ ① 가라앉다, 내려앉다; 낮아지다; 줄다: der Boden hat sich gesenkt 지면이 침하되었다. ② 드리우다, 내리깔리다: die Dämmerung senkt sich langsam auf 〔über〕 das Land 대지에 황혼이 서서히 깔렸다. ③ (길이) 내리막이 되다.

Senker [zɛ́ŋkər] *m.* -s, - ① **(a)** 〖植〗 기생근, 흡근. **(b)** 휘묻이(용 어린 가지). ② **(a)** (어망 끝에 다는) 추. **(b)** 예인망의 일종. ③〖광산〗 수직갱을 파는 광부. ④〖工〗 송곳.

Senk≈feuer *m.* 〖軍〗 내려 쏘기. **~fuß** *m.* 편평족(扁平足). **~garn** *n.* 〖漁〗 끌그물의 일종. **~grube** *f.* 수채, 배수로.

senkig *a.* ① 땅이 우묵한. ② 경사진.

Senk≈kasten *m.* 〖工〗 (수중 공사용) 케이슨, 잠함. **~leine** *f.* 〖海〗 측심줄. **~lot** *n.* 측심연(測深鉛), 추. **~nadel** *f.* 〖醫〗 소식자(消息子). **~rebe** *f.* 포도나무의 휘묻이. **≈recht** ①〖數〗 수직의; 직립의: 〔농담·구어〕 bleib ~ ! 넘어지지 마라 ! ; 〔구어〕 immer ~ bleiben ! 항상 의연〔침착〕하라 ! ; 〔구어〕 das einzig ≈e 유일하게 올바른 것. ② (schweiz.) 마음이 곧은, 정직한. **~rechte*** *die* 수직선.

Senkrecht≈start *m.* 〖空〗 수직 이륙. **~starter** *m.* 〖空〗 ① 수직 이착륙 비행기. ②〔구어〕벼락 출세한 사람; 대히트 상품.

Senk≈reis *n.* 휘묻이. **~rücken** *m.* 〖醫〗 (노인의) 척주 전만; 〖사육〗 (특히 말의) 척주 하만. **≈rückig** *a.* 등이 굽은. **~schacht** *m.* 수직갱. **~schnur** *f.* 측심줄. **~schraube** *f.* 〖工〗 접시머리 나사〔볼트〕. **~schuß** *m.* 〖軍〗 내려 쏘기. **~spindel** *f.* ↑ ~waage.

Senkung [zɛ́ŋkʊŋ] 《<senken》 *f.* -en ① **(a)** 가라앉음, 침강; 함몰. **(b)** 저하, 감소. ② **(a)** (지면의) 움푹 패인 곳, 구덩이; (지층의) 침하 운동. **(b)** 〖문학〗 약음부(↔Hebung). ③〖醫〗 내장 하수증; 적혈구 침강.

Senkungs·abszeß *m.* 〖醫〗 유주(流注) 농양.

Senk≈waage *f.* ①〖物〗 액체, 비중계. ② 측심연(測深鉛). **~zeit** *f.* 〖원예〗 휘묻이 시기.

Senn [zɛn] *m.* -(e)s, -e (bayr., öst., schweiz.) (알프스 고원 지대의) 낙농가.

Senna [zéna] 《ar.》 *f.* -s ↑ Sennesblätter.

Senne[1] [zɛ́nə] *m.* -n, -n ↑ Senn.

Senne[2] 《mhd. senne》 *f.* -n (알프스의) 고원 방목지〔목초지〕.

Senne[3] *f.* (베스트팔렌 지방의) 황야, 황무지.

Senne[4] *f.* -n 〔고어〕 (Sehne.) ①〖해부〗 건(腱). ② (활의) 현(弦).

sennen [zɛ́nən] *i.* (h.) (bayr., öst.) 치즈를 만들다, 낙농업을 하다.

Senner[1] *m.* -s, - ↑ Senn.

Senner[2] *m.* -s, - Senne[3] 산(産)의 말.

Sennerei 《<Senne[1]》 *f.* -en (bayr., öst., schweiz.) ① (알프스 지방의) 낙농. ② (알프스 지방의) 낙농장, 치즈 제조장.

Sennerin *f.* -nen ↑ Senner[1] 의 여성형.

Sennes≈baum [zɛ́nəs..] *m.* 〖植〗 ↑ Senna. **~blätter** *pl.* 〖植〗 센나잎(하제용(下劑用)). **~blätter·tee** *m.* 센나잎 차. **~pflanze** *f.*, **~strauch** *m.* ↑ Senna.

Senn·hütte [zɛ́n..] 《<Senne[1]》 *f.* (알프스 지방의) 산악 방목지의 오두막.

Sennin *f.* -nen ↑ Senn 의 여성형.

Senntum [zɛ́ntu:m] *n.* -s, ..tümer [..ty:mər] (schweiz.) ① (알프스의) 낙농가의 가축 떼. ② (알프스의) 낙농업.

Senn·wirtschaft *f.* ↑ Sennerei.

Senon [zenó:n] *n.* -s 〖지질〗 세논세(世) (백악기의 상부 두 번째 지층).

Señor [zɛnjó:r, sɛ..] *m.* -s, -es ① (남성의 성 앞에 붙이는 에스파냐어의 경칭 및 호칭) …씨, …님; 선생님, 아저씨. ② (남자) 주인.

Señora [zɛnjó:ra, sɛ..] *f.* -s ① (기혼 여성의 성 앞에 붙이는 에스파냐어의 경칭 및 호칭) …부인. ② 여주인.

Señorita [zɛnjorí:ta, sɛ..] *f.* -s (미혼 여성의 성 앞에 붙이는 에스파냐어의 경칭 및 호칭) …양; 아가씨.

Sensal [zɛnzá:l] 《it.》 *m.* -s, -e 〖구식〗 (südd., öst.) (증권 거래소) 중개인, 브로커.
Sensalie [zɛnzalí:] *f.* -n [..lí:ən] 〖구식〗 (südd., öst.) 중개 수수료.
Sensarie *f.* -n [..rí:ən] ↑ Sansalie.
Sensation [zɛnzatsió:n] 《frz.》 *f.* -en ①〖哲·心〗 느낌, 감각; 감동. ② 세간의 대평판, 인기: ~ machen〔erregen〕 인기를〔이목을〕 끌다, 센세이션을 일으키다. ③ 화젯거리: die ~ des Tages 당대의 화젯거리. ④〖醫〗 감각, 지각.
sensationell [..tsionɛ́l] *a.* 남의 이목을 끄는; 선정적인, 센세이셔널한.
Sensations≈bedürfnis *n.* 센세이션에 대한 욕구. **≈bedürftig** *a.* 센세이션을 갈망하는. **~gier** *f.* 〔폄어〕 센세이션에 대한 (병적인) 열망. **~lust** *f.* 〔폄어〕 센세이션〔선정적인 것〕에 대한 쾌감. **≈lüstern** *a.* 〔폄어〕 선정적인 것을 좋아하는. **≈lustig** *a.* ↑ ≈lüstern. **~mache** *f.* 〔구어·폄어〕 (의도적으로) 센세이션을 일으키는 것〔사건〕. **~meldung** *f.* 센세이셔널한 뉴스. **~nachricht** *f.* ↑ ~meldung. **~presse** *f.* 선정적인〔저속한〕 신문. **~prozeß** *m.* 센세이셔널한 소송. **~roman** *m.* 선정적인 소설; 삼류 소설. **~stück** *n.* 〖연극〗 세인의 주목을 받는 연극; 선정적인 연극. **~sucht** *f.* 〔폄어〕 선정주의; 인기주의.
Sense [zɛ́nzə] *f.* -n ① 큰 낫: von der ~ des Todes dahingemäht werden 죽음의 신의 낫에 잘리다〔죽다〕. ②〔구어〕 끝, 마지막: ~! 그만 해, 됐어!; 〔경박〕 ~ sein 끝나다.
sensen [zɛ́nzən] *t.* 〔드물게〕 큰 낫으로 베다〔자르다〕.
Sensen≈eisen *n.*, **~klinge** *f.* 큰 낫의 날. **~mann** *m.* 〔복수: ..männer〕 ① **(a)** 큰 낫으로 베는 사람. **(b)** 〖軍〗 (옛날에) 낫을 쓰던 군사. ②〔비유〕 죽음(의 신). **~schmied** *m.* 큰 낫을 만드는 대장장이. **~stein** *m.* ↑ ~wetzstein. **~wetz·stein** *m.* 낫을 가는 숫돌. **~wurf** *m.* 낫자루.
sensibel [zɛnzí:bəl] 《frz.》 *a.* (↔ insensibel) ① 예민한, 민감한: sehr ~ reagieren 민감하게 반응하다. ② 감수성이 강한: ein sensibles Mädchen 다정다감한 소녀. ③〖哲〗 지각할 수 있는. ④〖醫〗 지각의, 감각의: die sensiblen Nerven 지각 신경.
Sensibilisator [..bilizá:tɔr, ..to:r] *m.* -s, -en [..tó:rən] 〖사진〗 증감제(增感劑).
sensibilisieren *t.* ① 잘 느끼게 만들다, 민감하게 하다. ②〖醫〗 (…에 대한) 지각을 예민하게 하다. ③〖사진〗 (증감제를 써서) 증감하다, 감광도를 높이다.
Sensibilisierung *f.* -en ↑ sensibilisieren 의 명사형.
Sensibilität *f.* ① 감수성, 반응력. ②〖醫〗 지각력. ③〖사진〗 (필름의) 감광도.
sensitiv [..tí:f] *a.* 〔교양〕 ① 예민한, 과민한. ② 섬세한, 신경이 날카로운, (감정이) 상하기 쉬운. ③ 감(광)도가 좋은.
Sensitive [..tí:və] *f.* -n 〖植〗 미모사, 함수초.
Sensitivität *f.* 〔교양〕 민감, 과민; 민감한 행동.
Sensitometer *n.* -s, - 〖사진〗 감도 측정기, 감광계.
Sensitometrie *f.* 〖사진〗 감도 측정.
Sensor [zɛ́nzɔr, ..zo:r] *m.* -s, -en [..ó:rən] ① 〖工〗 센서, 감지 장치. ②〖전기〗 센서의 버튼.
sensoriell *a.* ↑ sensorisch.
sensorisch [..zó:rɪʃ] *a.* 지각의; 감관(感官)의; 감각적인: ~e Nerven 지각 신경.
Sensorium [..zó:riʊm] *n.* -s, ..rien [..riən] 〖醫〗 ① 의식. ②〔복수〕 감관(感官), 감각 중추. ③〔교양〕 지각(능)력.
Sensor·taste *f.* 〖전기〗 센서의 단추〔버튼〕.
sensual [..zuá:l] *a.* 〔드물게〕 ↑ sensuell.
Sensualismus [..zualísmʊs] *m.* - 〖哲〗 감각론; 감각주의.
Sensualist *m.* -en, -en 감각론〔감각주의〕자.
sensualistisch *a.* ① 감각론의, 감각주의의. ② 감각적인.
Sensualität *f.* 감성; 육감, 관능.
sensuell [zɛnzuɛ́l] *a.* ① 감각의, 감각적인. ②〔구식〕 육감적인, 관능적인.
Senta [zɛ́nta] *f.* 젠타(여자 이름).
Sente[1] [zɛ́ntə] (♧ Senne[1]) *f.* -n (schweiz.) ↑ Sennerei.
Sente[2] *f.* -n (ndd.) 얇은 널빤지.
sententiös [zɛntɛntsiǿ:s] 《lat.-frz.》 *a.* ↑ sentenziös.
***Sentenz** [zɛntɛ́nts] *f.* -en ① 판단; (간결한) 진술. ② 금언, 격언, 잠언; 〖法〗 선고, 판결. ③〔복수〕〖宗〗 신학 명제론집.
sentenz·artig *a.* ↑ sentenziös ①.
sentenziös *a.* ① 격언조의, 교훈적인; 간결한. ② 격언이 많은.
sentenzhaft *a.* ↑ sentenziös ①.
Sentiment [sɑ̃timɑ́:] 《frz.》 *n.* -s, -s 〔교양〕 감정, 심정, 정조(情操); 감상적인 기분.
sentimental [zɛntimɛntá:l] 《engl.》 *a.* ①〔폄어〕 감상적인. ②〖문학〗 성찰적인.
sentimentalisch *a.* 〖문학〗 성찰적인: ~e Dichtung (쉴러가 주장한) 성찰 문학(↔ naive Dichtung).
Sentimentalität *f.* -en 〔폄어〕 ① 감상, 다감(多感). ② 감상적인 말.
Senussi [zenúsi] *m.* -, -/..nussen [..sən] 세누시아파 신도(Ali es-Senussi 가 1833 년 메카에서 창시한 이슬람 교파의 하나).
Seoul [zeú:l] *n.* 서울(한국의 수도).
Sep *f.* (ndd.) 비누.
separat [zepará:t] 《lat.》 *a.* ① 떨어진, 분리된, 전용의. ② 단독의; 독립한: er wohnt ~ 그는 독립하여 혼자 산다.
Separat≈abdruck *m.* 〔복수: -e〕 별쇄(別刷). **~abzug** *m.*, **~ausgabe** *f.* 별책, 별쇄본. **~druck** *m.* 〖출판〗 별쇄. **~eingang** *m.* 전용 입구. **~friede** *m.* 단독 강화. **~frieden** *m.* ↑ ~friede.
Separation [zeparatsió:n] 《lat.》 *f.* -en ① 〔구식〕 분리; 분할; 분열. ②〖史〗 (경작자에게의) 토지 분할〔분배〕; 〖農〗 경지 정리. ③〖法〗 (파산 재단의 재산에 대한) 별제(別除).
Separatismus [..tísmʊs] *m.* - (정치적·종교적) 분리주의, 분권론.
Separatist *m.* -en, -en (↔ Unionist) ① 분리주의자. ②〖法〗 별제권자(別除權者).
separatistisch *a.* 분리주의의.
Separat·konto *n.* 〖商〗 별도 계정.
Separator [zepará:tɔr, ..to:r] *m.* -s, -en [..tó:rən] 〖理〗 원심 분리기.
Separat≈sitzung *f.* 특별 회의. **~vertrag** *m.* 특별 계약. **~zimmer** *n.* 별실.
Separee [zeparé:] 《frz.》 *n.* -s, -s 별실.

separieren [zeparí:rən] ⟪lat.⟫ ⟪I⟫ *t.* 분리하다, 격리하다; (부부를) 별거시키다. ⟪II⟫ sich ~ 분리되다; 갈라지다, (부부가) 별거하다; (당에서) 탈퇴하다.
Separierte* *der/die* 별거 중인 사람.
Separierung *f.* -en ↑ Separation.
Sephardi [zefárdi] *m.* -, ..dim 세파르디 유대인(에스파냐·포르투갈 및 동방계 유대인).
Sephardim *pl.* ↑ Sephardi 의 복수.
sephardisch *a.* 세파르디 유대인의.
sepia [zé:pia] ⟪gr.⟫ *a.* (öst.) 흑갈색의, 세피아색의.
Sepia *f.* ..pien [..piən] ①〚動〛 오징어. ② 오징어의 먹물; 세피아(오징어 먹물로 만든 흑갈색 안료).
Sepia≈knochen *m.* ↑ ~schale. **~schale** *f.* 오징어 껍데기. **~zeichnung** *f.* 세피아화.
Sepie [zé:piə] *f.* -n ↑ Sepia.
Sepp [zɛp] ⟪obd.⟫ *m.* 〘↑ Joseph 의 단축형〙 제프(남자 이름).
Sepp(e)l·hose *f.* [zɛ́p(ə)l..] 〘구어〙 가죽 멜빵 반바지, 제펠바지(알프스 지방의 민속 의상). **~hut** *m.* 〘구어〙 제펠 모자(양털과 리본으로 장식한 알프스 지방의 민속 의상).
Sepsis [zɛ́psɪs] ⟪gr.⟫ *f.* 부패; 〚醫〛 패혈증.
Sept. = September 9월.
Septa *pl.* ↑ Septum 의 복수.
Septakkord [zɛ́pt..] *m.* -(e)s, -e 〚음악〛 ↑ Septimenakkord.
Septarie [zɛptá:riə] *f.* -n 〚광석〛 귀갑석.
***September** [zɛptɛ́mbər] ⟪lat.⟫ *m.* -(s), - 9월 (고대 로마력(曆)으로는 7월).
septennal [zɛptɛná:l] *a.* 〘구식〙 7년(간)의.
Septennat *n.* -(e)s, -e 〘구식〙 7년의 기간.
Septett [zɛptɛ́t] *n.* -(e)s, -e ①〚음악〛 7중창, 7중주. ② 7인조. ③〚문학〛 7연시.
Septim [zɛptí:m] *f.* -en ① (öst.) ↑ Septime. ②〚펜싱〛 (8가지 자세 중) 제 7의 자세.
Septima [zɛ́ptima] ⟪lat.⟫ *f.* ..men 〘구식〙 (öst.) 김나지움의 제 7학년.
Septimaner *m.* -s, - (öst.) 김나지움의 제 7학년 학생.
Septime [zɛ́ptimə, zɛptí:mə] *f.* -n 〚음악〛 제 7도, 7도 음정.
Septimen·akkord *m.* 〚음악〛 7도 화음.
septisch [zɛ́ptɪʃ] ⟪gr.; <Sepsis⟫ *a.* ① 부패한, 부패성의; 패혈증의. ② 병원균을 함유한.
Septuagesima [zɛptuagé:zima] ⟪lat.; 원뜻 „siebzigster (Tag)"⟫ *f.* 〘관사 및 어미변화 없음〙 7순 주일: der Sonntag ~ 7순 주일(부활절 전 9번째 일요일).
Septuaginta [zɛptuagínta] ⟪원뜻 „die Siebzig"⟫ *f.* 〚宗〛 70인역(譯) 그리스어 구약 성경 (약어: LXX).
Septum [zɛ́ptʊm] *n.* -s, ..ten [..tən]/..ta 〚해부·生〛 중격; 격벽; 격막.
seq. = sequens 다음의, 계속되는.
seqq. = sequentes(↑ sequens ⟪II⟫의 복수).
sequens [zé:kvɛns] ⟪<lat.⟫ ⟪I⟫ *a.* 다음의. ⟪II⟫ *m.* -, sequentes [zekvɛ́ntɛs] (그) 계속, 다음에 말하는 것, 다음 페이지 이하(약어: seq., 복수: seqq.); 〘학생〙 다음 (차례의) 사람: vivat ~ [ví:vat..] 다음 사람 만세(학생들 술자리에서 잔을 돌릴 때의 말; = es lebe der Folgende!).
sequentes [zekvɛ́ntɛs] *pl.* ↑ sequens ⟪II⟫.
sequentiell [zekvɛntsiɛ́l] *a.* 〚컴〛 (컴퓨터 프로그램이 지정한) 순서에 따른, 순차적인: ~er Speicher 순차 기억 장치.
Sequenz [zekvɛ́nts] *f.* -en ①〘교양〙 연속(사항); 순서, 차례. ②〚카드〛 연속되는 3매 이상의 패. ③〚가톨릭〛 부속가(附續歌); 〚음악〛 세퀜티아, 제크벤츠(중세초 송가풍(頌歌風)의 종교가(歌)); 반복진행; 〚영화〛 시퀀스(연속 장면으로 이루어진 영화의 한 삽화). ④〚컴〛 시퀀스(명령이나 데이터의 연속).
sequenziell 新정서 ⇦ sequentiell.
Sequester[1] [zekvɛ́stər] ⟪lat.⟫ *m.* -s, - 〚法〛 재판 중인 물품의 보관인, 압류 재산 관리인.
Sequester[2] *m./n.* -s, - 〚法〛 재산 압류, 강제 집행: et. in ~ nehmen 무엇을 압류하다.
Sequester[3] *m.* -s, - 〚醫〛 부골편(腐骨片), 사골편(死骨片), 괴사편(壞死片).
Sequestration [..tsió:n] *f.* -en ①〚法〛 (일시적) 재산 압류; 재판 중인 물건의 강제 보관. ②〚醫〛 부골(腐骨) 형성.
Sequestrator [..rá:tor, ..to:r] *m.* -s, -en [..tó:rən] ↑ Sequester[1].
sequestrieren [zekvɛstrí:rən] *t.* ①〚法〛 압류하다, (재판 중인 물건을) 강제 보관하다; (사유 재산을) 국가에 귀속시키다. ②〚醫〛 (세포의) 부골을 형성하다.
Sequoia [zekvó:ja] *f.* -n ↑ Sequoie.
Sequoie [zekvó:jə] *f.* -n 〚植〛 세쿼이아.
Sera *pl.* ↑ Serum 의 복수.
Serac [zerák] *m.* -s, -s 〚지질〛 세락(떨어져 나간 빙괴(氷塊)로 이루어진 빙탑).
Serail [zerá:j, zeráɪl] ⟪frz.⟫ ⟪I⟫ *n.* -s, -s [..ráis] 터키 황제의 궁전[성]. ⟪II⟫ *m.* -s, - 부드럽고 밝은 빛깔의 모포.
Serapeion [zerapáɪɔn] ⟪gr.⟫ *n.* -s, ..peia,
Serapeum [zerapé:ʊm] ⟪gr. -lat.⟫ *n.* -s, ..peen [..pé:ən] Serapis 신전.
Seraph [zé:raf] ⟪hebr.⟫ *m.* -s, -e/-im [..fi:m] ①〚聖〛 스랍, 치품(熾品) 천사, 육익(六翼) 천사(이사야서 6:2). ② 황야의 괴물(날개를 가진 뱀 모양의 괴물).
Seraphine [zerafí:nə] *f.* 제라피네(여자 이름).
Seraphinen·orden *m.* (Franziskanerorden) 프란체스코 교단.
seraphisch [zerá:fɪʃ] *a.* 〘교양〙 치품(熾品) 천사와 같은; 기품 높은; 황홀한.
Serapis [zerá:pɪs] *m.* 〚이집트신화〛 세라피스 (저승의 신).
Serbe [zɛ́rbə] *m.* -n, -n 세르비아 사람.
serbeln *i.* (h.) (obd., schweiz.) 시들다, 쇠퇴하다.
Serbien [zɛ́rbiən] 세르비아.
Serbin *f.* -nen ↑ Serbe 의 여성형.
Serbisch *n.* 세르비아어.
serbisch *a.* 세르비아(사람·말)의.
Serbische* *das* 세르비아어.
Serbisch·kroatisch *n.* 세르보크로아티아어.
serbisch·kroatisch *a.* 세르보크로아티아어의.
Serbisch·kroatische* *das* 세르보크로아티아어.
serbo·kroatisch *a.* ↑ serbischkroatisch.
Serdar ⟪pers.⟫ *m.* -(e), -e 총사령관.
Seren [zeré:n] *pl.* ↑ Serum.

*__Serenade__ [zerenáːdə] ⟪frz.⟫ *f.* -n ①〖음악〗(**a**) 세레나데, 소야곡. (**b**) (17-18 세기에 왕후 귀족의 경사를 축하하기 위해 작곡된) 극적(劇的) 가곡 또는 봉축곡(奉祝曲). ②〔드물게〕야회 (Abendgesellschaft).

Serenata *f.* -n ↑ Serenade.

Serenissimus [zerenísimus] *m.* -, ..mi ① (Durchlaucht) 전하(공국의 군주의 존칭). ②〔반어·농담〕소국의 군주.

Serenität *f.* 〔구식〕 명랑, 쾌활.

Serge [sέrʒə, zɛrʃ] ⟪frz.⟫ *f.* -n 〔(öst.) *m.* -, -n〕〖방직〗서지(무늬가 씨실에 대하여 45 도로 된 모직물).

Sergeant [zɛrʒánt, sɛrʒã] ⟪frz.⟫ *m.* -en, -en 〖軍〗병장, 하사관; 경사.

*__Serie__ [zéːriə] ⟪lat.⟫ *f.* -n ① 연속, 계열: eine ~ von Unfällen〔Verbrechen〕 일련의 사고〔범죄〕. ② (수집물 등의) 시리즈: Briefmarken≈ 우표 시리즈. ③ 연재물, 총서(叢書), 시리즈: eine achtteilige Abenteuer≈ 8 부작으로 된 모험물 시리즈. ④ 벌, 질(帙); 대량 생산(품): eine neue ~ von Geschirr 한 벌의 새로운 식기; in ~ gehen 대량 생산되다; in ~ herstellen〔fertigen〕 대량 생산〔제작〕하다. ⑤〖商〗(Gruppe) 조, (채권 따위의) (발행) 회: erste ~ (채권의) 제 1 회 발행. ⑥〖당구〗연속 득점;〖전기〗직렬;〖物〗규칙적으로 배열된 스펙트럼선.

seriell *a.* ①〔드물게〕일련의, 연속적인: ~e Herstellung 연속적인 생산. ②〖컴〗연속적인, 순서에 따른: ~e Verarbeitung 연속적인 처리;〖음악〗~e Musik 뮤직 세리얼(음고·음가·음색을 연속적인 기법으로 작곡한 음악).

Serien≈anfertigung *f.* 연속 작업식 생산, 대량 생산. **~bau** *m.*〔복수: -ten〕① 대량 생산. ② 단일 규격 건축물. **~brief** *m.*〖컴〗메일 머지, 동시 다중 발송 서신(여러 명의 수신자에게 동시에 보내는 편지). **~einbrecher** *m.* 상습 가택 침입자. **~fabrikation** *f.* ↑ ~fertigung. **~fertigung** *f.*〖經〗대량 생산. **~herstellung** *f.* ↑ ~fertigung. **~los** *n.* 번호가 연속되어 있는 복권. **~mäßig** *a.* ① 대량 생산 방식의. ② 일련의, 연속적인, 통일 규격의: die ~e Ausstattung 통일된 규격의 장비. **~nummer** *f.* 일련〔제작〕 번호;〖컴〗일련 번호. **~produktion** *f.* 대량 생산(품). **~reif** *a.* (기술적으로) 대량 생산이 가능한. **~reife** *f.* 대량 생산 능력. **~schalter** *m.* 다중 접속 스위치. **~schaltung** *f.*〖전기〗직렬 접속. **~täter** *m.* 상습〔연쇄〕범. **~weise** *adv.* ① 연속해서, 순차적으로, 시리즈로. ②〔비유·구어〕대량으로, 아주 많이.

Serife [zeríːfə] *f.* -n〖印〗세리프(H, I, P 등의 활자에서 알파벳 상하의 가는 선).

serifenlos *a.*〖印〗세리프가 없는: eine ~e Antiqua 세리프가 없는 로마 문자체.

Serigraphie [..fíːən] *f.* -n 실크 스크린 인쇄.

seriös [zeriǿːs] ⟪frz.⟫ *a.* ① 엄숙〔진지〕한. ② 예의바른, 믿을 만한, 건실한. ③ 장중한, 위엄 있는: ein ~er Herr 품위 있는 신사.

Seriosität *f.* 진지, 단정, 건실, 품위.

Sermon [zɛrmóːn] ⟪lat.⟫ *m.* -s, -e ①〔구식〕담화, 강연; 설교. ②〔구어·폄어〕장황한 훈계; 지루한 잔소리.

Serodiagnostik *f.*〖醫〗혈청 진단법.

Serologie [zerologíː] ⟪lat.⟫ *f.*〖醫〗혈청학.

serologisch *a.* 혈청학(상)의, 혈청학적인.

serös [zerǿːs] *a.*〖醫〗① 혈장(血漿)의, 장액성(腸液性)의, 림프성의:〖해부〗die ~e Haut 장막. ② 혈장과 같은 분비물을 내는.

Serpent [sɛrpã:, zɛrpέnt] ⟪it.⟫ *m.* -(e)s, -e〖악기〗세르팡(16-19 세기의 관이 굽은 저음 관악기).

Serpentin [zɛrpɛntíːn] *m.* -s, -e〖광물〗사문암(蛇紋岩).

Serpentine *f.* -n ① 사행(蛇行) 곡선. ② 꼬불꼬불한 산길. ③ (옛날의) 포신이 긴 대포; 합포.

Serpentinen≈straße *f.* ↑ Serpentine ②. **~tanz** *m.* 뱀춤(뱀을 몸에 감고 추는 춤; 뱀처럼 몸을 꿈틀거리는 춤). **~weg** *m.* ↑ ~straße.

Serpentin·gestein *n.*〖광물〗사문암.

Serradella [zɛradέla] *f.* ..llen ↑ Serradelle.

Serradelle ⟪port.⟫ *f.* -n〖植〗(비료나 사료로 쓰이는) 콩과(科) 식물(토끼풀·자운영 따위).

Sersche [zέrʃə] *f.* -n 〔(öst.) *m.* -, -n〕 ↑ Serge 의 독일어형.

Serum [zéːrum] ⟪lat.⟫ *n.* -s, ..ren/..ra〖醫〗① 혈청, 장액(腸液), 림프액. ② 면역 혈청.

Serum≈behandlung *f.*〖醫〗혈청 요법. **~konserve** *f.* 보존 혈청. **~krankheit** *f.*〖醫〗혈청병. **~therapie** ↑ ~behandlung.

Serval [zέrval] *m.* -s, -e/-s〖動〗세르발(아프리카산(産) 살쾡이의 일종).

Servante [zɛrvántə] ⟪frz.⟫ *f.* -n〔구식〕① (Anrichte) 뷔페 탁자; 사이드 테이블. ② 하녀, 여종. ③ 마술사의 도구.

Servela [zέrvəla] *f./m.* -, -(s) (schweiz.) ① 소시지, 순대. ② (쇠고기·베이컨을 넣은) 핫소시지.

Servelat·wurst *f.* ↑ Servela ①.

Service[1] [zɛrvíːs] ⟪frz.⟫ *n.* -(s) [..víːs(əs)], - [..víːs(ə)] 식기 세트: ein ~ für sechs Personen 6 인용 식기 세트.

Service[2] [zǿːrvɪs, sǿːvɪs] ⟪engl.⟫ *m./n.* -, -s [..vis, ..visis] ① 애프터서비스. ② (**a**) 서비스, 접대. (**b**) 봉사료, 팁. ③〖테니스·탁구〗서브.

Service·netz *n.* 애프터서비스 (조직)망.

Servier·brett [zɛrvíːr..] *n.*〔구식〕쟁반.

servieren ⟪frz.⟫ [zɛrvíːrən] ⟪Ⅰ⟫ *i.* (h.) ① 시중들다, 봉사하다. ②〖테니스·탁구〗서브를 넣다. ⟪Ⅱ⟫ *t.* ① (음식을) 식탁에 올리다. ②〔비유·구어〕제공하다: jm. eine große Überraschung ~ 누구에게 깜짝 놀랄 선물을 선사하다. ③〖구기〗(특히 축구에서 슈팅할 수 있도록 볼을 정확하게) 패스하다.

Serviererin [zɛrvíːrərɪn] *f.* -nen 여종업원.

Servier≈tisch *m.* 보조〔사이드〕 테이블. **~tochter** *f.* (schweiz.) ↑ Serviererin. **~wagen** *m.* 디너 왜건(식당의 음식 운반용 손수레).

Serviette [zɛrviέtə] *f.* -n 냅킨.

Servietten≈kloß *m.*〖요리〗(소금물에 끓여 만든 빵의 일종으로) 밀가루 단자(團子). **~ring** *m.* 냅킨링(냅킨을 말아 꽂는 고리).

servil [zɛrvíl] ⟪<lat. servus, „Knecht"⟫ *a.*〔교양·폄어〕노예 같은, 천한; 비굴한, 아첨하는: eine ~e Haltung 비굴한 태도.

Servilismus *m.* -, ..men ↑ Servilität.

Servilität *f.* -en〔교양·폄어〕① 노예 근성,

비굴. ② 비굴한 행동.

Servis [zɛrví:s] 《frz.》 *m.* -, -gelder 〔구식〕 ① 봉사, 서비스. ② 식비, 숙박비. ③〖軍〗 주택〔근무지〕 수당.

Servis·klasse *f.* (수당 지급의 기준이 되는) 근무지 등급.

Servit [zɛrví:t] 《lat., „Diener"》 *m.* -en, -en 〖가톨릭〗 (1233 년 피렌체에서 창립한) 성모 마리아 시녀회(侍女會)의 탁발 수도사.

Serviteur [zɛrvitǿ:r] 《frz.》 *m.* -s, -e 〔구식〕 ① 봉사자, 시중꾼. ② 보조〔사이드〕 테이블. ③ (셔츠의) 가슴받이. ④ 절, 인사.

Servitin *f.* -nen (성모 마리아 시녀회의) 탁발 수녀.

Servitium [zɛrví:tsiʊm] 《lat.》 *n.* -s, ..tien [..tsiən] ①〔구식〕 굴종, 순종; 노예 상태. ② 〔복수〕 (새로 임명된 성직자가 서품 후 첫해에 교황과 추기경에게 바치는) 서품 헌금.

Servitut [..tú:t] *n.* -(e)s, -e 〔*f.* -en〕 〔고어〕 ① 굴종, 순종. ②〖法〗 (개인 소유의) 토지〔대지〕 이용권.

Servobremse [zɛ́rvo..] *f.* -n 〖工〗 서보브레이크(압력 증강 장치가 있는 브레이크).

Servolenkung *f.* -en 〖車〗 파워 스티어링(핸들 조작을 쉽게 해주는 장치).

Servomotor *m.* -s, -en 〖工〗 서보모터.

Servus [zɛ́rvʊs] 《lat. „(dein) Diener!"》 *int.* (bayr., öst.) 잘 가게, 잘 있게 (친한 사이의 작별 인사).

Sesam [zé:zam] 《lat.》 *m.* -s, -s ①〖植〗 참깨. ② 참깨(씨): 〔비유〕 ~, öffne dich! 열려라, 참깨! ("아라비안 나이트"에 나오는 말).

Sesam≈bein *n.* 〖해부〗 종자골(種子骨). **~brot** *n.* 참깨(를 뿌린) 빵. **~brötchen** *n.* 참깨 하드롤. **~öl** *n.* 참기름.

Seschellen [zeʃɛ́lən] *pl.* ↑ Seychellen.

Sesel [zé:zəl] 《lat.》 *m.* -s, - 〖植〗 털기름나물.

***Sessel** [zɛ́səl] 《♧ sitzen》 *m.* -s, - ① **(a)** 안락의자; (기차·마차의) 좌석. **(b)** 〔비유·구어〕 직위, 자리, 관직. **(c)** 〖연극〗 1 층 관람석의 상등석. **(d)** (öst.) 의자. ② 〔고어〕 가마.

Sessel≈bahn *f.* ↑ ~lift. **~docke** *f.* 안락 의자의 팔걸이. **~lehne** *f.* 안락 의자의 등받이. **~lift** *m.* (스키장 따위의) 체어 리프트. **~recht** *n.* 〔고어〕 (특히 프랑스의) 궁정에 열좌(列座)할 권리〔자격〕. **~träger** *m.* 가마꾼.

seßhaft [zɛ́shaft] 《♧ Sessel》 *a.* ① 한 곳에 정착해서 사는, 정주하는; 〔비유〕 지속성〔내구성〕의: Hirtenvölker ~ machen 유목민을 정착시키다; sich irgendwo ~ machen 어딘가에 정착하다. ② 〔농담〕 누구의 집에 오래 머무르는: ein ~er Gast 엉덩이가 무거운 손님.

sesshaft 新정서 ⇦ seßhaft.

Seßhaftigkeit *f.* 정착, 정주; (오랜) 유숙(留宿).

Session[1] [zɛsió:n] 《lat., „Sitzung"》 *f.* -en (비교적 장기간의) 회합; 회의, (특히) 공판(정)(公判(廷)); (특히 국회의) 회기(會期).

Session[2] [sɛ́ʃən] 《engl.》 *f.* -s (특히 재즈의) 음악 공연.

Sessions·tag *m.* 개회〔개정(開廷)〕일.

Sester [zɛ́stər] 《lat.》 *m.* -s, - ↑ Sechter.

Sesterz [zɛstɛ́rts] 《lat., „drittehalb"》 *m.* -es, -e 제스테르츠(고대 로마의 은화).

Sesterzium [..tsiʊm] *n.* -s, ..zien [..tsiən] 천 (1000) 제스테르츠(고대 로마의 화폐 단위).

Sestine [zɛstí:nə] 《lat.》 *f.* -n 〖문학〗 ① 6 행 시연(詩聯). ② 제스티네(무운(無韻) 6 행 시연 6 개와 마지막 3 행 시연으로 구성된 시 형식).

Set[1] [zɛt] 《engl.》 *n.* -(s) 〖印〗 세트(활자 폭의 단위).

Set[2] [zɛt] 《engl.》 *n./m.* -(s), -s ① 세트, 조(組), 벌. ② 〔대개 복수〕 테이블 매트. ③〖心〗 (약물 중독자 특유의 정신적·육체적) 성향, 증상.

Seth [ze:t, sɛθ] *m.* 〖聖〗 셋(Adam 의 3 남).

Sethit *m.* -en, -en 셋의 후손, 셋계(系)(Seth 에서 Noah 까지의 9 세대)의 사람.

Sette [zɛ́tə] *f.* -n (nordd.) 우유 단지.

Settecento [sɛtetʃɛ́nto] 《it.》 *n.* -s (이탈리아 예술사의 시대 구분으로) 18 세기.

setten 《♧ sitzen》 *i.* (h.) (ndd.) 앉아 있다.

Setter[1] [zɛ́tər, sɛ́tə] *m.* -s, - (ndd.) 기운 좋은 젊은이.

Setter[2] 《engl.》 *m.* -s, - 세터종(種)의 사냥개.

Settlement [sɛ́tlmənt] 《engl.》 *n.* -s, -s ① 정착, 정주(定住); 식민지. ② (지식인·대학생들이 사회 봉사 활동을 위해 설립한) 빈민 구호소.

Setz≈arbeit [zɛ́ts..] *f.* 〖광산〗 비중 선광(比重選鑛) 작업. **~bord** *m.* 〖조선〗 방파판(防波板). **~brett** *n.* 〖印〗 식자판(植字板). **~ei** *n.* 〖요리〗 (nordost.) 달걀 프라이.

***setzen** [zɛ́tsən] 《I》 *t.* ① **(a)** 앉히다: einen Kranken auf den Stuhl ~ 환자를 의자에 앉히다; setz(e) das Kind hierhin! 그 아이를 여기에 앉혀라!; 〔구어〕 man kann in diesem Zimmer zwanzig Personen ~ 이 방에는 20 명 앉을 수 있습니다. **(b)** 놓다, 두다, 얹다: et. in Anführungszeichen〔Klammern〕 ~ 무엇에 인용부〔괄호〕를 치다; einen Topf ans Feuer ~ 냄비를 불에 올려놓다; jn. aufs Pferd ~ 누구를 말에 태우다; Speisen auf den Tisch ~ 음식을 식탁 위에 놓다. ② **(a)** (벽돌·장작 따위를) 쌓다. **(b)** 〖체스〗 말을 (벌여) 놓다. **(c)** 〖광산〗 세광하다. **(d)** 〖醫〗 (주사를) 놓다, (부항을) 뜨다. **(e)** 〖印〗 Lettern 〔ein Manuskript〕 ~ 식자(植字)하다〔원고를 조판하다〕. **(f)** 〖畫〗 die Farben ~ 채색하다. **(g)** eine Henne ~ 암탉에 알을 품게 하다. **(h)** Junge ~ (토끼·사슴 따위가) 새끼를 낳다. **(i)** 〖海〗 die Segel ~ 돛을 펴다. **(j)** 설치하다, 세우다: einen Ofen ~ 난로를 놓다; jm. ein Grabmal〔Denkmal〕 ~ 누구의 묘비〔기념비〕를 세우다; 〖聖〗 wer hat den ganzen Erdboden gesetzt? 이 온 땅을 만드신 이가 누구인가? **(k)** 〖스포츠〗 시드 배정하다, 대진표를 짜다. ③ (…한 상태로) 만들다: außer Gefecht ~ (적을) 무력화하다; in Betrieb ~ (기계를) 작동〔가동〕시키다; 〖체스〗 jn. matt ~ 누구를 제압하다; jn. warm ~ a) 누구를 좋은 자리에 앉히다, b) 〖반어〗 누구를 감옥으로 보내다; jn. frei〔sicher〕 ~ 누구를 자유롭게〔안전하게〕 하다. ④ (지)정〔설정〕하다: et.[3] eine Grenze〔Grenzen, Schranken〕 ~ 무엇을 제한〔규제〕하다; et.[3] ein Ende ~ 무엇을 끝내다; jm.〔sich[3]〕 ein Ziel 〔einen Termin, eine Frist〕 ~ 누구〔자신〕의 목표를〔약속일을, 기한을〕 정하다; zur gesetzten Stunde 정해진 시간에; zweimal ist dir zu sterben gesetzt 너는 두 번 죽을 팔자다. ⑤ 가정하다: ~ wir den

Fall 〔gesetzt (den Fall)〕, daß… …인 경우를 가정하자〔가정하면〕; gesetzt, es sei so 만약 그렇다고 가정한다면. ⑥〖전치사와 함께〗 **an** et. ~ a) 무엇의 곁에 두다, 갖다 대다, b) (돈 따위를) 무엇에 걸다; jn. an die Luft ~ 누구를 내쫓다; einen Becher an den Mund 〔die Lippen〕 ~ 잔을 입〔입술〕에 대다; jn. ans Land ~ 누구를 하선〔상륙〕시키다; Knöpfe an den Rock ~ 저고리에 단추를 달다; jm. das Messer an die Kehle ~ 누구 목에 칼을 들이대다, 협박하다; alles daran ~ 그것에다 모든 것을 걸다; jn. **auf** den Thron ~ 누구를 왕으로 추대하다; ein Stück auf den Spielplan ~ 어떤 작품을 공연 계획에 올리다; et. auf die Tagesordnung ~ 무엇을 의사 일정에 올리다; jn. auf freien Fuß ~ 누구를 석방하다; den Hut auf den Kopf ~ 모자를 쓰다; Tressen auf ein Kleid ~ 옷에 장식테를 달다; eine Lampe auf den Tisch ~ 램프를 탁상에 놓다; 〖비유〗 aufs Spiel ~ (목숨·명예 등을) 위태롭게 하다; auf seinen Kopf sind 100 000 Dollar gesetzt 그의 목에 10 만 달러의 현상금이 걸려 있다; seine Hoffnung auf jn. 〔et.〕 ~ 누구에게〔무엇에〕 희망을 걸다; Bier auf Wein ~ 포도주에 이어 맥주를 마시다; 〖학생〗 jn. auf et. ~ 누구에게 무엇을 대접하다; auf et. sein Leben 〔seine ganze Kraft〕 ~ 무엇에 목숨을 걸다〔전력을 기울이다〕; jm. den roten Hahn aufs Dach ~ 누구의 집에 불을 지르다; jn. aufs trockne ~ 누구를 냉대하다; 〖비유〗 alles auf eine Karte ~ 모든 것을 단번에 결판내려고 하다; et. auf die Rechnung〔Speisekarte〕 ~ 무엇을 계산서〔식단〕에 올리다; ~ Sie das auf meine Rechnung! 이것은 제가 계산하겠습니다!; et. **aus** den Augen ~ 무엇을 도외시하다; et. aus der Sonne ~ 무엇을 햇빛이 닿지 않는 곳에 두다; keinen Fuß aus dem Haus ~ 집에서 한 발자국도 나가지 않다; **außer** Kraft ~ (법 따위를) 무효화〔폐기〕하다; außer Betrieb ~ (기계 따위를) 정지시키다; et. **bei** Seite ~ 무엇을 옆에 (제쳐)놓다, 무시하다; et. **gegen** et. ~ a) 무엇을 무엇과 비교하다, b) 무엇에 대하여 무엇을 (내기로) 걸다; einen Punkt **hinter** ein Wort ~ 어느 낱말 뒤에 마침표를 찍다; jn. **in** ein Amt ~ 누구를 어떤 관직에 앉히다; jn. ins Gefängnis ~ 누구를 투옥〔감금〕하다; Kinder in die Welt ~ 아이를 낳다; et. in die Zeitung ~ 무엇을 신문에 게재하다; eine Pflanze in einen Topf ~ 식물을 화분에 심다; eine Glasscheibe in ein Fenster ~ 창에 유리를 끼우다; jn. in Angst ~ 누구를 불안케 하다; jn. in Erstaunen〔Verwunderung〕 ~ 누구를 놀라게 하다; jn. in Verlegenheit ~ 누구를 당황케 하다; et. in das falsche Licht ~ 무엇을 왜곡하다; 〖음악〗 ein Gedicht in Musik 〔in Noten〕 ~ 어떤 시를 작곡하다; et. in Gang ~ 무엇을 작동시키다; et. ins Werk ~ 무엇을 시작하다, 실행에 옮기다; et. zu et.³ in Beziehung ~ 무엇을 무엇과 연관짓다; Mißtrauen〔Vertrauen〕 in jn.〔et.〕 ~ 누구를〔무엇을〕 불신하다〔믿다〕; seine Ehre in et. ~ 무엇을 명예로〔자랑으로〕 생각하다; seinen Ehrgeiz in et. ~ 무엇에 명예를 걸다, 야심을 품다; 〖비유〗 jm. et. in den Kopf〔Schädel〕 ~ 누구에게 무엇을 믿게〔곧이듣게〕 하다; sich³ et. in den Kopf〔Schädel〕 ~ 무엇을 믿다〔곧이듣다〕; jn. in Freiheit ~ 누구를 자유롭게 하다, 석방하다; ein Gerücht in die Welt ~ 어떤 소문을 널리 퍼뜨리다; Gurken in Essig ~ 오이를 초에 절이다; et. in Brand ~ 무엇에 불을 붙이다; et. in Flammen ~ a) 무엇에 불을 붙이다, b) 〖비유〗 무엇을 자극하다; Himmel und Hölle in Bewegung ~ 모든 수단을 동원하다; jn. von et.³ in Kenntnis ~ 누구에게 무엇에 관해 알리다; et. mit et.³ in Kontrast ~ 무엇을 무엇과 비교하다; neue Geldscheine in Umlauf ~ 새 지폐를 유통시키다; jm. einen Floh ins Ohr ~ a) 누구에게 듣기 싫은 소리를 하다, b) 누구에게 허튼소리를 하다; 〖연극〗 in Szene ~ 상연하다; ich setze keinen Fuß mehr in jenes Haus 나는 이제 그 집에는 발도 들여놓지 않겠다; jn. **über** ein Haus ~ 누구로 하여금 집을 관리하게 하다; jn. über andere 〔einen andern〕 ~ 누구를 다른 사람보다 상석에 앉히다, 누구의 순위를 올리다; jn. über den Fluß ~ 누구를 강을 건네주다; jn. **unter** einen andern ~ 누구를 다른 사람보다 낮은 자리〔직책〕에 앉히다; jn. unter die Heiligen ~ 누구를 성인의 반열에 올리다; seinen Namen 〔seine Unterschrift〕 unter einen Brief ~ 편지에 서명하다; unter Wasser ~ 물속에 가라앉히다; jn. **vom** Amt ~ 누구를 면직〔파면〕하다; jn. **vor** die Tür ~ 누구를 문 밖으로 쫓아내다; jn. **zu** einem andern ~ 누구를 다른 사람 곁에 앉히다; et. zu et.³ ~ 무엇을 무엇에 덧붙이다; jn. zum Richter ~ 누구를 재판관에 임명하다; et. zum Pfand ~ 무엇을 저당잡히다; zurecht ~ 바로잡다. 《Ⅱ》 *refl.* sich ~ ① **(a)** 자리에 앉다, 착석하다; (새가) 앉다; 〖軍〗 고지〔진지〕를 차지하다: sich aufrecht〔bequem〕 ~ 바르게〔편안히〕 앉다; sich auf einen Stuhl 〔seinen Platz〕 ~ 의자〔자기 자리〕에 앉다; sich jm. auf den Schoß ~ 누구의 무릎에 앉다; sich aufs Pferd 〔zu Pferde〕 ~ 말에 올라타다; 〖비유〗 sich aufs hohe Pferd ~ 자만하다; sich neben〔vor〕 jn. ~ 누구 곁〔앞〕에 앉다; 〖비유〗 ich will mich nicht mit ihm an einen Tisch ~ 나는 그와 상종하고 싶지 않다; sich in die Sonne 〔ins Licht〕 ~ 양지〔밝은 곳〕에 앉다; sich in den Schatten ~ 그늘에 앉다; sich ins Auto ~ 승용차에 타다; sich zu jm. ~ 누구의 곁에 앉다; wollen Sie sich nicht zu uns ~? 우리와 동석하지 않으시렵니까?; darf ich mich zu Ihnen ~? 제가 당신과 동석해도 될까요?; sich an eine Arbeit ~ 일을 시작하다. **(b)** 〖비유〗 sich an js. Stelle ~ a) 누구를 대신하다, 누구의 입장이 되다, b) 누구의 지위를 빼앗다; sich auf den Grund ~ (배가) 좌초하다; sich gegen〔wider〕 jn. ~ 누구에게 반항하다; sich in ein günstiges 〔ungünstiges〕 Licht ~ 좋은〔나쁜〕 인상을 주다; sich in Bewegung〔Marsch〕 ~ 움직이기〔행진을〕 시작하다; sich zur Ruhe ~ 은퇴〔퇴직〕하다; sich zur Wehr ~ 방어하다; sich bei jm. in Gunst ~ 누구의 마음에 들다, 누구의 총애를 받다. ②〖고어〗 정착〔정주〕하다: sich in ein Dorf ~ 어느 마을에 정주하다; sich aufs Land ~ 시골에 정착하다. ③ (먼지가) 묻다, (냄새가) 배다: Staub setzt sich auf ein Kleid 먼지가 옷에 묻는다; Geruch setzt sich in die Kleider 냄새가 옷에 밴다. ④ (**a**) (찌꺼기가) 가라앉다, 침전하다; (액체가) 맑아지다: die Lösung setzte sich (앙금이 가라앉아) 용액이 맑아졌다. (**b**) 수축하다, 오그라들다; (땅 따위가) 함몰하다. ⑤ 조용〔잔잔〕해지다. 《Ⅲ》 *i.* (h./s.) 〖원래는 승마 용어〗 ①〔고어〕 돌진하다: an jn. ~ 누구를 향하여 돌진하다, 엄습하다. ② 건너가다, 뛰어넘다: durchs Wasser ~ 물을 걸어서 건너다; über einen Zaun 〔ein Hindernis〕 ~ 울타리를〔장애물을〕 뛰어넘다; über einen Fluß ~ 강을 건너다. ③〖광산〗 스며들다: der Gang setzt durch das Gestein 광맥이 암석 사이로 뻗어 있다. ④〖사냥〗 (들짐승이) 새끼를 낳다; (물고기가) 알을 낳다. ⑤ 투자하다, 내기에 걸다, 내기하다: 〖승마〗 auf ein Pferd ~ 어느 말에 걸다; auf jn.〔et.〕 ~ 누구에게〔무엇에〕 투자하다, 누구를〔무엇을〕 후원하다; hoch 〔niedrig〕 ~ 크게〔작게〕 도박하다; in die Lotterie ~ 복권을 사다. 《Ⅳ》 *imp.* 〔구어〕 (불운이) 일어나다: es setzt etwas! 너 얻어맞는다!; wenn du nicht gleich aufhörst, setzt es was! 당장 멈추지 않으면 혼날 줄 알아라! 《Ⅴ》 **gesetzt** *p.a.* ↑ gesetzt.

Setzer [zɛ́tsər] 《< setzen》 *m.* -s, - ①〖印〗 식자공(植字工). ② 돈을 거는 사람, 도박사. ③〖軍〗 (총의) 꽂을대.

Setzerei *f.* -en 〖印〗 식자실(植字室).

Setzer≈fehler *m.* 〖印〗 ↑ Setzfehler. **~lehrling** *m.* 식자(植字) 수습공. **~saal** *m.* ↑ Setzerei.

Setz≈fehler *m.* 〖印〗 오식(誤植). **~gang** *m.* 〖海〗 방파판(防波板). **~gut** *n.* 못자리; 묘상(苗床). **~hammer** *m.* 코킹 해머(달구어진 강재를 고르게 펴는 공구). **~hase** *m.* 암토끼. **~holz** *n.* 〖원예〗 파종용 꼬챙이.

setzig *a.* (schweiz.) 고집센(eigensinnig).

Setz≈karpfen *m.* 〖양어〗 잉어의 치어. **~kasten** *m.* 〖印·드물게〗 활자 상자. **~kolben** *m.* 〖軍〗 (총의) 꽂을대의 대가리. **~kopf** *m.* ① 못의 대가리. ② (schweiz.) (**a**) 고집. (**b**) 고집센 사람. **~kunst** *f.* 〖음악〗 작곡법; 〖印〗 식자술(植字術). **~latte** *f.* 〖측량〗 수평기, 수준기.

Setzling [zɛ́tslɪŋ] 《< setzen》 *m.* -s, -e ①〖農〗 휘묻이, 꺾꽂이; 싹. ②〖양어〗 어린 물고기, 치어. ③〔농담〕 애숭이.

Setz≈linie *f.* 〖印〗 식자용의 자. **~maschine** *f.* ①〖印〗 라이노타이프, 주조 식자기. ②〖광산〗 습식 선광기. **~meißel** *m.* 〖工〗 코킹 끌. **~reis** *n.* 〖農〗 휘묻이, 꺾꽂이. **~schiff** *n.* 〖印〗 식자판, (활자용의) 게라. **~stange** *f.* (천막의) 말뚝; 〖農〗 (파종용) 구멍 파는 꼬챙이. **~stück** *n.* ①〖악기〗 (취주 악기용) 마우스피스. ②〖연극〗 이동 무대 장치, 소도구. **~teich** *m.* 양어장.

Setzung [zɛ́tsʊŋ] 《< setzen》 *f.* -en ①〔격식〕 (**a**) 놓기, 두기; 심기; 규정: Frist≈ 기한 정하기. (**b**) 가정, 추측. ②〖토목〗 침강, 침하.

Setz≈waage *f.* 〖측량〗 수준기. **~zapfen** *m.* 좌약. **~zeit** *f.* 〖사냥〗 번식기; 〖漁〗 산란기.

***Seuche** [zɔ́ʏçə] 《♧ Sucht》 *f.* -n ① (**a**) 병, 고질 병: rote ~ 말라리아열. (**b**) 〔비유〕 고질적인 버릇: diese Begierde ist zur ~ geworden 이 욕망은 고질이 되어 버렸다. ② 유행병, 전염병: ~n bekämpfen〔verhüten〕 전염병을 퇴치〔예방〕하다; eine ~ breitet sich aus 〔ist erloschen〕 전염병이 번진다〔사라졌다〕. ③ 〔비유〕 병적인 존재; 독소.

seuchen≈artig *a.* 고질적인; 전염성의. **~bekämpfung** *f.* 〖醫〗 전염병 퇴치. **~frei** *a.* 전염병이 없는; 면역성이 있는. **≈gefahr** *f.* 전염병 발생〔확산〕의 위험.

seuchenhaft *a.* ↑ seuchenartig.

Seuchen≈haus *n.* 격리 병원〔병동〕. **~herd** *m.* 전염병 발생지. **~stoff** *m.* 병독(病毒), 전염병균.

seuchtig 《< Seuche》 *a.* 〔고어〕 병의, 병적인.

***seufzen** [zɔ́ʏftsən] 《Ⅰ》 *i.* (h.) ① 한숨을 쉬다, 탄식하다: nach et.³ ~ 무엇을 그리며 탄식하다, 애태우며 슬퍼하다; über et. ~ 무엇을 한탄하다; um jn. ~ 누구를 애도하다; vor Kummer〔Sehnsucht〕 ~ 근심〔그리움〕에 한숨 짓다. ②〔시어〕 구슬픈 소리를 내다: die Blätter seufzten in Wind 나뭇잎이 바람에 구슬픈 소리를 냈다. ③〔雅語〕 신음하다: unter jm.〔et.³〕 ~ 누구에〔무엇에〕 시달리다; unter der Bürde des Krieges ~ 전쟁의 고통에 신음하다. 《Ⅱ》 *t.* ① 슬픈 소리를 내다; 탄식조로 말하다: die Flöte seufzt klagende Töne 피리가 구슬픈 소리를 낸다; js. Namen ~ 누구의 이름을 탄식하며 부르다. ②〔결과를 나타내어〕 jm. die Ohren voll ~ 누구에게 진저리나도록 한탄하다; 〔재귀적〕 sich müde ~ 슬퍼하다가 지치다. ③ einen Seufzer ~ 한숨을 쉬다.

***Seufzer** [zɔ́ʏftsər] *m.* -s, - ① 탄식하는 사람. ② 한숨, 탄식; 신음: einen ~ ausstoßen 탄식하다, 한숨짓다; einen ~ unterdrücken 한숨을 억누르다; 〔비유·雅語〕 seinen letzten ~ tun 죽다. ③ 탄식〔한탄〕의 대상: sie war der ewige ~ des Sterbenden 죽어가는 남자가 내내 근심하는 것은 그 여자였다.

Seufzer≈brücke *f.* 탄식의 다리(베네치아에 있는 다리; 죄수가 이 다리를 건너서 교도소로 끌려감). **~spalte** *f.* (신문의) 부고 (소식)란.

Seufzerin *f.* -nen ↑ Seufzer ① 의 여성형.

Severität *f.* 〔고어〕 (Strenge) 엄함; 엄숙.

Sevilla [sevílja] 세빌랴(에스파냐 남부의 도시).

Sèvres·porzellan [sɛ́:vər..] *n.* (파리 교외의) 세브르산(産) 도자기.

***Sex** [zɛks, sɛks] 《engl.》 *m.* -(es) ① 성적 표현: ~film 섹스 영화. ② 섹스, 성교, 성행위: Gruppen≈ 그룹 섹스. ③ 성적 매력. ④ (남성·여성 구분할 때의) 성.

Sexagesima [zɛksagé:zima] 《lat. „der sechzigste Tag"》 *f.* 〖가톨릭〗 부활절 전 60 일째, 육순절(六旬節)의 주일.

sexagesimal *a.* 〖數〗 60 진법의.

Sexagesimal≈bruch *m.* 〖數〗 (60 을 분모로 하는) 60 분수(고대 바빌로니아에서 사용). **~system** *n.* 〖數〗 60 진법.

Sex≈bombe *f.* 섹스 심볼(특히 여배우). **~boutique** [..buti:k] *f.* 섹스 숍. **~film** *m.* 섹스영화.

Sexismus *m.* - 성차별, 여성 멸시.

Sexist *m.* -en, -en 여성 차별론자.

Sexistin *f.* -nen ↑ Sexist 의 여성형.

sexistisch *a.* 성차별적인: ein ~er Mann 성차별 의식을 가진 남자: ein ~er Film 성차별적 경향을 보여주는 영화.

Sex·magazin *n.* 섹스〔포르노〕 잡지.

Sexologe [zɛksolóːgə] *m.* -n, -n 성 (문제) 연구가〔전문가〕.
Sexologie *f.* 성에 관한 학문, 성과학.
sexologisch *a.* 성 학문의, 성 학문에 관한.
Sex·shop 《engl.》 *m.* ↑ ~boutique.
Sext [zɛkst] *f.* -en 〖음악〗 ↑ Sexte ①.
Sexta [zɛ́ksta] 《lat.》 *f.* ..ten ①〔구식〕 김나지움(Gymnasium) 1 학년(오늘날에는 흔히 5 학년이라고 칭함). ② (öst.) 김나지움 6 학년.
Sext·akkord [zɛ́kst|..] *m.* 〖음악〗 6 의 화음 (3 화음의 첫째 자리 바꿈).
Sextaner *m.* -s, - ①〔구식〕 김나지움 5 학년생. ② (öst.) 김나지움 6 학년생.
Sextaner·blase *f.* 〔농담〕 가벼운 물집〔수포〕.
Sextanerin *f.* -nen ↑ Sextaner 의 여성형.
Sextant [zɛkstánt] *m.* -en, -en ①〖天〗 6 분의(分儀) 자리. ②〖工〗 6 분의(배의 위치; 천체의 고도를 나타냄).
Sexte [zɛ́kstə] *f.* -n ①〖음악〗 **(a)** 6 도 (음정). **(b)** 6 전음계의 간격. ②〖가톨릭〗 6 시경(時經)(낮 12 시에 드리는 성무 일도(聖務日禱)).
Sextett [zɛkstɛ́t] *n.* -(e)s, -e ①〖음악〗 **(a)** 6 중창곡. **(b)** 6 중주〔6 중창〕단. ②〖문학〗 6 행시〔연〕. ③〖핵물리〗 원자핵 주위의 6 개의 전자 배치.
Sextillion *f.* -en 100 만의 6 승(10^{36}).
Sextole *f.* -n 〖음악〗 6 잇단음표, 6 연음부.
Sex·tourismus [..turɪs..] *m.* 〔펌어〕 섹스 관광.
sexual [zɛksuáːl] *a.* 〔드물게〕 ↑ sexuell.
Sexual≈aufklärung *f.* (어린이의) 성교육. **~delikt** *n.* 성범죄. **~erziehung** *f.* 성교육. **~ethik** *f.* 성윤리(학). **~forscher** *m.* ↑ Sexologe. **~forschung** *f.* 성생활 연구, 성과학. **~hormon** *n.* 〖生〗 성호르몬. **~hygiene** *f.* ① 성위생학. ② 성위생법〔술〕.
sexualisieren *t.* 성적 측면을 강조하다; 성의식을 일깨우다: eine zunehmend sexualisierte Kultur 성적 측면이 한층 강조된 문화.
Sexualisierung *f.* -en 섹스화, 성적 측면의 강조.
***Sexualität** *f.* ① 성, 성별. ② 성생활.
Sexual≈kunde *f.* (교과목으로서의) 성과학. **~kunde·unterricht** *m.* 성교육. **~leben** *n.* 성생활. **~moral** *f.* ↑ ~ethik. **~organ** *n.* 성기, 생식 기관. **~pädagogik** *f.* 성교육(학). **~pathologie** *f.* 성병리학. **~psychologie** *f.* 성심리학. **~system** *n.* 〖植〗 자웅 분류법. **~täter** *m.* 성범죄자. **~trieb** *m.* 성욕, 성적 충동. **~verbrechen** *n.* 성범죄. **~verkehr** *m.* 성교. **~zyklus** *m.* 성주기(발정 및 월경 주기의 총칭).
***sexuell** [zɛksuɛ́l] 《lat.》 *a.* 성의, 성적인, 성과 관계되는: jn. ~ befriedigen 누구의 성욕을 만족시키다; 〖生〗 die ~e Fortpflanzung 암수 성세포의 결합에 따른 번식; 〖心·醫〗 ~e Inversion 성도착(증); ~er Mißbrauch von Kindern 어린이 성폭행; ~er Mißbrauch von Schutzbefohlenen 피보호자 성폭행; Förderung ~er Handlungen Minderjähriger 미성년자의 성행위 조장.
Sexuologie *f.* 〔구동독〕 성과학.
Sexus [zɛ́ksʊs] *m.* -, - ① **(a)** 성. **(b)** 〖언어〗 (문법적) 성. ②〔교양〕 성욕, 성생활.

sexy [zɛ́ksi] 《engl.》 *a.* ① 성적 매력이 있는, 섹시한. ② 성적 매력을 강조하는: ein ~ Nachthemd 성적 매력을 강조한 잠옷.
Seychellen [zeʃɛ́lən] *pl.* 세이셸 군도(群島).
Seychellen·nuß *f.* 〖植〗 세이셸 호두〔견과〕.
sezernieren [zetsɛrníːrən] 《lat.》 *f.* 나누다, 분리하다; 〖醫〗 분비하다.
Sezernierung *f.* -en 〖醫〗 분비.
Sezession [zetsɛsióːn] 《lat.》 *f.* -en ① (조합·종교·정치 단체로부터의) 분리, 탈퇴, 이반(離反). ②〖畫·건축〗 **(a)** 분리파, 시세션파(19 세기말 빈에서 일어난 신예술 운동). **(b)** 기존 예술가 조직에서 탈퇴하여 새로운 양식을 추구하는 예술가 그룹.
Sezessionist *m.* -en, -en ① (정치적·종교적) 분리주의자. ②〖畫·건축〗 분리파 예술가. ③〔고어〕 (미국 남북 전쟁 때 남부의 독립을 주장한) 분리주의자.
sezessionistisch *a.* 분리주의적인, 분리파의.
Sezessions≈krieg *m.* 〔고어〕 ① 분리·독립할 목적으로 수행되는 전쟁. ② (미국의) 남북 전쟁(1861-65). **~stil** *m.* 빈의 분리파〔시세션〕 양식(오스트리아의 유겐트 양식(Jugendstil)).
sezieren [zetsíːrən] 《lat.》 *t.* ①〖醫〗 해부〔부검〕하다. ② (작품을) 세밀히 분석하다.
Sezier·messer *n.* 〖醫〗 해부도(刀); 외과용 메스.
sf =〖음악〗 sforzando, sforzato 강음으로.
SFB =Sender Freies Berlin 자유 베를린 방송.
S-förmig [ɛ́s..] *a.* S 자 모양의.
Sforzando [sfɔrtsándo] *n.* -s, -s/..di 〖음악〗 ↑ Sforzato.
sforzando *adv.* 〖음악〗 ↑ sforzato.
Sforzato [sfɔrtsáːto] *n.* -s, -s/..ti 〖음악〗 강한 (화)음.
sforzato 《it.》 *adv.* 〖음악〗 특히 세게〔강하게〕, 강음으로(약어: sf, sfz).
sfr, sFr. (schweiz.) =Schweizer Franken 스위스 프랑(스위스 화폐 단위).
sfumato [sfumáːto] 《lat., „verdunstet"》 *adv.* 〖畫〗 윤곽을 바림하여 그린.
SG =Sportgemeinschaft 스포츠 클럽.
S.g. =Sehr geehrt... (öst.) 〔구식〕 (편지 서두에 써서) 진심으로 존경하는….
s.g. =sogenannt 이른바, 소위.
Sgraffito [sgrafíːto] 《lat., 원뜻 „das Gekratzte"》 *n.* -s, -s/..ti 〖畫〗 ① 스그라피토. ② 스그라피토화(畫).
Sgraffito·malerei *f.* ↑ Sgraffito ②.
sh ① 《engl.》 =Shilling ↑ Schilling. ②〖數〗 (Hyperbelsinus) 쌍곡선 사인 함수.
Shag [ʃɛk, ʃæg] 《engl.》 *m.* -s, -s ① 보풀이 일게 짠 천. ② 가늘게 썬 파이프용 담배.
Shag≈pfeife *f.* 가는 담배용 파이프. **~tabak** *m.* ↑ Shag ②.
Shake [ʃeːk, ʃeɪk] 《engl.》 *m.* -s, -s ① 셰이크 댄스. ② 혼합 음료: Milch~ 밀크 셰이크.
Shaker [ʃéːkər, ʃéɪkə] 《engl.》 *m.* -s, - (알코올 음료용의) 셰이커, 교반기.
Shakespeare [ʃéːkspiːr] *m.* William ~ 셰익스피어(영국의 시인·극작가, 1564-1616).
shakespearisch [ʃéːkspiːrɪʃ] *a.* 셰익스피어(풍)의.
Shampoo [ʃampú, ʃɛm..] 《engl.》 *n.* -s, -s 샴

푸, 세발제.

shampoonieren [ʃamponíːrən] *t.* 샴푸하다, 샴푸로 머리를 감다.

Shanty [ʃɛ́nti, ʃánti] 《engl.》 *n.* -s, -s/..ties (후렴이 있는) 민요조의 선원 노래.

Shaping·maschine [ʃéːpɪŋ.., ʃéɪpɪŋ..] *f.* -n 〖工〗 평삭반(平削盤), 플레이너.

Share [ʃɛ́ːə] 《engl.》〖증권〗 *m.* -, -s 주, 주식.

Shawl [ʃaːl, ʃɔːl] 《engl.》 *m.* -s, -s 〔구식〕 숄, 목도리.

Shed·bau [ʃɛ́t..] 《engl.》 *m.* 〔복수: -ten〕 지붕이 톱니 모양인 단층 건물.

Sheffield [ʃɛ́fiːld] 셰필드(영국의 도시).

Sheriff [ʃɛ́rɪf] 《engl.》 *m.* -s, -s ① (영국·북아일랜드의 주(州)의) 행정관. ② (미국의) 보안관.

Sherpa [ʃɛ́rpa] *m.* -s, -s 셰르파(히말라야의 짐꾼 겸 등반 안내인).

Sherry [ʃɛ́ri] 《engl.》 *m.* -s, -s 셰리(에스파냐산(産) 백포도주).

Shetland 《engl.》 *m.* -(s), -s 〖섬유〗 셰틀랜드 모직(셰틀랜드 군도산(産)의 회색이 섞인 모직물).

Shetland≠inseln [ʃɛ́tlant..] *pl.* (스코틀랜드 북동해의) 셰틀랜드 군도. **~pony** *n.* 셰틀랜드산(産) 조랑말. **~wolle** *f.* 셰틀랜드산(産) 양모.

***Shilling** [ʃílɪŋ] *m.* -s, -s ① 실링(독일의 옛 소액 화폐). ② 실링(Schilling; 오스트리아 화폐 단위; 약어: S). ③ 실링(영국의 화폐 단위(약어: s, sh)). ④ (수의 단위) 12 또는 30 개. ⑤〔방언〕 구타.

Shimmy [ʃími] 《engl.》 *m.* -s, -s 시미(1920 년대 미국에서 유행한 래그타임 댄스).

Shinto [ʃínto] *m.* -s ↑ Shintoismus.

Shintoismus [ʃɪntoísmus] 《jap.》 *m.* - (일본의) 신도(神道) (Schintoismus).

Shirt [ʃəːt] 《engl.》 *n.* -s, -s 면 셔츠.

Shit [ʃɪt] 《engl.》 *m./n.* -s〖마약〗 해시시(인도산(産) 대마에서 추출한 환각제): ~ rauchen 해시시를 피우다.

shocking [ʃɔ́kɪŋ] 《engl.》 *a.* 충격적인; 불쾌한, 분개할 만한.

Shoddy [ʃɔ́diː] 《engl.》 *n./m.* -s, -s 〖섬유〗 인조 양모, 넝마에서 재생한 털실.

Shogun [ʃóːgun] 《jap.》 *m.* -s, -e (일본 막부(幕府)의) 장군.

Shootingstar 新정서 ⇦ Shooting-Star.

Shooting-Star [ʃúːtɪŋ stáː] 《engl.》 *m.* ① (가요계의) 혜성. ② 히트곡.

Shop [ʃɔp] 《engl.》 *m.* -s, -s 가게, 상점.

Shopping [ʃɔ́pɪŋ] 《engl.》 *n.* -s, -s 쇼핑.

Shoppingcenter 新정서 ⇦ Shopping-Center.

Shopping-Center 《engl.》 *n.* -s, - 쇼핑센터.

Shorts [ʃoːrts, ʃɔːts] 《engl.》 *pl.* (스포츠용 또는 여름용) 짧은 반바지.

Shortstory 新정서 ⇦ Short Story.

Short Story [ʃɔ́ːt stɔ́ːri] 《engl.》 *f.* - -/..ries [..riːs] 〖문학〗 단편 소설.

Shorty 《engl.》 *n./m.* -s, -s/..ties [..tiːs] (기장이 짧은) 여성용 잠옷.

***Show** [ʃoː, ʃou] 《engl.》 *f.* -s 쇼, 구경거리, 흥행: in einer ~ auftreten 쇼에 출연하다; 〔드물게〕 eine ~ machen〔abziehen〕 뽐내다, 과시하다; 〔드물게〕 jm. die ~ stehlen 누구의 인기를 가로채다, 누구를 능가하다.

Show≠block *m.* 〖TV〗 쇼 프로. **~busineß** *n.* ↑ ~geschäft. **~down** 《engl.》 *m./n.* ① -(s), -s 〖영화〗 (특히 서부극에서) 최후의 결투. ②〖카드〗 카드의 공개. ③ 힘겨루기. **~geschäft** *n.* 흥행업(계), 쇼 비즈니스. **~man** 《engl.》 *m.* -s, ..men ① 흥행사, 쇼맨. ② 선전에 능한 사람. **~master** *m.* -s, - 쇼 프로의 기획자, 쇼 사회자.

Shredder [ʃrɛ́dər] *m.* -s, - 〖工〗 (폐차용) 압쇄기(壓碎機).

Shrimp [ʃrɪmp] 《engl.》 *m.* -s, -s (작은 식용) 새우.

Shuffle·board [ʃáf(ə)lbɔː(r)d] 《engl.》 *n.* -s 〖스포츠〗 셔플보드.

Shunt [ʃant] 《engl.》 *m.* -s, -s ①〖전기공학〗 (병렬 접속에서의) 전기 저항. ②〖醫〗 **(a)** (선천적인 결함으로 인한) 대소 순환기〔좌우 심장〕의 이상 연결. **(b)** (수술에 의한) 문정맥과 하대 정맥의 연결.

Shylock [ʃáiɪlɔk] *m.* -(s), -s 〔교양〕 샤일록(셰익스피어 작품의 등장 인물; 수전노).

Si 〖化〗 =Silizium 규소.

SIA =Schweizerischer Ingenieur- und Architektenverein 스위스 엔지니어·건축가 협회.

Sial [zíːal] *n.* -(s) 〖지질〗 시알(대륙 지각의 최상층 부분).

Siam [zíːam] 샴(태국의 옛 이름).

Siamese [ziaméːzə] *m.* -n, -n ① 태국 사람. ②〖動〗 ↑ Siamkatze.

Siamesin *f.* -nen ↑ Siamese ① 의 여성형.

siamesisch *a.* 태국(사람·말)의: 〖醫〗 ~e Zwillinge 샴 쌍둥이(허리가 붙었음).

Siam·katze *f.* 〖動〗 샴 고양이.

Siamose 《frz.》 *f.* -n 화려한 줄무늬의 면직물.

Sibilant [zibilánt] 《lat.》 *m.* -en, -en 〖음성〗 잇소리, 치음(齒音) (s, z, ʃ, ʒ 따위).

Sibirer *m.* -s, - ↑ Sibirier.

Sibirien [zibíːriən] 시베리아.

Sibirier *m.* -s, - 시베리아의 주민.

sibirisch *a.* 시베리아의: die ≃e Eisenbahn 시베리아 철도; 〔구어〕 ~e Kälte 혹한.

Sibylle [zibýlə] 《lat.》 *f.* -n 〖신화〗 시빌라(아폴론의 신탁을 전했던 여자 예언자).

sibyllinisch *a.* ① 무녀〔무당〕의: die ~e Literatur 무속 문학. ②〔교양〕 예언자적인, 신비로운, 불가해한: ≃e Bücher a) 큐메(Cumae)의 여자 예언자 Sibylle 의 예언집(고대 로마의 황제와 집정관이 정치적으로 참고로 삼았음), b) 〔비유〕 난해한 책; ≃e Orakel (기독교에 의해 정리된) 유대인과 이교도의 신탁(信託) 모음집.

sic [zɪk, ziːk] 《lat.》 원문 그대로(부적절하거나 낯선 표현을 원문 그대로 인용함을 나타냄).

***sich** [zɪç] *prn.* 〔재귀 대명사〕 ① **(a)** 〔타동사와 결합하여 자동사의 뜻이 됨〕 ~ bewegen 〔erhöhen, erkälten, freuen, legen, setzen〕 움직이다〔높아지다, 감기에 걸리다, 기뻐하다, 눕다, 앉다〕; 〔특수한 뜻으로 바뀌어〕 ~ befinden 존재하다, 있다; ~ begeben 가다; 〔관용구〕 ~ schämen 부끄러워하다; ~ bewerben 지원〔지망〕하다; ~ mit jm. streiten 누구와 말다툼하다. **(b)** 〔방향을 나타내는 말과 함께〕 ~ nach Hause befinden 집으로 가는 중

이다; ~ durchbetteln 구걸하며 돌아다니다; ~ einschmeicheln 알랑거려 환심을 사다; ~ umsehen 두리번거리다, 찾다. (**c**) 〖상태, 특히 결과를 나타내는 말과 함께〗 ~ zu Tode lachen 죽도록 웃다; ~ heiser schreien 고함을 쳐서 목이 쉬다; ~ müde arbeiten 지치도록 일하다; ~ satt essen 물리도록 먹다; sich³ die Finger lahm schreiben 손가락이 저리도록 글씨를 쓰다. ②〖수동의 뜻으로〗(**a**) der Himmel bedeckt ~ mit Wolken 하늘이 구름으로 덮힌다; 〖구어〗 da tut ~ was! 뭔가 (심상치 않은 일이) 벌어졌군! (**b**) 〖lassen 과 결합하여〗 hier läßt es ~ leben 여기는 살 만하다; dieser Satz läßt ~ schwer übersetzen 이 문장은 번역하기 어렵다; er läßt sich³ nichts befehlen 그는 남의 지시는 받지 않는다. ③ (**a**) es versteht ~ von selbst 그것은 명백하다; es fragt ~, ob er kommt 그가 올지는 의문이다. (**b**) *imp.* hier lebt〔wohnt〕 es ~ gut 여기는 살기 좋다; es sitzt ~ gut in deinen neuen Sesseln 너의 새로운 안락 의자들은 앉아 있기가 좋다. ④〖3격의 용례〗(**a**) 〖이해·관심〗〖속담〗 jeder ist ~ selbst der Nächste 자기 자신보다 소중한 것은 없다; ~ et. aneignen 무엇을 익히다〔섭렵하다〕. (**b**) 〖동사의 뜻을 강조〗 ~ et. überlegen 무엇을 깊이 생각하다. (**c**) er putzt ~ die Zähne 그는 이를 닦는다; dafür muß man ~ Zeit nehmen 그 일은 시간 여유를 갖고 해야만 한다; ~ über et. Gedanken machen 무엇을 골똘히 생각하다, 걱정하다. ⑤〖전치사와 함께〗 자기(자신): **an** ~ 〔**für** ~, an und für ~〕 그것 자체, 원래, 본래(단: 철학 용어로는 an ~ 자체, 즉자(卽自), für ~ 대자(對者)); et. an ~ haben 무엇을 간직하다; an ~ halten (감정·정욕 따위를) 억누르다, 억제하다; 〖哲〗 das Ding an ~ 물 자체; das hat nichts **auf** ~ 그것은 대수로운 일이 아니다; was hat es ~ damit auf? 그게 무슨 소용이 있는가?; et. auf ~ nehmen 무엇을 떠맡다; **aus** ~ herausgehen 아주 소탈한 성품이다; **außer** ~ sein 제정신이 아니다, 격분해 있다; außer ~ kommen 제정신을 잃다, 격분하다; **bei** ~ a) 제정신인, 의식이 있는, b) 자기 집에 (있는); et. bei ~ haben 무엇을 몸에 지니고 있다, 휴대하다; nicht bei ~ sein a) 정신을 잃고 있다, 의식이 없다, b) 제정신이 아니다; niemand bei ~ sehen 방문객을 받지 않다; eine Sache **für** ~ a) 일 그 자체, b) 별개의 문제; et. für ~ behalten 무엇을 비밀로 하다; er ist gern für ~ 그는 고독을 즐긴다; et. hinter ~ bringen 무엇을 처리하다, 끝내다; et. hinter ~ haben (부담스럽고 불쾌한) 무엇을 겪다; **in** ~ gehen a) 후회〔반성〕하다, b) 심사숙고하다; **nach** ~ ziehen 초래〔야기〕하다; et. **von** ~ aus tun 무엇을 자발적으로〔자진해서〕 하다; et. (noch) **vor** ~ haben 무엇을 (아직) 처리〔해결〕해야 한다; vor ~ hin sprechen 혼자말을 하다, 중얼거리다; jn. vor ~ kommen lassen 누구를 소환하다; **zu** ~ bitten 초대하다; (wieder) zu ~ kommen 의식을 되찾다, 제정신으로 돌아오다; der brave Mann denkt an ~ selbst zuletzt 남자다운 사람은 제 몸을 맨 나중에 생각한다. ⑥〖상호 대명사로〗 서로(를)(einander): sie schlagen ~ 그들은 서로 때린다; die beiden haben ~ sehr gern 두 사람은 서로 매우 좋아한다; ~ streiten〔zanken〕 서로 말다툼하다.

Sich·auslaufen *n.* -s ① 마음껏 달림〔걸음〕 (↑ auslaufen《Ⅲ》). ② 먼 산책길.

***Sichel** [zɪçəl] *f.* -n ①〖農〗(반달형의) 낫: die ~ wetzen〔schärfen〕 낫을 갈다. ② 낫 모양의 것: (**a**) 초승달. (**b**) 〖해부〗 대뇌낫(鐮), 소뇌낫. (**c**) 〖植〗 육수 꽃차례〔화서(花序)〕. (**d**) 낫 모양의 도구(Sichet). ③〖사냥〗 낫깃(수탉깃 꼬리 가운데 낫 모양의 깃).

sichel≈artig *a.* 낫 같은; 초승달 모양의. **≈beine** *pl.* 〖醫〗 외반슬(外反膝), O 자(字)형 다리. **~beinig** *a.* 〖醫〗 외반슬의, O 자형 다리의. **~förmig** *a.* ↑ ~artig. **≈henke** *f.* (schweiz.) ↑ Sichelte. **≈klee** *m.* 〖植〗 자주개자리. **~krumm** *a.* 낫처럼〔초승달 모양으로〕 굽은. **≈lege, ≈löse** *f.* (schweiz.) ↑ Sichelte.

sicheln [zíçəln] 《Ⅰ》 *t./i.* (h.) 낫질하다, 베다. 《Ⅱ》 *refl.* sich ~ 초승달이 되다.

Sichel·reiher *m.* 〖動〗 길고 굽은 낫 모양의 부리를 가진 새(Sichler).

Sichelte *f.* -n (schweiz.) 추수 감사절.

Sichel·wagen *n.* 〖軍〗 긴 낫을 장착한 고대의 전차(戰車).

***sicher** [zíçər] 《<lat. securus》《Ⅰ》 *a.* ① 안전한, 위험이 없는, 안심할 수 있는: die Straßen sind nicht ~ 거리는 위험하다; 〖法〗 ~es Geleit a) 호위(특히 전시에 주권국 군함이 중립국 상선의 항행을 보호하는 것), b) 호송 이감; ein ~es Einkommen 안정된 수입; vor jm.〔et.³〕 ~ sein 누구〔무엇〕의 위협〔위험〕에서 벗어나 있다, 안전하다; gegen et. ~ sein 무엇에 대하여 안전하다, 무엇을 이겨낼 수 있다, 막아낼 힘이 있다; 〖구어〗 ~ ist ~! 조심하는 것이 상책이다!; das ≈ste ist, et. zu tun 만전의 묘책은 …하는 것이다; seines Lebens ~ sein a) 생명의 위험이 없다, b) 지내기에 걱정이 없다; jn. ~ stellen 누구를 위험에서 구출하다; 〖농담〗 auf Nummer ≈ sein 교도소에 (수감되어) 있다. ② 안심〔방심〕하고 있는: den ~en Feind überfallen 방심하고 있는 적을 기습하다; jn. ~ machen 누구를 안심시키다. ③ 믿을 만한, 확실한; 노련한, 숙달된: ein ~er Kunde 믿을 만한 고객〔단골〕; eine ~e Sache 확실한 일; eine ~e Nachricht 믿을 만한 소식; ein ~er Freund 믿을 수 있는 친구; ein ~es Urteil 틀림없는 판단; ein ~er Fahrer 노련한 운전자; er hat einen ~en Blick 그의 눈빛은 자신감에 차 있다; ein ~es Gefühl für et. haben 무엇을 자신〔확신〕하다; der Tod ist uns allen ~ 아무도 죽음을 면할 수는 없다; er ist nicht ~ (돈 문제 따위에서) 그는 믿을 수가 없다; 〖구어〗 so ~ wie das Amen in der Kirche 〔wie der Tod〕 아주 확실한; ich bin nicht ~, ob er kommt 그가 올지 안 올지는 확실히 모르겠다; ich weiß es aus ~er Quelle〔Hand〕 나는 그것을 믿을 만한 소식통에서 들어 알고 있다; das ist ein ~er Beweis ihrer Unschuld 그것은 그 여자가 결백하다는 확실한 증거다; mit ~er Hand 능숙한 솜씨로; eine ~e Hand haben (수술·사격술 따위의) 솜씨가 능숙하다; in et.³ ~ sein a) 무엇에 능숙하다, b) 무엇에 자신이 있다; er will ganz ~ gehen 그는 돌다리도 두들겨 보며 가려 한다; ~! a) 물론, 확실히!,

b) 걱정 없다, 안심이다 ! ; 〔2격 지배〕 eines Dinges ~ sein 무엇을 확신하다; js. ~ sein a) 누구를 신뢰하고 있다, b) 누구를 마음대로 할 수 있다; dessen kannst du ~ sein 그것은 믿을 만하다; sind Sie (dessen) ~, daß er es so gemeint hat? 그가 그런 의견이었다고 정말 믿으십니까? ; er ist seiner selbst sehr ~ 그는 매우 자신감에 차 있다; ich bin mir meiner Sache ~ 나는 내가 하는 일을 잘 알고 있다. ④〔고어〕 어떤, 일종의, 모(某), 아무: ein ~er Herr 어떤 분, 모씨; 〔구어〕 ich muß an einen ~n Ort 나는 화장실에 가고 싶다. 《Ⅱ》 *adv.* ① 안전하게, 안심하고: ~ gehen a) 안전한 길을 걷다, b) 만전의 대책을 강구하다; ~ leben 안전하게 살다, 지내기에 걱정이 없다; er steht nicht mehr ~ auf den Beinen a) 그는 몸을 제대로 가누지 못한다, b) 그는 술취했다. ② 확실히, 틀림없이, 꼭: du kannst ~ darauf rechnen 그것을 꼭 믿어도 된다; er kommt ganz ~ 그는 꼭 온다; 〔속담〕 langsam, aber ~ 더디더라도 확실하게; auf jn. ~ bauen 누구를 전적으로 믿다.

sicher|gehen* *i.* (h.) 만일의 경우에 대비하다, 확실히 하다(단: sicher gehen 안전하게 가다): um sicherzugehen 만일의 경우에 대비해서.

***Sicherheit** [zíçərhaɪt] *f.* -en ① (**a**) 안심: jn. in ~ wiegen 누구를 달래어 안심시키다. (**b**) 안전; 〔軍〕 경계: er ist 〔befindet sich〕 in ~ 그는 안전하다; sich in ~ bringen 안전한 곳으로 피신하다, 자신의 안전을 꾀하다; jn. 〔et.〕 in ~ bringen 누구를〔무엇을〕 안전하게 하다〔보호하다〕. (**c**) 확신; 확실성: 자신: ~ des Benehmens 〔~ im Auftreten〕 자신만만한 행동; ~ des Urteils 판단의 확실성; mit ~ behaupten〔erwarten〕 확신을 가지고 주장〔기대〕하다. (**d**) 안정, 안녕; 〔法〕 안전 보장: politische〔finanzielle〕 ~ 정치적〔경제적〕 안정; öffentliche ~ 공공의 안녕; kollektive ~ 집단 안전 보장. (**e**) 숙달, 숙련: ihm fehlt die nötige ~ am Instrument 그에게는 악기를 다루는데 필요한 노련미가 부족하다. ②〔經〕 보증, 담보: ~en leisten〔geben〕 담보를 제공하다; ~en fordern 담보를 요구하다; jm. ~ für et. geben 누구에게 무엇을 보증하다; sich³ ~ von jm. geben lassen 누구에게서 보증금〔담보물〕을 받다.

Sicherheits=abstand *m.* 〔교통〕 안전 거리. **~ausschuß** *m.* 공안〔보안〕 위원회. **~auto** *n.* (안전과 환경 보호를 위해 특별 설계된) 안전 자동차. **~beauftragte*** *der/die* (기업의) 안전 요원. **~behörde** *f.* 치안〔공안〕 당국. **~bestellung** *f.* 담보 제공. **~bezirk** *m.* 안전 지대. **~bindung** *f.* 〔스키〕 안전 바인딩(넘어지면 스키 신발이 자동으로 벗겨지도록 된 안전 장치). **~dienst** *m.* ① 나치스의 친위대(SS)에 예속된 정보 기관(약어: SD). ② 경찰 보안 임무; 〔軍〕 호위〔호송·보호〕 임무. **~fach** *n.* 비밀 금고. **~faktor** *m.* ① 안전 요인: ~en berücksichtigen 안전 요인을 고려하다. ②〔工〕 안전율. **~geleit** *n.* 〔法〕 통행권, 안전 통행증; 호송. **~glas** *n.* 안전 유리. **~grund** *m.* 안전상의 이유: aus Sicherheitsgründen 안전상의 이유로. **~gurt** *m.* 안전 벨트. **~hafen** *m.* 피난항. **~hahn** *m.* 〔工〕 안전 콕. **~halber** *adv.* 안전을 위하여, 만약의 경우에 대비해서. **~kette** *f.* ① (문 단속용) 안전 고리. ② 회중 시계줄. **~klappe** *f.* ↑ ~ventil. **~kommissarius** *m.* 〔구어〕 조심성 많고 소심한 사람, 안전 제일주의자. **~lampe** *f.* 〔광산〕 안전등. **~leistung** *f.* 〔法〕 담보 제공, 보증; 보석금 납부. **~mann** *m.* 〔방언〕 경관, 순경. **~maßnahme** *f.* 안전 조치: ~n ergreifen〔treffen〕 안전 조치를 취하다. **~maßregel** *f.* ↑ ~maßnahme. **~nadel** *f.* 안전핀. **~organ** *n.* 〔구동독〕 보안 기관. **~pfand** *n.* 저당. **~politik** *f.* 〔政〕 안보 정책. **~polizei** *f.* ① 보안〔치안〕 경찰. ② (나치스의) 비밀 경찰(약어: Sipo, SIPO). **~rasier·apparat** *m.*, **~rasier·messer** *n.* 안전 면도기. **~rat** *m.* (국제 연합의) 안전보장 이사회. **~risiko** *n.* (특히 정치 분야에서) 안정을 해치는 위험(인)물. **~schalter** *m.* 안전 스위치. **~schloß** *m.* 안전 자물쇠. **~schwelle** *f.* (온도·압력·속도의) 안전 한계치. **~stellung** *f.* 안전한 곳에 맡겨 둠, 안전 보호 예치; 보증. **~streich·holz** *n.* 안전 성냥. **~ventil** *n.* 〔工〕 안전 밸브. **~verschluß** *m.* (브로치 등이 저절로 열리지 않도록 하는) 안전 걸쇠. **~vorkehrung** *f.* 안전 대책. **~vorrichtung** *f.* 안전 장치. **~vorschrift** *f.* 안전수칙. **~wache** *f.* 〔海〕 경계위병; 〔軍〕 위병; 경찰. **~wechsel** *m.* 〔商〕 안전〔담보〕 어음. **~zone** *f.* 안전 지대. **~zünd·holz** *n.* 안전 성냥.

sicherlich *adv.* 확실히, 꼭, 틀림없이, 물론: ~! 물론입니다!.

***sichern** [zíçərn] 《Ⅰ》 *t.* ① 안전〔확실〕하게 하다: jn.〔et.〕 vor et.³ 〔gegen et.〕 ~ 누구를〔무엇을〕 무엇에서 지키다〔보호하다〕; seinen Rückzug ~ 안전하게 퇴각하다; im voraus ~ 예방하다, 보증〔보호〕하다; das Fahrrad ~ 자전거에 자물쇠를 걸다; 〔軍〕 das Gewehr ~ 총의 안전 장치를 채우다; 〔제련〕 Erz ~ 세광(洗鑛)하다; ihr Erfolg ist gesichert 그녀의 성공은 보장되어 있다. ② (**a**) 〔고어〕 (versichern) 보증〔확언〕하다: ich sichere dich, daß ... …임을 나는 네게 보증〔확언〕한다. (**b**) (증거물 따위를) 찾아내다, 확보하다: Fingerabdrücke ~ 지문을 찾아내다. ③ (좌석 따위를) 예매〔확보〕하다: jm. et. ~ 누구를 위해 무엇을 확보〔예약〕해두다; sich³ einen Sitzplatz ~ 좌석을 예약하다; sich³ das Vorverkaufsbillett ~ 예매권을 확보하다. 《Ⅱ》 *refl.* sich ~ 몸을 안전하게 하다, 조심하다: sich durch ein Seil ~ 자일로 자신을 보호하다; sich gegen eine Gefahr ~ 위험에서 몸을 지키다; sich vor Verlust des Vermögens ~ 재산을 잃지 않도록 조치를 취하다. 《Ⅲ》 *i.* (h.) ① (사냥감이) 경계하다. ②〔軍〕 경계〔보초〕 서다: die 2. Gruppe sichert 제 2 분대가 경계를 선다. ③ 안전 조치를 취하다: bei einer sportlichen Übung ~ 운동 연습을 할 때 안전 조치를 취하다. 《Ⅳ》 **gesichert** *p.a.* ↑ gesichert.

sicher|stellen 《Ⅰ》 *t.* (단: sicher stellen 안전한 곳에 두다) ① (**a**) 안전하게 하다, 지키다: jn.〔et.〕 ~ 누구를〔무엇을〕 안전하게 하다, 보호하다. (**b**) 확보하다, 압류〔몰수〕하다: gestohlene Gegenstände ~ 도난품들을 압류하다. ② 보증〔보장〕하다: jn. (finanziell) ~ 누구를 위해 (재정) 보증을 서다; mit einer

Lebensversicherung will er seine Familie ~ 그는 생명 보험으로 가족의 장래를 보장하려고 한다. ③ 입증〔증명〕하다: durch Experimente et. ~ 무엇을 실험을 통해 증명하다. 《Ⅱ》 *refl.* sich ~ 몸을 지키다, 조심하다.

Sicher·stellung *f.* 확보, 압류; 보증, 담보; 보호(물).

***Sicherung** [zíçərʊŋ] *f.* -en ① **(a)** 보호, 방지: zur ~ des Friedens 평화를 지키기 위해; Zinspolitik als ~ gegen Inflation 인플레이션 방지책으로서의 금리 정책. **(b)** 〖軍〗 보호 조치: militärische ~en 군사적 보호 조치. **(c)** 보증, 보장: eine ~ der Versorgung mit Lebensmitteln 식량 공급의 보장. **(d)** 경찰의 증거 수집〔확보〕. ② 〖軍〗 경계, 보초; (총포의) 안전 장치; 피뢰침; 자동 차단기, 퓨즈; 〖工〗 안전 장치: eine neue ~ einschrauben 〔einsetzen〕 새로운 퓨즈를 갈아 넣다; 《비유·구어》 ihm brennt die ~ durch 그는 자제력을 잃었다, 격분해 있다.

Sicherungs⸗abtretung *f.* 〖금융〗 담보를 위한 채권 양도. **~geber** *m.* 〖금융〗 담보 제공 채무자. **~grund·schuld** *f.* 〖금융〗 담보를 위한 토지 채무. **~hypothek** *f.* 〖法〗 보전(保全) 저당. **~kasten** *m.* 〖전기〗 퓨즈 박스, 두꺼비집. **~kopie** *f.* 〖컴〗 백업 (파일). **~maßnahme** *f.* ↑ Sicherheitsmaßnahme. **~nehmer** *m.* 〖금융〗 담보 취득 채권자. **~übereignung** *f.* 〖法〗 담보 양도. **~verwahrung** *f.* 〖法〗 보안 감호, 예비 구금; 정치범 감금.

sicher·wirkend *a.* 효력〔효능〕이 있는.

Sichet *n.* -(e)s (ndd.) 낫 모양의 도구; 작은 낫.

Sich·gehen·lassen *n.* 내버려둠, 방치.

Sichler [zíçlər] 《＜Sichel》 *m.* -s, - 〖動〗 (길고 굽은) 낫 모양의 부리를 가진 새(특히 마도요류(類)); 팔기오넬루스속(屬)의 새.

Sichling *m.* -s, -e ① 〖農〗 (곡식의) 단. ② 〖動〗 (낫처럼 생긴) 잉어과의 일종.

***Sicht** [zɪçt] 《＜sehen》 *f.* -en ① (바라)봄: bei erster ~ 한 번 보아서, 첫눈에. ② **(a)** 시계(視界), 시야: in〔außer〕 ~ 시야 내에〔밖에〕, 보이는〔보이지 않는〕 곳에; et. in ~ bekommen 무엇을 발견하다, 무엇을 보다; in ~ kommen 보이다, 나타나다; gute〔schlechte〕 ~ haben 시계(視界)가 좋다〔나쁘다〕; die ~ öffnet sich 시계가 열린다, 잘 보이기 시작한다; 〖軍〗 Deckung gegen ~ 은폐, 엄폐. **(b)** 전망, 조망: auf kurze〔lange〕 ~ 단기적〔장기적〕 전망에서; Politik auf weite ~ 장기 정책; Wettervoraussagen auf lange ~ 장기 일기 예보. ③ 〖금융〗 (어음의) 일람 출급: auf ~ 일람하여, 일람 후에; Wechsel auf kurze〔lange〕 ~, Wechsel von kurzer〔langer〕 ~ 단기〔장기〕 어음; 10 Tage nach ~ 일람하고 난 10 일 후에. ④ 관점, 견해, 견지: aus meiner ~ 내 견해로는; aus der ~ des Wissenschaftlers 학자의 관점에서 (보면).

***sichtbar** 《Ⅰ》 *a.* 《교양》 ① 눈에 보이는, 가시적(可視的)인; 노출된, 드러난: die ~e Welt 가시적 세계; die ~e Kirche 신자들의 공동체; ~ werden 보이다, 밝혀지다; ~ machen 가시화하다, 밝히다; 《구어》 ich bin noch nicht ~ 나는 아직 사람 앞에 나서지 못하겠다. ② 눈에 띄는, 현저한: ~e Fortschritte machen 뚜렷한 발전을 이루다. 《Ⅱ》 *adv.* 눈에 띄게, 분명히, 뚜렷이: er ärgerte〔freute〕 sich ~ 그는 눈에 띄게 화를 냈다〔기뻐했다〕.

Sichtbarkeit *f.* 가시성(可視性), 노출; 두드러짐.

sichtbarlich *adv.* 《구식》 ↑ sichtlich.

Sichtbar·werden *n.* (특히 혜성의) 출현.

Sicht⸗bereich *m.* 시계(視界), 보이는 범위. **~beton** *m.* (마무리 회반죽을 바르지 않은) 콘크리트벽. **~blende** *f.* 시야 차단 장치, 블라인드.

Sichte *f.* -n (ndd.) ↑ Sicher.

Sicht·einlage *f.* 보통 예금, 요구불 예금.

sichten[1] [zíçtən] 《ndd.; ♧ Sieb》 *t.* ① 체로 치다, 체질하다. ② 가려내다, 선별하다; 정리하다: js. Nachlaß ~ 누구의 유고를 정리하다.

sichten[2] 《＜Sicht》 *t.* 〖海〗 (멀리서) 알아내다, 발견하다, 인지하다.

Sichter 《＜sichten[1]》 *m.* -s, - ① 체. ② 〖광산〗 선별기.

Sicht⸗flug *m.* 〖空〗 시계(視界) 비행. **~geschäft** *n.* 〖증권〗 선물(先物) 거래. **~grenze** *f.* 가시 거리, 시야; (Horizont) 지평〔수평〕선: die ~ lag bei 50 m 시야는 약 50 m 였다.

sichtig [zíçtɪç] 《＜Sicht》 *a.* ① 〖海〗 맑은, 시야가 트인, 멀리까지 보이는: ~es Wetter 맑은 날씨. ② ↑ sichtlich. ③ ↑ sichtbar.

..sichtig *suf.* "…시(視)의, 눈이 …한"의 뜻 (보기: kurz~ 안목이 짧은, 근시안의).

Sichtigkeit *f.* 〖海〗 (대기의) 맑음, 청명.

Sicht⸗karte *f.* 정기 승차권. **~karten·inhaber** *m.* 정기 승차권 소유자.

sichtlich *a.* 눈에 띄는, 명백〔뚜렷〕한: mit ~er Freude 기쁜 기색이 완연하게.

Sicht⸗linie *f.* ① 〖天〗 시준축〔선〕(視準軸〔線〕); 시선. ② 〖교통〗 (길·교차로 따위가 보이는) 시계선: bis zur ~ vorfahren 시계선까지 차를 몰고 가다. **~maschine** *f.* 선별기. **~note** *f.* ↑ ~wechsel. **~tag** *m.* (어음의) (지급) 제시일.

Sichtung [zíçtʊŋ] 《＜sichten[1]》 *f.* 체질, 체로 가려내기; 《비유》 선별, 정사(精査).

Sicht⸗verhältnisse *pl.* (기후에 따른) 시계(視界) 상황. **~vermerk** *m.* (Visum) 비자, 사증(査證). **~vermerk·frei** *a.* 비자가 면제된. **~wechsel** *m.* 〖商〗 일람 출급 어음, 요구 어음. **~weite** *f.* 〖海〗 시계(視界): in 〔außer〕 ~ sein 시계 안〔밖〕에 있다. **~werbung** *f.* 눈에 잘 띄는 곳에 설치된 광고. **~zeichen** *n.* 〖軍〗 가시(可視) 신호.

Sicke[1] [zíkə] 《＜sie》 *f.* -n 〖사냥〗 작은 새의 암컷.

Sicke[2] 《ndd.》 *f.* -n 〖工〗 (보강용의) 가는 홈; 권축(捲縮).

sicken [zíkən] *t.* 〖工〗 (함석에) 홈을 내다.

Sicken·maschine *f.* 〖工〗 홈 만드는 기계.

Sicker·grube [zíkər..] *f.* 배수로, 하수구.

***sickern** [zíkərn] *i.* (h.) / (s.) (물이) 스며들다; (물·빛이) 새어나오다; 《비유》 (뉴스가) 새다: die Flüssigkeit 〔das Faß〕 sickert 액체가〔통이〕 샌다; aus der Wunde sickert Blut 상처에서 피가 흐른다; das Wasser sickert in die Erde 물이 땅속으로 스며든다.

Sicker·wasser *n.* ① 누수(漏水). ② 지하로 스며 들어가는 물.

sic transit gloria mundi [ziːk tránsɪt glóːria mʊ́ndi] 《lat.》〔교양·농담〕 세상 영화(榮華)는 이처럼 덧없이 사라져 간다.

sid ① (obd.) ↑ seit. ② (ndd.) 낮은, 천한.

Siddhartha [zidárta] 《skt., „der sein Ziel erreicht hat"》, **Siddhạttha** *m.* 싣다르타(석가의 태자 때 이름).

Side·board [záɪt|boːrt, sáɪdbɔːrd] 《engl.》 *n.* -s, -s 사이드보드, (음식을 차려놓는) 낮고 긴 탁자.

sịder *adv.* (obd.) ① (seither) 그후로. ② 그 사이에(unterdessen).

sideral [ziderá:l] 《lat.》 *a.* ↑ siderisch ①.

Sideral·licht *n.* 〖理〗 석회광(光), 산수소광.

siderisch [zɪdé:rɪʃ] *a.* ① 항성(恒星)의: ~e Umlaufzeit 항성의 주기; ein ~es Jahr 항성년. ② 철의, 철에 반응하는:〖심령〗~es Pendel 철진자(振子)(실 끝에 매단 금속 고리의 진동으로 광맥이나 수맥을 찾아냈다고 함).

Siderịsmus[1] 《lat. sidus, „Gestirn"》 *m.* - 〖天〗 성력설(星力說)(인간사(事)는 모두 별에 지배된다는 설).

Siderịsmus[2] 《gr. síderos, „Eisen"》 *m.* - (질병 치료를 위한) 자기(磁氣) 요법의 일종.

Siderit [zɪderíːt, ..rít] *m.* -s, -e 〖광물〗 능철광(菱鐵鑛), 운철(隕鐵).

Siderolith [ziderolíːt, ..lít] *m.* -s/-en, -e(n) 〖天·광물〗 운석(隕石).

Sideroḷith·waren *pl.* (레이크 안료로 무늬를 입힌) 오지 그릇.

Siderotẹchnik *f.* -en 야금술, 제철법.

Sịdi 《ar.》 *m.* -s, -s (Herr) 족장; 군주.

Sịdon [zíːdɔn] 시돈(고대 페니키아의 항구 도시; 지금의 Saida).

sidọnisch *a.* 시돈(사람)의.

***sie** [ziː] *prn.* ①〔3 인칭 단수의 여성 인칭 대명사〕 그녀, 그 여자: ~ geht noch zur Schule 그녀는 아직 학교에 다닌다; wir werden uns ihrer 〔2 격〕 annehmen 우리가 그녀를 돌볼 것이다; wir haben es ihr 〔3 격〕 versprochen 우리는 그녀에게 그것을 약속했다; ich werde ~ 〔4 격〕 sofort benachrichtigen 나는 즉시 그녀에게 연락할 것이다. ②〔3 인칭 복수 인칭 대명사〕 그들, 그것들: hier wollen ~ jetzt eine Autobahn bauen 그들은 지금 여기에 고속 도로를 건설하려고 한다; er machte sich große Mühe, um sich ihrer 〔2 격〕 zu entledigen 그는 그들에게서 벗어나려고 안간힘을 썼다; er wird sich bei ihnen 〔3 격〕 entschuldigen 그는 그들에게 용서를 빌 것이다; wir haben sie 〔4 격〕 alle nach ihrer Meinung gefragt 우리는 그들 모두에게 의견을 물었다.

***Sie** [ziː] 《I》 *prn.* ①〔2 인칭 단·복수에 대한 존칭〕 당신(들): darf ich ~ miteinander bekannt machen? 제가 당신들을 서로 소개할까요?; 〔구어〕 ~ da 〔he ~〕! 이봐요! (이름을 모르는 사람에 대한 불손한 호칭); jn. mit ~ anreden 누구에게 존칭을 쓰다; 〔구어·농담〕 dazu muß man ~ sagen 그것은 특별〔비상〕한 것이다. ②〔여성 2 인칭 단수로 신분이 낮은 여자에 대한 호칭〕〔구식〕 당신, 그대: komme ~ einmal her! 당신 이리 좀 오시오!; schweige ~ von solchen Dingen 그대는 그런 것들에 대해 언급하지 마시오. 《II》 *n.* -(s), -(s) 당신(들)이라는 호칭, 존칭: lassen wir doch das steife ~! 당신이라는 딱딱한 호칭은 쓰지 맙시다!; jn. ~ nennen 누구에 대해 존칭을 쓰다. 《III》 *f.* -s 〔구어〕 (Weibchen) 여자, 여성; 〔비속〕 암컷: der Er und die ~ 남녀, 암수.

***Sieb** [ziːp] 《⇔ sichten[1]》 *n.* -(e)s, -e ① **(a)** 체, 여과기: ein feines〔grobes〕 ~ 고운〔성긴〕 체; et. durch ein ~ gießen 무엇을 체로 거르다; 〔구어〕 sein Gedächtnis ist 〔er hat ein Gedächtnis〕 wie ein ~ 그는 건망증이 심하다; 〔비유〕 Wasser in ein ~ fassen 〔Wasser mit einem ~ schöpfen〕 헛수고를 하다; 〔구어〕 seine Jacke ist wie ein ~ durchlöchert 그의 재킷은 구멍투성이다. **(b)** 〖物〗 여파기(濾波器); 〖악기〗 (파이프 오르간의) 체 모양의 울림관. ②〔그래픽〕 견사(絹紗) 스크린.

sieb·artig *a.* 체 모양의. **~bein** *n.* 〖해부〗 사골(篩骨). **~boden** *m.* 쳇불, 체의 바닥. **~druck·verfahren** *n.* 견사(絹紗) 스크린 날염법.

***sieben**[1] [zíːbən] 《＜Sieb》 *t.* ① 체질하다, 거르다: Getreide〔Sand〕 ~ 곡식을〔모래를〕 체질하다. ②〔비유〕 (시험·검사 따위로) 선발하다, 가려내다: die Kandidaten ~ 지원자를 선발하다.

***sieben**[2] [zíːbən] *num.* ① 7, 일곱: es ist halb ~ 6 시 반이다; wir sind zu ~ 우리는 일곱 명이다; der Zug der ~ gegen Berlin 베를린행(行) 7 시 열차. ②〔신성한 수로〕 die ~ Wochentage 1 주일간; die ~ Sachen packen 소지품 일체를 꾸리다; die ~ Weisen (고대 그리스의) 7 현인; die ~ Weltwunder 세계의 7 대 불가사의; die ~ Todsünden 7 가지 죄악; die ~ Zwerge ("백설 공주"에 나오는) 일곱 난쟁이. ③〔비유〕 halb ~ sein 거나한〔얼큰한〕 기분이다; das ist mir ein Buch mit ~ Siegeln 그것은 내게는 불가사의한 일이다.

***Sieben** *f.* ① 7 의 수, 일곱; 행운의 숫자. ② (Karnöffel 놀이에서) 으뜸패 7 의 카드: 〔구어〕 eine böse ~ 싸움을 좋아하는 여자, 사나운 여자. ③〔구어〕 (버스·전차 따위의) 7 번 노선: in die ~ einsteigen 7 번 노선을 타다. ④ 〖스포츠〗 7 명으로 구성된 팀〔선수단〕.

sieben·armig *a.* 7 가닥〔가지〕의: der ~e Leuchter 7 가닥의 촛대. **~baum** *m.* 〖植〗 노간주나무〔두송속(屬)〕. **~blätterig** *a.* 잎〔판(瓣)〕이 7 인. **~blättrig** *a.* ↑ ~blätterig.

Siebenbürgen [zi:bənbʏ́rgən] 트란실바니아(루마니아의 북부 지방).

Siebenbụ̈rger 《I》 *m.* -s, - 트란실바니아 주민. 《II》 *a.* 트란실바니아(사람)의.

siebenbụ̈rgisch *a.* 트란실바니아(말)의.

Sieben·eck *n.* 〖기하〗 7 각형. **~eckig** *a.* 7 각형의. **~einhalb** *num.* 7 과 2 분의 1.

Siebener [zíːbənər] *m.* -s, - ① 7, 일곱. ② 7 개〔7 명〕 중의 하나〔한 사람〕. ③ 7 의 기호〔번호〕를 가진 것(보기: 1907 년산(産)의 포도주, 7 연대의 군인, (옛날의) 7 크로이처 화폐, 〖카드〗 7 의 패). ④ (südd.) ↑ Sieben ③.

siebenerlei [zíːbənərlái] *a.* 7 종(류)의, 7 가지의: et. auf ~ Weise lösen 무엇을 7 가지 방식으로 풀다; ich hatte ~ zu tun 나는 일곱 가지 일을 해야만 했다.

sieben·fach *a.* 7 배〔중(重)〕의: das Dokument existiert in ~er Ausfertigung 그 문서는 7 부가 있다. **~fache*** *das* 7 배〔중(重)〕. **~fältig** *a.* ↑ ~fach.

Siebengebirge *n.* 지벤게비르게(라인강 우안의 베스터발트 산지를 이루는 산맥).
sieben≈gescheit *a.* 〖반어〗 (obd.) 약삭빠른, 건방진. **≈gestirn** *n.* 〖天〗 7 요성, 북두칠성. **≈herrschaft** *f.* (고대 로마의) 7 인의 과두 정치. **≈hügel·stadt** [(보통) ziːbənhýːgəl..] *f.* (일곱 언덕 위에 세워진) 고대 로마. **~hundert** *num.* 700(의). **~jährig** *a.* ① 7 년 동안의: 〖史〗 der ≈e Krieg 7 년 전쟁 (1756-63 년에 있었던 프로이센과 오스트리아 간의 전쟁). ② 7 년이 된, 7 살의: meine ~e Tochter 내 7 살 난 딸. **~jährlich** *a.* 7 년마다의. **≈kampf** *m.* 〖스포츠〗 여성 7 종 경기. **~köpfig** *a.* 7 인으로 구성된, 7 인의: ein ~er Haushalt 7 인 가족. **~mal** *adv.* 7 번, 7 회: ich war insgesamt ~ in Bonn 나는 모두 7 번 본을 방문했다. **~malig** *a.* 7 번〔7 회〕의.
Siebenmeilen≈schritt [(보통) ziːbənmái-lən..] *m.* 〖구어·농담〗 거인의 발걸음, 황새 걸음: 〖비유〗 mit ~en 매우 빨리, 성큼성큼; ~e machen 황새걸음으로 걷다. **~stiefel** *pl.* (동화의) 한 걸음에 7 마일을 가는 장화: 〖구어〗 ~ anhaben 걸음이 매우 빠르다.
Sieben≈meter *m.* 〖하키·핸드볼〗 7 미터 페널티 스로〔슛〕. **≈monats·kind** [(보통) ziː-bənmóːnats..] *n.* 칠삭둥이. **≈punkt** *m.* 〖動〗 칠성무당벌레. **≈sachen** *pl.* 〖소유 대명사와 결합하여〗 (특정한 일에 필요한) 일체의 용구; 자질구레한 소지〔일용〕품: seine ~ packen 소지품을 꾸리다. **≈schläfer** *m.* ① (a) 〖복수〗 (200 년 동안 자고 깨어났다는 전설 속의) 7 인의 잠자는 성인. (b) 위 (a)의 축일(6 월 27 일 농절기의 하나로 이날 이후 7 주간 비가 내린다고 함). ② 늦잠꾸러기. ③ 〖動〗 (7 개월 동안 동면하는) 산쥣과의 동물(Bilch). **≈-schritt** *m.* 독일 민속춤의 일종. **~seitig** *a.* 7 쪽〔페이지〕 분량의. **~stellig** *a.* 7 자리의: eine ~e Zahl 7 자리 숫자. **≈stern** *m.* 〖植〗 별꽃. **~stöckig** *a.* 8 층의. **~stündig** *a.* ① 출생한 지 7 시간된. ② 7 시간 동안의.
siebent [zíːbənt] *a.* 제 7 의, 7 번째의: der ~e Himmel a) 제 7 천국(최고의 천국), b) 지복(至福), 법열(경); am ~en 〔7.〕 7 일에; Karl der ≈e 카를 7 세; zum ~en 7 일자로, 7 번째로; 〖구어〗 zu ~ 7 명으로.
sieben≈tägig *a.* ① 출생한 지 7 일된. ② 7 일간의. **~tausend** *num.* 7000(의).
Siebente* 《I》 *die* 〖음악〗 제 7 도. 《II》 *der* 〖방언〗 죽은 뒤 1 주일째의 예배.
sieben·teilig *a.* 7 개〔7 부〕로 이루어진.
siebentel [zíːbəntəl] *num.* ↑ siebtel.
Siebentel *n./m.* -s, - ↑ Siebtel.
siebentens *adv.* ↑ siebtens.
sieben≈torig *a.* (고대 그리스 테베를 가리켜) 성문이 7 개 있는. **~und·einhalb** *num.* ↑ ~einhalb. **~und·siebzig** *num.* 77(의). **~und·siebzigmal** *a.* 77 회〔번〕의. **~wei-big** *a.* 〖植〗 암술이 일곱 있는. **≈zahl** *f.* 7 의 수. **~zehn** *num.* ↑ siebzehn.
siebenzig *num.* ↑ siebzig.
Sieber *m.* -s, - ① 〖고어〗 체 제조공(Sieb-macher). ② 체질하는 기구〔사람〕.
sieb≈förmig *a.* 체 모양의. **≈kette** *f.* ① 〖전기공학〗 여파기(濾波器)(여러 여과 회로로 구성된 스위치). ② (감자나 흙을 체질하는) 여과망(網). **≈kreis** *m.* 〖전기공학〗 (특정 주파수만을 통과시키는) 여과 회로. **≈macher** *m.* 체 만드는 사람. **≈maschine** *f.* 선별기(選別機); 〖農〗 감자 수확기. **≈mehl** *n.* 잘 걸러낸 밀가루. **≈platte** *f.* 〖해부〗 (가는 구멍이 뚫린) 판. **≈röhre** *f.* 〖植〗 체관, 사상판(篩狀板), 사공관, 체관. **≈schaltung** *f.* 〖전기공학〗 ↑ ~kette. **≈setzer** *m.*, **≈setz·ma-schine** *f.* 〖광산〗 비중 선광기.
siebt [ziːpt] *a.* ↑ siebent.
Siebtel [zíːptəl] *n./*(schweiz.) *m.* -s, - 7 분의 1, 1/7: zwei ~ 7 분의 2, 2/7.
siebtel *num.* 7 분의 1(의).
siebtens *adv.* 7 번째로.
Sieb·tuch *n.* 쳇불, 거르는 베.
sieb≈zehn [zíːptseːn] *num.* 17(의). **~zehn-hundert** *num.* 1700(의). **~zehnt** *a.* 17 번째의, 제 17 의. **~zehntel** *n.* 17 분의 1, 1/17. **~zehntens** *adv.* 17 번째로. **~zehnund-vier** *n.* (2 사람 이상이 함께 하는) 카드놀이의 일종.
Sieb·zeug *n.* 체, 여과기.
siebzig [zíːptsɪç] *num.* 70(의).
Siebziger [zíːptsɪgər] *m.* -s, - ① 70 세〔대〕의 사람. ② (천 몇 백) 70 년산(産)의 포도주. ③ 제 70 연대의 군인. ④ 〖복수〗 **(a)** 70 대 (나이). **(b)** (어떤 세기의) 70 년대.
siebziger *a.* ① 70 년도(산(産))의: ein ~ Jahrgang (포도주·신문·잡지 따위의) 70 년도 산(産)〔분〕. ② (어떤 세기의) 70 년대의, (나이가) 70 대의: Mitte der ~ Jahre des letzten Jahrhunderts 지난 세기의 70 년대 중반; 〖史〗 der ≈ Krieg (1870-71 년의) 프로이센 프랑스 전쟁.
siebzig·jährig *a.* 70 년간의, 70 세의.
siebzigst *a.* 제 70 의, 70 번째의.
siech [zɪːç] 《♧ Seuche, Sucht》 *a.* 〖구식·雅語〗 (오랜 병으로) 쇠약한, 허약한; 병약한.
Siech·bett *n.* 〖구식〗 병상(病床): auf dem ~ liegen 병상에 누워 있다.
siechen [zíːçən] *i.* (h.) 〖구식〗 오래 앓고 있다, 쇠약해 있다; 병들어 있다: dahin ~ 병으로 쇠약해지다.
Siechen·haus *n.* 〖구식〗 (특히 불치병 환자를 위한) 병원.
Siech·haus *n.* ↑ Siechenhaus.
Siechheit *f.* 〖구식〗 ↑ Siechtum.
Siechtum [zíːçtuːm] *n.* -s 〖雅語〗 병약, 허약; 지병, 숙환; 폐질.
Siede [zíːdə] *f.* -n ① 끓음, 비등. ② (md.) (끓인) 여물. ③ 왕겨, 지푸라기.
Siede≈grad *m.* ↑ ~punkt. **~haus** *n.* (소금·설탕의) 정제 공장. **≈heiß** *a.* ① 끓는점에 달한. ② 〖구어〗 etwas fällt ~ ein 무엇이 문득 떠오르다. **~hitze** *f.* ① 비등열. ② 고열; 폭염. **~hütte** *f.* 유리 제조 공장. **~kessel** *m.* 솥, 가마솥; 보일러, 기관(汽罐).
siedelbar *a.* 이주〔정주〕에 적당한, 이주〔정주〕할 수 있는.
Siedelei *f.* -en ① 이주〔정착〕(지). ② 〖폄어〗 (이주민·정착민의) 누추한 주거지.
Siedeler [zíːdələr] *m.* -s, - ↑ Siedler.
Siedel·land *n.* 식민지(Kolonie).
***siedeln** [zíːdəln] 《♧ sitzen, setzen》 《I》 *i.* (h.) 정주〔이주〕하다: entlang der Flüsse ~ 강을 따라 이주하다. 《II》 *t.* 이주시키다, 식민하다. 《III》 *refl.* sich ~ 정주〔이주〕하다.

Siedelung [zíːdəlʊŋ] *f.* -en ↑ Siedlung.

***sieden**(*) [zíːdən] (sott/siedete, gesotten/gesiedet) (《⇔Sod, Sud, sudeln》《I》*i.* (h.) ① (**a**)〔대개 약변화〕끓다, 비등(沸騰)하다: Wasser siedet bei 100℃ 물은 섭씨 100°에서 끓는다. (**b**)〔대개 강변화〕삶아지다: wie lange haben die Eier gesotten? 달걀들이 얼마 동안 삶아졌는가? ②〔비유〕(감정이) 불끈 솟구치다, 격앙하다: vor Wut ~ 화가 치밀다. 《Ⅱ》*t.* ①〔고어〕(**a**)〔약변화〕달이다, 끓이다:〔비유〕der heiße Magen〔der Sod〕siedet mich (분노·놀람 등으로 인해) 나는 가슴이 부글거린다. (**b**)〔대개 강변화〕(야채·달걀 따위를) 삶다, 찌다: gesottenes Ei 삶은 달걀;〔구어〕er wurde rot wie ein gesottener Krebs 그는 얼굴이 홍당무가 되었다. ②〔구식〕끓여 제조하다: Salz〔Zucker〕~ 소금〔설탕〕을 정제하다; Seife ~ 비누를 만들다; weiß ~ 표백하다.

siedend *p.a.* 끓어오르는: ~es Wasser 끓는 물; ~ heiß〔warm〕매우 뜨거운; ~er Haß 끓어오르는 증오.

Siede≈pfanne *f.* 삶는 냄비; (소금·설탕·비누 제조용의) 끓이는 솥. **~punkt** *m.*〖物〗끓는점, 비등점:〔비유〕auf dem ~ angelangt sein 분노가 극에 달하다.

Sieder [zíːdər]《<sieden》*m.* -s, - ① (제품을) 끓여서 만드는 사람: Alaun∽ 명반 제조업자; Salz∽ 제염업자; Seifen∽ 비누 제조인. ② 물 끓이는 기구〔용기〕.

Siederei *f.* -en ① 끓임, 끓여 만듦. ② (비누·설탕 따위의) 제조업체.

Siede≈rohr *n.* 열파이프, 전열(傳熱)관. **~röhre** *f.*〖기계〗(보일러의) 가열관. **~trennung** *f.*〖化〗분별 증류. **~verzug** *m.*〖物〗비등(沸騰) 지연(거품을 제거하기 위해 끓는점을 높이는 일). **~warm** *a.* ↑ ∽heiß.

Sied·fleisch *n.* (südd., schweiz.) 수프용 쇠고기.

siedig *a.* (obd.) ↑ siedeheiß.

Siedler [zíːdlər] *m.* -s, - ① 이주민, 정착민. ② 개척지 소유자.

***Siedlung** [zíːdlʊŋ] *f.* -en ① 이주, 정주. ② (**a**) 취락, (작은) 부락: indianische ~en 인디언 부락. (**b**) 이주지, 정착촌: jüdische ~en in Palästina 팔레스타인의 유대인 정착촌; ~ in Übersee 식민지. (**c**) 주택지. ③ (난민·실향민 등의) 정착지. ④ (도시 변두리의) 주택 단지. ⑤〖動〗(동물의) 떼, 집단, 군락.

Siedelungs≈anlage *f.* 주거 시설. **~bau** *m.*〔복수: -ten〕↑ ~haus. **~dichte** *f.* 주택 밀(집)도. **~form** *f.* 취락 형태: ländliche ~ 시골의 취락 형태. **~gebiet** *n.* 주택〔주거〕지역. **~geographie** *f.* 취락 지리학. **~haus** *n.* (이주민을 위한) 집단 가옥. **~kunde** *f.* 취락학 (인문 지리학의 한 분과). **~land** *n.* 취락지; 정착지. **~politik** *f.* 이주〔식민〕정책. **~programm** *n.* ↑ ~politik. **~werk** *n.* 이주〔식민〕사업.

***Sieg**[1] [ziːk] *m.* -(e)s, -e (↔ Niederlage) 승리; 전승(戰勝): ein diplomatischer ~ 외교적 승리; den ~ über jn. erringen〔erkämpfen, gewinnen, davontragen〕누구에 대해서 승리를 쟁취하다〔거두다〕; Heil und ~!〔~ Heil!〕만세! (나치스의 인사말); ein ~ nach Punkten 판정승; ein ~ der Vernunft 이성의 승리; der Wahrheit zum ~ verhelfen 진리가 승리하도록 돕다.

Sieg[2] [ziːk] *f.* 지크강(라인강의 지류).

Siegbert [zíːkbɛrt]《„glänzender Sieger"》*m.* 지크베르트(남자 이름).

***Siegel** [zíːgəl] *n.* -s, - ① 도장, 인장(印章), 인판(印判): et.³ das ~ aufdrücken〔das ~ auf et. drücken〕a) 무엇에 도장 찍다, b) 무엇을 확증하다; zum ~ der Gerechtigkeit des Glaubens 신앙의 정당성을 보증하기 위하여. ② 봉인, 봉함:〔구식·격식〕ein ~ anbringen 봉인하다; ein ~ (auf)brechen〔lösen, öffnen, erbrechen〕봉인을 열다;〖聖〗ein Buch mit sieben ~n a) 일곱 인(印)으로 봉한 책(요한 계시록 5:1), b) 이해할 수 없는 일, 비밀; jm. et. unter dem ~ der Verschwiegenheit erzählen 누구에게 무엇을 입 밖에 내지 않는다는 조건으로 이야기해 주다. ③ (schweiz.) (술통 따위의) 마개. ④ 문장(紋章).

..siegel *suf.* "…상품의 품질을 보증하는 인장"의 뜻(보기: Woll~ 모직물 품질 보증인(印), Güte~ 품질 검사필인(印)).

Siegel≈abdruck *m.* 인장〔도장〕을 찍음, 날인. **~baum** *m.*〖고생물〗봉인목(封印木)(봉인과 같은 흔적이 있는 석탄기의 화석). **~bewahrer** *m.*〔고어〕국새 상서(國璽尙書), 궁내부 대신. **~bruch** *m.*〖法〗(기밀 서류의) 불법 개봉, 관인 훼손.

Siegeler [zíːgələr] *m.* -s, - 날인〔봉(封)〕하는 사람.

Siegel≈erde *f.* 진흙이 섞인 석회석. **~kapsel** *f.* 도장집. **~kunde** *f.* 인장학(印章學). **~lack** *m.* 봉랍(封蠟).

siegellos *a.* 봉인이 없는, 개봉된: ein ~es Dokument 봉인이 없는 문서.

siegeln [zíːgəln]《<Siegel》*t.* 날인〔봉인·조인〕하다: einen Brief〔eine Urkunde〕~ 편지〔증서〕를 봉인하다.

Siegel≈ring *m.* 인장(印章)(이 붙은) 반지. **~stecher** *m.* 도장 파는 사람.

Siegelung [zíːgəlʊŋ] *f.* -en 날인, 봉인.

Siegel·wachs *n.* 봉랍.

***siegen** [zíːgən]《<Sieg¹》《I》*i.* (h.) 이기다, 승리하다: im Wettkampf ~ 경기에서 이기다; über jn. ~ 누구에게 이기다; über alle Hindernisse ~ 온갖 장애를 극복하다; die Vernunft siegte 이성이 승리했다(사태가 순리대로 판가름났다). 《Ⅱ》*refl.*〔결과를 나타내는 말과 함께〕sich³ zu Tode ~ 승리를 쟁취하고 죽다.

siegend *p.a.* 의기양양한;〔비유〕결정적인: die ~en Feinde 의기양양한 적들; die ~en Gründe 결정적 이유.

***Sieger** [zíːgər] *m.* -s, - 승(리)자, 전승자,〖스포츠〗우승자: als ~ aus einem Wettbewerb hervorgehen 시합에서 승(리)자가 되다;〔구어〕zweiter ~ werden 시합에서 지다.

Siegerin *f.* -nen ↑ Sieger의 여성형.

siegerisch [zíːgərɪʃ] *a.* ① 승자 같은, 승자다운. ② 승승장구한, 무적의.

Sieger≈ehrung *f.* 우승자〔입상자〕시상식. **~kranz** *m.* 화환. **~krone** *f.* 승리(자)의 화관, 월계관. **~land** *n.* 승전국. **~macht** *f.* ① 승리한 세력. ②〔복수〕〖史〗(제 2 차 세계 대전 당시의) 연합국. **~mannschaft** *f.* 우승팀.

~miene *f.* 승자의 표정, 득의만만한 표정. **~podest** *n./m.* 〖스포츠〗 시상대. **~pokal** *m.* 우승컵〔배〕. **~staat** *m.* 승전국. **~straße** *f.*〔다음 용법으로만〕 auf der ~ sein 승산이 있다.

Sieges≈aufzug [zí:gəs..] *m.* 개선 행렬. **~beute** *f.* 전리품. **≈bewußt** *a.* ↑ ~sicher. **~bogen** *m.* 개선문. **~botschaft** *f.* ↑ ~kunde. **~dank·fest** *n.* 승리의 축제. **~denkmal** *m.* 전승비. **~feier** *f.* 승리의 축제. **~feierlichkeit** *f.* ↑ ~feier. **~fest** *n.* ↑ ~feier. **~freude** *f.* 승리의 기쁨. **~froh** *a.* 승리에 기뻐하는. **~fürst** *m.* 승리〔정복〕자. **~gepränge** *n.* 화려한 개선 행렬. **~geschrei** *n.* 승리의 함성, 개가(凱歌). **~gewiß** *a.* ↑ ~sicher. **~gewißheit** *f.* 승리의 확신. **~göttin** *f.* 〖신화〗 승리의 여신. **~held** *m.* 승전 용사, 개선 장군. **~jubel** *m.* 승리의 환호〔환성〕. **~kranz** *m.* ↑ Siegerkranz. **~kunde** *f.* 승전보(報). **~lauf** *m.*〔드물게〕 ↑ ~zug. **~lied** *n.* 승전가. **~marsch** *m.* ↑ ~zug. **≈mutig** *a.* 의기양양한, 사기 충천한. **~pforte** *f.* ↑ ~bogen. **~preis** *m.* ① (승자에게 주어지는) 상, (포)상금, 상품. ② ↑ ~zeichen. **~rausch** *m.* 〖雅語〗 승리의 열광〔도취〕. **~säule** *f.* 전승 기념탑. **~serie** *f.* 〖스포츠〗 승리의 연속, 연승 가도. **≈sicher** *a.* 승리를 확신하는, 필승의: der ~e Herausforderer 승리를 확신하는 도전자. **~taumel** *m.* 〖雅語〗 ↑ ~rausch. **~tor** *n.* ①〖구기〗 결승골〔점〕. ② (특히 고대 로마의) 개선문. **~treffer** *m.* ↑ ~tor. **≈trunken** *a.*〖雅語〗 승리에 도취된. **~wagen** *m.* 퍼레이드 카. **~wille** *m.* 필승의 의지. **~zeichen** *n.* 승리의 상징(물) (깃발·트로피 따위): eine Fahne als ~ aufstecken 승리의 표시로 깃발을 꽂다. **~zug** *m.* 승승장구: 〔비유〕 der ~ der Elektronik 전자 공학의 개가(凱歌).

Siegfried[1] [zí:kfri:t] 《„Schützer des Sieges" 의 뜻》 *m.* ① 지크프리트(Nibelungenlied 의 주인공). ② 지크프리트(남자 이름).

Siegfried[2] *m.* -(e)s, -e 〖軍〗 파형(波形) 철판 테.

Siegfried·stellung *f.* 〖史〗 지크프리트 요새 (1940 년에 독일과 네덜란드·벨기에·프랑스의 접경 지대에 구축된 대규모의 요새).

sieg≈gekrönt *a.* 〖雅語〗 승리의 월계관을 쓴, 승리에 빛나는. **~gewohnt** *a.* 연전연승의: eine ~e Mannschaft 백전백승〔무적〕의 팀.

sieghaft [zí:khaft] *a.* 〖雅語〗 ① 승리를 확신하는, 필승의: ein ~es Lächeln 자신감 넘치는 미소. ②〔구식〕 백전백승의, 무적의: ~e Truppen 무적의 부대.

Sieg·lauch *m.* ↑ ~wurz.

Siegler 《<Siegel》 *m.* -s, - ↑ Siegeler.

sieglos *a.* 패배한.

Sieglung [zí:glʊŋ] *f.* -en ↑ Siegelung.

Siegmund [zí:kmʊnt] 《„siegreicher Schützer" 의 뜻》 *m.* 지크문트(남자 이름).

Sieg≈prämie *f.* ↑ Siegespreis. **≈reich** *a.* ① 승리〔우승〕한: die ~e Mannschaft 우승팀; ein ~es Feldzug 승리로 끝난 원정. ② 많은 승리를 거둔, 무적의: ein ~er Feldherr 무훈에 빛나는 장군. **~treffer** *m.* ↑ Siegestreffer.

Sieg·wurz 《<Sieg[1]》 *f.* 〖植〗 글라디올러스.

sieh [zi:], **siehe** [zí:ə] 〖↑ sehen 의 명령형; 약어: s.〗 보(아)라!: ~ dort! 저기를 보라!; ~ oben! 위를 보라, 상기 참조! (약어: s.o.); ~ unten! 아래를 보라, 하기 참조! (약어: s.u.).

siehst [zi:st] ↑ sehen 의 2 인칭 단수 현재형.

sieht [zi:t] ↑ sehen 의 3인칭 단수 현재형.

SI-Einheit *f.* (길이·부피·무게의) 국제 규격 단위.

Siek *f.* -en ↑ Sieke[2].

Sieke[1] [zí:kə] 《ndd.; <sie》 *f.* -n 〖사냥〗 (참새·메추라기·개똥지빠귀 따위의) 작은 조류.

Sieke[2] (ndd.) *f.* -n ① 움푹 팬 땅. ② 가장자리, 끝; 가는 홈. ③〖海〗 선재(船材), (배의 함석판 따위의) 이음매. ④ 소정(小艇).

sieken [zí:kən] *t.* 테두리를 붙이다, 잇대어 붙이다, (함석·양철의 가장자리에) 홈을 만들다.

Siel [zi:l] 《ndd.; ♧ seihen》 *n./m.* -(e)s, -e ① 수문, 갑문; (배수용·관개용 수로가 있는) 제방. ② (ndd.) **(a)** 하수구, 도랑. **(b)** 배수〔하수〕관, 홈통. ③〔방언〕 작은 만(灣), 피난항. ④ (ndd.) (돼지·야수가 뒹구는) 웅덩이, 늪.

Siele [zí:lə] 《♧ Seil》 *f.* -n ① (수레를 끄는 마소의) 가슴걸이; 멜빵: 〖비유〗 in den ~n sterben 순직하다. ② ↑ Sielenzeug.

sielen [zí:lən] 《Ⅰ》 *t.* (물을) 방류하다, 흘러보내다. 《Ⅱ》 *refl.* 〔방언〕 sich ~ 뒹굴다: sich im Bett ~ 침대에서 빈둥거리다.

Sielen≈geschirr *n.* ↑ ~zeug. **~werk** *n.* ↑ ~zeug. **~zeug** *n.* 가슴걸이(마구(馬具)의 일종).

Sielet *n.* -s, -s ↑ Sielenzeug.

Siel≈wasser *n.* 하수. **~zeug** *n.* ↑ Sielenzeug.

Siemens [zí:məns] 《Ⅰ》 Werner von ~ 지멘스(독일 전기 공학자, 1816-92): (die) ~ AG 지멘스사(社). 《Ⅱ》 *n.* - 〖전기〗 지멘스(전도율〔전기 저항〕의 단위; 기호: S).

Siemens-Martin-Ofen [zí:mənsmárti:n..] *m.* 〖제련〗 지멘스 마르틴로(爐), 평로(平爐) (약어: SM-Ofen).

Siemenssch *a.* ↑ Siemens 의.

Siena [zié:na] 시에나(이탈리아의 도시).

siena *a.*〔어미변화 없음〕 적갈색의 (rotbraun): ein ~ Band 적갈색의 리본.

Siena *n.* -s 적갈색.

Siena·erde *f.* 〖印〗 농황토(濃黃土) (산화철을 함유한 황토의 일종).

Sierra [ziέra] 《lat.》 *f.* -s/..rren 시에라 산맥.

Sierra Leone [ziέra leó:nə] 시에라리온(아프리카 서부의 공화국).

Sierraleoner *m.* -s, - 시에라리온 사람.

sierraleonisch *a.* 시에라리온(사람)의.

Sierra Nevada [zíεra nevá:da] *f.* 시에라 네바다 산맥.

Siesta [ziέsta, siésta] 《it.》 *f.* -s/..sten 낮잠, 오수(午睡): ~ halten 낮잠을 자다.

siet [zɪ:t] *a.* (ndd.) (niedrig) 낮은, 천한.

Siet≈land [zí:t..] *n.* 저지대. **~wendung** *f.* (저지대로의 물 유입을 막는) 제방, 수로.

***siezen** [zí:tsən] 《<Sie》 《Ⅰ》 *t.* Sie 로 호칭하다, 존칭을 쓰다 (↔ duzen): jn. ~ 누구에게 존칭을 쓰다. 《Ⅱ》 *refl.* sich ~ 서로 존칭을 쓰다: wir ~ uns 우리는 서로에게 존칭을 쓴다; sie siezt sich mit den meisten Kollegen 그녀는 대부분의 동료들에게 존칭을 쓴다.

Sif·flöte [zífflø:tə] *f.* -n 〖악기〗 시플레테.

Sigel [zí:gəl] 《lat.》 *n.* -s, - ① 약어, 약자, 약호. ② (속기술의) 약부호.
sigel·artig *a.* 약부호 같은.
Sight·seeing [sáɪt|si:ɪŋ] 《engl.》 *n.* -(s), -s 〖구어〗 관광, 유람.
Sightseeing-Tour [..tu:*r*] 《engl.》 *f.* -en 관광〔유람〕 여행.
Sigill [zigíl] *n.* -s, -e 〖고어〗 ↑ Siegel.
Sigillarie [zigɪlá:riə] *f.* -n 〖고생물〗 ↑ Siegelbaum.
sigillieren *t.* 〖고어〗 봉인하다(siegeln).
Sigle [zí:gəl] *f.* -n ↑ Sigel.
Sigma [zígma] *n.* -(s), -s/(öst.) - 시그마(그리스 자모의 열여덟째 자) (Σ, σ, ç).
sign. =signatum 서명 날인한.
Signa ↑ Signum 의 복수형.
***Signal** [zɪgná:l, zɪŋ..] 《frz.》 *n.* -s, -e ① 신호 (Zeichen); (낱낱의) 모스 부호; 징후, 조짐: das ~ zum Angriff 공격 신호; ein ~ beachten〔übersehen〕 신호를 주목〔간과〕하다; 〖비유〗 ~e setzen 원동력을 부여하다, 방향을 제시하다; ein ~ der allgemeinen Empörung 총체적인 항거의 징후. ② 〖철도〗 신호기, 신호 표지: das ~ steht auf „Halt" 신호기가 "정지"를 가리키고 있다; durch ~ stoppen (기차를) 신호로 정지시키다. ③ 〖海〗 통신〔보고〕 신호. ④ 〖행동과학〗 의사 소통의 신호. ⑤ 〖언어학〗 정보를 지닌 언어 부호.
Signal·anlage *f.* 〖교통〗 신호기, 신호 설비. **~apparat** *m.* 신호기, 신호 장치; 〖軍〗 회광(回光) 통신기. **~buch** *n.* ① 〖철도〗 (독일 연방 철도의) 철도 신호 규약집. ② 〖海〗 국제적인 신호〔약호〕 일람표, 전신 약호장. **~bude** *f.* 〖철도〗 신호사(舍). **~dienst** *m.* 신호 업무.
Signalement [zɪgnaləmã́:, ..ləmέnt] 《frz.》 *n.* -s, -s [..mã́:s]/(schweiz.) -e [..mέntə] ① (여권·신분증·수배서 등의) 인상란 기재 사항. ② 〖農·사육〗 (가축의) 혈통증(명)서.
Signal·farbe *f.* (눈에 잘 띄는) 자극적인 빛깔. **~feuer** *n.* 〖軍〗 신호불, 봉화. **~flagge** *f.* 신호용 깃발, 신호기. **~gast** *m.* 〖海〗 신호 담당 선원, 신호수. **~geber** *m.* 신호수(手). **~glocke** *f.* 신호종, 신호벨; (건널목 따위의) 경종. **~horn** *n.* 신호 나팔. **~hupe** *f.* (자동차 등의) 경적.
signalisieren [zɪgnalizí:rən] 《frz.》 《I》 *t.* ① 신호하다, 신호로 알리다: jm. eine Nachricht ~ 누구에게 신호로 소식을 전하다. ② 〖교양〗 예시〔암시〕하다: die Tarifpartner signalisierten Verständigungsbereitschaft 임금 협상 당사자들은 타협할 의사가 있음을 암시했다. ③ 〖구식〗 jn. ~ 누구의 인상서〔소견서〕를 쓰다. 《II》 *i.* (h.) jm. ~ 누구에게 신호하다.
Signalist *m.* -en, -en 신호병.
Signal·kladde *f.* 〖海〗 신호 일지. **~knopf** *m.* 신호 단추. **~lampe** 신호등. **~laterne** *f.* ↑ ~lampe. **~leine** *f.* 〖철도〗 경적을 울리는 끈. **~licht** *n.* 신호등. **~mast** *m.* ① 〖海〗 신호용 돛대. ② 〖철도〗 신호주(柱). **~munition** *f.* 조명탄, 발광탄. **~ordnung** *f.* 〖海〗 신호 법규. **~patrone** *f.* 조명탄통, 발광 탄약포. **~pfeife** *f.* 신호용 피리; 호각. **~pfiff** *m.* 기적(汽笛)〔경적〕 신호. **~rakete** *f.* 〖海〗 신호탄. **~reiz** *m.* 〖행동과학〗 핵심적 자극. **~ring** *m.* 〖車〗 자동차의 경적 누름판. **~rot** *a.* 적신호의. **~ruf** *m.* 암호 또는 경계의 외침. **~scheibe** *f.* 〖철도〗 신호판. **~schuß** *m.* 신호탄 (발사). **~stab** *m.* 〖철도〗 (발차를 알려주는) 신호봉. **~stange** *f.* 〖철도〗 신호기. **~system** *n.* 〖행동과학〗 행동 반응 신호 체계. **~wärter** *m.* 〖철도〗 신호수.
Signatar [zɪgnatá:*r*] 《lat. signum》 *m.* -s, -e ① 〖구식〗 서명자, 조인자. ② ↑ Signatarmacht.
Signatär [..tέ:*r*] *m.* -s, -e ↑ Signatar.
Signatar·macht *f.* 〖政〗 조인국, 조약 체결국.
signatum [zɪgná:tum] *a.* (unterzeichnet) 서명 날인한(문서 서명란의 날짜 앞에 쓰임) (약어: Sign., sign.).
***Signatur** [zɪgnatú:*r*] *f.* -en ① 서명, 사인. ② **(a)** 기호; 지도의 부호; 레테르, 상표. **(b)** 징표: das Werk trägt die ~ der Revolutionszeit 그 작품은 혁명기의 특징을 담고 있다. ③ 〖醫〗 용법 주의(용법 및 환자의 성명을 기입하는 부분); 용법〔약명〕전(箋). ④ 〖복수〗 〖음악〗 일반 저음 기법(記法)에 쓰이는 기호 및 숫자. ⑤ 〖印〗 **(a)** (접지 순서를 나타내는) 전지(全紙) 번호, 접지(摺紙) 묶음. **(b)** 활자에 파인 홈. ⑥ (서적의) 분류 번호.
Signatur·rinne *f.* ↑ Signatur ⑤(b).
Signet [zɪgné:t] 《frz.》 *n.* -s, -e/-s [zinjé:s] ① 〖고어〗 인장. ② (책 표지의) 출판사 상징 도안; (등록) 상표.
signieren [zɪgní:rən] *t.* ① (…에) 기호를 달다, 레테르를 붙이다; (서적의) 분류 번호를 붙이다. ② 서명〔조인〕하다.
signifikant [zɪgnifikánt] *a.* ① 의미 있는, 중요한. ② 두드러진, 특색 있는, 현저한.
Signifikant *m.* -en, -en 〖언어〗 기표(記標).
Signifikanz *f.* 의의, 중요성.
Signifikat *n.* -s, -e 〖언어〗 기의(記意).
signifikativ *a.* ① 〖언어〗 기호 내용에 속하는. ② ↑ signifikant.
signifizieren *t.* ① 〖드물게〗 (…에) 기호를 붙이다. ② 표시하다; 고지하다.
Signor [zɪnjó:*r*, sinjó:r] 《it.》 *m.* -, ..ri (남자 이름에 붙이는 이탈리아어 호칭) …씨〔선생〕.
Signora [zɪnjó:ra, sin..] *f.* -s/..re ① (기혼 여성에 대한 이탈리아어 호칭) …부인, …여사; 아주머니. ② 여주인, 마님.
Signore [zɪnjó:rə, sin..] 《I》 *m.* -, ..ri (Herr) ① (남성에 대한 이탈리아어 호칭으로서 성명과 함께 쓰이지 않음) 선생, 귀하; 아저씨. ② 주인, 나리. 《II》 ↑ Signora 의 복수형.
Signoria [zɪnjorí:a, si..] *f.* ..rien [..rí:ən] 〖史〗 (중세 이탈리아의 도시 국가의) 시회(市會); 족벌 통치.
Signorie [zɪnjorí:, si..] *f.* -n [..rí:ən] ↑ Signoria.
Signorina [zɪnjorí:na, si..] *f.* -s/..ne (Fräulein) (미혼 여성에 대한 이탈리아어 호칭) 양, 아가씨; 영애(令愛).
Signorino [zɪnjorí:no, si..] *m.* -, -s/..ni (미혼 남성에 대한 이탈리아어 호칭) 총각; 도련님.
Signum [zí:gnʊm] 《lat.》 *n.* -s, ..na ① 표, 기호; 상표; 생략 서명. ② 〖軍〗 (고대 로마의) 싸움터에서의 표지. ③ 〖醫〗 징후: ~ morbi 병의 징후; ~ mortis 죽음의 징후.
Sigrid [zí:grɪt, ..i:t] *f.* 지그리트(여자 이름).
Sigrist [zí:grist, zigríst] 《lat.》 *m.* -en, -en 〖구식〗 (obd.) (Küster) 교회의 성구(聖具) 관

리인, 교회 사무원.
sihr *adv.* (ndd.) ↑ sehr.
sik *prn.* (ndd.) ↑ sich.
Sikahirsch [zí:ka..] *m.* -(e)s, -e 〖動〗 (동아시아에 서식하는) 꽃사슴.
Sikh [zi:k] *m.* -(s), -s (인도의) 시크교도.
Sikh·religion *f.* 시크교.
Sikkativ [zɪkatí:f] 《lat.》 *n.* -s, -e 〖化〗 (물감 등에 섞어 쓰는) 건조 촉진제.
Sikkim *n.* 시킴(인도 북부의 한 주).
Sikkimmer *m.* -s, - 시킴 사람.
sikkimmisch *a.* 시킴(어)의.
Sikuler [zí:kulər] *m.* -s, - 고대 시칠리아섬의 주민.
Silage [zilá:ʒə] *f.* 〖農〗 (발효) 사료, 엔실리지.
Silau 《it.》 *m.* -s, -s 〖植〗 방풍나물.
***Silbe** [zɪ́lbə] 《lat. syllaba》 *f.* -n ① 〖문법〗 철자, 음절: ein Wort besteht aus ~n 단어는 음절로 구성된다; ein Wort mit einer ~ 한 음절의 낱말; vorletzte ~ 끝에서 두 번째 음절. ② 〔비유〕 자구, 말: ~n stechen 자구를 꼬치꼬치 캐다, 자구에 얽매이다; ~n verschlucken 알아듣기 힘든 말을 하다, 얼버무리다; davon hat er mir keine ~ gesagt 그는 그 일에 관해서는 내게 한 마디도 하지 않았다; ich weiß keine ~ davon! 나는 그 일은 전혀 모른다!; wenn er nur eine ~ davon gesagt hätte 그가 그것에 대해 한 마디라도 언급했더라면; man konnte jede ~ verstehen 모든 것이 분명해졌다.
Silben≈akzent *m.* 음절의 악센트. **~fall** *m.* 음절의 억양. **~klauber** *m.* 〔구식·폄어〕 자구를 꼬치꼬치 캐는 사람, 자구에 얽매이는 사람. **~maß** *n.* 〖문학〗 음의 장단, 운율. **~messung** *f.* 운율학〔법〕 (Prosodie). **~-rätsel** *n.* 단어 맞추기. **~stecher** *m.* 〔구식·폄어〕 ↑ ~klauber. **~stecherei** *f.* 〔구식〕 자구에 얽매임, 자구를 꼬치꼬치 캠. **~-stolpern** *n.* 〖醫〗 언어 장애, 말더듬증. **~trennung** *f.* 〖문법〗 분철(법). **≈weise** *adv.* 음절마다, 음절 단위로.
***Silber** [zɪ́lbər] *n.* -s 은(기호: Ag); 〔구식〕 은화; 은그릇, 은 장신구; 은메달; 〔시어〕 은빛: das ~ der Locken 은빛의 고수머리; das ~ ihres Lachens 그 여자의 낭랑한 웃음소리; 〔속담〕 Reden ist ~, Schweigen ist Gold 웅변은 은이요, 침묵은 금이다.
..silber *suf.* "…음절의 시행"의 뜻(보기: Zwölf~ 12 음절의 시행).
Silber≈ader *f.* 〖광산〗 은광맥. **~arbeit** *f.* 은세공. **~arbeiter** *m.* 은세공사(師). **≈artig** *a.* 은 같은. **~bach** *m.* 〔시어〕 은빛의 개울. **~barre** *f.* ↑ ~barren. **~barren** *m.* 은 막대기, 은괴(銀塊). **~bart** *m.* 〔시어〕 은빛 수염. **~berg·werk** *n.* 은광(산). **~beschlag** *m.* 은(박) 장식. **≈beschlagen** *a.* 은(박)으로 장식된. **~besteck** *n.* 은제 식사 도구. **~blatt** *n.* ① 〖植〗 은빛의 잎. ② 은박. **~blättchen** *n.* ↑ ~blatt. **~blech** *n.* 은박. **~blende** *f.* 〖광물〗 농홍(濃紅) 은광. **~blick** *m.* 〔농담〕 가벼운 사시(斜視). **~braut** *f.* 은혼식(~-hochzeit)을 맞은 아내. **~bräutigam** *m.* 은혼식을 맞는 남편. **~brokat** *m.* 〖섬유〗 은빛으로 수놓은 비단. **~bromid** *n.* 〖化〗 브롬화은. **~diener** *m.* 〔고어〕 은기 관리자(궁내 관리); 집사; 사용인 우두머리. **~distel** *f.* 〖植〗 은엉겅퀴. **~dollar** *m.* 〔구어〕 대형 은화(1 달러짜리 은화 따위). **~draht** *m.* 은선(銀線). **~erz** *n.* 은광석. **~faden** *m.* ① 은실. ② 백발, 새치. **~farbe** *f.* 은빛(깔). **≈-farben** *a.* ↑ ~farbig. **≈farbig** *a.* 은빛(깔)의. **~fasan** *m.* 〖動〗 은계(銀鷄). **~fisch** *m.* 〖動〗 잉어의 일종. **~fischchen** *n.* 〖動〗 좀벌레. **~folie** *f.* (포장용) 알루미늄 포일. **~fuchs** *m.* 〖動〗 은빛 여우(의 모피). **~gang** *m.* 〖광산〗 은광맥. **~gehalt** *m.* 은함(유)량. **~geld** *n.* 은화. **~gerät** *n.* ↑ ~geschirr. **~geschirr** *n.* 은제품, 은그릇. **~glanz** *m.* 〔시어〕 은빛 광채; 〖광물〗 휘은광(輝銀鑛). **≈-glänzend** *a.* 은빛 찬란한. **~glätte** *f.* 〖광물〗 은밀타승(銀蜜陀僧). **~gras** *n.* ① 〖植〗 은초(Aria 속). ② 팜파스 풀. **≈grau** *a.* 은회색의. **~groschen** *m.* ① 〔고어〕 옛날의 은화(30 분의 1 Taler). ② 〖植〗 루나리아. **~grube** *f.* 은광. **~haar** *n.* 〔雅語〕 백발. **≈-haarig** *a.* 은발의, 백발의. **≈haltig** *a.* 은을 함유한. **≈hell** *a.* ① 은같이 빛나는. ② 〔雅語〕 해맑은, 청아한: ~es Lachen 해맑은 웃음. ③ 〔시어〕 맑은, 투명한: ~es Wasser 맑은 물. **~hochzeit** *f.* 은혼식(결혼 25 주년). **~horn** *n.* ① 〖음악〗 은제(銀製) 호른; 맑은 소리를 내는 호른. ② 〔비유·시어〕 (은빛의) 초승달. **~horn·erz** *n.* 〖광물〗 각은광(角銀鑛). **~hütte** *f.* 은 정련소.
silberig [zɪ́lbərɪç] *a.* ↑ silbrig.
Silber≈klang *m.* 〔雅語〕 청아〔낭랑〕한 소리〔울림〕. **~krätze** *f.* 은 부스러기. **~kuchen** *m.* 은괴. **~lahn** *m.* (장식·자수용의) 은실.
Silberling [zɪ́lbərlɪŋ] *m.* -s, -e ① 〔고어〕 은화: 〖聖〗 (jn.) für dreißig ~e verraten (누구를) 푼돈 때문에 배반하다(유다가 은화 30 냥에 예수를 배반한 사실에서: 마가 14:10 이하). ② 〖植〗 루나리아.
Silber≈locke *f.* 은빛 고수머리, 은발, 백발. **~löwe** *m.* 〖動〗 퓨마(Puma). **~medaille** *f.* 〖스포츠〗 은메달. **~mine** *f.* 은광(산). **~-möwe** *f.* 〖動〗 (등이 검은) 갈매기. **~münze** *f.* 은화.
***silbern**[1] [zɪ́lbərn] *a.* ① 은으로 만든, 은제의: ein ~er Becher 은잔; eine ~e Uhr 은시계. ② 〔시어〕 은빛으로 빛나는: die ~en Wellen des Bächleins 작은 개울의 은빛 물결; ~es Haar 은발. ③ 〔시어〕 은(방울)처럼 울리는, 청아〔낭랑〕한: ihr ~es Lachen 그녀의 낭랑한 웃음. ④ 〔비유〕 das ~e Zeitalter (역사·설화에서 황금 시대 다음의) 백은 시대; die ~e Hochzeit 은혼식; 〔비유〕 ≈er Sonntag 은의 일요일(크리스마스 전전 일요일); 〖광산〗 ~er Mann 은광맥.
silbern[2] 《I》 *t.* 은을 입히다, 은도금을 하다. 《II》 *i.* (h.) 은을 함유하다; 은빛으로 빛나다.
Silber≈nitrat *n.* 〖化〗 질산은. **~oxyd** *n.* 〖化〗 산화은. **~papier** *n.* 은종이, 은박지, 알루미늄 포일. **~pappel** *f.* 〖植〗 은백양(銀白楊). **~plätt** *m.* 두드려 편 은줄. **~platte** *f.* 은쟁반. **~plattierung** *f.* 은도금. **~pokal** *m.* (경기에서 상으로 주는) 은배(盃). **~-probe** *f.* 은 함량 검사. **≈reich** *a.* 은이 풍부한. **~reiher** *m.* 〖動〗 큰해오라기. **≈rein** *a.* 은처럼 청순한; 은(방울)이 울리듯 낭랑한. **~rubel** *m.* (러시아의) 루블 은화. **~sachen** *pl.* 은제품, (장식용) 은그릇. **~sand** *m.* ① 은

을 함유한 모래. ② (정원용의) 은빛 모래. **~schaum** *m.* 은박. **~scheibe** *f.* 〖시어〗 은쟁반 같은 달. **~schimmel** *m.* 은회색의 말. **~schläger** *m.* 은박(銀薄) 세공사. **~schmelze** *f.* 은 제련소, 은 정련소. **~schmied** *m.* 은 세공사. **~schmiedin** *f.* ↑ ~schmied 의 여성형. **~schrank** *m.* 은그릇 넣는 찬장. **~service** [..vi:s] *n.* 한 벌〔세트〕의 은그릇. **~stift** *m.* 〖畫〗 은(첨)필(銀(尖)筆). **~stimme** *f.* 〖시어〗 (은방울 같은) 청아한〔맑은〕 목소리. **~stoff** *m.* 〖방직〗 은능라. **~streif** *m.* ↑ ~streifen. **~streifen** *m.* 은줄 무늬; 〖비유〗 희망의 빛, 호전될 징조. **~strich** *m.* 〖動〗 은줄표범나비. **~stück** *n.* ① 은 조각〔덩어리〕. ② 은화. ③ ↑ ~stoff. ④ 〖動〗 고둥의 일종. **~stufe** *f.* 〖광산〗 은광 덩어리. **~tablett** *n.* 은쟁반. **~tanne** *f.* 〖植〗 독일전나무. **~tresse** *f.* (의복의) 은줄 장식테. **~vergoldet** *a.* 은도금한. **~währung** *f.* 〖經〗 은본위 제도. **~waren** *pl.* 은제품. **~weide** *f.* 〖植〗 은버들. **~weiß** *a.* 은백색의. **~zeug** *n.* (가정용) 은제(銀製) 기구.

..silbig 《<Silbe》 *suf.* "…음절의, …음절로 이루어진"의 뜻(보기: zwei~ 2음절의).

silbisch [zílbɪʃ] *a.* 하나의 음절을 이루는.

..silbler *suf.* ↑ ..silber.

silbrig *a.* ↑ silberig.

Sild [zɪlt] 《dän.》 *m.* -(e)s, -(e) [..də] 〖요리〗 마리네이드에 절인 청어.

Silen [zilé:n] 《lat. silenus》 ① *m.* 〖그리스신화〗 실레노스(주신 바커스의 종복). ② *m.* -s, -e 〖비유〗 주정뱅이 노인.

Silenos 《gr.》 *m.* ↑ Silen ①.

Silentium [zilέntsium] 《lat.》 *n.* -s, ..tien [..tsiən] 침묵. ② 기숙사의 공부 시간.

silentium *int.* 조용히 해라, 정숙.

Silesia 《lat.》 슐레지아(Schlesien).

Silge [zílgə] 《gr.》 *f.* -n 〖植〗 파슬리.

***Silhouette** [ziluέtə] 《frz.》 *f.* -n ① 실루엣, 그림자의 윤곽, 그림자 그림. ② 윤곽선. ③ (의상의) 실루엣, 몸의 외형〔윤곽〕.

silhouettieren [ziluεtí:rən] *t.* 〖구식〗 jn. ~ 누구의 실루엣을 그리다〔가위로 오리다〕.

Silicat *n.* -(e)s, -e 〖化〗 ↑ Silikat.

Silicium [zilí:tsium] *n.* -s 〖化〗 규소(기호: Si).

silieren *t.* 〖農〗 (사료 작물을) 사일로에 저장〔보관〕하다.

Silifikation *f.* 〖化〗 규산화.

silifizieren *t.* 규산화하다.

Silikat [ziliká:t] 《lat.》 *n.* -(e)s, -e 규산염.

Silikon [zilikó:n] *n.* -s, -e 〖化〗 실리콘.

Silikose [zilikó:zə] *f.* -n 〖醫〗 규폐증.

Silizium [zilí:tsium] *n.* -s 〖化〗 ↑ Silicium.

Silk [zɪlk] 《engl.》 *m.* -s, -s 비단.

Sill[1] [zɪl] 《schwed.》 *m.* -s, -e ↑ Sild.

Sill[2] (♧ Siele) *n.* -(e)s, -e, **Sille** [zílə] *f.* -n (schweiz.) ① ↑ Siele. ② 바지의 멜빵. ③ 후림새를 매어 두는 끈.

Sillen [zílən] *pl.* (고대 그리스의) 풍자시.

Sill·scheit *n.* 〔복수: -e〕 뱃대끈을 매는 나뭇조각.

Silo [zí:lo] 《sp.》 *n./m.* -s, -s ① 〖農〗 곡물 저장고; 발효 사료 제조 시설, 사일로. ② (곡물·석탄·광석 따위를 보관하는) 대형 저장고.

Silo·futter *n.* 사일로〔발효 저장〕 사료.

Silscheit *n.* -(e)s, -e ↑ Sillscheit.

Silumin [zilumí:n] *n.* -(s) 〖化〗 실루민.

Silur [zilú:r] 《<Silurer》 *n.* -s 〖지질〗 실루리아기(紀).

Silurer *m.* -s, - 실루리아족(영국의 웨일스 지방에 살던 고대 종족).

silurisch *a.* ① 실루리아기(紀)의. ② 실루리아 족의.

Silvester [zɪlvέstər] 《lat.》 *m./n.* -s, - 선달그믐날, 12월 31일.

Silvester·abend *m.* 선달 그믐날 (밤). **~ball** *m.* 선달 그믐날(밤) 무도회. **~feier** *f.* 선달 그믐날 축제. **~nacht** *f.* 선달 그믐날 밤.

Sima [zí:ma] 《lat.》 *f.* -s/..men 〖건축〗 고대 건축의 돌림띠 위에 있는 홈통.

Simand(e)l *m./n.* -s, - (bayr., öst.) 〖구어〗 공처가(Pantoffelheld).

Simbabwe *n.* 짐바브웨(아프리카의 공화국).

Simbabwer *m.* 짐바브웨 사람.

simbabwisch *a.* 짐바브웨(어)의.

Simeon [zí:meɔn] 《hebr.》 *m.* 시몬 ① 〖聖〗 Jakob 의 아들. ② 성자의 이름. ③ ↑ Simon.

Simili [zí:mili] 《it.》 *n./m.* -s, -s (특히 보석의) 모조(품) (Nachahmung).

Simili·diamant *m.* 모조 다이아몬드. **~stein** *m.* 모조〔가짜〕 보석.

Similor [zimiló:r] 《frz.; <Simili》 *n.* -s 모조금(Scheingold); 만하임금(구리 4, 아연 1의 비율로 된 합금).

Simmental *n.* 지멘탈(스위스의 지명).

Simmentaler *m.* -s, - 지멘탈 사람.

Simmer [zímmər] 《원뜻 „Korb"》 *n./m.* -s, - (obd.) 짐머(옛 곡량의 단위; (Rheinbayern) 12.5 리터, (Württemberg) 22.153 리터, (Frankfurt a. M.) 28.685 리터).

Simmerring *m.* -(e)s, -e (독일의 기술자 Simmer 의 이름에서) 심머링, 주동〔운전〕 축 장치.

Simon [zí:mɔn] *m.* 시몬(남자 이름).

Simonie [zimoní:] *f.* -n [..ní:ən] 〖宗〗 성직〔성물〕 매매(성령을 돈으로 살 수 있다고 생각한 이단자 시몬의 이름에서).

simonisch *a.* 성직〔성물〕 매매의.

Simonist *m.* -en, -en ① 성직〔성물〕 매매자. ② 생 시몽파의 사회주의자.

simpel [zímpəl] 《frz.》 *a.* ① 단순한, 간단한, 쉬운: eine simple Aufgabe 단순한 과제. ② 당연한, 상식적인: eine simple Tatsache 당연한 사실. ③ 〖펌어〗 평범한, 단조로운.

Simpel 《I》 *m.* -s, - ① 〖구어〗 바보, 멍청이. ② 〖植〗 푸른 은방울꽃. 《II》 *n.* -s, - ↑ Simplum.

Simpel·fransen *pl.* 〖구어·농담〗 (여성의) 눈위까지 내려오게 자른 단발머리.

simpelhaft *a.* 단순한, 우직한.

simpeln *i.* (h.) 멍청하게 굴다: 〖학생〗 Fach ~ 자기 분야의 얘기만 늘어놓아 사람들을 지루하게 하다(↑ fachsimpeln).

Simplex [zímplεks] 《lat.》 *n.* -, -e/..plizia [..plí:tsɪa] ① 〖문법〗 단일어(↔ Kompositum). ② 〖컴〗 일방, 단(單)방향(통신 체제).

simplex *a.* 단순한, 간단한.

Simplicissimus [zɪmplitsísimus] *m.* - ↑ Simplizissimus.

simpliciter [zɪmplí:tsitər] *adv.* 〖구식〗 절대

로, 전적으로, 오직.

Simplifikation [zɪmplifikatsió:n] *f.* -en 〔교양〕 단순화.

simplifizieren *t.* 〔교양〕 단순〔간단〕하게 하다, 간소화하다.

Simplifizierung *f.* -en 단순〔간소〕화.

Simplizia ↑ Simplex 의 복수형.

Simpliziade *f.* -n 우직한 사람을 주인공으로 한 모험 소설(Grimmelshausen 의 소설 주인공 Simplizissimus 에서).

Simplizissimus [zɪmplitsísimʊs] 《„Einfältigster"》 *m.* - ① 천치, 지독한 바보. ② 17 세기 Grimmelshausen 의 소설(의 주인공). ③ (1896 년 뮌헨에서 창간돼 1944 년까지 발간된) 정치 풍자 잡지.

Simplizität *f.* 〔폄어〕 단순, 평범, 유치.

Simplon [zímplɔn] *m.* -(s) 심플론(스위스와 이탈리아 사이의 알프스산 고갯마루).

Simplon·tunnel *m.* 심플론 터널.

Simplum [zímplʊm] 《lat.》 *n.* -s, ..pla ① 단순〔소박〕한 것. ②〖經〗 단일 세율.

Sims [zɪms] 《lat.》 *n.* -es, -e〖건축〗(Gesims) 돌림띠, 코니스(벽 윗부분에 수평으로 두른 장식적 돌출부); 처마 박공.

Simsalabim [zímzalabím] *int.* 짐잘라빔(마술 공연 때 넣는 기합 소리).

Simse [zímzə] *f.* -n〖植〗① (습지에서 자라는) 갈대속. ② 골풀(Binse).

Sims·hobel [zíms..] *m.*〖건축〗홈파는 대패.

Simson [zímzɔn] 《hebr., „kleine Sonne"》 *m.* ①〖聖〗삼손. ②〔비유〕역사(力士), 장사.

Sims·werk *n.*〖건축〗추녀의 돌림띠.

Simulant [zimulánt] 《lat. simulare》 *m.* -en, -en 꾀병쟁이.

Simulantin *f.* -nen ↑ Simulant 의 여성형.

***Simulation** [..tsió:n] *f.* ① 거짓 꾸밈, 가장, 위장. ② 꾀병. ③〖컴〗시뮬레이션, 모의 실험: die ~ eines Raumflugs 우주 비행의 모의 실험.

Simulator [..lá:tɔr, ..to:r] *m.* -s, -en [..tó:rən] 시뮬레이터, 모의〔가상〕 실험 장치.

***simulieren** [zimulí:rən] *t./i.* (h.) ① 가장하다, …인 체하다: er ist nicht krank, er simuliert nur 그는 아프지 않다, 다만 아픈 척할 뿐이다; eine Krankheit ~ 꾀병을 부리다; simulierte Rechnung 가계산(서), 견적. ②〔구식〕über et. ~ 무엇에 …에 대해 골똘히 생각하다; auf et. ~ 무엇을 꾀하다〔꾸미다〕. ③ 시뮬레이션하다, 모의〔가상〕 실험하다: einen Raumflug ~ 우주 비행을 모의 실험하다.

simultan [zimʊltá:n] 《lat. simul, „zugleich"》 *a.* ① 동시의, 동시에 일어나는: ~es Dolmetschen 동시 통역. ② 공동〔공통〕의: 〖數〗 ~e Gleichungen 연립 방정식.

Simultan≠bühne *f.*〖연극〗(중세 종교극의) 병렬 무대(공연에 필요한 무대 장치가 병렬로 설치됨). **~dolmetschen** *n.* 동시 통역. **~-dolmetscher** *m.* 동시 통역사. **~dolmetscherin** *f.* ↑ ~dolmetscher 의 여성형.

Simultaneität [zimʊltaneitɛ́:t] *f.* ① 동시(임), 동시성; 공통성. ②〖畫〗동시〔병렬〕 묘사(시간적으로 잇달아 일어나는 일을 한 폭에 동시에 묘사하는 입체파·미래파의 기법).

Simultan≠gründung *f.*〖經〗발기 설립. **~kirche** *f.*〖宗〗공동 교회(여러 종파가 함께 사용하는 교회). **~schule** *f.*〖宗〗종파 혼합 학교. **~spiel** *n.*〖체스〗(한 사람이 여러 사람과 동시에 대적하는) 동시 대국. **~technik** *f.*〖畫〗동시 묘사 기법.

sin =Sinus〖數〗사인.

Sinai [zí:nai] *m.* -(s) 시나이 반도〔산〕.

Sinai≠gebirge *n.* 시나이 산맥. **~halb·insel** *f.* 시나이 반도.

sinaitisch *a.* 시나이(산·반도)의.

Sinanthropus [zinántropʊs] 《gr.》 *m.* -, ..pi/..pen〖고고〗베이징 원인.

Sinau [zí:naʊ] *m.* -s, -e〖植〗톱풀속(屬).

sind [zɪnt] ↑ sein 의 1·3 인칭 복수 현재형.

sinder *adv.* (niederrhein.) …한 이래로 (seitdem).

Sindflut *f.* ↑ Sintflut.

sine anno [zí:nə áno] 《lat.》〖출판〗발행 연도 불명(약어: s.a.).

sine ira et studio [zí:ne í:ra ɛt stú:dio] 《lat.》〔교양〕 공평하게, 객관적으로.

Sinekure [zinekú:rə] 《lat., „ohne Sorge"》 *f.* -n ①〖가톨릭〗(직무상의 의무가 따르지 않는) 성직. ②〔비유〕실속 있는 한직.

sine loco [zí:ne lő:ko] 《lat.》(책의) 발행 장소 불명(약어: s.l.).

sine tempore [..tɛ́mpore] 《lat.》 *adv.* 〔교양〕 (대학 관례인) 15분의 지각 없이, 정각에(약어: s.t.): die Vorlesung beginnt um 9 Uhr ~ 강의는 9 시 정각에 시작된다.

sine loco et anno [..ɛt áno] 《lat.》〖출판〗발행 장소 및 연도 불명(약어: s.l.e.a.).

***Sinfonie** [zɪnfoní:] 《it. sinfonia》 *f.* -n [..ní:ən] ①〖음악〗교향악〔곡〕. ②〔고어〕화음; 서곡. ③〔비유〕조화, 어우러짐: eine ~ aus Licht und Tönen 빛과 소리의 조화.

Sinfonie≠konzert *n.* 교향악 연주회. **~orchester** *n.* 교향악단.

Sinfoniker *m.* -s, - ① 교향악 작곡가. ② 교향악 오케스트라 단원. ③〖복수〗교향악단.

Sinfonietta [zɪnfoniɛ́ta] *f.* ..nietten [..tən] 소교향곡.

sinfonisch *a.* 교향악의.

Sing.〖문법〗= Singular 단수.

Sing·akademie [zíŋ..] *f.*〖음악〗합창단; 성악 학교.

Singapore [zɪŋgəpɔ́:r] ↑ Singapur.

Singapur [zɪŋgapú:r] 싱가포르.

singbar [zíŋba:r] 《<singen》 *a.* ① 노래할 수 있는. ②〖음악〗노래하듯이: sehr ~ vortragen 극히 가창식으로 연주하다.

Sing≠beutel *m.* (nordd.) 방탕한 사람, 낭비자. **~bewegung** *f.* 노래부르기 운동〔캠페인〕. **~chor** [..ko:r] *m.* ① 합창대. ② (교회의) 합창대석. **~drossel** *f.*〖動〗티티새의 일종.

Singe≠bewegung *f.*〖구동독〗정치 가요 운동, 노래 운동. **~gruppe** *f.*〖구동독〗정치 가요 그룹.

Singel 《lat. cingulum, „Gürtel"》 *m.* -s, - ① (westd.) 시의 외벽. ② (schweiz.) 암쇠소, 줄무늬가 있는 소.

Singele *f.* (schweiz.) 따귀 때림(Ohrfeige).

Singeltrüdchen [zíŋəl..] 《<singen》 *n.* -s, - (nordd.) 귀뚜라미.

singen [zíŋən] (sang, gesungen) 《I》 *t./i.* (h.) ① 노래하다, 읊다: ein Lied ~ 노래를 부르다; ein Solo ~ 독창하다; Alt ~ a) 알토

의 부분을 노래하다, b) 알토의 목소리를 가지다; falsch〔unrein〕 ~ 노래를 틀리게〔박자에 맞지 않게〕 부르다; sie lernt ~ 그 여자는 노래를 배운다; 〖구어〗 das kann ich schon ~ 나는 그것을 벌써 지겨울 정도로 들었다; im Chor ~ 합창하다; nach Noten ~ 악보대로 노래하다; nach dem Gehör ~ 듣고 외어서 노래하다; vom Blatt (weg) ~ 악보를 보고 (준비 없이) 바로 노래하다; ein Lied zum Klavier ~ 피아노 반주로 노래하다; ein Kind in den Schlaf〔Schlummer〕 ~ 노래 불러 아이를 재우다. ② (노래하듯이) 울다, (새가) 지저귀다, (벌레가) 윙윙거리다; (악기가) 울리다; (바람이) 윙윙 소리내다; (끓는 물이) 피식거리다: mir ~ die Ohren〔es singt mir in den Ohren〕 내 귀에서 윙윙 소리가 난다, 나는 이명(耳鳴)이 있다; die Geige singt 바이올린이 표현이 풍부하게 연주된다. ③ 찬미〔찬송〕하다: dem Herrn Lob (und Preis) ~ 주를 찬미하다; er singt sein eigenes Lob(lied) 그는 자화자찬한다; 〖비유〗 das war(d) ihm nicht an der Wiege gesungen 그가 그렇게 되리라곤 전혀 예상하지 못했다. ④〖시어·구식〗 시작(詩作)하다(dichten). ⑤〖구어〗 (범죄 사실을) 줄줄이 털어놓다〔불다〕. 《Ⅱ》 *refl.* sich ~ ①〖결과를 나타내는 말과 함께〗 sich heiser〔müde〕 ~ 노래 불러 목이 쉬다〔지치다〕; sich die Sorgen aus dem Kopf ~ 노래로 근심을 달래다, 기분 전환 삼아 노래하다; das Lied singt sich leicht 이 노래는 부르기 쉽다. ② *imp.* es singt sich schön im Walde 숲속은 노래부르기에 좋다.

Singen *n.* -s 노래부름, 읊조림, 가창.

singend *p.a.* 노래하듯, 억양을 붙여서: mit ~em Tonfall 노래하는 듯한 어조로.

Singer *m.* -s, - 노래하는 사람, 가수, 성악가.

Singerei *f.* ①〖폄어〗 제멋대로 노래하기; 엉터리 노래, 경 읽는 듯한〔억양이 없는〕 말투. ②〖구어〗 직업적으로 노래 부르기.

Sing·gedicht *n.* 〖음악〗 가사, 작곡용의 시.

Singhalese [zɪŋgaléːzə] *m.* -n, -n 실론섬의 원주민.

Singhalesin *f.* -nen ↑ Singhalese의 여성형.

singhalesisch *a.* 실론섬의; 실론어의.

Sing⸗halle *f.* 음악회장, 뮤직 홀. **~kunst** *f.* 창법(唱法). **~lehrer, meister** *m.* 성악 교사. **~note** *f.* 악보. **~pult** *n.* 성악 악보대.

Single [síŋgl] 《engl.》 *n.* -s, -s ①〖스포츠〗 단식. ② 싱글 음반. ③ 독신자.

Singrün [zíŋgryːn] *n.* -s, -〖植〗 빙카(유럽 원산의 협죽도과(科) 식물) (Immergrün).

Sing⸗sang *m.* 〖구어〗 단조로운 창법〔가요〕; 노래하는 듯한 말투. **~schule** *f.* ① 성악 전문학교. ② (14-16 세기 장인 가수들의) 노래 경연 대회. **~schwan** *m.* 〖動〗 백조.

Sing-Sing [sɪŋsíŋ] 《engl.》 *n.* -s 싱싱 교도소(미국 New York 주에 있는 교도소).

Sing⸗spiel *n.* 〖연극〗 (Operette) 오페레타, 경(輕)가극, 창(唱)가극. **~spiel·halle** *f.* 음악당, 음악회장; 뮤직 홀, 보드빌 극장. **~stimme** *f.* 〖음악〗 노랫소리; (성악·기악 중주곡의) 성악 파트, 성부(聲部). **~stück** *n.* 〖음악〗 가곡. **~stunde** *f.* 노래〔성악〕 시간.

Singular [zíŋgulaːr] 《lat.》 *m.* -s, -e ①〖문법〗 단수(단축어: Sing.). ② 단수형 단어.

singulär [zɪŋgulɛ́ːr] *a.* 〖교양〗 ① 드문, 진기〔희한〕한. ② 특이〔독특〕한, 색다른: ein ~es Geschöpf a) 별난 인간, 별종, b) 독특한 작품〔물건〕.

Singularetantum *n.* -s, -s/..riatan.. 〖문법〗 단수형으로만 쓰이는 명사.

Singularis [zɪŋguláːrɪs] *m.* -, ..res ↑ Singular.

singularisch *a.* 〖문법〗 단수의.

Singularismus *m.* - 〖哲〗 일원론(↔ Pluralismus).

Singularität *f.* -en ①〖교양〗 유일, 단독; 희귀, 진기; 독특, 특이성. ②〖기상〗 (연중 규칙적으로 반복되는) 기상 이변 현상.

Sing⸗verein *m.* 노래회〔클럽〕. **~vogel** *m.* 〖動·총칭〗 명금류(鳴禽類)(고운 소리로 지저귀는 참새·꾀꼬리 따위). **~weise** *f.* 창법; (노래의) 곡조, 선율, 멜로디.

sinister [zinístər] 《lat.》 *a.* 〖교양〗 불길한, 불운한.

__sinken__ [zíŋkən] (sank, gesunken) 《Ⅰ》 *i.* (s.) ① 가라앉다, 침몰하다; 내려앉다, 함몰하다; (태양이) 지다; (소리가) 낮아지다; (물가·가치·시세 따위가) 떨어지다, 하락하다: das Wasser sinkt 수위가 내려간다; Silber sinkt im Preis 은값이 떨어진다; bis in die ~de Nacht (hinein) 초저녁〔해질〕 때까지; bei ~der Dämmerung 해지는 황혼에. ② 주저앉다, 넘어지다: auf den〔zu〕 Boden ~ 바닥에 넘어지다; auf einen Stuhl ~ 의자에 털썩 주저앉다; auf〔in〕 die Knie ~ 털썩 꿇어앉다, 무릎을 꿇다; jm. in die Arme ~ 누구의 품에 덥석 안기다; 〖雅語〗 ins Grab ~ 죽다; an js. Brust ~ 〔jm. an die Brust ~〕 누구의 가슴에 덥석 안기다; jm. zu Füßen ~ a) 누구 발 밑에 엎드리다, b) 누구에게 읍소하다, 통사정하다; ich möchte vor Scham fast in die Erde 〔in den Boden〕 ~ 나는 부끄러워서 쥐구멍에라도 들어가고 싶다. ③ (아픔·병세 따위가) 누그러지다. ④ (힘·권력 따위가) 쇠퇴하다, 약해지다; 풀이 죽다, 기가 꺾이다; (희망·신뢰 따위가) 희박해지다: die Hoffnung ~ lassen 희망을 잃다; den Mut ~ lassen 의기소침해지다, 낙담하다; sein Stern ist im 〔am〕 Sinken 그의 운이 기울고〔다하고〕 있다; er ist in meiner Achtung〔Meinung〕 sehr gesunken 그는 내 신용을 크게 잃었다. ⑤ (어떤 상태로) 빠지다: in tiefen Schlaf ~ 잠에 곯아떨어지다; in Ohnmacht ~ 실신〔기절〕하다; in Staub ~ 먼지에 파묻히다; 〖雅語〗 in Trümmer ~ 폐허가 되다; 〖雅語〗 die Stadt sank in (Schutt und) Asche 도시는 잿더미가 되어 버렸다; 〖비유〗 er ist tief gesunken 그는 몰락〔타락〕했다. ⑥ 숙이다: den Kopf ~ lassen (의기소침하여) 고개를 떨구다; die Arme ~ lassen 양팔을 축 늘어뜨리다. 《Ⅱ》〖광산〗 *t.* (abteufen) (수직갱을) 파 내려가다, 바닥 짚다.

Sink⸗kasten *m.* (Gully) 배수구, 하수 구멍. **~stoff** *m.* 침전물, 앙금.

***Sinn** [zɪn] *m.* -(e)s, -e/(고어) -en ① (**a**) 감각, 감관: die fünf ~e 5 관, 5 감; der sechste 〔ein sechster〕 ~ 제 6 감; 〖비유〗 seine fünf 〔(구어) sieben〕 ~e (beisammen) haben 분별이 있다; 〖구어〗 seine fünf ~e zusammenhalten 정신을 집중하다; 〖雅語·구식〗 er war seiner ~e nicht mehr mächtig 〔nicht mehr Herr seiner ~e〕 그는 자제력을 상실했다. (**b**) 〖복수〗〖雅語〗 관능, 육욕: er ist den ~en unterworfen 그는 육욕에 사로잡혀 있다. (**c**) 〖골상학〗 (두개(頭蓋) 속의) 감관. ②〖복수〗〖雅語〗 의식, 넋, 정신: der ~e beraubt sein 실신해 있다; ihm vergingen 〔schwanden〕 die ~e 그는 의식을 잃었다. ③ (**a**) (지적·도덕적) 감각, 감수성; 센스; 소질, 재능: Farben∼ 색채감; Orientierungs∼ 방향 감각; ~ für Humor〔Kunst, Schönheit〕 유머〔예술, 미〕 감각. (**b**) 이해(력), 사고: ihm fehlt der ~ für das Wesentliche 그는 본질적인 것에 대한 이해가 부족하다. ④〖雅語〗 마음, 심성, 품성: redlicher ~ 성실한 성품; einen hohen 〔edlen〕 ~ haben 심성이 고귀하다; hohen 〔niedrigen〕 ~es sein 심성이 고귀〔비열〕하다; anderen ~es werden 마음이 변하다, 생각이 달라지다; mit jm. eines (gleichen) ~es sein 누구와 생각이〔뜻하는 바가〕 같다; das ist so recht nach meinem ~ 그것은 내 마음에 꼭 든다; 〖속담〗 viel(e) Köpfe, viel(e) ~e 각인각색. ⑤ 의향, 의사; 마음, 정신: ~es sein, et. zu tun 무엇을 할 생각이다, 무엇을 하려고 마음먹고 있다; sein ~ steht nach Höherem 그는 큰 뜻을 품고 있다; danach steht ihm der ~ 그것이 그의 소망이다; im ~e des Gesetzes 법의 정신으로; in js. ~(e) handeln 누가 원하는 대로 행동하다; im Sinne des Verstorbenen 고인의 뜻에 따라; das ist nicht in meinem ~e 그것은 내가 뜻하는 바가 아니다; das wäre nicht im ~e unserer Kunden 그것은 우리 고객들에게 이익이 되지 않을 텐데. ⑥ 뜻, 의미: der wahre ~ des Wortes 말의 참뜻; in diesem ~e 이런 의미에서; im übertragenen〔weiteren〕 ~ 비유적인〔광범위한〕 의미에서; der Satz (er)gibt 〔macht〕 keinen ~ 그 문장은 의미가 통하지 않는다. ⑦〖數〗 방향. ⑧ 가치, 의의(意義): 〖구어〗 das ist nicht der Sinn der Sache 그것은 문제의 핵심이 아니다; ~ und Zweck einer Sache 일의 의의와 목표; ~ und Unsinn dieser Maßnahmen 이 조처들의 의의와 불합리; der ~ des Lebens 삶의 의미; et.[3] einen neuen ~ geben 무엇에 새로운 의미를 부여하다; das hat keinen ~ 그것은 아무런 의미가 없다(부질없는 일이다); was hat das denn für einen ~? 그것에 대체 어떤 의미가 있는가? ⑨〖전치사와 함께〗 **auf** seinem ~e bestehen〔beharren〕 자기 견해를 고집하다; jm. et. **aus** dem ~e bringen 누구에게 무엇을 잊게 하다; sich[3] jn.〔et.〕 aus dem ~ schlagen 누구를〔무엇을〕 잊다; das will 〔kommt〕 mir nicht aus dem ~ 그것이 잊혀지지 않는다; schlag dir das aus dem ~! 그런 일은 이젠 잊어버려라!; 〖속담〗 aus den Augen, aus dem ~ 보지 않으면 정도 멀어진다; **bei** ~en sein 제정신이다, 정신이 멀쩡하다; du bist nicht bei ~en? 너 정신이 돈 게 아니냐?; jm. **durch** den ~ fahren (생각 따위가) 누구의 마음에 떠오르다; **gegen**〔**wider**〕 js. ~ handeln 누구의 뜻〔생각〕에 어긋나게 행동하다; et. **im** ~e behalten〔haben〕 무엇을 명심하다, …을 마음 먹고 있다; der Plan liegt mir immer im ~ 그 계획은 언제나 내 머리 속에서 떠나지 않는다; es kam mir in den ~, daß ... …한 일이 내 마음에 떠올랐다; das will mir (einfach) nicht in den ~ 그것은 아무래도 납득〔이해〕할 수 없다; in die ~e fallen 눈에 띄다, 명백하다; im eigentlichen 〔bildlichen〕 ~e 본래의〔비유적인〕 의미로; in engerem〔weiterem〕 ~ des Wortes 이 말의 협의〔광의〕로는; im ~e Kants 칸트가 말하는 의미에서; **mit** ~ a) 충분히 의식하고, b) 분별 있게; **nach** js. ~ a) 누구의 생각대로, b) 누구의 구미〔취향〕에 맞는; ein Gesetz dem ~e nach erfüllen 법규를 그 정신에 맞게 이행하다; **ohne** ~ a) 의식을 잃고, b) 분별없이, 맹목적으로, c) 의미 없는; ohne ~ und Verstand 아무런 분별도 없이; **von** seinen ~en nichts wissen 의식을 잃다, 제정신이 아니다; das zeugt von niedrigem ~ 그것은 마음이 비열하다는 증거다; das kommt〔fällt, steigt〕 mir **zu** ~e 나는 그 일〔것〕이 생각난다, 그 생각이 내게 떠오른다; wieder zu ~e kommen 정신을 차리다, 의식을 회복하다; sich[3] et. zu ~ ziehen 무엇에 마음이 끌리다.

Sinnau [zínau] *m.* -(e)s, -e 〖植〗 장미과의 한 속(屬) (Frauenmantel).

sinn≈begabt [zín..] *a.* 감각이 뛰어난, 센스가 있는. **~beraubt** *a.* 감각을 잃은; 제정신이 아닌. **~betörend** *a.* 〖雅語〗 감각을 마비시키는, 뇌쇄시키는. **∼bild** *n.* 상징, 비유: das Kreuz ist ein ~ für Leid 십자가는 고난의 상징이다. **~bildlich** *a.* 상징적〔비유적〕인.

Sinne 《lat. Lw.》 *f.* -n (alem.) 최하위 도량형 검정국(Eichamt).

sinnen[1] [zínən] *t.* (alem.) 도량형기를 검정하다(eichen).

sinnen[2] (sann, gesonnen) 〖雅語〗 《I》 *i.* (h.) ① 곰곰이〔깊이〕 생각하다, 심사숙고〔명상〕하다: über et. ~ 무엇을 심사숙고하다. ② auf et. ~ 무엇을 의중에 두다, 계획하다; auf Rache〔Mord〕 ~ 보복〔살인〕을 꾀하다. ③ 〖특히 schweiz.: 약변화〗 생각하다; an jn. ~ 누구를 생각하다. 《II》 *t.* 〖시어〗 궁리〔안출〕하다, 생각해내다; 계획〔꾀〕하다: was sinnst du? 너는 무슨 생각을 하고 있니?; Verrat ~ 배반을 꾀하다; nichts Gutes ~ 좋지 않은 짓을 꾀하다. 《III》 **gesonnen** [gəzɔ́nən] *p.a.* ↑ gesonnen.

Sinnen *n.* -s 심사숙고: (all) sein ~ und Trachten 그의 온갖 염원과 노력.

sinnend *p.a.* 생각에 잠기는, 깊이 생각하는, 심사숙고하는: sie blickte ~ aus dem Fenster 그는 생각에 잠겨 창 밖을 바라보았다.

sinnen≈fällig *a.* ↑ sinnfällig. **~froh** *a.* 기쁨에 부푼. **∼freude** *f.* 〖雅語〗 육체적〔관능적〕 쾌락. **∼genuß** *m.*, **∼lust** *f.* 〖雅語〗 감각적 향락, 육체적 쾌락. **∼mensch** *m.* 감각〔관능〕주의자. **∼rausch** *m.* 〖雅語〗 관능적 도취. **∼reiz** *m.* 관능적〔감각적〕 자극. **∼taumel** *m.* 〖雅語〗 ↑ ~rausch. **∼täuschung** *f.* 착각, 환각.

sinn≈entleert *a.* 의의 없는, 중요하지 않은, 내용 없는. **~entstellend** *a.* 뜻을 왜곡하는.

Sinnentum *n.* -(e) 감성적임; 물질주의.

Sinnen≈welt *f.* 〖哲〗 감각〔물질·현상〕계. **~wesen** *n.* 감각적 존재.

Sinn≈ergänzung *f.* 〖문법〗 보족어. **~erklärung** *f.* 의미 해석, 뜻풀이.

Sinnes≈änderung *f.* 심경의 변화; 〖宗〗 회심

(回心), 개심, 개전(改悛). **~art** *f.* 성향, 기질: ein Mensch von heiterer ~ 명랑한 성격의 소유자. **~eindruck** *m.* 감각적 인상. **~-genosse** *m.* 동지(同志). **~nerv** *m.* 〖해부·생리〗 감각〔지각〕신경. **~organ** *n.* 〖해부·생리〗 감각〔지각〕기관. **~reiz** *m.* 〖생리〗 감각적 자극. **~störung** *f.* 감각 장애. **~täu-schung** *f.* ↑ Sinnentäuschung. **~trug** *m.* 착각. **~wahrnehmung** *f.* 지각. **~wandel** *m.* ↑ ~änderung. **~weise** *f.* ↑ ~art. **~-werkzeug** *n.* ↑ ~organ. **~zelle** *f.* (하등동물의) 지각 세포.

sinn≈fällig *a.* 눈에 띄는, 뚜렷한; 명백한. **≈-fälligkeit** *f.* 두드러짐, 현저, 명백.

Sinnfeiner [ʃɪnféːnər, ʃɪnféɪnə] 《ir. „wir für uns selbst"》 *m.* -s, - 신페인 당원(아일랜드 독립 당원); 〖복수〗 신페인당.

Sinn≈gebung *f.* 〖雅語〗 ① 가치〔의미〕 부여. ② 해석. **~gedicht** *n.* 격언시(Epigramm). **~gehalt** *m.* 의의, 참뜻. **≈gemäß** *a.* ① 의미에 따라〔맞추어〕: einen Text ~ übersetzen 텍스트를 의역하다. ② 논리 정연한, 수미일관된. **~grün** *n.* 〖植〗 빙카(Singrün).

sinnhaft 《<Sinn》 *a.* 〖雅語〗 의미 있는.

sinnieren [zɪníːrən] *i.* (h.) 〖구어〗 숙고하다, 곰곰이 생각하다: über et. ~ 무엇을 골똘히 생각하다.

Sinnierer *m.* -s, - (하찮은 일을) 골똘히 생각하는 사람.

sinnig [zínɪç] *a.* ① 〖고어〗 명상적인, 곰곰이 생각하는. ② 〖방언〗 심사숙고하는, 신중한. ③ 재치 있는, 기발한: eine ~e Äußerung 재치 있는 발언; ein ~er Einfall 기발한 착상; 〖반어〗 ein sehr ~es Geschenk für ein Hochzeitspaar 신혼 부부에게는 걸맞지 않는 선물. ④ 다정한, 친절한; 우아한, 점잖은. ⑤ (ndd.) 분별 있는(↔ unsinnig).

..sinnig *suf.* "마음이 …한, …한 기질의"의 뜻(보기: froh~ 쾌활한; leicht~ 경솔한).

sinniger·weise *adv.* 〖대개 반어적〗 의미심장하게.

Sinnigkeit *f.* 심사숙고, 신중, 분별; 재치; 친절.

***sinnlich** [zínlɪç] *a.* ① **(a)** 감각의, 감관의: die ~e Welt 감각계; ~e Wahrnehmung 감각적 지각. **(b)** 지각할 수 있는; 구체적인; 물질적인: ~e Darstellung 구체적 표현. ② 육감적〔육체적〕인; 육욕에 빠진: ~e Begierden 육욕; ~er Genuß 육체적 향락; ein ~er Mensch 감각〔관능〕주의자; ~es Verlangen 관능적 욕구.

Sinnlichkeit *f.* ① 감각, 지각, 감성. ② 구체적〔물질적〕임; 감각〔물질〕계. ③ 육욕, 관능.

Sinnling *m.* -s, -e 육욕주의자, 호색가.

***sinnlos** *a.* ① 무감각한, 무의식의; 제정신을 잃은, 과도한, 맹목적인: ~ betrunken 인사불성으로〔곤드레만드레〕 취하여. ② 무의미한, 허황된; 비합리적인: eine ~e Hoffnung 헛된 희망; ~e Zerstörung 무분별한 파괴; ein ~er Satz 의미 없는 문장; ~es Zeug reden 횡설수설하다. ③ 가치〔의미〕 없는: ein ~es Leben 가치 없는 삶.

Sinnlosigkeit *f.* -en ① 〖복수없음〗 무의미. ② 무의미한 행동〔발언〕.

Sinn≈pflanze *f.* 〖植〗 함수초(Mimose). **≈reich** *a.* ① 〖구식〗 재치있는, 독창적인. ② 의미심장한, 함축적인: ein ~es Gedicht 의미심장한 시. ③ 합당한. **~spruch** *m.* 금언, 격언, 경구. **≈verwandt** *a.* ① 의미가 같은, 뜻이 비슷한: das ~e 동의어. ② 뜻을 같이 한, 동지의. **≈verwirrend** *a.* 〖雅語〗 감각을 혼란〔마비〕시키는, 몽롱하게 하는. **≈voll** *a.* ① 합리적인, 이성적인. ② 뜻이 깊은, 함축성 있는; 중요한. ③ 의미〔가치·의의〕 있는. **≈-widrig** *a.* 〖雅語〗 사리에 어긋나는, 말도 안 되는; 터무니없는. **~widrigkeit** *f.* 사리에 어긋남, 어불성설. **~zusammenhang** *m.* 의미의 상관 관계, 맥락.

***Sinologe** [zinolóːgə] 《lat. + gr.; lat. Sina, „China"》 *m.* -n, -n ① 중국학자: klassischer ~ 한(漢)학자. ② 중국학 전공 학생.

***Sinologie** *f.* 중국학.

Sinologin *f.* -nen ↑ Sinologe 의 여성형.

***sinologisch** *a.* 중국학의.

Sinopel 《gr.》 *m.* -s, - 〖광물〗 적철광으로 싸인 수정(흑해 연안 도시 Sinope 에서).

sintemal [zíntəmáːl] *cj.* ↑ sintemalen.

sintemalen *cj.* 〖구식·농담〗 …인 까닭에(da, weil): 〖官〗 ~ und alldieweil …하는 한, 바로 …하므로.

Sinter *m.* -s, - ① 〖광물〗 종유석. ② 〖제련〗 슬래그, 쇠부스러기. ③ 썩은 나무에서 난 재.

Sinter≈bildung *f.* 〖광물〗 종유석 형성. **~-gebilde** *n.* 종유석 형성물.

sintern [zíntərn] 《<Sinter》 《Ⅰ》 *i.* (s.) ① 종유석이 형성되다. ② 새다, 스며〔배어〕 나오다. ③ 〖工〗 (둥글게) 덩어리지다, 소성(燒成)하다; 〖제련〗 소결(燒結)하다. 《Ⅱ》 *t.* 〖제련〗 소결시키다.

Sinter·terrasse *f.* 〖지질〗 종유석의 단구(段丘).

Sinterung [zíntəruŋ] *f.* 〖工〗 방울짐; 〖理〗 반융(半融); 〖제련〗 소결(燒結).

Sint·flut [zíntfluːt] *f.* 대홍수; 〖聖〗 노아의 홍수: nach uns die ~ 나중에 무슨 일이 일어나든 우리와 상관없다.

sint·flut·artig *a.* 대홍수의.

Sintoismus [zɪnto|ísmus] *m.* (일본의) 신도(神道).

Sinus [zíːnus] 《lat.》 *m.* -, -(se) ① 만곡, 오목〔깊숙〕한 곳. ② 만(灣). ③ 〖해부〗 공동(空洞). ④ 〖數〗 사인(약어: sin).

Sinus·kurve *f.* 〖數〗 사인 곡선.

sin·well *a.* (schweiz.) 둥근(rund).

Sinzerität 《lat.》 *f.* -en 성실, 정직.

Sipho [zíːfo] 《gr. -lat.》 *m.* -s, -nen [..fóː..] 〖動〗 (연체 동물의) 호흡관.

Siphon [zíːfõ, zifóːn] 《gr. -frz.》 *m.* -s, -s ① 〖理·工〗 사이펀, 흡상관(吸上管), 흡수관. ② 〖工〗 (하수관의) 트랩, 악취 차단판. ③ 사이펀병; (öst.) 탄산수병. ④ 〖動〗 수관(水管), 흡관; 〖植〗 화분관(花粉管).

Siphonophore [zifonofóːrə] 《gr.》 *f.* -n 〖動〗 갓해파리류(類).

Siphon·verschluß *m.* ↑ Siphon ②.

Sipo [zíːpoː] 《Ⅰ》 *f.* = Sicherheitspolizei 보안경찰. 《Ⅱ》 *m.* = Sicherheitspolizist 보안 경(찰)관.

Sipo·mann *m.* 〖복수: ..leute〗 ↑ Sipo 《Ⅱ》.

Sipp *m.* -en, -en 〖고어·시어〗 ↑ Sippe ②.

Sippe [zípə] *f.* -n ① (고대 게르만 사회의) 씨족, 혈족. ② 〖농담·폄어〗 친인척; 족속. ③

〖動〗 족(族), 유(類).
Sippen≈amt *n.* 호적 사무소. **~forschung** *f.* 계보〔씨족〕학. **~kunde** *f.* ↑ ~forschung. **≈kundlich** *a.* 계보학〔씨족학〕의. **≈gemäß** *a.* 씨족적〔혈족적〕인. **~haftung** *f.* ① 씨족의 연대 책임. ②〖法〗 연좌제. **~tafel** *f.* 족보, 계보. **~verband** *m.* ↑ Sippe ①.
Sippschaft *f.* -en ① ↑ Sippe ②. ②〔구어·폄어〕 일당, 한패, 패거리.
Sir [zøːr, səː] 《engl.》 ①〔호칭〕 (mein Herr!) 님; 귀하, 선생, 각하, 나리; 의장. ② *m.* -s, -s (영국에서는 준남작 또는 나이트작에 대한 경칭으로) 경(卿).
Sirach [zíːrax] 《hebr.》 시라하(위경(僞經) 중의 하나인 "Ekklesiastikus" 의 저자).
Sirdar 《pers.》 *m.* -(e)s, -e 총사령관(Serdar).
Sire [ziːr, siːr] 《<frz. Seigneur》 *m.* -s, -s 폐하(왕 또는 황제에 대한 프랑스식 호칭) (Majestät).
Sirene [ziréːnə] 《gr.》 *f.* -n ①〖그리스신화〗 사이렌(아름다운 노래로 뱃사람을 유혹했다는 반인반조(半人半鳥)의 바다 요정). ②〔비유·교양〕 미성의 여가수; 요부. ③ 경보기, 사이렌, 경적: die ~n heulen 경보기가 울리다. ④〖動〗 해우(海牛).
Sirenen≈geheul *n.* 사이렌 소리. **~gesang** *m.* ① 사이렌의 노래. ②〔비유·雅語〕 유혹의 말(꾐).
sirenenhaft *a.* 〔雅語〕 사이렌 같은; 유혹적〔매혹적〕인.
Sirenen·probe *f.* 사이렌 시험.
Sirius [zíːrius] 《lat.》 *m.* -〖天〗 시리우스성(星).
sirius·fern *a.* 아주 먼.
Sirokko *m.* -s, -s 시로코(Schirokko).
sirren [zírən] *i.* (h.) 〔의성어〕 (벌이) 붕붕거리다.
Sirtaki *m.* -, -s 지르타키(스위스의 민속춤).
Sirte *f.* -n (schweiz.) 유장(乳漿).
Sirup [zíːrup] 《lat. syrupus》 *m.* -s, -e ① 시럽; 당밀;〖藥〗 시럽제; 단것. ②〔비유〕 달콤한 말, 감언이설.
Sisal [zíːzal] *m.* -s 사이잘마(麻) (멕시코의 항구 Sisal 의 이름에서).
Sisal·hanf *m.* ↑ Sisal.
's ist [sɪst] =es ist.
sistieren [zɪstíːrən] 《lat.》 *t.* 〖法〗 《Ⅰ》 ①〔교양〕 (소송·절차를) 정지〔중지·기각〕하다. ② (법정에) 소환하다; 구류하다. 《Ⅱ》 *refl.* sich ~ 출두하다.
Sistierung *f.* -en ① 기각, 각하. ② 구류.
Sistierungs·befehl *m.* 〖法〗 소환(장).
Sistrum [zístrum] *n.* -s, ..stren 딸랑이(고대 이집트의 악기).
Sisyphos [zíːzyfɔs] 《gr.》 *m.* ↑ Sisyphus.
Sisyphus [zíːzyfus] 《gr. -lat.》 *m.* 〖그리스신화〗 시시포스.
Sisyphus·arbeit *f.* 〔비유·교양〕 끝없는 노동, 헛수고: das ist ja die reinste ~! 그것은 정말 쓸데없는 수고다!
Sitar [zitáːr] *m.* -(s), -(s) 지타르(기타 비슷한 인도의 현악기).
Sit-in [zɪt|ín] 《engl.》 *n.* -s, -s 연좌 시위〔농성〕.
***Sitte** [zítə] *f.* -n ① 풍속, 풍습; 관습, 관례; 예(의 범)절, 몸가짐: ~n und Gebräuche 풍속과 관습; bei uns ist das nicht ~ 이곳 풍습은 그렇지 않습니다; gegen die gute ~ verstoßen 미풍양속에 어긋나다; die guten ~n pflegen 미풍양속을 보존하다; dort herrschen wilde〔rauhe〕 ~n 그곳 풍습은 너무 거칠다; das sind ja ganz neue ~n! 그것 참 별난 일도 다 있구나!; ein Mensch von feinen〔guten〕 ~n 예의 바른 사람;〔속담〕 andere Länder, andere ~n 나라마다 관습이 다르다. ②〔복수〕 도의, 도덕; 풍기, 행실: böse ~n 악습; lockere ~n 너절한 행실. ③〔폄어〕 풍기 단속 (경찰): unter der ~ stehen 풍기 단속 경찰의 단속을 받고 있다. ④ (a)〖聖〗 율법, 계율. (b) 규칙, 준칙.
Sitten≈bild *n.* ↑ ~gemälde. **~dezernat** *n.* (경찰의) 풍기 단속반. **~gemälde** *n.* 풍속화. **~geschichte** *f.* 풍속사(史). **~gesetz** *n.* 〖哲〗 윤리, 도덕률. **~kodex** *m.* 윤리〔도덕〕 규범. **~komödie** *f.* 〖연극〗 풍속 희극. **~kontrolle** *f.* 풍기〔매춘부〕 단속. **~lehre** *f.* 윤리학. **~lehrer** *m.* 윤리학자; 도학자, 교훈가.
sittenlos *a.* 부도덕한; 예의 없는; 풍기가 문란한.
Sittenlosigkeit *f.* 부도덕, 방탕, 풍기 문란.
Sitten≈polizei *f.* 풍기 단속 경찰. **~prediger** *m.* 〔폄어〕 도덕 설교가, 훈계를 즐기는 사람. **~regel** *f.* 풍습, 관례, 예의 범절; 교훈. **≈rein** *a.* 〔雅語〕 도덕적으로 깨끗한, 품행이 방정한. **~richter** *m.* 〔폄어〕 도덕가, 도학선생; 풍기 단속관. **~roman** *m.* 〖문학〗 풍속 소설. **~schilderung** *f.* 풍속 묘사. **~spruch** *m.* 도덕률; 격언, 금언. **≈streng** *a.* 〔구식〕 (도덕상) 엄격〔준엄〕한. **~strenge** *f.* 〔구식〕 도덕적 엄격성. **~strolch** *m.* 〔폄어〕 아녀자 폭행자. **~verderbnis** *f.* 〔雅語〕 ↑ ~verfall. **~verfall** *m.* 풍기 문란, 도덕의 타락. **~verfeinerung** *f.* 풍속 정화(淨化)〔순화〕. **≈widrig** *a.* 풍속에 어긋나는. **~widrigkeit** *f.* 풍속에 어긋남. **~zeugnis** *n.* 〔고어〕 선행증(善行證), 품행 증명서. **~zwang** *m.* 예법, 에티켓; 관례, 인습.
Sittich [zítɪç] 《gr. -lat.》 *m.* -s, -e 〔구어〕 앵무새(Papagei).
sittig [zítɪç] 《<Sitte》 *a.* 〔구식〕 ↑ sittsam.
sittigen [zítɪgən] *t.* 〔구식·雅語〕 예의 바르게 하다, 겸허하게 하다, 교화하다, 개화시키다.
***sittlich** [zítlɪç] *a.* ① (a) 도덕(상)의, 도의상의, 윤리적인: ~e Norm 도덕 규범; ein ~es Bewußtsein 윤리 의식; ~ gefestigt sein 도덕적으로 건실한. (b) 풍속(상)의: ein ~es Vergehen 풍기 문란. ② 예의〔행실이〕 바른: ~es Betragen〔Verhalten〕 예의 바른 행동.
Sittlichkeit *f.* 도덕, 도의, 인륜, 윤리(성); 품행, 풍기, 미풍, 양속.
Sittlichkeits≈delikt *n.* 성범죄. **~gefühl** *n.* 도덕〔도의〕심. **~verbrechen** *n.* 비행(非行); 〖法〗 성범죄. **~verbrecher** *m.* 성폭행범. **~vergehen** *n.* ↑ ~verbrechen.
sittsam [zítzaːm] 《<Sitte》 〔구식〕 ① 예의 바른, 품행이 단정한: ein ~es Benehmen 예의 바른 태도. ② (특히 여성이) 얌전한, 다소곳한, 정숙한.
Sittsamkeit *f.* ① 예의 바름, 단정. ② 정숙.
sittst 《<siehst du!》 *int.* (특히 nordd.) 아하

(aha), 거봐.

*__Situation__ [zituatsió:n] 《frz.》 *f.* -en ① 상황, 사태; 사정, 형편: eine peinliche〔unangenehme〕 ~ 곤혹스러운〔불쾌한〕 상황; die ~ wurde kritisch 사태가 심각해졌다; die ~ erfassen〔durchschauen〕 사태를 파악하다; er ist so schwierigen ~en nicht gewachsen 그는 그렇게 어려운 상황을 감당할 능력이 없다; die politische〔wirtschaftliche〕 ~ 정치적〔경제적〕 상황; die ~ auf dem Arbeitsmarkt 노동 시장의 형편; die ~ hat sich grundlegend geändert 사정〔상황〕은 근본적으로 달라졌다. ②〖哲〗(심리학적) 장면. ③〖軍〗전황. ④〖제도〗부지(敷地) 평면도.

situations≈bedingt *a.* 상황의 제약을 받는. **≈ethik** *f.* 상황 윤리. **≈komik** *f.* (우스꽝스러운) 상황에서 발생하는 희극성. **≈komödie** *f.* 상황 희극. **≈plan** *m.*〖건축〗부지(敷地) 계획〔설계〕;〖軍〗상황도. **≈stück** *n.* 상황극(↔ Charakterstück).

situativ *a.* 〔교양〕 상황에 따른, 상황의 제약을 받는.

situieren [zituí:rən] 《lat.》《Ⅰ》 *t.* (어떤 처지·지위에) 놓다. 《Ⅱ》 **situiert** *p.a.* ↑ situiert.

situiert 《Ⅰ》 *p.p.* ↑ situieren. 《Ⅱ》 *p.a.* (어떤 처지·지위)에 있는, 놓여진; (사정이) …한: gut〔schlecht〕 ~ sein (경제적) 사정이 좋다〔나쁘다〕; er ist besser ~ als die Nachbarn 그는 이웃보다 형편이 낫다.

Situla [zí:tula] *f.* ..len (청동기 시대의) 양동이.

Situs [zí:tʊs] *m.* -, -〖醫〗신체 기관〔자궁 속 태아〕의 정상 위치.

sit venia verbo [zít vé:nia vέrbo] 《lat., „man verzeihe das (harte) Wort!"》〔교양〕 실례를 무릅쓰고 말씀 드리자면, 실례지만(약어: s.v.v.).

*__Sitz__ [zɪts] 《<sitzen》 *m.* -es, -e ① 의자; (의자의) 앉는 부분: Stuhl mit gepolstertem ~ 쿠션이 있는 의자; dies Sofa hat einen harten ~ 이 소파는 쿠션이 딱딱하다. ② **(a)** (교회·극장·차량 등의) 자리, 좌석: ein bequemer ~ 편안한 자리; jm. einen ~ anbieten 누구에게 좌석을 제공하다; ein Wagen mit vier ~en 4인승 차; 〔구어〕 jn. vom ~ reißen 누구를 열광시키다; es war kein ~ mehr frei 더 이상 빈 자리가 없었다. **(b)** (의회 따위의) 의석: ~ und Stimme im Rat haben 위원회에서 의석 및 투표권을 가지다. ③ **(a)** (특히 토끼·사슴 등의) 집, 굴. **(b)** 거처(Wohn≈); 저택; 궁정: seinen ~ an einem Ort aufschlagen 어디에 거처를 정하다, 정주하다. **(c)** (관청의) 소재지: der ~ der Regierung 정부 소재지, 수도. **(d)** 발생지; 본거지; 본부, 본사: der ~ des Unternehmens 기업의 본사; der ~ der Forstverwaltung 산림청의 본청; der ~ der Revolution 혁명의 발생지; der ~ der Krankheit 병의 발생지; der Unterleib ist der ~ vieler Krankheiten und Leiden 아랫배는 여러 가지 병고가 깃드는 곳이다. **(e)**〖工·기계〗좌(座), 대(臺), 받침:〖음악〗~ der Akkorde 화음의 자리. ④ **(a)** 앉는 법, 앉음새, 타는 법; 타는 자리: fester ~ 안정된 앉음 자세; er hat einen guten ~ 그의 승마 자세는 훌륭하다. **(b)** (옷 등이) 어울림, 몸에 딱 맞음: der Anzug hat einen guten〔schlechten〕 ~ 이 신사복은 몸에 잘 맞는다〔맞지 않는다〕. ⑤ 앉기: 〔구어〕 auf einen ~ 〔in einem ~〕 단숨에, 잇달아. ⑥ (Gesäß) 바지의 엉덩이 부분, 둔부.

Sitz≈arbeit *f.* 앉아 하는 일. **~bad** *n.* 좌욕, 반신욕(半身浴). **~bade·wanne** *f.* 좌욕용 욕조. **~bank** *f.* 걸상, 벤치;〖海〗(노젓는 사람이) 앉는 자리. **~bein** *n.*〖해부〗좌골. **~-blockade** *f.* 연좌 봉쇄〔시위〕. **~ecke** *f.* 방 한구석에 놓인 의자.

Sitze·fleisch *n.* ↑ Sitzfleisch.

__sitzen__ [zítsən] (saß, gesessen) 《Ⅰ》 *i.* (h., (드물게) s.) ①〔고어〕(s.) 앉다: (südd.) auf das Ruhebett ~ 안락 의자에 앉다; gesessen sein a) 앉아 있다, b) 살고 있다. ② 앉아 있다; (회의 따위에) 참석하다: aufrecht〔gerade〕 ~ 바른 자세로 앉아 있다; auf dem Stuhl〔Boden〕 ~ 의자〔바닥〕에 앉아 있다; in ~der Stellung 앉은 자세로; im Schneidersitz ~ 양반〔책상〕 다리를 하고 앉다; 〔구어〕 er mußte zwei Jahre ~ 그는 2년간 옥살이를 해야 했다; einem Maler〔Fotografen〕 ~ 화가〔사진사〕의 모델이 되다; im Kulturministerium ~ 문화부에 근무 중이다; die Verfolger saßen uns auf den Fersen 추적자들이 우리 뒤를 바싹 뒤쫓고 있었다; jm. Beichte ~ 누구의 참회〔고해〕를 듣다; als der erste ~ 수석〔일등〕이다; müßig ~ a) 편히 앉아 있다, b) 하는 일 없이 빈둥빈둥 지내다; das Wirtshaus sitzt voller Gäste 그 여관은 손님으로 가득 차 있다; ~ bleiben 앉은 채로 있다; bitte bleiben Sie ~! 그대로 앉아 계세요!; ~ Sie bequem? (지내기) 편안하십니까?; hier sitzt man sehr bequem 여기는 앉아 있기가 무척 편하다; ~ lassen 앉게 하다, 좌석을 제공하다. ③ (특히 민족에 대하여) 거주하다: die Germanen saßen an beiden Ufern des Rheins 게르만 민족은 라인강의 양기슭에 살고 있었다; er sitzt in Bulgarien 그는 불가리아에 거주하고 있다. ④ 있다; (붙)박혀 있다: da sitzt der Fehler 거기에 오류가 있다; da sitzt die Schwierigkeit 〔der Haken, der Knoten〕 거기에 난점이 있다; locker ~ 헐렁하게 박혀 있다; der Splitter saß fest in meinem Fuß 파편이 내 발에 꽉 박혀 있었다; deine Krawatte sitzt nicht richtig 네 넥타이가 똑바로 매어져 있지 않다; sein Hut saß schief 그의 모자는 비스듬하게 씌워져 있었다. ⑤ 들어맞다, 명중〔적중〕하다: 〔구어〕 schon der erste Schuß hat gesessen 첫발부터 명중했다; sitzt! (검도 따위에서) 한판!; die Ohrfeige saß 따귀가 한 대 올라갔다; das saß 〔hat gesessen〕 그것은 적중했다. ⑥ (옷 따위가) 꼭 맞다, 어울리다: gut ~ 잘 맞다, 어울리다; schlecht ~ 맞지 않다, 어울리지 않다. ⑦〔특수 용법〕 die Versammlung sitzt heute 오늘 회의가〔모임이〕 있다; was er gelernt hat, das sitzt 그는 한 번 배운 것은 잊지 않는다; es wird so lange geübt, bis die Vokabeln ~ 어휘가 익숙해질 때까지 연습한다; 〔구어〕 er hat einen (Affen) ~ 그는 술에 (약간) 취해 있다. ⑧ (반죽이) 부풀어오르지 않다(↑ sitzenbleiben ⑤(a)). ⑨〔전치사와 함께〕 Früchte ~ **an** den Bäumen 열매가 나무에 달려 있다; an einer Aufgabe ~ 숙제를 하고 있다; das Schiff sitzt (**auf** Grund) 배가 암초에 걸려 있

다; (auf den Eiern) ~ (닭이) 알을 품고 있다; auf jm. ~ a) 누구에게 폐를 끼치다, b) 누구의 생사를 좌지우지하다; auf dem Geld ~ 인색하다; 〖반어〗 auf den Ohren ~ 남의 말을 들으려고 하지 않다; auf dem hohen Roß 〔dem großen Pferd〕 ~ 거만〔오만〕을 떨다; (wie) auf Dornen〔Nadeln, Kohlen〕 ~ 안절부절못하다, 좌불안석이다; jm. auf dem Hals ~ 누구에게 폐를 끼치다; jm. auf dem Dach 〔der Haube, dem Nacken〕 ~ 누구를 엄중히 감시하다, 괴롭히다; 〖비유·구어〗 auf dem Trockenen ~ a) 어찌할 바를 모르다, b) 빈털터리다, 파산 상태다; et. auf sich ~ lassen (모욕·의심 등을) 감수하다; **bei** jm. ~ 누구 곁에 앉아 있다, 누구와 함께 있다; bei Tisch ~ 식탁에 앉아 있다, 식사 중이다; 〖드물게〗 bei jm. zur Miete ~ 누구 집에 세들어 있다; beim Mittagessen ~ 점심 식사를 하고 있다; beim Wein ~ 와인을 마시고 있다; bei der Flasche ~ 술을 마시고 있다; **hinterm** Ofen ~ 집 안에만 틀어박혀 있다; **in** der Patsche〔Tinte, Klemme〕 ~ 곤경에 빠져 있다; in (der) Wolle 〔im Fett〕 ~ 호의호식하다, 안락하게 살다; im Parlament ~ 국회 의원이다; in Amt und Würden ~ 고위직에 있다; bis über die Ohren in Schulden ~ 빚에 쪼들리다; Schleim sitzt im Hals 가래가 목에 걸려 있다; et. im ~ tun 어떤 일을 앉은 채로 하다; der Schelm sitzt ihm im Nacken 그는 보기와는 딴판으로 나쁜 녀석〔장난꾼·교활한 놈〕이다; **über** jm. ~ (학급〔식탁〕에서) 누구보다 윗자리에 있다; über einer Arbeit ~ 일에 몰두하고 있다; über den Büchern ~ 책만 읽고 있다, 책과 씨름하고 있다; **vor** dem Fernsehen ~ 텔레비전을 보다; immer **zu** Hause ~ 늘 집에 틀어박혀 있다; jm. 〔über jn.〕 zu Gericht ~ 누구를 재판〔심문〕하다; zu Rate ~ 회의에 참가하다. 《Ⅱ》 *refl.* sich müde ~ 지치도록 앉아 있다; es sitzt sich gut in diesem Wagen 이 차는 앉아 있기가 편하다.

sitzen≠|bleiben* *i.*(s.) ① (줄곧) 앉아 있다. ②〖구어〗 유급〔낙제〕하다: er ist zweimal sitzengeblieben 그는 두 번 낙제했다. ③〖구어〗 **(a)** (무도회에서 여자가) 춤의 상대자가 없다. **(b)** (처녀가) 시집갈 상대가 없다. ④〖구어〗 mit〔auf〕 der Ware ~ 상품이 팔리지 않다. ⑤ **(a)** 〖방언〗 (반죽·빵 등이) 부풀어오르지 않다: der Teig bleibt sitzen 반죽이 부풀어오르지 않는다. **(b)** 침전되어 있다. ⑥〖스포츠〗 스타트가 늦다. **~bleiber** *m.* 〖구어〗 유급생.

sitzend *p.a.* ① 앉아 있는; 앉아서 일하는: ~e Lebensweise 앉아서 생활하는 방식. ② 현직의, 재임 중인: ~er Bürgermeister 현시장. ③〖植〗 좌착(座着)의: ~es Blatt 좌엽(座葉); ~er Staubbeutel 좌착약(座着葯).

sitzen|lassen* *t.* ① 앉혀 두다, 앉게 하다; 자리를 제공하다. ② (학생을) 유급시키다. ③ 그대로 두다: jn. im Unglück ~ 누구의 불행을 방관〔방치〕하다; wir erwarteten ihn heute, aber er hat uns ~(ge)lassen 우리는 오늘 그를 기다렸으나 허탕만 쳤다; jn. auf seiner Ware ~ 누구의 상품을 사주지 않다; ein Mädchen ~ 어떤 처녀와의 결혼을 이행하지 않다. ④ Geld im Spiel ~ 노름〔게임〕에서 돈을 잃다.

Sitzer 《<sitzen》 *m.* -s, - ① 앉아 있는 사람, 착석자. ②〔구어〕 엉덩이. ③〖海〗 늑재(肋材).

..sitzer *suf.* "…탈 것·앉을 것"의 뜻(보기: Vier~ 4 인승 자동차〔소파〕).

Sitz≠falte *f.* 앉아서 생기는 주름. **~fläche** *f.* ① 앉는 부분. ②〖구어·농담〗 엉덩이. **~fleisch** *n.* 볼기(의 살); 〖농담〗(꾹 눌러앉아 일〔공부〕하는) 끈기: er hat kein (rechtes) ~ a) 그는 잠시도 가만히 앉아 있지 못한다, b) 그는 끈기가 없다; ~ haben 엉덩이가 무겁다. **~füßler** *pl.* 〖動〗 연작류(燕雀類). **~gelegenheit** *f.* 앉을 자리: sich[3] nach einer ~ umsehen 앉을 자리를 찾아 두리번거리다. **~gruppe** *f.* 의자〔소파〕 세트.

..sitzig *suf.* "…의 좌석이 있는"의 뜻(보기: vier~ 좌석이 4 개 있는, 4 인승의).

Sitz≠kasten *m.* (마차의) 칸막이 좌석. **~kissen** *n.* 쿠션, 방석. **~krieg** *m.* 장기전, 지구전. **~leben** *n.* 앉아서 일하는 생활.

Sitzling *m.* -s, -e 〖학생〗 낙제생.

sitzlings *adv.* 앉아서, 앉은 채로.

Sitz≠möbel *n.* (소파 등의) 앉는 가구. **~ordnung** *f.* 앉는 서열. **~platz** *m.* 좌석: jm. einen ~ anbieten 누구에게 좌석을 제공하다; ein Theater mit 100 Sitzplätzen 관람석 100 석을 갖춘 극장. **~polster** *n.* ↑ ~kissen. **~redakteur** [..tøːr] *m.* (출판 금지 처분을 받아 책을 내지 못하는) 명목상의 편집인. **~reihe** *f.* 좌석의 열〔줄〕. **~riese** *m.* 〖구어·농담〗 상반신이 긴 사람. **~stange** *f.* (새장·우리의) 홰, 횃대. **~streik** *m.* 연좌 파업.

***Sitzung** [zítsʊŋ] 《<sitzen》 *f.* -en ① 회의, 집회: eine ~ einberufen〔eröffnen〕 회의를 소집하다〔열다〕; eine öffentliche 〔geheime〕 ~ 공개〔비밀〕 회의. ② (법정의) 심리. ③〖농담〗 eine lange ~ (im Wirtshaus) halten 장시간 연회를 베풀다; 〖구어·농담〗 das war aber eine lange ~ 화장실에 오래 앉아 있구나. ④〖畫〗 앉은 모습, 모델이 됨, 모델로 앉음, 초상을 그리게 함. ⑤〖드물게〗 ↑ Sitzer ②. ⑥ 사육제 모임.

Sitzungs≠bericht *m.* 회의〔의사(議事)〕 보고. **~dauer** *f.* 회기(會期). **~lokal** *n.* 회의실, 회의장. **~periode** *f.* (특히 의회의) 회기; (법정(法廷)의) 개정기. **~saal** *m.* 회의장; 법정. **~tag** *m.* 회의날, 개회일; 개정일. **~zeit** *f.* ↑ ~periode. **~zimmer** *n.* 회의실.

Six [zɪks] 《<Seele》 *int.* 〖구어·구식〗 meiner ~ 〔mein Sixchen〕! 맹세코, 진실로, 저런!

Sixtina [zɪkstíːna] *f.* 시스티나 성당.

Sixtinisch *a.* 로마 교황 Sixtus 4 세의: die ~e Kapelle a) ↑ Sixtina, b) 교황 합창대; die ~e Madonna 시스틴의 성모(Raffael의 작품).

Siziliane [zitsiliáːnə] 《<Sizilien》 *f.* -n 〖문학〗 시칠리아 시절(詩節) (교착운(交錯韻)을 가진 8 행시).

Sizilianer *m.* -s, - 시칠리아 사람.

Sizilianerin *f.* -nen ↑ Sizilianer 의 여성형.

sizilianisch *a.* 시칠리아(사람)의.

***Sizilien** [zitsíːliən] 시칠리아(섬).

Sizilienne [zitsiliɛ́n] 《frz.》 *f.* 〖섬유〗 아이올리아직.

Sizilier *m.* -s - ↑ Sizilianer.

sizilisch *a.* ↑ sizilianisch.

S.J. =Societatis Jesu [zotsietáːtɪs jéːzuː] 《lat.》〖가톨릭〗 예수회.
SK =Segerkegel〖工〗 제거추(錐).
Skabies [skáːbiɛs] 《lat.》 *f.*〖醫〗 옴, 가려움증.
skabiös [skabiǿːs] *a.* 옴의; 부스럼이 난.
Skabiose [..óːzə] *f.* -n〖植〗 체꽃.
skabrös [skabrǿːs] 《lat. -frz.》 *a.* 〔고어〕 외설적인, 추잡한.
Skadenz [skadɛ́nts] 《lat. -it.》 *f.* -en 〔고어〕 (채권 등의) 만기일.
Skagerrak [skáːgərak] *n./m.* -s (노르웨이와 Jütland 사이의) 스카게라크 해협.
Skai [skái] *n.* -(s) 인조 가죽.
skål [skoːl] 《skand.》 *int.* 건배, 위하여!
***Skala** [skáːla] 《it.》 *f.* ..len ①〖工〗 (계기의) 눈금, 수치; 지침판, 다이얼: die ~ des Thermometers 온도계의 눈금. ② 단계, 등급: die ~ der Reaktionen reichte von Resignation bis zur Auflehnung 반응의 폭은 체념에서 거부까지 다양했다. ③〖印〗 컬러 인쇄를 위한 색채도. ④〔음악〕 음계.
skalar *a.* 도수의, 눈금의.
Skalar *m.* -s, -e ①〖數·物〗 (↔ Vektor) 크기, 스칼라. ②〖動〗 에인절피시.
Skalde [skáldə] 《altnord.》 *m.* -n, -n ① 스칼데 (고대 스칸디나비아의 음유〔낭송〕 시인). ② (일반적으로) 시인 (Dichter).
Skalden·dichtung *f.* 스칼데 (Skalde) 문학. **~gesang** *m.* 스칼데 (Skalde) 가요. **~lied** *n.* ↑ ~gesang. **~poesie** *f.* ↑ ~dichtung.
skaldisch *a.* 스칼데 (Skalde) (풍)의.
Skale [skáːlə] *f.* -n ↑ Skala ①.
Skalen·scheibe *f.* (라디오의) 다이얼. **~zeiger** *m.* 계기 지침.
skalierbar *a.*〖사회〗 등급을 매길 수 있는, 분류할 수 있는.
skalieren [skalíːrən] *t.* ①〖사회〗 등급을 매기다, 분류하다. ② (화상·서체의 크기를 조절하는 그래픽 기법으로) 크기를 조정하다.
Skalp [skalp] 《engl.》 *m.* -s, -e (특히 북아메리카 인디언이 적의 머리에서 벗긴) 머리 가죽.
Skalpell [skalpɛ́l] 《lat.》 *n.* -s, -e〖醫〗 해부도(刀), 외과용 메스.
skalpieren 《<Skalp》 *t.* …의 머리 가죽을 벗기다.
***Skandal** [skandáːl] 《frz. scandale》 *m.* -s, -e ① **(a)** 〔고어〕 남을 함정에 빠뜨리는 것. **(b)** 스캔들, 추문: einen ~ verursachen 스캔들을 일으키다; das ist ein ~ 그것은 전대미문의 사건이다〔도저히 있을 수 없는 일이다〕. **(c)** 비방, 험담. ②〔방언〕 소동, 야단법석: ~ machen 소동을 일으키다.
Skandal·geschichte *f.* 추문.
skandalieren *i.* (h.) 〔구식〕 소란을 피우다, 떠들(어대)다.
skandalisieren 《Ⅰ》① *i.* (h.) 격분케 하다: der Vorfall skandalisierte die Anwesenden 그 사건은 참석자들을 격분시켰다. ② 스캔들화하다, 추문으로 만들다. 《Ⅱ》 *refl.* sich über 〔an〕 et. ~ 무엇에 대하여 격분하다, 무엇을 괘씸하게 여기다.
Skandal·macher *m.* 스캔들을 일으키는 사람. **~nudel** *f.* 스캔들이 끊이지 않는 사람.
skandalös [skandalǿːs] *a.* 괘씸〔불쾌〕한; 파렴치한, 추잡한; 터무니없는, 엄청난.
Skandal·presse *f.* 〔폄어〕 3류 신문. **~süchtig** *a.* 스캔들〔소동〕을 즐기는. **~umwittert** *a.* 스캔들에 휩싸인, 추문이 꼬리를 무는.
skandieren [skandíːrən] 《lat. scandere》 *t.* Verse ~ 시구를 운율〔음절〕에 따라 낭독하다; ~de Sprache 단절 언어.
Skandinave [skandináːvə] *m.* -n, -n ↑ Skandinavier.
Skandinavien [skandináːviən] 스칸디나비아.
Skandinavier *m.* -s, - 스칸디나비아 사람.
Skandinavierin *f.* -nen ↑ Skandinavier 의 여성형.
skandinavisch *a.* 스칸디나비아의: die ~e Halbinsel 스칸디나비아 반도.
Skandium [skándiʊm] *n.* -s〖化〗 스칸듐(기호: Sc).
Skapolith [skapolíːt] *m.* -s/-en, -(e)n〖광물〗 스카폴라이트, 주석(柱石).
Skapulier [skapulíːr] 《lat. scapulae》 *n.* -s, -e〖가톨릭〗 스카풀라리오(수도사의 어깨에서 앞뒤로 드리우는 겉옷).
Skarabäen·gemme [skarabɛ́ːən..] *f.* ↑ Skarabäus ②.
Skarabäus [skarabɛ́ːʊs] 《lat.》 *m.* -, ..bäen [..bɛ́ːən] ①〖動〗 뿔풍뎅이의 일종(고대 이집트에서 신성시했음). ② 스카라베(갑충 모양으로 조각한 고대 이집트의 인장 또는 부적).
Skaramuz 《it.》 *m.* -(es), -e 스카라무슈(이탈리아·프랑스의 희극에 나오는 허풍선이 병사).
Skarifikation 《lat.》 *f.* -en〖醫〗 (간단한 혈액 채취를 위한) 난절법(亂切法).
Skarifikator [..káːtɔr, ..toːr] *m.* -s, -en [..tóːrən] ①〖醫〗 (외과용) 난절기〔도〕(亂切器〔刀〕). ②〖農〗 교토기(攪土器).
Skarn [skarn] 《schwed.》 *m.* -s, -e〖지질〗 스카른.
skartieren *t.* (öst.)〖官〗 Papiere ~ 서류를 파기하다.
Skat [skaːt] 《it.》 *m.* -(e)s, -e/-s ① 스카트(3 사람이 32장의 패를 가지고 노는 카드놀이). ② 스카트 놀이에서 덮어두는 2장의 카드.
Skat·abend *m.* 스카트 놀이를 하는 저녁. **~bruder** *m.* ① 스카트광(狂). ② 스카트 놀이의 멤버.
Skate·board [skéɪtbɔːd] 《engl.》 *n.* -s, -s〖스포츠〗 스케이트보드.
Skate·boarder 《engl.》 *m.* -s, - 스케이트보드 타는 사람.
skaten [skáːtən] *i.* (h.) 〔구어〕 스카트 놀이를 하다.
Skater *m.* -s, - ↑ Skatspieler.
Skat·karte *f.* ① 스카트 카드의 한 패. ② 스카트 카드 한 벌.
Skatol [skatóːl] 《gr.+lat.》 *n.* -s 스카톨(단백질이 부패할 때 악취를 풍기는 화합물).
Skatophage [..fáːgə] *m.* -n, -n〖心〗 식분증(食糞症) 환자.
Skat·partie *f.* 스카트 놀이 한 판. **~runde** *f.* ① 스카트 놀이 패거리. ② 스카트 놀이 한 판. **~spiel** *n.* 스카트 놀이. **~spieler** *m.* 스카트 놀이하는 사람. **~turnier** *m.* 스카트 대회.
Skeet·schießen [skíːt...] *n.* ① 스키트 사격. ② 스키트 사격 대회.

Skelet [skeléːt] *n.* -(e)s, -e ↑ Skelett.
Skeleton [skélətən] 《gr. -lat. -engl.》 *m.* -s, -s 〖스포츠〗 경기용의 낮은 썰매.
*__Skelett__ [skelɛ́t] 《gr.》《Ⅰ》 *n.* -(e)s, -e ①〖해부〗 해골, 골격: 〔비유〕 er war zum ~ abgemagert 그는 해골처럼 말라〔피골이 상접해〕 있었다. ②〖건축〗 골조, 뼈대; 개요, 골자. ③〖動〗 경피(硬皮), 갑각(甲殼). ④〖植〗 견고 조직. 《Ⅱ》 *f.* 〖印〗 가는 자체(字體).
skelett≈artig, ~förmig *a.* 해골 같은; 뼈만 앙상한. **~bau** *m.* 〔복수: -ten〕 ① 철골 구조(물) (↔ Massivbau). ② 골조형 구조. **~-bau·weise** *f.* 〖토목〗 골조 건축법. **~boden** *m.* 〖지질〗 (고산 지대의) 암반층.
skelettieren [skelɛtíːrən] 《gr.; < Skelett》 *t.* ① (시체 등의 살을 없애고) 골격만 남기다; 〔비유〕 (강연 등의) 뼈대를 만들다, 골자〔개요〕를 적다. ② (해충이 잎을 먹어) 잎줄기만 남기다.
Skelett≈platte *f.* 〖動〗 골격판(骨格板). **~schrift** *f.* 〖印〗 가는 자체(의 활자).
Skenographie [skenografíː] 《gr. skēnē, „Bühne"》 *f.* -n [..fíːən] (고대 그리스 연극의 무대 장식용) 원근〔배경〕 도법(圖法).
*__Skepsis__ [skɛ́psɪs] 《gr.》 *f.* 회의(懷疑): et. mit großer〔voller〕 ~ betrachten 무엇을 대단히 회의적으로 바라보다.
Skeptik *f.* 회의주의; 회의적인 관점.
Skeptiker [skɛ́ptikər] *m.* -s, - ① 회의론자. ②〔구어〕 비그리스도 교도.
skeptisch *a.* 회의적인, 미심쩍어하는; 신앙을 가지지 않는: da bin ich aber ~ 나는 그것에 대해 회의적이다.
Skeptizismus [skɛptitsísmus] 《gr. -lat.》 *m.* - 회의론, 회의주의; 회의적인 태도.
Sketch [skɛtʃ] 《engl.》 *m.* -(es), -e(s)/-s ↑ Sketsch.
Sketsch [skɛtʃ] 《engl.》 *m.* -(e)s, -e ↑ Skizze.
Ski [ʃiː] 《norweg.》 *m.* -(s), -(er) 스키(Schi): ~ laufen〔fahren〕 스키 타다.
Skiagramm [skiagrám] 《< gr. skía, „Schatten"》 *n.* -s, -e 엑스선 사진, 투영 인화.
Skiagraphie *f.* -n [..fíːən] ① (**a**) 스키오그래피(음영법을 이용한 고대 그리스의 회화 양식). (**b**) 사영법(寫影法), 투사법(投射法); 사영도(圖). ②〖天〗 별그림자 계시법(計時法). ③ 엑스선 사진(술).
Ski·akrobatik *f.* 〖스포츠〗 곡예 스키.
Skiaskop *n.* -s, -e ①〖醫〗 검영기(檢影器). ② 해시계.
Skiaskopie [skiaskopíː] *f.* -n [..píːən] ①〖醫〗 검영법(檢影法). ②〔고어〕 엑스선 투시(도).
Ski≈bob [ʃíː..] *m.* 〖스포츠〗 ① 스키봅(두 개의 짧은 다리가 달린 자전거형 기구). ② 스키봅 경기. **~fahrer** *m.* ↑ ~läufer.
Skiff [skɪf] 《engl.》 *n.* -(e)s, -e 싱글스컬(혼자 젓는 경주용 보트).
Ski≈fliegen [ʃíː..] *n.* 〖스포츠〗 스키 도약대에서 착지점까지의 비행〔점프〕. **~flug** *m.* ↑ ~fliegen. **~gymnastik** *f.* 스키(타기 전에 하는) 체조. **~hase** *m.* 〔구어〕 스키 타는 여자. **~haserl** *n.* (südd., öst.) 〔농담〕 ① 여성 스키 초보자. ② 스키 타는 아가씨. **~kjöring** [..jǿrɪŋ] 《norweg.》 *n.* -s, -s 말〔모터〕로 스키를 끄는 스포츠. **~kurs** *m.* 스키 강습. **~lauf** *m.* ↑ ~laufen. **~laufen** *n.* 스키 활주. **~läufer** *m.* 스키 활주자, 스키어. **~lehrer** *m.* 스키 강습 교사. **~lift** *m.* 스키 리프트. **~mann** *m.* 스키어.
Skin [skɪn], **Skinhead** [skínhɛd] 《engl.》 *m.* -s, -s 스킨헤드(족).
Skink [skɪŋk] 《lat.》 *m.* -(e)s, -e 〖動〗 도마뱀.
Skinoid *n.* -(e)s 가죽과 비슷한 합성 수지.
Skioptikon [skiɔ́ptikɔn] 《gr.》 *n.* -s, ..ken/-s 환등기의 일종(Bildwerfer).
Ski≈paß [ʃíː..] *m.* 스키 리프트 정기 이용권. **~piste** *f.* 스키 활주로.
Skipper 《engl.》 *m.* -s, - 요트의 선장.
Ski≈sport [ʃíː..] *m.* 스키 스포츠. **~springer** *m.* 스키 점프 선수. **~sprung** *m.* 스키 점프. **~spur** *f.* 스키 자국. **~stiefel** *m.* 스키화. **~stock** *m.* 스키 스틱. **~wachs** *n.* 스키용 왁스. **~wandern** *n.* 스키를 타고 가는 소풍. **~wasser** *n.* 스키용 음료수. **~zirkus** *m.* 스키장의 리프트망(網).
*__Skizze__ [skítsə] 《it. schizzo》 *f.* -n ① 스케치, 소묘, 초벌 그림. ② 초안, 개요: ~ eines Romans 소설의 초안. ③〖문학〗 소품 (문집), 단편. ④ 투시도, 약도. ⑤〖음악〗 스케치(형식이 단순하고 짧은 묘사곡).
Skizzen≈block *m.* 스케치북. **~buch** *n.* 스케치북, 소품집.
skizzenhaft *a.* 스케치식〔풍〕의; 개략적인.
skizzen·weise *adv.* 스케치식〔풍〕으로, 개략적으로.
*__skizzieren__ [skɪtsíːrən] *t.* 스케치하다; 약도〔겨냥도〕를 그리다; 초안을 잡다; 개요를 적다: er skizzierte vor der Versammlung seinen Plan 그는 집회의 참석자들에게 자기 계획의 윤곽을 제시했다.
Skizzierer *m.* -s, - 초안자; 스케치하는 사람.
Skizzier·papier *n.* 스케치용 종이.
Skizzierung *f.* -en 스케치(하기); 초안〔개요〕 작성.
*__Sklave__ [skláːvə, ..fə] 《lat.》 *m.* -n, -n ① 노예: ~n halten 노예를 부리다; 〖비유〗 er ist der ~ seiner Leidenschaften 그는 정욕〔번뇌〕의 노예다. ②〔은어〕 피학대 음란증자(Masochist).
Sklaven≈arbeit *f.* ① 노예의 일. ②〔비유〕 고역, 천한 일. **~artig** *a.* 노예의. **~aufseher** *m.* 노예 감독(자). **~befreiung** *f.* 노예 해방. **~dienst** *m.* 노역(奴役), 고역. **~freund** *m.* 노예 제도 폐지론자.
sklavenhaft *a.* 노예 같은; 비굴〔비열〕한.
Sklaven≈halter *m.* 노예 소유자. **~handel** *m.* 〖史〗 노예 매매. **~händler** *m.* 〖史〗 노예 상인. **~joch** *n.* (노예의) 속박. **~markt** *m.* 〖史〗 노예 시장. **~moral** *f.* 노예 도덕(니체의 용어) (↔ Herrenmoral).
Sklavenschaft *f.* ↑ Sklaverei.
Sklaven≈seele *f.*, **~sinn** *m.* 노예 근성, 비굴한 마음; 노예 근성이 있는 사람, 비굴한 사람. **~staat** *m.* 〖史〗 흑인 노예 소유가 허용된 북아메리카의 주. **~stand** *m.* 노예 신분.
Sklaventum *n.* -s ↑ Sklaverei.
*__Sklaverei__ *f.* ① 노예 신분〔상태〕: jn. aus der ~ befreien 누구를 노예 신분에서 해방시키다; in ~ geraten 노예 상태에 빠지다. ② 예속, 굴

종. ③ 노예 제도: die ~ der Antike 고대의 노예 제도. ④ 노예 근성, 비굴.
Sklavin *f.* -nen ↑ Sklave ① 의 여성형.
***sklavisch** *a.* 노예의〔같은〕, 노예 근성의; 〖비유〗 비굴한, 맹종하는: ~er Gehorsam 맹목적 복종.
Sklera [sklé:ra] 《gr. skleros》 *f.* ..ren 〖해부〗 (눈의) 공막(鞏膜).
Skleritis [sklerí:tɪs] *f.* ..tiden [..tí:dən] 〖醫〗 공막 염증.
Sklerodermie *f.* -n [..mí:ən] 〖醫〗 경피증(硬皮症).
Sklerometer *n.* -s, - 경도계(硬度計).
Sklerose [skleró:zə] *f.* -n 〖醫〗 경화(硬化).
sklerosieren *i.* (h.) 〖醫〗 경화하다.
Sklerosierung *f.* -en 〖醫〗 경화.
sklerotisch *a.* 〖醫〗 ① 경화의, 경성(硬性)의: ~e Prozesse 경화 과정. ② 경화증에 걸린.
Skolex [skó:lɛks] *m.* -, ..lizes [..litse:s] 〖生·醫〗 (촌충의) 두절(頭節).
Skolion [skóliɔn] 《gr.》 *n.* -s, ..lien [..liən] (고대 그리스의) 연회의 노래.
Skoliose [skolió:zə] 《gr.》 *f.* -n 〖해부〗 척주측만(側彎).
Skolopender [skolopɛ́ndər] 《gr.》 *m.* -s, - 〖動〗 지네속(屬) (Tausendfuß).
skontieren [skɔntí:rən] 《it.》 *t.* 〖商〗 할인하다(diskontieren).
Skonto [skɔ́nto] *m./n.* -s, -s/..ti 〖商〗 할인.
Skontration [skɔntratsió:n] *f.* -en 〖商〗 결산, 상쇄; 청산; 어음 교환.
skontrieren *t.* 〖商〗 결산〔상쇄·공제〕하다.
Skontro [skɔ́ntro] *n.* -s, -s 〖商〗 ① 결산, 상쇄, 공제. ② 감가, 할인. ③ ↑ ~buch.
Skontro·buch *n.* 재고 장부; 어음장.
Skooter [skú:tər] 《engl.》 *m.* -s, - 스쿠터.
Skopze 《russ.》 *m.* -n, -n 스코프체(19 세기 러시아의 금욕주의 종파 신도).
Skorbut [skɔrbú:t] 《lat.》 *m.* -(e)s 〖醫〗 괴혈병.
skorbutisch *a.* 괴혈병의; 괴혈병에 걸린.
Skordatur [skɔrdatú:r] *f.* -en 〖음악〗 (특수 음향 효과를 내기 위한) 현악기의 변칙적 조율.
Skore [skɔ:(r)] 《engl.》 *n.* -s (schweiz.) 〖스포츠〗 스코어.
skoren [skó:rən] 《engl.》 *t.* (öst., schweiz.) 〖스포츠〗 득점하다.
Skorpion [skɔrpió:n] 《gr. -lat.》 *m.* -s, -e ① 〖動〗 전갈. ② 〔비유〕 **(a)** 〖聖〗 전갈 회초리(열왕기 상 12:11). **(b)** 〖軍·고어〗 투석기(投石器). **(c)** 〖天〗 전갈자리; 전갈자리를 갖고 태어난 사람.
Skorzonere 《it.》 *f.* -n 〖植〗 ↑ Schwanzwurzel.
Skote [skó:tə] *m.* -n, -n 스코트인(6 세기경 아일랜드에서 영국 북부로 이주한 게일족).
Skotom [skotó:m] 《gr. skótos, „Finsternis"》 *n.* -s, -e 〖醫〗 (망막 위의) 맹점(盲點).
skr =schwedische Krone 스웨덴 크로네.
Skribent [skribɛ́nt] 《lat., „Schreibender"》 *m.* -en, -en ① 기록자, 서기. ② 저술가; 다작가(多作家); 〔폄어〕 엉터리 작가.
Skribifax [skrí:bifaks] *m.* -(es), -e 〔농담〕 다작가(多作家); 〔폄어〕 엉터리 작가.
Skribler [skrí:blər] *m.* -s, - 〔고어·폄어〕 엉터리 작가, 3 류 문사.
Skript [skrɪpt] 《engl.》 *n.* -(e)s, -en ① 문서, 서류; 논문, 강연 원고; 강의 노트. ② 영화 대본, 시나리오.
Skript·girl 《engl.》 *n.* -s, -s 스크립트 걸(감독·연출자의 여조수).
Skriptum [skrɪ́ptum] 《lat „Geschriebenes"》 *n.* -s, ..ten/..ta 〔구식〕 ① 문서, 서류. ② 논문; (학교의) 숙제 논문〔번역〕.
Skriptur [skrɪptú:r] *f.* -en 〔구식〕 문서, 서류.
skriptural *a.* 〔교양〕 ① 서체의, 문자의. ② 〖미술〗 상형(문자)적인.
Skritzler *m.* -s, - 악필가(Kritzler).
Skrofel [skró:fəl] 《lat.》 *f.* -n 〖醫〗 ① 림프선 종창, 이하선염(耳下腺炎). ② ↑ Skrofulose.
skrofulös [skrofulǿ:s] 《frz.》 *a.* 〖醫〗 결핵성 림프선〔피부〕 종창의〔을 앓는〕.
Skrofulose *f.* 〖醫〗 림프선〔피부〕 종창.
skrotal [skrotá:l] *a.* 〖醫〗 음낭〔고환〕의.
Skrotal·bruch *m.* 〖醫〗 음낭 탈장.
Skrotum [skró:tum] *n.* -s, ..ta 〖醫〗 음낭.
Skrubber [skrábər] 《engl.》 *m.* -s, - 〖기계〗 (가스) 세척기.
Skrubs [skraps] 《engl.》 *pl.* (저질) 잎담배.
Skrupel [skrú:pəl] 《lat. scrupus》 《I》 *m.* -s, - 양심의 가책: ~ haben 양심의 가책을 느끼다; keine ~ kennen 양심의 가책이 없다; ohne (jeden) ~ 양심에 거리낌없이, 주저 없이. 《II》 *n.* -s 〔고어〕 약량(藥量)의 단위(20 Gran).
skrupellos *a.* 양심이 없는, 파렴치한.
Skrupellosigkeit *f.* 파렴치; 비양심적 행동.
skrupulös [skrupulǿ:s] 《frz.》 *a.* 〔구식〕 너무 양심적인, 소심한; 꼼꼼한, 세심한.
Skrutinium [skrutí:nium] 《lat.》 *n.* -s, .nien [..niən] ① 음미, (재)검토. ② 〖가톨릭〗 **(a)** 투표의 수합과 검표. **(b)** (교황 등의) 비밀 선거. **(c)** (주교에 의한) 수품(受品)〔수세(受洗)〕 지원자의 시험. ③ 〖기독교〗 (초대 교회에서 행하던) 세례 신청자에 대한 시험.
Skudo [skú:do] 《it., „Schind"》 *m.* -, ..di 스큐도(고대 이탈리아의 화폐).
Skuld [skult] *f.* 〖북구신화〗 미래를 다스리는 운명의 여신(Nornen 의 하나); Odin 의 방패를 가진 소녀.
Skull [skul, skʌl] 《engl.》 *n.* -s, -s 〖海〗 (작은 배의) 노, 스컬.
Skull·boot *n.* ↑ Skuller ①.
skullen [skúlən] *i.* (h.) 스컬〔노〕로 젓다.
Skuller [skúlər, skálər] 《engl.》 *m.* -s, - ① (스컬로 젓는 가벼운) 경조용(競漕用) 보트. ② 작은 배를 스컬로 젓는 사람.
Skulpteur [skulptǿ:r] *m.* -s, -e 조각가.
skulptieren [skulptí:rən] 《lat.》 *t.* 조각하다.
Skulptur [skulptú:r] *f.* -en ① 조각(술). ② 조각품.
skulptural *a.* 〔교양〕 조각(술)의.
Skulpturen·sammlung *f.* 조각품 수집; 조각품 미술관.
Skunk [skuŋk] 《indian. -engl.》 *m.* -s, -e/-s ① 〖動〗 스컹크. ② 스컹크 모피.
Skunk·fell *n.* ↑ Skunk ②.
Skupschtina [skúpʃtina] 《<serbokroat., „versammeln"》 *f.* (유고슬라비아의) 국회.

skurril [skʊríːl] 《lat.》 *a.* 기이한, 별난.
Skurrilität *f.* -en ①〖복수없음〗기이, 기괴. ②기이한 발상; 괴상한 행동.
S-Kurve [ɛ́s..] *f.* S자형 커브길.
Sküs [skyːs] 《lat. -frz.》 *m.* -, - 스퀴스(타로크(Tarock) 놀이에서 쓰이는 그림패의 하나; 조커에 해당함).
Skyeterrier [skáɪtɛriər] *m.* -s, - 〖動〗 스카이테리어 개.
Skylight [skáilait] 《engl.》 *n.* -s, -s 〖海〗 스카이라이트, 천장 조명.
Skyline [skáilain] 《engl.》 *f.* -s 스카이라인, (멀리서 본) 도시의 (야경) 실루엣.
Skylla [skÝla] *f.* 〖그리스신화〗 6두(頭) 여괴(女怪) (Szylla).
Skythe [skÝːtə] *m.* -n, -n 스키타이인.
Skythien [skÝːtiən] *n.* 스키타이.
skythisch [skÝː..] *a.* 스키타이(어·인)의.
s.l. =sine loco 장소 미상(未詳).
Slalom [sláːlɔm] 《norweg.》 *m..* -s, -s ①〖스키〗 슬랄롬 경기. ②장애물 경주. ③〖비유〗 지그재그로 달림.
Slalom≈kurs *m.* 슬랄롬 코스. **~lauf** *m.* 〖스키〗 슬랄롬. **~läufer** *m.* 〖스키〗 슬랄롬 선수. **~läuferin** *f.* ↑ ~läufer의 여성형.
Slang [slɛŋ, slæŋ] 《engl.》 *m.* -s, -s 속어, 은어.
Slap *m.* (ndd.) 수면(Schlaf).
Slap·stick [slɛ́pstik] 《engl.》 *m.* -s, -s ①익살스러운〔그로테스크한〕 사건. ②익살극.
Slätel *m.* -s, - (ndd.) 열쇠(Schlüssel).
S-Laut [ɛ́s..] *m.* 독일어 s, ss, ß 음.
s-Laut 新정서 ⇦S-Laut.
***Slawe** [sláːvə] *m.* -n, -n 슬라브 사람.
Slawentum *n.* -s ①슬라브족. ②슬라브인 기질, 슬라브 민족성.
Slawin *f.* -nen ↑ Slawe의 여성 명사.
slawisch *a.* 슬라브(사람·민족·말)의.
slawisieren *t.* 슬라브화하다.
Slawismus [slavísmus] *m.* -, ..men 슬라브 특유의 어법; 슬라브주의; 슬라브인 기질.
Slawist [slavíst] *m.* -en, -en 슬라브(어문)학(연구)자.
Slawistik *f.* 슬라브(어문)학.
Slawistin *f.* -nen ↑ Slawist의 여성형.
slawistisch *a.* 슬라브(어문)학의.
Slawonien [slavóːniən] 슬라보니아.
Slawonier *m.* -s, - 슬라보니아 사람.
slawonisch *a.* 슬라보니아어의.
Slawophile* [slavofíːlə] 《„Slawenfreund"》 *der/die* 친슬라브파(의 사람), 슬라브 심취자; 슬라브 민족주의자.
s.l.e.a. =sine loco et anno 연도와 장소 미상.
Sleden *m.* -s, - (ndd.) 썰매(Schlitten).
slepen *i.* (ndd.) 끌다(schleppen).
Sleur *m.* -s, - (ndd.) 베일(Schleier).
sleusen *i.* (ndd.) ①살금살금 걷다(schleichen). ②어슬렁거리다(schlendern).
Sli *f.* -en (ndd.) 유럽산(産) 잉어(Schleie).
Slibowitz [slíːbovɪts] 《sl.》 *m.* -(es), -e 매실로 만든 화주(火酒).
Slice [slais] 《engl.》 *m.* -, -s〖골프·테니스〗슬라이스(로 친 공).
Slick [slɪk] 《engl.》 *m.* -s, -s 〖모터스포츠〗 (홈이 없는) 넓은 경주용 타이어.
sliken *i.* (ndd.) 살금살금 걷다(schleichen).
Slingpumps 《engl.》 *m.* -, - 슬링펌프스(뒤축을 끈으로 묶어 매는 구두).
Slip [slɪp] 《engl., „Schlupf"》 *m.* -s, -s ①짧고 몸에 달라붙는 속옷, 슬립. ②〖空·海〗 (프로펠러의) 미끄러짐. ③〖海〗 경사진 조선대. ④〖工〗 (펌프의) 이론적 배수량과 실제 배수량과의 차, 슬립. ⑤〖금융〗 전표.
slipen *t.* (ndd.) (칼을) 갈다(schleifen).
Slipon [slípɔn] 《engl.》 *m.* -s, -s (스포츠형의) 남성용 외투.
Slipper [slípər] 《engl.》 *m.* -s, -(s) 슬리퍼.
sliten *t.* (ndd.) 쪼개다(schleißen).
Sliwowitz [slíːvovɪts] *m.* -(es), -e ↑ Slibowitz.
Slogan [slóːgən] 《engl.》 *m.* -s, -s 슬로건, 표어.
Sloop [sluːp] 《engl.》 *f.* -s/-en 〖海〗 (Schlup) 구축함, 중형의 경비정; 외돛배(요트 등).
Slop [slɔp] 《engl.》 *m.* -s, -s 슬롭(1960 년대에 유행한 춤).
Slöp *f.* (ndd.) 썰매(길) (Schleife, Kufe).
slöppen *i.* (ndd.) 잠자다(schlafen).
Slowake [slováːkə] *m.* -n, -n 슬로바키아 사람.
Slowakei [slovakáɪ] *f.* 슬로바키아 공화국 (1993 년 체코슬로바키아 연방에서 분리 독립).
slowakisch *a.* 슬로바키아의.
Slowene [slovéːnə] *m.* -n, -n 슬로베니아 사람(유고슬라비아에 사는 남슬라브계 주민).
Slowenien -s 슬로베니아 공화국(1991 년 유고슬라비아에서 분리 독립함).
slowenisch *a.* 슬로베니아(사람·말)의.
Slow·fox [slóːfɔks] 《engl.》 *m.* -(es), -e 느린 박자의 폭스트롯(Foxtrott).
Slum [slʌm] 《engl.》 *m.* -s, -s [..z, ..s] 슬럼가(街), 빈민굴.
Sm 〖化〗 =Samarium 사마륨.
sm =Seemeile 해리(海里).
S.M. [ɛ́s-ɛ́m] =Seine Majestät 폐하.
Smäd *f.* (ndd.) 대장간(Schmiede).
Small·talk [smɔ́ːltɔ́ːk] 《engl.》 *m./n.* -s, -s 가벼운 대화, 잡담.
Smalte [smáltə] *f.* -n 〖化〗 ↑ Schmalte.
Smaragd [smarákt] 《lat.》 *m.* -(e)s, -e 〖광물〗 취옥(翠玉), 에메랄드.
Smaragd·eidechse *f.* 〖動〗 (주로 유라시아의) 녹색 빛을 띤 큰 도마뱀.
smaragden [..kdən] *a.* ①에메랄드로 만든, 에메랄드를 박은. ②에메랄드 같은, 에메랄드 빛의: das ~e Wasser des Sees 에메랄드 빛의 호수의 물.
smaragd·grün *a.* 에메랄드 그린의, 취옥(翠玉)처럼 파란.
Smart *m.* -(e)s, -en (ndd.) 고통(Schmerz).
smart [smaːrt] 《engl.》 *a.* ①잽싼, 민첩한; 약삭빠른, 교활한: ein ~er Geschäftsmann 약삭빠른 사업가. ②세련된, 아주 맵시 있는.
Smash 《engl.》 *m.* -(s), -s 〖테니스·탁구〗 스매싱 볼.
smeiglich *a.* (ndd.) ↑ schmeichelnd.
smetsch *a.* (ndd.) (나무가) 잘 휘는.
Smirgel *m.* -s 〖광물〗 에머리(Schmirgel[2]).
smiten (ndd.) ↑ schmeißen.
smöden *t.* (ndd.) 유연하게〔미끈하게〕 하다.
Smog [smok] 《engl.》 *m.* -(s), -s 스모그.

Smog·alarm ⟪engl.⟫ *m.* 스모그 경보.

Smok·arbeit [smó:k..] *f.* 〖재봉〗 ① 장식 주름을 잡는 손질. ② 장식 주름.

smoken [smó:kən] *t.* 〖재봉〗 (옷감에) 장식주름을 잡다.

Smoking [smó:kɪŋ] ⟪engl.⟫ *m.* -s, -s 남성 야회복.

Smørrebrød *n.* -s, -s ⟪dän.⟫ 속을 듬뿍 얹은 빵, 오픈 샌드위치.

smorzando 〖음악〗〔↑ smorz 의 축소형〕 사라지듯, 점점 여리게(약어: smorz.).

Smorzando *n.* -s, -s/..di 〖음악〗 점점 여려짐.

S.M.S. [ɛs|ɛm|ɛ́s] =Seiner Majestät Schiff 제국 군함(옛날 프로이센과 북독 연맹 해군 소속 군함에 붙이는 호칭).

Smutje [smʊ́tje] *m.* -s, -s 배의 요리사.

SMV [ɛs|ɛmfáʊ] =Schülermitverwaltung 학생 자치회.

Smyrna [smʏ́rna] *m.* -s, -s (보풀이 긴) 터키산(産) 양탄자.

Sn [ɛs|ɛ́n] 〖化〗 =Stannum 주석.

Snack [snɛk, snæk] ⟪engl.⟫ *m.* -s, -s 스낵, 가벼운 식사.

Snack·bar ⟪engl.⟫ *f.* 스낵 코너, 간이 식당.

Snäsel *m.* (ndd.) ↑ Schnösel.

SNB[1] [ɛs|ɛnbé:] =Schweizerische Nationalbank 스위스 국립 은행.

SNB[2] =Sozialistisches Nachrichtenbüro (구)소련 정보국.

Snede *f.* (ndd.) ↑ Schnitte.

Sneewittchen [sne:vítçən] *n.* -s, - ↑ Schneewittchen.

Snei *m.* (ndd.) ↑ Schnee.

sneren *t./i.* (h.) (ndd.) schnüren.

Snide *f.* (ndd.) ① ↑ Schneide. ② ↑ Grenze.

sniefen [sní:fən] *i.* (h.)/*t.* ① (코카인 따위를) 코로 흡입하다. ② (환각에 이르기 위해) 들이마시다, 흡입하다.

sniffen [snífən] *i.* (h.)/*t.* ↑ sniefen.

Snob [snɔp] ⟪engl.⟫ *m.* -s, -s 〔폄어〕 사이비 신사, 속물; 〔학생〕 (서민 가문의) 학생.

Snobiety [snobáiəti] *f.* 속물 집단〔사회〕.

Snobismus *m.* -, ..men ① 속물 근성, 속물적인 태도. ② 속물적인 행위〔발언〕.

snobistisch *a.* 속물의, 속물적인.

Snowboard [snó:bɔrd] ⟪engl.⟫ *n.* -s, -s 스노보드.

***so** [zo:] ⟪I⟫ *adv.* 〔지시적〕 ① 〔대개 강음〕 그렇게, 그와 같이, 그대로, 이와 같이: ~ sprach er 그렇게 그는 말했다; der Brief lautete ~ 편지에 그렇게 씌어 있었다; ~ geht's nicht 그렇게는 안 된다; ~ sind die Menschen 인간이란 그런 것이다; es ist nun mal ~ in der Welt 세상이란 그런 것이다; ja, gerade ~ dachte ich auch 그래, 나도 바로 그렇게 생각했지; willst du ~ ins Theater gehen? 너 그렇게 입고 공연장에 가려고 하니?; wir können ihn ~ nicht liegen lassen 우리는 그를 그대로 내버려 둘 수는 없다; 〔구어〕 gut 〔recht〕 ~! 좋아, 잘했어!; 〔구어〕 ~ nicht! 그만 둬!; die Sache verhält sich ~ 그 일은 다음과 같다; dieser spricht ~, jener ~ 이 사람은 이렇게 말하고 저 사람은 저렇게 말한다; er spricht bald ~, bald ~ 그는 금방 이렇게 말하다 금방 저렇게 말한다(그의 말은 갈피를 잡을 수가 없다). ② 〔대개 강음〕 **(a)** 그렇게, 이렇게, 그만큼, 그 정도로; 매우, 아주, 무척, 굉장히: ~ hoch 그렇게까지〔매우〕 높이; daß es ~ gut gehen wird, habe ich nicht gedacht 이렇게까지 잘 되어 가리라고는 나는 생각지 않았다; sei doch ~ gut! 제발 부탁입니다!; ~ schlimm wird es nicht sein 그렇게 나쁘게 되지는 않을 것이다. **(b)** 〔부정문〕 er wird ~ bald nicht kommen 그가 그렇게 빨리는 오지 않을 것이다; sei nicht ~ zornig 그렇게 화내지 마라; die Sache ist nicht ~ eilig 이 일은 그렇게 급한 것은 아니다. **(c)** 〔noch 와 함께 양보문을 이룸〕 wäre er noch ~ reich 그가 아무리 부자라 할지라도. **(d)** 〔zu 부정사와 함께〕 ich bin ~ frei, Ihre Einladung anzunehmen 기꺼이 초대에 응하겠습니다; seien Sie ~ gut, mir das Salz zu reichen 죄송하지만 소금 좀 건네 주십시오; er ist nicht ~ dumm, das zu glauben 그는 그것을 믿을 정도로 바보는 아니다. **(e)** 〔강음; 대개 "ja"와 결합하여〕 매우, 몹시: ich bin (ja) ~ froh 나는 더없이 기쁘다. **(f)** 〔구어〕 nicht ~ viel 대단치 않은: das alles hat nicht ~ viel genutzt 이 모든 게 그다지 도움이 되지 않았다. **(g)** 〔구어〕 특별히, 특히(기대와는 반대되는 일이 일어난 데 대한 실망감을 표현): sie hatten alles ~ gut vorbereitet 그들은 그 모든 것을 그렇게도 잘 준비했는데(대회가 무산되었다). ③ **(a)** 〔daß 문장과 함께 정도·결과를 나타냄〕 er schrie ~ laut, daß man es auf der Straße hörte 그는 도로에서도 들을 수 있을 정도로 큰 소리로 외쳤다; ich bin ~ müde, daß ich keinen Schritt mehr gehen kann 나는 피곤해서 이제 한 발짝도 더 걷지 못하겠다. **(b)** 〔wie 또는 als 와 결합하여〕 (…와) 마찬가지로, 똑같은 정도로, …만큼: er ist ~ groß wie ich 그는 키가 나만 하다; ~ ähnlich wie ein Ei dem andern 분간할 수 없을 만큼 닮은; ~ bald als möglich 될 수 있는 대로 빨리; ~ gut wie gar nichts 전혀 없는 것과 마찬가지인; eins ist ~ gut wie das andere 이것이나 저것이나 어차피 마찬가지다; in der Welt geht nicht alles ~, wie man es wünscht 세상 일이 모두 바라는 대로 되지는 않는다; 〔고어〕 ~ Blick als〔〔드물게〕 wie〕 Wort 눈초리뿐 아니라 말까지도. **(c)** 〔원급 비교에서 배수와 결합하여〕 더: er ist mehr als doppelt ~ alt wie sie 그는 그 여자보다 두 배 이상 더 나이가 많다. ④ 〔대개 강음; 부정 관사 앞에서 지시 대명사의 기능으로; solch 의 구어〕 이〔그〕와 같은, 저런, 그런, 이런: ~〔solch〕 eine Frau 저런〔그런〕 여자; ~ ein 〔ein ~〕 reicher Mann 그렇게 돈이 많은 남자; bei ~ einem Wetter 그런 날씨에는; ~ eine (gute) Gelegenheit 그처럼 좋은 기회; 〔폄어〕 er ist auch ~ einer 그는 형편 없는 친구야; ~ ein Idiot! 저런 멍청이 같으니라구!; ~ etwas〔was〕 이런 일, 그런 것; 〔구어〕 na〔also〕 ~ was! 저런, 세상에! (놀람과 경탄의 외침); zehn Meile ~ etwas 10 마일쯤; ~ etwas habe ich ungefähr erwartet 대체로 그런 일일 것이라고 생각했다; ~ etwas Schönes habe ich noch nie gesehen 그렇게 아름다운 것은 지금까지 본 적이 없다; ~ was will mein Freund sein! 그런 자가 내 친구라고 하다니!; ~ ein Gesicht sah ich nie in meinem Leben 그런 얼굴은 내 평생 본

일이 없다; ~ drei Herren 이런 3 명의 신사. ⑤〖약음; 시간·양·수량〗〖구어〗 (**a**) 대략, 대강: es waren ~ vierhundert Leute auf dem Fest 축제에 참가한 사람은 400 명 가량이었다; sie muß doch schon ~ um die 60 herum sein! 그녀는 60 세쯤 되었을거다! (**b**)〖대강의 시간을 나타내는 부사구와 결합하여〗무렵, 쯤: ich komme ~ gegen 8 Uhr 8 시쯤 들르지; es waren ~ gegen 100 Leute da 거기에는 100 명 가량의 사람이 있었다; es mochte ~ um Mitternacht sein 자정 쯤이나 되어서였을까. (**c**)〖애매·무관심〗 das ist ~ eine Art von Betrug 그건 일종의 사기야; er starrte ~ vor sich hin 그는 멍하니 앞을 바라보고 있었다; ich mache mir ~ meine Gedanken 나도 내 나름대로 뭔가 생각해 본다. (**d**)〖"und"나 "oder"와 결합하여; 후치〗〖구어〗 따위, 부류, 유사한 것: da wohnen nur Angestellte, Beamte und ~ 그곳에는 사무원이나 관료 등만 산다. (**e**)〖nur와 결합하여 바라지 않는 결과를 나타냄〗 es gießt nur ~ 비만 억수로 내린다; das reicht nur ~ eben 그저 그만하면 됐어; Sie sagen das nur ~ 당신은 겨우 그 말뿐이군요. (**f**) das ist ~ eine Sache 그건 어려운 일이다〔문제가 있다〕. ⑥〖단독으로 쓰여서〗 (**a**)〖일이 뜻대로 끝났을 때 최종 확인을 나타냄〗 ~, das ist erledigt 자, 이제 끝났다〔결판났다〕; ~, nun ist es genug 그래, 그만하면 충분하다. (**b**)〖놀라움·분노·불만〗 ~? das ist der Dank für meine Nachsicht? 뭐라고? 그게 내가 관대하게 보아준 데 대한 답례냐?; sie sind gestern abgereist — ~? ich dachte, sie wollten bis morgen bleiben 그들은 어제 떠났어 — 그래? 나는 그들이 내일까지 머무를 줄 알았는데. (**c**)〖어떤 사실을 알게 되었을 때, 흔히 무관심 또는 꾸짖는 어조로 쓰임〗 ~, du kommst nicht mit 그래, 넌 같이 안 간단 말이지. ⑦〖부사·부정 수사의 규정어로〗 ich kann nicht ~ oft um Geld bitten 나는 그렇게 자주 돈 달라는 말을 할 수가 없어; ~ viel Freunde 그렇게 많은 친구들;〖원래는 soviel〗 ~ viel für heute 오늘은 이만; noch einmal ~ viel 그만큼 더, 그 갑절쯤; er verdient ~ viel, wie er braucht 그는 필요한 만큼의 돈을 번다; ~ weit hat er recht, aber ... 거기까지는 그의 말이 옳지만 그러나 …; ich dachte nicht ~ weit 나는 거기까지는 생각하지 못했다; man braucht nicht ~ weit zu gehen 그렇게까지 할 필요는 없다; es kam ~ weit, daß ich die Beherrschung verlor 나는 자신을 제어할 수 없는 지경에 이르렀다. ⑧〖성구로〗 (**a**) und ~ fort, und ~ weiter 따위, 등등, 이하 같음; ~ oder ~ 아뭏든, 어쨌든; ~ und ~〔soundso, ~ wie ~, sowieso〕 하여간, 어차피; ~ zu sagen〔sozusagen〕 말하자면, 소위; ~ genannt〔sogenannt〕 소위, 이른바; ~ schon 그렇지 않아도, 설상가상으로; um ~〔umso〕(viel) 그만큼, 더욱. (**b**)〖비교급과 함께〗더욱더, 한층 더: um ~ besser 더욱더 좋은; je härter der Kampf, ~ rühmlicher der Sieg 싸움이 격렬할수록 승리도 그만큼 더욱 빛난다; je schneller, um ~ besser 빠르면 빠를수록 좋다. ⑨〖약음〗〖雅語〗 ~ komm doch endlich! 제발 좀 와라! ⑩〖구어〗 거저, 무료로: Heizung hat man hier ~〔kostenfrei〕 여기는 난방이 무료다. ⑪ 아뭏든, 하여간: hast du eine Eintrittskarte? — Nein, ich bin ~ reingekommen 너 입장권 갖고 있니? — 아니, 아뭏든 들어왔잖아; du brauchst nicht nachzuwürzen, die Suppe schmeckt besser ~ 양념을 더 칠 필요 없어, 하여튼 수프는 그대로가 더 맛있어. 《Ⅱ》 *cj.* ①〖결과·귀결〗 (**a**)〖권유하는 명령문 뒤에〗〖聖〗 bittet, ~ wird euch gegeben 구하라, 그러면 너희에게 주실 것이다(마태 7:7). (**b**) 이 경우엔, 그러면, 그렇다면: ich bin fertig — ~ wollen wir gehen 다 끝났어 — 그럼 가자; ~ willst du (dich) treulos von mir scheiden? 그럼 넌 나를 배신하고 떠나가겠단 말이냐?;〖격언〗 hilf dir selbst, ~ hilft dir Gott 네 스스로 힘써 보라, 그러면 하느님이 도울 것이다, 하늘은 스스로 돕는자를 돕는다. (**c**)〖결과적 접속사 "so daß"의 용법으로〗 es regnete stark, ~ daß ich ganz naß wurde 비가 몹시 내려서 나는 흠뻑 젖었다. (**d**) 하자마자, 그때: kaum warst du fort, ~ kam er 네가 떠나가자마자 그가 왔다. ②〖의미 없는 중어적(重語的) 용법〗〖고어〗 endlich ~ kommt der Graf hergefahren 마침내 백작이 왔다; indem ~ kam des Sultans Tochter 그때 술탄의 딸이 왔다; und zudem, ~ haben sich auch die Sitten geändert 게다가 풍습까지도 변했다; um die Wahrheit zu sagen, ~ glaubt er's selber nicht 사실을 말하자면 그 자신이 그것을 믿고 있지 않다; unter uns gesagt, ~ hat er einen schlechten Ruf 우리끼리 이야기지만 그는 평판이 나쁘다. ③ (**a**)〖부문장 뒤에 오는 주문장을 이끌어서〗 was mich anlangt〔betrifft〕, ~ habe ich nichts dagegen 나로서는 거기에 아무런 이의가 없다; wenn du kannst, ~ komm heute! 될 수 있으면 오늘 오게!; da ich krank bin, ~ muß ich Ihre Einladung ablehnen 저는 아파서 초대를 사절하지 않을 수 없습니다. (**b**)〖삽입문의 첫 머리에〗 er ist ein seltsamer Mensch, ~ drücke ich mich aus, um nicht zu sagen ein Narr 그는 바보라고 부르기 뭐하다면 괴상한 사람이라고나 할까. (**c**)〖"즉시·이내"의 뜻〗 es dauerte nicht lange, ~ kam er zurück 얼마 되지 않아 그가 돌아왔다. ④〖부사·형용사의 규정사로; 강세 없음〗 (**a**) ~ lange ich ihn kenne, habe ich ihn nie ~ erzürnt gesehen 내가 아는 한에는 그가 그렇게 성난 것을 본 적이 없다; ~ wahr ich lebe〔~ wahr Gott lebt; ~ wahr mir Gott helfe〕! 맹세코 (말하지만), 틀림없이; ich arbeite ~ schnell ich kann 할 수 있는 한 빨리 일을 하겠습니다; ~ gut ich kann 내가 할 수 있는 한 잘; ~ wie ich ihn kenne, kommt er nicht 내가 보기에는 그는 오지 않는다. (**b**)〖so+형용사〔부사〕…, so+형용사〔부사〕; 두 문장을 비교하여〗 ~ schnell die Städte wachsen, ~ schnell entwickeln sich die Verkehrsmittel 도시가 급속히 팽창함에 따라서 교통 기관도 급속히 발달한다; ~ sehr er euch liebt, ~ sehr haßt ihr ihn 그는 너희들을 그토록 사랑하는데 너희들은 그를 그토록 싫어하는군; ~ fleißig der Vater ist, ~ faul ist der Sohn 아버지는 저토록 부지런한데 자식은 저토록 게으르다. (**c**)〖양보문의 서두에; 보통 auch (immer)가 따름〗 er merkte es nicht, ~ klug er auch war 그가 비록 영리하

긴 했으나 그것은 깨닫지 못했다; ~ sehr er sich (auch) bemüht, er wird nichts ausrichten 그는 아무리 애를 써도 아무 것도 성취하지 못할 것이다; ~ dumm er auch ist, seinen Nutzen verliert er nie aus dem Auge 그가 아무리 어리석다고 하지만 자기 이익은 결코 놓치지 않는다. ⑤〖조건의 뜻〗〖구식〗 ~ Gott will, sehen wir uns bald wieder 운이 닿으면 우리는 곧 다시 만나게 될거야; ~ er das sagt, lügt er 그가 그렇게 말하면 거짓말을 하고 있는 것이다. ⑥〖구식〗…하는 사이; …하는 반면: er beklagte seinen Sohn als tot, ~ er doch lebte 그는 아들이 살아 있는데도 죽었다고 한탄했다. 《Ⅲ》*prn.*〖관계 대명사의 기능으로〗〖구식〗 der Mann, ~ dem Tode reif war 죽을 때가 임박한 남자; alle, ~ da kamen 온 사람들 모두; bittet für die, ~ euch beleidigen und verfolgen 너희를 핍박하는 자들을 위하여 기도하라(마태 5:44).

***SO** =Südost(en) 남동(쪽).

So. =Sonntag 일요일.

s.o. =sieh(e) oben! 위를 보라, 상기(上記) 참조!

soave 《it.》〖음악〗 감미롭게, 부드럽게.

***so·bald** [zobált] 《Ⅰ》*cj.* …하자마자, …하자: ~ er kommt, werde ich ihn fragen 그가 오자마자 그에게 물어볼 생각이다. 《Ⅱ》*adv.*〖고어; 원래는 so bald〗 곧, 즉시, 즉석에서: komme ~ als〔wie〕 möglich 될 수 있는 대로 빨리 오너라; ~ sie ihn sah 〔gesehen habe〕, eilte sie auf ihn 그녀는 그를 보자마자 그를 향해 달려갔다.

Sobranje [zobránjə] 《sl.》*f.* -n 〔*n.* -s, -n〕 불가리아의 의회.

Sobrietät [zobrietɛ́:t] 《lat.》*f.*〖고어〗 절제, 절도; 절주(節酒).

Societas Jesu [zotsí:etas jé:zu] 《lat., „Gesellschaft Jesu"》 *f.* 예수회(약어: SJ).

Societas Verbi Divini [..vέrbi diví:ni] 《lat., „Gesellschaft des Göttlichen Wortes"》 *f.* (사제·수사의) 선교 사목 연합회(약어: SVD).

Söckchen [zœ́kçən] *n.* -s, - ① 작은 양말. ② (특히 아동이나 여성용) 짧은 양말.

***Socke** [zɔ́kə] 《lat.》*f.* -n (장딴지까지 오는) 짧은 양말: Herren≈ 신사용 양말; Ski≈ 스키용 양말;〖구어〗sich auf die ~n machen (서둘러) 출발하다, 가버리다; jm. auf den ~n sein 누구를 뒤쫓다;〖경박〗mir qualmen die ~n 나는 서둘러 온걸세; er war ganz von den ~n 그는 깜짝 놀라 자빠질 뻔했다.

Sockel [zɔ́kəl] 《frz. socle》 *m.* -s, - ① 대(臺), 기저(基底), 토대, 대석(臺石); (조각·동상의) 대좌; 주각(柱脚). ② 주춧대, 반침돌: der ~ des Hauses ist aus Sandstein 그 집의 주춧대는 사암으로 되어 있다. ③ (벽·기둥의) 반침대;〖전기〗(플러그를) 꽂는〔끼는〕 구멍, 소켓. ④ ↑ ~betrag.

Sockel≈betrag *m.*〖經〗(임금 협약에 따른) 기본 인상액. **~geschoß** *n.*〖드물게〗(반)지하층(Souterrain).

Socken [zɔ́kən] *m.* -s, -〖구어〗↑ Socke.

Socken≈blume *f.*〖植〗삼지구엽초(잎은 강장제로 씀). **~halter** *m.*〖옛뜻〗양말 대님. **~platte** *f.*〖건축〗대좌(臺座).

Sod [zo:t] 《<sieden》 *m.* -(e)s, -e [də]〖고어〗 ① 펄펄 끓음〔끓임〕. ② (맥주의) 양조(용 물); 끓는물; 삶아 낸 (고기) 국물. ③ 속쓰림. ④ (ndd.) (두레박으로 물을 긷는) 우물.

***Soda** [zó:da] 《span., it.》*f.* 〔*n.* -s〕 ①〖化〗소다(탄산나트륨의 속칭). ② ↑ ~wasser.

Soda·asche *f.* 소다회(灰).

Sodale [zodá:lə] 《lat.》 *m.* -n, -n〖가톨릭〗 동지; 조합〔협회〕원; 신도회원.

Sodalität *f.* -en〖가톨릭〗동업 조합; 신도 단체, 교단.

Sodalith *m.* -e(n)〖광물〗소다라이트, 방(方)소다석(石).

so·dann [zodán] *adv.*〖고어〗① 그리고 나서, 그 다음에: wir fuhren durch ausgedehnte Wälder, ~ durch eine weite, baumlose Ebene 우리는 차를 타고 넓게 펼쳐진 숲을 지나고 또 나무가 없는 광야를 지나갔다. ② 게다가, 그 밖에, 나아가서: wir kauften einige Bücher und Schallplatten, ~ ein Bücherregal 우리는 책 몇 권과 음반들을 사고, 게다가 책장까지 구입했다.

so·daß *cj.*〖원래는 so daß〗…할 만큼〔정도로〕, 그런고로, 그런 까닭에 (↑ so 《Ⅰ》③(a)).

Soda·wasser [zó:da..] *n.* 소다〔탄산〕수(水).

Sod≈brennen [zó:t..] *n.*〖醫〗속쓰림, 가슴앓이, 위통. **~brunnen** *m.* (schweiz.) 우물.

Sode[1] [zó:də] 《ndd.》*f.* -n ① (벽돌꼴로 떼어 낸) 뗏장; 잔디. ② 토탄 조각, 말려서 압축한 토탄덩이.

Sode[2] 《<Sod》*f.* -n 제염소(製塩所).

Sodom [zó:dɔm]〖聖〗소돔, 죄악〔타락〕의 도시: ~ und Gomorrha 소돔과 고모라(죄악에 빠져 저주가 내릴 타락 상태의 상징; 창세기 19:24-25).

Sodomie [zodomí:] 《lat.》 *f.* 수간(獸姦); 남색(男色).

Sodomit *m.* -en, -en 수간하는 사람, 남색가.

Sodomiterei *f.* -en 남색, 계간, 비역질.

sodomitisch *a.* 수간의; 남색〔계간〕의.

Sodoms·apfel [zó:dɔms..] *m.* 뽕나무 열매.

so·eben [zo|é:bən] *adv.* ① 방금, 이제 방금, 지금 막〔곧〕: er ist ~ gekommen 그는 방금 왔다. ② 조금 전에: er hat ~ das Haus verlassen 그는 조금 전에 집을 떠났다.

***Sofa** [zó:fa] 《frz.》 *n.* -s, -s 소파.

Sofa≈ecke *f.* 소파의 한쪽 구석. **~kissen** *n.* 소파용 방석〔쿠션〕. **~schoner** *m.* 소파 커버.

so·fern [zofέrn] *cj.* …할 경우에는, …하는 한, …라는 전제로: ~ er seine Pflicht getan hat 그가 의무를 다했을 경우에는; ~ es mich betrifft 나에 관한 한.

soff [zɔf] ↑ saufen 의 과거형.

Soff *m.* -(e)s〖방언〗① 음주; 통음, 폭음. ② 한 잔의 술; 품질 나쁜 술.

söffe [zœ́fə] ↑ saufen 의 접속법 Ⅱ 식.

Söffel [zœ́fəl], **Söffer** [zœ́fər] *m.* -s, -〖방언〗술꾼, 대주가(大酒家); 주정뱅이.

Soffitte [zɔfítə] 《it.》 *f.* -n ①〖건축〗아치의 안쪽. ②〖연극〗천정에서 아래로 매달려 걸린 무대 배경. ③ ↑ soffittenlampe.

Soffitten·lampe *f.* 관(管) 모양의 백열 전구〔전등〕.

Sofia [zó:fia, zɔ́fia] 소피아(불가리아의 수도).

Sofiaer 《Ⅰ》*m.* -s, - 소피아 시민. 《Ⅱ》*a.* 소피아의.

Sofie ↑ Sofia.

Sofioter ↑ Sofiaer.
*__so·fort__ [zofɔ́rt] *adv.* ① 즉각, 지체없이: der Auftrag wurde ~ erledigt 그 지시 사항은 지체 없이 이행되었다; komm her, aber ~! 이리 와라, 꾸물대지 말고! ② 즉석에서, 즉시: er hat sich ~ entschuldigt 그는 즉시 사과하였다; der Fahrer des Unfallwagens war ~ tot 사고 차량의 운전수는 즉사하였다. ③ 곧, 금방: wartet auf mich, ich bin ~ fertig! 기다려, 곧 끝나니까!
Sofort≠bild·kamera *f.* 〖사진〗 즉석 사진기, 폴라로이드 사진기. **~hilfe** *f.* 긴급 원조; 응급 구조.
sofortig [zofɔ́rtɪç] *a.* 즉각의, 즉석의: 〖法〗 eine ~e Beschwerde 즉시 항고; das Gesetz tritt mit ~er Wirkung in Kraft 그 법률은 즉시 효력을 발생한다.
Sofort≠maßnahme *f.* 응급 처치〔조치〕. **~wirkung** *f.* -en 즉석 효과. **~zahlung** *f.* 즉시〔현금〕 지급.
Soft Drink [zɔ́ftdrɪŋk, sɔ́ft..] 《engl.》 *m.* -(s), -(s) 알코올 함량이 적은 음료수.
Softeis 新정서 ⇦ Soft-Eis.
Soft-Eis *n.* 소프트 아이스〔아이스크림〕.
Softie [zɔ́fti] 《engl.》 *m.* -s, -s 〖은어〗 다정다감한 성격의 남자〔청년〕(↔Macho).
Soft Rock 《engl.》 *m.* -(e)s, -e 〖음악〗 소프트 록(비교적 부드러운 멜로디의 로큰롤).
Soft·ware [sɔ́ftwɛə] 《engl.》 *f.* -s 〖컴〗 소프트웨어.
Software·piraterie *f.* 〖컴〗 소프트웨어 해적질(불법 복제 및 유통).
Sog [zo:k] 《ndd.》 *m.* -(e)s, -e ① (배〔자동차·비행기 따위〕가 지나간 뒤의 물〔공기〕의) 소용돌이: die Hochkonjunktur zog auch die Metallindustrie in ihren ~ 경제적 호황의 물결을 타고 금속 공업 또한 번창했다. ②〖海〗 (해안에 부딪치는 파도의) 소용돌이. ③〖비유〗 강한 유혹, 흡입력: in den ~ der Großstadt geraten 대도시의 강한 유혹에 빠지다.
sog [zo:k] ↑ saugen의 과거형.
sog. [zó:genant] =sogenannt 소위, 이른바.
*__so·gar__ [zogá:*r*] *adv.* ① 더군다나, 게다가, 그 밖에; 심지어: ~ ich war dabei 나까지도 거기에 있었다; man könnte ~ sagen, es sei Betrug 그건 사기라고까지 말해도 좋을 것이다. ② 그뿐 아니라, 더욱이: sie war krank, ~ sehr krank 그 여자는 아팠다, 그것도 중병이었다.
söge [zǿ:gə] ↑ saugen의 접속법 Ⅱ식.
*__so·genannt__ *a.* (약어: sog.) ① 소위, 이른바: das ist die ~e Seufzerbrücke 이것이 이른바 탄식의 다리라고 불리는 것이다. ② 자칭의.
so·gestalt *a.* 그런 꼴〔식〕의.
soggen [zɔ́gən] *i.* (h.) / *refl.* 〖化〗 결정체로 침전되다: Salz soggt 소금이 결정화되었다.
so·gleich [zogláiç] *adv.* 곧, 즉시, 즉석에서: ich komme ~! 곧 갑니다!
so·hin [zohín] *adv.* (öst.) 그러므로, 이리하여, 따라서.
Sohl·bank [zó:l..] *f.* 문지방, 창턱.
*__Sohle__ [zó:lə] 《lat.》 *f.* -n ① (**a**) 발바닥: 〖비유〗 vom Scheitel bis zur ~ 머리끝부터 발끝까지, 철두철미하게; es brennt ihm auf 〔unter〕 den ~n 그는 안절부절 못한다, 시간에 쫓기고 있다; sich an js. ~n 〔sich jm. an die ~n〕 heften 누구의 뒤를 밟다, 누구의 뒤를 성가시게 졸졸 따라다니다; sich auf die ~n machen 달아나다, 도망치다; das habe ich mir längst an den ~n abgelaufen 그것은 내겐 조금도 신기한 일이 아니다; auf leisen ~n 전혀 눈치채지 못하게, 발소리를 죽이고; mit nackten ~n 맨발로. (**b**) 신발 바닥, 구두창, 양말 바닥: durchgelaufene ~n 닳고 닳은 신발 바닥; sich ~n in die Schuhe legen 구두창을 깔다; sich die ~n nach et.[3] ablaufen 〔wund laufen〕 무엇 때문에 발이 부르트도록 돌아다니다. ② (골짜기·굴·강·운하의) 밑바닥, 바닥: die breite ~e des Tals 계곡의 넓은 바닥. ③ 거짓말. ④〖구어〗 경쾌한 댄스의 스텝: eine kesse〔heiße〕 ~ auf Parkett legen 경쾌한 스텝으로 춤추다.
sohlen 《Ⅰ》 *t.* (구두에) 창을 대다. 《Ⅱ》 *i.* (h.) 〖구어〗 거짓말하다, 사기치다.
Sohlen≠fleck *m.* (구두 안의) 가죽 구두창. **~gänger** *m.* 〖動〗 발바닥으로 걷는 포유 동물(사람·원숭이·곰 등). **~leder** *n.* 구두의 가죽 바닥창. **~schoner** *m.* 클리트(미끄럼 방지용으로 구두바닥에 대는 가죽 또는 금속 돌기).
..sohlig *suf.* "…한 신발 바닥〔신발창〕의"의 뜻(보기: doppel~ 2중으로 된 구두창의).
söhlig *a.* 〖광산〗 수평의.
Sohl·leder *n.* 구두의 안바닥 가죽창.
*__Sohn__ [zo:n] *m.* -(e)s, Söhne [zǿ:nə] ① 아들, 자식: der einzige ~ 외아들; der verlorene Sohn 탕아, 소식이 두절된 사람; er ist ganz der ~ seines Vaters 그는 자기 아버지와 아주 닮았다; Gottes ~ 하느님의 아들. ②〖雅語〗 주민, 대표자: ein ~ der Berge 산골 주민; der größte ~ der Stadt 그 도시가 낳은 가장 위대한 사람. ③〖손아랫사람에 대한 애칭〗 mein ~! 여보게, 젊은 친구, 얘야.
Söhnchen [zǿ:nçən] *n.* -s, - 〖↑ Sohn의 축소형〗 아들놈, 애, 응석받이.
Sohnemann [zó:nə..] *m.* -(e)s 〖구어·농담〗 (어린) 아들: na, ~, was hast du denn da? 자, 아들아, 무슨 일이냐?
Söhnerin *f.* -nen (obd.) 며느리.
Sohnes≠kind [zó:nəs..] *n.* 〖고어〗 친손자, 친손녀. **~liebe** *f.* 부모에 대한 아들의 효심. **~pflicht** *f.* 자식으로서의 의무〔도리〕.
Söhnlein *n.* -s, - 〖雅語〗 ↑ Söhnchen.
söhnlich *a.* 자식다운.
Sohnschaft *f.* 아들〔자식〕임, 자식 신분, 친자(親子) 관계.
sohr [zo:*r*] *a.* (ndd.) (바싹) 마른, 시든.
Söhre [zǿ:rə] *f.* (ndd.) 건조, 가뭄; 시듦, 마름.
söhren *i.* (h.) (ndd.) 바싹 마르다; 시들다.
soigniert [zoanjí:*r*t] 《frz.》 *a.* 〖교양〗 잘 가꾼, 옷차림이 단정한: ein ~er älterer Herr 옷차림이 단정한 노신사.
Soiree [zoaré:] 《frz.》 *f.* -n [..ré:ən] 저녁 파티〔사교 모임〕; 야간 흥행〔연주회〕.
Soja [zó:ja] 《chin.》 *f.* ..jen ↑ Sojabohne.
Soja·bohne *f.* 〖植〗 콩.
Sojabohnen≠öl *n.* 콩기름. **~käse** *m.* 두부.
Soja≠brühe *f.* 간장. **~mehl** *n.* 콩가루. **~soße** *f.* 〖식품〗 콩간장.
Sokol [sɔ́kɔl] 《sl.》 *m.* -s, -s/-n ① 소콜(1860년에 체코슬로바키아에서 생긴 국수주의적인

체조 협회). ② ↑ Sokolist.

Sokolist *m.* -en, -en 소콜 회원(↑ Sokol).

Sokrates [zó:kratɛs] *m.* 소크라테스(고대 그리스 철학자, 469-399 B.C.).

Sokratik 《gr.》 *f.* 〖哲〗 소크라테스의 학설 및 방법(론), 산파술.

Sokratiker [zokrá:tɪkər] *m.* -s, - 소크라테스 학파(사람); 소크라테스 철학의 신봉자.

sokratisch *a.* ① 소크라테스적인: die ~e Methode 소크라테스의 방법론, 산파술. ② 〔교양〕 현명한, 원숙하고 사려 깊은.

Sol[1] [(lat.) zo:l] 《lat.》 *m.* 〖로마신화〗 태양신.

Sol[2] [zol, zo:l] 《lat.》 *n.* -, - 〖음악〗 솔, (전음계적(全音階的) 장음계의) 제 5 음, G음.

Solanazee [zolanatsé:ə] *f.* -n ↑ Solanee.

Solanee [zolané:] 《lat.》 *f.* -n 〖植〗 가짓과의 식물.

so·lang [zoláŋ] *cj./adv.* ↑ solange.

***so·lange** [zoláŋə] 《I》 *cj.* ① …하는 한, …하는 동안은: ~ du da bist, fürchte ich mich nicht 네가 있는 한 나는 두렵지 않아; schlaf, ~ du willst 자고 싶은 만큼 자렴. ② 〖~… nicht …의 형으로〗 ~ du damit nicht fertig bist, mußt du zu Hause bleiben 그것을 끝내지 않는 한 너는 집에 그대로 있어야 한다. 《II》 《원래는 so lange》 *adv.* …하는 동안: ich warte ~, bis er kommt 나는 그가 올 때까지 기다린다.

Solanin [zolaní:n] 《lat.》 *n.* -s, -e 〖植·化〗 솔라닌(가짓과(科) 식물의 유독 알칼로이드).

Solanum [zolá:num] *n.* -s, ..nen 〖植〗 가짓과 식물.

solar [zolá:r] 《<lat. sol, „Sonne"》 *a.* 태양의, 태양에 관한; 태양에 의하여 생기는.

Solar≈auto *n.* 태양열 자동차. **~batterie** *f.* 〖전기공학〗 태양 전지. **~energie** *f.* 〖物〗 태양 에너지. **~farm** *f.* 〖工〗 태양 에너지 발전 시설.

Solarisation *f.* -en 〖사진〗 솔라리제이션(반전(反轉) 현상).

solarisch *a.* ↑ solar.

Solarium [zolá:rium] *n.* -s, ..rien [..riən] (인공적으로 살갗을 태우는) 일광욕실.

Solar≈jahr *n.* 태양년(태양력의 1 년); 회귀년. **~kollektor** *m.* 〖전기공학〗 태양열 집열판〔기〕. **~konstante** *f.* 〖기상〗 태양 상수(1 cm² 의 지표에 도달하는 태양의 방사 에너지의 기준치). **~kraftwerk** *n.* 태양 에너지 발전소. **~öl** *n.* 갈탄의 솔라유, 경유. **~plexus** *m.* 〖해부〗 복강(腹腔) 신경 조직. **~technik** *f.* 태양 에너지 이용 기술. **~zelle** *f.* 〖전기공학〗 태양 전지.

Sola·wechsel [zó:la..] *m.* 〖經〗 약속 어음.

Sol·bad [zó:l..] 《<Sole》 *n.* 염천욕(塩泉浴); 염천욕장.

***solch** [zɔlç] *prn.* 〖형용사적 용법; 단수에서 흔히 부정 관사와 결합함〗 ① **(a)** 이〔그〕와 같은, 이〔그〕러한, 저러한: ~e Männer〔Leute〕 그와 같은 사람들; das Buch eines ~en Schwachkopfs 그처럼 우둔한 사람이 쓴 책; niemand hatte geglaubt, daß es einmal ein ~es Ende finden würde 아무도 언젠가 그 일이 그러한 결말을 맺으리라곤 생각하지 않았다; auf ~e Weise 그런 방법〔식〕으로; in ~em Fall(e) 이런 경우에는; von ~er Art 이런 종류의. **(b)** 그 정도로 큰〔강한〕: bei einem ~en Lärm kannst du arbeiten? 그 정도의 소음에도 너는 일을 할 수 있니?; es herrschte ein ~es Schneetreiben, daß der Verkehr zusammenbrach 교통이 마비될 정도로 심한 눈보라가 맹위를 떨쳤다. ② 〖명사적: 앞에서 언급되거나 뒤에서 언급될 것에 관련하여〗 그와 같은 사람〔것〕: ~es hatte er auch schon gehört 그와 같은 일을 그는 이미 들은 적이 있다; ein Buch für Eheleute und ~e, die es werden wollen 부부나 앞으로 부부가 되려는 사람들을 위한 책; 〖구어〗 es gibt immer ~e und ~e 언제나 이런 사람도 있고 저런 사람도 있는 법이다; sie ist keine ~e 그 여자는 그런(나쁜·경솔한) 여자가 아니다; der Vorschlag als ~er 제안 그 자체; jemand als ~er 그 사람 자체; das Programm als ~es war gut, aber die Ausführung hatte Mängel 프로그램 자체는 좋았지만 실행에서는 결점이 있었다. ③ ~ trübes Wetter 그처럼 흐린 날씨; ~ ein Zufall 그런 우연.

solchen·falls *adv.* 그러한 경우에.

solcher≈art 《I》 *adv.* 그런 식으로: ~ zustande gekommene Vereinbarungen helfen wenig 그런 식으로 이루어진 합의들은 별 도움이 안 된다. 《II》 *prn.* 그런 식〔류〕의: mit ~ Leuten wollte sie nichts zu tun haben 그런 류의 인간들하고 그 여자는 관계를 맺고 싶어하지 않는다; ~ Gedanken 그런 식의 사고(思考)들. **~gestalt** *adv.* 〔드물게〕 ↑ ~art 《I》.

solcherlei *a.* 그런 종류의.

solcher≈maßen *adv.* ↑ ~art 《I》. **~weise** *adv.* ↑ ~art 《I》.

Sold [zɔlt] 《lat.》 *m.* -(e)s, -e ① (군인의) 급료, 봉급: ~ nehmen (사병으로) 급료를 받다, 사병이 되다; jn. in ~ nehmen 누구를 고용하다; in js. ~ stehen 누구에게 고용되어 있다. ② 〖비유〗 보수, 갚음: 〖聖〗 der Tod ist der Sünde ~ 죄의 삯은 사망이라(로마서 6 : 23).

***Soldat** [zɔldá:t] 《it. soldato》 *m.* -en, -en ① 용병(傭兵); 병사, 군인: einfacher ~ 졸병; freiwilliger ~ 의용〔지원〕병; altgedienter ~ 고참병; ausgedienter ~ 퇴역 군인; zu den ~en kommen〔gehen〕 입대하다; Grabmal des unbekannten ~en 무명 용사의 무덤; ~(en) spielen 병정놀이하다. ② 〖체스〗 졸. ③ 〖動〗 병정개미. ④ 유럽개똥벌레; 털진드기의 일종.

Soldaten≈art *f.* 군인풍, 군대식. **~aushebung** *f.* 징병. **~bund** *m.* 재향 군인회. **~dienst** *m.* 병역. **~fried·hof** *m.* 국군〔전몰장병〕 묘지. **~geist** *m.* 군인 정신. **~herrschaft** *f.* 군부〔무단〕 통치. **~leben** *n.* 군대 생활. **~lied** *n.* 군가. **~rock** *m.* 군복: den ~ anziehen 군인이 되다. **~schenke** *f.* 군인 술집. **~sinn** *m.* 군인 정신, 군대 기질. **~spiel** *n.* 병정놀이. **~sprache** *f.* 군대 은어. **~stand** *m.* 〔고어〕 군인 신분〔계급〕.

Soldatentum *n.* -(e)s ① ↑ Soldatenstand. ② ↑ Soldatenwesen.

Soldaten≈volk *n.* ① 군사 민족, 호전적인 민족. ② 군대. **~wesen** *n.* 군사, 병사(兵事); (군대의) 조직, 편제. **~zucht** *f.* 군기.

Soldateska [zɔldatéska] 《it.》 *f.* ..ken 〖폄어〗 (규율 없는) 군대; 포악한 군인.

Soldatin *f.* -nen 여군(女軍).

soldatisch *a.* 병사의, 군인다운, 군대식의; 상무(尙武)의.

Sold·buch [zɔ́lt..] *n.* (제 2 차 세계 대전 당시) 독일군의 신분증. **~führer** *m.* 용병 대장.

Söldling [zœ́ltlɪŋ] *m.* -s, -e ↑ Söldner.

Söldner [zœ́ltnər, ..dn..] *m.* -s, - 〖폄어〗 용병(傭兵).

Söldner·heer *n.* 용병대.

Soldo [sɔ́ldo, zɔ́l..] 《it.》 *m.* -s, -s/..di 솔도 (이탈리아의 화폐: Lira 의 20 분의 1).

Sold·truppen *pl.* 용병대.

Sole [zó:lə] 《lat. solutio, „Lösung"》 *f.* -n 소금물; 염천(塩泉).

Sol·ei *n.* 소금물에 삶은 달걀.

Solen·leitung *f.* 염수관(塩水管); (냉장 장치의) 염화칼슘 도관.

solenn [zolɛ́n] 《lat.》 *a.* 〖교양〗 성대한; 엄숙한, 장엄한.

solennisieren *t.* 〖고어〗 성대하게 거행〔집행〕하다; 엄숙하게 증언하다.

Solennität [zolɛnitɛ́:t] *f.* 성대; 장엄, 엄숙.

Solenoid [zolenoí:t] *n.* -(e)s, -e 〖物〗 솔레노이드, 원통형 코일.

Solfatara [zɔlfatá:ra] 《it.》 *f.* ..ren ↑ Solfatare.

Solfatare *f.* -n 〖지질〗 (화산에서 나오는) 황화수소 유출 가스 및 증기.

solfeggieren [zɔlfɛdʒí:rən] 《it.》 *i.* (h.) 〖음악〗 계명으로 노래 연습하다.

Solfeggio [zɔlfɛ́dʒo] *n.* -s, ..feggien [..dʒiən] 계명으로 하는 성악 연습(곡).

Soli [zó:li] *pl.* ↑ Solo.

solid [zolí:t] 《lat.》 *a.* ↑ solide.

Solidar·beitrag [zolidá:r..] *m.* (정기적으로 내는) 단체 기부금. **~bürgschaft** *f.* 연대 보증. **~gemeinschaft** *f.* 연합 공동체. **~-haftung** *f.* 연대 책임.

***solidarisch** [zolidá:rɪʃ] *a.* ① 마음〔뜻〕을 같이하는, 일치 단결한: in ~er Geschlossenheit 한 마음 한뜻으로 뭉쳐서; sich mit jm. ~ erklären 누구와의 연대를 표명하다. ②〖法〗 연대 책임의: ~e Verantwortung 연대 책임.

***solidarisieren** *refl./t.* ① (**a**) sich ~ 누구와 연대〔제휴·연합〕하다: die Studenten solidarisierten sich mit den Arbeitern gegen die Militärjunta 군사 정권에 대항하여 대학생들이 노동자들과 연대했다. (**b**) 일치 단결시키다: Ziel der Partei war es, die Massen zu ~ 당의 목표는 대중들을 단결시키는 것이었다. ② sich mit jm.〔et.³〕 ~ 누구를〔무엇을〕 지지하다, 편들다: sie solidarisierten sich mit den Streikenden 그들은 파업중인 사람들을 지지하였다.

Solidarisierung *f.* -en 연대, 단결, 연합.

Solidarismus *m.* - 〖사회〗 (공익을 위한) 개인과 사회의 연대론.

***Solidarität** *f.* 단결, 연대 의식.

Solidaritäts·aktion *f.* 연대〔동조〕 행동. **~erklärung** *f.* 연대 선언. **~gefühl** *n.* 연대감, 단결심. **~spende** *f.* 연대〔지지〕 기부금. **~streik** *m.* 동조〔연대〕 파업. **~zuschlag** *m.* (독일 통일 후) 구동독 지역의 경제 재건을 위한 공동 부담금.

Solidar·schuldner *m.* 연대 채무자.

***solide** [zolí:də] *a.* ① 견실한, 착실한, 나무랄 데 없는; 정돈된: ein ~r Mensch 착실한 사람; ~ Verhältnisse 정돈된 주변 환경. ② 견고한, 단단한, 내구적인; 영양이 풍부한: das Haus ist ~ gebaut 이 집은 견고하게 지어졌다; ~s Essen 영양이 풍부한 식사. ③ (기반이) 튼튼한, 공고한, 확실한: eine ~e Firma 기반이 튼튼한 회사; ~ Kenntnisse besitzen 확실한 지식을 소유하다.

solidieren *t.* 〖고어〗 단단하게 하다, 고정시키다; 분명하게 하다.

Solidität [..ditɛ́:t] *f.* 견실, 견고; 착실.

Soliloquium [zolilό:kvium] *n.* -s, ..quien [..kviən] (고대의 신앙 고백서에 나오는) 독백; 〖연극〗 (배우의) 독백.

Soling [zó:lɪŋ] *f.* -s 〔*m./n.* -s, -s〕 〖수상스포츠〗 3 인승 경주용 요트.

Solipsismus [zolɪpsɪ́smus] 《lat. solus, „allein", ipse „selbst"》 *m.* - 〖哲〗 유아(唯我)론.

Solipsist *m.* -en, -en 유아론자.

solipsistisch *a.* 유아론적인, 유아론의.

Solist [zolɪ́st] 《it.》 *m.* -en, -en 〖음악〗 솔리스트, 독창자, 독주자.

Solisten·konzert *n.* 독창회, 독주회.

Solistin *f.* -nen ↑ Solist 의 여성형.

solistisch *a.* ① 독창자〔독주자〕의. ② 독창자〔독주자〕로서 활동하는.

solitär [zolitɛ́:r] 《frz.》 *a.* ① 〖교양〗 고독한, 고립된. ② 〖動〗 (동물이) 독거성(獨居性)의, 단독 행동을 하는.

Solitär *m.* -s, -e ① (반지의) 외알박이 보석 (대개 금강석). ② 1 인용 판놀이의 일종. ③ 고목(孤木); 하나의 별.

Solitude, Solitüde [zolitý:də, solitý:d] 《frz.》 *f.* -n 고독, 쓸쓸함, 한적(종종 별궁 따위의 이름에 쓰임).

***Soll** [zɔl] *n.* -(s), -(s) ① 〖經〗 (장부의) 차변, 부채, 지출: das ~ und (das) Haben 차변과 대변, 지출과 수입; einen Betrag ins ~ eintragen 일정 금액을 차변에 기입하다. ② 의무, 도의적 강제: das ~ und das Muß 도의적 의무와 강제적 의무. ③ (일정 기간내에 해야 할) 작업 할당량, 기준 작업량; 생산비 기준치: sein ~ erfüllen a) 자기의 작업량을 달성하다, b) 자기의 의무를 다하다.

soll ↑ sollen 의 1·3 인칭 단수 현재형.

Soll-·Ausgaben *pl.* 예정 지출액. **~Bestand** *m.* 계획 잔고〔재고량〕. **~Betrag** *m.* ↑ ~-Bestand. **~Bruch·stelle** *f.* 〖工〗 설정〔계획〕 단면.

Soll·durchmesser *m.* 〖工〗 호칭 지름. **~-Einnahme** *f.* 예정 수입.

***sollen** [zɔ́lən] 《germ.; 원뜻 „schuldig sein"》 (ich soll, du sollst, er soll, wir sollen; sollte, gesollt) 〖화법 조동사〗 ① (**a**) 〖명령·의무·요구를 표시하며 부정문에서는 금지의 뜻; 명령은 당사자가 아닌 사람을 통해 전하는 경우에 쓰임〗 마땅히 …해야 하다: 〖구약〗 du sollst deinen Vater und deine Mutter ehren 네 부모를 공경하라(출애굽기 20 : 12); er soll reinkommen 그를 들여 보내시오; ich soll dir schöne Grüße von Renate bestellen 너에게 안부 좀 전해 달라고 레나테가 내게 부탁했어; ich soll wohl auch noch um Verzeihung bitten! 게다가 나는 사과까지 해야 하다니!; sagen Sie ihm, daß er kommen soll 그에게 오라고 말해 주시오; ich weiß nicht, was ich tun soll 나는 무엇을 해야 좋을지 모르겠다;

der Kranke soll noch nicht aufstehen 이 환자는 아직 일어나서는 안 된다; ich hätte es schon längst tun ~ 나는 훨씬 전에 그것을 했어야 했다. (**b**) 〖화자의 소망·의도〗 du sollst dich bei uns wie zu Hause fühlen 우리 집에서 네가 편하게 지내길 바래; die Tapete soll zu den Vorhängen passen 이 벽지가 커튼과 어울려야 할 텐데; das soll meine Sorge sein 그 일은 제가 처리할 테니 걱정마세요; 〖구어〗 was soll das? 이게 뭐야, 어쩌란 말이야?; was soll das heißen? 그건 무슨 뜻인가?; was soll es denn sein? 무얼 드릴까요? (상점에서 점원의 질문); 〖구어〗 an mir soll es nicht liegen 내가 할 수 있는 일은 무엇이든 하겠다〔나로 인해 일이 잘못되지 않도록 하겠다〕. (**c**) 〖증오·도전〗 das sollst du mir büßen! 그 일에 대해서 너는 내게 용서를 빌어야 해!; dich soll doch der Teufel〔Kuckuck〕 holen! 너 같은 놈은 사라져 버려야 해! (**d**) 〖수사적 의문: 속수 무책의 표현〗 was soll ich sagen? 대체 뭐라고 말한단 말인가? ② 〖인용(認容)·승인〗 nun, du sollst (meinetwegen) recht haben! 그래, 네 말이 옳다고 해 두자; du sollst mich nicht beleidigt haben 네가 나를 모욕한 건 아니라고 해두자; sollten sie auch noch so reich sein 그들이 아무리 부자일지라도; sollte ich auch selbst dabei zu Grunde gehen 비록 그 때문에 내가 망할지라도. ③ 〖접속법 Ⅱ 식으로〗 (**a**) 〖가정·가능〗 wenn es regnen sollte 만약 비라도 오면; wenn er kommen sollte, schreibe es mir 만일 그가 오면 편지로 알려 다오; wenn er etwa sterben sollte 그가 죽기라도 하면. (**b**) 〖추측·개연성; 특히 의문문에서 화자의 의심〗 sollte er das getan haben? 그가 과연 그런 짓을 했을까?; sollte das dein Ernst sein? 그게 네 진심이니?; sollte er (vielleicht) krank sein? 그는 앓기라도 하는 것일까?; sollte es möglich sein? 그런 일이 있을 수 있을까? (**c**) 〖마땅히 기대되는 일〗 ich sollte dich ausschelten 너를 호되게 야단쳐야 마땅하다; er sollte doch wissen, was er zu tun hat 그는 자기가 할 일이 무엇인지 알고 있어야 해; das sollte man meinen! 물론 그렇고 말고! ④ 〖현재형으로; 화자의 추측 또는 미확인, 남의 주장, 소문〗 bei dem Unfall soll es fünf Tote gegeben haben 그 사고로 다섯 명의 사망자가 발생했다고 한다; es soll morgen schneien 내일 눈이 내린다고 한다; gut, Sie ~ recht haben! 좋습니다, 당신 말씀이 옳을는지도 모르죠! ⑤ 〖미래 조동사; 흔히 erst, noch 가 따름〗 es soll bald geschehen 곧 일이 터지겠지; er soll noch kommen 그는 틀림없이 올 것이다; was soll das werden? 그것은 어떻게 될까요?; er soll es schon noch bereuen 그가 그것을 후회할 때가 곧 온다; so einer soll erst noch geboren werden 그러한 사람이 언젠가 태어날 것이다. ⑥ 〖운명〗 wenn es sein soll 부득이하면; sie sollten noch schwerer geprüft werden 그들은 더 어려운 시련을 겪지 않으면 안 되었다. ⑦ 〖남의 의도를 빗대어〗 soll ich das sein? 그것이 나란 말인가?; das soll ein Witz sein 제딴에는 그것도 익살이라고 한다네. ⑧ 〖정동사 생략〗 das sollst du nicht 너는 그 일을 하지 않아야 한다; das hast du nicht gesollt 너는 그 일을 하지 않았어야 했다.

Sollen *n.* -s 〖哲〗 당위(當爲), 도덕적 의무.

Söller [zœlər] 《lat. solarium》 *m.* -s, - ① (위층의) 돌출부, 발코니, 테라스. ② (nordd.) 다락방; 다락. ③ (schweiz.) 마룻바닥.

Soll≈Frequenz *f.* 〖전기〗 정격(定格) 주파수. **~Gewicht** *n.* 표준 중량〔무게〕. **~Ist-Vergleich** *m.* 〖經〗 예산과 지출의 대조.

Sollizitant [zɔlɪtsitánt] 《lat.》 *m.* -en, -en 청원자.

Sollizitation 〖고어〗 [..tatsió:n] *f.* -en 청원.

Sollizitätor [..tέ:tɔr, ..to:r] *m.* -s, -en [..tó:rən] 청원자; 법률 고문.

sollizitieren *t.* 청원하다.

Soll≈kaufmann *m.* 〖法〗 등기를 마친 상인. **~mäßig** *a.* 예산에 준한. **~posten** *m.* 〖商〗 차변 계정, 차변 항목. **~seite** *f.* 〖商〗 (장부의) 차변. **~spannung** *f.* 설정(設定) 전압. **~-Stärke** *f.* 〖軍〗 단위 병력수, 정원. **~wert** *m.* 표준치, 규정치. **~zins** *m.* 〖經〗 대출 이자.

Solmisation [zɔlmizatsió:n] 《it.》 *f.* 〖음악〗 ① 음계. ② 계명 창법.

Solmisations·silbe *f.* 〖음악〗 음계의 음절.

solmisieren *i.* (h.) 계명으로 노래하다.

solo [zó:lo] 《it.》 *a.* 단독의, 혼자서 하는, 혼자서의; 〖음악〗 독창의, 독주의; ganz ~ 전적으로 혼자서; ~ tanzen〔singen〕 혼자 춤추다〔독창하다〕; 〖구어〗 ich komme heute abend ~ 오늘 저녁 혼자 오겠다.

***Solo** *n.* -s, -s/..li ① 〖음악〗 독창, 독주; 독창곡, 독주곡. ② 〖카드〗 (**a**) 솔로(혼자서 여러 사람을 상대로 하는 놀이법). (**b**) 〖복수: -s〗 혼자놀이. ③ 〖구기〗 개인 플레이, 개인기.

Solo≈geiger *m.* 바이올린 독주자. **~geigerin** *f.* ~geiger 의 여성형. **~gesang** *m.* 독창(곡). **~instrument** *n.* 〖악기〗 독주용 악기. **~kantate** *f.* 〖음악〗 독창 칸타타. **~-maschine** *f.* 〖모터스포츠〗 일인용 오토바이.

Solon [zó:lɔn] *m.* 솔론(아테네의 입법자·정치가, 638?-559? B.C.).

solonisch [zoló:nɪʃ] *a.* 솔론의, 솔론처럼 현명한: ~e Gesetzgebung 솔론의 입법.

Solo≈part *m.* 독창〔독주〕부(部). **~partie** *f.* ↑ ~part. **~sänger** *m.* 독창 가수. **~sängerin** *f.* ↑ ~sänger 의 여성형. **~spieler** *m.* 독주자. **~stimme** *f.* 독창〔독주〕 성부(聲部). **~szene** *f.* 솔로〔독창·독주〕의 장면. **~-tänzer** *m.* 솔로 무용수. **~vortrag** *m.* 단독 강연.

Solözismus [zoløtsísmus] 《gr. lat.》 *m.* -, ..men 〖修〗 문법상의 큰 오류, 파격.

Solper [zɔ́lpər] 《<Salpeter》 *m.* -s, 〖요리〗 (westmd.) ① (고기를 절이는) 소금물. ② ↑ Solperfleisch.

Solper≈fleisch *n.* 소금물에 절인 고기. **~-knochen** *m.* 소금물에 절인 돼지족.

Sol·quelle [zó:l..] 《<Sole》 *f.* 염천(塩泉).

Solstitium [zɔlstí:tsium] 《lat.》 *n.* -s, ..tien [..tsiən] 〖천문〗 하지 또는 동지.

solubel *a.* 〖化〗 용해되는, 가용성의.

Solution [zolutsió:n] 《lat.》 *f.* -en 〖化〗 용해; 용액.

solvabel [..vá:..] *a.* ① 〖化〗 가용성의. ② 〖經·고어〗 지급 가능한.

Solvens [zɔ́lvɛns] *n.* -, ..venzien [..vέntsiən]/..ventia [..vέntsia] ① 〖藥〗 거담제(祛痰

劑), 점액 용해제. ②〖化〗용제(溶劑).
solvent [zɔlvɛ́nt] *a.* 지급 능력이 있는.
Solvenz *f.* 〖經〗지급 능력(↔ Insolvenz).
solvieren *t.* ① 녹이다, 용해시키다. ② 지급하다, (빚을) 갚다.
Sol·wasser [zó:l..] *n.* 〖복수: ..wässer〗소금물, 염수.
Soma [zó:ma] *n.* -, -ta ①〖生〗체세포군. ②〖心〗(정신에 대해) 육체, 신체.
Somali *m.* -(s), -(s) 소말리아 국민.
Somalia -s 소말리아(아프리카 동부에 있는 공화국).
Somalier *m.* -s, - 소말리아 사람.
somalisch *a.* 소말리아의.
somatisch [zomá:tɪʃ] 《gr.》 *a.* ① 신체의, 신체적인: ~e Zellen 체세포. ②〖醫〗체세포의.
somatogen [zomatogé:n] *a.* ①〖醫·心〗신체에 기인한: ~e Beschwerden 신체에 기인한 고통. ②〖生·醫〗체세포에 의해 형성된: ~e Eigenschaften 체세포에 의해 형성된 특질.
Somatologie *f.* 신체론, 생체학.
Sombrero [zɔmbré:ro] 《sp.》 *m.* -s, -s 솜브레로(라틴 아메리카인의 차양 넓은 모자).
so·mit [zomít] *adv.* 이리하여; 따라서, 그러므로.
***Sommer** [zɔ́mər] 《germ.》 *m.* -s, - 여름; 〖雅語〗(인생의) 전성기; 청춘; 〖비유〗나이: im ~ 〔des ~s〕 여름에; fliegender ~ 공중에 떠도는 거미줄; ~ wie〔und〕 Winter 일년 내내, 여름이나 겨울이나; er geht ~ und〔wie〕 Winter ohne Hut 그는 일년 내내 모자없이 지낸다; das ist wie ~ und Winter 그것은 천양지차다; ich habe zwei ~ im Bad verlebt 나는 두 해 여름을 온천에서 보냈다; sie zählt erst 16 ~ 그 여자는 이제 방년 16 세다; 〖비유〗im ~ des Lebens stehen 한창 나이〔때〕다.
Sommer⸗abend *m.* 여름 저녁. **~anfang** *m.* 여름의 시작, 하지. **~anzug** *m.* 여름옷. **~aufenthalt** *m.* 피서지. **~fäden** *pl.* 공중에 떠도는 거미줄. **~fahr·plan** *m.* 〖철도〗여름철 기차 시간표. ***~ferien** *pl.* 하기 휴가〔방학〕. **~fest** *n.* (주로 야외에서 열리는) 여름 축제. **~fleck** *m.* ↑ ~sprosse. **~frische** *f.* 〖고어〗피서(지): in die ~ gehen 피서 가다. **~frischler** *m.* 피서객. **~frucht** *f.* 여름 과일. **~gast** *m.* 여름 휴양객. **~gerste** *f.* 여름 보리. **~getreide** *n.* 하곡(봄에 뿌려 여름에 거두는 곡물).
sommerhaft *a.* ↑ sommerlich.
Sommer⸗halb·jahr *n.* (1 년을 둘로 나눠) 여름을 포함한 반 년. **~haus** *n.* 피서용 별장. **~hitze** *f.* 여름 더위.
sömmerig *a.* 여름을 한 번 지낸, 여름 한철 동안 자란.
Sommer⸗kleid *n.* ① 여름옷, 하복. ② (동물·조류의) 여름털, 여름 깃털. **~kleidung** *f.* 여름옷. **~kollektion** *f.* 〖의상〗여름 유행 컬렉션. **~korn** *n.* ↑ ~getreide. **~kurs** *m.* 하계〔여름〕 강좌, 하계 연수회. **≈lang** *a.* 여름의 (낮시간이) 긴; ein ~er Tag 여름의 긴 하루. **~leutnant** *m.* 〖구어〗예비역 장교.
sommerlich *a.* 여름의, 여름에 적합한: ~e Temperaturen 여름 기온: sich ~ kleiden 여름에 알맞게 (가볍고 얇은) 옷을 입다.
Sommer⸗loch *n.* 〖은어〗여름철의 불황기. **~luft** *f.* 여름 공기. **~mette** *f.* ↑ ~fäden. **~monat** *m.* 〖고어〗① 6 월. ② 6, 7, 8 월 중의 한 달. **~mond** *m.* 〖고어〗6 월.
sommern [zɔ́mərn] 《I》 *i.* (h.) / *imp.* es sommert 여름이 된다, 여름다워진다. 《II》 *t.* ↑ sömmern.
sömmern [zœ́mərn] *t.* ①〖農〗(밭에) 여름 곡식을 파종하다. ②〖방언〗(가축을) 여름 목초지에 방목하다. ③〖양어〗(양어지나 못의 바닥을) 말리다. ④〖방언〗(말리기 위해) 햇볕에 내놓다〔쬐다〕.
Sommer⸗nacht *f.* 여름밤. **~nachts·traum** *m.* 여름밤의 꿈. **~olympiade** *f.* 하계 올림픽. **~pause** *f.* (특히 공공 시설의) 여름철 휴업 기간: das Hallenbad hat ~ 그 실내 수영장은 여름철 휴업 중이다. **~preis** *m.* (겨울용 상품의) 하절기 가격. **~regen** *m.* 여름비. **~reise** *f.* 여름 휴가 여행. **~residenz** *f.* 여름 별장, 하계 관저.
sommers [zɔ́mərs] *adv.* 여름에, 여름마다: sie ist ~ ein Frühaufsteher 그 여자는 여름에는 일찍 일어난다; ~ wie winters 여름이나 겨울이나, 일년 내내.
Sommer·saat *f.* 〖農〗① 여름에 거두는 곡물의 파종. ② 봄에 뿌려 여름에 수확하는 곡물의 씨앗.
Sommers·anfang *m.* ↑ Sommeranfang.
Sommer⸗schlaf *m.* (열대산(産)의 개구리·달팽이·폐어류(肺魚類)의) 여름잠. **~schluß·verkauf** *m.* 〖商〗철 지난 여름 상품 바겐 세일. **~schuh** *m.* 여름용 신발. **~seite** *f.* 양지(陽地), 남향. **~semester** *n.* (대학의) 여름 학기. **~ski·gebiet** *n.* 하계 스키 지대(대부분 고지 빙하에 위치함). **~sonnen·wende** *f.* 하지(6 월 22 일 무렵). **~spiele** *pl.* ① 여름철 음악제〔연극제〕. ② 하계 올림픽 경기. **~sprosse** *f.* 주근깨. **≈sprossig** *a.* 주근깨가 있는.
sommers⸗über *adv.* 여름 내내〔동안〕. **≈-zeit** *f.* ↑ Sommerzeit.
Sommer·tag *m.* ① 여름날. ②〖기상〗섭씨 25 도 이상인 날. ③〖민속〗겨울을 보내고 여름을 맞는 축제(사순절의 제 4 일요일날 거행함). **≈tags** *a.* 여름날에. **~theater** *n.* 여름철(휴업기간 동안 공연하는) 연극. **~überzieher** *m.* 여름 코트.
Sommerung [zɔ́mərʊŋ] *f.* -en ① ↑ Sommergetreide. ② 여름 곡식을 심은 밭.
Sömmerung *f.* -en ① 여름 곡물 파종. ② 여름 방목. ③ 양어지나 못의 바닥 말리기. ④ 햇볕에 쬐기.
Sommer⸗vogel *m.* (schweiz.) 나비. **~weg** *m.* (여름철에 대피·추월용 차도·보도로 쓰는 도로 양편의) 비포장 도로. **~wende** *f.* ↑ ~sonnenwende. **~wetter** *n.* (덥고 건조한) 여름 날씨. **~wohnung** *f.* ↑ ~haus. **~-wurz** *f.* 〖植〗(식물의 뿌리에 기식하는) 초종용(草蓯蓉). **~zeit** *f.* ① 서머 타임. ② 여름철. **~zeug** *n.* 여름옷.
somnambul [zɔmnambú:l] 《frz.》 *a.* 〖醫〗몽유병의, 몽유병자 같은.
Somnambule* *der / die* 〖醫〗몽유병자.
Somnambulismus *m.* - 몽유증〔병〕.
somnolent [zɔmnolɛ́nt] *a.* ① 기면증(嗜眠症)의. ② 혼수 상태의.
Somnolenz *f.* 〖병리〗혼수, 기면 상태.

so·nach [zoná:x] *adv.* 〘드물게〙 따라서, 그러므로, 그래서.

Sonagramm *n.* -s, -e 〖物〗 음향 분석도(圖), 음향 스펙트로그램.

Sonagraph *m.* -en, -en 〖物〗 음향 분석기.

Sonant [zonánt] 《lat. sonans》 *m.* -en, -en 〖언어〗 음절 문자, 음절 주음(主音)(각각의 모음 외에 일부 l, m, n 따위).

sonantisch *a.* ① 모음〔유음〕의. ② 음절을 이루는.

***Sonate** [zoná:tə] 《it.》 *f.* -n 〖음악〗 소나타, 주명곡(奏鳴曲).

Sonatine [zonatí:nə] *f.* -n 소나티나, 소(小)소나타.

Sonde [zɔ́ndə] 《frz.》 *f.* -n ① 〖海〗 측심연(測深鉛); 〖空〗 기상 관측 기구. ② 〖醫〗 존데, (조직 검사를 위한) 탐침(探針), 소식자(消息子): eine ~ in den Magen einführen 소식자를 위 안에 투입하다. ③ 〘비유〙 die ~ der Kritik 비평의 예봉. ④ 〖광산〗 원유〔천연 가스〕 채굴 시설.

sonder [zɔ́ndər] 《germ.》 *prp.*[3] 〘고어〙 …없이(ohne): ~ Zweifel 아무런 의심 없이; ~ Rast und Ruh arbeiten 쉬지 않고 일하다.

Sonder≈abdruck *m.* 〘복수: -e〙 ↑ ~druck. **~abschreibung** *f.* 〖經〗 특별 공제. **~-abzug** *m.* ↑ ~druck. **~anfertigung** *f.* 특별 제작. **~angebot** *n.* 〖商〗 특별 제공, 특매(特賣); 특별 할인(품). **~anspruch** *m.* 특별 청구(권). **~auftrag** *m.* 특별 위임; 특수 임무. **~ausführung** *f.* 비정기 공연, 특별 공연. **~ausgabe** *f.* 특별(보급)판〔호〕. **~ausschuß** *m.* 특별 위원회.

***sonderbar** [zɔ́ndərba:r] *a.* 이상한, 별난, 진기한, 기묘한, 이상야릇한.

sonderbarer·weise *adv.* 기묘〔이상〕하게도.

Sonderbarkeit *f.* -en ① 진기, 기묘. ② 진기한 현상; 이상〔진기〕한 표현〔행동〕.

Sonder≈beauftragte* *der/die* 특별 대리인; 특별 전권 위원. **~behandlung** *f.* ① 특별 대우. ② 〘나치 은어〙 살해, 처형. **~beilage** *f.* (특별) 부록. **~beitrag** *m.* 특별 회비, 특별 기고(논문). **~bericht** *m.* (신문의) 특보; 특종 기사. **~bericht·erstatter** *m.* 〖언론〗 (신문의) 특파원. **~bestrebung** *f.* 분리〔분파〕 운동; 배타주의. **~bewacher** *m.* 특별 감시인. **~botschafter** *m.* 〖政〗 특사(特使). **~briefmarke** *f.* 기념 우표. **~bund** *m.* 분리파. **~bündelei** *f.* 분리주의 (행동). **~-bündler** *m.* 분리주의자. **~bus** *m.* 임시 운행 버스. **~druck** *m.* ① 〘복수: -e〙 〖출판〗 ① 별쇄(別刷). ② 특별호〔판〕. **~einsatz** *m.* 〖軍〗 (병력의) 특별 배치, 특수 투입. **~-ermäßigung** *f.* 특별 할인; (세금의) 특별 경감. **~fahrt** *f.* 임시 운행. **~fall** *m.* 특례. **~flug** *m.* 임시 비행, (비행기의) 특별편. **~form** *f.* 특수한 형태. **~friede** *m.* ↑ ~-frieden. **~frieden** *m.* 단독 강화(講和). **~-gebrauch** *m.* 특별 사용. **~genehmigung** *f.* 특별 허가〔인가〕. **~gericht** *n.* 〖法〗 ① 특수 법원. ② (나치 때 정치범에 대한) 특별 법정. **~gesetz** *n.* 〖法〗 특별법. **~-gleichen** *a.* 비길 데 없는: das ist eine Frechheit ~ 그것은 더할 나위 없이 뻔뻔한 짓이다. **~gut** *n.* 〖法〗 (남편 또는 처의) 단독 재산. **~heft** *n.* (잡지의) 특별호.

Sonderheit [zɔ́ndərhaɪt] *f.* -en 특수, 특별; 진기.

Sonder≈interesse *n.* 특수 이해 관계. **~-klasse** *f.* 〘구어〙 ① 특상품. ② 조별 복권의 특별조. ③ 〖교육〗 (지진아를 위한) 특별 학급. **~kommando** *n.* 특공대. **~kommission** *f.* 특별 위원회. **~konto** *n.* 특별〔개별〕계좌. **~kosten** *pl.* 특별 경비.

sonderlich [zɔ́ndərlɪç] 《I》 *a.* 별난, 이상 야릇한: er ist im Alter ~ geworden 그는 나이가 들어서 별난 성격이 되었다. 《II》 *adv.* (obd.) 〘부정문에서〙 특히, 대단히; 무엇보다도: sein Erfolg war nicht ~ groß 그의 성공은 그렇게 대단한 것은 아니었다.

Sonderling [zɔ́ndərlɪŋ] *m.* -s, -e 별난 사람, 기인(奇人).

Sonder≈maschine *f.* 특별기. **~meldung** *f.* 임시 뉴스. **~müll** *m.* (유독성의) 특수 폐기물. **~müll·deponie** *f.* 특수 폐기물 하치장〔매립장〕.

sondern[1] [zɔ́ndərn] 《I》 *t.* 분리시키다, 나누다, 떼어놓다; 가르다: die Schafe von den Böcken ~ 양과 염소를 떼어놓다. 《II》 *refl.* sich ~ 분리되다, 갈라지다, 떨어지다, 헤어지다. 《III》 **gesondert** *p.a.* ↑ gesondert.

***sondern**[2] *cj.* 〘대개 nicht 와 상관어구를 이루어〙 ① 그렇지 않고 (오히려), 그것과는 달리: er hat es nicht gesehen, ~ gehört 그는 그것을 본 것이 아니라 들었던 것이다. ② nicht nur A, ~ auch B A 뿐만 아니라 B 도: er hat es nicht nur gehört, ~ auch gesehen 그는 그것을 들었을 뿐만 아니라 보기도 했다.

Sonder≈nummer *f.* (잡지나 신문의) 특별판〔호〕. **~preis** *m.* 특별 할인 가격. **~rabatt** *m.* 특별 할인. **~ration** *f.* 추가 배급량. **~-recht** *n.* 특권. **~regelung** *f.* 특별〔임시〕 규정. **~reglung** *f.* ↑ ~regelung.

sonders [zɔ́ndərs] *adv.* 〘다음 용법으로만〙 〘고어〙 samt und ~ 남김없이, 모조리.

Sonder≈schicht *f.* 추가〔임시〕 작업반. **~-schule** *f.* (정신 박약아나 신체 장애자를 위한) 특수 학교. **~sendung** *f.* 특별 방송 프로그램. **~sprache** *f.* 〖언어〗 (직업·계급 따위에 따라 쓰이는) 특수어. **~status** *m.* (법적·정치적) 특수 지위. **~stellung** *f.* 특수 지위. **~stempel** *m.* 특별 소인(消印), 기념 스탬프. **~steuer** *f.* 특별세.

Sonderung [zɔ́ndərʊŋ] *f.* -en 분리, 선별.

Sonder≈urlaub *m.* 특별 휴가. **~verkauf** *m.* 특별 판매. **~wunsch** *m.* (특별한) 개인적 요구 사항. **~zeichen** *n.* 특수 기호〔문자〕. **~ziehungs·recht** *n.* 〘복수〙 〖經〗 IMF(국제 통화 기금의) 특별 인출권. **~zug** *m.* 〖철도〗 특별〔임시〕 열차. **~zulage** *f.* 특별 수당.

sondieren [zɔndí:rən] 《<Sonde》 *t./i.* (h.) ① 〖醫〗 존데〔소식자(消息子)〕로 검사하다, 탐침(探針)하다: Gewebe ~ 존데로 조직 검사를 하다. ② 〖海〗 측심하다, 수심을 재다. ③ 〘교양〙 신중히 조사하다, 탐색하다: die Lage ~ 상황을 신중히 타진하다; die Absichten des Gegners ~ 상대방의 의도를 타진하다.

Sondierung *f.* -en ① 탐침; 측심; 타진. ② ↑ Sondierungsgespräch.

Sondierungs·gespräch *n.* (상대방의 입장을 타진하기 위한) 예비 회담.

***Sonett** [zonɛ́t] 《it.》 *n.* -(e)s, -e 〖문학〗 소네

트, 14 행 시.

Song [sɔŋ, zɔŋ] ⟪engl.⟫ *m.* -s, -s ① (히트) 송, 유행가. ② (비판적·풍자적 내용의) 노래: die ~s aus der „Dreigroschenoper" "서푼짜리 오페라"에 나오는 노래.

***Sonn·abend** [zɔ́n|a:bənt] ⟪mhd. sun(nen) abent, „Vorabend eines Feiertags"⟫ *m.* (nordd.; md.) 토요일: am ~ 〔des ~s〕 토요일에.

sonnabendlich *a.* 토요일(마다)의.

sonn·abends *adv.* 토요일에, 토요일마다.

***Sonne** [zɔ́nə] *f.* -n ① 태양, 해: unter der ~ 이 세상에서; die ~ geht auf〔unter〕 해가 뜬다〔진다〕; die ~ sticht 햇빛이 따갑다; die ~ meint es heute gut mit uns 오늘은 하루종일 햇빛이 난다; die ~ bringt es an den Tag (아무리 숨기려 해도) 사실은 밝혀진다; 〖속담〗 es ist nichts so fein gesponnen, es kommt doch an das Licht der ~n 거짓말은 아무리 교묘해도 언젠가는 들통나게 마련이다. ② 햇빛, 햇볕, 일광: in der ~ sitzen 햇볕을 쬐다; 〖구어〗 sich³ die ~ auf den Pelz brennen lassen 살갗을 햇볕에 태우다, 일광욕을 하다; geh mir aus der ~! 내 앞에서 얼씬거리지 말고 썩 꺼져라!; ~ im Herzen haben 언제나 명랑하다. ③〖비유〗 빛, 따스함, 찬란: die ~ der Freiheit 자유의 찬란함. ④〖천문〗 항성. ⑤ **(a)** 원형의 반사형 전기 난로. **(b)** 〖醫〗 태양등.

sönne [zœ́nə] ↑ sinnen 의 접속법 Ⅱ식.

sonnen [zɔ́nən] ⟪<Sonne⟫ ⟪Ⅰ⟫ *t.* 볕에 쬐다 〔내놓다·말리다〕: die Betten ~ 이부자리를 볕에 쬐다. ⟪Ⅱ⟫ *i.* (h.) / *imp.* es sonnt 해가 비친다, 볕이 난다. ⟪Ⅲ⟫ *refl.* 〖비유〗 sich in〔an〕 et.³ ~ 무엇을 즐기다; er sonnt sich in seinem Ruhm 그는 자신의 명성을 즐긴다.

Sonnen≈anbeter *m.* ①〖宗〗 태양 숭배자. ② 〖농담〗 일광욕 예찬자〔애호자〕. **~anbetung** *f.* 〖宗〗 태양 숭배. **~aufgang** *m.* ① 해돋이. ② 동쪽(해가 뜨는 방향). **~bad** *n.* 일광욕. **≈baden** *i.* 〖부정형과 분사형으로만〗 일광욕을 하다. **~bahn** *f.* 〖天〗 황도(黃道), 태양의 (외견상의) 궤도. **~ball** *m.* 〖시어〗 태양; 〖불교〗 일륜(日輪). **~bank** *f.* (누울 수 있는) 자외선 조사 벤치. **~batterie** *f.* 태양 전지. **≈beschienen** *a.* 〖雅語〗 볕이 드는, 햇볕에 쬐인. **~bild** *n.* ↑ ~spektrum. **~blende** *f.* (카메라) 렌즈 후드; 차양, (자동차의) 차양판. **~blick** *m.* ① 햇빛, 일광. ② 눈의 광채, 환한 시선. **~blume** *f.* 〖植〗 해바라기. **~-blumen·kern** *m.* 해바라기 씨. **~brand** *m.* ① 뙤약볕, 태양의 작열. ② 뙤약볕으로 인한 피부 화상. ③ 과도한 햇빛으로 인한 식물 조직의 파괴. **~bräune** *f.* 태양열로 인한 피부의 그을림. **~brille** *f.* 선글라스. **~creme** *f.* 선탠 크림. **~dach** *n.* 차일. **~deck** *n.* ↑ ~segel. **~dienst** *m.* ↑ ~anbetung. **≈durchflutet** *a.* 〖시어·雅語〗 햇빛이 쏟아지는. **~energie** *f.* 〖物〗 태양 에너지. **~ferne** *f.* 〖天〗 원일점(遠日點) (↔ ~nähe). **~finsternis** *f.* 〖天〗 일식. **~fisch** *m.* 〖動〗 연준모치. **~fleck** *m.* 태양의 흑점. **≈gebräunt** *a.* 햇빛에 그을린. **~geflecht** *n.* 〖解〗 복강(腹腔) 신경다발. **~glanz** *m.* 강렬하고 밝은 햇빛. **~glast** *m.* ↑ ~glanz. **~glut** *f.* 뙤약볕, 강렬한 태양열. **~gott** *m.* 〖신화〗 (Helios, Phöbus, So 등의) 태양신.

sonnenhaft *a.* 태양 같은; 〖비유〗 찬연한.

Sonnen≈haus *n.* 태양열 주택. **~heizung** *f.* 태양열 이용 난방. **≈hell** *a.* 〖雅語〗 (햇빛이) 찬란한, 대낮같이 환한. **≈hungrig** *a.* 햇빛에 주린. **~hitze** *f.* 태양열. **~höhe** *f.* 태양의 높이. **~hut** *m.* ① 차양이 넓은 (햇빛 가리개) 모자. ②〖植〗 삼잎국화(북아메리카 원산). **~jahr** *n.* 〖天〗 태양년. **≈klar** *a.* ①〖雅語〗 태양처럼 밝은. ②〖구어〗 아주 명백〔분명〕한: das ist doch ~! 그건 아주 명백하지, 말할 것도 없다! **~kollektor** *m.* 〖전기공학〗 태양열 집열판〔기〕. **~könig** *m.* 태양왕(프랑스의 루이 14 세의 별명). **~kraftwerk** *n.* 태양열 발전소. **~kringel** *m.* (구멍이 많이 뚫린 물체를 통과하여) 햇빛이 평면에 만드는 동그라미. **~kult** *m.* 태양 숭배. **~lauf** *m.* 태양의 운행. **~licht** *n.* 일광, 햇빛. **~monat** *m.* 〖天〗 태양월. **~nähe** *f.* 〖天〗 근일점(近日點) (↔ ~ferne).

sonnenlos *a.* ① 해가 비치지 않는, 햇빛이 들지 않는. ② 암울한.

Sonnen≈öl *n.* 선탠 오일. **~protuberanzen** *pl.* 〖天〗 태양의 홍염(紅炎). **~rad** *n.* (선사 시대 그림 등에 수레바퀴 모양으로 그려진) 일륜(日輪), 태양륜(輪). **~regen** *m.* 여우비. **~röschen** *n.* 〖植〗 시수토수(물푸레나뭇과). **~rose** *f.* 〖방언〗 ↑ ~blume. **~scheibe** *f.* 원반 모양으로 상정된 태양. **~schein** *m.* ① 일광, 햇빛. ②〖애칭〗 사랑스러운 아이. **~-schirm** *m.* 양산; 비치 파라솔.

Sonnenschutz≈creme *f.* 선탠 크림. **~-mittel** *n.* 직사광 차단용 피부 보호제. **~öl** *n.* 선탠 오일.

Sonnen≈segel *n.* ①〖海〗 (갑판 위의) 차일, 천막. ②〖우주비행〗 태양열 추진식 우주선. **~seite** *f.* ①〖방언〗 남쪽; 양지쪽. ②〖복수〗 밝은〔플러스〕 면, (인생의) 화려한 면. **~-spektrum** *n.* 〖物〗 태양 스펙트럼. **~-spiegel** *m.* 〖物〗 헬리오스코프. **~stand** *m.* 〖天〗 (순간적인) 태양의 위치. **~stäubchen** *n.* 햇빛 속에 반짝이는 분진(粉塵); 〖비유〗 극미물(極微物). **~stich** *m.* 〖醫〗 일사병: einen ~ bekommen 일사병에 걸리다; 〖구어〗 du hast wohl einen ~? 너 혹시 미치지 않았니? **~still·stand** *m.* 〖天〗 지(점)(至(點)). **~strahl** *m.* 일광, 햇빛, 태양 광선. **~strahlung** *f.* 태양 광선〔태양열〕의 방사. **~straße** *f.* ↑ ~bahn. **~sturm** *m.* 〖天〗 태양 에너지의 폭발. **~system** *n.* 〖天〗 태양계. **~tag** *m.* ①〖天〗 태양일. ② 햇볕이 내리 쪼이는 날; 〖비유〗 행복한 때〔시절〕. **~tau** *m.* 〖植〗 끈끈이주걱. **~tierchen** *n.* 〖動〗 태양충(원생동물의 일종). **~uhr** *f.* 해시계. **~untergang** *m.* ① 일몰, 해지기. ② (해지는) 서쪽. **≈-verbrannt** *a.* 햇볕에 많이 탄. **~vogel** *m.* 상사조(想思鳥)의 하나. **~wagen** *m.* 〖신화〗 태양신(Helios)의 마차. **~wärme** *f.* 태양열. **~wärme·kraftwerk** *n.* 태양열 발전소. **~warte** *f.* 태양 관측소. **~weiser** *m.* ↑ ~zeiger. **~welt** *f.* ↑ ~system. **~wende** *f.* ①〖天〗 지(至) (하지 또는 동지); 회귀선(回歸線). ②〖植〗 헬리오트로드. **~wend·feier** *f.* 하지제(祭). **≈wendig** *a.* 〖植〗 향일성의. **~-wind** *m.* 태양풍. **~zeiger** *m.* 해시계(의 바늘). **~zeit** *f.* 〖天〗 태양시. **~zelle** *f.* 태양 전

지. **~zelt** *n.* ↑ ~segel.
sonnicht *a.* ↑ sonnig.
sonnig [zɔ́nɪç] *a.* ① 햇볕이 내리 비치는, 햇볕이 잘 드는. ② (a) 쾌활〔명랑〕한. (b) 〖구어·반어〗 순진하기 짝이 없는: dein ~es Gesicht geht mir auf die Nerven 순진하기 짝이 없는 네 얼굴이 내 신경에 거슬린다.
Sonn=seite *f.* (öst.) ↑ Sonnenseite. **~seitig** *a.* 양지의. ***~tag** *m.* 일요일: an ~en und Feiertagen ist das Museum geschlossen 일요일과 휴일에는 박물관은 휴관이다; 〖속담〗 es ist nicht alle Tage ~ 날마다 일요일은 아니다, 항상 좋을 수는 없다. **~tag·abend** *m.* 일요일 저녁.
sonntägig [..tɛːgɪç] *a.* 일요일의.
sonntäglich [..tɛːklɪç] *a.* ① 일요일마다의: ~e Konzerte 일요 음악회. ② 일요일다운, 축제 분위기의; 세련된: sich ~ anziehen 화사하게 차려입다.
sonntags *adv.* 일요일에〔마다〕.
Sonntags=anzug *m.* (일요일에 입는) 나들이옷. **~arbeit** *f.* 일요일 노동. **~ausflügler** *m.* 일요일의 행락객. **~ausgabe** *f.* (신문의) 일요판. **~beilage** *f.* (신문의) 일요판 부록. **~braten** *m.* 일요일에 먹는 고기 구이. **~dienst** *m.* ① 일요 근무: welche Apotheke hat ~? 어느 약국이 일요일에 문을 엽니까? ② 〖총칭〗 일요 근무자. **~entheiliger** *m.* 주일을 지키지 않는 사람. **~fahrer** *m.* 〖폄어〗 운전 미숙자, 일요 드라이버. **~fahr·karte** *f.* ↑ ~karte. **~feier, ~heiligung** *f.* 주일을 지킴. **~gesicht** *n.* 아주 다정〔명랑〕한 얼굴. **~jäger** *m.* 서투른〔풋내기〕 사냥꾼. **~karte** *f.* 주말 할인 차표. **~kind** *n.* ①〖민속〗 일요일에 태어난 아이. ② 행운아. **~kleid** *n.* 일요일에 입는 나들이옷. **~maler** *m.* 아마추어 화가, 일요 화가. **~rede** *f.* 〖폄어〗 잡설, 잡담. **~reiter** *m.* 말타기가 서투른 사람. **~rück·fahr·karte** *f.* 주말 할인 왕복 승차권. **~ruhe** *f.* 일요일의 휴식〔적막·고요〕. **~schule** *f.* 〖고어〗 주일 학교. **~staat** *m.* 〖구어·농담〗 요란한 옷차림.
sonn=verbrannt *a.* 햇볕에 많이 탄. **≈wend** [..vɛnt] *m.* 6 월. **≈wend·feier** *f.* 하지의 큰 횃불 놓기 축제. **≈wends·feier** *f.* ↑ ~wendfeier.
Sonnyboy [sʌ́nɪ.., zɔ́nɪ..] 《engl.》 *m.* -s, -s 쉽게 호감을 주는 명랑하고 매력적인 젊은이.
Sonograph *m.* -en, -en 〚醫〛 초음파 검사기.
Sonographie *f.* -n [..fíːən] 〚醫〛 초음파 검사(방법).
sonor [zonóːr] 《lat.》 *a.* ① 잘 울리는, 낭랑한, 카랑카랑한. ② 유성음의, 자명음(自鳴音)의.
Sonorität [zonoritɛ́ːt] *f.* 〖교양〗 낭랑, 울림; 자명성(自鳴性).
***sonst** [zɔnst] *adv.* ① 그렇지 않으면: sei artig, ~ bekommst du Strafe 얌전하게 굴어라, 그렇지 않으면 벌을 받는다: was ~? 그렇지 않으면 뭐겠니?; wer ~? 그렇지 않으면 누구겠니? ② 그 외에, 그 밖에, 게다가, 더욱: (wünschen Sie) ~ noch etwas? 그 밖에 또 원하는 것이 있으십니까? (상점에서 점원의 질문); will ~ noch jemand mitfahren? 그 밖에 또 같이 타고 갈 사람이 있습니까?; ~ nichts 그 밖에 아무것도 없다; keiner ~ 그 밖에 아무도 …않다; gibt es ~ noch Fragen? 그 밖에 또 질문 있습니까? ③ (a) 평상시〔평소〕에는, 보통, 전에는; 이전에는, 옛날에는: der ~ so freundliche Mann war heute mürrisch 보통 때는 퍽 친절하던 사람이 오늘은 퉁명스러웠다; so etwas tut er ~ nicht 그는 평상시에는 그런 일을 하지 않는다. (b) 다른 기회에: heute kann ich nicht kommen, vielleicht ~ einmal 오늘은 안 되지만 다음에 기회가 있으면 한 번 오겠습니다. ④ 그러나, 그렇지만: wenn ~ 그렇지만 혹시, 만약 …이라면.
Sonst *n.* -, - das ~ und das Jetzt 옛날과 지금.
sonstig *a.* ① 그 밖의, 다른 때〔곳〕의: das widerspricht seinem ~en Verhalten 그것은 그의 다른 때의 태도와는 모순된다. ② 이전의, 옛날의.
Sonst=jemand *prn.* 〖구어〗 ① 누군가 다른 사람, 다른 사람이면 아무나: das kann ~ machen, ich nicht 그 일은 누군가 다른 사람은 할 수 있지만 나는 못한다. ② 뭔가 특이한 사람. **~was** *prn.* 〖구어〗 ① 그 밖의 어떤 것〔일〕; 가능한 것이면 무엇이든지: ich habe ~ versucht — alles vergebens! 나는 가능한 일은 모두 다 시도해 보았지만 다 부질 없었다; sie hat Schmuck, Blumen und ~ noch bekommen und war doch nicht zufrieden 그 여자는 장신구, 꽃 그리고 그 밖의 다른(모든) 것도 얻었으나 만족하지 않았다. ② 뭔가 특수한 것. **~wer** *prn.* ↑ ~jemand. **≈wie** *adv.* ① 〖구어〗 다른 어떤 방식으로; 뭔가 특별한 방법으로. ② 〖구어〗 굉장히. **≈wo** *adv.* 〖구어〗 ① 다른 어떤 곳에서. ② 아주 특정한 어느 곳에. **≈wohin** *adv.* ① 다른 어떤 곳으로. ② 아주 특정한 어느 곳으로.
so·oft [zoǀɔ́ft] *cj.* …할 때마다: ~ er kommt, bringt er Blumen mit 그는 올 때마다 꽃을 가지고 온다.
Soor [zoːr] 《ⓐ sohr》 *m.* -(e)s, -e 〚醫〛 아구창(鵞口瘡).
Soor·pilz *m.* 아구창균(菌).
Sophia [zofíːa] 소피아(여자 이름).
Sophie [zofíː] 소피(여자 이름).
Sophisma [zofísma] 《gr.》 *n.* -s, ..men ↑ Sophismus.
Sophismus [zofísmus] *m.* -, ..men 〖교양〗 궤변.
Sophist [zofíst] *m.* -en, -en ① 소피스트, (고대 그리스의) 궤변학파 철학자. ② 궤변가.
Sophisterei [..tərái] *f.* -en 〖교양·폄어〗 궤변(을 늘어놓기).
Sophistik *f.* 궤변 철학; 궤변.
sophistisch *a.* 궤변학파의; 궤변적인.
Sophokleisch [zofokléːɪʃ] *a.* 소포클레스의.
sophokleisch *a.* 소포클레스적인〔식의〕.
Sophokles [zóːfoklɛs] *m.* 소포클레스(고대 그리스의 비극 작가, 496-406? B.C.).
Sophrosyne [..zýː..] *f.* (고대 그리스의) 절제〔신중〕의 미덕.
Sopor [zóːpɔr, ..poːr] *m.* -s 〚醫〛 심한 혼미 상태.
soporös *a.* 심한 혼미 상태의.
***Sopran** [zopráːn] 《it. soprano》 *m.* -s, -e 〚음악〛 ① (a) 소프라노. (b) 합창의 소프라노 파트. ② 소프라노 가수.

Sopranist [zopranɪ́st] *m.* -en, -en 소프라노 가수.
Sopranịstin *f.* -nen 소프라노 여가수.
Sopraporte [zopraрɔ́rtə] *f.* -n (특히 바로크와 로코코 건축에서의) 문 위쪽 장식벽.
Sopran·sängerin *f.* 소프라노 가수.
Sorabịst *m.* ① (독일 동부에 살던 서(西)슬라브계 종족인) 소르비아 어문학자. ② 소르비아학과 학생.
Sorabịstik *f.* 소르비아학(學).
sorabịstisch *a.* 소르비아학의.
Sorbe[1] [zɔ́rbə] *m.* -n, -n 소르브인, 벤트인 (중세 때 독일 동부에 살던 서슬라브계 종족).
Sọrbe[2] 《lat.》 *f.* -n 〖植〗 개쉬땅나무 열매 (Elsbeere).
Sọrben·siedlung *f.* 소르브인의 거주 지역.
Sorbet [zɔ́rbɛt] *m./n.* -s, -s ↑ Sorbett.
Sorbett [zɔrbɛ́t] 《frz.》 *m./n.* -(e)s, -e 소르베(반쯤 얼린 과일 주스로 만든 청량 음료).
Sorbịn·säure *f.* 〖化〗 소르빈산.
sọrbisch 《< Sorbe[1]》 *a.* 소르브(사람)의.
Sorbit [zɔrbí:t, ..bít] *m.* -s 〖化·醫〗 소르비톨, 소르비트(단맛이 나는 알코올의 일종).
Sorbonne [sɔrbɔ́n] *f.* (파리의) 소르본 대학.
Sordine [zɔrdí:nə] 《it.》 *f.* -n ↑ Sordino.
Sordino [zɔrdí:no] *m.* -s, -s/..ni 〖음악〗 약음기(弱音器).
Sordun [zɔrdú:n] 《it. sordone》 *m./n.* -s, -e 〖음악〗 소르도네(파곳이나 오보에와 유사한 16-17 세기의 목관 악기).
Sore [zó:rə] *f.* 〔은어〕 장물.
*__Sorge__ [zɔ́rgə] *f.* -n ① 근심, 걱정, 불안, 우려: große〔schwere〕 ~n 큰 걱정(거리); ~ haben 근심거리가 있다, 근심하다; ~ um die Zukunft 장래에 대한 근심〔불안〕; mach dir keine ~n 걱정하지 마라; aller ~n ledig sein 모든 근심을 떨쳐버리다; 〔속담〕 kleine Kinder, kleine ~n, große Kinder, große ~n 자식은 어리면 어린 대로 크면 큰 대로 걱정거리다; 〔반어〕 deine ~n möchte ich haben! 네 걱정거리는 내 것에 비하면 아무 것도 아니다! ; keine ~! 걱정마라! ; ~ vertreiben 근심을 떨쳐 버리다. ② 배려, 돌보아 줌; 힘을 다함, 애씀; 보호; 해야 할 일, 임무; 관심: liebevolle ~ 다정다감한 배려; ~ für jn.〔et.〕 tragen 누구를〔무엇을〕 돌보다; das ist meine ~! 그 일은 제가 하지요! ; lassen Sie das meine ~ sein! a) 그 일은 저에게 맡겨 주십시오! b) 〔폄어〕 그 일은 당신이 상관할 바가 아니오!
*__sorgen__ 《Ⅰ》 *i.* (h.) ① 근심하다, 염려하다: um jn.〔et.〕 ~ 누구를〔무엇을〕 걱정하다. ② **(a)** 돌보다, 보살피다: für jn.〔et.〕 ~ 누구를〔무엇을〕 돌보다; nur für sich ~ 제 일만 생각하다, 제 이익만 꾀하다. **(b)** 애쓰다, 배려하다; 마련〔준비〕하다: hier ist für alles gesorgt 여기에는 모든 준비가 다 되어 있습니다; dafür laß mich ~! 그것은 내게 맡겨라; ich will dafür ~, daß es gepackt wird! 짐꾸리는 일은 제가 알아서 하겠습니다. 《Ⅱ》 *refl.* sich (um et.) ~ (무엇을) 근심〔걱정〕하다: sich um js. Gesundheit ~ 누구의 건강을 걱정하다.
Sọrgen=banner *m.* ↑ ~brecher. **~brecher** *m.* 〔구어·농담〕 근심을 잊게 해주는 것: Alkohol ist der beste ~ 술은 근심을 잊게 해주는 데 최고다. **~falte** *f.* (근심·걱정의 표시인) 이마의 주름. **~frei** *a.* 근심 없는, 마음 편한. **~kind** *n.* ① 부모에게 걱정을 끼치는 자식, 남의 속을 썩이는 사람. ② 〔비유〕 골칫거리: dieses Projekt ist sein ~ 이 프로젝트는 그의 골칫거리다. **~last** *f.* 부담을 주는〔짓누르는〕 걱정〔근심〕.
sọrgenlos *a.* ↑ sorgenfrei.
sọrgen=schwer *a.* ↑ ~voll. **~stuhl** *m.* 〔고어〕 안락 의자. **~voll** *a.* 근심이 많은, 걱정으로 가득찬.
Sọrge=pflicht *f.* 〖法〗 (아동에 대한) 보호 양육 의무. **~recht** *n.* 〖法〗 자녀 양육권.
*__Sorgfalt__ [zɔ́rkfalt] *f.* 주의 깊음, 신중, 꼼꼼함, 면밀, 세심: mit ~ 면밀히, 신중하게; ~ auf eine Arbeit verwenden 어떤 일에 신중을 기하다.
*__sọrgfältig__ [..fɛltɪç] *a.* 주의 깊은, 꼼꼼한, 면밀〔세심·신중〕한.
Sọrgfältigkeit *f.* ↑ Sorgfalt.
Sọrgfalts·pflicht *f.* 〔언론〕 (보도 내용의) 진실 확인 의무; 〖法〗 주의 의무.
Sorgho [zɔ́rgo] *m.* -s, -s ↑ Sorghum.
Sorghum [zɔ́rgʊm] 《it.》 *n.* -s, -s 〖植〗 수수.
Sọrg·leine *f.* 〖海〗 (조타기에 비치한) 비상 밧줄.
sorglich [zɔ́rklɪç] *a.* 〔구식·雅語〕 ① 주도면밀한, 세심한: ein ~ gehütetes Geheimnis 주도면밀하게 지킨 비밀. ② 다정하게 보살피는, 배려 깊은: einen Kranken ~ zudecken 환자에게 정성스레 이불을 덮어주다.
sọrglos *a.* ① 경솔〔부주의〕한: er geht sehr ~ mit geliehenen Büchern um 그는 빌린 책들을 마구 다룬다. ② **(a)** 걱정 없는, 태평한: ein ~es Leben führen 느긋하게 살아가다. **(b)** 지나치게 남을 잘 믿는.
Sọrglosigkeit *f.* 태평; 경솔.
sọrgsam [..za:m] *a.* 주의 깊은, 꼼꼼한, 주도면밀〔신중〕한.
Sọrgsamkeit *f.* 신중, 주의깊음; 신중한 태도.
Sorites [zorí:tɛs] 《lat.》 *m.* -, - 〖논리〗 (잘못된 결론을 도출하는) 연쇄식, 연쇄 추리.
Sorption [zɔrptsió:n] *f.* -en 〖化〗 흡수(↑ Absorption 의 단축형).
sorren [zɔ́rən] 《ndd.》 *t.* 〖海〗 계류(繫留)하다.
Sọrr·tau *n.* 계류 밧줄.
*__Sorte__ [zɔ́rtə] 《it. sorta》 *f.* -n ① (특히 상품의) 종류, 품종; 품목; 품질, 등급: das gibt es in verschiedenen ~n 그 상품은 여러 가지 종류가 있다; Waren in allen ~n und Preislagen 온갖 품질과 가격의 상품; erste〔feinste, beste〕 ~ 1 등〔최상〕품; 〔구어〕 er ist eine merkwürdige ~ von Mensch 그는 별종이다. ② 〔복수〕 〖금융〗 외환.
sọrten *t.* ↑ sortieren.
Sọrten=fertigung *f.* 〖經〗 (상품의) 품목별 대량 생산. **~geschäft** *n.* 환전업; 외국환 거래. **~zettel** *m.* 품목 명세서. **~handel** *m.* 〖금융〗 환전업; 외국환 거래, 외환 시장. **~kalkulation** *f.* 〖經〗 (품목별 대량 생산에서) 원가 산정. **~kurs** *m.* 〖금융〗 외국환율. **~markt** *m.* 〖금융〗 외환 시장. **~produktion** *f.* ↑ ~fertigung. **~rein** *a.* 〖生·農〗 순종의. **~verzeichnis** *n.* ↑ ~zettel. **~zettel**

n. 품목 명세서.
sortieren [zɔrtí:rən] 《it.》 *t.* 분류하다, 가려내다; 정리하다.
Sortierer *m.* -s, - ① 분류자, 선별공(工). ② 자동 선별기에서 일하는 사람. ③ 선별기, 분류기.
Sortier·maschine *f.* 선별기, 분류기.
sortiert *a.* ① 분류된: ein gut ~es Lager 잘 분류된 창고. ② 정선된, 품질 좋은.
Sortierung *f.* -en ① 분류, 구분, 선별. ② 〖컴〗 차례짓기, 정렬.
Sortilegium [zɔrtilé:giʊm] 《lat.》 *n.* -s, ..gien [..giən] (고대의) 제비로 점치기, 제비점.
Sortiment [zɔrtimɛ́nt] 《it.》 *n.* -(e)s, -e ① 상품 재고, (제공 상품의) 가짓수, 구색; 공급 물품: ein ~ erweitern (재고 상품의) 가짓수를 늘리다. ② ↑ Sortimentsbuchhandel 의 약칭.
Sortimenter *m.* -s, - 〘은어〙 서적 소매상의 점원.
Sortiments=buch·handel *m.* 서적 소매. **~buch·händler** *m.* 서적 소매상.
SOS [ɛs|o:|ɛ́s] *n.* - 에스 오 에스(무선 조난 신호: save our ship〔souls〕의 약어로 해석).
so·sehr [zozé:*r*] *cj.* 아무리 …하여도: ~ ich ihn auch schätze, billige ich in diesem Fall sein Verhalten nicht 내가 아무리 그를 높이 평가하여도 이번 경우에는 그의 태도를 용인하지 못한다.
SOS-Kinder·dorf *n.* (한 가족처럼 운영하는) 고아원 마을.
so·so [zozó:] 《Ⅰ》 *adv.* 〘구어〙 그럭저럭, 그저 그런: seine Leistungen sind ~ 그의 업적은 그저 그렇다; es geht mir ~ 나는 그럭저럭 지낸다. 《Ⅱ》 *int.* 〘상대방의 말에 대한 야유·의심·무관심〙 그래 그런가: ~, du warst also gestern krank 그래그래, 어제 자네는 몸살이 났다 이거지.
SOS-Ruf *m.* SOS〔조난〕 신호; 〘비유〙 구조 요청의 외침.
*__Soße__ [zó:sə] 《frz.》 *f.* -n ① 〖요리〗 소스. ② (담뱃잎의) 처리제. ③ 〘폄어〙 구정물: in der ~ sein 곤경에 빠져 있다.
soßen [zó:sən] *t.* 소스를 치다; (담뱃잎을) 처리제에 담그다〔처리하다〕.
Soßen=koch *m.* 소스 전문 요리사. **~löffel** *m.* 소스 스푼. **~rezept** *n.* 소스 요리법. **~schüssel** *f.* 소스 그릇.
sostenuto [zɔstenú:to] 《it.》 *adv.* 〖음악〗 소스테누토(음을 지속하여, 길게 끌어서).
sotan [zotá:n] 《<so getan》 *a.* 〘고어〙 이러한, 이와 같은: unter ~en Umständen 이러한 상황에서.
Soter [zoté:*r*] *m.* -, -e ① (고대 그리스에서) 구원자(신이나 제후들의 별칭). ② 〖신약〗 구세주(예수 그리스도의 별칭).
Soteriologie [zote:riologí:] *f.* 〖신학〗 (예수 그리스도의) 구세론.
soteriologisch *a.* 구세론의〔에 근거한〕.
Sotnie [sɔ́tniə, zɔ́t..] 《russ.》 *f.* -n 〖軍〗 카자흐 중대.
Sott [zɔt] *m./n.* -(e)s (ndd.) 그을음, 검댕.
sott ↑ sieden 의 과거형.
sötte [zœ́tə] ↑ sieden 의 접속법 Ⅱ식.
Sottise [zɔtí:zə] 《frz.》 *f.* -n 〘고어〙 우둔, 어리석은 짓; 무례(한 말씨), 거리낌없이 평하는 말.
sotto voce [zɔ́to vó:tʃə] *adv.* 《it.》 〖음악〗 〘약어: s.v.〙 소리를 낮추어 살며시, 저음으로.
Sou [su] 《frz.》 *m.* -s, -s ① 수(프랑스의 화폐 단위; 5 Centimes 에 해당). ② 〘구어〙 적은 금액의 돈: dafür gebe ich keinen ~ aus 나는 그것에 한푼도 지출하지 않겠다.
Soubrette [zubrɛ́tə] 《frz.》 *f.* -n 〖음악·연극〗 ① 수브레트(오페라나 오페레타에서 코믹하고 명랑한 시녀역). ② 수브레트역을 맡는 여가수.
Souchong [zú:ʃɔŋ] 《chin. -frz.》 *m.* -(s), -s *m.* 수숑(중국산(産) 홍차의 일종).
Souchong·tee *m.* ↑ Souchong.
Soufflee 新정서 ⇦ Soufflé.
Soufflé [suflé:] 《lat. -frz.》 *n.* -s, -s 〖요리〗 수플레(달걀 흰자위에 우유를 섞어서 구워 만든 과자).
Souffleur [zuflǿ:*r*] *m.* -s, -e 〖연극〗 프롬프터(배우에게 대사를 나지막히 읽어주는 사람).
Souffleur·kasten *m.* 프롬프터 상자.
Souffleuse [zuflǿ:zə] *f.* -n ↑ Souffleur 의 여성형.
soufflieren [zuflí:rən] 《Ⅰ》 *i.* (h.) 프롬프터로 일하다. 《Ⅱ》 *t.* jm. et. ~ 누구에게 무엇을 작은 소리로 가르쳐〔알려〕주다: dem Schauspieler die vergessene Textstelle ~ 배우가 잊어버린 대사를 작은 소리로 읽어 주다.
Soul [soul] 《engl.》 *m.* -s 〖음악〗 ① 흑인 영가. ② 흑인 영가에 따라 추는 춤.
Soulagement [zula:ʒəmã́:] 《frz.》 *n.* -s, -s 〘고어〙 경감; 완화; 보조, 부조; 위안.
soulagieren [..ʒí:rən] 《frz.》 *t.* 〘고어〙 jm. et. ~ 누구의 무엇을 덜어주다; jn. ~ 누구를 지원〔위로〕하다, 안심시키다.
so·und·so [zó:unt|zó:] *adv.* 〘구어〙 ① 〘불특정성을 나타내어〙 **(a)** 여차여차, 이러저러하게: er hat mir erklärt, das Grundstück sei ~ groß 그는 내게 땅의 크기가 이러저러하다고 설명했다. **(b)** ~ oft 여러 차례나. ② 〘특정 명칭을 대신하여〙 dieser Herr ~ 모씨.
so·und·sovielte *a.* (불특정한) 모일(日)의: der ~ Mai 5 월 어느 날.
Soundtrack [sáundtrɛk] 《engl.》 *m.* -s, -s 〖영화〗 ① 사운드트랙(영화 필름의 녹음 채널). ② 영화 음악.
Souper [zupé:] *n.* -s, -s 〘雅語〙 만찬.
soupieren [zupí:rən] *i.* (h.) 만찬을 들다.
Sousaphon [susafó:n] *n.* -s, -e 〖악기〗 수자폰(미국 작곡가 J.P. Sousa 의 이름에서).
Sous·chef [sú:ʃɛf] *m.* ① 주방장 대리. ② (schweiz.) 역장 대리.
Soussol [su..] *n.* -s, -s (schweiz.) 지하층.
Soutache [zutáʃ(ə)] 《frz.》 *f.* -n (의복의) 가장자리 장식; 여러 가닥의 실로 짠 끈.
soutachieren [zutaʃí:rən] 《frz.》 *t.* 〖섬유〗 (옷의) 가장자리에 가는 줄을 두르다.
Soutane [zutá:nə] 《frz.》 *f.* -n 〖가톨릭〗 수단(성직자의 평상시의 정복).
Soutanelle [zutanɛ́lə] *f.* -n 〘옛뜻〙 짧은 수단(가톨릭 성직자의 무릎까지 오는 프록코트).
Souterrain [zú:tɛrɛ̃:] 《frz.》 *n.* -s, -s (주거용의) 반지하실.
Souterrain·wohnung *f.* 반지하 주택.
Soutien [sutiɛ̃:] 《frz.》 *n./m.* -(s), -s 버팀, 지지점; 〖軍〗 지원대.
Souvenir [zuvəní:*r*] 《frz.》 *n.* -s, -s ① 기념

(품). ② 추상(곡)〔追想(曲)〕.

Souvenir·laden *m.* 기념품 가게.

***souverän** [zuvərɛ́:n] 《frz.》 *a.* ① 주권을 소유한: ein ~er Staat 주권 국가. ② 무제한의, 절대의, 독재의: ein ~er Herrscher 독재자. ③〖비유〗 뛰어난: ~ beantwortete er alle Fragen 그는 모든 질문에 능숙하게 잘 대답했다. ④ (태도·행동이) 여유있는: mit ~em Lächeln 여유만만한 미소를 지으며.

Souverän *m.* -s, -e ① 통치자, 군주. ② (schweiz.) 〖총칭〗 주권자, 선거 주민.

***Souveränität** [zuvərɛnitɛ́:t] *f.* ① 주권, 통치권, 독립. ②〖비유〗 탁월성, 안정성: seine ~ als Leiter der Verhandlungen wird allgemein anerkannt 협상 지도자로서의 그의 탁월함은 널리 인정받고 있다.

Souveränitäts≈anspruch *m.* (한 국가의) 자주 독립 요구. **~rechte** *pl.* 자주 독립권.

Sovereign [sɔ́vrɪn] 《engl.》 *m.* -s, -s 소브린 금화(옛날 영국의 20 실링짜리).

***so·viel** [zofí:l] 《I》 *prn.* 그 정도, 그만큼: ~ für heute! 오늘은 이 정도로 끝내자!; iß, ~ du kannst! 먹을 수 있는 만큼 먹어, 실컷 먹어라!; doppelt 〔noch einmal〕 ~ 그 2 배; ~ als〔wie〕 möglich 될 수 있는 대로 많이; er hat ~ bekommen wie sie 그는 그 여자가 얻은 만큼 얻었다; das ist ~ wie gar nichts 그것은 없는 것과 같다(전혀 언급할 가치도 없다). 《II》 *cj.* ① …에 따르면, …하는 한: ~ ich gehört habe 내가 들은 바로는. ②〖auch 와 함께〗 …일지라도: ~ du auch gelernt hast 네가 아무리 많이 배웠더라도.

soviel·mal *cj.* 그토록 여러 번: ~ ich auch bei ihm anrief, er war nie zu Hause 내가 그토록 자주 전화했건만 그는 한 번도 집에 없었다.

so was 〖구어〗 ↑ so etwas(↑ so 《I》④).

Sowchos [zɔfçɔ́s] 《russ.》 *m.* -, -e ↑ Sowchose.

Sowchose [zɔfçó:zə] *f.* -n 소프호스(구소련의 집단 국영 농장).

***so·weit** [zováɪt] 《I》 *adv.* ① 대체로, 일반적으로: ich bin ~ fertig 나는 대체로 끝났다; der Einzelhandel war mit dem Umsatz ~ zufrieden 그 소매상은 매상에 대체로 만족했다; es geht ihm ~ gut 그는 대체로 일이 잘 풀리고 있다. ②〖구어〗 ~ sein 특정 시점〔정도〕에 이르다〔도달하다〕: ich melde mich, wenn es ~ ist 때가 되면 연락하지요; es ist noch nicht ~ 아직 기대하고 있는 시점〔정도〕에 이르지 못했다; es ist endlich ~ 마침내 때가 되었다. 《II》 *cj.* ① …하는 한, …에 따르면: ~ ich weiß 내가 아는 한. ② …만큼〔정도로〕, …까지는: ~ ich dazu imstande bin, will ich dir die Sache erklären 내가 할 수 있는 만큼은 너에게 그 일에 대해 설명해 주겠다.

so·wenig [zové:nɪç] 《I》 *prn.* …와 같은 정도로 적은: er weiß es ~ wie ich 나와 마찬가지로 그도 그것을 별로 알지 못한다; beweg dich ~ wie möglich! 가능한 한 몸을 조금만 움직이도록 해라! 《II》 *cj.* 아무리 그 정도가 적다 하더라도: ~ es auch nutzen wird, ich versuche es doch 아무리 그것이 별 소용이 없다 하더라도 나는 그 일을 시도해 보겠다.

so·wie [zoví:] *cj.* ① …도 역시, …와 마찬가지로, 아울러, 및: wissenschaftliche Werke ~ schöne Literatur 학문적 노작(勞作)과 아울러 순수 문학. ② …하는 순간, …하자마자 동시에: ~ er uns sah, lief er weg 그는 우리를 보자 마자 달아났다.

***so·wie·so** [zovizó:] *adv.* ① (**a**) 어차피, 어쨌든: ich nehme dein Paket mit, denn ich muß ~ zur Post 네 소포를 함께 갖고 갈께, 어차피 우체국에 가야 하니까. (**b**) ~ nicht 결코 아닌: wir brauchen nicht zu warten, er wird ~ nicht kommen 우리는 기다릴 필요가 없어, 그는 결코 오지 않을 테니까. ②〖구어〗 Herr ~ 모(某)씨.

Sowjet [zɔvjɛ́t] 《russ., „Rat"》 *m.* -s, -s ①〖원뜻〗 노동자와 병사 평의회. ② 소비에트(구소련의 국가 기구와 조직): der Oberste ~ 소련 최고 회의. ③〖구어〗 die ~s 소련 주민.

Sowjet≈armee *f.* 소련군. **~block** *m.* 소련 블록. **~bürger** *m.* 소련 국민. **≈feindlich** *a.* 반(反)소련의, 소련에 적대적인.

sowjetisch [sɔvjɛ́tɪʃ] *a.* 소비에트(류)의, 구소련의.

sowjetisieren [sɔvjɛtizí:rən] *t.* 소비에트화하다; 〖구어〗 공산화하다.

Sowjet≈regierung *f.* 소비에트 정부. **~republik** *f.* 소비에트 공화국. **~russe** *m.* 소비에트 러시아인. **≈russisch** *a.* 소비에트 러시아(인)의. **~rußland** *n.* 소비에트 러시아. **~stern** *m.* (소련을 상징하는) 붉은 별. ***~union** *f.* 소비에트 연방, 소련(약어: SU). **~volk** *n.* 소련 국민.

***so·wohl** [zovó:l] *cj.* …와 마찬가지로, …도 또한: (**a**) ~ A als〔wie〕 auch B A 뿐 아니라 B 도; ~ er als〔wie〕 seine Frau 그뿐 아니라 그의 아내도. (**b**) nicht ~ A als B A 이라기 보다는 오히려 B 이다; sie ist nicht ~ schön als liebenswürdig 그 여자는 예쁘다기보다는 오히려 귀엽다.

Soz. = Sozialdemokrat 사회 민주주의자.

Sozi [zó:tsi] *m.* -s, -s 〖구어·폄어〗 사회 민주주의자(Sozialdemokrat).

Sozia [zó:tsia] *f.* -s 〖구어·농담〗 오토바이에 함께 타고 있는 여자(↑ Sozius 의 여성형).

soziabel [zotsiá:bəl] 《lat.》 *a.* 사교적인, 대인 관계가 좋은.

Soziabilität *f.* 사교성, 붙임성.

***sozial** [zotsiá:l] 《lat. socius》 *a.* ① 사회의, 사회적인: ~e Gerechtigkeit 사회 정의; 〖사회〗 ~e Distanz 사회적 거리, 격차; ~e Partizipation 사회 참여; ~er Wandel 사회 구조 변화. ② 사회 규범을 따르는: sich ~ verhalten 사회 규범에 맞게 행동하다. ③ 사회 봉사의, 공익에 기여하는: ~e Berufe 사회 봉사 직업들; ~e Marktwirtschaft 사회(복지)적 시장 경제; ~e Errungenschaften 사회에 봉사하는 업적들. ④〖動〗 군거(群居)하는, 집단 생활을 하는: ~e Bienen 집단을 이루며 사는 벌들. ⑤ 사회적 지위에 관한〔근거한〕: ~ aufsteigen 사회적인 신분 상승을 하다, 출세하다; ~ absteigen〔sinken〕 사회적인 신분이 떨어지다; ~es Ansehen erlangen 사회적 명성을 얻다; ~e Schicht 사회 계층; ~er Status 사회적 신분〔지위〕; ~e Fragen 사회 문제; ~e Wohlfahrt 사회 복지.

Sozial≈abgaben *pl.* 사회 보장(보험) 분담금. **~amt** *n.* 사회 복지국(局). **~anthropologie** *f.* 사회 인류학. **~arbeit** *f.* 사회

사업, 사회 복지 관련 사업. **~arbeiter** *m.* 사회〔청소년〕 복지 관련 분야 종사자. **~arbeiterin** *f.* ↑ ~arbeiter 의 여성형. **~beamte*** *der* 사회 복지국 공무원. **~beamtin** *f.* ↑ ~beamte 의 여성형. **~beiträge** *pl.* ↑ ~abgaben. **~bericht** *m.* 〖政〗 ① (연금 보험의 재정 상태나 사회 정책 사업에 대한) 연방정부의 연례 보고. ② 〖經〗 betrieblicher ~ 전(全)직원의 현황 및 복지 상태에 대한 보고. **~beruf** *m.* 사회 복지 분야의 직업. **~demokrat** *m.* 사회 민주주의자; 사회 민주당원. **~demokratie** *f.* ① 사회 민주주의. ② 〖총칭〗 사회 민주당. **~demokratin** *f.* ↑ ~demokrat 의 여성형. **≈demokratisch** *a.* 사회 민주주의의: die ~e Partei Deutschlands 독일 사회 민주당(약어: SPD). **~einkommen** *n.* (개인이나 가계에 지급되는) 사회 복지 보조금. **~ethik** *f.* 사회 윤리. **~fall** *m.* 생활 보호 대상자. **~fürsorge** *f.* 〖구동독〗 (국가에 의한) 사회 복지 지원. **~gericht** *n.* 사회 복지 관계 행정 재판소. **~gerichtsbarkeit** *f.* 〖法〗 사회 복지 분야 소송 재판권(의 행사). **~gerichts·gesetz** *n.* 사회 복지 분야 소송 재판권에 관한 법률. **~gesetz·gebung** *f.* 〖法〗 사회 (정책적) 입법. **~hilfe** *f.* 생계 보조(금), 생활 보호(금). **~hilfe·empfänger** *m.* 생활 보호 대상자. **~hygiene** *f.* 〖醫〗 공중 위생(학).

Sozialisation [zotsializatsió:n] *f.* 〖사회·心〗 사회화.

sozialisieren [..zí:rən] 《lat.》 *t.* ① 〖사회·心〗 사회에 적응시키다, 사회화하다. ② 국유화〔공유화〕하다.

Sozialisierung *f.* ① 국유화, 공유화. ② ↑ Sozialisation.

***Sozialismus** [..lísmus] *m.* - 사회주의.

Sozialist *m.* -en, -en 사회주의자.

Sozialistin *f.* -nen ↑ Sozialist 의 여성형.

Sozialisten·gesetz *n.* 사회주의자 탄압법 (Bismarck 에 의해 제정).

***sozialistisch** *a.* ① 사회주의의, 사회주의에 관한〔근거한〕: ~es Lager 사회주의 진영; ≈e Einheitspartei Deutschlands 독일 사회주의 통일당(구동독의 집권당; 약어: SED). ② (öst.) ↑ sozialdemokratisch.

Sozialität *f.* 〔교양〕 사회 공동체, 사회.

Sozial≈kritik *f.* 사회 비판. **≈kritisch** *a.* 사회 비판적인. **~kunde** *f.* (교과목의 하나로서의) 사회과(科). **~lasten** *pl.* 사회 복지 부담금. **~leistungen** *pl.* 〔총칭〕 (가계나 개인에게 지급되는) 사회 복지 보조금. **~leistungs·mißbrauch** *m.* 사회 보장 제도의 악용. **≈liberal** *a.* 〖政〗 ① 사회 복지와 자유주의적 사고의 결합을 지향하는. ② (독일에서) 사민당과 자민당 연합 정권의. **~lohn** *m.* (가족 수당·주택 수당과 같은) 사회 복지성 임금. **~neid** *m.* 사회 계층간의 위화감. **~ökologie** *f.* 사회 생태학. **~ökonomie** *f.* 사회 경제학. **~ordnung** *f.* 〖사회·政〗 사회 질서. **~pädagoge** *m.* (유치원·청소년 복지 시설 등의 사회 교육 기관에서 일하는) 사회 교육자. **~pädagogik** *f.* 사회 교육학. **~pädagogin** *f.* ↑ ~pädagoge 의 여성형. **≈pädagogisch** *a.* 사회 교육의. **~partner** *m.* 노동 협약의 당사자(경영자 협회나 노동 조합). **~philosophie** *f.* 사회 철학. **~plan** *m.* ① 〖政〗 사회 복지 정책. ② 경영진과 경영 참여 근로자 대표간의 협약. **~politik** *f.* 사회 정책. **~politiker** *m.* 사회 정책가. **~politikerin** *f.* ↑ ~politiker 의 여성형. **≈politisch** *a.* 사회 정책상의. **~prestige** *n.* 사회적 (지위에 따른) 명망. **~produkt** *n.* 〖經〗 (일정 기간내의) 국민 총생산. **~programm** *n.* 사회 복지 프로그램. **~psychologie** *f.* 사회 심리학. **~recht** *n.* 〖法〗 사회 (입)법. **~reform** *f.* 사회 개혁〔개량〕. **~rente** *f.* 사회 보험 연금. **~rentner** *m.* 사회 보험 연금 생활자. **~staat** *m.* 〖法〗 사회 복지 국가. **~statistik** *f.* ① 사회 통계. ② 사회 복지 지원 통계. **~struktur** *f.* 〖사회〗 사회 구조. **~tarif** *m.* 〖政〗 (학생·장애자·노년층을 위한) 공공 교통 수단 할인 요금. **~therapie** *f.* 〖醫〗 ① (환자의 사회적 환경을 치료에 도입하는) 사회 치료법. ② (심리 치료의 하나인) 집단 치료법. **~tourismus** *m.* (저소득층을 위한) 저렴한 관광 여행. **~touristik** *f.* ↑ ~tourismus. **~verfassung** *f.* 사회 제도. **~vermögen** *n.* ① 기업의 복지 후생 자산. ② 공익용 사회 자산(도로·교량 따위). **~versicherung** *f.* 사회 (보장) 보험. **~versicherungs·beitrag** *m.* 사회 보험료. **~wissenschaft** *f.* 사회 과학. **~wohnung** *f.* (저소득층을 위한) 공공 주택. **~zulage** *f.* 사회 복지 보조금〔특별 수당〕.

Sozietät [zotsieté:t] 《lat.》 *f.* -en ① 〔구식〕 결사 단체. ② 〖生〗 군거(群居).

Soziogramm *n.* -s, -e 〖사회심리〗 소시오그램(사회 집단의 의식·현황을 나타내는 도표).

Soziographie *f.* -n [..fí:ən] (통계 및 기타 방법을 통해 기술하는) 사회지학(誌學).

soziokulturell *a.* 사회 문화적인: ~e Faktoren beeinflussen den Erziehungsprozeß 사회 문화적 요인들이 교육 과정에 영향을 미친다.

Soziolekt [..lɛ́kt] *m.* -(e)s, -e 특정 사회 집단의 언어(학생 언어·사냥꾼 언어 등).

Soziolinguistik *f.* 사회 언어학.

soziolinguistisch *a.* 사회 언어학의.

Soziologe [zotsioló:gə] *m.* -n, -n 사회학자.

***Soziologie** [..logí:] *f.* 사회학.

soziologisch *a.* 사회학의.

Soziometrie *f.* 〖사회〗 사회적 관계의 계량적 측정, 사회 측정학.

soziometrisch *a.* 사회 측정학의.

sozioökonomisch *a.* 사회 경제학의.

Sozius [zó:tsius] 《lat.》 *m.* -, -e ① 〔복수: -e/..zii〕 조합원, 주주. ② 동승자(同乘者), (오토바이 따위의) 편승자; 동승 좌석.

Sozius·sitz *m.* (오토바이의) 동승 좌석.

***so·zu·sagen** [zo:tsuzá:gən] *adv.* 말하자면, 소위; …라고 말할 수 있는: sie ernährt ~ die ganze Familie allein 그 여자는 전 가족을 혼자서 먹여 살린다고 말할 수 있다.

Sp. = Spalte (신문의) 난, 단.

Space·lab [spé:slɛb] 《engl.》 *n.* -(s), - 우주 실험실.

Space Shuttle [spé:sʃatl] 《engl.》 *n.* - -(s), - -s 우주 왕복선.

spach *a.* (obd.) 메마른.

Spachtel [ʃpáxtəl] 《südd.; ♧ Spaten》 *m.* -s, - 〔(öst.) *f.* -n〕 ① (미장이가 사용하는) 주걱, 흙손. ② (울퉁불퉁한 면에 채워 넣는) 접합제, 퍼티. ③ 〖醫〗 압설자.

Spachtel=kitt *m.* ↑ Spachtel ②. **~malerei** *f.* 〖畫〗 주걱으로 물감을 칠하는 화법. **~masse** *f.* ↑ Spachtel ②. **~messer** *n.* 퍼티용 칼.

spachteln [ʃpáxtəln] 《I》 *i.* (h.) ① 쇠주걱으로〔페인팅 나이프로〕 작업하다. ②〔구어〕 마구〔왕성한 식욕으로〕 먹다. 《II》 *t.* ① 주걱으로 칠해 평평하게 만들다. ②〖섬유〗 수가 놓이지 않은 안쪽 부분을 잘라내다.

spack [ʃpak] 《⊕ spach》 *a.* (ndd.) ① **(a)** 메마른. **(b)** 깡마른, 수척한. ② 좁은. ③ 아끼는, 모자라는. ④ (옷이) 꼭 끼는.

Spada [spá:da, ʃp..] *f.* -s 〔구식〕 검(劍).

Spadille [spadíljə, ʃpadíl(j)ə] 《it.》 *f.* -n 〖카드〗 스페이드의 1〔에이스〕.

Spagat[1] [ʃpagá:t] 《it.》 *n.*/(öst.) *m.* -(e)s, -e 〖발레·체조〗 두 다리를 일직선으로 뻗고 앉는 연기.

Spagat[2] 《it.》 *m.* -(e)s, -e (bayr., öst.) 매는 실, 끈, 줄.

Spagat·professor *m.* 〔농담〕 재직 중인 대학에서 멀리 떨어져 사는 교수.

Spagetti 新정서 ⇦ Spaghetti[1].

Spaghetti[1] [ʃpagéti, sp..] 《it.》 *pl.* 〖요리〗 스파게티.

Spaghetti[2] *m.* -(s), -s 〔욕설〕 이탈리아 놈.

***spähen** [ʃpέ:ən] *i.* (h.) 엿보다, 감시하다, 염탐하다; 〖軍〗 정찰하다: auf jn.〔et.〕 ~, nach jm.〔et.[3]〕 ~ 누구를〔무엇을〕 감시하다.

Späher [ʃpέ:ər] *m.* -s, - ① 스파이, 탐정, 간첩; 〖軍〗 척후병: ~ aussenden 간첩을 보내다. ② 몰래 엿보는 자, 감시인.

Späher·auge *n.* 날카로운 감시의 눈.

Späherei [ʃpɛːərái] *f.* -en (지속적인) 감시, 주시, 정찰.

Spahi [ʃpá:hi, sp..] 《frz. „Krieger"》 *m.* -s, -s ① 북아프리카 토인 출신의 프랑스 기병(騎兵). ② 터키 기병. ③ 기병으로 전쟁에 참여할 의무를 진 중앙 아시아 귀족.

Späh·trupp *m.* 〖軍〗 정찰대.

Spakat *m.* -(e)s, -e (öst.) 〔구식〕 ① ↑ Spagat[1]. ② ↑ Spagat[2].

Spake [ʃpá:kə] 《ndd., „Speiche"》 *f.* -n 〖海〗 지레; (키 바퀴의) 살.

Späke *f.* -n 〔방언〕 나뭇조각.

spakig *a.* (ndd.) 곰팡이가 핀, 부패한, 변색된.

Spalett *n.* -(e)s, -e (öst.) 창의 덧문.

Spalier [ʃpalí:r] 《lat.》 *n.* -s, -e ① (과수·화초 등을 올린) 격자 울타리, 받침 시렁. ② (환영을 위해 도로 양쪽에 늘어선) 사람 울타리: ~ bilden〔stehen〕 양쪽으로 늘어서다〔늘어서 있다〕.

Spalier·baum *m.* 격자받침 위에서 자라고 있는 나무〔과수〕; 산울타리의 나무.

spalieren *t.* (벽을) 받침 시렁으로 하다; (식물을) 받침 시렁에 올리다.

Spalier=obst *n.* ① 격자받침 위에서 자란 과수의 열매. ②〔구어〕 격자받침 위에서 자라는 과수. **~werk** *n.* 격자(세공), 창살(만들기); 격자 울타리.

***Spalt** [ʃpalt] 《<spalten》 *m.* -(e)s, -e ① 터진 틈, 쪼개진 틈새, 균열; 〖理〗 슬릿, 좁은 틈; 〔속어〕 음문: die Tür (nur) einen ~ weit öffnen 문을 약간 열다. ② 쪼개진 나무. ③〔비유〕 대립, 분열, 불화: zwischen ihnen tat sich ein ~ auf 그들 사이에는 불화가 생겼다.

Spalt·alge *f.* 〖植〗 분열 조류, 남조류.

spaltbar *a.* 쪼개지기 쉬운: 〖핵물리〗 ~es Material 핵분열성 물질.

Spaltbarkeit *f.* 분열성; 〖광물〗 결정체가 일정한 방향으로 결을 따라 갈라짐.

Spalt=breit *m.* 틈새: 〔다음 용법으로만〕 einen ~ 조금, 약간; einen ~ öffnen〔offen stehen〕 조금 열다〔열려 있다〕. **≈breit** *a.* 틈새가 좁은, 폭이 좁은: eine ~e Öffnung 아주 작은 구멍.

Spältchen [ʃpέltçən] *n.* -s, - 〔↑ Spalt 의 축소형〕 쪼개져 생긴 작은 틈.

***Spalte** [ʃpáltə] *f.* -n ① ↑ Spalt. ②〖印〗 (신문 등의) 난, 단(약어: Sp.): das Wörterbuch ist in zwei ~n gesetzt 사전은 2단으로 짜여 있다.

***spalten**(*) [ʃpáltən] (*p.p.* gespalten/gespaltet) 《I》 *t.* ① 쪼개다, 빠개다; 〖광물〗 벽개(劈開)하다: 〔비유〕 Haare ~ 사소한 일을 꼬치꼬치 따지다. ② **(a)** 〖핵물리〗 핵분열시키다: Atomkerne ~ 원자핵을 분열시키다. **(b)** 〖化〗 변화시키다. ③〔비유〕 분리〔분열〕시키다: das neue Programm hat die Partei gespalten 새로운 정강이 그 정당을 분열시켰다. 《II》 *i.* (s.) 쪼개지다, 빠개지다, 틈이 생기다: das Holz spaltet schlecht 이 나무는 잘 빠개지지 않는다. 《III》 *refl.* sich ~ 쪼개지다, 빠개지다, 금이 가다; 갈라지다; 〔비유〕 (친구) 사이가 벌어지다.

Spalten=breite *f.* 〖印〗 난〔단〕의 폭: eine Anzeige in ~ 한 단짜리 광고. **~lang** *a.* 〖印〗 한 단 또는 몇 단분 길이의: ein ~er Artikel 한 단 또는 몇 단분 길이의 기사. **~linie** *f.* 〖印〗 난〔단〕의 괘선(罫線). **≈reich** *a.* 균열〔금〕이 많은. **≈weise** *adv.* 〖印〗 단으로 나누어, 단 모양으로.

Spalter [ʃpáltər] *m.* -s, - 쪼개는 사람〔도구〕.

Spalt=fläche *f.* 〖광물〗 벽개면(劈開面). **~flügel** *m.* 〖空〗 극간(隙間) 보조익. **~frucht** *f.* 〖植〗 (익었을 때) 씨앗이 든 조각으로 갈라지는 과일. **~fuß** *m.* ①〖動〗 갑각류의 집게발, 갈라진 발. ②〖병리〗 기형적으로 갈라진 발. **~füßer** *m.* 〖動〗 열각류(裂脚類). **≈füßig** 갈라진 발의. **~füßler** *m.* ↑ ~füßer. **~hand** *f.* 〖병리〗 기형적으로 갈라진 손. **~holz** *n.* 쪼개진 나무.

spaltig [ʃpáltɪç] *a.* 쪼개진, 빠개진, 금이 간; 쪼개지기〔빠개지기〕 쉬운.

..spaltig *suf.* "…난·단"의 뜻(보기: drei~ 3단의).

Spalt=leder *n.* 우툴두툴한 면을 제거하고 난 가죽. **~pilz** *m.* 〖生·구식〗 박테리아. **~produkt** *n.* ①〖핵물리〗 핵분열 때 생기는 방사능 물질. ②〖化〗 (화학적 변화 과정에서 생기는) 분해 생성물.

Spaltung [ʃpáltuŋ] *f.* -en ① **(a)** 쪼개기, 가르기; 〖광물〗 벽개(劈開); 〖物〗 분해; 분열: Kern≈ 핵분열. **(b)** 〔비유〕 분열, 불화: die religiöse ~ 종교적 분열; 〖醫·心〗 ~ des Bewußtseins 정신 분열증. ② 쪼개진 틈, 틈새기, 균열.

spaltungs=irre *a.* 〖醫·心〗 정신 분열증의. **≈irresein** *n.* 〖醫·心〗 정신 분열증.

Spalt·zeugung *f.* 〖生〗 분열 생식.

Spamming [ʃpámɪŋ] 〖컴〗 원하지 않는데 보내오는 광고 메일.
***Span** [ʃpa:n] *m.* -(e)s, Späne [ʃpɛ́:nə] ① 쪼개진 조각, (특히) 나뭇조각, 대팻밥; 널빤지; 지붕널; 〖복수〗〖비유〗 사상의 단편: einen ~ haben 머리가 돌다; 〖비유〗 arbeiten, daß die Späne fliegen 활기차게 일하다; 〖방언〗 mit jm. einen ~ haben 누구와 분쟁중이다. ② 〖복수〗〖구어〗 (a) 쇠푼, 돈. (b) 귀찮음, 폐, 성가심: 〖비유·구어〗 mach keine Späne! 상관하지 말아 줘, 법석대지 좀 마! ③ (südd.) 불화, 싸움. ④〖방언〗 젖꼭지.
Spän *m.* -(e)s, -e ↑ Span ④.
span·abhebend *a.* 〖工〗 연삭의, 대패질의: ~e Maschinen〔Werkzeuge〕 연삭 기계〔공구〕.
Spänchen [ʃpɛ́:nçən] *n.* -s, - 〖↑ Span 의 축소형〗 작은 나뭇조각.
Spandrille *f.* -n 〖건축〗 스팬드럴(아치의 바깥 둘레와 상부의 수평재 및 옆의 수직재에 둘러싸인 3 각벽).
spanen *t.* 〖工〗 연삭하다, 대패질하다: ~de Bearbeitung 연삭 가공.
spänen¹ [ʃpɛ́:nən] *t.* 〖방언〗① (동물이) 젖을 먹여 기르다. ② 젖을 떼다: ein Kind ~ 아이에게 젖을 떼다.
spänen² 《↑ Span》 *t.* (마룻바닥 등을) 금속 조각으로 문지르다.
Span·ferkel *n.* (젖을 떼지 않은) 새끼 돼지.
Spängchen [ʃpɛ́ŋçən] *n.* -s, - 〖↑ Spange 의 축소형〗 작은 죔쇠, 작은 핀.
***Spange** [ʃpáŋə] 《germ.》 *f.* -n ① (a) 죔쇠; 버클; 핀; 팔찌(Arm≈). (b) (Haar≈) 머리핀, 헤어클립. (c) (구두의) 좁다란 가죽끈. (d) 의복의 쇠붙이 장식. ② (a) 훈장 부착용 핀. (b) 치열 교정틀. ③ (alem.) ↑ Spanne.
Spängelein [ʃpɛ́ŋəlaɪn] *n.* -s, - 작은 죔쇠.
Spangen·schuh *m.* (여자용의) 죔쇠가 달린 단화.
Span≈grün 《<spanisches Grün》 *n.* 〖化〗 녹청(綠靑). **~holz** *n.* 성냥 개비.
Spaniel [ʃpá:niəl, spɛ́niəl] 《engl.》 *m.* -s, -s (털이 긴) 스패니얼종의 개.
***Spanien** [ʃpá:niən] 스페인.
Spanier [ʃpá:niər] *m.* -s, - 스페인 사람.
Spanierin *f.* -nen ↑ Spanier 의 여성형.
Spaniol¹ [ʃpanió:l] 《sp.》 *m.* -s, -e 에스파냐산(產) 코담배.
Spaniol² *m.* -en, -en 15 세기 에스파냐에서 추방당한 유대인의 자손.
Spaniole *m.* -n, -n ↑ Spaniol².
***spanisch** [ʃpá:nɪʃ] *a.* ① 에스파냐(사람·말)의: ≈e Fliege a) 〖動〗 가뢰, b) 〖藥〗 칸타리스(발포제·이뇨제로 사용됨); 〖植·구식〗 ≈er Pfeffer 고추; 〖醫〗 ~e Krankheit 유행성 감기; 〖비유〗 ≈er Reiter 철조망으로 만든 이동 가능한 차단목; 〖植〗 ≈es Rohr 등나무 골수(로 만든 지팡이); ≈e Stiefel 차꼬의 일종(고문 기구); eine ~e Wand 병풍. ② 에스파냐산(產)〔제〕의: ~e Weine 에스파냐산(產) 포도주. ③〖비유·구어〗 이상한, 이해하기 어려운, 이질적인: das kommt mir ~ vor 그것 참 괴상한데, 까닭을 알 수 없군; 〖구어〗 das sind ihm ~e Dörfer 그는 그것을 납득하지 못한다.
***Spanisch** *n.* -(s) ① 에스파냐어: im heutigen ~ 오늘날의 에스파냐어로 (된). ②〖관사없음〗 (학과로서의) 에스파냐어 문학: Unterricht in ~ erhalten〔erteilen〕 에스파냐어 문학 수업을 받다〔하다〕.
Spanische* *das* 〖정관사와 함께〗① 에스파냐어: der Roman wurde aus dem ~n übertragen 그 소설은 에스파냐어를 번역한 것이다. ② 에스파냐적 특성, 에스파냐인의 특징: das typisch ~ an ihr 그녀에게서 보이는 전형적인 에스파냐인의 특징.
Span·korb *m.* 대팻밥으로 엮은 바구니.
spann [ʃpan] ↑ spinnen 의 과거형.
Spann¹ 《<spannen》 *m.* -(e)s, -e ① 발등. ② ↑ Spanne ①.
Spann² *n.* -(e)s, -e (ndd.) 수레에 맨 마소; (마소가 끄는) 마차(↑ Gespann).
Spannadel *f.* (곤충의) 표본용 핀.
Spann·ader *f.* 〖해부〗 힘줄, 건(腱); (활의) 현(↑ Sehne).
Spannagel *m.* -s, ..nnägel 압정(押釘).
Spann≈balken *m.* 〖건축〗 모기둥으로 받친 수평보. **~beton** *m.* 〖건축〗 프리스트레스트 콘크리트(강철선을 넣어 압축 응력을 높인 콘크리트).
Spannbeton≈brücke *f.* 프리스트레스트 콘크리트 교량. **~konstruktion** 프리스트레스트 콘크리트 구조.
Spann≈brett *n.* (곤충 표본을 만드는) 전시판(展翅板). **~decker** *m.* (걷을 수 있는) 포장 달린 자동차. **~dienst** *m.* 마소를 동원한 부역: Hand- und ~ 영주를 위해 농부가 마소를 동원해서 하는 부역.
Spanne [ʃpánə] 《<spannen》 *f.* -n ① 한뼘(약 20 cm): zwei ~n lang 두 뼘 길이의. ② (a) 가까운 거리. (b) 짧은 시간, 잠시: eine ~ Zeit 잠시. (c) 〖비유〗 간격; 차이; 차익, 마진: Handels≈ 매매 차액; die ~ zwischen Einkaufs- und Verkaufspreis 구입 가격과 판매 가격 사이의 차이.
***spannen** [ʃpánən] 《♧ Gespenst》《Ⅰ》 *t.* ① 팽팽히 하다, 잡아 펴다; 넓히다, 늘이다: einen Bogen auf jn. ~ 누구를 향해 활을 당기다; eine Leinwand auf den Rahmen ~ 캔버스를 틀에 끼우다; eine Feder〔Saite〕 ~ 용수철을 감다〔현〔줄〕을 팽팽하게 하다〕; den Zügel ~ 고삐를 당기다; 〖비유〗 die Saiten zu hoch ~ 지나친 요구를 하다; seine Erwartungen hoch ~ 기대 수준을 너무 높이다; den Geigenbogen ~ 바이올린의 현(絃)을 죄다; Gardinen ~ 커튼을 달다; den Dampf ~ 증기의 압력을 높이다; eine Kleidung spannt (jn.) 옷이 (누구에게) 짼다(↑《Ⅱ》③); Zelte ~ 천막을 치다; einen Briefbogen in die Schreibmaschine ~ 편지지를 타자기에 끼우다; Schuhe ~ (모양의 일그러짐을 막기 위해) 구두에 구둣골을 끼우다; die Pferde an den 〔vor den〕 Wagen ~ 말을 마차에 매다; 〖비유〗 die Pferde hinter den Wagen ~ 얼토당토 않은 일을 하다; jn. auf die Folter ~ a) 〔jn. in den Block ~〕 누구를 고문하다, b) 누구의 애간장을 태우다; du spanntest um mich den Verdacht 너는 내게 혐의를 씌웠다. ② (a) eine Oktave ~ können (한 손으로) 피아노 건반의 한 옥타브를 커버할 수 있다. (b) 펼쳐진 양 날개 폭이 (얼마에) 달하다: der Raubvogel spannt anderthalb Meter 그 맹금

의 양 날개의 폭은 1.5 m 에 달한다. ③〔비유〕 긴장시키다; 자극하다: die Augen auf jn. ~ 누구를 주시하다; js. Neugier aufs höchste ~ 누구의 호기심을 극도로 자극하다; die Kräfte auf einen Punkt ~ 힘을 한 점에 쏟다, 한 가지 일에 집중〔매진〕하다; gespannte Beziehungen 긴장 관계; mit gespannter Aufmerksamkeit zuhören 주의를 기울여 경청하다; mit jm. auf gespanntem Fuß stehen〔leben〕 누구와 긴장 관계에 있다; auf et. gespannt sein 무엇이 궁금하다. ④〔비유〕 (südd., öst.) 알아채다, 이해하다, 깨닫다: endlich hat er es gespannt! 마침내 그는 그것을 깨달았다! 《II》 *i.* (h.) ① 재미있다, 흥미롭다: dieser Roman spannt sehr (die Erwartung) 이 소설은 흥미진진하다. ② (auf et.) (무엇에) 주의〔주목〕하다, (무엇을) 엿보다, 노리다: auf sein Mienenspiel ~ 누구의 표정 변화에 주목하다; die Katze spannt auf die Maus 고양이가 쥐를 노린다; ich spanne auf das Erscheinen des angekündigten Buches 나는 예고된 책이 출판되기를 고대하고 있다. ③ (의복이) 째다: der Rock spannt (mich) 이 저고리는 꼭 짼다. ④ soweit man ~ kann 손이 닿는 데까지〔한〕. ⑤〔비유〕 die beiden ~ nicht miteinander 그 둘은 서로 손발이 맞지 않는다. 《III》 *refl.* sich ~ ① 팽팽해지다; 뻗다: eine Brücke spannt sich über den Fluß 다리가 강 위에 걸려 있다; seine Muskeln spannten sich 그의 근육이 긴장되었다. ② (하늘이) 펼쳐지다; (다리·무지개가) 걸려 있다: der Himmel〔Regenbogen〕 spannt sich über uns 우리 머리 위에 하늘이〔무지개가〕 펼쳐져 있다.

spannen·breit 《<Spanne》 *a.* 폭이 한 뼘 정도인.

spannend *p.a.* ① 긴장감이 넘치는, 흥미진진한; 재미있는: 〔구어〕 mach's nicht so ~! 그렇게 뜸들이지 마라! (요점만 말하라); die Geschichte bricht an der ~sten Stelle ab 이야기는 흥미진진한 대목에서 중단된다. ② (옷이) 째는.

spannen≈hoch *a.* 높이가 한 뼘 정도인. **~lang** *a.* 길이가 한 뼘 정도인(약 20 cm). **~weise** *adv.* 뼘으로.

Spanner [ʃpánər] *m.* -s, - ① (a) 펴는 사람; 활의 사수. (b) 〔구식〕 우마차 주인. ② 펴는 기구; (빤 천이 줄지 않도록) 펴서 말리는 틀, 폭을 당겨 펴는 장치; (자수의) 틀; 구둣골; (라켓의) 프레스; 〔기계〕 스패너, 나사돌리개; 〔해부〕 신근(伸筋). ③〔動〕 자벌레나방. ④〔구어〕 타인의 성행위를 엿보고 쾌감을 느끼는 사람; 망보는 사람.

..spänner *suf.* "…마리의 말이 끄는 마차"의 뜻(보기: Zwei~ 쌍두 마차).

Spann≈feder *f.* 용수철. **~futter** *n.* 〔工〕 가공할 부품을 선반(旋盤)에 고정시키는 장치. **~gardine** *f.* (쇠쇠 등으로 고정시킨) 팽팽한 창문 커튼. **~gewicht** *n.* 아래로 늘어뜨리는 추.

..spännig *suf.* "…마리의 말이 끄는"의 뜻(보기: zwei~ 두 마리의 말이 끄는).

Spann≈kette *f.* 매는〔끄는〕 사슬. **~kraft** *f.* ①〔工·物〕 탄력, 장력. ②〔비유〕 힘, 기력, 활력: mit großer ~ 왕성한 기력으로; keine ~ mehr haben 더 이상 기력이 없다. ③〔양궁〕 현을 당기는 활의 힘. **≈kräftig** *a.* 〔비유〕 장력〔탄력〕이 있는. **~laken** *n.* (고무줄을 사용해서 팽팽하게 한) 침대 시트. **~muskel** *m.* 〔해부〕 신근(伸筋). **~rahmen** *m.* (자수용 천을 고정시키는) 수틀, 프레임. **~raupe** *f.* 〔動〕 자벌레. **~riegel** *m.* 〔건축〕 이음보, 지붕 들보. **~säge** *f.* (날이) 틀에 고정되어 있는 톱. **~seil** *n.* 이음 밧줄. **~seite** *f.* 〔數〕 직각 3 각형의 빗변.

***Spannung** [ʃpánuŋ] *f.* -en ① 폄, 팽팽하게 잡아당김; (활을) 당김, (총의 격철을) 세움. ② (a) 긴장 (상태): ~ erregen 긴장시키다; die ~ verlieren 느슨해지다. (b) 〔工·物〕 응력, 변형력. (c) 〔醫〕 (신체·기관의) 긴장 (상태). ③〔비유〕 (정신의) 긴장; 주의의 집중, 강렬한 흥미, 열렬한 기대, 초조: mit ~ 긴장해서; jn. in ~ halten〔versetzen〕 누구를 긴장시키다; in ~ sein 긴장하고〔초조하게 기다리고〕 있다. ④〔비유〕 긴박한 상태, 긴장〔위기〕 상태: die ~ zwischen den beiden Staaten 두 국가간의 긴장 사태. ⑤ ↑ Spannweite. ⑥〔전기〕 전압: Wechsel≈ 교류 전압; die ~ beträgt 220 Volt 전압이 220 볼트다.

Spannungs≈abfall *m.* 〔전기공학〕 한 전장(電場) 내에서의 전위차. **~feld** *n.* 대립된 힘들의 작용으로 긴장이 감도는 지역, 긴장의 장(場). **≈führend** *a.* 〔전기〕 전압을 띠고 있는. **~gebiet** *n.* 전운〔긴장감〕이 감도는 지역. **~herd** *m.* ↑ ~gebiet. **~koeffizient** *m.* 기체의 압력〔압축〕 계수.

spannungslos *a.* 긴장감〔박진감〕 없는.

Spannungs≈messer *m.* ①〔전기공학〕 전압계. ②〔工〕 지압계(指壓計). **~moment** *n.* (소설에서의) 긴장〔갈등〕 요인. **~prüfer** *m.* 〔전기공학〕 회로계, 테스터. **~regler** *m.* 〔전기공학〕 전압 조정기. **~reihe** *f.* 〔化〕 전압렬(列). **~teiler** *m.* 〔전기〕 분압기(器). **~verhältnis** *n.* 긴장 관계. **~zeit** *f.* 〔軍〕 외교 정책상 긴박한 시기. **~zustand** *m.* 긴장 상태.

Spann≈vorrichtung *f.* 팽팽하게 하는 장치. **~weite** *f.* ①〔건축〕 (아치·교량 등에서) 기둥 사이의 간격〔거리〕; 〔전기〕 전신주 사이의 거리. ② (새·비행기의) 날개 폭. ③ 정신적 역량의 폭〔정도〕, (사상 등의) 파급 범위. ④〔통계〕 최소값과 최대값의 차이.

Span≈platte *f.* 대팻밥을 눌러 아교로 붙여 만든 널빤지. **~schachtel** *f.* 대팻밥으로 엮은 상자.

Spant [ʃpant] 《ndd.》 *n./m.* -(e)s, -en 〔工〕 (비행기·배의) 늑재(肋材).

Spanten·riß *m.* 〔조선〕 늑재의 횡단면을 그린 설계도.

Spar≈bank *f.* 〔복수: -en〕 저축 은행. **~betrag** *m.* 저축액. **~brenner** *m.* 연료 절약형 연소기. **~brett** *n.* (미장이의) 흙받기. **~brief** *m.* 〔금융〕 금융 채권. **~buch** *n.* 예금 통장. **~büchse** *f.* 저금통. **~deck** *m.* 〔海〕 경(輕)갑판(경갑판선(船)의 상(上)갑판). **~einlage** *f.* 예금액.

***sparen** [ʃpá:rən] 《germ.》 《I》 *t.* ① 절약하다, 아끼다: sein Leben nicht ~ 목숨을 아끼지 않다; die Wahrheit ~ 진실을 숨기다. ② 저축하다; 남기다: Geld ~ 예금하다; Kräfte ~ 힘을 아끼다; jm. das Leben ~ 누구의 목숨을 살려 주다; das hättest du dir ~ können! 너

는 그것을 할 필요가 없었는데! ; dies Verfahren spart mir viel Mühe〔Zeit〕 이 방법을 쓰면 힘이 덜 든다〔시간이 절약된다〕. ③ (불필요한 일로) 제쳐 두다; 연기하다: spar deine Worte! 그런 말 필요 없어! ; spar dir deine Ratschläge! 네 충고는 필요 없어! ; spar deinen Humor auf meine Hochzeit! 네 익살은 (아껴 두었다가) 내 결혼식 때 해다오! 《Ⅱ》 *i.* (h.) 절약〔저축〕하다: für die Kinder ~ 아이들을 위하여 저축하다; mit (den) Worten ~ 말을 삼가다; mit dem Lob nicht ~ 칭찬을 아끼지 않다; ich spare auf〔für〕 ein Auto 나는 자동차를 사려고 저축한다; 〖속담〗 spare in der Zeit, so hast du in der Not 평소의 절약은 비상시의 대비책, 유비무환.

Sparer *m.* -s, - 절약가; 예금자.

Spar≈flamme *f.* (연료 절약 목적의) 약한 불: 〖농담〗 auf ~ arbeiten 건성으로 일하다. **~förderung** *f.* (유리한 이자를 통한) 저축 장려(책).

Spargel [ʃpárgəl] 《it.》 *m.* -s, - 〔(schweiz) *f.* -n〕 ① **(a)** 〖植〗 아스파라거스. **(b)** 아스파라거스 수풀. ② 아스파라거스순: ein Bund ~ kaufen 아스파라거스순 한 다발을 사다.

Spargel·beet *n.* 아스파라거스밭.

Spar·geld *n.* 저금, 저축한 돈.

Spargel≈gemüse *n.* 소스를 첨가한 아스파라거스. **~grün, ~kraut** *n.* 아스파라거스의 새싹(새잎). **~spitze** *f.* 아스파라거스순의 꼭지 부분. **~stecher** *m.* 아스파라거스를 캐는 기구. **~suppe** *f.* 아스파라거스 수프.

Spar≈giro·verkehr [..ʒíː..] *m.* 〖금융〗 저축성 지로 예금을 통한 금전 거래. **~groschen** *m.* 〖구어〗 소액 저축액, (적은 액수의) 용돈. **~gut·haben** *n.* 〖금융〗 예금 잔액. **~herd** *m.* (연료 절약용) 화덕.

Spark [ʃpark] *m.* -(e)s 〖植〗 작고 흰 꽃을 피우는 패랭이꽃.

Spar≈kasse *f.* 저축 은행〔금고〕: Geld auf die ~ tun 돈을 저축 은행에 예금하다. **~kassen·buch** *n.* 예금 통장. **~konto** *n.* 보통 예금 계좌.

spärlich [ʃpɛ́ːrlɪç] 《< sparen》 *a.* 적은, 넉넉지 않은; 희박한, 드문드문한: ~es Haar 숱이 적은 머리털; ein ~er Bart 듬성듬성 난 수염; ~e Mahlzeiten 소찬(素饌), 간소한 음식; ~ bevölkert 인구가 적은.

Spärlichkeit *f.* ↑ spärlich 의 명사형.

Spar≈maßnahme *f.* 비용〔예산〕 절감 조치: die ~n im öffentlichen Dienst 공공 서비스 부문의 예산 절감 조치. **~pfennig** *m.* ↑ ~groschen. **~politik** *f.* 저축 장려 정책. **~prämie** *f.* 저축 장려금. **~programm** *n.* ① 긴축 프로그램. ② (세탁기 등에서의) 연료 절약 프로그램. **~quote** *f.* 〖經〗 (국민 소득에서) 국민 저축이 차지하는 몫.

Sparre [ʃpárə] *f.* -n ↑ Sparren.

Sparren [ʃpárən] *m.* -s, - ① 〖건축〗 서까래. ② 〖紋〗 산형 문장(山形紋章) (Λ); 〖건축〗 지그재그 무늬. ③ 〖비유·구어〗 약간 미친 상태, 광기: er hat einen ~ zuviel〔zuwenig〕 (im Kopf) 그는 머리가 좀 이상하다(=bei ihm ist ein ~ locker).

Sparren≈dach *n.* 〖건축〗 서까래를 두 개씩 짜 맞춘 지붕. **~holz** *n.* 서까래 (나무). **~kopf** *m.* 〖건축〗 서까래의 끝부분. **~werk** *n.* 〖건축〗 서까래 전체, 뼈대.

sparrig [ʃpárɪç] 《< Sparren》 *a.* 〖植〗 가로 퍼진, 옆으로 간격이 있는: die ~en Zweige der Kiefer 소나무의 듬성듬성한 가지들.

Sparring [ʃpárɪŋ, spá..] 《engl.》 *n.* -s 스파링, 권투 연습.

Sparrings≈kampf *m.* 〖권투〗 스파링〔연습〕 경기. **~partner** *m.* 〖권투〗 스파링 파트너.

***sparsam** [ʃpáːrzaːm] *a.* ① **(a)** 아끼는, 절약하는, 검소한: eine ~e Hausfrau 절약하는 가정 주부; ~ leben 검소하게 살다; mit et.³ ~ umgehen〔sein〕 무엇을 아끼다. **(b)** 경제적인, 절약되는: dieses Putzmittel ist ~ im Gebrauch 이 세제는 사용하기에 경제적이다. ② 〖비유〗 근소한, 적은; 모자라는, 불충분한: ~er Applaus 적은 박수; von et.³ ~(en) Gebrauch machen 무엇을 적게 사용하다.

***Sparsamkeit** *f.* ① 절약, 아낌: jn. zur ~ erziehen 누구를 절약하도록 교육시키다. ② 모자람, 불충분.

Spar≈schwein *n.* 돼지 저금통. **~strumpf** *m.* 돈을 감춰 두는 양말, 가정용 비밀 금고: es gibt auch heute noch Leute, die ihr Geld im ~ haben 오늘날에도 돈을 집안 비밀 금고에 보관하는 사람들이 있다. **~sucht** *f.* 인색.

Spart [ʃpart] 《lat.》 *m./n.* -(e)s, -e ① 〖植〗 나래새. ② 〖제지〗 (종이 원료로 쓰이는) 나래새의 질긴 잎.

Sparta [ʃpárta, sp..] 스파르타(고대 그리스의 도시 국가).

Spartakiade [ʃpartakiáːdə, sp..] *f.* -n 스파르타키아드(소련 등 사회주의 국가들만이 가졌던 스포츠 제전).

Spartakist *m.* -en, -en 스파르타쿠스단(團)의 단원.

Spartakus [ʃpártakus, sp..] ① *m.* 스파르타쿠스(B.C. 1 세기경 로마에서 있었던 노예 폭동의 우두머리). ② *m.* - 스파르타쿠스(1971 년에 설립된 독일 공산당 계열의 마르크스주의 대학생 연맹).

Spartakus·bund *m.* 스파르타쿠스단(1917 년 제 1 차 세계 대전 말에 K. Liebknecht 가 창립한 공산주의 혁명당).

Spartaner [ʃpartáːnər, sp..] *m.* -s, - ① (넓은 의미로) 스파르타 사람; 〖비유〗 스파르타 기질을 가진 사람. ② (좁은 의미로) ↑ Spartiat.

spartanisch *a.* ① 스파르타의: der ~e Staat 스파르타 국가. ② **(a)** 스파르타식의: ~e Zucht und Sitte 스파르타식의 규율과 도덕. ③ 〖비유〗 엄격한; 검소한: eine ~e Erziehung (스파르타식의) 엄격한 교육.

Sparte [ʃpártə] 《lat.》 *f.* -n ① 부문, 분야, 전문: in meiner ~ 내 분야에서. ② 〖스포츠〗 종목. ③ 〖언론〗 (신문의) 난, 분야별 면.

Sparten·kanal *m.* 〖방송〗 (특정 집단을 겨냥하는) 전문 방송.

Sparterie [ʃpartəríː] 《frz.》 *f.* 짚으로 만든 깔개; (무늬목·가죽 등의) 편물 세공.

Spart·gras *n.* 〖植〗 나래새.

Spartiat [ʃpartiáːt, sp..] *m.* -en, -en 〖史〗 스파르티아트(스파르타의 지배 계급이던 특권 시민).

spartieren [ʃpartíːrən, sp..] 《< Sparte》 *t.* 부문으로 나누다; 〖음악〗 (개별음만 남아 있는 옛 곡을) 총보(總譜)로 고쳐 쓰다.

Spar-und Darlehns·kasse *f.* 저축·대부 금

고〔신용 조합〕.

Spar≈vertrag *m.* (금융 기관과의) 저축 계약. **~zins** *m.* 예금 이자.

spasmatisch [ʃpasmá:tɪʃ, sp..] *a.* 〖醫·드물게〗 ↑ spasmisch.

spasmisch 《gr.》 *a.* 〖醫〗 경련성의.

spasmodisch [..mó:dɪʃ] *a.* ↑ spasmisch.

spasmogen *a.* 〖藥〗 경련을 일으키는.

Spasmolytikum [ʃpasmolý:tikum, sp..] *n.* -s, ..ka 〖藥〗 진경제(鎭痙劑), 경련 진정제.

spasmolytisch [..lý:..] *a.* 〖藥〗 경련을 진정시키는.

Spasmus [ʃpásmus, sp..] 《lat.》 *m.* -, ..men 〖醫〗 경련.

***Spaß** [ʃpa:s] 《lat.》 *m.* -es, Späße [ʃpɛ́:sə] ① 농담, 해학; 익살, 장난: aus〔im, zum〕~ 농담으로, 장난삼아; sich³ mit jm. einen ~ machen〔erlauben〕, mit jm. seinen ~ treiben 누구를 놀리다; mit et.³ seinen ~〔sein Späßchen〕 treiben 무엇을 농담거리로 삼다; ~ beiseite〔ohne ~〕! 농담은 그만둬라!; ein schlechter ~ (상대방을 화나게 하는) 나쁜 장난〔농담〕; da hört (bei mir) der ~ auf 그것은 (내가 보기엔) 너무 지나친 농담이다; 《구어》 mach keine Späße! 농담하지 말게!; das geht über den ~ 그것은 농담 치고는 도가 지나치다; er versteht keinen ~ 그는 유머가 없다; dabei〔darin〕 versteht er keinen ~ 이 점에선 그는 참으로 엄격하다; 《구어》 das ist für ihn nur ein ~ 그런 일은 그에겐 누워서 떡먹기다; 《속담》 aus ~ wird oft Ernst 때로 농담이 진담된다. ② 재미, 즐거움, 흥: jm. den ~ verderben 누구의 흥을 깨다; viel ~! 재미있게 보내세요!; viel ~ haben 즐기다, 유쾌하다; das macht〔gibt〕 mir ~ 그것 참 재미있다; ich sag' das doch nicht zum ~! 내가 농담으로 그런 말 하는 게 아냐!; 《구어·반어》 du machst mir (vielleicht) ~! 네 딴엔 날 즐겁게 해주려고 애를 쓰는군! (상대방의 태도에 대해 불쾌함을 나타냄); ein teurer ~ 비싼 것, 대가를 톡톡히 치룬 것.

Späßchen [ʃpɛ́:sçən] *n.* -s, - ↑ Spaß의 축소형.

spaßen [ʃpá:sən] *i.* (h.) 농담하다, 익살을 부리다; 장난하다: er läßt nicht mit sich³ ~〔mit ihm ist nicht zu ~〕 그에게는 농담이 통하지 않는다; du spaßest wohl? (놀라서) 농담이겠지요?; damit ist nicht zu ~ 이건 농담할 일이 아니다〔심각히 받아들여야 한다〕.

Spaßer *m.* -s, - ↑ Spaßmacher.

Spaßerei *f.* -en 농담, 익살, 해학, 장난.

spaßes·halber *adv.* ① 농담〔장난〕으로. ② 호기심에서, 관심이 있어서.

Spaßettel [ʃpá:sɛtəl] *n.* -s, -n (öst.) 장난, 농담.

spaßhaft *a.* ↑ spaßig.

Spaßhaftigkeit *f.* ↑ Spaßigkeit.

spaßig *a.* ① 농담을 즐기는, 해학을 좋아하는: ein ~er Bursche 익살꾼. ② 재미있는, 우스운, 익살스러운: ein ~es Ferienerlebnis 재미있는 방학 체험.

Spaßigkeit *f.* 유쾌, 익살맞음.

Späßlein [ʃpɛ́:slaɪn] *n.* -s, - 〖雅語〗 ↑ Späßchen.

Spaß≈macher *m.* 농담을 잘 하는 사람, 해학가, 익살꾼. **~verderber** *m.* 흥을 깨는 사람 (↑ Spielverderber). **~vogel** *m.* 《비유》 ↑ ~macher.

Spastiker [ʃpástikər, sp..] *m.* -s, - ① 경련 환자. ② 《비속·욕설》 백치, 바보.

Spastikerin *f.* -nen ↑ Spastiker의 여성형.

spastisch [ʃpástɪʃ, sp..] *a.* 〖醫〗 경련성의(↑ spasmisch): ~e Lähmungen 경련성 마비.

spat [ʃpa:t] *adv.* 《고어》 ↑ spät.

Spat[1] (④ Span) *m.* -(e)s, -e/Späte [ʃpɛ́:tə] 〖광물〗 스파(장석·형석처럼 깨끗한 조각으로 깨어지는 결정성 광물의 총칭).

Spat[2] *m.* -(e)s 〖수의〗 (말의) 마비성 관절염.

Spat[3] *n.* -(e)s, -e 〖기하〗 평행 6면체.

***spät** [ʃpɛ:t] 《germ.》《Ⅰ》 *a.* (↔ früh) ① 늦은, 지각한: zur ~en〔in ~er〕 Nacht, ~ in der Nacht 밤늦게; früher oder ~er 조만간에; ~e Rose 늦장미; ein ~es Mädchen 노처녀, 올드미스; wie ~ ist es? 몇 시입니까?; zu ~ kommen 지각하다; 《속담》 besser ~ als nie〔gar nicht〕 늦더라도 하지 않느니보다는 낫다; 《구어》 du kommst noch früh genug zu ~ 서두르지 마라; die Uhr geht um 5 Minuten zu ~ 이 시계는 5분 늦다. ② 말기의, 뒤〔후〕의: das ~e Mittelalter 중세 말기〔말엽〕; erst in ~en Zeiten 나중에야; ~er mehr davon 그 일에 관해서는 다음에 (자세히 이야기하자〔듣자〕); ~er einmal 훗날 언젠가, 다른 날; ~er datieren 날짜를 늦추다; je ~er der Abend, desto〔je〕 schöner die Gäste 밤늦게 오는 손님일수록 귀하신 분이지요(늦게 오는 손님에 대한 정중한 인사말). 《Ⅱ》 *adv.* 저녁에: von (morgens) früh bis (abends) ~ 아침부터 저녁까지, 온종일.

Spät≈abend *m.* 늦은 저녁. **~abends** *adv.* 저녁 늦게. **~aussiedler** *m.* 동유럽에서 추방되어 독일로 이주한 독일인. **~barock** *n./m.* 〖畫〗 바로크말기(대략 18세기 전반기). **~blühend** *a.* 철 늦게 피는. **~dienst** *m.* 야근.

Späte [ʃpɛ́:tə] *f.* 늦은 시간: in der ~ der Nacht 밤 늦게.

Spat·eisen·stein *m.* 〖광물〗 능철광(菱鐵鑛).

Spatel [ʃpá:təl] 《lat.》(öst.) *m.* -s, - 〔*f.* -n〕 ① (의사·약제사가 쓰는) 주걱. ② (화가·조각가가 쓰는) 주걱, 흙손.

***Spaten** [ʃpá:tən] *m.* -s, - ① 삽; 〖軍〗 군용삽: Wissenschaft des ~s 발굴 학문(고고학 등). ② 〖카드〗 스페이드.

Spaten≈forschung *f.* 발굴 조사. **~stich** *m.* 삽질: der erste ~ 첫 번째 삽질.

Spät·entwickler *m.* 발육 부진 아동.

***später** [ʃpɛ́:tər] 《spät의 비교급》《Ⅰ》 *a.* ① 장래의: zu einem ~en Zeitpunkt 나중에. ② 나중의, 뒤에 오는: ~e Geschlechter〔Generationen〕 다음 세대들. 《Ⅱ》 *adv.* 그 후에, 나중에: drei Stunden ~ 3시간 후에; auf〔bis〕 ~! 나중에 보자! (같은 날 중에 다시 만나기를 기약하고 작별하는 인사말).

später·hin *adv.* 후에, 나중에.

spätestens [ʃpɛ́:təstəns] *adv.* 늦어도.

Spät≈folge *f.* 후속 결과, 후유증: die ~n eines Unfalls 어떤 사고의 후유증. **~frost** *m.* 늦서리; 늦추위. **~geburt** *f.* ① 〖醫〗 만산(晩産), 늦은 출산. ② 늦게 출산한 아이. **~gotik** *f.* 후기 고딕 (예술·양식).

Spatha [spá:ta, ʃp..] *f.* ..then ① 〖植〗 (종려나

무 등에서 꽃받침 위로 솟아난) 불염포(佛焰苞). ② (로마 기병과 게르만인이 사용한) 양날의 긴 칼.

spat·haltig 《<Spat[1]》 *a.* 판상(板狀)으로 쪼개지는 광석을 함유한.

Spät≈heim·kehrer *m.* 종전 후 오랜 세월 뒤에 석방되어 귀향하는 전쟁 포로. **~herbst** *m.* 늦가을, 만추. **~herbstlich** *a.* 늦가을의〔같은〕: ~es Wetter 늦가을 같은 날씨.

Spatien [ʃpá:tsiən] ↑ Spatium 의 복수형.

Spatien·breite *f.* 〖印〗 스페이스〔행간·자간〕의 폭.

spatig[1] [ʃpá:tɪç] 《<Spat[1]》 *a.* 판상(板狀)으로 쪼개지는 광석 같은; 판상(板狀)으로 쪼개지는 광석을 함유하는.

spatig[2] 《<Spat[2]》 *a.* (말의) 마비성 관절염의.

spatiieren [ʃpatsií:rən, sp..] *t.* ↑ spationieren.

spationieren 《lat.》 *t.* 〖印〗 글자 사이를〔자간을〕 띄우다.

spatiös [..tsiǿ:s] *a.* 〖印〗 글자 사이를〔간격을〕 띄운; 넓은.

Spatium [ʃpá:tsium, sp..] *n.* -s, ..tien [..tsiən] 〖印〗 ① 자간(字間), 행간, 스페이스. ② 공목(空木), 글자 사이의 끼우개.

Spät·jahr *n.* 〖시어〗 가을.

spat·lahm *a.* 〖수의〗 마비성 관절염에 걸린.

Spät≈latein *n.* (3-6 세기의) 후기 라틴어. **~lateinisch** *a.* 후기 라틴어의. **~lese** *f.* ① 늦은 포도 수확. ② 늦가을 포도로 만든 고급 포도주.

Spätling [ʃpɛ́:tlɪŋ] *m.* -s, -e (↔ Frühling) ① (obd.) 가을. ② 지각자; 늦깎이; 낙오자, 낙오병; 계승〔후계〕자. ③ 늦게 여문 과실; 가을에 난 가축, (가축의) 늦배. ④ 늦둥이. ⑤ 후기 작품.

Spät·mittel·alter *n.* 〖史〗 중세 말기. **~nachmittag** *m.* 늦은 오후. **~nach·mittags** *adv.* 늦은 오후에, 오후 늦게. **~nachrichten** *pl.* 마감 뉴스: nach den ~ 마감 뉴스가 끝난 후. **~obst** *n.* 늦게 익는 과실. **~phase** *f.* 후기. **~programm** *n.* (영화관·텔레비전 등의) 심야 프로그램. **~reif** *a.* 늦게 익는, 늦되는. **~renaissance** [..rənɛsã:s] *f.* 후기 르네상스. **~romantik** *f.* 후기 낭만주의. **~-schaden** *m.* 후유증. **~schicht** *f.* 야간 작업(조). **~sommer** *m.* 늦여름. **~vorstellung** *f.* 야간 상영〔공연〕. **~werk** *n.* 〖총칭〗 (예술가 등의) 후기 작품.

***Spatz** [ʃpats] *m.* -en/-es, -en 〔Sperling 의 애칭〕 ① 〖動〗 참새: 〖비유·구어〗 frech〔lustig〕 wie ein ~ 참새처럼 뻔뻔스런〔쾌활한〕; ~en unter dem Hut haben (건방지게) 모자를 벗지 않다; die ~en pfeifen es schon von den〔allen〕 Dächern 그 일은 벌써 소문이 자자하다; mit Kanonen auf〔nach〕 ~en schießen 작은 일에 크게 반응하다; er ißt wie ein ~ 그는 매우 적게 먹는다. ② 〖비유·구어〗 꼬마(아이에 대한 애칭): mein kleiner ~ 내 귀여운 꼬마야. ③ 〖복수〗〖요리〗 ↑ Spätzle.

Spätzchen [ʃpɛ́tsçən] *n.* -s, - 〔↑ Spatz 의 축소형〕 작은〔어린〕 참새.

Spatzen·gehirn *n.* 〖구어·폄어〗 부족한 이해력: er hat ein ~ 그는 머리가 나쁘다.

spatzenhaft *a.* (참새처럼) 건방진.

Spatzen·hirn *n.* ↑ ~gehirn.

Spätzin [ʃpɛ́tsɪn] *f.* -nen ↑ Spatz 의 여성형.

Spätzle [ʃpɛ́tslə] *pl.* 〖요리〗 남부 독일 슈바벤 지방의 마카로니풍의 음식.

Spätzlein [ʃpɛ́tslaɪn] *n.* -s, - 〔雅語〕 ↑ Spätzchen.

Spätzli *pl.* (schweiz.) ↑ Spätzle.

Spät≈zünder *m.* ① 〖구어·농담〗 형광등, 둔한 사람. ② 두뇌 발달이 늦은 아이, 지진아. **~zündung** *f.* ① 〖工〗 (연소 모터의) 후연(後燃). ② 〖구어·농담〗 둔함, 이해가 더딤.

***spazieren** [ʃpatsí:rən] 《it.》 *i.* (s.) ① 〖구식〗 산책하다: durch den Park ~ 공원을 산책하다. ② 소요하다, 거닐다: durch ein Museum ~ 박물관을 어슬렁거리며 둘러보다.

spazieren≈|fahren* 《I》 *i.* (s.) 드라이브하다; 뱃놀이하다. 《II》 *t.* 드라이브시켜 주다: den Kranken im Rollstuhl ~ 환자를 휠체어에 태워 데리고 다니다. **~|führen** *t.* ① 산책하는 데 데려가다. ② 〖구어·농담〗 (어떤 옷을 입고) 사람들에게 선보이다: 〖구어·농담〗 ein neues Kleid ~ 새 옷을 입고 사람들 앞에 나아가다. **~|gehen*** *i.* (s.) 산책하다. **~gehen** *n.* 산책. **~|reiten*** *i.* (s.) 말을 타고 야외로 나가다.

Spazier≈fahrt *f.* 드라이브; 뱃놀이. **~gang** *m.* 산책: einen ~ machen 산책하다. **~gänger** *m.* 산책하는 사람. **~ritt** *m.* 말을 타고 하는 산책. **~stock** *m.* 산책용 지팡이. **~weg** *m.* 산책길.

spazifizieren [ʃpatsifitsí:rən] *i.* (s.) 〖농담〗 ↑ spazierengehen.

SPD [ɛspe:dé:] =Sozialdemokratische Partei Deutschlands 독일 사회 민주당.

***Specht** [ʃpɛçt] 《germ.》 *m.* -(e)s, -e 〖動〗 딱따구리.

Specht·meise *f.* 〖動〗 동고비.

***Speck** [ʃpɛk] 《germ.》 *m.* -(e)s, -e ① (특히 돼지의) 비계, 베이컨; 〖농담·구어〗 (인체의) 피하 지방: ~ ansetzen 살찌다; ~ auf dem Leibe〔den Rippen〕 haben a) 살이 쪄 있다, b) 부자다; 〖구어·농담〗 ran an den ~! 자, 시작하라!; 〖비유·구어〗 den ~ riechen 미리 알아차리다, 눈치채다, 낌새채다; im ~ sitzen 유복하게 지내다; den ~ spicken 쓸데없는 짓을 하다; 〖속담〗 mit ~ fängt man Mäuse 미끼가 좋으면 잘 잡힌다. ② 〖印·구어〗 (공백이 많은) 수지맞는 일.

Speck≈bauch *m.* 〖구어〗 똥배(가 나온 사람). **~bäuchig** *a.* 〖구어〗 똥배가 나온. **~deckel** *m.* 〖농담〗 기름때가 잔뜩 낀 모자, 약식 군모. **~griebe** *f.* 짐승의 비계 찌끼. **~hals** *m.* 살찐 목; 〖醫〗 경부(頸部) 비만.

speckig [ʃpɛ́kɪç] *a.* ① 기름기 많은: ~es Haar 기름기가 많은 머리카락. ② 〖비유〗 (기름때가 묻어) 더러운. ③ 〖구어〗 살찐, 뚱뚱한. ④ (obd.) 덜 구운.

Speck≈kuchen *m.* 베이컨을 넣은 케이크. **~nacken** *m.* 〖구어〗 살쪄서 굵은 목. **~-schnitte** *f.* 베이컨 조각. **~schwarte** *f.* 베이컨의 두꺼운 껍질: die Pfanne mit einer ~ ausreiben 프라이팬을 베이컨의 두꺼운 껍질로 문지르다. **~seite** *f.* ① (비계 있는) 돼지의 옆구리 살. ② **(a)** (옆구리 살로 만든) 넓적한 베이컨: 〖속담〗 mit der Wurst nach der ~ werfen 새우로 잉어를 낚으려 하다(적은 밑천으로 큰 이득을 얻으려 하다). **(b)** 소시지. **~stein** *m.* 〖광물〗 활석(滑石), 납석(蠟石).

spedieren [ʃpedíːrən] 《lat.》 *t.* ① 운송〔수송〕하다: Möbel mit dem Lastwagen ~ 가구를 화물차로 운송하다. ②〔구식·농담〕 내보내다, 해치우다: jn. an die (frische) Luft ~ 누구를 쫓아내다.

Spediteur [ʃpeditǿːr] *m.* -s, -e 운송업자; 〖法〗 운송 대리점.

Spedition [ʃpeditsióːn] *f.* -en ① 운송, 수송; 운송업. ② (회사의) 발송〔운송〕부. ③ 운송 회사.

Speditions≈büro *n.* 운송 사무실. **~firma** *f.* 운송 회사. **~gebühren** ↑ ~kosten. **~geschäft** *n.* ① 운송업; 운송 회사. ②〖法〗 운송〔운반〕 계약. **~kauf·mann** *m.* 운송부 직원. **~kosten** *pl.* 운송비.

speditiv [ʃpeditíːf] *a.* (schweiz.) 진척이 빠른, 원활한.

Speditör [ʃpeditǿːr] *m.* -s, - ↑ Spediteur.

Speech [spiːtʃ] 《engl.》 *m.* -es, -e(s) 연설; 인사말.

Speed[1] [spiːt, ..d] 《engl.》 *m.* -(s), -s ① 스피드, 속도. ②〖스포츠〗 스퍼트, 속도를 더 냄.

Speed[2] [spiːt, ..d] 《engl.》 *n.* -s, -s 〖마약〗 흥분제, 환각제.

Speed·way-Rennen [spíːdweɪ..] *n.* 제동 장치와 기어가 없는 오토바이 경주.

***Speer** [ʃpeːr] 《germ.》 *m.* -(e)s, -e ① 창, 투창: ~e schleudern〔werfen〕 창을 던지다. ②〖스포츠〗 (경기용) 창.

speeren *t.* 창으로 찌르다, …에 창을 던지다.

Speer≈länge *f.* 창의 길이. **~schaft** *m.* 창자루. **~werfen** *n.* 창던지기, 투창. **~werfer** *m.* 창던지기 선수, 창 던지는 사람. **~werferin** *f.* ↑ ~werfer 의 여성형. **~wurf** *m.* ① 창던지기. ② 창의 투척 (행위).

Spei·becken [ʃpáɪ..] 《<speien》 *n.* 타구(唾具), 가래침 뱉는 그릇.

speiben [ʃpáɪbən] *i.* (h.) / *t.* (bayr., öst.) 침을 뱉다.

Speiche [ʃpáɪçə] *f.* -n ① (수레바퀴의) 살: jm. in die ~n fallen 누구를 저지하다; 〖비유〗 dem Schicksal in die ~n greifen 운명의 수레바퀴를 멈추려 하다. ②〖해부〗 요골(橈骨).

***Speichel** [ʃpáɪçəl] (♧ speien) *m.* -s 타액, 침, 군침: js. ~ lecken 누구에게 알랑거리다.

Speichel≈drüse *f.* 〖해부〗 침샘, 타액선(腺). **~fluß** *m.* 〖醫〗 침 과다 분비. **~lecker** *m.* 〖펌어〗 아첨꾼, 추종자. **~leckerei** *f.* 〖펌어〗 아첨, 추종. **~leckerisch** *a.* 〖펌어〗 아첨하는, 알랑거리는.

speicheln [ʃpáɪçəln] *i.* (h.) ① 침을 뱉다. ② 침을 질질 흘리다.

speichen *t.* (바퀴에) 살을 붙이다.

***Speicher** [ʃpáɪçər] 《lat. spicarium》 *m.* -s, - ① 곡창; 저장소, 창고. ② (südd., westd.) 다락(방): Wäsche auf dem ~ trocknen 빨래를 다락방에서 말리다. ③〖工〗 저장 탱크: Wasser≈ 저수용 탱크. ④〖전기〗 축전지. ⑤〖컴〗 기억 장치, 메모리: Informationen in den ~ eingeben〔einschreiben〕 정보를 기억 장치에 입력하다.

speicherbar *a.* 저장할 수 있는.

Speicher≈bild *n.* 〖物〗 레이저 사진, 홀로그램. **~chip** [..tʃɪp] *m.* 〖전기〗 메모리 칩. **~größe, ~kapazität** *f.* 〖컴〗 기억 용량.

***speichern** [ʃpáɪçərn] *t.* ① 창고에 넣다; 저장〔보관〕하다. ②〖비유〗 축적하다, 쌓다: er hat jahrelang Haß in sich gespeichert 그는 여러 해 동안 증오심을 마음속에 쌓아왔다. ③〖컴〗 (정보〔자료〕를) 저장하다.

Speicher≈möglichkeit *f.* 저장 가능성. **~ofen** *m.* (야간에 전기를 할인 요금으로 이용하는) 야간 축열 난로. **~platz** *m.* 〖컴〗 메모리: benötigter ~ 필요한 (최소) 메모리; einen ~ anwählen 메모리를 불러내다.

Speicherung [ʃpáɪçərʊŋ] *f.* -en 저장, 보관: Informations≈ 정보의 저장.

speien [ʃpáɪən] (spie, gespie(e)n) 《germ.; ♧ Speichel, spucken》 《I》 *i.* (h.) ① 침을 뱉다: jm. ins Gesicht ~ 누구의 얼굴에 침을 뱉다. ② 토하다, 구토하다: 〔구어〕 aussehen wie (aus)gespien 몹시 창백해 보이다. 《II》 *t.* 토하다, 내뿜다: Blut ~ 피를 토하다; 〖비유〗 Gift und Galle ~ 노발대발하다.

Speierei *f.* 자꾸 침을 뱉기; 구토.

Speierling [ʃpáɪərlɪŋ] *m.* -s, -e 〖植〗 (유럽산(産)) 마가목류(類).

Spei·gatt *n.* 〖海〗 (선박 갑판의) 배수구.

Speik [ʃpaɪk] 《lat.》 *m.* -(e)s, -e 〖植〗 ① 쥐오줌풀류(類). ② 라벤다속(屬).

Speil [ʃpaɪl] *m.* -s, -e ① 파편, 조각. ② (소시지의 끄트머리를 막는) 나무 꼬챙이.

Speile *f.* -n ↑ Speil.

speilen *t.* 꼬챙이로 막다, 꼬챙이에 꿰다.

Speiler 《ndd.》 *m.* -s, - ↑ Speil.

speilern *t.* ↑ speilen.

Spei·napf *m.* 타구(唾具).

Speis[1] [ʃpaɪs] 《südd.》 *m.* -es (südd.) 회반죽, 모르타르.

Speis[2] *f.* -en (bayr., öst.) ↑ Speisekammer.

***Speise** [ʃpáɪzə] 《lat.》 *f.* -n ① **(a)** 음식, 요리: geistige ~ 마음의 양식; Speis(e) und Trank 식사와 음료. **(b)** 〔雅語〕 고형 음식. **(c)** 단 것, 후식. ②〖방언〗 ↑ Speis[1]. ③ (종동(鐘銅)) 종을 주조하기 위한 뜨거운 쇳물 (Glocken≈). ④〖제련〗 비소(砒素)나 안티몬의 화합물.

Speise≈anstalt *f.* ↑ ~haus. **~apparat** *m.* 〖기계〗 공급〔급수·급탄〕장치. **~brei** *m.* ① 죽 모양의 음식물. ②〖생리〗 암죽, 미음. **~eis** *n.* 아이스크림. **~fett** *n.* 식용 기름. **~fisch** *m.* 식용 생선. **~gast·stätte** *f.* 식당, 레스토랑. **~haus** *n.* 음식〔요리〕점. **~kammer** *f.* 음식물 저장실; 찬장. **~karte** *f.* 식단, 메뉴: die ~ verlangen 메뉴를 달라고 하다. **~korb** *m.* 휴대용 음식 광주리. **~leitung** *f.* 〖工·전기〗 송전선; 가스 공급관; 급수관. **~meister** *m.* 요리 기능장.

***speisen** [ʃpáɪzən] 《I》 *i.* (h.) 〔스위스에서는 강변화하기도 함; spies, gespiesen〕 〔雅語〕 식사하다: zu Mittag〔Abend〕 ~ 점심〔저녁〕 식사하다; (ich) wünsche, wohl zu ~! 맛있게 드십시오! 《II》 *t.* ① 공급하다: et. mit et.[3] ~ 무엇에 무엇을 공급하다; eine Maschine ~ 기계에 동력을 공급하다; den Kessel mit Wasser ~ 기관(汽罐)에 급수하다; eine Lichtanlage mit elektrischem Strom ~ 조명 설비에 송전하다; eine Dampfmaschine mit Kohle ~ 증기 기관에 석탄을 넣다; ein See wird durch mehrere Bäche gespeist 호수에는 여러 갈래의 시냇물이 흘러 든다. ② 먹다, 들다: was wollen Sie ~? 무엇을 드시겠습니까? ③〔雅語〕(누구에게) 급식하다, 음식 대접하다: die Hungrigen mit Brot ~ 굶주린 사람들에게 빵을 주다; 〔비유〕 jn. mit leeren Versprechungen ~ 누구를 감언이설로 꾀다.

Speisen=aufzug *m.* 음식 운반용 승강기. **~folge** *f.* 풀코스의 요리; 요리가 나오는 순서. **~karte** *f.* ↑ Speisekarte. **~wagen** *m.* ↑ Speisewagen.

Speise=öl *n.* 식용유, 샐러드유. **~opfer** *n.* ① 제물을 바치는 일. ② (음식으로 된) 제물. **~plan** *m.* 차림표, 식단. **~pumpe** *f.* 급수 펌프. **~punkt** *m.* 송전소. **~rest** *m.* 남은 음식. **~rohr** *n.* 급수관. **~röhre** *f.* ①〘해부〙 식도. ② 급수관. **~saal** *m.* 넓은 식당, 식사하는 홀. **~saft** *m.*〘생리〙 미음. **~salz** *n.* 식염. **~schrank** *m.* 찬장. **~täubling** *m.*〘植〙 식용 들싸리버섯. **~tisch** *m.* 식탁. **~vorrichtung** *f.* ↑ ~apparat. **~wagen** *m.*〘철도〙 식당차. **~wasser** *n.* 〔복수: ..wässer〕 기관(汽罐) 급수용 물. **~wirt** *m.* 요릿집 주인. **~wirtschaft** *f.* 음식〔요릿〕집(↑ ~haus). **~würze** *f.*〘요리〙 양념, 향료. **~zettel** *m.* ↑ ~plan. **~zimmer** *n.* ① 식당, 식사하는 방. ② 식당용 가구.

Speis·kobalt *n.*〘광물〙 비(砒)코발트광.

Speisung [ʃpáɪzʊŋ] *f.* -en ① **(a)** 〔雅語〕 식사 제공, 급식. **(b)** 제공된 음식. ②〘工〙 공급; 급수, 급탄(給炭), 급전(給電).

Spei=täubling 《<speien》 *m.*〘植〙 식용으로 쓸 수 없는 들싸리버섯. **~teufel** *m.* ↑ ~täubling. **~übel** *a.* 토할 것 같은, 메스꺼운, 대단히 불쾌한.

Spektabilität [ʃpɛktabilitɛ́:t, sp..] 《lat.》 *f.* -en ① 명성, 명망. ② **(a)** 학장님(대학의 학장에 대한 존칭): Seine ~ 학장님; Eure ~(en) 학장님. **(b)** 학장.

***Spektakel** [ʃpɛktá:kəl] 《lat.》《I》 *n.* -s, - ① 〔구식〕 (흥미 위주의) 떠들썩한 연극. ②〔비유〕 구경거리; 볼 만한 것. 《II》 *m.* -s, - 〔비유·구어〕 ① 소란, 소동, 야단법석: der ~ um den Außerirdischen 외계인에 관한 소동. ② 치열한 언쟁, 분쟁, 싸움.

Spektakel·macher *m.* 떠드는 사람, 야단법석을 떠는 사람.

spektakeln (*p.p.* spektakelt) *i.* (h.) 야단법석을 떨다, 소동을 일으키다.

Spektakel·stück *n.*〘연극〙 (관객의 이목을 끌기 위한) 떠들썩한 연극, 대활극.

spektakulär [ʃpɛktakulɛ́:r, sp..] *a.* 큰 관심〔주목〕을 불러일으키는, 장관인: ein ~er Film 센세이셔널한 영화.

spektakulös [..lǿ:s] *a.* 〔구식〕 ① 떠들썩한. ② 이상한, 비밀스러운. ③ 치욕적〔굴욕적〕인, 창피한.

Spektakulum [ʃpɛktá:kulum] *n.* -s, ..la 〔농담〕 ①〔구식〕 흥미 위주의 떠들썩한 연극 작품. ② 야단법석, 구경거리.

Spektra ↑ Spektrum 의 복수형.

spektral [ʃpɛktrá:l, sp..] 《lat.》 *a.*〘物〙 스펙트럼의〔에 따른〕.

Spektral=analyse *f.* ①〘物·化〙 스펙트럼 분석. ②〘통계〙 (주식 등의) 시세 분석. **~apparat** *m.* 분광기(分光器). **~farbe** *f.* 〔복수〕〘物〙 분광색(色). **~klasse** *f.*〘天〙 (항성의) 스펙트럼 등급. **~linie** *f.* 스펙트럼선(線).

Spektren ↑ Spektrum 의 복수형.

Spektrometer [ʃpɛktromé:tər, sp..] 《lat.》 *n.* -s, - ① 분광계(計). ②〘핵물리〙 광선 미립자의 에너지 분배 측정기. ③ 분광 사진기.

Spektroskop [ʃpɛktroskó:p, sp..] *n.* -s, -e 분광기.

Spektroskopie [..troskopí:] *f.*〘物〙 분광학.

spektroskopisch *a.* 분광학의〔에 따른〕.

***Spektrum** [ʃpɛ́ktrum, sp..] 《lat.》 *n.* -s, ..tren/..tra ①〘物〙 **(a)** 스펙트럼. **(b)** 전자파 진동. ② 물체의 가변적 진동 묘사. ③〔비유〕 (문학·예술의) 다양성, 다채로움: das ~ der modernen Kunst 현대 예술의 다양성.

Spekula ↑ Spekulum 의 복수형.

Spekulant [ʃpekulánt] *m.* -en, -en 투기업자, 투기꾼.

***Spekulation** [ʃpekulatsió:n] 《lat.》 *f.* -en ①〘經〙 투기: auf ~ 투기로. ②〘哲·宗〙 사변(思辨), 사색; 심사숙고. ③ 공론, 억측: ~en über et. anstellen 무엇에 대해서 억측하다. ④ 모험적인 시도.

Spekulations=geschäft *n.*〘經〙 투기성 사업, 투기. **~gewinn** *m.*〘經〙 투기 이익. **~kauf** *m.*〘經〙 투기성 매입. **~papier** *n.*〘經〙 투기성 유가 증권. **~steuer** *f.*〘法〙 투기 이익에 과하는 세금. **~wert** *m.* ↑ ~gewinn.

Spekulatius [ʃpekulá:tsius] 《ndl.》 *m.* -, - 후추가 든 납작한 과자의 일종.

spekulativ [ʃpekulatí:f, spe..] *a.* ① 투기적인, 투기를 좋아하는; 모험적인. ②〘哲〙 사변적인, 사색적인. ③ 억측의.

***spekulieren** [ʃpekulí:rən, sp..] *i.* (h.) ① 투기하다: auf Steigen〔Sinken〕 ~ 상승〔하락〕을 예상하여 투기하다; an der Börse ~ 증권에 투기하다; mit Grundstücken ~ 땅 투기를 하다. ②〘哲〙 사변〔사색〕하다; 깊이 생각하다; 이러쿵저러쿵 추측하다. ③〔구어〕 눈독을 들이다: auf eine Erbschaft ~ 유산을 노리다; auf die Mitgift ~ 지참금을 노리다.

Spekulum [ʃpé:kulum, sp..] *n.* -s, ..la 거울;〘醫〙 검강경(檢腔鏡).

Speläologe [spelɛoló:gə] *m.* -n, -n 동굴학자.

Speläologie [..logí:] *f.* 동굴학.

Speläologin *f.* -nen ↑ Speläologe 의 여성형.

speläologisch *a.* 동굴학의.

spellen [ʃpélən] 《<spalten》 *t.* ①〔고어〕 잡아찢다, 잡아 쪼개다. ② (obd., ndd.) 쓰다.

Spelt [ʃpɛlt] *m.* -(e)s, -e〘植〙 독일 밀.

Spelunke [ʃpelúŋkə] 《lat., „Höhle"》 *f.* -n ① 더러운 거실, 초라한 집. ②〔폄어〕 하급 술집.

Spelz [ʃpɛlts] 《lat.》 *m.* -es, -e〘植〙 ① ↑ Spelt. ② ↑ Spelze.

Spelze [ʃpɛ́ltsə] *f.* -n ① (곡식 알맹이의) 껍질, (보리 등의) 수염. ② (풀의) 마른 꽃잎.

spelzig [ʃpɛ́ltsɪç] *a.* 껍질이 있는.

spendabel [ʃpɛndá:bəl] 《<spenden》 *a.* 〔구어〕 아끼지 않는, 씀씀이가 큰, 돈 잘 쓰는.

Spende [ʃpɛ́ndə] *f.* -n ① 희사; 선물, 기증품, 기부금, 헌금. ② 헌작(獻爵).

***spenden** [ʃpɛ́ndən] 《lat.》 *t.* ① 증여하다, 기부〔희사〕하다: Geld für et. ~ 무엇을 위해 돈을 기부하다; Blut ~ 헌혈하다. ②〔雅語〕 제공하다, 내다: die Bäume ~ Schatten 나무

는 그림자를 제공한다. ③ 주다, 베풀다: das Abendmahl ~ 성찬을 베풀다. ④ 보내다, 제공하다: jm. Trost ~ 누구를 위로하다; einem Vorschlag Beifall ~ 어떤 제안에 갈채를 보내다; den Göttern Wein ~ 신들에게 술을 올리다.

Spenden≈aktion *f.* 기부금 모금 운동. **~aufruf** *m.* 기부금 모금 동참 호소(문), 모금 운동을 위한 여론 환기. **~bescheinigung** *f.* 기부금 영수증. **~konto** *n.* 기부금 납입 계좌.

***Spender** *m.* -s, - ① 기부자; 자선가: 〘농담〙 wer war der edle ~? 이 장한 일을 한 사람이 누구지, 누구한테 고맙다고 해야 하지? ② **(a)** 헌혈자. **(b)** 장기〔조직〕 기증자. **(c)** 정액 제공자. ③ 면도날·휴지 등을 필요한 만큼만 꺼내 쓸 수 있도록 만든 용기.

Spenderin *f.* -nen ↑ Spender ① ②(a) (b) 의 여성형.

spendieren [ʃpɛndíːrən] *t./i.* (h.) 〘구어〙 한턱 내다, 아낌없이 주다: eine Runde Bier ~ 맥주를 한 잔씩 대접하다.

Spendier·hose *f.* 〘다음 용법으로만〙〘구어·농담〙 die ~n anhaben 인심이 후하다, 돈을 펑펑 쓰다.

Spendung *f.* -en 기부, 희사, 헌금.

Spengler[1] [ʃpɛ́ŋlər] 《<Spange》 *m.* -s, - (obd., westmd.) 함석장이.

Spengler[2] Oswald ~ 슈펭글러(독일의 문화사가, 1880-1936).

Spenser [spɛ́nsər] (öst.) 《engl.》 *m.* -s, - 기장이 짧고 몸에 붙는 재킷(고안자인 영국인 G. J. Spencer 의 이름에서).

Spenzer *m.* -s, - ↑ Spenser.

***Sperber** [ʃpɛ́rbər] *m.* -s, - 〖動〗 새매.

Sperber·baum *m.* 〖植〗 산마가목.

sperbern [ʃpɛ́rbərn] *i.* (h.) (schweiz.) 날카로운 눈초리로 노려보다.

Sperenzchen [ʃperɛ́ntsçən], **Sperenzien** [ʃperɛ́ntsiən, sp..] 《lat.》 *pl.* 〘구어〙 거역, 훼방: mach keine ~! 괜히 훼방 놓치 마라!

Spergel [ʃpɛ́rgəl] 《lat.》 *m.* -s, - 〖植〗 개미자리의 일종.

***Sperling** [ʃpɛ́rlɪŋ] 《germ.》 *m.* -s, -e 〖動〗 참새.

Sperlings·vogel *m.* 〖動〗 참새목(目).

Sperma [ʃpɛ́rma, sp..] 《lat. sperma》 *n.* -s, ..men/-ta 〖醫〗 정액.

Sperma·faden *m.* 정충, 정자.

Spermatogenese [ʃpɛrmatogenéːzə, sp..] *f.* 〖生·醫〗 정자 생성.

Spermatorrhö [..tɔrǿː] *f.* -en [..rǿːən] ↑ Spermatorrhöe.

Spermatorrhöe [..tɔrǿː] *f.* -n [..rǿːən] 〖醫〗 정액루(漏), 유정(遺精).

Spermatozoon [..totsóːɔn] *n.* -s, ..zoen [..tsóːən] 〖生·醫〗 정충, (식물의) 정액 세포.

Spermazet [..tséːt] *n.* -(e)s 경랍(鯨蠟).

Spermen ↑ Sperma 의 복수형.

Spermien ↑ Spermium 의 복수형.

Spermiogenese [..miogenéːzə] *f.* -n 〖生·醫〗 ↑ Spermatogenese.

Spermium [ʃpɛ́rmiʊm, sp..] *n.* -s, ..mien [..miən] 〖生·醫〗 ↑ Spermafaden.

Sperrad [ʃpɛ́rraːt] *n.* -(e)s, ..rräder [..rɛ́ːdər] 〖工〗 (한 쪽으로만 돌게 만든) 깔쭉톱니(바퀴).

sperr≈angel·weit *a.* 〘구어〙 (돌쩌귀가 돌아갈 수 있는 한도까지) 활짝(angelweit): die Tür steht ~ offen 문은 활짝 열려 있다. **~ballon** *m.* 방공 기구(氣球). **~batterie** *f.* 항구 방어용 포대. **~baum** *m.* 빗장, (통행 금지의) 횡목(橫木), 목책; 〖海〗 방재(防材). **~beinig** *a.* 큰 걸음의, 활개 걸음의, 다리를 벌린. **~druck** *m.* 〖印〗 격자체(隔字體)〔글자 사이를 띄운〕 인쇄.

***Sperre** [ʃpɛ́rə] *f.* -n ① 통행 금지, (교통) 차단; 폐쇄; 〖海〗 봉쇄; (파업에 맞선) 공장 폐쇄, 로크 아웃; 〖軍〗 저지 시설, 방차(防遮): eine ~ verhängen〔aufheben〕 봉쇄 조처를 선포〔해제〕하다. ②〘비유〙금지, 압류, 억류; 방해. ③ 차단기; 빗장; 바리케이드; 〖철도〗 개찰구; 〖海〗 방재(防材): 〘구어〙 eine ~ haben (현재로는) 파악할 수 없다; ~n errichten 장애물을 설치하다. ④ ↑ Sperrfrist. ⑤ 〖스포츠〗 출장 정지 처분.

***sperren** [ʃpɛ́rən] 《♧ Sparren》 《Ⅰ》 *t.* ① 차단하다, 저지하다, 제지하다; 폐쇄하다, 봉쇄하다: einen Hafen ~ 항구를 봉쇄하다; die Demonstranten ~ die Straße 시위자들이 도로를 봉쇄한다. ② 멈추다; 〘비유〙 금(지)〔정지〕하다: das Rad ~ 브레이크를 걸다; das Gas〔Wasser〕 ~ 가스〔수도〕를 잠그다; die Einfuhr ~ 수입〔반입〕을 금지하다; die Temporalien ~ 목사의 봉록(俸祿)을 정지하다; ein Konto ~ 예금 계좌의 거래를 정지시키다; jm. den Kredit ~ 누구에게 신용 대출을 중단하다; einen Scheck ~ 수표의 지급을 정지시키다. ③ 집어넣다, 가두다: einen Verbrecher ins Gefängnis ~ 범인을 감옥에 넣다. ④ 넓히다, 벌리다: die Beine ~ 다리를 벌리다; den Mund ~ 입을 벌리다; 〖印〗 das Wort ~ 자간(字間)을 떼다. ⑤ 〖스포츠〗 **(a)** 진로를 방해하다. **(b)** 출장을 금지시키다. ⑥ (öst., südd.) 잠그다, 닫다: das Haustor ~ 대문을 닫다. 《Ⅱ》 *i.* (h.) ① 〘구어〙 **(a)** (문이) 제대로 닫히지 않다: das Fenster sperrt 창문이 잘 닫히지 않는다. **(b)** (옷이) 너무 꽨다: die Bluse sperrt 블라우스가 너무 꽨다. **(c)** (자물쇠가) 작동하다, 맞다: der Schlüssel sperrt nicht 열쇠가 맞지 않는다. ② (새끼새가 먹이를 먹으려고) 주둥이를 벌리다. 《Ⅲ》 *refl.* sich ~ ① 거역〔반항〕하다; 거절하다; 사양하다: gegen diese Anweisung werde ich mich ~ 이 지시에 대해 나는 반항할 것이다. ② 〘고어〙 뽐내다.

Sperr≈feder *f.* 〖기계〗 제륜자(制輪子), 제동자(制動子). **~feuer** *n.* 〖軍〗 저지 사격. **~frist** *f.* 〖法〗 ① 금지 기간. ② (화해 절차에서) 절차 개시 신청 전 30 일 동안의 기간. **~gebiet** *n.* ① 봉쇄 구역. ② 출입 금지〔제한〕 구역. ③ 〖軍〗 전시 해상 봉쇄 구역. **~geld** *n.* ① 〖經〗 봉쇄 화폐. ② (öst.) 야간에 문을 열어 주는 대가로 관리인이 받는 돈. **~gesetz** *n.* 금지령; 〖宗〗 목사 정직령(停職令). **~getriebe** *n.* 〖工〗 제동 장치. **~glocke** *f.* 폐문을 알리는 종. **~gürtel** *m.* 침입 저지망, 포위망. **~gut** *n.* 부피가 큰 화물. **~gut·haben** *n.* 〖금융〗 폐쇄〔지급 동결〕 계좌의 잔고. **~hahn** *m.* 콕의 마개. **~haken** *m.* ① 멈춤 갈퀴, 갈고랑이. ② 곁쇠, 곁쇠질용 도구〔열쇠〕. **~holz** *n.* 합판, 베니어판. **~holz·platte** *f.* 합판 판자.

Sper·riegel *m.* ① 횡목(橫木); 빗장. ② 〖軍〗 공격 저지 시설.

sperrig [ʃpɛ́rɪç] *a.* ① (화물이) 부피가 큰, 다루기 힘든: ein ~es Paket 부피가 큰 소포. ② 〖비유〗 다루기 힘든: ein ~es Problem 까다로운 문제.

Spẹrr≈jahr *n.* 〖재정〗 (주식 회사의 폐업에서) 금지〔정지〕 기간. **~kette** *f.* 통행 차단용 사슬〔체인〕; 바퀴를 멈추는 사슬. **~klausel** *f.* 〖政〗 (국회 내 교섭 단체 구성을 위한) 제한 조건. **~klinke** *f.* 〖기계〗 제동자(制動子), 깔쭉톱니(바퀴), 갈고랑이. **~konto** *n.* 〖금융〗 폐쇄〔지급 동결〕 계좌. **~kreis** *m.* 〖전기공학〗 (라디오의) 전파 트랩〔흡수기〕.

Spẹrrling *m.* -s, -e ① 횡목(橫木), 빗장. ② 합판제(合板製) 1인승 보트.

Spẹrr≈mauer *f.* (골짜기를 막아 만든 댐의) 방벽, 방축. **~minorität** *f.* 〖經·政〗 (의회나 주주 총회에서) 의결을 저지시킬 수 있는 소수파. **~müll** *m.* (가구 등) 부피가 큰 쓰레기. **~rad** *n.* 깔쭉톱니(바퀴) (↑ Sperrad).

Spẹrrriegel 新정서 ⇦ Sperriegel.

Spẹrr≈schicht *f.* ①〖건축〗 방습층, (보일러 등의) 절연층, (단열용의) 피복재. ②〖전기공학〗 공핍층. ③〖기상〗 기온의 역전층(逆轉層). **~schrift** *f.* 〖印〗 격자체(隔字體) (사이를 떼어 짠 활자). **~sitz** *m.* ① (극장·서커스의) 맨 앞줄의 특별석. ② (영화관의) 맨 뒷줄의 관람석. **~stunde** *f.* 〖法〗 (음식점 등의) 법정 폐점 시간; 외출 금지 시간.

Sperrung [ʃpɛ́ruŋ] *f.* -en ① 차단, 폐쇄; 〖海〗 봉쇄; 금지. ② 빗장, 횡목(橫木); 〖海〗 방재(防材). ③〖印〗 격자체(隔字體) (인쇄). ④ (öst.) 단음, 휴교, 폐업. ⑤〖心〗 (흥분으로 인한 사고(思考)의) 일시적 중단.

Spẹrr≈vermerk *m.* (증명서 등에 기재된) 제한 사항. **~vorrichtung** *f.* 제동 장치, 깔쭉톱니바퀴. **≈weit** *a.* ↑ ~angelweit. **~zeit** *f.* 〖法〗 ↑ ~stunde. **~zoll** *m.* 저지〔금지〕 관세. **~zone** *f.* 출입 금지 구역.

Spesen [ʃpéːzən] 《lat.》 *pl.* 부수적인 비용; 잡비; 운임: ~ machen 비용을 들이다; 〖농담〗 außer ~ nichts gewesen 고생만 잔뜩 했지 소득은 전혀 없었다.

spe̱sen≈frei *a.* 부수적인 비용을 들이지 않고. **≈platz** *m.* 〖금융〗 (수표·어음의 인출에) 특별 수수료를 내는 지역. **≈rechnung** *f.* 경비 계산서, 운임 청구서. **≈ritter** *m.* 〖펌어〗 공금 유용자.

Spessart [ʃpɛ́sart] 《"Spechtswald"의 뜻》 *m.* -s 슈페사르트(독일 남서부의 산맥).

spetten [ʃpɛ́tən] 《<spedieren》 *i.* (schweiz.) (가정부로) 일하다; 파트 타임으로 일하다.

Spẹtterin *f.* -nen (schweiz.) 시간제〔파트 타임〕 가정부〔파출부〕.

Spezerei [ʃpetsəráɪ] 《lat.》 *f.* -en 〖구식〗 ① 양념, 향료. ②〖복수〗 (öst.) 진미 식품.

Spezere̱i≈händler *m.* 〖구식〗 (schweiz.) 식료(품) 잡화 상인, 반찬 가게 주인. **~ware** *f.* ①〖구식〗 ↑ Spezerei. ②〖복수〗〖구식〗 (schweiz.) 식료 잡화류.

Spezi [ʃpéːtsi] 《<Spezial》 *m.* -s, -(s) ① (südd., öst., schweiz.) 친한 친구; 술친구. ② (bayr.) (레몬 주스와 콜라를 섞은) 청량 음료.

spezial [ʃpetsiáːl] 《lat.》 *a.* 〖고어〗 ↑ speziell.

Spezia̱l *m.* -s, -e 〖방언〗 ① 친한 친구. ② 고급 포도주 한 잔. ③ Schoppen 의 2분의 1의 양.

spezial.. *pref.* "특별한·별개의·전문의"의 뜻 (보기: ≈gebiet 특수 분야).

Spezia̱l≈arzt *m.* 전문의(醫). **~ausbildung** *f.* 특수 훈련〔교육〕. **~ausführung** *f.* 특별한 끝마무리: ein Bett in ~ 특별 제작한 침대. **~bericht** *m.* 특보(特報). **~disziplin** *f.* ① 전문〔특별〕 과목〔영역〕. ②〖스포츠〗 전문 경기 종목. **~etat** [..etaː] *m.* 특별 예산. **~fach** *n.* 특수〔전문〕 분야〔과목〕. **~fahrzeug** *n.* 특수 차량. **~fall** *m.* 특별한 경우. **~gebiet** *n.* 특수〔전문〕 영역. **~geschäft** *n.* 전문점.

Spezialien [ʃpetsiáːliən] 《lat.》 *pl.* 〖구식〗 상세한 사항, 세목; 특수 사정.

Spezialisation [ʃpetsializatsióːn] *f.* -en ① 전문〔전공〕화. ②〖生〗 분화, 특수화. ③〖구식〗 세분.

spezialisieren [ʃpetsializíːrən] 《I》 *t.* 〖구식〗 (항목 등을) 상세하게 나누다, 세분하다; 각 항에 관하여 논하다. 《II》 *refl.* sich ~ 전문으로 하다, 전공하다: sich auf plastische Chirurgie ~ 성형 외과를 전공하다.

Spezialisi̱erung *f.* -en ① 전문화, 전공화. ②〖구식〗 상론, 세분.

***Spezialist** [ʃpetsialíst] *m.* -en, -en ① 전문가. ② 전문점〔업자〕: Reinigungs≈ 세탁 전문점〔업자〕. ③ 전문의(醫). ④〖펌어〗 (실수나 어리석은 짓의) 전문가.

Spezialistentum [..lístəntuːm] *n.* -s 전문가 기질, 전문〔분과〕주의.

***Spezialität** [..litɛ́ːt] *f.* -en ① (어떤 지방·음식점의) 유명한 음식〔요리〕, 명물: Eierkuchen sind ihre ~ a) 팬케이크는 그녀가 즐겨 먹는 음식이다, b) 그녀는 팬케이크를 특히 잘 만든다. ② 특기, 취미. ③〖구식〗 특색, 특징. ④〖法〗 (법 적용 때) 특별 규정 우선 적용 원칙.

Spezialitä̱ten·restaurant [..rɛstorãː, ..raŋ] *n.* 전문 음식점.

Spezia̱l≈karte *f.* 특수 지도, 지방별 지도. **~mittel** *n.* 특효약. **~slalom** *m.* 〖동계스포츠〗 (경기 종목으로서의) 회전 경기. **~sprung·lauf** *m.* 〖동계스포츠〗 (경기 종목으로서의) 스키 도약. **~stahl** *m.* 특수강(鋼). **~training** [..trɛːnɪŋ] *n.* 특수 훈련. **~vollmacht** *f.* 특별〔전권〕 위임.

***speziell** [ʃpetsiɛ́l] 《lat.》 《I》 *a.* 특별〔특수〕한; 세목의; 특이〔독특〕한: im ~en Falle 특별한 경우에; 〖구어·반어〗 mein ~er Freund a) 절친한 내 친구, b) 형편 없는 인간; im ~en 상세하게, 낱낱이; 〖구어〗 aufs ≈e 〔auf Ihr ≈es〕! 당신의 건강을 위하여! (축배 때 하는 말). 《II》 *adv.* 특별히: das Kleid wurde ~ für sie gefertigt 그 옷은 특별히 그녀를 위해서 만들어졌다; du ~ 〔~ du〕 bist angesprochen 네가 특히 언급되고 있다.

Spezierer [ʃpetsíːrər] 《lat.》 *m.* -s, - (schweiz.) 식료·잡화 상인.

Spezies [ʃpéːtsiɛs, sp..] *f.* ① 특종, 종류: eine neue ~ (von) Journalist 아주 새로운 부류의 기자; die menschliche ~ 인간. ②〖生〗 종(種); 〖哲〗 종(種)개념. ③〖法〗 특정물. ④〖藥〗 여러 종류의 차 혼합물, 차제(茶劑). ⑤〖數·구식〗 (4칙과 같은) 기본 계산법: die vier ~ 4칙, 가감승제.

Spe̱zies·taler *m.* 〖구식〗 (지폐의 반대 개념으

로서의) 금화, 경화(硬貨).

Spezifikation [..tsifikatsió:n] *f.* -en ① 상술; 명세(서); 〖哲〗 특수화. ②〖法〗 가공.

Spezifikations·kauf *m.* 〖法·經〗 주문 생산 구매.

Spezifikum [ʃpetsí:fikum, sp..] *n.* -s, ..ka ①〔교양〕특성, 특징, 특유성. ②〖藥〗특효약.

spezifisch [ʃpetsí:fɪʃ, sp..] *a.* ① 특수〔독특〕한; 특효가 있는: ein ~es Mittel 특효약; 〖物〗 ~es Gewicht 비중; 〖物〗 ~e Wärme 비열(比熱); 〖전기〗 ~er Widerstand 고유 저항; ein ~es Merkmal 특징; das für Hunde ~e Verhalten 개 특유의 행동. ②〖醫〗 어떤 병에 특징적인: ~e Behandlung 특수 치료.

Spezifität [ʃpetsifitɛ́:t, sp..] *f.* -en 〔교양〕 특(유)성.

spezifizieren [ʃpetsifitsí:rən, sp..] *t.* 〔교양〕 자세히 적다, 상술〔상론〕하다; 명세서를 만들다: einen Plan ~ 어떤 계획을 상론하다; eine Ausgabe ~ 지출 명세서를 작성하다.

Spezifizierung *f.* -en 〔교양〕 상술, 상론, 세목별 나열.

Spezimen [ʃpé:tsimən, ..mɛn, spé..] *n.* -s, ..zimina [..tsí:minə] 〔구식〕 견본, 모형.

***Sphäre** [sfɛ́:rə] 《gr.》 *f.* -n ① 구(球), 구면(球面); 〖天〗 천체, 천구(天球): 〔농담〕 in höheren ~n schweben 현실과 동떨어진 세계에서 살다. ② 범위, 영역, 권(圈): die private 〔berufliche〕 ~ 사적 영역〔직업 분야〕; das liegt nicht in meiner ~ 그것은 내 전문 영역이 아니다.

Sphären≈harmonie *f.* (Pythagoras 의 천문설에 따른) 천체의 화음, 하늘의 음악. **~musik** *f.* ① ↑ ~harmonie. ② 천상의 음악〔음률〕; 매우 아름다운 음악.

sphärisch [sfɛ́:rɪʃ] 《gr.》 *a.* ① 천구의: ~e Musik 천상의 음악. ② 구상(球狀)의, 구면의: 〖기하〗 ein ~es Dreieck 구면 3 각형; 〖기하〗 ~e Trigonometrie 구면 3 각법; 〖광학〗 ~e Aberration (렌즈의) 구면 수차(收差). ③ 구형〔궁륭형·아치형〕의.

Sphäroid [sfɛroí:t] *n.* -(e)s, -e 〖기하〗 ① 구(球)와 비슷한 물체(의 표면). ② (지구와 같은) 회전 타원체〔면〕.

sphäroidisch *a.* 구와 비슷한 물체의; 회전 타원체의.

Sphärolith [..lí:t, ..lɪt] *m.* -s/-en, -e(n) 〖지질〗 방사선상으로 배열되어 있는 구상(球狀)의 응집물.

Sphärologie [spɛrologí:] *f.* 구형(球形) 기하학.

Sphärometer *n.* -s, - 〖工〗 구면계(球面計), 스페로미터.

Sphärosiderit [..ziderí:t, ..rɪt] *m.* -s, -e 구상(球狀) 능철광.

Sphenoid [sfenoí:t] *n.* -(e)s, -e ①〖해부〗 설상골. ②〖광물〗 쐐기 모양의 결정형(結晶形).

sphenoidal [..idá:l] *a.* 쐐기 모양의.

Sphinkter [sfɪŋktər] 《gr.》 *m.* -s, -e [..té:rə] 〖해부〗 괄약근.

***Sphinx** [sfɪŋks] 《gr., „Würger(in)"》 《I》 *f.* ①〖그리스신화〗 스핑크스(사람의 머리를 한 날개 달린 암사자; 수수께끼를 내어 풀지 못하면 죽였다고 함). ②〔비유〕 불가해한 것〔사람〕. 《II》〔고고〕 ① *m.* -, -e/Sphingen [sfíŋən] 스핑크스(이집트의 왕 또는 신을 상징하는 석상). ② *m.* -, -e/Sphingen 〔*f.* -e〕 스핑크스(그리스·로마 예술에서 사자의 몸통과 여자의 머리에 날개가 달린 괴물). 《III》〖복수: Sphingen〗 〖動〗 박각싯과(科)의 나방.

Sphragistik [sfragístɪk] 《gr.》 *f.* 인장학(印章學) (Siegelkunde).

Sphygmogramm *n.* -s, -e 〖醫〗 맥파 곡선.

Sphygmograph [sfʏgmográ:f] *m.* -en, -en 〖醫〗 맥파계, 맥박 기록기.

Spick [ʃpɪk..] *m.* -(e)s, -e (schweiz.) 〔학생〕 커닝 페이퍼, 부정 행위용 쪽지.

Spick·aal *m.* (ndd.) 훈제 뱀장어.

Spickel [ʃpíkəl] *m.* -s, - (schweiz.) (옷의) 섶, 덧대는 헝겊 조각.

spicken [ʃpíkən] 《<Speck》 《I》 *t.* ①〖요리〗 (기름기가 적은 고기에) 베이컨 조각을 끼워넣다: das Fleisch ~ 고기에 베이컨의 가는 조각을 끼워넣다; den Braten ~ 불고기에 기름을 바르다; 〔비유〕 den Speck ~ 쓸데없는 짓을 하다. ②〔구어〕 잔뜩 채워넣다〔삽입하다〕: dieser Bericht ist mit Lügen gespickt 이 보고는 거짓투성이다; der gespickte Geldbeutel 꽉 찬 돈지갑; die Arbeit 〔das Diktat〕 war mit Fehlern gespickt 그 논문은〔받아쓰기는〕 실수투성이다; sich[3] 〔jm.〕 den Beutel ~ 자신〔누구〕의 지갑에 돈을 가득 채우다. ③〔구어·경박〕 뇌물을 주다, 매수하다: den Beamten ~ 관리를 매수하다. ④〔방언〕 훈제하다. ⑤ (schweiz.) 찌르다. 《II》 *i.* ① (h.)〔학생〕 커닝하다: bei〔von〕 seinen Nachbarn ~ 옆 사람 것을 슬쩍 보고 베끼다. ② (s.) (schweiz.) 시험에 떨어지다: er ist gespickt 그는 시험에 떨어졌다. 《III》 **gespickt** *p.a.* ↑ gespickt.

Spick≈gans *f.* 〖요리〗 훈제 거위의 가슴살. **~hering** *m.* 훈제 청어. **~nadel** *f.* 〖요리〗 베이컨 조각을 끼워넣는 꼬챙이. **~zettel** *m.* 〔학생〕 ↑ Spick.

Spider [ʃpáɪdər, sp..] 《engl.》 *m.* -s, - 로드스터(대개 2-3 인승의 무개차〔오픈 카〕).

spie [ʃpi:] ↑ speien 의 과거형.

***Spiegel**[1] [ʃpí:gəl] 《lat. speculum.》 *m.* -s, - ① 거울; 반사경; (schweiz.) 안경: in den ~ sehen 거울을 들여다보다; sich im ~ besehen 제 몸을 거울에 비춰 보다; 〔비유〕 ein ~ seiner Zeit 그의 시대의 거울; 〔구어〕 das kannst du dir hinter den ~ stecken! 그것을 유념하여라!; 〔구어〕 diese Note wird er sich nicht hinter den ~ stecken 그는 이 성적을 자랑 삼아 내보일 수는 없을 것이다; jm. den ~ vorhalten 누구의 잘못을 지적하다; 〔속담〕 der ~ schmeichelt nicht 거울은 거짓말을 안한다. ②〔비유〕 거울, 귀감, 모범; 규범서, 법감(法鑑)(중세의 법령집): Fürsten≈ 군주의 귀감서(제왕의 도를 적은 책); der Sachsen≈ 〔der ~ des Sachsenrechts〕 작센 법전; klare ~ aller ritterlichen Tugend 기사도의 귀감. ③ **(a)** 수면: der ~ des Meeres 〔Meeres≈〕 (거울 같은) 해면. **(b)** 수위(水位): der ~ des Mains 마인강의 수위. ④ **(a)** 〖유행〗 금장(襟章); 예복의 비단 옷깃. **(b)** (제복의) 칼라 장식. ⑤〖動〗 (새나 벌레의 날개 또는 소나 말의 이마에 있는) 흰점; 비늘. ⑥〖조선〗 (배의) 고물. ⑦〖요리〗 당의(糖衣); 〖軍〗 탄환의 (매끈한) 배부분; 〖지질〗 단층 경면(鏡面). ⑧〖印〗 판면(인쇄판의 표면). ⑨〖醫〗 **(a)** 검강경(檢腔鏡). **(b)** (체내의 특정 물질의) 농

도, 함유율. ⑩〖건축〗 (**a**) 문틀을 채우는 널빤지〔유리〕. (**b**) 천장 널. ⑪〖사냥〗 (**a**) (오릿과 새의 날개의) 얼룩무늬, 반점. (**b**) (노루·사슴의 엉덩이 부분의) 흰점. ⑫ 표적의 중심점. ⑬〖제본〗 (서명·저자명 등을 적은) 책표지 안쪽의 페이지. ⑭ 도표, 요람: Klassen∼ 학급의 좌석표.

Spiegel² *m.* 슈피겔지(紙) (독일의 대표적인 시사 주간지).

Spiegel≈achse *f.* 대칭축. **∼belag** *m.* 거울 뒤쪽의 수은박(箔); 〖化〗 주석 아말감.

Spiegelberg *m.* 슈피겔베르크(쉴러의 희곡 "군도(群盜)"에 나오는 인물): 〔속담〕 ∼, ich kenne dich 나는 네 속셈을 잘 알고 있어.

Spiegel≈bild *n.* ① 투영상, 거울〔수면〕에 비친 상(像); 〖物〗 경상(鏡像). ② 신기루; 〔드물게〕 환영(幻影). **∼bildlich** *a.* 투영상의, 좌우가 반대로 된. **∼blank** *a.* 거울처럼 반짝거리는; 〔비유〕 말쑥한, 번들거리는: der Fußboden war ∼ geputzt 마룻바닥은 윤기가 날 정도로 잘 닦여 있었다. **∼decke** *f.* 거울을 붙인 천장.

Spiegelei¹ *f.* -en 연거푸 거울에 비춰 보기.

Spiegel≈ei² *n.* 〖요리〗 달걀 프라이. **∼eisen** *n.* 〖化〗 경철(鏡鐵). **∼fabrik** *f.* 거울 공장. **∼fechten** *n.* ① 짜고 하는 시합, 담합 시합. ② 속임수, 사기. **∼fechter** *m.* 속임수 쓰는 사람, 사기꾼. **∼fechterei** *f.* 〔폄어〕 ① 기만, 속임수: das ist doch alles nur ∼! 그 모든 것은 속임수에 불과하다! ② 기만하는 말. **∼feld** *n.* ① 소란(小欄), 귀틀. ② 거울의 테. **∼fläche** *f.* 거울의 면; 거울 같은 평면. **∼folie** *f.* 거울 뒤의 수은박(箔). **∼gewölbe** *n.* 〖건축〗 중간은 평평하고 가장자리만 아치형인 천장. **∼glas** *n.* ① 판유리; 거울용 판유리. ② 〔드물게〕 거울. **∼glatt** *a.* 거울처럼 매끄러운. **∼hell** *a.* 거울처럼 환한, 맑은.

spiegelicht *a.* ↑ spiegelig.

spiegelig *a.* 거울 같은, 거울처럼 빛나는; 대칭의.

Spiegeligkeit *f.* -en 거울 같음, 거울처럼 빛남.

Spiegel≈karpfen *m.* 〖動〗 비단 잉어. **∼lampe** *f.* 반사 램프.

***spiegeln** [ʃpíːgəln] 《I》 *i.* (h.) (거울처럼) 빛나다, 반들거리다: ∼de Wellen〔Waffen〕 번쩍거리는 물결〔무기〕; der Fußboden spiegelt 마룻바닥이 반들거린다. 《II》 *t.* ① 반사〔반영〕하다, 보이다; 거울에 비추다: die blanke Scheibe spiegelte sein Bild 반짝이는 유리창에 그의 모습이 투영되었다; das Elend der unteren Klassen ∼ 하층 계급의 비참함을 보여 주다; die Augen ∼ die Seele 눈은 마음의 창이다. ② 거울을 붙이다〔달다〕. ③〖요리〗 (과자에) 설탕을 입히다. ④〖醫〗 내시경으로 진찰하다: den Darm〔Nasenraum〕 ∼ 장〔비강〕을 내시경으로 진찰하다. 《III》 *refl.* sich ∼ ① 거울에 비치다; 반영되다, 나타나다: der Baum spiegelt sich im Wasser 나무가 물에 비친다; das Wesen eines Volkes spiegelt sich in seiner Kunst 한 민족의 본모습은 그 민족의 예술에 반영된다. ② 〔드물게〕 자기 모습을 거울에 비추어보다. ③ 〔비유〕 sich in 〔an〕 jm.〔et.³〕 ∼ 누구를〔무엇을〕 거울로〔모범으로, 귀감으로〕 삼다, 누구를〔무엇을〕 본받다.

Spiegel≈pfeiler *m.* 〖건축〗 거울을 거는 기둥, 창문 사이의 벽. **∼reflex·kamera** *f.* 〖사진〗 (반사경을 갖춘) 리플렉스 카메라. **∼saal** *m.* 거울로 사방을 둘러친 큰 방. **∼scheibe** *f.* 거울 유리, 두꺼운 판. **∼schleifer** *m.* 거울 유리 연마공. **∼schrank** *m.* 거울이 달린 옷장. **∼schrift** *f.* 거울 문자(거울에 비추어 정상적인 글자의 좌우가 뒤바뀌어 나타나는 문자): in ∼ schreiben 거울 문자로 쓰다. **∼strich** *m.* 〖印〗 (한 문절이 시작됨을 표시하기 위해 긋는) 수평의 선. **∼tafel** *f.* 체경(體鏡). **∼teleskop** *n.* 〖工〗 반사 망원경. **∼tisch** *m.* 경대, 화장대.

Spiegelung [ʃpíːgəluŋ] *f.* -en ① (**a**) 비춰보기. (**b**) 반사, 반영. ② 영상, 경상(鏡像). ③ 신기루.

spiegel≈verkehrt *a.* 좌우가 뒤바뀐. **∼zimmer** *n.* ↑ ∼saal.

Spieglung *f.* -en ↑ Spiegelung.

Spiek *m.* -(e)s, -e ↑ Spieke.

Spieke [ʃpíːkə] 《lat. „Ähre"》 *f.* -n 〖植〗 라벤더.

Spieker [ʃpíːkər] *m.* -s, - (ndd.) ①〖조선〗 (배에 쓰는) 대갈못. ② (곡물) 창고.

spiekern *t.* 〖조선〗 (ndd.) 대갈못으로 박다.

***Spiel** [ʃpiːl] 《germ.; 원뜻 „Tanz"》 *n.* -(e)s, -e ① (**a**) 놀이, 유희; 장난, 오락: es ist ihm 〔für ihn〕 nur ein ∼ 그것은 그에게는 식은 죽 먹기에 불과하다; das ∼ mit der Liebe 사랑의 유희; das ∼ mit dem Feuer 불장난; js. ∼ durchschauen 누구의 음모를 간파하다; das ∼ zu weit treiben 장난이 지나치다; jm. freies ∼ lassen〔geben〕 누구에게 활동의 여지를 주다, 수완을 발휘하게 하다; sein ∼ mit jm. 〔et.³〕 treiben〔haben〕 누구를〔무엇을〕 놀리다; der Teufel hat damit sein ∼ 거기에는 악마의 손길이 뻗쳐 있다; jm. das ∼ verderben a) 누구의 흥을 깨뜨리다, b) 누구의 술책을 좌절시키다; im ∼ versunken sein 놀이에 푹 빠져 있다; ein ∼ mit Worten 말장난; ein ∼ der Natur 자연의 현상; ein ∼ des Schicksals 운명의 장난; ein ∼ des Zufalls 우연한 돌발 사고. (**b**) 경기, 게임, 시합: die Olympische ∼e 올림픽 경기; ein abgekartetes ∼ 서로 짠 음모, 부정 경기; ein ∼ für Kinder und Erwachsene 아동과 성인용 게임; ein ∼ im Freien 옥외 경기; das königliche ∼ 체스; das ∼ hat sich gewendet 상황이 달라졌다, 정세가 일변했다; da ist noch etwas anderes mit im ∼ 거기에는 뭔가 또 다른 일이 관련되어 있다; das erste ∼ verlieren 첫 판에 지다; das ∼ ist aus 게임은 끝났다. ② 승부; 내기, 도박: Pech in der Liebe, Glück im ∼ 사랑에 지고, 도박에서 이기다; sein Geld im 〔beim〕 ∼ gewinnen〔verlieren〕 도박에서 돈을 따다〔잃다〕; bei jm. gewonnenes ∼ haben a) 누구에 대해서는 승산이 있다, b) 누구쯤이야 문제없다; bei et.³ 〔bei〔mit〕 jm.〕 leichtes ∼ haben 무엇에는〔누구에게는〕 쉽게 이길 수 있다; ein doppeltes ∼ spielen 이중 플레이를 하다; das ∼ verloren geben 내기에 져주다; ein ehrliches ∼ spielen 당당히 승부하다, 페어 플레이를 하다; ein falsches ∼ mit jm. treiben 누구에게 속임수를 쓰다. ③ 〔전치사와 함께〕 Sie sind **am** ∼e (내기에서) 당신 차례입니다; et. **aufs** ∼ setzen (경박하

게) 무엇을 걸다, 〖비유〗(목숨 등을) 걸다; auf dem ~ stehen 위험에 처해 있다; bei et.³ **aus** dem ~ bleiben 무엇에 관여하지 않다; jn.〔et.〕 aus dem ~ lassen 누구를〔무엇을〕 개입시키지〔끌어들이지〕 않다; ein Spieler wird aus dem ~ genommen 어떤 선수가 교체되어 나가다; laß mich aus dem ~ ! 나는 개입시키지 말아줘 ! ; die Hand bei et.³ **im** ~ haben 〔bei et.³ mit im ~ sein〕 무엇에 관계〔관여〕하다, 영향을 미치다; et. wie im ~ lernen 〔schaffen〕 무엇을 힘들이지 않고 배우다〔처리하다〕; ins ~ kommen 역할을 하다, 영향을 미치다; jn.〔et.〕 ins ~ bringen 누구를〔무엇을〕 끌어들이다; ein Spieler kommt ins ~ 〔wird ins ~ geschickt〕 어떤 선수가 교체되어 들어가다; sich 〔die Hände〕 ins ~ mischen 무엇에 간섭하다. ④ 움직임, 운동, 유동(遊動); (빛이) 번쩍임, 섬광; 〖기계〗 운전; (피스톤의) 행정: das ~ der Augen〔Wellen〕 눈의 움직임〔물결의 출렁거림〕; das ~ der Mienen 표정의 변화; das ~ des Lichtes 등불의 깜박거림; das ~ der Phantasie (끝없는) 공상의 유희; das ~ der Farben 색채의 미묘한 변화; das ~ der Räder 수레바퀴의 회전. ⑤ (**a**) 〖연극〗 연극, 극: ~ im ~ 극중극; ein ~ für den Funk 방송극. (**b**) (배우의) 연기, 기교: ein stummes ~ 무언 연기. ⑥〖음악〗 (**a**) 연주; 탄주: ~ auf der Orgel 오르간 연주; 〖軍〗 mit klingendem ~e 군악을 울리며. (**b**) 악곡. ⑦ (도구 따위의) 한 벌, 한 틀: ein ~ Karten〔Stricknadeln〕 카드〔뜨개바늘〕 한 벌; 〖비유〗 ein ~ Menschen 〔Geld〕 많은 사람들〔돈〕. ⑧〖사냥〗 (**a**) (큰 뇌조·꿩 등의) 꼬리. (**b**) 〖드물게〗 (큰 뇌조의 수컷이) 짝을 찾는 울음소리. ⑨〖방언〗 꼬챙이. ⑩〖컴〗 전자 오락. ⑪ 경기 방식〔매너·페이스〕: ein faires〔defensives〕 ~ 공정한〔방어적인〕 경기 방식; zu seinem ~ finden 정상적인 경기 페이스를 찾다; das ~ auf Zeit 경기의 지연 전술. ⑫ (카드·볼링 등의) 게임 규정. ⑬ 〖工〗 유동의 여지, 유격(裕隔): Kupplungs~ 클러치 유격.

Spiel=abbruch *m.* 경기 중단. **~alter** *n.* (아이의) 한창 놀 나이: ins ~ kommen 한창 놀 나이에 접어들다; im ~ sein 한창 놀 나이이다. **~anzug** *m.* (아이의) 놀이옷. **~art** *f.* ① 노는 방식; 〖음악〗 연주법. ②〖動·植〗 변종(變種). **~automat** *m.* (슬롯 머신과 같은) 자동 도박기〔오락기〕. **~ball** *m.* ① (놀이용) 공, 볼. ②〖비유〗 노리갯감, 희롱물: ein ~ des Schicksals sein 운명에 농락당하다. ③ (**a**) 〖구기〗 (경기용) 공. (**b**) 〖당구〗 당구공. (**c**) 〖테니스〗 (한 게임을 이기는 데 필요한) 점수. (**d**) 〖배구〗 게임 포인트. **~bank** *f.* 〖복수: -en〗 도박대; 도박장, 카지노: die ~ besuchen 〔in die ~ gehen〕 카지노에 가다; die ~ sprengen 밑천보다 더 따다.

spielbar *a.* ① 놀이할 수 있는; 연기〔연주·상연〕할 수 있는: das Stück ist kaum ~ 그 작품은 공연이 거의 불가능하다. ②〖스포츠〗 (공·퍽 등이) 경기에 적당한, 경기할 수 있는.

Spiel=beginn *m.* 경기 개시. **~bein** *n.* ①〖댄스·스포츠〗 체중이 실리지 않은 다리. ②〖조각〗 체중을 받치고 있지 않은 다리. **~betrieb** *m.* 조직적인 공연〔스포츠〕 활동. **~brett** *n.* ① 장기〔바둑〕판. ②〖농구〗 백보드. **~bude** *f.* 노름집; 도박장. **~dose** *f.* 음악 상자, 오르골, 자동 주악기(奏樂器).

***spielen** [ʃpíːlən] 《<Spiel》《I》 *t.* ① (놀이·시합을) 하다: Ball〔Billard, Karten, Schach, Tennis〕 ~ 공놀이하다〔당구치다, 카드놀이하다, 체스두다, 테니스치다〕; Soldaten ~ 병정놀이를 하다; spielst du Skat? 너 스카트놀이 할 줄 아니? ; Roulette〔Lotto〕 ~ 룰렛〔복권 숫자맞추기〕 게임을 하다; ein falsches〔gewagtes〕 Spiel ~ 내기에서 속임수를 쓰다〔대담한 내기를 하다〕. ②〖음악〗 연주하다: Klavier ~ 피아노 치다; Beethoven ~ 베토벤의 곡을 연주하다; 〖구어〗 eine Schallplatte ~ 전축판을 틀다. ③〖연극〗 상연하다; 연기하다, 분장하다; 〖비유〗 …인 체하다, …처럼 굴다: ein Drama 〔eine Oper〕 ~ 희곡을〔오페라를〕 공연하다; eine Rolle ~ 어떤 역을 맡다, (사회적으로) 힘이 있다; 〖비유〗 den Herrn ~ 신사인 체하다, 주인처럼 굴다; 〖농담〗 Vorsehung ~ 은밀하게〔남몰래〕 후원하다; Sehnsucht ~ 동경하는 체하다; jm. einen Streich〔Possen, Schabernack〕 ~ 누구에게 장난치다; 〖비유〗 was wird hier (eigentlich) gespielt? 여기서 (도대체) 무슨 일이 일어나고 있는가? ④ (**a**) (어떤 위치를) 보다: Torwart 〔Verteidiger〕 ~ 골키퍼〔수비〕를 맡다. (**b**) (볼을) 특정한 방향으로 몰다〔차다〕: den Ball ins Tor ~ 볼을 골문 안으로 차넣다. ⑤ 능가하다: jn. an die Wand ~ (공연·영화에서) 누구를 압도하다. ⑥ 슬쩍〔몰래〕 어떤 곳으로 운반하다: 〖비유〗 jm. et. in die Hand ~ 무엇을 누구의 손에 재빨리 쥐어 주다, 누구를 도와주다; jm. et. aus der Tasche ~ 무엇을 누구의 호주머니에서 꺼내다. 《II》 *i.* (h.) ① 놀다, 놀이하다, 장난〔희롱〕하다; 경기하다: mit Puppen ~ 인형을 가지고 놀다; auswärts 〔in der Halle〕 ~ 옥외〔실내〕에서 경기하다; auf Zeit ~ 경기에서 지연 전술을 펴다; unentschieden 〔2:1〕 ~ 무승부〔2:1〕로 끝나다; A spielt gegen B A가 B를 상대로 시합한다; 〖비유〗 mit dem Gedanken ~, et. zu tun 무엇을 할 것인지 곰곰이 생각하다; mit Worten ~ 말장난하다; an seinen Ohrläppchen ~ 귓불을 만지작거리다; mit ihr ~ 그녀와 시시덕거리다; mit dem Feuer ~ 불장난하다; sich³ in die Hände ~ 〔unter einer Decke ~〕 결탁〔공모〕하고 있다. ② 승부를 다투다, 내기하다, 노름〔도박〕하다: glücklich〔unglücklich〕 ~ 승부에서 운이 좋다〔나쁘다〕; hoch〔niedrig〕 ~ 많은〔적은〕 돈을 걸다; falsch ~ 사기 도박을 하다; um Geld ~ 돈을 걸고 내기하다; er spielt 그는 노름꾼이다; 〖비유〗 um Leben ~ 목숨을 걸다; mit offenen〔verdeckten〕 Karten ~ 공공연히〔몰래〕 하다; 〖商〗 auf〔an〕 der Börse ~ 증권 투기하다. ③〖음악〗 연주하다: auf〔〖드물게〗 mit〕 einem Instrument ~ 어떤 악기(樂器)를 연주하다; auswendig〔vierhändig〕 ~ 악보 없이 연주하다〔두 사람이 연주하다〕. ④ (**a**) (무대 위에) 전개되다, 펼쳐지다; der Roman spielt in München 이 소설의 무대는 뮌헨이다; das Drama spielt zur Zeit der Königin Elisabeth 이 연극의 배경은 엘리자베스 여왕 시대다. (**b**) (배우로) 일〔활동〕하다: an einem Stadttheater ~ 시립 극장에서 배우로 활동하다. ⑤ 조용히〔가볍게〕 움직이다; (바람이) 솔솔 불다,

가물〔살랑〕거리다: der Wind spielt 바람이 솔솔 분다; die Fahne spielt im Winde 깃발이 바람에 나부낀다; die Scheinwerfer spielen über den Himmel 탐조등 불빛이 하늘에 어른거린다; ein Lächeln spielte um ihre Lippen 그녀의 입가에는 미소가 감돌았다. ⑥ 움직이다; 활동하다: Maschinen ~ 기계가 작동하다; die Kanonen ~ gegen den Feind 대포가 적진으로 발사되다; ~ lassen 움직이게 하다, 활동〔발휘〕하게 하다: seine Augen über et. ~ lassen 무엇을 둘러보다〔힐끗 보다〕; die Wasserkünste ~ lassen 분수를 내뿜다; seinen Witz ~ lassen 기지를 발휘하다, 익살을 부리다; seine Reize ~ lassen 매력을 발산하다; er ließ sein Gold ~ 그는 자금력을 동원했다, 돈을 뿌렸다. ⑦ **(a)** 여러 가지 빛을 내다, 찬란하게 빛나다: in allen Farben ~ 찬란하게 빛나다. **(b)** (색조가) 변하다: diese Farbe spielt ins Blaue 이 색은 푸르스름해진다. 《Ⅲ》 *refl.* sich ~ ① (놀이·경기의 결과 특정한 상태)에 이르다: sich müde ~ 놀아서 피곤해지다; sich arm〔um sein Vermögen〕 ~ 노름으로 가난해지다〔재산을 날리다〕. ② (연기를 통해) 무엇에 이르다: sich an die Spitze ~ 연기를 통해 정상급 배우가 되다. ③ sich auf et. hinaus ~ 무엇인 체하다, 무엇처럼 굴다; (öst.) sich mit et.³ ~ 장난 삼아 무엇을 하다.

spielend 《Ⅰ》 *p.a.* 노는, 장난하는; 하늘〔가물〕거리는: ~e Sonnenlichter im Walde 숲속에서 가물거리는 햇빛; ~e Wellen 출렁거리는 물결. 《Ⅱ》 *adv.* 놀면서, 쉽게: et. ~ lernen 무엇을 쉽게 깨우치다; ein Hindernis ~ nehmen 장애물을 손쉽게 제거하다.

Spiel·ende *n.* 〖스포츠〗 경기 종료.

Spieler [ʃpíːlər] *m.* -s, - ① 노는 사람, 유희자. ② **(a)** 경기자, 선수; (장기 등을) 두는 사람. **(b)** 카드놀이하는 사람; 첫 패를 내는 사람, 선(先). **(c)** 〘폄어〙 도박〔노름〕꾼. **(d)** 〘비유〙 경솔〔무책임〕한 사람. **(e)** 무뢰한, 게으름뱅이. ③ 〖음악〗 연주자; 〖연극·드물게〗 배우.

Spielerei [ʃpiːlərάɪ] *f.* -en ① 〘폄어〙 놀이, 장난; 농담; (남녀 사이의) 희롱. ② **(a)** 소일거리. **(b)** 〘폄어〙 손쉬운〔사소한〕 일. **(c)** 장난감, 잡동사니.

Spielerin *f.* -nen ↑ Spieler 의 여성형.

spielerisch *a.* ① 장난으로 하는; 놀기 좋아하는. ② 진지함이 결여된, 피상적인. ③ (치장이) 가벼운: ~e Verzierungen 가벼운 치장. ④ 경기(방식)에 관한: ein ~ hervorragender Gegner 경기 운영이 탁월한 상대 선수.

Spieler·transfer *m.* 선수의 이적.

Spiel≈feld *n.* ① 코트, 경기장, 그라운드. ② 활동 분야. **~feld·hälfte** *f.* 〖스포츠〗 코트〔경기장〕의 반쪽. **~figur** *f.* (체스 등의) 말. **~film** *m.* 극영화: einen ~ drehen 극영화를 촬영하다. **~fläche** *f.* ① 경기장, 코트. ② 공연 장소, 무대. **~folge** *f.* 경기〔연주·공연〕 순서. **≗frei** *a.* ① 〖스포츠〗 경기가 없는. ② 〖연극〗 공연이 없는. **~freude** *f.* 〖스포츠〗 운동을〔경기를〕 즐김. **≗freudig** *a.* 운동을〔경기를〕 즐기는. **~freund** *m.* 놀기〔노름〕 좋아하는 사람. **~führer** *m.* 〖스포츠〗 주장. **~führerin** *f.* 〖스포츠〗 ↑ ~führer 의 여성형. **~gefährte** *m.* ↑ ~genosse. **~gefährtin** *f.* ↑ ~gefährte 의 여성형. **~geld** *n.* ① 내기에 건 돈, 판돈. ② (노름판의) 칩, 대용 돈. **~genosse** *m.* 놀이 친구. **~gemeinschaft** *f.* 놀이 모임. **~hahn** *m.* 〖사냥〗 검은 뇌조의 수컷. **~hälfte** *f.* ① 경기 시간의 반, 전반〔후반〕전. ② 코트〔경기장〕의 절반〔한쪽 반〕. **~halle** *f.* ① 실내 경기장〔공연장〕. ② (슬롯 머신 등이 설치된) 실내 도박장. **~haus** *n.* ↑ ~hölle. **~hölle** *f.* 〘폄어〙 도박장. **~höschen** *n.* (아이들이 놀 때 입는) 짧은 바지.

Spieliothek [ʃpiːliotéːk] *f.* -en ↑ Spielothek.

Spiel≈kamerad *m.* ↑ ~genosse. **~karte** *f.* 카드. **~kasino** *n.* 카지노. **~klub** *m.* 카드놀이〔도박〕 클럽. **~leidenschaft** *f.* 도박벽(癖). **~leiter** *m.* ① 무대〔영화〕 감독. ② (특히 텔레비전의) 놀이〔퀴즈〕 진행자〔사회자〕. ③ 〖스포츠〗 심판. **~leitung** *f.* ① 연출. ② 경기 진행, 놀이의 사회. ③ 경기 진행자, 심판진. **~leute** *pl.* ① ↑ ~mann. ② 〘집합적〙 악대, 군악대. **~macher** *m.* 〖스포츠〗 게임 메이커. **~mann** *m.* 〘복수: ..leute〙 ① 고적대원, (군)악대원; 〖軍〗 고수(鼓手), 나팔수. ② (중세의) 음유 시인, 떠돌이 악사.

Spielmanns≈dichtung *f.* ① (중세의) 음유 시인들의 시가(詩歌). ② 〖문학〗 (특히 십자군 원정 사건을 익살스럽게 꾸민) 초기 궁정 서사시. **~zug** *m.* (군대·소방대 따위의) 행진 고적대.

Spiel≈marke *f.* (카드놀이 등에서) 대용돈, 칩; 산가지. **~minute** *f.* (경기 중의 특정한 시간대로) 분: in der letzten ~ 경기가 끝날 무렵에. **~oper** *f.* 〖음악〗 희가극.

Spielothek [ʃpiːlotéːk] *f.* -en ① 카드놀이방. ② 도박장, 카지노.

Spiel≈partie *f.* ① 〖카드〗 한판 (승부). ② 카드놀이 친구. **~phase** *f.* 경기의 단계. **~plan** *m.* ① 공연 계획. ② 공연〔상영〕 프로그램. ③ 〖스포츠〗 경기 일정. **~platz** *m.* 놀이터; 운동장. **~ratte** *f.* 〘구어·농담〙 ① 놀이에 빠진 아이. ② 노름꾼, 도박광. **~raum** *m.* ① 〖연극〗 공연장. ② 〘비유〙 활동의 여지: genügend ~ lassen 충분한 활동의 여지를 주다, 역량을 자유롭게 발휘하게 하다. ③ 〖工〗 유격(裕隔), 유극(遊隙); 〖전기〗 여유. **~regel** *f.* ① 놀이〔경기〕 규칙. ② 행동 규칙〔규범〕. **~runde** *f.* 〖스포츠〗 회전, 쿼터: die zweite ~ erreichen 2 회전에 진입하다. **~saal** *m.* 도박장. **~sachen** *pl.* 장난감. **~schuld** *f.* 노름빚. **~schule** *f.* 〘구식〙 유치원. **~stand** *m.* 득점 상황. **≗stark** *a.* 〖스포츠〗 성적이 좋은. **~stärke** *f.* 〖스포츠〗 ① 좋은 성적. ② 팀의 선수 수. **~straße** *f.* 놀이터로 개방된 도로. **~stunde** *f.* (학교의) 휴식〔놀이〕 시간. **~sucht** *f.* ↑ ~wut. **~tag** *m.* ① 휴일. ② 경기 개최일. **~teufel** *m.* 노름 귀신, 도박벽: ihn hat der ~ gepackt〔er hat den ~ im Leib〕 그는 도박벽에 사로잡혔다. **~tisch** *m.* ① 게임용 테이블. ② (피아노·오르간 등의) 몸체. **~trieb** *m.* 놀이〔유희〕 충동: seinem ~ fügen 유희 충동에 따르다. **~uhr** *f.* 음악 시계, 오르골이 달린 시계. **~verbot** *n.* (선수·팀의) 출장 금지. **~verderber** *m.* 남의 흥을 깨는 사람. **~vereinigung** *f.* 스포츠 클럽〔협회〕(약어: SV, SVgg, Spvgg). **~ware** *f.* 장난감.

Spielwaren≈geschäft *n.* ↑ ~handlung. **~händler** *m.* 완구상〔업자〕. **~handlung** *f.*

완구점. **~industrie** *f.* 완구 제조업.
Spiel≈wart *m.*〖스포츠〗주장;〖연극〗무대 감독. **~weise** *f.* ① 놀이 방식;〖스포츠〗경기 방식. ② 연주법. ③ 연기 방식. **~werk** *n.* ①〔드물게〕장난감. ② 사소한〔손쉬운〕일. ③ (음악 시계의) 기계 장치. ④〔방언〕악기. **~wiese** *f.* 잔디가 깔린 놀이터. **~witz** *m.*〖스포츠〗묘기, 경기〔놀이〕중의 기지. **~wut** *f.* 도박광. **~zeit** *f.* ①〖연극〗공연 시즌. ②〖영화〗상영 기간. ③ 상영〔공연〕시간. ④〖스포츠〗(**a**) 경기 시간. (**b**) 경기 연도〔시즌〕. **~zeug** *n.* ①〔총칭〕장난감, 완구. ②〔비유〕노리개:〔비유〕sie ist für ihn nur ein ~ 그녀는 그에게는 노리개일 뿐이다.
Spielzeug≈eisenbahn *f.* 장난감〔모형〕철도. **~pistole** *f.* 장난감 권총.
Spiel·zimmer *n.* 놀이방; 카드놀이 방.
Spier [ʃpiːr] 《ndd.; ♧ spitz》 *m./n.* -(e)s, -e ① (nordd.) 땅 위에 갓 나온 싹; 풀잎의 끝;〔비유〕미세한 것. ②〖海〗↑ Spiere.
Spierchen [ʃpíːrçən] *n.* -s, -〔↑ Spier 의 축소형〕ein ~ 아주 적음, 소량.
Spiere [ʃpíːrə] *f.* -n〖海〗(돛대·활대 등의) 둥근 목재.
Spierling *m.* -s, -e ①〖植〗(유럽산(産)) 마가목류(類) (Speierling). ②〖動〗빙어과의 식용 물고기(↑ Stint ①).
Spier≈staude *f.* 서양조팝나무. **~strauch** *m.*〖植〗왜조팝나무속의 관목(Spiräe).
*__Spieß__ [ʃpiːs] 《germ.》 *m.* -es, -e ① (**a**) 창, 투창:〔비유〕den ~ umkehren〔umdrehen〕역습하다;〔비유·구어〕er schrie〔brüllte〕wie am ~ 그는 창에 찔린 듯이 소리질렀다〔울부짖었다〕;〔구식〕den ~ gegen jn. kehren 누구를 공격하다. (**b**) (구이) 꼬챙이. ②〖印〗단어 사이 또는 행간이 공목(空木)으로 인해 시커멓게 인쇄된 부분. ③〖軍·구어〗상사. ④〖사냥〗(어린 사슴 등의) 가지 없는 뿔.
Spieß≈bock *m.* ① 가지 없는 뿔을 지닌 어린 숫노루. ②〖動〗(**a**) 하늘소, 투구벌레의 일종. (**b**) 오릭스(아프리카산(産) 영양의 일종). **~braten** *m.* 꼬챙이에 꿰어 구운 고기. **~bürger** *m.* ① (옛날의) 창으로 무장한 민병. ②〔폄어〕속물, 고루〔편협〕한 사람. **~bürgerlich** *a.*〔폄어〕편협〔고루〕한, 속물 근성의. **~bürgerlichkeit** *f.*〔폄어〕편협성, 속물 근성. **~bürgertum** *n.*〖폄어〗① 속물 근성; 속물적 생활 태도. ②〔총칭〕속물 (근성을 지닌 사람들).
Spießchen [ʃpíːsçən] *n.* -s, - (음식을 손쉽게 먹을수 있도록 꽂아 놓은) 나무 꼬챙이.
spießen [ʃpíːsən] 《Ⅰ》 *t.* ① 창으로 찌르다, 꿰뚫다. ② (**a**) (뾰족한 도구로) 찔러 올리다: et. auf die Gabel ~ 무엇을 포크로 집어 올리다. (**b**) (뾰족한 물건에) 꽂다: einen Schmetterling auf eine Nadel ~ 나비를 못에 꽂아두다. (**c**) (뾰족한 물건으로) 부착시키다: Fotos an die Wand ~ 사진을 벽에 꽂아 붙이다. (**d**) (뾰족한 물건을) 꽂아 넣다: den Spazierstock in den Boden ~ 산책용 지팡이를 바닥에 꽂다. 《Ⅱ》 *refl.* sich ~ (öst.) ① (틈새에) 끼다, 꽂히다: der Hebel spießt sich 지레가 꽂힌다. ② 잘 진척되지 않다, 정체되다.
Spießer *m.* -s, - ①〖사냥〗가지 없는 뿔을 지닌 수사슴〔노루·순록의 수컷〕. ②〔폄어〕↑ Spießbürger.
spießerhaft, spießerisch *a.*〔폄어〕↑ spießbürgerlich.
Spießertum *n.* -s〔폄어〕↑ Spießbürgertum.
Spieß≈geselle *m.* ①〔구식〕전우, 동료. ②〔폄어〕공범자, 가담자. ③〔농담〕친구, 패거리. **~glanz** *m.*〖광물·총칭〗(프리즘·바늘 모양의 결정인) 휘(輝)안티몬광과 비슷한 광물. **~glas** *n.* ↑ ~glanz. **~hirsch** *m.* 아직 가지 없는 뿔을 가진 하릅〔한살 짜리〕사슴.
spießig [ʃpíːsɪç] *a.* ① 창 모양의; 부스러지기 쉬운; 무두질이 덜된. ②〔폄어〕편협한, 고루한. ③ (bayr.) 조야한, 험한.
Spießigkeit *f.*〔폄어〕↑ Spießbürgerlichkeit.
Spieß·rute *f.* 길고 뾰족한 채찍〔회초리〕:〖軍〗~n laufen a) (2 열로 늘어선 군인들의 채찍을 맞으며 통과해야 하는) 배열 태형(配列笞刑)을 받다, b) 호기심·적대감으로 바라보는 사람들 앞을 지나가다.
Spieß·ruten·laufen *n.* ① 호기심·적대감으로 바라보는 사람들 앞을 지나감. ②〖軍〗배열 태형.
Spika [ʃpíːka, sp..] 《lat., „Ähre"》 *f.*〖天〗스피카(처녀자리의 주성(主星)).
Spike [ʃpaɪk, spaɪk] 《engl.》 *m.* -s, -s ①〖스포츠〗(운동화의) 스파이크. ②〖軍〗타이어에 부착된 못. ③〖스포츠〗스파이크 운동화. ④〔복수〕〖車〗↑ Spikesreifen.
Spike·reifen [ʃpáɪk.., sp..] *m.* ↑ Spikesreifen.
Spikes·reifen [ʃpáɪks.., sp..] *m.* 스파이크 타이어.
Spill[1] [ʃpɪl] 《ndd.; <Spindel》 *n.* -(e)s, -e/-s〖海〗닻줄을 감아올리는 기계, 양묘기(揚錨機).
Spill[2] *f.* -e〔방언〕↑ Spilling.
Spillage [ʃpɪláːʒə, sp..] 《frz.》 *f.* -n〖經〗(포장 불량으로) 화물이 말라 발생하는 중량 손실.
Spill·baum *m.* ①〖海〗캡스턴 바. ②〖植〗(ndd.) ↑ Spindelbaum.
Spille [ʃpílə] *f.* -n (ndd.) ↑ Spindel.
spillerig [ʃpílərɪç] *a.*〔방언〕홀쭉한, 여윈; 시든.
Spill≈geld *n.* (ndd.) ① 아내나 미혼의 딸에게 주는 용돈. ② 미혼 공주에게 주는 연금(↑ Nadelgeld).
Spilling [ʃpílɪŋ] *m.* -s, -e〖植〗서양 자두의 일종.
Spill·mage 《<Spille》 *m.* 외가쪽의 친척.
spillrig *a.* ↑ spillerig.
Spin [spɪn] 《engl.》 *m.* -s, -s〖핵물리〗스핀 (원자 안에서 전자의 자전 운동을 표시하는 고유각(固有角) 운동량).
Spina [ʃpíːna, sp..] 《lat.》 *f.* ..nen〖해부〗가시, 극상(棘狀)돌기; 척주(脊柱).
spinal [ʃpináːl, sp..] *a.* 극상돌기의, 척수(脊髓)의, 척추의: ~e Kinderlähmung 척추 소아 마비.
Spinal·system *n.* 척수 신경 계통.
*__Spinat__ [ʃpináːt] 《rom.》 *m.* -(e)s, -e〖植〗시금치:〔구어〕höchster ~ 탁월한 것.
Spinat·wachtel *f.*〔비속·욕설〕기이한 할멈; 수다스러운 여자.
Spind [ʃpɪnt] 《lat.》 *n./m.* -(e)s, -e (특히 병영에서 쓰는) 간이 옷장.

Spinde [ʃpɪ́ndə] *f.* -n ↑ Spind.

***Spindel** [ʃpɪ́ndəl] 《<spinnen》 *f.* -n ① (**a**) 〖방직〗 방추(紡錘), 물렛가락: 〔비유〕 über die ~ verwandt 외가쪽 친척의. (**b**) (옛날의) 여성의 상징. ②〖工〗 (**a**) 축, 굴대; 무한 나선, 수나사. (**b**) (액체의 밀도를 재는) 비중계. ③〖건축〗 (나선형 계단의) 중심 기둥. ④〖生〗 (**a**) 〖유전〗 방추체. (**b**) 〖植〗 (꽃차례·과실의) 중축(中軸). ⑤〖원예〗 (원주형(圓柱形)) 의 수목.

Spịndel≈baum *m.* ①〖원예〗 ↑ Spindel ⑤. ②〖植〗 참빗살나무속(屬)의 관목. **~beine** *pl.* 홀쭉한 다리. **≈dünn** ↑ ≈dürr. **≈dürr** *a.* 〔비유〕 홀쭉한, 여윈. **≈förmig** *a.* 방추 모양의. **~presse** *f.* 〖工〗 나사 프레스. **~schnecke** *f.* 〖動〗 고둥. **~treppe** *f.* 〖건축〗 나선형 계단.

Spinell [ʃpinɛ́l] 《lat.》 *m.* -s, -e 〖광물〗 첨정석(尖晶石).

Spinett [ʃpinɛ́t] 《lat.》 *n.* -(e)s, -e 〖악기〗 ① 스피넷(16-17 세기에 사용된 건반이 달린 발현(撥絃) 악기의 일종). ② (오늘날의) 5 각형 모양의 발현 악기.

Spinnaker [ʃpɪ́nakər] 《engl.》 *m.* -s, - 〖海〗 (경주용 요트의) 큰 삼각형의 돛.

Spịnn·düse *f.* 〖섬유〗 (화학 섬유 제조 때) 액체 원료를 압착하여 뽑아내는 분사 장치.

***Spinne** [ʃpɪ́nə] 《<spinnen》 *f.* -n ①〖動〗 거미: 〔속담〕 ~ am Abend, erquickend und labend, ~ am Morgen bringt Kummer und Sorgen 저녁 거미는 심신을 상쾌하게 하고, 아침 거미는 걱정거리를 가져온다; 〔구어〕 pfui ~! 쳇, 지긋지긋한 녀석! ② 바퀴가 큰 경(輕) 마차. ③〔비유〕 사악하고 깡마른 여자. ④〖교통〗(5 개 이상의 도로가 만나는) 교차점. ⑤〖사냥〗 (사슴 등의) 젖꼭지, 젖가슴.

spịnne·feind *a.* 〔구어〕 (mit) jm. ~ sein 누구와 원수지간이다.

spinnen [ʃpɪ́nən] (spann, gesponnen) 《germ.》《Ⅰ》 *t.* ① (**a**) (실을·실로) 잣다: Flachs 〔Wolle〕 ~ 삼을〔양모를〕 실로 잣다. (**b**) (방적을 통해) 생산하다: Garn ~ 실을 만들어내다; 〔비유〕 sein〔ein〕 Garn ~ 모험담을 꾸며 내다; Seil ~ 새끼를 꼬다; Tabak ~ 담배를 말다; Hanf ~ a) 마사(麻絲)를 드리다, b) 빵에 아무것도 바르지 않고 먹다; 〔비유〕 sie ~ keinen (guten) Faden 〔keine Seide〕 miteinander 그들은 서로 사이가 나쁘다; dabei ist keine Seide zu ~ 그것은 해도 아무런 이익이 없다. (**c**) 〖섬유〗 (화학 섬유를) 뽑아내다, 생산하다: Perlon ~ 페를론을 뽑아 내다. (**d**) (거미줄·고치 등을) 만들다: ein Gespinst 〔einen Kokon〕 ~ 거미줄을 만들다〔고치를 틀다〕; 〔비유〕 ein Netz von Lügen ~ 거짓말을 꾸며 내다. ②〔비유〕 (실을 잣듯이) 술술 만들어내다; (음모를) 꾸미다: Verrat〔Ränke〕 ~ 음모를 꾸미다; einen Gedanken weiter ~ 어떤 생각을 술술 풀어나가다; 〔속담〕 es ist nichts so fein gesponnen, es kommt doch ans Licht der Sonnen 아무리 교묘하게 꾸며도 (언젠가는) 탄로나게 마련이다; 〔구어·폄어〕 er spinnt das alles ja bloß 그가 이야기하는 것은 모두 꾸며낸 것에 불과하다. 《Ⅱ》 *i.* (h.) ① 잣다; 뱅뱅 돌다: sie sitzt am Spinnrad und spinnt 그녀는 물레에 앉아서 실을 잣는다; der Kreisel spinnt 팽이가 뱅뱅 돈다. ②〔방언〕 (고양이가) 그르렁거리다. ③ 궁리하다, 골똘히 생각하다: an et.³ ~ 무엇을 곰곰이 생각하다. ④〔구어·구식〕 (**a**) 감옥에 있다, 징역살다: er spinnt 그는 징역을 살고 있다. (**b**) 한패다. (**c**) 일하다: er muß tüchtig ~ 그는 열심히 일해야 한다. (**d**) 〔구어·폄어〕 이상한 생각을 하다, 헛소리하다: du spinnst wohl! 너 돌았구나! ⑤ (섬유질액을) 분비하다: die Spinne spinnt an ihrem Netz 거미가 줄을 치고 있다. ⑥〔학생〕 벌주를 마시다: jn. ~ lassen 누구에게 벌주를 먹이다. 《Ⅲ》 *refl.* sich ~ ① (실 등이) 자아지다: der Flachs spinnt sich gut 이 삼은 잘 자아진다. ② 숨겨지다, 가려지다: die Sonne spinnt sich in Wolken 태양이 구름에 가려진다.

Spịnnen≈arm *m.* 가늘고 긴 팔. **~bein** *n.* ① 거미발. ② 가늘고 긴 다리. **~faden** *m.* 거미줄. **~gewebe** *n.* ↑ Spinngewebe. **~krebs** *m.* 〖動〗 거미게. **~netz** *n.* 거미줄. **~tier** *n.* 〖動〗 거미속의 동물. **~web** *n.*, **~webe** *f.* ↑ Spinngewebe.

Spinner [ʃpɪ́nər] *m.* -s, - ① 실 잣는 사람, 방적공. ②〖動〗 (**a**) 누에나방과. (**b**) 누에나방. ③〖낚시〗 인조 미끼. ④〔구어·폄어〕 헛소리하는 사람, 망상가, 미치광이.

Spinnerei [ʃpɪnəráɪ] *f.* -en ① 실잣기, 방적. ② 방적업; 방적 공장. ③〔구어·폄어〕 망상, 기이한 생각.

Spịnnerin *f.* -nen ① 실 잣는 여자. ② 여자 방적공. ③〔구어·폄어〕 정신 나간 여자.

Spịnner·lied *n.* 베틀〔길쌈〕 노래.

spinnert [ʃpɪ́nərt] *a.* (südd.) 살짝 돈, 약간 이상한.

Spịnn≈faden *m.* 거미줄. **~faser** *f.* 방적용 섬유. **~frau** *f.* ↑ Spinnerin. **~geschäft** *n.* 방적업. **~gewebe** *n.* 거미줄. **~haus** *n.* ① 방적 공장. ② (옛날 창녀를 수용하여 방적의 노역을 시킨) 감옥. **~maschine** *f.* 〖섬유〗 ① 방적 기계. ② (액상 원료에서) 화학 섬유를 뽑아내는 분사기. **~meister** *m.* 방적 직공장. **~rad** *n.* 물레: am ~ sitzen 물레질하다; das ~ schnurrt 물레가 삐그덕거리며 돈다. **~rocken** *m.* (물레의) 실패, 실감기. **~stoff** *m.* 방적용 섬유. **~stube** *f.* ① 길쌈방, 실 잣는 방. ② 마을 공동 방적실. **~warze** *f.* (거미줄의) 분비선(分泌腺). **~web** *n.*, **~webe** *f.* 거미줄. **~wirtel** *m.* (방적기의 방추 위에 꽂는) 플라이휠, 속도 조절 바퀴.

spinös [ʃpinǿːs, sp..] 《lat. spinosus》 *a.* 〔구식·교양〕 ① 까다로운; 사귀기 어려운. ② 남의 약점을 잘 들춰내는; 생각이 기발한. ③〔드물게〕 가시가 많은.

Spinoza [ʃpinóːtsa, sp..] *m.* Baruch de ~ 스피노자(네덜란드의 철학자, 1632-77).

spinozaisch [ʃpinóːtsaɪɪʃ, spi..] *a.* 스피노자류〔풍〕의.

Spinozismus [ʃpinotsɪ́smus, sp..] *m.* - 〖哲〗 범신론, 스피노자 철학.

Spinozịst *m.* -en, -en 스피노자 학파의 사람, 스피노자 철학 신봉자.

spinozịstisch *a.* 스피노자 철학〔학파〕의.

Spint[1] [ʃpɪnt] *m./n.* -(e)s, -e ① 슈핀트(옛 독일의 곡량 단위; 2.4-9 리터). ② ↑ Spind.

Spint[2] *m./n.* -(e)s, -e 〔방언〕 ① 지방; 지방질 같은 것; 빵의 덜 구워진 부분. ② 백목질(白木質), 백재(白材) (Splintholz).

spintig *a.* 〔방언〕 지방질의; 지방처럼 보드라운: ~es Holz 백목질.
spintisieren [ʃpɪntizíːrən] *i.* (h.) 〔구어〕 이상〔괴상〕한 생각에 몰두하다.
Spintisierer *m.* -s, - 〔구어〕 망상가.
***Spion** [ʃpióːn] 《仝 spähen》 *m.* -s, -e ① **(a)** 간첩, 스파이. **(b)** 첩자, 정보원, 염탐꾼: er hat seine ~e überall 그는 도처에 정보원을 갖고 있다. ② (통행인을 감시하기 위해) 창 밖에 설치한 거울〔감시경〕. ③ (현관문에 설치된) 내다보는 구멍: jn. durch den ~ beobachten 누구를 현관문의 구멍을 통해 관찰하다. ④ 〖工〗 폭〔너비〕 측정기.
Spionage [ʃpionáːʒə] *f.* 첩보 활동, 스파이 행위〔근무〕: ~ treiben 첩보 활동을 하다.
Spionage≈abwehr *f.* 방첩 활동〔기관〕. **~affäre** *f.* 간첩 사건. **~apparat** *m.* 첩보 기구, 첩보망. **~dienst** *m.* 첩보 기관〔부대〕. **~fall** *m.* 간첩 사건. **~film** *m.* 첩보〔스파이〕 영화. **~netz** *n.* 첩보망. **~ring** *m.* 간첩 조직, 첩보망.
Spionen≈dienst *m.* 탐정〔첩보〕 근무. **~riecherei** *f.* 염탐.
spionieren [ʃpioníːrən] 《rom.》 *i.* (h.) ① 간첩〔첩보〕 활동을 하다. ② 염탐하다: durchs Schlüsselloch ~ 열쇠 구멍으로 염탐하다.
Spioniererei [ʃpioniːrəráɪ] *f.* -en ① 지속적인 염탐〔간첩 활동〕. ② 간첩 사건〔행위〕.
Spionier·system *n.* 탐정 제도.
Spionin *f.* -nen ↑ Spion ① 의 여성형.
Spiräe [ʃpirέːə, sp..] 《lat.》 *f.* -n 〖植〗 왜조팝나무속의 각종 관목.
spiral [ʃpiráːl] 《lat.》 *a.* 나사형〔나선형〕의.
Spiral·bohrer *m.* 나사 송곳, 나선형 천공기.
***Spirale** [ʃpiráːlə] *f.* -n ① 〖數〗 나선. ② 〖기계〗 시계의 태엽. ③ **(a)** 나선, 용수철 모양의 곡선: die Straße führt in einer ~ zum Gipfel 길은 나선형을 그리며 정상으로 나 있다; die ~ der Rüstungsausgaben 경쟁적인 군비 지출. **(b)** 나선 모양의 굽이〔굴곡〕. ④ **(a)** 나선 모양의 물건. **(b)** (나선 모양의) 자궁전(子宮栓), 페서리.
Spiral≈feder *f.* 〖工〗 나사 용수철, 태엽. **~flug** *m.* 〖空〗 나선비행. **~form** *f.* 나선형. **~förmig** *a.* 나선형의. **~gefäß** *n.* 〖植〗 나선상 도관(導管).
spiralig [ʃpiráːlɪç] 《lat.》 *a.* 나선형의.
Spiral≈linie *f.* ↑ Spirale ①. **~nebel** *m.* 〖天〗 나상(螺狀) 성운. **~rad** *n.* 나선 차륜. **~windung** *f.* 나선상의 선회, 나선의 굴곡.
Spirans [ʃpíːrans, sp..] 《lat.》 *f.* ..ranten 〖음성〗 마찰음(f, j, s, ch, sch 등).
Spirant [ʃpiránt, sp..] *m.* -en, -en 〖음성·구식〗 ↑ Spirans.
spirantisch *a.* 〖음성〗 마찰음의.
Spirille [ʃpirílə, sp..] 《gr.》 *f.* -n 〖生·醫〗 나선상균(螺旋狀菌).
Spirit [ʃpírɪt] *m.* -s, -s 〖心〗 (죽은 사람의) 영혼, 혼령, 유령.
Spiritismus [ʃpiritísmʊs, sp..] 《lat.》 *m.* - 심령론; 강신술(降神術).
Spiritist *m.* -en, -en 심령론 신자; 강신술자.
Spiritistin *f.* -nen ↑ Spiritist 의 여성형.
spiritistisch *a.* 심령론의; 강신술의: ~e Sitzung 강신술 시행 모임.
spiritual [ʃpirituáːl] *a.* 정신적인, 심령상의; 종교상의, 성직자의.
Spiritualien [ʃpirituáːliən] *pl.* 〖가톨릭〗 종무(宗務) (특히 주교의 직권), 법무(法務).
spiritualisieren [ʃpiritualizíːrən] *t.* 〔교양〕 ① (vergeistigen) 정신화하다, 영화(靈化)하다. ② 〖化〗 추정(抽精)하다, 주정을 추출하다.
Spiritualisierung *f.* -en 영화(靈化).
Spiritualismus [..tualísmʊs] *m.* - ① 〖哲〗 유심론(↔ Materialismus). ② 강신술, 영교술. ③ 〖기독교〗 (신과 인간의 직접적인 교감을 중시하는) 성령주의.
Spiritualist *m.* -en, -en ① 유심론자. ② 〖기독교〗 성령주의자.
spiritualistisch *a.* ① 유심론의〔에 관한〕. ② 〖기독교〗 성령주의의〔에 관한〕.
Spiritualität [..litέːt] *f.* 〔교양〕 (Geistigkeit) 정신성, 영성(靈性).
spirituell [..tuέl] *a.* ① 정신적인; 재치 있는, 총명한. ② 종교적인, 성직자의.
spirituos [ʃpirituóːs, sp..] 《lat.》 *a.* 알코올이 들어 있는, 알코올성의.
spirituös [..ǿːs] 《frz.》 *a.* ↑ spirituos.
Spirituosen [ʃpirituóːzən, sp..] 《lat.》 *pl.* 강한 알코올 음료(브랜디·리퀴르주 등).
Spiritus[1] [ʃpíːritʊs] 《lat.》 *m.* -, - ① (Atem) 호흡, 숨결. ② 정신, 마음, 영(靈); 활기, 원기. ③ 〖언어학〗 (고대 그리스어의) 기음(氣音) 표시 부호: ~ asper h 음으로 시작되는 모음 표시 부호(ʻ); ~ lenis h 없는 발음 표시 부호(ʼ).
Spiritus[2] *m.* -, -se 주정(酒精), 에틸 알코올: 〔구어〕 in ~ gesetzt 영원히.
spiritus·artig *a.* 알코올성(性)의.
Spiritus·brennerei [ʃpíːritʊs..] *f.* 알코올 증류소.
Spiritus familiaris [spíːritʊs familiáːrɪs] 《lat.》 *m.* - - (Hausgeist) 집의 수호신; 충복, 집안의 허물 없는 친구.
Spiritus≈gehalt [ʃpíːritʊs..] *m.* 알코올 함유량. **~kocher** *m.* 알코올 버너. **~lack** *m.* 주정 래커. **~lampe** *f.* 알코올 램프.
Spiritus rector [sp..] 《lat.》 *m.* - - (leitender Geist) 지도적 인물, 중추 인물.
Spiritus Sanctus [sp..] *m.* - - 〖기독교〗 성령(der Heilige Geist).
Spiritus·waage [ʃp..] *f.* ① 알코올〔주정(酒精)〕측정기. ② 수준기(水準器) (Nivellierwaage).
Spirkel *m.* -s, - (nordd.) ① 포진(泡疹). ② 허약한 사람.
Spirochäte [ʃpiroçέːtə, sp..] 《gr.》 *f.* -n 〖生·醫〗 스피로헤타(일종의 병원체).
Spiroergometer [spiro.., ʃp..] *n.* -s, - 〖醫〗 (신체 활동 증진 때의 산소 소비량에 의한) 신체 능력 측정계.
Spiroergometrie *f.* 〖醫〗 Spiroergometer 를 사용한 신체 능력 측정(법).
Spirometer *n.* -s, - 〖醫〗 폐활량계.
Spirometrie *f.* 〖醫〗 폐활량 측정(법).
Spirre [ʃpírə] *f.* -n 〖植〗 원추(圓錐) 꽃차례〔화서(花序)〕.
spissen [ʃpísən] *i.* (h.) 〖사냥〗 (수꿩이 발정하여) 암컷 부르는 소리를 내다.
Spital [ʃpitáːl] 《lat.》 *n.* -s, ..täler 〔구식〕 ① 양로원; 구빈원(救貧院). ② (öst., schweiz.) 병원.

Spitaler [ʃpitáːlər] *m.* -s, - ①〖구식〗양로원에 수용되어 있는 사람. ② (öst., schweiz.) 입원 환자.

Spitäler *m.* -s, - ↑ Spitaler.

Spital·fieber *n.*〖醫〗(병원의 비위생에 의한) 병원 티푸스.

Spitals·arzt *m.* (öst.) (병원·구호 시설의) 의사.

Spittel [ʃpítəl] *m.* -s, - (schweiz.) ↑ Spital.

Spittler *m.* -s, - ↑ Spitaler.

***spitz** [ʃpɪts] *a.* ① (↔ stumpf) 뾰족한, 날카로운, 예리한; 찌르는 (듯한): ~e Nase 뾰족한 코;〖기하〗~er Winkel 예각; ~ zulaufen 끝이 뾰족해지다; der ~ zulaufende gotische Bogen 고딕식 첨두(尖頭) 아치; et. mit ~en Fingern anfassen 무엇을 (내키지 않은 듯이) 손끝으로 집다. ② 신랄한, 매서운, 비꼬는: sie hat eine ~e Zunge 그 여자는 신랄하다, 독설가다. ③〖구어〗마른, 여윈, 핼쑥한: du siehst ~ aus 너는 핼쑥해 보인다. ④ (소리가) 날카로운: mit ~em Schreien 찢어지는 듯한 고함 소리로. ⑤〖구어〗매력적〔관능적〕인: jn. ~ machen 누구의 욕정을 불러일으키다; auf jn. ~ sein 누구에게 성욕을 느끼다; auf et. ~ sein 무엇을 탐내다, 갖고 싶어하다.

Spitz *m.* -es, -e ① 스피츠(작고 입이 뾰족한 개):〖구어〗mein lieber ~! (놀람·비난의 의미로) 이 친구야, 여보게! ②〖방언〗거나함, 얼근함: einen ~ haben 거나하다. ③ (schweiz.) 뾰족한 끝, 첨단; 산꼭대기; (öst.) 담배 물부리: (südd.) etwas steht auf ~(e) und Knopf 〔~(e) auf Knopf〕 어떤 식으로든 곧 결정이 날 것이다(말하는 사람이 나쁜 결말을 예감하며 하는 말). ④ 소의 등심살 (Tafelspitz). ⑤〖은어〗스파이, 간첩.

Spitz≈ahorn *m.*〖植〗(잎의 가장자리가 톱니같이 생긴) 단풍나무. **~amboß** *m.*〖工〗첨두(尖頭) 모루. **~axt** *f.*〖광산〗곡괭이. **~bart** *m.* ① 뾰족한 턱수염. ②〖구어〗뾰족한 턱수염을 기른 남자. **≈bärtig** *a.* 뾰족한 턱수염을 기른. **~bauch** *m.* ① 불룩 튀어나온 배. ②〖醫〗(좁은 골반을 암시해주는) 초산부(初產婦)의 볼록한 배. **~bein** *n.*〖요리〗돼지 다리의 무릎 아래 부분. **≈bekommen** *t.*〖구어〗알아차리다, 알아내다, 간파하다. **~berg** *m.* 봉우리가 뾰족한 산. **~beutel** *m.* 뾰족한 자루〔부대〕; 거르는 자루. **~blattern** *pl.*〖醫〗수두(水痘). **~bogen** *m.*〖건축〗(↔ Rundbogen) (고딕식의) 첨두(尖頭) 아치. **~bogen·fenster** *n.*〖건축〗첨두 아치형 창문. **~-bogen·stil** *m.* 고딕식. **≈bogig** *a.* 첨두 아치형의. **~bohrer** *m.*〖工〗천공기. **~bube** *m.* ①〖구식〗(교활한) 도둑, 소매치기, 사기꾼. ② 악한, 건달; 장난꾸러기, 나쁜 녀석. ③ (öst.)〖복수〗(딸기)잼 샌드 쿠키. **~buben-gesicht** *n.* 교활한〔장난기 어린〕 얼굴. **~-buben·streich** *m.*, **~büberei** *f.* ① 사기; 나쁜 짓〔계획〕; 장난. ② 교활; 장난기. **~-bübin** *f.* ↑ ~bube 의 여성형. **≈bübisch** *a.* ①〖구식〗도둑〔악한〕의, 건달의, 사기꾼〔도둑〕 같은. ② 교활한; 장난꾸러기의. **~dach** *n.* 뾰족한 지붕.

***Spitze** [ʃpítsə]《< spitz》*f.* -n ① 뾰족한 끝, 첨두(尖頭), 첨단, 말초;〖數〗(삼각형의) 정점, 절정; 산꼭대기 (Berg≈); 담배 파이프의 물부리(Pfeifen≈); (구두창의) 앞부리: Turm≈ a) 탑꼭대기, b) 첨각(尖閣); Baum≈ 나무꼭대기, 우듬지; Absätze und ~n erneuern lassen 구두뒷굽과 앞부리를 새로 갈다; et.³ die ~ abbrechen 무엇을 원만하게 하다, 무엇의 위험을 피하다;〖雅語〗jm. die ~ bieten 누구에게 저항하다, 용감하게 맞서다; et. auf die ~ treiben〔stellen〕 무엇을 극단으로 밀어붙이다; ein Prinzip auf die ~ treiben 원칙을 지나치게 고수하다;〖비유〗die ~ des Eisbergs 빙산의 일각; es steht auf ~ und Knopf ↑ Spitz ③. ② 앞머리, 선두 (그룹); 지도적 위치〔인물들〕, 수뇌부, 우두머리, 장(長);〖스포츠〗선두 그룹: an der ~ stehen 선두에 서 있다, 우두머리〔장〕이다; die ~n der Gesellschaft 회사의 수뇌부;〖구어〗der Verein kann noch an der ~ (der Tabelle) mitmischen 그 단체는 아직은 (순위표의) 선두 그룹에 합류할 수 있다. ③ 비꼼, 독설, 빗대서 꼬집기: mit ~n handeln〔~ austeilen〕 비꼬아 말하다; sie gab ihm die ~ zurück 그녀는 빈정거리며 대답했다. ④ 취지, 주안, 요점, 급소. ⑤ 가장자리 장식, 레이스: ein mit ~n besetztes Kleid 레이스 달린 옷. ⑥〖구어〗최고값; 최고 속도; 최우량품: der Wagen fährt 180 km/h ~ 그 차의 최고 시속은 180 km 이다; dein Kaffee ist einsame ~ 네가 끓인 커피는 단연 최고다. ⑦〖금융〗(청산 후에 남는) 잉여(금), 잔액:〖구동독〗freie ~n 공출 의무량 초과분의 농산물.

Spitzel [ʃpítsəl] *m.* -s, - 스파이, 첩자, 간첩.

spitzeln 《Ⅰ》*i.* (h.) ① 뾰족해지다, 날카롭게 되다. ② 간첩 활동을 하다. 《Ⅱ》*t.* ① 뾰족하게〔날카롭게〕 하다. ②〖축구〗(공을) 발끝으로 차다.

spitzen [ʃpítsən]《Ⅰ》*t.* 뾰족하게 하다, 끝을 가늘게〔날카롭게〕 하다; (바늘을) 갈다: seine Antwort ~ 비꼬아 대답하다; den Mund ~ (키스하려고) 입을 쑥 내밀다; die Ohren ~ a) 귀를 쫑긋 세우다, b)〖비유·구어〗주의를 기울이다. 《Ⅱ》*refl.* sich ~ ① 뾰족해지다, 가늘어지다. ② (obd.) sich auf et. ~ 무엇을 간절히〔초조하게〕 기다리다. 《Ⅲ》*i.* (h.) ① (obd.) 주의깊게 살피다, 엿보다: um die Ecke ~ 모퉁이를 살피다; dein Unterrock spitzt (unter dem Rock hervor) 네 속치마단이 보인다; da spitzt du aber! 그때는〔거기서는〕 너도 귀가 번쩍 뜨일거야! ②〖양조〗발아〔발효〕하다: die Saat spitzt 씨가 발아하다. ③ auf et. ~ 무엇을 초조하게 기다리다.

Spitzen≈arbeit *f.* 레이스(수공). **~band, ~bändchen** *n.* 레이스 장식띠. **~belastung** *f.*〖전기〗최대 부하. **~besatz** *m.* 레이스 장식. **~bluse** *f.* 레이스 달린 블라우스. **~deckchen** *n.* 레이스 식탁보. **~drehbank** *f.*〖工〗센터 선반(旋盤). **~einsatz** *m.* 꿰매어 넣은 레이스. **~entladung** *f.*〖전기〗첨단 방전. **~erzeugnis** *n.* 최고급품, 최우량품. **~film** *m.* (최)우수 영화. **~funktionär** *m.*〖政〗고위 당직자. **~garnitur** *f.* 레이스 달린 여성용 내의. **~geschwindigkeit** *f.* (차량의) 최대 속력〔속도〕. **~gesellschaft** *f.*〖經〗지주(持株) 회사. **~grund** *m.* 그물 눈을 가진 엷은 비단 레이스. **~gruppe** *f.* ① 선두 그룹. ②〖스포츠〗선두 그룹 선수. **~handel** *m.* 레이스 상인. **~-haube** *f.*〖옛뜻〗레이스가 달린 모자〔두건〕.

~**kandidat** *m. f.* 〖政〗 제 1 후보자, (선거 때 어느 정당(전국구)의) 수석 후보자. ~**kandidatin** *f.* ↑ ~kandidat 의 여성형. ~**katarrh** *m.* 〖醫〗 폐첨(肺尖) 카타르. ~**klasse** *f.* ① 최상급, 최고급품. ② 〖스포츠〗 최상급 선수 (등급): dieser Sportler gehört zur ~ 이 선수는 최상급 선수에 속한다. ~**kleid** *n.* 레이스를 단 옷. ~**klöppel** *m.* 레이스를 짜는 실타래. ~**klöppelei** *f.* 〖섬유〗 ① 레이스짜기. ② 레이스 편물. ~**klöpplerin** *f.* 레이스 짜는 여공. ~**könner** *m.* 일급 기술자(선수). ~**kraft** *f.* 뛰어난 노동력(인력). ~**kragen** *m.* 〖유행〗 (obd.) 레이스(가 달린) 칼라. ~**leistung** *f.* 최대 능률; 최고 성적(기록). ~**lohn** *m.* 최고 임금. ~**mannschaft** *f.* 〖스포츠〗 성적이 가장 좋은 팀, 최우수팀. ~**muster** *n.* 레이스의 무늬. ~**organisation** *f.* 중앙 조직; 수뇌부. ~**papier** *n.* (가장자리가 레이스처럼 구멍 난) 장식 종이. ~**politiker** *m.* 최고의 영향력과 지명도를 가진 정치가. ~**politikerin** *f.* ↑ ~politiker 의 여성형. ~**position** *f.* 지도적 위치(지위). ~**qualität** *f.* 최상의 질. ~**reiter** *m.* ① 〖스포츠〗 뛰어난 기수; 선두 그룹에 속하는 선수; 순위표의 수위팀. ② 〖비유·구어〗 특별히 인기 있는 물건; 〖연극·영화〗 대히트 작품: dieses Automodell ist der ~ im Verkauf 이것이 가장 잘 팔리는 차종이다. ~**spiel** *n.* 〖스포츠〗 최상위팀 간의 경기. ~**spieler** *m.* 일류 선수. ~**spielerin** *f.* ↑ ~spieler 의 여성형. ~**sport** *m.* 고도의 기량이 요구되는 스포츠. ~**sportler** *m.* 최상급(일류) 운동 선수. ~**sportlerin** *f.* ↑ ~sportler 의 여성형. ~**stoß** *m.* ① 〖醫〗 심첨(心尖) 박동. ② 〖축구〗 토킥. ~**streifen** *m.* 레이스 끈. ~**tanz** *m.* 토댄스. ~**technologie** *f.* 첨단 과학 기술. ~**tuch** *n.* 〖복수: ..tücher〗 레이스 손수건(천·스카프). ~**verband** *m.* ↑ ~organisation. ~**vertretung** *f.* 간부, 수뇌부. ~**werk** *n.* 레이스 세공. ~**wirker** *m.* 레이스 짜는 직공. ~**wirkung** *f.* 〖전기〗 첨단 효과.

Spitzer *m.* -s, - ① 날카롭게 가는(깎는) 기구; 연필깎이. ② 〖방언〗 스피츠(개).

spitz·findig [..fındıç] *a.* 〖폄어〗 ① 지나치게 꼬치꼬치 캐는, 생트집을 잡는, 궤변을 늘어놓는. ② 교활한, 지나치게 재치 있는(영리한). ~**findigkeit** *f.* 생트집(을 잡음), 궤변(을 늘어놓음). ~**fuß** *m.* 〖醫〗 첨족(尖足). ~**giebel** *m.* 〖건축〗 뾰족한 합각머리(박공). ~**glas** *n.* 밑이 뾰족한 술잔. ~**hacke** *f.* 곡괭이. ~**hammer** *m.* (갱부용) 곡괭이 망치. ~**haue** *f.* (등산용) 곡괭이. ~**hut** *m.* 뾰족한 모자, 고깔모자.

spitzig [ʃpítsıç] *a.* (spitz) ① 뾰족한, 날카로운, 예리한. ② 여윈, 핼쑥한. ③ 〖비유〗 조소적(냉소적)인, 비꼬는; 〖醫〗 급성의.

Spitzigkeit *f.* 뾰족함; 핼쑥함; 신랄.

Spitz·kant *m.* 뾰족한(모난) 공구. ~**kehre** *f.* ① 〖스키〗 킥턴. ② 〖도로〗 급커브. ③ 〖철도〗 스위치백(급경사를 오르기 위한 Z 자형의 철도 선로). ~**kopf** *m.* ① 뾰족 머리(를 가진 사람); 〖醫〗 첨두체(尖頭體). ② 억지 변론가, 궤변가; 교활한 사람. ~**köpfig** *a.* 머리가 뾰족한. ~|**kriegen** *t.* 〖구어〗 꿰뚫어 보다, 간파하다, 알아차리다: er hat den Schwindel schnell spitzgekriegt 그는 그 속임수를 재빨리 알아챘다. ~**kugel** *f.* 〖軍〗 끝이 뾰족한 포탄. ~**kühler** *m.* ① (구식 자동차의) V자형 라디에이터(냉각기). ② 〖농담〗 불룩 튀어나온 배. ~**marke** *f.* 〖印〗 단락 첫 머리에 굵게 인쇄된 낱말. ~**maul** *n.* 뾰족한 입. ~**maus** *f.* ① 〖動〗 뾰족뒤쥐. ② 〖구어·폄어〗 뾰족한 얼굴의 왜소한 여자. ~**name** *m.* 별명. ~**nase** *f.* 뾰족코. ~**nasig** *a.* 코가 뾰족한. ~**ohrig** *a.* 귀가 뾰족한. ~**pfeiler** *m.* 오벨리스크, 방첨탑. ~**pocken** *pl.* 〖醫〗 수두(水痘). ~**säule** *f.* 오벨리스크. ~**turm** *m.* 〖건축〗 첨탑. ~**wegerich** *m.* 〖植〗 창질경이. ~**winkelig** *a.* ↑ ~winklig. ~**winklig** *a.* 예각의. ~**wort** *n.* 빈정대는 말. ~**zahn** *m.* 〖해부〗 송곳니. ~**züngig** *a.* 독설의, 신랄한. ~**züngigkeit** *f.* 독설, 신랄.

Spizilegium [ʃpitsilé:gium, sp..] 《lat.》 *n.* -s, ..gien [..giən] (Ährenlese) 이삭 줍기; 발췌, 습유(拾遺).

Splanchnologie [splançnologí:] 《gr.》 *f.* 〖醫〗 내장학(內臟學) (Eingeweidelehre).

Spleen [ʃpli:n, sp..] 《gr.–engl》 *m.* -s, -e/-s ① 괴팍한(변덕스러운) 성격. ② 망상, 광기, 미친 생각; 우울; 변덕, 기벽(奇癖), 괴상한 짓.

spleenig [ʃplí:nıç, sp..] *a.* 괴팍한, 망상에 사로잡힌.

Spleenigkeit *f.* -en ① 괴팍한 성격, 변덕. ② 미친 짓, 괴상한 짓.

Spleiß [ʃplaıs] *m.* -es, -e 〖구식〗 ① (nordd.) 파편, 조각. ② 〖海〗 두 개의 밧줄 끝을 꼬아 이은 연결부.

Spleiße *f.* -n (nordd., obd.) ↑ Spleiß.

***spleißen**(*) [ʃpláısən] (spliß/spleißte, gesplissen/gespleißt) 《♧ spalten》 〖구식〗 (nordd.) 《Ⅰ》 *t.* ① 쪼개다, 빠개다: Holz ~ 나무를 쪼개다; Federn ~ 깃털에서 솜털을 뽑다. ② 〖海〗 (밧줄의 끝을) 꼬아 잇다. ③ 〖제련〗 정련하다. 《Ⅱ》 *i.* (s.) 쪼개지다, 빠개지다, 금이 가다.

spleißig *a.* 쪼개지기(빠개지기) 쉬운.

Spleißung *f.* -en 〖전기〗 (케이블의) 접속(구(具)).

Splen [sple:n, ʃple:n] *m.* - 〖해부〗 비장, 지라.

splendid [ʃplɛndí:t, sp..] 《lat.》 *a.* ① 〖교양〗 빛나는; 화려(장려)한, 훌륭한. ② 〖교양〗 인색하지 않은, 손이 큰. ③ 〖印〗 여백을 충분히 잡아 짠.

Splendid isolation [splɛ́ndid aisəléiʃən] 《engl.》 *f.* ① 영광스러운 고립(19 세기 말까지 영국의 대유럽 고립주의를 나타내는 표어). ② 자주적 선택에 의한 (정치적) 고립, 비동맹.

Splendidität [..diditɛ́:t] *f.* 〖구식〗 인색하지 않음, 호탕; 화려.

Spließ [ʃpli:s] *m.* -es, -e 널빤지, 판자쪽.

Spließ·dach *n.* 〖건축〗 평기와와 널빤지로 이은 지붕.

Splint [ʃplınt] m. -(e), -e ① ↑ ~holz. ② 〖工〗 지전(止轉) 쐐기, 코터핀, 고정쇠. ③ ↑ Splitter.

Splinter *m.* -s, - (ndd.) ↑ Splitter.

Splint·holz *n.* (통나무 껍질 바로 밑의 희고 연한) 백목질(白木質), 백재(白材).

Spliß [ʃplıs] *m.* Splisses, Splisse ① ↑ Splitter. ② 〖海〗 (밧줄 끝을) 꼬아 이음; 〖工〗 첨접(添接).

spliß ↑ spleißen의 과거형.
Spliss 新정서 ⇦ Spliß.
spliss 新정서 ⇦ spliß.
splissen [ʃplísən] *t.* 〖海·방언〗 ↑ spleißen의 별형.
Splitt [ʃplɪt] *m.* -(e)s, -e (도로 포장용이나 콘크리트 제조용의) 쇄석(碎石), 자갈.
splitten [ʃplítən] *t.* (주식을) 분할하다; 분할 투표하다: Wahlstimmen ~ 분할 투표하다 (제 1 표와 제 2 표를 다른 정당에).
Splitter [ʃplítər] 《<spleißen》 *m.* -s, - 찢어진 조각, 부서진 조각, 파편; 뼛조각; 깎아낸 부스러기; 〖비유〗 미세한 것(↔Balken): das Glas zersprang in tausend ~ 컵이 깨져 산산조각이 났다; aus einem ~ eine Fuhre Holz spalten 침소봉대하다.
Splitter·bombe *f.* 〖軍〗 파편 폭탄. **~bruch** *m.* 〖醫〗 분쇄〔복잡〕 골절. **~faser·nackt** *a.* 〖구어〗 실오라기 하나 걸치지 않은, 벌거벗은. **~frei** *a.* 깨질 때 파편이 튀지 않는: ~es Glas 안전 유리. **~gruppe** *f.* (정치적) 분파, 소수 분파 그룹. **~holz** *n.* 얇게 켠 널〔각재〕.
splitterig *a.* ① 쪼개지기〔빠개지기〕 쉬운, 벗겨지기 쉬운. ② 쪼개진, 산산조각이 난.
splittern [ʃplítərn] 《I》 *t.* 쪼개다, 빠개다, 부수다, 벗기다. 《II》 *i.* (h./s.) 쪼개지다, 빠개지다, 부서지다, 벗겨지다.
splitter·nackt *a.* 〖구어〗 ↑ ~fasernackt. **~partei** *f.* 〖의회〗 소수당. **~richten** *i.* (h.) 잔소리하다, 남을 헐뜯다. **~richter** *m.* 〖구식〗 잔소리꾼, 남을 헐뜯는 사람. **~sicher** *a.* ① 깨어질 때 파편이 튀지 않는. ② 파편을 막아주는, 방탄의. **~toll** *a.* 〖방언〗 매우 격분한. **~wirkung** *f.* (폭탄·수류탄의) 파편 확산 효과, 파괴력.
Splitting [ʃplítɪŋ, sp..] 《engl.》 *n.* -s ① (부부의 수입을 합산한 후 반으로 나누어 과세하는) 분할 과세. ② 〖금융〗 주식(의 액면가) 분할. ③ 〖政〗 분할 투표(제 1 표와 제 2 표를 다른 정당에 분할 투표하기).
Splitting·system 《engl.》 *n.* (부부 전체 수입의) 분할 과세제.
splittrig [ʃplítrɪç] *a.* ↑ splitterig.
SPÖ =Sozialdemokratische Partei Österreichs 오스트리아 사회 민주당.
Spodium [ʃpó:diʊm, sp..] 《gr.》 *n.* -s, 〖化〗 (Knochenkohle) 골회(骨灰), 골탄(骨炭).
Spodumen [ʃpodumé:n, sp..] *m.* -s, -e 〖광물〗 휘석(輝石)의 일종.
Spoiler [ʃpɔ́ʏlər, sp..] 《engl.》 *m.* -s, - ① 〖車〗 (경주용 자동차의) 스포일러(고속 주행 때 차체가 뜨는 것을 예방하는 금속판). ② 〖空〗 (양력(揚力)을 줄이는) 비행기의 스포일러.
Spöken·kieker [ʃpǿ:kən..] *m.* ① (ndd.) 유령을 보는 능력이 있는 사람, 천리안. ② 〖구어·농담〗 몽상가. **~kiekerei** *f.* 〖구어·농담〗 엉뚱한 생각, 기우. **~kiekerin** *f.* ↑ ~kieker의 여성형.
Spoliation [ʃpoliatsió:n, sp..] *f.* -en 〖구식〗 약탈, 강탈, 노획.
Spolien·recht [ʃpó:liən] *n.* 〖중세·가톨릭〗 죽은 성직자의 유산을 차지하는 (군주의) 권리.
Spolium [ʃpó:liʊm, sp..] *n.* -s, ..lien [..liən]/..lia (고대 로마의) 전리품(무기); 〖중세·가톨릭〗 성직자의 유산.
Spompanadeln [ʃpɔmpaná:dəln] *pl.* (öst.) ① 허례허식, 야단법석, 불필요한 언동〔허풍〕; 사기. ② 거역, 훼방.
Sponde 《lat.》 *f.* -n (ndd.) 침대틀; 소파 (Sofa).
spondeisch [ʃpɔndé:ɪʃ, sp..] 《gr.》 *a.* 〖문학〗 (고전시 율격의) 장장격(長長格)의, 강강격(強強格)의.
Spondeus [..dé:ʊs] *m.* -, ..deen [..dé:ən] (고전시의) 장장격(長長格); (독일시의) 강강격 (強強格).
spondieren *i.* (öst.) 석사 학위를 수여하다.
Spondylarthritis [ʃpɔndylartrí:tɪs, sp..] *f.* ..tiden [..tí:dən] 〖병리〗 척추 관절염.
Spondylitis [..lí:tɪs] *f.* ..tiden [..tí:dən] 〖병리〗 척추염.
Spondylose [..ló:zə] *f.* -n 〖醫〗 척추증.
Spongia [ʃpɔ́ŋgia, sp..] 《gr.》 *f.* ..gien [..giən] 〖動〗 해면(海綿) (Schwamm).
Spongin [ʃpɔŋgí:n, sp..] *n.* -s 해면질.
spongiös [ʃpɔŋgiǿ:s] *a.* 〖醫〗 해면질(모양)의; 푹신푹신한.
spönne [ʃpœ́nə] ↑ spinnen의 접속법 Ⅱ 식.
Sponsalien [ʃpɔnzá:liən, sp..] 《lat.》 *pl.* 〖구식〗 약혼(식); 약혼 선물.
sponsieren *i.* (h.) (처녀에게) 구혼하다.
sponsern [ʃpɔ́nzərn] *t.* 후원〔지원·육성〕하다.
Sponsion [ʃpɔnzió:n] *f.* -en ① 서약(Gelöbnis). ② (öst.) 석사 학위 수여식.
Sponsor [ʃpɔ́nzər, sp.., spɔ́nsə] 《engl.》 *m.* -s, -s ① 〖스포츠〗 후원자, 스폰서. ② 상업 방송의 프로 제공자, 광고주.
Sponsoring 《engl.》 *n.* -s 후원, 육성.
Sponsorschaft *f.* -en 후원; 후원자임, 광고주로서의 자격.
spontan [ʃpɔntá:n, sp..] 《lat.》 *a.* ① 자연 발생적인, 자발적인: es geschah ganz ~ 그것은 전적으로 자연 발생적으로 일어났다. ② 〖교양〗 즉흥적인: et. ~ entscheiden 무엇을 즉흥적으로 결정하다; 〖음성〗 ~er Lautwandel (주변 음운과 관련 없이 생기는) 자발적 음운 변화; 〖物〗 ~e Magnetisierung 자연 발생적 자기화(磁氣化).
Spontaneität [..neité:t] *f.* -en 자발성, 즉흥성; 자발적〔즉흥적〕 언행, 자연 발생적 사건.
Spontanität [..tanité:t] *f.* -en 〖드물게〗 ↑ Spontaneität.
Sponti [ʃpɔ́nti] *m.* -s, -s 〖政〗 반(反)교조적인 좌익 청년 단원.
Sponton [spɔntó:n, ..tɔ̃:, ʃp..] 《lat. -it.》 *m.* -s, -s 〖軍〗 (17-18 세기에 보병 장교가 휴대한) 단창(短槍).
Spor [ʃpo:r] *m.* -(e)s, -e (schwäb., fränk.) 곰팡이(Schimmel(pilz)).
Sporaden [ʃporá:dən, sp..] 《gr.》 *pl.* 스포라데스 제도(에게해에 산재한 그리스의 군도).
sporadisch 《gr.》 *a.* (zerstreut) 산재하는, 흩어져 있는; 산발적인, 간헐적인, 드문; 〖醫〗 특발성(特發性)의: eine ~e Krankheit 특발성 질환; wir sehen uns nur ~ 우리는 아주 가끔 만난다.
Sporangium [ʃporáŋgiʊm, sp..] 《gr.》 *n.* -s, ..gien [..giən] 〖植〗 포자낭(胞子囊).
sporco [ʃpɔ́rko, sp..] *adv.* 포장을 합해서.
Spore [ʃpó:rə] 《gr.》 *f.* -n 〖生〗 ① 홀씨, 포자, 아포(芽胞). ② 지속성 박테리아.

Sporen [ʃpó:rən] *pl.* ① ↑ Sporn. ② ↑ Spore.
sporen [ʃpó:rən] *i.* (h.) 마르다; 곰팡이 슬다.
Sporen≈behälter *m.* 〖植〗 포자낭. **≈bildend** *a.* 〖生〗 홀씨〔포자〕를 형성하는. **~blatt** *n.* 〖植〗 홀씨잎, 포자엽(胞子葉). **≈klirrend** *a.* 박차(拍車)를 쩔렁이는, 늠름한 자세의. **≈-tragend** *a.* 〖植〗 포자를 지닌. **~pflanze** *f.* 무자엽(無子葉) 식물, 민꽃〔은화(隱花)〕 식물. **~schlauch** *m.* ↑ ~behälter. **~tierchen** *n.* 〖動〗 포자충(胞子蟲). **~träger** *m.* 〖生〗 포자병(胞子柄), 포자 자루.
Sporer [ʃpó:rər] *m.* -s, - 박차(拍車) 제작인.
Spörgel [ʃpœ́rgəl] *m.* -s, - 〖植〗 (패랭이꽃과의) 개미자리.
sporig [ʃpó:rıç] *a.* (schwäb., fränk.) (schimmelig) 곰팡이가 핀, 곰팡내 나는.
Spörkel [ʃpœ́rkəl] *m.* -s, -, (ndd.) 2월.
Sporko 《it.》 *n.* -s, **Sporko·gewicht** *n.* 총중량(Bruttogewicht).
***Sporn** [ʃpɔrn] *m.* -(e)s, Sporen [ʃpó:rən]/-e ①〔대개 복수〕 박차(拍車): dem Pferd die Sporen geben 말에 박차를 가하다; 〖비유〗 sich³ die (ersten) Sporen verdienen (첫)공훈을 세우다, 출세 가도를 열다. ②〔교양·구식〕 자극(하는 것), 고무(鼓舞), 편달; 동기, 유인(誘因). ③〖動〗 거상(距狀) 돌기, (새나 닭의) 며느리발톱. ④〖병리〗 (계속된 자극으로 생긴) 발꿈치뼈 돌기, 극(棘). ⑤〔복수: -e〕〖植〗 거(距) (꽃잎 뒤에 며느리발톱처럼 된 부분; 꿀주머니). ⑥〔복수: -e〕〔옛뜻〕 (적선을 파괴하기 위해 전함의 이물에 장착한) 충각(衝角). ⑦ (비행기의) 꼬리바퀴(기체 안정 장치). ⑧〔복수: -e〕〖軍〗 대포의 고정 장치(발사 때 화포의 반동을 방지함). ⑨〔복수: -e〕 등산화 바닥에 박힌 못. ⑩〖지형〗 가파른 산기슭〔산록〕.
Sporn·blume *f.* 〖植〗 쥐오줌풀속.
spornen [ʃpɔ́rnən] *t.* ① **(a)** …에 박차(拍車)를 가하다: ein Pferd ~ 말에 박차를 가하다. **(b)** 〖비유〗 자극〔격려〕하다. ② …에 박차를 달다: sich ~ 자기 구두에 박차를 달다.
Sporn≈füße *pl.* 〖動〗 며느리발톱이 있는 발. **~leder** *n.* 박차(拍車) 가죽. **~rad** *n.* 〖工〗 가시 톱니바퀴. **~rädchen** *n.* 박차의 톱니바퀴. **~riemen** *m.* 박차 가죽. **≈streichs** [..ʃtraiçs] *adv.* 황급히, 전속력으로; 즉각, 당장. **~träger** *m.* 박차 멈추개(가죽끈).
Sporophyt [ʃporofý:t, sp..] *m.* -en, -en 〖植〗 ↑ Sporenpflanze.
Sporozoon [..tsó:ɔn] *n.* -s, ..zoen [..tsó:ən] 〖動〗 포자충(胞子蟲).
***Sport** [ʃpɔrt] 《engl.》 *m.* -(e)s, -e ① 운동, 스포츠; 스포츠〔체육〕계; 스포츠 종목; (수업 과목으로서의) 체육: ~ (be)treiben 스포츠를 하다. ②〔비유·구어〕 (Liebhaberei) 오락, 취미: er sammelt Briefmarken als ~ 그는 취미로 우표 수집을 한다; du machst dir wohl einen ~ daraus, mich zu ärgern? 너는 나를 화나게 하고 고소해하고 있는 것이지? ③〖生〗 돌연 변이.
Sport≈abzeichen *n.* 체육 공로 휘장〔메달·배지〕: goldenes ~ 금메달. **~angeln** *n.* (~-fischen) ① 취미로서의 낚시. ② 낚시 대회. **~-angler** *m.* 취미로 낚시하는 사람, 낚시꾼. **~anlage** *f.* 체육 시설, 운동장. **~anzug** *m.* ① 운동복. ②〖유행〗 캐주얼〔스포츠〕웨어. **~art** *f.* 운동 종목. **~artikel** *m.* 스포츠용품. **~arzt** *m.* 스포츠 전문의(醫). **~ausrüstung** *f.* 스포츠 장비. **≈begeistert** *a.* 스포츠에 열광〔열중〕하는. **~beilage** *f.* 〖신문〗 스포츠 관계 부록. **~bericht** *m.* 스포츠 기사. **~bericht·erstattung** *f.* 스포츠 소식〔뉴스〕 **~boot** *n.* 스포츠용〔레저용〕 보트. **~-coupé** [..kupe:] *n.* 쿠페형(유개) 자동차. **~dreß** *m.* ① 운동복. ② 스포츠웨어, 레저복.
Sportel [ʃpɔ́rtəl] 《lat. sportula, „Körbchen"》 *f.* -n 〖중세〗 (관청의) 수수료; (특히 판사가 징수하던) 재판 수수료.
Sportel·freiheit *f.* 수수료 면제.
sporteln [ʃpɔ́rtəln] *i.* (h.) 〖구어〗 (취미로) 약간의 스포츠를 하다.
Sport≈ereignis *n.* 스포츠 행사, 스포츠 분야의 사건. **~feld** *n.* 경기장. **~fest** *n.* 운동회. **~fischen** *n.* ① 취미로 하는 낚시. ② 낚시 대회. **~flieger** *m.* 아마추어 비행사. **~fliegerei** *f.* 아마추어 비행. **~flugzeug** *n.* 경기용〔레저용〕 비행기. **~freund** *m.* ① 스포츠 애호가. ② 운동 선수, 스포츠맨. ③ 같은 스포츠 클럽 소속 동료. ④ 함께 스포츠하는 사람. **~funktionär** *m.* 스포츠 단체 실무자, 스포츠계 인사. **~geist** *m.* 스포츠 정신. **~-gemeinschaft** *f.* (구동독의 스포츠 연맹 소속) 스포츠 협회. **~gerät** *n.* 운동 용구〔기구〕. **≈gerecht** *a.* 경기 규칙〔스포츠 정신〕에 어긋나지 않는. **~geschäft** *n.* 스포츠 용품점. **~gewehr** *n.* 사격 경기용 총. **~halle** *f.* 실내 체육관. **~hemd** *n.* ① 트레이닝 셔츠. ② 스포티〔캐주얼〕한 셔츠. **~herz** *n.* 스포츠로 단련된 심장. **~hoch·schule** *f.* 체육 대학. **~hose** *f.* 스포츠용 바지. **~hotel** *n.* (동계) 스포츠 선수〔애호가〕를 위한 호텔〔여관·콘도〕. **~invalide** *m.* 스포츠 사고로 인한 장애인.
sportiv *a.* 스포티한.
Sport≈journalist [..ʒur..] *m.* 체육부〔스포츠 신문〕 기자. **~kamerad** *m.* 같은 스포츠 클럽 소속 동료, 함께 운동하는 사람. **~kanone** *f.* 〔구어〕 뛰어난 운동 선수. **~kleidung** *f.* 운동복. **~klub** *m.* 스포츠 클럽. **~lehrer** *m.* 체육 교사, 트레이너, 코치. **~lehrerin** *f.* ↑ ~lehrer 의 여성형.
Sportler [ʃpɔ́rtlər] *m.* -s, - 운동 선수.
Sportler·herz *n.* ↑ Sportherz.
Sportlerin *f.* -nen Sportler 의 여성형.
sportlich *a.* ① 스포츠의, 스포츠에 대한: ~e Höchstleistungen 경기의 최고 기록; sich ~ betätigen 스포츠를 하다. ② 스포츠로 단련된: eine ~e Figur 탄탄한 몸매. ③ 스포츠에 적합한: ~e Kleidung 스포티한〔간편한〕 옷. ④ 공정한; 스포츠맨다운, 스포츠 정신에 맞는: ~e Haltung 스포츠맨다운 태도.
Sportlichkeit *f.* 스포티함; 페어플레이 정신.
Sport≈maschine *f.* 경기용〔스포츠용〕 비행기. **≈mäßig** *a.* 운동 정신에 걸맞는, 스포츠맨다운, 운동으로서의: das Angeln ~ betreiben 운동삼아〔취미로〕 낚시하다. **~medizin** *f.* 스포츠 의학. **~mediziner** *m.* 스포츠 의학자〔의학도〕. **≈medizinisch** *a.* 스포츠 의학의. **~meldung** *f.* 스포츠 뉴스. **~motor** *m.* (스포츠카의) 강력 엔진. **~mütze** *f.* 운동모(帽). **~nachrichten** *pl.* 스포츠 뉴스.

~neuigkeiten *pl.* 스포츠 기사. **~platz** *m.* 운동〔경기〕장. **~presse** *f.* 스포츠 언론 매체(신문·잡지등). **~reporter** *m.* 스포츠 기자. **~reporterin** *f.* ↑ ~reporter 의 여성형. **~schaden** *m.* 운동으로 인한 부작용〔장애〕. **~schuh** *m.* 스포츠화, 운동화, 캐주얼화. **~sendung** *f.* (방송의) 스포츠 프로그램.

Sports≈freund [ʃpɔ́rts..] *m.* ① ↑ Sportfreund. ②〔경박〕 형씨(남자에게 말을 건넬 때의 호칭); hallo ~! 형씨, 안녕하시오! **~geist** *m.* ↑ Sportgeist. **~kanone** *f.* ↑ Sportkanone. **~mann** *m.* 운동 선수, 스포츠맨. **≈mäßig** *a.* ↑ sportmäßig.

Spọrt≈sprache *f.* 스포츠 용어〔전문어〕, 스포츠 은어. **~stätte** *f.* 〔雅語〕 체육 시설. **~strumpf** *m.* (무릎까지 오는) 스포츠 양말. **~student** *m.* 체육 대학생. **~studentin** *f.* ↑ ~student 의 여성형. **~tauchen** *n.* 스킨다이빙. **~taucher** *m.* 스킨 다이버. **≈treibend** *a.* 스포츠를 하는.

sportulieren 《↑ Sportel》 *i.* (h.) 수수료를 징수하다.

Spọrt≈unfall *m.* 스포츠 사고. **~unterricht** *m.* 체육 수업. **~verband** *m.* 스포츠 협회〔연맹〕. **~verein** *m.* 스포츠 클럽〔단체〕. **~verletzung** *f.* 운동 중 입은 부상. **~waffe** *f.* 스포츠용〔경기용〕 무기(사격용 총·펜싱용 칼따위). **~wagen** *m.* ① (혼자 앉을 수 있는) 유모차. ② 스포츠카. **~waren·händler** *m.* 스포츠 용품상, 운동구 취급 상인. **~wart** *m.* 스포츠 클럽〔연맹〕 관리자. **~welt** *f.* 스포츠계. **~wissenschaft** *f.* 체육학. **~zeitung** *f.* 스포츠 신문. **~zwei·sitzer** *m.* 2인승 스포츠카.

Spot [spɔt, ʃp..] 《engl.》 *m.* -s, -s ①〖영화·TV〗 (짤막한) 광고 방송. ② 각광, 스포트라이트.

Spọt≈geschäft *n.* 〖經〗 (무역 시장에서의) 현물 거래. **~light** [..laɪt] 《engl.》 *n.* 스포트라이트, 각광. **~markt** *m.* 현물 시장.

***Spott** [ʃpɔt] *m.* -(e)s ① 조롱, 우롱; 비웃음, 조소, 냉소; 비꼼: mit jm.〔et.³〕 ~ treiben 누구를〔무엇을〕 조롱하다; jn. mit ~ und Hohn überschütten 누구에게 조소를 퍼붓다; das hat er nur mir zum ~ gesagt 그는 나를 조롱하려고 그런 말을 했을 뿐이다; zum Schaden auch noch den ~ haben 손해를 입은 데다 (동정은 커녕) 조롱까지 당하다. ② 웃음거리, 놀림감: zum ~ werden 웃음거리가〔놀림감이〕 되다.

Spọtt≈benennung *f.* 별명, 별호. **~bild** *n.* 희화(戲畫), 캐리커처. **≈billig** *a.* 터무니없이 싼. **~dichter** *m.* 풍자 시인. **~drossel** *f.* ①〖動〗 (북아메리카·남부 서인도 제도 원산의) 앵무새. ②〔구어〕 남을 잘 조롱하는 사람.

Spöttelei [ʃpœtəlái] *f.* -en 조롱, 비꼼; 조롱하는〔비꼬는〕 말.

spötteln [ʃpœ́təln] *t./i.* (h.) 비웃다, 조롱하다: über jn.〔et.〕 ~ 누구를〔무엇을〕 비웃다, 조롱하다.

***spotten** [ʃpɔ́tən] 《I》 *i.* (h.) ① über jn. ~ 〔js. ~〕 누구를 조롱하다, 비웃다, 비꼬다: damit ist nicht zu ~ 그것은 비웃을 게 아니다. ②〔2격과 함께〕〔비유〕 경시〔무시〕하다, 얕보다: aller Gefahr ~ 모든 위험을 무릅쓰다; das spottet aller Beschreibung 그것은 이루 다 표현할 수가 없다. ③ (새가) 흉내를 내다. 《II》 *t.* 조소〔조롱〕하다: jn. mit et. ~ 누구를 무엇으로 조롱하다; er läßt sich nicht ~ 그는 놀림감이 되지는 않는다.

Spötter [ʃpœ́tər] *m.* -s, - ① 조롱자, 조소자, 야유자. ②〖動〗 (북아메리카·남부 서인도 제도 원산의) 앵무새.

Spötterei [ʃpœtərái] *f.* -en ① 조롱, 조소; 야유, 비꼼. ② 조롱하는 말.

Spọ̈tterin *f.* -nen ↑ Spötter ① 의 여성형.

Spọtt≈gebot *n.* 투매. **~geburt** *f.* 〔雅語·폄어〕 추악한 인간, 괴물, 기형. **~gedicht** *n.* 풍자시. **~geist** *m.* 조롱(자). **~gelächter** *n.* 조소. **~geld** *n.* 〔구어〕 얼마 안 되는 금액, 터무니없이 싼 값.

spöttisch [ʃpœ́tɪʃ] *a.* ① 조소적인, 비웃는, 야유하는; 풍자적인; 비꼬는: et. in ~em Ton sagen 무엇을 조롱조로 말하다. ②〔구어〕 웃음거리의.

Spọ̈ttler 〔고어〕 *m.* -s, - 야유〔풍자〕하는 사람, 비꼬는 사람.

spọ̈ttlich *a.* 〔고어〕 ↑ spöttisch.

Spọtt≈lied *n.* 〖문학〗 풍자 가요. **~lust** *f.* 조롱하는 취미〔버릇〕. **≈lustig** *a.* 조롱하기〔비꼬기〕를 즐기는. **~name** *m.* 별명, 별호. **~preis** *m.* 〔구어〕 터무니없이 싼 값. **~rede** *f.* 비꼬는〔빈정대는〕 말〔연설〕: ~n führen 비꼬는 발언을 하다. **≈schlecht** *a.* 아주 나쁜, 비열한. **~schrift** *f.* 〖문학〗 풍자〔비방〕문, 풍자 작품. **~sucht** *f.* 조롱하는 버릇. **≈süchtig** *a.* 조롱하기 좋아하는. **~vers** *m.* 풍자 시구. **~vogel** *m.* ①〖動〗 소리를 잘 흉내내는 새(앵무새 등). ② 조롱하는 사람, 비꼬기 좋아하는 사람. **≈voll** *a.* 온통 조롱투의. **≈weise** *adv.* 조소하며, 비꼬는 말로. **≈wohl·feil** *a.* 터무니없이 싸게 내놓은.

S.P.Q.R. =Senatus Populusque Romanus 로마의 정부와 백성(한때 로마 공화국의 공식 명칭) (Senat und Volk von Rom).

sprach [ʃpra:x] ↑ sprechen 의 과거형.

Sprạch≈amt *n.* ↑ Akademie. **~art** *f.* 숙어, 관용어, 방언. **~atlas** *m.* 〖언어학〗 언어 지도집(地圖集). **~barriere** *f.* 〖언어학·사회학〗 언어 장벽. **~bau** *m.* ① 언어 구조. ②〖문법〗 문장론. **≈begabt** *a.* 언어 재능이 있는. **~beherrschung** *f.* 언어 구사(능력). **~beratung** *f.* 문법·정서법에 관한 조언〔상담〕. **~brief** *m.* 언어 교육용 통신문. **~denkmal** *n.* 〖언어학〗 (언어 발달사에서 중요한) 기념비적 문헌.

***Sprache** [ʃprá:xə] 《<sprechen》 *f.* -n ① 말하는 능력: die ~ verlieren 언어 능력을 상실하다;〔구어〕 hast du etwa die ~ verloren? 왜 아무 말도 하지 않니?; jm. die ~ (benehmen) 누구를 말하지 못하게 하다;〔구어〕 da bleibt mir (glatt) die ~ weg! 기가 막혀서 말도 나오지 않는다!; etwas verschlägt 〔raubt〕 jm. die ~ 무엇 때문에 누가 놀라서 말문이 막히다. ② 말, 언어: die menschliche ~ 인간의 언어; ~ und Denken 언어와 사고. ③ (어떤 지역의) 용어; 국어; 방언: unsere ~ 우리 말; die deutsche ~ 독일어; Fremd≈ 외국어(↔ Mutter≈); neuere ~ 근대어; eine dichterische ~ 시어(詩語); ~ des Sportes 스포츠 용어; Fach≈ 전문 용어;〖언어학〗 natürliche ~ 자연어; künstliche ~ 인공어;

die ~ in seiner Gewalt haben〔beherrschen〕 언어를 자유자재로 구사하다; 〖비유〗 die gleiche ~ sprechen〔reden〕 생각이 같아서 서로 잘 통하다; eine andere ~ sprechen (속마음과) 다르게 말하다; 〖농담〗 er schweigt in sieben ~n 그는 전혀 아무 말도 하지 않는다. ④ 말하는 법, 말투, 말씨, 어조, 어법; 문체 (Stil); (Aussprache) 발음, 목소리; der ~ nach stammt er aus Österreich 어투로 보아 그는 오스트리아 출신이다; jn. an der ~ erkennen 누구를 말투로 알아보다, 말투로 누구의 출신을 알다; fließende ~ ihrer Briefe 그녀가 쓴 편지의 유려한 문체; eine deutliche ~ sprechen (대개 부정적인 면의) 분명한 증거가 되다; diese Zahlen sprechen eine deutliche ~ 이 숫자들이 분명한 증거가 된다; eine deutliche〔unmißverständliche〕 ~ (mit jm.) sprechen〔reden〕 (누구와) 터놓고〔솔직하게〕 이야기를 나누다. ⑤ 말하기, 담화, 담론, 화제: die ~ auf et. bringen〔et. zur ~ bringen〕 무엇을 화제로 삼다; zur ~ kommen 화제가 되다; mit der ~ herausrücken 주저한 끝에 고백하다; nicht mit der ~ herausrücken (wollen)〔〖구어〗 herauswollen〕 이야기하기를 꺼리다; 〖구어〗 heraus mit der ~! 일의 전말을 털어놓아라, 용건을 말해라!; 〖구어〗 davon wird noch die ~ sein! 그것에 대해 더 이야기할 것이다! ⑥ (기호·몸짓·손짓 등으로 하는) 말, 상징적 언어: die ~ der Augen 눈으로 하는 말; Gebärden≈ 몸짓으로 하는 말 〔표현〕.

spräche [ʃprɛ́:çə] ↑ sprechen 의 접속법 Ⅱ 식.

Sprach≈ecke *f.* 〖신문·잡지〗 언어상의 문제를 다루는 난; 독자의 소리난. **~eigenheit** *f.* ① (특정 언어의) 언어 양식, 어법; deutsche ~ 독일어 어법. ② 어떤 사람〔집단〕의 어법, 말의 특징. **~eigentümlichkeit** *f.* ↑ ~eigenheit. **~empfinden** *n.* 언어 감각.

Sprachen·frage [ʃprá:xən..] *f.* ① (한 국가 안에서 언어가 다른 종족 사이의) 언어 문제. ② (개발 도상국에서의) 공용어 선택 문제. **~gabe** *f.* 〖聖〗 방언을 말하는 능력(사도 행전 2:4-11). **~gewirr** *n.* 언어의 혼란. **~kampf** *m.* 언어 분쟁. **~karte** *f.* 언어 지도. **~kunde** *f.* ↑ Sprachkunde. **≈kundig** *a.* ↑ sprachkundig. **~recht** *n.* 언어〔공용어·소수 민족 언어〕에 관한 법규. **~schule** *f.* 외국어 학교.

Sprach≈entwicklung *f.* 언어 발달〔발전〕. **~erkennung** *f.* 음성 인식, 언어 인지. **~erwerb** *m.* 〖언어학〗 언어 습득. **~fähigkeit** *f.* ① 어학의 재능. ② 언어 능력. **~familie** *f.* 〖언어학〗 어족(語族). **~fehler** *m.* ① 발음상의 오류. ② 어법상의 오류. ③ 〖醫〗 언어 장애. **≈fertig** *a.* ① 언어에 능통한, 외국어를 잘하는. ② 능변의. **~fertigkeit** *f.* 달변; 외국어를 잘함. **~forscher** *m.* 언어학자. **~forscherin** *f.* ↑ ~forscher 의 여성형. **~forschung** *f.* 언어학, 언어 연구. **~führer** *m.* (실용어 중심의 여행자용) 외국어 안내서. **~gebiet** *n.* 〖언어학〗 언어권(圈). **~gebrauch** *m.* 언어의 관용(慣用), 어법; im gewöhnlichen ~ 관용어로. **~gefühl** *n.* 언어 감각: ein gutes ~ haben 언어 감각이 좋다. **~gemeinschaft** *f.* 언어 공동체. **~genie** [..ʒe..] *n.* 어학의 천재. **~geographie** *f.* 언어 지리학. **~geschichte** *f.* ① (언어학의 한 분야로서의) 언어 발달사. ② 언어사를 다룬 저서. **≈geschichtlich** *a.* 언어사적인. **~gesellschaft** *f.* (17-18 세기 독일의) 국어 학회. **~gesetz** *n.* 〖언어학〗 언어 법칙. **≈gestört** *a.* 〖醫·心〗 언어 장애가 있는. **~gewalt** *f.* 탁월한 언어 구사 (능력). **≈gewaltig** *a.* 언어 구사 능력이 탁월한. **≈gewandt** *a.* ↑ ≈fertig. **~gewandtheit** *f.* 달변. **~gewirr** *n.* ↑ Sprachengewirr. **~grenze** *f.* 〖언어학〗 언어 경계선. **~gut** *n.* 〖언어학〗 (어휘·어법 등의 전승되거나 현존하는) 언어적 자산.

..sprachig *suf.* "…국어〔…개 언어〕를 말하는, …국어의"의 뜻(보기: er ist zwei~ aufgewachsen 그는 2 개 국어로 말하면서 자랐다; deutschsprachiger Unterricht 독일어로 진행하는 수업).

Sprach≈insel *f.* 고립된 언어 지역(주위와 다른 언어가 쓰이는 작은 지역). **~karte** *f.* 〖언어학〗 언어 지도. **~kenner** *m.* (언)어학자. **~kenntnis** *f.* 어학 지식. **~kompetenz** *f.* 〖언어학〗 (모국어 사용자가 지닌) 언어 능력. **~kritik** *f.* 〖언어학〗 ① **(a)** (언어의) 언어적 수단과 능력에 대한 평가. **(b)** ↑ ~pflege. ② 언어와 현실의 관계에 관한 인식론적 연구. **~kultur** *f.* 언어의 문화도(度)(실제 사용되는 언어가 그 언어의 문법에 상응하는 정도). **~kunde** *f.* 〖구식〗 ① 언어학. ② 언어학 교본. **≈kundig** *a.* 어학에 능통한, 여러 나라 말을 하는. **~kundler** *m.* 〖구식〗 언어학자. **≈kundlich** *a.* 언어학의. **~kunst** *f.* ① 언어 예술. ② 〖대개 복수〗 말재간, 능변. **~kurs** *m.* 어학 강좌〔강습〕. **~labor** *n.* 어학 실습실. **~laut** *m.* 〖언어학〗 (어떤 언어 체계에 속하는) 각각의 소리. **~lehre** *f.* 문법(책). **~lehrer** *m.* ① 외국어 교사. ② 〖구식〗 언어학자. **~lehrerin** *f.* ↑ ~lehrer 의 여성형. **~lenkung** *f.* ① 언어 통일 정책. ② 일반 언어 사용에 대한 정책적 조종.

sprachlich [ʃprá:xlıç] *a.* 언어상의; 문법상의; 문장상의: 〖언어학〗 ~es Zeichen 언어 기호.

sprachlos *a.* 말이 없는, 침묵의; 말을 할 수 없는, 말문이 막힌.

Sprachlosigkeit *f.* 말을 할 수 없음; 침묵.

Sprach≈manipulation *f.* 〖폄어〗 언어(를 이용한 대중) 조작. **~meister** *m.* 어학 교사. **~mengerei** *f.* 외국어 혼용. **~mittler** *m.* 통역〔번역〕자. **~neuerer** *m.* 언어 개신자(改新者), 신어 조어자. **~neuerung** *f.* 언어 개신, 신어 조어〔창조〕. **~norm** *f.* 〖언어학〗 언어 규범. **~normung** *f.* 언어 규범의 제정. **~organ** *n.* 조음〔음성〕 기관. **~pflege** *f.* 〖언어학〗 표준어 육성 (시책). **~philosophie** *f.* 언어 철학. **~psychologie** *f.* 언어 심리학. **~raum** *m.* 〖언어학〗 언어권(圈): der deutsche ~ 독일어권. **~regel** *f.* 〖언어학〗 문법 규칙, 어법. **~regelung** *f.* 〖政〗 언어 규정(공식적 표현에 관한 규례). **≈rein** *a.* 외래어가 섞이지 않은. **~reinheit** *f.* 언어의 순수성. **~reiniger** *m.* 국어 순화론자, 외래어 배척자. **~reinigung** *f.* 국어 순화, 외래어 배척. **≈richtig** *a.* 문법상〔어법상〕 옳은(↔ ≈widrig). **~richtigkeit** *f.* 문법상〔어법상〕 올바

름. **~rohr** *n.* 메가폰:〖비유〗sich zu js. ~ machen〔hergeben〕 누구의 대변자가 되다;〖비유·폄어〗js. ~ sein 누구의 의견을 앵무새처럼 전달하다. **~schatz** *m.* (한 언어의 총) 어휘;〖비유〗사전. **~schicht** *f.* 언어 계층. **~schnitzer** *m.*〖구어〗문법상의 오류. **~schöpfer** *m.* 신어 조어자. **~schöpferisch** *a.* 신조어를 만들어서 쓰는. **~silbe** *f.*〖언어학〗(Sprechsilbe) 음절(보기: Vor-le-ser). **~soziologie** *f.* 언어 사회학. **~-stamm** *m.* 어족. **~statistik** *f.* 통계 언어학. **~stil** *m.* 문체, 어투. **~störung** *f.*〖醫·心〗언어 장애. **~studium** *n.* 언어 연구. **~stunde** *f.* 어학 시간. **~system** *n.*〖언어학〗언어 체계. **~talent** *n.* 어학의 재능. **~teil·haber** *m.*〖언어학〗한 언어 공동체의 구성원. **~üblich** *a.* 언어 관행의. **~übung** *f.* 어학 연습. **~unterricht** *m.* 어학 강의〔수업〕. **~verbesserer** *m.* 언어〔국어〕 개량자. **~verderber** *m.* 국어 파괴자. **~verein** *m.* 언어학회; 국어학회. **~vergleichung** *f.*〖언어학〗비교 언어학. **~vermögen** *n.* 언어 능력. **~verstoß** *m.* 문법 위반. **~verwirrung** *f.* 언어의 혼란. **~wandel** *m.*〖언어학〗(계속적인) 언어 변화. **~werk·zeug** *n.* ↑ ~organ. **~widrig** *a.* 어법〔문법〕에 어긋나는(↔ ~richtig). **~wissenschaft** *f.* 언어학. **~wissenschaftler** *m.* 언어학자; 언어학 전공 대학생. **~wissenschaftlerin** *f.* ↑ ~wissenschaftler 의 여성형. **~wissenschaftlich** *a.* 언어학상의, 언어학적인. **~-zentrum** *n.*〖해부·생리〗언어 중추. **~-zwang** *m.* 언론의 속박.

sprang [ʃpraŋ] ↑ springen 의 과거형.

spränge [ʃprέŋə] ↑ springen 의 접속법 Ⅱ 식.

sprasseln *i.* (h.) ↑ spratzen.

spratzen [ʃprátsən] *i.* (h.) (obd.) 불꽃이 탁탁 튀다:〖제련〗Metall spratzt (녹인 금속이 식을 때) 탁탁 소리를 내며 튀다.

Spray [ʃpre:, spre:] 《ndl.-engl.》 *m.* -(s) ① (Sprühregen) 분무액, 안개비. ②〖복수: -s〗(Zerstäuber) 스프레이, 분무기.

Spray·dose *f.* 스프레이통〔용기〕.

sprayen [ʃpré:ən, sp..] *t./i.* (h.) 스프레이를 뿌리다, (…에) 분무하다: sich³ die Haare ~ 머리에 스프레이를 뿌리다.

Sprech≈akt *m.*〖언어학〗(의사 표시로서의) 언어 행위. **~anlage** *f.* 인터폰. **~art** *f.* ① 말투, 말씨, 어법. ② 방언. **~blase** *f.* (만화에서) 대사를 써넣는 풍선 모양의 칸. **~bühne** *f.* 연극 전용 극장. **~chor** [..ko:*r*] *m.* ① (데모 등에서의) 구호의 합창〔동시 외침〕; 구호대. ② (연극에서) 합창대.

sprechen [ʃprέçən] (sprach, gesprochen) 《Ⅰ》 *i.* (h.) ① 말하다, 이야기하다, 담화〔대화〕하다; 지껄이다, 담소하다; 담론하다; 연설하다: frei ~ 격의없이 이야기하다; deutsch ~ 독일어를 말하다; frei heraus ~ 기탄없이 말하다; groß ~ 호언장담하다; wer spricht da? 누구십니까? (전화 대화에서 상대방의 이름을 묻는 말); durch die Blume ~ 넌지시 말하다; ich habe keine Zeit, sprich Geld 나는 시간이 없다, 솔직히 말하자면 돈이 없다. ②〖전치사와 함께〗**auf** jn. schlecht〔nicht gut〕 zu sprechen sein 누구에게 좀 화가 나 있다, 누구가 마음에 안 든다; auf jn.〔et.〕 zu ~ kommen 누구〔무엇〕에 대해 이야기하기 시작하다; **für** jn. ~ 누구를 변호〔두둔〕하다; das spricht für sich (selbst) 그것은 자명한 일이다; **gegen** jn. ~ 누구에게 불리하게 말하다, 누구에게 반대하다; **mit** jm. ~ 누구와 이야기하다〔이야기를 나누다〕; ich habe mit dir zu ~! 너와 할 이야기가 있다!; mit wem spreche ich? (전화 통화에서) 누구십니까?; er läßt mit sich³ ~ 그는 이해가 빠르다; **über** et.〔jn.〕 ~ 무엇〔누구〕에 관하여 논하다〔이야기하다〕; **unter** uns gesprochen 우리끼리의 이야기지만; **von** jm.〔et.〕 ~ 누구〔무엇〕에 관하여 말하다〔언급하다〕; gut von jm. ~ 누구에 대해서 좋게 이야기하다; **vor** Gericht ~ 법정에서 진술하다; **zu** jm. ~ 누구를 향하여 말하다, …에게 말을 걸다; zum Herzen ~ 인정에 호소하다; zur Sache ~ 본론을 말하다. ③ 나타나다, 보이다: aus seiner Miene spricht Verzweifelung 그의 얼굴에 절망이 드러난다; sein Herz〔sein Gefühl〕 ~ lassen 마음〔감정〕을 드러내다; ab morgen ~ die Waffen 내일부터 전투가 시작된다. 《Ⅱ》 *t.* ① 말하다, 이야기하다; eine Sprache ~ 어떤 언어를 구사하다; ein Gebet ~ 기도문을 외우다; den Segen über jn. ~ 누구를 축복하다; kein Wort ~ 말 한 마디 하지 않다; die Nachrichten ~ 뉴스를 전하다; mit dir muß man eine andere Sprache ~! 너는 좋은 말로는 안 되는구나! (더 엄하게 다루어야겠다) ② jn. ~ 누구와 면담〔면회〕하다: sich nicht ~ lassen〔nicht zu ~ sein〕 면담을 거절하다, 부재 중이다; ist der Herr zu ~? 그 분을 뵐 수 있을까요?; kann ich bitte Herrn Kurz ~? 쿠르츠씨와 이야기〔통화〕할 수 있을까요? ③ 선언〔성명〕하다;〖法〗선고하다: jm.〔über jn.〕 das Urteil ~ 누구에게 판결을 내리다; das Gericht hat gesprochen 재판부가 판결을 내렸다; jn. schuldig ~ 누구에게 유죄 선고를 내리다;〖宗〗jn. heilig ~ 누구를 성인(聖人) 명부에 올리다, 성인임을 선언하다. ④ jn. zufrieden ~ 누구를 달래다; jm. ins Herz Mut ~ 누구를 격려하다. ⑤ 보장〔약속〕하다: jm. eine Rente ~ 누구에게 연금을 주기로 결정하다. 《Ⅲ》 *refl.* ①〖결과를 나타내는 말과 함께〗sich müde ~ 이야기를 많이 해 지치다. ② wir werden uns〔ineinander〕 ~! 이야기의 결말을 짓자! (이대로 그만두지는 않는다) ③〖사물이 주어〗sich herum ~ (소문이) 입에서 입으로 퍼지다.

Sprechen *n.* -s 말하기, 이야기하기; das lange ~ greift mich an 나는 오래 이야기하면 지친다.

sprechend *p.a.* 말하는, 이야기하는; 능변의; 뚜렷〔현저〕한: ein ~er Beweis 확실한 증거; ~e Augen 표정이 풍부한 눈; ~ ähnlich 아주〔꼭〕 닮은; er sieht seinem Vater ~ ähnlich 그는 자기 아버지를 꼭 닮았다.

Sprecher [ʃprέçə*r*] *m.* -s, - ① 말〔이야기〕하는 사람; 강연자, 연사; 변사; 아나운서. ② 대변자, 대표자; (정부·부서의) 대변인; (영국·미국의) 하원 의장.

Sprecherin *f.* -nen ↑ Sprecher 의 여성형.

sprecherisch *a.* 말〔언변〕에 관한.

Sprech≈erlaubnis *f.* (수감자와의) 면회 허가. **~erziehung** *f.* 담화술〔웅변술〕 교육. **~film** *m.*〖영화〗(Tonfilm) 발성 영화, 토키.

~freiheit *f.* 언론의 자유. **~funk** *m.* 무선 통신; 무선 통신 시설. **~funk·gerät** *n.* ① 이동 통신(전화)기. ②〖방송〗 무선 중계 장비. **~gebühr** *f.* (전화의) 통화료. **~gesang** *m.* 〖음악〗 (Rezitativ) 서창(조) (敍唱(調)). **~kunde** *f.* ① 화술학. ② 화술학 교본. **~kundlich** *a.* 담화술〔수사학〕에 관한. **~kunst** *f.* ① 담화술. ② 문학 작품 낭독술. **~lehrer** *m.* 담화술〔웅변술〕 교사. **~maschine** *f.* 축음기. **~muschel** *f.* 송화기. **~pause** *f.* 〖언어학〗 말하는 중간의 휴지(休止). **~platte** *f.* 육성〔낭독〕 녹음 레코드판. **~rolle** *f.* 〖연극〗 (오페라·뮤지컬에서) 대사만 하는 역할. **~saal** *m.* ① (신문·잡지의) 상담실, 독자란. ② (신문·잡지의) 국어 문제 풀이란. ③ 증권 거래실. **~schnitzer** *m.* 말의 실수, 실언. **~silbe** *f.* 〖언어학〗 음절(Sprachsilbe) (보기: Vor-le-ser, Flü-gel). **~stelle** *f.* 전화국. **~stunde** *f.* 면회〔면담〕 시간; 진료 시간. **~stunden·hilfe** *f.* 간호사. **~tag** *m.* (관청의) 민원 업무 취급일. **~technik** *f.* 화술, 낭독술. **~trichter** *m.* (전화의) 송화기. **~übung** *f.* ① 언어 장애 교정 연습. ② 회화 연습. **~unterricht** *m.* 회화 수업. **~verbot** *n.* ① (정치적인) 발언 금지. ② (다른 사람과의 일시적인) 대화 금지. **~weise** *f.* 말투, 말씨, 어조. **~werkzeug** *n.* 조음〔음성〕 기관(器管). **~zeit** *f.* ① 면회〔면담〕 시간. ② 발언 시간. **~zelle** *f.* 전화 박스. **~zimmer** *n.* 면담실, 응접실; 진료실.

Spree [ʃpreː] *f.* 슈프레강(베를린을 관류함).

Spree-Athen 〖농담〗 슈프레강변의 아테네 (베를린의 별칭).

Spree·wald [ʃpréːvalt] *m.* -(e)s 슈프레발트 (슈프레강 연안 지방).

Spreewälder [..vɛldər] 《I》 *m.* -s, - 슈프레발트 사람. 《II》 *a.* 슈프레발트(사람)의.

Spreewälderin *f.* -nen ↑ Spreewälder 의 여성형.

Sprehe [ʃpréːə] *f.* -n 〖動〗 (nordd.) 찌르레기 (Star).

Sprei [ʃpraɪ] *f.* -e ↑ Sprehe.

Spreißel [ʃpráɪsəl] *m.*/(öst.) *n.* -s, - ① (südd.) (손가락 등에 박힌) 가시. ② (öst.) 대팻밥. ③ 사다리의 발판.

Spreißel·holz *n.* (öst.) (땔감용) 나뭇조각.

Spreit·decke [ʃpráɪt..] *f.* 〔방언〕 침대〔책상·식탁〕보.

Spreite [ʃpráɪtə] *f.* -n ① 펼쳐진 것; 〖農〗 (타작하기 위해) 펼쳐놓은 곡물. ② 침대〔책상·식탁〕보. ③ 〖植〗 잎몸, 엽신(葉身), 엽편(葉片).

spreiten [ʃpráɪtən] *t.* 〔雅語·구식〕 펼치다.

Spreit·lage *f.* 〔방언〕 (타작하기 위해) 펼쳐놓은 곡물.

spreiz·beinig [ʃpráɪts..] *a.* 다리를벌린. **~dübel** *m.* 〖工〗 맞춤못(못·나사를 박을 때 벽의 구멍에 끼워넣는 플라스틱 조각).

Spreize [ʃpráɪtsə] *f.* -n ① 〖건축〗 버팀목, 지주(支柱). ② 양다리를 일직선으로 벌린 자세. ③ 〔구어〕 궐련.

***spreizen** [ʃpráɪtsən] 《I》 *t.* ① 펼치다, 펴다, 벌리다: ein Bein nach hinten ~ 한쪽 다리를 뒤로 벌리다; ein Vogel spreizt die Flügel 새가 날개를 펼친다; ein Vogel spreizt die Federn 새가 깃털을 곤두세운다. ② 〖건축〗 …에 지주를 대다; 〖방송〗 (주파수 범위를) 확장하다. 《II》 *refl.* ① sich ~ 활개를 펴다: sich mit et.³ ~ 무엇을 뽐내다. ② sich gegen et. ~ 거드름피우며 무엇을 거절〔반대〕하다. 《III》 **gespreizt** *p.a.* ↑ gespreizt.

Spreiz·fuß *m.* 〖醫〗 편평족. **~sprung** *m.* 〖체조〗 양다리를 일직선으로 뻗으며 하는 도약.

Spreizung *f.* -en ① 펼치기. ② 주파수 영역의 확장.

Spreiz·windel *f.* 젖먹이의 선천적 좌골 관절 결함을 교정시키는 버팀대.

Spreng·arbeit [ʃprɛ́ŋ..] *f.* 〖광산〗 폭파 작업.

sprengbar *a.* 폭파할 수 있는.

Spreng·bombe *f.* (고성능) 폭탄. **~büchse** *f.* 폭파관(罐).

Sprengel [ʃprɛ́ŋəl] 《<sprengen》 *m.* -s, - 〖가톨릭〗 ① 성수(聖水)채. ② **(a)** 성당구(聖堂區); 교구: zu diesem ~ gehören vier Dörfer 이 교구에는 네 마을이 소속되어 있다. **(b)** (관청의) 관할 구역.

***sprengen** [ʃprɛ́ŋən] 《springen 의 사역 동사》 《I》 *t.* ① 폭파하다: ein Schiff in die Luft ~ 배를 폭파하다; Löcher in einen Felsen ~ 폭파하여 암석에 구멍을 뚫다. ② 돌파하다, 억지로 열다; 파괴하다, 분쇄하다: die Fesseln ~ 사슬을 끊어 버리다; eine Tür 〔ein Schloß〕 ~ 문을〔자물쇠를〕 억지로 부수어 열다; das Eis hat das Gefäß gesprengt 얼음이 얼어 그릇이 깨졌다; 〔비유〕 die Freude sprengte mir fast die Brust 〔das Herz〕 기뻐서 내 가슴〔심장〕이 터질 듯했다. ③ 튀기다; (말을) 빨리 달리게 하다; 쫓아서 흩어지게 하다, 해산시키다: einen Ball ~ 공을 쳐서 튀게 하다; sein Pferd über einen Graben ~ 말을 몰아 호를 뛰어넘게 하다; eine Versammlung ~ 집회를 (강제적으로) 해산시키다; eine Spielbank ~ 도박판에서 판돈을 다 휩쓸어 가다; jn. nach einem Orte hin ~ 누구를 어느 곳으로 내몰다; 〖사냥〗 Wild ~ 사냥감을 내몰다, 달아나게 하다. ④ (물을) 뿌리다, 뿜다: Wasser auf die Blume ~ 꽃에 물을 주다; die Straßen ~ 거리에 물을 뿌리다. ⑤ (범위를) 벗어나다: das würde den Rahmen unserer Diskussion ~ 그것은 우리 토론의 범위를 벗어나는 것일 것이다. 《II》 *i.* ① (s.) 〔雅語〕 내닫다, 빨리 달리다, 돌진하다; auf die Feinde (los) ~ 적을 향하여 돌진하다; dahergesprengt kommen 말 타고 질주해오다. ② (h.) **(a)** 물을 뿌리다. **(b)** *imp.* es hat nur gesprengt 잠깐 동안 비가 뿌렸을 뿐이다. 《III》 *refl.* sich ~ 흩날리다.

Sprenger *m.* -s - ① 폭파자. ② 물을 뿌리는 사람; 잔디밭 살수기.

Spreng·gelatine *f.* 〖化〗 젤라틴 다이너마이트. **~geschoß** *n.* 〖軍〗 파열탄, 폭탄. **~gräber** *m.* 〖軍〗 지뢰 매설자. **~granate** *f.* 〖軍〗 폭렬 유탄(榴彈). **~höhe** *f.* 폭파물이 날아간 높이. **~kammer** *f.* (총·포의) 약실(藥室). **~kanne** *f.* 물뿌리개. **~kapsel** *f.* 뇌관. **~karren** *m.* 살수차. **~kessel** *m.* 〖가톨릭〗 성수반(聖水盤). **~kommando** *n.* 폭파 공작대〔부대〕. **~kopf** *m.* 〖軍〗 탄두. **~körper** *m.* 폭발물, 폭탄. **~kraft** *f.* ① 폭파〔폭발〕력. ② 〔비유〕 (토론이나 갈등의) 기폭제. **~kugel** *f.* 〖軍〗 파열탄, 폭탄. **~ladung** *f.* 〖軍〗 일정량의 폭약〔탄약〕, 장전분(량). **~laut** *m.* 〖음성〗 (Explosivlaut) 파열음(b, p, t 따위).

~meister *m.* 폭파 전문가, 폭파 작업 책임자. **~mittel** *n.* 폭약. **~öl** *n.* 〖化〗 니트로글리세린. **~patrone** *f.* 폭파 구멍에 집어넣는 방수 포장 폭약. **~pulver** *n.* 폭약. **~punkt** *m.* 폭파 지점. **~regen** *m.* 가랑〔보슬〕비. **~satz** *m.* ↑ ~ladung.

Sprengsel [ʃprέŋzəl] *m.* -s, - ① 반점, 얼룩, 오점. ② 〔방언〕 메뚜기.

Spreng·stoff *m.* 폭약.

Sprengstoff≈anschlag *m.* 기습 폭격. **~-haltig** *a.* 폭약이 들어 있는. **~paket** *n.* 폭약이 들어 있는 소포.

Spreng≈stück *n.* 폭발물의 파편. **~trichter** *m.* 〖軍〗 (폭탄 등의) 폭발로 생기는 구덩이. **~truppe** *m.* 폭파 공작대, 폭파 부대.

Sprengung [ʃprέŋʊŋ] 《<sprengen》 *f.* -en ① 폭파, 파열; 돌파, 분쇄. ② (집회의) 강제 해산. ③ 질구(疾驅). ④ 살수(撒水), 물뿌리기.

Spreng≈waage *f.* 유동봉(遊動棒), 차축 가름대. **~wagen** *m.* 살수차. **~wedel** *m.* 〖가톨릭〗 성수(聖水)채. **~werk** *n.* ① 〖토목〗 (↔ Hängewerk) 버팀틀, 트러스. ② 폭약. **~-wirkung** *f.* 폭파 효과.

Sprenkel [ʃprέŋkəl] *m.* -s, - ① 새 잡는 덫. ② 반점, 얼룩, 오점. ③ 주근깨.

sprenk(e)licht *a.* ↑ sprenk(e)lig.

sprenk(e)lig *a.* 반점이 있는, 얼룩진.

sprenkeln [ʃprέŋkəln] *t.* …에 얼룩무늬를〔반점을〕 찍다.

Sprenz [ʃprɛnt] *m.* -es, -e, **Sprenze** *f.* -n 〖動〗 (Sperber) 새매(특히 수컷), 난추니.

sprenzen (südwestd.) 《I》 *t.* (물을) 세게 뿌리다〔뿜다〕. 《II》 *imp.* es sprenzt 가랑비가 내린다.

Spreu [ʃprɔʏ] *f.* 왕겨; 북데기; 〔비유〕 허섭스레기: 〔비유〕 die ~ vom Weizen trennen 〔sondern, scheiden〕 알곡에서 쭉정이를 가려내다, 옥석을 가리다(마태 3:12); zur ~ gehören 〔sich unter die ~ mischen〕 미천한 사람들 중의 하나다.

spreu≈artig *a.* 왕겨 같은; 〖植〗 소포질(小苞質)의. **~blättchen** *n.* 〖植〗 소포엽(小苞葉), 포(苞).

spreuig [ʃprɔ́ʏɪç] *a.* 왕겨가 많은; 〖植〗 (소)포가 있는.

Spreu·regen *m.* 가랑〔이슬·보슬〕비.

sprich [ʃprɪç] ↑ sprechen 의 2인칭 단수 명령형.

sprichst [..st] ↑ sprechen 의 2인칭 단수 현재형.

spricht ↑ sprechen 의 3인칭 단수 현재형.

***Sprich≈wort** *n.* 〔복수: ..wörter〕 속담, 격언. **~wörter·sammlung** *f.* 속담〔격언〕집. **~wörtlich** *a.* ① 속담의〔같은〕; 속담이 된: eine ~e Wendung 속담처럼 되어 버린 성구(成句); eine ~e Wahrheit 속담이 된 진실. ② 잘 알려진, 유명한: seine Freigebigkeit ist ~ 그의 자선 정신은 유명하다.

Spriegel [ʃprí:gəl] *m.* -s, - ① 〖工〗 테, 욋가지; (얇은) 나뭇조각. ② 〔방언〕 (마차의 포장을 치는) 버팀목. ③ (고깃간의) 고기 고리쇠.

spriegeln *t.* …에 테를 두르다; …에 버팀목을 대다.

Sprieße [ʃprí:sə] *f.* -n ① 지주, 버팀 기둥, 버팀목. ② (사다리의) 가로대〔단〕. ③ 〔방언〕 파편(조각).

Sprießel *n.* -s, - (öst.) (사다리의) 가로대, (새장의) 홰.

sprießen[1] [ʃprí:sən] *t.* 〖건축〗 (stützen) (버팀목으로) 받치다, 버티다, 괴다.

sprießen*[2] (sproß, gesprossen) *i.* (s.) 〔雅語〕 싹트다, 발아하다; 발생하다; 성장하다; 번성하다: die ersten Knospen ~ 새순이 돋다; 〔농담·반어〕 Barthaare ~ 수염이 드문드문 나다; in diesen Menschen sprießt das Mißtrauen 이 사람들 사이에 불신이 싹트기 시작한다.

Sprieß·holz *n.* 버팀목.

Spriet [ʃpri:t] *n.* -(e)s, -e 〖海〗 (Bug~) 스프릿(소형 종범선의 마스트에 비스듬히 부착하여 돛을 팽팽하게 펴주는 원재(圓材)).

Spriet·segel *n.* 스프릿으로 펴는 돛.

Spring[1] [ʃprɪŋ] *m.* -(e)s, -e (nordd.) ① (솟아오르는) 샘, 분수. ② 용출, 분출.

Spring[2] *f.* -e 〔*m./n.* -(e)s, -e〕 〖海〗 ① 계류삭(繫留索), 닻줄: ein Schiff auf ~ legen 배를 계류시키다. ② 측면에서 본 갑판의 경사도.

Spring≈anker *m.* 〖海〗 작은 닻. **~auf** *m.* ① 〖植〗 은방울꽃. ② 오뚝이. **~ball** *m.* ① 고무공. ② 〖배구〗 양팀 선수가 동시에 볼을 터치함. **~becken** *n.* 분수반(盤). **~blende** *f.* 〖사진〗 자동 조리개. **~bock** *m.* 〖動〗 스프링복(남아프리카산(產) 영양(羚羊)의 일종). **~brett** *n.* 〖스포츠〗 도약판, 발판. **~brunnen** *m.* 분수. **~deckel** *m.* 〖工〗 (시계의) 용수철 달린 뚜껑.

Springel *m.* -s, - 목마.

springen [ʃprɪ́ŋən] (sprang, gesprungen) 《I》 *i.* (s./h.) ① 뛰다, 뛰어오르다, 껑충 뛰다, 도약〔점프〕하다: mit dem Seil ~ 줄넘기하다; aufs Pferd ~ 말에 뛰어오르다; auf jn. los ~ 누구에게 덤벼들다; auf die Beine 〔Füße〕 ~ 벌떡 일어서다; aus dem Fenster ~ 창에서 뛰어내리다; das springt in die Augen 〔ins Auge〕 그것은 명백하다, 눈에 띈다; über einen Graben ~ 호를 뛰어넘다; er springt häufig von einem Thema zum anderen 그는 자주 주제〔화제〕를 바꾼다. ② 솟다, 내뿜다; 튀다; 갑자기 바뀌다: dieser Ball springt gut〔schlecht〕 이 공은 잘 튄다〔안 튄다〕; die Ampel springt auf Grün 신호등이 갑자기 초록색으로 바뀐다; 〔비유·구어〕 et. ~ lassen 무엇을 기부하다. ③ 〔구어〕 뛰어가다, 서둘러가다; spring mal schnell ins Haus! 빨리 집으로 뛰어가거라!; aus dem Bett ~ 급히 잠자리에서 일어나다; gesprungen kommen 뛰어오다; jn. (nur für sich) ~ lassen 누구의 도움을 계속 요청하다. ④ (봉오리가) 열리다; 부서지다, 쪼개지다, 갈라지다, 금가다; 파열하다: mir ist, als sollte mein Kopf ~ 나는 머리가 쪼개질 것만 같다; über die Klinge ~ lassen 베어 넘어뜨리다, 목을 자르다; über die Zunge ~ lassen 중상 모략하다; eine Mine ~ lassen 지뢰를 폭발시키다; 〖악기〗 eine Saite springt 현이 끊어지다. ⑤ 멀어지다; 풀어지다, 빠지다; (단추 등이) 떨어지다: mir ist ein Knopf vom Mantel gesprungen 내 외투에서 단추 하나가 떨어졌다; der Wagen ist aus dem Gleis gesprungen (기차의) 차량이 탈선했다. ⑥ (동물이) 교미하다. ⑦ 〖체스〗 (눈금을) 뛰어넘다. 《II》 *t.* (어떤 거

리·높이를) 뛰어오르다: einen neuen Rekord ~ (높이뛰기에서) 신기록을 내다; einen Salto ~ 공중제비를 하다. 《Ⅲ》 *refl.* sich müde ~ 뛰어서 지치다.

Springen *n.* -s 도약, 뛰기, 점프.

springend *p.a.* 뛰는, 도약하는: der ~e Punkt a) 〖動〗 (알의) 배반(胚盤), b) 〔비유〕 요점, 핵심.

Springer [ʃprɪŋər] *m.* -s, - ① 뛰는 사람; 멀리〔높이〕뛰기 선수: 〔구어〕 junger ~ 풋내기, 애송이. ② 〖체스〗 말(馬). ③ 높이 뛰는 동물 (캥거루·메뚜기 등). ④ 돌고래. ⑤ 〖수의〗 선도병(旋倒病)에 걸린 양. ⑥ 쇄골. ⑦ 수갑, 족쇄. ⑧ (필요에 따라 투입되는) 비상 교대 노동자. ⑨ 〖農〗 종축(種畜).

Springerin *f.* -nen ↑ Springer 의 여성형.

Springerle *n.* -s, - 〔방언〕 아니스가 들어간 크리스마스용 빵과자.

Springerli *n.* -s, - ↑ Springerle.

Spring≈feder *f.* 〖工〗 용수철, 스프링. **~flut** *f.* (↔ Nippflut) (한)사리, 만조. **~form** *f.* (완성 후 분리되는) 케이크용 틀. **~hase** *f.* 〖動〗 (점프력이 좋은) 남아프리카산(産) 토끼. **~hengst** *m.* 씨말, 종마(種馬). **~ins·feld** *m.* -(e)s, -e 기운 찬 젊은이; 장난꾸러기, 덜렁쇠. **~käfer** *m.* 〖動〗 방아벌레. **~kraft** *f.* 탄력. **~kräftig** *a.* 탄력이 있는. **~kraut** *n.* 〖植〗 봉선화. **~lebendig** *a.* 기운 차고 팔팔한, 매우 활달한, 씩씩한. **~maus** *f.* 〖動〗 (아시아·아프리카산(産)) 뛰는 쥐. **~messer** *n.* 접는 칼, 재크 나이프. **~nager** *m.* 〖動〗 ↑ ~maus. **~pferd** *n.* 〖승마〗 장애물 경기용 말. **~prozession** *f.* (룩셈부르크 Echternach 에서 성령 강림절 축일에 행해지는) 무도 행렬. **~prüfung** *f.* 〖승마〗 장애물 비월 테스트. **~quell** *m.* 〔雅語〕 분수, 분천(噴泉). **~quelle** *f.* ↑ ~quell. **~reiten** *n.* 〖승마〗 장애물 비월. **~reiter** *m.* 〖승마〗 장애물 (경기 참가) 기수. **~röhre** *f.* 분수관(噴水管). **~schwanz** *m.* 〖動〗 톡토기, 뛰어오르는 벌레 (탄미류(彈尾類)의 각종 곤충). **~seil** *n.* 줄넘기하는 줄. **~stange** *f.*, **~stock** *m.* 높이뛰기 장대. **~stunde** *f.* (수업 시간 사이의) 교사의 빈〔자유〕 시간. **~tau** *n.* ① 줄넘기 줄. ② 〖海〗 선박을 매어두는 줄. **~tide** *f.* (한)사리, 만조. **~welle** *f.* 만조의 물결. **~wurm** *m.* 〖動〗 요충. **~wurz** *f.* 〖植〗 속수자·등대풀의 뿌리(고대 및 중세에는 강한 마력을 지닌 것으로 믿어졌음). **~wurzel** *f.* ↑ ~wurz. **~zeit** *f.* ① 교미기. ② 한사리 때.

Sprinkler [ʃprɪŋklər, sp..] 《engl.》 *m.* -s, - 스프링클러, 살수기.

Sprinkler·anlage *f.* 스프링클러 장치, 자동 소화 장치.

Sprint *m.* -s, -s 〖스포츠〗 ① 〖육상·사이클〗 단거리 경기. ② 전력 질주, 라스트 스퍼트: jetzt setzt er zum ~ an 이제 그는 라스트 스퍼트를 시작한다. ③ (선수의) 가속 능력.

sprinten [ʃprɪntən, sp..] *i.* (h.) ① 라스트 스퍼트를 하다. ② 〔구어〕 빨리 달리다.

Sprinter 《engl.》 *m.* -s, - 단거리 선수.

Sprinterin *f.* -nen ↑ Sprinter 의 여성형.

Sprinter·rennen *n.* 〖사이클〗 단거리 경주.

Sprint≈strecke *f.* 〖스포츠〗 단거리 경주 코스. **~vermögen** *n.* 〖스포츠〗 스퍼트 능력.

Sprinz *m.* -es, -e 새매.

Sprit [ʃprɪt] 《lat.》 *m.* -(e)s, -e ① 〖化〗 주정(酒精), 에틸알코올; (초산 10% 정도의) 식초. ② 〔구어〕 소주, 위스키; 연료, 휘발유, 벤진.

spritig [ʃprɪtɪç] *a.* 주정을 함유하는, 알코올 성분이 있는, 알코올 냄새가 나는.

Spritz≈apparat [ʃprɪts..] *m.* (물감) 분무기. **~arbeit** *f.* 〖제본〗 대리석 무늬 넣기; 〖畫〗 분사 화법(~malerei); 소방 작업. **~bad** *n.* 샤워. **~beton** *m.* 〖토목〗 (분무식의) 공보 콘크리트. **~beutel** *m.* (케이크 장식용 크림을 짜내는) 튜브. **~bewurf** *m.* 〖工〗 벽토(壁土) 바르기. **~brett** *n.* (차의) 흙받이판. **~büchse** *f.* 물총. **~decke** *f.* (배의) 방수 덮개; (마차의) 차양. **~düse** *f.* 분무관.

***Spritze** [ʃprɪtsə] *f.* -n ① (Feuer~) 소화기, 소화 펌프; 분무기, 물총: 〔비유〕 bei der ~ sein 일하고 있다, 활동 중이다; der (erste) Mann an der ~ 중요한 인물, 세력가; voll wie eine ~ 곤드레만드레 취한. ② 〖醫〗 주사, 주입; 주사기, 주입기; 관장기: jm. eine ~ geben 누구에게 주사하다, 〔비유〕 누구를 격려하다; 〖마약〗 an der ~ hängen〔sein〕 약물 중독이다. ③ (잉크 등의) 튄 물, 얼룩물. ④ 〔비속〕 처녀; 하녀. ⑤ 〔구어〕 (Spritzfahrt) 짧은 여행, 근거리 드라이브. ⑥ 〔고어·학생〕 (소풍용의) 전세 마차. ⑦ 〔경박〕 자동 권총. ⑧ 〔구어·은어〕 재정적 원조: eine ~ von 200 000 Mark 200,000 마르크의 투입.

***spritzen** [ʃprɪtsən] 《Ⅰ》 *i.* ① (s.) 뿜어나오다, 용솟음쳐나오다, 쏟아져나오다; 튀다: das heiße Fett spritzt 뜨거운 기름이 튀다; das Blut ist aus der Wunde auf mein Hemd gespritzt 상처에서 피가 나와 내 셔츠로 튀겼다. ② (h.) 튀기다; (소화기가) 물을 내뿜다; (고래가) 바닷물을 내뿜다: 〔구어〕 es spritzt 가랑비〔보슬비〕가 내리다. ③ (s.) 〔구어〕 빨리 달리다, 서둘러 오다: dieser Kellner spritzt beim leisesten Wink 이 종업원은 조금만 눈짓해도 잽싸게 달려온다. ④ (h.) 〔경박〕 사정(射精)하다. 《Ⅱ》 *t.* ① 내뿜다, 쏘아 내보내다; 튕기다: Schlagsahne auf die Torte ~ 케이크에 생크림을 끼얹다. ② **(a)** …에 물을 뿌리다; 스프레이 페인트로 칠하다: die Blumen ~ 꽃에 물을 주다; den Wagen ~ 차량에 스프레이 페인트로 칠하다. **(b)** (식물에) 약제를 살포하다. **(c)** 분무하여 만들어내다: ein Muster ~ 분무하여 어떤 모양을 만들다. ③ (술에) 소다수를 타서 희석하다: Wein ~ 포도주에 소다수를 타다. ④ 뿜다, 주입하다; 〖醫〗 주사하다; 관장하다: ein Medikament ~ 약을 주사하다; jn. gegen Typhus ~ 누구에게 티푸스 예방 접종을 하다; 〔구어〕 er (hat Zucker und) muß sich ~ 그는 (당뇨병이 있어서) (인슐린) 주사를 맞아야 한다. ⑤ 〔은어〕 훔치다.

Spritzen≈haus *n.* 〔옛뜻〕 소화 장비 창고; 소방서. **~korps** [..ko:r] *n.* 소방대. **~mann** *m.* 〔복수: ..leute〕 소방대원. **~meister** *m.* 〔옛뜻〕 소방대장; 소방서장. **~rohr** *n.*, **~röhre** *f.* 소화기 관(管). **~schlauch** *m.* 소화기 호스.

Spritzer [ʃprɪtsər] *m.* -s, - ① 물을 뿌리는 사람; 소방대원; 주사하는 사람; 스프레이 도장공. ② (잉크의) 튄 물, 얼룩물. ③ (öst.) 소나기. ④ **(a)** (소량의) 희석액: Whisky mit einem ~ Soda 소량의 소다수를 탄 위스키. **(b)**

(용기를 한번 흔들어서 또는 눌러서 나오는) 소량, 방울: einen ~ Essig an den Salat geben 식초 한 방울을 샐러드에 치다. ⑤〖구어〗마약 중독자.

Spritzerei *f.* -en 계속해서 뿌리기.

Spritz≈fahrt *f.* 〖구어·학생〗짧은 여행, 근거리 드라이브. **~flasche** *f.* ①〖化〗세기병(洗氣瓶). ② 분무〔스프레이〕병. **~fleck** *m.* 흙탕물이 튄 얼룩. **~gebackene*** *das* ↑ ~kuchen. **~guß** *m.* ①〖제련·구식〗압력 주조, 다이 캐스팅. ② (플라스틱의) 사출 성형.

spritzig *a.* ① (포도주의 맛이) 톡쏘는, 얼얼한. ② 경쾌한, 재기 넘치는: ein ~es Lustspiel 재기 발랄한 희극. ③〖방언〗성급한, 화를 잘 내는; 뚱한. ④ (차가) 가속 성능이 좋은; 민첩한: ein ~er Sportwagen 가속력이 좋은 스포츠카.

Spritzigkeit *f.* 얼얼함; 경쾌.

Spritz≈kanne *f.* (schweiz.) 물뿌리개. **~kuchen** *m.* 부꾸미 모양의 과자(반죽을 주출기(注出器)로 짜내어 구움). **~lack** *m.* 분무식 래커. **~lackierung** *f.* 분무식 래커칠. **~leder** *n.* (마차의) 진흙받이 가죽. **~loch** *n.* 〖動〗(고래의) 분수 구멍. **~malerei** *f.* ①〖畫〗(그림 물감을 본 위에 뿜어 그리는) 분사식 화법. ② 분사식 그림. **~mittel** *n.* 주입제(注入劑), 관장제(灌腸劑). **~pistole** *f.* (래커·페인트를 뿜어내는) 권총 모양의 분무기. **~regen** *m.* 보슬〔가랑〕비. **~rohr** *n.* 분무관. **~röhre** *f.* ① ↑ ~loch. ② 주사관. **~tour** [..tu:r] *f.* 〖구어〗짧은 여행, 근거리 드라이브. **~wasser** *n.* 물보라.

spröd [ʃprø:t] *a.* ↑ spröde.

***spröde** [ʃprǿ:də] *a.* ① 깨지기〔부서지기〕 쉬운; (금속이) 유연성이 없는; 거친, (털이) 꺼칠꺼칠한; 금간, (피부가) 갈라져 터진, (목소리가) 칼칼한, 쉰: Glas ist ~ 유리는 깨지기 쉽다; ~ Lippen 터서 갈라진 입술. ② (소재 등이) 다루기 어려운: der Stoff ist für eine komödiantische Darstellung zu ~ 그 소재는 희극으로 다루기 어렵다. ③ 퉁명스러운, 냉담한; 삼가는, 점잔빼는; 수줍은, 속내를 드러내지 않는: sie ist eine ~ Schönheit 그녀는 쌀쌀맞은 미인이다.

Spröde *f.* ↑ Sprödigkeit.

Sprödheit [ʃprø:t..] *f.* ↑ Sprödigkeit.

Sprödigkeit *f.* 깨지기 쉬움; 냉담.

Sproß *m.* ..sses, ..sse ① (잎과 꽃이 달린) 나뭇가지, 어린 가지; 새싹. ②〖雅語·농담〗자손, 후예. ③〖사냥〗사슴의 가지뿔.

Spross 新정서 ⇦ Sproß.

spross 新정서 ⇦ sproß.

sproß [ʃprɔs] ↑ sprießen² 의 과거형.

Sproß·achse *f.* (잎과 꽃이 달린) 나뭇가지.

Sprößchen [ʃprœsçən] *n.* ① ↑ Sproß 의 축소형. ② ↑ Sprosse 의 축소형.

Sprosse [ʃprɔ́sə] *f.* -n ① 사닥다리의 디딤판; 창틀의 횡목(橫木); 〖비유〗er stand auf der obersten ~ ihrer Karriere 그는 출세 가도의 정점에 서 있었다. ② 주근깨. ③〖사냥〗사슴의 가지뿔.

sprösse [ʃprœ́sə] ↑ sprießen² 의 접속법 Ⅱ식.

sprossen [ʃprɔ́sən] *i.* (h./s.) ① (sprießen) 싹이 트다, 발아하다, 새싹을 틔우다: 〖비유〗von jm. ~ 누구의 자손이다. ② (식물·싹이) 자라나다: 〖비유〗ein üppig ~der Bart 덥수룩하게 자란 텁수염.

Sprossen≈bier *n.* 가문비나무주(酒). **~fichte** *f.* 〖植〗가문비나무. **~kohl** *m.* 〖植〗꽃양배추, 모란채(牡丹菜), 브로콜리. **~wand** *f.* 〖스포츠〗늑목(肋木).

Sprosser [ʃprɔ́sər] *m.* -s, - 〖動〗울새속.

Sprößling [ʃprœslɪŋ] *m.* -s, -e ①〖구식〗자손. ②〖구어·농담〗자녀, 특히 아들.

Sprössling 新정서 ⇦ Sprößling.

Sprossung [ʃprɔ́sʊŋ] *f.* -en 발아; 개화.

Sprott [ʃprɔt] 《ndd.》 *m.* -(e)s, -e ↑ Sprotte.

Sprotte [ʃprɔ́tə] *f.* -n 〖動〗청어의 일종.

***Spruch** [ʃprʊx] *m.* -(e)s, Sprüche [ʃprʏ́çə] ① **(a)** 격언, 금언, 표어: die Sprüche Salomo(ni)s 솔로몬의 잠언; die Wände waren mit Sprüchen beschmiert 벽은 구호들로 뒤덮여 있었다. **(b)** (특히 성경의) 대목, 구절: Bibel≈ 성경 구절. ② 선고, 판결; 판정, 평결. ③ (중세 문학의) 한 절로 된 단창구(短唱句)(여러 절로 된 Lied 와 구별됨). ④ 주문(呪文), 신탁, 예언. ⑤〖구어·폄어〗알맹이 없는 충고, 상투어, 빈말: nichts als Sprüche! 상투어에 지나지 않는군!; Sprüche machen 〔klopfen, kloppen〕 호언장담하다.

spruch≈artig *a.* 격언풍의. **≈band** *n.* 〖복수: ..bänder〗① 글 띠, 명대(銘帶)(중세의 그림 안에 넣어져 그 내용을 설명하는). ② 구호나 슬로건을 쓴 현수막. **≈buch** *n.* 격언〔금언〕집. **≈dichter** *m.* 격언 시인. **≈dichtung** *f.* 격언시.

Sprüche≈klopfer [ʃprʏ́çə..] *m.* 〖구어·폄어〗허풍쟁이. **~klopferei** *f.* 〖구어·폄어〗계속 허풍떨기.

Sprüchelchen [ʃprʏ́çəlçən] *n.* -s, - 짧은 격언.

spruch≈fähig *a.* ↑ ~reif. **≈gedicht** *n.* 격언시.

spruchhaft *a.* 격언풍의.

Spruch·kammer *f.* (나치스 당원으로 활약한 적이 있는지를 심사하는) 특별 재판소.

Sprüchlein [ʃprʏ́çlaɪn] *n.* -s, - 〖↑ Spruch 의 축소형〗짧은 격언.

spruch≈mäßig *a.* 격언풍의. **≈register** *n.* 〖聖〗색인. **~reich** *a.* 격언이〔경구가〕 풍부한. **~reif** *a.* 판결〔결정〕을 내릴 단계인. **≈-sammlung** *f.* 격언〔금언〕집. **~weise** *adv.* 격언풍으로. **≈weisheit** *f.* 격언에 담긴 교훈.

Sprüch·wort [ʃprʏ́ç..] *n.* ↑ Sprichwort.

Sprudel [ʃprú:dəl] *m.* -s, - ①〖구식〗샘, 분천(噴泉), 용천(湧泉). ② 분수(물줄기). ③ 탄산수, 미네랄워터, 소다수.

Sprudel≈bad *n.* 샤워. **~brunnen** *m.* 용천(湧泉), 분천(噴泉).

Sprudel·kopf *m.* 〖구어〗쉽게 흥분하는 사람.

***sprudeln** [ʃprú:dəln] 《I》 *i.* ① (s.) 솟아나오다, 뿜어나오다; 쏟아져 나오다: der Sekt sprudelt aus der Flasche 샴페인이 병에서 (거품을 내며) 넘쳐나온다; 〖비유〗die Worte sprudelten von seinen Lippen 〔aus seinem Mund〕 그의 입에서는 말이 마구 쏟아져 나왔다. ② (h.) 거품이 일다, 부글부글 끓다, 비등하다: das Wasser sprudelt im Topf 물이 냄비에서 끓고 있다; 〖비유〗er sprudelte vor

Freude 그는 기쁨에 넘쳐 들떠 있다; ein ~der Witz 재기 넘치는 위트. ③ (h.) 침을 튀기며 급히 말하다. ④ (h.) (öst.) 휘젓다. 《Ⅱ》 *t.* ① 솟아나오게〔흘러나오게〕 하다: 〖비유〗 잇달아 말하다: Beleidigungen ~ 마구 욕설을 퍼붓다.

Sprudel≈quell *m.*, **~quelle** *f.* 용천(湧泉), 분천(噴泉), 온천. **~stein** *m.* 〖광물〗 아라고나이트, 산석; (Sinter) 천화(泉華), 탕화(湯花). **~wasser** *n.* 광천수, 탄산수.

Sprudler *m.* -s, - (öst.) (조리용) 교반기, 나무공이.

Sprue [spru:] *f.* 〖병리〗 소장(小腸)의 (양분) 흡수 장애, 지방성 설사, 지방변증(便症).

Sprüh≈auge [ʃprý:..] *n.* 형안; 날카롭게 빛나는 눈. **~dose** *f.* ① 스프레이 용기, 분무기. ② 에어 브러시(컴퓨터 그래픽에서 마치 붓으로 칠한 것과 같은 효과를 내는 도구).

***sprühen** [ʃprý:ən] 《Ⅰ》 *i.* (**a**) (h.) ① (불똥 등이) 튀다: das Gedicht sprüht von〔vor〕 Witz 이 시에는 재치가 번득이고 있다; vor Wut ~ 격분하다; 〖비유〗 ihre Augen sprühten vor Begeisterung 그녀의 눈은 감격하여 반짝거렸다. (**b**) (h.) 튀어 나가다〔날아가다〕: Die Funken ~ nach allen Seiten 불꽃들이 사방으로 튀어 나간다. ② *imp.* es sprüht 이슬비가 내리다. ③ 반짝거리다: der Diamant sprüht in vielen Farben 다이아몬드가 오색영롱하게 반짝인다. 《Ⅱ》 *t.* (불똥을) 튀기다, 날리다, 뿌리다: 〖비유〗 ihre Augen sprühten Blitze 그녀의 눈이 빛을 발했다.

sprühend *p.a.* 불똥을 튀기는, 번득이는: ~er Witz 빛나는 재치.

Sprüh≈feuer *n.* 불똥을 튀기며 타는 불. **~flasche** *f.* 스프레이〔분무〕병. **~pflaster** *n.* 뿌리는 고약. **~funken** *pl.* 튀는 불똥. **~regen** *m.* 이슬비; 〖海〗 물보라. **~teufel** *m.* ① 꽃불의 일종. ② 성마른 기분; 성급한 사람.

***Sprung** [ʃprʊŋ] 《<springen》 *m.* -(e)s, Sprünge [ʃprʏ́ŋə] ① 뜀, 뛰어오름, 도약: beim ~ von der Mauer brach er sich ein Bein 그는 담을 뛰어넘다가 다리가 부러졌다; 〖비유·구어〗 keine großen Sprünge machen können (경제적) 여유가 없다; 〖비유〗 sein Herz machte vor Freude einen ~ 그의 가슴이 기뻐서 뛰었다; auf dem ~(e) sein〔stehen〕 (, et. zu tun) 막 (무엇을) 하려고 하다; immer auf dem ~(e) sein 항상 바쁘다; auf dem ~(e) sitzen (채비를 갖춰놓고) 때를 기다리다; 〖비유〗 jm. auf die Sprünge helfen 누구를 도와주다, 누구에게 암시를 주다; seinem Gedächtnis muß man immer wieder auf die Sprünge helfen 늘 그의 기억이 살아나도록 도와주어야 한다; 〖비유·구어〗 jm. auf〔hinter〕 die Sprünge kommen 누구의 책략을 간파하다; 〖비유〗 ein ~ ins Ungewisse〔Dunkel〕 모험의 감행; 〖구어〗 ein ~ ins kalte Wasser (결과를 예상치 못한) 성급한 결정. ② 짧은 시간: 〖비유·구어〗 auf einen ~ 잠시(동안); ich komme auf einen ~ bei dir vorbei 나는 잠시 네게 들르겠다. ③ 〖비유·구어〗 짧은 거리: es ist nur ein ~ bis dahin 거기까지는 지척의 거리다. ④ (갈라진) 틈, 균열, 금: das Glas hat einen ~ 컵에 금이 갔다; 〖경박〗 einen ~ in der Schüssel haben 제정신이 아니다, 돌았다; 〖비유〗 ihre Beziehung hat einen ~ bekommen 그들의 관계에 틈이 생겼다. ⑤ 〖비유〗 건너뛰기, 비약: Gedanken≈ 사고의 비약: er hat in seiner Karriere einen großen ~ gemacht 그는 크게 출세했다; der Schauspieler machte einen ~ 그 배우는 대사 하나를 건너뛰었다. ⑥ 〖사냥〗 (**a**) ein ~ Rehe 한떼의 노루. (**b**) 토끼의 뒷다리. ⑦ 〖축산〗 (수컷의) 교미(동작). ⑧ 〖海·구식〗 갑판의 앞뒤 양단의 상승선. ⑨ 〖지질〗 단층. ⑩ (방직기에서) 날실이 드나드는 통로. ⑪ 〖컴〗 건너뜀(프로그램의 전환).

Sprung≈anlage *f.* ① 〖육상〗 (높이〔멀리〕뛰기 등의) 도약 운동 시설. ② 〖수영〗 다이빙 시설. **~balken** *m.* 〖육상〗 도약판. **~becken** *n.* 다이빙 경기를 할 수 있는(3-4.5 m 깊이의) 풀〔수영장〕. **~bein** *n.* ① 〖해부〗 복사뼈. ② 〖스포츠〗 (도약할 때) 발을 구르는 다리. **≈bereit** *a.* ① 뛸 준비가 된, 뛰려고 하는. ② 〖구어·농담〗 외출 준비가 된. **~bock** *m.* (거세하지 않은) 숫양(羊). **~brett** *n.* ① 〖스포츠〗 스프링보드, 뜀판; 〖수영〗 도약판. ② 〖비유〗 좋은 출발점〔발판〕: eine Stellung als ~ für die Laufbahn benutzen 어떤 지위를 인생의 발판으로 이용하다. **~deckel** *m.* (회중 시계 등의) 용수철 달린 뚜껑. **~feder** *f.* 용수철, 태엽, 스프링. **~feder·matratze** *f.* 스프링 매트리스. **≈fertig** *a.* ↑ ≈bereit. **~gelenk** *n.* 〖해부〗 발의 관절. **~grube** *f.* 〖육상〗 (멀리뛰기용·삼단뛰기용) 모래밭.

sprunghaft [ʃprʊ́ŋhaft] *a.* ① 비약적인, 급격한: die Preise sind ~ in die Höhe geschnellt 물가가 급격히 치솟았다. ② (**a**) 〖비유〗 마음이 변하기 쉬운: er ist sehr ~ 그는 변덕이 매우 심하다. (**b**) 비약이 많은.

Sprunghaftigkeit *f.* 비약이 심함, 갑작스러움.

Sprung≈höhe *f.* ① 도약 높이. ② 〖지질〗 단층의 수직 이동 거리. **~hügel** *m.* 〖육상〗 (장대높이뛰기 따위의) 착지 매트, 점프대. **~kasten** *m.* 뜀틀. **~kraft** *f.* 점프력. **~lauf** *m.* 스키 점프. **~pferd** *n.* 〖체조〗 도마. **~riemen** *m.* ① ↑ ~zügel. ② 혁대. **~schanze** *f.* 〖스키〗 점프〔도약〕대. **~seil** *n.* 줄넘기줄. **~stab** *m.* (장대높이 뛰기의) 장대. **~tuch** *n.* 〖복수: ..tücher〗 (화재 현장에서 뛰어내리는 사람을 받치는) 구명보. **~turm** *m.* 〖수영〗 다이빙대. **≈weise** *adv.* 비약하여, 급속히; 발작적으로; 불규칙하게. **~weite** *f.* ① 〖지질〗 단층의 수평 이동 거리. ② 〖육상〗 점프〔도약〕한 거리. **~wurf** *m.* 〖농구·핸드볼〗 점프슛. **~zügel** *m.* (말의) 가슴걸이, 고삐.

SPS *f.* =Sozialdemokratische Partei der Schweiz 스위스 사회 민주당.

Spucht [ʃpuxt] *m.* -(e)s, -e 조그맣고 허약한 남자〔청년〕, 허약한 짐승.

Spucke [ʃpʊ́kə] *f.* 〖구어〗 침(Speichel) : ihm bleibt die ~ weg〔fort〕 그는 깜짝 놀라〔기가 막혀〕 말이 나오지 않는다; 〖속담〗 mit Geduld und ~ fängt man eine Mucke 인내하면 무슨 일이든 이룬다.

***spucken** [ʃpʊ́kən] 《<speien》 《Ⅰ》 *i.* (h.) ① 침을 뱉다: jm. ins Gesicht ~ 누구의 얼굴에 침을 뱉다; 〖비유·구어·펌어〗 auf jn.〔et.〕 ~ 누구를〔무엇을〕 몹시 경멸하다, 단념하다; 〖비유·구어〗 jm. in die Suppe〔Schüssel〕 ~ 누구

의 계획을 망치다; 〖비유·구어·농담〗 jm. auf den Kopf ~ können 누구보다 키가 크다〔실력이 뛰어나다〕; in die Hände ~ 기운 내어 일을 시작하다; der Ofen spuckt 난로가 찌직 찌직 소리를 낸다; der Motor spuckt 엔진이 털털거린다, 제대로 돌아가지 않는다. ②〖방언〗 토하다, 게우다. 《Ⅱ》*t.* 토하다, 뱉다: Blut ~ 피를 토하다; 〖비유〗 große Bogen〔Töne〕 ~ 떠벌리다, 허세부리다; der Vulkan spuckt Lava 화산이 용암을 뿜어낸다.

Spuck=kasten *m.* 타구(唾具). **~napf** *m.* ↑ ~kasten.

*__Spuk__ [ʃpu:k, ʃpuk] 《ndd.》 *m.* -(e)s, -e ①〖구식〗 유령, 도깨비; (유령이 만들어낸다고 생각되는) 불길한 현상; 끔찍하고 무시무시한 사건. ②〖구식·구어〗 소동, 야단법석: mach keinen ~! 소란 피우지 마라!

spuken [ʃpú:kən] *i.* (h.) ① *imp.* es spukt 유령이 출몰한다, 분위기가 섬뜩하다: es spukt bei ihm (im Kopfe) 그는 머리가 이상하다. ② 유령으로서 출몰하다; 몹시 떠들다, 법석 떨다: der alte Graf spukt noch immer im Schloß 노백작이 아직도 성에 유령으로 나타난다. ③〖비유〗 나타나다, 작용하다: der Wein spukt in seinem Kopfe 그는 술기운이 돌기 시작한다; dieser Aberglaube spukt noch immer unter den Leuten 이 미신은 아직도 사람들 사이에서 횡행하고 있다.

Spukerei [ʃpu:kəráɪ] *f.* -en 유령의 (계속적인) 출몰.

Spuk=geist *m.* 유령, 귀신. **~geschichte** *f.* 귀신 이야기, 괴담. **~gestalt** *f.* 유령.

spukhaft [ʃpú:khaft] *a.* 유령〔도깨비〕 같은, 무시무시한.

spukig *a.* ↑ spukhaft.

Spuk=märchen *n.* ↑ ~geschichte. **~stunde** *f.* 한밤중 도깨비가 나올 시간, 삼경.

Spül=abort *m.* 수세식 화장실. **~automat** *m.* 식기 세척기. **~becken** *n.* ① (싱크대의) 물받이통, 개수대. ②〖醫〗 (치과의) 양칫물 뱉는 곳. **~bord** *m.* 〖海〗 (노 젓는 사람 뒤에 두른) 널.

Spul·draht *m.* 감는 코일.

Spule [ʃpú:lə] *f.* -n ① (새의) 깃촉. ②〖工〗 보빈, 실패, (필름 감는) 릴; 실꾸리; 〖전기〗 코일.

Spüle [ʃpý:lə] *f.* -n (부엌의) 설거지대, 싱크대.

Spül·eimer *m.* 구정물〔개수〕통.

spulen [ʃpú:lən] 《Ⅰ》*t.* ①〖工〗 실패에 감다, 잣다: er spult das Tonband auf eine andere Spule 그는 녹음 테이프를 다른 릴에 감는다. ② et. von einer Rolle ~ 무엇을 감개에서 풀다, 풀어내다. 《Ⅱ》*i.* (h.) 붕붕 소리가 나다(실을 잣는 소리).

*__spülen__ [ʃpý:lən] 《Ⅰ》*t.* ① 씻다, 헹구어〔씻어〕내다: sich³ den Mund ~ 입가심하다; 〖구어〗 jm. die Gurgel ~ 누구에게 잔뜩 술을 먹이다; Geschirr ~ 설거지하다. ② 물결로 옮기다, 흘려보내다: die Wellen ~ Muscheln ans Ufer 파도가 조가비를 해안으로 밀어올린다. 《Ⅱ》*i.* (h.) ① 씻다, (수세식 변기의) 물을 내리다. ② (파도가) 몰아치다, (파도에) 밀려오다: Wellen ~ ans Ufer 파도가 해안에 밀려온다.

Spuler *m.* -s, - 〖工〗 ① 실 감는 사람. ② (재봉틀의) 북실 감개; 실 감는 장치.

Spüler *m.* -s, - ① (수세식 변기의) 누르는 손잡이〔콕〕. ② 접시닦이.

Spül=faß *n.* 세척〔빨래·개수〕통. **~frau** *f.* (설거지하는) 하녀. **~gefäß** *n.* 세척통, 빨래통.

Spülicht [ʃpý:lɪçt] 《< spülen》 *n.* -s, -e 〖구식〗 ① 개숫〔구정〕물. ② 아주 묽은 음료(묽은 커피 또는 차). ③ 음식 찌꺼기(돼지밥 등).

Spül=kasten *m.* (수세식) 변기의 물통. **~küche** *f.* (호텔·음식점의) 식기 세척실. **~lappen** *m.* 행주. **~magd** *f.* 설거지하는 하녀.

Spul·maschine *f.* 얼레, 실 감는 기계.

Spül=maschine *f.* 식기 세척기. **~napf** *m.* 세척하기 편한 납작한 그릇.

Spul=rad *n.* 물레. **~rohr** *n.* 보빈관(管).

Spül=stein *m.* 〖방언〗 ↑ ~becken. **~tisch** *m.* 개수대.

Spülung [ʃpý:lʊŋ] *f.* -en ① 씻기, 세척. ②〖工〗 (불순물 제거를 위한) 헹굼 장치; (변기의) 물 내리는 장치. ③〖車〗 연소 가스 제거.

Spül=vorrichtung *f.* 세척〔헹굼〕 장치. **~wasser** *n.* 〔복수: ..wässer〕 ① 구정〔개숫〕물; 〖구어〗 묽은 수프, 연한 커피: die Suppe schmeckt wie ~ 수프가 맹탕이다. ② 세척용수, 헹구는 물.

Spul·wurm *m.* 〖動〗 회충.

Spumante [spumántə, ʃp..] *m.* -(s), -s (이탈리아의) 샴페인.

Spund [ʃpʊnt] 《lat. Lw.》 *m.* -(e)s, Spünde [ʃpʏ́ndə] ① (통·용기의) 마개. ②〖건축〗 장붓촉, 은촉. ③〖비유·구어〗 풋내기, 애송이.

Spund·bohrer *m.* 마개뽑이(송곳).

spunden [ʃpʊ́ndən] *t.* ① 마개로 막다: ein Faß ~ 통에 마개를 하다. ②〖건축〗 짜맞춤하다, 은살대붙임하다: Bretter ineinander ~ 널빤지를 은살대붙임하다.

spünden [ʃpʏ́ndən] *t.* 〖구식〗 마개로 막다.

Spünder *m.* -s, - 통에 마개하는 사람; 술 지키는 사람.

Spund·geld *n.* 주세(酒稅).

spundig *a.* ↑ spündig.

spündig *a.* (빵이) 설구워진; 끈적끈적한, 흐늘흐늘한.

Spund·loch *n.* (통의) 마개 구멍, 주둥이.

Spundung [ʃpʊ́ndʊŋ] *f.* -en ① 마개로 막기. ② 은살대붙임.

Spund=wand *f.* 〖토목〗 (건물 기초부에 두른) 방벽(防壁), 방수벽. **~zapfen** *m.* (술)통 주둥이의 마개.

*__Spur__ [ʃpu:*r*] *f.* -en ① 발자국; 〖비유〗 실마리, 단서: die ~ führt tief in den Wald 발자국이 숲속 깊은 곳으로 이어져 있다; 〖비유〗 eine heiße ~ 유력한 단서; jm. auf der ~ sein 누구의 뒤를 밟고 있다; 〖비유〗 jm. auf die ~ kommen 누구에 관한 단서를 찾다, 누구의 행적을 알아내다; jn. auf die ~ bringen 누구에게 힌트를 주다; auf js. ~ wandeln 〔in js. ~en treten〕 누구를 본받다. ② 흔적, (발)자취; ~en uralter Kultur 태고 문화의 유적; es ist keine ~ mehr davon vorhanden 이제는 그 흔적조차도 없다. ③〖철도〗 궤도; 궤간(軌間). ④ 소량, 미량: es fehlt noch eine ~ Salz 아직도 소금이 조금 부족하다; 〖구어〗 keine 〔nicht die, nicht eine〕 ~ von et.³ ist wahr 무엇은 전혀 사실이 아니다; 〖구어〗

nicht die ~ 〔keine ~〕! 절대 아니야! ⑤ 차선: die ~ wechseln 차선을 바꾸다. ⑥〖車〗(운전 방향을 지키는) 바퀴의 배치 상태: der Wagen hält gut ~ 그 차는 (바퀴의 배열이) 운전하는 대로 정확하게 움직인다. ⑦ (녹음 테이프의) 트랙; 〖컴〗(디스크·디스켓의) 트랙. ⑧〖스키〗 노르딕 경기 코스〔주로(走路)〕.

spürbar [ʃpý:r..] *a.* ① 느낄〔감지할〕 수 있는: es ist ~ kälter geworden 날씨가 체감할 수 있을 만큼 추워졌다. ② 뚜렷한, 눈에 띄는: eine ~e Verbesserung des Betriebsklimas 작업 환경의 현저한 개선.

Spur≈bahn *f.* 〖철도〗 궤도; 협궤 철도. **~breite** *f.* 〖교통〗 ① 차선〔궤도〕폭. ②〖車〗 좌우 바퀴 사이의 거리.

spuren [ʃpú:rən] *i.* (h.) ①〖스키〗 **(a)** 주행 자국을 만들다: eine gespurte Langlaufstrecke 노르딕 경기 코스〔구간〕. **(b)** 스키를 타고 눈 위에 처음으로 자국을 내며 가다. ②〖車〗〖드물게〗 좌·우 바퀴 상호간의 위치가 고르다: der Wagen spurt einwandfrei 이 자동차는 나무랄데 없이 운전 방향을 유지한다, 바퀴가 좌우로 흔들리지 않는다. ③〖비유·구어〗 er wird schon ~ 그는 시키는 대로 따라 할 것이다.

***spüren** [ʃpý:rən] 《Ⅰ》 *t.* ① 뒤밟다, 추적하다: der Hund spürt das Wild (사냥)개가 짐승을 추적한다. ② 감지하다, 느끼다, 알아채다: er spürt jetzt sein Alter 그는 이제 자신의 나이를 느낀다; et. am eigenen Leibe ~ 무엇을 스스로 체험하다. 《Ⅱ》 *i.* (h.) nach jm.〔et.³〕 ~ 누구를〔무엇을〕 추적하다.

Spuren≈element *n.* 〖生〗 (생명체에 필요 불가결한) 미량(微量) 원소. **~nachweis** *m.* 증거 입증. **~sicherung** *f.* (범죄 수사에서의) 증거 보전〔확보〕; 증거 보전 담당 부서.

Spürer *m.* -s, - ↑ Spürhund.

Spürerei [ʃpy:rəráɪ] *f.* -en ① 추적. ②〖비유〗 정탐, 탐색.

spurhaft *a.* 흔적의, 자취를 남기는.

Spürhund [ʃpý:r..] *m.* ① 사냥개, 수색견. ②〖비유·구어〗 (Spion) 정탐, 간첩.

..spurig *suf.* "…궤적의"의 뜻(보기: schmal- ~ 협궤의).

Spür·kraft *f.* ↑ ~sinn.

Spur≈kranz *m.* 기차 바퀴 내측의 불룩한 테두리, 플랜지(바퀴의 궤도 이탈을 방지함). **~lager** *n.* 〖工〗 수직 굴대받이.

spurlos *a.* 흔적이 없는: ~ verschwunden 흔적도 없이 사라진.

Spur·rille *f.* 〖교통〗 (잦은 통행으로 인해) 차도에 길게 패인 홈.

Spür≈nase *f.* ① 예민한 코〔후각〕: 〖비유〗 eine ~ haben 눈치가 빠르다. ② 육감이 예민한 사람, 꼬치꼬치 캐기를 좋아하는 사람.

spur·sicher *a.* 〖車〗 주행 안정성이 좋은.

Spür·sinn *m.* ① (사냥개의) 예민한 후각. ②〖비유〗 예민한 감각〔육감〕.

Spurt [ʃpʊrt, spə:t] 《engl.》 *m.* -(e)s, -e ①〖스포츠〗 **(a)** 스퍼트, 최후의 분발: zum ~ ansetzen 스퍼트하다; 〖사이클〗 den ~ anziehen 선두에서 스퍼트하다. **(b)** 역주(力走), 역영(力泳), 역투(力鬪). ②〖구어〗 빠르게 달림: um den Zug noch zu erreichen, müßen wir einen ~ einlegen 기차 시간에 닿으려면 빨리 달려야 한다.

spurten [ʃpʊ́rtən] *i.* (h.) ① 스퍼트하다; 한층 더 분발하다. ②〖구어〗 빨리 달리다.

spurt≈schnell *a.* 〖스포츠〗 스퍼트가 좋은. **~stark** *a.* ↑ ~schnell.

Spur≈wechsel *m.* 〖교통〗 ① 차선 변경. ② 열차의 선로 변경. **~weite** *f.* ①〖철도〗 궤간(軌間). ②〖車〗 좌우 바퀴의 간격.

Sputa ↑ Sputum 의 복수.

sputen [ʃpú:tən] 〖구식·방언〗 *refl.* sich ~ 서두르다.

Sputnik [ʃpʊ́:tnɪk, sp..] 《russ.》 *m.* -s, -s 〖우주항공〗 스푸트니크(구소련의 인공 위성).

Sputum [ʃpú:tʊm, sp..] 《lat.》 *n.* -s, ..ta 〖醫〗 (Auswurf) 가래침, 객담(喀痰).

spützen [ʃpʏ́tsən] *i.* (h.) (westmd.) 침을 뱉다.

Spvg., Spvgg =Spielvereinigung 스포츠 클럽.

Square [skwɛə] 《lat.》 *m.*/*n.* -(s), -s 정 4 각형; 4 각형의 장식적인 정원.

Squaredance [skwɛədá:ns] 《engl.》 *m.* -, -(s) 스퀘어 댄스(남녀 4 쌍이 한 조로 추는 미국의 민속춤).

Squash [skvɔʃ] 《engl.》 *n.* - ①〖스포츠〗 스쿼시. ② (레몬·오렌지 등의) 과즙 음료.

Squatter [skvɔ́tər, skwɔ́tə] 《engl. „kauern"》 *m.* -s, - ① (미국의 미개지) 불법 이주자. ② 무단〔불법〕 거주자.

Squaw [skwɔ:] 《indian.》 *f.* -s 인디언 여자; 인디언의 아내.

Sqid 〖工〗 =Supraleitender Quanten-Interferenz-Detektor 초전도 양자 간섭 소자.

Squire [skváɪər, (engl.) skwáɪə] 《lat.》 *m.* -(s), -s ① (Gutsherr) (영국의) 대지주, 지방 유지; 〖호칭〗 …나리, …님. ② (미국의) 치안 판사.

SR 〖방송〗 =Saarländischer Rundfunk 자를란트 방송.

Sr 〖化〗 =Strontium 스트론튬.

Sr. =Seiner 각하〔폐하〕의: ~ Durchlaucht 전하의.

sr =Steradiant 입체 호도법(弧度法).

SRG =Schweizerische Radio- und Fernsehgesellschaft 스위스 라디오·텔레비전 방송국.

Sri Lanka [srí: láŋka] 스리랑카.

Srilanker *m.* -s, - 스리랑카인.

Srilankerin *f.* -nen ↑ Srilanker 의 여성형.

srilankisch *a.* 스리랑카(사람·말)의.

SS. ① =Sante, Santi 성(聖)…. ② =Schutzstaffel (나치스의) 친위대.

SSD =Staatssicherheitsdienst 〖구동독〗 국가안전부, 슈타지.

SSO =Südsüdost(en) 남남동.

SSR =Sozialistische Sowjetrepublik 사회주의 소비에트 공화국.

SSSR [ɛs|ɛs|ɛs|ér] 《russ.》 =Sojus Sowjetskich Sozialistitscheskich Respublik 소비에트 사회주의 연방 공화국(Union der Sozialistischen Sowjetrepubliken).

SSW =Südsüdwest(en) 남남서.

st [st] *int.* 〖의성어〗 쉿, 조용해, 잠자코 있어.

St =Saint 성(聖).

St. ① =Sankt, Saint 성(聖). ② =Stück 조각, 낱개. ③ =Stunde 시간.

S.T. =salvo titulo 정식 칭호는 생략하고.

st ① =Stunde 시간. ② =pst 쉿, 조용히.

s.t. [ɛsté:] =sine tempore 《lat.》 (pünktlich) 정시에, 정각에.

Sta. =Santa 성스러운, 성(聖)….

*__Staat__ [ʃta:t] 《lat. status》 *m.* -(e)s, -en ① 나라, 국가: von ~s wegen 국가적 견지에서, 나라의 일로; kriegführender ~ 교전국; die Vereinigten ~en von Amerika 아메리카 합중국; ~ im Staate 연방 내의 독립 국가, 독립적인 단체; beim ~ angestellt sein 국가 공무원이다. ②〖비유〗 정부, 당국; 〖구어〗 영토. ③〖구식·구어〗 화려한 옷, 성장(盛裝); 〖비유〗 사치, 호사: in vollem ~ 성장하고; sich in ~ werfen 잘 차려 입다; im ~ sein 잘 차려 입고 있다; der Festzug war ein (wahrer) ~ 축제 행렬은 (참으로) 장관이었다; (viel) ~ machen 호화롭게 지내다, 의복에 돈을 들이다; mit et.³ ~ machen 무엇을 과시하다; damit ist kein ~ zu machen 그것은 큰 자랑이 되지 않는다; (nur) zum ~ (남에게 잘) 보이기 위하여; der Flügel steht nur zum ~ da 저 그랜드 피아노는 장식용으로 저기 있을 뿐이다. ④〖고어〗 (Stand) 입장, 상태; 수지 상태, 재정. ⑤〖動〗 (꿀벌·개미의) 사회(집단), 무리.

Staaten≈beschreibung [ʃtá:tən..] *f.* 지정학. **≈bildend** *a.* 〖動〗 무리지어 사는. **~bund** *m.* 〖政〗 국가 연합〔연맹〕. **~geschichte** *f.* 정치사(史). **~haus** *n.* (미국의) 주의회 의사당. **~kunde** *f.* 국가〔정치〕학. **~lehre** *f.* ~kunde. **~lenker** *m.* 〖雅語〗 위정자, 통치자.

staatenlos *a.* 국적이 없는.

Staatenlose* *der/die* 무국적자.

Staatenlosigkeit *f.* 무국적 상태.

Staaten≈recht *n.* 국제법. **~system** *n.* 〖政〗 국가 제도. **~verbindung** *f.* 〖政〗 여러 국가의 연합.

staatlich [ʃtá:tlɪç] *a.* ① 국가의, 국가적인; 국립〔국유〕의, 공공의, 정치상의: ~e Souveränität 국가의 주권; ~e Behörden 관공서; ein ~es Museum 국립 박물관. ②〖드물게〗 호화로운, 화려한.

staatlicher·seits *a.* 국가〔정부측〕에서는.

Staatlichkeit *f.* 국가로서의 지위.

Staats≈abgaben [ʃtá:ts..] *pl.* 국세(國稅). **~affäre** *f.* 국가적 사건: 〖반어〗 et. zu einer ~ machen 〔eine ~ aus et.³ machen〕 무엇을 침소봉대하다, 별것도 아닌 것을 과장하다. **~akt** *m.* ① 국가적 의식(儀式). ②〖法〗 국가의 행위, 행정 조치. **~aktion** *f.* 국가적〔정치적〕 사건, 국가의 행위; 〖구어〗 야단 법석: aus et.³ eine ~ machen 무엇을 침소봉대하다. **~amateur** *m.* 〖스포츠〗 국가 대표 선수. **~amt** *n.* 고위 관직. **~angehörige*** *der/die* 국민. **~angehörigkeit** *f.* 〖法〗 국적(을 가짐). **~angelegenheit** *f.* 국사(國事), 국무. **~anleihe** *f.* 〖재정〗 공채, 국채. **~anwalt** *m.* 〖法〗 검사. **~anwaltschaft** *f.* 〖法〗 검찰(청). **~anzeiger** *m.* 관보(官報). **~apparat** *m.* 국가 기관. **~archiv** *n.* 국립 문서 보관소. **~aufsicht** *f.* 〖法〗 국가 관리, 국가의 지휘 감독. **~ausgaben** *pl.* 국가 재정 지출. **~bahn** *f.* 국유〔국영〕 철도. **~bank** *f.* 〔복수: -en〕〖재정〗 국책 은행. **~bankett** *n.* (정부가 베푸는) 공식 연회. **~bankerott** *m.* ↑ ~bankrott. **~bankrott** *m.* 〖政·재정〗 국가 재정 파탄(채무 불이행·지급 정지 등). **~bau** *m.* 국가 구조. **~beamte*** *der* (국가) 공무원. **~behörde** *f.* 관청. **~besuch** *m.* 〖政〗 공식 방문. **~betrieb** *m.* 〖經〗 국영 기업체. **~bibliothek** *f.* 국립 도서관. **~bürger** *m.* 국민, 국적 보유자. **~bürgerin** *f.* ↑ ~bürger 의 여성형. **~bürger·kunde** *f.* ① 국가와 국민의 권리·의무론(論). ②〖구동독〗 국민 윤리학. **≈bürgerlich** *a.* 국민〔공민〕의: ~e Rechte 공민권. **~bürger·recht** *n.* 공민권. **~bürgerschaft** *f.* 〖法〗 국적. **~degen** *m.* 예검 (장식용으로 차는 검). **~diener** *m.* 공복(公僕), 공무원. **~dienst** *m.* 공무, 관직 활동. **~domänen** *pl.* 국유지, 관유지. **≈eigen** *a.* 국유의. **~eigentum** *n.* 국유 재산. **~einkünfte** *pl.* 국가 세입. **~eisen·bahn** *f.* ↑ ~bahn. **≈erhaltend** *a.* 국가 질서를 유지하는. **~examen** *n.* 국가 시험. **≈feindlich** *a.* 반역의, 반국가적인. **~feindlichkeit** *f.* 반국가적 태도〔행위〕. **~finanzen** *pl.* 국가 재정. **~flagge** *f.* 국기; 지방 자치 단체의 기(旗). **~fonds** [..fõ:s] *pl.* 국채, 공채. **~form** *f.* 국가 형태, 국체; 정체(政體). **~führung** *f.* 국가 영도; 국가 지도층. **~gebäude** *n.* ① 공공 건물. ② 국가 조직. ③ 화려한 건물. **~gebiet** *n.* 〖政·法〗 국토, 영토. **~gedanke** *m.* 국가 사상. **≈gefährdend** *a.* 국가 질서를 위협하는. **~gefährdung** *f.* 〖法〗 반국가적 행위. **≈gefährlich** *a.* 반국가적인. **~gefangene*** *der/die* 정치범. **~gefängnis** *n.* 〖法〗 (정치범) 교도소. **~geheimnis** *n.* ① 〖法〗 국가 기밀. ②〖구어·농담〗 중대한 비밀. **~gelder** *pl.* 국고금, 공금. **~gerichts·hof** *m.* (독일의 일부 주(州)와 바이마르 공화국의) 헌법 재판소. **~geschäft** *n.* 국무, 정무. **~gesetz** *n.* 국법. **~gewalt** *f.* 국가 권력, 국권. **~grenze** *f.* 국경. **~grund·gesetz** *n.* 헌법(~verfassung). **~gründung** *f.* 건국. **~gut** *n.* 국유지, 국유 재산. **~haus·halt** *m.* 국가 재정〔운영〕. **~haus·halt·etat** [..eta:] *m.* 국가 예산. **~hoheit** *f.* 국가 주권. **~hymne** *f.* 국가(國歌). **~kalender** *m.* (여러 관청의) 직원록(錄). **~kanzlei** *f.* 〖政〗 (독일·스위스 각 주의) 수상청. **~kanzler** *m.* 총리, 수상, 재상. **~kapitalismus** *m.* 〖經〗 국가 자본주의. **~karosse** *f.* 왕실 마차. **~kasse** *f.* 국고. **~kerl** *m.* 〖비유·구식〗 훌륭한 사나이, 쾌남아. **~kirche** *f.* 국가 직속 교회; 국교. **~kleid** *n.* 대례복, 화려한 옷. **≈klug** *a.* 정치적 수완이 있는, 정략적인. **~klugheit** *f.* 정치적 수완, 정략. **~körper** *m.* (정치적 단체로서의) 국가. **~kosten** *pl.* 국비, 관비: auf ~ 국비〔관비〕로. **~kredit** *m.* 국채, 공채. **~kunde** *f.* 국가〔정치〕학〔론〕. **~kunst** *f.* 〖구식〗 정치적 수완, 정치술. **~kutsche** *f.* 국가 원수의 의장(儀裝) 마차. **~lehre** *f.* ↑ ~kunde. **~lenker** *m.* 위정자. **~lotterie** *f.* 국가 발행 복권. **~mann** *m.* 〖복수: ..männer〗 고위 정치가, 정치 지도자. **≈männisch** *a.* 정치가(풍)의. **~maxime** *f.* 국시(國是). **~minister** *m.* 국무 위원, 장관 **~ministerium** *n.* 수상청, 내각; 부(部), 성(省). **~monopol** *n.* 〖法〗 국가 독점(사업). **≈monopolitisch** *a.* 국가 독점의: ~er Kapitalismus 국가 독점 자본주의(마르크스·레닌주의가 규정하는 후기 자본주의의 형태). **~not·stand** *m.* 〖法〗 국가 비상 사태. **~oberhaupt** *n.* 국가 원수. **~ordnung** *f.* 〖政〗 국가 질서. **~organ** *n.* 국가 기관. **~pa-**

piere *pl.* ① 공문서. ② 국채, 공채. **~partei** *f.* 〖政〗(일당 독재 국가의) 국가 정당. **~politik** *f.* 국가 정책. **≈politisch** *a.* 국가 정책적인. **~polizei** *f.* 국가 경찰: die Geheime ~ 비밀 (국가) 경찰. **~präsident** *m.* (공화국의) 대통령. **~präsidentin** *f.* ↑ ~präsident 의 여성형. **~prozeß** *m.* 공소(公訴). **~prüfung** *f.* 국가 시험. **~qualle** *f.* 〖動〗 유자포(有刺胞) 동물. **~räson** [..rɛzɔ̃:] *f.* 국시(國是). **~rat** *m.* 〖복수: ..räte〗① 추밀원. ② 추밀원 고문관. ③ 고위 공무원의 칭호. ④ (스위스의) 각주 정부. ⑤〖구동독〗 국가 평의회. **~rats·vorsitzende*** *der/die* 추밀원 의장. **~recht** *n.* 국법, 헌법. **~rechtler** *m.* 헌법학자. **≈rechtlich** *a.* 국법상〔헌법상〕의. **~regierung** *f.* 정부, 국가 행정. **~religion** *f.* 국교. **~ruder** *n.* 〖비유〗 국가의 지배권, 정권. **~sache** *f.* (~angelegenheit) 국사(國事). **~säckel** *m.* 〖구식〗 국고. **~schatz** *m.* 〖구식〗 국고, 국가 보유 재산.

Staatsschau≈spieler *m.* 국가 공인 배우. **~spielerin** *f.* ↑ ~schauspieler 의 여성형.

Staats≈schreiber *m.* (schweiz.) 주(州)의 총리, 주지사. **~schrift** *f.* 공문서. **~schulden** *pl.* 국채. **~schutz** *m.* 〖政·法〗 국가 안보. **~sekretär** *m.* ① 서기관. ② 국장. ③ 장관; 차관. **~sekretärin** *f.* ↑ ~sekretär 의 여성형. **~sicherheit** *f.* 〖政〗 ① 국가 안보. ② 〖구동독·구어〗 국가 안전부(安全部), 슈타지. **~sicherheits·dienst** *m.* 〖구동독〗 국가 안전부(약어: SSD, 약칭: Stasi). **~siegel** *n.* 국새(國璽). **~sozialismus** *m.* 국가 사회주의. **~steuer** *f.* 국세. **~straße** *f.* 국도. **~streich** *m.* 정변, 쿠데타. **~theater** *n.* 국립 극장. **~trauer** *f.* 정부가 지정한 공식적인 애도 (기간), 국장(國葬). **~umwälzung** *f.* 국가 전복, 쿠데타. **~unterhändler** *m.* 외교관. **~verbrechen** *n.* 반국가 범죄. **~verdrossenheit** *f.* 국가에 대해 무관심한 태도〔부정적 태도〕. **~verfassung** *f.* 헌법. **~vermögen** *n.* 국유 재산. **~verrat** *m.* (Hochverrat) 대역죄, 반역. **~verschuldung** *f.* 〖經〗 국가 채무. **~vertrag** *m.* ① 〖哲〗 국가 계약. ② 〖政〗 조약. **~verwaltung** *f.* 국가 행정. **~volk** *n.* 국민. **~wesen** *n.* 국가 제도, 국체(國體). **≈widrig** *a.* 반국가적인, 국가에 해로운. **~wirt** *m.* 재정학자. **~wirtschaft** *f.* 국가 경제(학). **~wissenschaften** *pl.* 국가학. **~wohl** *n.* 국가의 복지. **~wohl·fahrt** *f.* ↑ ~wohl. **~zeitung** *f.* 관보(官報). **~zimmer** *n.* 공용 홀, 큰 응접실. **~zuschuß** *m.* 국고 보조.

***Stab** [ʃta:p] *m.* -(e)s, Stäbe [ʃtɛ́:bə] ① 막대기, 장대, 지팡이; (격자·우산 등의) 살; (새장의) 홰; (성냥) 개비; 밑받침, 지주(支柱); 〖스포츠〗 (장대높이뛰기의) 장대; (릴레이 경주의) 배턴; 지휘봉; den ~ ergreifen〔nehmen〕 여행을 떠나다; den ~ führen 지휘를 하다; 〖비유〗 den ~ über jn. brechen 누구를 가혹하게 비판하다. ② 〖고어〗 슈타프(옛날의 척도 이름; 1 미터). ③ 〖제련〗 봉강(棒鋼); 〖건축〗 재(材), 부재(部材); 박공의 각재. ④ 간부진, 스태프; 〖軍〗 사령부, 참모부, 막료: der technische ~ eines Betriebs 어느 회사의 기술진.

Stabat mater [stá:bat má:tər] 《lat., „Christi Mutter stand (mit Schmerzen)"》 *n.* --, -〖가톨릭〗 ① 스타바트 마터(십자가 아래 서 있는 성모 마리아). ② 스타바트 마터의 노래(에 붙인 곡).

Stab·bakterie [ʃtá:p..] *f.* 〖生〗 간균(桿菌).

Stäbchen [ʃtɛ́:pçən] *n.* -s, -〖↑ Stab 의 축소형〗 ① 작은 막대기. ②〖구어·농담〗 궐련 (Zigarette). ③ 간균(桿菌). ④〖해부〗 망막의 간상체. ⑤〖↑ Eßstäbchen 의 약칭〗 젓가락. ⑥〖수예〗 사슬뜨기, 체인 스티치.

stäbchen·steif *a.* 완전히 굳은.

Stab·eisen *n.* 봉강(棒鋼).

Stabelle [ʃtabɛ́lə] *f.* -n (scheweiz.) 등받이가 없는 의자(Schemel).

stäbeln [ʃtɛ́:bəln] 《<Stab》 *t.* 〖원예〗 (식물을) 막대기로 받치다, 막대기에 감기게 하다.

stabend *a.* 〖문학〗 두운법의, 두운을 맞춘.

Staberl [ʃtá:bərl] *n.* -(e)s, -e (옛 Wien 의) 익살극의 어릿광대.

stab≈förmig *a.* 막대 모양의. **≈führung** *f.* (음악의) 지휘: die ~ bei diesem Konzert lag bei ... 이 음악회의 지휘는 …가 맡았다. **≈fuß·boden** *m.* 〖건축〗 나무를 깐 마루. **~gereimt** *a.* 〖문학〗 두운(頭韻)이 있는. **~gold** *n.* 막대 모양의 금덩이. **≈halter** *m.* ①〖고어〗 ↑ Statthalter. ②〖宗〗 교회의 사환 (Pedell). **≈hammer** *m.* 〖工〗 스프링 해머.

Stabhoch≈springer *m.* 〖육상〗 장대높이뛰기 선수. **~sprung** *m.* 〖육상〗 장대높이뛰기.

***stabil** [ʃtabí:l, st..] 《lat.》 *a.* ① 안정된: eine ~e Wirtschaft〔Währung〕 안정된 경제〔통화〕. ② 튼튼한, 강인한: eine ~e Konstitution 건강 체질. ③ 견고한. ④ 〖物〗 불변의, 안정성〔원상 복구력〕이 있는: ~es Atom 안정 원자.

Stabile [ʃtá:bile, st..] *n.* -s, -s 〖조각〗 (무엇을 기념하기 위해 세우는) 금속제의 (조립) 조각품.

stabilieren [ʃtabilí:rən, st..] *t.* 〖고어〗 ↑ stabilisieren.

Stabilisation [..zatsió:n] *f.* -en 안정〔고정〕 시킴.

Stabilisator [..bilizá:tɔr, ..to:r] *m.* -s, -en [..tó:rən] 안정기; 〖化〗 안정제(劑); 〖전기공학〗 전압 조정기〔안정기〕; 〖車〗 진동 완화 장치; 〖조선〗 스태빌라이저(배의 흔들림을 완화하는 장치).

***stabilisieren** [ʃtabilizí:rən, st..] *t.* 안정〔고정〕시키다, 견고하게 하다: die Wirtschaft ~ 경제를 안정시키다; der Puls hat sich stabilisiert 맥박이 안정되었다; eine Konstruktion ~ 구조를 튼튼히 하다; eine Spannung ~ 전압을 안정시키다.

***Stabilisierung** *f.* -en 안정〔고정〕시킴; 〖經〗 (통화 가치의) 안정.

Stabilisierungs≈fläche *f.* 〖空〗 꼬리날개의 안정판. **~flosse** *f.* ① 〖車〗 (경주용 자동차의) 스포일러. ② 〖空〗 (비행선의) 안정지느러미; (로켓의) 안정판. ③ 〖海〗 스태빌라이저, 자동 안전 장치.

Stabilismus *m.* - 〖政〗 보수주의.

Stabilität [ʃtabilitɛ́:t, st..] *f.* ① 안정(성), 견고. ② (신체의) 저항력, 강인. ③ 〖物〗 안정성, 안정도. ④ (비행기·선박의) 안정〔복원〕성.

Stabilitäts·politik *f.* 경제 안정 정책.

Stab·körper *m.* 간균(桿菌); 박테리아.

Stäblein [ʃtɛ́:plaɪn] *n.* -s, - ↑ Stäbchen.

Stab=magnet *m.* 막대 자석. **~reim** *m.* 〖문학〗 두운(법). **~reimend** *a.* 두운을 맞춘.
Stabs=arzt *m.* 〖軍〗 군의관 (대위). **~feldwebel** *m.* (육군〔공군〕) 하사관.
stab=sichtig *a.* 〖醫〗 난시의. **~sichtigkeit** *f.* 〖醫〗 난시.
Stabs·offizier *m.* 〖軍〗 참모 장교; 영관급 장교.
Stab·springen *n.* 〖스포츠〗 장대높이뛰기.
Stabs=quartier *n.* 〖軍〗 본부, 사령부. **~stelle** *f.* 참모부, 본부. **~trompeter** *m.* 수석 트럼펫 연주자. **~veterinär** *m.* 〖軍〗 군 수의관(대위). **~wacht·meister** *m.* 〔구식〕 ↑ ~feldwebel.
Stab=taschen·lampe *f.* (Stablampe) (막대 모양의) 회중 전등, 손전등. **~tierchen** *n.* 박테리아. **~wechsel** *m.* 〖육상〗 (이어달리기의) 배턴 교환. **~werk** *n.* 〖고딕건축〗 장식 격자창의 간주(間柱), 중간 설주. **~wurz** *f.* 〖植〗 개사철쑥.
stacc. =staccato 스타카토로, 끊어서.
staccato [stakáːto, ʃt..] 《it.》 *adv.* 〖음악〗 (↔ legato) 스타카토로, (음을) 분명하게 끊어서.
stach [ʃtaːx] ↑ stechen 의 과거형.
Stachanow-Bewegung [staxáːnɔf..] *f.* 스타하노프 운동(구소련의 노동자 Alexei Stachanow 에 의하여 시작된 증산 운동).
stäche [ʃtɛ́ːçə] ↑ stechen 의 접속법 Ⅱ 식.
***Stachel** [ʃtáxəl] 《<stechen》 *m.* -s, -n ① 찌르는〔뾰족한〕 것; 바늘; (쥠쇠의) 고리; (지팡이 끝의) 뾰족한 쇠붙이; (첼로의) 엔드핀: 〔雅語〕 wider〔gegen〕 den ~ löcken〔lecken〕 (헛되이) 거역〔반항〕하다. ② 〖植〗 가시. ③ 〖動〗 가시; 침; 독침. ④ 〔비유·雅語〕 고통; 격렬한 〔끊임없는〕 자극〔충동〕: der ~ der Reue 회한의 고통; der ~ des Ehrgeizes 공명심의 충동.
Stachel=beere *f.* 〖植〗 구즈베리 (열매); 〔농담〕 빈정거림, 비꼼. **~beer·strauch** *m.* 〖植〗 구즈베리. **~draht** *m.* ① 가시 철사, 철조망: 〔비유〕 jn. hinter ~ bringen 누구를 수용소〔감옥〕에 넣다. ② 〔농담〕 건조 야채; 강낭콩. **~draht·verhau** *m.* 〖軍〗 (가시) 철조망. **~flosser** *pl.* 〖動〗 극기류(棘鰭類). **~förmig** *a.* 가시 모양의. **~hals·band** *n.* 안쪽에 쥠쇠가 있는 개목걸이(사냥개용). **~häuter** *m.* 〖動〗 극피 동물.
stachelicht *a.* ↑ stachelig.
stachelig *a.* ① 가시가 있는, 가시투성이의. ② 가시 모양의, 뾰족한; 찌르는 듯한, 따끔한. ③ 〔비유〕 신랄한, 날카로운, 풍자적인: ~e Worte 가시 돋힌 말.
Stacheligkeit *f.* 가시가 있음; 신랄.
stachellos *a.* 가시 없는.
stacheln [ʃtáxəln] 《Ⅰ》 *i.* (h.) 가시로 찌르다. 《Ⅱ》 *t.* 〔비유〕 자극〔격려〕하다; 비꼬다, 빈정대다: jn. zu höheren Leistungen ~ 누구를 격려하여 더 많은 업적을 내도록 하다.
Stachel=rede *f.* 풍자; 비꼼, 빈정댐. **~rochen** *m.* 〖動〗 홍어. **~schwein** *n.* 〖動〗 호저(豪豬). **~zaun** *m.* 가시 철조망, 철조망 담.
Staches ① *m.* 〖↑ Eustachius 의 단축형〗 슈타헤스(남자 이름). ② *m.* -, - 고집 센 바보.
stachlicht *a.* ↑ stachelig.
stachlig *a.* ↑ stachelig.
Stachus [ʃtáxʊs] *m.* ↑ Staches ①.

Stack [ʃtak] 《nordd.》 *n.* -(e)s, -e 제방, 방파제.
Stack·deich *m.* 〖海〗 덤불 숲으로 덮인 방파제.
Stacker 《<Stack》 *m.* -s, - ① 〖農〗 곡물단을 쌓는 도구. ② 허약한 사람, 병골, 약골.
stad [ʃtaːt] 《<stät》 *a.* (obd.) ① 조용한. ② 적당한.
Stadel [ʃtáːdəl] 《obd.》 *m.* -s, - 광, 곡물 창고; (건초 넣는) 곳간; 헛간; 가축 우리.
Staden [ʃtáːdən] 《südd.; <stehen》 *m.* -s, - 물가; 부두; 해안 도로〔거리〕.
stadial [ʃtadiáːl, st..] *a.* 〔교양〕 단계적인, 시기별의; 단락〔장(章)〕별의.
***Stadion** [ʃtáːdiɔn] 《gr.》 *n.* -s, ..dien [..diən] ① 스타디온(고대 그리스의 거리 단위(184 m)). ② 경기장, 스타디움; 경마장.
Stadion=ansage *f.* 〖스포츠〗 (경기장의) 장내 방송. **~sprecher** *m.* 〖스포츠〗 장내 아나운서.
Stadium [ʃtáːdiʊm] 《gr.》 *n.* -s, ..dien [..diən] 상태; (발전의) 단계; (병의) 진행 단계; 시기: Anfangs~ (einer Krankheit) (병의) 초기 단계.
***Stadt** [ʃtat] 《<Statt》 *f.* Städte [ʃtɛ́(ː)tə] ① 도시, 시, 시내: Groß~ 대도시; Alt~ 구시가지; Innen~ 도심; in die ~ ziehen 시내로 이주하다; eine freie ~ 자유 도시; eine offene ~ 〖軍〗 무방비 상태의 도시; die Heilige ~ 성도(聖都) 예루살렘; außerhalb der ~ 시외에서; in ~ und Land 경향 각지에서. ② 〔구어〕 시민 전체: die ganze ~ weiß es schon 온 시민이 벌써 그것을 알고 있다. ③ 시의 행정 당국〔관청〕: bei der ~ angestellt sein 시(청)에 근무하고 있다.
Stadt=adel *m.* (↔ Landadel) 도시에 사는 귀족; 도시 귀족. **~amt** *n.* ① 시청. ② 시의 관직, 시장의 직. **~archiv** *n.* 시립 문서 보관소. **~auswärts** *adv.* 시외로: die Straße führt ~ 이 길은 시외로 나가는 길이다. **~auto·bahn** *f.* 도시 고속 도로. **~bahn** *f.* 도시 고속 철도(약어: S-Bahn). **~bann** *m.* 시의 관할 구역. **~bau** *m.* 도시 건축물.
Stadtbau=amt *n.* 시 건설국〔과〕. **~rat** *m.* 시 건설〔건축〕 위원. **~meister** *m.* 시의 토목〔건축〕 기사.
Stadt=beamte* *der* 시 직원〔공무원〕. **~behörde** *f.* 시청. **~bekannt** *a.* 온 시내에 알려진. **~bevölkerung** *f.* 시의 인구; 전체 시민. **~bewohner** *m.* 시민, 도시인. **~bezirk** *m.* 시의 구(區). **~bibliothek** *f.* 시립 도서관. **~bild** *n.* 도시 모습〔경관〕. **~brief** *m.* 시내 우편물. **~bücherei** *f.* 시립 도서실. **~bummel** *m.* 〔구어〕 시내 산책〔구경〕. **~bürger** *m.* 시민. **~bürger·recht** *n.* 시민권, 공민권.
Städtchen [ʃtɛ́ːtçən, ʃtɛ́t..] *n.* -s, - 〖↑ Stadt 의 축소형〗 소도시.
Stadt=chronik *f.* 시지(市誌), 시의 연대기. **~direktor** *m.* 〖행정〗 (시의회가 임명하는) 시 행정 수반〔최고 담당관〕, (행정) 시장.
Städte=bau *m.* 도시 계획. **~baulich** *a.* 도시 계획(상)의. **~bild** *n.* 〖畫〗 도시 풍경화. **~bund** *m.* (중세의) 도시 동맹.
stadt·einwärts *adv.* 시내로.
Städte=kampf *m.* 〖스포츠〗 도시 대항전.

~ordnung *f.* (지방 자치법에서) 도시에만 적용되는 법률, 시조례(條例). **~partner-schaft** *f.* 도시간의 교류〔자매 결연〕.
Städter [ʃtɛ́(ː)tər] *m.* -s, - 시민, 도시인.
Städterin *f.* -nen ↑ Städter 의 여성형.
Städte=tag *m.* 도시(간의) 협의회. **~wesen** *n.* 시정(市政), 도시 제도.
Stadt=fahrt *f.* 시내 주행. **~flucht** *f.* 탈도시 현상, 시골〔교외〕로의 이주. **~frack** *m.*〘편어〙대처〔도회지〕놈. **~führer** *m.* 시내 관광 안내서. **~garten** *m.* 시립 공원. **~gas** *n.*〘옛뜻〙(석탄에서 가공한) 도시 가스. **~gebiet** *n.* 시 (관할) 구역. **~gegend** *f.* ↑ ~gebiet. **~gemeinde** *f.* 시 자치체(구·동). **~gerede** *n.* ↑ ~gespräch. **~gericht** *n.* 시 재판소(↔ Landgericht). **~gespräch** *n.* ① 시내 통화. ② 장안의 화제〔소문〕. **~graben** *m.* (중세) 도시의 외호(外濠), 해자. **~guerilla** [..gerɪl(j)a] 《Ⅰ》 *f.* 도시 게릴라단. 《Ⅱ》 *m.* 도시 게릴라 단원. **~gut** *n.* 시유 재산. **~haupt·mann** *m.* 시 수비대장. **~haus** *n.* ① (↔ Landhaus) 도시〔도회〕(풍)의 집. ② 시청의 별관〔제 2 청사〕. **~indianer** *m.*〘은어〙(인디언 차림의) 펑크족. **~innere*** *das* 도심, 시내 중심가.
städtisch [ʃtɛ́(ː)tɪʃ] 《< Stadt》 *a.* ① (도)시의, 시영〔시립〕의. ② 도시풍〔도회지풍〕의.
Stadt=kämmerer *m.* 시 재무국장. **~kasse** *f.* ① 시의 재정〔예산〕. ② 시 재무국〔회계과〕. **~kern** *m.* 도심. **~kind** *n.* 도시의 어린이; 도시에서 자란 사람; 도회인: Londoner ~ 런던에서 성장한 사람. **~klatsch** *m.*〘구어〙시내의 화제〔소문〕. **~koffer** *m.* 소형 트렁크. **~köfferchen** *n.* ↑ ~koffer. **~kundig** *a.* ① 시내 지리〔사정〕에 밝은. ② ↑ ~bekannt. **~leben** *n.* 도시 생활.
Städtlein [ʃtɛ́(ː)tlaɪn] *n.* -s, - ↑ Städtchen.
Stadt=leute *pl.* 도시 주민, 도시인들. **~mauer** *f.* 시의 외벽. **~mensch** *m.* 도시〔도회〕인, 도회지풍으로 사는 사람. **~mission** *f.* 도시민을 상대로 한 선교〔구호〕 활동. **~miliz** *f.* 도시 민병. **~mitte** *f.* 도심, 중심가. **~musikant** *m.* 시에 고용된 악사. **~obrigkeit** *f.* 시당국, 시청. **~ordnung** *f.* 시의 법률, 시령(市令). **~park** *m.* 시립 공원. **~pfeifer** *m.*〘구식〙시에 고용된 악사. **~plan** *m.* 도시 계획도; 시내〔시가〕 지도. **~planung** *f.* 도시 계획. **~präsident** *m.* (schweiz.) 시의회 의장. **~rand** *m.* 교외, 도시 주변.
Stadtrand=erholung *f.* (특히 청소년의) 도시 근교에서의 휴양. **~siedlung** *f.* 교외〔도시 주변〕 주거〔주택〕 단지.
Stadt=rat *m.*〘복수: ..räte〙① 시의회. ② 시의회 의원. **~rätin** *f.* 여성 시의원. **~recht** *n.* ① 도시의 권리〔특권〕. ② (중세의) 도시법. ③ ↑ ~bürgerrecht. **~reinigung** *f.* 시 청소과. **~rund·fahrt** *f.* 시내 관광 드라이브. **~sanierung** *f.* 도시〔구시가〕 재개발. **~schreiber** *m.* ①〘옛뜻〙시의 서기〔문서 기록관〕. ② (기초 자치 단체에서 위촉을 받은) 시지(誌)의 편집자. **~schuld** *f.* 시채(市債). **~schule** *f.* 시립 학교. **~schul·kommission** *f.* 시 교육 위원회. **~staat** *m.* 도시국가. **~steuer** *f.* 시세(市稅). **~streicher** *m.* 도시의 부랑자. **~streicherin** *f.* ↑ ~streicher 의 여성형. **~teil** *m.* ① 시의 구역. ②〘구어〙시의 구역의 주민. **~theater** *n.* 시립 극장. **~tor** *n.* 시(의 성)문. **~uhr** *f.* 시청 시계탑의 시계. **~väter** *pl.*〘구어·농담〙시정(市政)의 주도적 인물들(시장 및 시의원들). **~verordnete*** *der/die* 시의회 의원.
Stadtverordneten=kollegium *n.* ↑ ~versammlung. **~versammlung** *f.* 시의회. **~vorsteher** *m.* 시의회 의장.
Stadt=verwaltung *f.* 시 행정; 시 당국;〘총칭〙시청 직원. **~viertel** *n.* ↑ ~teil. **~wald** *m.* 시유림(市有林). **~wappen** *n.* 시의 문장(紋章). **~werke** *pl.* 시영 사업(가스·전기 따위). **~wesen** *n.* 시정(市政). **~wirtschaft** *f.* 도시 경제. **~wohnung** *f.* 도시의 공동 주택, 아파트. **~zentrum** *n.* 도심, 중심가.
Stafel [ʃtáːfəl] *m.* -s, Stäfel [ʃtɛ́:..] (schweiz.) 산악 방목지.
Stafette [ʃtafɛ́tə] 《germ.》 *f.* -n ①〘옛뜻〙파발꾼; 전령 기병; 릴레이식 전달(체계). ② 호송〔호위〕차의 행렬: eine ~ von Polizeifahrzeugen 경찰 차량의 행렬. ③ 릴레이, 계주.
Stafetten·lauf *m.*〘스포츠〙역전 경기, 릴레이 경주, 계주.
Staffage [ʃtafáːʒə, st..] 《frz.》 *f.* -n ①〘畫〙첨경(添景), 점경 인물〔동물〕. ② 부차적인 것, 부속〔부가〕물; 장식(품).
Staffel [ʃtáfəl] *f.* -n ① (**a**) 사닥다리의 단(段);〘비유〙단계, 등급, 계급, 정도;〘철도〙선로 구간. (**b**) (südd.) 계단. ②〘軍〙(특히 군함의) 제대(梯隊); 비행 중대. ③ 호송차〔호위차〕의 행렬. ④〘스포츠〙(**a**) 단체전의 팀. (**b**)〘육상·수영·스키〙릴레이팀.
Staffel=anleihe *f.*〘經〙기간별로 이율이 달라지는 공채〔채권〕. **~aufstellung** *f.*〘軍〙제대(梯隊) 배치. **~beteiligung** *f.*〘經〙(동업 조합원의 지분에 따른) 출자.
Staffelei [ʃtafəláɪ] *f.* -en ①〘畫〙화가(畫架). ② (südd.) 사다리.
staffel·förmig *a.* 사다리꼴의;〘軍〙제대(梯隊)로 편성된.
staffelig *a.* ↑ staffelförmig.
Staffel=lauf *m.*〘스포츠〙릴레이 경주, 계주. **~miete** *f.*〘法〙일정 기간마다 올리는 임대료.
staffeln [ʃtáfəln] 《Ⅰ》 *t.* ① 차등화하다, 등급을 매기다: Löhne〔Tarife〕 ~ 임금〔요금〕을 차등화하다. ② 사다리꼴로〔계단식으로〕 배치하다〔쌓아올리다〕;〘軍〙제대(梯隊)로 배치하다. 《Ⅱ》 *refl.* sich ~ 제형(梯形)을 이루다, 한 단 한단 높아지다: die Telefongebühren staffeln sich nach der Entfernung 전화 요금은 거리에 따라 차등화된다.
Staffel=preis *m.*〘經〙(포장·구매자에 따른) 차등 가격. **~rechnung** *f.*〘商〙상호 계산에서의 이식(利息) 계산. **~spanne** *f.*〘經〙(품질에 따른) 등급별 가격차. **~tarif** *m.* 등급별 임금 체계;〘철도〙체감식 운임 체계.
Staffelung [ʃtáfəlʊŋ] *f.* 단계를 이룸, 등급; 차등화; 제형(梯形) 배치〔적재〕.
staffel=weise *adv.* 사다리꼴로;〘軍〙제대(梯隊)를 이루어, 제대(梯隊)별로, 중대별로. **~wett·bewerb** *m.*〘육상·수영〙단체전, 릴레이 경기.
staffieren [ʃtafíːrən] 《frz.》 *t.* ① 장식하다; 장치〔장비〕를 부착하다: jn. ~ 누구를 잘 차려 입히다. ② (öst.) (모자에) 장식물을 달다. ③〘재봉〙안감을 대다.

Staffierer *m.* -s, - ① 장식하는 사람. ② 안감을 붙이는 재봉사〔봉제공〕.
Staffier·maler [ʃtafíːr..] *m.* 〖畫〗 장식 화공(畫工).
Staffierung [ʃtafíːruŋ] *f.* -en ① 장식, 부속품 장착. ② 〖畫〗 회화에 인물〔동물〕을 첨가함, 점경.
stafflig *a.* ↑ staffelig.
Stafflung *f.* -en ↑ Staffelung.
Stag [ʃtaːk] 《ndd.》 *n.* -(e)s, -e(n) 〖海〗 지삭(支索), 유지삭(維持索) (돛대를 지탱하는 철사 밧줄).
Stage [staːʒ] *f.* -n 법률 실무; 법학도의 실습.
Stagflation [ʃtakflatsióːn, st..] 《engl.》 *f.* -en 〖經〗 스태그플레이션.
Stagiaire [staʒiέːr] 《frz.》 *m.* -s, -s (법률) 시보(試補).
Stagione [stadʒóːnə] *f.* -n ① (이탈리아의) 오페라 시즌. ② (오페라 시즌을 위해 편성된) 극단.
Stagnation [ʃtagnatsióːn, st..] 《lat.》 *f.* -en (물이) 굄; 정체, 침체; 정지; 〖醫〗 울혈.
stagnieren [ʃtagníːrən, st..] *i.* (h.) 정체〔침체〕하다; 물이 괴다; 중지〔정지〕하다.
Stagnierung *f.* -en 정체, 침체.
Stag·segel *n.* 〖海〗 지삭(支索)에 달린 삼각형의 돛.
stahl [ʃtaːl] ↑ stehlen 의 과거형.
***Stahl**[1] [ʃtaːl] *m.* -(e)s, Stähle [ʃtέːlə]/-e ① 강철: 〔비유〕 aus〔von〕 ~ 강철같이 단단〔강인〕한. ② 〔시어〕 칼, 단검.
Stahl[2] 《ndd.》 *m.* -(e)s/-en, Stähle [ʃtέːlə]/-en 〖商〗 견본.
Stahl≈arbeit *f.* 강철 제품, 강철 세공. **~arbeiter** *m.* 철강 노동자. **~artig** *a.* 강철 같은. **~bad** *n.* ① 철천욕(鐵泉浴). ② 철천(鐵泉), 철천 휴양지. ③ 〔비유〕 혹독한 시련〔시험〕. **~band** *n.* 〔복수: ..bänder〕 압연 강재(鋼材), 강철띠. **~bau** *m.* 〔복수: -ten〕 〖건축〗 ① 철골 구조〔건축물〕. ② 철골 공법. **~bepanzert** *a.* 장갑(裝甲)한. **~beton** *m.* 〖건축〗 철근 콘크리트. **~blau** *a.* 강철과 같은 청색의. **~blech** *n.* 얇은 강판. **~brunnen** *m.* 철천(鐵泉). **~bürste** *f.* 강철 솔. **~draht** *m.* 강선(鋼線).
stähle [ʃtέːlə] ↑ stehlen 의 접속법 Ⅱ식.
stählen [ʃtέːlən] 《<Stahl》 *t.* ① 강철로 만들다: Eisen ~ 쇠를 강철로 만들다〔불리다〕. ② 강철을 입히다, 장갑(裝甲)하다; 강철을 함유시키다. ③ 〔비유〕 (심신을) 단련하다: seine Muskeln ~ 그의 근육을 단련하다.
stählern [ʃtέːlərn] *a.* ① 강철(제)의. ② 〔비유〕 강철같이 단단한, 굳은.
Stahl≈erz *n.* 〖광물〗 능철광(菱鐵鑛). **~erzeugung** *f.* 철강 생산. **~fabrik** *f.* 제강소. **~feder** *f.* ① 강철제(製) 용수철. ② 강철 펜(촉). **~flach·straße** *f.* 〖工·교통〗 강판 도로. **~flasche** *f.* 〖工〗 (철제의) 압력 가스 용기. **~geschoß** *n.* 〖軍〗 강철제 탄알. **~grau** *a.* 강철과 같은 회색의, 청회색의. **~guß** *m.* 강철 주물. **~haltig** *a.* 강철을 함유하는; 철분을 함유하는. **~hammer** *m.* ① 강철 해머. ② 제강소. **~hart** *a.* 강철같이 단단한. **~helm** *m.* ① 철모. ② 철모단(1918 년에 창립된 재향 군인회). **~helmer** *m.* 철모단(재향 군인회) 단원. **~herzig** *a.* 마음이 강철 같은, 무정한. **~hütte** *f.* 제강소. **~industrie** *f.* 〖經〗 제강업, 철강 산업. **~kammer** *f.* 철제 금고(실), 대여 금고. **~kocher** *m.* 〔구어〕 철강 노동자. **~luppe** *f.* 강철괴(塊). **~möbel** *n.* 철제 가구. **~ofen** *m.* 〖제련〗 용광로. **~panzer** *m.* 〖軍·海〗 강철판, 철갑(鐵甲). **~platte** *f.* 강철판. **~quelle** *f.* 철천(鐵泉) (철 이온을 함유한 광천). **~rohr** *n.* 강관(鋼管). **~röhre** *f.* 〖전기〗 강철 진공관(유리 대신 얇은 강철판을 쓴 고성능 진공관). **~rohr·möbel** *n.* 강관(으로 만든) 가구. **~roß** *n.* 〔구어·농담〕 자전거; 기관차. **~saiten·beton** [..betɔŋ] *m.* 강선(鋼線) 콘크리트. **~skelett·bau·weise** *f.* 〖토목〗 철골조 건축법. **~stab** *m.* 강철 막대, 강철봉. **~stange** *f.* ↑ ~stab. **~stecher** *m.* 강판〔철판〕 판화가. **~stecherei, ~stecher·kunst** *f.* 강판〔철판〕 판화술. **~stein** *m.* 〖광물〗 능철광(菱鐵鑛). **~stich** *m.* ① 강판 판화술. ② 강판화(畫). **~straße** *f.* ↑~flachstraße. **~träger** *m.* 〖토목〗 강철 용마루〔지주〕. **~trosse** *f.* 〖工〗 강삭(鋼索), 쇠밧줄. **~waren** *pl.* 강철 제품. **~wasser** *n.* 철천(鐵泉). **~werk** *n.* ① 제강소. ② 강철 제품〔세공〕. **~wolle** *f.* (연마 후 생긴) 강모(鋼毛), 스틸 울, 강철 수세미.
stak [ʃtaːk] ↑ stecken 의 과거형.
Stake [ʃtáːkə] *f.* -n ↑ Staken.
staken [ʃtáːkən] 《Ⅰ》 *t.* ① (배를) 상앗대로 밀어 전진시키다. ② (ndd.) (건초를) 쇠스랑으로 집어 올리다〔나르다〕. 《Ⅱ》 *i.* ① (h./s.) 상앗대로 밀어 전진하다. ② (h.) 〔드물게〕 삐죽 튀어나와 있다. ③ (h.) 〖방언〗 어설프게 걷다.
Staken *m.* -s, - ① 말뚝; 버팀목, 지주(支柱). ② 〖海〗 상앗대, 낚싯대. ③ 〔비유〕 후리후리한 사람.
Stakes [steːks] 《engl.》 *pl.* 경마의 판돈.
Staket [ʃtakéːt] 《it.》 *n.* -(e)s, -e ① 욋가지〔격자〕 울타리. ② 바자.
Stakete *f.* -n (öst.) 욋가지, 격자.
Staketen·zaun *m.* ↑ Staket ①.
stakig 《<staken》 *a.* 장대 같은; 뻣뻣한; 서투른; 삐죽 튀어나온.
Stakkato [ʃtakáːto, st..] 《it.》 *n.* -s, -s/..ti 〖음악〗 음을 하나하나 끊어서 연주하기, 스타카토(staccato).
staksen [ʃtáːksən] *i.* (s.) 〔구어〕 (길고 가는 다리로) 뻣뻣하게〔어설프게〕 걸어가다.
staksig [..sıç] *a.* ① 긴, 뻣뻣하고 어색한: mit ~en Schritten gehen (뻣뻣한 다리로) 어색하게 걸어가다. ② 길어서 다루기 힘든: der Weihnachtsbaum ist ~ 이 크리스마스 트리는 키가 커서 불편하다.
Stalagmit [ʃtalagmíːt, ..mít, ..st..] 《gr.》 *m.* -s/-en, -e(n) 〖지질〗 석순(石筍).
stalagmitisch [(또는) ..mít.., ..st] *a.* 석순 모양의.
Stalaktit [ʃtalaktíːt, ..tít, st..] *m.* -s/-en, -e(n) 〖지질〗 종유석(鐘乳石).
Stalaktiten·gewölbe *n.* 〖건축〗 (종유석 장식이 있는) 이슬람식 궁륭〔돔〕.
stalaktitisch *a.* 종유석 모양의.
Stalin [stáːlın, ʃt..] *m.* Iosit V. ~ 스탈린 (1879–1953).
Stalingrad [ʃtáːlıngra(:)t, (russ.) staːljingrá(:)t] 스탈린그라드(옛 Wolgograd).

Stalinismus [ʃtalinísmus, st..] *m.* - 스탈린주의; 스탈린식 통치 체제.

Stalinist *m.* -en, -en 스탈린주의자.

stalinistisch *a.* 스탈린주의의.

Stalinorgel *f.* 〖軍〗 (제 2 차 세계 대전 중에 소련군이 사용한) 다발식 로켓포.

***Stall** [ʃtal] 《원뜻 „Standort"; ♧ Stelle》 *m.* -(e)s, Ställe [ʃtɛ́lə] ① (가축) 우리, 축사; 마구간; 외양간; 〔비유〕 누옥(陋屋); 더러운 방: aus gutem ~ 좋은 집안〔가문〕 출신의; ein ganzer ~ voll Kinder 많은 아이들; den ~ ausmisten 더러운 방을 청소하다. ② (Renn-~) 경주용 말의 마구간; 한 외양간의 경주마, 한 개인 소유의 경주마들; (자동차·자전거 경주의) 레이싱팀.

Stallaterne *f.* -n 축사〔마구간〕의 등불.

Stall≈bursche *m.* 마구간지기. **~bürste** *f.* 말 손질용 솔.

Ställchen [ʃtɛ́lçən] *n.* -s, - 〖↑ Stall 의 축소형〗 ① 작은 가축 우리. ② 어린아이들을 넣어 두는 격자 울타리; 어린이 놀이터.

Stall≈decke *f.* 말의 옷. **~dienst** *m.* 마구간 일, 말 손질; 〖軍〗 군마(軍馬) 손질 근무. **~dünger** *m.* 쇠두엄, 축사의 똥거름.

stallen [ʃtálən] 《I》 *t.* (가축을) 마구간에 넣다: 〔구식〕 sich mit jm. ~ 누구와 사이가 좋다. 《II》 *i.* (h.) ① 마구간에 있다. ② (말이) 오줌 누다.

Stall≈feind *m.* (schweiz.) 발굽병; (가축의) 내구암(內口癌). **~fütterung** *f.* 축사 내 사육, 축사 안에서 먹이주기. **~gabel** *f.* 외양간용 쇠스랑. **~geruch** *m.* 외양간〔마구간〕 냄새. **~halter** *m.* 외양간지기. **~hase** *m.* 〖動〗 집토끼. **~hof** *m.* 외양간 마당. **~junge** *m.* ↑ ~knecht. **~knecht** *m.* 마부, 마구간지기. **~laterne** *f.* 마구간의 등불, 마구간용〔외양간용〕 안전 램프. **~magd** *f.* 외양간〔마구간〕 하녀. **~meister** *m.* ① (경마장·종마 목장의) 마구간 감독, 조교사. ② 승마 학교장(長), 마술 교관. **~straße** *f.* 마구간 통로. **~tür** *f.* 마구간 문. **~wache** *f.* ① 마구간지기; 마구간 보초(병). ② 〔구어〕 (관청에서 휴가 동안 임시로 채용하는) 경비 직원.

Stallung [ʃtáluŋ] *f.* -en ① 가축을 우리에 넣기. ② (가축의) 우리, 축사, 마구간. ③ 덫.

Stambul [ʃtámbul, st..] 이스탄불(콘스탄티노플의 터키 이름).

Staminodium [ʃtaminó:dium] *n.* -s, ..dien [..diən] 〖植〗 헛수술, 꽃가루를 만들지 않는 수꽃술.

***Stamm** [ʃtam] *m.* -(e)s, Stämme [ʃtɛ́mə] ① 〖植〗 (나무) 줄기, 수간(樹幹); 풀줄기; 〖動〗 몸체, 동체(胴體): 〔비유〕 der Apfel fällt nicht weit vom ~ 콩 심은 데 콩 나고 팥 심은 데 팥 난다. ② 〖건축〗 기둥의 몸체, 주간(柱幹). ③ 가족, 가계, 일족; 종족, 부족; 민족, 인종; 자손; (가축의) 혈통; (식물의) 계통; 〖生〗 문(門); (세균의) 균주(菌株); (양봉에서) 벌떼: aus königlichem ~ sein 왕족 출신이다; die zwölf Stämme Israels 이스라엘의 12 부족 (창세기 49 : 28); 〔구어·농담〕 er ist vom ~e Nimm 그는 탐욕스럽다; dieses Tier gehört zum ~ der Wirbeltiere 이 동물은 척추 동물 문에 속한다; ein ~ Hühner (수탉 한 마리와 암탉 여러 마리로 이루어진) 한 무리의 닭. ④ 근간, 기초; 〖언어학〗 어간; 핵심, 상근〔고정〕 멤버; 〖軍〗 고참, 간부; 〖스포츠〗 주전 선수: ein (fester) ~ von Gästen〔Kunden〕 단골 손님. ⑤ 〖商〗 원금, 자본금. ⑥ **(a)** 〖카드〗 돌리고 남은 패. **(b)** 판돈.

Stamm·aktie *f.* 〖商〗 보통주(株) (↔ Vorzugsaktie).

Stammannschaft *f.* -en 〖스포츠〗 (팀의) 주전 선수〔집단〕.

Stamm≈bahn *f.* 〖철도〗 간선, 본선. **~baum** *m.* 계보(도); 족보; 〖生〗 계통수(樹); 〖언어〗 (문장 구조를 표시하는) 수형도; 언어 계통도. **~belegschaft, ~besatzung** *f.* 장기 근속〔상근〕 직원. **~besetzung** *f.* ① 〖스포츠〗 주전 선수. ② 가극단의 단골 출연진. **~buch** *n.* ① 〔구식〕 (기념 문구를 적어 넣는) 기념첩(帖); 방명록: jm. et. ins ~ schreiben 누구에게 무엇을 엄중 경고하다. ② 족보. ③ (가축의) 혈통 증명서. **~burg** *f.* 〖史〗 (귀족 가문의) 본성(本城). **~bürtig** *a.* 〖植〗 줄기에 직접 꽃이 피는.

Stämmchen [ʃtɛ́mçən] *n.* -s, - 〖↑ Stamm 의 축소형〗 작은 줄기.

Stamm≈daten *pl.* 〖컴〗 상용(常用) 자료. **~einlage** *f.* (유한 책임 회사 주주의) 출자액.

stammeln [ʃtáməln] 《♧ stemmen, stumm》 *t./i.* (h.) 말을 더듬다, 어물어물 말하다, 중얼거리다; 〖醫〗 (특정) 발음을 잘하지 못하다.

Stamm·eltern *pl.* 조상; 시조(始祖); 〖宗〗 아담과 이브.

***stammen** [ʃtámən] 《<Stamm》 *i.* (h./s.) 유래하다, 계통을 이어받다, …출신이다; …(원)산이다: aus vornehmer Familie ~ 명문 출신이다; ich stamme von ihm 나는 그분의 자손이다; er stammt aus Hamburg 그는 함부르크 태생이다; woher ~ Sie? 고향이 어디십니까?; das Wort stammt aus dem Griechischen 이 말은 그리스어에서 유래한다.

Stamm≈ende *n.* 그루터기. **~erbe** *m.* 적자(嫡子).

stammern [ʃtámərn] 《ndd.》 *i.* (h.) 말을 더듬다(stammeln).

Stammes≈bewußtsein *n.* 종족 의식. **~eigenheit** *f.* 종족의 특성. **~führer** *m.* 족장(族長). **~fürst** *m.* (한 종족의) 군주, 영주. **~gefühl** *n.* 종족 감정. **~geschichte** *f.* 〖生〗 계통 발생(사). **~geschichtlich** *a.* 〖生〗 계통 발생(론)의. **~häuptling** *m.* 족장. **~kunde** *f.* 종족학, 인종학.

Stamm·essen *n.* ↑ Stammgericht.

Stammes≈sprache *f.* 종족어. **~verband** *m.* 종족 동맹〔단체〕. **~zugehörigkeit** *f.* 종족의 일원(임).

Stamm≈folge *f.* 혈통. **~form** *f.* 〖문법〗 동사의 기본형; 〖生〗 (어떤 생물의) 원형, 조상. **~früchtler** *m.* 〖植〗 매년 같은 줄기에 열매가 맺는 식물. **~gast** *m.* (음식점·여관의) 단골 손님. **~geld** *n.* 원금. **~genosse** *m.* 동족. **~gericht** *n.* (단골 손님을 위한) 간편하고 저렴한 요리, 정식. **~gut** *n.* (분할되지 않고 장자에게 상속되는) 세습 재산.

stammhaft [ʃtámhaft] *a.* ① ↑ stämmig. ② 〖문법〗 어간에 속하는.

Stamm≈halter *m.* 후계자; 적자(嫡子); 장자. **~haus** *n.* ① 종가, 본가. ② 〖商〗 본점, 본사 (사옥). **~holz** *n.* 간재(幹材).

Stammiete [ʃtámmi:tə] *f.* -n (극장의) 정기

좌석 예약(권).

Stammieter *m.* -s, - (극장의) 정기 회원, 정기권 소지자.

stämmig [ʃtɛ́mɪç] 《<Stamm》 *a.* ① 줄기가 굵은. ② 힘센, 건장한, 옹골찬; 땅딸막한.

..stämmig *suf.* "…한 줄기의, 줄기가 …한"의 뜻(보기: dünn~ 줄기가 가는).

Stammigkeit *f.* 줄기가 굵음; 우람함; 땅딸막함.

Stamm≈kapital *n.* 〖商〗 (유한 책임 회사의) 자본금. **~kneipe** *f.* 단골 주점. **~kunde** *m.* 단골 손님. **~kundschaft** *f.* 〔집합적〕 단골 손님. **~land** *n.* 발상지, 원산지, 모국, 고국, 고향. **~lehen** *n.* 세습 영지.

Stämmlein *n.* -s, - 〖↑ Stamm 의 축소형〗 작은〔가는〕 줄기.

Stamm·leitung *f.* (전화) 간선, 본선.

Stammler [ʃtámlər] 《<stammeln》 *m.* -s, - 말더듬이; 〖醫〗 (특정음의) 발음 장애자.

Stamm≈linie *f.* ① 〖철도〗 간선, 본선. ② 계통, 계도. **~lokal** *n.* 단골 음식점. **~lösung** *f.* 〖化〗 원액. **~mutter** *f.* 여시조(女始祖) (↑ Stammutter). **~personal** *n.* 장기 근속〔상근〕 직원. **~platz** *m.* (술집·경기장의) 단골 손님 지정석. **~priorität, ~prioritätsaktie** *f.* 〖商〗 우선주(株). **~register** *n.* ① 〔구식〕 ↑ ~rolle. ② 수표〔영수증〕 원부. **~rolle** *f.* 〖軍〗 징병 대상자 명부; 병적; 총원〔점호〕 명부. **~silbe** *f.* 〖언어학〗 어간 음절. **~sitz** *m.* ① 발상지; (회사의) 설립지; 본사, 본점. ② 조상 전래의 저택〔거주지〕, 종가. ③ (극장의) 예약석. ④ 〔드물게〕 (술집의) 단골 손님 좌석. **~spieler** *m.* 〖스포츠〗 주전 선수. **~sprache** *f.* 모국어; 원시어. **~tafel** *f.* 계보도. **~tisch** *m.* ① 단골 손님용 식탁. ② 단골 손님 그룹. ③ 단골 손님들의 회합: zum ~ gehen 단골 손님들의 모임에 가다. ④ 단골 손님들의 모임이 있는 날: Vater hat freitags seinen ~ 아버지는 매주 금요일 단골 손님들과 모임을 갖는다. **~tisch·politik** *f.* 〔폄어〕 (술집의) 소박한 정치 담론. **~ton** *m.* 〖음악〗 기음(基音), 간음(幹音), 원음(原音).

Stammutter *f.* 여시조(女始祖); 〖宗〗 이브.

Stamm≈vater *m.* 시조(始祖); 〖宗〗 아담. **~vermögen** *n.* 기본 재산. **~verwandt** *a.* ① 같은 종족〔부족〕에 속하는, 동족의; 같은 가문에 속하는. ② 〖언어학〗 어간이 같은. **~verwandtschaft** *f.* 동족 관계; 〖언어학〗 동일어간 관계. **~verzeichnis** *n.* 〖컴〗 루트 디렉토리. **~vieh** *n.* 가축. **~vokal** *m.* 〖문법〗 어간 모음. **~volk** *n.* 원민족; 토착민. **~wort** *n.* 〔복수: ..wörter〕 〖언어학〗 어간어, 기근어(基根語), 어근. **~würze** *f.* 〖양조〗 (맥주 제조 때의) 맥즙 원액.

Stamokap [ʃtáːmokap] *m.* -(s), -s 〖政·은어〗 =staatsmonopolistischer Kapitalismus 국가 독점 자본주의.

Stampe [ʃtámpə] *f.* -n (berl.) 술집, 주점.

Stampede [ʃtampéːdə] 《engl.》 *f.* -n/(영어식 발음) -s (소떼가) 놀라 우르르 도망침.

Stamperl [ʃtámpərl] *n.* -s, -n (bayr.) 소주잔.

Stampf≈bau [ʃtámpf..] 《<Stampfe》 *m.* 〔복수: -ten〕 〖건축〗 연토(煉土) 건축, 매립지 위의 건축. **~beton** [..betɔŋ] *m.* (도로 포장용의) 다진 콘크리트.

Stampfe [ʃtámpfə] *f.* -n ↑ Stampfer.

***stampfen** [ʃtámpfən] 《I》 *t.* ① 짓밟다, 다지다; 압착하다; 찧다, 분쇄하다, 으깨다; 때려 박다: die Erde fest ~ 땅을 단단히 다지다; Pfähle in den Boden ~ 땅에 말뚝들을 두드려 박다. ② (**a**) 발을 굴러 (무엇을) 나타내다: den Takt ~ 발을 굴러 박자를 맞추다. (**b**) 발을 굴러 털어내다: den Schnee von den Schuhen ~ 발을 굴러 신발에서 눈을 털어내다. ③ 찍어내다: 〔비유〕 et. aus dem Boden ~ 무엇을 즉석에서 만들어 보이다. 《II》 *i.* ① (h.) (**a**) 쾅쾅〔쿵쿵〕 밟아대다: mit dem Fuß auf die Erde ~ 발을 구르다. (**b**) (말이) 발로 땅을 긁다. ② (s.) 쾅쾅〔쿵쿵〕거리며 걸어가다. ③ (h.) (기계가) 쾅쾅〔쿵쿵〕 소리를 내다. ④ (h.) 〖海〗 (**a**) 배가 피칭〔뒷질〕하다. (**b**) 피칭하면서 나아가다.

Stampfer *m.* -s, - ① (**a**) 찧는 사람, 다지는 사람. (**b**) 땅을 차는 말. ② 〖海〗 피칭하는 배. ③ 으깨는 막대〔기구〕; 다지는 기구, 충격식 고정기; 압착기.

Stampf≈erde *f.* 다져진 땅. **~gang** *m.* 〖工〗 약연(藥碾), 도쇄기(搗碎機).

stampfig *a.* 〔드물게〕 짓밟는, 쿵쿵 밟는; (말이) 땅을 차는.

Stampf≈kartoffeln *pl.* 감자죽. **~mühle** *f.* 〖工〗 도쇄기. **~see** *f.* 〖海〗 (배를 피칭시키는) 큰 물결. **~werk** *n.* ↑ ~mühle.

Stampiglie [ʃtampíːljə, ..píːliə] 《germ.》 *f.* -n (öst.) ① 도장, 압인(押印), 스탬프. ② (우편물의) 소인; (보석의) 보증 마크.

stand [ʃtant] ↑ stehen 의 과거형.

***Stand** [ʃtant] 《<stehen》 *m.* -(e)s, Stände [ʃtɛ́ndə] ① 섬, 기립, 직립; 정지(상태); 〖스포츠〗 착지: einen festen〔guten, sicheren〕 ~ haben 흔들리지 않고 서 있다, 안정되어 있다; 〖스포츠〗 aus dem ~ 서 있는 자세로, 도움닫기 없이; 〖스포츠〗 Start aus dem ~ 스탠딩 스타트; 〔구어〕 aus dem ~ (heraus) 즉석에서, 당장; 〖축구〗 aus dem ~ spielen 선 채로 공을 받아 패스하다; sicher〔sauber, einwandfrei〕 in den ~ kommen 안전〔완벽〕하게 착지하다; 〔구어〕 bei jm. 〔gegen jn.〕 einen schweren 〔keinen leichten〕 ~ haben 누구를 이겨내기 힘들다, 누구와 껄끄러운 사이이다. ② (**a**) 입장, 위치; (택시가) 서는 곳〔자리〕; (특정한 목적의) 장소; 가게, 매점, 노점, 가판대; 진열대; 〖사냥〗 짐승의 서식처: Zeugen≈ 증인석; Schieß≈ 사격장, 사대(射臺); Kranführer≈ 기중기의 운전실〔조종실〕; Würstchen≈ 소시지 파는 노점〔가판대〕; seinen ~ behaupten 자기 입장을 고수하다. (**b**) (현재) 위치, 고도, 수위(水位); (예금의) 현재 잔고; (현재의) 통계 수치; 총수: der ~ der Sonne 태양의 위치; der ~ der Aktien 주식 시세. ③ 상태, 상황; 사정, 형편: der augenblickliche ~ der Forschung 현재의 연구 상황; ein Buch auf den neuesten ~ bringen 최근의 상황을〔자료를〕 책에 반영하다; gut im 〔in gutem〕 ~ sein 상태가 좋다, 상황이 좋다; jn. in den ~ versetzen, et. zu tun 누구에게 무엇을 할 수 있게 해 주다; seine Ersparnisse setzten ihn in den ~, sich einen neuen Wagen zu leisten 그는 절약한 덕에 새 차를 살 수 있었다; 〔雅語·농담〕 in den (heiligen) ~ der Ehe treten 결혼하다; seinen ~ verändern

결혼하다. ④ (a) (직업에 따른 사회적) 신분, 지위; 계급, 계층: Gelehrten≈ 학자 계층; Arbeiter≈ 노동자 계층; der dritte ~ 제 3 계급(시민〔평민〕 계급); der vierte ~ 제 4 계급(노동자 계급); sie hat unter ihrem ~ geheiratet 그 여자는 자기보다 신분이 낮은 사람과 결혼했다. (b) 혼인 관계(Familien≈). ⑤〔복수〕〖史〗 신분 대표 회의, 신분제 의회. ⑥ (schweiz.) 주(州)(↑ Kanton). ⑦〖植〗 화서, 꽃차례.

Standard [ʃtándart, st..] 《germ. -engl.》 *m.* -(s), -s ① 표준, 기준, 규격; 모범: international festgelegte ~s 국제 표준 규격. ② 수준; 기본〔필수〕 품목: Lebens≈ 생활 수준; Fernseher und Telefon gehören heute zum ~ einer Familie 텔레비전과 전화는 오늘날 가정의 기본 품목이다. ③ (주화의) 법정 순도; (화폐의) 본위. ④〖골프〗 기준 타수.

Standard≈ausrüstung *f.* 표준 장비〔설비〕. **~brief** *m.*〖우편〗 규격 편지. **~farbe** *f.* 표준색.

standardisieren [..dizí:rən] *t.* 규격화하다; 표준화하다.

Standardisierung *f.* -en ① 규격화. ②〖心·통계〗 표준화.

Standard≈kalkulation *f.*〖經〗 표준 산정(算定). **~klasse** *f.*〖스포츠〗(특정한 제약이 있는) 규격〔규정〕 체급〔종목〕. **~kosten** *pl.*〖經〗 표준 비용〔원가〕. **~kosten·rechnung** *f.* 표준 원가 산정. **~lösung** *f.*〖化〗 표준 용액. **~modell** *n.* 표준 모델, 표준형. **~preis** *m.*〖經〗 표준 가격. **~situation** *f.* (프리 킥·코너 킥과 같은) 표준 상황. **~sprache** *f.*〖언어〗 표준어. **~tanz** *m.*〔복수로만〕 댄스 경기의 표준〔규정〕 종목. **~werk** *n.* (어떤 분야의) 정평 있는 책, 기본 서적, 필독서. **~wert** *m.*〖증권〗(유가 증권의) 기준 가격.

Standarte [ʃtandártə] 《germ.》 *f.* -n ① (국가 원수·대통령의) 기(旗); (옛) 기병대의 깃발: 〔구식〕 bei der ~ bleiben (부인이) 정조를 지키다. ② 슈탄다르트테(나치스 돌격대 및 친위대의 연대급 부대). ③〖사냥〗(여우) 꼬리.

Standarten≈junker *m.*〖軍〗 기수(旗手). **~schuh** *m.* 기(旗)의 마구리. **~träger** *m.*〖軍〗 기수.

Stand≈barometer *n./m.* 고정 청우계. **~baum** *m.* ① (마구간의) 격판(隔板). ② (새의) 홰. **~bein** *n.* (↔ Spielbein) ①〖스포츠〗 체중이 실려 있는 다리, 디딤발. ②〖조각〗(입상의) 입각(立脚). **~bild** *n.* 입상. **~büchse** *f.*〖軍〗 훈련용 사격총.

Stand-by [stɛ́ndbaɪ] 《engl.》 *n.* -〔은어〕 (스튜어디스·파일럿의) 대기: ~ haben〔machen〕 대기하다.

Ständchen [ʃtɛ́ntçən] *n.* -s, -〔↑ Stand 의 축소형〕 ①〖음악〗 소야곡, 세레나데. ② 서서 하는 잡담. ③ 작은 매점〔노점〕, 가판대.

Stande [ʃtándə] 《<stehen》 *f.* -n (alem.) 통.

stände [ʃtɛ́ndə] ↑ stehen 의 접속법 Ⅱ 식.

Stände≈haus 《<Stand》 *n.* 신분 대표 회의〔신분제 의회〕 의사당. **~kammer** *f.* 신분제 의회.

Standen *m.* -s, - ↑ Stande.

Stände≈ordnung *f.*〖史〗 신분 제도. **~recht** *n.*〖史〗 신분 차등법.

Stander [ʃtándər] 《ndd.》 *m.* -s, - ① 3 각기(旗), 사령기, 신호기. ②〖海〗(돛대·활대에 드리운) 도르래가 달린 강삭(鋼索).

Ständer [ʃtɛ́ndər] 《<Stand》 *m.* -s, - ① (물건을 세워 두는) 대(臺), 스탠드; 우산꽂이 (Schirm≈); 악보대(Noten≈). ②〖건축〗 기둥, 각주(角柱). ③ (서서 쓰는) 좁고 비스듬한 책상. ④ (md.)〖漁〗 양어장. ⑤〖사냥〗(물새 이외의) 들새의 다리. ⑥ 꿀벌집〔통〕. ⑦ (obd.) 통. ⑧〔비속〕 발기한 남근. ⑨〖工〗(전기 기계의) 고정자(固定子).

Stände·rat *m.* 스위스의 주(州) 대표자 회의.

Ständer·lampe *f.* 키 큰 전기 스탠드, 입등.

ständern *t.*〖사냥〗 자고〔오리〕의 다리를 쏘아 부러뜨리다.

Ständer·pilz *m.*〖植〗 담자균류.

Stände·saal *m.* 신분 대표 회의장, 신분제 의회 의사당.

Standes≈adel [ʃtándəs..] *m.* 세습 귀족. **~amt** *n.* 호적 사무소. **≈amtlich** *a.* 호적상의: 〔구어〕 wir haben nur ~ geheiratet 우리는 단지 호적상으로 결혼했을 뿐이다. **~ausweis** *m.* 신분 증명서. **~beamte*** *der* 호적 사무소 의 직원. **~beamtin** *f.* ↑ ~beamte 의 여성형. **≈bewußt** *a.* 신분 의식이 강한. **~bewußtsein** *n.* 계급〔신분〕 의식. **~dünkel** *m.* 신분에 관한 자만〔오만〕. **~ehe** *f.* 신분을 높이기 위한 결혼. **~ehre** *f.* 계급〔신분〕과 관련된 체면〔명예〕. **~gebühr** *f.* 신분에 알맞음: nach ~ 신분에 알맞게. **≈gemäß** *a.* 신분에 알맞은〔어울리는〕. **~genosse** *m.* 같은 신분〔계급〕의 사람, 동배(同輩). **~herr** *m.*〖史〗 고급 귀족(1806 년 이후 황제 직속에서 풀려나 영주에 버금가는 지위를 누린 귀족). **~herrschaft** *f.* ↑ Standesherr 의 영지. **≈mäßig** *a.* ↑ ≈gemäß. **~person** *f.* 귀족, 귀인; 고관. **~pflicht** *f.* 신분상〔직업상〕의 의무. **~recht** *n.*〔구식〕 신분에 따른 권리〔특권〕. **~register** *n.*〔구식〕 호적부(戶籍符).

Stände·staat 《<Stand》 *m.* 신분제 국가.

Standes≈unterschied *m.* 신분〔계급〕의 차이. **~vorurteil** *n.* 계급적 편견. **≈widrig** *a.* 신분에 어긋나는〔맞지 않는〕. **~würde** *f.* 신분상의 권위〔체통〕. **≈würdig** *a.* 신분에 맞는. **~zugehörigkeit** *f.* 어느 신분에 소속해 있음; 소속 신분.

Stände≈tag *m.*, **~versammlung** *f.* 신분제 의회. **~wesen** *n.* 신분 제도.

stand≈fest *a.* ① (가구가) 고정된; 안정된, 흔들리지 않는: 〔구어·농담〕 nicht mehr ganz ~ sein 약간 취했다. ②〖광산〗(암석이) 단단한, 부서지지 않는. ③〖工·건축〗 압력〔하중〕에 견디는. ④〖축구〗(수비가) 견고한: eine ~e Abwehr 튼튼한 수비. ⑤ (의지가) 굳은, 확고한. **≈festigkeit** *f.* 안정(성), 견고(성), 내구(성). **≈foto** *n.*〖영화〗 스틸 (사진), 영화의 한 장면을 확대 인화한 사진. **≈fuß·ball** *m.*〖스포츠〗(선수들이 많이 뛰지 않고) 서서 공이 오기를 기다리는 축구. **≈gas** *n.*〖車〗 엔진 공회전 때에 공급되는 연료. **≈geld** *n.* ① 노점(의 텃)세, 시장 사용료. ②〖철도〗 차량 유치료(留置料). **≈gericht** *n.*〖軍〗 계엄령하의 즉결 재판, 약식 군법 회의. **≈glas** *n.* 유리 계량기, 메스 실린더, 화학용 체적계.

standhaft 《<Stand》 *a.* 확고〔의연·완강〕한; 단호한; 침착한; 불변의, 항구적인.

Standhaftigkeit *f.* 확고, 의연, 완강.

stand|halten* [ʃtánt..] *i.* (h.) 견뎌내다; 이겨내다; 저항하다: einem Angriff ~ 공격을 견뎌내다; einer Versuchung ~ 유혹을 물리치다; einem Blick ~ 시선을 피하지 않다.

Stand·heizung *f.* 〖車〗 엔진 정지 때 작동하는 보조 난방 장치.

***ständig** [ʃtɛ́ndıç] *a.* ① 지속적인, 고정된; 상설의, 상임의: eine ~e Einrichtung 상설 기구; sein ~er Wohnsitz 그의 정주지(定住地). ② 끊임없는, 계속되는. ③ 아주 잦은, 빈번한.

Standing Ovations [stɛ́ndiŋ o:vé:ʃənz] ⟪engl.⟫ *pl.* 기립 박수.

ständisch [ʃtɛ́ndıʃ] *a.* ① (**a**) 신분상〔신분제〕의. (**b**) 직능 신분상의: ~e Vertretung 직능 대표. ② (schweiz.) 주(州)의.

Stand·krämer *m.* 노점 상인.

Standl *n.* -s, - (bair.) 노점, 스탠드.

Stand≈lager *n.* ↑ ~quartier. **~licht** *n.* (자동차의) 주차등. **~linie** *f.* 〖측량〗 기선(基線). **~ort** *m.* 〘복수: -e〙 ① (선박·항공기의) 현위치, 소재지; 〖經〗 (공장의) 입지. ② 〖軍〗 주둔〔위수〕지. ③ 〖生〗 (생물의 생활 환경으로서의) 입지, 산지. ④ 〘교양〙 (정치·사회 문제에 대한) 입장.

Standort≈älteste* *der* 〖軍〗 주둔군〔위수〕 선임 장교〔부대장〕. **~bestimmung** *f.* ① 현위치 측정〔확인〕. ② 〘교양〙 입장〔견해〕 결정. **~faktor** *m.* ① 〖生〗 입지 요인. ② 〖經〗 (공장의) 위치 결정 요인. **~lehre** *f.* 〖經〗 입지론. **~orientierung** *f.* 기업의 입지 조건에 대한 지침〔안내〕. **~wechsel** *m.* 입장 변화〔수정〕.

Stand≈pauke *f.* 〘구어〙 (심한) 꾸지람, 힐책, 비난. **~pferd** *n.* 환마(換馬), 대기마(지친 말과 바꾸기 위한 말). **~platz** *m.* (택시가) 서서 기다리는 곳, 승강장. ***~punkt** *m.* ① 서 있는 곳, 위치; 견지, 입장; 견해, 사고 방식: ein überwundener ~ 낡은 생각; jm. den ~ klarmachen 누구에게 입장을 분명하게 밝히다; von diesem ~ aus 이 입장에서 보면〔말하면〕; ich stehe auf dem ~, daß ... 나는 … 라고 생각한다; 〘구어〙 das ist doch kein ~! 그렇게 생각〔행동〕해서는 안 된다! ② 〖商〗 환시세. **~quartier** *n.* 임시 숙소; 〖등산〗 베이스 캠프. **~recht** *n.* 〖法〗 계엄령; 즉결 재판. **≈rechtlich** *a.* 계엄령에 따른. **~rede** *f.* ① 〘고어〙 식사(式辭), 인사; (묘 앞에서의) 조사. ② 질책, 비난. **~riß** *m.* 〖건축〗 입면도, 정면도, 직립 평면도, 정사도(正射圖). **~rohr** *n.* 〖工〗 배수탑(配水塔). **≈sicher** *a.* 고정된; 안정된. **~sicherheit** *f.* 안정〔견고〕(성). **~spur** *f.* (도로가의) 비상 정지선. **~uhr** *f.* 추가 달린 대형 괘종 시계, 대형 탁상 시계. **~visier** *n.* 〖軍〗 고정 가늠자. **~vogel** *m.* 텃새, 유조(留鳥). **~waage** *f.* 〖체조〗 전방 수평 밸런스(한 다리로 서서 상체를 앞으로 굽히는 자세). **~wild** *n.* 서식처를 옮기지 않는 짐승. **~wind** *m.* 항풍(恒風).

***Stange** [ʃtáŋə] *f.* -n ① 막대기, 장대; 기둥, (덩굴 식물을 위한) 지주; 홰; 〖海〗 활대(Segel≈); (창의) 자루; 〖체조〗 (연습용) 수평봉, 바; (옷가게의) 옷걸이: sie saßen da wie die Hühner auf der ~ 그들은 홰 위의 닭들처럼 나란히 앉아 침묵을 지키고 있었다; 〘구어〙 ein Anzug von der ~ 기성복; ein Mann von der ~ 평범한 사람; 〘구어〙 eine ~ angeben 허세부리다, 호언장담하다; bei der ~ bleiben 자기 주장을 고수하다, 최후까지 분발하다; 〘구어〙 jm. die ~ halten 누구를 비호하다〔지지하다·편들다〕; 〘구어〙 jn. bei der ~ halten 누구를 최후까지 분발하도록 독려〔격려〕하다. ② 막대기 모양의 물건: eine ~ Weißbrot 바게트빵 하나; eine ~ Zigaretten 담배 한 박스 (10 갑들이); 〘구어〙 eine (ganze) ~ 많은 양; das kostet eine ~ Geld 그것은 막대한 비용이 든다; 〘경박〙 eine ~ (Wasser) in die Erde stellen (남자들이) 서서 오줌누다. ③ 재갈. ④ 수레의 채: einem Pferd die ~n geben 결승점을 앞두고 말에게 최고 속도를 내게 하다. ⑤ 〖林〗 작은 통나무. ⑥ 〖사냥〗 (**a**) (사슴의) 가지뿔(의 한 쪽). (**b**) (여우·늑대의) 꼬리. ⑦ (berl.) 긴 원통형의 맥주잔. ⑧ 〘비속〙 발기한 음경.

Stängelchen [ʃtɛ́ŋəlçən] *n.* -s, - 〘↑ Stange의 축소형〙 작은 막대기.

stängeln [ʃtɛ́ŋəln] *t.* (덩굴 식물에) 지주(支柱)를 세워주다.

Stangen≈barriere [ʃtáŋən..] *f.* 〖철도〗 건널목 차단 장치의 가로장. **~bohne** *f.* 〖植〗 강낭콩. **~bohrer** *m.* 〖工〗 큰 송곳, 나사송곳. **~eisen** *n.* ① 막대쇠. ② 〖사냥〗 쇠올가미. **≈förmig** *a.* 막대기 모양의. **~gebiß** *n.* 재갈, 고삐. **~gitter** *n.* 쇠격자. **~holz** *n.* ① 나무 막대기, 막대기 제재용 목재. ② 〖林〗 작은 통나무. **~pferd** *n.* 수레의 채에 매인 말, (4필 이상이 끄는 마차의) 뒤쪽의 말. **~pomade** *f.* 막대 모양의 용기에 담긴 포마드. **~reiter** *m.* 수레의 채에 매인 말의 마부. **~schwefel** *m.* 막대기에 부어 넣은 황. **~seife** *f.* 막대 비누. **~spargel** *m.* 〖요리〗 (썰지 않은 그대로의) 아스파라거스. **~springen** *n.* 장대높이뛰기. **~tabak** *m.* (썹는) 여송연(↑ Rollentabak). **~weiß·brot** *n.* 바게트빵. **~zaum** *m.* ↑ ~gebiß. **~zaun** *m.* 울짱, 울타리, 바자. **~zirkel** *m.* 빔 컴퍼스.

Stänglein [ʃtɛ́ŋlaın] *n.* -s, - 〘↑ Stange의 축소형〙 ↑ Stängelchen.

Stanitzel [ʃtanítsəl] ⟪it.⟫ *n.* -s, - (öst.) 삼각형 모양의 종이 봉지(Tüte).

Stank [ʃtaŋk] ⟪<stinken⟫ *m.* -(e)s 〘방언〙 ① 악취. ② 〘구어〙 승강이, 싸움.

stank [ʃtaŋk] ↑ stinken의 과거형.

stänke [ʃtɛ́ŋkə] ↑ stinken의 접속법 Ⅱ식.

Stänker ⟪<Stank⟫ *m.* -s, - ① 냄새 나는 사람〔동물〕; 〖사냥〗 스컹크. ② 〘구어〙 (**a**) 싸움〔말썽〕꾼. (**b**) 탐정, 밀정.

Stänkerei [ʃtɛŋkəráı] *f.* -en ① 악취. ② 말다툼, 싸움.

Stänkerer *m.* -s, - 걸핏하면 싸움을 거는 사람, 말썽꾼, 불평꾼.

stänkerig *a.* ① 악취나는, 냄새 고약한, 구린. ② 늘 시비를〔분쟁을〕 일으키는.

stänkern [ʃtɛ́ŋkərn] *t./i.* (h.) ① 악취〔구린내〕를 풍기다. ② 〘구어〙 (**a**) 분쟁을 일으키다. (**b**) 남의 흠을 찾다. (**c**) 이리저리 거닐다.

stänkrig [ʃtɛ́ŋkrıç] *a.* ↑ stänkerig.

Stanniol [ʃtanió:l, st..] ⟪lat.⟫ *n.* -s, -e 납지(鑞紙); 알루미늄박(箔), 은박지, 포일.

Stanniol≈blättchen *n.* ↑ ~papier. **~papier** *n.* (주석이나 알루미늄의) 박지(箔紙), 은박지, 포일.

Stannum [ʃtánum, stánum] *n.* -s 〖化〗 주석

(기호: Sn).

stante pede [stántə pé:də] 《lat.》〖교양·경박〗 당장, 즉각, 즉시.

***Stanze**[1] [ʃtántsə] 《lat.》 *f.* -n ①〖문학〗 스탠자 (각운이 있는 8 행의 시련). ②〖복수〗〖畫〗 스탠자(라파엘로와 그의 제자들이 그린 벽화로 장식한 바티칸 교황궁의 거실).

Stanze[2] *f.* -n 철인(鐵印), 압인; 〖工〗(양철의) 천공기, 펀치.

stanzen [ʃtántsən] *t.* ① 찍어내다, 압인해서 생산하다. ② (무늬를) 각인하다. ③ (구멍을) 뚫다.

Stanz⸗form *f.* 판형(板型), 다이스 금형(金型). **~maschine** *f.* 천공기, 프레스기.

***Stapel** [ʃtá:pəl] *m.* -s, - ①〖海〗 조선대(臺), 진수(進水)대: ein Schiff auf ~ legen 배를 건조하기 시작하다; vom ~ laufen (배가) 진수하다; ein Schiff vom ~ lassen 배를 진수하다; 〖펌어〗 eine Rede 〔(dumme) Sprüche〕 vom ~ lassen 지루한 연설을〔진부한 상투어를〕 떠들어대다. ② **(a)** 상품 하역장〔창고〕; 집산지, 시장. **(b)** 쌓아올린 더미: ein ~ Bücher〔Holz〕 책〔목재〕 더미. ③ 양모의 다발〔품질〕. ④〖섬유〗 방직 섬유의 길이. ⑤〖컴〗 스택 (Stapelspeicher).

stapelbar *a.* 화물 집산권〔개시권(開市權)〕에 따른.

Stapel⸗faser *f.* (잣기 위해 일정한 길이로 잘라 놓은) 인조 섬유, 스테이플 파이버. **~gerechtigkeit** *f.* ↑ ~recht. **~glas** *n.* (포개 놓을 수 있는) 글라스. **~gut** *n.* ↑ ~ware. **~holz** *n.* 한 평(3-4 m³)의 장작.

Stapelie [ʃtapé:liə] *f.* -n〖植〗 스타펠리아(박주가릿과(科)의 다육(多肉) 식물).

Stapel·lauf *m.*〖海〗 진수; 〖비유〗 개시, 출발.

stapeln[1] [ʃtá:pəln] 《<Stapel》《I》 *t.* 쌓아올리다; 저장하다; 〖비유〗(지식을) 축적하다. 《II》 *i.* (h.) 가지고 온 음식을 음식점에서 먹다. 《III》 *refl.* sich ~ 무더기로 쌓이다.

stapeln[2] *i.* (s.) 큰 걸음으로 걷다, 활보하다, 동냥 다니다.

Stapel⸗ort *m.* ↑ ~platz. **~platz** *m.* 상품 야적장, 창고; 집산지. **~recht** *n.* (중세 도시의) 개시권(開市權)(통과 상인의 상품을 일정 기간 전시 판매할 수 있는 권리). **~speicher** *m.*〖컴〗 스택.

Stapelung [ʃtá:pəlʊŋ] 《<stapeln[1]》 *f.* -en 퇴적, 축적; 저장.

Stapel⸗ware *f.* ① (포개어 쌓을 수 있는) 물품. ② 대량 생산된 염가품(특히 옷감). **~weise** *a.* 대량으로.

Stapf [ʃtapf] *m.* -en, -en 〖고어〗 ↑ Stapfe.

Stapfe [ʃtápfə] *f.* -n 발자국.

Stapfen [ʃtápfən] *m.* -s, - ↑ Stapfe.

stapfen *i.* (s.) 세게 디디며 걷다.

Staphylokokkus [stafylokɔ́kʊs] *m.* -, ..kokken〖醫〗 포도상 구균.

Stapler [ʃtá:plər] *m.* -s, - 〖↑ Gabelstapler의 단축어〗 지게차.

Staplung *f.* -en ↑ Stapelung.

Staps *m.* -es, -e 행동이 둔한 젊은이.

Star[1] [ʃta:r] *m.* -(e)s, -e〖動〗 찌르레기.

Star[2] *m.* -(e)s, -e〖醫〗 내장안(內障眼): grüner ~ 녹(綠)내장안; grauer ~ 백(白)내장안; schwarzer ~ 흑내장안; jm. den ~ stechen a) 누구의 내장안을 치료하다, b) 누구를 깨우치다, 계몽하다.

Star[3] [sta:r, ʃt..] 《engl.》 *m.* -s, -s〖연극·영화〗 인기 배우, 스타.

Stär [ʃtɛ:r] 《ndd.》 *m.* -(e)s, -e〖動〗 숫양.

Star⸗allüren *pl.* 〖펌어〗 스타의 (거만하고 변덕스러운) 거동〔태도〕. **~anwalt** *m.* 인기 변호사.

starb [ʃtarp] ↑ sterben 의 과거형.

Star⸗besetzung *f.*〖연극·영화〗 인기 스타들의 호화 배역. **~blind** 《<Star[2]》 *a.* 내장안(內障眼)으로 실명한. **~boot** *n.* 스타급의 요트(2 인승). **~brille** *f.* 백내장 환자용 안경.

stären [ʃtɛ́:rən] *i.* (h.) (암컷 양이) 발정하다, 암내를 내다.

Staren·kasten *m.* 찌르레기를 위한 (나무에 매단) 상자집.

***stark** [ʃtark] (stärker, stärkst) 《I》 *a.* ① 강한, 힘센, 억센, 강인한; 건장한, 세력〔권력〕이 있는; 확고〔의연〕한, 불굴의: 〖구어·농담〗 das ~e Geschlecht 남성; ~ an Leib und Seele 심신이 모두 건강한; ~e Nerven haben 강한〔튼튼한〕 신경을 가지다; einen ~en Charakter haben 강인〔의연〕한 성품을 지니다; Politik der ~en Hand 힘의 우위 정책; 〖구어〗 den ~en Mann 〔den Starken〕 markieren〔mimen, spielen〕 강한 체하다, 자신의 힘을 과대 평가하다. ② 살찐; 두꺼운, 굵은: er ist stärker geworden 그는 살이 더 쪘다; ~e Mauer 두꺼운 벽; ein 3 cm ~es Brett 3 cm 두께의 판자; Kostüme für stärkere Damen 뚱뚱한 부인을 위한 옷. ③ 유능한, 우수한; 탁월한, 빼어난; 〖학생〗 멋진, 근사한: ein ~er Spieler a) (장기의) 상수, b) 우수한 선수; ~es Gedächtnis 뛰어난 기억력; darin ist er nicht ~ 그는 그것에는 서투르다; 〖구어〗 das ist seine ~e Seite 그것은 그의 장기〔특기〕다; in deinen neuen Jeans siehst du aber ~ aus! 새 (블루)진을 입은 네 모습이 정말 근사하구나! ④ (작용·효과가) 강한, (맛·향이) 진한; 격렬한; 과격한; 지독한: eine ~e Stimme 큰 소리; ~e Kälte 혹한; ~er Regen 호우; ~er Wind 강풍; ~er Rauch 지독한 연기; ~er Kaffee 진한 커피; ~er Wein 알코올 도수가 높은 포도주; eine ~e Brille 도수가 높은 안경; zwei ~e Stunden 족히〔충분히〕 2 시간; ein ~er Esser〔Raucher〕 대식가〔골초〕; ~er Tabak a) 독한 담배, b) 〖구어〗 신랄한 말, 과격한 행동. ⑤ 과도한; 무리한, 심한: 〖구어〗 das ist (ja〔wirklich〕) ~!, das ist ein ~es Stück! 그건 정말 너무하다〔심하다〕! ⑥ 다수의, 대량의: eine ~e Familie 대가족; eine ~e Hälfte 과반(過半), 태반; ~er Verkehr 많은 교통량; wir hoffen auf ~e Beteiligung 많은 참가를 바랍니다. ⑦〖문법〗 강변화의: ~e Deklination (명사의) 강변화; ~e Verben 강변화 동사. ⑧〖음악〗 강음의. ⑨〖양〔수〕를 나타내는 말과 함께〗 … 명〔개〕의: eine 50 000 Mitglieder ~e Gewerkschaft 회원이 5 만 명인 노조; wie ~ ist deine Familie? 자네 가족은 몇 사람인가?; wie ~ ist die Auflage des Buches? 이 책은 몇 판이〔몇 쇄가〕 나왔느냐?; das Heer war 1000 Mann ~ 그 군대의 병력은 천 명이었다. ⑩ 유력한; 영향력〔명망〕 있는, 중요한: sozial ~e Gruppen 사회적으로 유력한 집단

들; 〖구어〗 sich für jn.〔et.〕 ~ machen 누구를〔무엇을〕 위해 힘쓰다, 영향력을 행사하다, 전력투구하다. 《Ⅱ》 *adv.* 강하게, 세게; 많이; 〖음악〗 강음으로; 매우, 심히; 충분히: ~ besetzt 만원인; ~ bevölkert 인구가 많은; ~ gesucht 수요가 많은; ~ essen〔trinken〕 많이 먹다〔마시다〕; ~ spielen (장기를) 잘 두다; es regnet ~ 비가 억수로 쏟아지다; 〖구어〗 es geht ~ auf zehn Uhr 10 시가 거의 다 되었다; 〖구어〗 er geht schon ~ auf die Achtzig 그는 곧 80 세가 된다; ich habe ihn ~ in Verdacht, das getan zu haben 나는 그가 그 일을 했다는 혐의를 확신한다; es ist ~ die Rede davon 그것에 대하여 소문이 자자하다.

Star·kasten *m.* ↑ Starenkasten.

stark≈beleibt *a.* 살찐. **~besetzt** *a.* 만원인. **≈bier** *n.* 독한 맥주.

***Stärke** [ʃtɛ́rkə] 《<stark》 *f.* -n ① 강함; 강도(強度), 강건; 힘; 세력, 권력; 영향력; 확고, 단단함; 의연. ② 비만; 두꺼움, 두께; 굵기, 크기; 넓이. ③ 숙달, 정통; 유능, 능력; 장점; 장기, 특기: Mathematik ist seine ~ 수학은 그의 장기〔특기〕다. ④ 격렬, 강도: Wind≈ 바람의 강도. ⑤ 수, 사람수; 〖軍〗 병력. ⑥ 녹말, (빨래에 먹이는) 풀. ⑦ 함량, 농도: die ~ einer Lösung 용액의 농도.

stärke≈artig *a.* 녹말질의, 풀 같은. **≈blau** *n.* (세탁용의) 푸른 풀. **≈fabrik** *f.* 녹말〔전분〕 공장. **≈gehalt** *m.* 녹말 함유량. **~grad** *m.* 강도(強度). **≈gummi** *n.* 〖化〗 덱스트린(Dextrin), 호정(糊精). **~haltig** *a.* 녹말이 들어 있는. **≈kleister** *m.* 녹말풀. **≈mehl** *n.* 녹말 (가루). **≈mittel** *n.* 강장제.

***stärken** [ʃtɛ́rkən] 《<stark》《Ⅰ》 *t.* ① 강하게 하다, (누구의 입장을) 지원하다: jn. in seiner Entschlossenheit ~ 누구의 결의를 굳게 하다; 〖비유·구어〗 jm. den Rücken 〔das Rückgrat〕 ~ 누구를 격려하다. ② 힘을〔원기를〕 돋우다: das gute Essen hatte ihn gestärkt 그는 식사를 잘해서 기운이 났다; ein ~des Mittel 강장제. ③ (빨래에) 풀을 먹이다. 《Ⅱ》 *refl.* sich ~ 강해지다, 기운이 붙다; sich im Glauben ~ 신앙이 굳건해지다; sich durch ein Glas Wein ~ 한 잔의 포도주로 기운을 얻다〔원기를 돋우다〕.

Stärke·zucker 《<Stärke》 *m.* 〖化〗 녹말당, 포도당.

stark≈förmig *a.* 〖문법〗 강변화의. **~gläubig** *a.* 신앙심이 깊은. **~gliedrig** *a.* 사지가 튼튼한. **~knochig** *a.* 골격이 튼튼한, 뼈대가 굵은. **~leibig** *a.* 살찐, 뚱뚱한. **≈mut** *m.* 의연, 단호.

Starking [stá:(r)kiŋ] *m.* -s, -s 스타킹(사과 품종의 일종).

star·krank *a.* 〖醫〗 내장안(內障眼)에 걸린.

Stark·strom *m.* 〖전기〗 (28 볼트 이상의) 강전류.

Starkstrom≈leitung *f.* 전력선, 고압 전선. **~technik** *f.* 전기 공학〔기술〕. **~techniker** *m.* 전기 기술자.

Star·kult *m.* 인기 스타 숭배.

Stärkung [ʃtɛ́rkuŋ] 《<stärken》 *f.* -en ① 강화; 원기 보강; 보양. ② (원기를 돋우기 위한) 가벼운 식사〔음료〕. ③ 확인.

Stärkungs·mittel *n.* 강장제.

stark·wirkend *a.* 효과가 큰; (약이) 강한.

Starlet [ʃtá:rlɛt, st..] *n.* -s, -s 〖폄어〗 스타인 체하는 신인 여배우.

Starlett *n.* -s, -s ↑ Starlet.

Star≈mannequin [..manəkɛ̃] *n.* 유명 패션 모델. **~matz** 《<Star¹》 *m.* 〖動〗 (새장에서 기르는) 찌르레기.

Starnberger See [ʃtárnbɛrgər zé:] *m.* (독일 바이에른 주) 슈타른베르크호(湖).

Star·operation 《<Star²》 *f.* 〖醫〗 내장안(內障眼)의 수술.

Starost [ʃtarɔ́st, st..] 《sl.》 *m.* -en, -en ① (옛 폴란드의) 지사(知事). ② (러시아의) 촌장, 동장, 군수.

Starostei [..táɪ] *f.* -en ↑ Starost 의 직〔관할 구역〕.

***starr** [ʃtar] 《<starren》 *a.* ① 굳어진, 경직된, 빳빳한; 〖工〗 고정된; 경질의; 강성의: jn. ~ anblicken 누구를 응시하다; 〖物〗 ~er Körper 강체(剛體); ich war ~ vor Entsetzen 〔Schrecken〕 나는 너무 놀라 몸이 굳어졌다. ② 융통성이 없는, 완강한, 완고한; 움직이지 않는, 불변의: ~e Preise 불변 가격; 〖軍〗 ~e Verteidigung 사수(死守).

Starre [ʃtárə] *f.* 경직, 마비, 완고.

***starren** [ʃtárən] *i.* (h.) ① 굳어지다, 빳빳해지다: vor Entsetzen ~ 깜짝 놀라 (몸이) 빳빳하게 굳어지다. ② 잔뜩 묻어 있다: die Straßen starrten von Schmutz 길은 진흙투성이었다; ganz Europa starrt von〔in〕 Waffen 전유럽이 군비로 무장하고 있다. ③ 응시하다, 빤히 보다: auf et. ~ 무엇을 응시하다, 뚫어지게 보다, 노려보다; 〖구어·농담〗 Löcher in die Luft ~ 허공을 뚫어지게 응시하다. ④ 우뚝〔불쑥·늠름히〕 솟아 있다: die gegen den Himmel ~den Felsen 하늘 향해 우뚝 솟은 바위들.

Starrheit *f.* -en 응시; 경직, 마비; 부동; 완고, 고집.

Starr≈kopf *m.* 완고한 사람, 고집쟁이. **~köpfig** *a.* 완고한, 고집센, 고집불통인. **~krampf** *m.* 〖醫〗 경직성 경련. **~luftschiff** *n.* 〖空〗 경식(硬式) 비행선. **~sinn** *m.* 완고, 고집. **≈sinnig** *a.* 완고한, 고집 불통인. **~sucht** *f.* 〖醫〗 강직증(症).

Stars and Stripes [stá:z ənd stráɪps] 《engl.》 *pl.* 성조기.

***Start** [ʃtart, start] 《engl.》 *m.* -(e)s, -s/-e ① (a) 출발, 스타트: den ~ freigeben a) 출발시키다, b) 이륙(離陸)을 허가하다; ~ frei für 〔zum〕 ... …을 시작할 준비가 되어 있는; fliegender ~ 플라잉 스타트, 도움닫기 출발; stehender ~ 스탠딩 스타트, 제자리 출발. (b) 〖스포츠〗 출전, 참가: am ~ sein 참가하다. ② 출발선. ③ 출범, 개시; (엔진의) 시동.

Start≈automatik *f.* 〖車〗 자동 초크. **~bahn** *f.* 〖空〗 활주로. **~berechtigung** *f.* 〖스포츠〗 출전 허가(서). **≈bereit** *a.* ① 출발〔이륙〕 준비가 된: die Maschine ~ machen 비행기의 이륙 준비를 마치다. ② 〖구어〗 (여행을) 떠날 채비가 된. **~block** *m.* ① 〖수영〗 출발대. ② 〖육상〗 (단거리 경주의) 스타팅 블록.

***starten** [ʃtártən, st..] 《engl.》《Ⅰ》 *i.* (s.) 출발하다, 스타트하다; 이륙하다; 〖스포츠〗 (경기에) 참가하다; 〖구어〗 여행을 떠나다. 《Ⅱ》 *t.* ① 출발〔이륙〕시키다; (엔진의) 시동을 걸다. ② 〖구어〗 시작하다: 〖구어〗 eine Rede ~ 연

설을 시작하다.

Starter 《engl.》 *m.* -s, - ①〖스포츠〗 출발 신호 담당자; 출전 선수. ②〖車〗 시동기.

Start≈erlaubnis *f.* 〖스포츠〗 ↑ ~berechtigung. **~flagge** *f.* 출발 신호용 깃발. **~geld** *n.* ① (프로 선수의) 출전료. ② 대회 참가비. **~hilfe** *f.* ① 개업〔창업〕 자금 지원. ② (비행기의) 이륙 보조 (장치). ③ (우주선의) 이륙 보조 로켓. ④〖車〗 (배터리가 다된 차에) 배터리 연결; 엔진의 연소실 예열 장치. **~hilfe-kabel** *n.* 〖車〗 배터리 연결 (전)선, 부스터 케이블. **~kapital** *n.* 창업 자본(금). **~klar** *a.* ↑ ~bereit. **~kommando** *n.* 〖스포츠〗 출발 명령. **~läufer** *m.* (릴레이 경주의) 첫주자. **~linie** *f.* 〖스포츠〗 스타트 라인, 출발선. **~loch** *n.* 〖육상·구식〗 스타트를 편하게 하기 위해 파놓은 구멍: 〘구어〙 sie sitzen schon in den〔ihren〕 Startlöchern 그들은 (후계자 자리를 노리고) 때를〔기회를〕 기다리고 있다. **~-maschine** *f.* 〖경마〗 스타팅 게이트. **~-nummer** *f.* ①〖스포츠〗 등번호, 백넘버. ②〖경마〗 말의 번호. ③〘은어〙 가요(앨범)의 인기 순위. **~ordnung** *f.* 출발 순위. **~paß** *m.* 〖스포츠〗 출전 허가서. **~pistole** *f.* 〖스포츠〗 출발 신호용 권총. **~platz** *m.* 출발선〔점〕. **~rampe** *f.* 로켓 발사대. **~schuß** *m.* ① (출발 신호용) 권총 발사. ②〖비유〗 개시의 신호. **~signal** *n.* 〖스포츠〗 출발 신호. **~sprung** *m.* 〖수영〗 도약〔점프〕 출발. **~-und-Lande-Bahn** *f.* 이착륙용 활주로(약어: SLB). **~-verbot** *n.* ①〖스포츠〗 출전 정지. ② 이륙 금지. **~zeichen** *n.* 출발 신호. **~-Ziel-Sieg** *m.* 〖스포츠〗 처음부터 선두를 달렸던 선수〔말〕의 우승.

Stase [ʃtáːzə, st..] 《gr., „Stand"》 *f.* -n 정지; 〖醫〗 울혈(鬱血), 혈행 정지.

Stasi[1] [ʃtáːzi] *m.* -s 〔〘구어〙 *f.*〕 ↑ Staatssicherheitsdienst 의 약칭, 슈타지(〖구동독〗 국가 안전부·비밀 경찰).

Stasi[2] *m.* -s, -s 슈타지(〖구동독·구어〗 국가 안전 부원, 공안 요원).

Stasi·akte *f.* 슈타지의 기밀 문서(특히 요주의 인물 감찰 기록 문서).

Stasis [ʃtáːzɪs, st..] *f.* -sen 〖병리〗 ↑ Stase.

Staßfurter [ʃtásfurtər] *a.* (마그데부르크 남쪽의 도시) 슈타스푸르트의: 〖藥〗 ~ Salz 칼리염으로 만든 욕탕용〔수영장용〕 방향제.

stät [ʃtɛːt] *a.* 〘방언〙 (stet) 끊임없는, 항상적인.

statarisch [ʃtatáːrɪʃ, st..] 《lat.》 *a.* (↔ kursorisch) 정체된; 천천히 나아가는: ~e Lektüre 정독, 자구를 자세히 검토해 나가는 강독.

State Department [stéɪt dɪpáːtmənt] 《engl.》 *n.* -, - 미국의 국무성.

Statement [stéɪtmənt] 《engl.》 *n.* -s, -s ① 〘교양〙 입장 표명; 공식 성명: ein ~ abgeben 공식 성명을 내다. ②〖컴〗 지시, 명령.

statieren [ʃtatíːrən] *i.* (h.) 〖영화·연극〗 단역으로〔엑스트라로〕 출연하다.

stätig [ʃtɛ́ːtɪç] *a.* ① (südd.) (특히 말이) 고집이 센, 말을 잘 듣지 않는. ② (schweiz.) 지속적인 (stetig).

Stätigkeit *f.* -en ① (südd.) (특히 말이) 말을 잘 듣지 않음, 고집이 셈. ② (schweiz.) 지속성 (Stetigkeit).

Statik [ʃtáːtɪk, st..] 《gr.》 *f.* ①〖物〗 정역학(靜力學). ②〖건축〗 (교량의) 안정성; 정하중(靜荷重). ③〘교양〙 정체 상태.

Statiker *m.* -s, - 정역학 전문가; 구조 역학 전문 기사.

*__Station__ [ʃtatsióːn] 《lat.》 *f.* -en ① **(a)** 머무름, 체류; 체류지; 숙박지, 숙소; 〖軍〗 주둔지, 위수지(衛戍地): an einem Ort 〔bei jm.〕 ~ machen 어디〔누구 집〕에서 잠시 머무르다〔묵다〕; freie ~ 무료 숙식. **(b)** 진행 단계. ② 정류장, 정거장, (간이)역. ③ **(a)** 연구소, 관측소, 송신소: Wetter≈ 기상 관측소. **(b)** 방송국. ④〖가톨릭〗 **(a)** (주교나 주교 국가의 성직자가 특정한 날 교구 신도를 위해 집전하는) 미사. **(b)** 정해 놓고 다니는 성당. **(c)** (순례 행렬이 기도를 위해) 머무는 지점. **(d)** 그리스도 수난의 길 14 곳의 하나 하나. ⑤ (병원의) 과, 병동.

stationär [ʃtatsionɛ́ːr] *a.* ① 정지된, 정체된. ② 고정된. ③ 입원에 의한(↔ ambulant): ~e Behandlung 입원 치료.

stationieren [ʃtatsioníːrən] *t.* 놓다, 두다; 배치〔설치〕하다; 머무르게 하다; 주재〔주둔〕시키다; 임명하다.

Stationierung *f.* -en 배치, 배속, 주둔.

Stationierungs·kosten *pl.* 〖政〗 주둔 비용.

Stations≈arzt *m.* 병동의 주임 (의사. **~-gebäude** *n.* 역사, 정거장 건물. **~kosten** *pl.* 입원비. **~ort** *m.* 〖軍〗 위수지. **~pfleger** *m.* 수석 남자 간호사. **~schwester** *f.* (병동의) 수간호사. **~taste** *f.* (라디오의) 주파수 자동 선택 버튼. **~vorstand** *m.* ↑ ~vorsteher. **~vorsteher** *m.* 역장.

statiös [ʃtatsiǿːs] 《lat.》 *a.* 〘구식·방언〙 화려한, 장려(壯麗)한.

*__statisch__ [ʃtáːtɪʃ, st..] 《<Statik》 *a.* ①〖物〗 정역학(靜力學)의; 〖건축〗 평형 역학적인. ② 정지한, 정적(靜的)인. ③〖醫〗 평형의, 평형에 관한: der ~e Sinn 평형 감각. ④〖전기〗 정전기학의, 정전기적인 (elektrostatisch).

stätisch [ʃtɛ́ːtɪʃ] *a.* 움직이지 않는; 고집센, (특히 말을) 부리기 힘든.

Statist [ʃtatɪ́st, st..] 《lat.》 *m.* -en, -en 〖연극·영화〗 엑스트라, (대사가 없는) 단역; 〘비유〙 하찮은 인물, 조연, 허수아비.

Statisterie [ʃtatɪstəríː] *f.* -n [..ríːən] 〖연극·영화〗 단역〔엑스트라〕 전체.

*__Statistik__ [ʃtatɪ́stɪk, st..] 《lat.》 *f.* -en ① 통계학. ② 통계: eine ~ über die Unfallrate erstellen 사고율의 통계를 작성하다.

Statistiker *m.* -s, - 통계 전문가, 통계학자.

statistisch *a.* 통계(학)상의.

Statistin *f.* -nen 여자 단역, 여자 엑스트라.

Stativ [ʃtatíːf, st..] 《lat.》 *n.* -s, -e [..və] (카메라의) 삼각대.

Stätlein [ʃtɛ́ːtlaɪn] *n.* -s, - 〘↑ Staat 의 축소형〙 작은 국가, 소국.

Statoblast [ʃtatoblást, st..] *m.* -en, -en (태충류의) 휴면아(休眠芽), 휴면눈.

Statolith [ʃtatolíːt, ..lɪt, st..] *m.* -s/-en, -e/-en 〖해부〗 평형 감각 기관, 평형 이석(耳石).

Stator [ʃtáːtɔr, ..toːr, st..] 《lat.》 *m.* -s, ..toren [..tóːrən] 〖전기〗 고정자(固定子).

*__statt__ [ʃtat] 《I》 *prp.*[2] …대신에: ~ meiner 내 대신에; ~ einer Antwort 대답 대신에. 《II》 *cj.* …하는 대신에, …하지 않고: ~ zu stricken, sang sie 그 여자는 뜨개질은 하지 않

고 노래하고 있었다.

Statt *f.* ①〖雅語〗 장소: eine bleibende ~ 정주지(定住地), 집, 고향. ② an js. 〔einer Sache〕 ~ 누구〔무엇〕 대신에: an meiner ~ 내 대신에; an Eides ~ 맹세 대신에; an Zahlungs ~ 지급하는 대신에; Annahme an Kindes ~ 입양.

***Stätte** [ʃtέtə] *f.* -n 곳, 장소, 소재지; 주소: eine heilige ~ 성지(聖地).

statt⸗|finden [ʃtát..] *i.* (h.) 일어나다, 발생하다; 행해지다, 개최〔거행〕되다: heute findet keine Veranstaltung statt 오늘은 아무런 행사도 없다. **~|geben*** *i.* (h.) 〖격식〗 et.³ ~ (청원을) 허가하다, 들어주다: dem Antrag auf Begnadigung wurde stattgegeben 사면 신청이 받아들여졌다. **~|haben*** *i.* (h.) ↑ ~finden.

statthaft [ʃtáthaft] 《<Statt》 *a.* 허가된, 적법한, 합법적인: es ist nicht ~, hier zu rauchen 여기서는 흡연이 허용되지 않습니다.

Statthaftigkeit *f.* 허가, 허용, 적법.

Statt·halter [ʃtáthaltər] *m.* ①〖史〗 (**a**) (군주·정부를 대신하여 다스리는) 태수; 총독. (**b**) (1918 년까지 오스트리아·헝가리의) 총독. ② (schweiz.) (**a**) (스위스 몇몇 주의) 장관의 대리. (**b**) 시장, 지사, 군수.

Statthalterei [..əráı] *f.* -en ① ↑ Statthalter의 관할지. ② (1918 년까지 오스트리아·헝가리의) 총독부.

Statthalterschaft *f.* -en 총독〔태수〕의 직무(수행).

stattlich [ʃtátlıç] *a.* ① (체격이) 당당한; 의젓한, 훌륭한; 인상적인; 화려한, 호화스러운. ② (금액이) 상당한, 꽤 많은.

Stattlichkeit *f.* 위풍당당, 훌륭함, 화려.

statuarisch [ʃtatuá:rıʃ, st..] 《lat.》 *a.* 조각술의; 입상(立像)〔조상(彫像)〕 같은.

***Statue** [ʃtá:tuə, st..; statý:] *f.* -n 입상(立像), 조상(彫像).

statuenhaft [..tuənhaft] *a.* 입상 같은, 부동의, 경직된: ~e Pose 부동 자세.

Statuette [ʃtatuέtə, st..] 《lat.》 *f.* -n 소(小)입상(立像)〔조상(彫像)〕.

statuieren [ʃtatuí:rən, st..] 《lat.》 *t.* ① 확립〔확정〕하다. ② 허락하다; 관용하다. ③ (본보기를) 들다: ein Exempel an〔mit〕 jm.〔et.³〕 ~ 누구를〔무엇을〕 본보기로 하다.

Statur [ʃtatú:r] 《lat.》 *f.* -en 모습, 자태, 체격; 신장.

***Status** [ʃtá:tus, st..] 《lat.》 *m.* -, - ①〖교양〗 상태, 상황; 〖醫〗 건강 상태, 체질; 〖사회〗 신분; 지위; 〖法〗 법적 지위: ~ activus 국민의 참정권; ~ negativus 국민의 기본권 침해 대항권; ~ passivus 국민의 의무; ~ positivus 국민의 권리. ②〖商〗 대차 대조표; 재산 상태.

Status nascendi [..nastsέndi] *m.* -, - 〖化〗 발생기 상태.

Status quo [..kvó:] *m.* -, - 현재 상태, 현상.

Status quo ante [..kvó: ántə] 《lat. ante, „vor"》 *m.* - - - 이전 상태.

Status·symbol *n.* 신분〔지위〕의 상징.

Statut [ʃtatú:t, st..] 《lat.》 *n.* -(e)s, -en 정관, 규약, 조례; 학칙.

statutarisch [..tutá:rıʃ] *a.* 정관상〔규약상〕의; 정관〔규약〕에 따른.

Statuten⸗änderung *f.* 규약〔정관〕 변경. **~buch** *n.* 성문 법전; 정관〔규약〕집; (대학의) 학칙. **~gemäß, ~mäßig** *a.* ↑ statutarisch. **~widrig** *a.* 정관〔규약〕에 어긋나는.

***Stau** [ʃtaʊ] 《<stauen》 *m.* -(e)s, -e ① (흐르는 물의) 정지, 정체: das Wasser ist im ~ 물의 흐름이 정체 상태다; das Wasser im ~ halten 물을 막다. ②〖기상〗 (장애물 앞에서의) 상승 기류. ③ 교통 체증. ④〖드물게〗 둑, 보(洑), 댐.

Stau·anlage *f.* 〖토목〗 (물을 막는) 둑, 댐.

***Staub** [ʃtaʊp] *m.* -(e)s, (전문어) -e/Stäube [ʃtɔ́ʏbə] ① 먼지, 티끌, 쓰레기; 가루, 분말; 분진(粉塵); 덧없는 것, 인간 속세의 일: 〖구어〗 ~ aufwirbeln 야단법석을 떨다, 센세이션을 일으키다; jm. ~ in die Augen streuen 누구를 속이다; jn. aus dem ~ (er)heben 누구의 명예를 회복하다, 누구를 역경에서 구하다; 〖구어〗 sich aus dem ~(e) machen 슬쩍 자취를 감추다, 도망치다; 〖시어〗 vor jm. im ~ kriechen〔sich vor jm. in den ~ werfen〕 누구에게 굽실대다, 굴종하다; jn.〔et.〕 in〔durch〕 den ~ ziehen〔zerren〕 누구를〔무엇을〕 비방하다, 누구의 명예를 훼손하다; wieder zu ~ werden〔zerfallen〕 죽다; 〖雅語〗 den ~ eines Ortes 〔einer Stadt〕 von den Füßen schütteln 어떤 장소〔도시〕를 떠나다. ②〖植〗 꽃가루, 화분(花粉). ③ (투명한 보석 안에 박힌) 이물질.

staub⸗abweisend *a.* 먼지 타지 않는. **~bach** *m.* 물보라 치는 급한 물살. **~bad** *n.* ① 샤워. ② (새의) 사욕(砂浴). **~bedeckt** *a.* 먼지를 뒤집어쓴, 먼지투성이의. **~besen** *m.* 먼지떨이, 총채. **~beutel** *m.* ①〖植〗 꽃가루주머니. ② (진공 청소기의) 집진 주머니. **~blatt** *n.* ↑ ~gefäß. **~brand** *m.* 〖植〗 깜부기병, 흑수병(黑穗病). **~brille** *f.* 방진용 안경. **~bürste** *f.* 먼지 터는 솔.

Stäubchen [ʃtɔ́ʏpçən] *n.* -s, - 《↑ Staub의 축소형》 작은 먼지, 티끌; 먼지 입자.

staub·dicht *a.* 먼지가 끼지 않는, 먼지를 막는.

Stau·becken *n.* 저수지.

stauben [ʃtáʊbən] 《<Staub》 《I》 *i.* (h.) ① 먼지가 나다: die Straße staubt 이 거리는 먼지가 많다. ② (사람이) 먼지를 일으키다. ③ *imp.* 먼지가 나다: hier staubt es sehr 여기는 몹시 먼지가 난다; 〖방언〗 gestern hat's bei uns schwer gestaubt 어제 우리 집에서 심한 다툼이 있었다. 《II》 *t.* ① (먼지를) 털어내다. ②〖방언〗 (빵의 반죽에) 밀가루를 바르다.

stäuben [stɔ́ʏ..] 《I》 *i.* (h.) ① 먼지가 나다, 먼지를 일으키다. ②〖사냥〗 (새가 날아가면서) 똥을 싸다. 《II》 *t.* ① (가루를) 뿌리다, 살포하다: Sand〔Pulver〕 auf et. ~ 무엇에 모래〔가루〕를 뿌리다, 흩다. ② (먼지를) 떨어내다.

Stäuber [ʃtɔ́ʏbər] *m.* -s, - ① 먼지 떠는 사람. ② 먼지떨이, 총채. ③ 작은 사냥개.

stäubern *t.* 먼지를 떨(어내)다.

Staub⸗explosion *f.* 분진〔분체(粉體)〕 폭발. **~faden** *m.* 〖植〗 화사(花絲), 분사(粉絲). **~fänger** *m.* 〖구어〗 (먼지를 잘 타는) 실내 장식품. **~flocke** *f.* (헝겊의) 보무라지, 지스러기. **~frei** *a.* 먼지가 없는. **~geboren** *a.* ① 태생이 미천한. ②〖宗〗 티끌에서 태어난; 덧없는, 죽을 운명의. **~geborene*** *der/die* 인간. **~gefäß** *n.* 〖植〗 수꽃술, 웅예(雄蕊), 꽃밥; 〖구어〗 쓰레기통. **~hülle** *f.* 〖시어〗

(인간의) 육체.

staubicht 〘고어〙 *a.* ↑ staubig.

staubig [ʃtáubɪç] 《<Staub》 *a.* ① 먼지 덮인, 먼지투성이의. ② 먼지 같은, 가루 모양의. ③ 〘방언〙 몹시 취한, 만취한.

Staub≠kamm *m.* 살이 고운 빗, 참빗. **~kittel** *m.* 방진복(防塵服), 작업복. **~kohle** *f.* 분탄(粉炭). **~korn** *n.* 〘복수: ..körner〙 먼지 가루〔입자〕. **~lappen** *m.* ↑ ~tuch. **~lawine** *f.* 〘등산〙 마른 눈사태.

Stäublein [ʃtɔ́ʏplaɪn] *n.* -s, - 〘↑ Staub 의 축소형〙 미세 먼지.

Stäubling [ʃtɔ́ʏplɪŋ] 《<Staub》 *m.* -s, -e ① 티끌에서 생긴 것; 인체, 인간. ② 〘植〙 말불버섯.

Staub≠lunge *f.* 〘병리〙 진폐증. **~mantel** *m.* 먼지막이 외투, 더스트 코트, 여름용 외투. **~mehl** *n.* 고운 밀가루. **~pilz** *m.* 〘植〙 말불버섯. **~pinsel** *m.* 먼지 터는 붓 모양의 총채. **~regen** *m.* 는개. **≈saugen** (staubsaugte, staubgesaugt) *i.* (h.)/*t.* 진공 청소기로 청소하다: ich habe heute noch nicht staubgesaugt 나는 오늘 아직 진공 청소기로 청소를 하지 않았다. **~sauger** *m.* 〘工〙 흡진기, 진공 청소기. **~schicht** *f.* 먼지층, 쌓인 먼지. **~schwamm** *m.* 〘植〙 말불버섯. **~tee** *m.* 가루차(茶). **≈trocken** *a.* 완전히〔바싹〕 마른. **~tuch** *n.* 〘복수: ..tücher〙 먼지 닦는 천. **~wedel** *n.* 총채. **~wolke** *f.* 모래 먼지, 사진(砂塵). **~zucker** *m.* 가루 설탕.

Stauche [ʃtáuxə] *f.* -n ① 세게 쳐 올림, 되받아침. ② (nordd.) (베어서 말리기 위해) 쌓아 놓은 농작물 더미. ③ (südd.) 머프, 토시, 넓은 소매. ④ (schweiz.) (머리에 쓰는) 스카프, 너울.

***stauchen** [ʃtáuxən] 《Ⅰ》 *t.* ① 세게 누르다, 치다, 찌르다; 두들겨서〔눌러서〕 뭉툭하게 만들다: den Eisenstab ~ 쇠막대의 끝을 쳐서 뭉뚝하게 하다; einen Sack ~ 자루를 바닥에 대고 쿵쿵 쳐서 속이 꽉차게 하다; sich[3] den Arm ~ 팔을 삐다; Wasser ~ 물을 막다. ② 〘農〙 Hanf ~ (말리기 위하여) 삼을 쌓다. ③ 〘구어〙 (**a**) 혼내다, 호되게 꾸짖다. (**b**) 훔치다. 《Ⅱ》 *i.* (h.) (도로 상태가 나빠 차가) 위아래로 덜컹거리며 흔들리다.

Staucher *m.* -s, - ① 격돌, 충격; 저항. ② 〘구어〙 (**a**) 꾸지람, 질책, 책망: einen ~ kriegen〔bekommen〕 호되게 야단맞다. (**b**) 큰 수고. ③ 〘방언〙 머프, 토시; 넓은 소매; (머리에 쓰는) 스카프, 너울.

Stauchung [ʃtáuxʊŋ] *f.* -en 찍기, 누르기, 구부리기, 찍어내기; 탈구(脫臼).

Stau·damm 《<Stau》 *m.* 제방, 댐, 둑.

Staude [ʃtáudə] *f.* -n ① 〘植〙 다년생 초본. ② 〘방언〙 관목. ③ 〘방언〙 양상추의 결구〔통〕.

stauden [ʃtáudən] *i.* (h.) 관목〔다년초〕처럼 (무성하게) 자라다.

stauden≠artig, ~förmig 《<Staude》 *a.* 다년초〔관목〕 모양의. **≈gewächs** *n.* 다년생 초본(식물). **≈salat** *m.* 양상추.

staudig [ʃtáudɪç] 《<Staude》 *a.* 〘植〙 관목〔다년초〕의; 관목〔다년초〕처럼 자라는.

***stauen** [ʃtáuən] 《Ⅰ》 *t.* ① (화물을) 싣다, 적재하다. ② (물의) 흐름을 막다: durch Abbinden der Vene Blut ~ (채혈을 위해) 정맥을 묶어 피의 흐름을 막다; einen Fluß ~ 강물을 막다. 《Ⅱ》 *refl.* sich ~ (물이) 막히다, 고이다; (교통이) 막히다; (군중이) 많아지다; (분노가) 쌓이다.

Stauer [ʃtáuər] *m.* -s, - 화물을 싣는 인부, 하역 인부.

Stauf [ʃtauf] *m.* -(e)s, -e ① (뚜껑과 손잡이가 달린) 큰 술잔〔조끼〕. ② (옛날의) 액량 단위(1.5 리터 보다 약간 많음).

Staufer [ʃtáufər] *m.* -s, - 중세 독일의 왕족 호엔슈타우펜 가문의 사람.

Staufer·zeit *f.* 호엔슈타우펜 시대.

Stauffer≠büchse *f.* 〘工〙 슈타우퍼 윤활유 급유기. **~fett** *n.* 슈타우퍼 윤활유.

staufisch *a.* 호엔슈타우펜가(家)의.

Stau·mauer *f.* 제방벽, 높은 방축.

***staunen** [ʃtáunən] 《Ⅰ》 *i.* (h.) ① 놀라다, 깜짝 놀라다, 경악하다: über et. ~ 무엇에 놀라다; 〘구어〙 nicht schlecht ~ 아주 놀라다. ② 경탄하다.

Staunen *n.* -s 놀람, 경악, 감탄: jn. in ~ (ver)setzen 누구를 놀라게 하다〔경악시키다〕.

staunen·erregend *a.* 경탄을 자아내는, 경탄할 만한.

staunens≠wert *a.* 놀랄 만한. **~würdig** *a.* ↑ ~wert.

Staup·besen [ʃtáup..] *m.* 채찍, 매(형구(刑具)).

Staupe[1] [ʃtáupə] *f.* -n ① 〘醫〙 유행〔전염〕병. ② 〘수의〙 (개의) 디스템퍼.

Staupe[2] *f.* -n (중세의) 공개 태형(笞刑); 매, 채찍; 〘비유〙 괴로움, 재앙.

Stäupe [ʃtɔ́ʏpə] 《ndd.》 *f.* -n ↑ Staupe[2].

stäupen [ʃtɔ́ʏpən] *t.* (대중 앞에서) 태형에 처하다; 〘비유〙 괴롭히다.

Stau≠punkt *m.* 물이 괴는 지점, 유속(流速)이 0 인 지점. **~raum** 《<Stau》 *m.* ① 선창(船艙). ② 저수지, 저수 용량. ③ 〘교통〙 (차도 위의) 정차 대기선. **~see** *m.* (흐르는 물을 막아 만든) 저수지, 인공호. **~stufe** *f.* (배가 다닐 수 있는) 갑문식〔계단식〕 댐.

Stauung [ʃtáuʊŋ] 《<stauen》 *f.* -en ① 〘海〙 화물 적재, 짐싣기. ② (물의 흐름을) 막기; (물의 흐름이) 막힘. ③ 정체: Verkehrs≈ 교통 체증; Blut≈ 울혈(鬱血).

Stau≠wasser *n.* 방죽에 막힌 물. **~wehr** *n.* 방죽, 제방, 댐. **~werk** *n.* ↑ ~anlage.

Std., Stde. =Stunde 시간.

Stdn. =Stunden *pl.* 시간.

Ste =Sainte 성(聖)….

Steak [ste:k] 《engl.》 *n.* -s, -s 스테이크.

Steak·haus *n.* 스테이크 요리 전문 식당.

Steamer [stí:mər, ʃt..] 《engl.》 *m.* -s, - 기선.

Stearin [ʃtearí:n, st..] 《gr.》 *n.* -s, -e 〘化〙 스테아린, 경지(硬脂).

Stearin≠kerze *f.* 스테아린 (양)초. **~licht** *n.* ↑ ~kerze. **~säure** *f.* 〘化〙 스테아린산(酸).

Steatit [ʃteatí:t, ..tít, st..] 《gr.》 *m.* -(e)s, -e ① 〘광물〙 활석(滑石), 동석(凍石). ② 스테아타이트〔활석〕 자기(磁器).

Steatopygie [ʃteatopygí:, st..] *f.* -n [..gí:ən] 〘醫〙 둔부 비만증, 둔부 지방 축적.

Steatose [..tó:zə] *f.* -n 〘醫〙 지방 축적(지방간 따위); 비만증.

Stech≠apfel [ʃtɛ́ç..] *m.* 〘植〙 흰독말풀 (열매). **~bahn** *f.* ① (중세의) 시합장. ② 〘건축〙 아케

이드. **~becken** *n.* 〖醫〗 (환자용) 변기, 요강. **~beitel** *m.* 끌. **~eiche** *f.* 〖植〗 ↑ ~palme. **~eisen** *n.* 끌.

stechen [ʃtɛ́çən] (stach, gestochen) 《I》 *t.* ① 찌르다; (벌이) 쏘다; (모기가) 물다; (구멍을) 뚫다; jm.〔jn.〕 in die Hand ~ (곤충이) 누구의 손을 물다〔쏘다〕; jm. den Dolch in die Brust ~ 누구의 가슴에 비수를 꽂다; ich habe mich an den Dornen gestochen 나는 가시에 찔렸다; jm. Löcher in die Ohren ~ (귀고리를 달기 위하여) 누구의 귓불에 구멍을 뚫다; jm. den Star ~ a) 누구의 내장안(內障眼)을 수술하다; die Kontrolluhr ~ 출퇴근 시각 기록기〔타임 리코더〕에 카드를 밀어 넣다, b) 〖비유〗 누구를 일깨우다, 계몽하다. ② 찔러 죽이다〔도살하다〕; (물고기를) 작살로 잡다: jn. tot 〔zu Tode〕 ~ 누구를 찔러 죽이다; Schweine ~ 돼지를 (찔러) 도살하다; Aale ~ 뱀장어를 (작살로) 잡다. ③ (창으로) 찌르다, 말을 타고 창시합하다: den Gegner vom Pferd 〔aus dem Sattel〕 ~ 적수를 찔러 말에서 떨어뜨리다. ④ *imp.* 찌르는 듯이 아프다: es sticht mich〔mir〕 im Rücken 나는 등이 욱신거린다. ⑤ 자극하다, 안달나게 하다: ihn sticht die Neugier 그는 호기심이 일어 안달이 나 있다; ihn sticht der Hafer 그는 너무 버릇없이 군다. ⑥ 치다: jm. eine (Maulschelle) ~ 누구의 뺨을 치다. ⑦ 귀띔해 주다: jm. et. ~ 누구에게 무엇을 고자질하다. ⑧ 잘라내다; 캐내다: Löwenzahn ~ 씀바귀를 캐다; Torf ~ 이탄을 캐다; Rasen ~ 잔디를〔뗏장을〕 뜨다; 〖비유〗 Silben ~ 자구를 꼬치꼬치 따지다. ⑨ 조각하다; (문신을) 새기다: Bilder in Kupfer ~ 그림을 동판에 조각하다; er schreibt wie gestochen 그는 새긴 듯이 반듯하게 쓴다. ⑩ 〖카드〗 (어떤 카드를) 그보다 더 높은 카드로 잡아 오다: ein As mit dem Buben ~ 에이스를 잭으로 잡다. ⑪ einen Kegel ~ 독일식 볼링의 핀을 넘어뜨리다. 《II》 *i.* (h.) ① 찌르다; 찔러 넣다; (곤충이) 쏘다; 가시가 있다: nach jm. mit einer Lanze ~ 누구를 겨누어 창으로 찌르다; mit der Injektionsnadel in die Vene ~ 주사 바늘을 정맥에 찔러 넣다; Rosen ~ 장미는 가시가 있다; der Bart sticht 수염이 쿡쿡 찌른다. ② 찌르는 듯이 날카롭다〔강하다〕, 쏘는 듯이 아프다: die Sonne sticht 햇볕이 따갑(게 내리쬔)다; seine Augen ~ 그의 눈은 쏘는 듯이 날카롭다; der Rauch stach in die Augen 연기가 눈을 따갑게 찔렀다. ③ 말타고 창시합을 하다; 〖승마〗 (동점일 때) 결정전을 하다. ④ …한 색채를 띠고 있다: Ihr Haar sticht ins Rötliche 그녀의 머리카락은 불그레하다. ⑤ (s.) 〖海〗 in See ~ 출범〔출항〕하다. ⑥ 틀어박혀〔몸을 감추고〕 있다: wo sticht 〔steckt〕 er? 그는 어디에 처박혀 있는가? ⑦ 〖카드〗 (다른 무늬들을) 이기다, 으뜸패이다, 으뜸패로 이기다. ⑧ 〖사냥〗 (주둥이로) 땅을 파다. ⑨ (출퇴근 시각 기록기에) 카드를 밀어 넣다: hast du schon gestochen? 출근 기록기에 찍었니? ⑩ 높이〔우뚝〕 솟아 있다: der Turm sticht hoch in den Himmel 탑이 하늘 높이 치솟아 있다. 《III》 **gestọchen** *p.a.* ↑ gestochen.

Stẹchen *n.* -s 찌르기, 찌르는 듯한 통증; 마상 창시합; 동판〔강판〕 조각; 〖스포츠〗 결승전: ein ~ in der Brust haben 가슴에 찌르는 듯한 통증을 느끼다.

stẹchend *p.a.* 찌르는 (듯한), 쿡쿡 쑤시는, 따끔거리는, 얼얼한; 타는 듯한 (햇빛); 신랄한, 비꼬는: ~e Augen 〔einen ~en Blick〕 haben 날카로운〔매서운〕 눈초리를 가지고 있다.

Stecher [ʃtɛ́çər] *m.* -s, - ① 찌르는 사람; 말타고 창시합하는 사람; 무법자, 난폭자. ② 동판 조각가, 동판 화가. ③ 〖工〗 끌. ④ 〖軍〗 격발 장치의 한 가지, 방아쇠. ⑤ 안경; 쌍안경. ⑥ 찌르는 도구, 작살, 버터 나이프, (식물 채집을 위한) 뿌리 캐는 기구. ⑦ 〖사냥〗 (물총새의) 부리.

Stẹch≈fliege *f.* 〖動〗 말파리, 등에. **~gabel** *f.* 작살. **~ginster** *m.* 〖植〗 가시금작화. **~handel** *m.* 〖商〗 교역, 무역. **~heber** *m.* 〖物〗 사이펀; 흡액기(吸液器). **~kahn** *m.* 상앗대로 젓는 작은 배. **~karre** *f.* 소형 손수레. **~meißel** *m.* (동판화의) 조각용 칼; 〖工〗 목공용 끌. **~mücke** *f.* 〖動〗 모기. **~paddel** *n.* (한 쪽만 물갈퀴가 있는) 캐나디안 카누의 노. **~palme** *f.* 〖植〗 서양감탕나무. **~rüssel** *m.* 〖動〗 (모기의) 주둥이. **~schritt** *m.* 분열 행진 보조(무릎을 펴고 다리를 높이 들어올리는 군대식 걸음걸이). **~spiel** *n.* (중세의) 마상(馬上) 창시합. **~uhr** *f.* (출퇴근) 시각 기록기, 타임 리코더.

Stẹck≈becken [ʃtɛ́k..] *n.* 〖醫〗 요강, 변기. **~brief** *m.* 지명 수배장, 인상 착의서; (상품 따위에 관한) 간략한 정보. **~brieflich** *adv.* 지명 수배장에 따른. **~dose** *f.* 〖전기〗 (↔ Stecker) 소켓, 콘센트.

Stecken [ʃtɛ́kən] 《⊕ stechen, stecken》 *m.* -s 막대기, 지팡이; 스틱; 말뚝: den ~ nehmen (müssen) 사직하다.

stecken(*) [ʃtɛ́kən] 《<stechen》 《I》 *i.* (h.) (stak/steckte, gesteckt) ① **(a)** 꽂혀〔찔려, 박혀〕 있다, 끼워져 있다, 고착〔부착〕되어 있다; 〖구어〗 (어디에) 처박혀 있다: der Schlüssel steckt (im Schloß) 열쇠가 (자물쇠에) 꽂혀 있다; der Ring steckt fest am Finger 반지가 손가락에 꽉 끼워져 있다; der Wagen steckt im Schlamm 차가 진창에 빠져 있다; 〖구어〗 steckt das Kind auch warm? 아이에게 옷을 따뜻하게 입혔는가, 이불을 따뜻하게 덮어 주었는가?; 〖구어〗 wo hast du so lange gesteckt? 너는 오랫동안 어디 가 있었느냐?; er steckt immer zu Hause 그는 늘 집에만 틀어박혀 있다; 〖구어〗 wir ~ mitten in der Arbeit 우리들은 일에 푹 파묻혀 있다; tief in Schulden ~ 빚더미에 파묻혀 있다; in Schwierigkeiten ~ 곤경에 처해 있다. **(b)** 포함되어 있다, 내재해〔잠복해〕 있다: in diesem Sprichwort steckt viel Wahrheit 이 속담에는 많은 진리가 담겨 있다; 〖구어〗 die Krankheit steckt schon lange in ihm 그 병은 이미 오래 전부터 그에게 잠복해 있었다; 〖구어〗 der Schreck steckt mir noch in allen Gliedern 나는 아직 충격〔경악〕에서 벗어나지 못했다; **hinter** et.[3] ~ a) 무엇의 뒤에 숨어 있다, b) 무엇을 배후에서 조종하다; dahinter steckt jemand 그 일에는 누군가 배후 조종자가 있다; da steckt etwas dahinter 그 이면에는 뭔가가 있다; in dem Jungen steckt etwas 저 젊은이는 뭔가 있다(재능이 있다); es steckt im Blut 그것은 천성이다, 타고나면서부터 그렇다; wir wissen nicht, was ihm im

Kopf steckt 우리는 그의 머릿속에 무슨 생각이 (담겨) 있는지 알 수 없다; mit jm. **unter** einer Decke ~ 누구와 결탁하고 있다. ② *imp.* es steckt mir im Hals 나는 목에 탈이 났다; 〖구어〗 da steckt's 그것이 문제다, 바로 그것이다; es steckt mir in allen Gliedern 난 온몸이 나른하다; wo's mal nicht drin steckt! 어찌할 수가〔도리가〕 없다! ③〖voll(er)와 함께〗 (…으로) 가득 차 있다: er steckt voller Einfälle 그는 아이디어가 풍부하다; das Diktat steckt voller Fehler 그 받아쓰기는 틀린 것 투성이다. 《Ⅱ》 *t.* 〖약변화〗 ① 꽂다, 끼워〔집어〕 넣다, (반지를) 끼다: einen Ring **an** den Finger ~ 손가락에 반지를 끼다; et. **auf** den Hut ~ 무엇을 모자에 꽂다; den Kopf **aus** dem Fenster ~ 머리를 창밖으로 내밀다; Stangen **bei**〔**zu**〕 den Reben ~ 포도나무에 버팀목을 대다; **durch** et. hindurch ~ 무엇을 꿰뚫다, 관통하다; den Schlüssel **ins** Schloß ~ 열쇠를 자물쇠에 끼워 넣다; einen Brief in den Umschlag ~ 편지를 봉투에 넣다; das Schwert in die Scheide ~ a) 칼을 칼집에 꽂다, b) 싸움을 그만두다; et. in Brand ~ 무엇에 불을 지르다; jn. in eine Uniform ~ 누구를 (강제로) 군대에 입대시키다; ein Kind ins Bett ~ 아이를 (억지로) 재우다; jn. ins Kloster〔Gefängnis〕 ~ 누구를 수도원〔감옥〕에 넣다; sein Geld in ein Geschäft ~ 어떤 사업에 투자하다; steck deine Nase ins Buch 〔in die Bücher〕! 공부해라!; die〔seine〕 Nase in alles ~ 아무 일에나 참견하다; die Hände in die Taschen ~ a) 양 손을 주머니에 찔러 넣다, b) 수수방관하다; den Rest des Geldes hat er in die Tasche gesteckt 그는 나머지 돈을 착복했다; er steckte mit seinen Kenntnissen uns alle in die Tasche 그는 지식면에서 우리 모두를 압도했다; et. **unter** die Bank ~ 무엇을 무시하다; jn. unter die Soldaten ~ 누구를 병적에 편입하다; et. **zu** sich³ ~ 무엇을 슬쩍 챙기다. ②〖방언〗(농작물을) 심다: Kohl (in die Erde) ~ 캐비지〔양배추〕를 심다. ③〖구어〗(분명히) 말하다: jm. et. ~ a) 누구에게 무엇(비밀)을 밀고하다, b) 누구에게 무엇을 엄금하다; es jm. ~ 누구에게 자기 생각을 분명히 말하다. ④〖구어〗 때리다: jm. eine (Ohrfeige) ~ 누구의 뺨을 때리다. ⑤ 정하다: sich³ ein Ziel ~ 목표를 정하다; et.³ Grenzen ~ 무엇에 제한을 가하다. 《Ⅲ》 *refl.* ① 박히다, 끼이다, 끼어들다; 숨다: 〖구어〗 sich hinter jn. ~ 누구를 뒷바라지해주다; 〖구어〗 sich hinter et. ~ 무슨 일에 전념하다〔파묻히다〕; sich in Schulden ~ 빚에 쪼들리다; sich in fremde Händel ~ 남의 일에 간섭하다. ② 막히다: die Arbeit steckt sich 일이 막힌다; die Maschine steckt sich 기계가 제대로 움직이지 않는다. ③ (특정 신체 부위에) 꽂다, 끼우다: sich³ eine Blume ins Haar ~ 머리에 꽃을 꽂다; sich³ Watte in die Ohren ~ 귀를 솜으로 막다; sich eine Zigarre in den Mund ~ 여송연을 입에 물다.

stęcken=bleiben* *i.* (s.) ① 꽂혀〔걸려〕 있다; 정지해 있다; (협상에) 진전이 없다, 교착 상태에 빠지다: mir ist eine Gräte im Hals steckengeblieben 내 목에 가시가 걸렸다; die Verhandlungen sind steckengeblieben 협상이 교착 상태에 빠졌다. ② 말이 중단되다, 말문이 막히다: in der Rede〔im Vortrag〕 ~ 연설〔강연〕 중에 말문이 막히다. **~bleiben** *n.* 정지, 정체. **~lassen*** *t.* 찔린〔꽂힌〕 채로 두다: den Schlüssel ~ 열쇠를 꽂은 채로 두다; jn. in der Patsche〔Not〕 ~ 누구를 곤경에 처한 채 내버려두다, 누구의 곤란을 모른 체하다; 〖구어〗 laß dein Geld nur stecken 내가 (음식값〔술값〕을) 내겠네. **~pferd** *n.* 목마; 취미, 장기(長技): 〖구어〗 sein ~ reiten〔besteigen, tummeln〕 자기 취미에만 몰두하다, 자기가 좋아하는 화제를 되풀이하여 말하다. **~zaun** *m.* 울짱.

Stecker [ʃtɛ́kər] *m.* -s, - 〖전기〗 플러그.

Stęck=holz *n.* 〖원예〗 잎이 없는 꺾꽂이 가지. **~kissen** *n.* (젖먹이용) 포대기, 강보. **~kontakt** *m.* 〖전기〗 플러그.

Stęckling *m.* -s, -e 〖원예〗 휘묻이의 가지, 꺾꽂이의 가지나 뿌리.

Stęck=muschel *f.* 〖動〗 날개조개속(屬), 키조개. **~nadel** *f.* 핀: 〖비유〗 in diesem Saal hätte keine ~ zu Boden fallen können 이 홀은 입추의 여지 없이 만원이었다; 〖비유〗 eine ~ im Heuhaufen suchen 가망 없는 일을 벌이다; et.〔jn.〕 wie eine ~ suchen 무엇을〔누구를〕 (바늘 찾듯) 샅샅이 찾다. **~nadel·kopf** *m.* 핀 대가리. **~nadel·kopf·groß** *a.* 아주 작은. **~platz** *m.* 〖컴〗 슬롯. **~reis** *n.* 〖원예〗 휘묻이의 가지, 꺾꽂이의 가지나 뿌리. **~rübe** *f.* 〖植〗 스웨덴 순무. **~schach** *n.* (말을 판에 꽂도록 만든) 휴대용 체스: 〖은어·농담〗 (eine Partie) ~ spielen 성교하다. **~schale** *f.* 꽃꽂이 수반. **~schloß** *n.* (상자 자물쇠에 끼우는) 핀 모양의 막대. **~schlüssel** *m.* 박스 스패너. **~schuß** *m.* 〖醫〗 맹관 총창(盲貫銃創) (탄환이 몸에 남아 있는 것). **~schwamm** *m.* 꽃꽂이용 해면. **~tuch** *n.* (öst.) (양복 윗주머니에 꽂는) 장식용 손수건. **~vase** *f.* 땅에 꽂는 화병. **~zwiebel** *f.* 씨양파.

Steel·band [stí:lbɛnt] 《engl.》 *f.* -s 〖樂〗 스틸밴드.

Steeple·chase [stí:pltʃeɪs] 《engl.》 *f.* -n [..sən] 장애물 경마.

Steepler [stí:plər] 《engl.》 *m.* -s, - 〖승마〗 장애물 경주마.

Stẹfan *m.* ① 스테반(그리스도교 최초의 순교자; 사도 행전 7:59). ② 스테판(남자 이름).

Stefanie *f.* 스테파니(여자 이름).

Stẹffen *m.* =Stefan.

Stẹffi *f.* ↑ Stefanie의 애칭.

Steff, Stẹffel, Stẹffen *m.* 〖↑ Stephan의 단축형〗 남자 이름.

***Steg** [ʃte:k] 《<steigen》 *m.* -(e)s, -e ① 작은 길, 오솔길: ich kenne hier Weg und ~ 나는 이곳을 샅샅이 알고 있다. ② 좁은 판자 다리; 〖海〗 상륙용 발판〔다리〕; 작은 교량, 육교. ③ 〖악기〗 (현악기의) 줄받침. ④ (바지의 끝단에 붙여서 발 밑을 두르는) 끈, 바지고리. ⑤〖건축〗 (두 쇠시리 사이의) 평연(平椽); 〖工〗 브리지. ⑥〖印〗 스틱, 식자가(植字架); 난(欄), 공란, 여백. ⑦ (안경의) 코에 거는 부분. ⑧ (구두의) 아치, (구두 밑바닥의) 우묵한 부분.

Steg=brücke *f.* 통나무 다리. **~eisen** *n.* (마구의 일종) 반월철(半月鐵).

Stegodon [ʃté:godɔn, ..tég.., st..] *n.* -s, -ten 〖고생물〗 스테고돈(장비목(長鼻目) 스테고돈과의 대형 코끼리).

Stegosaurier [ʃtegozáuriər, st..] *m.* -s, - 〖고생물〗 스테고사우루스(공룡의 일종).
Stegozephale *m.* -n, -n (원시 시대의) 철갑 두꺼비.
Steg·reif *m.* ①〖고어〗 등자(鐙子). ②〖비유〗〖다음 용법으로만〗 aus dem ~ 즉석에서, 즉흥적으로.
Stegreif≈dichter *m.* 즉흥 시인. **~komödie** *f.* 〖연극〗 즉흥 희극. **~rede** *f.* 즉흥 연설. **~redner** *m.* 즉석 연설가. **~ritter** *m.* 도둑 기사(騎士)〔무사〕. **~spiel** *n.* 〖연극〗 즉흥극.
Steh≈auf [ʃtéː|auf, ʃteː|áuf] *m.* ↑ ~aufmännchen ①. **~aufchen** [ʃtéː|aufçən] *n.* ↑ ~aufmännchen ①. **~aufglas** [ʃtéː|..] *n.* ↑ ~aufmännchen ②. **~aufmännchen** [ʃtéː|..] *n.* ① 오뚝이. ②〖반어〗 낙천가. **~bierhalle** [ʃtéː|..] *f.* 맥주 파는 선술집.
stehen [ʃtéːən] (stand, gestanden) 《I》 *i.* (h.) ; (südd., öst., schweiz.) (s.) ① (**a**) 서다; 서 있다; (음경이) 발기해 있다: gerade 〔krumm〕 ~ 똑바로〔구부리고〕 서 있다; wie angewurzelt ~ 붙박힌 듯이〔꼼짝않고〕 서 있다; wie ich gehe und stehe 있는 그대로의 나; so wahr ich hier stehe 아주 확실하게; er steht (ihm)〔er hat einen ~〕 그의 성기가 발기해 있다. (**b**) 정지해〔멈춰〕 있다: meine Uhr steht 내 시계가 자고 있다; der ganze Verkehr steht 교통이 완전히 마비되어 있다; das Blut steht (상처에서) 피가 흐르지 않는다. (**c**) 존립〔존속〕하다: solange die Welt steht 세계가 존속하는 한; das Haus steht noch 그 집은 아직도 있다; die Schule steht seit 30 Jahren 그 학교는 개교 30 주년이 되었다. (**d**) (어떤 임무를 띠고) 서다, …으로 서다: als Zeuge〔Bürge〕 ~ 증인〔보증인〕으로 서다; als〔zu〕 Gevatter ~ 대부(代父)가 되다. (**e**) (어떤) 상태다, …한 상태에 있다: es steht gut um jn.〔et.〕 누구〔무엇〕의 상태는〔형편은〕 좋다; wie steht's? 형편이 어떤가?; wie steht das Spiel? 경기의 상황이 어떤가?; es steht 2:1 für München 경기는 뮌헨이 2:1로 이기고 있다; es steht schlecht mit dem 〔um den〕 Kranken 환자의 상태가 좋지 않다; wie steht es damit? 그것의 사정은 어떤가?; der Baum steht in Blüte 그 나무는 꽃이 한창이다; 〖구어〗 das steht mir bis zum Hals 〔das steht mir (bis) hier oben〕 그것은 내게 지긋지긋하다, 나는 그것에 물렸다; das 〔die Sache〕 steht 그것은〔그 일은〕 마침내 해결되었다. (**f**) (위치해) 있다: die Sonne steht hoch 해가 중천에 떠 있다; auf der Fahrbahn stand Wasser 차도에는 물이 있었다; jm. steht der Schweiß auf der Stirn 누구의 이마에 땀이 솟아 있다; das steht in der Bibel (geschrieben) 그것은 성서에 쓰여 있다; darüber steht nichts in Gesetz 그것에 관해서는 어떤 법규정도 없다; das Zitat steht bei Schiller 그 인용은 쉴러에게서 따온 것이다. (**g**) 값이 나가다, 가치가 있다: du stehst hoch in seiner Achtung 그는 너를 굉장히 존경하고 있다; die Ware steht hoch im Preise 이 물품은 값이 비싸다; am besten steht der Schweizerfranken 스위스 프랑이 가장 비싸다. (**h**) (옷이) 어울리다, 알맞다: das Kleid steht ihr gut〔schlecht〕 이 옷은 그 여자에게 잘 어울린다〔어울리지 않는다〕; ein solches Benehmen steht dir nicht 그런 행동은 네게 맞지 않는다. (**i**) (im Amt ~) 재직〔근무·주둔〕하고 있다; mein Sohn steht bei der Artillerie 내 아들은 포병대에 복무하고 있다. (**j**) 견뎌 내다, 저항하다: dem Sturm ~ 폭풍우를 무릅쓰다; der Mann steht seinem Ruhm 그 사람은 그 명성에 어긋나지 않는다. (**k**) 평형을 유지하다; 미결이다; (투표가) 동수다. (**l**) 〖사냥〗 멈춰 서다: der Hund steht vor dem Hasen 개가 멈춰 서 토끼 있는 곳을 알리다. (**m**) es steht zu hoffen 〔zu befürchten〕 그럴 가망이〔우려가〕 있다; das steht schwerlich zu erweisen 그것을 증명하기는 곤란하다. (**n**) 준비가 되어 있다: 〖연극〗 ein Stück steht 상연을 위해 희곡이 완성되어 있다; das Essen steht auf dem Tisch 식탁에 식사가 차려져 있다. (**o**) 주차해 있다: wo ~ Sie? 당신은 어디에 주차했습니까? ②〖전치사와 함께〗 **an** der Spitze ~ 선두에 서다, 리드하다; der Mond steht am Himmel 달이 하늘에 떠있다; an einem Wendepunkte ~ 기로에 서 있다; **auf** eigenen Füßen ~ 독립하여 있다; auf js. Seite ~ 누구 편이다, 누구를 지지하다; darauf steht Gefängnis 〔die Todesstrafe〕 그런 짓을 하면 징역〔사형〕이다; es steht ein Preis auf seinen Kopf 그의 목에는 현상금이 걸려 있다; der Barometer steht auf Regen 청우계는 비가 올 것을 가리키고 있다; die Aktien ~ auf 200% 주식이 2배의 시세를 보이고 있다; der Dativ steht auf die Frage „wem" 3격은 "누구에게"라는 물음에 대하여 쓰인다; der Pegel steht auf 3,48 m 수위계가 3.48 m를 가리키고 있다; die Kompaßnadel steht auf〔nach〕 Norden 나침반의 바늘이 북쪽을 가리키고 있다; auf dem Spiel ~ (목숨 따위가) 걸려 있다, 위험에 처해 있다; **außer** Zweifel〔Frage〕 ~ 의문의 여지가 없다; **bei** jm. ~ 누구 곁에 서다, 〖비유〗 누구를 돕다〔보좌하다〕; es steht bei dir, dazubleiben 그곳에 머무는 것은 네 자유다; bei jm. in Arbeit 〔Lohn und Brot〕 ~ 누구에게 고용되어 있다; bei seiner Meinung ~ 자기 의견을 고집하다; **für** jn.〔et.〕 ~ 누구를〔무엇을〕 보증하다, 대변하다; für den Schaden ~ 손해를 배상하다; dafür kann ich nicht ~ 나는 그 약속은 못 하겠다, 그 책임을 질 수 없다; in Gefahr sollen alle für einander ~ 위급한 경우에는 누구나 서로 도와야 한다; seine Worte ~ für die Meinung vieler 그의 말은 다수의 의견을 대변하고 있다; Norwegen steht für rauhes Klima 노르웨이는 험한 기후의 대표적인 나라다; **hinter** jm. ~ 누구를 원조〔후원〕하다; was steht hinter seinen Worten? 그의 말의 진의는 무엇인가?; **im** Verkehr mit jm. ~ 누구와 교제하고 있다; im Briefwechsel〔in (brieflicher) Verbindung〕 mit jm. ~ 누구와 서신 왕래를 하고 있다; im Einklang mit et.³ ~ 무엇과 일치하다, 조화를 이루다; in Konkurrenz zu jm. ~ 누구와 경쟁하다; im Verdacht ~ 혐의를 받고 있다; im zwanzigsten Jahre〔Lebensjahr〕 ~ 20세다; beim Wirt (stark) in der Kreide ~ 술집에 빚이 많다; noch im besten Mannesalter ~ 아직 한창 나이〔장년〕이다; in einem Amt ~ 어떤 관청에 근무하고 있다; in die Luft ~ 솟아 있다; soweit es in meiner

Macht 〔meinen Kräften〕 steht 내 힘이 닿는 한; **mit** jm. gut ~ 누구와 사이가 좋다; ich stehe nicht allein mit meiner Meinung 이것은 나 혼자만의 의견이 아니다; mit jm.〔et.[3]〕 ~ und fallen 누구에게〔무엇에〕 달려 있다, 누구와〔무엇과〕 흥망성쇠를 같이하다; mit ihm steht und fällt die Firma 그 회사는 그에 의해 좌우된다; **nach** et.[3] ~ 무엇을 얻으려고 애쓰다; jm. nach dem Leben 〔nach js. Leben〕 ~ 누구의 생명을 노리다; sein Sinn〔Gemüt, Herz〕 steht nach höheren Dingen 그의 뜻은 높다; die Wetterfahne steht nach Norden 풍향기는 북쪽을 가리키고 있다; *imp.* lange steht's ihm schon nach meiner Freiheit 그는 오래 전부터 내 자유를 희구하고 있다; **über** jm. ~ 누구 위에 서다, 누구의 상관이다, 누구보다 우월하다; **um** jn. herum ~ 누구 주위에 모여 있다; **unter** jm. ~ 누구 밑에 서다, 누구의 부하다, 누구보다 못하다〔떨어지다〕; unter Anklage ~ 기소 중이다; unter js. Aufsicht ~ 누구의 감독 아래 있다; unter der Dusche ~ 샤워하고 있다; unter Schock ~ 쇼크 상태다; unter Drogen〔Alkohol〕 ~ 마약〔알코올〕에 중독되어 있다; unter dem Pantoffel ~ 아내에게 쥐어 지내다; **vor** dem Ruin ~ 파멸에 직면해 있다; vor einer Entscheidung ~ 결정을 앞두고 있다; jm. vor Augen ~ 누구의 눈 앞에 아른거리다, 누구에게 잊혀지지 않다; seine Hose steht vor Dreck 그의 바지는 매우 더럽다; **zu** jm. ~ 누구에게 친절하다, 누구를 돕다; zu seinem Versprechen ~ 약속을 지키다; zum Sozialismus ~ 철저한 사회주의자다; wie ~ Sie dazu? 그것에 대한 당신의 의견은 어떻습니까?; jm. zur Seite ~ 누구를 돕다; jm. zu Gebote 〔zur Verfügung〕 ~ 누구의 마음대로 사용할 수 있다; zum Verkauf ~ 팔 물건이다; was steht Ihnen zu Diensten? (상점에서 손님에게) 무엇을 드릴까요?; über das Gehörte standen mir die Haare zu Berge 그 이야기를 듣고 나는 머리 끝이 쭈뼛해졌다. ③〖부사 또는 형용사와 함께〗 das steht fest a) 그것은 확실하다, b) 그것은 확정〔결정〕되어 있다(↑ feststehen); das Haus steht leer 그 집은 비어 있다; die Tür steht offen〔auf〕 문이 열려 있다; es steht dir frei 그것은 네 자유다(↑ freistehen); hiermit steht es anders 이건 사정이 다르다; die Sache steht gut 사정이〔상태가〕 좋다; das Geld steht sicher 이 돈은 안전하게 투자되어 있다; er steht mir nahe a) 그는 내 가까이 있다, b)〖비유〗 나와 친하다, 나와 의견이 같다(↑ nahestehen); er steht mir fern 그는 내가 모르는 사람이다; et.[3] fern ~ 무엇에 관여하지 않다, 관계가 없다(↑ fernstehen); da steht mir der Verstand still 그것은 내게는 이해가 되지 않는다 (↑ stillstehen). ④〖동사와 함께〗 Geld bei jm. ~ haben 누구에게 돈을 맡겨 두고 있다; nichts mehr ~ haben 모두 결제되었다; er wankte, kam aber doch wieder auf die Füße zu ~ 그는 비틀거렸으나 다시 일어섰다; das Kleid kommt mir auf 50 DM zu ~ 이 옷은 내게는 50 마르크짜리에 해당한다; der Sieg kam den Deutschen teuer zu ~ 이 승리를 얻기 위하여 독일인들은 굉장한 희생을 치렀다; die Unart wird ihm teuer zu ~ kommen 그는 장난 때문에 혼쭐이 날 것이다. 《Ⅱ》 *t.* jm. Beichte ~ 누구의 참회를 듣다; jm. Rede (und Antwort) ~ 누구에게 변명〔해명〕하다; die Probe ~ 시험〔검사〕에 합격하다; seine Lehrjahre ~ 도제〔제자〕가 되다; seinen Mann ~ a) 상대와 맞서다, 사나이답게 행동하다, b) 의무를 다하다. 《Ⅲ》 *refl.* (**a**) sich müde ~ 〔sich[3] die Beine in den Bauch ~〕 (오래) 서 있어서 지치다, 지칠 정도로 서 있다. (**b**) *imp.* hier steht es sich nicht gut 이곳은 서 있기에 좋지 않다. (**c**) sich gut 〔schlecht〕 ~ a) 형편이〔지내기에〕 넉넉하다〔쪼들리다〕, b) 잘 벌다〔벌지 못하다〕; er steht sich auf 6 000 DM Einkommen 그의 수입은 6000 마르크다. (**d**) sich mit jm. gut 〔schlecht〕 ~ 누구와 사이가 좋다〔나쁘다〕; wie ~ Sie sich miteinander? 당신들의 사이는 어떠합니까? 《Ⅳ》 **gestanden** *p.a.* ↑ gestanden[1].

Stehen *n.* -s ① 서 있음: 〖농담〗 Platz zum ~ 입석; im ~ schlafen 선 채로 자다. ② 정지: zum ~ bringen a) 정지시키다, b) 일으켜 세우다; zum ~ kommen 정지하다.

stehend *p.a.* ① (↔ liegend) 서 있는; 기립해 있는, 직립의; 수직의: ~en Fußes 즉시, 바로, 곧; ~es Wasser 괴어 있는 물. ② 고정된; 부동의: ~es Kapital 고정 자본; ~er Preis 정가; ~e Schuld 장기 부채; ~e Farbe 바래지 않는 색; ~er Wind 항풍(恒風); 〖海〗 ~es Gut (돛대를 고정시키기 위한) 밧줄 일체. ③ 상투적인, 진부한: ~e Redensarten 상투적인 문구. ④ 상설〔상비〕의: ~e Bühne 〔~es Theater〕 상설 극장; ~e Einrichtung 상설 설비; ~es Heer 상비군.

stehen≈|bleiben *i.* (s.) ① (**a**) 멈춰 서(있)다, 정지〔정차〕하다〔해 있다〕: sie bleibt vor dem Schaufenster stehen 그녀는 쇼윈도 앞에 멈춰 서 있다; hier kann der Wagen aber nicht ~ 여기는 차가 정차할 수 없다; er ist als Arzt vor zehn Jahren stehengeblieben 그는 의사로서 10 년 전과 마찬가지다(의술에 진보가 없다); ein Vorwurf 〔eine Behauptung〕 darf (so) nicht ~ 어떤 비난〔주장〕을 그대로 방관해서는 안 된다; bei diesem Ergebnis können wir aber nicht ~ 이 결과에 만족할 수는 없다; wo sind wir im Text stehengeblieben? 어느 곳에서 그만두었던가, 지난번에는 어디까지 나갔던가?; 〖비유〗 dort scheint die Zeit stehengeblieben zu sein 그곳은 이전과 전혀 다름이 없다. (**b**) (시계가) 고장나다, (심장이) 멎다: die Uhr bleibt immer stehen 그 시계는 항상 멈춰 서 있다; vor Schreck wäre mir fast das Herz stehengeblieben 놀란 나머지 나는 심장이 거의 멎을 지경이었다. ② (원래·원형대로) 남아 있다: kein Haus blieb bei dem Erdbeben stehen 지진으로 피해를 입지 않은 집은 없었다; sein Essen blieb stehen 그는 음식에 손도 대지 않았다. ③ 잊혀지다, 방치되다: es sind drei Schirme in der Garderobe stehengeblieben 우산 세 개가 옷 보관소에 그대로 방치되었다.

~|**lassen*** *t.* ① (손을 대지 않고·잊고) 그대로 두다; 세워 두다〔놓다〕: die Leiter ~ 사다리를 세워 놓다; er hat mich einfach an der Tür ~ 그는 나를 무작정 문 밖에 세워두었다; die Suppe ~ 수프에 손대지 않다; eine

Flüssigkeit ~ 액체를 침전시키다; alles stehen- und liegenlassen 모든 것을 그대로 버려두다〔고스란히 남겨놓다〕; das Geschriebene an der Tafel ~! 흑판에 쓴 것을 지우지 마라!; den Wagen ~ (걷거나 대중 교통 수단을 이용하기 위해) 차를 세워 두다; Bäume ~ 나무들을 베지 않고 그냥 두다; ein Wort 〔einen Satz〕 ~ 어떤 단어를〔문장을〕 (삭제·수정 없이) 놔두다; 〖구어〗 für ein Wurstbrot lasse ich jedes Stück Torte stehen 나는 케이크보다는 소시지를 넣은 빵을 훨씬 즐겨 먹는다; er hat seinen Regenschirm ~ 그는 우산을 잊고 왔다. ② 자라도록 방치하다: das Unkraut ~ 잡초가 자라도록 내버려두다; sich³ einen Bart ~ 수염을 기르다. ③〖축구〗 das Bein ~ 반칙을 범하다; einen Gegner ~ 상대 선수를 교묘하게 따돌리다. ④ (**a**) (돈을) 맡겨 두다: am besten läßt du das Geld auf der Sparkasse stehen 너는 돈을 저축 은행에 예금해 두는 것이 가장 좋다. (**b**) 제때에 지급하지 않다: sie läßt alles stehen 그 여자는 무엇이든 제때에 지급하지 않는다.

Steher [ʃté:ər] 《<stehen》 *m.* -s, - ① 서 있는 사람; (Ecken~) 거리의 품팔이꾼, 빈들빈들 노는 사람. ② (**a**) 〖승마〗 장거리 경주용 말. (**b**) 〖사이클〗 (선도 오토바이를 뒤따르는) 장거리 사이클 선수. ③〖구어〗 건실한〔믿을 만한〕 사람. ④ (öst.) 울타리 기둥, 덧기둥.

Steher·rennen *n.* 〖승마·사이클〗 장거리 경주.

Steh≈geiger [ʃté:..] *m.* (서서 연주하는 카바레 악단의) 수석 바이올린 연주자. **~imbiß** *m.* 서서 먹는 간이 식당〔스낵 코너〕. **~konvent** *m.* ①〖학생〗 동아리 소속 대학생들의 일상적인 만남. ②〖농담〗 (서서 환담하는) 입석 모임: einen ~ abhalten 서서 환담〔의논〕하다. **~kragen** *m.* (obd.) ① (와이셔츠·블라우스의) 스탠드 칼라. ②〖옛뜻〗 (턱시도·연미복의) 빳빳하게 세운 와이셔츠 깃. **~kragen·proletarier** *m.* 〖구어〗 사무원, 하급 관리. **~lampe** *f.* 세워 두는 전기 스탠드.

stehlbar [ʃté:lba:r] 《<stehlen》 *a.* 훔칠 수 있는.

Steh·leiter 《<stehen》 *f.* 접사다리.

stehlen [ʃté:lən] (stahl, gestohlen) 《Ⅰ》 *t./i.* (h.) 훔치다; (빼)앗(아가)다: jm. die Geldbörse ~ 누구에게서 돈지갑을 훔치다; 〖시어〗 jm. das Herz ~ 누구의 마음을 빼앗다〔사로잡다〕; 〖비유〗 jm. die Zeit ~ 누구의 시간을 빼앗아 일을 방해하다; 〖비유〗 dem lieben Gott die Zeit 〔die Tage〕 ~ 빈둥거리며 지내다; 〖비유〗 ich mußte die Zeit förmlich ~, um das Werk zu vollenden 나는 그 작품을 완성하기 위하여 그야말로 촌음을 아끼지 않을 수 없었다; du sollst nicht ~! 도둑질하지 마라! (10 계명의 하나); 〖구어〗 er kann mir gestohlen bleiben 〔werden〕! 그가 어떻게 되든 내게는 상관없다!; 〖구어·농담〗 woher nehmen und nicht ~? 내가 도대체 어디서〔어떻게〕 그것을 구하는가?; er stiehlt (wie ein Rabe) 그는 훔치는 버릇이 있다; 〖구어〗 mit jm. Pferde ~ können 누구와는 무엇이든지 할 수 있다; jm. die Schau ~ 누구의 인기를 가로채다〔능가하다〕. 《Ⅱ》 *refl.* sich davon 〔weg〕 ~ 몰래 떠나가다; sich ins Haus 〔aus dem Haus〕 ~ 몰래 집으로 기어들다〔몰래 집을 빠져나오다〕; sich in js. Gunst〔Vertrauen〕 ~ 누구의 환심을 사다〔신용을 얻다〕; es stiehlt sich ein Seufzer aus der Brust 자신도 모르게 한숨이 새어 나온다.

Stehler *m.* -s, - 〖드물게〗 도둑(놈): der Hehler ist so gut wie der ~ 장물아비는 도둑놈이나 마찬가지다.

Stehl·sucht *f.*, **~trieb** *m.* 도벽(盜癖).

Steh·männchen *n.* 오뚝이.

stehn [ʃte:n] *i.* ↑ stehen.

stehn·bleiben *i.* ↑ stehenbleiben.

Steh≈platz *m.* (극장에서의) 입석(↔ Sitzplatz). **~pult** *n.* 서서 작업하는 사면(斜面) 책상. **~satz** *m.* 〖印〗 (다시 사용하기 위해 보존하는) 조판, 보존판. **~umlege·kragen** *m.* 접는 옷깃. **~vermögen** *n.* ① 지구력. ② 〖스포츠〗 강한 인내력, 스태미나. ③ 성격의 강인함, 불굴의 투지. ④〖工〗 (공작 재료의) 내구성.

Stehr *m.* -(e)s, -e 〖動〗 숫양(Stär).

Steierer [ʃtáiərər] *m.* -s, - ↑ Steirer.

Steierin [ʃtáiərɪn] *f.* -nen ↑ Steirer 의 여성형.

steierisch [ʃtáiərɪʃ] *a.* ↑ steirisch.

Steiermark *f.* 슈타이어마르크(오스트리아의 지방).

Steiermärker 《Ⅰ》 *m.* -s, - 슈타이어마르크 사람. 《Ⅱ》 *a.* 슈타이어마르크의.

steiermärkisch *a.* 슈타이어마르크(말)의.

***steif** [ʃtaɪf] 《⇔ Stift》 *a.* ① (**a**) 굳은, 빳빳한; 강한: ein ~er Kragen 빳빳한 칼라; 〖구어〗 das Handtuch ist ~ wie ein Brett 그 손수건은 매우 빳빳하다; et. ~ und fest behaupten 〔glauben〕 무엇을 끈질기게 주장하다〔굳게 믿다〕. (**b**) (손발 따위가 굳어서) 뻣뻣한, 마비된: einen ~en Arm〔Hals〕 haben 팔이〔목덜미가〕 뻣뻣해져 있다; meine Finger sind ~ vor Kälte 내 손가락이 추위로 곱았다; die Ohren ~ halten a) 귀를 쫑긋 세우다, b) 〖비유〗 용기를 내어 맞서다; 〖비유〗 den Nacken ~ halten 양보하지 않다. ② 진한, 걸쭉한: ein ~er Pudding 된〔빡빡한〕 푸딩. ③ 강한, (술·커피가) 독한: ein ~er Grog 독한 그로그주(酒). ④〖비유〗 무뚝뚝〔딱딱〕한; 어색한, 부자연스러운: ein ~es Lächeln 어색한 웃음; ~e Verbeugung 부자연스러운 인사; ~e Züge annehmen 굳은 표정을 짓다; er ist mir zu ~ 그는 내게 너무 무뚝뚝하다; 〖구어〗 sich ~ halten a) 거절하는 태도를 취하다, b) 인색하다. ⑤〖海〗 (**a**) 강한, 힘찬: ~er Wind a) 같은 방향에서 잇달아 불어오는 바람, b) 강풍; ~e See 심하게 요동치는 바다. (**b**) 쉽게 기울지 않는(↔ rank): ~es Schiff 쉽게 기울지 않는 배. ⑥〖대개 구어〗 (음경이) 발기한.

steif·beinig *a.* 다리가 뻣뻣한.

Steife [ʃtáɪfə] *f.* -n ① 뻣뻣함, 부자연스러움. ② 풀, 아교, 고무. ③〖건축〗 지주, 버팀목.

steifen [ʃtáɪfən] 《Ⅰ》 *t.* ① 굳히다, 빳빳하게 하다. ② (빨래에) 풀을 먹이다. ③〖건축〗 지주를 세우다: eine Mauer ~ 담장에 버팀목을 대다. ④〖비유〗 고집 세게〔완강하게〕 만들다: jm. den Nacken〔Rücken〕 ~ 누구에게 용기를〔힘을〕 주다. 《Ⅱ》 *refl.* sich auf et. ~ a) 무엇을 완강히 주장하다, b) 무엇에 의지하다.

Steif≈gaze [..ga:zə] *f.* 풀먹인 가제〔붕대지〕. **~hals** *m.* 〖醫〗 경부(頸部) 경직.

Steifheit *f.* ① 굳음, 뻣뻣함, 경직, 강직; (죽이) 걸쭉함;〖海〗(배의) 안정성. ② 무뚝뚝함, 완고, 고집; 부자연스러운 태도〔행동〕.

Steifigkeit [ʃtáɪfɪçkaɪt] *f.* ① 뻣뻣함, 완고. ②〖건축〗건축물의 강도.

Steif≈leinen *n.*〖섬유〗버크럼(풀로 빳빳하게 만든 심지용 아마포). **~leinen** *a.* ① 버크럼으로 만든. ②〔구어·폄어〕무미건조한; 무뚝뚝한, 거북하고 어색한. **~lein·wand** *f.* ↑ ~leinen. **~näckig** *a.* 완고한, 고집이 센.

Steifung [ʃtáɪfʊŋ] *f.* 굳히기, 빳빳하게 하기; 풀먹이기; 지주를 대기.

Steig [ʃtaɪk] 《< steigen》 *m.* -(e)s, -e ① 오솔길, 비탈길; 좁은 산길. ②〖철도〗플랫폼 (Bahn~). ③〖사냥〗(**a**) 토끼가 곡식을 밟고 지나간 통로. (**b**) 물가에 난 수달의 통로.

Steig≈brunnen *m.* (깊이 파서) 지하수가 솟아나는 우물. **~bügel** *m.* ① 등자(鐙子):〔비유·폄어〕jm. den ~ halten (특히 직업 정치 분야에서) 누구의 출세를 돕다. ②〖해부〗등자(鐙子)뼈.

Steige [ʃtaɪgə] 《< Steigen》 *f.* -n ①〔방언〕좁고 가파른 계단; 사닥다리. ② (südd., öst.) 언덕(길); 산길; 가파른 차도. ③ (담을 넘기 위한) 발판. ④ (südd., öst.) (판자로 만든 가축) 우리: Hühner~ 닭장. ⑤ (판매용 야채·과일을 진열하는) 얕은 상자.

Steig·eisen [ʃtáɪk..] *n.* ① (전신주·굴뚝의) 디딤쇠. ② (등산화의) 아이젠. ③ 등자(鐙子). ④ (담장·말뚝에 설치된) 발판 쇠붙이.

steigen [ʃtáɪgən] (stieg, gestiegen) 《원뜻 „schreiten"》《I》*i.* (s.) ① 오르다, 올라가다; (청우계가) 상승하다; (물가가) 등귀하다; 승진〔승급〕하다; (명성이) 높아지다: bergauf ~ 산 위로 올라가다; einen Drachen ~ lassen 연을 날리다; die Sonne steigt 해가 뜬다; das Wasserspiegel steigt 수위가 올라간다; ~de Indexziffern 오르는 물가 지수; mit ~dem Alter 나이를 먹어감에 따라;〔속담〕wer hoch steigt, fällt tief 많은 것을 달성하는 자는 많은 것을 잃을 수도 있다. ② 내리다, 내려가다: aus dem Auto〔Zug〕~ 차〔기차〕에서 내리다; in den Keller 지하실로 내려가다. ③〔전치사와 함께〕**an(s)** Land ~ 상륙하다; **auf** das Pferd ~ 말에 올라타다; auf den Berg ~ 산에 오르다;〔비유〕jm. aufs Dach ~ 누구를 공격하다;〔구어〕auf die Bremse 〔in die Bremsen〕~ 브레이크를 밟다; **aus** dem Wagen〔Schiff〕~ 마차〔배〕에서 내리다; **durch** das Fenster ~ 창문으로 (기어) 들어가다; **in** den Sattel ~ 말을 타다;〔구어〕ins 〔aus dem〕Bett ~ 잠자리에 들다〔기상하다〕;〖광산〗in eine Grube ~ 입갱(入坑)하다;〔구어·학생〕ins Examen ~ 시험을 치다; in die Kanne ~ (남에게 끌려) 진탕 마시다;〔구어〕in die Kleider ~ 옷을 입다; die Lerche steigt in die Luft 종달새가 하늘 높이 오른다; die Tränen ~ ihm in die Augen 그의 눈에 눈물이 어린다; das Blut 〔der Wein〕steigt in den Kopf 상기된다〔포도주 기운이 머리에 오른다〕; das Blut stieg ihr ins Gesicht 그녀는 얼굴이 빨개졌다; er steigt in meiner Achtung 그에 대한 내 존경심이 더해 간다; das Brot ist im Preis gestiegen 빵값이 올랐다; im Rang〔Gehalt〕~ 승진하다〔급료가 오르다〕; **über** den Zaun ~ 담을 뛰어 넘다; **vom** Pferde ~ 말에서 내리다; vom Throne ~ 퇴위하다;〔구어·폄어〕sein Erfolg ist ihm zu Kopf gestiegen 그의 성공은 그를 거만하게 만들었다; die Haare ~ **zu** Berge 머리털이 곤두서다. ④ (말이) 뒷다리로 일어서다. ⑤〔구어〕(…을 향하여) 가다: wo ~ Sie hin? 어디로 가십니까? ⑥〔구어〕개최〔거행〕되다: wann soll denn eure Abschlußfete ~? 도대체 너희들 종강 파티는 언제 열리느냐?; eine Rede ~ lassen 연설하다; der Kantus steigt 노래가 시작된다. 《II》*t.* …을 올라가다: er mußte viele Treppen ~ 그는 많은 계단을 올라가야만 했다.

Steigen *n.* -s 올라가기, 상승; 증가; 진보: das ~ und Fallen der Kurse (환·주식) 시세의 변동; sein Stern ist im ~ 그의 운은 상승세이다.

Steiger *m.* -s, - ①〔드물게〕등산객, 등반가. ②〖광산〗갱부장(長), 갱부 감독. ③ 사다리 곁에 서는 소방관. ④ (승객·소형 화물용) 잔교.

Steigerer [ʃtáɪgərər] *m.* -s, - 경매인.

***steigern** [ʃtáɪgərn] 《원뜻 „steigen machen"》《I》*t.* ① 올리다, 높이다; 증대시키다, 강화시키다: die Geschwindigkeit〔Produktivität〕~ 속도를〔생산성을〕높이다; jn. (in 〔mit〕der Miete) ~ 누구의 집세를 올리다; die Auflage einer Zeitung ~ 신문의 발행 부수를 늘리다. ②〖문법〗(형용사를) 비교 변화시키다: ein Beiwort〔Adjektiv〕~ 어떤 형용사를 비교 변화시키다. ③ (경매에서) 구입하다: eine alte Uhr ~ 오래된 시계를 경매에서 구입하다. 《II》*i.* (h.) 경매하다. 《III》*refl.* sich ~ ① 오르다, 높아지다; 증대〔강화〕되다: sein Entzücken steigerte sich, je höher er auf dem Berge stieg 산에 높이 오르면 오를수록 그의 감격은 더해 갔다. ② (격한 감정에) 빠지다: sich in Wut ~ 격분하다.

Steigerung [ʃtáɪgərʊŋ] *f.* -en ① 높이기, 올리기; 증가; 경매, (경매에서) 값 올리기; 등귀. ②〖문법〗비교법;〖修〗점층법.

steigerungs≈fähig *a.* ① 증대〔증가〕될 수 있는: ~e Produktionsziffern 증가할 수 있는 생산량. ②〖문법〗비교 변화할 수 있는. **~rate** *f.*〖經〗상승률, 증가율. **~stufe** *f.*〖문법〗(비교의) (등)급: erste ~ 비교급; zweite ~ 최상급.

Steig≈fähigkeit *f.*〖工〗(차량·자전거의) 등판 능력. **~fell** *n.*〖스키〗미끄럼 방지용 모피. **~flug** *m.*〖空〗상승 비행. **~geschwindigkeit** *f.*〖空〗상승 속도. **~höhe** *f.*〖工·空〗상승 고도. **~leiter** *f.*〖등산〗빙벽 등반용의 사다리. **~leitung** *f.* (가스·수돗물·전기의) 수직 배관. **~rad** *n.*〖기계〗(시계의) 평형륜(輪). **~riemen** *m.* 등자(鐙子)를 매다는 가죽끈. **~rohr** *n.* (펌프의) 수직 흡수관. **~röhre** *f.* ↑ ~rohr.

Steigung [ʃtáɪgʊŋ] *f.* -en ① 기울기, 경사(도), 물매, 구배(勾配);〖건축〗계단의 경사도. ② 경사(면·길); 비탈: die ~ im 3. Gang nehmen 경사길을 3 단 기어로 오르다. ③〖數〗미분값. ④〖工〗(나사의) 피치.

Steigungs≈tafel *f.*〖철도〗구배〔물매〕표, 기울기표. **~winkel** *m.* 구배각, 기울기각.

Steig·wachs *n.*〖스키〗(미끄럼 방지용) 등산용 왁스.

***steil** [ʃtaɪl] 《⇨steigen》 *a.* ① 가파른, 급경사의: ein ~er Berg 가파른 산; ein ~er Aufstieg 급속한 상승; eine ~e Handschrift 직립자체, 굵고 바른 글씨체. ②〖축구〗 멀리 높이 찬: ein ~er Paß 멀리 높이 찬 패스. ③〖구식〗 근사[굉장]한: ein ~es Hemd 멋진 셔츠; ein ~er Zahn 멋진 아가씨.

Steil·abfahrt *f.* 〖스키〗 가파른 내리막 구간.

Steile [ʃtáɪlə] *f.* -n ① 가파름. ② 급경사, 가파른 비탈; 절벽.

steilen *i.* (h.) 〖雅語〗 (산이) 우뚝 솟아 있다; (길이) 급경사를 이루다: 〖비유〗 ein gesteilter Stil 과장된 문체.

Steil≈feuer *n.* 〖軍〗 곡사(曲射). **~feuergeschütz** *n.* 〖軍〗 곡사포. **~hang** *m.* 급경사(면), 절벽.

Steilheit [ʃtáɪlhaɪt] *f.* ① 급경사, 가파름. ②〖전기공학〗 스티프니스(steepness). ③〖축구〗 원격 패스.

Steil≈kurve *f.* 〖사이클〗 (경주로의) 급커브. **~küste** *f.* 〖지질〗 가파른 해안, 직립 해안. **~paß** *m.* 〖구기〗 원격〔고공〕 패스. **~rand** *m.* 급경사의 해안〔하안〕. **~schrift** *f.* 직립 자체(字體). **~spiel** *n.* 〖구기〗 고공 패스(를 선호하는) 경기. **~ufer** *n.* 가파른 강변. **~vorlage** *f.* 〖구기〗 ↑ ~paß. **~wand** *f.* 가파른 절벽. **~wand·zelt** *n.* 수직 텐트.

***Stein** [ʃtaɪn] *m.* -(e)s, -e ① 돌, 암석: ein Haus aus ~ 석조 가옥; wie ein ~ schlafen 곤히 잠자다; 〖雅語〗 ~ des Anstoßes 부딪치는 돌, 걸림돌(이사야서 8:14 및 베드로 전서 2:8), 화근; der ~ der Weisen a) (모든 수수께끼의 열쇠인) 현자의 돌, b) 〖비유〗 최고의 지혜, 묘책; ein Herz von ~ 냉정한 마음; über Stock und ~ 저돌적으로, 마구; ~ und Bein schwören 굳게 맹세하다; 〖비유〗 einen ~ auf jn. werfen 누구를 비난하다; den ersten ~ auf jn. werfen 누구를 앞장서서 비난하다; jm. ~e in den Weg legen 〔aus dem Wege räumen〕 누구를 방해하다〔누구의 장애물을 제거해주다〕; 〖구어〗 es friert ~ und Bein 뼈를 에는 듯이 춥다; 〖비유〗 es fällt mir ein ~ vom Herzen 이제는 한시름 놓는다〔안심이다〕; er hat einen ~ auf dem Herzen 그에게는 근심거리가 있다; es könnte einen ~ erbarmen〔erweichen〕 그것은 정말 딱한 일이다; 〖비유〗 jm. ~e statt Brot geben 누구를 빈말로만 돕다, 누구에게 매정하다; 〖구어〗 jm. einen ~ in den Garten werfen a) 누구에게 해를 입히다, b) 〖농담〗 누구의 호의에 답하다; den ~ ins Rollen bringen 일에 착수하다; das ist wie ein Tropfen (Wasser) auf einen 〔den〕 heißen ~ 그것은 별 도움이 되지 않는다. ② 〖고어〗 바위; 바위산. ③ (벽돌 등의 건축용) 석재; 묘비(Grab≈); 기념비(Denk≈); 맷돌(Mühl≈); 숫돌(Schleif≈): ~e brennen 벽돌을〔기와를〕 굽다; keinen ~ auf dem anderen lassen 모든 것을 파괴하다. ④ 보석(Edel≈): 〖구어〗 dabei fällt dir kein ~ aus der Krone 그런다고 네 품위가 손상되지는 않는다. ⑤〖체스〗 말, 도미노패(牌): einen ~ ansetzen 체스를 두다, 도미노를 하다; einen ~ aufdamen 어떤 말을 여왕으로 삼다; einen ~ schlagen 상대방의 말을 잡다; 〖비유〗 bei jm. einen ~ im Brett haben 누구의 총애를 받다. ⑥〖醫〗 결석(병)(結石病)): Blasen≈ 방광 결석; Gallen≈ 담석(膽石); Nieren≈ 신장 결석; den ~ haben 〔am ~e leiden〕 결석병에 걸려 있다. ⑦〖植〗 (과실의) 핵. ⑧ 중량의 단위(14-22 파운드). ⑨ (südd.) 우박, 싸락눈 통. ⑩〖방언〗 큰 맥주잔, 조끼. ⑪〖제련〗 (광석에서 슬래그를 제거한) 용해 상태의 원광. ⑫〖사냥〗 (사슴 따위의) 뿔에 난 큰 돌기. ⑬〖스포츠〗 컬링·돌던지기 경기용 돌.

Stein·abdruck *m.* 〖印〗 석판 인쇄.

Steinach *m.* Eugen ~ 슈타이나흐(오스트리아의 생리학자, 1861-1944): das ~sche Verjüngungsverfahren 슈타이나흐 회춘법.

Stein≈acker *m.* 자갈밭. **~ader** *f.* 암석맥. **~adler** *m.* 〖動〗 수리. **≈alt** [ʃtáin|ált] *a.* 아주 오래된, 고색창연한; 고령〔노령〕의. **~alter** *n.* 〖고고〗 석기 시대(~zeit). **~amsel** *f.* 〖動〗 바위지빠귀. **~anbetung** *f.* ↑ ~dienst. **~arbeit** *f.* 석공 제품〔공사〕. **~arbeiter** *m.* 석공, 석수. **≈arm** *a.* ① 돌이 적은; (과일이) 씨가 별로 없는. ② [ʃtáinárm] 매우 곤궁한, 몹시 가난한. **~art** *f.* ① 암석의 종류. ② 암석, 광물. **≈artig** *a.* 돌같은, 석질(石質)의. **~auflösung** *f.* 〖醫〗 결석 용해. **~axt** *f.* 〖선사〗 돌도끼. **~bach** *m.* 바위틈으로 흐르는 시내, 개울, 계류. **~bank** *f.* ① 돌벤치. ②〖지질〗 석상(石床), 석층(石層). **~bau** *m.* ① **(a)** 석조. **(b)** 〖복수: -ten〗 석조 건축물. ② 크롬렉(많은 석주(石柱)를 무덤 주위에 원형으로 세운 고대 켈트 민족의 석표(石標)). **~beil** *n.* 〖고고〗 ↑ ~axt. **~beißer** *m.* 〖動〗 줄미꾸라지의 일종. **~berg** *m.* 슈타인베르크(라인 지방의 유명한 포도원): ~er 슈타인베르크산(産) 고급 포도주. **~beschreibung** *f.* 암석학. **~beschwerde** *f.* 〖醫〗 결석병〔증〕, 결석 장애. **~bild** *n.* 석상(石像). **~bildung** *f.* ①〖지질〗 석층(石層). ②〖醫〗 결석 형성: ein die ~ verhinderndes Mittel 결석 형성 예방약. **~blattern** *pl.* 〖醫〗 여드름, 가두(假痘). **~block** *m.* 돌덩이. **~bock** *m.* ① (알프스의 암석지에 사는) 야생 염소의 일종. ②〖天〗 마갈궁, 염소자리: Wendekreis des ~s 남회귀선. ③〖점성술〗 **(a)** 염소자리. **(b)** (12월 22일-1월 20일의) 염소자리 때 출생한 사람. **~boden** *m.* ① 돌이 많은 땅〔토지〕, 석지(石地). ② 돌을 깐 바닥, 포석(鋪石) 도로. **~bohrer** *m.* ① 착암기. ② 천석공(穿石工). ③〖動〗 삭시카바속(屬)의 조개(해안의 암석에 굴을 파고 삶). **~brand** *m.* 〖農〗 밀의 흑수병. **~brech** *m.* 〖植〗 범의귀속(屬). **~brecher** *m.* ① 석수(石手), 채석공. ② 쇄석기. **~brech·maschine** *f.* ↑ ~brecher ②. **~bruch** *m.* 채석장. **~buche** *f.* 〖植〗 (북아메리카산(産)) 서나무속(屬). **~bunt·druck** *m.* 착색 석판(술). **~butt** *m.* 〖動〗 (유럽산(産)) 가자미의 일종. **~butte** *f.* ↑ ~butt. **~damm** *m.* 돌제방, 석벽(石壁) 방파제. **~denkmal** *n.* 석비(石碑): keltisches ~ (고대 켈트족의) 고인돌, 돌멘. **~dienst** *m.* 〖宗〗 암석 숭배, 배석교(拜石敎). **~drossel** *f.* ↑ ~amsel. **~druck** *m.* 〖복수: -e〗 〖印〗 ① 석판 인쇄(술); 석판쇄(刷). ② 석판 인쇄물(석판화 등). **~drucker** *m.* ① 석판 화가. ②〖印〗 석판 인쇄공. **~druckerei** *f.* 〖印〗 석판 인쇄(술); 석판 인쇄소. **~druck·farbe** *f.* 석판용 잉크. **~eiche** *f.*

〖植〗 너도밤나무의 일종. **~eisen** *n.* 석공용의 끌.

steinen [ʃtáɪnən] 《I》 *t.* 〔구식〕 ① 돌로 경계를 정하다; 돌을 깔다; 보석으로 장식하다. ② 〔고어〕 ↑ steinigen. 《II》 *a.* ↑ steinern.

Stein·erbarmen *n.* 〔다음 용법으로만〕 das ist zum ~ 그것은 정말 가엾다.

***steinern** [ʃtáɪnərn] *a.* ① 돌의, 석조의; 오지〔사기〕 그릇의: eine ~e Bank 돌로 만든 벤치. ②〔비유〕 돌처럼 찬〔굳은〕, 냉담〔냉혹〕한: der ~e Gast a) 모차르트의 가극 "돈 조반니"에 나오는 대리석상, b) 연회석에서 목석처럼 잠자코 있는 손님; ein ~es Herz 〔eine ~e Miene〕 haben 냉정하다〔표정이 딱딱하다〕; ~e Hochzeit 결혼 70 주년 기념일.

Stein=erweichen *n.* 〔다음 용법으로만〕 zum ~ weinen 목석이라도 동정심을 일으킬 정도로 울다. **~erzeugung** *f.* ↑ ~bildung. **~esel** *m.* 연자 맷돌을 돌리는 당나귀. **~flachs** *m.* 석면. **~flechte** *f.* 〖植〗 지의류(地衣類)의 일종. **~fliese** *f.* 석판, 타일. **~forelle** *f.* 〖動〗 송어의 일종. **≈förmig** *a.* 돌 모양의. **~frucht** *f.* ①〖植〗 핵과. ②〖醫〗 석아(石兒). **~fuchs** *m.* 〖動〗 흰〔북극〕여우. **~fußboden** *m.* 돌을 깐 바닥. **~galle** *f.* 〖수의〗 (말 따위의) 구건 연종(球腱軟腫). **~garnele** *f.* 〖動〗 징거미의 일종. **~garten** *m.* (알프스의 자연을 모방한) 암석원, 식물원. **~geräte** *pl.* 〖석기〗 석기. **~gerinne** *n.* 석조 하수도 (~rinne). **~geröll, ~gerölle** *n.* 자갈. **~geschirr** *n.* ↑ ~gut. **~grab, ~grabdenkmal** *n.* (고대 켈트족의) 고인돌, 돌멘. **~grieß** *m.* 자갈, 조약돌. **~grube** *f.* ↑ ~bruch. **~grund** *m.* 돌 땅; 암반. **~grus** *m.* ↑ ~grieß. **~gut** *n.* 〔전문어로 사용될 때의 복수: -e〕 ① 고령토: Wandfliesen aus ~ 고령토로 만든 벽타일. ② 오지 그릇, 도기: Porzellan und ~ 도자기. **≈guten** *a.* 오지〔고령토〕로 만든. **~gut·fabrik** *f.* 도기 공장.

Steinhäger [ʃtáɪnhɛːgər] *m.* -s (베스트팔렌 주에서 생산되는) 두송주(杜松酒), 진.

Stein=hammer *m.* 〖고고〗 돌망치. **~händler** *m.* ① 석재상(商). ② 보석상. **≈hart** [ʃtéinhárt] *a.* ① 돌처럼 단단한. ②〔비유〕 냉담〔무정〕한. **~härte** *f.* ① 돌의 경도(硬度). ②〔비유〕 냉담, 무정. **~haue** *f.* 돌을 쪼는 정. **~hauer** *m.* ↑ ~brecher ①. **~hauerlunge** *f.* 〖병리〗 (석공의) 규폐증. **~haufen** *m.* ① 돌더미: 〔구어〕 eine Stadt in einen ~ verwandeln 어떤 도시를 폐허로 만들다; 〔구어〕 diese Stadt ist nur ein ~ 이 도시는 나무와 녹지대가 없이 집과 도로만 있다. ② 석총(石塚). **~haus** *n.* 석조 가옥. **~holz** *n.* 〖건축〗 인조 목재.

steinicht [ʃtáɪnɪçt] *a.* 〔구식〕 ↑ steinig.

steinig [ʃtáɪnɪç] *a.* ① 돌의, 돌 모양의. ② 돌이 많은, 돌투성이인: ein ~es Gelände 돌이 많은 지대; 〔비유〕 der Weg zu ihrem hochgesteckten Ziel war sehr ~ 그들의 원대한 목표에 이르는 길은 매우 험난했다. ③〖醫〗 결석(結石) (모양)의.

steinigen [..nɪgən] *t.* ① 돌로 쳐 죽이다(고대의 처형법): die Pharisäer wollten die Ehebrecherin ~ 바리새인들은 간통한 여자를 돌로 쳐 죽이려고 했다. ②〔비유〕 죽이다, 없애다.

Steinigung *f.* -en 투석 사형, 돌로 쳐 죽임.

Stein=kabinett *n.* 광석 표본실. **~karren** *m.* 돌 운반용 트럭. **~karausche** *m.* 〖動〗 붕어의 일종. **~kauz** *m.* 〖動〗 금눈쇠올빼미. **~kenner** *m.* 암석학자. **~kenntnis** *f.* 암석학. **~kern** *m.* 〖植〗 과일의 씨, 과핵(果核). **~kind** *n.* 〖醫〗 ↑ ~frucht ②. **~kitt** *m.* 유향(乳香) 시멘트. **~klee** *m.* 〖植〗 전동싸리. **~klippe** *f.* 절벽, 단애. **~klopfer** *m.* 돌을 쪼개는 일꾼. **~kluft** *f.* 암석의 갈라진 틈. **~kohle** *f.* 석탄; (특히) 역청탄: die ~ fördern〔verarbeiten〕 석탄을 캐다〔가공하다〕.

Steinkohlen=berg·werk *n.* 탄광. **~feld** *n.* 탄전. **~flöz** *n.* 〖광산〗 탄층(석탄의 수평층). **~förderung** *f.* 채탄. **~formation** *f.* 〖지질〗 석탄기층(紀層). **~gas** *n.* 석탄 가스. **~gebirge** *n.* 석탄을 함유한 암석; 석탄기(紀)의 산. **~gräber** *m.* 탄갱부. **~grieß** *m.* 분탄(粉炭). **~grube** *f.* 탄갱. **~grus** *m.* ↑ ~grieß. **≈haltig** *a.* 석탄을 함유한. **~industrie** *f.* 석탄 산업. **~lager** *n.* ↑ ~flöz. **~ofen** *m.* 석탄 난로. **~schacht** *m.* ↑ ~grube. **~teer** *m.* 콜타르. **~teer·kampfer** *m.* 나프탈렌. **~zeche** *f.* 탄광. **~zeit** *f.* 〖지질〗 석탄기(↑ Karbon ①).

Stein=kolik *f.* 〖醫〗 결석 산통(疝痛). **~koralle** *f.* 〖動〗 석산호속(石珊瑚屬). **≈krank** *a.* 〖醫〗 결석병의. **~krankheit** *f.* 〖병리〗 ↑~leiden. **~krug** *m.* 돌단지, 돌항아리. **~kruke** *f.* ↑ ~krug. **~kruste** *f.* 돌껍질, 돌때. **~kugel** *f.* 석탄(石彈). **~kunde** *f.* 암석학. **~lager** *n.* 암석층. **~lawine** *f.* 낙하 암반. **~leiden** *n.* 〖병리〗 결석증. **~linde** *f.* 잎이 작은 보리수. **~mandl** *n.* (높은 산의) 돌을 쌓아 만든 도표(道標), 케른. **~marder** *m.* 〖動〗 흰담비. **~mark** *n.* 〖광물〗 석수(石髓). **~mauer·werk** *n.* 석벽(공사). **~mehl** *n.* 돌가루. **~meißel** *m.* 석수용 끌. **~mergel** *m.* 〖광물〗 이회석(泥灰石). **~messer** *n.* ① 돌칼. ②〖醫〗 결석 제거용 칼. **~metz** *m.* ① 석수(石手), 석공. ② (3 년간의 수습을 요하는) 석공직. **~mörser** *m.* 〖軍〗 척석 구포(擲石臼砲). **~mörtel** *m.* 시멘트, 콘크리트. **~muschel** *f.* 〖動〗 조개의 일종. **~nelke** *f.* 〖植〗 술패랭이꽃(류). **~nuß** *f.* 〖植〗 상아 야자의 열매(인조 상아의 재료가 됨). **~obst** *n.* 핵과(↑ ~frucht ①). **~öl** *n.* 석유. **~operation** *f.* 〖醫〗 결석 제거 수술. **~pappe** *f.* 두꺼운 종이; 종이 루핑. **~pech** *n.* 아스팔트. **~pfad** *m.* 좁은 자갈길. **~pflaster** *n.* 〖지질〗 포장용 자갈, 포석(鋪石). **~pilz** *m.* 〖植〗 돌과 비슷한 식용 버섯의 일종. **~platte** *f.* (포장용) 석판(石板). **~ramme** *f.* 포석용(鋪石用) 망치. **~regen** *m.* 빗발치는 돌. **~reich** *n.* 광물계. **≈reich** *a.* ①〔드물게〕 돌이 많은, 돌투성이의. ② [ʃtáinráiç] 큰 부자의, 부호의: ein ~er Mann 아주 부유한 남자. **~rinne** *f.* 돌로 만든 홈〔수채〕, 석조(石造) 하수도. **~säge** *f.* 〖工〗 돌 자르는 톱. **~salz** *n.* 암염(岩塩). **~same** *m.* 〖植〗 지치. **~sammlung** *f.* 광물 수집. **~sand** *m.* 자갈. **~sarg** *m.* 석관(石棺). **~schicht** *f.* 〖지질〗 암층; 〖건축〗 석층(石層). **~schlag** *m.* ① (높은 산의) 암석 낙하, 낙석. ② 쇄석(碎石), 자갈(↑ Schotter). **~schlag·gefahr** *f.* 낙석 위험: Vorsicht, ~!

주의, 낙석 위험! **~schleifer** *m.* 보석 연마공. **~schleuder** *f.* 투석기. **~schloß** *n.*〖軍·고어〗수석기(燧石機). **~schloß·gewehr** *n.*〖軍〗수석총(燧石銃). **~schmätzer** *m.*〖動〗검은딱새속(屬). **~schmerzen** *pl.*〖醫〗결석 산통(疝痛). **~schneide·kunst** *f.* 보석 조각술. **~schneiden** *n.* ① 돌 깎기, 돌 다듬기. ② 보석 조각. ③〖醫〗결석 절제. **~schneider** *m.* ① 석공, 석수. ② 보석공(寶石工), 보석 조각사. ③〔구식〕신장 결석 제거 의사. **~schnitt** *m.* ① 보석 조각술. ②〖외과〗결석 절제(술). **~schrift** *f.* ① 비명, 비문. ② 비명체(體), 고문서체. ③〖印〗(그로테스크·도릭 활자와 같은) 굵은 글자체의 활자. **~schutt** *m.* 쇄석, (도로 포장용) 자갈. **~schüttung** *f.* 자갈 깔기. **~schwalbe** *f.*〖動〗칼새속(屬). **~setzer** *m.* ① (도로) 포장공. ② 보석 박는 기구. **~straße** *f.* 자갈길. **~stufe** *f.* 돌계단; 암석 표본. **~tafel** *f.* ↑ ~platte. **~waffen** *pl.* 석제 무기. **~wahr·sagerei** *f.* 돌점치기. **~wall** *m.* 돌방벽, 석루(石壘). **~walze** *f.* 돌롤러. **~wälzer** *m.* ① 돌을 굴리는 사람. ②〖動〗꼬까물떼새(도요새의 일종). **~wand** *f.* ① 돌벽(壁). ② 암벽, 단애. **~ware** *f.* 오지〔사기〕그릇(↑ ~gut ②). **~weg** *m.* 포석(鋪石)〔포장〕도로. **~wein** *m.* 슈타인 와인(Würzburg 근교산(産) 최고급 포도주). **~werk** *n.* ① 석재 공사; 돌 세공. ② 석조(건축)물. ③ 정원의 인공 암굴; 암굴 축조. **~wild** *n.*〖사냥〗고산 지대에 사는 야생 염소(↑ Steinbock ①). **~wurf** *m.* ① 돌팔매질. ② 팔매질한 돌이 닿는 거리:〔구식〕(nur) einen ~ weit (entfernt) 엎어지면 코 닿을 거리의. **~wurz** *f.*〖植〗짚신나물. **~wüste** *f.*〖지리〗암석 사막. **~zeichner** *m.* ↑ ~drucker. **~zeichnung** *f.* 석판화. **~zeit** *f.*〖선사〗석기 시대. **~zeitlich** *a.* ① 석기 시대의: ~e Gräber〔Kulturen〕석기 시대의 무덤〔문화〕. ②〖비유〗시대에 뒤떨어진, 구식의: ~e Produktionsmethoden 매우 낡은 생산 방식. **~zeit·mensch** *m.* 석기 시대의 사람. **~zeug** *n.* ① 각종의 암석. ② 점토, 도기.

Steiper [ʃtáɪpər] *m.* -s, (md., ndd.) 지주, 버팀대.

steipern 《I》 *t.* (md., ndd.) 받치다, …에 지주를 세우다. 《II》 *refl.* sich ~ 몸을 버티다.

Steirer [ʃtáɪrər] *m.* -s, - 슈타이어마르크 사람(Steiermärker).

Steirer·anzug *m.* 슈타이어마르크의 민속 의상.

steirisch *a.* 슈타이어마르크의(steiermärkisch).

Steiß [ʃtaɪs] *m.* -es, -e ① ↑ ~bein. ② 볼기, 엉덩이, 둔부: auf den ~ fallen 엉덩방아를 찧다. ③〖사냥〗(도요새 따위의) 꼬리.

Steiß·bein *n.*〖해부〗미골(尾骨). **~drüse** *f.*〖해부〗미골 동맥 사구(絲球). **~entzündung** *f.*〖醫〗항문염(炎). **~fistel** *f.*〖醫〗치루(痔瘻). **~flosse** *f.*〖動〗꼬리지느러미. **~fuß** *m.*〖動〗① (잠수에 편리한 다리를 가진) 유금류(遊禽類). ② 논병아리. **~geburt** *f.*〖醫〗둔위(臀位) 분만, 역산(逆產). **~lage** *f.*〖醫〗(태아의) 둔산위(臀產位), 둔위.

Stek [ste:k] *m.* -s, -s〖海〗매듭.

Stele [sté:lə, ʃt..] 《gr., „Säule"》 *f.* -n ① (고대 그리스의) 석비(石碑), 석주, 석표(石標). ②〖植〗중심주(柱).

Stell *n.* -(e)s, -e 조, 벌:〖海〗~ Segel 돛 한 벌; ~ Masten 한 조의 돛대.

Stelladen [ʃtɛ́la:dən] *m.* -s, ..lläden 덧문, (나무나 쇠막대를 엮어 만든) 덮개문.

Stellage [ʃtɛlá:ʒə, st..] 《d.+frz.; ♧ stellen》 *f.* -n ① 받침, 대(臺), 가(架); 비계, 발판. ② 장치, 설비. ③〖증권〗↑ ~geschäft.

Stellage·geschäft *n.*〖증권〗복합 선택 거래.

stellar [ʃtɛlá:r, st..] *a.*〖天〗항성의.

Stellar·astronom 《lat.》 *m.* 항성 천문학자. **~astronomie** *f.* 항성 천문학, 항성학. **~fotografie** *f.* 천체 사진(술), 천체 촬영.

stellbar [ʃtɛ́lba:r] *a.* (높낮이·위치를) 조절〔조정〕할 수 있는: ~er Stuhl 높낮이를 조절할 수 있는 의자.

Stell·bottich [ʃtɛ́l..] *m.* (맥주의) 양조통, 발효조(槽). **~dich·ein** [..dɪçlaɪn] 《<einstellen; frz. rendez-vous 의 독역》 *n.* -(s), -(s)〔구식〕(남녀의) 밀회, 랑데부, 회합: mit jm. ein ~ haben 누구와 랑데부하다; Prominente aus Politik und Kunst gaben sich hier ein ~ 정계와 예술계의 명사들이 여기에서 회합을 가졌다.

***Stelle** [ʃtɛ́lə] *f.* -n ① **(a)** 장소, 자리, 지점: eine schöne ~ zum Campen 캠핑하기에 좋은 장소; sich an einer vereinbarten ~ treffen 약속된 장소에서 만나다; eine offene〔wunde〕~ 상처. **(b)**〖전치사와 함께〗**an** Ort und ~ 현장에, 그 자리에; stell die Sachen wieder an ihre ~! 그 물건들을 다시 제자리에 놓아라!; **auf** der ~ a) 그 자리에서, b) 지체 없이, 당장; auf der ~ treten a)〖軍〗제자리걸음하다, b)〔구어〕진전이 없다; **außer** ~ 부적당한, 알맞지 않은;〔구어〕nicht **von**〔aus〕der ~ kommen 진척되지 않다; sich nicht von der ~ rühren 조용히 서〔앉아〕있다; (rührt euch) nicht von der ~! 꼼짝 마라!; von der ~ weg 즉시, 현장에서;〖드물게〗**zur** ~ 현장에서, 즉시; zur ~ sein 현장에 (나와) 있다, 손닿는 데 있다; et.〔jn.〕zur ~ schaffen〔bringen〕무엇을〔누구를〕가져〔데려〕오다. ② 장원, 농지. ③ **(a)** (전체의) (일) 부분: schwache ~ 약점, 맹점; jn. an der wunden ~ treffen 누구의 아픈 곳을 건드리다. **(b)** 장구(章句), 구절;〖음악〗악절: diese ~ ist falsch übersetzt 이 구절은 잘못 번역되어 있다. **(c)** (연설·토론 등의) 대목, 항목: lassen Sie mich an dieser ~ einhaken 이 대목에서 내가 끼어들게 허용해 주십시오. ④ 위치, 상태, 경우: an dessen ~〔an ~ von et.[3]〕그것〔무엇〕대신에; an erster ~ 우선, 첫째로; wenn ich an deiner ~ wäre 내가 네 입장이라면; versetz dich einmal an meine ~! 내 입장이 한번 되어 보게나!; js. ~ vertreten〔an js. ~ treten〕누구를 대신하다. ⑤ **(a)** 지위; 직무, 직책: an erster ~ stehen a) 가장 중요하다, b) 상관〔우두머리〕이다; sich zu einer ~ melden 어떤 직책을〔지위를〕지망하다. **(b)** (öst.) 관청, 관공서: sich an die zuständige ~ wenden 담당 관청에 문의하다. **(c)** 일자리: eine ~ suchen〔finden, bekommen〕일자리를 구하다〔얻다〕. ⑥〖數〗위(位), 자리: eine Zahl von drei ~n 세 자릿수. ⑦〔고어〕대(臺), 가(架). ⑧〖컴〗

(**a**) 매체나 기억 장치상의 문자가 들어갈 자리. (**b**) (일련의 자료에서) 문자의 위치.

***stellen** [ʃtɛ́lən] 《원뜻 „stehen machen"》《I》 *t.* ① 세우다; (세워) 놓다, 배치하다: die Ohren ~ 귀를 세우다; du solltest es ~, nicht legen 너는 그것을 세워 두어야지 눕혀두면 안 된다; et. nicht〔gut〕 ~ können 무엇을 세워 둘 공간이 없다〔있다〕. ②〖전치사와 함께〗**an** einander ~ 늘어〔나란히〕 놓다; jn. an sein Amt ~ 누구를 관직에 임명하다; et. an seinen Ort ~ 무엇을 제자리에 놓다;〖軍〗das Geschütz **auf** ein Ziel ~ 총을〔포를〕 어떤 목표에 조준하다; sein Augenmerk 〔seinen Sinn〕 auf et. ~ 무엇에 유의〔주목〕하다; seine Sache auf nichts ~ 모든 것에 무관심〔부주의〕하다; ganz auf sich selbst gestellt sein 의지할 곳은 자기 자신뿐이다, 후원자가 없다; jn. auf die Probe ~ 누구를 시험해 보다; jm. et. auf den Tisch ~ 무엇을 누구의 책상 위에 놓다; et. **in** Frage〔Zweifel〕 ~ 무엇을 문제삼다〔의심하다〕; et. in js. Belieben 〔Ermessen〕 ~ 무엇을 누구의 재량에 맡기다;〖商〗jm. et. in Rechnung ~ 무엇을 누구의 대변에 기입하다; et. ins Werk ~ 무엇을 실행하다; et. **nach** der Schnur ~ 무엇을 한 줄로 늘어놓다; et. **über**〔**unter**〕 et. ~ 무엇을 무엇보다 높이〔낮게〕 평가하다; jn. über〔unter〕 jn. ~ 누구를 누구의 상관으로〔부하로〕 임명하다; jn. unter js. Aufsicht 누구를 누구의 감독 아래 두다; et. unter Beweis ~ 무엇을 입증하다; jm. et. **vor** Augen ~ 누구에게 무엇을 보여 주다; jn. vor ein Problem 〔eine Aufgabe〕 ~ 누구를 어떤 문제〔과제〕에 직면케 하다; jn. vor eine Entscheidung ~ 누구로 하여금 어떤 결정을 내리도록 하다; et. **zur** Schau ~ 무엇을 구경시키다, 진열하다; et. zur Diskussion ~ 무엇을 토론에 부치다; jn. zur Rede ~ 누구에게 답변을 요구하다. ③〖형용사·부사와 함께〗bereit ~ 준비하다; gerade ~ 똑바로 놓다; jn. gut〔schlecht〕 ~ 누구를 우대〔냉대〕하다; jn. hoch〔niedrig〕 ~ 누구를 높은〔낮은〕 지위에 두다; den Preis hoch 〔niedrig〕 ~ 값을 비싸게〔싸게〕 매기다; hochgestellt 지위가 높은, 봉급을 많이 받는; et. kalt〔warm〕 ~ 무엇을 차게〔덥게〕 두다;〖비유〗jn. kalt ~ 누구를 냉대〔푸대접〕하다; jn. sicher ~ 누구의 신병을 확보하다; jn. zufrieden ~ 누구를 만족시키다; gut〔schlecht〕 gestellt sein 형편이 넉넉하다〔궁핍하다〕. ④ 정지시키다, 멈추게 하다: das Blut ~ 지혈시키다; den Gegner ~ 적을 저지하다; den Verbrecher ~ 범인을 구류하다; das Wild ~ 야수를 궁지에 몰다; jm. et. ~ 누구의 무엇을 방해하다;〖비유〗es stellte ihm das Blut 그것 때문에 그는 아주 핏기를 잃었다. ⑤ 내다, 제출하다; 제공〔공급〕하다: eine Frage ~ 질문하다; Zeugen ~ 증인을 내세우다; einen Mann〔Stellvertreter〕 ~ 대리인을 세우다;〖비유〗seinen Mann ~ 본분을 다하다, 적임자임을 보이다; jm. et. zur Verfügung ~ 무엇을 누구의 재량〔처분〕에 맡기다; (jm.) eine Diagnose ~ (누구를) 진단하다; jm. sein Horoskop ~ 누구 별점을 치다; jn. vor Gericht 〔unter Anklage〕 ~ 누구를 고소하다; er wurde vor ein Kriegsgericht gestellt 그는 군법 회의에 회부되었다. ⑥ 조정〔조절〕하다: eine gestellte Pose 가다듬은 자세; ein Geschütz ~ 총을〔포를〕 조준하다; die Segel nach dem Winde ~ 돛을 풍향으로 돌리다; das sollten Sie anders ~ 당신은 그것을 달리 조정해야 합니다; den Zeiger einer Uhr ~ 시계 바늘을 맞추다; die Uhr vor 〔zurück〕 ~ 시계를 빠르게〔늦게〕 하다; das Radio lauter〔leiser〕 ~ 라디오의 소리를 크게〔작게〕 하다; die Heizung höher〔kleiner〕 ~ 난방 온도를 높이다〔내리다〕. ⑦〖사냥〗장치〔정비〕하다: das Jagdzeug ~ 사냥 장비를 정비하다; Fallen ~ 덫을 놓다; Garne〔Netze〕 ~ 그물을 치다. ⑧〖農〗응고시키다, 양조하다: die Milch ~ 우유를 응고시키다; Bier ~ 맥주를 양조하다. ⑨ 작성하다, 만들다: die Worte klüglich ~ 재치 있게 표현하다, 말주변이 좋다; eine Schrift〔Bittschrift〕 ~ 문서〔탄원서〕를 작성하다. ⑩ 정하다; 결정〔확정·설정〕하다: Bedingungen ~ 조건을 결정하다; einen Termin ~ 기한을 정하다; ein Ziel ~ 목표를 정하다. 《II》 *i.* (h.) ① 잡으려고 하다, 노리다: dem Hirsch mit dem Garne ~ 사슴을 잡으려 덫을 놓다; nach Vögeln ~ 새를 잡으려고 그물을 치다; jm. nach dem Leben ~ 누구의 목숨을 노리다;〖속담〗wer einem andern stellt, der fängt sich selbst 남을 물에 빠뜨리려다 자기가 먼저 빠진다. ② (그물이) 쳐져 있다: das Netz stellt 5 Fuß hoch und 40 Fuß lang 그물은 높이 5 피트 폭 40 피트로 쳐져 있다. 《III》 *refl.* sich ~ ① (**a**) 일어나다;〖전치사와 함께〗(어떤 장소에) 서다, 위치하다: sich **an** js. Seite ~ a) 누구와 나란히 서다, b)〖비유〗누구에 필적하다; sich ans Fenster ~ 창가에 서다;〖비유〗sich **auf** js. Seite ~ 누구의 편을 들다; sich auf eigene Füße ~ 독립〔자립〕하다; sich auf (die) Zehenspitzen ~ 발끝으로 서다; sich auf den Standpunkt ~, daß... …라는 견해를 갖다; sich **gegen** jn. (feindlich) ~ 누구에게 반대하다; sich **hinter** jn.〔et.〕 ~ 누구를〔무엇을〕 후원하다; sich jm. **in** den Weg ~ 누구를 방해하다; sich in die Höhe ~ a) 일어서다, b) (귀가) 쫑긋 서다; sich **vor** jn. ~ 누구를 변호〔보호〕하다; sich jm. vor die Nase ~ 누구의 면전에 서다. (**b**) (또한 *i.* (h.)) 모이다, 집합하다: wir ~ (uns) um 7 Uhr 우리는 7 시에 모인다. ② 맞서다, 저항〔반항〕하다: rüste dich gegen mich und stelle dich! 무기를 들고 내게 맞서라!; das Wildschwein stellt sich den Hunden 멧돼지가 개에게 덤빈다. ③ (**a**) 나서다, 출두〔자수〕하다; 나타나다: sich (vor) der Polizei ~ 경찰에 출두하다; sich der Presse ~ 기자 회견에 응하다; sich einer Diskussion〔Herausforderung〕 ~ 토론〔도전〕에 응하다; sich dem Gegner (zum Kampf) ~ 상대와의 싸움에 응하다; sich zur Wahl ~ 선거에 입후보하다; sich als Vertreter ~ 대표자로 나서다; es stellten sich uns allerlei Probleme 우리는 온갖 종류의 문제들에 직면했다. (**b**)〖軍〗입대하다: er muß sich (zur Rekrutierung) ~ 그는 군대에 가지 않으면 안 된다. ④ 화합하다: sich mit jm. gut ~ 누구와 사이좋게 지내다. ⑤〖어떤 상태 또는 사정을 나타내어〗(**a**) 어떤 상태이다: die Kurse ~ sich höher〔niedriger〕 주식 시세가 올라간다〔내려간다〕; es stellt sich die Sache besser, als ich gedacht habe 사정은 예상외로 좋다; der Preis stellt sich hoch 값이 오른다; die Heizung stellt sich von selbst kleiner 난방의 온도가 저절로 내려간다; die Ware stellt sich auf 3 Mark 그 상품의 값은 3 마르크다; sich senkrecht ~ 떠오르다, 솟아나다. (**b**) 어떤 태도를 취하다: sich ängstlich〔grämlich〕 ~ 근심스러운〔성난〕 표정을 하다; sich positiv 〔anders〕 zu et.³ ~ 무엇에 대해 긍정적인〔다른〕 태도를 취하다; wie man sich immer stellt 어떤 입장을 취하든지; wie stellst du dich zu diesem Problem? 이 문제에 대해 너는 어떻게 생각하느냐? (**c**) …인 체하다: sich krank ~ 꾀병을 부리다; sich schlafend ~ 자는 체하다; sie stellt sich, als sähe sie nichts 그 여자는 아무것도 못 본 체한다. 《Ⅳ》 **gestẹllt** *p.a.* ↑ gestellt.

Stẹllen≈angebot *n.* 구인(求人). **~besetzung** *f.* 인사 배치, 공석 충원. **~besitzer** *m.* 재직자, 재임자. **~bindung** *f.* 여러 세부 업무 영역의 통합. **~dienst·alter** *n.* 〚官〛 근무 연한. **~gesuch** *n.* 구직. **~jagd** *f.*, **~jagen** *n.* 구직〔엽관〕 운동. **~jäger** *m.* 구직〔엽관〕 운동을 하는 사람. **~jägerei** *f.* ↑ ~jagd.

stẹllenlos *a.* 무직의, 실직한.

Stẹllenlosigkeit *f.* 실직, 무직.

Stẹllen≈markt *m.* 노동 시장. **~nachweis** *m.* ① ↑ ~vermittlung. ② 직업 소개 관청. **~plan** *m.* 〚經·軍〛 인사 계획. **~sammlung** *f.* 선문집(選文集), 선구집(選句集), 발췌본. **~suche** *f.* ↑ ~gesuch. **~vermittlung** *f.* 직업 소개. **~vermittlungs·bureau** [..byro:] *n.* 직업 소개소. **~wechsel** *m.* 전직. **~-weise** *adv.* ① 곳곳에, 여기저기. ② 부분적으로. **~wert** *m.* ① 〚數〛 (숫자의) 자리값. ② 위상, 비중: dieser Roman hat im Gesamtwerk des Autors einen hohen ~ 이 소설은 작가의 전작품에서 차지하는 비중이 크다.

Stẹller *m.* -s, - 〚배구〛 세터(공격을 받쳐 주는 선수).

Stẹll≈feder *f.* 〚工〛 제동 스프링. **~fläche** *f.* (가구 따위를 놓을) 면적: zuwenig ~ für Schränke haben 장을 둘 공간이 너무 작다. **~garn** *n.* 〚漁〛 ↑ ~netz. **~geschäft** *n.* 〚증권〛 ↑ Stellagegeschäft. **~haken** *m.* 조정 갈고리. **~hebel** *m.* 조정 레버〔손잡이〕. **~holz** *n.* 조정봉(棒). **~hund** *m.* 사냥개.

..stellig *suf.* "…자리의"의 뜻(보기: vier~ 4 자리의).

Stelling [ʃtɛ́lɪŋ] *f.* -s/-e 〚海〛 (뱃전에서의 작업을 위한) 발판; (배와 부두를 잇는) 부교.

Stẹll≈jagd *f.* 쳐놓은 그물에 의한 사냥. **~-laden** *m.* 덧문(Stelladen). **~macher** *m.* ① 〚옛뜻〛 수레〔달구지〕를 만드는 목수. ② 목공, 목수. ③ (3 년간의 수습을 요하는) 목수직. **~netz** *n.* 〚漁〛 정치망(定置網). **~platz** *m.* ① (**a**) 세울 자리〔장소〕. (**b**) 주차장. ② (행진을 위한) 집합 장소. **~probe** *f.* 〚연극〛 (무대에서 배우의) 위치 확정 작업. **~rad** *n.* (제어·측정 장치의) 조정륜(輪). **~scheibe** *f.* 조정판(板). **~schraube** *f.* (시계의) 나사; (전기 기구의) 조정 나사. **~spiegel** *m.* 체경(體鏡).

***Stẹllung** [ʃtɛ́lʊŋ] *f.* -en ① (**a**) 세움; 내놓기, 제출. (**b**) 배치; 배열; 안배. ② (**a**) 상태, 상황, 사정, 형편. (**b**) 자세, 포즈: eine bequeme ~ 편안한 자세; in gebückter〔liegender〕 ~ 구부린〔누운〕 자세로; eine andere ~ einnehmen 다른 자세를 취하다; ~! 차렷!; 〚스포츠〛 einen Mitspieler in ~ bringen 동료 선수가 슛 찬스를 갖도록 돕다; in ~ laufen 좋은 경기 자세를 취하다. (**c**) 위치: die ~ der Planeten zur Sonne 행성들의 태양에 대한 위치. (**d**) 일자리, 직, 직책: eine hohe〔einflußreiche〕 ~ 높은〔영향력 있는〕 직책; ohne ~ sein 직업이 없다; eine ~ finden〔bekommen〕 일자리를 찾다〔얻다〕; seiner ~ gemäß 자신의 직분에 맞게; 〚구식〛 in ~ sein 하녀〔가정부〕다. (**e**) 지위, 명망: die soziale ~ 사회적 지위; ein Mann in seiner ~ sollte so etwas nicht tun 명망이 있는 사람이 그런 짓을 하면 안 된다. ③ 〚軍〛 (**a**) 진지: feste ~en beziehen a) 견고한 진지로 가다, b) 〚비유〛 확고한 입장을 취하다; in ~ gehen 수비 태세에 들어가다; die gegnerischen ~en angreifen 적진지를 공격하다; 〚비유·농담〛 die ~ halten〔behaupten〕 현위치를 떠나지 않다. (**b**) (öst.) 징병 검사. ④ 〚점성술〛 성위(星位). ⑤ 〚海〛 (뱃전에 매단) 발디딤널, 부교(浮橋). ⑥ 〚사냥〛 (덫의) 설치, 놓기. ⑦ (**a**) 조정, 조절: die ~ aller Hebel 모든 레버의 조정. (**b**) 조정륜: ~ einer Uhr 시계의 조정륜. ⑧ 〚고어〛 (문서의) 작성, 기초(起草). ⑨ 의견, 입장: zu et.³ ~ nehmen 무엇에 대한 의견을 표명하다; für〔gegen〕 jn.〔et.〕 ~ nehmen 누구에게〔무엇에〕 찬성〔반대〕하다; ~ beziehen 어떤 입장을 취하다〔표명하다〕.

Stẹllung·nahme *f.* ① 입장〔의견〕 표명: wir bitten um Ihre ~ zu dem Vorfall 그 사건에 대해 당신의 입장 표명을 바랍니다. ② 표명된 의견.

Stẹllungs≈befehl *m.* 〚軍〛 소집령. **~gesuch** *n.* ↑ Stellengesuch. **~kampf, ~-krieg** *m.* 〚軍〛 진지전(陣地戰) (↔ Bewegungskrieg).

stẹllungslos *a.* ↑ stellenlos.

Stẹllungslose* *der/die* 무직자, 실직자.

Stẹllungslosigkeit *f.* ↑ Stellenlosigkeit.

stẹllungs≈pflichtig *a.* 병역 의무가 있는. **~-spiel** *n.* (특히 축구에서) 선수들의 위치 선정. **~suche** *f.* 구직: sie ist auf ~ 그녀는 일자리를 찾고 있다. **~suchend** *a.* 일자리를 찾고 있는. **~suchende*** *der/die* 구직자. **~-wechsel** *m.* ① 자세〔태도〕의 전환; 진지 이동. ② 일자리 이동, 전직.

stell≈vertretend [ʃtɛ́l..] *a.* 대리의: der ~e Vorsitzende 의장 대리; ~ für das ganze Orchester sprach der Dirigent seinen Dank aus 전체 관현악단을 대신해서 지휘자가 감사를 표명했다. **~vertreter** *m.* 대리인, 대행자: der ~ des Präsidenten 대통령 권한 대행(자); 〚가톨릭〛 ~ Jesu Christi 교황직. **~vertreterin** *f.* ↑ ~vertreter 의 여성형. **~vertreter·krieg** *m.* 〚政〛 대리 전쟁. **~vertreterschaft** *f.* 대리(의 자격 또는 임무). **~-vertretung** *f.* 대리, 대행. **~wagen** *m.* 〚구식〛 (südd.) 승합 마차. **~werk** *n.* ① 〚철도〛 전철(轉轍) 장치. ② 〚연극〛 무대 조명 조정실. **~werks·meister** *m.* 〚철도〛 전철(轉轍) 관리 소장. **~winkel** *m.* 〚工〛 사각(斜角)자, 측각기(測角器). **~zeiger** *m.* (시계의) 조정판의 지침(指針).

St.-Elms-Feuer *n.* 〖物〗 성(聖) 엘모(Elmo)의 불(Elmsfeuer).

Stelz≈bein [ʃtέlts..] *n.* ① ↑ Stelzfuß ①② ③. ② 가늘고 긴 다리; 〖動〗 장각(長脚). **≈-beining** *a.* ① 의족을 한. ② 다리가 뻣뻣한. ③ 다리가 가늘고 긴. ④ 〖動〗 섭금류(涉禽類)의. ⑤〔폄어〕(표현 방식이) 짐짓 꾸민, 어색한.

Stelze [ʃtέltsə] 《<germ., „steif sein"; ♧ stolz》 *f.* -n ① 죽마(竹馬): auf ~n gehen a) 죽마를 타다, b)〔비유〕 허풍떨다; wie auf ~n gehen 거드름을 피우며 걷다;〔비유〕 Worte auf ~n 점잔 빼는 말, 짐짓 꾸미는 말. ② 목제 의족. ③ 〖動〗 섭금류(涉禽類). ④ 〖工〗 (기중기의) 지주(支柱). ⑤ (bayr., öst.) (소·돼지의) 삶은 족발. ⑥〔경박·폄어〕 가늘고 긴 다리.

stelzen [ʃtέltsən] 《Ⅰ》 *i.* (h./s.) ① 죽마를 타다. ② (새가) 가늘고 긴 다리로 걷다. ③〔비유〕 거드름을 피우며 걷다. ④〔비유〕 뽐내다, 뻐기다. 《Ⅱ》 *t.* 죽마를 갖추게 하다:〔건축〕 gestelzter Bogen 상심(上心) 홍예. 《Ⅲ》 **gestelzt** *p.a.* ↑ gestelzt.

Stelzen≈gang *m.*〔폄어〕 죽마를 타고 걷기: einen ~ haben a) 죽마를 타고 걷다, b)〔비유〕 오만하게 활보하다, 뽐내며 걷다. **~läufer** *m.* ① 죽마를 타고 걷는 사람. ② 〖動〗 섭금류. **~schritt** *m.* ① 죽마의 큰 걸음. ②〔비유〕 활보.

Stelz·fuß *m.* ① 목제 의족. ②〔구어·폄어〕 의족. ③〔폄어〕 의족을 단 사람. ④〔수의〕 염증으로 인해 뻣뻣한 (말의) 발.

stelzig *a.*〔드물게〕 뽐내며〔거드름피우며〕 걷는.

Stelz≈schuh *m.* (16-17 세기의) 굽이 높은 나무 샌들. **~vogel** *m.* 〖動·구식〗 (황새 따위의) 섭금류. **~wurzel** *f.* 〖植〗 지주근(支柱根).

Stemma [ʃtέma, st..] *n.* -s, -ta ① 계통 관계를 표시하는 그림, 계통도〔수〕. ② 〖언어학〗 (문장의 구조를 나타내는) 수형도. ③ 〖生〗 애벌레의 홑눈〔단안(單眼)〕.

Stemm≈axt [ʃtέm..] 《<stemmen》 *f.* (나무 베는) 큰 도끼. **~bogen** *m.* 〖스키〗 제동 회전, 슈템보겐. **~brett** *n.* ① (조정 경기에서) 발판. ② 〖역도〗 목제 발판.

Stemme [ʃtέmə] *f.* -n ① 〖체조〗 팔로 몸을 버티기. ② 지주(支柱).

Stemm·eisen *n.*, **Stemmeißel** [ʃtέmmaɪsəl] *m.* 끌(목공용 연장).

*__stemmen__ [ʃtέmən] 《„steif machen"; ♧ stumm, stammeln》 《Ⅰ》 *t.* ① (머리 위로) 쳐들다, 들어올리다: der Gewichtheber hat 200 kg gestemmt 그 역도 선수는 200 킬로그램을 들어올렸다. ② 받치다: die Füße gegen die Wand ~ 발을 벽에 대고 버티다; die Ellbogen auf den Tisch ~ 책상에 팔꿈치를 괴다; die Hände in die Hüften ~ (종종 도전의 표시로) 양손으로 허리를 받치다. ③ (끌로) 파다: Löcher in eine Wand ~ 벽에 구멍을 파다. ④ 멈추게 하다, 막다: Wasser ~ 물을 막다. ⑤ 〖林〗 큰 도끼로 베어 넘기다. ⑥〔은어〕 훔치다, 도둑질하다. ⑦〔경박〕 술을 마시다: einen ~ 한 잔 들이키다. 《Ⅱ》 *i.* (h.) 〖스키〗 제동 회전하다. 《Ⅲ》 *refl.* sich ~ ① 몸을 받치다, 버티다: sich (mit dem Rücken) gegen die Tür ~ (등을) 문에 대고 버티다;〔비유〕 sich auf et. steifen und ~ 무엇을 고집하다; sich gegen et. ~ 무엇에 저항〔반대〕하다; die Kinder ~ sich gegen die Wiederheirat des Vaters 아이들은 아버지의 재혼에 반대한다. ② 멈추다, 정체되다.

Stemm≈kristiania 《<stemmen》 *m.* 〖스키〗 제동 급회전. **~leder** *n.* (바닥과 등을 잇는) 구두의 앞단이 가죽, (구두코의) 장식 가죽. **~meißel** *m.* ↑ Stemmeißel.

*__Stempel__ [ʃtέmpəl] 《<stampfen》 *m.* -s, - ① (**a**) 스탬프, 도장. (**b**) 날인; 소인(消印); 〖商〗 상표: einen ~ auf〔unter〕 ein Schriftstück setzen 문서에 날인하다. (**c**)〔비유〕 특징: es trägt den ~ der Wahrheit 그것은 틀림없는 진실이다; Raffael gab der Renaissance seinen ~ 라파엘로는 르네상스에 뚜렷한 영향을 미쳤다. (**d**) 인지(印紙). ② 〖工〗 (**a**) 공이, 방망이; 분쇄기. (**b**) 피스톤. (**c**) 〖광산〗 지주, 버팀목. ③ 〖植〗 암술. ④〔복수〕 굵은〔무〕 다리:〔경박〕 sie hat zwei ganz schöne ~ 그녀의 다리는 아주 굵다. ⑤ 〖工〗 금형. ⑥ (귀금속에 찍힌) 보증 마크, 보증인(印).

Stempel≈abgabe *f.* 인지세. **~amt** *n.* 인지국(局). **~bogen** *m.* 인지의 시트. **~farbe** *f.* 스탬프용 잉크. **≈frei** *a.* 인지가 없는, 인지(세) 면제의. **~gebühr** *f.* ↑ ~abgabe. **~-geld** *n.*〔구어〕 실업 수당. **~gesetz** *n.* 인지법. **~halter** *m.* 스탬프 꽂이〔걸이〕. **~karte** *f.* ①〔구어〕 실업 수당 수령 카드. ②〔드물게〕 출근 카드. **~kissen** *n.* 스탬프, 인주(印朱).

stempellos *a.* 〖植〗 암술이 없는.

Stempel·marke *f.* 인지.

*__stempeln__ [ʃtέmpəln] *t.* ① (**a**) 도장 찍다, 스탬프 찍다, 날인하다; 〖우편〗 소인 찍다: einen Ausweis ~ 신분증에 도장을 찍다. (**b**) (귀금속 따위에) 보증인을 찍다: der Ring ist nicht gestempelt 그 반지에는 보증인이 찍혀 있지 않다. ②〔비유〕 (**a**) 낙인 찍다: jn. zum Lügner ~ 누구에게 거짓말쟁이라는 낙인을 찍다〔오명을 씌우다〕. (**b**) 전수하다, 가르치다: jn. zu et.³ ~ 누구에게 무엇을 전수하다, 가르쳐 주다. ③〔구어〕 ~ gehen 실업 수당을 받다.

Stempel≈papier *n.* 인지. **≈pflichtig** *a.* (öst.) 인지를 첨부해야 하는, 수수료가 드는. **~presse** *f.* 압인기. **~schneider** *m.* 도장장이. **~ständer** *m.* 스탬프 받침. **~steuer** *f.* 인지세. **~taxe** *f.* ↑ ~steuer. **~uhr** *f.*〔드물게〕 타임 리코더, (출근) 시각 기록(시)계.

Stempelung [ʃtέmpəlʊŋ] 《<stempeln》 *f.* -en ① 스탬프를 찍는 일. ② (귀금속 따위에 찍힌) 보증 마크, 보증인(印).

Stempel≈wert·zeichen *n.* 인지. **~zeichen** *n.* 도장, 인장.

Stempen *m.* -s, - (südd.) (작은) 말뚝.

Stempler *m.* -s, -〔드물게〕 스탬프를 찍는 사람, 압인자(押印者), 날인자.

Stemplung *f.* -en ↑ Stempelung.

Stendel [ʃtέndəl] *m.* -s, - 〖植〗 흰 꽃이 피는 유럽산(産) 난초과(科) 식물.

Stendel≈kraut *n.* ↑ Stendel. **~wurz** *f.* ↑ Stendel.

Stenge [ʃtέŋə] (♧ Stange) *f.* -n 〖海〗 중앙 돛대, 톱 마스트.

*__Stengel__ [ʃtέŋəl] 《<Stange》 *m.* -s, - ① 〖植〗 줄기; 꽃자루; 잎자루:〔구어〕 fall nicht vom

～! a) 떨어지지 마라!, b) 놀라지 마라! ② 자루; (작은) 장대.
stengel≈artig *a.* 줄기 모양의. **～blatt** *n.* 잎자루에 붙은 잎. **～blütig** *a.* (줄기 끝에 피는) 경화(莖花)의.
Stengelchen [ʃtɛ́ŋəlçən] *n.* -s, - 〘↑ Stengel 의 축소형〙 작은 줄기.
stengel≈förmig *a.* ↑ ～artig. **～glas** *n.* 굽이 높은 잔.
..stengelig *suf.* "줄기가 …한"의 뜻(보기: lang～ 줄기가 긴, viel～ 줄기가 많은).
stengellos *a.* 줄기가 없는: ～e Pflanzen 줄기가 없는 식물.
stengeln *i.* (h./s.) ①〘드물게〙 줄기가 나오다. ② (berl.) 서성거리다.
stengel≈ständig *a.* 줄기가 생기는, 줄기 위의. **～treibend** *a.* 줄기가 생기는〔있는〕. **～umfassend** *a.* 〖植〗 (잎의) 줄기를 싸는, 포경(包莖)의.
Stenge≈stag *n.* 〖海〗 톱 마스트의 세로 밧줄. **～want** *n.* 톱 마스트의 가로 밧줄. **～-wind·reep** *n.* 톱 마스트의 동삭(動索).
Steno *f.* 〘구어〙 ↑ ～graphie.
steno.. *pref.* "좁은·짧은"의 뜻(보기: ～-graph 속기사).
Stenoblock *m.* -(e)s, -s/..blöcke [..blœkə] 〘구어〙 속기용 종이 묶음.
Stenogramm [ʃtenográm] *n.* -s, -e 속기록: ein ～ in Langschrift übertragen 속기록을 보통 문자로 옮기다; ein ～ aufnehmen 속기하다.
Stenogramm≈block *m.* ↑ Stenoblock. **～-halter** 속기용 종이철.
Stenograph [ʃtenográ:f] *m.* -en, -en 속기사.
Stenographie [..grafí:] *f.* - -n [..fí:ən] 속기(술): ein Diktat in ～ aufnehmen 속기로 받아쓰기를 하다.
stenographieren [..grafí:rən] *t./i.* (h.) 속기하다.
Stenographin [..grá:fɪn] *f.* -nen ↑ Stenograph 의 여성형.
stenographisch *a.* 속기(술)의: ～ aufnehmen〔niederschreiben〕 속기하다.
Stenokardie [..kardí:] (gr.) *f.* -n [..dí:ən] 〖醫〗 협심증.
Stenokontoristin *f.* -nen 속기·타자 능력을 갖춘 여사무원.
Stenose [ʃtenó:zə, st..] (gr.) *f.* -n 〖醫〗 협착: ～ der Herzklappen 심장 판막의 협착.
Stenosis *f.* ..nosen ↑ Stenose.
stenotherm [ʃtenotɛ́rm, st..] *a.* 〖생태학〗 (물고기 따위가) 온도 변화에 예민한.
stenotop *a.* 〖생태학〗 (동·식물이) 한정된 소수 지역에서만 분포하는.
Stenotypie [..typí:] *f.* -n [..pí:ən] ① 속기록 인쇄본. ② 속기록을 타자기로 정서하기.
stenotypieren *t.* 속기를 타자기로 정서하다.
Stenotypist *m.* -en, -en 속기 타자수(속기를 하고 이를 타자기로 정서하는 사람).
Stenotypistin [..typístɪn] *f.* -nen ↑ Stenotypist 의 여성형.
Stentor [ʃtɛ́ntɔr, st.., ..to:r] 《I》〘그리스신화〙 스텐터(트로이 전쟁에서 50 명 몫의 소리를 냈다는 그리스의 영웅). 《II》 *m.* -s, -en [..tó:rən] ①〘비유〙 목소리가 큰 사람. ②〖動〗 (남아메리카에 사는) 포효 원숭이(Brüllaffe).
stentorisch *a.* (목소리가) 우렁찬, 포효하는: ～e Stimme ↑ Stentorstimme.
Stentor·stimme *f.* 우렁찬 목소리(↑ Stentor 《II》).
Stenz [ʃtɛnts] *m.* -es, -e ①〘구어·폄어〙 잘난 체하는 청년, 멋부리는 놈. ②〘드물게〙〘폄어〙 기둥서방, 포주.
Step [ʃtɛp, stɛp] 《engl. „Schritt"》 *m.* -s, -s ① 탭댄스: (einen) ～ tanzen 탭댄스를 추다. ②〖육상〗 (삼단뛰기의) 스텝.
Stephan [ʃtɛ́fan] 《gr.》 *m.* ↑ Stefan.
Stephanie [ʃtɛfá:niə, ʃtɛ́fani, (öst.) ʃtefaní:] *f.* 〘구식〙 ↑ Stefanie.
Stephanit [ʃtefaní:t, .nít] *m.* -s, -e 〖광물〗 황산암모늄 은광.
Stephani·tag *m.* 성(聖)스테판 축일(12 월 26 일).
Stephans≈jünger *m.* 〘구어〙 우편 집배원. **～kirche** *f.* 성(聖)스테판 교회. **～krone** *f.* 헝가리 왕관의 이름.
Stepp≈anorak *m.* (오리털·합성 섬유 등을 넣어) 누비질한 방수 재킷. **～decke** *f.* 누비 이불.
Steppe [ʃtɛ́pə] 《russ. step》 *f.* -n 〖지리〗 초원 지대, 스텝.
steppen[1] [ʃtɛ́pən] *t.* 누비질하다, 누비다: einen Saum ～ 솔기를 누비(질하)다.
steppen[2] 《engl.》 *i.* (h.) 탭댄스를 추다.
Steppen≈bewohner *m.* 초원 지대〔스텝〕에 사는 생물. **～flora** *f.* 스텝 지대의 식물상(相). **～fuchs** *m.* 〖動〗 달단(韃靼) 여우(중앙아시아 초원의 작은 여우). **～gras** *n.* 스텝 지대에 자라는 각종 풀. **～huhn** *n.* 〖動〗 중앙아시아의 스텝 지대에 서식하는 꿩. **～wolf** *m.* 〖動〗 코요테.
Stepper *m.* -s, - ↑ Steptänzer.
Stepperei [ʃtɛpəráɪ] *f.* -en ① 누비 장식. ② 누비질하는 작업장〔부서〕.
Stepperin *f.* -nen ① ↑ Stepper 의 여성형. ② 누비질하는 여자.
Stepp≈futter [ʃtɛ́p..] *n.* (솜·모피 등을 대고 누빈) 안감. **～garn** *n.* 누비질용 실. **～jacke** *f.* (오리털 등을 넣고) 누비질한 재킷.
Steppke [ʃtɛ́pkə] 《nordd.》 *m.* -(s), -s 〘구어〙 꼬마.
Stepp≈mantel *m.* (오리털 등을 넣고) 누빈 외투. **～maschine** *f.* 누비질 기계. **～nadel** *f.* 누비질 바늘. **～naht** *f.* (손·재봉틀로 한) 누비질 (자국). **～seide** *f.* ↑ ～futter. **～stich** *m.* 〖수공·재봉〗 누비질.
Step≈schritt [ʃtɛ́p.., st..] *m.* 탭댄스의 스텝. **～tanz** [ʃtɛ́p..] *m.* ↑ Step ①. **～tänzer** *m.* 탭댄서. **～tänzerin** *f.* ↑ ～tänzer 의 여성형.
Ster[1] [ʃte:r] 《frz.》 *m.* -s, -e/-s 〖林〗 스테르(목재의 용적 단위; 1 m^3).
Ster[2] *m.* -(e)s, -e 숫양(羊)(Stär).
Steradiant [ʃteradiánt, st..] *m.* -en, -en 스테라디안(입체각의 측정 단위; 약어: sr).
Sterbe [ʃtɛ́rbə] *f.* (동물의) 치사성 돌림병.
Sterbe≈ablaß *m.* 〖가톨릭〗 임종 사죄(赦罪). **～alter** *n.* 사망 연령, 향년. **～amt** *n.* 〖가톨릭〗 장례 미사. **～attest** *n.* 사망 증명서. **～-bett** *n.* 임종의 자리: auf dem ～ liegen 임종을 맞다; jm. et. am 〔auf dem〕 ～ versprechen 죽기 직전에 누구에게 무엇을 약속하다. **～buch** *n.* 〖法〗 사망자 등록부〔명부〕.

~datum *n.* 사망 일자(Todesdatum). **~fall** *m.* 사망(Todesfall). **~gebet** *n.* 〖가톨릭〗 병자〔종부〕 성사. **~gedanken** *pl.* 죽음에 대한 생각, 죽음의 상념. **~geläut** *n.* 조종 소리. **~geld** *n.* (보험에서 지급되는) 장례비. **~gesang** *m.* 조가(弔歌), 만가(挽歌). **~gewand** *n.* ↑ ~hemd. **~glocke** *f.* 조종(弔鐘). **~haus** *n.* ① 상가(喪家). ② 저명 인사의 상가. **~hemd** *n.* 수의. **~hilfe** *f.* ① 안락사(술)(術). ② ↑ ~geld. **~jahr** *n.* ① ↑ Todesjahr. ② (역병으로) 사망자가 많은 해. **~kasse** *f.* 장례비 적립 기금, 상조회 기금. **~kerze** *f.* 〖가톨릭〗 죽어 가는 사람을 위해 밝히는 촛불. **~kleid** *n.* 〔雅語〕 ↑ ~gewand. **~kreuz** *n.* 〖가톨릭〗 (사제가) 죽어 가는 사람의 몸에 긋는 성호. **~lager** *n.* 〔雅語〕 ↑ ~bett. **~lied** *n.* ↑ ~gesang. **~liste** *f.* ↑ ~buch. **~monat** *m.* 사망 월, 기월(忌月).

sterben [ʃtɛ́rbən] (starb, gestorben) 《원뜻 „erstarren"; ♧ starr》 《Ⅰ》 *i.* (s.) ① **(a)** 죽다, 영면하다. **(b)** 〔상황어와 함께〕 arm und elend 〔in Armut und Elend〕 ~ 빈궁 속에 죽다; jung 〔in der Jugend, als Jüngling〕 ~ 요절하다; furchtlos〔sanft〕 ~ 태연히〔평안하게〕 죽음을 맞다; plötzlich ~ 급사하다; schwer 〔in schwerem Todeskampf〕 ~ 괴로워하며 죽다; so leicht stirbt man nicht! 사람 목숨은 모질다구! **(c)** 〔장소와 함께〕 im Bett ~ 평안하게 죽다; auf dem Schlachtfeld ~ 전사하다; am Galgen ~ 교수대의 이슬로 사라지다. **(d)** 〔4격 또는 2격과 함께〕 einen natürlichen Tod 〔eines natürlichen Todes〕 ~ 제 명에 죽다, 천수를 다하다; einen leichten Tod ~ 편안하게 눈을 감다; Hungers ~ 굶어 죽다, 아사하다; Durstes ~ 목이 말라 죽다. **(e)** 〔3격과 함께〕 dem Vaterlande ~ 조국을 위하여 죽다; 〖聖〗 ~ wir, so ~ wir dem Herrn 우리가 죽어도 주를 위하여 죽나니 (로마서 14 : 7). **(f)** 〔전치사와 함께〕 **an** einer Krankheit〔Verletzung〕 ~ 어떤 병〔부상〕으로 죽다; 〔구어〕 du wirst nicht gleich daran 〔nicht davon〕 ~! 그것은 대수롭지 않은 일이다!; **auf** et. (leben und) ~ 무엇을 위하여는 죽음도 불사하다; **aus** Gram〔Erschöpfung〕 ~ 비탄〔피로〕한 나머지 죽다; **durch** jn. 〔js. Hand〕 ~ 누구 손에 죽다; **für** et.〔jn.〕 ~ 무엇을〔누구를〕 위하여 죽다; 〔구어〕 er〔etwas〕 ist für mich gestorben 그는〔무엇은〕 내 안중에도 없다; **in** den Sielen ~ 순직하다; **über** seinen Plänen ~ 계획이 실현되기 전에 죽다; **um** seinetwillen ~ 그를 위하여 죽다; **von** den Folgen eines Übels ~ 병으로 인해 죽다; **vor** Langweile〔Neugierde〕 ~ 지루〔궁금〕해 죽을 지경이다; vor Angst〔Durst, Hunger〕 ~ 무서워〔목말라, 배고파〕 죽을 지경이다; vor Liebe ~ 죽도록 사랑하다, 그리워 죽을 지경이다. ② *refl./imp.* es stirbt sich schön in der Kraft 한창때 죽는 것은 아름다운 일이다. ③ 〔비유〕 **(a)** (몸의 일부가) 마비되다. **(b)** 마르다, 말라 죽다. **(c)** (소리·울림 등이) 점점 약해지다. **(d)** (불 또는 빛이) 꺼지다. **(e)** 〔雅語〕 사라지다, 쇠퇴하다: eine Kultur stirbt 문화가 쇠퇴한다; 〖영화〗 eine Szene ist gestorben a) 어떤 장면이 중단되었다, b) 어떤 장면이 성공적으로 끝났다. **(f)** 〖스포츠〗 속도가 줄다, 느려지다. 《Ⅱ》 *t.* 〔약변화〕 〔고어〕 죽이다.

Sterben *n.* -s ① 죽음: am ~ 죽음에 임하여; im〔zum〕 ~ liegen 죽음에 임박해 있다, 위독하다; zum ~ verliebt sein 죽도록 그리워하고 있다; 〔구어〕 es ist zum ~ langweilig 따분해서 죽을 지경이다. ② 〔구식〕 페스트, 역병(疫病).

sterbend *p.a.* 죽어가는, 빈사 상태인; 〔비유〕 사라져가는, 쇠진해가는: ein ~er Industriezweig 사양 산업.

Sterbens≈angst *f.* 단말마의 고통; 죽을 지경의 공포. **≈angst** *a.* 죽도록 불안한: mir ist ~ 나는 몹시 불안하다. **≈bange** *a.* ↑ ~-angst. **≈elend** *a.* 매우 비참한. **≈krank** *a.* ① 위독한, 중태에 빠진. ② ↑ ~elend. **≈-langweilig** *a.* 〔구어〕 지긋지긋하게 지루한. **≈matt** *a.* 〔雅語〕 지칠 대로 지친. **~mensch** *m.* ↑ ~seele. **~seele** *f.* 〔다음 용법으로〕 es war keine ~ da 거기에는 사람 하나 없었다; das darf keine ~ erfahren 그것은 아무도 알아서는 안 된다. **~wort** *n.* ↑ ~wörtchen. **~wörtchen** *n.* 〔다음 용법으로〕 er sagte kein 〔nicht ein〕 ~ 그는 단 한마디의 말도 하지 않았다; ohne ein ~ zu sagen 아무런 언질도 없이.

Sterbe≈ort *m.* 사망 장소. **~register** *n.* 〖法〗 ↑ ~buch. **~sakramente** *pl.* 〖가톨릭〗 임종의 성사(聖事), 종부(終傅) 성사: er ist mit den ~n versehen gestorben 그는 종부 성사를 받고 죽었다. **~stunde** *f.* ↑ Todesstunde. **~tafel** *f.* 사망표(表). **~tag** *m.* ↑ Todestag. **~urkunde** *f.* 〖法〗 사망 증명서. **~ziffer** *f.* 사망률. **~zimmer** *n.* 임종한 방.

***sterblich** [ʃtɛ́rplɪç] 《Ⅰ》 *a.* ① 죽어야 할, 죽음을 면치 못하는: alle Menschen sind ~ 인간은 모두 죽게 되어 있다; 〔雅語〕 die ~e Hülle 육체, 유해. ② (obd.) 치명적인: eine ~e Krankheit 중병. 《Ⅱ》 *adv.* 〔구어·비유〕 대단히, 몹시: sich ~ blamieren 지독하게 창피를 당하다.

Sterbliche* 《Ⅰ》 *der* 인간. 《Ⅱ》 *das* 육체.

Sterblichkeit *f.* ① 죽어야 할 운명임, 덧없음: die ~ des Fleisches 육체의 덧없음. ② 사망률: Säuglings≈ 영아 사망률. ③ 〖宗〗 속세, 사바, 뜬세상.

Sterblichkeits≈listen *pl.*, **~tabelle** *f.* 사망 통계표. **~ziffer** *f.* 〖통계〗 ↑ Sterbeziffer.

Sterbling [ʃtɛ́rplɪŋ] *m.* -s, -e 〔구식〕 ① 태어나 일찍 죽는 영아, (클 가망이 없는) 허약아. ② 죽은 양. ③ 〔시어〕 단명한 사람.

Sterblings·wolle *f.* (죽은 양의) 저질 양모.

Stereo [ʃtéːreo, st..] 《gr. stereós, „starr, fest"》 *n.* -s, -s ① 〖印〗 스테레오판. ② 〔구어〕 입체 음향 (효과), 스테레오: et. in ~ übertragen 무엇을 스테레오로 중계하다.

stereo *a.* ① 〔구어〕 (stereophon) 입체 음향의, 스테레오의. ② 〔은어〕 양성애(兩性愛)의.

stereo.. *pref.* "단단한·고정된·고체의·실체의·입체의"의 뜻.

Stereo≈anlage *f.* 스테레오〔입체 음향〕 장치. **~bild** *n.* 〖광학〗 입체상〔사진〕. **~chemie** [(또는) ʃtereoçemíː, st..] *f.* 입체 화학. **~-chromie** [ʃte..kromíː] *f.* 물(水)유리 화법(畫法)(벽화 양식의 하나). **~empfang** *m.* 스테레오 수신. **~fernsehen** *n.* 스테레오〔입체 음향〕 텔레비전(방송). **~film** *m.* 입체 영화.

~fotografie [(또는) ʃtereofotografí:, st..] *f.* ① 입체 촬영〔사진술〕. ② 입체 사진. **~-gramm** [ʃte..grám] *n.* 입체 화상(畫像), 쌍안 실체경(實體鏡) 사진(술). **~graphie** [ʃte..grafí:] *f.* 입체 평화법(平畫法). **~kamera** *f.* 입체 카메라. **~komparator** [(또는) ʃte..rá:tɔr, ..to:*r*] *m.* 〖天〗 입체 비교 측정기. **~laut·sprecher** *m.* 스테레오 확성기. **~-meter** [ʃte..mé:tə*r*] *n./m.* ①〖광학〗 입체 사진 감별기. ②〖物〗 체적계(體積計). **~-metrie** [ʃte..metrí:] *f.* 입체 기하학. **≈me-trisch** [ʃte..mé:trɪʃ] *a.* ① 입체 기하학의. ② 입체의. **≈phon** [ʃte..fó:n] *a.* 〖전기공학〗 입체 음향의, 스테레오의: ~e Sendungen 〔Aufnahmen〕 스테레오 방송〔녹음〕; 〖생리·心〗 ~es Hören (양쪽 귀를 이용한) 입체적 음향 수신. **~phonie** [ʃte..foní:] *f.* 〖전기공학〗 입체 음향 (효과), 스테레오. **≈phonisch** [ʃte..fó:nɪʃ] *a.* ↑ stereophon. **~photo·gram-metrie** [ʃte..metrí:] *f.* 〖측량〗 입체상〔사진〕 제작법.

Stereo≈photographie [(또는) ʃte..grafí:] *f.* ↑ ~fotografie. **~platte** *f.* ① 스테레오 음반. ②〖印〗 스테레오판, 연판. **~sendung** *f.* 스테레오 방송. **~skop** [ʃte..skó:p] *n.* 실체경(實體鏡), 쌍안 사진경. **~skopie** [ʃte..skopí:] *f.* 실체경학, 입체 사진술. **≈skopisch** [ʃte..skó:pɪʃ] *a.* 실체경의; 실제처럼 보이는: ~er Film 입체 영화. **~ton** *m.* 스테레오 음향. **≈-typ** [ʃte..tý:p] *a.* ①〖印〗 스테레오판〔연판〕의. ②〖교양〗 틀에 박힌, 상투적인: eine ~e Antwort 진부한 대답.

Stereotyp≈ausgabe [..tý:p..] *f.* 〖출판〗 스테레오판 인쇄물. **~druck** [..tý:p..] *m.* 〖印〗 ① 스테레오판 인쇄. ② 스테레오판 인쇄물.

Stereo·type [..tý:pə] ⦅gr.⦆ *f.* 〖印〗 스테레오판.

Stereotypen·druck [..tý:pən..] *m.* 〖복수: -e〗 스테레오판 인쇄(술). **~gießerei** [..tý:pən..] *f.* 스테레오판 주조소. **~platte** [..tý:pən..] *f.* 스테레오판.

Stereo≈typeur [..typǿ:r] *m.* ① 스테레오판 주조공. ② (3년의 수습 기간을 요하는) 스테레오판 주조공직. **~typie** [..typí:] *f.* ①〖印〗 (a) 스테레오판 인쇄(술). (b) 스테레오판, 연판. ② 스테레오판 주조소. ③〖心·醫〗 상동증(常同症). **≈typieren** [..typí:rən] *t.* 〖印〗 스테레오판으로 하다〔짜다〕. **≈typisch** [..tý:pɪʃ] *a.* 〖구식〗 ↑ stereotyp.

Stereotyp≈metall [..tý:p..] *n.* 〖印〗 스테레오판 주조용 금속. **~platte** [..tý:p..] *f.* ↑ Stereotypenplatte.

steril [ʃterí:l, st..] ⦅lat.⦆ *a.* ① 무균(성)의: eine ~e Verpackung 무균 포장; et. ~ machen 무엇을 멸균 처리하다. ②〖生·醫〗 불임의, 번식력〔생식력〕이 없는; 무배 종자(無胚種子)의. ③〖교양·폄어〗 (a) 정신적 불임의, 비창조적인: eine ~e Wissenschaft 비창조적인 학문; ein ~er Schriftsteller 비생산적인 문필가. (b) 삭막〔살풍경〕한: eine ~e Küche 삭막한 부엌.

Sterilisation [ʃterilizatsió:n, st..] *f.* -en ① (a) 살균, 소독. (b) 살균〔소독〕 시설. ②〖醫〗 불임 시술, 단종(斷種).

Sterilisations·gesetz *n.* 〖法〗 단종법.

Sterilisator [..zá:tɔr, ..to:*r*] *m.* -s, -en [..tó:rən] 멸균기, 소독기.

Sterilisier·apparat *m.* ↑ Sterilisator.

sterilisieren [ʃterilizí:rən, st..] *t.* ① 살균〔소독〕하다: medizinische Geräte ~ 의료 기기들을 소독하다. ②〖生·醫〗 불임 시술〔단종〕하다.

Sterilisierung *f.* -en ↑ Sterilisation.

Sterilität [ʃterilitɛ́:t, st..] *f.* ① 무균성, 무균 상태. ②〖生·醫〗 생식 불능, 불임; 불임증. ③ 〖교양·폄어〗 정신적 불임, 비생산성.

Sterin [ʃterí:n, st..] *n.* -s, -e 〖생화학〗 슈테린.

Sterke [ʃtɛ́rkə] *f.* -n (ndd.) (아직 새끼를 낳지 않은) 어린 암소.

Sterlet [ʃtɛ́rlɛt] ⦅russ.⦆ *m.* -s, -e 〖動〗 철갑상어의 일종.

Sterlett [ʃtɛ́rlɛt] *m.* -s, -e ↑ Sterlet.

Sterling [ʃtɛ́rlɪŋ, stɛ́r.., stǝ́:lɪŋ] ⦅engl.⦆ *m.* -s, -e 스털링(영국의 옛 은화): Pfund ~ 영국 파운드화(약어: Pfd. St.; 기호 £).

Stern[1] [ʃtɛrn] ⦅nordd.⦆ *m.* -s, -e 〖海〗 고물, 선미(船尾).

***Stern**[2] *m.* -(e)s, -e ① (a) 별: die ~e funkeln〔strahlen〕 am Himmel 하늘에서 별이 빛나다; nach den ~en greifen 불가능한 것을 추구하다; 〖비유〗 für jn. die ~e vom Himmel holen 누구를 위해서 무슨 일이든 다하다; auf diesem〔unserem〕 ~ 지구상에서; 〖시어〗 unter fremden ~en 고향을 떠나서; 〖비유·구어〗 von einem anderen ~ 다른 세계에서 온, 세상 물정을 모르는; 〖비유〗 js. ~ geht auf〔sinkt, verlischt〕 누가 유명해지다〔누구의 명성이 쇠퇴하다〕; über den ~en 천국에(서); 〖비유〗 et. bis an die ~e erheben 무엇을 극찬하다. (b) 〖점성술〗 운명의 별; 운명, 운수: in den ~en lesen 〔die ~e befragen〕 별점을 치다; ein guter ~ 좋은 운수; unter einem günstigen〔glücklichen〕 ~ geboren sein 행운을 타고 태어나다; 〖비유〗 unter einem guten〔günstigen〕 ~ stehen (행사가) 좋은 조건으로 개최되다; das steht in den ~en (geschrieben) 그것은 전혀 불확실하다. ② (a) 눈동자, 동공. (b) 〖복수〗 불꽃: 〖구어〗 ~e sehen 한대 얻어맞아 눈앞이 어른거리다; 〖구어〗 ~e tanzten vor meinen Augen 내 눈앞이 어찔어찔했다. (c) 방사형(放射形)의 광장. (d) 별 모양(☆), 별표(*): ein Hotel mit vier ~en 별 넷 등급인 호텔. (e) 별 모양의 훈장. (f) 〖醫〗 내장안(內障眼); 〖축산〗 (말 따위의) 이마의 별; 손톱에 생기는 흰 점. ③ 스타, 인기 배우: ein neuer ~ am Filmhimmel 영화계의 새로운 스타. ④ Potz ~! 제기랄, 원, 이런, 이거 야단났군! ⑤ 〖애칭〗 (a) 여보, 내 사랑: mein ~! 내 사랑! (b) (schweiz.) 〖구어〗 남자〔여자〕 친구, 애인.

Stern≈anbeter *m.* 성신(星辰) 숭배자, 배성교도(拜星敎徒). **~anbetung** *f.* 〖宗〗 성신 숭배, 배성교. **≈artig** *a.* 별 같은〔모양의〕. **≈-besät** *a.* 〖시어〗 별이 총총한: ein ~er Himmel 별이 총총한 하늘. **~beschreibung** *f.* 성학(星學). **~bild** *n.* 〖天〗 별자리, 성좌: das ~ des Großen Bären 큰곰자리. **~blume** *f.* 〖植〗 (국화과 애스터속의) 별 모양의 꽃.

Sternchen [ʃtɛ́rnçən] *n.* -s, - 〖↑ Stern[2] 의 축소형〗 ① 작은 별. ② 별표(*). ③ (영화계의) 햇병아리 스타.

Sternchen·nudel *f.* (수프에 넣는) 작은 별

모양의 마카로니.

Stern≈deuter *m.* 점성술사. **~deuterei** *f.* 〔폄어〕 ↑ ~deutung. **~deuterin** *f.* ↑ ~deuter 의 여성형. **≈deuterisch** *a.* 점성(술)상의. **~deute·kunst** *f.*, **~deutung** *f.* 점성술. **~dienst** *m.* ↑ ~anbetung. **~distel** *f.* 〖植〗 수리취(엉거싯과(科)). **~eidechse** *f.* 〖動〗 도마뱀과의 일종.

Sternen≈abend [ʃtɛ́rnən..] *m.* 별이 빛나는 밤. **~all** *n.* 성신계(星辰界). **~bahn** *f.* 〖天·雅語〗 행성의 궤도. **~banner** *n.* (미국의) 성조기. **~bühne** *f.* 〔시어〕, **~decke** *f.*, **~feld** *n.*, **~feste** *f.*, **~gewölbe** *n.* 별이 총총한 하늘. **~glanz** *m.* 〔시어〕 별빛. **~heer** *n.* 〔시어〕 성군(星群). **≈hell** *a.* 〔시어〕 ↑ sternhell. **~himmel** *m.* 〖雅語〗 ↑ Sternhimmel. **~jahr** *n.* 〖天〗 항성년(恒星年). **≈klar** *a.* 〖雅語〗 ↑ sternklar. **~lauf** *m.* 별의 운행. **~licht** *n.* 〔시어〕 별빛.

sternenlos *a.* 〖雅語〗 ↑ sternlos.

Sternen≈meer *n.*, **~schar** *f.* 성군(星群). **≈wärts** *adv.* 〔시어·비유〕 별을 향해, 최정상의. **~zelt** *n.* 〔시어〕 ↑ ~gewölbe.

Stern≈fahrt *f.* 〖스포츠〗 (여러 출발점에서) 중앙의 결승점을 향해 달리는 자전거〔자동차〕 경주. **≈förmig** *a.* 별 모양의; 방사선 모양의; 〖植〗 사출형(射出形)의. **~forscher** *m.* 천문학자. **~gewölbe** *n.* 〖건축〗 (후기 고딕 양식의) 별 모양의 궁륭 천장. **~glas** *n.* 천체 망원경. **~gucker** *m.* ①〔구어·농담〕 **(a)** 천문학자. **(b)** 점성술사. ②〖動〗 **(a)** 얼룩통구멍(농어의 일종). **(b)** 머리를 높이 쳐들고 있는 말. **~gürtel** *m.* 〔시어〕 은하. **≈hagel·besoffen** *a.* 〔구어〕 곤드레만드레 취한. **≈hagel·voll** *a.* ↑ ~hagelbesoffen. **~haufe(n)** *m.* 〖天〗 성군(星群), 성운. **≈hell** *a.* 별이 밝은. **~himmel** *m.* 별이 총총한 하늘.

sternig *a.* 별이 총총한.

Stern≈jahr *n.* 〖天〗 항성년(恒星年). **~kammer** *f.* 성실(星室) 법정(옛날 영국의 형사 법원). **~karte** *f.* 〖天〗 별자리표, 성좌표. **~katalog** *m.* 〖天〗 항성 목록. **~kenner** *m.* 천문 학자. **≈klar** *a.* 별을 볼 수 있을 정도로 맑은. **~kunde** *f.* 천문학. **≈kundig** *a.* 별이나 천문학에 정통한. **~kundige*** *der* 천문 학자. **~lehre** *f.* ↑ ~kunde.

sternlos *a.* 별이 없는〔보이지 않는〕.

Stern≈marsch *m.* 여러 곳에서 출발하여 중앙에 있는 목적지로 집결하는 행진. **~miere** *f.* 〖植〗 별꽃. **~motor** *m.* 〖工〗 성형(星形) 발동기. **~name** *m.* 〖天〗 별이름. **~nudeln** *pl.* 〖요리〗 별 모양의 마카로니. **~ort** *m.* 천체의 위치. **~rad** *n.* 〖工〗 (시계의) 성형 톱니바퀴. **~schnuppe** *f.* 〖天〗 유성, 별똥별. **~schuß** *m.* ↑ ~schnuppe. **~seher** *m.* 별 연구가; 천문 학자; 〔농담〕 공상가, 몽상가. **~singen** *n.* 공현절(公顯節) 축송(1 월 6 일 공현절에 아이들이 별이 달린 막대를 들고 가가호호를 방문해 3 왕(三王) 예배의 노래를 부르는 민속 행사). **~singer** *m.* 공현절 축가 행렬에 참가한 어린이. **~stunde** *f.* ①운명의 순간: eine ~ der Menschheit 인류 운명의 순간. ② 대전환기: eine ~ für die Medizin 의학 발전을 위한 일대 전기(轉機). **~system** *n.* 〖天〗 (은하계·안드로메다 성운 등의) 항성계. **~tag** *m.* 〖天〗 항성일(恒星日). **~uhr** *f.* 항성 시진의(時辰儀). **~wahr·sagerei** *f.* 점성(술). **~warte** *f.* 천문대. **~wolke** *f.* 〖天〗 성운(星雲). **~zeichen** *n.* ① (12 궁의) 궁. ② 수대(獸帶) 기호. **~zeit** *f.* 〖天〗 항성시.

Stert [ʃteːrt, ʃtɛrt] *m.* -(e)s, -e (ndd.) ↑ Sterz[1] ①.

Sterz[1] [ʃtɛrts] *m.* -es, -e ① (새의) 꼬리, 엉덩이. ② 쟁기의 자루(Pflug≈); 〔방언〕 비의 자루; 냄비의 손잡이; 수레의 채.

Sterz[2] *m.* -es, -e (südd., öst.) 보릿가루·감자·베이컨 등으로 만든 걸쭉한 죽.

Sterze [ʃtɛ́rtsə] *f.* -n ↑ Sterz[1].

sterzeln [ʃtɛ́rtsəln] *i.* (h.) (벌 따위가) 꼬리를 쳐들다.

***stet** [ʃteːt] 《♧ stehen》 *a.* ①〖雅語〗 불변의, 확고한: in ~er Treue 변함없는 신뢰를 표하며(편지의 맺음말); 〔속담〕 ~er Tropfen höhlt den Stein 낙숫물이 바윗돌을 뚫는다. ②〖雅語〗 끊임없는, 부단한; 항구적인: alles ist ~em Wandel unterworfen 모든 것은 끊임없이 변화한다. ③ (obd.) 조용한, 태연〔침착〕한. ④ (stätisch) 요지부동의, 고집센.

Stete [ʃtéːtə] *f.* 〖雅語·드물게〗 ↑ Stetigkeit.

Stetheit *f.* 〔드물게〕 ↑ Stetigkeit.

Stethoskop [ʃtetoskóːp, st..] 《gr.》 *n.* -s, -e 〖醫〗 청진기.

***stetig** [ʃtéːtɪç] *a.* 끊임없는, 부단한, 항구적인: ~er Fleiß 부단한 노력; 〖數〗 ~e Funktion 연속 함수; ~e Teilung 황금 분할.

Stetigkeit *f.* 불변성, 지속성, 항구성.

***stets** [ʃteːts] *adv.* 항상, 언제나; 끊임없이, 부단히.

stets·fort *adv.* (schweiz.) 끊임없이, 지속적으로.

Stettin [ʃtɛtíːn] 슈체친(폴란드의 항구 도시).

Stettiner 《Ⅰ》 *m.* -s, - 슈체친 시민. 《Ⅱ》 *a.* 슈체친의: ~ Haff 슈체친 해안호.

***Steuer**[1] [ʃtɔ́ʏər] 《원뜻 „Unterstützung"》 *f.* -n ① **(a)** 〖法〗 조세, 세금: staatliche ~ 국세; indirekte ~ 간접세; ~n auferlegen 과세하다; ~n zahlen〔hinterziehen〕 세금을 내다〔횡령하다〕; die ~ senken〔erhöhen〕 세금을 인하〔인상〕하다; et. mit einer ~ belegen 무엇에 세금을 매기다; et. von der ~ absetzen 무엇을 세금에서 공제하다. **(b)** 〔구어〕 세무서, 세무 당국. ②〔고어〕 원조, 지원: zur ~ der Wahrheit 〔der Wahrheit zur ~〕 진리를 위하여. ③ 기부(금), 의연(금).

***Steuer**[2] 《♧ Steuer[1]》 *n.* -s, - ① 키, 조타기, 핸들, 조종간: das ~ festhalten 〔nach rechts drehen〕 핸들을 꼭 잡다〔오른쪽으로 돌리다〕; das ~ führen 〔am ~ sitzen〕 a) 운전하다, b) 〔비유〕 장악〔지배〕하다, 정권을 잡다; über ~ gehen (배가) 후진하다; am ~ stehen 배의 키를 잡다; am 〔hinter dem〕 ~ (차량 따위를) 운전하면서; jn. ans ~ lassen 누구에게 운전을 맡기다. ②〔비유〕 주도권, 지배(권): der Kanzler hält das ~ der Regierung fest in der Hand 수상은 행정부를 확고하게 장악하고 있다; 〔드물게〕 zum ~ dienen 제지〔방지〕하는 구실을 하다.

Steuer≈abzug 《< Steuer[1]》 *m.* ① 세금 공제〔삭감〕. ② (봉급의) 원천 징수. **~achse** *f.* 〖기계〗 타축(舵軸). **~amt** *n.* 세무서. **~angelegenheit** *f.* 세금 문제〔관계〕. **~anlage** *f.* 조세; 과세. **~anpassungs·gesetz**

n. 조세 현실화법. **~ansatz** *m.* 과세; 세액 사정(査定); 세율. **~anschlag** *m.* 조세 산정(算定), 세액 사정. **~anspruch** *m.* 조세권. **~aufkommen** *n.* 조세 수입, 세수(稅收). **~auflage** *f.* 조세 부과. **~aufseher** *m.* 세무 감독관. **~aufsicht** *f.* 세무 감사. **~ausgleichs·konto** *n.* (영업 대차 대조표와 징세 대차 대조표 사이의 차액을 수합하는) 세액 조정 계정. **~ausschuß** *m.* 세무 위원회.

steuerbar [ʃtɔ́ʏərba:r] *a.* ①《<Steuer²》조종〔제어〕할 수 있는. ②《<Steuer¹》〖法〗 과세할 수 있는; 납세의 의무가 있는.

Steuerbarkeit *f.* 조종〔제어〕 가능(성).

Steuer≈beamte* *der* 세무 공무원. **~befreiung** *f.* 세금 면제, 면세: jm. ~ gewähren 누구에게 세금을 면제해 주다. **~begünstigt** *a.* 세제상의 혜택을 받는: ~er Gewinn 세제상의 이익. **~behörde** *f.* ↑ ~amt. **~bemessungs·grundlage** *f.* 과세용 기초 자료. **~berater** *m.* 세무사. **~bescheid** *m.* 납세 고지서. **~betrug** *m.* 탈세. **~bevollmächtigte*** *der/die* 세무 대리인. **~bewilligungs·recht** *n.* 조세 승낙권. **~bezirk** *m.* 징세 구역. **~bilanz** *f.* 과세용 대차 대조표.

Steuer≈bord *n./*(öst.) *m.* 〖海〗 우현(右舷). **~bord, ~bords** *adv.* 〖海〗 우현으로. **~brücke** *f.* 타수석(舵手席).

Steuer≈buch *n.* 징세 대장. **~defraudation** *f.* 탈세. **~direktor** *m.* 세무서장. **~einheit** *f.* (소득액별) 과표 단위. **~einnahme** *f.* ↑ ~aufkommen. **~einnehmer** *m.* 징세관, 세리. **~einnehmung** *f.* 징세.

Steuerer [ʃtɔ́ʏərər] *m.* -s, - ①〖드물게〗징세관. ②〖海〗 키잡이. ③〖드물게〗 der ~ des Mangels 빈민 구제자.

Steuer≈erheber *m.* ↑ ~einnehmer. **~erhebung** *f.* ↑ ~einnehmung. **~erhöhung** *f.* 세금 인상. **~erklärung** *f.* 세무〔소득세〕 신고. **~erlaß** *m.* 조세 감면; 감세. **~erleichterung, ~ermäßigung** *f.* 세금 감면. **~ermittlungs·verfahren** *n.* 세무 조사. **~erstattung** *f.* 세금 환급. **~fähigkeit** *f.* 납세 능력. **~fahnder** *m.* 탈세 조사관, 세무 사찰관. **~fahndung** *f.* 〖法〗 세무 사찰, 탈세 조사. **~feder** *f.* (새의) 꼬리깃. **~flucht** *f.* 조세 도피. **~formular** *n.* 세무 신고서(식). **~frei** *a.* 면세의. **~frei·betrag** *m.* 면세액. **~freiheit** *f.* 면세. **~fuß** *m.* (schweiz.) ↑ ~satz. **~gegenstand** *m.* 과세 대상. **~geld** *n.* (징수된) 세금. **~gerät** *n.* 〖기계〗 조종 장치; 음향 조절 장치. **~gesellschaft** *f.* 납세 조합. **~gesetz** *n.* 〖法〗 세법. **~gitter** *n.* 〖전기공학〗 컨트롤 그리드; 제어 격자(格子). **~hahn** *m.* 〖기계〗 밸브 콕. **~helfer** *m.* 〖구식〗 ↑ ~bevollmächtigte. **~hinterziehung** *f.* 〖法〗 탈세. **~karte** *f.* 근로 소득세 카드. **~kasse** *f.* 수세(收稅) 금고. **~kataster** *m./n.* ↑ ~buch. **~klasse** *f.* 〖法〗 과세 등급. **~knüppel** *m.* 〖空〗 조종간. **~kollegium** *n.* 주세국(主稅局). **~kraft** *f.* 담세 능력. **~kurve** *f.* 캠(cam). **~last** *f.* (조)세 부담: Überwälzung der ~ 조세 부담의 전가. **~lehre** *f.* 조세학, 조세 이론.

steuerlich *a.* 조세의, 세금의: nur für ~e Zwecke 조세 목적으로만.

Steuer·liste *f.* 징세 대장.

steuerlos *a.* 키〔조타수〕가 없는.

Steuer·mann *m.* ① **(a)** 키잡이, 조타수. **(b)** 〖海·옛뜻〗 (선장 보조·대리의) 항해장(長). **(c)** 〖海〗 (상선의) 보초 담당 선원; 해군의 상사. ②〖스포츠〗 **(a)** 키잡이, 타수: Zweier mit 〔ohne〕 ~ 키잡이가 있는〔없는〕 2인승 보트. **(b)** 봅슬레이(경주용 2-4인승 썰매)의 주장.

Steuermanns≈kunst *f.* 조타법(操舵法), 항해술. **~maat** *m.* 2등 항해사.

Steuer≈marke¹ *f.* 조타 목표(점).

Steuer≈marke² *f.* 수입 인지; 개의 감찰(鑑札). **~meß·betrag** *m.* 〖法〗 과세 사정 기준액.

steuern¹ [ʃtɔ́ʏərn] 《원뜻 „stützen" ♧ Steuer¹》 *t./i.* (h.) 〖구식〗 (schweiz.) ① 납세하다. ② 기부〔헌금〕하다.

***steuern**² 《♧ Steuer²》 《I》 *t.* ① 조종〔운전〕하다: dieser Wagen läßt sich nur schwer ~ 이 자동차는 운전하기가 매우 어렵다; einen südwestlichen Kurs ~ 항로를 남서쪽으로 잡다. ② 조절〔조작〕하다: Preise 〔seine Gefühle〕 ~ 물가를〔감정을〕 조절하다; die öffentliche Meinung ~ 여론을 조작하다. ③〖인공지능〗 (설비·시스템을) 제어〔조정〕하다: automatisch gesteuerte technische Anlagen 자동 제어 기계 설비. 《II》 *i.* ① (h./s.) **(a)** 조종〔운전〕하다; (어떤 방향으로) 향하다, 나아가다: wer hat gesteuert? 누가 운전했는가?; der Steuermann hat nach Norden gesteuert 키잡이는 북쪽으로 방향을 잡았다; wohin steuert unsere Politik? 이 나라 정치는 어디로 가고 있는가? **(b)** 〖비유〗 지향〔추구〕하다: auf et. 〔nach et.³〕 ~ 무엇에 뜻을 두다; worauf steuert er los? 그의 목적은 무엇이냐? ② (h.) 제지하다: dem Unwesen〔Unheil〕 ~ 행패를〔재앙을〕 제지〔방지〕하다.

Steuer≈nachlaß *m.* 조세 감면. **~oase** *f.* 세금 천국. **~ordnung** *f.* 세제(稅制). **~paradies** *n.* ↑ ~oase. **~pflicht** *f.* 〖法〗 납세 의무. **~pflichtig** *a.* 납세 의무가 있는; (관)세를 내야 하는: das ~e Einkommen 세금을 납부해야 하는 소득. **~pflichtige*** *der/die* 〖法〗 납세 의무자. **~politik** *f.* 조세 정책. **~progression** *f.* 〖法〗 누진 과세. **~prüfer** *m.* 세무 (조사)관, 공인 회계사.

Steuer≈pult *n.* 〖전기〗 제어반, 컨트롤 테이블. **~rad** *n.* ① (차량의) 운전대, 핸들. ② 〖海〗 조타륜; 〖空〗 조종 핸들.

Steuer≈recht *n.* ① 조세법. ② 징세권. **~rechtlich** *a.* 조세법의. **~reform** *f.* 세제 개혁. **~register** *n.*, **~rolle** *f.* 징세 대장(~buch). **~rück·stand** *m.* 세금 체납. **~rück·vergütung** *f.* 세금 반환.

Steuer·ruder *n.* (비행기·배의) 키.

Steuer≈sache *f.* 세금 문제. **~satz** *m.* 〖法〗 세율. **~säule** *f.* 〖工〗 ① 핸들의 축. ②〖海〗 조타축(操舵軸); 〖空〗 (스티어링이 달린) 조종간. **~schein** *m.* 납세 영수증. **~schraube** *f.* 끊임없는 과세, 가렴주구: die ~ anziehen 〔überdrehen〕 세금을 인상하다; an der ~ drehen 조세법을 개정하다. **~schuld** *f.* 미납〔체납〕 세금. **~senkung** *f.* 세금 인하. **~stand** *m.* 〖工〗 컨트롤〔제어〕대(臺). **~stange** *f.* 〖기계〗 조절봉(棒). **~strafrecht** *n.* 〖法〗 조세〔세무〕 형법. **~subjekt**

n. 〖法〗 ↑ ~pflichtige. **~summe** *f.* 세액. **~system** *n.* 세제(稅制), 조세 제도. **~tabelle** *f.* 세율표. **~tag** *m.* 납세일. **~tarif** *m.* 납세 등급표. **~träger** *m.* 납세자. **~überwälzung** *f.* 〖經〗 조세 전가. **~umgehung** *f.* (세법의 헛점을 이용한) 탈세.

Steuerung [ʃtɔ́ʏərʊŋ] 《<steuern²》 *f.* -en ① 조타(操舵); 조종; 운전. ② **(a)** 조정, 조절: die ~ einer Heizung nach der Außentemperatur 외부 온도에 따른 난방의 조절; eine bewußte ~ von Gefühlsäußerungen 감정 표현의 의식적인 조절. **(b)** 〖工〗 조정 장치; (중장비의) 배분 장치. ③ 〔雅語〕 방지〔해결〕(노력): die ~ der Wohnungsnot 주택난의 해소.

Steuerungs≈büchse *f.* 〖기계〗 조종기 상자. **~getriebe** *n.* (방향)판(瓣) 조종 장치. **~hahn** *m.* 조절 콕. **~hebel** *m.* 조종간(桿). **~mechanismus** *m.* 〖철도〗 제어 장치. **~stange** *f.* 〖철도〗 역동간(逆動桿). **~taste** *f.* 〖컴〗 제어 키(약어: Strg.). **~welle** *f.* 〖海〗 연동축(軸).

Steuer·ventil *n.* 〖기계〗 조절 밸브.

Steuer≈veranlagung *f.* 《<Steuer¹》 세액 사정. **~verfassung** *f.* 세제(稅制). **~vergehen** *n.* 세법 위반. **~vergünstigung** *f.* 세제상의 혜택. **~vergütung** *f.* ↑ ~rückvergütung. **~verteilung** *f.* 조세 분담. **~verwaltung** *f.* 세무 행정. **~verweigerung** *f.* 납세 거부. **~vorauszahlung** *f.* 세금 선납〔예납〕.

Steuer≈vorrichtung 《<Steuer²》 *f.* 〖기계〗 제어〔조종〕 장치. **~werk** *n.* ① 〖컴〗 자료 처리 장치 통제부. ② 〖空·工〗 조종〔통제〕 장치.

Steuer≈wesen 《<Steuer¹》 *n.* 세제, 조세 제도. **~zahler** *m.* 납세자. **~zettel** *m.* ↑ ~bescheid. **~zuschlag** *m.* 납세 연체료〔과태료〕.

Steurer [ʃtɔ́ʏrər] *m.* -s, - 조종자(Steuerer).

Steurung [ʃtɔ́ʏrʊŋ] *f.* -en 조종(Steuerung).

Steven [ʃté:vən] 《♧ Stab》 *m.* -s, - (ndd.) 선수〔선미〕재(船首〔船尾〕材).

Steward [stjú:ərt, ʃt..] 《engl.》 *m.* -s, -s 〖海·空〗 (기선·여객기의) 승무원.

Stewardeß [stjú:ərdɛs, ʃt..] *f.* ..dessen ↑ Steward의 여성형.

Stewardess 新정서 ⇦ Stewardeß.

StGB =Strafgesetzbuch 형법전(刑法典).

Sthenie [ʃtení:, st..] 《gr.》 *f.* -n [..ní:ən] 〖醫〗 체력, 원기.

sthenisch [ʃté:nɪʃ, st..] *a.* 〖醫〗 원기 왕성한, 힘이 넘치는.

stibitzen [ʃtibɪ́tsən] (*p.p.* stibitzt) *t.* 〔구어〕 슬쩍 훔치다: er hat eine Kirsche von der Torte stibitzt 그는 케이크에서 버찌를 하나 몰래 빼먹었다.

***Stich** [ʃtɪç] 《<stechen》 *m.* -(e)s, -e ① (칼로) 찌름, (바늘로) 뜸; (동물의) 쏘기: er wurde mit drei ~en in Herz und Lunge getötet 그는 가슴과 허파를 세 번 찔려 살해되었다. ② 자상(刺傷); 찔린 상처; (벌레에) 쏘여 생긴 상처; (바늘로 찌른) 작은 구멍. ③ 〖醫〗 콕콕 쏘는 통증, 자통(刺痛): ~e in der Seite verspüren 옆구리에 따끔따끔한 아픔을 느끼다; das gab mir einen ~ 그 일로 내 가슴이 아팠다. ④ 〖펜싱〗 찌르기. ⑤ 〖재봉〗 바느질, 뜨개질: ~ für ~ 한 바늘 한 바늘; mit weiten ~en nähen 성기게 꿰매다, 가봉하다. ⑥ 〔약칭〕 동판화(제작 과정); 철판화(제작 과정). ⑦ 〔다음 용법으로〕 ~ halten 근거가〔설득력이〕 있다, 타당성이 입증되다; jn.〔et.〕 im ~ lassen 누구를〔무엇을〕 버리다, (위험 속에) 방치하다; kein ~ ist wahr davon 그것은 새빨간 거짓말이다; den ~ entscheiden 결정 투표를 하다; jm. einen ~ versetzen 〔geben〕 누구를 넌지시 비꼬다; das ist ein ~ auf uns 그것은 우리를 두고 말하는 것이다. ⑧ (달걀의) 배반(胚盤). ⑨ 기색, 낌새: einen ~ ins Blaue haben 푸른 기가 있다, 푸르스름하다. ⑩ 〔다음 용법으로〕 einen ~ haben **(a)** 정신이 좀 이상하다: du hast wohl einen ~! 너 아무래도 머리가 이상하구나! **(b)** 신선하지 않다, 약간 상했다: der Wein hat einen ~ 포도주가 맛이 이상하다. ⑪ 칼금을 넣음; (나무의) 새긴 금. ⑫ 〖카드〗 으뜸패를 내고 상대편 패를 먹음: einen ~ machen 으뜸패를 내다. ⑬ 〖商〗 (물물) 교환: auf den ~ handeln (물물) 교환〔교역〕하다. ⑭ 〖農〗 가래로〔삽으로〕 자름. ⑮ 수차의 톱니바퀴 사이의 거리의 척도. ⑯ 〖海〗 매듭 고리. ⑰ 짐승을 찌름, 도살; 짐승의 목 부분의 급소. ⑱ (구두·장갑의) 사이즈. ⑲ 〔방언〕 ein ~ Butter 한 숟가락분의 버터. ⑳ 〖건축〗 아치의 높이. ㉑ 〔방언〕 가파른 오르막길. ㉒ (schweiz.) 사격 시합. ㉓ 〖제련〗 압연하기.

stich [ʃtɪç] ↑ stechen의 명령형.

Stich≈bahn *f.* 〖철도〗 지선(支線). **~balken** *m.* (다른 들보가 가로질러 중간이 끊긴) 잘림 들보. **~blatt** *n.* ① 〖펜싱〗 (손잡이와 칼날 사이의) 손목 보호대, 날밑. ② 〔비유〕 조소의 대상, 웃음거리. ③ 〖카드〗 으뜸패. **~bogen** *m.* 〖건축〗 수평 아치. **~dunkel** *a.* 칠흑 같은, 캄캄한.

Stichel [ʃtɪ́çəl] 《<stecheln》 *m.* -s, - 조각용 칼〔끌〕; 〖農〗 삽.

Stichelei [ʃtɪçəláɪ] 《<Stechen》 *f.* -en ① 바느질(감). ② 〔비유〕 빈정댐; 비꼬는 말.

Stichel≈haar *n.* ① (포유 동물의) 강모(剛毛). ② 〖섬유〗 (매끄러운) 토끼털, (거친) 레이온, 비스코스사(絲). **~haarig** *a.* ① 강모(剛毛)의. ② 〖섬유〗 토끼털의, 레이온〔비스코스〕사(絲)의.

sticheln [ʃtɪ́çəln] 《<stechen》 *t./i.* (h.) ① 비꼬다, 빈정대다: gegen jn. ~ 누구를 비꼬다. ② 부지런히 바느질〔뜨개질〕하다.

Stichel≈rede *f.* 〔雅語〕 빈정대는〔비꼬는〕 말. **~wort** *n.* 〔복수: -e/..wörter〕 ↑ ~rede.

Stich≈entscheid *m.* (캐스팅 보트 따위에 따른) 최종 결정. **~feld** *n.* 〖軍〗 고수(鼓手). **~fest** *a.* ① 〔구식〕 칼날이 들어가지 않는. ② 부인할 수 없는: ein ~es Alibi 확실한 알리바이; hieb- und ~ 반박할 수 없는. **~flamme** *f.* 타오르는 불꽃. **~frage** *f.* (퀴즈에서 승자 결정을 위한) 추가 질문. **~frei** *a.* 다치지 않는, 해치기 어려운. **~|halten*** *i.* (h.) 근거가〔설득력이〕 있다, 타당성이 입증되다. **~haltig** *a.* 설득력 있는, 반박할 수 없는. **~hältig** *a.* ↑ ~haltig. **~haltigkeit** *f.* 설득력〔근거〕 있음, 타당성. **~hältigkeit** *f.* (öst.) ↑ ~haltigkeit.

stichig 《<Stich》 *a.* 조금 신, 신 맛이 있는.

..stichig *suf.* "…한 빛깔을 띤"의 뜻(보기:

blau~ 푸른 기가 있는, 푸르스름한).

Stich≈jahr *n.* 실행 연도. **~kampf** *m.* 〖스포츠〗 승자 결정전. **~kanal** *m.* ①〖水理〗(큰 운하에서) 갈라져나온 운하, (두 운하를 연결하는) 작은 수로. ②〖외과〗(외과 도구로 몸 속을 뚫은) 도관. **~kappe** *f.* 〖건축〗 작은 아치.

Stichler [ʃtíçlər] 《<stecheln》 *m.* -s, - ① 빈정대는〔비꼬는〕 사람; 우롱하는 사람. ②〖구어〗 재단사.

Stichling [ʃtíçlɪŋ] *m.* -s, -e 〖動〗 큰가시고기.

Stich≈loch *n.* 〖제련〗 쇳물 나오는 구멍. **~-mal** *n.* 자상(刺傷), 찔린 자국〔흉터〕. **~ofen** *m.* 〖제련〗 용해로.

Stichomantie [ʃtɪçomantí:, st..] 《gr.》 *f.* (책을 탁 펼쳐 운명을 알아보는) 시구 점(예언).

Stichometrie [..metrí:] 《원뜻 „Versmessung"》 *f.* -n [..trí:ən] ①〖문학〗(고대의) 행수에 의한 작품 분량 결정 방식. ②〖문체〗(특히 희곡에서의) 대구법, 대조법.

Stichomythie [..mytí:] *f.* -n [..tí:ən] 〖문학〗 시구 문답, 격행(隔行) 대화.

Stich≈probe *f.* ① 임의 추출 시험. ②〖통계〗 임의 추출 견본. **≈proben·weise** *adv.* 임의 추출 방식으로, 임의로 추출하여. **~säge** *f.* 실톱. **~straße** *f.* 막다른 길.

stichst [ʃtɪçst] ↑ stchen 의 2 인칭 단수 현재형.

sticht ↑ stechen 의 3 인칭 단수 현재형.

Stich≈tag *m.* 기일, 시행일; 〖商〗 청산일, 수취일. **~waffe** *f.* (창·칼 따위) 찌르는 무기. **~wahl** *f.* 결선 투표. **≈weise** *adv.* 찔러서; 〖카드〗 끊어서. ***~wort** *n.* 〔복수: ..wörter/-e〕 ① 표어, 슬로건. ②〔복수: -e〕〖연극〗(다른 배우의 대사 또는 등장의 신호가 되는) 말, 신호; (특정한 행동을 유도하는) 말, 언급: auf dieses ~ hin 이 말이 떨어지자. ③〔복수: ..wörter〕(사전의) 표제어; 항목별 단어; 핵심어: unter einem andern ~ nachschlagen 다른 표제어를 찾아보다.

stichwort≈artig *a.* 핵심 단어들의, 항목별의. **≈register** *n.* 목록, 색인. **≈verzeichnis** *n.* 항목별 찾아보기, 색인.

Stich·wunde *f.* 자상(刺傷).

Stick *m.* -s, -s 가는 막대 모양의 스낵 과자.

Stick≈arbeit [ʃtík..] 《<sticken¹》 *f.* 수예, 자수. **~dunst** 《<sticken²》 *m.* 〖광산〗(갱내의) 질식성 (탄산)가스.

Stickel [ʃtíkəl] 《<stecken》 *m.* -s, - (obd.) ① 막대기, 말뚝. ② 식물의 지주, 줄기, 자루.

***sticken¹** [ʃtíkən] 《<stechen》 *t.* 수놓다: Monogramme auf Taschentücher ~ 이름의 머리글자를 손수건에 수놓다.

sticken² *i.* (s.)/*t.* 〔방언〕 숨막히다; 숨막히게 하다(ersticken): ~d heiß 숨막히게 더운, 무더운.

Sticker *m.* -s, - 수놓는 사람, 자수업자.

Stickerei *f.* -en 자수(품).

Stickerin *f.* -nen ↑ Sticker 의 여성형.

Stick≈garn *n.* 자수용 실. **~gas** 《<sticken²》 *n.* 〖化·구식〗 ① 질소가스. ② 탄산가스. **~-gaze** [..zə] 《<sticken¹》 *f.* 자수용 천. **~-husten** 《<sticken²》 *m.* 〖醫·구식〗 백일해.

stickig *a.* 질식할 것 같은, 숨막히는.

Stick≈luft *f.* 답답한〔숨막히는〕 공기. **~maschine** 《<sticken¹》 *f.* 자수〔수예〕 기계. **~-muster** *n.* 자수본. **~muster·tuch** *n.* 자수본을 새긴 천. **~nadel** *f.* 자수용 바늘. **~oxid** *n.* 산화질소. **~rahmen** *m.* 수틀. **~seide** *f.* 자수용 명주(실). ***~stoff** 《<sticken²》 *m.* 〖化〗 질소.

Stickstoff≈bakterien *pl.* 질소 박테리아. **~dünger** *m.* 질소 비료. **≈frei** *a.* 질소가 없는〔들어 있지 않은〕. **≈haltig** *a.* 질소가 함유된. **~oxid** *n.* 산화질소. **~oxydul** *n.* 아산화질소. **~verbindung** *f.* 질소 화합물.

Stick≈tuch 《<sticken¹》 *n.* ↑ ~mustertuch. **~wolle** *f.* 자수용 털실. **~zeug** *n.* 수예〔자수〕 용구.

***stieben**(*) [ʃtí:bən] (stob, gestoben/gestiebt) 《♧ Staub, stöbern》 《Ⅰ》 *i.* (h./s.) ① 흩날리다. ② (산산이) 흩어지다. ③ (동물이) 잽싸게 이동하다. ④ es stiebt 이슬비가 내린다. ⑤ (h.) (새가) 똥을 누다. 《Ⅱ》 *t.* 흩날리게 하다, 흩어 뿌리다: der Wind stob uns den Sand in die Augen 바람이 불어 모래가 우리 눈에 들어갔다.

stief.. 《원뜻 „stumpf, verwaist"》 *pref.* "배가 다른…, 계(繼)…, 의붓…, 의(義)…"의 뜻(보기: ≈mutter 계모).

Stief·bruder *m.* ① 의붓〔배다른〕 형제. ② 부모의 결혼으로 가족이 된 형제.

***Stiefel¹** [ʃtí:fəl] 《lat.》 *m.* -s, - ① 장화: lederne ~ 가죽 장화; 〔비유〕 das sind zwei Paar 〔zweierlei〕 ~ 그것은 서로 전혀 다른 것들이다; das zieht einem ja die ~ aus! 그것은 말도 안 돼〔못 봐주겠군〕!; lauter linke ~ 무용지물; 〖펌어〗 jm. die ~ lecken〔küssen〕 누구를 비굴한 자세로 대하다, 누구에게 아첨하다; das haut mich aus den ~n 그거 정말 놀랍군!; spanischer ~ 차꼬의 일종(옛날의 고문 도구). ② 장화 모양의 맥주잔: einen ~ bestellen〔trinken〕 맥주를 주문하다〔마시다〕; 〔비유〕 einen ~ vertragen können 대주가다, 술을 잘 마시다; einen ~ zusammenreden 〔zusammenschreiben〕 실없는 말을 많이 하다〔쓰다〕; sich einen (gehörigen) ~ einbilden 매우 잘난 체하다; den (alten) ~ weitermachen 지금까지 하던 대로 계속하다; einen ~ arbeiten〔schreiben, spielen, fahren〕 일을〔글쓰기를, 연주를, 운전을〕 잘 하지 못하다. ③ (파이프의) 진이 모이는 통. ④〖植〗(관상(管狀)의) 탁엽초(托葉草). ⑤〖動〗 정강이. ⑥〖工〗 펌프의 통.

Stiefel² 《mhd. stivel》 *m.* -s, - 지주, 받침대.

Stiefel≈absatz *m.* 장화의 뒤꿈치. **~anzieher** *m.* 구두 주걱. **~auszieher** *m.* ↑ ~-knecht. **~band** *n.* ↑ ~strippe. **~bürste** *f.* 구둣솔.

Stiefelchen *n.* -s, - 〖↑ Stiefel 의 축소형〗 작은 장화.

Stiefelette [ʃti:fəlɛ́tə] 《lat.》 *f.* -n 발목까지만 오는 부츠〔장화〕.

Stiefel≈fabrikant *m.* 구두장이, 제화공. **≈-förmig** *a.* 장화 모양의. **~fuchs** *m.* ① 구두닦이. ② 조수, 조교. **~haken** *m.* 장화의 후크. **~holz¹** *n.* 장화의 구둣골. **~holz²** 《<Stiefel²》 *n.* 받침대, (넓히는) 틀. **~hose** 《<Stiefel¹》 *f.* 승마 바지. **~knecht** *m.* 장화 벗을 때 쓰는 도구. **~leisten** *m.* (장화의) 구둣골.

stiefeln¹ [stí:fəln] 《Ⅰ》 *i.* (s.) 〔구어〕 성큼성큼 걷다; 활보하다. 《Ⅱ》 *t.* 장화를 신기다: gestiefelt a) 장화를 신은, b) 장화 모양의. 《Ⅲ》〔구식〕 *refl.* sich ~ 장화를 신다. 《Ⅳ》 **gestiefelt** *p.a.* ↑ gestiefelt.

stiefeln[2] 《<Stiefel[2]》 *t.* 지주를 대다, 받침대를 붙이다.

Stiefel⸗putzer 《<Stiefel[1]》 *m.* 구두닦이. **~schaft** *m.* 장화의 목. **~schwarze** *f.* (검은색) 구두약. **~sohle** *f.* 장화의 창〔바닥〕. **~strippe** *f.* 장화의 (가죽)끈.

Stief·eltern *pl.* 계(繼)부모, 의붓부모.

Stiefel·wichse *f.* 구두약.

Stief⸗geschwister *pl.* 의붓〔배다른〕 형제 자매. **~kind** *n.* ① 의붓자식. ② 푸대접받는 사람〔사물〕: sie ist ein ~ des Glückes 그녀는 별로 행운을 누리지 못했다; als ~ behandelt werden 푸대접받다. **~mutter** *f.* 의붓어머니, 계모. **~mütterchen** *n.* 〖植〗 삼색제비꽃, 팬지. **∻mütterlich** *a.* 의붓어머니의, 계모 같은; 〖비유〗 애정이 없는; 불친절한: die Natur hat sie ~ behandelt 그녀는 그리 잘 생기지 못했다. **~schwester** *f.* 의붓〔배다른〕 자매. **~sohn** *m.* 의붓아들. **~tochter** *f.* 의붓딸. **~vater** *m.* 의붓아버지, 계부. **∻väterlich** *a.* 의붓아버지의, 계부 같은.

Stiefographie *f.* (25 개의 기호로 구성되는) 속기법(독일의 속기사 H. Stief 의 이름에서).

stieg [sti:k] ↑ steigen 의 과거형.

Stieg 《⊕ Steig》 *m.* -(e)s, -e (Steig) 비탈길.

Stiege[1] [stí:gə] *f.* -n ① (좁고 가파른) 계단. ② (öst.) (창살 모양의) 나무 상자, 닭장, 과일 상자.

Stiege[2] *f.* -n ① (nordd.) (옛 수량 단위) 20 개: eine ~ Eier 달걀 20 개. ②〖방언〗(20 개의 단으로 된) 낟가리.

Stiegen⸗geländer *n.* 층계의 난간. **~haus** *n.* (südd., öst.) 계단실(Treppenhaus).

Stieglitz [ʃtí:klɪts, ʃtí:gl..] 《slowen.》 *m.* -es, -e 도요새속.

stiehl [ʃti:l] ↑ stehlen 의 명령형.

stiehlst ↑ stehlen 의 2 인칭 단수 현재형.

stiehlt ↑ stehlen 의 3 인칭 단수 현재형.

stiekum *a.* 〔구어〕 은밀히, 살금살금.

***Stiel** [ʃti:l] *m.* -(e)s, -e ① 손잡이, 자루. ② (포도주잔의) 목, 손잡이 부분. ③ 막대, 바: Eis am ~ 아이스 바. ④〖植〗 줄기; 자루; 꼭지: 〖비유〗 mit Stumpf〔Wurzel〕 und ~ 송두리째, 모조리. ⑤ 버섯의 자루 부분. ⑥ 단추의 꼭지. ⑦〖醫〗 육경(肉莖); 각부(脚部). ⑧〖건축〗 지주, 간주(間柱).

Stiel⸗auge *n.* 〖動〗 (게 따위의) 자루눈; 〖복수〗〔구어〕 퉁방울눈: ~n machen〔bekommen, kriegen〕 눈을 동그랗게 뜨고 바라보다. **∻äugig** *a.* 자루눈의〔을 가진〕. **~besen** *m.* 빗자루. **~blatt** *n.* 〖植〗 줄기잎. **∻blütig** *a.* 〖植〗 줄기잎의. **~brille** *f.* 〔구식〕 자루 모양의 손잡이가 달린 안경. **~bürste** *f.* 자루 달린 솔. **~eiche** *f.* 〖植〗 떡갈나무(열매에 꼭지가 달려 있음).

stielen [ʃtí:lən] 《<Stiel》〔드물게〕《I》 *t.* 자루〔손잡이〕를 달다. 《Ⅱ》 **gestielt** *p.a.* ↑ gestielt.

Stiel⸗ende *n.* 자루〔줄기〕의 끝. **~glas** *n.* ① 자루 모양의 손잡이가 달린 안경. ② 손잡이가〔목이〕 긴 유리잔. **~hand·granate** *f.* 〖軍〗 수류탄.

stielig *a.* 자루〔손잡이·줄기〕가 있는.

..stielig *suf.* "…자루의"의 뜻(보기: kurz~ 자루〔줄기〕가 짧은; lang~ a) 자루〔줄기〕가 긴, b) 〖비유〗 지루한).

Stiel·kamm *m.* 자루 달린 빗.

stiellos *a.* 자루〔손잡이〕가 없는; 〖植〗 줄기가 없는.

Stiel⸗mus *n.* (주로 무로 만든) 야채 요리. **∻rund** *a.* 원통 모양의. **~stich** *m.* 스템 스티치(자수의 일종).

stiemen [ʃtí:mən] *i.* (h.) ① (눈이) 펑펑 내리다. ② (연기가) 자욱하게 나다.

Stiem·wetter *n.* (ndd.) 눈보라.

Stieper [ʃtí:pər] *m.* (Steiper) 버팀대, 들보.

stier [ʃti:r] 《⊕ starr》 *a.* ① 뻣뻣한, 부동의, (시선이) 무표정한, 멍한: jn. ~ anblicken 누구를 멍하니 바라보다. ②〔구어〕 ~ sein 돈이 떨어지다; 죽은 거나 마찬가지다.

***Stier** *m.* -(e)s, -e ①〖動〗 수소, 황소: 〖비유〗 den ~ an〔bei〕 den Hörnern fassen〔packen〕 당당히 위험에 맞서다; er brüllt wie ein ~ 그는 매우 큰소리로 울부짖는다. ②〖비유〗 **(a)** 꿋꿋한 사람. **(b)** 호색한. ③〖天〗 황소자리. ④〖점성술〗 황소자리; 황소자리에 태어난 사람(4 월 21 일 - 5 월 20 일 사이).

stier·artig *a.* ① 수소의〔같은〕: ~ besoffen 곤드레만드레 취한. ②〖天〗 황소자리의.

stieren[1] [ʃtí:rən] *i.* (h.) (암소가) 암내내다.

stieren[2] 《<stier》 *i.* (h.) 멍하니〔물끄러미〕 바라보다.

Stier⸗fechter *m.* 투우사. **~gefecht** *n.* 투우.

stierig 《<stieren[1]》 *a.* 발정한, 암내피우는.

Stier⸗kalb *n.* 수송아지. **~kampf** *m.* ↑ ~gefecht. **~kampf·arena** *f.* 투우 (경기)장. **~kämpfer** *m.* ↑ ~fechter. **~kopf** *m.* 황소 머리: 〖비유〗 einen ~ haben 고집이 세다. **∻köpfig** *a.* ① 황소 머리의〔같은〕. ②〔구식〕 고집센. **~leder** *n.* 쇠가죽. **~nacken** *m.* ① 수소의 목. ②〖비유〗 굵고 억센 목; 고집(쟁이). **∻nackig** *a.* 목이 굵고 튼튼한; 〖폄어〗 고집센. **~opfer** *n.* 제물용 황소. **~sucht** *f.* 〖醫〗 (암소의) 과도 발정 증상.

Stiesel [ʃtí:zəl] *m.* -s, - 〔구어·폄어〕 한심한〔버릇없는〕 사람: so ein ~! 미련한 인간 같으니라구!

stieselig *a.* 아둔〔한심〕한, 버릇 없는.

stieseln *i.* (h.) 아둔하게〔버릇없이·바보처럼〕 굴다.

stieß [ʃti:s] ↑ stoßen 의 과거형.

Stiessel [ʃtí:səl] *m.* -s, - 〔구어·폄어〕 ↑ Stiesel.

stießelig *a.* 〔구어·폄어〕 ↑ stieselig.

stießeln *i.* (h.) ↑ stieseln.

***Stift**[1] [ʃtɪft] 《⊕ steif, Stiefel[2]》 *m.* -(e)s, -e ① 못, 징, 핀; (레코드의) 바늘; 〖기계〗 첨축(尖軸). ②〖치과〗 **(a)** 의치의 피벗. **(b)** 뺀 이의 뿌리. ③ 연필; 크레용, 파스텔; 석필(石筆); 씹는 담배. ④ 신참, 수습공; 꼬마, 난쟁이. ⑤〖요리〗 막대 모양의 조각: die Kartoffeln in ~e schneiden 감자를 막대 모양으로 자르다. ⑥ 여왕벌의 알.

***Stift**[2] 《<stiften[2]》 《I》 〔고어〕 *f.* -en ↑ Stiftung. 《Ⅱ》 *n.* -(e)s, -e(r) ① **(a)** 종교 재단; 〖가톨릭〗 성직자 단체; 수도회; (교회가 운영하는) 자선 단체. **(b)** 종교 재단 부속 건물; 양육원, 고아원; 자혜 병원; 양로원. ② 수도원;

주교 관구(管區), 사교구(司敎區); 중앙〔본〕 성당, 본당; 대성당 참사회(회의); 신학교. ③〖구식〗 여학교.

stiften[1] [ʃtɪ́ftən] 《Ⅰ》 *t.* 못으로 붙박다, 핀으로 꽂다. 《Ⅱ》 *i.* (h.) (schweiz.) 수습공으로〔도제로〕 일하다.

***stiften**[2] 《⇔ steif, Stift[1]》 《Ⅰ》 *t.* ① 창설하다, 설립하다, 수립하다; 실현〔성사〕시키다: einen Verein ~ 협회를 설립하다: Gutes ~ 선행을 하다; eine Ehe ~ 결혼을 중매하다; 〖구식〗 einen Brand ~ 방화하다; Unglück ~ 불행을 초래하다. ② 기부〔증정〕하다; 선물하다: für das Rote Kreuz 50 DM ~ 적십자에 50 마르크를 기부하다. ③ 일으키다. 《Ⅱ》 *i.* 〖구어〗 ~ 몰래 달아나다.

Stifter [ʃtɪ́ftər] *m.* -s, - 창설〔설립〕자; 발기인; 기부자, 헌금자.

Stifterin *f.* -nen ↑ Stifter 의 여성형.

Stifter·figur *f.* 설립자의 상(像).

Stift≈farbe 《<Stift[1]》 *f.* 크레용, 파스텔. **~-halter** *m.* 연필〔크레용·파스텔〕꽂이.

stiftisch [ʃtɪ́ftɪʃ] 《<Stift[2]》 *a.* ① 자선 기금의, 양육원의, 자선 병원의. ② 교회 재단 법인의, 대성당 참사회의; 사교구(司敎區)의.

Stift·kreide *f.* 분필, 초크.

Stiftler [ʃtɪ́ftlər] 《<Stift[2]》 *m.* -s, - 종교 재단〔수도회·성직자 단체·신학교〕의 일원.

Stift·malerei 《<Stift[1]》 *f.* 크레용화, 파스텔화, 연필화.

Stifts≈amt 《<Stift[2]》 *n.* 〖가톨릭〗 ① 성직자 회의소. ② 성직자회 의원〔대성당 참사회원〕의 직무〔자격〕. **~brief** *m.* 기부〔설립〕 증서.

Stift·schraube *f.* 〖工〗 나사멈추개.

Stifts≈dame *f.* ① (귀족 출신의) 교단 회원, 수녀. ② 수녀원 거주 여성. **~frau** *f.* ↑ ~dame. **~fräulein** *n.* ① ↑ ~dame. ② (종교 재단 부설) 여학교 학생. **~gebäude** *n.* ↑ ~haus. **~gemeinde** *f.* (본부 성당의) 집회. **~haus** *n.* ① 자선 회관. ②〖가톨릭〗 성직자 회의소. **~herr** *m.* 〖가톨릭〗 성직자회〔대성당 참사회〕 회원. **~hütte** *f.* 〖聖〗 (유대인이 광야를 방황할 때의) 이동 성전(聖殿). **~kirche** *f.* 종교 재단〔성직자 단체·수도회〕 소속 교회. **~pfründe** *f.* 성직회 회원의 봉급, 성록(聖祿). **~schule** *f.* 중앙 성당 부속 (신)학교; 재단 법인이 경영하는 학교. **~versammlung** *f.* 대성당 참사회원의 집회.

***Stiftung** [ʃtɪ́ftʊŋ] 《<stiften[2]》 *f.* -en ①〖法〗 재단 (법인). ② 기부, 기증, 헌납. ③ 설립, 창립, 건립: den Tag der ~ feiern 창립일을 축하하다. ④ 재단 부설 기관, 재단 기금. ⑤ 실현, 야기: ~ von Frieden 평화의 실현.

Stiftungs≈akt *m.* 기부 행위. **~brief** *m.* ↑ Stiftsbrief. **~fest** *n.* 창립 기념 행사. **~geschäft** *n.* 기부 행위. **~jahr** *n.* 창립 연도. **~person** *f.* 〖法〗 재단 법인. **~rat** *m.* 재단 관리 위원회. **~tag** *m.* 창립 기념일. **~urkunde** *f.* ① 재단 정관(定款). ② 창립〔설립〕 허가서. **~vermögen** *n.* 재단 법인의 재산.

Stift·zahn *m.* 〖醫〗 (치근에 심은) 인공치, 의치. **~zeichnung** *f.* 연필화, 데생, 소묘.

Stigma [ʃtɪ́gma, st..] 《gr.》 *n.* -s, ..men/-ta ①〖교양〗 특징, 징후, 각인: er trug das ~, ein Verräter zu sein 그에게는 배반자가 될 조짐이 있었다. ② (고대) 노예의 낙인. ③〖가톨릭〗 그리스도의 성흔(聖痕). ④〖動〗 기문(氣門), (곤충의) 기공. ⑤〖植〗 암술머리, 주두(柱頭). ⑥〖生〗 (하등 동물의) 안점(眼點).

Stigmatisation 《gr.》 *f.* -en 〖가톨릭〗 성흔(聖痕) 인각(그리스도의 성흔이 사람에게도 나타나는 것).

stigmatisieren *t.* ①〖교양〗 낙인을 찍다: er war durch seine Vorstrafe stigmatisiert 그는 전과 때문에 낙인이 찍혀 있었다. ②〖宗〗 성흔을 찍다. ③〖醫〗 홍반〔출혈반〕을 발생시키다.

Stigmatisierte* [st..] *der/die* 성흔을 띤 사람.

Stigmatisierung *f.* -en 〖교양〗 낙인 찍음.

***Stil** [ʃtiːl, st..] 《lat.》 *m.* -(e)s, -e ① 문체, 어법, 표현 방식: einen guten〔schlechten〕 ~ schreiben 좋은〔나쁜〕 문체로 글을 쓰다. ② 스타일, 양식, 특성; byzantinischer ~ 비잔틴 양식. ③ 생활 양식〔태도〕; 풍, 형(型), 타입: das ist nicht mein ~ 나는 그런 짓을 하지 않는다; im großen ~〔großen ~s〕 대규모〔대형〕의; im großen ~ leben 호화로운 생활을 하다. ④〖스포츠〗 방식, 테크닉; 주법(走法), 영법(泳法). ⑤ 달력: alter ~ 구력〔율리우스력〕; neuer ~ 신력〔그레고리력〕.

Stil·art *f.* 문체, 양식, 스타일.

Stilb [stɪlp, ʃt..] 《gr.》 *n.* -s, - 〖物〗 스틸브(휘도의 단위; 약어: sb).

stil≈bildend *a.* 양식을〔문체를〕 이루는. **~-blüte** *f.* (본의 아니게) 잘못된〔이상한〕 표현, 틀리게 한 말. **~bruch** *m.* ①〖언어〗 문체상의 단절〔부조화〕. ② 품위 없음, 몰취미. **~-ebene** *f.* 문체의 층. **~element** *n.* 문체〔양식〕의 특징적 요소. **~empfinden** *n.* 문체 감각. **~entwicklung** *f.* 문체의 발전. **~-epoche** *f.* 특정 예술 양식의 지배 시대.

Stilett [ʃtilɛ́t, st..] 《lat.》 *n.* -s, -e 단검, 단도, 비수.

Stil≈fehler *m.* 문체상의 오류. **~figur** *f.* 수사적 표현.

Stilfser Joch *n.* - -(e)s 슈틸프저 요흐(알프스의 고갯길 이름).

Stil≈gefühl *n.* 문체 감각. **~gerecht** *a.* 양식〔문체〕에 맞는; 스타일이 좋은.

stilhaft *a.* 문체가〔양식이·스타일이〕 분명한.

stilisieren [ʃtilizíːrən, st..] *t.* ① (자연 상태를) 단순화〔추상화〕하여 재현하다: eine Blume ~ 꽃을 단순화된 형태로 묘사하다. ②〖구식〗 (글을) 특정한 양식에 맞춰 작성하다. ③〖교양〗 미화하다.

Stilisierung *f.* -en 단순화, 추상화, 양식화.

Stilist *m.* -en, -en ① 문장가, 미문가. ②〖스포츠〗 테크닉이 좋은 선수.

Stilistik [ʃt.., st..] *f.* -en ① 문체론, 양식론. ② 작문 교과서.

Stilistin *f.* -nen ↑ Stilist 의 여성형.

stilistisch *a.* 문체(론)의, 양식(론)의.

Stil≈kunde *f.* 문체론, 양식론. **~kundlich** *a.* 문체론의.

***still** [ʃtɪl] 《⇔ Stall, stellen》 *a.* ① 고요한; 조용한: im Haus war es ganz ~ 집안은 완전히 고요했다. ② 소음〔소란〕을 일으키지 않는, 얌전한: er ist ein ganz ~er Mieter 그는 말썽 없는 세입자다. ③ (분위기가) 조용한, 한적한: ~er Freitag 성(聖)금요일(Karfreitag). ④ 움직이지〔흔들리지〕 않는: ~es Wasser a) 흐르지 않는 물, b) 탄산 가스 없는 광천수; ~-er Ozean 태평양; er ist ein ~es Wasser 그는

속을 알 수 없는 사람이다. ⑤ 평온한. ⑥ 말수가 적은, 과묵한; 침묵하는: sei ~! 이야기 그만해라; ein ~es Gebet 묵도. ⑦ 은밀한, 숨겨진: 〖法〗 ~er Gesellschafter 익명 사원〔조합원〕; 〔구어·은어〕 das ~e Örtchen 화장실; im ~en 혼자서, 내심으로; sie ist seine ~e Liebe 그녀는 그의 숨겨놓은 애인이다; 〔구어·농담〕 sich dem ~en Suff ergeben 혼자서 폭음하다.

still|bleiben* *i.* (s.) 움직이지 않다, 조용히〔잠자코〕 있다: stillgeblieben! 꼼짝 말고 있어!

stille [ʃtɪlə] *a.* ↑ still.

***Stille** *f.* -n ① 고요, 정적: die ~ der Nacht 밤의 고요; die ~ des Waldes 숲의 정적. ② 소리가 멎음, 침묵: der Redner wartete, bis ~ eingetreten war 그 연사는 조용해질 때까지 기다렸다; 〔농담〕 gefräßige ~ 식사 중의 침묵. ③ 〔다음 용법으로〕 in der ~ 혼자서 생각하여, 조용히; in aller ~ 소문나지 않게, 남몰래. ④ 정지(靜止), 휴지; 〖商〗 부진, 불경기.

Stilleben *n.* -s, - ① 〖畫〗 정물(화) ② 조용한〔은둔〕 생활.

stillegen (legte still, stillgelegt) *t.* 중단〔중지〕하다; 휴업하다; 〖광산〗 휴갱(休坑)하다: den Betrieb ~ 영업을 중지하다, 가동을 중지하다; der Verkehr wurde stillgelegt 교통이 마비되었다.

Stillegung *f.* -en 중지; 휴업.

Stil·lehre 《<Stil》 *f.* 문체론, 양식론.

***stillen** [ʃtɪlən] 《<still》 *t.* ① 정지시키다, 멈추게 하다: eine Blutung ~ 지혈하다. ② (고통 등을) 진정시키다, 달래다. ③ (욕구를) 만족시키다, 채우다, 달래다: seinen Durst am Brunnen ~ 우물에서 갈증을 채우다. ④ 젖을 먹이다: ein Kind ~ 아이에게 젖을 먹이다.

stillend *p.a.* ① 젖먹이는, 수유하는: ~e Mutter 젖먹이는 어머니. ② 완화〔진정〕하는 (작용이 있는).

Stiller *m.* -s, - 진정시키는〔위안하는〕 사람, 조정역.

Still≈geld 《<stillen》 *n.* 〖구동독〗 육아 보조비. **~gestanden** *p.p.* ↑ ~stehen. **~halte·abkommen** *n.* ① 〖經〗 모라토리엄, 지급유예. ② 휴전 협정. **~halten*** *i.* (h.) (단: still halten ↑ still ① ②). ① 꾹 참다, 은인자중하다. ② (채무자에게) 재촉〔독촉〕하지 않다. ③ jm. ~ 누구를 방임하다. ④ 움직이지 않다: bitte, halt einen Augenblick still! 잠깐만 좀 그대로 있어라. **~haltung** *f.* ① 은인자중, 꾹 참음. ② 지급 기간의 유예.

stilliegen* (lag still, stillgelegen) *i.* (h.) 영업〔운전〕을 중단한 상태다; 〖商〗 부진하다, 불경기다(단: still liegen 조용히 누워 있다, 가만히 자고 있다).

Still·leben 新정서 ⇦ Stilleben.

Stilllegung 新정서 ⇦ Stillegung.

still|liegen* 新정서 ⇦ stilliegen.

stillos *a.* ① 특정 양식에 속하지 않는. ② 몰취미한; 부적절한, 어울리지 않는; 무례한, 몰상식한: ~es Verhalten 무례한 행동.

Stillosigkeit *f.* -en ① 몰상식, 무례. ② 몰취미〔몰양식〕한 언동.

Still≈schweigen *n.* ① 비밀 엄수, 침묵: sich in ~ hüllen 묵비권을 행사하다; in ~ verharren 침묵을 고수하다. ② 완전한 정적. **~schweigen*** *i.* (h.) 침묵하다; 말하지 않다. **~schweigend** 《I》 *p.a.* 침묵하는; 무언의, 암묵적인: eine ~e Übereinkunft 무언의 합의; eine ~e Erklärung 암묵적 의사 표현. 《II》 *adv.* 잠자코, 무언중에, 암암리에. **~setzen** *n.* 운행〔가동〕을 중단시킴, 정지. **~sitzen*** *i.* (h.) 유유자적하다, 조용히 있다, 활동하지 않다. **~stand** *m.* (동작의) 멈춤, 정지, 정체; 막힘, 부진; 〖商〗 불황, 불경기. **~stehen*** *i.* (h./(südd. s.)) ① 멈추어 있다, 정지해 있다; 〖軍〗 부동 자세를 취하다: 〖軍〗 ~gestanden! 차렷! (구령); mir stand fast das Herz still 나는 심장이 멎는 것 같았다; die Truppe ~ lassen 부대를 부동 자세 시키다. ② 나아가지 않다, 정체하다; 〖商〗 부진하다, 불경기다. **~stehend** *p.a.* 멈춘, 가만히 서 있는; 정체되어 있는; 〖商〗 부진한, 불황의.

Stillung [ʃtɪlʊŋ] 《<stillen》 *f.* ① 그치게 함, 만족시킴, 가라앉힘; 진정, 완화. ② 수유.

Stillungs·mittel *n.* 〖醫〗 진정제.

still≈vergnügt *a.* 내심 즐기는, 은근히〔속으로〕 만족해하는: ~ vor sich hin lächeln 남몰래 만족의 미소를 짓다. **~wasser** *n.* 게류(憩流) (밀물과 썰물이 합쳐 정지된 바닷물). **~zeit** *f.* 수유기(授乳期).

Stil≈mittel *n.* 문체〔양식〕의 수단. **~möbel** *n.* 복고풍의 가구. **~note** *f.* 〖스포츠〗 평점. **~richtung** *f.* 문체〔양식〕의 경향〔조류〕. **~schicht** *f.* 문체〔양식〕의 층위. **~übung** *f.* 문장〔문체〕 연습. **~untersuchung** *f.* (예술 작품의) 스타일〔양식〕 연구. **~voll** *a.* 문체가〔양식이〕 훌륭한, 전체적으로 조화를 이루는, 좋은 취향의: einen Raum ~ gestalten 어떤 공간을 세련되게 꾸미다. **~wandel** *m.* 양식〔문체·스타일〕의 변화. **~widrig** *a.* 문체〔양식〕에 맞지 않는. **~wörter·buch** *n.* 문체 사전.

Stimm≈abgabe [ʃtɪm..] *f.* 투표. **~aufwand** *m.* 목청의 사용: mit großem ~ 큰 소리로. **~band** *n.* 〖해부〗 성대.

stimmbar *a.* ① 〔고어〕 ↑ stimmberechtigt. ② 〖음악〗 가락을 맞출 수 있는, 조율할 수 있는; 가락이 좋은〔맞는〕.

stimm≈begabt *a.* 음성〔목청〕이 좋은, 고운 목소리를 타고난. **~berechtigt** *a.* 투표권이 있는. **~berechtigte*** *der/die* 투표권자. **~berechtigung** *f.* 투표권. **~bezirk** *m.* 선거구. **~bildend** *a.* 발성(연습)의. **~bildung** *f.* ① 발성. ② 〖음악·연극〗 발성 연습〔훈련〕. **~bruch** *m.* 〖음악〗 변성(變聲). **~bürger** *m.* (schweiz.) 유권자.

Stimmchen *n.* -s, - 〔↑ Stimme 의 축소형〕 부드럽고 여린 목소리.

***Stimme** [ʃtɪmə] 《gr. stóma, „Mund"》 *f.* -n ① (목)소리, 음성, 음향; 음색, 음질: (wie) mit einer ~ 이구동성으로; die ~ erheben 〔senken〕 소리를 높이다〔낮추다〕; die ~ des Blutes 혈육의 정; eine innere ~ 예감, 확실한 느낌; nicht gut bei ~ sein 지금 노래할 기분이 아니다; keine ~ haben 노래를 잘 부르지 못하다; 〔농담·구어〕 die ~ ölen 노래를 더 잘 부를 수 있도록 술을 마시다; die ~ verlieren 더 이상 노래를 예전처럼 잘 부를 수 없게 되다, 벙어리가 되다. ② 발성 능력: niedere Tiere haben keine ~ 하등 동물은 발

성 능력이 없다. ③〖음악〗 성부(聲部); 음역; 파트 악보; die erste ~ 소프라노; die zweite ~ 알토; Gesang für eine ~ 독창(곡); Gesang für drei ~n 3부 합창, 3중창(곡). ④〖현악기〗 앞판과 뒤판 사이의 버팀 막대; 〖오르간〗 음색이 같은 파이프류(類). ⑤ 의견, 견해: Volkes ~ (ist) Gottes ~ 민심이 천심; die ~ der Öffentlichkeit 〔des Volkes〕 여론. ⑥ 발언권; 투표권; 투표; seine ~ abgeben 투표하다; die ~n zählen 투표를 집계하다; sich der ~ enthalten 기권하다, 투표에 불참하다.

***stimmen** [ʃtímən] 《I》 *i.* (h.) ① 맞다, 옳다, 합치〔일치〕하다: das stimmt 꼭 그대로다, 옳다; 〖구어〗 bei dir stimmt's wohl nicht (ganz) ? 너 정신이 좀 이상한 거 아냐 ? ; 〖구어·농담〗 stimmt's oder hab' ich recht ? 내 말이 옳지 ? ; stimmt so ! (거스름돈을 팁으로 주면서) 됐습니다, 그냥 두세요 ! ② 어울리다, 조화를 이루다: die Vorhänge ~ gut zur Tapete 커튼이 벽지와 잘 어울린다. ③ 투표하다: für〔wider, gegen〕 et. ~ 무엇에 찬성〔반대〕 투표를 하다. 《II》 *t.* ①〖음악〗 조율하다: höher〔tiefer〕 ~ 음정을 높이다〔내리다〕; 〖비유〗 seine Forderungen hoch ~ 과도한 요구를 하다. ② …한 느낌〔기분〕을 가지게 하다: jn. für〔gegen〕 einen andern ~ 타인에 대하여 호감〔반감〕을 가지게 하다; jn. zu et.³ ~ 무엇을 할 기분이 나게 하다; ich bin fröhlich gestimmt 나는 기분이 좋다; ich bin nicht zum Schreiben gestimmt 나는 글 쓸 마음이 나지 않는다. ③〖고어〗 (bestimmen) 정하다, 규정하다. ④〖방언〗 비웃다, 우롱하다, 놀리다.

Stimmen=anteil *m.* 득표율. **~anzahl** *f.* 투표수. **~auszählung** *f.* 득표의 집계. **~einheit** *f.* 만장 일치. **~einhelligkeit** *f.* ↑ ~einheit. **~fang** *m.* 〖폄어〗 표 끌어모으기. **~gewinn** *m.* 득표. **~gewirr** *n.* 떠드는 소리, 소란. **~gleichheit** *f.* 득표〔가부·찬반〕 동수: bei ~ entscheidet der Vorsitzende 가부 동수일 때 의장이 결정한다. **~kauf** *m.* 표의 매수. **~mehrheit** *f.* 과반수 이상〔다수〕 득표. **~minderheit** *f.* 과반수 미만〔소수〕 득표. **~prüfung** *f.* 투표 (재)검표. **~sammler** *m.* ① 집표원. ② 선거 운동원. **~teilung** *f.* 유권자 분할 점유(율).

Stimm·enthaltung *f.* (투표의) 기권.

Stimmen=verhältnis *n.* 투표 비율, (투표에 따른) 찬반 비율. **~verlust** *m.* 득표수의 감소. **~zahl** *f.* ↑ ~anzahl. **~zählung** *f.* 투표 집계. **~zuwachs** *m.* 득표수의 증가.

Stimmer [ʃtímər] 《<stimmen》 *m.* -s, - ①〖음악〗 조율사. ②〖악기〗 (백파이프에서) 같은 반주음을 계속 내는 파이프.

stimm=fähig *a.* 투표권이 있는. **~freiheit** *f.* 투표의 자유.

Stimm=führer *m.* ① 코러스의 지휘자, 선창자(先唱者). ② 대변인. **~führung** *f.* 〖음악〗 (대위법에 따른) 개별 성부의 진행(지휘). **~gabel** *f.* 〖음악〗 소리굽쇠, 음차(音叉). **~geber** *m.* 발성 기관. **~gebung** *f.* (인간의) 발성. **~gewaltig** *a.* 음량이 풍부한.

stimmhaft [ʃtímhaft] 《<Stimme》 *a.* 〖음성〗 유성(有聲)의, 탁음의.

Stimmhaftigkeit *f.* 〖음성〗 유성(의 성질).

Stimm=hammer *m.* 〖피아노〗 조율 마치〔건(鍵)〕. **~holz** *n.* 〖현악기〗 스톱〔음전(音栓)〕. **~hölzchen** *n.* ↑ ~holz.

stimmig [ʃtímɪç] 《<Stimme》 *a.* 조화로운, 통일적인, 알맞은.

..stimmig *suf.* "…음의·성의"의 뜻 (보기: viel~ 다성(多聲)의; vier~ 4음부의).

Stimmigkeit *f.* 조화, 일치.

Stimmittel *n.* -s, - 성량; 음역.

Stimm·lage *f.* 〖음악〗 음역, 성부(聲部).

Stimmlein *n.* -s, - 〖↑ Stimme 의 축소형〗 여린 목소리.

stimmlich *a.* 성량의, 성부의.

Stimm·lippe *f.* 〖해부〗 성대(聲帶), 목청.

stimmlos *a.* 〖문법〗 무성(無聲)의: ~e Konsonanten 무성 자음(p, t, k, f 따위).

Stimmlosigkeit *f.* ①〖음성〗 무성. ②〖醫〗 미약한〔나지막한〕 목소리.

Stimm=mittel *n.* ↑ Stimmittel. **~organ** *n.* 〖해부〗 발성 기관. **~pfeife** *f.* 〖음악〗 조율용 피리〔관악기〕. **~recht** *n.* 투표권, 선거권; allgemeines ~ 보통 선거권. **~rechtlerin** *f.* 여성 참정권 운동가. **~ritze** *f.* 〖해부〗 성문(열)(聲門(裂)). **~ritzen·deckel** *m.* 〖해부〗 회염(會厭) 연골. **~schlüssel** *m.* 〖음악〗 조율건(鍵). **~stock** *m.* ①〖현악기〗 앞판과 뒤판 사이의 버팀 막대. ②〖피아노〗 몸체〔뼈대〕와 줄감개의 연결 부분. **~ton** *m.* 〖음악〗 기준〔표준〕음. **~umfang** *m.* 〖음악〗 성량, 음역.

***Stimmung** [ʃtímuŋ] *f.* -en ① 기분, 감정 상태, 정서, 변덕; 분위기: die (allgemeine) ~ heben 기분을〔분위기를〕 고조시키다; nicht in der ~ sein, et. zu tun 무엇을 할 기분이 아니다; (in) guter〔schlechter〕 ~ sein 기분이 좋다〔나쁘다〕; jn. in gute〔schlechte〕 ~ versetzen 누구를 기분을 좋게〔나쁘게〕 하다; hier herrscht ~ ! 여기는 분위기가 좋다〔즐겁다〕 ! ② (예술 작품의) 분위기, 정취, 인상. ③ 여론, (다수의) 입장, 공론: die ~ für Neuwahlen ist günstig 재선거에 대한 여론은 유리하다; für〔gegen〕 jn.〔et.〕 ~ machen 누구〔무엇〕에 대하여 유리〔불리〕한 여론을 조성하다. ④〖음악〗 조율; 가락: die Orgel ist zu hoch in der ~ 오르간이 너무 높게 조율되어 있다; die reine〔temperierte〕 ~ 순수율〔평균율〕.

Stimmungs=barometer *n.* ① 분위기 척도: das ~ sinkt〔steigt〕 분위기가 나빠진다〔좋아진다〕. ② 여론 척도. **~bild** *n.* 분위기 묘사. **~kanone** *f.* 분위기 조성자. **~kapelle** *f.* 분위기 조성 악대. **~mache** *f.* 〖폄어〗 여론 조작. **~musik** *f.* 분위기 조성 음악. **~streik** *m.* 동정 파업. **~umschwung** *m.* 분위기〔여론〕의 급변. **~voll** *a.* 정서가 풍부한, 정취가 넘치는.

Stimm=vieh *n.* 〖폄어〗 줏대 없는 투표권자. **~wechsel** *m.* 변성(變聲). **~zählung** *f.* ↑ Stimmenzählung. **~zettel** *m.* 투표 용지.

Stimulans [stí:mulans, ʃt..] 《lat.》 *n.* -, ..lantia [..lántsia]/..lanzien [..lántsiən] 〖교양·전문〗 자극물, 흥분제.

Stimulanz *f.* -en 〖교양·전문〗 자극, 고무.

Stimulation [..tsió:n] *f.* -en 〖교양·전문〗 자극; 고무, 격려; 흥분시키기.

stimulieren *t.* ① 자극〔고무〕하다; 흥분시키다. ② (기관의 기능을) 활성화하다, 강화하다.

Stimulierung *f.* -en 〖교양〗 자극, 고무; 격

려, 촉진.

Stimulus *m.* -, ..li 자극; 고무, 격려.

Stinkadores[1] [ʃtɪŋkadó:rɛs] 《d. + sp.; stinken》 *f.* 〔구어·농담〕 냄새가 고약한 저급 시가〔엽궐련〕.

Stinkadores[2] *m.* -, - 〔구어·농담〕 고약한 냄새가 나는 치즈.

Stink≈asant [ʃtíŋk..] *m.* 〖植〗 아위(阿魏). **~baum** *m.* 〖植〗 벽오동과. **~besoffen** *a.* 〔비속〕 고주망태가 된. **~bock** *m.* 〔비속·폄어〕 악취를 풍기는 사람. **~bombe** *f.* 〖軍〗 악취탄. **~dachs** *m.* 〖動〗 오소리의 일종(인도네시아에 서식하며 위급할 때 악취가 나는 분비물을 내뿜음). **~drüse** *f.* 〖動〗 악취선(腺).

__stinken__ [ʃtíŋkən] (stank, gestunken) 《ahd. stinkan, „riechen"》 *i.* (h.) ①〔폄어〕 나쁜〔지독한〕 냄새가 나다, 악취를 풍기다; 고약한 습성이 있다: du stinkst (nach Schweiß) 너는 (땀) 냄새가 심하게 난다; nach Geld ~ 매우 부자다; er stinkt vor Faulheit 그는 아주 게으름뱅이다; vor Geiz ~ 매우 인색하다; 〔속담〕 Eigenlob stinkt 자기 자랑은 구린내가 난다, 자기 자랑을 하지 마라. ②〔구어〕 제대로 되어있지 않다, 의심스럽다: die ganze Sache stinkt 이 일은 무엇하나 제대로 되어 있는 것이 없다; hier stinkt es! 여기에는 뭔가가 수상하다. ③〔경박〕 jm. ~ 질색이다, 성가시다: mir stinkt's (gewaltig)! (정말로) 질렸다!; er stinkt vor mir 그는 딱 질색이다.

stinkend *p.a.* 악취를 풍기는; 지독한, 심한: ~e Lüge 새빨간 거짓말; ~ faul sein 지독한 게으름뱅이다.

Stinker *m.* -s, - ①〔농담〕 어린이의 애칭. ②〔폄어〕 역겨운〔마음에 들지 않는〕 인간.

stink≈faul *a.* 〔경박〕 지독히 게으른. **~fein** *a.* 〔경박〕 매우 우아한〔고상한〕. **≈fliege** *f.* 〖動〗 뱀잠자리붙잇과의 일종. **≈fritz** *m.* ↑ Stinker ①. **≈holz** *n.* 〖植〗 누리장나무.

stinkig [ʃtíŋkɪç] *a.* ①〔구어〕 악취나는. ②〔경박·폄어〕 마음에 들지 않는. ③〔경박〕 화가 나는: bist du ~ auf mich? 나한테 화났니?

Stink≈käfer *m.* 〖動·방언〗 ① 말똥구리. ② 쇠똥벌레(초식 동물의 분뇨를 먹고 사는 풍뎅잇과의 일종). **~kalk** *m.* (타격을 가하면 악취가 나며 역청 때문에 황회색이 나는) 석회석의 일종. **≈langweilig** *a.* 〔경박〕 너무 지루〔심심〕한. **~laune** *f.* 아주 나쁜 기분. **~marder** *m.* 〖사냥〗 스컹크. **~morchel** *f.* 〖植〗 우산버섯의 일종. **~nase** *f.* 〖醫〗 취비증(臭鼻症). **≈-normal** *a.* 〔경박〕 완전히 정상적인. **≈-sauer** *a.* 〔경박〕 격분한. **~stein** *m.* 〖광물〗 역청질(瀝青質) 점판암, 취석(臭石). **~-stiebel** *m.* 〔방언〕 ↑ ~stiefel. **~stiefel** *m.* 〔비속〕 변덕쟁이, 짜증꾼. **~tier** *n.* 〖動〗 ① 스컹크류(類). ②〔비속〕 꼴보기 싫은 사람. **≈-vornehm** *a.* 〔경박〕 아주 고상한. **~wanze** *f.* 〖動〗 진디. **~wut** *m.* 〔구어〕 격노.

Stint [ʃtɪnt] 《ndd.》 *m.* -(e)s, -e ①〖動〗 빙어과의 식용어(魚). ② (ndd.) 바보, 얼간이.

Stinz *m.* -(e)s, -e ↑ Stint.

Stipendiat 《lat.》 *m.* -en, -en 장학생.

Stipendien≈fonds *m.* 장학 자금. **~vergabe** *f.* 장학금 지급. **~verwaltung** *f.* 장학 행정.

***Stipendium** [..dium] 《lat.》 *n.* -s, ..dien [..diən] ① 장학금, 학술 연구 지원금: ein ~ beantragen〔vergeben〕 장학금을 신청〔지급〕하다. ②〖가톨릭〗 사제 유지 기금; 미사의 헌제 사례(獻祭謝禮).

Stipp *m.* -(e)s, -e (ndd.) ① ↑ Stippe. ② auf einen〔den〕 ~ 즉시, 곧.

Stipp·besuch *m.* 단시간의 방문, 잠깐 들름.

Stippe [ʃtípə] *f.* -n ① 점, 얼룩. ②〖醫〗 고름, 농포; 여드름. ③ (빵 따위를 찍어먹을 수 있는) 묽은 수프〔소스〕.

stippen [ʃtípən] *t.* (ndd.) ① 살짝 담그다, 적시다: Brot in Milch ~ 빵을 우유에 담그다. ② (수프·주스 따위를) 찍어서 꺼내다: Soße mit Brot aus der Schüssel ~ 대접에 담긴 소스를 빵으로 묻혀내다. ③ 살짝 건드리다, 부딪치다, 툭 쳐서 밀어내다: mit dem Finger gegen die Glaskugel ~ 손가락으로 유리 구슬을 툭 치다〔튕기다〕.

stippig *a.* (과일에) 얼룩〔흠〕이 있는; (ndd.) 여드름투성이인.

Stippigkeit *f.* ① 얼룩〔흠〕이 있음. ② 여드름투성이임.

Stipp·visite *f.* ↑ ~besuch.

Stipulant [ʃt.., st..] 《lat.》 *m.* -en, -en 계약자.

Stipulation [ʃtipulatsió:n, st..] *f.* -en 계약, 약정, 협정.

stipulieren *t.* ①〖法·商〗 계약하다, 약정〔협정〕하다. ②〔교양〕 확정하다, 확실히 하다.

Stipulierung *f.* -en 〖法〗 계약, 협정.

stirb [ʃtɪrp] ↑ sterben 의 명령형.

stirbst [ʃtɪrpst] ↑ sterben 의 2 인칭 단수 현재형.

stirbt ↑ sterben 의 3 인칭 단수 현재형.

***Stirn** [ʃtɪrn] *f.* -en ① 이마: eine ~ bis in den Nacken haben 대머리다; mit eherner〔eiserner〕 ~ 뻔뻔스럽게; mit offener ~ 거리낌없이; zu et.[3] die ~ haben〔die ~ haben, et. zu tun〕 무엇을 할 정도로 철면피다; seine ~ umwölkte sich 그의 얼굴에 어두운 그림자가 드리워졌다; jm. seine Gedanken〔Gefühle〕 an der ~ ablesen 누구의 표정에서 생각〔느낌〕을 알아내다; jm.〔et.[3]〕 die ~ bieten 누구〔무엇〕에 저항하다, 맞서다; über jn.〔et.〕 die ~ runzeln 누구〔무엇〕에 동의하지 않다; niemand ahnte, was hinter seiner ~ vorging 그가 무슨 생각을 하는지 아무도 몰랐다; da kann man sich nur an die ~ fassen〔greifen〕 그것은 도저히 믿을 수 없는 일이다; die ~ hoch tragen 뻐기다; 〔비유〕 das steht ihm an〔auf〕 der ~ geschrieben 그것은 그의 이마에 명백히 쓰여 있다. ②〖건축〗 전면, 정면. ③〖지형〗 단층면.

Stirn≈ader *f.* 관자놀이 정맥. **~ansicht** *f.* 전면도. **~band** *n.* 〔복수: ..bänder〕 머리띠. **~bein** *n.* 〖해부〗 전두골. **~binde** *f.* 〖민속〗 (사제나 왕의 신분을 표시하기 위한) 머리띠. **~blatt** *n.* 광안(光眼) (말 따위의 이마에 붙이는 금속의 장식물). **~bogen** *m.* 〖건축〗 정면의 아치.

Stirne [ʃtírnə] *f.* -n 〔구식〕 ↑ Stirn.

Stirn≈falte *f.* 이마의 주름살. **~fläche** *f.* 정면, 전면. **~glatze** *f.* 이마 위쪽의 대머리. **~haar** *n.* 앞머리카락. **~höhle** *f.* 〖해부〗 전두동(前頭洞).

Stirnhöhlen≈entzündung *f.* 전두동염(炎). **~vereiterung** *f.* 전두동 화농(化膿).

..stirnig 《<Stirn》 *suf.* "…이마의"의 뜻 (보기: breit~ 〔eng~〕 이마가 넓은〔좁은〕).

Stirn≈locke *f.* 이마에 드리워지는 고수머리. **~muskel** *m.* 〖해부〗 전두근(前頭筋). **~rad** *n.* 스퍼 기어, 뿔꼴 톱니바퀴. **~reif** *m.* (장식용) 머리띠. **~riemen** *m.* (마구(馬具)의) 이마끈. **~runzeln** *n.* 이맛살을 찌푸림. **~runzelnd** *a.* 이맛살을 찌푸리는. **~seite** *f.* 〖건축〗 전면, 정면. **~stück** *n.* 이마 부분; 〖건축〗 정면. **~wand** *f.* 〖건축〗 전면〔정면〕의 벽. **~wunde** *f.* 이마의 상처. **~ziegel** *m.* 〖건축〗 (고대 건축물 상단의) 장식 마감벽돌.

Stize [ʃtíːtsə] *f.* -n (schweiz.) 통, 그릇, 주전자.

Sto. =Santo 성(聖).

Stoa [ʃtóːa, st..] 《gr.》 *f.* Stoen [ʃtóːən] ① 〖哲〗 스토아 학파. ② 〖건축〗 (그리스의) 주랑(柱廊).

stob [ʃtoːp] ↑ stieben 의 과거형.

stöbe [ʃtǿːbə] ↑ stieben 의 1·3 인칭 단수 접속법 Ⅱ 식.

stoben [ʃtóːbən] 《<Stube》 *t.* (ndd.) 찌다, 쪄서 삶다; 스튜로 하다.

Stöber [ʃtǿːbər] *m.* -s, - ↑ ~hund.

Stöberei *f.* -en 〘구어〙 헤집음, 샅샅이 뒤지기.

Stöber·hund *m.* 〖사냥〗 사냥감 수색견.

***stöbern** [ʃtǿːbərn] 《♧ stieben, stäuben, Staub》 《Ⅰ》 *i.* (h.) ① nach et.³ ~ 무엇을 찾아 여기저기 헤집다〔뒤지다〕. ② 샅샅이 뒤지다: in js. Schreibtisch ~ 누구의 책상속을 뒤지다. ③ 흩날리다: (*imp.*) es stöbert 눈보라친다. 《Ⅱ》 *t.* ① 흩날리게 하다: der Wind stöbert die Flocken durch die Luft 바람이 눈송이들을 공중에 흩날리게 한다. ② (südd.) 샅샅이 청소하다: ein Zimmer ~ 방을 대청소하다. ③ 〖사냥〗 몰아대다, 휘몰다: die Hunde stöberten das Wild aus dem Dickicht 개들이 짐승을 숲에서 몰아냈다.

Stöber·wetter *n.* 눈보라가 치는 날씨.

Stochastik [stoxástɪk, ʃt..] *f.* 〖數〗 추계학(推計學).

stochastisch *a.* 추(측 통)계학의; 우연에 좌우되는.

stocheln *t./i.* (h.) ↑ stochern.

stochen *i.* (h.) 뾰족한 것으로 휘저어 쑤시다.

Stocher [ʃtɔ́xər] *m.* -s, - ① (이)쑤시개, 부지깽이. ② 〖工〗 불갈고리.

stochern [ʃtɔ́xərn] *t./i.* (h.) ① 쑤시다; 후비다: das Feuer ~ 불을 쑤셔 일으키다; sich³ die Zähne 〔in den Zähnen〕 ~ 이를 쑤시다; im Essen ~ 음식을 께적께적 먹다. ② (auf) jn. ~ 누구를 빈정거리다〔비꼬아 말하다〕.

Stöchiometrie [ʃtøçiometríː, st..] 《gr.》 *f.* 〖化〗 화학량론(化學量論).

***Stock**¹ [ʃtɔk] 《♧ stauchen, Stück》 *m.* -(e)s, Stöcke [ʃtœ́kə] ① 막대기, (나무에서 잘라낸) 줄기, 지팡이, 지휘봉, 매, 스틱: ein kurzer ~ 짧은 막대기; den ~ bekommen 매를 맞다; (steif) wie ein ~ 매우 뻣뻣하게; am ~ gehen 지팡이를 짚고 다니다(〘구어〙 지금 돈이 별로 없다); 〘비유〙 mit ~ und Stiel 송두리째, 모조리, 남김없이. ② 그루, 그루터기: Stöcke aus dem Boden reißen 땅에서 그루터기들을 뽑아내다; über ~ und Stein 어떤 장애에도 굴하지 않고, 저돌적으로. ③ (식물의) 줄기, 그루. ④ (중세의) 차꼬: jn. in den ~ legen 누구에게 차꼬를 채우다. ⑤ 〖해부〗 난소; 〖醫〗 (고름의) 근(根); 〖植〗 씨방. ⑥ 퇴적, (마른 풀·짚 따위의) 더미. ⑦ 덩어리, 덩이; 소금 덩어리. ⑧ (südd.) 산악 지대. ⑨ 〖광산〗 (a) 광상(鑛床), 광맥 지대. (b) 통나무 구조물. ⑩ (schwäb.) 집단〔연립〕 주택. ⑪ (öst.) (극장의) 칸막이 좌석, 관람석 층. ⑫ (schweiz.) 인가, 주택, (창고·우리가 없는) 저택. ⑬ 모루. ⑭ 하이 힐의 뒤축. ⑮ 〖印〗 판목(版木); 목판화; 커트. ⑯ (모자의) 형(型). ⑰ 헌금 상자; 저금통. ⑱ 꿀벌의 벌집〔벌통〕; 벌집 속의 꿀벌. ⑲ 〖양조〗 냉각기; 담그는 통. ⑳ (아마·베 거래에서) 길이의 단위(약 66.7 cm); 함부르크의 곡량(穀量) 이름(3 Wispel). ㉑ 〖스포츠〗 하키채. ㉒ 〖카드〗 스토크(나눠지 않는 카드). ㉓ 〖動〗 군체(群體).

Stock² [ʃtɔk, st..] *m.* -(e)s, -werke 층: im fünften ~ wohnen 6 층에 살다.

Stock³ *m.* -s, -s 〖經〗 ① 저장품, 재고. ② 주식 자본(금), 기본금. ③ 유가 증권, 주식.

stock.. 《<Stock¹》 *pref.* "완전한·근본적인·철두철미한"의 뜻(보기: ~dumm).

Stock≈amerikaner [ʃtɔ́k..] *m.* 순수한 미국인. **~ausschlag** *m.* 〖林〗 (베어낸 그루터기에서 자라난) 새싹, 가지. **~ball** *m.* 〖스포츠〗 하키. **~betrunken** *a.* 대취한. **~blind** *a.* 완전히 눈먼. **~börse** *f.* 〖商〗 주식 거래소. **~brite** *m.* 순수한 영국인.

Stockcar 《engl.》 新정서 ⇦ Stock-Car.

Stock-Car [stɔ́kkaː(r)] 《engl.》 *m.* 스톡카(경주용으로 개조된 승용차).

Stock-Car-Rennen *n.* 스톡카 경주.

Stöckchen [ʃtœ́kçən] *n.* -s, - 〘↑ Stock¹ 의 축소형〙 작은 줄기〔막대기·그루〕.

Stock≈degen *m.* 〘옛뜻〙 지팡이 속에 숨겨진 칼. **~dumm** *a.* 몹시 아둔한. **~dunkel** *a.* 몹시 어두운, 칠흑 같은. **~dürr** *a.* 〘구어〙 빼빼 마른, 몹시 야윈.

Stöckel¹ [ʃtœ́kəl] *m.* -s, - ↑ ~absatz.

Stöckel² *n.* -s, - (öst.) (궁성의) 부속 건물, 별채.

Stöckel≈absatz *m.* 하이 힐 뒷굽. **~schuh** *m.* 하이 힐.

stöckeln *i.* (s.) 하이 힐을 신고 걷다.

***stocken**¹ [ʃtɔ́kən] 《<Stock¹》 《Ⅰ》 *i.* (h./(고어) s.)/*refl.* (sich) ~ ① 멎다, 정지하다; 막히다, 정체하다; (장사가) 잘 안 되다: die Feder stockte ihm 그는 계속 글을 쓸 수 없었다; der Atem stockte ihm 그는 (놀라서) 숨을 쉴 수 없었다. ② (말을) 멈추다, (일을) 중단하다: ~d reden 더듬거리며 말하다. ③ (액체가) 응고하다, (피가) 울혈하다: Milch ~ lassen 우유를 응고시키다. ④ (종이·섬유가 곰팡이 따위로 인해) 얼룩지다. 《Ⅱ》 *t.* 멎게 하다, 중단시키다, 막다, 정체시키다. 《Ⅲ》 **gestockt** *p.a.* ↑ gestockt.

Stocken *n.* - 정지, 정체; 〖商〗 부진: ins ~ geraten〔kommen〕 막히다, (교통이) 두절되다; (통신이) 끊어지다.

stocken² 《<Stock¹》 *t.* ① 받침대를 세우다: Pflanzen ~ 식물을 막대기로 받치다. ② (베를) 감아 올리다. ③ (재목을) 쌓아올리다.

Stock≈engländer *m.* ↑ ~brite. **~ente** *f.* 〖動〗 물오리.

stockerig *a.* 〘방언〙 (막대기처럼) 키가 크고

홀쭉한, 호리호리한, 바싹 야윈.

Stockerl *n.* -s, -(n) (bayr., öst.) (Hocker) 등받이가 없는 의자.

Stock≈fäule *f.* 〖林〗(버섯으로 인한) 나무의 썩음. **~fechten** *n.* 봉술(棒術). **≈finster** *a.* 아주 깜깜한. **~fisch** *m.* ① 건어(乾魚). ② 〖구어·폄어〗 지루한 사람, 말이 없는 사람; 멍청이. **~fleck, ~flecken** *m.* 곰팡이 또는 습기로 생긴 얼룩. **≈fleckig** *a.* (습기로 인해) 얼룩진, 곰팡이 슨. **~flinte** *f.* 〖고어〗 장총. **~flöte** *f.* 〖음악〗 (보헤미아의) 지팡이 모양 플루트. **~franzose** *m.* 순수한 프랑스인. **≈-fremd** *a.* 아주 낯선. **~geige** *f.* 〖악기〗 작은 〔막대기 모양의〕 바이올린. **~griff** *m.* 스틱의 손잡이. **~händler** *m.* 스틱 상인. **~haus** *n.* (중세의) 감옥. **≈heiser** *a.* 〖구어〗 목이 완전히 쉰. **~hieb** *m.* 태형, 곤장.

Stockholm [ʃtɔ́khɔlm, ʃtɔkhɔ́lm, stɔ́k..] 스톡홀름(스웨덴의 수도).

Stockholmer [(또한) ʃtɔkhɔ́lmər] 《I》 *m.* -s, - 스톡홀름 사람. 《II》 *a.* 스톡홀름의.

stockig [ʃtɔ́kɪç] 《< Stock¹》 *a.* ↑ stockfleckig.

..stöckig *suf.* "…층의"의 뜻(보기: zwei~ 3층의; drei~ 4층의).

stöckisch *a.* ↑ stockig.

Stock≈jobber 《engl. < Stock²》 *m.* 〖商〗 주식 중매인〔브로커〕. **~jude** *m.* 순수한 유대인. **~knopf** *m.* 스틱의 둥글게 다듬은 손잡이. **≈-konservativ** *a.* 극히 보수적인. **~laterne** *f.* 제등(提燈).

Stöcklein *n.* -s, - 〖↑ Stock¹ 의 축소형〗 작은 막대기(Stöckchen).

Stock≈makler, ~mäkler *m.* ↑ ~jobber. **~malve** *f.* 〖植〗 ↑ ~rose. **~preuße** *m.* 순수한 프로이센 사람. **~prügel** *pl.* 몽둥이로 때리기, 태형. **~punkt** *m.* 〖理〗(액체의) 응고점. **~rose** *f.* 〖植〗 접시꽃.

Stocks [stɔks] 《engl.》 *pl.* 〖經〗 공채 (증서), 국채, 국고 채권.

Stock≈schere *f.* (자루가 달린) 큰 가위. **~-schirm** *m.* 지팡이 우산. **~schläge** *pl.* ↑ ~prügel. **~schnupfen** *m.* (만성적인) 코감기; 코막힘. **~schwamm** *m.* 식용 버섯의 일종. **~ständer** *m.* 지팡이꽂이. **≈steif** *a.* ① 아주 뻣뻣한; (거동이) 매우 딱딱한. ② 서투른, 사교성이 없는. **≈still** *a.* 아주 고요〔한적〕한. **≈stumm** *a.* 〖구어〗 ① 완전히 벙어리인. ② 아무런 소리도 내지 않는. **≈taub** *a.* 〖구어〗 전혀 귀가 들리지 않는, 완전히 무관심한. **~uhr** *f.* (öst.) 대형 괘종 시계.

Stockung [ʃtɔ́kuŋ] *f.* -en 정지, 정체, 부진.

Stock≈wache *f.* 〖고어〗 교도관, 간수, 옥지기. **~werk** *n.* ① (집의) 층. ② 〖광산〗 (같은 층의) 갱내 시설〔구조물〕. **~zahn** *m.* (obd.) 어금니. **~zwinge** *f.* 지팡이 끝에 박은 쇠〔마구리〕.

*__Stoff__ [ʃtɔf] 《altfrz. estoffe, „Gewirk"》 *m.* -(e)s, -e ① 직물, 천, 옷감: 견직(물): et. mit ~ überziehen 무엇에 천을 덮어씌우다. ② 원료, 재료, 소재. ③ 물(物), 물질, 실질, 실체; 요소, 성분; 〖物·化〗 원소; 〖哲〗 질료(質料): aus einem anderen ~ gemacht sein 종류가 다르다(질적으로 다르다). ④ 제재(題材), 소재: ~ zum Lachen 웃음거리, 조롱감. ⑤ 〖경박〗 술: ein edler ~ 포도주; sich mit ~ vollpumpen 술을 진탕 마시다. ⑥ 〖은어〗 마약.

Stoffarbe *f.* 옷감〔직물〕 색상〔빛깔〕.

Stoff≈bahn *f.* (아직 가공되지 않은) 직물의 길다란 조각. **~ballen** *m.* (공처럼) 둥글게 감은 천〔직물〕. **~behang** *m.* 현수막.

Stoffel *m.* -s, - 〖구어·폄어〗 거친 사람, 어리벙벙한 사람, 얼뜨기.

stoffelig *a.* 〖구어·폄어〗 ① 버릇 없는, 거친, 투박한. ② 어리석은.

stoffeln *i.* (h.) ① 버릇 없는〔조야한〕 행동을 하다. ② 어리석은〔바보 같은〕 짓을 하다.

stoffen [ʃtɔ́fən] 《< Stoff》 *a.* (견) 직물의.

Stoffetzen *m.* -s, - 누더기(천).

Stofffetzen 新정서 ⇦ Stoffetzen.

stoff≈haltig *a.* 내용이 풍부한, 실질적인. **≈-lehre** *f.* 화학.

stofflich [ʃtɔ́flɪç] *a.* ① 물질의, 물질적인; 〖哲〗 질료적(質料的)인. ② 재료〔소재〕(상)의.

Stofflichkeit *f.* 구체성, 실체성, 대상성.

stofflig [ʃtɔ́flɪç] *a.* 〖구어·폄어〗 ↑ stoffelig.

stofflos *a.* ① 비(非)물질적인, 무형의, 실체 없는. ② 〖비유〗 내용 없는, 공허〔빈약〕한.

Stofflosigkeit *f.* 실체가 없음; 공허함.

Stoff≈mangel *m.* ① 물질〔실질〕의 결핍; 재료〔원료〕 부족. ② 〖학생〗 맥주〔술〕의 부족. **~metamorphose** *f.* ↑ ~wechsel. **~name** *m.* ↑ ~wort. **≈reich** *a.* 실질이 풍부한; 재료〔원료〕가 풍부한. **~rest** *m.* 천 조각; 지스러기. **~sammlung** *f.* 소재〔자료〕 수집. **~serviette** *f.* 천냅킨. **~tier** *n.* 헝겊 동물 인형.

Stoffülle *f.* 풍부한 소재〔재료·대상〕.

Stoff≈verwandtschaft *f.* 〖化〗 원소의 친화력. **~wechsel** *m.* 〖生·化〗 신진 대사, 물질 교대〔변환〕. **~wechsel·krankheit** *f.* 대사 장애〔질환〕. **~wort** *n.* 〖복수: ..wörter〗〖문법〗 구상(具像)〔물질〕 명사.

stöhle [ʃtǿ:lə] ↑ stehlen의 접속법 Ⅱ 식.

*__stöhnen__ [ʃtǿ:nən] 《ndd.》 *i.* (h.) ① 끙끙거리다, 신음하다: vor Schmerzen ~ 고통으로 신음하다. ② unter et.³ ~ 무엇에 시달리다: ächzend und ~d 한숨을 푹푹 쉬고 신음하면서. ③ über et. ~ 불평하다, 하소연하다.

stoi [stɔy] 《russ.》 *int.* 멈춰, 스톱.

Stoiker [ʃtó:ɪkər, st..] 《gr.》 *m.* -s, - ① 〖哲〗 스토아 철학자; 스토아주의자. ② 〖교양〗 정서가 균형잡힌 사람, 쉽사리 동요하지 않는 인간.

stoisch [ʃtó:.., st..] *a.* ① 스토아 학파〔철학〕의. ② 〖교양〗 동요하지 않는, 냉정한; 침착한.

Stoizismus 《gr. -lat.》 *m.* - ① 스토아주의. ② 〖교양〗 동요하지 않음, 엄정, 태연, 침착.

stokern *i.* (h.) (nordd.) (stochern) 황새처럼 걷다.

Stola [ʃtó:la, st..] 《gr.》, **Stole** 《gr.》 *f.* ..len ① (고대 로마 여성의) 긴 겉옷. ② (여성용의) 숄. ③ 〖가톨릭〗 (겉옷깃에 드리는) 스톨라, (사제·부제 등의 제복에 걸치는) 영대(領帶).

Stol·gebühren [ʃtó:l.., st..] *pl.* 〖宗〗 (세례·혼인·장례 때 사제에게 주는) 성식(聖式) 사례.

Stolle [ʃtɔ́lə] *f.* -n ↑ Stollen¹.

Stollen¹ *m.* -s, - (건포도·아몬드 등을 넣은) 특히 크리스마스용의 길쭉한 케이크.

Stollen² *m.* -s, - ① 지하 통로; 〖광산〗 수평갱 (↔ Schacht). ② (미끄러지는 것을 방지하기 위해) 편자 양 끝에 박은 쇳조각; 스포츠화의 스파이크, 사갈못. ③ 〖운율〗 장인가(匠人歌)(Meistersang)의 전절(Aufgesang)을 구성하는 두 연 중의 하나.

stollen *t.* 무두질하다; (피부를) 마사지하다, 주름을 펴다: Hufeisen ~ (미끄러지지 않도록) 편자에 쇳조각을 대다〔사갈못을 박다〕.

Stollen≈arbeit *f.*, **~bau** *m.* 〖광산〗 수평갱 굴착(공사). **~gang** *m.* 갱도. **~mund·loch** *n.* 〖광산〗 갱도 입구. **~schacht** *m.* 갱내 수직갱. **~wasser** *n.* 갱내 지하수. **≈weise** *adv.* 수평갱으로; 수평갱 모양으로.

Stolper [ʃtɔ́lpər] *m.* -s, - (sächs.: Fehltritt) 비트적거림; 헛디딤; 실책.

Stolper·draht *m.* (경보 장치로 설치된) 철사줄.

Stolperei [..ráı] *f.* -en ↑ Stolper.

Stolperer *m.* -s, - 비트적거리는 사람, 실각〔실책〕한 사람.

stolperig *a.* 걸어채여 넘어지기 쉬운; 울툭불툭한, 평탄하지 않은.

***stolpern** [ʃtɔ́lpərn] *i.* (h./s.) ① 걸려 넘어지다: über die Türschwelle ~ 문지방에 걸려 넘어지다; 〖비유〗 er stolpert über seine eigenen Füße 그는 일이 서투르다. ② 비틀거리며 가다. ③ 난관에 봉착해 있다, 위신을 잃다: über einen Satz ~ 한 문장을 이해하지 못하다; er ist über einen Skandal gestolpert 그는 스캔들 때문에 위신을 잃었다. ④ 우연히 만나다: in der Stadt stolperte er über einen alten Schulfreund 그는 시내에서 우연히 옛날 학교 동창을 만났다.

Stolper·stein *m.* 장애물, 난관.

***stolz** [ʃtɔlts] *a.* ① 자부심이 강한, 자신감 있는, 자존심이 센: 〖구어·농담〗 ~ wie ein Spanier 자부심으로 가득 찬. ② 〖폄어〗 거만〔교만〕한, 뻐기는; 남을 깔보는; 불손한, 오만한: ~ wie ein Pfau 오만하기 그지없는; 〖농담〗 warum so ~? 왜 인사도 안하느냐? ③ 의기양양〔당당〕한; 자랑스러워하는, 만족해하는: der ~e Sieger 의기양양한 승리자. ④ 화려〔위풍당당·대단〕한: eine ~e Summe 상당한 금액; ein ~es Schloß 화려한 성. ⑤ 〖방언〗 맵시 있는, 세련된: du bist aber ~ heute! 너 오늘 세련돼 보이는구나!

***Stolz** *m.* -es ① 자존심, 자부심, 긍지; 거만, 교만; 자부, 자랑; 오만, 불손: hast du denn (gar) keinen ~? 넌 대체 부끄럽지도 않니?; er setzte seinen (ganzen) ~ daran 그는 거기에 온 힘을 쏟았다; js. ~ brechen 누구의 코를 납작하게 하다. ② 자랑거리: seine Firma ist sein ganzer ~ 그의 회사는 그의 대단한 자랑거리다.

stolz·geschwellt *a.* 자부심에 찬.

stolzieren [ʃtɔltsí:rən] 《<Stolz》 *i.* (h./s.) 의기양양하게 걷다, 활보하다; 뽐내며 걷다; (말이) 다리를 높이 들며 걷다.

Stoma [stó:ma, ʃt..] *n.* -s, -ta ① 〖해부〗 입. ② 〖植〗 기공(氣孔).

stomachal *a.* 〖醫〗 위(胃)의〔에 관한〕.

Stomatitis *f.* ..titiden [..tí:dən] 〖醫〗 구내염(口內炎).

Stomatologie *f.* 〖醫〗 구강학.

stomatologisch *a.* 구강학의.

stop [stɔp, ʃt..] 《engl.》 *int.* (stopp) 멈춰, 서, 정지.

Stopf≈arznei [ʃtɔ́pf..] *f.* 〖藥〗 ① 지사제(止瀉劑). ② 수렴제(收斂劑), 지혈제. **~büchse** *f.* 〖기계〗 패킹 박스. **~ei** *n.* (짜깁기할 때 이용되는) 타원형 목제 받침대.

Stöpfel *m.* -s, - (obd.) 마개(Stöpsel).

***stopfen** [ʃtɔ́pfən] 《I》 *t.* ① 구멍〔해진 곳〕을 메우다, 짜깁다: eine Hose ~ 바지에 난 구멍을 꿰매다. ② (mit et.³) 채우다, 담다: eine Pfeife (mit Tabak) ~ 파이프에 담배를 담다; sich mit Speisen (voll) ~ 포식하다; der Saal ist voll gestopft 홀은 초만원이다; Wurst ~ 소시지에 속을 채우다. ③ (뚫린 곳을) 막다, 메우다: eine undichte Stelle ~ 물 따위가 새는 곳을 막다; 〖비유〗 ein Loch ~ 결함을 제거하다; 〖비유〗 jm. den Mund ~ 누구의 말문을 막다. ④ 서둘러 담다, 쑤셔넣다. ⑤ (가금을) 살찌우다, 비육(肥育)하다. ⑥ (금관 악기의 입구를 막아) 조절하다. 《II》 *i.* ① 〖구어〗 급히 삼키다: stopf nicht so! 그렇게 급히 먹지 마라! ② 배부르게 하다: die Torte ist gut, aber sie stopft 이 케이크는 맛이 좋지만 먹으면 너무 배가 부르다. ③ 변비를 일으키다: Schokolade stopft 초콜릿을 먹으면 변비가 생긴다. 《III》 *refl.* sich ~ ① 배불리 먹다. ② 꽉꽉 들어차다, 밀집〔운집〕하다. ③ 차다, 막히다; 〖醫〗 변비증이 생기다.

Stopfen[1] *n.* -s ↑ Stopfung ①.

Stopfen[2] *m.* -s, - 마개, 코르크.

Stopfer *m.* -s, - ① 채우는〔충전(充塡)하는, 막는〕 사람〔물건〕. ② 보철자(補綴者), 수선하는 사람. ③ 〖工〗 ↑ Stopfmaschine. ④ 〖방언〗 마개, 코르크.

Stopf≈garn *n.* 짜깁기실. **~maschine** *f.* 〖工〗 충전기(充塡機). **~mittel** *n.* ↑ ~arznei. **~nadel** *f.* 수선〔짜깁기〕 바늘. **~naht** *f.* 꿰매기, 짜깁기. **~nudel** *f.* (가금류의) 비육 사료. **~pilz** *m.* ↑ ~ei.

Stopfung [ʃtɔ́pfuŋ] *f.* -en ① 채워 넣음, 충전; 폐색; 〖醫〗 변비. ② 채우는 것, 패킹.

Stopf≈wachs *n.* 밀랍. **~wasser** *n.* 〖海〗 역류(逆流). **~werg** *n.* 〖海〗 (방수용) 뱃밥.

stopp [ʃtɔp] 《ndd.; <stoppen.》 *int.* 멈춰, 서, 정지.

Stopp·ball *m.* 〖테니스·탁구〗 스톱 볼(네트를 살짝 넘어 상대편 진영으로 떨어지는 볼).

***Stoppel**[1] [ʃtɔ́pəl] *f.* -n ① (곡식·채소를 베고 난 뒤의) 밑동, 그루터기. ② 그루터기 밭. ③ 〖구어〗 면도 후 다시 자란 짧은 수염〔털〕.

Stoppel[2] *m.* -s, -(n) (öst.) 마개, 코르크.

Stoppel≈bart *m.* ① 면도 후에 자란 수염. ② 면도하지 않은 얼굴. **≈bärtig** *a.* 면도하지 않은, 까칠까칠한. **~butter** *f.* (그루터기 밭에서 기른 소의 젖으로 만든) 가을철 버터. **~feder** *f.* (털을 뜯고 난 뒤에 남은) 깃줄기. **~feld** *n.* (곡물을 베고 난 뒤의) 그루터기 논밭. **~gans** *f.* 그루터기 밭에서 기른 거위. **~gedicht** *n.* 다른 사람의 시구를 베껴 쓴 시. **~haar** *n.* 바싹 깎은 머리.

stoppelhaft *a.* ↑ stoppelig.

stoppelicht *a.* ↑ stoppelig.

stoppelig *a.* 그루터기 투성이의; (수염이) 까칠까칠한.

Stoppeligkeit *f.* ↑ stoppelig 의 명사형.

Stoppel·mast *f.* 〖축산〗 그루터기 밭에서의 방목.

stoppeln [ʃtɔ́pəln] *t./i.* (h.) ① (추수 때 흘린 이삭을) 줍다; (따다 남은 과실을) 거두다. ② 〖구어·폄어〗 베끼다, 표절하다: das ist doch gestoppelt! 그것은 여기저기서 베낀 것이다!

③ (추수한 밭에) 첫갱이질을 하다. ④ 깃줄기를 잡아뜯다.

Stoppel≈rübe *f.* 〖植〗(수분이 많은) 무. **~weide** *f.* 추수한 밭에서 방목하기. **~werk** *n.* 짜깁기한 작품. **~zeit** *f.* 이삭 줍는 계절, 가을. **~zieher** *m.* (öst.) 코르크 따개.

*__stoppen__ [ʃtɔ́pən, st..] 《I》 (nordd.: stopfen) *t.* ① 멈추다, 정지〔중지〕시키다; 막다: sein Redefluß war nicht mehr zu ~ 그의 연설은 더 이상 막힘이 없었다; js. Siegesserie ~ 누구의 연승을 저지하다. ② die Zeit ~ 스톱워치로 속도를 재다; die Polizei stoppt die Geschwindigkeit 경찰이 속도를 잰다. 《II》 *i.* (h.) 서다, 정지하다.

Stopper *m.* -s, - ①〖海〗계류 밧줄 매는 곳. ②〖축구〗스토퍼. ③ (롤러 스케이트·기계 따위의) 제동 장치. ④〖낚시〗미끼 고정 장치. ⑤ 시선을 끄는 상품〔포장〕.

Stoppine [ʃtɔpí:nə] 《it.》 *f.* -n 〖軍〗폭관(爆管), 화승(火繩), 화약 심지.

Stoppler [ʃtɔ́plər] 《<Stoppel》 *m.* -s, - ① 이삭 줍는 사람. ②〔폄어〕편찬자; 표절자.

Stopp·licht 〔복수: -er〕 *n.* (자동차의) 제동등(燈), 미등(尾燈).

stopplicht *a.* ↑ stoppelicht.

stopplig *a.* ↑ stoppelig.

Stoppigkeit *f.* ↑ Stoppeligkeit.

Stoppreis *m.* (국가 통제 경제에서) 상한 가격.

Stopp≈schild *n.* 〖교통〗"일단 정지"의 교통표지(판). **~signal** *n.* 정지 신호. **~straße** *f.* 〖교통〗우선 멈춤 도로. **~uhr** *f.* 스톱워치.

Stöpsel [ʃtœ́psəl] 《♧ stopfen》 *m.* -s, - ① (병)마개, 코르크. ②〔구어〕땅딸보, 난쟁이. ③〖전기〗플러그.

Stöpsel·automat *m.* 〖전기〗자동 안전기, 자동 전로(電路) 차단기.

stöpseln *t.* ① …에 마개를 하다, 키를 꽂다. ② (전화 교환원이 전화를) 연결시켜 주다.

Stöpsel≈schalter *m.* 〖전기〗플러그 스위치. **~schnur** *f.* 플러그 코드.

Stör[1] [ʃtø:r] *m.* -(e)s, -e 〖動〗철갑상어.

Stör[2] 《<mhd. stœre „Störung"》 *f.* -en (bayr., öst.) (중세 동업 조합의 규약을 어기면서, 고객의 집에 찾아가서 일해 준 데서) 출장 작업, 고객의 집에 찾아가서 하는 일: auf der ~ arbeiten 고객의 집에서 일하다; in die ~ gehen 고객의 집으로 벌이를 찾아서 나가다.

Stör≈aktion *f.* 방해 행동〔책동〕. **~anfällig** *a.* 고장나기 쉬운. **~anfälligkeit** *f.* 고장나기 쉬움.

Storax [ʃtó:raks] 《gr. -lat.》 *m.* -(es), -e 〖植〗안식향, 소합향(蘇合香).

Storax·baum *m.* 〖植〗소합향나무.

*__Storch__ [ʃtɔrç] *m.* -(e)s, Störche [ʃtœ́rçə] ①〖動〗황새: 〔구어〕da〔nun〕 brat' mir〔aber〕 einer einen〔'nen〕 ~ 이거 야단났군(몹시 놀랐을 때나 어처구니없을 때 나타내는 감탄사); er geht wie ein ~ im Salat 그는 걷는 게 서투르다. ②〔옛뜻·구어〕(아이를 가져온다는) 동화 속의 황새: bei Tante Maria ist der ~ gewesen 마리아 아줌마가 아이를 낳았다; der ~ hat Tante Maria ins Bein gebissen 마리아 아줌마가 임신했다〔아이를 낳았다〕.

Storch≈bein *n.* 〔구어·농담〕 ~e 황새 다리; 〔비유〕가늘고 긴 다리, 다리가 가늘고 긴 사람. **~beinig** *a.* 다리가 가늘고 긴.

storchen *i.* (s.) 〔구어〕황새처럼 걷다.

Storchen·nest *n.* 황새 둥지.

Störchin [ʃtœ́rçɪn] *f.* -nen 황새의 암컷.

Störchlein *n.* -s, - ↑ Storch 의 축소형.

Storch≈nest *n.* ↑ Storchennest. **~schnabel** *m.* ① 황새 부리. ②〖植〗제라늄, 양아욱. ③〖醫〗기다란 겸자(鉗子). ④〖工〗사도기(寫圖器), 축도기(縮圖器), 팬터그래프.

Store[1] [ʃto:r, st..] 《frz.》 *m.* -s, -s ① 투명한 흰색 커튼. ② (schweiz.) 차양, 차일.

Store[2] [sto:r] 《engl.》 *m.* -s, -s ① 저장(품). ②〖海〗짐칸, 창고. ③ 매점, 판매소; 백화점, 상점.

*__stören__[1] [ʃtǿ:rən] 《mhd. stoeren》 《I》 *t.* ① 방해하다, 폐를 끼치다; 성가시게 하다: störe ich (Sie)? 제가 방해가 됩니까?; lassen Sie sich nicht ~! 개의치 말고 계속하십시오; heute stört ihn jede Fliege an der Wand 오늘 그는 심기가 매우 불편하다; jn. in〔bei〕 der Arbeit ~ 누구의 일을 방해하다. ② 교란하다, 저지〔방해〕하다: jn. aus dem Schlafe〔der Ruhe〕 ~ 누구의 안면〔휴식〕을 방해하다; er ist geistig gestört 그는 정신적으로 건강하지 못하다. ③ 불쾌하게 하다, 누구의 마음에 걸리다: an der Bluse stört mich vor allem der große Kragen 이 블라우스에서는 무엇보다도 커다란 칼라가 내 마음에 들지 않는다. ④ sich an jm.〔et.[3]〕 ~ 누구〔무엇〕 때문에 언짢아하다: sich an js. Benehmen ~ 누구의 행동거지에 불쾌감을 느끼다. 《II》 **gestört** *p.a.* ↑ gestört.

stören[2] 《mhd. stür(e)n; ♧ Sturm》 *i.* (h.)/*t.* ① 쑤시다, 후비다, 들쑤셔대다: in den Zähnen〔die Zähne〕 ~ 이를 쑤시다. ② nach et.[3] ~ 무엇을 찾아다니다.

stören[3] 《<Stör[2]》 *i.* (h.) (bayr., öst.) 고객의 집에서 일하다, 행상하다.

störend *p.a.* 방해가 되는, 성가신.

Stören·fried *m.* 훼방꾼, 평화〔치안〕교란자, 소요자; 방해자.

Störer[1] *m.* -s, - 훼방꾼, 방해자; 〖法〗치안 방해 사범.

Störer[2] *m.* -s, - (obd.) 일을 찾아다니는 수공업자.

Störerei *f.* -en 자꾸 방해〔훼방〕하는 일.

Störerin *f.* -nen ↑ Störer 의 여성형.

storgen [ʃtɔ́rgən] *i.* (s.) 〔고어〕행상하다.

Storger *m.* -s, - 〔고어〕행상인; 도붓장수.

Storm [ʃtɔrm] Theodor ~ 슈토름(독일의 시인, 1817-88).

stornieren [ʃtɔrní:rən, st..] 《it.》 *t.* 〖商〗(주문을) 취소하다; (계약을) 해약하다; (장부의 잘못을) 정정하다.

Stornierung *f.* -en 〖商〗① 기장 정정. ② 취소.

Storno [ʃtɔ́rno, st..] *m./n.* -s, ..ni 〖商〗장부의 오기(誤記) 정정; 취소; 해약.

Storno·buchung *f.* 〖商·금융〗기장 정정.

Storr [ʃtɔr] 《starr》 *m.* -en, -en ↑ Storren.

Storren *m.* -s, - ① (나무의) 그루터기. ② 이촉, 치근(齒根).

störrig [ʃtœ́rɪç] *a.* 〔구식〕 ↑ störrisch.

Störrigkeit *f.* 〔구식〕 ↑ störrig 의 명사형.

störrisch [ʃtœ́rɪʃ] *a.* 말을 듣지 않는, 고집센, 길들이기 어려운.

Störrischkeit *f.* 길들이기 어려움, 고집셈, 완고.

Stör≈schutz [ʃtǿ:r..] (<stören[1]) *m.* 〖전기공학〗 전파 방해 방지 (대책). **~sender** *m.* 〖전기공학〗 방해 전파 송신소. **~stange** *f.* 교반봉, 젓개. **~stelle** *f.* 〖전기공학〗 반도체 내의 결정(結晶) 격자의 구조가 이상을 일으킨 곳. **~stock** *m.* 교반봉.

Stör·sucher *m.* 방해 전파 탐지기.

Storthing *n.* -s ↑ Storting.

Storting [stó:rtıŋ, ʃt..] *n.* -s (노르웨이의) 의회.

Störung [ʃtǿ:ruŋ] (<stören[1]) *f.* -en ① 방해, 교란, 중단: (bitte), entschuldigen Sie die ~! 방해해서 죄송합니다! ② 장애, 고장; (정신) 착란; 〖지질〗 (지층의) 부정합(不整合); 〖기후〗 이동성 저기압 지대; 〖天〗 섭동(攝動).

Störungs≈feuer *n.* 〖軍〗 교란 사격. **~frei** *a.* 〖전기〗 장애를 일으키지 않는, 고장이 없는, 잡음이 없는. **~stelle** *f.* (전화국의) 고장 신고 접수처. **~suche** *f.* 방해 전파 탐지. **~sucher** *m.* ↑ Störsucher. **~theorie** *f.* 〖天〗 섭동론(攝動論). **~versuch** *m.* 〖스포츠〗 (특히 축구에서) 교란 작전.

Story [stó:ri, stɔ́ri] (engl.) *f.* -s/..ries ① (영화·연극·책의) 스토리, 줄거리. ② 〔구어〕 (재미있는) 이야기, 사건. ③ 보고, 기사. ④ 〔드물게〕 단편 소설.

Storze [ʃtórtsə] *f.* -n ↑ Storr.

Storzen *m.* -s ↑ Storr.

***Stoß** [ʃto:s] (<stoßen) *m.* -es, Stöße [ʃtǿ:sə] ① **(a)** 찌름; 밀침; 타격; (걷어)참, 킥; 〖수영〗 스트로크; 충돌; 돌격, (맹수류의) 습격; 충동, 충격; 진동; 〖軍〗 출격; 〖육상〗 포환던지기: jm. einen ~ geben〔versetzen〕 누구를 찌르다, 누구에게 타격을〔손해를〕 입히다; jm. einen ~ in die Seite geben 누구의 옆구리를 차다〔때리다〕; sich[3] 〔seinem Herzen〕 einen ~ geben 각오를 단단히 하다; 〖당구〗 einen sicheren ~ geben 정확하게 공을 치다; 〔비유〕 zum ~ kommen 차례가 되다. **(b)** der ~ des Windes 갑자기 부는 바람, 돌풍. **(c)** 〖음악〗 einen ~ ins Horn tun 호른을 짧게 불다. **(d)** 〖軍〗 (사격 때의) 반동. **(e)** 〖工〗 (피스톤의) 스트로크. **(f)** 〖生〗 고동(鼓動), 박동. ② (쌓아놓은) 한 더미: ein ~ Bücher〔Akten〕 한 무더기의 책〔서류〕. ③ 이음매, 접합부; 〖재봉〗 꿰맨 자리, 솔기; (옷의) 바대; 〖철도〗 (레일의) 접합점. ④ 〖사냥〗 새그물; (새의) 꽁지; (양·송아지의) 뒷다리 고기. ⑤ 〖農〗 분봉(分蜂)한 꿀벌떼. ⑥ 〔방언〕 경계, 계표(界標); (schweiz.) 알프스의 가축 방목권, 방목지. ⑦ 〖軍〗 총미(銃尾), 포미(砲尾). ⑧ 〖農〗 쟁기의 연결 못. ⑨ 〖海〗 (선박의) 계류(繫留) 로프. ⑩ 〖광업〗 갱도의 측벽. ⑪ 〖醫〗 고단위 투약.

Stoß≈band *n.* 〖재단〗 (바지 밑단의) 바대. **~bewegung** *f.* 추진〔전진〕 운동. **~borte** *f.* ↑ ~band.

Stößchen [ʃtǿ:sçən] *n.* -s, - ↑ Stoß 의 축소형.

Stoß≈dämpfer *m.* 〖車〗 완충기, 완충 장치. **~degen** *m.* 가늘고 긴 쌍날칼; 〖펜싱〗 펜싱용 검, 플뢰레(Florett).

Stößel [ʃtǿ:səl] *m.* -s, - ① (절구의) 공이; (약국에서 쓰는) 유봉(乳棒). ② 〖기계〗 (내연기관의) 태핏; 철자(凸子).

stoß·empfindlich *f.* 충격에 민감한〔약한〕.

stoßen [ʃtó:sən] (stieß, gestoßen) 《I》 *t.* ① **(a)** 찌르다; 밀다, 밀치다; 치다, 부딪치다; (걷어)차다: jm. das Messer in die Brust ~ 누구의 가슴을 비수로 찌르다; die Gläser aneinander ~ 술잔을 맞부딪치다, 축배를 들다. **(b)** 〔전치사와 함께〕 jn. **an** die Wand ~ 누구를 벽에 밀어붙이다; 〔비유·구어〕 jn. mit der Nase **auf** et. ~ 누구의 코 밑에 무엇을 들이대다, 누구에게 무엇을 단단히 주의 주다; jn. **aus** dem Hause ~ 집에서 내쫓다; 〔비유〕 jn. ins Herz ~ 누구의 심금을 울리다; jn. ins Gefängnis ~ 투옥하다; 〔비유〕 jn. ins Elend ~ 누구를 불행에 빠뜨리다; jn.〔et.〕 **über** den Haufen ~ 누구를〔무엇을〕 밀쳐 넘어뜨리다; jn. **von** sich ~ 누구를 내쫓다, 누구와의 인연을 끊다; seine Frau von sich ~ 아내와 이혼하다; 〔비유〕 jn. **vor** den Kopf ~ 누구의 머리를 때리다, 누구를 모욕하다; wie vor den Kopf gestoßen 깜짝 놀라, 매우 당황하여; jn. zu Boden ~ 누구를 밀쳐서 땅바닥에 넘어뜨리다; jn. in den Rücken ~ 누구의 등을 밀치다. ② 〖음악〗 끊어서〔스타카토로〕 연주하다: eine Note ~ 악보를 스타카토로 연주하다. ③ 찧다, 빻다; 다지다: Pfeffer ~ 후추를 빻다; die Erde fest ~ 땅을 다지다; et. klein 〔zu Pulver〕 ~ 무엇을 부수어 가루로 만들다. ④ 접합시키다, 들러붙게 하다; 〖재봉〗 감치다: einen Tisch an einen andern ~ 책상과 책상을 붙이다. ⑤ (schweiz.) **(a)** (자동차·자전거를) 밀다. **(b)** 〔문에 써붙이는 말〕 미시오. **(c)** 매정하게〔무뚝뚝하게〕 대하다, 분명하게 알리다. ⑥ 〖스포츠〗 (공을) 던지다; (바벨을) 들어올리다: einen neuen Rekord ~ 신기록을 수립하다. ⑦ (감정이) 엄습하다: ihn stieß ein Schluchzen 그는 갑자기 흐느꼈다. 《II》 *refl.* sich ~ ① sich an et.[3] ~ **(a)** 무엇에 부딪치다, 충돌하다: er hat sich an einem Stein gestoßen 그는 돌부리에 채였다. **(b)** 불쾌하게 느끼다, 반감을 품다: stoßt euch an meiner Rede nicht 내 이야기에 기분을 상하지 마시오. ② (öst.) 잘못 생각하다, 틀리다(↑ irren 《II》). 《III》 *i.* (h./s.) ① (h.) 찌르다, 덤벼들다; 차다: nach jm. mit Hörnern ~ 누구에게 뿔로 덤벼들다, 누구를 뿔로 찌르다; der Bock stößt 염소는 들이받는 버릇이 있다; der Wind stößt 세찬 바람이 분다. ② (h./s.) 부딪다, 충돌하다: mit dem Kopf gegen die Wand ~ 벽에 머리를 부딪치다. ③ (h.) 동요〔진동〕하다; 〖海〗 (배가) 뒷질하다; 〖軍〗 (총포가) 반동하다. ④ (s.) 확 덤벼들다: auf〔an〕 die Beute ~ (맹금이) 먹이를 덮친다. ⑤ (s.) 〖海〗 auf den Grund ~ 좌초하다; ans Land ~ 항구〔육지〕에 닿다; vom Land ~ 이륙〔출항〕하다. ⑥ (s.) 우연히 만나다, 맞닥뜨리다: auf jn.〔et.〕 ~ 누구와〔무엇과〕 마주치다, 누구를〔무엇을〕 만나다. ⑦ (s.) zu jm.〔et.[3]〕 ~ 누구와〔무엇과〕 합치다, 합류하다. ⑧ (h.) an et. ~ (토지 따위가) 인접하다, 경계를 이루다. ⑨ (h.) 〖農〗 (꿀벌이) 분봉(分蜂)하다. ⑩ 〖음악〗 in die Trompete ~ 트럼펫을 (단속적으로) 불다.

Stoßer *m.* -s, - ① 〖工〗 큰 해머〔방망이·공이·메〕. ② 〖스포츠〗 역도 선수. ③ 〖動〗 새매.

Stößer [ʃtǿ:sər] *m.* -s, - ① 찌르는〔밀치는·차는·찧는·부수는〕 사람; (약을) 빻는 사람. ②

(**a**) ↑ Stößel. (**b**) 〖工〗 공이, 해머, 램. ③ 〖動〗 새매. ④〔구어〕 종마(種馬), 씨말. ⑤ (bayr.) (삯마차) 마부의 모자.

Stoßerei [ʃtɔsəráɪ] *f.* -en 자꾸 찔러대기〔밀쳐대기〕.

stößest ↑ stoßen의 2인칭 단수 현재형.

Stoß⸗fänger *m.* 〔드물게〕 (차량의) 완충 장치, 범퍼. **~fechten** *n.* 총검술, 칼싸움. **~-fest** *a.* 충격에 강한〔견디는〕. **~frei** *a.* 충격이 없는. **~gebet** *n.* 짧고 절박한 기도: ein ~ zum Himmel schicken 하늘을 향해 절박한 기도를 드리다. **~geschäft** *n.* 시간대에 따라 일손이 바쁠 때가 있는 사업.

stößig [ʃtǿ:sɪç] *a.* (뿔로) 받는 버릇이 있는.

Stoß⸗kissen *n.* 완충용 쿠션; 〖펜싱〗 가슴받이. **~kraft** *f.* ① 충격〔타격〕력. ② 추진력, 박력. **~kräftig** *a.* 충격력을 지닌; 추진력〔박력〕이 있는. **~kur** *f.* 〖醫〗 충격 요법; (약물의) 대량 투여 요법.

Stößlein [ʃtǿ:slaɪn] *n.* -s, - ↑ Stößchen.

Stoß⸗naht *f.* 〖工〗 이음매; 맞댄 이음. **~polster** *n.* ↑ ~kissen. **~rapier** *n.* (끝에 가죽 씌우개를 씌운) 펜싱용 긴 칼. **~richtung** *f.* 공격〔비판〕의 방향〔목표〕. **~schnur** *f.* (실로 짠) 치마단. **~seufzer** *m.* 짧고 깊은 탄식〔한숨〕. **~sicher** *a.* 충격에 끄떡없는〔강한〕. **~stange** *f.* (자동차의) 완충 장치, 범퍼.

stößt ↑ stoßen의 2·3인칭 단수 현재형.

Stoß·theraphie *f.* 〖醫〗 충격 요법, (치료제의) 대량 투여 요법.

Stoß⸗trupp *m.* 〖軍〗 돌격대. **~truppen** *pl.* 〖軍〗 돌격대. **~truppler** *m.* 〖軍〗 돌격 대원. **~verkehr** *m.* 러시 아워의 교통. **~vogel** *m.* 〖動〗 맹금류(猛禽類). **~waffe** *f.* (창 따위의) 찌르는 무기. **~weise** *adv.* ① 쿡쿡 찌르며, 따끔따끔하게. ② 간헐적으로, 이따금씩. ③ 경련적으로, 실룩실룩: ~ atmen 헉헉 숨을 쉬다. ④ 변덕스럽게, 느닷없이. ⑤ 산더미같이 쌓여서. **~wind** *m.* 돌풍. **~zahn** *m.* 〖動〗 (코끼리 따위의) 어금니. **~zeit** *f.* ① 러시 아워, 교통 혼잡 시간대. ② 일손이 바쁜 시간대.

Stotinka [stotíŋka, ʃt..] 《bulgar.》 *f.* ..ki 스토팅카(불가리아의 화폐 단위: 100 Stotinki =1 Lew).

Stotterei [ʃtɔtəráɪ] *f.* -en ① 말을 더듬음, 눌변. ② 더듬으며 하는 말.

Stotterer [ʃtɔ́tərər] *m.* -s, - 말더듬이.

stotterig *a.* 말을 더듬는 (버릇이 있는).

Stotterin *f.* -nen ↑ Stotterer의 여성형.

***stottern** [ʃtɔ́tərn] 《Ⅰ》 *i.* (h.) ① 말을 더듬다, 더듬거리다. ②〔구어〕 (엔진이) 털털거리다, 노킹하다. 《Ⅱ》 *t.* ① 더듬거리며 말하다. ② 할부로 사다.

Stottern *n.* -s ① 말을 더듬음, 더듬는 말. ② 분할 지급: et. auf ~ kaufen 무엇을 할부로 구입하다.

Stottrerin *f.* -nen ↑ Stotterin.

stottrig *a.* ↑ stotterig.

Stotz [ʃtɔts] *m.* -es, -e ↑ Stotzen.

Stotzen [ʃtɔ́tsən] *m.* -s, - ① (obd.) 나무의 그루터기; 통나무(Klotz). ② (schweiz.) (도살한 짐승의) 넓적다리(고기); 튼튼한 다리. ③ (obd., md.) 양동이, 빨래통.

stotzig *a.* ① (schweiz.) 억센, 튼튼한. ② 험한, 가파른.

Stout [staut] 《engl.》 *m.* -s, -s 스타우트(영국의 독한 흑(黑)맥주).

Stövchen [ʃtǿ:fçən] *n.* -s, - ① (음식을 식지 않게 덥히는) 보온기(器). ② (ndd.) (발을 따뜻하게 하는) 화로.

Stove [ʃtó:və] *f.* -n (ndd.) 건조실.

stoven [ʃtó:vən] *t.* ↑ stowen.

Stovlein *n.* -s, - ↑ Stövchen.

stowen [ʃtó:vən] 《<Stube》 《Ⅰ》 *t.* (ndd.) 찌다, 삶다. 《Ⅱ》 **gestowt** *p.a.* ↑ gestowt.

StPO. =Strafprozeßordnung 형사 소송법.

Str. =Straße 거리, 도로.

strabanzen *i.* (s.) ↑ strawanzen.

Strabanzer *m.* -s, - (bayr., öst.) 〔구어〕 ↑ Strawanzer.

Strabismus [ʃtrabísmus, st..] 《gr.》 *m.* - 〖醫〗 사시(斜視), 사팔뜨기.

Strabo [strá:bo] 《gr.》 《Ⅰ》 *m.* 스트라보(고대 그리스의 지리학자·역사가, 63? B.C.-20 A.D.). 《Ⅱ》 *m.* -s, -s 〖醫〗 사시(斜視)인 사람, 사팔뜨기.

Stracchino [strakí:no] 《germ. -it.》 *m.* -(s) 스트라키노(이탈리아산(産) 치즈).

strack [ʃtrak] *a.* ① 곧은, 똑바른: ~(e)s Laufs 〔~(e)s Wegs〕 똑바로, 일직선으로. ② (똑바로) 뻗은〔자란〕; 직모의. ③ 뻣뻣한, 굳은: die Wäsche war durch die Kälte ~ geworden 빨래가 추위 때문에 빳빳하게 얼었다. ④ 확고〔단호〕한; 솔직한: ein ~es Wesen haben 단호한 성격을 지니고 있다. ⑤〔경박〕 매우 취한.

Strack *m.* -s 〔방언〕 (갑자기) 찌름; 밀침.

stracks *adv.* 〔고어〕 ① 똑바로, 일직선으로, 곧장. ② 즉시, 당장에. ③ 엄격〔엄밀〕하게.

Straddle [strέdəl] 《engl.》 *m.* -(s), -s 〖육상〗 벨리 롤 오버, 스트래들(높이뛰기에서 바를 뛰어넘는 방법의 하나).

Stradivari [stradivá:ri] 《Ⅰ》 *m.* Antonio ~ 스트라디바리(이탈리아의 바이올린 제조의 대가, 1644-1737). 《Ⅱ》 *f.* -(s) 〖악기〗 스트라디바리 바이올린.

Stradivari·geige [..vá:..] *f.*, **Stradivarius** [..vá:..] *f.* ..rii 스트라디바리 바이올린.

Straf⸗aktion [ʃtrá:f..] *f.* 처벌받아 마땅한 행위. **~änderung** *f.* 〖法〗 형(刑)의 변경. **~-androhend** *a.* 처벌하겠다고 위협하는. **~-androhung** *f.* 처벌을 내세우는 위협. **~-anstalt** *f.* 교도소, 감옥. **~antrag** *m.* 〖法〗 ① 고소: einen ~ stellen〔zurückziehen〕 고소하다〔고소를 취하하다〕. ② 구형. **~anzeige** *f.* 〖法〗 고발: eine ~ erstatten 고발하다. **~arbeit** *f.* 학생에게 벌로 주어진 숙제. **~-arrest** *m.* 구속, 구금; 〖軍〗 가벼운 영창형. **~aufgabe** *f.* ↑ ~arbeit. **~aufhebung** *f.* 〖法〗 형의 면제. **~aufhebungs·grund** *m.* 〖法〗 형 면제 사유. **~aufschub** *m.* 〖法〗 집행유예. **~ausmaß** *n.* 〖法〗 형량. **~aussetzung** *f.* 집행 유예, 형집행의 일시 정지. **~-bank** *f.* 〖아이스하키·핸드볼〗 퇴장 선수 대기석, 페널티 벤치.

strafbar [ʃtrá:fba:r] *a.* 처벌할 수 있는; 죄가 되는, 형벌을 받아야 할: sich ~ machen 벌받을 짓을 하다.

Strafbarkeit *f.* 유죄, 죄의 성립.

Straf⸗befehl *m.* 〖法〗 약식 명령. **~befugnis** *f.* 처벌〔형벌〕권. **~bescheid** *m.* (행정 관청에 의한) 형의 결정; (벌금형 따위의) 처벌 통

보. ~**bestimmung** *f.* 형벌 규정. ~**buch** *n.* 형벌 부과 기록부. ~**dauer** *f.* 형기(刑期), 형벌기간. ~**dienst** *m.* 징역; 〚軍〛 잡역, 징계 근무.

***Strafe** [ʃtráːfə] *f.* -n ① (처)벌, 형벌, 징계: 〚가톨릭〛 ewige ~n (지옥에서 받을) 영원한 벌; körperliche ~ 체벌, 체형(體刑); zeitliche ~ 유기형; jm. eine ~ auferlegen 누구에게 벌을 과하다; eine ~ aufheben 형을 취소하다; jm. die ~ erlassen 누구의 형을 면제하다; jn. in ~ nehmen 누구를 처벌하다; jn. mit einer ~ belegen 누구에게 형을 과하다, 누구를 처벌하다; zur ~ 벌로(서); das Betreten der Baustelle ist bei ~ verboten 공사장에 출입하면 처벌함; die ~ bleibt nicht aus 곧 벌을 받게 될 것이다; 〔구어〕 das ist eine ~ Gottes 이것 참 낭패로군; 〔구어〕 ihr Gesang ist eine ~ für alle Zuhörer 그녀의 노래는 듣는 모든 이에게 고통이다. ② 〚法〛 자유형: eine ~ antreten〔verbüßen〕 징역살다. ③ 벌금(형), 과료: 10 Mark ~ zahlen 벌금 10 마르크를 납부하다.

Straf·ecke *f.* 〚하키〛 코너 킥.

***strafen** [ʃtráːfən] 《I》 *t.* ① (처)벌하다: jn. für et. 〔wegen eines Dinges〕 ~ 무엇 때문에 누구에게 벌을 주다; jn. am Leben〔Leib〕 ~ 누구를 사형에 처하다; jn. mit Gefängnis ~ 누구를 금고형에 처하다; jn. um Geld ~ 누구를 벌금형에 처하다; mit jm.〔et.[3]〕 gestraft sein 누구〔무엇〕 때문에 골치를 앓다; 〔구어〕 er ist gestraft genug 그는 이미 충분한 죗값을 치렀다. ② (**a**) 〔고어〕 jn. mit Worten ~ 누구를 꾸짖다; jn. Lügen ~ 누구의 거짓말을 책망하다(Lügen은 옛날에는 2격, 지금은 4격임). (**b**) 〔드물게〕 응징하다: ein Unrecht ~ 불의를 응징하다. 《II》 *refl.* sich ~ 벌을 받다.

strafend *p.a.* 책망〔비난〕하는: ein ~er Blick 비난의 눈초리.

Straf≈engel *m.* 복수〔처벌〕의 천사. ~**entlassene*** *der/die* 출소자(者), 출감자. ~**erkenntnis** *n.* 형사 처분. ~**erlaß** *m.*, ~**erlassung** *f.* 형의 면제, 특사(特赦). ~**erschwerend** *a.* 〚法〛 가중 처벌을 받는. ~**exerzieren** *n.* 〚軍〛 기합〔얼차려〕 훈련. ~**expedition** *f.* 정벌, 토벌; 토벌군 (파견).

***straff** [ʃtraf] *a.* ① 팽팽한, 켕긴, 긴장한; 세게 잡아당기는; 부풀어오른; 빳빳한: eine ~e Haltung 부동 자세; die Kleidung liegt ~ an 옷이 몸에 꼭 맞는다; sich stramm und ~ halten 직립 부동 자세를 취하다. ② 〔비유〕 엄격한; 빈틈없는; 훈련이 잘된: ein Unternehmen ~ organisieren 사업을 주도면밀하게 준비하다. ③ 간결한: ~ und knapp schreiben 간결하게 쓰다.

Straf≈fall *m.* 형사 사건, 범죄. ~**fällig** *a.* 처벌받아야〔해야〕 할. ~**fälligkeit** *f.* 유죄.

straffen [ʃtráfən] 《<straff》 《I》 *t.* ① 팽팽하게 잡아당기다; 바짝 죄다. ② (글을) 간결하게 쓰다. ③ (조직을) 정예화하다; (공정을) 간소화하다. 《II》 *refl.* sich ~ 팽팽하게 되다, 긴장하다: seine Züge strafften sich 그의 표정이 굳어졌다.

Straf·feuer *n.* 〚軍〛 보복 사격〔포화〕.

straff≈gespannt *a.* 팽팽해진, 바짝 죈, 긴장한. ~**haarig** *a.* (머리)털이 빳빳한.

Straffheit [ʃtráfhaɪt] 《<straff》 *f.* -en ① 팽팽함, 바짝 죄어 있음, 긴장. ② 〔비유〕 엄격, 빈틈없음, 강직.

straf≈frei *a.* 무죄의; 형이 면제된. ~**freiheit** *f.* 〚法〛 면죄, 무죄 석방. ~**gefangene*** *der/die* 죄수, 기결수. ~**geld** *n.* 벌금, 과료. ~**gericht** *n.* ① 형사 법원. ② 〔雅語〕 단죄, 징벌: göttliches ~ 하느님의 심판. ~**gerichtsbarkeit** *f.* 〚法〛 형사 재판(권). ~**gesetz** *n.* 형법.

Strafgesetz≈buch *n.* 형법전(약어: StGB). ~**gebung** *f.* 형법 제정.

Straf≈gewalt *f.* ① 형벌권. ② 최고 형량. ~**haft** *f.* 금고형. ~**justiz** *f.* 〔폄어〕 형사 사법 기관. ~**kammer** *f.* 형사부. ~**klage** *f.* 기소(起訴). ~**kodex** *m.* ↑ ~gesetzbuch. ~**kolonie** *f.* 유형지. ~**kompanie** *f.* 〚軍〛 (전시에 징계 받은 병사들로 구성된) 징벌 부대. ~**lager** *n.* 〔옛뜻〕 죄수 수용소.

sträflich [ʃtrέːflɪç] *a.* ① 처벌해야 할; 죄가 되는; 형사상의. ② 〔구어〕 옳지 않은; 터무니없는. ③ 형벌의; 엄격한.

Sträflichkeit *f.* 징벌〔유죄〕의 소지, 처벌받을 짓.

Sträfling *m.* -s, -e 〔구어〕 죄수, 기결수.

Sträflings≈fürsorge *f.* 죄수 복지 사업〔시설〕. ~**kleidung** *f.* 〔고어〕 죄수복.

straflos *a.* ↑ straffrei.

Straflosigkeit *f.* ↑ Straffreiheit.

Straf≈mandat *n.* ① 약식 과태료 명령, 벌칙금 납부 고지(서). ② ↑ ~verfügung. ~**maß** *n.* 형량(刑量). ~**mildernd** *a.* 〚法〛 감형하는. ~**milderung** *f.* 감형(減刑). ~**minderung** *f.* ↑ ~milderung. ~**minute** *f.* 〚아이스하키·핸드볼〛 페널티 타임. ~**mündig** *a.* 형사상 성년에 이른, 형사 책임을 질 수 있는 연령의. ~**mündigkeit** *f.* 형법상의 성년, 수형(受刑) 연령. ~**porto** *n.* 〔구어〕 추징 우편료. ~**prediger** *m.* 잔소리〔훈계〕하는 사람. ~**predigt** *f.* 〔구어〕 설교, 잔소리, 훈계: jm. eine ~ halten 누구에게 훈계하다; eine ~ über sich ergehen lassen 훈계조의 설교를 듣다. ~**prozeß** *m.* 형사 소송. ~**prozeßordnung** *f.* 형사 소송법(약어: StPO). ~**punkt** *m.* 〚스포츠〛 벌점. ~**raum** *m.* 〚스포츠〛 페널티 에어리어. ~**recht** *n.* ① 형법. ② 형벌권. ~**rechtler** *m.* 형법학자, 형법 전문가. ~**rechtlich** *a.* 형법상〔형사상〕의. ~**rechts·reform** *f.* 〚法〛 형법 개혁. ~**rede** *f.* ↑ ~predigt. ~**register** *n.* ① 수형인(受刑人) 명부; 전과 기록부. ② 〔구어〕 거듭된 잘못. ~**richter** *m.* 형사 법원 법관, 형사부 판사. ~**sache** *f.* 형사 사건. ~**senat** *m.* 〚法〛 (상급 지방 법원의) 형사 합의부. ~**stoß** *m.* 〚축구〛 페널티 킥. ~**tat** *f.* 범행. ~**täter** *m.* 범죄자. ~**tilgung** *f.* 〚法〛 전과 기록 말소. ~**tilgungs·grund** *m.* 〚法〛 전과 기록 말소 사유. ~**umwandlung** *f.* 〚法〛 형의 변경. ~**urteil** *n.* 형사〔유죄〕 판결. ~**verbüßung** *f.* 복역. ~**verfahren** *n.* 형사 소송 절차. ~**verfolgung** *f.* 〚法〛 형사 소추. ~**verfügung** *f.* ① 즉결 심판(1974 년까지 존속). ② (schweiz.) 재심 판결. ~**verschärfend** *a.* 〚法〛 형량을 가중시키는. ~**verschärfung** *f.* 〚法〛 형량의 가중. ~**versetzen** *t.* 〔부정형과 과거 분사로만〕 좌천시키다. ~**versetzung** *f.* 좌천. ~**verteidiger** *m.* 〚法〛 (형사

사건의) 변호인. **~verteidigerin** *f.* ↑ ~-verteidiger의 여성형.

Strafvoll≈streckung, ~ziehung *f.*, **~zug** *m.* 형(의) 집행. **~zugs·anstalt** *f.* 〖法〗 교도소, 감옥.

straf≈weise *adv.* 벌하여, 벌로. **~würdig** *a.* 처벌〔비난〕할 만한. **≈zeit** *f.* 〖스포츠〗 (반칙 선수의) 장외 대기 시간. **≈zettel** *m.* 〔구어〕 벌칙금 납부 고지서, 벌금 스티커. **≈zumessung** *f.* 형량 산정, 양형(量刑).

***Strahl** [ʃtra:l] 《원뜻 „Pfeil"》 *m.* -(e)s, -en ① 빛, 광선; 〔비유〕 광명, 빛남: der ~ der Hoffnung 희망의 빛. ② 전광(電光), 번갯불: 〔비유〕 der ~ des Genies 천재성의 번득임. ③ (물·가스·증기의) 분출〔분사〕(물); (가스의) 불꽃. ④ (schweiz.) 수정. ⑤ **(a)** 〔복수〕 〖物〗 광선; 열선; 방사선, 복사선; 전자파: Gamma≈en 감마선; radioaktive ~en 방사선. **(b)** 〖數〗 사선, 반직선. ⑥ 〖수의〗 말굽의 연골. ⑦ 〖植〗 산형(繖形)의 꽃자루, 〖動〗 (방사(放射) 동물의) 복사엽(輻射葉).

Strähl [ʃtrɛ:l] *m.* -(e)s, -e (südd.) 빗.

Strahl≈antrieb [ʃtrá:l..] *m.* 〖空〗 제트 추진. **~blume, ~blüte** *f.* 〖植〗 산형화(繖形花).

Strähle *f.* -n ↑ Strähl.

Strahle·mann *m.* 〔구어〕 항상 환한 표정을 짓는 사람.

***strahlen** [ʃtrá:lən] 《I》 *i.* (h.) ① 광선을 발하다, 환하게 빛나다: 〔비유〕 ein ~d weißes Kleid 눈부신 웨딩 드레스; 〔비유〕 sie ist der ~de Mittelpunkt des Festes 그녀는 축제의 꽃이다. ② 번쩍이다, 반짝이다: ihre Augen strahlten vor Freude 그녀의 눈은 기쁨으로 빛나고 있었다. ③ 환한 표정을 짓다: sie strahlte über das ganze Gesicht 그녀는 얼굴에 온통 희색이 넘쳐흘렀다. ④ (방사능 물질이) 방출되다. ⑤ 방송〔방영〕하다. ⑥ 방뇨하다. 《II》 *t.* ① (빛·열을) 방사하다; 발산하다: 〔비유〕 sie strahlte Glück 그녀는 행복하게 보였다. ② 〔드물게〕 방송〔방영〕하다.

strählen [ʃtrɛ́:lən] 《<Strähl》 *t.* 〔고어〕 (südd.) 빗다.

strahlen≈artig *a.* 광선 모양의, 방사상의; 사출형의. **≈behandlung** *f.* 〖醫〗 방사선 요법. **≈belastung** *f.* 방사선 피해. **≈biologie** *f.* 방사선 생물학. **≈blume, ≈blüte** *f.* ↑ Strahlblume. **~brechend** *a.* 〖物〗 빛을 굴절시키는. **≈brechung** *f.* 광선의 굴절, 굴절광. **≈bündel** *n.* ① 〖物〗 광속(光束), 광선속(束). ② 〖數〗 직선속(束). **≈büschel** *n.* 〖物〗 ↑ ≈bündel ①. **≈chemie** *f.* 방사선 화학.

strahlend *p.a.* ① 빛을 발하는, 빛나는, 찬란한. ② 밝은, 환한, 명랑한, 기뻐하는.

Strahlen≈dosis *f.* 방사선 흡수량: tödliche ~ 방사선 피폭 치사량. **≈förmig** *a.* ↑ ~-artig. **~glanz** *m.* 발광; 광휘. **~körper** *m.* 〖해부〗 모양체(毛樣體). **~krankheit** *f.* 〖醫〗 방사선 질환. **~kranz** *m.*, **~krone** *f.* 광륜; 후광; 〔비유〕 영광, 광휘. **~kunde** *f.* 방사선학. **~pilz** *m.* 〖化·醫〗 방사상균. **~schädigung** *f.* 방사선 피해. **~schutz** *m.* 방사선 방호(조치〔시설〕). **~therapie** *f.* 〖醫〗 방사선 요법. **~tierchen** *n.* 〖動〗 근족충류(根足蟲類), 방산충류(放散蟲類). **~tod** *m.* 방사능 피폭사.

Strahler *m.* -s, - ① 방사 물질. ② 광선 방사기; 전파 발신기(안테나 따위); 방열기; 램프; 광원(光源). ③ 반사경〔판〕: 〖物〗 schwarzer ~ 빛을 반사하지 않는 물체. ④ (schweiz.) 수정 채집자.

Strahl·flugzeug *n.* 〖空〗 제트기.

strahlicht *a.* ↑ strahlig.

strahlig [ʃtrá:lɪç] *a.* 광선을 방출하는, 광휘를 발하는; 광선상의, 방사상의.

..strahlig *suf.* "…개의 제트 엔진을 갖춘"의 뜻(보기: ein vier~es Flugzeug 4발 제트기).

Strahling *m.* -s, -e 〖動〗 방선충(放線蟲).

Strahl≈kies *m.* 〖광물〗 백철광. **~kraft** *f.* 빛나는 후광; 영도력. **~ofen** *m.* 라디에이터, 방열기(器). **~richtung** *f.* 방사〔사출〕 방향. **~rohr** *n.* (소방 호스의) 분수관(噴水管); 배기관; (제트 엔진의) 분사관. **~stärke** *f.* 분사〔사출〕의 강도, 물줄기의 세기. **~stein** *m.* 〖광물〗 양기석(陽起石). **~tiere** *pl.* 〖動〗 방선충류(放線蟲類); 극피 동물(불가사리·해삼 따위). **~trieb·werk** *n.* 〖工〗 제트 엔진.

Strahlung [ʃtrá:lʊŋ] *f.* -en ① 〖物〗 발광, 방사, 사출(射出), 복사(輻射); 방사선, 방사 물질. ② 〔드물게〕 영향, 작용, 발산.

Strahlungs≈druck *m.* 〖物〗 방사압. **~energie** *f.* 〖物〗 방사 에너지. **~erscheinung** *f.* 발광(發光)〔방사〕 현상. **~gürtel** *m.* 〖物〗 (지구를 둘러싼) 방사대(帶), 밴 앨런(Van-Allen) 대(帶). **~intensität** *f.* 〖物〗 방사〔복사〕 강도. **~störung** *f.* 공전(空電) 방해. **~-vermögen** *n.* 〖物〗 복사능(能). **~wärme** *f.* 복사열.

Strähn [ʃtrɛ:n] *m.* -(e)s, -e (öst.) ↑ Strähne ②.

Strähne [ʃtrɛ́:nə] *f.* -n ① 머리카락의 가닥〔다발〕, 땋은 머리; (새끼의) 꼰 가닥. ② (한 묶음의) 실타래. ③ 시기, 단계, 국면, (비슷한 사건의) 시간적 순서.

strähnig [ʃtrɛ́:nɪç] *a.* 가닥으로 꼬인〔묶인〕, 다발로 뭉쳐진〔땋은〕.

..strähnig *suf.* "…가닥의, …다발의, …타래의"의 뜻(보기: drei~ 세 가닥의).

strakeln *t./i.* ↑ straken.

straken 〖조선〗 《I》 *t.* (선체의 일부를) 곡선으로 만들다, (배 밑판을) 둥글게 대다. 《II》 *i.* (s.) ① (곡선을 그리며) 항로를 잡아 달리다. ② (곡선 부분이) 원래의 규정대로 이어지다.

stralzieren [ʃtraltsí:rən, st..] 《it.》 *t.* 〖商〗 부채를 청산하다; (파산으로 회사를) 정리하다, 폐점하다.

Stralzierung *f.* -en 〔고어〕 부채 청산, 파산 정리, 폐점.

Stralzio [..tsio] *m.* -s, -s (öst.) ↑ Stralzierung.

Stramin [ʃtramí:n] 《frz. <lat. stramen, „Unterlage"》 *m.* -s, -e 자수용 캔버스.

Stramin≈decke *f.* 수(繡)를 놓은 덮개〔식탁보〕. **~papier** *n.* 자수용 종이.

***stramm** [ʃtram] *a.* ① 팽팽한, 꽉 조여진, 꼭 끼는: die Hose sitzt zu ~ 바지가 너무 꼭 낀다. ② 억센, 튼튼한; 건장〔우람〕한: er ist ~ gebaut 그는 체격이 건장하다; 〔구어〕 ~er Max 달걀 프라이와 햄이 든 샌드위치. ③ (직립) 부동의, 꼿꼿한. ④ 〔구어〕 꾸준한, 고된: ein ~er Marsch 강행군. ⑤ 엄격한; 〔구어〕 독실한: hier herrscht ~e Disziplin 이곳은

규율이 엄하다.

strammen [ʃtrámən] 《I》 *t.* 죄다, 팽팽하게 하다; 줄이다, 좁히다. 《II》 *refl.* sich ~ 팽팽해지다, 오그라들다, 긴장되다. 《III》 *i.* (h.) 죄이다, 꼭 끼다.

strämmen [ʃtrɛ́mən] *t.* ↑ strammen.

Strammheit *f.* ① 팽팽함, 긴장. ②〔비유〕 (a) 억셈, 튼튼함. (b) 엄격, 엄밀, 엄중.

Strammigkeit *f.* -en ↑ Strammheit.

stramm⸗|stehen* *i.* (h.) 차렷〔부동〕 자세를 취하다: 〔비유〕 er muß vor seiner Frau ~ 그는 부인 앞에서는 꼼짝 못한다. **~ziehen** *t.* 팽팽하게 잡아당기다, (허리띠를) 바짝 죄다.

Strampel·anzug [ʃtrámpəl..] *m.* 롬퍼스(어린이의 내리닫이 놀이옷).

Strampelei [ʃtrampəláɪ] *f.* -en 버둥거리기, 허우적거리기.

Strampel⸗höschen *n.* ↑ ~hose 의 축소형. **~hose** *f.* (어린이의) 내리닫이 놀이옷, 롬퍼스.

strampeln [ʃtrámpəln] 《I》 *i.* (h.) ① 손발을 버둥〔허우적〕거리다. ② (s.) 〔구어〕 자전거를 타고 가다. ③〔구어〕 애쓰다, 발버둥치다: wir haben ganz schön ~ müssen, um das zu schaffen 그것을 하려고 우리는 죽을 고생을 해야만 했다. 《II》 *refl.* sich bloß ~ (자면서) 이불을 걷어차다.

Strampel·sack *m.* (유아용의) 상·하가 붙은 통옷.

strampfen [ʃtrámpfən] 《I》 *i.* (h.) ① 발을 구르다. ② 손발을 바둥거리다, 허우적거리다. 《II》 *t.* 발을 굴러 (흙 따위를) 떨어내다.

Strampler *m.* -s, - ↑ Strampelhose.

***Strand** [ʃtrant] *m.* -(e)s, Strände [ʃtrɛ́ndə] 바닷가, 해변, 백사장: auf den ~ geraten 〔laufen〕 좌초하다, 해안에 표착(漂着)하다.

Strand⸗anzug *m.* 비치웨어. **~bad** *n.* 해수욕장. **~batterie** *f.* 〖軍〗 해안 포대. **~bewohner** *m.* 해변의 주민. **~binse** *f.* 〖植〗 해변골풀. **~burg** *f.* 해수욕장의 모래성(城) (일광욕용 긴의자 주위에 쌓음). **~café** *f.* 해변 카페. **~dieb** *m.* 난파 화물 약탈자. **~distel** *f.* 〖植〗 해안의 엉겅퀴. **~eis** *n.* 해안 결빙.

stranden [ʃtrándən] *i.* (s.) ① 해안에 좌초하다, 난파하다, 뭍에 얹히다, 표착하다. ②〔雅語〕 좌절〔실패〕하다.

Strand⸗fischerei *f.* 연안〔근해〕 어업. **~gerechtigkeit** *f.* ↑ ~recht. **~gerste** *f.* 〖植〗 갯보리. **~gut** *n.* (해안에 표착한) 해난 화물: schwimmendes ~ 표류물. **~hafer** *m.* 〖植〗 갯보리. **~haubitze** *f.* 〔다음 용법으로〕〔경박〕 blau〔voll, betrunken〕 wie eine ~ sein 완전히 취해 있다, 만취해 있다. **~herr** *m.* 해안의 소유주. **~kanone** *f.* 〔농담〕 geladen 〔voll〕 wie eine ~ 곤드레만드레 취하여. **~kleid** *n.* 비치웨어. **~kohl** *m.* 〖植〗 ↑ Meerkohl. **~korb** *m.* (해수욕장에 설치한 바구니 모양의) 흔들의자. **~krabbe** *f.* (해안에 서식하는) 털게. **~läufer** *m.* 〖動〗 짧은다리도요새. **~linie** *f.* 〖지리〗 해안선. **~ordnung** *f.* 표착물〔표류물〕 절취 단속법, 해난 구조 법규. **~pfeifer** *m.* ↑ ~läufer. **~räuber** *m.* ↑ ~dieb. **~recht** *n.* 〖法〗 해난 구조 법규. **~reiter** *m.* ① 기마(騎馬) 해안 감시원. ② 〖動〗 장다리물떼새. **~schuhe** *pl.* 비치 샌들. **~see** *m.* 석호(潟湖).

Strandung [ʃtránduŋ] *f.* -en 좌초, 표착.

Strand⸗verschiebung *f.* 해안선의 이동. **~vögel** *pl.* 해안에 사는 조류. **~vogt** *m.* 해난 감시소 관리관. **~wache** *f.* 해안 감시. **~wächter** *m.* 해안 감시원.

***Strang** [ʃtraŋ] *m.* -(e)s, Stränge [ʃtrɛ́ŋə] ① 새끼줄, 밧줄, 로프: jn. zum (Tod durch den) ~ verurteilen 교수형을 선고하다; diese Tat verdient den ~ 이 범행은 교수형감이다. ② (마소의) 고삐: 〔비유〕 seinen ~ ziehen 자기의 본분을 다하다; alle Stränge anziehen 모든 수단을 다하다; an einem 〔an demselben, am gleichen〕 ~ ziehen 같은 목표를 추구하다; 〔비유·구어〕 wenn alle Stränge reißen 위급〔절박〕한 경우에는; 〔비유·구어〕 über die Stränge schlagen〔hauen〕 마구 날뛰다, 방종한 생활을 하다. ③ (실의) 묶음, 타래. ④ 가닥, 가지, 갈래: Nerven~ 신경 섬유속(束). ⑤ 도관; 〖철도〗 레일, 궤도; 〖소설·영화〗 플롯. ⑥〖전기〗 코드.

Strange *f.* -n (schweiz.) (실의) 묶음, 타래.

strängen [strɛ́ŋən] *t.* (마소를) 줄로 매다.

Strang⸗rohr *n.* 도관(導管). **~schläger** *m.* (걷어)차는 버릇이 있는 말, 난폭한 말.

Strangulation [ʃtraŋgulatsió:n, st..] 《gr.》 *f.* -en ① 교살, 목졸라 죽임. ② 〖醫〗 감돈(嵌頓), 장염전증.

strangulieren *t.* 교살하다, 목졸라 죽이다.

Strangulierung *f.* -en 교살.

Strangurie [ʃtraŋgurí:, st..] 《gr.》 *f.* -n [..rí:ən] 〖醫〗 유통성(有痛性) 배뇨 곤란, 통뇨(痛尿).

Strapaze [ʃtrapá:tsə] 《it. strapazzo》 *f.* -n 신고(辛苦), 몹시 힘든 일; 과로: ~n aushalten 힘든 일을 견뎌내다; sich von den ~n erholen 과로에서 회복되다.

strapaz⸗fähig *a.* (öst.) ↑ strapazierfähig. **~hose** *f.* (öst.) ↑ Strapazierhose.

strapazierbar [ʃtrapatsí:rba:r] *a.* 내구성이 강한; 혹사당할 수 있는.

strapazieren [..tsí:rən] 《I》 *t.* ① 마구 쓰다, 닳도록 쓰다: Kleider ~ 옷을 오래 입어 닳게 하다; eine strapazierte Parole 너무 써먹은 구호. ② 혹사〔고생〕시키다, 몹시 피곤하게 하다: die Schüler ~ die Nerven ihrer Lehrerin 학생들 때문에 여교사의 신경은 지칠 대로 지쳤다; 〔구어〕 js. Geduld ~ 인내심을 시험하다. 《II》 *refl.* sich ~ 고초를 겪다; 과로하다.

strapazier⸗fähig *a.* 질긴, 내구성이 강한. **~fähigkeit** *f.* 내구성〔력〕. **~hose** *f.* 질긴 바지, 잘 해지지 않는 바지. **~schuh** *m.* 질긴 구두〔신발〕.

strapaziös [..tsiǿ:s] *a.* 고된, 힘드는.

Strapaz·schuh [..pá:ts..] *m.* (öst.) ↑ Strapazierschuh.

Straps *m.* -es, -e 스타킹 밴드.

Straß [ʃtras] *m.* -/strasses, strasse ① (인조 보석 제조용의) 납유리(프랑스의 보석상 G.F. Stras 의 이름에서). ② 인조〔모조〕 보석: eine mit ~ besetzte Bluse 인조 보석으로 장식한 블라우스.

straß⸗ab [ʃtra:sláp] *adv.* 거리를 내려가서. **~auf** [..láuf] *adv.* 거리를 올라가서: 〔다음 용법으로〕 ~, straßab 〔~ und straßab〕 거리 이곳저곳을, 온 거리를.

Straßburg [ʃtrá:sburk] 스트라스부르(프랑

스 북동부 Rhein 강 근처의 도시).

Sträßchen [ʃtrɛ́:sçən] *n.* -s, - 〖↑ Straße의 축소형〗 작고 좁은 길, 소로(小路).

***Straße** [ʃtrá:sə] 《lat. strata》 *f.* -n ① 도로; 대로, 국도; 가도; 가로, 시가, 길, 거리: 〖雅語·농담〗 seine (stille) ~ ziehen 슬쩍 없어지다; an der ~ 길가에서; auf der ~ 노상에서; auf offener ~ 백주 대로상에서; 공개적으로; ein Zimmer zur 〔nach der〕 ~ 창문이 길 쪽으로 난 방; diese ~ führt〔geht〕 nach München 이 길은 뮌헨으로 통한다; 〖구어〗 wir haben den ganzen Tag auf der ~ gelegen 우리는 온종일 자동차를 타고 갔다; ich bin mit dem Auto auf der ~ liegengeblieben 내 자동차가 고장이 났다; 〖구어〗 auf die ~ gehen a) 데모하다, b) (창녀가 몸을 팔러) 거리로 나서다; 〖비유·구어〗 auf der ~ liegen〔sitzen, stehen〕 a) 실직 중이다, b) 숙소가 없다; 〖구어·비유〗 jn. auf die ~ setzen 〔werfen〕 a) 집을 비우라고 통고하다, b) 해고하다; bei Rot über die ~ gehen 빨간 신호등일 때 길을 횡단하다; ein Mädchen von der ~ 창녀, 거리의 여자; der Mann von der ~ 보통 사람; 〖구어〗 jn. auf die ~ schicken 누구를 거리로 내쫓다; mit et.³ die ~ pflastern können 무엇이 얼마든지 널려 있다; das ist nicht von der ~ aufgelesen 〔auf der ~ gefunden〕 그것은 그리 흔한 것은 아니다. ② 온 동네 사람들, 한 거리에 사는 주민 모두. ③ 항로, 수로, 물길; 해협. ④〖天〗 die bestirnte ~ 은하. ⑤〖광산〗 갱도.

Straßen·anlage *f.* 도로 시설, 도시 계획. **~anzug** *m.* (남자의) 평상복. **~arbeiten** *pl.* 도로 공사. **~arbeiter** *m.* 도로 공사 인부. **~bahn** *f.* 시가〔시내〕 전차. **~bahner** *m.* 〖구어〗 전차 승무원.

Straßenbahn·fahrer *m.* 전차 운전수. **~halte·stelle** *f.* 전차 정류장. **~schaffner** *m.* 전차 차장. **~wagen** *m.* 전차의 차량.

Straßen·bankett *n.* (차도보다 약간 높은) 보도. **~bau** *m.* 도로 건설 (공사). **~bauamt** *n.* 도로 공사(公社). **~bauer** *m.* 도로 건설 기사(技師). **~baum** *m.* ① 가로수. ② 〖건축〗 장선(마루청을 받치는 가로나무); (철도의) 침목. **~beleuchtung** *f.* 가로〔도로〕 조명. **~begrenzungs·grün** *n.* 도로 우측 한계선. **~bekanntschaft** *f.* 길에서 사귄 사람. **~belag** *m.* 도로 포장 자재. **~bild** *n.* 거리 풍경. **~böschung** *f.* 도로변의 경사면. **~bube** *m.* ↑ ~junge. **~café** *n.* 노변 카페. **~dame** *f.* 매춘부. **~damm** *m.* ① 차도. ② 제방 도로. **~decke** *f.* 포장 도로면. **~dirne** *f.* ↑ ~dame. **~dorf** *n.* 도로변 마을. **~ecke** *f.* 길 모퉁이. **~eisen·bahn** *f.* ↑ ~bahn. **~feger** *m.* ① 거리 미화원. ② 〖구어〗 (길거리에서 사람들을 찾아볼 수 없을 정도의) 텔레비전 최고 인기 프로. **~fest** *n.* 거리 축제. **~führung** *f.* 도로의 진로. **~gänger** *m.* 통행인. **~gesindel** *n.* 무뢰한, 불량배, 깡패. **~glätte** *f.* 도로의 미끄러움〔빙판〕. **~graben** *m.* 도로 가의 도랑. **~handel** *m.* 가두〔노점〕 판매. **~händler** *m.* 노점 상인. **~junge** *m.* 〖폄어〗 불량 소년, 부랑아. **~kampf** *m.* 〖軍〗 시가전. **~karte** *f.* 도로〔시가〕 안내도. **~kehrer** *m.* ↑ ~feger. **~kehricht** *m./n.* 길거리의 먼지〔쓰레기〕. **~kehr·maschine** *f.* 도로 청소기. **~kleid** *n.* 평상복. **~kot** *m.* 〖고어〗 거리의 오물(개똥 따위). **~kreuzer** *m.* 〖구어〗 대형〔고급〕 승용차. **~kreuzung** *f.* 십자로, 네거리. **~lage** *f.* (자동차의) 주행 안전성. **~lärm** *m.* 거리의 소음. **~laterne** *f.* 가로등. **~lokomotive** *f.* 〖토목〗 길을 다지는 롤러. **~mädchen** *n.* ↑ ~dame. **~meisterei** *f.* 도로 관리소. **~musikant** *m.* 거리의 악사. **~name** *m.* 도로명. **~netz** *n.* 도로망. **~pflaster** *n.* 도로 포장(석). **~plan** *m.* 도시 계획. **~rand** *m.* 길가, 노변. **~raub** *m.* 노상 강도(질). **~räuber** *m.* 노상 강도. **~recht** *n.* 도로법; 도로 통행권. **~reiniger** *m.* ↑ ~feger. **~reinigung** *f.* ① 도로〔거리〕 청소. ② 도로 청소과. **~rennen** *n.* (자동차·자전거의) 도로〔시가〕 경주. **~roller** *m.* (중량 초과 화물을 싣도록 특수 제작한) 트레일러. **~rufe** *pl.* 가두 상인의 호객 소리. **~sammlung** *f.* 가두 모금〔수집〕. **~sänger** *m.* 거리의 가수. **~schild** *n.* ① 가로명 표지판. ② 도로 안내판. ③ 〖구어〗 교통 표지. **~schlacht** *f.* 시가전. **~schuh** *m.* 신발(↔ Hausschuh). **~seite** *f.* ① 도로의 한쪽 면. ② (건물의) 도로 쪽 면. **~sperre** *f.* 바리케이드, 통행 차단 목책〔철책〕. **~sperrung** *f.* 통행 차단. **~theater** *n.* ① (전위적) 가두극(街頭劇). ② 가두 극단. **~tür** *f.* 대문, 현관. **~übergang** *m.* 횡단 보도. **~überführung** *f.* 육교, 고가 도로. **~umleitung** *f.* 우회 도로. **~unfall** *m.* 교통 사고. **~unterführung** *f.* 지하도. **~verkehr** *m.* 도로 교통.

Straßenverkehrs·ordnung *f.* 도로 교통법. **~-Zulassungs-Ordnung** *f.* 〖法〗 도로 교통 허가법(약어: StVZO).

Straßen·verstopfung *f.* 교통 체증. **~verzeichnis** *n.* 도로명·지명 일람표〔색인〕. **~walze** *f.* (도로 공사용) 로드 롤러. **~zoll** *m.* 통행료. **~zug** *m.* 양쪽에 집이 늘어선 길. **~zustand** *m.* 도로 상태. **~zustands·bericht** *m.* (방송의) 교통 정보.

Straße-Schiene-Verkehr *m.* 도로와 철도의 연결 수송.

Sträßlein [ʃtrɛ́:slaɪn] *n.* -s, - ↑ Sträßchen.

Stratagem *n.* -s, -e ↑ Strategem.

Stratege [ʃtraté:gə] 《gr.》 *m.* -n, -n ① 〖軍·옛뜻〗 장군, 군사령관. ② 전략가, 병법가, 참모; 책략가. ③ 〖구어·농담〗 경솔한 사람.

Strategem [..tegé:m] *n.* -s, -e ① 전략, 전술. ② 계략, 책략.

***Strategie** [..gí:] *f.* -n [..gí:ən] 전략, 전술.

Strategik [ʃtraté:gɪk] *f.* 병법, 군사학, 전술.

Strategiker *m.* -s, - 병법가, 군사학자, 전술가.

strategisch *a.* 병법의, 군사학의, 전술의; 병법에 맞는: 〖軍〗 ~e Waffen 전략 무기.

Stratifikation [ʃtratifikatsió:n, st..] 《lat.》 *f.* -en ① 〖지질〗 성층(成層), 층리(層理). ② 〖農〗 (발아 촉진을 위해 젖은 모래에 씨앗을 넣어 두는) 습층 처리, 층적법.

stratifizieren 《I》 *i.*(h.) 〖지질〗 퇴적되다. 《II》 *t.* ① 〖지질〗 (암석의) 성층 구조를 구분〔분석〕하다. ② 〖農〗 (발아를 촉진시키기 위해 씨앗을) 젖은 모래에 넣어 두다, 습층 처리하다.

Stratigraphie *f.* ① 층위학(層位學), 지층학. ② (고고학적 발굴 때의) 문화 층서학(層序

學). ③〖醫〗 단층 촬영(법).
stratigraphisch *a.* 층위학에 관한, 층위학적인; 단층 촬영의.
Stratosphäre [ʃtrato.., st..] *f.* 〖天〗 성층권.
Stratosphären·flug *m.* 성층권 비행.
stratosphärisch *a.* 성층권의.
Stratuswolke [ʃtráːtus.., st..] *f.* -n 〖기상〗 층운(層雲), 안개구름.
straub [ʃtraup] *a.* (südd.) (수염이) 빳빳한; (머리가) 흐트러진, 텁수룩한; (피부가) 거친; 거스러미가 인.
Straube [ʃtráubə] *f.* -n (südd.) ① 거친 면; (지팡이 따위의) 거스러미가 인 끝. ② (소용돌이 모양의) 납작한 과자.
*__sträuben__ [ʃtrɔ́ʏbən] 《ahd. strūben》 《I》 *t.* (머리카락·깃털 따위를) 곤두세우다: die Katze sträubt das Fell 고양이가 털을 곤두세운다. 《II》 *refl.* sich ~ ① 곤두서다: 〖비유〗 da sträubten sich mir die Haare 그때 난 깜짝 놀랐다. ② sich (gegen jn.〔et.〕) ~ 거역하다, 반항〔저항〕하다: 〖비유〗 die Feder sträubt sich, es niederzuschreiben 그것을 기록하자니 펜이 말을 잘 듣지 않는다; er sträubte sich mit Händen und Füßen dagegen 그는 전력을 다해 그것에 저항했다.
straubig *a.* ① (머리가) 흐트러진, 헝클어진. ② 반항적인, 고분고분하지 않은.
sträubig [ʃtrɔ́ʏbɪç] *a.* ↑ straubig.
Straubinger [ʃtráubɪŋər] *m.* -s, - 〖다음 형태로〗〖농담〗 Bruder ~ 부랑자, 떠돌이.
Straub·kopf *m.* ① 봉두난발(을 한 사람). ② 〖비유〗 반항아; 고집쟁이, 빙퉁그러진 사람.
*__Strauch__ [ʃtraux] *m.* -(e)s, Sträucher [ʃtrɔ́ʏçər] ① 관목. ② 덤불: auf den ~ klopfen 〔schlagen〕 a) 덤불을 후려쳐 사냥감을 몰아내다, b) 〖비유〗 남의 마음〔생각〕을 떠보다.
strauch≈artig *a.* 관목 모양의, 관목류의; 덤불 같은. **~dieb** *m.* 〖옛뜻〗 노상 강도.
Sträuchelchen [ʃtrɔ́ʏçəlçən] *n.* -s, - 〖↑ Strauch 의 축소형〗 작은 관목.
*__straucheln__ [ʃtráuxəln] *i.* (s.) ① 〖雅語〗 발을 헛디디다, 채어서 비틀거리다: über einen Stein ~ 돌부리에 채어 비틀거리다. ② 〖雅語〗 길을 잘못 들다: ein gestraucheltes Mädchen 타락한 소녀. ③ (특히 스포츠에서) 패하다, 지다; 좌절〔실패〕하다.
Strauchen [ʃtrauxən] *m.* -s, - (bayr., öst.) 코감기.
strauch≈förmig *a.* ↑ ~artig. **~holz** *n.* 우거진 관목; 관목 숲; 덤불 숲.
strauchicht *a.* ↑ strauchig.
strauchig *a.* ① 관목이 우거진; 덤불투성이의; 텁수룩한. ② (식물 따위가) 관목 모양의.
Sträuchlein [ʃtrɔ́ʏçlaɪn] *n.* -s, - ↑ Sträuchelchen.
Strauchler *m.* -s, - ① 발을 헛디디는 사람, 채어서 비틀거리는 사람; 실각자. ② 헛디딤, 채어서 비틀거림; 실각, 차질.
Strauch≈ritter *m.* 〖옛뜻〗 도둑 기사(騎士), 말을 타고 떠돌아다니는 도둑. **~werk** *n.* ① 관목 숲; 덤불 숲. ② 관목의 가지.
Strauken *m.* -s, - 〔*f.*〕 (öst.) ↑ Strauchen.
*__Strauß__[1] [ʃtraus] 《원뜻 „Aufschwellung"》 *m.* -es, Sträuße [ʃtrɔ́ʏsə] 〖옛뜻〗 ① (격렬한) 투쟁, 고투, 사투, 격전. ② 설전, 논쟁: mit jm. einen ~ ausfechten 누구와 담판을 벌이다, 의견이 충돌하다.
Strauß[2] *m.* -es, Sträuße [ʃtrɔ́ʏsə] ① **(a)** 꽃다발; einen ~ Feldblumen pflücken 들꽃 한 묶음을 꺾다. **(b)** 장작 단〔묶음〕. ② 〖動〗 관모(冠毛). ③ 〖植〗 밀추화(密錘花). ④ 관목; 덤불 숲.
*__Strauß__[3] (gr.) *m.* -es, -e [ʃtráusə] 〖動〗 타조: den Kopf in den Sand stecken wie der Vogel ~ 어려움〔위험〕을 외면하려 들다.
Sträußchen [ʃtrɔ́ʏsçən] *n.* -s, - 〖↑ Strauß[2] 의 축소형〗 작은 꽃다발: 〖방언〗 (et)was am ~ haben 제정신이 아니다.
Straußen≈ei *n.* 타조 알. **~farm** *f.* 타조 사육장. **~feder** *f.* 타조 깃. **~magen** *m.* ① 타조 위(胃). ② 〖비유〗 대식가의 위(胃).
Strauß·farn *m.* 〖植〗 (유럽산(産)) 청나래 고사리.
Sträußlein [ʃtrɔ́ʏslaɪn] *n.* -s, - ↑ Sträußchen.
Strauß·wirtschaft *f.* 자가 양조 포도주 직매장〔술집〕(포도나무 가지 다발을 내걸어 표시함).
strawanzen *i.* (s.) (bair., öst.) 〖구어〗 떠돌아다니다, 유랑〔방랑〕하다.
Strawanzer *m.* -s, - (bair., öst.) 〖구어〗 떠돌이, 유랑자, 방랑자.
Strazza [ʃtrátsa, st..] *f.* Strazzen 생사(生絲)를 가공할 때 생기는 폐사(廢絲).
Strazze [ʃtrátsə, st..] 《lat.》 *f.* -n 〖商〗 장부, 금전 출납부.
Streb [ʃtreːp] *m.* -(e)s, -e 〖광업〗 장벽(長壁) 채굴장.
Streb·bau *m.* 〖광업〗 장벽식(長壁式) 채굴.
Strebe [ʃtréːbə] 《<streben》 *f.* -n 〖건축〗 지주(支柱), 버팀목, 버팀대; 버팀벽.
Strebe≈balken *m.* 〖건축〗 (비스듬히 가로지른) 지주(支柱), 버팀목, 버팀대. **~band** *n.* 홍예받이. **~bogen** *m.* 아치형 부축벽(扶築壁). **~katze** *f.* 〖스포츠〗 줄다리기. **~kraft** *f.* 신장력(伸張力); (원심 또는 구심의) 경향; 〖비유〗 노력. **~mauer** *f.* 부벽(扶壁); 옹벽.
*__streben__ [ʃtréːbən] *i.* ① (s.) 〖방향 지시 어구와 함께〗 나아가다, 지향하다: nach vorne 〔Hause〕 ~ 앞〔집〕으로 가다; gegen〔wider〕 den Strom ~ 흐름에 거스르다; die Pflanze strebt zum Licht 식물은 빛이 비치는 쪽으로 자란다; nach dem Mittelpunkt ~de Kraft 구심력. ② (h.) 추구〔노력〕하다, 애쓰다: es irrt der Mensch, so lang er strebt 인간은 노력하는 한 방황한다(Goethe 의 "Faust" I 에서); nach et.[3] ~ 얻고자 노력하다〔애쓰다〕; 〖구어〗 aus allen Kräften ~ 온 힘을 다 쏟아 노력하다. ③ (h.) 〖구어〗 공부에 매진하다: bis spät in die Nacht ~ 밤늦게까지 공부만 들이파다.
Streben *n.* -s, - 노력, 정진, 분발, 분투; 열망, 지향; 경향, 추세, 성향, 본능; 〖天〗 인력(引力), 구심력.
Strebe≈pfahl *m.* ↑ ~pfeiler. **~pfeiler** *m.* 〖건축〗 버팀목, 버팀 기둥.
Streber *m.* -s, - ① 〖폄어〗 야심가, 출세 지향적인 사람; 공부 벌레. ② 〖動〗 (도나우강 지역의) 농어.
Streberei [..ráɪ] *f.* 〖폄어〗 야심, 노력.
streberhaft *a.* 〖폄어〗 야심가다운, 출세 지향적인.

strebeṛisch *a.* ↑ streberhaft.
strebern *i.*(h.) 열심히 노력하다.
Strebertum *n.* -(e)s 〖폄어〗 야심, 공명심, 출세주의; 출세 지향적 행위.
Strebe·werk *n.* 【건축】 (고딕 양식의 교회 건축에서 볼 수 있는) 내력벽 구조.
Streb·katze *f.* 【스포츠】 줄다리기.
strebsam [ʃtré:pza:m] *a.* ① 노력〔정진〕하는, 분발〔분투〕하는; 열심인, 근면한. ② 야심만만한, 공명심에 불타는.
Strebsamkeit *f.* 노력, 정진, 분발, 분투; 열심, 근면.
Strebung *f.* -en ① 〖雅語〗 노력. ② 【心】 목표 실현 성향〔욕구〕.
Streck·balken [ʃtrɛ́k..] *m.* 【건축】 (수평으로 가로지른) 버팀목; 침목; 교각.
streckbar [ʃtrɛ́kba:*r*] *a.* 늘일 수 있는; 때려 펼 수 있는; 펴지는.
Streckbarkeit *f.* 신장성(伸張性), 연성(延性), 유연성.
Streck·bett *n.* 【醫】 (척추 교정용) 신전(伸展) 침대.
***Strecke** [ʃtrɛ́kə] 《<strecken》 *f.* -n ① 거리; 길이, 구간; 노정(路程): eine ~ von 10 Kilometern zurücklegen 10킬로의 구간을 도보로 나아가다〔걸어가다〕; 〖구어〗 auf der ~ (liegen)bleiben a) (정체되어) 전진하지 못하다, b) 낙오하다, c) 수포로 돌아가다; eine gute ~ des Weges 상당히 긴 거리. ② 〖복수〗 지역, 면적; (책·영화의) 구절, 부분: der Bericht ist über weite ~n ziemlich subjektiv 그 기사는 상당한 부분이 무척 주관적이다. ③ 시간, 기간. ④ 【스포츠】 코스, (경주) 거리; 【수영·조정】 스트로크: auf die ~ gehen 출발하다; noch auf der ~ sein 아직 달리고 있는 중이다. ⑤ 【數】 선분. ⑥ 【철도】 선로 구간, 철도 노선: die ~ Frankfurt-Berlin 프랑크푸르트-베를린 노선〔구간〕; auf freier〔offener〕 ~ halten 역이 아닌 곳에 서다. ⑦ 【광산】 (Stollen) 수평갱(↔ Schacht). ⑧ 【사냥】 잡은 짐승: das Wild zur ~ bringen 짐승을 사냥하다〔쏘아 죽이다〕; 〖비유〗 jn. zur ~ bringen 누구를 체포하다, 죽이다. ⑨ 【工】 (가죽·양모 따위의) 신장구(伸張具). ⑩ 【독일식볼링】 볼을 굴리는 횟수.
Streck·eisen *n.* (제혁용(製革用)) 신장구(伸張具).
***strecken** [ʃtrɛ́kən] 《Ⅰ》 *t.* ① 때려눕히다, 쓰러뜨리다; 베어 넘어뜨리다; 【사냥】 쏘아 죽이다: jn. zu Boden ~ 누구를 쓰러뜨리다, 녹아웃시키다, 쏘아 죽이다; die Waffen ~ 항복하다. ② (신체의 일부를) 뻗다, 내밀다, (몸을) 죽 펴다: alle viere von sich ~ 사지를 큰 대자로 뻗다; 〖비유〗 noch die Füße〔Beine〕 unter Vaters Tisch ~ 아직 부모님 집에서 살다; 【數】 gestreckter Winkel 180° 각도. ③ 【工】 두드려펴다; 길고 얇게 만들다: Eisenblech durch Hämmern ~ 철판을 망치질하여 펴다; das Muster streckt ihre Figur 그 무늬가 그녀의 몸매를 날씬하게 보이게 한다. ④ (a) 묽게 하다, 물을 타다. (b) 아껴 쓰다. ⑤ 〖구어〗 seine Arbeit ~ 일을 연장하다. 《Ⅱ》 *refl.* sich ~ ① 몸을〔사지를〕 펴다, 기지개를 켜다; (산·해안이) 펼쳐지다: 〖비유〗 sich nach der Decke ~ 누울 자리 보고 발을 뻗다, 분수에 맞게 생활하다. ② 자라다, 성장하다; 늘어나다, 펴지다: 〖구어〗 der Junge hat sich (mächtig) gestreckt 그 아이는 (부쩍) 키가 자랐다; 〖구어〗 der Weg streckt sich 생각했던 것보다 그 길은 더 멀다. ③ sich im Laufe ~ (말이) 전속력으로 질주하다.
Strecken=abschnitt *m.* (도로 따위의) 구간. **~arbeiter** *m.* 【철도】 선로 작업 인부. **~bau** *m.* 철도 부설 공사. **~fern·sprecher** *m.* 선로변의 전화기. **~flug** *m.* 정기 항로 비행; (글라이더의) 멀리 날리기 (경기). **~-förderung** *f.* 갱내 운반. **~führung** *f.* 【도로·철도】 구간이 뻗어나가는 모양새. **~-geschwindigkeit** *f.* 구간 속도. **~netz** *n.* 철도〔항공〕 노선망. **~rekord** *m.* 구간 신기록. **~strich** *m.* 【印】 대시(기호). **~tauchen** *n.* 【수영】 잠수 유영(游泳)(경기). **~verkehr** *m.* 구간 교통〔운송〕. **~wärter** *m.* 【철도】 선로 감시원, 신호수. **~weise** *adv.* ① 구간별로. ② 부분적으로, 군데군데, 여기저기에.
Strecker *m.* -s, - ① 【해부】 신근(伸筋). ② (운동 기구의) 익스팬더. ③ 【건축】 훑손. ④ 낚싯바늘.
Streck=grenze *f.* 【物】 탄성(彈性) 한계. **~-gut** *n.* 【動】 유어(幼魚), 치어(稚魚). **~-krampf** *m.* 【醫】 강직성〔긴장성〕 경련. **~-lage** *f.* 【스포츠】 팔과 다리를 뻗은 자세. **~-metall** *n.* 【건축】 익스팬드 메탈, 망상(網狀) 금속판(콘크리트 구조물의 보강재). **~-muskel** *m.* 【醫】 신근(伸筋)(↔ Beugemuskel). **~probe** *f.* 【工】 신장성(伸長性) 검사〔시험〕. **~rahmen** *m.* 수틀. **~verband** *m.* 【醫】 압박 붕대. **~stütz** *m.* 【스포츠】 엎드려 뻗치기.
Streckung [ʃtrɛ́kʊŋ] *f.* -en ① 신장(伸張), 잡아 폄〔늘임〕, 때려〔쳐서〕 폄, 압연(壓延). ② 【醫】 신장(身長) 급성장기(期).
Streck=vers *m.* 긴 시구. **~walze** *f.* 【工】 압연 롤러, 신장기. **~werk** *n.* 【제련】 ① 판금(板金) 공작소. ② 압연기, 신장기. **~winkel** *m.* 【數】 보각(補角).
Street=work [strí:twə:k] 《engl.》 *f.* 〖은어〗 (마약 중독자에 대한) 가두 선도〔상담〕. **~-worker** 《engl.》 *m.* -s, - 〖은어〗 (마약 중독자에 대한) 가두 선도원〔상담자〕.
Strehler *m.* -s, - 【工】 체이서, 빗형〔櫛形〕 바이트(나사의 산〔골〕을 만드는 공구).
***Streich** [ʃtraɪç] 《<streichen》 *m.* -(e)s, -e ① (a) 타격, 때림, 구타; (회초리로) 후려침; 두들김: jm. einen tödlichen ~ versetzen 누구에게 치명적인 일격을 가하다. (b) 전광(電光), 천둥. (c) 치는〔울리는〕 소리. ② 〖고어〗 auf einen ~ 일격에, 단숨에, 즉석에. ③ 〖비유〗 충격, 타격, 손해. ④ 장난, 어리석은 짓; 【商】 능란한 거래, 한탕, 대히트: ein dummer ~ 어리석은 행동, 바보짓; ein kluger ~ 현명한 행동, 능숙한 홍정; ein lustiger ~ 해학, 장난; ein schlechter ~ 나쁜 짓〔장난〕; ein toller ~ 미친 짓; ein übermütiger ~ 건방진 행동; 〖반어〗 das war ein rechter ~ 그거 정말 장한〔못난〕 짓이었다; jm. einen ~ spielen a) 누구에게 장난치다, 누구를 놀리다, b) 누구를 속이다. ⑤ 〖방언〗 einen ~ haben 제정신이 아니다; keinen ~ tun 아무런 일도 하지 않다, 손끝도 까딱하지 않다; mit et.[3] gut zu ~ kommen 무엇을 잘 해내다; 〖속담〗 von einem 〔vom ersten〕 ~e fällt keine Eiche 떡

갈나무는 한 번 찍어서는 쓰러지지 않는다(만사에는 다 때가 있는 법이다).

Streich⸗bogen *m.* (바이올린의) 활. **~brett** *n.* 쟁기의 술바닥; 문지르는 판(다리미판 따위). **~bürste** *f.* 도장용(塗裝用) 솔.

Streiche [ʃtráiçə] 《<streichen》 *f.* -n ① 문지르는〔칠하는·훑는〕 솔, 브러시; 『漁』 예인망; 『醫』 압설자(壓舌子); 『방직』 소모기(梳毛機). ② 『지질』 (지층의) 주향(走向), 층향(層向). ③ 『軍·옛뜻』 능보(稜堡); (보루의) 측면, 측방(側防) 포대, 측방 설비.

Streich·eisen *n.* 다리미, 인두; 줄.

Streichel·einheit [ʃtráiçəl..] *f.* 〔농담〕 마땅히 받아야 할 애정〔칭찬〕.

Streiche·macher *m.* 장난꾸러기, 장난치기를 좋아하는 사람.

***streicheln** 《<streichen》 *t.* 쓰다듬다, 어루만지다, 손으로 문지르다: 〔구어〕 läßt sich der Hund ~? 쓰다듬어 줘도 이 개가 가만히 있나요?

streichen [ʃtráiçən] (strich, gestrichen) 《I》 *t.* ① 쓰다듬다, (손으로) 문지르다, 마사지하다: 〔비유〕 jm. den Balg ~ 누구에게 아첨하다; glatt ~ (옷 따위의) 주름을 펴다; die Wolle ~ 양털을 솔로 빗다; den Scheffel (glatt, eben) ~ 말을 평미레로 평평하게 밀다; gestrichen voll 평미레쳐서 가득 채운(고봉에 대하여); den Draht ~ 철사를 펴다; ich habe die Nase gestrichen voll 나는 진절머리〔넌더리〕가 난다; den Schweiß von der Stirne ~ 이마의 땀을 씻다. ② 『악기』 (현악기를) 켜다, 연주하다: die Geige (mit dem Bogen) ~ 바이올린을 (활로) 켜다. ③ **(a)** 칠하다, (문질러) 바르다, 문질러 스며들게 하다: Butter aufs Brot ~ 빵에 버터를 바르다. **(b)** (색)칠〔페인트칠〕하다: Vorsicht, frisch gestrichen! 칠 주의! ④ 선을 그어 지우다, 말소〔삭제〕하다, 취소하다: 〔비유〕 ich habe seinen Namen aus meinem Gedächtnis gestrichen 나는 그의 이름을 기억에서 지워 버렸다; 〔구어〕 das kannst du ~! 그걸 포기하라!; 〔구어〕 seine Pläne ~ 계획을 취소하다. ⑤ 쓸어버리다; 쓸어올리다; (체로) 거르다: sich³ das Haar aus der Stirn ~ 이마에 흘러내린 머리칼을 쓸어올리다; die gekochten Tomaten durch ein Sieb ~ 끓인 토마토를 체로 거르다. ⑥ 갈다: Rasierklinge ~ 안전 면도의 날을 (가죽에 문질러) 갈다; das Gold ~ 시금(試金)하다. ⑦ das Geld in die Tasche ~ 돈을 주머니에 집어넣다, 벌다. ⑧ Lerchen ~ 종달새를 새그물로 잡다. ⑨ 『海』 **(a)** (돛·깃발을) 내리다, 감아들이다: die Segel〔Flagge〕 ~ a) 돛을〔기를〕 내리다, b) 항복하다. **(b)** (노를) 거꾸로 젓다: streich überall! (노를) 거꾸로 저어라! ⑩ 〔고어〕 때리다, 치다: jn. mit Geißeln ~ 누구를 채찍으로 치다. 《II》 *refl.* sich ~ ① 몰래 떠나다, 살며시 나가다. ② 〔드물게〕 드러눕다. 《III》 *i.* ① (h.) 가볍게 닿다, 쓰다듬다; 스쳐 지나가다: jm. mit den Fingern durchs Haar ~ 누구의 머리카락을 손가락으로 쓰다듬다; das Gewand streicht auf dem Boden 옷자락이 땅바닥에 끌린다. ② (s.) 지나가다, 나아가다; 여행하다; 배회하다, 유랑하다; (새가) 낮게 날다, (철새가) 옮겨가다; (물고기가) 똑바로 나아가다: durch den Wald ~ 숲속을 지나가다〔배회하다〕; das Schiff streicht durch die Wellen 배가 물결을 헤치고 나아간다; der Nebel streicht aufwärts 안개가 피어오르다; 〔비속〕 einen (Darmwind) ~ lassen 방귀를 뀌다; um et. ~ 무엇을 구하려 배회하다, 얻고자 노력하다. ③ (h.) 『動』 (물고기가) 산란하다; (짐승이) 발정하다. ④ (산맥이) 뻗(치)다; 『지질』 주향선(走向線)을 이루다; 『광산』 zu Tage〔zutage〕 ~ (광맥이) 노출되어 있다. 《IV》 **gestrichen** *p.a.* ↑ gestrichen.

Streichen *n.* -s ① 『승마』 말의 보행 과실(한쪽 발굽이 다른 쪽 다리의 안쪽을 스치는 것). ② 『지질』 (지층의) 주향(走向), 층향.

Streicher *m.* -s, - ① 때리는〔어루만지는·문지르는〕 사람; 『음악』 현악기 연주자; 『工』 (페인트) 칠장이; 벽돌공; 『방직』 소모공(梳毛工). ② 유랑자, 떠도는 사람. ③ 『工』 **(a)** ↑ Streicheisen. **(b)** 숫돌. ④ 『動』 ↑ Streichfisch.

Streicherei [ʃtraiçərái] *f.* -en 〔폄어〕 칠하기; 노를 거꾸로 젓기.

streich⸗fähig *a.* (빵에) 잘 발라지는; (페인트가) 잘 먹는, 퍼지는. **~fähigkeit** *f.* 잘 발라지는 성질. **~fertig** *a.* 바로 칠할 수 있는. **~feuer** *n.* 『軍』 기총 소사. **~feuer·zeug** *n.* 성냥. **~fisch** *m.* 『動』 산란기의 물고기. **~fläche** *f.* (성냥갑의) 마찰면. **~form** *f.* (벽돌 따위를 굽는) 틀. **~garn** *n.* ① 소모사(梳毛絲). ② 새그물; 예인망. **~holz** *n.* 성냥. **~hölzchen** *n.* ↑ ~holz. **~hölzchen-schachtel** *f.* 성냥갑. **~holz·schachtel** *f.* ↑ ~hölzchenschachtel. **~instrument** *n.* 『악기』 현악기. **~käse** *m.* 빵에 발라 먹는 치즈. **~konzert** *n.* ① 현악 협주곡. ② 현악 연주회. **~leder** *n.* (면도칼을 갈기 위한) 가죽 숫돌. **~linie** *f.* 『지질』 (지층의) 주향선(走向線). **~maß** *n.* ① 평미레질한〔가장자리까지 가득 찬〕 분량. ② 줄 치는 자막대기. **~masse** *f.* 도료. **~musik** *f.* 『음악』 현악. **~netz** *n.* ↑ ~garn ②. **~orchester** *n.* 『음악』 현악 합주(단). **~quartett** *n.* ① 현악 4중주곡. ② 현악 4중주(단). **~quintett** *n.* ① 현악 5중주곡. ② 현악 5중주(단). **~riemen** *m.* ↑ ~leder. **~stein** *m.* ① 시금석. ② 숫돌. **~teich** *m.* 양어지(池), 산란지(池). **~trio** *n.* ① 현악 3중주곡. ② 현악 3중주(단).

Streichung [ʃtráiçuŋ] *f.* -en ① 삭제, 말소. ② 삭제〔말소〕한 사항〔부분〕.

Streich⸗vogel *m.* 철새. **~wolle** *f.* 『섬유』 (양모로 만든) 소모사(梳毛絲). **~wurst** *f.* 빵에 발라 먹는 소시지. **~zeit** *f.* ① (철새의) 이동 시기. ② (물고기의) 산란기.

Streif [ʃtraif] *m.* -(e)s, -e ① 〔雅語〕 줄, 줄무늬, 선. ② 배회, 유랑, 편력.

Streif⸗band *n.* 〔복수: ..bänder〕 (인쇄물〔우편물〕에 두른) 종이띠. **~band·zeitung** *f.* 『우편』 (수취인 주소를 적은) 종이띠가 둘러진 신문. **~blick** *m.* 일별(一瞥), 흘끗 봄.

Streife [ʃtráifə] *f.* -n ① 순찰〔수색〕대: von einer ~ erwischt〔ertappt〕 werden 순찰대에 의해 검거〔체포〕되다. ② 순찰, 정찰, 수색: auf ~ sein 순찰 중이다; auf ~ gehen 순찰 나가다; eine ~ machen 순찰하다. ③ 〔방언〕 편력, 유랑, 배회. ④ 『사냥』 몰이 사냥.

***streifen** [ʃtráifən] 《I》 *t.* ① 가볍게 스치다〔닿다〕, 찰과상을 입히다: die Kugel hat ihn am

Arm gestreift 탄환이 그의 팔을 스쳐 지나갔다; den Boden ~ (옷자락이) 바닥에 질질 끌리다; 〖스포츠〗 gestreift! 네트 인! ②〖비유〗 피상적으로 다루다; 힐끗 보다: ein Thema leicht ~ 주제를 가볍게 언급하다; et.〔jn.〕 mit einem Blick ~ 누구를〔무엇을〕 힐끗 보다. ③ (몸에 밀착한 것의 위치를) 옮겨놓다; (반지를) 빼다, 끼다, (양말·스웨터를) 벗다, 입다; 비벼서 털다, 제거하다; 〖사냥〗 (짐승의 가죽을) 문질러 벗기다: den Ring auf den Finger 〔vom Finger〕 ~ 반지를 손가락에 끼다〔손가락에서 빼다〕; die Ärmel in die Höhe ~ 소매를 걷어 올리다; die Asche von der Zigarette ~ 담뱃재를 털다. ④〔드물게〕 (a) …에 선〔줄〕을 긋다. (b) 〖工〗 (원기둥에) 세로 홈을 파다. (c) 〖農〗 den Acker ~ 밭에 이랑을 만들다. ⑤〔방언〕 젖을 짜다. 《Ⅱ》 *refl.* sich ~ 띠를 이루다, 줄(무늬)지다. 《Ⅲ》 *i.* ① (h.) an et. ~ 무엇과 비슷하다: das streift an Wahnsinn 그것은 미친 짓이나 매한가지다; das streift ans Lächerliche 그것은 우스꽝스럽다. ② (s.) (a) 배회〔유랑〕하다. (b) 〖軍·드물게〗 순찰〔정찰〕하다: auf Kundschaft ~ 정찰하러 가다; tief ~ 저공 비행을 하다; in Feindesland ~ 적국에 침입하다. 《Ⅳ》 **gestreift** *p.a.* ↑ gestreift.

***Streifen** [ʃtráɪfən] *m.* -s, - ① 가늘고 길쭉한 모양의 것: Fleisch〔Papier〕 in ~ schneiden 고기〔종이〕를 길쭉길쭉하게 썰다〔자르다〕. ② (a) 줄무늬, 줄, 선; (좁고 긴) 지대(地帶), 지협. (b) 〖工〗 띠 강판; 〖건축〗 띠장, 들연, 개탕과 개탕 사이의 턱; (논·밭) 이랑. (c) 〖재봉〗 식서(飾緖), 변폭(邊幅) (올이 풀리지 않게 짠 피륙의 가장자리 부분); 〖광물〗 조흔(條痕); 〖印〗 (내리 짠) 교정쇄; 〖軍〗 (띠 모양의) 계급장: Zebra~ (흰 줄무늬를 쳐 놓은) 횡단 보도; 〔경박〕 in den ~ passen 조화를 이루다, 어울리다. ③〔구어〕 영화, 필름: einen ~ drehen 영화를 촬영하다.

Streifen·bildung *f.* 줄〔줄무늬·선〕의 형성. **~dienst** *m.* ① 순찰 (근무). ② 순찰 근무조〔반〕. **~förmig** *a.* 줄무늬〔줄·띠〕 모양의. **~führer** *m.* 순찰 근무 반장〔조장〕. **~gang** *m.* 순찰. **~hügel** *m.* 〖해부〗 선상체(線狀体) (대뇌 기저핵의 일부). **~wagen** *m.* 순찰차. **~weise** *adv.* 줄무늬를 이루어, 띠 모양으로.

Streifer [ʃtráɪfər] *m.* -s, - ① 배회〔유랑〕자; 편력자. ② 탐정, 경찰; 〖軍〗 정찰〔척후〕병.

Streiferei [ʃtraɪfəráɪ] *f.* -en ↑ Streifzug.

Streif·hieb *m.* 찰과상(傷), 생채기.

streifig *a.* 선이 있는, 줄진, 줄무늬가 있는.

Streif·jagd *f.* 〖사냥〗 몰이 사냥. **~kolonne** *f.*, **~korps** [..ko:r] *n.* 〖軍〗 별동〔유격〕대. **~licht** *n.* 휙 스쳐 지나가는 광선: 〔비유〕 ein ~ 〔ein paar ~er〕 auf et. werfen〔fallen〕 무엇의 일단(一端)을 밝히다.

Streifling *m.* -s, -e 〖植〗 붉은 줄무늬가 있는 사과의 일종.

Streif·ritt *m.* 원거리 승마. **~schuß** *m.* 〖軍〗 살짝 스치고 지나간 탄환(에 의한 찰과상). **~wache** *f.* 순찰; 〖軍〗 척후, 정찰. **~wunde** *f.* 〖醫〗 찰과상, 생채기. **~zug** *m.* ① 배회, 유랑, 편력; 답사. ②〖軍〗 침입; 침략; 유격. ③ 요록(要錄), 적요: Streifzüge durch die Geschichte dieser Stadt 이 도시의 간추린 역사〔소사(小史)〕.

Streik [ʃtraɪk] *m.* -(e)s, - 스트라이크, 동맹파업: ein ~ um höhere Löhne 임금 인상을 위한 동맹 파업; in (den) ~ treten 파업에 돌입하다; im ~ stehen 파업 중이다; 〔구어〕 den ~ abblasen 파업을 중단하다; ein wilder ~ (일부 조합원의) 불법 쟁의.

Streik·aktion *f.* (동맹) 파업 행위. **~aufruf** *m.* 파업 동참 호소(문). **~ausschuß** *m.* 파업 (실행) 위원회. **~bewegung** *f.* 파업 운동. **~brecher** *m.* 파업 불참자〔이탈자·와해자〕. **~bruch** *m.* 파업 불참〔이탈〕. **~brüchig** *a.* 파업에 동참하지 않는.

streiken [ʃtráɪkən] 《engl.》 *i.* (h.) ① 파업을 일으키다: für höhere Löhne ~ 임금 인상을 위해 파업하다. ②〔구어〕 탈퇴〔거부〕하다: da streike ich! 그럼 난 빠지겠어! ③〔구어〕 고장〔탈〕이 나다: der Fernseher 〔mein Magen〕 streikt mal wieder 텔레비전이〔내 배가〕 또 고장〔탈〕이 났다.

Streikende* *der/die* ↑ Streiker.

Streiker *m.* -s, - 동맹 파업자.

Streik·geld *n.* (파업 기간에 노동 조합에서 지급하는) 파업 수당. **~kasse** *f.* (노동 조합이 조성한) 파업 자금. **~komittee** *n.* 파업 (실행·계획) 위원회. **~leitung** *f.* 파업 지도부. **~lohn** *m.* (파업 중 노동 조합에서 지급하는) 파업 수당. **~posten** *m.* ① 파업 이탈자〔와해자〕 감시인. ② 파업 이탈자 감시 초소: ~ beziehen 파업 감시 초소에서 보초를 서다. **~recht** *n.* (동맹) 파업권, 노동 쟁의권. **~welle** *f.* 파업의 물결.

streinen *i.* ↑ streunen.

***Streit** [ʃtraɪt] *m.* -(e)s, -e ①〔고어〕 전투 (Kampf): zum ~ rüsten 전투 준비를 하다. ② 말다툼, 논쟁, 싸움: ein ~ zwischen Eheleuten 부부 싸움; einen ~ austragen 싸움을 조정하다; mit jm. in ~ geraten 누구와 싸우게 되다; 〔구어〕 ein ~ um des Kaisers Bart 쓸데없는〔무의미한〕 언쟁; einen ~ vom Zaum brechen 갑자기 싸움을 시작하다; außer allem ~ 논란의 여지가 없는. ③ 불화, 반목: im ~ miteinander leben 서로 티격태격하며 살다.

Streit·axt *f.* 〔옛뜻〕 전투용 도끼: 〔비유〕 die ~ begraben 싸움을 멈추다, 화해하다.

streitbar *a.* ① 싸우기〔시비걸기〕를 좋아하는. ② 투쟁적인, 용감한. ③〔고어〕 전투적〔호전적〕인.

Streitbarkeit *f.* 싸우기 좋아하는 성질, 호전성.

streiten* [ʃtráɪtən] (stritt, gestritten) 《Ⅰ》 *i.* (h.) ① 싸우다, 언쟁하다, 말다툼하다; 논쟁〔토론〕하다; 소송을 제기하다: (mit jm.) um et. 〔wegen eines Dinges〕 ~ (누구와) 무엇 때문에 싸우다〔다투다〕; über et. ~ 무엇에 관하여 옥신각신〔논쟁〕하다; darüber kann man ~ 그것은 논란의 여지가 있다; um den Vorrang ~ 우위를 다투다. ②〖雅語〗 (a) 투쟁하다: für den Frieden ~ 평화를 위해 투쟁하다; gegen das Unrecht ~ 불의에 맞서 싸우다. (b) 〔고어〕 (무기를 들고) 싸우다, 전투하다. 《Ⅱ》 *t.* ① einen Kampf mit jm. ~ 누구와 싸우다. ② 부정〔부인〕하다. 《Ⅲ》 *refl.* ① sich ~ 서로 싸우다: 〔속담〕 wenn zwei sich ~, freut sich der dritte 두 사람이 싸우면 제 3 자가 좋아한다〔어부지리를 얻는다〕. ② sich (mit jm.) um et. 〔wegen eines Dinges〕 ~ (누구와) 무엇 때문에 다투다, 싸우다.

streitend *p.a.* 다투고 있는, 교전 중인: die ~e Kirche 전투 교회(현세의 악과 싸우는 교회); die ~en Mächte 교전국; 〖法〗 die ~en Parteien 소송 당사자(원고 및 피고).

Streiter *m.* -s, - ① 〔雅語〕 투사; 논객: ein ~ für den Frieden 평화의 투사. ② 〔고어〕 전사.

Streiterei [ʃtraɪtəráɪ] *f.* -en 〔폄어〕 끊임없는 싸움질〔다툼〕.

Streit≈fall *m.* 논란〔분쟁〕(거리), 쟁점; 송사(訟事): im ~ 논란〔분쟁〕이 생길 경우에. **~frage** *f.* 논란거리, 쟁점. **~gegenstand** *m.* ① 논쟁의 대상. ② 〖法〗 (민사 소송의) 소송물. **~genoß** *m.* ① 전우. ② 〖法〗 공동 소송인. **~gespräch** *n.* ① 논쟁. ② 〖문학〗 (정치적·종교적 내용의) 논쟁시. **~hahn** *m.* 〔구어·농담〕, **~hammel** *m.* 〔구어·폄어〕 싸우기〔시비걸기〕 좋아하는 사람. **~hammer** *m.* 철퇴. **~handel** *m.* ① 싸움, 논쟁, 쟁의. ② 소송 (사태). **~hansel** *m.* ↑ ~hahn. **~hansl** *m.* ↑ ~hahn. **~hengst** *m.* 군마.

streitig [ʃtráɪtɪç] *a.* ① 다투고 있는; 계류〔소송〕 중인. ② 논쟁할 만한; 논의의 여지가 있는: jm. et. ~ machen 누구에게 무엇에 대한 권리를 인정하지 않다.

Streitigkeit *f.* -en 끊임없는 다툼〔분쟁〕; 소송, 송사(訟事): ~en beilegen 다툼을 조정하다.

Streit≈kolben *m.* 철퇴. **~kraft** *f.* 병력, 전투력. **~lust** *f.* 투쟁심, 싸우기 좋아하는 버릇. **≗lustig** *a.* 싸우기를 마다 않는, 논쟁을 좋아하는. **~macht** *f.* 〔고어〕 ↑ ~kraft. **~-objekt** *n.* 논쟁의 대상. **~punkt** *m.* 쟁점. **~roß** *n.* 〔고어〕 군마. **~sache** *f.* ① 다툼, 논쟁; 쟁점; 〖法〗 계류 중인 사건. ② 소송. **~satz** *m.* 논제. **~schlichter** *m.* (쟁의의) 중재자, 조정자. **~schrift** *f.* 논박〔반박〕서, 항의문. **~sucht** *f.* ↑ ~lust. **≗süchtig** *a.* ↑ ≗lustig. **~verkündung** *f.* 〖法〗 소송(의) 고지(告知). **~wagen** *m.* 〖史〗 (고대의) 전차. **~wert** *m.* 〖法〗 소송물의 가격〔가치〕.

Strelitze [ʃtré:lɪtsə, ʃtrelítsə] 《russ., „Schütze"》 *m.* -n, -n (옛 러시아 황제의) 근위병.

Stremel [ʃtré:məl] 《ndd.; <Striemen》 *m.* -s, - 길쭉한 띠 모양의 것: ein ~ Brot 길쭉한 빵; 〔비유〕 ein ganzer ~ 다량, 다수.

stremmen [ʃtrɛ́mən] 《Ⅰ》 *t./i.* (h.) 죄다, 압박하다; 답답하게 만들다. 《Ⅱ》 *refl.* sich ~ 애쓰다, 노력하다.

***streng** [ʃtrɛŋ] 《원뜻 „stark"》 *a.* ① (↔ mild) 엄(격)한, 단호한; 엄중한, 심한; 엄숙한; 근엄한: ~ gegen sich selbst 몸가짐〔자신〕에 엄격한; jn. ~ bestrafen 누구에게 엄한 벌을 주다; ~e Worte 엄중〔가혹〕한 말; ein ~es Gesicht machen 근엄한 표정을 짓다; eine ~e Bewachung 삼엄한 경비〔감시〕. ② 정확〔꼼꼼〕한; 규칙을 준수하는: eine Vorschrift ~ befolgen 규정을 엄수하다; ~ **an** et. festhalten 무엇을 엄수하다; im ~en Sinne 엄밀한 의미에서; ~ **nach** dem Befehl handeln 명령을 엄수하다; strengst entgegengesetzt 정반대의. ③ 절대적인, 예외 없는: Zutritt ~ verboten! 출입 엄금!; jn. zu ~stem Stillschweigen verpflichten 누구에게 절대 입밖에 내지 못하게 하다. ④ (표정이) 근엄〔냉엄〕한, 차가운; (디자인이) 딱딱한. ⑤ (날씨가) 매서운, 혹독한: eine ~e Kälte 혹한. ⑥ (맛이) 톡 쏘는, 매운, (혀 끝이) 알알한. ⑦ (südd.) 고된, 어려운: ein ~er Dienst 고된 근무; 〖醫〗 ~er Urin 이뇨(利尿) 곤란.

Strenge [ʃtrɛ́ŋə] *f.* ① 엄격성, 엄중: mit ~ herrschen 엄하게 다스리다; katonische ~ 가차없는 엄격성. ② (규정 따위의) 준수, 엄수; 엄밀〔엄정〕성. ③ 엄숙성, 근엄성, 딱딱함. ④ (추위의) 혹독, 매서움. ⑤ (맛·냄새의) 얼얼함, 톡 쏨. ⑥ 〖醫〗 이뇨(利尿) 곤란.

strengen [ʃtrɛ́ŋən] *t.* 〔고어·방언〕 ① 팽팽하게 잡아당기다; 옥죄다. ② 속박〔제한〕하다.

streng≈flüssig *a.* 〖化〗 잘 용해되지 않은, (액체가) 점성이 강한. **~genommen** 《Ⅰ》 *p.p.* ↑ strengnehmen. 《Ⅱ》 *adv.* 엄밀히 해석하면〔말하면〕. **~gläubig** *a.* (신앙이) 독실한; 정통파의. **≗gläubigkeit** *f.* 정통파적 신앙〔학설·관행〕. **~|nehmen** 《Ⅰ》 *t.* ① 엄밀하게 해석하다, 진지하게 받아들이다. ② es mit jm.〔et.[3]〕 ~ 누구를〔무엇을〕 심각하게 생각하다. 《Ⅱ》 **~genommen** *p.a.* ↑ ~genommen.

strengstens *adv.* 매우 엄격하게, 예외를 인정치 않고: ~ verboten 엄금된.

Strenuität [ʃtrenuité:t, st..] 《lat. strenus》 *f.* ① 유능; 민첩. ② 활동적임, 근면성.

strenzen [ʃtrɛ́ntsən] *i.* ① (h.) 자만하다, 허풍떨다. ② (s.) 배회하다, 어슬렁거리다.

Streptokokkus [strɛptokɔ́kʊs] 《gr.》 *n.* -, ..kokken 〖醫〗 연쇄상 구균(球菌).

Streptomycin [..mytsí:n], **Streptomyzin** [..mytsí:n] 《gr. mýkes, „Pilz"》 *n.* -s 〖藥〗 스트렙토마이신.

Streptotricheen *pl.* 방선상(放線狀) 균류.

Stresemann [ʃtré:zəman] *m.* -s 〖유행〗 (어둡고 단조로운 색상의) 신사복 차림(독일의 정치가 G. Stresemann 의 복장에서).

Streß [ʃtrɛs, st..] *m.* Stresses, Stresse 스트레스, 압박(감), 긴장(감): im ~ sein〔stehen〕, unter ~ stehen 스트레스를 받고 있다.

Stress 新정서 ⇦ Streß.

stressen [ʃtrɛ́sən, st..] *t.* (jn.) ~ 스트레스를 주다, 압박감을 주다.

stressig [ʃtrɛ́sɪç, st..] *a.* 〔구어〕 스트레스를 주는, 너무 힘드는.

Streß·situation *f.* 스트레스를 일으키는 상황〔여건〕.

Stretch [strɛtʃ] 《engl.》 *m.* -(e)s, -es [-ɪs] 〖섬유〗 (신축성이 많은) 스트레치 직물.

Streu [ʃtrɔʏ] 《<streuen》 *f.* -en ① 뿌린 것. ② 외양간에 깐 짚〔낙엽〕; (사람의) 임시 잠자리.

Streu≈blau *n.* 검푸른 색의 유리 가루를 원료로 한 그림 물감. **~büchse** *f.* (후춧가루·소금·깨소금을 담는) 위 뚜껑에 작은 구멍이 나 있는 양념병.

Streue [ʃtrɔ́ʏə] *f.* -n (schweiz.) ↑ Streu.

***streuen** [ʃtɔ́ʏən] 《Ⅰ》 *t.* 뿌리다, 살포하다: dem Vieh frisches Stroh ~ 가축에 새 짚을 깔아 주다; jm. Weihrauch ~ 누구에게 아첨하다; Flugblätter unter die Leute ~ 사람들에게 유인물을 뿌리다; die Straßen mit Salz ~ 길에 염화칼슘을 뿌리다. 《Ⅱ》 *i.* (h.) ① 흩뜨려지다, 뿌려지다: das Salzfäßchen streut gut 이 소금통은 소금이 잘 나온다. ② 〖軍〗 (총

이) 명중이 잘 되지 않다; 산탄(散彈)이 흩어지다. ③〖理〗(빛이) 산란하다. ④〖醫〗(병소(病巢)가) 번지다. ⑤〖통계〗(평균값이) 분산하다.

Streuer *m.* -s, - ① 살포기. ② ↑ Streubüchse.

Streu≈fahrzeug *n.* (빙판 도로에) 모래·염화칼슘을 뿌리는 차량. **~feuer** *n.*〖軍〗소사(掃射). **~gabel** *f.*〖農〗마구간용 갈퀴. **~gold** *n.*〖광물〗사금석(砂金石). **~gut** *n.* (도로에) 뿌리는 물질. **~kolonne** *f.* (빙판 도로에) 모래 따위를 뿌리는 행렬. **~licht** *n.*〖광학〗산란광. **~minen** *pl.*〖海〗부설 수뢰(水雷). **~muster** *n.* (옷감 따위의) 작은 꽃무늬.

streunen [ʃtrɔ́ʏnən] *i.* (s./(드물게) h.) (bayr.)〖폄어〗돌아다니다: ein ~der Hund 떠돌이개; durch die Straßen ~ 거리를 배회하다.

Streuner *m.* -s, -〖폄어〗① 부랑자, 떠돌이. ② 임자 없는 개[도둑고양이].

Streu≈pflicht *f.*〖法〗(자치 단체·건물 소유주가) 빙판길에 모래를 뿌려야 하는 의무. **~pulver** *n.*〖醫〗(상처에 뿌리는) 살포약;〖植〗석송자(石松子). **~salz** *n.* 빙판 도로에 뿌리는 염화칼슘. **~sand** *m.* ① 빙판길에 뿌리는 굵은 모래. ②〖옛뜻〗잉크를 빨리 말리기 위해 뿌리는 아주 고운 모래:〖구어·농담〗Punktum und ~ drauf! 끝났어, 만말 없기야! **~sand·büchse** *f.*〖옛뜻〗(잉크를 빨리 말리기 위해 뿌리는) 고운 모래 통.

Streusel [ʃtrɔ́ʏzəl] *m./n.* -s, - (케이크를 굽기 전에 위에 뿌리는) 고명.

Streusel·kuchen *m.* 고명을 얹은 케이크.

Streu≈siedlung *f.* 집이 드문드문 있는 촌락. **~stroh** *n.* (잠자리로) 깔아 주는 짚.

Streuung [ʃtrɔ́ʏʊŋ] *f.* -en ① 살포, 배포;〖醫〗(병소(病巢) 따위의) 번짐. ②〖軍·사격〗(산탄(散彈)의) 비산(飛散); (탄환의) 빗나감. ③〖理〗(빛의) 산란;〖전기〗누전. ④〖통계〗(평균값의) 분산.

Streuungs≈koeffizient *m.*〖통계〗(평균값에서의) 편차 계수. **~maß** *n.*〖통계〗(평균값에서) 편차 정도.

Streu≈wagen *m.* (빙판 도로에) 모래나 염화칼슘을 뿌리는 차. **~zucker** *m.* 가루 설탕, (과자에) 뿌리는 설탕.

Strg =Steuerungstaste〖컴〗(자판의) 제어키.

***Strich** [ʃtrɪç] 《<streichen》 *m.* -(e)s, -e ① (**a**) 붓놀림, 필법, 화법; 일필: ein dünner ~ 가는 필법; ~ mit der Bürste 솔질하기, 한 번 솔질함;〖비유〗~ **für** ~ 한 자 한 자, 한 획 한 획, 차근차근히; **mit**[**in**] einem ~ 단숨에, 한꺼번에; mit knappen ~en 간결하게. (**b**) (바이올린 따위의) 탄주(彈奏): einen kräftigen ~ haben (바이올린 따위의 활의) 터치가 세다. (**c**) 쓰다듬기; 문지르기: das Haar mit kräftigen ~en bürsten 머리를 세게[박박] 솔질하다. ② (**a**) 선; 줄, 패선: einen ~ durch et. machen a) 무엇에 줄을 긋다, b)〖비유〗무엇을 말소[취소]하다;〖비유〗das macht uns einen ~ durch die Rechnung 그것은 우리의 계획을 망쳐놓는다; einen ~ unter et. machen[ziehen] a) 무엇의 밑에 밑줄을 긋다, b)〖비유〗무엇을 끝난[완성된] 것으로 간주하다;〖구어〗er ist nur noch ein ~ 그는 아직도 말라깽이다; unter dem ~ 모든 것을 고려해 본 결과;〖비유〗er hat keinen ~ getan 그는 손끝도 까딱하지 않았다. (**b**)〖문법〗콤마; 세미콜론; 횡선(橫線), 대시. (**c**) ~ im Kerbholz 부절(符節)의 새김 자국. (**d**) (신문의 정치란 밑의) 선:〖비유〗das steht unterm ~ 그것은 오락란에 실려 있다. (**e**) 경계선:〖구어〗das ist unterm ~ 그것은 수준 이하다. (**f**)〖지리〗적도. (**g**)〖광업〗조흔(條痕): den ~ halten 좋은 금속임이 판명되다; mit dem Metall einen ~ auf den Probierstein machen 금속으로 시금석에 조흔을 내다;〖비유〗시험에 합격하다. (**h**) (손이나 얼굴의) 힘줄. ③〖방언〗(계산 기구의) 눈금; (전신) 모스 부호의 선. ④〖대개 복수〗삭제(된 부분): ~e in einem Manuskript anbringen 원고의 어떤 부분을 삭제하다. ⑤ ein ~ Ziegel 한 가마 분량의 벽돌. ⑥ (소·염소 따위의 길게 튀어나온) 젖꼭지. ⑦ (**a**)〖드물게〗행진; 여행, 유랑. (**b**) 새의 비상, (철새의) 이동 (시기); 철새의 떼: ein ~ der Wildgänse 날아가는 기러기 떼; auf den ~ gehen 새를 잡으러 가다. (**c**) (물고기의) 이동. (**d**) 물고기의 산란(기); 부화된 유어(幼魚); (짐승의) 발정(기), 교미기. ⑧ 크게 취함: er hat einen ~ a) 그는 한잔 걸친 기분이다, b) 그는 정신이 좀 이상하다. ⑨ (**a**) (구름·기류의) 움직임: der ~ der Luft 기류; der ~ der Wolken 구름의 이동(방향); der ~ des Windes 풍향. (**b**)〖지질〗(광맥의) 주향(走向). (**c**)〖海〗항적(航跡), 진로: denselben ~ mit jm. segeln a) 누구와 같은 항로를 취하다, b)〖비유〗누구와 같은 방침을 취하다. ⑩ 털[섬유]의 결; (나무·돌의) 결: nach dem ~ [gegen den ~] bürsten 털의 결을 따라[거슬러] 솔질하다;〖비유〗jm. gegen[wider] den ~ gehen 누구의 심기에 거슬리다;〖구어〗nach ~ und Faden 호되게, 철저히. ⑪ (여자 모자 따위의) 주름 잡은 테두리 장식, 프릴. ⑫ 지방, 지역, 지구;〖지질〗지대: fruchtbarer ~ des Landes 땅이 비옥한 지방. ⑬ (südd.) 경매, 낙찰. ⑭〖경박〗(가두) 매춘; 사창가: auf den ~ gehen (가두) 매춘을 하다, 몸을 팔다; jn. auf den ~ schicken 누구에게 매춘을 하게 하다. ⑮ (총을 겨누었을 때의) 표적과 가늠쇠를 잇는 직선: jn. auf dem ~ haben a) 누구를 감시[주목]하다, b) 누구를 자꾸만 비판하다[트집잡다], c) 누구에게 관심을 갖다.

Strich·ätzung *f.*〖印〗선화 철판(線畫凸版) (↔ Netzätzung). **~einteilung** *f.* (계량기의) 눈금.

Strichelchen [ʃtrɪ́çəlçən] *n.* -s, -〖↑ Strich의 축소형〗가는 줄, 작은 선.

stricheln [ʃtrɪ́çəln] *t.* ① 음영이 되게 가는 선들을 긋다, 파선(破線)을 긋다. ② 선으로 그리다.

Strichelung *f.* -en 파선(破線) 긋기; 선긋기.

Stricher *m.* -s, -〖경박·폄어〗↑ Strichjunge.

Strich≈junge *m.*〖경박〗가두 유객 매춘 소년[남창]. **~kode** [..ko:d] *m.* 바코드. **~lein** *n.* ↑ Strich 의 축소형.

strichlieren [ʃtrɪçlíːrən] *t.* (öst.) 가는 선으로 그리다.

Strichlung *f.* ↑ Strichelung.

Strich≈mädchen *n.*〖경박〗가두 유객 매춘녀[창녀]. **~männchen** *n.* (몇 획으로 간단히

그려 놓은) 인물 스케치. **~punkt** *m.* 〖문법〗 세미콜론(;). **~regen** *m.* 〖기상〗 ① (국지적인) 지나가는 비(↔ Landregen). ② 가랑비. **~schuß** *m.* (총알이) 스침. **~vogel** *m.* 철새. **~weise** *adv.* ① 선을 이루어서. ② 곳에 따라, 여기저기에. ③ (새가) 떼를 지어. **~zaun** *m.* (강에 친) 바자울타리. **~zeichnung** *f.* 선화(線畫). **~zeit** *f.* 철새의 이동 계절.

***Strick**[1] [ʃtrɪk] *m.* -(e)s, -e ① 밧줄, 새끼줄, 끈, 줄; 교수형 올가미; 〖사냥〗 개줄: 〖구어〗 wenn alle ~e reißen 위급할 경우에는; 〖구어〗 dieser Schuft ist den ~ (zum Aufhängen) nicht wert 이 악당은 목매달 끈도 아깝다; 〖비유〗 zum ~ greifen 〔den〔einen〕 ~ nehmen〕 목매 자살하다; 〖비유〗 jm. den ~ um den Hals legen 누구를 교수형에 처하다; 〖비유〗 an einem 〔am gleichen〕 ~ ziehen 동일한 목표를 지향하다. ② 올가미, 함정. ③ 〖비유〗 교수형에 처해야 할 악당; 건달; 〖구어〗 〖아이에 대한 애칭〗 개구쟁이 녀석.

Strick[2] *m.* -(e)s 〖관사없이〗 편물, 니트웨어.

Strick=apparat *m.* 편물기. **~arbeit** *f.* ① 편물 세공. ② 뜨개질한 것.

strickbar *a.* 뜰〔짤〕 수 있는.

Strick=beutel *m.* 떠서 만든 주머니, (여성용) 편물 손가방. **~bündchen** *n.* 편물 목끈〔소매끈〕.

Strickchen *n.* -s, - ↑ Strick[1/2] 의 축소형.

***stricken**[1] [ʃtrɪ́kən] 《Ⅰ》 *t.* ① 뜨다, 짜다: gestrickte Handschuhe 손으로 뜬 장갑. ② (schlingen) 감다, 얽다: eine Schlinge ~ 매듭을〔코를〕 만들다. 《Ⅱ》 *refl.* sich ~ 감기다, 얽히다: um die Mauern strickt sich die Efeuranke 담장에는 담쟁이덩굴이 얽혀 있다. 《Ⅲ》 *i.* (h.) 뜨개질하다; 〖비유·구어·농담〗 작업에 몰두하다: 〖비유〗 an einem Roman ~ 장편 소설을 집필 중이다.

stricken[2] *t.* (ndd.) ↑ streichen.

Stricker [ʃtrɪ́kər] *m.* -s, - 뜨개질하는 사람.

Strickerei [ʃtrɪkəráɪ] *f.* -en ① 〖펌어〗 (끊임없이) 뜨기, 짜기. ② 뜨개질, 편물. ③ 편물 공장.

Strickerin *f.* -nen 뜨개질하는 여자.

Strick=garn *n.* 뜨개질 실. **~jacke** *f.* 니트 재킷. **~kleid** *n.* 뜨개질한 옷, 니트웨어. **~leiter** *f.* 줄사다리. **~leiter·nerven·system** *n.* 〖해부〗 (원형〔절지〕 동물의) 사다리꼴〔색상(索狀)〕 신경계(系). **~masche** *f.* 편물의 코. **~maschine** *f.* 편물기. **~mode** *f.* 니트웨어의 유행. **~muster** *n.* 뜨개질〔편물〕 도안〔본〕. **~nadel** *f.* 뜨개 바늘. **~naht** *f.* 뜬〔짠〕 이음매. **~perle** *f.* 편물용의 장식 구슬, 비드. **~stoff** *m.* 〖섬유〗 편물. **~strumpf** *m.* 손으로 뜬 양말. **~ware** *f.* 뜨개질한 것; 니트웨어. **~werk** *n.* ① 밧줄. ② ↑ ~arbeit. **~weste** *f.* 털실로 짠 조끼. **~wolle** *f.* 편물용 털실. **~zeug** *n.* ① 편물 도구〔용품〕. ② 뜨개 세공.

Strid [striːd] *m.* (ndd.) ↑ Streit.

Stridor [ʃtríːdɔr, st..] 《lat.》 *m.* -s 색색거리는 소리; 〖醫〗 (기관지 협착으로 인한) 천식음(喘息音).

Stridulation [ʃtridulatsióːn] 《lat.》 *f.* -en 〖動〗 (곤충의) 울음.

Stridulations·organ *n.* 〖動〗 마찰기(器) (곤충류의 발음 기관).

Striegel [ʃtríːgəl] 《lat.》 *m.* -s, - ① 껍질을 깎는 기구(칼·줄·강판(薑板) 따위). ② 말빗, 말을 빗기는 솔. ③ 목욕솔.

striegeln [ʃtríːgəln] *t.* ① 말빗으로 빗다, (말을) 솔질하다; 빗질하다. ② 〖비유〗 **(a)** 번쩍번쩍할 만큼 깨끗이하다. **(b)** 〖구어〗 괴롭히다, 학대〔혹사〕하다; 헐뜯다.

Strieme [ʃtríːmə] *f.* -n ↑ Striemen.

Striemen *m.* -s, - ① 줄, 줄무늬, 선(線). ② (때리거나 할퀴어서) 길게 부어오른 피멍.

striemig *a.* ① 줄무늬가 있는. ② 길고 빨갛게 부은, 매자국이 있는.

Striezel [ʃtríːtsəl] *m.* -s, - ① 길쭉한〔꽈배기 모양의〕 빵과자. ② 〖구어〗 뻔뻔스런 녀석, 악동.

striezen [ʃtríːtsən] (nordd.) *t.* 〖구어〗 ① 괴롭히다, 학대하다. ② 슬쩍 훔치다, 날치기하다.

***strikt** [ʃtrɪkt, st..] 《lat., „dicht"》 *a.* 엄격〔엄밀〕한; 정확한; 꼼꼼한.

strikte *adv.* 〖고어〗 엄격〔엄밀〕하게.

Striktion [..tsióːn] *f.* -en 〖드물게〗 수축.

Striktur [..túːr] *f.* -en 〖醫〗 협착; 요도〔식도〕 협착.

Strindberg [ʃtrɪ́ntbɛrk, (schwed.) strínd-bɛrj] *m.* August ~ 스트린드베리(스웨덴의 극작가, 1849-1912).

string. =stringendo 점점 빠르게.

stringendo [strɪndʒéndo] 《it.》 *adv.* 〖음악〗 점점 빠르게, 절박하게(단축형: string.).

stringent [ʃtrɪŋgɛ́nt, st..] 《lat.》 *a.* 엄격한, 설득력 있는, 논리 정연한.

String·regal [st..] *n.* 붙박이 (벽)선반.

Strip [st..] 《engl.》 *m.* -s, -s ① ↑ ~tease. ② 반창고. ③ 연재 만화, 그림 이야기.

Strippe [ʃtrɪ́pə] *f.* -n 〖구어〗 ① (매는) 끈, 노끈; (장화의) 가죽끈; 혁대: jn. fest an der ~ haben〔halten〕 누구를 엄하게 다루다. ② 전화선: dauernd an der ~ hängen 장시간 통화하다.

strippen[1] [ʃtrɪ́pən] 《Ⅰ》 *i.* (h.) ① 〖구어〗 스트립 쇼를 하다, 스트립 댄서로 일하다. ② 〖印〗 (식자를 바꾼 곳에) 네거티브막(膜)을 입히다. ③ 〖핵물리〗 스트리핑 반응을 보이다. ④ 〖음악·은어〗 아르바이트를 하다. 《Ⅱ》 *t.* ① 〖대개 수동태〗 〖핵물리〗 (양성자가 원자핵에) 잡히지 않다, (원자핵 근처를) 그대로 지나가다. ② 〖방언〗 (나뭇잎 따위를) 훑어 따내다.

strippen[2] *t.* (ndd.) ① 때리다. ② (소의) 젖을 짜다.

Stripper *m.* ① (ndd.) 때리는 채찍. ② 〖醫〗 정맥〔혈전(血栓)〕 제거 기구. ③ 〖工〗 불순물 분리 장치. ④ 〖구어〗 스트립 쇼를 하는 남자.

Stripperin *f.* -nen 〖구어〗 스트립 쇼의 무희.

Striptease [ʃtrɪ́ptiːs, st..] 《engl.》 *m./n.* 스트립 쇼.

Striptease=lokal *n.* 스트립 쇼를 하는 나이트 클럽〔술집〕. **~tänzerin** *f.* 스트립 쇼의 무희. **~vorführung** *f.* 스트립 쇼(의 연기).

strisciando [strɪʃándo] 《it.》 *adv.* 〖음악〗 매끄럽게, 미끄러지듯, 원활하게.

Stritt *m.* -(e)s (bayr.) (Streit) 다툼, 싸움.

stritt [ʃtrɪt] ↑ streiten 의 과거형.

strittig [ʃtrɪ́tɪç] *a.* 호전적인 (streitig); 미해결의.

Strizzi [ʃtrɪ́tsi] 《it.》 *m.* -s, -s (obd., öst.) ① 부랑자, 깡패; 경박한 사람. ② 포주, 뚜쟁이.

strizzihaft *a.* (obd., öst.) 부랑자 같은, 경박한.

Strobel [ʃtróːbəl] *m.* -s, - (obd.) 흐트러진 머리, 더벅머리; 머리가 덥수룩한 사람.

strobelig *a.* (obd.) 머리가 헝클어진.

Strobel·kopf *m.* 더벅머리(의 사람).

strobeln [ʃtróːbəln] 《I》 *t.* (머리를) 헝클어뜨리다. 《II》 *i.* (머리가) 헝클어져 있다.

stroblig *a.* ↑ strobelig.

Stroboskop [ʃtroboskóːp, st..] 《gr. strŏbos, „Wirbel"》 *n.* -s, -e ①〖物〗 스트로보스코프. ②〖옛뜻〗 스트로보스코프(원통의 안쪽에 그림 또는 필름을 붙여 두고 이것을 회전시켜 보게 만든 장치).

stroboskopisch *a.* 스트로보스코프에 관한: ~er Effekt 스트로보스코프 효과(스트로보스코프 안의 섬광의 주파수가 관찰 물체의 운동 주파수보다 높을 때, 운동 물체가 마치 뒤로 물러나는 듯이 보이는 현상).

***Stroh** [ʃtroː] *n.* -(e)s, -e 짚; 밀짚; 보릿짚; 콩깍지:〖비유〗 auf dem ~ liegen 몹시 가난하다; nicht von ~ sein 무용지물은 아니다, 소중하다; leeres ~ dreschen 헛수고하다, 쓸데없는 말을 지껄이다;〖구어〗 er hat ~ im Kopf 그는 바보다, 어리석다;〖구어〗 wie ~ schmecken 아무 맛이 없다;〖속담〗 viel ~, wenig Korn 속 빈 강정.

Stroh≈ballen *m.* (볏)짚 꾸러미〔뭉치〕. **~band** *n.*〖복수: ..bänder〗 ① 새끼. ② 밀짚〔보릿짚〕과 같은 광택이 있는 공단 리본. **~bett** *n.* 짚을 채워 넣어서 만든 요, 짚을 깐 잠자리. **~blond** *a.* 연한 금발의. **~blume** *f.* ①〖植〗 밀짚꽃(오스트레일리아 원산의 관상용 화초). ② 짚으로 만든 꽃. **~boden** *m.* 짚을 넣어 두는 헛간. **~bund** *n.* 짚단. **~bündel** *n.* 짚단, 짚 묶음. **~butter** *f.* 겨울철 짚으로 기른 소의 젖으로 만든 버터. **~dach** *n.* 짚으로 인 지붕. **~decker** *m.* 개초(蓋草)장이. **~diemen** *m.* 짚가리. **~dumm** *a.*〖구어·폄어〗 매우 어리석은.

strohern [ʃtróːərn] *a.* ① 짚으로 만든. ② 메마른; 지루한, 멋없는.

stroh≈farben *a.* ↑ ~farbig. **~farbig** *a.* 짚처럼 누르스름한, 담황색의. **~feile** *f.* 이가 굵은〔거친〕 줄. **~feim(en)** *m.* ↑ ~diemen. **~feuer** *n.* ① 짚불. ②〖비유〗 순간적인 감격, 일시적 흥분. **~flasche** *f.* 짚으로 싼 병〔물병〕. **~flechter** *m.* 짚세공인(細工人). **~flechterei** *f.* 짚세 공업. **~gedeckt** *a.* 짚으로 지붕을 인. **~geflecht** *n.* 짚세공. **~halm** *m.* ① 짚대, 지푸라기:〖비유〗 sich (wie ein Ertrinkender) an einen ~ klammern (물에 빠진 사람처럼) 지푸라기라도 잡으려 하다; nach dem rettenden ~ greifen 살아나려고 지푸라기라도 붙잡으려 하다;〖구어〗 über einen ~ stolpern 대수롭지 않은 것 때문에 실패〔좌절〕하다. ② 빨대. **~haufen** *m.* 짚더미, 짚가리. **~hut** *m.* 밀짚 모자. **~hütte** *f.* 초가집.

strohig [ʃtróːɪç] *a.* ① 짚이 섞인; 짚과 같은. ② (짚을 씹듯이) 맛이 없는. ③ 짚 빛깔의.

Stroh≈junker *m.* 시골 귀족〔신사〕. **~kopf** *m.*〖구어·폄어〗 바보, 어리석은 사람. **~lager** *n.* ① 짚가리. ② 짚으로 인 지붕. ③ 짚을 깐 잠자리. **~mann** *m.*〖복수: ..männer〗 ① 짚으로 만든 인형; 허수아비. ②〖카드〗 (결원이 생길 때를 대비한) 대기〔대리〕인. ③ (표면상의) 명의인(名義人), (유명무실한) 대리인. **~matratze** *f.* 짚을 채워 넣어 만든 매트리스. **~matte** *f.* 거적, 멍석. **~papier** *n.* 짚으로 만든 종이. **~pappe** *f.* 마분지. **~pfeife** *f.* 보리 피리. **~presse** *f.* 보릿짚 압착기; 탈곡기의 압착부. **~puppe** *f.* ↑ ~mann ①. **~sack** *m.* ① 짚을 채워 넣어 만든 매트리스. ② 짚으로 만든 요에서만 자는 사람, 가난한 사람. ③〖구어〗 (berl.) (ach du) gerechter〔heiliger〕 ~! 원 이럴 수가!(불쾌한 경악의 표현). **~schaub** *m.*, **~schaube** *f.* (지붕을 이는 데 쓰는) 짚단. **~schneider** *m.* 작두. **~schuh** *m.* 짚신. **~schütte** *f.* (가축의 잠자리에) 까는 짚〔깃〕. **~seil** *n.* 새끼(줄). **~stoff** *m.*〖섬유〗 (포장재용·장식용으로) 짚을 섞어 짠 직물〔근〕. **~stuhl** *m.* 속에 짚을 채운 의자. **~teller** *m.* 짚으로 만든 접시 받침. **~trocken** *a.* 바싹 마른. **~waise** *f.* 〔(드물게) *m.*〕 부모에게서 버림받은 아이. **~waren** *pl.* 짚 세공품. **~wein** *m.* 뱅 드 바이유(짚 위에서 햇볕에 말려 당분을 진하게 한 포도로 만든 포도주). **~wiepe** *f.* ↑ ~wisch. **~wisch** *m.* ① 짚으로 만든 비. ② (경계 신호로서의) 횃불. **~witwe** *f.*〖구어·농담〗 남편이 여행을 떠나 빈방을 지키는 아내. **~witwer** *m.*〖구어·농담〗 아내가 여행을 떠나 홀아비 생활을 하는 남편.

***Strolch** [ʃtrɔlç] *m.* -(e)s, -e ① 부랑자, 뜨내기. ②〖농담〗 개구쟁이, 장난꾸러기, 악동.

strolchen [ʃtrɔ́lçən] *i.* (s.) 떠돌아다니다, 방랑하다.

Strolchen·fahrt *f.* (schweiz.) 훔친 차를 타고 돌아다님.

***Strom** [ʃtroːm] *m.* -(e)s, Ströme [ʃtrǿːmə] ① 강, 대하. ② 흐르는 것: in Strömen 억수같이, 줄줄, 콸콸; Ströme von Schweiß vergießen 땀을 뻘뻘 흘리다. ③ 조류, 경향, 사조(思潮):〖비유〗 mit dem 〔gegen den〕 ~ schwimmen 대세에 순응〔역행〕하다;〖비유〗 der ~ der Zeit 시대의 흐름:〖비유〗 ~ von Worten 유창한 언변. ④ (사람·차량의) 물결: ein ~ von Menschen 인파. ⑤〖전기〗 전류; 전기: den ~ einschalten〔ausschalten〕 전기 스위치를 넣다〔끄다〕. ⑥〖방언〗 젊은 농부〔농장 관리인〕.

strom≈ab *adv.* 강을 따라 내려가며, 하류로.

Strom≈abgabe [ʃtróːm..] *f.* 전력 공급, 배전. **~abnahme** *f.* (외부 전선에서 전류를 끌어오는) 집전(集電). **~abnehmer** *m.* ① 집전 장치, 팬터그래프. ② 전기 소비자.

strom≈ab·wärts *adv.* ↑ ~ab. **~an** *adv.* ↑ ~auf.

Strom·anzeiger *m.* 검전(檢電)기, 전류계.

Stromatik [ʃtromáːtɪk, st..] 《gr.》 *f.* 양탄자 방직업〔기술〕.

strom≈auf *adv.* 강을 거슬러 올라가며, 상류로. **~auf·wärts** *adv.* ↑ ~auf.

Strom≈ausfall *m.* 정전(停電). **~bett** *n.* 하상(河床), 강바닥.

Stromboli [strómboli] 스트롬볼리섬(시칠리아섬의 북쪽에 있는 화산도).

Strom≈brecher *m.*〖토목〗 (다리의) 물막이 말뚝; 방파제. **~bügel** *m.* ↑ ~abnehmer ①. **~einheit** *f.* 전류의 단위(암페어).

***strömen** [ʃtrǿːmən] 《I》 *i.* (s.) ① (강물 등이

도도히) 흐르다, 흘러나오다: 〖雅語〗 Worte der Dankbarkeit strömten aus seinem Mund 그는 몇 번이고 고맙다는 말을 되뇌었다. ② 〖비유〗 떼를 지어 오다; 쇄도하다: alles strömt zu diesem Schauspiel 너도 나도 이 연극을 보려고 몰려온다. ③ (h.) 억수처럼 비가 내리다: der ~de Regen 억수로 쏟아지는 비. 《Ⅱ》 *t.* 쏟다, 흘러가게 하다; 씻어내다: 〖비유〗 er strömte seine Gefühle in die Saiten 그는 자기 심정을 현(弦)에 쏟아부었다.

Stromer *m.* -s, - ① 〖폄어〗 부랑자, 뜨내기. ② 〖농담〗 개구쟁이, 장난꾸러기, 악동. ③ (ndd.) 젊은 농부, 농장 관리자.

stromern [ʃtróːmərn] *i.* ① (h.) 〖폄어〗 떠돌아다니다, 싸(돌아)다니다. ② (s.) 돌아다니다: durch die Stadt ~ 시내를 여기저기 배회하다.

Strom≈erzeuger *m.* 〖전기〗 발전기. **~erzeugung** *f.* 발전. **~erzeugungs·anlage** *f.* 발전소〔시설〕. **≈führend** *a.* 전류가 흐르는. **~gebiet** *n.* 강 유역. **~gefälle** *n.* 강물이 흘러 떨어지는 곳, 강물의 흐름이 경사진 곳. **~kabel** *n.* 전선, 전기 케이블. **~karte** *f.* 하천 지도. **~kreis** *m.* 〖전기〗 전기 회로. **~leiter** *m.* 〖전기〗 도체, 도선. **~leitung** *f.* ① 송전. ② 전선, 전깃줄.

Strömling [ʃtrǿːmlɪŋ] *m.* -s, -e ① 〖動〗 북해산(產) 작은 청어. ② 줄무늬 있는 사과.

Strom·linie *f.* 유선(流線).

Stromlinien≈form *f.* 유선형. **≈förmig** *a.* 유선형의. **~wagen** *m.* 유선형 자동차.

stromlos *a.* 전류가 흐르고 있지 않은.

Strom≈menge *f.* 전류량. **~messer** *m.* 〖전기〗 전류계. **~netz** *n.* 전력(공급)망; 회로망. **~polizei** *f.* 수상 경찰. **~preis** *m.* 전기 요금. **~prüfung** *f.* 전류 검사. **~quelle** *f.* 〖전기〗 전원(電源). **~rechnung** *f.* 전기 요금 납부 고지서. **~regulierung** *f.* 하천 〔수로〕 정비. **~richter** *m.* 〖전기〗 정류기(整流器). **~richtungs·anzeiger** *m.* 〖전기〗 전류 방향 지시기. **~sammler** *m.* 〖전기〗 축전지. **~schiene** *f.* 〖철도〗 ① (전동차의) 송전 레일. ② (발전소의) 모선(母線); 고압 송전선. **~schlag** *m.* 감전. **~schnelle** *f.* 급류, 여울. **≈schnittig** *a.* 〖物〗 유체 동력학의. **~spannung** *f.* (회로) 전압. **~sperre** *f.* (특정 지역의 계획적) 단전(斷電). **~spule** *f.* 〖전기〗 솔레노이드, 전류 코일. **~stärke** *f.* 〖전기〗 전류의 강도〔세기〕. **~stoß** *m.* 〖전기〗 전기 쇼크, 감전. **~tal** *n.* 하곡(河谷), 계곡. **~tide** *f.* ↑ ~zeit.

Strömung [ʃtrǿːmʊŋ] *f.* -en ① 흐름, 유동; 수류(水流), 조류. ② 경향, 사조(思潮).

Strömungs≈geschwindigkeit *f.* 〖物〗 (물질 내의 입자의) 유동 속도. **~lehre** *f.* 유체〔공기〕 역학.

Strom≈unterbrecher *m.* 〖전기〗 전류 차단기. **~verbrauch** *m.* 전력 소비. **~versorgung** *f.* 전력 공급. **~wandler** *m.* 〖전기〗 변압기. **~wärme** *f.* 전류열, 줄(Joule)열. **≈wärts** *adv.* 흐름〔대세〕에 따라. **~wechsel** *m.* 전류 방향이 바뀌는 일, 교류. **≈weise** *adv.* 〖구식〗 억수같이, 도도히; 흐름을 이루어. **~wender** *m.* 〖전기〗 정류자(整流子), 전환기(轉換器). **~zähler** *m.* 전력 계량기, 검침계. **~zeit** *f.* (ndd.) (농부의) 농장 견습 시기.

Strontian [ʃtrɔntsiáːn, st..] *n.* -s 〖化〗 산화스트론튬.

Strontium [ʃtrɔ́ntsiʊm, st..] *n.* -s 〖化〗 스트론튬(화학 원소의 하나; 기호: Sr).

Strophanthus [ʃtrofántʊs, st..] 《gr. -lat.》 *m.* -, - 〖植〗 마삭나무(협죽도과(科)의 만성(蔓性) 관목).

Strophanthin [ʃtrofantíːn, st..] *n.* -s 스트로판틴(Strophanthus 의 씨에서 얻는 강심제).

***Strophe** [ʃtróːfə] 《gr. stréphein, „wenden"》 *f.* -n 〖문학〗 (시의) 연(聯), 단락; 〖음악〗 가절(歌節), 절.

Strophen≈anfang *m.* (시의) 연의 시작. **~bau** *m.* 연의 구조. **~ende** *n.* 연의 끝. **~form** *f.* 연의 형식. **~gedicht** *n.* 연으로 이루어진 시. **~lied** *n.* 〖음악〗 각 절마다 동일한 멜로디가 반복되는 노래.

..strophig *suf.* "…연〔절〕의, …연으로〔절로〕 이루어진"의 뜻(보기: drei~ 3 연의, 3 연으로 이루어진).

strophisch *a.* 절로〔연으로〕 이루어진〔나뉜〕.

Stropp [ʃtrɔp] *m.* -(e)s, -s (ndd.) ① 〖海〗 (끝에) 고리 달린 작은 밧줄. ② 〖농담〗 개구쟁이, 장난꾸러기. ③ 〖방언〗 (옷·수건 따위에 붙어 있는) 거는 고리.

stroppen *t.* 가죽띠〔가죽숫돌〕에 대고 갈다.

Strosse [ʃtrɔ́sə] *f.* -n 〖광산〗 (계단 모양으로 파 내려간) 노천 광산의 (수평의) 단(段).

Strotten *pl.* 유청(乳清), 유장(乳漿)(우유에서 치즈〔버터〕 제조용 응유를 분리한 액).

strotzen [ʃtrɔ́tsən] (♧ Strauß[1]) *i.* (h.) ① 가득 차〔충만해〕 있다: von〔vor〕 Energie ~ 에너지가〔힘이〕 넘쳐흐르다; das Buch strotzt von 〔vor〕 Druckfehlern 이 책은 오자투성이다. ② mit et.[3] ~ 무엇을 자랑하다.

strotzend *p.a.* 부푼, 충만한, 가득 찬; 〖醫〗 종창(腫脹)의: das ~e Euter (소 따위의) 잔뜩 부푼 젖통이; ein von Geld ~er Beutel 돈이 가득해 불룩한 지갑.

strub [ʃtruːp] *a.* (schweiz.) ① 무질서한, 혼란스러운, 헝클어진. ② 어려운, 곤혹스러운; 나쁜.

strubbelig [ʃtrúbəlɪç] *a.* 〖구어〗 헝클어진, 덥수룩한.

Strubbel·kopf [ʃtrúbəl..] *m.* ① 헝클어진 머리. ② 머리가 헝클어진 사람.

strubeln *refl.* sich ~ 다투다, 싸우다.

***Strudel** [ʃtrúːdəl] *m.* -s, - ① **(a)** 소용돌이; 여울. **(b)** 〖비유〗 혼란, 동요, 소요: in einen ~ geraten 소용돌이에 휘말리다. ② (obd.) **(a)** 교반기, 교반봉(棒), 나무공이. **(b)** 〖요리〗 (südd., öst.) (다진 고기·과일 따위를 넣어 만든) 롤빵, 파이: Apfel≈ 애플 파이.

Strudel≈kopf *m.* ① 헝클어진 머리; 머릿속이 혼란한 사람. ② 경솔〔성급〕한 사람. **≈köpfig, ≈köpfisch** *a.* 성급한, 조급한, 경솔한.

strudeln [ʃtrúːdəln] 《Ⅰ》 *i.* ① (h.) 소용돌이치다. ② (s.) 소용돌이 치며 흘러가다. ③ (h.) 성급〔경솔〕하게 행동하다. 《Ⅱ》 *t.* (obd.) 휘젓다, 교반하다.

Strudel≈topf *m.* 〖지질〗 포트홀, 콜크(해저의 패인 곳), 구혈(甌穴)(강바닥의 원통형 구멍). **~wurm** *m.* 〖動〗 편형 동물, (특히) 와충류.

***Struktur** [ʃtrʊktúːr, st..] *f.* -en ① (공간적인) 구조, 구성: 〖언어〗 Oberflächen≈ 표층

〔표면〕 구조; Tiefen≈ 심층 구조; die ~ einer Zelle 세포 구조. ② (부분들의 연결) 조직(체), 기구: die gesellschaftlichen ~en wie Familie, Betrieb 가족, 기업과 같은 공동 조직(체). ③〖섬유〗 천〔옷감〕의 양각 표면.

struktural [ʃtrukturá:l, st..] *a.* ↑ strukturell.

Strukturalismus [..turalísmus] *m.* - 〖언어·哲〗 구조주의.

Strukturalist *m.* -en, -en 구조주의자.

strukturalistisch *a.* 구조주의의.

Struktur≈analyse *f.* 구조 분석. **~änderung** *f.* 구조 변화. **≈bestimmend** *a.* 구조를 결정하는.

strukturell [..turέl] *a.* 구조의, 구조에 관한; 구조상의: ~e Linguistik 구조 언어학; tiefgreifende ~e Veränderungen im sozialen Bereich 사회 분야의 근본적인 구조 변화.

Struktur≈formel *f.* 〖化〗 구조식. **~gewebe** *n.* 〖직조〗 표면이 양각으로 짜인 직물.

strukturieren [..turí:rən] *t.* (…에) 구조를 부여하다〔정하다〕: eine anders struktuierte Gesellschaft 다른 구조를 지닌 사회.

Strukturiertheit *f.* 부여받은 구조, 구조성.

Strukturierung [..turí:ruŋ] *f.* -en ① 구조화. ② 구조성, 부여받은 구조.

Struktur≈krise *f.* 구조적 (경제) 위기. **~politik** *f.* 구조적 경제 정책. **~reform** *f.* 구조 개혁. **≈schwach** *a.* 경제 구조가 취약한. **~tapete** *f.* 양각 표면의 벽지. **~wandel** *m.* (점차적인) 구조 변화.

strullen *i.* (h.) 〔방언〕 오줌누다.

Struma [ʃtrú:ma, st..] 《lat.》 *f.* ..men/..mae 〖醫〗 갑상선종(腫).

strumös [stru:mǿ:s] *a.* 갑상선종의, 갑상선이 부은.

***Strumpf** [ʃtrumpf] *m.* -(e)s, Strümpfe [ʃtrŶmpfə] ① 양말; 〔구식〕 바지: du hast ein Loch im ~ 너는 양말에 구멍이 나 있구나; 〔비유〕 die Ersparnisse im ~ haben 저축한 돈을 (은행이 아니라) 집에 갖고 있다; 〔구어〕 sich auf die Strümpfe machen (급히) 출발하다〔떠나다〕; 〔구어〕 js. Strümpfe ziehen Wasser 누구의 양말이 흘러 내려 주름이 잡혀 있다. ② 백열〔가스〕 맨틀(Glüh≈).

Strumpf·band *n.* 양말대님, 고무밴드.

Strümpfchen [ʃtrŶmpfçən] *n.* -s, - 〔↑ Strumpf 의 축소형〕 작은 양말.

Strumpf≈fabrik *f.* 양말 공장. **~halter** *m.* 양말대님, 가터. **~hose** *f.* 팬티스타킹.

Strümpflein [ʃtrŶmpflaın] *n.* -s, - ↑ Strümpfchen.

Strumpf≈maske *f.* (얼굴에 뒤집어 쓴) 복면 스타킹. **~sohle** *f.* ① 양말 바닥. ② 〔비유〕 (sächsisch) 버터·설탕·밀가루로 만든 고물을 뿌린 빵. **~stricker** *m.* 양말 짜는 사람. **~waren** *pl.* 양말류(類). **~weber, ~wirker** *m.* 양말 제조공. **~wirkerei** *f.* ① 양말 제조. ② 양말 공장. **~wirker·stuhl** *m.* 양말 제조 기계.

***Strunk** [ʃtruŋk] *m.* -(e)s, Strünke ① (양배추의) 굵고 짧은 줄기. ② 나무의 밑둥치; 그루터기.

Strünkchen [ʃtrŶŋkçən], **Strünklein** [ʃtrŶŋklaın] *n.* -s, - ↑ Strunk 의 축소형.

Strunse [ʃtrúnzə], **Strunsel** [ʃtrúnzəl], **Strunze** [..tsə], **Strunzel** *f.* -n 계집, 여편네; 잡년, 몸가짐이 헤픈 계집; 칠칠치 못한〔흘게늦은〕 여자.

strunzen [ʃtrúntsən] *i.* (h.) 〔방언〕 ① 으스대다, 허풍떨다. ② 게으름피우다, 빈둥거리다, 부랑하다. ③ 오줌누다, 쉬하다.

Strupfe *f.* -n (obd.) 끈, 가죽 끈, (구두의) 가죽 혀.

Strüpfe [ʃtrŶpfə] *f.* -n ↑ Strupfe.

strupfen [ʃtrúpfən] *t.* (obd.) 벗다, 벗기다, 벗겨 내다: Laub von Zweigen ~ 나뭇가지에서 잎을 훑어내다.

Strupfer *m.* -s, - (obd.) 토시, 소매 커버.

struppicht *a.* ↑ struppig.

struppieren [ʃtrupí:rən] 《I》 *t.* (말을) 혹사시키다. 《II》 **struppiert** *p.a.* ↑ struppiert.

struppiert [ʃtrupí:rt] 《I》 *p.p.* ↑ struppieren. 《II》 *p.a.* 절뚝거리는: ~e Beine (말의) 저는 다리.

struppig [ʃtrúpıç] *a.* 어질러진, (머리카락이) 헝클어진, 부시시한.

Struppigkeit *f.* 더부룩한 모습〔외관〕.

struw [ʃtruv] *a.* (ndd.) 거친.

struwwelig [ʃtrúvəlıç] *a.* (머리가) 흐트러진, 더부룩한.

struwweln *refl.* 〔방언〕 sich ~ 드잡이하다, 싸우다, 다투다.

Struwwel≈kopf [ʃtrúvəl..] *m.* ① 헝클어진 머리. ② 머리가 헝클어진 사람. **~peter** *m.* ① 머리가 헝클어진 아이. ② H. Hoffmann 의 동화책 제목.

Struz [ʃtru:ts] *m.* -es, -e, **Strüzchen** [ʃtrŷ:tsçən] *n.* -s, - (ndd.) 꽃다발.

Strychnin [ʃtrʏçní:n, st..] 《gr.》 *n.* -s 〖化〗 스트리키닌(독성이 강한 알칼로이드).

Stuart [ʃtú:art, stú:.., stjúət] *m.* -s, -s (스코틀랜드와 영국의 왕가) 스튜어트 가문의 사람.

Stuart≈haube *f.* (스코틀랜드의 여왕 Maria Stuart 에 따라) 16 세기에 유행한 여성 모자. **~kragen** *m.* 16 세기에 유행한 부인복의 칼라.

Stubbe [ʃtúbə] *f.* -n ↑ Stubben ①.

Stubben [ʃtúbən] *m.* -s, - ① (ndd.) (나무의) 그루터기. ② (berl.) (속물 근성의) 관료, 관리.

Stubben·kammer [ʃtúbənkamər] *f.* (북해의) 뤼겐섬의 백악(白堊)의 암초.

Stübchen[1] [ʃtŷ:pçən] 《lat.》 *n.* -s, - 스튀프헨 (북독일에서 썼던 액량 단위; 대개 3-4 리터).

Stübchen[2] *n.* -s, - 〔↑ Stube 의 축소형〕 작은 방.

***Stube** [ʃtú:bə] *f.* -n ① 〔구식〕 (난로가 있는) 방; 거실; 셋방: 〔구어〕 die gute ~ (특별한 때에만 이용하는) 별실, 〔비유〕 (관광의) 명소; immer nur herein in die gute ~ 어서 들어오세요. ② 〔고어〕 목욕실. ③ 상점; 이발소 (Barbier≈); 음식점(의 방) (Wirts≈). ④〖건축〗 우물 정(井)자 모양(의 격자); 종루(鐘樓) (Glocken≈). ⑤ 〔방언〕 (상공업자) 동업 조합. ⑥〖軍〗 내무반; (학생들의) 공동 숙소. ⑦ 〔구어〕 내무반원; 방을 같이 쓰는 학생들: ~ zwei hat Küchendienst 제 2 내무 반원들이 식사 당번이다.

Stübel [ʃtŷ:bəl] *n.* -s, - 〔↑ Stube 의 축소형〕 ↑ Stübchen[2].

Stuben≈älteste* *der/die* 〖軍〗 내무 반장;

(기숙사의) 방장, 실장. **~arbeit** *f.* 실내 작업. **~arrest** *m.* 외출 금지(령), 실내 감금. **~aufseher** *m.* ↑ ~älteste. **~bursche** *m.* (기숙사의) 한 방을 쓰는 친구. **~decke** *f.* ① 방바닥의 깔개. ② 방의 천장. **~dienst** *m.* 〖軍〗 ① 내무반〔실내〕 근무. ② 내무반〔실내〕 근무자. **~farbe** *f.* 〖구어〗 (방에만 틀어박혀 있어 생긴) 창백한 안색. **~fliege** *f.* 〖動〗 (집) 파리. **~gelehrsamkeit** *f.* 〖구식·폄어〗 탁상 지식, (세상과 동떨어진) 책상물림의 학문. **~gelehrte*** *der/die* 〖구식·폄어〗 탁상 공론가, 책상물림. **~genosse** *m.* 내무반〔같은 방〕 동료. **~hocker** *m.* 〖구어·폄어〗 방에만 처박혀 있는 사람. **~hockerei** *f.* 방구석에 처박혀 있기, 두문불출. **~luft** *f.* 방안의 (더러워진) 공기. **~mädchen** *n.* 방〔객실〕 청소부(婦) (Küchenmagd). **~magd** *f.* ↑ ~mädchen. **~rein** *a.* ① (개·고양이 따위가) 오줌·똥을 가려 누는. ② 〖구어〗 (농담 따위가) 상스럽지〔불쾌하지〕 않은, 거슬리지 않는. **~sitzer** *m.* ↑ ~hocker. **~tür** *f.* 방문. **~vogel** *m.* 새장에서 기르는 작은 새. **~wagen** *m.* (갓난아기용) 실내 유모차〔이동 침대〕.

Stüber [ʃtýːbər] 《ndl., ndd.》 *m.* -s, - ① 스튀버(옛 라인강 유역 지방의 주조 화폐). ② 때림, 침: Nasen~ (가볍게 질책하기 위해) 손가락 끝으로 코 끝을 튀기기. ③ (schweiz.) 지주(支柱).

Stüblein [ʃtýːp..] *n.* -s, - 〖↑ Stube 의 축소형〗 ↑ Stübchen.

Stubs·nase [ʃtʊ́ps..] *f.* ↑ Stupsnase.

Stuck [ʃtuk] 《germ. -it.》 *m.* -(e)s ① (석고·석회·모래를 섞어 만든) 장식용 고급 석고 (도료). ② 석고 세공(품).

Stuck=arbeit *f.* 석고 세공〔작품〕. **~arbeiter** *m.* 석고 장식가.

***Stück** [ʃtʏk] 《원뜻 „Abgehauenes“; ♤ Stock》 *n.* -(e)s, -e ① **(a)** 〖전체에서 임의로 잘라낸 것〗 절편, 파편, 조각, 동강, 토막, 부분; 소량: ein ~ Brot〔Brotes〕 한 조각의 빵; in ~e schneiden (잘게) 썰다; in (tausend) ~e gehen〔fallen〕 산산이 부서지다〔쪼개지다〕; das ist nur ein ~ Papier 그것은 한 조각 종이일 뿐이다(약정 내용의 이행 여부는 아직 미지수다); sich für jn. in ~e reißen lassen 누구를 위해 분골쇄신하다; sich³ von jm.〔et.³〕 ein ~ abschneiden (können) 누구를〔무엇을〕 모범으로 삼(을 수 있)다; im ~ färben 부분 염색을 하다; das ist ein ~ Heimat für mich 그것은 내게는 일종의 고향 같은 곳이다. **(b)** (글의) 대목, 절, 편: ~e aus einem Buch 책의 몇 대목; 〖聖〗 ~ eines Kapitels 어떤 장의 절; Bruch~ 단편(斷片), 온전하지 못한 문장; Haupt~ 주요 부분, 〖宗〗 신조(信條); ~werk 불완전한 것. **(c)** (비교적 짧은) 거리, 구간: er begleitete mich ein gutes ~ (Weg) 그는 상당한 거리까지 나를 바래다 주었다; es ist ein tüchtiges ~ bis dahin 거기까지는 상당한 거리입니다; ein gutes ~ weiter kommen 상당한 진전을 이루다. **(d)** 〖전체의 한 부분이지만 일정량으로 통합되어 한 개로 인식되는 것〗 덩어리; (땅의) 한 뙈기: zwei ~(e) Zucker 각설탕 2개; ein ~ Land〔Garten, Feld〕 한 구획의 땅〔정원, 밭〕; Grund~ 토지; Baum~ 식림지(植林地); Blumen~ 화단; 〖구어〗 ein ~ Arbeit〔Geld〕 상당한 양의 작업〔돈〕; jn. wie ein ~ Dreck〔Mist〕 behandeln 누구를 가혹하게 대하다; Käse im〔am〕 ~ kaufen 치즈를 (잘라서 팔지 않고) 덩어리로 팔다. **(e)** 〖같은 종류의 소유물·소지품 중 특정한 것〗 Dieser Anzug ist mein bestes ~ 이 양복은 내가 갖고 있는 것 중 가장 좋은 것이다; 〖구어·농담〗 er ist mein bestes ~ 그는 내가 가장 좋아하는 사람이다. ② **(a)** 〖독립되어 있는 것의 개수를 나타내어〗 …개, …권, …마리: 20, 40, 80 ~ 20, 40, 80 개; nach ~ bezahlt werden 삯일을 하다; was kosten diese Bücher? — zwei Mark das ~〔pro ~〕 이 책은 얼마입니까? — 한 권에 2 마르크씩입니다; in dieser Bude kostet ~ für ~ einen Groschen 이 가게에서는 무엇이든지 하나에 1 그로센이다; ~ für ~ 1 개씩 1 개씩; das Dutzend hat 12 ~ 한 다스는 12 개다; sechs ~ von diesem Buch 이 책 6 권; ~ einer Zeitschrift 어떤 잡지의 호; ein ~ Wild〔Federvieh〕 1 마리의 들짐승〔가금(家禽)〕; zwanzig ~ Rindvieh (집에서 치는) 소 20 두; wieviel Fische? — acht ~ 물고기가 몇 마리 있습니까? — 8 마리 있습니다. **(b)** 〖구어에서 복수형을 -er 로도 씀〗 ~er 20 〔20 ~〕 약 20 개; es waren ~er 30 Leute da 약 30 명의 사람들이 있었다; große ~e auf jn. halten 누구를 높게 평가하다. **(c)** 〖단위로 쓸 때는 어미변화 없음〗 drei ~ Butter 버터 3 개; zehn ~ Eier 달걀 10 개; er nahm drei ~ Zucker in den Kaffee 그는 커피에 (각)설탕을 3 개 넣었다; nach (dem) ~ bezahlen (물건의) 개수에 따라 돈을 지급하다. **(d)** 화폐, 동전: Fünfmark~ 5 마르크짜리 동전; 〖商〗 ~e der Reichsanleihe (독일) 정부 공채 증서 몇 장. ③ (옛날의) 대포, 중포(重砲). ④ **(a)** 작품, 제작물: ein gutes ~ Arbeit 훌륭한 작품; ein schönes ~ der Baukunst 아름다운 건축물. **(b)** (그림·조각 따위) 미술품: Blumen~ 꽃 그림; Frucht~ 과일 그림; Knie~ 무릎까지의 반신상; Nacht~ 야경화. **(c)** 문장, 논문. **(d)** 악곡(Musik~): Konzert~ 협주곡; Klavier~ 피아노곡. **(e)** 희곡, 각본: Ritter~ 기사극; Rühr~ 멜로드라마. ⑤ **(a)** 〖비속〗 계집(년), 여편네: Weibes~〔Weibs~, ein leichtfertiges ~〕 천박한 여자. **(b)** 〖비속·폄어〗 인간, 놈, 녀석: so ein freches ~ 저런 뻔뻔한 놈. ⑥ 어리석은 짓; 장난: na, da hast du dir aber ein ~ geleistet! 아니, 너는 참으로 어리석은 짓을 저질렀구나!; Wage~ 모험; Buben~ 어린애 장난, 파렴치한 행위. ⑦ (누구에게) 일어난 일; 형편, 사정; 관계, 점: in diesem ~ 이 점에 있어서; in allen ~en 모든 점에서; ein in allen ~en tüchtiger Mann 모든 점에서 유능한 남자. ⑧ 〖다음 용법으로〗 aus〔von〕 freien ~en 자발적으로; in einem ~ (fort) 잇달아, 계속하여; sich³ große ~e einbilden 대단히 우쭐대다; große ~e auf jn.〔et.〕 halten 누구를〔무엇을〕 대단히 존중하다; jm. ein ~〔Stückchen〕 spielen 누구를 속이다, 우롱하다; 〖구어〗 das ist ein starkes ~ 그것은 무리한 주문이다, 뻔뻔스럽다; das ist ein ~ aus dem Tollhaus! 그것은 믿을 수 없는〔있을 수 없는〕 일이다; mein bestes ~ 나의 긍지〔기쁨〕.

Stück=arbeit *f.* ① 삯일, 도급일. ② 대충 짜맞춘 일〔작품〕. **~arbeiter** *m.* 도급 일꾼, 삯

일꾼. ~**butter** *f.* 종이 포장의 버터(흔히 1 파운드).
Stückchen [ʃtʏkçən] *n.* -s, - ↑ Stück 의 축소형.
stückeln [ʃtʏkəln] *t.* ① 토막내다, 잘게 자르다, 저미다. ② 조각조각 잇다, 깁다.
Stückelung [ʃtʏkəluŋ] *f.* -en ① 조각내기, 분할. ②〖금융〗(돈·주식·유가 증권 따위의) 액면 가격, 액면 가격으로 분할하기: neue Banknoten verschiedener ~en 여러 가지 액면권의 새 지폐.
stucken [ʃtʊkən] *i.* (h.) ① (schweiz.) 싸우다. ② (öst.) (갑자기) 열심히 공부하다〔외우다〕.
stücken [ʃtʏkən] *t.* ↑ stückeln.
Stücken·zucker *m.* 각설탕.
Stücker 《<Stück》〖↑ Stück 의 복수형〗〖구어〗 대략, 약: (ein) ~ sieben 약 7 개.
stuckerig *a.* (nordd.) (길이) 울퉁불퉁한.
stuckern [ʃtʊkərn] *i.* ① (h.) 후비다, 쑤시다. ② **(a)** (h.) (차가) 덜커덩거리다. **(b)** (s.) (차가) 덜커덩거리며 가다.
Stücke·schreiber [ʃtʏkə..] *m.* 극작가, 시나리오 작가.
Stück≈faß *n.* (옛날 독일의) 큰 포도주 통(약 1000-1200 리터 들이). ~**fracht** *f.* ↑ ~gut ①. ~**gießer** *m.* 〖고어〗 대포 주조자. ~**gießerei** *f.* 〖고어〗 대포 주조 (공장). ~**gut** *n.* ① 소화물, 개별 탁송 화물. ②〖軍·고어〗 대포의 재료 금속.
stuckieren [ʃtukí:rən] 《<Stuck》 *t.* 회칠로 마무리하다.
stückig [ʃtʏkɪç] *a.* ① (큰) 조각을 이어 만든. ② (광석 따위가) 큰 덩어리로 되어 있는.
Stück≈kauf *m.* 〖法〗 개별〔낱개〕 구매(↔ Gattungskauf). ~**knecht** *m.* 〖軍〗 포병(졸병). ~**kohlen** *pl.* 괴탄(塊炭). ~**kosten** *pl.* 〖經〗 개당 제조 원가. ~**ladung** *f.* 〖軍〗 대포 장전, 대포 장약(裝藥).
Stücklein *n.* -s, - ↑ Stück 의 축소형.
Stück≈liste *f.* 부품 명세표〔목록〕. ~**lohn** *m.* (성과에 따라 받는) 삯, 도급 노임.
Stücklung *f.* -en ↑ Stückelung.
Stück≈meister *m.* 〖軍·고어〗 포병 분대장. ~**notierung** *f.* 〖經〗 주가 시세표에 기입하기. ~**pforte** *f.* 〖海〗 (옛 군함의) 포문. ~**rechnung** *f.* 〖經〗 (생산 단가와 이윤을 감안한) 판매 단가 산정. ~**verkauf** *m.* 소매. ~**verzeichnis** *n.* (상품·재산 등의) 명세서, 목록. ~**weise** *adv.* 낱개로; 조금씩, 야금야금; 〖商〗 (einzeln) 소매로. ~**weit** *n.* 조금 떨어진 거리. ~**werk** *n.* ① 이어맞추기 세공, 주워 모아 놓은 것. ② 불완전〔미흡〕한 일〔작품〕: das ist〔bleibt〕 ~ 그것은 불완전하다〔미완성이다〕. ~**zahl** *f.* (생산품의) 개수. ~**zahlung** *f.* 분할불. ~**zinsen** *pl.* 〖商〗 보충 이자(매각 기일까지 지급해야 할 유가 증권의 이자). ~**zucker** *m.* 각설탕, 덩어리 설탕.
stud. [ʃtudió:zus, st..; ʃtu:t, ʃtut] = Studiosus 대학생.
Studel *f.* -n (하천 공사의) (버팀) 기둥, 말뚝.
***Student** [ʃtudɛ́nt] 《lat. studens》 *m.* -en, -en ① 대학생. ② (öst., schweiz.) 고등 학생.
Studenten≈ausweis [ʃtudɛ́ntən..] *m.* (대학의) 학생증. ~**bewegung** *f.* 학생 (저항) 운동. ~**blume** *f.* 〖植〗 ① 전륜화(轉輪花)(국화과의 1 년 또는 2 년초). ② 물매화. ~**bude** *f.* 〖구어〗 (가구가 딸린) 학생용 셋방. ~**bund** *m.* (독일의) 학생 연맹. ~**futter** *n.* (호두·건포도·무화과·아몬드 따위를 섞어 놓은) 학생용 군것질감. ~**gemeinde** *f.* (대학의) 기독교 학생 단체.
studentenhaft *a.* 활달한.
Studenten≈haus *n.* 학생 회관. ~**heim** *n.* ↑ ~wohnheim. ~**hilfe** *f.* 학생 복지 (사업). ~**jahre** *pl.* (대)학생 시절. ~**kneipe** *f.* 학사 주점. ~**leben** *n.* 대학 생활. ~**mütze** *f.* 학생모. ~**parlament** *n.* (대학의) 학생 대의원회. ~**pfarrer** *m.* (대학의) 기독교 학생 단체의 목사〔사제〕. ~**revolte** *f.* 학생 봉기.
Studentenschaft [ʃtudɛ́ntənʃaft] *f.* -en ① (특정한 대학의) 학생 전체. ② ↑ Studententum.
Studenten≈sprache *f.* 학생어. ~**streich** *m.* 학생의 장난.
Studententum *n.* -s ① 학생의 풍습〔기질〕. ② 학생 생활. ③ 학생의 지위〔신분·자격〕.
Studenten≈verbindung *f.* 대학생 조합〔연맹〕. ~**viertel** *n.* 대학가(街). ~**werk** *n.* (대학 부설의) 학생 후생 복지 기구. ~**wohnheim** *n.* 대학생 기숙사.
Studentin [ʃtudɛ́ntɪn] *f.* -nen 여대생.
studentisch *a.* 활달한.
Studie [ʃtú:diə] 《lat.》 *f.* -n ① **(a)** (학문적인) 연구〔조사〕 (논문). **(b)** (학문적인) 예비 연구, 시론(試論). ② (예술가의) 습작, 시작(試作), 스케치.
Studien *pl.* ① ↑ Studie 의 복수형. ② ↑ Studium 의 복수형.
Studien≈abbrecher [ʃtú:diən..] *m.* 대학 중퇴자. ~**anstalt** *f.* ① (옛날의) 여자 고등 학교. ② (1891 년까지 바이에른주의) 9 년제 중고등 학교. ~**assessor** *m.* (교원 임용 시험에 합격한) 고등 학교 예비 교원. ~**assessorin** *f.* ↑ ~assessor 의 여성형. ~**bewerber** *m.* 대학 입학 지원자. ~**brief** *m.* 방송 통신 대학 교재. ~**buch** *n.* 개인 보관용 학적 증명서철〔파일〕. ~**direktor** *m.* ① (고등 학교) 교감(급 교사). ②〖구동독〗 교사에게 붙이는 경칭. ~**direktorin** *f.* ↑ ~direktor의 여성형. ~**fach** *n.* 전공 (분야). ~**freund** *m.* 대학 시절의 친구. ~**freundin** *f.* ↑ ~freund 의 여성형. ~**gang** *m.* 학업 과정. ~**gebühr** *f.* 수업료, 등록금. ~**genosse** *m.* 학교 친구. ~**halber** *adv.* ① 학업〔연구〕 목적으로. ② 한번 알아보기 위해. ~**jahre** *pl.* 수학 연한; 학생 시절. ~**kolleg** *m.* (외국인을 위해 대학에 부설한) 입학 예비 과정. ~**kollege** *m.* 학우, 학과 친구, 학업 동료. ~**kopf** *m.* 〖畫〗 연습삼아 그린 초상화(습작). ~**mappe** *f.* 학생 가방. ~**plan** *m.* 연구 계획서. ~**platz** *m.* 대학 공부를 할 수 있는 재적권, 대학 정원내의 한 자리. ~**professor** *m.* ① 고등 학교 교수(1951 년 이후 바이에른주에서 일정 근무 연한을 채운 고등 학교 교사에게 부여하는 칭호). ② (교원 임용 후보자에게) 교과 교육법을 가르치는 교사. ~**rat** *m.* 고등 학교 정교사. ~**rätin** *f.* ↑ ~rat 의 여성형. ~**referendar** *m.* 고등 학교 교원 시보(試補). ~**referendarin** *f.* ↑ ~referendar 의 여성형. ~**reise** *f.* 수학〔연구〕 여행, 연구 답사. ~**tag** *m.* 연구일. ~**zeichnung** *f.* 습작, 스케치. ~**zeit** *f.* ① 연구 시간. ② ↑ ~jahre. ~**zweck** *m.* 연구〔학

업] 목적: für ~e [zu ~en] 연구를[학업을] 목적으로.

***studieren** [ʃtudí:rən] 《I》 *i.* (h.)/*t.* ① (**a**) 대학에 다니다, 대학생이다: sie haben ihre drei Kinder ~ lassen 그들은 세 아이를 대학에 보냈다. (**b**) 전공하다: Germanistik ~ 독어 독문학을 전공하다. ② (**a**) 공부하다; 연구하다, 조사하다: 〖속담〗 ein voller Bauch studiert nicht gern 배부른 사람은 공부를 좋아하지 않는다. (**b**) 익히다, 연습하다: eine Rolle ~ 어떤 역을 연습하다. (**c**) 관찰[탐구]하다: js. Gesichtsausdruck ~ 누구의 얼굴 표정을 관찰하다. (**d**) (연구하듯이) 들여다보다, 찬찬히 읽다: die Zeitung ~ 신문을 (공부하듯이) 찬찬히 읽다. 《II》 **studiert** *p.a.* ↑ studiert.

Studierende* *der/die* 대학생.

Studier≈lampe [ʃtudí:r..] *f.* 독서용 램프. **~stube** *f.* 공부방, 서재.

studiert 《I》 *p.p.* ↑ studieren. 《II》 *p.a.* ① 짐짓 꾸민 듯한, 부자연스러운: ~e Manieren 젠체하는 태도. ② 대학을 나온, 대졸의.

Studierte* *der/die* 대학 교육을 받은 사람, 대졸자.

Studier≈trieb *m.* 학구열, 학습욕. **~zimmer** *n.* ↑ ~stube.

Studiker [ʃtú:dikər] 《lat.》 *m.* -s, - 〖학생〗 대학생.

Studio[1] [ʃtú:dio, st..] 《lat.》 *n.* -s, -s ① 서재. ② 사무실. ③ 아틀리에, 화실. ④ (라디오의) 스튜디오, 녹음[녹화]실, 영화 촬영소. ⑤ 실험 극장, 소극장. ⑥ 원룸 주택. ⑦ (방송국의) 지국.

Studio[2] 《<Studiosus》 *m.* -s, -s 쾌활한 대학생.

Studio≈bühne *f.* 실험 극장. **~film** *m.* 실험 영화. **~musik** *f.* 실험 음악.

Studiosus [ʃtudió:zus, st..] 《lat.》 *m.* -, ..si/..sen 대학생(약어: stud.): ~ philosophiae 철학부 학생(약어: stud. phil.).

***Studium** [ʃtú:dium] 《lat.》 *n.* -s, ..dien [..diən] ① 대학 공부, 전공. ② (**a**) (학문적인) 연구, 조사. (**b**) 검토, 살펴봄: gründliche Studien der historischen Quellen 사료의 철저한 검토. (**c**) 연습, 익힘.

Studium generale *n.* - - ① 일반 학습(중세 대학의 초기 형태). ② (독일 대학에서 각 학부 공통으로 수강하는) 일반 교양 과목(의 강의).

***Stufe** [ʃtú:fə] *f.* -n ① 단(段) (Absatz); 계단; 사닥다리의 가로장; 대문 앞의 층계. ② 단계, 정도; 계층, 등급, 계급: Entwicklungs≈ 발전 단계; Ober≈ 상급반; Mittel≈ 중급반; die höchste ~ des Glücks 행복의 절정; mit jm. auf einer ~ stehen 누구와 동등하다; auf einer niedrigen ~ stehen 수준이 낮다. ③ 〖광산〗 (계단 모양으로 파 내려간) 광괴(鑛塊). ④ (옷의) 수평 주름. ⑤ 〖음악〗 음도(音度). ⑥ (색채의) 농담; 색조, 뉘앙스. ⑦ 〖工〗 (선풍기의 작동 등급으로서의) 단; (로켓의) 단.

stufen [ʃtú:fən] *t.* ① 단[계단·등급]을 붙이다; (여러) 등급으로 나누다. ② 〖광산〗 정으로 파다.

Stufen≈abitur *n.* 〖학제〗 (졸업반 이전에 시험을 치뤄 과목 이수를 인정받는) 과목별 고등 학교 졸업 시험. **~alter** *n.* 〖구식〗 인생의 특정한 시기. **≈artig** *a.* 계단꼴의, 등급이 있는. **~bahn** *f.* 에스컬레이터, 자동 보도. **~bank** *f.* ① 〖복수: ~bänke〗 (반원형 극장 따위의) 계단식 좌석. ② 〖광산〗 계단꼴의 갱구. **~barren** *m.* (여성용) 2단 평행봉. **~breite** *f.* 〖건축〗 계단의 폭. **~dach** *n.* 층을 이룬 지붕. **~erz** *n.* 괴광(塊鑛) (함유량이 많아 정련하기 쉬운 큰 덩어리 광석). **~folge** *f.* ① (한 층 한 층 이어진) 계단의 연속; 계단의 각 층. ② 〖비유〗 단계[등급]의 서열[순서]; 순위, 등급. ③ 〖비유〗 단계적인 발전. **≈förmig** *a.* 계단 모양의. **~gang** *m.* ↑ ~folge. **~gebet** *n.* 〖가톨릭〗 (미사를 시작할 때 신부와 복사(服事)가) 번갈아 올리는 기도. **~heck** *n.* (자동차의) 계단식 후미. **~jahr** *n.* ① 〖점성술〗 (7년마다 오는) 액년(厄年): das große ~ 대액년 (7×9=63세의 해). ② 〖醫〗 갱년기, 폐경기. **~leiter** *f.* ① 사닥다리. ② 〖비유〗 발전의 모든 단계(순서). ③ 〖음악〗 음계.

stufenlos *a.* (중간) 단계가 없는.

Stufen≈plan *m.* 단계별 계획. **~pyramide** *f.* 계단 모양의 피라미드. **~rakete** *f.* 다단식 로켓. **~scheibe** *f.* 〖工〗 다단계 도르래. **≈weise** *adv.* 단계적으로, 점진적으로.

stufig *a.* 계단 모양의, 계단으로 된.

..stufig *suf.* "…계단의"의 뜻(보기: mehr~ 다단(식)의).

Stufung *f.* -en ① 계단을 만듦[이룸], 등급을 나눔. ② 계단 형태로 되어 있음, 등급으로 나뉘어 있음.

***Stuhl** [ʃtu:l] *m.* -(e)s, Stühle ① 의자; 걸상; 안락 의자: jm. einen ~ anbieten 누구에게 앉기를 권하다. ② (**a**) (교회 따위의 고정된) 자리, 좌석. (**b**) 〖비유〗 (특히 재판관·대학 교수 등의) 지위, 직; 강좌(Lehr≈); 법정, 재판정: erhöhter ~ des Bischofs[Papstes] 주교[교황]의 자리; der königliche ~ 왕위; als er vom Urlaub zurückkehrte, war sein ~ anderweitig besetzt 휴가에서 돌아 와 보니 그의 자리는 다른 사람이 차지하고 있었다; 〖구어〗 an seinem ~ kleben 자신의 직책[자리]에서 물러나려 하지 않다; 〖구어〗 an js. ~ sägen 누구를 자리에서 쫓아내려 하다. (**c**) 〖비유〗 sich zwischen zwei Stühle setzen [zwischen zwei Stühlen sitzen] 두 마리의 토끼를 쫓다, 양다리를 걸치다; jm. den ~ vor die Tür setzen 누구를 내쫓다; 〖구어〗 (fast) vom ~ fallen 매우 놀라다[화가 나다]; 〖구어〗 mit et.³ zu ~ kommen 어떤 과업을 끝내다[마무리하다]; jn. (fast) vom ~ reißen [hauen] 누구를 깜짝 놀라게 만들다. ③ (**a**) 침실용 변기(Nacht≈). (**b**) 똥; 배변(~gang): zu ~e gehen 대변 보러 가다. ④ (물건을 받치는) 받침대: 종가(鐘架) (Glocken≈); (Web≈) 베틀, 직조기. ⑤ 〖가톨릭〗 관청 소재지, 집무청사: der Heilige ~ 교황청 (소재지); der bischöfliche ~ 주교청 (소재지). ⑥ (병원의) 처치 의자; (침실용·병실용의) 의자 형태의 변기; heißer ~ 오토바이; elektrischer ~ (사형 집행용) 전기 의자.

Stuhl≈bein *n.* 의자의 다리. **~bezug** *m.* 의자 싸개[커버].

Stühlchen [ʃtý:lçən] *n.* -s, - 〖↑ Stuhl 의 축소형〗 작은 의자.

Stuhl≈drang *m.* 〖醫〗 똥 마려움, 변의(便意). **~entleerung** *f.* 배변. **~feier** *f.* 〖가톨릭〗 Petri ~ [~ Petri] 성베드로 축제(1월 18일). **~fest** *n.* ↑ ~feier. **~flechter** *m.* 등의

자 제조인. **~gang** *m.* ① 배변: harter ~ 변비; regelmäßigen ~ haben 규칙적으로 변을 보다. ② 똥. **~geld** *n.* 『가톨릭』 교회의 자리세. **~gericht** *n.* 〖구식〗 작은 마을 재판소; 비밀 재판(소). **~gestell** *n.* 의자의 뼈대. **~herr** *m.* 사법〔재판〕관. **~kante** *f.* 의자의 앞 가장자리. **~kissen** *n.* 의자 쿠션. **~lehne** *f.* 의자 등받이. **~macher** *m.* 의자 제조인. **~richter** *m.* (특히 형가리의) 재판장. **~rolle** *f.* 의자 다리에 달린 바퀴. **~untersuchung** *f.* 대변 검사. **~verhaltung** *f.*, **~verstopfung** *f.* 『醫』 변비, 배변 불통. **~wagen** *m.* 버들가지 세공 차체로 된 마차. **~zäpfchen** *n.* 배변 촉진용 좌약. **~zapfen** *m.* ↑ ~zäpfchen. **~zwang** *m.* ↑ ~drang.

Stuka [ʃtúːka] *m./n.* -s, -s 급강하 폭격기(↑ Sturzkampfflugzeug 의 약칭).

stuken [ʃtúːkən] *t.* (ndd.) ① 가볍게 밀다, 쿡 찌르다: jn. in die Seite ~ 누구의 옆구리를 쿡 찌르다. ② (액체에) 적시다.

Stukkateur [ʃtukatǿːr] 《germ.》 *m.* -s, -e 석고〔석회〕 장식가.

Stukkator [ʃtukáːtɔr, ..toːr] *m.* -s, -en [..tóːrən] 석고 조각가.

Stukkatur [..katúːr] *f.* -en 장식용 석고 세공(품).

Stukko [stúko, ʃt..] 《it.》 *m.* -s (Stuck) 석고, 석회.

Stulle [ʃtúlə] 《ostmd.》 *f.* -n 〖방언〗 버터 따위를 바른 빵: belegte ~ 샌드위치.

Stulp [ʃtulp], **Stülp** [ʃtʏlp] 《ndd.》 *m.* -(e)s, -e 〖구식〗 ↑ Stulpe ①.

Stulp·ärmel *m.* 밖으로 젖혀진 소매.

Stulpe [ʃtúlpə] *f.* -n ① (장갑·장화의) 접어 젖혀진 부분, (바지의) 접어 젖힌 아랫단, 소맷부리, 커프스: die ~n eines Oberhemdes 와이셔츠의 소맷부리〔커프스〕. ② 〖구식〗 (냄비·단지의) 뚜껑.

Stülpe [ʃtʏ́lpə] *f.* -en ↑ Stulpe.

stülpen [ʃtʏ́lpən] *t.* ① 접어 젖히다, 뒤집다: eine gestülpte Nase 들창코, 사자코. ② 위에 올리다, 씌우다: ein Butterbrot auf das andere ~ 버터 바른 빵 두 개를 겹치다; sich³ den Hut auf den Kopf ~ 모자를 머리에 쓰다; einen Topf ~ 냄비에 뚜껑을 덮다.

Stulpen≈ärmel *m.* (밖으로) 젖혀진 소맷부리. **~stiefel** *m.* 목을 밖으로 젖힌 장화. **~hand·schuh** *m.* 『권투·펜싱』 목을 밖으로 젖힌 장갑. **~hut** *m.* 테두리가 젖혀져 있는 모자.

Stulp·hand·schuh *m.* ↑ Stulpenhandschuh.

Stülp·nase *f.* 들창〔사자〕코.

Stulp·stiefel *m.* ↑ Stulpenstiefel.

stumm [ʃtum] *a.* ① 벙어리의, 말을 못 하는: ~ geboren 벙어리로 태어난; ~ vor Staunen 놀라서 말문이 막힌. ② 잠자코 있는, 무언의, 말이 없는: ~ wie ein Fisch〔Stock〕 전혀 말이 없는; ein ~es Spiel 무언극, 팬터마임; ein ~er Protest 무언의 항의; 『연극』 ~e Rolle 전혀 말이 없는 배역; 〖비유〗 ein ~er Diener 뷔페 탁자, 식탁 중앙의 작은 회전 탁자; 〖경박〗 jn. ~ machen 누구를 죽이다. ③ 『문법』 묵음의, 발음되지 않는: ein ~er Laut 묵음. ④ 소리를 내지 않는, 조용한: die Schlange ist ~ 뱀이란 소리를 내지 않는 법이다; das Telefon ist ~ 전화가 먹통이다. ⑤ 『醫』 증상이 나타나지 않은: ein ~er Träger (발병은 하지 않았지만) 병원체를 지닌 사람, 보균자. ⑥ 〖제도〗 문자나 기호 설명이 없는.

Stumme* *der/die* 벙어리; 말 없는 사람.

***Stummel** [ʃtúməl] *m.* -s, - ① 동강, 남은 토막; 그루터기. ② 담배 꽁초; 타다 남은 양초.

Stummel·affe *m.* 『動』 비단 원숭이.

Stummelchen *n.* -s, - ↑ Stummel 의 축소형.

stümmeln [ʃtʏ́məln] *t.* ① …의 사지를 절단하다, 훼손하다, 조각내다, 토막내다. ② 〖방언〗 Bäume ~ 나뭇 가지를 쳐서 몽탁하게 만들다.

Stummel≈pfeife *f.* 짧은 파이프, 물부리. **~schwanz** *m.* (개의) 잘린〔뭉툭한〕 꼬리.

Stumm·film *m.* (↔ Tonfilm) ① 무성 영화. ② 사운드 트랙이 없는〔동시 녹음이 되지 않은〕 영화 필름.

Stummheit [ʃtúmhaɪt] *f.* 벙어리임; 침묵, 무언; 『문법』 무성(無聲); 『醫』 벙어리.

Stump [ʃtump] *m.* -s, -e ↑ Stumpf.

Stümpchen [ʃtʏ́mpçən] *n.* -s, - ↑ Stumpe 의 축소형.

Stumpe [ʃtúmpə] 《ndd.》 *m.* -n, -n ↑ Stumpf.

Stumpen [ʃtúmpən] *m.* -s, - ① 《nordd.》 남은 토막; (나무의) 그루터기. ② 완성되지 않은 펠트 모자. ③ 짤막한 스위스제 시거〔잎담배〕.

stümpeln *i.* (h.) / *t.* 〖방언〗 ↑ stümpern.

Stumper *m.* -s, - 〖방언〗 강한 충격.

Stümper [ʃtʏ́mpər] *m.* -s, - 서투른〔전문 지식이 부족한〕 사람; 쓸모없는 사람.

Stümperei [ʃtʏmpəráɪ] *f.* -en 서투름, 어설픔, 졸렬, 미숙; 서투른 작품.

stümperhaft *a.* 서투른, 솜씨 없이 만든; 졸렬한, 미숙한.

stümper·mäßig *a.* ↑ stümpferhaft.

Stümperin *f.* -nen 〖폄어〗 서투른〔솜씨 없는〕 여자.

***stümpern** [ʃtʏ́mpərn] *i.* (h.) / *t.* 〖폄어〗 졸렬하게〔서투르게〕 (일)하다: auf einem Instrument ~ 악기를 서투르게 연주하다.

***stumpf** [ʃtumpf] *a.* ① (↔ scharf) (날이) 무딘, 날카롭지 않은. ② 뾰족하지 않은(↔ spitz); 『數』 절두형(截頭形)의, 둔각의: eine ~e Nadel 끝이 뭉툭한 바늘; eine ~e Nase 납작코; ein ~er Besen 몽당비; ~er Kegel 원뿔대; ein ~er Winkel 둔각; eine ~e Verletzung 둔기에 맞은 부상. ③ 『문학』 ein ~er Reim 남성 운(韻). ④ 흐린, 광택 없는: ~e Seide 광택 없는 비단; ~e Farbe 흐린〔칙칙한〕 색. ⑤ 〖비유〗 **(a)** 효력을 잃은: ~er Wein 김빠진 포도주; der Pfeffer ist ~ 이 후추는 맛이 갔다; die Zähne werden ~ 이가 들뜬다. **(b)** 우둔〔우매〕한; 둔감〔무감각〕한: sein ~er Verstand 그의 둔한 머리; ein ~er Blick 흐리멍텅한 시선. ⑥ 『印』 들여쓰기를 하지 않은: eine ~e Anfangszeile 들여쓰기를 하지 않은 첫 행. ⑦ (표면이) 꺼칠꺼칠한, 거친.

***Stumpf** [ʃtumpf] *m.* -(e)s, Stümpfe [ʃtʏ́mpfə] ① 남은 토막〔동강〕, 끄트머리: Bein∼ 다리를 절단한 뒤 남은 부분. ② (나무의) 그루터기(Baum∼): mit ~ und Stiel ausrotten 뿌리째 뽑다, 근절하다. ③ 『數』 (도형의) 잘라내고 남은 부분.

Stumpf·bock *m.* 〖구어〗 멋없는 인간.

Stümpfchen [ʃtʏ́mpfçən] *n.* -s, - 〖↑

Stumpf의 축소형〗작은 그루터기〔끄트러기〕: ein ~ Licht 타다 남은 양초 토막.

stumpf·eckig *a.* ↑ ~winklig.

stumpfen [ʃtʊ́mpfən] *t.* ① 무디게〔뭉툭하게〕만들다. ② 가볍게 밀치다〔찌르다〕.

Stumpf·fuß *m.* 기형인 발, 안짱〔굽은〕다리.

Stumpfheit *f.* 무딤; 뾰족하지〔날카롭지〕않음; 〖비유〗우둔, 둔감, 무감각.

Stumpf·kegel *m.* 〖數〗원뿔대.

Stümpflein [ʃtʏ́mpflaɪn] *n.* -s, - ↑ Stümpfchen.

Stumpf≈näschen *n.* 〘↑ Stumpfnase의 축소형〙작은 납작코. **~nase** *f.* 납작〔주먹〕코. **≈näsig** *a.* 납작코의. **~näslein** *n.* ↑ ~näschen. **~schmerz** *m.* 〖醫〗(절단된 부위에서 느끼는) 환각 통증. **~schwanz** *m.* 자른〔뭉툭한〕꼬리; 꼬리를 자른 말〔개〕. **~sinn** *m.* 둔감, 우둔, 지둔. **≈sinnig** *a.* ① 우둔〔둔감〕한. ② 흥미〔관심〕없는. ③ 지겹도록 지루한, 단조로운. ④〔드물게〕말도 안 되는, 허튼. **~sinnigkeit** *f.* 둔감성, 무미건조성, 무의미성. **≈winkelig, ~winklig** *a.* 둔각의.

stund [ʃtʊnt] 〘구식〙↑ stehen의 과거형.

Stündchen [ʃtʏ́ntçən] *n.* -s, - 〘↑ Stunde의 축소형〙 ① 약 1시간, 빠듯한 1시간: ein gutes ~ dauern 1시간은 족히 걸리다. ② 약 1시간에 갈 수 있는 거리.

stund 〘구식〙↑ stehen의 과거형.

Stunde [ʃtʊ́ndə] *f.* -n ① (**a**) (시간 단위로서의) 시(간): eine volle〔ganze〕~ 꼭 1시간; eine gute〔starke〕~ 족히〔실히〕1시간; eine knappe ~ 빠듯한 1시간; über eine ~ 한 시간 이상; von ~ zu ~ 시시각각; ~ für〔um〕~ 한시간 한시간; 90 km in der ~ 시속 90 km. (**b**) 시대, 시기, 때; 순간; 시각; bis auf diese ~ 지금까지; zu jeder ~ 언제나; 〖구식〗von Stund' an〔ab〕지금부터; zur ~ a) 지금(jetzt), b) 즉각; zur rechten ~ 적절한 때에; zu später ~ 늦게, 저녁에, 밤에; zu früher ~ 일찍이, 아침에; auf die ~ (pünktlich) 시간에 꼭 맞게, 시각을 어기지 않고; in zwölfter ~ 겨우 시간에 맞추어, 마지막 순간에; wissen, was die ~ geschlagen hat 사태를 제대로 파악하다; js. ~〔Stündlein〕누가 (무엇을) 하여야 할 때〔누구의 임종·분만의 시기〕; seine letzte ~ ist gekommen〔seine letzte ~ hat geschlagen〕그의 최후가 왔다; seine ~n sind gezählt 그는 곧 죽을 것이다; js. schwere ~ 분만의 시기; seine ~ wahrnehmen 기회를 활용하다; die ~ X (계획·작전 따위를 실천에 옮길) 미지의 시점; ein Mann der ersten ~ 처음부터 참여해 온 사람, 창당멤버; die blaue ~ 해가 저무는 때; 〖비유〗die ~ des Pan 여름날의 더운 낮시간; die ~ der Wahrheit 진실이 입증되어야 하는 순간; die ~ Null (무엇이 완전히 새로 시작되는) 영(零)시점. ② 1시간(에 걸어 갈 수 있는) 거리. ③ (수업) 시간, 수업, 레슨: Deutsch≈ 독일어 시간; Privat≈ 개인 레슨; ~n geben〔erteilen〕교습을 하다; ~ halten (in der Schule) (학교에서) 수업하다; bei jm. ~n nehmen〔haben〕누구의 수업을 받다〔강의를 듣다〕. ④〖복수〗〖의인화〗die ~n 때의 여신 Hora. ⑤〖광산〗나침반의 눈금. ⑥〔때때로 서적의 표제로〕(…)때: ~n der Andacht 기도할 때. ⑦ (südd.; Betstunde) (가톨릭에서 하루에 시간을 정해 놓고 7회 행하는) 기도〔예배〕(시간), 성무일도(聖務日禱) (시간). ⑧ (schweiz.) 모래 시계.

stünde [ʃtʏ́ndə] ↑ stehen의 접속법 Ⅱ 식.

stunden [ʃtʊ́ndən] 《<Stunde》 *t.* (지급 기한 따위를) 유예하다.

Stunden≈buch *n.* (신도용) 기도집, 성무일도서(聖務日禱書). **~geber** *m.* 강의하는 사람; 가정 교사. **~gebet** *n.* 〖가톨릭〗정시과(定時課), 성무 일도. **~geld** *n.* 수업료. **~geschwindigkeit** *f.* (평균) 시속. **~glas** *n.* 모래 시계. **~glocke** *f.* 시간을 알리는 종. **~halt** *m.* (schweiz.) (행진 중) 한 시간마다 취하는 휴식 (시간). **~hotel** *n.* 러브 호텔. **~kilometer** *m.* 〘구어〙킬로미터시(時) (약어: km/st). **~kreis** *m.* 〖天〗시권(時圈). ***≈lang** 《Ⅰ》 *a.* 수시간의. 《Ⅱ》 *adv.* 여러 시간 동안, 한참 동안. **~lohn** *m.* 시간급(給). **~marke** *f.* 수강권(券). **~plan** *m.* 시각표. **~rad** *n.* (시계의) 시침 기어. **~rufer** *m.* (시각을 알려 주며 도는) 야경꾼. **~säule** *f.* 이정표. **~schlag** *m.* (시계의) 시각을 알리는 타종. **~stein** *m.* (돌로 된) 이정표. **~uhr** *f.* 시각마다 종을 치는 시계. **≈weise** *adv.* 시간제로, 시간단위로. **~weiser** *m.* ↑ ~zeiger. **≈weit** *a.* 여러 시간 걸리는 거리의, 아주 먼. **~zeiger** *m.* (시계의) 시침.

stündig [ʃtʏ́ndɪç] *a.* 한 시간의, 한 시간 걸리는.

..stündig *suf.* "…시간 계속되는"의 뜻(보기: drei~ 3시간에 걸친).

Stündlein [ʃtʏ́nt..] *n.* -s, - 〘↑ Stunde의 축소형〙↑ Stündchen.

stündlich [ʃtʏ́ntlɪç] 《Ⅰ》 *a.* 매시의, 한 시간마다의. 《Ⅱ》 *adv.* 매시간.

..stündlich *suf.* "…시간마다(의)"의 뜻(보기: drei~ 3시간마다(의)).

Stundung [ʃtʊ́ndʊŋ] *f.* -en 지급 기간의 연기〔유예〕.

Stundungs≈frist *f.* 지급 유예 기간. **~gesuch** *n.* 지급 유예의 요구.

Stunk [ʃtʊŋk] 《<stinken》 *m.* -s 〘구어〙 ① 끊임없이 다투기, 싸움질. ② 거짓말; 비방, 중상.

Stunt≈girl [stánt.., stʌ́..] 《engl.》 *n.* 스턴트 걸. **~man** 《engl.》 *m.* 스턴트 맨.

Stunz [ʃtʊnts] *m.* -es, -e, **Stunze** *f.* -n (nordwestd.) 물푸는 작은 통, 두레박.

Stupefaktion [ʃtu.., st..] 《lat.》 *f.* -en 경악, 당황, 망연자실.

stupend [ʃtupɛ́nt, st..] *a.* 놀라운, 경탄할 만한.

Stupf [ʃtʊpf] *m.* -(e)s, -e (obd.) (가볍게) 밀기, 찌르기.

stupfen *t.* ① 찌르다, 밀(어 옮기)다. ② 가볍게 두드리듯 화필을 놀리다.

Stupfer *m.* -s, - ↑ Stupf.

stupid [ʃtupíːt, st..] *a.* ① 우둔〔멍청〕한; 편협한. ② 단조로운, 지루한.

stupide [ʃtupíːdə, st..] *a.* ↑ stupid.

Stupidität [ʃtupiditɛ́ːt, st..] *f.* -en ① 우둔, 편협; 단조로움. ② 바보 같은 짓〔언행〕.

Stupor [ʃtúːpɔr, ..poːr, st..] *m.* -s 〖醫〗지둔, 무감각, 혼수 (상태).

Stupp [ʃtʊp] 《<stieben》 *n.* -s (öst.) (미용·의료용의) 분, 파우더.

stuppen *t.* (öst.) …에 분을〔가루를〕 뿌리다〔바르다〕.
stuprieren [ʃtupríːrən, st..] 《lat.》 *t.* 능욕〔강간·성폭행〕하다.
Stuprum *n.* -s, ..pra 능욕, 강간.
Stups [ʃtʊps] 《ndd.》 *m.* -es, -e 〖구어〗 ① 가볍게 찌르기〔밀기〕. ② 꼬마.
stupsen [ʃtʊ́psən] *t.* 가볍게 찌르다〔밀다〕.
Stupser *m.* -s, - ↑ Stups.
Stups·nase *f.* 들창코.
stur [ʃtuːr] *a.* 〖구어·폄어〗 ① 멍한, 고정된: ein ~er Blick 멍한 시선. ② 고집센, 완고한: er bleibt ~ bei seiner Meinung 그는 자기 의견을 완강히 고집한다; auf ~ schalten 타협할 줄 모르다, 고집 불통이다; 〖욕설〗 ein ~er Bock 고집이 센 녀석. ③ 단조로운, 지루한: eine ~e Arbeit 단조로운 작업.
Sturheit *f.* ① 완고, 고집셈. ② 멍함. ③ 단조로움.
stürbe [ʃtʏrbə] ↑ sterben 의 접속법 Ⅱ 식.
*__Sturm__ *m.* -(e)s, Stürme [ʃtʏ́rmə] ① 폭풍(우); 뇌우(Gewitter～); 광란; 소동, 소요: heftiger ~ 태풍, 폭풍; der ~ erhebt sich 폭풍이 일다; einen ~ erregen〔stillen〕 폭풍을 일으키다〔가라앉히다〕; den ~ aushalten〔bestehen〕 폭풍을 견뎌 내다; 〖비유〗 ein ~ des Beifalls brach aus 우레와 같은 박수 갈채가 터져 나왔다; ein ~ im Wasserglas 찻잔 속의 폭풍(하찮은 일로 피우는 큰 소란); er hat ~ 〔sein Barometer steht auf ~〕 그는 기분이 몹시 나쁘다; die Stürme des Lebens 인생의 거친 파도; der ~ des Herzens 격정; ~ läuten (경종·호출종 따위를) 요란스럽게 울리다; ~ blasen 긴급〔비상〕 나팔을 불다; 〖문학〗 ~ und Drang 질풍 노도(의 문학). ② 〖軍〗 돌격, 급습; 쇄도; ~ gegen〔wider, auf〕 et. laufen 무엇을 향하여 돌격하다; et. im ~ nehmen (요새 따위를) 돌격하여 탈취하다; jn.〔js. Herz〕 im ~ erobern 누구의 마음을 사로잡다; ~ auf die Bank 은행의 예금 인출 소동. ③ 현기증, 어지러움: im ~e sein 〔einen ~ haben〕 a) 만취 상태다, b) 도취〔열광〕해 있다, c) 화나 있다. ④ (나치스의 돌격대 및 친위대에서) 중대에 상당하는 부대(약 100-200명). ⑤ (öst.) (Rauscher) 발효 중인 포도주. ⑥ 〖스포츠〗 (Stürmer) 공격수, 포워드.
sturm [ʃturm] *a.* 혼란한, 어지러운.
Sturm≈abteilung *f.* (나치스의) 돌격대(약어: SA.). **~angriff** *m.* 〖軍〗 ↑ Sturm ②. **~anlauf** *m.* ↑ ~angriff. **~ball** *m.* 〖海〗 폭풍 경고용 검은색 공(해안에 걸어 놓음). **~band** *m.* 〖복수: ..bänder〗 ① (모자의) 턱끈. ② 〖구식〗 (문짝에 열십자로) 어긋매낀 버팀목. **~bann** *m.* (나치스의 돌격대 및 친위대의 편제에서) 대대에 해당하는 부대(↑ Sturm ④와 ↑ Standarte ②의 중간). **~banner** *n.* ↑ ~fahne. **~beflügelt** *a.* 매우 신속한. **~bereit** *a.* 돌격 준비가 된. **~block** *m.* 〖軍〗 옛 화염 방사기. **~bö** *f.* 세찬 돌풍. **~bock** *m.* 〖軍〗 성벽 깨는 무기(옛 무기). **~boot** *n.* 상륙정(艇). **~dach** *n.* 장갑차, 토치카. **~deck** *n.* 〖海〗 노천〔최상〕 갑판. **~deich** *m.* 보조 둑〔제방〕.
stürmen [ʃtʏ́rmən] 《Ⅰ》 *i.* (h./s.) ① (h.) **(a)** (바람이) 사납게 불다, 휘몰아치다: der Wind stürmt 폭풍이 분다; das Wetter stürmt 날씨가 사납다. **(b)** 〖비유〗 아우성 치다, 사납게 날뛰다: durch das Haus ~ 집 안을 날뛰고 다니다. **(c)** *imp.* es stürmt a) 폭풍이 분다, b) 경종이 시끄럽게 울린다; 〖비유〗 in jn. mit Bitten ~ 누구에게 끈덕지게 조르다. ② (h.) 〖軍〗 돌격하다: mit ~der Hand erobern 돌격하여 점령하다; auf seine Gesundheit los~ 건강을 해치다〔돌보지 않다〕. ③ (s.) 곧장 달리다, 돌진하다: sie kamen in den Bahnhof gestürmt 그들은 정거장에 허둥지둥 뛰어들어 왔다. ④ (h.) 〖스포츠〗 공격수로 뛰다; 공격을 퍼붓다: die Mannschaft stürmte pausenlos 그 팀은 끊임없이 공격을 퍼부었다. ⑤ (h.) 발효하다. 《Ⅱ》 *t.* ① 돌격〔공략〕하다: 〖軍〗 eine Festung ~ 요새를 돌격(하여 탈취)하다. ② (차지하기 위해) 돌진하다: die Zuschauer stürmten die Bühne 관객들이 무대로 몰려들었다.
Stürmer *m.* -s, - ① 〖구식〗 무모〔성급〕하게 돌진하는 사람. ② 〖軍〗 돌격병; 〖복수〗 돌격 종대(縱隊). ③ 학생모(帽); 〖고어〗 좌우〔전후〕로 뾰족한 산형(山形) 모자(사신(使臣)이 씀). ④ 밀물 때 강으로 밀려드는 높은 파도. ⑤ 갓 발효한 포도주; 발효 중인 포도즙. ⑥ ~ und Dränger (18세기) 질풍 노도기의 작가들. ⑦ 〖스포츠〗 공격수, 포워드, 전위.
Stürmerei [ʃtʏrmərái] *f.* -en 〖구어〗 계속적인〔끈질긴〕 돌격, 공격.
Stürmerin *f.* -nen ↑ Stürmer 의 여성형.
Stürmer und Dränger *m.* -(s) - -(s) 질풍 노도 시기의 작가(들).
Sturmes≈brausen [ʃtʊ́rməs..] *n.* 폭풍의 노호. **~tosen** *n.* ↑ ~brausen.
sturm≈erprobt *a.* 〖雅語〗 전투 경험이 있는, 역전(歷戰)의. **~fahne** *f.* 〖軍〗 돌격 깃발. **~fest** *a.* 폭풍우를 견딜〔막을〕 수 있는. **~flagge** *f.* 〖海〗 폭풍우 신호기. **~flut** *f.* (폭풍으로 인한) 해일. **~frei** *a.* ① 〖軍·구식〗 공격에도 끄떡없는, 난공불락의. ② 〖경박〗 eine ~e Bude 언제든지 손님이 드나들 수 있는 방. **~geläut** *n.* 폭풍 경종(의 소리). **~geläute** *n.* ↑ ~geläut. **~gepäck** *n.* 〖軍〗 돌격 군장(軍裝). **~gepeitscht** *a.* 〖雅語〗 폭풍에 할퀸. **~geschütz** *n.* 〖軍〗 자주포. **~glocke** *f.* 경종. **~haube** *f.* 철모, 모자형의 투구. **~hut** *m.* ① 폭풍우 막이 모자; 〖海〗 방수모. ② 〖軍〗 ↑ ~haube. ③ 〖植〗 바곳.
stürmisch [ʃtʏ́rmɪʃ] *a.* ① 폭풍우의, 폭풍이 몰아치는, 날씨가 사나운: das Meer ist ~ 바다에 폭풍이 불고 있다; ~es Wetter 사나운 날씨, 〖海〗 바다 폭풍우. ② 격정적인, 거친, 격렬한; 성급한: ~ gegen et. protestieren 무엇에 격렬히 항의하다; 〖구어·농담〗 nicht so ~! 그렇게 성급하게 굴지 마라! ③ 급격한, 급속도의.
Sturm≈kolonne *f.* 〖軍〗 돌격 종대(縱隊). **~laterne** *f.* 내풍등(耐風燈), 바람에 안전한 등. **~lauf** *m.* ① 〖軍〗 돌격 전진. ② 쇄도; 질주. **~lauf·brett** *n.* 〖스포츠〗 도약판(板), 스프링보드. **~laufen** *n.* ↑ ~lauf. **~läufer** *m.* 〖軍〗 돌격병. **~läuten** *n.* ↑ ~geläut. **~leiter** *f.* 〖軍〗 성 공격용 사다리; 〖海〗 줄사다리; 소방용 사다리. **~lücke** *f.* 〖軍〗 돌파구. **~marsch** *m.* 〖軍〗 돌격 전진. **~möwe** *f.* 〖動〗 갈매기. **~reif** *a.* 〖軍〗 돌격 시기가 무르익은, 돌격 준비가 된. **~riemen** *m.* ↑

~band. **~schaden** *m.* 폭풍우로 인한 피해. **~schritt** *m.* 〖다음 용법으로〗 im ~ 돌격 행보로, 급히. **~schwach** *a.* 〖스포츠〗 공격력이 약한, 투지가 부족한. **~schwalbe** *f.* 〖動〗 바다제비. **~signal** *n.* 폭풍우 신호; 〖軍〗 돌격 신호. **~spitze** *f.* 최전방 공격수. **~stellung** *f.* 〖軍〗 돌격 진지. **~stimme** *f.* ① 울리는 저음. ② 〖음악〗 파이프 오르간의 목제 폐구관(閉口管)의 음전(音栓) 이름. **~tief** *n.* 〖기상〗 폭풍을 일으키는 저기압. **~trupp** *m.* 〖軍〗 돌격대. **~truppe** *f.* 〖軍〗 돌격 부대.

Sturm und Drang *m.* - - -(e)s 〖문학〗 질풍 노도 (운동)(독일의 문학 운동, 1767-85).

Sturm-und-Drang-Zeit *f.* 질풍 노도 시기 (1767-85).

Sturm⸗vogel *m.* 〖動〗 바다제비. **~warnung** *f.* 〖海〗 폭풍 경보. **~wetter** *n.* 폭풍우. **~wind** *m.* 폭풍. **~zeichen** *n.* ① 폭풍의 징후〔조짐〕. ② 폭풍(우) 경보 표시.

***Sturz** [ʃturts] 《<stürzen》 *m.* -es, Stürze [ʃtýrtsə] ① (급격한) 하락; 추락; 붕괴, 도괴; 전도(顚倒), 전복; 공중 제비; 〖비유〗 파멸, 영락; 권위, 실각: 〖구어〗 er hat einen ~ gebaut〔gedreht〕 그는 쿵 떨어졌다; der ~ des Ministers 장관의 실각; der ~ der Temperatur 기온의 급강하; ~ vom Pferde 낙마; mit einem 〔auf einen〕 ~ austrinken 단숨에 마셔 버리다. ② 토지의 함몰(Erd⸗); 산의 급경사면, 절벽, 단애; 폭포(Wasser⸗). ③ 〖商〗 물가〔가격〕의 폭락, 급락. ④ 〖광산〗 광석 퇴적장. ⑤ 〖商〗 금고〔회계〕 검사(Kassen⸗). ⑥ (a) 전체의 일부분, 단편, 토막: Stürze von den Felsen 바위의 낙괴(落塊), 암설(岩屑); 〖재봉〗 ein ~ eines Armes 팔의 자르고 남은 부분; ein ~ eines Baumes 나무의 그루터기. (b) (잘라내야 할) 나뭇단의 끄트머리; 〖사냥〗 사슴의 짧은 꼬리. ⑦ (그릇의) 뚜껑; (종 모양의) 유리 뚜껑(시계·현미경 따위에 씌움). ⑧ 미사 올리는 성직자가 두르는 앞치마; 코르셋 모양의 흉의(胸衣)에 꿰어 맨 여자 스커트; 상복용 베일. ⑨ (bayr.) 생철판. ⑩ (자동차의 전륜의) 위로 휘어짐, 축각(軸脚) 경사. ⑪ 〖복수: -e/Stürze〗 〖건축〗 (출입문·창문 따위의) 윗 횡목, 중인방(中引枋).

Sturz⸗acker *m.* 새로 쟁기질한 밭. **~bach** *m.* 여울, 급류. **~bad** *n.* 샤워. **~becher** *m.* (엎어놓는) 깔때기 모양의 잔. **⸗betrunken** *a.* 〖구어〗 만취한. **~blech** *n.* 얇은 생철. **~bomber** *m.* 〖空〗 급강하 폭격기. **~bügel** *m.* 〖승마〗 안전 등자(鐙子)(발걸이).

Stürze [ʃtýrtsə] *f.* -n ① (md., nordd.) 냄비뚜껑; (음식이 식지 않도록 접시에 씌우는) 종 모양의 유리 뚜껑. ② (촛불을 덮어서 끄는) 소등기. ③ 〖악기〗 (금관 악기의) 나팔 모양의 끝 부분.

Sturzel [ʃtúrtsəl] *m.* -s, - ↑ Stürzel.

Stürzel [ʃtýr..] *m.* -s, - 나무 그루터기; 베고 남은 포도나무.

***stürzen** [ʃtýrtsən] 《I》 *i.* (s.) ① 추락하다; 전도〔전복〕하다; 붕괴하다; 〖비유〗 멸망하다; 곤경에 빠지다, 실패〔실각〕하다: vom Pferde ~ 낙마하다; von der Treppe ~ 계단에서 떨어지다; ins Wasser ~ 물 속으로 추락하다; auf dem Eis ~ 얼음 위에 쾅 넘어지다; der Minister stürzte über diese Affäre 그 장관은 이 불미스러운 사건으로 물러났다. ② 급히 달려가다, 돌진하다: er stürzte Hals über Kopf in mein Haus 그는 허둥지둥 내 집으로 달려왔다; er stürzt fort 그는 쏜살같이 달려간다; die Tränen stürzten ihr aus den Augen 눈물이 그 여자의 눈에서 뚝뚝 떨어졌다; er kam ins Haus gestürzt 그는 집 안으로 뛰어 들어왔다. ③ 급경사를 이루다: die Felswand stürzte steil 암벽이 깎아지른 듯이 서 있다. ④ (가격·환율이) 급락하다. 《II》 *t.* ① 밀어 넘어뜨리다; 밀어〔던져〕 떨어뜨리다; 〖비유〗 실각〔파멸〕시키다, 곤경에 빠뜨리다; nicht ~! 넘어뜨리지 말 것!; sie stürzte ihn ins Wasser 그녀는 그를 물속으로 밀쳐 넣었다; er stürzte ein Glas Bier (hinunter) 그는 맥주 한 잔을 쭉 마셨다; den König vom Thron ~ 국왕을 폐위하다; eine Regierung ~ 정부를 넘어뜨리다; jn. ins Unglück ~ 누구를 불행에 빠뜨리다. ② (뚜껑을) 덮다, 입히다, 씌우다: einen Deckel über einen Topf ~ 항아리에 뚜껑을 씌우다. ③ einen Krug ~ 한 잔을 다 들이켜다; 〖商〗 die Kasse ~ 현금을〔현금 잔고를〕 결산해보다. ④ 〖農〗 den Acker ~ 밭을 갈(아 젖히)다. ⑤ 뒤집다, 거꾸로 하다: bitte nicht ~! 거꾸로 뒤집지 마시오! ⑥ 뒤집어 안의 것을 꺼내다. 《III》 *refl.* sich ~ 몸을 던지다, 덤비다, 달려들다: sich in js. Arme ~ 누구의 팔에 쓰러지듯 안기다; sich zu Tode ~ 추락하여 죽다; sich ins Wasser ~ a) 투신자살하다, b) 물에 뛰어들다; sich jm. zu Füßen ~ 누구의 발 아래 무릎을 꿇다; 〖비유〗 sich in Ausschweifungen ~ 방탕에 빠지다; sich in (die) Gefahr ~ 위험한 곳에 몸을 던지다; sich in Unkosten ~ (무슨 일에) 많은 돈을 지출하다; sich in Schulden ~ 빚을 지다.

Sturz⸗flug *m.* (비행기의) 급강하. **~flut** *f.* (하천 따위의) 분류(奔流), 격류; 쏟아지는 듯한 물결. **~furche** *f.* 새로 일군 이랑. **~geburt** *f.* 〖醫〗 (아이를 단번에 쑥 낳는) 급산(急產). **~gut** *n.* (모래·석탄같이 하역장에) 쏟아붓는 짐. **~haube** *f.* 항공모(帽). **~helm** *n.* 항공 헬멧. **~kampf·flugzeug** *n.* 〖空〗 급강하 폭격기(약칭: Stuka). **~kappe** *f.* ↑ ~haube. **~karren** *m.* 덤프 트럭〔차〕. **~regen** *m.* 소낙비. **~see** *f.* 〖海〗 (배의 갑판 위로 덮치는) 격랑. **~spirale** *f.* 〖空〗 나선식 강하 비행. **~weg** *m.* 험로. **~wellen** *pl.* ↑ ~see.

Stuß [ʃtus] 《hebr.》 *m.* ..sses 어리석음, 못난 짓, 난센스; 승강이, 말다툼: was redest du da für einen ~? 너 지금 무슨 허튼 소리를 지껄여대느냐?

Stut·buch *n.* 말 혈통 기록부.

Stute [ʃtú:tə] *f.* -n ① 암말; (낙타·당나귀 따위의) 암컷. ② 〖폄어〗 계집(년).

Stuten [ʃtú:tən] 《♧ Steiß》 *m.* -s, - (nordd.) 건포도가 든 길쭉한 흰 빵.

Stuten⸗fohlen *m.* ↑ Stutfohlen. **~füllen** *m.* ↑ Stutfohlen. **~zucht** *f.* ① 암말 사육. ② 암말 사육 시설.

Stuterei [ʃtu:tərái] *f.* -en 종마 사육장.

Stut·fohlen *n.* 망아지(특히 암컷).

Stuttgart [ʃtútgart] 슈투트가르트(Baden-Württemberg 주(州)의 수도).

Stuttgarter 《I》 *m.* -s, - 슈투트가르트 사람. 《II》 *a.* 슈투트가르트의.

Stutz [ʃtuts] *m.* -es, -e/(schweiz.) Stütze

[ʃtʏ́tsə] ①〖구식〗 갑자기〔심하게〕 때림, 밀침: auf den ~ 갑자기, 당장에. ②〖방언〗 (**a**) 짧게 한 것. (**b**) 총신이 짧은 엽총(라이플). (**c**) 그루터기(Stumpf). ③〖방언〗 (모자의) 깃털 장식. ④ (schweiz.) 급경사(면). ⑤〖방언〗 벽판(壁板), 벽선반.

Stütz [ʃtʏts] 《<Stütze, stützen》 *m.* -es, -e〖스포츠〗 지지(支持) (체조에서 양팔로 몸을 버티는 기본 자세).

Stutz·ärmel *m.* 짧은 소매 커버〔토시〕.

Stütz·balken *m.* 〖건축〗 동귀틀, 장선.

Stutz≈bart *m.* 짧게 깎은 수염. **~bärtchen** *n.* ↑ Stutzbart 의 축소형. **~bock** *m.* ① 뿔없는 염소. ② ↑ ~kopf. **~büchse** *f.* 〖軍〗 짧은 소총; 기병총; 단총(17-18 세기 기병용). **~-degen** *m.* 단검.

***Stütze** [ʃtʏ́tsə] 《<stützen》 *f.* -n ① 지주(支柱), 버팀목: Bäume mit ~n versehen 나무에 버팀대를 갖다 대다. ②〖비유〗 도움, 원조, 지원; 조력자, 의지가 되는 사람; 지팡이, 기둥, 의지물: die ~ der Familie 가정의 기둥; die ~n der Gesellschaft 사회의 영향력 있는 인사들(H. Ibsen 의 동명 희곡에서 유래). ③ 가정부, 하녀. ④〖경박〗 실업 보험금.

stützeln [ʃtʏ́tsəln] *i.* (h.) 〖스포츠〗 손을 번갈아 가며 평행봉에 몸을 지탱한 채 쉬다.

Stutzen 《<Stutz》 *m.* -s, - ① (총신이 짧은) 엽총. ② 짧은 덮개; 벙어리 장갑; 보온용 토시; 작업용 토시. ③ (**a**) (알프스 지방 남성용 민속 의상의) 발 부분이 없는 무릎 양말. (**b**) 각반. (**c**) 〖축구〗 스타킹. ④ 짧은 굽이 달린 잔. ⑤〖工〗 접합관(다른 관(管)에 접속하는 짧은 파이프). ⑥〖工〗 나사 조이개.

stutzen[1] [ʃtʊ́tsən] *i.* (h.) ① 놀라 멈칫〔주춤〕하다: bei dem Geräusch stutzte er kurz 소리에 놀라 그는 잠시 멈춰 섰다. ② 놀라 귀를〔눈을〕 의심하다. ③〖사냥〗 (사슴 따위가) 놀라 귀 기울이다, 귀를 쫑긋하다: die Pferde ~ bei dem Geräusch 소리에 놀라 말들이 귀를 쫑긋한다.

stutzen[2] *t.* ① 짧게 자르다, 베다, 가위질하다; 절감〔단축〕하다: dem Hunde die Ohren ~ 개의 귀를 짧게 자르다. ②〖구식〗 모양을 다듬다, 꾸미다, 장식하다: jn. zu et.[3] (zurecht) ~ 무엇을 위해서 누구를 꾸미다.

***stützen** [ʃtʏ́tsən] 《I》 *t.* ① 떠받치다, …에 버팀목을 대다, 지지〔부축〕하다: ein baufälliges Haus 〔einen fruchtbeladenen Ast〕 ~ 무너져 가는 가옥〔휠 정도로 열매가 연 나뭇가지〕에 버팀목을 대다; den Ellbogen auf den Tisch ~ 탁자에 팔꿈치를 괴다; den Kopf in die Hände ~ 턱을 손으로 괴다; Kranke ~ 환자를 부축하다. ②〖비유〗 지지〔유지〕하다; 강화하다; 돕다, 편들다. ③〖금융〗 (물가·환율을) 안정시키다, 하락을 막다: Preise ~ (구동독에서 국가가 보조금을 지원하여) 물가를 낮게 유지하다. 《II》 *refl.* sich ~ 몸을 버티다, 기대다: ~ Sie sich auf meinen Arm! 내 팔에 의지하십시오!; sich auf den Stock ~ 지팡이에 의지하다; worauf ~ Sie sich dabei? 무엇을 근거로 당신은 그렇게 (말씀)하시는 겁니까?; sein Anspruch stützt sich auf den Willen der Mehrheit 그의 요구는 다수의 의지에 바탕을 두고 있다; gestützt auf sein gutes Recht 그의 정당한 권리를 바탕으로 하여.

Stutzer [ʃtʊ́tsər] *m.* -s, - ① 멋쟁이, 맵시꾼. ②〖유행〗 (남자용) 더블 반코트. ③ (schweiz.) (총신이 짧은) 엽총.

stutzer·artig *a.* ↑ stutzerhaft.

Stutzerei [ʃtʊtsəráɪ] *f.* -en 멋부리기, 맵시 내기.

stutzerhaft *a.* 멋쟁이 같은, 멋쟁이다운.

stutzer·mäßig *a.* ↑ stutzerhaft.

Stutzerhaftigkeit *f.* 멋부리는 행동; 멋부리기.

stutzern *i.* (h.) 멋부리다, 맵시 내다.

Stutzertum *n.* -s ↑ Stutzerei.

Stutz·flügel *m.* 〖음악〗 세미 그랜드 피아노.

Stütz·gewebe [ʃtʏ́ts..] *n.* 〖해부·生〗 지지(支持) 조직.

Stutz≈glas *n.* 손잡이가 짧은 잔. **~handschuh** *m.* 벙어리 장갑.

stutzig [ʃtʊ́tsɪç] 《<stutzen》 *a.* ① 깜짝 놀란; 말문이 막힌, 어리둥절한: jn. ~ machen 누구를 놀라게〔어리둥절하게〕 하다; bei et.[3] 〔über et., vor et.[3]〕 ~ werden 무엇에 놀라 주춤하다, 기겁을 하다. ②〖구식〗 고집센, 완고한. ③ 짧게 잘린, 머리를 〔끝을〕 잘라 놓은.

stützig [ʃtʏ́tsɪç] *a.* ① 깜짝 놀란, 어리둥절한. ② 완고한, 고집센, 반항적인.

Stutzigkeit *f.* 놀람, 경악, 아연, 당혹.

Stutz·käfer *m.* 〖動〗 (건드리면) 몸을 움츠려 죽은 시늉을 하는 갑각류 곤충.

Stütz·kehre *f.* 〖체조〗 (평행봉의) 뒤로 흔들어 반바퀴 돌기.

Stutz·kopf *m.* ① 짧게 깎은 머리; 단발. ② 고집쟁이.

Stütz≈korsett *n.* 〖醫〗 (정형 외과용) 코르셋. **~kurs** *m.* 〖교육〗 보충 학습 과정.

Stutz·lauf *m.* 짧은 총신.

Stütz·mauer *f.* 〖건축〗 흉벽(胸壁), 옹벽.

Stutz≈nase *f.* 들창코, 사자코. **~ohr** *n.* (개·말 따위의) 짧게 자른 귀. **~ohrig** *a.* 귀를 짧게 자른. **~perücke** *f.* 짧은 가발.

Stütz≈pfeiler *m.* 지주(支柱), 버팀 말뚝. **~punkt** *m.* ① (하중을 지탱하는) 받침점, 지지점. ② 거점; 기지: der Flotten~ 함대 기지. **~rad** *n.* (어린이용 자전거의) 보조 바퀴.

Stutz≈rohr *n.* ↑ ~büchse. **~säbel** *m.* 조금 휜 날이 넓은 단검. **~schere** *f.* 전지(剪枝) 가위. **~schwanz** *m.* ① 짧게 자른 꼬리. ② 꼬리를 자른 말.

Stütz≈sprung *m.* (특히 안마(鞍馬)에서) 버티고 휘돌기. **~strumpf** *m.* (부드러운 피륙으로 만든) 다리 울혈 방지용 양말.

Stutz·uhr *f.* 탁상 시계(Standuhr).

Stützung [ʃtʏ́tsʊŋ] *f.* -en 버티기, 버팀목을 괴기; 지지(支持), (시세의) 하락 방지, 부조(扶助), 옹호.

Stützungs·kauf *m.* 〖금융〗 (환율을 안정시키기 위한) 지지(支持) 매입.

Stütz≈verband *m.* 지지(支持) 붕대. **~-weite** *f.* 경간(徑間) (교각 따위의 지주(支柱) 사이의 거리).

StVO = Straßenverkehrsordnung 도로 교통법(규).

StVZO = Straßenverkehrs-Zulassungs-Ordnung 도로 교통 허가 법규.

stygisch [ʃtý:gɪʃ, st..] 《gr.》 *a.* 〖그리스신화〗 저승의, 명부(冥府)의, 지옥의; 〖비유〗 전율할, 소름이 끼치는, 무시무시한; 비참한, 애처로운.

stylen [stáilən] 《engl.》 *t.* (맵시 있게) 스타일을 만들다, 디자인〔설계〕하다.
Styling [stáɪlɪŋ] 《engl.》 *n.* -s (상품의) 디자인, 외형, 의장(意匠).
Stylist [staɪlíst] *m.* -en, -en (상품의) 디자이너, 의장가(意匠家); (특히) 카 디자이너.
Stylistin *f.* -nen ↑ Stylist 의 여성형.
Stylit [stylí:t, ʃt..] *m.* -en, -en (중세에 기둥 위에 앉아 금욕·고행한) 주두성자(柱頭聖者), 주두행자(行者).
Stylolith [..lí:t, ..lít] *m.* -(e)s/-en, -e(n) 〖지질〗(흔히 석회암에 나타나는) 주상(柱上) 돌기.
Stymphaliden [stʏmfalí:dən, ʃt..] 《gr.》 *pl.* 〖그리스신화〗(Arkadien 의 Stymphalos 에 살면서 큰 해를 끼쳤으나 헤라클레스에게 죽은 청동의 손톱·날개·부리를 가진) 괴조(怪鳥).
stymphalisch *a.* Stymphaliden 의.
Styrax [ʃtý:raks, st..] *m.* -es, -e ①〖植〗(Storax) 소합향, 안식향(安息香). ②〖化〗 스티락스, 소합향.
Styrol [ʃtyró:l, st..] *n.* -s 〖化〗 스티롤, 스티렌.
Styropor [ʃtyropó:*r*, st..] *n.* -s 스티로포.
Styx [stʏks, ʃt..] *m.* - 〖그리스신화〗 명부(冥府)의 강, 삼도(三途)내.
SU =Sowjetunion 소비에트 연방(구소련).
s.u. =siehe unten! 아래 참조!
Suada [zuá:da, svá:..] (öst.) *f.* ..den ↑ Suade.
Suade *f.* -n ① 주아데(설득의 여신). ② 설득력, 말재주, 능변, 달변; 〔폄어〕 장광설, 요설.
Suaheli [zuahé:li, su..] 《Ⅰ》 *m.* -(s), -(s) 스와힐리족(동아프리카 해안의 아라비아계 혼혈 흑인 종족). 《Ⅱ》 *n.* -(s) 스와힐리어(반투어족에 속함).
Suasorie [zuazó:riə] 《lat.》 *f.* -n 〖修〗 설득의 변〔근거〕.
suasorisch [zuazó:rɪʃ] *a.* 설득〔권고〕하는.
sub.. 《lat., „unter..“》 *pref.* “하(下)·차(次)·아(亞)·부(副)”의 뜻(f 앞에서는 suf.., g 앞에서는 sug.., k 와 z 앞에서는 suk.., p 앞에서는 sup.., r 앞에서는 sur..로 쓰임) (보기: submarin 해저의; Sukzession 계승; subtropisch 아열대의; Surrogat 대용품).
subakut [zup|akú:t] 《lat.》 *a.* 〖醫〗 아급성(亞急性)의.
subalpin [zup|alpí:n] 《lat.》 *a.* ① 알프스 산록 지방의. ②〖植〗 아고산성(亞高山性)의.
subalpinisch *a.* ↑ subalpin.
subaltern [zup|altérn] *a.* ① 하위〔하급〕의, 결정권이 한정되어 있는: ein ~er Beamter 하급 공무원. ②〔교양·폄어〕(정신적으로) 수준이 낮은, 저급한: ~e Denkweise 저급한 사고 방식. ③〔교양·폄어〕 비굴한, 굽신거리는: ~es Benehmen 비굴한 처신.
Subaltern·beamte* *der* 하급〔말단〕 공무원.
Subalterne* *der/die* 하급 관리, 신하, 종업원.
Subaltern·offizier *der* 〖軍〗 하급 장교(소위·중위).
subantarktisch [zup|ant|árktɪʃ] 《lat. + gr.》 *a.* 남극 지방에 가까운, 아(亞)남극의.
subarktisch [zup|árktɪʃ] 《lat. +gr.》 *a.* 북극 지방에 가까운, 아(亞)북극의.
Subbotnik [zubɔ́tnɪk] *m.* -(s), -s 〖구동독〗 (자발적인 무보수의) 집단 봉사 노동.
Subdiakon [zupdiakó:n] 《lat. +gr.》 *m.* -s, -e 〖가톨릭〗 (예전의) 차부제(次副祭).
Subdiakonus [..diá:konus] *m.* ..kone(n) 〖가톨릭〗 차부제(次副祭) (상급 성품 제 3 단), 보좌 신부; 〖개신교〗 부목사(副牧師).
subfossil [zup|fɔsí:l] *a.* 〖生〗 반화석(半化石)의, 역사 시대에 멸종한.
subglazial *a.* 얼음〔빙하〕 밑에서 생성한, 얼음 밑에 놓여 있는.
Subhastation [zuphastatsió:n] 《lat.》 *f.* -en 〖法〗 강제 경매.
subhastieren [..hastí:rən] *t.* 강제 경매에 부치다.
subito [sú:bito, zú:..] 《it.》 *adv.* 〖음악〗 급히, 즉시.
***Subjekt** [zupjέkt] *n.* -(e)s, -e ①〖哲〗(↔ Objekt) 주체, 주관. ②〖문법〗 주어, 주격. ③ (Person) 사람, 인간; 〔폄어〕 놈, 자식: gemeines ~ 비열한 놈; 〔구식〕 하인, (약국의) 조수. ④〖음악〗(푸가의) 주제, 주악상(主樂想), 테마. ⑤〖논리〗 주사(主辭).
Subjektion [..tsió:n] *f.* -en ① 예속, 굴복. ②〖修〗 자문자답식 논법.
subjektiv [..tí:f] *a.* 〖哲〗 ① (↔ objektiv) 주관의, 주체의. ② 개인적인, 자기 본위의; 한면만의, 편협한, 객관적이지 못한. ③〖문법〗 주어의.
Subjektiv *n.* -s, -e 특성; 개성.
Subjektivismus [..tivísmus] *m.* - ①〖哲〗 주관주의. ② 자기 중심주의, 자기 본위.
subjektivistisch *a.* ①〖哲〗 주관론의, 주관주의의. ② 자기 중심적인.
Subjektivität [..tivitέ:t] *f.* ①〖哲〗 주관성. ② 자기 중심적 태도, 주관적임.
Subjekt·satz *m.* 주(어)절, 주(어)문(장).
subjizieren [zupjitsí:rən] *t.* 예속〔굴종〕시키다.
subjungieren [zupjuŋgí:rən] 《lat.》 *t.* 부속시키다; 첨가〔부가〕하다.
Subjunktiv [zupjuŋktí:f] *m.* -s, -e 〖문법〗 접속법, (영어의) 가정법.
Subkategorie [zupkategorí:] *f.* -n [..rí:ən] 〖언어학〗 하위 범주.
Subkontinent [zúpkɔntinεnt] *m.* -(e)s, -e 〖지리〗(대륙은 아니지만 대륙 같은) 아(亞)대륙.
Subkultur [zúpkultu:*r*] *f.* -en 〖사회〗 하위 문화, 서브컬처.
subkulturell [zupkulturέl] *a.* 하위 문화의.
subkutan [zupkutá:n] 《lat. cutis, „Haut“》 *a.* 〖醫〗 피하(皮下)의: eine ~e Injektion 피하 주사.
sublim [zublí:m] 《lat.》 *a.* 숭고〔고상〕한; 섬세〔미묘〕한; 세련된.
Sublimat [zublimá:t] *n.* -(e)s, -e ①〖化〗 승화물(昇華物). ② 염화 제 2 수은, 승홍(昇汞).
Sublimation [..matsió:n] *f.* -en ①〖心〗 순화, 승화. ②〖化〗 승화.
sublimieren 《Ⅰ》 *t.* ① 순화하다, 순수하게 하다, 고상하게 만들다. ②〖心〗(충동을 예술적으로) 승화시키다: die sublimierte Erotik seiner frühen Romane 그의 초기 소설에 나타난 승화된 사랑. ③ (고체를 기체로) 승화시키다. 《Ⅱ》 *i.* (h.) 〖化〗 승화하다.

Sublimierung *f.* -en ↑ Sublimation.
Sublimität [..mité:t] *f.* 숭고, 고상.
sublunarisch [zuplunáːrɪʃ] 《lat. luna, „Mond"》 *a.* 지상(地上)의, 이승의; 〖비유〗 (vergänglich) 덧없는, 무상〔허무〕한.
Subluxation [zupluksatsió:n] 《lat.》 *f.* -en 〖醫〗 불완전 탈구(脫臼).
submarin [zupmarí:n] 《lat.》 *a.* 해저의.
submergieren 《lat.》 *t.* 물 속에 잠기게 하다, 가라앉히다.
Submersion [zupmɛrzió:n] *f.* -en ①〖지구물리〗 (육지의) 해저 침수, 수몰(↔ Emersion). ②〖구식〗 범람, 침수; 〖가톨릭〗 전원(全員) 세례.
Subministration [zupministratsió:n] 《lat.》 *f.* -en 원조, 조력, 가세, 촉진.
subministrieren *t.* 〖구식〗 후원하다, 돕다, 촉진하다.
submiß [zupmís] 《lat.》 *a.* 복종하는, 굽신거리는.
Submission [zupmɪsió:n] *f.* -en ①〖구식〗 복종, 굴복, 굴종. ②〖經〗 입찰의 공모; 낙찰, 도급.
Submissions-kartell *n.* 〖經〗 (담합에 의해 입찰가의 하한선을 정한) 입찰 카르텔. **~weg** *m.* 입찰 방식: im ~ 입찰 방식으로.
Submittent [..mɪtɛ́nt] *m.* -en, -en 응찰자.
submittieren *i.* (h.) 입찰에 참가하다.
Subordination [zup|ɔrdinatsió:n] 《lat. ordinare, „ordnen"》 *f.* -en ①〖구식〗 하위에 놓기; (상관에 대한) 복종, 순종. ②〖문법〗 종속(관계).
subordinieren [..ní:rən] *t.* 하위에 두다, 종속시키다.
subpolar [zuppolá:r] *a.* 〖지리〗 아(亞)한대의.
Subrogation [zuprogatsió:n] 《lat.》 *f.* -en 바꿔치기.
subrogieren [zuprogí:rən] *t.* 바꿔치다.
sub rosa [zup ró:za] 《lat., „unter der Rose"》 비밀로, 내밀히(장미가 침묵의 상징인 데서).
subsekutiv [zupzekutí:f] 《lat. sequi, „folgen"》 *a.* 바로〔그〕 다음의, 후속의.
Subsellium 《lat.》 *n.* -s, ..sellien [..liən] (극장 따위의) 객석의 낮은 좌석; 학교의 걸상.
subsequent [supzekvɛ́nt] *a.* 〖지질〗 (계곡·하천 따위가 지질 구조의 약한 쪽에 형성되는) 적종(適從)의.
subsidiär [zupzidiɛ́:r] *a.* ① 지원하는, 보조의. ② 임시 변통의, 응급의.
subsidiarisch [....zidiá:rɪʃ] 《lat.》 *a.* ↑ subsidiär.
Subsidiarismus [..arísmus] *m.* (국가는 개인이나 단체가 할 수 없는 과제만 담당한다는 원칙에 의거한) 지원주의, 조성설(助成說).
Subsidiarität [..aritɛ́:t] *f.* ①〖政·사회〗 지원주의 원칙, 조성(助成) 원칙. ②〖가톨릭〗 (교회법에) 지원주의〔조성설〕의 적용. ③〖法〗 (동종의 법률간의) 보조, 지원.
Subsidiaritäts-prinzip *n.* 〖政·사회〗 지원주의 원칙, 조성(助成) 원칙.
Subsidien [zupzí:diən] *pl.* ↑ Subsidium 의 복수형.
Subsidium [zupzí:dium] *n.* -s, ..dien [..diən] ① 뒷받침, 지원. ②〖복수〗 (Hilfsgelder) 보조금, 지원금.
sub sigillo [zup zigílo] 《lat.》 비밀 엄수의 약속 아래.
Subsignation [zupzignatsió:n] 《lat.》 *f.* -en 서명.
subsignieren *t.* 서명하다.
Subsistenz [zupzɪstɛ́nts] 《lat.》 *f.* -en ① 존속, 존립, 지속. ② 생계, 물질적 생활 기반.
Subsistenz-mittel *pl.* 생계. **~wirtschaft** *f.* 〖經〗 자급 자족 경제.
subsistieren [..zɪstí:rən] *i.* (h.) ① 존속〔존립〕하다. ② 생계를 꾸려 나가다, 살아가다, 지내다.
Subskribent [zupskribɛ́nt] 《lat.》 *m.* -en, -en 서명자; 가입〔참가〕 신청자; 예약자, 주문자.
subskribieren [zupskribí:rən] 《Ⅰ》 *t.* ① (서적 따위를) 예약(주문)하다. ② (공사채 따위를) 청약〔응모〕하다, 출자〔기부〕를 약속하다; (계약서 따위에) 서명하다; 서명하여 동의를 나타내다. 《Ⅱ》 *i.* (h.) (서적 따위를) 예약 주문하다: auf ein Werk ~ 어떤 작품을 예약하다.
Subskription [..skrɪptsió:n] *f.* -en ① 예약(주문): ~ auf ein Lexikon 사전 예약 주문. ② (고대 필사본의 끝부분에) 내용을〔제목을·저자를〕 밝힘. ③〖금융〗 (서명에 따른) 출자 약속, (주식) 청약.
Subskriptions-anzeige *f.* 예약 모집 (광고). **~einladung** *f.* 〖출판〗 도서 예약 권유〔모집〕(지(紙)). **~liste** *f.* 예약자 명단. **~preis** *m.* 예약 가격. **~schein** *m.* 예약 접수증.
Subspezies [zúpspe:tsiɛs, zupspé:tsie:s] 《lat. species, „Art"》 *f.* 〖生〗 아종(亞種)(Unterart).
subst. = Substantivum 명사.
substandard *a.* (제품·언어 따위가) 표준 이하의; 규격 미달의.
Substandard-wohnung *f.* (öst.) 수준 이하의 가옥(수도와 전용 화장실이 없는 집).
Substantialität [zupstantsialitɛ́:t] 《lat.》 *f.* 본질(성), 실체성, 실재성; 현실성, 자주성, 독립성.
substantiell [..tsiɛ́l] 《frz.》 *a.* ① 물질적인, 물질(성)의. ② 실질적〔본질적〕인. ③ **(a)** 보존되고 있는 것의. **(b)** 재산상〔자산상〕의. **(c)** (몸과 마음이) 건강한. **(d)** 영양분이 풍부한: eine ~e Mahlzeit 영양이 풍부한 식사. ④ 〖哲〗 실체에 관한, 실체적인.
substantiieren [zupstantsií:rən] *t.* 〖교양〗 ① …에게 전권을 부여하다, 위임하다. ② …의 올바름〔정당성〕을 사실을〔근거를〕 들어 확증하다.
substantiös *a.* 자양분이 풍부한.
Substantiv [zúpstanti:f, zup..tí:f] *n.* -s, -e 〖문법〗 명사.
substantivieren [..tiví:..] 《Ⅰ》 *t.* 〖문법〗 명사화하다, 명사로 쓰다. 《Ⅱ》 **substantiviert** *p.a.* ↑ substantiviert.
substantiviert 《Ⅰ》 *p.p.* ↑ substantivieren. 《Ⅱ》 *p.a.* 명사화한.
Substantivierung *f.* -en 〖문법〗 ① 명사화. ② 명사화된 단어.
substantivisch [..tí:.., zúp...ti:.] *a.* 〖문법〗 명사의, 명사적인.

Substantivum [..tí:vum] *n.* -s, ..va ↑ Substantiv.

***Substanz** [zupstánts] *f.* -en ①〖哲〗본질, 실체, 실유(實有). ②〖理〗물질. ③보존〔존재〕하고 있는 것: die historisch bedeutende bauliche ~ 역사적으로 중요한 현존 건축물. ④자산, 자본, 비축물: die ~ angreifen 자산〔원금〕에 손을 대다. ⑤〖法〗원물(元物). ⑥핵심, 본질, 실질; 내용, 알맹이.

Substanz·verlust *m.* 〔교양〕 실체〔본질·자산〕 상실.

substituierbar *a.* 〔교양〕 교환〔대체〕할 수 있는.

substituieren [zupstituí:rən] *t.* 바꾸다, 뒤바꾸다; 대치〔대용〕하다: ein Substantiv durch ein Pronomen ~ 명사를 대명사로 대체하다; 〖化·物〗 치환하다; 보충〔후순위〕 상속인으로 선정하다.

Substituierung *f.* -en 뒤바꾸기, 바꿔 놓기, 대리, 대용, 대체; 〖化·數〗치환.

Substitut[1] *m.* -en, -en ①〔구식〕 대리인; 대리권자. ②매장 책임자의 대리인.

Substitut[2] *n.* -s, -e 〔교양〕 대체물, 대용품.

Substitutin *f.* -nen ↑ Substitut[1] 의 여성형.

Substitution [..tutsió:n] *f.* -en 대리; 대용; 〖法〗대리, 대보(代補), 보충; 보충〔후순위〕 상속인의 선정; 〖化·數〗 치환.

Substitutions≠probe *f.* 〖언어학〗 대입(代入) 테스트. **~verfahren** *n.*〖工〗(설탕 제조 때) 치환법; 치환 공정.

Substrat [zupstrá:t] 《lat. substernere》 *n.* -(e)s, -e ①〔교양〕 토대, 기초, 기층. ②〖生〗배지(培地), 배양기. ③〖언어〗 하층, 기층(정복 민족의 언어 속에 들어 있는 피정복 민족의 언어). ④〖哲〗 기체(基體), 실체. ⑤〖化〗 기질(基質).

Substruktion [zupstruktsió:n] 《lat.》 *f.* -en 기초, 토대; 기초 공사.

subsumieren [zupzumí:rən] 《lat.》 *t.* 포함〔포괄〕하다; 배열하다; 분류하다; 추론하다 (folgern); 추정〔가정〕하다; 종속시키다; 〖논리〗 포섭하다.

Subsumierung *f.* -en 〔교양〕 포함, 포괄.

Subsumtion [..zumtsió:n] *f.* -en 포함, 포괄; 배열; 분류; 추론; 가정.

subsumtiv [..tí:f] *a.* 포함〔포괄〕하는; 추론상의; 가정적인.

Subtangente [zuptaŋgέntə, zúptaŋgεntə] 《lat.》 *f.* -n 〖數〗 (x 축상의) 접선영(影).

subtil [zuptí:l] 《lat.》 *a.* ①섬세〔미묘·미세〕한: ein ~er Unterschied 미세한 차이. ②면밀〔세심〕한, 공들인: man muß mit ihr sehr ~ umgehen 그 여자는 조심스럽게〔살살〕 다루어야 된다. ③명민〔영리〕한: ~e Bemerkungen 재치 있는 발언. ④복잡한, 까다로운: ein ~es Problem 복잡미묘한 문제.

subtilisieren *t.* ①섬세하게 하다, 세련시키다. ②약은 체하다, 궤변을 쓰다.

Subtilität [zuptilitέ:t] 《lat.》 *f.* -en ①↑ subtil 의 명사형. ②미세한 차이, 치밀한 묘사.

Subtrahend [zuptrahέnt] 《lat. subtrahere, „abziehen"》 *m.* -en, -en 〖數〗 감수(減數).

subtrahieren [zuptrahí:rən] *t.* 〖數〗 (↔ addieren) 빼다, 감하다: alles äußerliche Beiwerk ~ 일체의 허식을 벗겨내다.

Subtraktion [..traktsió:n] *f.* -en 〖數〗 (↔ Addition) 뺄셈, 감법.

Subtraktions·verfahren *n.* 〖數〗 빼기 과정〔절차〕.

subtraktiv [..traktí:f] *a.* 〖數〗 (↔ additiv) 빼기의, 뺀.

Subtropen [zúptro:pən] *pl.* 〖지리〗 아열대.

subtropisch [zúptro:pɪʃ, zuptró:pɪʃ] 《lat.-gr.》 *a.* 아열대의(halbtropisch).

Suburb *f.* -s 교외, 근교.

Suburbia [səbə́:bɪə] *f.* 외곽 도시.

suburbikarisch [zup|urbiká:rɪʃ] *a.* 〖가톨릭〗 로마 근교의: 〖가톨릭〗 ~e Bistümer (로마에 인접한) 추기경 직할 교구.

subvenieren [zupvení:rən] 《lat.》 *t.* 원조〔보조·조력〕하다.

Subvention [..vεntsió:n] *f.* -en 〖經〗 부조; 국가나 공공 단체의 원조, 보조, 지지, 보조금.

subventionieren [..tsio..] *t.* 〖經〗 (공공) 보조금을 주다.

Subventions≠abbau *m.* 〖經〗 보조금 삭감. **~begehren** *n.* 〖經〗 국고 보조(금) 신청, 보조(금) 요청.

Subversion [zupvεrzió:n] 《lat.》 *f.* -en 전복, 타도, 파괴; 와해, 붕괴, 멸망: ~ betreiben 국가 전복을 꾀하다; der ~ angeklagt werden 내란 음모죄로 고발되다.

subversiv [..zí:f] *a.* 파괴적〔혁명적〕인: ~e Elemente 파괴 (활동) 분자; sich ~ betätigen 파괴 활동을 하다.

sub voce [zup vó:tse, ..tsə] 《lat. „unter dem (Stich)wort》 그 말이 있는 곳에; 그 표제어 밑에, 그 말을 보라(약어: s.v.).

Such≠aktion [zú:x..] *f.* (대대적인, 미아 따위의) 사람 찾기 캠페인, 수색 활동. **~anker** *m.* 〖海〗 탐색 닻. **~antrag** *m.* 수색 신청. **~anzeige** *f.* 실종〔수색〕 신고. **~arbeit** *f.* 수색 작업. **~automatik** *f.* ①〖전기〗 (라디오나 텔레비전의) 주파수 자동 탐색 장치. ②(녹음기 따위의) 자동 선곡 장치. **~bild** *n.* (수수께끼 따위의 특정 인물) 알아맞히기 그림. **~blatt** *n.* (신문 따위의) 상담란. **~bohrung** *f.* 탐사 시추. **~buch** *n.* 참고서. **~dienst** *m.* (제 2 차 세계 대전 중 생사 불명자를 찾는 독일 적십자 소속의) 실종자 조사 협회.

***Suche** [zú:xə] *f.* -n 찾기, 탐색, 수사; 〖사냥〗 (개를 데리고 하는) 몰이 사냥: auf der ~ nach et.³ sein 무엇을 탐색〔수색〕 중이다; jn. auf die ~ (nach et.³〔jm.〕) schicken (무엇을〔누구를〕) 찾으러 누구를 보내다; auf die ~ gehen 탐색〔수색〕하러 가다; eine ~ abbrechen 수색 작업을 중단하다; er ist auf der ~ nach einem Job 그는 직업을 찾는 중이다.

Such·eisen *n.* 〖醫〗 소식자(消息子), 탐침(探針).

***suchen** [zú:xən] 《I》 *t./i.* (h.) ①et. ~ 무엇을 찾다, 뒤지다, 수색〔탐색〕하다; 탐내다, 구하다: sich³ einen Mann〔eine Frau〕 ~ 신랑감〔신붓감〕을 구하다; was suchst du hier? 넌 여기에 무슨 용무가 있느냐?; 〖聖〗 suchet, so werdet ihr finden 찾으라 그러면 찾을 것이요 (마태 7:7); einen Arbeiter durch die Zeitungen ~ 신문 광고로 노동자를 구하다; ~spielen 숨바꼭질하다; ich habe, was Sie ~ 나는 당신이 찾는 것을 가지고 있습니다; 〔구어〕 irgendwo et.〔nichts〕 zu suchen haben

어딘가에 속하다〔속하지 않다〕; was hat er hier zu ~? 그는 여기에 무슨 볼일이 있는가?; seinesgleichen ~ 비견될 것이 없다, 빼어나다; seine Briefmarkensammlung sucht ihresgleichen 우표 수집에는 그를 당할 자가 없다; die beiden haben sich gesucht und gefunden 그 두 사람은 아주 좋은 짝이다. ② 〖명사와 함께〗 Abenteuer ~ 모험을 꾀하다; eine Ausflucht ~ 핑계를 찾다, 말끝을 흐리다; sein Recht 〔seinen Vorteil〕 ~ 자신의 권리를〔이득을〕 찾으려〔꾀하려〕 하다; Streit 〔Händel〕 ~ 싸움을 걸다; js. Anerkennung ~ 누구의 승인을 구하다; Erholung〔Ruhe〕 ~ 휴양〔휴식〕을 청하다; Trost〔Rat, Hilfe, Schutz〕 bei jm. ~ 위안을〔조언을, 도움을, 보호를〕 누구에게 구하다; das Weite ~ 도주〔도망〕하다. ③〖전치사 또는 부사와 함께〗 et. **an** jm. ~ 누구에게서 무엇을 찾다, 흠을 잡다; das hätte ich **hinter**〔in〕 Ihnen nicht gesucht 나는 당신에게 그런 면이 있는 줄은 몰랐습니다; **in** allem etwas ~ 어떤 일에나 흠〔탈〕을 잡다〔결점을 찾다〕; seine〔eine〕 Ehre in et.[3] ~〔setzen〕 무엇을 명예로〔자랑으로〕 삼다; er sucht etwas darin, jeden zu beleidigen 그는 아무를 보나 모욕하는 것을 능사로 삼는다; **nach** et.[3] ~ 무엇을 탐구하다; nach einer Ausrede ~ 핑계를 찾다; nach Worten ~ 말을 찾다, 말에 궁하다; was mag er nur **darunter** ~? 그는 대체 그것으로 무엇을 하려는 것인가, 그의 의도는 무엇인가? ④〖목적문장 또는 zu 부정법과 함께〗 하려고 힘쓰다, 해보다: jm. zu helfen ~ 누구를 도우려고 하다; et. zu vergessen ~ 무엇을 잊으려고 하다; sie ~ ihn zu überreden 그들은 그를 설득하려고 한다. ⑤〖컴〗 찾다, 검색하다: eine Datei ~ 파일을 찾다〔검색하다〕; ~ und ersetzen 찾아 바꾸다. 《Ⅱ》 **gesucht** *p.a.* ↑ gesucht.

Sucher [zú:xər] *m.* -s, - ① 탐색〔수색〕자; 탐구자. ②〖醫〗 소식자(消息子), (내시경 따위의) 가는 튜브. ③〖사진〗 파인더; (자동차의) 헤드라이트. ④〖天〗 탐색 망원경.

Sucherei [zu:xəráɪ] *f.* 〔폄어〕 찾는 짓거리.

Such⸗flugzeug *n.* 수색 비행기. **~gerät** *n.* 탐색 장치. **~glas** *n.* 〖天〗 탐색 망원경. **~hund** *m.* 〖사냥〗 수색견. **~lauf** *m.* 주파수 자동 탐색 장치(Sendersuchlauf). **~liste** *f.* 행방 불명자 명단. **~mannschaft** *f.* 수색조. **~meldung** *f.* 수색 신고. **~schein·werfer** *m.* 탐조등, 서치라이트. **~schiff** *n.* 수색선.

***Sucht** [zʊxt] 《♧ siech, Seuche》 *f.* Süchte [zʏ́çtə] ① 질병, 병; 고질; 쇠약, 무기력: fallende ~ 지랄병, 간질; eine ~ bekämpfen 중독을 퇴치하다; an einer ~ leiden 무엇에 중독되어 시달리다. ②〖비유〗 …광(狂), …벽(癖), 병적 욕망〔습관〕, 마니아: ~ nach Ruhm〔Geld, Erfolg〕 명예욕〔금전욕, 출세욕〕; die ~ zu glänzen 허영심.

Sucht·gefahr *f.* 중독성.

süchtig [zʏ́çtɪç] *a.* ①〖고어·방언〗 병의, 전염성의(보기: gelb~ 황달의). ② 정열적인, 중용을 잃은: ~ nach der Musik von Wagner sein 바그너의 음악광이다. ③ 기호벽이 있는, 중독의: ~ nach Alkohol sein 알코올 중독이다.

..süchtig *suf.* "…에 대하여 강한 욕망〔성벽〕을 지닌"의 뜻(보기: eifer~ 질투심이 많은; zank~ 싸움 잘하는).

Süchtige* *der/die* 중독자.

Süchtigkeit *f.* ↑ süchtig 의 명사형.

sucht⸗krank *a.* 중독된, 중독증의. **~kranke*** *der/die* 중독자.

Such·trupp *m.* 수색대.

suckeln [zʊ́kəln] 《<saugen》 *t./i.* (h.) 〖방언〗(젖·음료수·담배 따위를) (천천히) 빨다: das Kind suckelt an seiner Flasche 아이가 우유병을 쪽쪽 빤다.

Sucre [súkrə] *m.* -, - ① 수크레(에콰도르의 화폐). ② 수크레(볼리비아의 수도).

Sud [zu:t] 《<sieden》 *m.* -(e)s, -e ① 삶기, 끓이기. ② 삶아진 것; 졸인 액(즙).

Süd [zy:t] ① *m.* -(e)s 남, 남방(약어: S; (öst.) S.); 남부, 남쪽 구역. ② *m.* -(e)s, -e 남풍(약어: ↑ ①).

Süd⸗afrika 남아프리카. **~afrikaner** *m.* 남아프리카 (공화국) 사람. **~afrikanerin** *f.* ↑ ~afrikaner 의 여성형. **~afrikanisch** 남아프리카 (공화국)의. **~amerika** 남아메리카.

Sudan [zudá:n, zú:dan] 《lat.》 *m.* -(s) 수단(아프리카 북동부의 공화국).

Sudaner *m.* -s, -, **Sudanese** [zudané:zə] *m.* -n, -n 수단인.

Sudanesin *f.* -nen ↑ Sudanese 의 여성형.

sudanesisch, sudanisch *a.* 수단인〔어〕의.

süd⸗asiatisch *a.* 남아시아의. **~asien** *n.* 남아시아.

Sudation [zudatsió:n] *f.* 〖醫〗 발한(發汗).

Süd⸗australien *n.* 남오스트레일리아. **~breite** *f.* 남위. **~deutsch** *a.* 남독일의: der ~e Rundfunk 남독일 방송국(약어: SDR).

Sudden death [sád(ə)n dɛ́θ] 《engl.》 *m.* (골프 따위에서 동점일 때) 결승 1회 승부; 급사(急死).

Süd⸗deutsche* *der/die* 남(南)독일인. **~deutschland** *n.* 남독일.

Sudel [zú:dəl] *m.* -s, - ① 괸 물, 물웅덩이; 불결(한 것의 더미), 오물. ② 초고. ③ 잡기장, 메모장.

Sudel⸗arbeit *f.* ↑ Sudelei. **~bogen** *m.* 〖印〗 시쇄지(試刷紙)(인쇄 상태를 미리 알아보기 위해 쓰는 종이), 예비지(紙); 파지. **~buch** *n.* 〖商〗 비치장(帳), 당좌장(帳).

Sudelei [zu:dəláɪ] *f.* -en ① 날림으로 한〔너절한〕 일 솜씨. ② 날림〔서투른〕 일; 서투른 그림; 서투른 글씨, 난필, 괴발개발 쓴 글씨.

Sudeler [zú:dələr] *m.* -s, - ① ↑ Sudelkoch. ② 서투른 사람, 건성〔날림〕으로 일하는 사람; 엉터리 화가; 악필가; 더럽히는 사람.

sudelhaft *a.* ↑ sudelig.

sudelig [zú:dəlɪç] *a.* 지저분한, 너절한, 서투른, 솜씨 없는.

Sudel·koch *m.* 서투른 요리사. **~magd** *f.* 너절한〔추접스러운〕 하녀. **~maler** *m.* 엉터리 화가.

***sudeln** [zú:dəln] 《♧ sieden》 *i.* (h.)/*t.* ① 섞다, 섞어 휘젓다, 불결한 물건 속을 휘젓다; 불결한 물건을 매대기치다, 더럽히다: hat doch der Kleine schon wieder (auf die Tischdecke) gesudelt? 아이가 또 (식탁보를) 엉망으로 더럽혀 놓았느냐? ② 서투르게〔솜씨없이, 날림으로, 데데하게〕 일을 하다; 서투르게 그

림을 그리다, 아무렇게나 글씨를 쓰다; 솜씨없이 요리하다.

Sudel≈werk *n.* 서투른 일, 졸작. **~wetter** *n.* 악천후.

***Süden** [zý:dən] *m.* -s 남, 남방, 남부; 남유럽: er verbringt den Winter in ~ 그는 겨울을 남유럽에서 보낸다; gegen〔nach〕~ 남(쪽)으로(약어: S; (öst.) S.).

Süden≈flug *m.* 남방 비행: wir fahren in den Ferien in den ~ 우리는 남쪽으로 휴가를 간다. **~her** *adv.* 남(쪽)에서. **~hin** *adv.* 남(쪽)으로.

Süder≈breite *f.* 남위. **~kreis** *m.* 남극권. **~kreuz** *n.* 〖天〗 남십자성. **~sonne** *f.* 〖海〗 정오.

Sudeten [zudé:tən] *pl.* 주데텐 산맥(슐레지엔과 보헤미아 사이의).

Sudeten≈deutsche* *der/die* 주데텐 지방(출신)의 독일인. **~land** *n.* 주데텐 지방.

sudetisch *a.* 주데텐(산지)의.

Süd≈europa *n.* 남유럽. **~europäisch** *a.* 남유럽의. **~frankreich** *n.* 남프랑스. **~früchte** *pl.* 남방의 과실, 열대 과일.

Südfrüchten≈händler *m.* 열대 과일 판매상인. **~handlung** *f.* 〔고어〕 (öst.) 열대 과일 전문 가게.

Süd·hang *m.* 남쪽 비탈〔언덕〕.

Sud≈haus [zú:t..] *n.* (맥주 양조장의) 맥아즙 제조장.

Süd≈holland *n.* 남부 네덜란드. **~italien** *n.* 남부 이탈리아. **~karolina** (미국 대서양 연안의) 남캐롤라이나주. **~korea** 남한, 한국. **~kreuz** *n.* 〖天〗 남십자성. **~küste** *f.* 남(부) 해안. **~land** *n.* ① 남국. ② 남극 지방. **~länder** *m.* 남국인, 남유럽인. **~länderin** *f.* ↑ ~länder 의 여성형. **~ländisch** *a.* 남국의, 남유럽의.

s(üdl). B(r). =südlicher Breite 남위.

Sudler *m.* -s, - ↑ Sudeler.

südlich [zý:tlıç] 《Ⅰ》 *a.* 남(쪽)의, 남부〔남방〕의, 남국의: das ~e Eismeer 남빙양; das ~e Kreuz 남십자성. 《Ⅱ》 *adv.* 남쪽에〔으로〕: ~ von London 런던 남쪽에; am meisten ~〔~st〕 최남방에. 《Ⅲ》 *prp.*² …의 남쪽에 위치한: ~ der Insel 섬의 남쪽에.

Süd·licht *n.* 남극광.

sudlig *a.* ↑ sudelig.

Süd≈meer *n.* ↑ ~see. **~ost** *m.* 〖海〗 남동(약어: SO); 남동풍. **~ost·asien** *n.* 동남 아시아. **~osten** *m.* 남동쪽. **~östlich** 《Ⅰ》 *a.* 남동의, 남동 지방의. 《Ⅱ》 *prp.*² …의 남동쪽에. **~ost·wind** *m.* 남동풍.

Sud·pfanne *f.* (평평한) 액체 가열 용기.

Süd·pol *m.* 남극.

Südpolar≈meer *n.* 남극해. **~expedition** *f.* 남극 탐험(대). **~land** *n.* 남극 지방.

Süd≈rhodesien *n.* 남로디지아(짐바브웨로 독립함). **~see** *f.* 남태평양, 남양.

Südsee≈insulaner *m.* 남양 군도의 주민. **~länder** *pl.* (오스트레일리아·인도네시아를 포함하는) 남태평양 제도.

Süd≈seite *f.* (건물 따위의) 남측, 남쪽면. **~seitig** *a.* 남쪽(면)의. **~slavien, ~slawien** *n.* 옛 유고슬라비아. **~sonne** *f.* 정오. **~staaten** *pl.* (미국의) 남부.

Südsüd≈ost *m.* 〖海〗 남남동(약어: SSO); 남동풍. **~osten** *m.* 남남동쪽(약어: SSO). **~west** *m.* 〖海〗 남남서(약어: SSW); 남남서풍. **~westen** *m.* 남남서쪽.

Süd≈teil [zý:t..] *m.* 남부, 남쪽 지역. **~tirol** *n.* ① (Brenner 이남) 티롤 남부 지방. ② (1919 년부터 이탈리아령이 된) 남티롤. **~ufer** *n.* 남쪽 기슭, 남안(南岸). **~wärts** *adv.* 남쪽으로. **~wein** *m.* (남유럽산(産)) 포도주.

Süd·west *m.* 〖海〗 남서(약어: SW); 남서풍. **~west·deutsch** *a.* 남서 독일의. **~west·deutschland** *n.* 독일 남서 지역. **~westen** *m.* 남서쪽. **~wester** *m.* 〖海〗 (Seemannshut) 선원용 방수모. **~westlich** 《Ⅰ》 *a.* 남서의. 《Ⅱ》 *adv.* 서남(쪽)에, 서남(쪽)으로. 《Ⅲ》 *prp.*² …의 남서쪽에 위치한. **~west·staat** *m.* Baden-Württemberg 의 옛 명칭.

Süd≈wind *m.* 남풍. **~zimmer** *n.* 남향방.

Suebe [zué:bə, své:bə] *m.* -n, -n ↑ Sueve.

Suez [zú:ɛs] 수에즈(이집트의 도시).

Sueve [zué:və, své:..] *m.* -n, -n 수비족(라인강 동부에 거주했던 게르만족; ↑ Swebe).

Suez·kanal *m.* 수에즈 운하.

Suff [zuf] 《<saufen》 *m.* -(e)s 〔구어〕 ① 상습적 음주: mit einem ~ 쭉, 단숨에; sich dem stillen ~ ergeben 몰래 술을 즐기다; et. im ~ sagen 무엇을 취해서 말하다. ② 나쁜 술.

Süffel [zýfəl] *m.* -s, - 〔구어〕 술꾼, 술고래.

süffeln [zýfəln] *i.* (h.) (술을) 즐기면서 마시다.

süffig [zýfıç] *a.* 마시기 좋은, 맛있는, 혀에 착 달라붙는, 구미가 당기는.

Süffigkeit *f.* ↑ süffig 의 명사형.

Süffisance [zyfizã:s] 《frz.》 *f.* 〔교양〕 자부, 자만, 자기 도취.

süffisant [..zánt] *a.* 자만하는, 오만한, 깔보며 비웃는, 우월감을 드러내는: mit ~er Miene 사람을 깔보는 표정으로.

Süffisanz [..zánts] *f.* 〔교양〕 ↑ Süffisance.

Suffix [zufíks, zúfıks] 《lat.》 *n.* -es, -e 〖문법〗 후철, 접미어.

suffizient [zufitsiέnt] 《lat.》 *a.* 충분한, 부족함이 없는, 넉넉한; 기능이 양호한.

Suffizienz [..έnts] *f.* (↔ Insuffizienz) ① 충분, 부족함이 없음; 충분한 재력, 남아도는 재산. ② 〖醫〗 (신체 기관의) 기능 양호.

Süffler [zýflər] *m.* -s, - ↑ Süffel.

Süffling [zýflıŋ] *m.* -s, -e ↑ Süffel.

Suffragan [zufragá:n] *m.* -s, -e 〖宗〗 선거권을 가지고 있는 성직자회의 의원; 부감독, 부주교.

Suffragan·bischof *m.* ↑ Suffragan.

Suffragette [..gέtə] 《engl.》 *f.* -n (1914 년 이전 영미의 과격) 여성 참정권론자; 여권론자.

Sufi [zú:fi] *m.* -(s), -s 수피 교도, 수피즘 추종자.

Sufismus [zufísmus] *m.* - (이슬람의 금욕·신비교파인) 수피교(教).

Sufist *m.* -en, -en ↑ Sufi.

Suffusion [zufuzió:n] 《lat. suffundere, „untergießen"》 *f.* -en 〖醫〗 피하 출혈.

suggerieren [zugerí:rən] 《lat.》 *t.* ① 암시하다, 은연중 믿게〔생각하게〕 만들다; (무엇의) 암시를 주다: jm. eine Idee ~ 누구에게 어떤 생각을 은연중 불어넣다; diesen Gedanken hat er ihr suggeriert 그는 이 생각을 그녀의

머리속에 은연중에 불어넣었다. ② 어떤 인상 〔착각〕을 유발하다: das Wort „Mißbrauch" suggeriert etwas Negatives "남용"이란 단어는 부정적인 인상을 불러일으킨다.

suggestibel [zugɛstí:bəl] *a.* 암시가 통하는 〔먹혀드는〕.

Suggestibilität [..stibilitɛ́:t] *f.* 암시성.

Suggestion [..stió:n] *f.* -en 암시; 암시물; 암시력, 암시 효과: sie erlag der ~ seiner Worte 그녀는 그 남자가 한 말의 암시력에 말려들었다.

suggestiv [..stí:f] *a.* 암시적〔시사적〕인; 암시력〔작용〕이 있는: eine ~e Frage 유도 질문.

Suggestiv·frage *f.* 암시적〔시사적〕 질문; 〖法〗 유도심문.

Suhle [zú:lə] *f.* -n 웅덩이, 진창, 습지.

suhlen [zú:lən] *i.* (h.) / *refl.* 〖사냥〗 sich ~ (짐승이) 진창 속을 뒹굴다: sich in Jargon ~ 신이 나서 은어를 마구 지껄이다.

sühlen [zý:..] *i.* (h.) / *refl.* ↑ suhlen.

Sühn·altar *m.* 속죄의 제단.

sühnbar *a.* 속죄할 수 있는. **~bock** *m.* 〖聖〗 속죄양.

*__Sühne__ [zý:nə] *f.* -n ① 속죄; 속상(贖償), 보상: ~ für et. leisten 무엇의 속죄를 하다. ② 화해.

Sühne=geld *n.* 〔구식〕 보상금. **~gericht** *n.* 조정 재판소. **~maß·nahme** *f.* 〖法〗 제재. **~opfer** *n.* 〖宗〗 속죄의 제물, 속죄양. **~richter** *m.* 조정(재판) 판사. **~verfahren** *n.* 〖法〗 조정 절차.

sühnen [zý:nən] *t.* ① 속죄하다: eine Schuld ~ 죄값을 치르다. ② 보상〔배상〕하다. ③ 〔드물게〕 (속죄시키기 위해) 처벌하다.

Sühne=termin *m.* 〖法〗 (소송 회피를 위한) 조정(調停) 기한. **~tod** *m.* 속죄의 죽음. **~versuch** *m.* 〖法〗 화해의 시도.

Sühn=geld *n.* 〔구식〕 보상금. **~opfer** *n.* 속죄의 희생(물).

Sühnung [zý:nuŋ] *f.* -en ↑ Sühne.

sui generis [zú:i gé:nerɪs, zui gɛ́nerɪs] (lat. „von seiner eigenen Art") 〔후치적〕 〔교양〕 독보적인, 유일무이한, 특별한.

Suit·case [sjú:tkeis] 《engl.》 *m./n.* -, -(s) 여행 가방, 슈트케이스.

Suite [svíːtə, zuí:tə] 《frz.》 *f.* -n ① 〔고어〕 종자, 호종(扈從), 수행원, 시종: der Herzog mit seiner ~ 호종을 대동한 공작. ② 〖음악〗 조곡(組曲). ③ 〔학생〕 장난. ④ (호텔 따위의) 슈트룸, 특실.

Suitier [svitié:, zui..] 《<Suite》 *m.* -s, -s 〔고어〕 ① 익살꾼; 장난꾸러기. ② 호색꾼, 난봉꾼, 바람둥이.

suitisieren *i.* (h.) 엄벙덤벙〔도락을 하며〕 지내다.

Suizid [zuitsí:t] *m./n.* -(e)s, -e 〔교양〕 자살.

suizidal [zuitsidá:l] *a.* 〔교양〕 자살(시도)의, 자살(시도)의 전형적인: ~e Todesfälle 자살로 인한 사망 (사건들).

Suizident *m.* -en, -en 〔교양〕 자살(기도)자.

Suizid=absicht *f.* 자살 의도〔계획〕. **~drohung** *f.* 자살 위협. **~gefährdet** *a.* 자살 위험에 처한, 자살 지경에 이른. **~rate** *f.* 자살률. **~risiko** *n.* 자살 위험. **~versuch** *m.* 자살 기도.

Sujet [zyʒé:, syʒé:, syʒɛ́] 《frz.》 *n.* -s, -s ① 제목; 주제, 모티브, 주의(主意): ein alltägliches ~ 일상적인 주제. ② 〔폄어〕 사람, 놈.

Sukkade [zuká:də] 《it.》 *f.* -n 과실〔감귤류〕 껍질의 설탕 절임.

Sukkubus [zúkubus] 《lat.》 *m.* -, ..kuben 몽마(夢魔), (중세 민간 신앙에서 수면 중인 남자와 정을 통한다는) 처녀 귀신(↔ Inkubus).

sukkulent [zukulɛ́nt] 《lat. succus, „Saft"》 *a.* ① 즙이 많은, 다육질의, 강한. ② 〖해부〗 다액질의, 수분이 많은.

Sukkulente *f.* -n 다즙(多汁) 식물.

Sukkulenz *f.* ① 다육질. ② 다즙, 다액.

sukkurieren [zukurí:rən] 《lat.》 *i.* (h.) 돕다, 원조하다; 지지하다.

Sukkurs [zukúrs] *m.* -es, -e 원조, 지원; 〖軍〗 원병, 원군, 구원.

Sukkursale [..zá:lə] *f.* -n 지점, 지사; 지교회.

sukzedieren [zuktsedí:rən] 《lat.》 *i.* (s.) jm. ~ 누구의 뒤를 잇다, 누구를 계승하다.

Sukzeß [zuktsɛ́s] *m.* ..zesses, ..zesse 성공, 성과.

Sukzession [zuktsɛsió:n] *f.* -en 〖法〗 (권리의) 승계, 상속; 왕위 계승: 〖가톨릭〗 die apostolische ~ 사도 승전; 〖生〗 (생태) 천이(遷移).

sukzessions=berechtigt *a.* 상속권이 있는. **~fähig** *a.* 상속〔왕위 계승〕의 자격이 있는. **~krieg** *m.* 왕위 계승 전쟁. **~staat** *m.* 승계국.

sukzessiv [zuktsɛsí:f] *a.* 연이은, 연속된, 순차적인; 점진적인: eine ~e Verbesserung 점진적인 개선.

sukzessive [..sí:və] *a.* ↑ sukzessiv.

Sukzessor [..tsɛ́sɔr, ..so:r] *m.* -s, -en [..só:rən] 상속자, 계승자; 〖法〗 승계인.

Suleika [zuláɪka] 《pers.》 줄라이카(괴테의 "서동(西東) 시집"에 나오는 여자 이름).

Sulfat [zulfá:t] 《lat.; ↑ Sulfur》 *n.* -(e)s, -e 황산염.

Sulfid [..fí:t] *n.* -(e)s, -e 황화물.

sulfidisch [..fí:dɪʃ] *a.* 황을 함유한.

Sulfit [..fí:t] *n.* -(e)s, -e 아황산염.

Sulfit·lauge *f.* (펄프 제조 때 생성되는) 아황산 훈증액.

Sülf·meister [zýlf..] *m.* ① 제염소 주인〔감독〕. ② (ndd.) 돌팔이(Pfuscher).

Sulfonal [zulfoná:l] 《lat.》 *n.* -s 술포날(최면제).

Sulfon·amid [zulfɔnamí:t] 《lat. +gr.》 *n.* 〖藥〗 술폰아미드.

Sulfur [zúlfur] *n.* -s 황(기호: S).

sulfurös *a.* 황을 포함한.

Sulky [zúlki, sʌ́lkɪ] 《engl.》 *n.* -s, -s (경마용) 1인승 2륜 마차.

Süll [zʏl] (ndd.) *m./n.* -(e)s, -e ① (nordd.) 높은 문지방. ② (물막이용) 가두리, 언저리.

Süll=bord *m.* 보트 좌석의 테두리 판자. **~rand** *m.* ↑ ~bord.

*__Sultan__ [zúlta:n] *m.* -s, -e 이슬람교국 군주, 터키 황제, 술탄.

Sultanat [zultaná:t] *n.* -(e)s, -e 술탄의 왕위〔영토〕.

Sultanin [zúltanɪn, zultá:nɪn] *f.* -nen 이슬람교국 군주(특히 터키 황제)의 부인.

Sultanine [zultaní:nə] *f.* -n (터키의 Smyrna

지방산(産)의 씨 없는) 굵은 건포도.
Sulz [zʊltz] *f.* -en ↑ Sülze ③.
Sulze [zʊ́ltsə] *f.* -n (odd.) ↑ Sülze.
Sülze [zʏ́ltsə] 《⇔ Salz》 *f.* -n ① 염수(塩水); 제염소. ② 소금과 찰흙을 섞은 것(가축 또는 사냥감에게 줌). ③ 젤리화된 어육 또는 수육.
sulzen *i.* (h.) ↑ sülzen.
sülzen *i.* (h.) ① 소금을 치다. ② 수육을 만들다. ③〖구어〗(허튼소리를) 마구 지껄이다. ④〖사냥〗(들짐승이 몰려들게) 소금을 뿌리다.
Sülz≈gericht *n.* 수육. **~kopf** *m.*, **~kopp** *m.* 멍청이, 바보. **~kotelett** *n.* 수육 커틀릿. **~wurst** *f.* 수육 소시지.
Sumach [zú:max] 《ar.》 *m.* -s, -e〖植〗옻나무의 무리: japanischer ~ 옻나무.
Sumer [zú:mər, ..mɛr] *m.* -s, - 수메르.
Sumerer [zumé:rər] *m.* -s, -s 수메르(거주)인.
sumerisch *a.* 수메르(인·어)의.
Sumerisch *n.* -(s) 수메르어.
Sumerische* *das* 수메르어.
summ [zʊm] *int.*〖의성어〗윙: ~, ~! 윙윙!
Summa [zʊ́ma] 《lat.》 *f.* Summen ① 총계, 합계(Summe) (약어: Sa.): in ~ (kurz) 간단히〔요약해서〕말하면, 요컨대. ② (중세 스콜라 철학의) 범론(汎論), 대전(大全).
summa cum laude [zʊ́ma kʊm láudə] 《lat.》 (박사 학위 시험의) 최우수으로(=mit höchstem Lob).
Summand [zʊmánt] *m.* -en, -en 가수(加數), 합해야 할 수.
summarisch [zʊmá:rɪʃ] *a.* 총괄한, 개요의, 대요의; 간결한, 약식의: eine sehr ~e Darstellung 매우 개괄적인 서술; ~es Verfahren 약식 절차; ~ vorgehen 간단하게 처리하다.
Summarium *n.* -s, ..rien [..riən]〖고어〗① 요약, 대의. ② 총괄 개념, 개요. ③〖언어〗중세 자해(字解)집.
summa summarum [zʊ́ma zʊmá:rʊm] 전체로, 총계하여, 요컨대(=alles in allem).
Summation [..tsió:n] *f.* -en 합계, 총계, 계상(計上).
Sümmchen [zʏ́mçən] *n.* -s, -〖↑ Summe 의 축소형〗소액.
***Summe** [zʊ́mə] *f.* -n ① 합, 총수, 전수(全數); 총계, 합계, 총액, 전액: die ~ von 2 und 2 2와 2의 합; eine ~ errechnen〔herausbekommen〕합산해내다, 합계를 산출하다. ② 금액: eine fehlende ~ ergänzen 부족액을 채우다; die volle ~ zahlen 전액을 지급하다; eine große ~ Geld 많은 액수의 돈; die höchste〔niedrigste〕~ 최고〔최저〕액.
summen[1] [zʊ́mən] *t.* ↑ summieren.
summen[2] 《I》 *i.* (h.) ① (벌 따위가) 윙윙거리다: mir ~ die Ohren 내 귓속이 울린다〔윙윙거린다〕; es summt im Hörer 수화기에서 윙윙거리는 소리가 난다. ② 윙윙거리며 날아가다. 《II》 *t.* (sich³) ein Liedchen ~ 콧노래를 흥얼거리다.
Summen≈bilanz *f.*〖經〗총액 결산. **~versicherung** *f.* (미리 정한 금액의 한도내에서만 보상해 주는) 정액 보험.
Summepiskopat [zʊm|epɪskopá:t, zʊme..] *m./n.* -(e)s, -e 대주교의 지위; 국교회 수장.
Summer [zʊ́mər] 《의성어》 *m.* -s, - ① 왕파리; 윙윙거리는 것. ② 부저.
Summer·zeichen *n.* 윙 하는 신호음.
summieren [zʊmí:rən] 《I》 *t.* 총계〔합계〕하다. 《II》 *refl.* sich ~ (a) (zu et.³) (어떤 액수)에 달하다. (b) 증가하다, 불어나다.
Summierung *f.* -en 총계〔합계〕내기.
Sümmlein [zʏ́mlaɪn] *n.* -s, -〖↑ Summe 의 축소형〗↑ Sümmchen.
Summ·ton [zʊ́m..] *m.* (벌이나 파리의) 윙윙거리는 소리.
Summum bonum [zʊ́mʊm bó:nʊm] 《lat.》 *n.* - -〖哲〗최고선; 신(=das höchste Gute).
Summus Episcopus [zʊ́mʊs épɪskopʊs] *m.* - - ①〖가톨릭〗교황. ②〖기독교〗(1919 년까지 지방 교회의 수반으로서의) 영주.
Sumo [zú:mo] *n.* - (일본의 씨름인) 스모.
Sumper [zʊ́mpər] *m.* -s, - (öst.)〖구어〗① 속물. ② 둥근 단지〔항아리〕.
***Sumpf** [zʊmpf] *m.* -(e)s, Sümpfe [zʏ́mpfə] ① 늪, 소택, 소택지; 습지; 진창; 물웅덩이;〖학생〗방탕 생활: einen ~ entwässern 늪지의 물을 빼다; in einen ~ geraten 수렁에 빠지다;〖비유〗der ~ der Schändlichkeit 마굴(魔窟); der ~ der Verzweiflung 절망의 구렁텅이; im ~ steckenbleiben 수렁〔타락의 구렁텅이〕에 빠져 있다. ②〖광산〗(갱내 최심부의) 웅덩이.
Sumpf≈bewohner *m.* 소택 지대의 주민. **~biber** *m.*〖動〗(남아메리카산(産)의 설치 동물인) 뉴트리아. **~blüte** *f.* 늪의 꽃;〖비유〗퇴폐 현상, 악의 꽃. **~boden** *m.* 소택지. **~dotter·blume** *f.* 눈동이나물. **~gebiet** *n.* 늪지대, 습지, 소택지.
sumpfen [zʊ́mpfən] *i.* (h.) ① 소택지가 되다. ②〖학생〗방탕〔타락〕한 생활을 하다.
sümpfen [zʏ́mpfən] *t.* ①〖광산〗배수(排水)하다. ② (도자기 제조 때) (도토(陶土)를) 이기다〔반죽하다〕.
Sumpf≈erz *n.*〖광물〗소철광(沼鐵鑛). **~fieber** *n.*〖醫〗소택열, 말라리아. **~gas** *n.*〖化〗소기(沼氣), 메탄 가스. **~gegend** *f.* 소택 지대. **~herz·blatt** *n.*〖植〗물매화속(屬) 풀. **~huhn** *n.* ①〖動〗흰눈썹뜸부기. ②〖학생〗술꾼, 난봉꾼, 방탕아.
sumpficht *a.* ↑ sumpfig.
sumpfig [zʊ́mpfɪç] *a.* 늪 같은, 소택〔진창·수렁〕이 많은, 질퍽한: eine ~e Stelle 질퍽질퍽한 곳.
Sumpf≈lache *f.* 웅덩이, 소택, 진창; (특히 예전에는) 수렁. **~land** *n.* 소택지. **~loch** *n.* 질퍽한 구덩이〔웅덩이〕. **~ohr·eule** *f.* (늪지의) 수리부엉이. **~otter** *m.*〖動〗밍크. **~pflanze** *f.* 소택지 식물. **~schnepfe** *f.*〖動〗도요새(과(科)). **~vogel** *m.*〖動〗섭금(涉禽). **~wasser** *n.* 늪물. **~wiese** *f.* 습지의 목장〔초원〕. **~zypresse** *f.*〖植〗(북아메리카 늪지대의) 낙우송.
sumptuös [zʊmptuǿ:s] 《lat.》 *a.* 값비싼; 사치스러운.
Sums [zʊms] 《nordd.》 *m.* -es 야단법석; 수다, 요설: viel〔(einen) großen〕~ um et. machen 무엇을 가지고 야단법석을 떨다〔호들갑스럽게 말하다〕.
sumsen [zʊ́mzən] *i.* (h.)/*t.* ① ↑ summen. ② 재잘거리다, 데데한 소리를 하다.
Sund [zʊnt] *m.* -(e)s, -e 해협(특히 스웨덴과 덴마크 사이의).

***Sünde** [zʏ́ndə] 《⊕ Schande》 *f.* -n 죄, 죄악, 계율 위반; 죄업, 악행; 위반, 과실; 부정: eine ~ begehen 죄를 범하다; jm. seine ~ vergeben 누구의 죄를 용서하다; es ist eine ~ und Schande 그것은 중대한 죄악이다; 〖비유〗 sie ist faul〔schön〕 wie die ~ 그녀는 아주 게으르다〔아름답다〕; eine ~ wider den Heiligen〔Geist〕 성령을 훼방하는 죄(마가 3:29); et. wie die ~ fliehen 질겁을 해서 도망치다; 〖농담〗 eine ~ wert sein 유혹적이다, 탐나다; es wäre eine Sünde, wenn ... …야말로 실책〔과오〕이다.

Sünden≠babel [zʏ́ndən..] *n.* 〖폄어〗 타락한〔죄악의〕 도시. **~bekenntnis** *n.* 죄의 고백. **~bock** *m.* ①〖聖〗 속죄양. ②〖비유〗 희생양: einen ~ suchen 희생양을 찾다. **~erlaß** *m.* 〖가톨릭〗 사죄(赦罪), 면죄. **~fall** *m.* (아담과 이브에 의한) 인류의 타락, 원죄: der ~ und die Vertreibung aus dem Paradies 인류의 타락과 낙원에서의 추방. **~frei** *a.* 죄 없는, 순결〔결백〕한. **~geld** *n.* ① 부정한 돈. ②〖구어〗 거액의 돈. ③〖史〗 (중세 교회의) 속죄〔면죄〕 헌금. **~knecht** *m.* 죄(악)의 노예. **~-knüppel** *m.* 〖구어〗 죄인. **~konto** *n.* ↑ ~register. **~last** *f.* 〖宗〗 죄의 무거운 짐. **~lohn** *m.* ① 죄에 대한 형벌. ② 죗값.

sündenlos *a.* 죄 없는.

Sündenlosigkeit *f.* 죄 없음; 결백.

Sünden≠lust *f.* 악심. **~maß** *n.* sein ~ war voll 그의 죄악은 극에 달하였다. **~pfuhl** *m.* 죄악의 구렁텅이: sich in einem ~ wälzen 나쁜 길로 빠지다. **~register** *n.* ①〖가톨릭〗 (고해를 위한) 참회서. ②〖구어·농담〗 전과 기록. **~rein** *a.* 무구한, 죄 없는. **~schuld** *f.* 죄(과). **~strafe** *f.* ↑ ~lohn. **~tilger** *m.* 〖宗〗 구세주. **~tilgung** *f.* 죄업(罪業) 소멸, 속죄. **~vergebung** *f.* 죄를 용서함〔사함〕; 〖가톨릭〗 면죄. **~voll** *a.* 죄 많은, 죄업이 깊은.

Sünder [zʏ́ndər] *m.* -s, - 죄인; 범죄자: armer ~ 사형수; du stehst da wie ein ertappter ~ 너는 죄짓다 들킨 사람처럼 서 있구나; 〖농담〗 wie geht's, (du) alter ~? 어떻게 지내니, 이 원수야? (친한 친구 사이에 반기는 인사).

Sünder·miene *f.* 죄인의 안색, 죄지은 듯한 표정.

Sünd·flut [zʏ́nt..] *f.* 대홍수; 노아의 홍수(↑ Sintflut 에서 와전된 것).

sündhaft [zʏ́nthaft] *a.* ① 죄에 빠지기 쉬운, 죄를 지은; 잘못된, 부당한: ein ~es Leben 죄많은 인생. ②〖구어〗 막대〔극심〕한: das Kleid ist ~ teuer 이 드레스는 터무니없이 비싸다.

sündig [zʏ́ndɪç] *a.* ① 죄지을, 죄를 범하기 쉬운: 〖구어〗 ~ viel 엄청나게 많은; ~ teuer 지독히 비싼; ein ~er Preis 터무니없이 높은 가격. ② 부정〔부도덕·불경〕한.

Sündhaftigkeit *f.* ↑ sündhaft 의 명사형.

sündigen [zʏ́ndɪgən] 《Ⅰ》 *i.* (h.) ① 죄를 범하다: an jm. ~ 누구에게 나쁜 짓〔비행〕을 가하다; wider Gott ~ 신에 대하여 죄를 범하다, 신의 가르침에 반하다. ② gegen et. ~ 무엇에 위반하다: gegen die Natur ~ 자연을 훼손하다; gegen die ersten Grundsätze der Grammatik ~ 문법의 기본 원칙을 어기다; in Gedanken〔mit Worten〕 ~ 마음으로〔말로〕 죄짓다; gegen die Gesundheit ~ 건강에 좋지 않은 일을 하다. 《Ⅱ》 *t.* was habe ich gesündigt? 내가 무슨 죄를 범하였는가?; nichts hat er gesündigt 그는 아무 죄도 범하지 않았다; 〖구어·농담〗 ich habe gestern gesündigt 나는 어제 지나치게 과식을 했다. 《Ⅲ》 *refl.* sich zu Tod ~ 죽을 죄를 짓다.

Sündiger *m.* -s, - (종교상·도덕상의) 죄인.

sündlich *a.* 〖방언·고어〗 ↑ sündhaft.

sündlos *a.* 죄 없는, 죄과 없는, 과실이 없는, 깨끗한.

Sundlosigkeit *f.* ↑ sündlos 의 명사형.

sünd·teuer *a.* (öst.) 터무니없이 비싼.

Sunna [zúna] 《ar.》 *f.* 구전(口傳) 율법, 수나 (마호메트의 언행에 근거하여 회교도의 처세·관습·도덕률을 기록한 규범으로 코란과 동등하게 취급됨).

Sunnit [zuníːt] *m.* -en, -en (Sunna 를 신봉하는) 수니파 신도.

sunnitisch *a.* 수니의, 수니파의.

Suomi *n.* -s 수오미(핀란드의 핀란드식 명칭); 핀란드어.

Super[1] [zúːpər] *m.* -s, - =Superhet.

Super[2] ↑ Superbenzin 의 단축어.

super *a.* 〖경박〗 멋진, 최고의: der Film war ~ 그 영화 끝내주더라.

super.. *pref.* "초(超)…"의 뜻(보기: ~star 슈퍼스타).

superarbitrieren [zuːpər|arbitríːrən] 《lat.》 *i.* (h.) ① 최종 결정을 내리다. ②〖軍〗 (öst.) 불합격 판정을 내리다.

Superarbitrium [zuːpər|arbíːtrium] *n.* -s, ..trien [..triən] (öst.) 불합격 판정; 최종 결정〔판정〕.

superb [sypέrp, zu..] *a.* ↑ süperb.

süperb [zypέrp, sy..] 《frz. superbe》 *a.* 훌륭〔탁월〕한; 자랑스러운, 당당한, 기품 있는.

Super≠benzin *n.* (옥탄가가 높은) 고급 휘발유. **~cup** *m.* (유럽의) 슈퍼컵 축구.

Superdividende [zúːpərdividɛndə] 《lat.》 *f.* -n 추가 이익 배당.

Supererogation [(또는) zuːpər|erɔgatsióːn] 《lat.》 *f.* -en ① 부당한〔담당 밖의〕 근무; 과분한 일. ② (Übergebühr) 추가 지급, 초과 수수료.

super·fein [zúːpərfaɪn] *a.* 극상의, 뛰어난; 매우 섬세한.

superfiziarisch [zuːpərfitsiáːrɪʃ] 《lat.》 *a.* 지상권(地上權)〔건축권〕이 있는.

superfiziell [zuːpərfitsiέl] 《lat.》 *a.* 표면적인, 피상적인.

Superfizies [..fíːtsiɛs, ..tsieːs] *f.* 표면; 〖法〗 지상권, 건축권.

Superhet [zúːpərhɛt] *m.* -s, -s ↑ Superheterodynempfänger.

Superheterodyn·empfänger [..heterodýːn..] 〖전기〗 초(超) 헤테로다인 수신 장치, 슈퍼 (수신기).

Superintendent [zuːpər|ɪntɛndέnt, zúː..dɛnt] 《lat.》 *m.* -en, -en 〖기독교〗 (가톨릭의 사교에 해당하는) 교구 감독.

Superintendentur [..dɛntúːr] *f.* -en ① 교구 감독직. ② 교구 감독의 관할 지역.

Superinvolution *f.* -en 〖醫〗 (기관의 비정상적인) 퇴축(退縮).

superior [zupéːriɔr] 《lat.》 *a.* 우월〔탁월〕한.
Superior [zupéːriɔr, ..rioːr] *m.* -s, -en [..óːrən] 장로, (특히) 수도원장.
Superiorin *f.* -nen ↑ Superior 의 여성형.
Superiorität [zuperioritɛ́ːt] *f.* 우월, 탁월; 〔비유〕 우세.
Superkargo [zuːpərkárgo] 《lat.》 *m.* -s, -s 〖海·商〗 선화(船貨) 감독인.
superklug *a.* 〔구어·반어〕 너무 약은, 건방진.
Superlativ [zúːpərlatiːf, zupərlatíːf] 《lat.》 *m.* -s, -e ①〖문법〗 최상급. ②〔복수〕〔교양〕 타의 추종을 불허하는 것, 최상의 것: eine Veranstaltung der ~e 최상의 행사. ③ 극찬, 극언; 과장: von jm.〔et.³〕 in ~en sprechen 누구를〔무엇을〕 극찬하다; et. in ~en preisen 무엇을 과장해서 찬미하다.
superlativisch [zúːpərlatiːvɪʃ] 〔교양〕 ① 최상급의; 탁월한. ② 극단적인; 과장된.
super≈leicht *a.* 극도로 가벼운. **~macht** *f.* 〖政〗 초강대국. **~mann** *m.* ① 슈퍼맨. ② 남자다운 남자.
Super·markt [zúːpərmarkt] *m.* 슈퍼마켓.
super·modern *a.* 〔구어〕 최첨단(유행)의, 초현대식의.
Supernaturalismus [zuːpərnaturalísmus] *m.* - 〖哲〗 초자연주의(Supranaturalismus).
Supernaturalist *m.* -en, -en 초자연주의자.
supernaturalistisch *a.* 초자연주의적인 (supranaturalistisch).
Super·nova [zupərnóːva, zúːpərnoːva] *f.* -e [..vɛ] 〖天〗 초신성(超新星).
Supernumerar [zuːpərnumeráːr] 《lat.》 *m.* -s, -e 정원 외의 관리, 원외자(員外者), 발령〔임용〕 대기자.
Supernumerariat *n.* -(e)s, -e 발령〔임용〕 대기자의 지위.
Supernumerarius [..ráːrius] *m.* -, ..rien [..riən] ↑ Supernumerar.
Superoxyd [zúːpər|ɔksyːt] 《lat.-gr.》 *n.* -(e)s, -e 〖化〗 과산화물.
Superphosphat [zupərfɔsfáːt, zúːp..faːt] 《lat.-gr.》 *n.* -(e)s, -e 〖化〗 과인산염, 과인산비료.
Superporte [zuːpərpɔ́rtə] 《lat.》 *f.* -n 문 위쪽 장식벽(Sopraporte).
Super≈preis *m.* 〔구어〕 초저가. **~revision** [zuːpərrevizióːn] 《lat.》 *f.* 재검열, 재검사; 〖印〗 재교(再校).
Super·riesenslalom *m.* 〖스키〗 대회전(大回轉) 최강자전.
super≈schlau *a.* 〔구어·반어〕 ↑ ~klug. **~schnell** *a.* 〔구어〕 몹시 빠른. **~star** *m.* 〔구어〕 슈퍼스타.
Supersekretion *f.* -en 〖醫〗 과다 분비.
supersonisch [zupərzóːnɪʃ] *a.* 초음파의.
Superstition [zuːpərstitsióːn] 《lat.》 *f.* 미신.
superstitiös [..tsiǿːs] 《lat.》 *a.* 미신적인.
Superstrat [zupərstráːt, zupɛr..] *n.* -(e)s, -e 〖언어〗 (피정복 민족의 언어 속에 나타나는) 정복 (민족) 언어 (↔ Substrat).
Super·tanker *m.* 초대형 유조선.
Supervisor [sjupəváɪzə] 《engl.》 *m.* -s, -s ①〖經〗 감독자. ②〖컴〗 중앙 제어 장치, 슈퍼바이저.
Super·zeichen *n.* 〖인공지능〗 상위 기호.
Supinum [zupíːnum] 《lat.》 *n.* -s, ..na 〖문법〗 (라틴어의) 목적 분사.
Süppchen [zŷpçən] *n.* -s, - 〔↑ Suppe 의 축소형〕 sein ~ am Feuer anderer kochen 남의 덕으로 자기 이익을 취하다, 불로소득하다; 〔구어〕 sein eigenes ~ kochen 자신의 실속만 차리다.
***Suppe** [zúpə] *f.* -n ① 수프, 국(물): eine dicke〔klare〕 ~ 걸쭉한〔묽은〕 수프; 〔구어〕 rote ~ 피; ~ löffeln 수프를 숟가락으로 떠먹다; 〔속담〕 die ~ auslöffeln, die man sich eingebrockt hat 자기가 뿌린 씨는 스스로 거두어야 한다, 자업자득; 〔비유〕 jm. die ~ versalzen 누구의 흥을 깨뜨리다; der hat uns eine schöne ~ eingebrockt 그는 우리를 불쾌〔난처〕하게 만들었다; die ~ ausessen müssen 당연한 결과를 참지 않으면 안 된다; das ist klar wie dicke ~ 그건 뻔한 일이다; 〔방언〕 ~ haben 행운을 갖다; jm. in die ~ spucken 누구의 일을 망치다; 〔농담〕 jm. in die ~ fallen 예고 없이 누구를 식사 시간에 방문하다; das macht die ~ auch nicht fett 그것도 별 효과가 없다〔사태를 호전시키지 못한다〕; er fand ein Haar in der ~ 그는 매우 기분이 나빴다. ②〔구어〕 안개: draußen ist eine furchtbare ~ 바깥에 안개가 지독하게 끼어 있다. ③〔구어〕 땀, 오한: mir läuft die ~ am Körper herunter 온 몸에서 땀이 비오듯 한다.
Suppedaneum [zupedáːneum] *n.* -s, ..nea ①〖宗〗 (그리스도 십자가 상의) 발판, 족대. ② 제단의 최상단.
suppeditieren 《lat.》 *t.* jm. et. ~ 누구에게 무엇을 주다, 넘겨주다, 슬며시〔넌지시〕 가르치다, 암시를 주다.
suppen [zúpən] *t.* 〔방언〕 액체를 분비하다: die Wunde suppt 상처에서 진물이 흐른다.
Suppen≈anstalt *f.* (빈민에게 무료로 봉사하는) 수프 급여소. **~extrakt** *m.* 인스턴트 수프. **~fleisch** *n.* 수프 고기. **~freund** *m.* 수프를 좋아하는 사람. **~gewürz** *n.* 수프용 야채 양념. **~grün** *n.* 수프용 야채(무·샐러리·파 따위). **~huhn** *n.* 수프용 닭. **~kaspar** *m.* ↑ ~kasper. **~kasper** *m.* 〔구어〕 수프를 싫어하는 아이, 입이 짧은 아이. **~kelle** *f.* (Schöpflöffel) 국자. **~kloß** *m.* ↑ ~klößchen. **~klößchen** *n.* 수프에 넣는 완자. **~knochen** *m.* (소의) 국거리용 뼈. **~kraut** *n.* ↑ ~grün. **~kräuter** *n.* ↑ ~grün. **~löffel** *m.* 큰〔수프〕 숟갈. **~napf** *m.* 수프 그릇. **~nudel** *f.* 수프에 넣는 국수. **~schnittchen** *n.* 수프에 넣는 빵조각. **~schüssel** *f.* ↑ ~napf. **~tafel** *f.* (정제(錠劑)로 만든) 고형 수프. **~tasse** *f.* (찻잔형의) 수프 접시. **~teller** *m.* 수프 접시. **~terrine** *f.* ↑ ~schüssel. **~topf** *m.* 수프용 냄비. **~würfel** *m.* (주사위 모양의) 고형 수프. **~würze** *f.* 〖요리〗 ① 수프용의 야채 양념. ② 수프용 조미료.
suppicht *a.* ↑ suppig.
suppig *a.* 수프 같은; 즙이 많은.
Suppleant [zupleánt] 《frz.》 *m.* -en, -en 보충원, 보결인, 대리인; 청원인.
Supplement [zuplemént] 《lat.》 *n.* -(e)s, -e ① 별책 부록, 보유편(補遺篇), 증보판. ② 〖數〗 ↑ ~winkel.
Supplement≈band *m.* 〔복수: ..bände〕 보

유, 보책(補冊). **~lieferung** *f.* 〖印〗 (전집 따위의) 보충판(책). **~winkel** *m.* 보각(補角).
Supplent [zuplέnt] *m.* -en, -en ① (öst.) 보조〔임시 충원〕교사. ② 보충자. ③ 대리인.
suppletorisch *a.* 보충〔보유(補遺)·대리〕의.
supplieren [zuplí:rən] *t.* ① 보충하다, 추가〔증보〕하다. ② jn. ~ 누구의 대리로 일하다.
Supplik [zuplí:k] 《lat.》 *f.* -en 청원〔탄원〕서.
Supplikant [zuplikánt] *m.* -en, -en 청원자.
Supplikation [..katsió:n] *f.* -en 청원.
supplizieren [..tsí:rən] *i.* (h.) um et. ~ 무엇을 청원하다.
supponieren [zuponí:rən] 《lat.》 *t.* 가정하다, 상정(想定)하다, 추측〔상상〕하다: wir wollen einmal ~, daß ... 우리 한번 …을 가정해 봅시다.
Support [zupɔ́rt] 《frz.》 *m.* -(e)s, -e 〖工〗 (공작 기계의 공구 따위를 보내는) 받침대, 버팀, 지주(支柱), 활대, 받이.
Support·dreh·bank *f.* 〖工〗 받침대〔활대〕가 달린 선반.
Supposition [zupozitsió:n] 《lat.》 *f.* -en 가정; (Unterstellung) 상정(想定), 추측, 상상.
Suppositorium [..tó:rium] *n.* -s, ..rien [..riən] 〖藥〗 좌약(坐藥).
Suppositum [zupó:zitum] *n.* -s, ..ta 전제〔가정〕된 것.
Suppression [zuprεsió:n] 《lat.》 *f.* -en 압제, 억제, 진압, 금지; 정체; 은폐.
suppressiv [..sí:f] *a.* 억압적인, 압제적인.
supprimieren [zuprimí:rən] *t.* 억누르다, 억압하다; 눌러 끄다; 그만두게 하다; 억지하다; 생략〔삭제〕하다; 은폐하다, 비밀로 하다.
Suppuration [zupuratsió:n] *f.* -en 〖醫〗 화농, 농궤(膿潰).
suppurativ [..tí:f] *a.* 〖醫〗 화농성의.
supra.. *pref.* "초(超)…"의 뜻(보기: ≈leiter 초전도체).
supraleitend [zú:pra..] *a.* 〖物〗 초전도성의, 초전도성을 띤: ~er Draht 초전도성 전선.
Supraleiter *m.* -s, - 〖物〗 초전도체.
Supraleit·fähigkeit, Supraleitung *f.* 〖物〗 초전도성.
supra·national [zupranatsioná:l, zú:pra..na:l] *a.* 초국가적인: eine ~e Organisation (유럽 연합의) 초국가적 조직〔기구〕.
Supranaturalismus [zupranaturalísmus, zú:pra..lismus] *m.* - ①〖철학〗 초자연주의. ②〖신학〗 (18-19 세기 개신교 신학에서 합리주의에 상반되는) 초자연주의.
supranaturalistisch [zupranaturalístiʃ, zú:pra..listiʃ] *a.* 초자연주의의, 초자연주의적인.
Supraporte [zuprapɔ́rtə] *f.* -n ↑ Sopraporte.
Suprarenin [zuprarení:n] *n.* -s 〖藥〗 수프라레닌, 합성 아드레날린.
Suprastrom *m.* -(e)s 〖전기〗 초전도체에 흐르는 전류.
Supremat [zupremá:t] 《lat. supremus》 *m./n.* -(e)s, -e 지상권, 주권; 최고 권한, (특히) 교황의 수위권(首位權); 우위, 상위.
Supremat-eid *m.* ↑ Suprematseid.
Suprematie [..matí:] *f.* -n [..tí:ən] 주권, 대권, 통치권, 종주권; 〖가톨릭〗 수좌 대사교권.
Supremats·eid *m.* 지상권(至上權)의 서약 (영국 국왕을 국교 주권자로 모시고 로마 교황의 주권을 부인하는 선서〔법령〕).
Sure [zú:rə] 《ar.》 *f.* -n 코란의 장〔절〕.
Surf·brett [sə́:f..] *n.* 〖스포츠〗 서핑 보드.
surfen [sə́:fən] 《engl.》 *t.* ① 파도타기하다. ② 윈드서핑하다.
Surfer 《engl.》 *m.* -s, - 〖스포츠〗 ① 파도타는 사람〔선수〕. ② 윈드서핑하는 사람〔선수〕.
Surferin *f.* -nen ↑ Surfer 의 여성형.
Surfing [sə́:fiŋ] 《engl.》 *n.* -s 〖스포츠〗 ① 파도타기. ② 윈드서핑.
Surfleisch [zú:r..] *n.* -(e)s (obd.) 염장육, 절인 고기.
Surfriding [sə́:fraidiŋ] 《engl.》 *n.* -s 〖스포츠〗 ↑ Surfing.
Surplus [sə́:pləs] 《frz.-engl.》 *n.* -, - 〖商〗 이월고(移越高), 차감 잔고; 잉여, 잔여; 이익금; 자금 준비.
Surre [zúrə] 《ar.》 *f.* -n (매년 순례 대상(隊商)과 함께 메카에 보냈던) 터키 황제의 사여금(賜與金).
Surrealismus [surealísmus] 《lat.》 *m.* - 초현실주의, 쉬르레알리슴.
Surrealist *m.* -en, -en 초현실주의자, 쉬르레알리스트.
Surrealistin *f.* -nen ↑ Surrealist 의 여성형.
surren [zúrən] 《의성어》 *i.* (h.) ① 윙윙거리다, 윙윙 울리다. ② 윙윙거리며 날아가다.
Surrogat [zurogá:t] 《lat.》 *n.* -(e)s, -e ① 대용품, 대용물, 임시 변통(물): ein billiges ~ für Kaffee 값이 싼 커피 대용물. ②〖法〗 대상물(代償物).
Surrogation [..tsió:n] *f.* 대체, 교환, 〖法〗 대위(代位).
Surtout [syrtú] 《frz.》 *m.* -(s), -s 외투; 프록코트; (과자·과일·꽃 따위의) 식탁 중앙에 놓는 장식 쟁반.
Susanna [zuzána] 수자나(여자 이름; 애칭: Susa, Susann, Suse).
Susanne 수잔(여자 이름).
Suse [zú:zə] *f.* -n ① 수제(여자 이름). ②〖구어〗 멍청한 여자.
Susine *f.* -n (노랑이나 빨강의) 이탈리아산(產) 자두.
suspekt [zuspέkt] 《lat.》 *a.* 의심스러운, 수상한: sie ist mir ~ 내가 보기에 그녀는 수상쩍다.
suspendieren [zuspεndí:rən] *t.* ① (일 따위를) 중지〔정지·휴지〕하다, (결정 따위를) 보류하다; 정지〔휴직〕시키다; 면제하다; (회의 따위를) 연기하다: der Polizist wurde vom Dienst suspendiert 그 경찰관은 정직 처분을 받았다; jn. vom Wehrdienst ~ 누구를 징집 면제하다. ②〖化〗 현탁액〔부유액〕으로 만들다. ③〖醫〗 (다친 다리 따위를 붕대로 감아) 매달아 놓다; 늘어뜨리다, 드리우다.
Suspendierung *f.* -en, **Suspension** [..zió:n] *f.* -en ① 중지, 정지, 휴지; 정직, 휴직; 연기; 면제; 늘어뜨리기, 현수(懸垂). ②〖化〗 현탁액.
suspensiv [..zí:f] *a.* 중지〔정지·휴지〕의, 연기한, 미결〔현안〕의.
suspenso *a.* in ~ lassen 미결인 채로 두다, 현안으로 남겨 두다.
Suspensorium [zuspεnzó:rium] *n.* -s, ..rien

[..riən] ①〖醫〗(고환 따위의) 신체의 늘어지는 표피 또는 조직. ②(늘어지는 신체 부분을 떠받쳐 주는) 자루 모양의 붕대, 삼각건.

***süß** [zy:s] *a.* ① (↔sauer, bitter) 단; 맛있는, 맛좋은; 달콤한 향기가 나는: sie ißt gern ≈es 그녀는 단것을 좋아한다; ~es Brot 단빵; ~ duftendes Parfüm 달콤한 향의 향수; ~es Wasser 민물, 담수(↔Salzwasser). ② (**a**) 〖비유〗귀여운, 매력 있는: ein ~es Kind 예쁜 아이. (**b**) 기분 좋은, 즐거운; 상쾌한; 〖대개 폄어〗 (지나치게) 감정적〔감상적〕인: eine ~e Melodie 감미로운 선율; träum ~! 잘 자!; ein ~er Traum 달콤한 꿈; voll des ~en Weines sein 몹시 취해 있다; es ist ein ~es Gefühl, gelobt zu werden 칭찬받는 것은 기분 좋은 일이다; ein ~er Schmerz 달콤한 고통. (**c**) 알랑거리는, 아첨하는: ein ~er Herr〔ein ~es Herrchen〕 추종자, 알랑거리는 사람, 따리꾼; jn. mit ~en Worten überreden 누구를 감언으로 설득하다.

Süß *n.* -es 〖工〗 임금을 받지 못한 일(↔Sauer); 〖印〗 수지맞는 일, 공백이 많은 판(版); 감미료.

Süßchen [zý:sçən] *n.* -s, - ① 달콤한 것. ② 애인.

Süße[1] [zý:sə] *f.* 단맛, 맛좋음; 감미, 쾌적.

Süße*[2] *der/die* 사랑하는 사람(애인에 대한 애칭): mein Süßer! (남자에게) 여보!; meine ~! (여자에게) 내 사랑!

süßeln [zý:səln] *i.*(h.) ① 약간 단맛이 있다; 너무 달다. ② 달콤한 말을 하다, 듣기 좋은 말을 하다; 추종하다.

süßen [zý:sən] 《I》 *t.* Kaffee mit Zucker ~ 설탕으로 커피를 달게 하다. 《II》 *i.*(h.) der Zucker süßt gut 이 설탕은 매우 달다, 단맛이 짙다.

Süß≈holz [zý:s..] *n.* 〖植〗 감초: 〖구어〗 ~ raspeln (여자의) 비위를 맞추다, 아첨〔추종〕하다. **~holz·raspler** *m.* 〖구어〗 여자의 비위를 잘 맞추는 남자, 여자를 잘 후리는 사람, 제비족.

***Süßigkeit** [zý:sıçkaıt] *f.* -en ① 닮, 단맛; (말·태도 따위의) 기분 좋음, 온아함: die ~ des Lebens genießen 인생의 단맛〔행복〕을 즐기다. ② 〖복수〗 단것(과자): sich[3] mit ~en den Magen verderben 단것으로 위를 상하다.

Süßigkeit·freund *m.* 단것을 좋아하는 사람.

Süß≈kartoffel *f.* 〖植〗 고구마. **~kirsche** *f.* ① 검정〔단〕버찌 나무. ② 검정〔단〕버찌 (열매).

süßlich [zý:slıç] *a.* ① 조금 단, 달짝지근한: der Wein ist mir zu ~ 그 포도주는 내게 너무 달짝지근하다. ② 달콤한, 감상적인; (환심을 사려고) 알랑거리는, 얼러맞추는, 발라맞추는: er schreibt ~e Gedichte 그는 달콤한 시를 쓴다. ③ 싫은, 불쾌한; 부자연스러운, 짐짓 꾸민 듯한: ein ~es Lächeln 위선적인 미소; mit ~er Stimme 아양 떠는 음성으로.

Süßlichkeit *f.* ↑ süßlich 의 명사형.

Süß·liebchen *n.* (특히 여자의) 연인, 애인.

Süßling *m.* -s, -e (여자에게) 알랑거리는 남자, 계집애 같은 남자, 나약한 사내; 〖구어〗 빤질빤질한 사내; 멋쟁이.

Süß≈mandel *f.* 감편도(甘扁桃), 단 아몬드. **~maul** *n.* 단것을 좋아하는 사람. **~milch-käse** *f.* 크림 치즈. **~most** *m.* (미발효) 과즙. **~moster** *m.* ① 미발효 과즙 생산자. ② (3년간의 실습을 거치는) 교사 실습생직. **~mosterei** *f.* 미발효 과즙 생산업〔공장〕. **~rahm** *m.* 시게 하지 않은 크림. **~-rahm·butter** *f.* 시게 하지 않은 크림(으로 만든) 버터. **≈sauer** *a.* 달콤새콤한; 〖비유〗(표정이) 희비가 엇갈리는. **~speise** *f.* (푸딩·크림 따위) 디저트. **~stoff** *m.* 인공 감미료. **~waren** *pl.* 과자류, 단것. **~waren·geschäft** *n.* 과자점, 제과점. **~wasser** *n.* 〖복수: ..wasser〗 민물, 담수.

Süßwasser≈fisch *m.* 민물 고기, 담수어. **~tier** *n.* 담수 동물.

Süß≈wein *m.* (단맛의) 디저트용 포도주. **~wurzel** *f.* 〖植〗 향부자속(屬)의 덩이뿌리〔괴근(塊根)〕.

Sust [zust] *f.* -en (schweiz.) 상품 창고; (알프스의) 보세 창고, 세관; 공공 휴게소.

Sustentation [zustɛntatsió:n] *f.* -en 유지, 지지, 원조; 급양, 부양, 돌봄, 보살핌.

suszeptibel [zustsɛptí:bəl] *a.* 느끼기 쉬운, 감수성이 예민한; 신경질적인, 신경 과민한, 노하기 쉬운: suszeptible Natur 다감한 사람.

Suszeptibilität [..tibilitɛ́:t] *f.* 감수성, 감동〔감격〕성; 민감성; 〖전기〗 자기화율(磁氣化率); 〖物〗 전기화율, 감수율: elektrische ~ 전기 감수율; magnetische ~ 자기화율.

Suszeption [..tsió:n] *f.* -en 〖교양〗(자극을) 받아들임, 수리, 승낙; 섭취, 감수.

suszipieren *t.* 〖교양〗(자극을) 받아들이다, 집어 올리다; 지지〔원조〕하다.

Sutane [zutá:nə] *f.* -n 〖가톨릭〗 수단(성직자가 입는 자락이 긴 평상복; ↑ Soutane).

Sütterlin·schrift [zʏ́tərli:n..] *f.* 쥐털린 서체(1935-41년까지 독일 학교에서 사용된 둥근 서체; 창시자 S. Sütterlin 의 이름에서).

Sutur [zutú:r] 《lat.》 *f.* -en ① 〖해부〗(뼈·두개골의) 봉합, 봉선(縫線). ② 〖醫〗(외과 수술에 의한) 봉합부.

suum cuique [zú:um kuí:kvə] 《lat.》 각자에게 제 몫을 주라(=jedem das Seine).

SUVA, Suva =Schweizerische Unfallversicherungsanstalt 스위스 사고 보험 회사.

suzerän [zutserɛ́:n] *a.* 영주〔군주·종주국〕의.

Suzerän 《lat.》 *m.* -s, -e (봉건 시대의) 영주, 군주; 종주국.

Suzeränität [zutserɛnitɛ́:t] *f.* (속국에 대한) 주권, 종주권.

SV =Spielvereinigung, Sportverein 스포츠 클럽.

s.v. ① =salva venia 실례입니다만. ② =sub voce 그 표제어 밑에.

sva., s.v.a. =soviel als …만큼.

SVD =Societas Verbi Divini 선교 사목 연합회.

s.v.v. =sit venia verbo 실례지만.

svw., s.v.w. =soviel wie …만큼.

SW, (öst.) **SW.** =Südwest(en) 남서.

Swahili [svahí:li] (Suaheli) ① 스와힐리족. ② 스와힐리어.

Swami [svá:mi] *m.* -s, -s 힌두 승려, 스님.

Swapgeschäft [svɔ́p..] *n.* -(e)s, -e 〖증권〗 스왑(중앙 은행의 국제간 자국 통화 교환, 융통), 교환 거래.

SWAPO, Swapo =South West African People's Organization 나미비아 해방 운동.
Swasi [svá:zi] *m.*, **Swasiland** [svá:zilant] *n.* 스와질랜드.
swasiländisch [..lɛndɪʃ] *a.* 스와질랜드(어)의.
Swastika [svástika] 《skt.》 *f.* ..ken (인도의) 만자(卍字), 卍.
Swastika·kreuz *n.* ↑ Swastika.
Sweater [swɛ́tər, své:tər] 《engl.》 *m.* -s, - ① 스웨터. ② 악덕 고용주〔중간 상인〕.
Sweat·shirt [swɛ́tʃə:t] 《engl.》 *m.* -s, -s (면으로 된) 티셔츠, 풀오버.
Swebe [své:be] *m.* -n, -n 스웨비족(기원 전후 엘베강 유역에 살던 게르만 부족).
swebisch *a.* 스웨비족의.
Swedenborg [své:dənbɔrk, (schwed.)..bɔrj] Emanuél ~ 스베덴보리(스웨덴의 자연 철학자·심령 연구가이자 접신술자, 1688-1772).
Swedenborgianer [..giá:nər] *m.* -s, - 스베덴보리의 신봉자.
SWF =Südwestfunk 남서 독일 방송.
Swimming·pool [svɪ́mɪŋpu:l, sw..] 《engl.》 *m.* -s, -s 수영장.
Swinegel *m.* -s, - 〖動〗 (ndd.) 고슴도치.
Swing [swɪŋ, sv..] 《engl.》 *m.* -(s), -s ① 스윙(곡). ② 스윙(1930-45 년에 유행한 재즈 및 그 댄스 형식); 〖經〗 스윙(쌍무적 지급 협정으로 협정국이 서로 주고받는 신용 한도).
swingen [svɪ́ŋən] *i.* (h.) ① 스윙곡을 연주하다; 스윙곡에 맞추어 춤을 추다. ② 〔은어〕 그룹 섹스를 하다.
Swing·fox [svɪ́ŋfɔks] 《engl.》 *m.* -(es), -e (사교 댄스의 일종인) 스윙 폭스.
Swinging [svɪ́ŋɪŋ] 《engl.》 *n.* -s 〔은어〕 그룹 섹스.
Swissair [svɪ́sɛ:r] 《engl.》 *f.* 스위스 에어(스위스 항공사).
Sybaris [zý:barɪs] 시바리스(고대 그리스 식민 도시로 주민들의 향락 생활로 유명함).
Sybarit [..rí:t] *m.* -en, -en ① 시바리스의 주민. ② 〔비유〕 미식가, 식도락가.
sybaritisch *a.* 시바리스의; 유약한; 향락적인.
Sydney [sɪ́dni] 시드니.
Syenit [zyení:t, ..nít] *m.* -(e)s, -e 〖광산〗 사이에나이트, 섬장암(閃長岩).
Syenit·gneis *n.* 세립질(細粒質)의 섬장암.
Sykomore [zykomó:rə] *f.* -n (이집트·소아시아산(產)의) 무화과의 일종.
Sykomoren·holz *n.* 무화과나무 목재.
Sykophant [..fánt] *m.* -en, -en ① (고대 아테네의) 직업적 고소인. ② 〔교양·고어〕 밀고자, 배신자, 비방자.
sykophantisch *a.* 밀고〔배신〕하는; 비방〔중상〕하는.
Sykose [zykó:zə], **Sykosis** 《gr.》 *f.* Sykosen 〖醫〗 모창(毛瘡).
syll.. 《gr.; syn.. 의 변형》 *pref.* "같이·함께·합하여"의 뜻.
Syllabar [zʏlabá:r] 《gr. -lat.》 *n.* -s, -e ↑ Syllabarium.
Syllabarium *n.* -s, ..rien [..riən] ① (어린이용) 철자 교본. ② 철자표.
Syllabier·buch [zʏlabí:r..] *n.* 철자서, 입문서; (특히 옛날에는) 철자표.
syllabieren [zʏlabí:rən] *t./i.* (h.) 음절로 나누어 읽다〔발음하다〕.
syllabisch [zʏlá:bɪʃ] *a.* 철자〔음절〕의; 〖음악〗 음절 단위로 작곡된.
Syllabus [zʏ́labus] *m.* -, ..ben/..bi 총괄; 목록, 강의 개요; 〖가톨릭〗 유설표(謬說表) (이단의 설을 배격하는 교서).
Syllepse [zʏlɛ́psə, zʏlé:psə] *f.* -n ↑ Syllepsis.
Syllepsis [zʏ́lɛpsɪs] *f.* ..sen 〖修·문법〗 겸용법(부가어 또는 술어가 성·수·인칭이 다른 주어에 겸용되는 경우; 보기: "heute ist der Mond und die Taschen voll"에서 동사 "ist").
sylleptisch *a.* 겸용법의.
Syllogismus *m.* -, ..men 〖논리〗 삼단 논법.
Syllogistik *f.* ↑ Syllogismus.
syllogistisch *a.* 삼단 논법의.
Sylphe [zʏ́lfə] 《lat.》 *m.* -n, -n, **Sylphide** *f.* -n 공기〔대기〕의 요정.
sylphidenhaft *a.* 사랑스러운, 우아한, 요정 같은.
Sylvester [zʏlvɛ́stər] *m./n.* -s, - 섣달 그믐날(Silvester).
Sylvin [zʏlví:n] *m.* -s, -e 〖化〗 (비료로 쓰이는) 칼리 암염(岩塩).
sym.. 《gr.; syn.. 의 변형》 *pref.* "함께·같이·합하여"의 뜻.
Symbiont [zʏmbiɔ́nt] *m.* -en, -en 공생(共生)자, 공생의 상대.
symbiontisch *a.* ↑ symbiotisch.
Symbiose [..ó:zə] *f.* -n 〖生〗 공생, 공서(共棲): in ~ leben 공생하다.
symbiotisch *a.* 〖生〗 공생 생활을 하는, 공생의.
***Symbol** [zʏmbó:l] 《lat. symbolum》 *n.* -s, -e ① 상징, 표상; 표징(Wahrzeichen): die Taube als ~ des Friedens 평화의 상징인 비둘기. ② 〖數·化〗 기호, 부호: ein logisches 〔chemisches〕 ~ 논리(학)〔화학〕 기호. ③ 〖宗〗 ↑ Symbolum.
Symbol=charakter *m.* 상징적 의미: etwas hat〔bekommt〕 ~ 무엇이 상징적 의미를 띤다. **~figur** *f.* 상징적 인물. **~forschung** *f.* 상징 연구.
symbolhaft *a.* 상징적인, 상징적 의미를 띤.
Symbolhaftigkeit *f.* 상징성.
Symbolik *f.* 상징적 의미; 상징적 표현; 〖宗〗 신조학(信條學); 종교적 상징론; 각파 신조 비교 제요(提要); 〖心〗 상징학.
***symbolisch** *a.* 상징적인; 기호의: etwas ist ~ zu verstehen 무엇은 상징적인 의미로 이해되어야 한다; ~e Logik 기호 논리학; 〖宗〗 ~e Bücher 신경(信經) (사도 신경·니체노 신경·아타나시오 신경의 셋).
symbolisieren [zʏmbolizí:rən] *t.* ① 상징(화)하다. ② *refl.* sich ~ 상징적으로 표현되다, 상징되다.
Symbolisierung *f.* -en 상징화, 상징적 표현.
Symbolismus [zʏmbolɪ́smus] *m.* - 상징주의(19 세기 말 프랑스 및 벨기에에서 발달한 문예 사조).
Symbolist *m.* -en, -en 상징주의자, 상징파 시인〔예술가〕.
symbolistisch *a.* 상징주의적인.

Symbol·kraft *f.* 상징적 힘. **~sprache** *f.* 〖컴〗 어셈블리어(컴퓨터 언어의 일종). **~trächtig** *a.* 상징적 의미를 갖는, 상징을 함축한. **~trächtigkeit** *f.* 상징성, 상징 함축성.

Symbolum *n.* -s, ..la ①〖가톨릭〗 신경(信經), 신앙 고백, 신조. ②상징, 심볼.

Symmachie [zʏmaxíː] 《gr.》 *f.* -n [..xíːən] (고대 그리스의) 도시 방어 동맹.

***Symmetrie** [zʏmetríː] *f.* -n [..ríːən] 균정(均整), 좌우 동형, 대칭, 상칭(相稱).

Symmetrie·achse *f.* 〖數〗 대칭축. **~ebene** *f.* 〖數〗 대칭면.

symmetrisch [zʏméːtrɪʃ] *a.* 대칭의, 대칭적인, 균형이 잡힌: 〖數〗 die ~e Funktion 대칭식; eine ~e geometrische Figur 대칭 기하 도형.

sympathetisch [zʏmpatéːtɪʃ] *a.* ①호감이 가는, 마음에 드는, 동감〔공감〕의, 동정의: ein ~er Mensch 호감을 주는 사람. ②신비한 힘이 있는, 마술적인; 〖醫〗 교감성의: das ~e Nervensystem 교감 신경계; eine ~e Kur 감응〔주술〕 요법; ein ~es Mittel 호부(護符), 비약(祕藥); ~e Tinte (특수 처리 후 글자가 나타나는) 은현(隱顯) 잉크.

***Sympathie** [..tíː] *f.* -n [..tíːən] (↔Antipathie) ①동감, 공감, 동정; 호의; 교감(交感): dieser Plan hat unsere volle ~ 우리는 이 계획에 전적으로 동조한다; ~ für jn. empfinden 누구에게 호감을 느끼다; js. ~ gewinnen 누구의 호감을 얻다. ②영력(靈力); 비약(祕藥), 주술 요법.

Sympathie·bekundung *f.* 공감〔호의〕 표명(의 말·행동). **~erklärung** *f.* 동조 선언. **~kundgebung** *f.* 동조 시위〔선언〕. **~streik** *m.* 동조〔동정〕 파업.

Sympathisant *m.* -en, -en 동조자, 지지자: ~en linksradikaler Gruppen 극좌파의 동조자들.

Sympathisantin *f.* -nen ↑Sympathisant의 여성형.

Sympathikus [zʏmpáːtikʊs] *m.* - 〖해부〗 교감 신경.

***sympathisch** [zʏmpáːtɪʃ] *a.* ①동감〔공감〕의, 동정의; 같은 의견의; 마음에 드는, 성미에 맞는; 기분이 좋은, 호감이 가는: ein ~er Mensch 호감이 가는 사람; ~ aussehen 외모가 호감을 주다. ②〖醫〗 교감성〔감응성〕의: das ~e Nervensystem 교감 신경계.

sympathisieren [zʏmpatizíːrən] *i.* (h.) 동감〔동정〕하다; 일치하다, 같은 의견이다, 지지하다: mit einer politischen Bewegung ~ 정치 운동에 동조하다; mit einer Partei ~ 어떤 정당을 지지하다.

***Symphonie** [zʏmfoníː] *f.* -n [..níːən] 심포니(Sinfonie).

symphonisch *a.* ↑sinfonisch.

Symphyse [zʏmfýːzə] *f.* -n 〖醫〗 뼈의 유착, 봉합; 골간 접합, 치골 결합.

symphytisch [..fýː..] *a.* 〖醫〗 뼈가 유착한, 유합(癒合)의.

Symposion [zʏmpóːziɔn, ..póziɔn] 《gr., „Mit-Trunk"》 *n.* -s, ..sien [..ziən] ①(고대 그리스의) 주연, 향연; 주연〔향연〕의 (재치 있는) 대화. ②심포지엄, (학술적인) 회합, 학술회의. ③논총.

Symposium [zʏmpóːziʊm, ..póz..] 《lat.》 *n.* -s, ..sien [..ziən] ↑Symposion의 라틴어형.

***Symptom** [zʏmptóːm] 《gr.》 *n.* -s, -e ①〖醫〗 (병의) 증후, 증세. ②〔교양〕 징조, 징후: ~e spätzeitlicher Auflösung 말기적 해체 징조들; das ist ein ~ für den Zerfall der traditionellen Gesellschaftsstruktur 그것은 전통적 사회 구조가 몰락하는 징표다.

Symptomatik [zʏmptomáːtɪk] *f.* ①증후군, 전체 증상. ②증후학.

symptomatisch *a.* 징후〔징조〕가 되는; 증상의, 대증적인: eine ~e Behandlung 대증 요법.

Symptomatologie [zʏmptomatologíː] *f.* 〖醫〗 징후학.

syn.. 《gr., „mit.., zusammen.."》 *pref.* "함께·같이·합쳐"의 뜻.

synagogal [zʏnagogáːl, zy..] *a.* 유대교당의, 유대교 미사의.

Synagoge [zʏnagóːgə, zy..] *f.* -n ①유대인의 교회당, 유대교당, 시나고그. ②구약 성서를 상징하는 여인상.

Synal·lage [zynálage, syn(l)á..] *f.*, **~lagma** *n.* 〖法〗 쌍무 계약. **~lagmatisch** *a.* 쌍무적인: ~er Vertrag 쌍무 계약.

Synalöphe [zʏn|aløːfe:, zʏna..] *f.* -n 〖문학·문법〗 어미의 모음이 다음 말의 머리 글자의 모음과 결합하여 소멸하는 것(보기: mit deiner Leib' umgeben).

synandrisch [zynándrɪʃ] *a.* 〖植〗 수술이 한데 붙은.

Synärese [zʏnɛréːzə] 《gr.》 *f.* -n 〖문법〗 합음(두〔수〕 개의 모음이 한 개의 모음 또는 음절로의 융합; 보기: gehen → gehn).

Synäresis [zʏnέːrezɪs] *f.* ..sen ↑Synärese.

Synästhesie [zʏn|ɛstezíː] *f.* -n [..zíːən] ①〖心〗 공(共)감각(어떤 감각과 함께 생긴 다른 감각; 보기: 특정 음을 들을 때 느끼는 색감). ②〖문학〗 공감각(여러 감각을 결합시켜 표현한 것; 보기: blaue Klänge 푸른 종소리).

synästhetisch *a.* 공감각의; (감각이) 불특정 자극으로 생겨난.

synchron [zʏnkróːn] *a.* ①동시의; 평행한; 등속의: ~ verlaufen 동시에 진행되다; ~e Bewegungen 등속 운동. ②〖언어〗 공시적.

Synchron·geschwindigkeit *f.* 〖전기〗 동기(同期) 속도.

Synchronisation [zʏnkronizatsióːn] *f.* -en ①〖영화〗 동시 녹음, 더빙. ②동시 녹화.

synchronisch [..króːnɪʃ] (↔diachronisch) *a.* ①공시태(共時態)의, 공시(론)적인. ②↑synchron.

synchronisieren [..kronizíːrən] *t.* 동시에 시키다, 동시성을 가지게 하다, 동시에 작동시키다; 시간을 맞추다, 평행시키다; 〖영화〗 동시 녹음을 하다; 더빙하다: der französische Spielfilm läuft in der synchronisierten Fassung im Fernsehen 프랑스 영화가 텔레비전에서 동시 녹음〔더빙〕하여 상영된다.

Synchronisierung *f.* -en 〖전기〗 동기화(同期化), 동기 조작, 시간 맞추기; 〖영화〗 동시 녹음, 더빙.

Synchronismus *m.* -, ..men 동시적임, 동시성(性), 시간적 일치, (역사적 사건들의) 동시적 배열〔편성〕; 〖전기〗 동기 (상태); 〖영화〗 동시 녹음.

synchronistisch *a.* 동시성〔동기성〕의, 동시

녹음〔진행〕의; 동시적으로 편성〔배열〕한.

Synchron=maschine *f.* 〖전기〗 동기기(同期機). **~motor** *m.* 동기 발전기. **~sprecher** *m.* 더빙 담당자, 더빙 (전문) 성우. **~sprecherin** *f.* ↑ ~sprecher 의 여성형. **~uhr** *f.* 동기 전(동)기(電(動)機) 시계.

Synchrotron [zýnkrotro:n, zʏnkrotró:n] 《gr.》 *n.* -s, -e 〖物〗 싱크로트론(전자 따위를 가속하는 원자 물리학 장치), 하전(荷電) 입자 가속 장치.

Synchrozyklotron *n.* 〖物〗 싱크로사이클로트론(사이클로트론을 개량한 하전(荷電) 입자 가속 장치).

Syndaktylie [zʏndaktylí:] 《gr.》 *f.* -n [..lí:ən] 〖醫〗 (선천적) 합지증(合指症), 손가락 유착.

Syndesmologie [zʏndɛsmologí:] 《gr.》 *f.* 〖醫〗 인대학(靭帶學).

Syndetikon [zʏndé:tikɔn] 《gr.》 *n.* -s 진한 액체 접착제.

syndetisch *a.* 〖언어〗 접속사로 연결된.

Syndikalismus [sʏndikalísmus] 《gr.》 *m.* - 생디칼리슴, 급진적 노동 조합주의.

Syndikalist *m.* -en, -en 급진적 노동 조합주의자.

syndikalistisch *a.* 생디칼리슴의.

Syndikat [zʏndiká:t] *n.* -(e)s, -e ①〔고어〕 법률 고문의 직. ② 신디케이트, 공동 판매 카르텔(공동 사업을 위한 자본가의 합동). ③ 협회, 회. ④ (특히 프랑스 및 라틴어계 민족의) 노동 조합. ⑤ 미국의 범죄 조직: Gangster~ 갱단.

Syndikus [zýndikus] *m.* -, -se/..dizi (법인 단체 따위의) 법률 고문.

syndizieren [zʏnditsí:rən] *t.* 〖經〗 신디케이트를 결성하다.

Syndizierung *f.* -en 신디케이트 결성.

Syndrom [zʏndró:m] *n.* -s, -e ①〖醫〗 증후(군). ②〖사회〗 증후군, 신드롬.

Synechie [zʏn|ɛçí:, zʏnɛ..] 《gr.》 *f.* -n [..çí:ən] 〖醫〗 유착증(癒着症).

Synedrion [sʏn|é:driɔn, zyné:..] 《gr.》 *n.* -s, ..rien [..riən] ① 고대 그리스의 평의회. ② ↑ Synedrium.

Synedrium 《lat.》 *n.* -s, ..rien [..riən] (고대 예루살렘에 있던) 유대인 최고 평의소〔협의체〕, 70 인 의회.

Synekdoche [zʏn|ɛ́kdɔxe, zʏnɛ́..] 《gr.》 *f.* -n [..dɔ́xən] 〖修〗 제유(提喩), 대유(代喩)(보기: Segel 로 Schiff, Jugend 로 junge Leute 를 나타내는 경우).

Synergetik *f.* 창조 공학, 시네틱스(창조적 문제 해법).

synergetisch [zʏn|ɛrgé:tɪʃ, zʏnɛr..] 《gr.》 *a.* 협동〔협력〕의; 조력하는.

Synergie *f.* -n [..gí:ən] ① 협력 (작용), 상승(작용); 〖心〗 시너지(공동 작업에서 소비되는 에너지의 총체). ②〖宗〗 ↑ Synergismus.

Synergie·effekt *m.* 시너지 효과.

Synergismus *m.* - ①〖가톨릭〗 (죄의 허용·회심을 위한 성총(聖寵)과의) 신인(神人) 협력설〔공로설(功勞說)〕. ②〖化〗 상승〔협력〕 작용.

synergistisch *a.* ① 신인 협력설〔공로설〕의. ② 상승 작용의.

Synizese [zynitsé:zə, zʏ..] *f.* -n 〖문법〗 합음(Synärese).

Synizesis [zʏní:tsezɪs, zyn..] *f.* ..zesen [..tsé:zən] ↑ Synizese.

Synkarpie [zʏnkarpí:] *f.* -n [..pí:ən] 〖植〗 자방의 합생(2 개 이상의 심피(心皮)가 붙어서 씨방을 만드는 일).

synklinal [zʏnkliná:l] *a.* 〖지질〗 향사(向斜)의.

Synklinale 《gr.》 *f.* -n 〖지질〗 분지, 습곡지(褶曲地).

Synkline *f.* -n 〖지질〗 못, 땅이 우묵한 곳, 분지(盆地).

Synkope [zʏnkó:pə] 《lat.》 *f.* -n ①〖문법〗 어중음(語中音) 소실((2 자음간의) 강세 없는 모음의 생략; 보기: "ewiger"가 "ew'ger"로). ②〖음악〗 당김음, 절분음(切分音), 싱커페이션. ③〖醫〗 실신, 가사(假死).

synkopieren [zʏnkopí:rən] *t.* ①〖문법〗 강세 없는 모음을 생략하다. ②〖음악〗 절분하다, 당김음으로 잇다.

synkopisch *a.* ①〖문법〗 약음〔강세 없는 모음〕이 생략되는. ②〖음악〗 당김음으로 이어지는.

Synkretismus [zʏnkretísmʊs] 《gr.》 *m.* - ① 제설(諸說) 융합, 제파 통합; 〖哲〗 혼합주의. ②〖문법〗 (문법적 기능이 다른 2 개 이상의 어형의) 융합.

Synkretist *m.* -en, -en 제설〔제파〕 통합주의자.

synkretistisch *a.* 제설〔제파〕 통합주의의(↔ eklektisch).

Synkrise [zʏnkrí:zə] 《gr.》 *f.* -n 비교, 결합.

Synkrisis [zýnkrizɪs] *f.* ..krisen [..krí:zən] ↑ Synkrise.

synkritisch [zʏnkrí:tɪʃ] *a.* 비교〔결합〕의.

Synod [zynó:t] 《gr.》 *m.* -(e)s, -e 성무원(聖務院)(러시아 그리스 정교회의 최고 교청(教廳)(1721-1917)).

synodal [zynodá:l] *a.* 종교 회의의.

Synodale* *der/die* 종교 회의 의원.

Synodal=verfassung *f.* 〖기독교〗 교회 회의제(會議制)〔자치제〕. **~versammlung** *f.* ↑ Synode.

Synode [zynó:də] 《synodus》 *f.* -n 종교 회의; 〖기독교〗 (감독이 이끄는) 지역 총회; 〖가톨릭〗 주교 회의.

synodisch *a.* ① 종교〔주교〕 회의의. ②〖天〗 상합(上合)의, 삭망의: ein ~er Monat 태음월(太陰月).

synonym [zynoný:m] *a.* 동의(어)의: ~e Redewendungen 뜻이 같은 표현.

Synonym [..ný:m] 《gr.》 *n.* -s, -e 동의어(↔ Antonym).

Synonymen·wörterbuch [..ný:m..] *n.* ↑ Synonymwörterbuch.

Synonymik [zynoný:mɪk] *f.* -en 〖문법〗 ① 동의어론. ② 동의어 모음〔사전〕. ③ 동의성, 동의(어) 관계.

synonymisch [..ný:..] *a.* ↑ synonym.

Synonym·wörter·buch [..ný:m..] *n.* 동의어 사전.

Synopse [zʏnɔ́psə, zy..] *f.* -n ↑ Synopsis.

Synopsis [zýnɔpsɪs, zʏnɔ́p.., zy..] *f.* ..opsen [zʏnɔ́psən] ①〔교양〕 개관, 일람, 총괄, 요약; 일람〔대조〕표. ②〖宗〗 공관(共觀) 복음(서).

Synoptik [zynɔ́ptɪk, zʏn..] *f.* 〖기상〗 총관(總

觀) 기상학, 광역 기상 관찰.
Synoptiker *m.* -s, - (공관(共觀)) 3 복음 사가(史家) (마태·마가·누가).
synoptisch *a.* ① 개괄적; 대조적. ② 공관(共觀) 복음적: die ≈en Evangelien 공관 복음서 (마태·마가·누가 3 복음서).
Synözie [zʏn|øtsí:, zʏnø..] 《gr.》 *f.* -n [..tsí:ən] (동물의) 공생(共生).
synözisch *a.* ①〖動〗 공생하고 있는, 공생의. ②〖植〗 자웅 동주의.
Syntagma [zʏntágma] *n.* -s, ..men/-ta〖언어〗 통합(체), 결합(체).
syntagmatisch [..má:tɪʃ] *a.* 통합적인, 결합체의.
syntaktisch [zʏntáktɪʃ] 《gr.》 *a.*〖문법〗 통사론의; 구문상의; 문장론의: ~er Aufbau 통사 구조.
Syntax [zʏ́ntaks] *f.* -en〖문법〗 통사론, 구문론; 문장론; 구문론에 관한 저술: die ~ einer Sprache beherrschen 한 언어의 구문을 자유자재로 구사하다.
Syntax·fehler [zʏ́n..] *m.* (사용 중인 프로그램 언어의 규칙에 위배된) 통사 착오[에러].
***Synthese** [zʏnté:zə] 《gr.》 *f.* -n (↔ Analyse)〖哲〗 종합, 통합, 합;〖化〗 합성.
Synthese·faser *f.* 합성 섬유. **~gas** *n.* 합성 가스. **~produkt** *n.* 합성품, 합성 물질.
Synthesis [zʏ́ntezɪs] *f.* ..sen [..té:zən] ↑ Synthese.
Synthesizer [síntəsaɪzər] 《engl.》 *m.* -s, - (음향) 합성기, 신시사이저.
Synthetics [zʏnté:tɪks] *pl.*〖섬유〗 합성 섬유.
Synthetik [zʏnté:tɪk] *f.* ①〖哲〗 종합 철학. ②〖섬유〗 화학 섬유직.
synthetisch *a.* (↔ analytisch)〖哲〗 종합적;〖化〗 합성의: ~es Urteil 종합 판단; ~e Edelsteine 합성 보석.
synthetisieren [zʏntetizí:rən] *t.* 합성하다, 합성하여 생산하다.
Syphilis [zʏ́:filɪs] 《gr.》 *f.*〖醫〗 매독.
syphilis·krank [zʏ́:..] *a.* 매독의[에 걸린].
Syphilitiker [zyfilí:tikər] *m.* -s, - 매독 환자.
syphilitisch *a.* 매독의[에 걸린].
Syrakus [zyrakú:s] 시라쿠사(이탈리아 시칠리아섬의 항구 도시).
Syrakusaner [..zá:nər] 《Ⅰ》 *m.* -s, - 시라쿠사 주민. 《Ⅱ》 *a.* 시라쿠사의.
Syrakuser *m.* -s, - ↑ Syrakusaner.
syrakusisch *a.* 시라쿠사의.
Syrer [zʏ́:rər] *m.* -s, - 시리아인.
Syrien [zʏ́:riən] 시리아.
Syrier [zʏ́:riər] *m.* -s, - ↑ Syrer.
Syrerin [zʏ́:rərɪn] *f.* -nen ↑ Syrer 의 여성형.
Syringe [zyríŋə] 《gr.》 *f.* -n ①〖植〗 라일락, 자정향(紫丁香). ②〖醫〗 주사기, 주입기.
Syrinx [zʏ́:rɪŋks, sʏ́:..] ① *f.*〖그리스신화〗 시링크스(강의 요정). ② *f.* ..ringen [..zyríŋən] (**a**)〖해부〗 누관(瘻管); 유스타키오관(管), 이관(耳管). (**b**)〖해부·動〗 울음관, (새의) 울대. (**c**) 목적(牧笛), 피리.
syrisch [zʏ́:rɪʃ] *a.* 시리아의.
Syrolog *m.* -en, -en ↑ Syrologe.
Syrologe [zyroló:gə] 《gr.》 *m.* -n, -n 시리아학자[연구자].
Syrologin *f.* -nen ↑ Syrologe 의 여성형.
Syrologie [..logí:] *f.* 시리아학[연구].
Syrte [zʏ́rtə] 《gr.》 *f.* -n ① 북아프리카 해안의 만. ②〔고어〕 여울; 사주(砂洲).
Syrup [zʏ́:..] *m.* 시럽(Sirup).
sys.. 《gr.; syn.. 의 별형》 *pref.* "함께·같이·합하여"의 뜻.
Syssitien [zʏsí:t(s)iən] 《gr.》 *pl.* (특히 고대 스파르타인의) 연회.
systaltisch [zʏstáltɪʃ] 《gr.》 *a.* 수축성의.
***System** [zʏsté:m] *n.* -s, -e ① 조직, 기구, 체제; 계통;〖化·天·지질〗 계(系): ein politisches ~ 정치 기구; Feudal≈ 봉건 제도; Nerven≈ 신경 조직; ein ökologisches ~ 생태계; ein ~ von Straßen 도로망. ② (학문의) 체계; (동식물 따위의) 분류; 학설; 학파; 제도. ③ 계획; 질서: et. in ein ~ bringen 무엇을 체계화[조직화]하다;〖化〗 periodisches ~ (원소의) 주기율표;〖건축〗 gebundenes ~ (로마네스크 교회 양식의) 정방형 평면 연결 방식. ④ 방법, 방식; 원칙, 수순;〖음악〗 음조직; 5선 보표(Linien≈);〖논리〗 기호 체계.
System≈administrator *m.*〖컴〗 시스템 관리자. **~analyse** *f.* 조직 분석;〖컴〗 시스템 분석(컴퓨터에서 새로운 작업을 수행할 때 가장 먼저 하는 일). **~analytiker** *m.* 조직 분석 전문가.
Systematik [zʏstemá:tɪk] *f.* -en〔교양〕 ① 계통법, 체계학, 조직론[법]; 분류법. ② 분류학(동식물학의 한 부문). ③ (학문의) 대강, 강목(綱目).
Systematiker *m.* -s, - ① 계통을[체계를] 세우는 사람, 조직자. ② 분류학자.
***systematisch** *a.* 계통적[체계적]인, 조직적인; 계획적인; 질서 있는, 정연한; 분류상의: ein ~er Katalog (도서의) 분류 목록.
systematisieren [..matizí:rən] *t.* 계통을[체계를] 세우다, 조직화하다; 질서를 잡다, 분류하다.
Systematisierung *f.* -en 체계화, 조직화.
System≈bau·weise *f.*〖工〗 조립식 시공, 시스템 공법. **≈bedingt** *a.* 체제의 제약을 받는: et. als ~ hinnehmen 무엇을 체제 탓으로 여기고 감수하다. **~charakter** *m.* 체제[체계]의 특성. **~datei** *f.*〖컴〗 시스템 파일. **≈eigen** *a.* ↑ ~immanent. **~entwicklung** *f.*〖컴〗 시스템 개발. **≈erhaltend** *a.* 체제 유지적인. **~erweiterung** *f.*〖컴〗 시스템 확장. **~fehler** *m.* 시스템 오류. **≈feindlich** *a.* 체제에 적대적인. **≈fremd** *a.* 체제와 맞지 않는[동떨어진]. **≈immanent** *a.* 시스템에 내재한, 시스템 내재적인. **≈konform** *a.* 체제에 동의[순응·추종]하는. **~kritiker** *m.* 체제 비판자. **~lehre** *f.*〔고어〕 ↑ System.
systemlos *a.* 체계[원칙] 없는.
Systemlosigkeit *f.* 무원칙, 비체계성.
systemoid *a.* 체계적[조직적]인.
Systemoid *m.* -(e)s, -e 체계적[조직적] 구성(물).
System≈platine *f.*〖컴〗 시스템 기판(基版). **~programming** *f.*〖컴〗 시스템 프로그래밍. **≈spezifisch** *a.* 체계[체제] 특유의. **~steuerung** *f.*〖컴〗 시스템 제어(판). **≈theoretisch** *a.* 시스템 이론의. **~theorie** *f.* 시스템 이론. **~veränderer** *m.*〔폄어〕 체제 개혁가. **~verwalter** *m.*〖컴〗 시스템 관리자

(↑ ~administrator). **~zwang** *m.* 체제·제도에 의한 구속.

Systole [zÝstole, sʏ.., zʏstóːlə] *f.* -n [zʏstóːlən] 〖醫〗 심장 수축; 〖문법〗 음절의 단축.

systolisch *a.* 심장 수축의.

Syzygie [zytsygíː] *f.* -n [..gíːən] ↑ Syzygium.

Syzygium [zytsýːgiʊm] *n.* -s, ..gien [..giən] ① 〖天〗 삭망(朔望). ② 〖문법〗 (**a**) 동사의 변화 (Konjugation). (**b**) 중간철(綴)의 생략. ③ 〖문학〗 2중 운각(Dipodie).

s.Z. =seinerzeit 이전에는, 당시(에는).

Szenar [stsenáːr] 《gr.》 *n.* -s, -e ↑ Szenarium.

Szenario [..náːrio] 《gr.》 *n.* -s, -s ① ↑ Szenarium. ② (가상) 시나리오: das ~ eines Atomkrieges 핵전쟁 (가상) 시나리오.

Szenarium [..náːriʊm] *n.* -s, ..rien [..riən] 〖연극〗 ① 대본, 각본, 시나리오. ② 연출 대장(臺帳).

***Szene** [stséːnə] 《lat.》 *f.* -n ① 무대; 장(場), 장면; 광경; 극적〔인상적〕 사건; 말다툼, 싸움, 쟁론: hinter der ~ a) 무대 뒤에서, b) 〖비유〗 내밀히; in ~ gehen 무대에 올려지다; in ~ setzen a) 무대에 올리다, 상연하다, b) 진행하다, 실행〔수행〕하다; 〖비유〗 die ~ beherrschen (특정 분야〔맥락〕에서) 좌중을 압도하다; sich in ~ setzen 자기를 내세우다〔돋보이게 하다〕; eine unangenehme ~ (싸움·언쟁 따위의) 격론, 불쾌한 장면; jm. eine ~ machen 누구를 몹시 비난하다; eine rührende ~ 감동적인 장면. ② 활동 분야, …계(界): Bonner ~ 본의 정계; die politische ~ einer Stadt 어느 도시의 정치계.

..szene *suf.* "…(세)계"의 뜻(보기: Drogen~ 마약계; Kunst~ 예술계).

Szenen≈applaus *m.* ↑ ~beifall. **~beifall** *m.* 공연 도중의 박수 (갈채). **~folge** *f.* 장면의 연속, 연속되는 장면들. **~wechsel** *m.* 무대 전환, 장면의 교체; 환경의 교체: ich bin urlaubsreif und brauche einen ~ 나는 (일이 고되어) 휴가 여행이 필요하다.

Szenerie [stsenəríː] *f.* -n [..ríːən] (배경·대도구 따위의) 무대 장치; 무대 장면; 풍경화; 풍경; 무대, 광경.

szenisch [stséːnɪʃ] *a.* 무대상의(효과 따위); 무대〔상연〕에 적합한, 상연할 수 있는; 장면의, 장의: ein ~es Kunstwerk 연극 작품; ~e Effekte 무대 효과; das Werk kam zur ~en Aufführung 그 작품은 무대에 올려졌다.

Szenograph [stsenogrάːf] *m.* -en, -en 영화 미술가.

Szenographie *f.* -n [..fíːən] (촬영 세트의 기획·제작 따위의) 영화 미술.

Szepter [stsέptər] 《gr.》 *n.* -s, - 왕홀(王笏) (중세 이래 제왕의 지배권의 상징).

szientifisch [stsiɛntíːfɪʃ] 《<lat.》 *a.* 과학적〔학문적〕인.

Szientismus [stsiɛntísmʊs] *m.* - ① 과학주의; 과학 편중〔만능주의〕; (인문 과학에서) 자연 과학자적 방법〔태도〕. ② 크리스천 사이언스, (의약에 따르지 않고 기독교 신앙에 의한) 기독교 정신 요법.

Szientist *m.* -en, -en 과학주의자.

szientistisch *a.* 과학(만능)주의의; 크리스천 사이언스의.

Szilla [stsíla] 《gr.》 *f.* ..llen 〖植〗 무릇.

Szintigraph [stsɪntigrάːf] *m.* -en, -en 〖醫〗 섬광 촬영기.

Szintigraphie [..grafíː] *f.* -n [..fíːən] 섬광 촬영법.

Szintillation [stsɪntɪlatsióːn] 《lat.》 *f.* -en ① (별 따위의) 반짝임, (대기의 밀도 변화로 일어나는) 별의 휘도 변화. ② 〖物〗 (전리 입자나 광자에 의해 형광체 중에 생기는) 섬광.

szintillieren [..líːrən] *i.* (h.) (별 따위가) 반짝이다; 〖物〗 (입자가) 섬광을 발하다.

Szioptikon *n.* -s, -s/..ken 환등(幻燈).

Szissalien 《lat.》 *pl.* 잘못 만든 화폐.

Szission [stsɪsióːn] 《lat.》 *f.* -en 쪼개기, 찢기; 분할, 분리.

Szissur [stsɪsúːr] *f.* -en 쪼개진 틈, 째진 금; 〖醫〗 열상(裂傷).

SZR Sonderziehungsrecht 〖經〗 국제 통화 기금(IMF)의 특별 인출권.

Szylla [stsÝla] *f.* ① 스킬라(시칠리아섬 메시나 해협에 있는 암초 및 해안 절벽; 위험한 소용돌이 Charybdis 가 있음): ich befand mich zwischen ~ und Charybdis 나는 진퇴양난에 처해 있었다. ② 스킬라(호메로스의 오디세이에 나오는 바다의 괴물).

Szythe [stsýːtə] *m.* -n, -n 스키타이인(人).

Szythien [stsýːtiən] *n.* 스키타이(이란·코카서스·남동 유럽 사이에 있는 지명).

szythisch [stsýː..] *a.* 스키타이(인·어)의.

T

T, t [teː] *n.* -, - 독일어 자모의 스무 번째 자.
T, τ =Tau (그리스어 자모의 19번째 자).
θ, ϑ =Theta (그리스어 자모의 18번째 자).
T ① =Tera... 테라(10^{12})… ②〖物〗=Tesla 테슬라(자기력 선속(磁氣力線束) 밀도의 단위). ③〖化〗=Tritium 트리튬. ④ =Tara 상품의 포장·용기(의 무게).
t ① =Tonne 톤. ② =Triller 떨리는 음, 전음.
Ta ①〖化〗=Tantal 탄탈. ② =Tara.
T.A. =Taschenausgabe 포켓판(版).
Tab [taːp] *m.* -(e)s, -e ① 색인 카드의 (위쪽으로 튀어나온) 조견(早見) 부분. ② =Tabulator (컴퓨터·타자기의) 탭 장치, 도표 작성 장치.
Tabagie [tabaʒíː] 《frz.; Tabak》 *f.* -n [..ʒíː-ən] 흡연실이 별도로 있는 카페; 선술집.
***Tabak** [tá(ː)bak, tabák] 《sp.》 *m.* -(e)s, -e ①〖植〗담배, 연초(煙草): ~ bauen 담배를 재배하다. ② 담뱃잎. ③ (가공한) 담배; 궐련: leichter〔schwerer〕 ~ 순한〔독한〕 담배; schlechter ~ 맛 없는 담배; ein Pfeifchen ~ 담배 한대; ~ kauen〔rauchen〕 담배를 씹다〔피우다〕; ~ schnupfen 코담배를 맡다;〔구어〕 das ist starker ~ 그것은 너무 심하다; seit Anno ~ 아득한 옛날부터. ④ 담배 냄새가 나는 향료.
Tabak≈bau *m.* 담배 재배. **~beize** *f.* 담배 가향액(加香液). **~beutel** *m.* ↑ Tabaksbeutel. **~blatt** *n.* 담뱃잎. **~bruder** *m.* 애연가. **~brühe** *f.* 니코틴액. **~dose** *f.* 담배통. **~fabrik** *f.* 담배 공장. **~gesellschaft** *f.* ① 애연가 모임. ② 담배 회사. **~händler** *m.* 담배 판매업자. **~industrie** *f.* 담배 산업. **~kauer** *m.* 담배를 씹는 사람. **~laden** *m.* 담배 가게. **~monopol** *n.* 담배의 전매. **~pflanze** *f.*〖植〗담배. **~pflanzer** *m.* 담배 재배자. **~pflanzung** *f.* 담배 재배지〔농원〕. **~plantage** *f.* ↑ ~pflanzung. **~qualm** *m.* 자욱한 담배 연기. **~rauch** *m.* 담배 연기. **~rauchen** *n.* 흡연, 끽연. **~raucher** *m.* 흡연가, 끽연가. **~regie** [ta(ː)bákreʒiː] *f.* 연초 전매.
Tabaks·beutel *m.* (가죽) 담배쌈지.
Tabak≈schmaucher *m.*〔구어〕골초, 애연가. **~schnupfer** *m.* 코담배 냄새 맡는 사람.
Tabaks≈dose ↑ Tabakdose. **~kollegium** *n.* 프로이센의 Friedrich Wilhelm 1 세가 개최한 밤 연회(맥주를 마시고 담배를 마구 피워댐). **~pfeife** *f.* 담뱃대, 파이프.
Tabak≈steuer *f.* 연초세. **~strauch** *m.*〖植〗담배, 연초. **~stube** *f.* 흡연실. **~trafik** *f.* (öst.), **~verschleiß** *m.* (öst.) 담배 소매점. **~verwaltung** *f.* 연초 전매청. **~waren** *pl.* 담배류, 연초류.
Tabasco [tabásko] *m.* -s 타바스코 소스(고추를 주원료로 한 매운 양념).
Tabasco·soße *f.* ↑ Tabasco.
Tabatiere [tabatiɛ́ːrə] 《frz.》 *f.* -n ①〔구식〕코담배 케이스. ② (öst.) 담배 케이스.
Tabel *m.* -s, - (md.) 책가방, 란도셀; 배낭.
tabellarisch [tabɛláːrɪʃ] 《lat.》 *a.* 도표로 만든, 표로 나타낸; 개관적인, 일목요연한.
tabellarisieren [..larizíːrən] *t.* (숫자·자료 따위를) 표로 만들다; 도표화하다.
***Tabelle** [tabɛ́lə] *f.* -n ① 표, 일람표, 도표; 색인, 목록: eine ~ anlegen〔erstellen〕 표〔도표·일람표〕를 그려넣다〔만들다〕. ②〖스포츠〗순위〔등급〕 리스트; 전적표.
Tabellen≈ende *n.*〖스포츠〗전적표〔순위 리스트〕의 최하위. **~form** *f.* (도)표 형태. **~förmig** *a.* 표로 나타낸, 도표 형태의. **~führer** *m.* 전적표의 선두팀. **~führung** *f.* 전적표의 수위〔선두〕 차지. **~kopf** *m.*〖印〗표제, 항목. **~letzte*** *der/die* (전적표의) 최하위팀. **~platz** *m.*〖스포츠〗전적표에서의 위치; 전적 순위. **~satz** *m.*〖印〗표짜기. **~spitze** *f.*〖스포츠〗전적표에서의 선두〔수위〕. **~stand** *m.* 전적표상의 (현) 위치.
tabellieren [tabɛlíːrən] 《< Tabelle》 *t.* ① (자료를) 도표로 나타내다. ② 천공(穿孔)〔펀치〕 카드로 판독하다.
Tabellierer [tabɛlíːrər] *m.* -s, - 천공〔펀치〕 카드 처리자.
Tabellier·maschine [tabɛlíːr..] *f.*〖컴〗천공〔펀치〕 카드 처리기.
Tabernakel [tabɛrnáːkəl] 《lat., „Zelt"》 *n./m.* -s, - ①〖聖〗장막(옛 유대의 이동식 신전(神殿)). ②〖가톨릭〗(성체(聖體)를 담아 제단 위에 모셔 두는) 성합(聖盒). ③〖건축〗(침대나 마차 따위의) 닫집.
Taberne [tabɛ́rnə] *f.* -n〔구식〕이탈리아식 술집〔식당〕(Taverne).
Tabes [táːbɛs] 《lat.》 *f.*〖醫〗(폐)결핵; 소모성 질환.
Tabiker [táːbikər] *m.* -s, -〖醫〗(척수) 결핵 환자.
tabisch *a.*〖醫〗① 결핵의. ② (척수) 결핵 환자인.
Tablar [tábla:r] *n.* -s, -e (schweiz.) (선반 따위의) 널.
Tableau [tabló:] 《frz.》 *n.* -s, -s ①〖연극〗극적인 장면. ②〖문학〗감동적인 묘사〔서술〕. ③ 전광판. ④〔구식〕그림, 회화:〔구어〕~! 대단하군! (놀라서 지르는 소리). ⑤ (öst.) 도표, 일람표; 안내〔조감〕도.
Table d'hôte [taːblə dóːt] 《frz.》 *f.*〔교양·구식〕(식당 따위의) 공동 식탁〔식사〕.
Tablett [tablɛ́t] 《frz.》 *n.* -(e)s, -s/-e 쟁반:〔구어〕das kommt nicht aufs ~ 그것은 얘깃거리도 못 된다, 논의의 여지가 없다;〔구어〕jm. et. auf einem goldenen〔silbernen〕 ~ servieren 누구에게 무엇을 요란을 떨며 건네주다, 갖다 바치다;〔농담〕soll ich dir das etwa

auf einem goldenen ~ servieren? 내가 이것을 네 코 앞에 갖다 바쳐야 하니?

***Tablette** [tablɛ́tə] *f.* -n ①〖藥〗알약, 정제(錠劑). ② 작은 테이블; 덮개 판자; (나무 따위의) 작은 조각.

tabletten≈abhängig *a.* 약물 의존적인. **~mißbrauch** *m.* 정제 남용. **~röhrchen** *n.* 원통형의 알약통. **~süchtig** *a.* 정제에 중독된; 약물 중독의.

tablettieren [tablɛtí:rən] *t.* 알약으로〔정제로〕만들다.

Tablinum 《lat.》 *n.* -s, ..na 타블리눔(고대 로마 시대 가옥의 문서·족보 보관실).

Tabor [tá:bɔr] ① 타보르(체코의 도시). ② *m.* -(s) 타보르(팔레스타인의 산).

Taborit [taborí:t] *m.* -en, -en〖史〗(타보르시(市)를 세운) 과격파 후스 교도.

***Tabu** [tabú:, tá:bu] 《polynes.》 *n.* -(e)s, -s ①〖민속〗금기(禁忌); 터부: et. mit einem ~ belegen 무엇을 금기시하다. ②〔교양〕금지, 금제(禁制): ein sittliches ~ 풍속상의 금기; ein ~ verletzen 금기를 깨뜨리다.

tabu *a.* 금기(禁忌)의, 금단의; 불가침의: es ist ihm ~ 그것은 그에게 금지되어 있다.

tabuieren [tabuí:rən] *t.* ↑ tabuisieren.

tabuisieren [tabuizí:rən] *t.* 〔교양〕jn.〔et.〕~ 누구와의 접촉을 금지하다〔무엇을 금기시하다〕.

Tabula rasa [tá:bula rá:za] 《lat.》 *f.* ①〖고대〗(글이 써 있지 않은) 공백의 서판(書板). ②〔교양〕백지 상태. ③〖哲〗타불라 라사(감각적인 경험 이전의 마음의 상태를 비유한 말): 〖비유〗mit et.³ ~ machen 무엇을 깨끗이 처리〔일소〕하다.

Tabulator [tabulá:tɔr, ..to:r] 《lat.》 *m.* -s, -en [..tó:rən] (타자기나 컴퓨터 자판의) 탭 장치, 도표 작성 장치.

Tabulatur [..tú:r] 《lat.》 *f.* -en ① 엄밀한 순서〔규칙〕. ②〖음악〗**(a)** (14-16 세기 장인가(匠人歌)의) 작가(作歌) 규칙. **(b)** (14-18 세기의) 다성부(多聲部) 음악을 위한 악보표(글자나 숫자 또는 특수한 기호로 나타낸 기보법).

Tabulett [..lɛ́t] 《lat.》 *n.* -(e)s, -e〔구식〕(행상인이) 지고 다니는 서랍 달린 상자.

Tabulett≈kram *m.* 행상인의 상품. **~krämer** *m.* 행상인.

Taburett [taburɛ́t] 《frz.》 *n.* -(e)s, -e〔구식〕(등받이가 없는) 상자형 의자.

Tabu≈schranke *f.* 금기의 울타리. **~wort** *n.* (종교나 미신 따위의 이유로) 금기시되는 말.

Tacheles [táxələs] 《jidd.》〔다음 용법으로만〕〔구어〕~ reden 탁 터놓고 이야기하다.

tachentig *num.* ↑ tachtig.

Tacheometer 《gr.》 *n./m.* -s, - ↑ Tachometer.

tachinieren [taxiní:rən] 《hebr.》 *i.* (h.) (öst.)〔구어〕게으름피우다, 빈둥거리다.

Tachinierer *m.* -s, - (öst.)〔구어〕게으름뱅이.

Tachismus [..ʃís..] *m.* -〖畫〗점묘 화법, 점묘주의.

Tacho [táxo] *m.* -s, -s〔구어〕↑ Tachometer.

Tachograph [taxográ:f] 《gr.》 *m.* -en, -en〔구식〕① 회전 속도 기록계. ② (고대의) 속기사.

Tachometer [taxomé:tər] 《gr.》 *n.* -s, - 회전 속도계.

Tachtel [táxtəl] *f.* -n〔방언〕따귀(Dachtel).

Tächter *n.* -s, - (schweiz.) 소녀(Mädchen).

tächtern *i.* (h.) 구애하다(werben).

tachtig *num.* (ndd.) 80(achtzig).

Tachygraph [taxygrá:f] 《gr.》 *m.* -en, -en ① (고대의) 속기사. ②〔구식〕회전 속도 기록계.

Tachygraphie [..grafí:] *f.* (고대의) 속기법.

tachygraphisch [..grá:fɪʃ] *a.* (고대의) 속기법의; 고대의 속기법으로 쓰여진.

Tachykardie [..kardí:] *f.* -n [..dí:ən]〖醫〗심계(心悸) 앙진(증).

Tachymeter 《gr.》 [..xy..] *n.* -s, -〖측량〗태키미터 측량기(거리 및 높낮이 측정기).

Tachyon [táxyɔn] *n.* -s, -en〖物〗태키온(초광속 소립자(超光速素粒子).

taciteisch [tatsité:ɪʃ] *a.* 타키투스 풍(風)의.

Taciteisch [tatsité:ɪʃ] *a.* 타키투스의.

Tacitus [tá:tsitʊs, (lat.) táki..] *m.* Publius Cornelius ~ 타키투스(고대 로마의 역사가, 55?-117).

tack [tak] *int.* 〔의성어〕덜컥덜컥, 째깍째깍, 탁탁, 쿵쿵.

Tacken [tákən] *m.* -s, - (ndd.) ① 첨두; 톱니(Zacken). ② 가지(Zweig).

tacken 《의성어》 *i.* (h.) 쿵쿵〔땅땅·탁탁·째깍째깍〕하는 소리를 내다: die Uhr tackt 시계가 째깍거린다.

tackig *a.* (ndd.) 첨두의; 톱니 모양의(↑ zackig).

Tackling [tǽklɪŋ] 《engl.》 *n.* -s, -s〖축구〗슬라이딩 태클(Sliding-tackling).

Täcks [tɛks] *m.* -es, -e〖수공〗(구두의 위창과 밑창을 이어주는) 못, 쐐기.

***Tadel** [tá:dəl] *m.* -s, - ① (↔ Lob) 비난, 꾸짖음, 나무람, 질책; (Verweis) 견책, 징계; 혹평, 악평: ein schwerer〔unberechtigter〕~ 혹독〔부당〕한 비난;〖法·구동독〗öffentlicher ~ 공개 비판; jm. einen scharfen ~ erteilen 누구를 호되게 꾸짖다; einen ~ geben〔einschreiben〕(담임 일지에) 견책 사항을 기록하다; sich³ einen ~ zuziehen 비난을 자초하다; über et. einen ~ aussprechen 무엇을 비난하다; über allen ~ erhaben 전혀 나무랄 데가 없는; der ~ trifft mich nicht 그 비난은 내게는 당치 않다; gerechter ~ ist besser als falsches Lob 올바른 비난은 거짓 칭찬보다 낫다. ②〖雅語〗결점, 단점; 오점: ein Mann ohne ~ 흠잡을 데 없는 남자; ein Ritter ohne Furcht und ~ (용감하고 훌륭한) 이상적인 기사; an jm.〔et.³〕keinen ~ finden 누구는〔무엇은〕나무랄 데가 없다.

Tadelei [ta:dəlái] *f.* -en 걸핏하면 야단치기〔잔소리하기〕; 사사건건 흠잡기〔비난하기〕.

tadel·frei *a.* ↑ tadellos.

tadelhaft *a.* 비난할 만한; 결점이 있는.

tadelig *a.* ↑ tadelhaft.

tadellos *a.* 흠잡을 데 없는, 결점 없는, 더할 나위 없는; 훌륭한, 뛰어난.

Tadel·lust *f.* ↑ ~sucht.

***tadeln** [tá:dəln] 《<Tadel》 *t.* 비난하다, 꾸짖다, 책망하다, (rügen) 견책〔힐책〕하다; 혹평하다, 흠잡다; 잔소리하다: jn. wegen eines Dinges〔für et.〕~ 누구를 무슨 일로 비난하

다; an allem etwas zu ~ finden 매사에 트집을 잡다; 〔속담〕 tadele heimlich, lobe öffentlich! 뒤에서 꾸짖고 앞에서 칭찬하라.

tadelnd *p.a.* 나무라는, 비난조의; 남의 흠을 들추기 좋아하는; 잔소리 잘하는, 까다로운: ~e Blicke 비난의 눈초리.

tadelns≈wert *a.* 비난할 만한; 야단을 맞을 만한. **~würdig** *a.* ↑ ~wert.

Tadel≈sucht *f.* 〔雅語·폄어〕 잔소리하는〔비난 잘하는〕 버릇, 꾸짖기 좋아함. **~süchtig** *a.* 〔雅語·폄어〕 꾸짖기 좋아하는, 트집 잘 잡는.

Tadels·votum *n.* (의회의) 징계 투표.

Tadel·wort *n.* 비난하는 말; 잔소리.

tädigen 《<teidingen》 *t.* (obd.) (versöhnen) 화해시키다, 조정하다.

Tadler [tá:dlər] 《<tadeln》 *m.* -s, - 〔드물게〕 비난자; 혹평가.

Tadschike [..dʒí:..] *m.* -n, -n 타지크인(구소련 남부와 아프가니스탄 북부에 거주하는 이란계 부족).

tadschikisch [..dʒí:..] *a.* 타지크 사람의; 타지크의; 타지크 언어의.

Taekwondo [tɛkuɔ́ndo] *n.* - 태권도.

Tael [tɛ:l, te:l] *n.* -s, -s 테일, 양(兩)(옛날 중국의 화폐 또는 중량의 단위).

Taf. 〖印〗 =Tafel ⑥.

***Tafel** [tá:fəl] 《lat. tabula》 *f.* -n ① 판(板); 판 모양의 물건; 안내판; 광고판; 게시판; 칠판: eine ~ Schokolade 판(板)초콜릿 한 개; eine ~ aufhängen (게시)판을 걸다; der Lehrer schreibt das Wort an die ~ 교사가 칠판에 글씨를 쓴다. ② 석판; 글자판; 동판; 기념판; 화판(畫板): Gesetze der zwölf ~n 12 동판법(고대 로마의 법전). ③ (Tabelle) 표, 목록: chronologische ~n 연대표; logarithmische ~n 대수표(代數表); in ~n bringen 표로 만들다. ④〔雅語〕 **(a)** 식탁; 연회석: die ~ decken 식사 준비를 하다. **(b)** 식사, 연회; (진미의) 요리: die ~ aufheben 식사〔잔치〕를 끝내다; ~ halten 식사하다; eine offene ~ halten 손님을 환영하다; bei ~ 식사 중에; nach〔vor〕 der ~ 식후〔식전〕에; zur ~ bitten〔laden, heranziehen〕 식사에 초대하다; sich zur ~ setzen 식탁에 앉다; 〔속담〕 volle ~ macht krank 과식은 만병의 근원. ⑤〖전기〗 배전반(配電盤) (Schalttafel). ⑥〖印〗 (책의) 전면 화보, 도판(圖版). ⑦〖지형〗 대지(臺地); 탁상지(卓狀地); 고원. ⑧ (보석의 깎은 면 중에서) 제일 큰 면.

tafel≈artig *a.* 판〔널빤지〕 모양의. **~aufsatz** *m.* (꽃·과자·과실 따위를 놓기 위한) 식탁 중앙에 놓는 장식용 쟁반. **~berg** *m.* ①〖지질〗 탁상(卓狀) 산지; 꼭대기가 편편한 산. ② 테이블산(케이프타운 배후에 있는 산). ③〖天〗 테이블산자리(남반구의 별자리). **~besteck** *n.* 고급 수저 세트(포크·나이프·스푼의 총칭). **~bier** *n.* (순한) 맥주. **~bild** *n.* ①〖畫〗 패널화(畫). ② 교육용 설명도〔괘도〕. **~birne** *f.* 고급 식용 배. **~blei** *n.* 〖금속〗 연판(鉛板). **~butter** *f.* 고급 식용 버터.

Täfelchen [tɛ́:fəlçən] *n.* -s, - 〔↑ Tafel 의 축소형〕 ① 작은 판〔널빤지〕. ② 알약, 정제.

Tafel≈decken *n.* 식탁차리기, 식사 준비. **~decker** *m.* 식사 준비하는 사람. **~diamant** *m.* 테이블컷용의 납작한 금강석. **~diener** *m.* 식당의 웨이터; 식사 시중드는 사람. **~ente** *f.* 〖動〗 흰죽지오리. **~förmig** *a.* 판 모양의, 편평한. **~freuden** *pl.* 〔雅語〕 좋은〔맛있는〕 식사의 즐거움. **~freund** *m.* 연회를 좋아하는 사람; 미식가, 음식맛을 잘 아는 사람. **~gedeck** *n.* ① (한 벌의) 식탁보. ② ↑ ~geschirr. **~geld** *n.* 식사비. **~gerät** *n.* 식탁 용구. **~geschirr** *n.* (잔치 따위에 쓰이는) 고급 식기. **~glas** *n.* 〖工〗 판유리. **~gut** *n.* 재원(財源)이 되는 국왕 소유의 토지.

Täfel·holz *n.* 재양틀; 패널용의 판; 판벽널.

Tafel≈klasse *f.* (wienerisch) 1 학년, 초(初)학년. **~klavier** *n.* 〖악기〗 피아노의 일종. **~lack** *m.* 〖化〗 (Schellack) 셸락(니스의 원료가 되는 수지(樹脂)). **~land** *n.* 〖지질〗 고원, 대지(臺地). **~leuchter** *m.* 장식 촛대. **~malerei** *f.* 〖畫〗 ① **(a)** 목판화. **(b)** (목판화·동판화·캔버스화 따위와 같은) 벽화가 아닌 그림에 대한 지칭. ② 판화(물). ③ 판화 제작. **~musik** *f.* 〔옛뜻〕 식사〔연회〕 중의 음악.

tafeln [tá:fəln] 《<Tafel》 *i.* (h.) 〔雅語〕 식사하다; 잘 차린 음식을 먹고 마시다.

täfeln [tɛ́:..] *t.* (벽 따위에) 널빤지를 대다.

Tafel≈obst *n.* 디저트용의 고급 과일. **~öl** *n.* 고급 식용유. **~rechnen** *n.* 필산(筆算). **~runde** *f.* 〔雅語〕 ① 잔칫상에 둘러앉은 사람들; 회식자. ② 아서(Arthur) 왕 전설의 원탁(의 기사들). **~scheibe** *f.* 판〔창〕유리. **~schere** *f.* 〖工〗 양철판 절단기. **~schiefer** *m.* 〖광물〗 석판석(石板石), 슬레이트판. **~service** *n.* 한 벌의 고급 식기; 홈세트. **~stein** *m.* ① 테이블컷용의 납작한 다이아몬드. ② 석판용 석필(Schieferstift). **~stift** *n.* 석필(石筆). **~tuch** *n.* 식탁보.

Täfelung [tɛ́:fəluŋ] 《<täfeln》 *f.* -en ① 널빤지를〔머름을〕 대는 일. ② 천정널〔벽널〕(을 대는 일).

Tafel≈waage *f.* 〖工〗 ① 앉은뱅이 저울. ② 대형의 천평칭(天平秤). **~wasser** *n.* (병에 든) 광천수. **~wein** *m.* ① 최하 등급의 포도주. ② 식탁용 포도주. **~werk** *n.* ↑ Täfelwerk.

Täfel·werk *n.* ① ↑ Täfelung ②. ②〖출판〗 화보집.

Tafel·zeug *n.* 식탁 용구(식탁보·냅킨 따위).

Täfer [tɛ́:fər] *n.* -s, - (schweiz.) ↑ Täfelung ②.

täfern [tɛ́:fərn] *t.* (schweiz.) ↑ täfeln.

Täferung *f.* -en (schweiz.) ↑ Täfelung ②.

Täflung *f.* -en 〔드물게〕 ↑ Täfelung.

Taffet [táfət] *m.* -(e)s, -e 〔구식〕 ↑ Taft.

Taft [taft] *m.* -(e)s, -e 〖섬유〗 태피터, 호박단(琥珀緞): ein Kleid ganz auf ~ gearbeitet 태피터 안감을 댄 옷.

taften [táftən] *a.* 호박단의.

Taft≈kleid [táft..] *n.* 태피터〔호박단(琥珀緞)〕의 옷. **~papier** *n.* 매끄럽고 광택 있는 종이. **~pflaster** *n.* 반창고.

***Tag**[1] [ta:k] *m.* -(e)s, -e ① **(a)** (↔ Nacht) 낮, 주간, 대낮; (Tageslicht) 일광, 광명; 〔고어〕 옥외, 집밖: es wird ~ 〔der ~ bricht an〕 날이 밝는다; der ~ sinkt 〔geht unter, neigt sich〕 날이 저문다; die ~e werden kürzer 〔länger〕 해가 짧아진다〔길어진다〕; bei ihm wird es früh ~ 그의 집은 아침이 이르다; schön wie der ~ 눈부시게 아름다운; ein Unterschied wie ~ und Nacht 뚜렷한 차이; ~ und Nacht arbeiten 밤낮 없이 일하다;

jetzt wird's ~! a) 이제 알았다, 진상을 파악했다!, b) 미몽에서 깨어났다!; 〖전치사와 함께〗 **am** ~e 〔bei ~e, des ~es〕 낮에; es liegt am ~e 그것은 자명한 일이다; es ist schon hoch am ~e 해가 벌써 중천에 떠 있다, 벌써 한낮이다; an den ~ bringen〔kommen〕 드러내다, 밝히다〔드러나다, 밝혀지다〕; an den ~ legen 명시〔공표〕하다; **bei** ~e besehen 밝은 데서 보면, 정확히 관찰해보면; **bis** (weit) in den ~ hinein schlafen 대낮까지 자다; **in** den ~ hinein leben 되는 대로 살아가다; den ~ **über** 낮 동안; **vor** (Tau und) ~ 날이 새기 전에, 이른 아침에; die Nacht **zum** ~e machen 밤을 낮으로 삼다. **(b)** (↔ Tiefe) 표면, 상부; 〖광산〗 갱 밖, 지상: über ~(e) 갱 밖〔지상〕에서; unter ~(e) 갱 안〔지하〕에서; zu ~e ausgehen (광맥이) 드러나다; zu ~e fördern 채굴하다. ② **(a)** 날, 하루 (밤낮); 〖복수〗 때, 생활, (인생의) 시절: welchen ~ haben wir heute?, 〖드물게〗 was ist heute für ein ~? 오늘이 며칠〔무슨 요일〕입니까?; alle ~e 매일; den ganzen ~ (über) 온종일; denselben ~ 〔eben den ~〕 바로 그 날; einen ~ wie alle ~e 〔wie den anderen〕 매일매일, 날마다; dieser ~e a) 최근에, 근래, b) 조만간, 근일 중에; eines ~es a) 어느 날, b) 언젠가는; eines schönen ~es 장차 때가 오면; goldene ~e 좋은 시절, 황금기; ewig und drei ~e 오랫동안; meine ~e 내 한 평생 (동안); 〖구어〗 ich habe meine ~e 나는 지금 생리 중이다; er muß jeden ~ ankommen 그는 틀림없이 곧 올 것이다; der Jüngste ~ 최후 심판의 날; der letzte ~ des Jahres 섣달 그믐날, 12 월 31 일(Silvester); der ~ des Herrn 주일, 일요일; die Forderung des ~es 오늘의 할 일, 당면한 과제; der ~ X 결정적 사건이 예고되는 날, 디데이; die Mode des ~es 요즈음 유행; ein schwarzer ~ 재수없는 날; guten ~! 안녕하십니까! (낮인사); 〖반어〗 ja, guten ~! 당치 않은 말씀, 꼴도 보기 싫다!; 〖구어〗 bei jm. guten ~ sagen 누구네 집에 잠깐 들르다; einen guten〔schlechten〕 ~ haben 기분이 좋다〔나쁘다〕; sich³ einen guten ~ machen (일 따위를 떠나서) 즐겁게 날을 보내다; jm. den ~ stehlen 누구의 시간을 빼앗다, (시간을 빼앗아) 누구의 일을 방해하다; dem lieben Gott die ~e (ab)stehlen 빈둥거리다, 게으름피우다; den ~ totschlagen 허송 세월을 보내다; dein ~ wird schon〔noch〕 kommen a) 너도 한 번 혼날 때가 온다, b) 네게도 좋은 시절이 오겠지; 〖시어〗 schön wie der junge ~ 한창 예쁜, 매우 아름다운; er hat keinen guten ~ bei ihr 그는 그녀에게서 좋은 대접을 못 받고 있다; sie hat bessere ~e gesehen 그녀는 예전이 지금보다 형편이 좋았다; meine ~e sind gezählt 내 수명은 얼마 남지 않았다; 〖속담〗 man soll den ~ nicht vor dem Abend loben 결과를 보기 전에 좋아하지 마라; 〖속담〗 es ist noch nicht aller ~e Abend 속단은 금물; 〖雅語〗 seine ~e beschließen 생애를 마감하다, 죽다. **(b)** 〖전치사와 함께〗 morgen **am** ~e, am folgenden〔nächsten〕 ~ 다음 날; **auf** seine alten ~e 그의 만년〔노후〕에; aus fernen ~en 먼 옛날부터; bis in unsere ~e 오늘날까지; ~ **für** ~ 날마다; für den ~ leben 생각 없이 그날그날을 보내다; nur für den ~ gemacht 지속적인 가치가 없는, 당장에만 중요한; **in** acht ~en 일주일 후에; in seinen besten ~en 그의 전성기에; in unseren〔diesen〕 ~en 현대에, 오늘날, 요즈음; wie in alten ~en 예전처럼; einen ~ **nach** dem andern 매일, 날마다; heute **über** acht ~e 일주일 후에; allemal über den andern ~ 〔einen ~ **um** den andern〕 하루 걸러, 격일로; ~ um ~ 하루하루; **von** ~ zu ~ 매일, 날마다; von einem ~ auf den andern 별안간, 갑자기; von einem ~e zum anderen leben 하루살이 생활을 하다; **vor** einigen ~en 며칠 전에; **zu** seinen ~en kommen a) 성년이 되다, b) 늙다. ③ 기념일: ~ der deutschen Einheit 독일 통일의 날(1953 년 노동자 동독 노동자 봉기를 기념한 6 월 17 일; 1990 년 통독 후에는 10 월 3 일). ④〖구식〗 회의, 집회.

Tag[2] [tæg] 《engl.》 *m.* -, -s 〖음악〗 (재즈의) 후렴, 태그.

Tag≈arbeit *f.* ① 하루의 일. ② 주간 작업. ③ 날품팔이. **~arbeiter** *m.* ① 날품팔이꾼. ② 주간 작업자.

tag·aus [ta:k|áus] *adv.* 〖다음 용법으로〗 tagein, ~ 〔~, tagein〕 해가 뜨나 해가 지나, 날이면 날마다.

Tag≈bau *m.* (obd.) ↑ Tagebau. **~blatt** *n.* (obd.) ↑ Tageblatt. **~blindheit** *f.* 〖醫〗 주맹증(晝盲症).

Tage≈arbeit *f.* 〖구식〗 ↑ Tagarbeit. **~arbeiter** *m.* ↑ Tagarbeiter. **~bau** *m.* 〖복수: -e〗〖광산〗 ① 노천 채굴, 지상 작업. ② 노천 광산. **~blatt** *n.* 〖구식〗 ① 일간 신문. ② 조간. ***~buch** *n.* ① 일기, 일지: ein ~ führen 일기〔일지〕를 쓰다. ②〖經〗 분개장.

Tage·buch≈aufzeichnung *f.* 일기쓰기, 일지 기입. **~nummer** *f.* 일지(항목) 번호(약어: Tgb.-Nr.).

Tage≈dieb *m.* 빈둥빈둥 노는 사람, 게으름뱅이. **~dieben** (*p.p.* getagediebt) *i.* (h.) 빈둥빈둥 지내다, 게으름피우다. **~dienst** *m.* ① 주간 근무. ② 날품팔이. **~falter** *m.* ↑ Tagfalter. **~geld** *n.* ① (출장자 따위에게 지급하는) 일당; 수당. ②〖복수〗 수당, 일당. ③ (입원 때 보험 회사의) 일당 지급.

tag·ein [ta:k|áin] *adv.* ↑ tagaus.

tage≈lang [tá:gə..] *adv.* 수일간, 며칠이나. **~licht** *n.* (obd.) 작은 창문, 채광창. **~lied** *n.* 〖문학〗 이별가(밤을 함께 보낸 연인들이 아침에 헤어질 때 부르는 중세 독일의 연가의 한 장르). **~lohn** *m.* 일급, 일당: im ~ arbeiten〔stehen〕 날품팔이로 일하다. **~löhner** *m.* 일용 근로자, 날품팔이꾼. **~löhner·arbeit, ~löhnerei** *f.* 날품팔이. **~löhnern** (*p.p.* getagelöhnert) *i.* (h.) 날품팔이를 하다, 일용직으로 일하다. **~marsch** *m.* ① 하루의 행군 거리. ② 하루 동안의 행군.

***tagen**[1] [tá:gən] 《<Tag》 *i.* (h.) ① *imp.* 〖雅語〗 날이 새다〔밝아지다〕: es beginnt zu ~ 날이 새기 시작한다. ② *imp.* 깨닫다, 알게 되다: endlich tagt es bei dir 이제야 자넨 깨달았군. ③ (schweiz.) (일의) 끝이 보이다: es tagt mit der Arbeit 그 일도 끝나가고 있다.

tagen[2] *i.* (h.) ① 회의가 열리다〔개최되다〕: das Parlament tagt 의회가 열린다. ②〖구어〗

T

모여서 먹고 마시다: wir haben bis zum frühen Morgen getagt 우리는 새벽까지 먹고 마셨다.

Tage·reise *f.* ① 일일〔당일치기〕 여행. ②〖옛뜻〗(말이나 마차로) 하루가 걸리는 거리: der Großvater wohnt mehrere ~n von hier 할아버지는 여기서 며칠 걸리는 곳에 사신다. ③〖구어·농담〗 먼 길: bis zu euch ist es ja eine ~! 너희한테 오는 길이 멀기도 하구나!

Tages≈ablauf [tá:gəs..] *m.* 하루 일과. **~anbruch** *m.* 동트기, 여명, 새벽: bei〔vor〕 ~ 동틀 때〔동트기 전에〕. **~angabe** *f.* 일부(日附), 날짜. **~arbeit** *f.* 하루의 일; 일과. **~ausflug** *m.* 일일〔당일치기〕 소풍. **~bedarf** *m.* 하루 필요량. **~befehl** *m.*〖軍〗(특히 국경일 따위에 발령되는) 특별 명령. **~bericht** *m.* 일보(日報), 당일 뉴스〔보도〕. **~billett** *n.* 당일 (자유) 이용권(券). **~decke** *f.* (낮에 침대 위에 덮어두는) 침대 덮개. **~dienst** *m.* 일직(日直). **~einnahme** *f.* 하루 수입. **~ereignis** *n.* 그 날〔당일〕의 (주요) 사건. **~form** *f.* (선수나 팀의) 당일 컨디션. **~fragen** *pl.* 시사 문제. **~geschäft** *n.*〖商〗직접〔현금〕 거래. **~geschehen** *n.* 그 날의 일, 시사적 사건. **~geschichte** *f.* 하루 동안에 일어난 일; 그 날의 기록. **~gespräch** *n.* 그 날의 주요 화제: seine Scheidung ist ~ 그의 이혼이 그 날의 주요 화제다. **~grauen** *n.*〖雅語〗여명, 새벽. **~hell** *a.*〖드물게〗↑ taghell. **~helle** *f.* ↑ Taghelle. **~karte** *f.* ① 당일 (자유) 이용 (승차)권. ② 그 날의 메뉴〔식단〕. **~kasse** *f.* ① (극장 따위의) 주간 매표 창구. ② 그 날〔하루〕의 수입. **~kauf** *m.*〖商〗↑ ~geschäft. **~kurs** *m.* ①〖증권〗 당일 시세. ② 일일 강습회〔연수회〕. **~länge** *f.* ① 하루의 길이. ② 종일. **~leistung** *f.* 하루의 성과. **~licht** *n.* 일광, 밝음: das ~ erblicken 세상에 태어나다; das ~ scheuen 세상을 꺼리다, 남의 눈을 피하다; ans ~ kommen 세상에 알려지다; ans ~ bringen 알리다. **~licht·lampe** *f.* 주광(晝光) 전구. **~losung** *f.* ① 당일 암호. ② (öst.) 그 날〔하루〕의 수입, 일당. **~marsch** *m.* ↑ Tagemarsch. **~meinung** *f.* 시대의 여론. **~mutter** *f.* 베이비시터. **~nachrichten** *pl.* 오늘의 뉴스. **~neuigkeiten** *pl.* 시사〔나날의〕 뉴스. **~ordnung** *f.* 의사(議事) 일정: et. auf die ~ setzen 무엇을 의사 일정에 상정하다, 토의에 부치다; et. von der ~ absetzen 무엇을 의사 일정에서 삭제하다; über et. zur ~ übergehen a) 어떤 토의를 중지하고 의사 일정에 들어가다, b)〖비유〗무엇을 무시하다, 고려치 않다; zur ~! 본론으로 들어갑시다!; an der ~ sein 흔한 일이다. **~politik** *f.* 시사 정치 문제; 시국(時局). **~preis** *m.* ①〖經〗시가(時價), 당일 가격〔시세〕. ② (요트 경기에서의) 장려상. **~presse** *f.* 일간 신문. **~ration** *f.* 하루치 (식량) 배급량, 일일 할당량. **~raum** *m.* (병원·직장 따위의) 주간 휴게실. **~satz** *m.* ①〖法〗일일 할당 벌금액. ② (병원의) 하루 입원(치료)비. **~schrift·steller** *m.* 신문 기자; 시사 문제 기고가. **~sieg** *m.* (시리즈 경기에서) 시합 당일의 승리. **~sieger** *m.* 시합 당일의 승리자. **~stätte** *f.* ① 탁아소. ②〖드물게〗(노인·장애자를 위한) 주간 보호소. **~stempel** *m.* 일부(日附) 소인. **~stunde** *f.* 주간의 (어느) 시각. **~wanderung** *f.* 당일치기 도보 여행. **~zeit** *f.* 주간의 (어느) 때〔시각〕: zu früher ~ 이른 아침에; zu jeder ~ 낮 동안 어느 때든지; zu jeder ~ und Nachtzeit 언제든지;〖고어〗jm. die ~ (ent)bieten 누구에게 인사하다. **~zeitung** *f.* ↑ Tageblatt. **~zug** *m.* 주간 운행 열차.

Tagetes [tagé:tɛs] *f.* -〖植〗① 만수국(萬壽菊), 전륜화(轉輪花). ② 비름속(屬)의 식물.

tage≈weise *adv.* 매일, 날마다; 날품삯으로. **≈werk** *n.* ① 하루 일. ②〖雅語〗일상〔매일매일〕의 일. ③〖옛뜻〗(하루경작량에 해당하는) 지적(地積)의 단위(약 30 a).

Tag≈fahrt *f.* ① 주간 (철도) 여행. ②〖광산〗갱에서 나옴, 출갱(出坑). ③ (obd.) 일정(日程)에 실린 심리(審理), 소환일. **~falter** *m.* ① 주로 낮에 활동하는 나비. ②〖動〗공작나비. **~geld** *n.* ↑ Tagegeld. **≈hell** *a.* 대낮처럼 밝은. **~helle** *f.* 낮의 밝음, 백주(白晝). **~hemd** *n.* (↔ Nachthemd) 평상복, 내의.

..tägig *suf.* "며칠 동안의"의 뜻(보기: drei~ 3일간의).

Tag·kreis *m.*〖天〗일주권(日周圈).

***täglich** [tɛ́:klɪç]《I》*a.* 매일〔나날〕의; (alltäglich) 일상의, 통상의: der ~e Bedarf 생필품; ~e Kleidung 평상복;〖聖〗unser ~(es) Brot 일용할 양식;〖經〗~es Geld 콜 머니, (은행 간의) 요구불 단기 차입금.《II》*adv.* 매일, 날마다: zweimal ~ 하루에 두 번; dem Kranken geht es nun ~ besser 환자는 나날이 좋아지고 있다; ~ und stündlich 항상, 끊임없이.

..täglich *suf.* "며칠마다(의)"의 뜻(보기: sechs~ 6 일마다(의)).

Täglichkeit *f.* -en ① 매일 일어나는 일. ② 일상사(日常事), 평범한 일.

Tag≈lohn *m.* (obd.) ↑ Tagelohn. **~löhner** *m.* ↑ Tagelöhner.

Tagner《< Tag》*m.* -s, - (md.) 날품팔이꾼 (Tagelöhner).

Tag·raum *m.* (obd.) ↑ Tagesraum.

tags [ta:ks]《< Tag》*adv.* ① 날(에): ~ darauf〔zuvor〕 그 다음〔전〕 날(에). ② 낮에. ③ 온〔하루〕종일.

Tag≈satzung *f.* ① (schweiz.) (1848 년까지의) 신분제 의회; 회의의 기일을 결정하기. ② (öst.) (Gerichtstermin) 법정 기일; 공판일, 소환일. **≈scheu** *a.* 빛을 두려워하는;〖비유〗남의 눈을 꺼리는, 내밀(內密)의. **~schicht** *f.* ① 주간 작업〔근무〕. ② 주간 작업조〔근무조〕. **~schule** *f.* 기숙사가 없는 학교.

tags·über [tá:ks|y:bər] *adv.* 낮에; 온종일.

tagtäglich [tá:ktɛ́:klɪç, ta:ktɛ́:klɪç]《I》*a.* 매일의, 나날의.《II》*adv.* 매일, 나날이; 항상.

Tag·traum *m.*〖心〗백일몽.

Tag·und·nacht·gleiche *f.*〖天〗분점(分點), 춘분, 추분.

***Tagung** [tá:gʊŋ]《< tagen》*f.* -en ①〖드물게〗개회. ② 회의; 집회; 학회.

Tagungs≈ort *m.* 회의〔집회·학회〕 장소. **~teilnehmer** *m.* 회의〔집회·학회〕 참석자.

Tag≈wache *f.* (öst., schweiz.) ① (군인들의) 기상 시간. ② 기상! (깨우는 소리). **~wacht** *f.* (öst., schweiz.)〖드물게〗↑ ~wache. **~wähler** *m.* 택일(擇日) 점성가. **~wasser** *n.*〖광산〗지상수(地上水). **≈weise** *adv.*

(obd.) ↑ tageweise. **~werk** *n.* (obd.) ↑ Tagewerk. **~zettel** *m.* 일보, 공보.

Tahiti [tahí:ti] 타히티(남태평양 프랑스령(領) 폴리네시아에 있는 섬).

Taifun [taɪfú:n] ⟪chin.⟫ *m.* -s, -e (특히 동남아시아 해안의) 태풍.

Taiga [táɪga] ⟪russ.⟫ *f.* 타이가(시베리아의 침엽수림(針葉樹林)(지대)).

Taille[1] [tálјə, (öst.) táɪlјə] ⟪frz.⟫ *f.* -n ① 〖드물게〗 체격(Leibesgestalt). ② 몸통 부분, 허리(선), 웨이스트(가슴과 엉덩이 사이); (옷의) 허리 부분: sie hat eine schlanke ~ 그 여자는 허리가 잘룩하다; auf ~ gearbeitet (옷이) 몸에 꼭 맞게 만들어진; er faßte sie um die ~ 그는 그 여자의 허리를 껴안았다. ③ 〖구식〗 (Mieder) (여성복의) 몸통 부분, 보디스; 코르셋: (특히 berlin.) per ~ (날씨가 따뜻할 때에) 외투를 입지 않고.

Taille[2] [tá:j] ⟪frz.⟫ *f.* -n ① 〖카드〗 패를 까 보이기. ② 〖음악〗 (16-18 세기의) 테너. ③ (프랑스의) 영주에게 내는 세금; (15 세기부터 프랑스 혁명 때까지) 비특권층이 국왕에게 내는 재산세 및 소득세. ④ 동판화의 선.

taillen≈betont [táljən..] *a.* 허리선을 강조한. **≈weite** *f.* 허리 둘레.

Tailleur[1] [tajǿ:r] *m.* -s, -s ① 〖구식〗 (Schneider) 재단〔재봉〕사. ② 〖카드〗 물주 (Bankhalter).

Tailleur[2] *n.* -s, -s (schweiz.) 맞춤옷.

taillieren [tají:rən] *t.* ① (옷의) 허리 부분이 들어가게 만들다. ② 〖드물게〗 (schneiden) 자르다, 재단하다. ③ 〖카드〗 패를 보이다.

Tailor·made [té:lərme:d, téɪləmeɪd] ⟪engl.⟫ *n.* -, -s 맞춤옷.

Take [te:k] ⟪engl.⟫ *m./n.* -s, -s 〖영화·TV〗 ① (동시 녹음에서 입의 움직임과 대사를 일치시킬 때 쓰이는) 녹음 테이프. ② 컷, 장면, 샷. ③ 광고 장면.

Takel [tá:kəl] *n.* -s, - 〖海〗 ① (돛을 당길 때 쓰는) 도르래. ② (범선의) 삭구(索具).

Takelage [takəlá:ʒə] *f.* -n 〖海〗 삭구(전체).

Takeler [tá:kələr] *m.* -s, - ① 삭구를 장착하는 사람. ② 부두 인부.

Takeling *m.* -s, -e 〖海〗 밧줄 끝이 풀어지지 않도록 휘감는 일.

takeln [tá:kəln] *t.* 〖海〗 (배에) 삭구(索具)를 장착하다.

Takelung [tá:kəlʊŋ] *f.* -en 〖海〗 ① 삭구 장착. ② 삭구(전체).

Takel·werk *n.* -(e)s 〖海〗 ↑ Takelage.

Takler *m.* -s, - ↑ Takeler.

Taklung *f.* -en ↑ Takelung.

Täks *m.* -es, -e 〖손일〗 (구두의 위창과 밑창을 이어주는) 못, 쐐기.

***Takt** [takt] ⟪lat. tactus⟫ *m.* -(e)s, -e ① 〖음악〗 (**a**) 박자: den ~ angeben〔schlagen〕 a) 박자를 잡다〔맞추다·치다〕, b) 〖비유〗 앞장서다, 결정을 내려야 하는 위치다; den ~ halten 박자를 맞추다, (조정 경기에서) 박자 맞추어 노를 젓다; 〖구어·구식〗 nach ~ und Noten 정식으로, 또박또박, 철저히; jn. aus dem ~ bringen a) 누구의 페이스를 흐트러지게 하다, b) 누구를 당황하게 만들다; aus dem ~ kommen 박자가 흐트러지다; 〖비유〗 허둥거리다, 당황하다; im ~ bleiben 페이스를 유지하다. (**b**) 박(拍), 마디, 소절(小節), (마디를 구분하는) 세로줄: ein paar ~e 약간; 〖구어〗 ich muß mal ein paar ~e mit dir reden 자네하고 이야기 좀 해야겠군; 〖구어〗 laß mich noch ein paar ~e schlafen 조금만 더 자겠다. ② (**a**) 박자; 규칙적인 동작〔작동〕, 사이클: der ~ von Maschinen 기계의 규칙적인 작동; im ~ 〔nach dem ~〕 marschieren 발걸음을 맞추어 행진하다; im ~ 〔nach den ~〕 tanzen 박자에 맞추어 춤추다. (**b**) 〖문학〗 박절(拍節), (시행의) 박자: jeder Vers hat ~ 모든 시행은 박자가 있다. ③ 〖컴〗 (자료 처리 작업의) 시간 단위. ④ 〖工〗 (컨베이어 시스템의) 사이클, 주기; (피스톤의) 행정(行程). ⑤ 배려, 신경씀, 세심: viel〔wenig〕 ~ haben 남에 대해 배려를 많이 하다〔거의 하지 않다〕.

Takt≈art *f.* 〖음악·문학〗 박자(의 종류). **~fehler** *m.* ① 무례, 예의에 어긋남. ② 박자를 못 맞춤. **≈fest** *a.* ① 박자가 정확한. ② 〖드물게〗 신뢰할 만한; 확실한, 흔들리지 않는; 정통한: er ist in seinem Fach durchaus ~ 그는 자신의 전문 분야에서 조예가 매우 깊다. ③ 〖드물게〗 튼튼한: sie ist nicht ganz ~ auf der Brust 그 여자는 가슴이〔폐가〕 그다지 튼튼하지는 못하다; 〖비유〗 er ist nicht mehr ~ 그는 벌써 취해서 비틀거리고 있다. **~führer** *m.* ↑ ~schläger. **~gefühl** *n.* ① 박자 감각. ② 배려, 신경씀, 세심.

taktieren[1] [taktí:rən] ⟪< Takt⟫ *i.* (h.) 〖음악·구식〗 박자를 잡다〔맞추다〕.

taktieren[2] *i.* (h.) ① 장단을 맞추다. ② 상황에 맞게 처신하다, 현명하게 행동하다.

Taktier≈stab, ~stock *m.* 〖음악〗 지휘봉.

***Taktik** [táktɪk] ⟪frz. tactique⟫ *f.* -en ① 〖軍〗 전술, 작전, 용병술: die ~ der verbrannten Erde 초토화 작전. ② 〖스포츠〗 작전. ③ 〖비유〗 전략, 책략, 계략, 타산.

Taktiker [táktɪkər] *m.* -s, - ① 용의주도한 사람. ② 전술가, 책략가.

taktisch *a.* ① 작전〔전술〕의, 전략상의, 전술적인: aus ~en Gründen 작전상〔전술상〕의 이유에서; 〖軍〗 ~e Waffen 전술 무기; 〖軍〗 ~e Zeichen 작전 지도(地圖). ② 책략적인; 수완이 능란한.

taktlos *a.* 무례한; 사교의 요령을 모르는, 생각이 부족한; 서투른: eine ~e Frage 무례한〔주책없는〕 질문; ein ~er Mensch 덜된〔눈치없는〕 사람.

Taktlosigkeit *f.* ① 무례, 주책없음. ② 무례한〔주책없는〕 말〔행동〕.

takt≈mäßig *a.* ① 박자에 맞는, 선율이 있는; 율동적인: in ~en Schritten 발걸음을 맞추어. ② 적당〔적절〕한. **≈messer** *m.* 〖음악〗 메트로놈. **≈note** *f.* 〖음악〗 온음표. **≈pause** *f.* 〖음악〗 온쉼표. **~schlag** *m.*, **≈schlagen** *n.* 박자 젓기〔치기〕. **≈schläger** *m.* 지휘자. **≈stock** *m.* 지휘봉. **≈straße** *f.* 〖工〗 컨베이어. **~strich** *m.* 〖음악〗 마딧줄. **~voll** *a.* ① 장단을 잘 맞추는; 배려하는, 세심한; 세련된. ② 〖드물게〗 재치 있는, 요령 좋은, 빈틈없는. **~widrig** *a.* ① 〖음악〗 박자가 틀린. ② ↑ taktlos.

***Tal** [ta:l] *n.* -(e)s, Täler ① 골짜기, 계곡, 산간의 평지; 협곡: ein blühendes ~ 꽃이 만발한 골짜기; ein tiefes ~ 깊은 골짜기; 〖聖〗 das ~ des Todes 죽음의 골짜기; über Berg und ~ wandern 산과 골짜기를 지나 도보 여

T

행하다; zu ~ a) 골짜기로, b) 계류를 따라서, 아래쪽으로; zu ~ fahren (내륙 항행에서 배가) 강하구 쪽으로 운항하다; die Wirtschaft befindet sich in einem ~ 경제가 불황에 빠져 있다. ②〔구어·총칭〕 계곡의 주민.

tal≈ab *adv.* ↑ ~abwärts. **~abwärts** *adv.* ① 골짜기 아래로. ② (내륙 항행에서) 강의 하류 쪽으로; 계곡을 따라서.

Talar [taláːr] ⟪lat.⟫ *m.* -s, -e ① (성직자·법관 등이 입는) 법복, 제복; (교수가 학위 수여식 따위에서 입는) 학위 가운. ② 국왕의 외투.

tal≈auf *adv.* ↑ ~aufwärts. **~aufwärts** *adv.* ① 골짜기 위쪽으로. ② (내륙 항행에서) 강의 상류 쪽으로. **~aus** *adv.* 골짜기에서〔를 나와서〕. **≈bahn** *f.* 골짜기 사이를 통과하는 선로. **≈bewohner** *m.* 골짜기〔계곡〕에 사는 사람. **≈boden** *m.* 계곡 사이의 평지.

Tälchen [tɛ́ːlçən] *n.* -s, - 〘↑ Tal 의 축소형〙 작은 골짜기.

tal≈ein *adv.* ↑ ~einwärts. **~einwärts** *adv.* 골짜기 속으로〔사이로〕. **≈enge** *f.* 협곡; 애로(隘路).

***Talent** [talɛ́nt] ⟪lat.⟫ *n.* -(e)s, -e ① 탈렌트 (고대 그리스·로마의 중량 및 화폐 단위). ② (Fähigkeit) 능력, 소질; 천품: sein ~ entfalten 자신의 재능을 펼치다; er hat ~ zum Klavierspielen 그는 피아노 연주에 재능이 있다; sie ist nicht ohne ~ 그녀는 정말로 재능이 있다; 〔구어〕 da hocken wir nun mit unserem ~ 지금 우리는 어찌할 바를 모르고 있다. ③ 재능〔자질〕이 있는 사람, 인재.

talentiert [talɛntíːrt] *a.* 재능〔소질〕 있는.

Talentiertheit *f.* 재능〔소질·능력〕있음.

talentlos *a.* 재능 없는, 평범한.

Talentlosigkeit *f.* 재능〔소질〕 부족〔결핍〕.

Talent≈probe *f.* 재능 심사; 재능 심사의 관건이 되는 작품〔연주〕; 오디션. **~suche** *f.* 인재 발굴. **≈voll** *a.* 재능〔소질〕이 있는, 민완한.

Taler [táːlər] *m.* -s, - ① 탈러(15-19세기 독일의 은화). ②〔구어〕 돈(Geld): er hat sich[3] dabei einen hübschen ~ verdient 그는 그때 상당한 돈을 벌었다; 〔속담〕 wer den Pfennig nicht ehrt, ist des ~s nicht wert 한 푼을 업신여기는 사람은 큰 돈을 가질 자격이 없다.

Tal·fahrt *f.* ① 골짜기로 내려가기. ② 아래로 항행하기. ③〘비유〙 통화 가치의 하락: die ~ des Dollar 달러 가치의 하락. ④ (내륙 항행에서) 강하류 쪽으로 내려가는 운항.

Talg [talk] *m.* -(e)s, -e [..gə] ① 수지(獸脂), 경지(硬脂), (특히 소·양의) 피지(皮脂). ② 지방(脂肪) (Unschlitt).

talg≈artig *a.* 수지(獸脂)와 같은, 피지질(皮脂質)의. **≈drüse** *f.* 〘해부〙 피지선(腺).

talgen[1] [tálgən] ⟪< Talg⟫ ⟪I⟫ *i.* (h.) 〘드물게〙 ① 지방(脂肪)이 나오다: diese Ochsen ~ gut 이 소에서는 지방이 많이 나온다. ② (식은 음식물의) 지방이 굳어지다, 기름이 끼다. ⟪II⟫ *t.* 수지(獸脂)를 바르다.

talgen[2] *a.* 지방질(脂肪質)의, 지방으로 된.

Talg·fett *n.* ↑ Talg.

talgicht *a.* ↑ talgig.

talgig *a.* ① ↑ talgartig. ② 기름이 묻어 더럽혀진, 지방(脂肪)이 많은; 지방을 바른.

Talg≈kerze *f.* ↑ ~licht. **~licht** *n.* 수지(獸脂)로 만든 양초.

Tal·grund *m.* 〘지질〙 곡저(谷底).

Talg·säure *f.* 〘化〙 지방산(脂肪酸).

Tal·hang *m.* 계곡 양쪽의 언덕; 산의 비탈면.

Talion *f.* -en 동해(同害) 보복법(피해자가 당한 만큼 가해자에게 가하는 형벌).

Talions·lehre *f.* 동해(同害)보복의 법칙, 동해 보복론, 응보형론(應報刑論).

Talisman [táːlɪsman] ⟪sp.⟫ *m.* -s, -e (Amulett) 부적(符籍), 호부(護符); 마스코트; 행운을 가져오는 물건; 〔비유〕 diese Münze ist mein ~ 이 동전은 내게 행운을 가져다주는 것이다.

Talje [táljə] ⟪lat.⟫ *f.* -n 〘海〙 도르래, 활차(滑車).

taljen [táljən] *t.* 〘海〙 도르래〔활차〕로 감아올리다.

Talje·reep *n.* 〘海〙 밧줄(Tau).

Talk[1] [talk] ⟪frz.⟫ *m.* -(e)s 〘광물〙 활석(滑石), 탤컴, 탤크.

Talk[2] *m.* -(e)s, -e (obd.) ① (Teig) 반죽(과 같은 것). ② 아둔패기, 촌놈.

Talk[3] [tɔːk] ⟪engl.⟫ *m.* -s, -s 〔은어〕 환담, 대화; 수다, 잡담.

Talken *m.* -s, - 〘요리〙 동글납작한 작은 과자.

Talk·erde *f.* 〘化〙 산화마그네슘, 고토(苦土).

Tal·kessel *m.* (작은) 양념 절구 모양의 골짜기, 산협.

talkicht *a.* ↑ talkig.

talkig [tálkɪç] ⟪< Talk⟫ *a.* (obd.) ① 반죽 같은; 제대로 구워지지 않은. ② 멍청〔한심·아둔〕한. ③ 활석(滑石) 모양의.

Talk·master [tɔ́ːk..] ⟪engl.⟫ *m.* 토크 쇼〔대담 프로〕 진행자〔사회자〕.

Talk·masterin *f.* -nen ↑ Talkmaster 의 여성형.

Talk·puder [tálk..] *m.* 활석 가루.

Talkshow 新정서 ⇦ Talk-Show.

Talk-Show [tɔ́ːkʃoː] ⟪engl.⟫ *f.* -(s) 토크쇼, 대담 프로.

Talk·stein [tálk..] *m.* 활석(滑石).

Talkum [tálkʊm] *n.* -s 활석(滑石); 활석 가루.

talkumieren *t.* (고무나 가죽 따위의 마모를 줄이기 위해) 활석 가루를 뿌리다〔입히다〕.

Tall *f.* (ndd.) 수(數) (Zahl).

tallföten *i.* (h.) (ndd.) 발을 버둥거리다.

Tallig *m.* (ndd.) ↑ Talg.

Talmi [tálmi] ⟪frz.⟫ *n.* -s ① 모조 금(구리와 아연의 합금에 1%의 금을 섞은 것으로 장식 따위에 이용함); 도금한 황동(黃銅). ②〔비유〕 (Unechtes) 가짜, 유사품, 가치 없는 것: das ist alles bloß ~ 그것들은 모두 허섭스레기다.

talmi *a.* (öst.) ↑ talmin.

Talmi·gold *n.* ↑ Talmi ①.

talmin *a.* ① 황동(黃銅)으로 도금한. ②〔비유〕 가짜의, 무가치한.

Talmi·ware *f.* 가짜〔엉터리〕 물건, 모조품.

Talmud [tálmuːt] ⟪hebr., „mündliche Lehre"⟫ *m.* -(e)s, -e ① 탈무드. ② 탈무드본(本).

talmudisch [talmúːdɪʃ] *a.* ① 탈무드의. ②〘드물게〙 까다롭게 따지는.

Talmudist [talmudɪ́st] *m.* -en, -en 탈무드 학자〔연구가〕.

Tal·mulde *f.* 분지(盆地), 분상(盆狀) 골짜기.

Talon [talɔ̃́, (öst.) ..lóːn] ⟪frz.⟫ *m.* -s, -s ①

T

〖經〗 (a) (Erneuerungsschein) 갱신 증서〔증권〕. (b)〖商〗(채권의) 이자 교환권, 상품권. (c) (입장권의) 잘라낸 부분. ②〖놀이〗(a) 패를 돌리고 남은 카드. (b) 도미노놀이에서 돌리지 않고 엎어 놓은 패 전체. (c) 도박에서의 카드더미. ③〖음악〗(현악기의) 활에 달린 너트〔조이개〕. ④ (주머니칼의) 칼날 뿌리(날을 부착시킨 부분).
Talpe *f.* -n (ndd.) (짐승의) 앞발(Tatze).
talpen *i.*(h.) 발을 질질 끌며 걷다.
Talps *m.* -es, -e (ndd.) (Tölpel) 멍청이, 바보; 사람.
talpsen *t.* 어설피 만지작거리다〔손을 대다〕.
tälsch *a.* (obd.) (verrückt) 미친, 발광한.
Talschaft *f.* -en (schweiz., westöst.) 골짜기 주민.
Tal≈schlucht *f.* 협곡, 심곡(深谷). **~senke** *f.* 좁은 분지, 골짜기. **~ski** [..ʃi:] *m.*〖동계스포츠〗활강(滑降). **~sohle** *f.* ①골짜기의 밑바닥. ②〖비유〗(경기 따위의) 침체, 불황. **~sperre** *f.* 골짜기의 댐; (강·저수지 따위의) 저수(貯水) 구역〔시설〕.
Talung *f.* -en〖지질〗골짜기와 비슷한 지형.
tal≈wärts *adv.* 골짜기 쪽으로. **~weg** *m.* 골짜기에 난 길.
Tamarinde [tamarɪ́ndə] ⟪it.⟫ *f.* -n ①〖植〗타마린드(열대 지방산(產) 콩과의 상록 관목). ② 타마린드 열매(청량 음료용·약용·조미용).
Tamariske [tamarɪ́skə] ⟪lat.⟫ *f.* -n〖植〗위성류(渭城柳)(중국 원산의 작은 낙엽 교목).
Tambour [támbu:r, tambú:r] ⟪frz.⟫ *m.* -s, -e/(schweiz.) -en ①〖구식〗(Trommler) 북 치는 사람, 고수(鼓手). ②〖음악〗북(Trommel). ③〖건축〗호박 주추. ④〖방직〗(방직 기계의) 북; 자수틀.
Tambour≈major *m.* ① (제복을 입은) 행진 고적대의 지휘자. ②〖軍·구식〗군악대의 고수장(鼓手長). **~stab** *m.* (고수장의) 지휘봉.
Tambur [támbu:r] (♧ Tambour) *m.* -s, -e ① (둥근) 자수틀. ②〖악기〗↑ Tambour ②.
tamburieren *i.*(h.) ①〖수공〗(자수틀로) 자수를 놓다; 뜨개질을 하다. ② (가발을 만들 때) 망사와 가제 사이에 가늘게 땋은 머리카락을 엮어넣어 가리마가 생겨나게 하다.
Tamburier≈nadel *f.* 자수 바늘. **~stich** *m.*〖수공〗사슬 모양으로 뜨기, 체인 스티치. **~sticker** *m.* 수놓는〔뜨개질하는〕 사람. **~-stickerin** *f.* ↑ ~sticker 의 여성형.
Tamburin [tamburí:n, tám..rin] ⟪frz.⟫ *n.* -s, -e ①〖악기〗탬버린. ②〖수공〗(둥근) 자수틀.
Tamburin≈ball *m.* 탬버린 공놀이(배드민턴 비슷한 이탈리아의 놀이). **~schläger** *m.* 탬버린 주자(走者).
Tamil [tá(:)mɪl] *n.* -(s) 타밀어(語)(드라비다계(系)에 속하는 언어).
Tamile [tamí:lə] *m.* -n, -n 타밀족(族)(드라비다족에 속하는 부족; 인도 남동부와 스리랑카 북부에 거주).
tamilisch *a.* 타밀족(族)의; 타밀어의: ~e Sprache 타밀어(Tamil).
tämlich *a.* (ndd.) ↑ ziemlich.
Tamp [tamp] *m.* -s, -e ↑ Tampen.
Tampen [támpən] *m.* -s, -〖海〗밧줄, 밧줄의 끝부분: am ~ segeln (조정에서) 맨 끝자리에서 노를 젓다.
Tampon [támpɔn, tampó:n, tãpɔ̃] ⟪frz.⟫ *m.* -s, -s ①〖醫〗(솜이나 가제로 만든) 지혈용 마개, 솜방망이, 면구(綿球); (월경 때 사용되는) 탐폰. ②〖印〗(그라비어 인쇄에서) 판화면에 잉크를 칠하는 기구.
Tamponade [tamponá:də] *f.* -n〖醫〗면구(綿球)로 막음; 탐폰을 채워 넣음.
Tamponage [..ʒə] *f.* -n〖工〗(가스 따위가 스며들지 않도록) 실구멍 메우기.
tamponieren [tamponí:rən] *t.*〖醫〗솜뭉치를 박다, (상처에) 면구(綿球)를 박다.
Tämse *f.* -n (ndd.) 말총으로 만든 체.
tämsen *t.* (ndd.) 길들이다(zähmen).
Tamtam [támtam, tamtám] ⟪frz.⟫ *n.* -s, -s ①〖악기〗(Gong) 징, 꽹과리: ein ~ schlagen 징을 치다. ②〖구어〗(Lärm) 소동, 야단법석; 과대 선전: ~ schlagen〔machen〕 크게 법석떨다; viel ~ um jn.〔et.〕 machen 누구〔무엇〕 때문에 야단법석을 피우다.
Tamule [tamú:lə] *m.* -n, -n 타밀 사람.
tamulisch *a.* 타밀 사람〔말〕의.
Tanagra [tá(:)nagra] 타나그라(고대 그리스 보이오티아(Boeotia)의 도시).
Tanagra·figur *f.* 타나그라 여인상(像)(타나그라에서 출토된 고대 그리스의 테라코타로 된 여인상).
Tanbur [tánbu:r, tanbú:r] *m.* -s, -e/-s〖악기〗탄부르(만돌린과 유사한 악기로 아라비아·발칸 반도·중앙 아시아 등지에서 연주됨).
Tand [tant] ⟪lat.⟫ *m.* -(e)s〖雅語·구식〗① 보잘것없는 것, 사소한〔하찮은〕 물건. ② 장난감. ③ (Geschwätz) 수다, 허튼 소리.
Tändelei [tɛndəlái] *f.* -en ① (Tändeln) 희롱; (Liebelei) 남녀간의 희롱, 시시덕거림, 교태. ② 장난, 유희; 장난감. ③〖드물게〗(Zaudern) 우물쭈물함, 주저.
tändelhaft *a.* 장난의, 희롱하는, 시시한; (leichtfertig) 경박한, 경솔한.
Tändeler *m.* -s, - ↑ Tändler.
tändelig *a.* ↑ tändelhaft.
Tändel·kram *m.* ↑ Tand ①.
Tandel·markt *m.* (bayr., öst.) ↑ Tändelmarkt.
Tändel·markt *m.*〖방언〗(Trödelmarkt) 고물 시장, 벼룩 시장.
***tändeln** [tɛ́ndəln] ⟪< Tand⟫ *i.*(h.) ① 장난하다(spielen); (liebeln) 희롱하다, 시시덕거리다; 아양떨다. ② (zaudern) 꾸물대다, 빈둥거리다. ③ (südd.) 고물 장사를 하다.
Tändel≈schürze *f.*〖구식〗(음식 나를 때) 장식으로 걸치는 앞치마. **~werk** *n.* ↑ Tand.
Tandem [tándɛm] ⟪engl.⟫ *n.* -s, -s ① 2 인승 자전거. ②〖승마〗(2 필의 말을 앞뒤로 나란히 맨) 2 륜 마차. ③〖기계〗(2 개의 장치를 앞뒤로 설치한) 탠덤〔직렬식〕 기계. ④〖비유〗(협력하여 일을 달성하는) 2 인조, 2 그룹.
Tandem·flugzeug *n.*〖空〗탠덤 비행기.
Tandler *m.* -s, - (bayr., öst.) ↑ Tändler ③.
Tändler [tɛ́ndlər] ⟪< tändeln⟫ *m.* -s, - ① 쓸데없는 일로 시간을 보내는 사람; 무위도식하는 사람. ② 농탕치는〔희롱〕하는 사람, 시시덕거리는 사람; 무위도식자. ③ (bayr., öst.) 고물 장수.
tändlig *a.* ↑ tändelig.
Tang[1] [taŋ] *m.* -(e)s, -e〖植〗바닷말, 해조(海藻); (특히) 갈색 조류.

Tang² *f.* (ndd.) (Zange) 겸자(鉗子); 핀셋.
tang 〖기하〗 =Tangens 탄젠트.
Tanga [táŋga] *m.* -s, - ① 탕가(양 옆을 끈으로 매는 삼각 미니 비키니 팬티). ② 탕가 팬티가 달린 비키니.
Tanganjika [taŋganjí:ka] 탕가니카(아프리카 남동부의 탄자니아의 대부분의 지역).
Tanga·slip *m.* ↑ Tanga ①.
Tangel [táŋgɛl] 《⇔ Zange》 *m.* -s, -n 〔*f.* -n〕 (schweiz.) (Tannennadel) 전나무 잎.
Tangel·baum [táŋgɛl..] *m.* (schweiz.) 소나무(Kiefer).
Tangens [táŋgɛns] 《lat.》 *m.* -s, -s 〖기하〗 탄젠트(약어: tang, tan, tg.).
Tangens·satz *m.* 〖기하〗 탄젠트 법칙.
Tangent *m.* -(e)s, -e 〖악기〗 ↑ Tangente ③.
Tangente [taŋgɛ́ntə] 《lat.》 *f.* -n ① 〖기하〗 접선(Berührungslinie). ② 〖교통〗 외곽 도로. ③ (피아노 따위의) 타현(打絃) 기구, 액션.
Tangenten⸗bussole *f.* 〖전기〗 정접(正接) 전류계. **~viereck** *n.* 〖기하〗 접선 4 변형.
tangential [taŋgɛntsiá:l] 《lat.》 *a.* 〖기하〗 (berührend) 접하는, 접선의, 탄젠트의.
Tangential⸗beschleunigung *f.* 접선 가속도. **~ebene** *f.* 〖기하〗 접평면(接平面). **~-kraft** *f.* 접선력.
Tanger [táŋər, tándʒər] 탕헤르(Gibraltar 해협에 면한 모로코의 항구 도시).
tanger *a.* (ndd.) ① ↑ kräftig. ② ↑ rasch.
tangieren [taŋgí:rən] 《lat.》 《Ⅰ》 *t.* ① 〖교양〗 접촉하다, 감동시키다, 영향을 끼치다; 관계하다: meine Meinung wird von diesem Vorfall nicht tangiert 내 생각이 이 사건 때문에 바뀌지는 않는다; das tangiert mich nicht 그 일은 나와 무관하다. ② 〖기하〗 접하다, 접선〔접점〕하다: die Linie tangiert die Kurve 그 선은 곡선과 접하고 있다. 《Ⅱ》 *i.* (h.) 〖印〗 (선화(線畫)가 들어간 인쇄판에) 규칙적인 무늬를 집어넣다: diese Bildteile sollen nicht tangiert werden 이러한 그림〔사진〕이 있는 부분에는 규칙적인 무늬를 집어넣지 말아야 한다.
Tango [táŋgo] 《sp.》 *m.* -s, -s 탱고(춤).
***Tank** [taŋk] 《engl.》 *m.* -s, -s/(드물게) -e ① (물·기름 따위의) 큰 통, 탱크. ② 〖軍·구식〗 (Panzer) 탱크, 전차, 장갑차.
Tank⸗abwehr·kanone *f.* 대(對)전차포. **~dampfer** *m.* 유조선(Tankschiff).
***tanken** [táŋkən] 《Ⅰ》 *t.* ① (연료를) 공급하다, (차에) 기름을 넣다: Benzin ~ 가솔린을 넣다; 〔목적어 없이〕 ich muß noch ~ 나는 기름을 좀 넣어야 해. ② 〖비유〗 (힘을) 보충하다: Kräfte 〔neuen Mut〕 ~ 다시 힘을〔새로운 용기를〕 얻다. 《Ⅱ》 *i.* (h.) ① 〖구어·농담〗 거나하게 한잔하다: er hat zuviel getankt 그는 술을 너무 많이 마셨다. ② 연료를 공급받다: in der Luft ~ 비행 중에 급유하다.
Tanker [táŋkər] *m.* -s, - 유조선.
Tanker·flotte *f.* 유조선단(團).
Tank⸗fahrzeug *n.* ↑ ~wagen ①. **~füllung** *f.* 저장 탱크에 채우는 연료; 저장 용기에 들어가는 액체. **~inhalt** *m.* ① 연료 저장 탱크의 용량. ② 연료 저장 탱크의 내용물. **~säule** *f.* (주유소의) 급유기(Zapfsäule). **~schiff** *n.* 유조선. **~stelle** *f.* 주유소. **~wagen** *m.* ① 유조차. ② 〖철도〗 유조 화차, 급유차. **~wart** *m.* 주유소 직원〔임차인〕.

Tann [tan] *m.* -(e)s, -e 〖시어〗 울창한 전나무 숲.
Tann⸗albin *n.* -s 〖藥〗 타날빈(설사약). **~apfel** *m.* ↑ Tannenzapfen.
Tannat *n.* -(e)s, -e 〖化〗 타닌산염(酸塩).
Tännchen [tɛ́nçən] *n.* -s, - 어린 전나무.
***Tanne** [tánə] *f.* -n 〖植〗 ① 전나무: 〖비유〗 schlank wie eine ~ 전나무와 같이 후리후리한. ② 〖구어〗 크리스마스 트리.
Tännel *m.* -s, - 〖植〗 물별.
tannen¹ [tánən] 《<Tanne》 *a.* 전나무로 만든.
tannen² *t.* ↑ tannieren.
Tannen⸗apfel *m.* ↑ ~zapfen. **~baum** *m.* ① 〖구어〗 전나무. ② 크리스마스 트리.
Tannen⸗bohle *f.*, **~brett** *n.* 전나무 널빤지. **~häher** *m.* 〖動〗 잣까마귀. **~hain** *m.* 전나무숲. **~harz** *n.* 전나무의 진. **~holz** *n.* 전나무 목재. **~meise** *f.* 〖動〗 진박새. **~nadel** *f.* 전나무 잎. **~planke** *f.* 전나무로 켠 두꺼운 판자. **~reis** *n.* 〖雅語〗 전나무의 어린 가지. **~reisig** *n.* 전나무의 잔가지 더미. **~wald** *m.* 전나무숲. **~wedel** *m.* ① 〖植〗 쇠뜨기. ② 〖구식〗 전나무 가지. **~zapfen** *m.* 전나무 열매(송이). **~zweig** *m.* 전나무 가지.
Tänner *m.* -s, - 〖動〗 제비갈매기(Flußseeschwalbe).
Tannhäuser [tánhɔyzər] *m.* ① 탄호이저 (1200-70 년으로 추정되는 독일의 음유 시인). ② 탄호이저(Wagner 의 가극 및 그 주인공).
Tannicht [tánɪçt] *n.* -s, -e ↑ Tännicht.
Tännicht 《<Tanne》 *n.* -s, -e 〖구식〗 작은 전나무 숲(Tannenwäldchen).
tannieren *t.* 타닌산(酸)으로 가공〔처리〕하다.
tannig *a.* 전나무가 난, 전나무의.
Tannin [taní:n] 《<Tanne》 *n.* -s, -e 〖化〗 타닌산(酸).
Tannin·säure *f.* ↑ Tannin.
Tann·kuh *f.* (schwäbisch) ↑ Tannenzapfen.
Tännling [tɛ́nlɪŋ] *n.* -s, -e 어린 전나무.
Tann·zapfen *m.* ↑ Tannenzapfen.
Tansanier [tanzá:niər] *m.* -s, - ① 탄자니아 사람. ② 탄자니아 출신자.
Tansanierin *f.* -nen ↑ Tansanier 의 여성형.
Tansanit [tanzaní:t, ..nɪt] *m.* -s, -e 〖광물〗 탄자니아석(石) (청색 보석).
Tanse [tánzə] *f.* -n (schweiz.) (우유·포도주·포도 따위를 넣어 등에 져서 운반하는) 통, 광주리.
Tantal [tántal] *n.* -s 〖化〗 탄탈(금속 원소; 백금 대용; 기호: Ta).
tantalisch *a.* 탄탈로스의.
Tantalos, Tantalus 〖그리스신화〗 *m.* 탄탈로스(아들의 살을 신들에게 먹이려 한 벌로 지옥에서 영원한 기갈에 시달림).
Tantalus·qualen *pl.* 탄탈로스의 고통(욕망이 영원히 충족되지 않는 괴로움을 뜻함).
Tantchen *n.* -s, - 〖↑ Tante 의 축소형〗 이모, 고모, 숙모, 백모, 아주머니.
Täntchen *n.* -s, - ↑ Tantchen.
***Tante** [tántə] 《frz.》 *f.* -n ① 이모, 고모, 숙모, 백모: 〖속어〗 er ist bei ~ Meier 그는 지금 화장실에 있다; meine ~ 〔deine ~〕 카드놀이의 일종. ② 〖아동〗 (아는 여자 어른에 대

한 친숙한 칭호로서) 아주머니, 아줌마. ③〖경박·폄어〗 여자, 아줌마, 여편네: da kam so eine ~ daher 그때 고 따위 여편네가 왔지 뭐냐. ④〖경박·폄어〗(Tunte) 요조숙녀인 체하는 여자, 내숭떠는 여자; 여자 역할을 하는 남자 동성 연애자.

Tante-Emma-Laden *m.* 〖구어〗 구멍 가게 (예전에는 Emma 가 흔한 이름이었던 데서).

tantenhaft *a.* 〖폄어〗 노파심이 많은, 잔소리가 심한.

Tantes [tántɛs] *pl.* 〖구식〗 (ndd.) 장난감돈 (Dantes).

Tantieme [tãtiéːmə, ..tiɛ́ː..] 《frz.》 *f.* -n ① 이익 배당(Gewinnanteil). ② 특허권〔저작권〕 사용료, 로열티, (음악·희곡 따위의) 상연료, 인세.

Tantra *n.* -(s), - 〖힌두교〗 탄트라 경전.

***Tanz** [tants] 《mndd. dans》 *m.* -es, Tänze [tɛ́ntsə] ① 춤, 무용: schneller ~ 빠른 춤; sich in ~ ausbilden 무용을 배우다; einen ~ aussetzen 춤자리에 끼지 않다; eine Dame um einen ~ bitten 어떤 부인에게 함께 춤추기를 청하다; eine Dame zum ~ auffordern 숙녀에게 춤추자고 청하다; 〖방언〗 jm. den ~ lange machen 누구를 오래 기다리게 하다; 〖비유〗 der ~ der Wellen 넘실대는 물결; der ~ auf dem Vulkan 화산에서의 무도(위험을 깨닫지 못하고 쾌락에 빠짐); der ~ ums Goldene Kalb 배금주의, 황금욕. ② 무도회, 댄스 파티. ③〖음악〗 무도곡, 댄스〔춤〕곡. ④〖비유〗 싸움, 언쟁, 다툼: eine ~ mit jm. haben〔wagen〕 누구와 싸우다; 〖구어〗 einen (großen) ~ machen〔aufführen〕 사소한 일로 크게 흥분하다; jm. einen ~ machen 누구에게 싸움을 걸다; der ~ geht los 싸움이 벌어진다; Tänze machen 거추장스러운 짓을 하다.

Tanz≈abend *m.* ① 무도회의 밤. ② 무용〔발레〕의 저녁 공연. **~bar** *f.* 춤출 무대가 마련된 바.

tanzbar *a.* 춤을 잘 추는, 춤출 수 있는.

Tanz≈bär *m.* (서커스 따위의) 춤추는 곰. **~bein** *n.* 〖다음 용법으로만〗〖구어〗 das ~ schwingen 계속해서〔시도 때도 없이〕 춤추다. **~belustigung** *f.* 춤의 즐거움. **~boden** *m.* 〖구어〗 무도장, 댄스 홀. **~café** *n.* 춤출 수 있는 카페.

Tänzchen [tɛ́ntsçən] *n.* -s, - ① ↑ Tanz. ② 〖구어〗 싸움, 다툼.

Tanz·diele *f.* 춤출 수 있는 술집.

tänzeln [tɛ́ntsəln] 《< Tanz》《I》 ① *i.* (h.) 춤추는 듯한 발걸음으로 걷다; 강종강종 뛰(어다니)다; (말이) 경쾌한 걸음으로 걷다. ② (s.) (어딘가를 향해서) 춤추는 듯한 걸음으로〔경쾌하게, 강종강종〕 가다: sie tänzelte durch das Zimmer 그녀는 춤추는 듯한 걸음으로 방을 지나갔다. 《II》 *t.* (아이를) 어르다: ein Kind ~ 어린아이를 어르다.

***tanzen** [tántsən] 《< Tanz》《I》 *i.* (h./s.) 춤추다: gut〔schlecht〕 ~ 춤을 잘 추다〔못 추다〕; mit jm. ~ 누구와 춤추다; ~ und springen 기뻐 날뛰다; auf dem Seil ~ 줄타다, 〖비유〗 위험한 짓을 하다; auf einem Vulkan ~ 위험을 깨닫지 못하고 쾌락에 빠지다〔흥겨워 날뛰다〕; 〖구어〗 aus der Reihe ~ 가락이 맞지 않다, 조화를 깨뜨리다; nach Musik ~ 음악에 맞추어 춤을 추다; 〖비유〗 nach js. Pfeife ~ 누구의 장단에 놀아나다; mir tanzt das Herz vor Freude 나는 기뻐서 가슴이 마구 뛴다; das Schiff tanzt auf den Wogen 배가 파도에 이리저리 흔들린다; mir tanzt alles vor den Augen 나는 현기증이 난다; 〖속담〗 wer gern tanzt, dem ist bald gepfiffen 지성이면 감천이다. 《II》 *t.* ① 춤을 추다: Walzer〔Tango〕 ~ 왈츠〔탱고〕를 추다. ② 춤추어 어떤 상태가 되게 하다: Schuhe entzwei ~ 신발이 갈라지도록 (실컷) 춤추다. 《III》 *refl.* sich ~ (…이 되도록) 춤을 추다: sich müde ~ 춤을 추어 지치다; sich um seine Gesundheit ~ 춤을 추어 건강을 해치다; es tanzt sich gut in diesem Saal 이 홀은 춤추기에 좋다.

Tänzer [tɛ́ntsər] *m.* -s, - ① 춤추는 사람. ② 무용가. ③ 춤 상대자, 댄스 파트너.

Tanzerei [tantsəráɪ] *f.* -en ①〖폄어〗 춤추기, 춤바람, 춤판. ②〖구어〗 댄스 파티, 무도회.

Tänzerei [tɛntsəráɪ] *f.* -en 무용가의 일〔사업·행동〕.

tänzerhaft *a.* 무용가와 같은, 댄스풍(風)의.

Tänzerin *f.* -nen ↑ Tänzer 의 여성형.

tänzerisch *a.* ① 무용〔춤·댄스〕의. ② 춤추는 듯한, 춤 동작의.

tanzerlich *a.* ↑ tänzerlich.

tänzerlich *a.* 춤을 좋아하는: es war mir gar nicht ~ (zu Mute) 나는 춤출 기분이 조금도 없었다.

tanz·fähig *a.* 춤출 줄 아는, 춤을 잘 추는.

Tanz≈fest *n.* 무도회. **~gefährte** *m.* 댄스 파트너. **~gefährtin** *f.* ↑ ~gefährte 의 여성형. **~gesellschaft** *f.* 무도회, 파티; 무도회의 사람들. **~girl** *n.* 무희, 여자 댄서. **~gruppe** *f.* 무용단, 댄스 그룹. **~kapelle** *f.* 무용〔댄스〕 반주 악단. **~karte** *f.* 〖구식〗 무도회의 파트너 등록표. **~kneipe** *f.* 무도장에 딸려 있는 음식점; 무도장. **~kränzchen** *n.* ① 댄스 사교 모임〔클럽〕. ② 댄스 사교 모임의 회원. **~kunst** *f.* ① 무용 예술. ② 춤솜씨〔실력〕. **~kurs** *m.* ① 춤 강좌〔강습〕. ② 춤 강좌의 회원 일동. **~kursus** *m.* ↑ ~kurs. **~lehrer** *m.* 댄스 교사. **~lehrerin** *f.* ↑ ~lehrer 의 여성형.

Tänzlein [tɛ́ntslaɪn] *n.* -s, - ↑ Tanz 의 축소형.

Tanz≈lied *n.* 무곡. **~lokal** *n.* 춤출 수 있는 술집. **~lust** *f.* 춤추고 싶은 기분; 춤추기 좋아함. **~lustig** *a.* 춤추기 좋아하는. **~maus** *f.* 〖動〗 (평형 기관의 유전적 변형으로) 춤추듯 맴도는 쥐. **~meister** *m.* ①〖옛뜻〗 (궁정의) 무도회 인솔자. ②〖구식〗 ↑ ~lehrer. **~musik** *f.* 댄스 뮤직, 춤곡, 무(도)곡. **~orchester** *n.* 〖음악〗 춤곡〔무(도)곡〕 연주 오케스트라. **~paar** *n.* ① 춤추는 한 쌍. ② 여러 종류의 연속된 두 춤〔댄스〕. **~pferd** *n.* 다루기 힘든 말. **~platz** *m.* ①〖옛뜻〗 (야외) 무도장. ②〖구식〗 무도장, 댄스 무대. **~saal** *m.* 댄스 홀, 무도회장. **~schritt** *m.* 댄스의 스텝. **~schuh** *m.* ① 무용화(靴), 댄스 슈즈. ② 발레 슈즈. **~schule** *f.* 춤 교습소. **~schüler** *m.* 춤 배우는 사람. **~schülerin** *f.* ↑ ~schüler 의 여성형. **~stunde** *f.* ① 무용 수업, 무용 강좌, 춤교습. ② 무용 강습 시간. **~turnier** *n.* 무도〔사교 댄스〕 경연 대회.

T

~unterricht *m.* 춤 교습. **~veranstaltung** *f.* 댄스 모임, 댄스 파티. **~vergnügen** *n.* 댄스 파티, 무도회. **~wut** *f.* 〔구어〕 춤에 대한 정열, 춤추고 싶은 욕구.

Tao [tá:o, tau] 《chin., „Weg"》 *n.* - 〖哲·宗〗 (노자(老子)·도교(道教)의) 도(道).

Taoismus [taoísmus, tau..] *m.* - ① 도교(道教). ② (육체의 불멸성을 믿는) 중국의 민간 신앙.

Tape [te:p, teıp] 《engl.》 *n./m.* -, -s 녹음 테이프.

Tape·deck [té:p.., téıp..] 《engl.》 *n.* -s, -s 테이프데크(하이파이 시설의 카세트 설비 부분).

Taper≈greis [tá:pər..] *m.* (nordd.) 꼬부랑 노인네, (중풍 따위로) 수족을 덜덜 떠는 늙은이. **~hans** *m.* (Tölpel) 무뢰한, 야인.

taperig [tá:pərıç] (⇨ tappen) *a.* (nordd.) ① 늙은, 늙어빠진; 허약한; 수족을 떠는. ② 촌스러운, 졸렬한, 서투른.

tapern [tá:pərn] *i.* (h.) (nordd.) ① 수족을 떨다, 덜덜 떨며 움직이다; 비틀비틀 걷다. ② 서투르게〔어색하게〕 행동하다.

Tapet [tapé:t] 《lat.》 *n.* -(e)s, -e 〔구식〕(회의용 탁자를 덮는) 보: 〔구어〕 et. aufs ~ bringen 무엇을 화제에 올리다, 토의하다; 〔구어〕 aufs ~ kommen 화제가 되다.

***Tapete** [tapé:tə] *f.* -n ① 벽지(壁紙) (Wandpapier): die Wände mit ~n bekleben 벽을 도배하다; 〔구어〕 die ~n wechseln a) 이사하다, b) 일자리를 바꾸다. ② 〔옛뜻〕 (장식용으로 벽에 치는) 융단, 양탄자.

tapeten≈artig *a.* 벽지 모양의; 융단 같은. **~bahn** *f.* 벽지의 폭. **~flunder** *f.* 〔농담·구식〕 빈대 (Wanze). **~leiste** *f.* (천장널을 받치기 위해) 벽 상단 둘레에 댄 나무오리. **~muster** *n.* 벽지의 무늬. **~papier** *n.* 벽지. **~rolle** *f.* 벽지 두루마리. **~stuhl** *m.* 융단〔태피스트리〕 짜는 기계. **~tür** *f.* 포장을 친〔은폐한〕 문; 같은 벽지를 발라 벽면과 구분이 안 되게 한 문. **~türe** *f.* ↑ ~tür.

T

Tapezier [tapetsí:r] 《< Tapete》 *m.* -s, - (südd.) ① 도배공(工). ② (Polsterer) 실내 장식가〔장식공〕.

tapezieren *t.* ① (…에) 벽지를 바르다; 휘장을 치다: ein Zimmer ~ 방을 도배하다. ② (öst.) (소파 따위의) 속을 새것으로 갈다.

Tapezierer *m.* -s, - ↑ Tapezier.

Tapezier·tisch *m.* (도배지를 펼쳐 놓는) 도배 작업대.

Tapezierung *f.* -en 휘장〔포장〕치기; 벽지 바르기.

Tapfe [tápfə] *f.* -n, **Tapfen** [tápfən] *m.* -s, - 발자국 (Fußstapfen).

***tapfer** [tápfər] *a./adv.* ① (mutig) 씩씩한, 용감〔과감〕한; 겁내지 않는, 대담한: ~ wie ein Löwe 사자처럼 용맹한; sich ~ wehren 당당하게 맞서다〔저항하다〕; sie hat sich ~ gehalten 그 여자는 의연한 태도를 취했다. ② 〔구식〕 (tüchtig) 열심인, 부지런한; (gründlich) 충분한, 철저한: ein ~es Mädchen 부지런한 소녀; ~ arbeiten 열심히 일하다; ~ trinken 폭음하다; ~ darauf los! 마구 덤벼라, 힘차게 해내라!

Tapferkeit *f.* 용기, 용감, 씩씩함.

Tapferkeits·medaille [..daljə] *f.* 〖軍〗 (용감한 군인에게 주는) 메달, 무공 포장(褒章).

tapieren 《frz.》 *t.* (kräuseln) (머리를 곱슬곱슬하게 하다; (스커트에) 주름을 잡다.

Tapioka [tapió:ka] 《port.》 *f.* 타피오카(카사바(cassava)의 뿌리에서 채취한 녹말).

Tapir [tá:pi:r, tá:pır] 《port.》 *m.* -s, -e 〖動〗 맥(貘).

Tapisserie [tapısərí:] 《frz.》 *f.* -n [..rí:ən] ① (a) 〔옛뜻〕 벽지〔도배용 비단〕 제조. (b) 양탄자 자수 기술. ② 〔구식〕 수공예품 상점, 포목점. ③ 천으로 된 벽지. ④ 태피스트리. ⑤ 십자수, 크로스 스티치.

Tapisserie·geschäft *n.* ↑ Tapisserie ②.

Tapp[1] [tap] *m.* -(e)s, -e (nordd.) ① 가볍게 두드림; 가볍게 두드리는 소리. ② (Tölpel) 교양〔예절〕이 없는 사람, 야만적인 사람.

Tapp[2] *n.* -s, - 〖카드〗 (스카트(Skat)와 유사한) 카드놀이.

tapp *int.* 〔의성어〕 (특히 걸을 때 나는 나지막하고 둔탁한 소리) 뚜벅뚜벅.

Tappe[1] [tápə] *m.* -n, -n (ndd., md.) (Tölpel) 멍텅구리, 바보, 촌놈.

Tappe[2] *f.* -n ① (ndd., md.) 발자국 (Tapfe). ② 짐승의 앞다리; 〔속어〕 거칠거칠한 손.

tappeln *i.* (s.) 종종걸음으로 걷다 (trippeln); 비틀비틀 걷다 (watscheln).

Tappen[1] [tápən] *m.* -s, - (ndd.) ① (Schlag) 타격, 구타. ② 마개 (Zapfen).

Tappen[2] *pl.* (obd.) 실내화.

***tappen** *i.* (obd.) ① (h./s.) 뚜벅뚜벅〔찰싹찰싹〕 소리를 내다: Schritte tappten über den Flur 복도를 뚜벅뚜벅 걷는 소리가 났다. ② (s.) 뚜벅뚜벅 소리를 내며 걷다: 〔비유〕 in eine Falle ~ 덫〔음모〕에 걸려들다. ③ (h.) 손으로 더듬다; 어설프게 쥐다: im Dunkeln〔Finstern〕 ~ a) 암중모색하다, b) 〔비유〕 불확실하다, 의심스럽다; nach et.[3] ~ 무엇을 손으로 더듬다. ④ (h.) 〔고어〕 서투른〔눈치없는·덜된〕 짓을 하다.

täppen *i.* (h.) (md.) 걸음 소리를 죽이고 가 버리다.

tappig *a.* ↑ tapsig.

täppisch *a.* ↑ tapsig.

tapprig [táprıç], **taprig** [tá:prıç] *a.* ↑ taperig.

Taps [taps] *m.* -es, -e ① 〔구어〕 서투른〔멍청한·조야한〕 인간. ② 〔방언〕 ↑ Tapp[1].

tapsen [tápsən] *i.* (h./s.) 〔구어〕 ↑ tappen.

tapsig [tápsıç] *a.* 〔구어〕 서투른, 어색한; 무딘, 굼뜬.

Tara [tá:ra] 《it.》 *f.* ..ren 〖商〗 상품 포장〔용기〕(의 무게) (약어: Ta; 기호: T).

Tarantel [tarántəl] 《it.》 *f.* -n 〖動〗 독거미의 일종: 〔구어〕 wie von der ~ gestochen aufspringen〔davonrennen〕 미친〔홀린〕 듯이 뛰어오르다〔달아나다〕.

Tarantella [..téla] *f.* -s/..tellen [..lən] 〖음악〗 타란텔라(남이탈리아의 민속춤).

Tarantismus *m.* - 〖醫〗 무도병.

Tarar [tará:r] *m.* -s, -e 〖工〗 곡물 정선기(精選機) (Getreidereiniger).

Tara≈rechnung *f.* 〖商〗 상품 포장 무게의 계산. **~vergütung** *f.* 상품 포장 무게의 공제.

Tarbusch [tarbú:ʃ] *m.* -(e)s, -e (ar.) 터키모자 (Fes).

tardando [tardándo] 《lat.》 *adv.* 〖음악〗 점점 느리게 (zögernd).

Tarent [tarέnt] 타란토(이탈리아 남부의 항구 도시).
Tarentiner 《I》 *m.* -s, - 타란토 사람. 《II》 *a.* 타란토의.
Targi [tárgi] *m.* -, Tuareg 투아레그족(族) (서부 사하라에 사는 베르베르계의 한 부족).
tarieren [taríːrən] 《<Tara》 *t.* ① 천평칭으로 물건의 무게를 달다. ②〖商〗(상품의) 포장〔용기〕 무게를 달다; 견적하다.
Tarier·waage [taríːr..] *f.* 정밀 저울.
***Tarif** [taríːf] *m.* -s, -e ① 법정 가격〔요금〕, 세금. ② 협정 임금: einen neuen ~ aushandeln 새로운 협정 임금을 협상하다. ③ (공식적인) 정가표, 요금표; 임금률(Lohnsatz); 〖철도〗 운임률(Frachtsatz); 세율(표): nach ~ bezahlt werden 정가대로 지급되다.
Tarif·abkommen *n.* ↑ Tarifvertrag.
tarifarisch [tarifáːrɪʃ] *a.* ↑ tarifisch.
Tarif≈autonomie *f.* ① 임금 협상의 자율. ② 공공 요금 결정권. **~bereich** *m.* 요금〔임금·세율〕의 적용 범위. **~erhöhung** *f.* 임금〔요금〕 인상. **~ermäßigung** *f.* 임금〔요금〕 인하. **~gruppe** *f.* 동일 임금률〔요금률〕 집단. **~hoheit** *f.* 임금〔요금〕 결정권.
tarifieren [tarifíːrən] 《<Tarif》 *t.* ① (어떤 금액을) 요금〔임금·세액〕으로 정하다. ② (무엇의) 임금〔운임〕을 산정〔결정〕하다, (가격·운임·세금 따위의) 율을 정하다.
tarifisch *a.* 정가표에 따른, 임금률대로의.
Tarif≈kommission *f.* 임금 심의 위원회. **~konflikt** *m.* 임금 분쟁.
tariflich *a.* ① 임금률에 따른. ② 임금률상으로.
Tarif·lohn *m.* 협정 임금.
tarif·los *a.* 협정 임금이 없는.
tarif≈mäßig *a.* ↑ tarifisch. **~ordnung** *f.* 임금률 규정. **~politik** *f.* 임금 정책. **~politisch** *a.* 임금 정책의. **~runde** *f.* 〖총칭〗 (노사간의 연례적인) 임금 교섭. **~satz** *m.* ① 요금〔수수료〕률. ② (특정한 동일 임금 집단을 위한) 임금률〔세율〕. **~verhandlung** *f.* 임금 협상〔교섭〕. **~vertrag** *m.* 〖法〗 임금 협약. **~wesen** *n.* 임금률 제도〔사항〕.
Tarlatan [tárlatan] 《frz.》 *m.* -s, -e 〖섬유〗 탈러턴(엷고 발이 거친 평직 견직물).
Tarn·anstrich [tárn..] *m.* 〖軍〗 위장 채색. **~anzug** *m.* 〖軍〗 위장 군복.
tarnen [tárnən] *t.* 숨기다, 은폐하다; 〖軍〗 위장하다: Tatsachen ~ 사실을 은폐하다; Kanonen ~ 대포를 위장하다.
Tarn≈farbe *f.* 〖軍〗 위장색. **~kappe** *f.* 〖신화〗 ① (이것을 쓰면 보이지 않는다는 신화에서) 요술 모자. ② 〖원뜻〗 모자가 달린 외투. **~mantel** *m.* 〖軍〗 위장 (채색된) 외투. **~netz** *n.* 위장망(網), 위장용 그물.
Tarnung [tárnʊŋ] *f.* -en ① 숨기기, 차폐(遮蔽); 위장. ② 위장 수단.
Taro *m.* -s, -s 〖植〗 타로.
Tarock [tarɔ́k] 《it.》 ① *n./m.* -s, -s 타로크 (세 사람이 하는 이탈리아의 카드놀이). ② *m.* -s, -s (타로크에서 21 장의) 으뜸패 중의 한 장.
tarocken *i.* (h.) ↑ tarockieren.
tarockieren *i.* (h.) ① 타로크 카드 놀이를 하다. ② 타로크에서 으뜸패를 내다.
Tarpan [tarpáːn] *m.* -s, -e 〖動〗 타팬(지금은 멸종된 중앙 아시아 초원 지대의 작은 야생마).
tarpejisch [tarpéːjɪʃ] *a.* 타르페이언의: der ~e Felsen 타르페이언의 바위(국사범(國事犯)을 떨어뜨려 죽이던 고대 로마의 사형장).
Tarr *m.* (ndd.) ↑ Teer.
Tarragona [taragóːna] ① 타라고나(에스파냐의 항구 도시). ② *m.* -s 타라고나(에스파냐산(産)의 포도주).
Tarsus [tárzʊs] 《lat.》 *m.* -, ..sen ① 〖動〗 (네발 짐승의) 발목뼈; (곤충의) 부절. ② 〖해부〗 (**a**) 족근(足根), 발뒤꿈치. (**b**) 눈꺼풀 연골.
Tartan[1] [tártan, táːtən] 《engl.》 *m.* -s, -s ① 바둑판 무늬의 여행용 모포. ② (스코틀랜드 산지인들의) 체크 무늬의 모포.
Tartan[2] *m.* -s 타탄 수지(트랙 따위의 방수용으로 쓰는 합성 수지).
Tartane [tartáːnə] 《frz.》 *f.* -n (지중해의) 외대박이 고기잡이배.
Tartar [tartáːr] *m.* -en, -en ↑ Tatar.
Tartarei *f.* ↑ Tatarei.
tartareisch [tartaréːɪʃ] *a.* 지옥〔저승〕의.
Tartaros [tártarɔs] 《lat.》 *m.* - 〖그리스신화〗 (Unterwelt) 지옥, 저승, 황천.
Tartarus[1] [..rʊs] 《lat.》 *m.* - ↑ Tartaros.
Tartarus[2] *m.* - 〖化〗 주석(酒石) (Weinstein).
Tartrat *n.* -(e)s, -e 〖化〗 타르타르 산염.
Tartsche [tártʃə] 《frz.》 *f.* -n (중세 후기의) 원형의 방패(대개 문장이 그려져 있음).
Tartüff [tartýf] 《frz.》 *m.* -s, -e 〖교양〗 타르튀프; (Scheinheiliger) 위선자, 위선적 신앙인, 사이비 신자(몰리에르 희극의 인물).
Tartüfferie [..tyfəríː] *f.* -n [..ríːən] 위선, 사이비 신앙심.
Täs *m.* 〖動〗 (schweiz.) (Iltis) 스컹크(의 모피).
Täschchen [tέʃçən] *n.* -s, - ↑ Tasche 의 축소형.
***Tasche** [táʃə] *f.* -n ① (호)주머니: jm. die ~n durchsuchen 누구의 호주머니를 검사하다; nimm die Hände aus den ~n! 호주머니에서 손을 빼라!; 〖구어〗 et. wie seine eigene ~ kennen 무엇에 대해서 속속들이〔훤하게〕 알고 있다; 〖구어〗 sich selbst in die ~ lügen 〔sich in die eigene ~ lügen〕 자신을 속이다; et. in der ~ haben a) 무엇을 주머니 속에 가지고 있다, b) 무엇을 확실히 가지고 있다, 확보하고 있다; jn. in der ~ haben a) 누구를 마음대로 할 수 있다, b) 누구보다 뛰어나다; die Faust in der ~ ballen〔machen〕 남몰래 적의를 품다; 〖구어〗 et. in die eigene ~ stecken a) 무엇을 주머니에 넣다, b) 무엇을 착복하다; 〖비유〗 die Hände in die ~n stecken 아무것도 하지 않다, 수수방관하다; jn. in die ~ stecken 누구를 능가하다; 〖구어〗 jm. die ~n leeren 누구의 돈을 (몰래) 빼내다; 〖구어〗 jm. die ~n füllen 누가 불법적으로 착복하는 것을 돕다; 〖구어〗 jm. et. aus der ~ ziehen 무엇을 누구에게서 (몰래) 빼내다; 〖구어〗 etwas wandert〔fließt〕 in js. ~(n) 무엇이 누구의 이득이 되다. ② (Geld~) 돈주머니, (돈)지갑; 돈: 〖구어〗 (tief) in die ~ greifen 돈을 많이 내다; jm. in die ~ arbeiten 〔jm. in js. ~ arbeiten〕 누구에게 부정한 이익을 얻게 하다; 〖구어〗 sich[3] die (eigenen) ~n füllen 부정한 방법으로 부자가 되다; 〖구어〗 et. in die eigene ~ arbeiten 〔wirtschaften〕 무엇으로 사리를 꾀하다; die Hand auf der ~ haben 인색하게 굴다; die

Hand in den ~n anderer haben 다른 사람들을 착취하다; 〖구어〗 jm. auf der ~ liegen a) 누구의 부담이 되다, b) 누구의 돈으로 지내다〔신세를 지다〕; aus js. ~ leben 누구의 밥을 먹고 있다, 누구에게 빌붙어 살다; er kann das nicht aus seiner ~ bezahlen 그는 그것을 자기의 돈으로 지급할 수 없다. ③ (Sack) 자루, 주머니; 가방; 서류 가방(Brief~). ④ 자루 모양의 것: **(a)** 〖動〗 유대(有袋) 동물의 주머니. **(b)** 암짐승의 음부. **(c)** 입(Maul): halt die ~! 입 닥쳐! **(d)** (특히 해부학적으로) 움푹 패인〔함몰한〕 곳. ⑤ 〖폄어〗 계집. ⑥ 〖요리〗 서양식 만두.

Täschel·kraut [tɛ́ʃəl..] *n.* 〖植〗 ① (Hirtentasche) 냉이; 활나물. ② 말냉이.

Taschen≠ausgabe *f.* 포켓판(版), 문고본. **~buch** *n.* ① 포켓판 책, 문고본. ② 수첩, 메모장. ③ 연감(Jahrbuch). **~dieb** *m.* 소매치기. **~dieberei** *f.* ① 소매치기짓. ② ↑ ~diebstahl. **~diebstahl** *m.* 소매치기 행위. **~feuerzeug** *n.* (휴대용) 라이터. **~format** *n.* 포켓판〔소형〕 책자: 〖구어·농담〗 im ~ (누구의) 어설픈 모방품인: ein Napoleon im ~ 나폴레옹의 축소판. **~geld** *n.* 용돈: 〖구어〗 das ist nur ein ~ 그것은 보잘것없는 액수다. **~kalender** *m.* 소형〔휴대용〕 달력. **~kamm** *m.* 휴대용 머리빗. **~klappe** *f.* ① (호)주머니 뚜껑. ② 〖醫〗 (대동맥 출구에 있는) 반월 심장 판막. **~krebs** *m.* 〖動〗 꽃게; 소라게의 일종. **~lampe** *f.* 회중 전등; 작은 제등(提燈). **~laterne** *f.* ↑ ~lampe. **~macher** *m.* ↑ Täschner. **~messer** *n.* 주머니칼. **~pistol** *n.* 회중용 소형 권총. **~rechner** *m.* 휴대용 계산기. **~schirm** *m.* (접는) 우산, 양산. **~spiegel** *n.* 휴대용 거울. **~spiel** *n.* 요술. **~spieler** *m.* 요술쟁이, 마술사. **~spielerei** *f.* 요술, 트릭. **~spieler·kunststück** *n.* ↑ ~spielerei. **~spielern** *i.* (h.) 요술을 부리다.

Taschenspieler≠streich *m.*, **~stück** *n.* 요술쟁이의 눈속임〔트릭〕, 요술.

Taschen≠tuch *n.* 〖복수: ..tücher〗 손수건. **~uhr** *f.* 회중 시계. **~wörterbuch** *n.* 포켓사전, 소사전.

Tascherl [táʃərl] *n.* -s, -n (öst.) ① 〖요리〗 파이. ② ↑ Täschchen.

Täschler 《<Tasche》 *n.* -s, - 〖植〗 ↑ Täschelkraut.

Taschner [táʃnər] *m.* -s, - (südd., öst.) ↑ Täschner.

Täschner *m.* -s, - 가죽 가방 제조인.

Tase *f.* -n (schweiz.) (운반용) 우유통.

tasen *t./i.* (h.) (ndd.) (zerren) 잡아당기다, 끌다.

täsen *t.* (ndd.) 질질 끌다.

täsig *a.* (ndd.) 질질 끄는 듯한, 느릿느릿한.

TASS [tas] 《russ.》 = Telegrafnoje Agentstwo Sowjetskowo Sojusa (구소련의) 타스 통신사(1992 년 1 월 1 TAR-TASS 로 개칭).

Taß [tas] *m.* Tasses, Tasse (nordd.) ① 곡식단 더미. ② (곡창의) 곡식단을 놓는 곳.

Täßchen [tɛ́sçən] *n.* -s, - 작은 잔: ~ für Espresso 에스프레소 커피용의 작은 잔; 〖구어〗 jn. zu einem ~ einladen 누구에게 커피를 대접하다; nehmen〔trinken〕 Sie noch ein ~? 한 잔 더 따라 드릴까요?

***Tasse** [tásə] 《frz.》 *f.* -n ① 잔, 찻잔, 커피잔: eine ~ Kaffee 한 잔의 커피; 〖구어·농담〗 hoch die ~n! 건배합시다!; 〖구어·폄어〗 eine trübe ~ 지루한〔재미 없는〕 사람; 〖구어〗 du hast wohl nicht alle ~n im Schrank 〔Spind〕? 너 제정신이니? ② (öst.) (Untersatz) 찻잔의 밑받침(접시); 쟁반(Platte).

Tassen≠kopf *m.* 〖드물게〗 (밑받침 접시 위에 놓는) 찻잔(Obertasse): ein ~ voll Zucker 설탕이 가득 찬 찻잔. **~rand** *m.* (찻)잔의 가장자리.

Tastatur [tastatúːr] 《it.》 *f.* -en ① (피아노 따위의) 건반. ② (타자기·계산기 따위의) 키보드, 자판.

Tastatur·belegung *f.* 〖컴〗 자판 배정.

tastbar [tástbaːr] 《<tasten》 *a.* 손으로 만질 수 있는, 감지〔지각〕할 수 있는.

Taste [tástə] 《it. Lw.》 *f.* -n ① 〖악기〗 건반, 키: (mächtig) in die ~n greifen〔hauen〕 피아노를 (힘있게) 연주하다. ② 〖工〗 **(a)** (푸시폰 따위의) 누름 단추. **(b)** 키보드, 자판.

Tast·empfindung *f.* 촉감.

***tasten** [tástən] 《frz.》 《I》 *i.* (h.) ① 손으로 더듬다; 만져 보다: nach et.³ ~ 무엇을 더듬어 찾다. ② 조심스레 의중을 떠보다〔물어보다〕: ein ~der Versuch 조심스러운 시도. 《II》 *t.* ① 손으로 만지다. ② (계산 따위의) 자판기를 치다. ③ 〖컴〗 입력하다. 《III》 *refl.* sich ~ (손·지팡이 따위로) 더듬으면서 나아가다: sie tastete sich durch das dunkle Zimmer 그녀는 어두운 방을 더듬으며 지나갔다; sich nach der Tür ~ 손으로 더듬으며 문쪽으로 가다.

Tasten≠bändiger *m.* 서투른 피아니스트. **~brett** *n.* ↑ ~lager. **~druck** *m.* 가볍게 두드리기. **~instrument** *n.* 〖악기〗 건반 악기. **~kombination** *f.* 〖컴〗 단축 키. **~lager** *n.* (피아노의) 건반. **~schoner** *m.* 건반 덮개. **~telefon** *n.* 전자식 전화기.

Taster [tástər] 《<tasten》 *m.* -s, - ① 〖動〗 촉각 (기관), 촉수. ② **(a)** 키보드, 자판. **(b)** 감지 장치, 센서. ③ 키보드를 이용해 입력하는 사람. ④ 〖통신〗 모스 무전기의 키. ⑤ 〖工〗 (Greifzirkel) 캘리퍼스, 측경기(測徑器).

Taster·zirkel *m.* ↑ Taster ⑤.

Tast≠haar 〖動〗 촉모(觸毛). **~körper** *m.* 〖生〗 촉각체(體). **~körperchen** *n.* 〖生〗 촉각 소체(小體). **~organ** *n.* 〖生〗 촉각 기관. **~sinn** *m.* 촉각. **~werkzeug** *n.* 〖生〗 ↑ ~organ.

***Tat** [taːt] 《<tun》 *f.* -en ① 행위, 행동, 실행, 실천; 업적: die gute〔böse〕 ~ 선행〔악행〕; ein Mann der ~ 행동파; Leben und ~en eines Helden 어느 영웅의 생애와 행적; in der ~ 실제로, 참으로; jm. mit Rat und ~ beistehen 〔zur Seite stehen〕 누구에게 조언 조력하다; das ist eine ~! 그건 훌륭한 일이다!; ein Vorhaben in die ~ umsetzen 계획을 행동으로 옮기다; 〖雅語〗 zur ~ schreiten 행동을 개시하다. ② 범행: gleich nach der ~ 범행 직후; jn. auf frischer ~ ertappen 누구를 범행 현장에서 붙잡다.

tat ↑ tun 의 과거형.

..tät *suf.* 〖여성 명사를 만드는 후철〗 보기: Nationali~ 국적, Reali~ 실재.

tata [tatáː] *int.* 〖의성어〗 따따(나팔 소리).

Tatar[1] [tatáːr] *m.* -en, -en ① **(a)** 〖원뜻〗 타

타르 사람. (b) 러시아 남부와 동부에 거주하는 터키 민족의 일족. ② (터키의) 기마 급사(騎馬急使).

Tatar[2] *n.* -(s), -s ↑ ~beefsteak.

Tatar[3] *n.* -s 〖지질〗 페름계(系)의 최상층.

Tatar·beef·steak *n.* 〖요리〗 타타르식 비프스테이크(다진 쇠고기에 기름·양파 따위를 넣어 살짝 익힌 것).

Tatarei 《<Tatar》 *f.* 타타르(중앙 아시아에 대한 중세 시대의 명칭).

Tataren·nachricht *f.* 〔구식〕 허보(虛報) (1854년 크림 전쟁 때 타타르 기병이 전한 세바스토폴 함락의 거짓 보고에서).

tatarisch 《<Tatar》 *a.* 타타르(사람·말)의: die ~e Autonome Sowjetrepublik 타타르 자치 공화국(약어: Tat. ASSR).

tatauieren [tatauí:rən] *t.* ↑ tätowieren.

Tat=bericht *m.* 사건〔행위〕의 경과 보고. **~bestand** *m.* ① 사실, 정황(情況), 사태. ② 〖法〗 (범죄) 구성 요건〔사실〕, 법률 요건. **~-beweis** *m.* 행위에 의한 증명, 사실적 증거.

täte [tɛ́:tə] ↑ tun의 접속법 Ⅱ식.

Tat·einheit *f.* 〖法〗 (Idealkonkurrenz) 상상적 경합(競合) (하나의 행위가 여러 개의 죄에 해당하는 경우).

taten [tá:tən] *i.* (h.) 결의를 실행하다: raten und ~ 평의(評議)에 참여하고 그 결의를 실행하다.

Taten=drang *m.* 사업〔활동〕욕; 〖心〗 작업 심박. **~durst** *m.* 〔雅語〕 (왕성한) 활동〔사업〕욕. **~durstig** *a.* 〔雅語〕 사업욕〔활동욕〕이 있는, 공명심이 있는. **~froh** *a.* 행동〔활동〕하기 좋아하는. **~gierig** *a.* ↑ ~durstig.

tatenlos *a.* 활동하지 않는, 게으른, 태만한; 방관적인.

Tatenlosigkeit *f.* ↑ tatenlos의 명사형.

taten=reich, ~voll *a.* 활동적인, 사업욕〔공명심〕이 많은, 다사(多事)한.

***Täter** [tɛ́:tər] 《<Tat》 *m.* -s, - 범행자, 범인: den ~ ermitteln〔entdecken〕 범인을 찾아내다; den ~ festnehmen〔bestrafen〕 범인을 체포〔처벌〕하다; nach dem ~ suchen 범인을 수색하다.

Täter·beschreibung *f.* 범인의 인상 착의 (묘사).

Täterin *f.* -nen ↑ Täter의 여성형.

Täterschaft [tɛ́:tərʃaft] *f.* ① 범인임, 정범(正犯). ② (schweiz.) 범행 가담자 전원.

Tat=form *f.* 〖문법〗 능동태(Aktiv). **~frage** *f.* 〖法〗 사실 문제(↔ Rechtsfrage). **~geschehen** *n.* ↑ ~hergang. **~handlung** *f.* ① 행동, 실행; 범행. ② (Gewalttat) 폭행, 난폭. ③ 〖哲〗 사행(事行). **~hergang** *m.* 범행 경과.

***tätig** [tɛ́:tɪç] 《<Tat》 *a.* ① (a) 활동하는; 바쁜; 실제의: 〖法〗 ~e Reue 현저한 개전(改悛)의 정; als Arzt ~ sein 의사를 직업으로 하고 있다; an einem Ort ~ sein 어떤 곳에서 활동하고 있다; an einer Zeitung ~ sein 어떤 신문에 관계〔일〕하고 있다; in einem Geschäft ~ sein 어떤 영업에 종사하고 있다, 점원으로 일하고 있다. (b) 〔대개 농담〕 부지런한, 열심인, 활동 중인: 〔격식〕 ~ werden 개입하다, 행동으로 들어가다; der Vulkan ist noch ~ 그 화산은 아직 활동 중이다. ② 〖문법〗 능동〔타동〕의: ~es Verbum 능동사, 타동사.

tätigen [tɛ́:tɪɡən] *t.* 〔격식〕 (실)행하다; 끝내다, 완성하다; 〖商〗 계약하다: einen Auftrag ~ 주문하다; Einkäufe 〔einen Einkauf〕 ~ 구입하다; ein Geschäft ~ 어떤 거래를 계약하다; einen Vertrag ~ 계약을 체결하다, 조약을 체결〔비준〕하다.

***Tätigkeit** [tɛ́:tɪçkaɪt] *f.* -en ① 활동; 행동; 근면; eine rastlose ~ entfalten 꾸준히 활동하다. ② (기계·장치 따위의) 작동, 운전: außer ~ setzen a) 활동을 중지시키다, b) (기계의) 운전을 중지시키다, c) (관리를) 휴직시키다; in ~ setzen 활동하게 하다, 가동시키다; in ~ sein a) 일〔활동〕하고 있다, 바쁘다, 근면하다, b) 〖기계〗 움직이고 있다, 운전 중이다; der Betrieb ist in voller ~ 영업은 극히 번창하고 있다. ③ 일, 직업, 업무: auf eine langjährige ~ bei〔in〕 et.[3] zurückblicken 무엇에 대한 다년간의 활동을 회고하다.

Tätigkeits=abzeichen *n.* 〖軍〗 (군복에 다는) 소속 배지. **~bereich** *m.* 활동 분야. **~bericht** *m.* 활동〔경과〕 보고. **~delikt** *n.* 작위범(犯). **~drang** *m.* 활동〔행동〕욕. **~-feld** *n.* ↑ ~bereich. **~form** *f.* 〖문법〗 능동형〔태〕. **~gebiet** *n.* ↑ ~bereich. **~kreis** *m.* 활동 범위, 행동권(圈). **~merkmal** *n.* 업무〔직업〕의 특성. **~trieb** *m.* 활동욕. **~verb** *n.* 〖문법〗 (Handlungsverb) 행위〔동작〕 동사. **~wort** *n.* 〔복수: ..wörter〕 〖문법〗 동사 (Zeitwort).

Tat=kraft *f.* 활동〔추진〕력; 결심; 용기; 정력: ein Mensch von großer ~ 추진력 있는 사람. **~kräftig** *a.* ① 활동력〔추진력〕있는, 힘이 센. ② 효과적인, 적극적인. **~kundig** *a.* 널리 알려진, 유명한.

tätlich [tɛ́:tlɪç] 《<Tat》 *a.* 행위상의, 현행의; 폭력의: eine ~e Beleidigung 폭행, 구타; jn. ~ mißhandeln 누구를 폭행하다; gegen jn. ~ werden 누구에게 폭력을 가하다.

Tätlichkeit *f.* -en 폭행; 구타, 격투: der Zank artete in ~en aus 말다툼은 주먹다짐으로 변했다; es kam zu ~en 주먹다짐에까지 이르렀다.

Tat=mensch *m.* 실천력 있는 사람. **~motiv** *n.* 범행 동기. **~ort** *m.* 범행 장소: 〖法〗 Besichtigung des ~s 현장 검증.

tätowieren [tɛtoví:rən] 《tahit. tatau, „zeichnen“》 *t./refl.* (sich) ~ 문신하다: ein Schiff ~ 문신으로 배를 새겨 넣다.

Tätowierer *m.* -s, - 문신 새겨 주는 사람.

Tätowierung *f.* -en ① 문신하기. ② (피부에 새긴) 문신.

Tatra [tátra] *f.* 타트라 고원〔산지〕(체코와 폴란드 국경에 있는 카르파티아 산맥의 가장 높은 지대).

***Tat·sache** [tá:tzaxə] *f.* 사실: ~n beweisen 사실을 입증하다; das ist eine unbestrittene ~ 그것은 명백한 사실이다; du mußt dich auf den Boden der ~n stellen 너는 사실에 입각하지 않으면 안 된다; den ~n ins Auge sehen 사실을 직시하다; vollendete ~n schaffen 기정 사실화하다; vor vollendeten ~n stehen 기정 사실에 직면하다; er hat sie vor eine vollendete ~ gestellt 그는 그녀에게 기정 사실을 들이대었다; et. zur ~ machen 무엇을 실현하다; unsere Ehe ist (zur) ~ geworden 우리들의 결혼은 실현되었다;

auf dem Boden der ~n bleiben 사실에 입각하다, 객관적이다; ~? 정말이냐?; (es ist) ~! 정말이야, 틀림없어!; nackte ~n a) 적나라한 사실, b) 〖농담〗 벗은 신체 (부분).

Tatsachen≈bericht *m.* (있는 그대로의) 사실 보도 (기사).. **~entscheidung** *f.* 〖스포츠〗 최종 판결〔결정〕. **~material** *n.* 실증 자료. **~mensch** *m.* 현실주의자.

***tatsächlich** [tá:tzɛçlɪç, ta:tzɛ́ç..] 《I》 *a.* 실제의, 사실의, 확실한. 《II》 *adv.* 실제로, 진실로, 확실히: ~? 정말이냐?; ~! 정말이야!

Tatsächlichkeit *f.* 사실성.

tatsch *int.* 〖의성어〗 찰싹.

Tätsch [tɛtʃ] *m.* -(e)s, -e (obd.) ① (**a**) 팬케이크. (**b**) 부침개; 넓게 짓이긴 것. ② ↑ Brei. ③ (가볍게) 두드림.

Tätschchen [tɛ́(:)tʃçən] *n.* -s, - 〖↑ Tatsche 의 축소형〗 가볍게 두드림.

Tatsche [tátʃə] *f.* -n (obd.) ① 손. ② (**a**) 손으로 가볍게 두드림. (**b**) 따귀 때림 (Ohrfeige).

tätscheln [tɛ́(:)..] *t.* 애무하다, 쓰다듬다, 가볍게 (톡톡) 치다.

tatschen[1] [tátʃən] *i.* (h.) (obd.) ① 찰싹 때리다. ② 손으로 함부로 만지다; 덥썩 잡다: auf den Kuchen ~ 케이크에 함부로 손을 대다; jm. ins Gesicht ~ 누구의 얼굴을 만지다. ③ 쓰다듬다.

tatschen[2] *i.* (h.) 더듬거리며 말하다, 어린아이처럼 말하다.

tätschen [tɛ́:tʃən] *i.* (h.) ↑ tatschen[1].

Tatsch·kerl *n.* -s, -n (öst.) 〖요리〗 잼 따위로 채운 파이.

Tattedl *m.* -s, -(n) 〖구어〗 (öst.) 호인; 바보; 의지가 약하고 단순한 사람.

Tättel *m.* -s, -n 〖아동〗 아빠.

Tatteln *n.* -s 〖카드〗 타텔른놀이 (두 사람이 하는 카드놀이의 일종).

tatteln *i.* (h.) 타텔른놀이를 하다.

Tatter·greis *m.* 〖구어·폄어〗 수족을 떠는 노인.

Tatterich [tátərɪç] *m.* -(e)s 〖구어〗 (Zittern) (특히 손 따위의) 떨림.

tatterig [tátərɪç] *a.* 〖구어〗 (고령으로 인해) 몸을 떠는.

tattern *i.* (h.) 〖구어〗 (특히 추위로) 몸을 떨다; 쓸데없이 재잘거리다.

Tattersall [tátərzal, tǽtəsɔ:l] 《engl.》 *m.* -s, -s 말 시장; 마장(馬場) (1777 년 런던에 말 시장을 창설한 R. Tattersall 의 이름에서).

tattrig *a.* ↑ tatterig.

tatuieren [tatuí:rən] *t.* ↑ tätowieren.

tatütata [tatý:tata:] *int.* 〖의성어〗 뚜뚜, 빵빵! (경적 소리).

Tat≈verdacht *m.* (범행) 혐의: unter ~ stehen (범행) 혐의를 받고 있다. **≈verdächtig** *a.* (범행) 혐의가 있는. **~verdächtige*** *der/die* (범행) 용의자. **~waffe** *f.* 범행에 사용된 무기.

Tätzchen [tɛ́tsçən] *n.* -s, - ↑ Tatze 의 축소형.

Tatze [tátsə] *f.* -n ① (동물의) 앞발; 손. ② 〖폄어·농담〗 (사람의) 못생긴 손: in js. ~n sein 누구의 수중에 있다. ③ 〖工〗 갈고리, 갈퀴. ④ (obd.) (학교에서 벌로) 손을 때림. ⑤ (obd.) 식탁. ⑥ 〖권투〗 글러브의 쿠션.

Tat·zeit *f.* 범행 시간.

Tatzel·wurm [tátsəl..] *m.* 바이에른·스위스·알프스 지방에 산다는 (전설상의) 괴물, 용.

Tat·zeuge *m.* 범행의 증인.

Tätzlein *n.* -s, - ↑ Tatze 의 축소형.

***Tau**[1] [taʊ] *n.* -(e)s, -e 〖海〗 밧줄, 닻줄; 〖복수〗 삭구(索具): ein ~ schlagen 밧줄을 꼬다; ein ~ schlingen 밧줄을 감다; ein Schiff liegt an ~en fest 배가 밧줄에 매여 있다; am ~ klettern 〖체조〗 밧줄을 기어오르다; et. mit einem ~ befestigen 무엇을 밧줄로 묶다; ~ ziehen 줄다리기를 하다.

***Tau**[2] *m.* -(e)s 이슬: es fällt ~ 이슬이 내린다; 〖시어〗 vor ~ und Tag 이른 아침에; 〖비유·속어〗 der hört den ~ fallen 저 녀석은 이슬 내리는 소리도 듣는다, 머리 좋은 것을 자만하고 있다; der ~ der Tränen 이슬 같은 눈물.

Tau[3] *n.* -(s), -s 그리스 자모의 열아홉째 자(약어: T, τ).

***taub** [taʊp] *a.* ① 귀머거리의, 귀먹은; 들으려고 하지 않는: ~ machen 귀머거리로 만들다; sich ~ stellen 귀머거리인 체하다; ~ werden 귀머거리가 되다; auf einem Ohr ~ sein 한 쪽 귀가 먹다; 〖비유〗 bist du ~? 귀가 먹었느냐, 내 말이 안 들리느냐?; 〖비유〗 bei 〔für, gegen〕 js. Bitten ~ sein 누구의 청을 들으려고 하지 않다; ~en Ohren predigen 쇠귀에 경을 읽다; das Kind ist ~ geboren 그 아이는 귀머거리로 태어났다. ② 무감각한, 마비된: die Fingerspitzen wurden mir vor Kälte ~ 추워서 손가락의 감각이 없어졌다; das macht mir den Kopf ~ 그것을 보니〔들으니〕 머리가 멍해진다. ③ 빈, 아무것도 없는; 열매가 없는; 지친; 흐린: eine ~e Blüte 열매를 맺지 않는 꽃; eine ~e Ähre 쭉정이; ein ~es Ei 무정란(無精卵); eine ~e Flut 잔잔한 조수; ~es Gestein 〔das ≈e〕 금속·광석이 함유되지 않은 암석, 폐석; eine ~e Nuß 알맹이가 없는 호두; dieses Metall ist ~ 이 금속은 광석이 없다; der Pfeffer ist ~ 이 후추는 그리 맵지 않다. ④ (alem.) 노한, 성난.

taub≈blind *a.* 농맹(聾盲)인. **≈blinde*** *der/die* 농맹자, 귀먹고 눈먼 사람.

Täubchen [tɔ́ʏpçən] *n.* -s, - ① 〖↑ Taube[2] 의 축소형〗 작은 비둘기, 새끼 비둘기. ② 〖여자 애인에 대한 애칭〗 애인: mein ~! 귀여운 그대여!

Taube*[1] [táʊbə] *der/die* 귀머거리.

***Taube**[2] *f.* -n ① 〖動〗 비둘기: die ~n gurren 〔girren〕 비둘기가 구구하고 울다; 〖비유〗 sanft wie eine ~ 비둘기같이 온화한; meine ~! 나의 사랑하는 그대여!; er wartet, daß ihm die gebratenen ~n in den Mund fliegen 그는 호박이 덩굴째 굴러 떨어지기를 기다리고 있다; 〖속담〗 wo ~n sind, fliegen ~n hin 유유상종(類類相從). ② 〖天〗 비둘기자리. ③ (**a**) 평화의 상징으로서의 비둘기. (**b**) 비둘기파, 온건파. ④ 〖사격〗 (표적용) 흙으로 만든 비둘기, 클레이 피전.

tauben≈artig *a.* 비둘기 같은, 비둘기목(目)의. **≈ausstellung** *f.* 비둘기 전람회. **≈einfalt** *f.* 비둘기처럼 순진함. **~blau** *a.* 비둘기 빛깔의, 연한 청회색의. **≈ei** *n.* 비둘기 알.

tau·benetzt *a.* 〖雅語〗 이슬에 젖은.

Tauben≈falke *m.* 〖動〗 저광수리 (Habicht).

~farbe *f.* (연한 청회색의) 비둘기 빛깔. **~-grau** *a.* 비둘기 빛깔의.
taubenhaft *a.* 비둘기 같은; 온화한.
Tauben=haus *n.*, **~kobel** *m.* (südd., öst.) ↑ ~schlag. **~liebhaber** *m.* 비둘기 애호가. **~nest** *n.* 비둘기 둥지. **~paar** *n.* 한 쌍의 비둘기. **~post** *f.* 비둘기 통신. **~schießen** *n.* ① 비둘기 사냥. ② 클레이〔공중 표적〕 사격. **~schlag** *m.* ① 비둘기장. ②〖구어〗 사람의 왕래가 잦은 곳: das Haus ist (wie) ein ~ a) 이 집은 사람의 출입이 잦다, b) 가정부가 자주 바뀐다. **~stößer** *m.* ↑ ~falke. **~-schwanz** *m.* ① 비둘기의 꼬리. ②〖工〗 열장 장부촉. **~unschuld** *f.* 비둘기처럼 천진함. **~zucht** *f.* 비둘기 사육. **~züchter** *m.* 비둘기 사육자.
Tauber[1] [táubər] *f.* 타우버강(Main 강의 지류).
Tauber[2], **Täuber** [tɔ́ʏbər] *m.* -(e)s, -,
Tauberich *m.* -(e)s, -e ↑ Täuberich.
Täuberich *m.* -(e)s, -e 수비둘기.
Taub·feld *n.* 〖광산〗 광석이 없는〔적은〕 광구.
Taubheit [táuphaɪt] *f.* ① 귀가 먹음. ② 무감각, 마비. ③ 열매를 맺지 않음; 공허.
Täubin [tɔ́ʏbɪn] *f.* -nen 암비둘기.
Tau·blatt *n.* 〖植〗 (Drosophyllum) 끈끈이귀개(식충(食虫)식물); 〖총칭〗 끈끈이 귀갯과 식물.
Täublein [tɔ́ʏplaɪn] *n.* -s, - ↑ Täubchen.
Täubling [tɔ́ʏplɪŋ] *m.* -s, -e 〖植〗 ① 붉은싸리버섯(독버섯의 일종). ② 사과의 일종.
Taub·nessel *f.* 〖植〗 광대수염.
Tau·brücke 《< Tau[1]》 *f.* 〖海〗 밧줄 다리.
Taub·sein·gefühl *n.* 〖醫〗 감각 마비감, 무감각증.
taub=stumm *a.* 귀머거리의, 농아(聾啞)의: der ~e 귀머거리, 농아자(聾啞者). **~stumme*** *der/die* 농아자.
Taubstummen=alphabet *n.* 농아자용(聾啞者用) 문자. **~anstalt** *f.* 농아 학교. **~-lehrer** *m.* 농아 교사. **~lehrerin** *f.* ↑ ~-lehrer 의 여성형. **~sprache** *f.* (농아자용) 수화(手話). **~unterricht** *m.* 농아 교육.
Taub·stummheit *f.* 농아(聾啞).
Tauch=apparat [táux..] *m.* (수중 작업용의) 잠함. **~boot** *n.* 잠수함〔정〕(Unterseeboot).
***tauchen** [táuxən] 《ⓒ ducken》 《Ⅰ》 *i.* ① (h./s.) 물속에 잠기다, 잠수하다; 잠기다: er taucht gut 그는 잠수를 잘 한다; ich bin auf den Grund getaucht 나는 물 밑바닥까지 잠수했다; 〖비유〗 das Flugzeug tauchte in den Nebel 비행기가 안개 속에 잠겼다; 〖비유〗 die Sonne taucht ins Meer 태양이 바닷속으로 잠긴다; 〖聖〗 der mit der Hand mit mir in die Schüssel taucht, der wird mich verraten 나와 함께 그릇에 손을 넣는 자가 나를 팔리라(마태 26 : 23). ② (s.) (무엇에서) 부상하다, 떠오르다; aus dem Wasser ~ 물 속에서 떠오르다; in die Höhe ~ (물 속에서) 솟아오르다, 떠오르다. 《Ⅱ》 *t.* ① 물 속에 잠그다, 가라앉히다, 담그다: das glühende Eisen ins Wasser ~ 달구어진 쇠를 물 속에 담그다. ② (öst.) 밀치다. 《Ⅲ》 *refl.* sich ~ 잠수하다: sich ins Wasser ~ 잠수하다.
Tauchen *n.* -s 잠수; 떠오름, 부상.
Tauch·ente *f.* 〖動〗 (흰죽지오리·검은오리 등) 잠수에 능한 오리.
Taucher [táuxər] *m.* -s, - ① 잠수자, 잠수부. ②〖動〗 (아비(阿比)·농병아리 등) 잠수를 잘하는 물새. ③ 잠수함.
Taucher=anzug *m.* 잠수복. **~ausrüstung** *f.* 잠수 장비. **~boot** *n.* 잠수함〔정〕. **~brille** *f.* 수경, 물안경. **~glocke** *f.* (종 모양의) 잠함. **~helm** *m.* 잠수모.
Taucherin *f.* -nen ↑ Taucher ① 의 여성형.
Taucher=kolben *m.* 〖工〗 막대형 피스톤. **~krankheit** *f.* 〖병리〗 잠수병, 잠함병(潛函病). **~kugel** *f.* (심해 탐사용) 잠수구(球), 구형 잠함. **~rüstung** *f.* 잠수 장비. **~schiff** *n.* ↑ ~boot.
Tauch=fahrt *f.* 잠수 항해. **~käfer** *m.* 〖動〗 물방개. **~klar** *a.* 〖海〗 잠수 준비가 완료된. **~kugel** *f.* ↑ Taucherkugel. **~kurs** *m.* 잠수 코스. **~manöver** *n.* (잠수함의) 잠행 작전. **~siedler** *m.* (전기 코일을 물속에 넣어 물을 끓이는) 수중 가열 장치. **~sport** *m.* 스킨 다이빙. **~station** *f.* 잠항 배치(잠수함 탑승원의 잠수 때의 배치): 〖비유·구어〗 auf ~ gehen 몸을 숨기다, 은둔하다. **~tiefe** *f.* ① 잠수 깊이. ②〖海〗 흘수(吃水) (Tiefgang).
Tauen [táuən] *m.* -s, - (alem.) ① 하루의 일. ② 아침(Morgen).
tauen[1] [táuən] 《< Tau[1]》 *t.* (nordd.) 〖海〗 밧줄로 당기다; (배를) 밧줄로 끌다.
tauen[2] 《< Tau[2]》 *i.* (h.) / (드물게) *imp.* es taut a) 이슬이 내리다, b) 이슬에 젖다, c) 이슬이 빛나다.
tauen[3] 《Ⅰ》 *i.* ① (s.) (눈·얼음이) 녹다: der Schnee ist von den Dächern getaut 지붕에서 눈이 녹아 내렸다. ② *imp.* (h.) 해동 날씨다, 날씨가 풀리다: es taut 날씨가 풀린다. 《Ⅱ》 *t.* (눈·얼음을) 녹이다: die Sonne taut Eis 햇볕에 얼음이 녹는다.
Tau·ende [táu..] *n.* 〖海〗 ① 밧줄 끝: das ~ kosten 얻어맞다; jm. das ~ zu kosten geben 누구를 밧줄로 후려치다. ② 밧줄 토막.
Tauer [táuər] *m.* -s, - 〖옛뜻〗 ① 예인선, 끌배. ② 생가죽을 무두질하는 사람.
Tauerei [tauəráɪ] 《< Tau[1]》 *f.* 〖옛뜻〗 예항(曳航), 예선(曳船) 항행.
Tauern[1] [táuərn] *m.* -s 타우에른령(嶺)(동알프스의 고개).
Tauern[2] *pl.* 타우에른 산맥(동알프스의 산맥): die Hohen〔Niedern〕 ~ 동알프스 산맥의 서부〔동부〕.
Tauf=akt [táuf..] *m.* 〖宗〗 세례식, 영세식. **~becken** *n.* 〖宗〗 세례반(盤), 세례기(器). **~bekenntnis** *n.* 〖宗〗 세례식에서의 신앙 고백. **~brunnen** *m.* 〖고어〗 세례반(盤). **~-buch** *n.* 〖宗〗 세례자 명부.
***Taufe** [táufə] 《< taufen》 *f.* -n ① **(a)** 〖宗〗 세례, 영세, 침례: die ~ empfangen 세례를 받다. **(b)** 세례식, 영세식: die ~ vornehmen 세례를 베풀다; ein Kind aus der ~ heben〔über die ~ halten〕 어린아이의 세례에 입회하다, 대부(代父)〔대모(代母)〕가 되다; 〖구어〗 et. aus der ~ heben 무엇을 창립〔창설〕하다. ② 명명식, 봉납〔헌납〕식; 〖海〗 진수식: die ~ eines Flugzeugs 비행기 명명식; die ~ einer Glocke 종(鐘)의 봉납식; beim Stapellauf erhält das Schiff seine ~ 배는 진수식에서 선명(船名)을 얻는다.

***taufen** [táufən] *t.* ①〖宗〗세례를 베풀다, 명명하다: das Kind ist schon getauft 이 아이는 이미 세례를 받았다; das Kind wurde (auf den Namen) Uwe getauft 이 아이는 우베라고 명명되었다; sie wurde nach ihrer Großmutter (Irene) getauft 그녀는 할머니의 이름을 따서 (이레네라고) 명명되었다; sie lassen alle Jahre ~ 그 집에서는 매년 어린아이가 태어난다; sich ~ lassen 세례를 받다; getaufter Jude 개종한 유대인;〖농담〗der Regen hat uns tüchtig getauft 우리들은 비에 흠뻑 젖었다;〖농담〗den Wein ~ 포도주에 물을 타다. ② 명명식〔봉납식〕을 거행하다;〖海〗진수식을 거행하다: eine Glocke〔ein Schiff〕~ 종의 봉납식〔배의 진수식〕을 거행하다. ③〖海·학생〗(hänseln) (고참자가 신참자를) 조롱하다. ④〖구어〗별명〔이름〕을 붙이다.

Täufer [tɔ́ʏfər] *m.* -s, -〖宗〗① 세례를 베푸는 사람: Johannes der ~ 세례자 요한. ②〖복수〗재세례파.

tau·feucht *a.* 이슬에 젖은.

Tauf≈formel *f.*〖宗〗(세례자가 행하는) 세례 식사(式辭). **~gebühr** *f.*, **~geld** *n.* 세례 감사 헌금. **~gelübde** *n.*〖宗〗세례 때의 선서. **~gesinnte*** *der/die* 메노파의 교도(1524년 메논 시몬즈가 조직한 기독교의 한 파). **~handlung** *f.* ↑ ~akt. **~kapelle** *f.*〖宗〗세례당(堂). **~kind** *n.* 세례 받는 어린이. **~kleid** *n.* (세례 받는 자가 입는) 세례복.

Tau·fliege *f.*〖動〗초파리.

Täufling [tɔ́ʏflɪŋ] *m.* -s, -e〖宗〗세례 받는 사람〔아이〕.

Tauf≈mantel *m.* ↑ ~kleid. **~mutter** *f.*〖宗〗대모(代母). **~name** *m.* 세례명. **~pate** *m.*〖宗〗대부(代父). **~patin** *f.*〖宗〗대모(代母). **~register** *n.*〖宗〗↑ ~buch.

tau·frisch *a.* ① 이슬에 젖은. ②〖구어〗**(a)** 싱싱한, 아주 신선한. **(b)**〖반어〗기분이 상쾌한, 충분히 휴식을 취한: ich fühle mich heute ~ 나는 오늘 기분이 상쾌하다;〖경박〗sie ist auch nicht mehr ganz ~ 그녀도 더 이상 그다지 신선미가 없다.

Tauf≈schale *f.* 세례반(盤). **~schein** *m.*〖宗〗세례 증서. **~schmaus** *m.* 세례의 잔치. **~stein** *m.*〖宗〗세례반(盤). **~vater** *m.*〖宗〗대부(代父). **~wasser** *n.*〖宗〗세례용 성수(聖水). **~zeuge** *m.*〖宗〗세례 입회인, 대부. **~zeugin** *f.* ↑ ~zeuge의 여성형. **~zeugnis** *n.* ↑ ~schein.

***taugen** [táugən] *i.* (h.) 쓸모 있다, 유용하다; 적합하다: viel〔wenig〕~ 대단히 쓸모 있다〔별로 쓸모없다〕; zu et.[3]〔für et.〕~ 무엇에 쓸모 있다〔적합하다〕; das taugt (zu) nichts 그것은 아무 쓸모도 없다; zum Heeresdienst ~ nur gesunde Leute 군대에는 건강한 사람들만이 쓸모 있다; schwere Speisen ~ dem Kranken nicht 잘 소화되지 않는 음식물은 환자에게 좋지 않다.

Tauge·nichts [táugənɪçts] *m.* -(es), -e〖대개 폄어·욕설〗쓸모없는 사람; 빈들빈들 노는 사람, 무용지물.

tauglich [táuklɪç] *a.* ① (zu et.[3]〔für et.〕) 쓸모 있는, 유용한, 적당한, 유능한;〖海〗내항성(耐航性)이 있는. ② 병역에 적당한.

Tauglichkeit *f.* 쓸모 있음, 유용성, 적합.

tauicht *a.* ↑ tauig.

tauig [táuɪç]《<Tau[2]》*a.*〖雅語〗이슬에 젖은, 이슬이 내린〔많은〕.

Tauler *m.* Johannes ~ 타울러(독일의 신비주의 사상가, 1300-61).

Tau·luft《<tauen[3]》*f.* (눈이 녹을 만한) 따뜻한 바람.

Taumel [táuməl]《<taumeln》*m.* -s ①〖드물게〗비틀거림, 갈지자걸음. ② 현기(증). ③ 취함, 도취; 흥분; 실신, 마비: er ist im ~ 그는 흥분〔망연자실〕하고 있다; ich bin noch (wie) im ~ 나는 아직도 정신이 몽롱하다. ④ 황홀, 대환희: im ~ der Freude 기쁨에 도취되어.

Taumel≈becher, ~kelch *m.* 환희의 축배.

Taumeler《<taumeln》*m.* -s, - ① 비틀거리는 사람. ② ↑ Tummeltaube. ③ 어질병이 든 양.

taumelig [táuməlɪç] *a.* ①〖드물게〗비틀거리는, 흔들거리는. ② 현기증이 나는: ich bin〔mir ist〕~ 나는 현기증이 난다. ③ 도취〔황홀〕한: mir war ganz ~ vor Glück 나는 행복감에 완전히 도취되었다.

Taumel≈kerbel *m.*〖植〗독당근, 헴록. **~krankheit** *f.* 동물의 속새 중독. **~lolch** *m.*〖植〗독보리.

***taumeln** [táuməln] *i.* ① (h./s.) 비틀거리다; 현기증이 나다; 취해 있다: hin und her ~ 비틀비틀 걷다;〖비유〗er taumelte von dem unverhofften Glück 그는 뜻밖의 행운에 기뻐서 얼이 빠졌다. ② (s.) 갈지자걸음으로 걸어가다: er ist in das Zimmer getaumelt 그는 비틀거리며 방에 들어갔다.

Taumler *m.* -s, - ↑ Taumeler.

taumlig *a.* ↑ taumelig.

tau·naß *a.* 이슬에 젖은.

Tauner [táunər] *m.* -s, -〖구식〗(schweiz.) 날품팔이꾼(Tagelöhner).

Taunus [táunus] *m.* 타우누스 산맥(헤센주(州) 남부에 있는 산지).

Tau≈perle《<Tau[2]》*f.* (구슬 같은) 이슬 방울. **~punkt**[1] *m.*〖物〗이슬점.

Tau≈punkt[2] *m.* 녹는점, 융해점. **~regen** *m.* 얼음과 눈을 녹이는 따뜻한 비.

Tauris [táurɪs] 타우리스(크림의 이름).

taurisch [táurɪʃ] *a.* 타우리스의: ~e Halbinsel 크림 반도.

Taurus[1] [táurus] *m.* 타우루스.

Taurus[2] *m.* -/..ri〖天〗황소자리.

Tau·salz *n.* 언 길에 뿌리는 소금.

***Tausch** [tauʃ]《<tauschen》*m.* -(e)s, -e 교환;〖商〗교역, 무역: einen guten〔schlechten〕~ mit jm. machen 누구와 교역하여 이득을〔손해를〕보다; et. durch ~ erwerben 무엇을 물물 교환으로 얻다; in ~ gegen et. 무엇과 교환하여; der ~ der Rolle 역할의 교체.

***tauschen** [táuʃən]《<täuschen》《I》*t.* 교환하다, 바꾸다;〖商〗교역〔무역〕하다: Küsse〔Blicke〕~ 키스를〔눈짓을〕주고받다; einen Gruß ~ 인사를 주고받다; et. für〔gegen〕et. ~ 무엇을 무엇과 교환〔교역〕하다; die Rolle mit jm. ~ 누구와 역할을 바꾸다;〖속담〗wer Lust hat zu ~, hat Lust zu bertrügen 에누리 없는 장사가 있으랴. 《II》*i.* (h.) ① (mit jm.) (누구와) 처지를〔입장을〕바꾸다: ich möchte mit keinem〔niemandem〕~ 나는 내 처지에

만족한다; ich möchte nicht mit ihm ~ 나는 그의 처지와 바꾸고 싶지 않다. ② (mit et.[3]) (무엇을) 교환하다, 바꾸다: wir haben mit den Plätzen getauscht 우리들은 자리를 바꿨다.

***täuschen** [tɔ́ʏʃən] 《I》 *t./i.* (h.) ① (betrügen) 속이다, 기만하다; (prellen) 사취〔편취〕하다; 잘못된 인상을 주다: js. Erwartungen ~ 누구의 기대에 어긋나다, 누구를 실망시키다; js. Vertrauen ~ 누구를 배신하다; das Äußere täuscht 외모란 믿을 수 없는 것이다; wenn mich meine Augen nicht ~ 내가 잘못 보지 않았다면; in seinen Hoffnungen getäuscht werden 환멸을 느끼다, 기대에 어긋나다; jn. um et. ~ 누구에게서 무엇을 속여 빼앗다; der Schüler hat versucht zu ~ 그 학생은 몰래 베끼려고〔커닝하려고〕 했다. ② **(a)** 〖스포츠〗 페인트 모션〔속이는 동작〕을 취하다. **(b)** 〖軍〗 (적을) 기만하다. 《II》 *refl.* sich ~ 오해하다, 착각하다: sich über et. ~ a) 무엇에 속다, b) 무엇을 잘못 생각하다; sich durch et. 〔von jm.〕 ~ lassen 무엇에〔누구에게〕 속다; sich in〔über〕 js. Charakter ~ 누구의 성격을 잘못 보다; sich in jm. ~ 누구에게 환멸을 느끼다; darin〔darüber〕 täuscht du dich 그것이 네가 잘못 생각하고 있는 점이다.

täuschend *p.a.* 사람을 속이는, 믿을 수 없는: eine ~e Ähnlichkeit 구별할 수 없을 만큼 닮음; er sieht ihm ~ ähnlich 그는 그 사람과 구별할 수 없을 정도로 닮았다; das ist ~ nachgemacht 그것은 진짜와 꼭 같다.

Tauscher *m.* -s, - 교환자; 교역자.

Täuscher[1] [tɔ́ʏʃər] *m.* -s, - 〔고어〕 상인; 말 장수(Roß≈).

Täuscher[2] *m.* -s, - 속이는 사람, 사기꾼.

Tauscherei *f.* -en 〔구어〕 (빈번한) 교환, 교역.

Täuscherei [tɔʏʃəráɪ] *f.* -en 〔구어〕 (빈번한) 사기, 기만; 착각; 속임수.

Tausch≈geschäft *n.* 물물 교환. **~handel** *m.* ① 〖商〗 교역, 무역: ~ treiben 무역에 종사하다. ② ↑ ~geschäft. **~händler** *m.* 무역업자.

tauschieren [tauʃí:rən] 《it.》 *t.* 〖공예〗 (금속에) 상감(象嵌)하다.

Tausch·kontrakt *m.* ↑ ~vertrag.

Tau·schlag 《<Tau[2]》 *m.* 이슬로 젖은 길위에 남아 있는 들짐승의 발자국.

Tausch≈mittel *n.* 통화(通貨), 교환 수단. **~objekt** *n.* 교환(대상)물.

***Täuschung** [tɔ́ʏʃʊŋ] 《<täuschen》 *f.* -en ① **(a)** 사기, 기만. **(b)** 〖스포츠〗 페인트 모션, 속이는 동작. ② 속음; 미혹, 착각; 환멸, 실망; 허위, 허구: eine optische ~ 착시(錯視); sich über et. einer ~ hingeben 무엇에 대하여 잘못 생각하다; ich bin auf eine ~ hereingefallen 나는 속임수에 말려들었다.

Täuschungs≈manöver *n.* 위장 공작; 페인트 모션. **~versuch** *m.* 사기 시도.

Tausch≈verfahren *n.* 〔대개 다음 용법으로〕 im ~ 교환〔교역〕에 따라. **~vertrag** *m.* 교환 계약. **≈weise** *adv.* 교환〔교역〕에 따라. **~-wert** *m.* 교환 가치. **~wirtschaft** *f.* 〖經〗 교환 경제.

***tausend** [táuzənt] *num.* ① 천, 1,000: ~ Mann 천 명의 사람; ~ Zigarren 여송연 천 개; ~ und aber ~ 수천의; mehrere ~ 수천의; ein paar ~ 이삼 천의; viel ~ Menschen 수천의 사람들; an die ~ Menschen 약 천 명. ② 〔구어〕 대단히〔수없이〕 많은, 무수히: ~ Jahre 다년간; ~ Dank! 대단히 감사합니다!

Tausend[1] [táuzənt] 《I》 *n.* -(e)s, -e/(부정 대명사 다음에서는) - ① (수의) 천(千); (한 단위로서) 천 개짜리: ein ~ Zigarren 여송연 천 개들이(상자)(단: ein ≈ Zigarren 1,000 개비의 여송연); 〖商〗 das große ~ 1,200. ② 〔복수〕 수천: die Zahl der Betroffenen geht in die ~e 관련된 사람의 수가 수천에 달한다; ~e von Menschen 수천의 사람들; zu ~en 수천씩; ~en kostete es das Leben 수천의 사람이 그것 때문에 생명을 잃었다. 《II》 *f.* -en ① 천이라는 수. ② (숫자의) 1000(천).

Tausend[2] *m.* 〔다음 용법으로〕〔고어〕 ei der ~! 어럽쇼, 괘씸한 것!; wo ~ ist der Kerl geblieben! 그 녀석은 도대체 어디로 꺼져 버린 거야!

Tausend·blatt *n.* 〖植〗 이삭물수세미(개미탑과(科))의 일종).

tausendein [táuzənt|áɪn] *num.* 1001(의).

tausendeins *num.* ↑ tausendein.

Tausender [táuzəndər] *m.* -s, - ① 〖數〗 천 단위의 수. ② 천(1000 에서 9000 까지의 1000 의 배수(倍數)). ③ 천이라는 숫자. ④ 〔구어〕 천 마르크 지폐.

tausenderlei [táuzəndərláɪ] *a.* 〔구어〕 천 가지의; 가지각색의.

tausend≈fach *a.* 〔구식〕 ① 천 배〔겹〕의. ② 〔구식〕 수없이 여러 번; 천 배로. **~fältig** *a.* ↑ ~fach. **≈fuß** *m.* ↑ ~füßer. **≈füßer** *m.* 〖動〗 다지류(多肢類). **≈füßler** *m.* ↑ ≈-füßer. **~gülden·kraut** [tauzəntgʏ́ldən..] *n.* 〖植〗 용담과의 초본. **~jahr·feier** [tauzənt-já:r..] *f.* 천년제. **~jährig** *a.* ① 천년된, 천 살먹은. ② 천년 동안의, 천년의: 〖宗〗 ≈es Reich a) (그리스도가 재림하여 이 세상을 천년 동안 다스린다는) 천년 왕국, b) 천년 왕국(나치스가 주도한 국가 명칭). **~korn** *n.* 〖植〗 탈장(脫腸)의 약초(지중해 지방산). **≈-künstler** *m.* 〔농담〕 ① 재주꾼, 다재다능한 사람. ② 〔폄어〕 요술〔마술〕사. **~mal** *adv.* ① 천 번, 천 배. ② 〔구어〕 수없이 여러 번, 매우 자주; 훨씬: ich weiß ~ mehr als er 나는 그보다 훨씬 더 잘 알고 있다. **~malig** *a.* 천 번〔배〕의. **≈mark·schein** [tauzəntmárk..] *m.* 천 마르크짜리 지폐. **~pfündig** *a.* 천 파운드의. **~sackerment** [tauzəntzakərmɛ́nt] *int.* 제기랄! (불만·놀람의 표현) **~sakramenter, ~sappermenter** *m.*, **~sasa** *m.* ↑ ≈sassa. **≈sassa** [..sasa(:)] *m.* -s, -(s) ① (Teufelskerl) 괘씸한 놈, 지긋지긋한 놈, 죽일 놈. ② 다재다능한 사람, 팔방미인. **≈-schön** *n.* -s, -e, **~schönchen** *n.* -s, - 〖植〗 데이지; 애기풀속(屬)(Kreuzblume); (Stiefmütterchen) 삼색제비꽃, 팬지. **~seitig** *a.* 천쪽(분량)의.

tausendst [táuzəntst] *a.* 천 번째의: das weiß der ≈e nicht 그것을 아는 사람은 천에 하나도 없다; vom Hundertsten ins ≈e kommen 미주알고주알 캐다.

tausendstel [táu..] *num.* 천 분의 일의.

Tausendstel *n.* 〔(schweiz. 대개) *m.*〕 -s, -

T

천 분의 일.
Tausendstel·sekunde *f.* 천 분의 일초.
tausendstens [táuzəntstəns] *adv.* 천 번째로.
tausendundein [táuzənt|unt|áɪn] *num.* 1001(의).
Tausendund·eine Nacht *f.* 아라비안 나이트, 천일 야화.
tausendund·eins *num.* 1001(의).
tausend·weise *adv.* 천 단위로 셀 만큼, (수) 천씩.
tausig *a.* (schweiz.) ↑ schlau.
Tautazismus [tautatsísmus] 《lat.》 *m.* -, ..men 『修』 동음(同音) 반복, (특히) 동일한 첫 음의 반복(보기: der du da das gesagt hast).
Tautogramm *n.* -s, -e 『문학』 각 행 또는 단어의 첫 자모가 같은 시.
***Tautologie** [tautologí:] *f.* -n [..gí:ən] ① 『修』 동의이어(同意異語)의 반복, 유사어 반복(보기: kleiner Zwerg, ein alter Greis). ② 『哲』 (a) 순환 논증. (b) 군소리, 췌언(贅言).
tautologisch [..ló:gɪʃ] *a.* 『修』 동의이어(同意異語) 반복의.
tautomer [tautomé:r] *a.* 『化』 호변성체의.
Tautomerie *f.* 『化』 토토메리 현상.
Tau≈tropfen 《<Tau²》 *m.* 이슬 방울. **~wasser** 《<tauen³》 *n.* ① (대기가 차거워질 때 건축물에 생기는) 습기. ② 눈이나 얼음이 녹은 물.
täuwen *i.* (h.) (ndd.) 기다리다: na täuw! 조심하라(hüte dich!)!
Tau·werk 《<Tau¹》 *n.* ① 삭구(索具). ② 〖집합적〗 밧줄.
Tau≈wetter *n.* ① 얼음·눈을 녹이는 날씨, 해동(解凍)하는 날씨. ② 『政·은어』 (a) (동유럽과 관련해서) 해빙기, 긴장 완화기. (b) (1953년 스탈린 사망 이후의) 엄격한 (문화) 정책의 완화기. **~wind** *m.* 얼음·눈을 녹이는〔따뜻한〕 바람, 봄바람.
Tau·ziehen 《<Tau¹》 *n.* ① 『스포츠』 줄다리기. ② 〖구어〗 경합, 경쟁.
Taverne [tavέrnə] 《lat.》 *f.* -n ↑ Taberne.
Tax [taks] *m.* -es, -e ↑ Taxus.
Taxameter [taksamé:tər] 《↑ taxieren》 *n./m.* -s, - ① (자동차의) 요금 표시기(Fahrpreisanzeiger). ② 〖구식〗 ↑ Taxameterdroschke.
Taxameter·droschke *f.* (요금 표시기가 있는) 택시.
Tax·amt *n.* 가격 감정소.
Taxation [..tsió:n] *f.* -en (Abschätzung) 견적, 사정(査定), 평가.
Taxator [taksá:tɔr, ..to:r] *m.* -s, -en [..tó:rən] 사정인, 평가자.
Taxe [táksə] *f.* -n ① 평가, 사정. ② 가격 공정(公定). ③ (a) 공정 가격. (b) 사정액, 사정가. ④ (a) (Steuer) 세, 과세. (b) 영업 성과에 대한 수수료〔요율〕. ⑤ 〖구어〗 ↑ Taxameter ②.
tax≈frei *a.* 세금 없는, 면세의. **≈gebühr** *f.* 평가 수수료.
***Taxi** [táksi] *n./*(schweiz.) *m.* -(s), -(s) 택시: ein ~ nehmen〔rufen〕 택시를 이용하다〔부르다〕; in einem ~ fahren 택시를 타고 가다; ~ fahren a) 택시 운전사로 일하다, b) 택시를 타고 가다.
Taxi·chauffeur [táksiʃɔfø:r] *m.* (Taxifahrer) 택시 기사, 택시 운전사.
taxieren [taksí:rən] 《lat. taxare》 *t.* ① 평가〔사정〕하다: das Schmuckstück wird auf 40000 DM taxiert 그 보석은 40000 마르크로 평가되고 있다. ② 〖구어〗 어림잡다, 견적하다: sie taxierte sein Alter auf etwa dreißig 그녀는 그의 나이를 대략 서른 살로 어림잡았다. ③ 〖구어〗 (판단을 위해) 자세히 관찰하다: er taxierte ihre Figur 그는 그녀의 몸매를 자세히 훑어보았다. ④ 〖교양〗 판단하다: er hatte die Situation falsch taxiert 그는 상황을 잘못 판단하였다. ⑤ 우편 요금 부족분의 징수금을 결정하다.
Taxierer *m.* -s, - ↑ Taxator.
Taxierung *f.* -en 평가, 사정.
Taxi≈fahrer *m.* 택시 운전사. **~fahrerin** *f.* ↑ ~fahrer 의 여성형. **~fahrt** *f.* 택시 타고 가기. **~stand** *m.* 택시 승차장.
Taxler [tákslər] *m.* -s, - 〖구어〗 (öst.) 택시 기사.
Taxonomie [taksonomí:] *f.* ① 『生』 분류학, 분류법. ② 『언어』 분류론.
taxonomisch [..nó:mɪʃ] *a.* 분류학〔법〕의.
Tax≈ordnung [táks..] *f.* 가격 공정(公定). **~preis** *m.* 견적가. **~uhr** *f.* 택시 미터.
Taxus [táksus] *m.* -, - ↑ Taxusbaum.
Taxus≈baum *m.* 『植』 주목(朱木) (Eibe). **~hecke** *f.* 주목의 산울타리.
Tax·wert *m.* 견적 가격.
Taylorismus [telorísmus] *m.* -, **Taylor-system** [té:lə..] *n.* 『經』 테일러 시스템.
TAZ *f.* 『언론』 =Tageszeitung 베를린에서 간행되는 전국지.
Tazette [tatsέtə] *f.* -n 『植』 (남유럽산(産)의) 수선화.
Tazzel·wurm [tátsəl..] *m.* ↑ Tatzelwurm.
Tb[1] [te:bé:] 『化』 =Terbium 테르븀.
Tb[2], **Tbc** [te:be:tsé:] =Tuberkulose 결핵.
Tbc≈-krank *a.* 결핵에 걸린. **≈kranke*** *der/die* 결핵 환자.
TBit *n.* 『컴』 테라비트.
Tbk =Tuberkulose 결핵.
Tb-krank [te:bé:..] *a.* 결핵에 걸린.
T-Bone-Steak [tí:bounste:k] 《engl.》 *n.* T 자형 갈비가 붙은 소의 안심살 스테이크.
TByte *n.* 『컴』 테라바이트.
Tc 『化』 =Technetium 테크네튬.
T-CARD *n.* 『통신』 (독일의 텔레콤사가 유통시킨) 전화 카드.
TCP/IP =《engl.》 Transmission Control Protocol/Internet Protocol 『컴』 전송 제어 규약/인터넷 규약.
Te 『化』 =Tellur 텔루륨.
Teach-in [ti:tʃín] 《engl.》 *n.* -(s), -s 〖은어〗 (정치·사회 문제에 대한) 토론회.
Teak [ti:k] *n.* -(s) ↑ Teakholz.
Teak·baum [tí:k..] *m.* 『植』 티크나무.
teaken [tí:kən] *a.* 〖드물게〗 티크재(材)의.
Teak·holz [tí:k..] *n.* 티크재(材) (Tiekholz).
Team [ti:m] 《engl.》 *n.* -s, -s 〔*f.* -s〕 ① 조(組), 팀: Kamera≈ 촬영팀. ② 『스포츠』 선수단.
Team≈arbeit [tí:m..] *f.* 공동 작업, 팀워크. **~chef** [..ʃεf] *m.* 〖은어〗 팀장. **~geist** *m.* 단체 정신, 단결심. **~work** [tí:mwə:(r)k] 《engl.》

n. 팀워크, 공동 작업.
Tearoom 新정서 ⇦ Tea-Room.
Tea-Room [tíːruːm] *m.* -s, -s ① 다방. ② (schweiz.) (주류가 아닌 음료만 파는) 카페.
Tebs *m.* -es 광포한 소동.
tebsen *i.* (h.) 크게 떠들다.
Technetium [tɛçnéːtsium] *n.* -s 〖化〗 테크네튬(방사성 원소; 기호: Tc).
technifizieren *t.* 기계화하다, 기술을 적용하다.
Technifizierung *f.* 기계화, 기술 적용.
***Technik** [tέçnɪk] 《gr. téchnē, „Kunst"》 *f.* -en ① 공학, 공예(학), 공업; das Zeitalter der ~ 과학 기술 시대; Atom≁ 원자핵 공학. ② 기술; 기능, 수완; (예술의) 기교, 솜씨: Mal≁ 화법; die ~ des Dramas beherrschen 극작법에 정통하다; sein Geigenspiel zeigte nur ~ 그의 바이올린 연주는 기교만 훌륭했을 뿐이다. ③ 기계 설비: die veraltete ~ einer Werkstatt 공장의 낡은 기계 설비. ④ 기술진, 기술 부문 종사자. ⑤ (öst.) 공과 대학. ⑥ 〖스포츠〗 체력의 사용법. ⑦ (기계나 기구의) 기술적 성질, 기술적 구조.
Techniker [tέçnikər] *m.* -s, - ① 기술자; 공예가, 공학자; (기계·토목 따위의) 기사. ② (예술상의) 기교가; 명수.
Technikerin *f.* -nen ↑ Techniker 의 여성형.
Technikum [tέçnikum] *n.* -s, ..ken/..ka 공업〔공예〕 전문 학교.
***technisch** [tέçnɪʃ] *a.* ① 기술적인; 공학의, 공업의: eine ~e Analyse 기술 분석; ≁e Hochschule 공과 대학; 〖軍〗 eine ~e Truppe 공병〔기계화〕 부대; 〘구식〙 ≁er Überwachungs-Verein 자동차 정기 안전 검사 협회(약어: TÜV). ② 기능상의, 기교적인: die ~ meisterhaften Dramen Ibsens 극작 기교에 노련한 입센의 희곡; aus ~en Gründen 기술적인〔부차적인〕 이유로. ③ 전문적인, 전문의: ~e Ausdrücke 전문 용어.
technisieren *t.* 기계화〔공업화〕하다: die Produktion ~ 생산을 기계화하다.
Technisierung *f.* -en 기계화, 공업화.
Technizismus *m.* -, ..men 〘교양〙 ① 기술(전문) 용어. ② 기술 만능주의.
Technokrat [tɛçnokráːt] *m.* -en, -en ① 기술 관료주의자. ② 〘폄어〙 기술 만능주의자.
Technokratie [..nokratíː] *f.* 테크노크라시, 기술 관료주의, 기술자 정치(미국의 기술 지상주의적 경제 학설).
technokratisch [..kráːtɪʃ] *a.* ① 기술 관료주의적인, 기술자 정치의. ② 〘폄어〙 기술 만능주의의.
Technolog [..lóːk] *m.* -en [..lóːgən], ..en, **Technologe** *m.* -n, -n 과학 기술〔공업 기술·공학〕의 전문가, 공학자, 공예가.
***Technologie** [..logíː] *f.* -n [..gíːən] ① 공학. ② 과학 기술, 테크놀러지. ③ (원료의 획득 및 가공의 전과정에 걸친) 생산 기술.
Technologie≈park *m.* 첨단 과학 기술 단지. **~transfer** *m.* 〖經·政〗 기술 이전. **~zentrum** *n.* ↑ Technologiepark.
technologisch [..lóːgɪʃ] *a.* (과학) 기술상의: 〖政·은어〗 ~e Lücke (특히 공업 국가들과 개발 도상 국가들간의) 과학 기술의 격차.
Techtel·mechtel [tέçtəlmέçtəl] 《it. teco meco, „ich mit dir, du mit mir"》 *n.* -s, - 〘구어〙 결탁; (남녀의) 은밀한 관계, 연애 관계, 정사.
Tecke [tέkə] (ndd.) *f.* -n 〖動〗 진드기.
Teckel [tέkəl] (ndd.) *m.* -s, - ① ↑ Dachshund. ② 〘은어〙 ↑ Landjäger ①.
Teddy [tέdi] 《engl.; ↑ Theodor 의 애칭형》 *m.* -s, -s ① (봉제의) 장난감 곰, 테디 베어. ② 미국 병사(별명). ③ 〖섬유·구어〗 테디 베어 플러시(겨울 외투용의 긴 털 직물).
Teddy≈bär *m.* ↑ Teddy ①. **~futter** *n.* (동복용) 테디 베어 플러시 안감. **~mantel** *m.* 테디 베어 플러시로 안감을 댄 외투.
Tedeum [tedéːum] 《lat. te deum laudamus, „dich, Gott, loben wir"의 처음의 두 말》 *n.* -s, -s ① 〖가톨릭〗 테디움 성가(聖歌)(시편 형식으로 되어 있으며 감사 예배 때 부름). ② 〖음악〗 테디움의 곡.
TEE [teː|eː|éː] *m.* -(s), -(s) = Trans-Europ-Express 유럽 횡단 국제 특급 (열차).
***Tee**[1] [teː] 《chin.》 *m.* -s, -s ① (**a**) 차나무. (**b**) 차: schwarzer〔grüner〕 ~ 홍〔녹(綠)〕차; ~ kochen 차를 끓이다; eine Tasse ~ trinken 차를 한 잔 마시다; 〘비유·구어〙 erst abwarten und dann ~ trinken! 기다리며 (사태를) 관망하라!; (südd.) seinen ~ haben〔kriegen〕 거절당하여 쫓겨나다; im ~ sein 취해 있다; 〘구어〙 du hast ja einen im ~ 너 취했구나; 〘학생〙 sich bei jm. in ~ setzen 누구에게 비위를 맞추어 환심을 사다. ② (**a**) 말린 약초 잎〔꽃〕. (**b**) 달인 즙, 우려낸 액체: Kräuter≁ 약초차; Kamillen≁ 카밀레차. ③ 다과회(~gesellschaft); (특히) 오후의 무도회: Fünfuhr≁ 5시의 다과(점심과 저녁 식사 사이의 간단한 다과); einen ~ geben 다과회를 열다; jn. zum ~ einladen 누구를 다과회에 초대하다.
Tee[2] [tiː] *n.* -s, -s ① 〖컬링〗 과녁. ② 〖미식축구〗 키오프할 공을 올려놓는 곳. ③ 〖골프〗 (**a**) 티에서 제 1 구를 쳐내기. (**b**) 티(공을 올려놓는 받침).
Tee≈abend *m.* 저녁 다과회. **≁artig** *a.* 차와 같은. **~bäckerei** *f.* (öst.) ↑ ~gebäck. **~bau** *m.* 차 재배. **~baum** *m.* ↑ ~strauch. **~beutel** *m.* (일회용) 티 백, 차 봉지. **~blatt** *n.* 차의 잎; 〖植〗 꿀풀과의 초본. **~brett** *n.* 차 쟁반. **~büchse** *f.* 차를 보관하는 작은 통. **~butter** *f.* (öst.) 최고급 버터. **~-Ei** *n.* (달걀꼴의) 차거르개. **~-Ernte** *f.* ① 차 수확. ② (연간의) 차 수확량. **~gebäck** *n.* 차에 곁들여 먹는 비스킷. **~gerät, ~geschirr** *n.* 차 그릇, 다기(茶器). **~gesellschaft** *f.* 다과회. **~glas** *n.* 유리로 된 찻잔. **~haus** *n.* 찻집. **~kanne** *f.* 찻주전자, 티포트. **~kästchen** *n.* ↑ ~büchse. **~kessel** *m.* ① 찻주전자. ② 〘방언·구식〙 (Dummkopf) 바보, 얼간이; (Stubenhocker) 방구석에만 처박혀 있는 사람. ③ 〘비유〙 동음이의어 찾기 사교 놀이. **~kind** *n.* (선생이) 특히 마음에 들어 하는 학생. **~kiste** *f.* 차 상자. **~klatsch** *m.* 〘구어〙 차를 마시며 수다떨기〔잡담〕. **~kräuter** *pl.* 차로 쓰는 약초. **~küche** *f.* (병원이나 회사 따위의) 차나 커피를 끓일 수 있는 간이 부엌. **~kuchen** *m.* 차에 곁들여 먹는 케이크. **~licht** *n.* 찻주전자를 데우는 작은 초. **~löffel** *m.* ① 찻숟가락, 티스푼. ② (찻숟가락

으로 담을 수 있는) 적은 양: ein ~ Salz 약간의 소금. **~löffel·weise** *a.* 찻숟가락으로, 적은 양으로: 〖구어〗 jm. et. ~ beibringen 조금씩 가르치다〔제공하다〕. **~maschine** *f.* 차 끓이는 기구, 다기(茶器). **~mütze** *f.* 찻주전자를 덮는 보온용 덮개.

Teen [ti:n] *m.* -s, -s ↑ Teenager.

Teen·ager [tí:ne:dʒər] ⟪engl.⟫ *m.* -s, - 틴에이저, 십대(13 세부터 19 세까지의 청소년).

Teenie, Teeny [tí:ni] ⟪engl.⟫ *m.* -s, -s 〖은어〗 (13 세부터 16 세까지의) 십대 소녀.

*__Teer__ [te:r] ⟪ndd.⟫ *m.* -(e)s, -e ① 타르: mit ~ bestreichen 타르를 칠하다. ② (담배에 들어 있는) 타르(성분).

Teer≈asphalt *m.* 타르를 칠한 아스팔트. **~beschmiert** *a.* 타르를 칠한. **~brenner** *m.* 타르 제조업자. **~brennerei** *f.* 타르 제조소. **~büchse** *f.* 타르 통. **~dach·pappe** *f.* 〖건축〗 ↑ ~pappe. **~decke** *f.* 〖건축〗 타르 칠로 방수(防水)한 덮개; (도로의) 타르 포장.

teeren [té:rən] *t.* ① (배 따위에) 타르를 칠하다: jn. ~ und federn 누구의 온몸에 타르를 바르고 온통 깃털을 붙이다(흑인에 대한 백인의 린치). ② (도로를) 타르로 포장하다.

Teer≈farbe *f.* 〖工〗 타르 염료, 아닐린 색소. **~farben·stoff** *m.* ↑ ~farbstoff. **~farbstoff** *m.* 타르 염료. **~faß** *n.* 타르 통. **~haltig** *a.* 타르를 함유한. **~hütte** *f.* ↑ ~brennerei.

teericht *a.* ↑ teerig.

teerig *a.* ① 타르 같은. ② 타르를 칠한.

Teer≈jacke *f.* 타르를 칠한 방수 재킷; 〖농담〗 선원(Matrose). **~ofen** *m.* 타르 가마. **~öl** *n.* 타르 기름.

Tee·rose *f.* ① 〖植〗 월계화(차와 비슷한 향기가 나는 중국산 장미의 일종). ② 노란 장미.

Teer≈pappe *f.* 〖건축〗 (지붕을 이는 데 쓰는) 타르지(紙). **~pinsel, ~quast** *m.* 타르를 칠하는 솔. **~sand** *m.* 〖지질〗 타르샌드(점성(粘性)의 모래). **~schwelerei** *f.* ↑ ~brennerei. **~seife** *f.* 〖藥〗 (살균성) 목(木)타르 비누. **~straße** *f.* 타르로 포장한 도로. **~tonne** *f.* ↑ ~faß. **~tuch** *n.* 타르를 칠한 방수포(防水布).

Teerung [té:ruŋ] *f.* -en 타르를 칠하는 일; 타르 포장.

Teer≈wasser *n.* 타르 수용액(옛날에 만능약으로 여겼음). **~werg** *n.* 타르를 칠한 뱃밥.

Tee≈service [..zɛrvi:s] *n.* 한 벌의 차 도구, 티〔커피〕 세트. **~sieb** *n.* (홍차용의) 차 거르는 체. **~stoff** *m.* ↑ Tein. **~strauch** *m.* 〖植〗 차(나무). **~stube** *f.* 찻집, 카페. **~tasse** *f.* 찻잔: 〖구어〗 er machte Augen wie ~n 그는 (놀라서) 눈을 크게 떴다. **~tisch** *m.* 차 테이블. **~topf** *m.* ↑ ~kanne.

Tee·totaler [tí:to:tələr] ⟪engl.⟫ *m.* -s, - 〖농담〗 (Abstinenzler) 절대 금주(주의)자.

Tee≈trinker *m.* 차를 마시는 사람. **~wagen** *m.* (차를 나르는) 바퀴 달린 식기대. **~wasser** *n.* 차를 끓이는 물. **~wurst** *t.* 고급 훈제 소시지. **~zeug** *n.* ↑ ~geschirr.

Tefilla [tefɪlá:] ⟪hebr.⟫ *f.* 유대교의 기도서.

Tefillin [..lí:n] ⟪hebr.⟫ *pl.* (유대교의) 성구함(聖句函).

Teflon [tέflo:n, tɛfló:n] *n.* -s 테플론(열에 강한 합성 수지; 상표명).

teflon≈beschichtet *a.* 테플론을 입힌. **~pfanne** *f.* 바닥에 테플론 막을 한 프라이 팬.

Tegel [té:gəl] *m.* -s 〖지질〗 이회토(泥灰土); 이회암.

Tegernsee [té:gərnze:] ① *m.* -s 테게른제(바이에른에 있는 호수). ② 테게른제(테게른제 호숫가에 있는 도시).

Teheran [teherá:n, té:hərain] 테헤란(이란의 수도).

Tei·anker [táɪ..] *m.* 〖海〗 이물쪽의 작은 닻.

*__Teich__ [taɪç] (♧ Deich) *m.* -(e)s, -e 못; 저수통, 탱크; 양어지(養魚池): einen ~ ablassen 못의 물을 빼다; 〖구어·농담〗 der große ~ 대서양; er ging übern großen ~ 그는 대서양을 건너서 미국에 갔다.

Teich≈binse *f.* 〖植〗 큰고랭이. **~feder** *f.* 〖植〗 ↑ Bandgras. **~fisch** *m.* 못에 있는 물고기. **~huhn** *m.* 〖動〗 (유럽산(產)의) 쇠물닭(Rotbläßchen). **~karpfen** *m.* 〖動〗 잉어. **~kolben** *m.* 〖植〗 부들과(科). **~molch** *m.* 〖動〗 점박이 영원(蠑螈). **~muschel** *f.* 〖動〗 펄조개.

Teichoskopie [taɪçoskopí:] *f.* 〖연극〗 (희곡에서) 조망대 관찰 보고(Mauerschau).

Teich≈pflanze *f.* 못에 사는 식물. **~rohr** *n.* 〖植〗 갈대. **~rohr·sänger** *m.* 〖動〗 유럽산(產) 개개비(휘파람새과의 작은 새). **~rose** *f.* 〖植〗 개연꽃. **~schilf** *n.* ↑ ~rohr. **~schnecke** *f.* 〖動〗 명주우렁이속. **~wirtschaft** *f.* 양어지 경영.

Teifun *m.* -s, -e ↑ Taifun.

teig [taɪk] *a.* (obd.) ① (과일이) 너무 익은; 썩어 가는, 물컹한; (weich) 연한. ② (빵이) 덜 구워진.

*__Teig__ *m.* -(e)s, -e ① 반죽; (일반적으로) 끈적끈적한 죽: Brot~ 빵 반죽; ~ zu Pasten 연고용 반죽; den ~ kneten 반죽을 이기다; den ~ (dünn) ausrollen 반죽을 방망이로 (얇게) 밀다. ② 〖비유〗 원료: aus〔von〕 anderem ~ sein 바탕〔혈통〕이 다르다.

Teig≈affe *m.* 〖농담·구식〗 ↑ Bäcker. **~decke** *f.* 반죽의 마른 표면. **~farbe** *f.* 〖印·드물게〗 파스텔(물감).

teigicht *a.* ↑ teigig.

teigig [táɪgɪç] *a.* ① 반죽 같은, 연한. ② ↑ teig ①. ③ (손·그릇이) 반죽투성이가 된.

Teig≈kneter *m.* 반죽을 이기는 사람. **~masse** *f.* 반죽덩이. **~menge** *f.* 반죽 양. **~mulde** *f.* 반죽통. **~rädchen** *n.* (작은 과자용의) 반죽을 자르는 톱니가 달린 기구; 반죽에 무늬를 찍는 기구. **~rolle** *f.* ① 원통형으로 이겨놓은 반죽덩이. ② 국수 방망이. **~schüssel** *f.* 반죽용 그릇. **~waren** *f.* 밀가루 음식.

*__Teil__ [taɪl] *m./n.* -(e)s, -e ① *m.* 전체의 일부, 부분; 구분, 구획: Haupt~ 주요부; Vorder~ 전반부; Stadt~ 시구; der obere〔südliche〕 ~ 상부〔남부〕; der beste ~ des Bratens 구운 고기의 가장 좋은 부분; der gebirgigste ~ Deutschlands 독일에서 가장 산악이 많은 지방; eine Maschine in ihre ~e zerlegen 기계를 부분으로 분해하다. ② *m.* (저작물 따위의) 부, 편, 권: „Faust“ Zweiter ~ “파우스트” 제 2 부; der erste ~ von Schillers Werken 쉴러 저작집의 제 1 권; dies Buch besteht aus vier ~en 이 책은 4 부로 되

어 있다. ③ 양, 수: gleiche ~e 같은 양; der kleinste ~ 최소량; ein gut ~ von et.³ 무엇의 상당한 양, 대량; der größere(größte) ~ der Menschen 대부분(대다수)의 사람들; ein großer ~ stimmte dagegen 많은 사람들이 그것에 대해 반대표를 던졌다. ④ **(a)** 〖기수와 함께〗 zwei ~e 3 분의 2 (zwei Drittel); drei ~e von et.³ 무엇의 4 분의 3; in zwei ~e teilen 무엇을 절반으로 나누다. **(b)** 〖서수와 함께〗 der zweite ~ 2 분의 1; ein Drit~ (Drittel) 3 분의 1; der vierte ~ von vierzig ist zehn 40 의 4 분의 1은 10이다. ⑤ 〖대개〗 *n.* **(a)** (An~) 몫, 배당, 할당: sich³ sein ~ denken (은밀히) 자신의 생각을 정리하다; 〖구어〗 er hat sein(en) ~ bekommen(gekriegt, weg) 그는 자기 몫(벌)을 받았다; ich habe ihm sein ~ gegeben a) 나는 그에게 기탄없이 이야기했다, b) 그를 처벌했다; das bessere (〖드물게〗 den besseren) ~ erwählt(gewählt) haben 선택을 잘 하여 보다 나은 생활을 하다; sein(en) ~ zu tragen haben 불행한 삶(역경)을 헤쳐 나가야 한다. **(b)** ~ an et.³ haben 무엇에 관여(참가)하다; ich habe(nehme) kein ~ daran 나는 그것에 아무런 관계도 없다. ⑥ *m.* (Partei) 관련 당사자, 당(파), 측: beide ~e 쌍방, 양당사자, 양파; 〖法〗 der klagende(verklagte) ~ 원고(피고); beide ~e haben recht 쌍방이 다 옳다. ⑦ *n.* **(a)** 〖광산〗 광업주(Bergwerksanteil). **(b)** 〖제련〗 철괴(鐵塊) (Deul). **(c)** 〖건축〗 건축 자재(Glied). **(d)** 〖복수〗 음부(Schamteile). ⑧ 〖전치사와 함께〗 ich **an** meinem ~ (ich meinesteils, ich **für** mein(en) ~) 나에 관한 한, 나로서는; **um** ein gut ~ reicher 보다 훨씬 부유한; **zum** ~ 어느 부분은, 일부는(약어: z.T.); zum ~..., zum ~ ... 일부는, 일부는 …; zum größten ~ 대부분, 대체로.

Teil≈abschnitt [táɪl..] *m.* 절(節), (각 공기별(工期別)) 건설 예정 부분. **~ansicht** *f.* 부분적 조망(광경). **~aspekt** *m.* 부분적 관점. **~automatisiert** *a.* 부분 자동화된. **~automatisierung** *f.* 부분 자동화.

teilbar [táɪlba:r] *a.* ① 나눌 수 있는, 가분(可分)의. ② 〖數〗 나눌 수 있는: durch fünf ~ 5로 나눌 수 있는.

Teilbarkeit *f.* 〖數〗 나눌 수 있음, 구분 가능성, 가분성.

Teil≈bau *m.* 분익(分益) 소작. **~begriff** *m.* 부분 개념. **~bereich** *m.* 부분 영역. **~besitzer** *m.* 일부 점유자, 공유자. **~betrag** *m.* 분액(分額); 분담금, 할부금.

Teilchen [táɪlçən] *n.* -s, - 〖↑ Teilchen 의 축소형〗 ① 소부분; 미립자, 극소량. ② 〖物〗 원자(Atom); 분자(Molekül). ③ 〖기계〗 부속품. ④ 〖방언〗 비스킷.

Teilchen≈beschleuniger *m.* 〖핵물리〗 입자 가속기. **~physik** *f.* 분자 물리학. **~strahlung** *f.* 〖핵물리〗 입자선(粒子線).

Teile·fertigung *f.* 각 부분을 완성하기; 부품의 제작.

***teilen** [táɪlən] 《I》 *t.* ① (부분으로) 나누다, 구분하다, 등급으로 나누다; 분배하다; 분리(분할)하다; 양분하다: einen Besitz (ein Erbe) ~ 재산(유산)을 분배하다; den Unterschied ~ 서로 양보(타협)하다; einen Apfel in zwei Teile ~ 사과 하나를 두 조각으로 나누다; den Gewinn unter vier Personen ~ 이익금을 네 사람에게 분배하다; 〖雅語〗 das Schiff teilt die Wogen(Wellen) 배가 파도를 헤치며 나아간다; die Elbe teilt Dresden in Altstadt und Neustadt 엘베강은 드레스덴을 구도시와 신도시로 나눈다. ② 공용하다, 공유하다: et. mit jm. ~ 누구와 무엇을 공유하다, 무엇을 함께하다; js. Freude(Schmerz) ~ 누구와 기쁨을(고통을) 함께 나누다; sie haben Freude und Leid mit einander geteilt 그들은 동고동락하였다; js. Gefühle ~ 누구의 감정을 이해해 주다, 누구를 동정하다; das Bett (Zimmer) mit jm. ~ 누구와 잠자리를 함께하다(같은 방을 쓰다); sie teilten unser Schicksal(Los) 그들은 우리와 운명을 함께 하였다; wir ~ die Ansicht 우리는 의견을 같이한다. ③ 〖數〗 나누다, 제하다. 《II》 *refl.* sich ~ ① 나누어지다, 갈라지다, 분열하다, (길·강 따위가) 분기(分岐)하다: hier teilt sich der Fluß in zwei Arme 강은 여기서 두 지류로 갈라진다; in diesem Punkt ~ sich die Meinungen 이 점에 대해서는 의견이 서로 다르다. ② 분담하다, 분배하다, 나누다: sich in et. ~ (es unter sich ~) 무엇을 서로 나누다; ich teilte mich mit ihm in die Arbeit 나는 그 일을 그와 분담했다. ③ 〖數〗 나누어지다: 12 läßt sich durch 3 ~ 12는 3으로 나누어진다. 《III》 **geteilt** *p.a.* ↑ geteilt.

Teiler [táɪlər] *m.* -s, - ① 나누는 사람, 분배(분여·분할)자; 분담자; 관여자. ② 〖數〗 약수 (Divisor): der größte gemeinsame ~ 최대 공약수(약어: ggT, g.g.T.).

Teil·erfolg *m.* ① 부분적 성공. ② 〖스포츠〗 무승부 경기.

teiler·fremd *a.* 〖數〗 공약수가 없는.

Teile·zurichter *m.* 〖기계〗 부품 검사원.

Teil≈fabrikat *n.* 부분 완성 제품. **~gebiet** *n.* ① 〖행정〗 구역. ② (전문 분야의) 부분 영역. **~habe** *f.* ① (Anteil) 몫, 배당; 관여, 참가. ② ↑ ~haberschaft.

teil|haben* [táɪlha:bən] *i.* (h.) ① 관여하다, 참가하다: an et.³ ~ 무엇의 몫을 차지하다, 무엇에 관여하다; ~d 관여하는. ② 〖雅語〗 가담하다, 함께하다.

Teilhaber [..ha:bər] *m.* -s, - 관계자; 〖經〗 주주, 조합원, 공동 출자자: ein stiller ~ 익명사원(조합원).

Teilhaberin *f.* -nen ↑ Teilhaber의 여성형.

Teilhaberschaft *f.* 공동 출자자(조합원)의 신분(지위).

Teilhaber·versicherung *f.* 〖商〗 (공동 출자자가 탈퇴할 때의) 출자자 보상 보험.

teilhaft 〖고어〗 *a.* ↑ teilhaftig.

teilhaftig *a.* 〖雅語〗 eines Dinges ~ sein 어떤 물건을 공유하다, 무엇에 관여하고 있다; jn. eines Dinges ~ machen 누구를 어떤 일에 관여시키다; einer Sache ~ werden 무엇을 경험(소유)하게 되다; der Segnungen der Zivilisation ~ werden 문명의 혜택을 입다.

..teilig [..táɪlɪç] *suf.* "…부로(부분으로) 나뉜, …부로(부분으로) 이루어진"의 뜻(보기: drei~ 3부로(부분으로) 이루어진).

teil≈kasko·versichert *a.* 부분 차체(선체·기체) 보험에 든. **~kasko·versicherung** *f.* 〖보통 관사 없이〗 부분 차체(선체·기체) 손해

보험. ~**kosten·rechnung** *f.* 〖經〗 부분 경비 계산서〔산출서〕. ~**kreis** *m.* 〖工〗 (톱니바퀴의) 피치원(円); 전원(全円) 각도기. ~**leistung** *f.* 〖經〗 일부 급부(給付). ~**maschine** *f.* 〖기계〗 눈금을 새기는 기계. ~**menge** *f.* 〖數〗 부분 집합; 부분량. ~**möbliert** *a.* 가구가 일부〔부분적으로〕 설치된. ~**möbilierung** *f.* 부분적 가구 비치.

***Teilnahme** [táɪlna:mə] *f.* ① 참여, 관여, 참가; 협력: die ~ an einem Krieg 참전. ② 〖法〗 (범죄의) 공범. ③ 동정, 연민; 관심; 유감, 조의: für jn. ~ empfinden 누구를 동정하다.

Teilnahme≈bedingung *f.* 참가 조건. ~**berechtigt** *a.* 참가 자격이 있는. ~**berechtigte*** *der/die* 참가 자격자.

teilnahmslos *a.* 동정심 없는, 무정〔무관심〕한; 주의하지 않는.

Teilnahmslosigkeit *f.* 무정, 무관심, 냉담.

teilnahms·voll *a.* 동정심 많은.

teil|nehmen [táɪne:mən] *i.* (h.) ① 함께하다, 참가〔협력〕하다: an einem Spiel ~ 경기에 참가하다. ② 관여〔관계〕하다; 동정〔공감〕하다: an js. Freude ~ 누구의 기쁨을 함께 나누다; an einem Geschäft ~ 어떤 장사에 관계하다.

teilnehmend *p.a.* 관여〔관계〕하는; 관심을〔흥미를〕 가지는; 동정하는.

Teilnehmer [táɪlne:mər] *m.* -s, - ① ↑ Teilhaber. ② **(a)** 〖法〗 공범자(Mitschuldiger). **(b)** 〖통신〗 (전화의) 가입자. **(c)** 〖스포츠〗 경기 참가자.

Teilnehmer·feld *n.* 〖스포츠〗 참가 선수 전원.

Teilnehmerin *f.* -nen ↑ Teilnehmer 의 여성형.

Teilnehmer≈liste *f.* 참가자〔참석자〕 명단. ~**zahl** *f.* 참가자〔참석자〕 수.

Teil·pacht *f./m.* 분익(分益) 소작.

***teils** [taɪls] *adv.* 일부는, 반은: ~ gut, ~ schlecht 반은 좋고 반은 나쁜〔나쁘게〕; ~ in Geld, ~ in Gut 일부는 현금으로 일부는 물품으로; ~ durch Spielen, ~ durch Trinken 도박을 하기도 하며 술을 마시기도 하며; 〖구어〗 ~, ~ 그저 그렇다, 그럭저럭.

..teils *suf.* "…부분으로〔에서〕"의 뜻(보기: eines~ 한 쪽에서는; meisten~ 대개는).

Teil≈scheibe *f.* 〖기계〗 눈금판. ~**schuldverschreibung** *f.* 〖法〗 (공사채의 일부에 대한 채권자의 권리가 문서로 명시된) 일부 채권. ~**strecke** *f.* (버스 따위의) 구간, (철도의) 선로 구간. ~**strich** *m.* (저울·계기 따위의) 눈금. ~**stück** *n.* 부분, 부품.

Teilung [táɪlʊŋ] *f.* -en ① **(a)** 나눔, 구분; 분리; 분배: ~ der Arbeit 분업. **(b)** 분리〔분할〕 상태: die ~ Koreas 한국의 분단 상태. ② 〖數〗 **(a)** 나눗셈(Division). **(b)** stetige ~ 황금 분할. ③ 〖動·植〗 분열; 〖植〗 결각(缺刻). ④ 〖工〗 (톱니바퀴의) 새김, 피치, 횟수.

Teilungs≈artikel *m.* 〖언어학〗 부분(을 나타내는) 관사. ~**beschluß** *m.* 분할 결의. ~**linie** *f.* 분할선, 경계선. ~**punkt** *m.* 분기〔분리〕점. ~**vertrag** *m.* 분할 조약. ~**zahl** *f.* 〖數〗 피제수(被除數) (Dividend). ~**zeichen** *n.* 분할표, 나누기표; 〖문법〗 하이픈(Bindestrich).

Teil·verhältnis *n.* 분배 비율.

teil·weise 《I》 *adv.* 부분적으로, 일부는, 나누어서: Das Haus ist ~ fertig 그 집은 부분적으로 완성되었다. 《II》 *a.* 부분적인, 일부분의, 나눈: die ~ Automatisierung des Betriebs 공장의 부분 자동화.

Teil≈zahl *f.* 〖數〗 (Quotient) 나눈 몫〔수치〕, 상(商). ~**zahlung** *f.* 할부(금), 분할 지급(금): monatliche ~ 월부금. ~**zahlungskredit** *m.* 〖經〗 분할 상환 신용 대출.

Teilzeit≈arbeit *f.* ↑ ~beschäftigung. ~**beschäftigte*** *der/die* 파트 타임 근로자. ~**beschäftigung** *f.* 파트 타임 근로.

Tein [teí:n] *n.* -s 〖化〗 ↑ Kaffein.

Teint [tɛ̃:, tɛŋ] 《frz.》 *m.* -s, -s ① 안색, 피부색; 혈색. ② 얼굴 피부(의 상태).

T-Eisen [té:|aɪzən] *n.* 〖工〗 티자(T字) 모양의 쇠; T 형강(鋼).

Teiste [táɪstə] *f.* -n 〖動〗 바다오리.

Tektonik [tɛktó:nɪk] 《gr.》 *f.* ① 〖건축〗 **(a)** 골조〔뼈대〕 구조. **(b)** 구축학, 구조학. ② (예술의) 구축; 〖문학〗 (작품의) 내적 구조. ③ 조각(술); 공예. ④ 〖지질〗 지각(地殼) 구조, 구조 지질학.

tektonisch *a.* ① 〖건축·지질〗 구조상의, 구조 지질학적인; 지각의 구조 운동상의: ein ~es Beben 구조 지진; ~e Gebirgen 지질 구조 산맥. ② 〖문학〗 장르나 형식의 규칙을 지키는, 구조적인.

Tektur [tɛktú:r] 《lat.》 *f.* -en ① 덮개, 커버. ② (Deckblatt) 포장지, 라벨, 레테르; 〖軍〗 훈령을 써서 붙인 회람장. ③ 〖印〗 (오식(誤植) 따위에) 덧붙이는 정정용 종이 쪽지〔조각〕.

Tel. ① = Telegramm 전보. ② = Telephon 전화.

..tel *suf.* 〖↑ Teil 의 단축형〗 형용사·수사의 후철로서 "…부분"의 뜻(보기: das Vier~ = der vierte Teil).

tele.. 《gr.》 *suf.* "먼·원(遠)"의 뜻(보기: ~fon 전화).

Telearbeit *f.* 재택 근무.

Telebanking [..bɛŋkiŋ] 《engl.》 *n.* -s 텔레〔홈〕 뱅킹.

Telebrief *m.* -(e)s, -e (전화선이나 위성을 통해 전달되는) 통신 편지.

Telefax *n.* -, -(e) 팩시밀리, 팩스.

telefaxen *t.* 팩시밀리〔팩스〕를 보내다.

Telefax·nummer *f.* 팩시밀리〔팩스〕 번호.

***Telefon** [telefó:n, té:ləfo:n] *n.* -s, -e ① 전화기: ans ~ gehen 전화를 받다; am ~ verlangt werden (누구에게) 전화가 오다; 〖구어〗 am ~ hängen 전화하다. ② 전화 접속: ~ beantragen 전화 가입을 신청하다. ③ 〖구어〗 전화(에 의한 호출·통화).

Telefon≈anruf *m.* 전화 호출(↑ Telefon ③). ~**anschluß** *m.* 전화 연결〔접속〕. ~**apparat** *m.* 전화기.

Telefonat [telefoná:t] *n.* -(e)s, -e 통화, 전화 통지.

Telefon≈buch *n.* 전화 번호부. ~**dienst** *m.* ① 전화 업무. ② (구호 단체나 당국에 의해 일정한 기간내에 안내를 위해 설치된) 상설 전화. ~**fräulein** *n.* 여자 전화 교환원. ~**gebühr** *f.* 전화 요금. ~**gespräch** *n.* 통화. ~**hörer** *m.* (전화의) 수화기.

***telefonieren** [telefoní:rən] 《I》 *i.* (h.) 전화 통

화하다: mit jm. ~ 누구와 통화하다. 《Ⅱ》 *t.* jm. et. ~ 누구에게 무엇을 전화로 알리다.

telefonisch [telefó:nɪʃ] *a.* ① 전화로: et. ~ bestellen 전화로 주문하다. ② 전화의.

Telefonist [..foníst] *m.* -en, -en ① 전화 교환원; 전신 기사. ②〖軍〗통신병.

Telefonistin *f.* -nen ↑ Telefonist ① 의 여성형.

Telefon≈kabel *n.* 전화선. **~karte** *f.* 전화 카드. **~leitung** *f.* 전화선, 전화 회선. **~netz** *n.* 전화망. **~nummer** *f.* 전화 번호. **~rechnung** *f.* 전화 요금 통지서. **~schnur** *f.* 전화줄. **~seel·sorge** *f.* ① 전화 상담. ② 상담 전화. **~sex** *m.* 전화 섹스, 폰 섹스. **~stelle** *f.* 전화 교환국. **~überwachung** *f.* 전화 통화 감시. **~verbindung** *f.* 전화 접속〔연락〕. **~zelle** *f.* 공중 전화 박스; 전화실. **~zentrale** *f.* 전화 교환실.

Tele≈foto *n.*, **~fotografie** *f.* 사진 전송법; (망원 렌즈로 찍은) 원거리〔망원〕 사진.

telegen [telegé:n] *a.*〖TV〗카메라를 잘 받는: ein ~es Gesicht 카메라를 잘 받는 얼굴.

Telefunken [..fúŋkən] *pl.* 무선 전신; (회사 이름으로) 텔레풍켄.

Telegonie [..goní:] 《gr.》 *f.* -n [..ní:ən]〖生〗감응 유전(遺傳).

Telegraf [telegrá:f] 《frz. télégrophe》 *m.* -en, -en 전신(기): unterseeischer ~ 해저 전신; durch den ~en 전보로.

Telegrafen≈amt *m.* 전신국. **~beamte*** *der* 전신국 직원〔기사〕. **~bote** *m.* 전보 배달원. **~büro** [..byro:] *n.* 전신국. **~code** [..ko:t] *m.* 전신 약호〔부호〕. **~draht** *m.* 전신 케이블, 전신선. **~kabel** *n.* 해저 전신 케이블. **~leitung** *f.* 전신선(로). **~linie** *f.* 전신선. **~netz** *n.* 전신망. **~schlüssel** *m.* 전신 약호〔부호〕. **~stange** *f.* 전신주. **~station** *f.* 전신국. **~strang** *m.* 케이블. **~truppe** *f.*〖軍〗통신대. **~wesen** *n.* 전신 제도〔시설〕.

***Telegrafie** [telegrafí:] 《frz.》 *f.* 전신술, 전신법; 전신: drahtlose ~ 무선 전신(술);〖軍〗optische ~ 회광(回光) 통신.

telegrafieren *t./i.* (h.) 전보치다: drahtlos ~ 무선 전신을 보내다.

telegrafisch [..grá:..] 《Ⅰ》 *a.* 전신(술)의; 전신에 따른. 《Ⅱ》 *adv.* 전신으로: eine ~e Antwort 답전(答電); eine ~e Depesche 전보.

Telegrafist [..grafíst] *m.* -en, -en 전신 기사, 통신사.

Telegrafistin *f.* -nen ↑ Telegrafist 의 여성형.

Telegrafon *n.* -s, -e〖고어〗축음 전화기.

***Telegramm** [telegrám] 《frz. télégramme》 *n.* -s, -e 전보, 전신: ein ~ aufgeben〔absenden〕 전보를 치다.

Telegramm≈adresse *f.* 전보 수신 주소. **~bote** *m.* 전보 배달원. **~formular** *n.* 전보 용지. **~gebühr** *f.* 전보료. **~nachricht** *f.* 전보. **~stil** *m.* 전보 문체, 간결한 문체.

Telegraph *m.* -en, -en ↑ Telegraf.

Telekamera [té:lə..] *f.* 망원 렌즈가 부착된 카메라.

Telekinese [telekiné:zə] 《-lat.》 *f.*〖심령〗(건드리지 않고 물체를 움직이는) 염력(念力).

Telekolleg [té:lə..] *n.* -s, -s/(드물게) -ien 방송 통신 학교〔강좌〕.

Telekommunikation *f.* (전신·전화 따위에 의한) 원거리 통신.

telekopieren *t.* 팩시밀리〔팩스〕를 보내다.

Telekopierer *m.* -s, - 팩시밀리, 팩스.

Telemach [té:lemax] *m.* ↑ Telemachos.

Telemachos *m.*〖그리스신화〗텔레마코스 (Odysseus 의 아들).

Telemark [té:ləmark, té:le..] *m.* -s, -s, **Telemark·aufsprung** *m.* ↑ Telemarkschwung.

Telemarken 텔레마르크(노르웨이의 산악·호수 지대).

Telemark·schwung *m.*〖스키〗텔레마크(회전 기법의 한 가지).

Telematik *f.*〖사회〗텔레매틱, 첨단 자동화 체제 (Telekommunikation 과 Automatik 의 합성어).

Telemechanismus *m.* -, ..men〖전기〗원격 조종.

Telemedizin *f.* -en〖醫〗원격 의학.

Telemeter [telemé:tər] 《gr.》 *n/m.* -s, - (Entfernungsmesser) 원격 계측기, 텔레미터.

Telemetrie [..metrí:] *f.* -n [..rí:ən] ①〖工〗측정치의 원거리 자동 전송. ② (텔레미터를 사용한) 원격 측정.

telemetrisch [..mé:trɪʃ] *a.* 원격 측정의.

Teleobjektiv [té:ləlɔpjɛkti:f] 《lat.》 *n.* -s, -e〖사진〗망원 렌즈(Raumraffer).

Teleologie [teleologí:] 《gr.》 *f.*〖哲〗목적론.

teleologisch [teleoló:gɪʃ] *a.*〖哲〗목적론적인: ~er Gottesbeweis 목적론적인 신의 존재의 증명.

Telepath [telepá:t] 《gr.》 *m.* -en, -en〖심령〗텔레파시의 능력을 가진 사람.

Telepathie [..patí:] 《gr.》 *f.*〖심령〗텔레파시, 정신 감응, 이심전심.

telepathisch [..pá:tɪʃ] *a.* 텔레파시의, 이심전심인.

Telepathologie *f.*〖醫〗원격 병리학.

***Telephon** [telefó:n, té:ləfo:n] *n.* -s, -e ↑ Telefon.

Telephonat [telefoná:t] *n* -(e)s, -e (Fernspruch) 통화; 전화 통지.

Telephonie [telefoní:] *f.* ① (소리를 전기적으로 전송하는 방식으로서의) 전화술. ② 전화 사업, 통신 제도.

telephonieren *t./i.* (h.) ↑ telefonieren.

telephonisch [..fó:nɪʃ] *a.* ↑ telefonisch.

Telephonist *m.* -en, -en ↑ Telefonist.

Telephonistin *f.* -nen ↑ Telefonistin.

Telephotographie [té:ləfotografi:, telefotografí:] *f.* -n 사진 전송법; (망원 렌즈로 찍은) 원거리〔망원〕 사진.

Teleplasma *n.* -s, ..men〖심령〗텔레플라즈마, (가상적) 심령체(心靈體).

Teleshopping 《engl.》 *n.* 홈쇼핑.

Teleskop [teleskó:p, ..lɛs..] 《frz. téléscope》 *n.* -s, -e 망원경.

Teleskop≈antenne *f.* 로드 안테나. **~auge** *n.*〖動〗(심해 동물 따위의) 물방울눈. **~fisch** *m.* ① 통방울눈 금붕어. ② 통방울눈을 가진 경골류(硬骨類)의 물고기.

teleskopisch [teleskó:pɪʃ, ..lɛs..] *a.* 망원경의〔으로 본〕; 망원경으로만 보이는.

Teleskop·mast *m.* 신축식 마스트.

Telespiel *n.* -(e)s, -e 텔레비전 오락(기).

Television [televizió:n, tέlıvıʃən] 《engl.》 *f.* 텔레비전(방송)(약어: TV).
Telex [té:lεks, tέlεks] *n.* -, -(e) ① 텔렉스. ② (**a**) 텔렉스 기계. (**b**) 텔렉스망.
telexen [té:lεksən] *i.* (h.) / *t.* 텔렉스를 치다.
Tell [tεl] *m.* Wilhelm ~ 빌헬름 텔(스위스의 전설적 국민 영웅).
Telle [tέlə] *f.* -n (ndd.) ↑ Delle.
***Teller** [tέlər] *m.* -s, - ① (**a**) 접시; 쟁반 (Präsentier~): ein tiefer ~ 오목 접시; einen ~ Suppe nehmen 한 접시의 수프를 먹다; die ~ auf den Tisch setzen 접시를 식탁에 놓다; tu dir Fleisch auf deinen ~ 고기를 접시에 올려놓아라. (**b**) (특히 식당 메뉴로) 접시(에 올려 나오는) 요리. (**c**) (헌금 따위를 모으는) 접시: mit dem ~ Geld einsammeln 접시를 돌려 돈을 모으다. ② (**a**) 접시 모양의 것: 〖해부〗 Hand~ 〔~ der Hand〕 손바닥. (**b**) 접시 모양의 원판(圓板): ~ einer Luftpumpe 공기 펌프의 원판. (**c**) 받침 접시. (**d**) 〖植〗 꽃턱, 화탁(花托): ~ der Artischocke 조뱅이의 꽃턱. (**e**) 멧돼지의 귀.
Teller≈brett *n.* 접시 선반〔걸이〕. **~eisen** *n.*, **~falle** *f.* 〖사냥〗 (야수 포획용) 둥근 철제 덫. **~fleisch** *n.* (südd.) 익힌 돼지고기〔쇠고기〕. **~förmig** *a.* 접시 모양의. **~gericht** *n.* 접시(에 올려나오는) 요리. **~lecker** *m.* 〔구어〕 식객, 기식자. **~mine** *f.* 〖軍〗 원반형 지뢰. **~muschel** *f.* 〖動〗 접시조갯과의 조개(비단조개 따위). **~mütze** *f.* (베레모 따위와 같은) 둥글넓적한 모자.
tellern 《<Teller》 *i.* (h.) 〖수중발레〗 손만 움직여 배영(背泳)하다.
Teller≈rand *m.* 접시 가장자리. **~sammlung** *f.* ① 진귀한 접시의 수집. ② (교회 등에서) 접시를 돌려서 돈을 거둠. **~schrank** *m.* 접시 찬장. **~tuch** *n.* 〔방언〕 (Serviette) 냅킨; 접시 닦는 데 쓰는 수건. **~voll** *m.* 접시에 가득함. **~wärmer** *m.* 접시를 데우는 기구. **~wäscher** *m.* 접시닦는 사람〔기계〕.
Tellur [tεlú:r] 《lat. tellus, „Erde"》 *n.* -s 〖化〗 텔루르(비금속 원소; 기호: Te).
tellurig [tεlú:rıç] *a.* 〖化〗 텔루르의: ~e Säure 텔루르산.
tellurisch *a.* 〖지질〗 지구의; 땅의.
Tellurit [..rí:t, ..rít] *n.* 〖化〗 -(e)s, -e 텔루르산염.
Tellurium *n.* -s, ..rien [..riən] ① ↑ Tellur. ② 〖天〗 (지구의 자전·공전을 나타내는) 지동의(地動儀).
Tellur≈säure *f.* 〖化〗 텔루르산. **~wasserstoff** *m.* 텔루르화(化) 수소.
Telomer 〖生·化〗 텔로머(중합 과정에서 얻어지는, 중합도가 낮은 저분자량의 중합체).
Telophase *f.* -n 〖유전〗 세포 분열의 말기.
***Tempel**[1] [tέmpəl] 《lat.》 *m.* -s, - ① (**a**) (비기독교의) 신전, 사당, 사원; (유대인의) (공)회당(Synagoge). (**b**) 〔雅語〕 신성한 장소, 성전: 〔구어〕 jn. zum ~ hinauswerfen〔hinausjagen〕 누구를 내쫓다; die Natur ist ein ~ Gottes 자연은 신이 계신 곳이다; der ~ der Kunst 극장. ② 그리스 신전식 건축물; 정자(Pavillon). ③ 도박의 일종(Hasardspiel). ④ 신전 기사단(Tempelsorden)의 본부.
Tempel[2] *m.* -s, - 〖방직〗 (베틀의) 첫발뿔(Spannstock).

Tempel≈bau *m.* ① 신전 건축. ② 신전. **~bruder** *m.* ↑ ~herr. **~diener** *m.* ① 신전 관리인. ② (Priester) 사제, 승려, 신관(神官). **~gesellschaft** *f.* 독일 성전파(1861 년 호프만이 창립한 자유 교회). **~herr** *m.* 신전 기사, 수도사, 템플 기사. **~herrisch, ~herrlich** *a.* 신전 기사의, 수도사의. **~hof** *m.* ① 신전의 안뜰, 정원. ② 신전 기사단장의 저택. ③ 템펠호프(베를린 남동부의 주택 지대): ~er Feld 템펠호프 공항.
tempeln [tέmpəln] 《I》 *i.* (h.) (Pharo 와 비슷한) 템펠른 카드 놀이를 하다. 《II》 *t.* (ndd.) 높게 쌓다, 우뚝 솟게 하다. 《III》 *refl.* sich ~ 높이 쌓이다, 우뚝 솟다.
Tempeln *n.* -s Pharo 와 비슷한 카드 놀이.
Tempel≈orden *m.* 신전〔템플〕 기사단(예루살렘의 신전 또는 성지 참배 순례자 보호가 목적이었음, 1118-1312). **~prostitution** *f.* 신전 매음(종교적 행위로서 여성들의 성적 봉사). **~raub** *m.* 성물(聖物) 절취. **~räuber** *m.* 성물 절취자. **~ritter** *m.* ↑ ~herr. **~schänder** *m.* 신전 모독자.
Tempera [tέmpəra] 《it.》 *f.* -s ① ↑ ~farbe. ② ↑ ~malerei.
Tempera≈farbe *f.* 템페라(안료에 달걀·꿀·갖풀 따위를 섞어 탄 그림물감). **~malerei** *f.* ① 템페라 화법(연극의 무대 배경 따위에 쓰임). ② 템페라화(畫).
***Temperament** [tεmpəramέnt] 《lat.》 *n.* -(e)s, -e ① 기질, 성미, 성질: ein hitziges ~ 격정성; 〖心〗 die vier ~e (인간의) 네 가지 기질(das sanguinische ~ 다혈질; das cholerische ~ 담즙질(膽汁質); das phlegmatische ~ 점액질; das melancholische ~ 우울질). ② 원기, 활기; 열정(Leidenschaft): viel ~ haben 원기가 있다, 정열적이다; das Auto hat viel ~ 그 자동차는 기동성이 매우 좋다; sein ~ ist mit ihm durchgegangen 그는 자제력을 잃었다; seinem ~ die Zügel schießen lassen 자제하지 못하다.
temperamentlos *a.* 활기〔원기〕가 없는; (gleichgültig) 냉담한, 시큰둥한.
Temperamentlosigkeit *f.* 무기력; 냉담, 무관심.
Temperaments≈ausbruch *m.* 정열〔열정〕의 발산〔폭발〕. **~fehler** *m.* 기질상〔체질상〕의 결함.
temperament·voll *a.* 활발한, 원기왕성한; 정열적인, 격하기 쉬운.
Temperanz 《lat.》 *f.* 〔교양〕 절제(Mäßigkeit); (특히) 금주.
Temperanz·gesellschaft *f.* 금주〔절제〕회.
Temperänzler *m.* -s, - 금주회〔절제회〕 회원.
Tempera·technik [tέmpəra..] *f.* 템페라 기법.
***Temperatur** [tεmpəratú:r] 《lat.》 *f.* -en ① 온도, 기온; 〖醫〗 체온; 〔구어〕 열: niedrige ~ 저온; die höchste ~ 최고 온도; die ~ im Zimmer 실내 온도; die ~ messen 체온을 재다; er hat ~ 그는 열이 있다; die ~ ist unter Null gesunken 기온이 영하로 내려갔다. ② 〖음악〗 평균율, 음률.
temperatur≈abhängig *a.* 온도의 영향을 받는. **~anstieg** *m.* 온도〔기온·체온〕 상승. **~-**

erhöhung *f.* 온도〔기온·체온〕 상승. **~koeffizient** *m.* 〖物〗 온도 계수. **~regler** *m.* 〖기계〗 (실내) 온도 조절 장치, (자동) 온도 조절기. **~rückgang** *m.* 온도 하강. **~schwankung** *f.* 온도의 변동, 기온〔체온〕의 변화. **~sinn** *m.* 〖생리〗 온도 감각. **~sturz** *m.* 온도의 급강하. **~unterschied** *m.* 온도차. **~wechsel** *m.* 온도 변화.

Temperenz [tɛmpərɛ́nts] 《lat.》 *f.* 〖교양〗 ↑ Temperanz.

Temperenzler *m.* -s, - Temperänzler.

Temperenz·verein *m.* 금주회; 절제회.

Temper·guß [tɛ́mpər..] *m.* 〖제련〗 가단 주철(可鍛鑄鐵).

temperierbar *a.* (온도를) 조절할 수 있는.

temperieren [tɛmpərí:rən] 《lat.》 *t.* ①〖교양〗 알맞게 하다, 완화〔조절〕하다. ② (온도를) 적당하게 하다: ein temperiertes Wasser 적당하게 데운 물. ③〖음악〗 어떤 음률에 맞추다, 조율하다: temperierte Stimmung 조율.

Temperierung *f.* -en 조절; 조율.

Temper·kohle *f.* (가단주철의) 연화 탄소.

tempern [tɛ́mpərn] *t.* 〖제련〗 (강철을) 불리다; (금속을) 담금질하다.

Tempest·boot [tɛ́mpist...] *n.* 템피스트(경기용 2인승 요트).

tempestoso [tɛmpɛstó:zo] 《it.》 *adv.* 〖음악〗 템페스토소의, 폭풍우 같은; 난폭한.

tempieren [tɛmpí:rən] 《it.》 *t.* 〖軍·구식〗 (총의) 시한 신관(信管)을 조절하다: die Zünder ~ 신관(信管)의 도화선을 특정한 거리에 맞추어 자르다.

Tempi passati [tɛ́mpi pasá:ti] 《it.》 〖교양〗 그것은 이미 지나간 일이다(=vergangene Zeiten).

Templeise [tɛmpláɪzə] 《frz.》 *m.* -n, -n 성배 수호 기사(騎士).

Templer [tɛ́mplər] *m.* -s, - ↑ Tempelherr.

Templer·orden *m.* ↑ Tempelorden.

***Tempo** [tɛ́mpo] 《lat. tempus, „Zeit"》 *n.* -s, -s/..pi ① **(a)** 〔복수: -s〕 템포, 속도; 속력; 〖비유〗 생활의 템포(Lebens~): 〖구어〗 ein (irres) ~ draufhaben 매우 빠르게 움직이다〔차를 몰다〕; 〖구어〗 aufs ~ drücken 속도를 높이다; in schnellem ~ 급속도로. **(b)** 빠르기, 속도, 스피드: 〖구어〗 aber nun ein bißchen ~! 자, 좀더 빨리!; 〖구어〗 ~ vorlegen 매우 빨리 달리기 시작하다; ein anderes ~ annehmen 속도를 바꾸다. ②〔복수: 대개 Tempi〕〖음악〗 박자: Marsch~ 행진 속도; im ~ 박자가 맞아서. ③〖펜싱〗 되받아치기. ④〔복수: -s〕〖구어〗 휴대용 화장지(상품명에서 유래).

Tempo·limit *n.* 〖교통〗 속도 제한.

Tempora *pl.* ↑ Tempus.

temporal[1] 《lat.》 *a.* 시간적인; 〖문법〗 시제의; 현세의, 세속적인; 덧없는.

temporal[2] 《lat.》 *a.* 〖醫〗 관자놀이의.

Temporale [tɛmporá:lə] 《lat.》 *n.* -s, ..lien [..liən] 교회〔성직자〕의 세속적 재산, 성직자의 재산.

Temporal·satz *m.* 〖문법〗 (als, während 따위로 시작하는) 때를 나타내는 부문장.

temporär [tɛmporɛ́:r] 《frz.》 *a.* 〖교양〗 (vorübergehend) 일시적인, 임시의; 덧없는.

temporell *a.* 〖구식〗 ① 현세의, 세속의. ② 일시적인, 덧없는: eine ~e Erscheinung 일시적인 현상.

temporisieren [temporizí:rən] *i.* (h.) 〖교양·구식〗 ① 일시적으로 모면하는 태도를 취하다; 기회를 엿보다. ② 주저하다. ③ 시류에 따르다〔순응하다〕.

Tempo·sünder *m.* 〖구어〗 속도 위반자. **~verlust** *m.* 속도 상실〔저하〕.

Tempus [tɛ́mpʊs] *n.*, ..pora 〖문법〗 (Zeitform) 시제, 시칭.

ten. =tenuto 〖음악〗 테누토, 지속해서.

Tenakel [tená:kəl] 《lat.》 *n.* -s, - ①〖醫〗 (눈까풀·상처 부위를 벌려 둔 채 고정하는 데 쓰는) 지지기(支持器). ②〖印〗 원도(原圖)틀, 원고대(原稿臺).

Tenazität *f.* ① 끈기, 강인, 점착성〔력〕. ②〖心〗 고집, 완고. ③〖醫〗 (병원균의) 내성.

***Tendenz** [tɛndɛ́nts] 《frz. tendance》 *f.* -en ① **(a)** (Neigung) 경향, 풍조: eine Partei mit liberaler ~ 자유주의적 성향을 가진 정당. **(b)** 성벽; 편향. **(c)** (Zweck) 의도, 목적. **(d)** (예술 작품의) 뚜렷한 취향〔경향〕: das Drama hat eine offensichtliche ~ 이 극은 뚜렷한 경향을 가지고 있다. ②〖經〗 (물가 따위의) 추세, 동향: eine steigende〔fallende〕 ~ (시세의) 상승〔하강〕 추세; die Preise haben eine steigende ~ 물가가 오름새의 경향이 있다. ③〖증권〗 증권 시황〔변동 추세〕.

Tendenz·betrieb *m.* 특정 이념이나 종교를 표방하는 기업, 경향 기업. **~dichtung** *f.* 〖종종 폄어〗 경향 문학.

tendenziell [tɛndɛntsiɛ́l] *a.* 경향〔추세〕에 따르는, 경향의: ~er Fall der Profitrate 이윤율의 저하 추세.

tendenziös [..tsiǿ:s] *a.* 〖폄어〗 고의적인; 경향적인; 목적이 있는; 치우친, 편파적인: ein ~er Bericht 편파적인 보도.

Tendenzler *m.* -s, - 편파적인 사람.

Tendenz·roman *m.* 경향 소설. **~stück** *n.* 〖종종 폄어〗 경향극. **~wende** *f.* 경향〔추세〕의 전환.

Tender [tɛ́ndər] 《engl.》 *m.* -s, - ① **(a)** 〖海〗 (모선에 딸린 석탄·물 운송용) 부속선; 보급선. **(b)** 〖軍〗 호위함〔선〕. ②〖철도〗 (증기 기관차의) 탄수차(炭水車). ③〖經〗 **(a)** 제공(품), 공급(품). **(b)** 공시(公示).

Tender·lokomotive *f.* (석탄·물을 실은) 탱크 기관차.

tendieren [tɛndí:rən] 《lat.》 《Ⅰ》 *t.* 늘이다, 펼치다. 《Ⅱ》 *i.* (h.) ① 목적〔뜻〕하다. ② nach 〔zu〕 et.[3] ~ 무엇을 지향하다; 무엇의 경향이 있다, 무엇에 치우치다: er tendiert zu vorschnellen Urteilen 그는 성급〔경솔〕한 판단을 하는 경향이 있다; 〖증권〗 die Aktien ~ stärker 주가가 강세를 보이고 있다.

Tendre [tã́:dər] 《frz.》 *n.* -s, -s 〖고어〗 애착, 호의; 편애: ein ~ für jn.〔et.〕 haben 누구를〔무엇을〕 편애〔좋아〕하다.

Teneriffa *n.* -s 테네리페(카나리아 제도에서 가장 큰 섬).

Tenn *n.* -s, -e (schweiz.) ↑ Tenne.

Tenne [tɛ́nə] 《germ.》 *f.* -n (곡물 창고의) 다진 바닥, 곡창 또는 옥외의 탈곡장, 타작 마당; 현관(Hausflur): glatt wie eine ~ 타작 마당같이 평평한.

***Tennis** [tɛ́nɪs] 《engl.》 *n.* - 테니스, 정구: ~

spielen 테니스를 하다.

Tẹnnis≈arm *m.* 〖醫〗 ↑ ~ellbogen. **~ball** *m.* 테니스 공. **~ellbogen** *m.* 〖醫〗 테니스 엘보(테니스를 치다가 걸리는 팔꿈치 관절염). **~gesetze** *pl.* 테니스의 규칙. **~match** *n.*/(schweiz.) *m.* 테니스 시합. **~meisterschaft** *f.* 테니스 선수권(대회). **~partner** *m.* 테니스 파트너. **~partnerin** *f.* ↑ ~partner 의 여성형. **~platz** *m.* 테니스 코트. **~schläger** *m.* 테니스 라켓. **~schuh** *m.* 테니스화. **~spiel** *n.* 테니스 경기. **~spieler** *m.* 테니스 선수; 테니스 치는 사람. **~spielerin** *f.* ↑ ~spieler 의 여성형. **~turnier** *n.* 테니스 토너먼트. **~wand** *f.* 테니스 연습용 벽. **~wett·kampf** *m.* 테니스 시합. **~zirkus** *m.* 〖구어〗 테니스 순회 경기.

Tẹno = Technische Nothilfe 산업 구급회(救急會).

Tenor[1] [té:nɔr, ..no:*r*] 《lat.》 *m.* -s ① 유지, 지속. ② (Inhalt) (문서 따위의) 내용, 취지; 〖法〗 판결 주문(主文). ③ 〖음악〗 (16 세기까지의 다성부 음악에서) 주성부(主聲部).

***Tenor**[2] [tenó:*r*] 《it.》 *m.* -s, ..nöre/(öst.) -e 〖음악〗 ① 테너. ② ↑ Tenorist. ③ (합창에서) 테너 기수부(部). ④ (악곡에서) 독주 테너 성부.

Teno̱r≈buffo *m.* 〖오페라〗 테너 광대역. **~horn** *n.* 〖복수: ..hörner〗 테너 호른.

Tenorist [tenoríst] *m.* -en, -en 테너 가수.

Teno̱r≈partie *f.* 〖음악〗 테너 성부(聲部). **~sänger** *m.* ↑ Tenorist. **~schlüssel** *m.* 〖음악〗 테너 (음자리)표. **~stimme** *f.* ① 테너(의 목소리). ② 테너 음부.

Tenotomie [tenotomí:] 《gr.》 *f.* ..mien [..mí:ən] 〖외과〗 건(腱) 절단술.

Tensi̱d *n.* -(e)s, -e 〖化〗 계면(界面) 활성제.

Tension [tɛnzió:n] 《lat.》 *f.* -en 〖物〗 팽창력, (기체·증기 따위의) 압력; 응력; 장력.

Tensor [tɛ́nzɔr, ..zo:*r*] 《lat.》 *m.* -s, -en [..zó:rən] ① 〖數〗 텐서. ② 〖해부〗 장근(張筋).

Tentakel [tɛntá:kəl] 《lat.》 *m./n.* -s, - ① 〖植〗 선모(腺毛). ② 〖動〗 촉수.

Tentakulit [tɛntakulí:t/..lɪ́t] *m.* -en, -en 〖고생물〗 텐타쿨리테스.

Tentamen [tɛntá:mən] *n.* -s, ..mina [..mina] ① 〖醫〗 실험. ② (의대생의) 예비 시험.

tentieren [tɛntí:rən] *t.* ① 〖구식〗 시도하다(versuchen); 실험하다(prüfen). ② 〖구어〗 (öst.) (beabsichtigen) 의도〔기도〕하다, 노리다.

Tenü (schweiz.) *n.* -s, -s ↑ Tenue.

Tenue [təný:] *n.* -s, -s ① 태도, 예의(범절). ② (schweiz.) 옷차림; 복장, 제복.

Tenuis [té:nuɪs] 《lat., „zart, dünn"》 *f.* ..nues 〖음성〗 무성(無聲) 폐쇄음(p, t, k 따위).

tenuto [tenú:to] 《it.》 *adv.* 〖음악〗 테누토, 지속해서(약어: ten.).

Tenzone [tɛntsó:nə] *f.* -n (12-14 세기 남프랑스의) 음유 시인 노래 시합.

Tepidarium [tepidá:riʊm] 《lat.》 *n.* -s, ..rien [..riən] ① (고대 로마의) 미온(微溫) 욕실, 미온욕. ② 〖구식〗 (중간 온도의) 온실.

Tepp [tɛp] 《<Tappen》 *m.* -s/-en, -e(n) (südd., öst.) 〖경박〗 (Taps) 야인(野人), 우악스러운 사람; (Trottel) 얼간이, 멍청이.

teppert [tɛ́pərt] *a.* 〖구어〗 (südd., öst.) 미련〔단순〕한, 어리석은.

***Teppich** [tɛ́pɪç] 《lat.》 *m.* -s, -e ① 융단, 양탄자; 벽걸이용 양탄자; 테이블보(Tisch~): mit ~en belegen 융단으로 덮다, 양탄자를 깔다; 〖구어〗 bleib auf dem ~! 그렇게 과장하지 마라, 객관성을 견지해라!; 〖구어〗 et. unter den ~ kehren 무엇을 얼버무리다, 흐지부지 뭉개 버리다. ② (südd.) 모포, 담요; 이불. ③ 〖비유〗 꽃밭(Blumen~): der grüne ~ der Wiesen (푸른 융단 같은) 초원.

Tẹppich≈beet *n.* 양탄자 무늬의 꽃밭. **~boden** *m.* 양탄자를 깐 바닥. **~drucker** *m.* 양탄자의 날염공. **~bürste** *f.* 양탄자용 솔. **~fliese** *f.* 바닥 깔개용 사각형 타일. **~geschäft** *n.* 양탄자 가게〔장사〕. **~händler** *m.* 양탄자 상인. **~kehr·maschine** *f.* 양탄자용 청소기. **~klopfer** *m.* 양탄자 털개〔먼지털이〕. **~muster** *n.* 양탄자 무늬. **~pflanze** *f.* 양탄자 모양의 화단을 꾸미는 데 적합한 식물. **~nagel** *m.* 양탄자 고정용 압정. **~schoner** *m.* 양탄자 보호 덮개. **~stange** *f.* 양탄자 터는 막대. **~stift** *m.* ↑ ~nagel. **~weber, ~wirker** *m.* 양탄자 짜는 사람. **~wirkerei** *f.* 양탄자 제조업〔공장〕. **~zeug** *n.* 양탄자류(類).

Tequila [tekí:la] *m.* -(s), -s 테킬라 술.

Tera.. *pref.* "10^{12}"의 뜻(보기: ~meter = 10^{12} m; 기호: T).

teratoge̱n *a.* 〖醫·유전〗 기형을 유발하는, 기형유발 물질의.

Teratolo̱ge *f.* -en, -en 〖醫〗 기형학을 연구하는 학자.

Teratologie [teratologí:] 《gr.》 *f.* 기형학(畸形學).

Teratolo̱gin *f.* -nen ↑ Teratologe 의 여성형.

teratolo̱gisch *a.* 기형학의.

Terato̱m *n.* -s, -e 〖醫〗 기형종(腫).

Terbium [tɛ́rbiʊm] 《lat.》 *n.* -s 〖化〗 테르븀 (희토류 원소; 기호: Tb).

Terebinthe [terebɪ́ntə] 《lat.》 *f.* -n 〖植〗 ↑ Terpentinbaum.

tergiversi̱eren 《lat.》 *i.* (h.) 회피하다; 속여 기대하게 하다; 꾸며대다; 책략을 부리다.

Term [tɛrm] 《frz.》 *m.* -s, -e ① 〖數·논리〗 항; 명사(名辭). ② 〖物〗 (분자·원자(핵)의) 에너지의 고유값.

Tẹrme *m.* -n, -n 〖구식〗 경계석; (경계신(神)의) 흉상주(胸像柱).

***Termin** [tɛrmí:n] 《lat., „Grenze"》 *m.* -s, -e ① (a) 기한, 기일; 유예, 연기; 지급(기)일; 인도일; 〖스포츠〗 (경기 따위의) 예정일: ein äußerster ~ 최후 기한; einen ~ festsetzen 〔versäumen, verpassen〕 기한을 정하다〔놓치다〕; in vier ~en zahlen 4 회 분할로 지급하다. (b) 일정: ich habe morgen viele ~e 나는 내일 할 일〔일정〕이 많다; zu ~ stehen 일정에 들어 있다; 〖구어〗 einen ~ platzen lassen 일정을 지키지 못하다. ② 〖法〗 심리 일자, (재판의) 개정일: er hat heute ~ 그는 오늘 출정(出廷)해야 한다.

terminal [tɛrminá:l] *a.* 경계〔종말·말단〕의; 정기의.

Terminal [tə́:*r*minəl, tə́:mɪnl] 《engl.》 *m./n.* -s, -s ① (공항) 터미널; 화물 터미널. ② 〖컴〗 단말기, 터미널.

Termin≈börse *f.* 〖증권〗 선물 거래 시장. **~druck** *m.* 기한을 지켜야 하는 심리적 부담. **~einlage** *f.* 〖금융〗 정기 예금. **~gemäß, ≈gerecht** *a.* 일정에 따르는, 기한에 맞는. **~geschäft** *n.*, **~handel** *m.* 선물(先物) 거래(↔ Kassageschäft).

Termini *pl.* ↑ Terminus.

terminieren [tɛrminí:rən] 《lat.》 《Ⅰ》 *t.* 〖격식〗 끝내다, 마치다; 제한하다; 기한을 정하다: et. auf einen bestimmten Zeitraum ~ 무엇에 일정 기한을 정하다. 《Ⅱ》 *i.* (h.) 〖宗〗 (탁발승이 일정한 구역을) 동냥하며 다니다.

Terminierung *f.* -en 〖격식〗 기한 설정.

Termin·kalender *m.* 일정 기록용 수첩; 공판 일정표.

terminlich *a.* 기한의.

Terminologe *m.* -n, -n 전문어 학자.

***Terminologie** [tɛrminologí:] 《lat.》 *f.* -n [..gí:ən] ① (**a**) 술어, 전문어, 〖총칭〗 전문 용어. (**b**) 술어학, 전문 용어론. ② 〖化〗 기호; 〖음악〗 기보법(記譜法).

terminologisch *a.* 전문 용어의, 용어상의; 술어의.

Termin·tag *m.* 납기일; 기일.

Terminus [tέrminus] *m.* -, ..ni ① (**a**) 〖구식〗 결산일; 기일; 경계. (**b**) 〖로마신화〗 경계신. ② 〖교양〗 말, 용어; 술어; 명칭.

Terminus technicus [..tέçnikus] *m.* - -, ..ni [..ni], ..ci [..tsi] 〖교양〗 (Fachausdruck) 전문어, 술어.

termin≈weise *adv.* 기한을 정하여, 기일마다: ~ bezahlen 분할하여〔할부로〕 지급하다. **≈zahlung** *f.* 기일 지급, 분할〔할부〕 지급.

Termite [tɛrmí:tə] 《frz.》 *f.* -n 〖動〗 흰개미.

Termiten≈hügel *m.* 흰개미 집. **~staat** *m.* (엄격한 조직의) 흰개미 사회.

ternär [tɛrnέ:r] 《lat.》 *a.* 셋으로 이루어진, 세 개가 한 벌인; 〖化〗 삼원(三元)의; 〖數〗 3 변수를 가지는.

Terne [tέrnə] 《frz.》 *f.* -n, 〖옛뜻〗 번호 세 개가 맞아야 당첨되는 복권.

Terno 《lat.》 *m.* -s, -s (öst.) ↑ Terne.

Terp 《ndl.》 *f.* -en (홍수를 피하기 위한) 네덜란드 북부의 주 프리슬란트의 인공 거주구(居住丘).

Terpen [tɛrpé:n] *n.* -s, -e 〖化〗 테르펜(식물에서 채취한 정유에 함유된 탄화수소).

terpen·frei *a.* 테르펜이 들어 있지 않은.

Terpentin [tɛrpɛntí:n] 《lat.》 *n.*/(öst.) *m.* -s, -e ① 테르펜틴, 송진. ② ↑ ~öl.

Terpentin≈baum *m.* 〖植〗 녹나무. **~geist** *m.* ↑ ~öl. **~harz** *n.* 녹나무 수지. **~öl** *n.*, **~spiritus** *m.* 테레빈유(油), 장뇌유.

Terpsi·chore [tɛrpsí:çore] *f.* 〖그리스신화〗 테르프시코레(노래와 춤의 여신).

Terra [tέra] 《lat., „Erde"》 *f.* 땅, 흙; 대지; 지구.

Terra di Siena [tέra di ziέ:na (it.) ..siέ:..] 《it.》 *f.* 시에나토(土) (산화철이 혼입된 점토; 황색·적갈색의 물감 원료).

Terrain [tɛrέ̃:, ..rέŋ] 《frz.》 *n.* -s, -s ① 지역; 지방; 토지; 〖軍〗 지형, 지세; 〖건축〗 부지(敷地); 〖지질〗 (Formation) 층, 지질 계통: ein offenes〔wellenförmiges〕 ~ 개활〔파상〕지(開豁〔波狀〕地); das ~ rekognoszieren 지형을 정찰하다; 〖교양〗 das ~ sondieren 지형을 답사〔정찰〕하다, 사정〔상황〕을 상세히 조사하다; 〖비유〗 ~ gewinnen 지반을 획득〔확보〕하다; die Idee gewinnt ~ 그 사상이 뿌리를 내린다; die Truppen gewannen〔verloren〕 (an) ~ 부대는 지역을 점령했다〔잃었다〕. ② 〖교양〗 활동 영역, 관심 분야: das ist unbekanntes ~ für mich 그것은 내게는 생소한 분야다.

Terrain≈aufnahme [tɛrέ̃:..] *f.* 지형의 측량. **~beschaffenheit** *f.* 지형, 지세. **~beschreibung** *f.* 지형〔상황〕 묘사. **~gegenstand** *m.* 지물(地物).

Terra incognita [tέra ɪnkɔ́gnita, (lat.).. kɔ́:..] 《lat.》 *f.* 〖교양〗 미지의 나라; 〖비유〗 전인미답의 영역, 새로운 분야.

Terrain≈kenntnis *f.* 지세에 대한 지식, 지형학. **~kur** *f.* 〖醫〗 보행 요법. **~schwierigkeit** *f.* 지형 장애. **~skizze** *f.* 지형도(圖). **~verhältnisse** *pl.* 지형, 지세.

Terrakotta [tɛrakɔ́ta] 《it.》 *f.* -s/..kotten ① 테라코타(유약을 칠하지 않고 구운 점토). ② (**a**) 적갈색. (**b**) 붉은 질그릇〔기와·조상(彫像)〕, 테라코타 토기, 테라코타 인형.

Terrakotte [..kɔ́tə] *f.* -n ↑ Terrakotta ②.

Terramycin [tɛramytsí:n], **Terramyzin** [tɛramytsí:n] 《lat.》 *n.* -s 〖藥〗 테라마이신(항생 물질).

Terrarianer *m.* -s, - 테라륨 애호가.

Terrarien·kunde *f.*, **Terraristik** *f.* 테라륨학(學)(테라륨의 동물을 기르는 사육법).

Terrarium [tɛrá:rium] 《lat.》 *n.* -s, ..rien [..riən] 테라륨(양서류·파충류 사육용 상자).

***Terrasse** [tɛrásə] 《frz.》 *f.* -n ① (Erdstufe) 계단식〔층계식〕 지형〔지대〕; 〖지질〗 단구(段丘): Reis in ~n anbauen 벼를 계단식 논에서 재배하다. ② 〖건축〗 (**a**) 발코니, 테라스. (**b**) (물매가 거의 없는) 평지붕. (**c**) 계단형으로 늘어선 건축물. ③ 〖畫〗 (풍경 따위의) 전경(前景) (Vordergrund).

terrassen≈artig *a.* ↑ ~förmig. **≈dach** *n.* 〖건축〗 평지붕. **~förmig** *a.* 테라스 형태의; 계단식〔층계식〕의. **≈gang** *m.* ① 테라스 통로. ② 단지(段地)의 길. **≈garten** *m.* 계단식 정원. **≈haus** *n.* (각 층마다 테라스가 있는) 계단식 다가구 건물〔주택〕. **≈land** *n.* 계단식 땅〔지대〕.

terrassieren [tɛrasí:rən] *t.* 계단 모양으로 만들다, (…에) 테라스를 내다: Weinberge ~ 포도밭을 계단식으로 만들다.

Terrassierung *f.* -en ① 계단 모양으로 만듦. ② 테라스 형태로 되어 있음.

Terrazzo [tɛrátso] 《it.》 *m.* -(s), ..zzi 테라초(인조석; 바닥·벽 장식용).

Terrazzo·fußboden *m.* 테라초 바닥.

terrestrisch [tɛrέstrɪʃ] 《lat., „irdisch"》 *a.* ① 〖교양〗 지구의; 지상의: ~es Fernrohr 지상 관측용 망원경. ② 뭍의, 육지에 사는: Tiere mit ~er Lebensweise 뭍에 사는 동물.

terribel [tɛrí:bəl] 《lat. -frz.》 *a.* 〖고어〗 무서운, 끔찍한: ~e Zustände 소름끼치는 상황.

Terrier [tέriər] 《lat. -engl., „Erdhund"》 *m.* -s, - 테리어(개의 일종).

terrigen [tɛrigé:n] *a.* 육지에서 나는, 땅에서 생긴.

Terrine [tɛrí:nə] 《frz. <lat. terra, „Land"》 *f.* -n ① (흙으로 만든) 수프 접시; 질항아리, 사발, 주발. ② 〖요리〗 (밀가루 반죽으로 싸지

않고 바싹 구은) 파이 요리.

territorial [tɛritoriáːl] 《lat. terra, „Land"》 *a.* ① 영토〔영역〕의, 지역적인: ein ~er Konflikt 영토 분쟁; 〖軍〗 ~e Verteidigung 지역 방어. ②〖구동독〗 단위 지역의.

Territorial≈armee *f.* (영국·프랑스의) 지역 방위군, 국방 의용군. **~gewalt** *f.* ↑ ~hoheit. **~gewässer** *n.* 영해(領海). **~herr** *m.* 영주(領主). **~hoheit** *f.* 〖法〗 영토 주권.

Territorialität [..rialitɛ́ːt] 《lat. -frz.》 *f.* 영토에 속해 있음, 속지성(屬地性); 영토권.

Territorialitäts·prinzip *n.* 〖法〗 속지주의.

Territorial≈kommando *n.* 〖軍〗 방위군〔예비군〕 사령부. **~meer** *n.* 영해. **~politik** *f.* 영토 (확장) 정책. **~prinzip** *n.* 〖史〗 ↑ ~system. **~rechte** *pl.* 영토권; 속지법. **~staat** *m.* 〖史〗 (13 세기 이후의) 영방(領邦) 국가. **~system** *n.* 영토주의; 〖軍〗 지방 수비군 제도; 〖宗〗 (절대 왕정 시대의) 영주의 교회 지배 체제. **~verteidigung** *f.* 〖軍〗 (민방위와 국내 주둔 나토군의 작전 지원을 내용으로 하는) (독일의) 지역 방위〔방어〕.

Territorium [tɛritóːrium] 《lat.》 *n.* -s, ..rien [..riən] ① 지역, 지방; (미국의) 주(州)로 인정되지 않은 지역, 준주(準州). ② 영토, 영역: in fremdes ~ eindringen 외국 영토를 침범하다. ③〖구동독〗 지구, 지방. ④〖생태학〗 (특정 동물의) 세력권(圈), 배타적 활동 영역.

***Terror** [tɛ́rɔr, ..roːr] 《lat.》 *m.* -s ① 테러, 공포 정치: roter ~ 적색 테러; ~ ausüben 테러를 자행하다. ② (심리적) 압박, 압력, 강압: Konsum≈ (광고 공세에 의한) 소비 강요; Mode≈ 유행의 압박. ③〔구어〕 (a) 시비, 말다툼: die haben immer ~ 그 사람들은 늘 다툰다. (b) 소동, 법석: mach keinen ~! 공연한 법석 떨지 마라!

Terror≈akt *m.* 테러 행위. **~anschlag** *m.* 테러 음모. **~herrschaft** *f.* 공포 정치, 폭압적 통치.

terrorisieren [tɛrorizíːrən] 《lat. -frz.》 *t.* ① 위협하다, 공포심을 조장하다; 공포 정치를 하다. ②〔구어〕 괴롭히다, 못살게 굴다: er terrorisiert seine gesamte Umgebung 그는 주위의 모든 사람을 못살게 군다.

Terrorisierung *f.* -en 위협(당함), 공포 분위기 조성.

Terrorismus *m.* - ① 공포 정치. ② 테러 행위〔책동〕. ③〔구식〕 공포 정치 체제.

***Terrorist** *m.* -en, -en ① 공포〔폭력〕 정치가. ② 테러리스트, 테러 행위자; 테러 옹호자. ③〔고어〕 공포 정치 체제의 옹호자.

Terroristin *f.* -nen ↑ Terrorist 의 여성형.

terroristisch *a.* 공포심을 주는, 위협하는; 공포 정치의; 폭력 행위의, 테러의: eine ~e Organisation 테러 조직.

Terror≈justiz *f.* 폭압적 사법부. **~methode** *f.* 테러 방법. **~organisation** *f.* 테러 조직. **~welle** *f.* 테러 파동, 일련의 테러 행위.

Tertia [tɛ́rtsia] 《lat. tertius, „der dritte"》 *f.* ..tien [..tsiən] ①〔고어〕 9 년제 김나지움의 제 4-5 학년. ② (öst.) 김나지움의 제 3 학년. ③〖印〗 16 포인트 크기의 활자. ④ ↑ ~Tertiawechsel.

Tertial [tɛrtsiáːl] *n.* -s, -e 〔구식〕 (4 개월 단위의) 한 학기; (한 해의) 3 분기의 1 분기.

Tertiana [tɛrtsiáːna] *f.* 〖병리〗 ↑ Tertianfieber 의 약어.

Tertianer [..tsiáːnər] *m.* -s, - (김나지움의) ↑ Tertia 학년의 학생.

Tertian·fieber [tɛrtsiáːn..] *n.* 〖병리〗 (Dreitagefieber) 3 일 주기로 열이 오르는 말라리아, 3 일열(熱).

Tertianerin *f.* -nen ↑ Tertianer 의 여성형.

tertiär [..tsiɛ́ːr] *a.* ① 제 3 의, 제 3 위의: 〖經〗 ~er Bereich 3 차 산업. ②〖병리〗 제 3 기(期)의: ~e Syphilis 제 3 기 매독. ③〖지질〗 제 3 기(紀)의; 〖化〗 제 3 차의.

Tertiär *n.* -s 〖지질〗 제 3 기(층).

Tertiär·formation *f.* ↑ Tertiär.

Tertiarier [..tsiáːriər] *m.* -s, - 〖가톨릭〗 (수도원 소속이 아닌) 제 3 교단 회원.

Tertia≈schrift [tɛ́rtsia..] *f.* ↑ Tertia ③. **~wechsel** *m.* 〖經〗 (정·부(正·副) 2 통 외에 세 번째 어음인) 제 3 호 환어음.

Tertie [tɛ́rtsiə] 《lat.》 *f.* -n ①〖天〗 60 분의 1 초. ② ↑ Terz ④.

Tertium comparationis [tɛ́rtsium kɔmparatsióːnɪs] 《lat., „das Dritte der Vergleichung"》 *n.* - -, ..tia - 〔교양〕 (Vergleichspunkt) 비교를 위한 제 3 자(두 사물을 비교하기 위한 제 3 의 존재).

Tertius gaudens [tɛ́rtsius gáudɛns] 《lat.》 *m.* - - 〔교양〕 어부지리를 얻는 사람.

Terz [tɛrts] 《lat.》 *f.* -en ①〖음악〗 (원음(原音)에서) 제 3 도, 3 도 음정: große〔kleine〕 ~ 장〔단〕 3 도. ②〖카드〗 같은 그림의 카드가 3 장 연달아 나옴. ③〖펜싱〗 티어스(오른쪽 관자놀이와 왼쪽 허리를 잇는 부분을 찌르는 자세). ④〖가톨릭〗 (성무 일과의 하나로 오전 9 시에 행해지는) 제 3 시도(時禱).

Terzel [tɛ́rtsəl] *m.* -s, - 〖사냥〗 수매.

Terzerol [tɛrtsəróːl] *n.* -s, -e 소형 권총 (Taschenpistole).

Terzeron *m.* -en, -en ↑ Terzerone.

Terzerone [tɛrtsəróːnə] 《lat. -sp.》 *m.* -n, -n 백인 남자와 Mulattin(흑·백의 혼혈 여성) 사이에 태어난 남자〔남아〕.

Terzett [..tsɛ́t] 《lat. -it.》 *n.* -(e)s, -e ①〖음악〗 3 중창곡; 3 중창단: im ~ singen 3 중창으로 노래하다. ②〖문학〗 (소네트의 후반부를 구성하는) 3 행 연구(聯句).

Terziar [..tsiáːr] 《lat.》 *m.* -s, -en 〖가톨릭〗 ↑ Tertiarier.

Terzine [..tsíːnə] 《it.》 *f.* -n 〖문학〗 테르치네 (3 개의 시행이 하나의 연을 이루는 이탈리아의 시형(詩形); 단테의 "신곡"이 대표적).

Tesafilm [téːza..] *m.* -(e)s 투명 접착 테이프, 스카치 테이프.

Teschenit [..níːt] *m.* -(e)s, -e 〖광물〗 테셴암(岩).

Tesching [tɛ́ʃɪŋ, tɛʃɛ̃ː] *n.* -s, -e/-s 소구경총, 권총.

Tesla [tɛ́sla..] *n.* -, - 〖物〗 테슬라(자기력 선속(線束) 밀도의 국제 단위; 기호: T).

Tesla·strom [tɛ́sla..] *m.* 〖物〗 테슬라 전류 (고압·고주파의 교류 전류; 발견자인 미국 물리학자 N. Tesla 의 이름에서).

Tessar [tɛsáːr] 《gr.》 *n.* -s, -e 테사르(고급 사진 렌즈의 일종).

tessellieren [tɛsɛlíːrən] 《lat. tessella, „Würfel"》 *t./i.* (h.) 모자이크로 장식하다.

Tessin [tɛsíːn] 《I》 *m.* -s 티치노강(스위스 중

부에서 이탈리아 북부로 흐르는 Po 강의 지류). 《II》 티치노(스위스 최남부에 위치한 주).

Test[1] [tɛst] 《lat. testa, „irdenes Geschirr"》 *m.* -es, -e ①〖化·제련〗 도가니(Schmelztiegel); (Kapelle[2]) 포틀랜드 시멘트로 만든 도가니(금·은·납의 분석·분리에 쓰임). ② (südd.) 잼(Marmelade). ③ (md.) 지방질, 굳기름; 비듬, 때.

***Test**[2] 《engl.》 *m.* -(e)s, -e/-s ① **(a)** 테스트, 시험, 검사: et. genauen ~s unterziehen 무엇을 정밀 검사하다. **(b)** 시험: einen ~ schreiben 시험을 한 과목 치르다. **(c)**〖心〗 적성〔지능·인성·심리〕 검사. **(d)**〖化〗 감식(鑑識). ②〖史〗 (선서조례에 따라 행했던 영국 관리의) 취임 선서.

Test·akte *f.*〖史〗 선서 조례(영국 국교를 믿지 않는 사람의 공직 임용을 금한 규정(1673-1829)).

***Testament** [tɛstamɛ́nt] 《lat.》 *n.* -(e)s, -e ① 유언(장): mündliches ~ 구두 유언; sein ~ machen 유언장을 만들다; ohne ~ sterben 유언(장)을 남기지 않고 죽다. ②〖聖〗 신과 인간의 계약, 신약(神約): das Alte〔Neue〕 ~ 구약〔신약〕 성서.

testamentarisch [..mɛntá:rɪʃ] *a.* 유언(장)의, 유언에 따른: ~e Verfügung 유언에 따른 처분; et. ~ bestimmen 무엇을 유언으로 정하다.

Testament·macher *m.* 유언자.

Testaments·erbe *m.* 유언 상속인. **~eröffnung** *f.*〖法〗 유언장의 개봉. **~exekutor** *m.* ↑ ~vollstrecker. **~vollstrecker** *m.* 유언 집행인. **~zusatz** *m.* 유언장의 추가(분).

Testat [tɛstá:t] 《lat.》 *n.* -(e)s, -e ① 증명서; (대학의) 청강 증명서. ② (제품의) 검사필증, 감정 증명서.

Testator [tɛstá:tɔr, ..to:r] *m.* -s, -en [..tó:rən]〖法〗 유언자.

Testatrix *f.* ..trizen [..trí:tsən] 여자 유언자.

Testazee [tɛstatsé:ə] 《lat.》 *f.* -n〖動〗 유각류(有殼類), 아메바.

Test·bild [tɛ́st..] *n.*〖TV〗 시험 방송용 화면.

Teste 《lat.》 *f.* -n (öst.)〔고어〕 (Gefäß, Schale) 담는 것, 그릇, 접시, 주발.

Test·eid *m.* ↑ Test[2] ②.

***testen** [tɛ́stən] *t.* (h.) 시험〔검사〕하다, 테스트하다: jn. mündlich ~ 누구를 구두 시험하다; jn. auf seine Eignung ~ 누구의 적격 여부를 시험하다; ein Medikament klinisch ~ 약품을 임상 시험하다.

Tester [tɛ́stər] *m.* -s, - 시험자, 검사자.

Testerin *f.* -nen ↑ Tester의 여성형.

Test·fahrer *m.* (신형차의) 시험 운전자. **~fahrt** *f.* 시험 주행, 시운전. **~fall** *m.* 선례, 테스트 케이스. **~flug** *m.* 시험 비행.

Testier·bogen *m.* (대학의) 청강 증명서.

testieren [tɛstí:rən] 《lat.》 *t./i.* (h.) ① 유언(장을 작성)하다, 유언을 집행하다: sein Erbe ~ 유산을 물려주다. ② 청강 증명서를 주다. ③ jm. et. ~ 누구의 무엇을 증명〔감정〕해주다.

Testierer *m.* -s, - ① 유언자(Testator). ② 청강 증명서를 주는 사람.

Testierung *f.* -en ① 청강 증명. ② 유언 작성〔집행〕.

Testikel [tɛstí:kəl] 《lat.》 *m.* -s, -〖해부〗 (Hode) 불알, 고환.

Testimonium [tɛstimó:nium] 《lat.》 *n.* -s, ..nien [..niən]〖法·고어〗 증명서(Zeugnis).

Testimonium paupertatis [..paupɛrtá:tɪs] *n.* - -, ..nia -〖法〗 극빈(자) 증명서(Armutszeugnis).

Test·methode *f.* 시험〔실험〕 방법, 검사법. **~objekt** *n.* 실험〔시험〕 대상.

Testosteron 《gr.》 *n.* -s〖생화학〗 테스토스테론(남성 호르몬의 일종).

Test·person *f.* 시험〔검사〕 대상자, 피조사자. **~pilot** *m.* 시험 비행 조종사, 테스트 파일럿. **~reihe** *f.* ↑ ~serie. **~serie** *f.* 일련의 시험〔검사〕: eine ~ durchführen 일련의 시험을 행하다. **~serum** *n.*〖醫〗 시험용 혈청. **~spiel** *n.*〖스포츠〗 ① 연습 경기. ② 평가 경기, 평가전. **~stopp** *m.* 핵실험 금지. **~strecke** *f.* (자동차나 철도의) 시운전 구간〔코스〕.

Testudo [tɛstú:do] 《lat., „Schildkröte"》 *f.* ..dines [..dine:s] ①〖動〗 남생잇과의 민물 동물. ②〖軍·고어〗 귀갑형(龜甲形) 큰 방패. ③〖醫〗 귀갑상(狀) 붕대. ④〖음악〗 (중세의) 리라; (15-17 세기의) 류트.

Test·verfahren *n.* ① 시험〔검사〕 절차. ② 시험〔실험〕 방법, 검사법.

Tetanie [tetaní:] 《gr.》 *f.* -n [..ní:ən]〖생리〗 (Starrkrampf) 테타니, 근(筋)강직성 경련증.

tetanisch *a.*〖생리〗 강직성 경련의.

Tetanus [té:tanus, tɛ́ta..] *m.* -〖醫〗 파상풍;〖생리〗 강직성 경련.

Tetanus·impfung *f.* 파상풍 예방 접종.

Tete [tɛ́:tə] 《frz., „Kopf"》 *f.* -n 머리; 처음;〖軍·구식〗 선두(Spitze).

Tete-a-tete *n.* -, -s ↑ Tête-à-tête.

tête-à-tête [tɛtatɛ́:t, tɛ:..] *adv.*〔고어〕 (unter vier Augen) 머리를 맞대고, 단둘이서, 은밀히.

Tête-à-tête *n.* -, -s ①〔구식〕 밀담. ② (사랑의) 밀회: ein ~ mit jm. haben 누구와 밀회하다.

Tethys [té:tʏs] 《gr.》 *f.* ①〖그리스신화〗 테티스(Uranus 와 Gaea 의 딸로 Okeanus 의 처). ② 고(古)지중해.

tetra.. 《gr., „vier.."》 *pref.* "4…"의 뜻(보기: ~gon 4 각형; ~gonal 4 각형의).

Tetrachlor·kohlen·stoff [tetrakló:r..] *m.*〖化〗 4 염화탄소(약어: Tetra).

Tetrachord [tetrakɔ́rt] 《gr.》 *m./n.* -(e)s, -e〖음악〗 4 도 음계; 옛 4 현(絃) 악기.

Tetraeder [tetra|é:dər] 《gr. édra, „Fläche"》 *n.* -s, -〖기하〗 4 면체.

Tetragon [..gó:n] *n.* -s, -e〖기하〗 (Viereck) 4 각형, 4 변형.

tetragonal [..goná:l] *a.*〖기하〗 4 각형의, 4 변형의.

Tetralin [tetralí:n] *n.* -s〖化〗 테트랄린.

Tetralogie [..logí:] *f.* -n [..gí:ən] (3 부의 비극과 1 부의 풍자극으로 이루어진) (고대 그리스의) 4 부극; 4 부작〔곡〕.

Tetrameter [tetrá:metər] *m.* -s, -〖문학〗 4 운각구(四韻脚句).

Tetrapodie *f.* -n [..dí:ən]〖문학〗 4 운각구, 4 각률.

Tetrarch [tetrárç] *m.* -en, -en (고대의) 네 개로 분할된 영토의 영주(Vierfürst).

Tetrarchie [..çí:] *f.* -n [..çí:ən] (고대의) 네

개로 분할된 영지.

Tetrode *f.* -n 〖전기〗 4 극 진공관.

***teuer** [tɔ́ʏər] (teurer, teuerst) 《Ⅰ》 *a.* ① 〖교양〗 사랑하는, 친애하는; 소중한: ein teures Ding 소중한 것; 〖구식〗 meine teure Mutter 내 사랑하는 어머니; 〖구식〗 teurer Freund! (편지에서) 친애하는 벗이여!; er ist mir lieb und ~ 그는 내게 아주 소중한 사람이다; ich schwöre es bei allem, was mir ~ ist 나는 내가 아끼는 모든 것을 걸고서 맹세한다. ② 용감한, 씩씩한; 탁월한, 뛰어난: ein teurer Ritter 용감한 기사. ③ (↔ billig) 값비싼, 고가인; 비용이 많이 드는: ein teurer Kaufmann〔Laden〕 비싸게 파는 상인〔상점〕; eine teure Adresse 집세와 땅값이 비싼 지역; teure Zeiten 물가가 비싼 시기; wie ~ ist das? 그것은 값이 얼마요?; das Buch ist mir zu ~ 이 책은 내게는 너무 비싸다; ein teures Pflaster 생활비가 비싼 곳. ④ 모자라는, 부족한; 희귀〔진귀〕한; 흉작〔기근〕의: da ist guter Rat ~ 이 문제에는 뾰족한 해결책이 없다, 좋은 수가 없다; es war im Lande ~ 〔teure Zeit〕 국내는 기근〔흉작〕이었다, 궁핍한 시절이었다; er sieht aus wie die teure Zeit a) 그는 죽 한 그릇 못 먹은 사람처럼 여위어 있다, b) 그는 몹시 쪼들려〔찌들어〕 보인다. 《Ⅱ》 *adv.* 비싸게: ~ kaufen〔verkaufen〕 비싼 값으로 사다〔팔다〕; 〖고어〗 et. ~ halten 무엇에 비싼 값을 요구하다; für et. ~ bezahlen müssen 무엇 때문에 비싼〔혹독한〕 대가를 치러야 하다; hoch und ~ schwören 엄숙히 맹세하다; sein Leben ~ verkaufen 목숨을 걸고 싸우다; ein ~ erkaufter Sieg 막대한 희생을 치르고 얻은 승리; das soll dir〔dich〕 ~ zu stehen kommen 그 일 때문에 너는 곤욕을 치르고야 말 것이다.

Teuerkeit *f.* ↑ Teuerung ①.

Teuerung [tɔ́ʏərʊŋ] *f.* -en ① 물가고, 물가등귀. ② 기근; 물자 결핍〔부족〕.

Teuerungs≈rate *f.* 물가 상승률. **~zulage** *f.*, **~zuschlag** *m.* 물가 수당.

teuer·wert *a.* 귀중〔소중〕한; 존중할 만한.

Teufe [tɔ́ʏfə] 《↑ Tiefe 의 별형》 *f.* -n 〖광산〗 깊은 곳; 깊이.

***Teufel** [tɔ́ʏfəl] 《gr. diábolos》 *m.* -s, - ① 〖宗〗 악마, 사탄, 마귀, 귀신: der ~ des Neides 질투의 악귀. **(a)** 〖비유〗 häßlich 〔listig〕 wie der ~ 악마처럼 추악한〔교활한〕; das hält wie der ~ 그것은 끈질기게 오래 간다, 좀처럼 망가지지 않는다. **(b)** 〖강한 부정〗 (das) weiß der ~! (그것은) 아무도 모른다!; das taugt den ~ nichts 그건 아무짝에도 소용없다; 〖비유〗 das mag der ~ bezahlen 누가 그것을 지급하겠는가; den ~ werde ich tun! 그런 일은 결코 하지 않겠다!; ich weiß den ~ davon 나는 그것에 관해선 전혀 모른다; er fragt den ~ danach 〔darum kümmert er sich den ~〕 그는 그것을 전혀 개의치 않는다. **(c)** 〖외침〗 ~ auch 〔~, ~〕! 이럴 수가!; der ~!, pfui ~!, Tod und ~!, zum ~!, ~ noch (ein) mal!, (den) ~ auch!, in des ~s 〔drei ~s〕 Namen! 제기랄, 아뿔싸, 빌어먹을!; der ~, daß ich daniedersank! 이런 빌어먹을, 내가 넘어지다니! **(d)** 〖주어〗 der ~ ist los 한바탕 소동이 벌어지다, 난리가 나다; der ~ steckt〔ist〕 in ihm 그 놈은 성질이 못된 녀석이다, 악질이다; der ~ reitet 〔plagt〕 ihn 그는 악마에 홀려 있다, 미쳤다; hol dich der ~! (저주로) 너 같은 놈은 뒈져라!; der ~ soll mich holen, wenn ich lüge 만일 내가 거짓말한다면 지옥에 가도 좋다; das ist der ~ 그것은 곤란한 일이다; in der Not frißt der ~ Fliegen 궁하면 보잘것없는 것으로도 만족한다, 물에 빠지면 지푸라기라도 붙잡는다; et. scheuen〔fürchten〕 wie der ~ das Weihwasser 무엇을 몹시 꺼리다〔두려워하다〕, 무엇에 질겁하다. **(e)** 〖2 격〗 〖구어〗 des ~s Gebetbuch〔Gesangbuch〕 카드; bist du des ~s? 너 미쳤니〔돌았니〕?; die Weiber sind des ~s 그 여자들은 악질이다, 제정신이 아니다; da möchte ich des ~s werden 나는 화가 나서 참을 수가 없다. **(f)** 〖3 격〗 dem ~ ein Bein abschwören 경솔하게 맹세를 하다; dem ~ das Pferd satteln 뜻하지 않게 화를 부르다, 나쁜 일을 조장하다. **(g)** 〖목적어〗 den ~ austreiben 악마를 쫓아내다; den ~ im Leib haben 성질이 고약〔난폭〕하다; 〖속담〗 man soll den ~ nicht an die Wand malen 불길한 말로 화를 자초하지 마라; wenn man den ~ an die Wand malt, dann kommt er 호랑이도 제 말하면 온다; sich³ den ~ auf den Hals laden 화를 자초하다. **(h)** 〖전치사와 함께〗 **auf** ~ komm raus 죽을〔있는〕 힘을 다해서; **mit** dem ~ im Bunde sein 악마와 결탁하고 있다; mit dem ~ zur Schule gegangen sein 교활하다; das müßte mit dem ~ zugehen 그것은 심상치 않다, 기이한 일이다; **in** ~s Küche kommen 궁지〔혼란〕에 빠지다; jn. in ~s Küche bringen 누구를 궁지에 몰아넣다; **um** viel ~ nicht 결코 …아니(하)다; **vom** ~ besessen sein 귀신들려 있다, 성질이 사납다〔난폭하다〕; vom ~ geplagt werden 제정신이 아니다; vom ~ des Hochmuts besessen 오만하기 짝이 없는, 안하무인인; geh 〔scher dich〕 zum ~! 꺼져라, 뒈져라!; jn. zum ~ jagen〔schicken〕 누구를 (갑자기) 쫓아내다, 추방〔면직·해고〕하다; jn. zum ~ wünschen 누가 영원히 사라지기를 바라다; was zum ~ gibt es? 도대체 무슨 일이 일어났느냐?; zum ~ mit ihm! 저런 놈은 내쫓아 버려라!; zum 〔〖드물게〗 beim〕 ~ sein 그르치다, 망가지다, 망하다; alles geht zum ~ 모든 일이 틀어져 버렸다; sich zum ~ scheren 〔zum ~ gehen〕 아무래도 그만이다, 상관없는 일이다. ② 〖비유〗 **(a)** 악마 같은 놈, 악질, 독종, 악당: du ~! 이 악당아!; du bist ein wahrer ~ 너는 정말 지독한 놈이다; er ist der leibhaftige ~ 그는 악마의 화신이다; der ~ in Menschengestalt 인간의 탈을 쓴 악마; ein ~ von einem Weibe 악녀, 요부. **(b)** 놈, 녀석: ein kleiner ~ 악동; ein armer ~ 불쌍한 녀석; ein dummer ~ 바보 자식. ③ 〖動〗 **(a)** 맨드릴 (원숭잇과의 하나) (Mandrill). **(b)** javanischer ~ 천산갑과(穿山甲科)의 동물. **(c)** (See-~) 열대산(産) 큰가오리, 황아귀. ④ 〖植〗 der ~ im Busch 니겔라(미나리아재빗과; 유럽 원산). ⑤ 〖기계〗 솜틀.

Teufelchen *n.* -s, - 〖↑ Teufel 의 축소형〗 ① 작은 귀신〔악마〕. ② 악동; 대단한 놈, 괴짜.

Teufelei [tɔʏfəlái] *f.* -en ① 악마 같은 행위, 악행, 잔학 행위. ② 〖복수없음〗 마성(魔性), 악마〔짐승〕 같은 성질.

teufelhaft *a.* ↑ teuflisch.
Teufelin *f.* -nen ① 악독한 여자, 악녀. ② 다혈질의 여자, 왈가닥.
teufelisch *a.* ↑ teuflisch.
teufel·mäßig *a.* 〖고어〗 ↑ teufelsmäßig.
teufeln [tɔ́ʏfəln] *i.* (h.) (obd.; schweiz.) ① 악마처럼 행동하다. ② (toben) 미친 듯이 날뛰다, 사납게 굴다.
Teufels≈abbiß *m.* 〖植〗 솔체꽃과의 하나, 체꽃. **~advokat, ~anwalt** *m.* 〖비유·고어〗 (성렬(聖列)에 들 사람의 덕행을 시험하는) 악마의 변호인. **~anbeter** *m.* 악마 숭배자. **~arbeit** *f.* 매우 힘든 일, 고역. **~auge** *n.* 〖植〗 복수초(福壽草) (Adonisröschen). **~austreibung** *f.* 〖宗〗 마귀를〔귀신을〕 쫓음. **~balg** *m.* 〖구어〗 악동, 장난꾸러기, 개구쟁이. **~bann** *m.* 악마 쫓아내기. **~banner** *m.* 악마를 쫓아내는 사람. **~beschwörer** *m.* 악마를 쫓아내는〔불러내는〕 사람. **~baum** *m.* 〖植〗 인도보리수. **~beschwörung** *f.* 악마 쫓아내기〔불러오기〕. **~braten** *m.* 〖구어〗 ① 〖농담〗 악당, 악한. ② 무모한 짓을 하는 사람. **~braut** *f.* 마녀. **~brut** *f.* 〖욕설〗 악마의 족속; 〖비유〗 악당들. **~dienst** *m.* 악마〔귀신〕 숭배. **~dreck** *m.* 〖植·藥〗 아위(阿魏). **~finger** *m.* 〖고생물〗 벨렘나이트류(類) (Belemnit). **~glück** *n.* 〖구어〗 엄청난 행복〔행운〕. **~junge** *m.* 말썽꾸러기, 악동. **~kerl** *m.* 〖구어〗 말썽꾸러기; 굉장한〔멋진〕 녀석. **~kind** *n.* 악마의 자식; 큰 죄인, 악당. **~kirsche** *f.* 〖植〗 벨라도나. **~klaue** *f.* ① 〖植〗 석송(石松) (Bärlapp). ② 〖기계〗 기중기의 갈고리 (Windehaken). **~krabbe** *f.* 〖動〗 거미불가사리의 일종. **~kram** *m.* 악마의 행위, 악행. **~kreis** *m.* 악순환: in einen ~ geraten 악순환에 빠지다; den ~ durchbrechen 악순환에서 벗어나다. **~kunst** *f.* 마법, 요술. **~lärm** *m.* 큰 소동〔소란〕. **≗mäßig** *a.* ① 악마 같은, 악랄한. ② 엄청난, 대단〔비상〕한. ③ 신출귀몰하는. **~spaß** ↑ ~spuk. **~spuk** *m.* 악마의 장난; 굉장한 장난〔소동〕. **~streich** *m.* 악마의 소행; 못된 짓거리, 간계. **~verehrer** *m.* ↑ ~anbeter. **~weib** *n.* 〖구어〗 ↑ Teufelin. **~werk** *n.* 악마의 소행; 악랄한 행위; 불가사의한 일〔만행〕. **~wesen** *n.* ① 악마 같은 존재. ② 악마의 성질, 마성, 야수 같은 성질. **~zeug** *n.* 〖구어〗 (맛이) 매우 독한〔고약한〕 것(술 따위). **≗wild** *a.* 악마처럼 흉포한. **~zwirn** *m.* 〖植〗 ① 실새삼. ② 구기자나무.
teufen [tɔ́ʏfən] *t./i.* (h.) 〖광산〗 (수직갱 따위를) 파 내려가다 (tiefen).
teuflisch [tɔ́ʏflɪʃ] 《I》 *a.* ① 악마의, 악마 같은; 흉악〔간악〕한: eine ~e Tat 흉악한 행위; 〖농담〗 ~e Herrlichkeit 마왕 폐하. ② 〖구어〗 (술 따위가) 매우 독한, (맛·냄새가) 고약한. 《II》 *adv.* 〖구어〗 지독히, 끔찍스럽게: es ist ~ kalt draußen 바깥 날씨가 지독하게 춥다.
Teurung [tɔ́ʏrʊŋ] *f.* -en ↑ Teuerung.
Teut [tɔʏt] *m.* 고대 게르만족의 전설적인 군신(軍神).
Teutoburger Wald [tɔ́ʏtoburgər..] *m.* 토이토부르크숲(AD 9년 게르만족이 로마군을 격파한 독일 북서부의 산림).
Teutone [tɔʏtó:nə] *m.* -n, -n ① (게르만족의 일파인) 튜턴(족) 사람. ② 〖반어〗 (전형적인) 독일인.
Teutonia *f.* 〖고어〗 Deutschland (독일)의 라틴어 표기(학생 조합 이름 등에 씀).
teutonisch *a.* 튜턴(족) 사람의; 〖반어〗 순수 독일 사람의; 순 독일식의.
teutsch [tɔʏtʃ] 〖고어〗 *a.* 독일의 (deutsch).
tex = Tex.
Tex *n.* -, - 〖섬유〗 텍스(섬유의 섬세도를 재는 단위; 기호: tex).
Texas·fieber [tɛ́ksas..] *n.* 〖수의〗 텍사스열(熱)) (진드기에 의해 전염되는 마소〔馬牛〕의 전염병).
Texel 《↑ Dechsel 의 별형》 *f.* -n 손도끼.
***Text**[1] [tɛkst] 《lat. textus》 *m.* -es, -e ① **(a)** 텍스트, 본문, 원문, 원전: altgriechische ~e 고대 그리스어로 된 텍스트; der ~ einer Rede 강연 원고; 〖구어〗 jn. aus dem ~ bringen 누구를 당황케〔헷갈리게〕 하다; aus dem ~ kommen 이야기의 맥락을 잃다, 갈피를 잡지 못하다; weiter im ~! (하던 이야기를) 계속하시오!; zu tief in den ~ geraten〔kommen〕 무슨 일에 지나치게 깊이 관여하다. **(b)** 본문의 일부, 발췌문: ~e austeilen 발췌문을 나누어주다. **(c)** 〖法〗 법조문. ② 〖음악〗 가사, 대본: der ~ zu einer Oper 가극의 대본 (Libretto). ③ 성경 구절: über einen ~ predigen 성경의 어느 구절에 관해 설교하다; 〖비유〗 jm. den ~ lesen 누구를 훈계하다. ④ (도판·삽화의) 설명문.
Text[2] *f.* 〖印〗 20 포인트 활자.
Text≈abbildung *f.* 〖印〗 본문 중의 삽화. **~abdruck** *m.* (주석 없는) 본문 복제판. **~ausgabe** *f.* 〖출판〗 주해가 없는 본문만의 책. **~automat** *m.* 〖컴〗 워드 프로세서. **~bau·stein** *m.* 〖컴〗 (워드 프로세서나 통신문 등의) 상용구. **~berichtigung** *f.* 본문 교정. **~buch** *n.* 〖음악〗 가사집; 〖연극〗 대본. **~dichter** *m.* 작사가; (오페라 등의) 대본 작가. **~editor** *m.* 문서 편집기.
texten [tɛ́kstən] 《I》 *i.* (h.) (광고·가요의) 텍스트〔가사〕를 쓰다. 《II》 *t.* (무엇에 맞는) 텍스트를 쓰다, 문안을 작성하다: eine Anzeige 〔ein Musical〕 ~ 광고 문안을 작성하다〔뮤지컬 대본을 쓰다〕.
Texter [tɛ́kstər] 《lat.》 *m.* -s, - 광고문 작성자; (유행가의) 작사자, 대본 작가.
Text≈fälscher *m.* 원본의 변조자. **≗gemäß** *a.* 본문〔원본〕에 따른, 원문대로의: et. ~ übersetzen 무엇을 원문에 충실하게 번역하다. **~gestaltung** *f.* (멜로디에 맞춘) 작사(作詞), 본문〔문안·대본〕의 작성.
textieren [tɛkstí:rən] 《<Text》 *t.* 〖드물게〗 (도표·삽화에) 설명을 붙이다.
Textierung *f.* -en ① (도표·삽화에) 설명 붙이기. ② (도표·삽화를) 설명하는 텍스트; (삽화의) 서명.
***textil** [tɛkstí:l] 《frz. textile, „gewebt"》 *a.* ① 방직〔섬유〕 산업의. ② 섬유의, 직물의: ~e Erzeugnisse 섬유 제품.
***Textil** *n.* -s ① 의류. ② 〖관사없이〗 직물류, 섬유 제품.
Textil≈arbeiter *m.* 방직공. **~arbeiterin** *f.* ↑ ~arbeiter 의 여성형. **~betrieb** *m.* 섬유업체. **~fabrik** *f.* 방직 공장. **~fabrikant** *m.* 섬유 제조업자. **≗frei** *a.* 〖구어·농담〗 맨몸의, 나체의: ~er Strand 나체 해수욕장.

~gewerbe *n.* ↑ ~betrieb. **~groß·handel** *m.* 섬유 도매(상).
Textilien [tɛkstí:liən] *pl.* 섬유 제품, 직물류.
Textil≈industrie *f.* 섬유 공업. **~ingenieur** [..ʒeniøːr] *m.* 방직 기술자. **~waren** *pl.* 섬유 제품, 직물류.
Text≈kritik *f.* 본문 비판, 원문〔원전〕비평. **~linguistik** *f.* 텍스트 언어학. **≈mäßig** *a.* ↑ ≈gemäß. **~programm** *n.* 〖컴〗 문서 작성 프로그램. **~schrift** *f.* ↑ Text². **~sorte** *f.* 〖언어학〗 텍스트의 종류. **~stelle** *f.* 텍스트의 부분.
***Textur** [tɛkstú:r] 《lat.》 *f.* -en ① 〖교양〗 짜임새, 구조, 구성: die ~ der mittelalterlichen Gesellschaftsordnung 중세 사회 질서의 구조. ② (a) 〖섬유〗 (직물의) 조직, 짜임새; 직물. (b) 〖지질〗 (지층 따위의) 구성 상태. (c) 〖광물〗 (철 따위의) 결정체의 조직.
texturieren *t.* (h.) 〖섬유〗 짜다, 짜넣다, 직조하다.
Text≈verarbeitung *f.* 〖컴·전문〗 문서 처리. **~verarbeitungs·programm** *n.* ↑ ~programm. **~verdrehung** *f.* 원문 곡해(曲解). **~wort** *n.* 본문의 문구; 성경 구절.
Te·zett [té:tsɛt, te(:)tsέt] 《'tz'를 발음대로 명사화한 말》 *n.* -, - 〖다음 용법으로만〗〖구어〗 bis ins 〔bis zum〕 ~ 아주 꼼꼼히, 남김없이, 완전히, 철저히(tz의 옛 형태인 zz가 알파벳 순서의 맨 마지막에 놓였던 데서); jn. bis ins (letzte) ~ ausnutzen 누구를 철저히 이용하다.
T-förmig [té:..] *a.* T자 모양의.
tg =〖기하〗 Tangens 접선, 정접(선), 탄젠트.
TGL 〖구동독〗 =Technische Normen, Gütervorschriften und Lieferbedingungen 공업 규격.
TH [te:há:] =Technische Hochschule 공과대학.
Th 〖化〗 =Thorium 토륨.
Thai¹ [taɪ] *m.* -(s), -(s) 태국인.
Thai² *n.* - 태국어.
Thailand [táɪlant] 태국.
Thailänder *m.* -s, - 태국 사람.
Thailänderin *f.* -nen ↑ Thailänder의 여성형.
thailändisch *a.* 태국(말·사람)의.
Thalamus [tá:lamus] *m.* -, ..mi 〖해부〗 시상(視床).
thalassogen [talasogé:n] *a.* 〖지리〗 해양 활동으로 생긴.
Thalassometer *n.* -s, - 〖지리〗 해양〔해수〕측정기.
Thales [tá:lɛs] *m.* 탈레스(고대 그리스의 철학자, 640 ? -546 B.C.).
Thalia [talí:a] 《gr.》 *f.* 〖그리스신화〗 탈리아 (Muse의 하나로 희극의 여신).
Thallium [tálium] 《gr.》 *n.* -s 〖化〗 탈륨(희금속 원소; 기호: Tl).
Thallus *m.* -, ..lli 〖植〗 엽상체(葉狀體).
Than [ta:n] *m.* -s/-e, -s 〖고어〗 (앵글로색슨 시대의) 세습 귀족; (스코틀랜드의) 소영주, 지방 귀족, 향신(鄕紳).
Thanatologie [tanatologí:] 《<Thanatos》 *f.* 〖醫·心〗 죽음에 관한 연구, 사망학; 사망 심리 연구.
Thanatophobie [tanatofobí:] 《gr.》 *f.* 〖醫·心〗 사망 공포증.
Thanatos 《gr., „Tod"》 *m.* ① 〖그리스신화〗 타나토스(죽음의 신). ② 〖心〗 파괴 충동; 죽음의 본능.
Thatcherismus [θɛtʃərɪ́smus] *m.* - 대처리즘(영국 수상 M. Thatcher의 사회·경제 정책 노선).
Thaumatologie [taumatologí:] 《gr. thaûma, „Wunder"》 *f.* -n [..gí:ən] 기적론; 마술.
Thaumaturg [..túrk] *m.* -en, -en (Wundertäter) 기적을 행하는 사람, 마술사.
Thea [té:a] *f.* 〖↑ Dorothea의 단축형〗 테아 (여자 이름).
***Theater** [teá:tər] 《frz. théâtre》 *n.* -s, - ① (a) 연극 (공연), 상연: das ~ beginnt um 8 Uhr 연극은 8시에 시작한다; nach dem ~ 연극이 끝난 후에; heute ist kein ~ 오늘은 공연이 없다〔극장이 쉰다〕; das ~ besuchen 〔ins ~ gehen〕 연극을 보러가다; für das ~ schwärmen 연극을 아주 좋아하다. (b) 꾸민 행동, 연기, 거짓, 속임수: ~ spielen 꾸민 행동을 하다, 연기하다; jm. ~ vormachen 누구에게 가식적인 행동을 하다; ihre Tränen sind doch nur ~ 그녀의 눈물은 연기일 뿐이다. (c) 흥분, 격앙; 소동, 법석: ein großes ~ machen 야단법석을 떨다. ② 극장 (건물): ein neues ~ bauen 새 극장을 짓다. ③ (예술의 한 분야로서의) 연극: 〖구어〗 ans 〔zum〕 ~ gehen 배우가 되다; 〖구어〗 am 〔beim〕 ~ sein 배우로 활동하다. ④ 관객: das ganze ~ brach in Beifallsstürme aus 모든 관객이 우레와 같은 박수를 보냈다. ⑤ 극단(원). ⑥ 연기(술). ⑦ 연극 (작품): deutsches ~ 독일 연극. ⑧ 〖건축〗 극장식 연단.
Theater≈abonnement *n.* 연극(좌석) 예약, 연극 회원권〔관람권〕. **~agentur** *f.* 〖연극〗 (배우·연출가 고용 계약 등의) 연극 중개업(소). **~aufführung** *f.* 연극 공연. **~bau** *m.* 극장 건물. **~bericht** *m.* 연극에 관한 기사, 연극 안내. **~besuch** *m.* 연극 관람. **~besucher** *m.* 연극 관람객. **~billet** [..bɪljɛt] *n.* 〖고어〗 (schweiz.) 연극 관람권. **~coup** [..ku:] *m.* ① 〖연극〗 (갑작스런 반전이나 사건의 해결을 가져오는) 뜻밖의 사건. ② 돌발사건〔행동〕. **~dekoration** *f.* 무대 장식. **~dichter** *m.* ① (특히 18-19세기의) 극작가. ② 극단의 전속 작가. **~direktor** *m.* 무대 감독, 극단 단장. **~effekt** *m.* 무대 효과. **~fieber** *n.* 연극열; 배우가 되려는 열의. **~freund** *m.* 연극 애호가. **~gerät** *n.* 무대 장치, 소도구. **~geschichte** *f.* ① 연극의 역사적 발전; 연극사. ② 연극사에 관한 저술. **~held** *m.* 극의 주인공. **~karte** *f.* 연극 관람권. **~kasse** *f.* 극장 매표소. **~kritiker** *m.* 연극 평론가. **~leben** *n.* 극단 생활, 무대 활동; 연극계. **~loge** [..lo:ʒə] *f.* (칸막이가 된) 극장의 특별 관람석. **~maler** *m.* 무대의 배경 화가. **~mantel** *m.* 무대용〔배우용〕 외투. **~manuskript** *n.* 배우용 연극 대본. **~meister** *m.* ① (극장의) 무대 장식 책임자. ② 무대 감독, 연출가. **~prinzessin** *f.* 인기 여배우. **~probe** *f.* 연극의 시연(試演), 리허설. **~programm** *n.* 연극 프로그램. **~publikum** *n.* 연극 관객. **~regisseur** [..ʒɪsø:r] *m.* 연극 연출가. **~ring** *m.* 연극 동호회. **~saal** *m.* 연극 공연홀. **~saison** [..

zεzɔ̃:] *f.* 연극 시즌. **~schwank** *m.* 소극(笑劇), 익살극. **~streich** *m.* ↑ ~coup. **~stück** *n.* 연극 작품, 희곡, 각본. **~vorhang** *m.* 무대의 막. **~vorstellung** *f.* 연극 공연〔상연〕. **~welt** *f.* 연극계. **~wesen** *n.* 연극 제도. **~wissenschaft** *f.* 연극학. **~zeitung** *f.* 연극 신문. **~zensur** *f.* 공연 심의〔검열〕. **~zettel** *m.* 〖구식〗 연극 프로그램.

Theatiner [teatí:nər] *m.* -s, - 〖가톨릭〗 테아티노 수도회의 회원.

Theatralik [teatrá:lɪk] 《<Theater》 *f.* 〖교양·폄어〗 연극하는 듯한 과장된〔꾸민·부자연스러운〕 태도: einen Hang zur ~ haben 가식적인 성향을 가지고 있다.

theatralisch *a.* 〖교양〗 ① 무대의, 연극의; 상연하기에 적합한, 연극적인; 무대 효과가 있는; 배우다운: Wilhelm Meisters ~e Sendung 빌헬름 마이스터의 연극적 사명(괴테의 작품명); ~es Stück 공연에 적합한 희곡; ~e Effekte 무대 효과. ② 〖비유·폄어〗 과장된, 꾸민, 부자연스러운: ~e Gebärden 과장된 몸짓.

Thebaner [tebá:nər] *m.* -s, - 테베 사람: ein kundiger ~ 어느 정도 배운 사람.

thebanisch *a.* 테베(사람·지방)의.

Theben [té:bən] 테베 (**a**) 고대 그리스 Böotien 의 수도. (**b**) (나일강 중류에 있던) 고대 이집트의 도시.

Thé dansant [te dɑ̃sɑ̃] 《frz., „Tanztee"》 *m.* - -, -s -s (가정에서 오후의 티 타임에 베푸는) 작은 무도회.

Theddy [tέdi:] 《↑ Theodor 의 별형》 *m.* -(s), -s (세계 대전 중의) 미군에 대한 별명.

Theddy·bär [tέdibε:r] *m.* (천으로 만든) 장난감 곰.

Thee *m.* -s, -s 〖고어〗 차(Tee).

Theismus [teísmus] 《gr.》 *m.* - 〖哲·宗〗 유신론, 인격신론(人格神論).

Theist [teíst] *m.* -en, -en 유신론자, 인격신론자.

theistisch *a.* 〖哲·宗〗 유신론의, 인격신론의.

Theke [té:kə] 《gr.》 *f.* -n ① (술집의) 카운터, 바; (nordd., westmd.) (가게의) 계산대, 판매대, 카운터. ② (öst.) 필기장, 연습장; 종이 집게〔끼우개〕. ③ 용기(容器); 작은 상자, 깡통.

Thekla [té:kla] 《gr., „Gottes Ruhm verkündend"》 *f.* 테클라(여자 이름).

Thelematologie 《gr.》 *f.* 〖哲〗 의지학(意志學) (Willenslehre).

***Thema** [té:ma] 《lat.》 *n.* -s, ..men/-ta ① 테마, 주제, 논제, 화제, 소재: das ~ des Tages 오늘의 화제; ein ~ behandeln 〔anschneiden, aufgreifen〕 어떤 주제를 다루다; das ~ verlassen〔verfehlen〕, vom ~ abschweifen〔ablenken〕 주제에서 벗어나다; beim ~ bleiben 주제에 충실하다, 이야기 가닥을 놓치지 않다; das gehört nicht zum ~ 그것은 주제와 무관하다, 논의 거리가 아니다; das ist für mich kein ~ mehr a) 그것은 내게 더 이상 논의의 대상이 아니다, b) 나는 그것에 더 이상 관심이 없다; wieder zum ~ zurückkommen 다시 (본)주제로 돌아오다; 〖구어〗 ~ Nummer eins a) 주관심사, 주요 화제, b) (남녀간의) 섹스〔연애〕 문제. ② 〖음악〗 테마, 주제; 주선율. ③ 〖언어학〗 제재(提題), 화제, 테마(↔ Rhema).

Thematik [temá:tɪk] *f.* -en ① 일련의 테마, 주제군(群). ② 주제 설정, 테마의 선택. ③ 〖음악〗 주선율의 설정 (기법).

thematisch *a.* ① 주제의, 주제에 따른: ~ interessant sein 주제면에서 흥미롭다; et. nach ~en Gesichtspunkten ordnen 무엇을 주제의 관점에 따라 정리하다. ② 〖음악〗 주제 중심의: ~e Arbeit 주제에 따른 (모티브의) 구성 작업; ~er Katalog 주제별 목록. ③ 〖언어학〗 어간(語幹)의.

thematisieren [tematizí:rən] *t.* 〖교양〗 주제〔테마〕로 삼다.

Thematisierung *f.* -en 〖교양〗 주제〔테마〕로 삼음.

Themen·bereich [té:mən..] *m.* 주제 범위. **~katalog** *m.* 주제(별) 목록. **~kreis** *m.* (상호 연관성을 지닌) 일련의 주제. **~stellung** *f.* 주제 설정. **~wahl** *f.* 주제 선택: freie ~ haben 주제를 자유롭게 선택하다. **~wechsel** *m.* 주제 변경.

Themis [té:mɪs] *f.* 〖그리스신화〗 테미스(법과 정의의 여신).

Themse [tέmzə] *f.* 템스강(영국 잉글랜드 남부의 강).

Theobald [té:obalt] *m.* 테오발트(남자 이름).

Theobromin [teobromí:n] 《gr. + lat》 *n.* -s 〖藥〗 테오브로민(이뇨제).

Theoderich [teó:dərɪç] *m.* 테오데리히(남자 이름; Dietrich 의 별형).

Theodizee [teoditsé:(ə)] 《gr., „Rechtfertigung Gottes"》 *f.* -n 〖哲·宗〗 변신론(辯神論), 신정론(神正論), 신의론(神義論).

Theodolit [teodolí:t] *m.* -(e)s, -e 〖측량〗 경위의(經緯儀).

Theodor [té:odo:r] *m.* 테오도르(남자 이름).

Theodora [teodó:ra] *f.* 테오도라(여자 이름).

Theognosie [teognozí:] *f.* ↑ Theognosis.

Theognosis [..gnó:zɪs] *f.* 〖哲·宗〗 신의 인식, 신지학(神知學).

Theogonie [teogoní:] 《gr. theós, „Gott"》 *f.* -n [..ní:ən] 〖哲〗 신통기(神統記), 신통 계보학.

Theokrat [teokrá:t] *m.* -en, -en 〖교양〗 신정(神政)주의자, 신권(神權) 정치가, 제정(祭政) 일치주의자.

Theokratie [..kratí:] *f.* -n [..tí:ən] 〖교양〗 ① 신정(神政), 신권 정치, 제정 일치. ② 신정〔신권〕 국가.

theokratisch [..krá:tɪʃ] *a.* 〖교양〗 신정〔신권〕주의의, 제정 일치의.

Theokrit [teokrí:t], **Theokritos** *m.* 테오크리토스(B.C. 3 세기경 그리스의 목가 시인).

Theolog [teoló:k] *m.* -en, -en ↑ Theologe.

Theologe [..ló:ge] 《gr. theós, „Gott"》 *m.* -n, -n 신학자; 신학생〔도〕.

***Theologie** [..logí:] *f.* -n [..gí:ən] 신학.

Theologin *f.* -nen ↑ Theologe 의 여성형.

theologisch *a.* 신학의, 신학에 관련된.

theologisieren [..logizí:rən] *t.* 〖교양〗 신학 문제를 다루다, 신학을 논하다.

Theomanie *f.* 종교광(狂), 광신.

Theomantie [..mantí:] *f.* 영감에 의한 예언.

theomorph [..mɔ́rf] *a.* 〖교양〗 신의 형상을 한, 신을 닮은.

theomorphisch *a.* ↑ theomorph.
Theophanie [..faní:] *f.* -n [..ní:ən] 〖宗〗 신의 현현(顯現).
Theophil [té:ofi:l, teofí:l] 《gr., „Gottlieb"》 *m.* 테오필(남자 이름).
Theopneustie [teopnɔʏstí:] *f.* -n [..tí:ən] 〔교양〕(Inspiration) 영감(靈感), 예지.
Theorbe [teɔ́rbə] 《it. -frz.》 *f.* -n 〖악기〗 (16-18 세기의) 저음 현악기.
Theorem [teoré:m] 《gr.》 *n.* -s, -e ①〔교양〕 명제. ②〖논리〗 정리(定理) ; 정률(定律).
Theoretiker *m.* -s, - (↔ Praktiker) ① 이론가. ② 사변적인 사람, 공론가: er ist ein reiner ~ 그는 순전히 공론가에 불과하다.
***theoretisch** [teoré:tɪʃ] *a.* (↔ praktisch) ① 이론의, 이론적인, 학리상의: ~es Wissen 이론적 지식; et. ~ begründen〔untermauern〕 무엇을 이론적으로 뒷받침하다; ~e Physik 이론 물리학. ② 사변적인, 공론적인, 추상적인, 비현실적인: das ist mir zu ~ 그것은 내가 볼 때 너무 추상적이다.
theoretisieren [..retizí:rən] *i.* (h.) 〔교양〕 이론을 세우다; 이론적으로만 생각하다.
***Theorie** [teorí:] 《lat. theoria》 *f.* -n [..rí:ən] (↔ Praxis) ① 이론, 학설: eine ~ aufstellen 〔entwickeln, vertreten〕 이론을 세우다〔발전시키다, 대변하다〕; die ~ vom Urknall 빅뱅 이론; ~ des Dramas 드라마 이론. ② 비현실적 생각, 공론(空論): das ist nur〔reine, bloße〕 ~ und läßt sich nicht verwirklichen 그것은 이론일 뿐 실현 가능성이 없다; das ist graue ~ 그것은 현실성이 없다; die Praxis ist ganz anders als die ~ 실제는 이론과 전혀 다르다.
Theorien·streit [teorí:ən..] *m.* 학설〔이론〕 논쟁.
Theosoph [teozó:f] 《lat. theosophus》 *m.* -en, -en 신지학자(神智學者), 접신론자(接神論者).
Theosophie [..zofí:] *f.* -n [..fí:ən] 〖哲〗 신지학(神智學), 접신론(接神論).
theosophisch [..zó:fɪʃ] *a.* 신지학의.
Therapeut [terapɔ́ʏt] 《gr., „Pfleger"》 *m.* -en, -en 〖醫·心〗 임상의(사) ; 심리 요법 전문의.
Therapeutik [..tɪk] *f.* 〖醫〗 치료학〔법〕.
Therapeutikum [..tikum] *n.* -s, ..ka 〖醫〗 치료제.
Therapeutin *f.* -nen ↑ Therapeut 의 여성형.
therapeutisch *a.* ① 치료(학)상의: ~ angewandte Mittel 치료에 사용된 약제; ein ~es Zentrum 진료 센터. ② 치료를 맡고 있는: ~e Gruppe 치료팀.
***Therapie** [terapí:] *f.* -n [..pí:ən] ① **(a)** 치료: medikamentöse ~ 약물 치료. **(b)** 심리치료: eine ~ machen 정신과 치료를 받다. ② 치료법.
Therapie·forschung *f.* 치료법 연구.
therapieren *t.* (h.) 〖醫·心〗 치료하다.
Therapie·resistenz *f.* 〖醫〗 (어떤 병의) 치료법〔약물〕에 대한 내성(耐性).
Therese [teré:zə] *f.* 테레제(여자 이름).
Theresia [..zia] *f.* 테레지아(여자 이름).
Theriak [té:riak] 《gr.》 *m.* -s 〖藥〗 테리아카 (옛날 뱀독 해독용 정제).
therm.. 《gr., „warm"》 *pref.* (↑ thermo..) "열(熱)·온(溫)"의 뜻.
thermaktin *a.* 열복사의.
thermal [tɛrmá:l] *a.* ① 열의, 열에 따른. ② 온천을 이용한, 온천에서 발생하는.
Thermal·bad *n.* ① 온천욕(浴). ② 온천장. ③ 온천 수영장. **~quelle** *f.* 온천. **~salz** *n.* 온천염(塩).
Therme [tɛ́rmə] 《gr. thérmē, „Wärme"》 *f.* -n ① 온천. ② (고대 로마의) 공중 목욕탕.
Thermidor [tɛrmidó:r] 《frz., „Hitzemonat"》 *m.* -(s), -s 프랑스 혁명력(曆)의 제 11 월(7 월 19 일-8 월 17 일).
Thermik [tɛ́rmɪk] 《gr.》 *f.* 〖기상〗 (글라이더의 활공(滑空)에 이용되는) 온난 상승 기류.
Thermik·segel·flug *m.* 온난 상승 기류를 이용한 활공.
thermisch *a.* 열의, 열에 의한: ~e Energie 열에너지; 〖化〗 ~e Analyse 열분석.
Thermit [tɛrmí:t, ..mít] *n.* -s, -e 테르밋(금속 알루미늄과 산화제 2 철 분말의 혼합물; 용접용).
Thermit·schweißen *n.* 〖工〗 테르밋 용접.
thermo.. *pref.* 〔모음 앞에서는 therm...〕 "열(熱)·온(溫)"의 뜻(보기: ~chemisch; ~dynamik).
Thermochemie [..çemí:] *f.* 〖化〗 열화학.
thermochemisch [..çé:mɪʃ] *a.* 〖化〗 열화학의.
Thermochromie [tɛrmokromí:] *f.* 〖化〗 열〔광(光)〕 가역 변색.
Thermodynamik *f.* 〖物〗 열역학.
thermodynamisch *a.* 〖物〗 열역학의.
thermoelektrisch *a.* 〖物〗 열전기(성)의.
Thermoelektrizität *f.* 〖物〗 열전기.
Thermoelement *n.* -(e)s, -e 〖전기〗 열전 소자(熱電素子).
Thermogramm *n.* -s, -e ①〖기상〗 자동 온도 기록계의 기록. ② 자동 온도 기록.
Thermograph [..grá:f] *m.* -en, -en 〖기상〗 자동 온도 기록계.
Thermokaustik *f.* 〖醫〗 소작법(燒灼法).
Thermokauter *m.* -s, - 〖醫〗 소작기(燒灼器).
***Thermometer** *n.* -s, - (Wärmemesser) 온도계; 〖醫〗 체온계: das ~ fällt〔steigt〕 수은주〔온도〕가 내려간다〔올라간다〕; das ~ zeigt drei Grad unter Null 온도계가 영하 3 도를 가리킨다.
thermometrisch *a.* 온도계의; 온도 측정의.
thermonuklear [..nukleá:r] *a.* 〖핵물리〗 열핵(熱核)의: ~e Reaktion 열핵 반응; ~e Bombe 열핵 폭탄, 수소 폭탄.
Thermonuklear·waffe *f.* (열)핵 무기.
Thermopane [..pé:n] *n.* - 단열 창유리.
Thermopane·fenster [..pé:n..] *n.* 단열창.
Thermopapier *n.* -s, -e 감열지(感熱紙).
thermophil *a.* 〖生〗 호(好)〔내〕열성의.
Thermophor *m.* -s, -e ①〖醫〗 (찜질용의) 보온 물주머니(Warmhalteflasche). ②〖物〗 열전도〔전열〕 장치. ③ 보온 용기, 보온병.
Thermoplast *m.* -(e)s, -e 〖化〗 열가소성(熱可塑性) 수지〔플라스틱〕.
Thermopylen [tɛrmopý:lən] 《gr., „heiße Pforten"》 *pl.* 테르모필레 고개(그리스의 말리아코스만(灣) 연안의 좁고 험한 고갯길; B.C.

480년 스파르타와 페르시아의 격전지).
Thermosflasche [tέrmɔs..] *f.* -n 보온병.
Thermosko̲ *n.* -s, -e 온도차 측정기.
Thermostat [..mostá:t] *m.* -(e)s/-en, -(e)n 항온 장치, 서모스탯; 온도 조절 장치.
Thermotherapie [..terapí:] *f.* -n [..pí:ən] 〖醫〗 온열 요법, 열치료.
Thersites [tɛrzí:tɛs] *m.* 테르시테스(Homer의 Ilias에 나오는 추악하고 입심 사나운 그리스인).
thesaurieren [tezaurí:rən] 《gr. -lat.》 *t.* 〖經〗 (돈·귀금속 따위를) 모아 두다, 비축하다, 저장하다.
Thesauri̲erung *f.* -en 비축, 축적, 저장.
Thesaurus [tezáurus] 《gr., „Schatz"》 *m.* -, ..ri/..ren ① 보물, 재보. ② (그리스어·라틴어 따위의) 고전어 사전. ③ (백과 사전 따위의 명칭으로) 지식의 보고(寶庫). ④ 분류 어휘집, 사전. ⑤〖컴〗 동의어〔반의어〕 사전, 시소러스(정보 검색 따위를 위한 용어 사전).
***These** [té:zə] 《gr., „Satz"》 *f.* -n ① **(a)** 〘교양〙 논제, 명제, 테제: eine ~ aufstellen〔widerlegen〕 어떤 명제를 내세우다〔반박하다〕. **(b)** 〖哲〗 (변증법에서의) 테제, 정(正). ② (↔ Arsis) 〖문학〗 ↑ Thesis ①. ③〖음악〗 ↑ Thesis ②.
the̲senhaft *a.* 명제식으로, 강령적으로.
The̲sen·papier *n.* (논제 위주로 간추린) 발표 요지문, 발췌문.
The̲seus [..zɔʏs, ..zɛus] *m.* 〖그리스신화〗 테세우스(아테네의 영웅).
Thesis [té:zɪs, tέ..] *f.* Thesen [té:zən] ①〖문학〗 **(a)** (고대 그리스 시 운율의) 강장음(強長音). **(b)** (현대 시학의) 약음(弱音), 억음(抑音). ②〖음악〗 강음부.
Thespis [tέspɪs] *m.* 테스피스(고대 그리스 비극을 창시한 B.C. 6세기경의 비극 시인).
Thẹspis·karren *m.* 테스피스의 마차; 〘교양·농담〙 유랑 극단(의 이동 무대): am ~ ziehen 〔mit dem ~ herumziehen〕 유랑 극단의 배우 생활을 하다.
Thessalien [tɛsá:liən] 테살리아(그리스의 북부 지방).
Thessa̲lier *m.* -s, - 테살리아 사람.
thessa̲lisch *a.* 테살리아(사람)의.
Thessalonich [tɛsalóːnɪç] 테살로니카(그리스 북부의 도시).
Thessalo̲nicher *m.* -s, - 테살로니카 사람; 〖聖〗 Brief des Paulus an die ~ 테살로니카서(書)(바울이 테살로니카 교회에 보낸 서한).
Thetis [té:tɪs] *f.* 〖그리스신화〗 테티스(바다의 여신으로 Nereus의 딸, Achilles의 어머니).
Theurg [teúrk] 《gr.》 *m.* -en, -en (Wundertäter) 기적을 행하는 사람, 마술사.
Theurgie [teurgí:] *f.* 〖인종〗 신기(神技), 기적; 요술, 마법.
Thigmotaxis [tɪgmotáksɪs] *f.* ..xien [..ksiən]/..xen [..ksən] 〖生〗 접촉 주성(走性)(생물체가 접촉성 자극에 대응하여 생체 균형을 회복하기 위한 움직임).
Thing [tɪŋ] *n.* -(e)s, -e 〘고어〙 ①〖史〗 민회(民會)(군사 집회와 재판 집회를 겸한 고대 게르만족의 인민 집회): ein ~ einberufen 민회를 소집하다. ② (옛 스칸디나비아 국가의) 의회.
Thịng≠platz *m.* ①〖史〗 (고대 게르만족의) 민회 광장. ②국민 축제 장소. **~spiel** *n.* (Thingplatz에서 상연되는) 합창극. **~stätte** *f.* 〖史〗 ↑ ~platz.
Thiophen [tiofé:n] *n.* -s 〖化〗 티오펜.
Thioschwefel·säure [tí:o..] *f.* 〖化〗 티오황산.
Thomas [tó:mas] 《hebr., „Zwilling"》 *m.* 토마스(남자 이름): 〘비유〙 ein ungläubiger ~ 의심이 많은 사람, 믿음이 적은 사람(사도 도마가 그리스도의 부활을 의심했던 데서).
Tho̲mas≠mehl *n.* 토마스 인비(燐肥)(토마스강(鋼)을 제조할 때 생기는 특수 화합체). **~schlacke** *f.* 〖제련〗 토마스 슬래그〔광재(鑛滓)〕. **~stahl** *m.* 〖제련〗 토마스강(鋼). **~verfahren** *n.* 〖제련〗 토마스 처리법(발명자인 영국의 S.G. Thomas의 이름에서).
Thomismus [tomísmus] 《lat.》 *m.* - 〖哲〗 토미즘, 토마스 학설(Thomas von Aquin이 세운 신학·철학설).
Thomịst *m.* -en, -en 토마스 학파의 학자〔생도〕, 토미즘의 신봉자.
thomịstisch *a.* 토마스주의의.
Thor [to:*r*] *m.* 〖북구신화〗 뇌신(雷神)(Donar).
Thora [torá:, tó:ra] 《hebr., „Lehre"》 *f.* 모세의 율법서, 모세 오경(五經).
thorakal [toraká:l] 《gr.》 *a.* 〖해부〗 흉부의.
Thorakoplạstik 《gr.》 *f.* -en 〖외과〗 흉곽 성형술.
Thorakotomie [..tomí:] *f.* -n [..mí:ən] 〖외과〗 흉곽 절개술.
Tho̲ra·rolle *f.* 〖유대교〗 모세 오경(五經)이 적힌 양피지 두루마리.
Thorax [tó:raks] *m.* -(es), -e ①〖해부〗 (Brustkorb) 흉곽, 흉부. ②〖軍〗 (갑옷의) 몸통막이(Brustharnisch). ③〖動〗 (절지 동물의) 흉부.
Thor·erde [tó:*r*..] *f.* 〖化〗 산화 토륨.
Thorit [..rí:t, ..rít] *m.* -s, -e 〖광물〗 토륨석(石), 토라이트.
Thorium [tó:rium] *n.* -s 〖化〗 토륨(방사성 금속 원소; 기호: Th).
Thraker [trá:kə*r*] *m.* -s, - 트라키아 사람.
Thra̲kien [..kiən] 트라키아(발칸 반도 동부에 있던 고대 국가).
thra̲kisch *a.* 트라키아의.
Thra̲zien [..tsiən] ↑ Thrakien.
Thra̲zier *m.* -s, - ↑ Thraker.
thra̲zisch *a.* ↑ thrakisch.
Threnodie [tre:nodí:] 《gr.》 *f.* -n [..dí:ən] (고대 그리스의) 만가(輓歌), 애도가(哀悼歌).
Thriller [θrɪlə] 《engl.》 *m.* -s, - 스릴러, 긴장감 넘치는 소설〔영화·극〕.
Thrombose [trɔmbó:zə] *f.* -n 〖醫〗 혈전증(血栓症).
Thrombo̲sis 《gr.》 *f.* ..sen ↑ Thrombose.
thrombo̲tisch *a.* 〖醫〗 혈전증의.
Thrombozyt [trɔmbotsý:t] *m.* -en, -en 〖生·醫〗 혈소판.
Thrombus [trɔ́mbus] *m.* -, ..ben 〖醫〗 혈전(血栓).
***Thron** [tro:n] 《lat. thronus》 *m.* -(e)s, -e ① 왕좌, 옥좌, 권좌: ein vergoldeter ~ 금으로 도금한 옥좌; 〘구어·비유〙 jn.〔et.〕 auf den ~ heben 누구〔무엇〕의 권위를 (최고로) 인정하다; js. ~ wackelt 누구의 권위〔권좌〕가 위협

받다. ② 왕권, 통치권: den ~ besteigen (auf den ~ gelangen) 즉위하다; jn. auf den ~ erheben 누구를 왕위에 오르게 하다; jm. auf dem ~ folgen 누구의 왕위를 계승하다; jn. vom ~ stoßen a) 누구를 폐위하다, b) 누구의 권위를 박탈〔무시〕하다; 〖史〗 das Bündnis von ~ und Altar 왕권과 교권의 연합. ③〔구어·농담〕 실내용 변기, 요강.

Thron·anwärter *m.* 왕위 계승자. **~anwärterin** *f.* ↑ ~anwärter 의 여성형. **~besteigung** *f.* 즉위. **~bewerber** *m.* 왕위 계승 후보자, 왕권을 넘보는 사람.

thronen [tróːnən] *i.* (h.) 왕좌〔권좌〕에 앉아 있다; 〔비유〕 통치〔군림〕하다: Gott thront im Himmel 하느님이 천국을 다스린다; das Schloß thront auf steiler Höhe 성(城)이 가파른 언덕 위에 우뚝 솟아 있다.

Thron·entsagung *f.* 양위(讓位), 퇴위. **~erbe** *m.* 왕위 계승자. **~erbin** *f.* ↑ ~erbe 의 여성형. **~erledigung** *f.* 공위(空位). **~folge** *f.* 왕위 계승: die ~ antreten 왕위를 계승하다. **~folger** *m.* 왕위 계승자. **~folgerin** *f.* ↑ ~folger 의 여성형. **~himmel** *m.* 옥좌의 천개(天蓋), 닫집. **~prätendent** *m.* 왕위 요구자, 왕위를 노리는 사람. **~raub** *m.* 왕위 찬탈. **~räuber** *m.* 왕위 찬탈자. **~rede** *f.* (의회에서) 군주의 개원 식사, 칙어(勅語). **~saal** *m.* 옥좌가 있는 방; 알현실. **~sessel** *m.* 왕좌, 옥좌. **~wechsel** *m.* 왕〔왕위〕의 교체.

thucydideisch [tutsydidéːɪʃ] *a.* 투키디데스(식(式))의.

Thucydides [tutsýːdidɛs] *m.* 투키디데스 (B.C. 400 년경의 그리스 역사가).

Thuja [túːja] 《gr. -lat.》 *f.* ..jen [..jən] 〖植〗 측백나무속(屬) (Lebensbaum).

Thule [túːlə] 〔고어〕 ① 툴레(북극에 있다는 전설의 섬): ultima ~ 세계의 끝. ② 툴레(덴마크인이 설치한 그린란드의 정착지).

Thulium [túːlium] 《<Thule》 *n.* -s 〖化〗 툴륨(희토류 원소; 기호: Tm).

Thun·fisch [túːn..] *m.* 〖動〗 다랑어, 참치.

Thüringen [týːrɪŋən] 튀링겐(중부 독일의 지방).

Thüringer 《Ⅰ》 *m.* -s, - ① 튀링겐 사람. ② 〖動〗 (덩치 크고 힘센) 말의 일종. 《Ⅱ》 *a.* 튀링겐의. 《Ⅲ》 *f.* 튀링겐 소시지.

Thüringerin *f.* -nen ↑ Thüringer 《Ⅰ》의 여성형.

thüringisch [..ŋɪʃ] *a.* 튀링겐(말)의.

Thusnelda [tusnɛ́lda] *f.* ① 투스넬다(여자 이름). ② **(a)** 〔속어〕 연인, 애인. **(b)** 〔농담·폄어〕 아가씨, 가시내.

THW [teːhaːvéː] = Technisches Hilfswerk 기술〔공학〕 편람.

Thymian [týːmiaːn] 《gr., „Räucherwerk"》 *m.* -s, -e ① 〖植〗 백리향(百里香). ② 백리향(으로 만든) 향신료.

Thymol [tymóːl] *n.* -s 〖化〗 티몰(방향제의 일종).

Thymus [týːmus] *m.* -, ..mi ↑ ~drüse.

Thymus·drüse [týːmus..] *f.* 〖해부〗 흉선(胸腺) (Brustdrüse).

thyreogen [tyreogéːn] 《gr.》 *a.* 〖醫〗 갑상선성(性)의.

Thyreoidea *f.* 〖해부〗 갑상선(甲狀腺).

Thyreoiditis [tyreoidíːtɪs] *f.* ..tiden [..tíːdən] 〖醫〗 갑상선염(炎).

Thyristor [tyrístɔr, ..toːr] *m.* -s, -en [..tóːrən] 〖전기〗 사이리스터(반도체의 전력용 소자).

Thyrsos [týrzɔs] 《gr.》 *m.* -, ..soi [..zɔʏ] 〖그리스신화〗 (담쟁이와 포도잎을 감은) 주신(酒神) 바커스의 지팡이.

Thyrsus [týrzus] *m.* -, ..si, **~stab** *m.* ↑ Thyrsos.

Ti [teːíː] 〖化〗 = Titan 티타늄.

Tiara [tiáːra] 《pers. -gr.》 *f.* ..ren ① 고대 페르시아왕의 모자. ② 〔고어〕 (로마 교황의) 3중 보관(寶冠), 교황관(冠).

Tiare *f.* -n ↑ Tiara.

Tiber [tíːbər] *m.* -(s) 테베레강(중부 이탈리아의 강).

Tibet[1] [tíːbɛt, tibéːt] ① 티베트. ② 티베트 고원.

Tibet[2] *m.* -(e)s, -e ① 모헤어(앙고라염소의 털) (Mohair). ② 일종의 능(綾)모직물.

Tibetaner [tibetáːnər] *m.* -s, - 티베트 사람.

tibetanisch *a.* 티베트(사람·말)의.

Tibeter [..ər] *m.* -s, - ↑ Tibetaner.

tibetisch [tibéːtɪʃ, tíːbɛt..] *a.* ↑ tibetanisch.

Tic [tɪk] 《frz.》 *m.* -s, -s 〖醫〗 (안면) 경련, 티크증(病).

tick [tɪk] *int.* 〔의성어〕 (ticktack) 째깍째깍, 똑딱똑딱.

Tick[1] *m.* -(e)s, -e ① (손끝으로) 가볍게 치기. ② (긁혀서 생긴) 결함, 흠집: das Kleid hat noch keinen ~ 이 옷은 아직 흠집 하나 없다, 말짱하다.

Tick[2] *n.* -s, -s (술래잡기 등에서) 쉬는 장소, 집.

Tick[3] 《frz. tic》 *m.* -(e)s, -s ① 독특〔기이〕한 버릇, 기벽(奇癖): sie hat den ~, mit Strümpfen ins Bett zu gehen 그녀는 스타킹을 신고 잠을 자는 묘한 버릇이 있다. ② 〔속어〕 원한 (Groll): auf jn. einen ~ haben 누구에게 원한을 품다. ③ ↑ Tic. ④ 〔구어〕 미세한 차이, 사소.

ticken [tíkən] 《Ⅰ》 *i.* (h.) 째깍째깍 소리를 내다: die Uhr tickt 시계가 째깍째깍 소리를 낸다; 〔비유〕 nicht richtig ~ 제정신이 아니다; 〔비유〕 allmählich tickt es bei ihm 그는 서서히 사태를 알아차리는 중이다. 《Ⅱ》 *t.* ① 손끝으로 가볍게 치다. ② 〔경박〕 알아채다, 이해하다: sie hat es sofort getickt 그녀는 그것을 금방 알아챘다.

Ticker *m.* -s, - ① (증권사의) 증권 시세 전광판. ② 텔레타이프.

***Ticket** [tíkət] 《engl.》 *n.* -s, -s ① (특히 비행기·배의) 탑승권. ② 입장권.

ticktack [tíktak] *int.* 〔의성어〕 (시계의) 째깍〔똑딱〕거리는 소리: ~ gehen (시계가) 째깍 소리를 내며 가다, (심장이) 두근거리다.

Ticktack 《Ⅰ》 *n.* -(e)s, -s (째깍거리는) 시계 소리; (두근거리는) 심장의 고동. 《Ⅱ》 *f.* -s 〔아동〕 시계.

ticktacken *i.* (h.) ↑ ticken 《Ⅰ》.

Tide [tíːdə] (ndd.) *f.* -n 〖海〗 ① (Zeit) 때, 시간; (Flut) 만조(滿潮), 밀물. ② 〔복수〕 조수(潮水) 때의; 간만(干滿) (Gezeiten).

Tide·hub *m.* (ndd.) 〖海·드물게〗 ↑ Tidenhub.

Tiden≈hafen *m.* (ndd.) 〖海〗 만조 때만 배가 드나들 수 있는 항구. **~hub** *m.* (ndd.) 〖海〗 조수(간만의) 차.

Tie-Break [táıbreık] 《engl.》 *m./n.* -s, -s 〖테니스〗 타이 브레이크(동점 결승전).

Tieck [ti:k] *m.* Ludwig ~ 티크(독일 낭만파 시인, 1773-1853).

***tief** [ti:f] *a.* ① (↔ seicht) 깊은, 깊숙한: (**a**) ~e Abgründe 심연(深淵); ein ~er Brunnen 깊은 우물; ~e Meere 심해(深海); ~e Schüssel 오목한 그릇; ~er Schnee 많이 쌓인 눈; der Fluß ist ~ 이 강은 깊다; ~ in die Tasche greifen müssen 돈을 많이 지급해야 하다; 〖구어〗 er hat ein bißchen zu ~ ins Glas geguckt〔geschaut, geblickt〕 그는 약간 과음했다; ~ in Schulden stecken 빚 때문에 꼼짝달싹못하다; die Pflanze ist ~ eingewurzelt 이 식물은 땅속 깊이 뿌리박고 있다; den Hut ~ in die Augen drücken 모자를 푹 눌러쓰다; das ~ gehende Schiff 물 속에 잠기는 부분이 깊은 배. (**b**) 〖척도를 나타내는 명사 뒤에〗 ein zehn Meter ~er Brunnen 10 미터 깊이의 우물; wie ~ ist das Wasser? 그 물의 깊이는 얼마나 되느냐?; es ist drei Meter ~ 깊이 3 미터입니다; der Schnee ist zwei Fuß ~ 눈의 깊이는 2 피트다. ② (**a**) (뒤쪽으로) 깊숙이 들어간: eine ~e Bühne 깊숙한 무대; wie ~ ist das Gebäude? 그 건물은 안 길이〔치수〕가 얼마나 되느냐?; das Grundstück ist ungemein ~ 이 토지는 세로가 대단히 길다; die Schlachtreihe war 16 Mann ~ 전열(戰列)은 종(縱)으로 16 명이었다. (**b**) (안쪽으로) 깊숙한, 깊은: eine ~e Wunde 깊은 상처; ~ liegende Augen 움푹 들어간 눈; im ~en Wald 〔~ in den Wald〕 숲속 깊이; ~ bis nach Indien vordringen 인도의 오지(奧地) 깊숙이 전진하다; ~ ins feindliche Land vorstoßen 적지 깊숙이 돌진하다; etwas geht bei jm. nicht ~ 무엇이 누구에게 특별한 인상을 주지 못하다; 〖구어〗 das läßt ~ blicken 그것은 의미심장하다; jn. ~ im Herzen treffen 누구의 심금을 울리다; aus ~ster Seele 진심〔충심〕으로; Leid geht ~ 슬픔이 골수에 사무친다; ein ~es Geheimnis 중대한 비밀; ~ in Gedanken versunken 깊은 생각에 잠긴. ③ 수렁의, 진창의: ~er Sumpf 깊은 수렁; ~e Wege 진창길; es ist draußen sehr ~ 바깥에는 (땅이) 몹시 질다. ④ (**a**) (신분이나 지위가) 낮은, 비천한: ~e Stellung 낮은 지위; sie hat ~ unter ihrem Stand geheiratet 그녀는 자신보다 신분이 훨씬 낮은 사람과 결혼했다. (**b**) (온도 등이) 낮은: ~e Temperatur 저온; das Thermometer steht ~ 수은주가 내려가 있다. (**c**) (높이가) 낮은: das Flugzeug fliegt ~ 비행기가 저공비행하다; ein Stockwerk ~er 한 층 아래; sich ~ beugen a) 몸을 낮게 굽히다, b) 깊이 머리 숙여 인사하다; eine ~e Verbeugung machen 깊이 머리 숙여 인사하다; 〖비유〗 das steht ~ 그것은 대단한 것이 아니다. ⑤ 〖시간적〗 깊은, 한창때의: ~e Nacht 깊은 밤; im ~en Winter 한겨울에; bis ~ in die Nacht hinein 한밤중〔밤늦게〕까지; im ~sten Mittelalter 중세의 절정기에; er ist ~ in den Fünfzigen 〔er ist ein ~er Fünfziger〕 그는 50 대 중반이다. ⑥ 강한, 강렬한, 심한: ein ~er Schmerz 심한 고통; ~e Trauer 깊은 슬픔; ~es Elend 극도의 곤궁; ~e Überzeugung 강한 확신; ~ atmen 심호흡하다; ~ seufzen 깊이 탄식하다; ~ erschrocken 〔gekränkt, beleidigt〕 sein 심하게 놀라다〔모욕을 당하다〕; ~ gerührt sein 깊이 감동하다; ~er Schlaf 깊은 잠, 숙면. ⑦ 심원한, 심오한; 오묘한: ~ veranlagt (누구의 성격·소질에) 깊이 뿌리내린; ~ nachdenken 깊이 사색하다; ~e Blicke 깊은 통찰; eine ~ere Bedeutung 심오한 의미; ein ~er Denker 심오한 사상가; die Sache hat einen ~eren Grund 그것에는 더욱 깊은 이유가 있다. ⑧ (**a**) 〖음악〗 (음이) 낮은: ~e Stimme 저음(低音); um eine Oktave ~er 한 옥타브 내려서; ein Instrument ~er stimmen 어떤 악기의 음정을 낮추다. (**b**) 〖음성〗 소리가 어두운: ein ~er Vokal 음성 모음. ⑨ (빛깔이) 짙은, 진한: ein ~es Rot〔Blau〕 암적색〔군청색〕; ~es Dunkel 칠흑 같은 어둠.

Tief *n.* -s, -s ① 〖海〗 깊은 곳, 심해(深海); 항로, 수로. ② 〖기상〗 저기압 지역. ③ 〖구어〗 의기소침, 우울. ④ 〖經〗 불황, 경기 침체. ⑤ 최악의 상태, 슬럼프: der Sportler ist 〔befindet sich〕 in einem ~ 그 선수는 슬럼프에 빠져 있다.

Tief≈aufschlag *m.* 〖테니스〗 언더핸드의 서브. **≈äugig** *a.* 눈이 움푹 들어간. **~ausläufer** *m.* 〖기상〗 기압골. **~bahn** *f.* 지하철. **~bau** *m.* ① (도로·터널·운하의) 지하 공사. ② 지하 공사 건축물. ③ 〖광산〗 (Tieftagebau) (**a**) 갱내 채굴. (**b**) 갱내 시설〔공사〕. **~bauamt** *n.* 건설국. **≈betrübt** *a.* 몹시 슬퍼하는. **≈bewegt** *a.* 깊이 감동한. **≈blau** *a.* 진한 청색의. **~blick** *m.* 〖비유〗 깊은 안목, 통찰력, 혜안(慧眼). **≈blickend** *a.* 통찰력이 있는, 혜안의. **≈|bohren** *i.* (h.) 〖광산〗 깊이 파다, 시추(試錐)하다. **~bohrung** *f.* 〖광산〗 심부 천공(深部穿孔), 시추. **~bunker** *m.* 지하 방공호. **~decker** *m.* 〖空〗 저익(低翼) 단엽기. **≈denkend** *a.* 생각이 깊은; 통찰력 있는. **~denker** *m.* 심오한 사상가. **≈dringend** *a.* 투철〔철저〕한. **~druck** *m.* ① 〖印〗 요판(凹版) 인쇄(물). ② 〖기상〗 저기압. **~druck·gebiet** *n.* 〖기상〗 저기압 지역: das ~ verlagert sich ostwärts 저기압대가 동쪽으로 옮겨가고 있다.

***Tiefe** [tí:fə] 《<tief》 *f.* -n ① (**a**) (밑으로의) 깊이; 〖海〗 흘수(吃水): die ~ des Wassers messen〔ausloten〕 물의 깊이를〔수심을〕 재다; der Fluß erreicht eine ~ von drei Metern 그 강은 깊이가 3 미터에 달한다; in die ~ fallen 〔sinken〕 깊숙한 곳으로 떨어지다〔가라앉다〕; 〖雅語〗 die Höhen und ~n des Lebens 인생의 기복〔희로애락〕. (**b**) (뒤쪽으로의) 안길이; 〖건축〗 안길이; 〖軍〗 열수(列數): die ~ des Schrankes 옷장의 안길이; die Aufstellung der Truppen in einer ~ von drei Mann 부대의 3 렬 종대 대형의 정렬; das Gebäude hat eine ~ von zehn Meter 이 건물의 안길이는 10 미터다. (**c**) (안쪽으로의) 깊이: die ~ der Wunde 상처의 깊이; in die ~ des Waldes vordringen 숲속 깊이 밀고 들어가다; 〖雅語〗 in den ~n 〔in der ~〕 des Herzens 마음속 깊이; aus der ~ des Herzens 진심으로. ② (감정·고통 따위의) 강도, 심도: die ~ eines

Gefühls 감정의 깊이. ③ 정신적 깊이, 심오: Gedanken von großer ~ 대단히 심오한 사상; ohne ~ 깊이가 없는, 천박한; die ~ der Auffassung〔Betrachtung〕 이해〔관찰〕의 깊이. ④ (목소리 따위의) 저음. ⑤ (빛깔의) 짙기, 짙은 정도.

Tief≈ebene *f.* 저지(低地), (낮은) 평지. **∼-empfunden** *a.* 진심어린, 마음에서 우러나오는.

tiefen [tí:fən] *t./i.* (h.) ① 깊게 하다; 깊어지다. ②〖海〗(측연(測鉛)으로) 수심을 재다. ③〔고어〕파 내려가다.

Tiefen≈bestrahlung *f.*〖醫〗↑ ~therapie. **~gestein** *n.*〖지질〗심성암(深成岩). **~-interview** *n.*〖心〗심층 면담. **~linie** *f.* ① (지도의) 등심선(等深線). ② 수직선. **~messer** *m.* 측심기(測深器). **~messung** *f.* 심도 측정, 측심. **~palpation** *f.*〖醫〗심부 촉진(深部觸診). **~psychologie** *f.* 심층 심리학. **~rausch** *m.*〖병리〗(40 m 이하 잠수 때 발생하는) 심해 환각증. **~schärfe** *f.*〖사진〗피사계〔초점〕심도. **~schmerz** *m.* 심부 진통(疹痛). **~steuer** *n.*〖空〗하강 조종간. **~-struktur** *f.*〖언어·전문〗심층 구조. **~-therapie** *f.*〖醫〗(방사선을 이용한) 심층 요법. **~wirkung** *f.* ① 심부(深部) 효과: eine Salbe mit ~ 피부 깊숙이 작용하는 연고. ② (화면·무대 등의) 입체 효과.

tief≈ernst [tí:f|ɛrnst] *a.* 매우 진지한, 지극히 엄숙한. **~erschüttert** *a.* 심한 충격을 받은. **∼flieger** *m.* 저공 비행기. **∼flieger·angriff** *m.* 저공 공습. **∼flug** *m.* 저공 비행. **∼gang** *m.* ①〖海〗흘수(吃水): ein Schiff von 8 Meter ~ 흘수 8미터의 배. ②〔비유〕정신적 깊이: ein Buch ohne ~ 사상적 깊이가 없는 책. **∼garage** [..gara:ʒə] *f.* 지하 차고. **~gebeugt** *a.*〔雅語〕의기소침한, 풀죽은. **~|gefrieren** *t.* (h.) 냉동하다. **~gefühlt** *a.*〔雅語〕↑ ~empfunden. **~gehend** *a.* ① **(a)** (상처가) 깊은; (고통이) 심한. **(b)**〖海〗흘수가 깊은. ② 깊이 있는, 심오한: eine ~e Aussprache 의미심장한 발언. **~gekühlt** *a.* (급속) 냉동한. **~greifend** *a.* 근본적인, 철저한: ~e Maßnahmen 근본적인 조처. **~grün** *a.* 진한 녹색의. **~gründig** *a.* ① (생각이) 깊이 있는; 철저한: ein ~es Gespräch 깊이 있는 대화. ②〖지질〗심층의. ③〖農〗바닥이 깊은, (농작물의) 뿌리가 깊이 내릴 수 있는. **∼hammer** *m.*〖기계〗모양을 도드라지게 하는 망치. **~|kühlen** *t.* (h.) ↑ ~gefrieren.

Tiefkühl≈fach *n.* (냉장고의) 냉동칸. **~-kost** *f.* 냉동 식품. **~schrank** *m.* 냉동고.

Tief≈kühlung *f.* 냉동. **~kultur** *f.*〖農〗깊이갈이, 심경(深耕). **~lade·linie** *f.*〖海〗만재(滿載) 흘수선. **~lader** *m.*〖철도〗긴 물건을 싣는 화차. **~land** *n.*〖지리〗(해발 200 m 이하의) 저지(低地). **~land·bucht** *f.*〖지리〗만입상(灣入狀) 지형. **∼liegend** *a.* 낮은, 깊은 곳의; (눈이) 움푹 들어간. **~lot** *n.* 심해용 측연(測鉛). **~messer** *m.* ↑ Tiefenmesser. **~punkt** *m.* 최하점; 바닥세, 최악의 상태: die Depression hat ihren ~ erreicht 불황(不況)은 최악의 상태에 이르렀다. **∼rot** *a.* 진한 적색의, 심홍(深紅)의. **~schlaf** *m.* 깊은 잠, 숙면. **~schlag** *m.* ①〖복싱〗(반칙의 하나로) 벨트라인 아래 치기. ②〔비유〕반칙, 비열한 짓. **∼schürfend** *a.* 남김없는, 철저한; 심오한. **∼schwarz** *a.* 매우 검은, 새까만. **~see** *f.*〖지리〗(깊이 800 m 이상의) 심해.

Tiefsee≈forschung *f.* 심해 탐구. **~kabel** *n.* 해저 케이블. **~reich** *n.* (심해어가 사는) 해역.

Tief≈sinn *m.* ① 깊은 뜻, 심원, 오묘. ② 명상, 몽상; 사려 깊음; 통찰력, 명민. ③〖드물게〗우울, 침울: in ~ verfallen 침울해지다, 우수에 젖다. **∼sinnig** *a.* ① 뜻깊은, 심원한. ② 생각에 잠기는, 명상〔몽상〕의. ③〖드물게〗우울〔침울〕한. **~sinnigkeit** *f.* ↑ Tiefsinn.

Tiefst [ti:fst] *n.* -es, -e 최저〔최하〕수준, 바닥 상태.

Tief≈stand *m.* 바닥 상태, 저조; 하위, 열등;〔비유〕침체, 불황; 퇴폐: Zeiten wirtschaftlichen ~es 경제적 불황기; großer ~ der Sittlichkeit 도덕의 극심한 퇴폐; der Fluß erreichte seinen ~ Mitte Juli 이 강은 7월 중순에 최저 수위에 달했다. **~stapelei** *f.* ① 자기 비하. ② 자기 비하적 말이나 행동. **~-stapler** *m.* (종종 농담으로) 스스로를 비하하는 사람(↔ Hochstapler). **~start** *m.*〖육상〗크라우칭 스타트. **∼stehend** *a.* 낮은, 저지(低地)의;〔비유〕저급한, 비천한, 열등한. **~stimme** *f.* 낮은 목소리, 저음. **∼stimmig** *a.* 저음〔낮은 목소리〕의.

Tiefst≈kurs *m.*〖증권〗최저 시세, 바닥세. **~preis** *m.* 최저가.

Tief·strahler *m.* (거리·경기장 따위의) 투광(投光) 조명기.

Tiefst≈temperatur *f.* 최저 기온. **~wert** *m.* (온도 따위의) 최저 측정치.

tief≈|tauchen *i.* (h.) (10 m 이상) 깊이 잠수하다. **∼ton** *m.*〖음성〗(↔ Hochton) 저음, 제 2 강세. **~tönend** *a.* 저음의. **~tonig** *a.*〖음성〗제 2 강세의. **~traurig** *a.* 매우 슬픈. **~verschneit** *a.* 눈〔폭설〕에 파묻힌〔뒤덮힌〕. **~|ziehen*** *t.*〖工〗(프레스 가공으로) (함석을) 골이 지게 하다.

Tiegel [tí:gəl] 《gr. -lat.》 *m.* -s, - ① (ostmd.) 프라이 팬. ②〖化·工〗도가니. ③〖印〗(롤러식 인쇄기의) 롤러.

Tiegel≈druck *m.*〖印〗롤러식 인쇄. **~-(druck)presse** *f.*〖印〗평압식(平壓式) 인쇄기. **~guß** *m.* 도가니 용해. **~ofen** *m.*〖제련〗용광로. **~zange** *f.* 도가니 집게.

Tiek≈baum [tí:k..] *m.*〖植〗티크 나무. **~-holz** *n.* 티크재(材).

Tiene [tí:nə] 《lat. Lw.》 *f.* -n (ndd.) 작은 통, 들통.

***Tier** [ti:*r*] *n.* -(e)s, -e ① **(a)**〖動〗동물, 짐승: ein wildes ~ 들짐승; ~e dressieren〔züchten〕동물을 조련하다〔사육하다〕; wie ein ~ schreien 짐승처럼 울부짖다. **(b)**〔비유〕짐승 같은 인간: er ist ein (richtiges) ~ 그는 짐승이나 다름없다; zum ~ herabsinken 짐승으로 전락하다, 이성을 잃다. **(c)**〔구어〕사람: ein großes〔hohes〕~ 거물, 유력 인사, 세력가, 명망가;〔경박〕ein gutes ~ 순진한 놈. ②〖사냥〗암사슴; (schweiz.) 영양(羚羊).

Tier≈anbeter *m.* 동물 숭배자. **~anbetung** *f.* 동물 숭배. **~art** *f.*〖動〗동물의 종(種).

Tierarznei≈kunde, ~kunst *f.* 수의학. **~schule** *f.* 수의 학교.

Tier≈arzt *m.* 수의사. **~ärztin** *f.* ↑ ~arzt

의 여성형. ∼ärztlich *a.* 수의사〔학〕의. **∼asyl** *n.* ↑ ∼heim. **∼bändiger** *m.* (동물) 조련사. **∼beschreibung** *f.* 동물 관찰기, 동물학. **∼buch** *n.* 동물 이야기책. **∼bude** *f.* (흥행용의) 동물 우리, 소(小)동물원.

Tierchen [tíːrçən] *n.* -s, - 〖↑ Tier 의 축소형〗 작은〔귀여운〕 동물; 미물, 하찮은 존재: 〖속담〗 jedem ∼ sein Pläsierchen! 하찮은 미물에게도 즐거움은 있는 법!

Tier≈dienst *m.* ↑ ∼anbetung. **∼epos** *n.* 동물 서사시. **∼fabel** *f.* 동물 우화. **∼fänger** *m.* 동물 포획업자. **∼freund** *m.* 동물 애호가. **∼garten** *m.* ① 동물원. ②〖사냥〗 사냥터. **∼gärtner** *m.* 동물원 관리자〔사육자〕. **∼gefecht** *n.* 동물 싸움. **∼gemälde** *n.* 동물화(畫). **∼geschichte** *f.* 동물 이야기; 동물사(史). **∼gestalt** *f.* 동물 형상. **∼halter** *m.* 동물 사육자. **∼hälterin** *f.* ↑ ∼halter 의 여성형. **∼haltung** *f.* 동물 사육. **∼handlung** *f.* 동물 거래. **∼haus** *n.* 동물 전시관. **∼heil·kunde** *f.* ↑ ∼medizin. **∼heim** *n.* 축사(畜舍), 동물 수용 시설.

Tierheit *f.* -en 동물성, 수성(獸性); 〖비유〗 야비, 잔인.

***tierisch** [tíːrɪʃ] *a.* ① **(a)** 동물의, 짐승의. **(b)** 동물성의: ∼e Fette 동물성 지방. ② 동물적인, 짐승 같은; 야비한, 잔인한: ∼e Gelüste 야수적 욕망; 〖구어〗 ∼er Ernst 지나치게 진지함, 고지식함. ③〖청소년〗 굉장한, 지독한: hier ist es ∼ heiß 이곳은 몹시 덥다.

Tier≈kenner *m.* 동물학자. **∼kohle** *f.* 〖醫〗 (활성탄의 일종인) 수탄(獸炭). **∼körperbeseitigungs·anstalt** *f.* 동물 사체 처리 시설. **∼kreis** *m.* 〖天·점성술〗 수대(獸帶), 12 궁(宮).

Tierkreis≈licht *n.* 〖天〗 황도광(黃道光) (Zodiakallicht). **∼zeichen** *n.* 〖天·점성술〗 수대 기호.

Tier≈kult *m.* 〖宗〗 동물 숭배. **∼kultus** *m.* ↑ ∼kult. **∼kunde** *f.* 동물학. **∼kundige*** *der/die* 동물학자. **∼leben** *n.* 동물의 생활. ∼lieb *a.* 동물을 좋아하는. **∼liebe** *f.* 동물 애호. ∼liebend *a.* ↑ ∼lieb. **∼maler** *m.* 동물 화가. **∼medizin** *f.* 수의학. **∼natur** *f.* 동물성, 수성(獸性). **∼park** *m.* ↑ ∼garten. **∼pflanze** *f.* 해저 고착 동물(산호·해면 따위). **∼pfleger** *m.* 동물 사육사. **∼pflegerin** *f.* ↑ pfleger 의 여성형. **∼psychologie** *f.* 동물 심리학. **∼quäler** *m.* 동물 학대자. **∼quälerei** [tiːr..rέɪ] *f.* 동물 학대. **∼reich** *n.* ① 동물계. ② 특정 동물군(群)의 활동 영역. ∼reich *a.* 동물이 많은. **∼sage** *f.* 동물 설화. **∼schau** *f.* 동물 전시회. **∼schutz** *m.* 동물 보호. **∼schützer** *m.* 동물 보호가. **∼schutzverein** *m.* 동물 보호 협회. **∼zucht** *f.* (특히 애완) 동물 사육. **∼züchter** *m.* (애완) 동물 사육업자.

Tiers-état [tjɛːrzetá] 《frz., „dritter Stand"》 *m.* - 〖史〗 (특히 혁명 전 프랑스의) 제 3 신분, 시민 계급, 평민층.

Tier≈stück *n.* 〖畫〗 동물화. **∼versteinerung** *f.* 동물 화석. **∼versuch** *m.* 〖醫〗 동물 실험. **∼welt** *f.* 동물계. **∼wesen** *n.* 동물; 동물성.

tifteln [tíftəln] *i.* (h.)/*t.* (tüfteln) 꼼꼼히 처리하다, 신경쓰다.

***Tiger** [tíːgər] 《lat. tigris》 *m.* -s, - ① 범, 호랑이. ② (색소 결핍으로 피부나 털에) 얼룩무늬가 생긴 말.

tieger≈artig *a.* 호랑이 같은; 〖비유〗 사나운, 포악한. ∼auge *n.* 〖광물〗 호안석(虎眼石). ∼decke *f.* 〖고어〗 *n.* ↑ ∼fell. ∼fell *n.* 호랑이 가죽, 호피(虎皮). **∼fleckig** *a.* 호랑이 무늬가 있는. ∼hai *m.* 〖動〗 뱀상어. ∼herz *n.* ① 호랑이 심장; 〖비유〗 포악한 기질, 용맹. ② 〖醫〗 호반심(虎斑心). ∼hund *m.* 호랑이 무늬가 있는 개.

Tigerin *f.* -nen ↑ Tiger 의 여성형.

Tiger≈jagd *f.* 호랑이 사냥. **∼katze** *f.* 〖動〗 (라틴 아메리카산(產)의) 호랑이 무늬의 얼룩고양이; 살쾡이. **∼lilie** *f.* 〖植〗 참나리.

tigern [tíːgərn] 《Ⅰ》 *t.* 호랑이 무늬를 (짜)넣다: ein getigertes Fell 호랑이 무늬가 있는 모피. 《Ⅱ》 *i.* (s.) 〖구어〗 걸어가다, 달리다. 《Ⅲ》 **getigert** *p.a.* ↑ getigert.

Tiger≈pferd *n.* 〖드물게〗 얼룩말. **∼schlange** *f.* 〖動〗 비단뱀. **∼schnecke** *f.* 〖動〗 자패(紫貝). **∼wolf** *m.* 〖動〗 하이에나.

Tigris [tíːgrɪs] *m.* 티그리스강.

Tilbury [tɪ́lbəri] 《engl.》 *m.* -s, -s 개폐식 지붕이 있는 2 륜 경(輕)마차, 틸버리.

Tilde [tɪ́ldə] 《lat. -sp.》 *f.* -n ① (에스파냐어에서) n 의 위에 붙이는 발음 부호(ñ). ② (사전 등의) 반복 기호(∼).

tilgbar [tɪ́lkbaːr] *a.* 지울〔삭제할〕 수 있는; 〖法〗 상환〔변제〕할 수 있는.

Tilgbarkeit *f.* 삭제〔변제〕 가능성.

***tilgen** [tɪ́lgən] 《lat.》 *t.* ① **(a)** 〖雅語〗 지우다, 삭제하다: ein Wort aus dem Text ∼ 텍스트에서 어떤 단어를 삭제하다; et. aus seinem Gedächtnis ∼ 무엇을 기억에서 지우다. **(b)** (해충 등을) 박멸하다. ②〖法〗 상환〔변제〕하다. ③〖法〗 (전과 기록을) 삭제〔말소〕하다.

Tilger *m.* -s, - ① 제거〔박멸〕하는 사람. ② 상환〔변제〕자.

Tilgung *f.* -en ①〖雅語〗 말소, 삭제; 근절, 박멸. ②〖法〗 상환, 변제; (전과 기록의) 말소.

Tilgungs≈anleihe *f.* 〖經〗 분할 상각 공채. **∼fonds** *m.* 상환 자금; 감채(減債) 기금. **∼kapital** *n.* 〖經〗 분할 상각 공채의 매각 대금. **∼kasse** *f.* ↑ ∼fonds. **∼rate** *f.* 상환금〔율〕. **∼schein** *m.* 상환 증서. **∼summe** *f.* 상환금 총액. **∼zeichen** *n.* 〖印〗 삭제 기호.

Till Eulenspiegel [tɪl ɔ́ʏlənʃpiːgəl] *m.* 틸 오일렌슈피겔(중세 독일의 유명한 어릿광대 이름); 익살꾼.

Tilsit [tɪ́lzɪt] 틸지트(1946 년까지의 소베츠크의 이름).

Tilsiter 《Ⅰ》 *m.* -s, - ① 틸지트산(產) 치즈. ② 틸지트 시민. 《Ⅱ》 *a.* 틸지트의: ∼ Käse 틸지트산 치즈.

Timber [tɪ́mbər] 《frz.》 *m.* -s, -, **Timbre** [tɛ̃ːbr] *n.* -s, -s [..brəs] ①〖음악〗 음색(音色), 음질. ② 스탬프.

timbriert [tɛ̃bríːrt] *a.* 특정한 음색을 가진.

timen [táɪmən] 《engl.》 *t.* (h.) ① (걸린) 시간을 재다. ② (무엇의) 시기를 정하다〔잡다〕; 〖스포츠〗 시기를 포착하다: eine gut getimte Flanke 적시(適時)의 센터링.

Times [taɪms, ..mz] 《engl.》 *f.* 타임스(영국의 신문 이름).

Timesharing 新정서 ⇦ Time-sharing.

Time-sharing [táımʃɛərıŋ] 《engl.》 *n.* 〖컴〗 시분할(時分割).
timid [timí:t] 《frz.》 *a.* 〘구식〙 겁많은, 소심한.
timide [timí:də] *a.* ↑ timid.
Timidität [timiditɛ́:t] *f.* -en 겁많음, 소심.
Timing [táımıŋ] 《engl.》 *n.* -s, -s 적당한 시간을〔시기를〕 정하기, 타이밍.
Timokratie [timokratí:] 《gr.》 *f.* -n [..tí:ən] ① 금권 정치. ② 금권 정치 국가〔체제〕.
timokratisch *a.* 금권 정치의.
timonisch *a.* 〘교양·고어〙 인간 혐오의, 사람을 싫어하는(B.C. 5 세기경 아테네의 기인(奇人) Timon 의 이름에서).
Timothee·gras [timoté:.., tímote..] *n.* ↑ Timotheusgras.
Timotheus·gras [timó:teus..] *n.* 〖植〗 큰조아재비(목초의 일종).
Timpano *m.* -s, ..ni 〖악기〗 팀파니.
tingeln [tíŋəln] *i.* 〘구어〙 ① (h.) (싸구려 유흥 업소의) 쇼프로에 출연하다. ② (s.) 쇼프로를 위해 (여러 유흥업소를) 전전하다.
Tingeltangel [tíŋəltaŋəl] *m.*/(öster.) *n.* -s, - 〘구어·폄어〙 ① 싸구려 술집〔카바레〕. ② 싸구려 쇼. ③ 저속한 음악.
tingieren [tıŋgí:rən] 《lat.》 *t.* 〖化〗 적시다, 염색하다: tingierte Münze 얇게 은도금한 화폐.
Tinktion [tıŋktsió:n] *f.* -en 〖化〗 염색.
Tinktur [tıŋktú:*r*] *f.* -en ① 염색, 색조. ② 〖醫〗 정기(丁幾), 팅크(제(劑)).
Tinnef *m.* -s 〘구어·폄어〙 ① 싸구려, 잡동사니. ② 허튼소리, 난센스.
***Tinte** [tíntə] *f.* -n ① (**a**) 잉크, 먹물: mit ~ schreiben 잉크로 쓰다. (**b**) 〘비유〙 klar wie dicke ~ sein 명백하다; in die ~ bringen 〔führen〕 난처하게 하다; in die ~ kommen 〔geraten〕 난처하게 되다; in der ~ sitzen 〔sein〕 난처한 상황에 처하다; 〘구어〙 er hat ~ gesoffen 그는 제정신이 아니다. ② 〖畫〗 색조, 농담(濃淡).
Tinten≠faß *n.* 잉크병, 먹물통. **~faß·feder** *f.* 만년필. **~fisch** *m.* 〖動〗 오징어. **~flasche** *f.* 잉크병. **~fleck** *m.* 잉크 얼룩〔자국〕. **~klecks** *m.* ↑ ~fleck. **~kleckser** *m.* 〘구어〙 삼류 작가. **~kuli** *m.* 수성(水性) 볼펜. **~löscher** *m.* ① 〘드물게〙 압지(押紙), 잉크 흡수기. ② 수정펜. **~pilz** *m.* 〖植〗 먹물버섯의 일종. **~pulver** *n.* 가루 잉크. **~stecher** *m.* 뿔로 된 잉크병. **~stein** *m.* 잉크 스탠드; 벼루. **~stift** *m.* 색연필. **~strahl·drucker** *m.* 잉크 분사 방식의 프린터, 잉크젯. **~wein** *m.* 에스파냐산(産) 적포도주. **~wischer** *m.* 〘고어〙 펜촉 닦개.
tintig *a.* 잉크의, 잉크 같은; 잉크투성이의: ein ~es Blau 짙은 푸른색, 감청색.
Tintling [tíntlıŋ] *m.* 〖植〗 ↑ Tintenpilz.
Tinto·wein *m.* ↑ Tintenwein.
***Tip** [tıp] 《engl.》 *m.* -s, -s ① (**a**) 〘구어〙 암시, 힌트, 조언, 충고: ~s für den Verbraucher 소비자를 위한 조언; jm. einen ~ geben 누구에게 조언하다, 힌트를 주다. (**b**) 투자 힌트〔조언〕(Börsentip). ② (**a**) (경마·복권 따위의) 예상, 기대치. (**b**) 복권, 마권.
Tipi *n.* -s, -s 북아메리카 평원 지역 인디언의 천막집, 티피.
tipp [tıp] *int.* 〘의성어〙 ~ tapp! 톡톡, 툭툭! (가볍게 치는 소리).
Tipp[1] *m.* 〘드물게〙 -e ① (손가락 끝으로) 톡톡 치기, 가볍게 두드리기. ② 점(點).
Tipp[2] *m.* -s, -s ↑ Tip.
Tippel [típəl] *m.* -s, - (ndd.) 작은 점 (Tüpfel); 첨단(Spitze).
Tippel·bruder 《<tippeln》 *m.* ① 〘구어〙 부랑자, 떠돌이. ② 〘구식〙 떠돌이 수공업자.
Tippelchen *n.* -s, - 〘↑ Tippel 의 축소형〙 작은 점: bis aufs ~ 미세한 점까지, 샅샅이.
Tippelei [tıpəlái] *f.* 〘구어〙 배회; 종종걸음으로 걷기.
tippelig *a.* 〘방언〙 쩨쩨한, 옹졸한.
tippeln [típəln] 《I》 *t.* …에 점을 찍다. 《II》 *i.* (s.) 배회하다; 종종걸음으로 걷다.
Tippel·schickse *f.* 〘은어〙 떠돌이 여자.
tippen[1] [típən] 《<tupfen》 *t./i.* (h.) 〘구어〙 (ndd, md.) ① (손가락이나 발가락으로) 가볍게 치다, 톡톡 건드리다: jm. auf die Schulter ~ 누구의 어깨를 가볍게 치다. ② 〘비유〙 무엇에 관해 조심스럽게 언급하다〔다루다〕: an dieses Thema sollte man nicht ~ 이 주제는 건드리지 않는 것이 좋다; daran ist nicht zu ~ 그것에 대해서는 이론의 여지가 없다.
tippen[2] *t./i.* (h.) 〘구어〙 타자기로 치다, 타이핑하다: einen Brief ~ 편지를 타자기로 치다.
tippen[3] 《<Tip》 *t./i.* (h.) ① 〘구어〙 추측〔예상〕하다: auf js. Sieg ~ 누구의 승리를 점치다; auf jn. als Mörder ~ 누구를 살인자로 추정하다. ② 〘구어〙 (예상 숫자를 기입한) 복권〔경마〕 용지를 내놓다, (내기를) 걸다: auf ein Pferd ~ 어느 말에 내기를 걸다.
Tippen [típən] 《<tippen[1]》 *n.* -s 3 장으로 하는 카드놀이의 일종.
Tipp≠fehler *m.* 오타(誤打), 오자(誤字). **~fräulein** *n.* 〘구어·폄어〙 여자 타자수.
Tipp·gemeinschaft *f.* 복권내기를 함께 하는 사람들.
Tippler [típlə*r*] 《<tippeln》 *m.* -s, - 〘은어〙 부랑자, 뜨내기; 거지.
tipplig *a.* 〘방언〙 ↑ tippelig.
Tipp·schein *m.* 복권; 마권(馬券).
Tippse [típsə] 《<tippen[2]》 *f.* -n 〘구어·폄어〙 여자 타자수(Tippfräulein).
tipptopp, tiptop [tıptɔ́p] 《engl.》 *a.* 〘구어〙 나무랄 데 없는, 최고의.
Tirade [tirá:də] 《it.-frz.》 *f.* -n ① 〘교양·폄어〙 수다, 요설, 장광설. ② 〖음악〗 바로크 시대의 꾸밈음. ③ 〖연극〗 긴 대사.
Tirailleur [tira(l)jǿ:*r*] 《frz.》 *m.* -s, -e 〖軍·고어〗 (전투 대형에서 벗어나 싸우는) 산병(散兵).
tiraillieren [tira(l)jí:rən] *i.* (h.) 〖軍·고어〗 산개(散開)하다; (전투 대형을 벗어나) 흩어져 싸우다.
Tiraß [tí:ras] *m.* ..rasses, ..rasse 〖사냥〗 새그물.
tirassieren [tirasí:rən] *t.* (h.) 〖사냥〗 (새를) 그물로 잡다.
tirili [tirilí:] *int.* 〘의성어〙 짹짹(새, 특히 종달새가 지저귀는 소리).
Tirili *n.* -s 새〔종달새〕의 지저귐.
tirilieren [tirilí:rən] *i.* (h.) (새가) 지저귀다.
Tirol [tiró:l] 티롤(오스트리아의 주(州)).
Tiroler 《I》 *m.* -s, - 티롤 사람. 《II》 *a.* 티롤의.

Tirolerin *f.* -nen ↑ Tiroler 의 여성형.
tirolerisch *a.* 티롤(사람·풍)의.
Tirolienne [..liɛn] *f.* -n 티롤의 민속 무용(4분의 3 박자의 느린 민속춤).
tirolisch *a.* (öst.) ↑ tirolerisch.
tironianisch [tironiá:nɪʃ] *a.* ↑ tironisch.
tironisch *a.* ∼e Noten 고대 로마의 속기술(M.T. Cicero 의 해방 노예 Tiro 의 이름에서).
Tisane 《gr.》 *f.* -n 〖醫〗 탕약, 끓인 보약.
***Tisch** [tɪʃ] 《lat. discus》 *m.* -es, -e ① 테이블, 탁자, 책상, 식탁: am ∼ 〔um einen ∼〕 sitzen 책상〔식탁〕에 앉아〔둘러앉아〕 있다; den ∼ decken〔abdecken, abräumen〕 식탁을 차리다〔치우다〕; vom ∼ aufstehen (식사를 끝내고) 식탁에서 일어서다; 〖구어〗 jn. unter den ∼ trinken 누구를 고주망태로 만들다, 술로 상대를 꺾다; et. auf den ∼ bringen 무엇을 논의에 부치다; das Thema muß auf dem ∼ bleiben 그 주제는 계속 논의되어야 한다; 〖雅語〗 et. auf den ∼ des Hauses legen 무엇을 정식으로 제출〔제안〕하다; 〖구어〗 et. unter den ∼ fallen lassen 무엇을 무시하다; etwas fällt unter den ∼ 무엇이 무시되다; 〖구어〗 vom ∼ sein 해결되다, 처리되다; reinen ∼ machen 현안 문제를 일괄 처리하다; zwei Parteien an einen ∼ bringen 양당을 협상 테이블로 끌어들이다; sich mit jm. an einen ∼ setzen 누구와 협상〔교섭〕에 임하다; 〖구어〗 bar auf den ∼ zahlen 현금으로 지급하다; 〖구어〗 et. unter den ∼ 〔Teppich〕 kehren 무엇을 얼버무리다, 어떤 문제를 은폐하다; et. vom ∼ fegen〔abtun〕 무엇을 중요하지 않은 것으로 치부하다; 〖雅語〗 zum ∼ des Herrn gehen 성찬식에 참여하다; grüner ∼ 관청의 회의실; et. am grünen ∼ 〔vom grünen ∼ aus〕 entscheiden 무엇을 탁상공론으로 결정하다. ② 〖무관사로〗 식사: jn. zu ∼ bitten 〔laden〕 누구를 식사에 초대하다; vor〔nach, bei〕 ∼ 식사 전〔후, 중〕에; zu ∼ gehen 식사하러 가다; bitte, zu ∼! 자, 식사하십시오!; freien ∼ bei jm. haben 누구에게 빌붙어 살다; von ∼ und Bett getrennt sein (부부가) 별거 중이다. ③ (같은 테이블에 앉아 있는) 좌중: unser ∼ hat gewonnen (퀴즈·오락에서) 우리 테이블 사람들이 이겼다. ④ 〖工〗 (기계·설비 등의) 평면, 판(板), 대(臺): Meß∼ 계측〔측정〕판.
Tisch≈apparat *m.* ↑ ∼telefon. **∼aufsatz** *m.* 식탁의 장식 쟁반; 양념 그릇, 과자 그릇. **∼bein** *n.* 책상다리. **∼besen** *m.* 식탁용 브러시. **∼besteck** *n.* 한 벌의 식사 도구. **∼blatt** *n.* 책상판. **∼butter** *f.* 식탁용 버터.
Tischchen [tíʃçən] *n.* -s, - 〖↑ Tisch 의 축소형〗 작은 책상, 소형 식탁.
Tisch≈dame *f.* 연회석상의 여성 파트너. **∼decke** *f.* 식탁〔탁상〕보; 책상보.
tischen *i.* (h.) 〖고어〗 ① **(a)** 식사를 준비하다, 음식을 차리다. **(b)** jm. ∼ 누구에게 식사를 대접하다. ② 좋은 음식을 먹고 마시다.
Tisch≈fern·sprecher *m.* ↑ telefon. **∼fertig** *a.* 식탁에 올릴 준비가 된: ein Essen ∼ liefern 요리된 음식을 배달하다. **∼fuß·ball·spiel** *n.* (오락용의) 테이블 축구 게임. **∼gänger** *m.* 하숙인. **∼gast** *m.* 식사에 초대된 손님. **∼gebet** *n.* 식사 기도. **∼geld** *n.* 식비. **∼genoß, ∼genosse** *m.* 〖구식〗 한솥밥 먹는 친구; 동숙인(同宿人). **∼gerät, ∼geschirr** *n.* 식사 도구, 식기. **∼gesellschaft** *f.* ① 만찬, 오찬. ② 만찬〔오찬〕에 모인 사람들. **∼gespräch** *n.* 식사 중의 대화. **∼gestell** *n.* 책상다리. **∼glocke** *f.* ① 식탁용〔탁상용〕 초인종. ② 식사를 알리는 종. **∼grill** *m.* 식탁용 불고기판. **∼herr** *m.* (식탁에서) 바로 옆 좌석의 남자. **∼kante** *f.* 테이블〔식탁〕의 모서리. **∼karte** *f.* ① 식탁의 좌석 표시 명찰. ② 식단, 메뉴. **∼kasten** *m.* 책상 서랍. **∼klappe** *f.* 책상 뚜껑. **∼klopfen** *n.* 〖심령〗 염력(念力)으로 책상이 덜거덕거리기. **∼lade** *f.* ↑ ∼kasten. **∼lampe** *f.* 탁상용 스탠드. **∼läufer** *m.* 식탁 중앙에 까는 좁고 긴 장식용 식탁보.
Tischlein *n.* -s, - 〖↑ Tisch 의 축소형〗 ↑ Tischchen.
Tischlein·deck·dich [tɪʃlaɪndɛ́kdɪç] *n.* - 호의호식할 수 있게 해주는 것(주문을 외우면 음식이 차려진다는 그림 동화의 마술 식탁에서 유래).
***Tischler** [tíʃlər] *m.* -s, - ① 목수, 소목장이, 가구공. ② (3 년의 교육 과정으로 양성되는) 목공 실습 교사.
Tischler·arbeit *f.* 소목(小木)일, 소목업.
Tischlerin *f.* -nen ↑ Tischler 의 여성형.
Tischler·bank *f.* 〖복수: ..bänke〗 소목장이의 작업대.
Tischlerei [tɪʃlərái] *f.* -en ① 〖복수없음〗 목공일, 목공예. ② 목공소, 목공예 공방.
Tischler≈handwerk *n.* 소목장이의 일. **∼leim** *m.* 가구용 아교. **∼meister** *m.* 장인(匠人) 목수.
tischlern [tíʃlərn] 《I》 *i.* (h.) (특히 취미로) 목공일을 하다. 《II》 *t.* (취미삼아) 가구를 만들다: die Regale ∼ 취미삼아 책꽂이를 만들다.
Tischler≈werkstatt *f.* 목공소, 가구 공장. **∼werkzeug** *n.* 목공 연장.
Tisch≈manieren *pl.* 식사 예절, 테이블 매너. **∼messer** *n.* (식탁용) 나이프. **∼nachbar** *m.* 식탁에서 옆자리에 앉은 사람. **∼ofen** *m.* 탁상용 오븐. **∼ordnung** *f.* (초대 손님을 위한) 식탁의 좌석 배치. **∼platte** *f.* ↑ ∼blatt. **∼rand** *m.* 테이블〔식탁〕의 가장자리. **∼rechner** *m.* (탁상용의) 소형 전산기〔계산기〕. **∼rede** *f.* ① 〖구식〗 식사 중의 대화. ② 만찬 중의 연설. **∼rücken** *n.* 〖심령〗 염력(念力)으로 책상이 움직임. **∼telefon** *n.* 탁상 전화(기). **∼tennis** *n.* 탁구.
Tischtennis≈ball *m.* 탁구공. **∼platte** *f.* 탁구대. **∼schläger** *m.* 탁구채〔라켓〕. **∼spiel** *n.* ↑ ∼tennis. **∼spieler** *m.* 탁구 선수. **∼spielerin** *f.* ↑ ∼spieler 의 여성형.
Tisch≈trunk *m.* 식사 중의 음료. **∼tuch** *n.* 식탁보: 〖비유〗 wir haben das ∼ zwischen uns zerschnitten 우리는 절교했다. **∼tuch·klammer** *m.* (미끄러지는 것을 방지하기 위한) 테이블보 집게. **∼vorlage** *f.* (회의나 세미나에서 배부되는) 안내 자료. **∼wäsche** *f.* 식탁보; 냅킨류. **∼wein** *m.* 반주로 마시는 포도주. **∼zeit** *f.* (특히 점심) 식사 시간. **∼zeug** *n.* 〖구식〗 (식탁보·식기 등의) 식탁용품.
Tit. =Titel 제목, 표제, 칭호.
Titan[1] [titá:n] 《gr.》 *n.* -s 〖化〗 티탄, 티타늄(금속 원소; 기호: Ti).

Titan[2] *m.* -s 〖天〗 타이탄성(星) (토성의 가장 큰 위성).

Titan[3] *m.* -en, -en ①〖그리스신화〗 (신들과 싸워 정복된) 거인족. ②〔교양〕 거장(巨匠), 대가, 위인: die ~en der Medizin 의학계의 거장들.

Titane *m.* -n, -n ↑ Titan[3].

Titan·eisenerz *n.* 〖化〗 티탄 철광.

titanenhaft *a.* ↑ titanisch ②.

Titania [titá:nia] *f.* ① 거인족의 딸. ②〖天〗 타이타니아성(星) (천왕성의 위성의 하나). ③〖그리스신화〗 티타니아(Oberon 의 처).

Titanide *m.* -n, -n 〖그리스신화〗 거인족의 후예.

titanisch *a.* ① 거인(족)의, 거인 같은; 거대한. ②〔교양〕 위대한, 초인적인, 막강한.

Titanium *n.* -s ↑ Titan[1].

***Titel** [tí:təl, títəl] 《lat.》 *m.* -s, - (약어: Tit.) ① **(a)** (책·예술품의) 제목, 표제, 타이틀: der ~ des Buches 책 제목. **(b)** (어떤 제목을 가진) 책, 작품: der ~ ist nicht lieferbar 그 책은 절판이다. ② **(a)** 칭호; 학위; 작위(Adels≈); (Amts≈) 직책, 직위: einen ~ führen 〔erwerben, aberkennen〕 작위〔학위·칭호〕를 지니다〔얻다, 박탈하다〕; der ~ eines Grafen 백작의 작위; 〔반어〕 ~ ohne Mittel 허울뿐인 직책. **(b)** (챔피언) 타이틀, 선수권: den ~ des Weltmeisters verteidigen 세계 타이틀을 방어하다. ③〖法〗 **(a)** 권원(權原). **(b)** (법령 따위의) 항(項), 관(款), 장(章). ④〖經〗 (국가 예산의) 항목.

Titel≈anwärter *m.* 〖스포츠〗 유력한 우승 후보; 타이틀 도전자. **~anwärterin** *f.* ↑ ~anwärter 의 여성형. **~auflage** *f.* ↑ ~ausgabe. **~ausgabe** *f.* 〖출판〗 (책의 표제만을 바꾼) 개제판(改題版). **~bild** *n.* ①〖출판〗 책표지 그림〔삽화〕. ② 잡지의 표지 그림. **~blatt** *n.* ① (신문·잡지의) 제 1 면. ②〖출판〗 (책의) 표지, 겉장. **~bogen** *m.* (책의) 속표지.

Titelei [ti:təlái, tɪtə..] *f.* -en 〖출판〗 책의 본문 앞에 놓인 항목의 총칭(표지·머리말·목차 등).

Titel≈geschichte *f.* (잡지 등의) 주요〔머리〕기사, 커버 스토리. **~halter** *m.* 〖스포츠〗 타이틀 보유자. **~held** *n.* (연극·영화 등의) 주연급 인물, 주인공. **~heldin** *f.* ↑ ~held 의 여성형. **~jagd** *f.* ↑ ~sucht. **~kampf** *m.* 〖스포츠〗 선수권 쟁탈전, 타이틀 매치. **~-kirche** *f.* 〖가톨릭〗 (추기경에게 봉헌된 로마시의 교회) 명의(名義) 성당. **~kopf** *m.* (신문 기사의) 표제. **~kupfer** *n.* 속표지〔표제지(紙)〕의 동판화.

titellos *a.* ① 표제가〔제목이〕 없는. ② 작위가〔관직이〕 없는, 무관(無冠)의.

titeln [tí:təln] 《<Titel》 *t.* (영화 등에) 제목을 붙이다.

Titel≈narr *m.* 〔폄어〕 명예욕에 눈먼 인간. **~rolle** *f.* 〖연극·영화〗 주역, 주연. **~schrift** *f.* 〖印〗 강조체 활자. **~schutz** *m.* 〖法〗 (저작권법상의) 표제의 보호. **~seite** *f.* ① (신문의) 1 면; (잡지의) 표지. ②〖출판〗 책표지. **~-song** *m.* 주제곡, 타이틀 송. **~sucht** *f.* 칭호〔직위〕를 탐냄, 명예욕. **≈süchtig** *a.* 칭호〔직위〕를 탐내는, 명예욕이 강한. **~träger** *m.* ① 칭호〔직위〕 소유자. ②〖스포츠〗 타이틀 보유자. **~trägerin** *f.* ↑ ~träger 의 여성형. **~verteidiger** *m.* 〖스포츠〗 선수권〔타이틀〕 방어자. **~verteidigerin** *f.* ↑ ~verteidiger 의 여성형. **~wesen** *n.* 칭호에 관한 사항.

Titer [tí:tər] 《frz.》 *m.* -s, - 〔고어〕 ① 증서, 문서; 증권. ② 화폐의 금은 표준량. ③〖化〗 역가(力價) (적정(滴定)에 쓰는 표준액의 농도). ④〖섬유〗 (실의) 섬도(纖度), 번수(番手).

Titoismus [titoísmus] *m.* - 〖史〗 티토주의 (유고의 대통령 J.B. Tito 가 주창한 독자적인 공산주의 노선).

Titoist *m.* -en, -en 티토주의자.

Titration [..tsió:n] *f.* -en 〖化〗 적정(滴定)법.

Titre [tí:tər] 《frz., „Titel"》 *m.* -s, -s 〔구식〕 ↑ Titer.

Titrier·analyse *f.* 〖化〗 적정(滴定); 용량 분석.

titrieren [titrí:rən] *t.* ①〖化〗 (용액의) 용량을 분석하다. ②〖섬유〗 (실의) 섬도(纖度)를 검사하다.

Titrier·methode *f.* 〖化〗 적정법(滴定法).

Titsche [tɪ́tʃə] *f.* -n 소스(Tunke).

titschen [tɪ́tʃən] *t./i.* (h.) (sachs.) (액체에) 적시다, 담그다: jn. ~ 누구(의 머리)를 물 속에 집어넣다; 〔비유〕 er muß einmal tüchtig getitscht werden 그는 따끔한 맛을 한번 봐야 한다.

Titte [tɪ́tə] *f.* -n 〔속어〕 젖통; 유두, 젖꼭지.

Titular [titulá:r] 《lat.; ♧ Titel》 *m.* -s, -e ①〔구식〕 칭호〔직위〕 소유자. ②〔교양〕 명목상의〔허울뿐인〕 칭호〔직위〕 소유자.

titular *a.* ↑ tutularisch.

Titular·bischof *m.* 〖가톨릭〗 명의 주교.

titularisch *a.* 칭호만의, 명목상의.

Titular≈professor *m.* 명예 교수. **~rat** *m.* 명예 고문관.

Titulatur [titulatú:r] *f.* -en 칭호; 칭호를 줌, 칭호로 부름.

titulieren [titulí:rən] *t.* ①〔드물게〕 제목을 붙이다: ein Buch treffend ~ 책에 적절한 제목을 붙이다. ② 칭호로 부르다. ③〔농담·폄어〕 칭하다, 명명하다.

Titulierung *f.* -en 칭호로 부름, 지칭.

Titulus [tí:tulus, tɪ́t..] *m.* -, ..li ① (산문 또는 운문으로 된 중세의) 그림 설명(문). ②〔고어〕 관직명; 경칭.

Titus [tí:tus] *n.* ~ Flavius Vespasianus 티투스(로마 황제, 39-81).

Titus·kopf *m.* 〔구식〕 짧게 깎은 고수머리.

Tivoli[1] [tí:voli] 티볼리(이탈리아의 도시).

Tivoli[2] 《<Tivoli[1]》 *n.* -(s), -s ① 티볼리의 이름이 붙은 오락장; (특히) 코펜하겐의 유원지, 놀이〔오락〕 공원. ② 당구의 일종.

Tizian [tí:tsia:n] *m.* Vicclli ~ 티치아노(이탈리아의 화가, 1477?-1576).

tizian·blond *a.* 금홍색(金紅色)의(머리카락).

tizianisch *a.* 티치아노풍(風)의; 풍만한.

tizian·rot *a.* 적갈색의.

tja [tja(:)] 《<ja》 *int.* 〔구어〕 어쩌지, 이것 참, 어떻게 한다(당혹감 또는 체념을 나타냄): ~, was soll man da machen? 이것 참, 도대체 어떻게 하라는 말이야?

Tjalk [tjalk] 《ndl.》 *f.* -en 외돛의 연안 항해선.

Tjost [tjɔst, tjo:st] ⟪frz.⟫ *f.* -en 〔*m.* -(e)s, -e〕 (중세 기사의) 1:1 의 마상(馬上) 창시합.
tkm =Tonnenkilometer 톤 킬로미터(1 톤을 1 km 나르는 작업 단위).
Tl 〖化〗 =Thallium 탈륨.
Tm 〖化〗 =Thulium 툴륨.
Tmesis [tmé:zɪs] ⟪gr.⟫ *f.* ..sen 〖언어학〗 분어법(分語法).
TNT =Trinitrotoluol 티엔티(폭약).
***Toast** [to:st] ⟪engl.⟫ *m.* -(e)s, -e/-s ① **(a)** 구운 빵, 토스트: ~ mit Butter bestreichen 토스트에 버터를 바르다. **(b)** 토스트 조각. ② 건배〔축배〕의 말〔축사〕: einen ~ auf jn. ausbringen 누구를 위해 건배하다.
Toast·brot *n.* ① 토스트용 (흰) 빵. ② 토스트〔구운 빵〕 조각.
toasten [tó:stən] ⟪engl. toast⟫ *i.* (h.) ① (토스트 빵조각을) 굽다. ② 축배〔건배〕하다: auf jn. ~ 누구를 위해 건배하다.
Toaster [tó:stər] ⟪engl.⟫ *m.* -s, - 빵굽는 기구, 토스터.
Tobak [tó:bak] *m.* -(e)s, -e 〔고어〕 담배.
Tobel [tó:bəl] *m./n.* -s, - (südd., öst., schweiz.) 숲속의 좁은 골짜기.
***toben** [tó:bən] *i.* (h.) ① 미친 듯이 펄펄 뛰다〔날뛰다〕, 광란하다. ② **(a)** (아이들이) 떠들며 놀다. **(b)** (s.) 떠들며 가다: durchs ganze Haus ~ 온 집안을 쏠고 다니며 소란을 피우다. ③ **(a)** 사납게 몰아치다, 요동치다: der See tobt 호수에 파도가 사납다. **(b)** (s.) 사납게 휩쓸고 지나가다.
tobend *p.a.* 미쳐 날뛰는, 광분하는, 광포한.
Toberei [to:bəráɪ] *f.* 〔구어·폄어〕 광란, 광분, 소란 법석, 미쳐 날뜀.
Tobias [tobí:as] *m.* 토비아스(남자 이름).
Toboggan [tobɔ́gan] *m.* -s, -s 터보건. ① 캐나다 인디언의 썰매. ② 〖스포츠〗 나무썰매.
Tob≈sucht [tó:p..] *f.* 광분, 노발대발. **~süchtig** *a.* 광분한, 광포한. **~suchtsanfall** *m.* 광분의 발작, 광란적 행동.
Toccata [tɔká:ta] *f.* ..ten ↑ Tokkata.
Tocharer [tɔxá:rər] *m.* -s, - 토하라 사람.
Tocharische* *das* 〖언어〗 토하라어(語).
***Tochter** [tɔ́xtər] *f.* Töchter [tœ́çtər] ① 딸: einzige ~ 외동딸; die älteste ~ 맏딸: natürliche ~ 여자 사생아; 〔총칭〕 die Töchter eines Landes 한 나라의 여성; 〔농담〕 sich unter den Töchtern des Landes umsehen 애인〔신부감〕을 구하려고 사방을 찾아다니다; sie ist ganz die ~ ihrer Mutter 그녀는 어머니를 쏙 빼닮았다; 〔농담〕 eine echte ~ Evas 여자다운 여자; höhere ~ 영양(令孃); Glück ist die ~ der Zufriedenheit 행복이란 만족에서 온다; 〔고어〕 meine ~ 딸처럼 귀여운 내 아내〔애인〕(젊은 아내나 애인에 대한 애칭). ② (schweiz.) 아가씨, 미혼 여자. ③ 자회사, 지사: unsere ~ in Seoul 서울의 우리 자회사.
Tochter·anstalt *f.* 자매 기관, 분원.
Töchterchen [tœ́çtərçən] *n.* -s, - 〔↑ Tochter 의 축소형〕 어린 딸, 소녀.
Tochter≈firma *f.* ↑ ~gesellschaft. **~geschwulst** *f.* 〖병리〗 (암세포 따위의) 전이. **~gesellschaft** *f.* 〖經〗 자회사, 지사. **~haus** *n.* 지점, 분점.
Töchter·heim *n.* 여학생 기숙사.
Tochter≈kind *n.* 〔고어·방언〕 외손(外孫). **~kirche** *f.* 분회당. **~land** *n.* 식민지.
Töchterlein [tœ́çtər..] *n.* -s, - ↑ Töchterchen.
töchterlich [tœ́çtərlɪç] *a.* ① 딸의, 딸 같은, 딸처럼 사랑스러운. ② 딸에게 귀속되는: das ~e Erbe 딸 몫의 상속 재산.
Tochter≈liebe *f.* 부모에 대한 딸의 사랑. **~mann** *m.* 〔복수: ..männer〕 〔고어·방언〕 사위.
Töchter·schule *f.* (schweiz.) 〔고어〕 여학교: höhere ~ 여자 고등 학교.
Tochter≈sprache *f.* 〖언어학〗 파생어, 분화어(分化語) (라틴어에서 분화된 프랑스어 등). **~staat** *m.* 식민지. **~stadt** *f.* 식민〔위성〕 도시. **~zelle** *f.* 〖生〗 (세포 분열에 의한) 딸세포.
Tocke [tɔ́kə] ⟪Docke 의 별형⟫ *f.* -n ① 인형. ② (인형처럼 귀여운) 깜찍한 아이.
tockieren [tɔkí:rən] *i.* (h.) 스케치풍으로 그리다(tokkieren ②).
***Tod** [to:t] *m.* -(e)s, -e ① 죽음, 사망, 사멸; 〖雅語〗 사신(死神): der bürgerliche ~ 사회적 매장, 사회적 생명을 잃음; der nasse ~ 익사; der Schwarze ~ (특히 중세의) 흑사병, 페스트; der Weiße ~ 눈더미 속에서의 동사(凍死); der ~ auf dem Schlachtfelde 전사; der ~ durch Ertrinken 익사; früher ~ 요절; plötzlicher ~ 급사; der ~ als Sensemann 낫을 들고 있는 죽음의 신; ~ und Teufel! 빌어먹을, 제기랄!; tausend ~e sterben (공포·근심으로 인해) 죽을 지경이다, 초죽음이 되다; wie der leibhaftige ~ aussehen 피골이 상접하다; den ~ finden 죽다; bei einem Unglück den ~ finden 사고로 죽다; den ~ in den Wellen finden 익사하다; sich³ den ~ geben 자살하다; das wäre mein ~! 그러면 나는 끝장이다!; der ~ ist vor der Tür 〔dem ~e nahe sein〕 임종이 임박했다; 〔구어〕 dem ~ von der Schippe 〔Schaufel〕 springen 간신히 죽음을 면하다, 가까스로 중병을 극복하다; er ist zu ~e erkrankt 그는 죽을 병에 걸렸다; 〔농담〕 ihr werdet euch noch den ~ holen! 너희들은 (감기에 걸려) 죽을 지 몰라!; 〔교양〕 er ist des ~es! (기어코 그렇게 하면) 그는 죽음을 면치 못할 것이다!; ich will des ~es sein, wenn ... …이라면 나는 죽어도 좋다; des ~es sterben 죽다; den ~ eines Helden sterben 영웅적인 최후를 마치다; eines natürlichen ~es sterben 제명에 죽다; einen sanften ~ 〔eines sanften ~es〕 sterben 평안히 죽다; eine Beute 〔ein Kind〕 des ~es werden 죽다; er fürchtet weder ~ noch Teufel 그는 세상에 두려울 것이 없다; 〔속담〕 umsonst ist (nur) der ~ 죽음만이 공짜다, 세상에 공짜는 없다; 〖雅語〗 der ~ nahm ihm die Feder 〔den Pinsel〕 aus der Hand 그는 작업 중에 죽었다. ② 〔전치사와 함께〕 **auf** ~ und Leben kämpfen 생사를 걸고 싸우다; auf den ~ liegen 〔krank sein〕 위독하다, 중태에 빠져 있다; sich auf den ~ verwunden 치명상을 입다; 〔구어〕 auf den ~ nicht 결코 …(이) 아니다; das kann ich auf den ~ nicht leiden 나는 죽어도 그것을 참을 수 없다; **bis** zum ~e betrübt sein 애끊는 듯 슬퍼하다; 〔격언〕 gegen den ~ ist kein Kraut gewachsen 죽음을 막을〔죽은 자를 살릴〕 묘약은 없다; er ist

mir (bis) **in** den ~ verhaßt〔zuwider〕나는 그가 죽도록 밉다; freiwillig in den ~ gehen 자살하다; für jn.〔et.〕in den ~ gehen 누구를〔무엇을〕위해 목숨을 바치다〔버리다〕; **mit** (dem) ~e abgehen 사망하다;〘구어〙mit allem ~ und Teufel 수단 방법을 가리지 않고; mit dem ~e ringen 사투를 벌이다; sich **über** ~ und Teufel unterhalten〔über ~ und Teufel reden〕지겹도록 이야기하다; et. zu ~e reiten〔hetzen〕무엇을 신물나도록 반복하다; hier geht es **um** Leben und ~ 이것은 생사가 걸린 문제다; **zu** ~e 매우, 지독하게; sich zu ~e arbeiten〔schinden〕과로로 죽다, 죽도록 일하다; (sich) zu ~e fallen〔stürzen〕추락해서 죽다; jn. zu ~e quälen 누구를 죽도록 괴롭히다;〘경박〙sich zu ~e saufen 술을 죽기 살기로 퍼마시다; zum ~e verurteilen 사형을 선고하다; zu ~e verwundet 치명상을 입은. ③〘農·방언〙(밀의) 깜부기병(Brand). ④〘雅語〙끝, 종결, 해소: der ~ ihrer Ehe 그들의 결혼 생활의 종말.

Tod≈austreiben *n.* 사신(死神) 내쫓기(중부 독일의 풍습). **≈bang** *a.*〘고어〙죽도록 무서운, 몹시 질려 있는. **≈bereit** *a.*〘雅語〙죽을 각오〔준비〕가 된. **≈blaß, ≈bleich** *a.* ↑ totenbleich. **≈bringend** *a.* 치명적인.

Toddy [tɔ́di]《engl.》*m.* -(s), -s ① 종려주(棕櫚酒). ② 토디(알코올 음료에 뜨거운 물·설탕·레몬을 탄 혼합 음료).

tod≈ẹlend *a.* 죽도록 비참한: mir ist ~〔ich fühle mich ~〕나는 처참한 심정이다. **~ernst** [tóːt|ɛ́rnst] *a.* 매우 진지한: mit ~em Gesicht 매우 진지한 얼굴로.

Todes≈ahnung [tóːdəs..] *f.* 죽음의 예감. **~angst** *f.* ① 죽음에 대한 불안. ② 극도의 공포. **~anzeige** *f.* 사망 신고; 부고. **~art** *f.* 사망 유형. **≈bang** *a.* ↑ todbang. **~bereitschaft** *f.* 죽을 각오. **≈blaß** *a.* ↑ todblaß. **~blässe** *f.* 시신의 창백함. **≈bleich** *a.* ↑ todbleich. **~block** *m.* 단두대. **~botschaft** *f.*〘雅語〙부고(訃告). **~datum** *n.* 사망 날짜〔연월일〕. **~engel** *m.* 죽음의 천사. **~fackel** *f.* 장례식의 횃불. **~fall** *m.* 초상(初喪), 사망: wegen ~s vorübergehend geschlossen 초상으로 임시 휴업 중. **~folge** *f.*〘法〙(어떤 행위로 인한) 죽음: Körperverletzung mit ~ 상해 치사. **~furcht** *f.*〘雅語〙죽음에 대한 공포. **~gedanke** *m.* 죽음에 대한〔죽을지도 모른다는〕생각: sich³ ~n machen (자신의) 죽음에 대해 생각하다. **~gefahr** *f.* 생명의 위험: in ~ sein〔schweben〕생명의 위험에 처해있다, 위독하다. **~grauen** *n.* 죽음에 대한 공포. **~jahr** *n.* 사망 연도. **~kampf** *m.* ① 죽음과의 싸움. ② 사투, 고투. **~kandidat** *m.* 죽음이 임박한 사람. **~keim** *m.*〘雅語〙죽음의 징후. **~krampf** *m.* 최후의 몸부림. **~mut** *m.* 필사적〔결사적〕인 용기. **≈mutig** *a.* 필사적〔결사적〕인. **~nachricht** *f.* 부고. **~not** *f.*〘雅語〙극한 상황.

Todes≈opfer *n.* (사고의) 희생자, 사망자: der Verkehrsunfall forderte mehrere ~ 교통 사고로 여러 명의 사망자가 생겼다. **~pein** *f.*〘雅語〙↑ ~qual. **~qual** *f.*〘雅語〙죽음〔극한〕의 고통. **~rate** *f.* 사망률. **~röcheln** *n.* 죽기 직전의 가쁜 숨. **~schlaf** *m.*〘시어〙영면(永眠);〘비유〙혼수 상태, 죽은 듯이 깊이 든 잠. **~schlummer** *m.* ↑ ~schlaf. **~schrecken** *m.* 경악, 질겁. **~schuß** *m.* ① 치명〔저격〕탄. ② 안락사: einem Tier den ~ geben 어떤 동물을 안락사시키다. **~schütze** *m.* 저격자〔병〕. **~schweigen** *n.* 죽음 같은 침묵; 절대 함구. **~schweiß** *m.* 죽을〔사투를 벌일〕때의 식은 땀. **~spirale** *f.*〘피겨·롤러 스케이팅〙데스 스파이럴(여자 선수가 축이 되는 남자 선수의 손을 잡고 한 발로 수평을 유지하며 빙빙 도는 기술). **~stille** *f.* 쥐죽은 듯한 고요. **~stoß** *m.* ① 치명타; 최후의 일격: jm. den ~ geben 누구에게 치명타를 가하다. ② (죽음의 고통을 덜어주기 위한) 자비의 일격. **~strafe** *f.* 사형: die ~ steht darauf 그런 짓을 하면 사형이다. **~streich** *m.* 치명적 타격. **~stunde** *f.* 사망 시각; 임종. **~tag** *m.* 사망일; 기일(忌日), 운명한 날. **~ursache** *f.* 사망 원인, 사인(死因): die ~ ist noch nicht geklärt 사인은 아직 밝혀지지 않았다. **~urteil** *n.* 사형 선고: das ~ aussprechen〔fällen, unterschreiben〕사형 선고를 내리다. **~verachtung** *f.* 죽음을 무시함:〘구어·농담〙mit ~ 태연하게, 죽든 말든 아랑곳하지 않고. **~verbrechen** *n.* 죽을 죄. **~wunde** *f.*〘雅語〙치명상. **≈würdig** *a.* 죽어 마땅한: ein ~es Verbrechen 죽어 마땅한 범죄. **~zeit** *f.* 사망 시각. **~zelle** *f.* 사형수용 감방.

Tod≈feind *m.* 불구대천의 원수, 숙적. **≈feind** [tóːtfáɪnt] *a.* 불구대천의 원수(지간)인. **~feindin** *f.* ↑ Todfeind의 여성형. **~feindschaft** *f.* 불구대천의 원수지간〔적대관계〕. **≈geweiht** *a.*〘雅語〙곧 죽을 운명인, 죽음이 임박한. **~geweihte*** *der/die* 죽음이 임박한 사람. **≈hungrig** [tóːthʊ́ŋrɪç] *a.* 죽도록 배고픈, 아사지경의. **≈krank** [tóːtkráŋk] *a.* 죽을 병에 걸린, 위독한. **~kranke*** [tóːtkráŋkə] *der/die* 죽을 병에 걸린 사람, 위독한 환자. **≈langweilig** [tóːtláŋ..] *a.*〘구어〙너무나 지루한, 지겨워 죽을 지경인.

***tödlich** [tǿːtlɪç] *a.* ① 치명적인, 죽을 듯한, 살인적인: ~e Wunde 치명상; jn. ~ verwunden 누구에게 치명상을 입히다;〘구어〙das ist ~ 그것은 매우 위험하다. ② 극도의, 절대적인: ~er Haß 극도의 증오; mit ~er Sicherheit 절대적 확신을 가지고. ③〘구어〙지겨운, 견딜 수 없는: die Musik ist ~ 그 음악은 도저히 못 들어 주겠다. ④ **(a)**〘테니스·축구〙막아〔당해〕낼 수 없는, 불가항력의: ein ~er Schuß 도저히 막아낼 수 없는 슈팅. **(b)**〘권투〙(펀치가) 치명적인. ⑤〘부사적 강조어〙〘구어〙매우, 몹시: sich ~ langweilen 몹시 지루해하다.

Tödlichkeit *f.* 치명적임.

tod≈mạtt *a.* ↑ ~müde. **~müde** *a.* 지칠 대로 지친, 녹초가 된, 기진맥진한. **~schịck** 《<frz. tout chic, „sehr fein"》*a.*〘구어〙매우 세련된: ~ angezogen sein 매우 세련된 복장을 하고 있다. **~sịcher** *a.*〘구어〙아주 확실한, 틀림없는. **~stẹrbens·krạnk** *a.*〘구어〙매우 아픈, 위독한. **~stịll** *a.* 쥐죽은 듯이 조용한.

Tod·sünde *f.*〘가톨릭·고어〙대죄(大罪), 죽을 죄, 영혼의 구제를 못 받을 죄악: sieben ~n 일곱 가지 대죄(오만(Hochmut), 인색(Geiz), 음욕(Wollust), 시기(Neid), 탐식(Völlerei), 분노(Zorn), 게으름(Trägheit)).

tod≈traurig *a.* 몹시 슬픈. **~unglücklich** *a.* 매우 불행한. **~wund** *a.* 〔雅語〕 치명상을 입은.

Toeloop 新정서 ⇦ Toe-Loop.

Toe-Loop [tú:lu:p, tǿ:lu:p] 《engl.》 *m.* -(s), -s 『피겨·롤러스케이팅』 점프하여 1회전 후 같은 발로 착지하는 기술.

töff [tœf] *int.* 〔의성어·아동〕 빵빵, 뿡뿡(차의 경적·엔진 소리).

Töff *n./m.* -s, -s (schweiz.) 〔구어〕 오토바이.

Toffee [tɔ́fi, tɔfé(:)] *n.* -s, -s 연한 캐러멜.

Toffel [tɔ́fəl] ① *m.* 토펠(남자 이름; Christoph의 애칭). ② *m.* -s, - 〔방언〕 순박한 사람; 바보, 멍텅구리.

Töffel [tœ́fəl] *m.* ↑ Toffel.

Töff·töff [tœ́ftœf] *n.* -s, -s 〔아동〕 (작은) 자동차(Kraftwagen).

Tofu [tó:fu] 《jap.》 *m.* -(s) 두부.

Toga [tó:ga] 《lat.》 *f.* ..gen 토가(고대 로마 남자들의 외출용 긴 상의).

Togo [tó:go] 토고(서부 아프리카의 공화국).

Togoer [..goər] *m.* -s, - 토고 사람.

togisch *a.* 토고(사람·말)의.

Togolese *m.* -n, -n ↑ Togoer.

Tohuwabohu [tó:hu:vabó:hu] 《<hebr., „wüst und leer"》 *n.* -(s), -s/(öst.) - 〔구약〕 혼돈, 혼란("땅이 혼돈하고 공허하며" 창세기 1:2에서).

***Toilette** [toalέtə] 《frz.》 *f.* -n ① **(a)** 화장실, 변소: auf die〔zur〕 ~ gehen 화장실에 가다; eine öffentliche ~ 공중 화장실. **(b)** 화장실의 변기. ② 〔고어〕 화장대, 경대. ③ **(a)** 화장, 성장(盛裝), 치장: in großer ~ 근사하게 차려입고; ~ machen 치장하다, 매무새를 가다듬다. **(b)** 연회용 여성복.

Toiletten≈artikel *m.* 화장품(류). **~frau** *f.* 공중 화장실을 청소·관리하는 여자. **~gegenstand** *m.* 화장품(류). **~kasten** *m.* 화장품 상자. **~mann** *m.* 공중 화장실 청소부. **~papier** *n.* 화장지, 화장실용 휴지. **~raum** *m.* 화장실; 변소. **~seife** *f.* 화장〔세숫〕비누. **~spiegel** *m.* 화장 거울. **~tisch** *m.* 화장대, 경대. **~wasser** *n.* 향수, 화장수. **~zimmer** *n.* 화장실.

Toise [toá:s] 《frz.》 *f.* -n 토아즈(옛날 프랑스의 길이의 단위; 1.949 m).

toi, toi, toi [tɔ́ʏ tɔ́ʏ tɔ́ʏ] *int.* 〔의성어〕 ① (무심코 입 밖에 낸 후 불행이 일어나지 않기를 기원하는 외침 소리; 이때 손가락 가운데 마디로 책상 따위를 두드림) 맙소사 맙소사, 물러가라 물러가라, 부디부디 도우소서: ich habe bisher immer Glück gehabt, unberufen ~! 나는 지금까지는 항상 운이 좋았지, 아무튼 다행이야! ② (예술가 등의 행운을 기원하는 말) 잘 해보게나: viel Glück und ~! 행운이 깃들기를!

Tokadille [tokadíljə] 《sp.》 *n.* -s (주사위를 사용하는) 에스파냐의 말판 놀이.

Tokaier [tokáɪər] *m.* -s, - ↑ Tokajer.

Tokajer [tó:kaɪər, tokáɪər] *m.* -s, - (헝가리의) 토카이(Tokaj)산(產) 포도주.

Tokaier·wein *m.* ↑ Tokaier.

Tokio [tó:kio] 도쿄(일본의 수도).

Tokioer [tó:kioər] 《Ⅰ》 *m.* -s, - 도쿄 사람. 《Ⅱ》 *a.* 도쿄의, 도쿄 사람의.

Tokioter [tokió:tər] *m.* -s, - 도쿄 사람.

Tokkata [tɔká:ta] 《it.》 *f.* ..ten 『음악』 건반 악기용 환상곡풍(風)의 곡.

tokkieren *i.* (h.) 〔드물게〕 ① 살짝 건드리다; 술잔을 부딪치다. ② 『畫』 스케치풍으로 (산뜻하게) 그리다.

Tokogonie [tokogoní:] 《gr.》 *f.* -n [..ní:ən] 『生』 (유성) 생식.

Tokologie [tokologí:] *f.* 『醫』 산과학(產科學).

Töle [tǿ:lə] *f.* -n (ndd., nordd.) 개, 암캐; 〔폄어〕 똥개.

Toledaner *m.* -s, - (에스파냐의 도시) 톨레도(Toledo) 사람.

tolerabel *a.* 〔교양〕 용납〔용인〕할 수 있는.

tolerant [tolerάnt] 《lat.》 *a.* ① 너그러운, 관대한, 참을성 있는; 관용의: ein ~er Mensch 관대한 사람. ② 〔은어〕 성적으로 개방적인.

***Toleranz** [tolerάnts] *f.* -en ① 관대, 관용, 너그러움: ~ gegenüber Andersdenkenden 생각〔사상〕이 다른 사람들에 대한 관용. ② 『法』 (화폐 주조의) 공차(公差); 『기계』 허용 오차. ③ 『醫』 (독극물·약품에 대한) 인체의 저항력, 내성(耐性).

Toleranz≈bereich *m.* 『工』 (오차의) 허용 범위. **~dosis** *f.* (인체에 대한) 방사능의 최대 허용 조사량(照射量), 내성(耐性) 용량. **~edikt** *n.* 신교 자유령(1689년 영국에서 비국교도에게 예배의 자유를 허가한 법령). **~grenze** *f.* ① 허용 한계: die ~ überschreiten 허용 한계를 넘다. ② 『醫』 (의약품·독극물에 대한 인체의) 내성 용량. ③ 『工』 허용 오차. **~schwelle** *f.* ↑ grenze.

tolerieren [tolerí:rən] *t.* ① 〔교양〕 너그럽게 다루다; 허용〔묵인〕하다. ② 『工』 (오차를) 허용하다.

Tolerierung *f.* -en 허용, 관용, 묵인.

***toll** [tɔl] 《원뜻 „töricht"》 *a.* ① **(a)** 〔고어〕 광견병에 걸린: ~er Hund 광견병에 걸린 개. **(b)** 〔고어〕 미친, 광포한: wie ~ 미친 듯이; der Schmerz macht ihn (fast) ~ 그는 고통스러워 (거의) 미칠 지경이다; nach Männern ~ sein 남자를 미칠 듯이 그리워하다. **(c)** 자유분방한, 고삐가 풀린: ~es Treiben 자유 분방한 행동; 〔구어〕 ~ und voll sein 몹시 취해 있다; ~ werden 발광하다; über et. ~ werden 무엇에 격분하다. ② **(a)** 터무니없는, 엉뚱한, 어리석은: ~er Gedanke 어리석은 생각; ein ~er Streich 엉뚱한 행위, 미친 짓; eine ~e Zumutung 엉뚱한 요구; 〔구어〕 ~es Zeug 허튼 짓; das ~ste bei der Geschichte ist, daß ... 이 이야기의 가장 황당한 점은 …이다; sich ~ und voll essen 터무니없이 과식하다; es geht ~ her 어처구니없는 소동이다; es (zu) ~ treiben 해도 해도 너무하다. **(b)** 〔경박〕 미칠 듯한, 지독한: ein ~er Lärm 미칠 듯한 소음. ③ 〔구어〕 **(a)** 지나친, 나쁜: er macht es mir zu ~ 그는 나한테 너무한다; das wird noch ~er kommen 그것은 더욱 악화될 것이다. **(b)** 굉장〔대단〕한, 엄청난: es hat heute ~ geschneit 오늘은 엄청난 폭설이 내렸다. ④ 〔구어〕 대단히 좋은, 멋있는, 신나는: ein ~er Einfall 멋진 착상〔아이디어〕. ⑤ 『植』 마비 작용이 있는, 유독한.

Toll≈apfel *m.* 『植』 독말풀. **~beere** *f.* ↑ ~kirsche. **~dreist** *a.* 발칙한, 뻔뻔스러운:

~e Geschichten 뻔뻔스러운 이야기.

Tolle*[1] [tɔ́lə] *der/die* 미친 사람.

Tolle[2] [tɔ́lə] ⟪nordd.; <Dolde⟫ *f.* -n ①〖動〗 도가머리, 관모(冠毛). ②〔구어·방언〕(특히 얼굴에 드리운) 탐스럽게 늘어뜨린 머리; 머리 장식. ③ (직물의) 술, 주름 잡은 단.

Toll·eisen *n.* 주름 잡는 인두.

tollen[1] [tɔ́lən] *t.* 쭈글쭈글하게 하다; 주름을 잡다.

tollen[2] ⟪<toll⟫ *i.* ① (h.) 법석대다, 날뛰다. ② (s.) 떠들며〔날뛰며〕 돌아다니다.

Tollerei [tɔlərái] *f.* -en〔구어〕 광분, 날뜀.

Toll=fieber *n.* 〖醫〗 발광열(열대 지방의 열병). **~haus** *n.* 〔고어〕 정신 병원: hier geht es ja zu wie im ~ 여기는 마치 정신 병원 같다(모든 것이 엉망이다); das ist ein Stück aus dem ~! 그것은 말도 안 된다! **~-häusler** *m.* 〔고어〕 정신 병원의 입원 환자, 미친 사람.

Tollheit [tɔ́lhaɪt] *f.* -en ① 광기; 〖醫〗 정신 착란. ② 미친〔어리석은〕 짓.

Tollität [tɔlitɛ́:t] *f.* -en〔농담〕 카니발의 왕자〔공주〕: Seine〔Ihre〕 ~ 카니발 왕자〔공주〕님.

Toll=kirsche *f.* 〖植〗 벨라도나(가짓과(科)의 유독 식물; 뿌리와 줄기는 약용). **~kopf** *m.* 〔구어·농담〕 미치광이. **~köpfig** *a.* 미친, 정신 나간. **~korn** *n.* 〖植〗 독보리(볏과(科) 식물로 유럽 원산; 성경에는 "가라지"로 번역되어 있음). **~kraut** *n.* 〖植〗 벨라도나; 흰독말풀. **~kühn** *a.* 무모한, 앞뒤를 돌보지 않는: eine ~e Tat 무모한 행동. **~kühnheit** *f.* ① 무모, 만용. ② 무모한 행위.

Tollpatsch 新정서 ⇦ Tolpatsch.

tollpatschig *a.* ↑ tolpatschig.

Toll=sucht *f.* ↑ ~wut. **~wurm** *m.* 〖醫〗 광견병 바이러스. **~wut** *f.* 미쳐 날뜀, 광분; 〖醫〗 광견병, 공수병(恐水病). **~wütig** *a.* 광견병에 걸린, 미쳐 날뛰는.

Tolpatsch [tɔ́lpatʃ] ⟪ung.⟫ *m.* -(e)s, -e〔구어·농담〕 ① 헝가리 보병의 별명. ② 투박〔미련〕한 사람, 무지렁이.

tolpatschig [..tʃɪç] *a.*〔구어·농담〕 서투른, 투박〔미련〕한: stell dich nicht so ~ an! 그렇게 미련하게 굴지 마라!

Tolpatschigkeit *f.*〔구어·농담〕 서투름, 투박, 미련.

***Tölpel** [tœ́lpəl] ⟪ndl., „Bauer"⟫ *m.* -s, - ①〔폄어〕 어리숙한〔굼뜬〕 사람, 얼간이, 무지렁이, 바보. ②〖動〗 바다가마우지.

Tölpelei [tœlpəlái] *f.* -en〔폄어〕 미련, 우둔.

Tölpel·gans *f.* ↑ Tölpel ②.

tölpelhaft *a.*〔폄어〕 얼뜬, 미련한, 우둔한: ein ~es Benehmen 얼뜬 행동.

tölpeln [tœ́lpəln] *i.* (h./s.)〔폄어·드물게〕 굼뜨게 이동하다, 어리석게 행동하다.

tölpisch *a.*〔폄어·드물게〕 ↑ tölpelhaft.

Tolstoi [tɔlstɔ́ʏ] *m.* Leo ~ 톨스토이(러시아의 작가, 1828-1910).

Tölt [tœlt] *m.* -s〖승마〗 행보와 속보 사이의 발빠른 동작.

Tolteke *m.* -n, -n 톨테카인(人)(멕시코의 옛 인디언).

toltekisch *a.* 톨테카(인)의.

Tolu·balsam *m.* -s (콜롬비아) 톨루산(産) 향유(톨루발삼 나무의 수지에서 추출함).

Toluidin *n.* -s, -e〖化〗 톨루엔에서 유도되는 아민의 하나(색소 제조에 쓰임).

Toluol *n.* -s〖化〗 톨루엔.

Tom *m.* 〔↑ Thomas의 영어 단축형〕 톰(남자 이름).

Tomahawk [tɔ́maha:k, ..ho:k] ⟪engl.⟫ *m.* -s, -s 토마호크(아메리칸 인디언의 전투용 도끼; 대전차 미사일의 이름).

Toman [tomá:n] *m.* -s, -e〖史〗 페르시아의 화폐.

***Tomate** [tomá:tə] ⟪mexikan.⟫ *f.* -n ①〖植〗 토마토. ② 토마토의 열매, 토마토: 〔구어·농담〕 rot wie eine ~ werden (당황해서) 얼굴이 빨개지다; du hast wohl ~n auf den Augen! 너는 눈에 뵈는 게 없는 모양이로구나〔정신이 나간 모양이구나〕!; 〔농담〕 du treulose ~! 이 신의 없는 놈아!

Tomaten=ketchup *m./n.*〖식품〗 토마토 케첩. **~mark** *n.*〖식품〗 토마토 퓌레. **~saft** *m.* 토마토 주스. **~salat** *m.* 토마토 샐러드. **~soße** *f.* 토마토 소스. **~suppe** *f.* 토마토 수프.

tomatisieren [tomatizí:rən] *t.*〖요리〗 토마토 소스를 치다.

Tombak [tɔ́mbak] *m.* -s 네덜란드 황동(구리와 아연의 합금).

tombaken *a.* 네덜란드 황동의.

Tombola [tɔ́mbola] ⟪it.⟫ *f.* -s/..len 제비뽑기, 추첨.

Tommy [tɔ́mi] ①〔↑ Thomas의 영어 애칭형〕 토미(남자 이름). ② *m.* -s, -s〔구어〕 영국(보)병(별명).

Tomographie [tomografí:] *f.* -n [..fí:ən]〖醫〗 단층 촬영(법).

Tomus [tó:mʊs, tómʊs] ⟪lat.⟫ *m.* -, ..mi〔고어〕(약어: Tom.) ① (Abschnitt) 장(章), 절. ② (Band) 권(卷), 책.

***Ton**[1] [to:n] *m.* -(e)s, Töne [tǿ:nə] ① **(a)**〖物〗 (일정한 주파수를 갖고 있는) 음(향), 소리. **(b)** (목)소리, 음향, 음조:〖음악〗 halber〔ganzer〕 ~ 반음〔온음〕; der schöne ~ der Geige 바이올린의 아름다운 소리; einen ~ anschlagen〔von sich³ geben〕 소리를 내다; keinen ~ mehr! 입 다물어!; 〔구어〕 keinen ~ sagen〔von sich³ geben〕 아무 말〔내색〕도 하지 않다; 〔구어〕 er bringt keinen ~ heraus 그는 어안이 벙벙해 있다; 〔구어〕 hast du〔haste〕 Töne? 이것 참 놀랐는걸, 어처구니없군! ②〖문법〗 강세, 악센트: diese Silbe trägt den ~ 이 음절에는 강세가 있다; der ~ liegt auf dieser Silbe 강세는 이 음절에 있다. ③ 말투, 어조, 말씨: jm. in ernstem〔ruhigem〕 ~ anreden 누구에게 진지한〔조용한〕 어조로 말을 걸다; sich im ~ vergreifen (…에게) 부적당한 말투를 쓰다; jn.〔et.〕 in den höchsten Tönen loben 누구를〔무엇을〕 극찬하다; in einem andern ~ reden〔einen anderen ~ anschlagen〕 어조를 바꾸다, 어조가 거칠어지다; 〔구어〕 große〔dicke〕 Töne reden〔spucken〕 호언장담하다; einen übermütigen ~ anschlagen〔in hohen Tönen sprechen〕 거만하게 말하다; 〔구어〕 was ist denn das für ein ~? 도대체 그런 말투가 어디 있느냐?; 〖비유〗 der ~ macht die Musik 말투만 들어도 사태가 짐작된다; ich bitte mir einen anderen ~ aus! 다른 어투로 말씀해 주

실 것을 부탁드립니다! ④ (태도·행위의) 품격, 기품; 예법: der gute〔feine〕 ~ 기품 있는 태도〔예의 범절〕; den ~ angeben 선창하다, 좌중의 분위기를 이끌다, 유행을 선도하다; dort herrscht ein freier ~ 그곳 분위기는 자유롭다; das gehört zum feinen ~ 그것은 예의에 맞는다. ⑤〖畫〗 (Farbenton) 색조: ~ in ~ 색조가 서로 어울리는, 조화를 이루는; die Töne des Gemäldes sind zu lebhaft 이 그림의 색조는 너무 튄다〔현란하다〕. ⑥〘고어〙 (노래의) 곡조, 가락. ⑦〖방송·TV·영화〗 녹음: den ~ aussteuern (녹음에서) 음을 조절하다; der ~ ist ausgefallen 녹음이 끊어졌다. ⑧〖문학〗 중세 서정시의 시연과 멜로디의 통일체.

*Ton² *m.* -(e)s, -e ①〖지질〗 (풍화 작용을 받은) 입자가 고운 수성암. ② 점토, 도토(陶土); 오지 그릇: eine Vase aus ~ 점토로 만든 꽃병.

Ton≈abnehmer *m.* (축음기의) 픽업. **~abstand** *m.* 〖음악〗 음정.

tonal [toná:l] 《lat.》 *a.* 〖음악〗 (↔ atonal) 음조의, 조성(調性)이 있는.

Tonalität [tonalitɛ́:t] *f.* 〖음악〗 음조, 조성(調性).

ton≈angebend *a.* 주도적〔선도적〕인, 모범적인: Paris ist in allen Fragen der Mode immernoch ~ 유행의 모든 문제를 파리가 여전히 주도한다. **≈angeber** *m.* 선창자, 주도〔선도〕자. **≈art¹** *f.* ①〖음악〗 조(調); (단조·장조의) 조성(調性): ein Stück aus einer ~ in eine andere transponieren 어떤 곡을 다른 조로 바꾸다; 〘구어〙 das kann ich in allen ~en singen 나는 이미 그것을 속속들이 알고 있다. ②〘비유〙 말투, 말씨, 어조: eine andere ~ anschlagen 말투〔태도〕를 바꾸다.

Ton≈art² *f.* 점토(粘土)의 종류, 토질(土質). **≈artig** *a.* 점토질의.

Ton≈aufnahme *f.* ↑ ~aufzeichnung. **~aufzeichnung** *f.* ① 녹음. ② 녹음한 것. **~ausfall** *m.* 〖방송〗 음의 중단. **~bad** *n.* 〖사진〗 조색법(調色法). **~band** *n.* ① **(a)** 녹음 테이프. **(b)** 녹음기. ②〖영화〗 (필름의) 녹음대(帶). **~band·aufnahme** *f.* 녹음(하기). **~band·gerät** *n.* 녹음기. **~band·protokoll** *n.* 테이프에 녹음된 조서〔의사록〕.

Tonbank *f.* ..bänke (nordd.) 판매대, 카운터, 진열대.

Ton≈bild *n.* 〖음악〗 음상(音像). **~bildung** *f.* 음감(音感) 교육; 음(音)의 발생. **~blende** *f.* 〖라디오〗 음향 조절기.

Ton≈boden *m.* 〖지질〗 점토질의 토양. **~brei** *m.* 점토 덩어리. **~brenn·ofen** *m.* (도자기·벽돌 따위를 굽는) 점토 가마.

Ton≈dämpfer *m.* 〖악기〗 약음기(弱音器). **~dichter** *m.* 〘雅語〙 작곡가. **~dichtung** *f.* ①〘雅語〙 곡, 작곡. ②〖음악〗 (시문과 연관된) 표제 음악.

Tondo [tɔ́ndo] 《it.》 *n.* -s, -s/..di 〖미술〗 (특히 15-16 세기 피렌체의) 원형 그림 또는 부조.

tonen¹ [tó:nən] 《< Ton¹》 *t.* 〖사진〗 (흑백 사진을) 조색(調色)하다.

tonen² 《< Ton²》 *t.* 진흙을 바르다.

***tönen** [tǿ:nən] 《I》 *i.* (h.) ① 울리다, 소리내다: von irgendwoher tönte eine Stimme 어디서인가 목소리가 들렸다; 〘비유〙 ~de Worte 공허한 말, 빈 말. ② 허풍떨다, 떠벌이다: von et.³ 〔über et.〕 ~ 무엇에 대해 허풍떨다. 《II》 *t.* ① 울리다, 소리내다. ② 조색(調色)하다; 조음(調音)하다. ③ 자랑하다.

tönend *p.a.* (잘) 울리는: ~er Film 발성〔유성〕 영화.

Toner 《engl.》 *m.* -s, - 〖컴〗 토너(프린터용 분말 잉크).

Ton≈erde *f.* 〖化〗 산화알루미늄, 알루미나. **~metall** *n.* 알루미늄.

tönern [tǿ:nərn] *a.* ① 진흙으로 만든, 도기(陶器)의. ② 점토질의.

Ton≈fall *m.* ①〖음악〗 **(a)** 소리의 억양. **(b)** 종지(終止), 정지(靜止)법. ② 말투, 어조: in freundlichem ~ 다정한 어조로. **~farbe** *f.* 음색. **~film** *m.* 발성〔유성〕 영화. **≈filmen** *t.* 토키로 촬영하다. **~fixierbad** *n.* ↑ ~bad. **~folge** *f.* 〖음악〗 음렬(音列), 선율의 진행. **~frequenz** *f.* 〖전기공학〗 가청(可聽) 주파수, 저(低)주파. **~führung** *f.* 〖음악〗 음(音) 또는 선율의 전조(轉調)〔정조(整調)〕.

Tonga [tɔ́ŋga] 통가(남태평양의 섬나라).

Tongaer [tɔ́ŋgaər] 《I》 *m.* -s, - 통가 사람. 《II》 *a.* 통가(사람·말)의.

Tonga·inseln *pl.* 통가 제도(諸島).

Ton·gebung *f.* 〖음악〗 발성법, 조율; 〖언어〗 억양, 음의 높낮이의 변화.

Ton·gefäß *n.* 옹기, 질그릇.

Ton·gemälde *n.* 음상(音像) (~bild).

Ton≈geschirr *n.* 질그릇, 오지 그릇. **~grube** *f.* 점토갱(粘土坑).

Ton·halle *f.* 연주회장.

ton·haltig *a.* 점토를 함유하는.

Ton·höhe *f.* ①〖음성〗 소리〔음성 신호〕의 높이. ②〖음악〗 음의 높이.

Toni [tó:ni] *m./f.* 토니(남자 이름 Anton 또는 여자 이름 Antonie 의 애칭).

Tonic [tɔ́nɪk] 《engl.》 *n.* -(s), -s 탄산수, 토닉워터.

tonicht *a.* ↑ tonig.

tonig *a.* ① 음조〔색조〕가 강한. ② 점토질의 (tönern).

..tonig *suf.* "…음조의"의 뜻(보기: hoch~ 음조가 높은, 강세〔악센트〕가 강한).

..tönig *suf.* "…가락의"의 뜻(보기: ein~ 단조로운).

Tonika¹ [tó:nika] 《lat.》 *f.* ..ken 〖음악〗 ① 주음(主音), 음계의 제 1 음; 기본음. ② 첫 음계의 3 화음.

Tonika² *pl.* ↑ Tonikum 의 복수형.

Tonikum *n.* -s, ..ka 〖藥〗 강장제(強壯劑).

Ton·ingenieur [tó:n|ɪnʒeniø:r] *m.* 〖영화·방송·TV〗 음향 담당 기사.

tonisch [tó:nɪʃ] *a.* ①〖醫〗 **(a)** 긴장성〔강직성〕의: ~er Krampf 긴장성 경련. **(b)** 강화〔증강〕시키는: ~es Mittel 강장제. ②〖음악〗 주(삼화)음(主(三和)音)의.

Tonka·baum [tɔ́ŋka..] *m.* 〖植〗 통카나무.

Ton·kabine *f.* 〖영화〗 녹음용 방음실.

Tonka≈bohne *f.* 통카콩(향료의 원료). **~kampfer** *m.* 〖化〗 쿠마린(통카나무 줄기에 있는 방향(芳香) 성분).

Ton≈kamera *f.* 〖영화〗 동시 녹음용 카메라. **~konserve** *f.* 〖방송〗 (테이프나 음반에) 녹음된 정보, 녹음 방송. **~kopf** *m.* 녹음기 헤드. **~kunst** *f.* 〘고어·雅語〙 음악. **~künstler** *m.* 〘고어·雅語〙 음악가, 작곡가. **~lage** *f.* 〖음악〗 음의 높이, 음역(~höhe ②): eine hohe ~ 높은 음역.

Ton·lager *n.* 점토층(粘土層).

Ton≈lehre *f.* 음향학. **~leiter** *f.* 〖음악〗 (한 옥타브 내의) 음계.

tonlos *a.* ① 울리지 않는, 무음(無音)의; 소리 죽여: 〖비유〗 ~ sagen 맥없이 말하다. ② 〖문법〗 강세〔악센트〕 없는, 약음(弱音)의.

Tonlosigkeit *f.* ① 소리가〔음향이〕 없음. ② 무표정, 무미건조.

ton≈malend *a.* 의성(擬聲)의. **~malerei** *f.* 〖음악〗 (비음악적인) 소리의 음악적 형상화; 의성. **~maß** *n.* 〖음악〗 박자. **~meister** *m.* 〖영화·방송·TV〗 음향 편집 기사. **~messer** *m.* 〖物〗 음파 진동 측정기. **~messung** *f.* ① 음의 측정. ② 운율학. **~mischer** *m.* 〖영화〗 ① 음성 조정 장치. ② 녹음 기사, 음향효과 담당(자). **~möbel** *n.* 오디오 (장식)장. **~nachahmend** *a.* 의성(擬聲)의. **~nachahmung** *f.* 의성(擬聲).

Tonnage [tɔnáːʒə] 《frz.》 *f.* -n 〖海〗 ① **(a)** (선박의) 등록 톤수, (적재) 톤수. **(b)** 한 국가〔회사·함대〕의 선박 총톤수. ② 톤세(稅).

Tönnchen [tœ́nçən] *n.* -s, - 〖↑ Tonne의 축소형〗 ① 작은 통; 술잔. ② 〖구어·농담〗 땅딸보.

*__Tonne__ [tɔ́nə] 《lat.》 *f.* -n ① 큰 통: Abfall~ 쓰레기 수거함〔통〕. ② **(a)** 톤(약어: t). **(b)** 〖海〗 (상선의) 총 등록 톤수, (군함의) 배수(排水)톤: ein Schiff von 10000 ~n 1만 톤의 배. **(c)** 아치형의 천장. **(d)** 쓰레기통. ③ 〖海〗 부표. ④ 〖구어〗 뚱뚱보. ⑤ 〖고어〗 톤(포도주나 맥주의 부피 단위; 100-700 리터).

Tonneau [tɔnóː] *m./n.* -s, -s ① 경 2 륜 마차. ② 〖海〗 프랑스톤.

Tonnen≈band *n.* 〖복수: ..bänder〗 통의 테. **~dach** *n.* 〖건축〗 아치형의 지붕. **~förmig** *a.* 큰 통 모양의. **~gehalt** *m.* 〖海〗 총톤수에 따른 선박의 크기. **~geld** *n.* (선박의 항만 정박 때 내는) 톤세(稅). **~gewölbe** *n.* 〖건축〗 아치형〔반원형〕의 천장. **~kilometer** *m.* 톤킬로미터(1 톤을 1 킬로미터 나르는 작업 단위; 약어: tkm). **~ladung** *f.* ↑ ~last. **~last** *f.* 톤 단위의 하중〔적재량〕. **~leger** *m.* 〖海〗 부표 설치선. **~maß** *n.* ↑ ~gehalt. **~reif, ~reifen** *m.* ↑ ~band. **~ware** *f.* 통에 넣은 짐〔물품〕. **~weise** *adv.* ① 통에 넣어서. ② 톤 단위로, 대량으로.

..tonner *suf.* "…톤의 (화물)차"의 뜻(보기: Drei~ 3 톤 차).

Ton·papier *n.* 〖사진〗 도금지(紙), 조색지(調色紙).

Ton·pfeife *f.* 점토제(製) 파이프.

Ton·platte *f.* 〖印〗 조색판(板), 팔레트.

Ton≈qualität *f.* 음질, 음색. **~quelle** *f.* 음원(音源).

Ton·röhre *f.* 토관(土管), 하수관.

Ton·satz *m.* 〖음악〗 ① 작곡. ② (작곡의 기초로서의) 화성악과 대위법.

Ton≈schicht *f.* 〖지질〗 점토층. **~schiefer** *m.* 〖지질〗 점판암(粘板岩).

Ton≈schneider *m.* 〖고어〗 음향 커트〔편집〕 담당자. **~schreiber** *m.* 녹음기.

Ton≈seife *f.* 백반〔명반〕(白礬〔明礬〕) 비누.

Ton≈setzer *m.* 〖고어〗 작곡가. **~setz·kunst** *f.* 작곡술. **~silbe** *f.* 강세(가 있는) 음절.

Tonsille [tɔnzílə] 《lat.》 *f.* -n 〖해부〗 편도선 (Mandel).

Tonsillektomie [tɔnzılɛktomíː] *f.* -n [..míːən] 〖외과〗 편도선 절제(수)술.

Tonsillitis [tɔnzılíːtıs] *f.* ..tiden [..tíːdən] 〖병리〗 편도선염.

Ton≈spiel *n.* 음악(회). **~spur** *f.* 〖영화〗 (영화 필름의) 사운드트랙. **~stärke** *f.* 음(音)의 강도. **~störung** *f.* 〖영화·방송·TV〗 음향 장애. **~stück** *n.* 〖고어〗 악곡. **~stufe** *f.* 〖음악〗 음도(音度) (음계에서 어떤 음의 위치).

Tonsur [tɔnzúːr] 《lat.》 *f.* -en 삭발(한 머리), 〖가톨릭〗 (수도자의) 머리 중앙부 삭발.

tonsurieren *t.* 삭발하다.

Ton≈tafel *f.* 〖고고〗 (글자가 새겨진) 토기판. **~taube** *f.* 〖고어〗 (사격 표적용) 점토 비둘기, 클레이. **~tauben·schießen** *n.* 〖고어〗 클레이 사격 (경기).

Ton≈techniker *m.* 〖영화·방송·TV〗 음향 기술자〔기사〕. **~technikerin** *f.* ↑ Tontechniker 의 여성형. **~träger** *m.* (음반·녹음 테이프 따위와 같은) 음의 수록·보존 매체.

Tönung [tǿːnʊŋ] *f.* -en ① 〖畫〗 조색, 채색. ② 〖物〗 공진(共振), 공명.

Tonus [tóːnʊs] 《lat.》 *m.* -, ..ni ① 〖생리〗 (근육·조직의) 긴장 (상태). ② 〖음악〗 전음(全音).

Ton≈umfang *m.* 〖음악〗 음역. **~veränderung** *f.* 전조(轉調), 조바꿈. **~verhältnis** *n.* 음률, 박자. **~verstärker** *m.* 증폭기, 앰프.

Ton·ware *f.* 토기류, 도자기류.

Ton≈weise *f.* 〖음악〗 곡조, 선율. **~werkzeug** *n.* 악기. **~wert** *m.* 〖사진〗 (흑백 사진에서) 색조의 단계, 바림. **~zeichen** *n.* ① 〖음악〗 음표(音標). ② 〖문법〗 강세 기호.

TOP = Tagesordnungspunkt 의제(議題): TOP 2 und 3 의제 2 와 3.

Top[1] [tɔp] 《engl.》 *n.* -s, -s 〖유행〗 (T 셔츠와 비슷한) 소매 없는 상의.

Top[2] 《engl.》 *m.* (Topp) ① 〖海〗 (돛대의) 꼭대기. ② 〖연극·구어〗 맨 위층의 가장 값싼 자리.

Topas [topáːs, (öst.) tóːpas] 《lat.》 *m.* -es, -e 〖광물〗 황옥(黃玉).

topas≈farben, ~farbig *a.* 황옥색의.

Tope [tóːpə] 《skt.》 *f.* -n 사리탑(Grabmal).

*__Topf__ [tɔpf] *m.* -(e)s, Töpfe [tœ́pfə] 깊은 냄비, 단지, 주발, 사발; 항아리; 화분(Blumen~); 요강(Nacht~); 〖軍〗 (수류탄의) 탄체(彈體), 탄통: ein ~ Bier〔Kaffee〕 맥주〔커피〕 한 잔; eine Pflanze in den ~ setzen 어떤 식물을 화분에 심다; 〖비유·구어〗 alles in einen ~ werfen 모든 것을 무리하게 하나로 뭉뚱그리다, 천편일률로〔똑같이〕 취급하다; 〖비유〗 seine Nase in alle Töpfe stecken 쓸데없이 온갖 일에 참견하다; jm. in die Töpfe gucken 괜히 누구의 일에 참견하다; es ist noch nicht in dem ~, wo's kocht 그것은 아직 시기상조다; 〖구어〗 wie ~ und Deckel zusammenpassen 서로 잘 들어맞다〔어울리다〕; 〖속담〗 jeder ~ findet seinen Deckel 짚신도 제 짝이 있다; 〖비유〗 das kommt alles in einen ~ 그것은 공동의 재산이다; 〖농담〗 ich muß mal auf den ~ 나는 화장실에 가야 한다.

Topf≈binder *m.* 단지 땜장이. **~blume** *f.* 화분의 꽃, 분재(盆栽). **~braten** *m.* 〖요리·방

언】 스튜 살코기 요리. **~brett** *n.* 냄비 선반; 화분대(臺).

Töpfchen [tœ́pfçən] *n.* -s, - 〖↑ Topf 의 축소형〗 ① 작은 단지: die guten ins ~, die schlechten in Kröpfchen 좋은 것은 작은 항아리에, 나쁜 것은 모이주머니에 넣어라(그림 동화 „Aschenputtel"에서). ② 어린이용 요강.

Topf·deckel *m.* -s, - 단지〔병·냄비〕의 뚜껑; 〖軍〗 탄개(彈蓋).

Topfen [tɔ́pfən] *m.* -s (bayr., öst.) (Quark) 응유(凝乳), 코티지 치즈.

Töpfer [tœ́pfər] *m.* -s, - ① 도공(陶工). ② (수습 기간이 3년인) 도공직. ③ 아궁이·벽난로 놓는 사람.

Töpfer·arbeit *f.* ① 도기 제조. ② 도기, 오지그릇.

Töpferei [tœpəráɪ] *f.* -en ① 도기 제조업, 요업. ② 도기 공장. ③〔총칭〕 도기류, 오지 그릇.

Töpfer≈erde *f.* 도토(陶土). **~geschirr** *n.* 도(자)기. **~geselle** *m.* 도기 직공. **~gut** *n.* ↑ ~geschirr. **~handwerk** *n.* 도기 제조업. **~kunst** *f.* 도(자)기 공예. **~markt** *m.* 도기 시장. **~meister** *m.* 일급 도자기공, 도기 제조 기술자.

töpfern¹ [tœ́pfərn] 《I》 *i.* (h.) ① 도공으로 일하다. ② 도자기 공예품을 만들다: er töpfert nebenbei 그는 부업으로 도자기 공예품을 만든다. 《II》 *t.* 도(자)기를 구어 만들다: eine Vase ~ 도(자)기를 구어 꽃병을 만들다.

töpfern² *a.* 〔드물게〕 (tönern) 진흙으로 만든, 도자기의.

Töpfer≈scheibe *f.* (도자기 제조용) 녹로(轆轤). **~ton** *m.* 도토(陶土). **~ware** *f.* 도자기 제품. **zeug** *n.* ↑ ~ware.

Topf≈fabrik *f.* 도자기 공장. **~flicker** *m.* 단지 구멍 땜장이(~binder). **~form** *f.* 단지의 형(型)〔제작 모형〕. **~glasur** *f.* 오짓물, 유약(釉藥). **~gucker** *m.* ①〔구어〕(호기심에서) 요리 냄비를 들여다보는 사람. ②〔비유〕 부엌일〔집안일〕에 참견하는 사람(주로 남편); 쓸데없이 남의 일에 참견하는 사람. ③〖動〗(인도와 버마산(產)) 푸른 농어(주로 관상어임).

top·fit [tɔ́p|fít, tɔ́p|fɪt] 《engl.》 *a.* 컨디션이 최고인: sich ~ fühlen 최고의 컨디션이다.

Topf≈kieker *m.* ↑ ~gucker ①②. **~kuchen** *m.* 주발 모양의 카스텔라. **~lappen** *m.* (뜨거운) 냄비를 잡는 헝겊〔장갑〕. **~lecker** *m.* 〔구어〕 치사한 사람; 먹는 것을 밝히는 사람. **~markt** *m.* 도자기 시장.

Top·form *f.* 최고의 능률 (상태): sich in ~ befinden 최고의 능률 상태다.

Topf≈pflanze *f.* 분재(盆栽) 식물. **~reiniger** *m.* 냄비 닦는 세제〔도구〕. **~schlagen** *n.* ① 상금 단지 맞추기(눈을 가리고 술갈로 쳐서 상금이 들어 있는 단지를 알아맞히는 어린이 놀이). ②〖海〗 무풍 상태에서 조류〔기류〕의 탐색. **~ständer** *m.* 화분〔화병〕대(臺). **~stein** *m.* 〖광물〗 입상 활석(粒狀滑石).

Topik [tó:pɪk] 《gr. tópos, „Ort"》 *f.* ①〖修·문학〗 토포스(Topos) 론, 토포스 연구. ②〔고어〕 배어법(配語法). ③〖논리〗 총(체)론, 전제론(前提論) (개연적인 명제에서 결론을 이끌어 내는 방법). ④〖해부〗 인체 기관의 위치론.

Topika *pl.* ①〖논리〗 토피카(총(체)론에 관한 Aristoteles 의 저서). ②〖醫〗 국소약(局所藥), 외용약(外用藥).

Topinambur [topinambú:r] *m.* -s, -s/-e 〔*f.* -en〕〖植〗 ① 돼지감자. ② 돼지감자의 뿌리 〔구근〕.

topisch [tó:pɪʃ] 《gr. ↑ Topik》 *a.* ① 토포스 〔상투어구〕를 사용하는: ~e Argumentation 상투적인 문구를 이용한 논증〔논리 전개〕. ② 국지(局地)의. ③〖醫〗 국소(局所)의, 국부의.

Topless·nacht·klub [tɔ́plɛs..] *m.* 가슴을 드러낸 여자들이 서비스하는 야간 유흥업소.

Top≈management *n.* 최고 경영진. **~manager** *m.* 최고 경영자, 톱 매니저: ~ gesucht 최고 경영자 구함(광고 문구).

Topografie 新정서 ⇦ Topographie.

Topograph [topográ:f] *m.* -en, -en 지지(地誌) 편찬자; 지형 측량사.

Topographie [..grafí:] *f.* -n [..fí:ən] ①〖지리〗 지지(地誌), 지형학. ②〖기상〗 기상도. ③〖醫〗 국소 해부학.

topographisch *a.* ① 지지(地誌)의; 지형 측량의. ②〖醫〗 국소의.

Topoi [tó:pɔʏ, tɔ́..] ↑ Topos 의 복수형.

Topologie *f.* ①〖數〗 (a) 위상(位相) 기하학. (b) 위상 수학. ② 지세학(地勢學). ③〖컴〗 위상. ④〖心〗 위상 심리학.

topologisch *a.* 〖數〗 위상 기하학의, 위상의: ~e Algebra 위상 대수학; ~e Psychologie 위상(位相) 심리학.

Toponymie *f.* ↑ Toponymik.

Toponymik *f.* 지명학(地名學), 지명 연구.

Topos [tó:pɔs, tɔ́pɔs] *m.* -, ..poi [..pɔʏ] ①〖修〗 토포스(고대 수사학에서 일반적으로 인정된 관점〔성구〕). ②〖문학〗 토포스(판에 박힌 문구나 전통적인 표현법).

Topp [tɔp] *m.* -s, -e(n)/-s ①〖海〗(돛대 따위의) 꼭대기, 장루(檣樓): über die ~en flaggen 돛대 위에 기(旗)로 장식〔표시〕하다; vor ~ und Takel lenzen〔treiben〕 폭풍 속에서 돛을 내리고 표류하다. ②〖연극·구어〗 맨 위 층의 가장 값싼 자리.

topp 《ndd.》 *int.* 좋아, 알았어, 오케이(동의·승인·허가의 외침): ~, wir sind einig 좋아, 의견 일치다.

Töppel [tœ́pəl] *m.* -s, - (ndd.) ① (새의) 관모(冠毛). ② 머리 장식〔치장〕; 모자.

Töppel·ente *f.* 〖動〗 관모가 있는 오리.

toppen [tɔ́pən] 《I》 *t.* ①〖海〗(활대를) 올리다. ②〖골프〗(공의) 윗 부분을 치다. 《II》 *i.* (h.) 〖化〗 원유에서 휘발유를 증류하다.

Topp≈flagge *f.* 〖海〗 돛대〔마스트〕 끝에 매단 깃발. **~lastig** *a.* 〖海〗 돛대〔마스트〕에 큰 하중이 걸리는. **~laterne** *f.* 〖海〗 마스트 끝의 등, 장루등(檣樓燈). **~mast** *m.* 으뜸 돛대, 톱 마스트. **~reep** *n.* 용총줄. **~segel** *n.* 〖海〗 톱 마스트의 돛.

Topps·gast *m.* 〖海〗 톱 마스트에서 망보는 당직 선원.

topsecret 新정서 ⇦ top-secret.

top-secret [tɔ́psi:krɪt] 《engl.》 *a.* 극비의.

Top-spin [..spɪn] 《engl.》 *m.* -s, -s 〖테니스·탁구〗 공을 강하게 돌려 치기.

Top·star 《engl.》 *m.* -s, -s 톱 스타, 최고 인기 연예인.

Toque [tɔk] 《frz.》 *f.* -s ① (16 세기의) 베레모형의 작은 모자. ② 챙없는 여성 모자.

***Tor**¹ [to:r] *m.* -en, -en 〖雅語〗 바보, 멍청이:

Parzival, der reine ~ 순진한 바보 파르치발 (중세 독일의 서사시 "파르치발"의 주인공); ein reiner ~ 세상 물정을 전혀 모르는 사람.

*__Tor²__ 《♧ Tür》 *n.* -(e)s, -e ① **(a)** 문, 대문, 출입구; 도시 입구(Stadt≈), 성문(Burg≈): 〚雅語〛 vor den ~en ... (시·건물의) 외곽에서, …의 바로 앞〔문턱〕에서; vor das ~ gehen 교외로 (소풍) 가다; allem Unfug Tür und ~ öffnen 온갖 나쁜 짓을 방조〔조장〕하다; wie die Kuh vorm neuen ~ 촌닭처럼 어리둥절해서. **(b)** 〖지리〗 지협(地峽), 암벽 따위가 침식되어 생긴 좁은 통로: Felsen≈ 암벽 문. ② 〖구기〗 **(a)** 골대: das ~ hüten 〔im ~ stehen〕 골키퍼를 맡다; 〚비유·구어〛 ins eigene ~ treffen 자살골을 넣다, 자충수를 두다. **(b)** 골, 득점: die Mannschaft siegte mit 7:3 Toren 그 팀은 7 대 3 으로 이겼다; ein ~ schießen 〔machen〕 골인시키다, 차 넣다. ③ 〖스키〗 (활강의 코스 표시용) 기문(旗門).

Tor≈angel *f.* 돌쩌귀. **~aus** *n.* 〖구기〗 골 라인 밖의 공간. **~ausbeute** *f.* 〖구기〗 득점수: eine magere ~ 빈약한 득점수. **~ball·spiel** *n.* 〖스포츠〗 크리켓. **~baum** *m.* 문빗장. **~bogen** *m.* (성)문의 아치. **~chance** *f.* 〖구기〗 득점 기회. **~differenz** *f.* 〖구기〗 ① 골의 득실차. ② 예상 득점과 실제 득점의 차이. **~einfahrt** *f.* 성문 진입로〔입구〕.

Tord·alk [tɔ́rt|alk] 《schwed.》 *m.* -(e)s/-en, -e(n) 〖動〗 바다쇠오리(의 일종).

Toreador [toreadóːr] 《span.》 *m.* -s/-en, -e(n) (말 탄) 투우사.

Tor≈einnehmer *m.* 〚고어〛 문지기, (성문의) 통행세 징수원. **~erfolg** *m.* 〖구기〗 득점 골.

Torero [toréːro] 《span.》 *m.* -(s), -s 토레토, 도보 투우사.

Tores·schluß *m.* 〚다음 용법으로〛 (kurz) vor ~ 마지막〔최후의〕 순간에.

Toreut [torɔ́ʏt] *m.* -en, -en 금속 공예가.

Toreutik [..tɪk] *f.* 금속 공예.

Torf [tɔrf] 《ndd.》 *m.* -(e)s, -e ① 토탄(土炭), 이탄: mit ~ heizen 토탄으로 난방하다; ~ stechen 이탄을 채굴하다. ② 이탄지(泥炭地).

Tor·fahrt *f.* 성문 통로, 성문을 통해 나 있는 길(~weg).

Torf≈asche *f.* 토탄재. **~ballen** *m.* 압축 건조한 토탄덩이. **~boden** *m.* 이탄지; 〖지질〗 이탄토(土); 이탄층. **~erde** *f.* 이탄토. **~feuerung** *f.* 토탄으로 불때기. **~gas** *n.* 토탄 가스. **~gewinnung** *f.* 토탄 채굴〔생산〕. **~gräber** *m.* 이탄 채굴자. **~gräberei** *f.* 이탄 채굴(장). **~grube** *f.* 이탄갱.

torfig [tɔ́rfɪç] *a.* 이탄질의, 이탄을 함유한.

Torf≈lager *n.* 〖지질〗 이탄층, 이탄상(床). **~land** *n.* 이탄지.

Tor·flügel *m.* (성문의) 익벽(翼壁); 대문짝; 대문.

Torf≈moor *n.* 이탄소(泥炭沼)〔지〕. **~moos** *n.* 〖植〗 이탄지의 물이끼, 해캄. **~mull** *m.* 토양 개량제로 사용되는 이탄 분말〔찌꺼기〕. **~stechen** *n.* ↑ ~stich ①. **~stecher** *m.* 이탄 채굴자. **~stich** *m.* ① 이탄 채굴. ② 이탄 채굴장. **~streu** *f.* ↑ ~mull.

Tor≈frau *f.* 〖구기〗 여자 골키퍼. **~gefährlich** *a.* 〖스포츠〗 자주 골을 성공시키는, 골을 잘 넣는. **~gefährlichkeit** *f.* 대량 실점의 위기. **~geld** *n.* 〚고어〛 (성문이 닫힌 후 통행할 때 내는) 통행료.

törggelen [tœ́rgələn] 《↑ Torkel¹》 *i.* (h.) (südtirol.) (가을에) 새 포도주를 마시다.

Tor≈glocke *f.* 〚고어〛 폐문을 알리는 종소리. **~halle** *f.* 〖건축〗 현관, 현관 앞의 차 대는 곳.

Torheit [tóːrhaɪt] *f.* -en ① 어리석음, 우둔, 멍청함. ② 바보짓, 우행(愚行): eine größere ~ gab es nicht 이보다 더 바보 같은 말〔짓〕은 없었다; eine ~ nach der anderen begehen 연이어 바보짓을 저지르다.

Tor≈höhe *f.* (성)문의 높이. **~hüter** *m.* ① 문지기, 수위. ② 〖구기〗 골키퍼.

*__töricht__ [tǿːrɪçt] *a.* ① 〚고어〛 어리석은, 바보 같은. ② 한심한, 어처구니없는. ③ 단순한, 우직한.

törichter·weise *adv.* 어리석게도, 한심하게도.

Tories [tɔ́riːs, tɔ́ːriz] 《engl.》 ↑ Tory 의 복수형.

Törin [tǿːrɪn] *f.* -nen 〚↑ Tor¹ 의 여성형〛 〚雅語〛 어리석은 여자.

Torino 《it.》 토리노(이탈리아 서북부의 도시).

Tor≈instinkt *m.* 〖스포츠〗 득점 기회의 본능적인 포착. **~jäger** *m.* 〖스포츠〗 다득점 선수, 골 게터.

Torkel¹ [tɔ́rkəl] 《lat.》 *m.* -s, -〔*f.* -n〕 (südd.) 구식의 포도 압착기(器).

Torkel² *m.* -s, - 〚방언〛 ① 비틀거림, 갈지자 걸음; 현기증, 어지럼증. ② 요행: ~ haben 요행〔행운〕을 얻다. ③ 서투른〔재주 없는〕 사람.

torkeln [tɔ́rkəln] *i.* ① (s./h.) 비틀거리다, 어질어질하다, 현기증이 나다; 갈지자로 걷다, 휘청휘청 걷다. ② (s.) 비틀거리며 이동하다.

Törl [tøːrl] *n.* -s, - (öst.) 암벽을 관통하는 통로; 협로; 골문.

Tor≈latte *f.* 〖구기〗 크로스바, 가로대. **~lauf** *m.* 〖스키〗 회전 활강 경기, 슬랄롬(Slalom). **~linie** *f.* ① 〖스키〗 기(旗) 사이의 활강 주로(走路). ② 〖구기〗 골 라인.

torlos *a.* 〖구기〗 득점 없는.

Tor·mann *m.* 골키퍼, 문지기.

Tormentill [tɔrmɛntíl] *m.* -s 〖植〗 ① 유럽 원산의 양지꽃의 일종. ② 그 뿌리에서 추출한 타닌 성분(약용·염료용·무두질용).

Törn [tœrn] 《engl.》 *m.* -s, -s ① 〖海〗 **(a)** (범선) 항해. **(b)** 밧줄로 한 번 감기. **(c)** 줄의 엉킴〔뒤틀림〕. **(d)** 선상 근무 교대 (시간): in einem ~ 단숨에, 쉬지 않고. ② (ndd.) 탑(↑ Turm). ③ (마약에 의한) 환각〔도취〕 상태.

Tornado [tɔrnáːdo] 《engl.》 *m.* -s, -s ① 〖기상〗 토네이도, 용오름(북아메리카에서 발생하는 돌풍). ② 〖요트〗 올림픽 경기의 2 인승 요트.

Tornister [tɔrnístər] 《sl.》 *m.* -s, - ① 〖軍〗 배낭. ② 〚방언〛 책가방, 란도셀: den ~ packen 책가방을 꾸리다.

Tornister≈empfänger *m.* (메고 다니는) 휴대용 수신기. **~sprech·funk·gerät** *n.* 휴대용 무선 전화기, 워키토키.

Torpeder [tɔrpéːdər] 《lat.》 *m.* -s, - 〖海〗 (해군의) 수뢰(水雷) 담당 하사관.

torpedieren [tɔrpedíːrən] *t.* ① 수뢰로 격침하다. ② 〚구어〛 막다, 방해하다: einen Plan ~ 어떤 계획을 좌절시키다.

Torpedierung *f.* -en 수뢰에 의한 격침.

Torpedo [tɔrpé:do] *m.* -s, -s ① 어뢰, 수뢰. ②〖動〗시끈가오리.

Torpedo≈boot *n.* 〖軍·고어〗 어뢰정. **~boot-zerstörer** *m.* 〖軍·고어〗 어뢰정 공격용 구축함. **~flugzeug** *n.* 뇌격기(雷擊機). **~jäger** *m.* 구축함. **~netz** *n.* 어뢰 방어망. **~-schleuder·rohr** *n.* 〖軍〗 어뢰 발사관. **~wagen** *m.* 프로펠러식 궤도차. **~zerstörer** *m.* 구축함.

Tor≈pfeiler *m.* ↑ ~pfosten. **~pfosten** *m.* 〖구기〗 골대, 골 포스트.

torpid [tɔrpí:t] 《lat.》 *a.* 〖醫〗 ① 활발치 못한, 무기력한. ② 둔감한, 무감각한.

torquieren [tɔrkví:rən] 《lat.》 *t.* ①〖工〗 구부리다, 비틀다. ②〔고어〕 괴롭히다, 고문하다.

Torr [tɔr] *n.* -s, - 〖物〗 토르(기압의 단위; 이탈리아 물리학자 E. Torricelli 의 이름에서).

Tor≈raum *m.* 〖구기〗 골 에어리어. **~-raumlinie** *f.* 〖핸드볼〗 골 에어리어 라인. **~-reif** *a.* 〖스포츠〗 득점하기에 결정적인: eine ~e Chance 절호의 득점 기회.

Torrente [tɔrɛ́ntə] 《it.》 *m.* -, -n 〖지리〗 (비가 많이 왔을 때만 물이 흐르는) 간헐 하천, 간헐천.

Tor≈schließer *m.* 문지기. **~schluß** *m.* ①〔고어〕 도시의 문 폐쇄 시간. ② 폐문: 〔비유〕 (kurz) vor ~ 최후의〔마지막〕 순간에. **~-schluß·panik** *f.* 마감 직전의 불안감〔초조감〕; (인생의) 중요한 일을 놓칠지도 모른다는 두려움. **~schreiber** *m.* 문지기, (성문의) 통행세 징수원(~einnehmer). **~schuß** *m.* 〖구기〗 (골) 슛. **~schütze** *m.* 〖구기〗 득점한 선수. **~schützen·könig** *m.* 〖스포츠〗 득점왕.

Torsion [tɔrzió:n] 《lat.》 *f.* -en ①〖數〗 공간 곡선의 비틀림. ②〖物·기계〗 비틀림. ③〖醫〗 염전(捻轉), 꼬임.

Torsions≈elastizität *f.* 비틀림 탄성(彈性). **~festigkeit** *f.* 〖역학〗 비틀림 강성(剛性). **~modul** *m.* 〖역학〗 비틀림 탄성률. **~waage** *f.* 〖역학〗 (비트는 힘을 이용하여 미세한 힘을 재는) 비틀림 저울. **~winkel** *m.* 비틀림각(角).

Torso [tɔ́rzo] 《it.》 *m.* -s, -s/..si ①〖미술〗 토르소(머리 및 손발이 없는 조각상): der Marmor~ einer Venus 비너스의 대리석 토르소. ②〔비유〕 미완성(조각) 작품; 단편(斷片).

Tor≈sperre *f.* ↑ ~schluß. **~steuer** *f.* 〔고어〕 물품 통관세. **~stoß** *m.* 〖축구〗 골 킥.

Tort [tɔrt] 《frz.》 *m.* -(e)s 〔고어〕 감정 훼손, 모욕; 부당〔불쾌〕한 언사: jm. einen ~ antun 누구를 모욕하다, 누구를 부당하게 다루다.

Törtchen [tœ́rtçən] *n.* -s, - 〖↑ Torte 의 축소형〗 ① 쇼트케이크. ② ↑ Tortelett ②③.

Torte [tɔ́rtə] 《it.》 *f.* -n ① 쇼트케이크, 데코레이션 케이크, 파이. ② ↑ Tortelett ③.

Tortelett [tɔrtəlɛ́t] *n.* -s, -s ① 쇼트케이크. ② 쇼트케이크의 밑바닥 부분. ③ (전채(前菜)나 간식용) 쇼트케이크의 카스텔라 부분.

Tortelette [..tə] *f.* -n ↑ Tortelett.

Tortellini 《it.》 *pl.* 고기 따위를 소로 채워 넣은 작고 둥근 파스타.

Torten≈boden *m.* 쇼트 케이크의 밑바닥 부분; 가루 반죽으로 구워서 만든 과자. **~guß** *m.* ① (프루트 파이용의) 젤리. ② (케이크·쿠키 따위에 바르는) 당의(糖衣); 난백(卵白) 당의. **~heber** *m.* 쇼트케이크의 조각을 떠내는 주걱. **~schaufel** *f.* ↑ ~heber.

Tortilla [tɔrtílja] *f.* -s ① (라틴 아메리카의) 옥수수 가루로 구워 만든 납작하고 둥근 빵. ② (에스파냐의) (쇠고기·돼지고기·치즈 소스를 곁들인) 납작하고 둥근 케이크.

Törtlein *n.* -s, - ↑ Törtchen.

Tortur [tɔrtú:r] 《lat.》 *f.* -en ①〔고어〕 (Folter) 고문, 괴롭힘; 책임 추궁: jn. auf die ~ bringen 누구를 고문하다〔괴롭히다〕. ② 고통, 괴로움: eine unerträgliche ~ 참을 수 없는 고통.

Tor≈verhältnis *n.* 〖구기〗 득점률(예상 득점과 실제 득점의 비교 수치): das bessere ~ haben 예상보다 높은 득점을 기록하다. **~-wache** *f.* ①〔고어〕 (도시의) 성문 경비, 성문 지기. ②〖軍〗 위병. **~wächter** *m.* ① 문지기, 수위. ②〖구기〗 ↑ ~wart. **~wart** *m.* 〖구기〗 골키퍼. **~wärter** *m.* 문지기, 수위. **~weg** *m.* 성문 통로, 성문을 통해 나 있는 길. **~zoll** *m.* ↑ ~steuer.

Tory [tɔ́ri, tó:ri, tɔ́:ri] 《engl.》 *m.* -s, -s/..ries [..ri:s, ..rɪz] ① (17 세기 후반 이래 영국의) 토리당원, 왕당파 사람. ② (19 세기 중반 이래 영국의) 보수당원.

Torysmus [tɔrísmus] 《engl.》 *m.* - 영국 토리당의 보수주의, 토리주의.

torystisch *a.* 토리주의의, 보수주의의.

Tos·becken 《↑ tosen》 *n.* 〖토목〗 물살을 약화시키기 위한 인공 연못, (댐의) 감세지(減勢池).

***tosen** [tó:zən] *i.* ① (h.) (바람·파도 따위가) 노호하다, 사납게 울부짖다, 미친 듯이 날뛰다. ② (h.) 큰소리내다, 세게 울리다: ~der Beifall 우레 같은 갈채. ③ (s.) 요란한 소리를 내면서 이동하다〔흐르다〕.

Tosische Schloß *n.* -n ..sses, -n Schlösser (öst.) 난공불락의 성.

Toskana [tɔská:na] 토스카나(중부 이탈리아의 주(州)).

Toskaner 《I》 *m.* -s, - 토스카나 주의 사람. 《II》 *a.* 토스카나의.

toskanisch *a.* 토스카나풍의.

***tot** [to:t] 《♧ Tod》 *a.* 죽은; 죽은 듯한, 활기가 없는; 둔한, 무감각한; 침체한; 공허한, 무효의: ~e Augen 생기 없고 흐린 눈; eine ~e Sprache 사어(死語); der ~e Buchstabe 사멸한 문자; ein ~er Flußarm 물이 마른 지류(支流); 〖畫〗 ~e Farben 칙칙한 빛깔; ein ~es Geschäft 부진한 영업; ~e Saison 비수기(非需期); das ~e Gewicht eines Fahrzeugs (적재 물품을 제외한) 차량 자체의 무게; ein ~er Glaube 껍데기뿐인 신앙; 〖철도〗 ein ~es Gleis 비운행〔폐쇄〕 선로; 〔비유〕 et. aufs ~e 〔auf ein ~es〕 Gleis schieben 무엇을 방치〔무시〕하다; jn. aufs ~e 〔auf ein ~es〕 Gleis schieben 누구를 좌천시키다; 〖經〗 ein ~es Konto 휴면 계좌; 〖法〗 die ~e Hand (교회 따위와 같은) 양도 불능의 동산을 소유한 법인; 〖商〗 ~es Kapital 유휴 자본; 〖광산〗 ein ~er Mann 폐갱(廢坑); das ~e Meer 사해(死海); 〖工〗 ~er Punkt (크랭크의) 사점(死點); 〔비유〕 auf dem ~en Punkt anlangen 〔auf den ~en Punkt kommen〕 막다른 지경에 이르다; 〖수영·구어·농담〗 den ~en Mann machen 물 위에 누워 몸을 물의 흐름에 맡기

다; 〖구어〗 ~ und begraben! 잊혀진 지 오래다, 더 이상 의미가 없다!; 〖구어〗 halb ~ vor Angst〔Schrecken, Furcht〕 sein 불안해서〔놀라서, 무서워서〕 바싹 얼다; mehr ~ als lebendig sein 초죽음이〔녹초가〕 되어 있다; 〖구어〗 ich bin (völlig) ~! 나는 (완전히) 지쳤다!; ~es Rennen 무승부 경주; ~e Straße 인적 없는 거리; ~es Wasser 흐르지 않는 물, 괴어 있는 물; ~es Wissen 쓸모없는 지식; ~er Winkel 사각(死角); ~e 〔stille〕 Zeit 침체기, 비수기; 〖관광〗 ~e Season 관광객이 없는 철, 관광 비수기; jn. für ~ erklären 누구를 죽었다고 (법적으로) 선고하다; Wasser geht ~ 물이 나오지 않다; für ~ gelten 죽었다고 간주되다; sich ~ stellen 죽은 체하다; 〖방송〗 ~e Zone 단파 청취 불능 지역, 블랭킷 에어리어; für et. ~ sein 무엇에 무감각하다; 〖속담〗 ~e Hunde beißen nicht 죽은 개는 물지 않는다; die Leitung ist ~ 전화가 연결되지 않는다, 전류가 흐르지 않는다.

*__total__ [totá:l] 《lat. totus, „ganz"》 *a.* ① 모든 (것을 포괄하는), 완전한; 전체의, 총체의: ~er Krieg (국가의) 총력전; 〖醫〗 ~e Farbenblindheit 완전 색맹; 〖數〗 ~es Differential 완전 미분; eine ~e Niederlage 완패. ② 〖부사적 강조어〗 〖구어〗 완전히; 남김없이: er war ~ betrunken 그는 곤드레만드레 취해 있었다; sie is ~ verrückt 그녀는 완전히 돌았다. ③ 〖교양·드물게〗 전체주의의: der ~e Staat 전체주의 국가.

__Total≈ansicht__ *f.* 전경(全景). __~ausverkauf__ *m.* 재고 정리, 염가 대매출. __~betrag__ *m.* 총액.

__Totale__ *f.* -n 〖영화〗 전체 배경을 찍기 위한 카메라 조절; 전경 촬영, 롱 숏.

__Total≈eindruck__ *m.* 전체적인 인상. __~finsternis__ *f.* 〖天〗 개기 일식〔월식〕.

__Totalisator__ [totalizá:tɔr, ..to:r] 《↑ total》 *m.* -s, -en [..tó:rən] ① 공인된 경마 도박; 경마 복권 발매기(약어: Toto). ② 〖기상〗 적산(積算) 우량계〔설량계〕.

__totalisieren__ [..zí:rən] *t.* ① 〖고어〗 합산〔합계〕하다. ② 〖교양·드물게〗 요약〔총괄〕하다, 종합적으로 다루다.

__totalitär__ [..tɛ́:r] *a.* ① 〖政·폄어〗 전체주의의, 독재적인: ~er Staat 전체주의 국가; ~e Tendenzen 전체주의적인 경향. ② 〖교양·드물게〗 전체적인, 총체적인.

*__Totalitarismus__ [..tarísmus] *m.* - 〖政·폄어〗 전체주의.

__totalitaristisch__ *a.* 〖교양〗 전체주의적인, 전체주의의: eine ~e Diktatur 전체주의적 독재.

*__Totalität__ [totalitɛ́:t] *f.* -en 〖교양〗 ① 전체; 〖哲〗 총체〔전체〕성. ② 전횡, 전체주의적인 통치. ③ 〖天〗 개기 일식〔월식〕.

__Totalitäts≈anspruch__ *m.* 〖교양〗 ① 전체성〔총체성〕의 요구. ② 전체주의적인 권력〔통치〕의 요구. __~prinzip__ *n.* ① 총체성의 원리. ② 전체주의.

__Total≈operation__ *f.* 〖외과〗 ① 한 기관 전체를 제거하는 수술. ② 자궁과 난소 제거 수술. __~reflekto·meter__ *n./m.* 〖광학〗 전(全)반사율 측정 장치(반사광과 입사광의 세기의 차이를 측정). __~reflexion__ *f.* 〖物〗 전반사(全反射). __~schaden__ *m.* 완전한 파손, 완파: mein Wagen hat ~ 내 차는 완전히 망가졌다. __~staat__ *m.* 전체주의 국가. __~summe__ *f.* 총액. __~vision__ *f.* 〖영화〗 시네마스코프.

__tot≈|arbeiten__ *refl.* 〖구어〗 sich ~ 죽도록 일하다. __~|bleiben__* *i.* (s.) (죽어) 되살아나지 않다. __~|ärgern__ *refl.* 〖비유·구어〗 sich~ 격노하다.

__Tote__* 《I》 *der/die* 죽은 사람, 사자: laß die ~n ruhen! 죽은 자들을 편히 쉬게 하라, 죽은 말에 매질 마라! 《II》 *das* 죽은 것, 무생물.

__Totem__ [tó:tɛm] 《indian.》 *n.* -s, -s 〖민속〗 토템(종족 표징으로서 숭배되는 자연물·동식물).

__Totem≈figur__ *f.* 〖민속〗 토템상(像). __~glaube__ *m.* 토템 신앙.

__Totemismus__ *m.* - 〖민속〗 토템 신앙〔제도〕.

__totemistisch__ *a.* 토템 신앙〔제도〕의: ~e Kulturen 토템 신앙의 문화.

__Totem≈pfahl__ *m.* (토템상(像)을 조각·채색한 북아메리칸 인디언의) 토템 기둥. __~tier__ *n.* 토템 신앙의 대상이 되는 동물.

*__töten__ [tǿ:tən] 《<tot》 *t.* ① **(a)** 죽이다, 살해하다: 〖聖〗 du sollst nicht ~ 살인하지 마라 (10 계명의 하나); sich ~ 자살하다. **(b)** 괴롭히다: die Langweile wird sie noch ~ 그녀는 지루해서 죽을 지경이다; der Kummer tötet mich 근심 때문에 나는 죽을 지경이다. ② 〖비유〗 파괴하다, 파멸시키다: das Fleisch ~ 금욕하다; eine Farbe ~ 색을 엷게 하다; 〖醫〗 einen Nerv ~ 〖치과〗 신경을 죽이다; die Zigarette〔Kippe〕 ~ 담배 꽁초를 비벼 끄다; die Zeit ~ 시간을 허송하다.

__Toten≈acker__ *m.* 〖고어〗 묘지. __~ähnlich__ *a.* 죽은 사람처럼. __~amt__ *n.* 장례; 〖가톨릭〗 연(煉)〔장례〕미사; 〖음악〗 진혼곡. __~bahre__ *f.* 관대(棺臺). __~beschwörer__ *m.* 무술사, 무당. __~beschwörung__ *f.* 〖민속〗 죽은 사람의 혼령을 불러냄, 강령술. __~bett__ *n.* 임종의 자리. __~blaß__ [tó:tənblás] *a.* 죽은 사람처럼 창백한. __~bleich__ [..blaiç] *a.* ↑ ~blaß. __~blässe__ *f.* 시체같이 창백함. __~blume__ *f.* ① 〖방언〗 장례식에 쓰는 꽃, 조화(弔花). ② 〖植〗 금잔화(金盞花). __~buch__ *n.* ① (고대 이집트에서 종교적 경구를 적어) 고인과 함께 묻는 파피루스 두루마리. ② das Tibetische ~ (고인에게 들려주는) 티베트의 종교적 경구집. ③ (전) 사자 명부. __~ehrung__ *f.* 추도, 추모. __~farbe__ *f.* 죽은 사람의 빛깔, 창백. __~feier__ *f.* 장례〔고별〕식. __~fest__ *n.* ① 위령제. ② 〖가톨릭〗 위령의 날 (11 월 12 일). ③ 〖기독교〗 고인 추도 일요일. __~flagge__ *f.* 〖海〗 조기(弔旗), 반기(半旗). __~fleck__ *m.* 〖醫〗 시반(屍斑). __~frau__ *f.* 여자 염쟁이. __~gebeine__ *pl.* 유골. __~gebet__ *n.* 고인을 위한 기도. __~geläute__ *n.* 추모의 종소리, 조종(弔鐘). __~geleit__ *n.* 장례식 행렬. __~gerippe__ *n.* 해골. __~geruch__ *m.* 시체〔시신〕 냄새. __~gerüst__ *n.* 관대(棺臺). __~gesang__ *m.* 조가(弔歌), 만가. __~glocke__ *f.* 조종(弔鐘). __~gräber__ *m.* ① **(a)** 무덤 파는 인부: 〖비유〗 die ~ des Rechtsstaates 법치 국가의 기반을 해치는 무리. **(b)** 〖고어〗 공동 묘지 관리인. ② 〖動〗 송장벌레. ③ 〖사냥〗 사냥감을 가져오지 않고 파묻어 버리는 사냥개. __~gräberei__ *f.* 무덤 파기업(業). __~gruft__ *f.* 묘혈, 지하 납골소.

__totenhaft__ *a.* 죽은 사람 같은.

__Toten≈hand__ *f.* 죽은 사람의 손; 차디찬 손.

~haus *n.* 시체 안치소, 영안실. **~hemd** *n.* 수의(壽衣): 〖격언〗 das ~ hat keine Taschen 수의에는 호주머니가 없다(생시에 너무 인색해도 죽으면 아무 소용 없다는 뜻). **~hügel** *m.* 무덤. **~käfer** *m.* 〖動〗 검정풍뎅이. **~kalt** *a.* 죽은 사람처럼 찬. **~klage** *f.* ① 고인을 애도하는 탄식. ② 〖문학〗 조시(弔詩), 조사(弔詞); 장송가. **~kleid** *n.* ↑ ~hemd. **~kopf** *m.* ① 데스 마스크. ② 해골. ③ 박각시(나방)의 일종. ④ 〖化〗 철단(鐵丹) (적색 도료). **~kopf·schwärmer** *m.* 〖動〗 ↑ ~kopf ③. **~krampf** *m.* 〖醫〗 빈사(瀕死) 경련. **~kranz** *m.* 장례식의 화환. **~kreuz** *n.* ① 〖醫〗 죽음의 십자(그래프상에 열과 맥박의 그래프가 서로 교차하는 것으로 표시됨). ② 십자가의 묘표(墓標). **~kult** *m.* 〖민속〗 사자(死者) 숭배. **~lade** *f.* ① 〖醫〗 (만성 골수염에서의) 골구(骨柩). ② 〖고어·방언〗 관, 영구. **~liste** *f.* 사망자 명부〔명단〕. **~mahl** *n.* 장례식 음식. **~mal** *n.* 묘비. **~marsch** *m.* 장례식 행렬; 〖음악〗 장송곡. **~maske** *f.* 데스 마스크. **~messe** *f.* 〖가톨릭〗 ① 추도 미사, 연(煉)미사. ② 장례 미사. **~opfer** *n.* 〖민속〗 고인에게 바치는 제물. **~reich** *n.* 〖신화〗 저승, 황천. **~richter** *m.* 염라 대왕. **~schädel** *m.* 해골. **~schau** *f.* 〖法〗 검시(檢屍), 부검(剖檢). **~schauer** *m.* 검시관. **~schein** *m.* 사망 진단서: den ~ ausstellen 사망 진단서를 발급하다. **~schlaf** *m.* 혼수 상태; 영면. **~sonntag** *m.* 〖기독교〗 고인 추도(주)일. **~stadt** *f.* 매장지; (오늘날의) 공동 묘지. **~starre** *f.* 〖醫〗 사후 강직. **~still** [tóːtənʃtɪl] *a.* 죽은 듯이 고요한. **~stille** [tóːtənʃtɪlə] *f.* 죽은 듯한 정적. **~tanz** *m.* ① 〖畫〗 죽음의 춤, 저승 사자〔해골〕의 춤(인간과 춤추는 저승 사자의 그림). ② 고인의 소생을 나타낸 무언극 민속 무용. **~träger** *m.* 상여꾼. **~uhr** *f.* 〖動〗 살짝수염벌레. **~urne** *f.* 유골 단지. **~verbrennung** *f.* 화장(火葬). **~vogel** *m.* 〖動〗 금눈쇠올빼미. **~wache** *f.* 초상집의 밤샘(하는 사람): die ~ halten 고인의 유해를 지키며 밤새다. **~wagen** *m.* 영구차.

Töter [tǿːtər] *m.* -s, - 〖고어〗 살인자(Totschläger).

tot=|fahren* *t.* (자동차로) 치어 죽이다. **~|fallen*** *refl.* 〖고어〗 sich ~ 추락해서〔넘어져서〕 죽다. **~geboren** *a.* 사산(死産)된: 〖비유〗 es war von Anfang an ein ~es Kind 그것은 처음부터 가망 없는 일이었다. **~geburt** *f.* ① 사산(死産). ② 사산아. **~geglaubt** *a.* 죽었다고 믿은. **~geglaubte*** *der/die* 죽었다고 믿어진 사람. **~gesagte*** *der/die* 사망 선고받은 사람. **~|gehen** *i.* (s.) 〖방언〗 (동물이) 죽다; 〖구어〗 (사람이) 지치다; 죽다. **~geweiht** *a.* 죽어야 할, 죽을 운명인. **~|hetzen** *t.* ① 혹사하다. ② *refl.* 〖구어〗 sich ~ 과로하여 지치다. **~holz** *n.* ① 죽은 나뭇가지; 〖비유〗 쓸모없는 것〔사람〕. ② 〖조선〗 (목선의) 이물·고물의 경질(硬質)의 골조 목재. **~|jagen** *t.* (말 따위를) 죽도록 뛰게 하다, 사정없이 몰아대다. **~|kriegen** *t.* 〖구어·드물게〗 죽이다, 제거하다; 지치게 만들다: 〖대개 농담〗 er〔es〕 ist nicht (so leicht) totzukriegen 그는 〔그것은〕 (그렇게 쉽게) 나가떨어지지 않는다, (매우) 강인하다; nicht totzukriegend 불사신의, 강인한. **~|küssen** *t.* (숨막힐 정도로) 격렬하게 입맞추다. **~|lachen** *refl.* sich ~ 포복절도하다: es ist zum ~ 그것은 포복절도할 정도로 우스꽝스럽다. **~|laufen*** *refl.* 〖구어〗 sich ~ 성과 없이 끝나다; 저절로 멈추다. **~leger** *m.* 〖動〗 갈매기. **~liegend** *a.* 쉬고 있는: ~es Kapital 유휴 자본. **~liegende*** *das* 〖지질〗 신적색(新赤色) 사암층(砂岩層). **~|machen** *t.* ① 〖구어〗 죽이다; 〖비유〗 (상대를) 해치우다, 혼내주다: seinen Konkurrenten ~ 경쟁자를 패배시키다〔꺾다〕. ② *refl.* sich (für jn.〔et.〕) ~ (누구를〔무엇을〕 위해서) 몸〔건강〕을 해치다.

Totmann=bremse *f.* 〖工〗 (차량의) 자동 제어 장치, 자동 브레이크. **~knopf** *m.* 〖工〗 (차량의) 자동 브레이크〔제어 장치〕의 단추.

***Toto** [tóːto] 《<Totalisator》 *n./m.* -s, -s ① 축구〔스포츠〕 복권. ② (공인된) 경마 도박; 경마 복권 발매기(↑ Totalisator ①): im ~ spielen 경마〔축구〕 도박을 하다.

Toto=ergebnis *n.* 경마〔축구〕 복권의 당첨 결과. **~gewinn** *m.* 경마〔축구〕 복권 당첨. **~schein** *m.* 경마〔축구〕 복권; 〖도박〗 참가 등록 용지.

Tot=punkt *m.* 〖工〗 (크랭크의) 사점(死點). **~reife** *f.* 〖農〗 (곡식 알이) 너무 익어 떨어져 버릴 단계. **~|sagen** *t.* (거짓으로 누가) 죽었다고 소문내다. **~|schämen** *refl.* 〖구어〗 sich ~ 부끄러워〔창피해서〕 어쩔 줄 모르다. **~schick** [tóːtʃɪk] *a.* 몹시 세련된, 멋들어진. **~|schießen*** *t.* 〖구어〗 쏘아 죽이다, 사살하다: sich ~ (권)총으로 자살하다. **~schlag** *m.* 살인, 살해; 〖法〗 고의적 살인: einen ~ verüben 살인죄를 범하다. **~|schlagen*** *t.* ① 때려 죽이다, 살해하다; 〖비유〗 (시간·돈을) 낭비하다: 〖구어〗 dafür lasse ich mich (auf der Stelle) ~! 그것은 맹세코 틀림없다!; 〖구어〗 du kannst mich ~ 〔und wenn du mich totschlägst〕, ich weiß wirklich nichts davon! 맹세코 나는 그것에 대해 전혀 모른다!; 〖구어〗 da laß ich mich lieber ~, ehe ich das mache! 나는 죽어도 그 짓은 하지 않겠다!; sein Gewissen ~ 자신의 양심을 마비시키다〔무디게 하다〕. ② 〖사물이 주어〗 단연 능가〔압도〕하다: ihr Parfüm schlägt jeden anderen Duft tot 그 어떤 향기도 그녀가 쓰는 향수 냄새를 감히 따르지 못한다. **~schläger** *m.* ① 살해자. ② (손잡이가 납으로 된) 호신용 단장. **~|schweigen*** *t.* 묵살하다. **~sicher** [toːtzíçər] *a.* 〖구어〗 절대 안전한. **~|stechen*** *t.* 찔러 죽이다. **~|stellen** *refl.* sich ~ 죽은 체하다. **~|stürzen** *refl.* ↑ ~fallen. **~|trampeln** *t.* 〖구어〗 ↑ ~treten. **~|treten*** *t.* 밟아 죽이다.

Tötung [tǿːtʊŋ] *f.* -en ① 살인, 살해, 〖法〗 살인죄: fahrlässige ~ 과실 치사(죄). ② 〖비유〗 금욕.

Tötungs=absicht *f.* 〖法〗 살해〔살인〕 의도. **~versuch** *m.* 〖法〗 살인 미수.

Tot·zeit *f.* 〖工·컴〗 (명령을 받고 작동하기까지의) 대기 시간.

Touch [tatʃ] 《engl.》 *m.* -s, -s 낌새, 징후: mit dem ~ des Weltmannes 처세에 능한 사람의 분위기를 풍기며.

touchieren [tuʃíːrən] 《frz.》 *t.* ① 〖교양·고어〗 가볍게 접촉하다. ② **(a)** 〖펜싱〗 (상대방을) 터치하다. **(b)** 〖승마〗 (장애물을) 살짝 건

드리다. (c) 〖당구〗 (실수로 손이나 큐로 공을) 살짝 건드리다. ③〖醫〗 (a) 촉진(觸診)하다. (b) (종양을) 부식(腐蝕) 막대로 제거하다〔지지다〕.

Toulon [tulɔ̃:] ⦅frz.⦆ 툴롱(프랑스의 도시).

Toupet [tupé:] ⦅frz.⦆ *n.* -s, -s ① (18 세기의) 곱슬곱슬하게 한 앞머리(칼). ② 가발, 대용 모발.

toupieren [tupí:rən] *t.* (머리칼을) 곱슬곱슬하게 하다.

Toupierung *f.* -en 〔드물게〕 앞머리를 곱슬곱슬하게 세움.

***Tour** [tu:*r*] ⦅frz.⦆ *f.* -en ①〖工〗 선회, 회전: auf vollen ~en laufen 전속력으로 회전하다〔가동되다〕; 〔구어〕 auf ~en kommen a) 속도를 올리다, 〔비유〕 활기 띠다, b) 격분〔흥분〕하다; 〔구어〕 in einer ~ 중단 없이; 〔구어〕 auf ~en sein a) 기분이 썩 좋다, 신나다, b) 격분하다; 〔구어〕 jn. auf ~en bringen a) 누구를 한껏 기분좋게 하다, 신나게 만들다, b) 누구를 격분케 하다. ② 소풍, 여행, 일주; 도정(道程), 거리: 〔구어〕 auf ~ gehen〔sein〕 여행하다, 여행 중이다. ③ 순번: außer der ~ 번외(番外)의. ④ (a) (춤의) 한 바퀴 돌기: 〖발레〗 ~ en l'air 공중 회전. (b) (뜨개질의) 한 동작: zwei ~en links, zwei ~en rechts stricken 안뜨기 2 번, 겉뜨기 2 번하여 두 코를 뜨다. ⑤ 작은 가발(Haar~). ⑥〔구어·폄어〕 (a) 방법; 책략: auf die dumme ~ reisen〔reiten〕 짐짓 어리석은〔순진한〕 체하며 잇속을 차리려고 하다; er hat mal wieder seine ~ 그는 또다시 변덕〔심술〕을 부리고 있다. (b) 의도, 계획: jm. die ~ vermasseln 누구의 계획을 망쳐 놓다. ⑦〔구어〕 계략, 술책. ⑧〔구어〕 광기(狂氣).

Tour de France [tur də frɑ̃:s] ⦅frz.⦆ *f.* - - -, -s - - (매년 개최되는) 프랑스 종주 자전거 경주.

Tour d'horizon [turdɔrizɔ̃] ⦅frz.⦆ *f./m.* - -, -s - 〔교양〕 개관, 조망.

Touren≈fahrt [tú:rən..] *f.* (자동차 따위의) 크로스 컨트리 경주. **~rad** *n.* 장거리 경주용 자전거. **~schi** *m.* ↑ ~ski. **~ski** *m.* 장거리 활주용 스키. **~wagen** *m.* 〖모터스포츠〗 장거리 경주용 자동차. **~zahl** *f.* 〖工〗 회전수(분당). **~zähler** *m.* 〖車〗 회전(속도)계.

***Tourismus** [turísmus] ⦅<Tour⦆ *m.* - 관광 여행, 여행 안내(업).

***Tourist** [turíst] *m.* -en, -en ① 관광〔유람·여행〕객. ②〔고어〕 소풍〔등산〕객.

Touristen≈attraktion *f.* 관광 명소. **~büro** [..byro:] *n.* 여행 안내소. **~führer** *m.* 관광 안내인. **~führung** *f.* 관광 안내. **~klasse** *f.* (비행기·여객선의) 3 등(객)석, 보통석. **~klub** *m.* 여행 클럽.

Touristik [turístık] *f.* 관광 시설 및 사업〔업무〕.

Touristin *f.* -nen 〔↑ Tourist 의 여성형〕 여자 관광객.

touristisch *a.* 관광 사업〔업무〕의, 관광의.

Tournai [turnɛ́] *n.* -s 〖지질〗 (유럽 표준 지질 계통상 석탄기 초기에 속하는) 투르네통(統).

Tournai·teppich [turnɛ́..] *m.* (자카르식 문직기로 짠) 투르네 양탄자(벨기에의 도시 투르네(Tournai)의 이름에서).

Tourné [turné:] ⦅frz.⦆ *n.* -s, -s 〖카드〗 (카드를 돌린 후 으뜸패를 정하기 위해) 젖힌 패; (엎어둔 패를) 젖힘.

Tournedos [turnədó:] ⦅frz.⦆ *n.* - [..dó:(s)], - [..do:s] 〖요리〗 소의 허릿살로 만든 비프스테이크.

Tournee [turné:] *f.* -s/-n [..né:ən] 연주 여행, 순회 공연: eine ~ machen 순회 공연을 하다.

Tournee≈leiter *m.* 〖연극〗 순회 공연 주최자. **~veranstalter** *m.* ↑ ~leiter.

tournieren *t.* ①〖카드〗 패를 젖히다. ②〖요리〗 (버터 따위를) 원하는 모양으로 뜨다.

Tourniquet [turniké:] *n.* -s, -s ①〔고어〕 (한 사람씩 지나가게 되어 있는) 회전식 나무문. ②〖醫〗 (a) 지혈기(止血器). (b) 지혈용 압박대〔고무줄〕.

tour-retour [tu:*r*retú:*r*] ⦅frz.⦆ 〔고어〕 (öst.) 왕복 (열차표).

tout [tu] ⦅frz.⦆ *a./adv.* 모두, 완전히.

Towarischtsch [tová:rıʃtʃ, tɔ..] ⦅russ.⦆ *m.* -(s), -s/-i 동지, 동료.

Tower [táυə*r*] ⦅engl.⦆ *m.* -s, - ①〖空〗 관제탑. ② 옛 런던의 왕성(王城), 런던탑.

Tox·albumin [tɔks|albumí:n] *n.* -s, -e 〖생화학〗 유독성 단백질.

toxigen [tɔksigé:n] *a.* 〖醫〗 ① 중독으로 생겨난. ② 독소를 생성하는: ~e Bakterien 독소 생산 박테리아.

Toxikologe [tɔksikoló:gə] *m.* -n, -n 독물(毒物)학자.

Toxikologie [tɔksikologí:] ⦅gr.⦆ *f.* -n [..gí:ən] 독물학(毒物學)(Giftlehre).

toxikologisch [..ló:gıʃ] *a.* 독물(毒物)학(상)의.

Toxikum [tɔ́ksikum] *n.* -s, ..ka 독(毒), 독물.

Toxin [tɔksí:n] *n.* -s, -e 〖化·生·醫〗 (유기물의) 독소.

toxisch [tɔ́ksıʃ] *a.* 〖醫〗 ① 독물의, 유독한. ② 독물로 유발된: eine ~e Krankheit 독물로 인한 질병.

Toxizität [tɔksitsitɛ́:t] *f.* 〖醫〗 (물질의) 유독성.

Toxoid [tɔksoí:t] *n.* -(e)s, -e 〖醫〗 톡소이드, 유(類)독소(특수 면역을 얻기 위한 변성 독소).

TP = Triangulationspunkt 〖측량〗 삼각점.

***Trab** [tra:p] *m.* -(e)s (말의) 속보, 구보(驅步); 〔구어〕 빠른 걸음: im ~ 빠른 걸음으로; ~ gehen 빠른 걸음으로 가다; in ~ setzen 속보로 뛰게 하다; 〔구어〕 auf den ~ bringen 몰아대다, 다그치다; 〔구어〕 mach ein bißchen ~ dahinter! 그 일을 좀 서둘러라! ; 〔구어〕 nun aber (ein bißchen) ~! (좀) 빨리! ; 〔구어〕 (immer) auf ~ sein (항상) 분주하다, 바쁘게 움직이다; 〔구어〕 jn. in ~ halten 누구에게 계속 새로운 과제를 맡기다, 누구를 계속 몰아세우다.

Trabakel [trabá:kəl] ⦅it.⦆ *m.* -s, - (이탈리아 연안의) 쌍돛의 작은 배(보트보다 큼).

Trabant [trabánt] ⦅tschech.⦆ *m.* -en, -en ① (a) 경호원. (b) 하인, 수행원. (c) 〖軍〗 친위병. ② (a) 〖天〗 위성: künstlicher ~ 인공 위성. (b) 〔드물게〕 인공 위성. ③〔복수〕〔구어·농담〕 꼬마들, 아이들. ④〔폄어〕 조무래기, 부하; 하부 기관.

Trabanten·stadt *f.* 위성 도시.

traben [trá:bən] *i.* ① (h./s.) (말이) 빨리 걷다; (기수가) 속보(速步)로 몰다. ② (s.) 〔구어〕 (사람이) 달리다, 서두르다.

Traber *m.* -s, - ① 속보 경마용 말: 〖승마〗 ~ des Jahres 그 해의 가장 빠른 말. ② 훈도병(暈倒病)에 걸린 양.

Traber·bahn *f.* 〖승마〗 ↑ Trabrennbahn.

Trabbi *m.* 트라비(구동독의 트라반트 마크의 자동차).

Trab·gänger *m.* ↑ Traber.

Trabi *m.* ↑ Trabbi.

Trab⸗renn·bahn *f.* 〖승마〗 속보 경마장. **~rennen** *n.* 〖승마〗 속보(速步) 경마. **~-rennen*** *i.* (s./h.) ↑ traben.

Trace [tras] *f.* ↑ Trasse.

Trachea [traxé:a, tráxea] *f.* ..cheen [traxé:ən] 〖해부〗 기관(氣管).

Trachee [traxé:ə] *f.* -n ① 〖해부〗 기관(氣管), 기도(氣道). ②〖動〗 절지 동물류의 호흡기관. ③〖植〗 물관(管).

Tracheide [traxeí:də] *f.* -n 〖植〗 헛물관.

Tracheotomie [traxeotomí:] *f.* -n [..mí:ən] 〖외과〗 기관 절개(술).

Trachom [traxó:m] *n.* -s, -e 〖醫〗 트라코마, 전염성 결막염.

***Tracht** [traxt] 《<tragen》 *f.* -en ① 복장; 의복, 의상; 유행. ② 한 짐, 한 짐(분량)의 짐; (짐 나르는) 멜대: eine ~ Heu 한 짐의 건초; 〔비유·구어〕 jm. eine tüchtige〔gehörige〕 ~ Prügel verabreichen 누구를 호되게 때리다. ③〖動〗 한 배 새끼; 임신; 자궁. ④〖건축〗(들보 따위의) 하중에 대한 내력(耐力), 경간(徑間). ⑤ **(a)** 꿀벌이 모은 꽃가루〔꿀〕, (꿀벌의) 채수(採收). **(b)** (논밭의) 수확. ⑥ (말의) 말굽의 뒷부분; (안장의) 속대(사람이 앉는 부분). ⑦〖海〗 흘수(吃水). ⑧ 수염·가발·머리의 모양. ⑨〖광물〗 결정체.

***trachten** [tráxtən] 《lat. tractare》 *i.* (h.) 〔雅語〕 지향하다, (…에) 뜻을 두다; 의도〔노력〕하다: nach et.³ ~ 무엇에 뜻을 두다, 무엇을 얻으려고 노력하다; jm. nach dem Leben ~ 누구의 목숨을 노리다.

Trachten *n.* -s 〔雅語〕 노력, 지망, 목적: sein Sinnen und ~ geht nur auf Gelderwerb 그의 목적은 오직 돈벌이다.

Trachten⸗anzug *m.* 민속 의상풍의 의복. **~fest** *n.* 민속 의상 축제. **~gruppe** *f.* 민속 의상 무용단. **~jacke** *f.* 민속 의상풍의 재킷. **~kapelle** *f.* (민속 의상을 입은) 악단. **~-kostüm** *n.* 민속 의상풍의 부인복. **~zug** *m.* 민속 의상 행렬.

trächtig [trέçtıç] 《<Tracht》 *a.* ① (포유 동물이) 배태(胚胎)한, 새끼를 밴. ②〔雅語〕 가득 찬, 풍부한; 유익한, 든 것이 많은, 내용이 많은: ein von Gedanken ~es Buch 사상이 풍부한 책; ein ~er Gedanke 함축성 있는 생각.

Trächtigkeit *f.* ① (포유 동물의) 임신 (상태). ②〔雅語〕 풍족; 비옥.

Trachtler [tráxtlər] *m.* -s, - 민속 의상 서클 회원.

Trachtlerin *f.* -nen ↑ Trachtler 의 여성형.

Trachyt [traxý:t] 《gr.》 *m.* -s, -e 〖지질〗 조면암(粗面岩); 화산암.

tracieren [..sí:..] *t.* ↑ trassieren.

Trade·mark [tréıdma:rk] 《engl.》 *f.* -s 〖經〗 상표.

Tradeskantie [tradεskántsiə] *f.* -n 〖植〗 자주달개비.

Trade-Union [tréıdju:njən] 《engl.》 *f.* -s 노동 조합.

tradieren [tradí:rən] 《lat.》 *t.* 〔대개 과거 분사로〕 〔교양〕 (überliefern) 전하다; 전수〔전승〕하다; 구전(口傳)하다: tradierte Normen 전통적인 규범들.

***Tradition** [traditsió:n] *f.* -en ① 전통; 인습, 관습. ②〔교양〕 **(a)** 전승: die literarische ~ 전승 문학. **(b)** 전승, 내리물림, 전하기.

Traditionalismus *m.* - ①〔교양〕 전통주의. ②〖가톨릭〗 정통 신앙주의.

Traditionalist *m.* -en, -en 〔교양〕 전통주의자, 전통주의 신봉자.

traditionalistisch *a.* 〔교양〕 전통주의의, 전통주의적인.

***traditionell** [..tsionέl] *a.* 전통적인; 관습〔인습적〕인.

traditions⸗bewußt *a.* 전통을 아는〔의식하는〕: ~ handeln 전통을 의식해서 행동하다. **~bewußtsein** *n.* 전통 의식, 전통주의. **~-feindlich** *a.* 전통에 반대하는. **~gebunden** *a.* 전통〔인습〕에 얽매인. **~gemäß** *a.* 전통에 부합하는, 관례에 따른. **~reich** *a.* 전통이 다양한, 오랜 전통을 가진: eine ~e Stadt 오랜 전통을 가진 도시.

traf [tra:f] ↑ treffen 의 과거형.

träf [trε:f] *a.* (schweiz.) 적절한: eine ~e Antwort 적절한 대답.

Trafalgar [trafálgar] 트라팔가르(에스파냐 남서의 곶).

träfe [trέ:fə] ↑ treffen 의 접속법 Ⅱ식.

Trafik [trafík] 《it.》 *m.* -s, -s 〔(öst.) *f.* -en〕 ① 담배 판매〔거래〕. ② 가게; (특히) 담배 가게.

Trafikant [..fikánt] *m.* -en, -en (öst.) 담배 가게 주인.

Trafikantin *f.* -nen (öst.) ↑ Trafikant 의 여성형.

Trafo [trá:fo, tráfo] *m.* -s, -s = Transformator 변압기.

Trafo·station *f.* = Transformatorenstation 변전소.

Traft [traft] 《poln.》 *f.* -en 큰 뗏목.

träg [trε:k] *a.* 〔고어〕 ↑ träge.

Trag·altar [trá:k..] *m.* 이동식 제단(祭壇).

Tragant [tragánt] 《lat.》 *m.* -(e)s, -e ①〖植〗 황기의 일종. ② (~gummi) 트라간트 고무(콩과(科) 식물에서 추출하는 고무질(質)).

Trag⸗bahre [trá:k..] *f.* 들것, 가마. **~balken** *m.* 〖건축〗 큰 마룻대, 대들보. **~band** *n.* ① 바지 멜빵; 〖醫〗 삼각건(巾). ②〖건축〗 버팀목(木), 지주(支柱).

tragbar [trá:kba:r] *a.* ① 운반할 수 있는, 휴대용의; 받칠 수 있는: ~er PC 휴대용 컴퓨터. ② 어울리는, 몸에 맞는, 입을 수 있는: ein ~es Kleid 몸에 맞는 옷. ③ 생산적인; 열매를 맺는, 새끼를 낳는; 비옥한. ④ **(a)** 감당할 수 있는: ein ~er Preis 감당할 수 있는 가격. **(b)** 견딜 만한, 참을 수 있는: dieser Zustand ist nicht mehr ~ 이런 상태는 더 이상 참을 수 없다. **(c)** 용납〔용인〕할 수 있는: er ist als Beamter nicht mehr ~ 그는 공무원으로서 더 이상 용납될 수 없다.

Tragbarkeit *f.* 어울림, 몸에 맞음; 휴대; 용인, 참음.

Trag≈baum *m.* (짐 나르는) 목도; 가마채. **~bett** *n.* 들것; 해먹. **~binde** *f.* 멜빵; 삼각건. **~deck** *n.* 〖空〗 주익(主翼).

Trage [trá:gə] *f.* -n ① 목도; 들것; 질빵. ② ↑ ~korb.

***träge** [trɛ́:gə] *a.* 〖고어〗 ① 태만한, 게으른. ② (a) 굼뜬; 활기 없는, 완만한: ein ~r Mensch 굼뜬 사람. (b) 〖化〗 비활성의: ~ Gase 비활성 기체, 희유(稀有) 기체. (c) 〖商〗 침체된, 불경기의. ③ 〖物〗 관성이 있는: eine ~ Masse 관성 질량.

Träge *f.* (Trägheit) ① 태만, 굼뜸. ② 관성.

Trage≈gurt *m.* 운반용 멜빵〔벨트〕. **~korb** *m.* (등에 지는) 운반용 광주리.

Tragelaph [tragelá:f] 《lat., „Bockhirsch"》 *m.* -en, -en ① 산양 사슴(고대 그리스 신화에 나오는 상상의 동물); 〖비유〗 괴물. ② 장르가 불분명한 기묘한 예술품.

tragen [trá:gən] (trug, getragen) 《Ⅰ》 *t.* ① 나르다, 운반하다, 가지고 가다, 지다: et. auf dem Rücken ~ 무엇을 등에 지다; et. in der Hand ~ 무엇을 손에 들다; jn.〔et.〕 huckepack ~ 누구를 업다〔무엇을 등에 지다〕; et. mit〔bei〕 sich³ ~ 무엇을 운반하다; Geld bei sich³ ~ 돈을 지니(고 가)다; die Füße ~ mich nicht mehr 나는 한 걸음도 더 걸을 수 없다; das Geschütz trägt die Granate vier Kilometer weit 이 포의 사정 거리는 4 킬로미터다; js. Namen in〔auf〕 die Liste ~ 누구의 이름을 명부에 올리다; 〖비유〗 jn. auf (den) Händen ~ 누구를 소중히 여기다, 귀여워하다; den Brief zur Post ~ 편지를 우체국에 가져가다. ② (떠)받치다, 지탱하다, 싣고 있다: die Säulen ~ das Dach 기둥이 천장을 받치고 있다; das Eis trägt jetzt schon Menschen 얼음은 이제 사람이 올라서도 괜찮은 두께다; Wasser trägt Holz 나무는 물에 뜬다. ③ 열매 맺다; 낳다; 산출하다: ein Kind (unterm Herzen) ~ 임신 중이다; der Baum trägt viele Früchte 이 나무에는 많은 열매가 열려 있다; der Acker trägt viel Weizen 이 밭에서는 밀이 많이 난다; das Kapital trägt Zinsen 자본은 이자를 낳는다. ④ (몸에) 입고 있다, 지니고 있다: ein Kleid ~ 옷을 입고 있다; einen Hut ~ 모자를 쓰고 있다; neue Schuhe ~ 새 구두를 신고 있다; einen Bart ~ 수염을 기르고 있다; eine Brille ~ 안경을 쓰고 있다; viel Schmuck ~ 많은 장식품을 달고 있다; das Haar gelockt ~ 고수머리를 하고 있다; den Arm in der Binde〔Schlinge〕 ~ 팔을 붕대로 메고〔멜빵 붕대에 걸고〕 있다; Waffen ~ 무장하고 있다; wie trägt sie zur Zeit ihre Haare? 그녀는 현재 어떤 머리 모양을 하고 있는가? ⑤ 〖결과를 나타내어〗 die Wäsche schmutzig ~ 속옷을 입어 더럽히다; die Stiefel schief ~ 장화를 신어 뒤축이 비스듬히 닳게 하다. ⑥ 〖자세·태도를 나타내어〗 den Kopf gerade〔schief〕 ~ 머리를 똑바로〔비스듬히〕 하고 있다; 〖비유〗 das Herz auf der Zunge ~ 속마음을 털어놓다; den Kopf (die Nase) hoch ~ 도도하게 굴다, 거만하다; Unglück zur Schau ~ 불행을 구실삼다, 불행한 티를 내다. ⑦ (마음에) 품다, 지니다: Bedenken ~ 의구심을 품다, 주저〔우려〕하다; Leid um jn. ~ 누구로 인해 상심하다; den Verhältnissen Rechnung ~ 사정을 고려하다; Sorge für et. ~ 무엇을 돌보다〔염려하다〕; Verlangen nach et.³ ~ 무엇을 열망하다. ⑧ 참다, 견디다; 받아들이다, 부담하다: Hitze ~ 더위를 참다; sein Schicksal mit Geduld ~ 운명을 꾹 참다; die Kosten 〔den Schaden, Verlust〕 ~ 비용을〔손해를, 손실을〕 부담하다; die Schuld ~ 죄를 떠맡다; die Verantwortung für et. ~ 무엇에 대한 책임을 지다. ⑨ 가지고〔차지하고〕 있다: ein Amt ~ 어떤 관직에 있다; einen Namen ~ 어떤 이름을 가지다; das Werk trägt den Stempel des Genies an sich 이 작품은 천재의 작품이라는 것을 분명히 알 수 있다; der Brief trägt das Datum vom ... 그 편지에는 …라는 날짜가 기재되어 있다. 《Ⅱ》 *i.* (h.) ① 일정한 거리에 미치다〔다다르다〕: das Gewehr〔Fernrohr〕 trägt sehr weit 이 총의 사정 거리는 아주 멀다〔이 망원경은 아주 멀리까지 보인다〕; ihre Stimme trägt sehr gut 그 여자의 목소리는 아주 잘 들린다. ② 지탱하다, 무게를 견디다: das Eis trägt noch nicht 얼음은 (사람이 올라서기에는) 아직 얇다. ③ 열매 맺다, 산출하다: gut 〔schlecht〕 ~ 열매가 잘 열리다〔열리지 않다〕; dieser Baum trägt noch nicht 이 나무는 아직 열매가 열리지 않는다; der Acker trägt zehnfach 이 밭은 10 배나 수확을 낸다; eine Kuh trägt 암소가 새끼를 배었다. ④ 감당〔부담〕하다: an et.³ schwer ~ 〔zu ~ haben〕 어떤 무거운 짐을 지다, 무슨 일로 고생하다. 《Ⅲ》 *refl.* sich ~ ① sich mit et.³ ~ 무엇에 마음을 쓰고 있다, 무엇을 가지고 다니다; 〖비유〗 sich mit trüben Gedanken ~ 근심에 잠겨 있다; sich mit Gerüchten ~ (나쁜) 소문을 퍼뜨리다; sich mit einer Absicht 〔einem Plan〕 ~ 어떤 의도를〔계획을〕 품다. ② 어떤 차림을 하고 있다: sich einfach〔sauber〕 ~ 검소한〔깨끗한〕 차림을 하고 있다; sich schwarz ~ 검은 옷〔상복〕을 입고 있다. ③ das Tuch trägt sich gut 〔schlecht〕 이 천은 감이 좋다〔나쁘다〕. ④ 운반되다, 날라지다: das trägt sich bequem 〔unbequem, leicht, schwer〕 그것은 운반하기 좋다〔불편하다, 가볍다, 무겁다〕; schwere Lasten ~ sich besser auf dem Rücken 무거운 짐은 등에 지는 것이 더 좋다. ⑤ sich aufrecht ~ 몸을 똑바로 하다, 자세를 바로 하다. ⑥ 〖결과를 나타내어〗 sich müde ~ 운반해서 지치다. ⑦ 〖구어〗 trag' dich nach Hause! 집에 돌아가라! ⑧ 자급자족하다: das Unternehmen trägt sich (selbst) 그 기업은 응분의 수익을 올리고 있다. 《Ⅳ》 **getragen** *p.a.* ↑ getragen.

Tragen *n.* -s 운반, 착용; 부담; 내구(耐久); 자세: zum ~ kommen (계획 따위가) 실효를 거두다, 통용되다; et. zum ~ bringen 무엇을 실행〔발휘〕하다.

tragend *p.a.* ① 새끼를 밴, 임신 중의. ② 받쳐 주는; 기본〔바탕〕이 되는, 중심적인: die ~en Pfeiler 버팀 기둥, 대들보; 〖연극〗 die ~e Rolle 주역.

Träger [trɛ́:gər] *m.* -s, - ① 나르는 사람, 운반인, 지는 사람; 휴대자; 지지자; 행상인; 수하물 운반인(Gepäck≈); 우편 집배원(Brief≈); 화물〔가구〕 운반인, 포터; 신문 배달원: ~ eines adeligen Namens 귀족 칭호의 소유

자, 명문의 사람; der ~ der Kultur 문화 담당자; ~ der Staatsgewalt 위정자; der ~ des Staates 나라의 대들보; ~ eines Wechsels 어음 소지인. ② (옷의) 멜빵; 멜대, 목도, 들것: ein Kleid mit ~n 멜빵이 달린 옷. ③〖건축〗 대들보, 버팀목, 지주. ④〖醫〗 보균자. ⑤ 책임 기관, 담당 부서, 소관 부서: ~ des Kindergartens 유치원의 소관 부서. ⑥〖방송〗 ↑ Trägerwelle.

Trägerin *f.* -nen ↑ Träger 의 여성형.

Träger=kleid *n.* 멜빵이 달린 옷. **~kolonne** *f.* 짐꾼〔운반꾼〕 행렬. **~lohn** *m.* 운임.

trägerlos *a.* 멜빵이 없는: ein ~er Büstenhalter 어깨끈이 없는 브래지어.

Träger=rakete *f.* (우주선 따위의) 추진 로켓. **~rock** *m.* 멜빵 치마. **~schürze** *f.* 멜빵이 달린 앞치마. **~welle** *f.*〖방송〗 반송파(搬送波)(변조된 고주파).

Trage=tasche *f.* (어깨에) 메는 가방. **~tüte** *f.* 손잡이 끈이 있는 (종이·헝겊) 봉지. **~zeit** *f.*〖動〗 임신 기간.

trag=fähig *a.* ① 운반〔적재·부담〕 능력이 있는; 생산력이 있는, 풍요한: die Brücke ist nicht ~ genug 그 다리는 무거운 하중을 견딜 수 없다. ②〖비유〗 수용할〔받아들일〕 수 있는: ein ~er Kompromiß 납득할 수 있는 타협. **~fähigkeit** *f.* ① 운반〔적재·부담〕력; 생산력. ② (어떤 계획의) 실효성, 타당성. ③ 선박의 추가 적재 총량. **~fest** *a.* ↑ ~fähig. **~fläche** *f.*〖空〗 주익(主翼). **~flächen·boot** *n.* 수중익선(水中翼船).

Trägheit [trɛ́:khaɪt] *f.* ① 태만, 게으름; 굼뜸; 활발치 않음; 완만. ②〖物·工〗 관성.

Trägheits=gesetz *n.*〖物〗 관성의 법칙. **~kraft** *f.*〖物〗 관성의 힘, 관성 저항. **~moment** *n.*〖物〗 관성 모멘트.

Trag=himmel *m.*〖건축〗 (장식용) 천개(天蓋);〖宗〗(종교적 행사에 쓰이는) 천개. **~holz** *n.* ①〖원예〗 받침나무. ② 목도, 멜대.

tragieren [tragí:rən] 《lat.》 *t./i.* (h.)〖연극·고어〗 비극적으로〔비장하게〕 연기하다.

Tragik [trá:gɪk] *f.* ① 비극, 비운. ② 비극성, 비장; 비참; 비극적 사건: ein Ereignis von besonderer ~ 특별히 비극적인 사건.

Tragiker [trá:gikər] *m.* -s, - 〔고어〕 비극 시인〔작가·배우〕.

Tragikomik [tragikó:mɪk, trá:giko:mɪk] *f.* 〔교양〕 ① 희비극. ② 희비극성, 희비극적인 사태.

tragikomisch *a.* 〔교양〕 희비극적인, 희비극의.

Tragikomödie [tragikomǿ:diə, trá:gikomø:diə] *f.* -n〖문학〗 희비극.

***tragisch** [trá:gɪʃ] *a.* ① 비극의. ② 비극적인, 비장한, 비참한: 〔구어〕 nimm es nicht so ~! 너무 심각하게 받아들이지 마라, 그리 낙담하지 마라!; die Theorie des ~en 비극론; 〔구어〕 das ist doch nicht so ~ 그것은 그렇게 나쁘지 않다, 비관할 정도는 아니다.

Trag=joch *n.* 목도, 멜대. **~kissen** *n.* 강보, 아기를 싸는 작은 포대기. **~kleidchen** *n.* 배냇저고리. **~korb** *m.* 운반용 광주리. **~kraft** *f.*〖건축·工〗 운반력; 부하 용량, (교각 따위의) 안전 하중;〖海〗 적재력. **~kräftig** *a.* 무거운 짐을 운반할 수 있는. **~last** *f.* (사람〔짐승〕이) 운반할 수 있는 짐, 여객 수화물. **~lohn** *m.* 운임. **~luft·halle** *f.* 에어하우스(압축 공기로 플라스틱을 부풀려 세운 기둥 없는 임시 건물).

Tragöde [tragǿ:də] 《gr.》 *m.* -n, -n〖연극〗 비극 배우.

***Tragödie** [..diə] 《gr. trágos, „Bock"; ōdḗ, „Gesang"》 *f.* -n ①〖문학〗 비극(↔ Komödie). ② 비극적 사태, 불행; 파멸: 〔구어〕 es ist eine ~ (mit ihm) (그의) 상태가 나쁘다; 〔구어〕 aus et.³ eine ~ machen 무엇을 실제보다 더 나쁘게〔심각하게〕 생각하다.

Tragödien=darsteller *m.*〖연극〗 비극 배우〔연기자〕. **~dichter** *m.* 비극 작가〔시인〕.

Tragödin *f.* -nen 〔↑ Tragödie 의 여성형〕〖연극〗 비극 여배우.

Trag·pfeiler *m.*〖건축〗 지주(支柱), 버팀목, 대들보. **~platz** *m.* (두 수로〔철도〕 사이의) 운반로. **~riemen** *m.* 혁대, 가죽 멜빵, 질빵. **~sattel** *m.* 길마. **~säule** *f.* ↑ ~pfeiler. **~seil** *n.*〖工〗 (현수교 따위의) 주(主)케이블, 하중 와이어. **~sessel** *m.* 가마. **~stuhl** *m.* ↑ ~sessel. **~stütze** *f.* 지주(支柱). **~tier** *n.* 짐 나르는 짐승.

Tragung *f.* -en 운반; 부담(Tragen): ~ der Kosten 비용의 부담.

Trag=vermögen *n.* 운반〔적재〕력(~fähigkeit). **~weite** *f.* ①〖軍〗 사정〔탄착〕 거리;〖海〗 (등대·탐조등 등의) 투사 거리: Geschütz mit großer ~ 장거리 대포. ②〖비유〗 영향(력), 파급 효과, 의의: ein Geschehen von großer ~ 영향력이 큰 사건. **~werk** *n.* ①〖건축〗 받쳐 주는 부분, 지지물; (변형력을 받치는) 구조재〔부〕(構造材〔部〕). ②〖空·총칭〗 날개. **~zeit** *f.* ↑ Tragezeit.

Trailer [tréɪlə] 《engl.》 *m.* -s, - ① 트레일러. ②〖영화〗 예고편.

Traille [tráljə, tra:j] 《frz.》 *f.* -n 배다리, 나룻배.

Train [trɛ̃:, (öst.) trɛ:n] 《frz., „Zug"》 *m.* -s, -s〖軍·고어〗 군수품 운송 열차〔차량 행렬〕; 병참, 행리(行李); 차열(車列).

Train·bataillon *n.* 병참 대대.

Trainee [treɪní:] 《<trainieren》 *m.* -s, -s〖經〗 인턴 사원.

Trainer [trɛ́:nər, tré:..] 《engl.》 *m.* -s, - ①〖스포츠〗 감독, 코치, 트레이너: Bundes~ (독일의) 국가 대표팀 감독. ②〖경마〗 조교사(調教師).

Trainer=bank *f.* (경기장의) 감독석, 선수 대기석. **~lizenz** *f.* 트레이너 허가〔인가〕. **~schein** *m.* 트레이너 자격증. **~wechsel** *m.* 트레이너 교체.

trainieren [trɛní:rən, tre..] 《engl. train》 《I》 *i.* (h.) 연습〔훈련〕하다: er trainiert täglich zwei Stunden 그는 매일 2 시간 연습한다. 《II》 *t.* ① 연습〔훈련〕시키다. ② **(a)** 기술적으로 완벽하게 하다. **(b)** 체계적으로 연습하다: er hat das Einparken trainiert 그는 주차 연습을 했다. **(c)** 체계적 연습으로 단련하다: gut trainierte Muskeln 잘 단련된 근육. **(d)** 교육하다: Verkäufer ~ 판매원을 교육하다. 《III》 *refl.* sich ~ 연습하다: sich im Schachspielen ~ 체스를 연습하다.

Training [trɛ́:nɪŋ, tré:..] 《engl.》 *n.* -s, -s 연습, 훈련; 조교(調教).

Trainings=anzug [trɛ́:nɪŋs.., tré:..] *m.* 운동

〔체육〕복. **~hose** *f.* 운동복 바지. **~jacke** *f.* 운동복 상의. **~lager** *n.* 합숙 훈련소, 트레이닝 캠프. **~möglichkeit** *f.* 훈련 기회〔가능성〕: gute〔keine〕 ~en haben 좋은 훈련 기회를 갖다〔훈련 기회가 없다〕. **~rück·stand** *m.* 훈련의 태만〔부족〕. **~zeit** *f.* 훈련 시간.

Train≈knecht *m.* 〖軍〗 병참병(兵). **~kolonne** *f.* 병참 수송 차량〔부대〕의 행렬. **~soldat** *m.* 병참병. **~wagen** *m.* 병참 수송차.

traitable [trɛːtáːbl] *a.* 다루기 쉬운(↑ trätabel).

Traiteur [trɛtǿːr] 《frz.》 *m.* -s, -e 음식점 주인; 조리사, 주방장.

traitieren [trɛtíːrən] 《frz.》 *t.* (trätieren) 다루다, 취급하다.

Trajanus [trajáːnus] 트라야누스(로마 5 현제(五賢帝)의 한 사람, 53 ? -117).

Trajekt [trajɛ́kt] 《lat.》 *m./n.* -(e)s, -e ① 〔구어〕 건너감, 도하, 도항. ② 〖海〗 차량 운반용 기선.

Trajekt≈dampfer [..jɛ́kt..] *m.* ↑ Trajekt ②. **~schiff** *n.* ↑ Trajekt ②.

Trajektorie [trajɛktóːriə] 《lat.》 *f.* -n ① 〖數〗 곡선, 포물선, 궤도. ② 〖軍〗 탄도(彈道).

Trakasserie [trakasəríː] 《frz.》 *f.* -n [..ríːən] 괴롭힘, 야유, 비방.

Trakehnen [trakéːnən] 트라케넨(옛 동프로이센의 지역).

Trakehner *m.* -s, - 트라케넨산(產) 우량마(馬).

Trakt [trakt] 《lat. tractus》 *m.* -(e)s, -e ① 퍼짐, 연장, 거리. ② 지역, 지대. ③ 〖건축〗 (a) 건물의 날개 부분. (b) 건물의 날개 부분에 사는 사람. (c) 문짝, 외짝문. ④ 〖가톨릭〗 (미사 때의) 속창. ⑤ 가로(街路). ⑥ 〖醫〗 관상(管狀) 장기의 통로: Verdauungs∼ 소화관.

traktabel *a.* 〔고어〕 다루기 쉬운, 고분고분한; 사귀기 쉬운: traktabler Mensch 온순한 사람.

Traktament *n.* -(e)s, -e 〔고어〕 ① 취급. ② 접대, 향응, 급양(給養). ③ 사병의 수당, 급료.

Traktanden·liste *f.* (schweiz.) 의사(議事) 일정.

Traktandum *n.* -s, ..den (schweiz.) 교섭 대상, 심의 사항.

Traktat *n.* -(e)s, -e 〔교양〕 ① (a) (학술적인) 논문. (b) 〖宗〗 전단(傳單), 논박문, 비방문. ② (국가간의) 조약.

Traktätchen [..tɛ́ːtçən] *n.* -s, - 〔↑ Traktat 의 축소형〕〔폄어〕 종교상의 팸플릿.

traktieren [traktíːrən] 《I》 *t.* ① 〔고어〕 괴롭히다, 골탕 먹이다: 〔구어〕 jn. mit Vorwürfen ~ 누구를 끈질기게 비난하다; jn. mit Fußtritten ~ 누구를 짓밟다; 누구에게 몹쓸 짓을 하다. ② 〔고어〕 접대하다: jn. mit et.³ ~ 누구를 무엇으로 풍성하게 대접하다. 《II》 *i.* (h.) 담판하다: mit jm. über et. ~ 누구와 무슨 일에 관하여 의논하다.

Traktierung *f.* -en ① 괴롭힘, 골탕먹임. ② 〔고어〕 대접, 향응.

Traktion [..tsióːn] *f.* -en ① 〖醫〗 (분만시 태아를) 끌어냄. ② 〖철도〗 (기관차에 의한) 차량 견인.

Traktor [tráktɔr, ..toːr] 《engl.》 *m.* -s, -en [..tóːrən] 트랙터, 견인차, 견인기.

Traktorist *m.* -en, -en 〖구동독〗 트랙터 운전사.

Traktoristin *f.* -nen 〖구동독〗 ↑ Traktorist 의 여성형.

Tralje [tráljə] 《lat.》 *f.* -n (nordd.) (Gitterstab) (창문 따위의) 격자(格子), (격자 울타리의) 지주(支柱).

träll *a.* (nordd.) 무지한, 우직한.

tralla [traláː] *int.* ↑ trallala ①.

trallala [tralaláː, trálala] *int.* ① 라라라라 (노래를 곡조만 흥겹게 부르는 소리). ② 〖경박〗 ~ sein 미쳤다, 제정신이 아니다.

trällern [trɛ́lərn] 《의성어》 《I》 *i.* (h.) (곡조만으로) 흥겹게 흥얼거리다: vor sich³ hin ~ 혼자서 (곡조만으로) 흥겹게 흥얼거리다. 《II》 *t.* (노래를 곡조만으로) 흥겹게 흥얼거리다.

trallig *a.* ↑ träll.

Tram[1] [traːm] 《lat. Lw.》 *m.* -(e)s, -e/Träme [trɛ́ːmə] (obd.) ① 각목, 들보. ② 사닥다리의 계단〔디딤판〕.

Tram[2] [tram] 《engl.》 *f.* -s 〔(schweiz.) *n.* -s, -s〕 ↑ Trambahn.

Tram·bahn *f.* (südd., öst.) 시내 전차.

Trämel [trɛ́ːməl] *m.* -s, - ① 들보, 장대. ② 수펄; 버릇없는 사람. ③ 톱질 모탕. ④ (schweiz.) (베어진) 나무토막, 그루터기.

Tramen *m.* -s, - (ndd.) ↑ Tram¹.

Tramin [tramíːn] 트라민(이탈리아 북부 남티롤의 마을).

Traminer *m.* -s, - ① 트라민산(產) 포도. ② 트라민산 백포도주. ③ 남티롤산 적포도주.

Tramontana [tramɔntáːna] *f.* ..nen ↑ Tramontane.

Tramontane 《it.》 *f.* -n 〖기상〗 알프스 재넘이 (이탈리아의 알프스산에서 내리부는 찬 북풍).

Tramp [trɛmp, tramp] 《engl.》 *m.* -s, -s (ndd.) ① (a) (Landstreicher) 부랑자, 떠돌이, 유랑자, 집 없는 사람. (b) (떠돌아다니는) 임시 노무자. ② 부정기 화물선〔여객선〕. ③ 도보 여행.

Trampe *f.* -n (특히 큰 고기잡이용) 낚싯대.

Trampel [trámpəl] *m./n.* -s, - 〔구어·폄어〕 얼간이, 멍청이.

Trampel·loge [..loːʒə] *f.* 〔구어·농담〕 (관객이 발구르며 열광하는) 맨 위층의 값싼 관람석.

trampeln [trámpəln] 《I》 *i.* ① (h.) 발을 구르다, 발을 굴러 소리내다. ② (s.) 〔폄어〕 (쾅쾅) 발을 구르며 걷다: über〔durch〕 das Beet ~ 화단을 마구 짓밟으며 지나가다. 《II》 *t.* ① 발을 굴러서 어떤 상태로 만들다: er wurde von der Menge zu Tode getrampelt 그는 군중에 밟혀 죽었다. ② 발을 굴러 털다: (sich³) den Schnee von den Schuhen ~ 발을 탁탁 굴러 눈을 털다. ③ 밟아 다져 만들다, …을 밟아 생기게 하다: einen Weg durch den Schnee ~ 눈을 밟아 길을 만들다.

Trampel≈pfad *m.* 자주 다녀서 저절로 생긴 길. **~tier** *n.* ① 〖動〗 쌍봉(雙峰) 낙타. ② 〔구어·폄어〕 ↑ Trampel.

trampen [trɛ́mpən, trámpən] *i.* ① 자동차 편승 여행을 하다, 히치하이크를 하다. ② 〔고어〕 떠돌다, 방랑하다.

Tramper [trɛ́mpər] *m.* -s, - 자동차 편승 여행자; 방랑자, 떠돌이.

Tramp·fahrt [trɛ́mp.., trámp..] *f.* 부정기선

의 항해〔운항〕.

Trampolin [trampolí:n, trám..] *n.* -s, -e (öst.) (Springbrett) 도약판, 트램플린.

Trampoline [..li:nə] 《it.》 *f.* -n ↑ Trampolin.

Trampolin·sprung *m.* 도약판에 의한 도약.

Tramp≈schiff *n.* 〖海〗 부정기 화물선. **~schiffahrt** *f.* 부정기 화물선의 운항〔항해〕.

trampsen *i.* (h./s.)/*t.* 〖구어·방언〗 ↑ trampeln.

Tram≈seide [trám..] *f.* (Einschlagseide) 견합사(絹合絲) (특히 견직·비로드의 씨줄로 쓰임). **~wagen** *m.* 궤도차, 시내 전차. **~way** [..ve:] 《lat. -engl.》 *f.* -s (öst.) (Straßenbahn) 궤도(차), 시내 전차.

Tran [tra:n] 《ndd.; ♧ Träne》 *m.* -(e)s, -e 어유(魚油), 고래 기름: 〖구어〗 im ~ sein a) (술·잠에) 취해 있다, b) 정신이 멍한 상태다.

Trän·auge [trɛ́:n..] *n.* 〖醫〗 유루안(流淚眼).

Tran·brenner *m.* 어유(魚油) 제조인.

Trance [trã:sə, trã:ns, (또는) tra:ns] 《engl.》 *f.* -n [..sən] 최면〔입신〕 상태(강신자(降神者)가 영과 통하는 상태); 〖비유〗 황홀: jn. in ~ versetzen 누구를 최면 상태로 만들다.

Trance·zustand *m.* 입신〔최면〕 상태.

Tranche [trã:ʃ, trã:ʃə, tráŋʃə] 《frz.》 *f.* -n [..ʃən] ① **(a)** 〖요리〗 손가락 두께의 고기포〔생선포〕. **(b)** 〖화폐〗 테두리. ② **(a)** 〖증권〗 분할액. **(b)** 〖商〗 부채의 일부.

Tranchee [trãʃé:] 《frz.》 *f.* -n 〖軍·고어〗 (Laufgraben) 참호, 공격 루트.

Tranchee·arbeiter *m.* 참호 파는 사람.

Tränchen [trɛ́:nçən] *n.* -s, - 〖↑ Träne 의 축소형〗 소량〔약간〕의 눈물〔물방울〕.

Trancheur [trãʃǿ:r] 《frz.》 *m.* -s, -e (Vorschneider) (식탁에서) 고기를 썰어 나누어 주는 사람, (식탁의) 급사장.

Tranchier·besteck [trãʃí:r..] *n.* 고기 써는 큰 나이프와 포크.

tranchieren [trãʃí:rən, trãŋ..] *t.* 《frz. trancher》 (zerschneiden) 썰다, 토막내다.

Tranchier·messer *n.* 고기 써는 큰 나이프.

***Träne** [trɛ́:nə] 《♧ Tran; 원뜻 „Tropfen"》 *f.* -n ① 눈물: ~n lachen 눈물이 날 정도로 웃다; js. ~n trocknen 누구의 눈물을 닦아 주다, 위로하다; ~n vergießen 눈물을 쏟다; bittre ~n weinen 통곡하다; in ~n ausbrechen 왈칵 울음을 터뜨리다; in ~n schwimmen〔zerfließen〕 눈물을 철철〔줄줄〕 흘리다; in ~n aufgelöst 감정이 복받쳐 흐느끼는; unter ~n 눈물을 흘리면서; unter ~n lachen 울면서 웃다; mit den ~n kämpfen 이를 악물고 울음을 참다; zu ~n gerührt werden 감동의 눈물을 흘리다; ich weine ihm keine ~ nach 나는 그와의 이별을 슬퍼하지 않는다; 〖구어〗 die Sache ist keine ~ wert 그 일은 슬퍼할 가치조차 없다; die〔seine〕 ~n hinunterschlucken 울음을 삼키다〔참다〕; mir kommen die ~n a) 나는 눈물이 난다, b) 〖반어〗 나는 감동해서 눈물이 날 지경이야. ② 〖구어〗 물방울; 소량의 액체: du hast nur eine ~ im Glas 자네 잔에는 술이 겨우 한 방울밖에 없네. ③ 〖비유〗 (물방울 모양의 물건) 귀걸이, 이어링. ④ 〖경박·폄어〗 지겨운〔따분한·한심한〕 사람, 아둔패기.

***tränen** [trɛ́:nən] *i.* (h.) 눈물이 나다〔흐르다〕: die Augen ~ ihm (찬바람·연기 따위로) 그의 눈에서 눈물이 나온다; mit ~den Augen 눈물어린 눈으로; 〖비유〗 das Faß tränt 통이 새다; 〖植〗 ∼des Herz 금낭화.

Tränen≈auge *n.* 유루안(流淚眼) (Tränauge). **~bach** *m.* 〖雅語·농담〗 쏟아지는 눈물. **~bein** *n.* 〖해부〗 누골(淚骨). **∼benetzt** *a.* 눈물에 젖은. **~drüse** *f.* 〖해부〗 눈물샘. **∼erstickt** *a.* 〖雅語〗 흐느껴〔목메어〕 우는: mit ~er Stimme sprechen 흐느끼는 목소리로 말하다. **∼feucht** *a.* 눈물 젖은. **~feuchtigkeit** *f.* 〖醫〗 눈물. **~fluß** *m.* 〖雅語〗 눈물이 흘러내림. **~flut** *f.* 〖雅語〗 ↑ ~bach. **~gang** *m.* 〖해부〗 누관(淚管). **~gas** *n.* 최루 가스. **~gefäß** *n.* ① 〖해부〗 누맥관(淚脈管). ② ↑ ~krug. **~kanal** *m.* 〖해부〗 누관. **~krug** *m.* (고대 로마의 유적에서 볼 수 있는) 눈물 단지. **∼leer** *a.* 〖시어〗 (너무 울어서) 눈물이 마른.

tränenlos *a.* 눈물 없는, 울지 않는; 울음을 참는; 무정〔비정〕한: ein ~er Schmerz a) 울음을 삼키는 고통, b) 눈물마저 메마른 큰 고통.

Tränen≈nasen·gang *m.* 〖해부〗 비루관(鼻淚管). **∼naß** *a.* 눈물에 젖은: ein tränennasses Taschentuch 눈물 젖은 손수건. **~quell** *m.*, **~quelle** *f.* 눈물의 샘; 슬픔의 근원, 한(恨). **∼reich** *a.* 눈물이 많은, 매우 슬픈; 〖반어〗 눈물이 헤픈: ein ~er Abschied 매우 슬픈 이별. **~sack** *m.* 〖해부〗 눈물 주머니, 누낭(淚囊). **~schleier** *m.* 눈물의 장막, 눈물에 가려 흐려진 시야. **∼schwer** *a.* 눈물이 홍건하게 괸. **~strom** *m.* 〖시어〗 ↑ ~bach. **~tal** *n.* 〖비유·시어〗 눈물의 골짜기, 괴로운 세상(살이). **~tier** *n.* 〖구어〗 ① 눈물 많은 사람, 울보. ② 지겨운〔따분한〕 사람, 한심한 인간, 아둔패기(↑ Träne ④). **∼überströmt** *a.* 눈물이 넘쳐 흐른: ~e Wangen 눈물이 넘쳐 흐른 뺨. **∼voll** *a.* ① ↑ ~reich. ② 애처로운 (beklagenswert).

Tranfunzel *f.* -n 〖구어·폄어〗 ① 가물거리는 등(불). ② 느림보, 얼간이.

tränieren *i.* (h.)/*t.* ↑ trainieren.

tranicht *a.* ↑ tranig.

tränicht *a.* 〖고어〗 눈물이 많은, 눈물로 가득 찬, 눈물을 흘리는.

tranig [trá:nıç] *a.* ① 어유(魚油) 같은; 어유 냄새가〔맛이〕 나는; 어유투성이의. ② 〖구어〗 굼뜬, 아둔한, 느려터진; 〖비유〗 맥빠진, 산만한, 지루한.

tränig [trɛ́:nıç] *a.* ↑ tränicht.

***Trank** [traŋk] 《<trinken》 *m.* -(e)s, Tränke [trɛ́ŋkə] 〖雅語〗 ① (Getränk) 마실 것; (청량)음료, 술: Speise und ~ 음식물, 먹고 마시는 것; 〖비유〗 ein bitterer ~ 불쾌〔고약〕한 것. ② (음료·물약 따위의) 한 모금; 약, 약제(藥劑); 물약, 탕약; 침제(浸劑).

trank [traŋk] ↑ trinken 의 과거형.

Tränkchen *n.* -s, - 〖↑ Trank 의 축소형〗 (Tränklein) 소량의 음료, 한 모금.

Tränke [trɛ́ŋkə] *f.* -n ① (가축의) 물 먹이는 곳; (가축의) 물통: Pferde zur ~ führen 말을 물 먹이는 곳으로 데리고 가다. ② (가축의) 음료; 돼지죽, (가축용) 죽.

tränke ↑ trinken 의 접속법 Ⅱ식.

tränken [trɛ́ŋkən] *t.* ① 마시게 하다, 물을 먹이다: Vieh ~ 가축에게 물을 먹이다; einen Säugling ~ 아기에게 젖을 먹이다. ② **(a)** 물

을 주다, 적시다: Pflanzen ~ 식물에 물을 주다; der Regen tränkt die Erde 비가 대지를 적신다. (b) 담그다, 침투시키다: Papier mit 〔in〕 Öl ~ 종이에 기름을 먹이다.

Tränk·faß *n.* ↑ Tränktrog.

Tränklein *n.* -s, - 〚↑ Trank 의 축소형〛 아주 적은 음료, 한 모금.

Trank·opfer *n.* 〚宗〛 ① 헌작(獻爵), 헌주(獻酒). ② 신에게 바친 술〔음료〕, 제주(祭酒), 신주(神酒).

Tränk·rinne *f.* 급수관(給水管), (물탱크의) 급수통.

Tranksame [tráŋkza:mə] *f.* (schweiz.) 음료수(Getränk).

Trank·steuer *f.* 주세(酒稅).

Tränk≈stoff *m.* 침투제(浸透劑). **~trog** *m.* (가축용의) 물통.

Tränkung [trɛ́ŋkuŋ] *f.* -en (물을) 먹이기, (갈증을) 가시게 하기, (가축에게) 물주기; 〚化〛 삼투(滲透).

Tran·lampe *f.* ① 어유(魚油) 램프. ② 〔구어·폄어〕 굼뜬 사람. ③ 〔구어·폄어〕 (꺼질 듯이) 가물거리는 등(불).

Tranquillität [traŋkvɪlitɛ́:t] 《lat.》 *f.* 〔고어〕 평온; 태연자약; 침착.

Tranquillizer [trɛ́ŋkvɪlaɪzər] 《engl.》 *m.* -s, - 〚藥〛 신경 안정제, 진정제.

tranquillo [traŋkvílo] 《it.》 *adv.* 〚음악〛 평온〔고요〕한 분위기로(ruhig).

Tranquillo *n.* -s, -s/..lli 〚음악〛 ↑ tranquillo 풍의 곡.

trans.. 《lat.》 *pref.* "…의 저편으로, 건너서, 넘어, 다른 상태로" 따위의 뜻.

Transaktion [trans|aktsió:n] *f.* -en ① (기채(起債)·증자(增資) 따위의) 금융 거래; 영업, 업무: größere ~en vornehmen 대규모의 영업을 계획하다. ② 협상, 조정; 협정; 〚法〛 협약, 약정.

transalpin [..|alpí:n] *a.* ↑ transalpinisch.

transalpinisch *a.* (로마쪽에서 보아) 알프스 산맥 저쪽의.

transatlantisch *a.* (유럽쪽에서 보아) 대서양 저쪽〔건너편〕의; 해외의.

Transbaikalien [transbaɪká:liən] 바이칼호(湖) 동쪽 지방.

Transch *m.* -es, -e 〔구어〕 (Vorwurf) 비난, 욕설: jm. einen ~ machen 누구를 욕하다.

transchieren [tranʃí:rən] 《frz.》 *t.* (요리한 고기를) 썰다, 토막내다(tranchieren).

Transchier·messer *n.* (식탁용의) 고기 써는 큰 나이프(Tranchiermesser).

Transept [tranzɛ́pt] 《lat.》 *m./n.* -(e)s, -e 〚건축〛 트랜셉트(십자형 성당〔교회〕의 좌우 날개 부분).

transeunt [tranzeúnt] 《lat.》 *a.* (vorübergehend) 일시적인, 잠정적인; 과도적인.

Trans-Europ-Express [trans|ɔyró:plɛks-prɛs] *m.* -es, -e 유럽 횡단 특급(特急) 열차(약어: TEE).

Transfer [transfé:r] 《engl.》 *m.* -s, -s ① 〚經〛 (a) (나라 간의) 외환 송금. (b) 〔복수〕 (국가·공공 단체의) 이전 지급. ② 〚空〛 (여객·화물의 최종 목적지로의) 이송. ③ 〔스포츠〕 (선수의) 트레이드, 이적. ④ 〚心〛 (학습 따위의) 전이(轉移). ⑤ 〔교양·고어〕 이주, 이민. ⑥ 〚언어학〛 (a) (언어 학습에서) 모국어 구조의 외국어로의 응용〔적용〕. (b) 외국어 특수 현상의 모국어 체계에의 전이〔적용〕.

transferabel [transferá:bəl] *a.* 〚經〛 외화로 교환할 수 있는, 외화 교환에 적합한.

Transfer·abkommen *n.* 〚經〛 국가간의 지급 협정.

transferieren [..ferí:rən] *t.* ① (a) 환전하다. (b) 외환 송금하다. (c) 대체〔이체〕하다. ② (직업 선수를) 트레이드〔이적〕하다. ③ (öst.) 〔격식〕 전근시키다.

Transferierung *f.* -en ① 외환 송금. ② 선수의 트레이드〔이적〕. ③ (öst.) 〔격식〕 전근.

Transfer≈liste *f.* 〚스포츠〛 이적 희망〔예상〕 선수 명단. **~straße** *f.* 〚工〛 자동 생산 라인.

Transfiguration [..tsió:n] 《lat.》 *f.* -en (Verklärung Christi) (예수의) 거룩한 변모, 현성용(顯聖容).

Transformation [..tsió:n] 《lat.》 *f.* -en ① 〔교양〕 (a) 변형, 변환. (b) 〚유전〛 형질 변환. ② 〚數〛 (수식·좌표의) 변환. ③ 〚心〛 방어 기제의 변화. ④ 〚언어학〛 (a) (능동문에서 수동문으로의 변환과 같은) 문장 구조의 변형. (b) 변형 규칙에 따른 변형.

Transformations·grammatik *f.* 〚언어학〛 ① 변형 생성 문법. ② (촘스키(N. Chomsky)의) 변형 문법.

Transformator [transfɔrmá:tɔr, ..to:r] *m.* -s, -en [..tó:rən] 〚전기〛 변압기(Umspanner).

Transformatoren·häuschen *n.* 변전실.

Transformator·haus *n.* 〚전기〛 변전소.

transformieren *t.* 〔교양〕 (umformen) 변형하다; 〚전기〛 변압하다; 〚數〛 변환하다.

Transformierung *f.* -en 〔교양〕 변형, 변환; 변압.

transfundieren 《lat.》 *t.* (다른 그릇에) 따르다; 수혈하다.

Transfusion [..fuzió:n] *f.* -en ① 〚醫〛 (Blutüberleitung) 수혈, 수액(輸液), 주입(注入). ② 〚物·化〛 (다공질의 격벽을 통한) 기체의 융합.

Transfusor [..fú:zɔr, ..zo:r] *m.* -s, -en [..zó:rən] 〚醫〛 ① 피를 제공하는 사람, 수혈자. ② 러셀씨에 의하여 고안된 수혈기(輸血器).

Transgression [transgrɛsió:n] 《lat.》 *f.* -en ① (Übertretung) 위반, 반칙, 위법 (행위). ② 〚지질〛 (Überflutung) 해진(海進) (지반의 침강 또는 해면의 상승으로 인하여 바다가 육지 쪽으로 확장되는 현상); 부정합(不整合). ③ 〚유전〛 (유전 형질의) 초월 분리.

transigieren [tranzigí:rən] 《lat.》 *t.* (verhandeln) 상의하다, 담판하다; 협약〔협정〕하다, 화해하다; 조정하다.

Transistor [tranzístɔr, ..to:r] 《engl.》 *m.* -s, -en [..tó:rən] ① 〚전기공학〛 트랜지스터. ② 트랜지스터 라디오.

Transistor·gerät *n.* ↑ ~radio.

transistorieren *t.* ↑ transistorisieren.

transistorisieren *t.* 〚전기공학〛 (기계에) 트랜지스터를 부착하다: ein voll transistorisierter Fernsehempfänger 트랜지스터가 부착된 텔레비전 수상기.

Transistor·radio *n.* 트랜지스터 라디오.

Transit[1] [tranzí:t, tránzɪt, tranzɪ́t] 《it.》 *m.* -s, -e (제 3 국) 통과; 통과 무역〔여행〕: die Waren gelangen im ~ über Deutschland nach Polen 이 상품은 독일을 거쳐 폴란드에 도

착한다.

Transit[2] *n.* -s, -s ↑ Transitvisum.

Transit=abkommen *n.* 〖政〗(국가간의) 통과 무역〔여행객〕에 관한 협정. **~güter** *pl.* 〖經〗 통과 무역 화물. **~handel** *m.* 〖經〗 통과〔중계〕 무역.

transitieren [tranzití:rən] *t.* 〔전문어〕 (화물·여행객이 어느 지역을) 통과하다.

Transition [..tsió:n] *f.* -en 〔고어〕 이행(移行), 추이, 변천, 변동.

transitiv [tránziti:f, tran..tí:f] *a.* ①〖문법〗 타동사의(↔ intransitiv): ~e Verben 타동사. ②〖논리·數〗 ~e Relation 천이적(遷移的) 관계(명제 A 와 B, B 와 C 사이에 성립되는 논리는 A 와 C 사이에도 타당하게 적용되는 관계; 보기: A 가 B 보다 크고 B 가 C보다 크면 A 는 C 보다 크다).

Transitiv *n.* -s, -e [..və] 〖문법〗 타동사.

Transitivum *n.* -s, ..va ↑ Transitiv.

Transit·lager *n.* 〖經〗 운송 화물 창고.

Transito 《it.》 *m.* -s, -s/..ti ↑ Transit[1].

transitorisch *a.* 〔교양·전문어〕 일시적〔단기적·과도적〕인: eine ~e Erscheinung 일시적 현상; 〖經〗 ~e Aktiva〔Passiva〕 (다음 회기에 계상될 과도적인) 현재 자산〔부채〕.

Transitorium *n.* -s, ..rien [..riən] 〖經〗 (국고의) 임시 예산 항목(의 승인).

Transit=reisende* *der/die* (통과국 공항의) 통과 여행자. **~verbot** *n.* 통과 무역〔여행〕 금지. **~verkehr** *m.* (여객·상품 따위의) 통과 왕래〔교역〕. **~visum** *n.* 통과 비자〔사증(査證)〕. **~ware** *f.* 통과 화물〔상품〕. **~wechsel** *m.* 〖經〗 통과 어음. **~weg** *m.* 통과 무역용 도로, 통과 여행용 도로. **~zoll** *m.* (통과 화물에 대한) 통과세.

Transjordanien [transjɔrdá:niən] 트란스요르단(요르단 왕국의 옛이름; 요르단의 요르단강 동부 해안 지역).

Transkaukasien [..kaʊká:ziən] 카프카스 산맥의 남쪽 카프카스 지방.

transkaukasisch *a.* 카프카스 산맥의 남쪽 카프카스 지방의.

transkontinental *a.* 대륙 횡단의: ~e Verkehrsverbindungen 대륙 횡단 교통망.

transkribieren [transkribí:rən] 《lat.》 *t.* ①〖언어〗 (속기·외국 문자 따위를) 다른 글자로 옮겨 쓰다; 발음대로 표기하다. ②〖음악〗 편곡하다. ③〖法〗 양도하다.

Transkription [..rɪptsió:n] *f.* -en ①〖언어〗 **(a)** 다른 글자로 옮겨 쓰기; 발음대로 표기하기, 음역(音譯). **(b)** 발음대로 표기된 언어: die internationale ~ a) 국제 공용 음성 언어(보기: 에스페란토어), b) 국제 표준 음성 표기법. ②〖음악〗 편곡. ③〖유전〗 전사(轉寫)(DNA 에서 유전 정보를 받은 전령 RNA 분자가 단백질을 합성하는 과정).

Translateur [..latǿ:r] 《frz.》 *m.* -s, -e 〔고어〕 통역사; 번역자.

Translation [..latsió:n] 《lat.》 *f.* -en ①〔교양〕 번역, 번안. ②〖기하·物〗 병진(竝進) 운동, 나란히 옮김. ③〖언어〗 통사적 전이(보기: „Mutters Kleid"에서 Mutters 가 형용사 위치에 놓이는 현상). ④〖가톨릭〗 중세 성유물(聖遺物)의 이전.

Translator [..lá:tɔr, ..to:r] *m.* -s, -en [..tó:rən] 〔고어〕 번역자.

Transliteration *f.* 〖언어〗 음역(音譯), 발음대로 옮겨 적기.

transliterieren *t.* 〖언어〗 (어떤 낱자를) 다른 언어로 음역하다.

Translokation 《lat.》 *f.* -en ①〔고어〕 이전, 이동. ②〖유전〗 (염색체의) 전위(轉位).

translozieren *t.* ①〔고어〕 이전하다, 이동시키다. ②〖유전〗 (염색체의) 위치를 바꾸다, 옮기다.

transluzent [translutsɛ́nt] *a.* ↑ transluzid.

transluzid [..tsí:t] *a.* 투명한; 반투명의.

transmarin *a.* ↑ transmarinisch.

transmarinisch 《lat.》 *a.* 〔고어〕 해외의, 바다 건너의.

Transmission 《lat.》 *f.* -en ①〖工〗 동력 전달 장치; 변속 장치. ②〖악기〗 (오르간의) 전동 장치. ③〖광학〗 (광선의) 투과.

Transmissions·riemen *m.* 〖工〗 전동(傳動) 벨트.

transmittieren [transmɪtí:rən] *t.* 〔교양·전문어〕 전달하다; 투과하다; 송신하다: durch dieses Gerät werden Schwingungen transmittiert 이 장치를 통해 진동이 전달된다.

transnational *a.* 〖政·經〗 국제적인; 다국적의.

Transozean=dampfer [trans|ó:tsea:n..] *m.* 대양 횡단 기선. **~flugzeug** *n.* 대양 횡단 비행기.

transozeanisch [..|otseá:nɪʃ] *a.* 대양 횡단의; 바다 건너의.

Transp. = 〖經〗 Transport 이월(잔고).

transparent [transparɛ́nt] 《lat. parere, „erscheinen"》 *a.* ① 투명한. ② 명료한, 일목요연한, 알기 쉬운: et. ~ darstellen 무엇을 알기 쉽게 서술하다.

Transparent *n.* -(e)s, -e ① 현수막. ② 투시화(畫). ③ 슬라이드.

Transparent·papier *n.* 투사지, 복사지; 등사 용지.

Transparenz *f.* ① 투명(성). ②〖광학〗 투명도. ③〖사진〗 광도(光度).

Transpiration [transpiratsió:n] 《lat.》 *f.* -en ①〖醫〗 발한(發汗), 땀 분비. ②〖植〗 (잎의) 수분 증발 작용.

transpirieren *i.* (h.) ①〔교양〕 땀을 흘리다, 발한(發汗)하다. ②〖植〗 수분을 발산하다.

Transplantation [transplantatsió:n] 《lat.》 *f.* -en ①〖醫〗 (신체 조직·장기의) 이식(술). ②〖植〗 접목(술) (Pfropfen).

transplantieren *t.* ①〖醫〗 (신체의 조직·장기를) 이식하다. ②〖植〗 접목시키다.

transponieren [transponí:rən] 《lat.》 *t.* ①〖음악〗 조바꿈하다; 〖印〗 이항(移項)하다. ②〔교양〕 바꾸어 놓다: einen Text in eine andere Sprache ~ 텍스트를 다른 언어로 옮기다〔번역하다〕.

Transponierung *f.* -en ①〖음악〗 조바꿈, 전조(轉調). ② 바꾸어놓기, 옮기기.

Transport [transpɔ́rt] 《frz.》 *m.* -(e)s, -e ① 운송, 수송: der ~ von Gütern per Flugzeug 항공편 화물 수송; beim 〔auf dem〕 ~ von Afrika nach Europa sind viele Tiere gestorben 많은 동물이 아프리카에서 유럽으로 수송하는 도중에 죽었다. ② (상품·여객의) 수송〔운송〕량〔수〕. ③〖經〗 (Übertrag) 이월, 이월 잔고(약어: Transp.).

transportabel *a.* 운송 가능한; 휴대용의: ein ~er Fernseher 휴대용 텔레비전.

Transport=anlage *f.* 운송 시설. **~arbeiter** *m.* 운수 노동자, 하역 인부.

Transportation *f.* -en 수송, 운송, 운반.

Transport=band *n.* 〖工〗 컨베이어 벨트 (Förderband). **~behälter** *m.* 컨테이너.

Transporter [transpɔ́rtər] *m.* -s, - 대형 화물 트럭〔화물선·수송기〕.

Transporteur [..tø:r] 《frz.》 *m.* -s, -e ① 운송(업)자. ②〖기하·구식〗 각도기. ③ (재봉틀의) 보내기톱니.

transport=fähig *a.* 운송할 수 있는. **≈fähigkeit** *f.* 운송 가능성. **≈flugzeug** *n.* 수송기. **≈führer** *m.* 〖軍〗 수송 책임자〔지휘관〕. **≈gefährdung** *f.* 〖法〗 교통 방해. **≈gewerbe** *n.* 운수〔운송〕업. **≈gut** *n.* 운송 화물.

transportierbar [transpɔrti:r..] *a.* ↑ transportfähig.

transportieren *t.* ① 운송〔수송〕하다; 옮기다, 나르다: die Verunglückten ~ 사고 피해자들을 이송하다. ②〖商〗 이월하다.

Transportierung *f.* -en 운송, 운반; 이월.

Transport=kasten *m.* ↑ ~kiste. **~kiste** *f.* 운송용〔운반용〕 상자. **~kosten** *pl.* 운임, 수송비. **~mittel** *n.* 운송 수단. **~schiff** *n.* 수송선. **~unternehmen** *n.* 운수 회사; 운송업. **~wesen** *n.* 운수 조직, 수송 제도.

Transposition 《lat.》 *f.* -en ① (위치·순서의) 전환, 치환; 〖醫〗 전위(轉位); 〖數〗 치환. ②〖문법〗 (정동사의) 후치법(↑ Inversion). ③〖음악〗 조바꿈, 전조(轉調); 전조곡(轉調曲).

Transrapid *m.* -(s) 〖교통〗 (독일에서 개발 중인) 자기 부상 열차.

transrhenanisch 《lat.》 *a.* (프랑스쪽에서 본) 라인강 건너편의, 독일 지역의.

Transsept [transzɛ́pt] *n.* -(e)s, -e ↑ Transept.

Transsib [..zíp] *f.* 시베리아 횡단 철도 (Transsibirische Eisenbahn 의 단축형).

transsibirisch [..zibí:rɪʃ] *a.* 시베리아 횡단의: die ≈e Bahn 시베리아 횡단 철도.

Transsilvanien [transzɪlvá:niən] 트란실바니아(루마니아의 Siebenbürgen 지방의 옛 이름).

Transsubstantiation [transzʊpstantsɪatsió:n] 《lat.》 *f.* -en 〖가톨릭〗 성체(聖體) 변화, 성(聖)변화(성체 성사(聖事)에서 빵과 포도주가 그리스도의 몸과 피로 변함).

Transsubstantiations·lehre *f.* 〖가톨릭〗 성체(聖體) 변화 교리.

Transsudat [transzudá:t] 《lat.》 *n.* -(e)s, -e 〖醫〗 (Ausgeschwitztes) 여출액(濾出液), 누출액.

Transsudation [..tsió:n] *f.* -en 〖醫〗 여출(濾出), 누출.

Transsylvanien [..zʏlvá:niən] ↑ Transsilvanien.

Transuran *n.* -s, -e 〖化〗 초(超)우라늄 원소 (Neptunium, Plutonium, Americium, Curium 따위).

Transuse [trá:nzu:zə] *f.* -n 〔구어·폄어〕 굼벵이, 느림보(특히 여성): du alte ~! 이 느려터진 할망구야!

transversal [transvɛrzá:l] 《lat.》 *a.* 〖物·전문어〗 횡단하는; 가로의, 비스듬한: ~e Wellen 횡파(橫波).

Transversal·bahn *f.* 횡단 철도.

Transversale *f.* -n 〖기하〗 (3·4 각형의) 횡단선.

Transversal·welle *f.* 〖物〗 (Querwelle) 횡파, 가로 파동(↔ Longitudinalwelle).

Transvestismus *m.* - (이성(異性)의 옷을 입고 싶어하는) 의상〔복장〕 도착증.

Transvestit [transvɛstí:t] 《lat.》 *m.* -en, -en (이성의 옷을 입고 싶어하는) 의상〔복장〕 도착증(환)자.

Transvestitismus *m.* - ↑ Transvestismus.

***transzendent** [transtsɛndɛ́nt] 《lat. transscendere, „hinübersteigen"》 *a.* ①〖哲〗 초월적인, 초감성적인, 초자연적인. ②〖數〗 초월적인, 대수적(代數的)이 아닌: ~e Zahl 초월수 (보기: 원주율 π 따위).

***transzendental** *a.* 〖哲〗 ① (스콜라 학파에서) 초월적인. ② (칸트 철학에서) 선험적인.

***Transzendenz** *f.* 〖哲〗 (↔ Immanenz) 초월성, 피안성(彼岸性); 초월: der Bereich der ~ im Gegensatz zur Diesseitigkeit 현세의 반대인 피안의 영역; ~ Gottes 신의 초월성.

Trap [trap] 《engl.》 *m.* -(s) 〖사격〗 〔↑ Trapschießen 의 단축형〕 클레이 사격(대회).

Trapez [trapé:ts] 《gr.》 *n.* -es, -e ①〖기하〗 사다리꼴. ②〖체조·곡예〗 공중 그네.

Trapez=akt *m.* 공중 그네 곡예. **~form** *f.* 사다리꼴. **≈förmig** *a.* 사다리꼴의. **~künstler** *m.* 공중 그네 곡예사.

Trapezoeder [trapetsoé:dər] *n.* -s, - 〖광물〗 편(偏)사각다면체(Kristallform).

Trapezoid [..í:t] *n.* -(e)s, -e 〖기하〗 (평행하는 변이 없는) 부등(不等) 4 변형.

trapp [trap] *int.* 〔의성어〕 다각다각, 저벅저벅(말·군인의 속보음을 나타내는 소리).

Trapp 《schwed.》 *m.* -(e)s, -e 〖지질〗 트랩(현무암·휘록암 따위의 조립 화성암).

Trappe[1] [trápə] 《sl.》 *f.* -n 〔*m.* -n, -n〕 〖動〗 능에(들기러깃과의 일종).

Trappe[2] *f.* -n (ndd.) ① (더러운) 발자국. ② 〔고어〕 무뚝뚝한 사람, 촌놈.

trappeln [trápəln] *i.* ① (h.) 다각다각〔저벅저벅〕 발소리를 내다: ~de Hufe 다각다각거리는 (말)발굽 소리. ② (s.) (어린이가) 총총걸음으로 걷다; (말이) 속보로 걷다.

trappen [trápən] *i.* ① (h.) 쿵쾅쿵쾅 발소리를 내다. ② (s.) 쿵쾅거리며 걷다.

Trapper [trápər] 《engl.》 *m.* -s, - 북아메리카의 모피 수집 사냥꾼.

Trappist [trapíst] *m.* -en, -en 트라피스트 수도회 수도사(프랑스 노르망디의 La Trappe 수도원 이름에서).

Trappisten=käse *m.* 트라피스트 수도원에서 만든 치즈. **~kloster** *n.* 트라피스트 수도원. **~orden** *m.* 트라피스트 수도회.

Trappistin *f.* -nen ↑ Trappist 의 여성형.

trappsen [trápsən] *i.* (h./s.) ↑ trapsen.

trapsen [trápsən] 《<trappen》 *i.* (h./s.) 〔구어〕 ① (h.) 요란한 발걸음 소리를 내다. ② (s.) 쿵쾅거리며 걷다.

Trap·schießen *n.* ① 클레이 사격(클레이 피전을 공중에 던져 산탄총으로 격파하는 스포츠). ② 클레이 사격 대회〔경기〕.

trara [trará:] *int.* 〖의성어〗 트라라, 따따따 (뿔나팔·트럼펫 소리).

Trara *n.* -s ① 트라라〔따따따〕하는 소리(뿔나팔·트럼펫의 소리). ②〖구어〗소란, 법석, 소동: sie macht immer viel ~ um ihre Kinder 그녀는 늘 아이들 일로 큰 소란을 피운다.

trascinando [traʃinándo] 《it.》 *adv.* 〖음악〗 속도를 늦추어, 느리게, 시간을 끌면서.

Traß [tras] 《it. -frz. -ndl.》 *m.* Trasses, Trasse [trásə] 〖광물〗 (Tuffstein) 트라스(화산재로 이루어진 응회암; 시멘트의 원료).

Trassant [trasánt] 《it. tratta》 *m.* -en, -en 〖經〗 어음 발행인.

Trassat *m.* -en, -en 〖經〗 (수표·어음의) 지급인 (Bezogener).

Trasse [trásə] 《lat.》 *f.* -n 〔(schweiz.) *n.* -s, -s〕 (철도·도로·송전선 따위의) 가설 예정선.

Trassee [trásе] *n.* -s, -s (schweiz.) ↑ Trasse.

trassieren[1] 《frz.》 *t.* (철도·도로 따위의) 가설 예정선을 설정〔선정〕하다.

trassieren[2] 《it.》 *t.* (어음을) 발행하다: 〖經〗 einen Wechsel auf jn. ~ 누구 앞으로 어음을 발행하다.

Trassierung *f.* -en ① (철도·도로 따위의) 가설 예정선 설정. ② 어음 발행.

trat [tra:t] ↑ treten 의 과거형.

trätabel [trɛtá:bəl] 《frz.》 *a.* 〖고어〗 다루기 쉬운, 고분고분한: ~e Menschen 부리기 쉬운 사람.

träte [trɛ́:tə] ↑ treten 의 접속법 Ⅱ 식.

Träteur [trɛtǿ:r] *m.* -s, -e (Traiteur) 음식점 주인.

trätieren [trɛtí:rən] *t.* 《frz.》〖고어〗 취급하다, 다루다.

Tratsch [tra:tʃ] *m.* -(e)s 〖구어·폄어〗 (Geschwätz) 떠벌림, 허튼 소리: Klatsch und ~ 수다, 요설, 잡담.

Tratsche [trá:tʃə] *f.* -n 〖구어·폄어〗 수다스러운〔수다쟁이〕 여자.

tratschen [trá:tʃən] 《물소리를 흉내낸 의성어로 추정됨》 *i.* (h.) 〖구어·폄어〗 (schwatzen) 수다떨다, 떠벌리다: über jn.〔et.〕 mit jm. ~ 누구〔무엇〕에 대해 누구와 수다떨다.

trätschen [trɛ́:tʃən] *i.* (h.) ↑ tratschen.

Tratscherei [tra:tʃəráɪ] *f.* -en 〖구어·폄어〗 수다떨기, 떠벌리기.

Tratte [trátə] 《it.》 *f.* -n 〖經〗 환어음; 어음 발행, 환(換)취결: eine ~ auf jn. ausstellen 〔ziehen〕 누구 앞으로 환어음을 발행하다.

Trattoria [tratorí:a] 《it.》 *f.* ..rien [..rí:ən] (이탈리아의) 간이 음식점.

Trattorie [tratorí:] *f.* -n [..rí:ən] ↑ Trattoria.

Trau·altar [tráu..] *m.* 혼례식 제단: 〖雅語〗 (mit jm.) vor den ~ treten 교회〔성당〕에서 (누구와) 결혼식을 올리다; 〖雅語〗 eine Frau zum ~ führen 어떤 여성을 신부〔아내〕로 맞이하다.

Träubchen [trɔ́ʏpçən] *n.* -s, - 〖↑ Traube 의 축소형〗 작은 포도.

***Traube** [tráubə] *f.* -n ① 포도(의 송이): 〖신약〗 kann man auch ~n lesen von den Dornen? 가시나무에서 포도를 딸 수 있겠느냐? (마태 7: 16); 〖속담〗 die ~n sind sauer 〔jm. hängen die ~n zu hoch〕 그 포도는 시어서 먹을 수 없다〔누구에게 포도가 너무 높이 달려 있다〕(원하는 것을 얻을 수 없을 때 핑계로 둘러대는 말). ② (포도 송이처럼) 다닥다닥 붙어 있는 무리: eine ~ von Bienen 바글거리는 벌떼; in ~n 떼지어, 무리지어. ③〖植〗 총상(總狀) 꽃차례〔화서(花序)〕.

Trauben≈abfall *m.* 포도 껍질〔찌꺼기〕. **≈ähnlich, ≈artig** *a.* 포도 같은, 포도 송이 모양의. **~blut** *n.* 포도 주스; 〖시어〗 포도주. **≈förmig** *a.* 포도(송이) 모양의. **~geländer** *n.* 포도나무 시렁. **~gott** *m.* 〖그리스신화〗 (Bacchus) 바커스, 주신(酒神). **~hagel** *m.* 〖軍〗 (옛날의) 포도 산탄(霰彈). **~holunder** *m.* 〖植〗 서양말오줌나무의 일종. **~kamm** *m.* 포도 송이 줄기. **~kartätsche** *f.* ↑ ~hagel. **~kern** *m.* 포도씨. **~kirsche** *f.* 〖植〗 귀룽나무, 구룡목(九龍木). **~kur** *f.* 〖醫〗 포도 요법. **~lese** *f.* 포도 수확〔따기〕. **~most** *m.* (발효가 덜 된) 포도 과즙. **~saft** *m.* 포도즙, 포도 주스. **~säure** *f.* 〖化〗 포도산(酸), 라세미산. **~stein** *m.* 〖광물〗 포도석(石). **≈tragend** *a.* 포도가 달린; 〖植〗 총상화(總狀花)를 가진. **~wickler** *m.* 〖動〗 포도 나비(잎말이나방과(科)). **~zeit** *f.* 포도철, 포도 수확기. **~zucker** *m.* 포도당(Glukose).

traubig [tráubɪç] *a.* ① 포도(송이) 모양의; 떼지어 있는; 총상(總狀) 꽃차례〔화서(花序)〕의. ② 포도가 열린.

Träublein [trɔ́ʏp..] *n.* -s, - ↑ Träubchen.

Traudchen [tráutçən] 트라우트헨(여자 이름; Gertraud 의 애칭).

Traude [tráudə] 트라우데(여자 이름; Gertraud 의 애칭).

***trauen** [tráuən] 《Ⅰ》 *i.* (h.) ① jm.〔et.[3]〕 ~ 누구를〔무엇을〕 신용하다, 신뢰하다, 믿다: deinem Wort traue ich unbedingt 네 말을 나는 무조건 신용한다; ich traute meinen Augen〔Ohren〕 kaum, als ich das sah 〔hörte〕 나는 그것을 보았을〔들었을〕 때 내 눈을〔귀를〕 거의 믿을 수 없었다; wir ~ ihm nicht über den Weg 〔um die Ecke〕 우리는 그를 전혀 믿지 않는다; ich traue dem Frieden nicht 나는 평화를 믿지 않는다; 〖속담〗 dem Glück ist nicht zu trauen 행운이란 믿을 게 못 된다; 〖속담〗 trau, schau, wem! 사람을 믿기 전에 먼저 자세히 살펴봐라!: 〖구어〗 ich traue dem Braten nicht (겉은 멀쩡해도) 좀 수상쩍어 보이는데. ②〖고어〗 auf jn.〔et.〕 ~ 누구를〔무엇을〕 믿다, 신뢰하다. 《Ⅱ》 *t.* ①〖고어〗 (anvertrauen) 맡기다, 위탁하다. ② 결혼시키다, 결혼식을 집전하다: der Geistliche traute das junge Paar 목사는 젊은 두 사람의 결혼식을 주재했다; sie haben sich in der Kirche ~ lassen 그들은 교회에서 결혼했다. 《Ⅲ》 *refl.* sich[4/3] ~ 용기가 있다, 감히 …하다: er traute sich nicht, sie zu fragen 그는 감히 그녀에게 물어볼 용기가 없었다; sie traute sich nicht ins Zimmer 그 여자는 방안에 들어갈 엄두가 나지 않았다; sich an eine Stelle ~ 감히 어떤 자리〔직위〕를 넘보다; du traust dich〔dir〕 nicht 너 자신이〔용기가〕 없구나.

***Trauer** [tráuər] 《<trauern》 *f.* -n ① (특히 죽은 사람에 대한) 슬픔, 비애, 비통; 애도: ~ um einen Toten 죽은 이에 대한 애도; sein Tod erfüllte alle mit tiefer ~ 그의 죽음은 모든 이의 마음을 깊은 슬픔에 잠기게 했다. ② 상(喪); 추도〔애도〕 기간, 상복(喪服)(을

입는) 기간: ~ haben 상중이다: der Staatspräsident ordnete eine dreitägige ~ an 대통령은 3 일간의 애도 기간을 갖도록 지시했다. ③ 상복: ~ anlegen 상복을 입다; ~ tragen 상중(喪中)이다; die ~ ablegen 상복을 벗다, 탈상(脫喪)하다; eine Dame in ~ 상복을 입은 부인.

Trauer≈anzeige *f.* 사망 통지〔광고〕, 부고(訃告). **~anzug** *m.* ↑ ~kleid. **~arbeit** *f.* 〖心〗 (가까운 사람을 잃은) 슬픔을 견디기〔이기기〕 위한 정신적 노력. **~binde** *f.* (팔이나 모자에 두르는) 상장(喪章). **~birke** *f.* 〖植〗 수지(垂枝) 자작나무. **~botschaft** *f.* 사망 통지, 부고. **~brief** *m.* 부고장, 부음(訃音) 편지. **~fahne** *f.* 조기(弔旗). **~fall** *m.* (Todesfall) 초상, 상사(喪事). **~farbe** *f.* 상복의 색 (검정색). **~feier** *f.* 장례식. **~flor** *m.* 검은 리본이나 띠로 된 상장, (미망인이 장례식때 쓰는) 검정색 망사 베일. **~gast** *m.* 조문객, 장례식 참석자. **~gedicht** *n.* 조시(弔詩). **~-gefolge** *n.* 장례 행렬. **~geläut, ~geläute** *n.* 장례식의 종소리, 조종(弔鐘). **~geleit** *n.* ↑ ~gefolge. **~gemeinde** *f.* 〖雅語·총칭〗 조문객. **~gesang** *m.* 조가(弔歌), 만가(輓歌). **~geschichte** *f.* 애화(哀話), 비화(悲話). **~gewand** *n.* 상복. **~gottesdienst** *m.* 영결 미사〔예배〕. **~haus** *n.* 상가(喪家). **~jahr** *n.* (1 년의) 추모 기간, 추모의 해. **~karte** *f.* 부고장. **~kleid** *n.* ↑ ~kleidung. **~kleidung** *f.* 상복. **~kloß** *m.* 〔구어·농담〕 침울한 사람; 흥을 깨뜨리는 사람. **~kutsche** *f.* 장례〔영구〕 마차.

Trau·erlaubnis [tráu..] *f.* 〔고어〕 결혼 허가(증).

Trauer≈mahl *n.* 장례식의 접대 음식. **~-mantel** *m.* ①〔고어〕 장례식용 외투. ② 〖動〗 들신선나비. ③〖植〗 우의초(羽衣草). **~marsch** *m.* 〖음악〗 장송 행진곡. **~miene** *f.* 침통한 표정. **~musik** *f.* 〖음악〗 장송곡.

trauern [tráuərn] *i.* (h.) ① 슬퍼하다, 애도〔탄식〕하다: ich traure um〔über〕 den Tod meines Vaters 나는 아버지의 죽음을 슬퍼한다; um einen alten Freund ~ 옛 친구의 죽음을 슬퍼하다. ② 상복을 입고 있다, 상중(喪中)이다: die Witwe trauert noch 그 미망인은 아직도 상복을 입고 있다; die ~den Hinterbliebenen 상중의 유족.

Trauer≈nachricht *f.* ↑ ~botschaft. **~nadel** *f.* 상복의 검은 핀. **~papier** *n.* (부고용(訃告用)) 검은색 테두리의 편지지. **~post** *f.* ↑ ~botschaft. **~rand** *m.* (부고장·부고 광고의) 검은색 테두리: Umschläge mit ~ 검은색 테두리의 봉투; 〔구어·농담〕 Trauerränder haben 손톱에 때가 끼어 있다. **~rede** *f.* 조사(弔辭), 추도사. **~schleier** *m.* 미망인이 쓰는 검정색 베일. **~spiel** *n.* ① 비극(↔ Lustspiel). ②〔구어〕 비극적인 사건〔일〕, 불행: es ist ein ~ mit ihm a) 그는 운명이 기구하다, b) 그는 무능하다. **~stück** *n.* 눈물을 자아내는 연극 (작품). **~tag** *m.* 〔구어〕 슬픈〔우울한〕 날. **~tuch** *n.* (상복의) 검은 천. **~voll** *a.* 〖雅語〗 슬픔〔비애〕에 가득 찬. **~wagen** *m.* 영구차, 장의차. **~weide** *f.* ① 〖植〗 수양버들(Hängeweide). ②〔구어·고어〕 우는 소리 잘하는〔엄살이 심한〕 사람. **~zeit** *f.* 추도〔애도〕 기간, 상복 기간. **~zug** *m.* 장례 행렬.

Trauf≈bad [tráuf..] *n.* 샤워. **~dach** *n.* 차양, 처마.

Traufe [tráufə] 《<triefen》 *f.* -n ①〔구식〕 낙숫물: 〔속담〕 aus dem Regen in die ~ kommen 늑대를 피하니 호랑이를 만난다, 갈수록 태산이다. ②〖건축〗 (처마의) 물받이 홈 (Dachrinne); 차양, 처마.

*__träufeln__ [trɔ́ʏfəln] 《I》 *i.* (s.) 방울방울 떨어지다: der Regen träufelt vom Dach 비가 지붕에서 방울져 떨어진다; aus der Wunde träufelt Blut 상처에서 피가 뚝뚝 떨어진다. 《II》 *t.* 방울방울 떨어뜨리다: einen Tropfen Augenmittel in das linke Auge ~ 안약을 한 방울 왼쪽 눈에 떨어뜨리다.

traufen, träufen *i.* (s.)/*t.* ↑ träufeln.

Trauf≈faß *n.* 빗물통. **~rinne** *f.* 처마의 물받이 홈(Dachrinne). **~röhre** *f.* (관(管) 모양의) 낙수 홈통. **~stein** *m.* 빗물받이 돌. **~wasser** *n.* 낙숫물.

Trau≈gebühr *f.*, **~geld** *n.* 〔고어〕 결혼식 수수료; 혼례 미사 헌금. **~handlung** *f.* 결혼식.

traulich [tráulɪç] 《<vertraulich》 *a.* ① 아늑한, 기분 좋은, 마음에 드는. ②〔고어〕 친한, 친밀한.

Traulichkeit *f.* ① 아늑함, 기분 좋음. ②〔고어〕 친함, 친밀.

*__Traum__ [traum] 《원뜻· „Trugbild"》 *m.* -(e)s, Träume [trɔ́ʏmə] ① 꿈: im ~ reden 잠꼬대하다; wie ein ~ 꿈 같은, 믿어지지 않는; 〔구어〕 nicht im ~ 〔Schlaf〕 daran denken, ihn zu heiraten 나는 그와 결혼할 생각이 꿈에도 〔전혀〕 없다; 〔구어〕 das fällt mir nicht im ~ 〔Schlaf〕 ein! 그런 것을 난 꿈에도 생각지 못했는데!; 〖雅語〗 das Reich der Träume 꿈나라, 잠; 〔속담〕 Träume sind Schäume 남가일몽(南柯日夢)(꿈은 물거품이다). ② 환상, 몽상, 공상: sich in Träume flüchten 환상으로 도피하다; jm. aus dem ~ helfen 누구의 미몽(迷夢)을 깨우치다; im ~ leben 몽상에 빠져 살다, 꿈 같은 삶을 살다. ③ 동경, 염원, 소원, 꿈: der ~ seiner Jugend war die Bühne 그의 젊은 날의 꿈은 무대에 서는 일이었다; ein ~ geht in Erfüllung 꿈이 실현되다; 〖비유〗 dieser ~ ist ausgeträumt 이 소망은 물거품이 되고 말았다; aus der ~ 〔der ~ ist aus〕! 꿈은 사라졌다! ④〔구어〕 아주 멋진 것: ein ~ von einem Kleid 꿈에 그리던 예쁜 옷; ein blonder ~ 꿈에 그리던 금발의 미녀; dieses Kleid ist ein ~ 이 옷은 대단히 아름답다〔환상적이다〕.

*__Trauma__ [tráuma] 《gr., „Wunde"》 *n.* -s, ..men/-ta ①〖醫〗 외상(外傷). ②〖心〗 쇼크, 정신적 충격, 마음의 상처.

traumatisch [traumá:tɪʃ] *a.* ①〖醫〗 외상(성(性))의. ②〖心〗 정신적 충격에 따른.

Traumatizin *n.* -s 〖藥〗 트라우마틴(토마토·감자·오렌지 등에 들어 있는 생장 호르몬; 상처의 치유를 촉진함).

Traum≈ausleger *m.* ↑ ~deuter. **~auslegung** *f.* ↑ ~deutung. **~auto** *n.* 〔구어〕 (꿈에 그리던) 멋진 자동차. **~beruf** *m.* 〔구어〕 이상적인 직업. **~bild** *n.* ① 꿈속의 모습〔상(像)〕. ② 환상, 환영; 이상(형). **~buch** *n.* 해몽책, 꿈풀이책. **~deuter** *m.* 해몽가,

(심리 분석 치료를 위한) 꿈의 해석자. **~deuterin** *f.* ↑ ~deuter 의 여성형. **~deutung** *f.* 해몽, 꿈풀이, (심리 분석·치료를 위한) 꿈의 해석. **~dichtung** *f.* 몽상〔환상〕 문학.

Traumen [tráumən] *pl.* ↑ Trauma 의 복수형.

***träumen** [trɔ́ymən] 《I》 *i.* (h.) ① 꿈꾸다; 꿈에서 보다: schlecht ~ 악몽을 꾸다; von jm. 〔et.³〕 ~ a) 누구를〔무엇을〕 꿈에서 보다, b) 학수고대하다; träume süß! 단꿈을 꾸어라! ② 공상〔환상〕에 잠기다, 넋 잃고 있다: ~d zum Fenster hinausschauen 몽롱하게 창 밖을 내다보다; du träumst wohl? 너 잠꼬대하는 거냐?; träum nicht! 정신차리게!; mit offenen Augen ~ 백일몽을 꾸다; halbwüchsige Jungen ~ oft 미성숙한 젊은이는 곧잘 공상에 빠진다; immer noch den alten Traum ~ 아직도 젊은 날의〔과거의〕 꿈을 좇고 있다. ③ 동경하다, 희망하다, 꿈꾸다: von großen Erfolgen ~ 대성공을 꿈꾸다; er träumte davon, Schauspieler zu werden 그는 배우가 되기를 바랬다. 《II》 *t.* …을 꿈꾸다, 꿈에서 보다: etwas Schreckliches ~ 무서운 꿈을 꾸다; einen schlimmen Traum ~ 악몽을 꾸다. 《III》 *refl.* sich ~ 동경하다, 꿈꾸다: er träumte sich in Paris 그는 파리에 가 있는 자신을 마음에 그려보았다; sich frei und glücklich ~ 자유롭고 행복하게 되기를 염원하다; sich³ et. nicht〔nie〕 ~ lassen 무엇을 꿈에도 생각지 않다. 《IV》 *imp.* mir träumte 〔es träumte mir〕, daß ... 나는 …의 꿈을 꾸었다: mir träumte, ich wäre gestorben a) 나는 내가 죽는 꿈을 꾸었다, b) 나는 내가 죽었다는 환상에 빠졌다; mir träumte von ihm 나는 그를 꿈에서 보았다.

Träumer [trɔ́ymər] *m.* -s, - ①〔드물게〕 꿈꾸는 사람. ② 몽상가, 환상가, 공상가.

Träumerei [trɔymərái] *f.* -en 몽상, 환상.

Träumerin *f.* -nen ↑ Träumer 의 여성형.

träumerisch [trɔ́ymərɪʃ] *a.* 꿈의; 꿈 같은; 몽상을 좋아하는, 꿈 잘 꾸는: ~e Augen 몽상에 잠긴 눈.

Traum≈fabrik *f.* 〔반어〕 (환상적인) 영화 세계; 영화사. **~frau** *f.* 〔구어〕 이상적인 여인. **~gebilde** *n.* ↑ ~bild. **~gesicht** *n.* 〔복수: -e〕〔雅語〕 ① 꿈. ② 꿈속의 모습; 환상, 환영. **~gestalt** *f.* ↑ ~bild. **~gott** *m.* 〖그리스신화〗 꿈의 신(Morpheus).

traumhaft *a.* ① 꿈 같은, 믿어지지 않는. ② 〔구어〕 환상적인, 황홀한.

Trauminet [tráuminɛt, ..nət] 《"ich trau' mich nicht"의 준말》 *m.* -s, -s (öst.) 소심〔쩨쩨〕한 사람, 겁쟁이.

Traum≈leben *n.* 꿈 같은 생활, 취생몽사(醉生夢死). **~mann** *m.* 〔구어〕 이상적인 남성. **~note** *f.* 〖스포츠〗 환상적인 점수, 고득점. **~paar** *n.* 〔구어〕 이상적인 쌍〔커플〕. **~spiel** *n.* 환영, 환상; 환등화극(幻燈畫劇). **~tänzer** *m.* 〔폄어〕 몽상가, 공상가. **~tänzerin** *f.* ↑ ~tänzer 의 여성형. **~verloren** *a.* 몽상에 빠진〔잠긴〕. **≈versunken** *a.* ↑ ≈verloren. **≈wach** *a.* 의식이 몽롱한, 백일몽을 꾸는 듯한. **≈wandeln** *i.* (h./s.) (schlafwandeln) 꿈꾸며 돌아다니다, 몽유(夢遊)하다. **~wandler** *m.* 몽유병자. **≈wandlerisch** *a.* 몽유병자 같은. **~warnung** *f.* 현몽(現夢), 꿈속의 경고. **~welt** *f.* 꿈속〔공상〕의 세계. **~zustand** *m.* 몽환적 상태, 망아(忘我)지경, 황홀경.

traun [traun] 《mhd. „in Treue, in Wahrheit"》 *int.* 〖고어〗 정말, 확실히; 맹세코 말하건대.

Trau·rede *f.* (결혼식) 주례사.

***traurig** [tráurɪç] 《<Trauer》 *a.* ① 슬퍼하는, 슬픈, 우수어린: ein ~es Gesicht machen 슬픈 얼굴을 하다〔표정을 짓다〕; über et. 〔wegen eines Dinges〕 ~ sein 무엇 때문에 슬퍼하다; jn. ~ machen〔stimmen〕 누구를 슬픈 기분에 젖게 하다; zu Tode ~ 죽도록 슬픈; nicht so ~! 그렇게 비관하지〔슬퍼하지〕 마라! ② 불쌍한, 애처로운, 참담한; 쓸쓸한; 음울한: sie leben in ~en Verhältnissen 그들은 비참한 생활을 하고 있다; wir erfüllen die ~e Pflicht, seinen Tod anzuzeigen 우리는 그의 죽음을 통지하는 슬픈 의무를 수행한다; hier herrscht eine ~e Öde 여기는 쓸쓸한 적막감이 감돌고 있다. ③ 보잘것없는, 빈약한; 가엾은: es ist nur noch ein ~er Rest vorhanden 아주 조금밖에 남아 있지 않다; eine ~e Berühmtheit erlangen 오명을 얻다; so ein ~er Kerl 〔Mond〕! 정말 한심한 녀석이군!; 〖폄어〗 ein Ritter von der ~en Gestalt 돈키호테 같은 몰골의 사내.

Traurigkeit *f.* 슬픔, 비애: 〖구어〗 er ist kein Freund von ~ 그는 슬픔을 모르는〔쾌활한, 인생을 즐길 줄 아는〕 친구다.

Trau≈ring *m.* 결혼 반지. **~schein** *m.* 혼인증명서.

traut [traut] *a.* 〖시어·고어·반어〗 ① 사랑하는, 친한, 흉허물없는: ~er Freund 흉허물 없는 친구; meine ≈e! 여보, 당신, 자기야! ② 아늑한, 단란한: 〖속담〗 ~es Heim, Glück allein 단란한 가정엔 행복만 있다.

Trau·tag *m.* 결혼일.

Trautchen *n.* 트라우트헨(여자 이름; ↑ Traudchen 의 별형).

Traute[1] [tráutə] *f.* 트라우테(여자 이름; ↑ Traude 의 별형).

Traute[2] 《<sich trauen》 *f.* 〖구어〗 용기, 확신: keine ~ zu et.³ haben 무엇을 할 용기가 없다.

Trautel *n.* -s, - ↑ Trautchen.

Trautonium [trautó:nium] *n.* -s, ..nien [..niən] 〖악기·고어〗 트라우토니움(1920 년대에 나온 최초의 전자(電子) 악기; 발명자 F. Trautwein 의 이름에서).

Trauung [tráuʊŋ] 《<trauen》 *f.* -en 결혼(식), 혼례.

Trauungs·tag *m.* 결혼일.

Trau≈zeuge *m.* 결혼 입회인. **~zeugin** *f.* ↑ ~zeuge 의 여성형.

Traveller·scheck [trɛ́vələr..] *m.* 여행자 수표(Reisescheck).

travers [..vɛ́rs] *a.* 〖방직〗 가로의, 횡선의: ~e Stoffe 가로무늬의 천.

Travers [travέ:r, ..vέ:r, ..vɛ́rs] 《<travers》 *n.* - 〖승마〗 모로 걷기, 횡보(橫步).

Traverse [..vɛ́rzə] *f.* -n ① 〖건축〗 대들보; 가로장. ② 〖工〗 기중기의 팔. ③ 〖軍·고어〗 견장(肩牆). ④ 〖水理〗 (수량을 조절하는) 댐, 제방. ⑤ 〖등산〗 (Quergang) 트래버스, 옆으로

이동하기. ⑥〖펜싱〗 옆으로 이동해 피하기.

traversieren [travɛrzíːrən] 《frz.》 *t.* ①〔고어〕 가로질러 가다, 횡단하다. ②〖승마〗 옆으로〔비스듬히〕 걷다. ③〖펜싱〗 옆으로 이동해 피하다. ④〖등산〗 (암벽을) 옆방향으로 오르다. ⑤〔고어〕 가로막다, 방해하다.

Traversierung *f.* -en ↑ traversieren의 명사형.

Travertin [travɛrtíːn] 《it.》 *m.* -s, -e 〖광물〗 (Kalksintergestein) 트래버틴(온천·하천에 침전된 석회암의 일종).

Travestie [travɛstíː] 《frz., „Umkleidung"》 *f.* -n [..tíːən] 〖문학〗 (내용은 그대로 두고 형식을 우습게 개작한) 트라베스티, 희화화(戱畵化)한 작품.

travestieren *t.* 〖문학〗 트라베스티로 만들다, 희화화하다.

Travestie·show [travɛstíː..] *f.* (특히 여장한 남자들이 벌이는) 익살스런 쇼.

Trawl [troːl, trɔːl] 《engl.》 *n.* -s, -s 〖漁〗 (Schleppnetz) 트롤망(網), 저인망.

Trawler [tróːlər, trɔ́ːlə] 《engl.》 *m.* -s, - 트롤(어)선(船), 저인망 어선.

Trax [traks] *m.* -es, -e (schweiz.) ① 준설기. ② 포크레인.

Treatment [tríːtmənt] 《engl.》 *n.* -s, -s 〖영화〗 시나리오의 초안.

Trebe [tréːbə] *f.* (berl.) 〔다음 용법으로만〕 ① auf (die) ~ gehen (청소년이) 가출하여 떠돌아 다니다. ② auf (der) ~ sein, sich auf (der) ~ befinden 떠돌이 생활을 하다.

Trebe≈gänger *m.* (berl.) (떠돌아다니는) 가출〔부랑〕 청소년; 부랑아, 노숙자. **~gängerin** *f.* ↑ ~gänger의 여성형.

Treber[1] [tréːbər] *m.* -s, - (berl.) ↑ Trebegänger.

Treber[2] *pl.* ① 맥주 찌꺼기. ②〔드물게〕 포도주 제조 때 생기는 찌꺼기.

Treber≈trocknung *f.* 맥주〔포도주〕 찌꺼기의 건조. **~wein** *m.* 포도주 찌꺼기에 물을 부어 만든 포도주.

Trecentist [tretʃɛntíst] 《it.》 *m.* -en, -en 〔총칭〕 14세기 이탈리아의 시인·예술가.

Trecento [tretʃɛ́nto] 《it.》 *n.* -(s) (이탈리아 예술사의 시대 구분에서) 14세기.

Treck [trɛk] 《ndl.》 *m.* -s, -s (ndd.) ① (피난민·이주민의) 행렬, 달구지 행렬: ein ~ von Flüchtenden 피난민들의 행렬. ② 이주. ③ 경향. ④ 그물.

trecken [trɛ́kən] (ndd.) 《I》 *t.* 끌다, 잡아당기다. 《II》 *i.* (h./s.) (난민 등이 대열을 갖추어) 이동〔이주〕하다.

Trecker [trɛ́kər] *m.* -s, - 견인차, 트랙터.

Trecking 新정서 ⇦ Trekking.

Treck≈schuit [trɛ́kʃɔʏt, ..sxɔʏt] *f.* ↑ ~schute. **~schute** *f.* 〔고어〕 강기슭을 따라 말이 끄는 배. **~seil** *n.* 예인용 밧줄.

trefe [tréːfə] *a.* ↑ treife.

Treff[1] [trɛf] 《lat. -frz.》 *n.* -s, -s 〖카드〗 (Kleeblatt) 클로버(카드), 십자 카드: 〔비유·구어〕 da ist ~ Trumpf 운이 좋을 수도 있고 나쁠 수도 있다.

Treff[2] 《<treffen》 *m.* -s, -s 〔구어〕 ① 만남, 회합, 모임: bei unserem nächsten ~ 우리가 다음에 만날 때. ② (Treffpunkt) 만남의 장소, 집합 장소: die Eisdiele ist ein ~ für junge Leute 아이스크림 가게는 젊은이들이 만나는 장소다.

Treff[3] *m.* -(e)s, -e 〔고어〕 ① 구타, 강타: 〔구어〕 er hat einen ~ 그는 머리가 좀 이상하다; jm. einen ~ geben 누구를 한 방 먹이다. ② 적중, 맞힘; 요행. ③ 패배, 손해.

Treffähigkeit *f.* 명중률, 적중률; 〖軍〗 명중(능)력.

Treff·as [trɛ́f|as, trɛf|ás] *n.* 〖카드〗 클로버 에이스.

treffbar *a.* 맞힐 수 있는, 맞는.

treffen [trɛ́fən] (traf, getroffen) 《I》 *i.* ① (h.) (탄알·사격이) 명중〔적중〕하다, 맞다; (사격수가) 명중시키다, 맞히다: er trifft gut mit jedem Schuß 그는 쏠 때마다 잘 명중시킨다; ∻ ist Glückssache 명중시키는 것은 운이다; die Kugel traf genau ins Herz 탄알은 정확히 심장에 맞았다; ins Schwarze ~ 정확히 한가운데를 맞히다, 정곡을 찌르다; ins Blaue ~ 빗나가다; zum Ziele ~ 적중하다; jm. an das Bein ~ 누구의 다리에 맞다. ② (s.) (**a**) auf jn. ~ (우연히) 누구를 만나다; 〖스포츠〗 누구와 격돌〔경기〕하다: wir trafen in Italien auf eine deutsche Reisegesellschaft 우리는 이탈리아에서 독일인 여행 단체를 만났다; die deutsche Mannschaft trifft im nächsten Spiel auf Frankreich 독일팀은 다음 경기에서 프랑스와 격돌한다. (**b**) auf et. ~ 무엇과 마주치다, 무엇을 (우연히) 발견하다: auf starken Widerstand ~ 강력한 반대〔저항〕에 부딪치다; auf bisher unveröffentlichte Manuskripte ~ 지금까지 공개되지 않은 원고를 찾아내다; mein Geburtstag trifft auf den nächsten Sonntag 내 생일은 다음 주 일요일과 겹친다. 《II》 *t.* ① (표적에) 명중하다, 맞히다: die Zielscheibe ~ 과녁을 맞히다; sie traf ihn mit der Hand〔Kugel〕 그녀는 그를 손으로 때렸다〔그에게 총알을 맞혔다〕; jn. mit der Faust ins Auge ~ 주먹으로 누구의 눈을 때리다; 〔비유〕 jn. an seiner schwächsten Stelle ~ 누구의 급소를 찌르다; der Stoß traf ihn 그는 찔렸다; der Blitz〔Donner〕 traf ihn 번개가〔벼락이〕 그에게 떨어졌다; die Kugel hat ihn tödlich getroffen 총알이 그를 맞혀 치명상을 입혔다; 〔구어〕 mich trifft der Schlag 한 방 먹었군(속았을 때의 표현); 〔비유〕 er hat den Nagel auf den Kopf getroffen 그는 핵심을 파악했다, 급소를 찔렀다; sein Blick traf mich 그의 시선이 나를 사로잡았다; er war durch diesen Angriff bis ins Innerste〔im Innersten〕 getroffen 이 공격은 그의 급소를 찔렀다; der Schlag hat ihn getroffen 그는 졸도하였다. ② (**a**) (순번·불행이) 닥치다, 덮치다: der Fluch soll ihn ~! 그에게 저주가 내리길!; das Los hat diesmal mich getroffen 이번에는 내가 당첨되었다, 행운을 잡았다; das Unglück trifft oft die Besten 불행이란 흔히 아주 선한 사람을 덮치게 마련이다; die Reihe trifft mich 내 차례다. (**b**) (비난이 누구를) 향하다, 겨누다: diese Bemerkung 〔dieser Vorwurf〕 trifft mich nicht 이 평〔비난〕은 내게는 당치 않다, 나를 겨냥한 것은 아니다; der Verdacht trifft ihn allein 그만이 혐의를 받고 있다; dich trifft keine Schuld 네게는 책임이 없다, 네 탓이 아니다. ③ jn. ~ 누구에게 피해를〔충격을〕 주다: diese

Steuererhöhung trifft uns alle 이번 세금 인상은 우리 모두에게 타격을 준다; ich fühle mich nicht dadurch getroffen 나는 그런 일로 충격을 받지는 않는다; die Nachricht von ihrem Tod hat uns alle tief getroffen 그녀의 사망 소식은 우리 모두에게 깊은 상처를 주었다; jn. in seiner Ehre ~ 누구의 명예를 손상시키다. ④〖막연한 사태·상황을 나타내는 es〔das〕를 목적어로 하여〗 wir haben es in der Sommerfrische gut getroffen 우리는 피서(지)에서 참으로 유쾌했다; du triffst es heute gut〔schlecht〕 너는 오늘 운이 좋다〔나쁘다〕; es mit jm. gut〔schlecht〕 ~ 누구를 만나서 일이 잘 풀리다〔재수가 없다〕. ⑤ 알아맞히다: den Ausgang ~ 출구를 찾아내다; den rechten Fleck ~ 똑바로 맞히다, 정곡을 찌르다; die Worte ~ den Sinn 그 말은 뜻을 잘 표현하고 있다; seine Worte trafen den Kern der Sache 그의 말은 사태의 핵심을 꿰뚫고 있었다; die rechte Zeit ~ 때〔시기〕를 잘 맞추다〔포착하다〕; mit dem Geschenk hat er ihren Geschmack gut getroffen 그의 선물은 그녀의 취향에 꼭 맞았다; ihr hättet mein Rätsel nicht getroffen 너희는 내 수수께끼를 맞히지 못한 것 같군; 〖구어〗 (du hast es) getroffen! 바로 그거야, 맞혔다!; der Maler hat dich gut getroffen 이 화가는 너를 꼭 그대로 그렸다; 〖구어〗 sie ist auf dem Bild gut getroffen 그 여자의 초상은 실물을 빼닮았다; jn. auf's〔auf ein〕 Haar ~ 누구를 머리카락 하나 틀리지 않을 정도로 꼭 같이 그리다; den richtigen Ton ~ a) 음정을 정확히 잡다, b) 태도를 적절히 취하다, c) 알맞은 말을 찾아내다; der Sänger traf den Einsatz 이 가수는 악보대로 정확하게 노래 불렀다. ⑥ (우연히) 마주치다; (약속하고) 만나다: er traf einen Bekannten auf der Straße 그는 거리에서 우연히 아는 사람을 만났다; wann sind Sie zu ~? 언제 만날까요?; wo kann ich Sie ~? 어디서 만나 뵈올까요? ⑦〖기능 동사로〗 mit jm. ein Abkommen ~ 누구와 협정을 맺다; Änderung ~ 변경〔수정〕하다; Anordnungen ~ 지령을 내리다, 지시하다; für et.〔zu et.[3]〕 Anstalten ~ 무엇을 준비〔채비〕하다; eine Auswahl ~ 선택하다; Bestimmungen ~ 결정하다; ein Bündnis ~ 동맹을 맺다; zu et.[3] Einrichtungen ~ 무엇을 위해 설비를 갖추다; eine Entscheidung ~ 결정하다, 결단을 내리다; einen Frieden ~ 강화(講和)하다; eine Heirat ~ 결혼하다; Maßnahmen ~ 조처를 취하다; eine Übereinkunft〔Vereinbarung〕 ~ 협정을 맺다, 합의하다; mit jm. Vergleich ~ 누구와 약정〔협정〕하다; Vorbereitungen zu et.[3] ~ 무엇의 준비를 하다; Vorkehrungen ~ 예방 수단을 취하다; Vorsorge ~ 미리 손쓰다, 사전 조치를 취하다; einen Waffenstillstand ~ 휴전하다; eine gute〔schlechte〕 Wahl ~ 잘〔잘못〕 선택하다. 《Ⅲ》 *refl.* sich ~ ① (약속하고) 만나다; 교차하다: wo ~ wir uns? 우리 어디서 만날까?; wann triffst du dich das nächste Mal mit ihr? 다음 번에 너는 그녀를 언제 만나느냐?; die Linien ~ sich in einem Punkt 선들이 한 점에서 교차한다; 〖비유〗 ihre Interessen ~ sich in diesem Punkt 그들의 관심은 이 점에서 일치한다. ② *imp.* es trifft sich 일어나다, 생기다: das trifft sich erwünscht〔gut, herrlich〕 그것은 바라던 대로다〔잘 되고 있다, 훌륭하다〕; es trifft sich glücklich, daß ich noch nicht abgereist bin 내가 아직 여행을 떠나지 않은 것은 다행이다; wie es sich (gerade) trifft 형편이 닿는 대로.

Treffen [tréfən] *n.* -s, - ① 집회, 회담, 모임, 회동: ein ~ der Außenminister 외무 장관 회담; das regelmäßige ~ 정기 모임; ein ~ von ehemaligen Schülern 동창회 모임. ② 〖스포츠〗 시합, 경기: bei einem ~ siegen 경기에서 승리하다. ③〖軍·고어〗 교전, 회전(會戰): dem Feinde ein ~ liefern 적과 교전하다; 〖비유〗 wenn's zum ~ kommt 만일 그런 일이 생기는 경우에는; 〖雅語〗 et. ins ~ führen 무엇을 증거로 들이대다〔제시하다〕. ④ 〖軍·고어〗 전열(戰列).

treffend *p.a.* ① 적절〔적확〕한, 들어맞는, 꼭 맞는: eine ~e Antwort 명답; ein ~er Witz 절묘한 위트〔재담〕; et. kurz und ~ charakterisieren 무엇의 특색을 간결하고 적절하게 표현하다. ②〖드물게〗 (betreffend) …에 관한.

Treffer [tréfər] *m.* -s, - ①〖고어〗 능숙한 사수(射手), 명중시킨 사람. ② 명중탄; 〖권투〗 유효타; 〖펜싱〗 히트, 득점; (축구 따위에서) 골: einen ~ erzielen〔erhalten〕 명중시키다, 골인시키다; einen ~ hinnehmen 한 골〔점〕을 잃다. ③ 히트작, 히트 상품. ④〖복권〗 당첨: einen ~ machen 당첨되다; 〖비유〗 einen ~ haben 행운을 얻다.

Treffer≈anzeige *f.* 〖펜싱〗 (적중했음을 알리는) 자동 득점 게시판. **~quote** *f.* 명중률. **~zahl** *f.* 〖사격·구기〗 점수, 득점.

Treff≈fähigkeit *f.* ↑ Treffähigkeit. **~genauigkeit** *f.* 〖軍·사격〗 정확도.

Treff·könig [tréf..] 《<Treff[1]》 *m.* 〖카드〗 클로버의 킹.

***trefflich** [tréflıç] *a.* 〖고어·雅語·반어〗 우수한, 탁월한; 일류의, 일급의: er ist ein ~er Sänger 그는 뛰어난 가수다; er leistet ≗es 그는 훌륭한 일을 이룩하고 있다; sie haben ~ gespeist 그들은 멋진 식사를 했다; diese Mothode hat sich ~ bewährt 이 방법이 탁월하다는 것이 입증되었다.

Trefflichkeit *f.* 〖고어·雅語·반어〗 우수성, 탁월성.

Treff≈platz *m.* 회합〔집합〕 장소, 집결지. **~punkt** *m.* 집합〔만나는〕 장소; 〖軍〗 탄착점: einen ~ vereinbaren 만날 장소를 정하다; das Café ist ein ~ für junge Leute geworden 그 카페는 젊은이들의 만남의 장소가 되었다. **~schuß** *m.* 명중 사격. **≗sicher** *a.* ① 백발백중의, 정확한. ② (판단·표현이) 정확한, 빈틈 없는, 정곡을 찌르는: ein ~es Urteil 정확한 판결. **~sicherheit** *f.* ① 백발백중, 정확성. ② (판단·표현의) 정확성. **~weite** *f.* 사격 거리; 탄착 거리.

Trefle [tré:fəl] 《frz.》 *n.* -s, -s 〖카드〗 클로버 (Treff[1]).

Treib≈achse [tráıp..] *f.* 〖工〗 (기관차의) 추진축. **~anker** *m.* 〖海〗 시 앵커(sea anchor), 띄움닻(배의 표류를 막고 이물을 바람머리로 돌리기 위해 바다에 내림); 수상 비행기용 띄움닻. **~apparat** *m.* 추진 장치, 프로펠러. **~arbeit** *f.* ① (금속판의) 타출(打出), 엠보

싱. ② 엠보싱 세공 금속판. **~ball** *m.* ① 볼을 멀리 던져 상대팀을 가능한 한 뒤로 멀리 몰아 내는 공놀이. ②〖배드민턴〗(셔틀콕을 수평으로 세게 몰아치는) 드라이브 공격〔서브〕. **~beet** *n.*〖農〗온상(溫床) (Mistbeet). **~eis** *n.* 유빙(流氷).

treiben [tráıbən] (trieb, getrieben) 《germ.》《I》*t.* ① (사람이나 동물을) 몰다, 몰아내다, 내몰다: das Vieh auf die Weide ~ 가축을 목초지로 내몰다; die Schafe in den Stall ~ 양을 우리 안으로 몰아 넣다; den Ball in die gegnerische Hälfte ~ 하프 라인 너머 적진으로 공을 몰고 가다; Reifen〔Kreisel〕~ 굴렁쇠를 굴리다〔팽이를 치다〕;〖사냥〗Wild ~ 몰이 사냥을 하다; der Regen treibt die Passanten in die Cafés 비 때문에 행인들이 카페로 몰려 들어간다; et. **auf** den Gipfel 〔auf die Spitze, aufs Höchste, aufs Äußerste〕~ 무엇을 극단으로까지 몰고 가다; jn. **aus** Lohn und Brot ~ 누구를 해고하다; jn. aus dem Amt ~ 누구를 파면하다; jn. aus dem Besitz eines Dinges ~ 누구에게서 무엇의 소유권을 빼앗다; jn. aus dem Haus〔Land〕~ 누구를 집에서 내쫓다〔국외로 추방하다〕; jn. **in** die Enge ~ 누구를 궁지에 몰아넣다, 곤경에 빠뜨리다; den Feind in die Flucht ~ 적을 패주시키다; diese Bemerkung hat ihm die Schamröte ins Gesicht getrieben 이 말을 듣고 그는 부끄러워 얼굴이 빨개졌다; die Preise in die Höhe ~ 값을 올리다, (경매에서) 다투어 값을 올리다; der Rauch treibt mir das Wasser 〔die Tränen〕 in die Augen 연기 때문에 눈물이 나온다; der Hunger 〔die Sehnsucht〕 trieb ihn **nach** Hause 배가 고파〔집이 그리워〕 그는 집으로 달려갔다; et. **über** das Ziel (hinaus) ~ 무슨 일을 과도하게 하다; jn. **vom** Amte ~ 누구를 파면하다; et. voneinander ~ 무엇을 사방으로 쫓아버리다, 분산시키다. ② (**a**) (사람을 어떤 상태·행위로) 몰아넣다, 몰아세우다, 다그치다, 재촉하다: die Verzweiflung hat ihn in den Tod getrieben 그는 절망한 나머지 죽음의 길을 택했다; die Not trieb ihn zum Diebstahl 곤궁한 나머지 그는 도둑질을 하고 말았다; jn. zum äußersten ~ a) 누구를 궁지에 몰아넣다, b) 성의를〔최선을〕 다하게 하다; jn. zur Eile 〔Verzweifelung〕 ~ 누구를 재촉하다〔절망시키다〕;〔구어〕die Gegner zu Paaren ~ 적들을 패주시키다, 곤경으로 몰아넣다; treib mich doch nicht so! 나를 그렇게 몰아세우지 마라!; jm. das Haar zu Berge〔bergan〕~ (경악·공포로) 누구의 머리칼을 곤두서게 하다; er treibt die Verschwendung zu weit 그는 사치가 심하다; man darf das Kind nicht zu sehr ~ 아이를 (공부하라고) 너무 닦달해서는 안 된다; Hunger〔Ehrgeiz〕 trieb ihn dazu 그가 그런 일을 한 것은 굶주림〔공명심〕 때문이다. (**b**) *imp.* es treibt mich fort 나는 가만히 있을 수가 없다; es treibt mich, dir zu sagen, daß... 나는 네게 …라고 말하지 않을 수 없다. ③ (기계를) 작동시키다, 추진시키다: das U-Boot wird mit Atomenergie getrieben 그 잠수함은 원자력으로 움직인다; eine vom Wind getriebene Mühle 풍차 방앗간. ④ 행하다, 하다; 열중하다; 종사하다: ein Geschäft 〔Studium〕 ~ 어떤 사업을 하다〔연구를 하다〕; Ackerbau〔Handel, Fischerei, Viehzucht〕 ~ 농업〔상업, 어업, 목축업〕에 종사하다; großen Aufwand ~ 과소비〔사치〕하다; dummes Zeug ~ 어리석은 짓을 하다; sein Wesen an einem Orte ~ 어떤 곳에 출몰하다; mit et.³ Hoffart ~ 무엇을 으스대다; mit et.³ Mißbrauch ~ 무엇을 오용하다; mit jm. sein Spiel 〔seinen Spott〕 ~ 누구를 조롱하다, 웃음거리로 만들다; Wucher ~ 폭리를 취하다; Spionage ~ 스파이짓을 하다;〖고어〗mit jm. Unzucht ~ 누구와 성교〔섹스〕하다;〖구어〗was treibst du denn? 어떻게 지냅니까?;〖구어〗was treibst du den ganzen Tag? 너는 하루 종일 무엇을 하고 있느냐? ⑤〖醫〗(소변·땀 분비를) 촉진시키다: der Wein treibt sehr (den Harn) 포도주는 이뇨(利尿)를 촉진시킨다; diese Arznei treibt den Schweiß 이 약은 발한제(發汗劑)다. ⑥〖工〗(**a**) (망치로) 두들겨서 돌출시키다: ein Muster in Kupfer ~ 두들겨서 동판에 무늬를 내다; getriebene Arbeit 엠보싱 세공품. (**b**) 두들겨서 끼우다: Reifen ans 〔ums〕 Faß ~ 통에 테를 씌우다. (**c**)〖化〗승화시키다. (**d**)〖제혁〗(가죽을 물에 담가서) 불리다. (**e**)〖제련〗(금·은을) 체로 정련하다. (**f**) 밀어 펴다; den Teig ~ 반죽을 납작하게 밀다;〖제지〗das geschöpfte Zeug ~ 짓이겨서 건진 펄프를 눌러 펴다. ⑦〖植〗(싹을) 틔우다, (꽃을) 피우다, (열매를) 맺다;〖원예〗속성(速成) 재배하다: der Baum treibt Knospen〔Blüten, Früchte〕 나무가 싹을 내다〔꽃을 피우다, 열매맺다〕; Pflanzen in Mistbeeten ~ 식물을 온상에서 속성 재배하다; gut getriebenes Land 잘 가꾼〔경작된〕 토지. ⑧〖광산〗Erze ~ 광석을 반출하다. ⑨〔구어〕es toll〔arg, bunt, schlimm〕 ~ 행동이 지나치다; es auf die Spitze 〔den Gipfel〕 ~ 극단적인 행동을 하다; es aufs Äußerste〔Höchste〕 ~ 극단적으로 행동하다;〖경박·은어〗er wird es sicher nicht mehr lange ~ 그는 곧 죽을 것이다; es mit jm. arg〔übel〕 ~ 누구를 함부로 대하다〔다루다〕;〖은어〗es mit jm. ~ 누구와 성교〔섹스〕하다;〖속담〗wie man's treibt, so geht's 자업자득, 인과응보. 《II》*i.* ① (h.) 강요〔재촉〕하다: ihr Vater treibt auf die Heirat 그 여자의 아버지는 (그 여자에게) 결혼을 강요한다; Hoffart treibt zu allen Sünden 허영은 모든 죄의 근원이다. ② (s.) (바람·물결에) 떠내려가다, 표류하다:〖海〗die Jacht treibt vor Anker 요트가 닻을 늘어뜨린 채 표류하고 있다; einem Schiff an Bord ~ 다른 배에 충돌하다; auf den Sand ~ 모래톱에 올라앉다, 좌초하다; das Schiff treibt mit dem Strom 배가 물살에 따라 표류한다; das Eis treibt auf dem Fluß 얼음이 강 위에 떠간다; der Schnee treibt in Flocken 눈송이가 바람에 흩날린다; Wolken treiben am Himmel 구름이 하늘에서 흘러간다; die Dinge ~ lassen 일을 되어가는 형편에 맡기다; sich ~ lassen 흐름에 자신의 몸을 맡기다, 상황에 순응하다;〖비유〗im Strom des Lebens ~ 세파에 이리저리 밀리다. ③ (h.) (싹·잎사귀·뿌리가) 나다: Knospen ~ 싹이 나다; Blüten ~ 꽃이 피다. ④ (h.) (반죽이) 부풀다; (맥주가) 발효하다: der Teig treibt 반죽이 부푼다; Hefe treibt (den Teig) 이스트가 (반죽을) 부풀게 한다; das Bier treibt aus dem Faß 맥

주가 발효하여 통에서 넘친다. ⑤ (h.) 〖구어〗 발한〔이뇨〕(發汗)〔(利尿)〕 작용이 있다: Bier treibt 맥주를 마시면 소변이 잘 나온다; ein ~des Mittel 발한제(劑), 이뇨제. ⑥ (h.) 〖고어〗 빙빙 돌다: er läßt den abgegriffenen Hut im Kreis um seinen Daumen ~ 그는 다 해진 모자를 엄지손가락으로 빙빙 돌린다. ⑦ (s.) 〖드물게〗 찾아다니다; 배회하다, 어슬렁거리다: von Straße zu Straße ~ 이 거리 저 거리 어슬렁거리다. 《Ⅲ》 *refl.* sich ~ ① (싹·잎사귀·뿌리가) 나다. ② (바쁘게) 움직이다; 뛰어다니다: warum treibt sich das Volk so und schreit? 왜 사람들이 저렇게 뛰어다니며 고함치느냐? ; sich müde ~ 뛰어 돌아다녀서 〔바삐 움직이느라〕 지치다. 《Ⅳ》 **getrieben** *p.a.* ↑ getrieben.

Treiben [tráɪbən] *n.* -s, - ① (사람·교통의) 번잡한 왕래, 북적거림; 호황; 분망: lustiges ~ beim Fasching 사육제 때의 흥청거림; auf dem Markt herrschte ein reges ~ 시장은 대단히 북적거렸다. ② 행동, 거동, 행위: ihr leichtfertiges ~ stößt mich ab 그 여자의 경솔한 행동이 내게는 몹시 거슬린다; sein Tun und ~ gefällt mir nicht 그의 행동 일체가 내 마음에 들지 않는다; er macht das ganze ~ verrückt 그는 하는 일마다 뒤죽박죽으로 만든다. ③ 〖사냥〗 몰이; 몰이 사냥; 몰이 사냥 지역: ein ~ veranstalten 몰이 사냥 대회를 열다. ④ (**a**) 〖광산〗 (중량 단위로) 광차 한 대분 (약 2 톤). (**b**) 〖광산〗 (광석의) 반출. (**c**) 〖제련〗 정련.

treibend *p.a.* ① 추진하는, 밀고 나가는; 원동력이 되는: der Ehrgeiz war die ~e Kraft bei allen seinen Handlungen 공명심이 그의 모든 행동의 원동력이었다. ② 표류하는: ein ~es Wrack 폐선(廢船).

Treiber [tráɪbər] *m.* -s, - ① 몰아대는 사람, 쫓는 사람: (**a**) 마부. (**b**) (Vieh~) 목동; 가축떼를 시장으로 몰고 가는 가축 상인. (**c**) 〖사냥〗 몰이꾼. (**d**) 작업 감독; 노예 감독인; 압박〔압제〕자. (**e**) 격려자; 교사자(敎唆者), 선동자. (**f**) 〖광산〗 광석 반출 인부; 〖제련〗 정련공. ② (**a**) 테를 씌우는 기계; 〖방적〗 소모기(梳毛機). (**b**) 〖工〗 기어, 톱니바퀴, 연동 장치. (**c**) 〖軍〗 (총포의) 공이. (**d**) 〖海〗 (범선의 맨 뒤 마스트에 다는) 후장 세로돛. ③ 〖골프〗 드라이버(장타용 골프채). ④ 〖컴〗 드라이버 (Gerätetreiber).

Treiberei [traɪbəráɪ] *f.* -en ① (끊임없이) 몰아댐, 닦달, 재촉(Hetzerei). ② 〖원예〗 (온실에서의) 속성 재배.

Treib≈faß [tráɪp..] *n.* 〖제혁〗 불림용 타닌통. **~fäustel** *m.* 〖광산〗 손잡이가 짧은 쇠망치. **~gas** *m.* ① 분무기용 액화 가스. ② 〖車〗 연료용 액화 가스. **~gut** *n.* 표류(화)물. **~-hammer** *m.* (금속판의) 엠보싱 세공용 작은 망치. **~haus** *n.* 온실.

Treibhaus≈effekt *m.* 온실 효과. **~kultur** *f.* ① 온실 재배(↔ Freilandkultur). ② 온실 재배 식물. **~luft** *f.* (특히 온실 내의) 습하고 후덥지근한 공기. **~pflanze** *f.* 온실 재배 식물; 〖비유〗 온실에서 자란 사람.

Treib≈herd *m.* 정련로(精錬爐). **~holz** *n.* (강물·바닷물에) 떠내려〔떠밀려〕 온 나무; 통에 테를 씌우는 데 쓰는 나무 연장. **~jagd** *f.* 몰이 사냥. **~kasten** *m.* 〖農〗 온상(溫床); (온상용) 틀, 상자. **~kraft** *f.* 동력, 추진력, 원동력. **~ladung** *f.* 〖무기〗 장약(裝藥), 추진 탄약. **~mine** *f.* 〖軍〗 표류 기뢰. **~mittel** *n.* ① 효모, 효소, 베이킹 파우더. ② 〖化〗 (소화기(消火器)의) 발포제(發砲劑). ③ 〖車〗 연료. **~netz** *n.* 〖漁〗 유망(流網)(바닷속에 수직으로 치는 그물). **~ofen** *m.* ↑ ~herd. **~öl** *n.* 디젤유(油). **~prozeß** *m.* ① 〖化〗 화학적 추출(법). ② 〖제련〗 추출 정련(법). **~rad** *n.* ① 〖工〗 추진바퀴. ② (터빈·물레방아의) 날개 바퀴. **~reis** *n.* (나무의) 어린 나뭇가지. **~-riemen** *m.* 〖工〗 구동 바퀴의 벨트, 피대. **~sand** *m.* ① 표사(漂砂). ② 유사(流砂). **~satz** *m.* 〖工〗 (로켓·폭죽 따위의) 추진약, 장약(裝藥). **~stange** *f.* 〖工〗 (기관차의) 연접봉(連接棒), 커넥팅 로드. **~stock** *m.* 〖工〗 모루; 수동 바퀴의 손잡이 막대. **~stoff** *m.* 연료. **~welle** *f.* 〖工〗 주축(主軸), 운전축.

Treidel [tráɪdəl] *m.* -s, -n 〖고어〗 예인선용 밧줄.

Treidelei [traɪdəláɪ] *f.* 〖고어〗 예인선업(曳船業).

Treideler [tráɪdələr] *m.* -s, - 〖고어〗 예인선〔끌배〕 인부.

treideln [tráɪdəln] *t.* 〖고어〗 (강둑에서 화물선을 상류로) 끌다, 예인하다.

Treidel≈pfad, ~steig *m.* ↑ ~weg. **~weg** *m.* (강·운하의) 예선도(曳船道). **~werk** *n.* 예선업.

Treidler [tráɪdlər] *m.* -s, - ↑ Treideler.

treife [tráɪfə] 《jid.》 *a.* ① (↔ koscher) 〖유대교〗 (식사 관습에서) 먹어서는 안 되는, 부정(不淨)한. ② 〖은어〗 부정직한, 사기친, 훔친.

Treitschke [tráɪtʃkə] *m.* Heinrich von ~ 트라이치케(독일의 역사가, 1834-96).

Trekker *m.* -s, - 견인차.

Trekking 《engl.》 *n.* -s, -s ① (길이 없는 곳을 뚫고 나가는) 고생스러운 여행〔여정〕. ② 〖스포츠〗 트레킹.

Trema[1] [tré:ma] 《gr.》 *n.* -s, -s/-ta ① 〖문법〗 (Trennungszeichen) 분음(分音) 부호(연속되는 두 개의 모음을 따로 발음하라는 기호; 보기: Viëtor 에서 e 위의 ¨ 표시). ② 〖醫〗 치간이개(齒間離開)(같은 치열궁(齒列宮)에서 인접한 두 이 사이의 틈새).

Trema[2] 《gr.》 *n.* -s 전율, 겨정, 불안.

Trematode 《gr.》 *f.* -n 〖動〗 흡충류(吸蟲類) (Saugwurm).

tremolando [tremolándo] 《lat. -it.》 *adv.* 〖음악〗 (zitternd) 떨리는 음으로, 떨면서(약어: trem.).

tremolieren *i.* (h.) 〖음악〗 트레몰로로 노래〔연주〕하다.

Tremolo [tré:molo] *n.* -s, -s/..li 〖음악〗 떨리는 음, 트레몰로.

Tremor [tré:mɔr, ..mo:r] 《lat.》 *m.* -s, -es [..mó:re:s] 〖醫〗 (근육의) 진전(震顫), 불수의적(不隨意的) 떨림.

Tremse [trɛ́mzə] *f.* -n 〖植〗 (nordd.) 수레국화(Kornblume).

Tremulant [tremulánt] 《lat.》 *m.* -en, -en 〖악기〗 파이프 오르간의 떨림음 발생 장치, 트레물란트.

tremulieren *i.* (h.) ↑ tremolieren.

Trenchcoat [trɛ́ntʃko:t, ..kout] 《engl.》 *m.* -(s), -s 트렌치코트(혁대가 달린 레인코트).

Trend [trɛnt, trɛnd] 《engl.》 *m.* -s, -s 경향, 동향, 추세: dieser ~ hält an 〔setzt sich fort〕 이런 추세가 계속되고 있다; der neueste ~ in der Mode 최근 유행의 추세.

trendeln [trɛ́ndəln] *i.* (h.) (ndd.) ① 꿈지럭거리다, 늑장부리다, 시간을 낭비하다. ② (맷돌로) 보리를 타다.

Trendler [trɛ́ndlər] *m.* -s, - 굼뜬 사람.

Trend≈meldung [trɛ́nd..] *f.* 경향〔동향〕 보고. **~setter** [..sɛtə] 《engl.》 *m.* 〖은어〗 유행을 주도하는 사람. **~wende** *f.* 경향〔시대 흐름〕의 전환, (유행의) 방향 전환.

trennbar *a.* 나눌〔분리할〕 수 있는: 〖문법〗 ~e Präfixe 분리 전철.

Trennbarkeit *f.* 분리 가능성.

***trennen** [trɛ́nən] 《I》 *t.* ① **(a)** 나누다, 분할하다; 떼어놓다, 갈라놓다: die Streitenden ~ 싸우는 사람들을 떼어놓다; ihre Ehe wurde getrennt 그들 부부는 이혼했다; eine telefonische Verbindung ~ 통화를 끊다; es gibt nichts, was uns ~ kann 그 무엇도 우리를 갈라놓을 수는 없다. **(b)** 〖化〗 분리하다, 분해하다; 〖문법〗 분철하다; 〖재봉〗 (실밥을) 뜯다: eine Verbindung chemisch ~ 화합물을 화학적으로 분해하다; ein Werkstück ~ 조립 제품을 분해하다; ein Wort richtig ~ 단어를 올바로 분철하다; ein Kleid 〔eine Naht〕 ~ 옷의 재봉선을 뜯어 이음조각들을 분리하다. **(c)** 구별〔구분〕하다: Begriffe (voneinander) ~ 개념을 (서로) 구별하다; das Berufliche und das Private ~ 공과 사를 구분하다. ② et. 〔jn.〕 von et.[3]〔jm.〕 ~ 무엇과〔누구와〕 무엇을〔누구를〕 분리하다〔떼어놓다〕: das Eigelb vom Eiweiß ~ 노른자와 흰자를 분리하다; durch den Krieg sind die Kinder von ihren Eltern getrennt worden 전쟁 때문에 그 아이들은 부모와 헤어졌다; nur noch wenige Wochen ~ uns von dem Fest 축제(까지)는 불과 몇 주 안 남았다; 〖비유〗 die beiden ~ Welten 그 두 사람은 서로 전혀 다른 생각을 하고 있다. 《II》 *refl.* sich ~ ① 헤어지다: sie trennten sich am Bahnhof 그들은 역에서 헤어졌다; 〖스포츠〗 die Mannschaften trennten sich unentschieden 〔mit〔bei〕 einem Spielstand von 4 : 4〕 그 팀들은 무승부〔4 : 4〕로 끝나고 말았다; 〖비유〗 hier ~ sich unsere Wege 이 지점에서 우리는 헤어진다(각자 갈 길을 간다). ② 이혼하다, 갈라서다; (공동체에서) 떨어져 나가다: die beiden haben sich endgültig getrennt 그 두 사람은 마침내 갈라섰다; 〖은어〗 wir haben uns von ihm ~ müssen 우리는 그를 해고할 수 밖에 없었다. ③ sich von et.[3] ~ (어쩔 수 없이) 무엇을 포기하다〔버리다〕: sich von alten Möbeln ~ 낡은 가구를 버리다; 〖비유〗 von dieser Überzeugung wirst du dich wohl ~ müssen 너는 그런 확신은 버려야만 할 것이다; sie konnte sich von dem Anblick nicht ~ 그녀는 그 광경에서 눈을 뗄 수 없었다(그 모습을 떨쳐 버릴 수 없었다). 《III》 *i.* (h.) ① 〖무선·방송〗 주파수를 분리하다. ② das Rundfunkgerät trennt (die Sender) gut〔schlecht〕 그 라디오는 주파수 분리도가 좋다〔나쁘다〕. ③ 〖문법〗 분철하다: du hast hier falsch getrennt 너는 이곳에서 분철을 잘못했다.

Trenner [trɛ́nər] *m.* -s, - 분리기.

Trenn≈linie *f.* 분리〔경계〕선. **~messer** *n.* 〖재봉〗 봉제선 뜯는 칼. **~punkt** *m.* 〖복수〗 〖문법〗 분음(分音)〔움라우트〕 부호(Trema[1]). **~scharf** *a.* ① 〖무전·방송〗 주파수 분리가 우수한, 잡음이 없는. ② 〖통계〗 변별력이 높은. **~schärfe** *f.* ① 〖무전·방송〗 주파수 분리도, 청취 감도. ② 〖통계〗 높은 변별성. **~scheibe** *f.* ① (칸막이용) 유리(판). ② 〖工〗 (선반의) 둥근 절단용 칼〔톱〕, 연마용 회전 숫돌, 연마반(盤). **~schleuder** *f.* 원심(遠心) 분리기 (Zentrifuge).

***Trennung** [trɛ́nʊŋ] *f.* -en ① 분리; 격리; 분할; 절단; 단절; 분해; 이탈; 이별; 별거; 구분, 구별; 〖문법〗 분철; 탈당: ~ einer Ehe 이혼; die ~ von Tisch und Bett (판결에 따른) 부부 별거; die ~ eines Gemischs 혼합물의 분리; ~ der Kirche vom Staat 교회와 국가의 분리. ② 〖化〗 (Dialyse) 투석(透析); 해리(解離), 분해: 〖醫〗 ~ von Gelenken 관절 탈리(脫離), 탈구(脫臼).

Trennungs≈entschädigung *f.* (직무로 인한) 가족 별거 수당. **~fläche** *f.* 〖物〗 (결정 따위의) 벽개면(劈開面). **~geld** *n.* ↑ ~entschädigung. **~linie** *f.* 분리〔구분·경계〕선. **~punkte** *pl.* (Trema[1]) 분음(分音) 부호. **~schmerz** *m.* 이별의 슬픔〔아픔〕. **~strich** *m.* ① (분철 때 사용하는) 붙임표, 하이픈. ② 분리〔구분〕선: einen ~ ziehen 명확히 구분하다. **~stunde** *f.* 이별의 시간〔순간〕. **~zeichen** *n.* 〖문법·印〗 ① (Divis) 붙임표, 하이픈. ② 분음(分音) 부호(Trema[1]).

Trenn·wand *f.* 격벽, 칸막이 벽.

Trense [trɛ́nzə] 《lat.》 *f.* -n ① (ndd.) (Schnur) 끈, 꼰 끈. ② 〖승마〗 재갈: einem Pferd die ~ anlegen 말에 재갈을 물리다.

trensen [trɛ́nzən] *t.* 〖海〗 ein Tau〔Stag〕 ~ 로프 가닥 사이의 골에 가는 삼실을 엮어 넣어 로프를 매끈하게 하다.

Trensen≈gebiß *n.* 재갈. **~ring** *m.* 재갈 끝에 달린 고리.

Trente-et-quarante [trã:tekarã́:t] 《frz., „dreißig und vierzig"》 *n.* - 〖카드〗 트랑테카랑트(선이 나누어 준 패의 합계가 30-40 사이에서 최고인 자가 이기는 놀이).

trenzen [trɛ́ntsən] *i.* (h.) 〖사냥〗 (발정기의 수사슴이) 독특한 소리로 울다.

Trepan [trepá:n] 《gr. -lat.》 *m.* -s, -e 〖醫〗 뇌수술용 둥근 톱(Schädelbohrer).

Trepanation [..tsió:n] *f.* -en 〖醫〗 두개(頭蓋) 절개술, 개두술(開頭術).

Trepang [tré:paŋ] 《mal. -frz.》 *m.* -s, -s/-e 〖動〗 (말린) 해삼(Seegurke).

trepanieren [trepani:rən] 《gr. -lat.》 *t.* 〖醫〗 den Schädel ~ 두개를 절개하다, 개두술(開頭術)을 실시하다.

Trephine [..fí:nə] *f.* -n 〖醫〗 (뇌수술용) 두개 절개 기구.

trepp≈ab [trɛp|áp] *adv.* 계단 아래로. **~auf** *adv.* 계단 위로: 〖다음 용법으로〗 ~, treppab laufen 계단을 오르락내리락하다.

Treppchen *n.* -s, - ① 〖↑ Treppe 의 축소형〗 작은 계단. ② 〖스포츠〗 시상대: auf dem ~ stehen 메달을 따다.

***Treppe** [trɛ́pə] *f.* -n ① 계단: 〖구어〗 eine ~ höher〔tiefer〕 wohnen 한층 위〔아래〕에서 살다; die ~ hinuntergehen〔hinaufgehen〕 계단

을 내려가다〔올라가다〕; die ~ hinunterfallen 계단에서 떨어지다; 〖구어〗 nächste Woche haben wir die ~ 〔sind wir mit der ~ dran〕 우리가 다음 주 계단 청소 당번이다; jn. die ~ hinunterwerfen 누구를 계단 아래로 밀어 떨어뜨리다; 〖구어〗 drei ~n hoch wohnen 4층에 살고 있다; 〖구어〗 die ~ hinauffallen 뜻밖에 승진하다. ② (nordwestd.) (계단의) 단(段), 디딤판; 테라스, 발코니. ③ 직물이나 머리칼 모양이 층을 이룬 것; 계단 모양의 토지: 〖구어〗 jm. ~n ins Haar schneiden 누구의 머리를 층지게 깎다; 〖구어·농담〗 er ist die ~ hinuntergefallen〔heruntergefallen〕 그는 머리를 깎으러 이발소에 다녀왔다.

Treppel·weg [trɛ́pəl..] *m.* (bayr., öst.) (강·운하의) 예선도(曳船道) (Treidelweg).

Treppen≈absatz [trɛ́pən..] *m.* 층계참(站). **~baum** *m.* 나선형 계단의 중심 기둥. **~beleuchtung** *f.* 계단의 조명. **~flucht** *f.* 계단〔층층으로 된 토지〕의 한 연속, 계제(階梯). **~flur** *m.* 계단이 있는 현관, 계단실. **~förmig** *a.* 계단 모양의; 〖植〗 사다리 모양의. **~geländer** *n.* 층계의 난간. **~giebel** *m.* 〖건축〗 계단 모양의 박공(牔栱). **~haus** *n.* (건물 내의) 계단이 있는 공간, 계단실(室). **~läufer** *m.* 계단용 양탄자. **~leiter** *f.* 계단식 사다리, 접사다리. **~podest** *n.* (öst.)/*m.* 층계참. **~reinigung** *f.* 계단 청소. **~spindel** *f.* ↑ ~baum. **~stein** *m.* (출입구 앞에 있는) 돌층계. **~stufe** *f.* (계단의) 단(段), 디딤판. **~wange** *f.* 계단 측면. **~witz** *m.* (방을 나와 층계에 이르러 문득 생각나는) 때늦은 경구, 뒷북치는 생각: ~ der Weltgeschichte 세계사의 흐름에 역행하는 엉뚱한 사건.

Tresen [tré:zən] 《lat., „Schatz"》 *m.* -s, - (ndd., md.) ① (술집의) 바, 테이블(Schanktisch). ② (상점의) 계산대, 카운터.

Tresor [trezó:*r*, (öst) tré:zɔr] 《frz.》 *m.* -s, -e 강철 금고; (은행의) 금고실, 귀중품 보관실; 국고.

Tresor≈abteilung *f.* 대여 금고계(係). **~fach** *n.* 대여 금고. **~knacker** *m.* 〖구어〗 금고털이범. **~raum** *m.* (은행의) 대여 금고실, 귀중품 보관실. **~schein** *m.* 귀중품 보관증, 대여 금고증. **~schlüssel** *m.* 금고 열쇠.

Trespe [trɛ́spə] 《gr. -lat.》 *f.* -n 〖植〗 참새귀리속(屬)의 풀.

tręspig *a.* 참새귀리풀이 무성한.

Tresse [trɛ́sə] 《frz.》 *f.* -n 브레이드, 몰(제복에 부착하는 금실·은실 장식물): 〖軍·옛뜻〗 die ~n bekommen 하사관이 되다; 〖비유〗 jm. die ~n herunterreißen 누구를 강등시키다; 〖軍·옛뜻〗 die ~n verlieren 강등되다.

Tręssen≈hut *m.* 몰이 달린 모자. **~kleid** *n.* 몰이 달린 의복. **~rock** *m.* 몰이 달린 상의. **~stern** *m.* 〖軍·옛뜻〗 별 모양의 장성 계급장. **~winkel** *m.* 〖軍·옛뜻〗 갈매기 모양의 하사관 계급장.

tressieren [trɛsí:rən] 《frz.》 *t.* Haare ~ (가발 제조 때) 머리칼을 실로 엮다.

Trester [trɛ́stə*r*] 《germ.》 *m.* -s, - ① 〖복수〗 (과실주 양조 후의) 찌끼, 재강. ② 〖구어〗 ↑ Tresterbranntwein.

Tręster≈brannt·wein *m.* 포도주 찌끼로 제조한 브랜디. **~schnaps** *m.* 〖구어〗 ↑ ~branntwein. **~wein** *m.* 포도주 찌끼로 양조한 포도주, 하급 포도주.

Tret≈auto [tré:t..] *n.* (페달이 달린) 어린이 자동차. **~boot** *n.* 페달로 움직이는 보트. **~brief** *m.* 〖은어〗 (Mahnbrief) 독촉〔경고〕장. **~butte** *f.* (포도를 담고) 밟아 짓찧는 통. **~eimer** *m.* 페달을 밟아 뚜껑을 여는 쓰레기통.

treten [tré:tən] (trat, getreten) 《I》 *i.* ① (s.) 걷다; 가다, 내딛다, 나오다, 들어가다: **an** das 〔ans〕 Fenster ~ 창가로 다가가다; das Wasser tritt an das Haus 물이 집 앞까지 찬다; ans Land ~ 상륙하다; ans Licht ~ a) 불빛에 가까이 가다, 밝은 곳으로 나오다, b) 밝혀지다, (책이) 발행되다; 〖연극〗 an die Rampe ~ 각광을 받다, 화려하게 등장하다; an js. Stelle ~ 누구를 대리〔대신〕하다; 〖문법〗 die Endung tritt an den Stamm 어미가 어근에 붙는다; der Tod tritt ihm ans Herz 그는 숨이 끊어진다, 죽을 고비를 맞고 있다; **auf** den Plan ~ 나타나다, 등장하다; auf die Straße 〔den Balkon〕 ~ 거리〔발코니〕로 나가다; jm. auf die Hacke ~ 누구의 뒤를 바짝 따르다; auf die Bühne ~ 무대에 오르다; auf die Seite ~ 옆으로 비키다, 피하다; 〖비유〗 auf js. Seite ~ 누구의 편이 되다; der Schweiß tritt ihm auf die Stirn 그의 이마에서 땀이 솟기 시작한다; **aus** dem Hause ~ 집에서 나오다; aus dem Dienst ~ 퇴직하다; auseinander ~ 따로따로 떨어지다, 사방에 흩어지다; 〖드물게〗 **hinter** sich ~ 뒷걸음질치다; **in** ein Haus ~ 집 안으로 들어가다; in den Kot ~ 진창에 빠지다; in Aktion ~ 행동을 개시하다; in js. Fußstapfen ~ 누구의 뒤를 밟다〔따르다〕, 〖비유〗 누구를 모방하다; in den Streik ~ 파업에 돌입하다; in den Vordergrund〔Hintergrund〕 ~ 전면에 나서다, 득세하다〔뒷전으로 물러나다, 힘을 잃다〕; in die Schranken ~ 시합장에 들어가다; jm. in den Weg ~ 누구의 길을 막다, 누구를 방해하다; 〖軍〗 ins Gewehr ~ 총을 잡다, 전투 준비하다; in Reihe und Glied ~ 대오에 들어가다, 정렬하다; 〖天〗 die Sonne tritt in das Zeichen des Widders 해가 백양궁(白羊宮)에 든다; 〖비유〗 die Tränen ~ ihm in die Augen 그의 눈에 눈물이 어린다; in ein Amt ~ 어떤 관직에 취임하다; in den Ruhestand ~ 은퇴하다; ins Dasein〔Leben〕 ~ a) 태어나다, 생겨〔나타〕나다, b) 성립하다, 설립되다; in js. Dienst ~ 누구에게 봉사하다〔고용되다〕; ins dreißigste Jahr ~ 30살이 되다; in den Ehestand ~ 결혼하다; in Erscheinung ~ 나타나다; in den geistlichen Stand ~ 성직자가 되다; 〖法〗 in Kraft ~ 효력을 발생하다; ins männliche Alter ~ 장년기에 들다; ins Mittel ~ 중재〔간섭〕하다; in den Schatten ~ a) 그늘지다, b) 영향력을 잃다; mit jm. in Konkurrenz〔Unterhandlung〕 ~ 누구와 경쟁〔협상〕을 시작하다; mit jm. in Verbindung 〔Kontakt〕 ~ 누구와 관계를 맺다, 접촉하기 시작하다; die Verhandlungen traten in ein neues Stadium 교섭은 새로운 단계로 접어들었다; in Wirksamkeit ~ 효력을 발생하다; 〖승마〗 **über** den Standbaum ~ 목책을 뛰어넘다; der Fluß ist über die Ufer getreten 강이 범람했다; über die Schnur ~ 도를 지나치다; **unter** einen Baum ~ 나무 밑으로 다가가

다; jm. unter die Augen ~ 누구의 면전에 나타나다; tritt mir nicht wieder unter die Augen! 두 번 다시 내 눈에 띄지 마라! ; unter die Leute ~ 사람들 사이로 (헤치고) 들어가다; 〖軍〗 unter die Waffen ~ 무장하다, 전투 준비를 하다; **von** einem Fuß auf den anderen ~ (초조해서) 몸의 중심을 자꾸 한 쪽 발에서 다른 쪽 발로 옮기다; **vor** jn. ~ 누구 앞에 나타나다, 선보이다; vor Gottes Richterstuhl ~ (죽어서) 신의 심판을 받다; vor den Riß ~ 곤경에 처하다; ihr Bild trat ihm vor die Seele 그녀의 모습이 그의 마음에 떠올랐다; **zu** jm. ~ 누구 쪽으로 가까이 가다; zur Seite ~ 옆으로 비켜서다; jm. zur Seite ~ 누구 편을 들다; zu Tage ~ 명백해지다, 드러나다; der Mond tritt **zwischen** Erde und Sonne 달이 지구와 태양 사이에 끼어든다; jetzt kann nichts mehr zwischen uns ~ 이제는 그 무엇도 우리 사이를 떼어 놓을 수 없다; beiseite ~ 옆으로 비키다, 양보하다; wenn nichts dazwischentritt 이변이 없는 한, 아무 방해만 없다면; ~ Sie dorthin〔herauf〕! 저쪽으로 가시오〔이쪽으로 올라오시오〕! ; bitte, ~ Sie näher 좀더 가까이 오시오; geben Sie acht, wohin Sie ~ 발밑을 조심하시오; rückwärts ~ 물러가다; vorwärts ~ 앞으로 나가다; das Wasser tritt immer höher 수위가 점점 높아진다; die Geschwulst tritt immer weiter 종양이 점점 커진다〔번진다〕; 〖비유〗 jm. nahe ~ 누구와 친해지다; jm. zu nahe ~ 누구를 괴롭히다〔누구의 기분을 상하게 만들다〕; js. Ehre zu nahe ~ 누구의 명예를 훼손하다; einer Frage näher ~ 어떤 문제를 자세히 검토하다. ② (**a**) (s./h.) (무심코) 디디다, 내딛다, 밟다: auf eine Blume ~ 꽃을 밟다; bitte nicht auf den Rasen ~! 잔디를 밟지 마시오! ; in eine Glasscherbe 〔einen Nagel〕 ~ 유리 조각〔못〕을 밟다; 〖구어·은어〗 du bist in etwas getreten 넌 똥을 밟았다, 재수가 없다; auf der Stelle ~ 제자리걸음을 하다, 답보 상태다; jm. auf den Schlips ~ 누구의 감정을 상하게 하다, 누구를 모욕하다; jm. auf die Zehen ~ 누구의 발가락을 밟다; einem Hund auf den Schwanz ~ 개꼬리를 밟다. (**b**) (의식적으로) 밟다: auf das Gaspedal ~ 가속 페달을〔액셀러레이터를〕 밟다. ③ (h.) 내딛다, (짓)밟다, 차다: nach jm.〔et.³〕 ~ 누구를〔무엇을〕 향해 가다: das Pferd hat nach mir getreten 말은 나를 향해 짓밟을 기세로 덤벼들었다; 〖폄어〗 nach oben buckeln nach unten ~ 윗사람에게는 굽실대고 아랫사람에게는 모질게 굴다; voller Wut gegen den Stuhl ~ 화가 치밀어 의자를 걷어차다. ④ (h.) (신체의 부위를) 걷어차다: jm. in den Bauch ~ 누구의 배를 걷어차다; jm.〔jn.〕 ans Schienbein ~ 누구의 정강이를 걷어차다; jm. auf den Fuß ~ a) 누구의 발을 밟다, b) 누구에게 넌지시 알려 주다. 《Ⅱ》 *t.* ① 밟다, 발로 밟아 …을 만들다: einen Weg durch das Gras ~ 잔디를 밟아 길을 내다; das Pflaster ~ (장시간) 거리를 배회하다; den Samen in die Erde ~ 씨를 땅속에 밟아 묻다; Würmer zu Tode ~ 벌레들을 밟아 죽이다; seine Schuhe schief ~ 구두를 신어서 창이 비스듬히 닳다; et. entzwei ~ 무엇을 밟아 산산조각내다. ② 구박〔억압〕하다; 〖구어〗 재촉하다: der getretene Wurm krümmt sich 지렁이도 밟으면 꿈틀거린다; jn.〔et.〕 mit Füßen 〔unter die Füße〕 ~ a) 누구를〔무엇을〕 짓밟다, b) 학대〔유린〕하다, 망쳐 놓다; ein unterdrücktes, getretenes Volk 억압받고 짓밟힌 민족; jn.〔et.〕 in den Staub〔zu Boden〕 ~ 누구를〔무엇을〕 깔아뭉개다, 묵살하다. ③ (**a**) 밟아 작동시키다: die Kelter ~ 포도주틀을 밟아 포도즙을 짜다; die Kupplung〔Bremse〕 ~ 클러치〔브레이크〕를 밟다; die Orgel(bälge) ~ 오르간 페달을 밟다; Spinnrad ~ 물레를 밟아 돌리다. (**b**) 〖요업〗 Ton〔Ziegelerde〕 ~ 점토〔도토(陶土)〕를 밟아 이기다; Wasser ~ 선헤엄을 치다. (**c**) 〖동족 목적어와 함께〗 den Takt ~ 발로 박자를 맞추다; einen Tanz ~ 춤을 추다. ④ (**a**) 밟아 찔리다: sich³ einen Dorn〔Nagel〕 in den Fuß ~ 발이 가시에〔못에〕 찔리다. (**b**) 밟아 제거하다: sich³ den Schmutz von den Schuhen ~ 신발에 묻은 오물을 발로 털어내다. ⑤ 차다; 걷어차다: den Ball ~ 공을 차다; den Ball ins Tor ~ 골문 안으로 공을 차 넣다; einen Elfmeter〔Freistoß〕 ~ 페널티 킥〔프리 킥〕을 차다; jn. in den Hintern ~ 누구의 엉덩이를 걷어차다; sein Glück mit Füßen ~ 행운을 스스로 차 버리다. ⑥ (새가) 교미하다: der Hahn tritt die Henne 수탉이 암탉과 교미한다.

Treter [tré:tər] *m.* -s, - ① 밟는 사람. ② (오르간의) 페달(Balgen~). ③ (길이 잘 든) 편안한 신발〔구두〕.

Treterei [tre:tərái] *f.* -en 〖구어〗 밟아대기.

Tret-faß *n.*, **~kufe** *f.* (~butte) 포도를 담아 짓이기는 통. **~mine** *f.* 〖軍〗 (밟으면 터지는) 지뢰. **~mühle** *f.* ① 〖고어〗 ↑ ~rad. ② 〖구어·폄어〗 판에 박힌 일, 단조로운 일. **~rad** *n.* 〖고어〗 (양수기·탈곡기의) 발로 밟아 돌리는 바퀴. **~schemel** *m.* (베틀의) 발판, (오르간의) 페달. **~schlitten** *m.* 〖스포츠〗 (한쪽 발은 활주판에 놓고 다른 발로는 빙면을 차서 전진하는) 경주용 썰매의 일종. **~strahler** *m.* 자전거의 후미등. **~vogel** *m.* 〖은어〗 (독촉이 심한) 빚쟁이. **~werk** *n.* 〖옛뜻〗 말이 발로 밟아 움직이는 동력 장치.

***treu** [trɔʏ] *a.* ① 충실〔성실〕한; 신의 있는; 충성스러운; 정절을 지키는; 헌신적인: ein ~er Diener 충복; ein ~er Freund 신의 있는 친구; eine ~e Ehefrau 정숙한 아내; eine ~e Liebe〔Freundschaft〕 변함 없는 사랑〔우정〕; ein ~es Herz 진심; 〖구어〗 eine ~e Seele 신의 있는 사람; ~ wie Gold 변함 없이〔지극히〕 충실한; ~ bis in den Tod 죽도록 충성스러운; jm. ~ ergeben sein 누구에게 신의를 지키다; sich³ selber ~ bleiben 자기 자신에게 충실하다, 자기 소신을 지키다; das Glück ist ihm ~ geblieben 행운의 여신은 끝까지 그를 버리지 않았다; 〖속담〗 ~e Hand geht durchs ganze Land 정직은 최상의 방안이다; jm. et. zu ~en Händen übergeben 누구에게 무엇을 믿고 맡기다〔신탁하다〕; ~ gesinnt 충성심이〔신의가〕 두터운; es ~ mit jm. meinen 누구에게 호의를 가지다; ~ und bieder 〔brav〕 우직하게; Ihr ~ ergebener 삼가 올림(편지 끝에 쓰는 말). ② 〖고어〗 (freigebig) 인심 좋은, 잘 베푸는. ③ 〖구어〗 어린애 같은, 순진한; 당돌한: einen ~en Blick 〔~e Augen〕 haben 순진한 눈을 가지고 있다; der

〔das〕 ist aber ~! 녀석〔그것〕 참 당돌하군! ④〖雅語〗(getreu) 정확히 일치하는, 꼭 맞는: eine ~e Übersetzung 충실한〔정확한〕번역; die Tatsachen ~ darstellen 사실을 있는 그대로 묘사하다; ~ seinem Versprechen handeln 약속한 대로 행동하다.

Treu *f.* 〖구식〗(Treue) 성실, 신의: auf meine ~!, (bei) meiner ~! 맹세코, 확실히, 진실로!; 〖法〗~ und Glauben 신의성실(의 원칙); ~ und Glauben brechen 신의를 저버리다; jm. et. auf ~ und Glauben überlassen 누구에게 무엇을 믿고 맡기다〔신탁하다〕; üb' immer ~ und Redlichkeit! 언제나 신의를 지켜라!

Treu=brecher *m.* 못 믿을 사람, 신의를 저버린 사람. **~bruch** *m.* 배신, 배반; 불충, 부정(不貞): einen ~ begehen 배신〔배반〕하다. **~brüchig** *a.* 배신〔배반〕의, 부정의: 〖대개 다음 용법으로〗~ werden 신의를 저버리다, 배신하다. **~deutsch** *a.* 〖구어·폄어〗과연 독일적인, 전형적으로 독일인다운, 독일식밖에 모르는. **~doof** *a.* 〖구어·폄어〗우직한, 고지식한, 머리가 단순한.

***Treue** [trɔ́ʏə] *f.* ①충실, 성실, 신의; 충성; 정절; 신용, 신뢰: jm. die ~ brechen 누구에 대한 신의를 저버리다; jm. die ~ halten 〔in ~ zu jm. stehen〕 누구에 대해 신의를 지키다; eheliche ~ 정절; punische ~ 불신(카르타고에 대한 고대 로마인의 적의에서 생긴 말); seine ~ zum Pfand(e) setzen 굳게 맹세〔서약〕하다; (schweiz.) in guten ~n 신뢰하고, 선의로; einem Fürsten ~ schwören 군주에게 충성을 맹세하다. ②정확성, 엄정성: et. mit historischer ~ schildern 무엇을 역사적 사실에 충실하게 묘사하다; die ~ des Gedächtnisses 기억의 정확성.

Treue·gelöbnis *n.* 충성의 맹세.

Treu·eid *m.* ①(공무원·군인 등의) 충성 서약. ②〖史〗봉신(封臣)의 충성 선서.

Treue=pflicht *f.* 〖法〗(피고용인 측의) 노동계약 준수 의무. **~prämie** *f.* 장기 근속자 특별 상여금. **~rabatt** *m.* 〖經〗단골 손님에 대한 할인(혜택).

treu·ergeben *a.* 〔구식〕충성스러운; (편지 끝에서) 삼가 올리는: Ihr ~er (Freund) Hans Meyer 당신의 (친구) 한스 마이어 삼가 올림.

Treue·schwur *m.* 충성의 서약.

Treu=geber *m.* 〖法〗위탁자. **~gehorsam** *a.* 충직한. **~gesinnt** *a.* 신의가 두터운, 충성스러운. **~gut** *n.* 〖法〗신탁(信託) 재산. **~hand** *f.* 〖法〗신탁.

Treuhand=anstalt *f.* (특히 독일 통일 직후 구동독 기업의 매각을 관장한) 신탁 관리 공사〔관리청〕.

Treu=händer *m.* 〖法〗①(타인의 재산·권리를 관리해 주는) 신탁 관리인. ②유언 집행인. **~händer·depot** *n.* 〖금융〗신탁한 유가 증권. **~händerisch** *a.* 〖法〗신탁에 따른. **~händerschaft** *f.* 〔고어〕신탁 관리; 신탁 통치.

Treuhand=gebiet *n.* (유엔의) 신탁 통치 지역. **~geschäft** *n.* 〖法〗신탁 행위. **~gesellschaft** *f.* 〖經〗신탁 회사. **~konto** *n.* 신탁 관리 계좌.

Treu=handschaft *f.* ↑ ~hand. **~handschafts·rat** *m.* (유엔의) 신탁 통치 이사회.

treu=herzig *a.* 진심의; 사람을 믿는; (offen) 숨김없는, 솔직한. **~herzigkeit** *f.* 진심, 솔직.

treulich [trɔ́ʏlɪç] *a.* 〔고어〕성실한, 충실한: eine Pflicht ~ erfüllen 의무를 충실히 이행하다.

Treu·liebchen *n.* 〔고어〕마음에 있는 사람, 애인.

treulos *a.* ①신의 없는, 신용할 수 없는; 의리 없는, 배신한: ein ~er Freund 신의 없는 친구; ~ an jm. handeln 누구에 대한 신의를 저버리다, 누구를 배신하다. ②〔드물게〕부정(不貞)한: er hat eine ~e Frau 그의 아내는 부정한 여자다.

Treulosigkeit *f.* 신의 없음; 불충, 배신(행위); 부정(不貞).

Treu=pflicht *f.* ↑ Treuepflicht. **~schwur** *m.* 충성의 맹세. **~sorgend** *a.* 가정에 충실한, 가족을 잘 보살피는.

TRI =《engl.》 Transrapid International 트랜스래피드 국제 컨소시엄.

tri.. 《gr., „drei"》 *pref.* "3, 3중(重), 3회" 따위의 뜻.

Triade [triá:də] 《gr.》 *f.* -n ①〔교양〕3의 수(數); 3인조, 3개조. ②〖化〗3가(價) 원소; 〖음악〗3화음(和音). ③〖宗〗3위 일체; 〖哲〗(변증법의) 정·반·합의 3단계. ④〖문학〗트리아데(고대 그리스 문학의 3연시).

Triage [triá:ʒə] 《frz.》 *f.* -n ①(상등품을 선별하고 남은) 하등품; 커피 찌꺼기. ②〖醫〗(부상 정도에 따른) 환자의 분류.

Triakis=dodekaeder [triakɪs..] 《gr.》 *n.* 〖기하〗36면체. **~oktaeder** *n.* 〖기하〗24면체.

Trial[1] [tráɪəl] 《engl.》 *n.* -s, -s ①〔전문어〕시험, 시도. ②오토바이 운전자의 숙련도 시험.

Trial[2] [trɪá:l] 《tri..》 *m.* -s, -e 〖언어학〗"셋"〔3〕을 나타내는 복수형(멜라네시아어에 존재함).

Triangel [trí:aŋəl, (öst.) triáŋəl] 《lat.》 *m./* (öst.) *n.* -s, - ①〔방언〕(천의) 세모꼴의 홈〔터진 곳〕. ②〖악기〗트라이앵글.

triangulär [triaŋgulέ:r] 《lat. -frz.》 *a.* 〔교양·드물게〕3각형의.

Triangulation [..latsió:n] 《lat.》 *f.* -en ①〖측량〗3각 측량(법). ②(3각법으로 형성·측량된) 3각망(網). ③〖원예〗(접붙일 나무에) 세모꼴 홈파기.

Triangulations·punkt *m.* 〖측량〗3각점.

triangulieren 《lat.》 *t.* 〖측량〗3각형으로 나누다; 3각 측량하다.

Triangulierung *f.* -en 3각 측량.

Trianon [trianɔ̃] *n.* -s, -s 트리아농(베르사유 궁전 정원에 있는 대·소(大小) 2개의 별궁).

Triarchie [triarçí:] 《gr.》 *f.* -n [..çí:ən] 〖史〗3두 정치(Dreiherrschaft).

Triarier [triá:riər] *m.* -s, - ①(고대 로마 군단의) 제3열 배치 중무장 정예병. ②〔비유〕최후의 보루〔희망〕.

Trias [trí:as] 《gr.》 *f.* - ①↑ Triade ①. ②〖지질〗트라이아스기(紀)(중생대의 최초의 시기 또는 그 시대의 지층). ③〖음악〗3화음(Dreiklang). ④〖醫〗3가지 주요 증상.

Trias·formation *f.* 〖지질〗트라이아스 기층.

triassisch [triásɪʃ] *a.* 〖지질〗트라이아스기에

속하는.

Triathlet *m.* -en, -en 3 종 경기 선수.

Triathlon *n.* -s, -s 〖스포츠〗 트라이애슬론, 3 종 경기(수영·자전거·장거리 달리기를 1 인이 하루에 치르는 철인 경기).

Tribade [tribáːdə] 《gr.》 *f.* -n 〔고어〕 동성애 하는 여자, 레즈비언.

Tribadie [tribadíː] *f.* 〔고어〕 여성간의 동성애.

Tribadismus [..dísmus] *m.* - ↑ Tribadie.

Tribalismus 《engl.》 *m.* - (식민지에서 독립한 아프리카 국가들의) 종족〔부족〕주의.

tribalistisch *a.* 종족〔부족〕주의의.

Tribrachys [tríːbraxʏs] 《gr. brachŷs, „kurz"》 *m.* -, - 〖문학〗 (Dreikurzfuß) (고대 운율의) 3 단운각(三短韻脚), 단단단격(短短短格).

Tribulation [tribulatsióːn] 《lat.》 *f.* -en 〔고어〕 고난, 재난; 오뇌, 번민.

tribulieren *t.* (질문·부탁으로) 괴롭히다, (성가시게) 조르다.

Tribun [tribúːn] 《lat.》 *m.* -s/-en, -e(n) 〖史〗 ① (고대 로마의) 호민관. ② (고대 로마의) 부(副)군단장.

Tribunal [tribunáːl] 《lat.》 *n.* -s, -e ① (고대 로마의) 재판관석(Richterstuhl). ② (Gerichtshof) 재판소, 법정, (특히) 형사 법원; 고등 법원(Obergericht). ③ (불의에 대한 고발·공론화를 위한) 시민 공회: ein ~ für die Einhaltung der Menschenrechte 인권 수호를 위한 시민 법정.

Tribunal·rat *m.* 고등 법원 판사.

Tribunat *n.* -(e)s, -e 〖史〗 호민관의 직위〔직책〕.

Tribüne [tribýːnə] 《frz.》 *f.* -n ① 연단(演壇), 논단. ② (경기장의) 관중석, 관람석〔대(臺)〕. ③ 청중, 관중.

Tribünen·platz *m.* 관람석, 관중석.

tribunizisch [tribuníːtsɪʃ] 《lat.》 *a.* 〖史〗 호민관의, 호민관의 직권에 따른.

Tribus [tríːbus] *f.* ①〖史〗 트리부스(고대 로마의 3 단계 씨족제 사회 중 최대 단위; 평민회의 한 단위). ②〖植·動〗 족(族)(생물 분류상 과(Familie)와 속(Gattung)의 중간 단위).

Tribut [tribúːt] 《lat. tribuere, „zu-, erteilen"》 *m.* -(e)s, -e ① (고대 로마의) 직접세. ② 조세, 공물(貢物); 전쟁 배상금: jm. einen ~ auferlegen 누구에게 조세를 부과하다; ~ zahlen 공물을 바치다; 〔비유〕 der Krieg forderte einen hohen ~ an Menschenleben 전쟁으로 엄청난 인명 피해가 났다. ③〔비유〕 경의, 존경: js. Leistung den schuldigen ~ zollen 누구의 업적에 걸맞게 경의를 표하다.

Tribut·abkommen *n.* 공납(貢納) 협정.

tributär [tributɛ́ːr] 《lat. -frz.》 *a.* ↑ tributpflichtig.

Tributär·staat *m.* 공납국(貢納國), 속국.

tribut≈frei *a.* 공납(貢納)〔배상금 지급〕이 면제된. **≈last** *f.* 공물(貢物) 납부 부담; 배상금 지급 부담. **~pflichtig** *a.* 공납〔배상금 지급〕 의무가 있는. **≈pflichtigkeit** *f.* 공납〔배상금 지급〕 의무. **≈verpflichtung** *f.* ↑ ~-pflichtigkeit.

Trichine [trɪçíːnə] 《gr. -lat.》 *f.* -n 〖動〗 선모충(旋毛蟲).

Trichinen≈beschau *f.* ↑ ~schau. **≈haltig** *a.* 선모충(旋毛蟲)을 가진. **≈krank** *a.* 선모충병의. **~krankheit** *f.* ↑ Trichinose. **~schau** *f.* 선모충 검사. **~schauer** *m.* 선모충 검사관.

trichinös [trɪçinǿːs] *a.* 선모충병의, 선모충병에 걸린.

Trichinose [..çinóːzə] *f.* -n 〖醫〗 선모충병.

tricho.. 《gr. „Haar"》 *suf.* "머리칼"의 뜻.

Trichotomie [trɪçotomíː] *f.* -n [..míːən] ① 〔고어〕 (Haarspalterei) 꼬치꼬치 캠〔따짐〕. ②〖哲〗 (육체·영혼·정신의) 3 분법. ③〖法〗 죄질의 3 등급 분류(중죄·경죄·경범죄).

trichotomisch [..tóːmɪʃ] *a.* 3 분법의, 3 분법에 따른.

***Trichter** [trɪ́çtər] *m.* -s, - ① 깔때기: Öl durch einen ~ gießen 깔때기로 기름을 붓다; einen Bogen Papier zu einem ~ rollen 종이 한 장을 말아 깔때기를 만들다; 〔구어〕 jn. auf den (richtigen) ~ bringen 누구를 깨우쳐주다, 한 수 가르쳐주다; 〔구어〕 auf den (richtigen) ~ kommen 올바른 방법〔해결책〕을 찾다; 〔비유〕 jm. et. mit dem ~ eingießen 누구에게 무엇을 알기 쉽게 가르쳐주다; 〔농담〕 der Nürnberger ~ 속성 교수법, 간단한〔손쉬운〕 해결책(17 세기 뉘른베르크의 시인 P. Harsdörffer 의 시학서(詩學書) 이름에서). ②〖악기〗 (축음기·관악기의) 나팔; 마우스피스; (파이프 오르간의) 깔때기 모양의 덮개 부품. ③ (Schall≈) 확성기, 메가폰: durch ~ sprechen 확성기로 말하다. ④ (폭발로 생긴) 구덩이; (화산의) 분화구. ⑤〖지리〗 3 각 하구. ⑥〖動〗 (두족류의) 누두(漏斗). ⑦〔구식·구어〕 변소(Abort).

trichter·förmig *a.* 깔때기 모양의.

Trichterling *m.* -s, -e 〖植〗 깔때기 모양의 버섯.

Trichter·mündung *f.* 〖지리〗 3 각 하구.

trichtern [trɪ́çtərn] *t.* ①〖스포츠〗 (해머를) 깔때기 모양으로〔돌개바람처럼〕 돌리다. ② 〔드물게〕 깔때기로 억지로 부어 넣다〔먹이다〕.

Trichter≈öffnung *f.*, **~schlund** *m.* 분화구. **~stativ** *n.* 깔때기 받침. **~winde** *f.* 〖植〗 ① 나팔꽃; 메꽃과(科) 식물의 총칭. ② 고구마속(屬) 식물의 총칭.

***Trick** [trɪk] 《engl.》 *m.* -s, -s/(드물게) -e ① 술수, 속임수; 비결, 요령: einen ~ anwenden 속임수를 쓰다; 〔구어〕 den ~ heraushaben 비결〔요령〕을 알아내다; 〔구어·농담〕 ~ Siebzehn 단순하지만 효과 만점의 트릭; mit allerlei ~s 온갖 술책을 다 써서; hinter js. ~ kommen 누구의 술수를 간파하다. ② 사기, 농간: auf einen ~ hereinfallen 사기에 걸려들다. ③ (곡예사·마술사의) 묘기, 트릭. ④〖카드〗 (브리지에서) 한 판에 내놓은 패 중에서 6 점 이상인 패; (휘스트의) 이긴 패. ⑤〖스포츠〗 트릭 플레이. ⑥〖영화〗 특수 효과, 트릭.

Trick≈aufnahme *f.* 〖영화〗 특수 효과 촬영, 트릭 촬영. **~betrug** *m.* 속임수를 쓰는 사기. **~betrüger** *m.* 속임수를 쓰는 사기꾼. **~betrügerin** *f.* ↑ ~betrüger 의 여성형. **~dieb** *m.* 속임수를 쓰는 도둑. **~diebin** *f.* ↑ ~dieb 의 여성형. **~diebstahl** *m.* 속임수를 쓰는 절도. **~film** 《engl.》 *m.* 만화 영화, 애니메이션. **~kiste** *f.* 〔구어·스포츠은어〕 다양한〔온갖〕 술책〔속임수〕. **≈reich** *a.* 술책을

〔속임수를〕 많이 쓰는, 술수에 능한. **~schilaufen** *n.* 『스포츠』 곡예 스키.

tricksen [tríksən] *i.* (h.) 〖스포츠은어·구어〗 트릭〔술책〕을 쓰다.

Trick≈ski·laufen *n.* ↑ ~schilaufen. **~track** [tríktrak, trıktrák] 《frz.》 *n.* (주사위 숫자에 따라 말을 이동하는) 주사위 놀이 (Puffspiel).

tricky 《engl.》 *a.* 〖구어〗 (trickreich) 술책〔트릭〕을 많이 쓰는.

Tricycle [tráısıkəl] 《frz.》 *n.* -s, -s (Dreirad) 3륜(자전)차, 3륜 오토바이.

Trident[1] [tridέnt] 《lat. dens, „Zahn"》 *m.* -(e)s, -e 『그리스·로마신화』 (해신(海神)의) 3지창(三枝槍).

Trident[2] 《lat.》 *n.* ↑ Trient.

Tridentiner [tridεntí:nər] 《I》 *m.* -s, - 트리엔트 사람. 《II》 *a.* 트리엔트의.

tridentinisch *a.* 트리엔트의: 『史』 das ~e Konzil 트리엔트 공의회.

Tridentinum *n.* -s 트리엔트 공의회(1545-63).

Triduum [trí:duum] 《lat.》 *n.* -s, ..duen [..duən] 3일간.

trieb [tri:p] ↑ treiben의 과거형.

***Trieb** [tri:p] 《<treiben》 *m.* -(e)s, -e ① **(a)** 충동, 욕구, 본능: seine ~e beherrschen 충동을 제어하다; seinen ~en nachgeben 충동에 굴복하다. **(b)** 경향, 성향: einen ~ zur Kriminalität haben 범죄 성향을 지니고 있다. **(c)** 〖고어〗 의욕: er hat keinen ~ zum Studieren 그는 공부하려는 의욕이 조금도 없다. **(d)** 성욕, 정욕: er wollte nur seinen ~ befriedigen 그는 오로지 자신의 정욕을 충족시키려고만 했다. ②〖고어〗 가축몰기; 목장; 가축 통로(Viehweg); (Weidegerechtigkeit) 목장 사용권, 방목권; (Herde) 짐승〔가축〕떼: ein ~ Ochsen〔Schafe〕 한 무리의 소〔양〕. ③ 싹, 어린 싹〔가지〕; 발아, 생장(력): die Fichten haben ihren besten ~ im Mai 가문비나무는 5월에 생장력이 가장 왕성하다; der Nachtfrost hat die jungen ~e vernichtet 밤서리가 새싹을 아주 망쳐 놓았다. ④『工』 구동(驅動) 기어; (시계의) 작은 톱니바퀴.

trieb≈artig *a.* ↑ triebhaft. **~befriedigung** *f.* (특히 성적) 욕구의 충족.

Triebel *m.* -s, - ① (ndd.) 통장이의 메. ② (obd.) 『기계』 핸들, 크랭크. ③ 녹로(轆轤)의 회전봉. ④ (schweiz.) (가축의) 꼴, 먹이.

trieb≈fähig *a.* 생장(능)력이 있는. **~feder** *f.* ① (시계의) 태엽, 용수철. ② (행위의) 내적 동기, 원동력: hemmungsloser Ehrgeiz war die ~ seines Handelns 걷잡을 수 없는 명예욕이 그의 행동의 동인이었다. **~feile** *f.* 작은 톱니바퀴 제작용 줄.

triebhaft *a.* 충동적인, (특히 성적) 충동대로 움직이는.

Triebhaftigkeit *f.* 충동, 본능, 충동성.

Trieb≈handlung *f.* 충동적〔본능적〕 행위〔행동〕. **~kraft** *f.* ①『기계·드물게』 동력. ②『植』 발아〔생장〕력. ③ (행위의) 원동력, 동기, 원인. **~leben** *n.* 본능적인 생활, 성생활. **~mäßig** *a.* ↑ triebhaft. **~mörder** *m.* 성적 충동에 따른 살인자. **~rad** *n.* ① ↑ Treibrad. ②『기계』 (시계의) 작은 톱니바퀴. **~recht** *n.* 목장 사용권, 방목권. **~sand** *m.* 표사(漂砂). **~täter** *m.* 충동적 (성)범죄자. **~verbrechen** *n.* 충동적 (성)범죄. **~verbrecher** *m.* ↑ ~täter. **~wagen** *m.* 전동차, 동력차. **~werk** *n.* 『工』 동력 장치, 원동기; (비행기·로켓의) 추진 장치, 엔진.

Trief≈auge [trí:f..] *n.* 농루안(膿漏眼), 임균성 결막염. **~äugig** *a.* 농루안의, 임균성 결막염의.

***triefen**(*) [trí:fən] (troff/triefte, getrieft/(드물게) getroffen) 《♧ Traufe, Tropfen》 《I》 *i.* ① (h./s.) **(a)** (물)방울져 떨어지다: der Regen trieft 빗방울이 떨어진다. **(b)** (뚝뚝) 듣다, 흘러내리다: der Schweiß trieft ihm von der Stirne 그의 이마에서 땀이 흘러내린다. ② (h.) (흠뻑) 젖어 있다: der Nacken trieft vom Schweiß 목이 땀에 흠뻑 젖어있다; die Hände des Tyrannen ~ von Blut 그 폭군의 손은 피에 물들어 있다; die Augen ~ ihm 〔seine Augen ~〕 a) 그의 눈은 짓물러 있다, b) 그의 눈에는 눈물이 흥건하다; 〖구어〗 jm. trieft die Nase 누구의 코에서 (감기로) 콧물이 흐른다; 〖반어〗 er trieft von Weisheit 그는 지혜가 넘쳐서 탈이다. 《II》 *t.* 흘러 넘치다: Honig trieft seine Lippen 그는 달콤한 말이 입에 배어 있다.

triefend *p.a.* 뚝뚝 듣는〔흘러내리는〕; 흠뻑 젖은: ~e Augen 젖은〔짓무른〕 눈; ein von Blut ~es Messer 피가 뚝뚝 떨어지는 칼.

triefig *a.* 뚝뚝 듣는, 흠뻑 젖은; 짓무른; 고름이 나는; 새는.

Trief≈nase *f.* 『醫』 코감기. **~nasig** *a.* 『醫』 코감기에 걸린. **~naß** *a.* 흠뻑 젖은.

Triel [tri:l] *m.* -(e)s, -e ① (obd.) 소의 목주름살. ② (obd.) (Maul) 입, 주둥이. ③『動』 물떼새의 일종(Dickfuß).

trielen [trí:lən] *i.* (h.) (südd.) 침을 흘리다.

Trieler *m.* -s, - (obd.) (어린이용) 턱받이.

Triennium [triέnium] 《lat.》 *n.* -s, ..nnien [..niən] 〖고어〗 3년간: akademisches ~ 대학의 3년간의 학사 과정.

Trient [triέnt] 트리엔트(트리엔트 공의회가 열린 이탈리아의 도시).

Trier [tri:r] 트리어(모젤 강변의 도시).

Triere [trié:rə] 《gr.》 *f.* -n (고대 그리스의) 3단(段)의 노를 갖춘 전함.

Trierer [trí:rər] 《I》 *m.* -s, - 트리어 사람. 《II》 *a.* 트리어의.

trierisch *a.* 트리어의.

Triest [triέst] 트리에스트(이탈리아의 도시).

Triester [triέstər] 《I》 *m.* -s, - 트리에스트 사람. 《II》 *a.* 트리에스트의.

Trieur [triø:r] 《frz.》 *m.* -s, -e (Getreidereinigungsmaschine) 곡류 정선기(精選機).

triezen [trí:tsən] *t.* ① (nordd.) 당기다; 감아올리다. ②〖구어〗 괴롭히다(quälen).

triff [trıf] ↑ treffen의 명령형.

triffst [..st] ↑ treffen의 2인칭 단수 현재형.

trifft ↑ treffen의 3인칭 단수 현재형.

Trifle [tráıfl] 《engl.》 *n.* -s, -s 트라이플(포도주로 적신 스펀지 케이크에 거품 크림을 바른 과자).

Trifokal≈brille *f.* 『광학』 3중 초점 안경. **~glas** *n.* 『광학』 3중 초점 렌즈.

Trifolium [trifó:lium] 《lat.》 *n.* -s, ..lien [..liən] 『植』 3엽(葉) 식물(Dreiblatt); 클로버류(類).

Triforium [trifó:rium] 《lat.》 *n.* -s, ..rien [..riən] 〖건축〗 트리포리움(교회 양식에서 측벽의 아치와 지붕 사이의 부분).

Trift [trɪft] 《< treiben》 *f.* -en ① (a) 〖복수없음〗 가축을 목초지로 몰기, 방목. (b) 목초지; 〖시어〗 초원; (목장의) 가축 통로. ② (a) 〖복수없음〗 남의 땅을 가축을 몰고 지나갈 권리. (b) 목초지 사용권(Weiderecht). ③ 몰려 가는 가축의 떼. ④〖海〗 해류(海流); 편류(偏流) (Drift); 표류(물); 뗏목 흘려 보내기.

Trifte *f.* -n 알곡 더미(Kornschober).

triften [tríftən] 《I》 *i.* (s.) (바람·물결에 밀려) 움직이다, 표류하다. 《II》 *t.* (목재를) 떠내려 보내다.

Trift≈geld *n.* 목초지 사용료. **~gerechtigkeit** *f.* 목초지 사용권, 방목권.

triftig[1] [tríftɪç] 《< triften》 *a.* ①〖海〗 표류하는, 떠내려가는. ②〖드물게〗 목장 사용권이 있는; 활동적인. ③〖植〗 열매를 많이 맺는.

triftig[2] 《< treffen》 *a.* 적절한; 근거 있는, 설득력 있는, 반발할 수 없는: eine ~e Entschuldigung 적절한 사과; ein ~er Beweis 설득력 있는 증거.

Triftigkeit *f.* 적절성, 확실성, 설득력.

Trift≈recht *n.* 목초지 사용권. **~strömung** *f.* 편류(偏流).

Trifurkation 《lat.》 *f.* -en 세 갈래로〔가닥으로〕 나뉨(Dreigabelung).

Triga [trí:ga] 《lat.》 *f.* ..gen/-s ① 3두 마차 (Dreigespann). ② (3두 마차의) 마차 부분.

Trigeminus [trigé:minus] 《lat., „der Dreigeteilte"》 *m.* -, ..ni 〖醫〗 삼차(三叉) 신경.

Trigeminus·neuralgie *f.* 〖병리〗 삼차(三叉) 신경통.

Triglyph [triglý:f] 《gr.》 *m.* -s, -e 〖건축〗 (도리아식의) 3줄의 홈무늬.

Triglyphe [..lý:fə] *f.* -n ↑ Triglyph.

trigonal 《lat.》 *a.* 〖고어〗 3각의(dreieckig).

Trigonometrie [trigonometrí:] 《gr.》 *f.* 〖기하〗 3각법.

trigonometrisch [..mé:trɪʃ] *a.* 3각법의: 〖측량〗 ~er Punkt 3각(지)점.

Trigynien 《gr. gynḗ, „Weib"》 *pl.* 복자예(複雌蕊) 식물 중 심피(心皮)가 3개로 된 것.

trigynisch *a.* 〖植〗 복자예의.

triklin [triklí:n] 《lat.》 *a.* 3사정형(三斜晶形)의: ~es Kristallsystem 3사정형의 결정체.

triklinisch *a.* ↑ triklin.

Triklinium 《gr., „Dreilager"》 *n.* -s, ..nien [..niən] (고대 로마의) 3면에 소파를 놓은 식탁(이 있는 식당).

Trikoline [trikolí:nə] *f.* 〖섬유〗 (명주 비슷한) 눈이 고운 포플린.

trikolor [trí:kolɔr, ..lo:r] 《lat.》 *a.* 〖드물게〗 3색의(dreifarbig).

Trikolore *f.* -n 3색기(특히 프랑스의 국기).

Trikot[1] [trikó:, tríko:] 《frz.》 *m.*/(드물게) *n.* -s, -s ① (a) (속옷·운동복용의) 신축성 있고 매끄러운 직물. (b) 트리코; (Trikotbeinkleider) 트리코로 만든 바지. ② ↑ Trikotage.

Trikot[2] *n.* -s, -s (운동 선수·무용수·곡예사 등의) 잘 늘어나고 몸에 착 붙는 옷: Bade≈ 수영복.

Trikotage [trikotá:ʒə] *f.* -n 트리코 천으로 만든 겉옷 또는 내의류.

Trikot≈kleidung *f.* 트리코 천으로 만든 의복. **~ware** *f.* 트리코 제품. **~werbung** *f.* 선수들의 트리코에 부착하는 광고.

trilateral *a.* 〖政〗 3자간의: ~e Gespräche 3자 회담.

Triller [trílər] 《it. trillo.》 *m.* -s, - ①〖음악〗 전음(顫音), 떨림음(약어: t, tr). ② 떨리는 소리로 지저귐〔노래함〕. ③〖구어〗 광기: einen ~ haben 정신이 나갔다.

trillern [trílərn] *t./i.* (h.) ① (a) 전음〔떨림음〕을 내다; 전음으로 지저귀다〔노래부르다〕. (b) 호루라기를 불다: der Schiedsrichter trillerte 심판이 호루라기를 불었다. ② 떨다.

Triller·pfeife *f.* 호루라기, 휘슬.

Trilliarde [trɪliárdə] 《Tri + Milliarde》 *f.* -n 10해(垓)(10^{21}).

Trillion [trɪlió:n] 《Tri + Million》 *f.* -en 100경(京)(10^{18}).

Trilobit [trilobí:t, ..bɪt] 《gr.》 *m.* -en, -en 〖고생물〗 삼엽충(三葉蟲).

***Trilogie** [trilogí:] 《gr.》 *f.* -n [..gí:ən] (문학작품·악곡 등의) 3부작.

Trimaran *m.* -s, -e 양쪽에 작은 선체가 달린 요트.

Trimester [trimέstər] 《lat.》 *n.* -s, - ① 3개월간, 한 분기. ② (연 3학기제에서의) 1학기.

Trimeter [trí:metər] 《gr.》 *m.* -s, - 〖문학〗 3음보시행(三音步詩行): der jambische ~ 약강 3음보시행.

Trimm [trɪm] 《engl.》 *m.* -(e)s 〖海〗① (배의) 평형, 흘수의 균형. ② 선박의 양호한 정비 상태.

Trimm·aktion 《↑ trimmen》 *f.* 국민 건강 증진 운동.

Trimm-dich-Pfad *m.* 신체 단련용 숲길.

trimmen [trí:mən] 《I》 *t.* ① (선박·항공기의) 무게 균형을 잡다: das Schiff ~ 배의 앞뒤 균형을 잡다. ②〖海〗 (a) (화물을) 적당하게 배치하다. (b) (석탄을) 화구로 나르다. ③ (a) (개의) 털을 깎다. (b) (개의) 털을 빗다〔손질하다〕. ④〖구어〗 훈련〔단련〕시키다: eine Mannschaft auf Schnelligkeit ~ 선수단에게 민첩성 훈련을 시키다; die Kinder sind auf gutes Benehmen getrimmt 그 아이들은 바른 몸가짐을 갖도록 교육받았다. ⑤〖전기〗 (주파수를) 조정하다. ⑥〖핵공학〗 (원자로의) 이상 상태를 조정하다. 《II》 *refl.* sich ~ 신체를 단련하다: trimm dich durch Sport! 운동을 해서 몸을 단련하여라!

Trimmer *m.* -s, - ①〖海〗 뱃짐을 고르게 하는 사람; 석탄을 화구로 운반하는 사람. ②〖전기〗 진동 회로조정용 가변 콘덴서〔축전기〕. ③〖구어〗 신체 단련가, 자기 체력을 잘 관리하는 사람.

Trimm·stab *m.* 〖핵공학〗 (원자로의 이상 유무의) 조정봉.

Trimmung [trímuŋ] *f.* -en ① (a) 〖복수없음〗 균형잡기, 보정. (b) (선박·비행기의) 균형 상태. ②〖空〗 (비행기의) 균형 장치.

trimorph [trimɔ́rf] 《gr.》 *a.* 〖광물·植·動〗 (dreigestaltig) 동질 삼상(同質三像)의; 세 가지 모양의.

Trimorphie [trimɔrfí:] *f.* ↑ Trimorphismus.

trimorphisch *a.* ↑ trimorph.

Trimorphismus 《lat.》 *m.* - 〖광물·植·動〗 3형성(形性), 동질 3상.

Trine[1] [trí:nə] *f.* 〖↑ Katharine의 단축형〗 트

리네(여자 이름).

Trine² *f.* -n 〖구어·폄어〗 ① 칠칠치 못한 여자. ② 동성 연애자 중 여자역.

Trinidad [trínidat] 트리니다드(남아메리카 북동 해안의 섬).

Trinidad und Tobago 트리니다드 토바고(카리브해 남동쪽에 위치한 섬 나라).

Trinitarier [trinitáːriər] 《lat.》 *m.* -s, - ① 〖가톨릭〗 트리니타티스 수도회의 수도사. ② 〖기독교〗 삼위 일체설의 신봉자, 삼위 일체론자.

Trinität [trinitέːt] *f.* 〖기독교〗 삼위 일체설 (Dreieinigkeit).

Trinitatis 〖기독교〗 성 삼위 일체의 축일(성령 강림제 후의 첫 일요일).

Trinitatis·fest *n.* ↑ Trinitatis.

Trinitrotoluol [trinitrotoluóːl] 《lat.》 *n.* -s 〖化〗 트리니트로톨루엔, 티엔티(약어: TNT).

Trinitro·zellulose *f.* 〖化〗 면화약(綿火藥) (Schießbaumwolle).

trinkbar [tríŋkbaːr] *a.* 마실 수 있는, 마실 만한: 〖구어·농담〗 ~er Wein 맛이 좋은 포도주; 〖구어〗 ist noch etwas Trinkbares da? 마실 것(대개 술)이 아직 있습니까?

Trinkbarkeit *f.* 마실 수 있음.

Trink≈becher *m.* 술잔. **~brannt·wein** *m.* 브랜디, 화주. **~bruder** *m.* ① 술친구(~genoß). ② 술꾼, 술고래.

trinken [tríŋkən] (trank, getrunken) *i.* (h.)/*t.* ① 마시다: Kaffee〔Bier, Wein〕 ~ 커피〔맥주, 포도주〕를 마시다; jm. (etwas) zu ~ geben 누구에게 마실 것을 주다; einen ~ 한잔 하다; sich³ einen ~ 술을 한 잔 하다; das Kind will nicht ~ (an der Brust) 이 애는 젖을 먹으려고 하지 않는다; 〖구어·농담〗 der Wein trinkt sich gut, der Wein läßt sich (gut) ~ 이 포도주는 마실 만하다; trink nicht so kalt! 그렇게 차게 마시지 마라!; 〖구어〗 einen ~ gehen 한 잔 하러 가다. ② 〖전치사와 함께〗 **auf** js. Gesundheit〔Wohl〕 ~ 누구의 건강을 위해 건배하다; **aus** der Flasche ~ 병째로 마시다; **mit** jm. um die Wette ~ 누구와 술시합을 하다; 〖구어〗 ein Glas〔einen〕 **über** den Durst ~ 과음하다; sich **um** den Verstand〔von Sinnen〕 ~ a) 곤드레만드레 취하다, b) 취해 정신을 잃다; sich **zu** Tode ~ 과음으로 죽다. ③ 〖대개 3격과 함께〗 jm. Bescheid ~ 누구를 위하여 축배를 들다; (sich³) Betäubung ~ 술로 근심〔고통〕을 달래다; 〖구어〗 mit jm. Brüderschaft ~ 누구와 결친한〔술잔을 나누는〕 사이다; 〖드물게〗 sich³ Mut (Courage) ~ 용기를 내려고 마시다; sich³ den Tod an et.³ ~ 무엇을 마시고 죽다; 〖시어〗 sich³ Vergessenheit aus Lethes Wellen ~ 망각의 강물을 마시다, 깨끗이 잊어버리다; sich³ einen Zopf〔Rausch, Haarbeutel, Affen〕 ~ 만취하다. ④ 〖결과를 나타내어〗 sich arm ~ 술로 재산을 탕진하다; ein Glas leer ~ 잔을 비우다; sich satt ~ 실컷 마시다; sich tot ~ 과음으로 죽다; sich toll und voll ~ 곤드라지게 마시다. ⑤ 빨아들이다, 흡입〔흡수〕하다: 〖시어〗 die trockne Erde trinkt den Regen 마른 땅이 비를 빨아들인다; 〖고어〗 Tabak ~ 담배를 피우다. ⑥ 받아들이다, 즐기다: js. Küsse ~ 누구의 키스를 받아들이다; in vollen Zügen trank er die Schönheit der Landschaft 그는 풍경의 아름다움을 만끽했다.

Trinken [tríŋkən] *n.* -s 마심; 음주: die Zeit mit ~ zubringen 술로 시간〔세월〕을 보내다; sich³ das ~ angewöhnen〔abgewöhnen〕 술 먹는 버릇이 들다〔없어지다〕; Essen und ~ vergessen 식음을 잊다.

Trinker [tríŋkər] *m.* -s, - 마시는 사람; (Säufer) 술꾼, 애주가.

Trinker·asyl *n.* ↑ ~heilanstalt.

Trinkerei [trɪŋkəráɪ] *f.* -en ① 〖복수없음〗 〖폄어〗 음주벽. ② 〖구어〗 술자리, 주연.

Trinker≈heil·anstalt *f.* 알코올 중독자 교정〔치료〕 시설. **~heil·stätte** *f.* ↑ ~heilanstalt.

Trinkerin *f.* -nen ↑ Trinker의 여성형.

trink≈fest *a.* 술이 센. **~festigkeit** *f.* 술이 셈: er ist für seine ~ berühmt 그는 술이 세기로 유명하다. **~flasche** *f.* 술병, 음료수병. **~freudig** *a.* 술을 즐기는: eine ~e Clique 주당(酒黨), 술꾼들. **~freudigkeit** *f.* 술을 즐김, 애주. **~gefäß** *n.* 술잔, 음료수 통〔잔〕. **~gelage** *n.* 술자리, 주연(酒宴). **~geld** *n.* ① 팁: dem Taxifahrer ein ~ geben 택시 운전사에게 팁을 주다; 〖비유〗 für ein ~ 알량한 보수로. ② 〖요식업〗 봉사료. **~genoß** *m.* 술친구. **~geschirr** *n.* ↑ ~becher, ~gefäß, ~glas, ~schale. **~gesellschaft** *f.* 술친구; 〖구어〗 술잔치. **~glas** *n.* 음료수 잔; 술잔. **~halle** *f.* ① 광천수 시음장(場). ② 음료수 가판대. **~halm** *m.* 빨대. **~horn** *n.* 〖고어〗 뿔로 만든 술잔; 뿔모양의 잔. **~kur** *f.* 광천수 요법. **~lied** *n.* 술자리에서 부르는 노래. **~milch** *f.* 음료용 우유. **~napf** *m.* (새장의) 물그릇. **~schale** *f.* (접시처럼) 바닥이 얕은 술잔. **~spruch** *m.* 건배〔축배〕의 말: einen ~ (auf jn.) ausbringen (누구를 위해) 축배의 말을 하다. **~stube** *f.* 〖구식〗 술집, (호텔의) 바; (정거장의) 간이 식당〔주점〕. **~szene** *f.* (요란한) 술잔치, 한바탕 술판. **~wasser** *n.* 음료수: das ~ verseuchen 음료수를 오염시키다; kein ~! 마시는 물이 아님!.

Trinkwasser≈aufbereitung *f.* 정수. **~versorgung** *f.* 급수.

Trinom [trinóːm] 《gr.》 *n.* -s, -e ① 〖數〗 3항식, 3항수(三項數). ② 〖生〗 (동식물 분류 체계에 따른) 3명법, 3단계 분류법.

trinomisch *a.* 〖數〗 3항(식)의.

***Trio** [tríːo] 《it.》 *n.* -s, -s ① 〖음악〗 **(a)** 3중주(곡): Klavier~ 피아노 3중주곡. **(b)** 트리오, 3인조 연주단. **(c)** 악장 사이에 삽입된 조용한 템포의 중간부. ② 3인조: Gangster~ 3인조 강도.

Triode [trióːdə] 《gr.》 *f.* -n 〖전기〗 3극 진공관.

Triole [trióːlə] *f.* -n ① 〖음악〗 셋잇단음표, 삼연음부(三連音符). ② 〖교양·농담〗 세 사람 사이의 혼음(Triolismus).

Triolett [triolέt] 《frz.》 *n.* -(e)s, -e 〖문학〗 2운각(韻脚) 8행시.

Triolismus *m.* - ↑ Triole ②.

Trional *n.* -s 〖藥〗 트리오날(수면제 이름).

Triotar *n.* -s, -e (초점 거리가 긴) 대물(對物) 렌즈의 이름.

Trip [trɪp] 《engl.》 *m.* -s, -s ① (Ausflug) 소

퐁, 짧은 여행. ② **(a)** 마약(특히 LSD)의 1회 복용량: einen ~ (ein)werfen 〔(ein)schmeißen〕 LSD 1 회분을 복용하다. **(b)** 마약 복용으로 인한 환각 상태: auf dem ~ sein 환각 상태다; bad〔horror〕 ~ (환각제에 따른) 악몽 같은 환각 체험; good ~ (환각제에 의한) 황홀한 환각 체험. ③〖은어〗(일시적인) 열중, 몰입, 도취: Kinder~ 자식 사랑에 폭 빠진 상태; na, von diesem ~ wird er auch bald wieder runter sein 글쎄, 이 일에 대한 그 친구의 열성도 금방 다시 식고 말걸.

Tripartition [tri|partitsió:n] 《lat.》 *f.* -en 〖數·구식〗 3 분할(Dreiteilung).

Tripel¹ [trí:pəl] 《frz., „dreifach"》 《I》 *n.* -s, - 〖數〗 3 요소, 3 개, 3 조. 《II》 *m.* -s, - 〖고어〗 3 중(重)의 물건; 3 중의 소득.

Tripel² *m.* -s 트리폴리석(石), 판상(板狀) 규조토(연마제; 지명 Tripolis 에서).

Tripel·allianz *f.* ① 3 국 동맹. ② (독일·오스트리아·이탈리아 사이에 체결된) 3 국 동맹 (1882–1915). **~entente** [..|ãtã:t(ə)] *f.* ① 3 국 동맹〔협정〕. ② (1907 년에 프랑스·영국·러시아 사이에 체결된) 3 국 협상.

Tripel·erde *f.* ↑ Tripel².

tripeln *t.* 트리폴리석으로 갈다〔연마하다〕.

Tripel·takt *m.* 〖음악〗 3 박자.

Triphthong [trıftɔ́ŋ] 《gr.》 *m.* -s, -e 〖음성〗 3 중 모음(Dreilaut).

triplieren [triplí:rən] 《frz.》 *t.* 3 배로〔3 중으로〕 하다; 〖당구〗 공을 스리쿠션으로 맞히다.

Triplik [triplí:k, ..lík] *f.* -en 〖法·구식〗 (피고측의 2 차 변론(Duplik)에 대한 원고측의) 3 차 질의.

Triplikat [..pliká:t] *n.* -(e)s, -e 〖드물게〗 (문서의) 제 2 사본〔부본〕.

Triplizität [..tsitɛ́:t] *f.* -en 〖교양·드물게〗 3 배〔3 중〕성; 세 가지가 한 조로 된 것.

triploid [triploí:t] *a.* 〖生〗 3 배체의.

Triplum [trí(:)plum] 《lat.》 *n.* -s, ..pla 〖고어〗 3 중의 것(Dreifaches).

Tripmadam 《frz.》 *f.* -en 〖植〗 (향료로 쓰이는) 꿩의비름(속).

Tripoden [tripó:dən] *pl.* ↑ Tripus 의 복수형.

Tripolis [trí:polıs] ① 트리폴리(리비아 공화국의 수도). ② 트리폴리타니아(리비아 서부; 지중해에 임한 지역).

tripolitanisch [tripolitá:nıʃ] *a.* 트리폴리의.

Tripotage [..tá:ʒə] 《frz.》 *f.* -n 〖고어〗 ① (음식물 등의) 잡탕. ② 복마전(伏魔殿), 사기판; 사기, 협잡; 술수.

Tripp [trıp] *m.* -s, -s/-e 인조견, 합성 우단.

tripp *int.* 〖의성어〗 ~, trapp! 총총걸음으로!

trippeln [trípəln] *i.* (h./s.) ① **(a)** 총총걸음으로 걷다: mit ~den Schritten 총총걸음으로. **(b)** 총총걸음으로 가다. ② ↑ trippen.

Trippel·schritt *m.* 총총걸음: in vorsichtigen ~en laufen 조심스럽게 잰걸음으로 달리다.

trippen [trípən] 《♧ triefen》 *i.* (h./s.) ① (ndd.) (tropfen) (물방울이) 듣다, 떨어지다. ② ↑ trippeln ①.

Tripper *m.* -s, - 〖醫〗 임질.

Tripp·samt *m.* ↑ Tripp.

Triptik [tríptık] *n.* -s, -s ↑ Triptyk.

Triptychon [tríptyçɔn] 《<gr. tríptychos, „dreifaltig"》 *n.* -s, ..chen/..cha 〖畫〗 세폭 제단화.

Triptyk [..tyk] 《frz.》 *n.* -s, -s (세 부분으로 된) 차량 국경 통과 허가증.

Tripus [trí:pu:s, tríp..] 《gr.》 *m.* -, ..poden [..pó:dən] (Dreifuß) (고대 그리스의) 3 각 (그릇) 받침대, 삼발이.

Trireme [triré:mə] 《lat. remus, „Ruder"》 *f.* -n 3 단 노의 전함(Triere).

trist [trıst] 《frz.》 *a.* 슬픈(traurig); 음울한; 황량한: ein ~er Ort 황량한 장소; ein ~er Tag 음울한 날(씨).

Tristan [trístan] *m.* 트리스탄(켈트족(族) 전설에 나오는 인물).

Triste [trístə] *f.* -n (obd., schweiz.) ① 장대 주위에 쌓은 짚〔건초〕 더미. ② 야외 건초〔곡식단〕의 더미.

Tristesse [trıstɛ́s] 《frz.》 *f.* -n 〖교양〗 슬픔, 비애.

Tristheit *f.* 황량, 쓸쓸함.

Tristien [trístiən] 《lat.》 *pl.* 고대 로마의 시인 오비디우스가 지은 비가(悲歌)의 이름.

trisyllabisch [trizylá:bıʃ] 《lat.》 *a.* 〖언어학〗 3 음절의(dreisilbig).

Trisyllabum [..zýlabum] *n.* -s, ..ba 〖언어학〗 3 음절어.

Tritagonist [tritagoníst] 《gr., „dritter Schauspieler"》 *m.* -en, -en (고대 그리스 연극에서) 세 번째 주인공(↑ Protagonist, Deuteragonist).

Triterium [tritéːrium] 《gr.》 *n.* -s 〖化〗 ↑ Tritium.

Tritheismus [triteísmus] 《gr. theós, „Gott"》 *m.* - (삼위 일체를 부정하는) 3 신설(神說).

Tritium [trí:tsium] 《gr.》 *n.* -s 트리튬, 3 중수소(기호: T).

Triton¹ [trí:tɔn] *n.* -s, -en [..tó:nən] 〖化〗 트리톤, 삼중수소의 원자핵.

Triton² 《gr.》 *m.* -en [..tó:nən], -en ①〖그리스신화〗 **(a)** 〖복수없음〗 트리톤(포세이돈의 아들로 반수반어). **(b)** 트리톤(포세이돈을 수행하는 해신(海神) 중 하나). ②〖動〗 소라고둥.

Triton³ *m.* -s 〖天〗 트리톤(해왕성의 제 1 위성).

Tritonen·gruppe *f.* 〖조각〗 트리톤의 군상(群像) (↑ Triton² ①(b)).

Tritons·horn *n.* 〖動〗 소라고둥.

Tritonus *m.* 〖음악〗 3 온〔전〕음.

***Tritt** [trıt] 《<treten》 *m.* -(e)s, -e ① 디딤; 걸음; 한발짝, 보폭(步幅): einen falschen ~ tun〔machen〕 발을 헛디디다〔삐다〕; ~e im Dunkeln 암중모색. ② **(a)** 〖복수없음〗 걸음걸이, 걸음새: einen festen〔schweren〕 ~ haben 걸음걸이가 야무지다〔무겁다〕. **(b)** 〖軍〗 보조(Gleichschritt): ~ gefaßt! 발맞춰 가!; ~ wechseln! 보조 바꿔!; ohne ~ marsch! 제자리 걸음!; ~ halten 보조를 맞추다; falschen ~ haben 보조를 잘못 맞추다; ~ fassen a) 〖軍〗 보조를 맞춰 행진하다, b) 〖비유〗 정상 궤도로 (되)돌리다; ~ für ~ 일보일보; jm. auf Schritt und ~ folgen 누구의 뒤를 밟다, 미행하다; aus dem ~ kommen 〔geraten〕 a) 행군할 때 리듬을 잃다, b) 〖비유〗 생활의 리듬을 잃다. ③ **(a)** (Fuß~) 밟기; 발길질: jm. einen ~ versetzen 누구를 차다; 〖구어〗 jm. einen ~ geben 누구를 쫓아내다

〔해고하다〕; 〖구어〗 einen ~ bekommen 〔kriegen〕 쫓겨나다, 해고당하다. **(b)** 〖럭비〗 킥. ④〖사냥〗 **(a)** (짐승의) 발자국. **(b)** (작은 새의) 발. ⑤ **(a)** (베틀 등의) 발판, (자전거 등의) 페달. **(b)** 디딤대; 계단. **(c)** 화분대; 발 걸치는 대, 섬돌; 〖고어〗 교단(Podium). **(d)** 작은 사다리.

tritt [trɪt] ↑ treten 의 3 인칭 단수 현재형 또는 명령형.

Tritt≈brett *n.* (차량 승강구의) 디딤대, 승강대, 발판. **~brett·fahrer** *m.* 〖비유·폄어〗스스로 노력하지 않고 남의 노력으로 이득을 보려는 사람.

Trittchen [trɪ́tçən] *n.* -s, - 〖구어〗 구두, 신발.

Trittel *m.* -s, - (재봉틀 등의) 페달.

tritt·fest *a.* 밟아도 끄떡없는: eine ~e Leiter 튼튼한 사다리.

Tritt≈leiter *f.* 발판이 2-3 개 있는 짧은 접사다리; 발돋움대. **~mühle** *f.* ① (Tretmühle) 발로 밟아 돌리는 물방아, 선차(旋車). ②〖구어〗 발틀 인쇄기(Tretpresse); 작은 인쇄소. **~rad** *n.* 선차(旋車). **~schemel** *m.* (재봉틀의) 발판. **≈sicher** *a.* 밟아도 안전한.

trittst [trɪtst] ↑ treten 의 2 인칭 단수 현재형.

Tritt≈stufe *f.* ①〖등산〗 하켄(빙벽〔암벽〕에 박아넣은 디딤대). ② 디딤대; (탈것의) 발판; 섬돌. **~wechsel** *m.* 〖軍〗 (행진 때의) 보조 바꾸기.

Trituration [trituratsió:n] *f.* -en ① 가루로 만들기, 으깸; 반죽함. ②〖醫〗 유당(乳糖)을 첨가한 가루약.

***Triumph** [triʊ́mf] 《lat.》 *m.* -(e)s, -e ① 대성공, 큰 승리, 개가: ~e feiern 대성공을〔승리를〕 거두다; ein ~ der Technik 기술의 승리. ② 승리의 기쁨〔감격〕: ~ zeigt sich in seiner Miene 그의 표정에는 승리의 환희가 드러났다. ③ (~zug) 개선 행렬, 승리의 (시가) 행진: einen ~ halten 개선 행진을 하다.

triumphal [triumfá:l] *a.* ① 대성공을 거둔, 승리를 뽐내는: ein ~er Erfolg 대성공. ② 환호성에 휩싸인, 열광적인: jm. einen ~en Empfang bereiten 누구를 열광적으로 환영하다. ③ 승리한, 승리를 거둔.

Triumphator [..fá:tɔr, ..to:r] *m.* -s, -en [tó:rən] (고대 로마의) 개선 장군, 개선자.

Triumph≈bogen *m.* 〖건축〗 ① (고대 로마의) 개선문. ② (특히 중세 교회에서 예수의 승리를 상징하는) 신도석과 본제단을 구분하는 아치형의 문. **≈gekrönt** *a.* 승리의 월계관을 쓴, 승리의 영광을 차지한. **~gesang** *m.* 승리의 노래, 개선가. **~geschrei** *n.* 승리의 환호성.

triumphieren [triumfí:rən] 《lat.》 *i.* (h.) 승리감을 느끼다, 개가를 올리다; 승리하다: mit ~der Miene 득의만만한 미소; über jn.〔et.〕 ~ 누구를〔무엇을〕 완전히 제압하다〔물리치다〕.

Triumph≈lied *n.* ↑ ~gesang. **~marsch** *m.* 개선 행진. **~wagen** *m.* 개선차(車), 퍼레이드 카. **~zug** *m.* 개선 행렬.

Triumvir [triʊ́mvɪr] 《lat.; <trium (tres, „drei"의 2 격); vir, „Mann"》 *m.* -s/-n, -n (고대 로마의) 3 두 정치의 집정관.

Triumvirat [..virá:t] *n.* -(e)s, -e (고대 로마의) 3 두 정치.

trivalent *a.* 〖化〗 3 가(價)의.

***trivial** [triviá:l] 《frz.》 *a.* ① 평범한, 시시한. ② 통속적인, 일상적인, 진부한.

Trivialität [trivialitɛ́:t] *f.* -en ①〖복수없음〗 비속; (표현상의) 진부, 통속성, 평범. ② (Gemeinplatz) 상투어, 진부한 말〔표현〕.

Trivial≈literatur *f.* 통속〔대중〕 문학. **~roman** *m.* 〖문학〗 통속 소설.

Trivium [trí:vium] 《lat., „Dreiweg"》 *n.* -s (중세의 자유 학예 7 과목 중) 기초 3 학과(문법·논리·수사).

Trizeps [trí:tsɛps] 《lat.》 *m.* -(es), -e 〖해부〗 ① 삼두근(三頭筋). ② 상박의 삼두 신근.

trochäisch [trɔxɛ́:ɪʃ] 《gr.》 *a.* 〖문학〗 장단격(格)〔강약격〕의.

Trochäus [..xɛ́:ʊs] 《gr.》 *m.* -, ..chäen 〖문학〗 장단〔강약〕격(↔ Jambus).

Trochilus [trɔ́xilus] *m.* -, ..len 〖건축〗 (이오니아식 기둥의) 쇠시리.

Trochit [trɔxí:t, ..xɪ́t] *m.* -s/-en, -en 〖고생물〗 트로키트 화석(바다나리 줄기의 화석).

Trochiten·kalk *m.* 〖고생물〗 트로키트 석회암.

Trochophora *f.* ..ren [..fó:rən] 〖動〗 트로코포라, 담륜자 유생(擔輪子幼生).

***trocken** [trɔ́kən] *a.* ① (↔ naß, feucht) 마른, 건조한; 메마른, 불모의: ~en Auges 울지 않고; ~er Dunst 아지랑이; er hatte keinen ~en Faden mehr am Leibe〔Körper〕 그는 온몸이 흠뻑 젖어 있었다; ~er Frost 모진 추위때 내리는 서리; ~es Gedeck 술이 없는 식사; ~er Empfang a) 술이 없는 접대, b) 푸대접; ~es Gut 물기가 없는 짐〔물품〕; ~er Husten 마른 기침; er hat immer eine ~e Kehle 그는 목이 잘 마른다; ~e Kuh 젖이 나오지 않는 암소; ~e Länder 금주국(禁酒國); 〖宗〗 ~e Messe 성찬 없는 미사; ~ 〔mit ~em Munde〕 dasitzen (손님이 다과의 대접이 없어) 맨입으로 앉아 있다; die Gäste ~ sitzen lassen 손님들을 맨 입으로 앉아 있게 하다; 〖전기〗 ~e Säule 건전지; ~e Schläge 피〔상처〕를 내지 않는 구타; 〖商〗 ~er Wechsel 약속 어음; et. ~ aufbewahren〔lagern〕 무엇을 건조한 곳에 보존하다; ~ malen 크레용 및 파스텔로 그리다; ~ stehen (가축이) 젖을 내지 않다; sich ~ rasieren 전기 면도를 하다; 〖비유〗 er ist noch nicht ~ hinter den Ohren 그는 아직 풋내기다; noch ~ nach Hause kommen 비를 맞지 않고〔비가 오기 전에〕 집에 오다; die Haare ~ schneiden 머리카락을 건조한 상태로 자르다; da bleibt kein Auge ~ (감동 받아서 또는 너무 우스워서) 눈물을 흘리지 않는 사람이 없다. ② **(a)** 무미건조한, 멋없는; 재미 없는; 평범한: ein ~er Mensch 무미건조한 사람; eine ~e Rede 따분한 연설; ein ~er Humor 재치 없는〔어설픈〕 유머; ~es Zeug 재미없는 것(특히 책). **(b)** 무뚝뚝한, 우악스러운: ~er Kerl 〔ein ~er Peter〕 무뚝뚝한 남자. **(c)** 달지 않은, (포도주 등이) 떫은: der Wein ist halb ~ 그 포도주는 약간 떫다. **(d)** 있는 그대로의: ~e Wahrheit 있는 그대로의 사실; das ist ~ 〔ein ~er〕 Verdienst von 100 Mark 그건 꼭 100 마르크의 돈벌이다. ③〖명사적〗 마른 것〔데〕; 뭍, 육지: auf dem ≈en sein (배가) 육지에 있다; ein Boot aufs ≈e bringen 보트를 뭍에 올리다;

〖비유〗 et. aufs ∼e bringen 무엇을 구해내다; 〖구어〗 auf dem ∼en sein〔sitzen〕 a)〖비유〗 돈에 쪼들리고 있다, 어려움에 처해 있다, b) 〖농담〗마실 것이 없다, 술잔이 비어 있다, c) 필요한 것을〔정보를〕 얻지 못하고 있다;〖비유〗jn. aufs ∼e setzen a) 누구의 재산을 빼앗다, b) 누구를 당혹〔곤란〕하게 하다; auf〔in〕 dem ∼en sein 〔Schäfchen im ∼en haben〕 a) 눈비를 맞지 않는 곳에 있다, b)〖비유〗안전한 상태다; sein Schäfchen ins ∼e bringen 좋은 돈벌이를 하다. ④ (소리가) 딱딱한, 날카로운: eine ∼e Akustik 딱딱한 음향 효과. ⑤〖스포츠〗통렬한, 강한: ∼er Schuß 강 슛; ein ∼es Pferd 잘 조련된 말.

Trọcken≈anlage *f.* 건조 시설〔장치〕. **∼apparat** *m.* 건조기. **∼batterie** *f.* 〖전기〗 건전지. **∼beeren·auslese** *f.* ①가지에서 말린 최상품 건포도. ②가지에서 말린 좋은 포도로 만든 고급 포도주. **∼boden** *m.* ①세탁물 건조용 다락방. ②〖지질〗건조한 기후대의 지면 형태. **∼dock** *n.*〖海〗건선거(乾船渠), 드라이 독. **∼ei** *n.* 달걀 가루, 분말 계란. **∼eis** *n.* 드라이 아이스. **∼element** *n.* 건전지. **∼farbe** *f.* 파스텔 채료(彩料). **∼fäule** *f.*〖農〗(식물의) 건조병. **∼firnis** *m.* 건성 니스. **∼futter** *n.*〖農〗(사료용의) 건초. **∼fütterung** *f.*〖農〗여물〔건초〕 주기. **∼gemüse** *n.* 말린 야채. **∼gestell** *n.* 건조대. **∼gewicht** *n.* 건조된 상태에서의 상품 무게; 정미(正味), 정량(正量). **∼haube** *f.* 헬멧 모양의 머리 건조기. **∼haus** *n.* 건조장(場), 건조실. **∼hefe** *f.* 말린 효모.

Trọckenheit *f.* -en ① (a)〖복수없음〗건조. (b) 가뭄, 한발. ②〖비유〗무미건조, 지루함.

Trọcken≈kammer *f.* 〖제련〗 건조로. **∼|legen** *t.* ①(아기의) 기저귀를 갈아주다. ② 배수(排水)〔간척〕하다. ③〖농담〗금주령을 내리다. **∼legung** *f.* 배수, 간척. **∼leine** *f.* 빨랫줄. **∼maß** *n.*〔구식〕말린 상품의 양, 건량(乾量)(곡식 등의 계량 기준). **∼milch** *f.*〖식품〗분유. **∼mittel** *n.*〖化〗건조제. **∼obst** *n.* 말린 과일, 건과(乾果). **∼ofen** *m.*〖工〗 건조로, 건조 가마. **∼öl** *n.* 건성유(乾性油) (Leinöl). **∼periode** *f.* 건기(乾期). **∼platte** *f.*〖사진〗건판(乾板). **∼platz** *m.* 건조장, (야외의) 빨래 말리는 곳. **∼rasierer** *m.* ① 전기 면도기. ② 전기 면도기로 면도하는 사람. **∼rasur** *f.* 전기 면도. **∼raum** *m.* ①〖제련〗 건조로(∼kammer). ② (의복 등의) 건조실. **∼|reiben*** *t.* (수건 등으로 닦아) 말리다. **∼|reinigen** *t.* 드라이 클리닝으로 세탁하다. **∼schi·kurs** *m.* ↑ ∼skikurs. **∼schleuder** *f.* 탈수기. **∼|schleudern** *t.* 탈수기로 말리다. **∼schuppen** *m.* ↑ ∼raum. **∼|sitzen** *i.* (h.) 〖구어〗 술이 없이 앉아 있다: laß deine Gäste nicht ∼! 네 손님들에게 술을 대접해라! **∼ski·kurs** *m.* 실내 스키 강습. **∼spinne** *f.* (접을 수 있는) 빨래 건조대. **∼spiritus** *m.*〖化〗고체 알코올. **∼|stehen** *i.* (h.)〖農〗(소가 임신하여) 젖이 나오지 않다. **∼tuch** *n.* ①수건(Handtuch). ② (화약 공장의) 건조포(布). **∼übung** *f.* (수영·스키 등의) 예비 훈련. **∼verfahren** *n.* 건조법. **∼wäsche** *f.* 드라이 클리닝. **∼|wohnen** *t.*〖구식〗채 마르지 않은 신축 건물에 (마를 때까지) 살다. **∼wohner** *m.* 신축하여 아직 물기가 있는 집에 싸게 세든 사람. **∼zeit** *f.* 건기.

Trọckne *f.* ① ↑ Trockenheit. ② 육지.

Tröckne *f.* -n (schweiz.) 계속되는 가뭄, 한발.

trocknen [trɔ́knən] 《I》 *i.* (h./s.) 마르다, 건조되다. 《II》 *t.* 말리다, 건조하다; 탈수〔배수〕하다: durch Abwischen ∼ 닦아서 말리다; durch Aufbewahrung ∼ 자연 상태로 건조시키다, (목재 등을) 서서히 말리다; durch Aufhängen ∼ 널어서 말리다; Malz in der Sonne ∼ 엿기름을 볕에 말리다;〖비유〗es gelang ihm, ihre Tränen zu ∼ 그는 그녀의 슬픔을 달랠 수 있었다; sich³ die Hände〔das Haar〕 ∼ 손〔머리카락〕을 말리다; sich am Ofen ∼ lassen 난로에 몸을 말리다; ∼des Mittel 건조제; getrocknete Pflaumen 말린 자두.

Trọckner [trɔ́knər] *m.* -s, - ① (주로 공중 화장실의 손 말리는) 건조기 (Hände∼). ② 빨래 건조기 (Wäsche∼).

Trọcknis *f.* ①〖고어〗 ↑ Trockenheit. ② 〖林〗수분 부족으로 인한 식물의 손상.

Trọcknung *f.* 말림, 건조.

Troddel [trɔ́dəl] *f.* -n ①〖고어〗(장식용의) 작은 술(Quaste). ②〖직조〗경사〔날실〕의 끝 〔시작〕 부분.

trọddel≈artig *a.* 술 같은〔모양의〕. **∼mütze** *f.* 술이 달린 모자.

***Trödel** [trǿ:dəl] *m.* -s ①〖폄어〗(a) 고물 장사. (b) 고물, 중고품, 헌 옷. ②고물상; 벼룩시장, 고물 시장. ③〖농담〗(Spaß) 장난, 농담, 해학;〖학생〗엉뚱한 소동; 기분 좋게 떠듦. ④ (schweiz.) 실의 헝클어짐, 얽힘. ⑤〖폄어〗무용지물, 잡동사니; 노여움, 불쾌: viel ∼ mit jm. haben 누구에게 크게 분노를 느끼다;〖구어〗der ganze ∼ 전부, 모두; ich habe den ganzen ∼ satt 나는 그 모든 것에 다 싫증났다; viel ∼ bei et.³ haben 무슨 일에 많은 시간이 걸리다.

Trödel·bude *f.* 〖폄어〗 ↑ ∼laden.

Trödelei [trø:dəlái] *f.* 〖구어·폄어〗 ① 꾸물거림, 늑장부림, 게으름. ② 고물〔넝마〕 장사; 잡동사니.

Trö̱del≈frau *f.* 고물〔헌옷〕 파는 여자. **∼fritz** *m.* 〖구어·폄어〗 굼뜬〔게으른〕 소년〔남자〕. **∼fritze** *m.* ↑ ∼fritz. **∼geschäft** *n.*, **∼handel** *m.* 헌 옷〔중고품〕 장사. **∼hans** *m.* ↑ Trödler ①. **∼kram** *m.*〖폄어〗↑ Trödel ①. **∼laden** *m.* 고물상, 헌옷〔중고품〕 가게. **∼liese** *f.* 〖구어·폄어〗 굼뜬〔게으른〕 여자. **∼mann** *m.* ↑ Trödler ②. **∼markt** *m.* 헌옷〔넝마〕 시장, 벼룩 시장.

trödeln [trǿ:dəln] 《↔ trendeln》 *i.* (h.) ①〖고어〗고물〔헌 옷〕 장사를 하다. ②〖구어·폄어〗 (a) 꾸물거리다, 늑장부리다;〖학생〗법석떨다, 시시덕거리다. (b) (h./s.) 어슬렁거리다, 느긋하게 걸어가다. ③ (schweiz.) 서투르게 잣다.

Trö̱del≈ware *f.* 고물, 헌 옷. **∼weib** *n.* ↑ ∼frau.

Trödler [trǿ:dlər] *m.* -s, - ①〖구어·폄어〗 느림보(Bummler). ② 고물〔헌 옷〕 장수.

Trö̱dlerin *f.* -nen ↑ Trödler 의 여성형.

Trö̱dler·laden *m.* 고물 가게.

Troer [tróːər] *m.* -s, - ↑ Trojaner.

troff [trɔf] ↑ triefen 의 과거형.

tröffe [trœfə] ↑ triefen 의 접속법 Ⅱ식.
*__Trog__ [tro:k] 《원뜻 „Hölzernes"》 *m.* -(e)s, Tröge [trǿ:gə] ① (나무나 돌로 만든) 큰 통, 함지, 수조(水槽)(Wasser∼), 여물통(Futter∼). ② (obd.) 궤(Truhe), 트렁크; 관(棺). ③〖지질〗함몰 지대. ④〖기상〗고기압 지대로 뻗쳐 나온 저기압 세력.
trog [tro:k] ↑ trügen 의 과거형.
tröge [trǿ:gə] ↑ trügen 의 접속법 Ⅱ식.
Troglodyt [troglodý:t] 《lat. troglodytae, „Höhlenbewohner"》 *m.* -en, -en 〔고어〕 ① (구석기 시대의) 혈거(穴居)인. ② (고대에) 지하 동굴에 거주한 에티오피아 종족 이름. ③ 동굴 속에서 집회한 이단 기독교도.
Trog·muschel *f.* 〖動〗 개량조개.
Troier [trɔ́ʏər] *m.* -s, - ↑ Troyer.
Troika [trɔ́ʏka., tró:i..] *f.* -s ① (a) 3두 마차. (b)〖政〗3두 정치, 트로이카 체제. ② 3두 마차의 마차 부분.
Troikart [troaká:r] 《frz., „drei Viertel"》 *m.* -s/-s ↑ Trokar.
troisch [tró:ɪʃ] *a.* ↑ trojanisch.
Troja [tró:ja] 트로이(소아시아의 옛 도시).
Trojaner *m.* -s, - 트로이 사람.
trojanisch *a.* 트로이(사람)의:〖그리스신화〗der ∼e Krieg 트로이 전쟁; ∼es Pferd a) 트로이의 목마, b)〖컴〗트로이 목마 바이러스.
Troja·sage *f.* 트로이 전설.
Trokar [trɔká:r] *m.* -s, -e/-s〖醫〗(체내의 액체나 고름을 뽑아내는 데 쓰는) 삼지 투관침(三支套管針).
trokieren [trɔkí:rən] 《sp.》 *i.* (h.) 〔고어〕 교역하다.
trölen [trǿ:lən] 〔폄어〕 (schweiz.) 《Ⅰ》 *i.* (h.) ① 고물 장사를 하다. ② 꾸물대다, 늑장부리다. 《Ⅱ》 *t.* (재판 등을) 지연시키다.
Trölerie *f.* 〔폄어〕 (schweiz.) (재판을) 지연시키는 행위.
Troll [trɔl] *m.* -(e)s, -e ①〖북구신화〗요마(妖魔), 요괴(Kobold). ② 꼴사나운 사람, 추물; 괴물. ③ (nordd.) 우악스러운 사람.
Troll·blume 《lat.》 *f.* 〖植〗 금매화.
trollen [trɔ́lən] 《<Troll》 《Ⅰ》 *i.* (s.) ① 천천히〔어슬렁대며〕 걸어가다. ②〖사냥〗(멧돼지 등이) 총총걸음으로 가다. 《Ⅱ》 *refl.* 〔구어〕 sich ∼ 풀이 죽어〔부끄러워하며〕 사라지다, 도망하다: troll dich! 썩 꺼져라!
Trolley·bus [trɔ́li..] 《engl.》 *m.* 〔구식〕 무궤도 전차, (공항내의 비행기 승객용) 트롤리버스.
Trollinger [trɔ́lɪŋər] *m.* -s, - ① 트롤링거 종(種)의 포도. ② 트롤링거종(種)의 포도로 담근 적포도주.
Troll·wagen *m.* 트럭, 광차(鑛車).
Trombe [trɔ́mbə] 《it.》 *f.* -n ①〖기상〗회오리바람(Windhose). ②〖악기〗트럼펫.
Trombone [trɔmbó:nə] *f.* ..ni〖악기〗트롬본.
tromm [trɔm] *int.* 〔의성어〕 둥(북소리 등).
*__Trommel__ [trɔ́məl] *f.* -n ①〖악기〗북; 방울 달린 소고(小鼓): die ∼ schlagen〔rühren〕 북을 치다; auf der ∼ wirbeln 북을 빠르게 연달아 치다; 〔비유〕 der ∼ folgen 군인이 되다, 군인이다; 〔비유〕 die ∼ für jn.〔et.〕 rühren 누구를〔무엇을〕 선전하다. ② (a) 커피 볶는 기구(Kaffee∼); 식물 채집통(Pflanzen∼, Botanisier∼). (b)〖기계〗기계의 원통 부분; 줄〔전선〕을 감는 회전통, (세탁기의) 회전통;〖軍〗(권총의) 회전 탄창(Lade∼). (c)〖해부〗↑ ∼höhle. (d)〖건축〗호박 주추; (포개 쌓아서 기둥을 만드는) 짧은 원통석.
Trommel≈baß *m.* 〖음악·은어〗 무르키 바제, 트로멜 바스(저음으로 같은 음을 계속해서 빠르게 반복하는 것). **∼bauch** *m.* ① 〔구어〕 맹꽁이배, 뚱뚱배. ②〖醫〗고복(鼓腹). **∼bremse** *f.* 〖車〗 원통〔드럼〕 브레이크.
Trömmelchen *n.* -s, - 〖↑ Trommel 의 축소형〗 (장난감 용의) 작은 북.
Trommelei [trɔməlάɪ] *f.* 북을 계속 치기; 시끄러운 소음.
Trommel≈fell *n.* ① 북 가죽. ②〖해부〗고막. **∼fell·erschütternd** *a.* 귀청을 찢는 듯한. **∼fell·perforation** *f.* 고막 파열. **∼feuer** *n.* 〖軍〗 집중 포화, 연속 속사; 〔비유〕 (질문·주장 등의) 연발: ein ∼ von Vorwürfen 쏟아지는 비난. **∼fisch** *m.* 〖動〗 동갈민어(북소리를 냄). **∼gehäuse** *n.* 북의 몸통. **∼häutchen** *n.* 〖해부〗 고막. **∼höhle** *f.* 〖해부〗 고실(鼓室). **∼kasten** *m.* ↑ ∼gehäuse. **∼klang** *m.* 북소리. **∼klöpfel, ∼klöppel** *m.* 북채.
*__trommeln__ [trɔ́məln] 《Ⅰ》 *i.* (h.) ① 북을 치다. ② (북을 치듯이) 때리다; (딱따구리가) 나무를 쪼다; (오소리 등이) 앞발로 땅을 치다: es trommelt 북소리가 난다; auf dem Klavier ∼ 피아노를 서투르게 치다; mit den Fäusten gegen die Tür ∼ 주먹으로 문을 연달아 두드리다; mit den Fingern auf den Tisch ∼ (초조해서) 손가락으로 책상을 톡톡 치다; mit den Füßen ∼ 발을 구르다; laß doch nicht so auf dir herum ∼! (다른 사람이 네게) 제멋대로 하게 내버려두지 마라, 당하고만 있지 마라!; Gott sei's getrommelt und gepfiffen! 그거 참 고맙군!; der Regen trommelt auf das Dach〔an das Fenster〕 빗방울이 지붕〔창문〕을 심하게 두드리다; es trommelt in meinem Kopf 머리가 지끈거린다. ③〖사냥〗(위험에 직면하여) 앞발로 땅을 두드려대다. 《Ⅱ》 *t.* ① (어떤 곡을) 북으로 연주하다: einen Marsch ∼ 북으로 행진곡을 연주하다. ② (소식을) 북을 쳐서 전달하다; 북을 치는듯한 (요란한) 소리로 어떤 뜻을 이루다: eine Nachricht ∼ 어떤 소식을 북소리로 전하다; 〔구어〕 jn. aus dem Schlaf〔Bett〕 ∼ (요란스럽게 문을 두드려) 누구를 깨우다.
Trommel≈revolver *m.* 회전 탄창식 권총. **∼sarg** *m.* ↑ ∼gehäuse. **∼schlag** *m.* ① 북치는 소리. ② 북치기:〖軍〗unter ∼ 북을 쳐서. **∼schläger** *m.* 고수(鼓手). **∼schlegel** *m.* ↑∼stock. **∼sieb** *n.* 〖기계〗 원뿔꼴의 회전체. **∼stock** *m.* 북채. **∼sucht** *f.* 〖수의〗 고창(증)(鼓脹(症)). **∼wasch·maschine** *f.* 회전 드럼식 세탁기. **∼wirbel** *m.* 북의 빠른 연타(連打).
Trommete *f.* -n 〔고어·시어〕 ↑ Trompete.
Trommler [trɔ́mlər] 《<Trommel》 *m.* -s, - 고수(鼓手), 북치는 사람.
Trommlerin *f.* -nen ↑ Trommler 의 여성형.
Trompe[1] [trɔ́mpə] *f.* -n〖건축〗스퀸치(탑 등을 떠받치는 작은 홍예 또는 까치발).
Trompe[2] [trɔ̃p] 《frz.》 *f.* -s〖악기〗금속제 원추형 관으로 된 곧은 피리(11-13 세기).

***Trompete** [trɔmpé:tə] 《frz.》 *f.* -n ①〖악기〗 트럼펫: die [auf der] ~ blasen [in die ~ stoßen] a) 나팔을 불다, b) 허풍 떨다; 〖비유〗 er hat eine ~ in der Kehle 그는 목소리가 유난히 크다. ②〖오르간〗 트럼펫 음전(Trompetenregister). ③ **(a)** 〖해부〗 (Ohr~) 이관(耳管), 유스타키오관; 수란관(輸卵管) (Mutter~). **(b)** 〖動〗 실고기속(屬)의 일종. **(c)** 회오리바람.

trompeten [trɔmpé:tən] (*p.p.* trompetet) 《Ⅰ》 *i.* (h.) ① 트럼펫을 불다: zum Angriff ~ 트럼펫을 불어 공격 신호를 하다. ② 나팔처럼 소리나다; (코끼리 등이) 나팔 같은 소리를 내다. ③〔농담〕 큰소리로 코를 풀다. 《Ⅱ》 *t.* ① (어떤 곡을) 트럼펫으로 연주하다: einen Marsch ~ 행군[행진] 나팔을 불다. ② 트럼펫을 불어서 어떤 뜻을 이루다. ③〔구어〕 (신이 나서) 큰소리로 외치다: er trompetete die Neuigkeit in alle Welt hinaus 그는 이 새로운 사실을 온 세상에 알렸다.

Trompeten=baum *m.* 〖植〗 개오동나무. **~bläser** *m.* 트럼펫 부는 사람, 나팔수. **~-blume** *f.* 〖植〗 능소화과(科). **~geschmetter** *n.* 트럼펫 소리. **~gold** *n.* 〔농담〕 (Messing) 놋쇠, 황동. **~register** *n.* 〖음악〗 (오르간의) 트럼펫 음전(音栓). **~schall** *m.* 트럼펫 소리. **~schnecke** *f.* 〖動〗 소라고둥. **~signal** *n.* 트럼펫 신호. **~stoß** *m.* 갑작스런 나팔 소리; 나팔을 짧고 급하게 불기. **~-tierchen** *n.* 〖動〗 나팔벌레. **~tusch** *m.* 트럼펫의 화려한 취주. **~zug** *m.* ↑ ~register.

Trompeter [trɔmpé:tər] *m.* -s, - ① 트럼펫을 부는 사람; 나팔수. ②〖動〗 **(a)** 동갈치. **(b)** ↑ ~vogel.

Trompeter=gang *m.* 〖건축〗 나팔을 부는 망루, 탑 둘레의 발코니. **~korps** [..ko:r] *n.* 〖軍〗 취주대(隊). **~muskel** *m.* 〖해부〗 협근(頰筋). **~tisch** *m.* 간이 식탁. **~vogel** *m.* (나팔 소리를 내는) 두루미의 일종.

***Trope** [tró:pə] 《gr., „Wendung"》 *f.* -n 〖修·문체〗 비유적[전의적] 표현.

Tropen [tró:pən..] 《gr., „Sonnenwende"》 *pl.* 〖지리〗 열대.

Tropen=anzug *m.* 열대 지방의 의복. **~-fieber** *n.* 〖醫〗 열대열. **~gegend** *f.* 열대 지방. **~helm** *m.* 열대 지방의(헬멧 모양의) 모자. **~institut** *n.* 열대병 연구소. **~klima** *n.* 열대 기후. **~koller** *m.* 〖병리〗 열대성 신경증. **~krankheit** *f.* 〖병리〗 열대병. **~länder** *pl.* 열대 지방의 나라들. **~medizin** *f.* 열대병에 관한 의학. **~pflanze** *f.* 열대 식물. **~tauglich** *a.* 열대 생활에 적합한. **~tauglichkeit** *f.* 열대 생활 적응력. **~wald** *m.* ↑ Regenwald.

Tropf[1] [trɔpf] *m.* -(e)s, Tröpfe [trœpfə] ①〔고어〕 ↑ Tropfen. ②〖醫·고어〗 졸도. ③ 바보, 멍청이: armer ~ 가엾은 녀석.

Tropf[2] *m.* -(e)s, -e 〖醫·은어〗 (링거(액) 주사의) 혈관 주사 장치; 링거 주사: am ~ hängen 링거 주사를 맞다.

Tropf·bad *n.* 샤워.

tropfbar *a.* 방울지는; 묽은 액상(液狀)의.

tropfbar·flüssig *a.* ↑ tropfbar.

Tröpfchen [trœpfçən] *n.* -s, - ①〔↑ Tropfen 의 축소형〕 작은 (물)방울. ②〔↑ Tropf 의 축소형〕 가련[한심]한 녀석.

Tröpfchen=infektion *f.* 〖병리〗 (재채기·기침 때 튀어나온) 타액을 통한 감염. **~weise** *adv.* ① 한 방울씩; 찔끔찔끔. ②〔구어〕 소량으로, 조금씩: jm. eine schlechte Nachricht ~ beibringen 누구에게 나쁜 소식을 조금씩 전하다.

tropf·dicht *a.* 〖기계〗 방적(紡績)의.

Tröpfel·bad *n.* (öst.) 샤워.

tröpfeln [trœpfəln] 《Ⅰ》 *i.* ① (h./s.) (물방울이) 뚝뚝 듣다, 방울져 떨어지다, 조금씩 새어 나오다: Blut tröpfelt auf die Erde 피가 땅에 뚝뚝 떨어진다. ② (h.) *imp.* es tröpfelt 빗방울이 뚝뚝 떨어진다. 《Ⅱ》 *t.* (물방울을) 똑똑 떨어뜨리다: sie hat dem Kind die Arznei in die Augen getröpfelt 그녀는 아이의 눈에 안약을 한 방울씩 넣었다.

***Tropfen** [trɔ́pfən] 《⊕ triefen》 *m.* -s, - ① (액체의) 방울: ~ an der Stirn 이마에 맺힌 땀방울; ~ im Auge (눈에 고인) 눈물; bis auf den letzten ~ 마지막 한 방울까지; 〔속담〕 steter ~ höhlt den Stein 낙숫물이 댓돌을 뚫는다; viele ~ machen einen Bach 빗방울이 모여 개울물이 된다, 티끌 모아 태산; 〔구어〕 das ist nur ein ~ auf den heißen Stein 그것은 달군 돌에 떨어진 물 한방울격이다(너무 사소해 아무런 효력도 없다). ②〔농담〕 포도주; 맥주: ich habe seitdem keinen ~ getrunken 나는 그 후로는 술을 한방울도 마시지 않았다; das ist ein guter[edler] ~ 그것은 좋은 포도주다. ③〔비유〕 소량: ein ~ Milch 소량의 우유. ④〔복수〕〖醫〗 물약: jm. ~ verschreiben 물약을 처방하다. ⑤ (물방울 같은 것) **(a)** 구슬 같은 물방울(Perlen~). **(b)** 〖動〗 자패(紫貝). **(c)** 〖건축〗 (도리아식의) 물방울 모양의 장식. ⑥ (öst.) 귀고리.

***tropfen** 《Ⅰ》 *i.* ① (s.) 듣다, 방울져 떨어지다: Schweiß tropft von der Stirne 땀이 이마에서 방울져 떨어진다; 〖스포츠〗 der Ball tropfte ihm von der Brust 그의 가슴에서 공이 떨어졌다. ② (h.) *imp.* es tropft 빗방울이 떨어진다. ③ 새다; 물방울이 맺히다: das Gefäß tropft 통이 샌다; ihm tropft die Nase 그는 콧물을 흘린다. 《Ⅱ》 *t.* (물을) 뚝뚝 떨어뜨리다 (tröpfeln): Arznei auf einen Löffel ~ 숟가락에 약을 떨어뜨리다.

Tropfen=auto *n.* 유선형 자동차. **~fall** *m.* 떨어지는 물[빗]방울; 낙숫물. **~fänger** *m.* (물방울을 흡수하는) 주전자나 병에 달아놓은 스폰지[물받이]. **~form** *f.* 물방울 모양. **~-förmig** *a.* 물방울 모양의. **~messer** *m.* 적량계(滴量計). **~weise** *adv.* ① 한 방울씩: Arznei ~ einnehmen 약을 한 방울씩 복용하다. ②〔구어〕 소량으로, 조금씩. **~zähler** *m.* ↑ ~messer.

Tropf=flasche *f.* 〖醫〗 물약병. **~glas** *n.* 적량기(滴量器), 피펫. **~hahn** *m.* 적하 코크. **~infusion** *f.* 〖醫〗 링거 주사. **~naß** *a.* 물방울이 떨어질 정도로 젖은, 흠뻑 젖은. **~-pfanne** *f.* (불고기 용) 기름[국물] 받이. **~-röhrchen** *n.* 〖化〗 피펫(분석용 실험 기구). **~stein** *m.* ①〖지질〗 종유석; 석순(石筍). ② 여과석(濾過石) (Filterstein).

tropfstein=artig *a.* 종유석[석순] 모양의. **~-bildung** *f.* 종유석[석순] 형성. **~höhle** *f.* 종유석 동굴.

Tropf=trichter *m.* 〖化〗 적하(滴下) 깔때기.

~wein *m.* 통에서 샌 포도주.
Trophäe [trɔfɛ́:ə] 《frz.》 *f.* -n ① (노획한 무기·깃발 등의) 전승 기념물; 전리품. ② (뿔·모피와 같은) 사냥 기념품. ③〖스포츠〗트로피, 상패.
trophisch *a.* (세포 조직의) 영양에 관한.
Tropical [trɔ́pikəl, ..pɪkəl] 《engl.》 *m.* -s, -s 〖섬유〗 (여름 옷용의) 통기성이 좋은 가벼운 직물.
Tropika *f.* 〖병리〗 열대성 말라리아.
tropisch [tró:pɪʃ] 《< Trope》 *a.* ① **(a)** 열대의: der ~e Regenwald 열대 우림; 〖天〗 ~es Jahr 회귀년(回歸年). **(b)** 열대성의, 열대 지방 같은. ②〔구어〕비유적인(bildlich).
Tropismus *m.* -, ..men 〖生〗 (식물의) 굴성; (동물의) 향성(向性).
Troposphäre [troposfɛ́:rə, tró:posfɛ:rə] 《gr.》 *f.* 〖기상〗 대류권(對流圈).
Tropus [tró:pus] *m.* -, ..pen ①〖음악〗 **(a)** 교회 음악 음계(Kirchentonart). **(b)** (중세 그레고리오 성가의) 가사·멜로디의 확장. ② ↑ Trope.
Troß[1] [trɔs] *m.* Trosses, Trosse ①〖軍〗 보급품 수송 차량; 병참〔보급〕 부대. ② **(a)** 〖雅語〗 수행원; 추종자: einen großen ~ hinter sich³ haben 많은 추종자를 거느리고 있다; 〔폄어〕 sich im ~ von jm. 〔von einer Bewegung〕 befinden 누구를 추종하다〔어떤 운동을 따르다〕. **(b)** 〔폄어〕 천민; 군중. ③ 행렬.
Troß[2] 《frz.》 *f.* Trossen ↑ Trosse.
troß *int.* 〔방언〕 빨리!
Tross 新정서 ⇦ Troß[1/2].
tross 新정서 ⇦ troß.
Troß·bube *m.* 어린 하역꾼.
Trosse [trɔ́sə] *f.* -n 〖海〗 굵은 밧줄, 체인.
Troß=junge* *der* ↑ ~bube. **~knecht** *m.* 〖軍·고어〗 보급대의 하역꾼; 보급대원, 수송병. **~pferd** *n.* 〔고어〕 군수품을 나르는 말. **~schiff** *n.* 보급선(船). **~wagen** *m.* 수송 차량.
***Trost** [tro:st] 《⇧ treu, trauen》 *m.* -(e)s ① 위로, 위안; 위안거리; 마음의 위로가 되는 사람: jm. einen ~ geben 〔bringen, spenden, zusprechen〕 누구를 위로하다; ~ in et.³ finden 〔~ aus et.³ schöpfen〕 무엇에서 마음의 위로를 받다; ~ bei jm. finden 누구에게서 마음의 위안을 얻다; zu deinem ~ 너를 위로하기 위하여; das ist ein schlechter ~ 그것으로는 위안이 되지 않는다(그것은 소용없다); 〔농담〕 sich³ ~ im Leiden holen 한 잔 하다. ②〔고어〕 신용, 신뢰, 기대: 〖聖〗 die Leute, auf die du deinen ~ setzest 너와 화목하던 자들(네가 신뢰하는 자들)(오바댜서 1:7). ③〔구어〕 nicht (recht〔ganz〕) bei ~(e) sein 제정신이 아니다, 미쳤다; bist du bei ~(e)? 너 제정신이냐?
trostbar *a.* 〔고어〕 ↑ trostbringend.
tröstbar [trǿ:st..] *a.* 〔고어〕 ↑ trostbringend.
trost=bedürftig *a.* 위로가 필요한. **≈brief** *m.* 위문 편지; 조위문. **~bringend** *a.* 위안이 되는: ~e Worte 위로의 말.
***trösten** [trǿ:stən] 《I》 *t.* ① 위로하다, 마음을 달래 주다: jn. über〔um〕 et. ~ 무엇에 대해 누구를 위로하다; jn. in seinem Unglück ~ 누구의 불행을 위로하다; das tröstet mich 그것으로 나는 위안을 받는다. ② 행복하게 하다. ③〔고어〕 보증하다(vertrösten): jn. ~ 누구를 보증해 주다. 《II》 *refl.* sich ~ 위로받다, 위안을 얻다: sich an et.³ 〔mit et.³, durch et.〕 ~ 무엇으로 마음을 위로받다; er tröstete sich rasch über den Verlust seiner Frau 그는 아내를 잃은 슬픔을 금방 극복했다; sich mit einem anderen Mann ~ 다른 남자를 만나 마음의 위안을 얻다; wir trösten uns mit der Hoffnung auf die Zukunft 우리는 장래에 대한 기대로 스스로를 위로한다; sich eines Dinges ~ a) 〖聖·고어〗 무엇을 누리다, b) 무엇으로 만족하다, c) 무엇을 신뢰하다, 확신을 가지고 기대하다.
Tröster [trǿ:stər] *m.* -s, - ① 위로하는 사람; 〖기독교〗 성령: schlechter ~ 위로가 되지 않는 사람. ②〔구어〕 **(a)** 기도서(Gebetbuch). **(b)** 고본(古本). **(c)** 고무 젖꼭지(Schnuller). **(d)** 술: ohne ~ konnte er nicht mehr auskommen 그는 더 이상 술 없이는 지낼 수 없었다. ③〔반어〕 회초리, 매: wenn du nicht folgst, werde ich den ~ holen 순순히 따르지 않으면 회초리로 혼내 주겠다.
Trösterin *f.* -nen ↑ Tröster의 여성형: die Musik war seine ~ 음악이 그에게 마음의 위안이 되었다.
tröstlich *a.* ①〔고어〕 **(a)** (getrost) 자신 있는, 침착한, 믿을 만한. **(b)** 위로하기 좋아하는. ② 위로가 되는, 위안을 주는; 즐거운, 마음에 드는. ③ (obd.) 만족한; 명랑한.
trostlos [trǿ:stlo:s] *a.* ① 위안거리가 없는; 절망적인, 암담한: ~e Verhältnisse 암울한 상황; er ist ~ über seinen Mißerfolg 그는 실패를 몹시 비관하고 있다. ② 따분한; 황량한; 쓸쓸한: eine ~e Landschaft 황량한 경치.
Trostlosigkeit *f.* 절망, 낙담, 암울.
Trost=pflaster *n.* 〔농담〕 소액의 위자료〔보상금〕; 사소한 위안거리: ein Stück Schokolade als ~ für ein Kind 아이를 달래기 위한 초콜렛 한 개. **~preis** *m.* (게임·시합에서 진 사람을 위한) 위로상, 위안 상품. **~rede** *f.* 위로의 말. **≈reich** *a.* 위안이 되는, 마음의 의지가 되는. **~schreiben** *n.*, **~schrift** *f.* 위문문. **~sprecher** *m.* 위로하는 사람, 위안자, 위로자. **~spruch** *m.* 위로의 말〔격언〕. **≈voll** *a.* ↑ ≈reich. **~wort** *n.* 〔복수: -e〕 위로의 말: jm. ein ~ sagen 누구에게 위로의 말을 하다.
Tröstung [trǿ:stuŋ] *f.* -en ①〔고어〕 위로하기. ② 위로(가 되는 물건); 위안, 위문: 〖가톨릭〗 (wohl) versehen mit den ~en der Kirche 임종 성사를 받고.
Tröte [trǿ:tə] *f.* -n 〔방언〕 ①〔아동〕 부는 것, 취주 악기. ②〔농담〕 메가폰.
tröten [trǿ:tən] *t.* 〔방언〕 (악기를) 불다.
Trott [trɔt] 《it. trotto < ahd. trottôn, „treten"》 *m.* -(e)s, -e ① **(a)** (말의) 느린 걸음. **(b)** (특히 승마의) 빠른 걸음, 속보. ②〔구어·비유〕 단조로움, 천편일률, 지루함: im alten 〔gleichen〕 ~ 옛날 그대로, 변함없이; seinen ~ gehen 구태의연하다, (전통을) 고수하다.
Trott·baum *m.* 포도 압착용 나무.
Trotte 《< treten》 *f.* -n (alem.) 포도 압착기 (Weinkelter).
Trottel [trɔ́təl] 《öst.; 어원 미상》 *m.* -s, - 〔구

어·폄어〗 얼간이, 멍청이.
Trottelei [trɔtəlái] *f.* -en ①〖복수없음〗(계속해서) 어기적어기적 걸어다님. ② 바보짓, 어리석은 행동.
trottelhaft *a.* 백치의, 멍청이의.
trottelig *a.* (늙어서) 멍청한, 늙어빠진.
Trotteligkeit *f.* 멍청한 행동〔태도〕.
trotteln [trɔ́təln] 《<trotten[1]》 *i.* (s./h.) 〖구어〗① 잔걸음으로 뛰다. ② 무거운 발걸음으로 걷다: der Alte trottelte nach Hause 그 노인은 집을 향해 터벅터벅 걸어갔다.
trotten[1] [trɔ́tən] 《<Trott》 *i.* (h./s.) 무거운 발걸음으로 멍하니〔터벅터벅〕 걷다.
trotten[2] 《<Trotte》 *t.* (포도 또는 기름을) 밟아서 짜다.
Trotteur [..tǿ:r] 《frz.》 *m.* -s, -s 뒷굽이 낮은 구두.
trottig *a.* (südwestd.) 딱딱하게 굳은, 가슴가 슬한.
Trottinett [trɔ́tinɛt] 《frz.》 *n.* -(e)s, -e (schweiz.) (어린이용의) 스쿠터, 킥보드.
Trottoir [trɔtoá:r] 《frz. <ahd. trottôn, „treten"》 *n.* -s, -e/-s 〖방언〗 보도, 인도.
Trotyl [trotý:l] *n.* -s TNT.
***Trotz** [trɔts] *m.* -es ①〖고어〗 담력, 용기; 용기 있는 행동. ② 반항, 반항심, 거역, 고집: aus ~ 반항심에서, 화풀이로; der ~ eines Kindes gegen Eltern 부모에 대한 아이의 반항; jm. ~ bieten a) 누구에게 반항〔거역〕하다, b) (경기 등에서) 누구에게 도전하다; dem Schicksal ~ bieten 운명에 거역하다; aller Gefahr zum ~ 온갖 위험을 무릅쓰고; er tat es mir zum ~ 그는 나를 무시하고〔내게 대들 작정으로〕 그것을 했다.
***trotz** 《I》 *prp.*[2/3] ①〖3격과 함께〗 …에 맞서, …에 못지 않게: ~ jm. 누구에게 맞서서, 누구를 무시하고; ~ einer Elster schwatzen 까치처럼 지절대다; er spielte ~ einem Künstler 그는 예술가 못지않게 연기〔연주〕를 잘했다. ② 〖2격 또는 3격과 함께〗 …에도 불구하고: ~ alledem〔allem〕 그 모든 것에도 불구하고; er kam ~ Regen 〔des Regens, dem Regen〕 그는 비를 무릅쓰고 왔다; ~ aller Vorsicht stürzte er 몹시 조심을 했음에도 불구하고 그는 추락했다. 《Ⅱ》 *cj.* 〖고어〗(무엇에도) 불구하고(↑ trotzdem 《Ⅱ》): Napoleon mußte den Ort beschießen, ~ daß er ein eigenes Haus darin hatte 나폴레옹은 그 속에 자기 집이 있었지만 그 장소를 포격하지 않으면 안 되었다.
Trotz·alter *n.* -s 〖心〗 (약 3-5세 때의) 반항기.
***trotzdem** [trɔ́tsde:m, trɔ́tsdé:m] 《I》 *adv.* 그럼에도 불구하고: es regnete, ~ kam er 비가 왔는데도 그는 왔다. 《Ⅱ》 *cj.* 〖구어〗(obgleich) …에도 불구하고: ~ es heftig regnete, gingen wir spazieren 비가 거세게 내리는데도 우리는 산책을 갔다.
trotzen [trɔ́tsən] 《I》 *t.* 〖고어〗 반항하다, 대들다; 무시하다: jn. ~ 누구에게 반항〔도전〕하다, 누구를 조소〔멸시〕하다. 《Ⅱ》 *i.* (h.) ①〖3격과 함께〗〖雅語〗 반항하다: jm.〔et.[3]〕 ~ 누구에게〔무엇에〕 반항〔도전〕하다, 누구를〔무엇을〕 멸시하다; allen Versuchungen ~ 온갖 유혹을 이겨내다; diese Pflanze trotzt jeder Kälte 이 식물은 어떤 추위에도 견딘다. ② auf et. ~ 무엇을 자랑〔자만〕하다: sie trotzt auf ihre Schönheit 그 여자는 자기의 미모를 으스댄다. ③〖방언〗 mit jm. ~ 누구에게 떼를 쓰다, 짜증을 내다. ④〖드물게〗 **(a)** um et. ~ 무엇을 강요하다. **(b)** von et.[3] ~ 무엇으로 충만해 있다. ⑤ 완강하게 저항하다; 삐기(며 말하)다.
Trotzer *m.* -s, - 반항자; 고집쟁이.
trotzig [trɔ́tsıç] 《I》 *a.* ① 대담한, 당돌한; 반항적인, 고집센; 건방진. ②〖시어〗 도전적인, 용감한; 끄떡없는: ~e Krieger 용감한 전사들; eine ~e Burg 난공불락의 성. 《Ⅱ》 *adv.* 도전적〔반항적〕으로; 고집을 세워서; 거만하게.
trotziglich [..tsıklıç, ..çlıç] *adv.* 〖고어〗 ↑ trotzig 《Ⅱ》.
Trotzki [trɔ́tski] *m.* Leo Dawidowitsch ~ 트로츠키(러시아의 혁명가, 1879-1940).
Trotzkismus *m.* - 트로츠키주의.
Trotzkist *m.* -en, -en 트로츠키주의자.
trotzkistisch *a.* 트로츠키주의(자)의.
Trotz≈kopf *m.* 고집쟁이 (아이). **~köpfig** *a.* 고집센, 반항적인. **~maul** *n.* 〖구어〗 고집쟁이. **~phase** *f.* 〖心〗 ↑ ~alter. **~reaktion** *f.* (사리에 맞지 않는) 반항심에서 나온 반응. **~wort** *n.* 반항적〔도전적〕인 언사, 대드는 말; 악담.
Troubadour [trú:badu:r, trubadú:r] *m.* -s, -e/-s ① (11-14세기 남프랑스 지방의) 음유(吟遊) 시인, 트루바두르. ②〖구어〗 연정에 애태우는 남자. ③〖농담〗(유행가) 가수.
Trouble [tráb(ə)l] 《engl.》 *m.* -s 〖구어〗 트러블, 불화: ~ machen 문제를 일으키다.
Troupier [trupié:] 《frz.》 *m.* -s, -s 〖軍·고어〗 고참병; 베테랑.
Trousseau [trusó:] 《frz.》 *m.* -s, -s 〖교양·고어〗 ① 혼수, 결혼 준비물. ② 열쇠 다발 (Schlüsselbund).
Trouvère [truvɛ́:r] 《frz. trouver, „finden"》 *m.* -s, -s (12-14세기 북프랑스의) 음유(吟遊) 시인, 트루베르.
Troyer [trɔ́yər] *m.* -s, - ① 면직물 내의〔셔츠〕. ② **(a)** 선원의 면직물 조끼. **(b)** (ndd.) (독일 해군의) 수병용(水兵用) 내의.
Troy·gewicht [trɔ́y..] 《engl.》 *n.* 트로이형(衡) (영국과 미국에서 사용되는 귀금속·보석의 무게 단위).
Tru, Trü *f.* 〖방언〗 ① 지조, 충성 (Treue). ② 결혼 (Trauung).
tru, trü *a.* 〖고어〗 (alem., ndd.) 충실한 (treu).
Trub [tru:p] *m.* -(e)s, -e (포도주나 맥주 제조 때의) 침전물.
Trüb [try:p] *m.* -(e)s, -e ↑ Trub.
trüb *a.* ↑ trübe.
trüb·äugig *a.* 흐린 눈의, 시야가 흐린.
Trübe [trý:bə] *f.* -n ①〖복수없음〗 탁함, 흐림, 불투명. ② 탁한 액체〔물〕.
***trübe** *a.* ① **(a)** 흐린, 혼탁한; 우중충한: ~ Augen 혼탁한〔생기 없는〕 눈; ~s Wetter 흐린 날씨; 〖기상〗 ~ Tage 흐린 날이 계속되는 시기; das Licht brennt ~ 초가 희미하게 타고 있다; 〖비유〗 die Sache erscheint in einem ~n Licht 그 일은 전망이 불투명해 보인다; 〖구어〗 im ~n fischen 망해가는 와중에 사욕을 채우다. **(b)** 〖폄어〗 미심쩍은, 석연치

않은: ~ Machenschaften 수상쩍은 음모. (c) (색채가) 탁한, 선명하지 않는: ein ~s Gelb 탁한 노란색. ② 〖비유〗 침울한; 힘없는; 슬픈: in ~r Stimmung sein 침울한 기분에 빠져 있다; ~ Zeiten 암울한 시대; die Aussichten für die Zukunft sind ~ 장래의 전망은 비관적이다; sie hat viel ∽s erlebt 그 여자는 슬픈 일을 많이 경험했다; es sieht ~ damit aus 사태가 신통치 않다.

Trubel [trú:bəl] 《frz. trouble》 *m.* -s 혼란, 소동, 야단법석; 혼잡: sich in den ~ stürzen 혼란 상태에 빠져 들다; auf dem Markt herrschte ein ungeheurer ~ 시장에서는 엄청난 소동이 벌어지고 있었다.

trüben [trý:bən] 《<trübe》《Ⅰ》 *t.* ① 흐리게 하다, 불투명하게 하다; 광택을 없애다; 부옇게 하다: Tränen trübten ihren 〔ihr den〕 Blick 그 여자의 시선은 눈물로 흐려졌다; 〖비유〗 er sieht aus, als könnte er kein Wässerchen ~ 그는 벌레 한 마리 죽이지 못할 사람처럼 보인다. ② 〖비유〗 우울〔음울〕하게 하다; 슬프게 하다; (흥을) 깨다; (평화를) 교란하다: nichts trübt ihr Glück 아무것도 그녀의 행복을 방해하지 않는다; was trübt deinen Sinn? 무엇 때문에 침울해 있느냐? ③ (이성을) 흐리게 하다: Drogen trübten sein Urteilsvermögen 약물〔마약〕 복용이 그의 판단력을 흐려놓았다. 《Ⅱ》 *refl.* sich ~ 흐려지다, 몽롱해지다: es 〔der Himmel〕 trübt sich 하늘이 흐려진다; sein Bewußtsein trübt sich 그의 의식이 흐려진다; das gute Verhältnis zwischen den Freunden hat sich merklich getrübt 그 친구들 사이의 화목한 관계가 현저히 소원해졌다. 《Ⅲ》 **getrübt** *p.a.* ↑ getrübt.

Trübheit [trý:p..] *f.* ① 흐림, 불투명. ② 우울, 침울.

Trübnis *f.* -se 〖雅語〗 ① 비애, 슬픔. ② 황량, 쓸쓸함.

Trübsal [trý:pza:l] *f.* -e ① (a) 비애, 슬픔: 〔구어〕 ~ blasen a) 슬픔에 잠겨 있다, 의기소침해하다, b) 비참한 상태다. (b) 고난, 시련; 비참; 곤궁: ~ erdulden 고난을 감내하다. ② 〔고어〕 슬퍼하는 사람.

trübselig *a.* ① 슬픈; 비참〔가련〕한: mit ~er Miene 슬픈 표정으로. ② 쓸쓸한, 황량한: eine ~e Gegend 황량한 지역.

Trübseligkeit *f.* 슬픔, 비애, 비참.

Trübsinn *m.* -(e)s 침울, 우수, 비애: in ~ verfallen 슬픔에 잠기다, 우울해지다.

trübsinnig *a.* 침울한, 우울증의.

Trübsinnigkeit *f.* ↑ Trübsinn.

Trub·stoff *m.* ↑ Trub.

Trübung [trý:buŋ] *f.* -en ① (a) 흐림; 탁하게〔흐리게〕 하기: die ~ des Auges 눈의 혼탁; die diplomatischen Beziehungen haben eine bedauerliche ~ erfahren 외교 관계가 걱정스러울 만큼 불투명해졌다. (b) 〖기상〗 흐림: ~ der Luft 공기의 흐림. ② (a) 탁함. (b) 흐린 곳〔지점〕. (c) 포도주 발효 때의 침전물.

Truchseß [trúxzɛs, trú:x..] *m.* ..sesses, ..sesse 〖史〗 (중세의) 궁정 집사.

Truck [trak, truk, trʌk] 《engl.》 *m.* -s, -s ① 화물차, 트럭. ② 교역.

Truck·system *n.* -s 현물 급여 제도.

Trude[1] *f.* -n (Drude) 요마, 마녀.

Trude[2] 트루데(여자 이름; Gertrud의 약칭).

Trudel [trú:dəl] *m.* -s 〖구식·방언〗 (Trödel) 고물, 잡동사니.

trudeln [trú:dəln] 《Ⅰ》 *i.* (s.)/*t.* 구르다; 굴리다. 《Ⅱ》 *i.* (s.) ① 회전하며 내려오다: ein Flugzeug trudelt 〔kommt ins ∽〕 비행기가 급선회하며 강하한다. ② (a) 〖구어·농담〗 (schlendern) 어슬렁어슬렁 걷다, 배회하다: er trudelte durch die Straße 그는 거리를 어슬렁거리며 돌아다녔다. (b) 뒤뚱뒤뚱 잔걸음으로 걷다. 《Ⅲ》 *i.* (h.)/*t.* (nordd.) 주사위놀이를 하다(würfeln).

Trüffel [trʏ́fəl] 《ndl.》 *f.* -n 〔(구어) *m.* -s, -〕 ① 〖植〗 송로(松露)버섯. ② 트러플, 트뤼프(속에 럼주가 든 둥근 초콜릿).

Trüffel⸗hund *m.* 송로 찾는 데 쓰는 개. **~(leber)·pastete** *f.* 송로(松露)가 든 간(肝) 파스타.

trüffeln [trʏ́fəln] *t.* 송로로 채우다〔맛내다〕.

Trüffel⸗schwein *n.* 송로를 찾도록 훈련된 돼지. **~wurst** *f.* 송로가 든 소시지.

Trug [tru:k] 《<trügen》 *m.* -(e)s [..gəs, ..ks] ① (a) 〖구식〗 사기, 기만: Lug und ~ 기만. (b) 〖雅語〗 (감각 기관의) 현혹; (Blendwerk) 환상, 망상. ② 꿀벌의 똥(Bienendreck).

trug ↑ tragen 의 과거형.

Trug⸗bild *n.* ① 환영, 착각 현상. ② 환상, 망상. **~dolde** *f.* 〖植〗 취산(聚繖) 꽃차례.

trüge [trý:gə] ① ↑ trügen 의 접속법 Ⅰ식 및 2 인칭 단수 명령형. ② ↑ tragen 의 접속법 Ⅱ식.

trügen* [trý:gən] (trog, getrogen) *t./i.* (h.) 〖관용구 이외는 보통 betrügen 을 씀〗 속이다, 기만하다; 현혹하다: Lügen und ∽ 사기, 기만; 〖속담〗 der Schein trügt 겉만 보고는 모른다; wenn mich meine Erinnerung nicht trügt 내 기억이 맞다면.

trug·erfüllt [trú:k..] *a.* 기만에 찬; 터무니없는.

trügerisch [trý:gərɪʃ] *a.* 기만적인, 믿을 수 없는; 음험한: das Gedächtnis ist ~ 기억은 믿을 게 못된다; sein Versprechen hat sich als ~ erwiesen 그의 약속은 거짓임이 판명되었다; das Eis ist ~ 얼음이란 단단해 보여도 깨지는 법이다.

Trug⸗gebilde *n.* ↑ ~bild. **~gestalt** *f.* ↑ ~bild. **~gewebe** *n.* 치밀한 술수; 사기극. **~grund** *m.* 궤변.

trüghaft [trý:khaft], **trüglich** [trý:klɪç] *a.* ↑ trügerisch.

Trüglichkeit *f.* 사기(성), 기만(성); 미혹, 믿을 수 없음.

truglos *a.* 술책을 쓰지 않는, 거짓 없는.

Trug⸗schluß 《gr. sóphisma 의 독어역》 *m.* ① 궤변; 〖논리〗 잘못된 추론. ② 〖음악〗 위종지(僞終止). **∽voll** *a.* ↑ ∽erfüllt. **~werk** *n.* ① 사기(행각), 기만. ② ↑ ~bild.

Truhe [trú:ə] *f.* -n ① (뚜껑 있는) 궤, 함, 장; 금고: Wäsche∽ 세탁물 함. ② (obd.) 관(棺). ③ 〖광산〗 (schweiz.) 손수레, 광차(鑛車).

trühen (schweiz.) 《Ⅰ》 *t.* (sammeln) 모으다, 수집하다. 《Ⅱ》 *i.* (h.) 굵어지다; 붇다, 번영하다.

Truhen·deckel *m.* 궤〔함〕의 뚜껑.

Trulla *f.* -s ↑ Trulle.

Trulle [trʊ́lə] 《⇨ Troll》 *f.* -n ①〔고어〕 창녀, 매춘부. ②〔경박·폄어〕 쌍년, 잡년.
Trülle [trʏ́lə] 《⇨ drillen》 *f.* -n ① (alem.) (**a**) 회전식 출입문; 기중기. (**b**) 포도 압착기 (Weinpresse). (**c**) 호두까개 (Nußknacker). ② (중세에 죄인의 회술레를 위해 사용한) 함거.
trüllen *t.* (alem.) 구멍 뚫다; 훈련하다(drillen).
Trum [trʊm] *m.* -(e)s, -e 〔*n.* -(e)s, Trümer [trʏ́mər]〕 ①〖광산〗 (**a**) (Nebenspalte) 지(支)광맥, 도맥(導脈). (**b**) 수직갱의 일부 구간. ②〖工〗 컨베이어 벨트.
Trumeau [trymó:] 《frz.》 *m.* -s, -s〖건축〗 ① (바로크식의) 두 개의 창 사이의 기둥. ② 창 사이의 기둥에 설치한 거울(Pfeilerspiegel). ③ (대성당·궁성의) 정면 입구 중앙에 세워진 장식용 돌기둥.
Trumeau·spiegel *m.* ↑ Trumeau ②.
Trumm [trʊm] *n.* -(e)s, -e/Trümmer [trʏ́..] (obd.) ① 토막, 조각: ein ~ Fleisch 〔Holz〕 한 토막의 고기〔나무〕. ②〖광산〗 지(支)광맥(Trum). ③〖방직〗 잔사(殘絲): 〖비유〗 in einem ~ fort 중단 없이; den ~ verlieren 이야기의 가닥을 놓치다. ④ (**a**) 밭고랑(Ackerbeet). (**b**) 천조각(Fetzen). (**c**) 그루터기(Baumstumpf). (**d**) 몫. (**e**) 거리(Entfernung): ein gutes ~ 상당한 거리. (**f**) 덩어리; 덩치.
***Trümmer** [trʏ́mər] 《↑ Trumm》 *pl.* (Bruchstücke, Überreste) 잔해, 파편; 부스러기; 폐허(Ruinen): ~ des Heeres 패잔병; in ~ 〔zu ~n〕 gehen 붕괴〔파멸〕하다; et. in ~ legen 무엇을 파괴하다; et. in ~ 〔zu ~n〕 schlagen 무엇을 분쇄하다; etwas liegt in ~n 무엇이 완전히 파괴되어 있다.
trümmer⸗artig *a.* 파편〔폐허〕 같은. **~besät** *a.* 파편이 흩어져 있는. **≈feld** *n.* 폐허 지역; 황무지. **≈flora** *f.* 폐허〔황무지〕에서 자라는 식물. **≈frau** *f.* 〔구어〕 (제 2 차 세계 대전 후) 폐허를 치우던 여성 인부. **≈gestein** *n.* 〖광물·지질〗 쇄설암(碎屑岩), 침적암(沈積岩). **≈-grund·stück** *n.* 폐허가 된 집터.
trümmerhaft *a.* ↑ trümmerartig.
Trümmer⸗haufen *m.* 잔해 더미; 폐허. **~landschaft** *f.* ↑ ~feld. **~marmor** *m.* 대리석 조각.
trümmern *i.* (s.) / *t.* 파괴하다; 붕괴하다(zertrümmern).
trümmer⸗weise *adv.* 조각 조각, 단편적으로. **≈wolle** *f.* 반모(反毛) (의 모직물).
Trumm⸗erz *n.* 쇄광석(碎鑛石). **~holz** *n.* 가름대; 침목. **~säge** *f.* 큰 톱.
***Trumpf** [trʊmpf] 《frz., „Triumph"》 *m.* -(e)s, Trümpfe [trʏ́mpfə] ①〖카드〗 으뜸패: was ist ~? 으뜸패가 무엇이냐?; 〔구어〕 Technik ist ~ 기술이 최고다. ② 으뜸패의 카드; 〔비유〕 비책, 방책: der letzte ~ 최후의 카드〔수단〕; 〔비유〕 (s)einen (großen, letzten) ~ ausspielen 비장의 카드를 쓰다; einen ~ d(a)raufsetzen 기죽이다; einen ~ auf et. setzen a) 무엇에 특히 중점을 두다, b) 무엇을 확증하다; 〔구어〕 er kann nicht sehen, was ~ ist 그는 사태의 핵심을 파악하지 못하고 있다. ③ (schweiz.) 빈정거림(Stichelei).
Trumpf⸗as *n.* 〖카드〗 트럼프의 에이스. **~-bube** *m.* 〖카드〗 으뜸패의 잭.
trumpfen [trʊ́mpfən] *i.* (h.) / *t.* 〖카드〗 으뜸패를 내다; 〔비유〕 매도(罵倒)하다: höher ~ a) 상대방보다 높은 으뜸패로 이기다, b) 〔비유〕 (↑ abtrumpfen ②) 쏘아붙이다, 닦아세우다; 〔비유〕 auf et. ~ 무엇을 고집〔자만〕하다; gegen jn. ~ 누구를 으뜸패로 물리치다.
Trumpf⸗farbe *f.* 〖카드〗 으뜸패의 조(組). **~karte** *f.* 〖카드〗 으뜸패. **~könig** *m.* 으뜸패의 킹.
tründeln [trʏ́ndəln] 《↑ trudeln》 《I》 *t.* 굴리다(rollen). 《II》 *i.* (s.) 구르다.
***Trunk** [trʊŋk] 《<trinken》 *m.* -(e)s, Trünke [trʏ́ŋkə] ① 〔복수없음〕〔구식〕 한 모금: einen ~ tun 한 모금 마시다; das Glas auf einen ~ leeren 잔을 단숨에 비우다. ② 술자리. ③ 〔복수없음〕 (습관적인) 음주, 주벽(癖): dem ~ verfallen sein 술에 빠져 있다; sich dem ~ ergeben 술에 빠지다. ④〔雅語〕 음료; 물약: ein ~ Wasser 물 한 모금; ein frischer ~ 신선한 음료.
Trünkchen [trʏ́ŋkçən] *n.* -s, - 〔↑ Trunk 의 축소형〕 가벼운 한 잔, 한모금.
Trunkel·beere [trʊ́ŋkəl..] *f.* 〖植〗 들쭉나무.
trunken [trʊ́ŋkən] 《trinken 의 과거 분사형》 *a.* 〔雅語〕 ① (술에) 취한, 거나한: ~ sein von Wein 포도주에 취해 있다. ② 〔비유〕 도취〔열중·흥분〕한: mit ~en Blicken (도)취한 눈빛으로; vor〔von〕 Freude ~ 환희에 도취한.
Trunken·bold [..bɔlt] *m.* 〔폄어〕 술고래, 술꾼.
Trunkenheit *f.* ① 취기: wegen ~ am Steuer bestraft werden 음주 운전으로 처벌받다. ② 〔비유·雅語〕 도취, 열중, 흥분.
trunk⸗fällig *a.* ↑ ~süchtig. **≈sucht** *f.* 음주벽; 〖醫〗 알코올 중독증. **~süchtig** *a.* 음주벽이 있는, 알코올 중독(성)의.
Trunkus 《lat.》 *m.* -, ..ke ① 나무줄기; 그루터기. ② 몸통(Rumpf). ③ 자선 모금함(Almosenstock).
Trupp [trʊp] 《frz.》 *m.* -s, -s ① 떼, 무리; 〔폄어〕 일당, 패거리: ein ~ Kinder 한떼의 아이들; ein ~ von Demonstranten 한떼의 시위대; in ~s 떼지어. ②〖연극〗 (배우의) 팀, 일단(一團). ③ (특수 임무를 위해 구성된) 군부대. ④〖사냥〗 짐승 떼. ⑤ (나무의) 수풀.
Trüppchen [trʏ́pçən] *n.* -s, - ↑ Trupp, Truppe 의 축소형.
***Truppe** [trʊ́pə] 《원래 Trupp 과 같은 말》 *f.* -n ①〖軍〗 (**a**) 〔복수없음〕 전투 병력: eine gut ausgerüstete ~ 잘 무장된 병력. (**b**) 〔복수〕 부대: die beiden Staaten haben ihre ~n zurückgezogen 양국은 그들의 부대를 철수시켰다. ② (이동하는 배우·곡예사·운동 선수의) 팀, 일단(一團): eine ~ zusammenstellen 팀을 조직하다.
Truppen⸗abbau *m.* 병력 감축. **~abzug** *m.* 부대〔병력〕 철수, 철군. **~arzt** *m.* 군의관. **~aufmarsch** *m.* 부대 행진〔퍼레이드〕. **~-aushebung** *f.* 징병. **~betreuung** *f.* 군부대 위문. **~bewegung** *f.* 병력〔부대〕 이동. **~führer** *m.* 여단장급 이상의 지휘관; 부대장. **~führung** *f.* 군대 지휘(권). **~gattung** *f.* 병종, 병과. **~kette** *f.* 보초선(步哨線). **~kontingent** *n.* (한 국가에서 제공된) 파견부대. **~konzentration** *f.* 병력 집결. **~-**

körper *m.* 병력. **~korps** *n.* ↑ ~körper. **~nachschub** *m.* 추가 파병; 원군(援軍). **~parade** *f.* 열병(식), 사열. **~sammlung** *f.* 군대 소집. **~schau** *f.* ↑ ~parade. **~stärke** *f.* 병력: die ~ vergrößern〔verringern〕 병력을 증강〔감축〕하다. **~teil** *m.* 단위 부대(중대·대대·연대); 병과. **~transport** *m.* ① 병력 수송. ② 수송〔이동〕 중인 부대. **~transporter** *m.* 병력 수송선〔기〕. **~übung** *f.* 기동 훈련. **~übungs·platz** *m.* 훈련장. **~unterkunft** *f.* 부대의 숙영. **~verband** *m.* 부대; 본대; (특수 임무를 띤) 기동 부대. **~verpflegung** *f.* 부대 급식. **~verschiebung** *f.* 병력 이동.

Trupp=führer *m.* ↑ Truppenführer. **~weise** *adv.* 떼를 지어, 대오를 지어; 부대마다.

Trüsche [trý:ʃə, trÝʃə] *f.* -n 〖動〗 모캐(Aalquappe).

Trust [trast, trust, trʌst] 《engl. trust company 의 약칭》 *m.* -(e)s, -e/-s 〖經〗 트러스트.

trust·artig *a.* 트러스트(식)의.

Trustee [trastí:] 《engl.》 *m.* -s, -s ① 수탁자(受託者)(Treuhänder). ② 트러스트의 간부. ③ 관리자, 이사.

trust·frei *a.* 트러스트에 속하지 않은.

Trut=hahn [trú:t..] 《trut 는 병아리를 부르는 소리의 의성어》 *m.* 〖動〗 칠면조의 수컷: der ~ kollert 칠면조의 수컷이 꽥꽥거린다. **~henne** *f.* 〖動〗 칠면조의 암컷. **~huhn** *n.* 〖복수: ..hühner〗 〖動〗 칠면조.

Trutschel *f.* -n (südd., md.) 땅딸보 여자.

Trutz [truts] *m.* -es 〖구식〗 (Trotz) 방어, 저항: zu Schutz und ~ 공수(攻守)를 위하여; et.[3] ~ bieten 무엇에 저항하다.

Trutz·burg *f.* (포위 공격용의) 성곽.

trutzen [trútsən] *i.* (h.) 〖구식〗 저항하다 (trotzen): jm.〔et.[3]〕 ~ 누구에게〔무엇에〕 저항하다.

Trutz·farbe *f.* (동물의) 경계색(警戒色).

trutzig [trútsıç] *a.* 〖구식〗 (trotzig) 방어용의 방어 시설이 잘된: eine ~e Burg 견고한 성.

Trutz=lied *n.* 도전〔반항〕의 노래; 모욕의 노래. **~waffe** *f.* 공격 무기. **~zeichnung** *f.* (동물의) 경계〔위협〕 무늬.

Trypanosoma [trypanozó:ma] *n.* -s, ..men 〖動〗 트리파노소마(척추 동물에 기생하는 편모충 병원체).

Trypsin [trypsí:n] 《lat.》 *n.* -s 〖생리〗 트립신(췌액(膵液) 중의 단백질 분해 효소).

Tsatsiki *m.* -s 차치키(요구르트와 마늘, 가는 오이 조각으로 만든 그리스 음식).

Tschad [tʃat, tʃa:t] *m.* 차드(아프리카 중부의 공화국).

Tschader [tʃádər, tʃá:dər] *m.* -s, - 차드 사람.

tschadisch [..dıʃ] *a.* 차드(사람)의.

Tschador *m.* -s, -s 차도르(페르시아 여성들의 얼굴 가리개).

Tschaikowskij [tʃaıkɔ́fski] *m.* Pjotr Iljitsch ~ 차이코프스키(러시아의 작곡가, 1840-93).

Tschako [tʃáko] 《ung.》 *m.* -s, -s 〖고어〗 원통형 군모(軍帽)〔경찰모〕.

Tschandu [tʃándu] 《hindi.》 *n.* -s 흡연용(吸煙用) 아편.

Tschank *m.* -s, -e (schweiz.) (Unterrock) 페티코트, 속치마.

Tschapka [tʃápka] 《poln.》 *f.* -s 〖고어〗 창기병의 사각 군모.

Tschapperl 《sl.》 *n.* -s, -n (öst.) 아둔한 아이; 맹추, 얼간이.

Tschappert *m.* -s, -s (obd.) ① 끈, 줄. ② (여성옷의) 가슴받이; 바지의 개폐부.

Tscharda [tʃárda] 《ung.》 *f.* -s 초원에 있는 주점.

Tschardasch *m.* -(e)s, -e 집시의 음악에 맞추어 추는 헝가리의 민속 무용.

tschau [tʃau] 《it. ciao》 *int.* 〖구어〗 안녕(친한 사람 사이의 헤어질 때 인사말).

Tscheche [tʃέçə] *m.* -n, -n 체코 사람〔남자〕.

Tschecherl *n.* -s, -n 〖구어〗 (öst.) 작은 카페.

Tschechin [tʃέçın] *f.* -nen ↑ Tscheche 의 여성형.

tschechisch [tʃέçıʃ] *a.* 체코(사람)의.

Tschechoslowake [tʃɛçoslová:kə, ..çɔs..] *m.* -n, -n ① 체코슬로바키아인. ② 체코슬로바키아 출신 사람.

Tschechoslowakei [tʃɛçoslovakáı] *f.* 체코슬로바키아.

Tschechoslowakin *f.* -nen ↑ Tschechoslowake 의 여성형.

tschechoslowakisch *a.* 체코슬로바키아의.

Tschechow [tʃέxɔf] *m.* Anton Pawlowitsch ~ 체홉(러시아의 소설가·극작가, 1860-1904).

Tscheka [tʃéka] 《russ.》 *f.* 체카(구소련의 비밀 경찰, 1917-22).

Tschellist *m.* -en, -en 첼로 연주자(Cellist).

Tschello *n.* -s, -s 〖악기〗 첼로(Cello).

Tscherkesse [tʃɛrkέsə] *m.* -n, -n 체르케스 사람(코카서스 지방에 사는 한 종족).

Tscherkessin *f.* -nen ↑ Tscherkesse 의 여성형.

tscherkessisch *a.* 체르케스(사람)의.

Tschernosem, Tschernojom [tʃɛrnozi̯ɔ́m] 《russ., „Schwarzerde"》 *n.* -s 〖지질·農〗 체르노젬(흑색 건성 토양).

Tscherper *m.* -s, - 〖광산〗 작은〔주머니〕 칼 (Schärper).

Tscherwonez [tʃɛrvɔ́:nɛts, ..vɔ́n..] 《russ.》 *m.* -, ..wonzen [..tsən] 〖화폐〗 체르보네츠(구러시아의 화폐 단위; =10 Rubel; 1922-47).

Tschibuk [tʃibúk, (öst) tʃí:buk] 《türk., „Stab, Rohr"》 *m.* -s, -s 치부크(대통이 사기 또는 포석으로 된 터키의 긴 담뱃대).

Tschick *m.* -s, - 〖구어〗 (öst.) 담배 (꽁초).

Tschikosch [tʃí:ko:ʃ, tʃíko:ʃ] 《ung.》 *m.* -(e)s, -e 헝가리의 말먹이는 사람.

tschilpen [tʃílpən] *i.* (h.) 〖의성어〗 (참새가) 짹짹 울다.

Tschinelle [tʃinέlə] *f.* -n 〖구식〗 (südd., öst.) 옛날의 챔발로 악기.

tsching *int.* 〖의성어〗 칭(심벌즈 치는 소리).

tschingbum *int.* 〖의성어〗 쿵작(작), 쿵작쿵작! (징·북치는 소리)

Tschismen [tʃísmən] *pl.* 헝가리의 빛깔 있는 짧은 장화.

Tschoch[1] [tʃɔx] *n.* -s, - (öst.) 〖구어〗 커피숍, 다방.

Tschoch² *m.* -s (öst.) 〖구어〗 노고, 수고.
Tschoppe *f.* -n (schweiz.) 재킷(Jacke).
Tschuktsche *m.* -n, -n 추크족(族)(시베리아 북동부의 옛 종족).
tschüs [tʃʏs, tʃy:s] 《it.》 *int.* 〖구어〗 안녕(헤어질 때의 인사말).
Tschusch [tʃu:ʃ] *m.* -en, -en (öst.) 〖구어·폄어〗(특히 남동 유럽이나 오리엔트 지방에서 온) 외국놈.
tschüß [tʃʏs, tʃy:s] *m.* ↑ tschüs.
tschüss 新정서 ⇦ tschüß.
Tschuwasche [tʃuváʃə] *m.* -n, -n 추바시인(人)(볼가강 유역의 터키족의 한 종족).
Tsd. = Tausend 천(1000).
Tsetse·fliege [tsétse..] *f.* 〖動〗 체체파리.
T-Shirt [tí:ʃø:rt, ..ʃœrt, ..ʃə:t] 《engl.》 *n.* -s, -s 티 셔츠.
Tsingtau [tsíŋtau] 칭다오(青島)(중국 산둥성에 있는 항구 도시).
Tsuga [tsú:ga] 《jap.》 *f.* -s/..gen 〖植〗 아메리카 솔송나무, 스키나무.
T-Träger [té:..] *m.* -s, - 〖건축〗 T 자형 철제 도리.
TU [te:|ú:] = Technische Universität 공과 대학.
Tuareg¹ [tuá:rɛk, tú:a..] *pl.* 투아레그족(알제리 남부에서 니제르강 유역에 걸쳐 거주하는 유목 민족).
Tuareg² *n.* -(s) 투아레그족의 언어.
Tuba [tú:ba] 《lat.》 *f.* ..ben ①〖악기〗(고대 로마의) 나팔; (지금의) 튜바. ②〖해부〗 유스타키오관(管)(Ohrtrompete); (Eileiter) 수란관, 나팔관.
Tübbing [týbɪŋ] *m.* -s, -s 〖광산〗 갱내 설치용 반원형 철판.
***Tube** [tú:bə] 《engl.》 *f.* -n ① 튜브, 관, 통: 〖비유·구어〗 auf die ~ drücken (기계에) 가속도를 붙이다; Zahnpasta aus der ~ drücken 치약을 짜다. ②〖해부〗 수란관; 유스타키오관(管).
Tuben ↑ Tuba, Tube, Tubus의 복수형.
Tuben·schwangerschaft *f.* 〖병리〗 난관 임신.
Tuberkel [tubɛ́rkəl] 《lat., „Höcker"》 *m.* -s, - 〔(öst.) *f.* -n〕 ①〖해부〗 작은 돌기. ②〖병리〗 (Knötchen) 결절(結節), 결핵 결절.
tuberkel≈artig *a.* 결절상의, 결핵성의. **≈bakterium** *n.* 결핵균. **≈bazillus** *m.* ↑ ~bakterium. **≈bildung** *f.* 결절〔결핵〕 형성. **~krank** *a.* 결핵에 걸린. **≈krankheit** *f.* 결핵.
tuberkular *a.* 〖醫〗 결핵상의, 결절상의.
Tuberkulin [tubɛrkulí:n] *n.* -s 〖醫〗 투베르쿨린.
Tuberkulin≈diagnostik *f.* 〖醫〗 투베르쿨린 진단(법). **~reaktion** *f.* 〖醫〗 투베르쿨린 반응.
tuberkulös [..lǿ:s] 《frz.》 *a.* 〖醫〗 ① 결핵에 걸린. ② 결핵(병)의: ~e Entzündung 결핵성 염증.
***Tuberkulose** [..ló:zə] *f.* -n 〖병리〗 결핵(약어: Tb, Tbc).
Tuberkulose≈fürsorge *f.* (국가의) 결핵 환자 보호 (사업). **≈krank** *a.* 결핵에 걸린. **~kranke*** *der/die* 결핵 환자.
Tuberose [..ró:zə] 《sp.》 *f.* -n 〖植〗 만향옥.
Tübingen [tý:bɪŋən] 튀빙겐(Baden-Württemberg 주의 도시).
Tübinger 《I》 *m.* -s, - 튀빙겐 사람〔주민〕. 《II》 *a.* 튀빙겐(풍)의.
tubulär [tubulɛ́:r] *a.* ①〖해부〗 관(管) 모양의, 관상의. ②〖해부〗 세뇨관(細尿管)의.
tubulös [..lǿ:s] *a.* 〖해부〗 ↑ tubulär ①.
Tubus [tú:bus] 《lat.》 *m.* -, ..ben/-se ① (Rohr) 관, 통(筒). ②〖광학〗(광학 기기의) 원통형 몸체; 망원경. ③〖醫〗 삽관(挿管), 배관(排管), 카닐레. ④〖해부〗 관상(管狀) 기관.
Tuch¹ [tu:x] *n.* -(e)s, -e ① (모)직물: ~ weben 옷감을 짜다. ②〖海〗 범포(帆布)(Segel≈).
***Tuch**² 《westgerm.》 *n.* -(e)s, Tücher [tý:çər] ①(특정 용도로 가공된) 천: 〖구어·구식〗 zweierlei〔buntes〕 ~ a) 군복, b) 군인; die Herren von zweierlei ~ 장교들; jm. ein feuchtes ~ auf die Stirn legen 누구의 이마에 물수건을 대다; 〖구어〗 ein rotes 〔das rote〕 ~ für jn. sein 누구를 화나게〔기분나쁘게〕 하다; 〖구어〗 wie ein rotes 〔das rote〕 ~ auf jn. wirken 누구를 기분 나쁘게〔화나게〕 하다. ②〖고어〗 일정한 길이의 천: ein ~ Leinwand 50 엘레의 삼베 천. ③ (Hals≈) 목도리, 숄; 두건(Kopf≈); 손수건(Taschen≈); (Wisch≈) 행주, 걸레. ④〖畫〗 (Leinwand) 화포(畫布), 캔버스. ⑤〖기계〗(동력전달용) 벨트: ~ ohne Ende 벨트. ⑥〖사냥〗 사냥터의 삼베 휘장(Jagd≈). ⑦〖비유〗(숄을 걸친) 사람: 〖구어〗 ein leichtes ~ 경박한 사람; 〖시어〗 manch rotes ~ schritt in die Kirche 빨간 숄을 걸친 여성들이 많이 교회로 들어갔다.
Tuch≈anzug *m.* 모직 양복. **~art** *f.* 천의 종류. **≈artig** *a.* 천 같은, 천 모양의. **~baum** *m.* 〖방직〗(베틀의) 말코.
Tüchelchen [tý:çəlçən] *n.* -s, - 〖↑ Tuch²의 축소형〗 천조각, 작은 손수건〔목도리〕.
tuchen [tú:xən] *a.* 천으로〔직물로〕 만든.
Tuchent [tʊ́xənt] *f.* -en (bayr., öst.) 깃털 이불(Federbett).
Tuch≈fabrik *f.* 직조 공장, 방직〔모직물〕 공장. **~fabrikant** *m.* 직조 공장 주인; 직조업자. **~färber** *m.* 염색 기술자, 물들이는 사람. **~fühlung** *f.* (옷깃이 스칠 정도로) 가까운 거리; 〖비유〗 긴밀한 관계: auf〔in〕 ~ 밀집하여, 긴밀한 관계로; in ~ mit jm. kommen 누구와 긴밀한 관계를 맺다; ~ mit〔zu〕 jm. halten 누구와 긴밀한 관계를 유지하다; die ~ zu jm. verlieren 누구와의 긴밀한 관계가 해소되다. **~geschäft** *n.* ① ↑ ~handel. ② 직물점, 포목점. **~halle** *f.* 직물 판매소〔전시장〕. **~handel** *m.* 직물〔포목〕 장사. **~händler** *m.* 직물〔포목〕 장수. **~handlung** *f.* ↑ ~geschäft. **~kleid** *n.* 의복, 옷. **~kratze** *f.* 모직물에 괴깔을 세우는 도구. **~kräusler** *m.* 모직물에 괴깔을 세우는 기계. **~laden** *m.* ↑ ~geschäft ②. **~lager** *n.* 직물〔피륙〕 창고. **~lappen** *m.* 천조각.
Tüchlein [tý:çlaɪn] *n.* -s, - 〖↑ Tuch²의 축소형〗〖雅語〗 작은 천, 천조각.
Tuch≈macher *m.* ① (모)직물 직공. ② ↑ ~fabrikant. **~macherei** *f.* 〖구식〗 ↑ ~manufaktur. **~mantel** *m.* 모직 외투. **~manufaktur** *f.* (모)직물 제조업. **~nadel**

f. ① 빨래 집게. ② 브로치. **~rahmen** *m.* 천을 펴는 틀. **~rasch** *m.* 〖방직〗 서지. **~rock** *m.* 모직 양복. **~schere** *f.* 재단 가위. **~schrot** *n./m.*, **~streifen** *m.* (모직물의) 가장자리.

***tüchtig** [tʏçtɪç] 《⊕ taugen, Tugend》 《Ⅰ》 *a.* ① (a) 〖구어〗 쓸모 있는; 유용한: eine ~e Arbeit 유용한 일; 〖반어〗 ~, ~! 잘하고 있군!; ~ zu et.³ sein 무엇에 쓸모 있다〔적합하다〕. (b) 유능한, 숙련된: ein ~er Arbeiter 숙련공; sie ist sehr ~ in ihrem Fach 그 여자는 자기 전문 분야에 정통해 있다. (c) 만만치 않은, 대단한: ein ~er Gegner 강적, 호적수; ein ~er Esser 대식가. ② 〖구어〗 억센; 충분한, 알찬; 호된, 심한: ~e Arme 억센 팔; ~e Mahlzeit 실속 있는 식사; ein ~es Stück Brot 크게 자른 빵조각; ~er Verweis 호된 질책; ~e Schläge bekommen 호되게 얻어맞다. ③ (md.) (schmackhaft) 맛좋은, 먹음직한. 《Ⅱ》 *adv.* 호되게, 세차게, 충분히; 대단히: jn. ~ ausschelten 누구를 호되게 꾸짖다; ~ lügen 새빨간 거짓말을 하다; iß ~! 실컷 먹어라!; ich habe mich ~ geärgert 나는 몹시 화가 났다.

Tüchtigkeit *f.* 유능; 유용성, 쓸모 있음.

Tuch≈ware *f.* 판매용 직물류. **~weber** *m.* 직조공. **~zeichen** *n.* 〖空〗 (지면에 펼치는) 신호용 캔버스〔천〕.

Tuck [tʊk] *m.* -(e)s, Tücke [tʏkə] (ndd.) ① 장난. ② ↑ Tücke.

tuck [tʊk] *int.* 〖의성어〗 ~, ~! 꾹꾹, 구구! (닭이 병아리를, 또는 사람이 닭을 부르는 소리).

***Tücke** [tʏkə] *f.* -n ① 간계, 술책: die ~ des Schicksals 운명의 장난; die ~ des Objektes 대상물 사용시 봉착하는 의외의 난관; js. ~n ausgesetzt sein 누구의 술책에 빠져 있다. ② 악의, 심술: er ist〔steckt〕 voller ~ 그는 온통 악의로 가득 차 있다. ③ (일용품의) 숨겨진 결함〔문제거리〕.

tuckeln *t.* (obd.) 비밀로 하다, 숨기다.

tucken [tʊkən] 《<tuck》 *i.* (h.) ① (닭이) 꼬꼬 울다. ② 쑤시다, 욱신거리다: es tuckt mir im Zahn 나는 이가 쿡쿡 쑤신다. ③ 인조 미끼로 낚시하다.

tücken 《<Tücke》 *t.* 〖구식〗 …에게 술책을 쓰다; 희롱하다.

tuckern [tʊkərn] *i.* 〖의성어〗 ① (h.) 통통 소리를〔소음을〕 내다: der Motor tuckert leise 모터가 조용히 통통거린다. ② (s.) 통통 소리를 내며 움직이다: die Fähre tuckerte an den Landesteg 나룻배가 잔교 옆으로 통통거리며 다가갔다.

***tückisch** [tʏkɪʃ] *a.* ① (a) 악의 있는, 음흉한, 심술궂은: ein ~er Mensch 음흉한 사람; ein ~er Anschlag 음흉한 음모. (b) 위태로운, 위험 요소가 있는: ~es Klima 믿을 수 없는 기후; eine ~e Krankheit 악성 질병. ② 〖구어〗 (md.) 원한을 품은; 화가 나 있는: auf jn.〔mit jm.〕 ~ sein 누구에게 앙심을 품고 있다.

tücksch [tʏkʃ] *a.* (ostmd., nordd.) ↑ tückisch ②.

tückschen [tʏkʃən] *i.* (h.) (md., nordd.) 원망하다, 화내다: mit jm. ~ 누구에게 원한을 품다.

tuck·tuck [tʊktʊk] *int.* ↑ tuck.

Tuder *m.* -s, - ↑ Tüder.

Tüder [tʏ:dər] *m.* -s, - (nordd.) (가축을) 매어두는 밧줄〔사슬〕.

tüdern [tʏ:dərn] *t.* (nordd.) ① (a) 가축을 밧줄로 매어두다. (b) 대충 매다. ② 혼란시키다.

Tudor [tú:dɔr, tjú:də] 《engl.》 *m.* -(s), -s 튜더가의 사람(영국의 왕조명, 1485-1603).

Tudor≈bogen *m.* 〖건축〗 (위가 뾰족한) 튜더식 아치. **~stil** *m.* 〖건축〗 튜더식 양식.

Tuerei [tu:ərái] 《<tun》 *f.* 〖구어·폄어〗 짐짓 꾸밈, 가식, 거드름.

..tuerisch [..tu:ərɪʃ] *suf.* "…함께 점잔 빼는, 짐짓 꾸미는"의 뜻(보기: groß~ 뻐기는, 허풍떠는).

Tuff[1] [tʊf] 《lat. Lw.》 *m.* -s, -e 〖광물〗 ① 응회암(凝灰岩). ② 종유석.

Tuff[2] *m.* -s, -s. 《frz. touffe》 꽃다발, 화환.

Tüffel[1] *m.* -s, - (ndd.) 슬리퍼, 실내화.

Tüffel[2] *f.* -n (ndd.) 감자(Kartoffel).

Tuff·stein 《lat. -it.》 *m.* ↑ Tuff[1].

Tüfte *f.* -n ↑ Tüffel[2].

Tüftel·arbeit *f.* 〖구어〗 귀찮고 까다로운 일.

Tüftelei [tʏftəlái] *f.* -en ① 힘든 일을 꼼꼼히 처리함. ② ↑ Tüftelarbeit.

Tüfteler [tʏftələr] *m.* -s, - ↑ Tüftler.

tüftelig [tʏftəlɪç] *a.* ① (성격이) 까다로운; 꼼꼼한. ② (일이) 까다로운, 힘드는.

tüfteln [tʏftəln] *i.* (h.)/*t.* 꼼꼼하게 신경을 쓰다; 치밀하게 처리하다.

tufting.. [táfɪŋ] 《engl.》 (천이나 양탄자에) 보풀을 만들어 넣는.

Tufting≈schlingen·ware *f.* ↑ ~teppich. **~teppich** *m.* 보풀이 있는 양탄자. **~verfahren** *n.* (양탄자에) 보풀을 만들어 넣는 작업.

Tüftler *m.* -s, - 꼼꼼〔치밀〕한 사람.

Tüftlerin *f.* -nen ↑ Tütler 의 여성형.

***Tugend** [tú:gənt] 《⊕ taugen》 *f.* -en [..dən] ① 덕, 미덕; 선행, 미담: die ~ der Besonnenheit〔Tapferkeit〕 신중〔용맹〕이라는 미덕; 〖속담〗 die ~ findet ihren Lohn in sich³ selbst 선행의 보답은 선행 자체에 있다. ② 〖구식〗 순결, 정조: sie hat ihre ~ bewahrt 그 여자는 정조를 지켰다. ③ 효력, 효능: die ~en des Weines 포도주의 효력; keine ~ haben 쓸모없다. ④ 장점; 가치; 유용한 일, 쓸모있는 일: 〖속담〗 aus der Not eine ~ machen 전화위복으로 삼다. ⑤ 〖비유〗 미덕의 화신, 행동이 바른 사람. ⑥ (schweiz.) 고상한 취향.

Tugend≈bild *n.* 덕행의 모범〔귀감〕. **~bold** *m.* 〖드물게〗 도덕 군자인 체하는 사람. **~bund** *m.* 도덕회(1808-16 년에 있었던 독일 대학생의 정치적 비밀 결사).

tugendhaft *a.* ① 덕이 있는, 고결한, 품행이 바른. ② 〖폄어〗 덕이 있는 체하는.

Tugendhaftigkeit *f.* 도덕성, 순결, 고결.

Tugend≈held *m.* ① 덕망가, 도덕 군자. ② 〖반어〗 ↑ ~bold. **~heldin** *f.* ↑ ~held 의 여성형. **~lehre** *f.* 〖고어〗 도덕론; 윤리학. **~lehrer** *m.* 윤리학자.

tugendlich *a.* ↑ tugendhaft.

Tugendlichkeit *f.* ↑ Tugendhaftigkeit.

tugendlos *a.* 〖구식〗 덕이〔예의가〕 없는.

Tugendlosigkeit *f.* 도덕성〔예의〕 없음.

Tugend≈pfad *m.* 덕행의 길, 도덕적으로 바른

길. ~**reich** *a.* 덕이 많은〔높은〕. ~**richter** *m.* 〔종종 반어〕 도덕 군자. ~**rose** *f.* 『가톨릭』 황금 장미장(章) (Goldene Rose) (교황이 사순절에 공로자에게 주는 훈장).
tugendsam *a.* ↑ tugendhaft.
Tugendsamkeit *f.* ↑ Tugendhaftigkeit.
Tugend·spiegel *m.* ↑ ~bild. ~**wächter** *m.* ①〔반어〕 도덕의 파수꾼. ② (17 세기에 유행했던) 버팀대를 넣어 퍼지게 한 스커트. ~**wächterin** *f.* 〔반어〕 ↑ ~wächter 의 여성형. ~**wandel** *m.* 고결한 행위, 품행 방정. ~**weg** *m.* ↑ ~pfad.
Tuilerien [tyiləríːən] 《frz., „Ziegelhütte"》 *pl.* 튀일리궁(파리에 있던 왕궁).
Tuisko [tuísko:], **Tuisto** [tuísto] *m.* 투이스코, 투이스토(게르만 민족의 시조).
Tukan [túːkan, tukáːn] *m.* -s, -e ①『動』 큰부리새류(類). ②『天』 큰부리새자리.
Tula [túːla] 툴라(러시아의 공업 도시).
Tula·arbeit *f.* 툴라산(産) 귀금속의 상감(象嵌) 세공품(특히 은그릇).
Tularämie [tularɛmíː] *f.* -n [..míːən] 『醫』 야토병(野兎病) (Hasenpest).
Tula·silber *n.* ↑ ~arbeit.
Tüle *f.* -n (alem.) (Delle) ① (모자 등의) 움푹 패인 곳. ② 움푹 패인 지형. ③ 종양.
tulich [túːlɪç] 《<tun》 *a.* 〔고어〕 (tunlich) 적절한, 타당한.
Tulichkeit *f.* 〔고어〕 (Tunlichkeit) 적절, 타당.
Tulipan *m.* -(e)s, -e ↑ Tulpe.
Tulipane [tulipáːnə] *f.* -n ↑ Tulpe.
Tüll [tʏl] 《frz.》 *m.* -s, -e 『방직』 망사.
Tüll·bluse *f.* 망사 블라우스.
Tülle [tʏ́lə] *f.* -n ① (물건을) 꽂는 구멍; (촛대의) 초꽂이; 소켓. ② (주전자 등의) 주둥이; 『기계』 노즐. ③『動』 아랫부리 끝.
Tüll·gardine *f.* 망사 커튼. ~**schleier** *m.* 망사 베일. ~**vorhang** *m.* 망사 커튼.
***Tulpe** [túlpə] 《türk.; 원뜻 „Turban"》 *f.* -n ①『植』 튤립. ② 튤립 모양의 것: 『動』 **(a)** 토란고둥의 일종. **(b)** 실꾸리고둥속(屬); 뿔고둥의 일종. **(c)** 마합의 일종. **(d)** 〔고어·구어〕 (프로이센 보병의) 투구. **(e)** 〔방언〕 튤립 모양의 맥주잔. **(f)** 램프 갓. ③〔구어〕 기인(奇人), 괴짜.
tulpen·artig *a.* 튤립 비슷한, 종 모양의. ~**baum** *m.* 『植』 튤립나무. ~**beet** *n.* 튤립 화단. ~**feld** *n.* 튤립 밭〔농장〕. ~**flor** *m.* 활짝 핀 튤립. ~**züchter** *m.* 튤립 재배자. ~**zwiebel** *f.* 튤립 알뿌리〔구근(球根)〕.
..tum *suf.* 〔명사·형용사와 결합하여 중성 명사 및 남성 명사를 만듦〕 ① "권위·세력 범위"의 뜻(보기: Kaiser~ 제위(帝位), 제국). ② "신분"의 뜻(보기: Bürger~ 시민 계급; Beamten~ 공무원 신분). ③ "본질적 특성"의 뜻(보기: Christen~ 기독교 신앙). ④ "속성·상태"의 뜻(보기: Helden~ 영웅 정신; Reich~ 부유). ⑤ "집단"의 뜻(보기: Juden~ 유대족; Ritter~ 기사 집단).
tumb [tump] *a.* 〔고어·농담〕 우직한, 순진한.
Tumba[1] [túmba] 《lat.》 *f.* ..ben ① 석관 모양의 묘비석. ②『가톨릭』 **(a)** (장례 미사용의) 모형관(棺). **(b)** (지하실에 두는) 관형묘(棺型墓); 돌관 모양의 성(聖)유물 상자. ③ 오목한 곳.
Tumba[2] 《sp.》 *f.* -s 『악기』 (Conga) 콩가(쿠바의 콩가춤에 쓰이는 드럼).
Tumbheit *f.* 〔고어·농담〕 우직, 순진.
..tümlich *suf.* "지위·신분·속성·집단"의 뜻을 가진 형용사 어미(↑ ..tum).
Tumm *m.* -s 오트밀 수프.
Tummel [túməl] *m.* -s ① (obd.) 취기, 도취; 비틀거림; 현기증. ② 소란스러운〔북적대는〕 군중.
Tummel·becher *m.* 반구형(半球形)의 받침 없는 잔.
Tummelchen, Tümmelchen *n.* -s, - ↑ Tummelbecher.
tummelig *a.* ① 비틀거리는. ② 현기증 나는, 어질어질한; 취한, 도취된.
***tummeln** [túməln] 《I》 *t.* 빙빙 돌리다; 계속해서 여기저기 움직이게 하다: ein Pferd ~ 말을 몰아대다. 《II》 *i.* (h.) ①『聖·고어』 소란피우다. ② (obd.) 비틀거리며 가다. 《III》 *refl.* sich ~ ① 빙빙 돌다; 뛰어 돌아다니다; 이리저리 뛰어다니며 놀다: sich müde ~ 뛰어다녀 피곤해지다. ② 서두르다.
Tummel·platz *m.* 운동장, (어린 아이들의) 놀이터: 〔비유〕 der ~ des Lebens 인생 극장. ~**taube** *f.* 『動』 텀블러 비둘기.
Tummler [túmlər] *m.* -s, - ① **(a)** (Gaul-~) 말 탄 사람, 기수(騎手). **(b)** 무용수. **(c)** 술꾼, 취객. ② **(a)** ↑ Tummelbecher. **(b)** 회전 목마. ③『動』 **(a)** 텀블러 비둘기. **(b)** 돌고래속(屬)의 일종; 〔폄어〕 해병.
Tümmler [tʏ́mlər] *m.* -s, - ↑ Tummler ③.
tummlig *a.* ↑ tummelig.
Tumor [túːmɔr, ..moːr] 《lat.》 *m.* -s, -en [..móːrən] 『醫』 종양(腫瘍) (Geschwulst).
Tumor·wachstum *n.* 종양의 성장. ~**zelle** *f.* 종양 세포.
Tümp *m.* (ndd.) 무리, 떼(Schar).
Tümpel [tʏ́mpəl] *m.* -s, - ① 웅덩이; 못, 늪. ② 소용돌이.
Tumuli *pl.* ↑ Tumulus 의 복수형.
Tumult [tumúlt] 《lat.》 *m.* -(e)s, -e ① 혼란, 소란. ② 소요. ③ 폭동.
Tumultuant [tumultuánt] *m.* -en, -en 소동을 일으키는 사람; 선동자, 폭도.
tumultuarisch *a.* ① 떠들썩한. ② 소요를〔반란을〕 일으키는. ③ 격렬한.
tumultuieren [..tuíːrən] *i.* (h.) 법석 떨다; 폭동을〔소요를〕 일으키다.
tumultuös [..tuǿːs] *a.* ↑ tumultuarisch.
tumult·voll *a.* ↑ tumultuarisch.
Tumulus [túːmulus] 《lat.》 *m.* -, ..li 언덕; (특히 선사 시대의) 무덤, 분묘.
tun [tuːn] (tat, getan) 《I》 *t./i.* (h.) ① **(a)** (일 또는 어떤 행동을) 하다, 행하다: et. aus Liebe〔Bosheit〕 ~ 사랑하는 마음에서〔악의로〕 무엇을 하다; was kann ich für Sie ~? 무엇을 도와 드릴까요?; mit et.³ ist es getan 무엇이 그만하면 됐다; mit et.³ ist es nicht getan 그것으로 일이 끝난 것은 아니다; unter 1000 DM tue ich es nicht 나는 천 마르크 이하의 보수로는 그 일을 하지 않겠다; er wollte einmal gar nichts ~ 그는 한번쯤 아무 일도 하지 않고 푹 쉬려 했다; 〔구어〕 tu's doch! 어디 할 테면 해봐라!; 〔반어〕 dann tu mal was! 그럼 어디 한번 해보시지!; 〔구어〕 so etwas〔das〕 tut man nicht! 그런 일은 하는 게

아니야! ; du kannst ~ und lassen, was du willst 하든 말든 네 마음대로 해도 돼; sein Möglich(st)es 〔Bestes〕 ~ 전력〔최선〕을 다하다; seine Schuldigkeit 〔das Seinige〕 ~ 책임을 다하다; ein übriges ~ 쓸데없는 짓을 하다; etwas zu et.³ ~ 무엇에 공헌〔진력〕하다; et. gegen jn. ~ 누구에 맞서서 무엇을 하다; das hättest du getan? 네가 그것을 했다고? (의혹을 나타냄); sie tut den ganzen Tag nichts als faulenzen 그 여자는 하루 종일 게으름만 피우고 있다. (**b**) 〖동사에서 파생한 명사와 결합해서 하나의 동사 개념을 나타냄〗(어떤 행동을) 하다: einen Angriff〔Eid, Fehltritt〕 ~ 공격〔맹세, 실수〕하다; einen Fall ~ 떨어지다, 넘어지다; einen Gang ~ 심부름〔일보러〕 가다; einen Knall ~ 폭음을 내다; eine Abbitte〔Buße, Heirat, Pilgerfahrt, Rede, Reise〕 ~ 사죄〔참회, 결혼, 순례, 연설, 여행〕하다; einen Zug〔Trunk, Schluck〕 ~ 한 모금〔한 잔〕마시다; den ersten Schritt ~ 첫발을 내딛다; et.³ Einhalt ~ 무슨 일을 제지하다; jm. seinen Willen ~ 누구의 뜻에 따르다; jm. das Wort ~ 누구를 변호하다; tiefe Blicke 〔Einblicke〕 in et. ~ 무엇을 통찰하다; der Mantel tat mir gute Dienste 이 외투는 퍽 쓸모가 있었다; einen Einfall in Feindes Land ~ 적국에 침입하다. (**c**) 〖zu tun 의 형태로 haben 등과 함께〗 viel〔nichts〕 zu ~ haben 할 일이 많다〔없다〕; jm. et. zu ~ geben 누구에게 일거리를 주다, 누구에게 폐를 끼치다; zu ~ bekommen 일자리를 얻다; 〖구어〗 ich habe (im Augenblick) zu ~ 나는 (당장) 할 일이 있다〔시간을 낼 수 없다〕. (**d**) 〖앞선 동사의 반복을 피해서〗 haben Sie den Brief eingeworfen? — ich habe es getan 편지를 우체통에 넣었습니까? — 그렇게 했습니다. ② …에 갖다 넣다〔놓다·건네다〕: Salz an〔in〕 die Suppe ~ 수프에 소금을 치다; Geld auf die Bank ~ 은행에 예금하다; Gemüse auf den Teller ~ 야채를 접시에 담다; die Wäsche in den Koffer ~ 세탁물을 가방에 담다; et. aus dem 〔in den〕 Sack ~ 자루에서 무엇을 꺼내다〔자루에 무엇을 넣다〕; die Kleider von sich ~ 옷을 벗다; tu das Buch zu den anderen! 그 책을 다른 사람들한테 좀 넘겨〔전해〕줘라! ; wohin soll ich das ~? 이것을 어디에 두어야〔치워야〕 하지? ; Wasser zum Kaffee ~ 커피에 물을 섞다; et. beiseite ~ 무엇을 치우다; wir wollen den Kleinen in den städtischen Kindergarten ~ 우리는 아이를 시립 유치원에 보낼 생각이다; 〖구어〗 ich weiß jetzt gar nicht, wohin ich Sie ~ soll 당신을 어떻게 알게 되었는지 도무지 생각나지 않는군요. ③ 〖사물·개념이 주어〗 (wirken) 작용하다, 효과가 있다, 쓸모 있다; (genügen) 충분하다; (bewirken) 야기하다: was tut's? 그게 어쨌다는 건가? ; (das) tut nichts! 아무 상관 없다! ; das tut's für heute 오늘은 그만하면 됐다; das tut's nicht 그것은 틀렸다〔안돼〕; es tut viel〔wenig, nichts〕 그것은 쓸모가 많다〔적다, 없다〕, 효과가 크다〔적다, 없다〕; das tut nichts zur Sache 그것은 핵심에서 벗어난다; Arznei einnehmen allein tut es nicht 약만 먹어서는 효과가 없다; die Uhr tut es nicht mehr 이 시계는 고장났다. ④ 〖mit et.³ zu tun 의 형태로〗 (**a**) 무엇과 관계하다, 관계 있다: es mit et.³〔jm.〕 zu ~ bekommen 무엇〔누구〕 때문에 번거로워지다; das hat nichts damit zu ~ 이것은 그 일과는 전혀 관계 없다; ich will nichts mehr mit ihm zu ~ haben! 나는 더 이상 그 사람하고는 상종하지 않겠다! ; ich will mit der Sache nichts zu ~ haben 나는 그 일에 관여하지 않겠다; in seinem Beruf hat er viel mit Büchern zu tun 그의 직업은 책과 많은 관련이 있다; mit sich (selbst) zu tun haben 개인적인 문제를 갖고 있다. (**b**) *imp.* es ist um dein Glück zu ~ 네 행복이 문제다; es ist mir nicht um das Geld zu ~ 내게는 돈 같은 것은 문제가 아니다. ⑤ 〖비어〗 es ~ a) 성교하다, b) 똥누다. ⑥ 〖조동사로서〗 (**a**) 〖본동사의 뜻을 강조함〗 er tat schimpfen 그는 욕을 해댔다; rechnen tut er gut 그는 계산을 잘한다; lesen tut er ohne Brille 그는 안경을 쓰지 않고 책을 읽는다. (**b**) 〖"täte+부정사" 형태로 "würde+부정사"의 의미로 쓰임〗 ich täte ja kommen 나야 물론 갈 수 있지만 (네가 문제다). ⑦ 〖jm. et. ~ 의 형태로〗 (누구에게 이익 또는 해가 되는) 일을 하다: er hat mir nichts getan 그는 내게 아무런 피해도 주지 않았다; jm. Böses 〔ein Leid, einen Gefallen〕 ~ 누구에게 나쁜 짓을 하다〔고통을 가하다, 호의를 베풀다〕; der Hund tut dir nichts 그 개는 너에게 아무 짓도 하지 않아; 〖방언〗 es jm. ~ 누구를 홀리다, 매료시키다. ⑧ 〖雅語〗 es ist um jn. getan a) 누구는 명이 다했다, 곧 죽을 목숨이다, b) 누구는 끝장〔파멸〕이다. 《Ⅱ》 *i.* (h.) ① 행하다, 행동하다: gut ~ 착한 일을 하다, 품행이 바르다; gut〔klug, recht, unrecht〕 daran ~ …하는 것은 잘하는〔현명한, 옳은, 잘못하는〕 일이다; Sie täten besser daran, zu gehen 가는 게 좋을 겁니다; geschwind ~ 서두르다; langsam ~ 늦장부리다; gegen jn. fremd ~ 누구를 서먹하게 대하다; mit. et.³ dick〔groß〕 ~ 무엇을 과시〔과장〕하다, 호언장담하다; mit einem Mädchen hübsch〔schön〕 ~ 여자의 비위를 맞추다; es tut not〔nötig, 〖드물게〗 von nöten〕 그것은 필요하다; die Arznei hat dem Kranken gut getan 약이 환자에게 잘 들었다; tu nicht so empfindlich! 너무 신경 쓰지 마라! ; es tät' gut, wenn... …라면 좋을 텐데; ~ Sie, als ob Sie zu Hause wären! 집에서처럼 편안하게 행동하십시오! ; er tat, als ob er weggehen wollte 그는 마치 가버리려는 듯한 태도를 취했다. ② 〖leid, not, weh 등과 함께〗 es tut mir leid, daß... 나는 …을 유감스럽게〔미안하게〕 생각한다; das tut doch nicht not! 그런 행동은 필요 없다! ③ …인 체하다, 가장하다: freundlich ~ 다정한 체하다; jm. schön ~ 누구에게 아양부리다; er tut böse 그는 화난 체하고 있다; tu doch nicht so! 딴청부리지 마라! ; er tat, als ob er auf meine Pläne einginge 그는 내 계획에 동의하는 체했다. 《Ⅲ》 *refl.* ① sich bloß ~ 발가벗다; sich an et.³ gütlich ~ 무엇을 즐기다. ② 〖고어〗 sich irgendwohin ~ 어디론가 가다; 〖聖〗 warum tust du dich nicht von mir? 어찌하여 내게서 눈을 돌이키지 아니하시나이까? (욥기 7:19). ③ es tut sich nicht 일이 잘 안 된다; wie geht's? — na, es tut sich! 잘 있나? — 그저 그래! ④ es tut sich etwas 무슨 일이 발생하다; in der Politik tut sich etwas 정치

권에서 무슨 일이 일어나고 있다; 〔구어〕 bei dem tut sich doch nichts mehr! 그는 성(性) 불능자야!

Tun[1] [tu:n] *n.* -s 〖↑ tun 의 중성 명사형〗 행함; 행위, 행동; 거동; 실행, 수행: ein heimliches ~ 은밀한 행동; sein ~ und Treiben 그의 일거일동; sein ~ und Lassen 그의 행동거지; 〔구어〕 das war nicht meines ~s 그것은 내 일이 아니었다; das ist alles ein ~ 그것은 다 마찬가지다; im ~ sein 발생〔생장〕 중이다.

Tun[2] [tʌn] 《engl.》 *n.* -s, -s 영국의 주량(酒量) 단위 (1 Tun = 11,46 *hl*).

***Tünche** [tʏ́nçə] *f.* -n ① (벽칠용) 회반죽, 수성 페인트. ②〔폄어〕 겉치레: seine Bildung ist nur ~ 그의 교양은 허울 뿐이다.

tünchen [tʏ́nçən] *t.* ① (벽을 백색 도료로) 희게 칠하다. ②〔비유〕 겉치레하다, 미봉하다.

Tüncher [tʏ́nçər] *m.* -s, - 페인트공: 〖聖〗 ~ mit losem Kalk 위선자.

Tüncherei [tʏnçəráɪ] *f.* -en ① (벽을) 희게 칠하기, 회칠. ② 겉치레.

Tüncher·meister *m.* 회칠〔벽칠〕 기능장.

Tünch≈farbe *f.* 백색 도료. **~pinsel** *m.* 회칠용〔벽칠용〕 솔. **~schicht** *f.* 백색 도료층(層). **~werk** *n.* 백색 도장 작업; 회칠한 벽.

Tundra [tʊ́ndra] 《finn.> -russ.; „Sumpfsteppe"》 *f.* ..dren 〖지질〗 툰드라.

Tundren·steppe *f.* 툰드라의 초원 지대.

Tunell [tunɛ́l] *n.* -s, -e (südd.) ↑ Tunnel.

tunen [tjú:nən] 《engl.》 *t.* 〖車〗 개조하여 성능을 높이다.

Tuner [tjú:nər] 《engl.》 *m.* -s, - ①〖전기〗 (전파 수신기기의) 튜너. ② 주파수 조정기. ③〔은어〕 튜닝 전문가.

Tuneser [tuné:zər] *m.* -s, - ↑ Tunesier.

Tunesien [..ziən] 튀니지 공화국.

Tunesier [tuné:ziər] *m.* -s, - 튀니지 사람.

Tunesierin *f.* -nen ↑ Tunesier 의 여성형.

tunesisch *a.* 튀니지의, 튀니지 사람의.

Tun·fisch *m.* 新정서 ⇦ Thunfisch.

Tung·stein [tʊ́ŋ..] *m.* 〖광물〗 텅스텐, 중석.

Tung·stein·säure *f.* 〖化〗 텅스텐산(酸).

Tunguse [tʊŋgú:zə] *m.* -n, -n 퉁구스인〔족〕.

tungusisch *a.* 퉁구스의, 퉁구스인의.

Tu·nicht·gut [tú:..] *m.* -/-(e)s, -e 말썽꾸러기.

Tunika [tú:nika] 《lat.》 *f.* ..ken ① 튜니카(고대 로마의 소매 없는 긴 옷). ②〖유행〗 (스커트 위에 입는) 반코트.

Tunis [tú:nɪs] 튀니스(튀니지의 수도).

Tuniser [..zər] 《I》 *m.* -s, - 튀니스 사람. 《II》 *a.* 튀니스의.

tunisisch [tuní:zɪʃ] *a.* ↑ tunesisch.

Tunke [tʊ́ŋkə] 《<tunken》 *f.* -n ①〖요리·방언〗 (찬) 소스. ②〖工·고어〗 담금액; 담그기.

tunken [tʊ́ŋkən] *t.* (빵을 국물에, 펜을 잉크에) 적시다, (음식을 식초 등에) 담그다: Brot in den Kaffee ~ 빵을 커피에 적시다.

Tunk≈näpfchen *n.*, **~schale** *f.* 고깃국물〔소스〕 그릇.

tunlich [tú:nlɪç] *a.* 〔고어〕 ① (행)할 수 있는; 가능한: so bald als ~ 가능한 한 빨리. ② 권할 만한, 적절한, 타당한: et. für ~ halten 무엇을 타당하다고 여기다.

Tunlichkeit *f.* 〔고어〕 적절, 타당; 가능.

tunlichst 〔tunlich 의 최상급〕 *adv.* 될 수 있는 대로, 가능한 한.

Tunn, Tünn *f.* (ndd.) 큰 통(Tonne).

Tunnel [tʊ́nəl] 《engl.》 *m.* -s, -/(드물게) -s ① 터널; 지하도; 지하 통로, 땅굴. ②〖럭비〗 선수 사이의 빈 공간.

Tunnel≈anlage *f.* 터널 시설. **~bahn** *f.* 〖철도〗 지하 철도. **~bau** *m.* 터널 공사. **~krankheit** *f.* 터널병(病), 십이지장병.

tunnelieren [tunəlí:rən] *i.* (h.) / *t.* (öst.) 터널을 뚫다.

tunnelisieren [..lizí:rən] *i.* (h.) / *t.* ↑ tunnelieren.

Tunnelung *f.* -en (öst.) 터널뚫기.

Tunner *m.* (ndd.) 도화선(Zunder).

Tunte [tʊ́ntə] 《nordd.》 *f.* -n ①〔비속〕 얼간이, 멍청이. ②〔폄어〕 여자 역할의 호모〔남자 동성 연애자〕. ③〔폄어〕 얌전빼는〔따분한〕 여자.

tuntenhaft [tʊ́ntənhaft] *a.* ↑ tuntig.

tuntig [tʊ́ntɪç] *a.* 〔폄어〕 ① (남자가) 계집애 같은. ② (여자가) 얌전빼는, 고상한 체하는.

Tupamaro *m.* -s, -s 우루과이의 도시 게릴라 (페루의 인디언 지도자 Túpac Amaru Ⅱ 의 이름에서).

Tupf [tʊpf] *m.* -(e)s, -e ↑ Tupfen.

Tüpfchen [tʏ́pfçən] *n.* -s, - 〖↑ Tupf 의 축소형〗 작은 점.

Tüpfel [tʏ́pfəl] *m./n.* -s, - ① ↑ Tüpfelchen. ②〖植〗 세포벽의 막공(膜孔).

Tüpfelchen [tʏ́pfəlçən] *n.* -s, - 작은(반)점: das ~ auf dem i i 자(字) 위의 작은 점, 〔비유〕 마지막 끝손질; 〔비유〕 nicht ein ~ an et. ändern 무엇을 조금도 바꾸지 않다.

Tüpfel·farn *m.* 〖植〗 고란초류, 양치류.

tüpfelig [tʏ́pfəlɪç] *a.* ① 작은 반점이 있는, 반점투성이의. ②〔방언〕 너무 꼼꼼한.

tüpfeln [tʏ́pfəln] 《I》 *t.* 작은 반점을 붙이다, 얼룩지게 하다: schwarz und weiß getüpfelt 흑백으로 얼룩진. 《II》 **getüpfelt** *p.a.* ↑ getüpfelt.

tupfen [tʊ́pfən] 《I》 *t.* ① 반점을 붙이다, 얼룩지게 하다: ein getupftes Kleid 반점 무늬가 있는 원피스. ② 쪼아서 새기다〔가공하다〕: einen Stein ~ 돌을 거칠게 쪼다. ③ (물건의 끝으로 가볍게) 두드리다, 툭툭치다; (귀여워서) 쓰다듬어 주다: sich[3] mit dem Taschentuch das Gesicht ~ (땀을 닦으려고) 손수건으로 얼굴을 가볍게 두드리다. ④ (obd.) 부딪히다. ⑤ (schweiz.) ein Tier ~ 짐승을 쏘아 맞히다. ⑥ (bayr.) ein Kind ~ 어린아이에게 천연두 예방 주사를 놓다. 《II》 **getupft** *p.a.* ↑ getupft.

Tupfen *m.* -s, - (obd.) ① 얼룩점, 반점, 점. ②〔고어〕 주근깨. ③〔고어〕 충돌, 부딪힘.

tüpfen *t.* ↑ tupfen.

Tupfer *m.* -s, - ① (반)점. ② 반점을〔무늬를〕 내는 도구. ③ 침전물. ④ (상처를 닦아내기 위한) 거즈, 거제. ⑤〖사냥〗 방아쇠.

Tüpflein *n.* -s, - ↑ Tüpfchen.

tüpflig *a.* ↑ tüpfelig.

Tupi [tupí:] 《I》 *m.* -(s), -(s) 투피인(남아메리카 아마존강 유역 인디언의 한 종족). 《II》 *n.* - 투피어(語).

tüppig [tʏ́pɪç] *a.* (schweiz.) 후덥지근한.

***Tür** [ty:r] *f.* -en ① (출입) 문; 출입구: ~ an

~ mit jm. wohnen 누구의 옆 집에 나란히 살다; ihm stehen alle ~en offen 그에게는 모든 가능성이 열려 있다; jm. die ~ weisen (zeigen) 누구에게 나가라고 문을 가리키다; 〘구어〙 mach die ~ von außen(draußen) zu! 밖으로 나가!; 〘구어〙 da ist die ~! 문은 저쪽이야, 나가!; offene ~en einrennen(einlaufen) 다 된 일을 가지고 공연한 수고를 하다; jm. die ~ einlaufen(einrennen) (같은 일로) 누구를 계속 찾아다니며 괴롭히다; 〘구어〙 mit der ~ ins Haus fallen 느닷없이(뜬금없이) 용건을 꺼내다; nach der ~ sehen 탈출구를 찾다; von ~ zu ~ gehen 집집마다 돌아다니다; vor der ~ 집(문) 앞에, 〘비유〙 임박한; der Winter steht vor der ~ 겨울이 임박했다; 〘구어〙 jn. vor die ~ setzen (jm. den Stuhl vor die ~ setzen) 누구를 내쫓다(해고하다); hinter verschlossenen ~en 밀실에서, 비밀리에; vor verschlossener ~ stehen 누구를 부재 중에 찾아가 만나지 못하다; wir fanden nur verschlossene Türen 우리는 문전박대를 당했다, 아무런 호응(도움)도 못 받았다; die ~ offenhalten (nicht zuschlagen) 대화(협상) 가능성을 계속 열어 놓다; einer Sache ~ und Tor öffnen 어떤 일을 적극 장려하다; vor seiner eigenen ~ kehren 자신의 처지를 살피다, 자기 앞가림을 하다; vor die ~ gehen 집 문밖으로 나가다; 〘구어〙 zwischen ~ und Angel 황급히, 경황 없이; zwischen ~ und Angel stecken 진퇴양난이다, 곤경에 처하다; 〘경박〙 Du kriegst die ~ nicht zu! 아니 이럴 수가! ② (a) (난로·장롱 등의) 여닫이, 덮개. (b) (새장의) 문구멍.

Tür·angel *f.* (문의) 경첩, 돌쩌귀.

tür·aus [ty:*r*|áus] *adv.* ~, türein 문을(집집마다) 들락거리며.

Turban [túrba:n, ..ban] 《türk. tülbant》 *m.* -s, -e (이슬람교도의) 터번: den ~ nehmen 이슬람교도가 되다.

Tür·band *n.* 〘복수: ..bänder〙 (문의) 경첩.

Turbellarie [turbɛlá:riə] *f.* -n 〖動〗 편충동물(Strudelwurm).

***Turbine** [turbí:nə] 《frz.》 *f.* -n 〖工〗 터빈.

Turbinen=anlage *f.* 터빈 장치. **~antrieb** *m.* 터빈 동력. **~dampfer** *m.* 터빈 증기선. **~flugzeug** *n.* 터보 제트기. **~haus** *n.* (공장의) 터빈실.

Turbo [túrbo] *m.* -s, -s 〖기계〗 터보 (엔진) 자동차.

Turbo=dynamo [túrbo..] *m.* 터빈 발전기. **~elektrisch** *a.* 터빈 발전의: ~er Antrieb 터빈 전동식 추진. **~generator** *m.* ↑ ~dynamo. **~gymnasium** *n.* 〘학제〙 12 학년에서 교육 과정이 끝나는 인문계 고교. **~-kompressor** *m.* 원심 압축기. **~lader** *m.* 터빈 충전기. **~motor** *m.* ① 터보 충전 엔진. ② (헬리콥터 등의) 터보 제트 엔진. **~-Prop-Flugzeug** [túrboprɔ́p.., turboprɔ́p..] *n.* 터보 프로펠러 엔진 비행기.

turbulent [turbulɛ́nt] 《lat.》 *a.* ① 소란스러운, 시끄러운: eine ~e Parlamentsitzung 소란스러운 국회 회의장. ② 〖天·기상〗 난기류의; 〖物〗 교란성의.

Turbulenz [..lɛ́nts] *f.* -en ① 소동, 소란. ② 〖天·기상〗 난류, 난기류; 〖物〗 (액체·기체의) 교란 운동.

Türchen[1] [tý:rçən] *n.* -s, - 〘↑ Tour 의 축소형〙〘구어〙 짧은 여행, 근거리 소풍.

Türchen[2] *n.* -s, - 〘↑ Tür 의 축소형〙 작은 문.

Tür·drücker *m.* 문 손잡이; 문고리.

Türe [tý:rə] *f.* -n 〘고어〙 (md.) 문(Tür).

Tür·einfassung *f.* 문틀.

Turf [turf, tə:f] 《engl.》 *m.* -s 경마장.

Tür=falle *f.* (schweiz.) ↑ ~klinke. **~falze** *f.* 문턱의 홈. **~feder** *f.* 문의 스프링. **~feld** *n.* 문의 칸살. **~fenster** *n.* 문의 작은 창. **~flügel** *m.* (날개문의) 문짝. **~füllung** *f.* 문에 끼운 유리(판지). **~gerüst** *n.* 문틀. **~gestell** *n.* 문틀.

Turgeszenz [turgɛstsɛ́nts] 《lat.》 *f.* -en 〖醫·生〗 (세포·조직의) 팽창, 부풂; 울혈, 충혈.

Tür·gewände *n.* 문설주.

Turgor [túrgɔr, ..go:*r*] *m.* -s 〖醫〗 (피부 등의) 긴장도; 〖植〗 (세포벽에 대한) 팽압.

Tür=griff *m.* 문의 손잡이. **~hammer** *m.* ↑ ~klopfer. **~hand** *f.* ↑ ~klinke. **~heber** (문을 열 때) 자동적으로 문을 약간 높여 주는 장치. **~hüter** *m.* 문지기, 수위.

..türig *suf.* "…문의"의 뜻(보기: ein~ 문이 하나인).

Turin [turí:n] 《it. Torino》 토리노(이탈리아 서북부의 상공업 도시).

Turiner 《I》 *m.* -s, - 토리노 사람. 《II》 *a.* 토리노(인)의.

turinisch *a.* 토리노의, 토리노 사람의.

***Türke** [týrkə] *m.* -n, -n ① 터키 사람: wie ein ~ fluchen 입심 사납게 욕하다. ② (a) 터키 황제(Sultan). (b) 이슬람교도(Mohammedaner): (ein) ~ werden 이슬람교도가 되다. (c) 〘구어〙 잔인(잔학)한 사람. ③ 〖動〗 (a) 터키산(產)의 말. (b) 〘드물게〙 벌레. ④ 〘고어〙 터키식의 옷. ⑤ 〘구어〙 눈가림, 속임수: einen ~n bauen (〘구식〙 stellen) 눈가림하다, 속임수를 쓰다. ⑥ 〖영화·방송〗 사실처럼 편집된 장면(을 보여 주기).

Türkei [tyrkái] *f.* 터키.

türken [týrkən] (<Türke ⑤) 《I》 *t.* 위조(날조)하다: einen Ausweis ~ 증명서를 위조하다. 《II》 **getürkt** *p.a.* ↑ getürkt.

***Türken** *m.* -s 옥수수.

Türken=bund *m.* ① 〘고어〙 ↑ Turban. ② 〖植〗 백합의 일종. **~bund·lilie** *f.* ↑ ~bund ②. **~glaube** *m.* 이슬람교. **~korn** *n.* 〖植〗 옥수수. **~krieg** *m.* 터키전쟁. **~pfeife** *f.* 터키식 담배 파이프. **~säbel** *m.* (초승달 모양의) 터키 칼. **~sattel** *m.* 〖해부〗 (접형골(蝶形骨)의) 터키 안장. **~sitz** *m.* 가부좌(책상다리) 자세(Schneidersitz). **~taube** *f.* (터키산(產)) 산비둘기.

Türkentum *n.* -(e)s ① 터키적인 것, 터키식; 터키 국민성; 이슬람교. ② 〘집합적〙 터키 사람.

Turkestan [túrkɛsta(:)n, turkɛstá:n] 투르키스탄(중앙 아시아 지방).

Turkey [tə́:ki] 《engl.》 *m.* -s, -s 〘은어〙 (마약 복용 중단 때의) 금단 증세: auf (den) ~ kommen 금단 증세에 빠지다; auf (dem) ~ sein 금단 증세에 빠져 있다.

Türkin *f.* -nen ↑ Türke ① 의 여성형.

türkis [tyrkí:s] *a.* 〘구어〙 터키 옥색의, 청녹색의.

Türkis *m.* -es, -e [..zə] ①〖광물〗 터키옥(玉). ② 터키 옥색.

***türkisch** [tʏ́rkɪʃ] *a.* ① 터키의, 터키풍의, 터키 사람의, 터키어의: das ∼e 터키어; ∼er Honig (꿀을 바른) 터키 과자; ∼er Kaffee 〔(öst.) ∼er〕 (달고 진한) 터키식 커피; ∼e Sprache 투르크어(Turksprache); 〖植〗 ∼e Bohne 붉은꽃강낭콩; 〖動〗 ∼e Ente (남아메리카산(産)) 사향오리; 〖植〗 ∼er Flieder 라일락; ∼es Gummi 아라비아 고무나무의 고무; ∼er Weizen 〖植〗 옥수수(Türkenkorn); ∼es Leder 터키산(産) 가죽; das ∼e Reich 터키 제국; ∼er Tabak 터키 담배. ②〔고어·폄어〕 포악〔잔인〕한.

Türkisch *n.* -(s) 터키어.

türkisch·rot *a.* 진홍색의.

türkis≈farben, ∼farbig *a.* ↑ türkis.

turkisieren *vt.* (어떤 사람·종족 등을) 터키화(化)하다, 터키에 동화시키다.

Turkistan ↑ Turkestan.

Tür≈klingel *f.* 초인종. **∼klinke** *f.* 문의 손잡이. **∼klopfer** *m.* (현관의) 노커, (현관 문에 달린) 문 두드리는 고리쇠.

Turkmene *m.* -n, -n ① 투르크멘(중앙 아시아의 터키족) 사람. ② 투르크멘산(産) 양탄자.

Turkmenien *m.* ↑ Turkmenistan.

turkmenisch *a.* 투르크멘(사람)의.

Turkmenistan [turkmé:nɪsta(:)n, ..menɪstá:n] *m.* 투르크멘스탄(이란·카스피해·아프가니스탄에 의해 둘러싸인 공화국).

Turko [tʊ́rko] 《frz.》 *m.* -s, -s (프랑스 식민지군에 근무하는) 유색 인종 경(輕)보병.

Turkologe *m.* -n, -n 터키(어문)학자.

Turkologie [..logí:] 《ar.+gr.》 *f.* 터키(어문)학.

Turkologin *f.* -nen ↑ Turkologe 의 여성형.

Tür·kontakt *m.* (출입문의) 경보 스위치.

Türlein *n.* -s, - 작은 문, 쪽문.

Turk·sib 《russ. Turkestan-Sibirische Eisenbahn 의 약어》 *f.* 터키·시베리아 철도.

Turk≈sprache *f.* 투르크어(알타이어 계통): 〔복수〕 ∼sprachen 투르크어족(광의의 터키어). **∼stamm** *m.* 투르크계 종족. **∼tataren** *pl.* 터키 타타르인. **∼völker** *pl.* (투르크어를 사용하는) 터키의 여러 민족.

***Turm** [turm] 《lat.》 *m.* -(e)s, Türme [tʏ́rmə] ① 탑, 성탑, 첨탑; 종탑(Glocken∼); 망루(Wacht∼); 〔비유〕 우뚝 솟은 것〔인물〕: elfenbeinerner ∼ 상아탑. ②〔고어〕 (탑에 있는) 감옥: jn. in den ∼ werfen 누구를 투옥하다. ③〖체스〗 루크(장기의 차(車)에 해당): den ∼ verlieren 루크를 잃다. ④ (수영장의) 다이빙대. ⑤〖軍〗 (군함·탱크의) 포탑. ⑥〖軍〗 (잠수함의 탑처럼 솟아오른) 상갑판; (군함의) 사령탑. ⑦〖기술〗 (크레인의) 타워.

Turmalin [turmalí:n] 《it.》 *m.* -s, -e 〖광물〗 전기석(石).

turm≈artig *a.* 탑 모양의. **∼bau** *m.* 탑 건축(물): der ∼ zu Babel 바벨 탑.

Türmchen [tʏ́rmçən] *n.* -s, - 〖↑ Turm 의 축소형〗 작은 탑.

Turm·dreh·kran *m.* 회전식 타워 크레인.

türmen[1] [tʏ́rmən] 《<Turm》 《I》 *t.* ① (탑같이) 쌓아 올리다: Bücher auf den Boden ∼ 책을 바닥에 쌓다. ② (탑을) 세우다. ③ (schweiz.) jn. ∼ 누구를 투옥하다. 《II》 *refl.* sich ∼ (탑처럼) 높게 쌓이다; 우뚝 솟다.

türmen[2] *i.* (s.) 〔구어〕 달아나다, 도주하다: aus dem Gefängnis ∼ 그는 탈옥하다.

Türmer *m.* -s, - ① 탑지기, 종루지기. ② (Gefängniswärter) 교도관, 간수.

Turm≈fahne *f.* 탑 위의 풍향기(旗). **∼falke** *m.* 〖動〗 황조롱이(맷과). **∼förmig** *a.* 탑 모양의. **∼geschütz** *n.* 〖軍〗 포탑포(砲塔砲). **∼glocke** *f.* 종탑의 종; 교회의 종. **∼haube** *f.* 〖건축〗 탑의 (둥근) 지붕. **∼hoch** *a.* 탑같이 높은; 〔비유〕 우뚝 솟은; 걸출한, 뛰어난: jm. ∼ überlegen sein 누구보다 월등히 뛰어나다. **∼hüter** *m.* 탑지기.

..türmig *suf.* "…탑의"의 뜻(보기: zwei∼ 쌍탑(雙塔)의).

Turm≈knauf *m.* 〖건축〗 탑 꼭대기의 공 모양 장식물. **∼knopf** *m.* ↑ ∼knauf.

Türmlein *n.* -s, - 〖↑ Turm 의 축소형〗 작은 탑.

Turm≈schiff *n.* 〖海〗 포탑함(砲塔艦). **∼schwalbe** *f.*, **∼segler** *m.* 〖動〗 (유럽산(産)) 칼새속(屬). **∼spitze** *f.* 〖건축〗 탑첨(塔尖), 탑의 뾰족한 끝. **∼springen** *n.* 〖수영〗 하이 다이빙. **∼uhr** *f.* 시계탑〔교회〕의 시계. **∼verlies** *n.* 탑 속의 감옥. **∼wächter, ∼wart, ∼wärter** *m.* ↑ Türmer ①. **∼zinne** *f.* 탑 위의 요철 모양의 벽.

Turn[1] [turn] *m.* -(e)s, -e 〔고어〕 탑.

Turn[2] [tø:rn, tœrn, tə:n] 《engl.》 *m.* -s, -s ① 〖空〗 선회. ②〔구어〕 (마약에 의한) 환각 상태: auf dem ∼ sein 환각에 빠져 있다.

Turn≈anstalt [tʊ́rn..] *f.* 체조〔체육〕학교; 체조장. **∼anzug** *m.* 체조복, 체육복.

Turnei [turnáɪ] *m./n.* -(e)s, -e 〔고어〕 ↑ Turnier.

turneien *i.* (h.) 〔고어〕 ↑ turnieren ①.

***turnen**[1] [tʊ́rnən] *i.* (h.) ①〔고어〕 ↑ turnieren ①. ② **(a)** 체조하다; 〖軍〗 교련하다: am Reck ∼ 철봉 체조를 하다. **(b)** 특정한 체조 동작을 하다. ③〔구어〕 (체조하듯) 날쌔게 움직이다; 곡예하다, 곡예하듯 교묘히 움직이다.

turnen[2] [tǿ:rnən, tœ́rnən] *i.* (h.) (törnen) ① (약물로 인해) 환각 상태에 빠지다. ② 환각 작용을 일으키다.

Turnen *n.* -s 체조(하기).

Turner *m.* -s, - 체조인, 체조 선수.

Turnerei [turnəráɪ] *f.* 〔구어·종종 폄어〕 체조; 곡예; (대담한) 등반, 기어 오르기.

Turnerin *f.* -nen ↑ Turner 의 여성형.

turnerisch *a.* 체조〔체육〕의.

Turner·kreuz *n.* 십자가형의 체조인 상징 기호(4 개의 F 자(frisch, fromm, fröhlich, frei)로 만든 체조인의 상징 기호).

Turnerschaft *f.* -en 체조인(단체); 체조 선수단.

Turner·zeichen *n.* ↑ ∼kreuz.

Turn≈fahrt *f.* 체육인의 단체 여행. **∼fest** *n.* 체육〔체조〕 대회. **∼gerät** *n.* 체조 기구. **∼halle** *f.* 체조장, 체육관. **∼hose** *f.* 체조용〔체육용〕 바지, 트레이닝 바지.

Turnier [turní:r] 《frz.》 *n.* -s, -e ① (중세 기사의) 마상(馬上) 무술 시합. ② 운동 경기 대회: Tennis∼ 테니스 대회.

Turnier≈bahn *f.* (중세의) 마상 무술 시합장; 경기장, 트랙. **∼dank** *m.* (마상 무술 시합의

승자에게 주는) 상(품); 경기의 상품.
turnieren [turní:rən] 《„sich im Kreise drehen"》 *i.* (h.) 〖고어〗 ① 마상 무술 시합을 개최하다; 마상 무술 시합에 참가하다. ② (bayr.) 날뛰다, 소란 피우다. ③〖카드〗 패를 뒤집다.
turnier·fähig *a.* 경기〔마상 시합〕에 참가할 자격이 있는.
Turnier≈helm *m.* 마상 시합용 투구. **~lanze** *f.* 마상 시합용 창. **≈mäßig** *a.* 운동 경기〔마상 시합〕의 규칙에 맞는; 운동 경기〔마상 시합〕 같은. **~pferd** *n.* 마상 경기용 말. **~platz** *m.* 마상 경기장. **~reiter** *m.* 마상 시합의 기사. **~reiterin** *f.* ↑ ~reiter 의 여성형. **~rennen** *n.* ↑ Turnier. **~schranken** *pl.* 운동 경기장〔마상 시합장〕의 울타리. **~tanz** *m.* ① 스포츠 댄스. ② 무도(舞蹈) 경기 종목으로 인가된 춤. **~tänzer** *m.* 무도 경기 참가자. **~tänzerin** *f.* ↑ ~tänzer 의 여성형.
Turn≈kunst *f.* 체조 기술. **~lehrer** *m.* 체육〔체조〕 교사. **~lehrerin** *f.* ↑ ~lehrer 의 여성형. **~meister** *m.* ↑ ~lehrer. **~platz** *m.* 옥외 체조장. **~riege** *f.* 체조 선수단. **~saal** *m.* ↑ ~halle. **~schuh** *m.* 운동〔체조〕화. **~schuh·generation** *f.* 운동화 세대(1970-80 년대의 운동화를 즐겨 신던 청소년). **~spiel** *n.* 구기(球技); 실내 경기. **~stunde** *f.* 체육〔체조〕 시간〔수업〕. **~übung** *f.* 체조 연습. **~unterricht** *m.* 체육〔체조〕 수업.
Turnüre [turnýːrə] 《frz. „Drehung"》 *f.* -n 〖구식〗 ① 세련된 거동. ② 자세, 태도. ③ (19 세기 말에 유행한 여성복의) 히프 쿠션.
Turnus [túrnus] 《lat.》 *m.* -, -se ① 순번, 순환 주기; in einem ~ von drei Jahren 3 년 주기로, 매 3 년마다. ② 순환 주기 내의 한 단계. ③ (öst.) 교대 근무 시간(Schicht); 교체.
Turnus≈arzt *m.* (öst.) 교대〔당직〕 의사. **≈gemäß** *a.* 순환〔교대〕 주기〔순번〕에 맞게. **≈mäßig** *a.* ① ↑ ~gemäß. ② 정기적으로 열리는〔반복되는〕.
Turn≈vater *m.* 체조의 아버지(체조의 창시자인 F.L. Jahn 을 일컬음). **~verein** *m.* 체조 협회. **~wart** *m.* 체조 협회의 체조 교사. **~wesen** *n.* 체육, 체조. **~zeug** *n.* 체조복; 체조 기구.
Tür·öffner *m.* 출입문 자동 개폐 장치.
Turon [turó:n] *n.* -s 〖지질〗 투론계(階)(백악계 중간층).
Tür≈pfosten *m.* 문설주, 문기둥. **~platte** *f.* ↑ ~schild. **~rahmen** *m.* 문틀. **~riegel** *m.* 문빗장. **~ring** *m.* 문고리. **~ritze** *f.* 문의 틈 (문짝 나무판의 균열 틈새 또는 문짝과 바닥 사이의 틈새). **~säule** *f.* ↑ ~pfosten. **~schelle** *f.* 초인종. **~schild** *n.* 문패. **~schließer** *m.* ① (극장 등의) 문지기. ② 출입문 자동 개폐 장치. **~schloß** *n.* 문의 자물쇠. **~schlüssel** *m.* 문 열쇠. **~schnalle** *f.* (öst.) 문의 손잡이. **~schnäpper** *m.* 〖철도〗 (화차의) 문의 빗장. **~schwelle** *f.* 문지방, 문턱. **~spalt** (문과 문기둥 사이의 열린) 문틈. **~steher** *m.* ↑ ~hüter. **~stock** *m.* ① 문틀. ②〖광산〗 갱도의 버팀목. **~stück** *n.* 문 위에 있는 그림. **~sturz** *m.* 〖복수: -e/..stürze〗 (문·창문의) 윗 횡목, 상단 가로목.
turteln [túrtəln] *i.* (h.) ①〖고어〗 Tauben ~ 비둘기들이 구구거리며 울다. ②〖구어〗(표나게) 애정어린 행동을 하다.
Turtel·taube *f.* 〖動〗 잉꼬비둘기.
Tür≈verkleidung *f.* ① (창)문의 둘레에 댄 널빤지. ② (자동차 문의) 윈도 코팅. **~vorhang** *m.* 출입구용 커튼. **~wächter** *m.* ↑ ~hüter. **~wärter** *m.* ↑ ~hüter.
TuS = Turn- und Sportverein 체조 및 체육 협회.
Tusch[1] [tuʃ] *m.* -(e)s, -e 〖음악〗 팡파르: einen ~ blasen〔schmettern〕 팡파르를 울리다.
Tusch[2] 《frz.》 *m.* -(e)s, -e ①〖학생·고어〗 시비걸기, 모욕. ② 당구치기. ③ (öst.) das ist der ganze ~ 그것으로 전부다, 그것뿐이다.
Tusch[3] 《frz.》 *m.* -es, -e ↑ Tusche.
Tusch[4] *m.* -(e)s, -e (ndd.) (Tausch) 교환.
tusch *int.* 〖의성어〗 쉿, 조용히.
Tusch·blau *m.* 수채화용 파란색 물감.
Tusche [túʃə] 《frz.》 *f.* -n ① **(a)** 제도용 먹; 교정용 흰색 잉크. **(b)**〖방언〗 수채화 물감. **(c)** 마스카라. ② 필법, 화풍, 터치.
Tuschelei [tuʃəláı] *f.* -en 〖종종 폄어〗 속삭임; 귓속말, 밀담.
tuscheln [túʃəln] *i.* (h.) / *t.* 은밀하게 속삭이다, 귓속말〔밀담〕하다: jm. et. ins Ohr ~ 누구의 귀에다 무슨 말을 속삭이다.
tuschen[1] [túʃən] *t.* ①〖구식〗(누구를 강압적으로) 침묵시키다, 꼼짝 못하게 하다. ② (nordd.) (불을) 끄다, (소요를) 진정시키다: die Frauen suchten vergebens das Feuer zu ~ 여인들이 불을 끄려고 애썼으나 소용 없었다; die Gegenwart des Amtmanns tuschte einen Aufruhr 고위 관리가 현장에 있었기 때문에 소요가 진정되었다.
tuschen[2] 《< Tusche》 *t.* / *i.* (h.) ① 먹으로 그리다, 묵화를 그리다; 마스카라를 칠하다: sich[3] die Wimpern ~ 속눈썹에 마스카라를 칠하다. ②〖工〗 (동판을) 부식(腐蝕)하다.
tüschen *prp.*[3/4] (ndd.) (zwischen) …사이에, 사이로.
Tusch·farbe *f.* 수채화용 물감.
tuschieren [tuʃí:rən] 《Tusch[2]》 *t.* ① (손을) 대다, 건드리다; 〖醫〗 촉진(觸診)하다. ②〖학생〗 모욕하다. ③〖工〗 먹으로 찍어 금속면의 튀어 나온 부분을 다듬다.
Tuschen·kasten *m.* 〖방언〗 ↑ Tuschkasten.
Tusch≈kasten *m.* 그림 물감 상자. **~malerei** *f.* ① 묵화. ② 묵화 작품. **~napf** *m.* 물감 접시. **~pinsel** *m.* 그림붓, 화필. **~zeichnung** *f.* 수채화; 묵화(墨畫).
Tuskulum [túskulum, (lat.) tú:s..] 《lat.》 *n.* -s, ..la ① 투스쿨룸(고대 로마의 Cicero 의 별장이 있던 로마 근교의 지명). ②〖교양·고어〗 조용하고 쾌적한 별장.
Tussi *f.* -(s) 〖폄어〗 ↑ Thusnelda.
tut [tu:t] *int.* 〖의성어·아동〗 뚜우, 빵빵(경적·피리 등의 소리).
Tutanchamun 투탕카멘(고대 이집트의 왕).
Tutand [tútant] 《lat.》 *m.* -(e)s, -er 〖고어〗 (감독 교사의 지도를 받는) 대학 초년생.
Tütchen [tý:tçən] *n.* -s, - 〖↑ Tüte 의 축소형〗 작은 봉지.
Tute [tú:tə] *f.* -n ①〖구어〗 호각, 경적. ②〖방언〗 ↑ Tüte ①. ③ 경적 모양의 것: **(a)** 〖植〗 초상 탁엽(鞘狀托葉). **(b)** 파마용 클립. **(c)** 깔때기. **(d)** 〖動〗 달팽이의 일종. **(e)** 〖工〗 글라스 실린더. **(f)** 코.

***Tüte** [tý:tə] *f.* -n ① 봉지: 〔구어〕 ~n kleben 〔drehen〕 교도소에 복역 중이다; angeben wie eine ~ voll Mücken〔Wanzen〕 허풍떨다; Suppe aus der ~ 인스턴트 수프; 〔구어·농담〕 das kommt nicht in die ~! 그것은 말도 안 된다! (일고의 가치도 없다); 〔방언〕 aus der ~ geraten 이성을 잃다, 흥분하다. ② 〔구어〕 멍청이. ③ 주머니 모양의 음주 측정기: in die ~ blasen 음주 측정기를 불다.

Tutel [tuté:l] 《lat.》 *f.* -en 〔구식〕 후견.

tutelarisch [tutelá:rɪʃ] *a.* 〔고어〕 후견의.

tuten [tú:tən] 《<Tute》 《Ⅰ》 *i.*(h.) 경적〔호각〕이 울리다: von ~ und Blasen keine Ahnung haben (어떤 분야에 대해) 아무것도 모르다. 《Ⅱ》 *t.* ① 경적을〔호각을〕 울리다. ② (berl.) einen ~ 한 잔 마시다. ③ ↑ tüten 《Ⅱ》.

tüten 《Ⅰ》 *i.*(h.) (꿀벌이) 집을 짓다. 《Ⅱ》 *t.* 봉지에 넣다.

Tutenchamun ↑ Tutanchamun.

Tüten≈dreher *m.* 소상인, 장사꾼, 식료품상. **≈förmig** *a.* 봉지 모양의.

tüterig *a.* (나이가 들어) 약간 멍청한, 서투른.

Tuter·kram *m.* (ndd.) 쓸데없는 소리.

Tut·horn *n.* 각적(角笛), 호각, 경적.

Tutiorismus [tutsiorísmus] 《lat.》 *m.* - 〔가톨릭〕 안전 채택주의(두 가지의 가능성 중 늘 확실한 쪽을 선택하라는 가르침).

Tütlein *n.* -s, - 작은 봉지.

Tutor [tú:tɔr, ..to:*r*] 《lat., „Beschützer"》 *m.* -s, -en [..tó:rən] ① 〔로마법〕 후견인, 교육자. ② 감독자. ③ 튜터(강의·세미나에서 하급생을 지도하는 상급생), 보충 학습 담당자. ④ (무릎) 보호대.

Tutorin *f.* -nen ↑ Tutor 의 여성형.

Tutorium *n.* -s, ..rien [..riən] (그룹별) 보충 수업; 튜터 제도.

Tutte, Tütte *f.* -n 젖꼭지(Brustwarze).

Tüttel [týtəl] *m.* -s, - 〔고어·방언〕 (Pünktchen) 작은 점.

Tüttelchen *n.* -s, - 〔고어·방언〕 ① 작은 점. ② 〔비유〕 조금, 미량: kein ~ preisgeben 조금도 포기하지 않다; an dieser Nachricht ist kein ~ Wahrheit 이 보도에는 조금의 진실도 들어 있지 않다.

tutti [tóti] 《it.》 *adv.* 〔음악〕 모든 악기〔성부(聲部)〕가 다 함께.

Tutti *n.* -(s), -(s) 〔음악〕 (모든 성부(聲部)의) 합창; (모든 악기의) 일제 연주.

Tutti·frutti [tutifróti] 《it. „alle Früchte"》 *n.* -(s), -(s) ① 투티프루츠(온갖 과일과 야채로 만든 디저트 음식). ② 〔고어〕 잡탕, 혼합물; 〔비유〕 논문집; 혼란, 뒤죽박죽.

tutti quanti [..kvánti] *adv.* 모두 함께, 예외 없이.

Tutti·spieler *m.* 〔음악〕 합주에만 참여하는 현악기 연주자.

tut, tut *int.* 〔의성어〕 뚜뚜.

Tutu [tytý] 《frz.》 *n.* -(s), -s ① 발레용 스커트. ② 〔아동〕 엉덩이.

TÜV [tʏf] *m.* - 〔기술〕 =Technischer Überwachungsverein 기술 검사 협회: 〔구어〕 ein Auto durch den ~ führen 자동차 정기 검사를 받다.

TÜV-geprüft *a.* 〔약어: Tüv〕 정기 검사에 합격한.

Tuwort [tú:vɔrt] *n.* -(e)s, ..wörter 〔고어〕 동사.

TV[1] =Turnverein 체조 협회.

TV[2] =Television 텔레비전.

Twalch [tvalç] *m.* -(e)s 〔植〕 독보리속(屬) (Lolch).

Tweed [tvi:t, twi:d] 《engl.》 *m.* -s, -s/-e 〔섬유〕 트위드(스카치직(織)의 일종).

tweed·ähnlich *a.* 트위드 같은.

twei [tvaɪ] (ndd.) 《Ⅰ》 *num.* 둘(zwei). 《Ⅱ》 *a.* 두 조각 난(entzwei).

Twele *f.* -n (ndd.) 가늘고 긴 타월〔테이블보〕.

Twen [tvɛn] *m.* -(s), -s 20 대의 사람(특히 남자).

Twenter [tvɛ́ntə*r*] 《nordd., „zwei Winter"》 *n.* -s, - 두 살 된 망아지〔양·송아지〕.

twer [tvɛ:*r*] *adv.* (schweiz.) 가로의(quer).

Twerhands·bursche *m.* 도제, 수습공.

twi.. *pref.* (ndd.) "둘(zwei..)"의 뜻.

Twiete [tví:tə] *f.* -n (ndd.) 샛길, 골목길.

Twill [tvɪl] 《engl.》 *m.* -s, -s/-e 〔섬유〕 트윌(주머니감 등에 쓰는 면직물 또는 견직물).

Twing [tvɪŋ] 《<zwingen》 *m.* -(e)s, -e (ndd.) ① (권위와 부를 과시하는) 호화 궁성 (Zwingburg). ② 구역(Bezirk).

Twist[1] [tvɪst] 《engl.》 *m.* -(e)s, -e 꼰 면사(綿絲).

Twist[2] [tvɪst, twɪst] 《engl.》 *m.* -s, -s ① 트위스트 춤. ② 〔테니스〕 공에 스핀을 주어 올려치기. ③ 〔체조〕 트위스트.

twisten [tvístən] *i.*(h.) 트위스트를 추다.

twors, tworst, tworsten *cj.* (ndd.) …이 옳은 말이긴 하지만(zwar).

Two·step [tú:stɛp] 《engl.》 *m.* -s, -s 투스텝 (빠른 4 분의 2 박자의 폴카춤).

Two·stepp 新정서 ⇦ Twostep.

Tyche [tý:çe(:)] *f.* ① 〔그리스신화〕 티케(행운의 여신). ② 〔비유〕 행운; 운명.

Tycoon [taɪkú:n] 《jap.》 *m.* -s, -s (정계·재계의) 실력자, 보스.

Tympanal·organ *n.* 〔生〕 곤충의 청각 기관.

Tympanon [týmpanɔn] 《gr.》 *n.* -s, ..na ① 〔악기〕 팀파니. ② 〔건축〕 박공 벽면(중세식 교회 건축에서 문의 상단과 아치 사이의 부분).

Tympanum [týmpanum] 《gr. -lat.》 *n.* -s, ..na ① 〔악기〕 (고대 그리스의) 팀파니. ② 〔해부〕 고막(Paukenhöhle). ③ (고대 그리스의) 양수용 물레방아; 북 모양의 급수차.

***Typ** [ty:p] 《gr.》 *m.* -s, -en ① 타입, 유형: ein athletischer ~ 스포츠맨 타입; 〔구어〕 sie ist mein ~ 그녀는 내가 좋아하는 타입이다; 〔구어〕 dein ~ wird verlangt 누가 너와 얘기하고 싶어한다; 〔경박〕 dein ~ ist hier nicht gefragt 너는 여기서 쓸모없는 존재다. ② 전형, 원형. ③ 〔2 격: -en 도 쓰임〕 〔학생〕 놈, 녀석; 풋내기: ein netter〔ekelhafter〕 ~ 싹싹한 〔역겨운〕 녀석. ④ 모델, 제작 방식: eine Maschine vom ~ Boeing 747 보잉 747 형 비행기.

Type [tý:pə] *f.* -n ① **(a)** 〔印〕 활자. **(b)** (타자기의) 활자. ② 〔구어〕 괴짜, 기인. ③ 사진. ④ 〔農〕 밀가루의 등급. ⑤ (öst.) ↑ Typ ④.

typen [tý:pən] (*p.p.* getypt) *t.* ① 〔구어〕 사진을 찍다. ② (제품을) 규격화하다.

Typen≈druck [tý:pən..] *m.* 활판식 인쇄.

~**druck·telegraf** *m.* 타자식 전신기.
typenhaft [tý:..] *a.* ↑ typisch.
Typen≈lehre [tý:..] *f.* 〖心〗 유형(심리)학. ~**metall** *f.* 활자(합)금. ~**rad** *n.* 〖기계〗 인쇄기〔타자기〕의 활자 원반. ~**reiniger** *m.* 타자기 청소용 브러시. ~**schreiber** *m.* 타자기. ~**setz·maschine** *f.* 〖印〗 식자기.
Typ·hebel [tý:..] *m.* (타자기의) 타이프 바.
Typhlitis [tyflí:tɪs] 《gr.》 *f.* ..tiden [..tí:dən] 〖醫〗 맹장염(Blinddarmentzündung).
Typhon [tyfó:n] 《gr.》 *m.* -s, -s ① 타이폰(공기 압축식 사이렌). ②〔고어〕 돌개바람.
typhös [tyfǿ:s] 《gr.》 *a.* 〖醫〗 **(a)** 티푸스성(性)의, 티푸스의. **(b)** 티푸스에 걸린.
***Typhus** [tý:fus] 《lat.》 *m.* - 〖醫〗 티푸스; 장티푸스(Unterleibs~); 발진티푸스(Fleck~).
typhus≈artig [tý:..] *a.* 티푸스성의〔같은〕. ~-**epidemie** *f.* 티푸스 전염병. ~**fieber** *n.* ↑ Typhus. ~**krank** *a.* 티푸스에 걸린. ~-**kranke*** *der/die* 티푸스 환자.
Typik [tý:pɪk] *f.* -en 〖心〗 유형(심리)학.
***typisch** [tý:pɪʃ] *a.* ① 전형적인, 대표적인: ein ~er Berliner 전형적인 베를린 사람. ② 독특한, 특유의: der ~e Gang des Seemanns 선원 특유의 걸음걸이; 〔구어〕 (Das ist) ~ Tante Nina! 니나 아주머니다운 행동이다!; 〔펌어〕 ~! 그럼 그렇지, 또 그 모양이야! ③ 〔구식〕 모범적인. ④ 주기적인(periodisch).
typisieren [typizí:rən] *t.* ①〖문학·예술〗 전형화하다: typisierte Romangestalten 전형화된 소설 인물들. ②〔교양·전문어〕 유형화하다. ③〔구식〕 (제품을) 규격화하다.
Typisierung *f.* -en ①〔교양·전문어〕 전형화; 유형화. ②〖經·工〗 규격화, 규격 통일〔제한〕.
Typizität *f.* (고유한) 특성.
Typ·norm [tý:..] *f.* 〖기술〗 공산품 규격.
Typografie *f.* 新정서 ⇦ Typographie.
Typograph [typográ:f] *m.* -en, -en 〖印〗 ① 〔구식〕 식자공; (활판) 인쇄공. ② 활판 식자기.
Typographie [..grafí:] *f.* -n [..fí:ən] ① (활판) 인쇄술. ② 인쇄의 체제.
typographisch [..grá:fɪʃ] *a.* 활판 인쇄술의.
***Typologie** [typologí:] *f.* -n [..gí:ən] ① **(a)** 유형학. **(b)** 〖신학〗 예정론(신약의 사건들은 모두 구약에 예시되어 있다는 설). ② 유형 체계. ③ (전체적) 특성: ~ des Amerikaners 미국인의 특성.
typologisch *a.* ① 유형학의. ②〖신학〗 예정론의.
Typoskript *n.* -e(s), -en 타자로 친 원고〔글〕.
Typung [tý:puŋ] *f.* -en 〖經·工〗 (공산품의) 규격화.
Typus [tý:pus] 《gr. týpos, „Schlag"》 *m.* -, ..pen 타입, 유형; 전형, 모범; 〖醫〗 정형(定型).
Tyr[1] [ty:r] 《nord.》 *m.* 〖북구신화〗 티르(고대 게르만의 군신(軍神)).
Tyr[2] 〖생화학〗 = Tyrosin 티로신.
***Tyrann** [tyrán] 《gr.》 *m.* -en, -en ① 전제 군주, 폭군, 독재자; (특히 가정에서) 독재적인 사람: 〔농담〕 der Junge ist ein richtiger ~ geworden 그 녀석 진짜 독재자가 되었군. ② 〖動〗 타이런트새(미국산(産) 딱새류).
***Tyrannei** [tyranái] *f.* -en ① 전제 정치, 폭정. ②〔교양〕 독단, 강압, 독재.
Tyrannen≈herrschaft *f.* ↑ Tyrannei ①. ~**joch** *n.* 폭군의 압제. ~**laune** *f.* 폭군의 횡포〔전횡〕. ~**mord** *m.* 폭군 살해.
Tyrannentum *n.* -s 폭정, 압제.
Tyrannin *f.* -nen ↑ Tyrann 의 여성형.
Tyrannis [tyránɪs] *f.* ↑ Tyrannei ①.
tyrannisch *a.* 폭군 같은; 독단적〔강압적〕인.
***tyrannisieren** [tyranizí:rən] *t.* ① 전제 정치로 다스리다. ② 강압적으로 다루다, 꼼짝 못하게 하다: 〔비유〕 dieses Kind tyrannisierte die ganze Familie 이 아이는 온 집안 식구를 꼼짝 못하게 만들었다.
Tyrannisierung *f.* -en 폭군화, 횡포화.
Tyranno·saurus *m.* -, ..rier 폭군 공룡(거대 육식 공룡).
Tyras [tý:..] 《frz.》 *m.* -, -se 〖動〗 티라스개.
Tyrer [tý:..] *m.* -s, - ↑ Tyrier.
Tyrier [tý:riər] *m.* -s 티루스 사람.
tyrisch [tý:..] *a.* 티루스의.
Tyros [tý:..] 티루스(고대 페니키아의 도시).
Tyrosin [tyrozí:n] *n.* -s 《gr.》 〖생화학〗 티로신(아미노산의 일종).
Tyrrhener [tyré:nər] *m.* - 에트루리아인(Etrurier).
tyrrhenisch *a.* 에트루리아의(etrurisch): das ~e Meer 티리아해.
tyrtäisch *a.* 티르테우스의.
Tyrtäus 티르테우스(고대 그리스의 시인).
Tyrus [tý:rus] ↑ Tyros 의 라틴어형.
Tz [té:tsɛt, te:tsέt] *n.* -es ↑ Tezett.

U

U[1], **u** [uː] *n.* -, - 독일 자모의 스물한째자.
U[2] =Unterseeboot 잠수함.
U[3] 〖化〗 =Uran 우라늄(방사능 원소).
Ü, ü [yː] U, u 의 변음(Umlaut)으로 û 에서 나온 형; Ue, ue 라고도 씀.
u. =und(상점·회사 이름에 쓸 때는 & 로 씀).
u.a. ① =und andere(s) 등등, 기타. ② = unter ander(e)m〔ander(e)n〕 그 중에서도, 특히.
u.Ä. 新정서 ⇦ u.ä.
u.ä. =und ähnliche(s) 기타, 등등.
u.a.m. =und and(e)re(s) mehr 기타, 등등.
u.〔U.〕A.w.g. =um〔Um〕 Antwort wird gebeten 회답을 기다리겠습니다〔바랍니다〕.
UBA =Umweltbundesamt 연방 환경청.
U-Bahn [úːbaːn] *f.* =Untergrundbahn 지하철.
U-Bahnhof *m.* 지하철역.
U-Bahn-Netz *n.* 지하철망.
U-Bahn-Tunnel *m.* 지하철 터널〔굴〕.
***übel** [ýːbəl] (übler, übelst) 《Ⅰ》 *a.* ① (↔gut) 나쁜, 싫은, 불쾌한; 못된, 사악한; 정도가 심한, 혹독한; 상황이 좋지 않은: eine üble Angewohnheit 악습; ein übles Aussehen 추한 외모, 나쁜 안색; ein übler Bursche 불량배, 건달; ein übler Ruf 악평; wohl oder ~ 좋든 나쁘든, 어쨌든간에; das Gericht hat einen üblen Geschmack 요리가 맛이 없다; das Mädchen ist kein übler Bissen 저 소녀는 밉지가 않다; 〖구어〗 (gar) nicht ~ 정말 좋다; nicht ~ Lust haben, et. zu tun 무엇하는 것을 썩 좋아하다; jm. ~ mitspielen 누구를 심하게 괴롭히다; jm. Übles antun 누구에게 나쁜 짓을 하다; jn. in üble Nachrede bringen 누구를 비방〔중상〕하다; es steht ~ mit ihm 〔um ihn〕 (건강·경제 상태 등에 대해서) 그는 사정이 좋지 않다. ② 기분이 좋지 않은, 불쾌한; 메스꺼운, 욕지기가 나는: mir ist ~ 〔ich fühle mich ~〕 나는 기분이 나쁘다, 속이 메스껍다; es kann einem ~ werden, wenn man das sieht 그것을 보기만 해도 속이 매스꺼워질〔불쾌해질〕 것이다. ③〖동사와 함께〗 bei jm. ~ ankommen 누구에게 냉대받다; das steht ihm ~ an 그것은 그에게 어울리지 않는다; über jn. ~ reden 누구를 나쁘게 말하다; er hat es ~ aufgenommen 그는 그것을 나쁘게 받아들였다; ~ ausgehen 결과가 나빠지다; das Essen ist ihm ~ bekommen 그 음식은 그에게 맞지 않았다; jm. et. ~ vermerken 누구의 무엇을 나쁘게 생각하다; du sollst das nicht ~ auslegen〔auffassen, deuten〕 너는 그것을 나쁘게 해석하면 안 돼; jn. ~ halten 누구를 학대하다; jm. ~ wollen 누구에게 악의를 품다. 《Ⅱ》 *adv.* 〖방언〗 (sehr) 몹시, 심하게: jn. ~ schelten 누구를 몹시 나무라다.
***Übel** *n.* -s, - ① 악; 화, 해; 나쁜 것〔일〕; 재해, 불행: das kleinere (von zwei) ~(n) (둘 중에서) 덜 나쁜 것; ein notwendiges ~ 필요악; 〖聖〗 erlöse uns von den ~! 우리를 악에서 구하소서!; das ist von 〔vom〕 ~ 그것은 해롭다; von einem ~ betroffen〔heimgesucht〕 werden 불행한 일을 당하다; zu allem ~ fing es auch noch an zu regnen 설상가상으로 비까지 내리기 시작했다. ②〖雅語·구식〗 병, 질환: ein unheilbares ~ 불치의 병; 〖구어〗 das französische ~ 매독.
Übel≈befinden *n.* 〖드물게〗 기분이 언짢음, 몸이 불편함. **~beraten** *a.* 나쁜〔잘못된〕 조언을 받은: der ~e Herrscher 나쁜 조언을 받아들인 지배자. **~feil** *a.* (schweiz.) 충고 없는, 어찌할 바를 모르는. **~gehörig** *a.* (schweiz.) 잘 듣지 못하는. **~gelaunt** *a.* 기분이 언짢은, 시무룩한. **~gelauntheit** *f.* 언짢음, 시무룩함. **~gesinnt** *a.* 악의를 품은.
Übelkeit *f.* -en ① 기분이 나쁨. ② 구역질 남, 메스꺼움: dieser Geruch erregt in mir ~ 이 냄새는 나를 구역질나게 한다.
Übel≈klang *m.* 불협화음(Mißklang). **~klingend** *a.* 불협화음의(mißklingend). **~launig** *a.* ↑ ~gelaunt. **~launigkeit** *f.* 기분이 언짢음. **~lautend** *a.* ↑ ~klingend. **~nehmen*** 《Ⅰ》 *t.* ① 나쁘게 받아들이다〔해석하다〕: jm. et. ~ 누구의 무엇을 나쁘게 받아들이다. ② 민감하게 반응하다: so etwas nehme ich nicht so leicht übel 나는 그러한 것에 쉽게 자극받지 않는다. 《Ⅱ》 *i.* (h.) 감정이 상해 있다. **~nehmerei** *f.* 나쁘게 받아들임. **~nehmerisch** *a.* 감정이 상하기 쉬운, 민감〔예민〕한. **~nehmisch** *a.* ↑ ~nehmerisch. **~riechend** *a.* 악취가 나는. **~sein** *n.* ↑ ~befinden. **~stand** *m.* 〖雅語〗 나쁜 상태, 곤경. **~tat** *f.* 〖雅語〗 ① 나쁜 짓, 악행. ② 〖구식〗 위법 행위, 범죄. **~täter** *m.* ① 나쁜 짓을 한 사람. ② 〖구식〗 범죄자. **~täterin** *f.* ↑ ~täter 의 여성형. **~tun*** *i.* (h.) 〖드물게〗 나쁜 짓을 하다. **~tun** *n.* 나쁜 짓. **~wollen*** *i.* (h.) (jm.) (누구에게) 악의를 품다. **~wollen** *n.* 악의. **~wollend** *p.a.* 악의를 품은.
üben[1] [ýːbən] *adv.* 〖방언〗 (drüben, hüben) 저쪽에, 저편에.
***üben**[2] 《Ⅰ》 *t.* ① 행하다, 실행〔행사·이행〕하다; 나타내다, 표명하다: Barmherzigkeit an jm. ~ 누구에게 자비를 베풀다; Betrug ~ 사기치다; einen Einfluß auf jn. ~ 누구에게 영향을 끼치다; Geduld ~ 참다; mit jm. Nachsicht ~ 누구를 너그러이 봐주다; Gewalt ~ 폭력을 행사하다; Herrschaft über jn. ~ 누구를 지배하다; Rache〔Verrat〕 an jm. ~ 누구에게 복수하다〔누구를 배반하다〕; Spott gegen jn. ~ 누구를 비웃다. ② 연습하다; 훈련하다: das Gedächtnis ~ 기억력을 훈련하다; Parademarsch ~ 분열식을 연습하다; das Ge-

lernte fleißig ~ 배운 것을 열심히 복습하다. 《Ⅱ》 *i.* (h.) 연습하다: auf dem Klavier ~ 피아노를 연습하다; am Reck ~ 철봉 연습을 하다. 《Ⅲ》 *refl.* sich ~ ① 연습하다: sich im Fechten〔Schwimmen〕 ~ 펜싱〔수영〕을 연습하다; sich in Geduld ~ 참을성을 기르다; sich in Nachsicht ~ 관대하다; sich auf et. 〔zu et.³〕 ~ 무엇을 목표로 노력하다. 《Ⅳ》

geübt *p.a.* ↑ geübt.

***über** [ý:bər] 《Ⅰ》 *prp.*³ ①〔장소〕 …의 위(쪽)에: ein Vogel schwebt ~ dem Dach 새 한 마리가 지붕 위를 맴돌고 있다; das Bild hängt ~ der Tür 그림이 문 위에 걸려 있다; er wohnt ~ mir 그는 내 위층에 살고 있다; zwei Grad ~ Null 영상 2도; ~ der Stadt lag dichter Nebel 도시 상공에는 짙은 안개가 끼어 있었다;〔비유〕 ~ jm. sitzen (서열에서) 누구보다 윗자리에 있다; ~ jm. stehen (지위·교양 따위가) 누구보다 뛰어나다; es schwebt Unglück〔Gefahr〕 ~ seinem Haupt 불행〔위험〕이 그에게 임박해 오고 있다. ② …에 종사하고 있는: er liegt〔hockt, sitzt〕 immer ~ den Büchern 그는 언제나 책만 읽고 있다; ich bin eben ~ der Verpackung 나는 막 짐을 꾸리고 있는 참이다. ③ …을 넘어 저편〔저쪽〕에: er wohnt ~ der Straße 그는 길 건너편에 살고 있다; das Schloß liegt ~ dem Fluß 성(城)은 강 저쪽에 있다. ④ (während) …하는 동안에: er war ~ dem Lesen eingeschlafen 그는 책을 읽다가 잠들어 버렸다; er sprach ~ der Mahlzeit davon 그는 식사 중에 그것에 관해 이야기했다. ⑤ …때문에: ~ all der Aufregung 매우 흥분한 나머지; ~ dem Streit ging ihre Freundschaft entzwei 싸움 때문에 그들의 우정이 깨졌다; er vergißt ~ dem Spiel seine Geschäfte 그는 노는 데 정신이 팔려 할 일을 잊어버린다. 《Ⅱ》 *prp.*⁴ ① (**a**)〔장소〕 …의 위(쪽으)로: ein Bild ~ das Sofa hängen 그림을 안락 의자 위에 걸다; der Adler erhebt sich ~ die Wolken 독수리가 구름 위로 날아오른다. (**b**) …의 위를 넘어: er steckt bis ~ die Knöchel im Schnee 그는 발목 위까지 눈속에 빠져 있다; das Wasser ging ihm ~ die Schultern 물이 그의 어깨까지 찼다. ② …의 우위에, 우선해서: Gott ~ alles lieben 그 무엇보다 하느님을 사랑하다; Zufriedenheit geht ~ Reichtum 만족은 부귀보다 낫다. ③ …의 전면을 덮고, …의 위로: sie breitet den Teppich ~ den Fußboden 그 여자는 마루에 양탄자를 펼쳐 깐다; er lachte ~ das ganze Gesicht 그는 만면에 미소를 머금었다; das Wasser geht ~ die Wiesen 물이 초원에 범람한다; Tränen liefen ihr ~ die Wangen 눈물이 그 여자의 뺨 위로 흘러내렸다. ④ …을 압도하는: Macht ~ jn. haben 누구에 대한 지배권을 갖다; Cäsar herrschte ~ die Römer 시저는 로마인을 지배했다; die Verbündeten siegten ~ die Deutschen 연합군은 독일군에게 승리를 거두었다. ⑤〔정신 활동의 대상; von 과 거의 같은 뜻이지만 von 은 원래 부분적인 뜻을 나타내고, über 는 대개 대상 전체에 관계됨〕 …에 대하여〔관하여〕: was wissen Sie ~ ihn? 당신은 그 사람에 대해 아는 것이 무엇입니까?; ~ welches Thema schreiben Sie? 당신은 어떤 주제에 관해 쓰고 있습니까?; ~ et. sprechen〔plaudern〕 무엇에 대하여 말하다〔잡담하다〕; sie reden ~ das Dasein Gottes 그들은 신의 존재에 관해 말하고 있다. ⑥ (**a**) …을 넘어서 (저편으로): der Vogel flog ~ das Haus 새가 집 너머 저쪽으로 날아갔다; ~ Berg und Tal 산과 골짜기를 넘어서; er lebt ~ seine Verhältnisse 그는 분에 넘치는 생활을 하고 있다; das ist ~ alle Begriffe herrlich 그것은 이루 말할 수 없이 훌륭하다. (**b**) …을 경유하여: wir sind ~ die Autobahn gekommen 우리는 고속 도로로 왔다; ~ Weimar nach Berlin reisen 바이마르를 경유하여 베를린으로 여행하다. ⑦〔어떤 수량·정도의 초과〕 …이상의: sie ist ~ alle Beschreibung schön 그 여자는 형언할 수 없이 아름답다; die Arbeit ist ~ alles Erwarten gut ausgefallen 일은 너무나 뜻밖에도 좋은 결과로 끝났다; Kinder ~ 5 Jahre 5세 이상의 아이들; Städte ~ 50 000 Einwohner 인구 5만 이상의 도시들; ~ die Hälfte der Schüler fehlte 학생의 과반수가 결석했다; die Rede dauerte ~ eine Stunde 연설은 한 시간 이상 계속되었다;〔구어〕 ein Glas ~ den Durst trinken 지나치게 마시다. ⑧ 경과한 후에: heute ~ acht Tage 내주의 오늘; es ist schon ~ ein Jahr her 이미 일 년 이상 지났다; ~morgen 모레; ~ Jahr und Tag sehen wir uns wieder 내년에 다시 만납시다. ⑨ 동안에: ~ Nacht wach bleiben 철야하다, 밤새다; bleibst du ~ Nacht? 자네, 오늘밤 묵겠는가?; ~ Mittag geht er meist nach Hause 그는 대개 점심 시간에 집으로 간다; ~ Weihnachten 성탄절 기간 중에. ⑩ …로 인하여: ich erstaunte ~ diese plötzliche Erscheinung 나는 이 갑작스런 현상에 놀랐다; man soll sich nie ~ das Unglück eines anderen Menschen freuen 결코 다른 사람의 불행을 기뻐해서는 안 된다. ⑪〔누적·반복〕 …위에 더하여〔누적하여〕: er häufte eine Sünde ~ die andere 그는 죄를 거듭 저질렀다; Fehler ~ Fehler 실수에 실수를 거듭하여. ⑫ (öst.)〖官〗 …에 따라서: ~ Antrag 신청에 따라서. ⑬〔시어〕 …위에(저주를 보내는): Fluch ~ dich! 네게 저주가 있으리라! 《Ⅲ》 *adv.* ① …위로: Segel ~! 돛을 올려라!〖軍〗 Gewehr ~! 어깨총! ② …이상으로: der Stoff ist ~ einen Meter breit 이 원단은 폭이 1미터를 넘는다. ③ 일정 기간 내내: den ganzen Tag ~ 하루 종일. ④〔darüber 가 da ... über 로 분리되어〕 da habe ich noch gar nicht ~ nachgedacht 나는 그 일을 깊이 생각한 적이 없었다. ⑤〔다음 형태로〕 ~ und ~ 완전히, 위에서 아래까지: er war ~ und ~ mit Schmutz bedeckt 그는 온몸이 진흙투성이다. 《Ⅳ》 *adj.* ① 남은, 여분의: vier Mark sind ~ 4마르크가 남아 있다. ② 우월한: sie ist ihm geistig um einiges ~ 그 여자는 그 남자보다 정신적으로 약간 우월하다. ③ 싫증난, 물린: es ist mir jetzt ~ 나는 이제 그것에 물렸다.

***über..** *pref.* ① 동사의 분리 전철로서 악센트가 있으며 "저편으로 넘어서"의 뜻이 있음. ② 동사의 비분리 전철로서는 악센트가 없이 타동사로서 "과도·반복·등한·생략·무시·우세·이전·확장·위임" 따위의 뜻이 있음. ③ 분리·비분리의 구별이 엄밀하게 지켜지지 않는 경우도 있음(보기: über|siedeln, übersiedeln, 또 überversichern; über.. 에 악센트가 있으면서

U

비분리).
über|ackern *i.*(h.) 경계를 넘어 갈다.
überạckern 《I》 *t.* 되풀이하여 밭을 갈다; 〔구어〕 과로하다. 《II》 *refl.* sich ~ 과로로 지치다.
über·all [y:bər|ál, ý:bər|al] *adv.* ① **(a)** 도처에, 어디에나: das bekommt〔findet〕 man ~ 그것은 어디서나 얻을 수 있다〔어디에나 있다〕; von ~ 사방에서부터; er weiß ~ Bescheid 그는 모든 방면에 정통하다. **(b)** 언제나, 어떤 일에나: sie will ~ dabeisein 그녀는 어떤 일에나 참석〔참견〕하려고 한다. ② (westd.) 일반적으로; 전혀, 전연: ~ nicht 결코 …않다; ich habe ihn ~ nicht gesehen 나는 그를 만난 일이 전혀 없다. ③〖海〗 ~! 전원 상갑판으로!
überall·her [y:bər|alhé:r] *adv.* 사방팔방에서. **~hịn** *adv.* 사방 팔방으로.
überaltert [y:bər|áltərt] *a.* ① 연장자가 다수를 점하는. ② 시대에 뒤떨어진, 진부한; 더 이상 사용되지 않는. ③〔드물게〕 너무 오래된: ~e Arzneimittel 너무 오래된 약제.
Überạlterung *f.* -en 고령화, 노후, 진부.
Über·angebot *n.* 과잉 공급: ein ~ an bestimmten Waren 특정 상품의 과잉 공급.
überängstlich *a.* 너무 불안해하는〔소심한〕.
überanstrengen [y:bər|ánʃtrɛŋən] 《I》 *t.* 과로시키다: seine Augen ~ 눈을 혹사하다. 《II》 *refl.* sich ~ 과로하다.
Überạnstrengung [..ʃtrɛŋʊŋ] *f.* -en ① 무리, 과로. ② 혹사.
überantworten [y:bər|ántvɔrtən] *t.* 〔雅語〕 ① 넘겨 주다, 인도하다: einen Verbrecher dem Gericht ~ 범인을 법원에 인도하다. ② 위임하다.
Überạntwortung *f.* -en 위임, 맡김; 넘겨줌, 인도.
Überarbeit [ý:bər|arbaɪt] *f.* 〖經·法〗 규정외 노동 시간; 초과 노동.
über|arbeiten 《I》 *t.* 〔고어〕 ↑ überarbeiten. 《II》 *i.*(h.) 초과 노동을 하다: drei Stunden ~ 세 시간 초과 노동을 하다.
überạrbeiten 《I》 *t.* 끝손질을 하다, 마무르다; 수정하다: ein Manuskript 〔einen Roman〕 ~ 원고를〔소설을〕 수정하다. 《II》 *refl.* sich ~ 과로하다: überarbeite dich nicht! 과로하지 마라!
Überạrbeitung *f.* -en ① 마무리; 수정. ② 〔드물게〕 과로.
Über·ärmel *m.* 〔드물게〕 소매 커버.
über·aus [ý:bər|aus] *adv.* 지나치게, 극도로.
überbạcken *t.* 이미 요리된 음식물을 높은 온도에서 잠깐 굽다: die Toasts im Grill ~ 토스트를 그릴에 굽다.
Überbau *m.* -(e)s, -e/-ten ①〔복수: -ten〕 〖건축〗 **(a)** (건물의) 상부 돌출부. **(b)** (교량의) 상부 구조. **(c)** 〖法·드물게〗 경계 침범 건축(물). ②〔복수: -e〕 〖마르크스주의〗 상부 구조.
über|bauen *t./i.*(h.) 〖法〗 대지의 경계를 넘어서 짓다.
überbauen *t.* 위층을 짓다; 윗부분에 증축하다; (mit et.³) (무엇으로) 덮다: ein Gebäude mit einem Dach ~ 어떤 건물에 지붕을 올리다; die Häuserflucht ~ 연립 가옥 위에 발코니를 증축하다.
Überbauung *f.* -en 증축, 위층을 지음.
über|beanspruchen *t.* 지나친 부담을 주다, 까다롭게 굴다; 혹사하다.
Überbeanspruchung *f.* -en 과도한〔까다로운〕 요구, 혹사.
über|behalten* [ý:bər..] *t.* 남겨 놓다.
Über·bein *n.* ①〖醫〗 결절종(結節腫), 외골증(外骨症). ②〔수의〕 (특히 말의) 골막(骨膜) 염증으로 인한 뼈의 종창(腫脹).
über|bekommen* 《I》 *t.* 〔구어〕 싫증나다; 〖다음 용법으로〗 eins〔einen〕 (mit dem Stock) ~ (지팡이로) 한데 얻어맞다. 《II》 *i.*(h.) 〖海〗 파도를 뒤집어 쓰다.
über|belasten *t.* 과도한 부담을 주다, 지나치게 짐을 싣다.
Überbelastung *f.* -en 과도한 부담을 줌, 지나치게 짐을 실음.
über|belegen *t.* (어느 장소에) 정원을 초과하여 사람을 채워 넣다: eine überbelegte Gefängniszelle 초만원인 감방.
Überbelegung *f.* -en 정원 초과.
über|belichten *t./i.*(h.) 〖사진〗 (필름을) 과다하게 노출시키다.
Überbelichtung [ý:bər..] *f.* -en 〖사진〗 과다 노출.
Überbeschäftigung *f.* -en 〖經〗 과잉 고용.
über|betonen [ý:bər..] *t.* 지나치게 강조하다.
Überbetonung *f.* -en 지나치게 강조함.
überbetrieblich *a.* 개별 기업을 넘어선, 범기업적인.
Über·bett *n.* 〔방언〕 이불, 담요.
über|beugen 《I》 *t.* 어떤 것 위로 굽히다. 《II》 *refl.* sich ~ 어떤 것 위로 몸을 구부리다.
überbevölkert [ý:bər..] *a.* 인구 과잉의.
Überbevölkerung *f.* -en 인구 과잉.
über|bewerten [ý:bər..] *t.* 과대 평가하다.
Überbewertung *f.* -en ① 과대 평가. ②〖經〗 채권·채무를 분식 또는 절하하다.
über|bezahlen [ý:bər..] *t.* 과다 지급하다.
Überbezahlung *f.* -en 과다 지급.
über|biegen* *t.* ↑ überbeugen.
überbiegen* *t.* 너무 휘게 하다.
überbietbar *a.* 능가할 만한.
über|bieten* *t./i.*(h.) (경매 따위에서) 비싼 값을 부르다: ich bot 20 Mark für den Spiegel, er bot aber noch 2 Mark über 나는 거울 값으로 20마르크를 불렀는데 그는 2마르크 더 불렀다.
überbieten* [y:bərbí:tən] 《I》 *t.* ① (jn.) (경매에서 누구보다) 비싼 값을 부르다: jn. bei der Versteigerung mit〔um〕 zwei Mark ~ 경매에서 누구보다 2마르크 더 비싼 값을 부르다. ②〔비유〕 능가하다, 보다 낫다: jn. an Frechheit〔Gemeinheit〕 ~ 누구보다 더 뻔뻔하다〔비열하다〕; er ist an Hilfsbereitschaft kaum zu ~ 그는 누구보다도 남을 잘 도와 준다; den Rekord ~ 기록을 갱신하다. 《II》 *refl.* sich ~ 〔비유〕 전력을 다하다: die Turner überboten sich in ihren Leistungen 체조 선수들은 전력을 다해 기량을 다투었다.
Überbietung *f.* -en (경매에서) 더 높은 값을 부름; 능가.
überbịlden *t.* 교육을 지나치게〔잘못〕 하다.
Überbinde *f.* -n 〖醫〗 붕대.
über|binden* *t.* ① et. ~ 무엇을 다른 것 위에 매다〔감다〕. ② 붕대로 감다.

überbinden* *t.* ① 붕대로 감다. ② (schweiz.) (부)과하다: jm. et. ~ 누구에게 무엇을 (부)과하다: jm. eine Verpflichtung ~ 누구에게 책임을 지우다.
Über·biß [ý:bərbɪs] *m.* 〖醫〗 (아랫니에 비해서) 위쪽 앞니의 돌출.
überblasen *i.* (h.) 〖음악〗 (관악기를 기본음보다 높게) 고음을 내다.
überblatten *t.* 〖건축〗 널빤지를 덧붙이다.
überblättern *t.* ① 못보고 페이지를 넘기다: eine Stelle ~ 어떤 구절을 못 보고 넘기다. ② (책을) 대강 훑어보다.
Überblattung *f.* -en 〖건축〗 널빤지를 덧붙임.
über|bleiben* *i.* (s.) 〖구어〗 남아 있다.
überbleiben* *i.* (s.) 살아 남다.
Überbleibsel [ý:bərblaɪpsəl] *n.* -s, - 나머지, 잔여; 〖聖〗 성유물(聖遺物).
überblenden *t.* ① 〖영화·방송〗 (화면·소리를) 오버랩하다. ② 〖연극〗 (조명을) 오버랩하다.
Überblendung *f.* -en 오버랩.
***Überblick** [ý:bərblɪk] *m.* -(e)s, -e ① (**a**) 조망, 전망: von hier oben hat man einen guten ~ über die Stadt 이 위에서 보면 도시 전망이 좋다. (**b**) 안목, 통찰력: es fehlt ihm an ~ 그는 안목이 부족하다; den ~ verlieren 통찰력을 상실하다. ② 개관, 개요: ein ~ der Weltgeschichte 세계사 개관. ③ (어떤 분야의) 전문 지식.
***überblicken** *t.* ① 멀리 내다보다, 조망〔전망〕하다. ② 개관하다; 〖비유〗 통찰하다.
überblicks·weise [ý:bər..] *adv.* 개괄하여.
Überbliebene* *der/die* 살아 남은 사람, 생존자; 〖드물게〗 유가족.
überborden *i.* (h./s.) 〖방언〗 ① (하천 따위가) 범람하다. ② (schweiz.) 정도가 지나치다.
überbraten *t.* 〖다음 용법으로〗〖구어〗 jm. eins〔einen〕 ~ a) 누구에게 일격을 가하다, b) 누구를 제압하다〔해치우다〕.
überbreit [ý:bər..] *a.* 지나치게 넓은.
Überbreite *f.* -n 지나치게 넓음.
über|breiten *t.* 위에 펼치다〔펴다〕: eine Decke ~ 식탁보를 펴다.
Über·brettl [ý:bərbrɛtl] *n.* 보드빌 극장.
über|bringen* *t.* 저편〔건너편〕으로 나르다.
überbringen* *t.* 지참하다, 전달하다, 넘겨주다: Glückwünsche (von jm.) ~ (누구의) 축하 인사를 전하다.
***Überbringer** *m.* -s, - (수표·어음의) 지참인; 전달자.
Überbringung *f.* -en 지참; 전달.
überbrückbar *a.* 극복할 수 있는.
überbrücken [y:bərbrʏ́kən] *t.* ① 견뎌내다, 극복하다: die Klassengegensätze werden immer mehr überbrückt 계급 대립이 점점 더 해소〔극복〕되고 있다. ② (강 따위에) 다리를 놓다.
Überbrückung *f.* -en 가교(架橋); 〖철도〗 육교; 〖비유〗 극복.
Überbrückungs≈beihilf *f.* ↑ ~hilfe. **~hilfe** *f.* 보조금, 임시 지원금. **~kredit** *m.* 〖금융〗 단기 융자, 단기 신용 대부. **~zahlung** *f.* 보조금 지급.
überbürden [y:bərbʏ́rdən] *t.* 〖雅語〗 짐을 지나치게 쌓다〔싣다〕: die Schüler sind überbürdet 학생들의 공부나 숙제가 너무 많다.
Überbürdung *f.* -en 〖雅語〗 짐을 너무 많이 쌓기〔싣기〕; 과중한 부담; 과도한 공부, 과로.
Über·chlorsäure [ý:bərklo:rzɔʏrə] *f.* 〖化〗 과염소산.
Überdach [..dax] *n.* -(e)s, ..dächer [..dɛçər] 지붕.
überdachen *t.* 지붕을 얹다〔대다〕.
überdacht 《I》 *p.p.* ↑ überdenken. 《II》 *p.a.* 숙고한.
Überdachung *f.* -en ① 지붕 설치. ② 지붕.
Über·dampf *m.* 잉여 증기.
über·das *adv.* 〖고어〗 ↑ überdies.
überdauern *t.* ① (…보다) 오래가다〔견디다〕; (…보다) 오래 살다: sein Werk hat sein Leben überdauert 그의 작품은 그가 죽은 후에도 빛을 잃지 않았다. ② ↑ überstehen ②.
Überdecke *f.* -n 웃덮개; 이불.
über|decken *t.* (덮개로) 덮다, 씌우다: das Tischtuch ~ 식탁보를 씌우다; jm. einen Mantel ~ 누구에게 외투를 씌워 주다.
überdecken *t.* ① (**a**) 덮다: et. mit et.³ ~ 무엇을 다른 것으로 덮다, 무엇에 다른 것을 씌우다. (**b**) 감추다, 은폐하다: Hautunreinheiten mit Make-up ~ 화장으로 피부의 흉을 가리다; Ängste〔Zweifel〕 ~ 불안〔의심〕을 감추다. ② 〖건축〗 (아치 따위를) 세우다: mit einem Gewölbe ~ 아치를 세우다.
Überdeckung *f.* -en 씌우기, 덮기; 지붕.
überdehnen *t.* 지나치게 늘이다.
Überdehnung *f.* -en 지나치게 늘임.
über·dem *adv.* 〖고어〗 ① 그 동안에, 그러는 사이에. ② ↑ überdies.
überdenken* 《I》 *t.* 곰곰히 생각하다, 숙고하다. 《II》 *refl.* sich ~ ① 지나치게 생각하다. ② 숙고하다. 《III》 **überdacht** *p.a.* ↑ überdacht.
über·deutlich *a.* 매우〔지나치게〕 분명한.
über·dies *adv.* 그 외〔위〕에, 더욱, 더구나.
überdimensional *a.* 매우 큰, 거창한.
über|dimensionieren *t.* 너무 거창하게 계획〔형성〕하다.
überdimensioniert *a.* 너무 거창하게 계획한.
Überdimensionierung *f.* -en 지나치게 거창하게 계획함.
über|dosieren [ý:bər..] *t.* (약을) 과다 처방〔조제〕하다.
Überdosierung *f.* -en ① 과다 처방〔조제〕. ② ↑ Überdosis.
Überdosis *f.* ..sen (약의) 과다 복용(량).
Überdrang *m.* -(e)s, ..dränge [..drɛŋə] 대혼잡; 쇄도.
überdrehen *t.* ① (태엽 등을) 너무 감다. ② (엔진의) 회전수를 너무 높이다. ③ 〖영화〗 고속 촬영하다. ④ 〖스포츠〗 (도약할 때) 몸을 지나치게 돌리다.
Überdruck[1] *m.* -(e)s, -e ① 〖印〗 초과 인쇄, 여분의 인쇄물. ② (**a**) (우표의 금액 변경 따위의) 덧인쇄. (**b**) 덧인쇄한 우표.
Überdruck[2] *m.* -(e)s, ..drücke [..drʏkə] 〖物〗 과중 압력.
über|drucken *t.* 〖印〗 초과로 인쇄하다.
überdrucken *t.* 중복〔덧〕 인쇄를 하다.
Überdruck≈kabine *f.* 〖空〗 여압실(與壓室). **~turbine** *f.* 〖기계〗 반동 터빈. **~ventil** *n.* 〖工〗 (과중 압력에 대비한) 안전 밸브.
***Überdruß** [ý:bərdrus] *m.* ..drusses 진저리,

싫증, 권태: ihre Besuche sind mir schon zum ~ geworden 나는 이미 그 여자의 방문이 귀찮아졌다; et. bis zum ~ sehen 무엇을 싫증나도록 보다; ~ am Leben 삶의 권태.

Überdruss 新정서 ⇦ Überdruß.

***überdrüssig** [..drʏsɪç] *a.* 〖2격 지배; 드물게 4격 지배〗〖雅語〗 물린, 싫증난: js. (eines Dinges) ~ sein(werden) 누구(무엇)에 싫증나다; ich bin des Wartens ~ 나는 기다리기에 진저리가 난다; einer Speise ~ sein 어떤 음식에 물리다.

überdüngen *t.* 비료를(거름을) 너무 주다.

Überdüngung *f.* -en 거름을 너무 많이 줌.

überdurchschnittlich *a.* 평균 이상의.

über·eck, überecks *adv.* (obd.) 모서리에 비스듬히; 비스듬히: einen Schrank ~ stellen 장롱을 비스듬하게 세우다.

Über·eifer *m.* 지나친(과도한) 열의.

übereifrig *a.* 지나치게 열심인.

übereignen [y:bər|áɪgnən] *t.* (jm. et.) (누구에게 무엇을) 넘겨주다, 양도하다.

Übereignung *f.* -en ① 양도. ②〖法〗 재산 양도.

Übereile [ý:bər|aɪlə] *f.* 서두름, 조급, 화급.

übereilen [y:bər|áɪlən] 《Ⅰ》 *t.* 지나치게 서두르다. 《Ⅱ》 *i.* (h.)〖사냥〗 (어린 사슴이) 뒷다리를 앞다리 앞에 놓다. 《Ⅲ》 *refl.* sich ~ 지나치게 서두르다, 경솔히 굴다: sich mit einer Sache ~ 어떤 일을 너무 성급하게 하다. 《Ⅳ》 **übereilt** *p.a.* ↑ übereilt.

übereilt 《Ⅰ》 *p.p.* ↑ übereilen. 《Ⅱ》 *p.a.* 너무 서두른, 조급한, 성급한; 경솔한: eine ~e Handlung 경솔한 행위.

übereilter·weise *adv.* 조급(성급)하게.

Übereiltheit *f.* ↑ Übereilung.

Übereilung *f.* -en ① 지나치게 서두름, 조급; 성급; 경솔: nur keine ~! 서두르지 마라; 〖속담〗 ~ ist keinem Menschen gut 급히 먹는 밥이 목이 멘다. ② ↑ Übereilungsfehler.

Übereilungs·fehler *m.* (조급으로 인한) 실수, 과실.

***über·ein** *adv.* 일치하여, 부합(적합)하여: ~ denken 같은 의견이다; das klingt nicht ~ 그것은 앞뒤가 맞지 않는다.

über·einander *adv.* ① (서로) 포개어져서, 겹쳐서. ② 서로에 대해: sie sprechen ~ 그들은 서로에 대해 이야기한다.

U

Übereinander *n.* -s, - 포개어 합침(겹침), 중첩.

übereinander⸗|greifen* *i.* (h.) 포개어 합쳐지다, 맞물다. **~|legen** *t.* 포개다: drei übereinandergelegte Brotschnitten 세 개를 포갠 빵 조각. **~|liegen*** *i.* (h.) 포개어져 있다: ~de Berge 첩첩산중. **~|schichten** *i.* (h.) 포개어 층을 쌓다. **~|schlagen*** *t.* (팔짱을) 끼다; (다리를) 꼬다: mit übereinandergeschlagenen Beinen dasitzen 다리를 꼬고 앉아 있다. **~|stehen** *i.* (h.) 포개어 세워져 있다. **~|stellen** *t.* 포개어 세워 놓다.

überein⸗|kommen *i.* (s.) 일치(부합)하다: mit jm. über et. ~ 무엇에 관해 누구와 의견이 일치하다. **~kommen** *n.* ① (의견·진술 등의) 일치; 합의; 협정: ein stillschweigendes ~ 암묵적인 합의; ein ~ treffen 합의하다. ② 초과 수입. **~kunft** *f.* ↑ ~kommen ①. *~|**stimmen** *i.* (h.) 같은 의견(동감)이다; 일치하다, 조화를 이루다; 〖문법〗 (인칭·성·수·격 따위가) 일치(호응)하다: mit jm. über et. völlig ~ 무엇에 대하여 누구와 의견이 완전히 일치하다; in dieser Beziehung stimmen wir mit Ihnen vollkommen überein 이 점에 있어서 우리는 당신과 의견이 완전히 일치합니다; die Farbe der Tapete stimmt mit der des Vorhangs überein 벽지 색이 커튼 색과 조화를 이룬다. * **~stimmung** *f.* (의견의) 일치, 조화: ~ erreichen 의견 일치를 이루다; in ~ mit jm. handeln 누구와 의견이 일치하여 행동하다; die ~ zwischen Denken und Empfindung 생각과 감정의 일치; dieses Ergebnis ist mit der Theorie nicht in ~ zu bringen 이 결과는 이론과 일치하지 않는다. **~|treffen*** *i.* (s.) ↑ ~kommen.

über·empfindlich *a.* ① 과민한, 지나치게 예민한. ②〖醫〗 알레르기성의.

Überempfindlichkeit *f.* -en ① (신경) 과민, 과민증. ②〖醫〗 알레르기.

überenzig *a.* (westd.) 남은; 불필요한.

über|erfüllen *t.* 〖구동독〗 (목표를) 초과 달성하다.

über·ernährt [ý:bər..] *a.* 영양 과다의.

Überernährung *f.* -en 영양 과다.

übererregbar [ý:bər..] *a.* 흥분을 잘 하는.

Übererregbarkeit *f.* 흥분을 잘함.

über|essen* *t.* 질리도록 많이 먹다: sich³ eine Speise ~ 어떤 음식을 질리도록 먹다.

überessen* *refl.* sich ~ 과식하다, 너무 먹어 배탈이 나다: sich an einer Speise ~ 어떤 음식을 과식하다.

überfachlich *a.* 전공 분야를 넘어서는, 여러 전공 분야를 포괄하는.

über|fahren* 《Ⅰ》 *i.* (s.) (배로) 건너다, 넘다. 《Ⅱ》 *t.* 배로 건네다, 운반하다.

überfahren* *t.* ① (차 따위로) 치다: jn. mit dem Wagen ~ 누구를 마차로 치다; ich wäre um ein Haar ~ worden 나는 하마터면 치일 뻔했다. ② 무시하고 지나쳐 운행하다: ein Signal(Warnschild) ~ 신호를(경고판을) 무시하고 지나치다. ③ 통과하다: sie überfuhr als erste die Ziellinie 그녀는 1등으로 골라인을 통과했다. ④〖스포츠〗 압승을 거두다. ⑤〖구어〗 (jn.) (누구를) 무시하다, 무시하고 행동하다.

Überfahrt *f.* -en ① 건너감, 넘어감, 도항(渡航). ② (강의) 나루터. ③ 나룻배.

Überfahrts⸗geld *n.* 뱃삯, 도항료. **~ort** *m.* ↑ Überfahrt ②. **~preis** *m.* ↑ ~geld. **~stelle** *f.* ↑ Überfahrt ②.

***Überfall** [ý:bərfal] *m.* -(e)s, ..fälle [..fɛlə] ① 습격, 기습: einen ~ planen 습격을 계획하다; sich gegen einen ~ waffnen 습격에 대비해서 무장하다; 〖구어·농담〗 wir haben einen kleinen ~ auf dich vor a) 우리는 잠시 너를 방문하려고 한다, b) 우리는 네게 부탁이 있다. ②〖水理〗 **(a)** (댐·둑을) 넘쳐흐르는 물; 범람. **(b)** (둑의) 수문, 배수구(排水口). ③ (nordd.) 목젖. ④ 이웃 땅에 떨어진 과일. ⑤ (바지·스웨터의) 위로 드리워진 부분.

über|fallen* *i.* (s.) ① 무엇 위로 떨어지다; 매달려 있다. ②〖사냥〗 (사슴 따위가) 장애물을 뛰어넘어 달아나다. ③ 저편으로 넘어지다.

überfallen *t.* ① 습격(기습)하다; 〖농담〗 불시에 방문하다: wir wurden von Räubern ~

우리는 강도에게 습격당했다; 〖구어〗 gestern hat mich mein Bruder mit seiner ganzen Familie ~ 어제 내 형〔동생〕이 온 식구를 데리고 느닷없이 내 집을 방문했다; jn. mit tausend Fragen ~ 누구에게 질문 공세를 퍼붓다. ②(공포·수면 따위가) 엄습하다: der Schlaf überfiel mich 나는 졸음이 몰려왔다.

Überfall·hose *f.* (무릎 부분을 동여맨 넓은) 반바지, 니커보커스.

überfällig *a.* ① **(a)** (극장 관람·방문 등이) 이미 시기를 놓친. **(b)** 〖금융〗 지급 기한이 넘은: ein ~er Wechsel 연체 어음. ②〖海·空〗 연착한.

Überfall·kommando *n.* 특별 기동대: das ~ rufen 특별 기동대를 호출하다.

Überfang [ý:bərfaŋ] *m.* -(e)s, ..fänge [..fɛŋə] (투명 유리를 차광하기 위해 붙이는) 유색 셀로판지.

überfangen* *t.* 유색 셀로판지를 붙이다: Glas ~ 유리에 유색 셀로판지를 붙이다.

Überfang·glas *n.* 셀로판지를 덧씌운 유리.

über|färben *t.* 색을 입히다〔칠하다〕.

überfärben *t.* 너무 (진하게) 염색하다; (색을 선명하게 하려고) 다시 한 번 물들이다.

überfeilen *t.* 줄질하다, 갈다; 〖비유〗 (글을) 퇴고하다, 다듬다.

über·fein *a.* 극히 정교〔섬세〕한.

überfeinern *t.* 너무 섬세하게〔품위 있게〕 만들다, 너무 정제(精製)하다: eine überfeinerte Kultur 너무 섬세해서 생기를 잃은 문화.

Überfeinerung *f.* 너무 섬세함.

überfirnissen *t.* 니스를 칠하다.

überfischen *t.* ①(물고기를) 남획하다. ②(물고기 수량을) 남획으로 줄이다.

Überfischung *f.* -en 어류 남획.

über|flechten* *t.* 엮어 짠 것으로 씌우다.

überflechten* *t.* 엮어 짜서 덮다.

Über·fleiß *m.* 지나친 근면〔열성〕.

überfleißig *a.* 지나치게 근면한.

über|fliegen* *i.* (s.) ①저편으로 날아가다. ②높이 날다: ~de Gedanken 고답적인 사상.

überfliegen* *t.* ①날아서〔비행하여〕 넘다: die Alpen ~ 알프스산을 날아 넘다; das Meer ~ 대양 저편으로 날아가다. ②…보다 높이〔멀리〕 날다. ③살짝〔엷게·어렴풋이〕 띠우다: 〖雅語〗 ihre Wangen überflog ein zartes Rot 그 여자는 살짝 뺨을 붉혔다. ④대강 훑어보다: den Brief ~ 편지를 대강 훑어보았다.

Überflieger *m.* -s, - 월등〔걸출〕한 사람.

__über|fließen__ *i.* (s.) ①〖雅語〗 넘쳐흐르다; 〖비유〗 남아 돌다: der Eimer ist übergeflossen 양동이의 물이 넘쳤다; vor Freude ~d 기쁨에 넘쳐서, 미칠 듯 기뻐서. ②서로 섞이다, 융합하다: ineinander ~ 서로 뒤섞이다.

überfließen* *t.* 〖雅語〗 범람하다, 침수하다: die überflossenen Felder 침수된 밭.

überfloren *t.* 얇은 천으로 덮다〔가리다〕.

Überflug *m.* -(e)s, ..flüge [..fly:gə] 통과 비행.

überflügeln *t.* ①〖軍〗 (적을) 측면에서 포위하다. ②〖비유〗 능가하다, 낫다. ③〖드물게〗 날개로 덮다.

Überflügelung *f.* -en 능가.

Überflüglung *f.* -en ↑ Überflügelung.

*__Überfluß__ [ý:bərflʊs] 《<überfließen》 *m.* ..flusses 과다, 과잉; 여분: an et.³ ~ haben 〔et. im ~ haben〕 무엇을 남을 만큼 가지고 있다; Geld ist bei ihm in 〔im〕 ~ vorhanden 그에게는 돈은 얼마든지 있다; et. zum ~ tun 하지 않아도 좋을 일을 하다, 쓸데없는 간섭을 하다; zu allem ~ war auch noch das Telefon kaputt 게다가 전화기도 고장났다.

Überfluß·gesellschaft *f.* (산업이 고도로 발달해서 소비가 미덕인) 잉여 사회.

*__überflüssig__ [..flʏsɪç] *a.* ①남는, 여분의. ②불필요한, 쓸데없는: ~e Worte machen 군소리〔잔소리〕하다; jedes weitere Wort ist ~ 더 이상의 말은 전혀 필요없다; ich komme mir hier ~ vor 나는 이곳에서 불필요한 존재라는 생각이 든다; mach dir keine ~e Sorge! 쓸데없는 걱정은 마라!

überflüssiger·weise [ý:bər..] *adv.* 불필요하게.

Überflüssigkeit *f.* 과잉, 과다; 불필요.

über|fluten *i.* (s.) 〖드물게〗 ↑ überfließen.

überfluten *t.* 범람하다: der Strom überflutete die ganze Ebene 강물이 전 평야에 범람했다; der einheimische Markt wurde von ausländischen Waren überflutet 국내 시장에 외국 상품이 범람했다; 〖비유〗 Scham überflutete sie 그녀는 수치심에 휩싸였다.

Überflutung *f.* -en 범람, 홍수.

überfordern [y:bərfɔ́rdərn] *t./i.* (h.) 과도한 요구를 하다, 부당한 값을 요구하다: damit ist er überfordert 그는 이 일을 수행할 능력이 없다.

Überforderung *f.* -en 과도〔부당〕한 요구.

Überfracht *f.* -en 중량 초과 화물〔짐〕.

überfrachten *t.* 〖구식〗 (화물·짐을) 중량을 초과해서 싣다.

Überfrachtung *f.* -en 중량 초과 적재.

überfragen *t.* 대답할 수 없는 질문을 하다: man hat den Prüfling überfragt 수험자는 질문에 쩔쩔 맸다: da bin ich überfragt 나는 그것을 대답할 능력이 없다.

überfremden *t.* 외국의 영향을 과도하게 끼치다: im 18. Jh. war die deutsche Sprache durch das Französische überfremdet 18 세기에 독일어는 프랑스어의 영향을 아주 강하게 받았다.

Überfremdung *f.* -en 과도한 외국 영향.

über|fressen* *t.* (동물이) 너무 먹다.

überfressen* *refl.* sich ~ (동물이) 과식하다, 너무 먹어 자귀나다: 〖구어〗 überfriß dich nicht! 과식하지 마라!

überfrieren *i.* (s.) 살얼음이 얼다.

Überfuhr *f.* -en (öst.) ①나룻배: 〖비유·농담〗 sie hat die ~ versäumt 그 여자는 결혼시기를 놓쳤다. ②건너감, 도항.

*__über|führen__ *t.* ①운송〔운반〕하다, 나르다. ②(어떤 상태로) 바꾸다: das Angestelltenverhältnis in ein Beamtenverhältnis ~ 사적(私的) 고용 관계를 공적(公的) 고용 관계로 전환하다; eine chemische Verbindung in eine andere ~ 어떤 화합물을 다른 화합물로 변환하다; Privateigentum in Staatsbesitz ~ 사유 재산을 국유화하다.

überführen *t.* ①(obd.) (차량이 사람을) 치다. ②〖商〗 과잉 공급하다: der Markt ist mit Waren überführt 시장은 재고 과잉이다. ③

U

(죄를) 증명〔확인〕하다: der Angeklagte ist des Verbrechens überführt worden 피고는 유죄가 입증되었다; ein überführter Verbrecher 유죄가 확인된 범인. ④ 나르다, 옮기다: in et. ~ 무엇의 안으로 나르다〔옮기다〕: der Tote wurde in seine Heimatstadt überführt 사망자는 그의 고향으로 옮겨졌다. ⑤ (a) (교량이) 위에 걸려 있다: eine Brücke überführte den Fluß 교량이 강위에 걸려 있다. (b) (교통로·육교 따위를) 가설하다: einen Verkehrsweg über ein Hindernis ~ 어떤 장애물 위에 교통로를 가설한다.

Überführung *f.* -en ① 운송, 운반; 〖化〗 변환: wer kommt für die Kosten der ~ auf? 운송비는 누가 내는가? ② (죄 따위의) 확인, 증명, 입증. ③〖철도〗 (선로의) 교차; 육교, 고가교(高架橋). ④ (유해·관 따위를) 옮김, 이송, 운반.

Überführungs·kosten *pl.* 이송료, 운송비.

Überfülle [ý:bərfʏlə] *f.* 과다, 과잉; 충만: eine ~ von Blumen 엄청나게 많은 꽃.

über|füllen *t.* 옮겨 담다: Wein in ein anderes Gefäß ~ 포도주를 다른 통에 옮겨 담다.

überfüllen 《I》 *t.* ① 너무 채우다〔넣다〕: der Saal war überfüllt 홀은 입추의 여지가 없었다; die Zeitung ist mit politischen Nachrichten überfüllt 신문은 정치 기사로 가득 차 있다. ② 실컷〔배불리〕 먹이다. ③ 과잉 공급하다. 《II》 *refl.* sich ~ 〔sich mit Speisen ~, sich³ den Magen ~〕 과식하다.

Überfüllung *f.* -en ① 너무 채움; 과식; (상품의) 과잉 공급. ② 초만원, 대혼잡.

Über·funktion *f.* 〖醫〗 과도한 기능 항진(亢進): ~ der Schilddrüse 갑상선의 기능 항진.

überfüttern *t.* 너무 먹이다: ein Kind mit Süßigkeiten ~ 아이에게 단것을 너무 먹이다.

Überfütterung *f.* -en (동물·사람에게) 먹이를〔음식을〕 지나치게 먹임.

Übergabe [ý:bərga:bə] 《<übergeben》 *f.* ① (a) 넘겨줌, 인도, 양도; 위임, 위탁. (b) 〖스포츠〗 (동료 선수에게) 수비 위임. ②〖軍〗 (적에게) 성(城)을 넘겨줌, 항복.

Übergabe·verhandlung *f.* 양도〔항복〕 교섭.

Über·galle [ý:bər..] *f.* 〖수의학〗 우역(牛疫) (Rinderpest).

***Übergang** [ý:bərgaŋ] 《<übergehen》 *m.* -(e)s, ..gänge [..gɛŋə] ① 저편으로 가기〔건너기〕; 이행, 경과, 변화, 변천; 〖法〗 양도: Hannibals ~ über die Alpen 한니발의 알프스산 넘기; der ~ über einen Fluß 도강(渡江); 〖軍〗 ~ zum Feinde 투항; der ~ vom katholischen zum evangelischen Bekenntnis 구교에서 신교로의 개종. ② (a) 〖理〗 천이(遷移); 〖畫〗 바림; 〖음악〗 이행부(部). (b) 과도기; (봄·가을과 같은) 과도기적 계절: ~ vom Tage zur Nacht 해거름; wir stehen noch im ~ 우리는 아직 과도기에 있다; der ~ von der Romanik zur Gotik 로마네스크에서 고딕 양식으로의 과도기. (c) 통과 지점〔설비〕; 〖철도〗 건널목: kein ~ für Fußgänger! 보행자 통행 금지! ③ 임시 변통, 미봉책: es ist nur ein ~ 그것은 다만 미봉책일 뿐이다. ④ (obd., md.) (Regenguß) 소나기, 장대비. ⑤ (schweiz.) 항복. ⑥〖통신〗 네트워크 접속 장치. ⑦〖철도〗 (상등급으로의) 변경 차표.

Übergangs=bahnhof *m.* 통과역, 국경역. **~beihilfe** *f.* 〖軍〗 (병역 의무 후의) 사회 복귀 보조금. **~bestimmung** *f.* 〖法〗 경과 규정. **~erscheinung** *f.* 과도기적 현상. **~gesetz** *n.* 일시적 규칙, 경과법(經過法).

übergangslos [ý:..] *a.* 과도기 단계가 없는.

Übergangs=lösung *f.* 잠정적 해결. **~mantel** *m.* 춘추 코트, 봄·가을용 외투. **~periode** *f.* 과도기. **~phase** *f.* 과도기. **~punkt** *m.* 통과〔도하〕점; 〖철도〗 교차 지점. **~regelung** *f.* 경과 규정. **~stadium** *n.* ↑~zeit ②. **~station** *f.* 국경역. **~stelle** *f.* 통과〔도하〕 지점. **~stil** *m.* ① 과도기적 양식. ② 〖좁은 의미〗 (13 세기 전반부에 로마네스크에서 고딕으로 넘어가는) 과도기의 독일 예술 양식. **~stufe** *f.* 과도기 단계. **~widerstand** *m.* 〖전기〗 중간 저항기(器). **~zeit** *f.* ① 과도기. ② 과도기적 계절로서의 봄〔가을〕. **~zustand** *m.* 〖핵물리〗 전이 상태.

über·gar *a.* 너무 삶은〔구운〕.

über|geben* *t.* 〖구어〗 덮어씌우다: jm. den Mantel ~ 누구에게 외투를 덮어〔걸쳐〕 주다; jm. eins〔einen〕 ~ 누구를 한 대 갈겼다.

übergeben 《I》 *t.* 넘겨 주다; 양도하다; 맡기다, 위탁하다; 공개〔개방〕하다: jm. einen Brief ~ 누구에게 편지를 넘겨주다; jm. et. zu treuen Händen ~ 누구에게 무엇을 믿고 맡기다; jm. das Geschäft ~ 누구에게 사업을 넘겨주다; einen Dieb der Polizei ~ 도둑을 경찰에 넘기다; ein Museum der Öffentlichkeit ~ 박물관을 일반에게 공개하다; die neue Strecke wurde dem Verkehr ~ 철도의 새 구간이 개통되었다. 《II》 *refl.* sich ~ ① 몸을 바치다〔맡기다〕; 항복하다: sich dem Teufel ~ 악마에게 영혼을 팔다. ② 토하다, 게우다.

Über=gebot *n.* 〖商〗 (특히 경매에서 남보다) 높은 호가(呼價). **~gebühr** *f.* 〖우편〗 초과 수수료. **~gebührlich** *a.* 일정한 표준이나 한도를 벗어나는.

über|gehen *i.* (s.) ① 넘치다: die Augen sind ihm übergegangen 그의 눈에는 눈물이 가득했다. ② 저편으로 가다〔건너다〕, 옮아가다; 바뀌다; (적에게) 넘어가다; 차츰 다른 상태로 변하다; 〖음악〗 조바꿈하다: auf das linke Ufer ~ 좌안(左岸)으로 건너가다; zu einer anderen Partei ~ 당적을 옮기다; auf die gegnerische Seite ~ 적 편으로 넘어가다; das Grundstück〔Geschäft〕 ist in andere Hände übergegangen 그 땅〔상점〕은 남의 손에 넘어갔다; das Weinen des Kindes ging in Schreien über 아이는 울다가 울부짖기 시작했다; von einer Tonart in eine andere ~ 한 음조에서 다른 음조로 조바꿈하다; aus C-Dur in A-Moll ~ 다 장조에서 가 단조로 바뀌다. ③ 섞이다: Farben gehen ineinander über 빛깔이 뒤섞이다. ④ 다른 것을 (시작)하다: zum Angriff ~ 공격으로 전환하다; zur nächsten Frage der Tagesordnung ~ 의사 일정의 다음 문제로 넘어가다. ⑤〖海〗 미끄러져 움직이다: Teile der Ladung gehen über 선적한 화물의 일부가 미끄러져 움직이다. ⑥ (schweiz.) 능가하다, 낫다: jm. ~ 누구를 능가하다, 누구보다 낫다. ⑦〖고어〗 지나가다, 통과하다: vor jm. ~ 누구의 앞을 지나가다. ⑧ 오래 가지 않다, 곧 사라지다: das geht über〔überhin, vorüber〕 그것은 오래 가지 않

는다. ⑨ (동물의 암컷이) 새끼를 배지 않다.
übergehen *t.* 《I》①〔고어〕앞지르다, 능가하다: jn. in der Kraft ~ 누구보다 힘이 세다. ②넘어서다, 한계를 넘다. ③〖法〗위반하다: ein Gebot ~ 계율을 어기다; ein Gesetz ~ 법을 위반하다. ④〔목적어 없이도 사용; 때로는 *i.* (s.)〕(**a**) (jn.) (누구를) 무시하다, 고려하지 않다: jn. bei der Beförderung ~ 누구의 승진을 고려하지 않다. (**b**) 간과하다, 묵과하다: js. Fehler mit Stillschweigen ~ 누구의 과실을 묵과하다. (**c**) 억제하다, 억누르다: den Hunger ~ 배고픔을 참고 견디다. (**d**) 생략하다, 빠뜨리다, 건너뛰다: ein Kapitel ~ 한 장(章)을 건너뛰다. ⑤〔드물게〕무엇의 위를 지나쳐 가다. ⑥ (책장을) 대강 훑어보다. ⑦〖畫〗가필〔수정〕하다. ⑧〖사냥〗(짐승을 보지 못하고) 그냥 지나치다. 《II》 *refl.* sich ~ 너무 걸어서 지치다.

übergehend *p.a.* (가축이) 새끼를 배지 않은.

Übergehung *f.* 간과, 무시, 빠뜨림.

über≈gelehrt *a.* 너무 현학적인. **~gemeindlich** *a.* 여러 행정 구역을 포괄하는. **~genau** *a.* 지나치게 꼼꼼한, 아주 주도면밀한. **~genug** *adv.* 너무 많이; 진력날 정도로: Arbeit hat er ~ 그에게는 지나치게 일이 많다. **~genuß** *m.* (öst.) 〖官〗과잉 지출. **~geordnet** *a.* 상위의; 더 포괄적인. **~gepäck** *n.* 〖空〗중량 초과 수화물. **~geschäftig** *a.* 너무 바쁜. **~gewicht** *n.* ① (**a**) 체중 초과, 비만. (**b**) (소포·편지 따위의) 초과 중량: das Paket hat drei Kilo ~ 이 소포는 무게가 3킬로 초과한다. (**c**)〔구어〕gib acht, daß du nicht (das) ~ bekommst〔kriegst〕! 균형〔평정〕을 잃지 않도록 주의해라! ②〔비유〕우세, 우월, 우위; 더 큰 의미〔중요성〕: das militärische〔wirtschaftliche〕 ~ bekommen 군사적〔경제적〕 우위를 차지하다; in der Diskussion das ~ über jn. bekommen〔gewinnen〕 토론에서 누구보다 우위를 점하다. ③〖經〗(매매 계약에 규정된 중량을 벗어나는) 초과 중량. **~gewichtig** *a.* 체중 초과의, 비만의: ~e Patienten 비만 환자들.

über|gießen* *t.* ① 넘치도록 붓다: die Blumenschale ~ 화분에 넘치도록 물을 주다. ② 붓다, 끼얹다: sich³ kaltes Wasser ~ 몸에 냉수를 끼얹다;〔드물게〕eine Flüssigkeit ~ (실수로) 액체를 쏟다. ③ 옮겨 붓다: et. in ein anderes Gefäß ~ 무엇을 다른 그릇에 옮겨 붓다.

übergießen* *t.* 부어 끼얹다, 뿌리다: den Braten mit Soße ~ 구운 고기에 소스를 뿌리다; Backwerk mit Zucker ~ 과자에 설탕을 뿌리다〔입히다〕;〔비유〕ihr Gesicht war von glühender Röte übergossen 그 여자는 얼굴이 새빨개졌다.

Übergießung *f.* -en 뿌림, 끼얹음.

übergipsen [..gípsən] *t.* 석고를 바르다.

Übergipsung *f.* -en 석고를 바름.

überglasen *t.* 유리로 덮다, 유리를 끼우다: die Halle ist überglast 홀은 천장이 유리로 덮여 있다.

Überglasung *f.* -en ① 유리로 덮음. ② 유리 지붕.

über·glücklich *a.* 지극히〔더없이〕 행복한.

übergolden [y:bərgɔ́ldən] *t.* 금을 입히다, 도금하다;〔비유〕치장하다, 멋있게 하다:〔시어〕die vom Mondlicht übergoldeten Fluten 달빛을 받아 금빛으로 빛나는 물결.

Übergoldung *f.* -en 도금; 치장.

übergrasen *t.* 지나치게 풀을 베다.

über|greifen* *i.* (h.) ① 위에 덮다: ~des Dach 달개 지붕, 차양. ②〔비유〕퍼지다, 번지다, 확산되다: die Seuche hat auf die umliegenden Gebiete übergegriffen 전염병이 인근 지역으로 번졌다; das Feuer griff schnell auf das Nachbarhaus über 불은 순식간에 이웃집으로 번졌다. ③ (다른 영역에) 관여〔개입〕하다: die Generäle hatten allmählich auf das politische Gebiet übergegriffen 장군들은 점차 정치에도 관여했다. ④ (피아노 연주·기계 체조 따위에서) 한 손을 다른 손 위로 넘기다.

übergreifen *t.* 덮다, 포괄하다.

Übergriff *m.* -(e)s, -e 관여, 개입; (권리 따위의) 침해.

über·groß [ý:bər..] *a.* 대단히 큰, 막대〔거대〕한.

Übergröße *f.* -n ① 보통 치수 이상의 크기. ② (의복·신발 따위의) 특대호.

übergrünen *t.* 녹색 식물로 뒤덮다.

Überguß [ý:bərgus] 《< übergießen》 *m.* ..gusses, ..güsse (기름 등을) 끼얹기, 뿌리기.

über·gut *a.* 기막히게 좋은, 너무 좋은.

über|haben* *t.* 〔구어〕① (윗옷·외투 등을) 입고 있다. ②〔방언〕남겨 두다, 가지고 있다: noch 50 Pfennig ~ 아직 50 페니히가 남아 있다. ③ 싫증이 나다: die Süßigkeiten ~ 단것에 싫증이 나다; das viele Warten ~ 오래 기다리는 데 지치다.

über|halten* *t.* ①〔구어〕위로〔위에〕 받치다: jm. einen Schirm ~ 누구에게 우산〔양산〕을 받쳐 주다. ②〖林〗(벌목을) 남겨두다.

überhalten* *t.* (alem.) jn. ~ 누구를 속여 이익을 얻다.

Überhälter *m.* -s, -〖林〗(벌목하고) 남은 나무, 보존목.

Über·hand *f.* 〔고어〕 ↑ Oberhand.

Überhand·nahme *f.* 증가, 증대; 만연.

überhand|nehmen* *i.* (h.) 증가〔증대〕하다; 만연하다: infolge der Not hatten die Selbstmorde stark überhandgenommen 곤궁으로 인하여 자살이 격증했다; die Unsitte nimmt überhand 부도덕이 만연한다.

Überhang [ý:bərhaŋ] *m.* -(e)s, ..hänge [..hɛŋə] ① 돌출. ②〖건축〗목골(木骨) 공법에서 돌출한 위층; 옆집으로 뻗어 나간 가지; (90도 이상 경사진) 돌출 암벽〔빙벽〕;〖海〗흘수선 위의 이물과 고물. ③〖經〗(상품의) 과잉, 재고: ein ~ an Waren 상품의 재고. ④ 어깨에 걸치는 옷, 숄.

über|hangen* *i.* (h.) ↑ überhängen 《I》.

über|hängen⁽*⁾ 《I》 *i.* (h.)〖강변화〗돌출하다, 돌출해 있다: ~de Felsen 돌출 암벽; das Tischtuch hängt 30 cm über 식탁보가 30 cm 삐져 나와 있다; ein ~es Dach 튀어나온 지붕. 《II》 *t.* 〖약변화〗jm. et. ~ 누구에게 무엇을 걸쳐주다. 《III》 *refl.* sich³ et. ~ 무엇을 걸치다〔메다〕: sich³ ein Gewehr ~ 소총을 메다; sich³ das Tuch ~ 숄을 걸치다.

überhängen* *t.* ① 덮다, 가리다: et. mit et.³ ~ 무엇을 다른 것으로 덮다. ②〖雅語〗늘어뜨려 덮다: die Mauer war von Blütenzweigen überhangen 담에 꽃가지들이 늘어져 있다.

Überhang·mandat *n.* 〖政〗 초과 의석(독일 연방 의회의 선거에서 후보자 득표에 의한 의석수가 정당에 대한 지지 득표에 따라 비례 배분되는 의석수를 초과하는 의석수).
Überhangs·recht *n.* 〖法〗 자신의 땅으로 넘어온 이웃집 과수의 가지를 자를 권리.
über·happs, über·haps [y:bərháps] *adv.* (bayr.) ① 대략, 약. ② 피상적으로, 적당히; 성급히, 별 생각 없이.
überharschen *i.* 단단한 껍질로 덮히다.
über·hart *a.* 너무 단단한.
überhasten 《I》 *t.* 너무 서둘러 행하다. 《II》 *refl.* sich ~ 너무 서두르다: sich beim Anziehen ~ 옷 입는 것을 너무 서두르다.
Überhastung *f.* -en 너무 서두름.
überhauchen *t.* 숨〔입김〕을 내쉬다〔내뿜다〕: ihre Wangen waren von einer leichten Röte überhaucht 그녀의 뺨은 살짝 홍조를 띠었다.
überhäufen *t.* 포개어 쌓다, 누적하다; 너무 많이 주다; 〖商〗 (시장을) 공급 과잉이 되게 하다: sein Schreibtisch ist mit Akten überhäuft 그의 책상에는 서류가 잔뜩 쌓여 있다; das Kind wurde mit Geschenken überhäuft 그 아이는 선물을 잔뜩 받았다; jn. mit Wohltaten ~ 누구에게 거듭 은혜를 베풀다.
Überhäufung *f.* -en 첩첩이 포개어 쌓기, 누적; (상품의) 공급 과잉.
***über·haupt** [y:bərháupt] *adv.* ① 대개, 일반적으로; 통틀어, 개괄〔총괄〕하면: er ist ~ selten zu Hause 그는 대개 집에 있지 않다. ② 〔강조 어법; 대개 의문문에서〕 도대체, 대관절: wie ist das ~ gekommen? 도대체 어떻게 그런 일이 벌어졌지?; kannst du ~ Ski laufen? 너 도대체 스키를 탈 줄이나 아니? ③ ~ nicht 결코 …않다, 전연 …않다: daran habe ich ~ nicht gedacht 나는 전혀 그런 생각을 하지 못했다; ich habe ~ keine Angst 나는 전혀 겁나지 않는다. ④ 〔구어; 강한 질책의 뜻으로〕 게다가, 그건 그렇다치고: ich mag ihn nicht, (und) ~, was geht dich das an? 나는 그를 좋아하지도 않거니와, 게다가 그게 너와 무슨 상관이 있지? ⑤ wenn ~ 설령 … 한다 해도, 설령 그렇다 치더라도: wenn ~, kommen wir erst spät 설령 간다고 하더라도 우리는 늦게서야 갈 것이다. ⑥ 〔드물게〕 특히 (besonders): Korsika ist, ~ im Frühling, wunderschön 코르시카섬은 특히 봄철에 정말 아름답다.
über|heben* *t.* 〔구어〕 들어올려 저편으로 넘기다.
überheben* 《I》 *t.* 〔구식〕 해방하다, 면제해 주다: jn. eines Dinges ~ 누구를 무엇에서 해방하다, 면제해 주다: wir sind der Sorge um ihn überhoben 우리는 그에 대한 근심에서 벗어났다; wir sind dieser Arbeit überhoben 우리는 이 일을 하지 않아도 된다. 《II》 *refl.* sich ~ ① 해방되다, 벗어나다: sich eines Dinges ~ 무엇에서 자유롭게 되다, 해방되다. ② 무거운 물건을 올리다가 다치다. ③ 〔구식·雅語·폄어〕 교만〔불손〕하다, 건방지다.
überheblich [..hé:plıç] *a.* 〔폄어〕 교만〔불손〕한, 건방진: sie antwortete in einem geradezu ~en Ton 그 여자는 정말 건방진 말투로 대답했다; mit ~em Gesichtsausdruck 거만한 얼굴 표정으로.
Überheblichkeit *f.* -en 〔폄어〕 ① 불손, 건방짐. ② 건방진 언행.
Überhebung *f.* -en 〔구식·폄어〕 ↑ Überheblichkeit.
überheizen *t.* 지나치게 난방하다, 너무 덥게 하다, 너무 데우다.
über=her, ~hin *adv.* 〔구식〕 ① 넘어서. ② 지나쳐서 (vorüber): ~ gehen 지나쳐 가다. ③ 피상적으로 (obenhin). ④ (alem.) (überdies) 더구나, 게다가.
überhitzen *t.* 과열하다; 매우 흥분시키다: 〔비유〕 eine überhitzte Phantasie 지나친 공상; die Konjunktur ist überhitzt 경기(景氣)가 과열되어 있다.
Überhitzer *m.* -s, - 〖기계〗 과열기, 과열 장치.
Überhitzung *f.* -en 과열(된 상태).
überhobeln *t.* 피상적으로 처리하다, 빨리 해내다〔완성하다〕.
über·höflich *a.* 너무 정중한.
überhöhen *t.* ① 높이 솟다: 〖건축〗 überhöhter Bogen 높이 솟은 아치. ② 너무 높이다: mit überhöhter Geschwindigkeit 지나치게 높은 속도로; überhöhte Preise 지나치게 높은 물가. ③ 실제보다 높이 보이게 하다. ④ 한쪽 부분을 높게 짓다: überhöhte Kurven 바깥쪽을 높인 커브.
Überhöhung *f.* -en ① 높이 솟음. ② **(a)** 너무 높임. **(b)** 〖건축〗 (건물·성곽 따위에서) 중앙부의 돌출. ③ 한쪽 부분을 높게 짓기. ④ 〖제도〗 (부조·지형 모형도 따위에서) 고저가 두드러지게 함.
über|holen 《I》 *t.* ① (배로) 저쪽으로 나르다〔건네다〕: hol über! (배로) 건네 주게! ② 〖海〗 (돛의) 방향을 바꾸다: die Segel ~ 돛을 돌리다. ③ 〔고어〕 ↑ überholen. 《II》 *i.* (h.) 〖海〗 (배가) 한쪽으로 기울다.
überholen 《I》 *t.* ① 추월하다. ② 〔비유〕 (übertreffen) 뛰어나다, 능가하다: er hat alle seine Mitschüler überholt 그는 학급에서 첫째가 되었다. ③ 〔방언〕 수선〔수리〕하다, 정비하다: der Wagen muß dringend überholt werden 그 차는 긴급한 정비를 요한다. 《II》 **überholt** *p.a.* ↑ überholt.
überholt 《I》 *p.p.* ↑ überholen. 《II》 *p.a.* 낡은, 시대에 뒤떨어진: ~e Ansichten haben 시대에 뒤진 견해를 가지고 있다; was hier geschrieben steht, ist teilweise ~ 여기에 씌어 있는 것은 부분적으로 케케묵은 소리들이다.
Überhol=manöver *n.* (차의) 추월 행위. **~spur** *f.* 〖교통〗 추월선.
Überholung *f.* -en ① 추월, 능가. ② 〖工〗 수선, 수리, 정비.
überholungs·bedürftig *a.* 정비가 필요한.
Überhol=verbot *n.* 〖교통〗 추월 금지. **~versuch** *m.* 추월 시도. **~vorgang** *m.* 추월.
über|hören *t.* 〔구어〕 너무 자주 듣다: sich³ ein Lied 〔eine Oper〕 übergehört haben 어떤 노래〔오페라〕는 듣기에 넌더리가 난다.
überhören *t.* ① 흘려 듣다, 헛〔설〕듣다; 건성으로 듣다: eine Frage ~ 질문을 흘려 듣다; das möchte ich überhört haben! 나는 그것을 안 들은 것으로 하고 싶다! ② 암기한 것을 물어 보다: jn. et. ~ 누구에게 무엇을 말하게 하다, 복송(復誦)시키다.
Überhosen *pl.* (바지 위에 입는 가슴받이가 있는 헐렁한) 작업복.

überhụpfen *t.* 뛰어넘다; 〖비유〗 건드리지 않고 두다, 생략하다, 등한히 하다.
Ü̲ber-Ich *n.* -(s), -s/(드물게) - 〖心〗 (프로이트 학설의) 초자아.
ü̲berindividuell *a.* 초개인적인.
ü̲ber·irdisch *a.* ① 지상의(oberirdisch). ② 〖비유〗 이 세상을 초월한, 천국〔천상〕의; 신성〔숭고〕한; 영적인: die ∼en 신〔영〕들; 〖시어〗 ein Mädchen von ∼er Schönheit 천사처럼 아름다운 소녀.
überja̲gen *t.* ① (말 등을) 지독히 몰아대다. ② 급히 몰아〔달려〕 따라잡다; (사람을) 몰아부치다.
ü̲berjährig *a.* ① 나이를 너무 먹은, 노후한: 〖林〗 ∼es Holz 노쇠기에 들어선 나무. ② 〖구식〗 한 살을 넘은. ③ 〖축산〗 (소가) 네 살이 되어 겨우 새끼를 낳는.
Ü̲ber·jodsäure [..jo:t..] *f.* 〖化〗 과(過)요오드산.
überkạlken *t.* 석회를 바르다.
überkạltet *a.* 지나치게 냉각된.
ü̲berkandidelt [ý:bər kandi:dəlt] *a.* 〖구어〗 엉뚱한, 상궤를 벗어난, (정신이) 약간 돈.
Ü̲berkapazität *f.* -en 〖經〗 과잉 생산 능력〔설비〕.
Ü̲berkehr *f.* 〖방언〗 왕겨.
ü̲ber|kippen *i.* (s.) ① 균형을 잃다, 넘어지다. ② 〖구어〗 새된 소리가 나다.
überkịtten *t.* 시멘트〔퍼티〕를 바르다.
ü̲ber|kleben *t.* …의 위에 붙이다.
überkle̲ben *t.* (구멍·얼룩 따위를 종이 등으로) 붙여 보이지 않게 하다: ein Brett mit Papier ∼ 널빤지에 종이를 붙여 씌우다.
Ü̲ber·kleid *n.* 〖구식〗 윗옷(Oberkleid).
überklei̲den *t.* 〖雅語〗 씌우다, 입히다: den Altar mit Marmor ∼ 제단에 대리석을 입히다.
Ü̲berkleidung[1] [ý:bər..] *f.* -en 윗옷(Oberkleid).
Überklei̲dung[2] *f.* -en 〖雅語〗 덮어씌우는 것, 씌우개.
ü̲ber|kleistern *t.* ↑ über|kleben.
überklei̲stern *t.* ↑ überkleben.
überklẹttern *t.* 기어 올라가다.
ü̲ber·klug *a.* 저 혼자 똑똑한 척하는.
ü̲ber|kochen *i.* (s.) 끓어 넘다: 〖비유〗 vor Zorn ∼ 격분하다; 〖속담〗 ein kleiner Topf kocht bald über 작은 그릇이 쉬 끓는다.
überkọchen *t.* (öst.) 살짝 삶다〔데우다〕; 다시 삶다: das Fleisch muß vor dem Braten überkocht werden 고기는 굽기 전에 살짝 삶아야 된다; die Suppe noch einmal ∼ 수프를 또 한 번 살짝 데우다.
ü̲ber|kommen* 《Ⅰ》 *i.* (s.) ① 〖海〗 (파도가 갑판을) 덮치다. ② 〖고어〗 이쪽으로 오다, 저쪽으로 가다; 도착하다. ③ 망설이다가 말을 꺼내다. 《Ⅱ》 *t.* (무엇을) 밀어내다, 끄집어내다.
überkọmmen* 《Ⅰ》 *i.* (s.) 넘겨지다, 주어지다, 물려받다, 유전되다: ein Brief ist mir ∼ 편지가 내 앞으로 왔다; der Brauch ist von unseren Vorfahren ∼ 그 관습은 우리 조상에게서 전승되었다. 《Ⅱ》 *t.* ① 물려받다; 유전되다: ∼e Sitten 인습, 전통. ② 〖고어〗 장악〔극복〕하다. ③ 엄습하다, 덮치다: Verzweiflung überkam mich 나는 절망감에 사로잡혔다. ④ (obd.) (ereilen) 뒤따라 붙다, 따라잡다. 《Ⅲ》 *imp.* es überkommt mich kalt 나는 으슬으슬 추워진다.
Ü̲berkompensation *f.* -en 〖心〗 과잉 보상.
ü̲berkompensieren *t.* 〖心〗 과잉 보상하다.
ü̲berkonfessionell *a.* 초교파적〔종파적〕인.
ü̲ber|kopieren *t.* 〖사진〗 너무 진하게 인화〔복사〕하다.
Ü̲ber·kraft *f.* 넘치는〔막강한〕 힘.
ü̲berkräftig *a.* 막강한, 압도적인.
überkreu̲zen 《Ⅰ》 *t.* ① 횡단하다, 가로지르다. ② 교차시키다: mit überkreuzten Beinen sitzen 다리를 꼬고 앉아 있다. 《Ⅱ》 *refl.* ∼ sich (선·도로 따위가) 교차하다.
ü̲ber|kriegen *t.* 〖구어〗 (überbekommen) 싫증나다, 물리다.
überkro̲nen *t.* (이에) 인공 치관(齒冠)을 씌우다.
überkrụsten *t.* ① …에 껍질을 씌우다: der Boden ist mit Salz überkrustet 지면은 엷은 소금층으로 덮여 있다. ② 〖요리〗 (음식의) 겉표면을 살짝 굽다.
überku̲geln *i.* (s.)/*refl.* (sich) ∼ 굴러 넘어지다, 전도(顚倒)하다.
ü̲berkühlen *i.* (h.) (öst.) 서서히 식히다.
Ü̲ber·kultur *f.* 난숙한 문화.
ü̲ber|laden* *t.* (짐을) 옮기다, 바꾸어 싣다.
überla̲den 《Ⅰ》 *t.* 짐을 너무 쌓다〔싣다〕; 너무 많이 설치〔장치〕하다: mit Steuern ∼ 세금을 지나치게 부과하다; der Wagen ist ∼ 그 차는 짐을 너무 싣고 있다; ich bin mit Arbeit ∼ 나는 할 일이 너무 많다; sich³ den Magen ∼ 너무 먹다; das Haus ist mit Zierat ∼ 이 집은 장식이 너무 많다; ein ∼er Stil 과장된 문체. 《Ⅱ》 *refl.* sich ∼ 짐을 너무 지다.
Ü̲berladung[1] [ý:bər..] *f.* -en (짐을) 바꿔 쌓기, 옮김.
Überla̲dung[2] *f.* -en (짐을) 너무 쌓기〔싣기〕, 과적; 지나친 하중, 과부하; 너무 많이 설치〔장치〕함.
überla̲gern 《Ⅰ》 *t.* ① 겹겹이 쌓다; 층이 지게 하다. ② 너무 오래 저장하다: überlagerte Lebensmittel 너무 오래 저장한 생필품. 《Ⅱ》 *refl.* sich ∼ 겹치다, (전파가) 혼선이 되다: Ereignisse ∼ sich 사건들이 겹쳐서 일어나다.
Überla̲gerung *f.* -en ① 〖物〗 (음파·전파의) 겹침, 간섭, 중첩. ② 〖지질〗 성층(成層). ③ 중첩(된 상태).

Überla̲gerungs·empfänger *m.* 〖전기〗 슈퍼헤테로다인 수신기, 슈퍼〔고감도〕 라디오.
Ü̲berland·bahn *f.* ① 교외선〔도시간〕 철도. ② 〖옛뜻〗 대륙 횡단 철도. **∼bus** *m.* 교외선〔장거리〕 버스. **∼eisenbahn** *f.* ↑ ∼bahn. **∼fahrt** *f.* 교외 여행〔주행〕. **∼flug** *m.* 대륙 횡단 비행. **∼kraft·werk** *n.* 광역〔원거리〕 전력 공급 발전소. **∼leitung** *f.* 원거리 송전선. **∼post** *f.* 육상 우편. **∼reise** *f.* 육상 여행. **∼telegraf** *m.* 육상 전신. **∼zentrale** *f.* ↑ ∼kraftwerk.
ü̲ber·lang [ý:bər..] *a.* 너무 긴.
Ü̲berlänge *f.* -n (의복의) 유별나게 긴 기장; 너무 긴 길이: der Film hat ∼ 그 영화는 정상보다 긴 영화다.
ü̲ber|langen *t.* 교부하다, 건네다.
überlạppen *t.* 겹치다, 합치다: eine überlappte Naht 겹쳐진 솔기.
Überlạppung *f.* -en 겹침.

über|lassen *t.* 〖구어〗 남기다, 남겨 두다: laß mir ein Stück Torte über! 내게 파이 한 조각을 남겨 줘!

überlassen 《I》 *t.* 맡기다, 위임〔위탁〕하다; 넘겨주다; 양도하다: jn. sich³ selbst ~ 누구를 제멋대로 두다, 방임하다; zum Andenken überließ er ihr den Ring 그는 기념으로 그녀에게 반지를 건네주었다; das hat er mir billig ~ 그는 내게 그것을 싸게 넘겨주었다〔팔았다〕; ich überlasse es deinem Ermessen 나는 그것을 네 판단에 맡긴다; der König überließ die Regierung seinem Sohn 왕은 정권을 아들에게 넘겨 주었다; wir ~ dich nicht der Not 우리는 네가 고난에 빠지게 하지 않겠다. 《II》 *refl.* sich ~ 몸을 맡기다: sich seinen Gedanken ~ 생각에 잠기다; sich der Verzweiflung ~ 자포자기하다; warum überläßt du dich immer den Erinnerungen? 왜 너는 항상 추억에 잠기느냐?

Überlassung *f.* -en 위탁, 위임; 양도, 양여.

Überlast *f.* -en ① 초과 중량; 과중 적재. ② 무거운 짐〔부담〕; 〖전기〗 과부하(過負荷).

überlasten *t.* 짐을 너무 싣다; 지나친 부담을 주다; (전기를) 너무 충전시키다.

überlastet *a.* ① 짐을 너무 많이 실은. ② 부담을 많이 안고 있는.

überlastig *a.* (배가) 짐을 과적한, 너무 실은: 〖海〗 ein ~es Schiff 짐을 너무 실은 배.

überlästig *a.* ① 귀찮은, 번거로운, 성가신, 괴로운. ② ↑ überlastig.

Überlastung *f.* 중량 초과; 과잉 부담; 초과 하중.

Überlauf [ý:bərlauf] *m.* -(e)s, ..läufe [..lɔʏfə] ① 넘쳐흐름. ② (여분의 물의) 배출〔유출〕구. ③ 〖컴〗 (일정한 숫자의) 초과.

über|laufen* 《I》 *t.* ① 〖광산〗 저편으로 손수레로 나르다. ② (누구를) 밀쳐 넘어뜨리다. 《II》 *i.* (s.) ① (액체가) 넘치다: die Badewanne läuft über 욕조물이 넘친다; die Augen laufen ihm über 그의 눈에서 눈물이 흘러내린다; die Galle läuft mir (vor Ärger) über 나는 울화가 터진다. ② 〖軍〗 투항하다; 〖政〗 탈당〔변절〕하다: er ist zum Feind übergelaufen 그는 적에게 투항했다.

überlaufen* 《I》 *t.* ① ↑ über|laufen 《I》②: jn. mit dem Degen ~ 칼을 빼들고 누구에게 달려들다. ② (**a**) (잦은 방문으로) 성가시게 하다, 괴롭히다: hier wird man von Bettlern ~ 여기서는 거지들 때문에 괴로움을 당한다. (**b**) (사람들이) 너무 많이 몰려 들다: der Badeort ist ~ 그 온천장엔 손님이 들끓는다; ein Beruf ist ~ 어떤 직업에 많은 사람이 몰린다. ③ …의 위를 뒤덮다. ④ (감정이) 엄습하다: ein Schauder überläuft mich 나는 소름이 끼친다. ⑤ (장애물을) 뛰어넘다; 보다 빨리 달리다, 달려 앞지르다: eine Hürde ~ 장애물을 뛰어넘다; einen Gegner ~ 상대방을 앞지르다. 《II》 *i.* (s.) ① 어떤 빛깔을 띠다: die Hände wurden kalt und überliefen schwarz 양손은 얼어서 검푸르게 되었다. ② 〖사냥〗 ein ~er Frischling ↑ Überläufer ②.

Überläufer [ý:bərlɔʏfər] *m.* -s, - ① 〖軍〗 투항자; 〖政〗 변절자. ② 〖사냥〗 생후 2년째인 멧돼지.

über·laut *a.* 소리가 너무 큰, 시끄러운.

überleben 《I》 *t.* …보다 오래 살다; 살아 남다: er hat seine Frau um viele Jahre überlebt 그는 아내보다 여러 해 더 오래 살았다; 〖구어·반어〗 du wirst's wohl ~! 넌 아마 견뎌낼 수 있을 거야!; es geht ums Überleben der Firma 회사의 사활이 걸린 문제다; diese Nacht wird er nicht ~ 그는 이 밤을 넘기지 못하고 죽을 게다; 〖法〗 der ~de Teil (부부중) 살아남은 생존 배우자. 《II》 *refl.* sich ~ 시대에 뒤떨어지다: diese Einrichtung hat sich überlebt 이 제도는 시대에 맞지 않게 되었다. 《III》 **überlebt** [..pt] *p.a.* ↑ überlebt.

Überlebende* *der/die* 생존자, 살아 남은 사람.

Überlebens·chance [..ʃã:s(ə)] *f.* 생존 가능성.

über·lebens·groß *a.* (조상(彫像) 따위가) 실물보다 큰.

Überlebens=größe *f.* 실물보다 큼: ein Bild in ~ 실물보다 큰 그림. **~rente** *f.* 유가족 연금〔부조금〕. **~training** [..trɛ:nɪŋ] *n.* 생존 훈련. **~wahrscheinlichkeit** *f.* ① 〖드물게〗 생존 확률. ② 〖기계〗 (기계 따위의) 수명.

Überlebsel *n.* -s, - 잔여물(Überrest).

überlebt 《I》 *p.p.* ↑ überleben. 《II》 *p.a.* 시대에 뒤떨어진, 구식의: eine ~e Mode 시대에 뒤진 유행.

Überlebtheit *f.* 시대에 뒤짐.

über|legen [ý:bərle:gən] 《I》 *t.* …의 위에 놓다: ein Pflaster über die Wunde ~ 상처에 고약을 붙이다; 〖구어〗 ein Kind über das Knie ~ 아이를 무릎 위에 엎어놓고 볼기를 때리다; du mußt dir eine Decke ~, es ist kalt 추우니 이불을 덮게. 《II》 *refl.* sich ~ 상체를 숙이다, 기울다: das Schiff legt sich über 배가 기운다; sich zu weit über das Geländer ~ 난간에서 상체를 너무 내밀다.

überlegen[1] 《I》 *t.* 숙고하다, 고려하다: das muß ich mir erst (noch) ~ 아직 나는 그 문제를 좀더 생각해봐야겠다; ich habe es mir (inzwischen) anders überlegt 나는 (그 사이에) 생각을 바꾸었다. 《II》 *i.* (h.) 숙고하다: überleg nicht so lange! 너무 오랫동안 생각하지 마라! 《III》 **überlegt** *p.a.* ↑ überlegt.

überlegen[2] *a.* ① 능가하는, 월등한: jm. an et.³ ~ 무엇에서 누구보다 뛰어난, 누구를 능가하는: sie war in Mathematik ihren Mitschülern haushoch ~ 그녀는 수학에서 동급생들보다 실력이 월등했다; ein ~er Gegner 월등한 적. ② (**a**) 침착한: mit ~er Ruhe 태연자약하게. (**b**) 분명〔명백〕한: ein ~er Sieg 분명한 승리. ③ 거만〔교만〕한: mit ~er Miene 거만한 표정으로; eine ~e Miene aufsetzen 거만을 떨다, 젠체하다.

Überlegenheit *f.* 우월, 우세, 능가, 탁월: ein Gefühl der ~ 우월감.

überlegsam [y:bərlé:kza:m] *a.* ↑ überlegt 《II》.

überlegt 《I》 *p.p.* ↑ überlegen. 《II》 *p.a.* 신중한, 생각이 깊은: ~ handeln 신중히 처신하다; ein ~er Mann 생각이 깊은 남자.

Überlegung [y:bərlé:gʊŋ] *f.* -en ① 〔복수없음〕 숙고, 고려; 사려, 신중: ohne ~ 깊이 생각하지 않고, 경솔하게; mit ~ verübtes Verbrechen 계획적 범죄. ② 〔복수〕 고찰, 성찰: ~en über jn.〔et.〕 anstellen 누구〔무엇〕에 대해 성찰하다.

Überlegungs·kraft *f.* 사고력, 분별력.
überlei *a.* (obd.) 남은; 가외의, 불필요한.
über|leiten 《Ⅰ》*t.* ① (어느 쪽으로) 이끌다, 인도하다, 이끌어 건네다. ②〖醫〗수혈(輸血)하다. 《Ⅱ》*i.* (h.) (어디에) 이르다, 이어지다; 과도기를 이루다: zum nächsten Abschnitt ~ 다음 단원으로 넘어가다.
Überleitung *f.* -en ①〖복수 없음〗연결, 이행: ohne ~ das Thema wechseln 난데없이 주제〔테마〕를 바꾸다; eine ~ (zum nächsten Thema) suchen (다음 주제로 이어지는) 연결점을 찾다. ②〖대개 복수없음〗인도, 연결(함). ③〖醫〗수혈.
über|lernen, überlernen *t.* ① 대충 공부하다. ② 복습하다.
über|lesen* *t.* 통독하다(durchlesen).
überlesen* 《Ⅰ》*t.* ① 대강 훑어보다: den Brief ~ 편지를 대충 훑어보다. ② 빠뜨리고 읽다: Setzfehler ~ 오식을 빠뜨리다. 《Ⅱ》*refl.* sich ~ 너무 독서하여 건강을 해치다.
überlichten *t.* ①〖林〗지나치게 간벌(間伐)하다. ②〖사진〗지나치게 노출시키다; 너무 빛을 강하게 비추다.
Über·licht·geschwindigkeit *f.* 〖物〗초광속(超光速).
***überliefern** [y:bərlí:fərn] 《Ⅰ》*t.* ① 전하다, 전승하다: die Sage ist mündlich überliefert 이 전설은 구전되었다. ②〖雅語·구식〗넘겨주다, 인도하다: eine Festung dem Feind ~ 요새를 적에게 넘겨주다; er wurde dem Gericht überliefert 그는 법원으로 넘겨졌다. 《Ⅱ》
überliefert *p.a.* ↑ überliefert.
überliefert ① *p.p.* ↑ überliefern. ② *p.a.* 예부터 내려오는, 고래〔전래〕의: ~e Sitten 전래의 관습.
***Überlieferung** *f.* -en ① **(a)**〖복수없음〗전승, 전래; 인도, 위임, 양도; 전달; die mündliche ~ von Märchen 동화의 구전. **(b)** (전설 등의) 전승, 전래된 것. ② 전통, 관습, 관례, 풍속. ③〖軍〗(항복하고) 성을 내어줌.
über|liegen* *i.* (h.) ① 위에 펼쳐져 있다. ②〖海〗(배가 옆으로) 기울다: stark ~d 몹시 기우는. ③〖海〗기한을 초과하여 정박하다: ~ lassen 초과 정박을 허락하다. ④〖林〗(씨앗이) 싹트기 전에 1년 이상의 휴지기를 갖다.
Überliege·zeit *f.*〖海〗초과 정박 일수〔기간〕, 체선(滯船) 기간.
Überlingen 위버링겐(Bodensee 근처의 도시).
Überlinger See *m.* 위버링거 호수(Bodensee 호(湖)의 일부 명칭).
überlisten *t.* 계략에 넘어가게 하다, 속이다, 야바위치다, 기만하다.
Überlistung *f.* -en 기만, 속이기.
überm [ý:bərm]〔구어〕= über dem.
über|machen *t.* 걸치다, 씌우다, 입히다.
übermachen *t.* ①〖건축〗↑ überkleiden, übertünchen. ②〔고어〕과장하다. ③〖商〗송부〔송달〕하다. ④ 유증(遺贈)하다.
***Übermacht** *f.* ① 우세, 강대: der ~ des Feindes erliegen 우세한 적에게 굴복하다. ②〖軍〗우세한〔많은〕군사력: mit dreifacher ~ angreifen 3배의 병력으로 공격하다.
übermacht *a.* (obd.) 과도한, 엄청난.
übermächtig 《Ⅰ》*a.* ① 우세한, 압도적인. ② 대단히 강렬한: das Verlangen nach et.[3] wurde ~ (in ihm) (그의 마음속에서) 무엇에 대한 열망이 강하게 꿈틀거렸다. 《Ⅱ》*adv.* 몹시, 열렬히, 열심히: jn. ~ lieben 누구를 열렬히 사랑하다.
Übermachung 《<übermachen》*f.* -en〖商〗송부(送付), 송달; 송금.
über|malen *t./i.* (h.) ① 위에 바르다〔칠하다〕, 채색하다. ② (테두리선을) 넘어 칠하다.
übermalen *t.* ① 덧칠하다, 덧그리다: ein Bild mit einem anderen ~ 그림 위에 다른 그림을 덧그리다. ② 색칠〔채색〕하다. ③ (그림을) 수정하다.
Übermalung *f.* -en ① 덧칠, 보필(補筆). ②〖畫〗덧칠한 채색〔그림〕.
über·mangansauer [ý:bər..] *a.*〖化〗과망간산의.
Über·mangansäure *f.*〖化〗과망간산.
übermannen [y:bərmánən] *t.* ①〔구식〕(überwältigen) 제압하다, 이기다. ② (감정·상황이) 엄습〔압도〕하다: der Zorn hat ihn übermannt 그는 노여움을 억누를 수 없었다.
übermanns·hoch [ý:bər..] *a.* 어른 키보다 더 큰.
Übermannung *f.* -en 제압; 압도, 엄습.
Über·mantel *m.* 덧옷, 망토, 코트.
übermarchen *i.* (h.)〔구식〕(schweiz.) 경계를 넘다.
Übermaß 《<übermessen》*n.* -es, -e ① 과량; 과잉; 과도: ~ im Essen 과식; ~ im Trinken 과음; ein ~ von Trauer 억제할 수 없는 슬픔; ein ~ an Kälte 혹한; er ist im〔bis zum〕~ beschäftigt 그는 너무〔매우〕바쁘다. ②〖기계〗(끼워넣을 때 안 쪽 부품의) 과대, (끼우려는 물건의) 직경 과대.
***übermäßig** *a.* ① 대단히 많은, 과다한; 과도한, 굉장한, 엄청난: ~e Forderungen 과도한 요구; ~ essen 과식하다. ②〖음악〗증음정(增音程)의: ~es Intervall 증음정.
übermästen *t.* (동물을) 지나치게 살찌우다, 너무 비육하다.
übermastet *a.*〖海〗돛대가 너무 긴〔무거운〕.
übermauern *t.* 벽으로 둘러싸다〔막다〕.
übermehren *t.* (schweiz.) 다수 득표〔다수결〕로 이기다.
übermeistern *t.* ① 제압하다; 극복하다: sich ~ lassen 굴복하다. ② …보다 낫다, 능가하다.

Über·mensch *m.* ① (Herder, Goethe 등의 개념으로서) 천재, 완전한 인간. ② (Nietzsche 의 개념으로서) 초인. ③〔구어·반어〕완벽한 사람.
Übermenschentum *n.* -(e)s 초인임, 초인 자질.
übermenschlich *a.* ① 인간 이상의, 초인적인. ② 아주 대단한, 매우 강력한, 비상한: mit ~er Anstrengung 아주 대단한 노력으로.
Übermenschlichkeit *f.* -en 초인적 성품〔경지〕; 대단함.
über|messen* *t.* ① 너무 많이 달다〔주다〕. ② 달아서 옮기다: aus einem Gefäß in das andere ~ 한쪽 그릇에서 다른 그릇으로 달아 옮기다.
übermessen* 《Ⅰ》*t.* ① 재다, 어림잡다. ② 조망하다. 《Ⅱ》*refl.* sich ~ 잘못 재다〔달다〕.
Über·mikroskop *n.* ① 전자 현미경. ②〔드물게〕초정밀 현미경(Ultramikroskop).

übermitteln [y:bərmítəln] *t.* 인도하다; 송달〔전달〕하다, 전하다: jm. eine Nachricht ~ 누구에게 소식을 전하다.

Übermittelung *f.* -en ↑ Übermittlung.

Übermittlung *f.* -en 전달, 송달, 인도.

über·modern *a.* 초현대적인.

übermögen *t.* ①〔구식〕이기다, 극복〔제압〕하다: Müdigkeit übermochte ihn 그는 피곤을 견딜 수 없었다. ② …보다 뛰어나다, 능가하다.

*__über·morgen__ *adv.* 모레: ~ abend 모레 저녁에.

über·müde *a.* 몹시 피로한, 기진맥진한.

übermüden 《I》 *t.* 너무 피로하게 하다, 과로시키다. 《II》 *i.* (s.) / *refl.* (sich) ~ 과로하다. 《III》 **übermüdet** *p.a.* ↑ übermüdet.

übermüdet 《I》 *p.p.* ↑ übermüden. 《II》 *p.a.* 기진맥진한, 과로한.

Übermüdung *f.* -en 과로, 기진맥진.

übermundartlich *a.* 방언의 영역을 넘은, 표준어가 되어 버린.

*__Über·mut__ *m.* ① 들뜬 기분, 신이 남: das habe ich nur aus ~ getan 나는 단지 기분이 들떠서 그렇게 했을 뿐이다(나쁜 뜻은 없었다); im ~ des Glückes 행복에 도취되어. ②〔구식〕오만불손, 방자, 자만:〔속담〕~ tut selten gut 오만해서 이로울 것이 별로 없다. ③ 오만한〔기분이 들뜬〕 사람.

übermütig *a.* ① (a) 자유 분방한, 신나게 떠드는. (b) 아주 명랑한, 원기 발랄한. ②〔구식〕오만한, 거만한, 불손한.

übern [ý:bərn]〔구어〕= über den.

über·nächst *a.* 다음 다음의: am ~en Tag 다음 다음 날에, 모레.

*__übernachten__ [y:bərnáxtən] 《I》 *i.* (h.) 밤을 지내다, 묵다, 숙박하다: unter freiem Himmel ~ 노숙하다; im Hotel ~ 호텔에 투숙하다. 《II》 *t.* ① 숙박시키다, 묵게 하다. ② 어둠으로 덮다.

übernächtig *a.* ① (öst.) ↑ übernächtigt. ②〖사냥〗하룻밤이 지난〔된〕, 하룻밤 묵은: ~e Fährte 하룻밤이 지난 짐승 발자국.

übernächtigt *a.* ① 밤을 지샌; 잠이 모자라서〔철야 하여〕 피로한. ② 하룻밤만의; 덧없는.

Übernächtler [y:bərnέçtlər] *m.* -s, - (schweiz.) ① (헛간에 숨어들어 밤을 지새는) 부랑자, 떠돌이. ② 숙박객, 투숙객.

U

Übernachtung *f.* -en 숙박: Preis für ~ 숙박료.

über|nähen *t.* …위에 꿰매어 붙이다, 깁다.

übernähen *t.* 꿰매어 붙이다〔깁다〕; 대충 꿰매다.

Übernahme 《< übernehmen》 *f.* -n ①〔복수없음〕인수, 물려받음; 취임; (상품의) 수취, 수납. ② 차용한 것: wörtliche ~n aus einem Text 어떤 텍스트에서 글자 그대로 따온 구절.

Übernahme≈bedingungen *pl.* 인수 조건. **~liste** *f.* 인수(품) 목록. **~preis** *m.* 인수 가격.

Übernahms·stelle *f.* (öst.) 접수처〔창구〕.

übernähren *t.* (überfüttern) 너무 먹이다; 과도하게 영양을 공급하다.

Übernährung *f.* -en 영양 과다.

Über·name *m.*〔구식〕(schweiz.) 별명, 이명(異名).

über·national *a.* 초국가적인, 초민족적인.

über·natürlich *a.* ① 초자연적인, 불가사의한; 기적적인, 신비스러운; 이상한: ein ~es Ereignis 기적. ② 실물보다 큰, 자연적인 크기 이상의.

über|nehmen* *t.* ①〖海·드물게〗배에 싣다: Fahrgäste〔Güter〕 ~ 승객〔화물〕을 배에 싣다. ②〔구어〕입다, 어깨에 두르다; 메다: (sich³) das Gewehr 〔den Mantel〕 ~ 총을 메다〔외투를 걸치다〕. ③〖카드〗상대방보다 높은 끗수로 따다. ④〖海〗(파도를) 뒤집어쓰다.

__übernehmen__ 《I》 *t.* ① (권리·재산·인력을) 넘겨받다, 인계받다:〖軍〗das Kommando ~ 지휘권을 넘겨받다; die Regierung ~ 정권을 인수하다; den Betrieb ~ 기업을 인수하다. ② (의무·책임을) 떠맡다, 지다: die Verantwortung für et. ~ 무엇의 책임을 떠맡다; die Führung ~ (회사의) 운영권을 인수하다,〖스포츠〗선두를 빼앗다. ③ (비용·빚을) 떠맡다:〔구어〕ich übernehme die Getränke 내가 음료수 값을 낸다. ④〔구식〕(감정 등이) 격렬하게 엄습하다: sich vom Zorn ~ lassen 발끈 화를 내다; es übernahm ihn die Angst 그는 불안에 사로잡혔다. ⑤ (a) 엄청난 대금을 청구하다. (b) 과로하게 하다. ⑥ 차용〔인용〕하다(entnehmen): die Überschriften aus einem Buch ~ 표제를 어느 책에서 따오다. ⑦ 배에 싣다. 《II》 *refl.* sich ~ ① 도를 넘치다; 무리〔과로〕하다: sich im Essen〔beim Arbeiten, mit Studieren〕 ~ 너무 먹다〔일하다, 공부하다〕. ② 자만하다, 너무 내세우다. ③ 돈을 과하게 지출하다.

Übernehmer *m.* -s, - 인수인; (건축의) 하도급자;〖法〗권리 승계자.

über|ordnen *t.* …보다 상위에 두다, 우선시키다: sie wurde ihm übergeordnet 그 여자가 그의 상급자가 되었다; ein übergeordneter Begriff 상위 개념.

Überordnung *f.* -en ①〔복수없음〕상위에 놓음. ②〖生〗(생물 분류법에서) 아강(亞綱)(강(綱)과 목(目)의 중간 범주).

Über·organisation *f.* 과도한 조직화.

überorganisieren *t.* 과도하게 조직하다.

über·ort *adv.* (obd.) (übereck) 어긋나게.

überörtlich *a.* 초지역적인, 특정 장소에 국한되지 않은.

Über·oxyd *n.*〖化〗과산화물.

über·parteiisch *a.* ↑ überparteilich.

über·parteilich *a.* 초당파적인, 중립적인: eine ~e Zeitung 중립적인 신문.

über|pflanzen *t.*〔구어〕다른 곳에 심다.

überpflanzen *t.* ① 가득히 심다. ② 다른 곳에 심다. ③〖醫〗(조직·기관을) 이식하다.

Überpflanzung *f.* -en〖醫〗이식.

Über·phosphorsäure *f.*〖化〗과산화인산.

überpichen *t.* ↑ überkleben.

Über·preis *m.* 지나치게 비싼 가격.

über·privilegiert [ý:bər..] *a.* 지나친 특권을 누리는.

Über·produktion *f.* -en〖經〗과잉 생산.

über·proportional *a.*〔교양〕어울리지 않게 큰.

überprüfbar *a.* 검증〔점검〕할 수 있는.

überprüfen [y:bərprý:fən] *t.* ① (재)검사하다, 정사(精査)하다: eine Rechnung ~ 검산하다. ② 숙고〔재고〕하다.

Überprüfung *f.* -en 검사, 점검; 숙고, 재고.

Überprüfungs·kommission *f.* 감사〔심사〕 위원회.
über|pudern *t.* 〖구어〗 다시 분을 바르다: sich³ die Nase ~ 코에 재차 분을 바르다.
überpudern *t.* 분가루(같은 것으)로 덮다〔바르다〕: mit weiß überpudertem Gesicht 얼굴에 하얗게 분을 바르고.
über|quellen* *i.* (s.) ① (솟아) 넘치다: ihr Gemüt quoll von Mitleid über 그 여자의 마음은 동정심으로 가득 찼다. ② 넘치도록 가득 차다: der Aschenbecher quillt gleich über 재떨이가 금방 넘칠 것처럼 가득 차다; 〖비유〗 ~de Dankbarkeit 가슴 벅찬 감사의 마음.
über·quer [y:bərkvé:r] *adv.* (öst.) 〖구식〗 가로, 비스듬히, 가로질러: ~ gehen 실패하다; mit jm. ~ kommen 누구와 의견이 일치하지 않다〔사이가 틀어지다〕; es geht mir alles ~ 나는 일마다 틀어진다; wir sind ~ gekommen 우리들 사이는 틀어졌다.
überqueren *t.* ① 가로지르다, 횡단하다: die Straße ~ 도로를 횡단하다. ② 교차하다: die Straße überquert hier die Bahnlinie 도로가 여기서 철길과 교차한다.
Überquerung *f.* -en 횡단; 교차.
über|ragen *i.* (h.) 돌출해〔튀어나와〕 있다: ein ~der Balken 돌출한 각재(角材).
*__überragen__ *t.* ① …위에 치솟다〔우뚝 솟다〕: jn. um Haupteslänge ~ 누구보다 머리 하나만큼 더 크다. ② 〖비유〗 …보다 뛰어나다, 능가하다: jn. an Tatkraft〔Einsicht〕 ~ 추진력〔통찰력〕에 있어 누구보다 낫다.
überragend *p.a.* 뛰어난, 탁월한; 중요한; 비상〔비범〕한: ein Problem von ~er Bedeutung 지극히 중요한 문제.
überranken *t.* …을 덩굴로 감아 덮다.
*__überraschen__ [y:bərráʃən] *t.* ① 급습하다, 불의의 습격을 하다: der Feind überraschte sie im Schlaf 적은 잠자고 있는 그들을 급습했다; vom Regen überrascht werden 갑자기 비〔소나기〕를 만나다. ② (깜짝) 놀라게 하다, 소스라치게 하다: über et. 〔von et.³〕 überrascht sein 무슨 일에 놀라다; jn. bei et.³ ~ 누구를 무엇으로 놀라게 하다; er gab sich überrascht 그는 깜짝 놀라는 모습을 보였다. ③ (의외의 일로) 크게 기쁘게 하다: 〖구어〗 lassen wir uns ~! (기쁜〔놀랄〕 일이 있을 것이니) 우리 한번 기다려 보자구나! ④ (범인 등을) 불시에 덮치다〔붙잡다〕: jn. bei dem Diebstahl ~ 누구를 절도 현장에서 붙잡다.
überraschend *p.a.* 놀라운, 뜻밖의; 눈부신; 참신한: wir fanden ~ geringen Widerstand 우리에 대한 저항은 뜻밖에도 미미했다; eine ~e Lösung finden 의외의 해결책을 찾다; ein ~er Erfolg 예상 밖의 성공.
überraschender·weise *adv.* 놀랍게도.
*__Überraschung__ *f.* -en ① 〖복수없음〗 놀람, 경악: zu meiner größten ~ 너무 놀랍게도; vor〔aus〕 lauter ~ 깜짝 놀란 나머지. ② 〖軍〗 기습, 습격. ③ 놀라운〔뜻밖의〕 일: eine angenehme〔unangenehme〕 ~ erleben 예기치 않은 유쾌〔불쾌〕한 사건을 겪다. ④ 의외의 놀라운 기쁨: das ist ja eine ~! 이것 정말 좋은〔반가운〕 일이군!
Überraschungs≈effekt *m.* 깜짝 놀랄〔의외의·기습적〕 효과. **~erfolg** *m.* (뜻밖의) 놀라운 성공. **~mannschaft** *f.* 〖스포츠·은어〗 예상 밖의 강팀, 돌풍을 일으키는 팀. **~moment** *n.* 뜻밖의 사정, 의외의 상황. **~sieg** *m.* 뜻밖의 승리.
über|reagieren [ý:bər..] *i.* (h.) 과잉〔과민〕 반응하다.
Über·reaktion *f.* 과잉〔과민〕 반응: eine ~ der Haut 피부의 과민 반응.
über|rechnen *t.* 옮겨 계산하다; 이월하다.
überrechnen *t.* ① 대충 계산하다. ② 검산하다.
überreden [y:bərré:dən] *t.* 설득하다, 납득시키다, 권유하다: sich ~ lassen 권유에 따르다; jn. zum Mitmachen ~ 누구에게 같이 하자고 설득하다.
Überredung *f.* -en 설득, 권유.
Überredungs≈gabe *f.* 설득시키는 재간, 말재주. **~kraft** *f.* 설득력. **~kunst** *f.* 설득술.
über·regional *a.* 초지역적인.
über·reich *a.* 아주 풍부〔부유〕한.
über|reichen 《I》 *i.* (h.) 저편에 이르다. 《II》 *t.* 저쪽으로 건네다.
überreichen *t.* ① 〖고어〗 …의 너머로 뻗치다. ② 수여하다, 건네주다, 바치다, 증정〔헌정〕하다: jm. eine Bittschrift ~ 누구에게 청원서를 제출하다; jm. Blumen 〔eine Urkunde〕 ~ 누구에게 꽃을 바치다〔증서를 수여하다〕.
über·reichlich 《I》 *a.* 아주 많은, 남아돌 정도의. 《II》 *adv.* 풍부하게.
Überreichung *f.* -en 수여, 제출; 증정.
Überreich·weite *f.* 〖무전〗 비정상적으로 넓은 전파 전달 거리〔범위〕.
über·reif *a.* ① 너무 익은, 무르익은: ~e Birnen 너무 익은 배; 〖비유〗 die Zeit ist ~ 때가 충분히 무르익었다. ② 〖醫〗 (태아가) 과숙(過熟)한.
Überreife *f.* 너무 익음, 난숙.
überreifen[1] 《I》 *i.* (s.) 너무 익다, 무르익다. 《II》 *t.* 너무 익히다.
überreifen[2] 《<Reif[1]》 *t.* 서리로 덮다.
überreißen* *t.* 〖테니스〗 스매시하다.
über|reiten* 《I》 *i.* (h.) 저편으로 말을 타고 가다. 《II》 *t.* ① 말발굽으로 짓밟다; 유린하다. ② 〖방언〗 속이다(übertölpeln).
überreiten* *t.* 〖드물게〗 ① ↑ überreiten 《II》 ①. ② 말을 달려 앞지르다. ③ (말을) 너무 타서 지치게 하다. ④ (obd.) (어떤 지방을) 말을 타고 순찰하다.
überreizen 《I》 *t.* 〖때때로 수동태로〗 지나치게 자극하다〔흥분시키다〕: Sonnenbäder haben die Haut überreizt 일광욕으로 피부가 지나친 자극을 받았다; er ist überreizt 그는 너무 흥분했다. 《II》 *refl.* 〖카드〗 sich ~ 가지고 있는 카드의 끗수보다 높이 부르다.
Überreiztheit *f.* 과도한 흥분, 신경 과민.
Überreizung *f.* -en 지나친 자극〔흥분〕.
über|rennen* *t.* 달려가 밀쳐 넘어뜨리다.
überrennen* 《I》 *t.* ① 달려가 밀쳐 넘어뜨리다: jn. ~, um den Ball zu fangen 공을 잡으려고 달려가다 누구를 밀쳐 넘어뜨리다. ② 달려서 앞지르다. ③ 돌격하여 정복〔점령〕하다: der Feind wurde überrannt 적은 습격으로 정복당했다. ④ 〖구어〗 대응〔응수〕할 기회를 주지 않다: er überrennt mich mit seinen vielen Plänen 그는 수많은 계획으로 나를 정신 못 차리게 한다. 《II》 *refl.* sich ~ 너무 달려 지치다.

Über·repräsentation *f.* 과다한 대표(성).
über·repräsentiert *a.* 대표자의 수가 지나치게 많은: diese Gruppe ist in der Statistik ~ 이 집단은 통계상으로 볼 때 너무 많은 자리〔감투〕를 차지하고 있다.
Über·rest [ý:bərrɛst] *m.* -(e)s, -e ① 나머지, 잔여; 남은 밥〔음식〕; 폐허, 잔해; 〖軍〗 패잔병; 찌끼; (돌)부스러기; 〖宗〗 성유물(聖遺物): 〖雅語〗 die sterblichen 〔irdischen〕 ~e 시체, 유골. ② 〖商〗 재고품.
über·rheinisch [ý:bərrainıʃ] *a.* 라인강 저편〔서안(西岸)〕의.
über|rieseln *i.* (s.) 저편으로 졸졸 흐르다.
überrieseln *t.* 〖雅語·비유〗 위로 흘러넘치다, 범람하다; (풀밭에) 물을 뿌리다, 물을 대다: der Mond überrieselt Wiese und Wald mit seinem milchigen Licht 달은 초원과 숲에 은은한 빛을 던지고 있다; 〖비유〗 ein Schauer überrieselt mich 나는 으스스한 기분이 든다; 〖비유〗 *imp.* es überrieselt mich kalt 나는 등골이 오싹하다.
Überrieselung, Überrieslung *f.* -en 물대기, 관개; 〖醫〗 관주(灌注); 세척.
Über·rock *m.* ① 신사용 외투. ② 〖고어〗 프록 코트(Gehrock). ③ 〖고어〗 옷자락이 긴 장교복 상의. ④ 여자의 스커트.
Überroll·bügel *m.* 〖모터스포츠〗 (경주용 자동차의 운전석 위에 설치된) 안전 철대.
überrollen *t.* ① …의 위를 굴러서 깔아뭉개다; (차가 사람을) 치다: die Bergsteiger sind von einer Lawine überrollt worden 등산객들이 눈사태에 휩쓸렸다; er wurde von einem Lkw überrollt 그는 화물차에 치였다. ② 습격하여〔전차(戰車)로〕 유린하다: die feindlichen Stellungen ~ 적진을 습격하여 유린하다; 〖비유〗 von einer Entwicklung 〔der Zeit〕 überrollt werden 발전〔시대〕에 뒤지다.
überrumpeln *t.* 기습하다: den Gegner ~ 적을 기습하다; 〖비유〗 jn. mit einer Frage ~ 누구에게 기습적으로 질문하다.
Überrumpelung *f.* -en ① 습격, 기습; 피습, 기습당함. ② 기습적인 언행.
Überrumplung *f.* -en ↑ Überrumpelung.
überrunden *t.* ① 〖스포츠〗 한 바퀴 이상 앞지르다. ② 능가하다.
Überrundung *f.* -en 앞지름; 능가.
übers [ý:bərs] 〖구어〗 = über das.
über|säen *t.* 너무 넓게〔많이〕 씨를 뿌리다.
übersäen *t.* (씨를) 뿌리다; 〖비유〗 온통 뒤덮다: der Nachthimmel ist mit Sternen übersät 밤 하늘에는 온통 별이 반짝이고 있다; ihr ganzer Körper war mit Blattern übersät 그 여자의 몸은 온통 마마꽃 투성이었다.
über|salzen *t.* ① 소금을 너무 치다, 너무 짜게 하다. ② 소금에 대충 절이다.
übersalzen *t.* ↑ über|salzen ②.
über·satt *a.* 물린, 싫증난, 포만한: eines Dinges〔von et.³〕 ~ sein 무엇에 질리다.
übersättigen 《Ⅰ》 *t.* 포만하게〔물리게〕 하다, 넌더리〔싫증〕나게 하다; 〖化〗 과포화시키다: von Süßigkeiten übersättigt sein 단것에 물려 있다. 《Ⅱ》 *refl.* sich ~ 포만하다, 물리다; 포식하다.
Übersättigung *f.* -en 포만, 물림, 싫증; 포식; 〖化〗 과포화.
übersäuern *t.* 너무 시게 하다; 〖化〗 과산화시키다, 산성이 너무 많게 하다.
Übersäuerung *f.* -en 과산화 상태, 산성 과잉, 위산 과다증: an einer ~ des Magensaftes leiden 위산 과다증으로 고생하다.
überschallen *t.* ↑ übertönen.
Überschall≈flug *m.* 초음속 비행. **~flugzeug** *n.* 초음속 비행기. **~geschwindigkeit** *f.* 초음속.
Über·schar *f.* 〖광산〗 중간지(地) (광구 사이에 있는 채굴에 적합하지 않은 토지).
über·scharf *a.* 너무 예리〔예민〕한; (냄새·맛·소리·빛 등이) 너무 강한: eine ~e Soße 너무 매운〔독한〕 소스.
überschatten *t.* 그늘로 덮다, 그늘〔그림자〕지게 하다; 〖비유〗 비호하다; 빛을 빼앗다: 〖비유〗 der Ruhm des Vaters überschattet die Begabung des Sohnes 아버지의 명성에 가려 아들의 재능이 빛을 보지 못하고 있다; 〖비유〗 von et.³ überschattet sein 무엇의 그늘에 가려져 있다.
Überschattung *f.* -en ↑ überschatten 의 명사형.
überschätzen *t.* (↔ unterschätzen) 과대 평가하다: sich selbst ~ 자만하다.
Überschätzung *f.* -en 과대 평가.
Überschau *f.* -en 개관, 개요; 조망: eine kurze ~ über et. geben 무엇을 간결하게 개관하다.
überschaubar *a.* 개관할 수 있는, 한 눈에 알 수 있는; 조망할 수 있는.
Überschaubarkeit *f.* ↑ überschaubar 의 명사형.
überschauen *t.* ① 조망하다: der Hügel überschaut das ganze Tal 언덕은 골짜기 전체를 내려다〔굽어〕보고 있다. ② 개관하다.
über|schäumen *i.* (s.) ① 거품을 내며 넘치다: das Bier 〔der Sekt〕 schäumt über 맥주가〔샴페인이〕 거품을 내며 넘치다. ② 가득 차 넘치다: diese von Geist ~de Erzählung 이 재치 넘치는 이야기; eine ~de Freude 억제할 수 없는 기쁨. ③ 〖비유〗 (성질·감정을) 억제하지 못하다: er schäumte fast vor Wut über 그는 분노를 거의 주체하지 못했다.
Über·schicht *f.* 시간외 노동, 잔업; 추가 작업일(日) 〔노동 시간〕.
überschicken *t.* ↑ übersenden.
über|schießen* 《Ⅰ》 *t.* 저편으로 쏘다. 《Ⅱ》 *i.* (s.) ① 세차게 (끓어) 넘치다: 〖비유·雅語〗 ~d reagierende Jugendliche 과잉 반응하는 청소년. ② 넘어지다. ③ 남다, 너무 많다; 도를 넘다: ~der Betrag a) 잉여〔초과〕액, b) 차감(差減) 잔고. ④ ↑ überschießen 《Ⅰ》 ⑤.
überschießen* 《Ⅰ》 *t.* ① 총을 난사하다: 〖軍〗 einen Platz ~ 어떤 곳에 대고 난사하다. ② (너무 높이 겨누어) 빗나가게 쏘다. ③ 〖사냥〗 (사냥감을) 지나치게 많이 쏘아 잡다: ein Revier ~ 어느 사냥 구역의 사냥감을 허용 숫자보다 많이 쏘아 잡다. ④ 너무 앞지르다. ⑤ 알아채지 못하고 지나가다: 〖사냥〗 der Hund überschießt die Fährte 〔der Hund schießt über〕 사냥개가 짐승의 발자국을 알아채지 못하고 지나다; beim Lesen et. ~ 무엇을 급히 읽다가 빠뜨리다. ⑥ 어림셈하다. ⑦ 좀더 잘〔멀리〕 쏘다. 《Ⅱ》 *i.* (s.) ① 뒤덮이다: mit et.³ ~ 무엇으로 뒤덮이다. ② (물이) 얼기 시작하다. 《Ⅲ》 *refl.* sich ~ 재주넘다, 공중제비하다.

über|schiffen 《I》 *i.* (s.) 배로 저편으로 건너다. 《II》 *t.* 배로 저편에 건네다〔나르다〕.
überschiffen *t.* 배로 건너다: ein Meer ~ 배로 바다를 건너가다.
über·schlächtig *a.* 낙수식(落水式)의(위에서 물을 떨어뜨려 수차를 회전시키는 방법) (oberschlächtig).
überschlafen* 《I》 *t.* ① 밤새 곰곰이 생각하다; (대답 등을) 다음 날까지 미루다: ich werde es ~ 그것에 대해 밤새 생각해 보겠다. ② 잠자서 보내다: eine Gelegenheit ~ 잠자다가 기회를 놓치다. ③ (누구보다) 잠꾸러기다. 《II》 *refl.* sich ~ 지나치게 자다, 늦잠 자다.
Überschlag [ÿ:bərʃla:k] *m.* -(e)s, ..schläge [..ʃlɛ:gə] ① 어림 계산, 견적: einen ~ der Kosten machen 비용을 대충 계산해 보다. ② 천칭의 기울〔흔들림〕. ③〖醫〗찜질. ④〖건축〗띠살창문〔문〕. ⑤ (옷의) 접힌 부분, 시접; 옷깃. ⑥〖체조〗(앞뒤로) 재주넘기, 공중제비. ⑦ (곡예 비행에서) 공중제비 비행(Looping). ⑧〖전기〗플래시 오버.
über|schlagen* 《I》 *i.* ① (s.) (불꽃 등이) 휘날아오르다; (번개가) 번쩍이다: elektrische Funken〔Blitze〕 schlagen über 전기 불꽃이〔번개가〕 번쩍이다; die Welle schlägt über 파도가 갑판을 덮친다. ② (s.) 넘어지다, 나둥그러지다: hinten ~ 뒤로 나자빠지다; das Zünglein der Waage schlägt über 저울의 바늘이 한 쪽으로 기운다; der Stuhl schlug über 의자가 뒤집혔다. ③〖음악〗**(a)** (s.) (요들송 등에서 음이) 갑자기 다른 음역으로 바뀌다: js. Stimme schlägt über 누구의 음성이 갑자기 새된 소리로 변한다. **(b)** (h.) (피아노 칠 때 손 또는 손가락이) 바뀌다. ④ (s.) 급변하다, 극단으로 바뀌다: ihre Abneigung war in Haß übergeschlagen 그녀의 혐오감은 증오심으로 바뀌어 갔다; der Protest schlug in Aufruhr über 항의가 폭동으로 급변했다. 《II》 *t.* ① 덮다: ein Tuch〔eine Decke〕 ~ 보〔덮개〕를 덮다〔씌우다〕;〖醫〗einen Umschlag ~ 찜질하다. ② (발을) 꼬다; (팔짱을) 끼다: mit übergeschlagenen Beinen sitzen 다리를 꼬고 앉아 있다.
überschlagen*[1] 《I》 *i.* (s.) ① (표면이) 흐려지다; 곰팡이 피다(schimmeln). ② 미지근해지다. 《II》 *t.* ①〔고어〕기울이다: die Waagschale ~ a) 천칭의 접시를 한쪽으로 기울이다, b) …에 비중을 두다. ② 건너뛰다, 빠뜨리다: eine Seite ~ 한 페이지(읽기)를 빠뜨리다; eine Mahlzeit ~ 끼니〔식사〕를 거르다; der Setzer hat hier zwei Wörter ~ 식자공은 여기서 두 단어를 빠뜨렸다. ③ 너무 때리다〔치다〕, 때려눕히다. ④ 입히다(bedecken): mit Gold ~ 도금하다. ⑤ 견적하다, 어림잡다: die Kosten ~ 비용을 어림잡다. ⑥ 숙고하다. 《III》 *refl.* sich ~ ① (쓰러지며) 데굴데굴 구르다, 뒤집히다, 전복하다: er überschlug sich mehrmals, als er die Treppe hinunterstürzte 그는 계단 밑으로 굴러 떨어졌을 때 몇 바퀴를 굴렀다. ② 재주넘다, 공중제비하다: ein Flugzeug überschlägt sich 비행기가 공중제비한다. ③ 갑자기 새된 소리로 변하다: seine Stimme überschlug sich vor Wut 분노해서 그의 음성이 갑자기 새된 소리가 되었다. ④ 매우 열심히 하다:〔비유·구어〕er überschlägt sich fast vor Diensteifer 그는 대단한 열성으로 일한다. ⑤ 연달아 발생하다: die Geschehnisse ~ sich 사건들이 잇따라 발생한다. 《IV》 **überschlagen** *p.a.* ↑ überschlagen[2].
überschlagen[2] 《I》 *p.p.* ↑ überschlagen[1]. 《II》 *p.a.* 미온의, 미적지근한: ~es Wasser 미지근한 물.
überschlägig *a.* 대략적인, 어림셈의: et. ~ berechnen 무엇을 대략 계산하다.
Überschlag·laken *n.* 이불잇, 침대 시트.
überschläglich [ÿ:bər..] *a.* ↑ überschlägig.
Überschlag(s)·kragen *m.* 밖으로 접는 옷깃.
Überschlags·rechnung *f.* 어림셈.
überschleichen* *t.* 몰래〔갑자기〕 습격하다.
überschleiern *t.* 면사포〔베일〕로 덮다〔가리다〕;〖비유〗덮어 가리다, 은폐하다.
über|schließen *t.*〖印〗(행수를 줄이기 위해 넘치는 글자를 윗줄 끝 빈 공간으로) 꺾어 올려 꺾쇠 괄호를 치다.
überschmieren *t.* (기름 등을) 바르다.
über|schnappen *i.* ① (h./s.) (자물쇠 등이) 찰카닥하고 열리다. ② (s.)〔구어〕**(a)** (음성이) 새된 소리로 변하다: die Stimme ist übergeschnappt 음성이 새된 소리가 되었다. **(b)** 가성(假聲)으로 노래하다. ③ (s.)〔구어〕실성하다: du bist wohl übergeschnappt? 너 돌았니?
überschneiden* 《I》 *t.* ① (kreuzen) 교차시키다, 서로 엇걸리게 하다; 겹치게 하다. ②〖건축〗(재목 접합에서) 파낸 홈에 끼워 맞추어 접합하다. 《II》 *refl.* sich ~ ① 교차하다: Linien ~ sich 선이 교차하다. ② (일정·행사 등이) 겹치다. ③ (관심·업무 영역 등이) 중복되다: Peters Thema überschneidet sich mit dem seines Freundes 페터의 주제는 그의 친구 것과 중복된다.
Überschneidung *f.* -en 교차; 중복, 겹침.
überschneien *t.*〔흔히 과거분사형으로〕눈으로 덮다: das Feld ist überschneit 들판은 온통 눈으로 덮여 있다.
überschnell *a.* 너무〔몹시〕 빠른; 성급한: eine ~e Entscheidung 성급한 결정.
überschrauben(*) 《I》 *t.* ① 나사를 너무 죄다. ②〔비유〕(목소리를) 짜내다. 《II》 **überschraubt** *p.a.* ↑ überschraubt.
überschraubt 《I》 *p.p.* ↑ überschrauben. 《II》 *p.a.*〔구어〕① 뒤틀린; 혼란스러운. ② (성격이) 비뚤어진, 괴팍한.
Überschreibe·modus *m.*〖컴〗(↔ Einfügemodus) 덮어쓰기 방식, 수정 입력 방식.
über|schreiben* *t.* ① 글씨를 더 쓰다〔덧붙여 쓰다〕. ② 옮겨 쓰다, 전사(轉寫)하다.
überschreiben* 《I》 *t.* ① 옮겨쓰다. ② 표면에 (잔뜩) 쓰다. ③ (편지 따위에) 받는 이의 이름을 쓰다, (논문 등에) 표제를 붙이다;〖商〗(상품에) 상표를 붙이다: das Gedicht ist überschrieben mit ... 그 시의 제목은 …이다. ④ 써 보내다, 써서 알리다:〖商〗jm. den Auftrag ~ 누구에게 주문서를 보내다. ⑤ 글을 더 잘 쓰다. ⑥ 문서로 양도하다, 명의를 변경하다: jm. ein Grundstück〔ein Grundstück an jn.〕 ~ 누구에게 토지를 양도〔명의 변경〕하다. ⑦〖商·구식〗환으로 송금하다. 《II》 *refl.* sich ~ 자기 생각을 남김없이 다 쓰다, 사상이 고갈하다.
Überschreibung[1] *f.* -en 위에 쓰기, 덧쓰기;

전사(轉寫), 옮겨 쓰기.

Überschreibung[2] *f.* -en 전사; 써 보냄; 양도, 위임; 환 송금.

überschreien* ⟪Ⅰ⟫ *t.* ① 더 큰 소리를 지르다〔질러 못듣게 하다〕: jn. 〔js. Stimme〕 ~ 큰 소리를 질러 누구의 소리가 들리지 않게 하다. ② (…너머까지 들리도록) 외치다. ⟪Ⅱ⟫ *refl.* sich ~ 너무 소리를 질러 목이 쉬다〔지치다〕.

über|schreiten* *i.* (s.) 저편으로 건너가다.

überschreiten *t.* ① **(a)** 걸어 넘다, 넘어가다: die Schwelle des Hauses ~ 집의 문지방을 넘(어가)다. **(b)** 건너가다: einen Fluß ~ 강을 건너가다. **(c)** (특정 연령을) 넘다: er hat 30 bereits überschritten 그는 이미 30 세가 넘었다; ≈ der Gleise verboten! 선로 횡단 엄금! ② 〘비유〙 (übertreten) (제한·범위 등을) 넘다, 벗어나다; (법률 등을) 위반하다, 범하다; (직권을) 남용하다; (수입 이상으로) 돈을 쓰다; (약속한 시간 이상으로) 오래 있다: alles Maß ~ 순리를 벗어나다; 〘비유〙 die Befugnis ~ 월권하다; das Gesetz ~ 법률을 위반하다; die (zulässige) Geschwindigkeit ~ (제한) 속도를 위반하다; Kostenanschläge ~ 예산을 초과하다. ③ 앞지르다, 추월하다.

Überschreitung *f.* -en 넘어가기; 통과; 〘비유〙 월권, 위반, 위법; 〘商〙 초과.

Überschrift [ý:bərʃrɪft] ⟪<überschreiben⟫ *f.* -en 제목, 표제, (편지의) 수신인의 주소·성명; (금석 등에 새긴) 글.

Überschuh *m.* -(e), -e (방수용) 덧신, 오버슈즈.

überschulden ⟪Ⅰ⟫ *t.* 큰〔과도한〕 빚을 지우다. ⟪Ⅱ⟫ **überschuldet** *p.a.* ↑ überschuldet.

überschuldet ⟪Ⅰ⟫ *p.p.* ↑ überschulden. ⟪Ⅱ⟫ *p.a.* 부채가 과다한, 빚에 쪼달리는; 〘法〙 채무 초과의: ein ~es Gut 과도하게 저당 잡힌 토지.

Überschuldung *f.* -en 채무 초과, 과도한 빚.

Überschuß [ý:bərʃʊs] ⟪<überschießen⟫ *m.* ..schusses, ..schüsse [..ʃʏsə] ① 잉여, 과잉: der ~ der Geburten 출산 과잉; einen ~ an Kraft besitzen〔haben〕 기운이 넘치다. ② 이윤, 이득, 흑자; 잉여금: einen ~ erzielen 이윤을 얻다.

überschüssig *a.* ① 잉여〔과잉〕의. ② 사용하지 않은, 남은: ~e Gelder 남은 돈.

Überschuß·produkt *n.* 〘經〙 과잉 생산물.

über|schütten *t.* 〘구어〙 ① 위에 쏟아 붓다, 뿌리다: jm. Rotwein ~ 누구에게 적포도주를 쏟아 붓다. ② 잘못 붓다〔따르다〕, 엎지르다, 흘리다: Kaffee ~ 커피를 흘리다.

überschütten *t.* ① 붓다, 끼얹다, 뿌려 덮다: eine Straße mit Kies ~ 길에 자갈을 뿌리다. ② 퍼붓다, 듬뿍 주다: jn. mit Fragen ~ 누구에게 질문을 퍼붓다; jn. mit Höflichkeiten ~ 누구를 극진히 대하다; jn. mit Vorwürfen 〔Spott und Hohn〕 ~ 누구에게 비난을〔조소를〕 퍼붓다.

Überschüttung *f.* -en ↑ überschütten 의 명사형.

Überschwang ⟪<〘고어〙 überschwingen⟫ *m.* -(e)s ① (감정·열정 등의) 충일, 과다, 과잉: der ~ der Freude 넘치는 기쁨; der ~ der Jugend 발랄한〔터질 듯한〕 젊음. ② 〘구식〙 풍부, 충만, 과잉: der ~ des Reichtums 엄청난 부(富); im 〔bis zum〕 ~ 흘러넘칠 만큼, 처치 곤란할 정도로.

über|schwappen 〘구어〙 ⟪Ⅰ⟫ *t.* 흘리다, 잘못 따르다. ⟪Ⅱ⟫ *i.* (s.) ① 넘쳐흐르다. ② (그릇이) 넘치다.

Überschwefel·säure *f.* 〘化〙 과산화황산.

überschwemmen [y:bərʃvɛ́mən] *t.* ① 침수시키다, 범람한다; 〘비유〙 가득 채우다, 넘치게 하다: den Magen ~ 너무 마시다; der Fluß überschwemmt die Ebene 강물이 평야에 범람하다; 〘비유〙 Touristen ~ das Land 관광객이 온 나라에 넘쳐흐른다; Hilfe für die Überschwemmten 수재민 구호. ② 풍성하게 제공〔공급〕하다: jn. mit et.[3] ~ 누구에게 무엇을 풍부하게 제공하다: 〘商〙 den Markt mit Waren ~ 시장에 상품을 과잉 공급하다.

Überschwemmung *f.* -en 범람, 침수, 홍수, 수해: 〘구어·농담〙 eine ~ in der Küche anrichten 부엌을 온통 물바다로 만들다.

Überschwemmungs≈gebiet *n.* 홍수〔침수〕 지역, 수해 지역. **~katastrophe** *f.* 홍수 재해, 수해.

überschwenglich [ý:bərʃvɛŋlɪç] ⟪<Überschwang⟫ *a.* (감정 표현이) 과도한, 지나친, 극단의; 열광적인: eine ~e Schöpferkraft 넘쳐 흐르는 창조력; ~e Begeisterung 지나친 열광; jn. mit〔in〕 den ~sten Ausdrücken loben 누구를 몹시 과장하여 칭찬하다.

Überschwenglichkeit *f.* -en ① 〘복수없음〙 지나치게 열광적인 성향〔태도〕. ② 열광에 빠져 하는 행위〔말〕.

über·schwer *a.* 너무 무거운; 너무 어려운.

über|schwimmen* *i.* (s.) 저편으로 헤엄쳐 건너다; 흘러 퍼지다.

überschwimmen* *t.* 헤엄쳐 건너다.

Über·see *f.* 해외(특히 아메리카 대륙): aus 〔für, in, nach, von〕 ~ 해외에서 온〔해외로 가는, 해외에(서), 해외로, 해외의〕; Waren aus 〔von〕 ~ 외제, 수입품; Briefe für ~ 해외로 가는 편지; nach ~ gehen 해외로 가다.

Übersee≈brücke *f.* 국제선 전용 부두. **~dampfer** *m.* 〘옛뜻〙 해외 운항선, 국제선 기선. **~hafen** *m.* 국제선 전용 항구. **~handel** *m.* 해외 무역.

überseeisch [..ze:ɪʃ] *a.* 해외(로부터)의, 외래의, 해외로 보내는〔가는〕; 대양 횡단의: ~e Kolonien 해외 식민지들.

Überseer [..ze:ər] *m.* -s, - ① 외국〔해외〕에서 온 사람. ② ↑ Überseedampfer.

Übersee·verkehr *m.* 해외 통상〔교류〕.

über|segeln *i.* (s.) 범선으로 건너가다.

übersegeln *t.* ① (배를) 침몰시키다. ② 범주(帆走)하여 앞지르다. ③ 돛을 너무 올리다. ④ (어떤 곳을) 지나〔넘어〕 범주하다: ganze Weltmeere ~ 세계를 두루 항해하다.

übersehbar [y:bərzé:ba:r] *a.* ① 조망할 수 있는, 전망이 좋은. ② 개관할 수 있는, 전모를 파악할 수 있는.

über|sehen* ⟪Ⅰ⟫ *i.* (h.) 저쪽을 보다, 바라보다. ⟪Ⅱ⟫ *refl.* 〘구어〙 sich[3] et. ~ ① 무엇을 충분히 보다, 음미하다. ② 무엇을 지겹도록 보다.

übersehen *t.* ① 대충 훑어보다; 검사〔음미〕하다. ② **(a)** 못 보고 빠뜨리다〔지나치다〕, 간과하다: ein Verkehrsschild ~ 교통 표지판을 못 보고 지나치다. **(b)** 묵과〔묵인〕하다, 무시

U

하다: js. Taktlosigkeit stillschweigend ~ 누구의 무례를 묵인하다. ③ (**a**) 내다보다, 조망〔전망〕하다: von seinem Fenster aus kann er den ganzen Platz ~ 그는 창 너머로 광장을 전부 조망할 수 있다. (**b**) 개관하다, 전모를 파악하다: ich kann noch nicht ~, wie viele Arbeitskräfte wir brauchen werden 나는 우리가 인력을 몇 명이나 필요로 하게 될지 아직 파악할 수 없다. ④ 능가하다(übertreffen) : jn. an〔in〕 et.³ ~ 무엇에서 누구를 능가하다.

über|sein* *i.* (s.) 뛰어나다, 능가하다: 〖구어〗 jm. in et.³ ~ 무슨 일에서 누구보다 낫다〔뛰어나다〕.

über·seit *adv.* (nordd.) ① (beiseite) 옆으로, 곁에. ② 숨어서(verborgen).

über·selig *a.* 너무 행복한, 복에 겨운.

über|senden* *t.* 저쪽으로 보내다.

übersenden* *t.* (건네) 보내다, 송달하다; 송금하다: als 〔in der〕 Anlage ~ wir Ihnen eine Fotokopie der Rechnung 우리는 영수증 사본을 당신께 동봉합니다.

Übersender *m.* -s, - 보내는 사람, 송신자.

Übersendung *f.* -en 송부, 송달; 송금.

übersetzbar [..zɛ́tsba:r] *a.* 번역할 수 있는.

Übersetzbarkeit *f.* 번역 가능성.

über|setzen 《I》 *i.* (s.) ① 뛰어넘다. ② (s./h.) (배로) 건너가다; 〖광산〗 ein Gang setzt über 어떤 광맥이 다른 광맥을 가로막고 뻗어 있다. 《II》 *t.* ① (배로) 건네주다: jn. an〔auf〕 das andere Ufer ~ 누구를 건너편 강가로 건네주다. ② 〖고어〗 번역〔통역〕하다. ③ 불에 놓다〔얹다〕: einen Topf〔Kessel〕 ~ 항아리를〔솥을〕 불에 얹다. ④ 〖음악〗 (손가락을) 교차시키다: einen Finger ~ (피아노 연주할 때) 손가락을 교차시키다; die Füße ~ (파이프오르간 연주에서) 페달을 엇갈려 밟다.

***übersetzen** 《I》 *t.* ① (**a**) 번역하다; 통역하다: buchstäblich〔wörtlich〕 ~ 직역하다; ein Buch aus〔von〕 dem Deutschen ins Koreanische ~ 독일어 책을 한국어로 번역하다. (**b**) (어떤 영역에서 다른 영역으로) 옮기다, 전환시키다: einen Roman ins Filmische ~ 소설을 영화로 만들다; 〖컴〗 ein Programm ~ 프로그램을 변환하다. ② 너무 넣다〔싣다〕: ein Haus mit Leuten ~ 집안에 사람들을 너무 들여 넣다. ③ (값을) 너무 비싸게 매기다: Kunden ~ 고객에게 너무 비싸게 받다; seine Mieter ~ 세입자에게 너무 비싼 집세를 받다. ④ 〖방언〗 속이다, 기만하다. ⑤ 〖건축〗 거칠게 바르다; 위에 올려놓다: ein Haus ~ a) 집(의 벽)을 거칠게 바르다, b) 〖고어〗 한 층 더 올리다. ⑥ 뛰어넘다, 건너가다: 〖드물게〗 einen Graben ~ 구덩이를 뛰어넘다; 〖광산〗 ein Gang übersetzt einen anderen 어떤 광맥이 다른 광맥을 가로막고 뻗어 있다. 《II》 **übersetzt** *p.a.* ↑ übersetzt.

Übersetzer *m.* -s, - 번역가; 번역〔통역〕자.

übersetzt 《I》 *p.p.* ↑ übersetzen. 《II》 *p.a.* ① (schweiz.) (가격·청구액·속도 등이) 너무 높게 책정된. ② 부담이 너무 큰, 과부하(過負荷)된; 과잉 공급된, 범람한. ③ 〖工〗 (기어 등이) (특정의) 변속비〔전동비(傳動比)〕를 지닌.

Übersetzung[1] *f.* -en (강) 저편으로 건너기〔건네기〕.

***Übersetzung**[2] *f.* -en ① (**a**) 〖복수없음〗 번역, 통역: eine ~ von einem Roman machen 소설을 한 권 번역하다. (**b**) 번역서, 번역본: das Werk liegt nun auch in deutscher ~ vor 그 작품은 이제 독일어 번역본으로도 나와 있다. (**c**) 〖학생〗 (고전·외국어 등의) 직역 참고서. ② 〖工〗 전동(傳動), 전동비(比); (자전거 등의) 톱니바퀴 연동비, 변속비: eine andere ~ wählen 기어를 변속하다. ③ 너무 넣음, 지나치게 실음.

Übersetzungs≈arbeit *f.* 번역 작업〔일〕. **~büro** *n.* 번역 사무소. **~fehler** *m.* 오역. **~-kunst** *f.* 번역술. **~recht** *n.* 번역권.

***Übersicht** [ý:bərzɪçt] 《＜übersehen》 *f.* -en ① 〖복수없음〗 조망, 전망; 개관. ② (Einsicht) 통찰, 이해; 형안(炯眼), 현명. ③ 열람, 검열. ④ (**a**) 개요, 대의, 대강: eine ~ über die englische Literatur 영국 문학 개요. (**b**) 일람(표), 목록: eine ~ über den Spielplan des kommenden Sommers 올 여름 공연계획 일람표〔목록〕.

übersichtig [ý:bər..] *a.* 원시(遠視)의(weitsichtig).

Übersichtigkeit *f.* 원시(遠視) (Weitsichtigkeit).

übersichtlich *a.* ① 내다볼 수 있는, 조망〔전망〕할 수 있는: ~es Gelände 전망이 좋은 지역〔지형〕. ② 명료한, 일목요연한; 이해하기 쉬운, 포괄적〔개괄적〕인: et. ~ anordnen 무엇을 일목요연하게 정리하다.

Übersichtlichkeit [ý:bər..] *f.* 명료성, 일목요연.

Übersichts≈karte *f.* (세세한 것을 생략한) 일반 지도, 약도, 지형도; 일람도. **~tafel** *f.* 일람표.

über|siedeln *i.* (s.) 이주하다, 이사가다: von Mainz nach Berlin ~ 마인츠에서 베를린으로 이주하다.

übersiedeln 《I》 *i.* (s.) ↑ über|siedeln. 《II》 *t.* 이주시키다.

Übersiedelung [ý:bər..] *f.* -en ↑ Übersiedlung.

Übersiedlung *f.* -en 이주, 이사; 이민.

über|sieden(*) [ý:bər..] *t.* 증류하다(destillieren).

Übersiedler *m.* -s, - 이주자.

übersilbern *t.* 은을 입히다, 은도금하다.

über·sinnlich *a.* ① 초감각적〔초감성적〕인, 형이상학적인; 초자연적인, 비물질적인: die ~e Welt 영계(靈界); Lehre vom ≈en 형이상학. ② 지나치게 감각적〔관능적〕인.

Übersinnlichkeit [ý:bər..] *f.* 초감각성.

Übersoll *n.* -s 〖구동독〗 초과 작업량.

übersommern 《I》 *i.* (h.) 여름을 보내다〔넘기다〕; 〖動〗 여름잠을 자다. 《II》 *t.* 여름을 보내게 하다, (얼음 등을 지하실에) 여름내 저장하다.

über·sonnt *a.* 〖雅語〗 햇빛이 내리쬐이는, 햇빛을 받은.

über|spannen *t.* 위에 치다〔펴다〕: er hat ein Tuch übergespannt 그는 보를 위에 폈다.

überspannen 《I》 *t.* (h.) ① (**a**) (무엇으로) 덮다, 깔다: et. mit einem Teppich ~ 무엇에 양탄자를 깔다. (**b**) (아치형으로) …에 걸쳐〔놓여〕 있다: die Brücke überspannt den Fluß 강 위에 다리가 놓여 있다. ② 뼘으로 재다. ③ 너무 팽팽하게 하다; 지나치게 긴장시키

다; 과도하게 자극〔흥분〕시키다; 과장하다: 〖비유〗 den Bogen ~ a) 활을 너무 당기다, b) (일의) 도를 지나치다, 극단으로 흐르다; seine These ist überspannt 그의 명제는 무리한 주장을 담고 있다; 〖工〗 den Dampf ~ 증기를 과열하다; seine Ansprüche〔Forderungen〕 ~ 과도하게 요구하다. 《Ⅱ》 **überspannt** *p.a.* ↑ überspannt.

überspannt 《Ⅰ》 *p.p.* ↑ überspannen. 《Ⅱ》 *p.a.* ① 지나치게 긴장〔흥분〕한; 〖비유〗 과장된, 극단의, 터무니없는: ~e Forderungen 무리한 요구. ② 엉뚱한, 별난, 기상천외의: ~e Einfälle 기상천외의 착상; ein ~er Kopf 〔Mensch〕 괴짜, 기인.

Überspanntheit *f.* -en ① 〖복수없음〗 과장, 극단. ② 지나친〔엉뚱한〕 언행.

Überspannung[1] [y:bɐrʃpanʊŋ] *f.* -en 〖전기·化〗 과전압.

Überspannung[2] *f.* -en ① 〖복수없음〗 과도한 긴장; 팽팽하게 덮기. ② 팽팽하게 덮어씌운 것〔천〕, 덮개: die ~ des Bügelbretts erneuern 다리미판 덮개를 새로 바꾸다.

Überspannungs·schutz *m.* 〖전기〗 과(過)전압 제어 장치.

überspielen 《Ⅰ》 *t.* ① 끝까지 연주하다 (durchspielen). ② 싫도록 치다〔켜다·타다〕. ③ 〖스포츠〗 (상대 선수를) 기술로 제압하다, 물리치다: der Stürmer überspielte den Verteidiger 공격수〔포워드〕가 수비수를 따돌렸다. ④ 슬쩍 넘기다〔은폐하다〕: seine Befangenheit〔Schüchternheit〕 ~ 자신의 편견〔수줍음〕을 슬쩍 은폐하다. ⑤ **(a)** (녹음〔녹화〕된 것을) 다른 테이프로 녹음〔녹화〕하다: eine Platte auf ein Tonband ~ 음반의 내용을 테이프에 옮겨 녹음하다. **(b)** (방송을) 중계하다. ⑥ (불빛 등이) 아른거리며 가리다. 《Ⅱ》 **überspielt** *p.a.* ↑ überspielt.

überspielt 《Ⅰ》 *p.p.* ↑ überspielen. 《Ⅱ》 *p.a.* ① 〖스포츠〗 시합이 너무 많아 지친. ② (öst.) (악기가) 너무 오래 사용하여 낡은.

Überspielung *f.* -en ① 슬쩍 넘김〔은폐함〕. ② 중계 방송; 녹음, 녹화.

überspinnen* *t.* (실 등을) 자아서 덮다; …에 그물을 덮다, (거미가) 줄을 치다: einen Draht ~ 전선을 피복(被覆)하다: ein mit Weinreben übersponnenes Haus 포도 덩굴로 덮인 집.

überspitzen 《Ⅰ》 *t.* 너무 뾰족하게 하다; 〖비유〗 너무 강조〔과장〕하다; 너무 엄격하게 다루다. 《Ⅱ》 **überspitzt** *p.a.* ↑ überspitzt.

überspitzt 《Ⅰ》 *p.p.* ↑ überspitzen. 《Ⅱ》 *p.a.* 너무 뾰족한; (정도가) 지나친, 극단적인.

Überspitztheit *f.* -en 과장, 극단, 지나친 강조〔엄격성〕.

Überspitzung *f.* -en ① 〖복수없음〗 과장, 극단화. ② 지나친 표현〔언행〕, 극단적 언동.

übersprechen* *t.* (테이프·영화를) 더빙하다 (synchronisieren).

übersprenkeln *t.* et. mit et.[3] ~ 무엇 위에 무엇을 (흩)뿌리다, 끼얹다.

über|springen* *i.* (s.) ① (불꽃이) 튀어 옮기다, (불이) 옮겨붙다: der elektrische Funke springt über 전기 불꽃이 (옮겨) 튀다; 〖비유·구어〗 bei ihm ist der Funke übergesprungen 그는 번개처럼 알아챘다〔깨달았다〕. ② 〖醫〗 (병균이) 전이되다, 옮다: auf ein anderes Organ ~ (병균이) 다른 기관〔조직〕으로 전이되다. ③ 갑자기 화제를 옮기다: auf ein ganz anderes Thema ~ 갑자기 전혀 다른 화제로 말을 바꾸다.

überspringen 《Ⅰ》 *t.* ① 뛰어넘다: einen Graben ~ 도랑을 뛰어넘다; eine Klasse ~ 한 학년을 월반하다; 〖스포츠〗 er übersprang die 2.30 m im zweiten Versuch 그는 두 번째 시기(試技)에서 2.30 m를 뛰어넘었다; 〖醫〗 das Fieber überspringt einen Tag 하루 걸러 열이 난다; 〖비유〗 jn. im Amt ~ 누구를 뛰어넘어 윗자리를 차지하다. ② 생략하다, 빠뜨리다, 거르다: ein paar Seiten ~ 몇 페이지를 건너 뛰다. 《Ⅱ》 *refl.* sich ~ 지나치게 뛰다, 뛰다가 다치다: 〖醫〗 sich[3] den Fuß ~ 발목을 접질리다.

Überspringung *f.* -en 뛰어넘기, 건너뛰기; 생략.

über|sprudeln *i.* (s.) 솟아넘치다, (탄산수 등이) 거품을 일으키며 넘치다: das kochende Wasser sprudelt über 끓는 물이 넘친다; 〖비유〗 von〔vor〕 Witz ~ 기지가 넘치다; von Freude ~ 기쁨이 넘치다.

über|sprühen *i.* (s.) 넘치다, 솟구쳐 뛰다: vor Freude ~ 기쁨을 마음껏 발산하다.

übersprühen *t.* …위에 뿌리다, 날리다.

Übersprung·handlung *f.* 〖행태〗 (상황에 맞지 않는) 엉뚱한 행동; 〖心〗 전위(轉位) 행동.

überspülen *t.* ① …위를〔표면을〕 씻다, 헹구다. ② 끼얹다: jn. mit warmem Wasser ~ 누구의 몸에 더운 물을 끼얹다.

über·staatlich *a.* ① 초국가적인. ② 국제적인: eine ~e Institution 국제 기관.

Überstand 《<überstehen》 *m.* -(e)s, ..stände 〖구식〗 돌출(부): ~ der Latten am Giebel (지붕) 박공(牔栱) 각목의 돌출(부).

Überständer *m.* -s, - 〖林〗 고목, 노목(老木); 〖총칭〗 고목림(林), 노령림(老齡林).

überständig *a.* ① 〖구식〗 여분의, (팔다) 남은. ② 〖구식〗 (관습 등이) 시대에 뒤진, 구식의. ③ 〖農〗 다 익었지만 아직 수확하지 않은. ④ 〖林〗 (나무가) 노후한.

überstark *a.* 너무 강한; 몹시 강한.

über|stechen* *i.* (h.) / *t.* 〖카드〗 으뜸패〔위패〕로 치다.

überstechen* *t.* 〖카드〗 으뜸패로 이기다.

über|stehen* *i.* (h.) ① 위에 있다〔서다〕: die ~de Flüssigkeit abgießen (침전물의) 웃물을 따라 내다. ② 돌출하다, 솟다. ③ 그냥 그대로 있다: heiße Speisen ~ lassen 더운 음식물을 놔두어 식히다; die Wäsche steht über 빨래가 물에 담긴 채로 있다.

überstehen *t.* ① 견뎌내다, 이겨내다, 극복하다: eine Krankheit ~ 병을 이겨내다; eine Reise ~ 고된 여행을 이겨내다; nach überstandener Gefahr 위험을 극복하고; er hat es überstanden a) 그는 그것을 견뎌냈다, b) 〖비유〗 (숙환의 고통을 넘어섰다는 뜻에서) 그는 죽었다; das hätten wir 〔das wäre〕 überstanden! (안도의 표시로) 그건 극복한 셈이구나! ② 덮어 가리다: von Bäumen überstanden 나무로 뒤덮인.

übersteigbar [y:bɐrʃtáikba:r] *a.* (타고) 넘을 수 있는; 극복〔능가〕할 수 있는.

über|steigen* *i.* (s.) ① 저편으로 넘다, 기어넘다, 뛰어넘다: von einem Boot auf ein anderes ~ 한 보트에서 다른 보트로 옮겨 타다. ② (물이) 넘쳐흐르다, 넘다.

übersteigen* 《I》 *t.* ① 올라가 넘다: den Berg ~ 산을 넘다. ② 〔비유〕 이겨내다, 극복하다, 헤쳐나가다: Hindernisse ~ 장애를 극복하다. ③ 〔비유〕 (높이·양·힘 등에서) 능가하다, 뛰어나다: das übersteigt meine Kräfte 그것은 내 힘에 버겁다; es übersteigt alle mein Vorstellungsvermögen 나는 그런 일을 도저히 상상할 수 없다. ④ 넘치다; 범람하다: der Fluß übersteigt das Ufer 강이 범람한다. 《II》 *i.* (s.) (물이) 넘쳐흐르다, 넘다. 《III》 *refl.* sich ~ ① 오르기에 지치다. ② 너무 올라가서 길을 잃다; 끝까지 오르다. 《IV》 **überstiegen** *p.a.* ↑ überstiegen.

übersteigern 《I》 *t.* ① (값·요구 등을) 너무 올리다, 폭등시키다: die Forderung 〔den Preis〕 ~ 요구를〔값을〕 너무 올리다. ② jn. ~ (경매에서) 누구보다 비싼 값을 부르다. 《II》 *refl.* 〔드물게〕 sich ~ 도를 넘다: sich im Ausdruck ~ 표현이 지나치다.

Übersteigerung *f.* -en ↑ übersteigern 의 명사형.

übersteiglich [..ʃtáiklıç] *a.* ↑ übersteigbar.

Übersteigung *f.* -en 넘기, 뛰어넘기, 극복.

überstellen *t.* 〔격식〕 ① 전근〔영전〕시키다. ② (범인 등을) 인도하다: der Häftling wurde der Strafanstalt überstellt 그 죄수는 교도소에 수감되었다.

Überstellung *f.* -en 전근; 인도(引渡).

überstempeln *t.* …위에 도장〔소인〕을 찍다; …에 정정 도장을 찍다.

Übersterblichkeit *f.* 예상 이상의 사망률, 지나치게 높은 사망률.

übersteuern 《I》 *t.* ① (스피커 등의) 볼륨을 너무 높이다, 과변조(過變調)시키다. ② 세금을 과중하게 부과하다. 《II》 *i.* 〖車〗 (차가) 과잉 회전하다.

Übersteuerung *f.* -en ① 과변조(過變調). ② (차의) 핸들 과잉 회전. ③ 과잉 징세.

überstiegen 《I》 *p.p.* ↑ übersteigen. 《II》 *p.a.* 과도한, 지나친.

überstimmen *t.* ① 〖음악〗 (현·줄을) 너무 팽팽하게 죄다. ② ↑ übertönen. ③ 투표로 이기다: den Gegner ~ 상대방을 투표로 이기다. ④ 다수결로 거부하다: einen Antrag ~ 어떤 제안을 다수결로 거부하다.

Überstimmung *f.* -en ↑ überstimmen 의 명사형.

über·stolz *a.* 너무 자만하는〔뽐내는〕.

überstrahlen *t.* ① 〔雅語〕 두루 환하게 비추다: Sonnenlicht überstrahlte die Ebene 햇빛이 평야를 환하게 비추었다. ② 보다 세게 비추다〔빛나다〕; 광채를 잃게 하다, 무색하게 하다: der Ruhm des Sohnes wird von dem des Vaters überstrahlt 아들의 명성이 아버지의 명성에 가려 빛을 잃는다.

überstrapazieren *t.* 너무 힘겹게 하다, 지독하게 혹사하다.

überstreckt *a.* (수프가) 묽은; (포도주에) 설탕물을 너무 탄.

überstreichen* *t.* ① …의 표면에 바르다, 덧칠하다, 두루 칠하다: et. mit Lack〔Firnis〕 ~ 무엇을 래커〔니스〕로 칠하다. ② (특정 영역을) 포괄하다: einen Frequenzbereich von 35 Hz bis 20kHz ~ 35 Hz 에서 20 kHz 까지의 주파수 범위를 포괄하다.

über|streifen 《I》 *t.* (옷 등을) 걸치다; (반지·장갑 등을) 끼다; 입히다; 걸쳐 주다. 《II》 *refl.* sich³ ein Kleid ~ 옷을 입다.

überstreifen *t.* (가로) 줄무늬를 가득 치다.

über|streuen *t.* 흩뿌리다, 끼얹다.

überstreuen *t.* …위에 두루 흩뿌리다, 끼얹다, 바르다: einen Kuchen mit Zucker ~ 케이크에 설탕을 뿌리다.

überstricken *t.* 그물로 씌우다.

über|strömen *i.* (s.) ① 넘치다, 넘쳐흐르다, 범람하다. ② 〔雅語〕 (감정이) 넘쳐흐르다, 충만하다: ihr Herz strömt vor Freude über 그 여자의 마음은 기쁨에 넘쳐 있다; sein Mund strömt von ihrem Lob über 그는 그 여자를 입에 침이 마르도록 칭찬한다.

überströmen *t.* 흘러 넘쳐 뒤덮다, 침수시키다: der Fluß hat die Felder überströmt 강이 넘쳐 들판을 침수시켰다; Blut überströmte sein Gesicht 그의 얼굴은 피투성이가 되었다.

Überströmung *f.* -en 범람, 홍수.

Über·strumpf *m.* 〔구식〕 덧양말; 각반(脚絆).

über|studieren (*p.p.* überstudiert) 《I》 *i.* (h.) 지나치게 공부〔연구〕하다. 《II》 *refl.* sich ~ 지나치게 공부〔연구〕하여 정신이 이상해지다. 《III》 *t.* 대강 살피다.

Überstudierte* *der/die* 공부〔연구〕를 너무 해 머리가 돈 사람.

über|stülpen *t.* ① 되는 대로 씌우다: jm. einen Hut ~ 누구에게 모자를 되는대로 씌우다. ② 덮어씌우다.

Über·stunde *f.* 시간외〔초과〕 근무 (시간): ~n machen〔leisten〕 시간외 노동을 하다.

Überstunden=arbeit *f.* 시간외 노동, 초과근무. **~geld** *n.* ↑ ~zuschlag. **~zuschlag** *m.* 시간외〔초과〕 근무 수당.

über|stürzen 《I》 *t.* 서둘러 뚜껑을 닫다, 덮다. 《II》 *i.* (s.) ① 넘어지다: nach hinten ~ 뒤로 나자빠지다. ② 돌진하다.

überstürzen 《I》 *t.* ① 덮개로 덮다: einen Topf ~ 냄비에 뚜껑을 덮다. ② 급히 서둘러 하다, 너무 급하게 굴다: ~ Sie nichts! 결코 서두르지 마십시오! ③ 〔구식〕 (어디 위로) 내리붓다; 넘쳐 들어오다: Wasser überstürzte das Boot 물이 보트로 넘쳐 들어왔다. 《II》 *refl.* sich ~ ① 넘어지다. ② 〔구식〕 성급〔경솔〕하게 행하다: sich im Essen ~ 서둘러 먹다. ③ 쇄도하다: die Nachrichten ~ sich 뉴스가 쇄도한다. 《III》 **überstürzt** *p.a.* ↑ überstürzt.

überstürzt 《I》 *p.p.* ↑ überstürzen. 《II》 *p.a.* 급히 서두르는, 경솔한: ~ handeln 성급하게 행동하다.

Überstürzung *f.* 급히 서두름, 성급함, 경솔함; 당황: nur keine ~! 허둥대지 마라, 급하게 굴지 마라!

über·süß *a.* 너무 단.

über·tariflich *a.* 규정 급여 이상의; 정가 이상의: eine ~e Bezahlung 규정 급여보다 많은 보수.

Übertät *f.* -en 〔고어〕 풍요, 다산; 충만, 풍부.

übertäuben *t.* 묵살하다, 들리지 않게 하다; 마비시키다: die Stimme des Gewissens ~

양심의 소리를 묵살하다; einen Schmerz durch laute Vergnügungen ~ 떠들썩하게 즐김으로써 고통을 잊다.

Übertäubung *f.* -en 마비시킴, 마비당함, 묵살.

übertauchen *t.* (öst.) (치료받지 않고) 병을 이겨내다〔극복하다〕: eine Grippe ~ 독감을 특별한 치료 없이 이겨내다.

über·teuer *a.* 너무 비싼.

überteuern *t.* ① (물건의) 값을 너무 높게 요구하다〔매기다〕: die Produkte dieser Firma sind hoffnungslos überteuert 이 회사 제품들의 값은 터무니없이 높게 매겨져 있다. ② jn. ~ 누구에게 엄청난 값을 요구하다.

Überteuerung *f.* -en 터무니없는 가격 (인상), 부당한 대가 요구.

Überteurung *f.* -en ↑ Überteuerung.

übertölpeln *t.* 속이다, 사기치다.

Übertölpelung *f.* -en 기만, 사기.

Übertölplung *f.* -en ↑ Übertölpelung.

übertönen *t.* 더 큰 소리로 압도하다; 보다 크게 울리다: das Gebell der Hunde übertönte den Ruf des Nachtwächters 개 짖는 소리에 야경꾼이 외치는 소리가 들리지 않았다.

Übertönung *f.* -en 크게 울림.

Über·topf [ý:bər..] *m.* (도자기로 된) 장식용 덧화분.

Übertrag [ý:bərtra:k] *m.* -(e)s, ..träge [..tɛ:gə]〖商〗이월; 이월 액수.

übertragbar [..trá:kba:r] *a.* ①〖商〗양도할 수 있는, 유통할 수 있는: diese Fahrkarte ist nicht ~ 이 차표는 다른 사람에게 양도할 수 없다. ② 번역할 수 있는(übersetzbar). ③〖醫〗감염되는, 전염성의: eine ~e Krankheit 전염병. ④ 전용〔응용〕할 수 있는: dieses Verfahren ist auch auf andere Gebiete ~ 이 방법은 다른 분야에도 응용할 수 있다.

Übertragbarkeit *f.* 양도 가능성; 전염성; 응용 가능성.

über|tragen* *t.* ① (옷을) 껴입다. ②〖商〗(회계에서) 이월하다; 기장하다; 옮겨쓰다. ③ (옷을) 낡도록 (오래) 입다. ④ 저편으로 나르다. ⑤〔고어〕↑ übertragen[1] 《I》.

übertragen[1] 《I》 *t.* ① 이송〔전송〕하다, 운송〔운반〕하다; 전달하다:〖기계〗Kraft ~ 동력을 전달하다. ② 맡기다, 위임〔양도〕하다: jm. eine Arbeit ~ 누구에게 일을 맡기다; jm. ein Recht ~ 〔ein Recht auf〔an〕 jn. ~〕 누구에게 권리를 양도하다. ③〖商〗이월하다; 옮겨 쓰다: ich habe den Posten aus der vorjährigen Rechnung in die diesjährige ~ 나는 그 항목을 전년도 회계에서 금년도 회계로 이월했다. ④ (a) 번역하다(übersetzen): einen Roman aus dem 〔vom〕 Englischen ins Deutsche ~ 영어 소설을 독일어로 번역하다. (b) (다른 형식으로) 옮기다, 바꾸다: ein Stenogramm in Maschinenschrift ~ 속기로 쓴 글을 타자기로 옮겨치다; eine Schallplattenaufnahme auf Band ~ 음반의 내용을 테이프로 옮겨 녹음하다. ⑤ 응용하다: etwas einmal Gelerntes auf neue Situationen ~ 전에 배운 것을 다른 상황에 응용하다. ⑥ (a)〖醫〗감염〔전염〕시키다: eine Krankheit auf jn. ~ 누구에게 어떤 병을 전염시키다. (b) (기분·감정 등을) 옮기다, 전파하다: sie übertrug ihre Unsicherheit auf das Kind 그녀의 불안이 아이에게도 옮겨갔다. ⑦〔고어〕분담하다: Schmerzen ~ (다른 사람의) 고통을 함께 나누다. ⑧ (옷을) 낡도록 입다. ⑨ (다른 곳에) 다시 한 번 쓰다〔그리다〕: einen Aufsatz ins reine 〔ins Heft〕 ~ 작문한 글을 다시 정서하다〔공책에 옮겨 쓰다〕. ⑩ 중계(방송)하다: ein Konzert im Rundfunk〔Fernsehen〕 ~ 음악회를 라디오〔텔레비전〕 방송으로 중계하다. ⑪ 출산 예정일이 넘도록 (아이를) 분만하지 않고 있다. 《II》 *refl.* sich ~ ① 무거운 짐을 날라서 몸을 상하다. ② 감염〔전염〕되다: die Krankheit übertrug sich auch auf mich 나도 그 병에 전염되었다. 《III》

übertragen *p.a.* ↑ übertragen[2].

übertragen[2] 《I》 *p.p.* ↑ übertragen[1]. 《II》 *p.a.* ① 전의적(轉義的)인, 비유적인: ein Wort in ~er Bedeutung anwenden 어떤 말을 비유적으로 사용하다. ② 출산 예정일을 넘긴: das Kind war ~ 그 애는 출산 예정일을 넘겼다. ③ (öst.) 입어서 낡은; 중고의.

Übertrager *m.* -s, -〖전기〗(Transformator) 변압기, 트랜스; (전화의) 자동 중계 장치.

Überträger *m.* -s, - ① 나르는 사람. ② 위탁자; 양도〔양여〕자. ③ 보고자(Angeber). ④ 번역자. ⑤〖數〗↑ Übertragewinkel. ⑥〖醫〗(a) 전염병 보균자. (b) 전염병 매개 동물〔체〕.

Überträgerin *f.* -nen ↑ Überträger 의 여성형.

Übertrage·winkel *m.*〖數〗반원형자, 곱자.

Übertragung [..trá:gʊŋ] *f.* -en ① 운송, 운반, 전달. ② 양도, 인도(引渡); 위탁, 위임: Blut≈ 수혈. ③ (회계에서) 이월. ④ 번역;〖문법〗전의(轉義). ⑤ 전용(轉用), 응용. ⑥〖心·교육〗전이(轉移). ⑦〖醫〗전염, 감염. ⑧〖기계〗(동력의) 전달. ⑨〖전기〗송신; 전송; 중계 방송: Original≈ 현장 중계, 실황 중계; Live≈ 생중계. ⑩〖醫〗출산 예정일을 넘긴 임신 상태.

Übertragungs≈amt *n.*〖전기〗중계국(局). **~geschwindigkeit** *f.*〖컴〗전송 속도. **~protokoll** *n.*〖컴·통신〗전송 규약. **~satellit** *m.* (방송) 중계 위성. **~vermerk** *m.*〖금융〗(수표 등의) 배서. **~wagen** *m.*〖방송〗방송 중계차(약어: Ü-Wagen).

über·trainiert [ý:bərtrɛni:rt, ..tren..] *a.*〖스포츠〗연습〔훈련〕 과다의, 무리한 훈련으로 지친.

übertreffbar [..trɛ́fba:r] *a.* 앞지르는, 능가할 수 있는: eine kaum ~e Leistung 거의 독보적인 업적.

übertreffen [y:bərtrɛ́fən] *t.* ① 능가하다, …보다 낫다;〔스포츠〕이기다: jn. an Körperkraft〔Fleiß〕 ~ 체력〔근면함〕에서 누구보다 뛰어나다; der Schüler übertrifft den Meister 제자가 스승을 앞지르다; er hat sich darin 〔dabei〕 selbst übertroffen 그는 그 일에서 과거 어느 때보다도 더 나은 실력을 보여주었다. ② (예상·통례를) 뛰어넘다, 웃돌다: das übertrifft alle meine Erwartungen 그것은 완전히 내 기대 이상이다.

über|treiben* [ý:bərtraɪbən] 《I》 *t.* ① 저편으로 몰다; 몰아대다: das Vieh über den Bach ~ 가축을 개울 저편으로 몰아가다. ②〖化〗증류하다. 《II》 *i.* (s.) 넘쳐흐르다.

übertreiben 《I》 *t./i.* (h.) ① 혹독하게 부리다: ein Pferd ~ 말을 혹사하다. ②〔고어〕성

나게 하다. ③ 지나치게 하다, 과도하게 하다: er übertreibt das Schwimmen 그는 수영을 지나치게 한다; er übertreibt seine Ansprüche 그는 요구가 너무 많다. ④ (↔ untertreiben) 과장하다, 허풍떨다; 과시하다; 〖연극〗 과장하여 연기하다: er hat stark übertrieben 그는 터무니없이 과장했다. 《Ⅱ》 *refl.* sich ~ ① (나무가) 너무 많은 꽃을 피워〔열매를 맺어〕 시들시들하다. ② 몸을 혹사하다. 《Ⅲ》 **übertrieben** *p.a.* ↑ übertrieben.

Übertreiber *m.* -s, - 허풍선이; 협잡꾼.

Übertreibung *f.* -en ① 〔복수없음〕 도를 넘음, 지나치게 함. ② 과장, 과장된 행동; 〖修〗 과장법.

über|treten* [ý:bərtre:tən] 《Ⅰ》 *i.* ① **(a)** (h./s.) 〖스포츠〗 (규정된 선·지역을) 벗어나다, 넘다: beim Kugelstoßen ~ 포환던지기에서 표시선을 넘다〔밟다〕. **(b)** (s.) 침투하다, 들어가다: Wasser trat in das Gewebe über 옷감에 물이 스며들다. **(c)** (s.) (강이) 범람하다. ② (s.) 옮기다, 입장을 바꾸다; 〖宗〗 개종하다: zu einer anderen Partei ~ 다른 당파로 옮기다; 〔비유〕 zum Feind ~ (배반하여) 적에게 넘어가다: zum Katholizismus ~ 가톨릭교로 개종하다. ③ (s.) (öst.) (다른 제도·단계로) 넘어가다: in eine Hochschule ~ 대학에 진학하다: in den Ruhestand ~ 퇴직〔은퇴〕하다. 《Ⅱ》 *t.* (신을 오래 신어) 닳게 하다: Stiefel ~ 장화의 굽〔밑바닥〕을 닳게 하다.

übertreten 《Ⅰ》 *t.* ① 헛딛어 발을 삐다: ich habe mir den Fuß ~ 나는 헛딛어 발을 삐었다. ② (법·규칙을) 위반하다: ein Gesetz ~ 법을 위반하다. ③ 〔구식〕 (경계선 등을) 넘다: er darf meine Schwelle nicht mehr ~ 그는 우리 집을 더이상 드나들어서는 안된다. 《Ⅱ》 *refl.* sich ~ 발을 헛디디다〔삐다〕.

Übertreter *m.* -s, - 〔드물게〕 (종교·도덕·법률의) 위반자.

Übertretung *f.* -en ① (법률·계명의) 위반; 반칙. ② 〖法〗 (schweiz.) 경범죄.

Übertretungs·fall *m.* 〔다음 용법으로만〕 〖法·격식〗 im ~ 만일 위반한 경우에는.

übertrieben 《Ⅰ》 *p.p.* ↑ übertreiben. 《Ⅱ》 *p.a.* 과장된; 지나친, 터무니없는: in ~em Maße 지나치게; ~e Schilderungen 과장된 서술; ~e Lobsprüche 지나친 찬사.

Übertriebenheit *f.* 과장, 지나침; 과장된〔지나친〕 행동.

***Übertritt** [ý:bərtrɪt] 《<übertreten》 *m.* -(e)s, -e ① 옮김, 침입, 들어감; 출입〔통행〕하는 장소: Grenz~ 월경(越境). ② 소속 당파〔종파〕의 변경, 당적 변경〔이적〕; 개종: ~ zum Katholizismus 가톨릭으로의 개종.

übertrumpfen *t.* ① 〖카드〗 jn. ~ 누구를 으뜸패로 이기다. ② 〔비유〕 능가하다: js. Leistung ~ 누구의 업적을 능가하다.

über|tun* *t.* 〔구어〕 ① 걸쳐 주다; 입혀 주다: sich³ eine Jacke ~ 저고리를 입다. ② (음식을) 불 위에 얹다

übertun* 〔드물게〕 《Ⅰ》 *t.* (ndd., schweiz.) 지나치게 하다. 《Ⅱ》 *refl.* sich ~ 몸을 혹사하다, 무리하다.

übertünchen *t.* ① (석회·페인트 등을) 바르다. ② 〔비유〕 겉치레를 하다; (진실을) 호도하다: durch Höflichkeit übertünchte Erpressung 점잔을 가장한 협박.

über·übermorgen [ý:..] *adv.* 〔구어〕 글피.

Über·vater *m.* 〔고어〕 (어느 분야·조직의) 권위자, 명망가, 대가, 일인자, 대부: der ~ einer Partei 당의 일인자.

Über·verdienst *m.* 막대한 이익; 초과 이득; 임시 수입.

über|versichern *t.* (보험가액보다 보험금이 더 많은) 초과 보험에 들다.

Überversicherung *f.* -en 〖經〗 ① 〔복수없음〕 초과 보험 가입. ② 초과 보험.

übervölkern *t.* 인구 과잉이 되게 하다; (사람들로) 가득 채우다: das Land ist übervölkert 그 나라는 인구 과잉이다.

Übervölkerung *f.* ① 인구 과잉〔과밀〕; 과잉 인구. ② 〖生〗 과잉 서식.

übervölkisch *a.* ① 초민족적인, 국제적인. ② 극단적으로 국수적인.

über·voll *a.* 너무 가득 채운; 초만원의.

über·vorsichtig *a.* 너무 조심스러운, 지나치게 신중한.

übervorteilen [y:bərfɔ́rtaɪlən] *t.* 속여 이득을 취하다, 이용해 먹다; 속이다: seine Kunden ~ 자기 고객들을 속여 이득을 취하다.

Übervorteilung *f.* -en ↑ übervorteilen 의 명사형.

über·wach *a.* ① 극도로 긴장한; (의식이) 아주 또렷한, (각성제 등으로) 매우 긴장〔흥분〕된: mit ~en Augen 엄한 감시로써. ② 혜안의. ③ 밤을 지샌, 철야한.

überwachen 《Ⅰ》 *t.* ① 감독〔관리〕하다: die Ausführung eines Befehls ~ 명령의 수행〔이행〕 과정을〔여부를〕 감독하다. ② 감시하다: er wurde vom Geheimdienst überwacht 그는 (비밀) 정보 기관의 감시를 받았다. 《Ⅱ》 *refl.* sich ~ 밤샘하여 지치다. 《Ⅲ》 **überwacht** *p.a.* ↑ überwacht.

über|wachsen* *i.* (s.) 자라오르다, 웃자라다; 삐져〔밀려〕 나오다: 〔비유〕 das Vaterherz wuchs über 아버지의 가슴은 (기쁨으로) 부풀었다.

überwachsen* 《Ⅰ》 *t.* ① 자라나서 뒤덮다, 무성하여 가리다: das Gras überwächst den Weg 풀이 자라서 길을 뒤덮고 있다. ② …보다 크게 자라다: ein junger Baum überwuchs die anderen 어린 나무가 다른 나무보다 더 잘 자랐다; 〔드물게〕 seine Kleider ~ 자라서 옷이 맞지 않게 되다. 《Ⅱ》 *refl.* sich ~ 웃자라다, 지나치게 생장〔발육〕하다.

überwacht 《Ⅰ》 *p.p.* ↑ überwachen. 《Ⅱ》 *p.a.* 밤을 지샌, 철야한.

überwächtet *a.* 〖등산〗 코니스(벼랑 끝에 차양 모양으로 쌓인 눈더미) 모양의, 코니스가 붙은, 눈사태의 위험이 있는.

Überwachung *f.* -en 감독, 감시, 사찰.

Überwachungs≈ausschuß *m.* 감시 위원회. **~dienst** *m.* ① 감독〔사찰〕 업무. ② 감독조, 사찰조, 감시 기관. **~staat** *m.* 〖폄어〗 감시 국가. **~stelle** *f.* 감시〔감독〕 장소; 감시 부서. **~system** *n.* 감시〔감독〕 체계〔기구〕.

über|wallen *i.* (s.) 끓어넘치다, 솟구쳐〔넘쳐〕 흐르다; 〔비유〕 (격정으로) 끓어오르다: sein Zorn wallt über 그는 분노가 끓어오르고 있다; 〔비유〕 ~de Freude 넘치는 기쁨.

überwallen 〔雅語〕 《Ⅰ》 *t.* ① 넘쳐흘러 뒤덮다: Schamröte überwallte ihr Gesicht 그녀의 얼굴은 부끄러움으로 달아올랐다. ② 끓어오르

게 하다. ③〖醫〗 아물게 하다: die Verletzung des Baumstammes war bald überwallt 나무 줄기의 상처가 곧 아물었다. 《Ⅱ》 *i.* (h.) 아물다.

*__überwältigen__ [..vέltɪgən] *t.* ① 제압〔정복〕하다; 극복하다: den Feind ~ 적을 제압하다; Schwierigkeiten ~ 어려움을 극복하다. ② 엄습하다, 압도하다: sich von seinen Leidenschaften ~ lassen 격정에 사로잡히다; Jammer überwältigte ihn 그는 비탄에 빠졌다.

überwältigend *p.a.* 압도적인, 대단〔우세〕한: mit ~er Mehrheit wählen 압도적 다수로 선출하다.

Überwältigung [..guŋ] *f.* -en 압도, 제압, 정복; 극복.

überwälzen *t.* ① (비용 등을) 떠맡기다; (죄·책임을) 전가하다: die Mehrwertsteuer auf den Verbraucher ~ 부가 가치세를 소비자에게 전가하다. ② (불행 등에) 끌어들이다; (토사가 전답을) 뒤덮다; 석권하다.

Überwanderung *f.* -en (문화 민족이 식민지로의) 이주.

über|wechseln *i.* (s.) ① 이동하다, 옮기다: in eine andere Abteilung des Unternehmens ~ 기업의 다른 부서로 옮기다. ② (정신적·정치적) 입장을 바꾸다: zu einer anderen Partei ~ 다른 당으로 이적하다. ③ (다른 화제로) 넘어가다: zu einem anderen Thema ~ 다른 주제로 화제를 옮기다. ④ (짐승이) 옮겨가다, 이동하다.

Über·weg *m.* 횡단 보도.

über·weg *adv.* 〖구식〗 (ndd.) ① 마주보고, 맞대고. ② 넘어서, 건너서, 저편에: ~ gehen 넘어가다, 건너다. ③ 일치하여: mit jm. ~ kommen 누구와 일치하다. ④ 피상적으로.

über·weise *a.* 지나치게 영악한.

__überweisen__ [y:bərváɪzən] *t.* ① (계좌) 이체하다, 송금하다, 입금하다; (수표 등에) 배서하다: einen Betrag an jn. 〔auf js. Konto〕 ~ 어떤 금액을 누구에게〔누구의 계좌로〕 송금하다; die Miete wird jeweils zum Monatsersten überwiesen 임대료가 매월 1일에 송금된다. ② (환자를 소견서와 함께 다른 의사에게) 넘기다, 보내다: einen Patienten zum Spezialisten ~ 환자를 전문의에게 보내다. ③ (사건 따위를) 이송하다, 회부하다, 넘기다: den Antrag an den zuständigen Ausschuß ~ 법안〔제안〕을 해당 위원회로 회부하다. ④ (**a**) (öst.) (누구의 죄를) 증명하다, 확인하다: der Täter wurde überwiesen 그 범인은 유죄로 인정되었다. (**b**) 가르치다, 설득하다.

über|weißen *t.* 너무 희게 하다.

überweißen *t.* 희게 바르다〔칠하다〕.

*__Überweisung__ [y:bərváɪzuŋ] *f.* -en ① 이송, 회부; 회부됨. ②〖금융〗 (**a**) 계좌 송금, 대체(對替), 배서(背書). (**b**) 〖구어〗 송금액: ich habe Ihre ~ heute erhalten 당신이 송금하신 돈을 오늘 받았습니다. ③〖法〗 위임, 위탁, 양도. ④ ↑ Überweisungsschein.

Überweisungs≈auftrag *m.* 〖금융〗 송금〔계좌 이체〕 신청. **~formular** *n.* 송금 신청 용지. **~schein** *m.* (다른 의사에게 보내는) 환자〔치료〕 의뢰서.

über·weit [ý:bər..] *a.* 너무 넓은〔먼〕.

Über·weite *f.* (옷 등의) 특대호, 대형: Kleider〔Röcke〕 in ~ 특대호 옷〔치마〕.

Über·welt *f.* (Jenseits) 피안, 내세, 천국.

überweltlich *a.* 초현세적인, 초자연적인, 내세의, 천국의.

überwendlich [y:bərvέntlɪç] 《Ⅰ》 *a.* 〖재봉〗 공그른 바느질의. 《Ⅱ》 *adv.* 공글러서.

überwendlings *adv.* 〖재봉〗 공글러서.

über|werfen* [ý:bərvɛrfən] *t.* ① 던져 주다, 던져 넘기다. ② (옷을) 급히 입다〔걸치다〕.

überwerfen* 《Ⅰ》 *t.* ① 빈틈없이 고루 바르다. ②〖야구〗 투수력으로 이기다; 〖유도〗 메어쳐 이기다. 《Ⅱ》 *refl.* sich ~ ① 넘어지다, 전복되다. ② 사이가 나빠지다, 불화를 겪다: ich habe mich mit ihm überworfen 나는 그와 사이가 틀어졌다.

Überwerfung *f.* -en 불화; 말다툼.

Über·wert *m.* 초과 가격〔가치〕.

überwerten *t.* 과대 평가하다(↔ unterwerten).

überwertig *a.* 과대 평가된; 〖心〗 사고를 강박하는; 너무 중요한: ~e Ideen 강박 관념.

Überwertigkeit [ý:bər..] *f.* 〖心〗 강박증.

Überwertung *f.* -en 과대 평가.

Über·wesen *n.* 초월적〔초인적·초자연적〕 존재; 과도〔과격〕한 행위, 일탈(逸脫).

überwesentlich *a.* 초월적인; 일탈한, 과격한.

über·wichtig *a.* ① 지나치게 무거운, 중량 초과의. ②〖비유〗 대단히 중요한.

überwickeln *t.* 싸다, 두르다, 말아 넣다.

über|wiegen* *i.* (h.) 〖드물게〗 중량을 초과하다, 무게가 너무 나가다.

__überwiegen__ 《Ⅰ》 *t.* ① (**a**) 보다 무겁다. (**b**) 〖비유〗 보다 중요하다. ② 뛰어나다, 능가〔압도〕하다: seine Ehrfurcht wurde von seiner Neugier überwogen 그의 경외심은 호기심에 눌려 버렸다. ③〖고어〗 숙고하다. 《Ⅱ》 *i.* (h.) (보다) 낫다, 우월하다; 지배적이다; 빼어나다: das Lob überwog in der Beurteilung 평가(서)에는 칭찬이 지배적이었다.

überwiegend 《Ⅰ》 *p.a.* 우세한, 지배적인; 압도적인; 주요한: ~e Gründe〔Beweise〕 유력한 이유〔증거〕; die ~e Mehrheit 절대 다수; der ~e Teil der Bevölkerung 주민의 대다수. 《Ⅱ》 *adv.* 주로, 대개: das Wetter war ~ heiter 날씨는 대체로 맑았다.

überwindbar *a.* 극복〔자제〕할 수 있는.

über|winden* *t.* ① 싸다, 두르다, 돌돌 감다. ②〖드물게〗 (자아틀로) 감아 올리다.

__überwinden__ (ahd. winna, „streiten") 《Ⅰ》 *t.* ① 극복하다, 이겨내다: eine Schwierigkeit 〔ein Hindernis〕 ~ 난관을〔장애를〕 극복하다; seine Furcht〔Schüchternheit〕 ~ 두려움을〔소심함을〕 극복하다; eine Steigung mit dem Rad ~ 오르막길을 자전거로 넘다; seine Vorurteile ~ 자신의 편견을 극복하다〔버리다〕. ②〖구식·雅語〗 (적을) 이기다, 정복하다: den Gegner ~ 적수를 이기다; sich für überwunden erklären 패배를 자인하다. 《Ⅱ》 *refl.* sich ~ 자제하다; 극기하다: ich kann mich nicht ~, das zu tun 나는 그렇게 할 마음이 도저히 생기지 않는다. 《Ⅲ》 **überwunden** *p.a.* ↑ überwunden.

Überwinder *m.* -s, - 승리자, 정복자, 극복자; 극기자.

überwindlich [..vínt..] *a.* 〖드물게〗 이길 수 있는, 극복할 수 있는; 자제할 수 있는.

*__Überwindung__ [..vínduŋ] *f.* 극복; 극기, 자

제(력): es kostete ihn〔ihm〕 große ~ 그것을 하기 위해 그는 대단한 자제력을 필요로 했다.

überwintern 《Ⅰ》 *i.*(h.) ① (식물 따위가) 겨울을 넘기다, 월동하다: ~de Pflanzen 다년생 식물. ② 겨울을〔해를〕 넘기다, 겨울잠을 자다, 동면하다: Vögel ~ im Süden 새들은 남쪽에서 겨울을 난다. 《Ⅱ》 *t.* 월동시키다, 동면하게 하다: Setzlinge kühl〔warm〕 ~ 묘목들을 서늘하게〔따뜻하게〕 월동시키다.

Überwinterung *f.* -en 월동, 동면, 피한.

überwissenschaftlich *a.* 초과학적인, 학문으로는 해결할 수 없는.

überwölben 《Ⅰ》 *t.* 〖건축〗 ① …위에 둥근 천장을〔아치를〕 씌우다: einen Raum ~ 어떤 공간 위에 둥근 천장을 씌우다. ② 둥글게〔아치 모양으로〕 덮고 있다: eine Balkenkonstruktion überwölbt den Saal 반원형 골조가 홀을 덮고 있다. 《Ⅱ》 **überwölbt** [..pt] *p.a.* ↑ überwölbt.

überwölbt 《Ⅰ》 *p.p.* ↑ überwölben. 《Ⅱ》 *p.a.* 아치를 한, 아치 모양의; 둥근 천장이 있는.

Überwölbung *f.* -en ① 〔복수없음〕 둥근 천장 씌우기. ② 둥근 천장, 아치.

überwölken 《Ⅰ》 *t.* 구름으로 가리다; 어둡게 하다. 《Ⅱ》 *refl.* sich ~ 흐리다, 구름이 끼다.

über|wuchern *i.*(s.) ① 무성하게 뻗다, 만연하다. ② 〖醫〗 비대하다, 지나치게 증식하다.

überwuchern 《Ⅰ》 *i.*(s.) ↑ über|wuchern. 《Ⅱ》 *t.* ① 자라서 뒤덮다: das Unkraut hat den Garten überwuchert 잡초가 정원을 뒤덮었다; 〔비유〕 lokale Interessen ~ hier alles 여기서는 지역적인 이해 관계가 모든 일을 좌우한다. ② 너무 무성하여 (다른 식물을) 주접들게 하다; 〖醫〗 비대하여 (다른 기관을) 압박하다. ③ 폭리〔고리〕를 탐하다.

Überwucherung *f.* 무성, 우거짐, 만연.

überwunden [y:bɚvʊ́ndən] 《<überwinden》 《Ⅰ》 *p.p.* ↑ überwinden. 《Ⅱ》 *p.a.* 극복된; 정복된, 패한; 써서 낡은.

Überwurf [ý:bɚvʊrf] 《<überwerfen》 *m.* -(e)s, ..würfe ① (옷을) 걸침, 입음. ② 외투, 망토, 가운. ③ (맹꽁이자물쇠의) 걸쇠. ④ 〖수의〗 (소의) 탈장. ⑤ (öst.) (침대·소파 장식용) 보(褓), 덮개. ⑥ (레슬링에서) 상대방을 머리나 어깨 뒤로 메어치기.

Über·zahl *f.* ① 초과수, 잉여. ② 〔드물게〕 다수, 수적인 우세; 대다수, 압도적인 다수: der Feind erschien in großer ~ 적군이 수적으로 엄청난 우세를 보이며 나타났다; die Männer waren in der ~ 남자들이 수적으로 우세했다.

überzahlen *t.* ① 〔드물게〕 치르다, 지급하다. ② 너무 많이 지급하다: mit 10 DM ist diese Ware überzahlt 이 물건값이 10 마르크라면 비싸게 산 것이다. ③ 너무 높은 보수를 지급하다.

über|zählen *t.* 〔구어〕 때리다, 패다: jm. eins 〔ein paar〕 ~ 누구를 한 대〔몇 대〕 때리다.

überzählen 《Ⅰ》 *t.* 다시 세다, 검산하다; 대충 계산하다. 《Ⅱ》 *refl.* sich ~ 잘못 세다, 잘못 계산하다.

überzählig [..tsɛ́:lɪç] *a.* (일정 수를) 초과한, 정수〔정원〕 외의; 여분의, 불필요한: drei Mann sind hier ~ 여기에는 세 명이 남는다.

Überzahlung *f.* -en 과다 지급, 비싸게 지급함.

Über·zahn *m.* 〖醫〗 덧니.

über|zeichnen *t.* (그림이나 글자를) 돌출되게 그리다; (난 외로) 삐져 나오게 쓰다.

überzeichnen *t.* ① 〔비유〕 과장하여 묘사하다: eine Figur im Roman ~ 소설 속의 인물을 과장해서 묘사하다. ② 〖증권〗 (주식·공채 등을) 초과 신청하다: die Anleihe ist um 20 % überzeichnet worden 그 공채〔사채〕는 (공모액보다) 20 % 초과 청약되었다.

Überzeichnung *f.* -en ① 〖商〗 청약 초과. ② 과장된 표현.

Überzeit *f.* (schweiz.) ↑ Überstunde.

***überzeugen** [y:bɚtsɔ́ʏgən] 《Ⅰ》 *t.* ① 논증〔확증〕하다. ② 납득시키다, 설득하다: ich habe ihn von der Richtigkeit meiner Auffassung überzeugt 나는 내 견해가 옳다는 것을 그에게 납득시켰다; er weiß zu ~ 그는 자기 견해를 설득력 있게 표현할 줄 안다; der Sportler 〔Künstler〕 überzeugte diesmal 그 선수〔예술가〕가 이번에는 기대에 부응했다. ③ (죄를) 자백시키다: jn. seines Verbrechens ~ 누구에게 죄과를 인정하게 하다. 《Ⅱ》 *refl.* sich ~ 확인하다, 확신하다: sich von et.[3] 〔eines Dinges〕 ~ 무엇을 확신하다, 확인〔납득〕하다: ich überzeuge mich (davon) daß alles in Ordnung ist 나는 만사가 잘 되고 있다고 확신한다. 《Ⅲ》 **überzeugt** [..kt] *p.a.* ↑ überzeugt.

überzeugend *p.a.* 설득력 있는; 확실한.

überzeugt 《Ⅰ》 *p.p.* ↑ überzeugen. 《Ⅱ》 *p.a.* 확신하고 있는, 신념을 가진, 확고한: er ist überzeugter Marxist 그는 확고 부동한 마르크스주의 신봉자다.

Überzeugtheit *f.* 확신; 납득.

***Überzeugung** *f.* -en ① 〔복수없음〕〔드물게〕 설득, 설복; 논증. ② 확신, 신념; 주의: politische〔religiöse〕 ~ 정치적〔종교적〕 신념; nach meiner ~ 내 확신에 따르면; et. aus 〔mit〕 ~ tun 무엇을 신념에 따라 행하다; gegen seine ~ handeln 신념에 어긋나게 행동하다.

Überzeugungs≈arbeit *f.* 〖구동독〗 마르크스 레닌주의를 위한 선전 활동. **~kraft** *f.* 설득력. **~täter** *m.* 〖法〗 확신범. **~treu** *a.* 신념에 충실한, 주장을 굽히지 않는.

über|ziehen 《Ⅰ》 *t.* ① (옷을) 입다, (다른 옷 위에) 걸치다: (sich[3]) einen Mantel ~ 외투를 입다. ② 〔다음 용법으로〕 jm. 〔einem Tier〕 eins 〔ein paar〕 ~ 누구를〔짐승을〕 (막대기나 채찍으로) 한〔몇〕 대 때리다. ③ 〔드물게〕 회유하다, (감언으로) 꾀다. ④ 저편으로 끌다; 당겨 기울이다. 《Ⅱ》 *i.*(s.) 옮기다, 이사하다: in ein neues Haus ~ 새 집으로 이사하다. 《Ⅲ》 *refl.* sich ~ (öst.) 옷을 갈아입다.

überziehen* 《Ⅰ》 *t.* ① **(a)** 덮다, 씌우다; 걸치다; 깔다; 늘어놓다; 바르다, 칠하다; 펴다; 도금하다: ein Bett mit Leinen ~ 침대에 아마포를 깔다〔덮다〕; Eisen mit Gold ~ 철에 금도금하다; mit Gips ~ 석회를 바르다; mit Zucker ~ 설탕을 입히다. **(b)** 서서히 덮다〔씌우다〕: eine tiefe Röte überzog ihr Gesicht 그 여자의 얼굴이 새빨개졌다; Wolken ~ den Himmel 구름이 서서히 하늘을 덮는다. ② 〔비유〕 침략〔침입〕하다. ③ 〔비유〕 이기다, 압도하다. ④ 〔드물게〕 앞지르다; 따라붙다. ⑤ **(a)** (돈을 통장 잔고보다) 더 많이 인출하다: sein Konto um 300 DM ~ 자기 계좌에서 잔고보다 300 마르크를 더 인출하다. **(b)** (시간을) 초과

하다: (die Sendezeit) um 5 Minuten ~ (방송 시간을) 5분 초과하다. ⑥〖사냥·고어〗 못 보고 지나가다. ⑦ 과장하다: diese Kritik ist überzogen 이 비판은 과장되었다〔지나쳤다〕. ⑧〖空〗 (비행기의) 속도를 줄이다. ⑨〖탁구·테니스〗 (공을) 톱스핀으로 치다. 《Ⅱ》 *refl.* sich ~ 서서히 덮이다〔싸이다〕. 《Ⅲ》 **überzogen** *p.a.* ↑ überzogen.

Überzieher [ý:bərtsi:ər] *m.* -s, - ①〔구식〕 남성용 여름 외투. ②〔경박〕 콘돔.

Überziehungs·kredit *m.* 〖금융〗 신용 대부: jm. einen ~ einräumen 누구에게 신용 대부를 해주다.

überzinken *t.* 아연 도금을 하다.

überzinnen *t.* 주석을 입히다; 은박지로 싸다.

überzogen 《Ⅰ》 *p.p.* ↑ überziehen. 《Ⅱ》 *p.a.* 덮인.

überzüchtet *a.* (동식물이 저항력·건강을 잃을 만큼) 지나치게 (품종) 개량된: der Hund ist ~ 그 개는 품종 개량이 너무 됐다; 〔비유〕 ein ~er Motor 과잉 개량된 엔진(출력은 높아졌으나 고장이 잦아진 엔진).

überzuckern *t.* 설탕을 뿌리다; 설탕을 바르다: 〔비유·구어〕 jm. eine bittere Pille ~ 누구에게 말하기 거북한 것을 좋게 이야기하다.

Überzug [ý:bərtsu:k] 《<überziehen》 *m.* -(e)s, ..züge [..tsy:gə] ① 이사, 이주. ②〔드물게〕 침략, 침입. ③ 덮개, 커버; 케이스, 자루; (침대의) 시트; 겉옷, 블라우스: Bett∼ 침대커버; Kissen∼ 베갯잇. ④ 겉껍데기; 외피, 박피; (과자·알약의) 당의(糖衣). ⑤〖醫〗 외피; (상처 등의) 딱지: ~ der Zunge 설태(舌苔). ⑥〖제련〗 도금. ⑦〖건축〗 겉치장.

über·zwerch [ý:bərtsvɛrç] (obd.) 《Ⅰ》 *a.* 비스듬한(quer); (성격이) 비뚤어진, 엉뚱한, 괴팍한; 미친(verrückt). 《Ⅱ》 *adv.* 횡단하여, 교차하여, 비스듬하게: 〔비유〕 ~ ansehen 곁눈질하다, 흘겨보다, 질시하다.

Ubier [ú:biər] *m.* -s, - 우비족(族)사람(라인강 근처에 살던 고대 게르만 민족의 한 종족).

Ubikation 《lat. ubi „wo"》 *f.* -en ①〔드물게〕 (Örtlichkeit) 어떤 장소에 있음, 소재. ② (öst.) 병영(兵營), 병사(兵舍).

Ubiquist [ubikvíst] 《lat. ubique „überall"》 *m.* -en, -en ①〖생태〗 각지에 편재하는 동식물. ②〖宗〗 그리스도 편재론자(遍在論者).

ubiquitär *a.* 〖생태〗 두루 퍼져 있는.

Ubiquitarier *m.* -s, - ↑ Ubiquist ②.

Ubiquität *f.* ①〖생태〗 (동식물의) 편재(遍在). ②〖哲〗 (스콜라 철학에서) 신의 편재; 〖기독교〗 예수 그리스도의 편재. ③〖經〗 도처에서 구할 수 있는 재화, 보편재(普遍財).

***üblich** [ý:plıç] 《<üben》 *a.* 세간에 행하여지는, 보통의; 통례〔관례〕의, 습관적인: er kam mit der ~en Verspätung 그는 보통 그렇듯이 늦게 왔다; es ist bei uns ~, daß... 우리들에게는〔우리 고장에서는〕 …가 흔히 있는 일이다; vom ∼en abweichen 관례에서 벗어나다.

..üblich *suf.* "…에 흔히 있는"의 뜻(보기: landes~ 그 나라에 관례적인; orts~ 그 지역의 관행인).

üblicher·weise *adv.* 통상적으로, 관례로, 보통으로: ~ essen wir um 12 Uhr zu Mittag 우리는 보통 12시에 점심을 먹는다.

Üblichkeit *f.* -en ①〔복수없음〕 통례, 관례. ② 일상적인 행동〔일〕: es gehört hier zu den ~en, daß... 여기서 …은 통상적인 일이다.

U-Bogen [ú:..] *m.* 〖문자〗 u 자(字) 위의 궁형 기호(ŭ).

U-Boot [ú:..] *n.* =Unterseeboot 잠수함.

U-Boot-Krieg *m.* 잠수함전(戰).

***übrig** [ý:brıç] 《<über》 *a.* ① 남은, 여분의, 그 외의: es ist leider nichts (mehr) ~ 유감스럽게도 아무것도 (더) 남아 있지 않다; die ~en Sachen in den Keller räumen 남은 물건들을 지하 창고에 들여놓다; ein ~es tun 마지막 남은 조치를 취하다; wenn du noch ein ~es tun willst, dann... 네가 그 이상의 것을 할 생각이라면 …; für jn.〔et.〕 viel〔nichts〕 ~ haben 누구에게〔무엇에〕 호감〔관심〕을 많이 가지고 있다〔전혀 가지고 있지 않다〕; im ~en 그 밖에, 덧붙여. ②〔드물게〕 불필요한, 쓸데없는: er ist hier völlig ~ 그는 여기서 전혀 쓸모 없는 존재이다.

übrig⸗|behalten* *t.* 〔구어〕 남겨두고 있다: wir haben fast nichts mehr ~ 우리에게 남은 것은 거의 아무것도 없었다. ~|**bleiben*** *i.* (s.) 〔구어〕 남아 있다: von dem Geld sind 5 Mark übriggeblieben 그 돈 가운데서 5마르크가 남았다; es blieb mir nichts anderes übrig, als wieder nach Hause zu gehen 나는 다시 집〔고향〕에 가는 수밖에 없었다.

***übrigens** [ý:brıgəns] *adv.* ① 그 밖의 다른 점에서는(sonst). ② 그 밖에(außerdem). ③ 그것은 그렇다고치고, 그렇다고 해도. ④ (beiläufig) 덧붙여 말하자면, 그런데: ich bin ~ gestern bei ihm gewesen 덧붙여 말하자면 나는 어제 그의 집에 있었다.

übrig|lassen* *t.* 남기다, 여분으로 두다: die Kinder haben von dem Kuchen nichts übriggelassen 애들이 케이크를 조금도 남겨놓지 않았다; 〔구어〕 laßt mir nur auch et. zu tun übrig! 나도 무엇인가를 하게 해다오!; seine neue Stelle läßt nichts zu wünschen übrig 그의 새 일자리는 더 이상 바랄 게 없다; jemand 〔etwas〕 läßt (in et.³) viel〔stark, sehr〕 zu wünschen übrig 누구는〔무엇은〕 (무엇에서) 기대에 전혀 부응하지 못하고 있다.

***Übung** [ý:bʊŋ] 《<üben》 *f.* -en ①〔복수없음〕 연습, 훈련, 실습: nach einiger ~ gelang es ihm 약간의 연습 끝에 그는 그것을 달성했다; 〔속담〕 ~ macht den Meister 연습이 대가를 만든다. ② 연습(행위), 운동, 훈련: Turn∼ 체조 연습; sportliche ~en 스포츠 훈련; ~en machen 연습〔훈련〕하다. ③〔복수없음〕 숙달, 숙련, 경험: ~ in et.³ haben 무엇에 숙달되어 있다; in der ~ bleiben〔sein〕 숙련되어 있다, 노련하다; aus der ~ kommen 노련함을 잃다, 솜씨가 무뎌지다. ④ 연습 문제〔과제〕; 연습 교재; 연습곡: Grammatik∼ 문법 연습 문제. ⑤ (군사) 훈련, 기동 훈련, 모의 훈련: Wehr∼ 군사 훈련; Feuerwehr∼ 소방 훈련. ⑥ 체조, (체조 등의) 연기: eine ~ vorführen 〔nachmachen〕 체조 연기 시범을 보이다〔체조를 따라 하다〕; eine ~ am Barren 평행봉 체조. ⑦ (대학 강의 중) 연습 (강좌): eine ~ über Rilkes Lyrik abhalten 릴케 서정시 연습 강의를 하다. ⑧ (obd.) 관례, 풍습: das ist bei uns so ~ 우리 고장에서는 그것이 관례이다. ⑨〖宗〗 묵상, 근행(勤行). ⑩〔다음 용법으로만〕〔비유·구어〕 das ist nicht der Zweck der ~ 그것은 그 일의 참뜻〔목적〕이 아니다.

Übungs≈arbeit *f.* 연습 과제〔시험〕. **~aufgabe** *f.* 연습 문제. **~buch** *n.* 연습 문제집〔교본〕. **~halber** *adv.* 연습으로, 연습〔훈련〕을 위하여. **~hang** *m.* 『스키』 (완만한 경사의) 연습용 활강로. **~lager** *n.* 『軍』 야영 연습소. **~marsch** *m.* 『軍』 행군 연습. **~munition** *f.* 『軍』 연습〔공포〕탄. **~platz** *m.* ① 훈련장; 『軍』 연병장. ② 운동 연습장. **~schießen** *n.* 『軍』 연습〔훈련〕 사격. **~spiel** *n.* 『스포츠』 연습 경기; 체조; 〖복수〗 운동 경기. **~stück** *n.* ① 연습 문제, 작문; 습작, 시작(試作). ② 『음악』 연습곡. **~zeit** *f.* 연습 시간. **~zweck** *m.* 연습 목적, 훈련 목적.

Ucht [ʊxt] *f.* -en (nordd.) 새벽, 동틀녘, 여명.

Uchte [ʊ́xtə] *f.* -n ↑ Ucht.

Ucht·land *n.* ↑ Üechtland.

Ud [u:t] *f.* -s 『악기』 우드(아랍의 현악기).

u.d.ä. =und dem ähnliches 등등, 따위.

u.desgl. (m.) =und desgleichen (mehr) 등등, 따위.

u.dgl. (m.) =und dergleichen (mehr) 등등, 따위, 이하 같음.

u.d.M. =unter dem Meeresspiegel 해면하(海面下).

ü.d.M. =über dem Meeresspiegel 해발, 해면상.

Udo *m.* 우도(남자 이름).

U-Dock *n.* U 자(字)형의 독〔선거(船渠)〕.

UdSSR [u:de:|ɛsɛs|ɛ́r] *f.* =Union der Sozialistischen Sowjetrepubliken (구)소비에트 사회주의 공화국 연방, 소련.

u.E. =unseres Erachtens 우리 생각으로는.

Üechtland [ý:ɛçt..] *n.* 위에히트란트(스위스의 지역).

Uecker [ý́kər] *f.* (nordd.) 강, 하천.

UEFA *f.* =Union Européenne de Football Association 유럽 축구 연맹.

UEFA-Pokal *m.* 유럽 축구 연맹배(盃) 쟁탈전〔쟁탈 경기 대회〕.

U-Eisen [ú:..] *n.* U 자형의 철강.

Uelzen [ýl..] 윌첸(독일 북부 뤼네부르크 남동쪽의 도시).

Uelzener [ýl..] 《I》 *m.* -s, - 윌첸 사람. 《II》 *a.* 윌첸의.

Uerdingen [ý:r..] 위르딩겐(독일 북부 도시 크레펠트의 한 구역).

uf [ʊf] *int.* ↑ uff.

Ufa [ú:fa] *f.* =Universum-Film-Aktiengesellschaft 우파(1917 년에 창립된 독일 최대의 영화사).

Ufa-Film *m.* 우파 영화사 제작 영화.

*__Ufer__ [ú:fər] *n.* -s, - 물가: Fluß≈ 강가; See≈ 호수가, 호반; Meeres≈ 해안, 바닷가; am ~ 물가〔강가·바닷가〕에; der Fluß trat über die ~ 강이 범람했다; 〖비유〗 zu neuen ~n aufbrechen 새로운 목표를〔삶을〕 향해서 출발하다; 〖구어〗 vom anderen ~ sein 동성 연애자다.

Ufer≈bahn *f.* 『철도』 연안 철도. **~bau** *m.* 〖복수: ..ten〗 ① 축제(築堤), 호안(護岸) 공사. ② 제방, 방파제. **~befestigung** *f.* ① 호안(護岸) 공사. ② 호안 시설. **~bewohner** *m.* 연안 주민. **~bezirk** *m.* 연안 지역. **~böschung** *f.* (강·호수 등의) 물가〔제방〕의 경사면. **~damm** *m.* 제방, 안벽(岸壁), 부두. **~geld** *n.* (하역 작업을 위한) 접안(接岸) 사용료. **~land** *n.* 연안 지방. **~landschaft** *f.* 물가〔강변〕 풍경, 해안〔호반〕 풍경. **~läufer** *m.* 『動』 (강변에 서식하는) 도요새의 일종.

uferlos *a.* 물가가 없는; 〖비유〗 (grenzenlos) 한〔끝〕없는, 무(제)한의: ~es Gerede 끝없는 수다; 〖구어〗 das geht ins ≈e 그래서는 아무런 결말을 볼 수 없다; ins ≈e steigen 터무니없는 일로〔것으로〕 되다.

Uferlosigkeit *f.* ↑ uferlos 의 명사형.

Ufer≈promenade *f.* 강변〔호반·해안〕 산책로. **~schnepfe** *f.* 『動』 검은꼬리도요. **~schutz·bauten** *pl.* 제방, 방파제. **~schwalbe** *f.* 『動』 갈색 제비. **~seite** *f.* 물가(쪽). **~staat** *m.* 연안국(沿岸國). **~straße** *f.* 연안 도로, 해안〔강변〕 도로.

uff [ʊf] *int.* 후, 후유(피로 또는 안도의 숨).

u.ff. =und folgende (Seiten) …및 이하 몇 페이지.

Uffizien [ʊfí:tsiən] 《it.》 *pl.* 우피치엔(명화 수집으로 이름난 이탈리아 피렌체의 궁전).

Uffz. =Unteroffizier 하사관.

UFO, Ufo [ú:fo] *n.* -(s), -s =unbekanntes Flugobjekt 미확인 비행 물체.

U-förmig [ú:..] *a.* U 자형의.

..ufrig *suf.* "…강변의, …강변에(있는)"의 뜻(보기: links~ 왼쪽 강변의).

Uganda *n.* 우간다(동아프리카의 공화국).

Ugander *m.* -s, - 우간다 사람.

Uganderin *f.* -nen ↑ Ugander 의 여성형.

ugandisch *a.* 우간다(사람)의.

ugrisch [ú:grɪʃ] *a.* 라플란드(사람)의; 핀족의; 헝가리(사람)의.

uh [u:] 어이쿠, 어머나, 이것 참(불쾌감·공포·놀람의 소리): ~, wie kalt! 어이쿠, 차가워라!

U-Haft [ú:haft] *f.* =Untersuchungshaft 미결구류.

U-Haken [ú:ha:kən] *m.* 『문자』 (U-Bogen) u 자 위의 꺽쇠 기호(ŭ).

UHF [u:ha:|ɛ́f] =Ultrahochfrequenz 초고주파.

Uhland [ú:lant] *m.* Johann Ludwig ~ 울란트(독일 작가, 1787-1862).

Uhl [u:l], **Uhle** [ú:lə] *f.* -n (ndd.) ① 『動』 올빼미(Eule). ② 방비(Handbesen).

uhlen *t.* 방비로 청소하다.

*__Uhr__ [u:r] 《lat. hora》 *f.* -en ① (Tagesstunde) 시각, 시(간): nach der ~ fragen 시간을 묻다; wieviel ~ ist es〔was ist die ~〕? 몇 시입니까?; gegen drei ~ 3 시쯤; Punkt 7 ~ 정각 7 시; um ein ~ 1 시에; halb drei ~ 두 시 반; 5 Minuten nach drei ~ 3 시 5분; 10 Minuten vor drei ~ 3 시 10 분 전; Dreiuhrzug〔3-~-Zug〕 3 시 열차. ② 시계: auf〔nach〕 meiner ~ 내 시계로는; die ~ aufziehen 시계 태엽을 감다; die ~ richtig stellen 시계를 정확하게 맞추다; die ~ in Gang bringen 시계를 가게 하다; auf die〔nach der〕 ~ sehen 시계를〔시간을〕 보다; meine ~ geht vor〔nach〕 내 시계는 빠르다〔늦다〕; eine innere ~ haben 시간 감각이 정확하다; 〖비유〗 seine ~ ist abgelaufen 그는 목숨이 다했다; 〖비유〗 rund um die ~ (24 시간 내내) 쉬지 않고; 〖비유〗 wissen, was die ~ geschlagen hat 상황이 실제로 어떠했는지를

알다; ein Mann nach der ~ 시계처럼 정확한 사람; eine ~ nach einer anderen stellen 시계를 다른 시계에 맞추다.

Uhr·band *n.* 〖복수: ..bänder〗 (손목 시계의) 시곗줄.

Ührchen [ýːrçən] *n.* -s, - 〖↑ Uhr 의 축소형〗 작은 시계, 소형 시계.

Uhren≈fabrik *f.* 시계 공장. **~fabrikant** *m.* 시계 제조업자. **~geschäft** *n.* 시계점. **~händler** *m.* 시계 장수. **~handlung** *f.* 시계 가게. **~industrie** *f.* 시계 산업. **~kasten** *m.* 벽시계의 함〔궤〕. **~radio** *n.* 시계 라디오.

Uhr≈feder *f.* 시계 태엽. **~futteral** *n.* 시계집〔케이스〕. **~gehänge** *n.* 회중 시계의 쇠줄〔장식끈〕. **~gehäuse** *n.* 시계의 외장 케이스. **~gestell** *n.* 시계의 대(臺). **~gewicht** *n.* 시계추. **~glas** *n.* 시계 유리. **~haken** *m.* 시계의 태엽 감개. **~halter** *m.* 시계의 받침대(臺). **~kette** *f.* 시계의 쇠줄. **~laden** *m.* 시계점.

Ührlein *n.* -s, - ↑ Ührchen.

Uhr≈macher *m.* 시계 수리공. **~macherei** *f.* ① 시계 수리업(및 판매업)자. ② 시계 수리 및 판매점.

Uhrmacher≈handwerk *n.* 시계 수리 기술〔업〕. **~werk·statt** *f.* 시계 수리점(및 판매점).

Uhr≈macherin *f.* ↑ ~macher 의 여성형. **~scheibe** *f.* 시계의 숫자판. **~schlüssel** *m.* 시계의 태엽 감개. **~tasche** *f.* 회중 시계용 호주머니. **~werk** *n.* ① 시계의 (기계) 장치. ② 태엽 장치. **~zähler** *m.* 시계형 계기(計器). **~zeiger** *m.* 시계 바늘. **~zeiger·sinn** *m.* 시계 바늘이 가는 방향. **~zeit** *f.* (시계상의) 시각. **~zeit·angabe** *f.* 시각의 표시.

Uhu [úːhu] *m.* -s, -s 〖動〗 수리부엉이.

ui [uɪ] *int.* 우아, 오오! (놀라움·경탄): ~, ist der schnell! 와, 저 사람〔그것〕 참 빠르다!

ui je *int.* ↑ ui.

Ukas [úːkas] 《russ.》 *m.* -es, -e ① 러시아 황제의 포고령〔칙령〕. ② 〖농담〗 명령, 지령.

Ukelei [úːkəlaɪ] 《sl.》 *m.* -s, -e/-s 〖動〗 (유럽산(産)) 잉어과의 담수어 (Laube).

Ukraine [ukraíːnə] *f.* 우크라이나(흑해 북쪽에 있는 공화국).

Ukrainer [ukraíː..] *m.* -s, - 우크라이나 사람.

Ukrainisch [ukraí:..] *n.* -(s) 우크라이나어(語).

ukrainisch *a.* 우크라이나의.

Ukrainische* [ukraí:..] das 우크라이나어(語).

Ukulele [ukuléːlə] *n./f.* -, -n 〖악기〗 우쿨렐레(작은 기타 모양의 하와이의 민속 악기).

UKW [uːkaːvéː] = Ultrakurzwelle 초단파.

UKW-Empfänger *m.* 〖방송〗 초단파 수신기.

UKW-Sender *m.* 〖방송〗 초단파 송신기(방송).

Ul [uːl] *f.* -en (nordd.) ① 올빼미: 〖속담〗 was dem einen sin ~ ist, ist dem andern sin Nachtigall 누구나 소망은 다른 법이다. ② 밤나방.

Ulan [uláːn] 《türk.》 *m.* -en, -en 창기병(槍騎兵) (Lanzenreiter).

Ulan Bator 울란바토르(몽골의 수도).

Ulanka [uláŋka] *f.* -s 창기병의 군복.

Ule [úːlə] *f.* -n (ndd.) ↑ Uhle.

Ulema [ulemáː] 《ar.》 *m.* -s, -s 울레마(이슬람의 법학자 겸 신학자).

ulen [úːlən] ↑ uhlen.

Ulen·flucht *f.* ① 땅거미, 어스름, 황혼. ② (다락방의) 지붕창.

Ulen·spiegel *m.* (nordd.) 익살꾼 (Eulenspiegel).

Ulfilas [úlfilas] *m.* 울필라스(성서를 고트어로 번역한 서고트족의 주교, 311-383 년경).

Uli [úːliː] 《I》 울리(남자 이름; Ulrich 의 애칭). 《II》 울리(여자 이름; Ulrike 의 애칭).

Ulixes [ulíksɛs] *m.* 율리시스(Odysseus 의 라틴명).

Ulk [ʊlk] *m.* -(e)s, -e (ndd.) 농담, 우스갯소리, 익살, 장난: einen ~ machen 익살을 부리다; et. (nur) aus ~ tun (그저) 장난삼아 무엇을 하다.

Ülk [ylk] *m.* -(e)s, -e (nordd.) 〖動〗 유럽긴털족제비 (Iltis).

Ulk·bild *n.* 풍자적 만화.

ulken [úlkən] *i.* (h.) 우스갯소리를 하다, 익살떨다, 장난치다: mit jm. ~ 누구와 농담하다.

Ulkerei *f.* -en 농담(하기), 장난(치기).

ulkig *a.* ① 우스꽝스런, 익살맞은: et. ~ darstellen 무엇을 우스꽝스럽게 묘사하다. ② 특이한, 기이한.

Ulk·nudel *f.* 〖구어〗 우스꽝스런 사람.

Ulkus [úlkʊs] 《lat.》 *n.* -, Ulzera [últsera] 〖醫〗 궤양 (Geschwür).

Ulla *f.* 울라(여자 이름; Ursula 의 애칭).

Ulm[1] [ʊlm] 울름(독일의 도시).

Ulm[2] *f.* -en 〖광산〗 (갱내의) 측벽.

Ulme[1] [úlmə] *f.* -n ↑ Ulm[2].

***Ulme**[2] *f.* -n ① 〖植〗 느릅나무. ② 〖구어〗 느릅나무 목재.

ulmen *a.* 느릅나무로 만든.

Ulmen≈baum *m.* 느릅나무. **~blatt** *n.* 느릅나무 잎. **~holz** *n.* 느릅나무 목재. **~wald** *m.* 느릅나무 숲.

Ulmer 《I》 *m.* -s, - 울름 주민. 《II》 *a.* 울름의.

Ulrich [úlrɪç] *m.* 울리히(남자 이름): 〖구어〗 (den heiligen) ~ anrufen 토하다.

Ulrike [ʊlríːkə] *f.* 울리케(여자 이름).

Ulster [úlstər] 《engl.》 *m.* -s, - ① 얼스터 외투(남성용 방한 외투). ② 얼스터 외투용 옷감.

ult. = ultimo 월말에, 그믐날에.

Ultima [última] 《lat. ultimus》 *f.* ..mä [..mɛ]/..men 〖문법〗 (단어의) 끝 음절, 마지막 음절.

Ultima Ratio 新정서 ⇦ Ultima ratio.

Ultima ratio [última ráːtsio:] *f.* 〖교양〗 마지막 (비상) 수단, 최후의 타개책.

ultimativ [..tíːf] *a.* 최후 통첩의 형식으로, 최종적인; 단호한.

***Ultimatum** [..máːtʊm] *n.* -s, -s/..ten 〖교양〗 최후 권고〔통첩〕: jm. ein ~ setzen 〔stellen〕 누구에게 최후 통첩을 보내다; das ~ läuft morgen ab 최후 통첩 기한이 내일이다.

ultimo [último] 《lat. -it.》 *adv.* 〖商〗 그믐날에, 월말에: ~ März 3 월 말일에.

Ultimo *m.* -s, -s 〖商〗 ① 그믐, 월말. ② 기한의 최종일.

Ultimo≈geld *n.* 월말 지급액. **~geschäft** *n.*

월말 결재의 거래. **~liquidation, ~regulierung** *f.* 월말 청산. **~wechsel** *m.* 월말 지급 어음.

Ultimus 《lat.》 *m.* -, ..mi 학급에서의 최열등생, 꼴찌.

Ultra [últra] 《lat.》 *m.* -s, -s 급진〔과격〕파: die rechten〔linken〕 ~s 극우파〔극좌파〕들.

ultra.. 《lat. „über, darüber hinaus"》 *pref.* 명사·형용사 따위에 붙어 "…을 초월하는, 극단의"의 뜻(보기: ≈schall 초음파).

Ultra≈fiche [(또는) ʊl..fíːʃ] *m./n.* 마이크로필름. **~filter** *m.* 〖化〗 초정밀 여과기〔막〕. **≈hart** *a.* 〖物·醫〗 침투력이 강한. **~hoch·frequenz** [(또는) ʊl..hóː] *f.* 〖物〗 초고주파(약어: UHF). **~kurz·welle** [(또는) ʊl ..kúr..] *f.* ① 초단파(약어: UKW); 초단파 요법. ② FM 가청 범위. **~kurz·wellen·therapie** [(또는) ʊl ..kúr..] *f.* 〖醫〗 초단파 치료(법). **~leicht·flugzeug** *n.* 초경량 비행기.

ultra≈liberal *a.* 급진 자유주의의. **≈linke*** *der/die* 급진 좌익, 극좌파.

ultra≈marin *a.* 군청색〔감청색〕의. **≈marin** *n.* 군청색, 감청색.

Ultra·mikroskop *n.* 초고성능 현미경.

ultra≈montan 《lat., „jenseits der Berge"》 *a.* 교황권 지상주의를 신봉〔대변〕하는. **≈-montane*** *der/die* 교황권 지상주의자, 교황 전권론자. **≈montanismus** *m.* (19 세기의) 교황권 지상주의, 교황 전권론.

ultra·mundan 《lat.》 *a.* 〖哲〗 초현세적인, 피안의.

ultra·rot *a.* 〖物〗 적외선의.

Ultra·schall *m.* ① 초음파. ② 〖醫〗 초음파 요법〔치료〕.

Ultraschall≈behandlung *f.* 〖醫〗 초음파 치료법. **~diagnose** *f.* 초음파 진단. **~schweißung** *f.* 초음파 용접. **~untersuchung** *f.* 초음파 검사. **~welle** *f.* 초음파.

Ultra≈sonographie *f.* 〖醫〗 초음파 진단 기록. **~sonoskop** *n.* 〖醫〗 초음파 진단기.

Ultra≈strahlung *f.* 우주선(線), 자외선. **~violett** *n.* 〖物〗 자외선. **≈violett** *a.* 자외선의.

Ulysses [ulýsɛs] *m.* 율리시스(Odysseus 의 라틴명).

Ulzera ↑ Ulkus 의 복수형.

Ulzeration [ʊltseratsióːn] 《lat.》 *f.* -en 〖醫〗 궤양 형성, 농양(膿瘍).

ulzerieren *i.* (s.) 〖醫〗 궤양을 형성하다, 궤양으로 변하다.

ulzerös *a.* 〖醫〗 궤양성의.

***um**[1] [ʊm] *prp.*[4] ①〔중심점을 둘러싼 회전 운동, herum 을 써서 강조할 수 있음〕(무엇의) 주위를, (무엇을) 빙 돌아서: die Erde läuft ~ die Sonne 지구는 태양의 주위를 돈다; wir gingen ~ die Stadt (herum) 우리는 도시 주위를 빙 돌았다; die Erde dreht sich ~ sich selbst 지구는 자전한다. ② (무엇을) 둘러싸고, 에워싸고: jm. ~ den Hals fallen 누구의 목에 매달리다; er band einen Schal ~ den Hals 그는 목에 목도리를 둘렀다. ③ (무엇의) 둘레에: die Gäste saßen ~ ihn (her, herum) 손님들은 그를 빙 둘러앉아 있었다; es ist ~ uns sehr ruhig geworden 우리 주위가 매우 조용해졌다; 〖비유〗 wie mir ~s Herz ist 내 마음의 상태(대로); 〖비유〗 mir ist schwer ~s Herz 나는 마음이 무겁다. ④ (무엇을) 돌아서, 구부러져: er geht〔biegt〕 ~ die Ecke 그는 모퉁이를 돈다; 〖비유〗 einen Bogen ~ jn. machen 누구를 회피하다. ⑤ (무엇의) 주위에, 근처에, (무엇에) 가까이: die Frauen ~ Napoleon 나폴레옹 주변의 여자들; ~ sich blicken〔schauen, sehen〕 주위를 둘러보다; ~ sich greifen a) 닥치는 대로 붙잡다, b) 퍼지다, 만연하다; die Seuche griff rasch ~ sich 전염병이 급속히 번졌다; er schlug wie wild ~ sich 그는 마구잡이로 폭력을 휘둘렀다; er hat keinen Freund ~ sich 그는 주위에 친구가 전혀 없다; er ist immer ~ sie 그는 언제나 그 여자의 곁에 붙어 다닌다; die Gegend ~ Freiburg 프라이부르크 부근 지역; ich habe〔behalte〕 ihn ~ mich 나는 그를 (늘) 내 옆에 두고 있다; er muß ~ diese Gegend wohnen 그는 틀림없이 이 근방에 산다. ⑥ 약, 대략, 대개: ~ 10 Mark (herum) 약 10 마르크. ⑦ (a) 〖대략의 시간〗 ~ Mittag 〔Mitternacht〕 정오경〔한밤중〕; ~ Ostern 〔Weihnachten〕 부활절〔크리스마스〕 무렵; bis ~ diese Zeit 이즈음〔무렵〕까지. (b) 〖정확한 시각〗 ~ 6 Uhr (정각) 6 시에; abends (~) 7 Uhr 저녁 7 시에. (c) 〖herum 과 더불어 쓰면 대강의 시간〗 ~ 5 Uhr herum 5 시경. (d) 〖구식; 경과〗 ~ ein paar Tage sollst du alles wissen 며칠 지나면 무엇이든지 다 가르쳐 주마. ⑧ 〖상실〗 ~ et. kommen 무엇을 잃다; ~s Leben kommen 목숨을 잃다; jn. ~ 10 Mark strafen 누구에게 10 마르크의 벌금을 물리다; jn. ~ et. betrügen 누구를 속여 무엇을 빼앗다; es brachte ihn ~ sein Vermögen 그것 때문에 그는 재산을 잃었다; ich bin ~ meinen Schlummer (gekommen) 나는 잠을 잘 수 없게 되었다. ⑨ (a) 〖교대〗 einer ~ den anderen 교대로, 번갈아서; einen Tag ~ den anderen 하루 걸러, 격일로. (b) 〖연속·반복〗 Tag ~ Tag 하루하루; Boten ~ Boten haben wir geschickt 우리는 연달아 심부름꾼을 보냈다; Schritt ~ Schritt zurückweichen 한발한발 뒤로 물러나다. ⑩ 〖교환·대가〗 ~ einen billigen Preis 싸게, 헐값으로; ~ jeden Preis 어떤 희생을〔대가를〕 치르고라도, 기어이; ~ keinen Preis 어떤 일이 있더라도〔결코〕 …않는다; ~ nichts (und wieder nichts) 결코 …않다; ~ nichts in der Welt tue ich das 나는 그런 일은 절대로 하지 않는다; 〖聖〗 Auge ~ Auge, Zahn ~ Zahn 눈에는 눈, 이에는 이로(출애굽기 21 : 24); et. ~ et. tauschen 무엇을 무엇과 교환하다; et. ~ bar(es) Geld kaufen 무엇을 현금으로 사다. ⑪ 〖비교의 정도〗 만큼, 정도: ~ einen Fuß länger 1 피트 정도 더 긴; ~ einen Fuß zu lang 한 피트나 더 긴; ~ ein bedeutendes 〔beträchtliches〕 상당히, 대단히; ~ soviel 그만큼; ~ so besser 더욱 좋다〔훌륭하다〕; ~ vieles〔nichts〕 gebessert 훨씬 잘된〔전혀 나아지지 않은〕; ~ wieviel 얼마만큼; das Kind wäre ~ ein Haar überfahren worden 그 아이는 하마터면 차에 치일 뻔했다; ~ die Hälfte verkleinern 절반만큼 줄다; er ist ~ fünf Jahre älter als seine Frau 그는 아내보다 다섯 살 위다. ⑫ 〖관계〗 …에 있어서, …에 관하여; 〖의미상의 주어〗 …은〔가·이〕: ein Buch ~ Goethe 괴테에 관한 책, 괴테 연구서;

～ et. wissen 무엇에 관하여 (잘) 알고 있다; es ist ～ et. zu tun 무엇이 문제다〔중요하다〕; es ist mir nicht ～ das Geld zu tun 나로서는 돈이 문제가 아니다; es handelt sich ～ et. 무엇이 문제다〔중요하다〕; es dreht sich alles ～ ihn 모든 게 그에게 달려 있다; wie steht es ～ die Sache? 그 일은 어떻게 되어 가고 있습니까?; es ist schade ～ ihn 그는 가엾다〔참 안 되었다〕; es ist mir leid ～ dich 자네는 참 안 되었네; es ist eine schöne Sache ～ die Freiheit 자유란 참 좋은 것이다; ～ was geht es denn? 도대체 무엇이 문제인가? ⑬〖목표; 감정의 원인〗 sich ～ et. bekümmern 무엇을 걱정〔염려〕하다; sich ～ et. bemühen 무엇을 얻으려고 애쓰다; jn. ～ et. beneiden 누구의 무엇을 부러워하다; es ist ～ 100 Mark zu haben 그것은 100마르크를 주면 얻을 수 있다; jn. ～ et. loben〔tadeln〕 누구를 무엇으로 칭찬하다〔책망하다〕; ～ et. kämpfen〔streiten〕 무엇을 얻으려고 싸우다〔다투다〕; jn. ～ et. bitten 누구에게 무엇을 (달라고) 부탁하다; ～ et.〔jn.〕 trauern 무엇을〔누구를〕 애도하다; schade ～ den netten Kerl! 좋은 녀석이었는데 안 됐군!; um jn. werben 누구에게 구혼하다; jn. ～ Rat fragen 누구의 충고를 구하다; 〖불만의 표시; 대개 의문문에서〗 ～ alles in der Welt 도대체 무엇 때문에; ～ js.〔eines Dinges〕 willen〔wegen〕 누구〔무엇〕 때문에; ～ der Ehre willen 명예를 위하여; ～ Gottes willen 〔um's Himmels willen〕 a) 어이쿠 (깜짝이야), 맙소사, b) 제발; ～ meinetwillen 〔deinetwillen〕 나〔너〕 때문에.

um² [ʊm] *cj.* ①〖je＋비교급, um so 〔desto〕＋비교급에서〗 je fleißiger er ist, ～ so mehr lernt er 그가 부지런하면 할수록 더욱더 많이 배운다; nach einer Ruhepause wird es ～ so besser gehen! 휴식을 취하고 나면 더욱 좋아질 것이다! ②〖～ ... **zu** ...〗 (**a**) 〖damit, (auf) daß 를 가진 절이 단축되어〗 …하기 위하여: ich komme, ～ dich zu sehen 나는 너를 만나려고 온다. (**b**) 〖어떤 명사·형용사·부사 따위의 의미를 보충하여〗 der günstige Augenblick (～) zu fliehen 도망칠 좋은 기회; ich habe keine Zeit (～) es zu tun 나는 그런 일을 할 겨를이 없다. (**c**) 〖zu 를 가진 형용사 또는 부사 뒤에서 오며, als daß 를 가진 부문장이 단축된 형태로서; 실현될 수 없는 행동을 나타냄〗 sie ist zu scheu, ～ es zu sagen 그 여자는 너무 수줍어서 그것을 말하지 못한다. (**d**) 〖genug 를 가진 형용사 또는 부사의 뒤에서〗 er ist nicht stark genug, ～ die schwere Last zu heben 그는 무거운 짐을 들 만큼 힘이 세지 못하다. (**e**) 〖절대적 용법〗 ～ die Wahrheit zu sagen 사실을 말하자면; ～ von der Mutter gar nicht zu reden 어머니에 대해서는 제쳐놓고라도; ～ es Ihnen geradeaus zu sagen 솔직히 말씀드리면. (**f**) 〖시간적인 순차 관계〗 mein Freund schwieg jetzt eine Weile, ～ darauf mit seiner Erzählung fortzufahren 친구는 잠시 침묵을 지켰다가 곧 이어 이야기를 계속했다; sie schieden, ～ sich nie wiederzusehen 그들은 서로 헤어져 다시는 만나지 못했다. ③〖als, weil 이 이끄는 부문장과 더불어〗 sein Entschluß kam ～ so überraschender, weil er vorher nie darüber gesprochen hatte 그가 미리 말하지 않았기 때문에, 그의 결심은 더욱 놀라웠다.

um³ [ʊm] *adv.* ①〖회전〗 rechts ～! 우향우!; links ～! 좌향좌!; ～ und ～ a) 사방팔방에, b) 사방에서, c) 이곳 저곳, 철저히, 샅샅이; die Sache ist ～ und ～ faul 그 일은 완전히 엉망진창이다. ②〖우회〗 das ist ～ 그것은 도는 (먼) 길이다; über Wien zu reisen ist ～ 빈을 경유하면 멀리 돌게 된다. ③〖전도〗 et. ～ und ～ kehren 무엇을 몇 번이고 뒤집어엎다; ～ mit dem Baum! 그 나무를 베어 넘어뜨려라!; wenn es ～ und ～ kommt 결국, 마침내. ④〖시간의 경과〗 das Jahr ist ～ 해가 지났다; der Termin ist ～ 기한이 끝났다; meine Zeit ist ～ 내 시대는 지났다. ⑤〖수를 나타내는 표현과 함께〗 sie ist ～ die 50 (Jahre alt) 그녀는 쉰 살 안팎이다; das Buch kostet ～ (die) 10 Mark 그 책은 약 10마르크 정도 한다. ⑥〖darum 이 da ... um 의 형태로 분리되어〗〖방언〗 da wird man sich ～ kümmern müssen 그것을 신경 써야만 할 것이다.

***um..** *pref.* ①〖분리 동사의 전철〗 (**a**) "포위·둘러쌈"의 뜻(보기: umbinden 휘감다, 동여매다). (**b**) "주변·주위"의 뜻(보기: umschauen (주변을) 둘러보다). (**c**) "배회·유포"의 뜻(보기: umgehen (소문이) 유포되다, 떠돌다). (**d**) "우회"의 뜻(보기: umfahren 길을 돌아가다). (**e**) "회전"의 뜻(보기: umdrehen 돌리다). (**f**) "반전·방향 전환"의 뜻(보기: umkehren 되돌아가다). (**g**) "전도·전복"의 뜻(보기: umkippen 전복하다). (**h**) "전환·변화"의 뜻(보기: umdenken 생각을 바꾸다). (**i**) "상실"의 뜻(보기: umkommen 죽다). ②〖비분리 동사의 전철〗 (**a**) "(무엇을 중심으로) 빙 돌아감·회피"의 뜻(보기: umfahren 주위를 돌다, 우회해서〔피해서〕 가다). (**b**) "공간적인 범주의 설정"의 뜻(보기: umgrenzen 한계〔경계〕를 설정하다). (**c**) "에워쌈·포위"의 뜻(보기: umdrängen 쇄도하다). ③ 명사의 전철: 그 뜻은 동사(↑ ①②)에 준함.

ü.M. über dem Meeresspiegel 해발.

ụm|ackern *t.* ① (밭을) 갈아 젖히다, 파엎다. ② (잡초 따위를) 갈아 넘기다. ③ 찾아 뒤지다, 샅샅이 찾다.

umạckern *t.* 주위를〔주변을〕 갈다.

ụm|adressieren *t.* (수신인의) 이름·주소를 고쳐 쓰다.

ụm|ändern *t.* 바꾸다, 변경하다; 〖印〗 교정하다.

Ụmänderung *f.* -en 변경; 교정.

ụm|arbeiten *t.* ① 고치다; 개작〔개조〕하다; 수정하다: eine Erzählung zu einem Hörspiel ～ 소설을 라디오 방송극으로 개작하다; einen Anzug ～ 양복을 수선하다; ein Manuskript ～ 원고를 고쳐 쓰다. ② ↑ um|ackern ①.

Ụmarbeitung *f.* -en 개작, 개조, 수정.

***umarmen** [ʊm|ármən] 《Ⅰ》① *t.* 얼싸안다, 포옹하다: jn. zärtlich〔liebevoll〕 ～ 누구를 부드럽게〔사랑스럽게〕 껴안다. ②〖문학〗 ～der Reim 포옹운(각운 도식: abba). 《Ⅱ》 *refl.* sich〔einander〕 ～ 서로 얼싸안다.

Umarmung *f.* -en 포옹; 〖雅語〗 성교.

Umbau [ʊ́mbau] *m.* -(e)s, -ten ① (**a**) 개축, 개조, 재건. (**b**) (기구의) 개편; 〖연극〗 무대(장치의) 전환. ② 개축 건물〔가옥〕. ③ (침대·소파의 뒤쪽에 달린) 물건 올려놓는 판.

um|bauen *t.* ① 개축하다, 고쳐 짓다: eine alte Turnhalle zu einem Kino ~ 낡은 체육관을 영화관으로 개조하다. ② (장치를) 바꾸다, 변경하다: das Bühnenbild ~ 무대 장치를 전환하다. ③〖비유〗개조〔재편〕하다: die Gesellschaftsstruktur ~ 사회 구조를 개편하다.

umbauen *t.* (건물로) 둘러싸다: et. mit einer Mauer ~ 무엇을 벽으로 에워싸다; umbauter Raum (외부 벽면에서부터 측정한) 건물의 용적.

um|behalten* *t.* (목도리 따위를) 두른 채로 있다, 벗지 않고 있다.

Umbellifere [umbɛlifé:rə] 《lat.》 *f.* -n〖植〗산형화(繖形花) 식물(Doldenblütler).

Umbelliflore [..flóːrə] *f.* -n〖植〗산형 꽃차례(미나리·파꽃 따위)(Doldenblüte).

um|benennen *t.* 개칭하다, 이름을 바꾸어 부르다: die Straße in et. ~ 그 거리명을 무엇이라 바꾸다.

Umbenennung *f.* -en 개칭, 명의 변경.

Umber[1] [úmbər] *m.* -s, -n〖動〗(지중해산(産)) 갈색 민어.

Umber[2] *m.* -s ① 엄버(갈색의 천연 안료). ② 엄버색; 갈색.

Umber≈erde *f.* ↑ Umber[2]. **~fisch** *m.* ↑ Umber[1].

Umberto *m.* 움베르토(남자 이름).

um|beschreiben* *t.*〖數〗(…의) 주위에 (도형을) 그리다, 외접원을 그리다: umbeschriebener Kreis 외접원; einem Viereck einen Kreis ~ 4각형에 외접원을 그리다.

um|besetzen *t.* (자리 따위를) 바꾸다, 변경하다, 다른 사람으로 채우다: eine Rolle ~ 배역을 바꾸다; die Mannschaft ~ 팀의 멤버를 교체하다; die Stelle wurde umbesetzt 그 자리에는 다른 사람이 임명되었다.

Umbesetzung *f.* -en 배역〔직위〕교체.

um|besinnen *refl.* sich ~ 생각을 바꾸다.

um|betten *t.* ① 다른 침대로 옮기다: einen Kranken ~ 환자를 다른 침대로 옮기다. ② 이장(移葬)하다. ③ (새로운 하상(河床)을 만들어 강의) 흐름을 바꾸다.

Umbettung *f.* -en ① 다른 침대로 옮김. ② 개장(改葬), 이장(移葬).

um|biegen* 《I》 *t.* (꺾어) 구부리다, 휘게 하다;〔비유〕왜곡하다: einen Draht ~ 철사를 구부리다; die Wahrheit ~ 진실을 왜곡하다. 《II》 *i.* (s.) ① (길이) 구부러지다. ② 유(U)턴하다, 반대 방향으로 회전하다: er bog um und ging heim 그는 유턴하여 집으로 갔다; der Weg bog nach Süden um 길이 남쪽으로 구부러졌다. 《III》 *refl.* sich ~ 구부러지다, 휘다. 《IV》 **umgebogen** *p.a.* ↑ umgebogen.

um|bilden 《I》 *t.* ① 개편〔개조〕하다. ② 개량〔개혁〕하다. 《II》 *refl.* sich ~ (형태·구조가) 바뀌다, 개조되다.

Umbildung *f.* -en 개편, 개조, 개량, 개혁.

um|binden* *t.* ① 걸쳐 동여매다; 입다, 두르다: ich binde ein Tuch um 나는 천을〔목도리를〕두른다; (sich[3]) eine Krawatte ~ 넥타이를 매다. ② 고쳐 매다;〖제본〗새로 제본하다. ③〖광산〗die Eisen ~ 도구를 장치해 두다;〖海〗die Wanttaue ~ 돛대의 밧줄을 늦추다.

umbinden* *t.* 묶다: einen Blumenstrauß mit einem Band ~ 꽃다발을 끈으로 묶다; ein Paket mit einem Strick ~ 소포를 끈으로 묶다.

um|blasen* *t.* ① 불어 넘어뜨리다: der Wind blies ihn fast um 그는 바람에 넘어질 뻔했다. ②〖경박〗쏘아 죽이다.

umblasen* *t.* (무엇의) 주위에 (세차게) 불다: ein kalter Wind umblies ihn 그의 주위에 차가운 바람이 세차게 불었다.

Umblatt [úmblat] *n.* -(e)s, ..blätter [..blɛtər] 여송연의 속 포장지.

um|blättern *t./i.* (h.) ① (책장을) 넘기다, 뒤집다. ② jm. (beim Musizieren) ~ (연주할 때) 누구를 위해 악보를 넘기다.

Umblick [úmblɪk] *m.* -(e)s, -e ① 둘러봄, 조망, 전망, 전경. ② 뒤돌아봄;〖비유〗회고, 회상.

um|blicken *i.* (h.) / *refl.* ① (sich) ~ 둘러보다. ② (sich) nach et.[3] ~ 무엇 쪽을 돌아다보다: ich blickte mich nach allen Seiten um 나는 사방을 둘러보았다. ③ sich ~ 되돌아보다.

umblühen *t.* 꽃으로 에워싸다; (꽃이 무엇의) 둘레로 피다.

Umbra [úmbra] 《lat.》 *f.* ① 엄버(천연 갈색 안료); 엄버색, 갈색. ②〖天〗태양 흑점의 중심 암흑부.

Umbral·glas [umbrá:l..] *n.* 〔상품명〕(자외선과 적외선을 차단하는) 선글라스의 렌즈.

umbranden *t.*〔雅語〕(파도가) …주위로 모여들며 부서지다: Wellen ~ die Felsen 파도가 바위에 부딪쳐 부서지다; Beifall umbrandete den Sänger 가수에게 박수 갈채가 쏟아졌다.

umbrausen *t.* (바람·파도가) …주위에서 쏴쏴 소리를 내다: der Wind umbraust das Haus 바람이 집 주변에서 윙윙거린다.

um|brechen* 《I》 *t.* ① 꺾어 넘어뜨리다: der Sturm bricht Bäume um 폭풍에 나무들이 꺾여 넘어진다. ② (종이를) 접다. ③ 갈아엎다. 《II》 *i.* (s.) 꺾여 넘어지다〔구부러지다〕: der Zaun ist umgebrochen 울타리가 (꺾여) 넘어졌다.

umbrechen* *t.*〖印〗(판을) 조판하다, 페이지로 정판(整版)하다.

Umbrecher *m.* -s, -〖印〗식자공.

Umbrechung *f.* -en (페이지의) 정판(整版).

Umbrien [úmbriən] 움브리아(이탈리아 중부의 한 지방).

um|bringen 《I》 *t.* ① 죽이다: jn. mit Gift ~ 누구를 독살하다. ②〔구어〕과중한 부담을 주다, 짓누르다: diese Arbeit bringt mich um 이 일 때문에 나는 죽을 지경이다: der Stoff ist nicht umzubringen 이 옷감은 아주 질기다〔튼튼하다〕. 《II》 *refl.* sich ~ ① 자살하다. ②〔구어〕sich vor Hilfsbereitschaft ~ 도와 주고 싶어 안달이다; sich für jn. fast ~ 누구를 위해 죽을 힘을 다하다.

umbrisch [úmbrɪʃ] 《<Umbrien》 *a.* 움브리아의.

Umbruch [úmbrux] *m.* -(e)s, ..brüche [..brʏçə] ①〖農〗(경지를) 갈아 엎음; 개간〔개척〕지. ②〖광산〗수평갱의 굽이. ③〖印〗(페이지) 정판, 조판; 조판한 식자: den ~ machen (페이지 단위로) 조판하다. ④ (근본적인) 변혁, 개혁: die Gesellschaft befindet sich im ~ 사회는 변혁을 겪고 있다. ⑤〖컴〗(워드 프로세서에서) 페이지 구분.

Umbruch≈korrektur *f.*〖印〗① 1 차 조판 교

정. ②(1 차 조판 교정용) 교정쇄. **~revision** *f.* 1 차 조판 교정.

ụm|buchen *t.* ①〖商〗다른 계좌에 옮겨 적다, 대체(對替)하다: dieser Betrag wird umgebucht 이 금액은 다른 곳에 이기(移記)된다. ②(무엇의) 예약을 변경하다: den Flug 〔eine Reise〕 ~ 비행기〔여행〕의 예약을 변경하다.

Ụmbuchung *f.* -en 옮겨 적음, 대체; 예약 변경.

UMD 《engl.》 =United Democratic Movement 민주화 운동 연합(1997 년에 결성된 남아프리카 공화국의 흑백인 공동 정당).

ụm|dämmen *t.* 제방을 옮기다.

umdạmmen *t.* 제방으로 둘러싸다.

ụm|datieren *t.* ①날짜를 변경〔연기〕하다: einen Termin ~ 기일을 변경하다. ②다른 날짜를 기입하다: einen Brief ~ 편지에 다른 날짜를 쓰다.

ụm|decken *t.* (덮개를) 갈다; (식탁을) 바꾸어 차리다; (지붕을) 갈아 이다.

umdẹcken *t.* 싸 덮다, 덮어 싸다.

ụm|denken* *i.* (h.) 생각(하는 법)을 바꾸다, 달리 생각하다.

Ụmdenk·prozeß *m.* 사고 전환의 과정.

ụm|deuten *t.* 해석을 고치다, 새로운 해석을 붙이다.

ụm|deutschen *t.* 독일어로 옮기다.

Ụmdeutung *f.* -en 재해석, 해석의 변경.

ụm|dichten *t.* (문학 작품을) 고쳐 쓰다, 개작하다.

ụm|dirigieren *t.* 다른 방향으로〔장소로〕 유도하다, 바꾸어 지시하다.

ụm|disponieren 《I》 *t.* 바꾸다, 변경하다: einen Plan ~ 계획을 바꾸다. 《II》 *i.* 배열을〔배치를〕 달리하다.

ụm|drängen *t.* 서로 밀어 넘어뜨리다.

umdrạ̈ngen *t.* (무엇의) 주변에 밀려들다, 쇄도하다: Menschen umdrängten das Gebäude 사람들이 건물 주위로 몰려들었다.

***ụm|drehen** 《I》 *t.* ①돌리다, 회전시키다; (앞뒤를) 뒤집다: den Schlüssel ~ 열쇠를 돌리다; eine Schallplatte ~ 음반을 뒤집다. ②(안팎을) 뒤집다: seine Strümpfe ~ 양말을 뒤집다; ein Geldstück ~ 동전을 뒷면으로 뒤집다. ③전향시키다: einen Spion ~ 간첩을 전향시키다. ④비틀다: jm. den Hals ~ a) 누구의 목을 비틀다, b)〔비유〕누구를 파멸시키다;〔비유〕jm. das Wort im Munde ~ 누구의 말을 곡해하다. ⑤den Spieß〔Stiel〕~ 역습하다, 되받아치다; wie man die Hand umdreht 순식간에, 갑자기; er dreht jeden Pfennig um, ehe er ihn ausgibt 〔er dreht jeden Pfennig zehnmal um〕 그는 대단한 구두쇠다. 《II》 *refl.* sich ~ ①돌다, 회전하다. ②(뒤를 보기 위해) 고개를 돌리다: die Leute drehten sich nach uns um 사람들이 우리를 향해 고개를 돌렸다. 《III》 *i.* (h./s.) 돌다, 방향을 바꾸다, 유턴하다: das Boot dreht um 보트가 유턴한다.

Ụmdreher *m.* -s, - ①돌아보는 사람, 회전자. ②〖해부〗 제 2 경추(頸椎); 회전근(筋).

Umdrehung *f.* -en ①[umdré:..] 회전: eine ~ machen 회전하다;〖天〗die ~ der Erde 지구의 자전. ②[úmdre:..] (Umkehrung) 전향, 선회; 곡해: eine ~ der Begriffe 개념들의 곡해〔뒤바꾸기〕.

Umdrẹhungs≈achse *f.* 회전축. **~bewegung** *f.* 회전 운동. **~ellipsoid** *n.* 〖數〗같은 길이의 두 주축(主軸)을 가진 타원체. **~-geschwindigkeit** *f.* 회전 속도. **~punkt** *m.* 회전 중심. **~zahl** *f.* 회전수. **~zähler** *m.* 회전계(計).

umdrọhen *t.* 주위에서 위협하다.

Umdruck [ʊ́mdrʊk] *m.* -(e)s, -e〖印〗①전사(轉寫). ②전사 인쇄.

ụm|drucken *t.* 전사하다; 전사법으로 인쇄하다.

Ụmdruck·verfahren *n.* 전사(법).

umdụften *t.* (무엇의 주위에) 향기를 풍기다, 향기로 둘러싸다: Rosen ~ das Haus 장미 향기가 집 주변을 감싸고 있다.

umdụnkeln *t.* ↑ umdüstern.

umdụ̈stern *t./refl.* 〖雅語〗①암흑으로 뒤덮다〔휩싸다〕. ② sich ~ 어두워지다: der Himmel umdüsterte sich 하늘이 어두워졌다.

um·einạnder *adv.* 서로, 번갈아; 차례로: sie kümmern sich nicht ~ 그들은 서로에 대해 신경을 쓰지 않는다.

ụm|enden *t.* 〖문법〗 어미를 변화시키다.

ụm|erziehen* *t.* 재교육하다.

Ụmerziehung *f.* -en 재교육.

ụm|eseln *t.* 근본적으로 바꾸다.

ụm|expedieren *t.* (짐을) 고쳐 싣다, 옮겨 싣다(보기: 철도에서 배로).

umfạ̈cheln *t.* ①주위에서 부추기다. ②〖雅語〗(바람이 누구의) 주변에서 살랑살랑 불다: ein leichter Wind umfächelt ihn 산들바람이 그의 주위에서 살랑거린다.

umfahen [..fá:ən] *t.*〔고어·시어〕↑ umfangen.

ụm|fahren* 《I》 *i.* (s.) 돌아서 가다, 우회하다. 《II》 *t.* (차로) 치어 넘어뜨리다: der Betrunkene fuhr ein Verkehrsschild um 음주운전자가 교통 표지판을 치어 넘어뜨렸다.

umfahren* *t.* ①(무엇의) 주위를 차로 돌다;〖海〗주항(周航)하다; 주위를 돌다, 비켜 가다; (둘레를) 포위하다: das Hindernis ~ 장애물을 비켜서 가다. ②(손으로) 따라가면서 표시하다: die Grenzen eines Staates auf der Karte ~ 지도 위의 국경선을 (손으로) 따라서 그리다.

Ụmfahrt *f.* -en 〔드물게〕①(Umweg) 에움길, 우회로. ②순항(巡航); 주항(周航): eine ~ machen 주항〔순항〕하다.

Umfahrung [..fá:rʊŋ] *f.* -en ①순항, 주항, 일주. ②(öst.) 우회(도)로.

Umfahrungs·straße *f.* (öst.) 우회 (도)로.

Umfall [ʊ́mfal] *m.* -(e)s, ..fälle [..fɛlə] ①전도(顚倒), 전복. ②〔비유〕(심경·학설의) 급변, 표변.

ụm|fallen* *i.* (s.) ①넘어지다, 전복하다: die Vase ist umgefallen 꽃병이 쓰러졌다; ich bin vor Schreck fast umgefallen 나는 너무 놀라서 쓰러질 뻔했다. ②〔비유〕급변〔표변〕하다; 변절하다: der Zeuge ist wieder umgefallen 증인이 다시 생각을 바꾸었다.

***Umfang** [ʊ́mfaŋ] *m.* -(e)s, ..fänge [..fɛŋə] ①주위, 둘레, 주변, 변두리: ein Stamm von 6 cm ~ 둘레가 6 cm 인 나무줄기; den ~ eines Kreises berechnen 원주의 길이를 계산하다. ②넓이, 폭; 크기; 굵기; (책의) 분량, 부피: das Buch hat 300 Seiten ~ 그 책은 300 쪽 분량이다; in vollem ~ 충분하게. ③

〔비유〕범위, 구역; 〖논리〗 외연(外延): der ~ seines Wissens ist erstaunlich 그의 지식의 범위는 놀랍다. ④ (a) 용량: körperlicher ~ 부피, 용적, 체적; 〔구어·농담〕 er hat einen beträchtlichen ~ 그는 몹시 뚱뚱하다. (b) 〖음악〗 음량, 성량, 음역: eine Stimme von großem ~ 음역이 넓은 소리.

umfangen* *t.* ① (껴)안다. ② 싸다, 에워싸다; 〖軍〗 포위하다.

umfänglich [ʊ́mfɛŋlɪç] *a.* ① (용량·부피가) 큰: eine ~e Person 뚱보; ein ~es Paket 큰 보따리. ② (범위가) 넓은, 큰: ~e Vorbereitungen 대대적인 준비.

umfang≈mäßig *a.* 범위에 상응하는; 범위에 관한. **~reich** *a.* ① 규모가 큰; 분량이 많은: ~e Ausgrabungen〔Bauvorhaben〕 대규모 발굴〔건축 계획〕; ein ~es Schriftwerk 방대한 저작. ②〔구어·농담〕 뚱뚱한. ③ 범위가 넓은: ~e Studien 폭넓은 연구; ein ~es Wissen 해박한 지식.

Umfangs≈berechnung *f.* 분량 계산. **~-maßig** *a.* ↑ umfangmäßig.

um|färben *t.* (무엇에) 색을 다시 칠하다, 다시 물들이다: einen Stoff ~ 옷감을 다른 색으로 물들이다.

umfärben *t.* 〔드물게〕 (무엇의) 둘레를 채색하다〔물들이다〕.

um|fassen *t.* ①〔방언〕 껴안다, 포옹하다: sie saßen umgefaßt auf der Bank 그들은 껴안고 벤치에 앉아 있었다. ② (보석 따위의) 테를 바꿔 끼우다, 세팅을 다시 하다.

***umfassen** ① 꽉 껴안다; 꽉 붙잡다〔쥐다〕: jn. mit Blicken ~ 누구를 시선으로 사로잡다; er umfaßte das Messer fest 그는 칼을 꽉 움켜쥐었다. ② 에워싸다: ein Beet mit Steinen ~ 화단을 돌로 둘러싸다. ③〖軍〗 포위하다: den Feind von zwei Seiten ~ 적을 양쪽에서 포위하다. ④ 포함〔포괄〕하다: das Buch umfaßt 200 Seiten 그 책은 200 쪽에 달한다.

umfassend *p.a.* 포괄적인, 폭넓은; 두루 미치는: ~e Ansichten 포괄적인 견해; ~er Geist 포용력 있는 마음(의 소유자); ~e Vorbereitungen 폭넓은 준비; ein ~es Geständnis ablegen 모조리 자백하다.

Umfassung *f.* -en ① (얼싸)안음, 포옹. ② 둘러쌈, 에워쌈; 〖軍〗 포위.

Umfassungs·mauer *f.* 담장, 장벽.

Umfeld *n.* -(e)s, -er 〖심리·사회〗 ① 주변 환경: soziales ~ 사회 환경. ②〔드물게〕 주변 지역.

um|firmieren *i.* 〖商〗 회사명을 바꾸다: in eine Aktiengesellschaft ~ 주식 회사로 명칭을 바꾸다.

umflattern *t.* 둘레에 나부끼다, 주변을 날아다니다: 〔비유〕 jn. ~ 누구의 곁을 떠나지 않다.

um|flechten* *t.* 고쳐 짜다〔뜨다〕, 다른 모양으로 짜다.

umflechten* *t.* 짜서〔떠서〕 싸다, 편물로 싸다: umflochtene Flasche 망으로 싼 병.

um|fliegen* *i.*(s.) ①〔구어〕 넘어지다, 전복하다. ② 우회하여〔빙 돌아〕 날다: wegen des Nebels mußten wir weit ~ 안개 때문에 우리는 멀리 우회 비행을 해야 했다.

umfliegen* *t.* ① (무엇의) 둘레를 날아 돌아다니다, 주위를 날다: Falter umflogen die Lampe 나비가 등불 주변을 날아다녔다. ② 피하여 날다: die Schwalbe umflog geschickt den Pfosten 제비가 기둥을 능숙하게 피하여 날아갔다.

um|fließen* *i.*(s.) (시간이) 흘러가다.

umfließen* *t.* ① (무엇의) 주위에 에워싸고 흐르다, 환류(環流)하다: der Bach umfloß den Fels 개천이 바위를 둘러 흐르고 있었다. ②〔비유〕 휘감다, 둘러싸다: das Kleid umfloß ihre Gestalt in weichen Falten 그 옷은 부드럽게 주름져 그녀의 몸을 휘감고 있었다; 〔시어〕 von Licht umflossen 빛으로 둘러싸인.

umfloren [ʊmflóːrən] *t.* 얇은 비단〔베일〕을 두르다; 사(紗)로 싸다: 〔비유〕 den Blick~ 시선을 흐리게 하다; 〖雅語〗 mit von Trauer umflorter Stimme 슬픔에 잠긴 (목)소리로; umflorte Augen 눈물어린 눈; der Gipfel hat sich umflort 정상에는 구름이 끼어 있었다.

Umflug *m.* -(e)s, ..flüge [..flyːgə] 순회 비행; 선회 비행; 우회 비행.

umfluten *t.* ↑ umfließen.

***um|formen** *t.* 변형〔변조〕하다; 〖전기〗 변류하다: Gleichstrom in Wechselstrom ~ 직류를 교류로 바꾸다; die Technik hat den Menschen umgeformt 기술이 인간을 변화시켰다.

Umformer *m.* -s, - 〖전기〗 변환 장치; 변압기; 회전 변류기.

um|formulieren *t.* (무엇의) 표현〔문안〕을 바꾸다, 새로 표현하다.

Umformung *f.* -en 변형, 개조; 〖전기〗 변환, 변압.

Umfrage [ʊ́mfraːgə] *f.* -n 설문〔앙케트〕 조사; 여론 조사: eine ~ machen 설문 조사를 하다.

Umfrage·ergebnis *n.* 여론 조사 결과.

um|fragen *i.*(h.) 설문〔앙케트〕 조사를 하다.

umfrieden [ʊmfríːdən] *t.* 담으로 두르다, 울타리를 치다.

umfriedigen *t.* ↑ umfrieden.

Umfriedigung *f.* -en ↑ Umfriedung.

Umfriedung *f.* -en ① 담을 침〔두름〕. ② 담, 울타리; 울타리를 두른 장소〔땅〕.

um|führen *t.* ① 데리고〔안내하여〕 돌아다니다. ② 에움길에 데리고 가다, 에움길을 안내하다.

um|füllen *t.* 다시〔갈아〕 채우다, 옮겨 붓다: Bier aus dem Faß in Flaschen ~ 맥주를 통에서 병으로 옮겨 붓다.

Umfüllung *f.* -en 갈아 채움, 옮겨 부음.

um|funktionieren *t.* (무엇의) 기능을 바꾸다: das Schauspielhaus zu einer Konzerthalle ~ 극장을 콘서트홀로 이용하다; den Spieler vom Verteidiger zum Stürmer ~ 선수를 수비수에서 공격수로 돌리다.

Umfunktionierung *f.* -en 기능 전환〔변환〕.

***Umgang** [ʊ́mgaŋ] *m.* -es, ..gänge [..gɛŋə] ① 돌아다님, 순행; 〖宗·방언〗 기도〔예배〕 행렬: Flur~ 풍년 기원 행렬; einen ~ halten a) 순회하다, b) 행진하다. ② (a) 교제; 사교, 사귐; 성교: fleischlicher〔geschlechtlicher〕 ~ 성교; den ~ mit jm. abbrechen 누구와 절교하다; mit jm. ~ haben 〔pflegen〕 누구와 교제하다; viel ~ haben 교제가 많다. (b) 교제하는 친구, 교우, 교제 상대: er ist kein ~

für dich 그 남자는 네가 사귈 상대가 아니다. (c) 다룸, 다루기: er ist an den ~ mit Alten gewöhnt 그는 노인들을 다루는 데에 익숙하다. ③ 회전, 운전. ④ (수레를 끄는 말의) 뱃대끈, 안장띠, 안대. ⑤〖건축〗 회랑. ⑥〖드물게〗 회피: von et.³ ~ nehmen〔haben〕 무엇을 피하다.

ụmgänglich [..gɛŋlɪç] *a.* 사교적인, 대인 관계가 좋은, 상냥한: seine Frau war früher umgänglicher 그의 부인은 이전에 더 붙임성이 있었다.

Ụmgänglichkeit *f.* 사교성.

Ụmgangs≈form *f.* 사교 형식, 예식, 예절, 에티켓. **~riemen** *m.* ↑ Umgang ④. ***~-sprache** *f.* 일상어, 구어, 통용어. **~-sprachlich** *a.* 일상어〔구어〕의. **~ton** *m.* 〖복수: ..töne〗 교제〔사교〕 방식, 교제할 때의 어투. **~welt** *f.* (상류) 사교계.

umgarnen [ʊmgárnən] *t.* ① 망〔그물〕을 덮어 씌우다, 그물로 사로잡다. ②〖비유〗 올가미를 씌우다, 농락하다, 교묘하게 설득〔현혹〕하다: mit schönen Worten umgarnte sie ihren Chef 감언이설로 그녀는 상관을 구워삶았다.

Umgarnung *f.* -en 우롱, 농락, 교묘한 설득.

umgaukeln *t.* (무엇의) 주위를 나풀거리다.

Umgaukelung *f.* 주위를 나풀거림.

Umgauklung *f.* ↑ Umgaukelung.

ụm|geben* *t.* ① 입혀 주다, 씌우다, 둘러주다: er gab ihr Mantel um 그는 그녀에게 외투를 입혀 주었다. ②〖카드〗 패를 한번 더 돌리다.

umgeben *t.* 에워싸다, 두르다, (감)싸다; 포위하다: mit einer Hecke ~ 울타리로 두르다; jn. mit Liebe ~ 누구를 사랑으로 감싸다; die Stadt ist auf drei Seiten von Wasser ~ 그 도시는 삼면이 물로 둘러싸여 있다.

Ụmgebinde *n.* -s, -〖건축〗 대들보, 기둥.

ụmgebogen 《I》 *p.p.* ↑ umbiegen. 《II》 *p.a.* 만곡한;〖植〗 줄기가 굽은.

***Umgebung** [ʊmgé:bʊŋ] *f.* -en ① 사면, 주위, 주변: die ~ Berlins 베를린 근교; wo gibt es hier in der ~ ein Schwimmbad? 이 근처 어디에 수영장이 있습니까? ② 주위 환경〔경관〕: sich in seine neue ~ eingewöhnen 새로운 환경에 익숙해지다. ③ 주위의 사람들; 측근, 수행원, 부하: der Präsident und seine ~ 대통령과 그 측근; er ist ganz abhängig von seiner ~ 그는 뭐든 주위에서 하자는 대로 한다.

Umgegend [ʊ́mge:gənt] *f.* -en [..dən] 주위, 인근; 교외, 근교.

ụm|gehen *i.* (s.) ① **(a)** 돌다, 선회〔회전〕하다: die Räder gehen um 바퀴가 돈다. **(b)** 돌아다니다, (무엇의) 주위를 걷다. **(c)** 차례대로 돌다: einen Brief ~ lassen 회람을 돌리다. ② (길을 잘못 들어) 우회하다: er ging eine Meile um 그는 1 마일을 우회하였다. ③ (umkehren) 역행하다, 되돌아오다〔가다〕. ④〖드물게〗 (시간이) 경과하다(vergehen): acht Tage sind umgegangen 일주일이 지났다. ⑤ (유령 등이) 나타나다, 출몰하다: es geht dort um 그곳에서는 유령이 나온다; der alte Graf soll noch im Schloß ~ 노 백작(유령)이 아직도 성에 나타난다고 한다. ⑥ (소문·질병이) 퍼지다, 돌아다니다: es geht ein Gerücht um, daß ... …라는 소문이 떠돌고 있다. ⑦ 교제하다: niemand wollte mit ihm ~ 아무도 그와 사귀고자 하지 않았다; sage mir, mit wem du umgehst, so sage ich dir, wer du bist 네가 사귀는 사람이 누구인지를 내게 말해 주면, 네가 어떤 사람인지를 말해 주겠다(괴테의 "잠언과 성찰"에서). ⑧ 다루다, 대하다: grob mit jm. ~ 누구를 거칠게 다루다. ⑨ (어떻게) 사용〔이용〕하다: vorsichtig mit et.³ ~ 무엇을 조심스럽게 사용하다; mit Geld nicht ~ können 돈을 아껴 쓸 줄 모르다. ⑩ (계획을) 품고 있다, (어떤 생각에) 몰두하다: ich gehe mit dem Gedanken um, mir ein Auto zu kaufen 나는 자동차를 한 대 구입할 생각이다. ⑪〖고어〗 노리다, 뜻하다: auf et. ~ 무엇을 노리다.

umgehen *t.* ① (무엇의) 주위를 돌다; 순회하다: die Grenze ~ 국경을 순찰하다. ② 우회하다;〖비유〗 (회)피하다; (규칙·의무를) 무시〔위반〕하다: eine Antwort ~ 회답을 피하다; das Gesetz ~ 법망을 피하다; den Zoll ~ 탈세하다; ich kann es nicht ~, ihm einen Besuch zu machen 나는 그를 방문하지 않을 수 없다.

ụmgehend *p.a.* ① 돌아다니는, 배회하는. ② 교대의, 차례차례의. ③ 즉시의(sofortig): eine Sache ~ erledigen 어떤 일을 즉시 해결하다; ~e Schritte tun 즉각 조처를 취하다; ~e Antwort wird erbeten 곧 회답하여 주시기를 바랍니다; mit ~er Post 받은 즉시 회신 우편으로.

Umgehung [..gé:ʊŋ] *f.* -en ① 순회. ② 우회;〖비유〗 회피; (규칙·의무의) 위반, 무시. ③ ↑ Umgehungsstraße.

Umgehungs·straße *f.* 자동차용 우회 도로.

***ụmgekehrt** 《I》 *p.p.* ↑ umkehren. 《II》 *p.a.* (무엇과) (정)반대의: der Sachverhalt ist genau ~ 사실은 정반대다;〖數〗 der ~e Bruch 역수; im ~en Verhältnis zu et.³ stehen 무엇과 반비례하다; in ~er Reihenfolge 역순으로; mit ~er Hand 손바닥을 뒤집어서; vom 〔aus dem〕 Deutschen ins Koreanische und ~ 독일어를 한국어로 또 그 반대로; ~ essen 토하다; ~ ist es richtig 그 반대가 옳다.

ụm|gestalten 《I》 *t.* 변형하다; 개조하다; 개혁하다. 《II》 *refl.* sich ~ 변형되다.

Ụmgestaltung *f.* -en 변형; 개조, 개혁.

ụm|gießen* *t.* ① 옮겨 붓다〔따르다〕: Milch (aus der Flasche) in ein Kännchen ~ (병에 든) 우유를 작은 주전자에 옮겨 붓다. ② (잘못하여) 엎지르다, 쏟다: wer hat die Milch umgegossen? 누가 우유를 엎질렀는가? ③ (다른 형태로) 다시 주조하다.

umgießen* *t.* (무엇의) 주위에 붓다: von leuchtenden Strahlen umgossen 빛나는 광선을 주위에 받아서.

Ụmgießung[1] *f.* -en ① 옮겨 부음; (침전물 위에 뜬) 웃물을 따름. ② 개주(改鑄).

Umgießung[2] *f.* -en 주위에 물을 부음.

umgịttern *t.* (무엇의) 주위에 격자를 붙이다, 격자로 둘러싸다.

Umgịtterung *f.* -en ① 격자두르기. ② (두른) 격자, 창살.

umglạ̈nzen *t.* (무엇을) 빛으로 휩싸다; 비추다: ihr Gesicht war von Freude umglänzt 그녀의 얼굴은 기쁨으로 빛났다.

umgọlden *t.* ① 금테를 두르다〔붙이다〕. ②

〘시어〙 금빛으로 감싸다.
um|graben* *t.* ① 파 뒤집다〔일구다〕. ② 파 넘어뜨리다.
umgraben* *t.* (무엇의) 주위를 파다; 호로 둘러싸다.
Umgrabung *f.* -en 파 뒤집음〔일굼〕.
um|greifen* *i.* (h.) ① 넓어지다, 퍼지다; 만연하다: die Berge griffen weit um 산들이 멀리 뻗쳐 있었다. ② 손을 바꾸어 잡다.
umgreifen* *t.* ① 빙 둘러싸다 (umfassen): der Wald umgreift das Grundstück an drei Seiten 숲이 그 대지를 3 면에서 둘러싸고 있다. ② 포함〔포괄〕하다: 〚哲〛 das ∼de 포괄자; das Buch umgreift sein ganzes Schaffen 이 책은 그의 전 작품을 담고 있다. ③ 붙잡다, 쥐다, 안다: ich kann das Paket gerade ∼ 나는 소포 꾸러미를 가까스로 (가슴에) 안을 수 있다.
umgrenzen *t.* ① 빙 둘러 경계짓다, 울타리를 두르다. ② (범위·주제를) 한정〔제한〕하다: js. Befugnisse ∼ 누구의 권한을 제한하다; ein klar umgrenzter Kompetenzbereich 명백하게 정해진 관할 영역.
Umgrenzung [..greéntsʊŋ] *f.* -en 경계; 한계; 〘비유〙 제한, 한정.
um|gruppieren *t.* (그룹을) 재편성하다, 고쳐 짜다.
um|gucken *refl.* sich ∼ 뒤돌아보다; (주변을) 둘러보다: 〘구어〙 er wird sich schön ∼ 그놈 아마도 기겁을 할 걸!
um|gürten *t.* (띠를) 둘러 주다, 허리에 차다: jm. den Riemen ∼ 누구에게 허리띠를 매주다; er gürtete sich³ das Schwert um 그는 허리에 칼을 찼다.
umgürten *t.* 〘구식〙 (띠 따위로) 매주다, 둘러 주다: er umgürtete sich mit einem Schwert 그는 허리에 칼을 찼다.
Umguß *m.* ..gusses, ..güsse [..gʏsə] ① 옮겨 부음〔따름〕; (떠 있는) 윗물을 떠냄. ② 개주 (改鑄).
um|haben* *t.* 입고 있다, 두르고〔차고〕 있다: eine Armbanduhr ∼ 손목 시계를 차고 있다; einen Mantel 〔eine Schürze〕 ∼ 외투〔앞치마〕를 걸치고〔두르고〕 있다.
um|hacken *t.* ① 베어 넘어뜨리다: einen Baum ∼ 나무를 베어 쓰러뜨리다. ② 갈다, 파 일구다; (갈퀴로) 긁어 뽑다〔내다〕: die Erde ∼ 땅을 괭이로 파 뒤집다.
umhacken *t.* (무엇의) 주위를 갈다〔파다〕.
umhäkeln *t.* (무엇의) 가장자리를 코바늘로 뜨다.
umhalsen *t.* (누구의) 목을 얼싸안다, 목에 달라붙어 늘어지다; 포옹하다: er umhalste seine Mutter 그는 자기 어머니의 목을 껴안았다.
Umhalsung [..hálzʊŋ] *f.* -en 포옹, 목을 껴안음.
Umhang [ʊ́mhaŋ] *m.* -(e)s, ..hänge [..hɛŋə] ① 어깨에 걸치는 옷, 숄, 케이프. ② 막, 커튼.
umhangen *t.* ↑ umhängen.
um|hängen *t.* ① (어깨 따위에) 걸치다, 걸쳐 주다: sich³ einen Mantel ∼ 외투를 두르다; 〘비유〙 der Katze die Schelle ∼ 고양이 목에 방울을 달다; et.³ den Mantel ∼ 어떤 일의 진상을 숨기다. ② 바꿔 걸다: die Bilder ∼ 그림을 바꿔〔옮겨〕 걸다.
umhängen* *t.* ① 두르다, 장식하다: ein Denkmal mit Blumen ∼ 기념비를 꽃으로 장식하다; das Rednerpult mit Fahnen ∼ 연단 주위를 깃발로 장식하다. ② (무엇의) 주변에 걸려 있다.
Umhänge≈tasche *f.* 어깨에 메는 가방. **∼tuch** *n.* 〘복수: ..tücher〙 숄, 목도리.
Umhang·tuch *n.* ↑ Umhängetuch.
um|hauen *t.* ① 〘강변화 또는 약변화〙 (도끼로) 베어 넘어뜨리다. ② (사람을) 때려 쓰러뜨리다: einen Angreifer ∼ 공격자를 때려눕히다. ③ 〘과거형은 약변화〙 깜짝 놀라게 하다; 정신을 못차리게 하다, 견딜 수 없게 만들다: das haut mich um! 이것 참 기가 막히군!; diese Hitze hat mich umgehauen 이 더위에 나는 두 손 들었다; die Nachricht hat mich umgehauen 그 소식에 나는 깜짝 놀랐다; der Rotwein hat mich umgehauen 적포도주를 마시고 나는 몹시 취했다.
umhauen* *t.* (무엇의) 둘레를 베다.
umheben [ʊmhé:bən] *t.* 〚印〛 (조판의 일부를) 다시 짜다: einige Zeilen wurden umhoben 몇몇 행이 다시 짜였다.
umhegen *t.* ① 에워싸다. ② 〘비유〙 공들여 기르다, 애지중지하다.
Umhegung *f.* -en ↑ umhegen 의 명사형.
***um·her** *adv.* ① (무엇의) 주위〔둘레〕에, 빙 둘러: die Gegend ∼ 부근의 땅, 근처. ② 사방으로; 여기저기에: auf der Straße ∼ 길바닥의 여기저기에, 길 위를 이리저리.
umher.. *pref.* ① "주위를 빙 둘러"의 뜻(보기: ∼sehen 주위를 빙 둘러보다). ② "이리저리·여기저기"의 뜻(보기: ∼wandern 이리저리 떠돌다).
umher≈|blicken *i.* (h.) 여기저기 둘러보다, 두리번거리다. **∼|fahren*** 《I》 *i.* (s.) ① (차를 타고) 이리저리 돌아다니다. ② mit der Hand ∼ 손을 휘두르다. 《II》 *t.* (차로) 데리고 돌아다니다. **∼|fechten*** *i.* (h.) mit den Händen ∼ 손을 휘두르다. **∼|flattern** *i.* (s.) 훨훨 날아다니다, 휘날리다. **∼|fliegen** *i.* (s.) ① 이리저리 날아다니다. ② 흩날리다: ∼de Schneeflocken 흩날리는 눈송이. **∼|führen** *t.* 여기저기 데리고 돌아다니다. **∼|gaffen** *i.* (h.) (얼이 빠져) 둘러보다, 두리번거리다. **∼|gehen*** *i.* (s.) 여기저기 걸어다니다, 배회하다, 헤매다. **∼|irren** *i.* (s.) 방황하다, 방랑하다. **∼|jagen** 《I》 *i.* (s.) 이리저리 마구 뛰어다니다. 《II》 *t.* 이리저리 마구 몰아대다. **∼|laufen*** *i.* (s.) 이리저리 뛰어다니다. **∼|liegen*** *i.* (h.) 여기저기 흩어져 있다. **∼|lungern** *i.* (h./s.) 빈둥빈둥 돌아다니다〔거닐다〕. **∼|reisen** *i.* (s.) 이곳저곳 여행하다, 편력하다: in der Welt ∼ 세상을 두루 여행하다. **∼|reiten*** *i.* (s.) 말을 타고 돌아다니다. **∼|schleichen*** *i.* (s.) 이리저리 몰래 다니다, 살금살금 돌아다니다. **∼|schlendern** *i.* (s.) 빈들빈들 돌아다니다, 방황〔유랑〕하다. **∼|schweifen** *i.* (s.) 헤매고 돌아다니다, 유랑하다: seine Blicke ∼ lassen (자신 없는 눈초리로) 두리번거리다; er schweift in der Gegend umher 그는 그 지역을 떠돌아다닌다. **∼|schwirren** *i.* (s.) 이리저리 윙윙 날다. **∼|sitzen*** *i.* (h.) ① 둘러앉아 있다, 주위에 둘러앉아 있다. ② 부근에 살고 있다. **∼|springen*** *i.* (s.) (깡충깡충) 뛰어 돌아다니다. **∼|stehen*** *i.* (h.) 빙 둘러 서 있다. **∼|streichen*** *i.* (s.) 돌아다니다, 방황〔배회〕하다. **∼|streifen** *i.* (s.) (산과 들을) 돌

아다니다, 두루 쏘다니다. ~|**tragen** *t.* 가지고〔데리고〕 이리저리 돌아다니다(herumtragen). ~|**treiben*** 《I》 *i.* (s.) 정처 없이 떠돌아다니다: ein Stückchen Holz treibt in den Wellen umher 나무 한 조각이 파도에 떠 다닌다. 《II》 *t.* 마구 내쫓다〔몰아대다〕. 《III》 *refl.* sich ~ 방황〔방랑〕하다: sich in den Straßen ~ 그 거리를 떠돌아다니다. ~|**trippeln** *i.* (s.) 종종걸음으로〔바쁘게〕 뛰어다니다. ~|**wandern** *i.* (s.) 방랑하다. ~|**werfen*** 《I》 *t.* 사방으로 던지다, 이리저리 집어 던지다. 《II》 *refl.* sich ~ 돌아눕다; 엎치락뒤치락하다. ~|**ziehen*** 《I》 *i.* (s.) 방랑하다. 《II》 *t.* 이리저리 끌고 다니다: das Kind zieht seine Spielsachen im Zimmer umher 아이가 장난감들을 방에서 이리저리 끌고 다닌다.

um·hin *adv.* 〖구식〗 (무엇을) (회)피하여.

umhin|kommen *i.* (s.) ↑ ~können.

umhin|können* *i.* (h.) 〖다음의 용법으로〗 nicht ~ 비켜갈〔피할〕 수 없다, …하지 않을 수 없다: ich kann nicht umhin, die Einladung anzunehmen 나는 초대를 받아들일 수밖에 없다; 〖구식〗 wenn ich nicht umhin kann 어쩔 수 없다면.

um|hören *refl.* 알아보고자 이곳저곳 돌아다니다, 여기저기 알아보다: sich nach einem Arbeitsplatz ~ 일자리를 물어보고 다니다; ich werde mich danach ~ 나는 그것에 대해 여기저기 문의해보겠다.

Umhülle [ʊ́mhʏlə] *f.* -n (어깨에 걸치는 여성용의) 넓은 목도리, 숄.

um|hüllen *t.* 덮어씌우다, 둘러 주다, 입히다: sich³ den Mantel ~ 외투를 걸치다.

***umhüllen** *t.* 싸다, 덮다, 말다; 〖工〗 (케이스로) 둘러싸다: das Gesicht mit dem Schleier ~ 얼굴을 베일로 가리다.

Umhüllung *f.* -en 씌움; 쌈; 덮음; 겉싸개; 겉옷; 베일; 〖工〗 함, (칼 따위의) 집, 케이스.

Umiak [ú:mɪak] *m./n.* -s, -s 우미아크(에스키모의 여성용 배).

U/min =Umdrehungen in der Minute 1분간의 회전수.

Uminterpretation *f.* -en 다른〔새로운〕 해석.

um|interpretieren *t.* 다르게 해석하다.

umjammern *t.* 에워싸고 슬퍼하다.

umjauchzen *t.* 에워싸고 환호하다.

umjubeln *t.* 에워싸고 환호하다: der Sieger wurde von allen umjubelt 승자는 모두에게서 열광적인 환호를 받았다.

umkämpfen *t.* ① (무엇을 얻으려고) 격전을 치르다: ein hart umkämpfter Sieg 격전 끝에 쟁취한 승리. ② (무엇을) 포위하고 싸우다.

Umkarton *m.* -s, -s 마분지〔판지〕 상자.

Umkehr [ʊ́mke:r] *f.* 방향 전환, 귀환; 복귀; 〖비유〗 개심, 사상 전환, 전향; 〖理〗 반전, 역전: jn. zur ~ zwingen 누구를 억지로 전향시키다.

umkehrbar *a.* 도치될 수 있는; 전환할 수 있는; 거꾸로 할 수 있는; 〖理〗 가역적(可逆的)인: diese Behauptung ist ~ 이 주장은 역도 성립한다; ~e Reaktion 가역 반응.

Umkehrbarkeit *f.* ① 전환 가능성. ② 가역성(可逆性).

***um|kehren** 《I》 *t.* 거꾸로 하다, 뒤집다, 뒤바꾸다, 전복시키다; 밀쳐 넘어뜨리다; 〖비유〗 왜곡〔곡해〕하다; 〖음악〗 전회(轉回)시키다, 자리바꿈하다; 〖논리〗 (주사(主辭)와 빈사(賓辭)를) 환위(換位)하다; 〖문법〗 도치하다: 〖數〗 einen Bruch ~ 분모와 분자를 서로 바꾸다; Hemd ~ 셔츠를 뒤집다; 〖전기〗 den Strom ~ 전류를 역류시키다; wir haben das ganze Haus nach dem Ausweis umgekehrt 우리는 그 증명서를 찾으려고 온 집안을 뒤집다시피했다; den Spieß〔Stiel〕 ~ 역습하다; die Hand ~ 손바닥을 뒤집다; 〖비유〗 wie man die Hand umkehrt 갑자기, 순식간에; für et. nicht die Hand ~ 무엇을 조금도 거들지 않다; er kehrt den Pfennig zehnmal um, ehe er ihn ausgibt 그는 지독한 구두쇠다. 《II》 *refl.* sich ~ ① 뒤집어지다, 전복되다, 전도하다; 방향을 바꾸다: ich kehre mich im Bett um 나는 침대에서 몸을 뒤척인다; der Magen kehrt sich um bei diesem Anblick 이 꼴을 보니 속이 뒤집힌다; da kehrt sich mir das Herz um 그 때문에 나는 애끓는 심정이다; im Grabe würde er sich ~, wenn ... 만일 …이면 그는 죽어도 눈을 감지 못하리라. ② 역전되다: die Verhältnisse haben sich völlig umgekehrt 관계가 완전히 역전되었다. 《III》 *i.* (s.) ① 반대 방향으로 접어들다, 되돌아가다, 되돌아오다, 복귀하다. ② 〖비유〗 개심〔회심〕하다, 전향하다: 〖속담〗 man soll nicht auf halbem Weg ~ 가다가 중지하면 아니감만 못 하니라. 《IV》 **umgekehrt** *p.a.* ↑ umgekehrt.

Umkehr·film *m.* 〖사진〗 반전(反轉) 필름(슬라이드용).

Umkehrung [ʊ́mke:rʊŋ] *f.* -en ① 방향 전환(Umkehr). ② 거꾸로 함; 뒤집음; 전복, 전도; 전환; 〖비유〗 왜곡, 곡해. ③ 〖工〗 반전, 역전; 〖문법〗 도치(법); 〖논리〗 환위법; 〖음악〗 전회(轉回), 자리바꿈; 자리바꿈한 음정〔화음〕; 〖軍〗 방향 바꾸기; 〖數〗 전환법; 반비례. ④ 반대, 역; 이면. ⑤ 뒤바뀜, 엉망(진창).

um|kippen 《I》 *i.* (s.) ① (차 따위가) 뒤집히다, 전복〔전도〕되다: mit der Leiter ~ 사다리째 넘어지다. ② 〖구어〗 졸도하다. ③ 〖구어〗 태도를 싹 바꾸다; (분위기 따위가) 확 변하다: die Stimmung kippt um 분위기가 일변한다. ④ (포도주 따위가) 변질되다; (물 따위가) 오염되다. ⑤ 〖드물게〗 조산(早産)하다. 《II》 *t.* 뒤집다, 전복시키다: einen Stuhl ~ 의자를 뒤집다.

Umkippen *n.* ↑ umkippen의 명사형.

umklammern *t.* ① 꼭 껴안다, 꽉 움켜잡다〔쥐다〕; 꼭 감다, 엉겨 눌어붙다; 〖비유〗 집착〔고집〕하다: jn. mit beiden Armen ~ 누구를 두 팔로 껴안다; Furcht umklammerte ihn 그는 공포에 사로잡혔다. ② (적을) 포위하다.

Umklammerung *f.* -en 꽉 껴안음; 〖권투〗 홀딩.

Umklammrung *f.* -en ↑ Umklammerung.

umklappbar [ʊ́mklapba:r] *a.* (의자 따위가) 젖혀질〔접을〕 수 있는.

um|klappen 《I》 *t.* 탁〔팡〕 닫다, 접다, 젖히다; 접어 개다, 걷어〔말아〕 올리다: die Rücklehne eines Autositzes ~ 자동차 의자의 등받이를 젖히다. 《II》 *i.* (s.) 〖구어〗 졸도하다; 나른해지다; 양보〔체념〕하다.

um|kleben *t.* 고쳐〔바꿔〕 붙이다.

umkleben *t.* (무엇의) 둘레에 발라 붙이다.

Umkleide [ʊ́mklaɪdə] *f.* -n 〖구어〗 ↑ Umkleideraum.

Umkleide·kabine *f.* 옷 갈아입는 칸.

***um|kleiden** 《I》 *t.* 옷을 갈아입히다. 《II》 *refl.* sich ~ 옷을 갈아입다, 바꿔입다.

umkleiden *t.* ① 뒤집어씌우다, 싸다, 덮다, 입히다: einen Kasten mit Stoff ~ 상자를 천으로 싸다. ② (schmücken) 치장하다, 꾸미다; 〖비유〗 (명예 따위를) 주다, 부여하다: schwarz umkleidet 검은 옷〔상복〕을 입고.

Umkleide·raum *m.* 탈의실, 옷 갈아입는 곳.

Umkleidung[1] *f.* -en 〖드물게〗 옷을 갈아입음〔바꿔입음〕.

Umkleidung[2] *f.* -en 피복(被覆), 포장(包裝), 덮어쌈; 의복; 장식.

um|knicken 《I》 *i.* (s.) ① (나무 등이) 부러지다, 쓰러지다: der Sturm war so heftig, daß sogar Telegrafenmaste umknickten 폭풍우가 세차게 불어 전신주까지 쓰러졌다. ② (헛디뎌) 삐다: ich bin (mit dem Fuß) umgeknickt 나는 발목을 삐었다. 《II》 *t.* 구부리다, 접다: einen Zweig ~ 나뭇가지를 구부리다; ein Blatt Papier ~ 종이 한 장을 접다.

um|kniffen *t.* 접다.

um|knüpfen *t.* 고쳐 매다.

umknüpfen *t.* (무엇의) 둘레에 매다.

um|kommen *i.* (s.) ① 〖드물게〗 돌아오다. ② 〖드물게〗 (소문 등이) 퍼지다, 널리 알려지다. ③ 〖드물게〗 경과하다(vorübergehen). ④ (**a**) 멸망하다; 없어지다(verlorengehen); (verderben) 나빠지다, 악화하다, 상하다, 부패하다: nichts ~ lassen 아무것도 썩게 하지 않다. (**b**) 생명을 잃다, 죽다: bei einem Flugzeugunglück ~ 비행기 사고로 목숨을 잃다; vor Langweile ~ 무료해서 죽을 지경이다; die Hitze ist ja zum ∼ 더위가 살인적이다.

um|kopieren *t.* (필름을) 복사하다.

umkränzen *t.* 화환으로 둘러싸다〔장식하다〕: 〖비유〗 der See ist von Wäldern umkränzt 호수는 숲으로 둘러싸여 있다.

Umkränzung *f.* -en 화환으로 둘러쌈, 화환 장식.

***Umkreis** [ʊ́mkraɪs] *m.* -es, -e 주위, 주변; 〖數〗 원주; 외접원; 넓이: im ~ von drei Kilometern 주변 3 킬로미터 이내에; nur sein engster ~ wußte davon 그의 최측근만 그 사실을 알고 있었다; der ~ eines Dreiecks 3 각형의 외접원.

umkreisen *t.* (무엇의) 둘레를 돌다, 회전〔순회〕하다; (새가) 원을 그리며 날다; (빙) 둘러싸다, 포위하다: die Planeten umkreisen die Sonne 행성들은 태양 주위를 돈다; seine Gedanken umkreisten das Thema 그의 생각은 그 테마 주위를 맴돌았다.

Umkreisung *f.* -en 회전, 둘레돌기; 포위.

um|krempeln 《I》 *t.* ① (**a**) 접어 젖히다, 걷어올리다, 단을 접다: einen Hut ~ 모자의 테를 접어 젖히다. (**b**) (양말 따위를) 뒤집다. ② 〖비유〗 (무엇을 찾기 위해) 발칵 뒤집다; 완전히 바꾸다, 변혁하다: 〖구어〗 das ist zum ∼ 그거 우스워서 못견디겠다; das ganze Haus ~ 집안을 샅샅이 뒤지다; einen Menschen ~ 어떤 인간을 완전히 개조하다. 《II》 *refl.* sich ~ 사람〔성격〕이 변하다.

umkrempen *t.* ↑ umkrempeln.

Umlade·bahnhof *m.* 화물을 옮겨〔바꾸어〕 싣는 정거장〔역〕.

um|laden* *t.* (화물을) 다시 싣다, 옮겨 싣다; 〖軍〗 (탄알을) 바꿔 장전하다: Container von Lastwagen aufs Schiff ~ 콘테이너를 트럭에서 배로 옮겨 싣다.

Umladung *f.* -en 다시〔옮겨〕 쌓음〔실음〕, 전재(轉載); 〖軍〗 재장전.

Umlage[1] [ʊ́mla:gə] 《＜umlegen》 *f.* -n 할당금, 분담금, 부과금: die ~ beträgt 40 Mark pro Person 할당액은 일인당 40 마르크다.

Umlage[2] 《＜umlegen》 *f.* -n 〖드물게〗 (Umgegend) 부근, 주위.

um|lagern 《I》 *t.* ① 옮겨 보관하다. ② 잠자리를 옮기다. 《II》 *refl.* sich ~ 침상〔침실〕을 바꾸다.

umlagern *t.* 에워싸다; 〖軍〗 포위하다; 〖비유〗 (무엇의) 주위로 몰려들다: der Stand war von Neugierigen umlagert 진열대 주변은 호기심에 찬 사람들로 둘러싸였다.

Umlagerung[1] *f.* -en ① 옮겨 보관하기. ② 침상〔침실〕바꾸기. ③ 〖理〗 전위(轉位).

Umlagerung[2] *f.* -en 둘러쌈; 〖軍〗 포위.

Umland *n.* -(e)s (도시의) 교외〔주변〕 지역.

umlauern *t.* (무엇의) 주위에서 숨어 기다리다, 잠복〔매복〕하다.

***Umlauf** [ʊ́mlauf] *m.* -(e)s, ..läufe [..lɔʏfə] ① (Kreislauf) 회전, 선회; 〖天〗 운행, 자전, 공전; 〖醫〗 (혈액의) 순환. ② (Zirkulation) (통화의) 유통, (소문 등의) 유포; 유통 기간; (차량·선박의) 회송 기간: in ~ bringen〔setzen〕 (통화를) 유통시키다, (소문 등을) 유포시키다; in ~ kommen 유통〔유포·유행〕하다; in〔im〕 ~ sein 유통하고〔유포되고〕 있다. ③ 회람, 통문: durch ~ bekanntgeben 회람으로 알리다; eine silberne Münze außer ~ setzen 〔aus dem ~ ziehen〕 은화를 유통시키지 않다. ④ 〖건축〗 회랑(回廊). ⑤ 〖農〗 (Fruchtfolge) (농작물의) 돌려짓기, 윤작. ⑥ 〖醫〗 (Fingerentzündung) 표저(瘭疽), 생인손. ⑦ 덮는 보, 상보(식탁 따위의 장식용). ⑧ 안대(鞍帶), 복대(腹帶). ⑨ (westd.) 모자의 테〔챙〕. ⑩ 〖승마〗 (장애물 경기에서) 코스 돌기.

Umlauf·bahn *f.* (천체 따위의) 궤도: einen Satelliten in eine ~ um die Erde schießen 인공 위성을 지구 궤도로 쏘아올리다. **~berg** *m.* 〖지리〗 곡류핵(曲流核)(물줄기 흐름의 변형으로 생긴 강 가운데의 언덕).

um|laufen 《I》 *i.* (s.) ① 회전〔선회〕하다; (천체가) 운행하다, 자전〔공전〕하다; (혈액이) 순환하다. ② (화폐 따위가) 유통하다; (소문이) 유포되다; (회람 등이) 돌다; (말이) 유행하다: das ~de Geld 통화; über ihn laufen Gerüchte um 그에 관해 갖가지 소문이 나돌고 있다. ③ 종료되다; 경과하다(vergehen): das Jahr läuft schnell um 해(年)가 총총히 저물어간다. ④ (**a**) (여기저기) 뛰어 돌아다니다(herumlaufen). (**b**) 〖구식〗 (nachtwandeln) 몽유(夢遊)하다, 몽중(夢中)에 방황하다. ⑤ 사방팔방으로 뻗치다, 퍼지다. ⑥ 〖재귀 목적어를 취하기도 함〗 돌아서 달리다〔가다〕, 우회하다: wir sind 〔haben uns〕 eine Meile umgelaufen 우리는 1 마일을 돌아서 갔다. ⑦ 〖海〗 (풍향이) 바뀌다: der Wind läuft um 풍향이 바뀐다. ⑧ (회랑 등이) 주위를 둘러싸다: ein ~der Balkon 빙 둘러 나 있는 발코니. ⑨ 〖방언〗 (길을 잘못 들어) 멀리 돌아가

다. 《Ⅱ》 *t.* 달리면서 밀쳐 넘어뜨리다, 치어 넘어뜨리다.

umlaufen* *t.* (무엇의) 주위를 달리다; 에워싸다: er hat das Spielfeld bereits fünfmal ~ 그는 운동장을 벌써 다섯 바퀴 돌았다; die Erde umläuft die Sonne 지구는 태양 주위를 돈다.

Umlauf≈geschwindigkeit *f.* 회전〔선회〕 속도. **~kapital** *n.* 유통 자본. **~kühlung** *f.* 『기술』 (물에 의한) 회전 냉각. **~mittel** *n.* ① 유통 수단, 통화. ② 〖복수〗 『구동독』 (국영 기업의) 운전 자본. **~münze** *f.* 통화. **~papier** *n.* 유통 증권. **~schreiben** *n.* (Rundschreiben) 통문, 회람. **~vermögen** *n.* 『經』 유동 자산. **~zeit** *f.* ① 『天』 공전 주기. ② 통용〔유효〕 기간.

***Umlaut** [ʊ́mlaut] *m.* -(e)s, -e ① 모음의 변음. ② 변모음, 움라우트(ä, ö, ü, äu).

um|lauten 《Ⅰ》 *i.* (h.) 변(모)음이 되다. 《Ⅱ》 *t.* 변(모)음으로 만들다.

Umlege≈kalender *m.* (일력식의) 탁상 달력. **~kragen** *m.* 『재봉』 접은 깃.

***um|legen** 《Ⅰ》 *t.* ① 휘감다, 둘러 주다: jm. einen Mantel ~ 누구에게 외투를 입히다; jm. einen Verband ~ 누구에게 붕대를 감아 주다. ② (몸을) 눕히다; 넘어뜨리다, (등받이를) 젖히다; (보리를) 베어 넘기다; (배 따위를) 기울이다; (깃 따위를) 접다; (끝을) 휘다; 『사냥』 (사냥감을) 죽이다: Weinflaschen ~ 와인병을 눕히다; einen Baum ~ 나무를 베어 넘어뜨리다; einen Kragen ~ 옷깃을 접다; 『권투』 jn. mit einem Boxhieb ~ 누구를 한 방에 때려눕히다. ③ 바꿔 놓다, 옮기다; 갈아〔바꿔〕 깔다: 『海』 die Segel ~ 배의 침로(針路)를 바꾸다; das Dach ~ 지붕을 갈아 이다; die Fernsprechleitung muß umgelegt werden 전화선을 다시 가설하지 않으면 안 된다; Kranke ~ (다른 병실로) 환자를 옮기다. ④ 부과〔분배〕하다: die Kosten auf die einzelnen Teilnehmer ~ 비용을 각 참가자에게 할당하다. ⑤ 〖경박〗 쏘아 죽이다. ⑥ 〖비속〗 동침하다. ⑦ (기일을) 바꾸다, 연기하다. ⑧ (책장을) 넘기다. 《Ⅱ》 *refl.* sich ~ ① **(a)** 넘어지다, 엎드리다; 누워 쉬다: das Getreide hat sich umgelegt 곡식이 쓰러졌다. **(b)** (끝이) 휘다, 굴곡하다. ② 장소를〔방향을〕 변경하다, 옮기다: sich im Bette ~ 돌아눕다; der Wind legt sich um 풍향이 바뀌다. 《Ⅲ》 *i.* (h.) 『海』 (배가 풍향에 따라) 침로를 바꾸다, 방향을 바꾸다.

umlegen *t.* et. mit et.³ ~ 무엇의 주변에 무엇을 놓다〔두다〕, 무엇으로 둘러싸다.

Umlegung[1] *f.* -en ① 〖구어〗 때려부숨. ② (환자의) 병실 이전; (선로·케이블 따위의) 시설의 이전. ③ (경비의) 할당; (농지) 분배. ④ 〖경박〗 살해.

Umlegung[2] *f.* -en 주위를 둘러쌈.

um|leiten *t.* 다른 길로 이끌다, 우회시키다, 빗나가게〔벗어나게〕 하다.

Umleitung *f.* -en ① 우회시킴, 에워가게 함. ② 우회로(Umweg): eine ~ fahren (차가) 우회로로 가다.

Umleitungs≈schild *n.* 우회로 표지. **~strecke** *f.* 우회로의 길이〔연장〕.

um|lenken 《Ⅰ》 *t.* 방향을 바꾸다: den Wagen ~ 차를 돌리다; der Fahrer lenkte um 운전자가 방향을 돌렸다. 《Ⅱ》 *i.* (h./s.) 다른 방향으로 향하다; 〖비유〗 마음이 변하다.

umlenken *t.* 〖드물게〗 우회하다, 에워가다.

um|lernen *i.* (h.) ① 다시 배우다, 다르게 (사고)하는 법을 배우다: was das anbetrifft, mußt du wirklich ~ 그것에 관해서라면 너는 정말로 다시 배워야 한다. ② 다른 직업을 익히다.

um|leuchten *i.* (h.) 두루〔여기저기〕 비추다.

umleuchten *t.* (무엇의) 주위를 비추다, 샅샅이 비추다.

umliegend *a.* 부근의, 주위의: ~e Gegend 근처, 근방.

Umluft *f.* (에어컨에서 나오는) 환기된 공기.

ummanteln *t.* 『工』 (관 따위를) 외피로 둘러싸다.

Ummantelung *f.* -en 『工』 ① (관 따위를) 외피로 둘러싸기. ② (둘러싼) 외피.

um|mauern *t.* 벽을 다시 고치다.

ummauern *t.* 벽으로 둘러싸다.

Ummauerung *f.* -en ① 벽을 두름. ② (둘러싼) 벽.

um|melden 《Ⅰ》 *t.* (무엇의) 명의〔등록〕 변경을 신고하다: das Auto ~ 차적(車籍) 변경을 신고하다. 《Ⅱ》 *refl.* sich ~ 주소 변경을 신고하다: sich polizeilich ~ 경찰에 주소 변경을 신고하다; wenn du umziehst, mußt du dich ~ 이사하면 너는 주소 변경 신고를 해야 한다.

Ummeldung *f.* -en (주소·명의 따위의) 변경 신고.

um|modeln *t.* 본을 다시 뜨다, 개조〔개작〕하다, 주형(鑄型)을 갈다; 〖비유〗 새롭게 바꾸다.

Ummodelung *f.* -en 개조, 개축, 개작.

um|münzen *t.* ① 『화폐』 개주하다. ② 활용하다; 억지 해석〔주장〕하다: eine Erfahrung in bares Geld ~ 경험을 돈벌이에 활용하다; eine Niederlage in einen 〔zu einem〕 Sieg ~ 패배를 승리라고 강변하다.

Ummünzung *f.* -en 『화폐』 개주(改鑄).

umnachten 〖雅語〗 《Ⅰ》 *t.* 암흑으로 뒤덮다, 캄캄하게 하다: der Wahnsinn umnachtet seinen Verstand 광기가 그의 오성을 혼미하게 만든다. 《Ⅱ》 *refl.* sich ~ 머리가 돌다, 정신 착란 상태에 빠지다. 《Ⅲ》 **umnachtet** *p.a.* ↑ umnachtet.

umnachtet 《Ⅰ》 *p.p.* ↑ umnachten. 《Ⅱ》 *p.a.* 〖비유〗 정신 착란에 빠진, 미친: sein Geist ist ~ 그는 머리가 돌았다.

Umnachtung *f.* -en 정신 착란, 광증.

um|nähen *t.* 둘레를 단단히 꿰매다.

umnähen *t.* (단춧구멍 따위의) 둘레를 감치다.

umnebeln 《Ⅰ》 *t.* ① 안개로〔뿌옇게〕 휩싸다〔뒤덮다〕: Wolken umnebelten die Sonne 구름이 태양을 뿌옇게 감쌌다. ② 〖비유〗 (의식을) 흐리게〔몽롱하게〕 하다: die Verwirrung umnebelte ihre Sinne 혼란스러워 그녀는 감각이 흐려졌다. 《Ⅱ》 **umnebelt** *p.a.* ↑ umnebelt.

umnebelt 《Ⅰ》 *p.p.* ↑ umnebeln. 《Ⅱ》 *p.a.* 안개에 휩싸인, 몽롱한, 흐리멍텅한; 〖비유〗 (berauscht) 정신이 몽롱한, 얼빠진: mit ~em Blick 몽롱한 시선으로.

Umnebelung *f.* -en 안개로 휩싸임〔감쌈〕.

Umneblung *f.* -en ↑ Umnebelung.

um|nehmen* *t.* 두르다, 입다.
um|nieten *t.* 쏘아 넘어뜨리다〔죽이다〕.
um|ordnen *t.* (무엇의) 배치를 바꾸다; 새롭게 정리하다.
Umorganisation *f.* -en ① 조직 개편. ② 개편된 조직.
um|organisieren *t.* (무엇의) 조직을 개편하다: das Schulwesen ~ 학제를 개편하다.
um|packen *t.* ① (a) 고쳐 싸다, 포장을 다시 하다: den Koffer ~ 트렁크를 다시 꾸리다. (b) 옮겨 꾸리다: Kleider ~ 옷가지를 (다른 곳에) 옮겨 꾸리다; in einen Koffer ~ (짐을) 트렁크에 옮겨 꾸리다. ② (herumpacken) 싸다, 포장하다, 꾸리다. ③ (ergreifen) 잡다, 쥐다; 찰싹 감아 붙다, 꼭 껴안다.
umpacken *t.* 싸다, 덮다: et. mit Papier ~ 무엇을 종이로 싸다〔포장하다〕.
Umpackung[1] *f.* -en 바꿔〔고쳐〕 싸기, 다시 포장하기〔꾸리기〕.
Umpackung[2] *f.* -en 포장.
umpanzern *t.* 《I》 ① 갑주(甲冑)를 입히다, 철판을 두르다; 〖海〗 장갑(裝甲)하다. ② 〔비유〕 철면피가 되게 하다. 《II》 **umpanzert** *p.a.* ↑ umpanzert.
umpanzert 《I》 *p.p.* ↑ umpanzern. 《II》 *p.a.* 장갑(裝甲)한, 철갑을 두른: mit Stahl ~ 강철로 장갑한.
umpfählen *t.* 울짱〔말뚝〕으로 에워싸다.
um|pflanzen *t.* 이식(移植)하다, 옮겨 심다.
umpflanzen *t.* (무엇의) 주위에 심다: den Rasen mit Blumen ~ 잔디 주위에 꽃을 심다.
Umpflanzung[1] *f.* -en 이식, 옮겨 심기.
Umpflanzung[2] *f.* -en 나무를 심어 에워쌈.
um|pflastern *t.* (자갈 등으로) 다시 포장하다: die Straße ~ 도로에 포석(鋪石)을 다시 깔다.
umpflastern *t.* (무엇의) 주위를 포장하다.
um|pflügen *t.* 갈아 젖히다, 갈아 넘기다.
umpflügen *t.* (무엇의) 주위를 갈다.
Umpflügung *f.* -en 갈아 젖히기〔넘기기〕.
Umpflügung *f.* -en (무엇의) 주위를 갈기.
umplanken *t.* 두꺼운 판자로 둘러싸다.
um|polen *t.* ① (무엇의) 전극을 바꾸다. ② 〔구어〕 jn. ~ 누구를 변화시키려고 노력하다.
um|prägen *t.* ① 〖화폐〗 개주(改鑄)하다. ② (성격 등을) (크게) 변화시키다: er wurde durch den Krieg umgeprägt 그는 전쟁을 통해 몹시 변했다; neue Entdeckungen haben den Geist dieser Epoche umgeprägt 새로운 발견은 이 시대의 정신을 근본적으로 뒤바꿨다.
Umprägung *f.* -en 〖화폐〗 개주(改鑄).
um|programmieren *t.* 〖컴〗 (무엇의) 프로그램을 바꿔 띄우다.
Umprogrammierung *f.* -en 프로그램 바꿔 띄우기.
um|pumpen *t.* 펌프로 옮겨 채우다.
um|purzeln *i.* (s.) 뒤집히다, 전도되다; 공중제비넘다, 재주넘다.
um|quartieren 《I》 *t.* 다른 숙소로 옮기다, (누구에게) 다른 숙소를 정해 주다. 《II》 *refl.* sich ~ 숙소를 옮기다.
Umquartierung *f.* -en 숙소를 옮김.
umragen *t.* (무엇의) 주위에 우뚝 솟다〔둘러서다〕.
um|rahmen *t.* 다른 틀에 끼우다, 갈아〔바꿔〕 끼우다, (액자의) 테를 갈다: das Bild muß umgerahmt werden 그 그림은 틀을 갈아 끼우지 않으면 안 된다.
umrahmen *t.* ① 틀〔액자〕에 넣다: das Bild ~ 그림을 액자에 넣다. ② 〔비유〕 빙 둘러싸다 (umgeben): der Vortrag wurde von Musik umrahmt 강연 전후에 음악이 연주되었다; ein Bart umrahmt sein Gesicht 그의 얼굴에 수염이 무성하다.
Umrahmung *f.* -en ① 액자에 넣기, 액자두르기. ② 액자, 틀, 테.
umrändeln *t.* ↑ umranden.
umranden *t.* (무엇에) 테를 붙이다, (무엇의) 테두리를 하다, (무엇의) 가장자리를 장식하다: eine Decke mit Stichen ~ 테이블보를 자수로 테두리하다; der Korrektor hat die Fehler rot umrandet 교정자는 틀린 곳을 빨간색으로 동그라미쳤다.
umränden *t.* ↑ umranden.
umrändern 《I》 *t.* ↑ umranden. 《II》 **umrändert** *p.a.* ↑ umrändert.
umrändert 《I》 *p.p.* ↑ umrändern. 《II》 *p.a.* 테를 두른, 가장자리를 장식한.
Umrandung *f.* -en ① 테를 두름. ② 테, 틀.
um|rangieren [..rãʒiː.., ..raŋʒiː..] 《I》 *t.* ① (열차의) 편성을 바꾸다, (차량을) 재편성하다. ② (열차를) 다른 선로에 진입시키다. 《II》 *i.* (s.) (열차가) 다른 선로에 진입하다: die Lok muß ~ 기관차는 다른 선로로 가야 한다.
umranken *t.* ① 덩굴로 휘감다: eine von Efeu umrankte Mauer 담쟁이덩굴로 둘러싸인 벽. ② 〔비유〕 둘러싸다, 얽다: Legenden ~ seine Person 그에게는 여러 전설이 얽혀 있다.
Umrankung *f.* -en 덩굴로 휘감음.
Umraum *m.* -(e)s, ..räume [..rɔʏmə] 주변 공간.
um|räumen *t.* ① (무엇의) 공간 배치를 바꾸다: ein Zimmer ~ 방의 공간 배치를 바꾸다. ② (다른 곳으로) 치우다〔옮기다〕: Bücher ~ 책을 (다른 곳으로) 옮기다.
Umräumung *f.* -en 공간 배치 변경; 치움, 옮김.
umrauschen *t.* (무엇의) 주위에서 솨솨〔졸졸〕 소리를 내다: Tannen ~ das Haus 전나무들이 그 집 주위에서 솨솨 (바람) 소리를 낸다.
um|rechnen *t.* 〖商〗 환산하다; 환전하다: Mark in Dollars ~ 마르크를 달러로 환산하다; das kostet umgerechnet 250 Mark 그것은 환산해서 250 마르크다.
Umrechnung *f.* -en 환산, 환전.
Umrechnungs≈kurs *m.* 환전 시세, 환율. **~tabelle** *f.* 환산표, 환시세표. **~wert** *m.* 환산 가치.
um|reisen *i.* (s.) ① (여행에서) 돌아오다(zurückreisen). ② 빙 둘러가다, 우회하다.
umreisen *t.* 여행하며 돌아다니다, 주유(周遊)하다: die Welt ~ 세계를 일주하다.
um|reißen* *t.* ① 넘어뜨리다, 뒤엎다; 파괴하다: der Sturm hat das Zelt umgerissen 폭풍우가 천막을 쓰러뜨렸다; 〔비유〕 diese Arbeit reißt mich nicht um 나는 이 일을 손쉽게 해치울 수 있다; das Auto riß mehrere Fußgänger um 자동차가 통행인을 여러 명 치었다. ② 갈아 젖히다(umpflügen). ③ (öst.) jn. mit Mädels ~ 누구를 미인계로 유혹하다.

umreißen* *t.* 《I》① (무엇의) 윤곽을 그리다, 스케치하다. ②〔비유〕개요를 설명하다, (무엇을) 요약하여 말하다: die Situation kurz ~ 상황을 짧게 설명하다. 《II》**umrissen** *p.a.* ↑ umrissen.

um|reiten* 《I》*i.* (s.) ① 말을 타고 돌아가다〔우회하다〕. ② 말을 타고 순회〔순찰〕하다. 《II》*t.* 쓰러뜨리다.

umreiten* *t.* ① (무엇의) 주위를 말을 타고 돌다. ② 말을 타고 에워싸다〔포위하다〕. ③ 말을 타고 순회〔순찰〕하다.

um|rennen* 《I》*i.* (s.) 〔드물게〕 빙 둘러싸며〔포위하며〕 달리다. 《II》*t.* 달려가다가 밀어 넘어뜨리다: fast hätte ich ihn umgerannt 나는 하마터면 달려가다가 그를 쓰러뜨릴 뻔했다.

umrennen* *t.* (무엇의) 주위를 돌다.

Umrichter *m.* -s, - 〖전기〗 주파수 변환기.

umringeln *t.* (무엇에) 휘감겨 붙다, 달라붙다, 붙어다니다.

umringen *t.* (umgeben) 에워싸다; 〖軍〗 포위하다: viele Menschen umringten das Auto 많은 사람들이 그 차를 둘러쌌다.

***Umriß** [ʊ́mrɪs] 《<umreißen》 *m.* ..risses, ..risse 윤곽; 약도, 스케치; 개요, 아우트라인: et. in Umrissen zeichnen 무엇을 스케치하다; 〔비유〕 et. in Umrissen schildern 무엇의 개요를 설명하다; in groben Umrissen 대충, 대강; feste Umrisse 또렷한 윤곽; eine Literaturgeschichte in Umrissen 문학사 개설.

umrissen 《I》*p.p.* ↑ umreißen. 《II》*p.a.* 윤곽을〔약도를〕 그린, 스케치한: scharf〔fest〕 ~e Ansichten haben 분명한 견해를 가지고 있다.

Umriß≈karte *f.* 윤곽 지도, 약도. **~landkarte** *f.* ↑ ~karte. **~linie** *f.* ① 윤곽(선). ② (Horizontallinie) 지평〔수평〕선, (산 따위의) 윤곽선, 스카이라인. **~zeichnung** *f.* (Skizze) 약도, 스케치.

Umritt [ʊ́mrɪt] 《<umreiten》 *m.* -(e)s, -e (서커스 공연 등의) 말을 타고 돌기; 기마 행렬.

um|rühren *t.* 저어 뒤섞다, 휘젓다.

Umrührung *f.* -en 휘젓기, 저어 뒤섞기.

umrunden *t.* (무엇의) 주위를 돌다: der Spaziergänger hat den See zweimal umrundet 그 산책객은 호수 주위를 두 번 돌았다; 〖스포츠〗 eine Bahn ~ 트랙을 돌다.

Umrundung *f.* -en 주위를 돌기, 일주.

um|rüsten *t./i.* (h.) ① (기계 따위의) 장치를 바꾸다: auf andere Reifen〔Räder〕 ~ 다른 타이어〔바퀴〕로 교체하다. ② (군대의) 장비를 바꾸다, 새롭게 무장하다: der Staat wird auf ein neues Waffensystem ~ 그 국가는 새로운 무기 체계로 재무장한다.

Umrüstung *f.* -en 장비 교체.

ums [ʊms] ① =um das. ② =um des.

um's [ʊms] =um es.

um|säbeln *t.* 〖스포츠〗 거친 파울로 (누구를) 넘어뜨리다.

um|sacken[1] *t.* 다른 부대〔자루〕에 넣다.

um|sacken[2] *i.* (s.) 〔구어〕 (실신하여) 쓰러지다.

um|sägen *t.* 톱으로 켜서 넘어뜨리다.

um|satteln 《I》*t.* (말의) 안장을 갈아 끼우다. 《II》*i.* (h.) ① 다른 안장〔말〕에 옮겨 타다. ② 〔비유〕 전공을 바꾸다; 전업〔전직〕하다: von Jura zu〔zur, auf〕 Wirtschaft ~ 법학에서 경제학으로 전공을 바꾸다; auf Tankwart ~ 주유소 급유원으로 직업을 바꾸다. ③ 소속 당을 바꾸다, 변절하다.

***Umsatz** [ʊ́mzats] 《<umsetzen》 *m.* -es, ..sätze [..zɛtsə] ①〖商〗 (Geschäftsverkehr) 거래, 매매; (Absatz) 판매, 매상: der ~ in Zucker 설탕 거래; 〔은어〕 ~ machen 많은 매상을 올리다; einen großen〔starken〕 ~ haben 매상이 높다, 거래가 매우 활발하다; der ~ steigt 〔fällt〕 매상이 는다〔준다〕; kleiner Nutzen, rascher ~ 박리 다매(薄利多賣). ②〖化〗 (물질) 대사. ③〖印〗 판을 고쳐〔다시〕 짬.

Umsatz≈analyse *f.* 〖經〗 매상(고) 분석. **~anstieg** *m.* 〖經〗 판매(고) 증가. **~beteiligung** *f.* (종업원의) 매상 참여. **~betrag** *m.* 거래액, 매상고. **~kapital** *n.* 유통 자본. **~plan** *m.* 〖구동독〗 매상 계획. **~provision** *f.* 〖經〗 판매 커미션〔수수료〕; 대출 커미션. **~rück·gang** *m.* 매상(고) 저하. **~steigerung** *f.* 매상(고) 증가. **~steuer** *f.* 판매세, 거래세. **~vergütung** *f.* 매상 보상금.

um|säumen *t.* (무엇의) 가장자리를 접어서 감치다.

umsäumen *t.* (무엇의) 둘레에 주름을 잡다, 가장자리 장식을 하다; (무엇에) 테두리를 하다: das Taschentuch mit einer Spitze ~ 손수건의 가장자리에 레이스 장식을 하다.

umsausen *t.* (바람·물결이) 주위에서 쏴쏴〔찰찰〕 소리내다, (무엇의) 주위에서 윙윙거리다.

um|schaffen* *t.* 변형하다, 개조〔개작〕하다.

Umschaffung *f.* -en 개조, 개작.

Umschalt·brett *n.* 〖전기〗 배전반(配電盤).

***um|schalten** 《I》*t.* 전환하다: den Strom ~ 전류를 전환하다; das Radio auf einen anderen Sender ~ 라디오 채널을 바꾸다; das Netz von Gleichstrom auf Wechselstrom ~ 회로망의 전류를 직류에서 교류로 전환하다. 《II》*i.* (h.) ① (자동적으로) 전환하다: die Ampel hat eben auf Rot umgeschaltet 신호등이 방금 붉은색으로 바뀌었다. ②〔구어〕 (태도·기분을) 전환하다: nach dem Urlaub wieder auf den Alltag ~ 휴가 후 다시 평상의 생활로 돌아오다.

Umschalter *m.* -s, - ① 스위치, 전환 개폐기: selbsttätiger ~ 자동 개폐기. ②〖컴〗 전환 키, 시프트 키.

Umschalt≈hebel *m.* 전환 레버, 스위치. **~taste** *f.* (타자기·컴퓨터의) 시프트 키.

Umschaltung *f.* -en 〖전기〗 전환, 개폐.

Umschaltungs≈anlage *f.* 전환〔개폐〕 장치. **~schlüssel** *m.* 열쇠형 스위치. **~taste** *f.* 스위치 버튼, 누름단추식 스위치.

Umschalt·vorrichtung *f.* 전환 장치.

umschanzen *t.* 〖軍〗 보루로 둘러싸다, (무엇에) 참호를 둘러 파다.

um|scharren *t.* 헤집다.

umschatten *t.* 그림자로 가리다, 어둠으로 에워싸다: 〔비유〕 vom Tod umschattet sein 죽음의 그림자가 드리워지다.

***Umschau** [ʊ́mʃau] *f.* (Rundblick) 둘러보기; 회고; 전망, 조망; 〖軍〗 탐색, 정찰: innere ~ 내성(內省); (nach et.[3]) ~ halten (무엇을 찾으려고) 주위를 둘러보다; der dichte Morgennebel wehrte jede ~ 짙은 아침 안개로 주

위 전망이 완전히 가려졌다.

*um|schauen *i.* (h.) / *refl.* (sich) ~ ① 둘러보다: (sich) nach et.³ ~ a) 무엇 쪽을 돌아보다, 조망하다, b) 무엇을 찾다; sich ~ (뒤)돌아다보다, 회고하다. ②〖軍〗 탐색〔정찰〕하다.

um|schaufeln *t.* 삽으로 파 엎다〔일구다〕.

umscheinen* *t.* (무엇의) 주위를 비추다; 〖시어〗 광휘로 (둘러)싸다.

Umschicht [ʊ́mʃɪçt] *f.* -en 〖광산〗 (광원의) 교대(Wechsel).

um|schichten *t.* 고쳐〔바꿔〕 쌓다, 재편성하다: die Bevölkerung hat sich im Lauf der Jahre umgeschichtet 세월이 지나면서 인구층이 변했다.

umschichtig *a.*/*adv.* 교대의〔로〕, 번갈아서; 교대 근무제의: ~ arbeiten 교대로 일하다.

Umschichtung *f.* -en ① 바꿔〔고쳐〕 쌓기. ② (계)층의 변화: soziale ~en 사회 계층의 변화.

Umschichtungs·prozeß *m.* (사회) 계층의 변동 과정.

um|schießen* 《I》 *t.* 쏘아 넘어뜨리다. 《II》 *i.* (s.) ① 갑자기 넘어지다; 거꾸로 떨어지다. ② 〖海〗 der Wind schießt um 풍향이 (갑자기) 바뀐다.

umschießen* *t.* ① 사방에서 쏘다. ②〖印〗 (판(版)·난(欄) 따위를) 고쳐 짜다.

umschiffbar [ʊmʃífba:r] *a.* 주항(周航)할 수 있는.

um|schiffen *t.* 다른 배에 옮겨 싣다: die Passagiere eines Dampfers ~ 기선의 승객을 다른 배로 옮기다.

umschiffen *t.* (무엇의) 주위를 배로 돌다: er hat die Erde umschifft 그는 배로 세계를 일주했다; das Kap der Guten Hoffnung ~ 희망봉 주위를 배로 돌다; eine Klippe glücklich ~ 방해물〔난관〕을 운좋게 피해 가다.

Umschiffung[1] *f.* -en 다른 배로 옮기기〔옮겨 싣기〕.

Umschiffung[2] *f.* -en 주항(周航), 우회 항행.

***Umschlag** [ʊ́mʃla:k] *m.* -(e)s, ..schläge [..ʃlɛ:gə] ① (Umhüllung) 싸개, 포장지, 덮개, (책의) 겉표지; 편지 봉투(Brief~): einen ~ um ein Buch legen 책에 겉표지를 싸다; einen Brief in einen ~ stecken 편지를 봉투에 넣다. ②〖醫〗 찜질 주머니, 습포: einen kalten ~ machen 냉찜질을 하다. ③ (Aufschlag) 단, 접은 부분: ~ an der Hose 바지의 접힌 단. ④ 급변, 변혁, 변동: ~ des Glückes 운명의 격변; ~ des Wetters 날씨의 급변. ⑤ (화물) 옮겨 싣기(Umladung). ⑥〖商·드물게〗 (Umsatz) 판매, 거래; (자본의) 회전. ⑦〖植〗 (가(假)) 종피(種皮), 씨껍질. ⑧〖카드〗 패를 까(서 손을 보이)기. ⑨ (ndd.) (Messe) 큰 (시)장, 대목장, 견본시. ⑩ (Fehlgeburt) 유산, 낙태. ⑪〔고어〕(Gewinn) 이득, 소득. ⑫ 〖수예〗 (실을) 바늘에 걸기.

Umschlag⸗bahnhof *m.* 화물을 옮겨 싣는 역. **~deckel** *m.* (책의) 겉표지, 커버.

Umschlage·kragen *m.* 〖재봉〗 젖힌 깃.

um|schlagen 《I》 *t.* ① (umlegen) 휘감다, 싸다, 두르다: den Mantel ~ 외투를 두르다; Papier um ein Paket ~ 소포를 종이로 포장하다; (sich³) ein Tuch um die Schultern ~ 어깨에 숄을 걸치다; jm. einen Mantel ~ 누구에게 외투를 걸쳐 주다; 〖醫〗 ein nasses Tuch ~ 찜질하다. ②〔구식〕 die 〔mit der〕 Trommel ~ 북을 치고 돌아다니다. ③ (niederschlagen) 쳐 넘어뜨리다, 때려 쓰러뜨리다: Bäume ~ 나무를 베어 넘어뜨리다. ④ 구부려 휘게 하다, 말아〔걷어〕 올리다; (책의 페이지를) 넘기다; 〖카드〗 패를 까다〔뒤집다〕: die Ärmel ~ 소매를 걷다, 팔을 걷어 붙이다; einen Kragen ~ 깃을 접다; einen Nagel ~ 못을 두드려 구부리다. ⑤ (화폐 따위를) 개주(改鑄)하다(umprägen). ⑥ 옮겨 쌓다〔싣다〕 (umladen); 전송(轉送)하다(weitersenden). ⑦〖商〗 (umsetzen) 거래〔처분〕하다, 팔다. ⑧〖수예〗 (실을) 바늘에 걸다. 《II》 *i.* (s.; (schweiz.) h.) ① (umfallen) 넘어지다, 뒤집히다; (차·배가) 전복하다: bei diesem Wind kann das Boot leicht ~ 이런 바람이 불면 보트는 쉽게 전복한다. ② 접어 젖혀지다, 걷어 올려지다. ③ (a) 급변〔격변〕하다, 바뀌다: in et. 〔zu et.³〕 ~ 무엇으로 변하다, 변하여 무엇이 되다; in sein Gegenteil ~ 반대로 되다; zum Guten〔Schlechten〕 ~ 좋아지다〔나빠지다〕; die Krankheit schlägt um 병세가 갑자기 바뀐다; Quantität schlägt in Qualität um 양이 질로 변한다. (b) 악화하다; 타락하다; (술·우유 따위가) 부패〔변질〕하다: die Schwangerschaft schlägt um 유산한다; die Milch schlägt um 우유가 응고〔부패〕한다.

umschlagen* *t.* ① (einpacken) 싸다, 포장하다; 두르다: die Waren ~ 상품을 포장하다; der Rock umschlägt ihr im Gehen die Knöchel 걸을 때 스커트가 그 여자의 발목에 휘감긴다. ②〖印〗 이면(裏面)으로〔다음 페이지·줄로〕 보내다(umwenden).

Umschlag⸗entwurf *m.* (책의) 표지 도안〔초안〕. **~hafen** *m.* 화물을 갈아 싣는 항구, 환적항(換積港). **~manchette** [..mã∫ɛt] *f.* 커프스, 접는 소매. **~papier** *n.* 포장지. **~saum** *m.* 〖재봉〗 시접(한 단).

Umschlags⸗hafen *m.* ↑ Umschlaghafen. **~platz** *m.* (화물을) 옮겨 싣는 곳.

Umschlag⸗tuch *n.* 〖복수: ..tücher〗 숄; 무릎싸개. **~zeichnung** *f.* (책의) 표지 디자인.

um|schleichen* *i.* (s.) 몰래 돌아다니다, 배회하다.

umschleichen* *t.* (무엇의) 주위를 살금살금〔몰래〕 걷다; 살짝〔몰래〕 에워싸다; (무엇에) 몰래 다가가다.

umschleiern *t.* 베일로 가리다, 포장을 두르다.

um|schließen* 《I》 *i.* (h.) 열쇠를 돌리다〔잠그다〕. 《II》 *t.* 일시적으로 감금하다: die Gefangenen wurden für zwei Stunden umgeschlossen 포로들은 두 시간 동안 감금되었다.

umschließen *t.* ① (에워)싸다; 〖軍〗 포위하다: jn. mit beiden Armen fest ~ 누구를 두 팔로 꽉 껴안다; feste Bande ~ uns 우리는 굳게 결속되어 있다; das Gebäude ist von einer hohen Mauer umgeschlossen 그 건물은 높은 벽으로 둘러싸여 있다. ②〖비유〗 (einbegreifen) 포함하다, 계산에 넣다: sein Vorschlag umschließt auch diese Möglichkeit 그의 제안은 이 가능성까지도 고려하고 있다. ③〖문학〗 ~der Reim 포옹운.

Umschließung *f.* -en (에워)싸기, 둘러싸기; 포옹; 〖軍〗 포위.

um|schlingen* *t.* (느슨하게) 휘감다, 둘러주다: sie hat sich[3] das Halstuch umgeschlungen 그 여자는 목도리를 둘렀다.

umschlingen* *t.* ① 포옹하다, 얼싸안다: das Kind umschlang den Hals der Mutter 아이는 엄마의 목을 껴안았다; sich〔einander〕 ~ 서로 껴안다. ② (무엇의) 둘레를 휘감다: Efeu umschlang den Baumstamm 담쟁이덩굴이 나무 줄기를 휘감고 있었다.

Umschlingung[1] *f.* -en 둘러줌.

Umschlingung[2] *f.* -en 포옹, 휘감기.

Umschluß *m.* ..schlusses, ..schlüsse [..ʃlʏsə] (포로를) 일시적으로 가두어 놓음.

umschmeicheln *t.* ① 아양떨며 달라붙다. ② 응석부리며 매달리다.

um|schmeißen* *t.* ①〔구어〕 쓰러뜨리다, 전복시키다, 뒤집다: ihn kann so leicht nichts ~ 그는 여간해서는 꼼짝도 하지 않는다. ② (근본적으로) 바꾸다, 변화시키다: diese Sache hat den ganzen Plan umgeschmissen 이 문제로 모든 계획이 변경되었다;〔고어〕 das Ruder ~ 배의 진로를 바꾸다.

um|schmelzen(*) *t.* 녹여서 다른 형태로 만들다, 개주(改鑄)하다;〔비유〕 개조하다, 다시 만들다.

umschmelzen *t.* (무엇의) 둘레에 녹인 금속을 씌우다.

Umschmelzung *f.* -en 다시 녹임〔녹음〕.

um|schmieden *t.* 다시 벼리다.

umschmieden *t.* (무엇의) 주위에 단접(鍛接)을 하다.

um|schnallen *t.* ① (혁대 따위를) 매다, (칼 따위를) 차다: (sich[3]) einen Gürtel〔Säbel〕 ~ 벨트〔군도의 혁대〕를 매다. ② 다시〔고쳐〕 죄다.

um|schnüren *t.* ① (끈 따위로) 동이다, 묶다. ② 고쳐 매다, 다시 묶다.

umschnüren *t.* (끈 따위로) 둘러매다, 묶다:〔비유〕 den Gegner ~ 적군을 포위하다.

umschränken *t.* (einschließen) (무엇에) 울타리를 두르다;〔비유〕 제한〔속박〕하다.

um|schreiben*[1] *t.* ① **(a)** 고쳐〔새로〕 쓰다: ein Manuskript ~ 원고를 다시 쓰다. **(b)** 다른 문자로 음역(音譯)하다: Sanskrit in lateinische Schrift ~ 산스크리트어를 라틴 문자로 음역하다. ② 명의를 바꾸다, 양도하다: ein Grundstück auf einen anderen Namen ~ 토지를 다른 사람에게 명의 이전하다; ein Recht auf jn. ~ 권리를 누구에게 넘기다.

umschreiben[2] 《I》 *t.* ① 다른 말로 표현하다; 돌려서 말하다: einen peinlichen Sachverhalt ~ 난처한 상황을 우회적으로 표현하다. ② (권한·의무 따위의) 범위를 규정하다, 한계를 명확히 정하다: js. Aufgaben genau ~ 누구의 임무의 한계를 정확히 규정하다. ③〖기하〗 원으로 둘러싸다, (무엇의) 주위에 원을 그리다: ein Dreieck mit einem Kreis ~ 3 각형을 원으로 둘러싸다. 《II》 **umschrieben** *p.a.* ↑ umschrieben.

Umschreiben *n.* -s, - 회람(Rundschreiben).

Umschreibung[1] *f.* -en ① 고쳐쓰기, 새로 쓰기; 다른 문자로 음역하기. ② 명의 변경, 양도.

Umschreibung[2] *f.* -en ① 말을 돌려서 표현하기; 우회적인 표현. ② 범위의 규정.

umschrieben 《I》 *p.p.* ↑ umschreiben[2]. 《II》 *p.a.* 한정된;〖醫〗 국부적인: ~e Schmerzen 국부적 통증.

Umschrift [ʊ́mʃrɪft] *f.* -en ① 새로 쓴〔수정된〕 텍스트. ② (주화 따위의) 둘레에 각인된 글자. ③〖언어학〗 음표 문자; 발음 기호; 한 나라 말을 소리나는 대로 다른 나라 말로 옮겨 쓰기. ④ 정서, 다시 쓰기.

um|schubsen *t.* 밀쳐서 넘어뜨리다.

um|schulden *t.*〖經〗 ① (대출금 따위를) 유리한 조건으로 바꾸어 차입하다. ② 보다 유리한 조건으로 대출금을 제공하다.

Umschuldung *f.* -en〖經〗 ↑ umschulden 의 명사형.

um|schulen *t.* ① **(a)** 전학시키다. **(b)** 진학시키다: ein Kind auf ein Gymnasium ~ 아이를 김나지움으로 진학시키다. ② (전직을 위해 또는 정치적으로) 재교육시키다: einen Piloten auf einen neuen Flugzeugtyp ~ 새로운 기종에 대비하여 조종사를 재교육시키다; jn. zum Autoschlosser ~ 누구를 재교육하여 자동차 수리공으로 양성하다.

Umschüler *m.* -s, - 전학생(轉學生); 진학생.

Umschülerin *f.* -nen ↑ Umschüler 의 여성형.

Umschulung *f.* -en ① 전학; 진학. ② 재교육.

um|schütteln *t.* (뒤)흔들다; 흔들어 섞다.

um|schütten *t.* ① 뒤엎어 쏟다, 엎지르다. ② 옮겨 붓다: Wein in einen Krug ~ 포도주를 항아리에 옮겨 붓다.

umschütten *t.* …의 주위에 붓다.

umschwärmen *t.* ① …의 주위에 떼지어 날다, 떼지어 몰려들다. ②〔비유〕 열렬히 숭배하다: der Schlagerstar wurde von seinen Fans umschwärmt 그 대중 가수는 팬들에게서 열광적인 숭배를 받았다.

umschweben *t.* …의 주위를 떠돌다.

Umschweif [ʊ́mʃvaɪf] *m.* -(e)s, -e ①〔복수〕 우회로. ②〔복수〕 돌려서〔우회적으로〕 하는 말: ohne ~ 단도직입적으로, 솔직하게; ~e machen 빙 돌려서 말하다.

um|schweifen *i.* (s.) 방황하다; 배회하다.

umschweifen *t.* …의 둘레를 방황하다.

umschweifig [ʊ́mʃvaɪfɪç] *a.* 돌려 말하는, 장황한.

um|schwenken *i.* (h.) ① 방향을 바꾸다, 선회하다. ② (생각·견해 따위를) 바꾸다, 변절하다.

umschwimmen* *t.* …의 둘레를 헤엄치다.

um|schwingen* *t.* 《I》 빙글빙글 돌리다. 《II》 *refl.* sich ~ 빙빙 돌다, 회전하다.

umschwingen* *t.* …의 둘레를 빙빙 돌다.

umschwirren *t.* ① (곤충이) 주위를 맴돌다: Moskitos umschwirrten ihn 모기들이 그의 주위를 맴돌았다. ②〖비유〗 열렬히 숭배하다: die Mädchen umschwirrten ihn 소녀들이 그를 열광적으로 숭배했다.

Umschwung [ʊ́mʃvʊŋ] 《<umschwingen》 *m.* -(e)s, ..schwünge [..ʃvʏŋə] ① (체조에서) 회전, 선회. ② 근본적인 변화, 급변, 돌변, 격변: ein ~ tritt ein 급격한 변화가 일어나고 있다; einen ~ herbeiführen 급변을 초래하다. ③ (schweiz.) 가옥의 주변 지역.

um|segeln 《I》 *t.* 충돌하여 다른 배를 전복시

키다. 《Ⅱ》 *i.* (s.) 〖구어〗 항해 중에 전복되다.

umsegeln *t.* (범선으로) …의 주위를 돌다; 우회하여 항해하다; 일주(一周)하다: die Klippe ~ 암초를 피해서 항해하다; die Erde ~ 범선으로 세계 일주를 하다.

Umsegelung 《<umsegeln》 *f.* -en ① (범선의) 우회 항행. ② 주항(周航), 회항(回航).

Umseglung *f.* -en ↑ Umsegelung.

um|sehen *refl.* sich ~ ① 몸을 돌리다, 뒤돌아보다, 돌아보다: ehe man sich umsieht 돌아볼 겨를도 없이, 순식간에, 삽시간에; ohne sich umzusehen 돌아다보지 않고, 주저 없이. ② (**a**) 둘러보다; 보고 다니다; 견문을 넓히다: sich in der Stadt ~ 도시를 둘러보다; 〖비유〗 sich in der Welt ~ 세상 물정을 알게 되다; sich im Verlagswesen ~ 출판 분야에서 경험을 쌓다; sich in et.³ umgesehen haben 무엇에 정통하다. (**b**) 찾아보다: sich nach Arbeit 〔einem neuen Mitarbeiter〕 ~ 일거리〔새 동업자〕를 찾아보다; 〖구어〗 er soll sich anderswo ~ 그는 번지수를 잘못 찾았다.

Umsehen *n.* -s 〖다음 용법으로〗 im ~ 순식간에, 금새, 삽시간에: im ~ war die Zeit vorbei 순식간에 시간이 지나가 버렸다.

umsehen* *t.* 사방〔전후좌우〕에서 보다.

um|sein* *i.* (s.) 이미 지나다, 끝나다, 마치다: die Ferien sind um 방학이〔휴가가〕 끝났다.

umseitig *a.* 뒷면에 있는, 뒷면의, 반대쪽의.

umseits *adv.* 〖官〗 ↑ umseitig.

umsetzbar [ʊ́mzɛtsba:r] 《<umsetzen》 *a.* 〖商〗 거래〔매매〕할 수 있는, 교환할 수 있는: in bares Geld ~ 현금으로 바꿀 수 있는.

***um|setzen** 《Ⅰ》 *t.* ① 주위에 놓다〔두다·설치하다〕. ② (**a**) 다른 곳에 앉히다, 옮기다: einen schwatzenden Schüler ~ 잡담하는 학생을 다른 자리에 앉히다; Bäume ~ 나무를 옮겨 심다. (**b**) (열차를) 측선(側線)으로 옮기다. (**c**) 〖음악〗 조바꿈하다. (**d**) 〖印〗 고쳐 짜다, 재편성하다. (**e**) 〖數〗 이항하다. (**f**) (역기를) 어깨 높이까지 들어올리다. ③ 변화시키다, 변환하다, 전환하다: einen Plan in die Tat ~ 계획을 실행에 옮기다; Wasserkraft in Elektrizität〔Strom〕 ~ 수력을 전력으로 변환하다; Kohlehydrat in Fett ~ 탄수화물을 지방으로 변화시키다; 〖구어〗 er hat sein ganzes Geld in Alkohol umgesetzt 그는 가진 돈을 몽땅 털어서 술을 마셔 버렸다; et. filmisch ~ 무엇을 영화화하다. ④ 〖商〗 팔다; 교환하다: Waren für 〔im Wert von〕 200 000 Mark ~ 상품을 20 만 마르크어치 팔다; es ward nur wenig umgesetzt 장사〔거래〕가 잘 되지 않았다; et. in bares Geld ~ 무엇을 현금으로 바꾸다. 《Ⅱ》 *refl.* sich ~ ① 〖구어〗 옮겨 앉다. ② (**a**) 바뀌다, 전환되다: Bewegung setzt sich in Energie um 운동은 에너지로 전환된다. (**b**) 〖海〗 (풍향·날씨가) 급변하다.

umsetzen *t.* mit et.³ ~ 무엇으로 에워싸다.

Umsetzer *m.* -s, - 〖전기〗 전환기.

Umsetzung *f.* -en ① 옮김; 옮겨심기, 이식(移植); 〖음악〗 조바꿈; 〖數〗 이항(移項); 변환, 전환; 〖醫〗 피부 이식. ② 〖商〗 거래, 매각.

Um·sich·greifen *n.* 전파, 유포; 만연.

***Umsicht** [ʊ́mzɪçt] 《<umsehen》 *f.* ① 둘러보기; 전망. ② 〖비유〗 신중, 사려, 용의주도: mit ~ handeln 신중하게 행동하다.

umsichtig *a.* 신중한, 사려 깊은, 조심성 있는, 용의주도한.

Umsichtigkeit *f.* ↑ Umsicht ②.

um|siedeln 《Ⅰ》 *i.* (s.) 이주하다: in ein anderes Land ~ 다른 나라로 이주하다. 《Ⅱ》 *t.* 이주시키다.

Umsiedelung *f.* -en ↑ Umsiedlung.

Umsieden *n.* -s 증류.

Umsiedler [ʊ́mzi:dlər] *m.* -s, - 이주민.

Umsiedlerin *f.* -nen ↑ Umsiedler 의 여성형.

Umsiedlung *f.* -en 이주.

um|sinken* *i.* (s.) 넘어지다: vor Müdigkeit ~ 피곤하여 쓰러지다.

umsitzen* *t.* …의 주위에 앉다, …을 둘러싸고 앉다.

um so *adv.* ① 그만큼, 더: je schneller, ~ besser 빠를수록 더 좋다. ② 〖비교급과 이유를 나타내는 부문장과 연결되어〗 (특히) …하기 때문에 더욱더〔한층 더〕: das war ~ bedauerlicher, als es nicht das erste Mal war 그것은 처음 있는 일이 아니었기 때문에 더욱 더 유감스러웠다.

umso (öst.) *adv.* ↑ um so.

um so mehr *adv.* 그만큼 더 많이.

umsomehr (öst.) *adv.* ↑ um so mehr.

umso mehr (öst.) *adv.* ↑ um so mehr.

***umsonst** [ʊmzɔ́nst] 《mhd. umbe sus》 *adv.* ① 무료로, 공짜로; 무보수로: man kann es ~ bekommen 그것은 공짜로 얻을 수 있다; ~ arbeiten 보수 없이 일하다. ② 헛되이, 무의미하게: es ist alles ~ 모든 일이 허사다; sich ~ bemühen 헛수고하다; sie hat ~ auf ihn gewartet 그녀는 그를 기다렸으나 허사였다. ③ 이유(까닭) 없이; 목적 없이: 〖구어〗 er hat es nicht ~ getan 그는 까닭 없이 그렇게 한 것이 아니다.

Umsorge *f.* (Vorsorge) 배려; 조심, 준비.

umsorgen *t.* (pflegen) 돌보다, 보살피다: er hat sie liebevoll umsorgt 그는 그 여자를 정성스럽게 돌보아주었다.

um so weniger (öst.) *adv.* 그만큼 더 적게.

umsoweniger (öst.) *adv.* ↑ um so weniger.

umso weniger (öst.) *adv.* ↑ um so weniger.

um|spannen *t.* ① 둘러치다, 둘레에 치다〔펴다〕. ② 바꿔치다, 갈다: (**a**) die Saiten ~ (악기의) 현(弦)을 바꿔 매다. (**b**) die Pferde ~ 마차의 말을 갈다. (**c**) 〖전기〗 den Strom ~ 전압을 바꾸다.

umspannen *t.* ① …의 주위에 치다〔펴다〕, 빙 둘러치다: mit Netzen ~ a) 그물로 싸다, b) 덫에 걸려들게 하다, 함정에 빠뜨리다. ② (**a**) (두 팔로) 끌어안다; 꽉잡다. (**b**) 포함〔포괄〕하다: seine Forschungen umspannten mehrere Gebiete der Wissenschaft 그의 연구는 여러 학문 영역에 걸쳐 있었다.

Umspanner *m.* -s, - 〖전기〗 변압기.

Umspannung *f.* -en 마차 말 바꾸기; 변압.

Umspann·werk *n.* 〖전기〗 변압 장치, 변전소.

um|spedieren *t.* 다시 운송하다.

umspielen *t.* ① …의 주위에서 장난치듯 움직이다: der Hund umspielte seinen Herrn 개가 주인 주위를 재롱부리며 뛰어다녔다; 〖비유〗 ein Lächeln umspielt seinen Mund 그의 입가에 미소가 감돌고 있다. ② 〖음악〗 (어떤 선

율을) 변주(變奏)하다, 패러프레이즈하다. ③ 〖스포츠〗 절묘한 드리블로 (상대를) 따돌리다: den Torwart ~ 골키퍼를 절묘하게 따돌리다.

ụm|spinnen* *t.* ① (실 따위를) 자으며 휘감다. ② 고쳐 잣다.

umspịnnen* *t.* 실을 자아서 감싸다, 실로 외피를 만들다: die Spinne hat ihr Opfer umsponnen 거미는 먹이를 거미줄로 얽어맸다; 〔비유〕 den Herrn Major ~ wir mit List 우리는 꾀를 내어 소령님을 함정에 빠뜨린다.

ụm|springen* 《Ⅰ》 *t.* 튀겨 넘어뜨리다〔날리다〕. 《Ⅱ》 *i.* (s.) ① 부당하게 다루다: überlegen mit jm. ~ 누구를 깔보다. ② 급변하다; 분위기가 싹 달라지다: der Wind sprang auf Nord um 풍향이 갑자기 북쪽으로 바뀌었다; über Nacht war das Wetter umgesprungen 밤새 날씨가 급변했다. ③ **(a)** 〖동계스포츠〗 도약 회전하다. **(b)** 〖체조〗 도약해서 한 바퀴 회전하다; 손을 바꿔 잡다.

umsprịngen* *t.* …의 주위를 깡충깡충 뛰면서 돌다: der Hund umsprang freudig den zurückgekehrten Herrn 개가 돌아온 주인의 주위를 깡충깡충 뛰어 돌아다니며 반가워했다.

Ụmsprung *m.* -(e)s, ..sprünge 도약 회전; 손 바꿔 잡기.

ụmspulen *t.* (필름·테이프 따위를) 되감다.

ụm|spülen *t.* (파도가) 휩쓸어 넘어뜨리다: die Wogen haben die Pflanzen umgespült 큰 물결이 수목을 휩쓸어 넘어뜨렸다.

umspülen *t.* …의 주위를 씻(어 내)다: von Wellen umspült 물결에 씻기어.

***Ụmstand** [ʊ́mʃtant] 《<umstehen》 *m.* -(e)s, ..stände ① 사정, 사태, 상황, 형편, 정상(情狀): schwieriger ~ 곤란한 사정, 난관; wichtiger ~ 중대한 사태; aus dem ~, daß ... …한 사정에서; die gegenwärtigen Umstände 현재의 상황; durch die äußeren Umstände gezwungen sein 외부 상황에 의해 강요받다; einem Angeklagten mildernde Umstände zubilligen 피고의 정상을 참작하다; besonderer Umstände halber〔wegen〕 특별한 사정에 의해; **in** anderen〔gesegneten〕 Umständen sein 임신 중이다; in andere Umstände kommen 임신하다; man muß sich **nach** den Umständen richten 상황에 적응하지 않으면 안 된다; das richtet sich (je) nach den Umständen 그것은 상황에 따라 다르다; **unter** Umständen 사정〔형편〕에 따라서는; unter allen Umständen 무슨 일이 있어도, 반드시; unter keinen Umständen 결코 …하지 않다; das tue ich unter keinen Umständen 나는 그런 일은 결코 하지 않는다: mit allen Umständen erzählen 상세히 이야기하다. ② 〔대개 복수〕 형식〔격식〕차림, 번거로움, 성가심, 공연한 수고, 주저: mit jm. (viel) Umstände machen 누구를 (지나치게) 정중히〔격식을 차려〕 대하다; jm. Umstände machen 누구에게 폐를 끼치다; 누구를 괴롭히다; wenn es Ihnen nicht zu viel Umstände macht 당신께 큰 폐가 되지 않으신다면; mach meinetwegen 〔wegen mir〕 keine Umstände! 나 때문에 공연한 수고 마라!; ohne (alle) Umstände 주저 없이. ③ (alem.) **(a)** 주위에 서 있는 사람들, 참석자들: Trauer≈ 장례식 참석자; hoch- und wohlansehnlicher ~! 여기 서 계신 여러분, 참석자 여러분! **(b)** (특히 시 참사회원의) 집회. ④ 상황어(부사·부사구). ⑤ 〖요리〗 양념.

ụmstände·halber *adv.* 사정에 따라.

umständlich [ʊ́mʃtɛntlɪç] *a.* ① 상세〔자세〕한: ~e Untersuchung 치밀한 조사; et. ~ erörtern 무엇을 자세히 논구하다. ② **(a)** 번거로운, 성가신: eine ~e Arbeit 성가신 일; diese Methode ist zu ~ 이 방법은 너무 번거롭다. **(b)** 지나치게 자세한, 장황한: eine ~e Schilderung 장황한 묘사.

Ụmständlichkeit *f.* -en ① 상세, 자세. ② 번거로움, 장황.

Ụmstands≈angabe *f.* ↑ ~bestimmung. **~bestimmung** *f.* 〖문법〗 부사적 규정어, 상황어. **~brot, ~brötchen** *n.* 샌드위치. **~ergänzung** *f.* 〖문법〗 상황 보족어. **~fürwort** *n.* 〖문법〗 대명사적 부사. **≈halber** *adv.* 사정에 따라. **~kasten** *m.* ↑ ~krämer. **~kleid** *n.* 임신부복. **~kommissar, ~krämer** *m.* 〔구어〕 ① 형식〔격식〕을 차리는 사람. ② 지나치게 꼼꼼한 사람. **~mieder** *n.* 임신부의 코르셋. **~satz** *m.* 〖문법〗 상황문, 부사절. **~wort** *n.* 〖문법〗 부사. **≈wörtlich** *a.* 〔드물게〕 부사의, 부사적인.

ụm|stechen* *t.* ① (땅을) 파 엎다, 파 일구다; 뒤섞다: ein Beet ~ 화단을 파 엎다; das Korn ~ 곡식을 뒤섞다. ② 〖醫〗 봉합하다. ③ (동판을) 다시 새기다. ④ 〔드물게〕 찔러죽이다.

umstẹchen* *t.* (옷자락 따위를) 시침바늘로 고정시키다.

Ụmstechung *f.* -en 〖醫〗 봉합(선)법.

ụm|stecken *t.* ① 다른 곳에 꽂다: einen Stecker ~ 플러그를 다른 콘센트에 꽂다. ② ↑ umstechen.

umstẹcken *t.* …의 주위에 꽂다: ein Loch mit Pfählen ~ 구멍 둘레에 말뚝을 박다.

ụm|stehen* *i.* (s.) 〔방언〕 ① (동물이) 죽다. ② (우유·포도주 따위가) 상하다, 변질되다. ③ 물러서다, 비켜서다.

umstehen* *i.* 주위에 둘러서다.

ụmstehend *p.a.* ① 주위에 둘러서 있는: die ≈en 방관자, 구경꾼. ② 뒷 페이지〔면〕의: auf der ~en Seite 뒷 면에; et. ~ erläutern 무엇을 뒷 면에서 설명하다.

Ụmsteige≈bahnhof *m.* 갈아타는 역, 환승역. **~billett** *n.*, **~fahr·schein** *m.*, **~karte** *f.* 갈아타는 차표. **~möglichkeit** *f.* 갈아탈 가능성.

ụm|steigen *i.* (h.) ① 갈아타다: nach Berlin ~ 베를린행 열차로 갈아타다. ② 〔구어〕 다른 것으로 바꾸다: auf Medizin ~ 전공을 의학으로 바꾸다.

Ụmsteiger *m.* -s, - 〔구어〕 ① 갈아타는 차표. ② 〔드물게〕 직업을 바꾸는 사람.

Ụmstell·bahnhof *m.* 〖철도〗 화물 차량 교환역〔재편성역〕.

ụmstellbar *a.* 바꿀〔변경할〕 수 있는.

***ụm|stellen** 《Ⅰ》 *t.* ① (위치·순서를) 바꾸다: eine Reihenfolge ~ 순서를 바꾸다; Wörter in einem Satz ~ 문장의 어순을 바꾸다; eine Mannschaft ~ 팀의 포지션을 바꾸다. ② 다른 방식으로 바꾸다, 전환하다; 조절〔조정〕하다: die Uhr auf Sommerzeit ~ 시계를 서머타임으로 맞추다; das Telefon vom Geschäft auf die Wohnung ~ 전화를 가게에서 집으로 돌려놓다; eine Buchhandlung auf Antiquariat ~

일반 서점을 고서점으로 전환하다. 《Ⅱ》 *refl.* sich ~ 적응하다: er kann sich nicht mehr ~ 그는 상황 변화에 적응하지 못한다; sich auf ein anderes Klima ~ 다른 기후에 적응하다.

umstellen *t.* 둘러싸다, 에워싸다, 포위하다: das Haus war von allen Seiten umstellt 그 집은 사방이 포위되었다.

Umstell·probe *f.* (시험삼아 해본) 어순 변경.

Umstellung[1] *f.* -en ① 위치 바꿈; 〖문법〗 도치; 전환. ② 적응, 순응.

Umstellung[2] *f.* -en 에워싸기, 포위.

Umstellungs·prozeß *m.* ① 전환 과정. ② 적응 과정.

um|stempeln *t.* ① 도장을〔스탬프를〕 새로 찍다. ②〔비유〕 ↑ umstimmen ②.

umstempeln *t.* …의 주위에 도장을 찍다.

um|steuern *t.* 〖海〗 (배의) 진행 방향을 바꾸다; 〖전기〗 (전류를) 역행시키다; 〖기계〗 (기계의) 회전 방향을 바꾸다.

umsteuern *t.* 〖海〗 …의 주위를 항해하다, 주항(周航)하다; 〔비유〕 (위험 따위를) 피하여 나아가다.

Umsteuerung *f.* -en 〖기계〗 방향바꾸기; 역동(逆動) 장치.

um|stimmen *t.* ①〖음악〗 (악기의) 음조를 바꾸다. ②〔비유〕 (누구의) 기분〔생각〕을 바꾸어 놓다: er läßt sich nicht ~ 그는 생각을 바꿀 사람이 아니다. ③ (신체 기관의) 기능을 변화시키다: ein Organ durch Reiztherapie ~ 자극 요법으로 장기의 체질을 바꾸다.

Umstimmung *f.* -en ①〖음악〗 (악기의) 음조를 바꿈. ②〔비유〕 심경〔생각〕의 변화. ③ (신체 기관의) 기능 변화.

um|stoßen* *t.* ① 밀쳐 넘어뜨리다: eine Vase versehentlich ~ 실수로 꽃병을 밀쳐 넘어뜨리다. ②〔비유〕 파기〔취소〕하다, (결정을) 뒤엎다; 무산시키다: ein Urteil ~ 판결을 취소하다; das stößt all unsere Berechnungen um 그것은 우리의 예상을 뒤엎는다. ③ 〔농담〕 불시에 방문하다, 들르다.

umstößlich *a.* ① 밀쳐 넘어뜨릴 수 있는. ② 파기〔취소〕할 수 있는.

Umstoßung *f.* -en ① 밀쳐 넘어뜨림. ② 파기, 취소.

umstrahlen *t.* 〔雅語〕 …의 주위를 비추다.

um|stricken *t.* 다시〔고쳐〕 짜다〔뜨다〕.

umstricken *t.* ① 휘감다; 〔비유〕 옭아넣다, 연루시키다: von Intrigen umstrickt sein 음모에 휘말려 있다. ② 농락〔현혹〕하다.

umstritten *a.* 의견이 분분한, 논쟁의 여지가 있는: ein heiß ~es Problem 논란이 분분한 문제.

umströmen *t.* …의 주위를 흐르다.

um|strukturieren *t.* …의 구조를 바꾸다, 조직을 개편하다.

Umstrukturierung *f.* -en 구조 조정, 조직 개편.

um|stülpen *t.* ① (용기(容器)를) 거꾸로 하다, 뒤엎다. ② 뒤집다: einen Ärmel ~ 소매를 걷어올리다; der Schirm hat sich umgestülpt 우산이 뒤집혔다; 〔구어〕 das ganze Zimmer ~ (물건을 찾기 위해) 온 방 안을 뒤집어놓다. ③ 근본적으로 바꾸다.

Umstülpung *f.* 뒤엎음, 뒤집음; 개혁.

um|stufen *t.* 〖官〗 등급을 새로〔고쳐〕 매기다.

***Umsturz** [ʊ́mʃtʊrts] *m.* -es, ..stürze [..ʃtyrtsə] ① 전복. ②〔비유〕 혁명: ein ~ in der Technik 기술의 혁신: einen ~ vorbereiten 〔versuchen〕 혁명을 준비〔시도〕하다; der ~ gelang〔scheiterte〕 혁명은 성공〔실패〕했다.

Umsturz⸗bestrebungen *pl.*, **~bewegung** *f.* 혁명〔전복〕 운동.

***um|stürzen** 《Ⅰ》 *i.* (s.) 넘어지다, 전복되다: ein umgestürzter Lastwagen 전복된 화물차. 《Ⅱ》 *t.* ① 뒤엎다, 전복시키다: einen Tisch ~ 책상을 뒤짚어엎다; ein System 〔eine Regierung〕 ~ 체제〔정부〕를 전복시키다.

Umsturz⸗ideen, ~lehren *pl.* 혁명 사상.

Umstürzler [ʊ́mʃtyrtslər] *m.* -s, - 〔폄어〕 혁명가.

Umstürzlerin *f.* -nen ↑ Umstürzler 의 여성형.

umstürzlerisch *a.* 〔폄어〕 혁명적인, 국가 전복을 꾀하는.

Umsturz⸗mann *m.* 혁명가. **~partei** *f.* 혁명당. **~versuch** *m.* 혁명〔전복〕 시도.

Umstürzung [ʊ́mʃtyrtsʊŋ] *f.* -en ↑ Umsturz.

Umsud *m./n.* -(e)s, -e 증류수, 증류액.

umsummen *t.* …의 주위를 윙윙거리며 돌다.

um|tanzen *i.* 춤추며 돌아다니다.

umtanzen *t.* …의 주위를 춤추며 돌다.

Umtaufe [ʊ́mtaufə] *f.* -n 재(再)세례; 개칭, 개명.

um|taufen *t.* ①〖宗〗 다시 세례를 베풀다: sich ~ lassen 개종하다. ②〔구어〕 개칭〔개명〕하다: eine Stadt〔Straße〕 ~ 도시〔거리〕의 이름을 바꾸다.

***Umtausch** [ʊ́mtauʃ] *m.* -(e)s, -e ① 교환; 교환해주기; 환전, 환금: diese Waren sind vom ~ ausgeschlossen 이 상품은 교환할 수 없다; der ~ von Dollars in Deutsche Mark 달러를 마르크로 환전하기. ②〖商〗 교역, 무역.

um|tauschen *t.* ① 교환하다; 환전하다: die Uhr gegen〔in〕 ein Feuerzeug ~ 시계를 라이터와 교환하다; 500 DM in Lire ~ 500 마르크를 리라로 바꾸다. ②〖商〗 교역〔무역〕하다.

Umtausch·recht *n.* 교환권(權).

um|tippen *t.* 새로〔고쳐서〕 타자를 치다.

um|titeln *t.* (영화나 책의) 제목을 바꾸다.

umtoben *t.* …의 주위에서 미친 듯이 날뛰다.

umtönen *t.* …의 주위에 울려퍼지다.

um|topfen *t.* 화분을 갈아주다, 분갈이하다.

umtosen *t.* …의 주위에서 노호하다.

um|treiben* 《Ⅰ》 *t.* ① 회전시키다: ein Rad ~ 바퀴를 돌리다. ② 불안하게 만들다, 휘몰아대다: sein Gewissen trieb ihn um 그는 양심의 가책 때문에 안절부절못했다. 《Ⅱ》 *refl.* sich ~ 유랑〔방랑〕하다.

Umtrieb [ʊ́mtri:p] *m.* -(e)s, -e ① 휘몰아댐. ② 회전. ③〔복수〕 책동, 음모, 비밀 운동: verräterische ~e 반역 활동. ④ 개인의 활동. ⑤〖林〗 윤벌기(輪伐期); (다년생 식물이나 가축의) 이용 기간, 사육 주기. ⑥〖광산〗 우회 갱도.

umtriebig *a.* 활동적인, 매사에 열심인.

Umtrunk *m.* 돌아가면서 마심: einen ~ halten 돌아가면서 마시다.

um|tun* 《Ⅰ》 *t.* ① 다시〔고쳐〕 하다. ② 입히다, 걸쳐〔둘러〕주다: jm. einen Schal ~ 누구

에게 숄을 둘러주다; (sich³) eine Schürze ~ 앞치마를 두르다. 《Ⅱ》 *refl.* sich ~ ① 어떤 지역을 자세히 알기 위해 노력하다: sich in einer Stadt ~ 도시를 자세히 알기 위해 돌아다니다. ② (무엇을) 찾으려 애쓰다: sich nach einer Arbeit ~ 일자리를 찾으려고 노력하다.

U-Musik *f.* 대중 음악(Unterhaltungs-Musik 의 단축어).

um|verteilen *t.* 〖經〗 재분배하다.

Umverteilung *f.* -en 〖政·經〗 재분배.

umwachsen* *t.* …의 주위에서 자라다〔번성하다〕.

umwähren *t.* (에워) 싸다.

umwaldet *a.* 삼림〔숲〕으로 둘러싸인.

umwallen *t.* ① 《雅語》 …의 주위를 물결치듯 둘러싸다: der von Nebel umwallte Berggipfel 안개가 자욱한 산정(山頂). ② 〖軍〗 성벽으로 에워싸다.

Umwallung *f.* -en 둘러싸기; 〖軍〗 둘러싼 벽.

Umwälz·anlage *f.* (물 따위의) 순환 장치.

um|wälzen 《Ⅰ》 *t.* ① 굴리다, 회전시키다. ② 전복시키다; 〔비유〕 변혁하다: ~de Ereignisse 획기적인 사건. ③ (물·공기를) 순환시키다. ④ 〖드물게〗 떠넘기다; 전가하다. 《Ⅱ》 *refl.* sich ~ 회전〔순환〕하다.

umwälzen *t.* 의 주위에 굴리다: von Wogen umwälzt 파도에 휩싸여.

Umwälz·pumpe *f.* 순환 펌프.

Umwälzung *f.* -en ① 회전; 순환. ② 전복; 〔비유〕 변혁.

Umwand *m.* -(e)s 〖藥〗 회색 수은 연고(이 잡는 약).

umwandelbar *a.* 변(경)할 수 있는.

um|wandeln 《Ⅰ》 *i.* (s.) 이리저리 돌아다니다, 방황하다. 《Ⅱ》 *t.* ① 바꾸다, 전환하다, 변화시키다: Gleichstrom in Wechselstrom ~ 직류를 교류로 바꾸다; Stickstoff in Sauerstoff ~ 질소를 산소로 변화시키다; sie haben sich von Grund auf umgewandelt 그들은 완전히 변했다. ② 〖문법〗 변화시키다.

umwandeln *t.* …의 주위를 돌아다니다.

Umwandelung[1] [ʊ́mvandəlʊŋ] *f.* -en ↑ Umwandlung[1/2].

Umwandelung[2] *f.* -en 주위를 돌아다님.

Umwandelungs≈lehre *f.* 진화론. **~prozeß** *m.* 변화 과정: ein ~ innerhalb einer sozialen Struktur 사회 구조의 변화 과정.

umwanden *t.* 벽으로〔판자로〕 둘러싸다.

um|wandern *i.* (s.) ① 방황〔배회〕하다. ② 에움길로 가다.

umwandern *t.* …의 주위를 돌아다니다, 일주(一周)하다, 주유(周遊)하다.

Umwandlung[1] *f.* -en 전환, 변화; 변형; 〖문법〗 변화.

Umwandung[2] *f.* -en ① 벽으로〔판자로〕 둘러싸기. ② 벽, 판자.

um|weben* *t.* (피륙 따위를) 다시 짜다.

umweben* *t.* 《雅語》 (신비스럽게) 둘러싸다: der Ort ist von vielen Sagen umwoben 그 지방에는 많은 전설이 어려 있다.

um|wechseln 《Ⅰ》 *i.* (h.) 교대하다, 교체하다. 《Ⅱ》 *t.* 교환하다; 환전하다: Lire in Mark 〔Papiergeld in Münzen〕 ~ 리라를 마르크로 〔지폐를 동전으로〕 교환하다.

umwechselnd *p.a.* 교대의, 교호(交互)의.

Umwechselung *f.* -en ↑ Umwechslung.

Umwechslung *f.* -en 교대; 교환; 환전.

***Umweg** *m.* 에움길, 우회로; 〔비유〕 간접적인 경로; 넌지시 말하기: einen ~ machen〔fahren〕 우회하다; wir haben die Nachricht auf ~en erfahren 우리는 그 소식을 간접적으로 들었다; ohne ~e 솔직하게, 단도직입적으로.

umwegig [ʊ́mveːgɪç] *a.* 《구식》 우회로의, 멀리 도는.

um|wehen *t.* 불어 넘어뜨리다: der Wind hat den Zaun umgeweht 바람이 불어 울타리가 넘어졌다.

umwehen *t.* …의 주위에 바람이 불다: 〔비유〕 sie ist von einem Geheimnis umweht 그녀는 비밀에 싸여 있다.

umwehren *t.* …의 둘레에 둑을 쌓다.

***Umwelt** *f.* ① 주위 세계, 환경: die natürliche ~ 자연 환경; sich in einer neuen ~ eingewöhnen 새로운 환경에 적응하다; die Verschmutzung der ~ bekämpfen 환경 오염에 맞서 싸우다. ② 주위〔측근〕 인물.

umwelt≈bedingt *a.* 환경으로 인한, 환경의 제약을 받는. **~bedingtheit** *f.* 환경 제약성. **~bedingungen** *pl.* 환경 조건. **~belastung** *f.* 환경 오염: ~ durch Abgase 배기 가스로 인한 환경 오염. **~einfluß** *m.* 환경의 영향. **~faktor** *m.* 환경 요인. **~feindlich** *a.* 환경을 해치는〔파괴하는·오염시키는〕. **~forschung** *f.* ① 생태학. ② 〖사회〗 환경 연구. **~frage** *f.* 환경 문제. **~freundlich** *a.* 환경 친화적인: ~e Maßnahme 환경 보호 조처. **~kriminalität** *f.* 환경 오염 범죄. **~neutral** *a.* 환경을 파괴하지 않는. **~papier** *n.* 재생지. **~politik** *f.* 환경 정책. **~problem** *n.* 환경 문제. **~schäden** *pl.* 공해. **~schädlich** *a.* 환경을 오염시키는. **~schutz** *m.* 환경 보호〔보전〕. **~schützer** *m.* 환경 보호론자.

Umweltschutz≈gesetz *n.* 환경 보호법. **~kosten** *pl.* 환경 보호 비용. **~maßnahmen** *pl.* 환경 보호 조처.

Umwelt≈sünder *m.* 환경 파괴자. **~verschmutzung** *f.* 환경 오염, 공해. **~verträglich** *a.* 환경 보호 효과가 있는. **~zerstörung** *f.* 환경 파괴.

um|wenden[(*)] (*p.p.* umgewandt/umgewendet) 《Ⅰ》 *t.* ① 넘기다; 뒤집다: die Seiten eines Buches ~ 책의 페이지를 넘기다; den Braten 불고기를 뒤집다; die Strümpfe ~ 양말을 뒤집다; bitte umzuwenden!, wenden Sie gefälligst um! 뒷면 참조! ② 방향을 바꾸다: den Kahn ~ 보트의 방향을 바꾸다. 《Ⅱ》 *refl.* sich ~ 몸을 돌리다, 돌아보다: sich nach einem Mädchen ~ 처녀 쪽으로 돌아보다. 《Ⅲ》 *i.* (s./h.) 다른 방향으로 가다.

Umwendung *f.* -en 방향 전환; 전향(轉向).

umwerben* *t.* 구애〔구혼〕하다: sie war viel umworben 그 여자에게는 청혼이 많았다.

um|werfen* 《Ⅰ》 *t.* ① 넘어뜨리다: eine Vase ~ 꽃병을 넘어뜨리다. ② 《구식》 (땅을) 파엎다. ③ (옷 따위를) 급히 걸쳐주다: er warf ihr einen Mantel um 그는 그녀에게 외투를 걸쳐 둘러 주었다. ④ 〔구어〕 **(a)** 당황하게 하다: die Nachricht hat sie völlig umgeworfen 그 소식에 그녀는 몹시 당황했다. **(b)** (술 따위가) 취하게 하다: ein Glas Wein wird dich nicht gleich ~ 와인 한잔에 금방 취하지는 않을 것이다. ⑤ 파괴하다, 망치다: das warf den ganzen Plan um 그것이 모든 계획을 망쳤다. 《Ⅱ》 *i.* (h./s.) ①〔구어〕 er ist mit dem Schlitten umgeworfen 그는 썰매와 함께 전복했다. ②〔비유〕 **(a)**〖商〗 파산하다. **(b)** 유산〔조산〕하다. **(c)** der Sänger hat bei der Aufführung umgeworfen 그 가수는 공연 도중 노래가 막혔다.

ụmwerfend *p.a.* 놀랄 만한, 비범〔특이〕한.

ụm|werten *t.* 재평가하다.

Ụmwertung *f.* -en 재평가;〖哲〗 가치 전도: ~ aller Werte (니체가 시도한) 모든 가치의 전도.

ụm|wickeln *t.* ① (휘)감다: jm. einen neuen Verband ~ 누구에게 새 붕대를 감아주다. ② 다시〔고쳐〕 감다. ③ (기저귀를) 갈아 채우다: das Baby ~ 갓난아기의 기저귀를 갈다.

umwịckeln *t.* …의 주위에 (휘)감다: Stab mit einer Schnur ~ 막대에 줄을 감다; den verletzten Arm mit einem Verband ~ 부상한 팔에 붕대를 감다.

Ụmwickelung[1] *f.* ↑ Umwicklung[1].

Umwịckelung[2] *f.* ↑ Umwicklung[2].

Ụmwicklung[1] *f.* 휘감기; 고쳐 감기; 갈아 채움.

Umwịcklung[2] *f.* 휘감음.

ụm|widmen *t.* 용도를 변경하다, 전용(轉用)하다.

Ụmwidmung *f.* 전용(轉用), 용도 변경.

ụm|winden* *t.* (휘)감다: sich^3 einen Schal ~ 숄을 몸에 두르다.

umwịnden* *t.* ①…의 주위를 (휘)감다: Ranken ~ die Terrasse 덩굴이 테라스를 휘감고 있다. ②느슨하게 감다.

umwịrbeln *t.* …의 주위에서 빙빙돌다.

umwịttern *t.* (비밀·위험 따위가) …의 주위를 둘러싸다〔뒤덮다〕: seine Herkunft ist von Geheimnissen umwittert 그의 태생은 비밀에 싸여 있다.

ụm|wogen *t.* 물결로 주위를 적시다.

umwogen *t.* …의 주위에 물결이 일다.

umwohnen *t.* …의 주위에 살다.

ụmwohnend *p.a.* 부근〔근처〕에 살고 있는.

Ụmwohner *m.* -s, - 부근의 주민, 이웃 사람.

umwölken [ʊmvœ́lkən] 《Ⅰ》 *t.* 구름처럼 덮다: von Rauch umwölkt 연기가 낀. 《Ⅱ》 *refl.* sich ~ 구름이 끼다, 흐려지다:〔비유〕 seine Stirn umwölkt sich 그의 얼굴이 흐려진다.

Umwọ̈lkung *f.* -en (구름이) 덮임.

umwuchern *i.* (h.) 무성하게 자라다, 우거지다.

ụm|wühlen *t.* (땅을) 파엎다; (서랍 따위를) 뒤적이다.

umwühlen *t.* …의 주위를 파다.

Umwühlung *f.* -en 파엎기, 뒤적이기.

Umwurf [ʊ́mvʊrf] 《<umwerfen》 *m.* -(e)s, ..würfe [..vʏrfə] ① 겉에 걸치는 의류. ② 전복(顚覆).

ụm|würgen *t.* 〔구어〕 (술 따위를) 서투르게 두르다.

umzäunen *t.* …에 울타리를 치다〔두르다〕.

Umzäunung *f.* -en ①울타리를 침. ② 울타리.

ụm|zeichnen *t.* ①〖商〗 Waren ~ 상품의 상표를 바꾸다. ② (그림을) 다시〔고쳐〕 그리다.

umzeichnen *t.* …의 주위에 기호를 붙이다.

ụm|ziehen 《Ⅰ》 *t.* ① 갈아 입다. ② (이삿짐을) 옮기다. 《Ⅱ》 *refl.* sich ~ 옷을 갈아 입다: sich zum Sport ~ 운동복으로 갈아 입다; sich nach der Arbeit ~ 작업이 끝난 후에 옷을 갈아 입다. 《Ⅲ》 *i.* (s.) ① 이사〔이주〕하다: nach München 〔in eine größere Wohnung〕 ~ 뮌헨으로〔더 큰 집으로〕 이사하다. ② 우회하다, 돌아가다.

umziehen* 《Ⅰ》 *t.* ①…의 주위를 에워싸다: ein von einer Gebirgskette umgezogener See 산맥으로 빙 둘러싸인 호수. ② (구름이) 덮다: schwarze Wolken umzogen den Himmel 먹구름으로 하늘이 뒤덮였다. 《Ⅱ》〔드물게〕 *refl.* sich ~ 구름으로 덮이다, 구름이 끼다: der Himmel umzieht sich (mit Wolken) 하늘이 (구름으로) 흐려진다.

Ụmzieh·tag *m.* 이삿날.

umzịngeln *t.* 포위하다, 에워싸다: die Stadt ist vom Feind umzingelt 도시는 적에게 포위되었다.

Umzịngelung *f.* -en 포위.

Umzịnglung *f.* -en ↑ Umzingelung.

***Umzug** [ʊ́mtsu:k] 《<umziehen》 *m.* -(e)s, ..züge [..tsy:gə] ① 이사, 이주: der ~ nach Berlin 〔in eine neue Wohnung〕 베를린〔새 집〕으로의 이사. ② (의식·종교 행사 따위의) 행진, 퍼레이드: an einem ~ teilnehmen 행진에 참가하다.

Ụmzugs≈gelder *pl.* 이사 비용. **≈halber** *adv.* 이사 때문에. **~kosten** *pl.* 이사 비용. **~tag** *m.* 이삿날.

umzụ̈ngeln *t.* …의 주위에 활활 타오르다.

UN 《engl.》 =United Nations (Vereinte Nationen) 국제 연합(↑ UNO).

***un..** 《ahd. ni》 *pref.* 《Ⅰ》 ① "부정·반대"의 뜻(보기: unbezahlbar 지급할 수 없는; unhöflich 공손하지 못한; Unruhe 불안; Unsitte 악습). ② "엄청남·막대함"의 뜻(보기: Unmenge 대량, 다량; Unzahl 다수, 부지기수). 《Ⅱ》〔악센트의 위치〕 원칙적으로 un.. 에 악센트가 붙지만 말의 의미와 리듬에 따라 악센트의 위치가 종종 이동함. ①어미가 ..bar, ..haft, ..ig, ..lich, ..sam 으로 끝나는 형용사·부사 경우, un.. 이 부정만을 뜻할 때는 거기에 제 1 악센트가 붙지만(보기: ụnlustig, ụnglücklich), 비유적인 의미나 강조를 나타내면서, un.. 없이는 쓰이지 않을 때는 종종 어간에 제 1 악센트가 붙음(보기: unzählig, unbeschreiblich); 긴 단어에서는 그 단어의 리듬도 영향을 줌(보기: unausstehlich, unentbehrlich); 그러나 어떠한 경우에도 un.. 에 제 1 악센트가 붙을 수 있음; 또 강한 감정의 표현에서는 두 부분이 모두 악센트를 가지기도 함(보기: ụnglaublich). ② bedingt, erhört 의 과거 분사와 결합한 경우에도 종종 어간이 강조됨(보기: unbedịngt, unerhört). ③ 제 2 악센트도 단어의 리듬상 종종 본래의 위치에서 옮겨짐(보기: unabhängig [ʊ́n|ap|hɛ̀ŋɪç] <ạbhängig).

unabänderlich [ʊn|ap|ɛ́ndərlɪç, ʊ́napɛndərlɪç] *a.* 변경 불가능한, 변경할 수 없는: seine Entscheidung ist ~ 그의 결정은 변경할 수 없다; es ist mein ~er Entschluß 그것은 내 굳은 결심이다.

Unabạ̈nderlichkeit *f.* -en 변경 불가능(성): die ~ seines Entschlusses 그의 결심의

단호함.

unabdingbar [ʊn|apdɪ́ŋba:r, ʊ́n|apdɪŋ..] *a.* ① 절대적으로 필요한, 필요 불가결의: eine ~e Voraussetzung 필수적인 전제 조건. ② 〖法〗 (당사자의 합의로도) 변경할 수 없는.

Unabdingbarkeit *f.* 절대적 필요성, 필수 불가결; 〖法〗 변경 불가능(성).

unabdinglich *a.* ↑ unabdingbar ①.

unabgefertigt *a.* 미해결의, 처리되지 않은; 미완성의; 미발송의.

unabgemacht *a.* 처리되지 않은, 끝나지 않은, 미결제의.

***unabhängig** [ʊ́n|aphɛŋɪç (↑ un..《Ⅱ》③)] *a.* ① 예속되지 않은; 독립적인, 자주적인: wirtschaftlich〔finanziell〕 ~ sein 경제적으로 독립해 있다; ~e Staaten 독립〔주권〕 국가. ② 독자적인, 무관한; 영향을 받지 않은: Reflexbewegungen sind vom Willen ~ 반사 운동은 의지와 무관하다; ein vom Wetter ~es Vorhaben 날씨와 무관한 계획; ~ davon, daß〔ob〕 ... …와는〔…여부와는〕 관계 없이, …와는〔…여부와는〕 별도로.

Unabhängigkeit *f.* -en ① 독립, 자주. ② 무관.

Unabhängigkeits≈erklärung *f.* 〖史〗 (1776년 미국의) 독립 선언. **~krieg** *m.* 〖史〗 독립 전쟁. **~sinn** *m.* 독립심.

unabkömmlich *a.* ① 없어서는 안 되는, 불가결의: ich bin augenblicklich〔im Moment〕 ~ 나는 현재 없어서는 안 될 존재다. ②〖軍〗 징집 면제의.

Unabkömmlichkeit *f.* 불가결.

unablässig [ʊn|aplɛ́sɪç, ʊ́n|aplɛsɪç] *a.* 중단〔끊임〕 없는, 부단한.

unabläßlich *a.* ↑ unablässig.

unablösbar *a.* ↑ unablöslich.

unablöslich [ʊn|aplǿ:s.., ʊ́n|aplø:s..] *a.* 갚을 수 없는; 〖商〗 상환할 수 없는.

unabsehbar [ʊn|apzé:ba:r, ʊ́n|apze:..] *a.* ① 광대〔무한〕한. ② 예상할 수 없는: diese Handlung würde ~e Folgen haben 이 행동은 예기치 못한 결과를 초래할 것이다.

Unabsehbarkeit *f.* ① 무한, 광활. ② 예측 불허.

unabsehlich *a.* ↑ unabsehbar.

unabsetzbar [ʊn|apzɛ́tsba:r, ʊ́n|apzɛts..] *a.* ① 파면〔해임〕할 수 없는. ②〖商〗 팔리지 않는.

Unabsetzbarkeit *f.* ↑ unabsetzbar 의 명사형.

unabsichtlich *a.* 고의가 아닌, 실수로 인한: ~ jn. beleidigen 본의 아니게 누구에게 모욕감을 주다.

unabtragbar [ʊn|aptrá:kba:r, ʊ́n|..ba:r] *a.* (부채·이자 따위를) 상환할〔갚을〕 수 없는.

unabweisbar [ʊn|apváɪsba:r, ʊ́n|..vaɪs..] *a.* ↑ unabweislich.

unabweislich [ʊn|apváɪs.., ʊ́n|apvaɪs..] *a.* 거절할 수 없는; 피할 수 없는: ~e Pflicht 강제적 의무.

unabwendbar *a.* 불가피한, 숙명적인: ein ~es Verhängnis 피할 수 없는 재앙.

unabwendlich [ʊn|apvɛ́nt.., ʊ́n|apvɛnt..] *a.* ↑ unabwendbar.

unachtsam *a.* 부주의한, 경솔한; 태만한: ~e Schüler 주의가 산만한 학생들; seine Frau ist ein wenig ~ 그의 부인은 약간 경솔하다.

Unachtsamkeit *f.* -en 부주의, 경솔; 태만: et. aus ~ umwerfen 무엇을 부주의로 넘어뜨리다. ② 경솔한 언행〔성격〕.

una corda [ú:na kɔ́rda] 《it., „auf einer Saite"》 *adv.* 〖음악〗 우나 코르다(피아노 연주 때 약음 페달을 밟아 약음을 내도록 하는 악보상의 지시).

unadelig *a.* 귀족이 아닌; 고상하지 않은.

unadlig *a.* ↑ unadelig.

unähnlich *a.* 닮지 않은: sie sind einander ganz ~ 그들은 서로 전혀 닮지 않았다.

Unähnlichkeit *f.* -en ① 닮지 않음. ② 상위점.

unanbringlich [ʊ́n|anbrɪŋlɪç] *a.* 〖우편〗 배달과 반송이 불가능한.

unanfechtbar [ʊn|anfɛ́çtba:r, ʊ́n|anfɛçt..] *a.* 논란〔논쟁〕의 여지가 없는; 확실한: ~er Beweis 명백한 증거.

Unanfechtbarkeit *f.* 명백, 확실.

unangebaut *a.* 경작되지 않은.

unangebracht *a.* 부적절〔부적당〕한, 어울리지 않는: ich halte es für ~, ihn jetzt danach zu fragen 나는 지금 그에게 그것에 관해 묻는 것은 적절하지 못하다고 생각한다.

unangefochten *a.* ① 논쟁의 여지가 없는, 확실한: sein ~es Recht 누구나 인정하는 그의 권리; das Testament blieb ~ 그 유언장에 대해 아무런 이의가 없었다. ② 방해받지 않고: ~ über die Grenze kommen 무사히 국경을 넘어오다.

unangekleidet *a.* 옷을 입고 있지 않은.

unangemeldet *a.* ① 사전 통지가 없는, 예고 없는: ~ tauchten Freunde bei ihm auf 예고 없이 친구들이 그의 집에 불쑥 나타났다; ~e Besucher 불쑥 찾아온 방문객. ② 신고하지 않은.

unangemessen *a.* 부적당한, 부적절한, 어울리지〔격에 맞지〕 않는: ein ~er Ausdruck 부적절한 표현.

Unangemessenheit *f.* 부적절, 부적당.

***unangenehm** *a.* ① **(a)** 불쾌한: eine ~e Situation 불쾌한 상황; jn. ~ berühren 누구를 불쾌하게 건드리다. **(b)** 곤혹스러운, 괴로운: die Frage war ihm ~ 그 질문은 그에게 곤혹스러운 것이었다. **(c)** ~ werden〔können〕 화가 나다〔날 수 있다〕: er wird dann sehr ~ 그는 몹시 화를 낼지 모른다. ② (사람이) 호감이 가지 않는.

unangepaßt *a.* 부적당〔부적절〕한, 격에 맞지 않는.

Unangepaßtheit *f.* 부적당, 부적절.

unangerührt *a.* ↑ unangetastet.

unangesehen 《Ⅰ》 *a.* 명망이 없는. 《Ⅱ》 *prp.*[2/4] 〘구식〙 …을 고려하지 않고, …에 개의치 않고: ~ der〔die〕 Umstände 상황을 고려치 않고.

unangetastet *a.* ① 손대지〔건드리지〕 않은. ② (권리 따위가) 침해되지 않은.

unangreifbar [ʊn|angráɪfba:r, ʊ́n|angraɪf..] *a.* ① 공격할 수 없는: ~e Festung 난공불락의 요새. ② 반론의 여지가 없는. ③ (지위·명성 따위가) 확고부동한: ~e Stellung 굳건한 지위.

Unangreifbarkeit *f.* 확실, 확고부동.

unanim [unaní:m] 《lat. unus, „ein", animus, „Gemüt"》 *a.* 〘교양〙 만장일치의, 이구동성의.

Unanimität *f.* 〘교양〙 만장일치, 이구동성.

unannehmbar [ʊn|anné:mba:r, ʊ́n|..ne:m..] *a.* 받아들일 수 없는, 수용〔수락〕할 수 없는.

Unannehmbarkeit *f.* 수용 불가(능).

unannehmlich *a.* ① ↑ unannehmbar. ② ↑ unangenehm.

***Unannehmlichkeit** *f.* -en 불쾌한〔화나는〕 일; 귀찮은 일: ~en bekommen 불쾌한 일을 당하다; jm. ~en bereiten 누구에게 불쾌감을 주다.

unansehnlich [ʊ́n|anze:nlɪç] *a.* 볼품 없는, 초라한, 하찮은: ein ~es Haus 초라한 집; eine ~e Person 하찮은 사람.

Unansehnlichkeit *f.* 볼품없음, 초라함.

***unanständig** 《I》 *a.* 예의 없는, 무례한, 점잖치 못한; 상스러운: eine ~e Handlungsweise 무례한 행동 방식; ein ~er Witz 음란한 농담; sich ~ benehmen 버릇 없이 굴다. 《II》〔구어〕 *adv.* 굉장히, 몹시: ~ dick sein 몹시 살찌다.

Unanständigkeit *f.* -en ①〔복수없음〕 무례; 점잖치 못함. ② 상스러운 언행.

unanstößig [ʊ́n|anʃtø:sɪç] *a.* 비위를 거슬리지 않는, 감정을 건드리지 않는.

unantastbar [ʊn|antástba:r, ʊ́n|antast..] *a.* ① 침해할 수 없는, 불가침의; 반론의 여지가 없는: ~e Rechte 침해할 수 없는 권리; die Würde des Menschen ist ~ 인간의 존엄은 불가침이다. ② 손댈 수 없는: ~e Gelder 써서는 안 될 돈. ③ 난공불락의.

Unantastbarkeit *f.* 불가침.

unanwendbar *a.* 응용〔적용〕할 수 없는; 사용할 수 없는; 유용하지 못한.

unappetitlich *a.* ① 식욕을 돋구지 않는, 맛없는: ein ~es Essen 맛없는 음식. ② 역겨운, 구역질나는. ③ 지저분한, 불결한: ein ~ aussehender Stadtstreicher 지저분하게 보이는 도시 부랑자.

Unappetitlichkeit *f.* ↑ unappetitlich 의 명사형.

Unart [ʊ́n|a:rt] 《I》 *f.* -en ① 버릇없는 행동, 무례: ein Kind für seine ~en bestrafen 버릇없는 행동 때문에 아이를 벌하다. ② 나쁜 습관〔버릇〕: das ist eine alte ~ von ihr 그것은 그녀의 오래된 나쁜 습관이다. 《II》 *m.* -(e)s, -e 〔구식·방언〕 장난꾸러기, 악동.

***unartig** *a.* 버릇없는, 무례한; 장난이 심한: die Kinder sind heute sehr ~ 요즈음 아이들은 아주 버릇이 없다.

Unartigkeit *f.* -en ①〔복수없음〕 버릇없음, 무례. ② 버릇없는 언행.

unartikuliert *a.* ① (발음이) 불명료한. ② 소리가 짐승처럼 큰〔거친·날카로운〕. ③〔드물게〕 관사가 없는.

Una Sancta [ú:na záŋkta] *f.* (가톨릭 교회가 스스로를 일컫는 말로) 성스러운 교회.

unästhetisch *a.* 아름답지 못한, 역겨운, 싫은, 불쾌한: ein ~er Anblick 불쾌한 광경.

unaufdringlich *a.* 강제적이 아닌; 은근한; (빛깔 따위가) 지나치지 않은; (음악이) 너무 시끄럽지 않은.

Unaufdringlichkeit *f.* ↑ unaufdringlich 의 명사형.

unauffällig *a.* ① 눈치채지 못할 정도로 재빠른: ~ verschwinden 재빠르게 사라지다. ② 눈에 띄지 않는: sich ~ kleiden 수수하게 차려 입다.

Unauffälligkeit *f.* ↑ unauffällig 의 명사형.

unauffindbar [ʊn|auffíntba:r, ʊ́n|auffɪnt..] *a.* 찾아내기 어려운, 찾아낼 수 없는: ein ~es Versteck 찾기 힘든 은신처.

unaufgefordert 요구되지 않은, 자발적인: et. ~ tun 무엇을 자발적으로 하다.

unaufgeklärt *a.* ① 해명되지 않은, 미(해)결의: ein ~es Verbrechen 해결되지 않은 범죄. ② 미개한, 몽매한. ③ 성교육을 받지 않은.

unaufgelöst *a.* 풀리지 않은, 용해되지 않은.

unaufgeschlossen *a.* 잠겨〔닫혀〕 있는; 개발되지 않은; 터놓지 않은.

unaufgeschnitten *a.* 절개(切開)되지 않은.

unaufgezogen *a.* 표장(表裝)되지 않은; 표지 안에 헝겊을 대지 않은.

unaufhaltbar *a.* ↑ unaufhaltsam.

unaufhaltsam [ʊn|aufhált.., ʊ́n|aufhalt..] *a.* 저지할 수 없는; 멈추지 않는: das Wasser stieg ~ 수위가 시시각각 계속 올라갔다.

Unaufhaltsamkeit [ʊn|aufhált.., ʊ́n|..halt..] *f.* ↑ unaufhaltsam 의 명사형.

***unaufhörlich** [ʊn|aufhǿ:r.., ʊ́n|aufhø:r..] 《<aufhören》 *a.* 끊임없는, 지속적인: es regnet ~ 비가 줄기차게 온다; ~ klingelt das Telefon 전화 벨이 계속 울린다.

unauflösbar *a.* ① 용해되지 않는: ~e Stoffe 불용성 물질. ② (매듭 따위가) 풀리지 않는. ③ 해결할 수 없는; 해체할 수 없는.

Unauflösbarkeit *f.* ↑ unauflösbar 의 명사형.

unauflöslich [ʊn|auflǿ:s.., ʊ́n|auflø:s..] *a.* ↑ unauflösbar.

Unauflöslichkeit [..ʊn|auflǿ:s.., ʊ́n|auflø:s-..] *f.* ↑ unauflöslich 의 명사형.

unaufmerksam *a.* ① 부주의한, 산만한: im Unterricht ~ sein 수업 중에 주의력이 부족하다. ② 불친절한: das war ~ von ihm 그는 친절하지 않았다.

Unaufmerksamkeit *f.* -en ① 부주의, 산만: et. aus ~ übersehen 부주의로 무엇을 간과하다. ② 불친절(한 행동).

unaufrichtig *a.* 솔직하지 않은; 불성실한: eine ~e Haltung 정직하지 못한 태도.

Unaufrichtigkeit *f.* -en ① 부정직, 불성실: jm. seine ~ vorwerfen 누구의 부정직성을 비난하다. ② 부정직〔불성실〕한 언행.

unaufschiebbar [ʊn|aufʃí:p.., ʊ́n|aufʃi:p..] *a.* 연기〔유예〕할 수 없는: eine ~e Verabredung 미룰 수 없는 약속.

unaufschieblich [ʊn|aufʃí:p.., ʊ́n|aufʃi:p..] *a.* ↑ unaufschiebbar.

unausbleiblich [ʊn|ausbláɪp.., ʊ́n|..blaɪp..] *a.* (결과로서) 반드시 일어나는, 필연의.

unausdehnbar [ʊn|ausdé:n.., ʊ́n|ausde:n..] *a.* 확장〔확대〕할 수 없는, 넓힐〔늘일〕 수 없는.

unausdenkbar [ʊn|ausdέnk.., ʊ́n|ausdɛnk..] *a.* 상상〔예측〕할 수 없는: die Folgen sind ~ 그 결과는 예측할 수 없다.

unausführbar [ʊn|ausfý:r.., ʊ́n|ausfy:r..] *a.* 실행〔실현〕 불가능한: der Plan ist ~ 그 계획은 실현 불가능하다.

Unausführbarkeit [ʊn|ausfý:r.., ʊ́n|aus-fy:r..] *f.* 실행 불가능.

unausgebacken *a.* (빵 따위가) 덜 구워진.

unausgebildet *a.* 미완성의; 교육받지 않은;

〖軍〗 훈련이 부족한.
unausgeführt *a.* ① 실행되지 않은: einen Plan ~ lassen 계획을 실행에 옮기지 않다. ② (예술 작품 따위가) 미완성의.
unausgefüllt *a.* ① 채워지지 않는; 충실하지 않은: ein ~es Leben 헛된 삶. ② (서류 따위가) 기입되지 않은. ③ 만족스럽지 않은.
Unausgefüllt·sein *n.* ↑ unausgefüllt 의 명사형.
unausgeglichen *a.* ①〖비유〗 변덕스러운, 정서가 불안한. ②〖商〗 수지 균형이 맞지 않는.
Unausgeglichenheit *f.* ① 변덕, 정서 불안. ② 수지 불균형.
unausgegoren *a.* 〖폄어〗 (사상·이론이) 완전히 정립되지 않은, 미완의.
unausgemacht *a.* 미결〔미정〕의; 불확실한; 의문스러운, 애매한.
unausgeschlafen *a.* 충분히 자지 못한, 수면 부족의.
unausgesetzt *a.* 끊임〔중단〕없는, 지속적인.
unausgesprochen *a.* 입 밖에 내지 않은, 무언의: eine ~e Mißbilligung 무언의 거부.
unausgiebig *a.* 수확〔수익〕이 적은, 결실이 좋지 않은.
unauslöschbar *a.* ↑ unauslöschlich.
unauslöschlich [ʊn|auslœ́ʃ.., ʊ́n|auslœʃ..] *a.* 〖雅語〗 지울 수 없는; 잊혀지지 않는.
unausrottbar [ʊn|ausrɔ́t.., ʊ́n|ausrɔt..] *a.* 〖비유〗 뿌리뽑을 수 없는, 근절하기 힘든: diese Unsitte scheint ~ zu sein 이 악습은 근절하기 어려워 보인다.
unaussprechbar [ʊn|ausʃpréçba:r, ʊ́n|ausʃprɛç..] *a.* ① 발음하기 어려운: ein ~er Name 발음하기 힘든 이름. ② ↑ unaussprechlich.
unaussprechlich [ʊn|ausʃpréçlɪç, ʊ́nausʃprɛç..] *a.* 말로 표현할 수 없는, 이루 다 말할 수 없는: ein ~er Kummer 이루 다 말할 수 없는 근심; in ~em Elend leben 이루 다 말할 수 없이 비참하게 살아가다.
unausstehlich [ʊn|ausʃté:.., ʊ́n|ausʃte:..] 《< ausstehen》 *a.* 견디기〔참기〕 어려운.
Unausstehlichkeit [ʊn|ausʃté:.., ʊ́n|ausʃte:..] *f.* ↑ unausstehlich 의 명사형.
unaustilgbar [ʊn|austɪ́lk.., ʊ́n|austɪlk..] 《< austilgen》 *a.* ↑ unauslöschlich.
unausweichbar [ʊn|ausváiç.., ʊ́n|ausvaiç..] *a.* ↑ unausweichlich.
unausweichlich [ʊn|ausváiç.., ʊ́n|..vaiç..] *a.* 피하기 어려운, 불가피한.
Unband [ʊ́nbant] *m.* -(e)s, -e/..bände [..bɛndə] 〖구식·방언〗 난폭한 아이, 악동.
***unbändig** [ʊ́nbɛndɪç, (《I》②, 《II》 또한) ʊnbɛ́ndɪç] 《I》 *a.* ① 제어하기 어려운, 사나운: ein ~es Pferd 사나운 말. ② 대단한, 엄청난: einen ~en Hunger haben 배가 대단히 고프다. 《II》 *adv.* 〖구어〗 대단히, 매우, 몹시: sich ~ freuen 몹시 기뻐하다.
unbar *a.* 현금이 아닌.
unbarmherzig *a.* 무자비〔잔인〕한: auf jn. ~ einschlagen 누구를 잔인하게 두들겨 패다.
Unbarmherzigkeit *f.* 무자비, 잔인.
unbärtig *a.* 수염이 없는.
unbeabsichtigt [ʊ́nbə|apzɪçtɪçt] *a.* 고의가 아닌.
unbeachtet [ʊ́nbə|axtət] *a.* 주의를 끌지 못하는: ~ bleiben 주목을 받지 못하다; ein ~es Dasein führen 남의 눈에 띄지 않는 생활을 하다.
unbeachtlich *a.* 주목할 만한 것이 아닌; 중하지 않은; 초라한.
unbeanstandet [ʊ́nbə|anʃtandət] *a.* 이의〔반대〕 없는, 군소리가 없는: einen Fehler ~ lassen 잘못을 묵과하다.
unbeantwortbar [ʊn|bəántvɔrtba:r, ʊ́nbə-ant..] 《< beantworten》 *a.* 대답할 수 없는.
unbeantwortet [ʊ́nbə|antvɔrtət, ʊnbə|ánt..] *a.* 답이 없는: einen Brief ~ lassen 편지의 답장을 하지 않고 두다.
unbeantwortlich [ʊnbə|ántvɔrtlɪç] *a.* ↑ unbeantwortbar.
unbearbeitet *a.* 가공하지 않은; 경작되지 않은; 미처리의; 개작〔개정〕하지 않은: ~es Material 원료; ein Manuskript ~ zurückgeben 원고를 손대지 않은 채 돌려주다.
unbeaufsichtigt *a.* 감독을〔감시를〕 받지 않는.
unbebaubar [ʊnbəbáu.., ʊ́nbəbau..] *a.* 경작할 수 없는.
unbebaut *a.* ① 미개간의. ② 건물이 들어서지 않은.
Unbedacht *m.* -(e)s, -e ① 무분별, 경솔. ② 무분별〔경솔〕한 사람.
unbedacht[1] [ʊnbədáxt, ʊ́nbədaxt] *a.* 지붕이 없는.
unbedacht[2] *a.* 분별 없는, 경솔한: eine ~e Antwort〔Handlung〕 경솔한 대답〔행동〕.
unbedächtig [..dɛç..] *a.* ↑ unbedacht.
unbedachtsam *a.* ↑ unbedacht[2].
unbedachtsamer·weise *adv.* 분별 없이, 경솔하게.
Unbedachtheit, Unbedachtsamkeit *f.* -en ① 무분별, 경솔. ② 무분별한 언행.
unbedarft [ʊ́nbədarft] *a.* 〖구어〗 경험 없는, 미숙한; 순박한, 순진한.
Unbedarftheit *f.* 경험 부족, 미숙함; 순진, 순박.
unbedeckt *a.* 드러난, 노출된, 덮개가 없는: mit ~em Haupt〔Kopf〕 모자를 쓰지 않고.
unbedenklich 《I》 *a.* 우려할 필요가 없는, 위험하지 않은: sein Gesundheitszustand ist ~ 그의 건강 상태는 염려할 필요가 없다. 《II》 *adv.* 주저〔서슴〕 없이: einen Vorschlag ~ annehmen 제안을 주저 없이 받아들이다.
Unbedenklichkeit *f.* ↑ unbedenklich 의 명사형.
Unbedenklichkeits·bescheinigung *f.* 〖재정〗 납세 증명.
***unbedeutend** *a.* ① 중요하지 않은, 하찮은: eine ~e Sache 중요하지 않은 일; ein ~es Kunstwerk 가치 없는 예술 작품. ② 미미한, 작은: eine ~e Anzahl 미미한 숫자; der Schaden war zum Glück ~ 손해는 다행히도 별로 걱정할 게 없었다.
Unbedeutendheit *f.* 하찮음, 시시함; 미미.
Unbedeutenheit *f.* ↑ Unbedeutendheit.
unbedeutsam *a.* 중요치 않은, 의미 없는.
***unbedingt** [ʊ́nbədɪŋt, ʊnbədɪ́ŋt] 《I》 *a.* 무조건적인, 절대적인; (schweiz.) 보호 관찰 기간이 없는: ~er Gehorsam 절대 복종; zu jm. ~es Vertrauen haben 누구를 전폭적으로 신뢰하다; 〖생리〗 ~e Reflexe 무조건 반사. 《II》

adv. 무조건, 절대적으로; 어떠한 경우에도.
unbeeidigt [..aɪdɪçt] a. 선서하지 않은.
unbeeindruckt a. 감명을 받지 못한.
unbeeinflußbar a. 영향을 줄 수 없는.
Unbeeinflußbarkeit f. ↑ unbeeinflußbar 의 명사형.
unbeeinflußt a. 영향을 받지 않은.
unbeeinträchtigt [..trɛçtɪçt] a. 침해받지 않은: die Freude an dem Fest konnte nicht ~ bleiben 축제의 즐거움은 침해받지 않을 수 없었다.
unbeendet a. 종결되지 않은, 미완성의.
unbeerbt a. 상속되지 않은.
unbeerdigt [(또는), ʊnbə|é:r..] a. 매장되지 않은.
unbefähigt a. 능력〔자격〕이 없는: ein ~er Schüler 무능한 학생.
unbefahrbar [ʊnbəfá:r.., ʊ́nbəfa:r..] a. 통행할 수 없는; 차가 못 다니는: wegen der Schneefülle ist die Straße ~ 눈 때문에 이 길은 차량 통행이 불가능하다.
unbefahren a. ① 차〔배〕가 다닌 적이 없는. ②〖海〗 항해 경험이 없는: der Matrose ist noch ~ 그 선원은 아직 항해 경험이 없다.
***unbefangen** a. ① 선입견〔편견〕 없는, 공평무사한: ein ~er Kritiker 공정한 비평가. ② 얽매이지 않은, 자유로운, 숨김없는: ~ antworten 숨김〔주저〕없이 대답하다.
Unbefangenheit f. 공정; 거침없음.
unbefestigt a. 무방비의; 고정되어 있지 않은.
unbefiedert a. (화살 따위에) 깃털이 없는; 아직 깃털이 나지 않은.
unbefleckt [ʊ́nbəflɛkt] a. ①〖드물게〗 때묻지 않은, 더럽지 않은: ein ~es Kleid 깨끗한 옷. ②〖雅語〗 더럽혀지지 않은, 오점이 없는. ③ 순결한, 처녀의: 〖가톨릭〗 ~e Empfängnis 동정녀 마리아의 수태.
unbefördert a. ① 송달〔배달〕되지 않은. ② 승진〔승급〕하지 않은.
unbefriedigend a. 불만족스러운, 불충분한.
unbefriedigt a. 만족하지 않은, 불만스러운, 실망한: von et.³ ~ sein 무엇에 만족하지 못하다.
Unbefriedigtheit f. 불만, 실망.
unbefristet a. 기한이 없는, 무기한의.
unbefugt a. 자격이〔권리가·권한이〕 없는: ~er Waffenbesitz 불법적 무기 소지; Zutritt für ~e verboten 관계자외 출입 금지.
unbefugter·weise adv. 자격 없이, 함부로.
Unbefugtheit f. ↑ unbefugt 의 명사형.
unbegabt a. 재능〔소질〕 없는: für Zeichnen ~ sein 그림에 재능이 없다.
Unbegabtheit f. 재능 부족.
unbegeben a. ①〖商〗 팔리지 않은. ②〔구어〕 미혼의 (unverheiratet).
unbegleitet a. 동반자가 없는, 단독의.
unbeglichen a. 미지급의; 청산되지 않은.
unbegraben [(또는) ʊnbəgrá:..] a. 매장되지 않은.
unbegreiflich [ʊnbəgráɪflɪç, ʊ́nbəgraɪf..] a. 이해〔납득〕할 수 없는: eine ~e Dummheit 납득할 수 없는 바보짓; die Zeit verging ~ schnell 시간은 믿기 어려울 정도로 빨리 지나갔다.
unbegreiflicher·weise adv. 이해할 수 없게도.
Unbegreiflichkeit f. -en ① ↑ unbegreiflich 의 명사형. ② 이해할 수 없는 행동.
unbegrenzbar [ʊnbəgrɛ́nts.., ʊ́nbəgrɛnts..] a. 제한〔한정〕할 수 없는.
unbegrenzt [ʊ́nbəgrɛntst, ʊnbəgrɛ́ntst] a. ①〖드물게〗 경계선이 없는, 무한한: die ~e Weite der Steppe 광활한 초원 지대; die ~e Weite des Meeres 망망대해. ② 제한〔제약〕 없는: ~es Vertrauen zu jm. haben 누구를 전폭적으로 신임하다.
Unbegrenztheit f. 무제한; 광활.
unbegründet a. 근거〔이유〕 없는: deine Bedenken sind ~ 네 우려는 근거 없다.
unbegütert a. 부동산〔자산〕이 없는.
unbehaart a. 털이 없는; 벗어진, 매끈한.
Unbehagen n. -s 불쾌감; 언짢은 기분〔심기〕: et. mit großem ~ betrachten 무엇을 매우 불편한 심기로 관찰하다.
unbehaglich a. 불쾌한; 언짢은: sich ~ fühlen 불쾌하게 느끼다; ihm war ~ zumute 그는 기분이 언짢았다.
Unbehaglichkeit f. 불쾌, 불편.
unbehandelt a. 미처리의, 가공되지 않은.
unbehauen a. (돌·목재 따위가) 가공〔세공〕되지 않은.
unbehaust a. ①〖雅語〗 집이 없는, 정처 없는: ein ~es Leben führen 정처 없는 생활을 하다. ②〖구식〗 사람이 살지 않는.
unbehelligt [ʊ́nbəhɛlɪçt, ʊnbəhɛ́lɪçt] a. 방해를〔괴로움을〕 받지 않는: jn. ~ lassen 누구를 방해하지 않다; hier bleiben Sie von lästigen Zuschauern ~ 여기는 귀찮은 구경꾼들의 방해를 받지 않습니다.
unbeherrscht a. 자제력이 없는.
Unbeherrschtheit f. -en ① 자제력이 없음. ② 자제력이 없는 언행.
unbeherzigt a. 마음에 두지 않은, 고려되지 않는: eine Warnung 〔einen Rat〕 ~ lassen 경고〔충고〕를 무시하다; eine Warnung 〔ein Rat〕 bleibt ~ 경고〔충고〕가 무시되다.
unbehilflich a. 〔구식〕 ↑ unbeholfen.
unbehindert a. 방해〔훼방〕 받지 않는.
unbeholfen a. 서투른, 세련되지 못한, 어색한: ~e Bewegungen 어색한 동작: ~ im sprachlichen Ausdruck 언어 표현이 서투른.
Unbeholfenheit f. 서투름, 어색함.
unbehülflich a. ↑ unbeholfen.
unbehütet a. 보호되지 않는.
unbehutsam a. 조심성 없는, 부주의한; 분별 없는, 경솔한.
unbeirrbar [ʊ́nbə|ɪrba:r, ʊnbə|ɪ́rba:r] a. 현혹되지〔동요되지〕 않는, 확고한: ~e Überzeugung 확고한 신념.
Unbeirrbarkeit f. 확고부동, 확신.
unbeirrt [ʊ́nbə|ɪrt, ʊnbə|ɪ́rt] a. 현혹되지 않는, 동요 없는; 단호한, 확고한: ~ seinen Weg gehen 동요 없이 자신의 길을 가다; ~ seine Pflicht tun 현혹되지 않고 자신의 의무를 다하다.
Unbeirrtheit f. 단호, 확고.
***unbekannt** a. ① 알려지지 않은, 미지의: er ist mir ~ 나는 그를 모른다; eine ~e Größe a) 〖數〗 미지수, b) 무명의 위인; das Grab des ~en Soldaten 무명 용사의 묘; 〖法〗

Verfahren gegen ∼en 미지의 범인에 대한 소송; Empfänger ∼ 수취인 불명; ich bin noch ∼ damit 나는 아직 그것을 모른다; ich bin hier ∼ 나는 이곳을 잘 모른다; mit jm. ∼ sein 누구와 모르는 사이다. ② 저명하지 않은, 무명의: ein ∼er junger Komponist 무명의 젊은 작곡가.

Unbekannte* ① *der, die* 모르는 사람, 미지의 사람, 무명인. ② *das* 미지의 것(일). ③ *die* 『수학』 미지수.

unbekannter·weise *adv.* 개인적으로 모르지만: grüßen Sie Ihre Frau ∼ von mir! 아직 뵙지는 못했지만 부인께 인사 좀 전해 주십시오!

Unbekanntheit *f.* 미지(무명)의 상태.

unbekehrbar [unbəkéːrbaːr, ʊ́nbəkeːr..] *a.* 개종(전향)시키기 어려운, (생각을) 되돌릴 수 없는.

unbekehrt *a.* 개종(전향)하지 않은.

unbeklagt [..klaːkt] *a.* 애통해하지 않는.

unbekleidet *a.* 옷을 입지 않은, 벌거벗은.

Unbekümmernis [unbəkʏ́mər.., ʊ́nbəkʏ..] *f.* ↑ Unbekümmertheit.

unbekümmert *a.* ① 개의치 않는. ② 근심(걱정)이 없는, 거리낌없는.

Unbekümmertheit *f.* 근심없음; 거리낌 없음.

unbeladen *a.* 짐을 싣지 않은.

unbelastet *a.* ① (마음의) 부담이 없는, 걱정 없는: er war ∼ von Gewissensbissen 그는 양심의 가책이 없었다. ② 죄를(잘못을) 저지르지 않은. ③ 저당 잡히지 않은: das Grundstück ist ∼ 그 토지는 저당 잡혀 있지 않다.

unbelästigt *a.* 성가심(괴롭힘)을 당하지 않는.

unbelaubt *a.* 잎이 없는.

unbelebt *a.* ① 생명이 없는: die belebte und die unbelebte Natur 생물계와 무생물계. ② 생물이 살지 않는; 활기가 없는, 인적이 드문: eine ∼e Gegend 인적이 드문 지역.

unbeleckt *a.* 『구어』 경험(지식)이 없는, (무엇과) 접촉이 없는: von et.³ ∼ sein 무엇에 대해 아무것도 모르다; von der Kultur ∼ 문화의 혜택을 받지 못한.

unbelehrbar [unbəléːr.., ʊ́nbəleːr..] ⟪<belehren⟫ *a.* 가르칠 수 없는, 교화시킬 수 없는, 남의 말을(충고)를 받아들이지 않는: diese Fanatiker sind ∼ 이 광신자들은 교화시킬 방도가 없다.

Unbelehrbarkeit *f.* ↑ unbelehrbar 의 명사형.

unbelesen *a.* 독서하지 않은, 무학의.

Unbelesenheit *f.* 독서하지 않음, 무학.

unbeleuchtet *a.* 불빛(조명)이 없는.

unbelichtet *a.* 『사진』 노출되지 않은.

unbeliebt *a.* 사랑받지 못하는, 인기가 없는: er ist bei seinen Kollegen ∼ 그는 동료들 사이에서 인기가 없다; sich mit et.³ bei jm. ∼ machen 무엇으로 누구의 눈 밖에 나다.

Unbeliebtheit *f.* 인기 없음.

unbelohnt *a.* 보답받지 못한, 무보수의.

unbemannt *a.* ① 승무원이 없는: ein ∼es Boot 무인 보트; ein ∼es Raumschiff 무인 우주선. ② 『구어·농담』 (여성이) 결혼하지 않은.

unbemerkbar [unbəmɛ́rk.., ʊ́nbəmɛrk..] *a.* 알아챌 수 없는, 남의 눈에 띄지 않는.

unbemerklich [unbəmɛ́rk.., ʊ́nbəmɛrk..] *a.* ↑ unmerkbar.

unbemerkt *a.* 남의 눈에 띄지 않은, 들키지 않은: er schlich herein, von allen ∼ 그는 아무에게도 들키지 않고 살그머니 들어왔다.

unbemittelt *a.* 재산(재력)이 없는, 가난한: er ist nicht ganz ∼ 그는 재산이 전혀 없는 것은 아니다, 어느 정도의 재산은 있다.

unbenannt *a.* 이름 없는, 무명의.

unbenommen [unbənɔ́mən, ʊ́nbənɔmən] *a.* 누구의 재량에 맡겨진: es ist(bleibt) dir ∼, zu tun oder zu lassen, was du willst 네가 원하는 것을 하든 말든 그건 네 자유다.

unbenutzbar *a.* 사용할(이용할) 수 없는: wegen Bauarbeiten ist die Brücke vorübergehend ∼ 토목 공사로 그 다리는 당분간 이용할 수 없다.

unbenutzt *a.* 사용하지 않은; 이용되지 않은: ein ∼es Taschentuch 사용하지 않은 손수건; eine Gelegenheit ∼ lassen 기회를 놓치다.

unbeobachtet *a.* ① 관찰(목격)되지 않은: ∼ davonschleichen 들키지 않고 살그머니 도망가다; sich bei et.³ ∼ glauben 무슨 일을 하는 것을 들키지 않았다고 믿다. ② 방해받지 않는: Sie sind hier ganz ∼ 여기서는 누구의 방해도 받지 않습니다.

unbequem *a.* ① 불편한: ∼e Schuhe 불편한 신발; ∼ sitzen 불편하게 앉아 있다. ② 곤란하게 만드는, 귀찮은, 방해하는: ∼e Fragen 거북한 질문; jm. ∼ sein 누구에게 방해가 되다.

Unbequemlichkeit *f.* -en ① 불편. ② 불편한 일: jm. ∼en bereiten 누구를 불편하게 하다; die ∼en einer Reise ertragen 여행의 불편을 참다.

unberaten *a.* 조언을 받지 못한.

unberechenbar [unbərɛ́çənbaːr, ʊ́nbərɛç..] *a.* ① (미리) 계산(산정)할 수 없는, 예측(예상)할 수 없는: ein ∼er Faktor 예측할 수 없는 요인; Schmerzanfälle sind ∼ 통증의 발작은 예측할 수 없다. ② 괴팍한; (사람이) 무슨 일을 저지를지 모르는: ein ∼er Mensch 괴팍한 사람.

Unberechenbarkeit *f.* (미리) 계산할 수 없음; 예측 불가능; 괴팍.

unberechnet *a.* 계산되지 않은, 무료의.

unberechtigt *a.* 권리가(권한·자격이) 없는; 부당한: ∼e Forderungen stellen 부당한 요구를 하다.

unberechtigter·weise *adv.* 권리(권한·자격) 없이, 부당하게도.

unberedt *a.* 말이 서투른, 눌변의.

unberichtigt *a.* 정정(訂正)되지 않은: einen Fehler ∼ lassen 실수를 정정하지 않고 내버려 두다.

unberitten *a.* ① 말을 타지 않은, 도보의. ② (말이) 훈련되지 않은.

unberücksichtigt *a.* 참작(고려)되지 않은: et. ∼ lassen 무엇을 고려하지 않다, 무시하다.

unberufen [(또는) unbərúː..] *a.* ① 자격(권한)이 없는: sich in et. ∼ einmischen(mengen) 무엇에 주제넘게 간섭하다; der Brief ist in ∼e Hände gelangt 편지가 엉뚱한 사람의 손에 들어갔다. ② 발설하지 않은: et. ∼ lassen (너무 많이 말하면 악마의 노여움을 사서 일을 망친다는 미신에 근거하여) 무엇을 입 밖에 내지 않다; ~, es scheint endlich zu gelingen 함부로 할 말은 아니지만 결국 성공할 것 같다.
unberühmt *a.* 유명하지 않은, 무명의.
Unberührbare* *der/die* (인도 남부의) 최하층 천민(Paria).
unberührt *a.* ① 손대지〔건드리지〕 않은: die Serviette ist ~ 그 냅킨은 사용하지 않은 것이다; das Essen ~ lassen 음식을 먹지 않고 그대로 두다. ② 자연 그대로의, 인간의 발길이 닿지 않은: ~er Boden 처녀지. ③ 순결한, 숫처녀의: ~ in die Ehe gehen 순결한 몸으로 결혼하다. ④ 마음의 동요가 없는, 감동받지 않은: ~ von ihrem Weinen wandte er sich ab 그녀가 울어도 냉정하게 그는 외면했다.
Unberührtheit *f.* ↑ unberührt 의 명사형.
unbeschadet [ʊ́nbəʃa:.., ʊnbəʃá:..] 《I》 *prp.*[2] 〖雅語〗 …을 해하지 않고, …와 관계 없이, …에도 불구하고: ~ seiner großen Verdienste müssen wir doch sagen, daß ... 그의 위대한 공적에도 불구하고 …을 말해야만 하겠습니다. 《II》 *adv.* 〖구식〗 손해〔피해〕 없이, 무사히.
unbeschädigt *a.* 손해〔피해〕 없는; 부상당하지 않은, 무사한.
unbeschäftigt *a.* ① (하는) 일이 없는. ② 직업이 없는.
unbescheiden *a.* ① 불손한, 뻔뻔스러운: ich hätte eine ~e Frage 실례를 무릅쓰고 물어볼 것이 있습니다. ② 터무니없는, 과도한, 지나친: ~e Forderungen 과도한 요구들.
Unbescheidenheit *f.* 불손, 결례; 과도.
unbescheinigt [..nɪçt] *a.* 증명이 없는.
unbeschlagen *a.* 쇠장식이 없는; 쇠를 박아 장식하지 않은.
unbeschnitten *a.* 가위질하지 않은; 가장자리를〔불필요한 부분을〕 잘라내지 않은; 〖宗〗 할례(割禮)를 받지 않은.
unbescholten [ʊ́nbəʃɔltən] *a.* ① 비난할 여지가 없는, 결점이 없는, 평판이 좋은; 품행이 방정한: ein ~er Mensch 평판이 좋은 사람; 〖구식〗 ein ~es Mädchen 품행이 방정한 처녀. ② 〖法〗 전과가 없는.
Unbescholtenheit *f.* ↑ unbescholten 의 명사형.
Unbescholtenheits·zeugnis *n.* 무전과(無前科) 증명서.
unbeschrankt *a.* 차단기가 없는.
unbeschränkt [ʊ́nbəʃrɛŋkt, ʊnbəʃrɛ́ŋkt] *a.* 제한〔한정〕되지 않은, 무제한의, 절대적인: ~e Möglichkeiten 무한한 가능성; 〖商〗 Gesellschaft mit ~er Haftung 무한 책임 회사 (약어: G.m.u.H.); ~er Kredit 절대적 신용; eine ~e Vollmacht 전권; ich habe ~ viel Zeit 나는 시간이 얼마든지 있다.
Unbeschränktheit *f.* 무제한, 무제약.
***unbeschreiblich** [unbəʃráiplɪç, ʊ́nbəʃraɪp..] ① 말로 표현할 수 없는; 형언할 수 없는: ein ~es Gefühl 형언할 수 없는 감정. ② 대단한, 엄청난: eine ~e Unordnung 엄청난 무질서〔혼란〕; sich ~ freuen 매우 기뻐하다.
Unbeschreiblichkeit *f.* ↑ unbeschreiblich 의 명사형.
unbeschrieben *a.* 쓰여 있지 않은, 백지(白紙)의; 〖구어〗 er ist noch ein ~es Blatt 그가 어떤 사람인지 아직 모른다, 그는 아직 풋내기다.
unbeschrien [ʊnbəʃríːn] *a.* 남의 눈에 띄지 않은, 눈치채이지 않은.
unbeschuht *a.* 신을 신지 않은, 맨발의.
unbeschützt *a.* 보호되지 않은, 무방비의.
unbeschwert *a.* 부담이 없는, 홀가분한, 걱정〔근심〕이 없는: eine ~e Kindheit 근심이 없는 유년기; ein ~es Gewissen 가책을 받지 않는 양심; ~ auf die Reise gehen 홀가분하게 여행을 떠나다.
Unbeschwertheit *f.* ↑ unbeschwert 의 명사형.
unbeseelt *a.* 영혼〔생명〕이 없는, 생기가 없는: die ~e Natur 무생물계.
unbesehen [ʊnbəzé:ən, ʊ́nbəze:ən] 《I》 *a.* 관찰〔조사·심사·검토·숙고〕되지 않은. 《II》 *adv.* ① 주저 없이: es ~ nehmen 그것을 주저 없이 받아들이다. ② (obd.) 갑자기.
unbesetzt *a.* ① 공석의, (자리가) 빈: ~e Plätze 빈 자리; eine Stelle ~ lassen 한 자리를 공석으로 남겨두다. ② 가장자리 장식이 없는.
unbesiegbar [ʊnbəzí:k.., ʊ́nbəzi:k..] *a.* 정복〔극복〕하기 어려운, 이기기 힘든, 무적의: eine ~e Armee 무적의 군대.
Unbesiegbarkeit [ʊnbəzí:k.., ʊ́nbəzi:k..] *f.* ↑ unbesiegbar 의 명사형.
unbesieglich [ʊnbəzí:k.., ʊ́nbəzi:k..] *a.* ↑ unbesiegbar.
unbesiegt [ʊnbəzí:kt, ʊ́nbəzi:kt] *a.* 지지 않은, 불패의, 정복되지 않은.
unbesoldet *a.* 급료가 없는, 무급의.
unbesonnen *a.* 분별〔지각〕 없는, 경솔한: ~ handeln 경솔하게 행동하다.
Unbesonnenheit *f.* -en ① 〖복수없음〗 무분별, 몰지각, 경솔. ② 무분별한 언행.
unbesorgt [ʊ́nbəzɔrkt, ʊnbəzɔ́rkt] *a.* 걱정 없는, 근심 없는: seien Sie ~! 걱정하지 마십시오!
unbespielbar *a.* 녹음을〔경기를〕 할 수 없는.
unbespielt *a.* (녹음 테이프가) 녹음〔사용〕되지 않은.
Unbestand *m.* -(e)s 무상(無常), 불안정; 수시로 변함; 변덕.
unbeständig *a.* ① 수시로 변하는, 변화무쌍한: ~es Wetter 변화무쌍한 날씨; das Glück ist ~ 행복이란 계속되지 않는다. ② 변덕스러운: ein ~er Charakter 변덕스러운 성격.
Unbeständigkeit *f.* 변화무쌍, 변덕.
unbestätigt [ʊ́nbəʃtɛ:tɪçt, ʊnbəʃtɛ́..] *a.* 확인되지 않은, 미확인〔비공식〕의: nach ~en Meldungen 미확인 보도에 따르면.
unbestechbar [ʊnbəʃtɛ́ç.., ʊ́nbəʃtɛç..] *a.* ↑ unbestechlich.
unbestechlich [ʊnbəʃtɛ́ç.., ʊ́nbəʃtɛç..] *a.* ① 매수되지 않는, 청렴결백한: ein ~er Richter 〔Beamter〕 청렴결백한 판사〔공무원〕. ② 현혹〔동요〕되지않는, 확고한: eine ~e Wahrheitsliebe 확고한 진리애.
Unbestechlichkeit *f.* 청렴결백; 확고.
unbesteigbar, unbesteiglich [ʊnbəʃtáɪk.., ʊ́nbəʃtaɪk..] *a.* 오를 수 없는, 오르기 힘든.
unbestellbar [ʊnbəʃtɛ́l.., ʊ́nbəʃtɛl..] *a.* ① 주문할 수 없는; 예약할 수 없는. ② 〖우편〗 배달 불능의. ③ 〖農〗 경작 불능의.
unbestellt *a.* ① 주문되지 않은, 예약되지 않은. ② 배달되지 않은. ③ 경작되지 않은.

ụnbesteuert *a.* 세금이 부과되지 않은, 면세의.
unbestimmbar [unbəʃtím.., ʊ́nbəʃtɪm..] *a.* 규정〔해명·확인·정의〕할 수 없는: eine Frau ~en Alters 나이가 분명치 않은 여자.
Unbestimmbarkeit [unbəʃtím.., ʊ́nbəʃtɪm..] *f.* ↑ unbestimmbar 의 명사형.
***ụnbestimmt** *a.* ① 결정되지 않은, 미정의, 불확실한: auf ~e Zeit 무기한으로; es ist noch ~, wann ich kommen kann 내가 언제 올 수 있을지는 확실하지 않다. ② 막연〔애매〕한: eine ~e Angst 막연한 불안; ~e Haltung 애매한 태도; in einer ~en, fernen Zukunft 언젠가 먼 장래에. ③〖문법〗부정(不整)의: ~er Artikel 부정 관사.
Ụnbestimmtheit *f.* 불확실(성).
Ụnbestimmtheits·relation *f.* 〖물리〗(양자의) 불확정성 관계.
ụnbestochen *a.* 뇌물을 받지 않은; 청렴한.
ụnbestraft *a.* 벌 받지 않은, 전과가 없는.
unbestreitbar [unbəʃtráɪt.., ʊ́nbəʃtraɪt..] *a.* 이론〔반박·의심〕의 여지가 없는, 확실〔명백〕한: seine Fähigkeiten waren ~ 그의 능력은 의심의 여지가 없었다.
unbestritten [ʊ́nbəʃtrɪtən, unbəʃtrítən] *a.* 반박할 수 없는, 누구나 인정하는, 확실한: 〖法〗 ~er Erbe 법정(法定) 추정 상속인; seine Ehrlichkeit ist ~ 그의 성실성은 누구나 인정한다.
ụnbesucht *a.* 찾아오는 사람이 없는; 적적한.
unbeteiligt [unbətáɪlɪçt, ʊ́nbətaɪlɪçt] *a.* ① 무관심〔냉담〕한: ein ~er Zuschauer 냉담한 관객; bei einer Sache ~ sein 어떤 일에 무관심하다. ② 관여〔가담〕하지 않은: der ~e, die ~e 국외자(局外者); er war an dem Mord ~ 그는 살인에 가담하지 않았다.
Unbeteiligtheit [ʊ́nbətaɪlɪçt.., unbətáɪlɪçt..] *f.* 무관심; 무관.
ụnbetont *a.* 〖문법〗 강세〔악센트〕가 없는.
unbeträchtlich [ʊ́nbətrɛçt.., unbətrέçt..] *a.* 보잘것없는, 사소한, 하찮은: sein Anteil ist nicht ~ 그의 몫은 적지 않다.
ụnbetrauert *a.* ↑ unbeklagt.
ụnbetreten *a.* 사람의 발길이 닿지 않은, 인적이 없는.
unbeugbar [unbɔ́ʏk.., ʊ́nbɔʏk..] *a.* 〖문법〗 불변화의.
unbeugsam [ʊ́nbɔʏk.., unbɔ́ʏk..] *a.* 굽히지 않는, 불굴의; 완고한: ein ~er Mensch 완고한 사람; ein ~er Wille 불굴의 의지; ein ~er Verfechter dieser Idee 이 이념을 옹호하는 불굴의 투사.
Unbeugsamkeit [ʊ́nbɔʏk.., unbɔ́ʏk..] *f.* 불굴; 완강함, 완고.
ụnbewacht *a.* 감시하지 않는, 지키는 사람이 없는: ein ~er Parkplatz 감시자가 없는 주차장; in einem ~en Augenblick 아무도 보지 않는 틈을 타.
ụnbewaffnet *a.* 무장하지 않은; 비무장의: 〔구식·농담〕 mit ~em Auge 육안으로.
unbewältigt [ʊ́nbəvɛltɪçt, unbəvέl..] *a.* 극복되지 못한, 해결되지 않은: ~e Probleme 미해결의 문제들.
ụnbewandert *a.* 정통하지 못한, 미숙한: auf einem Gebiet ~ sein 어떤 분야에 미숙하다.
unbeweglich [ʊ́nbəve:klɪç, unbəvé:k..] *a.* ① 움직임이 없는; 변화가 없는; 부동의, 고정된: ~ stehen 꼼짝 않고 서 있다; ~e Feste (크리스마스 따위의) 고정 축제일. ② (정신적으로) 유연하지 못한, 경직된.
Unbeweglichkeit [ʊ́nbəve:k.., unbəvé:k..] *f.* 부동성(不動性); 경직성.
ụnbewegt *a.* ① 움직임이 없는: eine ~e Wasseroberfläche 잔잔한 수면. ② 변화가 없는: mit ~em Gesicht zuhören 무표정한 얼굴로 경청하다.
ụnbewehrt *a.* ①〖구식〗 무장하지 않은. ②〖工〗(철근 따위로) 보강되지 않은.
ụnbeweibt *a.* 〖구어·농담〗 아내를 두지 않은, (남자가) 결혼하지 않은.
ụnbeweint *a.* 울어 줄〔슬퍼하는〕 사람이 없는.
unbeweisbar [ʊ́nbəvaɪs.., unbəváɪs..] *a.* 증명하기 어려운: ~e Behauptung 증명할 수 없는 주장.
unbeweislich [unbəváɪs.., ʊ́nbəvaɪs..] *a.* ↑ unbeweisbar.
ụnbewiesen *a.* ① 증명되지 않은: eine ~e Hypothese 증명되지 않은 가설. ②〖드물게〗 능력이 입증되지 않은.
unbewirtschaftet [ʊ́nbəvɪrt|ʃaftət, unbəvírt|..] *a.* 경작〔관리·통제〕되지 않은.
unbewohnbar [unbəvó:n.., ʊ́nbəvo:n..] *a.* 거주할 수 없는; 사람이 살 수 없는: ein ~es Haus 거주가 불가능한 집; ~e Steppe 사람이 살 수 없는 초원 지대.
ụnbewohnt *a.* 사람이 살지 않는; 황폐한: eine ~e Gegend 사람이 살지 않는 지역.
ụnbewölkt *a.* 구름이 없는, 흐리지 않은, 갠.
***unbewußt** [ʊ́nbəvʊst] *a.* ① 알려지지 않은: das ist mir ~ 나는 그것을 모른다. ② 의식하지〔알지〕 못하는; 무의식의; 자기도 모르는: sich³ eines Dinges ~ sein 무엇을 모르고 있다, 의식하지 못하다; ~e Vorgänge seelischen Bereiches 영적 영역에서 일어나는 무의식적 과정; die ~e Sehnsucht nach et.³ 무엇에 대한 자기도 모르는 동경. ③ 의도적〔고의적〕이 아닌.
Ụnbewußte *n.* -n 〖심리〗 무의식: das kollektive ~ 집단 무의식.
unbezahlbar [unbətsá:lba:r, ʊ́nbətsa:l..] *a.* ① (비싸서) 지급할 수 없는. ② 가치가 커서 돈으로 환산할 수 없는, 귀중한: ein ~es Gemälde 돈으로 따질 수 없는 명화; ~e mittelalterliche Kirchenschätze 돈으로 환산할 수 없는 중세 교회의 보물; 〔구어·농담〕 du bist ~! 너는 없어서는 안 될 존재다!
ụnbezahlt *a.* ① 지급되지 않은, 미지급의: ein ~er Wechsel 부도 어음. ② 무급(無給)의, 무보수의: ~er Urlaub 무급 휴가: ~e Überstunden 무보수의 시간외 근무.
unbezähmbar [unbətsέ:m.., ʊ́nbətsɛ:m..] *a.* 억제할 수 없는, 통제하기 어려운: ~er Hunger 참을 수 없는 허기; die ~e Lust 억제할 수 없는 욕망.
Unbezähmbarkeit [unbətsέ:m.., ʊ́nbətsɛ:m..] *f.* 억제〔통제〕 불능.
ụnbezeugt *a.* 증명〔입증·확인〕되지 않은.
ụnbezogen *a.* ① 사람이 살지 않는. ② 덮개〔깔개〕가 없는. ③〖음악〗(악기의) 줄을 매지 않은.
unbezweifelbar [unbətsváɪfəl.., ʊ́nbətsvaɪfəl..] *a.* 의심할 여지가 없는, 확실한.

unbezweifelt [ʊ́nbətsvaɪ.., ʊnbətsváɪ..] *a.* ↑ unbestritten.

unbezwingbar [ʊnbətsvɪ́ŋ.., ʊ́nbətsvɪŋ..] *a.* ↑ unbezwinglich.

unbezwinglich [ʊnbətsvɪ́ŋ.., ʊ́nbətsvɪŋ..] *a.* ① 정복〔극복〕할 수 없는: eine ~e Festung 난공불락의 요새. ② 억제할 수 없는: ~e Wut〔Trauer〕 참을 수 없는 분노〔슬픔〕.

unbezwungen [ʊ́nbətsvʊŋən, ʊnbətsvʊ́ŋən] *a.* 정복〔억제〕되지 않은.

ụnbiblisch *a.* 성서에 따르지 않는, 비〔반〕성서적인.

ụnbiegsam *a.* 구부러지지 않는; 굽히지 않는; 강경〔완강〕한.

Unbild [ʊ́nbɪlt] *n.* -(e)s, -er ① 그림 없는 카드. ② 모습이 괴상한 것, 괴물; 환상.

Unbilde [ʊ́nbɪldə] *f.* -n ① 불법, 불의, 불공평, 모욕. ②〘雅語·복수〙 매우 불쾌한 일〔작용·영향〕: die ~n des Wetters 불쾌한 날씨.

ụnbildlich *a.* 비유적이 아닌, 문자 그대로의.

ụnbildsam *a.* 형성하기 어려운; 교육하기 힘든; 고집센.

Ụnbildung *f.* 무교육, 교양 없음: aus ~ 교양이 없어서.

Unbill [ʊ́nbɪl] *f.* 〘雅語〙 부정, 불법, 부당; 부당한 대우, 모욕: alle ~ des Krieges 전쟁의 온갖 불법 (행위).

ụnbillig *a.* 〘雅語〙 ① 정당하지 못한, 부당한: ~e Forderungen stellen 부당한 요구를 하다. ② 너무 비싼; 너무 높은.

Ụnbilligkeit *f.* 〘雅語〙 부당; 부당한 언행.

ụnblutig *a.* ① 피를 흘리지 않는, 무혈의: ein ~er Putsch 무혈 쿠데타. ②〖醫〗 무혈의, 피가 나지 않는: eine ~e Operation 무혈 수술.

ụnbotmäßig *a.* 〘구식·농담〙 순종하지 않는, 반항적인: eine ~e Kritik 반항적인 비판.

Ụnbotmäßigkeit *f.* 순종하지 않음, 반항.

ụnbrauchbar *a.* ① 쓸〔사용할〕 수 없는: ein ~es Gerät 사용 불가능한 계기; ~ machen 못쓰게 만들다. ② 부적합한; 〖軍·海〗 부적격의, 불합격의.

Ụnbrauchbarkeit *f.* 사용 불가능; 부적합.

ụnbrüderlich *a.* 형제답지 않은; 사이가 나쁜, 반목하는.

ụnbunt *a.* 색조가 없는.

ụnbürgerlich *a.* 시민답지 않은.

ụnbürokratisch *a.* 관료적이 아닌, 융통성 있는: ~ behandeln 융통성 있게 다루다.

ụnbußfertig *a.* (reuelos) 〖宗〗 회개하는 기색이 없는, 개전(改悛)의 정이 없는.

Ụnbußfertigkeit *f.* 〖宗〗 ↑ unbußfertig 의 명사형.

ụncharakteristisch *a.* 특색이 없는.

Ụnchrist [ʊ́nkrɪst] *m.* -en, -en ① 비기독교도; 이교도. ② 신앙심이 없는 자.

ụnchristlich *a.* 비기독교도적인, 기독교인답지 않은.

Ụnchristlichkeit *f.* ↑ unchristlich 의 명사형.

Uncle Sam [ʌ́ŋkl sǽm] 《engl.》 *m.* --, --s 〘무관사〙〘농담〙 샘 아저씨 (독점 자본의 상징으로 미국과 미국인을 지칭함).

***und** [ʊnt] *cj.* ① 그리고, 과, 와, 또, 및 (약어: u.; 상호로는 &): ~ ähnliche(s) 기타 이와 유사한 것, 등등 (약어: u. ä.); ~ andere(s) 기타, 등등 (약어: u. a.); ~ desgleichen (약어: u. desgl.), ~ dergleichen (약어: u. dgl.), ~ so weiter〔fort〕 (약어: usw.〔usf.〕) 기타, 등등; ich ~ du 나와 너; zwei ~ zwei ist vier 2+2=4; sie lachte ~ weinte 그녀는 웃고 울고 했다. ②〘oder 의 뜻〙 an dem ~ dem Tag 이러이러한 날에; aus dem ~ dem Grund 이런저런 이유로; 〘속담〙 gleich ~ gleich gesellt sich gern 유유상종. ③〘비교급과 더불어 점차적 증가를 나타냄〙 schlimmer ~ schlimmer 점점 나쁘게; die Arbeit wird mir lieber ~ lieber 나는 일에 점점 재미를 붙이고 있다. ④〘반복〙 ich sinne ~ sinne ~ kann mich nicht besinnen, wer es gesagt hat 나는 아무리 아무리 생각해도 누가 그것을 말했는지 생각나지 않는다. ⑤〘강조〙 fort ~ fort 줄곧, 끊임 없이; für ~ für 영구히, 끊임없이; nach ~ nach 점차로, 차츰차츰; über ~ über 모두, 남김없이. ⑥〘수사와 더불어 분배를 나타냄〙 (je) zwei ~ zwei 둘씩. ⑦〘접속사·부사와 함께〙 ~ dann 그리하여, 그 다음에; ~ damit gute Nacht! 그럼 안녕! (밤인사); ~ zwar a) 정확히 말하면, 즉, b) 게다가; ~ sogar 게다가; sein Urteil ist gerecht ~ doch auch〔~ doch zugleich〕 milde 그의 판결은 공평하고도 관대하다. ⑧〘주어와 술어 성분을 연결하여 양자의 대조를 나타냄〙 ein Krieger ~ Furcht haben! 군인이면서 무서워하다니!; alles reist, ~ ich sollte allein zu Hause bleiben? 모두들 여행가는데 나만 집에 남아 있어야 한단 말인가? ⑨〘und 다음 문장이 의미상으로 앞 문장에 종속되어 있는 경우〙 (**a**) ich bin wirklich so eitel ~ glaube ..., 나는 자만심이 강해서 …이라고 믿고 있다; sei so gut ~ reiche mir das Buch! 죄송합니다만 그 책을 내게 건네 주시오! (**b**) schäme dich ~ rede nicht so! 그런 말을 하다니 부끄러운 줄 아시오! (**c**) ich warte hier, ~ du gehst rasch zum Briefkasten 내가 여기서 기다리는 사이에 네가 빨리 우체통으로 가거라. ⑩〘명령문 다음에 와서 조건을 나타냄〙 그러면: harre aus, ~ du wirst deinen Lohn erhalten 참고 견디면 너에게 보상이 있으리라. ⑪〘조건문 앞에서 양보를 나타냄〙 ich tue es nicht, ~ wenn du mir die Welt zum Lohn versprächst 비록 네가 세상을 댓가로 준다고 약속할지라도 나는 그런 일은 하지 않는다; er hätt' es nimmer aufgegeben, ~ kostet's ihm das eigne Leben 비록 자신의 목숨을 잃더라도 그는 그것을 포기하지 않았으리라. ⑫〘도발적 질문〙〘구어〙 na ~? 그래서 어떻다는 거야? ⑬〘강한 긍정〙〘구어〙 ~ ob〔wie〕! 그렇고 말고, 물론이지!

Undank [ʊ́ndaŋk] *m.* -(e)s 배은망덕: 〘속담〙 ~ ist der Welt Lohn 배은망덕은 세상에 흔한 일.

***ụndankbar** *a.* ① 은혜를 모르는, 배은망덕한: eine ~e Person 고마움을 모르는 사람. ② 보람이〔가치가〕 없는: eine ~e Arbeit〔Aufgabe〕 보람 없는 일〔임무〕.

Ụndankbarkeit *f.* 배은망덕.

ụndatiert *a.* 날짜가 적혀 있지 않은.

Undation [undaːtsióːn] *f.* 〖지질〗 지각의 융기와 침강.

undefinierbar [ʊndefiníːr.., ʊ́ndefiniːr..] *a.* 정확히 규정〔결정·확인〕할 수 없는: ein ~es Geräusch 무어라고 규정할 수 없는 소음; eine ~e Stimmung 애매한 분위기; der Kaffee war ~ 커피 맛이 뭔가 이상했다.

ụndehnbar *a.* 늘일〔펼·넓힐〕 수 없는.
undeklinierbar [ʊndeklinı́:r.., ʊ́ndeklini:r..] *a.* 〖문법〗 변화하지 않는, 불변화의.
undemokratisch [ʊndemokrá:tɪʃ, ʊ́ndemokra:..] *a.* 비민주적인: ~e Methoden 비민주적 방법.
***undenkbar** [ʊndɛ́nk.., ʊ́ndɛnk..] *a.* 생각〔상상〕할 수 없는: so etwas wäre früher ~ gewesen 옛날 같으면 그런 것은 생각할 수도 없었을 것이다.
undenklich [ʊndɛ́ŋklɪç] *a.* 《다음 용법으로만》 seit ~er Zeit 〔seit ~en Zeiten〕 아득한 옛날부터; vor ~er Zeit 〔vor ~en Zeiten〕 아주 오래 전에.
Underdog [ʌ́ndədɔg] 《engl.》 *m.* -s, -s 사회적 약자〔피압박자〕; 하층 계급의 사람.
Underground [ʌ́ndəgraʊnd] 《engl.》 *m.* -s ① 지하〔범죄〕 세계. ② 언더그라운드(상업성을 배제한 실험적·전위적인 예술 운동).
Understatement [ʌndəstéɪtmənt] 《engl.》 *n.* -s, -s 절제된〔삼가는〕 표현.
ụndeutlich *a.* ① 불분명한, 명료하지 못한: ~ sprechen 부정확하게 말하다. ② 애매모호한, 막연한: sich ~ ausdrücken 의사를 애매모호하게 표현하다.
Ụndeutlichkeit *f.* 불명확, 애매.
ụndeutsch *a.* ① 독일적이지 않은, 독일인답지 않은: ~e Eßgewohnheiten 비독일적 식습관. ② (특히 나치가 공격한) 비독일적인.
Undezime [ʊndé:tsimə] 《lat.》 *f.* -n 〖음악〗 11 도 음계(의 11 번째 음).
ụndialektisch *a.* ① 〖哲〗 변증법적이 아닌, 비변증법적인. ② 일면적인, 도식적인.
ụndicht *a.* 틈새가 있는, (물 또는 공기가) 새는: ~e Dächer 비가 새는 지붕.
ụndichterisch *a.* 시인답지 않은; 시적〔문학적〕이 아닌.
Ụndichtheit *f.* ↑ Undichtigkeit.
Ụndichtigkeit *f.* ↑ undicht 의 명사형.
ụndienlich *a.* 유용〔유익〕하지 못한.
ụndienstfertig *a.* 잘 돌봐주지 않는, 불친절한.
ụndifferenziert *a.* 《교양》 세분화되지 않은; (기능·형태·빛깔 따위가) 차이가 없는.
Undine [ʊndí:nə] 《lat. unda》 ① *f.* -n 〖신화〗 물의 요정. ② *f.* 운디네(여자 이름).
Unding [ʊ́ndɪŋ] *n.* -(e)s ① 불합리한 일, 난센스: es ist ein ~, so etwas zu verlangen 그런 것을 요구하는 것은 난센스다. ② 공포심을 야기시키는; 기형적인 물건. ③ 혼돈.
ụnding *adv.* 《방언》 대단히, 매우, 몹시.
ụndiplomatisch *a.* 비외교적인, 책략이 뛰어나지 못한, 똑똑하지 못한.
ụndiskutabel *a.* 토론할 필요가 없는, 명백한.
ụndiszipliniert *t.* 《교양》 ① 훈련되어 있지 않은, 규율이 없는. ② 자제력이 없는: ein ~er Mensch 제멋대로인 사람.
Ụndiszipliniertheit *f.* 규율〔자제력〕이 없음.
ụndogmatisch *a.* 《교양》 비교조적인, 독단적이지 않은.
ụndramatisch *a.* ① 희곡의 특성에 부합되지 않는, 비(非)희곡적인. ② 극적이지 않은, 평범한.
Undulation [ʊndulatsió:n] 《lat.》 *f.* -en ① 〖物〗 파상 형성, 파동. ② 〖지질〗 (조산 운동으로 인한) 지각의 변형.
Undulatio̤ns·theorie *f.* 〖物〗 파동설.
undulatorisch [..tó:rɪʃ] *a.* 〖物〗 (wellenförmig) 파상(波狀)의, 파동의.
ụnduldsam *a.* 너그럽지 않은, 편협한.
Ụnduldsamkeit *f.* 비관용, 편협.
undulieren [ʊndulí:rən] 《lat.》 *i.* (h.) 〖醫·生〗 파동하다, 파상 운동을 하다: ~de Membran (단세포 동물의 파상 운동을 위한) 파동막.
ụndurchdacht *a.* 숙고하지 않은.
undurchdringbar [ʊndʊrçdrı́ŋba:r, ʊ́n..] *a.* 《드물게》 ↑ undurchdringlich ①.
Undurchdrịngbarkeit *f.* 《드물게》 ↑ Undurchdringlichkeit ①.
undurchdringlich [ʊndʊrçdrı́ŋlɪç, ʊ́n..] *a.* ① 관통〔침투·통과〕할 수 없는: ein ~er Urwald 헤치고 들어갈 수 없을 만큼 울창한 원시림; eine ~e Nacht 칠흑 같은 밤. ② 의중을 알 수 없는; 폐쇄적인.
Undurchdrịnglichkeit *f.* ① 관통〔침투·통과〕 불능. ② 폐쇄적〔내성적〕 태도.
ụndurchforscht *a.* 탐구되지 않은, 면밀히 연구되지 않은.
undurchführbar [ʊndʊrçfý:rba:r, ʊ́ndʊrçfy:r..] *a.* 실행〔실현〕할 수 없는, 실천 불가능의.
Undurchführbarkeit [(또는) ʊ́n..] *f.* 실행〔실현〕 불가능.
ụndurchlässig *a.* 통과〔투과〕시키지 않는, 새지 않는.
Ụndurchlässigkeit *f.* 비투과성.
undurchschaubar [ʊndʊrçʃáʊba:r, ʊ́n..] *a.* ① (본질·연관을) 파악할 수 없는; 이해할 수 없는. ② 의중을 알 수 없는.
Undurchschaubarkeit [ʊndʊrçʃáʊ.., ʊ́n..] *f.* 파악〔이해〕 불능; 간파 불능.
ụndurchsichtig *a.* ① 불투명한. ② 의중을 알 수 없는.
Ụndurchsichtigkeit *f.* ① 불투명. ② 간파 불능.
ụneben *a.* 평평하지 않은, 요철이 있는; (땅이) 기복이 있는: nicht ~ 좋은, 나쁘지 않은; der Vorschlag ist nicht ~ 그 제안은 나쁘지 않다〔괜찮다〕.
ụnebenbürtig *a.* 태생〔신분〕이 다른; 동등치 않은.
Ụnebenheit *f.* -en ① 평평하지 않음, 요철. ② 평평하지 않은 곳, 울퉁불퉁한 곳.
Ụnebenmaß *n.* -es, -e 불균형, 부조화.
ụnebenmäßig *a.* 균형이 잡히지 않은, 부조화의.
ụnecht *a.* ① 가짜의; 모조의, 인조의: ~er Schmuck 인조 보석. ② 서출의, 사생의. ③ 겉치레뿐인, 가식적〔기만적〕인: ~e Freundlichkeit 가식적인 친절. ④ 〖數〗 가분수의: ein ~er Bruch 가분수. ⑤ 〖化·섬유〗 (색이) 변하는; 내구성이 없는: ~e Farbe 가변성의 색.
Ụnechtheit *f.* ↑ unecht 의 명사형.
ụnedel *a.* 고귀하지 않은; 비천한; (금속이) 저급한, 산화되기 쉬운: unedle Metalle 비(卑)금속.
ụnegal *a.* 《방언》 균등하지 않은, 같지 않은.
ụnehelich *a.* ① 서출〔사생〕의: ein ~es Kind 사생아. ② 정식 결혼에 따르지 않은; 사생아를

가진: eine ~e Mutter 미혼모.
Ụnehelichkeit *f.* ↑ unehelich 의 명사형.
ụnehrbar *a.* 불명예스런; 신용 없는; 신뢰할 수 없는, 불성실한, 무례한.
Ụnehre *f.* 〖雅語〗 불명예; 수치, 치욕: jm. ~ machen 누구를 욕되게 하다; jm. zur ~ gereichen 누구의 수치가 되다.
ụnehrenhaft *a.* 불명예스러운; 수치스러운, 치욕적인.
Ụnehrenhaftigkeit *f.* 불명예; 수치, 치욕.
ụnehrerbietig *a.* 〖雅語〗 불경스러운, 무례한; 불손한.
Ụnehrerbietigkeit *f.* 〖雅語〗 불경; 무례; 불손.
ụnehrlich *a.* 정직하지 못한, 기만적인; 신뢰할 수 없는, 불성실한; 비열한.
Ụnehrlichkeit *f.* 부정직, 기만; 불성실, 비열.
ụneidlich *a.* 〖法〗 선서를 하지 않은: eine ~e Aussage 선서를 하지 않은 진술.
ụneigennützig *a.* 이기적이 아닌, 사욕〔사심〕이 없는.
Ụneigennützigkeit *f.* 무사심, 사심없음.
ụneigentlich 《I》 *a.* 본래의〔고유한〕 것이 아닌, 전의(轉義)의, 비유적인. 《II》 *adv.* 〖구어·농담〗 사실은 안 되는 것이지만: eigentlich müßte ich jetzt arbeiten, aber ~ könnten wir noch etwas spazierengehen 사실은 나는 지금 일을 해야만 하지만 우리가 조금 산책을 해도 괜찮다.
uneinbrịnglich [(또는) ʊ́n|ainbrɪŋ..] *a.* 〖經〗 회수할 수 없는, (손실 등을) 보상하기 어려운.
ụneingebunden *a.* 〖印〗 아직 제본되지 않은, 가철(假綴)의.
uneingedenk [ʊ́n|aɪngədɛŋk] *a.* 〖2 격과 함께 서술적으로만〗 eines Dinges ~ sein 무엇을 기억하고 있지 않다, 잊고 있다.
ụneingeladen *a.* 초대받지 않은: ein ~er Gast 초대받지 않은 손님.
uneingeschränkt [ʊ́n|aɪngəʃrɛŋkt, ʊn|aɪngəʃrɛ́ŋkt] *a.* 무제한의, 제약 없는; 절대적인: ~es Vertrauen 절대적인 신뢰.
ụneingeweiht *a.* 사정을 알지 못하는, 문외한의: der〔die〕 ~e 국외자, 문외한.
ụneinheitlich *a.* 통일성이 없는; 조화롭지 못한; 일치하지 않는.
ụneinig *a.* 일치하지 않는, 의견이 서로 다른: ich bin mit mir selbst noch ~ 나는 아직 마음을 정하지 못하고 있다.
Ụneinigkeit *f.* -en 의견의 불일치.
uneinlösbar [(또는) ʊ́n|aɪnløːs..] *a.* 〖經〗 불환(不換)의: ~es Papiergeld 불환 지폐.
uneinnehmbar [ʊn|ainnéːmbaːr, ʊ́n|aɪneːm..] *a.* 정복〔점령〕하기 어려운, 난공불락의.
Uneinnehmbarkeit [ʊn|ainnéːmbaːr, ʊ́n|ainneːm..] *f.* 난공불락.
ụneins *a.* 의견이 다른: mit jm. ~ sein 누구와 의견이 다르다, 누구와 불화하다; ich bin mit mir ~, ob ich bleiben oder gehen soll 나는 남아 있어야 할지 아니면 가야 할지 마음을 정하지 못하고 있다.
ụneinsichtig *a.* 분별 없는; 철없는; 반성의 빛이 없는: ein ~es Kind 철없는 아이.
Ụneinsichtigkeit *f.* 분별 없음, 철없음.
ụneinträglich *a.* 이익〔수익〕 없는.
ụnelastisch *a.* 탄력이 없는, 유연하지 못한; 융통성〔신축성〕 없는.
ụnempfänglich *a.* 감수성이 없는, 느끼지 못하는, 둔감한: er ist für Schmeicheleien nicht ~ 그는 아첨에 솔깃한다〔넘어간다〕.
ụnempfindlich *a.* ① 민감하지 않은; 저항력이 있는: gegen Kälte ~ 추위에 강한. ② 쉽게 상처받지 않는, 동요되지 않는, 무심한: er ist ~ gegen Tadel 그는 비난받아도 태연하다. ③ 쉽게 더럽혀지지 않는; 내구성이 있는.
Ụnempfindlichkeit *f.* ↑ unempfindlich 의 명사형.
***unendlich** [ʊn|ɛ́ntlɪç, ʊ́n|ɛntlɪç] 《I》 *a.* ① 끝없는, 무한〔무궁〕한: 〖비유〗 die ~e Weite des Meeres 끝없이 광활한 대양; 〖사진〗 das Objektiv auf „~“ einstellen 렌즈의 초점 거리를 무한대에 맞추다; bis ins ~e 무한히, 끝없이, 끊임없이; das geht ins ~e 그것은 끝이 없다. ② 〖數〗 무한(대)의: eine ~e Zahl 〔Größe〕 무한수〔무한대〕. ③ 매우 큰. 《II》 *adv.* 굉장히, 매우, 지극히, 엄청나게: ~ groß〔müde〕 굉장히 큰〔피곤한〕; ~ klein 상상할 수 없을 정도로 작은.
unẹndlichemal *adv.* ① 무한히; 끊임없이; 수없이. ② 매우 자주, 굉장히 많이.
Unendlichkeit [ʊn|ɛ́nt.., ʊ́n..] *f.* ① 무한, 무궁. ② 〖數〗 무한대(기호: ∞). ③ 〖哲〗 영원, 무한성. ④ 〖구어〗 엄청나게 긴 시간: die Minuten wurden ihr zur ~ 몇 분의 시간이 그녀에게는 엄청나게 길게 느껴졌다.
unẹndlichmal *adv.* ↑ unendlichemal.
ụnenglisch *a.* 비영국적인, 영어 어법에 어긋난.
unentbehrlich [ʊn|ɛntbéːrlɪç, ʊ́n..] *a.* 없어서는 안 될, 불가결의, 필수의: sich ~ machen 없어서는 안 될 존재가〔인물이〕 되다.
Unentbehrlichkeit *f.* 불가결, 필수(적임).
unentdeckt [ʊ́n|ɛntdɛkt, ..dɛ́kt] *a.* 발견되지 않은; 알려지지 않은; 주목받지 못한.
unentgeltlich [ʊn|ɛntgɛ́ltlɪç, ʊ́n|ɛntgɛlt..] 《I》 *a.* 무보수의; 무상의; 무료의. 《II》 *adv.* 무보수로; 무상으로; 무료로.
ụnenthaltsam *a.* 절제하지 않는, 방종한.
Ụnenthaltsamkeit *f.* 무절제, 방종.
ụnentmutigt [..tɪçt] *a.* 풀죽지 않은, 낙담하지 않는.
unentrinnbar [ʊn|ɛntrɪ́nbaːr, ʊ́n..] *a.* 〖雅語〗 피할 수 없는, 불가피한, 면할 수 없는.
Unentrinnbarkeit [ʊn|ɛntrɪ́n.., ʊ́n..] *f.* 〖雅語〗 피할 수 없음, 불가피성.
ụnentschieden *a.* ① **(a)** 결정되지 않은, 미결〔미정〕의; 의심스러운. **(b)** 〖스포츠〗 무승부의: ein ~es Spiel 무승부(로 끝난) 시합. ② 〖드물게〗 결단력이 없는, 우유부단한: er ist sehr ~ 그는 결단력이 없다, 우유부단하다.
Ụnentschieden *n.* -s, - 〖스포츠〗 무승부.
Ụnentschiedenheit *f.* 미결, 미정; 무승부.
ụnentschlossen *a.* ① 결심을 못한, 결단을 못내린, 망설이는. ② 결단력이 없는, 우유부단한: ein ~er Mensch 결단력이 없는 사람.
Ụnentschlossenheit *f.* 미결정, 우유부단.
unentschuldbar [ʊn|ɛntʃʊ́ltbaːr, ʊ́n..] *a.* 용서할 수 없는; 변명의 여지가 없는.
ụnentschuldigt *a.* 변명〔해명〕 없는, 무단의: ~ fehlen 무단으로 결석〔결근〕하다.
unentwegbar *a.* ↑ unentwegt.

unentwegt [ún|ɛntve:kt, ..vé:kt] *a.* 의연한, 불굴의; 꾸준한, 쉬지 않는, 끊임없는.
unentwickelt *a.* ① 발전〔발달·발육·생성〕되지 않은. ②〖사진〗 현상하지 않은.
unentwirrbar [ʊn|ɛntvíːrbaːr, ún..] *a.* (엉클어진 것이) 풀기 어려운; 수습〔해결〕하기 힘든: 〖비유〗 ~e Konflikte 해결하기 어려운 갈등.
unentzifferbar [ʊn|ɛnttsífərbaːr, ún..] *a.* 판독하기 어려운, 해독하기 힘든.
unentzündbar [ʊn|ɛnttsʏ́ntbaːr, ún..] *a.* 불연성(不燃性)의.
UNEP 《engl.》 =United Nations Environment Programm 국제 연합 환경 프로그램.
unerachtet [ʊn|ɛr|áxtət, ún|ɛr|axtət] *prp.*[2] 〖구식〗 …에도 불구하고: ~ seines Strebens 그의 노력에도 불구하고.
unerbaulich *a.* 유익하지 않은, 교화시키지 못하는.
unerbaut *a.* 교화되지 않은; 감동하지 않는, 기뻐하지 않는.
unerbeten *a.* 요청〔간청〕받지 않은.
***unerbittlich** [ʊn|ɛrbítlɪç, ún..] *a.* 엄격한, 가차 없는; 무자비한, 냉엄한, 냉혹한: ein ~es Schicksal 가혹한 운명.
Unerbittlichkeit *f.* 가차없음, 무자비, 냉혹, 냉엄.
unerbrochen *a.* 열리지 않은; 개봉되지 않은.
unerfahren *a.* 경험이 없는, 미숙한.
Unerfahrenheit *f.* 경험 부족, 미숙.
unerfindlich [ʊn|ɛrfíntlɪç, ún...] *a.* 〖雅語〗 이해〔설명〕하기 어려운, 확실치 않은: aus einem ~en Grunde 이해하기 어려운 이유로.
unerforschlich [ʊn|ɛrfɔ́rʃlɪç, ún..] *a.* 〖雅語〗 탐구하기 어려운; 불가해한; 신비한: nach Gottes ~em Willen 하느님의 불가해한 뜻에 따라(부고에서 사용하는 표현).
unerforscht *a.* 탐구되지 않은.
unerfreulich *a.* 즐겁지 않은; 불쾌한.
unerfüllbar [ʊn|ɛrfʏ́lbaːr, ún..] *a.* 실현할 수 없는, 이루어지기 어려운.
Unerfüllbarkeit [(또는) ún..] *f.* 실현 불가능.
unerfüllt *a.* 실현되지 않은; 욕구 불만의.
Unerfülltheit *f.* ↑ unerfüllt 의 명사형.
unergiebig *a.* 수확이 없는; 비생산적인: ein ~es Thema 비생산적인 주제.
unergründbar [ʊn|ɛrgrʏ́ntbaːr, ún..] *a.* ↑ unergründlich ②.
Unergründbarkeit [(또는) ún..] *f.* ↑ Unergründlichkeit.
unergründlich [ʊn|ɛrgrʏ́nt.., ún..] *a.* ① 깊이를 알 수 없는. ② 탐구〔규명〕할 수 없는, 해명할 수 없는; 수수께끼 같은.
Unergründlichkeit [(또는) ún..] *f.* ↑ unergründlich 의 명사형.
unerheblich [..he:plɪç] *a.* 중요치 않은, 하찮은, 경미한, 사소한: ein ~er Unterschied 사소한 차이.
Unerheblichkeit *f.* 사소; 경미; 하찮음; 중요치 않음.
***unerhört** [ún|ɛrhøːrt] 《I》 *a.* ① 승낙받지 못한; 이루어지지 않은: seine Liebe blieb ~ 그의 사랑은 짝사랑으로 끝났다. ② 들어보지 못한, 전례 없는; 파렴치한, 뻔뻔스러운: ein ~es Ereignis 전대미문의 사건. ③ 굉장히 큰, 엄청난. 《II》 *adv.* 매우, 대단히, 엄청나게: er spielt ~ gut Klavier 그는 피아노를 대단히 잘 친다.
unerkannt *a.* 알려지지〔인식되지·확인되지〕 않은.
unerkennbar [ʊn|ɛrkɛ́nbaːr, ún..] *a.* 알아볼 수 없는, 인식〔확인〕되지 않는.
unerkenntlich *a.* 감사하지 않는, 은혜를 모르는.
unerklärbar [ʊn|ɛrklɛ́ːrbaːr, ún..] *a.* 〖드물게〗 ↑ unerklärlich.
Unerklärbarkeit [(또는) ún..] *f.* 〖드물게〗 ↑ Unerklärlichkeit.
unerklärlich [ʊn|ɛrklɛ́ːr.., ún..] *a.* 설명〔이해〕할 수 없는; 수수께끼 같은.
Unerklärlichkeit [(또는) ún..klɛːr..] *f.* ↑ unerklärlich 의 명사형.
unerläßlich [ʊn|ɛrlɛ́slɪç, ún..] *a.* 불가결의; 필수적인: eine ~e Bedingung 필수적 조건.
unerlässlich 新정서 ⇦ unerläßlich.
unerlaubt *a.* 허가되지 않은, 금지된; 불법의: 〖法〗 ~e Werbung 불법 광고.
unerledigt *a.* 처리〔해결〕되지 않은, 미결의: ~e Post 아직 읽지 않은〔답장하지 않은〕 우편물.
unermeßlich [ʊn|ɛrmɛ́slɪç, ún..] 《I》 *a.* ① 헤아릴 수 없는, 끝없는, 무한한: (bis) ins ~e 끝없이, 무한히; die Preise steigen ins ~e 물가가 한없이 오른다. ② 굉장한, 엄청난. 《II》 *adv.* 아주, 매우, 엄청나게, 굉장히.
unermesslich 新정서 ⇦ unermeßlich.
Unermeßlichkeit [(또는) ún..mɛs..] *f.* ↑ unermeßlich 의 명사형.
unermittelt *a.* 확인〔규명〕되지 않은; 미발견의.
unermüdlich [ʊn|ɛrmýːtlɪç, ún..] *a.* 지치지 않는; 쉬지 않는; 끈기〔인내력〕 있는.
Unermüdlichkeit [(또는) ún..] *f.* 지치지 않음; 끈기; 인내.
unernst *a.* 진지하지 못한.
uneröffnet *a.* 열리지 않은, 개장〔개업·개점·개통·개회〕하지 않은.
unerörtert *a.* 토의〔논의〕하지 않은.
unerprobt *a.* 시험해보지 않은, 검증되지 않은.
unerquicklich *a.* 〖雅語〗 불쾌한; 즐겁지 않은.
Unerquicklichkeit *f.* 즐겁지 않음, 불쾌.
unerreichbar [ʊn|ɛrráɪçbaːr, ún..] *a.* ① 손에 닿지 않는: Medikamente für Kinder ~ aufbewahren 약을 아이들 손이 닿지 않는 곳에 보관하다. ② 도달할 수 없는. ③ 연락이 안 되는: sie ist im Moment ~ 그녀는 현재 연락이 안 된다. ④ 실현〔달성〕할 수 없는.
Unerreichbarkeit [(또는) ún..] *f.* 도달〔실현·달성〕 불능; 연락 두절.
unerreicht [ʊn|ɛrráɪçt, ún..] *a.* (아직) 도달〔실현·달성〕되지 않은.
unersättlich [ʊn|ɛrzɛ́tlɪç, ún..] *a.* ① 허기가 채워지지 않는; 물릴 줄 모르는; 욕심이 한없는; 만족할 줄 모르는. ②〖드물게〗 (새 따위가) 늘 걸근대는.
unerschaffen *a.* 창조〔창작·생산〕되지 않은.
unerschlossen *a.* 미개발〔미개척·미개간〕의.
unerschöpfbar [ʊn|ɛrʃœpf.., ún..] *a.* ↑

unerschöpflich.
unerschöpflich [ʊn|ɛɐ̯ʃœpf.., ʊ́n..] *a.* 끝이 없는, 다 논해질 수 없는; 무진장의, 무한의.
Unerschöpflichkeit [(또는) ʊ́n..] *f.* ↑ unerschöpflich 의 명사형.
unerschrocken *a.* 겁내지 않는, 대담한: ein ~er Mensch 대담한 사람.
Unerschrockenheit *f.* 용감, 대담성.
unerschütterlich [ʊn|ɛɐ̯ʃʏtərlɪç, ʊ́n..] *a.* 흔들리지 않는; 확고한, 의연한: mit ~er Ruhe 태연자약하게.
Unerschütterlichkeit [(또는) ʊ́n..ʃʏtər..] *f.* 흔들지 않음, 확고, 의연.
unerschüttert [ʊn|ɛɐ̯ʃʏ́tərt, ʊ́n..] *a.* 흔들리지 않는, 부동의.
unerschwinglich [ʊn|ɛɐ̯ʃvíŋlɪç, ʊ́n..] *a.* 획득〔구매〕할 수 없는: ~e Preise 매우 비싼 값.
unersetzbar [ʊn|ɛrzɛ́ts.., ʊ́n..zɛts..] *a.* 〖드물게〗 ↑ unersetzlich.
unersetzlich [ʊn|ɛrzɛ́ts.., ʊ́n..] *a.* 대체〔대신·대용〕할 수 없는; 보충〔보상〕할 수 없는: ein ~er Schaden 만회할 수 없는 손해; sich ~ machen 없어서는 안 될 존재〔인물〕이다.
Unersetzlichkeit [(또는) ʊ́n..] *f.* 대체〔보충〕 불가능.
unersprießlich [ʊn|ɛɐ̯ʃprí:slɪç, ʊ́n..] *a.* 〖雅語〗 무익〔무용〕한.
unersteigbar, unersteiglich [ʊn|ɛɐ̯ʃtáik.., ʊ́n..] *a.* 오르기 힘든, 정복하기 어려운.
unerträglich [ʊn|ɛrtrɛ́:klɪç, ʊ́n..] 《I》 *a.* 참을〔견딜〕 수 없는: ~e Schmerzen 참을 수 없는 고통. 《II》 *adv.* 매우, 대단히, 너무: es ist ~ heiß hier 여기는 너무 덥다.
Unerträglichkeit [(또는) ʊ́n..trɛ:k..] *f.* 참을〔견딜〕 수 없음.
unerwachsen *a.* 성장하지 않은, 미성년의.
unerwähnt *a.* 거론〔언급〕되지 않은: et. ~ lassen 무엇을 언급하지 않고 두다; ~ bleiben 언급되지 않은 채로 있다.
unerwartet [ʊ́n|ɛɐ̯vartət, ʊn..] *a.* 예기치 않은, 불의의, 의외의; 돌연한: ein ~es Wiedersehen 예기치 못한 재회; die Nachricht kam nicht ~ 그 소식은 예기치 못한 것이 아니었다, 그 소식을 기다리고 있었다.
unerweichlich [ʊn|ɛɐ̯váiçlɪç, ʊ́n..] *a.* ① 부드럽게 하기 어려운; 강인한. ② 가차없는.
unerweisbar, unerweislich [ʊn|ɛɐ̯váis.., ʊ́n..] *a.* 〖드물게〗 증명〔입증〕할 수 없는.
unerwidert *a.* 대답〔답장〕이 없는; 응답〔반응〕이 없는: ~e Grüße 응답이 없는 인사.
unerwiesen *a.* 입증〔증명〕되지 않은.
unerwogen *a.* 숙고〔고려〕되지 않은.
unerwünscht *a.* 바라지〔원하지〕 않은; 환영받지 못하는: ein ~er Besucher 불청객.
unerzogen *a.* ① (예의 범절) 교육을 받지 않은. ② (아직) 성년에 이르지 않은.
UNESCO, Unesco [unɛ́sko] 《engl.》 *f.* = United Nations Educational, Scientific and Cultural Organization 유네스코(국제 연합 교육 과학 문화 기구).
unexplodierbar [ʊn|ɛksplodí:r.., ʊ́n..] *a.* 폭발하지 않는, 비폭발성의.
unfähig *a.* 능력이 없는: ein ~er Mitarbeiter 무능한 직원; zu et.³ ~ sein 무엇을 할 능력이 없다; er ist ~, Rot und Grün zu unterscheiden 그는 적색과 녹색을 구별할 수 없다, 적록 색맹이다.
Unfähigkeit *f.* 무능(력).
unfahrbar [ʊnfá:rba:r, ʊ́n..] *a.* 통행〔항해〕할 수 없는.
unfair [ʊ́nfɛ:r] 《engl.》 *a.* ① (unlauter) 부정〔부당〕한; 공평〔공정〕하지 않은. ② 〖스포츠〗 규칙을 위반한, 반칙의.
***Unfall** [ʊ́nfal] *m.* -(e)s, ..fälle [..fɛlə] 재해, 재난; 사고; 상해: einen ~ erleiden〔haben〕 사고를 당하다; 〖구어〗 ich habe einen ~ gebaut 나는 사고를 저질렀다.
Unfall⸗arzt *m.* (사고 현장의) 응급 처치 의사. **~beteiligte*** *der/die* 사고 관련자〔관계자〕. **~chirurgie** *f.* 〖醫〗 사고 재해 외과.
Unfäller [ʊ́nfɛlər] *m.* -s, - 〖心〗 행동 방식이 쉽게 사고를 유발하는 사람.
Unfäller·persönlichkeit *f.* ↑ Unfäller.
Unfall⸗fahrer *m.* 〖보험〗 교통 사고(를 일으킨) 운전자. **~flucht** *f.* 뺑소니(운전). **~-folgen** *pl.* 사고 후유증. **∼frei** *a.* 무사고의: ~es Fahren 무사고 운전. **~gefahr** *f.* 사고 위험. **~geschädigte*** *der/die* 〖보험〗 (교통) 사고 상해자〔장애자〕. **~hergang** *m.* 사고 경위. **~hilfe** *f.* 사고에서의 (응급) 구조.
Unfalliste *f.* -n 사고 부상자〔희생자〕 명단.
Unfall⸗klinik *f.* 사고 부상자 전문 치료 병원. **~opfer** *n.* 사고 희생자. **~ort** *m.* 사고 현장. **~quote** *f.* 〖통계〗 사고 발생률. **~rate** *f.* ↑ ~quote. **~schutz** *m.* 〖法〗 사고〔재해〕 예방〔방지〕. **~station** *f.* 응급(처치)실. **~-statistik** *f.* 사고 통계. **~stelle** *f.* 사고 현장. **~tod** *m.* 사고사(死). **~tote*** *der/die* 사고 사망자. **∼trächtig** *a.* 사고 위험이 높은, 사고 나기 쉬운. **~ursache** *f.* 사고 원인. **~verhütung** *f.* 사고 방지, 재해 예방. **~-verletzte*** *der/die* 〖보험〗 사고 부상자. **~-versicherung** *f.* 〖보험〗 상해〔재해〕 보험(회사).
Unfallversicherungs⸗gesellschaft *f.* 상해〔재해〕 보험 회사. **~gesetz** *n.* 상해〔재해〕 보험법.
Unfall⸗wagen *m.* ① 구급차. ② 사고로 파손된 차량. **~zeit** *f.* 사고 발생 시간. **~zeuge** *m.* 사고 목격자.
unfaßbar [ʊnfásba:r, ʊ́n..] *a.* ① 이해할 수 없는, 불가해한: ein ~er Gedanke 이해할 수 없는 생각. ② 상상할 수 없는, 믿을 수 없는.
unfaßlich [ʊnfáslɪç, ..ʊ́n..] *a.* ↑ unfaßbar.
***unfehlbar** [ʊnfé:lba:r, ʊ́n..] 《I》 *a.* 오류〔실수〕가 없는; 확실한; 〖가톨릭〗 무오류성(無誤謬性)의: kein Mensch ist ~ 실수가 없는 인간은 없다. 《II》 *adv.* 틀림없이, 반드시.
Unfehlbarkeit [(또는) ʊ́n..] *f.* 오류〔실수〕가 없음; 〖가톨릭〗 (교황의) 무오류성(無誤謬性).
Unfehlbarkeits·glaube *m.* 〖가톨릭〗 (교황의) 무오류성에 대한 믿음.
unfein *a.* 조야한, 세련되지 못한, 상스러운, 품위 없는, 무례한: ein ~es Benehmen 무례한 행동.
Unfeinheit *f.* ↑ unfein 의 명사형.
unfern 《I》 *adv.* 멀지 않은 곳에, 근처에. 《II》 *prp.*² …에서 멀지 않은: ~ des Dorfes 마을에서 (그리) 멀지 않은 곳에.
unfertig *a.* 끝나지 않은, 미완성의; 미숙한, 아직 완전하지 않은: eine Arbeit ~ liegenlassen 일을 미완성 상태로 두다; ein ~er

Mensch 미숙한 사람.

Unfertigkeit *f.* 미완성, 미숙.

Unflat [ʊ́nfla:t] *m.* -(e)s, ..fläte [..flɛtə]/..fläter [..flɛtər] ① 〖雅語〗 오물. ② 〖雅語〗 욕설, 야유. ③ 〔구식·욕설〕 더러운 놈.

Unfläter *m.* -s, - 〖구식·욕설〗 더러운 놈.

Unfläterei *f.* -en 불결(한 행위); 음담패설.

unflätig *a.* 〖雅語〗 불결한; 음란한; 야비한; 거친.

Unflätigkeit *f.* -en ① 불결, 음란. ② 야비한 언동.

Unfleiß [ʊ́nflais] *m.* -es 게으름; 태만.

unfleißig *a.* 게으른.

unflektierbar [unflɛktí:rba:r, ʊ́n..] *a.* ↑ unflektiert.

unflektiert [ʊ́nflɛkti:rt] *a.* 〖문법〗 (어미) 변화하지 않는.

unflott *a.* 〔다음 용법으로만〕〔구어〕 nicht ~ 아주 좋은〔훌륭한·아름다운〕.

unfolgerichtig *a.* 일관성 없는; 비논리적인.

unfolgsam *a.* 순종치 않는, 제멋대로 구는.

Unfolgsamkeit *f.* 순종치 않음, 제멋대로 함.

Unform [ʊ́nfɔrm] *f.* -en 〔드물게〕 기형(畸形), 불구; 볼품 없음.

unförmig *a.* 기형의; 불구의; 볼품없는: eine ~e Gestalt 볼품없는 자태.

unförmlich *a.* ① 〔구식〕 ↑ unförmig. ② 형식〔격식〕을 갖추지 않은; 형식적이 아닌, 딱딱하지 않은.

UNFPA 《engl.》 =United Nations Fund for Population Activities 국제 연합 인구 재단.

unfrankiert *a.* 〖우편〗 우편료 미납의; 우표가 붙어 있지 않은.

unfranzösisch *a.* 비프랑스적인; 프랑스어의 어법에 어긋나는.

unfrei *a.* ① (**a**) 자유롭지 않은; 예속된: der 〔die〕 ∼e 노예. (**b**) 부자유스러운, 규범에 너무 얽매인: ein ~es Benehmen 부자유스러운 태도. ② 〖우편〗 우표를 붙이지 않은, 요금 미납의: ein Paket ~ schicken 소포를 우표를 붙이지 않고 보내다.

unfreigebig *a.* 아끼는; 인색한.

Unfreiheit *f.* 부자유; 예속; 〔비유〕 편협, 고루.

unfreiwillig *a.* 자유 의사가 아닌; 타의에 따른; 강제적인; 의도적이 아닌, 의도하지 않은: 〔농담〕 er hat ein ~es Bad genommen 그는 물에 빠졌다.

unfreundlich *a.* ① 불친절한; 비우호적인; 무뚝뚝한: ein ~er Akt 〖국제법〗 비우호적인 행위. ② 탐탁치 않은; 불쾌한; 음울한: ein ~es Wetter 음울한 날씨; eine ~e Wohnung 살기 불편한 주택.

Unfreundlichkeit *f.* -en ① 불친절; 비우호적임. ② 비우호적인 언행.

unfreundschaftlich *a.* 우정 없는, 쌀쌀한.

Unfriede [ʊ́nfri:də] *m.* -ns 〔구식〕 ↑ Unfrieden.

Unfrieden [..dən] *m.* -s 불화, 다툼; 적대(관계): 〔속담〕 Friede ernährt, ~ verzehrt 평화는 살을 찌우고 불화는 기력을 소모시킨다; mit jm. in ~ leben 누구와 불화하다.

unfriedlich *a.* 평화롭지 않은, 난폭한.

unfrisiert *a.* ① 머리 손질을 하지 않은, 머리를 빗지 않은. ② 〔구어〕 사실대로의, 미화하지 않은; 개조하지 않은: ein ~er Bericht 사실대로의 보고.

unfromm *a.* 경건하지 않은, 신앙심이 없는; 불경스런.

unfruchtbar *a.* ① (**a**) 열매를 맺지 않는, 생산을 하지 않는, 불모의: ein ~es Feld 불모지. (**b**) 〖生·醫〗 번식력이 없는, 불임의: die ~en Tage (der Frau) (여성의) 불임 기간. ② 성과〔소득〕 없는, 비생산적인; 무효의.

Unfruchtbarkeit *f.* 열매를 맺지 않음; 불모; 불임; 성과〔소득〕 없음.

Unfruchtbar·machung *f.* 〖醫〗 단종(斷種), 피임.

*__Unfug__ [ʊ́nfu:k] *m.* -(e)s [..gəs ..ks] ① 못된 짓, 비행(非行), 나쁜 행동〔행위〕, 횡포; 〖法〗 치안 방해: 〖法〗 grober ~ 공공 질서 문란 행위; ~ treiben〔anstellen〕 행패를 부리다, 치안을 방해하다. ② 허튼소리, 난센스: rede keinen ~! 허튼소리 그만 해라!

unfügsam *a.* 순종하지 않는; 다루기 어려운, 고집이 센.

unfühlbar *a.* 느낄 수 없는; 감지하기 어려운.

unfürstlich *a.* 군주〔왕후〕답지 않은; 품위 없는.

..ung *suf.* ① 〔동사에서 여성 명사를 만드는 후철〕 (**a**) 동작·행위를 나타냄(보기: Entdeckung 발견). (**b**) 동사의 동작의 결과를 나타냄(보기: Rechnung 계산서). ② 명사 및 형용사에서 여성 집합 명사를 만듦(보기: Holzung 삼림; Festung 요새).

ungalant *a.* 〔雅語〕 (여성에게) 정중하지 않은; 비신사적인; 불친절한.

ungangbar [ʊ́ngaŋba:r, ʊngáŋ..] *a.* ① 통행할 수 없는. ② 〖商〗 (화폐 따위가) 통용되지 않는; 팔리지 않는. ③ 통상적이지 않은.

Ungar [ʊ́ŋga:r] 《lat.》 *m.* -n, -n 헝가리 사람.

ungar *a.* 덜 삶은, 완전히 익지 않은; (가죽이) 충분히 무두질하지 않은; 〖農〗 농경에 적합치 않은, 토질이 척박한.

Ungarin *f.* -nen ↑ Ungar 의 여성형.

Ungarisch *n.* -(s) 헝가리어.

ungarisch *a.* 헝가리(사람·말)의; 헝가리산(産)의: ~e Sprache 헝가리어; ~e Salami 헝가리 살라미 소시지.

ungarländisch *a.* 〔드물게〕 ↑ ungarisch.

*__Ungarn__ [ʊ́ŋgarn] *n.* 헝가리.

ungastlich *a.* ① 머무르고 싶은 기분이 들지 않는; 마음을 끌지 못하는. ② 손님 대접이 나쁜, 불친절한: ein ~es Haus 손님 대접이 형편없는 집.

Ungastlichkeit *f.* 손님 대접이 나쁨; 불친절한 태도; 마음을 끌지 못함.

ungeachtet [ʊ́ngəlaxtət, ʊngəláxtət] 《Ⅰ》 *a.* 존경〔존중〕받지 못하는. 《Ⅱ》 *prp.*[2/3] 〖雅語·구식〗 …에도 불구하고: ~ meines Bittens 내 간청에도 불구하고. 《Ⅲ》 *cj.* 〔구식〕 …함에도 불구하고: der Kleine kletterte auf den Baum, ~ daß es ihm verboten war 그 사내아이는 금지되었음에도 불구하고 나무에 기어올라갔다. 《Ⅳ》 *adv.* 그럼에도 불구하고.

ungeahndet [ʊ́ngəla:ndət, ʊngəlá:ndət] *a.* 벌받지 않은.

ungeahnt [ʊ́ngəla:nt, ʊngəlá:nt] *a.* 예기치 못한; 예상외의, 뜻밖의.

ungeb. =ungebunden 미제본〔가철(假綴)〕의.

ungebahnt *a.* 길이 없는, 길이 열리지 않은;

사람의 발길이 닿지 않은.
ungebändigt *a.* ① 길들지 않은: ein ~es Tier 길들지 않은 동물. ②〖雅語〗제어〔억제〕되지 않은.
ungebärdig [ʊ́ngəbɛːrdɪç] *a.*〖雅語〗제어되기 어려운, 반항적인, 난폭한.
Ungebärdigkeit *f.* ↑ ungebärdig 의 명사형.
ungebessert *a.* 개량〔개선〕되지 않은.
ungebeten *a.* 초대되지 않은; 반갑지 않은: ein ~er Gast 불청객.
ungebeugt *a.* ① 굽지 않은; 불굴의, (뜻을) 굽히지 않는. ②〖문법〗(어미) 변화하지 않는.
ungebeutelt *a.* (가루 따위가) 체질하지 않은.
ungebildet *a.* 배우지 못한, 교양이 없는; 미개한: ein ~er Mensch 교양이 없는 사람.
ungebleicht *a.* 표백되지〔바래지〕않은.
ungeboren *a.* 태어나지 않은, 태내의.
ungebrannt *a.* 타지 않은; 구워지지 않은; 볶지 않은; 지지지 않은.
ungebräuchlich *a.* 쓰이지 않는, 통용되지 않는; 드문, 진귀한: eine ~e Redewendung 통용되지 않는 표현〔성구〕.
ungebraucht *a.* 아직 사용하지 않은, 미사용의; 신품의, 새것의.
ungebrochen *a.* ① (광선 따위가) 굴절하지 않은, 직진하는: ~e Lichtstrahlen 직사 광선; eine ~e Linie 직선. ② 흐리지〔탁하지〕않은, 밝은. ③ 약화되지 않은, 불굴의: mit ~em Mut 불굴의 용기로.
Ungebühr [ʊ́ngəbyːr] *f.*〖雅語〗부정, 불법; 무례; 부적당; 과도(過度):〖法〗~ vor Gericht 법정 모독.
ungebührend〖구식〗*a.* ↑ ungebührlich.
ungebührlich [ʊ́ngəbyːrlɪç, ʊngəbýːr..] *a.*〖雅語〗① 부정한, 불법의. ② 무례한; 부적당한; 과도한.
Ungebührlichkeit [(또는) ʊn..býːr..] *f.* -en ① 부정, 불법, 부적당; 무례; 과도(過度). ② 온당치 못한 언행, 무례한 언행.
ungebunden *a.* ①〖비유〗구속〔속박〕되지 않은, 자유로운: ein ~es Leben führen 속박되지 않은 생활을 하다. ②〖印〗제본하지 않은, 가철(假綴)의. ③〖문학〗산문으로 된, 운율이 없는: ~e Rede 산문. ④ 끈을 매지 않은; 다발로 묶이지 않은. ⑤〖요리〗(수프 따위가) 진하지 않은, 멀건: eine ~e Suppe 묽은 수프. ⑥〖음악〗음이 연계되지 않은, 음이 단절된. ⑦〖化〗(입자가) 결합되지 않은, 자유로운.
Ungebundenheit *f.* 구속〔속박〕되지 않음, 자유로움.
ungedeckt *a.* ① 덮이지 않은; 덮개가 없는; 식사 준비가 안 된: der Tisch ist noch ~ 아직 식사가 준비되어 있지 않다. ② 보호되지 않은;〖軍〗엄호〔차폐〕가 없는; 무방비의. ③〖금융〗(계좌에) 잔고가 없는; 무담보의: der Scheck ist ~ 그것은 부도 수표다. ④〖구기〗수비 선수가 없는, 노마크의.
Ungedeih *m.*〖다음 용법으로만〗auf Gedeih und ~ 좋든 나쁘든, 어떠한 일이 있더라도.
ungedeihlich *a.* 유익〔유용〕하지 않은.
ungedient *a.*〖軍〗병역에 복무하지 않은, 병역 미필의.
Ungediente* *der* 병역 미필자.
ungedruckt *a.* 인쇄〔출판〕되지 않은.
***Ungeduld** [ʊ́ngədʊlt] *f.* 조급, 성급, 초조, 안달: mit〔voller〕~ erwarten 초조하게〔아주 초조하게〕기다리다; ich vergehe〔brenne〕vor ~, zu hören ... 나는 …을 듣고 싶어 못 견디겠다.
***ungeduldig** *a.* 조급〔성급〕한, 초조한; 안달하는, 조마조마한: über et. ~ sein 무엇에 조바심을 내고 있다; ~ auf jn. warten 누구를 초조하게 기다리다.
ungeehrt *a.* 존경받지 못한.
ungeeicht *a.* 측정되지 않은; (저울 따위가) 검정〔검량(檢量)〕되지 않은.
ungeeignet *a.* 부적당한, 적임이 아닌: im ~sten Augenblick 가장 부적절한 때에.
***ungefähr** [ʊ́ngəfɛːr, ʊngəfɛ́ːr]《ohngefähr 의 오형(誤形)》《Ⅰ》*a.* ① 대략의, 개괄적인: eine ~e Darstellung 개괄적인 서술. ②〖고어〗우연의. 《Ⅱ》*adv.* (etwa) 약, 대략, 대강, 대충: ~ vierzehn Tage 약 두 주일; so ~〔~ so〕habe ich mir das gedacht 나는 그것을 대강 그렇게 생각했었다; hast du alles allein machen müssen? — so ~! 네가 혼자서 그 모든 일을 해야만 했단 말인가? — 그렇다고 할 수 있지!; nicht von ~ 우연이 아닌, 그럴 만한 이유에서.
Ungefähr [ʊ́n.., ..fɛ́ːr] *n.* -s〖구식〗우연; 운명: von ~ 우연히.
ungefährdet [ʊ́ngəfɛrdət, ʊngəfɛ́r..] *a.* 위험이 없는, 안전한.
ungefährlich *a.* 위험하지 않은; 위태롭지 않은: nicht (ganz) ~ 상당히 위험한.
Ungefährlichkeit *f.* 위험하지 않음, 위태롭지 않음.
Ungefäll *n.* -(e)s, -e〖방언〗불행, 불운, 재난.
ungefällig *a.* 호의를 갖고 있지 않은, 무뚝뚝한, 불친절한: jm. gegenüber ~ sein 누구에게 불친절하다.
Ungefälligkeit *f.* ↑ ungefällig 의 명사형.
ungefälscht *a.* 섞인 것이 없는; 순수한.
ungefärbt *a.* ① 물들지 않은, 착색하지 않은: ~e Seide 생사(生絲). ② 꾸밈이 없는, 있는 그대로의: ein ~er Bericht 사실에 입각한 보도.
ungefaßt *a.* (보석 등을) 박지 않은, 세팅하지 않은.
ungefestigt *a.* 확고하지 못한, 불안정한: ein noch ~er junger Mann 아직 확고한 주관을 갖고 있지 못한 젊은이.
ungefiedert *a.* 깃털이 없는, 깃이 나지 않은.
ungefleckt *a.* 얼룩〔반점〕이 없는.
ungeflügelt *a.* 날개가 없는.
ungeformt *a.* 형상이〔형체가〕없는.
ungefragt *a.* ① 질문〔요청〕받지 않은; 스스로. ② 미리〔사전에〕사정을 묻지 않고, 아무 예고 없이.
ungefrierbar [ʊngəfríːr.., ʊ́n..] *a.* 응결시킬〔얼릴〕수 없는, 불응결성의.
ungefrühstückt *a.*〖구어·농담〗아침 식사를 하지 않은〔거른〕.
ungefüge *a.*〖雅語〗① 균형이 안 잡힌, 기형적인; 비대한; 볼품없는, 조야한. ② 서투른, 어색한: mit ~r Schrift schreiben 서투른 필체로 쓰다.
ungefügig *a.* ① 순종하지 않는, 완고한; 버릇없는. ②〖드물게〗균형이 잡히지 않은, 기형적인; 비대한; 볼품없는.

ungefüttert[1] *a.* 먹이를 얻어먹지 못한.
ungefüttert[2] *a.* 안(감)을 대지 않은.
ungegerbt *a.* 무두질하지 않은.
ungegessen 《I》 *a.* 먹지 않고 놔둔: die ~en Reste einer Mahlzeit 식사의 먹지 않고 남은 음식. 《II》 *adv.* 〖구어·농담〗 식사를 하지 않고: komm ~ und iß mit uns zu Abend! 식사하지 말고 와서 우리와 함께 저녁 식사를 하자!
ungegliedert *a.* 구분〔분류·정리·조직·구성〕되어 있지 않은.
ungegoren *a.* 발효하지 않은.
ungegründet *a.* 기초가 없는, 근거 없는.
ungehalten *a.* 〖雅語〗 격분한, 성이 난: über et. ~ sein 무엇에 대하여 성이 나 있다.
Ungehaltenheit *f.* 〖雅語〗 격분, 성이 남.
ungeheißen *a.* 〖雅語〗 명령〔요청〕받지 않은; 자발적인.
ungeheizt *a.* 데우지 않은, 난방이 되지 않은.
ungehemmt *a.* ① 방해받지 않은; 장애가 없는. ② 제약〔속박〕이 없는; 망설임 없는; 억제할 수 없는: sie sagte ~ ihre Meinung 그녀는 서슴없이 자신의 의견을 말했다.
ungeheuchelt *a.* 꾸미지 않은; 정직한.
***ungeheuer** [ʊ́ngəhɔʏər, ʊngəhɔ́ʏ..] 《I》 *a.* ① 터무니없이 큰, 어마어마한, 엄청난; 거대한: dazu gehört ungeheurer Mut 그 일을 하려면 엄청난 용기가 필요하다. ② 〖고어〗 싫은, 불쾌한. 《II》 *adv.* 대단히, 엄청나게.
Ungeheuer *n.* -s, - ① 괴물; 괴수; 난폭한 인간. ② 거대한 것; 초대형.
ungeheuerlich [(또는) ʊ́n..] *a.* ① 〖드물게〗 엄청난; 거대한. ② 터무니없는, 파렴치한, 언어도단의: diese Unterstellung ist ~ 이런 무고는〔비방은〕 터무니없다.
Ungeheuerlichkeit [(또는) ʊ́n..] *f.* -en ① 엄청남; 거대. ② 터무니없는 언동.
ungehindert *a.* 방해받지 않은.
ungehobelt [ʊ́ngəho:bəlt, ʊngəhó:bəlt] *a.* ① 대패질하지 않은; 매끄럽지 않은; 거친; 조야한. ② 〖폄어〗 무례한; 버릇없는: ein ~es Benehmen 무례한 행동.
ungehofft *a.* 기대하지 않은, 뜻밖의.
ungehopft *a.* 홉을 섞지〔넣지〕 않은.
ungehörig *a.* 예의 범절에 어긋난, 무례한: eine ~e Antwort geben 무례한 대답을 하다.
Ungehörigkeit *f.* -en ① 예의 범절에 어긋남. ② 무례한 언동.
ungehorsam *a.* 순종하지 않는; 반항적인; 〖軍〗 명령에 항거하는.
Ungehorsam *m.* -(e)s 불복종; 반항; 〖軍〗 항명: 〖法·軍〗 (militärischer) ~ 항명.
Ungehorsams·verfahren *n.* 〖法〗 법정(法廷) 명령에 따르지 않는 행위; 〖軍〗 항명 행위.
ungehört *a.* 들리지 않은; 무시된: sein Ruf verhallte ~ 그의 외침은 누구의 귀에도 들리지 않았다.
ungehudelt *a.* 괴롭힘당하지 않은.
Ungeist *m.* -(e)s 〖雅語〗 망상, 허튼 생각.
ungeistig *a.* 〖드물게〗 지적이지 않은, 분별력 없는.
ungeistlich *a.* 비종교적인; 속세의.
ungekämmt *a.* 빗질〔손질〕하지 않은.
ungekannt *a.* 알려지지 않은, 미지의.
ungeklärt *a.* 불분명한, 해명되지 않은: ein ~er Fall 해명되지 않은 사건.
ungekocht *a.* 끓이지〔삶지·익히지〕 않은; 요리하지 않은.
ungekränkt *a.* 마음〔기분〕을 상하지 않은.
ungekrönt *a.* 관(冠)을 쓰지 않은; 대관식을 치르지 않은: der ~e König des Blues 블루스의 제왕.
ungekündigt *a.* 해고되지 않은; 사직하지 않은.
ungekünstelt *a.* 꾸밈〔기교〕 없는; 가식적이 아닌; 자연스러운; 참된.
ungekürzt *a.* 단축〔생략〕되지 않은, 줄이지 않은.
ungeladen *a.* 초대받지 않은: ~e Gäste 초대받지 않은 손님들.
ungeläufig *a.* 유창하지 않은; 통상적이지〔친숙하지〕 않은: das ist mir völlig ~ 그것을 나는 아직 들어본 적이 없다.
ungeläutert *a.* 정제〔정화〕되지 않은.
Ungeld [ʊ́ngɛlt] *n.* -(e)s, -er [..dər] 〖중세〗 세금, 물품세.
ungeleckt *a.* 핥아지지 않은: 〖비유〗 ein ~er Bär 야인(野人).
ungelegen [ʊ́ngəle:gən] *a.* 좌불안석인, 불편한, 거북한; 〖시간적〗 부적절한, 마땅치 않은: zu ~er Zeit 좋지 않은 때에; komme ich ~? 제가 와서 방해되나요?; das kommt mir recht ~ 그것은 내게 정말 거북하다.
Ungelegenheit *f.* -en 불편, 거북함; 번거로움, 귀찮음, 성가심: jm. ~en bereiten 누구에게 폐를 끼치다.
ungelegt *a.* 아직 낳지 않은: sich um ~e Eier kümmern 공연한 걱정을 하다.
ungelehrig *a.* 가르치기 힘드는; 잘 이해하지 못하는, 머리가 둔한.
ungelehrt *a.* 〖구식〗 학식이 없는; 무지한.
Ungelehrtheit *f.* 학식이 없음; 무지.
ungeleimt *a.* 아교로 붙이지 않은.
ungelenk *a.* 〖雅語〗 유연하지 않은; 어색한; 서투른: mit ~er Schrift 서투른 필체로.
ungelenkig *a.* (동작이) 유연하지 못한, 뻣뻣한.
Ungelenkigkeit *f.* 유연성이 없음, 뻣뻣함.
ungelernt *a.* 직업 교육을 받지 못한, 미숙련의: ~e Arbeiter 미숙련 노동자들.
Ungelernte* *der/die* 직업 교육을 받지 못한 노동자.
ungelesen *a.* 읽(히)지 않은.
ungeliebt *a.* ① 사랑하지 않는. ② 마음에 들지 않는, 싫은.
ungelogen [ʊ́ngəlo:gən] *adv.* 〖구어〗 참으로, 실로, 확실히.
ungelöscht *a.* 완전히 꺼지지 않은; 〖化〗 소화(消和)되지 않은: ~er Kalk 생석회.
ungelöst *a.* 풀리지 않은; 미해결의.
ungelüftet *a.* ① 공기를〔바람을〕 쐬지 않은, 환기하지 않은, 마르지 않은. ② 들키지 않은.
Ungemach [ʊ́ngəma:x] *n.* -(e)s 〖雅語〗 ① 불행, 재앙, 재난. ② 화나는 일, 기분 나쁜 일, 불쾌, 불편.
ungemächlich *a.* 화나는, 기분 나쁜, 불쾌한, 불편한.
ungemacht *a.* 정돈되지 않은: ~e Betten 어질러진 침대.
ungemäß *a.* 적합하지 않은: jm.〔et.[3]〕 ~ sein 누구에게〔무슨 일에〕 적합하지 않다.
***ungemein** [ʊ́ngəmaɪn, ʊngəmáɪn] 《I》 *a.* 보

통이 아닌; 대단한; 엄청난. 《Ⅱ》 *adv.* 대단히, 굉장히, 몹시, 매우: ~ groß 매우 큰; ~ bewegt 깊이 감동한.
ungemeldet *a.* 보도〔신고〕되지 않은.
ungemengt *a.* ↑ ungemischt.
ungemessen [ʊ́ngəmɛsən, ʊngəmɛ́s..] *a.* 〖드물게〗 셀 수 없이 많은; 막대한, 엄청난; 한없는, 무한한.
ungemindert *a.* 감소〔경감〕되지 않은.
ungemischt *a.* 섞인 것이 없는; 순수한: ~er Wein 순수한 포도주.
ungemünzt *a.* 화폐로 주조되지 않은: ~es Gold 지금(地金).
ungemütlich *a.* 불쾌한, 기분 나쁜; 불친절한, 비사교적인; 아늑하지 않은; 화기애애하지 않은, 편하지 않은: ein ~er Raum 아늑하지 않은 공간〔방〕; 〖구어〗 ~ werden a) 불친절해지다, b) 기분 나쁘게 되다.
Ungemütlichkeit *f.* 불쾌, 불편; 불친절.
ungenannt *a.* (anonym) 익명의, 무명의: ein ~er Helfer 익명의 후원자.
ungenau *a.* 정밀하지 않은, 부정확한; 철저하지 못한, 꼼꼼하지 못한.
Ungenauigkeit *f.* -en ① 정밀하지 않음, 부정확. ② 정밀〔정확〕하지 않게 행해진 것〔일〕.
ungeneigt *a.* ① 의향이 없는. ② 호의 없는.
ungeniert [ʊ́nʒeniːrt.., ʊnʒeníːrt] *a.* 거리낌〔기탄〕없는, 탁 터놓은.
Ungeniertheit [(또는) ʊn..níːrt] *f.* ① 거리낌 없음. ② 거리낌 없는 언행.
ungenießbar [ʊ́ngəniːsbaːr, ʊngəníːs..] *a.* ① 먹지〔마시지〕 못하는. ② 〖구어·농담〗 불쾌한, 참기 어려운, 짜증나는.
Ungenießbarkeit [(또는) ʊngəníː..] *f.* ↑ ungenießbar 의 명사형.
ungenötigt *a.* 강요되지 않은; 자발적인.
Ungenügen *n.* -s 〖雅語〗 ① 부족; 불충분. ② 〖구식〗 불만.
ungenügend *a.* 부족한, 불충분한, 모자라는; 낙제 점수의(독일 학교의 6 등급 평가에서 최하위 등급).
ungenügsam *a.* 만족하지 않는; 자제력이 없는; 욕심 많은.
ungenutzt *a.* ↑ ungenützt.
ungenützt *a.* 이용〔사용〕되지 않은: eine ~e Chance 사용하지 않은 (호)기회.
ungeöffnet *a.* 열리지〔개봉하지〕 않은.
ungeordnet *a.* 체계화〔정돈·정리〕되지 않은, 무질서한.
ungepaart *a.* 쌍을 이루지 않은, 외톨의.
ungepflegt *a.* 돌보지 않은; 손질하지 않은; 말쑥하지〔칠칠치〕 못한: ein ~es Äußeres 말쑥하지 못한 외모.
Ungepflegtheit *f.* 돌보지 않음; 손질하지 않은 상태.
ungepflügt *a.* 갈지 않은, 경작되지 않은.
ungeprägt *a.* 화폐로 주조되지 않은(ungemünzt).
ungeprüft *a.* 시험〔검토·검사〕되지 않은.
ungeputzt *a.* 손질되지 않은; 장식되지 않은; 청소되지 않은; 닦지 않은.
ungerächt *a.* 〖雅語〗 보복당하지 않은, 벌받지 않은.
ungerade [ʊ́ngəraːdə] *a.* 〖구어〗 ① 바르지〔곧지〕 않은. ② 솔직하지 않은. ③ 〖數〗 홀수의, 기수(奇數)의: eine ~ Zahl〔Hausnummer〕 홀수〔홀수로 된 (집) 번지〕. ④ 〖사냥〗 (사슴 따위의) 가지뿔의 수가 홀수인: ein ~r Zwölfender〔Zwölfer〕 한 쪽은 여섯 개 다른 쪽은 다섯 개의 뿔가지가 달린 사슴.
ungeraten *a.* ① 잘못된, 실패한. ② 못생긴, 볼품없는. ③ 잘못 기른, 버릇 없는.
ungerechnet [ʊ́ngərɛçnət] 《Ⅰ》 *a.* 계산되지 않은: die Kosten für die Verpackung bleiben hierbei ~ 포장 비용은 여기에 포함되어 있지 않다. 《Ⅱ》 *prp.*[2] …을 계산에 넣지 않고: ~ der zusätzlichen Unkosten 제반 추가 경비는 제외하고.
ungerecht *a.* 불공평〔불공정〕한; 부정한; 부당한.
ungerechter·weise *a.* 불공평하게; 부당하게.
ungerecht·fertigt *a.* 정당하다고 인정되지 않는, 부당한: 〖法〗 ~e Bereicherung 부당 이득.
Ungerechtigkeit *f.* -en ① 불공평, 부정, 부당. ② 부정〔부당〕한 언행.
ungeregelt *a.* ① 불규칙한; 무질서한, 문란한: ein ~es Leben führen 방종한 생활을 하다. ② 〖드물게〗 처리되지〔지급하지〕 않은.
ungereimt *a.* ① 운(韻)을 맞추지 않은, 무운의. ② 불합리한, 조리가 서지 않는.
Ungereimtheit *f.* -en ① ↑ ungereimt 의 명사형. ② 불합리한〔조리가 서지 않는〕 언사; 모순.
***ungern** [ʊ́ngɛrn] *adv.* 좋아하지 않고, 마지 못해서: er sieht es ~ 그는 그것을 보기 싫어한다; gern oder ~ 좋든 싫든.
ungerochen *a.* 〖구식·농담〗 ↑ ungerächt.
ungerufen *a.* 호명되지〔부름받지〕 않은.
ungerügt *a.* 비난받지〔질책당하지〕 않은.
ungerührt *a.* 감동하지 않은, 냉담한, 관심을 보이지 않는.
Ungerührtheit *f.* 무감동; 냉담; 무관심.
ungerupft *a.* 〖구어〗 손상 없이: ~ davonkommen 무사히 빠져 나오다.
ungerüstet *a.* 무장하지 않은; 준비되지 않은.
ungesagt *a.* 말하지 않은, 언급되지 않은: das will ich ~ (sein) lassen 나는 그것을 말하지 않고 덮어두고 싶다.
ungesalzen *a.* ① 소금을 치지 않은, 소금에 절이지 않은, 무염(無塩)의: ~es Brot 소금을 치지 않은 빵. ② 맛 없는, 김빠진.
ungesattelt *a.* 안장을 얹지 않은: auf einem ~en Pferd reiten 말을 안장 없이 타고 가다.
ungesättigt *a.* ① 배가 부르지 않은. ② 〖化〗 포화되지 않은, 불포화의: eine ~e Lösung 불포화 용액.
ungesäubert *a.* 청소하지 않은; 불결한.
ungesäuert *a.* 효모를〔젖산균을〕 넣지 않은.
ungesäumt [ʊ́ngəzɔymt, ʊngəzɔ́ymt] *a.* ① 테(두리)가 없는, 옷단을 대지 않은. ② 〖雅語〗 주저하지 않는, 즉석의.
ungeschaffen *a.* 창조〔창작·제작〕되지 않은.
ungeschält *a.* 껍질을 벗기지 않은, 찧지 않은, 탈곡하지 않은.
ungeschehen *a.* 일어나지 않은, 행하여지지 않은: et. ~ machen 무엇을 원상으로 되돌리다〔환원시키다〕.
ungescheit *a.* 영리하지 못한, 우둔한.
ungescheut *a.* 〖雅語〗 두려워하지 않는, 거리낌없는, 대담한.

ungeschichtlich *a.* 비역사적인, 역사적 근거가 없는, 역사에 따르지 않은.
Ungeschick [ʊ́ngəʃɪk] 《I》 *n.* -(e)s 서투름, 졸렬, 미숙; 부주의: durch mein ~ 내 미숙함으로 인하여; ~ läßt grüßen! (실수한 상대를 탓하는 말로) 서투른 정도가 아니야! 《II》 *m.* -(e)s, -e 서투른 사람.
ungeschicklich *a.* 〖드물게〗 ↑ ungeschickt.
Ungeschicklichkeit *f.* -en ① 서투름, 미숙, 졸렬. ② 서투른〔미숙한〕 행위.
ungeschickt *a.* ① 서투른, 미숙한; 영리하지 못한; 세련되지 못한. ② (südd.) 실제적〔실용적〕이지 못한; 부적절〔부적당〕한.
Ungeschicktheit *f.* 서투름, 미숙.
ungeschlacht *a.* 〔구식〕 ① 모양이 흉한, 기형의: ~e Hände 기형의 손. ② 거대〔육중〕한: ein ~es Bauwerk 육중한 건축물. ③ 거친, 조야한, 정중하지 않은.
Ungeschlachtheit *f.* 흉함, 기형; 조야.
ungeschlagen [ʊ́ngəʃla:gən, ungəʃlá:gən] *a.* 패배하지 않은, 무패의.
ungeschlechtlich *a.* 〖生〗 무성(無性)의: die ~e Fortpflanzung 무성 생식.
ungeschliffen *a.* ① 연마하지〔갈지〕 않은. ② 세련되지 못한; 거친, 조야한: ein ~es Benehmen 세련되지 못한 행동.
Ungeschliffenheit *f.* 거칢, 조야.
Ungeschmack *m.* -(e)s 〖드물게〗 ① 좋지 않은 맛, 맛없음. ② 몰취미, 미적 감각의 결여.
ungeschmälert [ʊ́ngəʃmɛ:lərt, ungəʃmɛ́:lərt] *a.* 감소〔축소〕되지 않은; 온전한.
ungeschmeidig *a.* 휘지 않는, 유연하지 않은; 융통성이 없는; 순종하지 않는: ein ~es Material 딱딱한 물질.
ungeschminkt *a.* 화장하지 않은; 윤색〔미화〕하지 않은; 가식 없는, 있는 그대로의.
ungeschmückt *a.* 꾸미지〔치장하지〕 않은.
ungeschoren [ʊ́ngəʃo:rən] *a.* ① 베지〔자르지·깎지〕 않은. ② 성가심을 당하지 않는, 불편이〔방해가〕 없는: laß mich ~! 나를 성가시게 하지 마라!
ungeschrieben *a.* (글로) 쓰여지지 않은, 문서화되지 않은: ein ~es Gesetz 불문율.
ungeschult *a.* 교육〔훈련〕을 받지 않은; 미숙한; 수련을 쌓지 않은.
ungeschützt *a.* 보호받지 않은, 무방비의.
ungeschwächt *a.* (쇠)약해지지 않은, 약화되지 않은: mit ~en Kräften 원기 왕성하게.
ungeschwänzt *a.* 꼬리가 없는.
ungeschworen *a.* 맹세하지 않은.
ungesehen *a.* 보이지 않은; 남의 눈에 띄지 않은: er gelangte ~ ins Haus 그는 남의 눈에 띄지 않고 집 안에 들어갔다.
ungesellig *a.* ① 비사교적인. ② 〖動〗 무리지어 생활하지 않는, 단독 생활을 하는.
Ungeselligkeit *f.* 비사교적임.
ungesetzlich *a.* 비합법적인, 위법의, 불법의: auf ~em Wege 불법적인 방법으로.
Ungesetzlichkeit *f.* -en ① 위법, 불법. ② 불법적인 행위.
ungesetzmäßig *a.* 비합법적인, 위법의, 불법의.
ungesittet *a.* 버릇 없는, 무례한; 품위 없는.
ungesondert *a.* 분리〔분류〕되지 않은.
ungesprächig *a.* 말없는, 과묵한.
ungestalt [ʊ́ngəʃtalt] *a.* 〔구식·雅語〕 ① 기형의, 불구의. ② 형상이〔형체가〕 없는.
Ungestalt *f.* -en 〔구식·雅語〕 기형, 불구, 흉물.
ungestaltet *a.* 형성되지 않은, 형상이 없는.
ungestärkt *a.* ① 〔雅語〕 원기가 보강되지 않은. ② 풀을 먹이지 않은.
ungestempelt *a.* (우편물에) 소인이 찍히지 않은; 스탬프가 찍히지 않은: eine ~e Briefmarke 소인이 찍히지 않은 우표.
ungestielt *a.* 〖植〗 줄기가 없는; 꽃자루가 없는.
ungestillt *a.* 〔雅語〕 진정되지 않은; (욕망 따위가) 채워지지 않은; 충족되지 않은.
ungestört *a.* 방해받지 않은; 중단되지 않은.
Ungestörtheit *f.* 방해받지 않음; 중단되지 않음.
ungestraft *a.* (처)벌받지 않은.
***ungestüm** [ʊ́ngəʃty:m] *a.* 〔雅語〕 ① 격심〔격렬〕한; 격정적인: ein ~er junger Mann 격정적인 젊은 남자. ② 〔드물게〕 거칠고 사나운; 세찬.
Ungestüm *n.* -(e)s 〔雅語〕 ① 격렬(한 태도); 격정. ② 〔드물게〕 거칠고 사나움: das ~ des Wetters 폭풍우; mit ~ 격렬하게.
ungesucht *a.* 꾸미지 않은, 자연스러운.
Ungesuchtheit *f.* 꾸밈이 없음.
ungesühnt *a.* 〔雅語〕 처벌을 받지 않은, 속죄하지 않은: die Tat darf nicht ~ bleiben 그 범행은 처벌을 받아야만 한다.
***ungesund** *a.* ① 건강에 해로운. ② 건강하지 않은; 불건전한; 비정상적인.
ungesüßt *a.* 설탕을 치지 않은, 무가당의.
ungetadelt *a.* 비난〔견책〕받지 않은.
ungetan *a.* 행해지지 않은, 이행되지 않은: et. ~ lassen 무엇을 하지 않고 (내버려)두다.
ungetauft *a.* 세례를 받지 않은.
ungeteilt *a.* ① 나누어지지 않은, 분할되지 않은. ② 완전한; 어떤 것에 의해서 방해받지 않은: mit ~er Aufmerksamkeit zuhören 매우 주의를 기울여 듣다.
Ungetier *n.* -(e)s, -e 괴물(Untier).
ungetrennt *a.* 분리되지 않은; 〖문법〗 비분리의.
ungetreu *a.* 〔雅語〕 충실치 못한; 불성실한: ein ~er Knecht 불성실한 종.
ungetröstet *a.* 위로받지 못한.
ungetrübt *a.* 탁하지〔흐리지〕 않은, 맑은; 방해받지 않는, 완전한: ein ~es Glück 완전한 행복.
ungetüm [ʊ́ngəty:m] *a.* 괴물 같은; 거대한.
Ungetüm *n.* -(e)s, -e ① 괴물. ② 괴물같이 거대한 것, 흉물스러운 것.
ungetümlich *a.* ↑ ungetüm.
ungeübt *a.* 연습하지 않은, 미숙한; 〖軍〗 훈련되지 않은.
ungewandt *a.* 세련되지 못한; 미숙한; 기민하지 못한.
Ungewandtheit *f.* 세련되지 못함; 미숙; 기민하지 못함.
ungewarnt *a.* 경고받지 않은, 경고 없는.
ungewaschen *a.* ① 씻지 않은, 더러운; 품위 없는: ein ~es Maul 험구, 독설. ② 물로 씻지 않은: ~es Obst 씻지 않은 과일.
ungeweiht *a.* ① 〖宗〗 신성하지 않은. ② 비법(祕法)에 정통하지 않는.
ungewiegt *a.* 흔들리지 않은.

***ungewiß** [ʊ́ngəvɪs] *a.* ① 불확실한; 확정되지 않은: es ist ~, ob er heute noch kommt 그가 오늘 중으로 올지 확실치 않다; et. auf ungewisse Zeit verschieben 무엇을 무기한 연기하다. ② 미결정의, 결심〔확신〕이 서지 않은: ich bin mir noch ~ 〔im ungewissen〕, ob ich nach München fahren soll 나는 뮌헨으로 가야 할지 아직 결정을 내리지 못하고 있다; sich³ über et. im ungewissen sein 무엇에 대해 확신하지 못하고 있다; jn. über et. im ungewissen lassen 누구에게 무엇에 대해 확실〔정확〕한 것을 알려주지 않다. ③〔雅語〕정확하게 규정할 수 없는, 애매〔막연〕한, 희미한.

ungewiss 新정서 ⇦ ungewiß.

ungewissenhaft *a.* 비양심적인, 불성실한.

Ungewißheit *f.* -en 불확실; 불확정, 미(결)정, 미결심: jn. in ~ lassen〔halten〕누구의 마음을 졸이게 하다, 진상을 밝히지 않다.

Ungewitter [ʊ́ngəvɪtər] *n.* -s, - ①〔구식〕뇌우, 폭풍우. ② 격분, 격노.

Ungewohnheit *f.* ↑ Ungewohntheit.

ungewöhnlich [ʊ́ngəvø:nlɪç] 《I》*a.* 보통이 아닌, 일상적〔통상적〕이 아닌, 이례적인; 비범〔비상〕한; 엄청난: ein ~er Mensch 비범한 사람. 《II》*adv.* 매우, 대단히, 비상하게.

Ungewöhnlichkeit *f.* 이례적임, 비범.

ungewohnt *a.* ① 익숙하지 않은; 생소한: eine ~e Umgebung 낯선 환경; diese Arbeit ist für mich ~ 이 일은 내게 익숙지 않다. ② 보통이 아닌, 별난, 드문; 이례적인.

Ungewohntheit *f.* 익숙지 않음, 생소.

ungewollt *a.* 의도하지〔원치〕 않은; 고의가 아닌: et. ~ verraten 무엇을 본의 아니게 발설하다.

ungewürzt *a.* 양념을〔향료를〕 치지 않은.

ungezählt 《I》*a.* ① 셀 수 없는. ② 무수한, 무수히 많은. 《II》*adv.* 헤아리지〔세지〕 않고.

ungezähmt *a.* ① 길들지 않은; 야성 그대로의: ein ~es Pferd 길들이지 않은 말, 야생마. ② 억제되지 않은.

ungezäumt *a.* 고삐가 없는; 구속되지 않은.

ungezeichnet *a.* 서명〔사인〕이 없는.

Ungeziefer [ʊ́ngətsi:fər] *n.* -s 유해한 작은 동물, 해충, 독충.

ungeziemend *a.*〔雅語〕부적당한, 어울리지 않는; 무례한.

ungezogen *a.* ① 예의 범절을 모르는, 버릇 없는: ein ~es Kind 버릇 없는 아이. ②〖軍〗(총이) 강선(腔綫)이 없는.

Ungezogenheit *f.* -en ① 무례, 버릇 없음. ② 무례한 언행.

ungezuckert *a.* 설탕을 치지 않은, 무가당의.

ungezügelt *a.* 고삐 풀린, 자제력이 없는.

ungezwungen *a.* 강요되지 않은, 자연스러운, 꾸미지 않은: in ~er Haltung 자연스런 태도로.

Ungezwungenheit *f.* ↑ ungezwungen 의 명사형.

ungiftig *a.* 독이 없는, 무독성의: eine ~e Schlange 독이 없는 뱀.

ungiltig *a.* 무효의.

Unglaube [ʊ́nglaubə] *m.* -ns 믿지 않음, 확신이 없음, 회의(懷疑);〖宗〗불신, 무신앙, 신의 존재에 대한 회의.

Unglauben *m.* -s〔드물게〕↑ Unglaube.

unglaubhaft *a.* 믿을 수 없는; 신뢰할 수 없는: eine ~e Geschichte 믿을 수 없는 이야기.

ungläubig *a.* ① 신앙이 없는, 신을 믿지 않는. ② 의심〔불신〕하는, 회의적인:〔구어〕ein ~er Thomas 직접 보기 전에는 어떤 것도 믿지 않는 사람, 회의가.

Ungläubige* *der/die* 신앙이 없는 사람, 무신론자, 회의주의자; 이교도.

***unglaublich** [ʊngláuplɪç, ʊ́nglaup..] 《I》*a.* ① 믿어지지 않는, 황당무계한; 파렴치한: es geht ins 〔grenzt ans〕 ~e 그것은 거의 믿을 수 없는 일이다. ②〔구어〕매우 큰, 엄청난: eine ~e Menge 매우 많은 양. 《II》*adv.* 매우, 굉장히: ~ stark 굉장히 강한.

unglaubwürdig *a.* 믿을 수 없는; 신뢰성이 없는.

Unglaubwürdigkeit *f.* 믿을 수 없음; 신뢰성 없음.

***ungleich** 《I》*a.* ① 같지〔동일하지·공평하지〕 않은; 어울리지 않는; 닮지 않은: zwei ~e Socken anhaben 양말을 짝짝이로 신고 있다; ~e Gegner 실력이 서로 같지 않은 상대. ② 변하기 쉬운, 불규칙한, (날씨가) 불순한: von ~er Gemütsart 기분 내키는 대로의, 변덕스러운. ③ 평탄하지 않은. ④〔고어〕홀수의. ⑤ 외짝의. ⑥〖理〗이질(異質)의, 다른 성분으로 된. 《II》*adv.*〔형용사의 비교급과 함께〕훨씬: ~ schöner als ... …보다 훨씬 더 아름다운. 《III》*prp.*³〔雅語〕…와 달리: ~ ihrer Schwester ist sie sehr fleißig 그녀는 언니와는 달리 매우 부지런하다.

ungleich≈artig *a.* 이종(異種)〔이질〕의, 다른 모양의: zwei ~e Gegenstände 2 개의 이질적인 대상. **~erbig** *a.*〖生〗이형질의 두 유전자를 가진, 이형 접합의. **~förmig** *a.* 동형이 아닌; 다른 방식의. **~geschlechtlich** *a.* 이성(異性)의; 이성간의; 이성애(愛)의. **~gewicht** *n.* ① 불균형: ein ~ der Zahlungsbilanz 수입 지출〔국제 수지〕의 불균형. ②〔드물게〕(내면의) 불안정, 동요.

Ungleichheit *f.* -en 부동(不動), 불일치; 불평등.

ungleichheitlich *a.* ↑ ungleich.

ungleichmäßig *a.* 한결같지 않은, 불균형의, 균등〔균일〕하지 않은, 고르지 않은, 불규칙한.

Ungleichmäßigkeit *f.* 불균등, 불규칙.

ungleich≈namig *a.* 이름이 서로 다른;〖數〗분모가 다른;〖物〗극이 다른. **~seitig** *a.*〖기하〗부등변의: ein ~es Dreieck 부등변 3 각형. **~silbig** *a.*〖문법〗음절수가 같지 않은. **~stoffig** *a.* 이질(異質)의.

Ungleichung *f.* -en〖數〗부등식.

ungleich·zeitig *a.* 시점이 다른, 비동시적인.

Unglimpf [ʊ́nglɪmpf] *m.* -(e)s〔구식〕부정, 불법, 부당; 모욕, 치욕, 굴욕, 수모.

unglimpflich *a.*〔구식〕불법적인; 부당한; 모욕적인.

***Unglück** [ʊ́nglʏk] *n.* -(e)s, -e ① 사고, 참사, 재난, 재해: ein ~ verhindern 사고를 미연에 막다;〔속담〕ein ~ kommt selten allein 엎친 데 덮친 격이다, 설상가상이다; laß nur, das ist kein (großes) ~ 그냥 두게, 그것은 (그리) 나쁘지 않네. ② 불운, 불행; 곤경; 재앙; 비참:〔雅語〕jn. ins ~ bringen〔stoßen, stürzen〕누구를 불행 속에 빠뜨리다;〔구어〕in sein ~ rennen 화를 자초하다; vom ~ verfolgt sein 불운이 따라다니다; zu allem ~ 설상가상으로: Glück im ~ haben 불행 중 다행이다.

***unglücklich** *a.* ① 슬픈, 의기소침한, 비통한: ein ~es Gesicht 비통한 표정. ② 불행한; 불운한; 실패한: die Sache nahm einen ~en Ausgang 그 일은 불행한 결말로 끝났다; eine ~e Liebe 실연, 짝사랑. ③ 서투른, 미숙한: eine ~e Figur machen〔abgeben〕 동작이 서툴러서 어색해 보이다; eine ~e Hand haben 서투르다; er hat eine ~e Hand in der Wahl seiner Freundinnen 그는 여자 친구를 고르는 눈이 없다.

Unglückliche* *der/die* 불행〔불쌍〕한 사람.

unglücklicher·weise *adv.* 불행〔불운〕하게도.

Unglücks≈bote *m.* 나쁜 소식을〔흉보를〕 전하는 사람. **~botschaft** *f.* 흉보, 비보, 나쁜 소식. **~brief** *m.* 나쁜 소식을 전하는 편지.

unglückselig *a.* ① 불행한; 불운한; 비운의. ② 비참한, 가엾은: die ~e Frau 가엾은 여자.

unglückseliger·weise *a.* 불행〔불운〕하게도.

Unglückseligkeit *f.* -en ① 불행; 불운; 비운; 비참. ② 비참〔불행〕한 사건.

Unglücks≈fahrer *m.* 사고(를 낸) 운전자. **~fall** *m.* 사고, 참사, 재난. **~gefährte, ~-genosse** *m.* 역경을 함께 겪은 동지. **~-häher** *m.* 〖動〗(꼬리와 깃이 붉은 중부 유럽산(產)) 어치. **~jahr** *n.* ① 사고가 일어난 해. ② 불행〔불운〕한 해, 흉년(凶年). **~kind** *n.* 〔구식〕 ↑ ~mensch. **~maschine** *f.* 사고 비행기. **~mensch** *m.* 〔구어〕 불운한 사람. **~nachricht** *f.* ↑ ~botschaft. **~ort** *m.* 사고 현장〔지점〕. **~post** *f.* 흉보(凶報). **~-prophet** *m.* 재난〔흉사·참사〕의 예언자. **~-rabe** *m.* 〔구어〕 불운한 사람. **~schwanger** *a.* 〔雅語〕 불행을 내포한, 불행의 싹을 지닌. **~stelle** *f.* 사고 현장〔지점〕. **~stern** *m.* 불길한 별. **~stifter** *m.* 불행을 초래한 장본인. **~stunde** *f.* 불행한 시간. **~tag** *m.* ① 사고가 난 날, 사고일. ② 불운한 날, 흉일. **~-verheißend, ~verkündend** *a.* 불길한, 조짐이 좋지 않은. **~vogel** *m.* 〔구어〕 불운한 사람. **~wagen** *m.* 사고를 낸 자동차. **~-wurm** *m.* 〔구어〕 불운한 사람. **~zeichen** *n.* 불길한 징조, 흉조.

Ungnade [ʊ́ngna:də] *f.* 〔경박〕 총애를 잃음, 분노, 불쾌: bei jm. in ~ fallen〔sich³ js. ~ zuziehen〕 누구의 노여움을 사다, 누구의 총애를 잃다; bei jm. in ~ sein 누구의 총애를 잃다.

ungnädig *a.* ① 〔경박〕 심기가 불편한, 불쾌한, 못마땅한: et. ~ aufnehmen 무엇을 불쾌하게 받아들이다. ② 〔雅語〕 가혹한, 무자비한: ein ~es Schicksal 가혹한 운명.

ungöttlich *a.* 신답지 않은; 신과 무관한; 신 같지 않은.

ungrad, ungrade *a.* 〔구어〕 ↑ ungerade.

ungrammatisch *a.* 〖언어학〗 비문법적인, 문법에 어긋난, 비문(非文)의.

ungraziös *a.* 우아하지 않은, 추한.

Ungrund [ʊ́ngrʊnt] *m.* -(e)s 근거 없음; 허위, 허구.

ungründlich *a.* 근본적이 아닌; 피상적인.

Ungulat [ʊŋgulá:t] 《lat.》 *m.* -en, -en 〖動〗 유제류(有蹄類) (Huftiere).

ungültig [ʊ́ngʏltɪç] *a.* 무효의, 통용되지 않는; 무가치한: ~ werden 무효가 되다; et. für ~ erklären 무엇이 무효임을 선언하다; ein Gesetz〔einen Vertrag〕 für ~ erklären 법률〔계약〕을 파기하다.

Ungültigkeit *f.* 무효, 실효.

Ungültigkeits·erklärung *f.* 무효 선언, 파기.

Ungültig·machung *f.* 〔격식〕 무효화; 파기.

Ungunst [ʊ́ngʊnst] *f.* -en ① 〔雅語〕 불쾌, 불만, 분노: sich³ js. ~ zuziehen 누구의 노여움을 사다. ② 〔복수〕 손해, 불리: zu js. ~en 누구에게 불리하게; ich habe mich zu Ihren ~en verrechnet 제가 계산 착오로 당신에게 손해를 끼쳤습니다. ③ 호의적이지 않음.

ungünstig [ʊ́ngʏnstɪç] *a.* ① 형편이 나쁜, 불리한. ② 〔雅語〕 분노한; 비호의적인: er ist dir ~ gesinnt 그는 너에게 좋지 않은 감정을 가지고 있다.

Ungünstigkeit *f.* 불리; 호의적이지 않음.

ungustiös *a.* (öst.) 맛없는, 구미가 당기지 않는.

ungut *a.* ① 좋지 않은, 싫은, 불쾌한: et. für ~ nehmen 무엇을 나쁘게 생각하다; nichts für ~! 부디 나쁘게〔언짢게〕 생각지 마시기를! ② 나쁜, 바람직하지 않은.

ungütig *a.* 불친절한, 호의가 없는; 난폭한.

unhaltbar [ʊ́nhaltba:r, ʊnháltba:r] *a.* ① 유지할 수 없는; 근거가 박약한: eine ~e Behauptung 근거가 박약한 주장. ② 참을 수 없는; 개선〔제거〕되어야 할: der Mann ist für die Firma ~ 이 남자는 회사에 짐이 될 뿐이다. ③ 〖軍〗 방어할 수 없는. ④ 〖구기〗 잡을 수 없는, 막을 수 없는.

Unhaltbarkeit *f.* ↑ unhaltbar 의 명사형.

unhaltig *a.* 〖광산〗 광물을 함유하지 않은.

unhandlich *a.* 취급하기 어려운, 다루기 힘드는.

Unhandlichkeit *f.* 다루기 힘듦; 취급하기 어려움.

unharmonisch *a.* 조화되지 않는, 어울리지 않는.

UNHCR 《engl.》 = United Nations High Commissioner for Refugees 국제 연합 난민 고등 판무관.

***Unheil** [ʊ́nhaɪl] *n.* -(e)s 〔雅語〕 화, 재해, 재앙, 불행: ~ stiften〔anrichten〕 화를 불러일으키다.

***unheilbar** [ʊ́nhaɪlba:r, ʊnháɪlba:r] *a.* 난치〔불치〕의.

Unheilbarkeit *f.* 치유 불능, 불치; 난치.

unheil≈bringend *a.* 〔雅語〕 화를 초래하는, 유해한: eine ~e Entscheidung 화를 초래하는 결정. **~drohend** *a.* 〔雅語〕 위협적인.

unheilig *a.* 〔구식·농담〕 ① 신성하지 않은; 경건하지 않은. ② 신앙(심)이 없는, 기독교적이 아닌.

unheil·kündend *a.* 〔雅語〕 ↑ unheilverkündend.

unheilsam [ʊ́nhailza:m, ʊnháilza:m] *a.* 유해한; 치료에 효력이 없는.

unheil≈schwanger *a.* 〔雅語〕 재해〔재앙〕의 싹을 지닌. **~stifter** *m.* 〔雅語〕 재앙을 야기한 사람. **~verkündend** *a.* 〔雅語〕 불행〔재앙〕을 예고하는. **~voll** *a.* 〔雅語〕 재앙을 가

져오는; 유해한.
unheimisch *a.* 타지방 출생의; 서먹서먹한.
***unheimlich** [ʊ́nhaimlɪç, ʊnháɪm..] 《Ⅰ》 *a.* ① 기분이 나쁜; 으스스한; 스산한: er ist mir ~ 나는 그가 기분 나쁘다; mir ist ~ zumute 나는 기분이 으스스하다. ② 〔구어〕 매우 큰〔많은〕, 엄청난: ein ~es Durcheinander 엄청난 혼란. 《Ⅱ》 *adv.* 〔구어〕 매우, 대단히, 엄청나게: ~ schnell 엄청나게 빨리.
Unheimlichkeit *f.* 심상치 않음, 으스스함; 스산함.
unheizbar [ʊ́nhaitsba:*r*, ʊnháɪts..] *a.* 난방 장치가 없는, 난방을 할 수 없는.
unhistorisch *a.* 비역사적인, 역사적 연관을 무시한: eine ~e Betrachtungsweise 비역사적인 고찰 방법.
unhöflich *a.* 무례한; 정중하지 못한.
Unhöflichkeit *f.* -en ① 무례. ② 무례한 언행.
unhold *a.* 〔구식·시어〕 악의를 품은, 적대적인: jm.〔et.[3]〕 ~ sein 누구〔무엇〕에 대해 적대적이다, 누구를〔무엇을〕 싫어하다.
Unhold *m.* -(e)s, -e ① (**a**) 잔인〔사악〕한 사람. (**b**) 파렴치범. ② (동화나 설화에서) 괴물; 악마; 악령.
Unholdin *f.* -nen 악녀; 마녀; 독부(毒婦).
unhörbar [ʊ́nhø:*r*ba:*r*, ʊnhǿ:*r*..] *a.* 들리지 않는, 알아듣지 못할 정도의.
Unhörbarkeit *f.* ↑ unhörbar 의 명사형.
unhygienisch [..gie:..] *a.* 비위생적인.
Uni[1] [ʊ́ni, ú:ni:] *f.* -s 〔구어〕 대학교(↑ Universität 의 약칭).
Uni[2] [yní:, ýni] *n.* -s, -s 단색: ein Kleid in ~ 단색의 옷.
uni [yní:, ýni] 《frz.》 *a.* 단색의, 무늬가 없는: ein ~ Kleid 한 가지 색상의 옷.
UNICEF [ú:nitsɛf] 《engl.》 *f.* =United Nations International Children's Emergency Fund 유니세프, 유엔 아동 기금.
UNIDO 《engl.》 =United Nations Industrial Development Organization 국제 연합 공업 개발 기구.
unieren [uní:rən] 《lat.》 《Ⅰ》 *t.* (종파 따위를) 통합〔통일〕하다. 《Ⅱ》 **uniert** *p.a.* ↑ uniert.
uniert 《Ⅰ》 *p.p.* ↑ unieren. 《Ⅱ》 *p.a.* ① 〔구식〕 통합된, 통일된. ② 통합 교회의〔에 속하는〕: ~e Kirchen a) (동방 교회의) 귀일(歸一) 교회, b) 『기독교』 통합 교회.
Unifikation [unifikatsió:n] *f.* -en 『政·經』 단일화, 통일; 통합.
unifizieren *t.* 『政·經』 통합〔통일〕하다, 단일화하다: Arbeitsprozesse ~ 작업 과정을 통합하다; 『經』 Anleihen ~ 공채를 정리하다.
Unifizierung *f.* -en 『政·經』 ① 통합, 통일, 단일화. ② 『經』 정리, 통합.
***Uniform** [unifɔ́rm, ʊ́nifɔrm] *f.* -en 제복; 『軍』 군복: in voller ~ 정장(正裝)으로, 정복을 입고; Bürger in ~ 독일 국방군의 군인; in kleiner ~ 약식복(略式服)으로 ; in der ~ stecken 군인이다; die ~ ausziehen 군직을 물러나다, 군복을 벗다.
uniform [unifɔ́rm] 《lat. -frz.》 *a.* 〔교양〕 같은 모양의, 동형의; 획일적인; 단조로운.
uniformieren 《Ⅰ》 *t.* ① 획일화〔균일화〕하다. ② 제복을 착용시키다: Rekruten ~ 신병에게 군복을 입히다; uniformierte Leute 제복을 입은 사람들. 《Ⅱ》 *refl.* sich ~ 제복을 입다.
Uniformierung *f.* -en 획일화, 균일화.
Uniformismus *m.* - 〔교양〕 획일주의.
Uniformität *f.* 〔교양〕 획일성; 균일성.
Uniform·verbot *n.* 제복 착용 금지.
unigefärbt [yní:gəfɛrpt, ýni..] *a.* (uni) 단색의; 무늬가 없는.
Unikat *n.* -(e)s, -e 〔교양〕 ① 한 통뿐인 서류. ② ↑ Unikum ②.
Unikum [ú:nikʊm] 《lat. unicus, „einzig"》 *n.* -s, ..ka/(öst.) -s ① 〔복수: ..ka〕 〔교양〕 특이한 것; 진귀한 것. ② 〔복수: ..ka〕 유일품, 유일본, 진본(珍本), 진품. ③ 〔대개 복수: -s〕 〔구어〕 기인, 괴짜; 재미있는 사람.
unilateral [unilaterá:l, úni..] 《lat.》 *a.* ① (**a**) 『政·經』 일면적인, 일방적인; 한쪽에만 해당되는. (**b**) 『醫』 편측(偏側)의. ② 『인종』 (사회 제도 따위가) 한쪽 부모 지향의.
uninformiert *a.* 정보를 갖지 못한, 알지 못하는.
Uninformiertheit *f.* 정보 부재, 알지 못함.
uninteressant *a.* ① 흥미〔재미〕 없는, 지루한. ② 『商』 이득이 없는, 불리한.
uninteressiert *a.* 무관심한, 흥미 없는: an et.[3] ~ sein 무엇에 무관심하다; sich bei et.[3] ~ zeigen 무엇에 무관심한〔흥미 없는〕 태도를 보이다.
Uninteressiertheit *f.* 무관심.
Unio mystica [ú:nio mýstika] 《lat.》 *f.* 『신학』 (신과 인간 영혼의) 신비적 합일〔일치〕.
***Union** [unió:n] 《lat. unus, „ein"》 *f.* -en 연합, 연맹, 동맹, 연방: ~ der Sozialistischen Sowjetrepubliken (구)소비에트 사회주의 공화국 연방(약어: UdSSR) ; Junge ~ CDU 와 CSU 의 통합 청년 조직.
Unionist *m.* -en, -en 연합〔연맹〕의 일원〔지지자〕, 연합〔통일〕주의자; (미국 남북 전쟁 당시의) 연방주의자.
unionistisch *a.* 〔교양〕 연합〔연맹·연방〕에 속하는; 연합〔연맹·연방〕의.
Union Jack [jú:njən dʒǽk] 《engl.》 *m.* --s, --s 영국 국기, 유니언 잭.
Unions⸗kirche *f.* 『기독교』 통합 교회. **~-partei** *f.* 기독교 연합당(기독교 민주주의 연맹(CDU) 또는 기독교 사회주의 연맹(CSU)).
unipetal *a.* 『植』 홑잎의, 단엽의.
unipolar [unipolá:*r*] 《lat.》 *a.* 『전기』 단극(單極)의(einpolig).
Unipolarität *f.* 단극성(性).
Unipolar·maschine *f.* 『전기』 단극 발전기.
unirdisch *a.* 내세의, 저승의; 세속적이 아닌.
Unisex [ýnizɛks, yní:..] *m.* -(es) 유니섹스(남녀 구별이 없는 복장·두발 양식(樣式)).
unisono [uní:zono, unizó:no] 《it.》 *adv.* ① 『음악』 같은 음으로. ② 〔교양〕 이구동성으로.
Unisono [(또는) uni:zó:..] 《lat. sonus, „Schall"》 *n.* -s, -s/..ni 『음악』 동음(同音), 동도(同度); 제창(齊唱), 제주(齊奏).
Unitarier [unitá:riə*r*] 《lat.》 *m.* -s, - 『宗』 (↔ Trinitarier) 유니테리언 교도(삼위 일체론을 반대하는 기독교의 교파), 유일신 교도.
unitarisch *a.* ① 〔교양〕 통일〔합일〕을 지향하는. ② 〔드물게〕 유니테리언파의.
Unitarismus *m.* - ① 『政』 중앙 집권주의(↔ Föderalismus). ② 〔드물게〕 유니테리언주의, 유니테리언파의 교리. ③ 『醫』 (**a**) 여러 질병에

서 현상들의 일치주의. **(b)** 모든 백혈구의 단일 세포 유래설.

Unität *f.* -en 〔교양〕 ① 통일, 통합, 합일, 일치. ② 유일성, 일회성. ③〖농담〗 대학(Universität).

United Nations [junáɪtɪd neɪʃənz] ⟪engl.⟫ *pl.* 국제 연합(약어: UN).

United Press International [junáɪtɪd prɛ́s intərnɛ́ʃənəl] *f.* 유피아이 통신사(약어: UPI).

United States (of America) [junáɪtɪd stéɪts (əv əmɛ́rɪkə)] *pl.* 미합중국(약어: US (A)).

***universal** [univɛrzá:l] ⟪<Universum⟫ *a.* 〔교양〕 일반의; 전체의; 총괄적인; 보편적인; 다방면에 걸친; 우주〔세계〕의, 전세계적인: eine ~e Bildung 보편적 교양; ein ~es Arzneimittel 만병 통치약; ein ~er Kopf 다재다능한 사람.

Universal≠bildung *f.* 보편적 교양. **~-empfänger** *m.* 〖醫〗 (어떤 혈액형도 수혈받을 수 있는) AB 혈액형 소유자. **~erbe** *m.* 〖法〗 단독 상속인. **~gelenk** *n.* 〖工·해부〗 (축의 방향을 자유자재로 바꿀 수 있는) 만능〔자재(自在)〕 이음쇠〔관절〕. **~genie** [..ʒeni:] *n.* 만능 천재; 척척 박사. **~geschichte** *f.* 세계사.

Universalie [univɛrzá:liə] ⟪lat.⟫ *f.* -n [..liən] ①〖哲〗 일반 개념, 보편 타당한 진술. ②〖언어〗 (언어의) 보편적 특징.

Universalien·streit *m.* 〖哲〗 (중세 스콜라 철학에서) 보편 논쟁.

Universalismus *m.* - ①〖哲·사회〗 보편주의. ②〖신학〗 (신의 보편적인 사랑으로 전인류가 궁극적으로 구제된다고 하는) 보편 구제설.

universalistisch *a.* 〔교양〕 보편주의의, 보편(주의)적인.

Universalität *f.* 〔교양〕 ① 보편성, 일반성. ② 보편적 교양, 다방면에 능통함.

Universal≠kupplung *f.* 만능 이음쇠. **~-lexikon** *n.* 백과 사전. **~mittel** *n.* 만병 통치약. **~monarchie** *f.* 〖哲〗 보편 왕국(한 국가가 세계를 통일함으로써 성립되는 국가). **~schrauben·schlüssel** *m.* 〖工〗 만능〔멍키〕 스패너. **~spender** *m.* 〖醫〗 (누구에게나 수혈할 수 있는) O 혈액형 소유자. **~sprache** *f.* 세계어. **~zeit** *f.* 〖天〗 우주시(時).

universell [univɛrzɛ́l] ⟪lat.⟫ *a.* 〔교양〕 ① 일반적인. ② 다방면에 걸친, 다방면에 재능이 있는.

Universiade [univɛrziá:də] *f.* -n 유니버시아드 대회(국제 대학생 올림픽).

universitär *a.* 〔교양〕 대학의: ~e Verwaltung 대학 행정.

***Universität** [univɛrzitɛ́:t] *f.* -en ① (종합) 대학(약어: Uni): die ~ (in) Leipzig 라이프치히 대학; Professor an der ~ 대학 교수; die ~ beziehen 대학에 입학하다; auf der ~ sein 대학 재학 중이다. ② 대학의 구성원 전체(교수·학생·교직원). ③ 대학 건물.

Universitäts≠ausbildung *f.* 대학 교육. **~bibliothek** *f.* 대학 도서관(약어: UB). **~buch·handlung** *f.* ① 대학 서점(대학이 학술 서적 전문 서점에 부여하는 명예로운 칭호). ② 위 칭호를 얻은 서점. **~druckerei** *f.* 대학 출판부. **~ferien** *pl.* 대학의 방학. **~freund** *m.* 대학의 학우, 대학 동창생. **~institut** *n.* 대학 (부설) 연구소. **~klinik** *f.* 대학 (부속) 병원. **~lauf·bahn** *f.* 교수 경력. **~leben** *n.* 대학 생활. **~lehrer** *m.* 대학 교수〔강사〕. **~-pedell** *m.* 대학의 수위(守衛); 〔구어〕 불독. **~professor** *m.* 대학 교수. **~professorin** *f.* ↑ ~professor 의 여성형. **~richter** *m.* 대학의 학생감; 대학의 시험 감독관. **~stadt** *f.* 대학 도시. **~studium** *n.* 대학에서의 학업. **~unterricht** *m.* 대학의 수업〔강의〕. **~-wesen** *n.* 대학 조직〔제도〕.

***Universum** [univɛ́rzum] ⟪lat. unus⟫ *n.* -s, ..sen ① 우주, 삼라만상. ②〔雅語〕 무한히 다양한 세계.

Univozität [..vo..] ⟪lat.⟫ *f.* -en〖哲·구어〗 명료성.

Unix 〖컴〗 유닉스.

unjagdbar *a.* 사냥할 수 없는, 사냥에 적합하지 않은.

unkameradschaftlich *a.* 친구〔동료〕 같지 않은; 친하지 않은, 사이가 좋지 않은.

Unkameradschaftlichkeit *f.* 친구〔동료〕 같지 않은 행동〔태도〕.

unkanonisch *a.* 규준〔규범〕에 맞지 않는; 교회법에 맞지 않는.

Unke[1] [ʊ́ŋkə] *f.* -n ①〖動〗 두꺼비: 〔구어〕 voll wie eine ~ sein 곤드레만드레 취해 있다. ②〔구어〕 **(a)** 비관론자, 재앙을 예언하는 사람. **(b)** 나다니기 싫어하는 사람, 안방샌님.

Unke[2] *f.* -n 잉크(Tinte).

unken [ʊ́ŋkən] *t./i.* (h.) ① (두꺼비가) 낮은 소리로 울다. ②〔구어〕 **(a)** 재앙을 예언하다. **(b)** 만사를 비관적으로 보다.

unkennbar [ʊ́nkɛnba:r, ʊnkɛ́n..] *a.* ↑ unkenntlich.

unkenntlich [ʊ́nkɛntlɪç, ʊnkɛ́nt..] *a.* 식별하기 어려운, 인지할 수 없는, 판독할 수 없는.

Unkenntlichkeit *f.* 식별〔인지〕할 수 없음; 판독할 수 없음.

Unkenntnis *f.* 알지 못함, 무지: in〔aus〕 ~ eines Dinges 무엇을 몰라서; jn. über et. in ~ lassen 누구에게 무엇의 진상을 알리지 않다.

Unken·ruf *m.* ① 두꺼비의 우는 소리. ② 재앙의 예언.

unkeusch *a.* 〖雅語·구식〗 ① 순결하지 않은, 정숙하지 못한. ②〖드물게〗 부정한, 비합법적인.

Unkeuschheit *f.* 부정(不貞).

unkindlich *a.* 아이답지 않은, 조숙한.

Unkindlichkeit *f.* 아이답지 않음; 조숙.

unkirchlich *a.* 교리에 어긋나는; 세속적인.

***unklar** *a.* ① **(a)** 흐린, 불투명한, 탁한. **(b)** 모호한, 막연한: ein ~es Gefühl 막연한 느낌. ② 불명료한, 애매한; 분명치 않은, 불확실한; 이해할 수 없는: das ist mir noch ~ 나는 그것을 아직 이해할 수 없다; sich ~ ausdrücken 자신의 생각을 애매하게 표현하다; sich[3] über et. im ~en sein 무엇에 대해 정확히 알지 못하다; jn. über et. im ~en lassen 무엇에 대해 누구에게 진상을 알려 주지 않다. ③〖海·軍〗 준비되지 않은.

Unklarheit *f.* -en ① 흐림, 탁함; 모호, 불명료. ② 애매 모호한 점, 불명료한 상념: bestehen noch ~en? 아직 분명하지 않은 점이 있습니까?

unkleidsam *a.* 어울리지 않는, 맞지 않는.
unklug *a.* 영리〔현명〕하지 못한, 어리석은; 신중하지 못한: das war recht ~ von ihm, ihr Vorwürfe zu machen 그가 그녀를 비난했던 것은 정말 어리석은 짓이었다.
Unklugheit *f.* -en ① 어리석음. ② 어리석은 언행.
unkollegial *a.* 동료답지 않은, 비우호적인, 불친절한.
unkollegialisch *a.* ↑ unkollegial.
unkompliziert *a.* 간단한; 복잡하지 않은: 〖醫〗 ein ~er Bruch 단순 골절.
unköniglich *a.* 왕답지 않은, 국왕으로 어울리지 않는.
unkontrollierbar [(또는) ʊn..líːrbaːr] *a.* 통제〔제어〕할 수 없는; 검사〔점검〕할 수 없는.
unkonventionell *a.* 〔교양〕 ① 비관습적인; 전통〔인습〕에서 벗어난; 상투적이 아닌: eine ~e Entscheidung 관행에서 벗어난 결정. ② 형식에 얽매이지 않는; 강제성이 없는.
unkonzentriert *a.* 집중력이 없는.
unkörperlich *a.* ① 비육체적인, 형체가 없는; 영적〔정신적〕인. ② 〖스포츠〗 몸을 쓰지 않는.
unkorrekt *a.* ① 맞지〔옳지〕 않은, 부정확한. ② 불공정한, 부당한: das war ~ von ihm 그가 부당했다.
Unkorrektheit *f.* ① 부정확; 부당. ② 부당한 언행.
***Unkosten** [ʊ́nkɔstən] *pl.* ① (책정된 경비 이외의) 잡비, 기타 경비: nach Abzug〔abzüglich〕 aller ~ 모든 잡비를 빼고; sich[3] ~ machen 돈을 쓰다; die ~ tragen〔bestreiten〕 wir 잡비는 우리들이 부담한다; 〔구어〕 sich in ~ stürzen (많은) 돈을 쓰다; 〔구어〕 sich in geistige ~ stürzen 어떤 것에 몰두하다; dieser Leitartikel ist ohne eigene geistige ~ geschrieben 이 사설은 빌려다 쓴 것이다. ② 〔구어〕 지출.
Unkosten·beitrag *m.* 잡비 분담액.
unkräftig *a.* 무력한; 약한; 영양가 없는.
Unkraut [ʊ́nkraut] *n.* -(e)s, ..kräuter [..krɔʏtər] ① 잡초: 〔비유〕 das ~ mit der Wurzel ausreißen〔ausrotten〕 악을 근절하다; 〔속담·농담〕 ~ vergeht〔verdirbt〕 nicht 잡초는 없어지지 않는다, 못된 놈은 세상에 언제나 있다. ② (식물로서의) 개개의 잡초.
unkriegerisch *a.* 싸움을 싫어하는, 호전적이 아닌; 평화를 사랑하는.
unkritisch *a.* ① 무비판적인: allem ~ zustimmen 매사에 무비판적으로 동의하다. ② 〔드물게〕 위험〔위급〕하지 않은, 문제가 되지 않는.
Unktion [ʊŋktsióːn] 《lat.》 *f.* -en ① 〖宗〗 도유식(塗油式). ② 〖藥〗 연고를 문질러 바름.
unkultiviert *a.* ① 교양 없는, 저속한, 세련되지 못한. ② 개간〔경작〕되지 않은.
Unkultur *f.* 세련되지 못함; 교양 없음.
unkündbar [ʊ́nkʏntbaːr, ʊnkʏ́ntbaːr] *a.* 해약할 수 없는; 취소〔파기〕할 수 없는; 해고할 수 없는: ein ~er Vertrag 해약할 수 없는 계약.
Unkündbarkeit *f.* ↑ unkündbar 의 명사형.
Unkunde *f.* ↑ Unkenntnis.
unkundig *a.* 〔드물게〕 (전문) 지식이 없는, 정통하지 못한: 〔雅語〕 eines Dinges ~ sein 무엇에 정통하지 않다, 무엇을 잘 알지 못하다.
unkünstlerisch *a.* 비예술적인.
Unland [ʊ́nlant] *n.* -(e)s, ..länder [..lɛndər] 〖農·드물게〗 농경에 적합치 않은 땅, 불모지.
unlandig *a.* (unfruchtbar) (토양이) 척박한, 불모지의.
unlängst [ʊ́nlɛŋst] *adv.* 얼마 전에, 최근(에): er ist ~ aus Amerika zurückgekehrt 그는 최근에 미국에서 돌아왔다.
unlauter *a.* 순수하지 못한; 부정(不正)한; 부당한, 불공정한: 〖法〗 ~er Wettbewerb 불공정 경쟁.
unleidig 〔구식〕 *a.* ↑ unleidlich.
unleidlich *a.* ① 참을 수 없는, 견디기 어려운. ② 언짢은; 마음에 안 드는.
Unleidlichkeit *f.* ↑ unleidlich 의 명사형.
unlenkbar, unlenksam [ʊ́nlɛŋk.., ʊnlɛ́ŋk..] *a.* 부리기〔조종하기〕 어려운.
unlesbar [ʊ́nleːs.., ʊnléːs..] *a.* ① (책 따위가) 읽을 수 없는. ② 읽어 이해하기 어려운.
unleserlich [ʊ́nleːzərlɪç, ʊnléːzər..] *a.* (필적·문자 따위가) 읽기 어려운, 판독할 수 없는.
Unleserlichkeit [(또는) ʊnléː..] *f.* ↑ unleserlich 의 명사형.
unleugbar [ʊ́nlɔʏkbaːr, ʊnlɔ́ʏk..] *a.* 부정〔부인〕할 수 없는, 이론(異論)의 여지가 없는.
unlieb [ʊ́nliːp] *a.* ① 달갑잖은, 기분 나쁜: jm. nicht ~ sein 누구에게 반가운〔기분좋은〕 일이다; es wäre mir nicht ~, wenn ... …한다면 내게 참 좋겠는데. ② 〔방언〕 ↑ unliebenswürdig.
unliebenswürdig *a.* 무뚝뚝한; 애교가 없는, 불친절한.
unlieblich *a.* 귀엽지 않은; 기분 나쁜; (맛이) 나쁜.
unliebsam *a.* ① 불쾌한. ② 달갑지 않은, 성가신: ~e Gäste 성가신 손님들.
Unliebsamkeit *f.* -en ① 불쾌. ② 불쾌한 일〔것〕.
unlimitiert *a.* 〔교양〕 제한〔한정〕이 없는; 무제한의.
unliniert *a.* 선〔줄〕이 그어져 있지 않은.
unliniiert *a.* ↑ unliniert.
unlöblich *a.* 칭찬할 수 없는.
unlogisch *a.* 비논리적인, 조리가 없는.
unlösbar [ʊnløːsbaːr, ʊ́nløːs..] *a.* ① 풀 수 없는, 해결할 수 없는: ein ~es Rätsel 풀 수 없는 수수께끼. ② 분리할 수 없는, 불가분의, 파기할 수 없는. ③ (매듭 따위를) 풀 수 없는. ④ 〔드물게〕 용해되지 않는.
Unlösbarkeit [(또는) ʊ́nløːs..] *f.* ↑ unlösbar 의 명사형.
unlöschbar [ʊnlœ́ʃbaːr, ʊ́nlœʃ..] *a.* 끄기 어려운.
unlöslich [ʊ́nløːslɪç, ʊnløːs..] *a.* 용해되지 않는; 불용성의: dieser Stoff ist im Wasser ~ 이 물질은 물에 녹지 않는다.
Unlust [ʊ́nlʊst] *f.* ① 불쾌, 혐오. ② 마음이 내키지 않음; 의욕이 없음; 〖증권·은어〗 주식 매수세 위축: et. mit ~ tun 무엇을 마지못해 하다.
Unlust·gefühl *n.* 불쾌감, 혐오감.
unlustig *a.* 마음이 내키지 않는, 의욕이 없는; 불쾌한.
Unmacht *f.* ① 무력(無力). ② (schweiz.) 실신, 기절.

unmalerisch *a.* 그림 같지 않은, 비회화적인.
unmanierlich *a.* 버릇 없는, 무례한, 조야한.
unmännlich *a.* 남자답지 못한, 나약〔비겁〕한.
Unmaß [ʊ́nma:s] *n.* -es 〖雅語〗 ① (셀 수 없을 정도의) 다량, 다수; 과도: im ~ 대량으로, 과도하게. ②〖드물게〗 무절제, 무절도.
Unmasse *f.* -n 〖구어〗 ↑ Unmenge.
unmaßgeblich [ʊ́nma:sge:plɪç, ʊnma:sgé:e-..] *a.* 표준이 되지 않는; 권위가 없는; 중요하지 않은: das ~e Urteil eines Laien 문외한의 권위 없는 판단; nach meiner ~en Meinung 나의 하찮은 의견으로는(겸손한 어법).
unmäßig 《I》 *a.* 절도가 없는, 무절제한; 과도한, 보통 수준을 훨씬 넘어선. 《II》 *adv.* 매우, 엄청나게, 과도하게: ~ essen〔trinken〕 과도하게 먹다〔마시다〕.
Unmäßigkeit *f.* 무절제, 절도 없음.
unmelodisch *a.* 듣기 좋지 않은.
Unmenge *f.* -n 엄청나게 많은 분량, 대량, 부지기수: eine ~ von Menschen 헤아릴 수 없이 많은 사람들; ich habe bei ihm eine ~ gelernt 나는 그에게서 많은 것을 배웠다.
Unmensch [ʊ́nmɛnʃ] *m.* -en, -en 잔혹〔잔인〕한 인간; 몰인정한 사람; 폭군: 〖구어〗 ich bin ja〔doch〕 kein ~ 나는 절대로 비정한 사람이 아니다; was für ein ~! 얼마나 극악무도한 놈인가!
***unmenschlich** [ʊ́nmɛnʃlɪç, (특히 ②) ʊnmɛ́nʃ..] 《I》 *a.* ① 비인간적인, 잔혹〔잔인·몰인정〕한; 인간을 억압하는; 인간의 품위에 맞지 않는, 비참한: die Flüchtlinge leben unter ~en Verhältnissen 피난민들은 비인간적인〔비참한〕 상황에서 살고 있다. ② 극심한, 굉장한; 초인적인; 견딜 수 없는: ~e Schmerzen 극심한 고통. 《II》 *adv.* 〖구어〗 매우, 대단히, 엄청나게.
Unmenschlichkeit *f.* -en ① 비인간성, 잔혹, 잔인(성). ② 잔혹한 행동.
unmerkbar [ʊnmɛ́rkba:r, ʊ́n..] *a.* 눈에 띄지 않는, 지각하기 어려운, 눈치챌 수 없는.
unmerklich [ʊ́nmɛrk.., ʊnmɛ́rk..] *a.* 인지〔감지〕하기 어려운, 눈에 띄지 않는.
unmeßbar [ʊnmɛ́sba:ɾ, ʊ́nmɛs..] *a.* 측량〔측정〕할 수 없는, 끝이 없는.
unmethodisch *a.* 일정한 방식이 없는; 체계적이지 못한, 질서〔순서〕 없는: eine ~e Arbeitsweise 체계적이지 못한 작업 방식.
unmilitärisch *a.* 군인답지 않은, 군대식이 아닌.
unmißverständlich [ʊnmɪsfɛɾʃtɛ́ntlɪç, ʊ́n..] *a.* 오해의 여지가 없는; 명백〔분명〕한: eine ~e Ablehnung 분명히 표명된 거절; jm. et. ~ klarmachen 누구에게 무엇을 분명하게 설명하다.
unmitteilbar [ʊnmɪ́ttaɪlba:ɾ, ʊ́n..] *a.* 전할〔알릴〕 수 없는.
unmitteilsam [ʊnmɪ́ttaɪlza:m, ʊ́n..] *a.* 말없는, 말하기 싫어하는, 숨기는.
***unmittelbar** [ʊ́nmɪtəlba:ɾ] *a.* ① (우회가 없이) 곧바른: die Straße führt ~ zum Bahnhof 이 길은 곧장 역으로 통한다. ②〖공간적〗 인접한; 〖시간적〗 즉시의, 즉각적인: ~ hinter dem Haus 집 바로 뒤에; ~ nach dem Abendessen 저녁 식사 직후에. ③ 직접의; 직속의; 시급〔절박〕한: mein ~er Vorgesetzter 나의 직속 상사; 〖政〗 ~e Demokratie 직접 민주주의; er befindet sich in ~er Gefahr 그는 절박한 위험에 처해 있다.
Unmittelbarkeit *f.* 직접(성).
unmöbliert *a.* 가구가 비치되지 않은: ein ~es Zimmer 가구가 딸리지 않은 방.
unmodern *a.* ① 유행에 뒤진. ② 현대적〔근대적〕이 아닌, 시대에 뒤진. ③ 시대(감각)에 맞지않는.
unmodisch *a.* 유행에 뒤진, 케케묵은.
***unmöglich** [ʊ́nmø:klɪç, ʊnmǿ:klɪç] 《I》 *a.* ① 불가능한, 실행〔실현〕할 수 없는: ein ~es Verlangen 실행 불가능한 요구; das ist technisch ~ 그것은 기술적으로 불가능하다; das Unmögliche möglich machen 불가능을 가능케 하다. ② 생각할 수 없는, 있을 수 없는: das ist ganz ~ 그것은 절대로 있을 수 없는 일이다. ③〖구어〗 비상식적인; 당치 않은; 용인할 수 없는: 〖농담〗 du bist ~ 너는 당치 않은 행동을 하고 있다; jn.〔sich〕 ~ machen 누구를 웃음거리로 만들다〔웃음거리가 되다〕. ④〖구어〗 기묘〔특이·진기〕한. 《II》 결코 …아니다〔않다〕: die Rechnung kann ~ richtig sein 그 계산이 맞을 리가 없다.
Unmöglichkeit *f.* -en ① 불가능(성). ② 있을 수 없는 일.
Unmoral *f.* 부도덕, 불륜, 패륜.
unmoralisch *a.* 부도덕한; 패륜의.
unmotiviert *a.* ① 근거〔이유〕 없는; 동기가 없는. ②〖언어〗 (언어 형태와 의미 사이에) 연관이 없는.
unmündig *a.* ① 미성년의: jn. für ~ erklären 누구에게 금치산(禁治産)의 선고를 내리다. ② 미숙한.
Unmündigkeit *f.* 미성년; 미숙.
unmusikalisch *a.* 비음악적인; 음악적 소양이 없는, 음악을 알지 못하는.
unmusisch *a.* 비예술적인, 예술적 감각〔소질〕이 없는.
Unmut [ʊ́nmu:t] *m.* -(e)s 불쾌, 불만; 언짢음: seinen ~ an jn. auslassen 누구에게 불만을 터뜨리다.
unmutig *a.* 불쾌한, 불만스러운; 언짢은.
unmuts·voll *a.* 〖雅語〗 ↑ unmutig.
unmütterlich *a.* 어머니답지 않은.
unnachahmbar [ʊ́nna:x|a:mba:ɾ, ʊna:x|á:m..] *a.* 모방할〔흉내낼〕 수 없는.
unnachahmlich [ʊ́nna:x|a:mlɪç, ʊnna:x|á:m..] *a.* 모방할〔흉내낼〕 수 없는, 견줄 만한 것이 없는: mit ~er Gebärde 흉내낼 수 없는 몸짓으로.
unnachgiebig *a.* 양보하지〔굽히지〕 않는; 완고한, 고집이 센.
Unnachgiebigkeit *f.* 완강〔완고〕함.
unnachsichtig *a.* 관대하지 않은, 엄격한.
Unnachsichtigkeit *f.* 관대하지 않음, 엄격.
unnachsichtlich *a.* 〖구식〗 ↑ unnachsichtig.
unnahbar [ʊnná:ba:ɾ, ʊ́nna:..] *a.* 접근할 수 없는, 접근하기 어려운; 쌀쌀맞은: eine ~e Haltung 쌀쌀맞은 태도.
Unnahbarkeit *f.* 접근하기 어려운〔쌀쌀맞은〕 태도.
unnaschig *a.* (schweiz.) ↑ unsauber.
Unnatur [ʊ́nnatu:ɾ] *f.* 〖雅語〗 ① 부자연스러움. ② 부자연스러운 것.

ụnnatürlich *a.* ① 부자연스러운; 자연 법칙에 어긋나는: eines ~en Todes sterben 횡사하다, 변사하다. ② 인위적인, 꾸민, 자연스럽지 않은.

Ụnnatürlichkeit *f.* 부자연스러움; 부자연스러운 태도.

unnennbar [ʊnnɛ́nbaːr, ʊ́n..] *a.* 〖雅語〗 말로 표현할 수 없을 정도의〔로 큰〕; 형언키 어려운; 명명할 수 없는, 이름지어 부를 수 없는: ein ~er Jammer 형언키 어려운 비애.

ụnnöd *adv.* (schweiz.) ↑ ungern.

ụnnormal *a.* 비정상적인: die Temperaturen sind ~ hoch 기온〔체온〕이 비정상적으로 높다.

ụnnöt *adv.* (schweiz.) ↑ ungern.

ụnnotiert *a.* 〖증권〗 상장(上場)되지 않은, 장외(場外) 거래하는: ~e Wertpapiere 비상장 유가 증권.

***unnötig** [ʊ́nnøːtɪç] *a.* 불필요한; 쓸데없는: ~e Sorgen 쓸데없는 근심〔걱정〕; das ist ~ 그러실 필요없습니다.

unnötiger·weise *adv.* 불필요하게; 쓸데없이.

***unnütz** [ʊ́nnʏts] *a.* ① 쓸데 없는, 헛된; 무익한: sich³ ~e Mühe machen 헛수고하다; seine Zeit ~ vertun 시간을 헛되이 보내다; das ist (doch) ~es Gerede! 그것은 쓸데없는 이야기일세! ② 불필요한. ③ 〖폄어〗 무능한; 쓸모없는: ein ~er Kerl 아무짝에도 쓸모없는 놈; das Kind ist recht ~ bei dieser Arbeit 그 아이는 이 일에는 전혀 쓸모 없다.

ụnnützer·weise *adv.* ① 쓸데없이, 불필요하게. ② 무의미하게, 목적〔목표〕 없이.

ụnnützlich *a.* 〖구식〗 ↑ unnütz.

Ụnnützlichkeit *f.* -en 쓸모 없음; 헛된 언행.

UNO [úːno] *f.* = United Nations Organization 국제 연합.

uno actu [úːnoáktu] 《lat.》〖교양〗 중단하지 않고.

UNO-Friedens-truppe *f.* 유엔 평화 유지군.

ụnökonomisch *a.* 〖교양〗 비경제적인.

***unordentlich** [ʊ́n|ɔrdəntlɪç] *a.* ① 무질서한, 정돈되지 않은, 너저분한: in dem Zimmer sah es sehr ~ aus 그 방은 매우 너저분해 보였다. ② 질서를 지키지 않는: ein ~er Mensch 질서를 지키지 않는 사람. ③ 착실하지 못한, 방탕한: ein ~es Leben 방탕한 생활.

Ụnordentlichkeit *f.* 무질서; 방탕.

***Ụnordnung** *f.* 무질서, 정돈되지 않음; 난잡, 혼란: in ~ kommen〔geraten〕 질서가 문란하여지다, 혼란에 빠지다; in wilder ~ davonlaufen 허둥지둥 도망하다.

ụnorganisch *a.* ① 〖교양〗 유기적이지 않은, 전체와 조화롭게 결합되지 않은. ② 무기(無機)의: ~e Chemie 무기 화학. ③ 일정한 (자연) 법칙에 따르지 않는.

ụnorganisiert *a.* 조직화되지 않은.

ụnorthodox *a.* 〖교양〗 정통파가 아닌, 이단의.

ụnorthographisch *a.* 정서법(正書法)에 어긋나는.

UNO-Sịcherheits·rat *m.* 유엔 안전 보장 이사회.

ụnpaar *a.* ① 〖數〗 홀수의: 〖놀이〗 paar oder ~? 짝이냐 홀이냐? ② (a) 〖生〗 짝을 이루지 않는, 짝이 없는, 외짝의. (b) (장갑 등이) 짝짝이인.

Ụnpaar·hufer *m.* 〖動〗 기제류(奇蹄類) (말처럼 가운데 발가락이 특히 발달한 초식 동물).

ụnpaarig *a.* 〖生·해부〗 외짝의, 쌍을 이루지 않는.

Ụnpaar·zeher *m.* 〖動〗 ↑ Unpaarhufer.

ụnpädagogisch *a.* 비교육적인.

ụnparlamentarisch *a.* 의회 제도를 따르지 않는, 비의회적인.

unparteiisch [ʊ́npartaɪɪʃ] *a.* 중립의; 편견 없는, 공평무사한: ein ~er Dritter 중립적인 제 3 자.

Ụnparteiische* *der/die* ① 중립적인 사람. ② 〖스포츠〗 심판(Schiedsrichter).

ụnparteilich *a.* ① 당파에 속하지 않은, 무소속의. ② ↑ unparteiisch.

Ụnparteilichkeit *f.* 공평(함), 중립, 무소속.

unpaß [ʊ́npas] 《I》 *a.* ① 〖대개 서술적〗〖구식〗 기분이 좋지 않은; 몸이 찌부드드한: ich fühle mich ~ 〔mir ist ~〕 나는 기분이 언짢다. ② 〖다음 용법으로〗〖방언〗 etwas kommt jm. ~ 무엇이 누구에게 적합하지 않다. 《II》 *adv.* 부적당한 때에.

***ụnpassend** *a.* ① 부적당한, 어울리지 않는: ich finde ihr Benehmen sehr ~ 나는 그 여자의 거동이 아주 꼴불견이라고 생각한다. ② (시간이) 적당하지 않은, 맞지 않는: zu ~er Zeit 적당하지 않은 때에.

unpassierbar [ʊ́npasiːrbaːr, ʊnpasíːr..] *a.* 통행〔통과〕할 수 없는: der Fluß ist ~ 그 강은 걸어서 건널 수 없다.

unpäßlich [ʊ́npɛslɪç] *a.* 〖대개 서술적〗 불쾌한, 기분이 언짢은; 몸이 찌뿌드드한: sich ~ fühlen 기분이 언짢다.

unpässlich 新정서 ⇦ unpäßlich.

Ụnpäßlichkeit *f.* -en ① 불쾌, 언짢음. ② 불쾌한 일.

ụnpathetisch *a.* 열정〔정열〕이 없는.

ụnpatriotisch *a.* 애국심이 없는.

Ụnperson *f.* -en (과거에 저명 인사였지만) 언론 매체에서 의도적으로 무시되는 인물.

***ụnpersönlich** *a.* ① (a) 사람과 관계 없는, 인격을 갖지 않은. (b) 〖문법〗 비인칭의: ein ~es Verb 비인칭 동사. ② (a) 비개인적〔비개성적〕인, 특색 없는. (b) 감정을 개입시키지 않는, 사무적인: ein ~er Brief 업무상의 편지.

Ụnpersönlichkeit *f.* ↑ unpersönlich 의 명사형.

unpfändbar [ʊ́npfɛntbaːr, ʊnpfɛ́nt..] *a.* 〖法〗 (담보물로서) 압류할 수 없는.

ụnplaziert *a.* 〖스포츠〗 ① 목표를 벗어난: ~e Schüsse 목표를 벗어난 사격. ② 〖드물게〗 상위권에 들지 못한.

un poco [ʊn pɔ́ko, ..póːko] 《it.》〖음악〗 약간, 조금.

ụnpoetisch *a.* 시적이 아닌, 시적 정취가 없는.

ụnpoliert *a.* 갈지〔닦지〕 않은, 광택이 없는, 매끄럽지 않은.

ụnpolitisch *a.* 비정치적인, 정치에 관계치 않는, 정치에 관심이 없는.

ụnpopulär *a.* 비통속적인, 대중성이 없는; 인기 없는: eine ~e Entscheidung fällen 인기

없는 결정을 내리다.
***unpraktisch** *a.* ①비실용적〔비실제적〕인: die Wohnung ist ~ gebaut 그 주택은 비실용적으로 지어졌다. ②세상일에 어두운(weltfremd): ein ~er Mensch 세상 물정에 어두운 사람.
unprätentiös *a.* 〖교양〗 소박한, 겸손한.
unpräzis *a.* ↑ unpräzise.
unpräzise *a.* 부정확한.
unproblematisch *a.* 문제점 없는, 명확한.
unproduktiv *a.* 비생산적인; 수확〔수익〕이 없는: eine ~e Arbeit 비생산적인 일.
Unproduktivität *f.* 비생산성.
unprofessionell *a.* 직업적이지 않은; 비전문적인.
unproportioniert *a.* 균형이 잡히지 않은.
Unproportioniertheit *f.* 불균형(성).
unpünktlich *a.* ①(시간을) 잘 지키지 않는, 부정확한: ein ~er Mensch 시간을 잘 지키지 않는 사람. ②지각한, 정시보다 늦은: die Miete ~ zahlen (집)세를 늦게 지급하다.
unqualifizierbar [ʊnkvalifitsi:ɾba:ɾ, ʊn..-tsí:ɾba:ɾ] *a.* ①믿어지지 않는, 있을 성싶지 않은. ②뻔뻔스러운, 서슴없는.
unqualifiziert *a.* ①자격이 없는; 부적격의. ②〖폄어〗 수준 이하의: eine ~e Äußerung 수준 이하의 표현.
unrasiert *a.* 면도하지 않은.
Unrast [ʊ́nrast] 《I》 *m.* -(e)s, -e 〖구식〗 심적으로 불안정한 사람(특히 아이). 《II》 *f.* 〖雅語〗 ①불안(정): sie ist voller ~ 그녀는 (정신적으로) 매우 불안정하다. ②소요, 혼란.
Unrat [ʊ́nra:t] *m.* -(e)s ①〖雅語〗 폐물, 쓰레기; 오물, 똥. ②〖고어〗 나쁜 것〔일〕; 불행: 〖구어〗 ~ merken〔wittern〕 불행을 예감하다.
unrationell *a.* 불합리한; 비경제적인.
unrätlich *a.* ↑ unratsam.
unratsam *a.* 불리한; 권할 만한 것이 못되는, 쓸모없는.
unreal *a.* 〖드물게〗 비현실적인: ~e Pläne 비현실적인 계획.
unrealistisch *a.* 비현실적인, 실현 불가능한, 사실적이 아닌: ~e Wünsche〔Forderungen〕 실현 불가능한 소망〔요구〕.
***unrecht** *a.* 옳지 않은, 틀린; 부당한; 부적당한: an die ~e Tür klopfen 집을 잘못 찾아들다; er hat ~ daran getan 그는 그 일에서 옳지 않게 행동했다; 〖구어〗 er ist bei mir an den ∼en 〔an die ∼e〕 gekommen〔geraten〕 그는 나를 잘못 찾아왔다; auf ~e Gedanken kommen 나쁜 짓을 하고 싶은 유혹에 빠지다; dieser Brief ist in ~e 〔in die ~en〕 Hände gekommen 이 편지는 잘못 배달되었다; ~ haben 옳지 않다; jm. ~ geben 누구의 견해를 옳지 않다고 말하다; ~ bekommen 정당성을 인정받지 못하다; jm. ~ tun 누구를 부당하게 평가하다; das Mädchen ist dort am ~en Platz 이 소녀는 저 일에는 적합치 않다; mir ist etwas in die ~e Kehle gekommen a) 나는 무엇을 잘못 삼켜 사레들렸다, b) 무엇을 오해했다; 〖속담〗 ~es Gut gedeihet nicht 부정한 재산은 오래가지 못한다.
***Unrecht** *n.* -(e)s 부정〔부당〕(한 일); 그릇된 일〔것〕: ein ~ begehen 부정을 저지르다; jm. (ein) ~ antun〔zufügen〕 누구에게 부정한 일을 하다; im ~ sein 틀리다, 옳지 않다; zu ~ 잘못하여, 부당하게; ein Vertrag besteht zu ~ 어떤 계약이 부당하다; 〖속담〗 besser ~ leiden als ~ tun 부당한 일을 저지르는 것보다 당하는 편이 낫다.
unrechtlich *a.* 부정한, 불공평한; 부정직한.
Unrechtlichkeit *f.* -en 부당, 불공정.
unrecht·mäßig *a.* 불법〔위법〕의; 〖法〗 ein ~er Besitz 불법 점유.
unrecht·mäßiger·weise *adv.* 불법으로; 부당하게.
Unrechtmäßigkeit *f.* -en ①불법, 위법. ②불법 행위: bei dieser Wahl sind einige ~en vorgekommen 이번 선거 때 두세 건의 불법 행위가 일어났다.
Unrechts·bewußtsein *n.* 죄의식, 죄책감.
unredigiert *a.* (기사가) 편집인에 의해 손질되지 않은.
unredlich *a.* 부정직한, 불성실한: ein ~er Charakter 정직하지 못한 성격.
Unredlichkeit *f.* -en ①부정직, 불성실. ②부정직한 행위.
unreell [ʊnreɛl] *a.* 믿을 수 없는, 진실하지 않은, 부정직한.
unreflektiert *a.* 〖교양〗 성찰되지 않은, 숙고를 거치지 않은.
unregelmäßig *a.* 불규칙적인, 불규칙적으로 행하여지는〔일어나는〕: 부조화스러운, 균형잡히지 않은, 고르지 않은: 〖醫〗 ein ~er Puls 불규칙적인 맥박; 〖문법〗 ein ~es Zeitwort 〔Verb〕 불규칙 동사.
Unregelmäßigkeit *f.* -en ①불규칙(성). ②(**a**) 비정상. (**b**) 위반; 사기, 횡령: er hat sich[3] ~en zuschulden kommen lassen 그는 횡령죄를 범하였다.
unregierbar *a.* 통치〔지배〕할 수 없는.
unreif *a.* ①익지 않은: das Geschwür ist noch ~ 종기가 아직 완전히 곪지 않았다. ②미숙한; 완전히 성장하지 않은. ③불완전한, 완숙하지 못한: ein ~er Gedanke (아직) 정리되지 않은 생각. ④경험이 없는: ein junger, ~er Mensch 젊고 경험이 없는 사람.
Unreife *f.* 미숙; 미완성, 불완전.
Unreifheit *f.* ↑ Unreife.
unrein *a.* ①순수하지 않은; 맑지 않은, 다른 성분이 섞인; 더러운, 불결한; 〖비유〗 음탕〔외설〕한: das Glas ist ~ 이 컵은 더럽다; das (geschriebene) ∼e 초고(草稿); 〖구어〗 ins ~e sprechen〔reden〕 충분히 숙고되지 않은 생각을 발표하다; et. ins ~e schreiben 무엇을 임시로 기록하다, 무엇의 초안을 작성하다; ich habe es erst im ~en 〔ins ~e〕 geschrieben 나는 우선 그것의 개요를 대충 써놓았다. ②(**a**) 〖宗〗 부정(不淨)한. (**b**) 〖구식〗 나병에 걸린.
Unreinheit *f.* -en ①불결(함). ②(**a**) 더럽히기, 오염; 오염 물질. (**b**) 피부를 지저분하게 만드는 것.
Unreinigkeit *f.* -en 〖드물게〗 ↑ Unreinheit.
unreinlich *a.* 더러운, 불결한.
Unreinlichkeit *f.* -en 불결, 더러움.
unrentabel *a.* 이익〔수익성〕이 없는.
Unrentabilität *f.* 〖經〗 채산성이 없음.
unrettbar [ʊnrɛ́tba:ɾ, ʊ́n..] 《I》 *a.* 구할〔도울〕 수 없는. 《II》 *adv.* 완전히, 확실히, 틀림없이: er ist ~ verloren 그는 아주 절망 상태에 있다.

ụnrichtig *a.* ① 적절하지 않은, 그릇된. ② 잘못된, 틀린, 부정확한: eine ~e Aussprache 틀린 발음; diese Uhr geht ~ 이 시계는 맞지 않는다; es ist ihr ~ gegangen 그 여자는 유산했다. ③〖드물게〗부당한.

ụnrichtiger·weise *adv.* 맞지 않게, 부정확하게.

Ụnrichtigkeit *f.* -en ① 부적절, 부당. ② 오류, 과실: das Buch enthält viele ~en 이 책에는 틀린 것이 많다;〖法〗~ des Grundbuches 토지 대장의 오기.

ụnritterlich *a.* 기사답지 않은; 품위 없는; (여성에게) 예의를 갖추지 않는.

ụnromantisch *a.* 낭만적이 아닌, 냉정한.

Ụnruh [ʊ́nru:] *f.* -en〖工〗(기계의) 속도 조절 바퀴, (시계의) 균형 바퀴.

***Ụnruhe** [ʊ́nru:ə] *f.* -n ① 불안; 근심, 걱정: in ~ über〔um〕et. sein 무엇을 근심〔걱정〕하고 있다; es herrschte eine heftige ~ in die Versammlung 심한 불안감이 회의장에 감돌았다. ② (a) 동요, 소요: im Betrieb ~ stiften 공장에서 소요를 일으키다〔책동하다〕. (b)〖복수〗반란, 폭동: es sind ~n in der Stadt 시내에는 폭동이 일어나고 있다. ③ 끊임없이 움직임, 그 상태: ihre Finger waren ständig in ~ 그녀의 손가락은 끊임없이 움직이고 있었다. ④ 쉬지 않고 움직이는 것; (a)〖구어〗장난꾸러기. (b)〖動〗박각시나방(Dämmerungsfalter). (c)〖動〗(쌍시류(雙翅類)의) 평균곤(平均棍). (d)〖植〗석송(石松). (e)〖工·구어〗↑ Unruh.

Ụnruhe≈herd *m.* 위험 지역. **~stifter** *m.* ① 평화의 교란자, 선동자. ② (특히 수업에서) 소란을 피워 방해하는 자.

***ụnruhig** *a.* ① 소란한; 동요하는; 시끄러운, 떠들썩한: ein sehr ~es Kind 몹시 소란을 떨고 있는 아이; wir wohnen in einer ~en Gegend 우리는 시끄러운 지역에 살고 있다;〖비유〗sie hat ~es Blut 그 여자는 언제나 안절부절못한다. ② 불안한; 근심스러운, 걱정에 찬: ein ~er Mensch 불안해 하는 사람. ③ 고르지 않은: der Motor läuft ~ 엔진이 고르지 않게 돌고 있다. ④ 불안〔근심·걱정〕으로 가득 채워진.

ụnrühmlich *a.* 명예롭지 못한, 수치스러운.

Ụnrühmlichkeit *f.* -en ① 불명예, 수치. ② 수치스러운 행위.

ụnrund *a.* ①〖工〗둥글지 않은. ② 고르지 않은: der Motor läuft ~ 엔진이 고르지 않게 돌고 있다.

***uns** [ʊns] *prn.*〔wir 의 3 격 및 4 격〕우리들에게; 우리들을: (a)〔인칭 대명사〕unter ~ (gesagt) 우리끼리의 이야기인데; er tat es ohne ~ 그는 우리들을 빼놓고 그것을 했다. (b)〔재귀 대명사〕wir freuen ~ 우리들은 기쁘다. (c)〔상호 대명사로〕wir lieben ~ 우리는 서로 사랑한다.

ụnsachgemäß *a.* 부적절한, 용도에 맞지 않는.

ụnsachlich *a.* 사실에 꼭 부합치 않는, 객관성이 없는, 부적절한: eine vollkommen ~e Kritik 완전히 객관성이 없는 비평.

Ụnsachlichkeit *f.* ① 부적절. ② 객관성이 없는 말.

unsagbar [ʊnzá:kba:r, ʊ́n..]《Ⅰ》*a.* 이루 말로 다할 수 없는, 형언키 어려운, 매우 큰〔강한〕: ein ~es Glück 이루 말로 다할 수 없는 행복.《Ⅱ》*adv.* 대단히, 극도로: ~ traurig sein 매우 슬프다; ich liebe dich ~ 나는 너를 대단히 사랑하고 있다.

Unsa̲gbarkeit *f.* ↑ unsagbar 의 명사형.

unsäglich [ʊnzɛ́:klɪç, ʊ́n..]〖雅語〗↑ unsagbar.

ụnsanft *a.* 부드럽지 않은; 거친; 격렬한: jn. ~ aus dem Schlaf rütteln 누구를 거칠게 흔들어 깨우다.

ụnsauber *a.* ① 불결한, 더러운: ~e Wäsche 더러운 속옷. ② 너저분한, 말쑥하지 않은. ③ 꼼꼼하지 않은, 세심하지 않은; (소리가) 정확하지 않은. ④〖비유〗공정치 않은, 비열한: ~e Mittel anwenden 비열한 수단을 쓰다.

Ụnsauberkeit *f.* -en ① 불결, 더러움. ② (작은) 실수, 규칙 위반.

ụnsäuberlich《Ⅰ》*a.* 더러운; 음란한: ~e Worte 음탕한 언사.《Ⅱ》*adv.* 거칠게: ~ mit jm. verfahren 누구를 거칠게 다루다.

unschadhaft [ʊ́nʃa:thaft, ʊnʃá:t..] *a.* 상처 없는, 흠없는.

***unschädlich** [ʊ́nʃɛ:tlɪç] *a.* 무해한; 악의 없는: ein ~es Medikament 부작용이 없는 의약품; jn.〔et.〕~ machen 누구를〔무엇을〕무력화하다; einen Ball ~ machen 공을 막다.

Ụnschädlichkeit *f.* -en 무해.

Ụnschädlich·machung *f.* 위험성 제거.

ụnscharf *a.* ① 불명료〔불명확〕한: einen Gedanken ~ formulieren 생각을 불명료하게 표현하다. ② 선명하지 않은, 윤곽이 확실치 않은, 흐려진: eine ~e Trennung (라디오의) 혼선. ③ 초점이 잘 맞지 않는: eine ~e Brille 초점이 잘 맞지 않는 안경.

Ụnschärfe *f.* -n ① 불명료, 불확실. ② (사진 등의) 선명하지 않은 부분.

Ụnschärfe≈bereich *m.*〖광학〗선명하지 않은 부분. **~relation** *f.*〖物〗(양자의) 불확정성 관계.

unschätzbar [ʊ́nʃɛtsba:r, (특히 ②) ʊnʃɛ́ts..] *a.* ① 평가할 수 없는, 대단히 귀중한: deine Hilfe ist für uns ~ 당신의 도움은 말할 수 없이 고맙다. ② 굉장히 큰, 거대한: ~e Bedeutung haben 엄청난 의미를 지니다.

unscheinbar [ʊ́nʃaɪnba:r] *a.* 눈에 띄지 않는; 초라한, 볼품없는; 수수한, 빈약한: ein ~er Mensch 초라한.

Ụnscheinbarkeit *f.* 초라함, 수수함.

Ụnschick *m.* -(e)s, -e ① 부적당, 어울리지 않음. ② (schweiz.) (a) 불쾌한 돌발 사건. (b) 투박한 사람(Tolpatsch ②).

ụnschicklich *a.* ① 부적당한, 어울리지 않는; 무례〔불손〕한: ~e Fragen stellen 부적합한 질문을 하다. ②〔구식〕(시간상으로) 부적절한: zu ~er Stunde kommen 적절하지 않은 때에 오다.

Ụnschicklichkeit *f.* -en ① 부적절; 무례. ② 불손한 언행.

unschiffbar [ʊ́nʃɪfba:r, ʊnʃɪ́f..] *a.* 항행할 수 없는, 배가 통행할 수 없는.

unschlagbar [ʊnʃlá:k.., ʊ́n..] *a.* ① 물리칠 수 없는: eine ~e Mannschaft 이기기 어려운 팀. ②〖구어〗탁월한, 능가할 수 없는.

Unschlitt [ʊ́nʃlɪt] *n.* -(e)s (südd.) 수지(獸脂), 지방.

Ụnschlitt·kerze *f.*〔방언〕수지로 만든 초.

unschlüssig *a.* ① 결단성 없는, 우유부단한. ②〖드물게〗 설득력〔논리성〕이 없는.
Unschlüssigkeit *f.* 결단성 결여, 우유부단.
unschmackhaft *a.* 맛없는.
unschmelzbar [ʊnʃmɛ́ltsba:r, ʊ́nʃmɛlts..] *a.* 〖제련〗 녹지 않는; 〖비유〗 불용성(不溶性)의.
unschön *a.* ① 아름답지 않은, 추한: ein ~es Gesicht 추한 얼굴. ② 반갑지 않은, 불쾌한: eine ~e Angelegenheit 불쾌한 일. ③ 불친절한.
unschöpferisch *a.* 비창조적인.
***Unschuld** [ʊ́nʃʊlt] *f.* ① (**a**) 무죄, 결백: ihre ~ stellte sich bald heraus 그 여자의 무죄는 곧 판명되었다. (**b**) 타락하지 않음, 순수: die kindhafte ~ 어린애 같은 순수. (**c**) 소박, 순진, 천진난만: in aller ~ 순진〔천진난만〕하게. ② 순결, 처녀성: jm. die ~ nehmen 〔rauben〕 누구의 순결을 빼앗다. ③ 죄 없는 사람; 순수〔순진〕한 사람: 〖농담·조롱〗 eine ~ vom Lande 순박한 촌색시.
***unschuldig** *a.* ① 책임이 없는; 무죄의: an et.³ 〔eines Dinges〕 ~ sein 무엇에 대한 책임이〔죄가〕 없다; daran ist er wirklich völlig ~ 그것은 전적으로 그의 책임이〔죄가〕 아니다. ② (**a**) 타락하지 않은; 순진〔천진난만〕한; 악의 없는: sich ~ stellen 순진하게 행동하다. (**b**) 〖구식〗 순결한, 동정의: sie war noch ~ 그녀는 아직 순결했다. ③ 무해한: ein ~es Schlafmittel 무해한 수면제.
Unschuldige* *der/die* 죄없는 사람.
unschuldiger·weise *adv.* 죄없이; 순진하게, 아무것도 모르고.
Unschulds=beteuerung *f.* (자신의) 무죄 〔결백〕 선언. **~engel** *m.* 〖조롱〗 순진한 사람. **~lamm** *n.* 〖조롱〗 순진한 사람. **~miene** *f.* 순진한 표정: eine ~ aufsetzen 순진한 표정을 짓다. **≗voll** *a.* 순진무구(無垢)한.
unschwer *a.* 어렵지 않은, 용이한: das läßt sich ~ erraten〔erklären〕 그것은 쉽게 짐작〔설명〕할 수 있다; es ist ~ zu finden 그것은 어렵지 않게 눈에 띈다.
Unsegen *m.* -s 〖雅語〗 불행; 재앙, 저주, 천벌.
unselbständig *a.* ① 독립하지 않은, 의존한: ~ arbeiten〔denken〕 독립적으로 일〔생각〕하지 않다. ② 자립하지 못한: Einkünfte aus ~er Arbeit 피고용 노동 수입.
Unselbständigkeit *f.* 의존(성), 비독립성.
unselig [ʊ́nze:lɪç, ʊnzé:lɪç] *a.* ① 불행한, 불운한: dieser ~e Mensch! 이 불운한 사람(아)! ② 숙명적인; 불행을 초래하는: eine ~e Tat 불행을 초래하는 행동. ③ 좋지 못한, 매우 유감스러운.
unseliger·weise *adv.* 〖雅語〗 불행하게도, 유감스럽게도.
***unser**[1] [ʊ́nzər] *prn.* 〖인칭 대명사 wir 의 2격〗 er gedenkt ~ 그는 우리를 잊지 않고 있다.
***unser**[2] *prn.* 〖소유 대명사의 1인칭 복수〗 ① 〖명사의 부가어로〗 (**a**) 우리의: 〖가톨릭〗 ≗e Liebe Frau 성모 마리아; zur Freude unsrer Eltern 우리의 양친을 기쁘게 해 드리기 위하여; ~es Wissens 우리가 아는 바로는(약어: u.W.). (**b**) (습관적인 행위의 주체로서) 우리의: wir müssen erst einmal ~en Mittagsschlaf halten 우리는 우선 낮잠부터 자야겠다. (**c**) 〖통치자·작가·연사 등이 겸양의 표시로 mein 대신 사용〗 저의: wir kommen damit zum Hauptteil ~er〔unsrer〕 Abhandlung 이제 제 논문의 본론에 도달했습니다. ② 〖술어적으로〗 우리의 것: dies Haus ist ~ 이 집은 우리의 것이다. ③ 〖명사적〗 (**a**) 우리의 것: wem gehört dieser Ball? — dies ist der uns(e)re 이 공은 누구의 것이냐? — 이것은 우리의 것이다. (**b**) 〖명사로서 때때로 대문자를 씀〗 das Uns(e)re 우리의 것(재산·의무 따위); 〖복수〗 die Unser(e)n〔Unsren〕 우리 가족, 우리 패〔부하·친구〕; er ist der Unsren〔Unsern〕 einer 그는 우리 패의 한 사람이다. (**c**) uns(e)rer *m.*, uns(e)re *f.*, uns(e)res *n.*, uns(e)re *pl.* 우리의 것.
unser=einer *prn.* 〖구어〗 우리 중의 한 사람, 우리(와) 같은 사람: ~ kann das nicht wagen 우리(와) 같은 사람은 도저히 그것을 할 수 없다. **~eins** *prn.* ↑ ~einer 〖구어〗.
unserer·seits *adv.* 우리 편〔쪽〕에서, 우리로서는.
unseres·gleichen [ʊ́nzərəsglái̯çən] *prn.* 우리 같은 사람, 우리의 동배.
unseres·teils *adv.* 〖드물게〗 우리로 말하면, 우리측에서.
unserige (*der, die, das*), (복수) *die* -n *prn.* 〖雅語〗 우리들의 것(↑ unser[2] ③(a)(c)); 〖단 때때로 중성 명사 및 복수 명사로서 대문자를 씀, 중성명사는 재산·의무를, 복수명사는 가족·부하·벗을 의미함; ↑ unser[2] ③(b)〗: wir erwarten die Unserigen 우리는 가족을 기다리고 있다.
unseriös *a.* ① (**a**) 차분〔정중〕하지 않은: der Besucher machte einen ~en Eindruck 그 방문객은 차분하지 않은 인상을 주었다. (**b**) 신뢰할 수 없는. ② 〖드물게〗 진지하지 않은.
unserseits *adv.* 〖드물게〗 ↑ unsererseits.
unsers·gleichen *prn.* 〖드물게〗 ↑ unseresgleichen.
unsert=halben 〖드물게〗 *adv.* ↑ ~wegen. **~wegen** *adv.* ① 우리들을 위하여, 우리들 때문에: du brauchst dir ~ keine Sorgen zu machen 네가 우리 때문에 걱정할 필요는 없다. ② 〖드물게〗 우리로서는, 우리 입장에서는: ~ kann das so bleiben, wie es ist 우리로서는 이대로도 괜찮다. **~willen** *adv.* 〖다음 용법으로〗 um ~ 우리들을 위하여.
Unservater *n.* -s, - (schweiz.) 주기도문.
***unsicher** [ʊ́nzɪçər] *a.* ① 안전하지 않은; 위험한; 위태로운: eine ~e Gegend 위험한 지역; jn. ~ machen 누구를 홀리다〔불안하게 하다〕; 〖구어〗 et. 〔einen Ort〕 ~ machen a) 〖농담〗 어떤 장소에 즐기려고 잠시 머무르다; der Friede in dieser Region ist ~er geworden 이 지역의 평화는 더 위태롭게 되었다. ② 불확실한; 확신하지 못하는: ich bin noch ~, ob er kommen wird 그가 올 것인지 나는 아직 잘 모르겠다. ③ (**a**) 실패할 가능성이 있는, 모험적인: ~e Methoden der Empfängnisverhütung 실패할 가능성이 높은 피임법. (**b**) 믿지 못할: 〖구어〗 ein ~er Kantonist 믿지 못할 사람. ④ (**a**) 능숙하지 못한: mit ~en Schritten 제대로 가누지 못하는 발걸음으로. (**b**) 자신이 없는: er wurde zusehends ~er 그는 현저하게 자신감을 상실해 갔다. (**c**) 정확히 알지 못하는.
Unsicherheit *f.* -en ① 불안전; 불확실. ②

불확실한〔예측할 수 없는〕 것; 불안정한 태도〔언행〕.

Unsicherheits·faktor *m.* 불확실한 요소.

unsichtbar *a.* 눈에 보이지 않는: der ∼e 신; 〖구어·농담〗 sich ∼ machen 자취를 감추다.

Unsichtbarkeit *f.* 불가시성.

unsichtig *a.* 안개가 몹시 낀, (날씨가) 우중충한.

unsinkbar *a.* 가라앉지 않는.

***Unsinn** [ʊ́nzɪn] *m.* -(e)s ①〖구식〗 미침, 제정신이 아님. ② (**a**) 무의미, 불합리. (**b**) 무의미한 일; 난센스, 바보 같은 짓: 〖구어〗 rede doch keinen ∼! 제발 허튼 소리 하지 마라!; das ist (barer) ∼ 그건 아주 난센스다; ∼ reden〔schwatzen〕 실없는 말을 지껄이다; 〖구어〗 bist du mir wirklich nicht böse? ∼! 네가 내게 정말로 화난 것은 아니야? 전혀 그렇지 않아!; die machen den ganzen Tag nur ∼! 그들은 온종일 허튼 짓만 해대는군!

unsinnig *a.* ①〖구식〗 정신나간, 미친. ② 무의미한; 어처구니없는, 어리석은: ∼es Zeug schwatzen 허튼소리를 지껄이다. ③〖구어〗 보통이 아닌, 대단한, 엄청난, 터무니없는: ∼er Durst 목이 타는 듯한 갈증; ∼ hohe Preise 터무니없이 비싼 값; jn. ∼ liebhaben 누구를 미친 듯이 사랑하다.

unsinniger·weise *adv.* 터무니없이, 극단적으로.

Unsinnigkeit *f.* -en ① 어불성설, 난센스. ② 무의미한 짓; 어리석은 언행.

unsinnlich *a.* ① 감각적이 아닌; 비관능적인; 정신적인: ∼e Liebe 정신적 사랑. ②〖드물게〗 구체적이지 않은, 명백하지 않은.

Unsitte [ʊ́nzɪtə] *f.* -n 악습: eine gefährliche ∼ 위험한 악습.

unsittlich *a.* ① 부도덕한, 패륜의; 예의 범절을 모르는: ein ∼es Verhalten 예의 범절을 모르는 행동. ② 관례〔풍습〕에 어긋나는.

Unsittlichkeit *f.* -en ① 부도덕; 풍습에 어긋남. ② 부도덕한 행동.

unsöd *a.* (schweiz.) ↑ bösartig.

unsoldatisch *a.* 군인답지 않은, 군인에게 어울리지 않는.

unsolid [ʊ́nzoli:t] *a.* ↑ unsolide.

unsolide [..li:də] *a.* ① 견실〔견고〕하지 못한. ② 믿을 수 없는: eine ∼ Firma 신뢰성이 없는 회사. ③ 단정치 못한, 방탕한, 절제 없는: ∼ leben 절제 없이 살다.

Unsolidität *f.* 〖교양〗 ① 신용 불량. ② 무절제.

unsorgfältig *a.* 부주의한, 경솔한.

unsorglich *a.* 〖구식〗 ① 부주의한. ② 근심없는, 태평한.

unsorgsam *a.* ↑ unsorgfältig.

unsozial *a.* ① 비사회적인, 사회적 약자들의 이익에 어긋나는. ②〖動〗 단독 생활을 하는.

unspezifisch *a.* 〖醫·교양〗 비전문적인.

unspielbar *a.* 상연〔공연·연주〕할 수 없는; 〖스포츠〗 운동에 사용할 수 없는; 게임을 할 수 없는.

unsportlich *a.* ① 운동과는 거리가 먼. ② 스포츠 정신에 어긋나는, 정당하지 않은.

Unsportlichkeit *f.* 스포츠 정신에 어긋남〔어긋나는 행위〕.

Unsre [ʊ́nzrə] ↑ unser² ③(b).

unsre ↑ unser² ③(c).

unsrer·seits *adv.* ↑ unsererseits.

unsres·gleichen *prn.* ↑ unseresgleichen.

unsres·teils *adv.* ↑ unseresteils.

unsrige *prn.* 〖雅語〗 ↑ unserige.

unstaatsmännisch *a.* 정치가답지 않은, 정치가에 어울리지 않는.

unstabil *a.* 불안정한(instabil).

Unstabilität *f.* -en ① 불안정(성). ② 불안정한〔변하기 쉬운〕 것.

unständig *a.* 〖구식〗 고정되어 있지 않은, 일시적인, 변하기 쉬운, 영구적이 아닌; 불안정한: ∼ beschäftigt sein 임시직으로 일하다; 〖法〗 ∼ Beschäftigter 임시직 근무자.

unstarr *a.* 탄력이 있는, 단단하지 않은, 연성의, 굴절성의: 〖空〗 ein ∼es Luftschiff 연식(軟式) 비행선.

unstät *a.* ↑ unstet.

Unstäte *f.* 〖雅語·구식〗 ① 불안정한 태도. ② 변하기 쉬움, 무상; 불안.

unstatthaft *a.* 〖雅語〗 불법〔위법〕의; 금지된; 부적당한.

***unsterblich** [ʊnʃtɛ́rplɪç, ʊ́nʃtɛrp..] 《I》 *a.* ① 불사(不死)의, 불멸의. ② 불후의, 영원한: ein ∼es Werk 불후의 작품. 《II》 *adv.* 〖구어·농담〗 매우, 대단히: sie war ∼ in ihn verliebt 그녀는 그 남자를 죽도록 사랑하게 되었다.

Unsterblichkeit *f.* ① 불멸(성). ②〖宗〗 (죽음 뒤의) 영생.

Unsterblichkeits≈glaube *m.* 〖宗〗 영생에 대한 믿음. **∼glauben** *m.* ↑ ∼glaube.

Unstern [ʊ́nʃtɛrn] *m.* -(e)s 〖雅語〗 흉성(凶星); 불행, 불운.

unstet *a.* 〖雅語〗 ① 변하기 쉬운, 쉬지 않고 동요하는; 불안한, 차분하지 않은: mit einem ∼en Blick a) 눈을 두리번거리며, b) 곁눈질하며. ② 주거 부정의, 방랑하는: ein ∼es Leben führen 방랑 생활을 하다.

Unstetheit *f.* 〖雅語〗 불안정, 동요.

unstetig *a.* ①〖고어〗 ↑ unstet. ② 불연속의: 〖數〗 ∼e Größe 불연속량.

Unstetigkeit *f.* -en ① 불안정; 불연속. ② 불연속점.

unstillbar [ʊnʃtɪ́lba:r, ʊ́nʃtɪl..] *a.* ① 가라앉히기 어려운; 멎게 하기 어려운: ein ∼er Blutstrom 멎게 하기 어려운 출혈. ② 만족시킬 수 없는, 충족시키기 어려운.

unstimmig *a.* 불일치의, 부조화의; 모순된: eine ∼e Interpretation 모순된 해석〔설명〕.

Unstimmigkeit *f.* -en ① 불일치, 부조화; 모순. ② 불일치점, 모순점. ③ 의견의 불일치, 불화: gelegentlich kam es zu ∼en 때때로 의견의 불일치가 생겼다.

unstörbar [ʊnʃtǿ:rba:r, ʊ́nʃtø:r..] *a.* 방해〔침해〕할 수 없는; 〖法〗 (소유권 등이) 부동〔불변〕의.

unsträflich [ʊnʃtrɛ́:flɪç, ʊ́nʃtrɛ:f..] *a.* 〖구식〗 벌할 수 없는; 〖비유〗 나무랄 데 없는, 흠잡을 데 없는.

unstreitig [ʊnʃtráitɪç, ʊ́nʃtrai..] *a.* 이론(異論)의 여지가 없는, 명확한: das ist eine ∼e Tatsache 그것은 분명한 사실이다.

unstrittig *a.* ① 분명한, 논쟁할 여지가 없는. ② ↑ unstreitig.

unstudiert *a.* ① 교육을 받지 않은: ein ∼er 무학자. ② 꾸미지 않은; 즉흥적인.

unsubstantiiert *a.* 근거 없는, 입증되지 않

은, 증거 불충분한.

unsühnbar [unzý:nba:r, ʊ́nzy:n..] *a.* 속죄할 수 없는.

Unsumme [ʊ́nzumə] *f.* -n 거액: für diesen Zweck sind schon ~n ausgegeben worden 이 목적을 위하여 벌써 막대한 돈이 지출되었다.

unsymmetrisch *a.* (좌우) 불균형의, 비대칭적인.

unsympathisch *a.* ① 호감이 가지 않는, 기분 나쁜: ein ~er Mensch 호감이 가지 않는 사람. ② 불쾌한, 마음에 들지 않는: dieser Plan ist mir ~ 이 계획은 내 마음에 들지 않는다.

unsystematisch *a.* 체계적〔조직적·계통적〕이지 않은.

untadelhaft [ʊ́nta:dəlhaft, untá:d..] 〖드물게〗 *a.* ↑ untadelig.

untadelig [ʊ́nta:dəl.., untá:d..] *a.* 나무랄 데 없는; 흠잡을 데 없는: eine ~e Haltung 나무랄 데 없는 태도.

untadlig [(또는) untá:d..] *a.* ↑ untadelig.

untalentiert *a.* 재주가〔소질이〕 없는.

Untat [ʊ́nta:t] *f.* -en 범죄, 비행: eine ~ begehen 범죄를〔비행을〕 저지르다.

Untätchen [ʊ́ntɛ:tçən] 작은 오점, 얼룩: an jm.〔et.[3]〕 ist kein ~ 누구는〔무엇은〕 나무랄 데가 없다.

Untätelchen [..təlçən] *n.* -s, - 〖방언〗 ↑ Untätchen.

untätig *a.* 하는 일 없는, 빈둥거리는: sie mußte ~ zusehen, wie das Auto in Flammen aufging 그녀는 자동차가 타버리는 것을 그저 바라 보아야만 했다.

Untätigkeit *f.* ↑ untätig 의 명사형.

untauglich *a.* 쓸모 없는, 무능한, 부적격인; 〖軍〗 불합격의: er ist für den Posten ~ 그는 그 직책에 적합하지 않다; ein Versuch am ~en Objekt 밑 빠진 독에 물 붓기; ~ zum Militärdienst 군에 갈 수 없는(징병 검사에 불합격한).

Untauglichkeit *f.* 부적격; 쓸모 없는 일〔물건〕.

unteilbar [untáılba:r, ʊ́ntaıl..] *a.* 가를 수 없는, 불가분의; 〖數〗 나눌 수 없는, 나누어지지 않는: eine ~e Zahl 소수(素數).

Unteilbarkeit *f.* 불가분(성).

unteilhaftig *a.* 〔다음 용법으로〕〔구식·雅語〕 eines Dinges ~ sein〔bleiben, werden〕 무엇으로부터 제외〔배척〕되어 있다〔제외된채로 있다, 제외되다〕.

***unten** [ʊ́ntən] (⊕ unter[1]) *adv.* (↔ oben) ① 아래(쪽)에; 아래층에, 밑에; 바닥〔속〕에: ~ am Berg〔Hügel〕 산〔언덕〕 밑〔기슭〕에; ~ am Tisch 말석(末席)에; ~ im Faß 통 바닥에; 〔비유〕 ~ liegen 지고〔패하고〕 있다; ~ wohnen 아래층〔1 층〕에 살다; wie ~ stehend 아래와 같이; 〔구어〕 bei jm. ~ durch sein 누구의 총애를 잃고 있다; von oben bis ~ 위에서 아래까지, 온통; er sitzt ~ am Boden 그는 마룻바닥에 앉아 있다. ② (텍스트에서) 아래〔뒤〕에 (나오는): siehe ~ (책에서) 아래를 보라(약어: s.u.); davon wird weiter ~ angeführt 그 점은 훨씬 뒤에 언급된다. ③ (신분상) 말단에 위치한: er hat von ~ auf gedient 그는 입지전적인 인물이다, 낮은 신분에서 출세했다. ④ 〔구어〕 신체의 아래 부분(특히 생식기가 있는 부분)에 위치한. ⑤ 〔구어〕 남쪽에: hier ~ gefällt es mir ganz gut 여기 남부 지방은 아주 마음에 든다.

unten·an *adv.* 아래에, 말단〔말석〕에. **~aus** *adv.* 〔구식〕 아래에서 밖으로. **~benannt** *a.* 아래에 지명〔거명〕된. **~drunter** *adv.* 〔구어〕 다른 것의 아래쪽〔안쪽〕에. **~durch** *adv.* 아래쪽을 (관)통해서. **~erwähnt** *a.* 아래에서 언급한. **~genannt** *a.* 아래에서 말한. **~her** *adv.* 아래(쪽으)로부터. **~herum** *adv.* 〔구어〕 (특히 신체의) 아래 부분에. **~hin** *adv.* 아래로, 아래쪽으로. **~liegend** *a.* 아래(쪽)에 놓인〔있는〕. **~stehend** *a.* ↑ ~erwähnt. **~rum** *adv.* 〔구어〕 ↑ ~herum.

***unter**[1] [ʊ́ntər] (ahd. unter, mhd. under) 〔위치를 나타낼 때는 3 격, 운동의 방향을 나타낼 때는 4 격을 지배하는 전치사〕 (↔ über) (Ⅰ) *prp.*[3] ① 〔장소를 나타냄〕 …의 아래〔밑〕에: ~ freiem Himmel 넓은 하늘 아래에서, 야외에서; 10 m ~ dem Meeresspiegel 바닷속 10 미터; 〖지리〗 ~ dem 50. Grad nördlicher Breite 북위 50 도의 지점에; ~ dem Strich 이해 득실을 따져본 결과, 결론적으로 말해서; mit jm. ~ einem Dach wohnen 누구와 한 지붕 밑에 살다; 〖광산〗 ~ Tag(e) arbeiten 지하〔갱내〕에서 일하다(단: ↑ unter[2] (Ⅲ) ①); 〔비유〕 ein Kind ~ dem Herzen tragen 임신 중이다; mit jm. ~ einer Decke stecken 누구와 협력〔제휴〕하다; ~ Segel gehen 출항〔출범〕하다; ~ dem heutigen Datum 오늘 날짜로. ② 〔종속 관계를 나타냄〕 ~ der Aufsicht des Staates stehen 국가의 감독을 받고 있다; wir sind ~ gleichen Sternen 우리는 같은 운명을 타고났다. ③ 〔어떤 수량·가치·신분·정도 이하임을 나타냄〕 ~ einer Stunde 1 시간 이내에; ~ dem Durchschnitt 평균(치) 이하의; Temperaturen ~ 25 Grad 25 도 이하의 기온; Städte ~ 10000 Einwohnern 인구 10000 이하의 도시들; Jugendlichen ~ 14 Jahren ist der Zutritt verboten 14 세 이하의 청소년은 입장 금지; ~ dem Einkaufspreis verkaufen 구입가〔구매가〕 이하로 싸게 팔다; ~ seinem Stand heiraten 자기보다 신분이 낮은 사람과 혼인하다; er steht tief ~ ihr an Talent 그는 재능면에서 그 여자보다 훨씬 뒤떨어진다; 〔구어〕 das ist ~ aller Kritik 그것은 비평할 가치도 없다. ④ 〔어떤 동작에 따르는 상태·원인·조건을 나타냄〕 ~ fremdem Namen 남의 명의로; ~ günstigen Bedingungen 유리한 조건으로; ~ einem Vorwand 어떤 구실로; 〖商〗 ~ üblichem Vorbehalt 관례상 유보하여(약어: u. ü. V.); ~ schwerer Last seufzen 무거운 짐을 지고 신음하다; ~ et.[3] leiden 무엇으로 괴로워하다. ⑤ 〔분류〕 ~ „Arm" lesen wir... (사전에서) "Arm" 항에 …가 들어 있다; was verstehst du ~ diesem Ausdruck? 자네는 이 표현을 어떤 의미로 생각하나? (Ⅱ) *prp.*[4] ① 〔운동의 방향〕 …의 아래로〔밑으로〕: et. ~ den Tisch legen 무엇을 책상 밑에 놓다; ~ das Wasser tauchen 잠수하다; 〔비유〕 jm. ~ die Augen kommen〔treten〕 누구의 앞에 나가다; jn. ~ die Erde bringen 누구를 매장하다, 누구의 수명을 단축시키다; ~ den Tisch fallen 무시당하다, 고려되지 않다. ② 〔종속 상태로의 이행〕 ~ seinen Befehl mag ich nicht treten 나는 그의 지시를 받기 싫다.

③〖어떤 정도 이하로의 이행〗 ~ den Preis kann ich nicht gehen 값을 깎아 드릴 수는 없습니다. 《Ⅲ》 *adv.* ①〖단독형으로; 이 경우에 과거 분사를 보충할 수 있음〗 der Mond ist ~ (gegangen) 달이 졌다. ②〖원래 mhd. under, „unten“과 다른 부사와의 결합형〗 ↑ her~, hin~. 《Ⅳ》 *a.* 〖언제나 부가적〗(↔ ober) ① 밑〔아래〕의, 아래쪽〔하부〕의: der ~e Teil des Turmes 탑의 하층부; der ~e Stadtteil 시의 아래쪽〔남쪽〕 지역. ② 하급〔하층〕의: die ~en Beamten 하급 공무원들; die ~en Klassen a) (사회적인) 하층 계급, b) (학교의) 저급 학년.

*unter[2] 《lat. inter, „zwischen“에 대응, 원래 unter[1] 과는 전혀 다른 말이었으나 urgerm. 시대에 음이 같아졌음》〖위치를 나타낼 때는 3격, 운동의 방향을 나타낼 때는 4격을 지배하는 전치사; 단: ↑《Ⅲ》①〗《Ⅰ》 *prp.*[3] ①〖두 사람 또는 두 무리 사이의 개재; 지금은 주로 zwischen을 씀〗 …의 사이에: ein Zwist ~ Eheleuten 부부간의 불화, 부부 싸움; das bleibt ~ uns 그것은 엄격한 비밀이다, 그것은 이 장소에 한한 이야기다; ~ uns gesagt 우리끼리의 얘기지만. ②〖여럿 사이의 개재·혼입〗 (a) …의 속에 (섞여), …의 사이에: er stand mitten ~ seinen Dienern 그는 하인들의 한가운데에 서 있었다; jn. ~ sich[3] haben 누구를 자신의 무리〔그룹〕에 거느리고 있다; ~ ander(e)m〔~ ander(e)n〕 특히, 그 중에서도(약어: u. a.). (b)〖주어가 unter의 다음 말에 포함된 경우; 이 경우 unter는 von이나 부분적인 2격과 대치될 수 있음〗 … 중에서: der Älteste ~ ihnen 그들 중 최연장자; ~ zwei Übeln das kleinste wählen 두 개의 해악 중 보다 작은 것을 택하다. ③〖동시성〗(während) …중에, …동안에, …하면서: ~ dem Lesen〔Essen〕 독서〔식사〕 중에; ~ Tränen 눈물을 흘리면서. 《Ⅱ》 *prp.*[4] ①〖혼입·개입·분할〗 …사이로: Wasser ~ den Wein tun 물을 포도주에 섞다〔타다〕; jn. ~ die Soldaten stecken 누구를 군인으로 만들다; er trat mitten ~ sie 그는 그들의 한가운데로 끼여들어갔다. ②〖어떤 종류에의 소속〗 …가운데로: ich zähle〔rechne〕 ihn ~ meine Freunde 나는 그를 친구의 한 사람으로 꼽고 있다. ③〖차단〗 …하는 중에: „Du“, sagte Georg ~s Essen hinein, „muß dir was sagen“ “너 말이야, 나 너에게 좀 할 말이 있어”라고 게오르크가 식사 중에 말했다. 《Ⅲ》 *adv.* ①〖대명사·명사의 2격과 결합하여〗~dessen 그(렇게 하는) 동안에; ~ Weg(e)s, ~weg(e)s 도중에; ~ Essens 식사 중에; (südd.) ~ Mittag 점심 (식사) 때에; ~ Tag(e)s 낮 동안; ~ der Woche 주중에(는). ②〖부사와 결합하여〗~einander 서로서로, 상호간에.

Unter *m.* -s, - 〖카드〗 잭(Bube).

***unter..** 《<unter[1/2]》 *pref.* ① 동사의 분리 전철로서는 악센트를 갖고 보통 본래의 의미를, 또 동사의 비분리 전철로서는 악센트를 갖지 않고 보통 비유적 의미를 나타내며, “아래에·아래로·종속·어떤 수량 (정도) 이하·개입·혼합·중지·전복(顚覆)·보호” 등의 뜻을 나타냄. ② 명사·형용사의 전철로서 위의 뜻을 갖는 외에 ober에 대하여 “하부·하급·하층” 등의 뜻; 긴 합성어에서는 때때로 악센트가 이동함.

unter|abteilen *t.* 세분〔세별〕하다.

Unterabteilung *f.* -en 세분, 세별; 소구분.

Unter≈admiral *m.* 부(副)제독. **~amt** *n.* (↔ Oberamt) 하급 관청; 하급 공무원. **~arm** *m.*〖해부〗 아래팔. **~ärmel** *m.* 아랫소매(장식용). **~art** *f.*〖生〗 아종(亞種). **~arzt** *m.*〖軍〗(1945년까지) 군의관 후보. **~aufseher** *m.* 부감독. **~balken** *m.*〖건축〗 ↑ Architrav. **~bau** *m.*〖복수: -ten〗 ① 기초; 하부 구조. ②〖철도·도로〗 노상(路床), 노반(路盤). ③ 기초, 토대, 근거. ④〖林〗 (a) 조림목(造林木). (b) 조림. ⑤〖광산〗 막장. **~bauch** *m.*〖해부〗 아랫배.

unter|bauen *t.* 밑에 세우다.

unterbauen *t.* ①〖건축〗 기초를 세우다, 기초 공사를 하다: ein Gebäude ~ 건물의 기초 공사를 하다. ② 공고히 하다, 근거를 만들다, 토대를 세우다.

Unter≈baum *m.* (수레의) 채;〖방직〗 굴대. **~bauung** *f.* 기반〔토대〕 구축. **~beamte*** *der* 하급 공무원. **~befehls·haber** *m.*〖軍〗 부사령관. **~begriff** *m.*〖논리〗 하위 개념. **~behörde** *f.* 하급 관청. **~bein** *n.*〖해부〗 아랫다리, 정강이. **~beinkleid** *n.* 팬츠, 드로어즈. **~bekleidung** *f.* 내의, 속옷. **≈-belegt** *a.* (호텔이나 병원에서) 빈 방이〔자리가〕 있는. **~belegung** *f.* (객실·병실의) 여분, 비어 있음.

unter≈belichten *t.*〖사진〗 (필름을) 불충분하게 노출시키다. **≈belichtung** *f.*〖사진〗 노출 부족.

unter≈beschäftigt *a.* 고용이 부진한, 완전히 가동되지는 않은. **≈beschäftigung** *f.*〖經〗 불완전 고용. **~besetzt** *a.* (참가자 및 노동력이) 부족한. **≈bett** *n.* (매트리스와 시트 사이에 놓이는) 보온용 깃털 이불; (2-3층 침대의) 하층.

unter≈bewerten *t.* 과소 평가하다. **≈bewertung** *f.* 과소 평가.

unter≈bewußt *a.*〖心〗 잠재 의식의. **≈bewußt·sein** *n.*〖心〗 잠재 의식.

unter≈bezahlen *t.* 저임금을 지급하다: sie ist〔wird〕 unterbezahlt 그녀는 저임금을 받는다. **≈bezahlung** *f.* 저임금 지급〔수령〕.

unterbieten* [ʊntərbíːtən] *t.* ① (값을) 싸게 부르다, 싸게 입찰하다: etwas ist kaum noch zu ~ 무엇의 품질이 형편없이 저질이다. ②〖스포츠〗 시간을 단축시키다: einen Rekord ~ (경기에서) 기록을 단축시키다. **~bietung** *f.* 저가 입찰; 기록 단축.

Unter·bilanz *f.*〖經〗 결손, 적자 결산.

unter|binden* *t.* …의 하부를 붙들어 매다.

unter·binden* *t.* ① 저지〔방해〕하다; 중지〔중단〕하다. ②〖醫〗 결찰(結紮)하다, 졸라매어 흐름을 중단시키다: jm. die Lebensader ~ 누구의 목숨을 끊다. ③〖드물게〗 (교통을) 차단하다. **≈bindung** *f.*〖醫〗 결찰; 저지, 중지, 차단.

Unter≈bischof *m.* 부주교. **~blatt** *n.* ① 떡잎. ② (거울 뒤 판의) 박(箔). ③ 엽궐련의 속.

unter|bleiben* *i.* (s.) 하부〔바닥〕에 남다.

unterbleiben* *i.* (s.) 일어나지〔행해지지〕 않고 있다; 중지되다: ~ lassen 중지하다, 방치하다.

Unterbleiben *n.* -s 중지; 불이행.

Unter≈boden *m.* ①〖지질〗 심토(心土), 저토(底土). ②〖건축〗 마루의 (밑)바닥. ③〖車〗

(차량의) 바닥의 이면. **~boden·schutz** *m.* 〖車〗 차체 하부의 부식 방지용 보호막. **~boden·wäsche** *f.* 차체 하부 세척. **~bogen** *m.* 〖건축〗 (장식) 홍예 도리. **~boots·mann** *m.* 〖海〗 부갑판장.

unterbrechen [untərbrέçən] 《I》 *t.* ① (일시적으로) 중단하다; 차단하다; 방해하다; 〖전기〗 (전류를) 끊다: die Arbeit ~ 일을 잠시 중단하다. ② (jn.) (누구의 말을) 중단시키다〔끊다〕: unterbrich mich nicht! 내 말을 끊지 말게나! ③ 〔수동〕 (연속되던 것이) 끊기다, 중단되다: die Hecke ist von einer Pforte unterbrochen (긴) 생울타리 가운데에 문이 하나 나 있다. 《II》 *refl.* sich ~ 중지〔중단〕되다: sich in seiner Rede ~ 연설이 중지되다. 《III》 **unterbrochen** *p.a.* ↑ unterbrochen.

Unterbrecher *m.* -s, - 방해꾼; 〖전기〗 전류 단속기〔차단기〕.

Unterbrecher·kontakt *m.* 전류 단속기의 접선.

***Unterbrechung** *f.* -en ① 중단, 차단, 방해; 〖전기〗 단류(斷流): Schwangerschafts~ 임신 중절; 〖스포츠〗 die ~ des Spiels 경기의 일시 중단. ② 중단〔차단·방해·단류〕 상황〔사태〕: mit ~en muß gerechnet werden 중단 사태를 고려해야만 한다.

unter|breiten *t.* 밑에 펴다〔깔다〕.

unterbreiten *t.* 〔雅語〕 제출〔제시〕하다: dem Parlament die Gesetzesvorlage ~ 의회에 법안을 제출하다.

unter|bringen *t.* ① **(a)** 넣다, 보관하다: Waren im Lagerraum ~ 상품을 창고에 보관하다. **(b)** (말을) 마구간에 넣다. **(c)** 묵게 하다; 〖軍〗 숙사를 지정하다: ein Kind für die Ferien bei Verwandten ~ 휴가 동안 아이를 친척 집에 묵게 하다. ② 취직시키다: er hat seinen Sohn bei der Bank untergebracht 그는 아들을 은행에 취직시켰다. ③ (작품·원고를) 채택되게 하다: ein Manuskript bei einem Verlag ~ 원고를 어떤 출판사에서 채택시키다. ④ 〔비유〕 (누구의) 성격을 평가하다.

Unterbringung *f.* -en ① 보관; 유숙시킴, 취직시킴. ② **(a)** 〔구어〕 숙(박)소. **(b)** 〖軍〗 숙영. **(c)** 창고에 넣어둠. **(d)** 〖商〗 입고(入庫); 투자.

unterbrochen 《I》 *p.p.* ↑ unterbrechen. 《II》 *p.a.* 중단된; 차단된.

Unterbruch *m.* -(e)s, ..brüche [..brʏçə] (schweiz.) ↑ Unterbrechung.

unter|bügeln *t.* ↑ unterbuttern ①.

unter|buttern *t.* 〔구어〕 ① 억압〔무시〕하다: paß auf, daß du nicht untergebuttert wirst! 무시당하지 않도록 조심해라! ② (추가로) 소비〔지출〕하다: Geld ~ 돈을 추가로 소비하다.

unter·chlorig [ʊ́ntərklo:rɪç] *a.* 〖化〗 차아염소산의.

Unter=deck *n.* 〖海〗 하갑판(下甲板). **~decke** *f.* 아래 덮개. **~deckung** *f.* 〖商〗 불충분한 담보.

unter·der·hand [untərde:rhánt, ..der..] *adv.* 몰래, 살짝.

unter·des [untərdέs] *adv.* ↑ unterdessen.

unter·dessen [untərdέsən] *adv.* 그 동안에, 그러는 사이에.

Unter·druck *m.* -(e)s, ..drücke [..drʏkə] ① 〖物〗 저압. ② 〖醫〗 저혈압.

unter|drücken *t.* 내리누르다.

***unterdrücken** *t.* ① **(a)** 억압하다: seine Untertanen ~ 신하〔부하〕들을 억압하다. **(b)** (보도·방송을) 통제하다: Nachrichten ~ 뉴스 보도를 통제하다. ② 억제하다: seine Tränen ~ 눈물을 참다.

Unterdrücker *m.* -s, - 억압자; 폭군.

Unterdrückerin *f.* -nen ↑ Unterdrücker 의 여성형.

unterdrückerisch *a.* 〔폄어〕 억압적인.

Unterdruck·kammer *f.* 〖醫〗 저압실.

Unterdrückung *f.* -en ① 억압; 억제: die ~ der Frau 여성에 대한 억압. ② 억압〔억제〕되어 있음.

unter|ducken 《I》 *t.* 〔방언〕 물속에 집어 넣다. 《II》 *i.* (h.)/*refl.* (sich) ~ (물새가) 물속으로 들어가다, 물속으로 잠기다.

unterdurchschnittlich *a.* 평균 이하의.

unter·einander [untər|aɪnándər] *adv.* 상호간에; 함께; 뒤섞여서; 겹쳐(져)서: das können wir ~ ausmachen 그 점은 우리끼리 해결지을 수 있다; Wasserleitungen ~ verbinden 수도관을 서로 연결하다.

Untereinander *n.* -s 뒤섞임, 뒤범벅.

untereinander=|liegen* *i.* (h.) 뒤섞여 있다. **~|mengen, ~|mischen** *t.* 뒤섞다, 혼합하다.

Unter=einheit *f.* 하위 단위. **~einteilung** *f.* 세분. **~entwickelt** *a.* ① 발달이 덜된: ein körperlich ~es Kind 신체적으로 발달이 미숙한 아이. ② 〖政〗 저개발의: ~e Länder 저개발국. **~entwicklung** *f.* ① 미성숙. ② 〖政〗 저개발.

Unter·erd·geschoß *n.* 지하층.

unter=ernährt *a.* 영양 실조의. **~ernährung** *f.* 영양 실조.

unter|fahren* 《I》 *i.* (s.) (창고·차고 등에 탈 것을) 타고 들어오다. 《II》 *t.* (차고에 차를) 넣다.

unterfahren* *t.* ① 건물 밑에 터널 등을 뚫다. ② 〖광산〗 (다른 갱도나 광상(鑛床) 아래에) 갱도를 파다. ③ (탈것을 타고) 무엇의 밑을 통과하다.

Unter·familie *f.* 〖生〗 아과(亞科).

Unterfangen *n.* -s, - ① 〖건축〗 토대의 보강. ② 감행, (대담한) 기도: ein aussichtsloses ~ 가망성 없는 모험.

unterfangen* [untərfáŋən] 《I》 *t.* 〖건축〗 (집·벽의) 토대를 보강하다. 《II》 *refl.* sich ~ 기도〔감행〕하다: sich ~, et. zu tun 〔sich eines Dinges ~〕 어떤 일을 기도〔감행〕하다; wie konnte er sich ~, zu behaupten, daß ...? 그가 감히 어떻게 …라고 주장할 수 있었는가?

unter|fassen 《I》 *t.* ① 밑에서 받치다: jn. ~ 누구를 밑에서 받치다, 부축하다. ② 팔을 끼다: untergefaßt gehen 팔을 끼고 걷다. 《II》 *refl.* sich ~ 팔을 끼다.

unterfassen *t.* 아랫도리를 움켜잡다.

Unter=feld·herr *m.* 〖軍〗 부사령관. **~feld·webel** *m.* 하사.

unterfertigen *t.* 〖商·격식〗 서명하다.

Unterfertigte* *der/die* 〔격식〕 서명자, 서명인.

Unter=feuerung *f.* 〖工〗 ① (난로에) 불지피기. ② (난로에) 불지피는 장치. **~fläche** *f.* 아랫면, 밑면.

unter|flechten* *t.* 아래에 엮어〔짜〕 넣다.
unterflechten* *t.* 엮어〔섞어〕 짜다: et. mit et.³ ~ 무엇과 무엇을 엮어〔섞어〕 짜다.
unterfliegen *t.* (비행기로) 무엇의 밑을 지나가다〔통과하다〕.
Unter≈flügel *m.* 〖動〗 (곤충의) 밑날개; 〖空〗 하익(下翼). **≈flur** *adv.* 〖工·건축〗 바닥〔땅〕 밑에. **~flur·garage** *f.* 〖건축〗 지하 차고. **~flur·hydrant** *m.* 〖건축〗 지하 소화전〔급수전〕. **~flur·motor** *m.* 〖工〗 (버스·화물차의) 자동차 바닥에 설치된 모터, 차대 엔진. **~flur·straße** *f.* 〖토목〗 지하도.
unterfordern *t.* jn. ~ 누구에게 능력에 비해 낮은 성과를〔노력을〕 요구하다: die Schüler waren unterfordert 학생들에 대한 요구 수준이 낮았다.
Unterförster *m.* -s, - 하급 산림관.
unter|führen *t.* (도로·철도의) 밑으로 통하게 하다: die Straße ist untergeführt 그 길은 철도〔다른 길〕 아래로 통하고 있다.
unterführen *t.* ① (도로·터널 따위를) 아래로 통하게 하다. ②〖출판〗 아래에(같은 말 대신) 반복 부호(〃)를 붙이다: Zahlen dürfen nicht unterführt werden 숫자는 반복 부호로 표시되어서는 안 된다.
Unter·führer *m.* 〖軍〗 하급 지휘관.
Unterführung [untərfýːruŋ] 《<unterführen》*f.* -en ① 입체 교차로에서 밑을 통과하는 도로; 구름다리 밑의 지하도 또는 철도. ②〖출판〗 동어(同語) 부호 붙이기.
Unterführungs·zeichen *n.* 〖출판〗 동어(同語) 부호(〃).
Unter≈funktion *f.* 〖醫〗 기능 감퇴. **~fuß** *m.* 발바닥. **~futter** *n.* (옷의) 안, 안감.
unter|füttern *t.* 안감으로 대다: Seide ~ (옷) 안에 비단을 대다.
unterfüttern *t.* ① 안(감)을 대다〔붙이다〕. ② …으로 밑에 깔다.
***Untergang** [úntərgaŋ] *m.* -(e)s, ..gänge [..gɛŋə] ① **(a)** 가라앉음(↔Aufgang): der ~ der Sonne 일몰. **(b)** 침몰: der ~ der Titanic 타이타닉호의 침몰. **(c)** 〖商〗 파산. ②〖비유〗 몰락, 멸망: der ~ des Abendlandes 서양의 몰락.
Untergangs·stimmung *f.* 몰락의 기운〔분위기〕.
untergärig [úntərgɛːrɪç] *a.* 〖양조〗 하면(下面) 발효의.
Untergärung *f.* 〖양조〗 하면(下面) 발효.
Unter≈gattung *f.* 〖生〗 아속(亞屬); (~art) 아종(亞種). **~gebäude** *n.* 건축물의 하부; 〖건축〗 하부 구조, 토대.
unter|geben* *t.* ① 깔것을 주다. ② 숙박시키다. ③〖카드〗 (불필요한 패를) 버리다.
untergeben¹ 《Ⅰ》*t.* 위탁하다, 종속시키다: jm. et. ~ 누구에게 무엇을 위탁하다, 무엇을 누구의 감독 아래 두다. 《Ⅱ》**untergeben** *p.a.* ↑ untergeben².
untergeben² 《Ⅰ》*p.p.* ↑ untergeben². 《Ⅱ》*p.a.* 지위가 낮은, 예속된: jm. ~ sein 누구에게 예속되어 있다, 누구의 부하다.
Untergebene* *der/die* 부하, 신하.
Untergebenheit *f.* 지위가 낮음; 예속, 종속.
Unter·gebirge *n.* 산맥의 저부(低部).
unter|gehen [úntərgeːən] *i.* (s.) ① **(a)** (해 따위가) 지다: die Sonne geht unter 해가 지고 있다. **(b)** 가라앉다, 침몰하다: sein Rufen ging in dem Lärm unter 그의 부르는 소리가 소음 때문에 들리지 않았다. **(c)** 〖비유〗 몰락〔멸망〕하다; 붕괴하다: eine untergegangene Stadt 몰락한 도시. ② (창고 등에) 넣을 여지가 있다.
Unter·gehölz *n.* ↑ Unterholz.
untergeordnet 《Ⅰ》*p.p.* ↑ unterordnen. 《Ⅱ》*p.a.* ① 종속된; 별로 중요하지 않은; 하위의, 부수적인: ein ~er Begriff 하위 개념; eine ~e Kategorie 하위 범주; der ≈e 부하. ② 〖문법〗 구문상 종속적인: ein ~er Satz 종속문, 부문장.
Unter·gericht *n.* 하급 재판소.
untergeschoben 《Ⅰ》*p.p.* ↑ unterschieben¹. 《Ⅱ》*p.a.* 위조된, 슬쩍 바뀐: ein ~es Testament 위조된 유언장; ein ~es Kind 슬쩍 바뀌친 아이.
Unter≈geschoß *n.* 〖건축〗 ① 지하층. ② 반지하층. **~gestell** *n.* ① (차의) 프레임. ②〖건축〗 하부 구조. ③〖空〗 착륙 장치. ④〖구어·농담〗 (사람의) 다리. **~gewand** *n.* 속옷, 페티코트. **~gewehr** *n.* 〖軍〗 (단검·권총 같은) 허리에 차는 무기. **~gewicht** *n.* 중량 부족: der Kranke hatte ~ 그 환자는 체중 미달이었다. **≈gewichtig** *a.* 중량 부족의. **~glasur·farbe** *f.* 도자기의 색. **~glied** *n.* (사람의) 다리, 하체; 〖논리〗 소명사(小名辭).
untergliedern *t.* 세분하다: einen Aufsatz in mehrere Abschnitte ~ 논문을 여러 개의 항목으로 세분하다.
Untergliederung *f.* -en ① 세분. ② (세분된) 소항목.
unter|graben* [úntərgraːbən] *t.* (비료 등을) 밑에 묻다.
untergraben* *t.* ① …의 밑을 파 엎다〔부수다〕. ②〖비유〗 …의 기반을 파괴하다, …을 전복시키다, 서서히 눈에 띄지 않게 파괴하다: das viele Trinken hat seine Gesundheit untergraben 과음으로 그의 건강이 나빠졌다.
Untergrabung *f.* -en ① 매장, 파묻음. ② 전복, 파괴.
Unter≈grad *m.* 저급, 하위. **≈grädig** *a.* 저급(반)의, 하위의; (술이) 알코올 함유량이 표준 이하인. **~grenze** *f.* 하한(선), 최저 한계(치).
Unter·grund [úntərgrunt] *m.* -(e)s, ..gründe [..grʏndə] ① 지하; 바닥; 기초, 토대. ② 〖農〗 심토(心土); 〖林〗 하층토(下層土); 〖지질〗 저층; 〖工〗 노상(路床); 〖건축〗 지(하)층. ③〖畫〗 바탕(칠). ④〖政〗 **(a)** 지하 조직, 범죄 세계. **(b)** 지하〔혁명〕 운동. ⑤ 언더 그라운드(상업주의에 대항하는 전위 예술 운동).
Untergrund≈bahn *f.* 지하철(약어: U-Bahn). **~bewegung** *f.* 〖政〗 지하 운동, 저항 운동.
untergründig *a.* ① 지하의. ② 지하에 숨은, 잠행 생활을 하는.
Untergrund≈kabel *n.* 〖전기〗 지하 케이블. **~kämpfer** *m.* 지하 운동가〔전투원〕. **~leitung** *f.* 〖전기〗 지하선. **~literatur** *f.* 지하 문학. **~musik** *f.* 언더그라운드 음악. **~pflug** *m.* 〖農〗 바닥흙을 파엎는〔가는〕 쟁기. **~sendung** *f.* 지하 방송. **~tunnel** *m.* 지하도.
Unter·gruppe *f.* ① 하위 분과〔그룹·집단〕;

〖化〗 아족(亞族). ②〖數〗 부분군.

unter|haben* *t.* ① (어떤 것을) 다른 옷 속에 입고 있다. ②〔비유〕장악〔관리〕하고 있다; 부하로 삼고 있다; 정복하고 있다.

unter|haken 《I》 *t.* jn. ~ 누구와 팔을 끼다: untergehakt gehen 팔을 끼고 걷다. 《II》 *refl.* sich ~ (서로) 팔을 끼다.

***unter·halb** [ʊ́ntərhalp] 《I》 *prp.*² …의 하부〔아래쪽〕에, 하류에: ~ des Fensters 창문의 아래쪽에. 《II》 *adv.* 〖von 과 함께〗 …의 아래쪽에: das Dorf liegt ~ von Nürnberg 그 마을은 뉘른베르크 아래쪽에 있다.

***Unterhalt** [ʊ́ntərhalt] *m.* -(e)s ① 생계(비용); 〖法〗 부양(비): jm. den ~ geben〔gewähren〕 누구를 부양하다; für den ~ sorgen 생계 대책을 세우다. ② 수리(비), 유지(비): der ~ von Gebäuden 건물들의 수리.

unter|halten* [ʊ́ntərhaltən] *t.* 밑에 대다〔받치다〕: einen Teller ~ 접시를 받치고 있다; die Hand unter den Brunnen ~ 손을 샘(물) 속에 담그고 있다.

unterhalten 《I》 *t.* ① 부양하다, 기르다; (가축을) 사육하다: er unterhält eine große Familie 그는 대가족을 부양하고 있다. ② 유지〔보존·관리〕하다, 손질을 잘 해두다; (교제·서신 연락을) 끊지 않다: einen Briefwechsel ~ 편지 교환을 계속하다; ein Feuer ~ 불을 꺼지지 않게 하다; die beiden Staaten ~ seit langem diplomatische Beziehungen 그 두 나라는 오랫동안 외교 관계를 유지하고 있다; gut ~e Straße 손질이 잘된 가로. ③ 환대하다, 대접하다, 환담하다, 즐겁게 해주다: bitte unterhalte unseren Gast, bis ich komme! 내가 올 때까지 손님을 즐겁게 해 드려라! 《II》 *refl.* sich ~ 환담하다, 즐겁게 대화하다: sich mit jm. von et.³ 〔über et.〕 ~ 누구와 무엇에 대하여 (즐겁게) 이야기하다.

unterhaltend *p.a.* ↑ unterhaltsam.

unterhaltlich *a.* 〖드물게〗 ↑ unterhaltsam.

unterhaltsam *a.* 즐거운, 유쾌한; 재미있는: ein ~er Abend 〔~es Buch〕 즐거운 저녁〔재미있는 책〕; ein ~er Mensch 재미있는 사람.

Unterhaltsamkeit *f.* ① 즐거움, 위로. ② 재미, 흥미 깊음.

Unterhalts·beitrag *m.* 생활비 보조. **~berechtigt** *a.* 부양받을 권리가 있는. **~kosten** *pl.* 부양〔생활〕비. **~mittel** *pl.* 생계 수단. **~pflicht** *f.* 〖法〗 부양 의무. **~pflichtig** *a.* 부양 의무가 있는. ~verpflichtet *a.* ↑ ~pflichtig.

***Unterhaltung** [untərháltuŋ] *f.* -en ① 유지, 보존, 관리: die ~ der Straßen 도로의 유지 및 보수; die ~ diplomatischer Beziehungen 외교 관계의 유지. ② 부양. ③ **(a)** 즐거움, 오락. **(b)** 〖구식〗 즐거운 행사. ④ 즐거운 대화, 환담: eine ~ führen 담소하다.

Unterhaltungs·beilage *f.* (신문의) 오락란. **~beiträge** *pl.* 양육비, 보조금. **~blatt** *n.* 오락 신문. **~gabe** *f.* 담소〔담화〕 재능. **~industrie** *f.* 오락 산업. **~kosten** *pl.* ① 유지비. ② 생활비, 부양비. **~kunst** *f.* 담화술. **~lektüre** *f.* 오락용 읽을거리, 오락 잡지. **~literatur** *f.* 오락〔통속〕 문학. **~pflicht** *f.* 〖法〗 ↑ Unterhaltspflicht. **~roman** *m.* 오락 소설. **~schriftsteller** *m.* 통속 작가. **~teil** *m.* ① (신문의) 오락란. ② 오락 프로그램의 일부. **~ton** *m.* 담화〔좌담〕어조. **~weise** *adv.* 좌담식으로.

unterhandeln 《I》 *i.* (h.) 상의〔교섭〕하다: mit jm. über et. ~ 누구와 무슨 일에 대하여 상의〔교섭〕하다. 《II》 〖드물게〗 *t.* 상의〔교섭〕하다.

Unterhändler *m.* -s, - 상담자, 교섭인; 중개〔중재〕자; 〖商〗 중매인(仲買人), 브로커; 〖軍〗 (Parlamentär) 군사(軍使).

Unterhandlung *f.* -en 상의, 교섭; 중재; 중개: sich in ~en einlassen 〔in ~ treten〕 교섭에 응하다; mit jm. in ~ stehen 누구와 교섭 중이다.

unterhauen* *t.* ① 밑을 잘라내다. ② 〖구어〗 아무렇게나〔황급히〕 서명하다.

Unter·haus *n.* ① 가옥의 하부; 1층. ② 〖政〗 **(a)** 양원제 의회에서 하원. **(b)** 영국의 하원.

Unterhaus·mitglied *n.* 하원 의원. **~sitzung** *f.* 하원 회의.

unter|heben *t.* 〖요리〗 층지게 밀에 섞어 넣다.

Unter·haut *f.* 〖해부〗 피하(皮下), 진피(眞皮). ***~hemd** *n.* 러닝 셔츠, 속옷. **~hitze** *f.* (오븐의) 밑에서 올라오는 열. **~hof** *m.* ① 뒤뜰. ② 하급 궁내관(宮內官).

unterhöhlen *t.* ① …의 밑을 구멍〔도려〕 내다: das Wasser unterhöhlt einen Brückenpfeiler 물이 교각 밑을 파낸다. ② 〖비유〗 전복시키다: die Fundamente des Staates ~ 국가의 기초를 뒤집다.

Unter·holz *n.* 〖林〗 (교목 아래 나는) 소관목류. ***~hose** *f.* 팬티. **~instanz** *f.* 하급 재판소, 하급심. **~irdisch** *a.* ① 지하〔땅속〕의: ein ~er Gang 지하도, 터널. ② 〖비유〗 비밀의. ③ 〖신화〗 지옥의, 명부의: das ~e Reich 저승. **~italien** *n.* 남부 이탈리아. **~jacke** *f.* 남자용 러닝 셔츠. **~jagd** *f.* ↑ Niederjagd. **~jährig** *a.* 〖고어〗 (아이가) 만 한 살 미만의.

unterjochen *t.* 억누르다; 정복하다, 예속시키다: unterjochte Völker 피정복 민족; sich nicht ~ lassen 굴복하지 않다.

Unterjochung *f.* -en 억압, 압제; 정복.

unter|jubeln *t.* 〖경박〗 (억지로) 떠맡기다: laß dir diese Arbeit nicht ~! 이 일을 억지로 떠맡지 말게나!

Unter·käufer *m.* 〖商〗 중개 상인; 중매인.

unterkellern *t.* 지하실을 만들다: das Haus ist nicht unterkellert 이 집에는 지하실이 설치되어 있지 않다.

Unterkellerung *f.* -en 지하실 설치.

Unter·kiefer *m.* 〖해부〗 아래턱, 하악(下顎); 〖動〗 아래턱, 작은 아가미: 〖구어〗 js. ~ fällt 〔klappt herunter〕 대단히 놀라다. **~drüse** *f.* 타액선(腺). **~kiel** *m.* 〖海〗 하용골(下龍骨). **~kietig** *a.* 〖구어〗 ↑ ~kötig. **~kinn** *n.* 〖해부〗 ① 아래턱. ② 이중턱(Doppelkinn). **~klasse** *f.* 하급; 〖動〗 아강(亞綱). **~kleid** *n.* ① **(a)** (옷 속에 입는) 멜빵이 달린 소매 없는 속옷. **(b)** (슬립·페티코트 같은 여자의) 속옷: 〖복수〗 〖구식〗 ~er 내의류. ② 바지. ③ 〖海〗 (바람을 더 잘 받기 위하여 돛에 덧붙인) 부가범(附加帆). **~kleidung** *f.* 속옷류. **~koch** *m.* 보조〔수습〕 요리사.

unter|kommen* *i.* (s.) ① 피난하다; 숙박하다, 묵다: glänzend〔gut〕 ~ 훌륭한〔좋은〕 숙소에 묵다; wir konnten nirgends ~ 우리는 어디서도 숙소를 구할 수 없었다. ② 〖구어·비

유』 취직하다: bei einer Firma ~ 어떤 회사에 취직하다. ③〖구어〗(mit. et.³) (무엇이) 채택되다, (무엇에) 관심 갖는 사람을 발견하다. ④〖구어〗마주치다, 만나다: so etwas ist mir noch nicht untergekommen 그런 일이 나에게는 아직까지 닥치지 않았다.

Unterkommen [ʊ́ntərkɔmən] *n.* -s, ① 피난(소); 숙박(소): ein ~ suchen 숙소를 구하다. ②〖구식·비유〗근무처, 일(자리): jm. ein ~ bieten〔geben〕누구에게 일자리를 주다.

unterkommen* *t.* 〖고어〗방해〔저지〕하다.

Unter≈könig *m.* 섭정. **~körper** *m.* 신체의 하부, 하체. **~kötig** *a.* (md., ndd.) 피하가 화농된; 〖비유〗안으로 썩은.

unter|kriechen* *i.* (s.) 〖구어〗피난처를 구하다, 숨다.

unter|kriegen *t.* 〖구어〗(besiegen) 정복하다; 억압하다: sich nicht ~ lassen 굴복하지 않다.

unterkühlen *t.* ①〖化〗응고점 이하로 냉각하다. ② jn. ~ 누구의 체온을 표준 이하로 내리다.

Unterkühlung *f.* -en ① ↑ unterkühlen의 명사형. ②〖醫〗저체온(증). ③〖醫〗체온 저하(법).

***Unterkunft** [ʊ́ntɐrkʊnft] 《< unter|kommen》 *f.* ..künfte [..kʏnftə] ① (**a**) 피난소, 피난처; 숙(박)소: eine ~ finden 숙소〔피난처〕를 구하다. (**b**) 숙박. ②〖구식〗일자리, 취직자리.

Unterkunfts≈haus *n.*, **~hütte** *f.* (특히 알프스 산중의) 피난용 오두막.

***Unterlage** [ʊ́ntərla:gə] 《< unter|legen》 *f.* -n ① 밑받침; 〖軍〗총가(銃架); 〖철도〗침목; 〖植·원예〗대목(臺木); 〖工〗좌금(座金). ② 기초, 토대. ③ 깔개; 들것 위에 까는 요; (의복의) 안; (거울 뒤의) 박(箔); (보석 밑을 받치는) 박(箔). ④〖복수〗〖비유〗수단; (필요한) 자료; 증거, 논거: alle erforderlichen ~n einreichen 모든 요구 서류를 제출하다. ⑤〖레슬링〗상대편 밑에서 취하는 방어 자세.

Unter≈lager *n.* 기초, 지주; 연단. **~land** *n.* 저지(低地) (↔ Oberland). **~länder** *m.* 저지 주민. **~ländisch** *a.* 저지의, 저지 출신의. **~länge** *f.* 〖印〗알파벳 소문자의 기준선 아래 부분〔획〕.

「ohne ~ 끊임없이.

Unterlaß [ʊ́ntərlas] *m.* 〖다음 용법으로〗

***unterlassen**¹* [ʊntərlásən] *f.* 《Ⅰ》 *t.* 중단〔중지〕하다; 단념하다; (해야 할 일을) 하지 않다; 태만히 하다: eine Arbeit ~ 무슨 일을 태만히 하다; ich kann es nicht ~ 나는 그렇게 하지 않을 수 없다; ich werde nichts ~, Sie zufrieden zu stellen 꼭 만족하시도록 하겠습니다. 《Ⅱ》 **unterlassen** *p.a.* ↑ unterlassen².

unterlassen² 《Ⅰ》 *p.p.* ↑ unterlassen¹. 《Ⅱ》 *p.a.* 태만한; 〖法〗부작위(不作爲)의: ~e Hilfeleistung 구조 태만 행위.

Unterlassung *f.* -en 중단, 중지; 태만; 〖法〗(의무·채무의) 불이행, 부작위(不作爲).

Unterlassungs≈delikt *n.* 〖法〗부작위(不作爲)범(죄). **~klage** *f.* 〖法〗부작위(不作爲)의 소송. **~straf·tat** *f.* 〖法〗↑ ~delikt. **~sünde** *f.* 〖구어·반어〗태만죄.

Unter≈last *f.* 〖海〗바닥짐, 밸러스트. **~lauf** *m.* (하천의) 하류.

unter|laufen* 《Ⅰ》 *i.* (s.) 〖비유〗(실수로) 나타나다〔발생하다·생기다〕: es laufen ihm große Fehler unter 그는 큰 잘못을 저지른다; dir sind hierbei einige Versehen untergelaufen 여기에서 너는 몇 가지 잘못을 저질렀다. 《Ⅱ》 *t.* 〖광산〗짐수레로 거둬들이다.

unterlaufen* 《Ⅰ》 *i.* (s.) ① 피하(皮下) 출혈하다: die Haut〔das Auge〕ist mit Blut ~ 피하(皮下)에 출혈을 하고 있다〔눈에 핏발이 서 있다〕. ② ↑ unter|laufen《Ⅰ》. ③〖구어〗마주치다, 만나다: so ein unverschämter Mensch ist mir noch nie ~ 나는 그런 파렴치한 인간은 아직 보지 못했다. 《Ⅱ》 *t.* ①〖스포츠〗높이 뛰어오른 상대편 밑에서 움직여 상대편이 넘어지게 만들다; 무력하게〔효력이 없게〕만들다: jn. im Ringkampf ~ 격투에서 누구를 때려눕히다. ②〖사냥〗(짐승을 보고) 사격하려고 가까이 가다.

unterläufig *a.* 아래에서부터 움직여지는.

Unterlaufung *f.* -en 〖醫〗피하 출혈.

Unter·leder *n.* (구두의) 밑창 가죽.

Unterlege·decke *f.* (말안장 밑의) 언치.

unter|legen [ʊ́ntərle:gən] *t.* ① 아래〔밑〕에 놓다〔넣다·깔다〕: das untergelegte Holz 밑에 쌓인 목재; der Henne Eier zum Brüten ~ 닭에게 알을 품게 하다. ②〖비유〗부가하다: einem Ausspruch eine falsche Bedeutung ~ 어떤 말〔발언〕을 잘못 해석하다; der Musik einen Text ~ 음악에 맞춰 작사하다, 곡에 가사를 붙이다.

unterlegen¹ *t.* ① 어떤 것의 밑에 안을 대다〔붙이다〕: die Glasplatte ist mit Spitzen unterlegt 유리판은 레이스로 안이 대어졌다. ② (텍스트〔영화〕에 다른 텍스트를〔음악을〕) 갖다 붙이다: einem Film Musik ~ 영화에 음악을 깔다. ③〖출판〗(강조하기 위해 특정 텍스트 부분에) 배경색을 넣다.

unterlegen² 《Ⅰ》 *p.p.* ↑ unterliegen¹. 《Ⅱ》 *p.a.* ① (누구에게) 압도된, 굴복한, 열등한: dem Gegner an Kraft ~ sein 상대〔적〕보다 힘에서 열세다. ② 패배한: die ~e Partei 표결에서 패한 정당.

Unterlegenheit *f.* -en 압도당함, 굴복; 열등함.

Unterleg·scheibe *f.* 〖工〗자릿쇠, 좌금(座金).

Unterlegung¹ 《< unterlegen》 *f.* -en 아래에 둠; 부가: 〖비유〗~ einer Absicht 어떤 의도의 첨가.

Unterlegung² 《< unterlegen¹》 *f.* -en 안을 댐, 보강; 증보, 증가; 가사 붙이기.

Unter≈lehen *n.* (제후가 가신에게 나누어 준) 영지. **~lehrer** *m.* 보조 교사. **~leib** *m.* ① 하복부, 아랫배: Schmerzen im ~ haben 아랫배가 아프다. ②〖은어〗여성의 성기. **~leibchen** *n.* ① (반소매) 내의. ② 코르셋 (Mieder). **~leibs·krankheit** *f.* 여성의 생식기 질병, 부인병. **~leibs·leiden** *n.* ↑ ~leibskrankheit. **~leibs·operation** *f.* 하복부 수술. **~leibs·schmerz** *m.* 하복부 통증. **~leibs·typhus** *m.* 장티푸스. **~leutnant** *m.* 〖軍〗① 육군 소위 계급. ② 육군 소위. **~lid** *n.* 〖해부〗아랫눈꺼풀.

unter|liegen* [ʊ́ntərli:gən] *i.* (h.) 밑에 (가로) 놓여 있다; 〖비유〗토대〔기초〕가 되어 있다: diese Absicht hat mir untergelegen 나에게는 이런 의도가 있었다.

unterliegen 《I》 *i.* ① (s.) 지다, 굴복하다: jm. ~ 누구에게 지다; einer Last ~ 짐이 무거워 넘어지다. ② (h.) 지배를 받고 있다, 내맡겨져 있다: et.³ ~ 무엇의 지배를 받고 있다; die gesamte Publizistik unterliegt einer scharfen Zensur 모든 언론 매체는 심한 검열을 받고 있다; es unterliegt keinem Zweifel 그것은 의문의 여지가 없다. 《II》 **unterlegen** *p.a.* ↑ unterlegen².

Unter·lippe *f.* 〖해부〗 아랫입술.

***unterm** [ʊ́ntərm] 〔구어〕 =unter dem …의 아래에.

unter|malen *t.* 그림 아래에 적어 넣다: seinen Namen ~ 그림에 서명하다.

untermalen *t.* ① (그림의) 밑칠〔바탕칠〕을 하다: ein Bild ~ 캔버스에 밑칠을 하다. ② 배경 효과를 첨가하다: ein Gespräch mit leiser Musik ~ 대화에 낮은 배경 음악을 깔다.

Untermalung *f.* -en ① **(a)** (그림 밑의) 서명. **(b)** (그림의) 밑칠. ② 배경 음악이 깔려 있음, 밑칠이 되어 있음; 〔비유〕 정취를 돋우는 배경 (음악): Harfenklänge dienten dem Vortrag des Gedichtes als ~ 하프 소리는 시 낭독에 흥취를 더하는 데 도움이 되었다.

Unter·mann *m.* 〔복수: ..männer〕 (↔ Obermann) ① 〖스포츠〗 **(a)** (곡예 체조에서) 다른 선수들을 밑에서 받쳐 주는 사람. **(b)** 〖레슬링〗 상대 밑에 깔린 선수. ② **(a)** 부하. **(b)** 〖카드〗 잭.

Unter·maß *n.* 〔드물게〕 평균치 이하의 양〔치수〕, 부족량: zwei Liter ~ haben 2 리터가 부족하다.

untermauern *t.* ① 하부에 기초 벽(壁)을 만들다. ② 확실한 논거를 가지고 뒷받침하다, 근거를 마련하다〔대다〕: eine These wissenschaftlich ~ 어떤 논제〔주장〕에 대해 학문적으로 기초를 세우다.

Untermauerung *f.* -en ① 기초 공사. ② (논리적) 뒷받침; 뒷받침하는 논거.

unter·meerisch *a.* 바닷속〔해저〕의.

Unter·menge *f.* 〖數〗 부분량, 부분 집합.

unter|mengen *t.* 섞어 넣다.

untermengen *t.* 섞다: et. mit et.³ ~ 무엇을 무엇과 섞다: mit Zwiebeln untermengtes Hackfleisch 양파를 섞어 넣은 다진 고기.

Unter≈mensch *m.* ① 〔욕설〕 인간 이하의 사람(↔ Übermensch); 짐승 같은 사람. ② 열등〔하등〕 인종(나치 때 유대인·슬라브인·집시 등을 가리켰던 말). **~menschentum** *n.* (나치 때) 하등 인종의 야만성.

***Untermiete** [ʊ́ntərmi:tə] *f.* -n 〔구식〕 ① **(a)** 〖法〗 재(再)임대차, 전차(轉借), 빌린 것을 또 빌림: in 〔zur〕 ~ wohnen 전차한 집에서 살다. **(b)** 전대(轉貸): ein Zimmer in ~ abgeben 방을 전대하다; jn. in 〔zur〕 ~ nehmen 누구에게 전대하다. ② 재임대료.

unter|mieten *i.* (h.) 집을 전차(轉借)하다.

Untermieter *m.* -s, - 〖法〗 전차인(轉借人).

Untermieterin *f.* -nen ↑ Untermieter 의 여성형.

unterminieren *t.* ① 밑에 갱도를 파다; 〔비유〕 잠식〔손상〕하다: js. Autorität ~ 누구의 위신을 손상시키다. ② 〖軍〗 폭발물을 설치하다.

Unterminierung *f.* -en ① 갱도 파기. ② 잠식, 손상, 침해.

unter|mischen *t.* ↑ unter|mengen.

untermischen *t.* 섞다: mit et.³ untermischt 무엇을 혼합한.

Untermischung¹ *f.* -en 〖↑ unter|mischen 의 명사형〗 (von et.³) (무엇의) 혼입.

Untermischung² *f.* -en 〖↑ untermischen 의 명사형〗 (mit et.³) (무엇의) 혼합.

untermotorisiert *a.* 〖車〗 성능이 약한 모터가 달린: der Wagen ist für seine Größe ~ 그 차는 크기에 비해 성능이 약한 엔진이 달려 있다.

Untern [ʊ́ntərn] 《< unten》 *m.* -s, - (obd., md.) ① 조반과 점심 사이의 간식〔샛밥〕. ② 오후의 간식.

untern =unter den.

Unter·nächte *pl.* 〔방언〕 크리스마스부터 공현(公現) 축일에 이르는 열이틀 밤.

unter|nehmen* *t.* 〔구어〕 팔 밑을 들어 부축하다.

unternehmen *t.* 감행하다; 착수하다; 벌이다; 꾀하다: was wollen wir heute ~? 오늘은 무슨 일을 벌여 볼까?; er unternimmt nichts ohne meinen Rat 그는 무슨 일을 하려면 반드시 나의 조언을 받는다; et. (gegen jn. 〔et.〕) ~ (누구〔무엇〕에 대해) 무슨 조치를 취하다; ich kann nichts dagegen ~ 나는 그 일에 대해 아무런 대책도 세울 수 없다.

***Unternehmen** [ʊ́ntərne:mən] 《< unternehmen》 *n.* -s, - ① 시도, 기도, 계획: ein aussichtsloses ~ 전망 없는 시도. ② 〖經〗 사업, 기업: ein ~ gründen 〔auflösen〕 기업을 설립〔폐업〕하다.

unternehmend *p.a.* 수완 있는; 진취적인, 박력 있는.

Unternehmens≈berater *m.* 〖經〗 기업 고문. **~beraterin** *f.* ↑ ~berater 의 여성형. **~beratung** *f.* 〖經〗 기업 상담. **~form** *f.* 〖經〗 기업 형태. **~forschung** *f.* 〖經〗 기업 연구, 오퍼레이션즈 리서치. **~führung** *f.* 〖經〗 기업 경영(진). **~leiter** *m.* 기업의 장(長). **~leiterin** *f.* ↑ ~leiter 의 여성형. **~politik** *f.* 〖經〗 기업 정책.

***Unternehmer** *m.* -s, - 기업가, 경영자: 〖商〗 Ring von ~n 신디케이트, 기업 연합.

Unternehmer≈freiheit *f.* 기업 업무 결정의 자유. **~geist** *m.* 기업가 정신. **~gewinn** *m.* 〖經〗 기업주 수익.

Unternehmerin *f.* ↑ Unternehmer 의 여성형.

unternehmerisch *a.* ① 기업가〔경영자〕의. ② 기업가〔경영자〕다운.

Unternehmerschaft *f.* -en 사업가, 기업가, 경영자(의 총칭).

Unternehmertum *n.* -s ① **(a)** 〔총칭〕 사업가, 기업가, 경영자. **(b)** 기업가 정신〔기질〕. ② 〖商〗 자본주의.

Unternehmer·verband *m.* 〖經〗 경영자〔기업가〕 협회.

Unternehmung *f.* -en ① 시도, 기도, 계획. ② 〔드물게〕 기업, 사업.

Unternehmungs≈geist *m.* 진취적 기상〔정신〕, 모험심, 실천력. **~lust** *f.* 활동 의욕, 사업욕. **≈lustig** *a.* 사업욕이 있는; 의욕이 왕성한; 진취적 기상이 풍부한. **~sinn** *m.* ↑ ~geist.

Unter·offizier *m.* 〖軍〗 (약어: Uffz.) ① **(a)**

하사관 계급. (**b**) 하사관: ~ vom Dienst 당직 하사관(약어: UvD). ② 하사; 중사; 상사.
unteroffizier.. ↑ unteroffiziers...
Unteroffiziers≈anwärter *m.* 하사관 후보생(약어: UA). **~messe** *f.* 〖海〗 하사관 집회소〔식당〕. **~schule** *f.* 〖軍〗 하사관 학교. **~tresse** *f.* 하사관의 완장.
unter|ordnen 《I》 *t.* 하위에 두다, 종속〔예속〕시키다: die Dinge der Welt einem göttlichen Urheber ~ 세상 만물을 신성한 창조주에 종속시키다. 《II》 *refl.* sich ~ 종속되다, 따르다, 순응하다: sich jm. ~ 누구에게 종속되다. 《III》 **untergeordnet** *p.a.* ↑ untergeordnet.
unterordnend *p.a.* 〖문법〗 부문장〔종속문〕을 이끄는: ~es Bindewort 종속 접속사.
Unterordnung *f.* -en ① 종속, 예속. ② 하위. ③ 세분, 세별; 〖軍〗 하급 부대. ④〖生〗 아목(亞目). ⑤〖문법〗 (문장의) 종속(관계).
Unter≈pacht *f.* 〖法〗 (가옥·토지의) 재임대차, 전차(轉借). **~pächter** *m.* 전차인(轉借人). **~pfand** *n.* ①〔雅語〕 증거물, 증표, 표시: ein Ring als ~ der Treue 신뢰의 표시로서의 반지. ②〔구식〕 저당, 담보. **≈pfändlich** 《I》 *a.* 저당의, 담보의. 《II》 *adv.* 저당으로서, 담보로서. **~pfarre** *f.* 부목사의 직; 〖가톨릭〗 부제(副祭)의 직. **~pfarrer** *m.* 〖기독교〗 부목사; 〖가톨릭〗 부제. **~pflaster·bahn** *f.* ↑ ~pflasterstraßenbahn. **~pflaster·straßen·bahn** *f.* (일부 구간이 도로 밑을 통과하는) 도시 철도(약어: U-Strab).
unter|pflügen *t.* 쟁기로 묻다, 갈아 부치다.
unter·phosphorig *a.* 〖化〗 하이포아인(亞燐)의: ~e Säure 하이포아인산.
Unter≈prima *f.* 〖학제·구식〗 김나지움의 8 학년. **~primaner** *m.* 김나지움의 8 학년 학생. **≈privilegiert** *a.* 〔교양〕 (사회적으로) 소외된, 혜택받지 못하는: ~e Schichten 소외 계층. **~privilegierte*** *der/die* (사회적으로) 소외된〔혜택받지 못하는〕 사람. **~punkt** *m.* ① 아랫점. ② 철자의 아래에 찍는 점.
unterqueren *t.* ① (물속에서) …의 아래를 통과하다: im U-Boot den Äquator ~ 잠수함을 타고 적도(아래)를 통과하다. ② (길·노선이) …의 아래를 지나가다.
unterreden *refl.* sich ~ 대화〔상의·협의〕하다: sich mit jm. ~ 누구와 대화〔상의·협의〕하다; sich über et. 〔von et.³〕 ~ 무엇에 관하여 상의하다.
Unterredung *f.* -en 담화; 협의, 상의: eine ~ unter vier Augen haben 단둘이 상의하다.
Unterredungs·stoff *m.* 이야깃거리, 협상 재료.
unterrepräsentiert *a.* 수적으로 열세인, 대표성이 약한: Frauen sind im Parlament ~ 여성은 의회에서 수적으로 열세다.
Unter·rhein *m.* der ~ 라인강의 하류.
***Unterricht** [ʊ́ntərrɪçt] *m.* -(e)s, -e 가르침, 교수, 수업; 강의; 교육: ~ im Schreiben 쓰기 수업; bei jm. ~ in Deutsch nehmen 누구에게서 독일어를 배우다; ~ erteilen〔geben〕 교수하다, 가르치다.
***unterrichten** 《I》 *t.* ① (**a**) 가르치다, 교수하다: den Knaben im Singen 〔in Spanisch〕 ~ 소년에게 노래〔에스파냐어〕를 가르치다; an einem Gymnasium ~ 김나지움에서 가르치다. (**b**) (특정 교과목을) 강의하다, 가르치다: sie unterrichtet Deutsch 그녀는 독일어를 가르친다. ② 알리다, 보고하다: jn. von. et.³ 〔über et.〕 ~ 누구에게 무엇을 알리다〔보고하다〕. 《II》 *refl.* sich ~ 알게 되다, 정보를 입수하다: sich von et.³ 〔über et.〕 ~ 무엇을 알게 되다. 《III》 **unterrichtet** *p.a.* ↑ unterrichtet.
Unterrichter[1] *m.* -s, - 〔고어〕 교사, 선생.
Unter·richter[2] *m.* 〖法〗 차석(次席) 판사.
unterrichtet 《I》 *p.p.* ↑ unterrichten. 《II》 *p.a.* 교육〔수업〕을 받은; 소식에 정통한: von et.³ 〔über et.〕 wohl ~ sein 어떤 일에 정통하다.
unterrichtlich *a.* 수업〔강의〕의, 교육의: ~e Methoden 수업 방법.
Unterrichts≈anstalt *f.* 〔격식〕 교육 기관, 학교. **~brief** *m.* 통신 교육 교재. **~einheit** *f.* 〖교육〗 ① 강의〔수업〕의 내용을 전달하는 데 소요되는 시간, 수업 단위. ② 특정한 포괄적인 테마를 다루는데 필요한 총수업 시간. **~fach** *n.* 수업 과목, 교과목. **~film** *m.* 교재용 영화. **~forschung** *f.* 〖교육〗 교수법 연구. **≈frei** *a.* 수업이 없는. **~freiheit** *f.* 교수(敎授)의 자유. **~gang** *m.* 〖교육〗 ① 수학〔연구〕 여행. ②〔드물게〕 교과 과정. **~gegenstand** *m.* 교과목, 수업 대상. **~gesetz** *n.* 교육법(령). **~kunde** *f.* 〖교육〗 (Didaktik) 교수법, 교육 방법론. **≈kundlich** *a.* 〖교육〗 교수법의. **~lehre** *f.* 〖교육〗 ↑ ~kunde. **~lokal** *n.* 교실. **~material** *n.* 〖교육〗 수업 기기, 교재. **~methode** *f.* 교수(방)법. **~minister** *m.* 교육부 장관. **~ministerium** *n.* 교육부. **~mittel** *n.* 〖교육〗 수업 (보조) 도구. **~programm** *n.* 수업 계획. **~schritt** *m.* 〖교육〗 수업 진도. **~stunde** *f.* 수업 시간. **~verwaltung** *f.* 교육 행정. **~weise** *f.* 교수 방법. **~werk** *n.* 교과서. **~wesen** *n.* 교육 제도, 학제. **~ziel** *n.* 수업 목표. **~zweig** *m.* ↑ ~fach.
Unterrichtung *f.* -en 통지, 보고.
Unter≈rinde *f.* 〖植〗 속껍질. **~rippe** *f.* 〖해부〗 하부 늑골〔갈비뼈〕. **~rock** *m.* ① (↔ Oberrock) 페티코트, 속치마, 슬립. ②〔구어·농담〕 여성: er läuft jedem ~ nach 〔er ist hinter jedem ~ her〕 그는 여자들의 꽁무니를 따라다닌다.
unter|rühren *t.* 저어서 섞다.
unters [ʊ́ntərs] 〔구어〕 =unter das …의 아래로.
Unter·saat *f.* 〖農〗 간종(間種) (휴한지에 재배하는 농작물).
untersagen *t.* 금(지)하다(verbieten) : ihm wurde vom Arzt das Rauchen untersagt 그는 의사에게서 흡연을 금지당하였다.
Untersagung *f.* -en 엄금, 금지.
Unter·salpeter·säure [od. ..pé..] *f.* 〖化〗 하이포아(次亞) 질산.
Unter≈saß *m.* 부하. **~satz** *m.* ① 받침(대), 지주; (물건을 얹어 두는) 시렁; 〖건축〗 주춧돌; 〖工〗 굴대받이; 교각: ein ~ für einen Blumentopf 화분 받침. ②〖논리〗 소전제(↔ Obersatz). ③ 말의 질병의 일종. ④ (오르간의) 베이스 음전(音栓). **~schale** *f.* ① 도축한 소의 종아리 안쪽. ②〖핵물리〗 동일한 부대 양자수를 지닌 전자들로 형성된 원자핵 껍질. ③ (커피 세트의) 쟁반.

***unterschätzen** *t.* ① 과소 평가하다: eine Entfernung ~ 거리를 과소 평가하다. ② 깔보다, 얕잡다: ein nicht zu ~der Feind 만만치 않은 적.
Unterschätzung *f.* 과소 평가.
unterscheidbar [untər∫áitba:r] *a.* 구별(분간)할 수 있는: mit bloßem Auge ~ 육안으로 식별할 수 있는.
unterscheiden [untər∫áidən] 《I》 *t.* 구별(식별·판별)하다, 구분하다, 분류하다: zwei Dinge voneinander ~ 두 사물을 (서로) 구별하다; et. von et.[3] ~ 무엇을 무엇과 구별하다; Gut und Böse ~ (Gutes vom Bösen ~) 선과 악을 분별하다; mein und dein nicht ~ können 내 것과 네 것을 구분할 수 없다; jn. (et.) an et.[3] ~ 누구를(무엇을) 어떤 점으로 구분(식별)하다; et. mit bloßem Auge ~ 무엇을 육안으로 식별하다; die Menschen in fünf Rassen ~ 인간을 다섯 인종으로 분류하다. 《II》 *refl.* sich ~ 구별되다, 구분되다: sich von et.[3] ~ 무엇과 구별되다; sich durch et. (in et.[3]) ~ 무엇으로(어떤 점에서) 구별되다; ihre Ansichten ~ sich in mehreren Punkten 그들의 견해는 여러 점에서 서로 다르다. 《III》 *i.* (h.) 구별하다: zwischen zwei Dingen ~ 두 사물을 구별하다.
unterscheidend *p.a.* 구별되는; 특징적인; 〖醫〗(병의) 특징을 나타내는: das ~e Merkmal 구별되는 특징.
Unterscheidung *f.* -en 구별, 식별, 분간: eine genaue ~ ist hier nicht möglich 정확한 구분이 여기서는 불가능하다.
Unterscheidungs≈begriff *m.* 〖논리〗 구별 개념. **~gabe, ~kraft** *f.* ↑ ~vermögen. **~merkmal** *n.* 구별 기준이 되는 특징. **~vermögen** *n.* 판별(식별)력. **~zeichen** *n.* 식별 표시, 구별 표지; 〖醫〗 감별 표지, 증후; 〖哲〗 규준, 기준. **~zoll** *m.* 〖經〗 차별 관세. **~zug** *m.* 특징 있는 용모.
Unter≈schenkel *m.* 종아리. **~schicht** *f.* ① 〖드물게〗 (a) 〖지질〗 하층. (b) 〖건축〗 기층(基層). ② 〖사회〗 하(류)층.
unter|schieben* 《I》 *t.* ① 밑으로 밀어넣다: in eine Schrift einen Satz ~ 본문에 어떤 문장을 삽입하다. ② 〖비유〗 (a) 슬쩍 바꿔치다: ein Kind ~ 어린아이를 슬쩍 바꿔치기하다. (b) (유서·문서·편지를) 위조하다: ein Testament (einen Brief) ~ 유서(편지)를 위조하다. 《II》 **untergeschoben** *p.a.* ↑ untergeschoben.
unterschieben *t.* ① 몰래 밀어 보내다, 떠맡기다: man hat mir die Briefe unterschoben 사람들이 그 편지들을 나한테 떠맡겼다. ② 전가(轉嫁)(무고(誣告))하다: jm. eine Lüge ~ 거짓말을 누구에게 전가하다; diese Äußerungen unterschiebt man mir 사람들은 이 말을 내가 했다고 곡해한다.
Unterschiebung [(또는) unter..∫i:..] *f.* -en ① 떠넘기기, 전가(轉嫁); 곡해. ② 〖드물게〗 밑으로 밀어넣기, 바꿔치기, 위조.
***Unterschied** [úntər∫i:t] 《<unterscheiden》 *m.* -(e)s, -e ① (a) 상이, 차이; 〖數〗 차: ein großer(geringer) ~ 큰(약간의) 차이; kleine ~e 다소의 차이; 〖구어·농담〗 der kleine ~ 남녀간의 성의 차이, 남자의 성기; ein ~ wie Tag und Nacht 매우 큰 차이, 천양지차; es ist kaum ein ~ zwischen(unter) diesen zwei Dingen 이 양자간에는 거의 차이가 없다; es ist ein ~ zwischen Arbeit und Arbeit 일도 일 나름이다; es ist (schon) ein (großer) ~, ob du es sagst oder er 그것을 네가 말하느냐 또는 그가 말하느냐는 (크게) 다르다((전혀) 달리 평가될 수가 있다); das macht wenig ~ 그것은 별로 차이가 없다. (b) 구별, 차별: ohne ~ 차별 없이; das gilt ohne ~ 그것은 예외 없이(모든 사람들에게) 적용된다; ohne ~ des Geschlechts und des Alters 남녀노소를 불문하고; zum ~ von et.[3] 무엇과는 달리(대조적으로); einen ~ ausgleichen 차별을 없애다; zwischen(unter) et.[3] einen ~ machen 무엇 상호간에 구별을 짓다; die Schuldigen sind ohne ~ zu bestrafen 죄인은 모두 처벌된다; alle ohne ~ behandeln 사람들을 차별 없이 대하다. ② 〖고어〗 칸막이벽: einen ~ in einem Zimmer machen 방에 칸막이를 하다.
unterschieden *a.* ① 다른, 구분되는, 상이한. ② 〖고어〗 여러 가지의.
unterschiedlich 《I》 *a.* 여러 가지의, 가지가지의, 다른, 구분되는, 상이한: eine ~e Behandlung 차별 대우; hierin sind wir ~er Meinung 이 점에서 우리는 의견이 다르다. 《II》 *adv.* ① 되풀이하여: wir haben ~ an ihn geschrieben 우리들은 그에게 누차 편지하였다. ② von et.[3] 무엇과 달리.
Unterschiedlichkeit *f.* -en ① 상이, 차이. ② 다른(상이한) 것.
Unterschieds·betrag *m.* 〖商〗 차액.
unterschiedslos 《I》 *a.* 구별이 없는, 차별을 두지 않는. 《II》 *adv.* 차별 없이, 일률적으로.
unterschlächtig *a.* 하사식(下射式)의(↔ oberschlächtig): ein ~es Wasserrad 하사식 수차(水車).
Unterschlag [úntər∫la:k] *m.* -(e)s, ..schläge [..∫lɛ:gə] ① 책상다리 (자세). ② 〖印〗 (페이지 하단 공백에) 채워 넣는 것; 〖海〗 종량(縱梁) (창구(艙口)에 세로 지른 재목).
unter|schlagen *t.* ① (팔·다리를) 겹치다, 포개다: mit untergeschlagenen Beinen(Armen) sitzen(dastehen) 책상다리하고 앉아 있다(팔짱끼고 서 있다); jm. ein Bein ~ 누구를 딴죽걸이로 넘어뜨리다. ② 〖드물게〗 내리(깔)다(niederschlagen): die Augen ~ 눈을 내리깔다. ③ 〖드물게〗 밑에 받치다(놓다). ④ ↑ unterschlagen.
unterschlagen *t.* ① 횡령(착복)하다; 유용하다: Geld(Wechsel) ~ 돈(어음)을 착복하다; Briefe ~ 편지를 가로채다. ② 숨기다, 공표하지 않다: der Redner hat verschiedene wichtige Tatsachen ~ 연사는 여러 가지 중대한 사실을 은폐하였다.
Unterschlagung [..∫lá:guŋ] *f.* -en 착복, 유용; 〖法〗 횡령(죄).
Unterschleif [úntər∫laif] *m.* -(e)s, -e 〖구식〗 ① (obd.) 숙(박)소; 은신(도피)처. ② 사기, 기만; 횡령, 착복; 밀수.
unter|schließen *t.* 〖印〗 (행의 끝부분에 들어갈 수 없는 단어를) 아래 행의 끝 여백으로 꺾어내리다.
Unterschlupf *m.* -(e)s, -e/..schlüpfe [..∫lʏpfə] ① 숙소; 피난처, 은신처: bei jm. ~ finden 누구의 집에 몸을 숨기다; jm. ~ gewähren 누구에게 은신처를 제공하다. ②

〖軍〗(야전 진지의 1-2 인용) 병사 은신호.

unter|schlupfen (südd.) *i.* (s.) ↑ unterschlüpfen.

unter|schlüpfen *i.* (s.) 은신처를 찾다: in einer Scheune ~ 헛간에 숨다.

unterschneiden* *t.* 〖건축〗(무엇의) 하부를 절단하다.

Unterschneidung *f.* -en 하부를 끊어냄〔베어냄〕; 〖건축〗(복공의) 밑을 도려냄; 〖印〗(활자의) 밑을 바짝 죔.

unter|schreiben* *t.* (무엇의) 밑에 쓰다, (종이의) 끝에 적다.

unterschreiben 《I》 *t.* ①…에 서명하다: einen Brief 〔eine Urkunde〕 ~ 편지〔증서〕에 서명하다; unterschrieben und untersiegelt 서명 날인된. ②〔구어〕 서명하여 동의하다, 시인〔확인〕하다: diese Behauptung〔Meinung〕 kann ich nicht ~ 나는 이 주장〔의견〕에 동의할 수 없다. 《II》 *refl.* sich ~ 서명하다: ich unterschreibe mich als Ihr(en) Freund (편지의 끝맺음에서) 여불비례(餘不備禮). 《III》〔드물게〕 *i.* (h.) 예약〔주문〕하다: auf ein Buch ~ 서적을 주문하다.

Unterschreiber[1] *m.* -s, - 서명자.

Unterschreiber[2] *m.* -s, - 서기보(補).

Unterschreibung *f.* -en 서명〔기명〕하기.

unterschreiten* *t.* (↔ überschreiten) (무엇에) 미달하다, (무엇보다도) 적다: die Einnahmen haben den Voranschlag unterschritten 수입이 예산에 미달했다.

Unterschreitung *f.* -en 미달.

***Unterschrift** [ʊ́ntərʃrɪft] *f.* -en 서명: eigenhändige〔falsche〕 ~ 자필〔가짜〕 서명; ohne ~ a) 서명 없는, b) 보증 없는; mit einer ~ versehen 서명을 한; ~en leisten 서명하다; seine ~ unter et. setzen 무엇 아래에 서명하다; seine ~ für et. geben 무엇에 서명하여 동의하다.

Unterschriften≠aktion *f.*, **~kampagne** [..panjə] *f.* 서명 운동. **~mappe** *f.* (서명을 받기 위한) 미결재 서류 파일. **~sammlung** *f.* 서명 (모으기) 운동.

unterschriftlich *a.* 〔격식〕 서명에 의하여: et. ~ bestätigen 무엇을 서명하여 증명하다.

unterschrifts≠berechtigt *a.* 서명할 권한이 있는. **≏bestätigung** *f.* 서명 확인. **≏probe** *f.* 서명 감정. **~reif** *a.* 서명할 단계가 된, 서명해도 좋은: 〔비유〕 die Sache ist noch lange nicht ~ 그 일은 아직 완성되기까지 멀었다.

Unter·schule *f.* 초등 학교; 예비교.

Unterschuß *m.* ..schusses, ..schüsse [..ʃʏsə] ①〖구식〗 부족액; 손실, 적자. ②〖섬유·구식〗 직물 짜임의 강화.

Unterschwefel·säure *f.* 〖化〗 아황산.

unterschweflig *a.* 〖化〗 아황산의.

Unter·schwelle *f.* ①〖건축〗 문지방, (기둥 밑의) 토대. ②〖철도〗 침목(枕木).

unterschwellig *a.* 잠재 의식의.

Untersee·boot [ʊ́ntərze:..] *n.* 〖海〗 잠수함 (약어: U-Boot).

unterseeisch *a.* 수중의, 해저에 있는: ~es Kabel 해저 전선.

Untersee·telegraphie *f.* 해저 전신.

Unter·segel *n.* 〖海〗 아랫돛, 큰 가로돛.

Unter·segel·gehen *n.* 〖海〗 범주(帆走); 출범(↑ Segel ①).

Unter·seite *f.* (↔ Oberseite) 아래쪽, 하변, 바닥; 〖건축〗 밑받침, 토대.

unterseits *adv.* 밑에, 바닥에, 아래쪽에.

Unter≠sekunda *f.* 〖학제·구식〗 김나지움 6 학년. **~sekundaner** *m.* 김나지움 6 학년생.

unter|setzen *t.* ①밑에 (놓아) 두다〔괴다〕: ich habe den Eimer untergesetzt 나는 양동이를 밑에 받쳐 놓았다. ②〖음악〗(피아노 연주에서) 엄지손가락을 다른 손가락 다음에 사용하다.

untersetzen 《I》 *t.* ①〔대개 수동으로〕 섞다, 혼합하다: Der Kiefernwald war mit Birken untersetzt 소나무 숲에는 자작나무가 섞여 있었다. ②〖車〗 감속하다. 《II》 **untersetzt** *p.a.* ↑ untersetzt.

untersetzt 《I》 *p.p.* ↑ untersetzen. 《II》 *p.a.* ①(gedrungen) 땅딸막한, 뭉툭한: ein ~er Mann 땅딸막한 남자. ②뒤섞인 (gemischt).

Untersetzer 《<unter|setzen》 *m.* -s, - ①(화분) 받침(Untersatz). ②↑ Untersetzteller.

Untersetz·teller *m.* 받침 접시, 쟁반.

Untersetztheit *f.* 땅딸막함.

Untersetzung 《<untersetzen》 *f.* -en ①혼합, 섞기. ②〖車〗 **(a)** 기어를 저속도로 걸기, 감속. **(b)** 감속 비율.

Untersetzungs·getriebe *n.* 〖車〗 감속 기어 (장치).

untersiegeln *t.* 〔격식〕 (무엇의) 밑에 날인〔조인〕하다: einen Brief 〔eine Urkunde〕 ~ 편지〔증서〕의 밑에 날인하다.

unter|sinken* *i.* (s.) 가라앉다, 침몰하다 (untergehen).

unterspickt *a.* (öst.) 지방질이 섞인〔많은〕: ~es Fleisch 지방질이 많은 고기.

unterspielen *t.* 〔드물게〕 (어떤 문제를) 대수롭지 않은 것처럼 말하다〔처리하다〕: Mißstände ~ 폐해가 대단하지 않은 것처럼 이야기하다.

unterspülen *t.* (물이) …의 아래쪽을 깎아내다, 침식하다: der Fluß unterspült die Straße 강물이 도로 밑을 침식한다.

unterst [ʊ́ntərst] *a.* 《unter[1] 의 최상급》 최하〔최저〕의: der ≏e in der Klasse 학급의 꼴찌 학생; die ≏en 최하급〔최하층〕의 사람들; zu ~ 맨 끝에, 가장 낮은 곳에; 〔구어〕 das ≏e zuoberst kehren 본말을 전도하다, 엉망으로 만들다; das Oberste zu ~ 거꾸로, 엉망진창으로.

Unter·staats·sekretär *m.* 〖政〗 (독일 연방 정부 및 각 주의) 차관보.

Unter·stadt *f.* 도시의 저지대.

Unterstand [ʊ́ntərʃtant] 《<unterstehen》 *m.* -(e)s, ..stände [..ʃtɛndə] ①〖軍〗 지하〔방공〕호; 엄폐부. ②**(a)** 피난〔은신〕처. **(b)** (öst.) 숙소.

Unterständer *m.* -s, - 대들보, 기둥; 장선(長線).

unterständig *a.* ①〖植〗 (씨방이) 밑에 붙은〔있는〕; 턱잎의. ②〖動〗 발(목)이 흰: ein ~es Pferd 발목이 흰 말.

Unterstands≠geber *m.* (숙소의) 집 주인. **~hütte** *f.* 은신〔피난〕처; 숙(박)소.

unterstandslos *a.* ①숨을 곳이 없는; 집 없는, 의지할 곳 없는. ②(öst.) 직업이 없는.

Unterstands·ort *m.* 주소(Wohnort).

Unter·station *f.* 〖전기〗 변전소.

Unter·statt·halter *m.* 부지사; 부총독, (영국 식민지의) 총독 대리.

unter|stecken 《I》 *t.* 〖구어〗 ① 밑에 두다〔넣다·끼우다〕. ② (einverleiben) 합치다, 편입시키다: 〖軍〗 Soldaten ~ 군인을 다른 부대에 합치다. 《II》 *refl.* sich ~ 숨어 버리다, 피난하다. 《III》 *i.* (h.) 숨어 있다.

unterstecken *t.* (무엇의) 밑을 받치다: et. mit et.³ ~ 무엇으로 무엇의 밑을 받치다〔안을 대다〕.

unter|stehen* *i.* (s./h.) ① (지붕) 밑에 서다, (지붕) 밑에서 (비를) 피하고 있다: während des Regens habe 〔(öst., schweiz.) bin〕 ich untergestanden 비가 오는 동안 나는 처마 밑에서 비를 피했다. ② (schweiz.) 〖비유〗 몸을 피하다, 은신처에 숨다.

unterstehen 《I》 *i.* (h.) 관할 아래 있다; 지배 아래 있다: jm. 〔et.³〕 ~ 누구〔무엇〕의 관할〔감독〕 아래 있다, 누구〔무엇〕에게 종속〔예속〕되어 있다; er unterstand einem strengen Herrn 그는 엄(격)한 주인을 섬기고 있었다; das untersteht keinem Zweifel 그것은 의심할 여지가 없다; die Hochschulen ~ der Aufsicht der Länder 대학들은 주(州)의 감독을 받고 있다. 《II》 *t.* (**a**) 〖고어〗 예방하다. (**b**) 꾀하다. 《III》 *refl.* sich ~ 감히 하다: sich eines Dinges ~ 〔sich ~, et. zu tun〕 무엇을 감히 하다; was ~ Sie sich? 도대체 이게 무슨 짓입니까?; untersteh dich! 감히 그랬다간 혼날 줄 알아라! (경고의 표현); 〖드물게〗 ich unterstehe mir das nicht 나는 감히 그런 짓은 하지 않는다.

Unterstehen *n.* -s (Wagnis) 감행, 모험.

unter|stellen 《I》 *t.* ① 밑에 두다: den Eimer ~ 양동이를 밑에다 세워놓다. ② (일시) 보관해 두다: den Wagen in einer Garage ~ 차를 차고에 세워두다. 《II》 *refl.* sich ~ (몸을) 피하다: sich beim Regen ~ 처마 밑에서 비를 피하다.

unterstellen 《I》 *t.* ① ↑ unter|stellen 《I》 ①. ② (누구의) 밑에 두다, 지배 아래 두다: jm. unterstellt sein 누구에게 종속되어〔복종하고〕 있다; jm. den Verkauf ~ 누구에게 판매 책임을 맡기다. ③ 간주〔가정〕하다; 무고하다: man darf ~, daß ... 우선 …이라고 생각하여 보자; jm. et. ~ a) 누가 무엇을 가지고 있다고 간주하다, b) 누구의 무엇을 무고〔비방〕하다, 누구에게 무엇의 책임을 전가하다. 《II》 *refl.* sich ~ 복종하다: sich jm. ~ 누구에게 복종하다.

Unterstellung[1] 《<unter|stellen》 *f.* -en 밑에 (놓아) 둠, 보관; 피신.

Unterstellung[2] 《<unterstellen》 *f.* -en ① 하위에 있음〔둠〕, 종속, 복종; 〖軍〗 직할, 배속. ② 그릇된 주장, 비방; (죄·책임의) 전가.

Unter·steuer·mann 〔(또는) ʊn..ʃtɔ́ʏər..〕 *m.* 〖海〗 부타수(副舵手), 2 등 항해사.

untersteuern *i.* (h.) 〖車〗 (차가) 커브를 돌 때 앞바퀴가 밖으로 쏠리는 경향이 있다.

Unter·stock *m.* -(e)s ① 〖복수: ..stöcke〗 〖植〗 (Wurzelstock) 뿌리줄기, 근경(根莖). ② 〖복수없음〗 지하층.

Unter·stock·werk *n.* 지하층.

unter|stopfen *t.* (밑에) 채워 넣다.

unterstreichen *t.* ① 밑줄을 긋다〔치다〕: die Fehler mit Rotstift unterstreichen 틀린 부분에 빨간 색연필로 밑줄을 긋다. ② 〖비유〗 (**a**) 역설〔강조〕하다: ich kann die Behauptung des Vorredners nur ~ 나는 앞 연사의 주장을 재차 강조하는 수밖에 없습니다. (**b**) 찬성〔동의〕하다: das kann ich nur ~! 나도 그것에 전적으로 찬성이야!

Unterstreichung *f.* -en 밑줄 치기〔긋기〕; 〖비유〗 강조, 역설: ~en im Text vornehmen 본문에 밑줄을 긋다.

unter|streuen *t.* 밑〔아래〕에 뿌리다; 섞다: jm. Blumen ~ 누구에게 꽃을 뿌리다; den Pferden Stroh ~ 말에게 짚을 깔아 주다(↑ streuen ②).

unterstreuen *t.* 뿌려 흩다, 여기저기 흩어지게 하다.

Unter·strömung *f.* ① 저류(底流), (물이나 공기의) 하층류. ② 〖비유〗 (표면에 드러나지 않은 흐름, 숨겨진 움직임: revolutionäre ~ 지하 저항 운동.

Unter·stufe *f.* ① 하단. ② 낮은 정도〔단계〕, 저급. ③ 〖학제〗 (중등 학교의 저학년인) 5-7 학년.

unter|stützen *t.* 받침으로서 밑에 괴다〔받치다〕: er hat den Arm unter das Kinn untergestützt 그는 팔로 턱을 괴었다〔받쳤다〕.

unterstützen *t.* ① 받치다, 버팀목을 대다. ② (**a**) 지지하다; 후원〔원조〕하다: jn. bei einer Arbeit tatkräftig ~ 누가 어떤 일을 하는 데 적극적으로 돕다; staatlich unterstützt 국고 보조를 받은. (**b**) 촉진시키다: durch Gymnastik kann die Heilung unterstützt werden 체조를 통해 치료가 촉진될 수 있다.

Unterstützer *m.* -s, - 원조〔후원〕자; 〖政〗 (법안의) 지지자.

***Unterstützung** 〔ʊntərʃtʏ́tsʊŋ〕 《<unterstützen》 *f.* -en ① 버팀목을 댐; 〖軍〗 교각(橋脚). ② (**a**) 〖대개 복수없음〗 지지, 원조; 후원: auf seine 〔mit seiner〕 ~ rechnen 그의 원조를 기대하다; bei jm. keine ~ finden 누구의 원조를 받지 못하다. (**b**) 후원〔지원·보조〕금: jm. eine ~ gewähren 누구에게 후원금을 주다. ③ 〖軍〗 (증)원군.

Unterstützungs·anstalt *f.* 양육원; 보호시설. **~bedürftig** *a.* 원조〔보조〕가 필요한. **~beihilfe** *f.* 지원〔보조〕금. **~empfänger** *m.* 보조(금) 수혜자. **~fonds** 〔..fɔ̃:〕 *m.* 구제〔보조〕 기금. **~geld** *n.* 지원〔보조·후원〕금. **~gesellschaft** *f.* 원조 단체, 자선 협회. **~gesuch** *n.* 보조금 신청〔청원〕. **~kasse** *f.* 〖經〗 부조 기금, 공제 금고. **~mauer** *f.* 〖건축〗 버팀벽. **~punkt** *m.* 〖工〗 (지레의) 지점(支點). **~truppe** *f.* 〖軍〗 지원 부대. **~verein** *m.* 후원회; 자선회; 공제 조합. **~wohn·sitz** *m.* 〖法〗 구빈(救貧) 지구.

Untersuch *m.* -s, -e (schweiz.) ↑ Untersuchung.

untersuchen *t.* ① 철저히 점검하다: das Gelände ~ 지면을 철저히 점검하다. ② 진찰하다: jn. auf seinen Geisteszustand ~ 누구의 정신 상태를 진찰하다; ich muß einmal meine Leber ~ lassen 나는 간 검사를 한번 받아 봐야 한다. ③ 〖法〗 심리〔심문〕하다: et. gerichtlich ~ 무엇을 법정 심리하다. ④ 연구〔논구〕하다: Probleme der zukünftigen Wirtschaftsentwicklung ~ 미래의 경제 발전 문제

를 연구하다. ⑤ 분석〔조사〕하다: 〖海〗 mit dem Senkblei ~ 측심(測深)하다, 깊이를 재다; die Milch auf ihren Fettgehalt ~ 우유의 지방 함유량을 조사하다. ⑥ 수색〔검색〕하다: das Gepäck eingehend ~ 짐을 철저히 검색하다.

Untersucher *m.* -s, - 조사〔연구〕자.

***Untersuchung** *f.* -en ① 조사, 검사; 연구; 수색; 〖化〗 분석; 〖法〗 심리, 심문; 〖醫〗 진찰: eine körperliche ~ 신체 검사; 〖法〗 die vorläufige ~ 예심(豫審); zum Arzt zur ~ kommen 의사에게 진찰받으러 가다. ② 연구 논문: eine neue ~ über das Waldsterben 산림 황폐에 관한 새로운 논문.

Untersuchungs≈akten *pl.* 조사 서류; 〖法〗 심리 서류, 조서, 소송 기록. **~ausschuß** *m.* 조사〔심사·심문·시험〕 위원(회). **~befund** *m.* 〖醫〗 검사 결과〔소견〕. **~gefangene*** *der/die* 〖法〗 미결수. **~gefängnis** *n.* 미결감. **~gericht** *n.* 〖法〗 심리 재판소. **~haft** *f.* 〖法〗 (미결) 구류(약어: U-Haft): jn. in ~ nehmen 누구를 구류하다. **~häftling** *m.* 미결수. **~kammer** *f.* 〖法〗 심문실, 예심부. **~kommission** *f.* ↑ ~ausschuß. **~richter** *m.* 〖法〗 예심 판사. **~station** *f.* 〖工〗 연구 기지, 시험장: landwirtschaftliche ~ 농업 연구소. **~stelle** *f.* 검사소(Prüfstelle); 검열국. **~verfahren** *n.* 학술적 연구 방법; 〖法〗 심리〔신문(訊問)〕 절차. **~zimmer** *n.* 진찰실.

Untertage≈arbeiter *m.* 〖광산〗 광원, 갱내 노동자. **~bau** *m.* 〖광산〗 ① 갱내 채굴. ② (광산의) 지하 시설, 광갱.

untertags *adv.* (südd., öst.) 낮에.

Unter·taille [..taljə] *f.* (여성용) 소매 없는 속옷.

***untertan** [ʊ́ntərta:n] *a.* 〖서술적으로만〗 예속된, 복종〔순응〕하는: jm. ~ sein 누구에게 종속〔예속〕되어 있다, 누구의 신하다; dem Willen eines andern ~ sein 다른 사람의 의지에 따르다; sich³ jn.〔et.〕 ~ machen 누구를 복종시키다〔무엇을 지배〔이용〕하다〕.

Untertan *m.* -s/-en ① 〖옛뜻〗 **(a)** 신하, 부하; 신민. **(b)** 노예, 농노, 몸종. ② 〖구어·농담〗 **(a)** 등받이가 없는 걸상(Schemel). **(b)** 〖복수〗 다리, 발. ③ 〖폄어〗 공권력에 무조건 순종하는 국민〔시민〕.

Untertanen≈eid *m.* 충성의 선서. **~geist** *m.* 〖폄어〗 신하 근성, 비굴한 마음. **~pflicht** *f.* 신하〔신민〕의 의무.

Untertanenschaft *f.* 신하〔부하〕 신분.

Untertanen≈treue *f.* (신하로서의) 충성. **~verhältnis** *n.* 군신(君臣) 관계, 주종 관계. **~verstand** *m.* 〖폄어〗 줏대없는 생각.

untertänig [ʊ́ntərtɛ:nɪç] *a.* 〖구식·폄어〗 ① (untertan) 종속〔예속〕되어 있는: dies alles ist mir ~ 이 사람들은 모두 나에게 복종한다. ② 스스로를 낮추는, 겸손한: Ihr ~ster Diener 돈수재배(頓首再拜) (옛날 편지의 맺음말); ich bitte ~st 삼가 부탁드립니다.

Untertänigkeit *f.* 〖구식·폄어〗 ① 종속, 예속. ② 공순; 겸손: in tiefer ~ 경건히; meine ~ 불초(不肖), 소생.

Unter·tasse *f.* (컵의) 받침 접시: fliegende ~n 비행 접시(UFO).

unter|tauchen 《I》 *i.* (h./s.) ① (물 속으로) 가라앉다, 잠수하다: beim Schwimmen ~ 헤엄치면서 물 속으로 들어가다. ② 〖비유〗 모습을 감추다, 숨다, 사라지다; der Verbrecher war in der Großstadt untergetaucht 범인은 대도시 안으로 잠적했다. 《II》 *t.* 물 속에 잠기게 하다, 가라앉히다.

Unter·teil *n.* (↔ Oberteil) 하부, 바닥 (부분).

unterteilen *t.* 분할〔세분〕하다: einen Aufsatz übersichtlicher ~ 논문을 더 명료하게 세분하다; die Skala ist in 10 Grade unterteilt 눈금이 10 등분되어 있다.

Unterteilung *f.* -en ① 세분, 구분, 분할. ② 분류, 배열, 배치.

Unter·teller *m.* 받침 접시.

Unter·temperatur *f.* 〖醫〗 저체온(증).

Unter≈tertia *f.* 〖학제·구식〗 김나지움 4 학년 (일반적 명칭으로는 8 학년). **~tertianer** *m.* 김나지움 4 학년생(일반적 명칭으로는 8 학년생).

Untertitel *m.* -s, - ① 〖출판〗 부제(副題). ② 〖영화〗 자막.

untertiteln [..tí:təln] *t.* ① (책에) 부제를 달다. ② 〖그림〗 설명을 달다. ③ 〖영화〗 자막을 넣다.

Unter·ton *m.* 〖복수: ..töne〗 ① 〖物·음악〗 (Nebenton) 제 2 음정, 하음(下音), 배음(陪音). ② (숨겨진) 울림, 어조: mit einem ~ von Spott 은근히 경멸적인 어조로.

Unter·tor *n.* ① 아래(거리) 문. ② 항구의 수문(Ebbetor).

untertourig [..tu:rɪç] *a.* 〖工〗 느리게 도는 (niedertourig).

untertreiben* *t.* 〖商〗 실제보다 싼값을 매기다, 실제보다 축소해서 말〔묘사〕하다.

Untertreibung *f.* -en ① 과소 평가. ② 실제보다 줄여서 말하기.

unter|treten* 《I》 *i.* (s.) (처마 따위의) 밑에 들어서다: beim Regen ~ 비를 피하다. 《II》 *t.* 밟아 다지다.

untertreten* *t.* 짓밟다, 유린하다.

Untertretort *m.* -(e)s, -e 비를 피하는 곳, 피난〔은신〕처.

Untertritt *m.* -(e)s, -e 〖재봉〗 옷의 단추가 붙은 쪽(옷을 여밀 때 덮이는 부분).

unter|tun* 《I》 *t.* 밑에 놓다〔넣다〕. 《II》 *refl.* sich ~ 처마 밑에 들어서다, 비를 피하다.

untertunneln *t.* …의 밑에 터널을 파다: einen Verkehrsweg ~ 차도 밑에 터널을 파다.

Untertunnelung *f.* -en 터널 파기.

Unter·verdeck *n.* 〖海〗 최하 갑판.

unter|vermieten *t./i.* (h.) 전대(轉貸)하다: ein Zimmer ~ 방을 전대하다; an jn. ~ 누구에게 전대하다.

Unter·vermieter *m.* (가옥 따위의) 전대인(轉貸人).

Unter|vermietung *f.* -en 전대(轉貸).

unter|versichern *t.* 부분 보험에 들다.

Unterversicherung *f.* -en ① 부분 보험 가입. ② 부분 보험.

unter|versorgen *t.* 충분히 공급하지 않다: die Bevölkerung ist mit eiweißreicher Nahrung unterversorgt 주민은 단백질이 풍부한 음식물을 충분히 공급받지 못하고 있다.

Unterversorgung *f.* 불충분한 공급.

Unter·verwalter *m.* 부지배인, 부관리인.

Unter·verzeichnis *n.* 〖컴〗 서브디렉토리.

Unter·vormund *m.* ① 부(副)후견인. ② 공동 후견인(Mitvormund).
unterwachsen [..váksən] *a.* 〖드물게〗 ① 덤불진. ② 섞여 자라난(durchwachsen): mit Unkraut ~ 잡초가 뒤섞여 난; mit Fett ~es Fleisch 지방이 섞인 고기; 〖醫〗 mit wildem Fleisch ~ (상처에) 군살이 생긴.
Unter·wacht·meister *m.* 〖軍〗 (포병·기병의) 중사.
Unter·wald *m.* 덤불, 잡목 숲.
Unterwalden [..valdən] 운터발덴(스위스 중부의 주(州)).
Unterwaldner 《Ⅰ》 *m.* -s, - 운터발덴 주민. 《Ⅱ》 *a.* 운터발덴의.
unterwandern *t.* ① ein Volk ~ 타민족을 이주시킴으로써 어떤 민족 고유의 성격을 서서히 변화시키다. ② 서서히 침투하다: die Kommunisten versuchten, die Armee zu ~ 공산주의자들이 군에 침투하려고 시도하였다.
Unterwanderung *f.* ① 타민족 유입(으로 인한 토착성의 변화). ② (어떤 조직의 약화를 목적으로 한) 잠입, 침투.
unterwärts [úntərvɛrts] 〖고어·구어〗 《Ⅰ》 *adv.* ① 아래(쪽)에. ② 아래로, 아래쪽으로. 《Ⅱ》 *prp.*[2] …의 아래쪽에: ~ des Berges 산기슭에.
Unter·wäsche *f.* 속옷, 셔츠.
unterwaschen* *t.* 아래를 씻다, (물이 우묵하게) 침식하다: ein Fluß unterwäscht das Ufer 강물이 기슭의 하부를 깎아내다.
Unterwaschung *f.* 세굴(洗掘); 지하 갱도.
Unter·wasser *n.* ① 지하수(Grundwasser). ② (댐의) 바닥에서 새어 나가는 물, 저수(底水).
Unterwasser≈archäologie *f.* 해저 고고학. **~aufnahme** *f.* 수중 촬영. **~bau** *m.* 수중 공사. **~behandlung** *f.* 〖醫〗 수중 운동 요법. **~bombe** *f.* (수중) 폭뢰(爆雷). **~boot** *n.* 〖海〗 잠수정. **~kamera** *f.* 수중 카메라. **~-kraft·werk** *n.* 수중 발전소. **~massage** [..ʒə] *f.* 수중 마사지. **~mikrophon** *n.* 수중 청음기(聽音機). **~signal** *n.* 수중 음향 신호. **~station** *f.* 수중 관측소〔탐지소〕. **~streit-kräfte** *pl.* 해저 전투력.
unterwegen *adv.* 〖구식〗 (schweiz.) ↑ unterwegs.
unterwegens *adv.* 〖고어〗 ↑ unterwegs.
***unterwegs** [..vé:ks] *adv.* ① 〖서술적〗 ~ sein a) 여행〔수송〕 중이다, b) 〖軍〗 행군 중이다, c) 외출 중이다, 밖에 나가 있다; immer ~ sein 항상 나돌아다니다, 분주하다; Er ist ~ nach Berlin 그는 베를린으로 가는 중이다; die ganze Stadt war ~, um ihn zu sehen 온 시민이 그를 보기 위해 몰려 나갔다; der Brief ist ~ 그 편지는 오는 중이다; 〖구어·비유〗 bei ihr ist ein Kind 〔etwas (Kleines)〕 ~ 그녀는 임신 중이다. ② 중도에, 도중에: ~ befindliche Ladung 수송 중인 화물; 〖비유〗 et. ~ lassen 무엇을 중도에 그만두다〔중지하다·방치하다〕; das bleibt ~ 그것은 그만둔〔중지된〕 채로 있다; der Gedanke kam mir erst ~ 그 생각은 내가 집을 나선 다음에야〔여행 도중에야〕 비로소 떠올랐다.
unter·weilen 〖구식〗 《Ⅰ》 *adv.* ① (unterdessen) 그 동안에, 그 사이에. ② (bisweilen) 때때로, 가끔. 《Ⅱ》 *cj.* …하는 동안에(während).
unterweisen* *t.* 〖雅語〗 가르치다: jn. in et.[3] ~ 〔〖고어〗 jn. et. ~〕 누구에게 무엇을 가르치다.
Unterweisung [..váizʊŋ] *f.* -en 〖雅語〗 ① 가르침, 지도. ② (schweiz.) (견신례를 받을 소년들을 위한) 성경 강독.
Unter·welt *f.* ① 〖신화〗 (Hölle) 저승, 황천; 지옥. ② 〖드물게〗 (Erde), 이승, 현세. ③ (대도시 따위의) 암흑가: ein König der ~ 암흑가의 왕; in der ~ verkehren 암흑가를 드나들다. ④ 〖드물게〗 저지(低地) (지방).
unterweltlich *a.* 저승의, 지옥의; 암흑가의.
unter|werfen* *t.* 밑으로〔아래로〕 던지다.
unterwerfen* 《Ⅰ》 *t.* ① 굴복〔복종·예속〕시키다, 정복하다: die Ureinwohner ~ 원주민들을 정복하다. ② (싫은 일에) 부닥치게 하다: jn. einem Verhör ~ 누구를 심문하다; jn. einer Prüfung ~ 누구에게 시험을 치르게 하다; et. einer Kontrolle ~ 무엇을 검사〔통제〕하다. 《Ⅱ》 *refl.* sich ~ 굴복〔복종·예속〕하다: sich der Meinung der Mehrheit ~ 다수의 의견에 따르다; wir ~ uns gerne Ihrem Urteil 우리들은 기꺼이 당신의 판단에 따르겠습니다. 《Ⅲ》 **unterworfen** *p.a.* ↑ unterworfen.
Unterwerfung [..vɛrfʊŋ] *f.* -en ① 정복. ② 굴복, 복종; 〖法〗 (판결 따위의) 수락.
Unterwerks·bau *m.* -(e)s 〖광산〗 지하 채굴.
unterwerten *t.* 실제 가격 이하로 평가하다.
unterwertig *a.* 가치가 적은, 품질이 나쁜, 열등한: ~e Waren 품질이 나쁜 상품.
Unterwertigkeit *f.* 기준 미달, 불량, 열등.
Unterwertung [..vé:rtʊŋ] *f.* ↑ Unterwertigkeit.
Unter≈weste *f.* 소매 없는 속셔츠, 조끼. **~wind** *m.* 공기의 하층류; 지면 또는 해면 가까이 부는 바람; 〖工〗 하부 통풍(通風).
unterwinden* *refl.* 〖구식〗 sich ~ (무엇을) 떠맡다, 감행하다: 〖시어·드물게〗 sich eines Dinges ~ 〔sich ~, et. zu tun〕 무엇을 떠맡다, 기도하다; sich großer Vermessenheit ~ 감히 불손한 행동을 저지르다.
unterwölben 《Ⅰ》 *t.* 밑에 아치를 만들다. 《Ⅱ》 **unterwölbt** [..bt] *p.a.* ↑ unterölbt.
unterwölbt 《Ⅰ》 *p.p.* ↑ unterwölben. 《Ⅱ》 *p.a.* 하부에 아치를 설치한: 〖軍〗 ~e Bastion 아치로 방호한 포대(砲臺).
unterworfen 《Ⅰ》 *p.p.* ↑ unterwerfen. 《Ⅱ》 *p.a.* 복종하는, 예속된: jm. 〔et.[3]〕 ~ sein 누구〔무엇〕의 지배 아래 있다, 누구에게〔무엇에〕 복종하고 있다; Krankheiten ~ sein 병에 걸려 있다.
Unterwuchs [..vu:ks, ..vuks] 《<unterwachsen》 *m.* -es (Unterholz) 교목 아래 나는 소관목이나 잡초(복층림(複層林)의 최하층); 총림(叢林).
unter|wühlen *t.* 파내리다(hinunterwühlen).
unterwühlen *t.* ① 밑을 파다, 움푹하게 하다: Maulwürfe ~ den Boden 두더지들이 땅바닥 밑을 판다. ② 내부로부터 서서히 약화시키다.
unterwürfig [untərvýrfɪç, úntərvyr..] 《< unterwerfen》 *a.* 〖폄어〗 (demütig) 비굴한, 노예 같은: eine ~e Haltung 비굴한 태도; sich[3] jn. ~ machen 누구를 복종시키다, 자기

의 부하로 삼다.

Unterwürfigkeit *f.* 〖폄어〗 비굴, 비굴한 행동.

Unter·zahn *m.* (↔Oberzahn) 아랫니.

unter|zeichnen *t.* 아래〔밑〕에 적다.

***unterzeichnen** 《Ⅰ》 *t.* (unterschreiben) 서명하다: einen Vertrag endgültig ~ 조약을 비준하다; bitte ~ Sie hier! 여기에 서명을 해 주십시오! 《Ⅱ》 *refl.* sich ~ 서명〔자서〕하다. 《Ⅲ》 *i.* (h.) 예약하다(subskribieren): auf ein Buch ~ 책을 예약하다.

Unterzeichner *m.* -s, - 서명자; 예약자, 신청자.

Unterzeichnete* *der/die* 서명자, 회원.

Unterzeichnung *f.* -en 서명; 비준; 승인: mit ~ des Vertrags 조약에 서명함으로써.

Unter·zeug *n.* -(e)s 〖구어〗 속옷.

unter|ziehen* *t.* ① (밑줄을) 긋다: einen Strich ~ 밑줄을 치다. ② 밑에 집어 넣다: den Wagen unter den Schuppen ~ 차를 차고에 넣다. ③ 속에 껴입다: ich habe eine wollene Jacke untergezogen 나는 털 재킷을 속에 입었다. ④ 밑에 대다: 〖건축〗 einen Balken 〔eine Schwelle〕 ~ 들보를〔침목을〕 밑에 대다. ⑤ 〖요리〗 (반죽 따위를) 밑에 섞어 넣다: Eischnee ~ 거품을 일게 한 달걀 요리를 밑에 섞어 넣다.

unterziehen* 《Ⅰ》 *t.* ① 밑〔안〕에 달다〔대다〕: ein Kleidungsstück mit Futter ~ 옷에 안감을 대다. ② 복종시키다, 내맡기다: jn.〔et.〕 et.³ ~ 누구를〔무엇을〕 무엇(의 지배)에 내맡기다; jn. einer Prüfung 〔einem Eingriff〕 ~ 누구에게 시험을 치르게〔수술을 받게〕 하다. 《Ⅱ》 *refl.* sich ~ ① (힘든 일을) 떠맡다: sich et.³ (〖드물게〗 eines Dinges) ~ a) 무엇을 떠맡다, b) 무엇에 종사하다, c) 무엇을 치르다〔받다〕; sich einer Prüfung〔Operation〕 ~ 시험을 치다〔수술을 받다〕; wir ~ uns gern dieser Mühe 우리는 기꺼이 이 수고를 떠맡는다. ② (schweiz.) 복종하다, 따르다: sich jm. ~ 누구에게 굴복하다, 누구의 뜻에 따르다. ③ (obd.) 정복〔차지〕하다: sich eines Dinges ~ 무엇을 내것으로 하다, 정복하다.

Unterzug *m.* -(e)s, ..züge [..tsy:gə] 〖건축〗 (Träger) 들보, 도리.

untief [ʊ́nti:f] *a.* (seicht) 깊지 않은, 얕은.

Untiefe *f.* -n ① 깊지 않음, 얕음: 〖비유〗 geistige ~n 정신적인 천박함. ② 〖지질·海〗 얕은 곳; 여울; 사주. ③ (a) 〖시어·드물게〗 아주 깊은 곳, 심해, 심연. (b) 〖雅語〗 (영적인) 깊이, 간파 불능.

Untier [ʊ́nti:*r*] *n.* -(e)s, -e ① (Ungeheuer) 괴물, 괴수(怪獸). ② 〖폄어〗 잔인한 사람.

untig *a.* 〖고어〗 (↔obig) 밑에 있는, 다음의, 다음에 말하는.

untilgbar [ʊntɪ́lkba:*r*, ʊ́ntɪlk..] *a.* ① 지울〔없앨〕 수 없는; (병을) 근절할 수 없는; eine ~e Schmach 지울 수 없는 치욕; 〖비유〗 ein ~er Eindruck 지울 수 없는 인상. ② 〖商〗 상환할 수 없는: eine ~e Schuld 갚을 길 없는 부채.

Untote* *der/die* 흡혈귀(↑ Vampir ①).

untragbar [ʊntrá:kba:*r*, ʊ́ntra:k..] *a.* ① 버틸 수 없는; (재정적으로) 부담할 수 없는. ② (옷이) 입을 수 없는. ③ (unerträglich) 견딜〔참을〕 수 없는: ~e Verhältnisse 참을 수 없는 상황.

Untragbarkeit *f.* 부담 불능, 참을 수 없음.

unträglich [ʊntrɛ́:klɪç, ʊ́ntrɛ:k..] *a.* 〖고어〗 참을 수 없는(unerträglich).

untrainiert *a.* 훈련〔단련〕이 안 된.

untrennbar [ʊntrɛ́n.., ʊ́ntrɛn..] *a.* 나눌〔떼어 놓을〕 수 없는, 불가분의; 밀접한; 〖문법〗 비분리의.

***untreu** *a.* 불성실한; 부정직한; 부정(不貞)한; 부정확한: ein ~er Freund 신의 없는 친구; sein ~es Gedächtnis 어렴풋한 그의 기억; gegen seinen Herrn ~ 군주에게 불충한; jm. 〔et.³〕 ~ werden 누구를〔무엇을〕 배반하다; jn. seiner Pflicht ~ machen 누구로 하여금 그의 의무를 행하지 못하게 하다; seinen Schwüren ~ werden 맹세를 어기다; sich³ selbst ~ werden 자신의 신념을 저버리다; 〖농담〗 seid ihr uns ~ geworden? 너희들은 우리 집에 발을 끊은거니?

Untreue *f.* ① 불성실, 불충, 부정, 배반: ~ wird mit ~ bezahlt 인과응보. ② 〖法〗 배임(背任): ~ im Amt 배임, 직무 유기.

untrinkbar [ʊntrɪ́ŋkba:*r*, ʊ́ntrɪŋk..] *a.* 마실 수 없는, 음료가 될 수 없는.

untröstbar [ʊntrǿ:st.., ʊ́ntrø:st..] *a.* ↑ untröstlich.

untröstlich *a.* 위로할 수 없는, 매우 슬픈〔낙담한〕: über et. ~ sein 무엇에 대해 몹시 슬퍼하다; ich bin ~, daß ich daran nicht gedacht habe 내가 그 점을 헤아리지 못해서 유감 천만입니다.

untrüglich [ʊntrý:klɪç, ʊ́ntry:k..] *a.* 잘못〔그릇됨〕이 없는; 틀림없는, 확실한, 진실한: ein ~es Zeichen für ein Leberleiden 간장병의 분명한 징조.

untüchtig *a.* 부실한; 쓸모없는, 무능한; 〖軍〗 부적격의; 〖海〗 (배가) 내파성(耐波性)이 없는: ein ~er Mensch 무능한 사람; für ~ erklären 부적격으로 판정하다.

Untüchtigkeit *f.* 부실; 무능.

Untugend *f.* -en ① 부덕(不德), 악덕. ② 악습. ③ 도덕적인 결함, 결점.

untunlich *a.* 부적당한, 그만두는 것이 좋은.

untypisch *a.* 전형적〔대표적〕이 아닌.

unüberbietbar *a.* 능가할 수 없는, 더할 나위 없는: eine ~e Anmaßung 극도의 오만불손.

unüberbrückbar [un|y:bə*r*brʏ́k.., ʊ́n|y:bə*r*-brʏk..] *a.* 조정하기〔화해시키기〕 어려운; 제거하기 어려운.

unüberhörbar *a.* 건성으로 들어 넘길 수 없는.

unüberlegsam 〖고어〗 *a.* ↑ unüberlegt.

unüberlegt *a.* 무분별한, 부주의한, 경솔한: ~e Reden führen 경솔한 말을 하다.

Unüberlegtheit *f.* -en 경솔한 행동〔말〕.

unüberschaubar *a.* 개관〔조망〕할 수 없는, 엄청나게 큰.

unüberschreitbar [(또는) ʊ́n|y:bə*r*ʃrait..] *a.* 넘어서기 어려운; 〖비유〗 극복하기 어려운: eine ~e Grenze 극복할 수 없는 한계.

unübersehbar [un|y:bə*r*zé:.., ʊ́n|y:bə*r*ze:..] 《Ⅰ》 *a.* ① 엄청나게 큰, 어마어마한: eine ~e Menschenmenge 엄청나게 많은 사람들; ~e Schwierigkeiten 엄청난 시련. ② 헤아릴 수 없는: die Folgen sind ~ 결과는 예측할 수 없

다. ③ 쉽게 눈에 띄는, 분명한: ein ~er Fehler 명백한 실수. 《Ⅱ》 *adv.* 매우: der See war ~ groß 그 호수는 매우 컸다.

unübersetzbar [ʊn|y:bərzέts.., ύn|y:bərzɛts..] *a.* 번역할 수 없는: ~e Wortspiele 번역 불가능한 말의 유희.

unübersichtlich *a.* ① 조망하기 어려운; 개관할 수 없는: eine ~e Kreuzung 한 눈에 알아보기 힘든 교차로. ② 복잡하게 얽힌, 일목요연하지 않은, 요령 부득의: eine ~e Angelegenheit 복잡한 사건.

Unübersichtlichkeit *f.* 조망〔파악〕 불가능.

unübersteigbar [ʊn|y:bərʃtáɪk.., ύn|y:bərʃtaɪk..] *a.* 넘기 어려운; 〖비유〗 극복하기 어려운, 어쩔 수 없는: ein ~es Hindernis 극복하기 어려운 장애.

unübersteiglich *a.* ↑ unübersteigbar.

unübertragbar [ʊn|y:bərtrá:k.., ύn|y:bərtra:k..] *a.* ① 옮길 수 없는; 〖工〗 비전도성의. ② 양도할 수 없는; 팔 수 없는: eine ~e Einladungskarte 양도할 수 없는 초대장. ③ 〖醫〗 비전염성의. ④ 전용(轉用)할 수 없는. ⑤ 번역하기 어려운.

Unübertragbarkeit [(또는) ún..tra:k..] *f.* ↑ unübertragbar 의 명사형.

unübertreffbar *a.* ↑ unübertrefflich.

unübertrefflich [ʊn|y:bərtrέf.., ύn|übərtrɛf..] *a.* 능가할 수 없는, 탁월한: ein ~er Erzähler 탁월한 이야기꾼.

Unübertrefflichkeit [(또는) ύn..tref..] *f.* 탁월.

unübertroffen [ύn|y:bərtrɔfən, ʊn|y:bərtrɔ́fən] *a.* (지금까지는) 능가하기 어려운, 비할 데 없는, 탁월한: als Schriftsteller ist er ~ 작가로서 그에 비견할 사람은 아무도 없다.

unüberwindbar [ʊn|y:bərvínt.., ύn|y:bərvɪnt..] *a.* ↑ unüberwindlich.

unüberwindlich [ʊn|y:bərvínt.., ύn..vɪnt..] *a.* ① 이기기〔정복하기〕 어려운, 무적의: ein ~er Kämpfer 무적의 전사. ② 극복〔제거〕하기 어려운, 엄청난: eine ~e Abneigung 극복하기 어려운 거부감.

Unüberwindlichkeit [(또는) ύn..vɪnt..] *f.* ↑ unüberwindlich 의 명사형.

unüberwunden [ʊn|y:bərvύndən, ύn|y:bərvʊndən] *a.* 진 적이 없는, 정복〔극복〕당하지 않는: ein immer noch ~er Schock 여전히 극복되지 않은 충격.

unüberzeugbar [ʊn|y:bərtsɔ́ʏk.., ύn|y:bərtsɔʏk..] *a.* 설득하기 어려운; 완고〔완강〕한.

unüblich *a.* 일반적이 아닌, 관례가 아닌.

unumgänglich[1] 《<umgehen》 *a.* 교제를 싫어하는, 사교성이 없는, 무뚝뚝한.

unumgänglich[2] [ʊn|ʊmgέŋ.., ύn|ʊmgɛŋ..] 《<umgehen》 《Ⅰ》 *a.* (unvermeidlich) 피할〔면할〕 수 없는, 불가피한, 꼭 필요한: ~e Einschränkungen 불가피한 제한. 《Ⅱ》 *adv.* 불가피하게, 절대적으로: ~ notwendig 절대적으로 필요한.

Unumgänglichkeit [(또는) ύn..gɛŋ..] *f.* ↑ unumgänglich[2] 의 명사형.

unumschränkt [ύn|ʊmʃrɛŋkt, ʊn|ʊmʃrέŋkt] *a.* 무제한의; 절대적인: ~e Herrschaft 전제군주제; ~(e) Gewalt ausüben 절대 권력을 행사하다; jm. die ~e Verfügungsgewalt einräumen 누구에게 전권을 부여하다.

unumstößlich [ʊn|ʊmʃtǿ:s.., ύn|ʊmʃtø:s..] *a.* 뒤집을 수 없는; 〖비유〗 논박할 수 없는; 결정적인: ein ~er Beweis 명백한 증거.

Unumstößlichkeit [(또는) ύn..ʃtø:s..] *f.* 확고, 명백.

unumstritten *a.* 이론의 여지가 없는, 확실한: eine ~e Tatsache 확실한 사실.

unumwunden [ύn|ʊmvʊndən, ʊn|ʊmvύn..] *a.* 숨김없는, 솔직한; 무례한: ein ~es Geständnis 솔직한 고백; et. ~ sagen 무엇을 터놓고 말하다.

Unumwundenheit [(또는) ύn..vʊn..] *f.* 솔직; 꺼리낌없음.

ununterbrochen [ύn|ʊntərbrɔxən, ʊn|ʊntərbrɔ́xən] *a.* 중단없이, 끊임없는, 잇따른: in ~er Reihenfolge 연속적으로; sie schimpft ~ 그녀는 끊임없이 욕을 한다.

ununterscheidbar [ʊn|ʊntərʃáɪt.., ύn|ʊntərʃaɪt..] *a.* 구별〔판별〕하기 어려운.

ununtersucht *a.* 탐구〔조사〕되지 않은: ich will es ~ lassen, ob ... 나는 …을 구태여 캐어내지 않으련다.

ununterzeichnet *a.* 서명〔기명〕이 없는.

unvaterländisch *a.* 비애국적인 (unpatriotisch).

unväterlich *a.* 아버지답지 않은, 아버지처럼 자상하지 않은.

unveraltet *a.* 노후하지 않은, 노쇠하지 않은, 아직 활동력이 있는.

unveränderlich [ʊnfɛr|έndərlɪç, ύnfɛr|ɛn..] *a.* ① 변화시킬 수 없는; 변하지 않는, 불변의; 〖문법〗 불변화의: 〖數·物〗 ~e Größe 상수(常數). ② ↑ unverderblich.

Unveränderlichkeit *f.* 변화〔변경〕 불가능, 불변화: die ~ der Naturgesetze 자연 법칙의 불변성.

unverändert [ύnfɛr|ɛndərt, ʊnfɛr|έn..] *a.* 변하지 않은, 변함없는: et. ~ lassen 무엇을 본래대로 두다.

unverantwortlich [ύnfɛr|antvɔrtlɪç, (특히 ②) ʊnfɛr|ánt..] *a.* ① 무책임한: ~er Leichtsinn 무책임한 경솔; eine ~e Politik 책임지지 않는 정치. ② 용서할 수 없는, 정당하지 못한: das ist ~ von dir gehandelt 네 행동은 용서할 수 없다.

Unverantwortlichkeit [(또는) ύn..ant..] *f.* 무책임.

unverarbeitet [ύnfɛr|arbaɪtət, ʊn..ár..] *a.* ① 가공되지 않은, 천연〔자연〕 그대로의: ~e Rohstoffe 천연 원료. ② 〖비유〗 생경한, 막연한: ~e Eindrücke 생경한 인상.

unveräußerlich [ʊnfɛr|ɔ́ʏsərlɪç, ύnfɛr|ɔʏs..] *a.* ① 양도할 수 없는: ~e Rechte 양도할 수 없는 권리. ② 매각할 수 없는: ~es Gut 매각할 수 없는 소유지.

unverbaubar *a.* 건물로 인해 막히지〔차단되지〕 않는: Grundstück mit ~er Aussicht 건물로 인해 조망이 막히지 않는 토지.

unverbesserlich [ʊnfɛrbέsər.., ύnfɛrbɛs..] *a.* ① 교정할 수 없는; 개선할 수 없는: ein ~er Schurke 개선의 여지가 없는 악인; ein ~er Optimist 타고난 낙관주의자. ② 결점 없는, 완벽한: es ist ~! 그것은 더할 나위 없이 훌륭하다!

Unverbesserlichkeit [(또는) ύn..bɛsər..]

f. ① 개선 불가능. ② 완벽.

unverbildet *a.* 소박〔순진〕한: ein ~es Menschenkind 소박한 인간.

unverbindlich [ʊ́nfɛrbɪnt.., ʊnfɛrbɪ́nt..] *a.* ① (**a**) 구속력이 없는; 의무를 지지 않는: ein ~er Auftrag 구속력이 없는 지시; 〖軍〗 ein ~er Befehl 복종할 필요가 없는 명령. (**b**) 구매 의무가 없는: ein ~es Angebot 구매 의무가 없는 상품. ② (ungefällig) 무뚝뚝〔불친절〕한, 퉁명스러운: ihre ~e Art 그녀의 무뚝뚝한 성격.

unverbleit *a.* 무연(無鉛)의.

unverblümt [ʊ́nfɛrbly:mt, ʊnfɛrblý:mt] *a.* 솔직한, 꾸밈 없는, 노골적인: die ~e Wahrheit 있는 그대로의 사실; ich sagte es ihm ~ 나는 그에게 그것을 솔직히 말했다.

unverborgen *a.* 숨겨져 있지 않은, 비밀이 아닌, 명백한.

unverboten *a.* 금지되지 않은, 허용된.

unverbraucht *a.* 신선한, 사용한 적이 없는: ~e Schaffenskraft 신선한 창의력〔창작력〕.

unverbrennbar [ʊnfɛrbrɛ́n.., ʊ́nfɛrbrɛn..] *a.* 타지 않는, 불연소성의, 내화성의: ~e Rückstände 타지 않는 잔류물.

unverbrennlich *a.* ↑ unverbrennbar.

unverbrieft *a.* 특허〔면허〕를 받지 않은, 면허〔인가〕가 없는.

unverbrüchlich [ʊnfɛrbrʏ́ç.., ʊ́nfɛrbrʏ..] *a.* 깰〔범할〕 수 없는: ~e Treue 부동의 신의; ~es Schweigen bewahren 굳게 입을 다물다; sein Wort ~ halten 약속을 굳게 지키다.

unverbunden *a.* ① 결합되어 있지 않은; 구속력이 없는, 의무가 없는. ② (상처 따위를) 붕대로 싸매지 않은.

unverbürgt *a.* 보증이 없는; 확인되지 않은, 믿기 어려운: die Nachricht ist noch ~ 이 소식은 아직 확인되어 있지 않다.

unverdächtig *a.* 의심스럽지〔이상하지〕 않은, 믿을〔신뢰할〕 만한: ein auf den ersten Blick ~es Verhalten 첫눈에 믿을 만한 태도.

unverdaulich [ʊnfɛrdáu.., ʊ́nfɛrdau..] *a.* ① 소화하기 어려운, 잘 소화되지 않는: ~e Speisen 잘 소화되지 않는 음식. ② 〖경박〗 (**a**) 읽기〔납득하기〕 어려운, 딱딱한: eine ~e Lektüre 난해한 작품〔책〕. (**b**) 참을 수 없는, 매우 불쾌한: ein ~er Mensch 불쾌한 사람.

Unverdaulichkeit [(또는) ʊn..dáu..] *f.* 소화 불량.

unverdaut *a.* ① 소화되지 않은. ② 〖경박〗 의식되지 않은, 충분히 이해되지 않은: ~e Erlebnisse 아직 의식화되지 않은 체험; er gibt lauter ~es Zeug von sich 그는 이해하지 못한 것을 언급한다.

unverderblich [ʊnfɛrdɛ́rp.., ʊ́nfɛrdɛrp..] *a.* ① 썩지 않는, 부패하기 어려운; 매수되지 않는, 청렴한: ~e Ware 썩지 않는 물건. ② 치명적이 아닌, 무해한.

unverderbt *a.* 〖雅語·구식〗 ↑ unverdorben ②.

unverdient *a.* ① 받을 가치가〔자격이〕 없는: ein ~es Glück 분에 넘치는 행운. ② 부당한; 불공정한: ~e Strafe 부당한 벌.

unverdienter=maßen, ~weise *adv.* 부당하게(도), 과분하게; 까닭없이.

unverdorben *a.* ① 손상〔부패〕되지 않은, 싱싱한: ~e Früchte 싱싱한 과일. ② 〖비유〗 타락하지 않은, 청렴결백한; 몸가짐이 단정한; 건전한: ein ~er Charakter 청렴결백한 성격.

Unverdorbenheit *f.* ① 싱싱함. ② 결백.

unverdrossen [ʊ́nfɛrdrɔsən, ʊnfɛrdrɔ́sən] *a.* 싫증나지 않는, 꾸준한, 끈기 있는: ~ studieren 꾸준히 공부하다.

Unverdrossenheit [(또는) ʊn..drɔ́..] *f.* 끈기, 집요.

unverdünnt *a.* 희석시키지 않은: eine ~e Lösung 희석되지 않은 용액.

unverehelicht *a.* 〖격식〗 (ledig) 미혼〔독신〕의.

unvereidet *a.* ↑ unvereidigt.

unvereidigt *a.* 선서하지 않는, 선서에 얽매이지 않는.

unvereinbar [ʊ́nfɛr|aɪn.., ʊnfɛr|áɪn..] *a.* 일치〔양립〕하지 않는, 모순되는: ~e Anschauungen 모순되는 견해들; 〖法〗 ~e Ämter 양립할 수 없는 관청들.

Unvereinbarkeit [(또는) ʊ́n..aɪn..] *f.* -en ① 모순, 불일치: 〖法〗 ~ von Amt und Mandat 관청과 위임의 불일치. ② 〖복수〗 양립할 수 없는 일.

unverfälscht [ʊ́nfɛrfɛlʃt, ʊnfɛrfɛ́lʃt] *a.* ① 거짓이 없는, 섞인 것이 없는, 진짜의; 순수한: ~en Dialekt sprechen 토박이 방언으로 말하다; ein ~er Wein 순수한 포도주. ② 〖비유〗 (마음이) 순진한, 솔직한.

Unverfälschtheit [(또는) ʊn..fɛ́lʃt..] *f.* 불순물이 없음, 순수.

unverfänglich [ʊ́nfɛrfɛŋlɪç, ʊnfɛrfɛ́ŋ..] *a.* 위험치 않은, 마음 놓이는; 악의 없는, 무해한.

Unverfänglichkeit [(또는) ʊn..fɛ́ŋ..] *f.* ↑ unverfänglich 의 명사형.

unverfroren[1] *a.* 얼(어 죽)지 않은, 추위를 타지 않는.

unverfroren[2] [ʊ́nfɛrfro:.., ʊnfɛrfró:..] *a.* 태연한(unbefangen); 용감〔대담〕한(keck); 뻔뻔스러운(unverschämt).

Unverfrorenheit [(또는) ʊn..fró:..] *f.* -en ① 태연, 뻔뻔스러움: er hatte die ~, mir zu sagen, ich habe unrecht 그는 뻔뻔스럽게도 내가 틀렸다고 말했다. ② 뻔뻔스런 언행.

unvergänglich [ʊ́nfɛrgɛŋ.., ʊnfɛrgɛ́ŋ..] *a.* 변함없는; 불멸〔불사·불후〕의; 영원한: ~e Erinnerungen 불멸의 기억.

unvergessen *a.* 잊(어버리)지 않은: unser ~er Klassenkamerad 기억에 남아 있는 우리들의 학우.

unvergeßlich [ʊnfɛrgɛ́s.., ʊ́nfɛrgɛs..] *a.* 잊혀지지 않는; 〖비유〗 씻을 수 없는: der Eindruck bleibt ~ 그 인상은 잊혀지지 않을 것이다.

unvergleichbar [ʊnfɛrgláɪç.., ʊ́n..glaɪç..] *a.* ① 비교할 수 없는, 비교하기에 부적당한: zwei ~e Dinge 두 개의 비교할 수 없는 물건들. ② ↑ unvergleichlich.

unvergleichlich [ʊnfɛrgláɪç.., ʊ́nfɛrglaɪç..] 《I》 *a.* 비길 데 없는, 탁월한: eine ~e Tat 탁월한 행위; eine Stimme von ~em Wohlklang 뛰어나게 좋은 목소리. 《II》 *adv.* 대단히, 비범하게, 매우: eine ~ schöne Aussicht 비길데 없이 매우 아름다운 전망.

unvergolten *a.* 보답을〔보수를〕 받지 않은, 앙갚음을 받지 않은, 벌받지 않은.

unvergoren *a.* 발효가 안 된.
unverhalten *a.* 억제되지 않은: mit ~em Zorn 노기를 누르지〔참지〕 못하고.
unverhältnismäßig [ʊ́nfɛrhɛlt.., ʊnfɛrhɛ́lt..] 《I》*a.* 균형이 잡히지 않은, 어울리지 않는, 지나친. 《II》*adv.* 지나치게, 엄청나게.
unverheiratet *a.* 미혼〔독신〕의.
unverhofft [ʊ́nfɛrhɔft, ʊnfɛrhɔ́ft] *a.* 뜻밖의, 예기치 않은: ~e Einnahme 뜻밖의 소득; ein ~es Wiedersehen 예기치 않은 재회; 〖속담〗 ~ kommt oft 뜻밖의 일은 흔히 있는 법.
unverhohlen [ʊ́nfɛrho:lən, ʊnfɛrhó:lən] 《I》*a.* 숨김없는, 솔직한: mit ~er Schadenfreude 남의 불행을 노골적으로 기뻐하며. 《II》*adv.* 숨김없이, 노골적으로, 솔직히.
unverhüllt [ʊ́nfɛrhʏlt, ʊn..hʏ́lt] *a.* ① **(a)** 감추어져 있지 않은, 베일을 덮지 않은. **(b)** 〔농담〕 벌거벗은, 나체의: ~ baden 나체로 수영하다. ② (의도적으로) 숨기지 않은, 드러내 놓은: die ~e Wahrheit 적나라한 진실.
unverjährbar [ʊnfɛrjɛ́:r.., ʊ́nfɛrjɛ:r..] *a.* 〖法〗 시효에 걸리지 않는.
unverjährlich [ʊnfɛrjɛ́:r.., ʊ́nfɛrjɛ:r..] *a.* ↑ unverjährbar.
unverjährt [ʊ́nfɛrjɛ:rt, ʊnfɛrjɛ́:rt] *a.* 뒤늦지 않은, 아직 효력〔시효〕이 남은.
unverkäuflich [ʊnfɛrkɔʏf.., ʊnfɛrkɔ́ʏf..] *a.* ① 팔 수 없는. ② 팔 것이 아닌, 비매품인: der ~e Gegenstand 비매품.
Unverkäuflichkeit [(또는) ʊn..kɔ́ʏf..] *f.* 판매 불가.
unverkauft *a.* 팔리지 않은: ~ liegen bleiben 팔리지 않고 남아 있다.
unverkennbar [ʊnfɛrkɛ́n.., ʊ́nfɛrkɛn..] *a.* 오인할 여지가 없는, 명명백백한: ein ~es Zeichen ihrer Zuneigung 그녀의 애정의 분명한 표시.
unverkümmert *a.* 위축되지 않은, 겁이 없는, 원기 있는.
unverkürzt *a.* 단축되지 않은; 〔비유〕 결손이 없는, 완전한: er gab mir die Summe ~ zurück 그는 전액을 내게 갚았다.
unverlangt *a.* 요구되지 않은.
unverläßlich [ʊ́nfɛrlɛs.., ʊnfɛrlɛ́s..] *a.* 신뢰할 수 없는, 불확실한.
unverletzbar [ʊnfɛrlɛ́ts.., ʊ́nfɛrlɛs..] *a.* ① 상해를 입히지 못하는, 불가침의: das Bad im Drachenblut machte Siegfried ~ 지크프리트가 용의 피로 목욕하여 불사신이 되었다. ② ↑ unverletzlich.
unverletzlich [ʊnfɛrlɛ́ts.., ʊ́nfɛrlɛts..] *a.* 범할 수 없는, 신성 불가침의; 〖法〗 파기할 수 없는: die ~en Menschenrechte 신성 불가침의 인권.
Unverletzlichkeit [(또는) ʊ́n..lɛts..] *f.* 신성 불가침.
unverletzt [ʊ́nfɛrlɛtst, ʊnfɛrlɛ́tst] *a.* ① 다치지 않은, 무사한. ② (봉인·자물쇠 따위가) 개봉되지〔열리지〕 않은.
unverlierbar [ʊnfɛrlí:r.., ʊ́nfɛrli:r..] *a.* 〔雅語〕 잃는 일이 없는, 잊혀지지 않는: ~e Erlebnisse 잊혀지지 않는 체험.
unverloren [ʊ́nfɛrlo:rən, ʊnfɛrló:rən] *a.* 잃지 않은, 안전〔무사〕한.
unverlöschlich [ʊnfɛrlœ́ʃ.., ʊ́nfɛrlœʃ..] *a.* 〔구식〕 꺼〔지워〕 버릴 수 없는, 꺼지지 않는; 〔비유〕 부정할 수 없는: eine ~e Spur hinterlassen 지울 수 없는 흔적을 남기다.
unvermählt *a.* 〔雅語〕 미혼〔독신〕의.
unvermeidbar [ʊnfɛrmáɪt.., ʊ́nfɛrmaɪt..] *a.* ↑ unvermeidlich.
unvermeidlich [ʊnfɛrmáɪt.., ʊ́nfɛrmaɪt..] *a.* ① 피치 못할, 불가피한; 하지 않을 수 없는: ~e Auseinandersetzungen 피할 수 없는 대결; sich ins ~e fügen 운명에 따르다〔순종하다〕. ② 〔반어〕 필연적으로 나타나는; 상투적인: die ~en Festreden 상투적인 축사.
unvermengt *a.* 섞인 것이 없는; 순수한.
unvermerkt 《I》*a.* 〔雅語〕 눈에 띄지 않은, 눈치 채이지 않은. 《II》*adv.* 눈에 띄지 않게, 슬쩍, 몰래.
unvermietet *a.* 세놓지 않은, 세가 나가지 않은.
unvermindert *a.* 감소되지〔줄지〕 않은; 〖軍〗 인원에 손실이 없는: mit ~er Heftigkeit 한결같이 격렬하게.
unvermischbar [ʊnfɛrmɪ́ʃ.., ʊ́nfɛrmɪʃ..] *a.* 한데 섞을 수 없는, 혼합할 수 없는.
unvermischt *a.* 혼합되어 있지 않은; 순수한.
unvermittelt [ʊ́nfɛrmɪtəlt] 《I》*a.* 직접적인; 갑작스러운. 《II》*adv.* 돌연, 갑자기.
Unvermitteltheit *f.* ↑ unvermittelt 의 명사형.
Unvermögen [ʊ́nfɛrmø:gən] *n.* -s ① 무능(력), 불능; 〖醫〗 (Impotenz) 음위(陰萎), 성교 불능. ② 〔zu 부정형과 함께〕 …할 수 없음: 〖商〗 ~ zu zahlen 지급 불능, 파산.
unvermögend *a.* ① 〔zu 부정형과 함께〕 〔雅語〕 …할 수 없는, …할 힘이 없는. ② 무능(력)한; 〖醫〗 음위(陰萎)의, 성교 불능의. ③ 자산이 없는, 가난한.
Unvermögendheit *f.* 〔드물게〕 무자산, 빈곤.
Unvermögenheit *f.* 〔구식〕 무력, 무능; 〖法〗 무능력, 무자격; 〖醫〗 생식 불능.
Unvermögens·fall *m.* 〔다음 용법으로〕〔격식〕 im ~(e) 지급 불능인 경우에는.
unvermutet [ʊ́nfɛrmu:tət] *a.* 생각지도 않던, 뜻밖의: ~e Schwierigkeiten 예상치 못한 난관; wir trafen ihn ~ 우리들은 우연히 그와 마주쳤다.
unvernehmbar, unvernehmlich [ʊnfɛrné:m.., ʊ́nfɛrne:m..] *a.* (잘) 들리지 않는, 알아듣기 어려운; 뜻을 알 수 없는: ~ sprechen 중얼중얼하다.
Unvernunft [ʊ́nfɛrnʊnft] *f.* 어리석음; 지각이 없음; 도리에 어긋남, 부조리: eine Folge ihrer eigenen ~ 그녀 자신의 어리석음의 결과.
unvernünftig *a.* 어리석은; 무분별한; 부조리한: eine ~e Entscheidung 어리석은 결정; 〔구어〕 es ist eine ~e Kälte 대단한 추위다.
Unvernünftigkeit *f.* -en ① 어리석음, 불합리(함). ② 어리석은 행동〔태도〕.
unveröffentlicht [ʊ́nfɛr|œfəntlɪçt] *a.* 공개되지 않은; 출판〔발행〕되지 않은; 〖法〗 공포되지 않은: ein ~es Buch〔Manuskript〕 미출간의 책〔원고〕.
unverpackt [ʊ́nfɛrpakt] 《I》*a.* 포장되지 않은: ~e Waren 비포장 상품. 《II》*adv.* 꾸리지 않고, 그대로: 〖海〗 ~ verladen 짐을 싸지 않

고 그대로 싶다.

ụnverputzt *a.* 회칠하지 않은: ein ~er Backsteinbau 회칠하지 않은 벽돌 건물.

ụnverrichtet *a.* 성취되지 않은: 〖대개 다음 용법으로〗(öst.) ~er Dinge〔Sache〕 ↑unverrichteterdinge, unverrichtetersache.

ụnverrichteter·dịnge *adv.* 목적을 이루지 못하고, 성공하지 못하고, 빈털터리로: ~ heimkehren 성공하지 못하고 귀향하다. **~·sạche** *adv.* ↑ ~dinge.

unverrückbar [ʊnfɛrrʏ́k.., ʊ́nfɛrrʏk..] *a.* 부동의, 확고한: ein ~es Ziel 부동의 목표; von der ~en Tatsache ausgehen 확실한 사실에서 출발하다.

unverrückt [ʊ́nfɛrrʏkt] *a.* 〖드물게〗 ① 정착〔고정〕된: ~ 〔mit ~em Auge〕 ansehen 주시하다. ② 동요하지 않는, 확고한: mein Standpunkt blieb ~ 나의 입장은 확고했다.

*__ụnverschämt__ 《Ⅰ》 *a.* ① 부끄러움을 모르는, 뻔뻔스러운, 염치 없는: ein ~es Benehmen 뻔뻔스러운 행동; ~ lügen 새빨간 거짓말을 하다; 〖구어〗 ~ läßt grüßen! 참으로 뻔뻔스러운 놈이다! ② 〖구어〗 정도를 넘는, 터무니없는, 대단한: ~e Preise 터무니없는 가격. 《Ⅱ》 *adv.* 매우, 대단히: ~ verwöhnt 대단히 버릇없는.

*__Ụnverschämtheit__ *f.* -en ① 무례, 뻔뻔스러움, 몰염치: sich mit ~ durchhelfen 뻔뻔스럽게 살아나가다. ② 몰염치한〔뻔뻔스러운〕 언행.

unverschließbar [ʊnfɛrʃlí:s.., ʊ́nfɛrʃli:s..] *a.* 닫히지 않는, 잠기지〔채워지지〕 않는.

unverschlossen [ʊ́nfɛrʃlɔ.., ʊnfɛrʃlɔ́..] *a.* 닫히지 않은, 잠그지 않은.

ụnverschnitten *a.* ① 잘리지 않은; 〖植〗 가지를 치지 않은; 〖動〗 거세하지 않은. ② 섞지 않은, 순수한.

unverschuldet [ʊ́nfɛrʃul.., ʊnfɛrʃʊ́l..] *a.* ① 죄를 짓지 않은, 벌을 받을 까닭이 없는; (벌 따위가) 부당한: ~es Unglück 까닭 없이 받는 재난. ② 부채가 없는.

ụnverschuldeter·maßen, ~weise *adv.* 죄없이, 까닭 없이, 부당하게(도).

unversehen [ʊ́nfɛrze:ən, ʊnfɛrzé:ən] *a.* 〖드물게〗 미리 알 수 없는.

unversehens [ʊ́nfɛrze:.., ʊnfɛrzé:..] *adv.* 뜻밖에, 부지중에, 의외에도; 돌연.

unversehrbar [ʊnfɛrzé:r.., ʊ́nfɛrze:r..] *a.* 〖드물게〗 상해를 입지 않는(unverletzbar): das Amulett soll ihn ~ machen 부적이 그를 무사하게 해준다고 한다.

unversehrt [ʊ́nfɛrze:rt, ʊnfɛrzé:rt] *a.* (unverletzt) ① 다치지 않은, 무사한. ② 훼손되지 않은, 온전한: in ~em Zustand 훼손되지 않은 상태로.

Ụnversehrtheit [(또는) un..zé:rt..] *f.* 무사, 온전.

ụnversichert *a.* 보증되지 않은; 보험에 들지 않은; 담보 없는: das Schiff war ~ 배는 보험에 들어 있지 않았다.

unversiegbar [ʊnfɛrzí:k.., ʊ́nfɛrzi:k..] *a.* ↑ unversieglich.

ụnversiegelt [ʊ́nfɛrzi:.., ʊnfɛrzí:..] *a.* 봉인(封印)이 없는, 봉하지 않은, 개봉한: ein ~er Brief 봉하지 않은 편지.

unversieglich [ʊnfɛrzí:k.., ʊ́nfɛrzi:k..] *a.* 고갈되지 않는, 무진장의; 끊임없는: eine ~e Quelle 고갈되지 않는 원천〔샘〕; 〖비유〗 sein Vorrat an Anekdoten ist anscheinend ~ 그의 이야깃거리는 무한히 많아 보인다.

unversöhnbar [ʊnfɛrzǿ:n.., ʊ́nfɛrzø:n..] *a.* ↑ unversöhnlich.

unversöhnlich [ʊnfɛrzǿ:n.., ʊ́nfɛrzø:n..] *a.* ① 화해할 수 없는: ~e Feinde 불공대천(不共戴天)의 적. ② 조정할 수 없는: ein ~er Gegensatz 조정할 수 없는 대립.

Ụnversöhnlichkeit [(또는) un..ǿ:n..] *f.* 화해 불가능: die ~ der Standpunkte 입장들의 화해 불가능.

ụnversöhnt *a.* 화해가 안 된.

ụnversorgt *a.* 살림 준비가 되어 있지 않은, 자력〔생활력〕이 없는: ein ~er Sohn 아직 살림을 따로 나지 않은 아들; eine ~e Tochter 출가(出嫁) 전의 딸.

Unverstand [ʊ́nfɛrʃtant] *m.* -(e)s ① 무분별, 몰상식, 어리석음, 무지: et. aus ~ verderben 무엇을 무지 때문에 망치다. ② 〖구어〗 멍청이, 멍텅구리.

ụnverstanden *a.* 이해되지 않은; 오해받은: er fühlt sich ~ 그는 오해를 받고 있다고 생각한다.

ụnverständig *a.* 몰이해〔무분별〕한, 멍청한, 어리석은: ein ~es Vorgehen 어리석은 행동.

Ụnverständigkeit *f.* 몰이해, 어리석음.

*__ụnverständlich__ *a.* ① (발음·말 따위가) 알아들을 수 없는, 불명료한; 확실치 않은: einige ~e Worte 몇 마디 알아들을 수 없는 말. ② 파악할 수 없는, 불가해한, 수수께끼 같은: deine Handlungsweise ist mir einfach ~ 너의 행실은 도무지 이해할 수 없다.

Ụnverständlichkeit *f.* -en ① 이해할 수 없음. ② 〖드물게〗 이해할 수 없는 것.

Ụnverständnis *n.* -ses 몰이해: auf völliges ~ stoßen 완전한 몰이해에 부딪히다.

unverstellt [ʊ́nfɛrʃtɛlt, ʊnfɛrʃtɛ́lt] *a.* 꾸미지 않은, 있는 그대로의, 정직한: mit ~em Staunen 정말로 놀라서.

unversteuert [ʊ́nfɛrʃtɔʏərt, ʊnfɛrʃtɔ́ʏərt] *a.* 관세 면제의, 면세〔비과세〕의: ~e Nebeneinnahmen 비과세 부수입.

unversucht [ʊ́nfɛrzu:xt, ʊnfɛrzú:xt] *a.* 시도되지 않은: 〖다음 용법으로만〗 nichts ~ lassen 갖은 수단을 다 쓰다.

unvertauschbar [ʊnfɛrtáuʃ.., ʊ́nfɛrtauʃ..] *a.* 교환할 수 없는; 불환(不換)의.

ụnverteidigt *a.* 무방비의.

unvertilgbar [ʊnfɛrtɪ́lk.., ʊ́nfɛrtɪlk..] *a.* ① 근절〔소멸〕할 수 없는. ② 지울 수 없는.

unverträglich [ʊ́nfɛrtrɛ:k.., ʊnfɛrtrɛ́:k..] *a.* ① 융통성〔협조성·사교성〕이 없는; 싸움을 좋아하는: ein ~er Mensch 융통성 없는 사람. ② **(a)** 일치〔양립·조화〕하지 않은; 모순된: ~e Meinungen 양립할 수 없는 의견. **(b)** 〖醫〗 (약·혈액형이) 거부 반응〔부작용〕을 일으키는: ~e Blutgruppen〔Gewebe〕 거부 반응을 일으키는 혈액형〔조직〕. ③ 소화시킬 수 없는, 소화시키기 어려운: ~e Speisen 소화시키기 힘든 음식.

Ụnverträglichkeit [(또는) un..trɛ́:k..] *f.* -en ↑ unverträglich 의 명사형.

Ụnvertred *m.* -(e)s (ndd.) 〖植〗 질경이(Wegerich).

ụnverwahrt *a.* 무방비의.

unverwandt [ʊ́nfɛrvant] 《I》 *a.* (시선이) 고정된, 움직이지 않는, 부동의: ~en Blickes 〔mit ~en Augen〕 시선을 돌리지 않고. 《II》 *adv.* 확고히, 꼼짝 않고.

unverwechselbar [ʊnfɛrvɛ́ksəl.., ʊ́n..vɛk-..] *a.* 혼동되지 않는, 뚜렷이 구별되는.

Unverwẹchselbarkeit [(또는) ʊ́nfɛrvɛk-..] *f.* ↑ unverwechselbar 의 명사형.

unverwehrt [ʊ́nfɛrve:rt, ʊnfɛrvé:rt] *a.* 금지되지 않은, 허용된: es ist Ihnen ~, zu ... …하시는 것은 당신의 자유입니다.

unverweigerlich [ʊnfɛrváɪgər.., ʊ́nfɛr-vaɪg..] *a.* 거절〔거부〕할 수 없는.

unverweilt [ʊ́nvɛrvaɪlt, ʊnfɛrváɪlt] *a.* 〖구식〗 (unverzüglich) 지체 없는, 즉각적인.

unverwelklich [ʊnfɛrvɛ́lk.., ʊ́nfɛrvɛlk..] *a.* 〖드물게〗 ① 시들지 않는; 상록(常綠)의. ② 불멸의, 노쇠하지 않는.

ụnverwelkt *a.* 시들지 않은, 아직 힘이 있는.

unverwerflich [ʊnfɛrvɛ́rf.., ʊ́nfɛrvɛrf..] *a.* 거절할 수 없는, 〖法〗 각하(却下)할 수 없는.

unverwertbar [ʊnfɛrvé:rt.., ʊ́nfɛrve:rt] *a.* 쓸모없는: ~e Abfälle 재활용이 안 되는 쓰레기.

unverweslich [ʊnfɛrvé:s.., ʊ́nfɛrve:s..] *a.* 〖구식〗 썩지〔부패하지〕 않는, 불멸의, 영원한.

unverwindbar [ʊnfɛrvɪ́nt.., ʊ́nfɛrvɪnt..] *a.* ↑ unverwindlich.

unverwindlich [ʊnfɛrvɪ́nt.., ʊ́nfɛrvɪnt..] *a.* 이겨 낼 수 없는, 참을 수 없는: ein ~er Schmerz 참을 수 없는 고통.

unverwischbar [ʊnfɛrvɪ́ʃ.., ʊ́nfɛrvɪʃ..] *a.* ① 씻어 없애기 어려운, 지우기 어려운; 〖비유〗 말살할 수 없는. ② 깊이 각인된, 마음에 새겨진: ~e Eindrücke 깊이 각인된 인상.

ụnverwohrs *adv.* (schweiz.) 뜻밖에, 부지중에, 돌연(unversehens).

unverworren [ʊ́nfɛrvɔ.., ʊnfɛrvɔ́..] *a.* 뒤섞이지 않은; 뚜렷한, 명석한.

unverwundbar [ʊnfɛrvʊ́nt.., ʊ́nfɛrvʊnt..] *a.* 상처 입힐 수 없는, 불사신의.

Unverwụndbarkeit [(또는) ʊ́n..vʊnt..] *f.* ↑ unverwundbar 의 명사형.

unverwüstbar [ʊnfɛrvý:st.., ʊ́nfɛrvy:st..] *a.* ↑ unverwüstlich.

unverwüstlich [ʊnfɛrvý:st.., ʊ́nfɛrvy:st..] *a.* ① 파괴할 수 없는; (천 따위가) 질긴, 오래가는. ② 〖비유〗 **(a)** 강인한. **(b)** 상록(常綠)의. **(c)** 변함없는: sein ~er Frohsinn 그의 변함없는 쾌활함.

Unverwü̱stlichkeit [(또는) ʊ́n..vy:st..] *f.* ↑ unverwüstlich 의 명사형.

ụnverzagt *a.* 겁내지 않는, 용맹스러운; 대담한.

Ụnverzagtheit *f.* ↑ unverzagt 의 명사형.

unverzeihbar [ʊnfɛrtsáɪ.., ʊ́nfɛrtsaɪ..] *a.* ↑ unverzeihlich.

unverzeihlich [ʊnfɛrtsáɪ.., ʊ́nfɛrtsaɪ..] *a.* 용서하기 어려운, 용서할 수 없는: ein ~er Fehler 용서할 수 없는 과오.

unverzichtbar [ʊnfɛrtsɪ́çt.., ʊ́nfɛrtsɪçt..] *a.* 필수 불가결한.

unverzinsbar [ʊnfɛrtsɪ́ns.., ʊ́nfɛrtsɪns..] *a.* ↑ unverzinslich.

unverzinslich [ʊnfɛrtsɪ́ns.., ʊ́nfɛrtsɪns..] *a.* 〖금융〗 무이자의: ein ~es Darlehen 무이자 대부.

ụnverzollt *a.* (unversteuert) 관세 면제의; 면세의: eine ~e Ware 면세품.

unverzüglich [ʊnfɛrtsý:k.., ʊ́nfɛrtsy:k..] 《I》 *a.* 지체 없는. 《II》 *adv.* 즉시: sich ~ auf den Weg machen 즉시 출발하다.

unvollendet [ʊ́nfɔlɛndət, ʊnfɔlɛ́n..] *a.* 미완성의.

unvollkommen [ʊ́nfɔlkɔmən, ʊnfɔlkɔ́mən] *a.* ① 불완전한, 결함 있는: eine Sprache nur ~ beherrschen 어떤 언어를 불완전하게 구사하다; 〖法〗 ~e Rechte 불완전한 권리. ② ↑ unvollständig.

Ụnvollkommenheit [(또는) ʊn..kɔ́..] *f.* -en ① 불완전(함). ② 결점, 결함.

unvollständig [ʊ́nfɔlʃtɛn.., ʊnfɔlʃtɛ́n..] *a.* 불완전한, 불충분한: ~e Angabe 불완전한 발표; eine ~e Liste 부족한 점이 있는 목록.

Ụnvollständikeit [(또는) ʊn..ʃtɛ́n..] *f.* 불충분, 불완전.

unvollzählig [ʊ́nfɔltsɛ:.., ʊnfɔltsɛ́:..] *a.* 정족수 이하의; (수가) 부족한; 결원이 있는: die Versammlung war ~ 집회는 정원 미달이었다.

ụnvoraussehbar *a.* 예측할 수 없는.

ụnvorbereitet 《I》 *a.* ① 준비되지 않은; 즉석의: ~ auf den Krieg 전쟁 준비가 되어 있지 않은. ② 뜻밖의, 불의의: ein ~er Überfall 불의의 습격. 《II》 *adv.* 준비 없이: ~ sprechen (초고 없이) 즉석에서 말하다.

ụnvordenklich [ʊ́nfo:rdɛŋk.., ʊnfo:rdɛ́ŋk-..] *a.* 〖구식〗 아주 오래 전의: seit ~en Zeiten 태고 이래.

ụnvoreingenommen *a.* (vorurteilsfrei) 편견〔선입관〕에 사로잡히지 않은; 치우치지 않은, 공평한: ein ~er Kritiker 공평한 비평가.

Ụnvoreingenommenheit *f.* ↑ unvoreingenommen 의 명사형.

unvorgreiflich [ʊ́nfo:rgraɪf.., ʊnfo:rgráɪf-..] *a.* 〖구식〗 사적인, 표준이 될 수 없는: meiner ~en Meinung nach 내 사견에 따르면.

ụnvorhergesehen 《I》 *a.* 예견〔예측·예상〕하지 못한; 뜻하지 않은; 의외의: Kosten für ~e Fälle 예비비; ich werde kommen, wenn sich nichts ∸es ereignet 별일이 없으면 오겠습니다. 《II》 *adv.* 불의에: das kam ganz ~ 그것은 청천벽력이었다.

ụnvorsätzlich *a.* 의도하지 않은, 고의가 아닌: ~e Tötung 과실 치사.

ụnvorschriftsmäßig *a.* 규정〔규칙〕 위반의.

ụnvorsichtig *a.* 지각 없는, 신중하지 않은; 부주의한, 경솔한; 무분별한; 무모한: eine ~e Bemerkung 경솔한 말.

ụnvorsichtiger·we̱ise *adv.* 부주의하게, 경솔하게.

Ụnvorsichtigkeit *f.* -en ① 부주의: eine Folge ihrer ~ 그녀의 부주의의 결과. ② 경솔한 언행.

unvorstellbar [ʊnfo:rʃtɛ́l.., ʊ́nfo:rʃtɛl..] 《I》 *a.* 상상〔생각〕할 수 없는: Schäden von ~em Ausmaß 상상할 수 없을 정도의 손해. 《II》 *adv.* 매우, 대단히.

ụnvorteilhaft *a.* 이익 없는, 불리한; 어울리지 않는: ein ~es Kleid 어울리지 않는 옷.

unwägbar [ʊnvɛ́:k.., ʊ́nvɛ:k..] *a.* 계량할〔잴〕 수 없는; 〖物〗 불가량(성)(不可量(性))의: ein ~es Risiko 측량할 수 없는 위험.

Unwägbarkeit [(또는) ʊ́nvɛk..] *f.* -en ① 계량〔측량〕 불가능. ② 헤아릴〔예측할〕 수 없는 것〔일〕: die ~en des menschlichen Schicksals 인간 운명의 예측할 수 없는 일들.

unwählbar [ʊnvɛ́:l.., ʊ́nvɛ:l..] *a.* 뽑힐 수 없는, 뽑힐 자격이 없는, 피선거권이 없는.

unwahr [ʊ́nva:*r*] *a.* 진실이 아닌, 허위의, 사실에 근거하지 않은, 허무맹랑한.

unwahrhaftig *a.* 진실이 아닌, 허위의; 부정직한: ~e Äußerungen 거짓말.

Unwahrhaftigkeit *f.* -en ① 부정직, 불성실. ② 부정직〔불성실〕한 말〔행위〕.

Unwahrheit *f.* -en ① 거짓, 허위; 비사실; 부정직. ② 거짓된 표현, 거짓말: die ~ sagen 거짓말하다.

unwahrnehmbar [ʊnvá:*r*.., ʊ́nva:*r*..] *a.* 알아챌 수 없는.

unwahrscheinlich 《I》 *a.* ① 사실〔진실〕 같지 않은, 있음직하지 않은. ② 믿을 수 없는, 황당무계한: eine ~e Geschichte 황당무계한 이야기. ③〔구어〕 매우 큰, 엄청난: ein ~es Glück 대단한 행운. 《II》 매우, 대단히.

Unwahrscheinlichkeit *f.* -en unwahrscheinlich 의 명사형.

unwandelbar [ʊnvándəl.., ʊ́nvandəl..] *a.* 〔雅語〕 변하지 않는; 불변의; 〖문법〗 어미 변화하지 않는: eine ~e Liebe 한결 같은 사랑.

Unwandelbarkeit [ʊnvándəl.., ʊ́nvandəl..] *f.* 불변(성).

unwegsam *a.* 길이 없는, 통행하기 어려운.

Unweib [ʊ́nvaɪp] *n.* -(e)s, -er 〖폄어〗 여자답지 않은 여자, 말괄량이.

unweiblich *a.* 여자답지 않은, 비여성적인: eine ~e Frisur 여자답지 않은 헤어스타일.

unweigerlich [ʊnváɪgə*r*.., ʊ́nvaɪg..] 《I》 *a.* 무조건의; 불가피한; 필연적인; ~er Gehorsam 절대(적) 복종. 《II》 *adv.* 무조건, 절대적으로.

unweise *a.* 현명하지 못한, 어리석은.

unweisig *a.* (schweiz.) 부리기 어려운.

unweislich *a.* ↑ unweise.

unweit 《I》 *adv.* 멀지 않은 곳에: die ~ gelegene Stadt 그리 멀지 않은 도시. 《II》 *prp.*[2] 〔구식: 3 격〕 가까이에, 멀지 않은 곳에: ~ des Dorfes 마을에서 멀지 않은 곳에.

Unwert *m.* -(e)s 〔雅語〕 무가치(한 것).

unwert *a.* 〔구식·雅語〕 ①〔흔히 2 격의 명사와 함께〕 …할 값어치가 없는: er ist solcher Liebe ~ 그는 그와 같은 사랑을 받을 자격이 없다. ② (wertlos) 무가치한, 보잘것없는. ③ (schweiz.) (unvollkommen) 불완전한, 모자라는.

unwertig *a.* 〔드물게〕 무가치한(wertlos).

Unwesen [ʊ́nve:zən] *n.* -s ① **(a)** 비존재, 비실재. **(b)** 무형의 것; 기형의 동물; 괴물. ② (Unfug) 불법, 행패, 소동: sein ~ treiben 행패를 부리다, (병 따위가) 창궐하다; dem ~ steuern 행패를 제지하다.

unwesentlich 《I》 *a.* 실체가 없는; 본질적이 아닌; 중요하지 않은. 《II》 *adv.* 〔비교급 앞에서〕 약간, 조금: das neue Modell ist nur ~ schneller als das alte 신형은 구형보다 약간만 더 빠르다.

Unwetter [ʊ́nvɛtə*r*] *n.* -s, - 악천후, 사나운 날씨, 폭풍우.

unwichtig *a.* 중요하지 않은; 사소한.

Unwichtigkeit *f.* -en ① 중요하지 않음. ② 중요하지 않은 것, 부수적인 것.

unwiderlegbar, unwiderleglich [ʊnvi:də*r*lé:k.., ʊ́nvi:də*r*le:k..] *a.* 반박〔논박〕할 수 없는, 부정할 수 없는: ein ~er Beweis 반박할 수 없는 증거.

unwiderruflich [ʊnvi:də*r*rú:f.., ʊ́n..ru:f..] *a.* 취소〔변경〕할 수 없는; 최종적인: ein ~es Urteil 최종적인 판결.

unwidersprechlich [ʊnvi:də*r*ʃprɛ́ç.., ʊ́nvi:də*r*ʃprɛç..] *a.* 〔구식〕 반대할 수 없는, 항변할 여지가 없는: eine ~e Absicht 반대할 수 없는 의도.

unwidersprochen [ʊnvi:də*r*ʃprɔ́xən, ʊ́nvi:də*r*ʃprɔxən] *a.* 반론이〔반대가〕 없는: et. ~ hinnehmen 무엇을 반대 없이 받아들이다; eine ~e Behauptung 반론이 없는 주장.

unwiderstehlich [ʊnvi:də*r*ʃté:.., ʊ́nvi:də*r*ʃte:..] *a.* ① 반항〔저항〕하기 어려운, 억제할 수 없는: ein ~er Drang〔Trieb〕 억제할 수 없는 충동. ② 마음을 사로잡는, 아주 매력적인: er hält sich für ~ bei Frauen 그는 자신이 여성들에게 아주 매력적인 사람이라고 생각한다.

Unwiderstehlichkeit *f.* 불가항력의 욕구〔충동·매력〕.

unwiederbringlich [ʊnvi:də*r*brɪ́ŋ.., ʊ́nvi:də*r*brɪŋ..] *a.* 〔雅語〕 회복〔만회·회수〕할 수 없는: ein ~er Verlust 회복〔만회〕할 수 없는 손실.

Unwiederbringlichkeit [(또는) ʊ́n..brɪŋ..] *f.* ↑ unwiederbringlich 의 명사형.

Unwille [ʊ́nvɪlə] *m.* -ns 불쾌, 불만, 분노: js. ~n erregen〔hervorrufen〕 누구의 기분을 상하게 하다; 〔구어〕 seinem ~n Luft machen 불만을 분명히 말하다.

Unwillen *m.* -s ↑ Unwille.

unwillentlich *a.* 고의가 아닌.

unwillfährig *a.* 남의 말을 듣지 않는, 순종하지 않는; 무뚝뚝한.

unwillig *a.* ① 언짢은, 화난: ~ werden 화가 나다; ~ die Stirn runzeln 화가 나서 이마를 찌푸리다. ② 마음 내키지 않는: et. nur ~ tun 무엇을 마지 못해 하다. ③ …할 준비가 안 된: ~ sein, et. zu tun 무엇을 할 준비가〔결심이〕 되어 있지 않다.

unwillkommen *a.* 환영받지 않는, 달갑지 않은: ein ~er Gast 반갑지 않은 손님.

***unwillkürlich** [ʊ́nvɪlky:*r*.., ʊnvɪlký:*r*..] *a.* 고의가 아닌, 자기도 모르는, 무의식적인; 본의 아닌: eine ~e Bewegung 무의식적인 운동; 〖生·醫〗 ~es Nervensystem 자율 신경계.

unwirklich *a.* 〔雅語〕 사실이 아닌, 비현실적인: eine ~e Darstellung 비사실적인 묘사.

Unwirklichkeit *f.* -en ① 비현실, 비실재. ② 비현실적인 것.

unwirksam *a.* 효력〔효과·효험〕 없는, 무효의: ein ~es Mittel 효과가 없는 수단.

Unwirksamkeit *f.* 효과 없음, 무효: 〖法〗 ~ eines Rechtsgeschäfts 법률 행위의 무효.

unwirsch [ʊ́nvɪrʃ] (《↑ wirsch》) *a.* (mürrisch) 기분이 언짢은, 화난; 무뚝뚝한: in ~em Ton antworten 화난 투로 대답하다.

unwirtlich *a.* ① 대접이 나쁜, 불친절한: ein

~es Haus 불친절한 집. ② (날씨가) 비가 오고 추운, 쌀쌀한: ~es Wetter 비가 오고 추운 날씨. ③ 한적한, 황량한; 불모의: eine ~e Gegend 황량한 지방.

Ụnwirtlichkeit *f.* ↑ unwirtlich 의 명사형.

ụnwirt|sam *a.* ↑ unwirtlich.

ụnwirtschaftlich *a.* ① 비경제적인, 낭비적인. ② 가계 운영에 재주가 없는.

Ụnwirtschaftlichkeit *f.* 비경제적임, 낭비.

ụnwissend *a.* ① **(a)** 무지한; 무식한; 아둔한: sich ~ stellen 모르는 체하다. **(b)** 경험이 없는: ein ~es Kind 경험이 없는 아이. ② 본의 아닌, 무의식적인: ~ dem Feind in die Hände arbeiten 본의 아니게 적을 돕다.

unwissender·weise *adv.* 모르고서.

***Ụnwissenheit** *f.* ① **(a)** 무지, 알지 못함: jn. in ~ halten〔lassen〕 누구를 모르는 상태로 놔두다. **(b)** 무식, 무학: die Überwindung von Analphabetentum und ~ 문맹과 무학의 극복. **(c)** 무경험, 미숙: ~ vorschützen 경험이 없는 체하다. ②〔드물게〕 무식한 언행.

Ụnwissenheits·fehler *m.* 무지로 인한 과실.

ụnwissenschaftlich *a.* 학문적이 아닌, 비과학적인: ein ~er Ansatzpunkt 비과학적인 출발점.

ụnwissentlich 《I》 *a.* 모르는. 《II》 *adv.* 알지 못하고, 본의와는 달리.

ụnwohl *a.* ① 건강〔몸〕이 좋지 않은, 편찮은: ich bin ~〔mir ist ~, ich fühle mich ~〕 나는 몸이 불편하다; sie ist ~ a) 그 여자는 몸이 불편하다, b)〔구식·은폐〕 월경 중이다. ② (심기가) 불쾌한, 불편한.

Ụnwohl·sein *n.* ① 기분이 좋지 않음, 가벼운 질병: von einem plötzlichen ~ befallen werden 갑자기 가벼운 질병에 걸리다. ②〔구식·은폐〕 월경.

unwohnlich *a.* 살기에 적당치 않은; 불편한.

Ụnwort des Jahres *n.* 올해의 망언(독일어 학회에서 매년 선정하는 반사회적 단어).

Ụnwucht *f.* -en 〖工〗 (회전 물체의) 중심 불균형: ungleichmäßige Abnutzung durch ~ des Reifens 타이어의중심 불균형으로인한 고르지 못한 마모.

unwürdig [ʊ́nvʏrdɪç] *a.* ①〔대개 2격 명사와 함께〕 …의 가치가 없는, …에 어울리지 않는: er ist des Lobes ~ 그는 그런 칭찬을 받을 만한 사람이 아니다; es ist seiner ~ 그것은 그답지 않은 짓이다; seiner ~ handeln 품위가 떨어지는 짓을 하다. ② 체면〔위엄〕을 손상하는: die ~e Behandlung der Häftlinge 죄수들에 대한 모욕적인 대우.

Ụnwürdigkeit *f.* ↑ unwürdig 의 명사형.

unz 《ahd., „und das"》 《I》 *adv.* (bayr.) 그러는 동안〔사이〕에 (unterdessen). 《II》 *prp.*〔구식〕 …까지 (bis).

Unzahl [ʊ́ntsa:l] *f.* 매우 많은 수, 무수(無數), 부지기수: eine ~ von Menschen 아주 많은 수의 사람들.

unzahlbar [ʊntsá:l.., ʊ́ntsa:l..] *a.* 지급할 수 없는; 〖商〗 (어음 따위가) 지급 기일에 이르지 못한, 만기가 되지 않은.

unzählbar [ʊntsɛ́:l..] *a.* ① ↑ unzählig. ② 〖문법〗 복수가 없는.

unzählig [ʊntsɛ́:.., ʊ́ntsɛ:..] 《I》 *a.* 헤아릴 수 없는, 무수한: eine ~e Menge 매우 많은 양; ~e Male ↑ unzähligemal. 《II》 *adv.* 매우: ~ viele Briefe 매우 많은 편지.

unzählige·mal *adv.* 몇 번이고, 수없이.

unzähmbar [ʊntsɛ́:m.., ʊ́ntsɛ:m..] *a.* 길들일 수 없는; 다루기 힘든.

ụnzart *a.* 섬세〔민감〕하지 못한, 감수성이 없는; 동정심〔이해심〕이 없는; 무신경한, 거친: eine ~e Bemerkung 거친 말.

unzärtlich *a.* 마음씨가 고약한.

Ụnze[1] [ʊ́ntsə] 《lat. uncia, „ein Zwölftel"》 *f.* -n ①〔고어〕 인치. ② **(a)** 온스(옛날의 중량 단위; 28-100 그램). **(b)** 온스(옛날의 지급 수단): 10 ~n Gold bezahlen 10온스의 금을 지급하다. ③ 온스(영어권에서 사용하는 무게 단위; 28.35 그램).

Ụnze[2] 《frz.》 *f.* -n 〖動〗 (Jaguar) 재규어, (아메리카산(産)의) 백표범.

Unzeit [ʊ́ntsaɪt] *f.* (형편이) 좋지 않은 때: zur ~ kommen a) 좋지 않은 때에 오다, b) 너무 일찍 오다.

ụnzeitgemäß *a.* ① 때 아닌, 시대에맞지 않는; 유행에 뒤진, 현대적이 아닌: ~e Ansichten 시대에 맞지 않는 견해. ② 계절에 맞지 않는: ein ~er Kälteeinbruch 계절에 맞지 않는 한파의 내습.

ụnzeithaft *a.* ↑ unzeitgemäß.

ụnzeitig *a.*〔드물게〕 ① 때아닌, 계절〔시대〕에 맞지 않는; 시의(時宜)를 얻지 못한; 때늦은. ② 때가 이른; 시기상조의; 덜익은: eine ~e Geburt 조산(早産), 유산; ~es Obst 덜 익은 과일.

ụnzensiert *a.* 검열받지 않은.

ụnzen·weise 《↑ Unze[1]》 *adv.* 온스 단위로.

unzerbrechlich [ʊntsɛrbrɛ́ç.., ʊ́ntsɛrbrɛç..] *a.* 부수기〔쪼개기〕 힘든, 잘 깨지지 않는: ~es Glas 잘 깨지지 않는 유리.

Unzerbrẹchlichkeit [(또는) ʊ́n..brɛ́..] *f.* ↑ unzerbrechlich 의 명사형.

ụnzerkaut *a.* 씹지 않은.

unzerlegbar [ʊntsɛrlé:k.., ʊ́ntsɛrle:k..] *a.* 〖化〗 분해〔분석〕할 수 없는.

unzerreißbar [ʊntsɛrráɪs.., ʊ́ntsɛrraɪs..] *a.* 찢기 어려운, 찢어지지 않는: ein ~es Seil 잘 끊어지지 않는 밧줄.

unzerreißlich [ʊntsɛrráɪs.., ʊ́ntsɛrraɪs..] *a.* ↑ unzerreißbar.

unzerstörbar [ʊntsɛrʃtǿ:r.., ʊ́ntɛrʃtø:r..] *a.* 파괴할 수 없는; (unvergänglich) 불멸의: sein Glaube an das Gute im Menschen war ~ 인간의 선(善)에 대한 그의 믿음은 확고 부동했다.

unzerstörlich [ʊntsɛrʃtǿ:r.., ʊ́ntsɛrʃtø:r..] *a.* ↑ unzerstörbar.

ụnzerstört *a.* 파괴되지 않은.

unzerteilbar [ʊntsɛrtáɪl.., ʊ́ntsɛrtaɪl..] *a.* 분할〔세분〕할 수 없는.

ụnzerteilt *a.* 분할되어 있지 않은.

unzertrennbar [ʊntsɛrtrɛ́n.., ʊ́ntsɛrtrɛn..] *a.*〔드물게〕 분리시킬〔떼어 놓을〕 수 없는.

unzertrennlich [ʊntsɛrtrɛ́n.., ʊ́ntsɛrtrɛn..] *a.* ① 밀접하게 결합되어 있는, 항상 같이 있는: die beiden sind ~ 두 사람은 항상 붙어 다닌다. ② 내재적인, 고유의, 타고난.

Unzertrẹnnliche* 〔복수로만〕〖動〗 (아프리카산(産)의) 사랑 앵무.

Unzeug [ʊ́ntsɔʏk] *n.* -(e)s (Tand) 허섭스레

기, 잡동사니; 보잘것없는 물건, 무가치한 것.

Unzial·buchstabe [ʊntsiá:l..] *m.* 〚문자〛 언셜 자체(字體)의 문자(↑ Unziale).

Unziale [ʊntsiá:lə] 《lat.》 *f.* -n 〚문자〛 언셜 자체(字體)(고대 그리스어 및 라틴어의(머리) 글자로 쓰인 둥근 자체).

Unzial·schrift *f.* ↑ Unziale.

unziemend 〔雅語·드물게〕 *a.* ↑ unziemlich.

unziemlich *a.* 〔雅語〕 어울리지 않는, 부적당한; 예법에 어긋나는, 무엄한: ein ~es Benehmen〔Verhalten〕 무례한 태도.

Unzier *f.* ↑ Unzierde.

Unzierde [ʊ́ntsi:ʳdə] *f.* 〔雅語〕 ① 장식이 없음; 꼴사나움. ② 흠, 오점, 불명예: et. als ~ empfinden 무엇을 불명예로 느끼다; jm.〔et.³〕 zur ~ gereichen〔dienen〕 누구〔무엇〕의 명예를 실추시키다.

unzierlich *a.* 우아하지 않은; 운치 없는.

unzivilisiert *a.* ① 미개한, 야만의: ein ~es Volk 미개한 민족. ② 〔폄어〕 거친, 세련되지 않은: ein ~es Benehmen 세련되지 않은 행동.

Unzucht [ʊ́ntsʊxt] *f.* ① 〔고어〕 (Ungezogenheit) 버릇없음, 무례. ② 난봉, 음탕; 매음(Hurerei); 〚聖〛 간음; 〚法·고어〛 부도덕〔문란〕한 성행위: gewerbsmäßige ~ treiben 매춘 행위를 하다.

unzüchtig [..tsʏçtɪç] *a.* 음탕한, 외설적인: ~e Handlungen〔Schriften〕 음탕한 행위〔외설적인 글〕.

Unzüchtigkeit *f.* -en ① 음탕, 외설. ② 음탕한 행동.

Unzüchtler *m.* -s, - 방탕한 자, 난봉꾼.

***unzufrieden** *a.* 불만이 있는, 만족하지 못한: die ∼en a) 불만 있는 사람들, b) (정치상의) 불평 분자; mit jm.〔et.³〕 ~ sein 누구에게〔무엇에〕 불만을 품고 있다; ein ~es Gesicht machen 언짢은 표정을 짓다.

Unzufriedenheit *f.* 불만, 불평; 〚法〛 불복(不服).

unzugänglich [..tsu:gɛŋlɪç] *a.* ① 통하지 않는; 접근하기 어려운: ein ~er Gipfel 다다르기 어려운 산봉우리. ② 〔비유〕 사귀기〔가까이 하기〕 어려운, 무뚝뚝한; 다루기 어려운: eine ~e Wesensart 무뚝뚝한 성질. ③ (소원 따위를) 들어주지 않는: allen Bitten gegenüber ~ sein 모든 부탁을 들어주지 않다.

Unzugänglichkeit *f.* 도달 불가능; 무뚝뚝함; 매정.

unzukömmlich [ʊ́ntsu:kœmlɪç] *a.* ① (öst.) 불충분한, 부족한: ~e Nahrung 부족한 영양. ② (öst.) 어울리지 않는, 부적당한: in ~er Art 부적당한 방식으로. ③ (schweiz.) 몸에 좋지 않은.

Unzukömmlichkeit *f.* -en ① 불충분, 부적당. ② (öst.) 폐해, 불편한〔귀찮은〕 일.

***unzulänglich** [ʊ́ntsu:lɛŋlɪç] *a.* 불충분한, 부족한: ~e Ausrüstung〔Vorbereitung〕 부족한 장비〔준비〕.

Unzulänglichkeit *f.* -en ① 불충분(함). ② 불충분한 것.

unzulässig [ʊ́ntsu:lɛsɪç] *a.* 허용되지 않는, 금지된: 〚法〛 ~e Rechtsausübung 권리의 남용.

Unzulässigkeit *f.* -en ① 불허, 금지. ② 〚法〛 (소송 행위·당국의 결정에 필요한) 공식적인 전제 조건의 미비〔결여〕.

unzumutbar *a.* 요구할 수 없는: ~e Anforderungen 부당한 요구.

Unzumutbarkeit *f.* -en ① 요구 불가. ② 요구 불가능한 것. ③ 〚法〛 (채무자에 대한) 부당한 요구.

unzünftig *a.* (직업) 조합에 속하지 않는; (넓은 의미로) 본업〔전문〕이 아닌.

unzurechnungs·fähig [ʊ́ntsu:rɛçnʊŋs..] *a.* ① 책임 능력이 없는: 〚法〛 der ∼e 책임 무능력자. ② 백치의; 정신 이상의; 〚法〛 심신 쇠약의: sie ist in ihrem Schmerz einfach ~ 그 여자는 고통으로 인해 제정신이 아니다. **∼fähigkeit** *f.* 책임 능력이 없음; 〚法〛 책임 무능력.

unzureichend [ʊ́ntsu:raɪçənt] *a.* 모자라는, 불충분한.

unzusammenhängend [ʊ́ntsu..hɛŋənt] *a.* 연관성〔통일성·일관성〕이 없는, 지리멸렬한; 〚物〛 응집하지 않은: ~e Bemerkungen 앞뒤가 맞지 않는 말.

unzuständig *a.* 담당이 아닌; 〚法〛 권한〔직권〕이 없는(inkompetent).

Unzuständigkeit *f.* ↑ unzuständig 의 명사형.

unzustellbar *a.* 〚우편〛 배달이 불가능한, 배달할 수 없는.

unzuträglich *a.* 실익〔수익〕이 없는; (건강에) 해로운: jm.〔et.³〕 ~ sein 누구에게〔무엇에〕 해롭다.

Unzuträglichkeit *f.* -en ① 해로움, 이롭지 못함. ② 해로운 것.

unzutreffend [ʊ́ntsu:trɛfənt] *a.* ① 적절〔적확〕하지 않은, 딱들어맞지 않은, 해당하지 않은. ② 틀린.

unzuverlässig [ʊ́ntsu:fɛʳlɛsɪç] *a.* ① 신뢰〔의지〕할 수 없는: eine ~e Person 신뢰할 수 없는 사람. ② 불확실한, 의심스러운.

Unzuverlässigkeit *f.* -en ↑ unzuverlässig 의 명사형.

unzweckmäßig *a.* 목적에 맞지 않는; 부적당한; 불편한: eine ~e Bekleidung 부적절한 의상.

Unzweckmäßigkeit *f.* 부적합, 부적절.

unzweideutig *a.* ① (**a**) 애매하지 않은, 명백한. (**b**) 호된, 거친: jm. eine ~e Abfuhr erteilen 누구를 단호하게 거절하다. ② 점잖지 않은: ~e Witze 음란한 재담.

Unzweideutigkeit *f.* -en 명백.

unzweifelhaft [ʊntsváɪfəl.., ʊ́ntsvaɪf..] *a.* 의심할 여지가 없는; 명백한.

UP [ju:pí:] 《engl.》 =United Press 유피 통신사(미국 UPI 통신사의 전신).

up *adv.* (ndd.) 위에, 상위에(↑ auf).

Upanischad [upá:niʃat] 《skt.》 *f.* -en 〚哲〛 우파니샤드(인도 브라만교의 철학 사상을 담고 있는 성전으로 후기 베다 문학에 속함).

Upas [ú:pas] 《mal.》 *n.* - 〚植〛 유파스나무(자바 및 그 부근 섬에서 나는 독이 있는 나무; 그 수액을 독화살에 씀).

Update [ápde:t] 《engl.》 *n.* -s, -s 〚컴〛 (데이터의) 업데이트; 최신 정보.

Uperisation *f.* (우유의) 저온 살균 소독(↑ Ultrapasteurisation 의 단축형).

UPI[1] =Umwelt- und Prognose-Institut 환경 및 예측 연구소.

UPI² [jú:pi:ấɪ] 《engl.》 =United Press International 유피아이 통신사(미국의 통신사).

Upolu [upó:lu:] 우폴루 섬(남태평양의 서사모아에 있는 섬).

Upperclass [ápərkla:s] 《engl.》 *f.* 상류층, 상류 계급.

Uppercut [ápərkat] 《engl.》 *m.* -s, -s 〖권투〗 어퍼컷.

Upperten [ʌ́pə tɛ́n] 《engl. upper ten(thousand)》 *pl.* 상류층.

***üppig** [ʏ́pɪç] 《⇔ über》 *a.* ① **(a)** 넘쳐 흐를 정도의, 막대한; (초목이) 무성〔울창〕한: ~er Haarwuchs 숱이 많은 머리. **(b)** 풍부〔풍만〕한, 생기 있는: ein ~er Busen 풍만한 가슴. ② 호화로운, 사치스런: ein ~es Mahl 진수성찬; ~ leben 사치스런 생활을 하다. ③〖방언·구어〗 거만〔교만〕한; 뻔뻔스런.

Üppigkeit [ʏ́pɪç..] *f.* 풍만, 풍부, 호화, 거만.

Üppigkeits·steuer *f.* 〖法〗 사치세.

Upsala, Uppsala [upsá:la, ʊ́psa:la] 웁살라 (스웨덴 중동부의 대학 도시).

up to date [ʌ́ptudé:t] 《engl.》 *a.* ① (zeitgemäß) 시대에 맞는, 현대적인, 신식의. ②〖농담〗 최신〔첨단〕의: du bist mit deinen Informationen nicht mehr ~ 네 정보는 더 이상 최신의 것이 아니다.

UPU =Union Postale Universelle 국제 우편 연합.

Ur [u:r] *m.* -(e)s, -e 〖動〗 들소(Auerochse).

***ur..** *pref.* 〖보통 강세가 있고 명사·형용사·부사와 결합하여〗 ① "근원·발생·출현"의 뜻(보기: Urgewalt 근원적인〔자연의〕 힘). ② "원시·원초"의 뜻(보기: Ureinwohner 원주민). ③ 친척 관계에서 "조상"의 뜻(보기: Urgroßvater 증조부). ④〖대개 형용사·부사와 결합하여〗 "대단히"의 뜻(보기: urgemütlich 아주 기분 좋은).

Urabstimmung *f.* -en ① (파업 여부에 관한) 노동 조합 전원의 비밀 투표. ② (schweiz.) (조합·단체 내의) 설문 조사.

Urach *m.* ① 우라흐(남자 이름). ②〖비유〗 ~ der Wilde 잔인한 사람.

Uradel *m.* -s 원 귀족(서기 1400 년 이전에 귀족 신분으로 등장한 귀족).

Urahn [ú:r|a:n] *m.* -(e)s/-en, -en ↑ Urahne¹.

Urahne¹ [ú:r|a:nə] *m.* -n, -n ①〖구식·방언〗 증조부(Urgroßvater). ② 선조(Vorfahr).

Urahne² *f.* -n ①〖구식·방언〗 증조모. ② (여자의) 선조.

Urahnen *pl.* 대대(代代)의 선조(Vorfahren).

Urahn≈frau *f.* ↑ Urahne². **~herr** *m.* ↑ Urahne¹.

Ural [urá:l] 《russ.》 *m.* -(s) ① 우랄 산맥. ② 우랄강.

uralaltaisch *a.* 우랄알타이의; 〖언어〗 우랄알타이어(족)의: ~e Sprachen 우랄알타이 어족(북아시아에서 유럽 일부에 이르는 대어족).

Ural·gebirge *n.* 우랄 산맥.

uralisch *a.* 우랄 산맥의, 우랄 어족의.

Uralit [..lí:t, ..lɪ́t] *m.* -s, -e 〖광물〗 우랄석(우랄 산맥산(産) 각섬석의 일종).

***uralt** [ú:r|alt] *a.* ① 대단히 오랜, 태고의, 옛날 옛적의: ein Märchen aus ~en Zeiten 옛날 옛적의 동화; 〖구어·농담〗 Asbach ~ 〔~ Lavendel〕 매우 오래된, 시대에 뒤떨어진, 제대로 작동하지 않는. ② 대단히 나이가 많은, 고령의: ein ~er Mensch 고령의 노인.

Uralter *n.* -s ① 고령. ② 태고(Urzeit).

Urämie [urɛmí:] 《gr.》 *f.* -n [..mí:ən] 〖병리〗 요독증(尿毒症) (Harnvergiftung).

urämisch *a.* 〖병리〗 요독증의, 요독증으로 인한.

Uran [urá:n] 《gr.》 *n.* -s 〖化〗 우라늄(방사성 원소의 하나; 기호: U).

Uran≈berg·werk *n.* 우라늄 광산. **~brenner** *m.* 우라늄 원자로. **~erz** *n.* 〖광물〗 우라늄 광석.

Uranfang [ú:r|anfaŋ] *m.* -(e)s, ..fänge 발단, 원초, 원시; 연원(淵源): im ~ 태초에.

uranfänglich *a.* 태초의.

uranfangs *adv.* 태초에, 맨 처음에; 원래.

Uran≈gelb *n.* 〖광물〗 우라늄황(黃)(2 우라늄산(産) 나트륨). **~glimmer** *m.* 〖광물〗 우라늄 운모(雲母).

Urangst *f.* ..ängste 원초적 불안.

Urania [urá:nia] 《lat.》 *f.* 〖그리스신화〗 ① 우라니아(뮤즈 9 여신의 하나, 천문을 다스림). ② 아프로디테의 별명.

Uranismus [uranɪ́smus] *m.* - 〖구식〗 (Homosexualität) 남자의 동성애(아내 없이 Urania 를 낳은 Uranos 의 이름에서).

Uranist *m.* -en, -en 〖구식〗 남자 동성 연애자, 호모.

Uranit [uraní:t, ..nɪ́t] 《gr.》 *m.* -(e)s, -e 〖광물〗 우라늄 운모.

Uranium *n.* -s ↑ Uran.

Uranlage *f.* 천부적 재능〔소질〕; 근본 계획.

Uran≈mine *f.* 우라늄 광산. **~ofen** *m.* ↑ ~brenner.

Uranographie [uranografí:] 《gr.》 *f.* -n [..fí:ən] 〖구식〗 천체 기술(記述) 천문학, 천체학.

Uranolatrie *f.* -n [..rí:ən] 천체 숭배; 배성교(拜星敎).

Uranologie [uranologí:] *f.* 〖구식〗 천문학 (Astronomie).

Uranometrie *f.* -n [..trí:ən] 천체 측량학〔측량술〕; 천체지(誌).

Uranos [ú:ranɔs] *m.* ↑ Uranus ①.

Uranoskop 《I》 *n.* -s, -e 〖구식〗 천체 관측기〔망원경〕. 《II》 *m.* -en, -en 천체 관측자.

Uran≈pech·blende *f.* 〖광물〗 (Pechblende) 피치블렌드, 섬(閃)우라늄광. **~pech·erz** *n.* ↑ ~pechblende. **~säure** *f.* 〖化〗 우라늄산(酸). **~spaltung** *f.* 〖物〗 우라늄의 핵분열.

Uranus [ú:ranus] ① *m.* 〖그리스신화〗 우라누스신(神), 천왕. ② *m.* - 〖天〗 천왕성.

urassen [ʊ́rasən] *i.* (h.) (öst.) 〖구어〗 낭비〔허비〕하다, 탕진하다.

Urat [urá:t] 《lat.》 *n.* -(e)s, -e 〖化·醫〗 요산염(尿酸塩) (Harnsäuresalz).

uratisch *a.* 〖化·醫〗 요산(성)의.

urauf|führen *t.* 〖연극·음악〗 초연하다; 〖영화〗 개봉하다: die Oper Parzifal von Wagner wurde 1882 uraufgeführt 바그너의 오페라 파르치팔은 1882 년 초연되었다.

Uraufführung *f.* -en 초연; 〖영화〗 개봉.

Uräus·schlange [urɛ́:us..] 《lat.》 *f.* -n ① 〖動〗 이집트산(産)의 코브라. ② (고대 이집트 왕관의) 뱀 모양의 장식.

Urban [ʊ́rba:n] *m.* 우르반(남자 이름).

urban [ʊrbáːn] 《lat.》 *a.* ① 도시의, 도회적인. ②〖교양〗 세련된, 우아한, 교양있는.

Urbanisation [ʊrbanizatsióːn] *f.* -en ① 도시 인구의 증가 (현상). ② 도시화, 도회화. ③ (**a**) 신도시 개발. (**b**) 신도시 개발로 생긴 주택지.

urbanisieren *t.* ① 도시화하다, 도회풍으로 하다. ② (누구를) 순화시키다, 세련되게 하다.

Urbanisierung *f.* -en 도시화, 도회화.

Urbanistik *f.* 도시 건축 설계학.

Urbanität *f.* ① 도시적 분위기, 도회적임. ② 세련, 우아; 교양.

Urbanus *m.* 우르바누스(남자 이름; Urban의 라틴어형).

Urbar [úːrbaːr] *n.* -s, -e 〖중세〗 경지〔토지〕 대장; 징세 대장.

urbar *a.* (anbaufähig) 경작할 수 있는: ~ machen 개간하다.

Urbar·buch *n.* ↑ Urbar.

urbarisieren *t.* (schweiz.) (땅을) 개간하다.

Urbarisierung *f.* (schweiz.) 개간, 개척.

Urbarium [ʊrbáːriʊm] *n.* -s, ..rien [..riən] ↑ Urbar.

Urbar·machung *f.* 개간, 경작.

Urbedeutung *f.* -en 근본 의미; 원뜻, 본래의 뜻.

Urbeginn *m.* -(e)s, -e ↑ Uranfang.

Urbegriff *m.* -(e)s, -e 기본〔근본〕 개념; 본래의 개념.

Urbestand·teil *m.* 원(래의) 성분.

Urbevölkerung *f.* -en 원주민, 토착민.

Urbewohner *m.* -s, - 원주민; (본)토박이.

urbi et orbi [ʊ́rbi ɛt ɔ́rbi] 《lat., „der Stadt (=Rom) und dem Erdkreise"》〖가톨릭〗 로마와 세계를 향하여; 로마 내외의 신자〔신도〕에게; 〖교양〗 널리, 온 누리에: den päpstlichen Segen ~ erteilen 교황의 축복을 온 누리에〔전신도들에게〕 전하다.

Urbild [úːrbɪlt] *n.* -(e)s, -er ① 원상, 원형. ② 전형, 모범, 이상; 화신: dieser Mensch ist ein ~ von Wagemut und Draufgängertum 이 사람은 무모하고 저돌적인 행동의 화신이다.

urbildlich *a.* ① 원형의, 진짜의. ② 이상적인, 전형적인.

Urbildung *f.* -en ① 기본 교양. ② 창생(創生), (생물의 최초) 발생.

Urborn *m.* -(e)s, -e (Urquell) 원천, 본원.

urch *a.* ↑ urchig.

urchig [ʊ́rçɪç] *a.* (schweiz.) ① 순수한, 잡것이 섞이지 않은: ~er Wein 순수한 포도주. ② 야생의, 자연 그대로의: ein ~er Mensch 야성적인 사람. ③ 신뢰할 수 있는, 정직한.

Urchristen *pl.* 원시〔초기〕 기독교도.

Urchristentum *n.* -s (2 세기까지의) 초기〔원시〕 기독교; 사도(使徒) 시대의 기독교.

urchristlich *a.* 초기 기독교(인)의.

Urd [ʊrt] 《nord.》 *f.* 〖북구신화〗 우르트(운명의 3 여신 중 최연장자로 과거의 여신).

Urda *f.* ↑ Urd.

Urdarm *m.* -(e)s 〖生〗 원장(原腸).

Urdarm·tier *n.* 〖動〗 강장(腔腸) 동물.

urdeutsch *a.* 원시 독일의; 순수 독일적인, 전형적으로 독일적인.

Urdruck *m.* -(e)s, -e (문제의) 첫 공개.

Urdu [ʊ́rdu] *n.* -(s) 우르두(신(新)인도어; 파키스탄의 공용어).

Uredospore [uredospóːrə] 《gr.》 *f.* -n 〖植〗 하포자(夏胞子) (녹균류에서 볼 수 있는 2 핵성의 무성적(無性的) 포자의 하나).

Ureid [ureíːt] 《gr.》 *n.* -(e)s, -e 〖생화학〗 우레이드(요소와 산의 화합체; 수면제 등에 씀).

ureigen [úːr|aɪgən, uːr|áɪg..] *a.* ① 아주 고유한, 본래의: ~er Besitz 원래의 소유물. ② 전적으로 자기 자신의: 〖구어〗 es liegt in Ihrem ~sten Interesse 그것은 전적으로 당신 자신의 이해 관계에 관련된 일이다.

Ureigenheit *f.* -en 고유, 본연.

ureigentümlich *a.* 아주 고유한, 독특한.

Ureigentümlichkeit *f.* -en 고유성; 독창성 (Originalität).

Ureinwohner *m.* -s, - 원주민; 토착민.

Ureltermutter *f.* ..mütter [..mʏtər] 고조모.

Ureltern *pl.* ①〖기독교〗〖좁은 의미〗 인류의 조상(아담과 이브). ②〖넓은 의미〗 선조.

Ureltervater *m.* -s, ..väter [..fɛːtər] 고조부.

Urenkel [úːr|ɛŋkəl] *m.* -s, - 증손자.

Urenkelin *f.* -nen ↑ Urenkel 의 여성형.

Ureter [uréːtər] 《gr. ūreîn》 *m.* -s, -(en) [..téːr(ən)] 〖해부〗 수뇨관(輸尿管) (Harnleiter).

Urethan [uretáːn] *n.* -s, -e 〖化〗 우레탄.

Urethra [uréːtra] *f.* ..thren 〖해부〗 요도(尿道).

Urethritis [uretríːtɪs] *f.* ..tiden [..tíːdən] 〖해부〗 요도염(Harnröhrenentzündung).

Urethroskop [uretro..] *n.* -s, -e 〖醫〗 요도경(鏡).

Urethroskopie *f.* -n [..píːən] 〖醫〗 요도 내시경 검사.

uretisch [uréːtɪʃ] *a.* 〖醫〗 ① 수뇨관의. ② 이뇨(성)의, 이뇨 작용을 하는.

Urevangelium *n.* -s, ..lien [..liən] 〖기독교〗 원시 복음(福音).

Urfarbe *f.* -n 원색(原色).

Urfassung *f.* -en (문학 작품·악곡의) 초고.

Urfaust *m.* 괴테의 희곡 "파우스트"의 초고.

Urfehde [úːrfeːdə] *f.* -n 〖史〗 (독일 중세의) 복수 단념의 서약.

Urfeind *m.* -(e)s, -e 숙적(Erzfeind).

Urfels *m.* -en ↑ Urgestein.

urfidel [uːrfidéːl] *a.* 〖구어·학생〗 몹시 유쾌〔쾌활〕한; 신나서 떠들어대는.

Urform *f.* -en 원형; 〖지질〗 원지형.

urformen *t.* 〖부정형과 과거 분사로만〗 (무엇의) 원형을 뜨다〔만들다〕.

Urfreund *m.* -(e)s, -e 친우; 옛 친구.

Urfriede *m.* -ns ↑ Urfehde.

Urft [ʊrft] *f.* 우르프트(독일 Ruhr 강의 지류).

Urgebirge *n.* -s, - 〖지질·구식〗 원생〔초생〕 암층.

Urgeist *m.* -(e)s (Weltgeist) 만물의 근원에 있는 정신; (특히) 만물의 위에 있는 정령, 신.

Urgemeinde *f.* 〖宗〗 초기 기독교인들의 공동체〔교단〕.

urgemütlich [úːrgəmýːtlɪç] *a.* 아주 기분 좋은, 매우 쾌적〔아늑〕한.

urgent [ʊrgɛ́nt] 《lat.》 *a.* 〖교양·구식〗 (dringend) 절박〔긴급〕한, 연기할 수 없는, 초미의.

Urgenz *f.* 〖교양·구식〗 절박, 긴급; 경고, 독촉.
Urgenz·schreiben *n.* (Mahnbrief) ① 경고장. ② (지급의) 독촉장.
Urgermane *m.* -n, -n 원시 게르만인.
Urgermanentum *n.* -(e)s 원시 게르만풍(風)〔민족성〕; 원시 게르만 민족.
urgermanisch *a.* 원시 게르만(민족·언어·풍(風))의: ~e Sprache 원시 게르만어.
Urgeschichte *f.* ① 선사 시대. ② 선사학.
Urgeschichtler *m.* -s, - 선사 학자.
urgeschichtlich *a.* 선사 시대의.
Urgesellschaft *f.* 원시 사회.
Urgestalt *f.* -en 원형, 본래의 모습.
Urgestein *n.* -(e)s, -e 〖지질〗 원생〔초생〕 암석.
Urgewalt *f.* -en (자연의) 근원적인 힘: die ~ des Feuers 불의 강력한 힘.
Urgewicht *n.* -(e)s, -e 기본〔표준〕 중량.
urgewiß [ú:rgəvɪs, u:rgəvís] *a.* 아주 확실한.
Urgicht [ú:rgɪçt] 《♧ Beichte》 *f.* -en 〖고어〗 (죄의) 고백, 자백.
urgieren [ʊrgí:rən] 《lat.》 *t.* 〖구식〗 (öst.) (drängen) 몰아치다; 재촉하다; 강요하다.
Urglaube *m.* -ns 근본 신앙; 원시 종교.
Urgneis [..gnaɪs] *m.* -es, -e 〖광물〗 원시 편마암.
Urgroßeltern [ú:ʀgro:s..] *pl.* 증조부모.
Urgroßmutter *f.* ..mütter [..mʏtəʀ] 증조모.
urgroßmütterlich *a.* 증조모의.
Urgroßvater *m.* -s, ..väter [..fɛ:təʀ] 증조부.
urgroßväterlich *a.* 증조부의.
Urgrund *m.* -(e)s, ..gründe [..grʏndə] 근원; 근본 원인; 궁극적인 기반: der ~ alles Seins 모든 존재의 근원.
Urhab *n./m.* (bayr.) 효모(Hefe).
Urhahn 《♧ Ur》 *m.* -(e)s, ..hähne [..hɛ:nə] 〖動〗 (Auerhahn) 큰뇌조〔멧닭〕의 수컷.
***Urheber** *m.* -s, - ① 장본인(Verursacher); (Anstifter) 발기인, 창립〔창시〕자, 원조(元祖): er ist der ~ davon 그가 그 일의 주모자〔장본인〕이다. ② 창작자, 저작자.
Urheberin *f.* -nen ↑ Urheber 의 여성형.
Urheber≈recht *n.* 〖法〗 ① 저작권. ② 저작권법. **~rechtlich** *a.* 저작권(상)의.
Urheberschaft *f.* ① 장본인〔발기인〕임; 〖法〗 정범(正犯). ② 작가〔저작자〕임.
Urheber·schutz *m.* 〖法〗 저작권 보호.
Urheimat *f.* -en 본래의 고향; 출생지, 본적지.
Urheit *f.* (Ursprünglichkeit) 본원적임, 본원적인 존재, 원시성; 독창성.
Urhenne 《♧ Ur》 *f.* -n 〖動〗 (Auerhenne) 큰뇌조〔멧닭〕의 암컷.
Uri [ú:ri] 우리(중부 스위스의 산악주(州)).
Uria *m.* 〖구약〗 우리아(아내 밧세바를 다윗에게 빼앗기고 모략에 의해 살해됨; 사무엘 하 11장).
Urian [ú:ria:n] *m.* -s, -e 〖농담〗 ① (Teufel) 악마(그 이름을 입에 담기를 꺼려 했던 경멸적 칭호): 〖시어〗 Meister ~ 마왕. ② 〖비유〗 der Herr ~ 달갑지 않은 손님.
Urias [urí:as] 《hebr.》 *m.* 우리아스(남자 이름).
Urias·brief *m.* 〖聖〗 우리아의 편지("이 편지의 지참자를 죽이라"고 씌어 있는 편지; 사무엘 하 11:14-15; 지참자에게 불행을 가져오는 편지를 일컬음).
Uriel [ú:riɛl] 《hebr.》 *m.* 우리엘(요한 계시록에 나오는 7 천사 중의 하나).
urig [ú:rɪç] *a.* 〖구어〗 (obd.) ① 야생의; 근원적인; 자연 그대로의, 조야한: eine ~e Landschaft 자연 그대로의 경치. ② 진기〔특이〕한, 독창적인: ein ~er Kauz 기인(奇人).
Urin [urí:n] 《lat.》 *m.* -s, -e 〖생리〗 (Harn) 오줌, 소변: ~ lassen 오줌 누다; 〖경박〗 et. im ~ haben〔spüren〕 무엇이 확실하다고 추정하다.
Urinal [uriná:l] *n.* -s, -e ① 〖醫〗 남자용 소변 채집 용기. ② 남성용 화장실의 소변기.
Urin·glas *n.* ↑ Urinal ①.
urinieren *i.* (h.) 오줌 누다(harnen).
urinös *a.* 오줌 같은, 요소를 포함한.
Urinstinkt *m.* -(e)s, -e 원초적 (잠재) 본능.
urin≈treibend *p.a.* 이뇨(利尿)의. **~untersuchung** *f.* 소변 검사.
Urkanton *m.* -s, -e 〖史〗 스위스 연방의 원주(原州)(1291 년 영구 동맹을 체결하여 스위스 연방의 기원이 된 Uri, Schwyz, Unterwalden).
Urkeim *m.* -(e)s, -e (최초의) 맹아(萌芽); 원시 배포(胚胞)〔아포(芽胞)〕.
Urkirche *f.* 〖宗〗 원시〔초기〕 교회.
Urknall *m.* -(e)s 〖天〗 (120-180 억년 전의) 우주의 대폭발, 빅 뱅.
urkomisch [ú:ʀko:mɪʃ, u:ʀkó:..] *a.* 몹시 우스운.
Urkraft *f.* ..kräfte (자연의) 근원적인 힘; 〖비유〗 근본 원리.
urkräftig [ú:ʀkrɛf.., u:ʀkrɛ́f..] *a.* 매우 강한.
Urkultur *f.* -en 원시 문화.
***Urkunde** [ú:ʀkʊndə] 《♧ erkennen》 *f.* -n ① (a) 〖고어〗 확인; 증거: zur ~ dessen 그 증거로서. (b) 문서, (공공) 기록, 증명서: eine ~ ausstellen〔fälschen〕 증명서를 발급〔위조〕하다; eine ~ notariell beglaubigen lassen 문서를 공증하다. ② 〖法〗 (a) 증서. (b) (형법에서) 증거(물). (c) (Freibrief) 특허〔면허〕장. ③ (Urschrift) 원문; 〖法〗 원본, 정본.
urkunden 《I》 *t.* (문서·기록을) 기초〔작성〕하다. 《II》 *i.* (h.) 문서로 나타나다: von et.³ ~ 무엇을 문서에 의하여 증명하다.
Urkunden≈bewahrer *m.* 문서〔기록〕계; (영국의) 기록 보관관(지금은 고등 법원 판사). **~beweis** *m.* 〖法〗 문서에 의한 증명, 서증(書證). **~buch** *n.* 기록(부). **~fälscher** *m.* 문서 위조자. **~fälschung** *f.* 〖法〗 문서 위조. **~forscher** *m.* ↑ ~kenner. **~forschung** *f.* 고문서 연구. **~gewölbe** *n.* 기록〔공문서〕 보관소, 문서실. **~kenner** *m.* 고문서 학자. **~kenntnis** *f.* ↑ ~lehre. **~lehre** *f.* 고문서학 (Diplomatik). **~prozeß** *m.* 〖法〗 증서 소송. **~sammlung** *f.* (고)문서 수집; 기록. **~wissenschaft** *f.* ↑ ~kenntnis.
urkundlich [ú:rkʊntlɪç] 《I》 *a.* 문서(상)의; 근거 있는. 《II》 *adv.* ① 문서〔기록〕에 의하여: et. ~ beweisen 무엇을 문서로 증명하다; Die Stadt ist 950 erstmals ~ erwähnt 그 도시는 950 년에 처음으로 기록에 나타나 있다. ②

〖dessen과 함께〗 그 증거로서: ~ dessen habe ich Obiges geschrieben 이것의 증거로서 나는 위와 같이 썼다.

Urkunds·beamte* *der* 문서〔기록〕계; 법원 서기.

Urlandschaft *f.* -en 태고〔본래〕의 경치〔경관〕.

***Urlaub** [ú:rlaup] 《ⓒ erlauben》 *m.* -(e)s, -e ①〖고어〗(윗사람에게) 승낙 맡고 떠남, 하직: von jm.〔et.³〕 ~ machen〔nehmen〕 누구와〔무엇과〕 헤어지다, 이별을 고하다. ② 휴가, 귀휴;〖海〗상륙 (허가): ~ geben〔nehmen〕 휴가를 주다〔얻다〕; seinen ~ in X verleben 〔verbringen〕 휴가를 X에서 보내다; er hat drei Wochen ~ 그는 3주일의 휴가가 있다; auf〔in〕 ~ fahren〔gehen〕 휴가 여행을 가다; ~ machen 휴가를 즐기다.

urlauben *i.* (h.) 〖구어〗 휴가를 보내다.

Urlauber [ú:rlaubər] *m.* -s, - ① 휴가 중인 사람; 휴가 여행자. ②〖軍〗휴가병.

Urlauber·zug *m.* ① 휴가철 특별 열차. ② 휴가병 수송 특별 열차.

Urlaubs·geld *n.* ① 휴가 비용. ②〖法〗휴가 수당〔보너스〕. **~gesuch** *n.* 휴가원. **~karte** *f.* ↑ ~schein. **~kasse** *f.* ↑ ~geld ①. **~liste** *f.* (기업체의 기간별) 휴가자 명단. **~reif** *a.* 휴가가 절실히 필요한. **~reise** *f.* 휴가 여행. **~schein** *m.* (군인의) 휴가증;〖海〗상륙 허가증. **~sperre** *f.* ①〖軍〗휴가 금지. ② (öst.) (휴가로 인한) 휴업. **~tag** *m.* 휴가일: am letzten ~ 휴가 마지막 날에. **~vertretung** *f.* 휴가자 직무 대리(인). **~zeit** *f.* ① 휴가 기간. ② 휴가철〔시즌〕.

Urlaut *m.* -(e)s, -e 원음(原音); 기본음.

urlauter [ú:rlautər, u:rláu..] *a.* 아주 순수한.

Urlicht *n.* -(e)s 원광(原光), 태초의 빛.

Urliste *f.* -n〖法〗배심원 후보자 명단.

Urmaß *n.* -es, -e (Eichmaß) (도량형의) 원기(原器); 척도 표준.

Urmeer *n.* -(e)s, -e 태고의 바다.

Urmensch *m.* -en, -en ① 원시인; 원인(原人). ② 인류의 시조(기독교에서는 아담).

urmenschlich *a.* ① 원시인의; 인류 시조의. ② 인간 본래〔고유〕의, 전형적으로 인간적인.

Urmeter *n.* -s 미터 원기(原器).

Urmutter *f.* ..mütter [..mʏtər] ①〖宗〗인류 최초의 어머니(이브). ② 여(女)시조(Stammutter).

Urnacht *f.* 천지 창조 이전의 암흑; 혼돈.

urnächtlich *a.* 천지 창조 이전의 암흑 상태의; 혼돈의.

Urne [ʊ́rnə] 《lat. urna》 *f.* -n ① (흙·쇠붙이로 된) 항아리, 단지. ② (Aschenkrug) 유골단지;〖비유〗묘; 죽음(의 상징). ③ **(a)** 추첨함; 투표함: zur ~ gehen 선거〔투표〕하(러 가)다. **(b)** (schweiz.) 투표소. ④〖植〗이끼류의 포자낭(胞子囊).

Urnen·friedhof *m.* 납골 공동 묘지. **~grab** *n.* ① 작은 납골묘. ②〖史〗청동기 시대의 납골묘. **~hain** *m.* 〖雅語·구식〗① ↑ Urnenfriedhof. ② 공동 묘지에서 납골묘가 있는 부분. **~halle** *f.* 유골 안치소, 납골당. **~kammer** *f.* ↑ ~halle.

Urner [ʊ́rnər] 《< Uri》《I》 *m.* -s, - 스위스 Uri 주(州)의 주민. 《II》 *a.* Uri 의: ~ See 우리호(湖) (스위스 der Vierwaldstätter See 의 동남부).

urnerisch [ʊ́rnərɪʃ] *a.* Uri 지방(주민)의.

Urner *m.* -s, - (schweiz.) (2 살까지의) 수송아지 (Ochsenkalb).

Urning [ʊ́rnɪŋ] 《gr.》 *m.* -s, -e 〖구식〗(Päderast) 남자 동성 연애자(↑ Uranismus).

Urnings·liebe *f.* 남자의 동성애, 남색.

Urochs, Urochse [ú:r|ɔks(ə)] *m.* ..en, ..en 〖動〗유럽 들소(Auerochs).

urogenital [u:rogenitá:l] 《lat.》 *a.* 〖해부〗비뇨 생식기의.

Urogenital·system *n.*〖해부〗비뇨 생식계.

Urolith [urolí:t, ..lɪt] 《gr.》 *m.* -(e)s/-en, -e(n)〖醫〗(Harnstein) 요석(尿石), 요로 결석.

Urologe *m.* -n, -n 비뇨기과 전문의(醫).

Urologie *f.* 비뇨기(과)학.

Urologin *f.* -nen ↑ Urologe의 여성형.

urologisch *a.* 비뇨기과의.

Uroma *f.* -s〖아동〗증조모.

Urometer *n.* -s, - 요(尿) 비중계.

Uropa *m.* -s, -s〖아동〗증조부.

Uroskopie [uroskopí:] *f.* -n [..pí:ən]〖醫〗소변 검사.

Urotropin *n.* -s 우로트로핀(요로(尿路) 살균제).

Urpflanze *f.* -n ①〖대개 복수〗〖生〗원생〔단세포〕식물. ②〖복수없음〗(괴테가 생각한) 식물의 원형(原型); 하등 식물.

Urphänomen *n.* -s, -e〖哲〗근원 현상.

Urophobie *f.*〖醫〗배뇨 공포증(부적당한 상황에서 소변을 보게 될 것을 걱정하는 병).

urplötzlich [ú:rplœtslɪç, u:rplœ́ts..] 《I》 *a.* 아주 갑작스런, 돌발적인: ein ~er Zornesausbruch 갑작스런 분노의 폭발. 《II》 *adv.* 아주 갑작스레, 난데없이.

Urprodukt *n.* -(e)s, -e〖經〗원료, 1차 산품(석탄 따위).

Urproduktion *f.*〖經〗1차 산업 생산.

Urquell *m.* -(e)s, -e〖시어〗↑ Urquelle.

Urquelle *f.* -n 원천; 근원, 기원.

Urrecht *n.* -(e)s, -e (자유 따위의) 원권(原權); 자연권.

Urrede *f.* -n 최초의 연설; 처녀 연설. (Jungfernrede)

urrein [ú:rraɪn, u:rráɪn] *a.* 지극히 순수한.

***Ursache** [ú:rzaxə] *f.* -n ①〖고어〗소송(訴訟) 원인〔사실〕: eine ~ vom Zaun brechen 싸움 붙이다, 다짜고짜로 시비걸다. ② 원인, 이유; 동기; 근거: letzte ~ 근본 원인; ~ und Wirkung 인과; ohne ~ 이유도 없이; aus einer ähnlichen ~ 같은 이유에서; einer ~ auf den Grund kommen 어떤 원인을 규명하다; alles hat seine ~ 무슨 일에나 원인이 있다;〖속담〗keine Wirkung ohne ~ 아니 땐 굴뚝에서 연기 나랴;〖구어〗keine ~ 〔zum Dank〕! 천만에요(감사의 표시에 대해);〖속담〗kleine ~, große Wirkung 작은 일이 때로는 큰 결과를 가져온다; man hat ~ zu glauben, daß ... …을 믿을 만한 까닭이 있다; er hat alle ~, ruhig zu sein 그가 태연한 것은 그럴 만한 이유가 있다;〖종속문과 함께〗das ist die ~, warum ich nicht ausgehe 그것이 내가 외출하지 않는 이유다;〖고어〗aus ~, daß〔weil〕... …이므로. ③ 구실, 변명, 해명:

die Bosheit sucht keine Gründe, nur ~n 악의는 원인을 찾지 않고 다만 구실을 찾을 뿐이다.
Ursachen·forschung *f.* 〖哲〗 원인 연구.
ursachlich *a.* ↑ ursächlich.
ursächlich *a.* ① 원인의: eine ~e Klärung der Vorfälle 사고의 원인 규명. ② 인과적(因果的)인(kausal): A steht in ~em Zusammenhang mit B A와 B는 인과 관계가 있다.
Ursächlichkeit *f.* -en (Kausalität) 인과 관계, 인과성.
Ursage *f.* -n 태고의 전설.
Ursatz *m.* -es, ..sätze [..zɛtsə] ①〖哲〗 공리(公理)(Axiom). ② (schweiz.) 담보, 위약금.
Urschel [ʊ́rʃəl] *f.* -n (ostmd.) 어리석은〔미련한〕 여자.
urscheln *t./i.* (h.) ↑ urschen.
urschen 《<uraaßen》《Ⅰ》 *i.* (h.) 난잡하게 교제를 하다. 《Ⅱ》 *t./i.* (h.) (ostmd.) 낭비〔탕진〕하다(verschwenden): mit et.³ ~ 무엇을 낭비하다.
Urschlamm *m.* -(e)s ↑ Urschleim.
Urschleim *m.* -(e)s 〖生〗 원형질(Protoplasma): 〔구어·농담〕 vom ~ an 처음〔시작〕부터.
urschön [ú:rʃø:n, u:rʃǿ:n] *a.* 매우 아름다운.
Urschrift *f.* -en 원문, 정본; (Konzept) 초고, 초안; (Handschrift) 자필(원고).
urschriftlich *a.* 원본의: eine Urkunde ~ zurücksenden 증서를 원본 그대로 반송하다.
Urschweiz [ú:rʃvaɪts] *f.* (보기: Schwyz, Uri, Unterwalden 등) 스위스 연방의 가장 오래된 지역.
Ursel [ʊ́rzəl] *f.* 우르젤(여자 이름; Ursula 의 애칭).
ursenden *t.* 〔부정형과 과거 분사로만〕〖TV〗 (방송극 따위를) 첫 방송〔방영〕하다.
Ursendung *f.* -en 〖TV〗 첫 방영〔방송〕.
Ursitz [ú:rzɪts] *m.* -es, -e ① 선조의 저택. ② (Urheimat) 본적지, 본래의 고향〔거주지〕.
urspr. =ursprünglich 원래, 최초에.
Ursprache *f.* -n ①〖언어학〗 원시어, 조어(祖語). ② (번역문의) 원어(↔ Übertragung).
*__Ursprung__ [ú:rʃprʊŋ] *m.* -(e)s, ..sprünge ① **(a)** (Ausgangspunkt) 기원, 원천, 근원, 유래, 원산(지): seinen ~ von et.³ nehmen 〔in et.³ haben〕 무엇에서 유래하다; der Name Ursula ist lateinischen ~s 우르줄라라는 이름은 라틴어에서 유래한다. **(b)** 근본 원인(Grundursache): die politischen Unruhen hatten ihren ~ in der wirtschaftlichen Notlage der Bevölkerung 정치적 소요는 국민의 경제적 궁핍에 그 원인이 있다. ②〖기하〗 (좌표의) 원점(原點)(Anfangspunkt).
*__ursprünglich__ [u:rʃprʏ́ŋlɪç, ú:rʃprʏŋ..] 《Ⅰ》 *a.* ① 본원의, 최초〔본래〕의; 독창적인(ureigen): der ~e Plan 최초의 계획. ② 단순한, 자연적인: Wasser von ~er Reinheit 자연 그대로 순수한 물. ③ (urwüchsig) 원시적인, 소박한, 왜곡되지 않은: ein ~er Mensch 미개한 사람. 《Ⅱ》 *adv.* 최초에, 원래(약어: urspr.).
Ursprünglichkeit [..rʏ́ŋ.., ú:rʃprʏŋ..] *f.* ↑ ursprünglich 의 명사형.
ursprungs *adv.* ↑ ursprünglich《Ⅱ》.
Ursprungs≈gebiet *n.* 원산지. **~land** *n.* (Produktionsland) (수입 상품의) 원산지(국). **~nachweis** *m.* ↑ ~zeugnis. **~schein** *m.* ↑ ~zeugnis. **~zeugnis** *n.* 원산지 증명서.
urst [ʊrst] *a.* 〖구동독〗 대단한, 상당한.
Urstamm *m.* -(e)s, ..stämme [..ʃtɛmə] ① 원줄기. ② (동식물의) 원종(原種); 원속(原屬); (특히) 원종족.
Urstand [ú:rʃtant] *m.* -(e)s, ..stände [..ʃtɛndə] 〖宗·구식〗 (원죄를 범하기 전 인류의) 원시 상태.
Urständ [ú:rʃtɛnt] 《♧ erstehen》 *f.* 〔시어·구식〕 (südd., öst.) 부활(Auferstehung): einem Toten selige ~ wünschen 죽은 사람의 부활을 기원하다; 〔구어〕 etwas feiert (fröhliche) ~ 무엇이 부활하다〔다시 생각나다〕.
urständlich *a.* 원시 상태의〔에 있는〕.
Urstätt *f.* ↑ Urständ.
Urstier [ú:rʃti:r] *m.* -(e)s, -e ①〖動〗 유럽 들소(Urochs). ② 원우(原牛) (17세기경에 멸종한 유럽 들소).
Urstoff [ú:rʃtɔf] *m.* -(e)s, -e ①〖化〗 원소. ②〖哲〗 질료(質料). ③ 원자재, 원소재.
Urstoff·lehre *f.* 〖哲〗 원소설(說).
urstofflich *a.* 〔구식〕 원소의; 원재료의.
Urstoff·teilchen *n.* 원자, 분자.
Urstromtal *n.* -(e)s, ..täler 〖지질〗 빙하곡.
Ursula [ʊ́rzula] 우르줄라(여자 이름).
Ursuline [ʊrzulí:nə] *f.* -n ①〔복수〕 우르줄라 수녀회(16세기 젊은 여성 교육을 위해 성녀 Ursula 의 이름으로 창설됨). ② 우르줄라 수녀회의 수녀.
Ursulinerin *f.* -nen ↑ Ursuline.
Ursuliner·nonne *f.* ↑ Ursuline.
Ürte [ʏ́:rtə, ʏ́r..] 《germ.》 *f.* -n 〔구식〕 (obd., schweiz.) 술값, 식대; 향연(Zeche): aus der ~ laufen 무전 취식하고 도망치다.
Urteer *m.* -(e)s, -e 〖化〗 저온 타르.
Urteil¹ [ú:rtaɪl] *m.* -(e)s, -e 원소(Element); (특히) 원자(Atom).
*__Urteil__² [ʊ́rtaɪl] 《♧ erteilen》 *n.* -(e)s, -e ① 〖法〗 판결; 선고; 평결, (심사원의) 판정: ein maßgebendes ~ 선례가 되는 판결, 판례; ein ~ über et. fällen 무엇에 대해 판결을 내리다; jm. das ~ sprechen 누구에게 선고하다; sich einem ~ unterwerfen 판결에 복종하다; das ~ lautet auf fünf Jahre Gefängnis 5년형이 선고되었다; gegen ein ~ Berufung einlegen 판결에 불복하여 항소하다; 〔비유〕 das ~ über diese Angelegenheit ist noch nicht gesprochen 이 일에 대해서는 아직 판결이 내려지지 않았다. ② **(a)** 판단, 평가; 의견(의 진술); 설(說): meinem ~ nach 내 판단〔의견〕으로는; sich³ ein ~ über jn.〔et.〕 bilden 누구〔무엇〕에 대해 판단〔평가〕하다; sein ~ über et. abgeben〔äußern〕 무엇에 관하여 자신의 의견을 표명하다; objektives〔parteiisches〕 ~ 객관적〔편파적〕인 평가. **(b)** (Urteilskraft) 판단력: du hast kein ~ 너는 판단력이 없다. ③ 〖논리·哲〗 **(a)** 판단: analytisches〔kategorisches, synthetisches〕 ~ 분석적〔정언적(定言的), 종합적〕 판단; ~ der Anschauung 직관적인 판단. **(b)** 명제(命題)(Satz).
..urteil *suf.* "…의〔…한〕 판단(력)·판결"의 뜻 (보기: End~ 최종 판결; Vor~ 편견).
Urteilchen *n.* -s, - 〔↑ Urteil¹ 의 축소형〕 〖物〗 가설적 소립자.

urteilen 《I》 *t.* 〖고어〗 유죄 판결하다, 단죄하다. 《II》 *i.* (h.) 판단〔평가〕하다: über jn.〔et.〕 ~ 누구〔무엇〕에 관해서 판단하다, 의견을 진술하다; man darf nicht nach dem äußeren Schein ~ 사람은 겉모양만 보고 판단해서는 안 된다; von sich auf andere ~ 자신에 미루어 남을 판단하다.

Urteiler *m.* -s, - 판결〔판단〕자.

urteilig 《< Ur-Teil》 *a.* 원소의; 원자의.

Urteils=begründung *f.* 〖法〗 판결 이유. **~eröffnung** *f.* 〖法〗 판결의 공고〔공시〕. **~exempel** *n.* 판례. **~fähig** *a.* 판단력〔평가 능력〕이 있는: im ~en Alter 판단력이 있는 나이에. **~fähigkeit** *f.* 판단력. **~fällung** *f.* 판결을 내림. **~findung** *f.* 〖法〗 판결의 협의〔확정〕. **~formel** *f.* 〖法〗 판결 주문(主文), 선고. **~grund** *m.* 판결 이유. **~kraft** *f.* 판단력.

urteilslos *a.* 판단력〔분별〕이 없는.

Urteils=rüge *f.* 〖고어〗 재심, 상고(Revision). **~schelte** *f.* 판결에 대한 공개적 비판. **~spruch** *m.*, **~tenor** *m.* ↑ ~formel. **~-urkunde** *f.* 판결서(書). **~verkündigung** *f.* 〖法〗 선고. **~vermögen** *n.* ↑ ~-fähigkeit. **~vollstreckung** *f.* 〖法〗 판결의 집행. **~vollzug** *m.* ↑ ~vollstreckung.

Urtel [ʊ́rtəl] *n.* -s, - 〖고어·방언〗 ↑ Urteil.

urteln *t./i.* (h.) ↑ urteilen.

Urtext [ú:rtɛkst] *m.* -es, -e ① 〖언어학〗 원문, 원본; 원서(原書). ② (문예 작품 따위의) 초고.

Urtier *n.* -(e)s, -e ① (Protozoon) 원생 동물, 원충류(原蟲類); 단세포 동물. ② 〖비유〗 **(a)** (원시의 공룡과 같은) 거대한 동물. **(b)** 야성적이고도 유머가 풍부한 사람.

Urtierchen *n.* -s, - ↑ Urtier ①.

Urtikaria [urtiká:ria] 《lat.》 *f.* 〖醫〗 (Nesselsucht) 두드러기, 심마진.

Urtrieb *m.* -(e)s, -e 원초적 욕구, 본능.

Urtum *n.* -(e)s 〖고어〗 (Urheit) 본원적임; 원시성, 독창성.

urtümlich [ú:rty:mlɪç] *a.* ① 본원적〔근원적·원시적·본성적〕인, 본연의: ~e Lebensformen 원시적 생활 형식. ② 민족 고유의. ③ 왜곡되지 않은, 자연스러운, 소박한.

Urtümlichkeit *f.* ↑ urtümlich 의 명사형.

Urtyp *m.* -s, -en ↑ Urtypus.

Urtypus *m.* -, ..pen (Urbild) 원형(原型); 전형.

Uruguay [uruguá:i] ① 우루과이 공화국. ② 우루과이강(江).

Urguayer 《I》 *m.* -s, - 우루과이 사람. 《II》 *a.* 우루과이의.

urguayisch *a.* 우루과이(인·어)의.

Ururahn [ú:r|u:r|a:n] *m.* -(e)s/-en, -en ① 고조부. ② 시조(始祖), 조상, 옛 선조.

ururalt *a.* 옛날(옛적)의; 태고의; 나이가 매우 많은.

Ureltern *pl.* (Vorfahren) 선조, 먼 조상.

Ururenkel *m.* -s, - 현손자, 후예.

Ururenkelin *f.* -nen ↑ Ururenkel 의 여성형.

Urgroßeltern *pl.* 고조부모.

Urvater [ú:r..] *m.* -s, ..väter [..fɛ:tər] ① 조상, 선조. ② 〖宗〗 인류의 아버지: ~ Adam 인류의 아버지 아담.

urväterlich *a.* 조상〔선조〕의.

Urväterzeit *f.* -en 태고: seit〔aus〕 ~en 태고 이래로.

Urvergangenheit *f.* -en 먼 옛날, 선사 시대.

Urvernunft *f.* 최고 이성, 신의 이성.

Urversammlung *f.* -en (선거 유권자 전원의) 총회.

urverwandt [ú:rfɛrvant] *p.a.* 선조가 같은; 〖언어〗 계통〔어족〕이 같은.

Urverwandtschaft *f.* ↑ urverwandt 의 명사형.

Urviech *n.* -s, -er 〖구어·농담〗 우스꽝스럽고 익살맞은 사람〔녀석〕.

Urvieh *n.* -s, ..viecher [..fi:çər] ↑ Urviech.

Urvogel *m.* -s, ..vögel [..fø:gəl] 〖고생물〗 시조새.

Urvolk *n.* -(e)s, ..völker [..fœlkər] ① (여러 민족의 조상이 되는) 원민족(Stammvolk). ② 원주민, 토착민.

Urwahl *f.* -en 〖政〗 (간접 선거에서 본선거의 선거인을 선출하는) 예비〔제 1 차〕 선거.

Urwähler *m.* -s, - 예비 선거의 선거권자.

Urwald *m.* -(e)s, ..wälder [..vɛldər] ① 원시림; 처녀림; 정글: ein tropischer ~ 열대 원시림. ② 빽빽〔조밀〕한 것.

Urwald·gebiet *n.* 원시림 지역.

Urwelt *f.* 원시〔태고〕 세계.

urweltlich *a.* 원시〔태고〕 세계의.

Urwesen *n.* -s ① 〖구식〗 요소, 원소. ② 〖구식〗 본원적 존재, 본질.

Urwille *m.* -ns, -n 〖哲〗 원적(原的) 의지 (Schopenhauer 의 용어).

Urwort *n.* -(e)s ① 〖복수: ..wörter〗 원시어, 말의 원형; 원어. ② 〖복수: -e〗 고금 명언.

Urwort·laut *m.* (Urtext) 원문, 본문.

***urwüchsig** [ú:rvy:ksɪç] *a.* ① 소박한: ein ~er Bayer 소박한 바이에른 사람. ② 자연 그대로의, 본연의; 조야한: ein ~er Garten 자연 그대로의 정원. ③ 〖구식〗 토착의.

Urwüchsigkeit *f.* ↑ urwüchsig 의 명사형.

Urzeit *f.* -en ① 〖복수없음〗 원시 시대, 태고. ② 〖복수〗 seit ~en 태고 이래로; vor ~en 아주 오래 전에.

urzeitlich *a.* 태고의, 원시 시대의.

Urzelle *f.* -n 〖生〗 원(原)세포.

Urzeugung *f.* 〖生〗 (생물의) 자연 발생.

Urzustand *m.* -(e)s, ..stände 원(原)(시)상태.

urzuständlich *a.* 원(原)(시)상태의.

Urzweck *m.* -(e)s, -e 본래의 목적, 주목적.

us (südwestd.) 밖에, 밖으로(↑ aus).

..us 《lat.》 라틴어형 남성 명사의 어미(보기: Augustus).

u.s. = ut supra 상술한 바와 같이, 위와 같이.

US(A), U.S.A. 《engl.》 = United States (of America) 미국 („Vereinigte Staaten (von Amerika)").

Usambara [uzambá:ra] 우잠바라(아프리카 탄자니아 북동부에 있는 산맥).

Usambara·veilchen *n.* 〖植〗 세인트폴리어, 아프리카 제비꽃.

US-Amerika [u:ɛ́s..] 미국.

US-Amerikaner [u:ɛ́s..] *m.* -s, - 미국인.

US-amerikanisch [u:ɛ́s..] *a.* 미국(인)의.

Usance [yzã́:s] 《frz.》 *f.* -n 〖교양〗 ① 관례;

〖商〗 상관습: nach ~ 관례에 따라, 상관습적으로. ②〔복수〕 상관습에 따른 할인.
usance·mäßig *a.* 관례에 따른, 상관습적인.
Usancen·handel *m.* 〖經〗 외국환 거래.
Usanz [uzánts] *f.* -en (schweiz.) ↑ Usance.
USB 《engl.》 =Universal Serial Bus 〖컴〗 주변기기 연결 방식의 일종.
Usbeke [usbé:kə] *m.* -n, -n 우즈베키스탄 사람.
usbekisch *a.* 우즈베키스탄(사람·말)의.
Usbekistan [usbé:kista:n] 우즈베키스탄.
Uschlig *m.* -s (alem.) (Unschlitt) 동물 지방.
US-Dollar 《engl.》 *m.* 미국 달러.
use *adv.* (alem.) 바깥으로(↑ heraus).
Usedom [ú:zədɔm] 우제돔(발트해의 섬).
User [jú:zə(r)] 《engl.》 *m.* -s, - ①〔은어〕 마약 중독자. ②〖컴〗 (컴퓨터 시스템이나 네트워크의) 사용자, 이용자.
usf., u.s.f. =und so fort 등등, 기타.
Uso [ú:zo] 《it.; ↑ Usus》 *m.* -s 〖商〗 관례; 상관습; 관례에 따른 어음 지급 기한.
Uso·wechsel *m.* 관례에 따른 지급일 지급 어음.
Ussel *m.* -s, - (ndd.) 양초 심지의 타다 남은 부분(Ösel).
USSR [u:|ɛs|ɛs|ɛ́r] =Ukrainische Sozialistische Sowjetrepublik 우크라이나 소비에트 사회주의 공화국(소연방 붕괴 후 우크라이나 공화국으로 독립; 독립 국가 연합 구성국의 하나).
U-Strab [ú:ʃtrap] *f.* -s =Unterpflasterstraßenbahn 도시 지하철.
usuell [uzuɛ́l] 《frz.》 *a.* 〔교양〕 관례〔관습〕의; 통례의, 관행의.
Usur [uzú:*r*] *f.* -en ①〔고어〕 사용, 이용; 관례, 관습; 수익(금). ②〖醫〗 (조직의) 소모, 마모.
Usurpation [uzurpatsió:n] 《lat. usurpatio》 *f.* -en 〖法〗 (주권·왕위의) 찬탈.
Usurpator [..pá:tɔr, ..to:*r*] *m.* -s, -en [..tí:rən] 왕위 찬탈자.
usurpatorisch *a.* 찬탈적인, 불법의.
usurpieren [..pí:rən] *t.* 찬탈하다.
Usurpierung *f.* -en 찬탈.
Usus [ú:zus] 《lat.》 *m.* - ① 실용, 사용. ② 관용; 관례, 관습: das ist bei uns ~ 그것이 우리 관행이다.
Usus·fruktus [u:zusfrʊ́ktus] *m.* - 〖法〗 용익권(用益權) (Nießbrauch).
usw., u.s.w. =und so weiter 기타, 등등.
ut *prp.* (ndd.) (aus) …의 밖에, 밖으로.
Utah [jú:ta] 유타(미국 서부의 주).
Ute [ú:tə] 《↑ 별형 Uote》 우테(니벨룽겐에 나오는 부르군트 제왕(諸王)의 어머니).
Utensil [utɛnzí:l] 《lat. utensilia》 *n.* -s, -ien [..liən] 용구, 기구, 도구: bei solchem Wetter ist der Regenschirm das wichtigste ~ 이런 날씨에 우산은 가장 중요한 용구다.
uter *prp./cj.* (ndd.) (außer) …밖에, …이외에는.
uterin [uterí:n] 《lat.》 *a.* 〖醫〗 자궁의.
uterin.. *pref.* "자궁"의 뜻(보기: ~drüse 자궁선(腺)).
Uterus [ú:terus] 《lat.》 *m.* -, ..ri 〖해부〗 자궁 (Gebärmutter).
Utgard [ú:tgart] *m.* - 〖북구신화〗 우트가르트 (거인(특히 악마)의 왕국).
utilisieren [utilizí:rən] 《⇔ Usus》 *t.* 〔구식〕 이용하다.
utilitär *a.* 〔교양〕 이익을 추구하는.
Utilitarier *m.* -s, - ↑ Utilitarist.
Utilitarismus *m.* - 〖哲〗 (Nützlichkeitslehre) 공리주의, 실리주의.
Utilitarist *m.* -en, -en 공리주의자.
utilitaristisch *a.* ① 공리주의의: die ~e Ethik 공리주의 윤리. ② 이익을 추구하는, 이익에 따라 행동하는.
Utilität [utilitɛ́:t] *f.* 〔구식〕 유용, 효용; 공리.
Utilitäts·lehre *f.* 〖哲〗 공리주의, 공리설.
***Utopia** [utó:pia] 《gr. ū, „nicht" + tŏpos, „Ort"; „Nirgendsland"》 *n.* -s 유토피아, 이상향(Th. More 의 저서의 제목에서); 〖넓은 의미〗 이상 사회의 몽상적 묘사.
***Utopie** [utopí:] *f.* -n [..pí:ən] ① 유토피아적〔이상적〕 사회상: die ~ von der klassenlosen Gesellschaft 계급 없는 사회라는 유토피아적 사회상. ② 꿈같은 이야기, 몽상, 공상.
Utopien [utó:piən] 《I》 *n.* -s ↑ Utopia. 《II》 ↑ Utopie 의 복수형.
***utopisch** [utó:pɪʃ] *a.* 유토피아의, 유토피아적〔공상적·몽상적〕인: ~es Denken 유토피아적 생각; 〖문학〗 ~er Roman a) 이상적 국가·사회를 그린 소설, b) 공상 과학 소설.
Utopismus [utopísmus] *m.* -, ..men ① 유토피아적 이상주의. ② 유토피아적인 생각〔사상〕, 사회의 공상적 개선 계획.
Utopist *m.* -en, -en ① 유토피아설의 창조자〔신봉자〕. ② 몽상〔공상〕가; 공상적 사회 개선가.
U-Träger [ú:..] *m.* -s, - 〖건축〗 횡단면이 U 자형인 대들보.
Utraquismus [utrakvísmus] *m.* - ①〖史〗 양형색론(兩形色論) (빵과 포도주 영성체를 주장한 학설). ②〖교육〗 정신 과학과 자연 과학을 균등하게 강조하는 교육관.
Utraquist [utrakvíst] 《lat.》 *m.* -en, -en 〖史〗 양형색론자(Kalixtiner).
utraquistisch *a.* 양형색론의.
Utrecht [ú:trɛçt, (ndl.) ý:trɛxt] 위트레흐트 (네덜란드 중부의 주 및 그 중심 도시).
Utrechter 《I》 *m.* -s, - 위트레흐트의 주민. 《II》 *a.* 위트레흐트의: 〖史〗 ~ Friede 위트레흐트 강화 조약.
utriusque juris doctor [utriʊ́skve jú:rıs dɔ́ktɔr] 《lat., „Doktor beider Rechte"》 (로마법과 교회법의) 양법학(兩法學) 박사.
ut supra [ʊ́t zú:pra] 《lat. „wie oben"》 〔구식〕 상술한 바와 같이, 위와 같이(약어: u.s.).
Utz *m.* 〔↑ Ulrich 의 애칭형〕 우츠(남자 이름).
u.U. =unter Umständen 사정〔경우〕에 따라서는.
u.ü.V. =unter üblichem Vorbehalt 관례상 유보(留保)하여.
UV [ufáu] =Ultraviolett 자외선(UV-Strahlen).
u.v.a. =und viele(s) andere 기타 많은 것.
Uvachromie [uvakro..] 《gr.》 *f.* 〖사진〗 컬러 사진 인화법.
u.v.a.m. =und viele(s) andere mehr 기타

많은 것.

UV-Filter *m./n.* 〖사진〗 자외선 차단 필터.

Uviol [uvió:l] *n.* -s ↑ Uviolglas.

Uviol·glas *n.* 자외선 투과 유리(의 상표명).

UV-Lampe *f.* (자외선 요법용) 태양등, 석영(石英)등.

UV-Strahlen *pl.* 〖物〗 자외선.

UV-Strahlung *f.* 〖物〗 우주선(線).

Uvula [ú:vula] 《lat. uva. „Traube"》 *f.* -e [..lɛ:] 〖해부〗 구개(口蓋), 목젖.

Uvulitis *f.* 〖醫〗 구개염(증).

u.W. =unseres Wissens 우리가 아는 바로는.

Ü-Wagen [ý:..] *m.* 〖방송·TV〗 =Übertragungswagen 방송 중계차.

Uz[1] [u:ts] *m.* ① Utz 우츠(남자 이름). ②〖구약〗 욥의 고향.

Uz[2] *m.* -es, -e 〖구어〗 (rhein.) (Fopperei) 놀려댐, 조롱, 야유.

u.Z. =unsere(r) Zeitrechnung 서력 기원 후, 서기.

Uz·bruder *m.* 〖구어〗 남을 잘 놀려 대는 사람.

uzen [ú:tsən] (du uzest〔uzt〕) *t.* 〖구어·방언〗 (necken) 놀려 대다, 조롱〔야유〕하다.

Uzerei *f.* -en 〖구어〗 조롱, 놀려 대기.

Uz·name *m.* 〖구어〗 별명.

u.zw. =und zwar 그 위에 또, 게다가, 단(但).

V

V, v [fau] *n.* -, - 독일 자모의 스물두째 자.
V ①〖物〗 =Volt 볼트. ②〖物·數〗 =Volumen 볼륨, 용적. ③〖化〗 =Vanadin, Vanadium 바나듐. ④〖印〗 =vertatur! 뒤집힌 글자를 바로 잡으시오! ⑤ 승리의 V자 손인사. ⑥ 로마 숫자의 5.
v 〖物〗 =velocitas 속도.
V. =Vers 시의 행(行), 시구(詩句).
v. =vom, von, vor.
v. ① =vide [víde:] 《lat., „siehe"》 보라. ② =vidi [ví:di:] 《lat., „ich hab's gesehen"》 나는 보았다. ③ =verte! 뒤집어라, 뒷면을 보라!
V-1, V-2 〖軍〗 =Vergeltungswaffe eins 보복 무기 1호(제 2 차 세계 대전 말 독일이 사용한 로켓탄), Vergeltungswaffe zwei 보복 무기 2호(동 로켓탄; 전후 미국에서 실험).
VA 〖전기〗 =Voltampere 볼트암페어.
v. a. =vor allem 무엇보다도.
va banque [va bã:k] 《frz., „es gilt die Bank"》〔다음 용법으로〕〖도박〗 ~! 몽땅 건다, 판돈 다 먹기다!; ~ spielen a) 모든 것을 걸다, b)〔교양〕 큰 모험을 감행하다.
Vabanque·spiel *n.* 〖도박·교양〗 모든 것을 건 승부; 사생결단의 모험.
vacat [vá:kat] *a.* 〔교양〕 없는, 빠진, 결핍된.
Vache [vaʃ] 《frz., „Kuh"》 *f.* -s 쇠가죽; 덮는 가죽.
Vache·leder [váʃ..] *n.* 부드러운 가죽(구두 재료).
Vademekum [va:demé:kʊm] 《lat.》 *n.* -s, -s 〖교양〗 교과서, 지침서; 입문서, 안내서.
Vadium [vá:diʊm] 《lat.》 *n.* -s, ..dien [..diən] (고대 독일법에서) 채무 징표.
vados [vadó:s] *a.* 〖지질〗 (지하수가) 지각(地殼) 부위에서 순환하는: ~es Wasser 순환수.
Vaduz [fadʊ́ts, vadʊ́:ts] 파두츠(Liechtenstein 의 수도).
VAE =Vereinigte Arabische Emirate *pl.* 아랍에미리트 연방.
vae victis [vɛ́: víkti:s] 《lat., „wehe den Besiegten"》〔교양〕 패자에게 화 있을진저(위협하는 문구).
vag [va:k] 《lat.》 *a.* ↑ vage.
Vagabondage [vagabɔndá:ʒə] *f.* 〔구식〕 (öst.) 방랑, 유랑 (생활).
Vagabund [vagabʊ́nt] *m.* -en, -en 유랑인, 뜨내기; 방랑자.
Vagabunden·leben *n.* -s 방랑 생활.
Vagabundentum *n.* -s ① 방랑, 유랑 생활. ②〔총칭〕 유랑인.
vagabundieren *i.* ① (h.) 방랑〔유랑〕 생활을 하다. ② (s.) 방랑〔유랑〕하다: 〖전기〗 ~de Ströme 떠돌이 전류(電流).
Vagant [vagánt] *m.* -en, -en ① 방랑인, 뜨내기. ②〖중세〗 편력(遍歷) 학생〔성직자·음유시인〕.
Vaganten·lied *n.* 〖문학〗 방랑 시가(詩歌) (연가·권주가·무도가 따위).
vage [vá:gə] *a.* 불확실한, 막연한, 애매한.
Vagheit *f.* -en 불확실, 막연, 애매.
vagieren [vagí:rən] *i.* (h.) 〔구식·雅語〕 방랑하다, 유랑하다.
Vagina [vagí:na] 《lat.》 *f.* ..nen 〖해부〗 ① 질(膣) (Scheide ②). ② (근육과 건의) 결합 조직으로 구성된 외피.
vaginal [vagɪná:l] *a.* 〖해부〗 질(膣)의.
Vaginismus *m.* -, ..men 〖醫〗 질 경련.
Vagus [vá:gʊs] 《lat.》 *m.* - 〖해부〗 미주(迷走) 신경.
vakant [vakánt] *a.* 〔교양〕 빈, 공석의, 결원의.
Vakanz *f.* -en ①〔교양〕 **(a)** 결원, 공석. **(b)** 공석〔결원〕인 자리. ②〔구식·방언〕 휴가, 바캉스.
vakat *adv.* 없이, 결원으로.
Vakat [vá:kat] *n.* -(s), -s 〖印〗 (인쇄되지 않은) 공백 페이지.
Vakuole [vakuó:lə] *f.* -n 〖生〗 세포질내의 공포(空胞), 액포(液胞); 소강(小腔).
***Vakuum** [vá:kuʊm] *n.* -s, ..kua/..kuen ①〖物〗 진공. ②〔교양〕 빈 공간〔시간〕.
Vakuum≈apparat *m.* 〖工〗 진공 장치. **~bremse** *f.* 진공 브레이크. **~entladung** *f.* 〖전기〗 진공 방전. **~messer** *n.*, **~meter** *n.* 〖工〗 진공계. **~pumpe** *f.* 〖工〗 진공 펌프. **~röhre** *f.* 〖전기〗 진공관. **~verpackt** *a.* 진공 포장된. **~verpackung** *f.* 진공 포장.
Vakzin [vaktsí:n] *n.* -s, -e 〖醫〗 백신; 우두(牛痘).
Vakzination [..natsió:n] *f.* -en 〖醫〗 예방 접종; 종두.
Vakzine [vaktsí:nə] *f.* -n ↑ Vakzin.
vakzinieren *t.* 〖醫〗 예방 접종하다, 우두 놓다.
Vakzinierung *f.* -en 〖醫〗 예방 접종, 우두 접종.
Valand [fá:lant] 《↑ Voland 의 별형》 *m.* -(e)s 악마.
vale [vá:le] 《lat., „lebewohl"》 〔교양·고어〕 부디 잘 지내요(작별 인사).
Valediktion [valedɪktsió:n] *f.* -en ① 작별, 이별. ② 고별사.
valedizieren *i.* (h.) 〔구식〕 ① 작별(인사)하다. ② 작별 연설을 하다.
Valencia [valέntsia] 《I》 발렌시아(에스파냐 동부의 주(州) 및 그 주의 수도). 《II》 *m.* -s, - 발렌시아 춤(일종의 사교춤).
Valenciennes·spitze [valãsíɛn..] *f.* (북프랑스 산업 도시 Valenciennes 에서 유래한) 꽃모양 레이스.
Valentin [vá:lɛnti:n] *m.* ① 발렌틴(남자 이름). ② (성)발렌티누스, 발렌타인(3 세기에 순교한 성자).
Valentins·tag *m.* 성(聖)발렌타인 축일.

Valenz [valέnts] *f.* -en ①〖化〗 원자가. ②〖문법〗 단어(특히 동사)의 결합가. ③〖생태학〗 유기체의 환경 적응력. ④〖心〗 유의성(誘意性)(지각 대상에 의해 촉발되는 심리적 성향)(Aufforderungscharakter).

Valeriana [valeriá:na] *f.* -nen 〖植〗 (Baldrian) 쥐오줌풀.

Valerie [valé:riə, ..lerí:] *f.* 발레리에(여자 이름).

Valeska [valέska] *f.* 발레스카(여자 이름).

Valet[1] [valé:] 《frz.》 *m.* -s, -s 〖카드〗 (프랑스 카드놀이의) 잭.

Valet[2] [valέt, ..lé:t] 《lat.》 *n.* -s, -s 〔교양·구식〕 이별, 작별 (인사) : jm.〔et.[3]〕 ~ sagen 누구를〔무엇을〕 포기하다, 누구와〔무엇과〕 작별하다.

valetieren [valεtí:rən] *t.* (schweiz.) 빳빳하게 다리미질하다.

Valet·schmaus *m.* 송별회.

Valeur [valǿ:r] 《frz.》 *m.* -s, -s 〔*f.* -s〕 ①〖商·구식〗 가치, 유가 증권. ②〖畫〗 색가(色價).

valid [valí:t] 《lat.》 *a.* 〔구식〕 ①〖法〗 유효한. ②믿을 수 있는, 효과 있는. ③건강한, 튼튼한.

Validation *f.* -en ①〔구식〕 유효 (선언). ② ↑ Validierung.

validieren [..dí:rən] 《Ⅰ》 *t.* ①〔구식〕 유효하게 하다, 유효라고 선언〔인정〕하다. ②〖언론·心〗 (결과·학문적 방법 따위의) 타당성〔신빙성〕을 검증하다. 《Ⅱ》 *i.* (h.) 유효하게 되다; 중요성〔유효성〕이 확인되다.

Validierung *f.* -en 〖언론·心〗 타당성〔신빙성〕 검증.

Validität *f.* ①〔구식〕 (법적) 유효성. ②〖언론·心〗 신뢰성, 타당성.

valieren [valí:rən] *i.* (h.) 〔구식〕 가치가 있다; 통용되다, 유효하다.

valleri [falərí:, va..], **vallera** [falərá:; va..] *int.* 오, 기쁘도다(특히 노래에서).

Valor 《lat.》 [vá:lɔr, ..lo:r] *m.* -s, -en [..ló:rən] 〖經〗 ①〔구식〕 가치, 봉급. ② 〔복수〕 **(a)** 귀중품. **(b)** 유가 증권.

Valoren·versicherung *f.* -en 〖보험〗 귀중품〔유가 증권〕 운송 보험.

Valorisation [valorizatsió:n] 《lat.》 *f.* -en 〖經〗 가격 유지〔인상〕 정책.

valorisieren *t.* 〖經〗 가격 유지〔인상〕 정책을 실행하다.

Valorisierung *f.* -en 〖經〗 가격 유지〔인상〕(정책).

Valuta [valú:ta] 《lat.》 *f.* ..ten 〖經〗 ① 통화 제도, 화폐 본위 제도. ② **(a)** 외화, 외환. **(b)** 환시세. ③ (특정한 날의) 상품 가치, 시세; 대가(代價). ④이자 기산일(起算日). ⑤〔복수〕 외평채 이자표.

Valuta=anleihe *f.* 〖經〗 외화채(外貨債), 외평채. **~klausel** *f.* 〖經〗 ① 외채 지급 약관. ② (수표·어음의) 대가(對價) 문구. **~kredit** *m.* 〖經〗 외환 크레디트〔채무〕. **~kurs** *m.* 외환 시세. **~-Mark** *f.* 〖구동독〗 외화 가격을 환산하기 위한 단위(약어: VM). **~notierung** *f.* 외환 시세표. **~politik** *f.* 〖經〗 외환 정책. **~sturz** *m.* 화폐 가치 하락.

valutieren [valutí:rən] 《<Valuta》 *t.* ①〔드물게〕 평가하다, 가치를 사정하다. ②〖經〗 이자 기산일을 정하다.

Valvation [valvatsió:n] *f.* -en 〖經〗 (외국환 따위의) 가치 평가, 가격 결정.

valvieren *t.* 〔구식〕 평가〔사정〕하다.

Vamp [vεmp] 《engl.; <Vampir》 *m.* -s, -s 요부(妖婦), 뱀프; 〖映〗 뱀프형 여배우.

Vampir [vámpi:r, (öst.) vampí:r] 《serb.》 *m.* -s, -e ① **(a)** 흡혈귀. **(b)** 〔비유·폄어〕 착취자, 흑사자, 고리 대금업자. ②〖動〗 (남아메리카산(産)의) 흡혈 박쥐.

vampirisch *a.* 흡혈귀 같은〔의·에 관한〕.

van [van, fan] 《ndl.》 =von(네덜란드계의 인명에 흔히 사용되었으며, 원래는 출신지를 나타냄; 보기: Anthovis ~ Dyck).

Vanadin [vanadí:n], **Vanadium** [vaná:dium] 《lat.》 *n.* -s 〖化〗 바나듐(금속 원소; 기호: V).

Van-Allen-Gürtel [væn|ǽlɪn..] *m.* 〖物〗 밴앨런 대(帶)(지구를 둘러싼 방사능대)(미국의 물리학자 J.A.Van Allen의 이름에서).

Vancouver [vεnkú:vər] 밴쿠버(캐나다의 섬 도시).

Vandale [vandá:lə] *m.* -n, -n 반달인〔족〕; 〔비유〕 파괴를 일삼는 자, 예술 파괴자.

Vandalin *f.* -nen ↑ Vandale의 여성형.

vandalisch *a.* 반달인〔족〕의, 〔비유〕 파괴적인, 야만의.

Vandalismus *m.* - 파괴욕, 예술 파괴, 야만 행위.

van Dyck [fan〔van〕 dáik, fan dέik] *m.* 반다이크(네덜란드의 화가, 1599-1641).

Van-Dyck-Braun [fandáik.., van..] *n.* -s 반다이크 브라운, 진한 밤색.

Vanille [vaníljə, ..nílə] 《sp.》 *f.* ①〖植〗 바닐라. ②바닐라 향료.

Vanille·eis, Vanillen·eis *n.* 바닐라향 아이스크림.

Vanillen·schokolade *f.* ↑ Vanilleschokolade.

Vanille=pudding *m.* 바닐라 푸딩. **~-schokolade** *f.* 바닐라가 든 초콜릿. **~-schote** *f.* 바닐라 열매. **~stange** *f.* 말린 바닐라 열매. **~zucker** *m.* ①바닐라 설탕. ② 바닐린 설탕.

Vanillin [vanılí:n] *n.* -s 〖化〗 바닐린(바닐라 콩에서 추출한 향료).

Vanuatu [vεnú:atu:] 바누아투(오세아니아주 남태평양의 섬으로 이루어진 공화국).

Vanuatuer *m.* -s, - 바누아투 사람.

vanuatuisch *a.* 바누아투(사람)의.

Vapeur [vapǿ:r] 《frz. <lat. vapor, „Dampf"》 *m.* -s, -s ① (모슬린 면사 따위의) 고운〔섬세한〕 천. ②〔복수〕〔교양·구식〕 **(a)** (체내의) 가스, 방귀. **(b)** 우울, 언짢음; 짜증, 변덕.

Vaporimeter [vaporimé:tər] *n./m.* -s, - (증기압에 의한) 알코올 농도 측정기.

Vaporisateur [..tǿ:r] *m.* -s, -e 증발기, 분무기(噴霧器).

Vaporisation *f.* -en ①〔구식〕 증발시킴. ② 알코올 함유량 측정. ③〖醫〗 증기 지혈법.

vaporisieren 《Ⅰ》 *i.* (s.) 증발〔기화〕하다. 《Ⅱ》 *t.* ①〔구식〕 증발시키다. ② (액체의) 알코올 함유량을 측정하다.

Vaporisierung *f.* -en 〔구식〕 증발; 〖醫〗 증기 요법.

Vaquero [vaké:ro, (span.) bakéro] *m.* -(s),

-s (미국 남서부·멕시코의) 목동, 카우보이.
var. =varietas, Varietät 변종.
Varanasi [v..] 바라나시(인도의 도시).
Varia [vá:ria] *pl.* 〖교양〗 (Verschiedenes) 잡동사니, 잡물, 잡록(雜錄); 〖商〗 잡비.
variabel [variá:bəl] *a.* 〖교양〗 변하기 쉬운, 변덕스러운, 불안정한: 〖經〗 variable Kosten 유동성 비용.
Variabilität *f.* -en ① 가변성. ② 〖生〗 변이성.
Variable* [variá:blə] 《frz.》 *die* -n 변수(變數): unabhängige ~ 독립 변수.
***Variante** [variántə] *f.* -n ① 〖교양〗 변종, 변이, 변형. ② 〖生〗 변이, 변이체. ③ 〖문학·출판〗 (여러 판본 사이의) 상이한 구절〔표현〕. ④ 〖음악〗 **(a)** (원본과 약간 다른) 변이, 변형. **(b)** 장단조의 상호 변이. ⑤ 〖언어학〗 (위치에 따른 발음 따위의) 변형.
varianten·reich *a.* 변화가 많은.
***Variation** [..tsió:n] *f.* -en ① 변화, 변동. ② 〖生〗 변종, 변이. ③ 〖天〗 (달의) 변차, 이균차(二均差). ④ 〖物〗 (자침의) 편차. ⑤ 〖數〗 변분(變分). ⑥ 〖음악〗 변주(곡).
Variations=breite *f.* ① 변화의 폭, 변동폭. ② 〖통계〗 최대치와 최저치의 차이. **~fähig** *a.* 변화 가능한, 가변성의. **~möglichkeit** *f.* 변화 가능성.
variativ *a.* 〖生〗 변종의.
Varietät [varieté:t] *f.* -en ① 다종, 다양. ② 〖生〗 (Abart) 변종(약어: var.).
Varieté [varieté:, ..riə..] 《frz.》 *n.* -s, -s ① (노래·곡예·춤 따위를 속도감 있게 바꿔 가며 상연하는) 바리에테〔버라이어티〕 (극장). ② 바리에테〔버라이어티〕 극장의 공연.
Variété *n.* -s, -s (schweiz.) ↑ Varieté.
Varietee 新정서 ⇦ Varieté.
Varieté·theater *n.* ↑ Varieté ①.
variieren [varií:rən] 《Ⅰ》 *t.* (verändern) 변화시키다, 바꾸다; 〖음악〗 (주제를) 변주하다. 《Ⅱ》 *i.* (h.) 변화하다, 바뀌다: es variiert 여러 가지로 잡다하다.
varikös [varikǿ:s] *a.* 〖醫〗 정맥류(靜脈瘤)의.
Varikose [..kó:zə] *f.* -n 〖醫〗 정맥류에 의한 통증.
Varikosität *f.* 〖醫〗 정맥류 형성.
Varikozele [..kotsé:lə] *f.* -n 〖병리〗 정삭 정맥류(精索靜脈瘤).
Varinas [varí:nas, vá:rinas] 《Ⅰ》 바리나스(베네수엘라의 도시). 《Ⅱ》 *m.* -, - ↑ Varinastabak.

Varinas·tabak *m.* 바리나스산(産) 담배.
Variola [varí:ola] 《lat.》 *f.* ..lä/..len 〖醫〗 두창(痘瘡), 천연두.
Variolation [variolatsió:n] *f.* -en 〖醫〗 종두.
Variole [varió:lə] *f.* -n 〖醫〗 ↑ Variola.
Varioliden *pl.* 중간두(中間痘), 완화두(緩化痘).
Variometer [varioméːtər] 《lat.》 *n.* -s, - ① (기압 등의) 변화 측정기. ② 〖空〗 승강(昇降) 속도계. ③ **(a)** 〖방송〗 자동 유도계, 바리오미터. **(b)** 〖전기〗 바리오미터; 자기(磁氣) 편차계.
Varistor [varístɔr, ..to:r] *m.* -s, -en [..tó:rən] 〖전기〗 배리스터.
Varityper [vɛ́ritaɪpər] *m.* -s, - (타자기의 원리에 따라 만든) 주조 식자기.
Varitron [va..] 《lat.》 *n.* -s, -en 〖物〗 바리트론.
Varix [vá:rɪks] *f.* ..rizen[varí:tsən], **Varize** [varí:tsə] 《lat.》 *f.* -n 〖병리〗 정맥류(靜脈瘤).
Varizelle [varitsɛ́lə] 《lat.》 *f.* -n 〖병리〗 (Windpocken) 수두(水痘), 풍진(風疹).
Vasall [vazál] *m.* -en, -en ① 〖중세〗 봉신(封臣), 가신(家臣). ② 〖폄어〗 종, 예속자, 노예.
Vasallenschaft *f.* ① 신하〔가신〕임, 신하〔가신〕의 신분〔의무〕. ② 〖총칭〗 신하.
Vasallen=staat *m.* 〖政〗 속국. **~treue** *f.* 충성.
Vasallentum [vazáləntu:m] *n.* -s ↑ Vasallenschaft.
Väschen [vɛ́:sçən] *n.* -s, - 〖↑ Vase의 축소형〗 (작은) 꽃병.
Vasco da Gama [vásko da gá:ma] *m.* 바스코다가마(인도 항로를 발견한 포르투갈의 항해자, 1469-1524).
***Vase** [vá:zə] *f.* -n ① 꽃병. ② (고대의) 다용도 질그릇.
Vasektomie *f.* -n [..mí:ən] 〖외과〗 ① 혈관의 부분 절제(切除). ② 정관(精管)의 부분 절제.
Vaselin [vazəlí:n] *n.* -s, **Vaseline** [..lí:nə] *f.* 〖化〗 바셀린.
vasen=förmig *a.* 꽃병 모양의. **~malerei** *f.* ① 꽃병에 그림을 그려넣기. ② (고대의) 꽃병 장식화.
vaskular [vaskulá:r], **vaskulär** [..lɛ́:r] 《lat.》 *a.* ① 〖해부〗 혈관의; 혈관을 가진. ② 〖植〗 관다발의.
Vasomotoren [vazomotó:rən] *pl.* 〖해부〗 혈관 운동 신경.
vasomotorisch [vazomotó:rɪʃ] *a.* 〖醫〗 ① 혈관 운동(신경)의. ② 혈관 운동 신경으로 인한.
vast [vast] 《lat.》 *a.* 〖구식〗 ① 광활한, 넓은. ② 황량한.
***Vater** [fá:tər] *m.* -s, Väter [fɛ́:tər] ① 아버지, 부친; 〖경박·폄어〗 kesser ~ 남자역을 하는 여자 동성 연애자; 〖구어〗 ach, du dicker ~! 야, 정말 놀랐는걸!; wie der ~, so der Sohn 그 아버지에 그 아들: er ist der ganze ~ 〔er ist seinem ~ wie aus dem Gesicht geschnitten〕 그는 아버지를 쏙 빼닮았다; 〖nordd. 에서는 관사 없이 고유 명사처럼 쓰임〗 ~ muß gleich kommen 아버지는 곧 오실 것입니다. ② **(a)** 〖비유〗 창시자, 보호자; 근원; 신부(神父): Sokrates ist der ~ der Philosophie 소크라테스는 철학의 아버지다; er ist ein ~ der Armen 그는 가난한 사람들의 아버지〔보호자〕다; 〖속담〗 der Wunsch ist oft der ~ des Gedankens 소망이 흔히 착상(着想)을 낳는다; ehrwürdiger ~ 신부님; Heiliger ~ 교황. **(b)** 〖宗〗 하느님: Gott ~ 〔~ unser〕 하느님 아버지. ③ 〖비유·농담〗 ~ Staat (국민의 경제 및 조세 따위를 관장한다는 의미에서) 국가; ~ Winter 동(冬)장군. ④ 〖복수〗 〖雅語〗 조상; (시·읍·면의) 장로; das Land unsrer Väter 조상의 땅; 〖雅語·농담〗 er wurde zu seinen Vätern versammelt 〔er versammelte sich zu seinen Vätern〕 그는 죽었다; die versammelten Väter (고대 로마의) 원로원 의원들; die Väter der Stadt 시의 원로들. ⑤ 〖농담·폄어〗 늙은이, 영감. ⑥ (동물의) 수컷.

⑦ 전축판을 만들기 위한 원판. ⑧〖광산〗 광갱 소재지.

Vater≈auge *n.* 〔다음 용법으로만〕 das ~ wacht a) 하느님은 모든 것을 지켜보고 계신다, b) 〔농담〕 아버지가 사사건건 감시하신다. **~bild** *n.* 아버지상(像). **~bindung** *f.* 〖心〗 (특히 딸이) 감정적으로 아버지 쪽으로 쏠리는 현상. **~bruder** *m.* 〔구식〕 ↑ Vatersbruder.

Väterchen [fɛ́:tərçən] *n.* -s, - 〔↑ Vater 의 축소형〕 ① 〔아버지에 대한 애칭〕 아빠. ② 노인, 늙은이: ~ Frost 혹독한 추위, 동장군. ③ 〔농담〕 러시아의 황제(Zar).

Vater≈figur *f.* 이상적 아버지상. **~freuden** *pl.* 아버지로서 맛볼 수 있는 기쁨: 〔雅語·농담〕 er sieht ~ entgegen 그는 곧 아버지가 된다. **~gut** *n.* 아버지의 유산. **~haus** *n.* 〔雅語〕 아버지의 집, 생가; 고향. **~herz** *n.* 〔雅語〕 부정(父情), 아버지의 자애. ***~land** *n.* 〔雅語〕 조국, 모국: fürs ~ sterben 군인으로서 전사하다. **~ländisch** *a.* 〔雅語〕 조국의, 고국의; 애국의.

Vaterlands≈freund *m.* 애국자. **~liebe** *f.* 애국심. **~liebend** *a.* 〔雅語〕 애국의, 애국하는.

vaterlandslos *a.* 〔雅語〕 ① 〔폄어〕 조국애가 없는, 매국적인. ② 조국이 없는.

Vaterlands≈verräter *m.* 〔雅語·폄어〕 매국노. **~verteidiger** *m.* -s, - 〔雅語〕 군인.

Väterlein *n.* -s, - 〔↑ Vater 의 축소형〕 〔雅語〕 ↑ Väterchen.

väterlich [fɛ́:tərlıç] 《I》 *a.* ① 아버지의, 아버지 편〔쪽〕의. ② (아버지처럼) 보살피는, 친절한. 《II》 *adv.* 아버지답게.

väterlicherseits *adv.* 아버지 편〔쪽〕에서는.

Väterlichkeit *f.* 아버지다움〔다운 점〕.

Vater·liebe *f.* 아버지의 사랑, 부성애.

vaterlos *a.* 아버지가 없는, 아버지를 잃은: ein ~er Haushalt 아버지 없는 가정.

Vater≈mord *m.* 친부 살해. **~mörder** *m.* ① 친부 살해범. ② 〖의상〗 고풍의 높은 옷깃. **~name, ~namen** *m.* ① 〖언어학〗 부칭(父稱) (아버지의 이름에서 유래하는 인명; 보기: Petersen 은 Peters Sohn 에서 유래). ② 〔고어〕 아버지의 이름; 성(姓); 가명(家名). **~pflicht** *f.* 아버지의 의무. **~recht** *n.* 〖인류〗 부권(제).

Vaters·bruder *m.* 〔구식〕 아버지의 형제, 백부, 숙부.

Vaterschaft [fá:tərʃaft] *f.* -en 아버지됨, 아버지의 신분, 부자 관계.

Vaterschafts≈bestimmung *f.* 부자 관계 확인, 친부(親父) 확인. **~klage** *f.* 〖法〗 친자〔친부〕 확인 소송.

Vater·schwester *f.* 〔구식〕 ↑ Vatersschwester.

Väter·sitte *f.* 조상의 풍습.

Vaters≈name *m.* ↑ Vatername. **~schwester** *f.* 〔구식〕 아버지의 누이, 고모, 백모, 숙모.

Vater≈stadt *f.* 고향 도시. **~stelle** *f.* 아버지의 지위: an〔bei〕 jm. ~ vertreten 누구의 아버지 역할을 하다. **~tag** *m.* 아버지의 날(독일에서는 그리스도 승천일(Himmelfahrtstag)을 아버지의 날로 정함). **~teil** *n.* 아버지의 유산.

Vater·unser [fa:tər|ʊ́nzər] *n.* -s, - 〖宗〗 주(主)기도문, 천주경(天主經).

Vati [fá:ti] *m.* -s, -s 〔아동〕 아빠.

Vatikan [vatiká:n] *m.* -s ① 바티칸 궁전; 교황청. ② 교황권, 교황 정치.

vatikanisch *a.* 교황(청)의.

Vatikan·stadt *f.* 바티칸시(市) (교황 직할의 독립 국가).

Vatikanum *n.* -s 〖가톨릭〗 바티칸 공회의(公會議) (1869-70).

vatizinieren 《lat.》 *t.* 예언하다.

Vatizinium [vatitsí:niʊm] *n.* -s, ..nien [..niən] 〔구식〕 예언.

Vaudeville [vodəví:l] 《frz.》 *n.* -s, -s [..ví:ls]/(öst.) - ① (18 세기 프랑스에서 생겨난) 통속 노래극, 보드빌. ② 보드빌에서 부르는 노래.

V-Ausschnitt [fáu..] *m.* -(e)s, -e (원피스나 스웨터의) V 자형 네크라인.

vazieren [vatsí:rən] *i.* (h.) (좌석이) 비어 있다; 한가하다.

v.Chr. =vor Christo〔Christus〕 기원전.

v.Chr.G. =vor Christi Geburt 기원전.

VCI =Verbund der Chemischen Industrie 화학 공업 협회.

v. d. =vor der; vor dem (특히 지명에서) …의 앞에서: ~ Wald 숲 앞에서.

VDA[1] =Verbund der Automobilindustrie 자동차 산업 협회.

VDA[2] =Volksbund für das Deutschtum im Ausland 재외(在外) 독일인 협회.

VDE[1] =Verband Deutscher Elektrotechniker 독일 전기 기술자 협회.

VDE[2] =Verkehrsprojekte Deutsche Einheit 통독 교통 계획(구동독 수송망의 현대화 프로젝트).

VDI =Verein Deutscher Ingenieure 독일 기술자 협회.

VdK =Verband der Kriegs- und Wehrdienstopfer, Behinderten und Sozialrentner 전쟁·병역 희생자, 장애인 및 국민 연금 수혜자 연합회.

VDS =Verband Deutscher Studentenschaften 독일 대학생 연맹; (1975 년 이후) Vereinigte Deutsche Studentenschaften 독일 대학생 연합.

vdt. =vidit 보았다, 알았다.

VE =Verrechnungseinheit 청산〔결산〕 단위.

VEB =Volkseigener Betrieb 〖구동독〗 인민 소유 기업.

Veda [vé:..] 《sanskr.》 *m.* -(s), -s/..den (Weda) 베다 경전.

Vedanta [vedánta] 《skt.》 *n./m.* (인도의) 베단타 철학(Wedanta).

Vedette [vedɛ́tə] 《frz.》 *f.* -n ① 〔구식〕 **(a)** 기마 초병(哨兵). **(b)** 보초병; 보초 근무. ② 〔드물게〕 **(a)** 스타, 명배우. **(b)** 주역.

vedisch [vé:dıʃ] *a.* (wedisch) 베다 경전의.

Vedute [vedú:tə] 《lat.》 *f.* -n (Ansicht) 조망; 풍경; 〖畫·그래픽〗 (재현) 풍경화.

Veduten≈maler *m.* 풍경 화가. **~malerei** *f.* 풍경화.

Veen [vé:n] *n.* -(e)s, -e (ndd.) (Fenn) 늪, 소택지.

vegetabil [vegetabí:l] *a.* 식물(성)의.

Vegetabilien [vegetabí:liən] *pl.* 식물 (Pflanzen); (Pflanzenspeisen) 식물성 식품, 야채.

vegetabilisch *a.* 식물(성)의.
Vegetarianer [..riá:nər] *m.* -s, - ↑ Vegetarier.
Vegetarier [..tá:riər] *m.* -s, - 채식주의자.
vegetarisch *a.* 채식의.
***Vegetarismus** [..tarísmus] *m.* - 채식주의.
Vegetation [..tsió:n] *f.* -en ① (어떤 지역의) 식물(계), 초목. ② 식물의 성장〔발육〕; 〖植〗 식생(植生). ③〖醫〗 비대성 증식증(增殖症), 혹.
Vegetations≈gebiet *n.* 식물대(帶). **~kult** *m.* 〖宗〗 초목 숭배 신앙. **~organ** *n.* 〖植〗 식물의 영양 공급 기관. **~periode** *f.* 〖植〗 (한 해 동안의) 식물의 생장 기간. **~punkt** *m.* 〖植〗 생장점.
vegetativ [..tatí:f] *a.* ① **(a)** 식물(성)의. **(b)** 〖植〗 모든 생물에 공통적인. ②〖生〗 무성(無性)(생식)의. ③〖醫·生〗 자율(신경)의: ~es Nervensystem 자율 신경계.
vegetieren *i.* (h.) ① 근근이 연명하다. ②〖植〗 무성 생식을 하다.
vehement [vehemɛ́nt] 《lat.》 *a.* 〔교양〕 (heftig) 맹렬〔격렬〕한.
Vehemenz *f.* 〔교양〕 맹렬, 격렬.
Vehikel [vehí:kəl] 《lat.》 *n.* -s, - ① (Fahrzeug) 차량, 수레, 탈것; (특히) 낡은 차. ② 〔교양〕 매체, 수단: die Freundschaft war ihm nur ein ~ für seinen Erfolg 그에게 우정은 성공을 위한 수단일 뿐이었다. ③〖藥〗 부형약(賦形藥).
Veigelein [fáɪgəlaɪn] *n.* -s, - ↑ Veilchen.
Veigerl [fáɪgərl] *n.* -s, -(n) (obd.) ↑ Veilchen.
Veil [faɪl] *n.* -s, -e 보라색; 〔시어〕 오랑캐꽃.
***Veilchen** [fáɪlçən] *n.* -s, - ①〖植〗 제비꽃, 오랑캐꽃: 〔구어〕 er ist blau wie ein ~ 그는 몹시 술취해 있다; wie ein ~ im Verborgenen blühen 은거하다, 숨어 살다. ②〔농담〕 (눈 주위에) 퍼렇게 든 멍.
Veilchen≈blatt *n.* 제비꽃잎. **~blau** *a.* ① 보라색의. ②〔농담〕 몹시 술취한. **~duft** *m.* 제비꽃 향기. **~fresser** *m.* 〔방언〕 색마(色魔). **~holz** *n.* 브라질산(產) 아카란다 목재. **~strauß** *m.* 제비꽃 다발. **~wurzel** *f.* 제비꽃 뿌리, 흰붓꽃 뿌리(약용·치약 향료).
Veit [fait] 《lat.》 *m.* 파이트(남자 이름; 성자(聖者)의 이름).
Veits≈bohne [fáɪts..] *f.* 〖植〗 강낭콩. **~tag** *m.* 〖가톨릭〗 성(聖)파이트 축일(6 월 15 일). **~tanz** *m.* 〖병리〗 무도병(舞蹈病).

Vektor [vɛ́ktɔr, ..to:r] 《lat.》 *m.* -s, -en [..tó:rən] ①〖數·物〗 벡터. ②〖컴〗 선그림.
Vektor≈analysis *f.* 〖數〗 벡터 해석(학). **~funktion** *f.* 벡터 함수.
vektoriell *a.* 〖數〗 벡터의, 벡터 계산에 따른.
Vektor·rechnung *f.* 〖數〗 벡터 계산.
Vela ↑ Velum 의 복수형.
Velar [velá:r] 《lat.》 *m.* -s, -e 〖음성〗 연구개음(軟口蓋音) (보기: g, k, ng 따위).
Velin [velí:n, velɛ̃:] 《frz.》 *n.* -s 〖출판〗 ① 양피지(Pergament). ② 비싼 책표지용의 부드럽고 흰 종이.
Velin·papier *n.* 〖출판〗 ↑ Velin ②.
Velleität [vɛleitɛ́:t] 《frz.》 *f.* -en 〖哲〗 무기력한 의욕, 행동으로 옮겨지지 않는 욕망.
Velo [vé:lo] *n.* -s, -s (schweiz.) 자전거.
Velodrom [velodró:m] 《frz.》 *n.* -s, -e 벨로드롬(자전거 경주장).
Velours[1] [vəlú:r, ve..] 《frz.》 *m.* - [..s], - [..s] 〖섬유〗 벨루어, 비로드.
Velours[2] *n.* - [..s], - [..s], **Velours·leder** *n.* (뒷면을 크롬으로 무두질한) 세무 가죽.
Veloziped [velotsipé:t] *n.* -(e)s, -e 〔구식〕 자전거(Fahrrad).
Velozipedist *m.* -en, -en 〔구식〕 자전거 타는 사람, 자전거 선수.
Velozität *f.* 속도.
Velpel [fɛ́lpəl] *m.* -s 〖섬유〗 플러시(Felbel).
Velten [fɛ́ltən] *m.* 〔↑ Valentin 의 축소형〕 펠텐(남자 이름): potz ~! 이런, 원, 잡쳤다!
Velum [vé:lum] 《lat.》 *n.* -s, ..la ①〖가톨릭〗 성작보(聖爵褓). ② (고대 로마에서 대문이나 홀에 햇빛을 가리기 위해 드리운) 커튼. ③〖해부〗 연구개(軟口蓋). ④〖動〗 (달팽이나 조개류의 운동 기관인) 면반(面盤). ⑤〖植〗 들싸리 버섯의 균막(菌膜).
Velum palatinum [vé:lum palatí:num] *n.* - -, Vela ..na 〖해부〗 ↑ Velum ③.
Velvet [vɛ́lvət] 《engl.》 *m./n.* -s, -s 〖섬유〗 벨벳, 비로드.
venal [vená:l] 《lat.》 *a.* 〔구식〕 (돈으로) 살 수 있는; (뇌물로) 매수할 수 있는.
Venalität *f.* 구매〔매수〕 가능성.
Vendemiaire [vɑ̃demiɛ́:r] 《frz.》 *m.* -(s), -s 포도월(葡萄月) (프랑스 혁명력 첫째 달; 9 월 22 일-10 월 21 일에 해당).
Vendetta [vɛndɛ́ta] 《it.》 *f.* ..tten (Blutrache) (피살자의 일족이 살해자 또는 그 일족을 죽이는) 피의 복수.
Vendome·säule [vɑ̃dó:m..] *f.* 파리의 전승(戰勝) 기념탑.
***Vene** [vé:nə] 《lat.》 *f.* -n 〖해부〗 정맥(↔ Arterie).
***Venedig** [vené:dɪç] 베네치아, 베니스.
Venediger [..gər] 《I》 *m.* -s, - 베네치아인, 베네치아의 주민. 《II》 *a.* 베네치아의. 《III》 *m.* -s 베네치아산(동알프스의 산).
venedisch *a.* 베네치아(풍)의.
Veneficium [venefítsɪum] 《lat.》 *n.* -s 〖醫〗 독살.
Venen≈blut *n.* 정맥혈. **~entzündung** *f.* 〖醫〗 정맥염(炎).
Venenum 《lat.》 *n.* -s 〖醫〗 독(Gift).
venerabel [venerá:bəl] 《lat.》 *a.* 〔구식〕 존경할 만한(ehrwürdig).
Venerabile [..rá:bile] *n.* -(s) 〖가톨릭〗 성체(성찬용 빵)(Hostie).
Veneration [..ratsió:n] *f.* -en 〔구식〕 존경, 외경(畏敬).
Venerie [venerí:] 《lat.; <Venus》 *f.* ..rien [..rí:ən] 성병(性病).
venerieren *t.* 〔구식〕 존경〔숭배〕하다.
venerisch [vené:rɪʃ] *a.* 〖醫〗 성병의, 성병으로 인한: ~e Krankheit 성병.
Venerologie *f.* 〖醫〗 성병학.
Veneter *m.* -s, - (고대의) 베네치아 주민.
Veneterin *f.* -nen ↑ Veneter 의 여성형.
Venezia [venɛ́:tsia] ↑ Venedig.
Venezianer *m.* -, - ↑ Venediger 《I》.
Venezianerin *f.* -nen ↑ Venezianer 의 여성형.

venezianisch *a.* ↑ venedisch.
Venezolaner [venetsolá:nər] *m.* -s, - ↑ Venezueler.
venezolanisch *a.* ↑ venezuelisch.
Venezuela [venetsué:la] 베네수엘라.
Venezueler *m.* -s, - 베네수엘라 사람.
venezuelisch *a.* 베네수엘라의.
Venia legendi [vé:nia legéndi] 《lat.》 *f.* 대학의 교원 자격.
veni, vidi, vici [vé:ni, ví:di, ví:tsi] 《lat., „ich kam, sah und siegte"》〔교양〕 왔노라, 보았노라, 이겼노라(시저의 전승 보고의 말).
Venn [fɛn] *n.* -s (Fenn) 늪, 소택지.
Venner [fɛ́nər] *m.* -s, - (schweiz.) 사관 후보생, 수습 사관.
venös [venø̋:s] 《frz.; <Vene》 *a.* 〖醫〗 정맥의; 정맥이 많은.
*__Ventil__ [vɛntí:l] *n.* -s, -e ① 밸브; 〔비유〕 (불만·분노의) 배출구. ②〖악기〗 (**a**) (악기의) 피스톤, 음전(音栓). (**b**) 오르간의 공기 조절판. ③〖전기공학〗 전류를 한 방향으로만 유도하는 부품〔장치〕.
Ventilation [vɛntilatsió:n] *f.* -en ① 통풍, 환기. ② 통풍 장치.
Ventilator [..lá:tɔr, ..to:r] *m.* -s, -en [..tó:rən] 선풍기, 송풍기, 환풍기, (자동차의) 냉각 팬.
Ventil·gummi *n./m.* 밸브 밀폐용 고무관(管).
ventilieren *t.* ① 통풍시키다, 환기하다. ②〔교양〕 신중히 검토하다; 논의하다.
Ventilierung *f.* -en ① 통풍, 환기. ② 숙고, 논의.
Ventil≠klappe *f.* 〖工〗 나비형 밸브, 스로틀 밸브. **~kolben** *m.* 피스톤 밸브. **~röhre** *f.* 〖전기〗 정류관(整流管). **~sitz** *m.* 밸브 시트. **~spiel** *n.* 〖工〗 밸브 간극. **~steuerung** *f.* 〖車〗 밸브 장치〔운동〕.
Ventose [vãtó:s] 《frz., „Windmonat"》 *m.* -(s), -s 풍월(風月)(프랑스 혁명력의 제 6 월; 2 월 19 일부터 3 월 20 일까지).
ventral [vɛntrá:l] *a.* 〖해부〗 배(腹)의, 배쪽의.
Ventrikel [vɛntrí:kəl] *m.* -s, - 〖해부〗 ① 방, (특히 장기(臟器)의) 빈 공간(보기: 심실·뇌실). ② 배(腹) 모양으로 튀어나온 것(보기: 위(胃)).
ventrikular [vɛntrikulá:r], **ventrikulär** [..lɛ́:r] *a.* 〖醫〗 심실〔뇌실〕의; 위(胃)의.
Ventriloquist [..lokvíst] *m.* -en, -en 복화술자(腹話術者) (Bauchredner).
*__Venus__ [vé:nus] 《lat.》 *f.* ①〖로마신화〗 비너스(미와 사랑의 여신; 〖그리스신화〗 Aphrodite에 해당); 〔방언〕 성애(性愛); 색정; 미녀. ②〖天〗 금성. ③〖植〗 파리지옥풀.
Venus≠berg *m.* ①〖해부〗 (여성) 음부의 둔덕. ② Thüringen 주 및 Hessen 주의 여러 산 이름. **~beule** *f.* 〖醫〗 변독(便毒), 음식창(陰蝕瘡). **~blüten** *pl.* 매독. **~durchgang** *m.* 〖天〗 금성의 자오선 통과. **~fliegen·falle** *f.* 〖植〗 파리지옥풀(북아메리카의 늪지대에 서식하는 식충 식물). **~gürtel** *m.* ① 비너스의 띠; 〔비유〕 여성의 매력. ②〖動〗 띠해파리. **~haar** *n.* ①〖植〗 봉작고사리. ② 음모(陰毛).
venushaft *a.* 비너스 같은.
Venus≠hügel *m.* 〖해부〗 ↑ ~berg ①. **~krankheit** *f.* 성병. **~korb** *m.* 〖動〗 오웨니바다수세미, 해로 동혈. **~muschel** *f.* 〖動〗 참비단달팽이, 비너스명주달팽이. **~priesterin** *f.* 비너스의 무당; 〔비유〕 창부. **~schuh** *m.* 〖植〗 개불알꽃. **~sonde** *f.* 금성 탐사선. **~stern** *m.* 〖天〗 금성.
ver.. *pref.* 〔비분리 동사의 전철로 늘 악센트가 없고 그 합성 동사는 과거 분사에 ge..를 취하지 않음〕 ① 대리(보기: vertreten, verantworten), 경과(보기: verplaudern, verschlafen), 통과(보기: verlesen, verleben), 저지·차단(보기: versagen, versperren)을 뜻함. ② 소멸·파멸·훼손(보기: (*i.*) verschwinden, verfallen; (*t.*) verarbeiten, verbrauchen), 금전·시간의 낭비(보기: vertrinken, verplaudern), 반대 방향·착오(보기: verdrehen, verwöhnen), 제거(보기: vertreiben, verjagen), 장소의 이동(보기: versetzen, verpflanzen), 어근의 의미와의 반대(보기: verachten, verbieten)을 뜻함. ③ 어근의 의미를 강하게 함(보기: vermehren, verwickeln). ④ 어근이 의미하는 동작의 완결·결과를 나타냄(보기: verbleiben, verheilen). ⑤ 자동사를 타동사로 변화시킬 때가 있음(보기: verfolgen, verlachen). ⑥ 어근이 시적 표현으로만 쓰이는 경우(보기: verwandeln, verwüsten). ⑦ 어근과 합성어 사이에 연관성이 없고 전혀 다른 뜻으로 쓰이는 경우(보기: verstehen, verzeihen). ⑧ 어근이 소멸한 것(보기: vergessen). ⑨ 형용사에서 파생한 동사와 결합한 것(보기: *i.* veralten, verarmen; *t.* vergrößern, verkürzen). ⑩〔명사와 결합하여 동사를 만드는 것〕 (**a**) 명사가 표시하는 사물이 됨을 나타냄(보기: verbauern, verkohlen). (**b**) 명사가 표시하는 사물로 만든다는 것을 나타냄(보기: verfeinden, vergöttern). (**c**) 명사가 표시하는 물질을 첨가하는 것을 나타냄(보기: vergolden, versilbern). ⑪ ver.. 의 합성 동사에서 이루어진 명사(보기: Verband, Verdienst, Verein).
Vera [vé:ra] *f.* 베라(여자 이름).
veraasen *t.* (nordd.) ① 낭비하다. ② (음식이나 사료를) 못 먹게 만들다.
verabfolgen *t.* 〔격식·구식〕 (넘겨) 주다, 인도(引渡)하다: jm. eine Spritze ~ 누구에게 주사를 놓아 주다.
Verabfolgung *f.* -en 〔격식〕 건네줌, 인도, 이양, 교부.
verabreden 《I》 *t.* (말로, 구두로) 약속하다, 약정하다: wie verabredet 약속한 대로; ich bin schon anderweitig verabredet 나는 선약이 있다. 《II》 *refl.* sich ~ 약속하다: sich mit jm. ~ 누구와 약속하다.

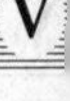

verabredeter·maßen *adv.* 약속한 대로.
Verabredung *f.* -en ① (**a**) (구두의) 약속, 약정. (**b**) 상의, 협정: nach ~ 약속에 따라. ② 약속된 만남.
verabreichen *t.* 〔격식〕 (음식·음료·약을) 주다: ein Heilmittel ~ 약을 먹이다; jm. eins ~ 누구를 한 대 갈기다.
Verabreichung *f.* -en 〔격식〕 (음식·음료·약의) 제공.
verabsäumen [fɛr|ápzɔʏmən] *t.* 〔격식〕 (해야 할 일을) 게을리하다, 하지 않다: er hat es verabsäumt, sie einzuladen 그는 그녀를 초대하지 않았다.
verabscheuen [fɛr|ápʃɔʏən] *t.* 싫어하다, 혐오하다, 증오하다: er verabscheut jede Art

von Schmeichelei 그는 어떤 아첨이든 다 싫어한다.

verabscheuens·wert *a.* 혐오스러운, 싫은.

Verabscheuung *f.* 증오, 혐오, 꺼림.

verabscheuungs·würdig *a.* ↑ verabscheuenswert.

***verabschieden** [fɛr|ápʃiːdən] 《I》 *t.* ① 작별을 고하다: er verabschiedete sie mit freundlichen Worten 그는 정겨운 말로 그녀와 작별 인사를 했다. ② 해고〔파면〕하다; 퇴직〔전역〕시키다. ③ (법안을) 가결하다, 통과시키다. 《II》 *refl.* sich ～ 이별하다, 작별을 고하다: sich von jm. ～ 누구와 헤어지다, 하직하다.

Verabschiedung *f.* -en ① (법률 따위의) 의결, 통과. ② 면직, 해고; 이별.

verabschiedungs·reif *a.* 결정할 때가 된.

verabsolutieren *t.* 절대화〔절대시〕하다.

Verabsolutierung *f.* -en ① 절대화, 절대시. ② 절대화된 말〔주장〕.

***verachten** *t.* 경멸하다, 업신여기다: den Tod ～ 죽음을 가볍게 여기다; 〔구어〕 das ist nicht zu ～ 그것은 아주 좋다.

verachtens=wert, ～würdig *a.* 경멸받을 만한, 경멸받아 마땅한.

Verächter [fɛr|ɛ́çtər] *m.* -s, - 경멸하는 사람, 업신여기는 사람.

Verächterin *f.* -nen ↑ Verächter 의 여성형.

verachtfachen [fɛr|áxtfaxən] *t.* 8 배로 만들다.

verächtlich [fɛr|ɛ́çtlɪç] *a.* ① 경멸적인, 깔보는, 업신여기는: eine ～e Haltung 경멸적인 태도. ② 경멸할 만한, 비루한: jn. ～ behandeln 누구를 멸시하다; jn.〔et.〕 ～ machen 누구를〔무엇을〕 조롱하다.

Verächtlichkeit *f.* 경멸스러움.

Verächtlich·machung *f.* 〔격식〕 업신여김.

Verachtung *f.* 경멸, 모멸, 경시, 업신여김: jn. mit ～ strafen 누구를 경멸로 응징하다.

verachtungs=wert, ～würdig *a.* ↑ verachtenswert.

verähnlichen [fɛr|ɛ́ːnlɪçən] 《I》 *t.* 닮게 하다, 동화하다. 《II》 *refl.* sich ～ 동화되다.

Verähnlichung *f.* -en 닮게 함, 동화시킴.

verakkordieren *t.* 계약〔협정〕하다: et. mit jm. ～ 누구와 무엇을 계약하다.

veralbern [fɛr|álbərn] *t.* 〔구어〕 놀리다, 조롱하다; 바보 취급하다.

Veralberung *f.* -en ① 조롱, 우롱. ② 조롱적인 언행.

verallgemeinern [fɛr|algəmáɪnərn] *t./i.* (h.) 일반화〔보편화〕하다.

Verallgemeinerung *f.* -en ① 일반화, 보편화; 〚哲〛 개괄. ② 일반화하는 말〔진술〕.

***veralten** [fɛr|áltən] 《I》 *i.* (s.) 낡다, 쓸모 없어지다, 시대에 뒤떨어지다, 쇠퇴하다: eine Mode veraltet immer 유행은 쇠퇴하기 마련이다. 《II》 **veraltet** *p.a.* ↑ veraltet.

***veraltet** 《I》 *p.p.* ↑ veralten. 《II》 *p.a.* 낡은, 시대에 뒤진, 못쓰게 된; 〚法〛 시효가 지난 (verjährt).

Veranda [veránda] 《ind. -engl.》 *f.* ..den 〚건축〛 베란다.

veranda·artig *a.* 베란다 모양의.

veränderbar *a.* 변경할〔바꿀〕 수 있는, 변할 수 있는, 가변성의.

***veränderlich** [fɛr|ɛ́ndərlɪç] *a.* ① 변하는, 변하기 쉬운, 변덕스러운; 불안정한: er hat ein ～es Wesen 그는 변덕스럽다; 〚天〛 ～e Sterne 변광성. ② 〚數〛 가변의: eine ～e Größe 〔die ～e〕 변수.

Veränderliche[1] *die* 〚數〛 변수.

Veränderliche[2] *der* 〚天〛 변광성(變光星).

Veränderlichkeit *f.* -en 변하기 쉬움, 가변성.

***verändern** 《I》 *t.* 바꾸다, 변화시키다, 변경하다. 《II》 *refl.* sich ～ ① 변하다, 변화하다: sich zu seinen Gunsten〔Ungunsten〕 ～ 그에게 유리〔불리〕하게 되다; er hat sich verändert 그는 딴사람이 되었다. ② 〔구어〕 직업을〔직위를〕 바꾸다. ③ 〔구식〕 결혼하다.

***Veränderung** *f.* -en ① 변화, 변경, 변혁, 변동: ～ der Stimme 변성(變聲). ② 달라진 것, 변화의 결과. ③ 〔드물게〕 전직(轉職).

veränderungs·halber *adv.* 변하기 때문에, 변하는 탓으로.

verängstigen *t.* 겁나게 만들다, 불안하게 하다: verängstigt 겁에 질린.

Verängstigung *f.* 〔드물게〕 ① 겁먹게 함, 불안하게 함. ② 겁먹음, 불안.

verankern *t.* ① 〚海〛 (배를) 닻으로 고정시키다; 〚空〛 (기구(氣球) 따위를) 계류하다; 〚건축〛 (건축 부품 따위를) 꺾쇠로 고정시키다. ② (권리·요구 따위를) 확정하다, 명문화하다: 〔비유〕 das Recht ist im Gesetz verankert 이 권리는 법조문화되어 있다.

Verankerung *f.* -en ① 고정(시킴); 정박, 계류. ② 규정, 확정, 근거를 둠.

veranlagen [fɛr|ánlaːgən] 《I》 *t.* 〚재정〛 세액을 산정하다: man veranlagte ihn 〔die Firma〕 mit 10000 Mark 그〔그 회사〕는 과세대상액이 1 만 마르크로 사정되었다; Eheleute werden zusammen veranlagt 부부에게는 공동으로 세금을 매긴다. 《II》 **veranlagt** *p.a.* ↑ veranlagt.

veranlagt 《I》 *p.p.* ↑ veranlagen. 《II》 *p.a.* …의 재능〔소질〕이 있는: künstlerisch ～ sein 예술가의 소질이 있다.

Veranlagung *f.* -en ① 〚재정〛 세액의 사정. ② (a) 재능, 소질. (b) 〚醫〛 (질병에 걸릴) 기질, 체질.

Veranlagungs·steuer *f.* 〚재정〛 사정(査定)하여 매긴 세금.

***veranlassen** [fɛr|ánlasən] (veranlaßte, veranlaßt) 《<Anlaß》 *t.* ① 야기하다, 유발하다. ② 자극하다, 사주(使嗾)하다: jn. zu et.[3] ～ 누구를 부추겨 무엇을 하게 하다.

Veranlasser *m.* -s, - 〔격식〕 발기인, 사주자(使嗾者).

Veranlassung *f.* -en ① 유인(誘因), 동기; 근거: ～ zu et.[3] geben 무엇을 야기시키다; 무엇의 동기를 주다. ② 권유, 장려, 사주(使嗾): auf seine ～ 그의 발의〔권유〕로.

Veranlassungs=verb *n.*, **～wort** *n.* 〔복수: ..wörter〕 〚언어학〛 사역 동사.

verannehmlichen [fɛr|ánneːmlɪçən] *t.* 유쾌하게 하다.

veranschaulichen [fɛr|ánʃaulɪçən] *t.* 일목요연하게 설명하다, 실물을〔실례를·도해를〕 통해 분명히 하다.

Veranschaulichung *f.* -en 도해, 예증.

Veranschaulichungs·mittel *n.* (그림·표

본 따위의) 도해〔예증〕 자료.

veranschlagen [fɛr|ánʃla:gən] (veranschlagte, veranschlagt) 《< Anschlag》 *t.* ① 어림잡다, 견적내다. ② 평가하다: die Kosten zu niedrig ~ 비용을 너무 낮게 잡다; sein Einfluß kann nicht hoch genug veranschlagt werden 그의 영향은 아무리 높이 평가해도 지나치지 않다.

Veranschlagung *f.* -en 평가, 견적, 개산(概算).

veranstalten [fɛr|ánʃtaltən] *t.* ① 개최하다, 실행하다: einen Kongreß ~ 회의를 개최하다. ②〔구어〕(행)하다: veranstaltet nicht so einen Lärm! 그런 소음을 내지 마라!

Veranstalter *m.* -s, - 발기인, 주최자; (연회 따위의) 주인역(役).

Veranstalterin *f.* -nen ↑ Veranstalter 의 여성형.

Veranstaltung *f.* -en ① 거행, 개최. ② 모임, 행사, 축제, 시위.

Veranstaltungs·kalender *m.* 행사 일정표.

***verantworten** [fɛr|ántvɔrtən] 《Ⅰ》 *t.* 책임지다: ich will es ~ 내가 그것을 책임지겠다. 《Ⅱ》 *refl.* sich ~ 해명〔변명〕하다: sich für et. 〔wegen eines Dinges〕 ~ 무엇에 대해 변명하다; sich wegen seiner Taten vor Gericht ~ 자신의 행위에 대해 법정에서 해명하다.

***verantwortlich** *a.* ① 책임이 있는, 해명할 의무가 있는: die ~e Behörde 책임 관청; der ~e Redakteur 편집 책임자; für et. ~ sein 무엇에 대해 책임이 있다; jn. für et. ~ machen 누구에게 무엇의 책임을 지우다. ② 책임감이 있는: man kann von ihm ~es Handeln erwarten 그에게 책임감 있는 행동을 기대할 수 있다.

Verantwortlichkeit *f.* ① **(a)** 책임 (있음): gegenseitige ~ 쌍방 책임. **(b)**〖法〗책임 능력. ② 책임 사항〔범위〕. ③ 책임 의식, 책임감.

***Verantwortung** *f.* -en ① 책임(을 떠맡음): die ~ für et. übernehmen〔ablehnen〕 무엇의 책임을 지다〔회피하다〕; jn. (für et.) zur ~ ziehen 누구에게 (무엇에 대한) 책임을 묻다; tu es auf meine ~! 내가 책임질 테니 해라!; ich trage die ~ 책임은 내게 있다. ② 책임 의식. ③〔구식〕해명, 변호.

verantwortungs⸗bewußt *a.* 책임을 의식하고 있는. **~bewußtsein** *n.* 책임 의식. **~freudig** *a.* 기꺼이 책임을 지는. **~gefühl** *n.* 책임감.

verantwortungslos *a.* 무책임한, 책임감 없는.

Verantwortungslosigkeit *f.* 책임감 없음, 무책임; 무책임한 사고〔행동〕.

Verantwortungs⸗rede *f.* 변명, 변호. **~schrift** *f.* 변명서. **~voll** *a.* ① 책임(감)을 요구하는, 책임이 중대한: eine ~e Aufgabe 책임을 요하는 과제. ② 책임감 있는, 책임을 깨달은.

veräppeln [fɛr|ɛ́pəln] *t.* 〔구어〕놀리다, 조롱하다, 바보 취급하다.

verarbeitbar *a.* 가공 가능한.

Verarbeitbarkeit *f.* -en 가공〔세공〕 가능성.

***verarbeiten** [fɛr|árbaɪtən] 《Ⅰ》 *t.* ① 소재로 사용하다; 소모하다. ② 가공하다, 세공(細工)하다: Gold zu Schmuckgegenständen ~ 금을 세공하여 장신구로 만들다. ③〔비유〕소화하다: die Speisen ~ 음식을 소화하다. ④ 이해하다, 극복하다; 자기 의견이 생기다: ein Buch (in sich) ~ 어떤 책을 충분히 소화하다. 《Ⅱ》 **verarbeitet** *p.a.* ↑ verarbeitet.

verarbeitet 《Ⅰ》 *p.p.* ↑ verarbeiten. 《Ⅱ》 *p.a.* ① 일하여 지친〔상한〕: ~e Hände 일하여 상한 손. ② (특정 방식으로) 만들어진.

Verarbeitung *f.* -en ① 가공; 소화. ② 만듦새, 가공 방식.

verargen [fɛr|árgən] *t.* 〖雅語〗나쁘게 생각하다: jm. et. ~ 누구의 무엇을 나쁘게 보다, 무엇 때문에 누구에게 화를 내다.

***verärgern** 《Ⅰ》 *t.* 성나게 하다, 기분을 상하게 하다. 《Ⅱ》 **verärgert** *p.a.* ↑ verärgert.

verärgert 《Ⅰ》 *p.p.* ↑ verärgern. 《Ⅱ》 *p.a.* 성난, 짜증난.

Verärgerung *f.* -en 화나게 함; 짜증남.

verarmen [fɛr|ármən] 《Ⅰ》 *i.* (s.) 가난해지다, 영락하다. 《Ⅱ》 **verarmt** *p.a.* ↑ verarmt.

verarmt 《Ⅰ》 *p.p.* ↑ verarmen. 《Ⅱ》 *p.a.* 영락한.

Verarmung *f.* -en ① 가난해짐; 빈곤. ②〖醫〗빈혈(貧血).

verarschen [fɛr|árʃən] *t.* 〔비속〕비웃다, 조롱하다, 엿먹이다, 바보 취급하다.

verarzten [fɛr|á:rtstən] *t.* 〔구어〕① 응급 처치하다. ② (상처에) 붕대를 감다; (상처를) 치료하다. ③〔드물게〕(어떤 지역·집단을) 의사로서 담당하다.

Verarztung *f.* -en 〔구어〕응급 처치.

veraschen [fɛr|áʃən] 《Ⅰ》 *t.* 〖化〗재로 만들다. 《Ⅱ》 *i.* (s.) 〔드물게〕재가 되다.

verästeln [fɛr|ɛ́stəln] 《Ⅰ》 *refl.* sich ~ ① 가지가 나다. ② (혈관·신경 따위가) 나누어지다, 갈라지다;〔비유〕(조직·기구가) 세분화하다. 《Ⅱ》 **verästelt** *p.a.* ↑ verästelt.

verästelt 《Ⅰ》 *p.p.* ↑ verästeln. 《Ⅱ》 *p.a.* 가지가 나뉜; 세분된.

Verästelung *f.* -en ① 분지(分枝), 가지를 침. ② 가지, 지류; 세분된 것.

Verästlung *f.* -en ↑ Verästelung.

Veratrin [veratrí:n] 《lat.》 *n.* -s 〖化〗베라트린(유독성 알칼로이드).

verätzen *t.* 부식제로 손상시키다〔부상입히다〕.

verauktionieren [fɛr|auktsioní:rən] *t.* 경매하다.

Verauktionierung *f.* -en 경매.

verausgaben [fɛr|áusga:bən] 《Ⅰ》 *t.* ①〔격식〕(돈을) 지출하다. ②〔드물게〕(힘을) 소진시키다. 《Ⅱ》 *refl.* sich ~ 돈을 다쓰다; 기진맥진하도록 힘쓰다: sie hat sich bei dem Marathonlauf zu sehr verausgabt 그녀는 마라톤을 하다가 너무 진이 빠졌다.

Verausgabung *f.* -en 지출, 소모.

verauslagen [fɛr|áusla:gən] *t.* 〔격식〕(돈을) 빌려 주다: jm. 〔für jn.〕 Geld ~ 누구에게 돈을 빌려 주다.

Verauslagung *f.* -en 〔격식〕(돈을) 빌려 줌.

veräußerlich [fɛr|ɔ́ʏsərlɪç] *a.* 〖法·격식〗양도〔매각〕할 수 있는.

veräußerlichen 〔교양〕《Ⅰ》 *t.* 외면적〔피상적〕으로 만들다; 천박하게 만들다. 《Ⅱ》 *i.* (s.) 피상화〔외면화〕하다; 천박해지다.

Veräußerlichung *f.* -en 〖교양〗 외면화, 표면화, 피상화.
veräußern *t.* ①〖法·격식〗 양도하다, 매각하다. ②〖法〗 (권리를) 위임하다.
Veräußerung *f.* -en〖法·격식〗 양도, 매각; 위임.
Verazität [veratsitɛ́:t] 《lat.》 *f.* 〖고어〗 진실성(Wahrhaftigkeit).
***Verb** [vɛrp] 《<lat. verbum》 *n.* -s, -en〖문법〗 동사.
verb. =Verbum 동사.
verbacken*[1] [fɛr|bákən] 《I》 *t.* ① 빵을 굽는 데 소모〔사용〕하다. ② (빵을) 잘못 굽다. ③ 구워서 만들다. 《II》 *i.* (s.) 잘못 구워지다. 《III》 *refl.* sich ~ ① (빵이) …하게 구워지다. ② (맛 따위가) 구워서 없어지다.
verbacken[2] 《I》 *i.* (s.) 끈적끈적하게 달라붙다. 《II》 *refl.* sich ~ 달라붙다.
verbal [vɛrbá:l] 《↑ Verbum》 *a.* ① (mündlich) 구두의, 말로 된. ②〖문법〗 (zeitwörtlich) 동사의, 동사로서 사용된, 동사를 통해 표현된.
Verbal·adjektiv *n.* 〖문법〗 ① 형용사적 분사. ② 동사에서 파생된 형용사(보기: tragbar).
Verbale [vɛrbá:lə] *n.* -s, ..lien [..liən] ①〔구식〕 발언, 진술. ②〖문법〗 동사에서 파생된 명사, 동명사.
Verbal·erotiker *m.* 음담패설을 즐기는 사람.
verbalhornen [fɛrbálhɔrnən] *t.* ↑ verballhornen.
Verbalhornung *f.* -en ↑ Verballhornung.
Verbal·injurie [vɛrbá:l|ınju:riə] 《lat.》 *f.* 〖法·교양〗 구두 명예 훼손, 구두 모욕.
verbalisieren [vɛrbalizí:rən] *t.* ①〔교양〕 (생각·느낌 따위를) 말로 표현하다. ②〖문법〗 동사를 만들다, 동사화하다.
Verbalismus [vɛrbalísmus] *m.* - ①〖교육〗 언어주의(지식을 말로 전달하는 것만을 목표로 하는 수업 방식). ②〔교양〕 (내용보다는) 말에 구애받는 경향, 자구 천착(穿鑿).
Verbalist *m.* -en, -en ①〔교양〕 자구에 집착하는 사람. ②〖교육〗 언어주의자.
verbalistisch *a.* ①〔교양〕 자구(字句)에 집착하는, 내용보다 말에 구애받는. ②〖교육〗 언어주의의.
verbaliter [vɛrbá:litər] *adv.* 〔교양〕 말 그대로, 축어적으로.
Verbal·kontrakt *m.* 〖法〗 구두 계약.

verballasten [fɛrbalástən, fɛrbálast..] *t.* 〖海〗 바닥짐을 싣다.
verbällen [fɛrbɛ́lən] *t.* 발을 다치게 하다: sich³ den Fuß 〔den Huf〕 ~ 발바닥〔발굽〕을 다치다.
verballern *t.* ①〔구어〕 (탄환 따위를) 마구 쏘아대다〔낭비하다〕: jedes Jahr werden zu Silvester Millionen sinnlos verballert 매년 섣달 그믐에 수백만 마르크가 무의미하게 폭죽 터뜨리는 데 낭비된다. ②〔구어〕 잘못 쏘다, 빗맞히다: einen Elfmeter ~ 페널티 킥을 실축하다. ③〔방언〕 두드려패다. ④〔방언〕 팔다, 현금화하다.
verballhornen [fɛrbálhɔrnən] *t.* (이름·표현·단어 따위를 고치려다) 도리어 개악하다.
Verballhornung *f.* -en ① 개악. ② 개악된 것.
Verbal≈nomen [vɛrbá:l..] *n.* 〖문법〗 동사적 명사(보기: Vermögen). **~note** *f.* (외교상의) 구두 각서. **~stil** *m.* 〖언어학〗 동사 선호 문체. **~substantiv** *n.* 〖문법〗 ① 동사적 명사(보기: Gehen). ② 동사에서 파생된 명사(보기: Gang, Erholung).
***Verband** [fɛrbánt] 《<verbinden》 *m.* -(e)s, ..bände [..bɛ́ndə] ① 붕대: einen ~ anlegen 붕대를 감다. ② 연합, 동맹, 조합, 협회. ③〖軍〗 연대, 부대; 비행기 편대. ④ 무리, 떼: im ~ 떼를 지어. ⑤〖건축〗 (목재·벽돌의) 짜맞추기, 조립; 격자틀의 구조. ⑥〖조선〗 버팀재, 강력재. ⑦〖원예〗 (식물·과수 따위의) 집단적 재배(지).
Verband≈apparat *m.* 붕대 용구. **~holz** *n.* 〖건축〗 조립용 목재. **~kasten** *m.* 구급 용품 상자. **~maschine** *f.* (Verbundmaschine) 〖工〗 복합 기관. **~mittel** *n.* 구급 재료. **~päckchen** *n.* 〖軍〗 (휴대용) 붕대 꾸러미. **~platz** *m.* 〖軍〗 응급 치료소, 구호소.
Verbands≈führer *m.* 협회장, 조합장. **~-kasse** *f.* 연합〔공동〕 기금. **~leiter** *m.* ↑ ~führer. **~material** *n.* 붕대 재료. **~-mitglied** *n.* 협회원, 조합원. **~päckchen** *n.* ↑ Verbandpäckchen.
Verband·stoff *m.* 붕대 재료.
Verbands·watte *f.* 붕대용 탈지면.
Verband·zeug *n.* 붕대 용품.
verbannen *t.* ① 국외로 추방하다, 귀양 보내다: jn. auf eine Insel ~ 누구를 섬으로 유배하다. ②〖法〗 법률의 보호를 빼앗다; 〔비유〕 쫓아내다, 몰아내다: Argwohn aus dem Herzen ~ 의심을 일소하다.
Verbannte* *der/die* 유배자, 망명자.
Verbannung *f.* -en ① 추방; 유배. ② 유형〔망명〕 생활: in die ~ gehen 망명하다; in der ~ leben 망명 생활을 하다.
Verbannungs·ort *m.* 유배지, 망명지.
verbarrikadieren [fɛrbarikadí:rən] 《I》 *t.* 바리케이드로 차단하다. 《II》 *refl.* sich ~ 바리케이드로 자신을 보호하다.
Verbarrikadierung *f.* -en 차단, 보호.
verbaserig *a.* (ndd.) 놀란, 당황한.
Verbaskum [vɛrbáskum] *n.* -s, ..ken 〖植〗 현삼과(玄蔘科)의 잡초.
verbast *a.* (ndd.) ↑ verbaserig.
verbauen 《I》 *t.* ① 건물로 막다: jm. die Aussicht ~ 건물로 누구의 조망(眺望)을 막다; jm. die Zukunft ~ 누구의 장래를 막다; 〔비유〕 durch ihr Verhalten ist jede Verständigung verbaut 그 여자의 행동 때문에 화해의 가망은 아주 없어졌다. ② 건축에 소비〔사용〕하다: viel Holz 〔sein ganzes Geld〕 ~ 건축에 많은 재목〔온 재산〕을 다 썼다. ③ 잘못 건축하다, 졸렬하게 짓다: 〔구어〕 ein Examen ~ 시험에 낙방하다. ④ 잘못된 건축으로 모양을 망치다〔미관을 해치다〕. ⑤〖건축〗 무너지지 않도록 고정시키다. ⑥〔드물게〕 (어떤 지면·터에) 건축하다. 《II》 *refl.* sich³ ~ (건축주가) 건축으로 파산하다; (목수가) 잘못 건축하다.
verbauern *i.* (s.) 촌스럽게 되다, 농부같이 되다; 〔구어〕 시골뜨기가 되다.
Verbauerung *f.* 촌스러워짐.
Verbauung *f.* -en (건물로) 막음; 잘못 지음.
verbeamten [fɛrbə|ámtən] *t.* ① 공무원으로

임용하다. ②〖폄어〗(조직·제도 따위에) 관료를 (너무) 많이 기용하다, 관료화하다.
Verbeamtung *f.* -en ① 공무원 임용. ② 관료화.
verbeißen* [fɛrbáɪsən] 《I》 *t.* ① (감정 표현을) 자제하다: den Schmerz ~ 고통을 꾹 참다; sich³ das Lachen ~ 웃음을 억지로 참다. ②〖사냥〗 물어 상처를 내다; (짐승이) 먹다: Wild verbeißt junge Bäume 짐승이 어린 나무들을 먹는다. ③ 꽉 깨물다. ④〖드물게〗(이를) 악물다, (입술을) 꽉 다물다. 《II》 *refl.* sich ~ 물고 늘어지다:〖비유〗sich in et. ~ 무엇에 몰두〔열중〕하다. 《III》 **verbissen** *p.a.* ↑ verbissen.
verbellen *t.* ①〖사냥〗(개가) 짖어 짐승이 있는 곳을 알리다. ② …에게 격렬하게 짖어대다: der Hund verbellt den Fremden 개가 낯선 사람을 보고 몹시 짖는다.
Verbene [vɛrbéːnə] 《lat.》 *f.* -n〖植〗마편초과(馬鞭草科)의 식물(Eisenkraut).
verbergen 《I》 *t.* ① **(a)** 숨기다, 은닉하다, 은폐하다: (vor) jm. et. ~ 무엇을 누구에게 숨기다. **(b)** (시야를) 가리다: sie verbarg ihr Gesicht in den Händen 그녀는 두 손으로 얼굴을 가렸다; Liebe läßt sich nicht ~ 사랑은 감춰두지 못한다. ② 비밀로 하다, 말하지 않다: ich habe nichts zu ~ 나는 숨길 것이 하나도 없다. 《II》 *refl.* sich ~ 숨다; 숨겨져 있다: sich vor jm. ~ 누구를 피하여 숨다; sich hinter einem Baum ~ 나무 뒤에 숨다. 《III》 **verborgen** *p.a.* ↑ verborgen².
Verbergung *f.* -en 숨김, 감춤, 은닉, 은폐.
Verbesserer [fɛrbɛ́sərər] *m.* -s, - 개량자, 정정(訂正)자; 개혁자.
verbesserlich *a.* 개선〔정정〕할 수 있는.
***verbessern** 《I》 *t.* 개량〔개선·개정〕하다, 수정〔교정〕하다; 개혁하다: die Fehler in dem Aufsatz ~ 작문의 틀린 곳을 고치다; verbesserte Auflage 개정판. 《II》 *refl.* sich ~ ① 나아지다, 개량〔개정〕되다: er hat sich in der Schule verbessert 그는 학교 성적이 좋아졌다. ② 생활 조건을 개선하다, 봉급이 인상되다, 승진하다.
***Verbesserung** *f.* -en 개선; 수정, 정정: eine ~ anfertigen 교정하다.
Verbesserungs≈antrag *m.* 수정안, 개선안. **≈bedürftig** *a.* 개선할 필요가 있는. **≈fähig** *a.* 개정〔개선·개량〕할 수 있는. **~vorschlag** *m.* ↑ ~antrag.
verbeten¹ *t.* 기도로 날을 보내다; (악령을) 물리치다.
verbeten² *p.p.* ↑ verbitten.
verbeugen *refl.* sich ~ 몸을 굽히다, 절하다: sich vor jm. ~ 누구에게 절을 하다.
Verbeugung *f.* -en 절, 인사: eine ~ vor jm. machen 누구에게 인사하다.
verbeulen [fɛrbɔ́ʏlən] *t.* ① 찌그러뜨리다; 혹을 내다: verbeulte Hosenbeine 무릎 부분이 불룩 튀어나온 바지 가랑이. ②〖경박〗흠씬 두들겨 패다.
verbiegen* 《I》 *t.* 구부려서 상하게 하다: 뒤틀다:〖구어〗jn.〔js. Charakter〕 ~ 누구를〔누구의 성격을〕 그릇된 영향〔교육〕으로 버려놓다. 《II》 *refl.* sich ~ 구부러지다, 비틀리다, (목재가) 휘다:〖구어〗eine verbogene Wirbelsäule 굽은 척추.
Verbiegung *f.* -en ① 비틀기, 구부림. ② 구부러진 곳.
verbiestern [fɛrbíːstərn] 《I》 *t.*〖방언〗① 화나게 하다. ② 혼동시키다. ③ 의기소침하게 하다. 《II》 *refl.* sich ~ ① (nordd.) 길을 잃다. ② **(a)** 집착하다, 몰두하다: sich in et.〔bei et.³〕 ~ 무엇에 집착하다. **(b)** 방침〔일〕을 그르치다. ③ 당황하다, 의기소침하다. 《III》 **verbiestert** *p.a.* ↑ verbiestert.
verbiestert 《I》 *p.p.* ↑ verbiestern. 《II》 *p.a.* 혼란한, 당황한, 성이 난.
verbieten [fɛrbíːtən] 《I》 *t.* ① 금하다, 금지하다: der Arzt hat mir das Rauchen verboten 의사가 내게 흡연을 금지하였다; du hast mir gar nichts zu ~! 너는 내게 어떤 것도 금할 권한이 없다! ② (법적으로) 금지하다: Bücher〔Zeitungen〕 ~ 서적〔신문〕의 발행을 금지하다. 《II》 *refl.* sich ~ ① (의식적으로) 포기하다, 기피하다: ich verbot mir eine Antwort 나는 대답을 그만두었다. ② 당연히 금지되다, 불가능하다: so eine Äußerung verbietet sich (von selbst) 그러한 발언은 당연히 금지되어 있다. 《III》 **verboten** *p.a.* ↑ verboten.
Verbietung *f.* -en 금지.
verbilden 《I》 *t.* ① 모양을 망치다, 잘못 만들다. ② 그릇된 교육으로 버려놓다. 《II》 *refl.* sich ~ 모양이 나빠지다, 잘못 만들어지다.
verbildlichen [fɛrbɪ́ltlɪçən] *t.*〖雅語〗그림으로〔비유로〕 표현하다.
Verbildlichung *f.* -en 그림으로〔비유로〕 표현함.
Verbildung *f.* -en ① 모양을 망침, 볼품 없음. ② (신체 부분의) 기형; 그릇된 교육.
verbilligen 《I》 *t.* 값을 내리다: zu verbilligten Preisen 할인한 값으로. 《II》 *refl.* sich ~ 값이 내리다: Rohstoffe haben sich verbilligt 원료값이 인하되었다.
Verbilligung *f.* -en ① 할인. ② 할인액: die ~ macht ungefähr 3 DM aus 할인된 액수는 대략 3 마르크다.
verbimsen *t.*〖구어〗심하게 때리다, 구타하다: den haben wir ganz schön verbimst 우리는 그를 늘씬하게 패주었다.
verbinden [fɛrbɪ́ndən] 《I》 *t.* ① 결합하다, 연결하다, 합일시키다; 연락하다, (전화를) 접속시키다;〖化〗화합시키다; 결혼시키다; 묶다.: zwei Flüsse durch einen Kanal ~ 두 개의 강을 운하로 연결하다; sie verbindet Klugheit mit Schönheit 그녀는 재색을 겸비하고 있다; ~ Sie mich mit Köln 43 42 30! 쾰른 43 42 30을 대어 주십시오! ② (묶어서) 가리다, 싸다: jm. die Augen ~ 누구의 눈을 가리다; jn.〔js. Wunde〕 ~ 누구에게〔의 상처에〕 붕대를 감아 주다. ③ 잘못 제본하다: ein Buch ~ 책을 오철(誤綴)하다. ④〖비유〗(감사의) 의무를 지우다: jn. zu et.³ ~ 누구에게 어떤 의무를 지우다; (sich³) jn. ~ 누구에게 감사할 의무를 지우다, 은혜를 베풀다; er ist verbunden, das zu tun 그는 그것을 할 의무가 있다; ich bin Ihnen sehr verbunden für diese Nachricht 이 통지를 해주셔서 대단히 감사합니다. 《II》 *refl.* sich ~ ① 결합하다: sich mit et.³ ~ 무엇과 결합하다, 합일하다;〖化〗화합하다; sich mit jm. ~ 누구와 결혼하다; die Stoffe, die sich miteinander nicht ~ 서로 화합되지

않는 물질. ② sich zu et.³ ~ 어떤 의무를 지다, 무엇을 인수하다. 《Ⅲ》 **verbunden** *p.a.* ↑ verbunden.

verbindend *p.a.* 결합하는, 접속하는; 〚논리〛 종합적인; 의무가 있는.

Verbinder *m.* -s, - 〚구기〛 링커.

verbindlich [fɛrbíntlıç] *a.* ① 의무를 지우는, 구속력 있는; 의무가 있는: sich ~ machen 의무를 지다; sich für et. ~ machen 무엇을 보증하다. ② 친절한, 정중한; 상냥한: ein ~es Benehmen 정중한 행동; ~st danken 정중히 감사해하다; ~ lächeln 사근사근하게 미소짓다.

Verbindlichkeit *f.* -en ① **(a)** 의무, 책임: ~en gegen jn. haben 누구에 대하여 의무를 지고 있다. **(b)** 〔복수〕〚商〛 채무: seine ~en erfüllen〔einhalten〕 빚을 갚다. **(c)** 구속력: die ~ eines Gesetzes 법의 구속력. ② 친절, 정중, 사랑스러움. ③ 친절〔정중〕한 언행.

Verbindlichkeits·erklärung *f.* 책임 선언.

***Verbindung** [fɛrbínduŋ] *f.* -en ① 결합, 연결; (전화의) 접속; 조합; 융합: in ~ (mit et.³) a) (무엇과) 함께, (b) (무엇과) 협력해서; eheliche ~ 결혼; eine ~ herstellen〔bekommen〕 전화를 접속하다〔시키다〕. ② 〚化〛 화합, 화합물; 〚건축〛 접합; 〚醫〛 붕대(감기). ③ 연락; 교통로, 교통편; 관계: 〚商〛 geschäftliche ~en 거래 관계; die ~ durch Eisenbahn 철도에 의한 연락; et. mit et.³ in ~ bringen〔setzen〕 무엇과 무엇을 결합하다, 연관시키다; einflußreiche ~en haben 세력가들과 교분이 있다; mit jm. in ~ stehen 누구와 관계가〔교섭이·거래가〕 있다; mit et.³ in ~ stehen 무엇과 관련이 있다; mit jm. in ~ treten 누구와 연락을〔거래를〕 시작하다. ④ 합동, 연합, 제휴; 단체, 조합, 결사; (Studenten~) 학생 조합: in eine ~ eintreten (학생) 조합에 가입하다. ⑤ 〚구기〛 **(a)** 공수 연결. **(b)** 링커진 전체.

Verbindungs≈bahn *f.* 〚철도〛 중계 노선. **~bruder** *m.* 〔학생〕 학생 조합원. **~büro** *n.* 연락 사무소. **~gang** *m.* 연락로, 연결 통로; 〚건축〛 (두 건물을 잇는) 연결 통로. **~gewicht** *n.* 〚化〛 화학 당량, 화합량. **~glied** *n.* 연결 부위, 결합〔접합〕부. **~graben** *m.* ① 〚軍〛 교통호. ② 연결 도랑. **~kanal** *m.* 접속 운하; 〚醫〛 교통관(管); 〚工〛 접합구(溝). **~klammer** *f.* 〚印〛 꺾쇠묶음표; 묶음표 ({ }). **~klinke** *f.* 〚전기〛 잭(플러그의 접속 장치). **~leitung** *f.* 〚전기〛 간선; 중계선. **~leute** *pl.* 〚軍〛 연락원. **~linie** *f.* ① 연결선, 중계선. ② 〚軍〛 보급로〔선〕.

verbindungslos *a.* 연락〔교통〕이 두절된.

Verbindungs≈mann *m.* ① 연락원, 중개인. ② (경찰의) 비밀 연락원, 밀정; 〚軍〛 연락병. **~mittel** *n.* 연락〔교통〕 수단; 〚요리〛 농후(濃厚) 재료. **~offizier** *m.* 〚軍〛 연락 장교. **~punkt** *m.* 연결점, 결합점; 연락 지점. **~rohr** *n.*, **~röhre** *f.* 〚工〛 연결 파이프〔튜브〕. **~stab** *m.* 연계(連繫) 본부〔사령부〕. **~stange** *f.* 〚기계〛 연접봉, 커넥팅 로드. **~stelle** *f.* 연결점, 접속 지점. **~straße** *f.* 연결 도로. **~strich** *m.* ① 연결선. ② 〚문법〛 하이픈, 연결 부호. **~stück** *n.* 〚건축〛 연결〔접합〕부; 연결재(材), 링크; 〚전기〛 어댑터. **~student** *m.* 학생 조합원. **~tür** *f.* 연결문; 중문(中門). **~weg** *m.* 연결로. **~wesen** *n.* 학생 조합의 제도〔업무〕; (초기의) 학생 조합. **~wort** *n.* 〚문법〛 연사(連辭); 접속사. **~zeichen** *n.* ↑ ~strich ②.

Verbiß *m.* ..bisses, ..bisse 〚사냥〛 ① (동물이 식물 따위를) 뜯어먹음. ② (야생 동물에 의한) 식물의 피해.

verbissen [fɛrbísən] 《Ⅰ》 *p.p.* ↑ verbeißen. 《Ⅱ》 *p.a.* ① 완강한, 끈질긴: mit ~em Fleiß arbeiten 끈기 있고 부지런히 일하다. ② 성난: ein ~er Ausdruck 화난 표정. ③ 〔구어〕 편협한, 과도하게 세심한.

Verbissenheit *f.* 격분; 고집스러움.

verbitten* *t.* sich³ et. ~ 무엇을 사절하다: das verbitte ich mir 나는 그것을 거절한다.

verbittern [fɛrbítərn] 《Ⅰ》 *t.* 쓴 맛이 나게 하다; 〔비유〕 불쾌하게 하다: jm. das Leben ~ 누구의 인생을 비참하게 만들다; die schweren Schicksalsschläge haben ihn verbittert 이 가혹한 운명의 타격은 그를 비통하게 만들었다. 《Ⅱ》 *i.* (s.) / *refl.* (sich) ~ 기분이 씁쓸하다, 불쾌하다. 《Ⅲ》 **verbittert** *p.a.* ↑ verbittert.

verbittert 《Ⅰ》 *p.p.* ↑ verbittern. 《Ⅱ》 *p.a.* 기분 나쁜, 몹시 환멸을 느낀.

Verbitterung *f.* -en ① 불쾌, 성남, 씁쓸함. ② 〔드물게〕 불쾌하게 함〔됨〕.

verblasen¹* 《Ⅰ》 *t.* ① **(a)** 〔방언〕 불어 날리다, 불어 없애다. **(b)** (시간을) 낭비하다. ② 〚工〛 불어서 만들다: die Glasmasse ~ 용해 유리를 불어서 제품을 만들다. ③ 〚제련〛 (함유물을) 풍구로 제거하다; (금속을) 풍구로 정련(精鍊)하다. ④ 〚사냥〛 각적(角笛) 신호로 알리다: ein Stück Wild ~ 사냥감이 사살되었음을 각적 신호로 알리다; die Strecke ~ 몰이사냥의 종료를 각적 신호로 알리다. ⑤ (색채 따위를) 불어서 엷게 하다: 〚畫〛 die Farben ~ a) 색을 엷게 칠하다, b) 바림하다. ⑥ (유리 재료·악기 따위를) 불어 망그러뜨리다. 《Ⅱ》 *refl.* sich ~ ① (관악기 따위를) 잘못 불다. ② 숨을 돌리다, 크게 숨을 쉬다. 《Ⅲ》 **verblasen** *p.a.* ↑ verblasen².

verblasen² 《Ⅰ》 *p.p.* ↑ verblasen¹. 《Ⅱ》 *p.a.* 〔구어〕 불명료한; (유리 제품이) 잘못 불어진; (색이) 흐려진: eine ~e Ausdrucksweise 흐리멍텅한 표현 방식.

Verblasenheit *f.* -en ① 불명료. ② 불명료하고 공허한 표현〔문체〕.

verblassen 《Ⅰ》 *i.* (s.) ① 창백해지다, 색이 바래다: die Sterne ~ (날이 밝으면서) 별들이 (희미하게) 사라지다; 〔비유〕 er ist verblaßt 그는 죽었다. ② (인상·기억 따위가) 약해지다, 사라지다. 《Ⅱ》 *t.* 창백하게 하다, 색을 바래다.

verblättern 《Ⅰ》 *t.* (책의 어떤 페이지를) 실수로 보지 않고 넘기다. 《Ⅱ》 *refl.* sich ~ 엉뚱한 페이지를 펴다.

verblauen *i.* (s.) (목재 따위가 균류(菌類)가 생겨) 푸르게 되다.

verbläuen **新정서** ⇦ verbleuen.

Verbleib [fɛrbláıp] *m.* -(e)s 〚雅語〛 ① 체재, 체류. ② (Aufenthaltsort) 체류지, 소재: über den ~ der Ringe wissen 반지가 있는 곳을 알고 있다; ~ unbekannt 행방불명.

verbleiben* *i.* (s.) ① (어떤 곳에) 지속적으로 머무르다〔잔류하다〕. ② (어떤 상태에) 멎어 있다: bei seiner Meinung ~ 의견을 고집하다; er verblieb zeit seines Lebens ein Idealist

그는 평생 이상주의자로 살았다; 〖드물게〗 lassen wir es dabei ~ 그것을 그대로 놓아두자; mit freundlichen Grüßen verbleibe ich Ihr sehr ergebener Karl Schmidt 카를 슈미트 올림(편지의 끝 인사말). ③ 남아 있다 (übrigbleiben) : es verblieb mir noch eine ziemliche Summe 내게는 아직 상당한 금액이 남아 있었다. ④ (무엇에) 합의하다. ⑤〖고어〗 맞지 않다, 어긋나다. ⑥ (schweiz.) 시험에 낙방하다.

Verbleiben *n.* -s 체류, 잔류: ein ~ des Ministers im Amt war unmöglich 장관의 유임은 불가능했다.

verbleichen* *i.* (s.) ① **(a)** 창백해지다, 색이 바래다. **(b)** 〖드물게〗 (기억·감정 따위가) 약해지다, 서서히 사라지다. ② 〖雅語·비유〗 죽다: der Verblichene 사자(死者), 고인.

verbleien [fɛrbláɪən] 《I》 *t.* 〖工〗 ① 납을 입히다: Fenster ~ (유리를 끼우기 위해) 창틀에 납을 대다. ② 〖工〗 **(a)** 납성분을 첨가하다: Erz ~ 광석에 납을 첨가하여 녹이다. **(b)** (노킹 억제를 위해 연료에) 테트라에틸납을 섞다. ③ 〖드물게〗 납으로 봉인하다. 《II》 *refl.* sich ~ 납이 들어가다: das Erz verbleit sich selbst 그 광석은 납을 넣을 필요가 없다.

Verbleiung *f.* -en ↑ verbleien 의 명사형.

verblenden *t.* ① 눈을 멀게 하다, 현혹시키다: durch Ehrgeiz verblendet 명예심에 눈이 멀어; jn. über et. ~ 무엇에 대하여 누구를 기만하다. ② 가리다; 〖건축〗 외장(外裝)하다: 〖치의학〗 eine Krone aus Metall ~ 금속 크라운에 세라믹을 덧씌우다. ③ 〖軍〗 엄폐하다.

Verblendstein *m.* -(e)s, -e 〖건축〗 외장 석재.

Verblendung *f.* -en ① 눈을 멀게 하기; 현혹, 기만. ② 〖건축〗 **(a)** 덮음, 외장. **(b)** 덮어씌운 것. ③ 〖치의학〗 **(a)** 크론의 외장. **(b)** (치아의) 외장 재료.

verbleuen *t.* 〖구어〗 두들겨패다.

verblichen [fɛrblɪ́çən] *p.p.* ↑ verbleichen.

verblinden [fɛrblɪ́ndən] 《I》 *i.* (s.) 눈이 멀다. 《II》 *t.* (verblenden) 눈이 멀게 하다; 현혹시키다.

verblöden [fɛrblǿːdən] 《I》 *i.* (s.) ① 멍청해지다. ② 〖醫〗 정신 박약이 되다. 《II》 *t.* 우둔하게 만들다, 무비판적이 되게 하다.

Verblödung *f.* ① 우둔하게 됨〔만듦〕. ② 우둔; 정신 박약.

verblüffen [fɛrblʏ́fən] 《I》 *t.* 아연케〔깜짝 놀라게〕 하다; 어이없게 하다: mit ~der Keckheit 어이가 없을 정도로 뻔뻔스럽게. 《II》 **verblüfft** *p.a.* ↑ verblüfft.

verblüffend *p.a.* 놀라운, 어이없는: das ist ~ einfach 그것은 놀랄 정도로 간단하다.

verblüfft 《I》 *p.p.* ↑ verblüffen. 《II》 *p.a.* 아연해하는, 기막힌, 당황한.

Verblüffung *f.* -en 놀람, 어리둥절함.

verblühen *i.* ① (h.) 한창때가 끝나다. ② (s.) (verwelken) 시들다; 〖비유〗 안색이 수척해지다: ihre Schönheit ist verblüht 그녀의 미모가 시들었다. ③ (s.) 〖경박〗 빵소니치다, 슬쩍 사라지다.

verblümen [fɛrblýːmən] 《I》 *t.* 미사여구로 꾸미다, 완곡한 말로 윤색하다. 《II》 **verblümt** *p.a.* ↑ verblümt.

verblümt 《I》 *p.p.* ↑ verblümen. 《II》 *p.a.* 완곡한, 비유적인, 암시적인: ein ~er Ausdruck〔Vorwurf〕 완곡한 표현〔비난〕.

verbluten 《I》 *t.* 피흘리다: sein Blut für jn. ~ 누구를 위하여 피를 흘리다. 《II》 *i.* (s.) 출혈하여 죽다; 피를 다 빼다. 《III》 *refl.* sich ~ ① 출혈하여 죽다: 〖비유〗 eine Sache hat sich verblutet 어떤 일이 유야무야하게 되었다. ② 심한 군사적 손실을 입다.

Verblutung *f.* -en 출혈(사(死)).

verbocken *t.* 〖구어〗 잘못 처리하다, 망치다.

verbodmen [fɛrbóːdmən] *t.* 〖經〗 저당하다 (bodmen).

Verbodmung *f.* -en 〖經〗 (Bodmerei) 저당 설정.

verbohlen *t.* 두꺼운 널빤지를 대다.

verbohren 《I》 *t.* ① 나무못으로 (마주) 죄다. ② 구멍을 잘못 뚫다. 《II》 *refl.* sich ~ 〖구어〗 ① 구멍이 잘못 뚫리다. ② 몰두하다; 집요하게 매달리다: sich in et. ~ 무엇에 집착하다, 무엇을 고집하다. 《III》 **verbohrt** *p.a.* ↑ verbohrt.

verbohrt 《I》 *p.p.* ↑ verbohren. 《II》 *p.a.* ① 구멍이 잘못 뚫린. ② (어떤 일에) 집착하는, 미친 듯한; 〖구어〗 고집센, 완고한.

Verbohrtheit *f.* 〖구어〗 옹고집, 고집 불통.

verbollwerken *t.* 〖軍〗 축성하다.

verbolzen *t.* ① 〖工〗 볼트로 고정시키다. ② 〖구어〗 잘못 차서 골인시키지 못하다.

verborgen[1] *t.* 빌려 주다.

verborgen[2] 《I》 *p.p.* ↑ verbergen. 《II》 *p.a.* ① 숨겨진, 외진: et. ~ halten 무엇을 숨겨 두다. ② 감지할 수 없는, 잠재적인: eine ~e Gefahr 잠재적 위험; 〖醫〗 ~ wirkend 잠복성의. ③ im ~en a) 비밀리에, b) 다른 사람의 눈에 띄지 않게.

verborgener·weise *adv.* 눈에 띄지 않게, 남몰래.

Verborgenheit [fɛrbɔ́rgənhaɪt] *f.* 잠복, 잠재; 내밀; 은거: in der ~ leben 은거하다.

verbos [vɛrbóːs] *a.* 〖구식〗 말많은, 다변의.

verbösern [fɛrbǿːzərn] 《I》 *t.* 〖구식·농담〗 ① 화나게 하다. ② 악화시키다, 개악하다. 《II》 *refl.* sich ~ 악화되다.

***Verbot** [fɛrbóːt] 《<verbieten》 *n.* -(e)s, -e 금지(령): ein ~ erlassen〔bekanntmachen, übertreten〕 금지령을 내리다〔포고하다, 위반하다〕; ein ~ rechtsextremistischer Parteien 극우 정당들의 금지령.

***verboten** 《I》 *p.p.* ↑ verbieten. 《II》 *p.a.* ① 〖구어〗 흉측한, 해괴한: du siehst mit dem Kleid ~ aus 너 그 옷 입으니 해괴망측해 보인다. ② 금지된: Durchfahrt ~! 통행 금지 ! ; ein ~er Eingang 통행이 금지된 입구; Rauchen ~! 금연 !

verbotener·weise *adv.* 금지됐음에도 불구하고.

verbotenus [vɛrbóːtenus] (lat.) *adv.* 〖고어〗 말 그대로.

Verbots≈recht *n.* 금지권(權). **~schild** *n.* (교통) 금지 표시판. **~tafel** *f.* 금지 표시판. **≈widrig** *a.* 금지를 위반한: ~es Parken 불법 주차. **~zeichen** *n.* 〖교통〗 금지 표지.

verbrämen [fɛrbrɛ́ːmən] 《<Bräme》 *t.* ① 가장자리 장식을 달다: ein mit Pelz verbrämter Mantel 가장자리를 모피로 장식한 외투. ② 위장하다, 돌려 말하다: eine mit

schönen Worten verbrämte Absage 미사여구로 꾸며진 거절.

Verbrämung *f.* -en 장식하기; (옷의) 가장자리 장식; 위장, 은폐.

verbrannt 《I》 *p.p.* ↑ verbrennen. 《II》 *p.a.* ① 햇볕에 탄〔그을린〕. ② 불타서 없어진, 소실된.

verbraten* 《I》 *t.* ① 너무 오래 굽다〔튀기다〕. ② **(a)** (버터 따위를) 굽는〔튀기는〕 데 소비하다. **(b)** 〔경박〕 (돈·휴가 등을) 낭비〔탕진〕하다. **(c)** 〔경박〕 지껄이다. ③ jm. eins〔eine〕 ~ a) 누구를 나무라다, b) 누구를 곤란하게 하다, c) 따귀를 때리다. 《II》 *i.* (h.) ① (생선이) 너무 구워지다. ② 〔농담〕 너무 오래 선탠하다. 《III》 sich ~ ① 잘못 구워지다. ② 구워지게 하다: Öl verbrät sich gut〔schlecht〕 식용유는 잘〔나쁘게〕 구워지게 한다. ③ 구워지면서 사라지다: der unangenehme Geruch hat sich völlig ~ 불쾌한 냄새가 굽는 과정에서 완전히 사라졌다.

***Verbrauch** [fɛɾbráux] *m.* -(e)s, ..bräuche [..brɔʏçə] ① 사용, 소비(량), 소모(량); 소모품, 소비재: übermäßiger ~ 낭비; einen großen ~ an et.³ haben 무엇을 많이 소비하다. ② 〖經〗 소비.

***verbrauchen** 《I》 *t.* ① 사용하다, 소비하다, 소모하다. ② 써서 낡게 하다, 다 써 버리다. 《II》 *refl.* sich ~ 힘이 쇠진하다. 《III》 **verbraucht** *p.a.* ↑ verbraucht.

Verbraucher *m.* -s, - ① 사용자: End~ 최종 사용자. ② 소비자.

Verbraucher=aufklärung *f.* 소비자 계몽. **~beratung** *f.* ① 소비자 상담. ② 소비자 상담소. **~bewegung** *f.* 소비자 운동. **~höchst·preis** *m.* 소비자 최고 가격. **~markt** *m.* 슈퍼마켓. **~preis** *m.* 〖經〗 소비자 가격. **~verband** *m.* 소비자 협회. **~zentrale** *f.* 〖經〗 소비자 센터.

Verbrauchs=artikel, ~gegenstand *m.* 소모품, 소비물. **~genossenschaft** *f.* 소비조합. **~gut** *n.* ① 〖經〗 소비재, 소비 물자. ② 〖軍〗 소모품. **~lenkung** *f.* 〖經·政〗 소비 통제. **~planung** *f.* 소비 계획. **~steuer** *f.* 〖法〗 소비세.

verbraucht 《I》 *p.p.* ↑ verbrauchen. 《II》 *p.a.* 써서 낡은, 다 써 버린: ~e Kleider 낡은 옷; ~e Luft 탁한 공기.

verbrausen 《I》 *i.* (s./h.) 발효가 끝나다; 〔비유〕 혈기가 가라앉다. 《II》 *t.* 방탕하게 보내다.

verbrechen* [fɛɾbrɛ́çən] *t.* ① **(a)** (잘못·실수·어리석은 짓을) 저지르다: was hat er verbrochen? 그가 무슨 짓을 저질렀느냐? **(b)** 쓰다, 짓다: 〔비유〕 er hat wieder ein neues Gedicht verbrochen 그 녀석 또 새로운 시를 써 갈겼더군. ② (회초리 따위를) 부러뜨려 짧게 하다; (서약 따위를) 깨뜨리다(brechen). ③ 〖사냥〗 (짐승의 발자취를) 나뭇가지를 꺾어 표시하다. ④ 〔방언〕 망가뜨리다, 파괴하다. ⑤ 〖손일〗 모서리를 둥글게 하다.

***Verbrechen** *n.* -s, - ① 죄, 비행; 〖法〗 범죄. ② 무책임한〔범죄적〕 행위: 〔구어〕 es ist kein ~ 그것은 그리 나쁘지 않다.

Verbrechens·bekämpfung *f.* 범죄 퇴치.

Verbrecher *m.* -s, - 범죄자, 범인; 악인.

Verbrecher=album *n.* ↑ ~kartei. **~film** *m.* 범죄〔갱〕 영화. **~gesicht** *n.* 범죄자의 인상(人相).

Verbrecherin *f.* -nen 여성 범죄자.

verbrecherisch [fɛɾbrɛ́çərɪʃ] *a.* ① 범죄(자)의: eine ~e Handlung 범죄 행위. ② 범죄를 잘 저지르는, 무자비한; 비난받을 만한.

Verbrecher=jagd *f.* 〔구어〕 범인 추적. **~kartei** *f.* 범죄자 명단. **~kneipe** *f.* 악한들이 모이는 음식점. **~kolonie** *f.* 유형지. **~laufbahn** *f.* 범죄자의 경력〔생애〕. **~physiognomie** *f.* ↑ ~gesicht.

Verbrechertum [fɛɾbrɛ́çəɾtu:m] *n.* -(e)s 범죄자 전체, 범죄자 신분.

Verbrecher=viertel *n.*, **~welt** *f.* 범죄 지역, 암흑가.

***verbreiten** [fɛɾbráɪtən] 《I》 *t.* ① 퍼뜨리다, 보급〔전파·유포〕하다: sie verbreitete die Neuigkeit im ganzen Dorf 그녀가 그 소식을 온 마을에 퍼뜨렸다. ② (빛·열 따위를) 발산하다. 《II》 *refl.* sich ~ ① 퍼지다, 보급〔유포·만연〕되다: sein Ruf verbreitet sich auch im Ausland 그의 명성은 외국에까지도 널리 퍼진다. ② 〔폄어〕 sich über ein Thema ~ 어떤 주제에 대해 장광설을 늘어놓다.

Verbreiter *m.* -s, - 전파자, 유포자.

Verbreiterin *f.* -nen ↑ Verbreiter 의 여성형.

verbreitern [fɛɾbráɪtəɾn] 《I》 *t.* (도로 따위를) 넓히다, 확장하다. 《II》 *refl.* sich ~ 넓어지다, 확장되다.

Verbreiterung *f.* -en ① 확장. ② 넓힌 지역.

Verbreitung [..bráɪtʊŋ] *f.* 유포, 보급; 분포; 만연.

Verbreitungs·gebiet *n.* 분포〔전파〕 구역, 만연 지역.

verbrennbar *a.* 연소할 수 있는, 가연성의.

Verbrennbarkeit *f.* 가연성(可燃性).

verbrennen [fɛɾbrɛ́nən] 《I》 *i.* (s.) ① **(a)** 소실(燒失)되다; 타 죽다. **(b)** 〖化·生〗 연소하다. ② **(a)** 햇볕에 그을다; (초목이) 햇볕에 말라 시들다. **(b)** 과열로 못쓰게 되다. 《II》 *t.* ① 연소하는 데 소비하다: viel Gas ~ 가스를 많이 소비하다. ② 태우다, 소각하다, 다 태워 버리다; 태워 죽이다; 초토화하다; 〖化·生〗 연소시키다: die Schiffe hinter sich³ ~ 배수(背水)의 진(陣)을 치다. ③ 그을리다. ④ 화상을 입히다: sich³ die Finger ~ a) 손가락에 화상을 입다, b) 위험한 일에 관계하여 혼이 나다〔구설수에 오르다〕. ⑤ 화상입은 듯이 얼얼하게 하다: 〔비유〕 sich³ die Hände an Nesseln ~ 쐐기풀에 손이 찔려 얼얼하다. 《III》 *refl.* sich ~ ① 화상 입다: sich ~ lassen (햇볕에) 몸을 태우다〔그을리다〕. ② 분신하다. ③ 〔구어〕 성병에 걸리다. 《IV》 **verbrannt** *p.a.* ↑ verbrannt.

verbrennlich *a.* 타기 쉬운, 인화성의.

Verbrennung *f.* -en ① 태움, 소각; 화장; 화형. ② 〖化〗 연소. ③ 〖醫〗 화상: sich³ ~en zuziehen 화상을 입다.

Verbrennungs=halle *f.* 화장터. **~kraftmaschine, ~maschine** *f.* 〖工〗 내연 기관. **~motor** *m.* 〖工〗 가솔린〔디젤〕 엔진. **~prozeß** *m.* 연소 과정; 화장 절차. **~ofen** *m.* 소각로(燒却爐). **~raum** *m.* 연소실. **~wärme** *f.* 〖物〗 연소열(熱).

verbriefen [fɛɾbrí:fən] 《<Brief》 〔구식〕 《I》 *t.* ① 문서로 확인〔보증〕하다, 증서로 작성

하다. ② 증서를 발행하다. 《Ⅱ》 *refl.* sich für jn. ~ 누구의 보증을 서다.

verbringen [fɛrbríŋən] *t.* ① (시간을) 보내다. ② (일정 기간 동안) 머물다. ③ 〔방언〕 낭비〔탕진〕하다. ④ 〔격식〕 옮겨가다; 데려가다, 호송하다: 〖經〗 Waren ins Ausland ~ 상품을 외국으로 수출하다.

Verbringung *f.* -en 〔격식〕 가져감, 데려감, 호송.

verbrüdern [fɛrbrý:dərn] 《<Bruder》 《Ⅰ》 *t.* (형제처럼) 친숙하게 지내게 하다, 단결시키다. 《Ⅱ》 *refl.* sich (mit jm.) ~ (누구와) 의형제가 되다, 친교를 맺다.

Verbrüderung *f.* -en 의형제를 맺음, 수어지교(水魚之交), 친목.

verbrühen 《Ⅰ》 *t.* 뜨거운 액체에 데게 하다. 《Ⅱ》 *refl.* sich ~ 뜨거운 액체에 데다.

Verbrühung *f.* -en ① (뜨거운 액체에) 뎀. ② (뜨거운 액체에) 덴 상처.

verbuchen *t.* ① 〖商〗 기장〔등록·기입〕하다. ② 긍정적〔부정적〕인 것으로 확정〔판정〕하다: diese Tatsache hat er sofort als Erfolg für sich verbucht 그는 이 사실을 즉시 자신의 성공이라 단정지었다.

Verbuchung *f.* -en 기장(記帳), 기록, 등록.

verbuddeln *t.* 〔구어〕 매장하다, 땅에 묻다.

verbuhlen 《Ⅰ》 *t.* 〔구식〕 방탕으로 소비하다. 《Ⅱ》 **verbuhlt** *p.a.* ↑ verbuhlt.

verbuhlt 《Ⅰ》 *p.p.* ↑ verbuhlen. 《Ⅱ》 *p.a.* 방탕한, 음탕한, 호색의.

***Verbum** [vɛ́rbʊm] 《lat., „Wort"》 *n.* -s, ..ba/..ben 〖문법〗 동사(약어: verb.): ~ finitum 정동사(定動詞), 동사 정형; ~ infinitum 동사 부정형, 부정 동사.

verbumfeien [fɛrbʊ́mfaɪən] *i.* (s.) 〔방언〕 타락하다, 자학하다.

verbumfiedeln [fɛrbʊ́mfi:dəln] *t.* 〔구어〕 ① 망치다, 날림으로 만들다. ② 소홀하여 잊어버리다. ③ 〔방언〕 낭비하다, 탕진하다.

verbummeln 〔구어〕 《Ⅰ》 *t.* ① (금전을) 낭비하다; (시간을) 허비하다. ② **(a)** (versäumen) 소홀히 하다, 게을리하다. **(b)** 소홀하여 잊어버리다. **(c)** 부주의하여 잃어버리다. 《Ⅱ》 *i.* (s.) 신세를 망치다, 망하다, 영락하다. 《Ⅲ》 **verbummelt** *p.a.* ↑ verbummelt.

verbummelt 《Ⅰ》 *p.p.* ↑ verbummeln. 《Ⅱ》 *p.a.* 빈들빈들 노는, 영락한; 허비한.

Verbund *m.* -(e)s, -e ① 결합. ② 〖工〗 (부품 따위의) 결합, 연결. ③ ↑ Verbundsystem ①. ④ 〖經〗 ↑ ~wirtschaft.

Verbund·bau·weise *f.* 〖건축〗 자재를 상호 결합시키는 건축 방식.

verbunden 《Ⅰ》 *p.p.* ↑ verbinden. 《Ⅱ》 *p.a.* ① 결합된, 접속된. ② (감사할) 의무가 있는, 은혜를 입은.

***verbünden** [fɛrbʏ́ndən] 《Ⅰ》 *t.* 연합〔동맹〕시키다. 《Ⅱ》 *refl.* sich ~ 연합〔동맹〕하다. 《Ⅲ》 **verbündet** *p.a.* ↑ verbündet.

Verbundenheit *f.* 연대(감), 소속(감): in ~ Ihr N 당신의 N 으로부터(편지의 끝말).

verbündet 《Ⅰ》 *p.p.* ↑ verbünden. 《Ⅱ》 *p.a.* 동맹한, 연합한: der〔die〕 ~e 연합국, 동맹자.

verbund·fahren *i.* (s.) 〔부정형으로만〕 공동 승차권으로 제휴 교통 수단을 이용하다. **~fenster** *n.* 〖건축〗 이중 창문. **~glas** *n.* 〖工〗 합판(合板) (안전) 유리. **~karte,** **~loch-karte** *f.* 〖컴〗 이중〔이원〕 카드, 듀얼 카드. **~maschine** *f.* ① 〖工〗 복합 기관(가스 터빈과 왕복식 내연 기관을 결합시킨 모터). ② 〖전기〗 복권(複卷) 발전기. **~netz** *n.* 복합 송전망. **~pflaster·stein** *m.* 보도 블록. **~stahl** *m.* 〖工〗 복합 강철, 합금강(鋼). **~system** *n.* ① 다수의 운수업체의 공동 운영 체계. ② 〖교육〗 다양한 매체를 결합한 교육 체계.

Verbündung [fɛrbʏ́ndʊŋ] *f.* -en 연합, 동맹.

Verbund·wirtschaft *f.* 기업 연합.

verbürgen 《Ⅰ》 *t.* 보증〔보장〕하다: guter Wille verbürgt das Gelingen der Sache 선한 의지가 그 일의 성공을 보장한다. 《Ⅱ》 *refl.* sich für jn.〔et.〕 ~ 누구를〔무엇을〕 보증하다; ich verbürge mich für die Wahrheit dieser Behauptung 나는 이 주장의 진실성을 보증한다. 《Ⅲ》 **verbürgt** *p.a.* ↑ verbürgt.

verbürgerlichen [fɛrbʏ́rgərlɪçən] 〔폄어〕 《Ⅰ》 *t.* 시민 사회에 적응시키다. 《Ⅱ》 *i.* (s.) 시민 사회에 동화하다.

Verbürgerlichung *f.* 〔폄어〕 시민 사회에 동화함〔시킴〕.

verbürgt 《Ⅰ》 *p.p.* ↑ verbürgen. 《Ⅱ》 *p.a.* 보증된, (보도 따위가) 확실한.

Verbürgung *f.* -en 보증.

verbüßen *t.* 죄값을 치르다, 복역하다: seine Strafzeit ~ 형기(刑期)를 마치다.

Verbüßung *f.* 속죄, 복역.

verbutten [fɛrbʊ́tən] 《<butt》 《Ⅰ》 *i.* (s.) 〔구식〕 ① 발육이 부진하다. ② 승진〔진급〕하지 못하다. 《Ⅱ》 **verbuttet** *p.a.* ↑ verbuttet.

verbuttern *t.* ① 버터로 만들다: Milch ~ 우유를 가공하여 버터를 만들다. ② 〔구어〕 (금전을) 낭비하다; 망치다(verderben).

verbuttet 《Ⅰ》 *p.p.* ↑ verbutten. 《Ⅱ》 *p.a.* 발육이 불완전한; 우둔한: ein ~er Knabe 발육 부진의 소년, 지진아.

verbüxen [fɛrbʏ́ksən] *t.* (ndd.) 구타하다.

Verb·zusatz *m.* 〖문법〗 동사의 분리 전철.

verchartern [fɛrtʃártərn, ..ʃár..] *t.* 〖經〗 (비행기나 선박 따위를) 전세 놓다, 전세 주다.

verchromen [fɛrkró:mən] *t.* 크롬으로 도금하다.

verchromt *p.a.* 크롬 도금된.

Verchromung *f.* -en ① 크롬 도금. ② 크롬층, 크롬 피막.

***Verdacht** [fɛrdáxt] *m.* -(e)s, (드물게) -e/..dächte [..dɛçtə] 의혹, 혐의: jn. in ~ bringen 누구에게 혐의를 씌우다; auf jn. ~ haben, jn. im〔in〕 ~ haben 누구에게 혐의를 두다; in ~ kommen〔geraten〕 혐의를 받다; 〔구어〕 auf ~ 운을 하늘에 맡기고, 옳은지 정확히 알지 못하고, 시험삼아; im ~ stehen 혐의를 받다; ~ hegen〔schöpfen〕 의심을 품다; den ~ auf jn. lenken〔wälzen〕 혐의를 누구에게 전가하다; auf den ~ des Mordes hin 살인 혐의로; unter dem ~ des Diebstahls 절도 혐의로; er ist über allen ~ erhaben 그는 의혹의 여지가 전혀 없다.

***verdächtig** [..dɛ́çtɪç] *a.* ① 혐의가 있는, 의심스러운: sich ~ machen 혐의를 사다; eines Mordes ~ 살인 혐의가 있는; der Unterschlagung ~ sein 횡령의 의혹이 있다; ein ~er 용의자. ② 수상쩍은, 의심스러운: sich ~ benehmen 수상한 행동을 하다.

Verdächtige* *der/die* 혐의자.
verdächtigen [fɛrdɛ́çtɪɡən] 《I》 *t.* 수상히 여기다, 혐의를 두다; 중상하다, 무고(誣告)하다: jn. eines Dinges ~ 누구에게 무엇의 혐의를 두다. 《II》 *refl.* sich ~ 혐의를 받다, 의심을 사다.
Verdächtigung [..dɛ́çtɪɡʊŋ] *f.* -en 혐의를 둠; 중상, 무고(誣告).
Verdachts·grund *m.* 〖法〗 혐의의 근거. **~moment** *n.* 〖法〗 혐의의 동기.
***verdammen** [fɛrdámən] 《I》 *t.* ① 유죄 판결을 내리다; 비난하다: öffentlich ~ 탄핵하다; jn. zum Tode ~ 누구에게 사형 선고를 내리다; du kannst sie doch wegen ihres Verhaltens nicht einfach ~ 너는 단순히 그녀의 행동거지 때문에 그녀를 비난할 수는 없다. ② 〖宗〗 영겁의 벌을 주다, 지옥으로 떨어뜨리다. ③ 저주하다(verfluchen): 〔비유〕 der Plan war zum Scheitern verdammt 그 계획은 실패할 운명이었다. 《II》 **verdammt** *p.a.* ↑ verdammt.
verdämmen *t.* 제방을 쌓다, 둑으로 막다: 〖軍〗 eine Sprengladung ~ 폭약 주변을 진흙으로〔모래자루로〕 막다.
verdammens·wert *a.* 〔雅語〕 벌하여야 할, 저주받아야 할, 괘씸한.
verdämmern 〔시어〕 《I》 *i.* (s.) 서서히 어두워지다〔사라지다〕. 《II》 *t.* (시간을) 몽롱한 상태로 보내다; 어두컴컴하게 하다: sein Leben ~ 인생을 헛되이 보내다.
verdammlich *a.* ↑ verdammenswert.
Verdammnis [fɛrdámnɪs] *f.* ① 저주. ② 〖宗〗 영겁의 벌, 지옥에 떨어짐: der Ort der ewigen ~ 지옥.
***verdammt** 《I》 *p.p.* ↑ verdammen. 《II》 *p.a.* ① 〔펌어〕 저주받은, 파렴치한, 꺼림칙한: dieser ~e Kerl 이 천벌을 받을 놈; ~! 빌어먹을, 제기랄! ② 대단히 심한: ~e Kälte 혹한; ich habe ~en Hunger 나는 몹시 배가 고프다. 《III》 *adv.* 대단히, 매우: ein ~ hoher Preis 지독히 높은 물가; es ist ~ kalt 지독하게 춥다.
Verdammung [..dámʊŋ] *f.* -en 벌하기; 영겁의 벌을 내리기; 저주.
Verdammungs·spruch *m.*, **~urteil** *n.* (도덕적인) 유죄 선고. **~wert** *a.* 〔雅語〕 ↑ verdammenswert.
verdampfen 《I》 *i.* (s.) 기화〔증발〕하다; (분노가) 가라앉다. 《II》 *t.* 기화〔증발〕시키다.
Verdampfer *m.* -s, - 〖工〗 (냉각기의 한 부분으로서의) 증발 장치.

Verdampfung *f.* -en 기화, 증발.
Verdampfungs·anlage *f.* 증발〔기화〕 시설. **~wärme** *f.* 〖物〗 기화열, 증발열.
verdänen *t./i.* (s.) 덴마크화(化)하다.
***verdanken** [fɛrdáŋkən] 《I》 *t.* ① …의 덕분이다, …의 신세를 지다, …의 덕을 입다: jm. et. ~ 무엇에 대하여 누구의 덕을 입다〔신세를 지다〕: dir verdanke ich alles! 모든 일이 네 덕택이다!; dieses Mißgeschick haben Sie nur sich selbst zu ~ 이 불행한 사태는 오로지 당신 자신 탓이다. ② (schweiz.) 감사하다. 《II》 *refl.* 〔드물게〕 sich et.[3] ~ 무엇에 근거〔기인〕하다.
verdarb [fɛrdárp] ↑ verderben의 과거형.
verdaten [fɛrdá:tən] *t.* ① 〖컴·은어〗 (정보를) 데이터화하다. ② 〔구어·펌어〕 신상 자료의 축적을 통하여 파악하다.
verdattert [fɛrdátərt] 《<tattern》 *a.* 〔구어〕 깜짝놀란, 당황한, 어리둥절한: ein ~es Gesicht machen 당황한 표정을 짓다.
***verdauen** [fɛrdáuən] 《I》 *t.* ① 소화시키다, 삭히다. ② 〔구어〕 **(a)** 이해하다; (심리적으로) 극복하다: et. nicht ~ können a) 무엇을 이해할 수 없다, b) 무엇을 참을 수 없다; solche Dichtung ist schwer zu ~ 이런 작품은 좀처럼 이해하기 어렵다. **(b)** 〖권투〗 타격을 견디어 내다. 《II》 *refl.* sich ~ 소화되다: sich leicht 〔schwer〕 ~ 소화가 잘되다〔잘 안 되다〕.
verdaulich *a.* ① 소화시킬 수 있는: leicht ~ 소화하기 쉬운; schwer ~ 소화가 잘 안 되는. ② 〔비유〕 (begreiflich) 납득이 가는, 이해할 수 있는.
Verdaulichkeit *f.* 소화 가능; 이해 가능: wegen seiner schweren ~ 그의 소화 능력〔이해력〕이 약하기 때문에.
Verdauung [fɛrdáuʊŋ] *f.* 소화(력): gute 〔schlechte〕 ~ haben 소화 기능이 좋다〔나쁘다〕.
Verdauungs·apparat *m.* 〖해부〗 소화 기관. **~beschwerden** *pl.* 소화 불량. **~drüse** *f.* 〖해부〗 소화선(腺). **~enzym** *n.*, **~ferment** *n.* 〖생리〗 소화 효소, 펩신. **~geschäft** *n.* 소화 기능〔작용〕. **~kanal** *m.* 〖해부〗 소화관(管). **~mittel** *n.* 소화제. **~organ** *n.* 〖해부〗 소화 기관. **~saft** *m.* 소화액, 위액. **~schwäche** *f.* 소화 불량. **~spaziergang** *m.* 〔구어〕 식사 후(소화를 시키기 위한) 산책. **~stoff** *m.* 위액소(胃液素), 펩신. **~störung** *f.* 〖醫〗 소화 장애. **~trakt** *m.* ↑ ~kanal. **~werkzeug** *n.* ↑ ~organ.
Verdeck [fɛrdɛ́k] *n.* -(e)s, -e ① 차의 (개폐식) 지붕〔덮개〕. ② 〖海〗 상갑판.
verdecken 《I》 *t.* 씌우다, 덮다; 〔비유〕 감추다, 〖軍〗 은폐하다: er suchte seine Enttäuschung durch ein Lachen zu ~ 그는 실망을 웃음으로 숨기려고 했다. 《II》 **verdeckt** *p.a.* ↑ verdeckt.
Verdeck·sitz *m.* (마차·전차의) 차 위의 좌석.
verdeckt 《I》 *p.p.* ↑ verdecken. 《II》 *p.a.* 씌워진, 덮인, 뚜껑이 있는, 숨겨진; 〖軍〗 엄폐〔차폐〕된: ~e Batterien 엄폐 포대(砲臺).
verdeckter·weise *adv.* 감추어, 비밀리에.
Verdeckung *f.* -en ① 가림, 덮음, 엄폐, 차폐. ② 〖음향〗 (동시에 나는 큰 소리가 작은 소리를 덮어 들리지 않게 만드는) 소거 현상.
Verdeck·wagen *m.* (덮개가 있는) 마차.
verdenken* *t.* 나쁘게 해석하다, 곡해하다: jm. et. ~ 누구의 무엇을 나쁘게 받아들이다; 〔고어〕 jn. ~ 누구를 의심〔곡해〕하다.
Verderb [fɛrdɛ́rp] *m.* -(e)s ① 〔雅語〕 파멸, 멸망, 황폐: auf Gedeih und ~ 기쁠 때나 슬플 때나. ② 파멸의 근원: sie ist ein ~ für ihn 그 여자 때문에 그는 쫄딱 망한다. ③ (음식류의) 변질, 부패.
***verderben** [fɛrdɛ́rbən] (verdarb/verderbte, verdorben/verderbt) 《I》 *i.* (s.) 〔강변화〕 ① 못쓰게 되다, 상하다, 파괴〔변질〕되다. ② 타락하다; 썩다: durch schlechten Umgang verdarb er schließlich völlig 나쁜 패거리들과 어울리다가 그는 결국 완전히 타락했다. ③ 〔雅語〕 몰락하다, 망하다, 죽다: 〔비유〕 an ihm

ist ein Advokat verdorben 그는 변호사가 될 수 있었는데 못 되었다. 《Ⅱ》 *t.* 〔원래 약변화; 지금은 대개 강변화〕 망하게 하다, 못쓰게 하다, 형편 없게 하다; 해치다, 썩게 하다; 타락하게 하다: sich³ den Magen ~ 위를 상하게 하다; 〔비유〕 jm. die Lust ~ 누구의 흥을 깨뜨리다; jm. das Konzept ~ 누구의 계획을 망치다; die Zeit ~ 시간을 낭비하다; es mit jm. ~ 누구의 기분을 상하게 하다, 누구의 호의를 잃다; 〔속담〕 Geld verdirbt den Charakter 돈이 사람의 마음을 타락시킨다. 《Ⅲ》 **verderbt** *p.a.* ↑ verderbt. 《Ⅳ》 **verdorben** *p.a.* ↑ verdorben.

Verderben *n.* -s ① 못쓰게 됨; 파멸; 부패; 타락, 몰락: ins ~ rennen〔laufen〕 몸을 망치다, 망하다; jn. ins ~ stürzen〔stoßen〕 누구를 파멸시키다. ②〔雅語〕 액운의 근원: der Alkohol war sein ~ 그는 술 때문에 망했다.

verderben=bringend *a.* 파멸을 초래하는, 파괴적인. **~schwanger** *a.* 파멸을 내포한, 불길한.

Verderber *m.* -s, - ① 파손자; (흥을) 깨는 사람. ② (타락에의) 유혹자; 〔聖〕 악마(Teufel).

verderblich *a.* ① 상〔타락·부패〕하기 쉬운: leicht ~e Ware 쉽게 상하는 물건. ② 파멸의 근원이 되는; 해로운, 독이 있는; 위험한: ein ~er Einfluß 해로운 영향.

Verderblichkeit *f.* 상하기 쉬움; 해로움.

Verderbnis *f.* 〔雅語〕 (국가·국민·사회와 관련된) 타락, 퇴폐(의 근원이 되는 것); 유해물: die ~ dieser Epoche 이 시대의 타락.

verderbt 《Ⅰ》 *p.p.* ↑ verderben. 《Ⅱ》 *p.a.* ① 〔어문학〕 해독 불가능한, 읽을 수 없는: eine ~e Stelle 해독 불가능한 구절. ②〔雅語〕 도덕적으로 타락한, 패덕(悖德)의.

Verderbtheit *f.* 〔雅語〕 (개인과 관련된) 타락, 퇴폐, 패덕.

verdeutlichen [fɛrdɔ́ʏtlıçən] *t.* 명료하게 하다, 설명하다, 확실하게 하다.

Verdeutlichung *f.* -en 명료화, 설명.

verdeutschen [fɛrdɔ́ʏtʃən] *t.* ①〔구식〕 독일어로 번역하다. ②〔언어학〕 (외래어를) 독일어화하다. ③〔구어〕 설명하다.

Verdeutschung *f.* -en 독일어화; 독(일어)역(譯).

Verdi [vɛ́rdi:, (it.) vérdi] *m.* Giuseppe ~ 베르디(이탈리아의 작곡가, 1813-1901).

verdichtbar *a.* 〔物〕 농축〔압축〕할 수 있는.

verdichten 《Ⅰ》 *t.* 진하게 하다, 빽빽하게 하다, 농축〔압축〕하다: das U-Bahn-Netz ~ 지하철망을 촘촘하게 하다; 〔物·工〕 Stoffe ~ 재료를 압축하다. 《Ⅱ》 *refl.* sich ~ 진하게 되다, 농후해지다, 빽빽해지다: der Nebel verdichtet sich immer mehr 안개가 점점 더 짙어진다; ein Gerücht〔Verdacht〕 verdichtet sich 소문이 실체화〔사실화〕된다〔혐의가 짙어진다〕; der Eindruck verdichtet sich immer mehr zur Gewißheit 인상이 차차 굳어져 확신하기에 이른다.

Verdichter *m.* -s, - 〔工〕 압축기.

Verdichtung *f.* -en 농축; 〔化·物〕 압축; 〔心〕 응축.

Verdichtungs·stoß *m.* 〔理〕 충격파(波).

verdicken 《Ⅰ》 *t.* 진하게 하다, 응고〔경화(硬化)〕시키다; (국물을) 졸이다; 〔醫〕 부어오르게 하다: eine Soße ~ 소스를 걸쭉하게 졸이다. 《Ⅱ》 *refl.* sich ~ 진하게 되다; 응고〔경화(硬化)〕되다; 굵어지다; 〔醫〕 부어오르다.

Verdickung *f.* -en ① 진해짐, 경화, 응고. ②〔醫〕 부어오른 환부, 종기.

verdielen *t.* 마루를 깔다.

***verdienen** [fɛrdí:nən] 《Ⅰ》 *t.* ① (일하여) 얻다, 벌다: viel (Geld) ~ 많은 돈을 벌다; (sich³) sein Brot〔seinen Unterhalt〕 ~ 생활비를 벌다; bei〔mit〕 et.³ Geld ~ 무엇으로 돈을 벌다; sich³ et. ~ 무엇을 벌다, 얻다; 〔농담·폄어〕 sich³ bei〔mit〕 et.³ eine goldene Nase ~ 무엇으로 떼돈을 벌다; Geld mit Spekulationen ~ 투기로 돈을 벌다; an dem Geschäft hat er ein Vermögen verdient 그 사업으로 그는 한 재산 벌었다. ② (언을) 가치가 있다, …할 만하다, …에 상당하다: Lob ~ 칭찬받을 만하다; die Strafe ~ 벌을 받아 마땅하다; er verdient meinen wärmsten Dank dafür 그는 그것에 대해 내 마음에서 우러나오는 감사를 받을 만하다; ich habe es nicht um dich verdient, daß du mich so behandelst 나는 네게 그렇게 취급받을 까닭이 없다; er hat nichts anderes〔Besseres〕 verdient 그는 그런 일을 당해도 싸다. ③ 근무 연한을 마치다(ausdienen): Militärzeit ~ 병역을 마치다. 《Ⅱ》 *i.* (h.) (일정한) 벌이가 있다: beide Eheleute ~ 부부가 맞벌이하다; 〔드물게〕 eines Dinges ~ 무엇을 할 만하다. 《Ⅲ》 *refl.* sich ~ 공헌하다, 공을 세우다: sich um jn.〔et.〕 ~ 누구를〔무엇을〕 위해 공헌하다. 《Ⅳ》 **verdient** *p.a.* ↑ verdient.

Verdiener *m.* -s, - (가족의) 생계비를 버는 사람, 부양자: er ist der (einzige) ~ in der Familie 그는 가족의 생계비를 (혼자서) 번다.

***Verdienst** [fɛrdí:nst] 《Ⅰ》 *m.* -(e)s, -e 벌이, 이득, 수입; 임금: ohne ~ sein 벌이가 없다. 《Ⅱ》 *n.* -(e)s, -e 공로, 공적; 〔宗〕 공덕: nach ~ 공로에 따라; um et. ~e haben 무엇에 대하여 공로가 있다; sich³ um et. ~e erwerben 무엇을 위하여 공로를 세우다; sich³ et. als〔zum〕 ~ anrechnen 무엇을 자신의 공으로 여기다.

Verdienst=adel *m.* 훈공(에 따라 얻은) 귀족(↔ Blutadel). **~ausfall** *m.* 소득 손실〔감소〕: durch Krankheit einen ~ von mehreren tausend Mark haben 병으로 인해 수천 마르크의 소득 손실을 입다. **~bescheinigung** *f.* 소득 증명(서). **~grenze** *f.* 최고 임금〔소득〕, 소득 상한선. **~kreuz** *n.* 공로 십자 훈장.

verdienstlich *a.* 〔구식〕 ① 공로가 있는; 칭찬할 만한; 업적이 되는. ② 보수를 받기에 충분한; 수익이 있는, 벌이가 되는.

verdienstlos *a.* ① 벌이가〔이익이〕 없는; 실업의. ②〔구식〕 공로가〔공적이〕 없는.

Verdienst=medaille [..daljə] *f.* 공로 메달. **~möglichkeit** *f.* 벌이〔소득〕 가능성. **~orden** *m.* 국가 공로 훈장. **~spanne** *f.* ① 〔商〕 판매 수익〔차익〕. ② 최저 소득과 최고 소득 사이의 편차 가능성. **~voll** *a.* ① 공로가〔공적이〕 많은. ② 인정〔칭찬〕할 만한.

verdient [fɛrdí:nt] 《Ⅰ》 *p.p.* ↑ verdienen. 《Ⅱ》 *p.a.* ① 공로로 얻은, 당연한, 마땅한: ein ~er Sieg der Heimmannschaft 홈팀의 당연한 승리. ② 공로가 있는〔많은〕: ein um die Stadt sehr ~er Mann 시(市)에 공로가 많은

사람; sich um jn.〔et.〕 ~ machen 누구를〔무엇을〕 위해 공헌하다.

verdienter≈maßen, ~weise *adv.* 공로에 따라; 응당, 마땅히.

verdieseln *t.* ①〖철도〗 디젤 기관차를 달다. ②〔은어〕 난방용 기름을 (불법으로) 자동차 연료로 사용하다.

Verdikt [vɛrdíkt] 《engl.》 *n.* -(e)s, -e ①〖法·고어〗 심판, 판결, (배심원의) 평결. ②〔교양〕 유죄 선고, 혹평.

Verding [fɛrdíŋ] *m.* -(e)s, -e 〔구식〕 고용(계약); 도급〔청부〕(계약): im ~ 도급으로, 청부로.

Verding·bub *m.* (schweiz.) 입양된 고아 소년.

verdingen(*) (verdingte/verdang, verdingt/verdungen) 《I》 *t.* ① **(a)** 고용살이시키다; seinen Sohn als Diener bei jm. ~ 아들을 누구 밑에서 고용살이하게 하다. **(b)** 임대하다: jm. et. ~ 누구에게 무엇을 임대하다. ②〔격식〕 (일을) 맡기다, 도급〔하청〕 주다. 《II》 *refl.* sich ~ 〔구식〕 고용되다, 고용살이하다.

Verdinger *m.* -s, - 〔격식〕 고용주.

verdinglichen [fɛrdíŋlıçən] 《I》 *t.* 구체화〔사물화〕하다. 《II》 *refl.* sich ~ 사물화되다, 구체화〔물질화〕되다.

Verdinglichung *f.* -en 〖哲〗 물화(物化); 구체화.

Verdingung *f.* -en ①〔격식〕 고용; 도급, 청부; 임대. ② 고용되는 것.

verdirb [fɛrdírp] ↑ verderben 의 과거형.

verdolen [fɛrdó:lən] *t.* 덮다: einen Bach ~ 개천을 복개하다.

verdolmetschen [fɛrdɔ́lmɛtʃən] *t.* ① 통역하다. ②〔구어〕 설명하다.

Verdolmetschung *f.* -en 통역, 설명.

verdonnern 《I》 *i.* (h.) (ausdonnern) 천둥소리가 그치다; 〔비유〕 호통 소리가 그치다. 《II》 *t.* 〔구어〕 ① 호통치다. ② 유죄 선고를 내리다 (verurteilen): er wurde zu zehn Monaten Gefängnis verdonnert 그는 10 개월의 징역형을 받았다. ③ (싫은 일을) 맡기다, 억지로 떠맡기다: jn. dazu ~, et. zu tun 누구에게 무엇을 하는 일을 (억지로) 떠맡기다. 《III》 **verdonnert** *p.a.* ↑ verdonnert.

verdonnert 《I》 *p.p.* ↑ verdonnern. 《II》 *p.a.* 〔구어〕 놀란, 기막힌, 당황한, 굉장한. 《III》 *adv.* 엄청나게, 굉장히.

verdoppeln [fɛrdɔ́pəln] 《I》 *t.* 곱으로 하다, 배가(倍加)하다, 이중으로 하다; 증가시키다; 강하게 하다: 〔雅語〕 seine Schritte ~ 걸음을 빨리하다. 《II》 *refl.* sich ~ 두 배로 되다, 배가(倍加)되다.

Verdoppelung, Verdopplung *f.* -en ① 배가, 중복, 강화. ②〖음악〗 (같은 음의) 중복.

verdorben [fɛrdɔ́rbən] 《I》 *p.p.* ↑ verderben. 《II》 *p.a.* 파멸한, 못쓰게 된, 결딴난, 형편 없는; 상한, 부패한: sittlich ~ 윤리적으로 타락한; du bist zum Schauspieler ~ 너는 배우가 되기엔 글러먹었다.

Verdorbenheit *f.* 부패, 타락, 퇴폐.

verdorren [fɛrdɔ́rən] *i.* (s.) 바싹 마르다, 메마르다, 시들다, 말라죽다: der Rasen ist verdorrt 잔디가 바싹 말랐다.

verdösen 〔구어〕 *t.* ① 잊어버리다: einen Termin ~ 기한〔약속일〕을 잊어버리다. ② (시간 등을) 멍청하게 보내다, 허비하다. 《II》 **verdöst** *p.a.* ↑ verdöst.

verdöst 《I》 *p.p.* ↑ verdösen. 《II》 *p.a.* ① 잠이 덜깬, 졸고 있는: sie sieht ~ aus 그녀는 잠이 덜깬 듯이 보인다. ② (지나친 일광욕으로) 나른한, 멍한, 몽롱한.

verdrahten *t.* ① (철조망을 쳐서) 출입을 막다. ② 배선하다.

Verdrahtung *f.* -en ① 철조망을 사용한 폐쇄. ② 배선(配線).

Verdrang *m.* -(e)s ↑ Verdrängung.

***verdrängen** [fɛrdrɛ́ŋən] *t.* ① 밀어내다, 내쫓다, (적 등을) 몰아내다; 배제하다; 〖化〗 치환(置換)하다: das Schiff verdrängt 2000 *t* (Wasser) 그 배의 배수량은 2 천톤이다; jn. aus seiner Stellung 〔von seinem Platz〕 ~ 누구를 그 지위에서 쫓아내다. ②〖心〗 (마음의 상처·고통을) 잊으려고〔떨치려고〕 애쓰다: Schuldgefühle ~ 죄의식을 떨쳐버리려고 애쓰다.

Verdrängung [..drɛ́ŋʊŋ] *f.* -en ① **(a)** 몰아냄, 축출; 배제; 〖化〗 치환(置換). **(b)**〖心〗 (마음의 상처·고통을) 잊으려는 강박 관념. ② 밀어낸 액체(량): Wasser~ 배수량.

verdrecken [fɛrdrɛ́kən] 〔구어〕 《I》 *t.* (오물로) 더럽히다. 《II》 *i.* (s.) (오물로) 더러워지다.

***verdrehen** [fɛrdré:ən] 《I》 *t.* ① 비틀다, 뒤틀다, 찌그러뜨리다, 비비 꼬다, 휘게 하다: die Augen ~ 눈을 부릅뜨다; jm. das Handgelenk ~ 누구의 손목을 비틀다; 〔비유〕 jm. den Kopf ~ 누구를 반하게 하다. ②〔구어·폄어〕 우기다, 왜곡하다: das Recht ~ 법을 왜곡하다; er hat den Sinn meiner Worte (völlig) verdreht 그는 내 말의 의미를 (전적으로) 곡해했다. ③〔구어〕 (필름을) 사용하다, 소비하다: wir haben im Urlaub drei Filme verdreht 우리는 휴가 중에 필름 세 통을 소비했다. 《II》 **verdreht** *p.a.* ↑ verdreht.

Verdreher *m.* -s, - 비꼬는 사람, 〔구어〕 견강부회(牽强附會)하는 사람; 곡해자.

verdreht 《I》 *p.p.* ↑ verdrehen. 《II》 *p.a.* ① 뒤틀린; 왜곡된. ②〔구어〕 혼란케 하는, 혼란〔당황〕한: du machst mich ganz ~ mit deinen vielen Fragen 너의 많은 질문 때문에 나는 아주 당황스럽다. ③〔구어〕 약간 미친, 엉뚱한: ~e Einfälle 엉뚱한 착상.

Verdrehtheit *f.* -en 〔구어〕 ① 비틀려〔왜곡되어〕 있음; 미쳐 있음; 불합리, 몰상식. ② 엉뚱한〔미친〕 행동.

Verdrehung [..dré:ʊŋ] *f.* -en ① 뒤틀기, 비비꼬기; 찌그러뜨림. ② 왜곡, 곡해. ③〖醫〗 (관절의) 접질림, 삠.

verdreifachen [fɛrdráıfaxən] 《I》 *t.* 3 배로 하다. 《II》 *refl.* sich ~ 3 배가〔3 중이〕 되다.

verdreschen* *t.* 〔구어〕 (verprügeln) 난타하다, 마구 패다〔때리다〕.

verdrießen* [fɛrdrí:sən] (verdroß, verdrossen) 《I》 *t.* 불쾌하게〔짜증나게·화나게〕 하다: 〔雅語〕 sich et. nicht ~ lassen 무엇을 꺼리지 않다; ich will mich keine Mühe ~ lassen 나는 어떠한 노고도 마다하지 않겠다. 《II》 **verdrossen** *p.a.* ↑ verdrossen.

verdrießlich [..drí:slıç] *a.* 불쾌한, 짜증나는, 화나는: du bist heute so ~ 너는 오늘 무척 언짢아 보인다; eine ~e Arbeit 짜증나는 일.

Verdrießlichkeit *f.* -en ① 불쾌, 짜증남, 화남. ②〖雅語〗짜증나는〔부담스러운〕일.
verdrillen 《Ⅰ》*t.* (철사·실을) 꼬다: Drähte ~ 철사를 꼬다. 《Ⅱ》*refl.* sich ~ (서로) 꼬이다, 뒤엉키다.
Verdrillung *f.* -en 〖工〗꼬임, 비틀림.
verdrossen 《Ⅰ》*p.p.* ↑ verdrießen. 《Ⅱ》*p.a.* 불쾌한, 짜증나는: ~ seine Arbeit tun 마지못해 일을 하다; ein ~es Gesicht machen 불쾌한 표정을 짓다.
Verdrossenheit *f.* 짜증, 화남, 불쾌; 역정.
verdrucken *t.* ① 잘못 인쇄하다. ② (종이를) 인쇄하여 다 써버리다.
verdrücken 《Ⅰ》*t.* ①〖방언〗눌러 일그러뜨리다, 으깨다; (옷을) 구기다: die Kleider sind im Koffer verdrückt worden 옷이 트렁크 속에서 다 구겨졌다. ②〖구어〗먹어 치우다, 게걸스레 먹다. 《Ⅱ》*refl.* sich ~ ①〖광산〗(광맥의) 두께가 점차 얇아지다. ②〖구어〗슬쩍〔몰래〕도망치다. 《Ⅲ》**verdruckt** *p.a.* ↑ verdruckt.
verdruckt 《Ⅰ》*p.p.* ↑ verdrucken. 《Ⅱ》*p.a.* 잘못 인쇄된.
***Verdruß** [..drʊ́s] 《<verdrießen》*m.* ..drusses, ..drusse ① 불쾌; 짜증; 불만; 역정: jm. ~ machen〔bereiten〕누구를 불쾌하게 하다; jm. et. zum ~ tun 누구를 약올리기 위하여 일부러 무엇을 하다. ② 불쾌한〔짜증나는〕일, 번거로움:〖구어〗einen ~ haben 곱사등이다.
Verdruss 新정서 ⇦ Verdruß.
verduften [..dʊ́ftən] *i.* (s.)/*refl.* (sich) ~ ① 발산〔증발〕하다; 향기를 잃다: der Kaffee ist verduftet 커피향이 날아갔다. ②〖경박〗슬쩍 도망치다.
verdull *a.* (ndd.) 미친 듯한.
verdummen [fɛrdʊ́mən] 《Ⅰ》*t.* 우둔〔무지〕하게 하다; 우롱하다. 《Ⅱ》*i.* (s.)〖구어〗우둔하게 되다, 멍청해지다.
Verdummung *f.* 백치화, 몽매화, 우민화; 우롱.
Verdummungs≈system *n.* 우민화 체제. **~versuch** *m.* 우민화 책동.
verdumpfen [fɛrdʊ́mpfən] 《Ⅰ》*i.* (s.) (소리 등이) 희미해지다; 무감각해지다, 둔해지다: verdumpfte Schulmeister 감각이 마비된 교사들. 《Ⅱ》*t.* 둔하게〔희미하게〕만들다.
Verdumpfung *f.* 희미해짐, 둔하게 함.
Verdun [vɛrdœ̃ː] 베르됭(프랑스 동북부의 요새 도시):〖史〗Schlacht bei ~ 베르됭 전투(1916).
***verdunkeln** [fɛrdʊ́ŋkəln] 《Ⅰ》*t.* ① 어둡게 하다, 흐리게 하다, (색을) 진하게 하다;〖비유〗(뜻을) 모호〔애매〕하게 하다: Fenster ~ 창을 가려서 어둡게 하다; eine schwarze Wolke verdunkelte den Horizont 검은 구름이 지평선을 뒤덮었다;〖雅語〗js. Glück ~ 누구의 행복에 그늘을 드리우다;〖雅語〗Tränen verdunkelten ihren Blick 눈물이 그녀의 시야를 가렸다〔흐리게 했다〕. ②〖天〗일식〔월식〕하다. ③〖비유〗(명예를) 먹칠하다, 무색하게 하다. ④〖法〗(범죄 사실을) 은폐하다, 감추다. 《Ⅱ》*refl.* sich ~ 어두워지다, 흐려지다, 진해지다: ihre Miene verdunkelte sich 그녀의 표정이 어두워졌다.
Verdunkelung *f.* -en ① (**a**) 어둡게 하기; 애매하게 만듦. (**b**)〖전기〗암전(暗轉);〖天〗일식, 월식. ② 등화 관제용 차광막; 등화 관제, 소등(消燈). ③〖法〗(범죄 구성 요건의) 은폐, 증거 인멸.
Verdunkelungs≈gefahr *f.*〖法〗증거 인멸의 우려〔위험〕. **~übung** *f.* 등화 관제 훈련.
Verdunklung *f.* -en ↑ Verdunkelung.
Verdunklungs≈gefahr *f.* ↑ Verdunkelungsgefahr. **~übung** *f.* ↑ ~Verdunkelungsübung.
verdünnbar *a.* 엷게〔묽게〕할 수 있는;〖化〗희석할 수 있는.
verdünnen [fɛrdʏ́nən] 《Ⅰ》*t.* ① 얇게 만들다: ein Brett ~ 판을 깎다. ② 희석하다, 묽게 하다;〖비유〗(힘을) 약화시키다: mit Wasser ~ 물을 타다; verdünnte Lösung 묽은〔희석〕용액. ③〖건축〗끝을 뾰족하게 하다(zuspitzen). ④〖軍·은어〗병력을 줄이다: Truppen ~ 부대 규모를 줄이다. 《Ⅱ》*refl.* sich ~ ① 엷어지다, 묽어지다. ② 가늘어지다, 뾰족해지다: der Mast verdünnt sich nach oben 돛대가 위로 갈수록 가늘어진다.
verdünnisieren [fɛrdʏniziːrən] *refl.* sich ~〖구어〗몰래 떠나다, 자취를 감추다.
Verdünnung *f.* -en ① 희석, 희박화, 엷게 하기:〖구어〗bis zur ~ 넌더리가 나도록, 신물이 날 때까지. ② (페인트·유화 물감의) 용제(溶劑), 희석제. ③〖化〗희석.
verdunsten 《Ⅰ》*i.* (s.) 증발〔발산〕하다. 《Ⅱ》*t.* 증발시키다.
verdünsten *t.*〖드물게〗증발〔발산〕시키다.
Verdunstung *f.* 증발, 발산, 기화.
Verdünstung *f.* ↑ Verdunstung.
Verdunstungs·messer *m.*〖工〗증발계.
verdürbe [fɛrdʏ́rbə] ↑ verderben 의 접속법 2식.
Verdure [vɛrdýːrə] *f.* -n (15-18 세기의) 식물이 그려진 벽걸이용 양탄자.
verdursten [fɛrdʊ́rstən] *i.* (s.) ① 목말라 죽다. ②〖구어〗매우 목마르다: verdurstet 무척 목마른.
verdüstern [fɛrdýːstərn] 《Ⅰ》*t.* 어둡게 하다, 음울〔침울〕하게 하다:〖雅語〗Kummer verdüstert ihr Gesicht 근심으로 그녀의 얼굴이 어두워진다. 《Ⅱ》*i.* (s.)/*refl.* (sich) ~ 어두워지다, 음울〔침울〕해지다: plötzlich verdüsterte sich der Himmel 갑자기 하늘이 어두워졌다.
verdutzen [fɛrdʊ́tsən] 《Ⅰ》*t.* 어처구니 없게 하다, 어리둥절케 하다. 《Ⅱ》**verdutzt** *p.a.* ↑ verdutzt.
verdutzt 《Ⅰ》*p.p.* ↑ verdutzen. 《Ⅱ》*p.a.* 어처구니없는, 아연한, 당혹스러운: ein ~es Gesicht machen 놀란 얼굴을 하다.

Verdutztheit *f.* 놀람, 당혹.
verebben [fɛr|ɛ́bən] *i.* (s.) ① (조수가) 빠지다, (물이) 빠져나가다;〖비유〗부진하게〔불경기가〕되다, 쇠퇴하다. ②〖雅語〗(소음 등이) 점차 약해지다: der Beifall verebbte 갈채가 잦아들었다.
veredeln [fɛr|éːdəln] 《Ⅰ》*t.* ①〖雅語〗고상하게 하다; 순화하다, 세련되게 만들다; 교화하다. ② (질적으로) 향상시키다, 값지게 만들다;〖工〗정련〔정제〕하다: Boden ~ 토양을 개량하다; den Geschmack einer Speise ~ 음식맛을 좋게 하다. ③〖植〗접붙이다, (종자를) 개량하다. 《Ⅱ》*refl.* sich ~ 귀하게 되다, 개량〔향

상〕되다.

Veredelung *f.* 귀하게 만들기; 정제, 가공; 개량.

Veredelungs≈verfahren *n.* 정제〔가공·개량〕 방법. **~verkehr** *m.* 가공 교역.

Veredlung *f.* ↑ Veredelung.

verehelichen [fɛr|é:əlɪçən] 〖구식·격식〗 《Ⅰ》*t.* 〖드물게〗 결혼시키다(verheiraten). 《Ⅱ》*refl.* sich ~ 결혼하다: Anna Richter, verehelichte Mayer 아나 리히터, 결혼 후의 성은 마이어.

Verehelichung *f.* -en 결혼(시키기).

verehlichen *t.* ↑ verehelichen.

Verehlichung *f.* -en ↑ Verehelichung.

***verehren** [fɛr|é:rən] *t.* ① 존경〔숭배〕하다; 사모〔연모〕하다: Götter ~ 신을 숭배하다; sehr verehrter Herr... (편지 서두에서) 존경하는 …님; verehrte Anwesende! 존경하는 참석자 여러분!; 〖구식〗 ein Mädchen ~ 구혼하다. ② 〖농담〗 선사〔증정〕하다: er hat mir das Buch zum Geburtstag verehrt 그는 내게 생일 선물로 책을 주었다.

Verehrer *m.* -s, - ① 숭배자; 신봉자. ② 〖구식·농담〗 애인, 사모하는 남자: sie hatte in ihrer Jugend zahlreiche ~ 그녀는 젊었을 때 (그녀를) 사모하는 남자들이 수없이 많았다.

Verehrerin *f.* -nen ↑ Verehrer ① 의 여성형.

verehrlich *a.* 〖고어〗 존경할 만한: Ihr ~es Schreiben 귀하의 서한.

Verehrung [fɛré:rʊŋ] *f.* ① 숭배, 신봉. ② 존경; 사모, 연모.

verehrungs≈voll *a.* 존경심에 찬, 경건한. **~wert, ~würdig** *a.* 존경할 만한.

vereiden [fɛr|áɪdən] *t.* 〖구식〗 ↑ vereidigen.

vereidigen *t.* 선서시키다: vereidigt 공인된, 서약한; einen Minister auf die Verfassung ~ 장관에게 헌법을 준수할 것을 선서하게 하다.

Vereidigung *f.* -en 선서(시키기), 서약: Zeugen~ 증인 선서.

Vereidung *f.* -en ↑ Vereidigung.

***Verein** [fɛr|áɪn] 《<vereinen》 *m.* -(e)s ① 결합, 단결; 연합, 합동, 동맹: im ~ mit jm. 〔et.³〕 누구와〔무엇과〕 협동하여; 〖농담·반어〗 in trautem ~ (mit jm.) (누구와) (예상외로) 사이좋게, 단결하여; das Fernsehen zeigte die Gegner in trautem ~ beim Bier 텔레비전은 뜻밖에도 적수들끼리 사이좋게 맥주를 마시는 것을 보여주었다. ② 단체, 협회, 조합, 클럽: ~ Deutscher Ingenieure 독일 기술자 협회(약어: VDI); Sport~ 스포츠 클럽; 〖폄어〗 ein lustiger ~ 재미있는 녀석들〔패거리〕.

vereinbar *a.* 결합할 수 있는; 서로 일치하는, 조화하는, 모순되지 않는.

***vereinbaren** [fɛr|áɪnba:rən] *t.* ① 일치〔조화〕시키다: das kann ich nicht mit meinem Gewissen ~ 그것은 내 양심상 용납할 수 없다; unsere Ansichten lassen sich nicht ~ 우리의 의견은 일치될 수 없다. ② 협정〔합의〕하다: et. mit jm. ~ 〔sich mit jm. über et. ~〕 무엇에 대하여 누구와 합의하다; einen Preis ~ 가격을 협정하다; wir treffen uns zum vereinbarten Termin 우리는 약속된 시간에 만난다.

vereinbarter·maßen *adv.* 협정〔합의〕한 대로.

***Vereinbarung** [fɛr|áɪnba:rʊŋ] *f.* -en 일치; 협정, 합의; 약속: ~en 〔eine ~〕 mit jm. treffen 누구와 합의하다; schriftliche〔mündliche〕 ~ 서류상의〔구두〕 협정; sich an die ~en halten 협정을 지키다.

vereinbarungs·gemäß *adv.* 협정대로.

vereinen [fɛr|áɪnən] 〖雅語〗《Ⅰ》*t.* ① 통합하다, 하나로 묶다: et. in einer Hand ~ 무엇을 한꺼번에 지니다; er vereint die ganze Macht in seiner Hand 그는 모든 권력을 한 손에 쥐고 있다; mit vereinten Kräften 힘을 합하여; die Vereinten Nationen 국제 연합. ② 일치〔조화〕시키다. 《Ⅱ》*refl.* sich ~ 결합되다, 동시에 일어나다: bei ihr vereint sich Schnelligkeit mit Ausdauer 그녀는 민첩성과 인내심을 겸비하고 있다.

vereinfachen [fɛr|áɪnfaxən] *t.* 간단하게 하다, 단순화〔간소화〕하다.

Vereinfachung *f.* -en ① 단순화, 간소화. ② 단순화〔간소화〕된 것.

vereinheitlichen [fɛr|áɪnhaɪtlɪçən] *t.* 단일화하다, 통일하다; 〖工〗 …의 규격을 통일하다.

Vereinheitlichung *f.* -en 단일화, 통일.

***vereinigen** [fɛr|áɪnɪgən] 《Ⅰ》*t.* 하나로하다, 합일하다, 결합〔규합·합병〕하다; 일치〔동맹〕시키다; 결집하다; 조화시키다; 〖化〗 화합시키다: et. in einer Hand ~ 무엇을 한손에 규합하다, 동시에 지니다; auf einen Punkt ~ 한 곳에 집중하다; 〖雅語〗 et. in sich³ ~ 무엇을 공통으로 지니다; mehrere Ämter (in sich³) ~ 겸직하다; die Vereinigten Staaten (von Amerika) 아메리카 합중국. 《Ⅱ》*refl.* sich ~ ① 하나가 되다, 결합〔일치·연합·동맹〕하다, 결집〔집중〕되다; (강이) 합류하다; 〖化〗 화합하다: sich mit jm. über et. ~ 누구와 무엇에 대하여 협정하다; hier vereinigt sich die Isar mit der Donau 〔hier ~ sich Isar und Donau〕 여기서 이자르강과 도나우강이 합류한다. ② 〖雅語〗 성교〔교미〕하다.

Vereinigung *f.* -en ① 합일, 규합; 합병, 연합; 집중; (강의) 합류: ~ verschiedener Ämter 겸직; geschlechtliche ~ 성교. ② 합의, 협정; 화목, 화해; 〖化〗 화합; 〖醫〗 유착(癒着). ③ 단체, 협회, 연맹: ~ der Kunstfreunde 예술 애호가 협회. ④ 〖數〗 합집합.

Vereinigungs≈freiheit *f.* 〖法〗 결사의 자유. **~ort** *m.* 집결지, 밀회의 장소. **~punkt** *m.* 집합점, 집중점; (도로의) 교차점; (의견의) 일치점; 〖物〗 초점(Brennpunkt). **~recht** *n.* (집회) 결사권. **~station** *f.* 〖철도〗 연락역, 접속역. **~vertrag** *m.* 〖法〗 연합 조약.

vereinnahmen [fɛr|áɪnna:mən] *t.* ① 〖商〗 (↔ verausgaben) (돈을) 수취하다, 거두어들이다. ② 〖구어〗 독차지〔독점〕하다: die Oma wurde von den Kindern sofort vereinnahmt 할머니는 아이들이 금새 독차지했다; wer hat die Zeitung vereinnahmt? 누가 신문을 가져갔지?

Vereinnahmung *f.* -en ① 받음, 수취, 거두어들임. ② 차지함, 점유.

Vereins·abend *m.* 밤의 집회; 클럽의 밤.

vereinsamen [fɛr|áɪnza:mən] 《Ⅰ》*t.* 〖드물게〗 고립시키다, 고독하게 만들다: sich vereinsamt fühlen 고립감을 느끼다. 《Ⅱ》*i.* (s.)/

refl. (sich) ~ 고립되다, 고독하게 되다.
Vereinsamung *f.* 고립, 고독.
vereinseitigen [fɛr|aɪnzaɪtɪgən] *t.* 일방적으로 서술하다〔다루다〕: das Problem wurde in der Sendung vereinseitigt 그 문제는 방송에서 편파적으로 보도되었다.
Vereinseitigung *f.* -en 일방적〔편파적〕 표현〔취급〕.
Vereins≈elf *f.* (축구 등의) 11인 클럽〔회〕. **~farbe** *f.* 클럽을〔협회를〕 상징하는 빛깔. **~freiheit** *f.* 〖法·구식〗 결사의 자유. **~gebiet** *n.* 〖史〗 독일 관세 동맹 가입 지역. **~gesetz** *n.* 〖法〗 사단〔조합·결사〕법. **~haus** *n.* 클럽〔협회〕 건물, 회관. **~kasse** *f.* 단체〔조합〕 기금. **~leitung** *f.* 클럽〔협회〕 지도부. **~lokal** *n.* 클럽의 집회실. **~mannschaft** *f.* 〖스포츠〗 1개 클럽 회원으로 구성된 선수단〔팀〕. **~meier** *m.* 〖구어·펌어〗 클럽의 극성 회원, 열성 회원. **~meierei** *f.* 〖구어·펌어〗 극성스런 클럽 활동. **~mitglied** *n.* 협회 회원, 조합원. **~recht** *n.* 〖法〗 사단〔협회〕 관계법. **~register** *n.* 〖法〗 사단〔협회〕 등기부. **~satzung** *f.* 협회 정관, 회칙. **~staatlich** *a.* 아메리카 합중국의. **~taler** *m.* 〖史〗 독일 관세 동맹 가입 지역 공용의 탈러화(貨). **~und Versammlungs·recht** *n.* 집회 결사권〔법〕. **~vermögen** *n.* 조합〔사단〕 재산. **~wechsel** *m.* (선수의) 이적. **~wesen** *n.* 결사〔조합〕의 활동과 제도.
Vereintblütler 《<vereinen; ↑ ..blütler》 *m.* -s, - 국화과(科) 식물 (Komposite).
Vereinung *f.* 〖드물게〗 ↑ vereinen의 명사형.
vereinzeln [fɛr|áɪntsəln] 《I》 *t.* ① 〖雅語〗 개별화하다, 따로따로 떼어놓다, 나누다, 갈라놓다; (상품을) 따로따로 팔다. ② 〖農〗 (묘목 등을) 솎(아내)다. 《II》 *refl.* sich ~ 개별적으로 분산〔고립〕되다, 점차 드물어지다. 《III》 **vereinzelt** *p.a.* ↑ vereinzelt.
vereinzelt 《I》 *p.p.* ↑ vereinzeln. 《II》 *p.a.* 따로따로의, 개별적인; 드문, 산발적인; 〖醫〗 ~ auftretend 간헐성의.
Vereinzelung *f.* -en ① 개별화, 분리. ② 분산; 〖農〗 솎음: die ~ von Sämlingen 묘목 솎아내기.
vereisen [fɛr|áɪzən] 《I》 *i.* (s.) 얼다, 빙결〔동결〕하다. 《II》 *t.* 〖醫〗 한랭 마취시키다, 마비시키다.
Vereisung *f.* -en ① 〖醫〗 한랭 마취, 마비. ② 빙결, 동결. ③ 〖지질〗 빙하화.
vereiteln [fɛr|áɪtəln] *t.* 무효로 하다, (계획·희망을) 수포로 돌아가게 하다, 좌절시키다.
Vereitelung *f.* 좌절(시킴), 차질, 실패.
vereitern [fɛr|áɪtərn] *i.* (s.) / *refl.* (sich) ~ 〖醫〗 곪다: die vereiterte Wunde 곪은 상처.
Vereiterung *f.* -en 〖醫〗 ① 화농(化膿), 곪기. ② 곪아 있음, 화농 상태.
Vereitlung *f.* ↑ Vereitelung.
verekeln [fɛr|é:kəln] 《I》 *t.* 구역질나게 하다: jm. et. ~ 누구로 하여금 무엇에 구역질나게 하다. 《II》 *refl.* sich an et. ~ 무엇에 대하여 역겨워지다.
Verekelung *f.* -en 구역질, 구토.
Vereklung *f.* -en ↑ Verekelung.
verelenden [fɛr|é:lɛndən] *i.* (s.) 비참해지다; 궁핍해지다.
Verelendung *f.* 비참해짐; 참상; 궁핍(화).
Verelendungs·theorie *f.* 〖마르크스주의〗 궁핍화 이론.
verenden [fɛr|ɛ́ndən] *i.* (s.) ① (동물이) 죽다. ② 〖사냥〗 (짐승이 총에 맞거나 덫에 걸려서) 죽다. ③ (사람이) 고통스럽게 죽다.
verengen 《I》 *t.* 좁히다, 좁게 만들다. 《II》 *refl.* sich ~ 좁아지다, 수축되다.
Verenger *m.* -s, - ↑ Verengerer.
Verengerer *m.* -s, - 괄약근(筋), 협착근.
verengern [fɛr|ɛ́ŋərn] 《I》 *t.* (옷의) 폭을 좁히다. 《II》 *refl.* sich ~ 좁아지다.
Verengerung *f.* -en (옷의) 폭을 좁힘, 좁아짐.
Verengung *f.* -en ① 좁힘, 좁아짐, 협착; 수축. ② 좁아진 곳〔장소〕.
vererbbar [fɛr|ɛ́rpba:r] *a.* 상속될 수 있는, 유전되는.
***vererben** [fɛr|ɛ́rbən] 《I》 *t.* ① (**a**) 상속시키다, 유산으로 물려주다: jm. et. ~ 〔et. auf jn. ~〕 누구에게 무엇을 상속시키다: sein Vermögen ~ 재산을 물려주다. (**b**) 〖구어·농담〗 선사하다, 넘겨주다: kannst du mir nicht deinen Wintermantel ~? 네 겨울 외투를 내게 물려주지 않겠니? ② 〖生·醫〗 유전시키다. 《II》 *i.* (s.) / *refl.* (sich) ~ (auf jn.) (누구에게) 전해지다, 계승되다, 유전되다. 《III》 **vererbt** *p.a.* ↑ vererbt.
vererblich *a.* 상속될 수 있는, 유전성의.
vererbt 《I》 *p.p.* ↑ vererben. 《II》 *p.a.* 상속된, 계승한, 유전의.
Vererbung [fɛr|ɛ́rbuŋ] *f.* 〖生·醫〗 유전.
Vererbungs·gesetz *n.* 〖生·醫〗 유전 법칙. **~lehre** *f.* 〖生〗 유전학(설).
vererzen [fɛr|é:rtsən] 《I》 *i.* (s.) / *refl.* (sich) ~ 광화(鑛化)하다. 《II》 *t.* 광화시키다.
verestern [..ɛ́stərn] *t.* 〖化〗 에스테르화하다.
Veresterung *f.* 〖化〗 에스테르화(化).
verewigen [fɛr|é:vɪgən] 《I》 *t.* ① 영원하게 만들다, 영원히 전하다, 불멸로 남기다: seinen Namen ~ a) 불멸의 이름을 남기다, b) 〖농담〗 (관광 기념으로 벽에) 이름을 새겨넣다. ② 오래 지속시키다: wir wollen diesen Zustand nicht ~ 우리는 이런 상황이 오래 가게 하지는 않을 것이다. 《II》 *refl.* sich ~ 〖구어〗 오랜 흔적을 남기다, 영원히 전해지다: 〖농담〗 auf dem Teppich hat sich ein Hund verewigt 개가 양탄자 위에서 용변을 보았다. 《III》 **verewigt** *p.a.* ↑ verewigt.
verewigt 《I》 *p.p.* ↑ verewigen. 《II》 *p.a.* ① 불후〔불멸〕의. ② 〖雅語〗 죽은, 고인이 된, 작고한: mein ~er Vater 나의 선친.
Verewigung *f.* 영원히 남김; 작고.
verfahren*[1] [fɛrfá:rən] 《I》 *t.* ① 〖구어〗 (연료·돈·시간 등을) 운행에〔교통비로〕 소비하다: ich habe heute 30 DM mit dem Taxi verfahren 나는 오늘 택시비로 30마르크를 썼다. ② 운송〔수송〕하다. ③ 운행으로 파괴하다: die Wege ~ 차량 운행으로 도로를 손상시키다. ④ 〖광산〗 (**a**) 갱도를 파다: einen Gang ~ 광맥에 갱도를 파다. (**b**) (한 교대 일을) 끝내다: eine Schicht ~ (교대제의) 한 작업 타임을 마치다. 《II》 *i.* (s.) ① …의 태도를 취하다, …하게 행동〔처리〕하다: in dieser Sache müssen wir anders ~ 이 문제에서 우리는 다른 태도를 취해야 한다; mit jm. 〔gegen jn.〕 grob ~

누구에게 거친 태도를 취하다, 누구를 거칠게 대하다; so kannst du nicht mit ihm ~! 너는 그를 그렇게 대해서는 안돼!; mit jm. schlecht ~ 누구를 냉대〔학대〕하다; gegen jn. gerichtlich ~ 누구에 대하여 법적인 조처를 취하다. ②〖고어〗des Todes ~ 죽다. 《Ⅲ》*refl.* sich ~ (차를 몰다가) 길을 잃다, 길을 잘못 들다, 〖비유〗궁지에 빠지다: wir haben uns bei dem Nebel völlig ~ 우리는 안개 속에서 완전히 길을 잃었다. 《Ⅳ》**verfahren** *p.a.* ↑ verfahren².

verfahren² 《Ⅰ》*p.p.* ↑ verfahren¹. 《Ⅱ》*p.a.* (일이) 잘못된, 곤경에 빠진: die Sache ist völlig ~ 그 일은 완전히 망쳤다; eine ~e Situation 난국, 꼬인 상황.

***Verfahren** *n.* -s, - ① 차를 몰다가 길을 잃기. ② 수법, 방식, 행동, 취급, 처리, 처치: ein ~ anwenden 어떤 방법을 사용하다. ③〖法〗소송 절차: ein ~ gegen jn. einleiten 누구를 상대로 소송을 걸다.

Verfahrens⸗frage *f.* 방법〔절차·처리〕문제. **~recht** *n.* 〖法〗 절차법(소송법 등의 형식법의 총칭). **~rechtlich** *a.* 〖法〗 절차법의〔에 따른〕. **~regel** *f.* 절차〔소송〕규정. **~technik** *f.* 공정(工程)〔프로세스〕공학. **~weise** *f.* 취급〔처치〕법; 방법; 절차.

Verfahrung *f.* -en ①〖商〗운송, 수송; 수출 (Export). ②〖고어〗↑ Verfahren.

Verfahrungs⸗art *f.* ↑ ~weise. **~lehre** *f.* 방법론. **~weise** *f.* 방식, 방법, 절차, 처리법.

***Verfall** [fɛrfál] *m.* -(e)s ① 쇠퇴, 몰락; 붕괴; (풍기의) 퇴폐, 타락; 악화; 〖醫〗쇠약: in ~ geraten〔kommen〕쇠퇴〔몰락〕하다. ②〖금융〗만기, 기한 경과. ③〖法〗**(a)** (권리의) 상실, 소멸, 실효. **(b)** 불법으로 취득한 재산의 환수〔몰수〕. ④〖건축〗높이가 다른 두 용마루의 연결.

Verfall⸗buch *n.* 〖商〗어음 지급 기한 기입장. **~datum** *n.* (어음의) 지급 기일, 만기일.

verfallen¹ [fɛrfálən] 《Ⅰ》*i.* (s.) ① 쇠퇴하다, 멸망하다; 타락하다; 악화하다; 쇠약하다: der Kranke verfiel zusehends 환자는 하루가 다르게 쇠약해졌다; die Kultur der Maya verfiel im 15. Jh. 마야 문명은 15세기에 멸망했다. ② 어떤 상태에 빠지다: wieder in den alten Fehler ~ 이전의 실수를 또 범하다; in eine Krankheit ~ 병에 걸리다; in Strafe ~ 처벌을 받다; wieder in den alten Ton ~ a) 원래의 상태로 돌아가다, b) 구태의연한 모습을 보이다. ③ …에 이르다, …에 생각이 미치다: auf einen Gedanken ~ 어떤 생각이 나다. ④〖雅語〗귀속〔예속〕되다: dem Staat ~ 국가에 귀속되다; sie ist ihm ~ 그 여자는 그의 사람이 되었다; jm. mit Haut und Haar(en) ~ 누구에게 완전히 예속되다; dem Alkohol ~ 술에 중독되다. ⑤〖商〗(어음 등이) 만기가 되다; (유효) 기한이 지나다, 경과하다. ⑥〖海〗떠내려가다, 표류하다. 《Ⅱ》**verfallen** *p.a.* ↑ verfallen².

verfallen² 《Ⅰ》*p.p.* ↑ verfallen¹. 《Ⅱ》*p.a.* ① 쇠퇴〔쇠망〕한; 부패한, 붕괴된; 타락한; 쇠약〔초췌〕한: eine ~e Burg 무너진 성(城). ②〖商〗만기의; 〖法〗실효의; 귀속된: 〖法〗 ein ~es Pfand (원래 소유주에게 돌려주어야 할 기한이 지난) 유질물(流質物); ~e Güter 몰수 재산.

Verfall⸗erklärung *f.* 〖法〗국가로 귀속시키는 법적 조치, 몰수 조치. **~frist** *f.* 〖商〗(어음의) 지급 기한, 만기. **~recht** *n.* 〖法〗몰수권.

Verfalls⸗erscheinung *f.* 쇠약〔쇠퇴〕현상; 타락 현상. **~zeit** 〖금융〗(어음의) 지급 기한, 부채 상환 만기일.

Verfall⸗tag *m.* 〖商〗지급 기일, 만기일. **~zeit** *f.* 〖금융〗↑ Verfallszeit.

verfälschbar [fɛrfɛ́lʃbaːr] *a.* 위조할 수 있는; 〖化〗위화(僞和)할 수 있는.

***verfälschen** *t.* ① 불순물을 섞다; 〖化〗위화하다. ② 위조〔변조〕하다, 날조하다: diese Berichte ~ die Wahrheit 이 보도는 진실을 날조하고 있다.

Verfälscher *m.* -s, - 위조〔변조·날조〕자.

***Verfälschung** [fɛrfɛ́lʃuŋ] *f.* -en ① 불순물을 섞음; 위조, 변조; 〖化〗위화(僞和). ② 날조된 묘사, 곡필.

Verfälschungs·entwickelung *f.* 〖生〗잘못된 성장.

verfangen* [fɛrfáŋən] 《Ⅰ》*t.* ① (더위 등이) 방해하다: die Milch ~ (더위가 가축의) 젖 나오는 것을 멈추게 하다. ②〖法〗압류하다. ③〖海〗**(a)** 교대하다: die Wache ~ 당직을 교대하다. **(b)** 붙잡다: ein Tau ~ 밧줄을 잡다. 《Ⅱ》*i.* (h.) 효력〔효험〕있다, 쓸모있다: eure Mittel ~ bei ihm nicht 너희들의 수단으로는 그는 끄떡도 하지 않는다. 《Ⅲ》*refl.* sich ~ ① 붙잡히다, 걸려들다, 휩쓸리다; (그물이) 엉클어지다; (바람 때문에) 숨이 막히다: ein Tier hat sich im Netz ~ 짐승이 그물에 걸렸다; sich in Widersprüchen ~ 모순에 빠지다. ②〖광산〗(광석이) 공기에 바래어 퇴색되다.

verfänglich [fɛrfɛ́ŋlɪç] *a.* ① 휩쓸려들 우려가 있는, 방심할 수 없는, 위험한: ~e Fragen 함정 질문, 유도 심문. ② 추잡한, 음란〔음탕〕한. ③ 미심쩍은, 수상한: bei der Haussuchung konnte nichts Verfängliches gefunden werden 가택 수색에서 아무런 혐의점을 발견할 수 없었다.

Verfänglichkeit *f.* -en ① 곤란, 위험. ② 곤란〔위험〕한 상황〔행위·발언〕.

verfärben 《Ⅰ》*t.* 잘못 염색하다〔물들이다〕. 《Ⅱ》*refl.* sich ~ ① 변색〔퇴색〕하다, 바래다; 창백해지다: im Herbst ~ sich die Blätter 가을에는 나뭇잎의 색이 변한다. ② 안색이 변하다. 《Ⅲ》*i.* (h.) 〖사냥〗(짐승이) 털을 갈다.

Verfärbung *f.* -en ① 변색. ② 변색된 곳, 얼룩.

verfassen [fɛrfásən] *t.* ①〖고어〗붙잡다. ② (편지·작품을) 쓰다, (문서를) 작성〔기초〕하다; (시를) 짓다, 저작하다. ③ 잘못 끼우다: einen Edelstein ~ 보석을 잘못 끼우다.

Verfasser *m.* -s, - 저(작)자, (사전의) 편자; 〖法〗(법안의) 기초자.

Verfasserin *f.* -nen ↑ Verfasser 의 여성형.

Verfasser·recht *n.* 저작권.

Verfasserschaft *f.* 저작자임, 저작권.

***Verfassung** [fɛrfásuŋ] *f.* -en ① 저작〔저술〕(하기); (문서의) 작성. ②〖복수없음〗**(a)** 심신 상태: sich in einer schlechten〔guten〕~ befinden 컨디션이 나쁘다〔좋다〕; du bist nicht in der ~, das Fest mitzumachen 너는 한바탕 신나게 같이 놀 기분이 안 되어 있다. **(b)** 체질. ③〖法〗**(a)** (국가의) 체제. **(b)** (사

회·단체 등의) 제도, 규약. (c) 헌법.
verfassung·gebend *a.* 〖政·法〗 헌법을 제정하는.
Verfassungs=änderung *f.* 〖法〗 헌법 개정. **~beschwerde** *f.* 〖法〗 헌법 소원, 위헌 소송. **~bruch** *m.* 헌법 위반, 위헌. **~eid** *m.* 〖法〗 헌법 준수〔수호〕 서약. **~entwurf** *m.* 헌법 초안. **~feind** *m.* 헌법 질서 파괴자. **≈feindlich** *a.* 헌법 질서에 위배되는, 위헌의. **≈gemäß** *a.* 합헌의. **~gericht** *n.* 〖法〗 헌법 재판소(약어: VerfG). **≈konform** *a.* 합헌의.
verfassungslos *a.* 헌법이 없는.
verfassungs·mäßig *a.* ① 〖政〗 헌법에 기초를 둔, 입헌적인. ② 합헌의.
Verfassungs=partei *f.* 입헌당. **~recht** *n.* 헌법. **~schutz** *m.* ① 헌법 수호, 호헌. ② (독일) 연방 헌법 수호청. **~staat** *m.* 입헌 국가. **~tag** *m.* 제헌절. **≈treu** *a.* 헌법에 충실한. **~urkunde** *f.* 헌장, 헌법. **≈widrig** *a.* 헌법 위반의, 위헌의.
verfaulbar *a.* 부패성(性)의.
verfaulen 《I》 *i.* (s.) 썩다, 부패하다. 《II》 *t.* 〖고어〗 ↑ verfaulenzen.
verfaulenzen *t.* (돈·시간을) 게으름 피워 허비하다.
Verfaulung *f.* -en 부패.
verfechten* *t.* (무엇을 위하여) 투쟁하다, 옹호〔변호〕하다: seine Meinung ~ 자기 의견을 굽히지 않다.
Verfechter *m.* -s, - 옹호〔변호·주장〕자.
Verfechterin *f.* -nen ↑ Verfechter 의 여성형.
Verfechtung [..fέçtuŋ] *f.* 옹호, 변호, 주장.
***verfehlen** [fɛrfé:lən] 《I》 *t.* ① 그르치다, 잘못하다, 빗나가게 하다, 놓치다: jn. ~ 누구를 만나지 못하다; den Weg ~ 길을 잃다; den Zug ~ 기차를 놓치다; den Zweck ~ 목적을 이루지 못하다; 〖스포츠〗 einen Rekord ~ 기록을 세우지 못하다; einander ~ 서로 엇갈리다, 만나지 못하다; er hat seinen Beruf verfehlt 그는 직업을 잘못 택했다(다른 분야의 일을 잘하는 데 대한 칭찬의 농담); er hat das Thema verfehlt 그는 주제를 제대로 파악하지〔다루지〕 못했다. ② 〖雅語〗 소홀히 하다: ich möchte nicht ~, Ihnen für Ihre Einladung zu danken 당신의 초대에 꼭 감사드리고 싶습니다. 《II》 *i.* (h.) 잘못하다, 그르치다: eines Dinges ~ 무엇을 그르치다. 《III》 *refl.* sich ~ ① (약속에도 불구하고) 만나지 못하다, 서로 엇갈리다: wir haben uns (einander) verfehlt 우리는 서로 길이 엇갈렸다. ② 저지르다, 범하다: sich gegen et. ~ 무엇을 범하다. 《IV》 **verfehlt** *p.a.* ↑ verfehlt.
verfehlt 《I》 *p.p.* ↑ verfehlen. 《II》 *p.a.* 틀린, 실패한; 적당치 않은: eine ~e Entscheidung 잘못된 결정; eine ~e Sache 실패, 실책.
Verfehlung *f.* -en ① 과오, 과실; 〖法〗 위반. ② 죄(악): eine moralische ~ 도덕적인 죄악.
verfeinden [fɛrfáındən] 《I》 *t.* 사이가 틀어지게 하다, 적대시키다: verfeindet sein 적대하고 있다, 사이가 나쁘다; verfeindete Familien 반목하는 가문들. 《II》 *refl.* sich ~ 적대 관계에 빠지다: sich mit jm. ~ 누구와 적대 관계에 빠지다, 사이가 나빠지다.
Verfeindung *f.* -en 불화, 반목, 적대.
verfeinern [fɛrfáınərn] 《I》 *t.* 정제〔정련〕하다; 고상하게 하다, 세련〔순화〕하다, 개량하다; 교화(敎化)하다: seinen Geschmack ~ 취향을 세련되게 하다; eine Suppe mit Sahne ~ 수프에 생크림으로 맛을 돋구다. 《II》 *refl.* sich ~ 정제되다, 고상하게 되다, 세련〔순화〕되다.
Verfeinerung *f.* -en ① 정제, 정련; 세련; 순화; 개량, 정화. ② 정제〔세련〕된 것.
verfemen [fɛrfé:mən] 《<Feme》 *t.* 〖雅語〗 법률의 보호 밖에 두다; 추방〔배척〕하다, 매장하다.
Verfemte* *der/die* 〖雅語〗 추방〔배척〕된 사람.
Verfemung *f.* -en 〖雅語〗 추방, 배척, 매장.
verfertigen *t.* 만들(어내)다, 제작〔조제〕하다; (문서를) 작성하다.
Verfertiger *m.* -s, - 작성〔제작·조제〕자.
Verfertigung *f.* -en 작성; 제작, 조제.
verfestigen 《I》 *t.* 단단하게 만들다, 응고시키다. 《II》 *refl.* sich ~ 단단해지다, 굳어지다, 응고하다: die Flüssigkeit 〔der Brei〕 hat sich verfestigt 액체가〔죽이〕 굳어졌다.
Verfestigung *f.* -en 굳음, 응고, 견고화.
verfetten *i.* (s.) 지방이 많이 생기다, 비만해지다, 뚱뚱해지다.
Verfettung *f.* -en 〖醫〗 지방 과다, 비만.
verfeuern *t.* ① (a) 태우다, 땔감으로 쓰다. (b) (땔나무 등을) 다 때 버리다. ② (탄약을) 모두 쏘아 없애다: viel Pulver ~ 많은 화약을 다 쏘아 없애다.
verfilmen *t.* ① 영화로 만들다. ② (마이크로) 필름에 담다.
Verfilmung *f.* -en ① 영화화. ② 영화(화된) 필름, 마이크로 필름.
verfilzen [fɛrfíltsən] 《I》 *t.* 펠트로 만들다; (털 등을) 엉클어지게 하다. 《II》 *i.* (s.)/*refl.* (sich) ~ 펠트로 되다; (털 등이) 엉클어지다: verfilzte Haare 엉클어진 머리카락; 〖비유·폄어〗 mit der Wirtschaft verfilzte Politiker 재계와 유착한 정치가들.
Verfilzung *f.* -en 엉클어짐; 착종(錯綜); 〖醫〗 규발(糾髮)(폴란드 근방의 풍토병).
verfinstern 《I》 *t.* ① 어둡게〔흐리게〕 하다. ② 침울하게 하다. 《II》 *refl.* sich ~ ① 어두워지다, 흐려지다; 〖天〗 일식〔월식〕이 되다. ② (기분·표정이) 침울해지다.
Verfinsterung *f.* -en ① (a) 어둡게 하기; 〖天〗 일식, 월식. (b) 〖비유〗 음울, 우울. ② 암흑, 어둠.
verfitzen 〖구어〗 《I》 *t.* (실 등을) 얽히게〔엉키게〕 하다. 《II》 *refl.* sich ~ 얽히다, 엉키다.
verflachen [fɛrfláxən] 《I》 *t.* ① 평평하게〔얕게〕 하다: Regen und Wind haben die Erdhaufen mit der Zeit verflacht 비바람이 세월이 흐름에 따라 흙더미를 깎아내려 평평하게 만들었다. ② 천박하게〔볼품없게〕 만들다. 《II》 *i.* (s.)/*refl.* (sich) ~ ① 평평해지다, 얕아지다: Wasser verflacht 물이 얕아진다. ② 〖폄어〗 천박해지다, 피상적으로 되다.
verflächen *t.* ↑ verflachen 《I》.
Verflachung [..fláxuŋ] *f.* -en ① 천박화; 평평하게〔얕아지게〕 하기. ② 평평해진 곳.
verflacken *i.* (s.) ↑ verflackern.

verflackern *i.* (s.) (불꽃이) 가물거리며 꺼지다.

verflauen *i.* (s.) 〖商〗 (경기가) 침체하다, 불경기가 되다.

verflechten* 《I》 *t.* ① 짜(엮어) 맞추다: 〔비유〕 jn. in et. ~ 누구를 무엇에 얽어 넣다, 관련시키다; et. in et. 〔mit et.[3]〕 ~ 무엇을 다른 무엇에 연관시키다, 무엇을 다른 무엇과 엮어서 결합시키다; zwei Angelegenheiten miteinander ~ 두 문제를 서로 연관시키다. ② 모조리 다 엮다〔짜다〕. ③ 잘못 짜다〔엮다〕, 얽히게 하다. 《II》 *refl.* sich ~ 서로 얽히다, 엉클어지다: 〔비유〕 sich in et. ~ 무엇에 얽혀들다〔걸려들다〕; die verschiedenen Handlungsstränge verflochten sich immer mehr 여러 다른 줄거리들이 점점 밀접하게 얽혔다.

Verflechtung [..fléçtuŋ] *f.* -en ① 엮어 맞춤, 짜맞춤; 얽힘, 분규; 〔비유〕 관련, 연루. ② 〖經〗 기업 합병.

verfliegen* 《I》 *i.* (s.) ① 날아가 버리다. ② 증발〔휘발〕하다; 사라지다. ③ 〔비유〕 달아나 버리다. ④ (시간 등이) 빠르게 지나다: die Stunden verflogen im Nu 시간이 순식간에 지나갔다. 《II》 *refl.* sich ~ 날아 헤매다, 항로를 잃다: der Pilot verflog sich im Gebirge 조종사가 산중에서 항로를 잃었다.

verfließen* [fɛrflíːsən] 《I》 *i.* (s.) ① 흘러가 버리다; (조수가) 빠지다. ② (verschwimmen) (빛깔이) 뒤섞이다; (경계·개념 등이) 애매〔모호〕해지다: auf schlechtem Papier verfließt die Tinte 질이 나쁜 종이에는 잉크가 번진다. ③ 〖雅語〗 (시간이) 경과하다(vergehen): eine Frist 〔ein Termin〕 verfließt 기한이 지나간다. 《II》 **verflossen** *p.a.* ↑ verflossen.

verflixt [fɛrflíkst] 《<verflucht》 *a.* 〔구어〕 ① 기분 나쁜, 불쾌한; 빌어먹을, 재수없는: das ~e Radio funktioniert schon wieder nicht 빌어먹을 라디오가 벌써 또 고장이 났군; ~ 〔~ und zugenäht, ~ nochmal〕! 제기랄, 빌어먹을! ② 〔강조〕 대단히 (심한): das ist mir ~ unangenehm 그것은 나로서는 매우 불쾌하다. ③ 〔경박〕 빈틈없는, 능란한.

Verflochtenheit *f.* 엉클어짐, 분규; 얽힘, 연루.

verflossen 《I》 *p.p.* ↑ verfließen. 《II》 *p.a.* 흘러간, 지나간, 과거의: das ~e Jahr 지난해; ~e Tage 지나간 나날; die ~e Pracht 〔Herrlichkeit〕 지난날의 영화(榮華); 〔경박〕 seine ~e Freundin 그의 옛 여자 친구.

verflößen 《I》 *t.* ① (목재를) 뗏목으로 엮어서 띄워 보내다. ② (여러 가지 색을) 뒤섞다. 《II》 *refl.* sich ~ 융합되다, 뒤섞이다.

***verfluchen** [fɛrflúːxən] 《I》 *t.* ① 저주하다; 저주하여 쫓아 버리다. ② 〔구어〕 몹시 불평〔원망·후회〕하다. 《II》 *refl.* sich ~ 자신을 저주〔원망〕하다, 자책하다. 《III》 **verflucht** *p.a.* ↑ verflucht.

verfluchens·wert *a.* 저주받을, 역겨운.

verflucht 《I》 *p.p.* ↑ verfluchen. 《II》 *p.a.* 〔구어〕 ① 〔폄어〕 불쾌한, 지긋지긋한: ein ~er Kerl! 지긋지긋한 녀석!; ~ (nochmal)! 〔~ noch eins!, ~ und zugenäht!〕 빌어먹을! ② 대단한, 굉장한: diese ~e Hitze! 지독한 더위군!; er hat ~es Glück 그는 대단히 운이 좋다; es ist seine ~e Pflicht und Schuldigkeit 그것은 무조건 그의 의무와 책임이다; ein ~ guter Wein 매우 좋은 포도주.

verflüchtigen [fɛrflýçtɪgən] 《I》 *t.* 증발〔휘발〕시키다. 《II》 *refl.* sich ~ ① 증발〔휘발·기화〕하다. ② 〔구어〕 (몰래) 달아나 버리다, 사라지다: 〔농담〕 mein Schlüssel hat sich verflüchtigt 내 열쇠가 없어져 버렸다.

Verflüchtigung [..flýçtɪguŋ] *f.* -en ① 증발, 기화, 발산, 〖化〗 휘발. ② 도주, 사라짐.

Verfluchung [fɛrflúːxuŋ] *f.* -en 저주, 원망.

Verfluß [..flús] 《<verfließen》 *m.* ..flusses 경과: nach ~ der Frist 기한이 지난 후.

verflüssigen [fɛrflýsɪgən] 《I》 *t.* 녹이다, 액(체)화하다: Luft ~ 공기를 액화하다. 《II》 *refl.* sich ~ 녹다, 액체로 되다.

Verflüssigung [..flýsɪguŋ] *f.* -en 액화.

Verfolg [fɛrfɔ́lk] *m.* -(e)s 〔격식〕 ① 경과, 진행; im〔in〕 ~ meiner Erzählung 내가 얘기하고 있는 동안에. ② 〔고어〕 ↑ Verfolgung.

***verfolgen** 《I》 *t.* ① 뒤쫓다, 추적하다; 〖軍〗 추격하다: einen fliehenden Verbrecher ~ 도주 범인〔도망범〕을 추적하다; eine trübe Ahnung verfolgt mich 불길한 예감이 끊임없이 나를 따라다닌다; 〔비유〕 jn. mit Anträgen 〔Bitten〕 ~ 누구에게 끈질기게 부탁하다〔졸라대다〕; jn. mit seinem Haß ~ 누구를 집요하게 증오하다; der Gedanke verfolgt mich seit Tagen 며칠 전부터 그 생각이 내 뇌리를 떠나지 않는다; vom Unglück verfolgt 운이 나쁜, 불행이 따르는. ② (줄기차게) 추구하다: seine Pläne ~ 계획 수행에 노력하다; sein Recht ~ 권리를 계속 주장하다; einen Zweck ~ 어떤 목적을 계속 추구하다; seinen Weg ~ 자신의 길을 끝까지 추구하다; 〖海〗 einen Kurs ~ 항로를 바꾸지 않다. ③ 박해하다, 압박하다: im Dritten Reich wurden die Juden verfolgt 제 3 제국 때 유대인들이 박해받았다. ④ 〖法〗 기소〔고소〕하다, 법적 조치를 취하다: gerichtlich ~ 기소하다. ⑤ 주의깊게 관찰하다: eine Entwicklung interessiert ~ 발전 과정을 흥미롭게 지켜보다. ⑥ 〖스포츠〗 (추월이 가능할 정도로) 바짝 뒤따르다. 《II》 *i.* (s.) 〔고어〕 말을 계속하다.

Verfolger *m.* -s, - ① 추구자. ② 추적자; 박해자. ③ 〖스포츠〗 (추월이 가능할 정도로) 바짝 뒤따르는 자.

Verfolgerin *f.* -nen ↑ Verfolger의 여성형.

Verfolgung [..fɔ́lguŋ] *f.* -en ① **(a)** 추구; 추격, 추적; 박해; 〖法〗 소추(訴追): die ~ aufnehmen〔abbrechen〕 추적을 개시하다〔중단하다〕; die ~ der Christen 기독교도 박해. **(b)** (공무상의) 대책 강구. ② 〖軍〗 퇴각하는 적의 추격.

Verfolgungs≈feuer *n.* 〖軍〗 추격 사격. **~geist** *m.* 박해 심리. **~jagd** *f.* (끈질긴) 추적. **~rennen** *n.* 〖사이클〗 추월 경기. **~sucht** *f.* 박해 심리. **~wahn, ~wahnsinn** *m.* 〖心〗 추적 망상(妄想).

verformbar *a.* 변형시킬 수 있는.

Verformbarkeit *f.* -en 변형 가능성.

verformen 《I》 *t.* 변형시키다. 《II》 *refl.* sich ~ 변형되다.

Verformung *f.* -en ① 변형. ② 변형된 지점〔부위〕.

verfrachten [fɛrfráxtən] *t.* ① (배에) 짐을

싣다; (배를) 임대하다. ② 운송하다. ③ 운임을 지급하다. ④〖구어〗데리고 가다: ein Kind ins Bett ~ 아이를 재우다.

Verfrachter *m.* -s, -〖經〗① (배·차의) 임대인; 선주. ② 운송업자, 하송인(荷送人).

Verfrachtung *f.* -en 운송; 선적.

verfranzen [fɛrfrántsən] *refl.* sich ~ ①〖항공스포츠〗항로에서 벗어나다, 비행 방향을 잘못 잡다. ②〖구어〗길을 잃다.

verfremden [fɛrfrɛ́mdən] *t.* ① (사이가) 멀어지게 하다; 낯설게 하다. ②〖문학·연극〗낯설게 묘사〔표현〕하다.

Verfremdung *f.* -en ① (사이가) 멀어지게 함; 낯설게 함. ②〖문학·연극〗낯선 표현〔묘사〕, 낯설게 하기, 생소화.

Verfremdungs·effekt *m.*〖문학·연극〗생소화의 효과.

verfressen[1] 《Ⅰ》 *t.*〖구어〗먹어치우다:〖비유〗sein ganzes Geld ~ 먹고 마시는 데 돈을 탕진하다. 《Ⅱ》 *refl.* sich ~ 과식하다; 체하다. 《Ⅲ》 **verfressen** *p.a.* ↑ verfressen[2].

verfressen[2] 《Ⅰ》 *p.p.* ↑ verfressen[1]. 《Ⅱ》 *p.a.*〖구어·폄어〗탐식〔폭식〕하는, 게걸스러운.

Verfressenheit *f.*〖구어·폄어〗탐식, 게걸스러움.

verfrieren* 《Ⅰ》 *i.* (s.) 얼다, 얼어 죽다. 《Ⅱ》 **verfroren** *p.a.* ↑ verfroren.

verfroren [fɛrfró:rən] 《Ⅰ》 *p.p.* ↑ verfrieren. 《Ⅱ》 *p.a.* ① 추위를 타는(frostig). ② 얼어 죽은, 얼어붙은: ich bin ganz ~ nach Hause gekommen 나는 꽁꽁 얼어서 집에 왔다.

verfrühen [fɛrfrý:ən] 《Ⅰ》 *t.* (생각·예상보다) 너무 일찍〔빨리〕하다. 《Ⅱ》 *refl.* sich ~ 예상보다 일찍 오다〔일어나다〕, 너무 이르다: der Winter hat sich dieses Jahr verfrüht 올해는 겨울이 생각보다 일찍 왔다. 《Ⅲ》 **verfrüht** *p.a.* ↑ verfrüht.

verfrüht 《Ⅰ》 *p.p.* ↑ verfrühen. 《Ⅱ》 *p.a.* 너무 이른, 시기상조인.

Verfrühung *f.* 너무 이름, 시기상조.

verfügbar [fɛrfý:kba:r] *a.* 마음대로 (처리)할 수 있는; 이용 가능한; 유효한: ~es Kapital 처분 가능한 자본; diese Bücher sind leider zur Zeit nicht ~ 이 책들은 유감스럽게도 당장은 이용〔구입·대출〕할 수 없습니다;〖軍〗eine ~e Mannschaft 동원 가능한 병력.

Verfügbarkeit *f.* 마음대로 할 수 있음, 처분 가능; 이용 가능(성), 가용성.

verfugen *t.* (벽의) 틈새〔이음새〕를 메워 바르다.

***verfügen** 《Ⅰ》 *t.* 지시하다; 규정하다: das Gesetz verfügt, daß ... 법의 규정에 의하면…. 《Ⅱ》 *i.* (h.) 처리하다, 멋대로 다루다; 소유하다, 지니다: über jn.〔et.〕 ~ 누구를〔무엇을〕 처리하다, 마음대로 하다; er verfügt über ein großes Wissen 그는 많은 지식을 지니고 있다; Sie dürfen über mich ~ 당신 지시대로 하겠습니다; bitte ~ Sie über mich! 언제든지 (도울 일이 있으면) 저를 불러 주십시오; ich kann frei über meine Zeit ~ 나는 내 시간을 자유롭게 쓸 수 있다; letztwillig über et. ~ 무엇에 대하여 유언을 남기다. 《Ⅲ》 *refl.* sich ~〖격식·농담〗가다: ich werde mich jetzt möglichst schnell nach Hause ~ 나는 지금 가능한 한 빨리 귀가해야겠다.

verfüglich *a.* ↑ verfügbar.

Verfugung *f.* -en〖건축〗① (벽의) 이음새 메우기. ② 메운 틈.

***Verfügung** *f.* -en ① 법령; 규정: eine gesetzliche ~ 법령; eine letztwillige ~ 유언; eine einstweilige ~ 가처분; eine ~ erlassen〔treffen〕 법령을 반포하다. ② 자유로운 사용, 처분: jm. zur ~ stehen 누구의 마음대로 사용〔처분〕할 수 있다; jm. et. zur ~ stellen 무엇을 누구의 자유〔처분〕에 맡기다, 마음대로 쓰게 하다; sich zu js. ~ halten 누구에게 도움이 되다, 누가 시키는 대로 하다; sich jm. zur ~ stellen 누구의 뜻대로 하다; sein Amt zur ~ stellen 공직을 내놓다.

verfügungs≈berechtigt *a.* 처분권이 있는. **~gewalt** *f.* 처분 권한. **~recht** *n.* 처분권(리).

verführbar [fɛrfý:rba:r] *a.* ① 운반할 수 있는. ② 유혹〔매수〕당하기 쉬운, 유혹에 약한.

***verführen** *t.* ①〖고어〗운송하다. ② 그릇된 방향으로 인도하다, 꾀어 내다; 유혹하다, 타락시키다: ein Mädchen ~ 소녀를 유혹하다; Zeugen ~ 증인을 매수하다; jn. zu et.[3] ~ 누구로 하여금 무엇을 하도록 유혹하다;〖구어·농담〗darf ich Sie zu einer Tasse Kaffee ~? 커피 한 잔 사도 되겠습니까? ③ (행)하다: (einen) Lärm ~ 떠들다; (ein) Geschrei ~ 외치다.

Verführer *m.* -s, - 유혹자, 타락시키는 자.

Verführerin *f.* -nen ↑ Verführer 의 여성형.

verführerisch [..fý:rərɪʃ] *a.* 유혹적〔매혹적〕인: ein ~es Weib a) 매혹적인 여자, b) 요부, 탕녀; der frischgebackene Kuchen duftete ~ 갓 구어낸 케이크에서 입맛을 돋구는 냄새가 났다.

***Verführung** *f.* -en ①〖고어〗운송. ② (a) 유혹, 매혹; (증인의) 매수. (b) 매력.

Verführungs≈kunst *f.* 유혹술, 유혹하는 솜씨. **~mittel** *n.* 유혹 수단; 뇌물.

verfuhrwerken *t.* (schweiz.) 서투른 솜씨로 일을 망치다, 엉망으로 하다.

verfüllen 《Ⅰ》 *t.* ① (술 등을) 다시 채우다. ② 잘못 채우다. ③〖광산〗(돌·흙 등으로) 채워막다. ④ 짐을 싣다. 《Ⅱ》 *refl.* sich ~ (상처가) 곪다, 물집이 생기다.

verfumfeien [fɛrfʊ́mfaɪən] *t.*〖방언〗영락하다.

verfünffachen *t.* 다섯 배로〔곱으로〕하다.

verfüttern *t.* ① 사료로 사용하다. ② 사료로 다 써버리다.

Vergabe [fɛrgá:bə] *f.* -n 기증, 위탁, 증여.

vergaben *t.* (schweiz.) 기증〔기부〕하다, 유증(遺贈)하다.

Vergabung *f.* -en (schweiz.) 유증(遺贈); 기증.

vergackeiern [fɛrgák|aɪərn] *t.*〖구어〗놀리다, 조롱하다: willst du mich etwa ~? 나를 놀리려는 거니?

vergaffen [..gáfən] *refl.* sich ~〖구어〗반하다, 열중하다:〖고어〗sich an jn.〔in jn.〕 ~ 누구에게 반하다; sich an et.[3]〔in et.〕 ~ 무엇에 열중하다〔반하다〕.

vergagt [fɛrgɛ́(:)kt] *a.*〖구어〗익살맞은.

vergähnen *t.* (시간을) 하품을 하며 보내다, 빈둥거리며 보내다.

vergällen [fɛrgɛ́lən] *t.* ① (맛을) 쓰게 하다:

einen Fisch ~ 물고기의 배를 딸 때 쓸개를 터뜨려서 쓰게 하다. ②〖工〗(변성시켜) 못먹게 하다: vergällter Alkohol (변성되어) 못먹게 된 알코올. ③불쾌하게 하다, (기분을) 망치다: jm. et. ~ 누구로 하여금 무엇에 넌더리나게〔싫증나게〕하다; sich³ das Leben ~ 자신의 인생을 비참하게 만들다, 세상을 허무하게 여기다. ④〖방언〗놀라게 하다.

Vergällung *f.* -en 망침, 못먹게 함.

vergaloppieren *refl.* sich ~〖구어〗①서둘러서 일을 망치다. ②무심코〔경솔하게〕말하다.

vergammeln 《Ⅰ》*t.* 헛되이 보내다: Zeit ~ 시간을 낭비하다. 《Ⅱ》*i.* (s.) 황폐해지다, 못쓰게 되다, 썩다: er hat den Garten total ~ lassen 그는 정원을 전혀 돌보지 않고 방치했다; das Obst ist vergammelt 과일이 썩었다.

verganden *i.* (s.) (schweiz.) 황폐해지다.

Vergang *m.* -(e)s ①지나감; 종식, 끝. ②〖드물게〗↑ Vergangenheit.

***vergangen** 《Ⅰ》*p.p.* ↑ vergehen. 《Ⅱ》*p.a.* ①흘러간, 과거의: im ~en Jahre 작년에. ②〖방언〗최근의, 요즈음의.

***Vergangenheit** *f.* -en ①과거, 옛날: eine Frau mit dunkler ~ 어두운 과거를 가진 여자; eine (bewegte) ~ haben a) 파란 많은 과거를 지니다, b) 전과(前科)가 있다; die Stadt ist stolz auf ihre ~ 이 도시는 과거의 번영을 자부하고 있다; lassen wir die ~ ruhen 과거의 일은 묻어둡시다〔언급하지 맙시다〕; dieser Brauch gehört der ~ an 이 관습은 과거의 것이다; die unbewältigte ~ 극복되지 않은 과거. ②〖문법〗과거형.

vergangenheitlich *a.* 과거에 관한.

Vergangenheits·bewältigung *f.* 과거 극복.

vergänglich [fɛrgɛ́ŋlɪç] *a.* 지나가 버리기 쉬운, 덧없는, 허무〔무상〕한: alles ist ~ 제행무상(諸行無常); die Jugend ist ~ 청춘은 덧없다.

Vergänglichkeit *f.* 덧없음, 허무, 무상; (상품의) 파손, 부패.

verganten [fɛrgántən] *t.* (schweiz.)〖구식〗①(versteigern) 경매하다, 경매에 부치다. ②파산을 선고하다.

Vergantung *f.* -en (schweiz.)〖구식〗강제 경매; 파산 선고.

vergasen *t.* ①가스로 변화시키다, 기화시키다. ② **(a)** 독가스로 박멸하다: Schädlinge ~ 해충을 독가스로 박멸하다. **(b)** 독가스로 죽이다: unter nationalsozialistischer Herrschaft wurden die Juden vergast 나치스 치하에서 유대인들이 독가스로 살해되었다.

Vergaser *m.* -s, -〖工〗기화기(氣化器); 가스 분사기.

vergaß [fɛrgá:s] ↑ vergessen 의 과거형.

vergäße [..gɛ́:sə] ↑ vergessen 의 접속법 Ⅱ 식.

Vergasung [fɛrgá:zʊŋ] *f.* -en 가스화, 기화(氣化); 가스 충전; 가스 살해:〖구어〗bis zur ~ 지겹도록.

vergattern *t.* ①(vergittern) 격자로 두르다, 격자를 설치하다. ②〖軍〗명령을 내리다: Soldaten ~ 북을 쳐서 병사를 모으다; die Wache ~ 보초에게 (근무 전에) 수칙 준수를 명하다. ③달갑지 않은 명령을 내리다: sie wurde zum Fensterputzen vergattert 그녀는 창문을 닦으라는 명을 받았다.

Vergatterung *f.* -en ①격자 설치. ②집합; 집합〔위병(衛兵) 교대〕신호: die 〔zur〕 ~ trommeln〔schlagen〕집합의 북을 치다.

vergaukeln *t.* ①요술을 부려 없애 버리다. ②어물어물 묻어 버리다: die Zeit ~ 헛되이 시간을 보내다.

vergeben[1] [fɛrgé:bən] 《Ⅰ》*t.* ①주다, 수여하다; (주기로) 약속하다: ein Amt〔Stipendium〕 ~ 관직〔장학금〕을 수여하다; eine Arbeit an jn. ~ 누구에게 어떤 일을 도급 주다; die Stelle ist schon ~ 그 자리는 이미 다른 사람이 차지하고 있다; die (Hand der) Tochter ~ 딸을 시집 보내다; ihre Hand ist schon ~ a) 그 여자는 이미 혼처가 정해져 있다, 약혼했다, b) 결혼했다; einen Tanz ~ 댄스의 상대를 정하다; heute abend bin ich schon ~ 오늘 저녁에 나는 이미 계획〔선약〕이 있다. ②양도하다, 방기하다; 해치다: sein Recht ~ 권리를 포기하다; jm. von seinem Recht etwas ~ 누구의 권리를 침해하다; sich³ etwas〔nichts〕 ~ 자기의 품위를 손상하다〔지키다·중시하다〕; du vergibst dir〔deiner Ehre〕 nichts, wenn du das tust 네가 그것을 하더라도 네 명예를 잃는 것은 아니다. ③용서하다: jm. seine Sünde ~ 누구의 죄를 용서하다; (es sei) ~ und vergessen! 깨끗이 용서하고 잊자!;〖구식〗~ Sie! 죄송합니다! ④잘못 주다: die Karten ~ 카드를 잘못 돌리다. ⑤〖방언〗독살하다: jn.〔jm.〕 ~ 누구를 독살하다. ⑥〖방언〗세금을 납부하다: Waren ~ 상품의 세금을 바치다. ⑦〖스포츠〗(기회 등을) 놓치다, 잃다: er hat eine gute Chance ~ 그는 좋은 기회를 놓쳤다. 《Ⅱ》*refl.* sich ~ ①카드를 잘못 돌리다. ②너무 주어 가난해지다. ③음독 자살하다. 《Ⅲ》**vergeben** *p.a.* ↑ vergeben².

vergeben[2] 《Ⅰ》*p.p.* ↑ vergeben¹. 《Ⅱ》*p.a.* 무익한, 헛된: ~es Hoffen〔Mühen〕 헛된 희망〔수고〕.

***vergebens** [fɛrgé:bəns] *adv.* ①헛되이, 쓸데없이, 보람없이: er bat ~ 그는 부탁했지만 헛일이었다; das ist alles ~ 모든 것이 허사다; sich ~ bemühen 헛수고하다. ②〖드물게〗까닭없이, 공연히.

Vergeber *m.* -s, - 기증자, 수여자;〖宗〗성직(聖職) 임명자.

vergeblich [..gé:plɪç] 《Ⅰ》*a.* ①무익한, 쓸데없는, 보람없는, 헛된;〖방언〗가공(架空)의: eine ~e Angst 쓸데없는 걱정; sich³ ~e Mühe machen 헛수고하다. ②〖고어〗허락할 수 있는. 《Ⅱ》*adv.* ↑ vergebens.

Vergeblichkeit *f.* 헛됨, 헛수고, 허사.

Vergebung *f.* ①줌, 수여; (권리의) 양도;〖宗〗성직 임명. ②허락; 용서;〖宗〗면죄(免罪); ~!(=verzeihen Sie!) 죄송합니다, 실례합니다!

vergegenständlichen [fɛrgé:gənstɛntlɪçən] 《Ⅰ》*t.* 대상으로 나타내다, 구체적〔객관적〕으로 표현하다: seine Gedanken in einem Bild ~ 자기의 생각을 그림으로 표현하다. 《Ⅱ》*refl.* sich ~ 자신(의 생각)을 표현하다: der Maler hat sich in seinen Bildern vergegenständlicht 화가는 그림에서 자신을 표현했다.

Vergegenständlichung *f.* -en 대상화, 실

체화, 객관화.

vergegenwärtigen [fɛrgé:gənvɛr.., ..ge:gənvɛ́r..] *t.* (상상하여) 눈 앞에 보듯이 나타내다, 생생하게 표현하다: sich³ et. ~ 무엇을 마음 속에 그려내다, 생각해내다.

Vergegenwärtigung *f.* -en 생생한 묘사〔재현〕.

__vergehen__ [fɛrgé:ən] 《I》 *i.* (s.) ① (시간이) 지나가다, 경과하다: die Zeit verging (wie) im Flug 시간이 순식간에 지나갔다; am vergangenen Montag 지난 월요일에. ② (**a**) 사라지다, 소멸하다, 없어지다; 망하다; 멎다; 가라앉다: die Schmerzen ~ nicht 아픔이 사라지지 않는다; sich³ et. ~ lassen 무엇을 잊어버리다; 〖구어〗 da vergeht einem ja der Appetit, wenn man das sieht! 그걸 보면 식욕이 사라질 것이다!; 〖구어〗 sie fuhren so schnell, daß ihm Hören und Sehen verging 그들은 그가 기절할 정도로 빨리 차를 몰았다; mir verging die Geduld 나는 더 이상 참을 수 없게 되었다. (**b**) 〖사람이 주어〗 쇠(약)하다; 고통을 겪다; 〖시어〗 죽다: vor Gram ~ 한없이 원통해하다; vor Scham ~ 부끄러워 죽을 지경이다; vor Liebe ~ 애타게 사모하다, 사랑에 눈이 멀다; ~ wie ein Schatten 옛 모습을 찾아볼 수 없을 만큼 수척해지다. 《II》 *t.* (시간을) 걸어서 보내다: die Zeit ~ 걸어서 시간을 보내다; 〖방언〗 sich³ die Beine ~ 산책〔운동〕하다. 《III》 *refl.* sich ~ ① 법〔규범〕을 위반하다: sich (gröblich, schwer) gegen〔wider〕 das Gesetz ~ 법을 어기다; sich an fremdem Besitz〔Eigentum〕 ~ 남의 재산을 훔치다. ② 성폭행하다: sich gegen jn. 〔an jm.〕 ~ 누구에게 폭행을 가하다, 누구를 욕보이다. 《IV》 **vergangen** *p.a.* ↑ vergangen.

*__Vergehen__ *n.* -s, - ① 없어짐, 사라짐, 소멸: das Werden und ~ in der Natur 자연에서의 생성과 소멸; das ~ der Jahre 세월의 흐름. ② 〖法〗 위반, 범행: sich eines ~s schuldig machen 죄를 범하다.

Vergehung *f.* -en 〖드물게〗 위반, 범행.

vergeigen 〖구어〗 《I》 *t.* ① 실패하다, 망치다: eine Mathearbeit ~ 수학 숙제를 망치다; ein Spiel ~ 게임〔내기〕에 지다. ② 허비〔낭비〕하다. 《II》 *refl.* sich ~ 바이올린을 잘못 연주하다.

vergeilen *i.* (s.) ① 방탕해지다, 음탕해지다. ② 〖원예〗 햇빛 부족으로 줄기만 멀쑥히 자라다, 황화되다.

Vergeilung *f.* 〖원예〗 황화 현상.

vergeisten 《I》 *t.* 정신화(精神化)하다; 영화(靈化)하다. 《II》 *i.* (s.) (알코올성 음료의) 김이 빠지다.

vergeistigen [fɛrgáıstıgən] *t.* ① 정신적인 것으로 승화시키다. ② 〖化〗 알코올화하다.

Vergeistigung *f.* -en 정신적인 것으로의 승화.

Vergeistung *f.* -en ↑ Vergeistigung.

vergelben *i.* (s.) 황색이 되다, 노랗게 변하다.

vergeltbar *a.* 보복〔보답〕할 수 있는.

__vergelten__ [fɛrgɛ́ltən] *t.* 보복〔보답·(앙)갚음〕하다: jm. et. ~ 누구에게 무엇에 대해 복수〔보답·보복〕하다; Gutes mit Bösem ~ 은혜를 원수로 갚다; Gleiches mit Gleichem ~ 똑같이 응수하다, 대갚음하다; (obd.) vergelt's Gott! 정말 고맙습니다!; et. für ein „Vergelt's Gott" tun 무엇을 공짜로 하다.

Vergelter *m.* -s, - 보답자, 보복〔복수〕자.

Vergeltung *f.* -en ① 되갚음, 응답, 보답. ② 보복, 복수; für et. ~ üben 무엇에 대해 보복하다.

Vergeltungs≈feuer *n.* 보복 사격. **~maßnahme, ~maßregel** *f.* 보복 조치〔수단〕. **~recht** *n.* 보복권; 보상권. **~schlag** *m.* 강력한 반격, 보복의 일격. **~tag** *m.* 〖宗〗 응보의 날, 최후 심판의 날. **~waffe** *f.* 보복 무기 (제 2 차 세계 대전 말기 독일군이 사용한 무인 로켓 병기; 약어: V-Waffe). **~zoll** *m.* 〖商〗 보복 관세.

vergemeinschaften *t.* 공유화하다.

vergesellschaften [fɛrgəzɛ́lʃaftən] 《I》 *t.* ① 〖經〗 국유화〔국영화〕하다: vergesellschaftete Schlüsselindustrien 국유화된 기간 산업. ② 연합〔결합〕하다. ③ 〖心·사회〗 사회화하다. 《II》 *refl.* sich ~ 〖生·醫〗 한 패가 되다, 군집을 형성하다, 연합하다.

Vergesellschaftung *f.* -en ① 국유화; 사회화; 군집 형성. ② 연합, 통합.

vergeßbar *a.* 잊기 쉬운, 잊혀지기 쉬운.

__vergessen__[1] [fɛrgɛ́sən] 《I》 *t.* 잊다, 망각하다; 생각지 않다; (잊어버리고) 놓고 오다: jm. et. ~ 누구의 무엇을 잊다; jn. et. ~ machen 누구에게 무엇을 잊어버리게 하다; das werde ich dir nie〔nicht〕 ~! a) 이 친절을 나는 결코 잊지 않겠다!, b) 이 한을 나는 결코 잊지 못할 것이다!; er vergißt über dem Spielen das Essen 그는 노는데 정신이 팔려 밥먹는 것을 잊어버린다; ~ Sie nicht zu kommen! 잊지 말고 꼭 오시오!; 〖구어〗 das kannst du ~! 그것은 (중요하지 않으니까) 신경쓰지 않아도 된다!; die Schuhe kannst du ~! 네 신발은 더 이상 신을 수 없다!; 〖구어〗 vergiß es! 그것에 신경쓸 필요 없다, 그것은 난센스다!; alles um sich her ~ 혼자 생각에 빠져 있다; ich habe meinen Schirm bei euch ~ 나는 우산을 너희 집에 놓고 왔다; 〖구어·농담〗 er vergißt nochmal seinen Kopf! 그는 자기 머리까지도 잊고 다닐 것이다! 《II》 *i.* (h.) 잊다, 잊어버리다: 〖雅語〗 eines Dinges 〔js.〕 ~ 무엇을〔누구를〕 잊다; (obd.) auf〔an〕 et. ~ 무엇을 잊다, 생각지 못하다; vergiß mein(er) nicht! 나를 잊지 말아다오! 《III》 *refl.* sich ~ ① 잊혀지다: das vergißt sich rasch 그것은 금방 잊혀진다. ② 자제력을 잃다: in seinem Zorn vergaß er sich völlig 화가 나서 그는 완전히 자제력을 잃었다; 〖구어〗 sich (selbst) nicht ~ 음식물을 잘 챙기다; vergiß dich nicht! 너도 좀 들어라〔먹어라〕! 《IV》 **vergessen** *p.a.* ↑ vergessen[2].

vergessen[2] 《I》 *p.p.* ↑ vergessen[1]. 《II》 *p.a.* ① 잊혀진: das ist vergeben und ~ 그건 벌써 깨끗이 잊혀졌다. ② ↑ vergeßlich.

Vergessen *n.* -s 망각: dem ~ anheimfallen 잊혀지다.

Vergessenheit *f.* ① 망각: et. der ~ anheimgeben 〔in ~ bringen〕 무엇을 잊어버리다; der ~ anheimfallen, in ~ geraten〔kommen〕 잊혀지다; der ~ entreißen 잊지 않도록 하다, 되살리다. ② ↑ Vergeßlichkeit.

vergeßlich [fɛrgɛ́slıç] *a.* ① 잘 잊어버리는, 건망증의: du wirst immer ~er 너는 점점 건

망증이 심해진다. ② ↑ vergeßbar.
vergesslich 新정서 ⇦ vergeßlich.
Vergeßlichkeit *f.* 잘 잊음, 건망증; 등한.
vergeuden [fɛrgɔ́ydən] *t.* 허비〔낭비·탕진〕하다.
Vergeuder *m.* -s, - 낭비〔탕진〕자.
vergeuderisch *a.* 낭비가 심한.
Vergeudung *f.* -en 낭비, 탕진: Zeit~ 시간 낭비.
vergewaltigen [fɛrgəváltɪgən] *t.* ① 억압〔박해〕하다. ② 폭행하다; 성폭행〔강간〕하다.
Vergewaltiger *m.* -s, - ① 박해자, 압제자. ② 폭행범; 성폭행〔강간〕범.
Vergewaltigung *f.* -en ① 억압, 박해. ② 폭행; 〖法〗 성폭행, 강간.
vergewissern [fɛrgəvísərn] 《Ⅰ》 *t.* 보증하다, 확신시키다: jn. eines Dinges 〔über et., von et.[3]〕 ~ 누구에게 무엇을 보증하다, 확신시키다. 《Ⅱ》 *refl.* sich ~ 확인하다: sich eines Dinges ~ 무엇을 확인하다; hast du dich vergewissert, daß die Tür abgeschlossen ist? 문이 잠겼는지 확인했니?
Vergewisserung *f.* -en 보증, 확신.
vergießen [fɛrgí:sən] 《Ⅰ》 *t.* ① 잘못 붓다, 쏟다, 엎지르다: paß auf, daß du nichts vergießt 엎지르지 않도록 주의해라. ② (피·눈물 등을) 흘리다: sein Blut fürs Vaterland ~ 조국을 위하여 피를 흘리다〔목숨을 바치다〕; js. Blut ~ 누구를 살해하다; Tränen ~ 울다. ③ (꽃에) 물을 너무 주다: Blumen ~ 꽃에 물을 너무 주(어서 손상하)다. ④ 〖工〗 **(a)** 잘못 주조하다. **(b)** 주조하는 데 다 써 버리다. **(c)** (녹은 물질을) 주형에 붓다. **(d)** 주조하다: mit Blei ~ 납으로 주조하다. 《Ⅱ》 *refl.* sich ~ ① 다 부어 없어지다; 주조하여 없어지다. ② 쏟아지다, 엎질러지다; 잘못 주조되다.
vergiften [fɛrgíftən] 《Ⅰ》 *t.* ① 독을 넣다〔바르다〕. ② 독살하다. ③ (나쁜 영향으로) 손상시키다, 해치다: die Atmosphäre in einer Gemeinschaft durch Mißtrauen ~ 불신으로 공동체의 분위기를 해치다. 《Ⅱ》 *refl.* sich ~ ① 중독되다: sich durch Pilze ~ 버섯을 먹고 중독되다. ② 독을 마시다.
Vergifter *m.* -s, - 독살자.
Vergiftung [..gɪftʊŋ] *f.* -en ① 독을 넣기; 독살; 중독. ② 〖병리〗 중독증. ③ 〖法〗 중독 범죄. ④ 〖化〗 (의도적인) 오염을 통한 촉매의 기능 감소. ⑤ (핵공학에서) 원자로 내의 특수 물질에 의한 중성자의 지나친 소모〔흡수〕.
Vergiftungs≈erscheinung *f.* 〖병리〗 중독 증세. **~fall** *m.* 중독 증례(症例). **~gefahr** *f.* 중독 위험. **~wahn** *m.* 피독(被毒) 망상.
Vergil [vɛrgí:l] *m.* 베르길리우스(고대 로마의 시인, 70-19 B.C.).
vergilben [fɛrgílbən] 《Ⅰ》 *i.* (s.) (종이 따위가) 황색이 되다, 누렇게 변하다: vergilbte Blätter 누렇게 변한 잎사귀. 《Ⅱ》 *t.* 〔드물게〕 누렇게〔바래게〕 하다.
Vergilius [vɛrgí:lius] *m.* ↑ Virgil.
vergipsen [fɛrgípsən] *t.* ① 석고로〔회반죽으로〕 고정시키다〔메우다〕; 깁스를 하다: der Riß in der Wand wurde vergipst 벽에 난 틈은 회반죽으로 메워졌다; sein gebrochener Arm ist vergipst worden 그의 부러진 팔에 깁스를 대었다. ② 〔비속〕 (verderben) 망치다; 우롱하다.

vergiß ↑ vergessen의 명령형.
vergiss 新정서 ⇦ vergiß.
vergiss.. 新정서 ⇦ vergiß...
vergißt ↑ vergessen의 2·3인칭 단수 현재형.
Vergiß·mein·nicht [fɛrgísmaɪnnɪçt] *n.* -(e)s, -(e) 〖植〗 물망초.
vergittern *t.* 격자를〔창살을〕 붙이다, 격자로 두르다: vergitterte Fenster 격자창.
Vergitterung *f.* -en 격자 설치; 격자.
verglasbar *a.* 유리로 만들 수 있는.
verglasen 《Ⅰ》 *i.* (s.)/*refl.* (sich) ~ 유리가 되다, 유리처럼 되다, 굳어지다: ein verglaster Blick 무표정한 시선. 《Ⅱ》 *t.* ① 유리로 만들다. ② 유리를 끼우다: die Fenster sind neu verglast worden 창유리가 새로 끼워졌다; (berlin.) du kannst dich ~ lassen 〔laß dich ~〕! 너는 구제 불능이야, 그만두고 꺼져!.
Verglasung *f.* -en ① 유리 끼우기, 유리로 만들기. ② 판유리.
***Vergleich** [fɛrgláɪç] *m.* -(e)s, -e ① 조정, 화해; 타협; 협정: einen ~ schließen 화해〔타협〕하다. ② 비교, 대조: im ~ mit〔zu〕 et.[3] 무엇에 비하여, 무엇과 비교하여; einen ~ anstellen〔ziehen〕 비교하다; den ~ mit jm. aushalten 누구와 견줄 만하다, 견주어 손색이 없다; er hält den ~ mit seinem Bruder nicht aus 그는 형〔동생〕보다 뒤떨어진다; 〔구어〕 kein ~ damit! 그것과는 비교도 안돼, 어림없지!; 〔구어〕 das ist ja gar kein ~! 그것은 도저히 비교가 안돼. ③ 비유: jeder ~ hinkt 비유란 조금씩은 어긋나게 마련이다. ④ 〖문법〗 비교 변화. ⑤ 〖法〗 **(a)** 화해, 화의. **(b)** 화해 절차. ⑥ (다른 팀과의) 연습 시합, 평가전.
vergleichbar *a.* 견줄 만한.
Vergleichbarkeit *f.* 비교할 수 있음, 비교 가능.
vergleichen 《Ⅰ》 *t.* ① 고르게〔균등하게〕 하다; 똑바르게 하다; 평평하게 하다. ② 〖비유〗 (차이·분쟁 등을) 조정하다; 화해시키다. ③ 비교〔대조〕하다: Preise ~ 값을 비교하다; vergleiche Seite 12 12쪽을 참조하시오; 〖비유〗 es ist nicht zu ~ mit et.[3] 그것은 무엇과 비교가 안 된다. ④ 비유하다: mit einer Rose ~ 장미에 비유하다. 《Ⅱ》 *refl.* sich ~ ① 〖法〗 타협〔화해〕하다: sich mit jm. über et. ~ 〔wegen eines Dinges ~〕 누구와 무엇에 관하여 화해〔타협〕하다. ② 동렬에 놓다; 비교〔대조〕하다: niemand läßt sich mit ihm ~ 아무도 그와 견줄 사람은 없다.
vergleichend *p.a.* 비교에 의한: ~e Anatomie〔Sprachwissenschaft〕 비교 해부학〔언어학〕.
vergleichlich *a.* ↑ vergleichbar.
Vergleichs≈form *f.* 〖문법〗 (형용사 등의) 비교 변화형. **~friede** *m.* 계약〔협정〕에 따른 평화. **~gläubiger** *m.* 〖法〗 화해 절차에 참여한 채권자. **~mäßig** *a.* 협정대로의. **~-mittel** *n.* 조정 수단. **~möglichkeit** *f.* 비교 가능성. **~objekt** *n.* 비교 대상. **~-operator** *m.* 〖컴〗 비교 연산자. **~partikel** *f.* 〖문법〗 비교의 불변화사(보기: als, wie). **~punkt** *m.* ① 비교〔유사〕점. ② 〔복수〕 계약〔협정〕 개조(箇條). **~tag, ~termin** *m.* 〖法〗 화해〔협정〕 기일. **~verfahren** *n.* 화

해 절차. **~versuch** *m.* 화해〔조정〕의 시도. **~weise** *adv.* 비교적, 비교해보면. **~zahl** *f.* 비교 수치.

Vergleichung [..gláıçʊŋ] *f.* -en ① 조정, 화해. ② 비교, 대조: eine ~ anstellen 비교하다.

Vergleichungs≈gabe *f.* (골상학상(骨相學上)의) 비교의 재능. **~grad** *m.* 〖문법〗 비교의 등급(보기: 원급·비교급·최상급). **~methode** *f.* 비교 연구법. **~punkt** *m.* 비교점. **~stufe** *f.* ↑ ~grad. **~tabelle** *f.* 비교〔대조〕표. **~weise** *adv.* 비교해서 (말한다면).

vergleiten* *i.* (s.) 미끄러져 가 버리다.

vergletschern [fɛrglɛ́tʃərn] 《Ⅰ》 *i.* (s.) 〖지질〗 빙하가 되다. 《Ⅱ》 *t.* 빙하로 변화시키다〔침식하다〕.

Vergletscherung *f.* -en 빙하〔빙식(氷蝕)〕 작용, 빙하화.

verglimmen(*) [fɛrglímən] *i.* (s.) / *refl.* (sich) ~ 〖雅語〗 (불·빛 등이) 서서히 꺼지다: ~de Asche 불이 꺼져 식어가는 재; die letzten Sterne verglommen in der Dämmerung 마지막 남은 별들이 여명 속에서 서서히 사라졌다.

verglomm ↑ verglimmen의 과거형.

verglommen *p.p.* ↑ verglimmen.

verglühen 《Ⅰ》 *i.* (s.) (불이) 점점 식어가다; 타서 없어지다: ein ~der Abendhimmel 저녁놀이 잦아드는 하늘; ein Meteorit verglüht 별똥별이 빛을 내며 탄다〔떨어진다〕. 《Ⅱ》 *t.* 태워서 망가지게 하다; (도자기를) 굽다.

Verglüher *m.* -s, - 도자기〔벽돌〕 굽는 사람.

vergnatzen *t.* 〖방언〗 화나게 하다, 기분 나쁘게 하다.

***vergnügen** [fɛrgný:gən] 《Ⅰ》 *t.* ① 〖고어〗 **(a)** 충분하게 하다; 보상하다. **(b)** 만족시키다: jn. ~ 누구를 만족시키다; js. Forderungen ~ 누구의 요구에 응하다. ② 즐겁게〔기쁘게〕 하다, 기분을 풀어주다: es vergnügte ihn, den Kindern beim Spielen zuzusehen 그는 아이들이 노는 모습을 보고 즐거워했다. 《Ⅱ》 *refl.* sich ~ 즐기다, 흥겨워하다: sich an〔mit〕 et.³ ~ 무엇으로 즐기다, 흥겨워하다. 《Ⅲ》 **vergnügt** *p.a.* ↑ vergnügt.

***Vergnügen** *n.* -s, - ① 만족; 낙, 즐거움, 위안; 기쁨, 쾌활: mit (dem größten) ~ 기꺼이; an et.³ ~ finden 무엇을 즐기다, 기뻐하다; sich³ ein ~ machen 즐거운 일을 하다, 쾌락을 구하다; et. zum ~ tun 낙을 삼아 무엇을 하다; wenn es Ihnen ~ macht 마음에 드시면; das ~ ist ganz auf meiner Seite 감사는 정말 제 쪽에서 드려야 할 일입니다; ich mache mir ein ~ daraus, dich zu begleiten 나는 기꺼이 너를 동반하겠다; machen Sie mir das ~ und besuchen Sie mich! 부디 놀러 오십시오!; 〖격식·구식〗 mit wem habe ich das ~? 누구십니까? (전화 상대에게 묻는 말); es war mir ein ~ 나는 아주 기꺼이 그것을 했다; viel ~! 즐거운 시간이 되기를! ② 즐거운 일, 오락; 즐거운 모임, 댄스파티: immer rein ins ~! (영화관 등으로) 자 들어가자, 자 일을 시작하자!; 〖구식〗 zu einem ~ gehen 댄스파티에 가다.

vergnügens·halber *adv.* 즐거움을 위하여, 오락삼아.

vergnüglich [..gný:klıç] *a.* 즐거운, 유쾌한, 재미있는.

Vergnügling [..gný:klıŋ] *m.* -s, -e ① 오락〔여흥〕을 즐기는 사람, 도락가; 쾌락주의자. ② (Dilettant) 문학〔예술〕의 애호가.

vergnügsam [..gný:kza:m] *a.* 만족스러운; 분수를 아는, 자족하는.

vergnügt 《Ⅰ》 *p.p.* ↑ vergnügen. 《Ⅱ》 *p.a.* 즐거운, 유쾌한, 만족한: über et. ~ sein 무엇을 기뻐하다; sich³ einen ~en Tag machen 즐거운 하루를 보내다.

Vergnügung [..gný:gʊŋ] *f.* -en 즐거운 일〔행사·모임〕, 오락, 유흥: auf ~en ausgehen 놀러 나가다.

Vergnügungs≈boot *n.* 유람선. **~fahrt** *f.* ↑ ~reise. **~halber** *adv.* 오락 삼아. **~lokal** *n.*, **~ort** *m.* 유흥업소. **~park** *m.* 유원지. **~reise** *f.* 유람. **~reisende*** *der* / *die* 유람객. **~steuer** *f.* 유흥세. **~sucht** *f.* 향락벽. **~süchtig** *a.* 향락적인, 쾌락을 추구하는: ein ~er Mensch 도락가. **~zug** *m.* 유람 열차.

Vergolde≈grund *m.* 박하 가칠(箔下假漆); (알의 흰자와 물로 만드는) 교수(膠水). **~kunst** *f.* 도금술(鍍金術).

vergolden [fɛrgɔ́ldən] 《Ⅰ》 *t.* ① 도금하다; 금빛으로 만들다〔빛내다〕: 〖비유〗 die Sonne vergoldete die Dächer und Türme der Stadt 햇빛이 도시의 지붕과 탑들을 금빛으로 물들였다. ② 〖雅語〗 미화하다, 빛나게〔기쁘게〕 하다: die alles ~de Erinnerung 모든 것을 미화하는 추억; die Freude vergoldete ihr Antlitz 기쁨으로 그녀의 얼굴이 밝아졌다. ③ 〖구어〗 …의 대가를 지불하다: sie hat ihm sein Schweigen vergoldet 그녀는 그에게 침묵해 준 대가를 지불했다. 《Ⅱ》 **vergoldet** *p.a.* ↑ vergoldet.

Vergolder *m.* -s, - 도금사, 도금쟁이.

Vergolderin *f.* -nen ↑ Vergolder의 여성형.

vergoldet 《Ⅰ》 *p.p.* ↑ vergolden. 《Ⅱ》 *p.a.* 도금한, 금색의; 미화된; 찬란한.

Vergoldung *f.* -en ① 금도금(하기), 도금: galvanische ~ 전기 도금. ② 금박(金箔), 도금층.

vergölte ↑ vergelten의 접속법 Ⅱ식.

vergolten *p.p.* ↑ vergelten.

vergönnen [fɛrgœ́nən] *t.* ① 〖雅語〗 허락하다: vergönne mir, dich zu begleiten! 부디 너와 같이 가게 해다오!; es war mir nicht vergönnt, ihn zu sehen 나는 유감스럽게도 그를 만날 수 없었다. ② 기꺼이 주다, 베풀다. ③ (schweiz.) ↑ mißgönnen.

vergoß ↑ vergießen의 과거형.

vergösse ↑ vergießen의 접속법 Ⅱ식.

vergossen *p.p.* ↑ vergießen.

vergotten [fɛrgɔ́tən] *t.* 신으로 모시다; 신격화〔숭배〕하다.

Vergötterer *m.* -s, - (우상) 숭배자.

vergöttern [fɛrgœ́tərn] *t.* ① 〖고어〗 신으로 받들다. ② 신격화〔숭배〕하다; 우상화〔우상시〕하다; 열렬히 사랑하다; 극구 칭찬하다.

Vergötterung *f.* -en ① 신으로 모시기; 신격화. ② (우상) 숭배; 찬양; 우상화.

vergöttlichen *t.* 신으로 모시다; 신성시하다.

Vergöttlichung *f.* -en 신으로 모심, 신격화.

Vergottung *f.* -en ↑ Vergöttlichung.
vergötzen *t.* 우상화하다; 〖비유〗 심취하다.
vergraben* 《I》 *t.* 파묻다, 매장하다; 〖비유〗 숨기다: 〖聖〗 sein Pfund ~ 재능을 숨기다; sein Gesicht in den Händen ~ 손으로 얼굴을 가리다; die Hände in den〔die〕 Hosentaschen ~ 손을 바지 주머니에 집어 넣다. 《II》 *refl.* sich ~ ① (토끼 등이) 구멍을 파고 숨다; 〖軍〗 참호 속에 숨다. ② (시골·서재 등에) 은둔하다: seit dem Tod seiner Frau hat er sich völlig ~ 아내가 죽은 뒤로 그는 완전히 은둔해 버렸다; 〖비유〗 sich in et.〔unter et.[3]〕 ~ 무엇에 몰두하다; sich in seine Bücher 〔unter seinen Büchern〕 ~ 책속에 파묻히다, 독서에 몰두하다.
Vergrabung *f.* -en 매장; 숨기기.
vergrämen [fɛrgrɛ́:mən] *t.* 《I》 ① 슬퍼하며 보내다: sein Leben ~ 비탄 속에 살다. ② 화나게 하다, 마음을 상하게 하다: er besucht uns gar nicht mehr — ob wir ihn vergrämt haben? 그가 통 찾아오지 않는군 — 우리가 그를 혹시 기분 상하게 했나? ③ 〖사냥〗 (짐승을) 겁주어 몰아내다(verscheuchen). 《II》 *refl.* sich ~ 슬픔으로 야위다, 초췌해지다. 《III》 **vergrämt** *p.a.* ↑ vergrämt.
vergrämt 《I》 *p.p.* ↑ vergrämen. 《II》 *p.a.* 슬픔에 찬, 비통한.
vergrasen 《I》 *t.* 〖農〗 (농작물의) 웃자란 잎 끝을 잘라내다: das Getreide ~ 곡물의 너무 자란 잎 끝을 자르다. 《II》 *i.* (s.) 풀에 덮이다〔파묻히다〕.
vergrätzen *t.* 〖방언〗 화나게 하다.
vergrauen *i.* (s.) (섬유 등이 오래되어) 잿빛이 되다, 빛깔이 바래다.
vergreifen* [fɛrgráɪfən] 《I》 *t.* ① 잘못 잡다〔집다〕, 잘못 다루어 손상시키다, 닳아 빠지게 하다; 〖음악〗 die Saite 〔den Ton〕 ~ 현(絃)을 잘못 짚다〔음조를 잘못 맞추다〕; sich[3] die Hand ~ 잘못 잡아 손을 삐다. ② 〖商〗 매점(買占)하다. 《II》 *refl.* sich ~ ① 잘못 잡다, 잘못 잡아 손을 삐다〔다치다〕. ② 〖전치사와 함께〗 sich **auf** dem Klavier ~ 피아노를 틀리게 치다; sich **bei** der Wahl ~ 선택을 잘못하다; sich **im** Ausdruck ~ 표현을 잘못하다; sich **an** jm. ~ a) 누구를 학대하다, b) 누구를 성폭행〔강간〕하다; sich an et.[3] ~ a) 무엇에 폭력을 가하다, b) 무엇을 모독하다, c) 무엇을 횡령하다; er vergreift sich immer an Schwächeren 그는 항상 약자를 학대한다; er hat sich an der Firmenkasse vergriffen 그는 회사 공금을 횡령했다; 〖구어〗 ich habe mich nicht an deinem Fahrrad vergriffen 나는 네 자전거를 쓰지 않았다. ③ 〖商〗 매진되다. 《III》 **vergriffen** *p.a.* ↑ vergriffen.
Vergreifung *f.* -en 잘못 잡기; 가해, 폭행; 모독; 횡령, 사용(私用).
vergreisen *i.* (s.) ① 노쇠하다; (나이에 비해서) 늙다. ② (인구가) 고령화되다.
Vergreisung *f.* 노쇠; (출생 감소·수명 연장에 의한) 고령화 현상.
vergrellen *t.* 〖방언〗 화나게 하다.
vergriffen 《I》 *p.p.* ↑ vergreifen. 《II》 *p.a.* (책이) 매진된, 절판된: das Buch ist leider ~ 그 책은 유감스럽게도 절판되었다.
vergrillen 《I》 *t.* 걱정되게〔애타게〕 하다. 《II》 **vergrillt** *p.a.* ↑ vergrillt.
vergrillt 《I》 *p.p.* ↑ vergrillen. 《II》 *p.a.* 까다로운; 애태우는, (괜히) 마음을 졸이는.
vergröbern [fɛrgrø̀:bərn] 《I》 *t.* (↔ verfeinern) 거칠게 하다: die schwere Arbeit hat ihn vergröbert 힘든 노동이 그를 거친 인간으로 만들었다. 《II》 *refl.* sich ~ 거칠어지다.
Vergröberung *f.* -en 거칠게 하기, 거칠어짐.
Vergrößerer *m.* -s, - 확대경.
***vergrößern** [fɛrgrø̀:sərn] 《I》 *t.* (↔ verkleinern) 크게 하다; 증대하다; 확대〔확장〕하다; 과장하다: das Brot hat meinen Hunger noch vergrößert 빵을 보니 더욱 시장기가 느껴졌다; seinen Gesichtskreis ~ 시야를 넓히다; die Belegschaft ~ 직원수를 늘이다; ich will mir die Fotografie ~ lassen 나는 사진을 확대시키려고 한다; ein vergrößertes Herz haben 심장이 비대해지다. 《II》 *refl.* sich ~ 커지다, 증대〔확대〕되다: 〖구어〗 wir haben uns vergrößert 우리는 집〔살림·사업〕을 늘였다. 《III》 *i.* 크게 보이게 하다: die Lupe vergrößert nicht genug 그 확대경은 확대율이 부족하다.
***Vergrößerung** *f.* -en ① 증대, 확대, 확장; 과장; 〖理〗 배율(倍率). ② 확대(한) 사진. ③ 〖음악〗 주제〔테마〕의 확대.
Vergrößerungs-apparat *m.* 사진 확대기. **~fähig** *a.* 증대력〔확장력〕이 있는. **~glas** *n.* 확대경, 돋보기. **~kamera** *f.* 확대 카메라. **~kraft** *f.* 배율(倍率). **~laterne** *f.* 환등(幻燈). **~linse** *f.* 확대〔볼록〕 렌즈. **~messer** *m.* (망원경의) 확도계(擴度計). **~plan** *m.* 확장안(案). **~silbe** *f.* 〖문법·구식〗 증대철(增大綴)(의미를 강조하는 전철·후철). **~spiegel** *m.* 확대경, 볼록 거울. **~verfahren** *n.* 〖사진〗 확대법. **~wort** *n.* 〖문법〗 증대어(語).
vergroßstädtern *i.* (s.) 큰 도시가 되다, 대도시화(化)하다.
vergrübeln *t.* (시간을) 이리저리 궁리〔사색〕하면서 보내다: den Tag ~ 이런저런 생각을 하며 하루를 보내다.
vergrünen *i.* (s.) ① 녹색을 잃다; 빛이 바래다; 시들다. ② 〖植〗 (잎이) 녹색으로 변하다.
vergucken *refl.* sich ~ 〖구어〗 ① 잘못 보다. ② 반하다: sich in jn.〔et.〕 ~ 누구에게〔무엇에〕 반하다; er hat sich in ihre blonden Haare verguckt 그는 그녀의 금발에 반했다.
vergülden [fɛrgʏ́ldən] *t.* 〖시어〗 ↑ vergolden.
Vergunst [fɛrgʊ́nst] 《<vergönnen》 *f.* 〖구식〗〖다음 용법으로만〗 mit ~ 실례지만.
vergünstigen *t.* 특별히 허가하다, 특전으로 〔특혜로〕 주다: vergünstigte Preise 특별 할인 가격.
Vergünstigung *f.* -en 특별 허가; 특혜, 특전, 편의; 〖商〗 특별 할인 (가격): soziale ~en 사회적 특혜; die Bundesbahn gewährt an bestimmten Tagen ~en 독일 연방 철도는 특정한 날에 할인을 해준다.
Vergünstigungs-tage *pl.* 〖商〗 (어음 지급의) 유예일.
vergüten [fɛrgý:tən] *t.* ① 배상〔보상〕하다; 갚다; 지급하다: ich werde Ihnen Ihre Mühe ~ 당신의 수고에 대해서는 충분한 보수를 드리겠습니다; jm. einen Schaden〔Verlust〕 ~

누구에게 손해를〔손실을〕 보상하다. ② (**a**) 〖工〗(금속을) 정련(精鍊)하다. (**b**)〖광학〗코팅 가공을 하다: Linsen ~ 렌즈에 코팅 가공을 하다.

Vergütung *f.* -en ① 보상, 배상; 사례 (Honorar). ② 보상〔배상〕금, 보수, 사례금. ③〖海〗소형 보트를 위한 핸디캡.

verh. = verheiratet 기혼의.

Verhack [fɛrhák] *m.* -(e)s, -e 〖구식〗(Verhau) 가시 울타리, 철조망.

verhacken *t.* ① 토막내다. ② (진지에) 철조망을 치다.

Verhackert *n.* -s (öst.) 돼지 기름으로 만든 버터.

verhack·stücken *t.* 〖구어〗① 혹평하다: sein neuestes Werk ist völlig verhackstückt worden 그의 최신작은 완전히 혹평을 받았다. ② 협의〔상의〕하다.

verhäddern *t.* ↑ verheddern.

Verhaft [fɛrháft] *m.* -(e)s 〖다음 용법으로만〗〖구식〗jn. in ~ nehmen 누구를 체포〔구금〕하다; in ~ sein 체포되어 있다.

***verhaften** 《Ⅰ》*t.* ① 걸쇠〔갈고리〕로 잠그다〔채우다〕. ② 고정〔고착〕시키다. ③ 체포하다, 사로잡다, 수감〔구금〕하다. ④〖고어〗저당잡히다. 《Ⅱ》*refl.* sich ~ 〖雅語〗기억에 남다, 각인되다: das Erlebnis hat sich ihm für immer verhaftet 그 체험은 그의 뇌리에 영원히 남아 있었다. 《Ⅲ》**verhaftet** *p.a.* ↑ verhaftet.

verhaftet 《Ⅰ》*p.p.* ↑ verhaften. 《Ⅱ》*p.a.* 〖雅語〗(어떤 일(것)에) 사로잡힌: dem Zeitgeist ~ sein〔bleiben〕 시대 정신에 사로잡혀 있다.

Verhaftete* *der/die* 수인(囚人), 수감자.

Verhaftung *f.* -en ① 체포, 구금, 수감. ② (무엇에) 사로잡혀 있음.

Verhaftungs≈befehl *m.* 체포령: einen ~ gegen jn. erlassen 누구에 대하여 체포령을 내리다. **~brief** *m.* 체포 영장. **~welle** *f.* 일제〔대량〕 검거, 검거 선풍.

verhageln 《Ⅰ》*i.* (s.) 우박 피해를 당하다: 〖비유·구어〗ihm ist die Petersilie verhagelt 그는 일을 망쳤다〔실패했다〕. 《Ⅱ》**verhagelt** *p.a.* ↑ verhagelt.

verhagelt 《Ⅰ》*p.p.* ↑ verhageln. 《Ⅱ》*p.a.* 우박 피해를 입은; 저주받은, 재수 없는.

verhagern *i.* (s.) 야위다, 초췌해지다.

verhäkeln *t.* ① 갈고리로 고정시키다〔채우다〕. ② Seide ~ 명주실을 고리바늘로 뜨는 데 다 써 버리다.

verhaken 《Ⅰ》*t.* ① 고리로 연결하다: zwei Teile ~ 두 부분을 고리로 연결하다. ② 고리로 걸다; 끼다, 깍지 끼다: Finger ~ 손가락을 깍지 끼다. ③ (도끼로) 토막내다, (고기를) 저미다. 《Ⅱ》*refl.* sich ~ 걸리다: sie hat sich in der Hecke verhakt 그녀는 울타리에 걸렸다.

verhallen 《Ⅰ》*i.* (s.) (소리·울림이) 점점 사라지다, 잦아들다: 〖비유〗sein Ruhm ist verhallt 그의 명성은 사라져 버렸다; 〖비유〗seine Bitten verhallten ungehört 그의 부탁〔청원〕은 아무런 호응도 얻지 못했다. 《Ⅱ》*t.* 〖工〗(음반 녹음 때) 여운의 효과를 주다.

Verhalt [fɛrhált] *m.* -(e)s, -e 〖구식〗① 행동, 거동, 태도. ② 사정, 사태.

verhalten[1] 《Ⅰ》*t.* ①〖雅語〗억누르다; 억제〔자제〕하다: den Atem ~ 숨을 죽이다; sich[3] das Lachen ~ 웃음을 참다; den Schritt ~ 걸음을 늦추다; ein Pferd ~ 말의 속도를 줄이다. ② 침묵을 지키다, 숨기다: ich will es dir nicht ~ 나는 자네에게 그것을 숨길 생각이 없네. ③〖구식〗(schweiz.) (귀·입 등을) 막다. ④〖방언〗머물게 하다. ⑤〖격식〗(öst., schweiz.) 의무를 지우다: er ist ~, die Sache zu melden 그는 그 사실을 알릴 의무가 있다. 《Ⅱ》*i.* (s.) 〖雅語〗천천히 걷다〔가다〕, 걸음을 멈추다: vor der Haustür verhielt sie zögernd 대문 앞에서 그녀는 주저하며 걸음을 멈추었다. 《Ⅲ》*refl.* sich ~ ① …한 태도를 취하다: sich passiv〔ruhig〕 ~ 소극적〔차분한〕 태도를 취하다; ich weiß nicht, wie ich mich dabei ~ soll 나는 이런 경우에 어떤 태도를 취해야 할지 모르겠다; die Kinder ~ sich heute artig 아이들이 오늘은 얌전하게 행동한다. ② …한 사정〔형편〕에 처하다: die Sache verhält sich so, wie du sagst 사태는 네가 말하는 그대로다; es verhält sich damit anders 그것은 사정이 다르다; wenn es sich so verhält 만일 사정이 그러하다면. ③ 어떤 관계에 있다; 〖數〗(무엇과) 비례하다: sich zu et.[3] wie ... ~ 무엇에 대한 관계가 …의 경우와 같다; A verhält sich zu B wie C zu D A 와 B 의 관계는 C 와 D 의 관계와 같다; sich zu et.[3] umgekehrt ~ 무엇에 반비례하다. ④〖방언〗(누구와) 사이가 좋다. ⑤ 체재하다. ⑥ ein sich ~des Pferd 겁쟁이 말. 《Ⅳ》**verhalten** *p.a.* ↑ verhalten[2].

verhalten[2] 《Ⅰ》*p.p.* ↑ verhalten[1]. 《Ⅱ》*p.a.* ① 억눌린, 감추어진: in seinem Benehmen war ~er Zorn zu spüren 그의 행동에는 분노가 감추어져 있음을 느낄 수 있었다. ② (**a**) 삼가는, 자제하는: ein ~es Wesen 내성적인 사람. (**b**) (소리가) 낮은, 조용한: sie sprach mit ~er Stimme 그녀는 낮은 목소리로 말했다. (**c**) 단아〔고상〕한: ~e Farben 은은한 빛깔.

***Verhalten** *n.* -s 〖전문어〗① 억압, 억제. ② 행동, 거동, 태도; 방법; 〖化〗반응: das ~ einer Säure gegen das Lackmuspapier 리트머스 시험지에 대한 산(酸)의 반응.

Verhaltenheit *f.* 억제, 자제; 소심.

Verhaltens≈forscher *m.* 행태학자, 행동 과학 연구가. **~forscherin** *f.* ↑ ~forscher 의 여성형. **~forschung** *f.* 행동 과학, 행태학. **≈gestört** *a.* 〖心〗 행동 장애가 있는: ~e Kinder 행동 장애아. **~maß·regel** *f.* 행동 규범. **~muster** *n.* 〖행동과학〗 행동 패턴〔표본〕. **~psychologie** *f.* 행동 심리학. **~regel** *f.* 행동 규칙. **~störung** *f.* 〖心〗 행동 장애. **~weise** *f.* 행동 방식. **~wissenschaft** *f.* 행동 과학, 행태학.

***Verhältnis** [fɛrhɛ́ltnɪs] *n.* -ses, -se ① 관계, 사이: in freundschaftlichem〔gespanntem〕 ~ zu jm. stehen 누구와 우호〔긴장〕 관계에 있다; 〖농담〗sie hat ein gespanntes〔gestörtes〕 ~ zur Orthographie 그녀는 철자법을 잘 모른다. ②〖구어〗연애 관계; 연인: ein dreieckiges ~ 삼각 관계; ein ~ mit einem Mädchen haben 어떤 처녀와 연애 중이다; sie ist sein ~ 그녀는 그의 애인이다. ③〖복수〗상황, 상태; 지위, 신분; 형편, 처지: in angenehmen ~sen leben 안락하게 살고 있다; über seine ~se leben 분에 넘치는 생활을 하다; unter solchen ~sen 그런 사정으로는; aus kleinen ~sen kommen〔stammen〕 소시민〔서민〕 출신이다. ④ 비율, 균형; 〖數〗비례:

gerades ~ 정비례; im ~ zu et.³ 무엇에 비례하여; im umgekehrten ~ zu et.³ 무엇에 반비례하여; in ~ mit〔zu〕et.³ stehen 무엇에 비례하다; der Lohn steht in keinem ~ zur Arbeit 임금이 노동에 걸맞지 않다; und alles Übrige im ~ 그 이외는 모두 그 비율로; nach ~ von et.³ 무엇에 비례하여, 무엇의 비율로.

Verhältnis≈anteil *m.* 할당; 〖商〗 배당(금). **~anzeiger** *m.* 〖數〗 지수(指數). **~gleichung** *f.* 〖數〗 비례식.

verhältnislos *a.* ① 관계가 없는. ② 비례가 안 되는. ③ 균형이 맞지 않는.

verhältnis≈mäßig 《I》 *a.* 비례하는, 균형 잡힌; 관계가 있는. 《II》 *adv.* 비례하여, 비율로; 비교적. **≈mäßigkeit** *f.* 걸맞음, 적절, 상응. **≈regel** *f.* 〖數〗 비례법. **~wahl** *f.* 〖政〗 비례 대표제 선거.

Verhältniswahl≈recht *n.* 〖法〗 비례 대표제 선거법. **~system** *n.* 비례 대표제 선거 제도.

verhältnis≈widrig *a.* 불균형의. **≈wort** *n.* 〖문법〗 전치사. **~zahl** *f.* 〖통계〗 비례수.

Verhaltung *f.* ① **(a)** 〔雅語〕 억제, 자제. **(b)** 〖醫〗 (소변·대변 소통의) 기능 장애〔억제〕. ② 〔구식〕 태도, 행동, 거동.

Verhaltungs≈art *f.* 거동, 행동, 태도, 행색. **~befehl** *m.* 명령, 지시. **~maß·regel** *f.* 〔구식〕 훈령, 행동 규범.

***verhandeln** [fɛrhándəln] 《I》 *i.* (h.) ① 협상〔협의〕하다: mit jm. über et. 〔wegen eines Dinges〕 ~ 누구와 무엇에 관해 협상하다. ② 〖法·은어〗 심리〔재판〕하다: gegen jn. wegen eines Dinges ~ 무엇에 대하여 누구를 심리〔재판〕하다; über et. ~ 무엇에 대해 심리하다; gerichtlich ~ 심리하다. 《II》 *t.* ① 협의〔협상〕하다: et. mit jm. ~ 누구와 무엇을 협의하다. ② 〔구식·폄어〕 장사〔거래〕하다, 팔다. ③ (재산을) 장사〔거래〕하여 잃다. ④ 〖法·은어〗 심리하다: einen Fall ~ 사건을 심리하다.

***Verhandlung** [..hándlʊŋ, ..hánt..] *f.* -en ① 상의, 토의, 담판: mit jm. in ~en stehen 누구와 상의하다. ② 공판, 심리, 재판: eine öffentliche ~ 공개 재판.

Verhandlungs≈basis *f.* 협상 기반〔토대〕. **≈bereit** *a.* 협상 준비가 된, 협상 용의가 있는. **~bereitschaft** *f.* 협상 준비〔용의〕. **~bericht** *m.* 의사(議事)〔심리〕 보고. **~buch** *n.* 의사〔심리〕록. **~friede** *m.* 합의 화해. **~führer** *m.* 재판 서기. **~grundlage** *f.* 협상 기반. **~heft** *n.* ↑ ~buch. **~partner** *m.* 협상 파트너, 협상의 상대. **~partnerin** *f.* ↑ ~partner 의 여성형. **~saal** *m.* 의사당, 심리〔공판〕장. **~schrift** *f.* ↑ ~buch. **~sprache** *f.* (국가간에 합의한) 협상 공용어. **~tag** *m.* 공판〔재판〕일, 심리일; 협상일. **~termin** *m.* 심리(기)일, 협상 기한. **~tisch** *m.* 협상 테이블: ein Problem am ~ lösen 문제를 협상을 통해 해결하다; sich an den ~ setzen 협상을 시작하다; an den ~ zurückkehren 협상을 재개하다. **~weg** *m.* 〔다음 용법으로만〕 auf dem ~ 협상을 통하여; Streitigkeiten auf dem ~ beilegen 협상을 통해 분쟁을 중재하다.

verhängen 《I》 *t.* ① 걸쳐 덮다, 덮어서 감추다. ② 잘못 걸다. ③ **(a)** (고삐 등을) 늦추다: einem Pferd den Zügel ~ 말의 고삐를 늦추다, 말이 가는 대로 내버려 두다; mit verhängten Zügeln 쏜살같이, 전속력으로. **(b)** 방임하다. **(c)** (신·운명이) 정하다; 포고〔판결〕하다: eine Strafe über jn. ~ 누구에게 벌을 주다; den Belagerungszustand über eine Stadt ~ 어떤 도시에 계엄령을 선포하다; wie es Gott verhängt 하느님의 심판대로. 《II》 *refl.* sich ~ 얽히다, 걸리다.

***Verhängnis** [..hɛ́ŋnɪs] *n.* -ses, -se (신이 내리는) 운명, 신〔하늘〕의 뜻; 숙명; 비운, 재앙.

Verhängnis≈glaube *m.* ↑ ~lehre. **~gläubige*** *der/die* 숙명론자. **~lehre** *f.* 숙명론. **≈voll** *a.* 숙명적인; 치명적인 (결과를 초래하는): eine ~e Entscheidung 불행을 초래하는 결정.

Verhängung [fɛrhɛ́ŋʊŋ] *f.* -en 〔비유〕 포고, 판결.

verhärmen [..hɛ́rmən] 《I》 *t.* 슬퍼하며 보내다: sein Leben ~ 슬픔으로 지새다. 《II》 *refl.* sich ~ 슬픔에 여위다. 《III》 **verhärmt** *p.a.* ↑ verhärmt.

verhärmt 《I》 *p.p.* ↑ verhärmen. 《II》 *p.a.* 슬픔으로 여윈, 슬픔에 젖은: ein ~es Gesicht 슬픔으로 수척한 얼굴.

verharren [fɛrhárən] *i.* (h.) 〔雅語〕 머무르다, 고수하다: auf〔bei〕 seiner Meinung ~ 자기 의견을 고집하다; in seiner Ablehnung ~ 계속 거절하다; ich verharre mit Hochachtung Ihr ergebener ... 경구(敬具) (편지에 쓰는 말).

Verharrung [..hárʊŋ] *f.* -en 머무름, 고수.

verharschen [fɛrhárʃən] *i.* (s.) ① (눈이) 얼다, 결빙하다. ② 〖醫〗 딱지가 앉다, 아물다; 상처 자국을 남기다.

Verharschung *f.* -en 〖醫〗 ① 상처가 아묾, 유착(癒着). ② 상처가 아문 자리.

verhärten [fɛrhɛ́rtən] 《I》 *i.* (s.) / *refl.* (sich) ~ 단단해지다, 딱딱해지다; 〔비유〕 무정〔냉혹〕해지다: sich gegen jn. 〔et.〕 ~ 누구에게 무정하다〔무엇에 대하여 무감각하다〕. 《II》 *t.* 단단하게 하다; 무정〔냉혹〕하게 하다: 〖醫〗 den Leib ~ 변비를 일으키다.

Verhärtung *f.* -en ① 단단하게 하기, 경화; 〔비유〕 무정, 냉혹. ② 〖醫〗 **(a)** 변비. **(b)** 경피(硬皮), (피부에 생기는) 굳은살.

verharzen [..hártsən] 《I》 *i.* (s.) / *refl.* (sich) ~ 수지(樹脂)로 변하다, 수지화(樹脂化)하다. 《II》 *t.* 수지화시키다; 수지를 바르다.

verhaspeln [..háspəln] 〔구어〕 《I》 *t.* (실을) 얽히게 하다, 엉클어뜨리다. 《II》 *refl.* sich ~ ① 얽히다, 엉키다. ② (급히 말하느라) 말의 갈피를 잡지 못하다: 〔비유〕 sich beim Reden ~ 횡설수설하다. 《III》 **verhaspelt** *p.a.* ↑ verhaspelt.

verhaspelt 《I》 *p.p.* ↑ verhaspeln. 《II》 *p.a.* 뒤얽힌, 엉클어진, 갈피를 잡지 못하는.

Verhaspelung, Verhasplung *f.* -en 횡설수설, 말의 갈피를 잡지 못함.

verhäßlichen *t.* (↔ verschönern) 흉하게〔추하게〕 만들다; 불구가 되게 하다.

verhässlichen 新정서 ⇦ verhäßlichen.

***verhaßt** [fɛrhást] *a.* (몹시) 미운, (보기) 싫은, 혐오스러운, 추악한: sich bei jm. ~ machen 누구의 미움을 받다.

verhasst 新정서 ⇦ verhaßt.

verhätscheln *t.* 〔구어〕 응석으로 길러 그르치다〔버릇 없게 만들다〕: ein verhätscheltes

Kind 응석꾸러기.

Verhätschelung, Verhätschlung *f.* -en ↑ verhätscheln 의 명사형.

verhatscht *a.* (öst.) (구두가) 낡아빠진.

Verhau [fɛrháu] 《<verhauen》 *m./n.* -(e)s, -e ① 바리케이드, 가시 울타리. ②〖구어〗걷잡을 수 없는 무질서, 엉망진창.

verhauchen 〖시어〗《I》*t.* (숨을) 내쉬다, (향기·냄새를) 발산하다: das Leben 〔den Geist, die Seele〕 ~ 숨을 거두다, 죽다. 《II》 *i.* (s.) ① 숨을 거두다, 죽다. ② (비밀이) 폭로되다, 널리 알려지다.

verhauen*[1] [fɛrháuən] 《I》 *t.* 〖구어〗 ① 마구 때리다: jm. den Hintern ~ 누구의 엉덩이를 때리다. ② 엉터리로 (작성)하다: den Aufsatz ~ 엉터리로 작문하다. ③ 낭비하다, 탕진하다: er hat das Geld an einem Abend ~ 그는 하룻밤에 돈을 탕진했다. ④ 잘못 자르다. ⑤ 바리케이드로〔가시 울타리로〕 막다: jm. den Weg ~ 누구의 길을 차단하다. 《II》 *refl.* sich ~ ① 오류를 범하다, 잘못 결정하다. ② (타자기에서) 오자(誤字)를 두드리다. 《III》 **verhauen** *p.a.* ↑ verhauen[2].

verhauen[2] 《I》 *p.p.* ↑ verhauen[1]. 《II》 *p.a.* ① 상처투성이의; 실패한; 〖구어〗멍청한, 까불까불하는, 교활한. ②〖경박〗 구제 불능인: der sah mal wieder total ~ aus 그는 이번에도 정말이지 구제 불능으로 보였다.

verheben* *t./refl.* (sich) ~ ① (물건을) 잘못 들다가 다치다: ich habe mich beim Ausladen der Möbel verhoben 나는 가구를 잘못 내리다가 몸을 다쳤다. ②〖카드〗 패를 치다.

verheddern [fɛrhɛ́dərn] 《<Hader》〖구어〗 《I》 *t.* 얽히게 하다, 엉클어뜨리다. 《II》 *refl.* sich ~ ① 걸리다, 얽히다. ② (말이나 연설 도중에) 더듬다: sich beim Reden ~ 말을 하다가 더듬다.

verheeren [fɛrhé:rən] *t.* 황폐하게 만들다, 완전히 파괴하다: ein Land ~ 어떤 토지를 황폐하게 하다: mit Feuer und Schwert ~ 방화와 무기로 초토화시키다.

verheerend *p.a.* ① 파괴적인. ②〖구어〗추악한, 징그러운, 혐오스러운; 믿을 수 없는: du siehst in dem Kleid ~ aus 너는 그 옷을 입으면 꼴불견이다.

Verheerer *m.* -s, - 황폐시키는 사람, 유린자, 파괴자, 약탈자.

Verheerung [..hé:ruŋ] *f.* -en 황폐시킴, 유린, 파괴: eine ~ anrichten 황폐케 하다, 파괴하다.

verheften *t.* ①〖醫〗 (상처 등을) 꿰매다, 봉합하다: eine Wunde ~ 상처를 꿰매다. ② 잘못 깁다〔철(綴)하다〕. ③ 꿰매는 데 다 써 버리다: viel Garn ~ 깁는〔꿰매는〕 데 많은 실을 다 써 버리다.

***verhehlen**[(*)] [fɛrhé:lən] 《I》 *t.* 〖雅語〗(감정이나 생각을) 숨기다, 은폐하다; 〖드물게〗(훔친 물건을) 은닉하다. 《II》 **verhohlen** *p.a.* ↑ verhohlen.

Verhehlung *f.* -en 숨김; 시치미 떼기.

verheilen 《I》 *i.* (s.) (상처가) 아물다. 《II》 *t.* ① (상처를) 아물게 하다. ② (obd.) 거세하다.

Verheilung *f.* -en (상처의) 아묾, 유착(癒着).

verheimlichen [fɛrháımlıçən] *t.* 숨기다, 비밀에 붙이다, 은폐하다: sich ~ 숨겨지다, 알려지지 않다; er ließ sich ~ 그는 집에 있으면서 없다고 따돌렸다; ich habe nichts zu ~ 나는 숨길 것이 전혀 없다.

Verheimlichung *f.* -en 숨기기, 은닉.

***verheiraten** [..háıra:tən] 《I》 *t.* 〖구식〗 결혼시키다: seine Tochter an einen 〔mit einem〕 Mann ~ 딸을 어떤 남자와 결혼시키다. 《II》 *refl.* sich ~ 결혼하다: sich glücklich ~ 좋은 배필을 얻다; sich wieder ~ 재혼하다. 《III》 **verheiratet** *p.a.* ↑ verheiratet.

***verheiratet** 《I》 *p.p.* ↑ verheiraten. 《II》 *p.a.* 결혼한, 기혼의(약어: verh.): mit jm.〔an jn.〕 ~ sein 누구와 결혼해(살고) 있다; 〖구어·농담〗 er ist mit seinem Verein ~ 그는 협회에 붙어 산다; 〖구어〗 da bin ich schlecht ~ 고생 바가지죠; 〖구어·농담〗 du bist doch mit ihnen nicht ~ 너는 언제라도 그들과 결별할 수가 있다.

Verheiratung *f.* -en 결혼, 혼인.

verheißen [fɛrháısən] *t.* 〖雅語〗 ① 예언하다, 예고하다: die Wolken ~ schlechtes Wetter 구름이 나타나면 언제나 날씨가 나빠진다; jm. et. ~ 누구에게 무엇을 (주기로) 약속하다; 〖聖〗 das ∼e (*p.a.*) Land 약속의 땅(하느님이 이스라엘 민족에게 약속한 땅: Kanaan). ②〖방언〗 꾸짖다, 욕하다.

Verheißung *f.* -en 〖雅語〗 약속: 〖聖〗 das Land der ~ 약속의 땅.

verheißungs·voll *a.* 유망한, 전도 양양한.

verheizen *t.* ① 난방에 사용하다〔써 버리다〕. ②〖구어·폄어〗 혹사하여 소모시키다, 무의미하게 희생시키다, 마구 부리다: Truppen ~ 군대를 마구 투입하다.

verhelfen* *i.* (h.) (도와서) 마련해 주다, 달성시키다: jm. zu einer Frau ~ 누구에게 아내를 얻어 주다.

verherrlichen [fɛrhɛ́rlıçən] *t.* 영광을 주다; 찬미하다, 기리다; (의식·축전을) 거행하다.

Verherrlicher *m.* -s, - 찬미자, 예찬자.

Verherrlichung *f.* -en 찬미, 예찬.

verhetzen [fɛrhɛ́tsən] *t.* ① 사주(使嗾)하다, 부추기다; 선동하다. ② 쫓아 몰아서 피로하게 하다. ③ 사냥개로 하여금 추적케 하다.

Verhetzung *f.* -en 사주(使嗾), 선동.

Verheuerer *m.* -s, - 용선자(傭船者), 선적업자.

verheuern 《I》 *t.* 〖海〗 (배에) 화물을 싣다: ein Schiff ~ 용선(傭船)하다, 배에 화물을 싣다. 《II》 *refl.* sich ~ (선원으로) 고용되다.

Verheurer *m.* -s, - ↑ Verheuerer.

verheulen 《I》 *t.* 〖구어〗 (시간을) 울면서 보내다: Zeit ~ 울며 시간을 보내다. 《II》 **verheult** *p.a.* ↑ verheulen.

verheult 《I》 *p.p.* ↑ verheulen. 《II》 *p.a.* 〖구어〗 울면서 시간을 보낸: mit ~en Augen 울어서 퉁퉁 부은 눈으로.

verhexen [fɛrhɛ́ksən] 《I》 *t.* ① 마법을 걸다, 마법을 걸어 변화시키다: jn. in et. 〔zu et.[3]〕 ~ 마법을 걸어 누구를 무엇으로 바꾸다. ②〖비유〗 현혹하다, 넋을 잃게 하다. 《II》 **verhext** *p.a.* ↑ verhext.

verhext 《I》 *p.p.* ↑ verhexen. 《II》 *p.a.* 마법에 걸린; 저주받은: das ist ja wie ~! 일이 왜 이렇게 안 풀려!

Verhexung *f.* -en 마법을 겂, 현혹.

verhimmeln [fɛrhímməln] 《I》 *t.* 〖구어〗 신으

로 모시다; 찬미하다. 《Ⅱ》 *i.* (h.) 하늘에라도 오를 것 같은 마음이 되다, 으쓱거리다; 죽다.
Verhimmelung *f.* -en 찬미, 숭배.
***verhindern** [fɛɤhíndərn] *t.* 저지하다, 방해하다: jn. an et.³ ~ 누가 무엇을 하는 것을 방해하다; ich bin dienstlich verhindert (zu kommen) 나는 업무 때문에 올 수가 없다; 〖구어·반어〗 ein verhinderter Dichter 시인이 될 뻔한 사람.
Verhinderung *f.* -en 방해, 저지; 장애, 지장.
Verhinderungs·fall *m.* 〖격식〗〖다음 용법으로〗 im ~ 지장이 있을 때는.
verhochdeutschen *t.* (방언을) 표준 독일어로 바꾸어 쓰다〔번역하다〕.
verhoffen *i.* (h.) ①〖고어〗 바라다, 희망하다: wider alles ~ 기대에 어긋나게, 의외로. ②〖사냥〗 (**a**) (개가) 냄새를 맡아내다. (**b**) (야생동물이) 멈춰 서서 경계하다.
verhohlen [fɛɤhó:lən] 《Ⅰ》 *p.p.* ↑ verhehlen. 《Ⅱ》 *p.a.* 감추어진, 비밀의, 은폐된; 음험한: mit ~er Schadenfreude 남의 불행을 고소해 하는 마음을 숨긴 채.
verhöhnen [fɛɤhǿ:nən] *t.* 조소〔조롱〕하다; 경멸하다, 깔보다; 모욕하다; 야유하다.
verhohnepipeln [fɛɤhó:nəpi:pəln], **verhohnigeln** *t.* 〖구어·방언〗 ↑ verhöhnen.
Verhöhnung *f.* -en 조소, 경멸.
verhökern [..hǿ:kərn] *t.* 〖구어·폄어〗 팔아 버리다.
Verhol·boje *f.* 〖海〗 범선을 끄는 부표.
verholen *t.* ①〖海〗 밧줄로 끌다: ein Schiff ~ 배를 끌다. ②〖방직〗 더 강하게 하다: die Presse ~ 압력을 한층 강하게 하다.
Verholer *m.* -s, - 〖海〗 (증기) 예인선.
Verhol≈leine *f.*, **~tau** *n.* 배를 끄는 밧줄.
verholzen 《Ⅰ》 *i.* (s.) ①〖植〗 나무로 변하다. ② 굳다, 뻣뻣하게 되다. 《Ⅱ》 *t.* 〖구어〗 늘씬하게 때리다, 곤봉으로 때리다.
Verholzung *f.* -en 〖植〗 ① 목질화(木質化). ② 목질화된 부분.
Verhör [fɛɤhǿ:r] *n.* -(e)s, -e ①〖法〗 신문(訊問), 심문(尋問), 청취: ein ~ mit jm. anstellen (jn. ins ~ nehmen) 누구를 심문하다. ②〖구어〗 엄한 질문.
verhören 《Ⅰ》 *t.* ①〖法〗 심문〔신문〕하다. ② 엄하게 질문하다. ③〖사냥〗 (짐승의 위치를) 발정기의 울음 소리를 듣고 알아내다. ④ 잘못 듣다, 빠뜨리고 듣다. 《Ⅱ》 *refl.* sich ~ 잘못 듣다, 오해하다.
verhornen *i.* (s.) ① 각질화(角質化)하다. ② 티눈이 생기다.
Verhornung *f.* -en ① 각질화. ② 각질화한 부분, 티눈.
Verhörung *f.* -en 〖法〗 신문, 심문.
verhudeln [..hú:dəln] 《Ⅰ》 *i.* (s.) (schweiz.) 영락〔몰락〕하다. 《Ⅱ》 *t.* 〖방언〗 부주의로 망쳐 놓다.
***verhüllen** [fɛɤhýlən] 《Ⅰ》 *t.* ① 덮다, 싸다, 덮어〔싸서〕 감추다; 은폐하다; 복면〔가장〕시키다; 꾸며 대다: die Wahrheit ~ 진상을 감추다; jm. das Gesicht ~ 누구의 얼굴을 가리다. ② 완곡하게 표현하다: in ~den (verhüllten) Worten 완곡한 말로. 《Ⅱ》 *refl.* sich ~ 몸을 싸다, 복면〔가장〕하다. 《Ⅲ》 **verhüllt** *p. a.* ↑ verhüllt.
verhüllt 《Ⅰ》 *p.p.* ↑ verhüllen. 《Ⅱ》 *p.a.* 숨겨진, 덮어 감춘, 은폐된; 〖軍〗 위장한.
Verhüllung *f.* -en ① 덮어 감춤, 은폐. ② 보(褓), 피복(被覆), 차폐물.
verhundertfachen 《Ⅰ》 *t.* 백 배로 하다. 《Ⅱ》 *refl.* sich ~ 백 배가 되다.
verhungern [..húŋərn] 《Ⅰ》 *i.* (s.) ① 굶어 죽다, 아사하다: ~ lassen 굶겨 죽이다. ②〖구어·농담〗 죽도록 배가 고프다: schnell das Essen her, wir ~! 식사 빨리 주세요, 배고파 죽겠어요! ③〖스포츠〗 (공 등이) 굴러가다가 표적 앞에서 서서히 멈추다. 《Ⅱ》 **verhungert** *p.a.* ↑ verhungert.
Verhungern *n.* -s 기아, 아사.
verhungert 《Ⅰ》 *p.p.* ↑ verhungern. 《Ⅱ》 *p.a.* 굶주림에 여윈: ~ aussehen 굶주려 보이다, 굶주려서 여위어 보이다; er tut ganz ~ 그는 욕심쟁이다.
Verhungerung *f.* -en 아사, 기아.
verhunzen [fɛɤhúntsən] *t.* 〖구어〗 (나태·무능력으로 인해) 못쓰게 만들다, 망치다.
Verhunzung *f.* -en 망침, 그르침.
verhuren 《Ⅰ》 *t.* 〖경박·폄어〗 ① (돈을) 오입질에 탕진하다: sein Geld ~ 오입질로 돈을 탕진하다. ② 타락시키다: ein Mädchen ~ 소녀를 창부로 만들다, 타락시키다. 《Ⅱ》 *refl.* sich ~ 우상시하다: 〖聖〗 sich an et.³ ~ 무엇을 우상시하다. 《Ⅲ》 **verhurt** *p.a.* ↑ verhurt.
verhurt 《Ⅰ》 *p.p.* ↑ verhuren. 《Ⅱ》 *p.a.* 〖비속·폄어〗 호색의, 방탕한.
verhuscht *a.* 〖구어〗 수줍은, 겁많은.
***verhüten** [vɛɤhý:tən] *t.* (불행 등을) 예방하다, 방지하다: das verhüte Gott! 그런 일이 일어나지 않도록 신의 가호가 있기를! ; eine Empfängnis (Schwangerschaft) ~ 피임하다.
verhütend *p.a.* 예방〔방지〕의.
verhütten [fɛɤhýtən] *t.* 〖제련〗 제련하다: Erz ~ 광석을 제련하다.
Verhüttung *f.* -en 제련.
Verhütung [fɛɤhý:tuŋ] *f.* -en 방지; 예방: ~ der Empfängnis 피임.
Verhütungs≈maßregel *f.* 예방책. **~mittel** *n.* 예방법; 피임약, 피임 기구.
verhutzeln [fɛɤhútsəln] *i.* (s.) 오그라들다, 주름지다.
verhutzelt *a.* 오그라든, 생기 없는, 주름진: ein ~es Männchen 생기가 없는 사내.
Verifikation [verifikatsió:n] 《lat.》 *f.* -en ①〖교양〗 확인, 실증, 입증. ②〖학문론〗 경험적 방법을 통한 학문적 가설의 입증.
verifizierbar *a.* 증명할 수 있는.
Verifizierbarkeit *f.* 확인〔입증〕할 수 있음.
verifizieren *t.* ①〖교양〗 확인하다, 실증〔입증〕하다. ②〖학문론〗 (어떤 가설이나 이론을) 경험적 방법으로 입증하다.
verinnerlichen [fɛɤ|ínərlıçən] *t.* ① 내면화하다; 심화하다. ②〖心〗 내면화하다.
Verinnerlichung *f.* -en 내면화, 정신화.
verinnern *t.* ↑ verinnerlichen.
verinnigen [fɛɤ|ínıgən] 《Ⅰ》 *t.* 긴밀히 하다, 친밀히 하다. 《Ⅱ》 *refl.* sich ~ 친밀하게〔사이좋게〕 되다.
verirren [fɛɤ|írən] 《Ⅰ》 *i.* (s.)/*refl.* (sich) ~ ① 길을 잃다; 〖비유〗 갈피를 못잡다, 정도(正道)에서 벗어나다. ② 예기치 않게 도달하다: in diese Gegend ~ sich nur selten Touristen

관광객들이 이 지역에 예기치 않게 오게 되는 경우는 극히 드물다. 《Ⅱ》**verirrt** *p.a.* ↑ verirrt.

verirrt 《Ⅰ》*p.p.* ↑ verirren. 《Ⅱ》*p.a.* 길잃은: eine ~e Kugel 유탄(流彈); 〚聖〛 ein ~es Schaf 길잃은 양(마태 18 : 12-13).

Verirrung *f.* -en 길잃음; 탈선, 과오: eine jugendliche ~ 젊은이의 과실.

Verismo [verísmo] *m.* - 〚畫·문학·음악〛(19 세기 중엽 이탈리아 예술·음악·문학의) 극단적 사실주의.

Verismus [verísmus] *m.* - 〚畫·문학·음악〛 ① ↑ Verismo. ② (자연주의적·사회 비판적 성향을 띤) 철저한 사실주의.

Verist *m.* -en, -en 극단적〔철저한〕 사실주의자.

veristisch *a.* 극단적 사실주의의.

veritabel [veritá:bəl] 《frz.》 *a.* 〖구식·교양〗 참된, 진실의.

verjagen [fɛɾ|já:gən] 《Ⅰ》*t.* ① 쫓아내다, 몰아내다; 〚軍〛 패주시키다: jn. von Haus und Hof ~ a) 누구를 집안에서 내쫓다〔추방하다〕, b) 누구를 알거지로 만들다. ② (시간을) 사냥하는 데 보내다: eine Zeit ~ 사냥하는 데 시간을 보내다. ③ (ndd.) 놀라게 하다. 《Ⅱ》*refl.* sich ~ 사냥하다가 길을 잃다.

Verjagung *f.* -en 몰아냄.

verjährbar [fɛɾ|jɛ́:ɾba:ɾ] *a.* 〚法〛 시효에 걸릴 수 있는.

verjähren 《Ⅰ》*i.* (s.) ① 오랜 세월을 거쳐 뿌리를 뻗다〔인정받다〕; 〚法〛 시효에 의하여 합법화하다. ② 〚法〛 시효가 소멸하다〔지나다〕. 《Ⅱ》*t.* 시효에 의하여 취득하다. 《Ⅲ》*refl.* sich ~ 시효가 소멸하다〔지나다〕. 《Ⅳ》**verjährt** *p.a.* ↑ verjährt.

verjährlich *a.* ↑ verjährbar.

verjährt 《Ⅰ》*p.p.* ↑ verjähren. 《Ⅱ》*p.a.* 〖구식〗① (a) 연공을 쌓은; 뿌리를 깊이 박은. (b) 매우 오래된; 낡은, 시대에 뒤진. ② 시효가 지난, 시효에 의하여 소멸한.

Verjährung [..jɛ́:ruŋ] *f.* -en 〚法〛 (소멸) 시효.

Verjährungs≈frist *f.* 시효 소멸 기간. **~-gesetz, ~recht** *n.* 시효법.

verjammern 《Ⅰ》*t.* (시간을) 비탄에 잠긴 채 보내다. 《Ⅱ》*i.* (s.) (시간이) 비탄으로 흘러가다.

verjazzen [..dʒɛ́sən, ..játsən] *t.* 〚음악〛 재즈화하다, 재즈 형태로 고치다: ein Stück ~ 어떤 악곡을 재즈식으로 연주하다.

verjochen *t.* 정복하다, 예속〔복종〕시키다.

verjubeln, verjuchheien [..juxháiən], **verjuckeln** *t.* 〖구어〗 ① (시간을) 환락으로 보내다: seine Zeit ~ 환락으로 시간을 보내다. ② 유흥으로 탕진하다: sein Geld ~ 유흥비로 돈을 다 써 버리다.

verjuden [fɛɾ|jú:dən] 《Ⅰ》*t.* 유대(인)화시키다; 유대교를 믿게 하다. 《Ⅱ》*i.* (s.) 유대(인)화하다; 유대교로 개종하다.

Verjudung *f.* -en 유대(인)화.

***verjüngen** [fɛɾ|jýŋən] 《Ⅰ》*t.* ① 되젊어지게 하다, 회춘시키다; 갱신하다. ② 〚제도〛 축도하다: in verjüngtem Maßstab a) 축척(縮尺)으로, b) 세밀한 그림으로. ③ 젊은 사람〔어린 것〕으로 교체하다: den Baumbestand ~ 나이 든 나무를 어린 나무로 교체해 심다; das Personal ~ 직원을 젊은 사람으로 교체하다. ④ 〚건축〛 (끄트머리 쪽을) 점점 가늘게 하다, 뾰족하게 하다. 《Ⅱ》*refl.* sich ~ ① 되젊어지다. ② (위쪽으로 갈수록) 뾰족하게 되다, 가늘게 되다.

Verjüngung *f.* -en ① 되젊어짐, 회춘; 갱신. ② 축도, 축소; 뾰족하게 함〔됨〕.

Verjüngungs≈kunst *f.* 회춘술(術). **~kur** *f.* 회춘 요법. **~maßstab** *m.* 축척(縮尺). **~mittel** *n.* 회춘법, 회춘제. **~quelle** *f.* 회춘의 샘. **~trank** *m.* 회춘 음료.

verjunkerieren, verjunkern *t.* (시간을) 사치하며 안락하게 보내다.

verjuxen [fɛɾ|júksən] *t.* 〖구어〗 ↑ verjubeln.

verkabeln *t.* ① 전선을 깔다〔부설하다〕. ② (텔레비전이나 전화를) 전선으로 접속시키다, 케이블을 연결하다: ein Haus ~ 집에 유선 텔레비전의 회선을 연결하다.

Verkabelung *f.* -en 전선 설치〔연결〕.

verkackeiern [fɛɾkákaɪəɾn] *t.* 〖구어〗 놀리다, 우롱하다.

verkadmen [fɛɾkátmən] *t.* 〚工〛 카드뮴 도금을 하다.

verkalben *i.* (h.) (암소가) 유산하다; 〖비유〗 못쓰게 되다, (계획이) 실패로 돌아가다.

verkalkbar *a.* 석회화할 수 있는.

verkalken 《Ⅰ》*i.* (s.) / *refl.* (sich) ~ ① (수도관·기계가) 석회가 쌓여 기능이 저하되다. ② 〚醫〛 석회질이 되다; 경화(硬化)하다. ③ 〖구어〗 (a) 동맥 경화증을 앓다. (b) 노쇠하다; 노쇠해서 정신력을 잃다. 《Ⅱ》*t.* 석회질화하다; 〚제련〛 하소(煆燒)하다. 《Ⅲ》**verkalkt** *p.a.* ↑ verkalkt.

verkalkt 《Ⅰ》*p.p.* ↑ verkalken. 《Ⅱ》*p.a.* 석회화한; 〚醫〛 경화된; 〖비유〗 구폐(舊弊)의.

verkalkulieren *refl.* sich ~ ① 잘못 계산하다. ② 잘못 판단〔평가〕하다.

Verkalkung *f.* -en ① 석회화; 〚제련〛 하소(煆燒); 〚醫〛 (Arterien≈) 석회 침착, 경화. ② 〖구어〗 노화, 정신적 노쇠.

verkälten 《Ⅰ》*t.* 차게 하다, 식히다: ~ Sie sich³ die Füße nicht! 발을 차게 하지 마시오! 《Ⅱ》*refl.* (md.) sich ~ 감기 들다.

verkamisolen [fɛɾkamizó:lən] *t.* 〖구식〗 몹시 때리다, 구타하다.

verkämpfen 《Ⅰ》*t.* ① 싸워서 지치게 하다. ② 싸워서 이겨내다. 《Ⅱ》*refl.* sich ~ 〚사냥〛 (사슴 등이) 싸우는 동안 뿔이 서로 얽히다.

verkannt 《Ⅰ》*p.p.* ↑ verkennen. 《Ⅱ》*p.a.* 오인된, 진가를 인정 받지 못한: ein ~es Genie (세상에서) 인정 받지 못한 천재.

Verkanntheit *f.* ↑ verkannt 의 명사형.

verkanten 《Ⅰ》*t.* ① 모로〔세로로〕 잘못 세우다. ② 〚스키〛 날을 잘못 세우다; (총신을) 옆으로 기울여 잘못 조준하다. 《Ⅱ》*i.* (h.) / *refl.* (sich) ~ 꽉 끼어서 움직이지 않다.

verkappen [fɛɾkápən] 《Ⅰ》*t.* ① 〚工〛 (담 위에) 관석(冠石)을 덮다. ② 덮다; 위장〔변장〕시키다. ③ 〚사냥〛 (사냥용 매에게) 두건을 씌우다. 《Ⅱ》*refl.* sich ~ 변장하다, 위장하다. 《Ⅲ》**verkappt** *p.a.* ↑ verkappt.

verkappt 《Ⅰ》*p.p.* ↑ verkappen. 《Ⅱ》*p.a.* 복면의, 익명의: ein ~er Schriftsteller 익명의 작가; ein ~er Nebensatz 축약한 부문장.

Verkappung *f.* -en 변장(복(服)), 가장(복

(服)); 속임수.

verkapseln [fɛrkápsəln] 《I》 *t.* 피막〔포낭〕으로 싸다. 《II》 *refl.* sich ~ ① 틀어박혀 지내다, 담을 쌓고 지내다. ②〖醫〗 피막〔포낭〕으로 둘러싸이다: verkapselt 포낭으로 싸인; eine verkapselte Tuberkulose 피포성 결핵.

Verkapselung *f.* -en ①〖醫〗 포낭 형성. ②〖비유〗 혼자 틀어박힘.

Verkapslung *f.* -en 〖드물게〗 ↑ Verkapselung.

verkarsten [fɛrkárstən] *i.* (s.) 〖지형〗 불모지가 되다: verkarstet 불모지가 된.

Verkarstung *f.* -en 불모지화.

verkarten *t.* 카드에 분류하여 기입〔정리〕하다, 펀치 카드에 찍어 넣다.

Verkartung *f.* -en 카드에 분류하여 기입함.

verkasematuckeln [fɛrka:zəmatúkəln] *t.* 〖경박〗 ① 짧은 시간 내에 다량으로 소비하다. ② 자세히 설명하다.

verkäsen 《I》 *t.* (우유를) 치즈로 만들다. 《II》 *i.* (s.) ① 치즈가 되다. ②〖醫〗 (죽은 세포·조직이) 건락화(乾酪化)하다, 치즈같이 되다.

verkästeln *t.* 상자에 넣다; 작은 상자에 나누어 넣다.

verkästen *t.* 〖광산〗 (갱도에) 동바리를 세우다.

Verkäsung [fɛrkɛ́:zʊŋ] *f.* -en 치즈처럼 됨; 〖醫〗 건락 변성(乾酪變性) (폐결핵 등에서 조직이 파괴되어 치즈같이 변하는 일).

verkatert [fɛrká:tərt] *a.* 〖구어〗 숙취한.

***Verkauf** [fɛrkáuf] *m.* -(e)s, ..käufe [..kɔ́ʏfə] ① 판매, 매각, 매도: zum ~ 팔려고 내놓은, 매물의; zum ~ ausstellen 팔기 위하여 진열하다, 경매에 붙이다; Waren zum ~ anbieten〔bringen〕 상품을 팔려고 내놓다〔매각하다〕; Waren kommen〔stehen〕 zum ~ 상품이 매물로 나와 있다. ②〖商〗 판매부.

verkaufbar *a.* ↑ verkäuflich.

***verkaufen** 《I》 *t.* ① 팔다, 매각〔판매〕하다: jm. et.〔et. an jn.〕 ~ 누구에게 무엇을 팔다; im einzelnen ~ 소매하다; mit Verlust ~ 손해 보고 팔다; zu ~ sein 팔 물건이다; 〖비유〗 sein Leben teuer ~ 사력을 다해 저항하다; jm. Brillen ~ 누구를 속이다; für〔um〕 100 Mark ~ 100 마르크에 팔다; (wie) verraten und verkauft sein 곤경에 처하다, (버림받아서) 어찌할 바를 모르다; sie verkauft ihren Körper 그녀는 몸을 판다. ②〖구어〗 구미〔취향〕에 맞도록 꾸미다: diese Story kannst du mir nicht ~ 이 이야기를 너는 내 구미에 맞게 꾸밀 수 없다. 《II》 *refl.* sich ~ ① 팔리다: das verkauft sich leicht〔schwer〕 그건 손쉽게 팔린다〔잘 팔리지 않는다〕. ② **(a)** 몸을 팔다. **(b)** 매수당하다: sich der〔an die〕 Gegenpartei ~ 반대당에 매수당하다. ③〖방언〗 잘못 사다.

Verkäufer [fɛrkɔ́ʏfər] *m.* -s, - ① 판매자, 매각자; 소매인. ② (기업의) 판매 담당자, 판매원, 점원.

Verkäuferin *f.* -nen 여자 판매원, 여점원.

verkäuflich 《I》 *a.* ① **(a)** 팔 수 있는, 팔리는; 잘 팔리는(leicht ~). **(b)** 팔기로 된, 팔려고 내놓은: das Medikament ist frei ~ 그 약은 의사의 처방전이 없이 살 수 있다. ②〖비유〗 돈으로 마음대로 되는; 매수할 수 있는. 《II》 *adv.* 판매에 의하여, 매각하여: jm. et. ~ überlassen 누구에게 무엇을 매도하다.

Verkäuflichkeit *f.* ↑ verkäuflich 의 명사형.

Verkaufs⸗abteilung *f.* 판매부. **~ausstellung** *f.* 전시 판매장. **~automat** *m.* 자동 판매기. **~bedingungen** *pl.* 판매 조건. **~buch** *n.* 매상 장부. **~bude** *f.* 노점. **~fahrer** *m.* 상품 운반 차량의 운전 기사. **~fläche** *f.* (백화점이나 가게의) 매장. **⁓fördernd** *a.* 판매를 촉진시키는. **~förderung** *f.* 판매 촉진책. **~gespräch** *n.* (상품 선전을 위한) 판매 상담. **~lager** *n.* 가게, 매점. **~leiter** *m.* 판매 부장〔주임〕. **~lokal** *n.* 가게, 매점. **~maschine** *f.* ↑ ~automat. **⁓offen** *a.* 개점(開店) 중인: ~er Samstag〔Sonnabend〕 상점들이 문을 여는 토요일. **~preis** *m.* 〖商〗 정가, 판매 가격. **~raum** *m.* 매장. **~schlager** *m.* 히트 상품. **~stand** *m.* 매점. **~stelle** *f.* 판매소. **~tisch** *m.* 카운터, 판매대. **~wert** *m.* 판매가. **~ziffer** *f.* 매상고.

verkaupeln *t.* (ostmd.) 몰래 팔다, 밀매하다.

verkegeln *t.* 볼링 놀이를 하며 지내다.

***Verkehr** [fɛrkéːr] *m.* -s/(드물게) -es, (전문어) -e ① 교통, 왕래; 운수; 〖화폐〗 유통: eine Bahn dem ~ übergeben 철도를 개통하다; et. aus dem ~ ziehen 무엇을 더 이상 사용하지 못하도록 하다; 〖구어·농담〗 jn. aus dem ~ ziehen 누구에게 더 이상 일을 맡기지 않다; et. in (den) ~ bringen 무엇을 유통시키다. ② **(a)** 교제, 통신, (서신) 왕래: mündlicher ~ 담화; den ~ mit jm. abbrechen 누구와 절교하다; ~ mit jm. haben〔im ~ mit jm. stehen〕 누구와 교제하고 있다; in ~ mit jm. treten 누구와 교제를 시작하다. **(b)** 〖은어·격식〗 성교(Geschlechts⁓): mit jm. ~ haben 누구와 성교를 하다. ③ 거래 (관계), 통상, 무역.

***verkehren** 《I》 *t.* ① 잘못된 방향으로 돌이키다; 거꾸로 되게 하다, 전도(顚倒)하다; 〖聖·비유〗 나쁜 길로 이끌다: js. Worte ~ 누구의 말을 곡해하다. ② 변하게 하다, 변화시키다. 《II》 *refl.* sich ~ ① 거꾸로 되다, 바뀌다; 〖비유〗 나쁜 길로 빠지다. ② 변화하다. 《III》 ① *i.* (h.) **(a)** 교제하다; 왕래하다: mit jm. ~ 누구와 친교를 맺고 있다. **(b)** 〖은폐·격식〗 (누구와) 성관계를 맺다. **(c)** 자주 들리다〔출입하다〕: bei jm.〔in js. Haus〕 ~ 누구의 집에 자주 출입하다. ② *i.* (h./s.) (차량이) 정기적으로 운행하다: der Omnibus verkehrt alle 15 Minuten 버스가 15 분마다 다닌다. 《IV》 **verkehrt** *p.a.* ↑ verkehrt.

***Verkehrs⸗ader** *f.* 주요 간선 도로. **~ampel** *f.* 교통 신호등. **~amt** *n.* ① (시·군의) 교통과. ② ↑ ~verein. **~andrang** *m.* 교통〔왕래〕의 번잡. **~anstalten** *pl.* 교통 기관〔시설〕. **~aufkommen** *n.* (도로나 철도 노선의) 통과 차량수. **⁓beruhigt** *a.* 〖교통〗 교통 체증에서 벗어난. **~beruhigung** *f.* 〖교통〗 교통 체증 해소. **~betrieb** *m.* 운수업. **~büro** *n.* ↑ ~verein. **~chaos** [..ka:ɔs] *n.* 교통 (대) 혼란, 교통 지옥. **~delikt** *n.* 〖法〗 교통 법규 위반. **~dichte** *f.* 교통 밀도, 교통량. **~disziplin** *f.* 교통 규율. **~einrichtung** *f.* 〖法〗 교통 안전 시설. **~erleichterungen** *pl.* 교통〔통상〕의 편의. **~erziehung** *f.* 교통 안

전 교육. ~**flugzeug** *n.* 정기[민간] 항공기. ≈**frei** *a.* 차량이 다니지 않는. ~**freiheit** *f.* 통상의 자유. ~**funk** *m.* 교통 안내 방송. ~**gefährdung** *f.* 교통 질서 위반으로 인한 위험, 교통상의 위험. ≈**günstig** *a.* 교통편이 좋은, 교통이 편리한. ~**hindernis** *n.* 교통 장애. ~**insel** *f.* (도로 내에 설치한 섬 모양의) 안전 지대. ~**knoten·punkt** *m.* 교통의 요충점, 접속역. ~**kontrolle** *f.* 교통 순찰. ~**lage** *f.* ① (건물이나 장소의) 교통상의 입지 조건. ② 도로 교통 상황. ~**lärm** *m.* 교통 소음. ~**leit·system** *n.* 〖교통〗 (전자 제어 기술을 이용한) 교통 유도 시스템. ~**meldung** *f.* 교통 안내 방송. ~**minister** *m.* 교통부 장관. ~**ministerium** *n.* 교통부. ~**mittel** *n.* ① 교통[통신·수송] 수단. ② 통화(通貨). ~**netz** *n.* 교통망. ~**opfer** *n.* 교통 사고 희생자. ~**ordnung** *f.* 도로 교통 법규. ~**plan** *m.* (기차·비행기 등의) 발착(發着) 시간표. ~**planung** *f.* 교통 계획. ~**politik** *f.* 교통 정책. ~**polizei** *f.* 교통 경찰. ~**posten** *m.* (부서에 딸려 있는) 교통 순경. ~**recht** *n.* ① 도로 교통법. ②〖法〗 친자(親子)와의 교류 권리. ~**regelung**, ~**reglung** *f.* 교통 통제[정리]. ≈**reich** *a.* 교통량이 많은. ~**schild** *n.* 교통 표지판. ~**schrift** *f.* ① 초급 단계의 속기, 속기술(術). ② 필기체.

Verkehrsschutz·abzeichen *n.* 교통 표지판. ~**mann** *m.* 〚구어〛 교통 경찰관[순경].

verkehrs≈schwach *a.* 교통량이[거래가] 적은. ≈**sicher** *a.* 교통 안전을 보장하는, 안전 운행이 가능한.

Verkehrs≈sicherheit *f.* 교통 안전. ~**signal** *n.* 교통 신호. ~**sprache** *f.* 공통어, 통용어. ≈**stark** *a.* 교통량이 많은, 교통이 복잡한: ~e Zeit 러시 아워. ~**stau** *m.* 교통 정체. ~**steuer** *f.* 〖法〗 교통세, 통행세. ~**stockung** *f.* 교통 정체 (현상). ~**störung** *f.* 교통 장애[두절]. ~**straße** *f.* ① 교통로, 도로. ② 교통량이 많은 도로, 메인 스트리트. ~**streife** *f.* 교통 경찰의 순찰. ~**sünder** *m.* 〚구어〛 교통 (법규) 위반자. ~**tafel** *f.* 교통 정리 신호판. ~**tauglichkeit** *f.* 안전 운행 능력. ~**teilnehmer** *m.* (보행자·운전자 등의) 도로 이용자, 통행자. ~**truppen** *pl.* 〖軍〗 수송[통신] 부대. ~**tüchtigkeit** *f.* ↑ ~tauglichkeit. ~**turm** *m.* 교통 신호탑. ~**unfall** *m.* 교통 사고. ~**verbindung** *f.* 교통편, 교통 연계. ~**verbund** *m.* 교통 기업체 연합, 운수 기업 협회. ~**verein** *m.* 관광 협회. ~**vorschrift** *f.* 교통 규칙. ~**weg** *m.* ① 교통로. ② (명령 등의) 전달 경로. ~**werbung** *f.* 관광 선전. ~**wert** *m.* 〖經〗 유통 가격. ~**wesen** *n.* 교통 제도[기관·업무]. ≈**widrig** *a.* 교통(법규) 위반의. ~**zeichen** *n.* 교통[도로] 표지.

***verkehrt** [fɛɐkéːɐt] 《I》 *p.p.* ↑ verkehren. 《II》 *p.a.* ① 거꾸로의, 전도된, 반대의: die ~e Hand 손등; die ~e Seite 이면; einen Pullover ~ anziehen 스웨터를 뒤집어 입다; 〚구어〛 bei jm. mit et.³ an den ≈en [an die ~e Adresse] kommen 무엇으로 누구에게 예기치 않은[엉뚱한] 결과를 가져오다; 〚구어〛 mit dem ~en Bein (zuerst) aufgestanden sein 기분이 언짢다. ② 잘못된, 틀린; 불합리한; 어리석은: eine ~e Welt 혼란한 세상, 말세; et. ~ anfangen 무엇을 그릇된 방법으로 시작하다. ③ 성미 고약한, 심술궂은; 괴팍한; 〖聖〗 타락한.

Verkehrtheit *f.* -en ① 전도(顚倒); 부조리, 불합리; 심술. ② 잘못된 언행, 잘못된 것[일].

Verkehrung *f.* -en 거꾸로 함, 전도, 도착(倒錯); (사실의) 곡해, 착오.

verkeilen 《I》 *t.* ① 쐐기로 죄다: sich³ den Kopf ~ 너무 공부해서 머리가 돌다. ② 〚구어〛 구타하다. ③ 〚학생·구식〛 팔다. 《II》 *refl.* sich ~ (…속에) 쐐기처럼 박히다[끼어들다]: 〚학생〛 sich in jn. ~ 누구에게 반하다.

verkennbar [fɛɐkɛ́nbaːɐ] *a.* 틀리기 쉬운, 오해되기 쉬운.

verkennen 《I》 *t.* 오인하다; 오해하다, 잘못 판단하다; 부인하다: den Ernst der Lage ~ 사태의 심각성을 오인하다; ihre Absicht ist nicht zu ~ 그 여자의 의도는 뚜렷하다. 《II》 **verkannt** *p.a.* ↑ verkannt.

Verkennung *f.* -en 오인, 오해; 부인.

verketteln *t.* 작은 쇠사슬로 매다.

verketten 《I》 ① *t.* (쇠)사슬로 잇다; 탄탄히 연결하다. ② 사슬로 잠그다. 《II》 *refl.* sich ~ 탄탄히 연결되다[이어지다]: 〖化〗 Moleküle ~ sich 분자들이 서로 탄탄히 이어진다.

Verkettung *f.* -en 연쇄, 연결, 연속: eine unglückliche ~ von Umständen 액운[불행]의 연속.

verketzern *t.* 이단시하다; 〚비유〛 비방[중상]하다, 오명을 씌우다.

Verketzerung *f.* -en 이단시함, 중상.

verkieseln 《I》 *i.* (s.) ① 〖광물·化〗 규산화(硅酸化)하다. ② (a) 〖植〗 (식물의) 세포벽에 규산이 쌓이다. (b) 〖고생물〗 (화석 등이) 규소(화합물)의 흡수로 딱딱해지다. 《II》 *t.* 〖광물·工〗 규산에 담그다, 규산 처리하다: 〖工·化〗 verkieselt (p.a.) 규산화한.

Verkieselung *f.* -en 규화 (작용).

verkiesen *t.* (…에) 자갈을 깔다: 〖철도〗 die Schwellen ~ 침목에 자갈을 깔다.

verkirchlichen *t.* 교회풍으로 하다; (학교 등을) 교회의 지배 아래 두다.

***verkitschen** [fɛɐkítʃən] *t.* ① (작품을) 졸작으로[저급하게] 만들다: ein verkitschter Film 졸작 영화. ② 〚방언〛 헐값으로 팔다, 마구 팔아 치우다.

verkitten *t.* ① (시멘트·퍼티와 같은) 접합제로 메우다. ② 접합제로 접합하다; 〖化〗 봉니(封泥)로 봉하다: die Fenster ~ 창문 주위에 접합제를 바르다.

***verklagen** *t.* ① 〖法〗 고소하다, 고발하다: jn. auf Schadenersatz ~ 누구를 손해 배상으로 고소하다. ② 〚방언〛 …에 대해 고충[불평]을 말하다: seinen Bruder beim Vater ~ 아버지에게 형에 대해 불평하다.

Verklagte* *der/die* 피고.

Verkläger *m.* -s, - 고소인, 고발자, 원고.

verklammen(*) [fɛɐklámən] 《I》 *i.* (s.) 얼다, 얼어 붙다. 《II》 ① **verklammt** *p.a.* ↑ verklammt. ② **verklommen** *p.a.* ↑ verklommen.

verklammern 《I》 *t.* 꺾쇠[죔쇠]로 죄다; 〖印〗 묶음표를 치다, 괄호 속에 넣다. 《II》 *refl.* sich ~ 꽉 달라붙다, 서로 움켜잡다.

Verklammerung *f.* -en 꺾쇠로 고정시킴, 괄호로 묶음.

verklammt 《I》 *p.p.* ↑ verklammen. 《II》

p.a. 추위로 뻣뻣해진, 곱은.

verklappen *t.* (쓰레기를) 바다 속에 가라앉히다.

verklappern *t.* 〔구어〕 ① 잔소리하여〔쨍쨍거려서〕 쫓아내다. ② (시간을) 잡담을 하면서 보내다. ③ (돈을) 쓸데없는 곳에 쓰다.

Verklappung *f.* -en ↑ verklappen 의 명사형.

verklapsen [fɛɐ̯klápsən] 《I》 *t.* 〔구어〕 놀리다, 우롱하다. 《II》 **verklapst** *p.a.* ↑ verklapst.

verklapst 《I》 *p.p.* ↑ verklapsen. 《II》 *p.a.* 얽힌, 혼란한, 혼잡한; 어리석은.

verklaren [fɛɐ̯klá:rən] 《I》 *t.* (ndd.) 설명하다. 《II》 *i.* (h.) 〖海〗 (선장이) 해상 사고를 보고하다.

verklären [fɛɐ̯klɛ́:rən] 《I》 *t.* ① 변용(變容)시키다, 신성하게 하다. ② **(a)** 비추다, 밝게 하다. **(b)** 미화시키다: die Erinnerung verklärt das Vergangene 추억은 과거를 미화시킨다. 《II》 *refl.* sich ~ 빛나다, 밝아지다; 미화되다. 《III》 **verklärt** *p.a.* ↑ verklärt.

verklärt 《I》 *p.p.* ↑ verklären. 《II》 *p.a.* ① 빛나는, 밝은, 명랑한; 〖宗〗 성스러운, 거룩한; 〖聖〗 (그리스도가) 변용(變容)한. ② 고인(故人)의, 죽은.

Verklarung [fɛɐ̯klá:rʊŋ] *f.* -en 〖海〗 해난(海難) 증명서〔보고서〕; 항해 보고.

Verklärung [..klɛ́:rʊŋ] *f.* -en ① 빛나게 하기, 미화; 변용. ② **(a)** 〖宗〗 그리스도의 변용. **(b)** 〖畫〗 그리스도의 변용도.

verklatschen 《I》 *t.* ① 〔구어·아동〕 고자질하다: jn ~ 누구에 대해 고자질하다〔험담하다〕. ② 잡담하며 보내다: die Zeit ~ 잡담을 하며 시간을 보내다. 《II》 **verklatscht** *p.a.* ↑ verklatscht.

verklatscht 《I》 *p.p.* ↑ verklatschen. 《II》 *p.a.* 수다스러운.

Verklatschung *f.* -en 고자질, 험담, 중상.

verklauseln [fɛɐ̯kláuzəln] *t.* 〔드물게〕 ↑ verklausulieren.

Verklauselung *f.* -en 〔드물게〕 ↑ Verklausulierung.

verklausulieren [fɛɐ̯klauzulí:rən] *t.* ① 단서를 붙이다. ② 복잡하게 표현하다, 장황하고 난해하게 말하다: eine verklausulierte Erklärung 이해하기 어려운 설명.

Verklausulierung *f.* -en ① 단서를 붙임. ② 장황한 말씨.

verkleben 《I》 *t.* ① 바르다, 붙이다: eine Wunde mit Heftpflaster ~ 상처에 반창고를 붙이다. ② (접착제로) 접착시키다. ③ 들러붙게 하다: Eiter verklebte seine Augen 고름이 그의 눈을 들러붙게 했다. ④ (우표·벽지를) 붙여서 다 써 버리다. 《II》 *i.* (s.) 접착력이 있다, 잘 달라 붙다: miteinander verklebte Blätter 서로 들러 붙은 종이.

Verklebung *f.* -en 발라 붙임, 접착, 점착(粘着); 〖醫〗 유착(癒着).

verklecksen *t.* (흘러내려) 얼룩지게 하다, 얼룩으로 더럽히다.

verkleiben *t.* ↑ verkleben.

***verkleiden** 《I》 *t.* ① 변장시키다, 가장〔위장〕시키다. ② 〖건축〗 덮다, 씌우다: mit Holztäfelung ~ 널빤지를 대다. ③ 미화하다, 미화하여 표현하다. 《II》 *refl.* sich ~ 변장〔가장·위장〕하다; 〖연극〗 분장하다. 《III》 **verkleidet** *p.a.* ↑ verkleidet.

verkleidet 《I》 *p.p.* ↑ verkleiden. 《II》 *p.a.* 변장〔가장·위장〕한; 〖연극〗 분장한: als 〔in einen〕 Bettler verkleidet gehen 거지로 변장하고 가다.

Verkleidung *f.* -en ① 변장, 가장, 위장; 분장. ② 변복, 위장복, 가장복. ③ 피복(被覆) 재료; 〖건축〗 (널빤지 등을) 댐, 붙임; 〖광산〗 (갱의) 동바리.

Verkleinerer *m.* -s, - 비방하는 사람, 비난자.

***verkleinern** [fɛɐ̯kláɪnɐrn] 《I》 *t.* ① 작게 하다, 축소시키다, 감소시키다, 줄이다: 〖數〗 einen Bruch ~ 분수를 약분하다. ② 〔비유〕 과소 평가하다, 깎아내리다: js. Verdienst ~ 누구의 공로를 깎아내리다. ③ (수량 등을) 줄이다. ④ (렌즈를 사용하여) 더 작아 보이게 하다. 《II》 *i.* (h.) (렌즈가) 물건을 작아 보이게 하다: eine stark ~de Linse 아주 작아 보이게 하는 렌즈. 《III》 *refl.* sich ~ ① 줄다, 축소되다. ② 〔구어〕 sich ~ (이사하여) 공간을 줄이다: sie möchte sich ~ 그녀는 주택〔살림〕 규모를 줄이고자 한다.

Verkleinerung *f.* -en ① 축소, 감소; 축도(縮圖), 축소한 사진; 〖數〗 약분. ② 〖음악〗 축소(형)(에 의한 주제의 반복). ③ 〔비유〕 비난, 욕.

Verkleinerungs⸗form *f.* 〖문법·구식〗 축소형. **~glas** *n.* 〖物〗 오목 거울. **~maß·stab** *m.* 축척. **~silbe** *f.* 〖문법·구식〗 축소형 어미 (보기: ..chen, ..lein). **≈süchtig** *a.* 비방하는 버릇이 있는, 흠잡기 좋아하는. **~wort** *n.* 〖문법〗 축소어.

verkleistern *t.* ① 〔구어〕 **(a)** 풀로 붙이다: das hat ihr das Hirn verkleistert 그것이 그녀의 머리를 우둔하게 만들었다; 〔비유〕 et. ~ 무엇을 은폐하다. **(b)** 발라서 봉하다. ② 접착성을 띠게 하다, 풀처럼 되게 하다.

Verkleisterung *f.* -en ① 풀로 붙임. ② 접착성을 띠게 함.

verklemmen 《I》 *t.* 바짝 끼어〔죄어〕 움직이지 않게 하다; (입을) 꼭 다물다. 《II》 *refl.* sich ~ (창문·서랍이) 걸려서 움직이지 않다. 《III》 **verklemmt** *p.a.* ↑ verklemmt.

verklemmt 《I》 *p.p.* ↑ verklemmen. 《II》 *p.a.* 걸려서 움직이지 않는, 빡빡한; 경직된; 꼭 다문: ein schmerzlich ~er Mund 고통스럽게 꼭 다문 입.

Verklicker *m.* -s, - 〖海〗 (뱃전에 꽂는 간단한) 풍신기(風信旗).

verklickern *t.* 〔구어〕 설명하다.

verklingen* *i.* (s.) ① 울림이〔소리가〕 멎다, 사라지다. ② 〔비유〕 (기억 등이) 희미해지다; 소멸하다. ③ 〔雅語〕 (축제 등이) 끝나다.

verklommen 《I》 *p.p.* ↑ verklammen. 《II》 *p.a.* 얼어 붙은, 추위로 뻣뻣해진, 곱은.

verklopfen *t.* (öst.) 저어서 섞다.

verkloppen *t.* 〔구어〕 ① 마구 때리다, 구타하다. ② 헐값에 팔다, 처분하다.

verklüften [fɛɐ̯klʏ́ftən] *refl.* sich ~ 〖사냥〗 (여우 등이) 굴을 파서 몸을 숨기다.

verklumpen *i.* (s.) 덩어리가 되다.

Verklumpung *f.* -en 덩어리가 됨.

verknacken [fɛɐ̯knákən] *t.* 〔구어〕 ① 유죄판결을 내리다, 형에 처하다. ② 조롱하다.

verknạcksen 〖구어〗《I》*t.* ↑ verknacken. 《II》*refl.* sich³ ~ 삐다: sich³ den Fuß ~ 발목을 삐다, 발을 접질리다.

verknạllen 〖구어〗《I》*t.* ① (탄약 등을) 폭발시켜 소모하다: sein Pulver ~ 화약을 다 써 버리다, 탄환을 다 쏘아 버리다. ②〖구식〗유죄 판결을 내리다. 《II》*i.* (s.) (화약 등이) 펑하고 폭발하다. 《III》*refl.* sich in jn. ~ 누구에게 홀딱 반하다. 《IV》**verknạllt** *p.a.* ↑ verknallt.

verknạllt 《I》*p.p.* ↑ verknallen. 《II》*p.a.* 〖구어〗반한.

verknạppen 《I》*t.* 부족하게〔모자라게〕 만들다, 적게 하다. 《II》*i.* (s.)/*refl.* (sich) ~ 적어지다, 결핍되다, 부족해지다.

Verknạppung *f.* 결핍, 부족, 바닥이 남.

verknasten [fɛrknástən] *t.* 〖구어〗(징역·금고·구류 등의) 자유형을 내리다〔선고하다〕.

verknäueln, verknäulen 《I》*t.* 감아서 실뭉치로 만들다; 헝클어지게 하다, 혼란시키다. 《II》*refl.* sich ~ 뭉쳐 덩어리가 되다, 헝클어지다.

verknautschen 〖구어〗《I》*t.* 눌러서 구기다〔찌부러뜨리다〕. 《II》*i.* (h.) 구겨지다, 주름이 생기다.

verkneifen* 《I》*t.* ①〖드물게〗꼬집다; (얼굴을) 찡그리다, (입을) 비죽거리다, 오므리다. ②〖구어〗sich³ et. ~ a) 무엇을 포기〔체념〕하다, b) 무엇을 억제하다. 《II》*refl.* sich ~ 잘못되다, 틀리다. 《III》**verknịffen** *p.a.* ↑ verkniffen.

verkneipen *t.* 〖학생〗선술집에서 낭비하다.

verknịffen 《I》*p.p.* ↑ verkneifen. 《II》*p.a.* 찡그린, 비뚤어진: ein ~es Gesicht 찡그린 얼굴.

Verknịffenheit *f.* 찡그림, 비뚤어짐.

verknịttern 《I》*t.* 마구 구기다. 《II》*i.* (s.) 마구 구겨지다: ein verknittertes Gesicht 주름이 많은 얼굴.

verknöchern [fɛrknœçərn] *i.* (s.) ①〖醫〗뼈로 되다. ②〖비유〗화석이 되다; (생각이) 굳어지다; 인습으로 되다; 완고해지다: 〖구어〗verknöchert 고루한, 구폐의.

Verknọ̈cherung *f.* -en ① 골화(骨化) (작용); 화석화, 고정화. ② 골화된〔굳은〕 곳.

verknorpeln [..knɔ́rpəln] *i.* (s.)/*refl.* (sich) ~ 〖醫〗연골화(軟骨化)하다.

Verknọrpelung, Verknọrplung *f.* -en 연골화.

verknoten 《I》*t.* ① 매듭을 만들다, 매다. ② 매듭으로 연결하다. ③ 매듭으로 고정시키다. 《II》*i.* (s.) 〖학생〗속물이 되다. 《III》*refl.* sich ~ 얽히다, 휘감기다, 엉클어져 매듭지어지다.

verknụ̈llen 〖구어〗《I》*t.* 구겨 뭉치다: (sich³) das Kleid ~ (자기) 옷을 구겨 뭉치다. 《II》*i.* (s.) 구겨지다, 구겨 뭉쳐지다.

***verknüpfen** 《I》*t.* ① 잇대어 붙이다; 매다; 〖비유〗결합〔연결〕하다, 결부시키다: mit Übelständen verknüpft 폐해가 따르는; mit großen Kosten verknüpft 많은 비용을 요하는; mit et.³ eng verknüpft 무엇과 밀접한 관계가 있는. ②〖컴〗(프로그램이나 파일을) 연결하다. ③ **(a)** 내용적으로 연관시키다. **(b)** 연계시킴으로써 해결하다: die Urlaubsreise mit einem Besuch bei Eltern ~ 휴가 여행을 겸해서 양친을 방문하다. ④〖사냥〗(동물들이) 교미〔성교〕하다. 《II》*refl.* sich ~ 결합되다, 연관되다.

Verknụ̈pfung *f.* -en 연결, 결합, 관련.

verknụrren 〖구어〗《I》*t.* 유죄 판결을 내리다. 《II》*refl.* sich ~ 사이가 틀어지다: sich mit jm. ~ 누구와 싸우다, 다투다; verknurrt sein a) 사이가 틀어져 있다, b) 화가 나 있다.

verknusen [fɛrknúːzən] *t.* 〖구어〗 jn.〔et.〕 nicht ~ können 누구를〔무엇을〕 견딜 수 없다〔싫어하다〕.

verkọchen 《I》*t.* ① 푹 삶아서 (다른 것)이 되게 하다: Früchte zu Marmelade ~ 과일을 푹 삶아 잼으로 만들다. ② 지나치게 삶다, 너무 삶아 못쓰게 만들다. ③ 끓여서〔삶아서〕 이용하다. 《II》*i.* (s.) ① 너무 삶아 못쓰게 되다. ② 너무 끓어서 증발하다: 〖비유〗sein Zorn verkochte bald 그의 노여움은 곧 가라앉았다. 《III》*refl.* sich ~ 너무 삶아 으깨어지다.

verkohlen¹ (hebr.) *t.* 〖구어〗조롱하다, 우롱하다.

verkohlen² 《I》*i.* (s.) 숯이 되다, 탄화(炭化)하다. 《II》*t.* ① (구워서) 숯으로 만들다. ② 탄소를 집어 넣다.

Verkohlung *f.* -en ↑ verkohlen²의 명사형.

verkoken [fɛrkóːkən] 《I》*t.* (석탄을) 코크스로 만들다. 《II》*i.* (s.)/*refl.* (sich) ~ (석탄이) 코크스로 되다.

Verkokung *f.* -en 코크스로 만듦〔됨〕.

verkommen¹ [fɛrkɔ́mən] 《I》*i.* (s.) ① 영락〔타락〕하다. ② (음식물이) 부패하다. ③ (건물 등이) 황폐해지다, 쇠퇴하다. ④ (schweiz.) 합의하다. ⑤〖경박〗(öst.) 신속하게 떠나가다. 《II》**verkọmmen** *p.a.* ↑ verkommen².

verkọmmen² 《I》*p.p.* ↑ verkommen¹. 《II》*p.a.* 영락한; (음식물이) 부패된; 황폐해진.

Verkọmmenheit *f.* 영락; 부패, 타락; 황폐.

Verkọmmnis *n.* -ses, -se ① (schweiz.) 협정, 계약. ② ↑ Verkommenheit.

verkomplizieren *t.* (쓸데없이) 복잡하게 만들다.

verkonsumieren *t.* 〖구어〗완전히 소비〔소모〕하다, 다 써 버리다.

verkọppeln *t.* ① 잇대어 붙이다, 병합하다, 결합하다. ② 밀접하게 관련〔연관〕시키다. ③ (경지 등을) 정리〔통합〕하다.

Verkọppelung, Verkọpplung *f.* -en 병합, 결합; 〖經〗경지 정리.

verkọrken 《I》*t.* 코르크로 막다: eine Flasche ~ 병에 코르크 마개를 하다. 《II》*i.* (s.) 코르크가 되다.

verkorksen [fɛrkɔ́rksən] (ndd.) *t.* 〖구어〗① 기분을 상하게 하다. ② (실수로) 못쓰게 만들다, 망쳐 놓다. ③ (위를) 망치다: sich³ den Magen ~ (과식하여) 위가 상하다.

verkọ̈rnen *t.* 알갱이로 만들다.

***verkörpern** [fɛrkœ́rpərn] 《I》*t.* ① 형체를 부여하다; (특징적인 것을) 구체적으로 표현하다, 구현하다; 의인화하다: die höchsten Tugenden seines Volkes ~ 그 민족 최고의 미덕〔장점〕을 구현하다; er verkörpert in sich den Geist des 18. Jhs. 그는 18 세기 정신의 화신이다. ② 연기하다: die Rolle des Gretchen ~ 그레트헨 역을 맡아 연기하다. 《II》*refl.* sich ~ 형체를 얻다, 구체화되다; 화신이 되다. 《III》**verkọ̈rpert** *p.a.* ↑ verkörpert.

verkörpert 《I》*p.p.* ↑ verkörpern. 《II》*p.a.* 화신이 된.

Verkörperung *f.* -en 구현, 구체화, 의인화; 화신.

verkosten *t.* ① (öst.) 맛을 보다. ② 시식〔시음〕하다, 맛을 감정하다.

Verkoster *m.* -s, - 시식자, 시음자, 맛을 보는 사람.

verkostgelden *t.* (schweiz.) 하숙시키다.

verköstigen [fɛrkœ́stɪɡən] *t.* 급식하다, 식사를 제공하다.

Verköstigung *f.* -en 급식, 식사 제공.

Verkostung *f.* -en 시식, 시음.

verkrachen 〔구어〕《I》*i.* (s.) ① 도산하다, 파산하다. ②〔경박〕좌절하다, 파멸하다, 실패하다. 《II》*refl.* sich mit jm. ~ 누구와 사이가 나빠지다, 다투다.

verkracht 《I》*p.p.* ↑ verkrachen. 《II》*p.a.* ① 파산한, 지급할 능력이 없는: eine ~e Existenz 실패자. ② 불화가 생긴, 사이가 틀어진: ich bin mit ihm immer noch ~ 그와는 지금도 (사이가) 틀어져 있다.

verkraften *t.* ① 감당해내다, 이겨내다; 성취하다; 먹어 치우다. ②〖철도〗(어느 구간을) 자동차 노선으로 대체하다. ③〔고어〕전화(電化)하다, 전동화하다.

verkrallen 《I》*t.* 움켜잡다: sie verkrallte ihre Hand in〔um〕seinen Ärmel 그녀는 손으로 그의 소매를 움켜잡았다. 《II》*refl.* sich ~ 달라붙다, 매달리다: sich an〔in〕et.[3] ~ 무엇을 움켜잡다, 무엇을 갈고리로 꽉 움켜쥐다.

verkramen *t.* 〔구어〕잘못 놓다, 잘못 놓고 잊어버리다.

verkrampfen 《I》*t.* ① 경련을 일으키듯 움츠리다. ② 경련을 일으키듯 꽉 움켜쥐다. 《II》*i.* (h.) 〔드물게〕경직〔마비〕되다: er verkrampft zusehends 그는 눈에 띄게 몸이 경직된다. 《III》*refl.* sich ~ ① 경련이 일어나다, 쥐가 나다. ② 경련이 일어날 정도로 꽉 움켜쥐다. ③ (정신적으로) 굳어지다, 위축되다, 경직되다. 《IV》**verkrampft** *p.a.* ↑ verkrampft.

verkrampft 《I》*p.p.* ↑ verkrampfen. 《II》*p.a.* 경련 때문에 뻣뻣해진; 〔비유〕(문체 등이) 부자연스러운: ein ~es Lachen 부자연스러운 웃음.

Verkrampfung *f.* -en ① 경련, 경직, 마비; 〔비유〕고집. ② 경련〔경직·마비〕상태.

verkratzen *t.* 할퀴어〔긁어〕상처를 내다.

verkrauchen *refl.* sich ~ 〔방언〕↑ verkriechen.

verkrauten *i.* (s.) 잡초가〔풀이〕무성해지다.

verkriechen* *refl.* sich ~ 살살 기어들다, 기어 들어가다, 숨다: 〔구어·농담〕sich in das Bett ~ 잠자리에 들다; er verkriecht sich vor jedem 그는 아무도 만나지 않는다; sich vor jm. ~ müssen 누구 앞에서 주눅이 들다, 누구에게 꿀리다; ich hätte mich am liebsten (in den hintersten Winkel) verkrochen 나는 쥐구멍이라도 있으면 들어가고 싶은 심정이었다.

verkritzeln *t.* 〔구어〕마구 낙서하여 더럽히다.

verkröpfen *t.* 〖건축〗① 장식벽으로 치장하다. ② (툇마루 등을) 판자에 홈을 파서 맞물리게 이어 짜다.

Verkröpfung [fɛrkrœ́pfʊŋ] *f.* -en 〖건축〗① 장식벽으로 치장하기. ② 소용돌이 모양의 초엽, 귀틀.

verkrümeln 《I》*t.* 잘게 깨뜨려〔가루로 만들어〕흩뿌리다: 〔비유〕sein Geld ~ 돈을 조금씩 다 써 버리다. 《II》*refl.* sich ~ ① 조금씩 없어지다. ②〔구어〕슬그머니 달아나다, 사라지다.

verkrümmen 《I》*t.* 꾸부러뜨리다, 구부리다. 《II》*i.* (s.) / *refl.* (sich) ~ 구부러지다: verkrümmt 볼품없는, 기형의, 불구의.

Verkrümmung *f.* -en 굴곡, 만곡.

verkrumpeln 〔방언〕《I》*t.* (의복 등을) 구기다. 《II》*i.* (s.) 구겨지다, 주름이 생기다.

verkrüppeln [fɛrkrýpəln] 《I》*t.* 불구로 만들다; 발육을 정지시키다: der Unfall hat ihn verkrüppelt 사고로 그는 불구가 됐다. 《II》*i.* (s.) 불구가 되다; 발육이 정지되다. 《III》**verkrüppelt** *p.a.* ↑ verkrüppelt.

verkrüppelt 《I》*p.p.* ↑ verkrüppeln. 《II》*p.a.* 불구의, 기형의; 발육이 불완전한: ein ~er Fuß 기형의 발.

Verkrüppelung, Verkrüpplung *f.* -en ① 발육 부전. ② 불구, 기형.

verkrusten [fɛrkrústən] *i.* (s.) / *refl.* (sich) ~ (상처의) 딱지가 앉다.

verkühlen 《I》*t.* 식히다. 《II》*refl.* sich ~ (öst.) 감기 들다. 《III》*i.* (s.) 〔드물게〕서늘해지다, 식다.

Verkühlung *f.* -en ① 식음, 냉각. ② (öst.) 감기.

verkümmern 《I》*t.* 방해하다; 감하다, 가치를 떨어뜨리다: js. Rechte ~ 누구의 권리를 침해하다; jm. die Freude ~ 누구의 흥을 깨뜨리다. 《II》*i.* (s.) ① 생장〔발육〕이 정지되다; 쇠약〔수척〕해지다. ② (신체 기관 등이) 위축되다. ③ 의욕을 잃다, 기력을 잃다. 《III》**verkümmert** *p.a.* ↑ verkümmert.

verkümmert 《I》*p.p.* ↑ verkümmern. 《II》*p.a.* 〖動·植〗성장〔발육〕이 정지된; (신체 기관이) 위축된; 기력이 쇠한.

Verkümmerung *f.* -en 삭감; 〖動·植〗발육 부전; 쇠약; 위축.

verkünden 〔雅語〕*t.* ① 공식적으로 알리다, 공포〔포고〕하다: das Evangelium ~ 복음을 전하다; ein Gesetz ~ 법률을 공포하다. ② 분명하게 말하다, 선언하다. ③ 예고하다: ein Unheil ~ 불행을 예고하다.

Verkünder *m.* -s, 〔雅語〕알리는 사람; 공포자, 포고자; 예고자.

Verkünderin *f.* -nen ↑ Verkünder 의 여성형.

verkündigen *t.* 〔雅語〕① 전도하다, 엄숙하게 고하다: das Evangelium ~ 복음을 전하다. ② ↑ verkünden.

Verkündiger *m.* -s, - 〔雅語〕알리는 사람; 전도자, 설교자; 공포자; 예고자.

Verkündigung *f.* -en ① 전도, 설교, 고지(告知); 공포, 포고; 예고: 〖宗〗die ~ Mariä 〔Mariä ~〕a) 성모 마리아의 (수태) 고지, b) 성모 마리아 고지의 축일(3 월 25 일). ② 선언〔고지·전도〕된 것, 전언, 통지.

Verkündung *f.* -en 알림, 공포, 선언, 예고.

verkünsteln 《I》*t.* 작위(作爲)를 지나치게 하다, 기교를 너무 부려서 그르치다. 《II》**verkünstelt** *p.a.* ↑ verkünstelt.

verkünstelt 《I》*p.p.* ↑ verkünsteln. 《II》

p.a. 기교를 너무 부린, 작위적인.
Verkünstelung *f.* (과도한) 기교; 작위, 억지꾸밈.
verkupfern *t.* 『工』 구리 도금을 하다.
Verkupferung *f.* -en 구리 도금.
verkuppeln *t.* ① 잇다, 연결하다. ② 중매하다, 중개하다: jn. an jn. 〔mit jm.〕 ~ 누구를 누구와 중매하다.
Verkuppelung, Verkupplung *f.* -en 연결, 이음; 중매.
***verkürzen** 《I》 *t.* 짧게 하다, 줄이다, 단축시키다; 덜다; 『畫』 축척하다: jn. ~ 누구에게 손해를 주다, 누구를 부당하게 다루다; jm. den Lohn ~ 〔jn. an seinem Lohn ~〕 누구의 임금을 삭감하다; sich³ die Zeit ~ 재미있게 시간을 보내다, 무료함을 달래다. 《II》 *refl.* sich ~ ① 짧아지다, 줄어들다. ② 『스포츠』 (점수 차가) 줄어들다. 《III》 *i.* (h.) 『스포츠』 점수차를 줄이다: auf 3 : 2 ~ 점수차를 3 : 2 로 줄이다. 《IV》 **verkürzt** *p.a.* ↑ verkürzt.
verkürzt 《I》 *p.p.* ↑ verkürzen. 《II》 *p.a.* 단축된, 요약된: 『經』 ~e Arbeitszeit 조업 단축; eine ~e Ausgabe 축약판.
Verkürzung *f.* -en 단축; 축소; 요약, 생략; 제한: 『畫』 perspektivische ~ 원근법적 단축법.
verlachen *t.* 〔雅語〕 조소하다, 비웃다.
Verlad [fɛrlá:t] *m.* -s (schweiz.) ↑ Verladung.
Verlade=bahnhof *m.* 화물역. **~brücke** *f.* (화물 적재용의) 다리형 기중기〔크레인〕.
verladen* *t.* ① 싣다, 적재하다. ② 〔구어〕 속이다: der hat mich ganz schön ~! 그자가 나를 잘도 속였다!
Verlader *m.* -s, - ① 적재인. ② 화물 운송 위탁자.
Verlade·rampe *f.* 적재 플랫폼.
Verladung *f.* -en 싣기, 적재, 하적(荷積).
Verladungs=gebühren, ~kosten *pl.* 짐싣는 요금; 『海』 선적료. **~platz** *m.* 적하장; 『海』 선적장. **~schein** *m.* 선화〔적화〕 증권.
***Verlag** [fɛrlá:k] 《<verlegen》 *m.* -(e)s, -e [..gə] ① 출판, 발행, 간행: ein Buch in ~ nehmen 책을 출판하다. ② 〔총칭〕 출판물. ③ 출판사, 출판업. ④ 『經』 〔구식〕 중개업, 도매업. ⑤ (schweiz.) 산재해〔흩어져〕 있음.
Verläge *pl.* 영업 자금, 융통 자금.
verlagern 《I》 *t.* 옮기다, 이동시키다. 《II》 *refl.* sich ~ 옮겨 가다, 이동하다.
Verlagerung *f.* -en 이동, 이전; 전이.
Verlags=anstalt *f.* 출판사. **~artikel** *m.* 출판물. **~buch** *n.* 출판 서적.
Verlagsbuch=handel *m.* 서적 출판 및 판매업. **~händler** *m.* 출판업자. **~händlerin** *f.* ↑ ~buchhändler 의 여성형. **~handlung** *f.* 서적 판매도 하는 출판사.
Verlags=geschäft *n.* 출판업. **~handel** *m.* ↑ ~handel. **~händler** *m.* ↑ ~händler. **~handlung** *f.* ↑ ~handlung. **~haus** *n.* 출판사. **~katalog** *m.* 출판(물) 목록.
Verlagskauf=frau *f.* 출판사 여성 판매원. **~mann** *m.* 출판사 판매원.
Verlags=kontrakt *m.* 출판 계약. **~kosten** *pl.* 출판비. **~lektor** *m.* (출판사의) 원고 심의자, 출판 고문. **~programm** *n.* 출판 도서 총목록. **~prospekt** *m.* 출판 도서 안내 책자.
~recht *n.* 『法』 ① 판권. ② 출판(관련)법. **~unternehmen** *n.* 출판 기업. **~vertrag** *m.* 『法』 출판 계약. **~werk** *n.* 출판물. **~wesen** *n.* 출판 (제도).
verlammen *i.* (h.) 『수의』 (양이나 염소가) 유산하다.
verlanden *i.* (s.) (강·바다·호수·늪이) 점차 육지가 되다, 모래로〔진흙으로〕 파묻히다.
Verlandung *f.* -en 육지화.
***verlangen** [fɛrláŋən] 《I》 *t.* ① **(a)** 요구하다, 청구하다: was ~ Sie dafür? 그것은 값이 얼마입니까?; was ~ Sie von mir? 제게 무슨 용무가 있습니까?, (계약 등에서) 어떤 조건입니까?; das ist zuviel verlangt 그것은 지나친 요구다; wieviel ~ Sie? 얼마나 필요하십니까? **(b)** (전화상으로) 통화를 요구하다: du wirst von Berlin verlangt 베를린에서 자네에게 전화가 왔네. ② 필요로 하다: diese Arbeit verlangt Geduld 이 일에는 인내가 필요하다. 《II》 *i.* (h.) ① 바라다, 갈망하다: nach et.³ ~ 무엇을 갈망하다; nach jm. ~ 누구를 그리워하다, 만나고 싶어하다; der Kranke verlangt nach dem Arzt 환자가 의사를 불러오기를 원하고 있다. ② *imp.* es verlangt mich 〔mich verlangt〕 nach et.³ 나는 무엇을 갈망〔열망〕한다; mich verlangt zu wissen 나는 알고 싶어 죽겠다.
***Verlangen** *n.* -s, - 〔雅語〕 ① 요구, 청구, 소원: auf js. ~ 누구의 요구에 응하여, 의뢰에 따라. ② 욕구, 동경, 갈망, 욕망: ein ~ nach et.³ tragen 무엇을 갈망하다; ein ~ unterdrücken〔stillen〕 욕망을 억제하다〔채우다〕.
***verlängern** [fɛrlɛ́ŋərn] 《I》 *t.* ① 늘이다, 길게 하다. ② (기간·기한을) 연장하다, 늘이다; 갱신하다: er ließ seinen Paß verlängern 그는 자신의 여권 유효 기간을 연장시켰다. ③ 〔구어〕 (우유·수프를) 묽게 하다. ④ 『구기』 **(a)** (공을) 논스톱으로 연결하다. **(b)** 연장전을 벌이게 하다: der Schiedsrichter verlängerte das Spiel um zweimal 15 Minuten 심판은 15 분씩 두 번의 연장전을 벌이게 했다. 《II》 *refl.* sich ~ ① 길어지다, 연장되다. ② (기간이) 연장〔연기〕되다.
***Verlängerung** *f.* -en ① 연장; 연기, 계속. ② **(a)** 연장 부분. **(b)** 돌기부(突起部). ③ 『商』 (어음의) 갱신(지급 기한의 연기); (유가증권 등의) 보전(補箋). ④ 『스포츠』 연장전 (개최).
verlängerungs=fähig *a.* 연장할 수 있는; 『商』 갱신할 수 있는. **~kabel, ~schnur** *f.* 연장용 코드〔전선·케이블〕. **~stück** *n.* ① 연장용 부품(관·파이프 따위). ② 『商·구식』 보전(補箋).
verlangsamen [fɛrláŋza:mən] 《I》 *t.* 느리게 하다, 늦추다. 《II》 *refl.* sich ~ 느려지다, 늦어지다.
Verlangsamung *f.* -en 속도를 늦춤, 감속.
verlangter·maßen *adv.* 청구한〔소망한〕 대로.
Verlang·zettel *m.* 주문표; (도서관의) 대출 용지.
verläppern 〔구어〕 《I》 *t.* (돈·시간을) 낭비하다. 《II》 *refl.* sich ~ 낭비되다, 조금씩 없어지다.
Verläpperung *f.* -en 낭비, 탕진.
verlarven [fɛrlárfən] 《I》 *t.* 가면을 씌우다,

변장시키다. 《Ⅱ》 *refl.* sich ~ ① 가면을 쓰다, 변장하다. ②〖動〗(곤충이) 애벌레가 되다. 《Ⅲ》 **verlarvt** *p.a* ↑ verlarvt.

verlarvt 《Ⅰ》 *p.p.* ↑ verlarven. 《Ⅱ》 *p.a.* ① 가면을 쓴. ②〖動〗 애벌레가 된. ③〖植〗 가면 모양의.

Verlarvung *f.* -en 가면을 씌움, 변장시킴.

verlaschen *t.*〖工〗 접합판으로 연결하다, (레일 등을) 이음쇠판으로 붙이다.

Verlaß [fɛrlás] *m.* ..lasses ① 신용: es ist kein ~ auf ihn (auf ihn ist kein ~) 그는 신용(신뢰)할 수 없다. ②〔방언〕 유산(遺産). ③ 수문(水門).

Verlass 新정서 ⇦ Verlaß.

verlassen[1] 《Ⅰ》 *t.* ① 떠나다, 버리다: 포기하다, 그만두다; 〖軍〗 die Fahne ~ 탈영하다; eine Partei ~ 탈당하다; die Welt ~ 세상을 떠나다, 죽다. ② (누구를 버리고) 떠나가다: er hat seine Frau ~ 그는 아내와 이별했다; der Gedanke hat mich nie ~ 그 생각은 내 머리에서 떠난 적이 없었다; der Mut verließ ihn 그는 용기를 잃었다; die Kraft verläßt ihn 그는 기력이 다했다; sie hat uns für immer ~ 그녀는 영원히 우리 곁을 떠났다, 죽었다. 《Ⅱ》 *refl.* sich auf jn.(et.) ~ 누구를(무엇을) 믿다, 신뢰하다; darauf kannst du dich ~ 너는 그것을 기대해도 좋다. 《Ⅲ》 **verlassen** *p.a.* ↑ verlassen[2].

verlassen[2] 《Ⅰ》 *p.p.* ↑ verlassen[1]. 《Ⅱ》 *p.a.* ① 버림받은, 의지할 곳 없는; 고독한, 쓸쓸한. ② 사람이 살지 않는; 황량한.

Verlassenheit *f.* 고독; 황량; 고립무원.

Verlassenschaft *f.* -en (öst., schweiz.) 유산(遺産), 유고(遺稿).

verlässig 〔구식〕, **verläßlich** *a.* 신뢰(신용)할 수 있는, 의지가 되는.

verlässlich 新정서 ⇦ verläßlich.

Verläßlichkeit *f.* 신빙성, 신뢰성, 신용도.

Verlässlichkeit 新정서 ⇦ Verläßlichkeit.

Verlassung *f.* -en 버림, 방기, 유기(遺棄); 도망, 탈주: 〖軍〗 ~ der Fahne 탈영; 〖法〗 böswillige ~ 악의적 유기.

verlästern *t.* 비방하다, 중상하다.

Verlästerung *f.* -en 비방, 중상, 험구.

Verlaub [fɛrláup] *m.* 〔다음 용법으로만〕 mit ~ 실례입니다만.

***Verlauf** [fɛrláuf] *m.* -(e)s, ..läufe [..lɔ́ʏfə] ① (시간의) 경과: im ~ einiger Tage 며칠 지나는 동안에; nach ~ einiger Jahre 수년이 경과한 후; im ~ der Zeit 시간이 지남에 따라. ② 진행; 발전; 결과: der natürliche ~ der Dinge 사태의 자연적인 진행; einen schlimmen ~ nehmen (병의) 경과가 나쁘다. ③ 진행(뻗은) 방향; (선 등의) 연장, 진로: der ~ der Grenze (des Flusses) 국경선이 뻗은(강이 흐르는) 방향.

verlaufen 《Ⅰ》 *t.* ① 달려서(걸어서) 병을 고치다. ② 걸어다니면서 막다: jm. den Weg ~ 누구의 길을 막다. ③〔구어〕 (시간을) 돌아다니며 보내다: seine Zeit ~ 돌아다니며 시간을 보내다. 《Ⅱ》 *refl.* sich ~ ① 길을 잃다. ② (군중이) 흩어지다; (환자들이) 서서히 떠나가다, 오지 않다. ③ **(a)** (물·조수가) 흘러가 버리다, 빠지다. **(b)** (시간이) 경과하다. ④ (토지가) 완경사를 이루다, 넓어지다. ⑤〖畫〗 (빛깔이) 융합하다; (물감 등이) 번지다, 흘러내리다. ⑥ **(a)** 진행되다: eine Sache verläuft (sich) soundso 사건이 여차여차하게 진행된다. **(b)** (길·발자국 등이) 두절되다, 없어지다: die Fährte verläuft (sich) im Sand 발자국이 모래 속에서 사라진다. 《Ⅲ》 *i.* (s.) ① 경과하다, 진행되다: wie ist die Sache ~ (*p.p.*)? 사태의 경과가 어떠했습니까? ② (길이) 두절되다, 사라지다: der Weg verläuft im Wald 숲속에서 길이 끊긴다; 〔비유〕 die Sache verläuft im Sand 일이 실패로 끝난다, 무산된다. ③ (길·선이 어느 방향으로) 뻗어 있다: die Straße verläuft zwischen Feldern 길이 밭 사이에 나 있다. ④ **(a)** (버터 등이) 녹다. **(b)** (잉크·물감 따위가) 번지다, 배다: die beiden Farben sind ineinander ~ 두 가지 빛깔이 뒤섞여 있다.

verlaufend *p.a.* 길 잃은, 버림받은, 집 없는: ein ~er Kerl 부랑인, 룸펜; ein ~er Hund 집 잃은 개.

Verläufer *m.* -s, - 〖당구〗 빗맞은 공.

Verlaufs·form *f.* ① 진행(발전) 형태. ②〖언어학〗 진행형.

verlausen 《Ⅰ》 *i.* (s.) 이가 들끓다. 《Ⅱ》 *t.* 〔드물게〕 이를 옮기다.

Verlausung *f.* -en 이가 들끓음; 이를 옮김.

verlautbaren [fɛrláutba:rən] 《Ⅰ》 *t.* 공고하다, 고시하다. 《Ⅱ》 *i.* (s.) 〔雅語〕 알려지다, 공고되다, 고시되다.

Verlautbarung *f.* -en 공고, 고시, 성명.

verlauten 《Ⅰ》 *i.* (h./s.)/*imp.* (비밀·소문이) 널리 알려지다: es verlautet, daß ... …라고 한다(알려져 있다); et. ~ lassen 무엇을 누설하다, 입 밖에 내다; wie verlautet 알려진 바와 같이. 《Ⅱ》 *t.* 일반에 알리다, 공표하다.

verleben 《Ⅰ》 *t.* ① 지내다, 보내다: den Sommer auf dem Lande ~ 여름을 시골에서 지내다; er hat eine glückliche Jugend verlebt 그는 행복한 청소년 시절을 보냈다. ②〔구어〕 (돈을) 생계를 위해 사용하다. 《Ⅱ》 **verlebt** *p.a.* ↑ verlebt.

verlebendigen [fɛrlebɛ́ndɪgən] *t.* ① 생생하게 묘사하다(그리다). ② 생명을 부여하다, 생기(활기)를 주다.

Verlebendigung *f.* -en 생생한 묘사; 생기 부여, 활기를 줌.

verlebt 《Ⅰ》 *p.p.* ↑ verleben. 《Ⅱ》 *p.a.* ① 방탕한 생활로 쇠약해진, 조로한. ②〔방언〕 과거의, 죽은.

Verlebtheit *f.* (방탕한 생활로 인한) 쇠약; 노쇠.

verledern *t.* ①〖工〗 가죽을 대다. ②〔비유〕 가죽끈으로 때리다: jn. ~ 누구를 가죽끈으로 때리다.

verlegen[1] 《Ⅰ》 *t.* ① 옮기다, 이전하다: den Schauplatz einer Erzählung in die Schweiz ~ 이야기의 무대를 스위스로 옮기다. ② 잘못 놓다, 놓고 잊어버리다. ③ 공급하다, 마련해 주다, 빌려 주다: einen Markt mit Waren ~ 시장에 상품을 공급하다; kannst du den Betrag für mich ~? 그 금액을 나 대신 입체해 줄 수 있겠니? ④ 연기하다: die Sitzung auf einen späteren Tag ~ 회의를 후일로 연기하다. ⑤〖工〗 달아놓다, 부설하다; 연결하다, 접합하다. ⑥ 폐쇄(차단·봉쇄)하다: jm. den Weg(Rückzug) ~ 누구의 길을 막다(퇴로를 차단하다). ⑦ (서적·신문을) 출판(발행)하다.

⑧ (양탄자 등을) 깔다. 《Ⅱ》 *refl.* sich auf et. ~ 무엇에 전념하다, 몰두하다: er verlegte sich aufs Bitten 그는 간청했다. 《Ⅲ》 **verlegen** *p.a.* ↑ verlegen².

***verlegen**² 《Ⅰ》 *p.p.* ↑ verliegen. 《Ⅱ》 *p.a.* ① (머리카락이) 잠을 자서 헝클어진; 오래 놓아 두어서 질이 나빠진; 선도(鮮度)가 떨어진: ~e Ware 재고 정리하는 상품. ② 당황한, 어찌할 바를 모르는: ~e Blicke 당황한 눈빛; jn. ~ machen 누구를 당황하게 하다; um et. ~ sein 무엇 때문에 곤란을 겪다; um Geld ~ sein 돈에 쪼들리고 있다; nie〔nicht〕 um eine Antwort ~ sein 대답에 막히는 법이 없다, 척척 대답해내다.

***Verlegenheit** *f.* -en ① 당황, 당혹: in ~ geraten〔kommen〕 당황〔당혹〕하다; jn. in ~ bringen〔(ver)setzen〕 누구를 당황하게 하다. ② 곤경, 곤란(한 상황): jm. ~en bereiten 누구를 곤경에 빠뜨리다; jm. aus der ~ helfen 누구를 곤경에서 구하다.

Verlegenheits≈geschenk *n.* (마땅한 것을 찾지 못해서) 어쩔 수 없이 고른 선물. **~lösung** *f.* 임시 변통의 해결.

Verleger [fɛrlé:gər] *m.* -s, - ① 출판인, 발행인. ② 〖經〗 거간 제도의 지배인, 도매 상인; 맥주 도매상(Bier~).

Verlegerin *f.* -nen ↑ Verleger 의 여성형.

verlegerisch *a.* 출판인〔발행인〕의; 출판업의〔에 관한〕.

Verleger·zeichen *n.* -s, - 출판업자 상표.

Verlegung *f.* -en ① 이전, 이동. ② 잘못 놓음, 놓고 잊음. ③ 연기. ④ (수도관 등의) 부설. ⑤ 봉쇄, 폐쇄.

verleiben *t.* (einverleiben) 합병하다; 일체화하다.

verleiblichen *t.* (verkörpern) 육화하다.

verleiden* 《Ⅰ》 *t.* 싫어하게 만들다: jm. et. ~ 누구에게 무엇을 싫어하도록 만들다; seit ihrem Weggang ist mir alles verleidet 그 여자가 떠나간 후로 나는 만사가 다 귀찮다; er verleidete mir die Freude 그는 내 기쁨을 앗아갔다; der Ort ist mir verleidet 나는 그 장소가 싫다. 《Ⅱ》 *i.* (h.) 싫어지다.

Verleider *m.* -s, - (schweiz.) 싫증, 권태, 불쾌, 혐오.

Verleih [fɛrlái] *m.* -(e)s, -e ① 빌려 줌, 대여. ② 전당포업; 임대업, 대여업: Film~ 영화 대여업; Kostüm~ 의상 대여업.

verleihbar *a.* 빌릴 수 있는.

Verleihe *f.* -n ↑ Verleih.

verleihen *t.* ① 빌려 주다, 임대하다: Geld auf Zinsen ~ 이자를 받고 돈을 빌려 주다. ② (관직·칭호·훈장을) 수여하다, 주다: Orden〔Titel〕 ~ 훈장을〔칭호를〕 주다. ③ 마련해 주다, 부여하다: die ihm verliehenen Gaben 그에게 부여된 천부의 재능; seinen Gefühlen Ausdruck ~ 자신의 감정을 표현하다; ihre Anwesenheit verlieh dem Fest Glanz 그녀의 참석은 축연에 광채를 더하게 했다.

Verleiher *m.* -s, - ① 대여자, 대여점 주인. ② 수여자; 〖法〗 양도자.

Verleiherin *f.* -nen ↑ Verleiher 의 여성형.

Verleihung [..láıʊŋ] *f.* -en ① 대여, 대출, 임대. ② 수여, 부여, 양도: Ordens~ 훈장 수여.

verleimen *t.* 아교로 접착하다〔연결시키다〕.

Verleimung *f.* -en 아교 접착〔연결〕.

verleiten [fɛrláıtən] *t.* 유혹하다, 미혹하다: jn. zu et.³ ~ 누구를 유혹하여 무슨 일을 하게 하다; sich zu et.³ ~ 유혹당해서 무엇을 하다; er ließ sich nicht zu einer unvorsichtigen Äußerung ~ 그는 꾐에 빠져 부주의한 언동을 한 일은 없다.

Verleiter *m.* -s, - 유혹자.

Verleitung *f.* -en 유혹.

verlernen 《Ⅰ》 *t.* ① (배운 것을) 잊다: sie hat das Lachen verlernt 그녀는 웃음을 잊고 말았다. ② (시간을) 학습에 보내다. ③ (어떤 습관을) 버리다. 《Ⅱ》 *refl.* sich ~ 잊혀지다.

verlesen*¹ 《Ⅰ》 *t.* ① 큰 소리로 낭독〔공표〕하다: die Namen ~ 점호하다. ② 잘못 읽다. ③ (과일·야채를) 가려내다, 고르다. 《Ⅱ》 *refl.* sich ~ 잘못 읽다. 《Ⅲ》 **verlesen** *p.a.* ↑ verlesen².

verlesen² 《Ⅰ》 *p.p.* ↑ verlesen¹. 《Ⅱ》 *p.a.* 독서광(狂)의.

Verlesung *f.* -en ① 낭독; 〖軍〗 점호. ② 오독(誤讀).

verletzbar [fɛrlɛ́tsba:r] *a.* ↑ verletzlich.

Verletzbarkeit *f.* ↑ verletzbar 의 명사형.

***verletzen** [fɛrlɛ́tsən] 《Ⅰ》 *t.* ① 해치다, 상하게 하다; 상처를 입히다: er hatte sie mit dem Messer verletzt 그는 그녀에게 칼로 상처를 입혔다. ② 훼손하다; (명예·이익 등을) 침해하다; 감정을 해치다, 화나게 하다, 모욕하다: js. Ehre ~ 누구의 명예를 훼손하다; das Gefühl ~ 감정을 해치다; das Ohr ~ 귀에 거슬리다. ③ 범하다, 위반하다: eine Regel ~ 규칙을 위반하다. ④ (국경선 등을) 침범하다. 《Ⅱ》 *refl.* sich ~ 다치다, 부상을 입다: sich am Bein ~ 다리에 부상을 입다; ich habe mich an der Hand verletzt 나는 손에 부상을 입었다. 《Ⅲ》 **verletzt** *p.a.* ↑ verletzt.

verletzend *p.a.* 감정을 해치는, 모욕적인.

verletzlich *a.* 다치기 쉬운, 약한; 감정을 상하기 쉬운, 민감한.

Verletzlichkeit *f.* ↑ verletzlich 의 명사형.

verletzt 《Ⅰ》 *p.p.* ↑ verletzen. 《Ⅱ》 *p.a.* 다친, 부상한; (감정·명예 등이) 상처 입은: leicht ~ 상처 입기 쉬운, 민감한, 〖구어〗 성을 잘 내는; sich ~ fühlen 기분이 상하다.

Verletzte* *der/die* 부상자, 피해자.

Verletzung *f.* -en ① 상해, 부상; 훼손: er ist seinen ~en erlegen 그는 부상으로 인해 생명을 잃었다; schwere ~en davontragen 심한 부상을 입다; eine tödliche ~ 치명상. ② 위반, 침해: Pflicht~ 의무의 불이행.

Verletzungs·gefahr *f.* 상해〔부상〕 위험.

verleugnen [..lɔ́ʏgnən] 《Ⅰ》 *t.* ① 부인하다, 모른다고 주장하다, 인정하지 않다: die Wahrheit ~ 진상을 부인하다; jn. ~ 누구를 모른다고 하다; das läßt sich nicht ~ 그것은 부인할 수 없는 사실이다. ② 버리다, 그만두다: seinen Glauben ~ 신앙을 버리다. ③ 〖카드〗 거짓으로 다른 패를 내다: Farbe ~ (같은 짝의 카드가 있는데) 다른 짝의 카드를 내놓다. 《Ⅱ》 *refl.* sich ~ ① 자제하다, 본성과 달리 행동하다: sich (selbst) ~ 자제〔극기〕하다. ② 집에 있으면서 없는 것처럼 행동하다: sich am Telefon ~ lassen (전화가 걸려오자) 집에 있으면서 없다고 말하게 하다. ③ 버려지다, 포기되다: sein Geiz verleugnete sich nicht 그의 탐욕은 어찌할 수 없었다.
Verleugner *m.* -s, - 부인하는 사람.
Verleugnung *f.* -en 부인, 부정.
verleumden [fɛrlɔ́ʏmdən] *t.* 비방〔중상〕하다, 헐뜯다.
Verleumder *m.* -s, - 비방하는 사람, 중상자.
Verleumderin *f.* -nen ↑ Verleumder의 여성형.
verleumderisch *a.* 비방적〔중상적〕인; 비방자〔중상자〕와 같은.
Verleumdung *f.* -en 비방, 중상; 〖法〗 명예훼손.
Verleumdungs≈kampagne [..panjə] *f.* 중상 모략전. **~prozeß** *m.* 명예 훼손 소송.
verliebeln *t.* (시간을) 연애하는 데 보내다: Zeit ~ 연애로 시간을 보내다.
verlieben 《I》 *refl.* sich ~ 사랑에 빠지다, 반하다: sich in jn.〔et.〕 ~ 누구에게〔무엇에〕 반하다; 〖구어〗 zum ~ sein〔aussehen〕 홀딱 반할 만큼 예쁘다. 《II》 **verliebt** *p.a.* ↑ verliebt.
***verliebt** 《I》 *p.p.* ↑ verlieben. 《II》 *p.a.* ① 반한, 연모하는: bis über beide Ohren ~ sein 홀딱 반해 있다; jm. ~e Augen machen 〔~e Blicke zuwerfen〕 누구에게 추파를 던지다; in jn.〔et.〕 ~ sein 누구에게〔무엇에〕 반해〔열중해〕 있다. ② 잘 반하는.
Verliebte* *der/die* 연인, 애인.
Verliebtheit *f.* ① 반해 있음, 연애, 열애. ② 반하기 쉬움, 다정.
verliederlichen 《I》 *t.* (돈·시간을) 방탕에 낭비하다. 《II》 *i.* (s.) 방탕하여 영락하다.
verliegen* 《I》 *t.* ① eine Zeit ~ 뒹굴면서 시간을 보내다. ② 〖방언〗 뒹굴어서 망쳐 놓다〔구기다〕. 《II》 *refl.* sich ~ (무위도식하다가) 활동력을 잃다. 《III》 *i.* ① (h.) 〖사냥〗 (사냥개가 자주 사냥을 하지 않아) 인내와 열의를 상실하다. ② (s.) 오래 방치되어 품질이 상하다.
verlierbar *a.* 잃어버릴 수 있는, 잃어버리기 쉬운.
verlieren [fɛrlí:rən] (verlor, verloren) 《I》 *t.* ① (**a**) 잃다, 잃어버리다, 분실하다: seinen Schirm ~ 우산을 잃어버리다; seinen besten Freund ~ 가장 친한 친구를 잃다; den Weg 〔die Richtung〕 ~ 길〔방향〕을 잃다; hier hast du nichts verloren! 너는 여기서는 볼일이 없다!; 〖구어〗 dort habe ich nichts verloren 그 곳에 나는 가고 싶지 않다. (**b**) 상실하다: das Augenlicht ~ 실명하다, 장님이 되다; das Gehör 〔die Sprache〕 ~ 귀머거리〔벙어리〕가 되다; das Gesicht ~ 면목〔위신〕을 잃다; das Leben ~ 죽다; den Kopf ~ 당황하다; die Farbe ~ 색이 바래다, 창백해지다; der Reifen verliert Luft 타이어에 공기가 빠진다; Blätter ~ 나뭇잎이 떨어지다; 〖비유〗 den Boden unter den Füßen ~ 기반을 〔지위를·직책을〕 잃다, (지식·재능의) 자신을 잃다. (**c**) 지다, 패하다: einen Prozeß ~ 소송에 패하다; einen Krieg ~ 전쟁에 지다. (**d**) 낭비〔허비〕하다: Mühe ~ 헛수고를 하다; kein Wort ~ 침묵을 지키다, 쓸데없는 말을 하지 않다; es ist keine Zeit 〔kein Augenblick〕 zu ~ 잠시도 지체할 수 없다. ② 〖전치사와 함께〗 ich habe viel Geld **an** dieser Ware verloren 나는 이 상품으로 큰 손실을 보았다; viel an Ansehen ~ 크게 신망을 잃다; viel an jm. ~ 누구를 잃게 된 것은 큰 손실이다; sein Herz an jn. ~ 누구에게 마음을 빼앗기다, 반하다; an Gewicht ~ a) 무게가 줄다, b) 중요성을 상실하다; an ihm ist Hopfen und Malz verloren 그는 나아질 가망이 없다, 그는 어찌할 수 없는 망나니다; jn. **aus** den Augen 〔dem Gesicht〕 ~ 누구를 시야에서 놓치다; et. aus dem Gedächtnis ~ 무슨 일을 망각하다; aus der Tasche ~ 주머니에서 떨어뜨리다; viel **bei** jm. ~ 누구의 신용을 크게 잃다; er hat viel dabei verloren 그는 그것으로 큰 손해를 보았다; **darüber** brauchst du keine Worte zu ~ 너는 그 일에 대해 아무것도 이야기할 필요가 없다. 《II》 *i.* (h.) ① 맛〔향기·멋〕을 잃다: der Wein hat verloren 그 포도주는 맛이 나빠졌다. ② (탈것의 운행 속도·고도가) 낮아지다. ③ 손해를 보다: er hat nichts (mehr) zu ~ 그는 더 이상 잃을 것이 없다, 파멸했다〔망했다〕. ④ 패하다, 지다: im Spiel ~ 도박에 지다. 《III》 *refl.* sich ~ ① (**a**) 없어지다: die Spur verlor sich im Wald 흔적이 숲 속에서 없어졌다. (**b**) 길을 잃다. (**c**) 소실되다. (**d**) 잠기다, 몰두〔전념〕하다: sich **an** jn. ~ 누구에게 홀려 빠지다; sich **in** Einzelheiten ~ 세부적인 것에 몰두하다; sich in Tränen ~ 눈물에 젖다; sich in Gedanken ~ 생각에 잠기다; sich in〔**unter**〕 der Menge ~ 군중 속에 휩쓸리다. ② (군중이) 흩어지다; 사라지다; (병세가) 완화되다; (통증이) 가라앉다: die Klänge verloren sich in die Ferne 울림은 멀리 사라져 갔다; ihre Schüchternheit verlor sich allmählich 그녀의 수줍음은 서서히 사라졌다; diese Farbe verliert sich ins Grüne 이 색은 점점 녹색으로 변색한다; 〖雅語〗 sich selbst ~ 자제력을 상실하다.
Verlierer *m.* -s, - ① 잃은 사람, 분실인, 실패자. ② 패(배)자.
Verliererin *f.* -nen ↑ Verlierer의 여성형.
Verlies [fɛrlí:s] *n.* -es, -e [..zə], **Verließ** [..lí:s] *n.* -es, -e (중세 성(城)의) 지하 감옥.
verließ [fɛrlí:s] ↑ verlassen의 과거형.
***verloben** [fɛrló:bən] 《I》 *t.* 약혼시키다: jn. mit jm. ~ 누구를 누구와 약혼시키다; jm. seine Tochter ~ 딸을 누구와 약혼시키다. 《II》 *refl.* sich (mit jm.) ~ (누구와) 약혼하다. 《III》 **verlobt** *p.a.* ↑ verlobt.
Verlöbnis [fɛrlǿ:pnɪs] *n.* -ses, -se ① 〖雅語〗 약혼. ② 〖法〗 약혼.
verlobt 《I》 *p.p.* ↑ verloben. 《II》 *p.a.* 약혼한.
Verlobte* *der/die* 약혼자.
Verlobung *f.* -en ① 약혼: eine ~ aufheben 〔auflösen, rückgängig machen〕 파혼하다. ② 약혼식.
Verlobungs≈anzeige *f.* 약혼 광고〔통지〕. **~feier** *f.*, **~fest** *n.* 약혼식. **~karte** *f.* 약혼식 초대장. **~ring** *m.* 약혼 반지. **~zeit** *f.* 약혼 시절.
verlocken *t.* 미혹하다, 유혹하다: der Berg verlockt mich hinaufzusteigen 산이 올라오라고 나를 유혹한다.
Verlockung *f.* -en 유혹, 미혹.
verloddern *t./i.* ↑ verlottern.
verlodern *i.* (s.) 〖雅語〗 ① (불이) 점차로 꺼지다, 타다 말다. ② 타서 없어지다, 소실되다.
verlogen [fɛrló:gən] *a.* ① 거짓말쟁이의. ②

부정직한, 기만의.

Verlogenheit *f.* -en ① 거짓, 엉터리, 허위. ② 거짓 주장[진술].

***verlohnen** 《I》 *i.* (h.)/*refl.* (sich) ~ 보람이 있다, 보답을 받다: es verlohnt der Mühe nicht, die Mühe verlohnt (sich) nicht 그것은 애쓴 보람이 없다, 헛수고다; es verlohnt (sich) nicht hinzugehen 모처럼 간 것이 아무 소용이 없다[헛걸음이다]; diese Arbeit verlohnt (sich) 이 일은 수지가 맞는다. 《II》 *t.* 가치 있게 만들다, 정당화시켜 주다: das Resultat verlohnt den Arbeitsaufwand nicht 노동 비용을 들인 만큼 결과가 나오지 않는다.

***verloren** [fɛrló:rən] 《I》 *p.p.* ↑ verlieren. 《II》 *p.a.* ① 잃은, 분실된, 행방 불명인: ~e Bücher 분실된 책; jn.[et.] ~ geben 누구를[무엇을] 포기하다; ~ gehen[werden] 없어지다, 분실되다; es ist noch nicht alles ~ 아직 일이 다 그르쳐진 것은 아니다; an ihm ist ein Seemann ~(gegangen) 그는 유능한 선원이 될 수도 있었지만 그렇게 되지 못했다; die ~e Generation 잃어버린 세대, 로스트 제너레이션(제1차 세계 대전의 영향을 가장 강하게 받은 1920 년대의 성년 세대). ② 타락한; 몰락한, 파멸한: der ~e Sohn 탕자(누가 15:13); er ist ~ 그는 끝장이다. ③ 버림받은, 절망적인; 패한; 매우 위험한: der ~e Haufen 결사대; 〖軍〗 ein ~er Posten 최전초(最前哨); eine ~e Schlacht 패전. ④ 아득한; 적막한: ein ~er Ort 적막한 곳. ⑤ 무익한, 소용없는: ~e Mühe 헛수고; für jn.[et.] ~ sein 누구를[무엇을] 위해 도움이 되지 못하다; 〖사냥〗 ~ suchen 쓰러진 사냥감을 찾지만 흔적도 발견하지 못하다; 〖비유〗 an ihm ist Hopfen und Malz ~ 그는 나아질 가망이 없다. ⑥ 깊이 빠진, 몰두한; 길을 잃은: in Gedanken ~ 생각에 잠긴; 〖軍〗 ein ~er Schuß 유탄. ⑦ 〖요리〗 ~e Eier (식초와 소금을 가미한 끓는 물에) 깨어 넣어 삶은 달걀.

verlorener·weise *adv.* 되는 대로, 소홀하게.

verloren|gehen* *i.* (s.) ① 없어지다, 분실되다: mein Ring ist mir verlorengegangen 내 반지가 없어졌다; 〖구어〗 an ihm ist ein Tierarzt verlorengegangen 그는 유능한 수의사가 될 수 있었을 텐데(그렇지 못했다). ② 패배하다, 지다: der Krieg ist verlorengegangen 전쟁은 패했다.

Verlorenheit *f.* 〖雅語〗 ① 망아(忘我). ② 고독, 쓸쓸함.

verlöschbar *a.* (불을) 끌 수 있는.

verloschen *p.p.* ↑ verlöschen.

***verlöschen**(*) (verlosch/verlöschte, verloschen/verlöscht) 《I》 *i.* (s.) 〖강변화〗 ① 꺼지다, 소멸하다: die Sterne ~ am Himmel 별빛이 하늘에서 꺼진다. ② 〖비유〗 (애정·명성이) 사라지다: sein Zorn verlosch schnell 그의 노여움은 곧 가라앉았다; sein Lebenslicht ist verloschen 그는 죽었다. 《II》 *t.* 〖약변화〗 (불 등을) 끄다; (문자 등을) 말살하다.

Verlöschung *f.* -en (불·빛을) 끔, 소멸.

verlosen *t.* ① 제비를 뽑아 나누어 주다; 복권을 붙여 팔다. ② 〖사냥〗 (큰 뇌조의) 위치를 발정기의 울음소리로 알아내다.

Verlosung *f.* -en 제비뽑기, 추첨; 〖商〗 복권 판매; 배당.

verlöten *t.* ① 〖工〗 땜납으로 접합하다[틀어막다]. ② 〖경박〗 einen ~ 한 잔 하다[마시다].

verlottern 〖폄어〗 《I》 *t.* (돈·시간을) 방탕한 생활로 낭비하다, 방탕하게 쓰다. 《II》 *i.* (s.) 영락[파멸]하다. 《III》 **verlottert** *p.a.* ↑ verlottert.

verlottert 《I》 *p.p.* ↑ verlottern. 《II》 *p.a.* 탕진한, 방탕[영락]한, 평판이 나쁜.

Verlotterung *f.* -en ① 방탕, 탕진. ② 타락, 영락.

verludern 〖폄어〗 《I》 *i.* (s.) ① ↑ verlottern 《II》. ② 〖사냥〗 (짐승이) 총을 맞고 죽다. 《II》 *t.* ↑ verlottern 《I》.

verlumpen 〖구어〗 《I》 *t.* ① (옷을) 누더기가 되도록 입다. ② 낭비하다. 《II》 *i.* (s.) ① 누더기가 되다. ② 〖비유〗 영락[몰락]하다; 타락하다. 《III》 **verlumpt** *p.a.* ↑ verlumpt.

verlumpt 《I》 *p.p.* ↑ verlumpen. 《II》 *p.a.* ① 누더기가 된, 누더기를 입은, 영락[몰락]한: ein ~er Kerl 누더기를 입은 사람, 부랑자, 룸펜. ② (schweiz.) 파산한, 지급 능력이 없는.

***Verlust** [fɛrlúst] 《<verlieren》 *m.* -es, -e ① 분실, 잃음, 상실: 〖격식〗 in ~ geraten 분실되다, 상실되다. ② 사별: den ~ des Vaters beklagen 아버지의 죽음을 애도하다. ③ 손상, 상실, 손실, 손해: der ~ des Augenlichts 시력 상실, 실명. ④ 〖經〗 적자, 결손. ⑤ 〖軍〗 패배, 사상(死傷). ⑥ 〖工〗 (가스·증기 따위의) 누출.

Verlust⸗betrieb *m.* 적자 회사. **~geschäft** *n.* 적자를 낸 사업.

verlustieren *refl.* sich ~ 〖농담·반어〗 즐기다.

verlustig *a.* 〖2격과 함께〗 잃은: eines Dinges ~ gehen[werden], sich eines Dinges ~ machen 무엇을 잃다; jn. eines Rechtes ~ erklären 누구의 실권(失權)을 선고하다.

Verlust⸗konto *n.* 손실 계정: et. auf das ~ buchen 무엇을 손실 계정에 기입하다, 무엇을 결손 처분하다[단념하다]. **~liste** *f.* 사상자[전사자] 명단, 피해 목록: jn.[et.] auf die ~ setzen 누구를[무엇을] 전사자 명단[피해 목록]에 올리다. **~reich** *a.* 손실이 많은. **~-träger** *m.* 손실 부담자. **~-und Gewinn-konto** *n.* 〖商〗 손익 계정. **~vortrag** *m.* 손실 이월.

verm. =vermählt 결혼한, 기혼의.

vermachen *t.* ① 유산으로 남기다, 유증(遺贈)하다. ② (schweiz.) 닫다, 폐쇄하다. ③ 마술을 걸다; 소비하다. ④ 〖구어·농담〗 주다, 선사하다.

***Vermächtnis** [fɛrmɛ́çtnɪs] *n.* -ses, -se ① 유언, 유언장. ② 유증물, 유산. ③ 〖法〗 유증.

Vermächtnis⸗aussetzer *m.* 〖法〗 유증자. **~erbe** *m.* 유산 수취인, 상속자. **~geber** *m.* 유증자. **~nehmer** *m.* 〖法〗 유산 수취인, 상속자.

vermahlen* (*p.p.* vermahlen) *t.* ① (밀 등을) 찧어 가루로 만들다. ② 잘못 찧다.

vermählen [fɛrmɛ́:lən] 《I》 *t.* 〖구식〗 결혼시키다: seine Tochter (mit) jm. ~ 딸을 누구와 결혼시키다. 《II》 *refl.* sich (mit jm.) ~ (누구와) 결혼하다; die Vermählten 신혼 부부; mit jm. vermählt sein 누구와 결혼한 상태다. 《III》 **vermählt** *p.a.* ↑ vermählt.

vermählt 《I》 *p.p.* ↑ vermählen. 《II》 *p.a.* 기혼의: jung ~ sein 신혼 초이다.

Vermählung *f.* -en 결혼.
Vermählungs≈anzeige *f.* 〖雅語〗 결혼 공고〔통지〕. **~feier** *f.*, **~feierlichkeit** *f.*, **~fest** *n.* 〖雅語〗 결혼식. **~tag** *m.* 결혼식 날.
vermahnen *t.* 〖구식〗 엄하게 훈계하다, 질책하다.
Vermahnung *f.* -en 〖구식〗 훈계, 경고.
vermaledeien [fɛɾmaləda͡ıən] 《frz.》 *t.* 〖구식〗 저주하다: 〖구어〗 wo ist der vermaledeite Schuhanzieher geblieben? 이 망할 놈의 구둣주걱은 어디 갔지?; vermaledeit! 빌어먹을, 괘씸한 (것)!
Vermaledeiung *f.* -en 〖구식〗 저주.
vermalen *t.* ① 그려서 다 소비하다: wir haben die ganze Farbe vermalt 우리는 물감을 다 써 버렸다. ② 색을 함부로〔마구〕 칠하다.
vermannigfachen [fɛɾmánıçfaxən], **vermannigfältigen** *t.* 가지각색으로〔다양하게〕 하다.
vermännlichen [fɛɾmɛ́nlıçən] 《Ⅰ》 *t.* 남성화시키다: diese Mode vermännlicht die Frau 이 유행하는 복장은 여성을 남성적으로 보이게 한다. 《Ⅱ》 *i.* (s.) ① 남성화하다. ② (유행이) 남성적으로 되다.
vermanschen *t.* 〖구어〗 ① 낭비하다. ② 섞다, 섞어서 망치다.
vermarken *t.* 구획짓다, 측량하다: die Grenzen eines Feldes ~ 들판의 경계를 정하다.
vermarkten *t.* ① 공개하여 돈벌이하다: das Privatleben bekannter Persönlichkeiten ~ 유명 인사들의 사생활을 폭로하여 돈을 벌다. ② 〖商〗 시장에 내놓다, 상품화하다.
Vermarktung *f.* -en 출시(出市), 상품화.
vermasseln [fɛɾmásəln] *t.* 〖구어〗 ① 그르치다, 망쳐놓다. ② 틀리게 쓰다.
vermassen [fɛɾmásən] 《Ⅰ》 *t.* 대중화하다: das vermasste Individuum 대중화된 개인. 《Ⅱ》 *i.* (s.) 대중화되다, 대중 속에 흡수되다.
Vermassung *f.* -en 대중화.
vermauern *t.* ① 벽 공사에 소비하다. ② 벽으로 두르다〔막다〕: den Eingang ~ 입구를 벽으로 막다; jn. lebendig ~ 누구를 가두다.
Vermau(e)rung *f.* -en 벽으로 두름〔막음〕.
vermehrbar [fɛɾmé:ɾba:ɾ] *a.* 증가시킬 수 있는.
***vermehren** 《Ⅰ》 *t.* 늘리다, 증가〔증대〕시키다. 《Ⅱ》 *refl.* sich ~ ① 증가〔증대〕하다, 늘다: die Zahl der Unfälle hat sich nicht vermehrt 사고 건수는 증가하지 않았다. ② 증식〔번식〕하다.
Vermehrung *f.* -en 증가, 증대, 증식, 번식.
Vermehrungs≈fähigkeit *f.* 번식력. **~organ** *n.* 생식기. **~zahl** *f.* 〖數〗 인수(因數), 인자(因子), 승수(乘數).
vermeidbar [fɛɾmáıtba:ɾ] *a.* 피할 수 있는.
vermeiden *t.* 피하다, 면하다; 기피〔회피〕하다; 예방하다: einen Fehler ~ 실수를 예방하다; es läßt sich nicht ~ 그것은 피할 수 없다, 부득이하다.
vermeidlich *a.* ↑ vermeidbar.
Vermeidung *f.* -en 피함, 기피, 방지.
Vermeil [vɛɾmɛ́:j] *n.* -s ① 도금한 은. ② 진홍(색).
vermeil [vɛɾmɛ́:j] *a.* 진홍색의(hochrot).
vermeinen *t.* 착각하여 믿다; 잘못 생각하다, 오산하다: ich vermeinte, ein Licht zu sehen 나는 불빛이 보인다고 생각했다.
vermeintlich *a.* (잘못) 추정된; 허위의, 자칭하는, 소위: der ~e Erbe 추정 상속인; ~e Doktoren 자칭 박사들; ein ~er Vater 아버지로 추정되는 사람.
vermelden *t.* 〖구식·雅語〗 통지하다, 보고하다.
vermengen 《Ⅰ》 *t.* ① 섞다, 혼합하다: Eier mit Mehl ~ 달걀을 밀가루와 섞다. ② 뒤섞어 놓다, 뒤죽박죽으로 만들다: 〖구어〗 er vermengt alles 그의 논리는 뒤죽박죽이다. 《Ⅱ》 *refl.* sich ~ 뒤섞이다, 혼합되다: sich mit et.[3] ~ 무엇과 섞이다. 《Ⅲ》 **vermengt** *p.a.* ↑ vermengt.
vermengt 《Ⅰ》 *p.p.* ↑ vermengen. 《Ⅱ》 *p.a.* 혼합한, 뒤섞인; 혼동한: 〖비유〗 in eine Sache ~ 어떤 사건에 연루된.
Vermengung *f.* -en ① 혼합. ② 혼동; 혼란, 혼잡, 착오.
vermenschlichen [fɛɾmɛ́nʃlıçən] 《Ⅰ》 *t.* ① 인간처럼 묘사하다, 의인화하다. ② (동물 등을) 인간화하다, 인간적 특성을 부여하다, 교화하다. 《Ⅱ》 *refl.* sich ~ 인간이 되다.
Vermenschlichung *f.* -en ① 의인화. ② 인간화, 교화.
Vermerk [fɛɾmɛ́ɾk] *m.* -(e)s, -e 메모, 기입, 기재, 비고: sich[3] einen ~ machen 메모를 하다.
vermerken *t.* ① 메모하다, 기입하다, 적어 놓다. ② 알다, 인지하다: et. gut〔übel〕 ~ 무엇을 선의〔악의〕로 해석하다.
vermeßbar *a.* 측량할 수 있는.
vermessen*[1] 《Ⅰ》 *t.* 재다, 측량하다. 《Ⅱ》 *refl.* sich ~ ① 잘못 재다. ② 감히 하다, 주제넘게 하다: 〖雅語〗 sich eines Dinges ~〔sich ~, et. zu tun〕 건방지게도〔주제넘게도〕 무엇을 하다; sich zu hoch ~ 자부심이 지나치게 강하다. 《Ⅲ》 **vermessen** *p.a.* ↑ vermessen[2].
vermessen[2] 《Ⅰ》 *p.p.* ↑ vermessen[1]. 《Ⅱ》 *p.a.* 〖雅語〗 주제넘은, 건방진.
Vermessenheit *f.* -en ① 오만, 불손. ② 오만〔불손〕한 행위.
vermessentlich *adv.* 건방지게도, 주제넘게도.
Vermesser *m.* -s, - 측량자, 측량사.
Vermessung *f.* -en ① 측량. ② 오측(誤測).
Vermessungs≈arbeit *f.* 측량 (작업). **~erlaubnis** *f.* 측량 인가. **~erlaubnisschein** *m.* 측량 인가증. **~ingenieur** [..ınʒeniø:ɾ] *m.* 측량 기사(약어: Verm.-Ing.). **~karte** *f.* 측량도. **~kunde** *f.* 측지학, 측량학. **~kunst** *f.* 측량술. **~schiff** *n.* 측량선.
vermickert [fɛɾmíkəɾt] *a.* 〖구어·폄어〗 ① 병든 몸인, 허약한. ② 눈에 띄지 않는, 보잘것 없는. ③ 불구〔기형〕의.
vermieft [fɛɾmí:ft] *a.* ① 〖구어〗 공기가 탁한, 고약한 냄새가 나는. ② (ndd.) 부패한, 곰팡내 나는.
vermiekert [fɛɾmí:kəɾt] *a.* 〖방언〗 ↑ vermickert.
vermiesen [fɛɾmí:zən] *t.* 〖구어〗 싫어하게 하다, 망쳐 놓다: er hat mir die ganze Freude vermiest 그는 나의 기쁨을 완전히 망쳐 놓았다.
vermietbar *a.* 세놓을 수 있는.
***vermieten** 《Ⅰ》 *t.* (돈 받고) 빌려 주다, 임대

하다, 세놓다: Zimmer zu ~ 셋방; jm. [an jn.] eine Wohnung ~ 누구에게 집을 세놓다. 《Ⅱ》 *refl.* sich leicht ~ (lassen) 세들 사람이 많다; sich bei jm. ~ 누구 집에서 고용살이하다.

***Vermieter** *m.* -s, - 임대인, (셋집) 집주인.

Vermieterin *f.* -nen ↑ Vermieter의 여성형.

Vermietung *f.* -en 빌려 줌, 임대.

Vermietungs≈bureau [..byro:], **~büro** [..byro:] *n.* ① 복덕방, 부동산 중개업소. ② 직업소개소. **~zettel** *m.* 셋집[셋방] 광고 전단.

Vermillon [vɛrmijɔ̃:] 《frz.》 *n.* -s [..jɔ̃:s] 주홍색; 〖化〗 황화제 2 수은, 입자가 매우 고운 진사(辰砂).

***vermindern** 《Ⅰ》 *t.* 줄이다, 감소시키다, 약화시키다; (비용을) 절감하다; (물가를) 내리다: die Geschwindigkeit ~ 속도를 줄이다. 《Ⅱ》 *refl.* sich ~ 줄다; 감소하다; (물가가) 내리다. 《Ⅲ》 **vermindert** *p.a.* ↑ vermindert.

vermindert 《Ⅰ》 *p.p.* ↑ vermindern. 《Ⅱ》 *p.a.* 〖음악〗 반음 내린: ~es Intervall 반음 내린 음정.

Verminderung *f.* -en 감소, 축소; (비용의) 절감; (물가의) 하락: eine ~ der Lebenshaltungskosten 생활비의 절감.

verminen *t.* 지뢰[기뢰]를 매설[설치]하다, 지뢰[기뢰]로 봉쇄하다: ein vermintes Gebiet 지뢰 매설 지역.

Verm.-Ing. =Vermessungsingenieur 측량기사.

Verminung *f.* -en 지뢰 매설: die ~ eines Grenzstreifens 국경 지역의 지뢰 매설.

vermischen 《Ⅰ》 *t.* ① 섞다, 혼합하다: et. mit Wasser ~ 무엇에 물을 타다; 〖農〗 Rassen ~ (동물의) 이종(異種)을 교배시키다; 〖工〗 Metalle ~ 합금하다. ② 혼동하다, 구분하지 못하다: Phantasie und Realität ~ 공상과 현실을 혼동하다. 《Ⅱ》 *refl.* sich ~ ① 섞이다. ② 교합하다: sich mit jm. (fleischlich) ~ 누구와 성교하다. 《Ⅲ》 **vermischt** *p.a.* ↑ vermischt.

vermischt 《Ⅰ》 *p.p.* ↑ vermischen. 《Ⅱ》 *p.a.* 혼합된; 잡다한: ~e Rasse 잡종; 〖數〗 ~e Zahl 혼수(混數).

Vermischung *f.* 혼합; 교배; 합금; 혼합물: fleischliche ~ 성교, 교접.

vermissen *t.* 《Ⅰ》 ① 없어서 안타까워하다: ich vermisse meinen Füllfederhalter 내 만년필이 없어졌다; hat mich jemand vermißt? 누가 나를 찾았니?; er ist (im Krieg) vermißt 그는 (전쟁 중에) 실종되었다. ② 없음을 한탄하다, 있으면 좋겠다고 생각하다, 그리워하다: wir haben dich sehr vermißt 우리는 네가 무척 보고 싶었다. 《Ⅱ》 **vermißt** *p.a.* ↑ vermißt.

vermißt 《Ⅰ》 *p.p.* ↑ vermissen. 《Ⅱ》 *p.a.* 실종[분실]된, 행방 불명의: 〖軍〗 der ∼e 행방불명자, 실종자.

vermisst 新정서 ⇦ vermißt.

Vermißten·anzeige *f.* 실종 신고, 행방 불명 신고.

***vermitteln** [fɛrmítəln] 《Ⅰ》 *t.* ① 성사[성립]시키다; 주선[알선]하다; 중개하다, 연결시키다: einen Verkauf ~ 판매를[매각을] 성립시키다; eine Ehe ~ 혼인을 성사시키다; jm. eine Arbeit ~ 누구에게 일거리를 주선해 주다; Mitarbeiter ~ 직원을 구해 주다; Arbeitskräfte ins Ausland ~ 노동력을 외국에 중개하다. ② (사상 따위를) 전달하다, 매개하다: Wissen ~ 지식을 전수하다; die moderne Naturwissenschaft hat uns ein neues Weltbild vermittelt 현대의 자연 과학은 우리에게 새로운 세계상을 전달해 주었다. ③ 〖哲〗 매개하다. 《Ⅱ》 *i.* (h.) 조정하다, 중재하다: in einem Konflikt ~ 분쟁을 조정하다.

vermittelnd *p.a.* 중개[매개]의; 중재[조정]하는: ~e Worte sprechen 유화적인 말을 하다; ~ eingreifen 중재에 나서다.

vermittels, vermittelst *prp.*² (mittels) …에 따라서, …을 써서.

Vermittler *m.* -s, - ① (a) 조정자, 중재자: die Rolle des ~s übernehmen 중재역을 떠맡다. (b) 〖軍〗 분쟁 조정병. ② 중개자, 주선자; 결혼 중매인; 〖商〗 중개업자, 브로커; (전화의) 교환수: ~ verbieten! 중개인 사절!

Vermittlerin *f.* -nen ↑ Vermittler 의 여성형.

Vermittler·rolle *f.* 중개[중재]역: die ~ spielen [übernehmen] 중개역을 맡다.

Vermittlung *f.* -en ① 중개, 주선: Stellen∼ 직업 소개(소). ② 중재, 조정: seine ~ anbieten 중재하다. ③ (a) 중개업소. (b) 전화 교환국. (c) 전화 교환원. ④ 〖哲〗 매개.

Vermittlungs≈amt *n.* ① 전화 교환국. ② 중재 부처. **~anstalt** *f.* 중개(업)소, 대리점. **~bureau** [..byro:], **~büro** [..byro:] *n.* 중개업[소개업]소. **~gebühr** *f.* 중개 수수료. **~stelle** *f.* ① 중개업소. ② 전화 교환국. **~versuch** *m.* 조정[중재] 시도. **~vorschlag** *m.* 조정 제의. **~zwang** *m.* 조정 강제.

vermöbeln [fɛrmǿ:bəln] *t.* ① 가구를 비치하다. ② 〖구어〗 (헐값으로) 팔아 버리다, 돈으로 바꾸다; 낭비하다. ③ 〖구어〗 때리다, 구타하다: jn. ordentlich ~ 누구를 흠씬 두들겨 패주다.

vermodern *i.* (s.) 곰팡이가 나서 썩다, 부패하다: ~des Laub 썩고 있는 나뭇잎.

Vermoderung *f.* -en 썩음, 부패.

vermöge [fɛrmǿ:gə] *prp.*² 〖雅語〗 …의 힘으로, …덕분에, …에 의하여[따라서]: ~ unserer Abrede 우리의 합의에 따라서.

***Vermögen** *n.* -s, - ① 힘, 능력, 재능: nach ~ 능력에 따라서; das geht über mein ~ 그것은 내 힘에 부친다. ② 자산, 재산, 부: ein Mann von ~ 재산가; sich³ ein ~ erwerben 재산을 장만하다; 〖구어〗 das kostet mich ein ~ 그것은 내게는 큰 돈이 들어가는 일이다; er hat Millionen Mark in ~ 그는 수백만 마르크의 재산을 갖고 있다.

vermögen *t.* ① (a) 성취시키다, 이룩하다: ein einziges freundliches Wort vermag oft viel 친절한 말 한마디가 종종 많은 것을 성취시킨다. (b) …할 능력[힘]이 있다, …할 수 있다: ich vermag (es) nicht, ihn zu überzeugen 나는 그를 설득할 수가 없다. ② 세력이 있다: viel über jn. [bei jm.] ~ 누구를 마음대로 움직일 수 있다; et. über sich ~ 자기를 누르고 무엇을 하다. ③ 권유[명령]하다: jn. zu et.³ ~ 누구에게 권하여[명령하여] 무엇을 시키다.

vermögend *p.a.* ① 힘[능력] 있는, 세력 있는. ② 재산이 있는, 부유한: ein viel ~er

Mann 대재산가.

Vermögendheit *f.* 부유, 유복.

Vermögenheit *f.* 능력, 재능.

Vermögens≈abgabe *f.* 〖재정〗 재산세. **~-abschätzung, ~aufnahme** *f.* 재산 평가. **~berater** *m.* 투자 상담가. **~bestand** *m.* 재산액(額). **~besteuerung** *f.* 재산세 부과. **~bilanz** *f.* 대차 대조표. **~bildung** *f.* 재산 형성〔축적〕; 재형 저축. **~einziehung** *f.* 〖法〗 재산 몰수〔압류〕. **~erklärung** *f.* 〖재정〗 재산 신고. **~hinterziehung** *f.* 재산 착복〔횡령〕. **~klasse** *f.* 유산 계급. **~lage** *f.* 재산 상태.

vermögenslos *a.* 재산이 없는.

Vermögenslosigkeit *f.* 재산〔재력〕이 없음.

Vermögens≈politik *f.* 재산 형성 및 배분 정책, 재테크. **~recht** *n.* 〖法〗 재산권〔법〕. **~-rechtlich** *a.* 재산권상〔재산법상〕의. **~-steuer** *f.* 재산〔자산〕세. **~stücke** *pl.* 재산 물건(物件). **~umstände, ~verhältnisse** *pl.* 재산〔재정〕 상태. **~versicherung** *f.* 재산 보험. **~verteilung** *f.* 재산 분배. **~-verwalter** *m.* 재산 관리인. **~verwaltung** *f.* 재산 관리. **~wirksam** *a.* 재산 형성〔축적〕을 도와주는: ~es Sparen 재형〔재산 형성〕 저축; ~e Leistung (재형 저축에서 근로자를 위한 사용자의) 재정 보조금. **~-zuwachs** *m.* 재산 증식.

vermöglich *a.* (südd., schweiz.) ↑ vermögend.

vermönchen 《I》 *t.* 승려로 만들다. 《II》 *i.* (s.) 승려가 되다, 출가하다.

Vermont [vɛrmɔ́nt, (engl.) vəːmɔ́nt] 버몬트 (미국 동북부의 주).

vermooren [fɛrmóːrən] *i.* (s.) 점차 늪지로 되다.

vermorschen [fɛrmɔ́rʃən] *i.* (s.) 썩다.

vermottet [fɛrmɔ́tət] *a.* (의복 따위가) 좀이 슨.

vermuckern *i.* (h.) 성인〔성자〕인 체하다.

vermückert [fɛrmʏ́kərt] *a.* (vermickert) 병든, 허약한, 불구의.

vermummen 《I》 *t.* 감싸다, 푹 덮다; 가장〔변장〕시키다: sein Gesicht ~ 얼굴을 가리다, 복면하다. 《II》 *refl.* sich ~ ① 복면하다: die Bankräuber hatten sich vermummt 은행 강도들은 복면을 했었다. ② 가장〔변장〕하다.

Vermummung *f.* -en 복면; 가장, 변장; 가장 무도회(Maskerade).

Vermummungs·verbot *n.* (시위 등에서) 복면〔가장〕 금지.

vermuren[1] 《<Mure》 *t.* (토지를) 토사〔토석〕 더미로 황폐화시키다.

vermuren[2] *t.* 〖海〗 (선박을) 두 개의 닻으로 정박시키다; 〖비유〗 안정〔고착〕시키다.

vermurksen *t.* 〖구어〗 서툰 솜씨로 망치다: das ist von A bis Z vermurkst 그것은 완전히 망가졌다.

***vermuten** [fɛrmúːtən] *t.* 추측하다, 추정〔짐작·상상·예기〕하다: soviel es sich ~ läßt 짐작하건대; ich habe dich in Berlin vermutet 나는 네가 베를린에 있을 거라고 생각했다.

vermutlich [fɛrmúːtlɪç] 《I》 *a.* 추측할 수 있는, 짐작되는; 진실인 듯한: der ~e Täter 범죄 용의자〔혐의자〕. 《II》 *adv.* 추측컨대, 아마.

***Vermutung** *f.* -en 추측, 추정; 상상, 예상: aller ~ nach 아마도; gegen〔wider〕 alle ~ 기대에 전혀 어긋나게, 전혀 뜻밖에; die ~ haben 추정〔예상〕하다.

vermutungs·weise *adv.* 추측으로〔하여〕: et. ~ äußern 무엇을 추측으로 말하다.

vernachlässigen [fɛrnáːxlɛsɪgən] 《I》 *t.* ① 등한〔소홀〕히 하다, 경시〔무시〕하다: die Familie ~ 가족을 돌보지 않다; 〖비유〗 von der Natur vernachlässigt 외모가 아름답지 못한. ② **(a)** 게을리하다, 저버리다: seine Pflichten ~ 의무를 게을리하다. **(b)** 도외시하다: solche kleinen Ungenauigkeiten kannst du getrost ~ 너는 그런 사소한 오류에는 신경을 쓰지 않아도 된다. 《II》 *refl.* sich ~ 자신의 외모에 신경쓰지 않다.

Vernachlässigung *f.* -en 소홀, 경시, 무시, 태만.

vernadern *t.* (öst.) 비방하다; 고자질하다; 고시(告示)하다.

vernageln 《I》 *t.* ① 못을 박아서 막다〔폐쇄하다〕: eine Kiste 〔die Türen〕 ~ 상자를〔문을〕 못질하여 막다. ② (말의 발굽을) 편자를 잘못 박아 상하게 하다. 《II》 **vernagelt** *p.a.* ↑ vernagelt.

vernagelt 《I》 *p.p.* ↑ vernageln. 《II》 *p.a.* ① 못질한. ② 〖구어·폄어〗 우둔〔우매〕한; 편협〔고루〕한.

vernähen *t.* ① (실을) 바느질에 다 써 버리다. ② 꿰매다, 봉합하다: eine Wunde ~ 상처를 꿰매다. ③ 바느질로 (실끝을) 마무리하다. ④ 바느질하다: ein schlecht vernähter Rock 바느질이 잘못된 스커트.

vernarben *i.* (s.) 〖醫〗 흉터가 생기다, (상처가) 아물다.

Vernarbung *f.* -en 흉터가 생김.

vernarren 《I》 *refl.* sich ~ ① 홀딱 반하다, 마음을 빼앗기다: er hat sich in sie vernarrt 그는 그녀에게 홀딱 반했다. ② 열렬히 선호하다, 강한 애착을 가지다: sich in et. ~ 무엇에 푹 빠지다. 《II》 **vernarrt** *p.a.* ↑ vernarrt.

vernarrt 《I》 *p.p.* ↑ vernarren. 《II》 *p.a.* 반한, 애착을 지닌: in jn.〔et.〕 ~ sein 누구에게〔무엇에〕 열중해 있다, 푹 빠져 있다.

Vernarrtheit *f.* -en 열중, 탐닉, 푹 빠짐.

vernaschen *t.* 《I》 ① (돈을) 식도락에 쓰다. ② (맛있는 것을) 야금야금 먹어 치우다. ③ 〖경박〗 (누구와) 정사를 갖다, 연애질을 하다. ④ 〖경박〗 (가볍게) 누르다, 제압하다: den Gegner ~ 적을 가볍게 무찌르다. 《II》 **vernascht** *p.a.* ↑ vernascht.

vernascht 《I》 *p.p.* ↑ vernaschen. 《II》 *p.a.* 미식〔단것〕을 즐기는, 식도락의.

vernebeln *t.* ① 안개로 덮다; 〖軍〗 연막(煙幕)으로 뒤덮다: der Wein hat mir den Kopf 〔die Sinne〕 vernebelt 포도주가 내 머리를〔감각을〕 몽롱하게 만들었다. ② 은폐하다, 얼버무리다. ③ (액체를) 분무시키다, 뿜다: Chemikalien zur Schädlingsbekämpfung ~ 살충제를 뿌리다.

Vernebelung *f.* -en 안개로〔연막으로〕 가림, 은폐.

Verneblung *f.* -en ↑ Vernebelung.

vernehmbar [fɛrnéːmbaːr] *a.* 들리는, 알아들을 수 있는; 심문 가능한: der Verwundete ist noch nicht ~ 부상자는 아직 심문할 수 없다; sie sprach mit kaum ~er Stimme 그 여

자는 거의 알아들을 수 없는 소리로 말했다.

*__vernehmen*__ 《I》 *t.* ①〔雅語〕 지각〔인지〕하다. ②〔雅語〕 듣다, 청취하다; 들어서 알다, 소문으로 듣다: aus dem Haus waren Hilferufe zu ~ 집 밖으로도와달라는 외침 소리가 들려왔다; sich ~ lassen 의견을 말하다, 소식을 전하다. ③ 신문하다, 심문하다: der Täter wurde vernommen 범인은 심문을 받았다. 《II》 *refl.* sich ~ ① 의사 소통하다: sich mit jm. ~ 누구와 서로 양해하다, 협조하다. ② 이해하다: sich³ (aus et.³) ~ (무엇을 듣고 사정을) 이해하다.

Vernehmen *n.* -s ① 청취; 소식, 풍문: dem ~ nach 들리는 바로는; gutem〔sicherem〕~ nach 정통한 소식통에 따르면. ② 의사 소통, 양해, 타협: mit jm. in gutem ~ stehen 누구와 사이가 좋다; 〔격식〕 sich mit jm. ins ~ setzen 누구와 의사 소통을 하다. ③〖法〗↑ Vernehmung.

Vernehm·lassung *f.* (schweiz.) (공식적인) 발표, 공표; 공시, 고시; 의견 표명.

vernehmlich [fɛrné:mlɪç] *a.* ① 확실히 들리는, 분명히 들을 수 있는. ② 확실〔명료〕한.

Vernehmung *f.* -en〖法〗 심문, 신문.

vernehmungs≈fähig *a.* 심문받을 수 있는: der Angeklagte ist nicht ~ 그 피고는심문받을 수 있는 상태가 아니다. **~unfähig** *a.* 심문받을 수 없는.

verneigen *refl.* sich ~〔雅語〕절〔인사〕하다: sich vor jm. ~ 누구에게 인사하다〔허리를 굽히다, 머리를 숙이다〕.

Verneigung *f.* -en〔雅語〕 절, 인사.

*__verneinen__ [fɛrnáɪnən] *t.* ① 아니라고 대답하다(↔ bejahen): eine Frage ~ 물음에 아니라고 대답하다. ② (a) 부정하다, 부인하다: den Sinn des Lebens ~ 삶의 의미를 부인하다. (b) 거절〔거부〕하다.

verneinend *p.a.* 부정〔부인〕의, 부정적인: 〖문법〗 ein ~er Satz 부정문.

Verneiner *m.* -s,- 부정〔부인〕하는 사람.

Verneinung *f.* -en 부정, 부인.

Verneinungs≈fall *m.* 〔다음 용법으로만〕〔격식〕 im ~(e) 아니라는 대답일 경우에는. **~partikel** *f.* 〖문법〗 부정을 뜻하는 불변화사(詞). **~satz** *m.* 〖문법〗 부정 문장. **~wort** *n.* 〖문법〗 부정어.

vernetzen [fɛrnɛ́tsən] *t.* ①〖化〗(분자를) 그물 모양으로 결합시키다. ② 망상(網狀) 구조 체계로 결합시키다. ③〔컴〕 네트워크로 연결하다.

Vernetzung *f.* -en 망상(網狀) 결합; 네트워킹.

vernichtbar *a.* 없앨〔파괴할〕 수 있는.

*__vernichten__ [fɛrníçtən] *t.* 없애다, 근절〔말살〕하다, 파괴하다; 폐기〔파기〕하다, 무효로 하다; 취소하다;〖軍〗 섬멸하다, 초토화시키다; (희망·계획 따위를) 수포로 돌아가게 하다: 〔농담〕 nur zu, die letzte Flasche müssen wir jetzt auch noch ~ 자, 마지막 병도 우리는 지금 마셔버려야 한다; meine Pläne〔Hoffnungen〕 wurden vernichtet 내 계획〔희망〕은 수포로 돌아갔다; Schädlinge ~ 해충을 박멸하다.

vernichtend *p.a.* 파괴적인, 압도적인; 야멸찬, 가차 없는; 경멸적인, 싹 무시하는: ein ~er Blick 매몰찬 눈초리; eine ~e Kritik 가차 없는 비평; eine ~e Niederlage erleiden 참패를 당하다.

Vernichter *m.* -s, - 파괴자, 파기자.

*__Vernichtung__ *f.* 근절, 말살, 파괴; 폐기, 파기, 취소;〖軍〗 섬멸, 초토화.

Vernichtungs≈feld·zug, ~kampf, ~krieg *m.* 〖軍〗 섬멸전. **~lager** *n.* (제 2 차 세계 대전 때 나치의) 집단 학살 수용소. **~waffe** *f.* 대량 학살 무기: ein massiver Einsatz modernster ~n 최신식 대량 학살 무기의 대규모 투입. **~werk** *n.* 말살〔파괴·섬멸〕 행위. **~wut** *f.* 광포한 파괴욕.

vernickeln [fɛrnɪ́kəln] *t.* 니켈을 입히다, 니켈 도금하다.

Vernickelung *f.* -en 니켈 도금; 니켈 도금한 외피.

verniedlichen [fɛrní:tlɪçən] *t.* 대수롭지 않게 보다, 과소 평가하다.

Verniedlichung *f.* -en 과소 평가.

vernieten *t.* 징〔리벳〕으로 죄다〔고정시키다〕.

*__Vernunft__ [fɛrnʊ́nft] 《< vernehmen》 *f.* ① 이성, 이해력, 사고력, 판단력; 분별; 도리, 조리: gesunde ~ 상식; ~ annehmen 분별력을 갖다, 이치에 따르다; nimm doch ~ an! 냉정하게 생각해 보아라!; zur ~ kommen 이성을 되찾다; er ist aller ~ beraubt 그는 완전히 이성을 잃고 있다; bei guter ~ sein 분별이 있다; jn. zur ~ bringen 누구로 하여금 이성을 되찾게 하다, 누구의 흥분을 가라앉히다; das geht über die〔alle〕 ~ 그것은 이성의 한계를 넘어선다. ②〖哲〗 이성.

vernunft≈begabt *a.* 이성을 지닌, 분별 있는. **≈begriff** *m.* (칸트의) 이성 개념. **≈beweis** *m.* 합리적 증명, 추리. **≈ehe** *f.* ↑ ≈heirat.

Vernünftelei [fɛrnʏnftəláɪ] *f.* -en 〔폄어〕 ① 궤변을 늘어놓음. ② 당치 않은 말, 궤변.

vernünfteln [fɛrnʏ́nftəln] *i.* (h.) 〔폄어〕 궤변을 늘어 놓다, 당치도 않은 말을 꾸며 대다.

vernunft≈gemäß *a.* 합리적인, 이성적인, 이치에 맞는, 지당한. **≈gesetz** *n.* 이성의 법칙. **≈glaube** *m.* 이성에 대한 믿음, 합리주의. **≈grund** *m.* 도리, 이성적 동기: aus Vernunftgründen 이성적으로, 이성에 따라. **≈heirat** *f.* (↔ Liebesheirat) 타산적인 결혼, 정략 결혼.

*__vernünftig__ [fɛrnʏ́nftɪç] *a.* ① (a) 이성적인, 합리적인: er wird schon noch ~ werden 그는 다시 이성을 찾을 것이다; 〔구어〕 ~ mit jm. reden 누구와 터놓고 이야기하다; sei doch ~! 정신 좀 차리게! (b) 분별 있는, 납득할 만한, 합당한, 이성에 근거한: ~e Gründe 합당한 이유. ②〔구어〕 기대에 어긋나지 않는, 제대로 된, 버젓한, 단정한: eine ~e Arbeit suchen 버젓한 일자리를 구하다.

vernünftiger·weise *adv.* 도리상, 당연히; 이성적〔합리적〕으로.

Vernünftigkeit *f.* 이성적임, 합리성, 분별, 상식; 이성적인 태도.

Vernunft·lehre *f.* 논리학; 변증법.

Vernünftler *m.* -s, 궤변가.

vernunftlos *a.* 비이성적인, 분별 없는, 도리에 맞지 않는, 불합리한.

vernunft·mäßig *a.* ↑ ~gemäß.

Vernunft≈mensch *m.* 〖法〗 이성적 인간, 분

별 있는 사람. **~schluß** *m.* 〚논리〛 이성적(인) 추론, 추리: (schulgerechter) ~ 삼단 논법. **~wahrheit** *f.* 이성적 진리. **~wesen** *n.* 이성적 존재, 인간. **~widrig** *a.* 불합리한, 이성〔도리〕에 어긋나는. **~widrigkeit** *f.* ① 불합리, 배리(背理). ② 비이성적인 발언, 불합리한 언사. **~wissenschaft** *f.* 논리학; 철학.

vernuten [fɛrnú:tən] *t.* 〚工〛 작은〔길쭉한〕 홈으로 접합하다.

Vernutung *f.* -en 홈으로 접합하기.

veröden [fɛr|ǿ:dən] 《I》 *i.* (s.) ① **(a)** 황폐해지다. **(b)** 인적이 없다, 황량하다: verödete Korridore 인적이 없는 복도. ② 〚醫〛 **(a)** (s.) (혈관 따위가) 막히다, 폐색을 일으키다. **(b)** (h.) (팽창된 혈관을) 주사로 진정시키다: sie muß ihre Krampfadern ~ lassen 그녀는 정맥류 진정 주사를 맞아야 한다. 《II》 *t.* 황폐화시키다.

Verödung *f.* -en 황폐(화), 황량.

***veröffentlichen** [fɛr|œfəntlıçən] *t.* ① 널리 알리다, 공고〔공시·공포〕하다, 발표하다: eine Stellungnahme in der Zeitung ~ 신문에 입장을 표명하다. ② 출판하다, 발행〔발간〕하다: eine wissenschaftliche Arbeit ~ 학술 논문을 출판하다.

***Veröffentlichung** *f.* -en ① 공고, 공시, 공포; 출판, 발행. ② 출판〔간행〕물.

verölen *i.* (s.) 기름투성이가 되다.

Veronal [veroná:l] *n.* -(s) 〚藥〛 베로날(강력한 수면제).

Veronese [veroné:zə] *m.* -n, -n 베로나(북이탈리아의 지방 및 도시)의 주민.

Veroneser 《I》 *m.* -s, - ↑ Veronese. 《II》 *a.* 베로나의.

Veronika[1] *f.* 베로니카(여자 이름).

Veronika[2] *f.* ..ken 〚植〛 현삼(玄蔘)과의 식물, 베로니카속, 물칭개나물.

***verordnen** [fɛr|ɔ́rdnən, ..ɔ́rtn..] *t.* ① 〔구식〕 명령〔지시〕하다; 제정〔규정〕하다. ② 임명〔지명〕하다: jn. zu et.[3] ~ 누구를 무엇으로 임명하다. ③ 〚醫〛 (의사가) 처방하다: jm. Pillen 〔Tropfen〕 ~ 누구에게 알약〔물약〕을 처방하다; der Arzt hat mir einen täglichen Spaziergang von zwei Stunden verordnet 의사는 내게 매일 두 시간씩 산책하라고 지시하였다.

Verordner *m.* -s, - ① 명령〔지시〕자; 제정자. ② 임명자. ③ 처방자.

Verordnete* *der/die* 위원, 파견원; 시의회 의원.

Verordnung *f.* -en ① **(a)** (행정 당국의) 명령, 지령(약어: VO): Not~ 긴급 명령. **(b)** 제정, 규정, 법령. ② 임명, 지명. ③ 처방: nach ärztlicher ~ 의사의 처방에 따라.

Verordnungs≈blatt *n.* 관보(官報). **~-mäßig** *a.* 명령〔규정·처방〕대로의.

verpaaren 〚動〛 《I》 *t.* (동물을) 짝지어 주다. 《II》 *refl.* sich ~ (동물이) 짝짓기하다, 교미하다, 교접하다.

verpachtbar *a.* 임대할 수 있는; 〚法〛 양도되어야 할.

verpachten 《I》 *t.* 임대하다, 소작하게 하다: ein Grundstück ~ 토지를 임대하다. 《II》 *refl.* sich ~ 임대되다.

Verpachter, Verpächter *m.* -s, - 임대인, 지주(地主).

Verpachtung *f.* -en 임대.

verpacken *t.* ① 포장하다, 발송 준비를 하다: Ware in Papier ~ 물품을 종이로 포장하다; Flaschen in Kisten ~ 병을 상자에 넣어 발송 준비를 끝내다; 〔방언〕 hart verpackt sein 융통성이 없다, 미련하다. ② 잘못 포장하다. ③ 〔구어〕 따뜻하게 옷을 입히다: verpack dich gut bei dieser Kälte! 이런 추위에는 옷을 따뜻하게 잘 입어라!

Verpacker *m.* -s, - 포장 인부, 짐 꾸리는 사람.

Verpackung *f.* -en ① 포장. ② 포장 재료〔용기〕, 덮개, 싸개: die ~ aufreißen 포장지를 찢어 개봉하다. ③ 포장 방법.

Verpackungs≈gewicht *n.* 포장 용기의 중량. **~leinwand** *f.* 포장보. **~material** *n.* 포장 재료.

verpalisadieren 《lat.》 *t.* 말뚝〔울·방책〕을 두르다.

verpanschen *t.* 〔구어〕 (음료·술 따위를) 물로 묽게 하다, 물을 섞어서 질을 나쁘게 하다: Wein ~ 포도주에 물을 타다.

verpanzern *t.* (panzern) 갑옷을 입히다, 무장시키다.

verpäppeln *t.* 〔구어〕 응석받이로 기르다, 버릇없이 길러 연약하게 하다.

verpassen *t.* ① **(a)** (제복 따위를) 분배하다, 공급하다; (의복 따위를) 입어 보다. **(b)** (누구에게 싫어하는 것을) 주다: jm. eine Ohrfeige ~ 누구의 따귀를 때리다; 〔구어〕 jm. eins ~ 누구를 마구 때리다. ② **(a)** 만나지 못하다, 놓치다: den Zug ~ 기차를 놓치다. **(b)** 제때에 이용하지 못하다: gute Gelegenheit ~ 좋은 기회를 놓치다. ③ 기다리면서 보내다: den Regen unter einem Baum ~ 나무 밑에서 비 그치기를 기다리다. ④ 〚카드〛 빠지다, 패스하다.

verpatzen *t.* 〔구어〕 (verpfuschen) 실수로 망치다, 잘못하다: eine total verpatzte Premiere 완전히 망친 첫 공연.

verpennen 〔구어〕 《I》 *i.* (h.) 늦잠자다. 《II》 *t.* (늦잠·부주의로 인해) 놓치다, 소홀히 하다: den Termin für die letzte Rate ~ 지난 할부금 납부 기일을 놓치다.

verperlen *i.* (h.) (맥주 따위가) 탄산이 없어지다, 김이 빠지다.

verpesten [fɛrpέstən] 《I》 *t.* 악취〔유해 물질〕로 가득 채우다, 오염시키다: 〔비유〕 mit gegenseitigen Vorwürfen die politische Atmosphäre ~ 상호 비방으로 정치판 분위기를 흐려 놓다. 《II》 **verpestet** *p.a.* ↑ verpestet.

verpestet 《I》 *p.p.* ↑ verpesten. 《II》 *p.a.* 유행병에 걸린; 악취로 가득 찬, 오염된; (사상 따위가) 유해한.

Verpestung *f.* -en 전염; 오염; 불결, 타락: die ~ der Luft durch Industrieabgase 공업 배출 가스로 인한 공기의 오염.

verpetzen *t.* 〔학생〕 밀고〔고자질〕하다, 이르다: den Schuldigen (beim Lehrer) ~ 잘못을 저지른 학생을 (선생님에게) 고자질하다.

verpfählen *t.* 말뚝을 박다, 울타리를 두르다.

Verpfählung *f.* -en 말뚝박기, 울타리치기; 말뚝 공사.

verpfänden *t.* 저당잡히다, 담보로 주다: sie hat ihren Ring verpfändet 그녀는 반지를 저당잡혔다; 〔雅語〕 (jm.) sein Wort ~ (누구에

게) 명예를 걸고 약속〔선언〕하다.

Verpfändung *f.* -en 저당, 담보.

verpfeffern *t.* 후추를 너무 많이 치다.

verpfeifen *t.* ①〖구어〗 밀고〔배반〕하다, 누설하다. ②〖스포츠〗 휘슬을 자주 불어 경기의 흐름을 끊다.

verpflanzen *t.* ① (**a**) 옮겨 심다, 이식(移植)하다: 〖격언〗 einen alten Baum verpflanzt man nicht 늙은 나무는 옮겨 심지 않는 법이다(노인은 친숙한 곳에서 살아야 한다). (**b**) 〖비유〗 이주〔이민〕시키다; (사상 따위를) 전하다. ②〖醫〗 (조직·기관을) 이식하다.

Verpflanzung *f.* -en ① 이식, 모내기. ②〖醫〗 장기 이식.

verpflegen *t.* ① 돌보다, 간호하다. ② (jn.) 먹을 것을 대다, 식사를 제공하다; 먹여 살리다, 부양하다: im Urlaub ~ wir uns selbst 휴가 때 우리는 식사를 스스로 해결한다.

Verpflegung *f.* ① 식사 제공, 급식, 부양; 간호, 시중: kostenlose ~ und Unterkunft bieten 무료로 식사와 숙소를 제공하다; Zimmer mit voller ~ 세끼 식사를 주는 하숙(방). ②〖軍〗 군량.

Verpflegungs≈amt *n.* ①〖軍〗 급양부, 병참부. ② 빈민 구호국. **~anstalt** *f.* 빈민 구호소, 양육원, 자선 시설. **~entschädigung** *f.* 부식비 보조. **~geld** *n.* 〖軍〗 급식〔부식〕비, 양육비. **~haus** *n.* 진료소. **~kosten** *pl.* ↑ ~geld. **~satz** *m.* (양식의) 배급량. **~stärke** *f.* 급양 인원; 〖軍〗 급양병액(給養兵額). **~-wesen** *n.* ① 구빈 제도. ②〖軍〗 급양〔병참〕업무. **~zuschuß** *m.* 〖軍〗 (특별 훈련 때의) 무상 추가 급식.

***verpflichten** [fɛrpflɪçtən] 《I》 *t.* ① 의무를 지우다, 약속하게 하다: jn. zu et.³ ~ 누구에게 무엇의 의무를 지우다: jn. zu Dank ~ 누구에게 감사의 의무를 지우다(누구에게 은혜를 베풀다); Beamte auf die Verfassung ~ 공무원에게 헌법의 준수를 서약시키다; ich bin zum Stillschweigen verpflichtet 나는 침묵할 의무가 있다(함구령을 받았다); ich bin ihm zu nichts verpflichtet 나는 그에게 신세진 것이 전혀 없다; 〖목적어 없이〗 Reichtum〔Adel〕 verpflichtet 부는〔귀족은〕 의무를 수반한다; die Annahme des Pakets verpflichtet zur Bezahlung der Gebühren 소포를 인수하려면 수수료를 납부해야 한다. ② (계약 후) 고용하다, 채용하다, 고용 계약을 맺다: einen Schauspieler für eine Rolle ~ 어떤 역을 위해 배우를 채용하다; einen neuen Trainer ~ 새 트레이너를 채용하다; der berühmte Tenor ist an die Metropolitan Opera als Gast verpflichtet worden 그 유명한 테너 가수는 메트로폴리탄 오페라 극장에 출연하기로 계약했다. 《II》 *refl.* sich ~ ① 의무를 지다, 굳게 약속하다, 확약하다: sich gegen jn. zu et.³ ~ 누구에 대하여 무엇의 의무를 지다, 무엇을 하기로 약속하다; sich für jn. ~ 누구의 보증을 서다; er hat sich verpflichtet, die Kinder jeden Tag zur Schule zu fahren 그는 아이들을 매일 학교에 차로 데려다 주겠다고 약속했다; ich kann mich nicht 〔zu nichts〕 ~ 나는 아무것도 약속할 수 없다. ② (계약을 통해) 채용되다: der Schauspieler hat sich an das Stadttheater für drei Jahre verpflichtet 그 배우는 시립 극장에 3 년 계약으로 채용되었다. 《III》 **verpflichtet** *p.a.* ↑ verpflichtet.

verpflichtend *p.a.* 의무를 지우는: eine ~e Zusage 구속력 있는 약속.

verpflichtet 《I》 *p.p.* ↑ verpflichten. 《II》 *p.a.* 의무가 있는, 해야 하는: sich ~ fühlen, et. zu tun 무엇을 해야 한다는 의무감을 느끼다; sich zu Dank ~ fühlen 은혜를 입었다고 느끼다; bin ich ~, an der Sitzung teilzunehmen? 내가 꼭 그 회의에 참석해야 하나요?; jm. zu et.³ ~ sein 누구에게 무엇할 의무가 있다; ich bin Ihnen sehr (zu Dank) ~ 대단히 감사합니다; ich bin vertraglich ~, das zu tun 나는 계약상 그것을 할 의무가 있다.

Verpflichtung *f.* -en ① (**a**) 채용, 고용 (계약): die ~ eines Künstlers〔Schauspielers〕 예술가〔배우〕의 채용. (**b**) 〖軍〗 자발적인 장기 복무 (지원). ② 의무, 책임, 책무: eine gemeinsame ~ 연대 책임; eine moralische ~ 도덕적인 의무; jm. eine schwere ~ auferlegen 누구에게 무거운 의무를 지우다; eine ~ eingehen 어떤 의무를 지다; seinen ~en nachkommen 〔seine ~en erfüllen〕 자기의 의무를 다〔이행〕하다. ③〖法〗 채무, 부채.

Verpflichtungs≈fähigkeit *f.* 〖法〗 채무 변제 능력. **~geschäft** *n.* 〖法〗 채무 변제 법률 행위.

verpflöcken *t.* 나무못을 박다〔치다〕, 폐쇄하다.

verpfründen [fɛrpfrʏndən] (obd.) 《I》 *t.* jn. ~ (제공〔신탁〕 자산에 대한 대가로) 누구에게 평생 연금을 지급하다. 《II》 *refl.* sich ~ 재산을 제공〔신탁〕하고 평생 동안의 생계를 보장받다.

Verpfründung *f.* -en ↑ verpfründen 의 명사형.

verpfuschen *t.* 〖구어〗 (일을 성의없이〔서투르게〕 하다가) 망치다, 엉망으로 만들다: eine verpfuschte Arbeit 서투른 작품, 졸작; eine verpfuschtes Leben 실패한 인생.

verpichen *t.* ① 역청을〔피치를〕 바르다. ②〖비유〗 auf et. verpicht sein 무엇에 몰두〔집착〕해 있다.

verpieseln *refl.* 〖방언·경박〗 sich ~ ① 스며들어 없어지다, 흩어지다. ② (슬며시) 도망치다, 달아나다.

verpimpeln *t.* 〖구어〗 약골〔응석받이〕로 만들다〔기르다〕.

verpissen 〖구어·비속〗 《I》 *t.* 오줌으로 더럽히다. 《II》 *refl.* sich ~ (은밀히) 사라지다, 도망치다: verpiß dich! 꺼져라, 없어져라!

verplanen *t.* ① 잘못 계획하다. ② 쓸 용도를 정하다: er hat die Gratifikation schon verplant 그는 보너스의 용도를 이미 정했다; auf lange Zeit verplant sein (앞으로) 오랜 기간 동안 일정이 잡혀 있다.

verplappern 〖구어〗 《I》 *t.* ↑ verplaudern. 《II》 *refl.* sich ~ 무심코 발설하다, 실수로 말하다: er verplappert sich so leicht 그는 입이 너무 가볍다.

verplatinieren *t.* 백금을 입히다.

verplatten *t.* 판자를 대다, 타일을 붙이다.

verplätten *t.* 〖구어〗 두들겨 패다.

verplaudern 《I》 *t.* ① (시간을) 잡담으로 보내다: einen Nachmittag gemütlich ~ 오후를 기분좋게 잡담하며 보내다. ② 무심코 발설하다: das Geheimnis ~ 무심코 비밀을 입 밖

에 내다. ③ 잡담하느라 잊어버리다〔태만히 하다〕. 《Ⅱ》 *refl.* sich ~ ①〖드물게〗 ↑ verplappern. ② 잡담하느라 시간 가는 줄 모르다.

verplempern [fɛrplɛ́mpərn] 〔구어〕《Ⅰ》 *t.* ① 헛되이 쓰다, 낭비하다. ② (md.) (액체를) 잘못 붓다, 흘리다. 《Ⅱ》 *refl.* sich ~ 시간〔정력〕을 낭비하다.

verplomben [fɛrplɔ́mbən] *t.* 납으로 봉하다.

Verplombung *f.* -en 납봉인(한 자리).

verpönen [fɛrpǿːnən] 《Ⅰ》 *t.* ①〔구식〕 엄금〔엄단〕하다. ② 기피〔금기시〕하다. 《Ⅱ》 **verpönt** *p.a.* ↑ verpönt.

verpönt 《Ⅰ》 *p.p.* ↑ verpönen. 《Ⅱ》 *p.a.* 엄금된, 금기시된, 터부의: Politisieren ist hier ~ 여기에서는 정치 활동이 금지되어 있다.

verpoppen *t.* 대중화하다, 유행에 따르게 하다: eine Sonate ~ 소나타를 팝 음악풍으로 개작하다.

verposamentieren [fɛrpozamɛntíːrən, fər..] *t.* 〔학생〕 ↑ verplempern 《Ⅰ》.

verprassen *t.* (재산을) 탕진〔낭비〕하다.

verprellen *t.* ①〖사냥〗 (사냥감을) 놀라 달아나게 하다, 쫓아 버리다. ②〔구어〕 (거친 언동 등으로) 당황스럽게〔놀라게〕 하다.

verpreußen *t./i.* (s.) 프로이센화하다; 프로이센 사람으로 만들다; 〔비유〕 군국주의화하다.

verproletarisieren 《Ⅰ》 *t.* 프롤레타리아화하다. 《Ⅱ》 *i.* (s.) 프롤레타리아가 되다.

Verproletarisierung *f.* 프롤레타리아화.

verproviantieren [..vi..] 《Ⅰ》 *t.* …에게 음식〔식량〕을 공급하다; 〖軍〗 군량을 지급하다, 군수품을 공급하다. 《Ⅱ》 *refl.* sich ~ 식량을 준비하다: ich habe mich gut verproviantiert 나는 식량을 충분히 준비했다.

Verproviantierung [..vi..] *f.* 식량 공급〔준비〕; 〖軍〗 군량 지급, 군수품 공급.

verprozessieren *t.* 〔구어〕 소송에 탕진하다: sein Vermögen ~ 재산을 소송으로 날리다.

verprügeln *t.* ① 난타하다, 마구 때리다. ② 때려서 부상을〔상처를〕 입히다.

verpuffen 《Ⅰ》 *i.* (s.) ①〖化〗 (퍽하는 소리와 함께) 불붙다, 폭발하지 않고 타 버리다: das Gas ist verpufft 가스가 팍 소리와 함께 타 버렸다. ②〔비유〕 헛되이 끝나다, 성과 없이 사라지다. 《Ⅱ》 *t.* ① 연소시키다, 태우다. ②〔비유〕 다 써 버리다, 탕진〔허비〕하다: viel Pulver unnütz ~ 많은 화약을 헛되게 쓰다. 《Ⅲ》 *refl.* sich ~ 화약을 써 버리다; 〔비유〕 탕진하다.

Verpuffung *f.* -en 〖化〗 (퍽 소리가 나는 폭발물의) 연소, 불발.

verpulvern [..fərn, ..vərn] *t.* ① 가루로 만들다. ②〔구어〕 낭비하다, 써버리다: die ganze Erbschaft ~ 유산을 모두 탕진하다.

verpumpen *t.* 〔학생·구어〕 빌려 주다(verborgen): an jn. Geld ~ 누구에게 돈을 빌려주다.

verpuppen *refl.* sich ~ 〖動〗 (애벌레가) 고치〔번데기〕로 변하다.

Verpuppung *f.* -en 〖動〗 고치가 됨, 번데기화(化).

verpusten *refl./i.* (h.) (sich) ~ 〔구어〕 한숨 돌리다, 잠시 쉬다: ich muß (mich) einen Augenblick ~ 나는 잠시 쉬어야만 한다.

Verputz [fɛrpúts] *m.* -es 회반죽, 모르타르.

verputzen *t.* ① (벽 따위에) 회칠을 하다, 회반죽을 바르다. ②〔구어〕 (돈을) 삽시간에 다 써 버리다, ③〔구어〕 재빨리 먹어 치우다: eine Schüssel ~ 한 접시를 후딱 비우다. ④ (모르는 체하고) 넘기다, 봐주다: ich kann nicht ~ 나는 그 작자를 도저히 못 봐주겠다. ⑤〖스포츠〗 가볍게 이기다. ⑥〖畫〗 (그림을) 서투르게 보수하여 훼손하다.

Verputzer *m.* -s, - 회칠하는 사람, 미장이.

verquacksalbern *t.* 엉터리〔가짜〕 약에 돈을 쓰다.

verqualmen 《Ⅰ》 *i.* (s.) 연기가 되다, 연기를 내면서 타다: eine Zigarette verqualmt im Aschenbecher 담배가 재떨이 안에서 연기를 내면서 타고 있다. 《Ⅱ》 *t.* 〔구어〕 ① (방 따위를) 연기로 가득 채우다. ② (돈을) 담배값으로 쓰다. 《Ⅲ》 **verqualmt** *p.a.* ↑ verqualmt.

verqualmt 《Ⅰ》 *p.p.* ↑ verqualmen. 《Ⅱ》 *p.a.* 연기로 가득 찬: das Zimmer war völlig ~ 그 방은 연기로 꽉 차 있었다.

verquält [fɛrkvɛ́ːlt] *a.* 〔드물게〕 몹시 괴로운, 고뇌에 찬.

verquasen *t.* (nordd.) 낭비하다.

verquast [fɛrkváːst] *a.* 〖방언〗 혼란스러운, 뒤죽박죽인, 불명확한: ~e Reden 혼란스러운 연설.

verquatschen 〔구어〕《Ⅰ》 *t.* ↑ verplaudern 《Ⅰ》①. 《Ⅱ》 *refl.* sich ~ ① ↑ verplappern 《Ⅱ》. ② ↑ verplaudern 《Ⅱ》②.

verquellen* 《Ⅰ》 *i.* (s.) ① 솟아나와 흘러가다. ② (습기 때문에) 팽창하다, 부어오르다; 습기 차다: die Türen sind verquollen 문이 눅눅해져서 빽빽하다. 《Ⅱ》 **verquollen** *p.a.* ↑ verquollen.

verquer *a.* 〔구어〕 ① **(a)** 잘못된, 이상〔기이·특이〕한: eine ~e Situation 특이한 상황; ~ gehen 잘못되다, 실패하다; mir geht etwas ~ 무엇이 내 뜻대로 안 된다. **(b)** 부적합〔부적당〕한: das kommt mir sehr ~ 그것은 내게 아주 부적합하게 보인다. ② 비스듬한, 삐딱한, 비뚤어진: die Mütze saß ihm ~ auf dem Kopf 모자가 그의 머리에 삐딱하게 놓여 있었다.

verquicken [fɛrkvíkən] 《Ⅰ》 *t.* ①〖化〗 혼홍(混汞)시키다, 아말감으로 만들다. ②〔비유〕 결합〔연결〕시키다: die beiden Angelegenheiten sind eng miteinander verquickt 두 사건은 서로 밀접하게 연관되어 있다. 《Ⅱ》 *refl.* sich ~ ① 혼홍(混汞)하다. ② 혼화하다, 결합〔화합〕하다.

Verquickung *f.* -en ① 혼홍(混汞); 〔비유〕 혼화, 결합, 화합. ② 혼홍물, 아말감.

verquirlen *t.* (교반기로) 휘저어 섞다.

verquisten [fɛrkvístən] *t.* (ndd.) 헛되게 쓰다, 낭비하다.

verquollen 《Ⅰ》 *p.p.* ↑ verquellen. 《Ⅱ》 *p.a.* 습기로 팽창한, 불은, 부어오른: ~e Augen (울어서) 퉁퉁 부은 눈.

verrammeln *t.* 〔구어〕 폐쇄하다, 막아버리다: er hat alle Türen verrammelt 그는 모든 문들을 폐쇄시켰다.

Verrammelung *f.* -en 폐쇄, 차단.

verrammen *t.* ↑ verrammeln.

Verrammlung *f.* -en ↑ Verrammelung.

verramschen *t.* 〔구어〕 헐값으로 팔아치우

다, 투매하다.

verrannt [fɛrránt] 《I》 *p.p.* ↑ verrennen. 《II》 *p.a.* 고착된, 완고한; 마음이 사로잡힌, 홀딱 반한: ein ~er Doktrinär 외곬의 공론가.

***Verrat** [fɛrrá:t] *m.* -(e)s ① 누설: ~ militärischer Geheimnisse 군사 기밀의 누설. ② 배반, 배신, 반역, 모반: an jm. ~ begehen〔üben〕 누구를 배반하다.

verraten[1] 《I》 *t.* ① 배신하다, 배반하다: sein Land ~ 자기 나라를 배반하다; sein Ziel ~ 자신의 목표를 저버리다〔망각하다〕; jn. an den Feind ~ 누구를 적에게 팔아넘기다. ② **(a)** (비밀 따위를) 누설하다, 발설하다: js. Geheimnis ~ 누구의 비밀을 폭로하다; jm. sein Versteck ~ 누구에게 자신의 은신처를 누설하다; die Toten ~ nichts 죽은 자는 말이 없다. **(b)** 드러내다, 보여 주다: er verriet mit keiner Bewegung, daß er erschrocken war 그는 꼼짝도 하지 않음으로써 자신이 매우 놀랐음을 드러냈다; seine Miene verriet tiefe Bestürzung 그의 얼굴에는 경악의 빛이 역력했다. **(c)** 〖구어〗 은밀히 알리다: hast du ihm schon ~, daß du schwanger bist? 너는 그에게 임신했다는 사실을 벌써 알렸니? 《II》 *refl.* sich ~ ①〖드물게〗 억측을 하다. ② 자신의 뜻을 내비치다, 속마음을 드러내다: damit hat er sich klar ~ 그것으로 그는 자신의 의사를 분명히 밝혔다. ③ 드러나다, 나타나다: in seinem Werk verrät sich Talent 그의 작품에는 천부의 재능이 나타나 있다; das verrät sich von selbst 그것은 저절로 드러날〔밝혀질〕 것이다. 《III》 **verraten** *p.a.* ↑ verraten[2].

verraten[2] 《I》 *p.p.* ↑ verraten[1]. 《II》 *p.a.* 배반당한: 〖비유〗 ~ und verkauft sein 속수무책이다; wenn du kein Englisch kannst, bist du dort ~ und verkauft 영어를 못 하면 너는 거기 가서 따돌림당한다.

Verräter [..rɛ́:tər] *m.* -s, - 배신자, 배반자; 비밀 누설자, 고자질쟁이.

Verräterei *f.* -en (가벼운) 배반, 배신, (작은) 비밀 누설.

Verräterin *f.* -nen ↑ Verräter 의 여성형.

verräterisch *a.* ① 배반의, 반역적인, 불충한, 음험한. ② 부지중에 나타나는, 무의식중에 드러내는: ~e Worte 저도 모르게 속마음을 드러내는 말.

verrattern 《I》 *t.* 혼란〔당황〕스럽게 하다. 《II》 *refl.* sich ~ 당황하다.

verratzt [fɛrrátst] *a.* 〖구어〗 (nordd.) 〖다음 용법으로만〗 ~ sein 어려운〔절망적인〕 처지다; jetzt sind wir ~ a) 이제 우리는 파멸이다, b) 우리들은 속았다, 골탕 먹었다.

verrauchen 《I》 *i.* (s.) ① 연기가 되어 흩어지다. ② 〖비유〗 (연기처럼) 사라지다, 소멸〔증발〕하다; 풀리다, 가라앉다, 식다: die heiße Suppe ~ lassen 뜨거운 수프를 식히다; sein Zorn ist verraucht 그의 노여움은 풀렸다. 《II》 *t.* ① 다 태우다, 재가 되게 하다; 〖비유〗 풀리게 하다, 가라앉히다, 식히다. ② **(a)** (담배를) 다 피우다. **(b)** (돈을) 담배값으로 쓰다. **(c)** (방·공간을) 연기로 가득 채우다. 《III》 **verraucht** *p.a.* ↑ verraucht.

verräuchern *t.* ① (향을) 다 태우다: viel Weihrauch ~ 향을 많이 사르다. ② 연기로 그을리다〔가득 채우다〕: das Zimmer ~ 방안을 연기로 자욱하게 하다. ③ 너무 그을리다: den Schinken ~ 햄을 너무 그을리다.

verraucht 《I》 *p.p.* ↑ verrauchen. 《II》 *p.a.* 연기로 자욱한; (목소리가) 거칠고 낮은, 잠긴: eine ~e Stimme 잠긴〔쉰〕 목소리.

verrauschen *i.* (s.) ① 졸졸〔찰찰〕 흘러가다; 〖비유〗 (시간이) 즐겁게 지나가다. ② (소리가) 점차 사라지다, 가라앉다: der Beifall verrauschte 박수 갈채가 점차 사라졌다.

verrechnen 《I》 *t.* 계좌〔장부〕에 올려 계산하다, 계좌〔장부〕에 달아놓다: diesen Betrag ~ wir später mit der anderen Summe 이 금액은 나중에 딴 금액과 함께 계산할 것이다; soll ich die Spesen ~? 그 비용을 장부에 올릴까요?; einen Scheck ~ 수표를 계좌에 입금시키다; 〖비유〗 ich habe noch etwas mit ihm zu ~ 나는 그와 아직 결말지어야〔청산해야〕 할 일이 있다. 《II》 *refl.* sich ~ ① **(a)** 잘못 계산하다: Sie haben sich um 3 Mark verrechnet 당신은 3 마르크를 잘못 계산했습니다; du hast dich bei der Addition verrechnet 너는 덧셈을 잘못 했다. **(b)** 잘못 생각하다, 오산〔착각〕하다: hoffentlich hast du dich in ihm nicht verrechnet 네가 그를 잘못 생각지 않았기를 바란다. ② 대차 관계를 청산하다: sich mit jm. ~ 누구와 셈을 맞추다, 〖비유〗 누구와의 관계를 청산하다.

Verrechnung *f.* -en ① 대차 계산, 결산, 청산: um ~ der Gutschrift bitten 대변의 청산을 요청하다. ② 잘못된 계산, 오산(誤算).

Verrechnungs≈abkommen *n.* 〖經〗 결제〔지급〕 협정. **~betrag** *m.* 계산 총액. **~einheit** *f.* 〖經〗 (거래 당사자들 사이의 지급 협정에서 합의된) 지급 통화 단위(약어: VE). **~konto** *m.* 〖經〗 청산 계정. **~scheck** *m.* 대체 수표. **~stelle** *f.* 〖經〗 어음 교환소. **~verwaltung** *f.* 회계 사무 관리. **~wissenschaft** *f.* 〖구식〗 회계학.

verrecken [fɛrrɛ́kən] *i.* (s.) ① (동물이) 쓰러지다, 죽다. ② 〖비속·구어〗 **(a)** 비참하게 죽다, 뒈지다: ums ∼ nicht 죽어도〔절대로〕 … 하지 않다; er hört ums ∼ nicht auf mich 그는 절대로 내 말에 귀를 기울이지 않는다. **(b)** 망가지다, 고장나다: an der Steigung ist mein Auto endgültig verreckt 경사길에서 내 차는 완전히 망가졌다.

verreden 《I》 *t.* ① 〖구식〗 **(a)** 하지 않겠다고 맹세하다. **(b)** 비방〔중상〕하다. ② (시간을) 잡담하며 보내다: ich habe schon zuviel Zeit verredet 나는 이미 너무 많은 시간을 잡담으로 허비했다. 《II》 *refl.* sich ~ ① 잘못 말하다. ② 무심코 비밀을 누설하다, 무심코 말하다. ③ 〖방언〗 말로 풀어 밝히다.

verregnen [..ré:gnən] 《I》 *i.* (s.) 비로 인해 파괴되다〔엉망이 되다〕: die Obsternte ist verregnet 과일 수확이 비로 인해 망쳐졌다; ein verregneter Sonntag 비 때문에 망친 일요일. 《II》 *t.* ① (액체를) 살포하다, 비처럼 뿌리다: das aufgestaute Wasser über das Feld ~ 막아 놓은 물을 들판에 뿌리다. ② 비 때문에 망치다.

verreiben* *t.* ① 갈아서 부수다. ② 문질러 바르다: Salbe ~ 연고를 문질러 바르다. ③ 문질러 제거하다: einen Fleck ~ 얼룩을 문질러 없애다.

Verreibung *f.* -en 빻아 가루를 만듦, 제분; 연마(硏摩); 〖藥〗 유당 연화제, 가루약.

verreichlichen *t.* 〖구식〗 국유화〔국영화〕하다.

Verreichlichung *f.* -en 〖구식〗 국유화, 국영화.

verreisen 《I》 *i.* (s.) 여행을 떠나다, 여행길에 오르다: verreist sein 여행 중이다. 《II》 *t.* (돈·시간을) 여행에 소비하다.

verreißen* 《I》 *t.* ① (zerreißen) 잡아 찢다, 갈기갈기 찢다: 〖구어〗 Kleider ~ 옷을 많이 입어서 해지게 하다. ②〖은어〗 혹평하다, 헐뜯다, 몹시 꾸짖다: eine Theateraufführung ~ 연극 공연을 혹평하다. ③ 찢어서 떼어 버리다. ④〚스포츠〛 (특히 볼링에서 공을) 엉뚱한 방향으로 보내다〔굴리다〕. ⑤〖구어〗 (실수로) 방향을 홱 바꾸다. 《II》 *imp.* es verriß mir den Wagen 내가 핸들을 잘못 꺾어 엉뚱한 길로 들어섰다.

verreiten* 《I》 *i.* (s.) 〖구어〗 말을 타고 나가다, 멀리 타고 가다. 《II》 *t.* ① (시간·돈을) 승마에 소비하다. ② (두통·화를) 승마로 잊어〔떨쳐〕버리다: er verritt seinen Ärger 그는 승마로 노여움을 잊어버렸다. ③ (말을) 서투른 승마 솜씨로 망치다〔지치게 하다〕. ④ 말을 타고 막다: jm. den Weg ~ 말을 타고 누구의 통행을 막다. ⑤ 휩쓸어 넣다, 빠뜨리다. 《III》 *refl.* sich ~ ① 승마 중에 길을 잃다: sich im dichten Nebel ~ 짙은 안개 속에서 말을 타고 가다가 길을 잃다. ② 휩쓸려 들다, 빠지다.

***verrenken** 《I》 *t.* 삐다, 탈구(脫臼)시키다: sich[3] den Fuß ~ 발목 관절을 삐다, 발을 접질리다; 〖구어·비유〗 sich[3] den Hals nach jm.〔et.[3]〕 ~ 누구를〔무엇을〕 보려고 목을 길게 빼다, 신기한 듯 바라보다; 〖구어〗 sich[3] die Zunge ~ 말을 더듬다. 《II》 *refl.* sich ~ 부자연스런 동작을 취하다.

Verrenkung *f.* -en ① 몸 비틀기, 관절 꺾기: die tollsten ~en machen 심하게 몸을 비틀다; 〖농담〗 geistige ~ 비상한 생각. ②〚醫〛 탈구, 탈골, 접질림: eine ~ (wieder) einrichten 탈구를 정복(整復)하다〔바로잡다〕.

verrennen* 《I》 *t.* ① 뛰어다니며 보내다: den ganzen Tag ~ 하루 종일 뛰어 돌아다니다. ② 뛰어다니며 막다: jm. den Weg ~ 달려서 누구의 통행을 막다. ③〖비유〗 곤경에 빠뜨리다: jn. ~ 누구를 궁지에 몰아넣다. 《II》 *refl.* sich ~ ① **(a)** (생각·언행에서) 그릇된 길로 빠져들다: wie hast du dich da verrannt? 어떻게 해서 너는 그런 잘못된 생각을 하게 되었느냐? **(b)** 꽉 붙잡다, 집착하다: sich in et. ~ 무엇에 집착하다. ② 궁지에 빠지다. 《III》 **verrannt** *p.a.* ↑ verrannt.

verrenten [fɛrrɛ́ntən] *t.* ① (연금을 주어) 정년 퇴임시키다. ②〚經〛 (연금처럼 분할불로) 재산을 팔다.

Verrentung *f.* -en ↑ verrenten 의 명사형.

***verrichten** *t.* ① 정리〔정돈〕하다. ② 행하다, 처리하다, 수행하다: sein Gebet ~ 기도하다; seine Notdurft ~〔〖구어〗 ein Geschäft ~〕 용변을 보다.

Verrichtung *f.* -en ① 실행, 수행, 성취. ② 일, 용무, 일과: kirchliche ~ 예배, 미사; täglichen ~en nachgehen 매일의 일과를 수행하다. ③ 작용, 기능: ~en des Geistes 정신작용〔활동〕. ④ 성공, 성과: (ich wünsche Ihnen) gute ~! 성공을 빕니다! ⑤〖아동〗 (Notdurft) 쉬, 응가.

verriechen* *i.* (s.) / *refl.* (sich) ~ 향기를 잃다, 향기가 사라지다.

verriegeln *t.* 빗장을 지르다; 폐쇄하다.

Verriegelung *f.* -en ① 빗장을 지름. ② 빗장: eine ~ aufbrechen 빗장을 풀다.

Verrieglung *f.* -en ↑ Verriegelung.

***verringern** [fɛrrɪ́ŋərn] 《I》 *t.* 줄이다, 감소〔하락〕시키다: den Abstand ~ 간격을 좁히다; die Geschwindigkeit ~ 속도를 낮추다. 《II》 *refl.* sich ~ 줄다, 감소하다.

Verringerung *f.* -en 감소, 축소; 감축, 감량.

verrinnen* *i.* (s.) ① (물·모래 따위가) 흘러가〔흩어져〕 버리다, 스며들다: die Quelle verrinnt zwischen den Steinen 샘물이 바위 사이로 스며든다. ②〖雅語〗 (시간이) 흘러가다, 경과하다.

Verriß *m.* ..risses, ..risse 〖은어〗 혹평: ein ~ von diesem Kritiker hat schon manche Karriere beendet 이 비평가의 혹평은 이미 많은 사람들의 출세길을 막았다.

verröcheln *i.* (s.) 〖雅語〗 (목을) 가르렁거리며 죽다, 숨을 거두다.

verrohen [fɛrró:ən] 《I》 *i.* (s.) 난폭해지다, 거칠어지다, 야비해지다: Sitten ~ 윤리가 타락하다. 《II》 *t.* 난폭하게〔거칠게〕 만들다.

verrohren [fɛrró:rən] *t.* 관을 설치하다, 배관하다.

Verrohrung *f.* -en 배관.

Verrohung *f.* -en 야만화, 악화: eine allgemeine ~ der Sitten 도덕의 전반적인 타락.

verrollen 《I》 *i.* (s.) ① 굴러가 버리다. ② (시간이) 흘러가 버리다, 경과하다. ③ 굴러가다가 멈추다; (뇌성·포성 따위가) 서서히 사라지다. 《II》 *t.* 〖구어〗 마구 때리다, 구타하다. 《III》 *refl.* sich ~ 〖구어·농담〗 잠자리에 들다.

***verrosten** 《I》 *i.* (s.) 녹슬다; 〚化〛 산화하다; 〖비유〗 무디어지다, 악화되다: das Schloß ist verrostet 자물쇠가 녹슬었다. 《II》 **verrostet** *p.a.* ↑ verrostet.

verrostet 《I》 *p.p.* ↑ verrosten. 《II》 *p.a.* 녹슨; 〖비유〗 무디어진, 악화된: 〖농담〗 eine ~e Stimme haben 목소리가 잠기다〔쉬다〕.

verrotten [fɛrrɔ́tən] 《I》 *i.* (s.) ① 썩다, 부패하다, 곰팡이 슬다. ② 허물어지다, 너덜너덜해지다, 못쓰게 되다: durch die Feuchtigkeit sind wertvolle Bücher verrottet 습기 때문에 귀중한 책들이 훼손되었다. ③〖구어〗 타락하다. 《II》 *t.* 썩게 하다. 《III》 **verrottet** *p.a.* ↑ verrottet.

verrottet 《I》 *p.p.* ↑ verrotten. 《II》 *p.a.* 썩은, 부패한; 타락한: 〖비유〗 ~e Ansichten 진부한 견해; eine ~e Gesellschaft 타락한 사회.

Verrottung *f.* 부패, 타락.

***verrucht** [fɛrrú:xt] *a.* 〖雅語〗 흉악한, 극악무도한, 파렴치한; (gottlos) 가증〔불경〕스런, 신성 모독의: ein ~er Mörder 흉악한 살인범; eine ~e Tat 방탕한 행동; 〖농담〗 sie hat ihr ~es Lächeln aufgesetzt 그녀는 사악한 미소를 띠었다.

Verruchtheit *f.* -en ① 흉악, 방종, 무법. ②〖드물게〗 악행; 난행(亂行).

verrückbar *a.* 움직일 수 있는.

verrucken 〖고어〗 ↑ verrücken.

verrücken 《I》 *t.* ① (밀어) 옮기다, 위치를

변경하다: einen Tisch ~ 책상을 옮기다. ② 〖비유〗 혼란스럽게 하다: jm. den Kopf ~ 누구를 미치게 하다; jm. den Plan ~ 누구의 계획을 방해하다. 《Ⅱ》 **verrückt** *p.a.* ↑ verrückt.

***verrückt** [fɛrrʏ́kt] 《Ⅰ》 *p.p.* ↑ verrücken. 《Ⅱ》 *p.a.* ①〖경박〗 제정신이 아닌, 미친: 〖구어〗 이상〔희한·기발〕한: du bist wohl ~? 너 미친 거 아냐?; wie ~ rennen 미친 듯이 부리나케 달리다; ~ spielen a) 이상하게 행동하다, 정상이 아니다, b) 제 기능을 발휘하지 못하다, 고장나다; meine Uhr spielt ~ 내 시계가 고장났다; 〖농담·반어〗 so ein ~er Einfall! 그것 참 묘한〔기발한〕 발상이군!; es ist zum ~werden! 이것 참 미칠 노릇이군!; jn. ~ machen 누구의 신경을 몹시 자극하다; ~ auf jn. sein 누구한테 홀딱 반하다; auf jn. 〔nach jm.〕 ~ sein 누구에게 홀딱 반하다; ich werde ~! 미칠 노릇이군! ②〖구어〗 굉장한, 대단한, 엄청난: ein ~ gutes Gefühl 대단한 호감.

Verrückte* *der/die* 미친 사람, 정신 이상자.

Verrücktheit *f.* -en 〖구어〗 ① 광기, 정신 착란; 미친 짓, 난행. ② 기발한 착상, 비정상적인 생각.

Verrückt·werden *n.* 〖다음 용법으로만〗 〖구어〗 das〔es〕 ist (ja) zum ~! 이것 참 미칠 지경이군!

Verrückung *f.* -en ① 위치 변경, 전위(轉位), 이동. ② 정신 착란〔이상〕. ③〖지질〗 지층의 어긋남.

Verruf [fɛrrú:f] *m.* -(e)s 나쁜 평판, 악평: jn. in ~ bringen 누구를 비방하다, 누구의 신용을 잃게 하다; in ~ kommen〔geraten〕 좋지 않은 평판을 받다.

verrufen*[1] 《Ⅰ》 *t.* ① 악평〔비방〕하다. ②〖화폐·고어〗 유통을 금지시키다. 《Ⅱ》 **verrufen** *p.a.* ↑ verrufen[2].

verrufen[2] 《Ⅰ》 *p.p.* ↑ verrufen[1]. 《Ⅱ》 *p.a.* 평판이 나쁜, 신용을 잃은: ein ~es Lokal 평판이 좋지 않은 술집.

Verrufs·erklärung *f.* 〖法〗 배척, 보이콧.

verrühren *t.* 휘저어 섞다: alle Zutaten ~ 재료들을 모두 넣어 뒤섞다.

verrunzelt [fɛrrʊ́ntsəlt] *a.* 주름투성이의.

verrußen 《Ⅰ》 *i.* (s.) 그을다, 그을음투성이가 되다. 《Ⅱ》 *t.* 〖드물게〗 그을리게 하다, 그을음투성이로 만들다: die alten Lokomotiven verrußten die Wagenfenster 낡은 기관차들로 인해 차량의 창문들이 그을음투성이가 되었다.

Verrußung *f.* -en 그을음.

verrutschen *i.* (s.) 미끄러져 내리다, 빠져 나오다: der Schal ist ihr verrutscht 그녀의 숄이 미끄러져 떨어졌다.

***Vers** [fɛrs] (lat. versus, „Furche") *m.* -es, -e [..zə] (약어: V.) ① 시행, 시구; 〖복수〗 운문, 시: ein Gedicht mit 4 ~en 4 행시; ein Epos in ~en 운문 서사시; et. in ~e bringen 무엇을 운문으로〔시로〕 표현하다; 〖구어〗 ~e machen〔schreiben〕 시를 짓다〔쓰다〕; 〖구어〗 sich³ einen ~ auf et. 〔aus et.³〕 machen können 무엇을 이해하다〔알다〕; 〖구어〗 ich kann mir keinen ~ darauf 〔daraus, davon〕 machen 나는 그것을 전혀 이해할 수 없다. ② 〖聖〗 (성서의) 절, 구절.

Vers≈absatz *m.* (Strophe) 시절(詩節), 연(聯). **~abschnitt** *m.* 〖문학〗 반구(半句), 반행(半行), 불완전행.

versachlichen [fɛrzáxlıçən] *t.* 객관화하다, 사실적〔객관적〕으로 묘사〔표현〕하다: vergebens versuchten einige, die Diskussion zu ~ 몇몇은 토론을 객관적으로 진행하려고 했으나 소용없었다.

Versachlichung *f.* 객관화, 객관적 묘사.

versacken 《Ⅰ》 *t.* 자루에 넣다〔눌러 담다〕. 《Ⅱ》 *i.* (s.) ① **(a)** (배가) 가라앉다, 침몰하다. **(b)** 빠지다: die Räder versackten im Morast 바퀴들이 수렁에 빠졌다. ②〖비유〗 진척되지 않다, 정체하다: der englische Vorstoß versackte bald 영국군의 진격은 곧 정체되었다. ③〖구어〗 **(a)** 밤새 술을 마시다: gestern abend sind wir versackt 간밤에 우리는 밤새 술을 마셨다. **(b)** 도덕적으로 타락하다. ④ 내려앉다, 무너지다: die Grundmauern versackten (건물의) 기초가 푹 주저앉았다.

***versagen** 《Ⅰ》 *t.* ①〖雅語〗 거절하다, 거부하다: er versagt den Gehorsam 그는 복종하기를 거부한다; jm. eine Bitte ~ 누구의 부탁을 들어주지 않다; jm. Hilfe ~ 누구를 도와주기를 거절하다; mir ~ die Füße〔Hände〕 (den Dienst) 내 발〔손〕이 말을 듣지 않는다. ② 약속〔허용〕하다: sie hat ihre Hand versagt 그 여자는 이미 약혼했다; bist du für morgen schon versagt? 자네는 내일 선약이 있는가? 《Ⅱ》 *refl.* ① sich jm.〔et.³〕 ~ 누구에게〔무엇에〕 복종하지 않다. ② sich³ et. ~ 무엇을 단념〔포기〕하다: sich³ ein Vergnügen ~ 즐기기를 삼가다; er versagte sich³ endlich den Plan 그는 마침내 그 계획을 포기했다. 《Ⅲ》 *i.* (h.) 말을 듣지 않다, 마음대로 되지 않다; (총이) 발포되지 않다; 실패하다, 허탕치다: vor Aufregung versagte ihre Stimme 그 여자는 흥분한 나머지 말이 제대로 나오지 않았다; sein Gedächtnis versagte 그는 기억해 내지 못했다; er hat bei der Prüfung versagt 그는 시험에 떨어졌다.

Versagen *n.* -s, - (기계의) 고장; 실패.

Versager *m.* -s, - ①〖드물게〗 거부자. ② 불발(탄); 불량품; 고장, 결함: die Granate war ein ~ 그 수류탄은 불발이었다; der Motor war ein ~ 엔진은 고장이었다. ③〖비유〗 **(a)** 실패(작), 좌초: das Buch war ein ~ 그 책은 히트하지 못했다. **(b)** (제비뽑기의) 꽝 (Niete). ④ 실패자, 무능한 사람: er war ein völliger ~ 그는 완전히 무능한 사람이었다; ein ~ im Beruf 직업에서의 실패자.

Versagung *f.* -en ① 거절, 거부; 포기, 단념. ② 약속: ~ ihrer Hand 그 여자의 약혼.

Versailler [vɛrzáıər] 《Ⅰ》 *m.* -s, - 베르사유 시민. 《Ⅱ》 *a.* 베르사유의: 〖史〗 ~ Vertrag 베르사유 조약.

Versailles [vɛrzáı, ..sá:j] 베르사유(파리 남서쪽의 도시).

Vers·akzent *m.* 시구의 억양.

Versal [vɛrzá:l] (<lat. versus, „Zeile") *m.* -s, -ien [..liən], **Versal·buchstabe** *m.* 〖문자〗 두문자(頭文字), 대문자, 장식 글자.

versalzen(*) (*p.p.* versalzt/versalzen) 《Ⅰ》 *t.* ① 소금을 너무 많이 넣다, 너무 짜게 하다: die Suppe ist ~ 수프가 너무 짜다. ②〖구어〗 망치다, 재뿌리다: jm. seine Pläne ~ 누구의 계획을 망쳐 놓다; jm. die Suppe ~ 누구의 즐거

움을 망쳐버리다. 《Ⅱ》 *i.* (s.) 소금기를 띠다, 염분 함량이 높아지다: der See〔Boden〕 versalzt 호수〔토양〕에 소금기가 있다.

***versammeln** 《Ⅰ》 *t.* ① 모으다, 집합시키다, 소집하다: er versammelte seine Schüler um sich 그는 학생들을 자기 주위에 불러 모았다; 〔비유〕 er wurde zu seinen Vätern versammelt 그는 죽었다. ② 〔과거 분사의 형태로〕〖승마〗 (말이) 주의력을 집중하도록 하다: das Pferd ist gut versammelt 그 말은 주의력을 잘 집중하고 있다; 〔비유〕 der Schauspieler gab die Figur sehr versammelt 그 배우는 배역에 몰입하여 연기하였다. 《Ⅱ》 *refl.* sich ~ 모이다, 집합하다: wir ~ uns um 10 Uhr vor der Schule 우리는 10 시에 학교 앞에서 집결하기로 한다.

***Versammlung** *f.* -en ① 〔드물게〕 모집, 집합, 집결. ② (**a**) 집회, 회합, 회의: ~ der Volksvertreter 국민 대표 회의, 하원; eine ~ einberufen 회의를 소집하다; eine wissenschaftliche ~ halten 학(술 대)회를 열다; die ~ war gut besucht 그 집회는 성황을 이루었다; die ~ eröffnen〔schließen〕 개회〔폐회〕하다. (**b**) (Zuhörerschaft) 청중, 집회 참석자. ③ 〖승마〗 말이 주의력을 집중한 준비 자세.

Versammlungs≈form, ~formation *f.* 〖軍〗 집합 대형. **~freiheit** *f.* 집회의 자유. **~haus** *n.* 집회장, 회관, 클럽; 카지노, 오락장; 〖宗〗 예배당. **~lokal** *n.*, **~ort, ~platz** *m.* 집회〔회의〕 장소; 〖軍〗 집결지. **~raum** *m.* 집회〔회의〕실. **~recht** *n.* 집회의 권리, 집회권. **~saal** *m.* 집회장, 홀. **~tag** *m.* 집회일. **~zeit** *f.* 집회 시간. **~zimmer** *n.* 응접실; 집회실.

Versand [fɛrzánt] 《< versenden》 *m.* -(e)s ① (상품의) 발송, 운송, 선적. ② (기업의) 상품 발송부〔과〕. ③ 통신 판매 회사.

Versand≈abteilung *f.* ↑ Versand ②. **~artikel** *m.* 발송 품목. **~bereit** *a.* ↑ ≈fertig. **~bier** *n.* 수출용 맥주. **~buch·handel** *m.* 서적 통신 판매업. **~dokument** *n.* 선적 서류.

versanden 《Ⅰ》 *i.* (s.)/*refl.* (sich) ~ ① 모래에 파묻히다; (강 따위가) 모래로 얕아지다〔막히다〕: die Mündung eines Flusses versandet 강의 어귀가 모래로 얕아진다. ② 〔비유〕 진척되지 않다, 흐지부지되다; 잊혀지다, 망각되다: die Verhandlung hat versandet 협상이 흐지부지 끝났다. 《Ⅱ》 *t.* 모래에 파묻다, 모래로 덮다.

versand≈fertig *a.* 발송 준비가 끝난. **≈geschäft** *n.* ① ↑ ~haus. ② ↑ ~handel. **≈gut** *n.* ↑ ≈artikel. **≈handel** *m.* 통신 판매업. **≈haus** *n.* ↑ Versand ③. **≈haus-katalog** *m.* 통신 판매 상품 목록. **≈kosten** *pl.* 운임. **≈rechnung** *f.* 발송장. **≈spesen** *pl.* ↑ ≈kosten.

versandt ↑ versenden 의 과거형.

Versandung [fɛrzándʊŋ, fər..] *f.* ↑ versanden 의 명사형.

Vers≈anfang *m.* 시행의 시작. **~art** *f.* 시구의 종류.

versatil [vɛrzatíːl] 《lat. versare, „drehen"》 *a.* 〔교양·구식〕 ① (gewandt) 요령이 좋은, 민첩한, 숙달된, 다재다능한. ② (beweglich) 움직이기〔변하기〕 쉬운, 변덕스러운. ③ (rühelos) 불안정한, 차분하지 못한.

Versatilität *f.* 〖교양·구식〗 민첩, 숙달, 요령; 변덕, 불안정.

Versatz [fɛrzáts] 《< versetzen》 *m.* -es ① 저당〔전당〕(잡히기), 저당물, 담보: in ~ geben 저당잡히다. ② 〖광산〗 (**a**) 석탄 찌꺼기, 질 나쁜 석탄. (**b**) 옹벽, 축대벽. (**c**) 채탄 자리 메우기. (**d**) 채탄 자리를 메우는 잡석. ③ 〖연극〗 ↑ ~stück ②.

Versatz≈amt *n.* (bayr., öst.) 전당포(Leihhaus). **~stück** *n.* ① 담보물. ② 〖연극〗 (나무·담 따위의) 이동 배경; 소품, 소도구.

Versatzung *f.* -en 저당물; 〖건축〗 지주(支柱) 따위로 강화하기.

versaubeuteln [fɛrzáubɔʏtəln] *t.* 〔구어〕 ① 더럽히다: ein Kleidungsstück ~ 옷가지를 더럽히다. ② 부주의로 잃어버리다, 놓은 장소를 잊어버리다.

versauen *t.* 〔비속〕 ① 심하게 더럽히다. ② 완전히 망쳐 놓다: jm. et. ~ 누구의 무엇을 완전히 망쳐 놓다.

versauern [fɛrzáuərn] 《Ⅰ》 *i.* (s.) ① (맛이) 시어지다: der Wein ist versauert 포도주가 시어졌다〔맛이 갔다〕. ② 〔구어〕 (**a**) 우둔해지다, 정신적으로 퇴화하다; 시대에 뒤떨어지다: hier auf dem Land kann man ~ 여기 시골에서는 머리가 둔해질 수 있다. (**b**) 기분이 언짢아지다. ③ 〖생태〗 산성화하다, 산성을 띠다: der Boden〔See〕 versauert 토양이〔호수가〕 산성화한다. 《Ⅱ》 *t.* ↑ versäuern.

versäuern *t.* ① 시어지게 하다, 산화시키다. ② 〔비유〕 (verbittern) 불쾌하게〔화나게〕 하다.

versaufen* 〔비속〕 《Ⅰ》 *t.* (돈·재산을) 술로 날리다: 〔비유〕 seinen Verstand ~ 술로 이성을 잃다. 《Ⅱ》 *i.* (s.) ① 〔방언〕 익사하다. ② 〖광산〗 (탄갱이) 물에 잠기다. 《Ⅲ》 **versoffen** [fɛrzɔ́fən] *p.a.* ↑ versoffen.

***versäumen** 《Ⅰ》 *t.* ① (schweiz.) 오래 붙잡아두다(aufhalten). ② 놓치다, 잃다, 잡지 못하다: die Gelegenheit ~ 기회를 놓치다; es ist keine Zeit zu ~ 잠시도 지체할 시간이 없다; Sie haben etwas versäumt 좋은 볼거리를 놓치셨어요(거기에 참석하셨어야 했는데); den Zug ~ 기차를 놓치다. ③ 제대로 행하지 않다, 게을리하다, 소홀히 하다: seine Pflicht〔Aufgaben〕 ~ 의무〔과제〕를 소홀히 하다; versäume nicht, ihn aufzusuchen 잊지 말고 꼭 그를 찾아가거라; das Versäumte nachholen 뒤떨어진〔소홀히 했던〕 것을 만회하다; ich werde nicht ~, es zu tun 나는 그것을 틀림없이 할 것이다. ④ 출석〔참석〕하지 않다: die Schule〔den Unterricht〕 ~ 학교〔수업〕에 가지 않다; 〖軍〗 den Appell ~ 점호에 나가지 않다. 《Ⅱ》 *refl.* sich ~ ① 지각하다; 뒤에 남다〔처지다〕; 우물쭈물하다. ② 몸치장을 게을리하다.

Versäumnis *n.* -ses, -se 〔(구식) *f.* -se〕 소홀히 함, 태만, 실수; 〖法〗 불이행, 지체; 결석, 궐석; 소홀히 한 것.

Versäumnis≈entscheidung *f.* 〖法〗 궐석 재판. **~liste** *f.* 결근부. **~urteil** *n.* 〖法〗 (민사 소송에서의) 궐석 판결.

Versäumung [fɛrzɔ́ʏmʊŋ] *f.* -en ① (기회 따위의) 상실, 놓침. ② ↑ Versäumnis.

Vers·bau *m.* 시구의 구조.

verschachern [fɛɾʃáxəɾn] *t.* 〖구어〗 너무 비싸게 팔다, 폭리를 취하고 팔다.

verschachtelt [fɛɾʃáxtəlt] *a.* 복잡하게 얽힌, 일목요연하지 않은: ein ~er Satz (부문장이 많은) 복잡한 문장.

verschaffen*[1] 《<schaffen[1]》 *t.* ① (특히 나쁜 의미로) 고쳐 만들다, 변형하다. ② 창조〔창작〕하는 데 쓰다.

***verschaffen**[2] 《<schaffen[2]》 《I》 *t.* ① 마련해 주다, 알선해주다: jm. eine Stellung ~ 누구에게 (일)자리를 주선해 주다; jm. Linderung ~ 누구의 고통을 덜어 주다; jm. eine Unterredung mit jm. ~ 누구에게 누구와의 회견을 주선하다; was verschafft mir das Vergnügen 〔die Ehre〕? 무슨 용무로 방문하셨습니까? (예기치 않던 방문객에게 하는 질문). ②〖방언〗 (필요한 것을) 조달〔공급〕하다. 《II》 *refl.* sich³ et. ~ 무엇을 얻다, 마련하다; sich³ js. Achtung ~ 누구의 존경을 얻다; sich³ Gehör ~ 자신의 말을 듣게 하다; sich³ Geld ~ 돈을 마련하다; sich³ Geltung ~ 명성을 얻다, 중요한 인물이 되다; sich³ das Recht ~, et. zu tun 무엇을 할 권리를 얻다.

Verschaffung *f.* -en 알선, 주선; 조달, 획득, 입수; (돈의) 변통, 마련.

verschäkern *t.* (시간을) 빈둥거리며 보내다.

verschalen[1] *t.* ① 껍질을 씌우다. ②〖工〗 판자로 대다: die Decke ~ 천장에 판자를 대다; 〖광산〗 einen Stollen ~ 갱도를 목재로 버티다.

verschalen[2] *i.* (s.) (술 따위가) 김이 빠지다.

verschalken *t.* 〖海〗 (해치에) 방수포를 대고 꼭 막다: die Luken ~ 해치를 방수포로 꼭 막다.

verschallen(*)[1] (verschallte/verscholl, verschallt/verschollen) *i.* (s.) 〔구식〕 (소리가) 점차 사라지다: seine Rede verschallte im Winde 그의 말소리는 바람 소리에 묻혀 점차 들리지 않게 되었다.

verschallen*[2] (verscholl, verschollen) 《I》 *i.* (s.) 잊혀지다, 소식이 끊기다: das Schiff blieb verschollen 그 배는 행방이 묘연했다. 《II》 **verschollen** [fɛɾʃɔ́lən] *p.a.* ↑ verschollen.

Verschalung *f.* -en ① 판자 붙이기. ② 콘크리트 형틀; 널빤지, 판자.

verschämt [fɛɾʃɛ́:mt] *a.* (약간) 수줍어하는, 당황하는; 소심한, 부끄러움을 잘 타는: sie schlug ~ die Augen nieder 그 여자는 부끄러워 눈을 내리깔았다; er tat ~ 그는 부끄러운 체했다.

Verschämtheit *f.* 부끄러움, 수줍음, 당황.

Verschämt·tun *n.* 부끄러운〔수줍은〕 체하기.

verschandeln [fɛɾʃándəln] *t.* 〖구어〗 흉하게〔보기 싫게〕 만들다, 미관을 해치다; 망쳐 놓다, 모양을 일그러뜨리다: die Hauswand ist durch Kritzeleien verschandelt 집의 벽이 낙서로 엉망이 되어 있다.

Verschandelung *f.* -en 미관 손상, 훼손; 엉망이 된 모습.

verschänden *t.* 〔구식〕 ↑ verschandeln.

verschanzen 《I》 *t.* 〔구식〕 보루를〔방벽을〕 쌓다, 요새화하다: ein Lager ~ 주둔지에 보루를 쌓다. 《II》 *refl.* sich ~ ① (보루·방벽을 쌓아) 진을 치다: die Truppen verschanzten sich hinter einem Erdwall 부대는 흙으로 쌓은 보루 뒤에 진을 쳤다; 〖비유〗 er verschanzte sich in seiner Wohnung 그는 집에 틀어박혀 있었다. ② 핑계〔구실〕로 삼다: sich hinter et.³ ~ 무엇을 구실로 둘러대다; sich hinter Ausreden ~ 변명을 하다; sich hinter allerlei Gründen ~ 온갖 이유를 구실로 삼다.

Verschanzung *f.* -en 보루〔방벽〕쌓기.

Verschanzungs-kunst *f.* 축성술(術). **~-linie** *f.* 보루선.

verschärfen 《I》 *t.* 날카롭게 하다, 격화시키다, 강화하다, 상승시키다, 늘이다, 악화시키다: die Gegensätze ~ 대립을 격화시키다; die Geschwindigkeit ~ 속도를 높이다; die Strafe ~ 처벌을 강화하다; mit verschärften Maßnahmen 강화된 조처로. 《II》 *refl.* sich ~ 격렬해지다, 강화되다, 악화되다: die Gegensätze zwischen ihnen haben sich verschärft 그들 사이의 대립은 첨예화되었다.

Verschärfung *f.* -en 첨예화, 강화, 격화.

verscharren *t.* ① (땅속에) 파묻다, 묻어서 감추다. ② 몰래〔급히〕 묻다, 암매장하다: der Mörder verscharrte sein Opfer im Wald 살인자는 자기가 죽인 사람을 숲속에 암매장했다.

Verscharrung *f.* -en 파묻기; 암매장.

verschatten *t.* 〔구식·雅語〕 그늘지우다; 어둡게 하다: 〖비유〗 sein Geist war verschattet 그의 정신은 흐릿해져 있었다.

Verschattung *f.* -en 그늘을 드리움, 어둡게 함.

verschätzen *refl.* sich ~ 잘못 추정〔평가〕하다: er hat sich in der Zeitdauer verschätzt 그는 기간을 잘못 산정했다.

verschauen *refl.* sich ~ (öst.) 사랑에 빠지다.

verschaukeln *t.* ① 속이다: da haben wir uns ganz schön ~ lassen! 우리는 완전히 속았다! ② 잘못 처리하다. ③ 경솔하게 감행하다.

verschäumen 《I》 *t.* 거품을 걷어내다. 《II》 *i.* (s.) 거품이 일다.

verscheiden* *i.* (s.) 〖雅語〗 (sterben) 사망〔서거〕하다.

Verscheiden *n.* -s 사망, 서거: im ~ liegen 빈사 상태에 빠지다, 서거하다.

Verschiedene* *der/die* 고인(故人).

verscheißen *t.* 〖비속〗 똥으로〔오물로〕 더럽히다: verschissene Windeln 똥싼 기저귀; (es) bei〔mit〕 jm. verschissen haben 누구의 노여움을 사다, 비위를 거스르다, 누구와 사이가 틀어지다.

verscheißern [fɛɾʃáɪsəɾn] *t.* 〖비속〗 바보로 취급하다, 조롱하다, 속이다.

verschenken 《I》 *t.* ① (ausschenken) (술을) 팔다. ② 선물로 주다, 선사하다, 증정하다: der verschenkt auch nichts 그놈은 아무것도 거저 주지 않는다; zu Weihnachten Bücher ~ 성탄절에 책을 선물하다; 〖비유〗 Blicke 〔ein Lächeln〕 ~ 눈길을〔미소를〕 보내다. ③ 불필요하게 내주다, 실수로 이용하지 않고 두다: den Sieg ~ 실수로 승리를 내주다; beim Weitsprung hat er gut 20 Zentimeter verschenkt 그는 넓이뛰기에서 도약선에서 족히 20 센티미터는 남겨두고 뛰었다. 《II》 *refl.* sich ~ 〖雅語〗 몸을 맡기다, 의탁하다: sich einem Mann ~ (여자가) 남자에게 몸을 맡기다; sie verschenkte sich an einen Unwürdigen 그 여자는 보잘것없는 남자와 결혼했다.

Verschenkung *f.* -en ① (술의) 소매. ② 선사, 증여, 기증(품).

verscherbeln *t.* 〖구어〗 싸구려로〔헐값에〕 팔아 넘기다.

verscherzen *t.* ① (시간을) 장난하며〔하찮은 일로〕 보내다: den Tag ~ 빈둥거리며 하루를 보내다. ② 경솔해서 잃다: sich³ js. Gunst 〔Wohlwollen〕 ~ 까불다가 누구의 호의를 잃어버리다.

verscheuchen *t.* 위협하여 쫓아 버리다, 몰아내다, 추방〔축출〕하다: die Mücken ~ 모기를 쫓다; 〖비유〗 js. Sorgen〔Zweifel〕 ~ 누구의 근심〔의심〕을 없애주다.

Verscheuchung *f.* -en 추방, 축출.

verscheuern *t.* 〖구어〗 ↑ verscherbeln.

verschicken *t.* ①〖商〗 (versenden) 발송〔운송〕하다: Prospekte ~ 안내 책자를 발송하다. ② 보내다, 가게 하다; 추방하다, 유형지로 보내다: Kranke zur Kur ~ 환자를 요양 보내다; Kinder aufs Land ~ 아이들을 시골로 보내다; politische Verbrecher nach Sibirien ~ 정치범을 시베리아로 유배시키다.

Verschickung *f.* -en 발송〔운송〕; 보냄; 추방.

verschiebbar [fɛrʃí:pba:r] *a.* ① 이동시킬 수 있는. ② 뒤로 미룰 수 있는, 연기할 수 있는.

Verschiebe=arbeit *f.* 〖철도〗 조차(操車) 작업. **~bahnhof** *m.* 〖철도〗 조차장, 열차 편성역. **~gleis** *n.* 측선(側線).

verschieben 《I》 *t.* ① (밀어서) 위치를 바꾸다, 옮기다: den Tisch ein paar Zentimeter ~ 책상의 위치를 몇 센티 옮기다; 〖철도〗 einen Zug ~ 조차(操車)하다, 열차를 다른 선로로 옮기다. ② 혼란시키다; (계획 따위를) 수포로 돌아가게 하다. ③ 미루다, 연기하다: seine Abreise ~ 출발을 연기하다; et. auf unbestimmte Zeit ~ 무엇을 무기 연기하다. ④ 〖구어〗 불법으로 매매하다, 암거래하다: Waren auf dem schwarzen Markt ~ 물품을 암시장에서 밀매하다. 《II》 *refl.* sich ~ ① 옮겨지다, 위치가 바뀌다, 삐뚤어지다: die Besitzverhältnisse haben sich verschoben 소유 관계가 바뀌었다. ② 연기되다, 미루어지다. 《III》 **verschoben** *p.a.* ↑ verschoben.

Verschiebung *f.* -en ① 위치 이동〔변동〕. ② 연기. ③ 밀수, 밀매. ④ (**a**) 전위(前衛), 탈구(脫臼). (**b**) 〖악기〗 (피아노의) 소프트 페달. (**c**) 〖物〗 절연체의 변위(變位). (**d**) 〖지질〗 단층, (산)사태.

Verschiebungs=elektron *n.* 〖物〗 변위 전자. **~strom** *m.* 〖物〗 변위 전류.

***verschieden** [fɛrʃí:dən] 《<verscheiden》 *a.* ① 〖雅語〗 죽은, 서거한. ② 서로 다른, 상이한, 별개의; 닮지 않은: himmelweit ~ 천양지차가 있는; an der Größe 〔in der Farbe, durch die Gestalt〕 ~ sein 크기〔색채·형태〕가 다르다; die beiden Brüder sind ganz ~ 두 형제는 조금도 비슷한 데가 없다; das sind sehr ~e Dinge 그것은 전연 별개의 것이다; wir sind ~er Meinung 우리는 서로 의견이 다르다; nach〔von〕 ~er Seite 서로 다른 방면으로〔에서〕; von Fall zu Fall ~ sein 경우에 따라 다르다; wie Tag und Nacht ~ sein 낮과 밤만큼이나 다르다; 〖醫〗 zu ~en Zeiten erscheinend (증상·질병의) 발생 시기가 다른; 〖광물〗 ~ spaltend (광물의 결정(結晶)이) 상이한 형태로 갈라지는. ③ 몇몇의; 여러 가지의, 다양한, 잡다한: ~e Arten 여러 가지 종류; an ~en Orten 여러 장소에서; ~e Zuschauer 각양각색의 관중〔구경꾼〕들; ~e Artikel 잡화(雜貨); **aus** ~en Gründen 여러 가지 이유에서; **von** ~ster Größe 아주 다양한 크기의; **zu** ~en Malen 여러 번, 누차. ④ 〖명사화〗 몇 개, 이것저것: ∼es wurde mir erst nachträglich klar 나는 이런저런 사실을 나중에야 알게 되었다; ∼es a) 기타의 주제〔안건〕, b) 기타 정보(신문의 분야별 제목), c) 〖商〗 잡화; 〖구어〗 ∼es durcheinander trinken 여러 가지 술을 섞어 마시다; 〖구어〗 da hört doch ∼es auf 이런 낭패가 어디 있어, 일이 꼬이는군.

verschieden=artig *a.* 갖가지의, 여러 종류의, 다양〔잡다〕한. **∼artigkeit** *f.* 다양(성).

verschiedene·mal *adv.* 여러 번, 자주.

verschiedenerlei *a.* 가지가지의, 여러 가지의.

verschieden=farbig *a.* ① 색이 서로 다른: drei ~e Sorten 3 종류의 다른 색. ② 다양한 색채의, 다채로운. **~förmig, ~geformt** *a.* 모양이 (서로) 다른, 상이한 모양의. **~geschlechtlich** *a.* 다른 성(性)의, 이성의; 〖文法〗 여러 가지 성의. **~gestaltig** *a.* 다양한 형태의.

Verschiedenheit *f.* -en 상이성, 서로 다름; 불일치, 부동(不同).

verschiedentlich [fɛrʃí:dəntlɪç] 《I》 *a.* ↑ verschieden. 《II》 *adv.* ① 서로 다르게, 상이하게. ② 여러 가지로, 다양하게. ③ (öfters) 자주, 여러 번: ich habe schon ~ versucht, etwas Ähnliches zu finden 비슷한 것을 발견하려고 나는 이미 여러 차례 시도해 보았다.

verschießen* 《I》 *t.* ① 마구 쏘다, 난사(亂射)하다. ② (**a**) 쏘아 없애다: seine Munition ~ 탄약을 다 쏘아 버리다; 〖비유〗 sie haben ihr Pulver verschossen 그들은 모든 수단을 이미 다 썼다(다른 수가 없다). (**b**) 쏘다, 발사하다: diese Raketen können konventionelle und atomare Sprengköpfe ~ 이 로켓들은 재래식 탄두 및 핵탄두들을 발사시킬 수 있다. ③ 〖畫〗 (색채에) 뉘앙스를 부여하다: Farben ~ 색채에 명암 농담(濃淡)을 나타내다, (원경(遠景)을 위해) 색을 엷게 하다. ④ 〖印〗 잘못 정판(整版)하다: die Kolumnen ~ 난(欄)을 잘못 짜다. ⑤ 〖工〗 die Scherben gegeneinander ~ 단접(段接)을 짜 맞추다. ⑥ 〖축구〗 잘못 차서 골인시키지 못하다: einen Elfmeter ~ 페널티 킥을 실축하다. 《II》 *refl.* sich ~ ① 쏘아 버리다. ② 잘못 쏘다; 〖비유〗 잘못 보다〔생각하다〕. ③ 〖비유〗 홀딱 반하다: sie hat sich in ihn verschossen 그 여자는 그에게 홀딱 반했다. ④ 〖사냥〗 (사냥개가) 길을 잃다, 짐승의 발자취를 놓치다. ⑤ 〖방직〗 잘못 짜다. ⑥ 지나치다, 지나쳐서 실패하다. 《III》 *i.* (s.) ① 빨리 흘러가다. ② 〖農〗 (벌이) 집을 잘못 찾다. ③ 퇴색하다, 색이 바래다: das Kleid ist (von der Sonne) verschossen 그 옷은 (햇빛으로) 색이 바랬다. 《IV》 **verschossen** *p.a.*

↑ verschossen².

verschießend *p.a.* 색이 바래는, 퇴색되는.

verschiffbar *a.* 〖海〗 배로 운송할 수 있는, 해상 수송에 적합한.

verschiffen *t.* 배로 운송〔발송〕하다: Waren nach Übersee ~ 상품을 선적하여 해외로 수출하다.

Verschiffung *f.* -en 선적 운송〔수출〕; 해운.

Verschiffungs≈agent *m.* 해운업자, 해운 회사 대리점. **~hafen** *m.* 선적항. **~spesen** *pl.* 선적 운임.

verschilfen 《I》 *t.* 갈대로 뒤덮다. 《II》 *i.* (s.) 갈대로 뒤덮이다: ein See〔Teich〕 verschilft 호수가〔연못이〕 갈대로 뒤덮이다.

verschimmeln 《I》 *i.* (s.) ① 곰팡이가 슬다. ②〖비유〗 정신적으로 무디어지다〔무감각해지다〕. 《II》 **verschimmelt** *p.a.* ↑ verschimmelt.

verschimmelt 《I》 *p.p.* ↑ verschimmeln. 《II》 *p.a.* 〖비유〗 고풍스러운, 구태의연한, 시대에 뒤떨어진.

Verschimmelung *f.* -en ↑ verschimmeln 의 명사형.

verschimpfieren *t.* 〖구식〗 ① 미관을 해치다, 추하게 하다. ② 비방하다, 욕설을 퍼붓다.

Verschiß [fɛrʃís] 《<scheißen》 *m.* ..schisses 〖비속〗 (Verruf) 절교, 보이콧, 배척: 〖다음 용법으로만〗 jn. in ~ tun〔erklären〕 누구를 따돌리다, 누구와 절교하다; in ~ sein 따돌림당하고 있다, 평판이 나쁘다; in ~ geraten〔kommen〕 남들의 눈 밖에 나다, 나쁜 평판을 받다.

verschlacken 《I》 *i.* (s.) / *refl.* sich ~ ① (난로가) 석탄재〔타고 남은 찌꺼기〕로 차다. ② 〖지질〗 (용암이) 굳어지다, 광재〔슬래그〕가 되다. 《II》 *t.* 광재로 만들다: ein Metall ~ 금속을 광재로 만들다〔하소(煆燒)하다〕.

Verschlackung *f.* -en ① 슬래그〔광재〕화(化). ② 슬래그 상태, 용암의 굳은 상태.

verschlafen*[1] 《I》 *t.* ① (시간을) 잠으로 보내다: den ganzen Tag ~ 하루 종일 잠만 자다. ② **(a)** 늦잠으로 놓치다: den Zug ~ 늦잠 자서 기차를 놓치다. **(b)** 잠든 새에 잃다〔놓치다〕: ein Glück ~ 잠든 새에 행운을 놓치다. **(c)** 〖구어〗 (약속을) 잊다: er hat unsere Verabredung ~ 그는 우리의 약속을 잊어버렸다. ③ 잠을 자서 잊어버리다〔극복하다〕: Sorgen ~ 잠을 자서 근심을 잊어버리다; seine Müdigkeit ~ 잠으로 피로를 풀다; seinen Rausch ~ 한잠 자서 취기를 깨우다. ④ 자면서 생각하다, 밤새도록 숙고하다. 《II》 *refl.*/*i.* (s.) (sich) ~ 늦잠 자다: stell den Wecker, damit du (dich) nicht verschläfst! 늦잠 자지 않도록 자명종을 맞추어 놓아라! 《III》 **verschlafen** *p.a.* ↑ verschlafen².

verschlafen[2] 《I》 *p.p.* ↑ verschlafen¹. 《II》 *p.a.* (schlaftrunken) 잠에 취한, 잠이 덜 깬: er rieb die ~en Augen 그는 잠에 취한 눈을 부볐다; 〖비유〗 eine ~e Kleinstadt 활기 없는 소도시.

Verschlafenheit *f.* 잠에 취해 있음; 무기력.

Verschlag *m.* -(e)s, ..schläge [..ʃlɛːgə] ① 판자 칸막이, 사이벽; 판자 칸막이 방〔창고〕; 〖제본〗 본뜨는 널〔판〕; 〖工〗 (실린더의) 케이스; 〖海〗 칸막이 벽. ② **(a)** 〖수의〗 (Rehe) 제엽염(蹄葉炎) (일종의 류머티즘), 말굽의 염증. **(b)** 〖구어〗 감기 (Erkältung). **(c)** (schweiz.) 숨는 장소.

verschlagen*[1] 《I》 *t.* ① **(a)** 판자로 막다, 칸막이하다: ein Faß ~ 통에 판자 뚜껑을 하다; et. mit Brettern ~ 무엇에 판자를 대다, 무엇을 판자로 칸막이하다; et. mit Nägeln ~ 무엇에 판자를 대고 못질하다. **(b)** 채워 넣다 (einschlagen): et. in ein Faß ~ 무엇을 통에 채우다. ② **(a)** 폐쇄〔차단·방해〕하다: jm. den Platz ~ 누구의 자리를 가로막다; jm. die Aussicht ~ 누구의 시야를 막다. **(b)** 일시적으로 마비시키다〔빼앗다〕: seine Unverschämtheit hat mir die Sprache ~ 그의 무례함에 나는 말문이 막혔다; die Kälte des Wassers verschlug mir den Atem 물이 너무 차서 나는 숨이 턱 막혔다; *imp.* es verschlug ihm die Rede 그는 말문이 막혔다. ③ **(a)** 두드려 만들다: reines Gold zu Blattgold ~ 순금을 두드려서 금박을 만들다. **(b)** 쳐서 상하게〔못쓰게〕 하다: ein Pferd ~ 편자를 박다가 말의 발굽을 다치게 하다; 〖광산〗 die Eisen ~ 철구(鐵具)를 못쓰게 만들다. ④ 〖테니스〗 (공을) 잘못 치다: den Ball ~ 폴트를 범하다. ⑤ 우연히 도달하게 하다, 흘러가 닿게 하다: der Sturm hat das Schiff an eine fremde Küste ~ 태풍이 그 배를 낯선 해안에 닿게 했다; wir wurden an die Küste von Nordafrika ~ 우리는 북아프리카의 해안에 표착(漂着)했다; das Schicksal hat uns hierher ~ 운명의 장난으로 우리들은 이곳에 오게 됐다. ⑥ **(a)** (실수·경솔로) 놓치다, 잃다: sich³ die Kunden ~ 고객을 잃다; sich³ eine gute Gelegenheit ~ 아깝게 좋은 기회를 놓치다. **(b)** 〖드물게〗 (길 따위를) 잃다: den rechten Weg ~ 길을 잃다; 〖사냥〗 die Spur ~ (짐승의) 발자취를 놓치다. **(c)** (페이지를) 잘못 넘기다: eine Seite im Buch ~ 잘못해서 한 페이지를 건너뛰다. ⑦ 〖요리〗 휘젓다, 섞다: zwei Eigelb mit den Gewürzen ~ 달걀 노른자 2 개에 양념을 넣고서 마구 섞다. ⑧ 〖방언〗 마구 때리다, 구타하다. ⑨ 〖사냥〗 (개를) 너무 때려서 겁쟁이로 만들다. 《II》 *refl.* sich ~ 〖사냥〗 ① (탄알 따위가) 빗나가다. ② (짐승이) 숨다, 자취를 감추다. ③ (덫 따위에) 걸려들다: ein Reh verschlägt sich ins Zeug 노루 한 마리가 덫에 걸린다. 《III》 *i.* ① (s.) 〖방언〗 미지근해지다, 식다: heiße Getränke ~ lassen 뜨거운 음료를 식히다. ② (s.) 〖海〗 떠내려가다, 표류하다: durch den Sturm verschlugen wir nach Norwegen 폭풍으로 우리는 노르웨이로 표류했다. ③ (h.) 〖방언〗 **(a)** 도움이 되다, 효과가 있다: kein Mittel verschlägt bei ihm 그에게는 어떤 약도 듣지 않는다, 백약이 무효다. **(b)** 중요하다: es verschlägt nichts 〔nicht viel, wenig〕 그것은 대수롭지 않은 일이다; es verschlägt nichts, wenn sie nicht kommt 그녀가 오지 않는다 해도 별문제는 없다. ④ (h./s.) **(a)** 〖수의〗 (말이) 제엽염(蹄葉炎)에 걸리다. **(b)** 〖구어〗 감기들다. **(c)** 〖사냥〗 털을 비벼 떨어뜨리다: der Hirsch hat ~ 사슴이 뿔의 가죽털을 비벼 떨어버렸다. **(d)** (새 따위가) 울음을 그치다: das Birkwild hat ~ 산새가 울음을 그쳤다. 《IV》 **verschlagen** *p.a.* ↑ verschlagen².

verschlagen[2] 《I》 *p.p.* ↑ verschlagen¹. 《II》 *p.a.* ① 〖방언〗 (lauwarm) 미지근한, 식은. ②

(schlau) 교활한, 노회한: er hat einen ~en Blick 그는 교활한 눈빛을 하고 있다.

Verschlagenheit *f.* 교활, 노회.

verschlammen *i.* (s.) 진흙에 파묻히다, 진흙투성이가 되다.

verschlämmen 《I》 *t.* ① 진흙으로 채우다〔막다〕: ein Rohr ~ 관을 진흙으로 막히게 하다. ② (돈·시간을) 환락으로 낭비하다(verschlemmen). 《II》 *refl.* sich ~ ↑ verschlammen.

Verschlammung *f.* -en 진흙에 파묻힘, 진흙투성이가 됨.

Verschlämmung *f.* -en ① 진흙으로 파묻음〔막힘〕. ②〖農〗(비로 인한) 부식토층의 유실.

verschlampampen *t.* 〖구어〗(verschwenden) 탕진〔낭비〕하다.

verschlampen 〖구어〗《I》 *t.* ① 영락〔타락〕시키다. ② 부주의로 잃어버리다〔잊어버리다〕: die Rechnung ~ 계산서를 부주의로 잃어버리다. 《II》 *i.* (s.) ① 지저분해지다; (정원 등이) 퇴락하다, 황폐해지다. ② 타락하다: sie ist völlig verschlampt 그녀는 완전히 타락했다.

verschlanken [fɛɐ̯ʃláŋkən] *t.* 〖은어〗 축소하다, 줄이다: der Verlag will sein Programm ~ 그 출판사는 계획을 축소시키려고 한다.

verschlechtern [fɛɐ̯ʃlɛ́çtərn] 《I》 *t.* 악화시키다: sittlich ~ 타락시키다. 《II》 *refl.* sich ~ 악화되다, 열악해지다: sein Gesundheitszustand hat sich verschlechtert 그의 건강 상태는 더욱 악화되었다; 〖商〗 diese Ware hat sich sehr verschlechtert 이 상품의 품질은 매우 저하되었다.

Verschlechterung *f.* -en 악화, 타락; 〖商〗 (품질의) 저하.

verschleichen* 《I》 *i.* (s.) (시간이) 서서히 지나가다〔다가오다〕. 《II》 *refl.* sich ~ 몰래 도망가다〔나가다〕.

verschleiern [fɛɐ̯ʃláiərn] 《I》 *t.* ① 베일을 씌우다, 베일로 가리다: eine verschleierte Frau 베일을 쓴 부인; mit verschleierter Stimme 분명치 않은 소리로, 입속에서 우물거리는 소리로; (sich³) den Kopf〔das Gesicht〕 ~ 베일로 (자신의) 머리를〔얼굴을〕 가리다. ② 숨기다, 은폐하다; 〖軍〗 위장하다; 〖商〗 (결산을) 분식하다: sie hat ihre wahren Absichten verschleiert 그녀는 자신의 진정한 의도를 감추었다. 《II》 *refl.* sich ~ ① 베일을 쓰다. ② (하늘이) 흐려지다.

Verschleierung *f.* -en 베일을 씀; 은폐, 위장.

Verschleierungs=taktik *f.* 은폐 전술. **~versuch** *m.* 은폐 기도〔시도〕.

verschleifen*[1] *t.* ① (녹 따위를) 닦아 없애다; (칼 따위를) 갈아서 매끈하게 하다. ② 잘못 닦아 못쓰게 하다, (칼 따위를) 서투르게 갈아 못쓰게 하다.

verschleifen[2] *t.* ① 오래 입어 해지게 만들다; 오랫동안 질질 끌다. ② 소매하다, 팔다. ③〖음악〗 (음표를) 부드럽게 계속 연주〔노래〕하다. ④ 불명료하게〔생략하고〕 발음하다.

Verschleifung *f.* -en ① 연마, 연삭. ②〖문학〗 (특히 고대 게르만어 또는 중고 독일어로 된 시구에서) 한 개의 장음절을 두 개의 단음절로 대체시킴.

verschleimen 《I》 *t.* ①〖醫〗 점액〔담〕으로 막다: ein verschleimter Rachen 가래로 막힌 목구멍. ②〖軍〗 (총을 기름때 따위로) 더럽히다, 막히게 하다. 《II》 *refl./i.* (s.) (sich) ~ ①〖醫〗 점액〔담〕으로 막히다. ②〖軍〗 (총이) 더러워지다, 막히다. 《III》 **verschleimt** *p.a.* ↑ verschleimt.

verschleimt 《I》 *p.p.* ↑ verschleimen. 《II》 *p.a.* 점액〔담〕으로 가득 찬.

Verschleimung *f.* -en 〖醫〗 점액화(化), 점액 축적〔과다〕; 점액성 카타르; (총열의) 막힘 현상.

Verschleiß [fɛɐ̯ʃláɪs] *m.* -es, -e ① 소모, 마모, 파손: einen großen ~ an et.³ haben 무엇을 많이 써 없애다, 대량으로 소비〔소모〕하다. ② (öst.) 소매(小賣).

verschleißen* 《I》 *i.* (s.) / *refl.* (sich) ~ ① (의복 따위가) 해어지다, 소모〔마멸〕되다. ② 〖방언〗 die Zeit verschleißt 시간이 (빨리) 지나간다. 《II》 *t.* ① 소모하다, 마모시키다: der Junge verschleißt alle drei Monate eine Hose 저 사내아이는 석 달마다 바지 한 벌을 해어뜨린다. ② (öst.) Waren ~ 상품을 소매하다. 《III》 **verschlissen** *p.a.* ↑ verschlissen.

Verschleißer *m.* -s, - 소매상.

Verschleißerin *f.* -nen ↑ Verschleißer의 여성형.

Verschleiß=erscheinung *f.* 마모 현상. **~festigkeit** *f.* 내구성. **~prüfung** *f.* 내구성 시험. **~teil** *m.* 마모성 부품.

verschlemmen *t.* (돈·시간 등을) 먹고 마시는데 낭비하다.

verschlendern *t.* 〖다음 용법으로만〗 die Zeit ~ 빈둥빈둥 시간을 보내다, 게으르게 지내다.

verschleppen 《I》 *t.* ① (a) (강제로) 끌고 가다〔가져가다〕: im Krieg Einwohner〔Kunstwerke〕 ~ 전쟁 중에 주민을 끌고가다〔예술품을 가져가다〕; der Hund hat die Pantoffeln verschleppt 개가 슬리퍼를 어딘가로 물고 가 버렸다. (b) (전염병 따위를) 퍼뜨리다: die Ratten verschleppten die Seuche 쥐가 전염병을 옮겼다. ② (a) 오랫동안 끌다, 지연시키다: einen Prozeß ~ 소송 사건을 오랫동안 끌다: die Verhandlungen wurden verschleppt 협상이 지연되었다. (b) (병을) 제때에 치료하지 않아 악화시키다. 《II》 *refl.* sich ~ 오래 끌다, 우물쭈물하다. 《III》 **verschleppt** *p.a.* ↑ verschleppt.

verschleppt 《I》 *p.p.* ↑ verschleppen. 《II》 *p.a.* ~e Personen (제 2 차 세계 대전 중) 강제 노동을 위하여 독일로 이송된 외국인; eine ~e Grippe 오래 끄는 독감.

Verschleppung *f.* -en (강제로) 끌고 감; 오래 끌기.

Verschleppungs=manöver *n.* 지연 전술. **~politik** *f.* 지연 공작; (의회의) 의사 진행 방해책. **~taktik** *f.* ↑ ~manöver.

Verschleuderer *m.* -s, - 돈을 낭비하는 사람; 도락가, 방탕아.

verschleudern *t.* ① 던지다. ② 낭비하다: sein Vermögen ~ 재산을 탕진하다. ③〖商〗 투매하다: Waren ~ 상품을 너무 싸게 팔다.

Veschleuderung *f.* -en ① 낭비, 탕진. ② 〖商〗 투매, 덤핑.

verschlickern *refl.* sich ~ 〖구어〗 ↑ verschlucken 《II》.

verschließbar [fɛɐ̯ʃlí:sba:ɐ̯] *a.* 폐쇄할 수 있는, 잠글 수 있는.

verschließen* 《I》 *t.* ① (a) 닫다, 폐쇄하다;

잠그다, 자물쇠를 채우다, 빗장을 지르다: einen Brief ~ 편지를 봉함하다; ein Schubfach ~ 서랍을 잠그다; einen Hafen ~ 항구를 폐쇄하다; jn. ~ 누구를 유폐〔감금〕하다; 〖비유〗 ihm ist ein beruflicher Aufstieg verschlossen 그는 직장에서 승진할 길이 막혀 있다; jn. vor verschlossener Tür stehen lassen 누구를 만나 주지 않다, 문전 박대하다; die Verhandlungen fanden hinter verschlossenen Türen statt 협상은 비밀리에 이루어졌다. **(b)** 〖비유〗 das Herz gegen js. Flehen ~ 누구의 간청을 물리치다. ② **(a)** (마개로) 막다: eine Flasche mit einem Korken ~ 병을 코르크로 막다. **(b)** 〖비유〗 숨기다, 비밀로 하다: ein Geheimnis in sich[4/3] ~ 비밀을 가슴 속에 간직하다; den Ärger in sich[4/3] ~ 노여움을 감추다〔억누르다〕. 《Ⅱ》 *refl.* sich ~ ① 감추다, 숨기다: er verschloß sich mehr und mehr 그는 점점 더 자신을 감추었다; sich in sich selbst ~ (바깥 세상을 피하여) 자기 속에 틀어박히다; sich in sein〔seinem〕 Zimmer ~ 방 안에 들어박히다. ② sich et.[3] ~ 무엇에 대해 눈을 감다〔관심이 없다〕: sich js. Leid ~ 누구의 아픔을 외면하다; ich kann mich der Tatsache nicht ~, daß... 나는 …하다는 사실을 인정하지 않을 수 없다; der heranwachsende Junge verschloß sich mehr und mehr dem Vater 소년은 성장하면서 점점 아버지에게 마음의 문을 닫았다. 《Ⅲ》 **verschlossen** [fɛr∫lɔ́sən] *p.a.* ↑ verschlossen.

Verschließ·muskel *m.* 〖해부〗 폐쇄근(筋).

Verschließung *f.* -en 폐쇄; 은폐.

verschlimmbessern *t.* 〖구어〗 좋게 하려다 도리어 망치다, 교각살우(矯角殺牛)하다.

Verschlimmbesserung *f.* -en 좋게 하려다 도리어 망침.

verschlimmen, verschlimmern [fɛr∫lɪ́mərn] 《Ⅰ》 *t.* ① 악화시키다: seine Rechtfertigungsversuche verschlimmerten seine Situation 그가 변명하려고 해서 상황이 더욱 악화되었다. ② 타락시키다, 사악하게 하다. 《Ⅱ》 *refl.* sich ~ 나빠지다, 악화되다: die Krankheit hat sich verschlimmert 병이 악화되었다.

Verschlimmerung, Verschlimmung *f.* -en 악화.

verschlingen[*1] 《<schlingen[1]》 *t./refl.* ① 짜〔엮어·얽어〕맞추다: sich ~ 얽히다, 엉클어지다; zwei Fäden ineinander〔miteinander〕 ~ 두 가닥의 실을 꼬아 합치다; sie gingen auf verschlungenen Wegen durch den Wald 그들은 꼬불꼬불한 길을 따라 숲을 지나갔다. ② 〖비유〗 착종(錯綜)되다: auf verschlungenen Wegen ans Ziel gelangen 난관을 헤치고 목표에 도달하다.

*__verschlingen__[*2] 《<schlingen[2]》 *t.* ① 꿀떡 삼켜 넘기다, 삼키다; 게걸스레 먹다: er sieht aus, als wollte er einen ~ 그 녀석은 사람이라도 잡아먹을 듯하다; er verschlang das Brot im Handumdrehen 그는 순식간에 빵을 먹어 치웠다; 〖비유〗 jn. mit Blicken 〔mit den Augen〕 ~ 누구를 빤히 쳐다보다; ein Buch ~ 책을 탐독하다. ② 소비하다, 돈이 들다: der Bau wird Millionen ~ 그 공사에는 수백만 마르크가 들 것이다; der Prozeß hat sein ganzes Vermögen verschlungen 소송 때문에 그는 전재산을 날렸다.

Verschlinger *m.* -s, - 탐식가(貪食家); 〖속어〗 식충이, 아귀.

Verschlingung *f.* -en ① 《<verschlingen[1]》 짜맞춤, 얽어맞춤; 얽힘, 얽히고 설킴; 올가미, 매듭; 착종(錯綜); 분규. ② 《<verschlingen[2]》 탐식.

verschlissen 《Ⅰ》 *p.p.* ↑ verschleißen. 《Ⅱ》 *p.a.* 써서 낡은〔닳아진〕: das Hemd war schnell ~ 셔츠가 빨리 해졌다.

*__verschlossen__ [fɛr∫lɔ́sən] 《<verschließen》 《Ⅰ》 *p.p.* ↑ verschließen. 《Ⅱ》 *p.a.* ① 닫혀진; 〖醫〗 폐색된: bei ~en Türen 비공개로. ② (마음을) 터놓지 않은, 내성적인; 과묵한.

Verschlossenheit *f.* 폐쇄성; 내성적임; 과묵.

*__verschlucken__ 《Ⅰ》 *t.* ① 삼키다, 꿀떡 삼켜 넘기다; 빨아들이다: das Kind hat ein Bonbon verschluckt 아이가 사탕을 삼켜 버렸다; eine bittere Pille ~ a) 쓴 환약을 삼키다, b) 〖비유〗 고언(苦言)을 받아들이다; eine Bemerkung ~ 표현〔말〕을 삼가다; die Wörter 〔Laute, Silben〕 ~ 말끝을 흐리다; die Teppiche verschluckten seine Schritte 그의 발소리가 양탄자에 흡수되어 들리지 않았다. ② 소비하다, 돈이 들다: der Bau hat viel Geld verschluckt 그것을 건축하는 데 많은 돈이 들어갔다. ③ 억누르다; 참다: seinen Ärger ~ 노여움을 억누르다; eine Beleidigung ~ 모욕을 참다. 《Ⅱ》 *refl.* sich ~ (잘못 삼켜서) 기도(氣道)에 들어가다, 사레들리다; er hat sich beim Essen verschluckt 그는 식사하다가 사레들렸다.

verschlückern *refl.* sich ~ 〖속어〗 ↑ verschlucken 《Ⅱ》.

verschludern 〖구어〗 《Ⅰ》 *t.* ① (부주의로) 잃어버리다: die Eintrittskarte ~ 입장권을 잃어버리다. ② 소홀히 하다, 타락〔영락〕하게 만들다: er verschludert seine Begabung 그는 자신의 재능을 썩히고 있다. ③ 망치다, 못쓰게 하다. 《Ⅱ》 *i.* (s.) 타락〔영락〕하다: der Junge verschludert immer mehr 그 소년은 점점 더 타락하고 있다.

verschlummern *t.* (시간을) 졸며 보내다, 잠자며 지내다.

verschlungen 《Ⅰ》 *p.p.* ↑ verschlingen[1]. 《Ⅱ》 *p.a.* 짜맞춘, 엮어맞춘; 뒤섞인, 착종(錯綜)된: ~e Baumzweige 얽힌 나뭇가지; ~e Buchstaben (성명의 첫 글자를) 짜맞춘 글자.

Verschluß [fɛr∫lʊ́s] 《<verschließen》 *m.* ..schlusses, ..schlüsse [..∫lʏ́sə] ① 폐쇄; 자물쇠를 채워 넣어둠: et. unter ~ halten 무엇을 자물쇠를 채워서 안전하게 보관하고 있다. ② 폐쇄 장치, 잠금 장치; 자물쇠, 죔쇠; 뚜껑, 마개, 덮개, 단추, 고리: unter doppeltem ~ 이중 자물쇠로. ③ (자물쇠가 있는) 보관 장소; 〖商〗 보세 창고: Waren in ~ legen (관세를 지급할 때까지) 상품을 보세 창고에 보관하다. ④ 〖醫〗 폐색증. ⑤ 사진기의 셔터. ⑥ 총의 결쇠.

Verschluss 新정서 ⇦ Verschluß.

Verschluß⸗apparat *m.* 폐쇄기, 폐쇄 장치, 셔터. **~deckel** *m.* 뚜껑, 덮개, 마개.

verschlüsseln *t.* 암호〔전신 약호〕로 옮기다, 암호화하다.

Verschluß⸗kappe *f.* ↑ ~deckel. **~laut** *m.* 〖음성〗 폐쇄음(b, p, d, t, g, k). **~sache** *f.* 자

물쇠를 채워 보관하는 것; 은밀한 일; 〖政〗 비밀 보관 문서〔서류〕. **~schraube** *f.* 돌려 여닫는 마개. **~stück** *n.* 〖工〗 마개. **~vorrichtung** *f.* ↑ ~apparat.

verschmachten *i.* (s.) 〖雅語〗 고통스러워 하며 죽어가다; (배고픔·갈증 등으로 인해) 극심한 고통을 겪다; 초췌해지다, 몹시 시달리다: vor Durst ~ 갈증으로 고생하다; vor Liebe ~ 사랑으로 애태우다〔번민하다〕; gib mir ein Glas Wasser, ich verschmachte 물 한 잔 다오, 목말라 죽겠다.

verschmähen *t.* 〖雅語〗 (경멸·경시하여) 물리치다, 거부하다: js. Hilfe〔Liebe〕 ~ 누구의 도움〔사랑〕을 거절하다〔뿌리치다〕; sie starb aus verschmähter Liebe 그 여자는 실연하여 죽었다.

Verschmähung [..ʃmɛ́:uŋ] *f.* -en (경멸에 찬) 거부.

verschmälern 《I》 *t.* (폭을) 좁히다. 《II》 *refl.* sich ~ (폭이) 좁아지다.

verschmauchen *t.* 담배를 다 피우다; 담배 피우는 데 쓰다.

verschmausen *t.* ① (시간·재산 따위를) 먹고 마시는 데 낭비하다. ② 〖구어〗 즐기면서〔맛있게〕 먹다.

***verschmelzen**(*) 《I》 *i.* (s.) 〖강변화〗 ① 녹다, 융해〔용해〕하다. ② 융합하다; (채료(彩料) 가) 화합하다; 〖비유〗 합병하다. 《II》 *t.* 〖약·강변화〗〖제련〗 ~ (금속을) 용해〔융합〕시키다; 〖비유〗 합병시키다: et. mit et.³ 〔in et.〕 ~ 무엇을 무엇과 녹여 하나로 만들다; 〖畫〗 die Farben ~ 채료를 배합하다; beide Banken sind verschmelzt worden 두 은행이 합병되었다; Kupfer und Zink zu Messing ~ 구리와 아연을 녹여 놋쇠로 만들다; zwei Dinge zu einer Einheit ~ 두 가지 사물을 하나의 통일체로 융합시키다. 《III》 *refl.* sich mit et.³ ~ 무엇과 융합되다, 합병되다.

Verschmelzung *f.* -en 융해, 융합; 배합; 합병.

verschmerzen *t.* et. ~ (고통을) 이겨내다, 견디어내다: das kann er noch immer nicht ~ 그는 그 고통을 아직도 여전히 삭일 수 없다.

verschmieden *t.* ① viel Eisen ~ 다량의 쇠를 단조(鍛造)에 쓰다. ② 잘못 불리다.

verschmieren *t.* ① 바르다; 칠해서 다 써버리다: Salbe ~ 연고를 바르다; sie hat alle Butter verschmiert 그 여자는 버터를 전부 발라 버렸다. ② 마구 칠해서〔낙서하여〕 더럽히다: die Wand ~ 벽에 마구 칠해서 더럽히다. ③ 발라 덮다〔넣다·막다〕: Hohlräume ~ 빈 곳을 메우고 표면을 매끈하게 고르다.

Verschmierung *f.* -en 칠함, 바름; (칠·낙서로) 더럽힘.

verschmitzt [fɛrʃmítst] 《<〖고어〗 verschmitzen》 *a.* 교활한; 약은.

Verschmitztheit *f.* -en 교활, 약음.

verschmockt [fɛrʃmɔ́kt] *a.* (별 내용없이) 일시적 효과만 노리는.

verschmoren 《I》 *i.* (s.) ① 〖요리〗 푹〔너무〕 삶아지다〔쪄지다〕. ② 〖구어〗 더위에 지치다〔녹초가 되다〕. ③ (케이블 등이) 과열되어 망가지다. 《II》 *t.* 물씬하게 삶다, 너무 삶(아 망치)다.

verschmust *a.* 아첨을 잘 하는.

verschmutzen 《I》 *i.* (s.) 더러워지다, 더럽혀지다: dieser Stoff verschmutzt leicht 이 옷감은 쉬 더러워진다. 《II》 *t.* 더럽히다. 《III》 **verschmutzt** *p.a.* ↑ verschmutzt.

verschmutzt 《I》 *p.p.* ↑ verschmutzen. 《II》 *p.a.* 더럽혀진.

Verschmutzung *f.* -en 더러워짐, 더럽힘.

verschnappen *refl.* sich ~ 〖구어〗 (비밀 따위를) 무심코 발설〔누설〕하다.

verschnapsen [..psən] *t.* (시간·돈을) 화주(火酒)를 마셔 소비하다.

verschnarchen *t.* ↑ verschlafen[1] 《I》 ① ③.

verschnauben(*), **verschnaufen** *i.* (h.) / *refl.* (sich) ~ 숨을 돌리다, 잠시 쉬다: ein Pferd ~ lassen 말이 숨을 돌리게 하다; ich muß (mich) einen Augenblick ~ 나는 한숨 돌려야겠다.

Verschnauf·pause *f.* 숨돌릴 틈, 잠깐 동안의 휴식.

verschneiden* 《I》 *t.* ① 고르게〔가지런하게〕 자르다: einen Baum ~ 나뭇가지를 쳐내다, 전지(剪枝)하다. ② 잘라서 하나로 결합하다: 2 Meter Tuch zu einem Rock ~ 2미터의 양복지를 상의 1벌 재단하는 데 다 쓰다. ③ 잘못 자르다: ich habe den Stoff für die Bluse verschnitten 나는 블라우스용 옷감을 잘못 재단했다; man hat ihm das Haar völlig verschnitten 그의 머리는 완전히 잘못 깎였다. ④ 〖醫·수의〗 거세하다; 〖宗·드물게〗 (누구에게) 할례(割禮)를 행하다. ⑤ 섞다, 블렌딩하다. 《II》 **verschnitten** *p.a.* ↑ verschnitten.

Verschneider *m.* -s, - 거세하는 사람.

Verschneidung *f.* -en ① 잘라냄; 거세, 할례(割禮); 블렌딩. ② 〖등산〗 암벽 사이의 틈.

verschneien *i.* (s.) 눈에 묻히다, 눈으로 덮여 있다: der Wald ist tief verschneit 숲은 완전히 눈으로 뒤덮여 있다.

verschneit 《I》 *p.p.* ↑ verschneien. 《II》 *p.a.* 눈으로 덮여 있는.

verschnippeln *t.* 〖방언〗 잘못 자르다.

Verschnitt [fɛrʃní:t] 《<verschneiden》 *m.* -(e)s, -e ① 잘라냄; (주류의) 블렌딩; 블렌딩한 술. ② (자르고 남은) 나무 토막; 자투리.

verschnitten 《I》 *p.p.* ↑ verschneiden. 《II》 *p.a.* 거세된.

Verschnittene* der 거세된 사람, 환관.

verschnörkeln 《I》 *t.* 여러 가지 무늬(곡선·나선·소용돌이 등)로 장식하다. 《II》 **verschnörkelt** *p.a.* ↑ verschnörkelt.

verschnörkelt 《I》 *p.p.* ↑ verschnörkeln. 《II》 *p.a.* 여러 가지 무늬(곡선·나선·소용돌이 등)로 장식된, 현란한.

Verschnörkelung, Verschnörklung *f.* -en 여러 가지 무늬(곡선·나선·소용돌이 등)의 장식.

verschnupfen 《I》 *t.* ① viel Tabak ~ 많은 코담배를 다 피워 버리다; viel Geld ~ 코담배 피우는 데 많은 돈을 쓰다. ② 코감기에 걸리게 하다: nasses Wetter verschnupft leicht 날씨가 습할 때는 코감기에 걸리기 쉽다. ③ 〖구어〗 (누구의) 감정을 해치다; 화나게 하다: er ist darüber verschnupft 그는 그 일로 화가 나 있다; deine Bemerkungen haben den Lehrer stark verschnupft 네가 그런 것을 말해 선생님이 몹시 화가 나셨다. 《II》 **verschnupft** *p.a.* ↑ verschupft.

verschnupft 《I》*p.p.* ↑ verschnupfen. 《II》 *p.a.* ① 코감기에 걸린: er spricht ganz ~ 그는 코맹맹이 소리로 말한다. ② 기분이 나쁜, 화난.

Verschnupfung *f.* -en 화내게 함, 기분을 상하게 함.

verschnüren *t.* 끈으로 묶다〔동여매다〕: ein Paket ~ 소포를 끈으로 묶다.

Verschnürung *f.* -en ① 끈으로 묶음. ② 끈, 밧줄: die ~ lösen 끈을 풀다.

verschoben 《I》 *p.p.* ↑ verschieben. 《II》 *p.a.* ① 위치가 틀린〔바뀐〕, 밀려 간: 〖數〗 ~es Viereck 사방형, 마름모꼴. ② 혼란한, 혼잡한: der Kopf ist ihr ~ 그 여자는 머리가 혼란하다.

verschollen [fɛɾʃɔ́lən] 《I》*p.p.* ↑ verschallen². 《II》*p.a.* 행방 불명의; 실종된: er ist im Krieg ~ 그는 전쟁 중에 실종되었다; jn. für ~ erklären 누구의 실종을 선고하다.

Verschollenheit *f.* 행방 불명; 〖法〗 실종.

Verschollenheits·erklärung *f.* 실종 선고.

verschonen *t.* ① 아끼다, 소중히 하다; 해를 입히지 않다: der Krieg verschonte niemand 누구도 전쟁의 참상을 면하지 못했다; sie sind von der Epidemie verschont geblieben 그들은 전염병의 피해를 입지 않았다; er blieb von jener Krankheit verschont 그는 그 병에 걸리지 않았다. ② 괴롭히지〔귀찮게 하지〕 않다: verschone mich mit deinen Redereien! 네 수다는 질색이다! ; ich bitte Sie, mich mit diesem Auftrag zu ~ 이 부탁은 제가 들어드릴 수 없습니다.

verschönen *t.* 아름답게 하다, 미화〔수식〕하다: sich den Lebensabend durch Reisen ~ 여행으로 생의 황혼을 멋지게 장식하다.

Verschöner *m.* -s, - 장식하는 사람, 미용사.

verschönern [fɛɾʃǿːnəɾn] 《I》*t.* 더욱 아름답게 하다: einen Balkon mit Blumen ~ 발코니를 꽃으로 장식하다; ~des Mittel 화장품. 《II》 *refl.* sich ~ 더욱 아름다워지다.

Verschönerung *f.* -en 미화, 수식, 장식; 장식품, 장식용 물건.

Verschönerungs=kommission *f.* 도시 미화 위원회. **~mittel** *n.* 화장품. **~rat** *m.* 〖농담〗 이발사; 미용사. **~verein** *m.* ↑ ~kommission.

Verschonung *f.* -en 아낌, 보호; 면제.

Verschönung *f.* -en 미화.

verschorfen [fɛɾʃɔ́rfən] *i.* (s.) 딱지가 지다: die Wunde verschorft 상처에 딱지가 앉는다.

Verschorfung *f.* ① 딱지가 앉음. ② 딱지(진곳).

verschossen¹ 《I》 *t.* (versteuern) (…에 대한) 세금을 납부하다. 《II》 *i.* (h./s.) 발아(發芽)가 그치다, 싹이 나오다가 멎다.

verschossen² 《I》 *p.p.* ↑ verschießen. 《II》 *p.a.* ① 잘못 차서 골인되지 않은. ② 색이 바랜, 퇴색한. ③ 홀딱 반한: in jn. ~ sein 누구에게 홀딱 반해 있다.

verschrammen 《I》 *t.* 찰과상을 입히다: er hat sich das Knie verschrammt 그는 무릎에 생채기를 냈다. 《II》 *i.* (s.) 찰과상을 입다, 생채기나다: Gegenstände aus Glas ~ leicht 유리로 된 물건들은 흠집이 잘 난다.

verschränken *t.* ① 교차시키다: die Arme vor der Brust ~ 팔짱을 끼다; die Hände auf dem Rücken ~ 뒷짐지다; mit verschränkten Armen dabeistehen 〖비유〗 수수방관하다; verschränkter Namenszug (성명의 첫 글자를) 합쳐 짠 글자, 모노그램; 〖문학〗 verschränkte Reime 교호 미운(交互尾韻). ② 〖工〗 짜〔끼워〕 맞추다, 갈고리로 잇다: Balken ~ 들보를 장부로 잇다.

Verschränkung *f.* -en 짜맞춤, 교차.

verschrauben* *t.* ① 나사못으로 죄다: beide Teile müssen fest miteinander verschraubt werden 두 부분을 나사못으로 단단히 죄어야 한다. ② 나사못을 너무〔잘못·거꾸로〕 죄다.

Verschraubung *f.* -en ① 나사못으로 (잘못) 죔. ② 나사못 연접부.

verschrecken 《I》 *t.* 겁먹게〔혼란스럽게〕 하다. 《II》 **verschreckt** *p.a.* ↑ verschreckt.

verschreckt 《I》 *p.p.* ↑ verschrecken. 《II》 *p.a.* 겁먹은, 혼란스러워진: völlig ~e Kinder 몹시 겁먹은 아이들.

verschreiben* 《I》 *t.* ① (글을) 쓰는 데 소비하다: einen Bleistift ~ 글 쓰는 데 연필을 소비하다. ② 문서로 지정〔지시〕하다, 처방하다: einem Kranken ein schmerzlinderndes Mittel ~ 환자에게 진통제를 처방하다. ③ jm. et. ~ (문서로) 누구에게 무엇을 양도〔위탁〕하다: mein Onkel hat mir testamentarisch sein Hab und Gut verschrieben 숙부는 유산을 내게 양도한다고 유언장에 써 주었다; er hat mir das Haus verschrieben 그는 내게 집을 양도해 주었다. 《II》 *refl.* sich ~ ① 몰두하다, 헌신하다: er hat sich der Musik verschrieben 그는 음악에 전념했다. ② 잘못 쓰다, 틀리게 쓰다.

Verschreibung *f.* -en 〖醫〗 처방전; 증서, 양도〔위탁〕증: jm. eine ~ ausstellen 누구에게 증서를 교부하다.

verschreibungs·pflichtig *a.* (의사의) 처방전이 필요한.

verschreien* 《I》 *t.* 비방하다. 《II》 **verschrieen** *p.a.* ↑ verschrieen.

Verschrieb *m.* -s, -e (schweiz.) 잘못 씀, 오기(誤記).

verschrieen, verschrien 《I》 *p.p.* ↑ verschreien. 《II》 *p.a.* 평판이 나쁜, 비난받는, 악명높은: diese Gasse ist wegen eines Mordes ~ 이 골목은 살인이 일어난 것 때문에 평판이 나쁘다.

verschroben [fɛɾʃróːbən] 《< verschrauben》 *p.a.* 〖비유〗 괴팍한; 별스러운; 기괴한: die alte Frau ist ~ 그 노파는 괴팍하다; ~er Einfall 기발한 착상.

Verschrobenheit *f.* -en 괴팍; 별스러움; 기괴; 괴팍한 언동〔행동〕.

verschroten *t.* (곡물을) 거칠게 빻다, 갈아 부수다.

verschrotten *t.* 고철〔고물〕로 만들다: Autos ~ 폐차시키다.

Verschrottung *f.* -en 고철화, 폐품화.

verschrumpeln (ndd.) *i.* (s.) 〖구어〗 (시들어서) 쪼글쪼글해지다, 주름이 지다: ein verschrumpeltes Gesicht 주름진 얼굴.

Verschrumpelung *f.* -en 쪼글쪼글해짐, 주름이 짐.

verschrumpfen 《I》 *i.* (s.) ① 〖구식〗 ↑ verschrumpeln. ② 〖農〗 (보리에) 흰 곰팡이 피

다, 노균병(露菌病)에 걸리다, (식물이) 고조병(枯凋病)에 걸리다. 《Ⅱ》 *t.* 쪼그라들게 하다; 주름지게 하다.

Verschrumpfung *f.* -en 쪼그라듦, 주름짐.

verschüchtern 《Ⅰ》 *t.* 위축시키다, 기를 꺾다, 겁나게 하다, 위압〔위협〕하다. 《Ⅱ》 **verschüchtert** *p.a.* ↑ verschüchtert.

verschüchtert 《Ⅰ》 *p.p.* ↑ verschüchtern. 《Ⅱ》 *p.a.* 기가 꺾인, 위축된, 겁먹은.

Verschüchterung *f.* -en 위협, 위압; 위축, 겁먹음.

Verschulden *n.* -s 잘못, 책임; 부채: durch sein eigenes ～ 자업 자득으로; es geschah ohne mein ～ 나는 그것에 책임이 없다.

verschulden [fɛrʃúldən] 《Ⅰ》 *t.* ①〖드물게〗(누구에게 부채·채무를) 지우다. ②〖고어〗 jm. et. mit Dank ～ 누구에게 무엇의 은혜를 갚다. ③ (어떤) 잘못을 저지르다, (무엇의) 책임이 있다: was habe ich verschuldet? 저에게 무슨 잘못〔책임〕이 있습니까?; sie hat ihr Unglück selbst verschuldet 그 여자의 불행은 자업자득이다; 〖聖〗 das haben wir an unserem Bruder verschuldet 우리가 아우의 일로 인하여 죄를 범하였도다(창세기 42:21). 《Ⅱ》 *refl.* sich ～ (부채·채무를) 지다: für den Bau seines Hauses hat er sich hoch ～ müssen 집을 짓기 위해 그는 많은 빚을 져야만 했다. 《Ⅲ》 *i.* (s.) 부채가〔빚이〕 생기다. 《Ⅳ》 **verschuldet** *p.a.* ↑ verschuldet.

verschuldet 《Ⅰ》 *p.p.* ↑ verschulden. 《Ⅱ》 *p.a.* 부채가 있는: tief ～ 빚으로 꼼짝 못하는; ein hoch ～er Geschäftsmann 빚투성이 사업가.

verschuldeter·maßen *adv.* 인과응보로, 자업자득으로.

Verschuldung *f.* -en 잘못, 책임; 부채.

verschulen *t.* ①〖원예〗(묘상(苗床)에 모종을) 이식(移植)하다, 옮겨 심다. ② 중·고등 학교식으로 하다: der Ablauf des Studiums wird mehr und mehr verschult 대학 공부가 점점 더 중·고등 학교식으로 되어 간다.

Verschulung *f.* -en 묘목 이식; 중·고등 학교식 학습.

verschupfen *t.* 〖방언〗 배척하다, 계모처럼 학대하다.

verschürzen *t.* ① 맺다, 매듭을 만들다. ② einen Knoten ～ 잘못 매듭짓다.

Verschürzung *f.* -en (연극의) 갈등, (사건의) 분규.

verschusseln *t.* (부주의로) 잃어버리다; 잊어버리다.

verschütten *t.* ① 잘못 붓다, 흘리다: Kaffee ～ 커피를 흘리다; 〖비유〗 das Kind mit dem Bad ～ 목욕물과 함께 아이도 버리다, 불필요한 것과 함께 중요한 것을 잃다. ② 파묻다, (흙모래로) 덮다: bei dem Erdbeben wurden zahlreiche Bewohner verschüttet 지진으로 수많은 주민이 파묻혔다; es bei jm. ～ 누구의 기분을 상하게 하다, 누구의 호의〔총애〕를 잃다. ③ (흙·모래 따위로) 메우다.

verschüttet 《<ndd. schütten, „einsperren"》 *a.* (verhaftet) 체포〔포박〕된, 구금〔구류〕된.

verschüttgehen* *i.* (s.) ①〖구어〗 잃어버리다, 없어지다. ②〖경박〗 죽다; 몰락하다. ③〖비속〗 체포되다.

Verschüttung *f.* -en 흘림; 파묻음; 메움.

verschwägern [fɛrʃvɛ́:gərn] 《Ⅰ》 *t.* 친척으로 하다. 《Ⅱ》 *refl.* sich mit jm. ～ 결혼으로 누구와 인척이 되다. 《Ⅲ》 **verschwägert** *p.a.* ↑ verschwägert.

verschwägert 《Ⅰ》 *p.p.* verschwägern. 《Ⅱ》 *p.a.* 인척 관계가 되는: sind Sie mit ihm verwandt oder ～? 당신은 그와 친척간입니까, 아니면 인척간입니까?

Verschwägerung *f.* -en 인척 관계(를 맺기).

verschwären(*) *i.* (s.) 〖醫〗 곪아 터지다.

verschwärmen 《Ⅰ》 *i.* (h.) (벌이) 떼짓는 것을 그치다. 《Ⅱ》 *refl.* sich ～ ① 떼지어 날아가다. ② 술마시고 떠들어 지치다. 《Ⅲ》 *t.* (시간을) 떠들썩하게 보내다: die ganze Nacht ～ 밤새도록 술마시며 떠들다.

Verschwartung *f.* 〖醫〗 경결(硬結), 비후(肥厚).

Verschwärung [fɛrʃvɛ́:rʊŋ] 《<verschwären》 *f.* -en 농궤(膿潰), 궤양.

verschwärzen *t.* ① 검게 하다; 〖印〗 얼룩지게 하다. ②〖비유〗 jn. ～ 누구를 비방〔중상〕하다(verleumden). ③〖구어〗 Waren ～ 물품을 밀수하다.

verschwatzen 《Ⅰ》 *t.* 〖구어〗 ① 지껄이며 시간을 보내다: ein Stündchen ～ 한 시간을 잡담으로 보내다. ② et. ～ 무엇을 무심코 지껄이다, 부지중에 말하다. ③ jn. ～ 누구를 비방〔중상〕하다. ④ (öst.) jn. ～ 누구를 고자질하다. 《Ⅱ》 *refl.* sich ～ 부지중에 말〔누설〕하다, 실언하다.

verschwätzen *t.* ↑ verschwatzen.

verschweigen* 《Ⅰ》 *t.* 비밀로 하다, 숨기다: ein Geheimnis ～ 어떤 비밀을 지키다; ich habe nichts zu ～ 나는 숨길 게 아무것도 없다; die Sache blieb lange verschwiegen 사건은 오래도록 비밀로 남아 있었다. 《Ⅱ》 *refl.* sich ～ (무엇에 관해) 침묵하다. 《Ⅲ》 **verschwiegen** *p.a.* ↑ verschwiegen.

Verschweigung *f.* -en 비밀로 함, 숨김; 침묵.

verschweißen *t.* 용접하(여 접합시키)다.

Verschweißung *f.* -en 용접.

verschwelen 《Ⅰ》 *i.* (s.) 불이 꺼지면서 연기를 내뿜다. 《Ⅱ》 *t.* (불꽃없이 연기를 뿜으며) 태우다.

verschwelgen *t.* 탕진하다(verprassen).

verschwellen(*)1 《<schwellen》 《Ⅰ》 *i.* (s.) 〖강변화〗 부풀다; 〖醫〗 종기가 부어오르다. 《Ⅱ》 *t.* 〖약변화〗 부풀게 하다: jm. die Augen ～ (때려서) 누구의 눈두덩을 부어오르게 하다. 《Ⅲ》 **verschwollen** *p.a.* ↑ verschwollen.

verschwellen2 《<Schwelle》 *t.* …에 문지방을 달다.

Verschwelung *f.* -en 불꽃없이 태움〔타다가 꺼짐〕.

verschwenden [fɛrʃvɛ́ndən] *t.* 낭비〔허비·탕진〕하다: viel Geld〔Zeit〕 für et. ～ 무엇을 하는 데 많은 시간을〔돈을〕 낭비하다; seine Mühe ～ 헛수고하다; sie hat sich 〔ihre Liebe〕 an ihn verschwendet 그 여자는 그에게 실연당했다.

Verschwender *m.* -s, - 낭비하는 사람.

Verschwenderin *f.* -nen ↑ Verschwender 의 여성형.

verschwenderisch *a.* ① 낭비하는, 돈을 헤프게 쓰는: ~ mit et.³ umgehen 무엇을 낭비하다, 무익하게 쓰다; ein ~es Leben führen 낭비하는 생활을 하다. ② 사치〔호사〕스러운, 지나치게 호화로운: der Saal war ~ mit Blumen geschmückt 그 방은 너무 사치스럽게 꽃으로 장식되어 있었다; in ~er Fülle 그지없이 풍부한.

Verschwendung *f.* -en ① 낭비: mit et.³ ~ treiben 무엇을 낭비하다. ② 사치, 호사.

Verschwendungs·sucht *f.* 낭비벽. **~-süchtig** *a.* 낭비벽이 있는.

verschwiegen [fɛɐ̯ʃví:gən] 《Ⅰ》 *p.p.* ↑ verschweigen. 《Ⅱ》 *p.a.* ① 입이 무거운, 비밀을 잘 지키는, 과묵한. ② 숨겨진, 한적한: ein ~es Plätzchen 고적한 장소; 〖구어·은폐〗 einen ~en Ort aufsuchen 화장실에 가다.

Verschwiegenheit *f.* ① 비밀(을 지킴); 과묵, 무언: unter dem Siegel der ~ 절대 비밀로 한다는 약속으로. ② 한적.

verschwielen *i.* (s.) (피부가) 각질로 되다, (피부에) 못이 박히다.

verschwiemeln *t.* 〖방언〗 빈둥거리며 지내다.

verschwiemelt *a.* 〖방언〗 (밤을 방탕하게 보낸 것처럼) 얼굴이 부어 오른: 〖구어〗 ~ aussehen 잠이 모자라 푸석해 보이다.

verschwimmen* 《Ⅰ》 *i.* (s.) ① 용해〔융해〕하다. ② 희미해지다, 불분명〔막연〕해지다; (색채 등이) 바래다, 엷어지다; (음향 따위가) 은은해지다, 사라져가다: es verschwamm mir alles vor den Augen 눈 앞에서 모든 것이 희미해졌다; die Farben ~ ineinander 색이 풀어져서 엷어진다. 《Ⅱ》 **verschwommen** *p.a.* ↑ verschwommen.

__verschwinden__ *i.* (s.) 사라지다, 보이지 않게 되다; 없어지다, 실종되다, 분실되다: ein junges Mädchen ist (spurlos) verschwunden 어린 소녀가 (감쪽같이) 실종되었다; 〖구어〗 verschwinde! 꺼져 버려!; 〖구어·은폐〗 ich muß mal ~ 화장실에 가야겠다; 〖구어〗 sie verschwindet neben mir 그녀는 나에 비해 무척 작다; Geld ~ lassen 돈을 훔치다; im Vergleich mit jm. 〔neben jm., gegen jn.〕 ~ 누구와 비교하면 아주 보잘것없다; ~d klein 아주 적은, 미미한.

Verschwinden *n.* -s 사라짐; 없어짐, 잃어버림.

Verschwinde·punkt *m.* 〖畫〗 (원근법의) 소(실)점.

Verschwind·fahrwerk *n.* 〖空〗 (비행기의) 랜딩 기어, 착륙 장치.

Verschwindung *f.* ↑ verschwinden 의 명사형.

verschwistern [fɛɐ̯ʃvɪ́stərn] 《Ⅰ》 *t.* 밀접하게 결부시키다. 《Ⅱ》 *refl.* sich ~ (형제 자매처럼) 친밀한〔밀접한〕 관계가 되다. 《Ⅲ》 **verschwistert** *p.a.* ↑ verschwistert.

verschwistert 《Ⅰ》 *p.p.* ↑ verschwistern. 《Ⅱ》 *p.a.* 형제 자매처럼 친밀한: ~e Seele 마음이 맞는 동지.

Verschwisterung *f.* -en 자매 결연; 친교, 동맹.

verschwitzen 《Ⅰ》 *i.* ① (s.)/*refl.* (sich) ~ 땀을 흠뻑 흘리다. ② (h.) 발한(發汗)이 멎다. 《Ⅱ》 *t.* ① (옷 등을) 땀으로 적시다: Kleidung ~ 땀으로 옷을 적시다. ② 〖구어〗 (땀을 씻듯 깨끗이) 잊다: unsere Verabredung hatte ich völlig verschwitzt 우리 사이의 합의를 나는 까맣게 잊고 있었다; das habe ich leider verschwitzt 유감스럽게도 난 그것을 잊어버렸다; 〖비유〗 nun ist's ja verschwitzt 자 이것으로 끝났다.

verschwollen [fɛɐ̯ʃvɔ́lən] 《Ⅰ》 *p.p.* ↑ verschwellen[1]. 《Ⅱ》 *p.a.* 부어오른: vom Weinen ~e Augen 울어서 퉁퉁 부은 눈.

verschwommen 《Ⅰ》 *p.p.* ↑ verschwimmen. 《Ⅱ》 *p.a.* 희미한, 불분명한, 모호한: ich habe nur noch eine ~e Erinnerung daran 나는 그것에 대해 기억이 가물가물하다; diese Formulierung ist sehr ~ 이 표현은 매우 불분명하다.

Verschwommenheit *f.* -en 불분명, 모호.

__verschwören__ 《Ⅰ》 *t.* ① 〖고어〗 den Teufel ~ a) 악마를 마법〔주문〕으로 불러내다, b) 악마를 몰아내다. ② 저주하다. ③ 맹세〔선서〕하다: jm. et. ~ 누구에게 무엇을 맹세하다. ④ 〖구식〗 그만둘 것을 맹세하다: den Wein ~ 금주할 것을 맹세하다; das Spiel ~ 도박〔노름〕하지 않겠다고 맹세하다. 《Ⅱ》 *refl.* ① sich (miteinander) ~ 결탁하다, 작당〔공모〕하다: sich gegen jn.〔et.〕 ~ 누구〔무엇〕에 대하여 모반을 일으키다; es hat sich alles gegen mich verschworen 나는 일이 되는 게 없다. ② ↑ 《Ⅰ》③: sich hoch und teuer ~ zu... …할 것을 엄숙하게 선서하다. ③ 헌신하다, 전력을 다하다: sich jm. ~ 누구에게 헌신〔충성〕을 맹세하다; er hat sich ganz seinen Forschungen verschworen 그는 연구에 온전히 몸을 바쳤다. 《Ⅲ》 **verschworen** *p.a.* ↑ verschworen.

verschworen 《Ⅰ》 *p.p.* ↑ verschwören. 《Ⅱ》 *p.a.* 결탁한, 작당〔공모〕한.

Verschworene* *der/die* (무슨 일에) 헌신한 사람; 맹세한 사람; 공모자.

Verschwörer *m.* -s, - 모반〔반란·공모〕자.

Verschwörerin *f.* -nen ↑ Verschwörer 의 여성형.

verschwörerisch *a.* 모반의, 역모의.

Verschwörung *f.* -en 결탁, 공모, 모반: eine ~ anzetteln 음모를 꾸미다.

Vers·drechsler *m.* 엉터리〔가짜〕 시인.

versechsfachen [fɛɐ̯zɛ́ksfaxən] *t.* 여섯 배로〔겹으로〕 하다.

Vers·drama *n.* 시극(詩劇).

__versehen__[*1] 《Ⅰ》 *t.* ① (a) 〖고어〗 (지)정하다, 명하다: Land, das ich Ihnen ~ hatte 내가 귀하의 소유로 지정한 토지; wenn es Gott doch so ~ hätte 그것이 신의 섭리라면, 그렇게 되는 것이 천명이라면. (b) 〖드물게〗 jn. zu et.³ ~ 누구에게 어떤 운명을 부여하다. ② 맡아 보다, 행하다: sein Amt treulich ~ 직무를 충실히 행하다; js. Amt〔Stelle, Dienst〕 ~ 누구의 대리로 근무하다; den Dienst eines Kollegen ~ 동료의 일을 맡아서 해주다; die Küche ~ 부엌 일을 돌보다; die Wirtschaft ~ 집안 살림을 맡아보다; den Gottesdienst ~ 예배를 드리다. ③ 공급〔구비〕하다: jn. mit et.³ ~ 누구에게 무엇을 주다, 공급하다; et. mit et.³ ~ 무엇에다 무엇을 갖추다; jn. mit Geld〔Kleidern〕 ~ 누구에게 돈〔의복〕을 주다; ein Buch mit einem Umschlag ~ 책에 커버를 입히다; er versah sich mit dem Nötigsten für die Fahrt 그는 여행에 꼭 필요한 것들을 준비했다; das Haus mit Blitzableitern ~ 집에 피뢰침을 설치하다; jn. mit einer Vollmacht ~ 누구에게 전권을 주다; et. mit seiner Unterschrift ~ 무엇에 서명을 하다; et. mit einem Stempel ~ 무엇에 도장을 찍다; einen Brief mit einem Siegel ~ 편지를 봉함하다; 〖商〗 eine Tratte mit dem Akzept 〔Giro〕 ~ 어음을 인수하다〔어음에 배서하다〕. ④〖가톨릭〗 jn. (mit den Sterbesakramenten) ~ 누구에게 종부 성사를 베풀다. ⑤ et. für et. ~ 무엇을 무엇으로 잘못 보다, 오인하다. ⑥ 간과하다, 놓치다: eine Gelegenheit 〔sein Glück〕 ~ 좋은 기회를〔행운을〕 놓치다. ⑦ et. ~ 어떤 잘못〔실책〕을 저지르다; 부주의로 무엇을 잃다: etwas Großes im Amt ~ 직무상 큰 과실을 저지르다; nichts ~ 잘못이 없다. ⑧〖드물게〗(기회를) 주시하다, 엿보다. ⑨ 예기〔기대〕하다. 《Ⅱ》 *refl.* sich ~ ① sich mit et.[3] ~ 무엇을 갖추다. ② 오인하다, 잘못 보다: sich in jm. ~ (사람을) 잘못 알다〔보다〕. ③ 잘못을 저지르다, 실수하다: 〖속담〗 ~ ist auch verspielt 실수도 과오임에 틀림없다; ich habe mich beim Zählen ~ 나는 계산을 잘못했다. ④〖드물게〗(보고) 반하다. ⑤ sich an jm.〔et.[3]〕 ~ (임신한 여자가) 누구를〔무엇을〕 보고 태아에 영향을 끼치다. ⑥ sich eines Dinges ~ 무엇을 각오〔예상〕하다. 《Ⅲ》 **versehen** *p.a.* ↑ versehen[2].

versehen[2] 《Ⅰ》 *p.p.* ↑ versehen[1]. 《Ⅱ》 *p.a.* mit et.[3] ~ 무엇을 비치한, 지닌: mit allem reichlich〔wohl〕 ~ 공급이 잘 되는; mit Etiketten ~ sein 상표가 붙어 있다; mit Wegweisern ~ 길 안내 표지가 있는.

Versehen *n.* -s, - 잘못 봄; 오인; 과실, 실수, 잘못: ein ~ begehen 어떤 과오를 범하다; aus ~ 잘못 보아, 실수로.

versehentlich [fɛrzé:əntlıç] *adv.* 잘못하여, 실수로.

Verseh·gang *m.* 〖가톨릭〗 병자〔종부〕 성사하러 가기.

versehren 《mhd. (ver)sêren, „Schmerz verursachen"》 *t.* 〖구식〗 상처 입히다, 훼손하다.

Versehrte* der/die 상이 군인, (사고로 인한) 장애인.

Versehrten≈geld *n.* 상이 연금. **~sport** *m.* 신체 장애인 스포츠.

Versehrtheit *f.* 신체 장애.

verseichten 《Ⅰ》 *t.* 얕게 하다. 《Ⅱ》 *i.* (s.) 얕아지다.

verseifen *t./i.* (h./s.) 〖化〗 비누화하다〔되다〕.

Verseifung *f.* -en 비누화.

Vers·einschnitt *m.* 〖문학〗 휴지부(Zäsur).

verselbständigen [fɛrzɛ́lpʃtɛndıgən] 《Ⅰ》 *t.* 독립시키다. 《Ⅱ》 *refl.* sich ~ 독립하다.

Verselbständigung *f.* -en 독립, 자립.

verselbsten, verselbstigen *refl.* sich ~ 독립하다.

verselbstständigen 新정서 ⇦ verselbständigen.

Verselei *f.* -en 서투른 압운.

Verse≈machen *n.* 작시(법). **~macher** *m.* 〖폄어〗 서투른 시인.

versendbar [fɛrzɛ́ntba:r] *a.* 보낼〔발송할·운송할〕 수 있는.

versenden(*) (많은 사람들에게) 보내다, 발송〔운송〕하다: zu Schiffe ~ 배편으로 보내다; Heiratsanzeigen ~ 결혼 청첩장을 보내다; Todesanzeigen ~ 부고를 보내다; et. ins Ausland ~ 무엇을 수출하다; jn. ~ 누구를 파견하다; die Sonne versendet glühenden Brand 햇볕이 이글이글 타오른다; die Bäume ~ Schatten 나무들이 그늘을 드리운다.

Versender *m.* -s, - 발송인; 운송업자.

Versendung *f.* -en 발송; 운송.

Versendungs≈art *f.* 발송〔운송〕법. **~artikel** *m.* 운송품. **~fähig** *a.* 운송할 수 있는. **~gebühren, ~kosten** *pl.* 운송료, 운임. **~güter** *pl.* 운송품. **~weise** *f.* ↑ ~art.

versengen 《Ⅰ》 *t.* 태우다, 그을리다: die Sonne versengt die Wiesen 햇볕으로 초원이 타들어간다. 《Ⅱ》 *refl./i.* (s.) sich ~ 타다, 그을다: sich[3] die Haare ~ 머리카락을 그을리다. 《Ⅲ》 **versengt** *p.a.* ↑ versengt.

versengt 《Ⅰ》 *p.p.* ↑ versengen. 《Ⅱ》 *p.a.* 그을은, 탄: von der Sonne versengt 볕에 그을은.

Versengung *f.* -en (볕에) 그을림.

versenkbar *a.* ① 가라앉힐〔낮출〕 수 있는, 수납할 수 있는: eine ~e Nähmaschine 접어 넣을 수 있는 재봉틀. ② 탐닉〔몰두〕할 수 있는.

Versenk·bühne *f.* 〖연극〗 상하 이동식 무대.

versenken 《Ⅰ》 *t.* ① 가라앉히다; 침몰시키다: ein Schiff ~ 배를 가라앉히다. ② (깊은 곳에) 가라앉히다, 집어 넣다: den Schatz im Rhein ~ 보물을 라인강에 가라앉히다; 〖雅語〗 et. in der Erde ~ 무엇을 매장하다; die Hände in die Taschen ~ 두 손을 호주머니에 찌르다; eine Leiche ins 〔im〕 Meer ~ 시체를 수장(水葬)하다; 〖工〗 eine Schraube ~ 나사못을 대가리가 나오지 않게 깊이 틀어 박다; 〖비유〗 jn. in Schmerz ~ 누구를 비탄에 잠기게 하다. 《Ⅱ》 *refl.* sich ~ ① 가라앉다, 침하(沈下)하다; 침몰하다. ② 집중하다, 몰두하다: sich in eine Arbeit ~ 어떤 일에 몰두하다; sich in den Anblick von et.[3] ~ 무엇을 넋을 잃고 바라보다; sich in Gedanken ~ 생각에 잠기다; sich in ein Buch ~ 책을 탐독하다.

Versenkung *f.* -en ① 가라앉힘; 침몰. ② 탐닉, 몰두. ③〖연극〗 상하 이동 무대: 〖비유·구어〗 in der ~ verschwinden 은둔하다; aus der ~ auftauchen 예기치 않게 다시 모습을 드러내다.

Vers·epos *n.* 운문 서사시.

Verse·schmied *m.* 〖폄어〗 서투른 시인.

versessen [fɛrzɛ́sən] 《Ⅰ》 *p.p.* ↑ versitzen. 《Ⅱ》 *p.a.* 열중〔몰두〕한: auf et. ~ sein 무엇을 아주 좋아하다, 무엇에 열중해 있다; sie ist auf Schokolade ~ 그녀는 초콜릿을 아주 좋아한다; er ist geradezu darauf ~, uns zu schaden 그는 우리를 해치려는 생각에 사로잡혀 있다.

Versessenheit *f.* 열중, 몰두, 탐닉, 심취.

Versetz·amt *n.* 전당포.

versetzbar *a.* ① 옮길〔전임(轉任)시킬〕 수 있는. ② 저당 잡힐 수 있는.

***versetzen** 《Ⅰ》 *t.* ① 옮기다, 위치〔순서〕를 바꾸다, 옮겨 놓다: Bäume ~ 나무를 이식하다; einen Beamten ~ 관리를 전근시키다; der Junge ist in die fünfte Klasse versetzt worden 그 아이는 5학년으로 올라갔다; 〖海〗 der Wind versetzt ein Boot 바람에 배가 떠내려간다; 〖음악〗 einen Ton (um einen Halbton)

～ 어떤 음을 (반음) 높이다〔낮추다〕. ② 어떤 상태로 옮기다: jn. in Angst〔Freude〕 ～ 누구를 무섭게〔기쁘게〕 하다; jn. in die Notwendigkeit ～, et. zu tun 누구로 하여금 어떤 일을 하지 않을 수 없게 하다; et. in Schwingung ～ 무엇을 진동시키다; et. in Bewegung ～ 무엇을 움직이다; jn. in Wut ～ 누구를 화나게 하다. ③ 저당잡히다: seine Uhr im Leihhaus ～ 시계를 전당포에 저당잡히다. ④ 잘못 놓다; 〖印〗 오식하다. ⑤ 막다, 억누르다: den Eingang mit Steinen ～ 입구를 돌로 막다; 〖비유〗 der Anblick versetzte mir den Atem 그 광경을 보고 나는 숨이 탁 막혔다. ⑥ 혼합하다: Wein mit Wasser ～ 포도주에 물을 타다. ⑦ (타격을) 가하다: jm. einen Schlag〔Stoß〕 ～ 누구에게 일격〔타격〕을 가하다; jm. einen Tritt ～ 누구를 걷어차다. ⑧ 대답하다: auf meine Frage hin versetzte er nichts 내 질문에 그는 한 마디도 대답하지 않았다. ⑨ 〖구어〗 (헛되이) 기다리게 하다, 약속을 지키지 않다: sie hat mich nun schon zum zweiten Mal versetzt 그녀는 벌써 두 번째 나를 바람맞혔다. 《Ⅱ》 *refl.* sich ～ 장소가 바뀌다, 옮기다, 위치를 바꾸다: sich in eine frühere Zeit 〔seine Jugend〕 ～ 옛날〔젊은 시절〕을 회상하다; ～ Sie sich in meine Lage! 내 입장이 되어 보십시오!; 〖醫〗 der Krankheitsstoff versetzt sich 병원체가 전이하다. 《Ⅲ》 **versetzt** *p.a* ↑ versetzt.

versetzt 《Ⅰ》 *p.p.* ↑ versetzen. 《Ⅱ》 *p.a.* 옮겨진; 저당잡힌; 억눌린; ～e Sachen 저당 잡힌 물건; ～e Winde (복부에) 찬 가스.

Versetzung *f.* -en ① 옮기기, 이전; 진급; 전임; 〖음악〗 전환; 〖醫〗 전이(轉移). ② 저당잡히기. ③ 잘못놓기; 〖印〗 오식. ④ 혼합.

Versetzungs≈arbeit *f.* 진급 시험 답안. **～konferenz** *f.* 진급 회의. **～nummer** *f.* 급제점. **～prüfung** *f.* 진급 시험. **～schreiben** *n.* (공사(公使)의) 소환 명령. **～tag** *m.* 진급 시험 성적 발표일. **～zeichen** *n.* 〖음악〗 임시 기호.

verseuchen [fɛrzɔ́ʏçən] *t.* 감염시키다, (병균으로) 오염시키다: der Boden ist radioaktiv verseucht 땅이 방사능에 오염되어 있다; 〖비유〗 mit faschistischem Gedankengut verseuchte Jugendliche 파시즘〔파쇼적 사상〕에 물든 젊은이들.

Verseuchung *f.* -en 오염, 감염.

verseufzen *t.* 한숨으로 세월을 보내다, 탄식하며 지내다.

Vers·fuß *m.* 〖문학〗 운각(韻脚).

versicherbar *a.* 보험에 가입할 수 있는.

Versicherer *m.* -s, - 보험업자, 보험 회사.

***versichern** 《Ⅰ》 *t.* ① 보험에 가입하다; 보험 계약에 따른 보장을 해주다: sein Haus gegen Feuersgefahr ～ 집을 화재 보험에 들다; sein Leben hoch ～ 고액의 생명 보험에 들다. ② 확신시키다, 보증하다, 확약하다: jm. et. 〔jn. eines Dinges, jn. et.〕 ～ 누구에게 무엇을 확신시키다, 확언〔단언〕하다; er versicherte mir seine Ergebenheit 그는 내게 충성을 약속했다; das kann ich Sie ～ 나는 당신에게 그렇게 단언할 수 있습니다; ich versichere dir 〔dich〕, daß... 나는 …을 너에게 확언〔약속〕한다. 《Ⅱ》 *refl.* ① sich gegen Tod〔Einbruch〕 ～ 생명〔도난〕 보험에 들다. ② 〖雅語〗 확인〔점검〕하다: sich eines Dinges ～ 무엇을 확인하다; sich js. ～ a) 〖드물게〗 누구의 사랑을〔호의를〕 확인하다, b) 누구를 사로잡다, 체포하다.

Versicherte* der/die 피보험자.

***Versicherung** *f.* -en ① 보험: eine ～ abschließen 보험을 계약하다. ② 보증, 단언, 확인, 약속: jm. die ～ geben, daß... …을 확인〔보증〕하다. ③ 보험 회사; 보험 가입; 보험료.

Versicherungs≈agent *m.* 보험 대리점〔외판원〕. **～amt** *n.* 〖法〗 사회 복지과. **～anspruch** *m.* 〖法〗 보험 배상 청구권. **～anstalt** *f.* ① 보험 회사. ② 연금 관리 공단. **～antrag** *m.* 보험 신청. **～arzt** *m.* 보험의(醫). **～beitrag** *m.* 보험료. **～betrug** *m.* 보험 사기. **～fall** *m.* 보험 사고. **～geber** *m.* 〖보험〗 보험 회사. **～gebühr** *f.* 보험료. **～gesellschaft** *f.* 보험 회사. **～karte** *f.* 〖法〗 ① 국민 연금 보험 카드. ② (국제 자동차 보험 증명서인) 녹색 보험 카드. **～kauf·frau** *f.*, **～kauf·mann** *m.* 보험 외판원, 생활 설계사. **～leistung** *f.* 보험금 지급. **～mathematik** *f.* 보험 수학. **～nehmer** *m.* 보험 계약자, 피보험자. **～pflicht** *f.* 〖法〗 보험 가입 의무. **～pflichtig** *a.* 보험 가입 의무가 있는. **～police** [..poli:sə] *f.* 보험 증서. **～prämie** *f.* ↑ ～beitrag. **～recht** *n.* 보험법. **～schein** *m.* ↑ ～police. **～steuer** *f.* 〖法〗 보험세. **～summe** *f.* 보험금. **～träger** *m.* 사회 보장 담당 기구. **～vertreter** *m.* 보험 대리점〔외판원〕. **～wesen** *n.* 보험 제도.

versichtbaren *t.* 볼 수 있도록 하다, 나타내다.

versickern *i.* (s.) (물 따위가 땅 속에) 스며들다: das Wasser versickert im Sand 물이 모래 속에 스며든다.

Versickerung *f.* -en (물이) 스며듦.

versieben *t.* 〖구어〗 ① 잘못하다, 망치다: er hat ihm alles versiebt 그는 자신의 모든 것을 망쳐 버렸다; es bei jm. ～ 누구와의 관계를 망쳐 버리다. ② (부주의로) 잃어버리다, 잊다: ich habe den Brief versiebt 나는 부주의로 그 편지를 잃어버렸다; einen Termin ～ 기한을 잊어버리다.

versiechen *i.* (s.) 병들다, 앓아 여위다.

versieden(*) *i.* (s.) 〖포도재배〗 완전히 발효하지 않다.

versiegbar *a.* 고갈될 수 있는; 쉬 고갈되는.

versiegeln *t.* ① 봉하다, 봉인(封印)하다: jm. den Mund ～ 누구를 함구하게 하다. ② (래커)칠을 하다: Parkett ～ 널마루에 니스칠〔래커칠〕을 하다.

Versiegelung *f.* -en ① 봉인. ② 래커〔니스〕칠.

versiegen [fɛrzí:gən] 《(고어) seihen》 〖雅語〗 *i.* (s.) (바짝) 마르다, 고갈되다: nie ～de Geldquelle 무진장한 자금원.

Versieglung *f.* -en ↑ Versiegelung.

Versiegung *f.* -en 고갈.

versieren [vɛrzí:rən] 《lat.》 《Ⅰ》 *t.* 종사하다. 《Ⅱ》 **versiert** *p.a.* ↑ versiert.

versiert [vɛrzí:rt] 《Ⅰ》 *p.p.* ↑ versieren. 《Ⅱ》 *p.a.* 경험이 풍부한, 노련한: in et.[3] ～ sein 무엇에 숙달해 있다.

Versiertheit *f.* -en 숙련, 노련, 숙달.

Versifex [vɛ́rzifɛks] *m.* -(es), -e 〖고어〗 엉터리 시인(Verseschmied).

Versifikation [..fikatsió:n] *f.* -en (산문의) 운문화; 작시.
versifizieren ⟪lat.⟫⟪I⟫ *t.* 시로 만들다, 운문화하다. ⟪II⟫ *i.* (h.) 작시하다.
Versifizierung *f.* -en ↑ Versifikation.
Versilberer [fɛrzílbərər] *m.* -s, - 은도금사.
versilbern *t.* ① 은을 씌우다, 은도금하다: 〔시어〕 der Mond versilbert den See 달빛에 호수가 은빛으로 넘친다. ② 〔농담〕(쉽게) 금전으로 바꾸다, 매각하다.
Versilberung *f.* -en ① 은도금, 은도금 막. ② 환금, 매각.
versimpeln [fɛrzímpəln] 〔대개 폄어〕⟪I⟫ *t.* 지나치게 단순화하다. ⟪II⟫ *i.* (s.) 단순해지다. ⟪III⟫ **versimpelt** *p.a.* ↑ versimpelt.
versimpelt ⟪I⟫ *p.p.* ↑ versimpeln. ⟪II⟫ *p.a.* 우둔〔우직〕한.
Versimpelung *f.* -en (지나친) 단순화.
versingen* ⟪I⟫ *t.* seine Zeit ~ 노래를 불러 시간을 보내다. ⟪II⟫ *refl.* sich ~ (가락이) 틀리게 노래 부르다: an dieser Stelle versinge ich mich immer wieder 이 부분에서 나는 번번이 틀리게 노래 부른다.
versinken* ⟪I⟫ *i.* (s.) ① 가라앉다; 함몰〔침몰〕하다; 묻히다, 빠지다: bis zu den Knien im Schnee ~ 무릎까지 눈에 빠지다. ② 몰두하다, 탐닉하다: in (einen) tiefen Schlaf ~ 깊은 잠에 빠지다; ganz in Gedanken ~ 생각에 잠기다. ③ 몰락하다. ⟪II⟫ **versunken** *p.a.* ↑ versunken.
versinnbilden [fɛrzínbɪldən], **versinnbildlichen** [..zínbɪltlɪçən] *t./refl.* 상징(화)하다, 비유적〔상징적〕으로 표현하다: sich in et.³ ~ 무엇으로 상징화되다.
Versinnbildlichung *f.* -en 상징화, 비유적〔상징적〕 표현.
versinnlichen [fɛrzínlɪçən] *t.* 지각할 수 있게 하다, 구체화하다, 감각화하다.
Versinnlichung *f.* -en 도해, 구체〔감각〕화.
Version [vɛrzió:n] ⟪lat.⟫ *f.* -en ① **(a)** 표현법, 표현 형태: diese ~ (einer Definition) ist genauer (어떤 정의의) 이 표현이 더 정확하다. **(b)** 판본: die vereinfachte〔gekürzte〕~ eines Romans 어떤 소설의 축약판. **(c)** 번역본: die französische ~ eines Schauspiels 어떤 드라마의 불역본. ② 해석, 견해: darüber gibt es verschiedene ~en 그것에 관해서는 여러 가지 견해가 있다. ③ (기계·자동차 따위의) 개량형, 신형: ein Fahrzeug in einer verbesserten ~ auf den Markt bringen 개량 모델의 차량을 시장에 내놓다.
versippen [fɛrzípən] ⟪I⟫ *t.* 인척〔친척〕으로 삼다. ⟪II⟫ *refl.* sich ~ 인척이 되다. ⟪III⟫ **versippt** *p.a.* ↑ versippt.
versippt ⟪I⟫ *p.p.* ↑ versippen. ⟪II⟫ *p.a.* 인척〔친척〕의: fast alle Familien im Dorf sind miteinander ~ 마을의 거의 모든 가정이 서로 친척 관계다.
Versippung *f.* -en 친척〔인척〕 관계.
versittlichen *t.* 도덕화하다, 교화하다.
versitzen* 〔구어〕⟪I⟫ *t.* ① die Zeit ~ 앉아서 시간을 (헛되이) 보내다. ② (오랫동안 앉아서 옷이) 구겨지게〔주름지게〕하다: paß auf, daß du das neue Kleid nicht versitzt! 새옷이 구겨지지 않도록 조심해라! ⟪II⟫ *refl.* sich ~ 너무 오래 앉아 있어 건강을 해치다. ⟪III⟫ **versessen** *p.a.* ↑ versessen.
versklaven [fɛrsklá:fən, ..vən] *t.* 마음대로 부리다; 노예로 만들다: die Besiegten wurden versklavt 피정복민은 노예가 되었다.
Versklavung *f.* -en 노예화.
Vers≈kunst *f.* 작시법, 시학(詩學). **~künstler** *m.* 시인. **~lehre** *f.* 시학, 운율학. **~macher** *m.* ↑ ~künstler. **~maß** *n.* 운율, 운격(韻格).
verslumen [..slámən] *i.* (s.) 슬럼화하다.
versnobt *a.* 속물화된.
Verso [vérzo] ⟪lat.⟫ *n.* -s, -s (종이의) 뒤, 이면, 다음 페이지.
verso folio 〔출판〕 종이의 뒷면에, 다음 페이지에 (↔ recto folio).
versoffen [fɛrzɔ́fən] ⟪I⟫ *p.p.* ↑ versaufen. ⟪II⟫ *p.a.* 〔구어·폄어〕 ① 습관적으로 술을 마시는, 음주벽이 있는. ② 습관적 음주로 인한.
versohlen *t.* 〔구어〕 마구 때리다: jm. den Hintern ~ 누구의 엉덩이를 마구 때리다.
***versöhnen** [fɛrzǿ:nən] ⟪I⟫ *t.* 달래다, 진정시키다; 조정하다, 화해시키다; 〔宗〕 속죄하다: jn. mit jm. ~ 누구를 누구와 화해시키다. ⟪II⟫ *refl.* sich mit jm. ~ 누구와 화해하다: sich mit seinem Schicksal ~ 자신의 운명을 받아들이다.
versöhnend *p.a.* 유화적인, 화해적인.
Versöhner *m.* -s, - 조정자, 화해자.
Versöhnerin *f.* -nen ↑ Versöhner 의 여성형.
Versöhnler *m.* -s, - 〔폄어〕 (마르크스주의에서) 타협주의자.
versöhnlich *a.* 유화적〔화해적〕인, 온건한.
Versöhnlichkeit *f.* 유화적임, 온건.
***Versöhnung** *f.* -en 화해, 조정; 〔宗〕 속죄.
Versöhnungs≈fest *n.* ① 화해의 축제. ② 〔宗〕 ↑ ~tag. **~opfer** *n.* 〔宗〕 속죄의 희생. **~poiltik** *f.* 유화 정책. **~tag** *m.* 〔宗〕 (유대인의) 속죄의 날. **~tod** *m.* 〔宗〕 (그리스도의) 속죄의 죽음. **~werk** *n.* 속죄의 행위.
versonnen [fɛrzɔ́nən] ⟪(고어) versinnen⟫ *p.a.* 명상〔공상〕에 잠긴, 꿈꾸는 듯한.
Versonnenheit *f.* 명상〔공상〕에 잠김.
***versorgen** ⟪I⟫ *t./refl.* ① 필요한 것을 주다, 공급하다: jn. mit et.³ ~ 누구에게 무엇을 공급하다; sich mit et.³ ~ 무엇을 갖추다; eine Stadt mit Strom〔Gas〕~ 도시에 전력을〔가스를〕 공급해 주다. ② 부양하다, 돌보다: er hat fünf Kinder zu ~ 그는 다섯 아이를 부양해야 한다; der Verletzte wurde ärztlich versorgt 그 부상자는 의사의 치료를 받았다. ③ et. ~ 무엇을 행하다, 담당〔취급·관리〕하다. ④ (schweiz.) 보관〔간수〕하다: den Schlüssel in der Tasche ~ 열쇠를 주머니에 넣어두다; jn. ~ 누구를 (병원 따위의 시설에) 수용하다. ⟪II⟫ **versorgt** *p.a.* ↑ versorgt.
versorgt ⟪I⟫ *p.p.* ↑ versorgen. ⟪II⟫ *p.a.* 근심에 찬: sie ist ganz ~ 그녀는 걱정 때문에 괴로워하고 있다.
Versorger *m.* -s, - 공급인, 부양자, (한 집안의) 살림꾼; 급양선(給養船).
Versorgung *f.* -en 공급; 부양; 관리; 〔軍〕 급양(給養); (국가에 의한) 생계 지원.
Versorgungs≈amt *n.* 〔행정〕 원호청. **~anspruch** *m.* 부양〔연금〕 청구권. **~an-**

stalt *f.* 양로원, 구빈원(救貧院). **~ausgleich** *m.* 〖法〗 (이혼할 때) 연금 등의 배분. **~berechtigt** *a.* 부양 받을 자격이 있는. **~berechtigte*** *der/die* 피부양권 소유자. **~berechtigung** *f.* 피부양 자격. **~betrieb** *m.* 공익 사업 부문(상수도·교통 따위). **~einheit** *f.* 〖軍〗 병참 부대. **~haus** *n.* (öst.) 양로원. **~lage** *f.* 생필품 공급 상황. **~leitung** *f.* 〖工·토목〗 공급관. **~netz** *n.* 〖工·토목〗 보급〔공급〕망. **~schein** *m.* (퇴역 군인의) 취직 자격 증서. **~schwierigkeiten** *pl.* 생필품 공급의 어려움〔부족〕. **~wesen** *n.* 빈민 구호 제도; 양로 제도.

versotten [fɛrzɔ́tən] *i.* (s.) (벽난로 등에) 매연이 쌓이다.

Versottung *f.* -en (벽난로에) 매연이 쌓임.

verspachteln *t.* ① (구멍이나 틈을) 메워 매끈하게 만들다. ② 〔구어〕 먹어 치우다.

verspakt [fɛrʃpá:kt] *a.* (ndd.) ① 썩은, 곰팡이가 슨. ② 공기가 탁한, 질식할 것 같은.

verspannen 《Ⅰ》 *t.* (버팀줄로) 고정시키다. 《Ⅱ》 *refl.* sich ~ (근육이) 경직되다, 경련을 일으키다.

Verspannung *f.* ① 버팀줄(로 고정시킴). ② 경직, 경련.

versparen *t.* 〔구어〕 연기하다: die Feier auf später ~ 잔치를 연기하다.

verspäten [fɛrʃpɛ́:tən] 《Ⅰ》 *t.* 늦추다, 연기〔지체〕시키다. 《Ⅱ》 *refl.* sich ~ 늦다, 지각하다; 〖철도〗 연착하다. 《Ⅲ》 **verspätet** *p.a.* ↑ verspätet.

verspätet 《Ⅰ》 *p.p.* ↑ verspäten. 《Ⅱ》 *p.a.* 늦은: ~ kommen 지각〔연착〕하다; eine ~e Blüte 늦게 핀 꽃.

Verspätung *f.* -en 늦음, 지각: der Zug hat (15 Minuten) ~ 기차가 (15분) 연착했다.

verspeisen *t.* 〖雅語〗 맛있게 다 먹다.

Verspeisung *f.* 맛있게 다 먹음.

verspekulieren 《Ⅰ》 *t.* 투기로 잃어버리다. 《Ⅱ》 *refl.* sich ~ 투기로 재산을 잃다; 〔구어〕 잘못 추측〔계산〕하다: da hast du dich aber gründlich verspekuliert 그 점은 네가 전적으로 잘못 생각했다.

verspellen *t.* 쪼개다, 찢다, 촌단(寸斷)하다.

versperren 《Ⅰ》 *t.* ① 차단〔봉쇄〕하다, 통행을 불가능하게 하다: Polizisten versperrten uns den Weg 경찰이 우리가 가는 길을 막았다; umgestürzte Bäume ~ die Straße 쓰러진 나무들이 길을 가로막고 있다; das Hochhaus versperrt (uns) völlig den Blick auf die Berge 그 고층 건물이 산의 전망을 완전히 가로막고 있다. ② (öst.) 잠그다, 닫다. 《Ⅱ》 *refl.* sich ~ 〖雅語〗 마음을 닫다, 경원하다.

Versperrung *f.* -en 차단, 봉쇄, 폐쇄.

verspielen 《Ⅰ》 *t.* ① 놀면서 보내다: einen Tag ~ 하루를 놀면서 보내다. ② 도박으로〔경망한 행동으로〕 잃다: bei jm. verspielt haben 누구의 호의를 잃다. 《Ⅱ》 *i.* (h.) 도박〔경기〕에서 지다; 〔비유〕 실패하다. 《Ⅲ》 *refl.* sich ~ 잘못 연주하다: der Geiger verspielte sich immer an derselben Stelle 바이올린 주자가 늘 같은 부분에서 잘못 연주했다. 《Ⅳ》 **verspielt** *p.a.* ↑ verspielt.

Verspieler *m.* -s, - (도박 등의) 패배〔실패〕자, 진 사람.

verspielt 《Ⅰ》 *p.p.* ↑ verspielen. 《Ⅱ》 *p.a.* ① 도박에 빠진; 놀기 좋아하는. ② 가벼운, 경쾌한: eine ~e Melodie 경쾌한 멜로디.

Verspieltheit *f.* 도박에 빠짐; 놀기 좋아함; 가벼움.

Verspielung *f.* -en 패배, 실패.

verspießern [fɛrʃpí:sərn] *i.* (s.) 〔폄어〕 속물이 되다, 고루하고 편협하게 되다.

verspillern [fɛrʃpílərn] *i.* (s.) 〖원예〗 (햇빛 부족으로) 식물이 제대로 자라지 못하다.

Verspillerung *f.* -en 식물의 성장 부진.

verspinnen* 《Ⅰ》 *t.* (실을) 잣다: Baumwolle ~ 목화를 실로 잣다. 《Ⅱ》 *refl.* 〔비유〕 sich in et. ~ 무엇에 몰두하다: sich in Gedanken ~ 생각에 잠기다. 《Ⅲ》 **versponnen** *p.a.* ↑ versponnen.

verspleißen *t.* 〖海〗 꼬아서 잇다〔연결하다〕.

versplittern *t.* (시간·돈을) 낭비하다; 촌단(寸斷)하다.

versponnen 《Ⅰ》 *p.p.* ↑ verspinnen. 《Ⅱ》 *p.a.* (생각 따위가) 기발한, 이상한 생각에 집착한: eine ~e Idee 기발한 생각; mit zunehmendem Alter wurde er immer ~er 그는 나이를 먹으면서 점점 더 기이한 생각을 잘한다.

***verspotten** *t.* 조롱〔조소·야유〕하다.

Verspottung *f.* -en 조롱, 조소.

versprechen 《Ⅰ》 *t.* ① 약속하다: jm. et. ~ 누구에게 무엇을 약속하다; jm. goldene Berge 〔das Blaue vom Himmel〕 ~ 누구에게 이행할 수 없는 것을 약속하다; er hatte ihr die Ehe versprochen 그는 그녀에게 결혼을 약속했었다. ② 기대하게 하다, 희망을 주다: der Knabe verspricht, etwas zu werden 그 소년은 전도가 유망하다; die Obstbäume ~ eine gute Ernte 과실은 풍작이 예상〔기대〕된다; das Barometer verspricht gutes Wetter 기압계에 의하면 날씨는 좋아질 것 같다; die Ernte verspricht gut zu werden 수확이 좋을 것 같다; das Wetter verspricht schön zu werden 날씨가 좋아질 것 같다. 《Ⅱ》 *refl.* sich ~ ① 약혼하다. ② 잘못 말하다: der Nachrichtensprecher verspricht sich oft 그 뉴스진행자는 종종 실언을 한다. ③ 무엇을 기대하다, 희망을 걸다: sich³ von jm. 〔et.³〕 viel ~ 누구에게〔무슨 일에〕 큰 기대를 걸다; hiervon verspreche ich mir viel 〔wenig〕 이 일에 나는 크게 기대하고 있다〔별로 기대하고 있지 않다〕; ich habe mir von dem Film mehr versprochen 나는 그 영화에 더 많은 것을 기대했다. 《Ⅲ》 **versprochen** *p.a.* ↑ versprochen.

Versprechen *n.* -s, - 약속: ~ und Halten ist zweierlei 약속과 행동은 별개다; ~ einlösen 〔erfüllen, halten〕 약속을 지키다.

Versprechung *f.* -en 약속, 확약: jm. eine ~ geben 누구에게 약속하다; eine ~ halten 〔erfüllen〕 약속을 지키다〔이행하다〕; eine ~ brechen 약속을 어기다; das sind doch alles leere ~en 그것은 죄다 헛된 약속들이었다.

versprengen *t.* ① 흩뜨리다, (물을) 흩뿌리다. ② 〖軍〗 쫓아 흩어 버리다, 궤산(潰散)시키다; 〖사냥〗 (짐승을) 쫓다: versprengte Truppen 궤멸된 부대; ~e Soldaten 낙오병.

Versprengte* *der* 〖軍〗 낙오병.

Versprengung *f.* -en 흩뿌림, 흩어버림, 쫓아버림.

verspringen* 《Ⅰ》 *refl.* sich ~ 뛰어다니다가 길을 잃다. 《Ⅱ》 sich³ den Fuß ~ 뛰다가 다리

를 삐다.

verspritzen *t.* ① (물 따위를) 뿌리다: sein Blut fürs Vaterland ~ 조국을 위하여 피를 흘리다. ② 튀겨서 더럽히다: ich habe mir die Bluse mit Fett verspritzt 나는 블라우스에 기름을 튀겨서 더럽혔다.

versprochen 《I》 *p.p.* ↑ versprechen. 《II》 *p.a.* 약속한; 약혼한: wie ~ 약속대로; 〖구식〗 sie sind miteinander ~ 그들은 약혼한 사이다.

versprochener·maßen, versprochnermaßen *adv.* 〖드물게〗 약속대로.

Verspruch *m.* -(e), ..sprüche [..ʃprʏçə] 〖고어〗 약혼; 약속.

versprudeln *t.* (öst.) 저어서 섞다.

versprühen *t.* 뿌리다, 분무하다; 불똥 등을 튀기다.

verspunden *t.* ① (통에) 마개를 하다. ② 〖건축〗 (들보·판자 따위를) 한쪽에 홈을 파서 꽉 물리게 잇다.

verspünden *t.* ↑ verspunden.

Verspundung, Verspündung *f.* -en ↑ verspunden, verspünden 의 명사형.

verspüren *t.* ① 느끼다, 지각하다: einen Schmerz〔Hunger〕 ~ 고통〔배고픔〕을 느끼다. ② (마음속으로) 느끼다: ein starkes Verlangen nach et.³ ~ 무엇에 대한 강한 욕구를 느끼다. ③ 확인하다, 감지하다: in Beethovens frühen Werken ist der Einfluß Haydns deutlich zu ~ 베토벤의 초기 작품에는 하이든의 영향이 뚜렷이 감지된다.

verst. =verstorben 사망한.

verstaatlichen [fɛrʃtáːtlıçən] *t.* 국유화〔국영화〕하다: ein Unternehmen ~ 기업을 국유화하다.

Verstaatlichung *f.* -en 국유화, 국영화.

verstädtern [fɛrʃtɛ́ːtərn, ..ʃtɛ́t..] 《I》 *i.* (어느 지역이) 도시화되다, (생활 양식이) 도시풍으로 되다: auch auf dem Land verstädtert die Bevölkerung zunehmend 시골에서도 주민들이 점점 도시화되고 있다. 《II》 *t.* 도시화하다: die Industrialisierung verstädtert die Region 산업화로 그 지역이 도시화되고 있다.

Verstädterung *f.* -en 도시화.

verstadtlichen [fɛrʃtátlıçən] *t.* 시유화〔시립화·시영화〕하다.

Verstadtlichung *f.* -en 시립〔시유·시영〕화.

verstählen *t.* 강철 도금을 하다.

Verstählung *f.* -en 강철 도금.

***Verstand** [fɛrʃtánt] 《<verstehen》 *m.* -(e)s ① 사고력, 이해력; 〖哲〗 오성, 지성; 사려, 분별; 이해: klarer ~ 명석한 두뇌(를 가진 사람); der gesunde ~ 〔Menschen≈〕 상식; scharfer ~ 현명, 명민; 〖구어〗 er hat mehr ~ im kleinen Finger als ein anderer im Kopf 그는 굉장히 영리한 사람이다; 〖구어〗 den ~ verlieren 이성을 잃다, 머리가 돌다; 〖속담〗 lange Haare, kurzer ~ 여자의 얕은 소견; nimm doch endlich ~ an! 이젠 좀 분별할 줄 아시오!; seinen ganzen ~ zusammennehmen 꼼꼼하게 숙고하다, 면밀히 검사하다; 〖구어〗 da steht mir der ~ still 〔da bleibt mir der ~ stehen〕! 나로서는 아무래도 그 점을 알〔이해할〕 수가 없군!; 〖속담〗 der ~ kommt mit den Jahren 나이가 들면 현명해진다. ② 〖전치사와 함께〗 **bei** ~e bleiben〔sein〕 제정신이다; du bist wohl nicht ganz bei ~ 너는 머리가 조금 이상한 게 아니냐; man fürchtet **für** seinen ~ 그는 머리가 어떻게 된 게 아닌지 걱정스럽다; **in** jedem ~e 모든 점으로 미루어; **mit** ~ reden 분별 있게 이야기하다; et. mit ~ essen〔trinken, rauchen〕 무엇을 즐기면서 먹다〔마시다, 피우다〕; er macht alles mit dem ~ 그는 모든 일을 분별 있게 처리한다; 〖구어〗 et. mit ~ genießen 무엇을 올바르게 평가하다; **nach** meinem geringen ~ 내 좁은 소견으로는; **ohne** ~ sein 사려 분별이 없다; ohne Sinn und ~ 잘 생각해 보지 않고; 〖구어〗 das geht **über** meinen ~ 나로서는 그것을 이해할 수 없다; 〖구어〗 jn. **um** den ~ bringen (화를 돋구어 또는 이상한 말로) 누구의 이성을 잃게 만들다; **von** ~ kommen 제정신을 잃다; **zu** ~(e) kommen 철들다, 철들 나이가 되다; wieder zu ~(e) kommen 제정신이 들다. ③ 〖雅語〗 의미: im eigentlichen ~ des Wortes 이 말의 본래의 의미에 있어서; in einem gewissen ~e hast du recht 어떤 의미에서는 네 견해가 옳다.

verstanden *p.p.* ↑ verstehen.

Verstandes≈begriff *m.* 〖哲〗 오성 개념. **~gabe** *f.* 지능. **≈gemäß** 〖고어〗 *a.* 이치에 맞는. **~kasten** *m.* 〖구어〗 머리. **~kraft** *f.* 지력(智力). **≈mäßig** *a.* 이치에 맞는, 합리적인; 지적인: eine ~e Entscheidung 합리적인 결정; eine ~e Entwicklung des Menschen 인간의 지적인 발전. **~mensch** *m.* (이) 지적인 사람. **~schärfe** *f.* 총명, 영민. **~schwäche** *f.* 우둔, 저능. **~welt** *f.* 〖哲〗 오성계(悟性界). **~wesen** *n.* 지적〔이성적〕 존재.

verständig [fɛrʃtɛ́ndıç] *a.* 이해력이 있는, 지적인, 이성적인; 총명한, 사려〔분별〕 있는: ~er Mensch 분별 있는 사람; ~ handeln 분별 있게 행동하다.

verständigen [fɛrʃtɛ́ndıgən] 《I》 *t.* 알려 주다, 통고하다: jn. von et.³ 〔über et.〕 ~ 누구에게 무엇을 알아듣게 하다〔알려 주다〕; ihr hättet mich sofort von dem Unfall ~ sollen 너희들은 즉각 내게 사고 소식을 알려 줘야 했는데. 《II》 *refl.* ① sich mit jm. ~ 누구와 의사 소통을 하다: wir haben uns am Telefon kaum miteinander ~ können 우리는 전화로 서로 거의 의사 소통을 할 수 없었다; sich mit jm. auf englisch ~ 누구와 영어로 환담을 나누다; wir werden uns sicher ~ können 우리는 분명히 의견 일치를 볼 수 있을 것이다. ② sich über et. ~ 무엇에 관해 합의를 보다: die beiden Parteien verständigten sich über ein gemeinsames Wahlprogramm 양당은 공동의 선거 프로그램에 대해 합의를 보았다.

Verständigkeit *f.* 총명, 사리 분별.

Verständigung *f.* -en ① 통고, 알려 줌: die ~ der Polizei 경찰의 통고. ② 의사 소통. ③ 합의, 타협, 의견 일치: über diesen Punkt ist mit ihnen keinerlei ~ möglich 이 점에 관해서는 그들과 어떤 타협도 불가능하다.

Verständigungs≈bereitschaft *f.* 타협 의사가 있음. **~friede** *m.* 타협에 의한 평화. **~politik** *f.* 협조 정책. **~schwierigkeiten** *pl.* 의사 소통의 어려움. **~versuch** *m.* 의사 소통〔타협〕의 시도.

verständlich [fɛrʃtɛ́ntlıç] *a.* ① 잘 들리는,

알아들을 수 있는: der Lärm war so groß, daß ich mich kaum ~ machen konnte 소음이 너무 커서 내 말을 잘 들리게 할 수 없었다. ② 이해할 수 있는, 알기 쉬운: jm. et. ~ machen 누구에게 무엇을 알아듣게 설명하다; sich ~ machen 자기의 생각을 남에게 전달하다〔이해시키다〕; ich kann Italienisch, daß ich mich im Urlaub ~ machen kann 나는 이탈리아어를 할 줄 알아서 휴가 때 의사 소통을 할 수 있다. ③ 이해될 수 있는, 당연한: es ist ~, daß sie diesen Wunsch hat 그녀가 이런 소망을 갖는 것은 당연하다.

verstạ̈ndlicher·weise *adv.* 물론.

Verstạ̈ndlichkeit *f.* 이해할 수 있음, 알아듣기 쉬움.

***Verständnis** [fɛɾʃtɛ́ntnɪs] *n.* -ses, -se ① 이해(력): ~ für et. haben 무엇을 이해하다, 무엇에 정통하다; er hatte volles〔vollstes〕~ für ihr Verhalten 그는 그녀의 태도를 잘 이해할 수 있었다; dafür habe ich kein〔keinerlei〕 ~ 나는 그것을 거부한다; dafür fehlt mir jegliches ~ 나는 그것에 동의하지 않는다. ② 견해, 시각: dies ist nach islamischem ~ ein schweres Verbrechen 이것은 이슬람교의 입장에서 보면 중대한 범죄다. ③ 〔구식〕 합의, 타협.

verstạ̈ndnis·innig *a.* 〔雅語〕 깊이 이해하고 있는, 의미심장한: ~ lächeln 의미심장하게 웃다; ~e Blicke tauschen 의미심장한 시선을 교환하다.

verstạ̈ndnislos *a.* 이해하지 못하는.

Verstạ̈ndnislosigkeit *f.* 몰이해.

Verstạ̈ndnis·voll *a.* 잘 이해하는; 총명한; 이해력이 좋은.

verstạ̈nkern *t.* 〔구어·폄어〕 악취로 가득 채우다: die Industrieabgase ~ die ganze Landschaft 산업 폐기 가스로 인해 온 사방에 악취가 풍긴다.

verstạ̈rken 《Ⅰ》 *t.* ① 더 강하게〔견고하게〕 하다: die Fundamente ~ 기초를 보강하다. ② 증원〔증강〕하다: die Truppe um 1000 Mann ~ 부대 병력을 1000명 증강하다. ③ (효과를) 강화〔증대〕하다: seine Anstrengungen ~ 그의 노력을 강화하다; die Farbe ~ 색상을 진하게 하다; Zucker verstärkt die Wirkung von Alkohol 설탕이 알코올의 효과를 증대시킨다; 〘사진〙 ein Negativ ~ 음화를 보력(補力)하다. 《Ⅱ》 *refl.* sich ~ 강화〔증대〕되다.

Verstạ̈rker *m.* -s, - ① 〘사진〙 보력액(補力液). ② 〘전자·전기〙 증폭기. ③ 〘工〙 에너지 증대 장치: Bremskraft~ 제동력 강화 장치. ④ 〘心〙 강화.

Verstạ̈rker·röhre *f.* 〘전기공학〙 증폭관.

Verstạ̈rkung *f.* -en ① 보강, 강화. ② 〘軍〙 증원. ③ 〘전자·전기〙 증폭. ④ 〘스포츠〙 (인원) 보강, 전력 강화.

Verstạ̈rkungs≈flasche *f.* 〘전기〙 라이덴병 (Leidener). **~pfeiler** *m.* 보강 지주〔기둥〕. **~truppen** *pl.* 〘軍〙 증원군.

verstatten [fɛɾʃtátən] *t.* 〔구식·격식〕 허가하다; 승낙하다.

Verstạttung *f.* -en 〔구식·격식〕 허가; 승낙.

verstauben 《<Staub》《Ⅰ》 *i.* (s.) 먼지투성이가 되다, 먼지에 파묻히다: 〔비유〕 seine Bücher ~ in den Regalen 그의 책들은 (읽히지 않고) 책장에서 먼지에 뒤덮여 있다. 《Ⅱ》 **verstaubt** *p.a.* ↑ verstaubt.

verstaubt 《Ⅰ》 *p.p.* ↑ verstauben. 《Ⅱ》 *p.a.* 〔비유·대개 폄어〕 낡은, 구식의, 진부한: eine ~e Weltanschauung 진부한 세계관.

verstäuben 《Ⅰ》 *t.* 분무하다, 뿌리다: Parfüm ~ 향수를 뿌리다. 《Ⅱ》 *i.* (s.) 먼지같이 날리다.

Verstäuber *m.* -s, -, **Verstäubungsapparat** *m.* 분무기.

verstauchen *t.* 삐게 하다, 탈구(脫臼)시키다: sich³ den Fuß ~ 발을 삐다.

Verstauchung *f.* -en 〘醫〙 삠, 염좌(捻挫).

verstauen *t.* 차곡차곡 쌓아 넣다: Gepäck im Auto ~ 차에 짐을 쌓아 넣다.

verstẹchen* *t.* ① einen Faden ~ 실을 다 꿰매다. ② seine Trümpfe ~ 으뜸 카드를 다 내어놓다. ③ Wein ~ 포도주에 섞음질하다. ④ ein Loch ~ 구멍을 (꿰매어) 깁다. ⑤ 〔구어〕 숨기다. ⑥ Speere ~ (중세의 시합에서) 창을 부러뜨리다.

Versteck [fɛɾʃtɛ́k] *n.* -(e)s, -s 숨는 곳, 숨기는 곳, 은신처, 잠복처: der Keller diente ihnen als ~ 지하실은 그들에게 은신처로 쓰였다: ~ spielen 숨바꼭질을 하다; vor〔mit〕 jm. ~ spielen 누구에게 자신의 생각〔감정〕을 숨기다.

***verstẹcken** 《Ⅰ》 *t.* 숨기다: et. vor jm. ~ 누구에게 무엇을 숨기다; wir haben dem Lehrer die Kreide versteckt 우리는 선생님의 분필을 숨겼다. 《Ⅱ》 *refl.* sich ~ 숨다; 〔구어〕 vor〔neben〕 ihm brauchst du dich nicht zu ~ 너는 그에게 뒤지지 않는다; vor〔neben〕 ihm kannst〔mußt〕 du dich ~ 너는 그보다 훨씬 못하다. 《Ⅲ》 **verstẹckt** *p.a.* ↑ versteckt.

Verstẹcken *n.* -s, - 숨바꼭질.

Verstẹcken·spielen *n.* ↑ Versteckspiel.

Verstẹckerl·spiel *n.* (öst.) 숨바꼭질.

Verstẹck·spiel *n.* 숨바꼭질; 〔비유〕 숨기기.

verstẹckt 《Ⅰ》 *p.p.* ↑ verstecken. 《Ⅱ》 *p.a.* ① 숨겨진: sich ~ halten 숨어 있다; das Haus liegt ganz ~ im Wald 그 집은 숲속에 완전히 숨겨져 있다. ② 비밀의, 은밀한; 간접적인: ein ~er Vorwurf 넌지시 하는 비난; 〘軍〙 ~e Angriffe 기습.

Verstẹcktheit *f.* 숨겨져 있음, 은밀.

verstehen [fɛɾʃtéːən] 《Ⅰ》 *t.* ① 듣다, 들어서 알다: die Übertragung war gut zu ~ 중계 방송은 잘 들렸다. ② 이해하다, 파악하다; ich verstehe deinen Ärger sehr gut 나는 네가 화내는 기분을 아주 잘 안다; das Buch ist schwer zu ~ 그 책은 난해하다; er nickte ~d 그는 이해한다는 듯이 고개를 끄덕였다; (haben Sie mich) verstanden? — ja, verstanden (제가 말하는 것을) 알아들으셨습니까? — 예, 알겠습니다; jm. et. zu ~ geben 누구에게 무엇을 암시하다; keinen Spaß ~ 농담을 이해하지 못하다; et. falsch ~ 무엇을 오해하다. ③ 해석〔의미·이해〕하다: was ~ Sie darunter? 그것은 무슨 의미입니까?; ein Wort im schlechten Sinne ~ 어떤 말을 나쁜 의미로 해석하다; wie soll ich das ~? 그것은 어떤 의미일까? ④ 터득하고 있다, 통달〔숙달〕하고 있다: eine fremde Sprache ~ 어떤 외국어를 말할 수 있다, 능통하다; er versteht seinen Beruf 그는 일을 잘 한다; etwas〔nichts〕 von einer Sache ~ 무엇에 대해 지

식이 있다〔전혀 없다〕. 《Ⅱ》〔구어〕*i.* (h.)/*t.* (어떤 곳에 서 있으면서 시간을) 낭비하다, 허송하다: ich kann hier nicht meine Zeit ~ 나는 여기서 시간을 허송할 수는 없다. 《Ⅲ》 *refl.* ①〔구식·雅語〕sich zu et.³ ~ (썩 내키지는 않지만) 무엇을 할 용의가 있다. ② sich auf et. ~ 무엇에 정통〔숙달〕하다, 무엇을 할 능력이 있다; er versteht sich auf Pferde 그는 말을 잘 다룰 줄 안다. ③ sich mit jm. ~ 누구와 서로 잘 이해하고 있다, 친하다; wir ~ uns 〔einander〕 우리는 서로를 이해하고 있다. ④ 〔수동적 의미〕 das versteht sich (von selbst) 그것은 자명하다, 당연한 일이다; (das) versteht sich! 물론! ⑤〖商〗 der Preis versteht sich ab Werk 〔mit Bedienung〕 이 가격은 공장도〔서비스료를 포함한〕 가격이다. ⑥ sich als jn. ~ 자신이 누구라고 생각하다: er versteht sich als Demokrat 그는 자신이 민주주의자라고 생각한다.

Verstehen *n.* -s, - 이해.

Verstehste *f.*, **Verstehste·mich** *m.*〔농담〕 이해(력), 분별.

versteifen 《Ⅰ》 *t.* ① 빳빳하게〔단단하게〕 하다: einen Kragen mit Steifleinen ~ 옷깃에 아마포심을 넣어 빳빳하게 만들다. ② (버팀목으로) 받치다: eine Brücke mit Hölzern ~ 다리를 버팀목으로 받치다. 《Ⅱ》 *i.* (s.) 빳빳해지다, 굳어지다. 《Ⅲ》 *refl.* sich ~ ① 경화(硬化)하다: das Gelenk hat sich versteift 관절이 굳어졌다. ② sich auf et. ~ 무엇을 완강히 주장하다; er hat sich darauf versteift, morgen abzureisen 그는 내일 떠나겠다고 막무가내로 고집했다. ③〖商〗 (주식·채권 따위가) 강세이다, (가격이) 오를 낌새다.

Versteifung *f.* -en ① 경화. ②〖商〗 강세, 등귀. ③ 보강재(補強材): eine ~ aus Draht 〔Holz〕 철사〔나무〕로 된 보강재.

versteigen* 《Ⅰ》 *refl.* sich ~ ① 잘못 오르다, 산을 오르다 길을 잃다. ②〔雅語〕 빗나간 행동이나 생각을 하다, 치우치다: er verstieg sich zu der übertriebenen Forderung 그는 분수없이 과대한 요구를 했다. 《Ⅱ》 **verstiegen** *p.a.* ↑ verstiegen.

Versteigerer *m.* -s, - 경매인.

versteigern *t.* 경매하다.

Versteigerung *f.* -en 경매: öffentliche ~ 공매; zur ~ kommen 경매에 부쳐지다; amerikanische ~ 미국식 경매.

versteinen [fɛrʃtáɪnən] 《Ⅰ》 *t.*〔구식〕 경계석을 세우다. 《Ⅱ》 *i.* (s.) 〔드물게〕 돌이 되다, 석화(石化)되다.

versteinern [fɛrʃtáɪnərn] 《Ⅰ》 *t.* 돌처럼 굳어지게 하다: die Verzweiflung versteinerte seine Züge 절망하여 그의 표정은 화석처럼 굳어졌다. 《Ⅱ》 *i.* (s.) 돌이 되다, 화석이 되다: 〔雅語〕 화석처럼 굳어지다; er stand wie versteinert 그는 놀란 나머지 돌부처같이 서 있었다. 《Ⅲ》 *refl.* sich ~ 굳어지다: ihr Gesicht versteinerte sich 그녀의 얼굴이 굳어졌다. 《Ⅳ》 **versteinert** *p.a.* ↑ versteinert.

versteinert 《Ⅰ》 *p.p.* ↑ versteinern. 《Ⅱ》 *p.a.* 석화한, 화석의.

Versteinerung *f.* -en ① 석화, 굳어짐. ② 화석, 화석물(化石物).

Versteinerungs·kunde *f.* 화석학.

verstellbar [fɛrʃtɛ́lba:r] *a.* 조정〔조절〕할 수 있는: eine ~e Rückenlehne 조절 가능한 등받이.

Verstellbarkeit *f.* 조정〔조절〕 가능.

***verstellen** 《Ⅰ》 *t.* ① (물건을 놓아) 막다, 차단하다: die Tür mit Möbeln ~ 문을 가구로 막다; das neue Haus hat uns die Aussicht auf den Wald verstellt 그 새 집이 숲 쪽 조망을 가로막았다. ② 바꾸어 놓다, 옮기다, 조정하다; 잘못 놓다: der Sitz läßt sich in der Höhe ~ 그 좌석은 높이를 조정할 수 있다; den Wecker ~ 자명종을 잘못 맞추다. ③ 바꾸다; 속이다; 위조하다: seine Handschrift ~ 그의 필적을 위조하다. ④ (schweiz.) 치우다, 제거하다: eine Frage zunächst ~ 어떤 문제를 일단 제쳐놓다. 《Ⅱ》 *refl.* sich ~ 위장하다, 꾸미다; 〖연극〗 분장하다. 《Ⅲ》 **verstellt** *p.a.* ↑ verstellt.

verstellt 《Ⅰ》 *p.p.* ↑ verstellen. 《Ⅱ》 *p.a.* 허위의; 꾸민, 위장한: mit ~er Stimme 꾸민 목소리로.

Verstellung *f.* -en ① 위장, 꾸밈. ② 막음, 차단; 바꾸어 놓음, 옮김, 조정; 잘못 놓음.

Verstellungs·kunst *f.* 위장〔변장〕술.

versteppen *i.* (s.) 초원이 되다.

Versteppung *f.* -en 초원화.

versterben* *i.* (s.) 〔현재는 과거·과거 분사형으로만 사용〕 죽다, 사망하다.

verstetigen [fɛrʃté:tɪgən] *t.* 〖經〗 지속시키다, 계속되게 하다.

Verstetigung *f.* -en 〖經〗 지속, 계속.

versteuern *t.* …에 대한 세금을 납부하다: sein Einkommen ~ 소득세를 납부하다.

Versteu(e)rung *f.* -en 납세.

verstieben[(*)] *i.* (s.) 〔구식〕 먼지처럼 흩날리다.

verstiegen [fɛrʃtí:gən] 《Ⅰ》 *p.p.* ↑ versteigen. 《Ⅱ》 *p.a.* 과도한, 터무니없는; 과장된: sein Plan ist ~ und unrealistisch 그의 계획은 터무니없고 비현실적이다.

Verstiegenheit *f.* -en ① 과도, 과장, 방만. ② 도를 지나친 언행.

verstimmen 《Ⅰ》 *t.* ①〖음악〗 (악기의) 가락〔음〕을 틀리게 하다. ② jn. ~ 누구의 비위를 거스르다, 기분을 상하게 하다: deine ironische Bemerkung hat ihn ziemlich verstimmt 너의 비꼬는 말 때문에 그는 꽤 기분이 상했다. 《Ⅱ》 *refl.* sich ~ 가락이 틀리다, 음이 맞지 않다; 〔비유〕 비위가〔기분이〕 상하다. 《Ⅲ》 **verstimmt** *p.a.* ↑ verstimmt.

verstimmt 《Ⅰ》 *p.p.* ↑ verstimmen. 《Ⅱ》 *p.a.* ① 가락이 틀린. ② 기분이 상한: einen ~en Magen haben 속이 좋지 않다; die Gäste verließen ~ das Haus 손님들은 기분이 상해서 집을 나섰다.

Verstimmtheit *f.* 가락이 틀림; 언짢음.

Verstimmung *f.* -en ①〖음악〗 가락을 틀리게 함; 맞지 않는 음조. ② 언짢음, 불쾌.

verstocken 〔구식·雅語〕《Ⅰ》 *i.* (s.) 곰팡이가 슬다, 썩다. 《Ⅱ》 *t.* 완고하게〔고집불통으로〕 만들다. 《Ⅲ》 *refl.* sich ~ 완고〔완강〕해지다〔하다〕. 《Ⅳ》 **verstockt** *p.a.* ↑ verstockt.

verstockt 《Ⅰ》 *p.p.* ↑ verstocken. 《Ⅱ》 *p.a.* ① 곰팡이 핀, 썩은. ② 완고〔완강〕한: ein ~er Sünder 개전의 빛이 없는 죄인.

Verstocktheit *f.* 완고, 완강.

verstohlen [fɛrʃtó:lən] 《< verstehlen》 *a.* 남

모르는, 비밀의, 눈에 띄지 않은, 은밀한: sich ~ umschauen 몰래 주위를 둘러보다; ein ~es Lächeln 은밀한 미소.

verstohlener·weise *adv.* 남몰래, 은밀하게.

verstolpern *t.* 〖스포츠〗 (걸려 넘어지는 바람에) 기회를 놓치다.

verstopfen 《Ⅰ》 *t.* ① 막다: sich³ die Ohren mit Watte ~ 솜으로 귀를 막다; die Straße 〔Nase〕 ist verstopft 길이〔코가〕 막혀 있다. ② 〖醫〗 변비가 되게 하다: ich bin verstopft 나는 변비가 있다. 《Ⅱ》 *i.* (배수관 등이) 막히다. 《Ⅲ》 **verstopft** *p.a.* ↑ verstopft.

verstopft 《Ⅰ》 *p.p.* ↑ verstopfen. 《Ⅱ》 *p.a.* 꽉 막힌; 변비가 된.

Verstopfung *f.* -en 막음, 막힘; 〖醫〗 변비.

verstöpseln [fɛɤʃtœpsəln] *t.* 마개를 하다: eine Flasche ~ 병에 마개를 하다; der dicke Mann verstöpselt mir die ganze Aussicht 뚱뚱한 사람이 앞을 막아서 나는 아무것도 안 보인다.

verstorben [fɛɤʃtɔ́rbən] 《<versterben》 *a.* 죽은, 사망한.

Verstorbene* *der/die* 고인(故人).

***verstören** 《Ⅰ》 *t.* 당황케 하다, 심란하게 하다, 혼란에 빠뜨리다: sein Verhalten hat mich völlig verstört 그의 태도는 나를 완전히 당황케 했다. 《Ⅱ》 **verstört** *p.a.* ↑ verstört.

verstört 《Ⅰ》 *p.p.* ↑ verstören. 《Ⅱ》 *p.a.* 당황〔당혹·심란〕한: sie machte einen ~en Eindruck 그녀는 당황한 인상을 보였다.

Verstörtheit *f.* 당황, 당혹, 심란, 혼란.

Verstoß [fɛɤʃtó:s] *m.* -es, ..stöße [..ʃtǿ:sə] 위반, 저촉: ~ gegen die Vorschriften 규칙 위반; einen ~ gegen die guten Sitten begehen 미풍 양속에 어긋나는 행동을 하다; 〖방언·고어〗 in ~ geraten 없어지다, 분실하다.

verstoßen* 《Ⅰ》 *t.* 쫓아내다, 추방하다: seinen Sohn ~ 아들과 의절하다; die Frau ~ 처와 이혼하다; aus einer Gesellschaft ~ 모임에서 제명하다. 《Ⅱ》 *i.* (h.) 무엇을 위반하다, 어긋난 짓을 하다: gegen ein Tabu ~ 금기를 깨뜨리다; das verstößt gegen die Grundsätze der Rechtsstaatlichkeit 그것은 법치 국가의 원칙에 어긋난다.

Verstoßene* *der/die* (사회·친구·가족에게서) 버림받은 자, 추방자.

Verstoßung *f.* -en 추방; 위반.

verstreben *t.* 버팀목으로 받치다〔보강하다〕.

Verstrebung *f.* -en 〖건축〗 ① 버팀목으로 받침. ② 받침대; 보강재.

verstreichen* 《Ⅰ》 *t.* ① 칠하다: Marmelade auf dem Brot ~ 잼을 빵에 바르다. ② 다 칠해 버리다, 칠하는 데 사용하다. ③ 칠해서 틈새를 막다. 《Ⅱ》 ① *i.* (s.) 〖雅語〗 (시간이) 경과하다: Monate waren ungenutzt verstrichen 아무 하는 일 없이 몇 달이 지나가 버렸다. ② 〖사냥〗 서식지를 떠나다.

***verstreuen** [fɛɤʃtrɔ́ʏən] *t.* ① (a) 흩뿌리다: Salz auf dem Gehweg ~ 인도에 (제설용) 소금을 뿌리다. (b) (실수로) 흘리다, 엎지르다: jemand muß hier Zucker verstreut haben 누군가 여기에 설탕을 흘렸음에 틀림없다. (c) 어지럽게 늘어 놓다, 산재시키다. ② 뿌려서 소모하다: wir haben in diesem Winter einen Sack Salz verstreut 우리는 이번 겨울에 소금 한 자루를 뿌려서 소비했다.

verstreut 《Ⅰ》 *p.p.* ↑ verstreuen. 《Ⅱ》 *p.a.* 드문드문 있는: 〖지질〗 ~e Felsblöcke 표석(漂石); ~ liegende Häuser 드문드문 있는 집들.

verstricken 《Ⅰ》 *t.* ① (실을) 뜨개질에 소비하다: ich habe für den Pullover zehn Knäuel Wolle verstrickt 나는 그 스웨터를 짜는 데 털실 열 뭉치를 다 썼다. ② 〖雅語〗 끌어들이다, 연루시키다: jn. in et. ~ 누구를 무엇에 끌어넣다, 옭아 넣다. 《Ⅱ》 *refl.* sich ~ ① 뜨개질되다, 짜지다: das Garn verstrickt sich gut 이 실은 뜨개질이 잘 된다. ② 잘못 뜨다〔짜다〕. ③ sich in et. ~ 무엇에 휩쓸려 들어가다, 연루되다.

Verstrickung *f.* -en ① 〖雅語〗 끌려들어감, 얽혀듦; 연루. ② 〖法〗 압류.

verstromen *t.* (석탄 따위를) 전력 생산에 사용하다.

verströmen [fɛɤʃtrǿ:mən] 《Ⅰ》 *t.* 발산하다, 퍼뜨리다: die Blumen ~ ihren Duft 꽃들이 향기를 발산한다. 《Ⅱ》 *refl.* 〖雅語〗 sich ~ ① 정신력을 소모하다. ② 흘러 들어가서 사라지다.

Verstromung *f.* -en 전력 생산에 사용함.

verstrubbeln *t.* 〖구어〗 헝클어뜨리다: sie hat sich das Haar verstrubbelt 그녀는 (자기) 머리를 헝클어뜨렸다.

verstudieren *t.* (재산·시간을) 학문〔연구〕에 소비하다; (건강을) 과도한 연구로 해치다.

verstümmeln [fɛɤʃtʏ́məln] 《Ⅰ》 *t.* …의 팔다리를 잘라내다, 절단하다; 불구로 만들다; 〖비유〗 훼손하다, 파괴하다: einen Plan ~ 계획을 망치다; ein verstümmelter Arm 절단된 팔; 〖비유〗 eine Nachricht ~ 뉴스를 심하게 줄여서 왜곡 보도하다. 《Ⅱ》 *i.* (h.) 〖醫〗 (신체 조직이) 절단되다, 떨어져 나가다.

Verstümmelung *f.* -en ① 절단, 감축; 훼손; (보고서의) 주요 부분의 삭제. ② 〖醫〗 (신체 조직의) 절단.

***verstummen** [fɛɤʃtʊ́mən] *i.* (s.) 〖雅語〗 ① 갑자기 침묵하다, 입을 다물다: vor Freude ~ 기뻐서 말문이 막히다; jn. zum ~ bringen 누구의 말문을 막다. ② (소리가) 그치다, 멈추다: die Musik ist verstummt 음악이 그쳤다. ③ 중지되다, 끝나다: die Gerüchte sind bald verstummt 소문들이 곧 잠잠해졌다.

Verstümmlung *f.* -en ↑ Verstümmelung.

Verstummung *f.* -en 침묵; 〖醫〗 실어증(失語症).

verstürzt *a.* ① 당황한. ② 열중한: auf et. ganz ~ sein 무엇에 열중해 있다.

Ver. St. v. A. =Vereinigte Staaten von Amerika 아메리카 합중국, 미국.

***Versuch** [fɛɤzú:x] *m.* -(e)s, -e ① **(a)** 시도, 기도: ~e machen 시도하다; ~ und Irrtum 시행 착오; es käme auf den ~ an 시도는 해봐야 할 거야. **(b)** 〖문학〗 습작; 에세이: ein literarischer ~ 시론(試論), 시작(試作). ② 실험, 시험: Kernwaffen~ 핵무기 실험; einen ~ anstellen〔abbrechen〕 실험하다〔실험을 중단하다〕; einen ~ mit jm.〔et.³〕 machen 누구를〔무엇을〕 시험해 보다. ③ 〖스포츠〗 **(a)** 시험 연습: jeder Sportler hat drei ~e 각 선수는 세 번씩 시험 연습을 갖는다. **(b)** 〖럭비〗 터치다운. **(c)** 〖육상〗 시기(試技). ④ 〖法〗 미수: Mord~ 살인 미수.

***versuchen** [fɛrzú:xən] 《I》 *t.* ① (**a**) 해보다, 시도하다; 시험하다: sein Glück〔Heil〕 ~ 운을 시험하다; seine Kräfte an et.³ ~ 무엇으로 힘을 시험해 보다; es mit jm.〔et.³〕 ~ 누구를〔무엇을〕 시험하다. (**b**) 시음〔시식〕하다: Getränke〔Speise〕 ~ 시음〔시식〕해 보다. ② (**a**) 시험해보다(wagen): die Vorlesung ~ 강의를 해보다; er hat sich³ etwas〔viel〕 (in der Welt) versucht 그는 여러 가지로 세상일에 환하다, 경험이 풍부하다; er versucht, ob er es kann 그는 할 수 있는지 없는지를 시험한다. (**b**) (…하려고) 애쓰다, 노력하다: er versuchte, es ihr zu erklären 그는 그녀에게 그것을 설명하려고 애썼다; er versuchte zu entfliehen 그는 도망치려고 노력했다. ③〖聖〗 시험에 들게 하다, 유혹하다, 부추기다: jn. ~, et. zu tun 누구를 부추겨서 무슨 일을 시키다; ich bin versucht 〔ich fühle mich versucht〕, das zu glauben 나는 그것을 믿고 싶은 기분이다. 《II》 *refl.* sich ~ 시험해 보다, 종사하다, 노력하다: sich in einem Beruf ~ 어떤 직업에 종사하다; sich an einem Thema ~ 어떤 테마를 연구하다.

Versucher *m.* -s, - 유혹자; 〖聖〗 악마.

Versucherin *f.* -nen ↑ Versucher 의 여성형.

Versuchs≈abteilung [fɛrzú:xs..] *f.* 실험 담당 부서. **~anlage** *f.* ① 실험 장치〔기구〕. ② 시운전 중인 시설. **~anordnung** *f.* 실험 규정〔조건〕. **~anstalt** *f.* 실험소. **~ballon** [..balɔŋ] *m.* ① 기상 관측용 기구(氣球). ② 〔구어〕 (여론 조사·염탐·타진을 위한) 애드벌룬: einen ~ steigen lassen 애드벌룬을 띄우다, (여론의) 반응을 알아보다. **~bedingungen** *pl.* 실험의 조건. **~ergebnis** *n.* 실험 결과. **~feld** *n.* 실험 시설. **~flug** *m.* 〖공〗 시험 비행. **~gelände** *n.* 시험장. **~kaninchen** *n.* ① 〖醫·드물게〗 실험용 토끼. ② 〔구어·폄어〕 피시험자, 실험 대상자. **~methode** *f.* 실험법. **~objekt** *n.* 실험(대상)물; 〔구어〕 웃음거리. **~person** *f.* 〖心·醫〗 피시험자, 실험 대상자(약어: Vp., VP). **~schießen** *n.* 〖軍〗 시험 사격. **~station** *f.* 실험소. **~tier** *n.* 실험용 동물. **≈weise** *adv.* 시험삼아, 실험적으로.

***Versuchung** [fɛrzú:xʊŋ] *f.* -en ①〖聖〗 유혹, 시험: jn. in ~ führen 누구를 유혹하다. ② 유혹, 욕망: in ~ kommen〔geraten, fallen〕 유혹에 빠지다; ich komme gar nicht in ~, das zu tun 나는 그것을 전혀 하고 싶지 않다.

versudeln *t.* 〔구어〕 ① (일을) 더럽혀서 망치다. ② 더덕더덕 칠하다, 더럽히다.

versühnen *t./refl.* 〔고어〕 (versöhnen) 화해〔속죄〕하다.

versumpfen [fɛrzúmpfən] 《I》 *i.* (s.) ① 늪이 되다, 소택지화하다. ② 〔구어〕 (**a**) 나태해지다: wenn ich keine interessante Arbeit bekomme, versumpfe ich völlig 나는 흥미로운 일거리가 없으면 몹시 나태해진다. (**b**) 〔비유〕 부패〔타락〕하다: wir sind gestern abend versumpft 우리는 어젯밤에 진탕 놀았다. 《II》 **versumpft** *p.a.* ↑ versumpft.

versumpft 《I》 *p.p.* ↑ versumpfen. 《II》 *p.a.* 늪이 많은, 비습(卑濕)한; 〔비유〕 타락한, 방탕한, 수렁에 빠진.

Versumpfung *f.* -en 수렁에 빠짐; 타락.

versündigen [fɛrzýndɪgən] 《I》 *t.* 죄짓게 만들다. 《II》 *refl.* 〔雅語〕 sich ~ 죄를 짓다: sich an jm. ~ 누구에게 나쁜 짓을 하다.

Versündigung *f.* -en 〔雅語〕 ↑ versündigen 의 명사형.

versunken [fɛrzúŋkən] 《I》 *p.p.* ↑ versinken. 《II》 *p.a.* 가라앉은; 〔비유〕 몰두하는, 타락한: er ist in seine Arbeit ganz ~ 그는 일에 완전히 몰두하고 있다; in jn. ~ sein 누구를 넋을 잃고 바라보다; in sich 〔in Gedanken〕 ~ sein 생각〔명상〕에 잠겨 있다; in tiefen Schlaf ~ 숙면하여; die Seele ist ~ 의기소침해 있다.

Versunkenheit *f.* ① 〔雅語〕 깊은 생각〔명상〕에 빠져 있음. ② 쇠퇴, 타락.

Versur [vɛrzú:r] 《lat.》 *f.* -en 〖商·구식〗 (Umsatz) 매매, 판매; 〖건축〗 (문의) 장식.

versus [vέrzʊs] 《lat.》 *prp.*⁴ 대(對) (약어: vs).

versüßen [fɛrzý:sən] *t.* ① 〔드물게〕 달게 하다, 너무 달게 하다. ② 〔비유〕 달콤하게 하다, 유쾌하게 하다: jm. das Leben ~ 누구의 생활을 즐겁게〔유쾌하게〕 하다.

Versüßung *f.* -en ↑ versüßen 의 명사형.

vers≈weise [fέrs..] *adv.* 시구(詩句)의 형태로, 시구마다. **≈zeichen** *n.* 〖印〗 시구 기호.

vert. [vɛrt] =vertatur 뒷면을 보시오.

vertäfeln [fɛrtέ:fəln] *t.* 무늬목을 붙이다: eine Wand ~ 벽에 무늬목을 붙이다.

Vertäf(e)lung *f.* -en ① ↑ vertäfeln 의 명사형. ② (벽에 붙인) 무늬목.

vertagen [fɛrtá:gən] 《I》 *t.* ① (회의를) 연기하다, 정회(停會)하다: die Entscheidung ~ 결정을 미루다; die Versammlung wurde auf die nächste Woche vertagt 회의가 다음 주로 연기되었다. ② (schweiz.) 기일〔일정〕을 정하다: et. auf einen Termin ~ 무엇의 일정을 어떤 날로 정하다. 《II》 *refl.* sich ~ 연기〔정회〕되다.

Vertagung *f.* -en 연기, 정회.

vertändeln [fɛrtέndəln] *t.* 〔구식〕 (시간·돈을) 헛되이 쓰다, 낭비하다.

Vertänd(e)lung *f.* -en 낭비, 허비.

vertanzen *t.* (시간 따위를) 춤을 추며 보내다: die Nacht ~ 춤추며 밤을 지새다; seinen Kummer ~ 춤추며 근심 걱정을 잊다.

vertatur [vɛrtá:tur] 《lat.》 뒷면을 보시오(약어: vert.), 〖印〗 뒤집으시오(거꾸로 인쇄된 글자의 교정 지시; 기호:V).

vertauben [fɛrtáubən] *i.* (h.) 〖광산〗 (광맥이) 끝나다, 광석 함유량이 적어지다.

Vertaubung [fɛrtáubʊŋ] *f.* -en 〖광산〗 광맥이 끝남.

vertäuen [fɛrtɔ́ʏən] *t.* 〖海〗 (배를) 밧줄로 붙잡아 매어 두다, 계류(繫留)하다.

vertaumeln *t.* (시간을) 환락에 취해 보내다.

vertauschbar *a.* 교환할 수 있는.

Vertauschbarkeit *f.* 교환 가능(성).

***vertauschen** [fɛrtáuʃən] *t.* ① (austauschen) 교환하다, 바꾸다; 〖商〗 교역하다; 〖數〗 순열하다: et. gegen〔für, um〕 et. ~, et. mit et.³ ~ 무엇을 다른 것과 교환하다; die Stiefel mit den Hausschuhen ~ 장화를 벗고 실내화로 갈아 신다. ② (verwechseln) 실수로 바꾸다, 혼동하다: wir haben unsere Hüte vertauscht

우리들의 모자가 서로 바뀌었다.

Vertauschung *f.* -en 교환; 〖商〗 교역; 〖數〗 순열; 잘못 바꿈, 혼동.

vertausendfachen [fɛrtáuzəntfaxən], **vertausendfältigen** *t.* 천 배로 하다.

Vertäuung [fɛrtɔ́yuŋ] *f.* -en 〖海〗 ① (선박의) 계류(繫留). ② 계류용 밧줄.

verte [vɛ́rtə] 《lat., „wende um!"》〖음악〗 페이지를 넘기시오, 뒷면을 보시오.

vertebral [vɛrtebrá:l] 《lat.》 *a.* 〖해부〗 척추뼈의, 척추의.

Vertebrat *m.* -en, -en, **Vertebrate** *m.* -n, -n 〖動〗 척추 동물.

***verteidigen** [fɛrtáidɪgən] 《I》 *t.* ① 지키다, 방어하다: das Vaterland gegen Feinde ~ 조국을 적으로부터 지키다. ② **(a)** 지지〔옹호〕하다. **(b)** (법정에서) 변호하다, 변론하다: den Angeklagten ~ 피고를 변호하다. ③〖스포츠〗 **(a)** (타이틀을) 방어하다. **(b)** 지키려고 하다: einen Spielstand ~ 경기〔득점〕 상황을 유지하려고 하다. **(c)** 저지하려고〔막으려고〕 하다: das Tor ~ 슈팅을 저지하다. 《Ⅱ》 *i.* (h.) 〖스포츠〗 수비수로 활동하다.

Verteidiger *m.* -s, - ① **(a)** 방어자. **(b)** 〖法〗 변호사, 법률 고문. ② 옹호자: die ~ des Gesetzentwurfs 그 법(률)안의 옹호자. ③〖스포츠〗 수비 선수, (축구의) 후위(後衛).

Verteidigerin *f.* -nen ↑ Verteidiger 의 여성형.

***Verteidigung** *f.* -en ① 방어, 보호: die ~ seiner Ehre 그의 명예의 보호. ②〖軍〗 **(a)** 방위 조치, 국방; 방위력, 군사력. **(b)** 방어전: die ~ einer Stadt 도시 방어전. ③ 옹호, 정당화, 변명: die ~ eines Standpunktes 입장의 변명. ④ **(a)** 〖法〗 변호, 변론: die ~ des Angeklagten 피고의〔피고에 대한〕 변호. **(b)** (법정의) 변호인, 변호사. ⑤〖스포츠〗 (한 팀의) 수비진.

Verteidigungs≈anstalten *pl.* 방어 시설. **~ausgabe** *f.* 방위비. **~beitrag** *m.* (동맹국의) 방위 분담(금). **~bereitschaft** *f.* 〖軍〗 방위 태세. **~bündnis** *n.* 〖軍〗 방위 동맹. **~drittel** *n.* 〖아이스하키〗 (자기편) 골문 전방 3 분의 1 지점. **~fall** *m.* 〖政·法〗 방위상의 긴급 사태. **~gefecht** *n.* 방어전. **~haushalt** *m.* 국방 예산. **~krieg** *m.* 방어전(↔ Angriffskrieg). **~linie** *f.* 〖軍〗 방어선.

verteidigungslos *a.* 무방비의.

Verteidigungs≈maßregeln *pl.* 방어 조치. **~minister** *m.* 국방부 장관. **~ministerium** *n.* 국방부. **~mittel** *n.* 〖法〗 방어 수단. **~pakt** *m.* 방위 동맹〔조약〕. **~rede** *f.* (변호사의) 변호 연설; 변명. **~schlacht** *f.* 방어전. **~schrift** *f.* 변명서; 답변서. **~stand** *m.* ↑ ~zustand. **~stellung** *f.* ①〖軍〗 방어 진지. ② 방어 자세. **~waffe** *f.* 방어 무기. **~weise** *adv.* 수세로, 방어적으로. **~werke** *pl.* 방어 시설〔공사〕. **~zustand** *m.* 방어 상태.

verteien *t.* (배를) 계류하다(vertäuen).

verteilbar *a.* 나눌 수 있는.

***verteilen** [fɛrtáɪlən] 《I》 *t.* ① 나눠주다, 배포하다; 할당하다: Programme ~ 프로그램을 배포하다; 〖연극〗 die Rollen ~ 배역을 할당하다. ② (골고루) 분배하다: Kosten ~ 비용을 분담하다; das Vermögen an seine Kinder ~ 자식들에게 재산을 나누어 주다; die Lasten auf alle Besitzenden ~ 부담을 모든 유산자(有産者)에게 과하다. ③ 배치하다; 골고루 뿌리다〔바르다〕: Butter auf dem Brot ~ 빵에 버터를 바르다. ④〖스포츠〗 (공을) 배분해 주다: die Bälle ~ 공을 배분해 주다, 어시스트하다. 《Ⅱ》 *refl.* sich ~ 확산되다, 분배〔할당·배치〕되다: die Kosten ~ sich auf alle Mitglieder 비용은 전회원에게 할당된다; die Polizeibeamten ~ sich über den Platz 경찰관들이 광장에 배치된다.

Verteiler [fɛrtáɪlər] *m.* -s, - ① 분배자; (버스) 배차계. ② **(a)** 가스〔석유〕 판매점. **(b)** 소매 상인. ③ 통신 판매원. ④〖사무〗 수신자 주소·성명. ⑤〖전기〗 배전함, 배전 상자. ⑥〖스포츠〗 게임 메이커. ⑦〖車〗 (점화 장치의) 디스트리뷰터.

Verteiler≈dose *f.* 〖전기〗 배전통. **~kasten** *m.* 〖전기〗 배전. **~netz** *n.* ① (전기·가스의) 공급망. ②〖經〗 판매망, 판매 조직. **~ring** *m.* (특히 불법 물품의) 판매망. **~scheibe** *f.* 〖전기〗 배전반. **~schlüssel** *m.* ① 분배 기준, 분배율. ② ↑ Verteiler ④.

***Verteilung** *f.* -en ① 분배, 할당; 분할; 배치, 배포; 분포. ②〖經〗 상품의 판매, 유통. ③〖논리〗 주연(周延). ④〖化〗 분산〔산란〕 현상. ⑤〖통계〗 분포 양상.

Verteilungs≈reservoir [..voa:r] *n.* 상수도 배수지(配水池)(의 저수량). **~stelle** *f.* 분배 장소, 배급처. **~tafel** *f.* 〖전기〗 배선반, 분전반(分電盤). **~zahl·wort** *n.* 〖언어〗 배분 수사(數詞). **~zentrale** *f.* 배전소; 변전소.

vertelefonieren *t.* 〖구어〗 ① (돈을) 전화 통화에 쓰다. ② (시간을) 전화 통화하는 데에 보내다.

vertellen 《I》 *t.* 〖구어〗 (erzählen) 말하다, 이야기하다. 《Ⅱ》 *refl.* sich ~ 오산(誤算)하다.

verteuern [fɛrtɔ́yərn] 《I》 *t.* 값을 올리다, 비싸게 만들다, 등귀시키다. 《Ⅱ》 *refl.* sich ~ 비싸지다.

Verteuerung *f.* -en 가격 인상.

Verteurung *f.* -en ↑ Verteuerung.

verteufeln [fɛrtɔ́yfəln] 《I》 *t.* 사악〔무자비〕하다고 낙인찍다, 악마로 낙인찍다〔매도하다〕. 《Ⅱ》 **verteufelt** *p.a.* ↑ verteufelt.

verteufelt [fɛrtɔ́yfəlt] 《I》 *p.p.* ↑ verteufeln. 《Ⅱ》 *p.a.* 〖구어〗 ① 저주받은, 괘씸한. ② 복잡다단한, 얽히고 설킨: eine ~e Geschichte 얽히고 설킨 이야기〔일〕. ③ 엄청난: ein ~es Glück haben 엄청난 행운을 잡다. 《Ⅲ》 *adv.* 굉장히, 엄청나게: ~ hübsch 끝내주게 예쁜.

***vertiefen** [fɛrtí:fən] 《I》 *t.* ① 깊게 하다, 파내리다〔뚫다〕: ein Loch ~ 구멍을 깊숙이 파다. ② (지식·인상 등을) 깊게 하다: ein Gespräch ~ 대화를 깊이 있게 하다; sein Wissen über et. ~ 무엇에 대한 지식을 심화시키다. ③〖畫〗 (색을) 진하게 하다. ④〖음악〗 (음정을) 낮추다. 《Ⅱ》 *refl.* sich ~ ① 깊어지다. ② 심화되다, 짙어지다. ③ 집중하다, 몰두하다, 가라앉다: sich in et. ~ 무엇에 침잠(沈潛)하다, 몰두하다. 《Ⅲ》 **vertieft** *p.a.* ↑ vertieft.

vertieft 《I》 *p.p.* ↑ vertiefen. 《Ⅱ》 *p.a.* ① 오목하게 된; 깊게 파인: ~ geschnitten 깊이 새겨진. ② 깊이 빠진, 몰두한; 탐닉하는: in Gedanken ~ sein 생각에 잠겨 있다.

Vertieft·sein *n.* ↑ Vertiefung ④.
Vertiefung *f.* -en ① 깊게 하기, 파내려 가기. ② 심화. ③ 오목한 데, 구덩이, 파낸 구멍; (긴) 홈; 벽감(壁龕). ④ 몰두, 열중.
vertieren[1] [fɛrtíːrən] 《I》 *i.* (s.) 동물적으로 되다, 잔인하게 되다. 《II》 *t.* 잔인〔난폭〕하게 만들다. 《III》 **vertiert** *p.a.* ↑ vertiert.
vertieren[2] 《lat.》 *t.* 〔구식〕 ① (한장 한장) 넘기다, 돌리다. ② 번역하다.
vertiert 《I》 *p.p.* ↑ vertieren[1]. 《II》 *p.a.* 동물화한, 야수적인: ein ~er Verbrecher (짐승처럼) 잔혹한 범인.
*__vertikal__ [vɛrtikáːl] 《lat.》 *a.* (senkrecht) 수직의(↔horizontal): 〖사회〗 ~e Mobilität 사회의 수직적 유동성; 〖法〗 ~e Bindung (생산자와 상인 사이의) 수직적 가격 구속.
*__Vertikale__ *f.* -n 수직선(↔Horizontale); 〖物〗 연직(鉛直).
Vertikal≈ebene *f.* 수직면. **~kreis** *m.* 〖天〗 ① 연직권(鉛直圈), 수직권. ② 별의 고도 측정기. **~linie** *f.* 수직선. **~projektion** *f.* 수직 투영, 정사영(正射影). **~schnitt** *m.* 종단면.
Vertiko [vɛ́rtiko] *n.*/(드물게) *m.* -s, -s (두 개의 문이 달린 조그마한) 장식장(欌).
vertikutieren [vɛrtikutíːrən] *t.* 〖원예〗 (잔디밭을) 군데군데 파내다(통풍·투수(透水)를 위해).
Vertikutierer *m.* -s, - 〖원예〗 잔디밭 관리용 (땅파는) 기계, 에어레이터.
Vertikutier·gerät *n.* ↑ Vertikutierer.
vertilgbar [fɛrtílkbaːr] *a.* 근절〔말살〕할 수 있는.
*__vertilgen__ [fɛrtílgən] *t.* ① 근절하다, 섬멸하다; 제거하다: Ungeziefer ~ 해충을 박멸하다; eine Spur ~ 흔적을 지워 버리다. ② 〔구어〕 먹어 치우다: Speisen ~ 음식을 다 먹어 버리다.
Vertilger *m.* -s, - 말살자.
Vertilgung *f.* -en 근절, 제거.
Vertilgungs≈kampf, ~krieg *m.* 섬멸전. **~mittel** *n.* 제초제, 구충제.
vertippen [fɛrtípən] 〔구어〕 《I》 *t.* (타자할 때) 잘못 치다, 잘못 쓰다: einen Buchstaben ~ 철자 하나를 잘못 치다. 《II》 *refl.* sich ~ 잘못 타자하다.
vertobacken [fɛrtóː..] *t.* 〔구식〕 (berl.) 마구 때리다; 어리둥절하게 하다.
vertoben 《I》 *i.* (s./h.) ① 지나치게 거칠다. ② 거친 바람이 자다, (노여움이) 진정되다. 《II》 *t.* ① (시간을) 법석을 떨어서 낭비하다. ② 〔구어〕 (기회를) 놓치다.
vertonen [fɛrtóːnən] *t.* (희곡·가극 대본 등에) 곡을 붙이다, 작곡하다.
vertönen [fɛrtǿːnən] *i.* (s.) 〔드물게〕 (음향이) 사라지다, 그치다.
Vertoner *m.* -s, - 작곡가.
Vertonung *f.* -en 작곡.
vertorfen [fɛrtɔ́rfən] *i.* (s.) (습지가) 토탄(土炭)이 되다.
Vertorfung *f.* -en 토탄화 (작용).
vertrackt [fɛrtrákt] *a.* 〔구어〕 ① (verzerrt) 비틀어진, 기형의. ② (a) 얽히고 설킨(verwickelt): eine ~e Sprache 복잡해서 이해하기 어려운 말. (b) 좋지 않은, 나쁜, 불쾌한: ein ~es Wetter 짓궂은 날씨.
Vertracktheit *f.* -en 기형; 착종.
*__Vertrag__ [fɛrtráːk] *m.* -(e)s, ..träge [..trɛ́ːgə] ① 계약; 조약; 〖宗〗 성약(聖約): Kauf≈ 매매 계약; Friedens≈ 평화 조약; ein ~ auf drei Jahre 3년 만기 계약; einen ~ (ab)schließen 계약을 맺다, 조약을 체결하다; jn. unter ~ nehmen 누구와 고용 계약을 하다, 누구를 고용하다; bei jm. unter ~ stehen 누구와 노동〔고용〕 계약 관계에 놓여 있다. ② 계약서: einen ~ unterschreiben 계약서에 서명하다.
__vertragen__ [fɛrtráːgən] 《I》 *t.* ① (ertragen) 견디다, 참다, 굴복하지 않다: Speise ~ 음식(물)을 소화해내다; mein Magen verträgt das nicht 내 위는 그것을 소화시키지 못한다; er kann viel ~ 그는 아무리 먹어도 끄떡도 않는다; 〔구어〕 einen Puff ~ 웬만한 일에는 까딱도 않다; 〔구어〕 der kann einen Stiefel ~ 그는 대단한 술꾼이다; 〔구어〕 das kann der zehnte nicht ~ 그것은 누구라도 참아내지 못할 것이다. ② (a) (schweiz.) 배달하다, 운반해 가다: er verträgt Zeitungen 그는 신문을 배달한다. (b) 잘못 놓아 두다, 놓아 두고 잊어버리다; 숨기다. ③ 〔방언〕 (옷을) 입어 낡게 하다, 입어 해어뜨리다. ④ 〔고어〕 화해시키다, (분쟁을) 조정하다: zwei Personen (miteinander) ~ 두 사람을 화해시키다, 가운데서 조정하다. ⑤ 〔고어〕 (누구와) 계약을 체결하다. 《II》 *refl.* sich ~ ① 사이좋게 지내다, 화합하다: sich mit jm. ~ a) 누구와 사이 좋게 지내다, 화합하다, b) 〔고어〕 누구와 계약을 맺다; sie ~ sich wie Hund und Katze 그들은 견원지간(犬猿之間)이다; 〔속담〕 Pack schlägt sich, Pack verträgt sich 상놈은 잘 싸우고 잘 친해진다. ② 일치하다, 조화되다: Grün und Blau ~ sich nicht 녹색과 청색은 조화되지 않는다; sein Verhalten verträgt sich nicht mit seiner Stellung 그의 태도는 그의 지위에 어울리지 않는다.
Verträger [fɛrtrɛ́ːgər] *m.* -s, - (schweiz.) (신문 따위의) 배달원.
vertraglich [..tráːklɪç] *a.* 계약에 따른, 계약상〔조약상〕의: et. ~ abmachen〔festlegen〕 무엇을 계약으로 결정하다.
verträglich [..trɛ́ːklɪç] *a.* ① 〔사람에 관하여〕 평화적인, 온화한, 붙임성 있는: ein ~er Mensch 붙임성이 좋은 사람. ② 〔사물에 관하여〕 조화적인, 모순 없는. ③ 소화가 잘 되는, (위에) 부담이 안 되는.
Verträglichkeit *f.* -en ① 견딜만함. ② (성격이) 유화적임. ③ 화합, 조화.
vertraglos *a.* 계약〔조약·협정〕이 체결되어 있지 않은.
Vertrags≈abschluß *m.* 계약〔조약〕의 체결. **~artikel** *m.* 계약〔조약〕 조항. **~bruch** *m.* 계약〔조약〕 위반. **~brüchig** *a.* 계약〔조약〕 위반〔불이행〕의. **~brüchige*** *der/die* 계약 위반자.
vertrag≈schließend *a.* 계약을 맺는. **≈schließende*** *der/die* 계약자.
Vertrags≈entwurf *m.* 계약안(案), 조약안. **~erbe** *m.* 계약상의 상속인. **~hafen** *m.* (중국의) 조약상의 개항 항구, 조약항(港). **≈gemäß** *a.* ↑ ≈mäßig. **~hotel** *n.* (계약에 따른) 여행사 전용 호텔.
vertragslos *a.* ↑ vertraglos.
vertrags≈mäßig 《I》 *a.* 계약〔조약〕에 따른, 계약상〔조약상〕의. 《II》 *adv.* 계약〔조약〕에 따

라서. **∼partner** *m.* 계약〔조약〕 상대자. **∼partnerin** *f.* ↑ ∼partner의 여성형. **∼punkt** *m.* 계약 조항. **∼recht** *n.*〖法〗① 조약 체결권. ② 조약상의 권리. ③ 계약법. **∼schluß** *m.* 계약 체결. **∼spieler** *m.*〖축구·구식〗구단 계약 선수. **∼strafe** *f.*〖法〗위약금(違約金). **∼text** *m.* 계약문. **∼urkunde** *f.* 계약서. **∼werkstatt** *f.* (생산자가 지정한) 정비〔수리〕 공장. **∼widrig** *a.* 계약〔조약〕 위반의. **∼widrigkeit** *f.* 계약〔조약〕 위반.

***vertrauen** [fɛrtráuən]《I》*i.* (h.) 신용〔신뢰〕하다, 믿다: jm. 〔auf jn.〕 ∼ 누구를 신뢰하다; zu sehr auf sich (selbst) ∼d 자신만만한. 《II》*t.*〖구식〗믿고 맡기다(anvertrauen): jm. ein Geheimnis ∼ 누구에게 비밀을 털어놓다. 《III》*refl.* ① sich³ selbst ∼ 자신의 능력을 확신하다. ② sich jm. ∼ 누구에게 속마음을 토로하다. 《IV》**vertraut** *p.a.* ↑ vertraut.

***Vertrauen** *n.* -s 신용, 신뢰; 확신, 기대: zu jm. ∼ haben 〔in jn. ∼ setzen, jm. ∼ schenken〕 누구를 신용〔신뢰〕하다; ∼ erwecken 신뢰하려는 마음이 생겨나게 하다; js. ∼ gewinnen 누구의 신용을 얻다; js. ∼ besitzen 〔genießen〕 누구의 신임을 받고 있다; jn. ins ∼ ziehen 누구를 신뢰하다, 누구에게 비밀을 털어놓다;〖政〗jm. das ∼ aussprechen〔entziehen〕 누구에 대해 신임〔불신임〕 결정을 내리다; im ∼ gesagt 우리끼리만의 말인데.

vertrauen·erweckend *a.* 신뢰할 마음이 들게 하는, 믿음직한.

Vertrauens≈amt *n.* 기밀 취급 부서. **∼anwalt** *m.*〖法〗사선(私選) 변호인. **∼arzt** *m.* ① (회사·관청의) 상담 의사. ② 의료 보험 회사의 촉탁 의사. **∼ärztlich** *a.* ↑ ∼arzt의 형용사형. **∼basis** *f.* 상호 신뢰의 토대. **∼beweis** *m.* 신뢰의 증거. **∼bildend** *a.* 신뢰 관계를 구축하는, 신뢰감을 조성하는. **∼bruch** *m.* 배신 (행위), 배임(背任): einen ∼ begehen 배신 행위를 하다. **∼frage** *f.* ① 신임〔신용〕의 문제. ②〖政〗(정부에 제출된) 내각에 대한 신임안. **∼frau** *f.* 신뢰하는 여자. **∼grundlage** *f.* ↑ ∼basis. **∼krise** *f.* 신뢰 관계의 위기. **∼mann** *m.* ① 신뢰할 수 있는 친구, 절친한 동무. ②〖복수: ..männer〗중재〔조정〕자. ③〖복수: ..leute〗직장 노동 조합 대의원. ④ 이익 (단체의) 대변인. ⑤ 경찰의 끄나풀, 비밀 정보원(약어: V-Mann). **∼posten** *m.* ↑ ∼stellung. **∼rat** *m.* 자문 위원, 고문. **∼sache** *f.* ① 기밀 (사항), 비밀. ② 신임〔신용〕 문제. **∼selig** *a.* 남을 지나치게 신뢰하는, 맹신(盲信)하는. **∼seligkeit** *f.* ↑ ∼selig의 명사형. **∼stellung** *f.* 기밀이 요구되는 지위, 신임이 두터운 지위. **∼verhältnis** *n.* 신뢰 관계. **∼voll** *a.* 신뢰〔확신〕에 가득 찬, 상호 신뢰에 근거한: eine ∼e Zusammenarbeit 상호 신뢰에 근거한 공동 작업. **∼votum** *n.* ①〖政〗신임 투표. ② 신뢰 표명〔천명〕. **∼würdig** *a.* 신용〔신뢰〕할 만한. **∼würdigkeit** *f.* 신뢰성.

vertrauern [fɛrtráuərn]《I》*t.*〖雅語〗(시간을) 슬픔에 잠겨 보내다: sein Leben ∼ 생애를 비탄에 잠기어 보내다. 《II》*refl.* sich ∼ 비탄에 잠겨 여위다.

***vertraulich** [fɛrtráulıç] *a.* ① 친밀한, 허물없는: ∼ behandeln 친밀하게 대우〔취급〕하다. ② 비밀의, 기밀의, 은밀한: eine ∼e Besprechung 비밀 상담; et. ∼ behandeln 무엇을 비밀에 부치다. ③ ↑ vertrauensselig.

Vertraulichkeit *f.* -en ① 친밀(한 태도), 친숙, 허물없음: bitte, keine ∼en 너무 허물없이 굴지 마시오. ② 기밀, 내밀: die Angelegenheit ist von äußerster ∼ 이 일은 극비입니다. ③ 신용, 신뢰.

verträumen [fɛrtrɔ́ʏmən]《I》*t.* (시간 따위를) 꿈꾸며〔공상으로〕 보내다: sein Glück ∼ 행복을 놓치다. 《II》**verträumt** *p.a.* ↑ verträumt.

verträumt 《I》*p.p.* ↑ verträumen. 《II》*p.a.* 꿈꾸는 듯한, 환상에 잠겨 있는; 활기 없는.

Verträumtheit *f.* 몽상에 빠져 있음.

vertraut [fɛrtráut] 《I》*p.p.* ↑ vertrauen. 《II》*p.a.* ① 친(밀)한: mit jm. ∼ sein 〔mit jm. auf ∼em Fuß stehen〕 누구와 친하다. ② 능통〔정통〕한: mit et.³ ∼ sein 무엇에 정통하다, 무엇을 잘 알고 있다; sich mit et.³ ∼ machen 무엇에 숙달하다, 익숙해지다. ③ 낯익은: ein ∼es Gesicht 낯익은 얼굴.

Vertraute* *der/die*〖구식〗신뢰할 수 있는 친구, 터놓고 지내는 사람.

Vertrautheit *f.* -en ① **(a)** 친밀, 친교. **(b)** 숙달, 정통. ② 친숙한〔숙달된〕 상태.

vertreiben [fɛrtráıbən]《I》*t.* ① (wegtreiben) 몰아내다, 내쫓다, 추방하다; 구제(驅除)하다: die Sorgen ∼ 걱정을 떨어 버리다; eine Krankheit ∼ 병을 고치다; jn. aus seinem Besitztum ∼ 누구의 재산을 빼앗다; jn. aus dem Land ∼ 누구를 국외로 추방하다; jn. von Haus und Hof ∼ 누구의 가산을 빼앗다; sich³ Hunger ∼ 굶주림을 벗어나다; sich³ die Zeit mit et.³ ∼ 무엇으로 심심풀이하다, 지루함을 잊다; jm. die Langweile ∼ 누구를 지루하지 않게 하다. ②〖商〗(상품을) 팔다, 도매하다: die Firma vertreibt ihre Waren nur im Fachhandel 그 회사는 상품을 전문점에서만 판매한다. ③〖畫〗(그림 그릴 때 음영을 나타내기 위해) 빛깔을 희미하게 하다(abstufen): Farben ∼ 바림하다. 《II》**vertrieben** *p.a.* ↑ vertrieben.

Vertreiber *m.* -s, - 판매 상인.

Vertreibung *f.* -en ① 추방: die ∼ aus dem Paradies 낙원에서의 추방. ②〖商·드물게〗판매.

vertretbar [fɛrtréːtbaːr] *a.* ① **(a)** 대리〔대표〕할 수 있는. **(b)**〖法〗대체(代替)할 수 있는: ∼e Sachen 대체물. ② 납득할 수 있는, 정당화될 수 있는: eine solche Maßnahme ist nicht ∼ 그런 조치는 받아들일 수 없다.

Vertretbarkeit *f.* 대리〔대표·대체〕 가능성, 대표성.

***vertreten**[1] [fɛrtréːtən]《I》*t.* ① 대리〔대표〕하다: jn. 〔js. Stelle〕 ∼ 누구를 대리〔대표〕하다; jn. in seinem Amt ∼ 누구의 직무를 대행하다; einen Wahlkreis ∼ 어떤 선거구를 대표하다; die Singvögel sind hier vor allem durch die Finken ∼ 이 지방의 대표적인 명금(鳴禽)은 피리새다;〖商〗eine Firma ∼ 어떤 회사의 대리인〔위탁인〕이다; Mutterstelle an jm. ∼ (어머니처럼) 누구를 돌보다〔보살피다〕. ② 지지하다, 주장하다: jn. 〔js. Sache〕 ∼ 누구를〔누구의 일을〕 변호〔옹호〕하다, 지키다: jn. vor Gericht ∼ 누구를 법정에서 변호

하다, 누구의 변호인이다; eine Ansicht ~ 어떤 의견을 옹호하다, 주장하다; et. zu ~ haben 무엇의 책임을 지고 있다. ③ 사이에 들어가서 가로막다: jm. den Weg ~ 누구의 길을 막다. ④ 짓밟다, 유린하다. ⑤ 지워 버리다, 없애다: die Tritte ~ 발자취를 없애다. ⑥ sich³ das Bein 〔den Fuß〕 ~ 발목을 접질리다, 발을 삐다; sich³ die Beine 〔die Füße〕 ~ (오래 앉아 있다가) 발을 뻗다, 운동하다. ⑦ 〖방언〗 (**a**) 자주 밟아서 닳게 하다: einen Teppich ~ 양탄자를 자주 밟아서 닳게 하다. (**b**) 오래 사용하여 닳게 하다: 〖비유〗 er hat die Kinderschuhe ~ 그는 어른이 되었다. 《Ⅱ》 **vertreten** *p.a.* ↑ vertreten².

vertreten² 《Ⅰ》 *p.p.* ↑ vertreten¹. 《Ⅱ》 *p.a.* (대표 자격으로) 출석한: ~ sein 출석해 있다, 나와 있다.

***Vertreter** *m.* -s, - ① 대리인: einen ~ stellen 대리인을 지정하다. ② (**a**) (이해 관계의) 대표자: ~ der Arbeitgeber 고용주 대표. (**b**) (법정에서의) 변호인. ③ 〖商〗 (회사의) 대리상, 외판원, 위탁인. ④ (주의·의견의) 옹호자. ⑤ 대표적 인물; 전형(典型). ⑥ 〖구어·폄어〗 놈, 자식, 녀석; 믿을 수 없는 사람: ein übler ~ 나쁜 놈.

Vertreterin *f.* -nen ↑ Vertreter 의 여성형.

Vertreterschaft *f.* -en 대표 단체.

***Vertretung** *f.* -en ① (**a**) 대리, 대표: die ~ übernehmen 대리〔대변〕하다; in ~ 대리로서, 대표하여(약어: i. V.). (**b**) 〖法〗 변호, 대변. (**c**) 주장, 옹호: die rückhaltlose ~ einer Idee 어떤 이념에 대한 무조건적인 옹호. ② (**a**) 대리인: sie wurde als ~ für〔von〕 Frau X. eingestellt 그녀는 X 부인의 대리인으로 고용되었다. (**b**) 대표(단): eine diplomatische ~ 외교 사절. (**c**) 대리점; 지점. (**d**) 〖스포츠〗 대표팀. ③ 발을 삐기.

Vertretungs≈stunde *f.* 대리 수업 시간. **≈weise** *adv.* 대리로서, 대표하여.

Vertrieb [fɛrtríːp] 《<vertreiben》 *m.* -(e)s, -e ① 판매, 소매. ② (회사의) 판매〔영업〕과.

vertrieben [fɛrtríːbən] 《Ⅰ》 *p.p.* ↑ vertreiben. 《Ⅱ》 *p.a.* 추방된.

Vertriebene* *der/die* 실향민, 추방자.

Vertriebs≈abteilung *f.* (회사의) 판매〔영업〕과. **~gesellschaft** *f.* 판매 회사. **~kosten** *pl.* 〖經〗 판매 비용. **~leiter** *m.* 판매 과장〔부장〕. **~recht** *n.* 판권.

vertrimmen *t.* 〖구어〗 마구 때리다.

vertrinken* *t.* (시간·돈을) 술을 마시어 소비하다: seinen Verstand ~ 과음하여 이성을 잃다; seinen Kummer ~ 술로 근심을 잊다.

vertrocknen 《Ⅰ》 *i.* (s.) ① 메마르다, 시들어 죽다; 〖비유〗 파리해지다. ② 〖구어〗 (정신적으로) 무기력〔의기소침〕해지다. 《Ⅱ》 *t.* 메마르게 하다, 시들어 죽게 하다. 《Ⅲ》 **vertrocknet** *p.a.* ↑ vertrocknet.

vertrocknet 《Ⅰ》 *p.p.* ↑ vertrocknen. 《Ⅱ》 *p.a.* 메마른, 시들어 버린; 〖비유〗 무미건조한: ein ~er Mensch a) 말라빠진 사람, b) 생기를 잃은 사람.

Vertrocknung *f.* -en 건조(시킴); 메마름.

vertrödeln [fɛrtrǿːdəln] *t.* ① 〖구어·폄어〗 헛되이 쓰다〔보내다〕: die Zeit mit Spielen ~ 놀면서 시간을 허비하다. ② 싸구려로 팔다. ③ (기한·약속을) 부주의로 지키지 못하다, 잊다. ④ 〖고어〗 행상하다.

Vertrödelung *f.* -en ① 허비. ② 염가 처분. ③ 행상, 날품팔이.

vertrösten [fɛrtrǿːstən] 《Ⅰ》 *t.* ① 〖고어〗 위로하다. ② (누구에게) 후일을 기약해 달래다, 희망을 주어 달래다: jn. auf et. ~ 누구에게 무슨 희망을 주어 달래다; von einem Tag zum anderen ~ 하루하루를 미뤄 나가다. 《Ⅱ》 *refl.* sich ~ 신뢰하다: sich auf et. ~ 무엇을 신뢰하다.

Vertröstung *f.* -en 위안, 위로.

vertrotteln *i.* (s.) 〖구어〗 바보가 되다, 멍청해지다.

vertrumpfen *t./refl.* (sich) ~ 〖다음 용법으로〗 〖카드〗 alle seine Trümpfe ~ 〔sich ~〕 으뜸 카드를 다 내놓다.

vertrusten [fɛrtrústən, ..trá..] *t.* 〖經〗 (기업을) 합동하다, 트러스트화하다.

Vertrustung *f.* -en 기업 합동, 트러스트 형성.

vertüdern (ndd.) 〖구어〗 《Ⅰ》 *t.* 엉클어뜨리다, 혼란케 하다. 《Ⅱ》 *refl.* sich ~ 엉클어지다, 뒤죽박죽이 되다.

Vertuer [fɛrtúːər] 《<vertun》 *m.* -s, - (Verschwender) 방탕자, 낭비자.

vertuerisch, vertulich *a.* 〖고어〗 낭비의, 돈을 막 쓰는, 사치한.

Vertumnalien [vɛrtumnáːliən] *pl.* (고대 로마의) 계절 신에 대한 제사.

vertun* [fɛrtúːn] 《Ⅰ》 *t.* 〖구어〗 (시간·돈을) 낭비〔탕진〕하다, 다 쓰다; 〖방언〗 확장하다: die Zeit 〔sich〕 mit et.³ ~ 무엇으로 시간을 보내다; es ist〔hat〕 vertan 그것은 이젠 그만이다, 다 틀렸다; eine vertane Chance 놓쳐 버린 기회; vertane Mühe 헛수고. 《Ⅱ》 *i.* (h.) 의무〔임무〕를 다하다: ich habe vertan 이젠 마지막이다, 완전히 지쳤다. 《Ⅲ》 *refl.* sich ~ (**a**) 가다, 떠나다: sich nicht weit vom Hause ~ 집에서 멀리 가지 않다. (**b**) 종사하다: sich mit häuslichen Geschäften ~ 가사에 종사하다. (**c**) 〖구어〗 잘못하다, 실수하다, 과오를 범하다: 〖방언〗 da gibt es kein ∼ 그것은 의심할 여지가 없는 사실이다.

vertuscheln *t.* ↑ vertuschen.

Vertuschelung *f.* -en 은폐, 숨김.

Vertuschelungs·versuch *m.* ↑ Vertuschlungsversuch.

vertuschen [fɛrtúʃən] *t.* 〖구어〗 숨기다, 덮어두다, 비밀로 하다: eine peinliche Angelegenheit ~ 수치스러운 일을 은폐하다.

Vertuschlung *f.* -en ↑ Vertuschelung.

Vertuschlungs·versuch *m.* 쉬쉬하여 비밀에 붙이려는 공작.

Vertuschung *f.* -en 은폐, 숨김.

verübeln [fɛr|ýːbəln] *t.* 나쁘게 생각하다, 곡해하다: das wird dir niemand ~ 아무도 너의 그 점을 나쁘게 생각하지 않을 것이다.

verüben [fɛr|ýːbən] *t.* ① (나쁜 짓을) 저지르다: Selbstmord ~ 자살하다; ein Verbrechen ~ 죄를 범하다. ② 〖드물게〗 (경솔한 짓을) 저지르다, 하다: Dummheiten ~ 어리석은 짓을 하다.

Verüber *m.* -s, - 범행자, 범인.

Verübung *f.* -en 범행.

verulken [fɛr|úlkən] *t.* 〖구어〗 놀리다, 야유하다, 희롱하다.

Verụlkung *f.* -en 조롱, 야유.
verụmständen *t.* (schweiz.) ↑ verumständlichen.
verụmständlichen *t.* (사태를) 복잡하게 하다.
Verụmständlichung *f.* (사태를) 복잡하게 만듦.
Verụmständung *f.* -en (schweiz.) ↑ Verumständlichung.
verunedeln [fɛr|ʊ́n|e:dəln] 《Ⅰ》 *t.* 천하게 하다, 품위를 떨어뜨리다. 《Ⅱ》 *refl.* sich ~ 천하게 되다, 품위가 떨어지다; 〖광산〗 (광맥이) 빈광(貧鑛)이 되다.
verunehren [fɛr|ʊ́n|e:rən] *t.* 〔고어〕 …의 명예를 더럽히다, 욕보이다.
Verụnehrung *f.* -en 불명예, 치욕.
veruneinigen [fɛr|ʊ́n|aınıgən] 〔드물게〕 《Ⅰ》 *t.* 사이가 갈라지게 하다, 이간(離間)하다. 《Ⅱ》 *refl.* sich ~ 사이가 갈리다, 서로 다투다.
Verụneinigung *f.* -en 불화, 이간, 다툼.
verunfallen [fɛr|ʊ́nfalən] *i.* (s.) (schweiz.) 사고를 당하다: auf dem Weg zur Arbeit ~ 출근길에 사고를 당하다.
Verụnfallte* *der/die* (schweiz.) 사고를 당한 사람, 사고 당사자.
verunglimpfen [fɛr|ʊ́nglımpfən] *t.* 〖雅語〗 명예를 훼손하다, 비방〔중상〕하다.
Verụnglimpfer *m.* -s, - 중상 모략가.
Verụnglimpfung *f.* -en 명예 훼손, 비방, 중상.
verunglücken [fɛr|ʊ́nglʏkən] *i.* (s.) ① 불의의 사고를〔재난을〕 당하다, 조난하다; 〖海〗 난파하다: mit〔auf〕 der Eisenbahn ~ 철도 사고를 당하다; 〔농담〕 er ist heute wieder einmal verunglückt 그는 오늘도 술집에 퍼질러 앉았다. ② 〔농담〕 실패하다(mißlingen): der Kuchen ist völlig verunglückt 이 케이크는 완전히 실패작이다.
Verụnglückte* *der/die* 조난〔피해·횡사〕자.
Verụnglückung *f.* -en ① 사고, 조난; 횡사; 난파. ② 실패.
verunheiligen [fɛr|ʊ́nhaılıgən] *t.* 신성 모독하다.
verụnkrauten *i.* (s.) (밭 따위가) 잡초로 뒤덮이다.
verụnmöglichen *t.* (schweiz.) 방해하다, 불가능하게 하다.
verunreinigen [fɛr|ʊ́nraınıgən] 《Ⅰ》 *t.* 〖雅語〗 더럽게 하다, 더럽히다; 〔비유〕 모독하다 (entweihen); 전염〔감염〕시키다(verpesten): die Luft ~ 공기를 오염시키다; dieser Ort darf nicht verunreinigt werden! 이곳에 대소변 금지! 《Ⅱ》 *refl.* sich ~ 더럽게 되다, 더러워지다.
Verụnreinigung *f.* -en ① 더럽히기, 오염; 모독; 전염. ② 오염 물질.
verunsichern [fɛr|ʊ́nzıçərn] *t.* (누구를) 불안하게 만들다, (부정적인 입장의 표명으로) 동요시키다: unser Gespräch hat ihn verunsichert 우리의 대화를 듣고 그는 불안해 했다.
Verụnsicherung *f.* -en 불안하게 만듦.
verunstalten [fɛr|ʊ́nʃtaltən] 《Ⅰ》 *t.* 모양을 꼴사납게〔볼품없게〕 만들다, 불구로 만들다: der Anbau hat das Schloß verunstaltet 증축(增築)으로 인해 성의 미관이 망쳐졌다. 《Ⅱ》
verụnstaltet *p.a.* ↑ verunstaltet.
verụnstaltet 《Ⅰ》 *p.p.* ↑ verunstalten. 《Ⅱ》 *p.a.* 꼴사나운, 볼품없는, 불구의.
Verụnstaltung *f.* -en ① 모양을 망쳐 놓음. ② (신체의) 꼴사납게 된 부분; 불구.
veruntreuen [fɛr|ʊ́ntrɔʏən] *t.* 횡령〔착복〕하다: Geld ~ 돈을 횡령하다; 〖法〗 ~de Unterschlagung 횡령; veruntreute Gelder 부당 유용으로 인한 결손, 부당 유용액; veruntreutes Gut 횡령 재산.
Verụntreuer *m.* -s, - 횡령자, 착복자.
Verụntreuung *f.* -en 〖法〗 횡령; 착복: ~ öffentlicher Gelder 공금 횡령.
verunzieren [fɛr|ʊ́ntsi:rən] 《Ⅰ》 *t.* ↑ verunstalten. 《Ⅱ》 **verụnziert** *p.a.* ↑ verunziert.
verunzi̱ert 《Ⅰ》 *p.p.* ↑ verunzieren. 《Ⅱ》 *p.a.* 모양이 손상된, 볼품없게 된.
Verunzi̱erung *f.* -en (모양의) 손상, 기형(화).
***verursachen** [fɛr|ʊ́:rzaxən] *t.* 야기하다, 초래하다: jm. schwere Kosten ~ 누구에게 많은 돈을 쓰게 하다; Schaden ~ 손해를 주다; jm. Schmerz ~ 누구에게 고통을 주다.
Verụrsacher *m.* -s, - 〔격식〕 장본인; 창시자; 교사자, 선동자.
Verụrsacherin *f.* -nen ↑ Verursacher 의 여성형.
Verụrsacher·prinzip *n.* 〖法〗 원인 제공자 책임의 원칙.
Verụrsachung *f.* 야기(함); 원인.
***verurteilen** [fɛr|ʊ́rtaılən] *t.* ① (누구에게) 유죄 판결을 내리다, 형을 선고하다: jn. zu einer Geldstrafe ~ 누구에게 벌금을 물리다; jn. zum Tode ~ 누구에게 사형을 선고하다; in contumaciam [in Abwesenheit] ~ 궐석 재판을 하다; 〔비유〕 zu et.[3] verurteilt sein 무엇을 할 운명이다, 무엇을 할 것이 뻔하다. ② (mißbilligen) 비난〔반대〕하다: ich verurteile seine Tat 나는 그의 행위를 용납할 수 없다.
Verụrteilte* *der/die* 유죄 판결을 받은 사람.
Verụrteilung *f.* -en ① 유죄 판결, 사형 선고; 비난, 매도. ② 유죄 판결 받음.
Verve [vɛ́rvə] 《frz.》 *f.* 〖雅語〗 (Begeisterung) 감격, 열중, 열광; 활기.
vervielfachen [fɛrfí:lfaxən] 《Ⅰ》 *t.* ① 몇 배로 늘리다: wir müssen unsere Anstrengungen ~ 우리는 노력을 몇 배 더해야 한다. ② 〖數〗 곱하다. 《Ⅱ》 *refl.* sich ~ 몇 배로 늘어나다.
Verviel̲fachung *f.* -en 배가(倍加); 몇 배로 늘어남.
vervielfältigen [fɛrfí:lfɛltıgən] 《Ⅰ》 *t.* ① (nachbilden) 복제하다, 복사하여 여러 부를 만들다. ② 강화하다, 배가하다: seine Bemühungen ~ 노력을 배가하다. 《Ⅱ》 *refl.* sich ~ 여러 배가 되다, 증가되다.
Verviel̲fältiger *m.* -s, - ① 〖理〗 (열·전기·진동의) 효력 증강 장치. ② 복사기, 복제기.
Verviel̲fältigung *f.* -en ① 복제, 복사. ② 복사물, 복제품.
Verviel̲fältigungs·apparat *m.* 복사기, 등사기. **~glas** *n.* 〖物〗 확대경. **~recht** *n.* 복제권(複製權), 복사권. **~zahlwort** *n.* 〖언어학〗 배수를 나타내는 수사(보기: zweimal, dreifach).
vervierfachen [fɛrfí:rfaxən] *t.* 네 배로〔겹

으로〕 하다.
vervollkommnen [fɛrfɔ́lkɔmnən] 《I》 *t.* 완전하게 하다, 완성하다; (verbessern) 개량〔개선〕하다: die Technik ist glänzend vervollkommnet worden 기술이 눈부시게 완벽해졌다. 《II》 *refl.* sich ~ 완전하게 되다, 개선되다: sich in einer Fremdsprache ~ 어떤 외국어에 숙달하다.
Vervollkommner *m.* -s, - 완성자, 개량자.
Vervollkommnung *f.* -en ① 완성; 개선, 보완. ② 완전하게 된 것, 개선된 것.
vervollkommnungs·fähig *a.* 완성할 수 있는; 개량의 여지가 있는.
vervollständigen [fɛrfɔ́lʃtɛndɪgən] *t.* 완전〔완벽〕하게 하다, 완전하게 보충하다: seine Kenntnisse ~ 지식을 완비하다.
Vervollständigung *f.* -en 완비, 충족.
Verw.[1] =Verweis[2] 참조, 참고.
Verw.[2] =Verwaltung 관리, 행정; 행정 관청.
verw. =verwitwet 과부〔홀아비〕인.
verwachen *t.* 〖雅語〗 (시간을) 자지 않고 보내다: die Nacht ~ 불침번을 서다.
verwachsen[1] [fɛrváksən] 《I》 *t.* ①〖드물게〗 (auswachsen) …보다 크게 자라다, 크게 자라서 …을 입을〔신을·쓸〕 수 없게 되다: das Kind hat das Kleid vollkommen ~ 그 애는 성장하여 옷이 아주 맞지 않게 되었다. ② 자라나서 없어지게 하다: Sie haben Ihre Narbe ~ 당신의 흉터는 완전히 가셨습니다. 《II》 *i.* (s.) ① 성장하여 없어지다; 아물다: die Narbe ist gut ~ 흉터가 깨끗이 아물었다. ② 초목으로 뒤덮이다: mit et.[3] ~ 무엇으로 덮이다. ③ (zusammenwachsen) 자라서 하나가 되다, 합생(合生)하다; 얽히다: ich bin mit ihm ~ 나는 그와 떨어질 수 없는 관계다(극히 친밀하다); er ist mit dem Geschäft ~ 그는 일에 몰두하고 있다. ④ (성장하여) 불구가 되다; 곱사등이가 되다: er ist ~ 그는 불구〔곱사등이〕다. 《III》 *refl.* sich ~ ① 지나치게 자라다. ②〖구어〗 (신체적 장애가) 자라면서 정상이 되다: sich zu et.[3] ~ 자라서 무엇이 되다. ③ 낫다, 아물다: das hat sich wieder ~ 그 상처는 다시 아물었다. 《IV》 **verwachsen** *p.a.* ↑ verwachsen[2].
verwachsen[2] 《I》 *p.p.* ↑ verwachsen[1]. 《II》 *p.a.* ① 합생한; 결합한; 얽힌; 미개간의: mit seinem Amt ~ sein 직무에 익숙하다; mit jm. ~ sein 누구와 친밀하다. ② 기형〔불구〕의; 곱사등〔새우등〕의: ein ~es Bein 기형의 다리.
verwachsen[3] *t.* (스키에) 잘못된 왁스를 바르다.
Verwachsene* *der/die* 곱사등이(Buckelige); (Krüppel) 불구자, 병신.
Verwachsenheit *f.*, **Verwachsen·sein** *n.* ① 합생, (각 부분의) 결합. ② (상처의) 아묾, 유착. ③ 기형; 곱사등.
Verwachsung *f.* -en ① 합생. ② (a) (상처·흉터 따위가) 아묾, 없어짐. (b) 〖醫〗 (다른 조직·기관의) 유착. ③ 기형이 됨. ④〖광물〗 연정(連晶), 여러 광물질의 결착.
verwachten *t.* (ndd.) (verwalten) 관리하다, 돌보다.
verwackeln [fɛrvákəln] *t.* 〖구어〗 ① 흔들리게 하다: eine Aufnahme ~ 촬영할 때 카메라를 흔들리게 하다; das Bild ist verwackelt 이 사진은 (초점이 맞지 않아) 흐려져 있다. ② 마구 때리다(verprügeln).
verwägen(*) 〖고어〗 《I》 *t.* 저울로 달아서 팔다 (verwiegen). 《II》 *refl.* sich ~ ① 감행하다: sich eines Dinges ~ 〔sich ~, zu tun〕 감히 무엇을 하다. ② 저울을 잘못 달다(verwiegen). 《III》 **verwogen** *p.a.* ↑ verwogen[1].
verwählen [fɛrvɛ́:lən] *refl.* 〖구어〗 sich ~ 전화 다이얼을 잘못 돌리다: Entschuldigung, ich habe mich verwählt 죄송합니다, (전화) 번호를 잘못 눌렀습니다.
Verwahr [fɛrvá:r] *m.* -s 〖구식〗 ↑ Verwahrung ① ②.
verwahren [fɛrvá:rən] 《I》 *t.* ① (a) 〖雅語〗 (aufbewahren) 보존〔보관〕하다: Schriften im Geldschrank ~ 서류를 금고에 보존하다; mit einem Schloß ~ 자물쇠를 채워 보존하다; jm. et. zu ~ geben 누구에게 무엇을 맡기다, 보관을 의뢰하다. (b) 〖방언〗 (잠시) 보관해 두다. ② (schützen) 지키다, 보호하다, 간직하다; 안전하게 하다: et. gegen Einbruch 〔vor Dieben〕 ~ 무엇의 도난을 방지하다; 〖속담〗 besser verwahrt als beklagt (잃고) 한탄하기 보다는 예방이 상책이다; 〖法〗 sein Recht ~ 항의를 하다. ③ (obd.) (누구의) 임종 도유식(塗油式)을 행하다. 《II》 *refl.* sich ~ 자기 몸을 지키다: sich gegen et. ~ a) 무엇을 막다〔주의하다〕, b) 〖法〗 무엇에 대하여 항의하다; ich verwahre mich gegen deine Verdächtigung 나는 너의 무고(誣告)에 대하여 항의한다.
Verwahrer *m.* -s, - 보관자; 보호자.
Verwahrerin *f.* -nen ↑ Verwahrer 의 여성형.
verwahrlosen [fɛrvá:rlo:zən] 《I》 *t.* 소홀히 하다, 방임하다: verwahrloste Kinder 제멋대로 자란 아이들; ein verwahrloster Garten 황폐한 정원. 《II》 *i.* (s.) (부주의로) 나빠지다, 타락하다, 황폐해지다: er sieht verwahrlost aus 그는 칠칠치 못한 모습을 하고 있다.
Verwahrloste* *der/die* 보살핌을 받지 못하는 사람, (돌보지 않아서) 타락한 사람.
Verwahrlosung *f.* ① 황폐화됨. ② 방임, 방치.
Verwahrsam [fɛrvá:rza:m] 《<verwahren》 *m.* -s 〖구식〗 ① (Haft) 금고, 유치, 감금. ② 보존, 보관: in ~ geben 보관하다〔보관하도록 맡기다〕.
Verwahrung [fɛrvá:rʊŋ] *f.* -en ①〖복수없음〗 (a) 보존, 보관; 보호, 위탁: jm. et. in ~ geben 누구에게 무엇을 보관하도록 맡기다; et. in ~ haben 무엇을 보관 중이다. (b) 〖法〗 보관〔기탁〕 계약(서). ②〖복수없음〗 (Haft) 금고, 구금, 유치: jn. in ~ nehmen 누구를 구금〔유치〕하다. ③ (Widerspruch) 항의, 이의: ~ gegen et. einlegen 무엇에 항의하다, 이의를 신청하다.
Verwahrungs≈mittel *n.* ① 방부제; 예방약. ② 〖法〗 항의. **~ort** *m.* 보관소, 창고. **~vertrag** *m.* 기탁 계약.
verwaisen [fɛrváɪzən] 《I》 *i.* (s.) ① 고아가 되다. ② 〖비유〗 버림받다, 고립되다; 자리가 비다, 결원이 생기다. 《II》 *t.* 고아가 되게 하다; 돌보지 않다. 《III》 **verwaist** *p.a.* ↑ verwaist.
verwaist 《I》 *p.p.* ↑ verwaisen. 《II》 *p.a.* 〖雅

語》 고아가 된; 고립된; 고독한: ein ~es Dorf 적막한 마을; ~e Kinder 고아; der ~e Thron 공석(空席) 중인 옥좌(왕위).

Verwaisung *f.* ① 고아가 됨. ②〔雅語〕고아임, 고독한 환경, 버림받은 상태.

verwalken [fɛrválkən] *t.* 〔구어〕(ndd.) 마구 두들겨 패다(verprügeln).

***verwalten** [fɛrváltən] *t.* 관리〔지배〕하다; 경영하다: ein Amt ~ 어떤 직책을 맡아보다; die Regierung ~ 정치를 하다; ein Vermögen ~ 재산을 관리하다.

verwaltend *p.a.* 행정상의, 관리상의.

***Verwalter** *m.* -s, - 관리인; 지배인; 양수인(讓受人); 집사(執事), 대리자; (농장의) 경영자; 〖海〗 사무장: Haus~ 건물 관리인; 〖法〗 Nachlaß~ 유산 관리인.

Verwalterin *f.* -nen ↑ Verwalter 의 여성형.

***Verwaltung** *f.* -en ①〔복수없음〕주재, 관리; 행정; 〖軍〗 경리; 지휘(Führung); 수탁자의 권능; 신탁 통치; 행정 사무(Staatsdienst): jn. mit der ~ eines Nachlasses betrauen 누구에게 유산의 관리를 의뢰하다. ② (a) (Behörde) 당국; 행정 관청; (회사의) 관리 담당 부서: er ist in der ~ tätig 그는 관청에 근무하고 있다. (b) 관리실, 관리〔행정〕 담당 건물. ③ 행정〔관리〕 기구.

Verwaltungs⸗abteilung *f.* 행정 부처. **~akademie** *f.* 행정 대학원(관리 양성 기관). **~akt** *m.* 〖政〗 행정 행위. **~amt** *n.* 행정 관청. **~angestellte*** *der/die* 관리 직원. **~apparat** *m.* 행정〔관리〕 기구. **~aufgaben** *pl.* 행정 관청〔관리 담당 부서〕의 임무〔업무〕. **~ausschuß** *m.* 행정〔관리〕 위원회. **~beamte*** *der* 행정관. **~behörde** *f.* ① 관리국. ② 행정 관청. **~bezirk** *m.* 행정 구획, 관할 구역. **~dienst** *m.* 행정직, 관리직, 행정관으로서의 근무. **~fach** *n.* 행정〔관리〕 부문. **~gebäude** *n.* 행정〔관리〕 부서 건물, 관리동. **~gericht** *n.* 〖法〗 행정 재판소. **~gerichts·hof** *m.* 〖法〗 상급 행정 재판소. **~jahr** *n.* 행정 연도. **~kosten** *pl.* 〖法〗 관리 비용, 행정비. **~maß·regel** *f.* 행정 처분. **~polizei** *f.* 행정 경찰. **~rat** *m.* 〔복수: ..räte〕 ① 중역회, 관리 위원회, 감독 심의 위원회. ② 관리 위원, 중역. **~recht** *n.* 〖法〗 행정법; 행정권. **~reform** *f.* 행정 개혁. **~streit·verfahren** *n.* 〖法〗 행정 소송. **~technisch** *a.* 행정 기술상의. **~vorschrift** *f.* 〖法〗 행정 지침. **~weg** *m.* 행정 경로: auf dem ~ 행정 경로를 통해. **~wesen** *n.* 행정 조직〔제도〕. **~zweig** *m.* 행정 부문.

verwamsen [fɛrvámzən] *t.* 〔구어〕마구 두들겨 패다(verprügeln).

verwandelbar *a.* 변형〔전환〕할 수 있는.

***verwandeln** [fɛrvándəln] 《I》 *t.* ① (ändern) 변화〔변경〕시키다: et. in Geld ~ 무엇을 현금화하다; eine Strafe in eine mildere ~ 감형하다; die Szene wird verwandelt 장면이 바뀐다, 국면이 달라진다. ②〖스포츠〗 득점으로 연결시키다: ein verwandelter Elfmeter 득점으로 연결된 페널티 킥. 《II》 *refl.* sich ~ 바뀌다, 변하다: sich in et. ~ 무엇으로 형태가 바뀌다, 변장〔변신〕하다.

Verwandlung [fɛrvándlʊŋ] *f.* -en ① 변화, 변형; 변신. ②〖연극〗 무대 장면의 전환.

Verwandlungs⸗künstler *m.* 분장을 재빨리 바꾸는 배우; 변신술사. **~reich** *a.* 변화무쌍한.

***verwandt** [fɛrvánt] 《I》 *p.p.* ↑ verwenden. 《II》 *p.a.* ① (a) 동족의, 혈연의; 친척의, 인척 관계의: mit jm. nahe〔entfernt〕 ~ sein 누구와 가까운〔먼〕 친척이다; im dritten Grad ~ sein 삼촌이다; wie sind Sie mit ihm ~? 당신은 그 사람과 어떤 관계이십니까? (b) (생물·암석이) 같은 부류에 속하는. ②〔비유〕 (ähnlich) 비슷한, 유사한; (gleichartig) 동질(同質)의, 동류(同類)의; 마음이 상통하는; 친한: ~e Anschauungen 유사한 견해; ~e Sprachen 동계어(同系語); sich jm. ~ fühlen 누구에게 마음이 끌리다; ~e Seelen treffen sich zu Wasser und zu Lande 유유상종한다. ③ 관계 있는, 결합한: 〔구어〕 er ist mir mit 10 Mark ~ 그는 내게 10 마르크의 빚이 있다.

Verwandte* *der/die* 친척, 동족: die nächsten ~n 가장 가까운 친척.

Verwandten·ehe *f.* 근친 결혼.

***Verwandtschaft** [fɛrvántʃaft] *f.* -en 〔雅語〕 ① 친척(임), 친척 관계, 동족(임); 집안, 가계: ~ in aufsteigender〔absteigender〕 Linie 존속, 비속. ② 유사; 동류; 친화성: 〖化〗 chemische ~ 친화력. ③〔복수없음〕 친족, 일족(一族).

verwandtschaftlich *a.* ① 친척의, 혈연상의: in ~em Verhältnis zu jm. stehen 누구와 친척 관계다. ② 유사한; 동류의; 〖化〗 친화력 있는.

Verwandtschafts⸗beziehung *f.* 친척 관계; 연고 관계. **~grad** *m.* 촌수. **~kraft** *f.* 〖化〗 친화〔화합〕력. **~tafel** *f.* 〖化〗 화합력표(化合力表). **~verhältnis** *n.* 친척〔동족〕 관계, (언어의) 발생 계통, 파생 관계.

Verwandt·sein *n.* 친척 관계.

verwanzt 《<Wanze》 *a.* 〔구어〕 벌레〔빈대〕가 잔뜩 붙은, 벌레가 우글거리는.

verwarnen [fɛrvárnən] *t.* 경고하다; 훈계하다, 질책하다, 견책하다.

Verwarnung *f.* -en ① 경고; 질책, 징계: jm. eine ~ erteilen 누구에게 경고하다. ② 〖스포츠〗 옐로〔황색〕 카드.

Verwarnungs·geld *n.* 〖法〗 벌금.

verwaschen[*1] 《I》 *t.* ① (비누를) 세탁하는데 소비하다: viel Seife ~ 비누를 많이 써서 세탁하다. ② (때를) 씻어내다. ③〖書〗 (색을) 바림하다. ④ 빨아서 못쓰게 하다, 퇴색시키다. 《II》 *refl.* sich ~ 빨아서 없어지다, 지워지다: Tintenflecke ~ sich schwer 잉크의 얼룩은 빨아도 잘 지워지지 않는다. 《III》 **verwaschen** *p.a.* ↑ verwaschen[2].

verwaschen[2] 《I》 *p.p.* ↑ verwaschen[1]. 《II》 *p.a.* ① (a) 빨아서 바랜, 퇴색한. (b) (빗물에 젖어) 흐릿해진. ②〔비유〕 (a) (빛깔·윤곽이) 흐릿한, 바랜: ein ~es Rot 흐릿한 붉은 색; Linien werden ~ 선이 희미해지다. (b) 애매〔모호〕한; 특성이 없는, 얼빠진 듯한: eine ~e Auffassung 애매모호한 견해.

Verwaschenheit *f.* 빨아서 바램, 퇴색; 모호; 〔비유〕 우유부단.

verwässern [fɛrvɛ́sərn] 《I》 *t.* ① 물을 너무 타다, 묽게 하다: eine verwässerte Brühe 묽은 수프. ②〔비유〕 약하게 하다; 무미〔지루〕하게 하다: eine verwässerte Geschichte 무미

건조한 이야기; das Aktienkapital ~ 증자를 해서 주가를 낮추다. 《Ⅱ》 *i.* (s.) 묽어지다; 〔비유〕 약해지다, 무력해지다.

Verwässerung *f.* -en 희석, 희석도(度); 희석물(物); 〖經〗 (주가를) 낮춤, 물타기.

Verwäßrung *f.* -en ↑ Verwässerung.

Verwässrung 新정서 ⇦ Verwäßrung.

verweben(*) [fɛrvé:bən] (verwob/verwebte, verwoben/verwebt) 《Ⅰ》 *t.* ①〔약변화〕 (실을) 짜는 데 사용하다: Garn zu et. ~ 실로 무엇을 짜다. ②〔강변화/약변화〕 짜넣다; 짜서 합치다, 섞어 짜다: Goldfäden in einen Stoff ~ 금실을 천에 짜 넣다. ③〔강변화〕 밀접하게 연결〔관련〕시키다: mit et.[3] innig verwoben sein 무엇과 밀접한 관계가 있다; zwei Melodien sind miteinander verwoben 두 개의 선율이 서로 정교하게 짜여져 있다. ④ 불어 흩뜨리다. 《Ⅱ》 *refl.* sich ~ ① 섞여 짜이다. ② 밀접하게 연결〔관련〕되다. 《Ⅲ》 *i.* (s.) 불려 날다. 《Ⅳ》 **verwoben** *p.a.* ↑ verwoben.

verwechselbar *a.* 뒤바꿀 수 있는; 혼동하기 쉬운.

***verwechseln** [fɛrvέksəln] *t.* ① 혼동하다, 뒤바꾸다, 잘못 생각하다: Hüte ~ 모자가 바뀌다; et. mit et.[3] ~ 무엇을 무엇과 혼동하다, 무엇을 무엇으로 잘못 생각하다; Zwillinge sind leicht zu ~ 쌍둥이는 혼동하기 쉽다; ich habe ihn mit seinem Bruder verwechselt 나는 그를 그의 형제로 착각했다; 〔구어〕 er verwechselt manchmal mein und dein 그는 때때로 손버릇이 나쁘다; 〔구어〕 er verwechselt „mir" und „mich" 그는 mir 와 mich 를 혼동한다(그는 독일어를 정확하게 말하지 못한다); die beiden sind sich zum Verwechseln ähnlich 그 두 사람은 구분할 수 없을 정도로 닮았다. ②〔드물게〕 교환하다: Geld ~ 환전(換錢)하다.

Verwechs(e)lung *f.* -en 혼동, 뒤바꿈; (Irrtum) 틀림, 착오.

***verwegen** [fɛrvé:gən] *a.* ① (tollkühn) 저돌적인, 무모한, 모험적인: ein ~es Unternehmen 터무니없는 계획. ② (frech) 뻔뻔스러운, 불손한: ein ~er Kerl 뻔뻔스러운 놈.

Verwegenheit *f.* -en ①〔복수없음〕 대담, 무모. ② 대담한 행동.

verwegentlich *adv.* 대담〔과감〕하게.

verwehen [fɛrvé:ən] 《Ⅰ》 *t.* ① 흩날리게 하다, 비산(飛散)시키다: 〖海〗 verweht sein 표류하다; vom Wind verwehtes Haar 바람에 흐트러진 머리칼. ② (바람이) 불어서 뒤덮다; 불어서 끄다: der Sturm hat die Spuren im Sand verweht 폭풍으로 모래 위의 발자국이 사라졌다. 《Ⅱ》 *i.* (s.) (바람에) 날려 사라지다: seine Worte ~ wie Spreu im Wind 그의 말은 바람에 흩날리는 왕겨처럼 사라져 버린다.

verwehren [fɛrvé:rən] *t.* 허용하지 않다, 방해하다, 거절하다: sie verwehrten ihm den Eintritt 그들은 그가 들어오는 것을 거절했다.

Verwehrung *f.* -en 거절, 거부.

Verwehung [fɛrvé:ʊŋ] *f.* -en ① ↑ verwehen 의 명사형. ② 바람에 날려 쌓인 눈.

verweichen[1] [fɛrváiçən] 《<weichen[2]》 《Ⅰ》 *t.* 너무 부드럽게 하다. 《Ⅱ》 *i.* (s.) 너무 부드럽게 되다.

verweichen*[2] 《<weichen[1]》 《Ⅰ》 *i.* (s.) (때가) 지나가 버리다. 《Ⅱ》 **verwichen** *p.a.* ↑ verwichen.

verweichlichen [fɛrváiçlıçən] 《Ⅰ》 *t.* 허약하게 하다, 기력을 빼앗다: ein verweichlichter Mensch 허약〔유약〕한 사람. 《Ⅱ》 *i.* (s.) 허약하게 되다, 연약해지다. 《Ⅲ》 *refl.* sich ~ 유약〔허약〕하게 되다: sich körperlich und seelisch ~ 심신이 함께 약해지다.

Verweichlichung *f.* 허약〔유약〕화.

Verweigerer *m.* -s, - 사회의 기대〔요구〕를 저버린 사람〔청소년〕.

verweigerlich *a.* 거절할 수 있는.

***verweigern** [fɛrváıgərn] 《Ⅰ》 *t.* 허락하지 않다, 거절하다: die Aussage ~ 진술을 거부하다; 〖商〗 die Annahme ~ 인수를 거절하다; jm. den Gehorsam 〔den Dienst〕 ~ 누구에게 순종〔봉사〕하기를 거절하다. 《Ⅱ》 *i.* (h.) (말이) 장애물을 뛰어넘으려 하지 않다. 《Ⅲ》 *refl.* sich ~ ① 자신의 본분을 받아들이려 하지 않다: Jugendliche, die sich ~ 자신들의 본분을 받아들이려 하지 않는 청소년들. ② 몸을 허락않다: 〔雅語·은어〕 sie hat sich ihm verweigert 그 여자는 그에게 몸을 허락하지 않았다.

Verweigerung *f.* -en ① 거절, 거부. ② 거절〔거부〕 사태: Gehorsams~ 복종 거부 사태.

Verweigerungs·fall *m.* 〔다음 용법으로〕 〖法〗 im ~ 거절할 경우에는.

Verweil·dauer *f.* 체류 기간: ~ von Speisen im Magen 음식물이 위에 머무르는 시간.

Verweilen *n.* -s 체류, 거주.

***verweilen** [fɛrváılən] 〔雅語〕 《Ⅰ》 *i.* (h.) 머무르다, 체류하다: bei jm. als Gast ~ 누구의 집에 손님으로 머무르다; laß uns hier noch ein wenig ~ 우리 여기 좀더 머물러 있자; bei einem Problem〔Thema〕 ~ 어떤 문제〔주제〕를 비교적 오랫동안 다루다; 〔비유〕 bei einem Gegenstand ~ 어떤 대상을〔소재를〕 장황하게 이야기하다; 〔드물게〕 ~ et. zu tun 무엇을 하기를 주저하다. 《Ⅱ》 *refl.* 〔드물게〕 sich ~ 머무르다, 체류하다. 《Ⅲ》 *t.* (obd.) 붙잡아두다: jn. ~ 누구를 붙잡다.

Verweil·zeit *f.* 존속〔지속〕 시간, 체류 시간; 〖理〗 원자가 어떤 상태를 지속하는 시간.

verweinen [fɛrváınən] *t.* ① 울어서 흘러나오게 하다: Tränen ~ 울어서 눈물을 흘리다. ② (시간을) 울면서 보내다: die Nacht ~ 울며 밤을 지새다. ③ 울어서 해소하다: den Schmerz ~ 울어서 슬픔을 풀다. ④ 울어서 붓게 하다: sich[3] die Augen ~ 울어서 눈이 붓게 하다; verweinte Augen 울어서 부은 눈. ⑤ der Tränen Quelle ist verweint 눈물샘이 말랐다.

Verweis[1] [fɛrváıs] 《<verweisen[1]》 *m.* -es, -e 징계, 비난, 질책: jm. wegen eines Dinges einen ~ geben〔erteilen〕 무엇 때문에 누구를 질책하다; einen ~ erhalten〔bekommen〕 질책당하다.

Verweis[2] 《<verweisen[2]》 *m.* -es, -e (Hinweis) 지시, (서적·구절의) 참조〔참고〕 지시.

verweisen[1] [fɛrváızən] 《ahd.》 *t.* 〔雅語〕 나무라다, 꾸짖다: jm. et. ~ 누구의 무엇을 견책하다, 비난〔질책〕하다; ein ~der Blick 나무라는 듯한 눈빛; er verwies dem Jungen seine Frechheit 그는 젊은이의 버릇없음을 꾸짖었다.

verweisen[2] 《<weisen》 *t.* ① (a) (어디로)

가도록 지시하다, 충고하다: an jn. ~ 누가 있는 곳으로 가도록 지시〔충고〕하다; jn. an den Richter ~ 누구에게 재판소에 고소하도록 시키다. (**b**) 주의를 환기시키다: jn. zur Ordnung ~ 누구에게 질서를 지키도록 주의시키다. (**c**) 참조하도록 지시하다: auf et. ~ 무엇을 참조하도록 지시하다; den Leser auf eine frühere Stelle des Buches ~ 독자에게 책의 전술(前述)한 곳을 참조하도록 지시하다. ② 퇴거를 명하다, 추방하다, 퇴교시키다: jn. auf eine Insel ~ 누구를 섬으로 귀양 보내다; jn. aus dem Lande 〔des Landes〕 ~ 누구를 국외로 추방하다; 〖스포츠〗 nach einem Foul am Torwart wurde der Spieler des Platzes 〔vom Platz〕 verwiesen 골키퍼에 대한 반칙을 한 후 그 선수는 퇴장 명령을 받았다. ③〖스포츠〗(경기에서 경쟁자를) 자기보다 낮은 순위로 밀어내다: seine Konkurrenten auf die Plätze ~ (경기에서) 경쟁자들을 이기다. ④〖法〗(소송을) (법원으로) 이송하다.

Verweisung[1] 《<verweisen[1]》 *f.* (Verweis[1]) 비난, 질책.

Verweisung[2] 《<verweisen[2]》 *f.* -en ① (Hinweis) 지시, 참조; 위탁. ② 추방; 퇴장, 퇴교. ③〖法〗(소송 사건의) 회부, 이송.

verwelken [fɛrvέlkən] *i.* (s.) ① 시들다: die Blume verwelkt 꽃이 시든다. ② 수척해지다, 쇠하여지다; verwelkte Gesichtszüge 몹시 수척해진 얼굴.

verwelschen [fɛrvέlʃən] *t.* 외국〔특히 이탈리아·프랑스·에스파냐〕화(化)하다: verwelschtes Deutsch 외국어화한 독일어; verwelschte Grenzbewohner 외국인화한 국경 지역 주민.

Verwelschung *f.* -en 외국화.

verweltlichen [fɛrvέltlıçən] 《I》 *t.* ① 속되게 하다, 세속화하다. ② 국유화하다(verstaatlichen). 《II》 *i.* (s.) 세속화되다.

Verweltlichung *f.* 세속화, 환속.

verwendbar [fɛrvέntba:r] *a.* 사용할 수 있는, 쓸모 있는, 유용한.

Verwendbarkeit *f.* 쓸모 있음, 사용 가능성, 유용성.

***verwenden**(*) [fɛrvέndən] 《I》 *t.* ①〔雅語〕(abwenden) 돌리다, 향하게 하다: er verwandte kein Auge von dem Mädchen 그는 소녀에게서 눈을 떼지 않았다. ②〔드물게〕뒤집다: mit der verwendeten〔verwandten〕 Hand 손등으로. ③ (**a**) (gebrauchen) 사용하다, 이용하다: gut〔schlecht〕 ~ 선용〔악용·낭비〕하다; Geld auf et. 〔zu et.[3]〕 ~ 무엇에 돈을 걸다〔들이다〕; Sorgfalt auf et. ~ 무엇에 공들이다; er hat viel Fleiß auf diese Arbeit verwendet 그는 이 일에 많은 노력을 기울였다; es wird immer mehr Kunstseide zu Kleidern verwendet〔verwandt〕 인조견이 옷감으로 점점 많이 쓰인다; davon ist nichts zu ~ 그것은 아무데도 쓸모가 없다. (**b**) (사람을) 쓰다, 투입하다: für diese Arbeit kann ich ihn nicht ~ 나는 이 일에 그를 쓸 수 없다. ④〔드물게〕결혼시키다; 변화시키다. 《II》 *refl.* sich ~〔雅語〕① 돌다, 향하다. ② 힘쓰다, 애쓰다, 헌신하다: sich für jn.〔et.〕 ~ 누구를〔무엇을〕 위하여 진력〔주선〕하다; sich bei jm. ~ 누구에게 부탁〔알선〕하다; sich ganz auf das Studium ~ 연구에 전념하다. 《III》

verwandt *p.a.* ↑ verwandt.

Verwendung *f.* -en ① (**a**) 사용, 이용: keine ~ für et.〔jn.〕 haben 무엇에〔누구에게〕 쓸모가 없다; ~ finden 사용되다; als Assessor kann er in der Verwaltung ~ finden 그는 사법관 시보로 관청에서 써 줄 수 있다; zur besonderen ~ 특별한 용도로(약어: z.b.V.); beim Braten der Fische kommt bestes Olivenöl zur ~ 물고기를 튀기는 데는 최고급 올리브유가 사용된다; (öst.) in ~ nehmen 사용하다. (**b**) 응용, 투자. ②〔雅語〕진력, 헌신; 주선, 알선: ich bekam das auf seine ~ hin 나는 그것을 그의 주선으로 입수했다; jn. um seine ~ ersuchen 누구에게 알선을 의뢰하다.

verwendungs⸗fähig *a.* 사용 가능한. **~⸗möglichkeit** *f.* 사용 가능성. **~weise** *f.* 사용 방법. **~zweck** *m.* 사용 목적.

verwerfen [fɛrvέrfən] 《I》 *t.* ① (**a**) 던져 흩뜨리다. (**b**) 잘못 던지다. ② 다 던져 버리다: wir haben unsere Steine verworfen 우리들은 돌을 하나하나 다 던져 버렸다. ③ 골라서 빼 버리다. ④ (**a**)〖비유〗(mißbilligen) 물리치다, 거절하다;〖의회〗부결하다: einen Vorschlag ~ 제안을 거절하다;〖法〗eine Klage ~ 소송을 기각하다. (**b**) 배척〔비난〕하다: eine Handlungsweise ~ 행실을 비난하다. ⑤〖宗〗(verdammen) 저주〔파문〕하다. ⑥ (schweiz.) 손짓〔몸짓〕을 하다: die Hände ~ 활발하게 손짓을 하다. 《II》 *i.* (h.) (동물이) 유산〔조산〕하다. 《III》 *refl.* sich ~ ① 잘못 던지다;〖카드〗패를 잘못 내다. ② (나무판이) 휘다, 뒤틀리다: Türen ~ sich 문이 휘어진다. ③〖지질〗단층이 생기다. 《IV》 **verworfen** *p.a.* ↑ verworfen.

verwerflich *a.*〔雅語〕물리쳐야 할, 비난받아 마땅한; 혐오스런, 사악한: eine ~e Handlung 비난받을 행동; ich finde das ~ 나는 그것을 비난해야 할 일이라고 생각한다.

Verwerflichkeit *f.* 비난받을 일〔짓〕.

Verwerfung *f.* -en ① 배척, 거부;〖法〗기각, 기피. ②〖宗〗저주, 파문. ③ (**a**) (목재의) 휨, 굽음. (**b**)〖지질〗사태, 단층.

verwertbar [fɛrvé:rtba:r] *a.* 이용할 수 있는;〖商〗환금(換金)〔현금화〕할 수 있는.

verwerten [fɛrvé:rtən] *t.* ① 이용하다, 사용하다: Altmetall ~ 고철을 활용하다; Erlebnisse in einem Roman ~ 체험을 소설에 반영하다. ②〖商〗환금하다; 팔아 버리다; (어음을) 할인하다: dieser Artikel läßt sich gut ~ 이 상품은 좋은 값으로 팔린다.

Verwerter *m.* -s, - 사용자, 이용자.

Verwertung *f.* -en 이용; 매각, 현금화.

verwesen[1] [fɛrvé:zən] 《mhd. „zunichte werden"》 *i.* (s.) ① 소멸하다. ② (verfaulen) 부패하다, 썩어 없어지다, 분해되다: die Leiche begann schon zu ~ 그 시체는 벌써 부패하기 시작했다.

verwesen[2] 《mhd. „für jn. sein"》 *t.*〔고어〕① (verwalten) 주재(主宰)〔관리〕하다. ② 대리〔대행〕하다: js. Amt ~ 누구의 (관)직을 대행하다; das Land〔Reich〕 ~ 섭정하다.

Verweser *m.* -s, -〔고어〕① 관리인. ② 대리인: Reichs∼ 섭정자.

verweslich [fɛrvé:slıç] 《<verwesen[1]》 *a.* 부패할, 사멸할, 썩어서 없어질.

Verweslichkeit *f.* 썩기〔부패하기〕 쉬움.
Verwesung[1] [..vé:zuŋ] *f.* ① 부패, 분해, 소멸: in ~ übergehen 부패하다. ② 부패한 상태.
Verwesung[2] 《<verwesen[2]》 *f.* -en ① 주재, 관리. ② 대리; 섭정.
Verwesungs≈geruch *m.* 썩는 냄새. **~prozeß** *m.* 부패〔분해〕 과정.
verwetten *t.* ① 내기에 걸다: 〘구어〙 er verwettet seinen Kopf dafür 그는 (목숨을 걸 정도로) 그것을 확신하고 있다. ② 내기에서 잃다: sein ganzes Vermögen ~ 전 재산을 내기에서 잃다.
verwettern [fɛrvɛ́tərn] 《I》 *t.* ① 저주하다 (verfluchen). ② (obd.) 때려부수다. 《II》 **verwettert** *p.a.* ↑ verwettert.
verwettert 《I》 *p.p.* ↑ verwettern. 《II》 *p.a.* ① 저주 받은, 괘씸한. ② 비바람에 상한, 풍우를 겪은: ein ~er Hut 풍우에 망그러진 모자.
verwichen [fɛrvíçən] 《<verweichen[2]》 《I》 *p.p.* ↑ verweichen[2]. 《II》 *p.a.* 〘구식〙 이전의, 지나간: im ~en Jahr 작년에; die jüngst ~e Zeit 최근.
verwichsen [fɛrvíksən] *t.* 〘구어〙 ① 마구 때리다(verprügeln). ② 낭비하다(vertun): viel Geld ~ 많은 돈을 낭비하다. ③ (시간을) 환락으로 보내다.
*__verwickeln__ [fɛrvíkəln] 《I》 *t.* ① (verschlingen) 엉클다: er hat die Fäden verwickelt 그는 실을 엉클어 놓았다. ② 〘비유〙 (verwirren) 혼란시키다; 끌고 들어가다, 연루시키다: jn. in et. 〔mit et.[3]〕 ~ 누구를 무엇에 걸려들게 하다, 연루시키다; er war in den Skandal nicht verwickelt 그는 그 추문에는 관계가 없었다. 《II》 *refl.* sich ~ ① 엉클어지다; 서로 꼬이다: das Garn hat sich verwickelt 실이 꼬였다; sich in seinen eigenen Worten ~ 자기의 발언 때문에 자승자박에 빠지다, 모순된 말을 하다. ② 얽히다, 연루되다, 휩쓸려 들어가다: sich in et.[4] ~ 무엇에 연루〔관련〕되다; sich bei Aussagen in Widersprüche ~ 진술할 때 스스로 모순에 빠지다. 《III》 **verwickelt** *p.a.* ↑ verwickelt.
verwickelt 《I》 *p.p.* ↑ verwickeln. 《II》 *p.a.* 얽히고 설킨, 복잡한; 까다로운: eine ~e Geschichte 줄거리가 복잡한 이야기.
Verwick(e)lung *f.* -en ① (**a**) 엉클어뜨림. (**b**) 연루시킴; 연루됨. ② 〘비유〙 착종, (일이) 꼬임; (드라마·소설에서의) 갈등: die ~ von Umständen 복잡한 사정. ③ 〘대개 복수〙 혼란, 어려움, 귀찮은〔복잡한〕 일: politische ~en 정치적 혼란.
verwiegen* [fɛrví:gən] 《I》 *t.* (wiegen[2]) 무게를 달다; (저울로) 달아 팔다. 《II》 *refl.* sich ~ 저울을 잘못 달다.
Verwieger *m.* -s, - 무게 측정자.
Verwiegung *f.* -en 무게 측정.
verwiesen 《I》 *p.p.* ↑ verweisen[2]. 《II》 *p.a.* 추방당한: der ∸e 추방자, 시민권을 박탈당한 자, 사회에서 버림받은 자.
verwildern [fɛrvíldərn] 《I》 *i.* (s.) / *refl.* (sich) ~ ① 황폐해지다: der Park ist verwildert 공원이 황폐해졌다. ② 〘雅語〙 (사람이) 거칠어지다, (아이가) 다루기 어려워지다: die Kinder sind in den Ferien völlig verwildert 아이들이 방학 동안에 매우 거칠어졌다. ③ 〘生〙 (**a**) (가축이) 다시 야성화하다. (**b**) (식물이) 마구 자라다. 《II》 **verwildert** *p.a.* ↑ verwildert.
verwildert 《I》 *p.p.* ↑ verwildern. 《II》 *p.a.* 미개한; 야성화한; 황폐해진; 마음대로 자라 뻗은: ~e Haare 봉두난발; ~e Sitten 문란한 풍기.
Verwilderung *f.* 황폐화, 미개화.
verwilligen *t.* 〘드물게〙 (bewilligen) 허용〔용인〕하다.
verwinden*[1] 〘雅語〙 *t.* (überwinden) 극복하다; 잊다: einen Schmerz 〔Verlust〕 ~ 고통을〔손해를〕 견디어내다.
verwinden*[2] 《<winden[1]》 *t.* 〘工〙 (verschlingen) (철사를) 꼬다, 비틀다.
Verwindung[1] *f.* ↑ verwinden[1]의 명사형.
Verwindung[2] *f.* -en ① 〘工〙 비틀림, 비틀기. ② (**a**) 〘스키〙 하체와 반대 방향으로 상체를 비트는 동작. (**b**) (비행기의) 날개비틀림.
verwindungs·fest *a.* 꼬이지〔비틀리지〕 않는.
verwinkelt *a.* 구불구불한.
verwirken [fɛrvírkən] *t.* 〘雅語〙 ① (**a**) 상실하다; (einbüßen) (벌로서) 몰수당하다, 박탈당하다, 잃다: die Ehre 〔Freiheit〕 ~ 명예〔자유〕를 잃다; sein Leben verwirkt haben 자기 죄과를 죽음으로 갚아야만 하다; er hat js. Vertrauen verwirkt 그는 누구의 신용을 잃었다. (**b**) (벌을) 받게 되다: eine Strafe ~ 벌을 받다. ② (실을) 다 써버리다; (밀가루를) 다 반죽해 버리다.
*__verwirklichen__ [fɛrvírklıçən] 《I》 *t.* 실현하다, 실행하다, 현실화하다: einen Plan ~ 어떤 계획을 실현하다. 《II》 *refl.* sich ~ ① 실현되다: mein Wunsch hat sich verwirklicht 내 소원이 실현되었다. ② 자아를 실현하다: sie glaubt, sich in dieser engen Bildung nicht ~ zu können 그녀는 이런 편협한 교육에서는 자아를 실현할 수 없다고 생각한다.
*__Verwirklichung__ *f.* -en 실현; 실행; 현실화, 화신(化身).
Verwirkung [fɛrvírkuŋ] 《<verwirken》 *f.* -en ① 상실, 몰수; 〘法〙 권리 상실. ② 처벌.
*__verwirren__(*) [fɛrvírən] 《I》 *t.* ① 엉클어지게 하다; 흐트러뜨리다; 모호하게 하다: Garn 〔Haar〕 ~ 실〔머리카락〕을 엉클어지게 하다; Begriffe ~ 개념을 모호〔난해〕하게 하다; Sachen ~ 일을 복잡하게 만들다. ② 〘비유〙 당황하게〔어리둥절하게〕 하다: das hat ihn 〔ihm den Kopf〕 verwirrt 그것은 그의 마음을 혼란시켰다; er war ganz verwirrt 그는 완전히 당황하였다. 《II》 *refl.* sich ~ ① 엉클어지다. ② 당황하다, 어리둥절하다: sein Geist hat sich verwirrt 그의 마음이 산란해졌다. 《III》 **verwirrt** *p.a.* ↑ verwirrt.; **verworren** *p.a.* ↑ verworren.
Verwirr·spiel *n.* 의도적으로 일으킨 혼란.
verwirrt 《I》 *p.p.* ↑ verwirren. 《II》 *p.a.* 〘일시적인 상태를 나타내는 점에서 verworren 과는 다름〙 ① 엉클어진, 어지러운. ② 〘비유〙 당황한, 어리둥절한, 어찌할 바를 모르는: ~e Blicke 당황하여 어찌할 바를 모르는 눈빛.
Verwirrtheit *f.* 혼란 상태, 엉클어짐; 심리적인 혼란 (상태).
Verwirrung [fɛrvíruŋ] *f.* -en ① 혼란, 분규, 뒤죽박죽: eine Angelegenheit in ~ stiften 일을 복잡하게 만들다. ② 당황, 어리둥절:

jn. in ~ bringen 누구를 혼란에 빠뜨리다; in ~ geraten 당황하다.

verwirtschaften [fɛrvírtʃaftən] *t.* (서투른 경영으로) 낭비하다, (재산을) 써서 없애다.

Verwirtschaftung *f.* -en 낭비, 허비, 탕진.

verwischbar *a.* 지울 수 있는, 지워지기 쉬운, 닦아 내기 쉬운.

***verwischen** [fɛrvíʃən] 《I》 *t.* ① (a) 닦아내다, 훔치다: Tinte ~ 잉크를 닦아내다. (b) 지우다, 말소하다; 〖비유〗 제거하다(tilgen): die Spuren eines Verbrechens ~ 범행한 흔적을 감추다; aus dem Gedächtnis verwischt 기억에서 사라진, 다 잊어버린. ②〖畫〗 찰필(擦筆)로 비비다, 바림하다; 희미하게 하다: Farben ~ 색을 희미하게 하다; verwischte Konturen 불명확한 윤곽. 《II》 *refl.* sich ~ 지워지다; 희미해지다: im Laufe der Zeit ~ sich die Eindrücke 시간이 지남에 따라서 인상이 희미해진다.

Verwischung *f.* -en 지움, 말소, 제거.

verwittern [fɛrvítərn] 《I》 *i.* (s.) ① 비바람에 상하다, 부서지다; 풍화하다. ②〖사냥〗 (사냥감을 유인하기 위해) 강한 냄새를 풍기다. 《II》 *t.* (성분·원소로) 분해〔풍화〕시키다, 변질〔부패〕시키다. 《III》 **verwittert** *p.a.* ↑ verwittert.

verwittert 《I》 *p.p.* ↑ verwittern. 《II》 *p.a.* 비바람에 상한, 부서진, 풍화한: 〖비유〗 ein ~es Gesicht 풍상을 겪은 얼굴.

Verwitterung *f.* -en ① 풍우에 의한 붕괴〔분해〕; 풍화. ② 풍화된 상태.

verwitwen [fɛrvítvən] 《I》 *i.* (s.) 과부〔홀아비〕가 되다. 《II》 *t.* 과부〔홀아비〕가 되게 하다. 《III》 **verwitwet** *p.a.* ↑ verwitwet.

verwitwet 《I》 *p.p.* ↑ verwitwen. 《II》 *p.a.* 과부〔홀아비〕인: eine ~e Dame 미망인.

Verwitwete* *der/die* 홀아비, 과부.

Verwitwung *f.* 과부〔홀아비〕의 신분: seit ihrer ~ 그녀가 남편을 잃고부터.

verwoben 《I》 *p.p.* ↑ verweben. 《II》 *p.a.* 밀접하게 결합〔연관〕된.

verwogen[1] 《I》 *p.p.* ↑ verwägen, verwiegen. 《II》 (<verwägen 《II》) *p.a.* (md.) 〖고어〗 (verwegen) 대담한, 무모한; 뻔뻔스러운.

verwogen[2] *i.* (s.) ① 물결치며 흘러가 버리다. ② (소리가) 사라져 버리다.

verwohnen *t.* (집을) 오래 거주해서 낡게 하다.

***verwöhnen** [fɛrvǿ:nən] 《I》 *t.* ① (a) 버릇없게〔응석받이로〕 키우다, 버릇을 잘못 들이다: jn. im Essen ~ 누구에게 편식의 버릇이 들게 하다. (b) 들뜨게 하다, 비위를 맞추다: er hat seine Braut durch Geschenke verwöhnt 그는 선물 공세로 약혼녀를 한껏 들뜨게 해주었다; das Schicksal hat uns nicht verwöhnt 운명은 우리들에게 가혹했다. ②〖방언〗 (어떤 습관을) 잊다(verlernen): darüber habe ich die Bauernarbeit verwöhnt 그것 때문에 나는 농사일을 잊어버렸다. 《II》 *refl.* sich ~ 사치에 물들다, 버릇없이 굴다, 유약해지다: zieh dich nicht so warm, du mußt dich nicht zu sehr ~! 옷을 너무 그렇게 따뜻하게 입지 마라, 너는 추위에 너무 유약해져서는 안 돼! 《III》 **verwöhnt** *p.a.* ↑ verwöhnt.

***verwöhnt** 《I》 *p.p.* ↑ verwöhnen. 《II》 *p.a.* ① 사치에 젖은; 응석받이로 자라난: eine sehr ~e Frau 몹시 사치스러운 여자; ein ~es Kind 응석꾸러기. ② 까다로운, 고급만 찾는: einen ~en Geschmack haben 까다로운 취향을 가지고 있다.

Verwöhntheit *f.* ↑ verwöhnt 의 명사형.

Verwöhnung *f.* (습관을) 덧들임; 악습〔사치〕에 젖게 함, 호강을 시킴.

verworfen [fɛrvɔ́rfən] 《I》 *p.p.* ↑ verwerfen. 《II》 *p.a.* 〖雅語〗 ① 버림받은, 내쫓긴. ② 사악한, 구원받기 어려운; 방종〔타락〕한; 〖宗〗 영겁의 벌을 받은: ein ~er Mensch 타락한 사람, 무뢰한, 방탕아.

Verworfenheit *f.* 버림받음; 구제불능; 영락.

verworren [fɛrvɔ́rən] 《I》 *p.p.* ↑ verwirren. 《II》 *p.a.* 얽히고 설킨, 복잡한; (머리가) 혼란한; 미친: eine ~e Abhandlung 혼란스런 논문; ein ~er Kopf 명석하지 못한 두뇌.

Verworrenheit *f.* 뒤죽박죽, 혼란.

verwundbar [fɛrvúntba:r] *a.* ① 상처받기 쉬운, 상하기 쉬운: eine ~e Stelle 급소, 약점. ② 감정을 상하기 쉬운, 민감한.

Verwundbarkeit *f.* ↑ verwundbar 의 명사형.

***verwunden**[1] [..vúndən] 《I》 *t.* ① 다치게 하다, 상처를 입히다: jn. leicht〔schwer〕 ~ 누구에게 경상〔중상〕을 입히다; jn. tödlich 〔auf den Tod〕 ~ 누구에게 치명상을 입히다. ② 〖비유〗 감정을 해치다, 모욕하다, 골나게 하다: mit Worten ~ 말로 성을 내게 하다. 《II》 *refl.* sich ~ 다치다, 부상을 입다: sich an einem Messer ~ 칼에 다치다. 《III》 **verwundet** *p.a.* ↑ verwundet.

verwunden[2] *p.p.* ↑ verwinden[1/2].

verwunderlich *a.* 놀랄 만한, 불가사의한, 기이한: das ist doch sehr ~! 그것은 참으로 놀랍군!

verwundern [fɛrvúndərn] 《I》 *t.* 놀래다, 기이하게 여기게 하다: es verwundert mich, daß... …이 내게는 정말 이상하다; dein Verhalten ist zum ~ 네 태도는 뜻밖이다; es ist nicht zu ~, daß... …는 놀랄 만한 일이 아니다. 《II》 *refl.* sich über et. ~ 무엇에 놀라다, 무엇을 이상히 여기다. 《III》 **verwundert** *p.a.* ↑ verwundert.

verwundert 《I》 *p.p.* ↑ verwundern. 《II》 *p.a.* 놀란: mit ~en Blicken 놀란 눈으로. 《III》 *adv.* 이상한 듯이, 놀라 어안이 벙벙해서: ~ blickte er mich an 놀란 얼굴로 그는 나를 바라 보았다.

Verwunderung *f.* 놀람, 경탄, 경이, 의아: jn. in die größte ~ setzen 누구를 깜짝 놀라게 하다; zu meiner ~ 놀랍게도.

verwunderungs≈voll *a.* 놀라운, 기이한; (깜짝) 놀란. **≈ausruf** *m.* 경탄의 외침.

verwundet 《I》 *p.p.* ↑ verwunden[1]. 《II》 *p.a.* 다친, 부상당한: tödlich ~e Soldaten 치명상을 입은 군인들.

Verwundete* *der/die* 부상자.

Verwundeten≈abzeichen *n.* 〖軍〗 상이 군인 기장(紀章). **~transport** *m.* 부상자 운반.

Verwundung *f.* -en 상처, 상해(傷害); 부상(당함), 다침.

verwunschen [fɛrvúnʃən] 《<verwünschen》 *p.a.* 마법〔요술〕에 걸린, 홀려 버린, 매

혹된: ein ~er Prinz 마법에 걸린 왕자.

verwünschen [fɛrvʏ́nʃən] 《I》 *t.* ① 저주하다(verfluchen): sein Schicksal ~ 자기의 운명을 저주하다; ich verwünsche seinen Leichtsinn 그의 경솔은 내게는 정말 괘씸하다. ② 〔고어〕 (verzaubern) 마법에 걸다, 매혹하다: jn.〔et.〕 in et. ~ 누구에게〔무엇에〕 마법을 걸어 무엇으로 변신〔변형〕시키다. 《II》 **verwụ̈nscht** *p.a.* ↑ verwünscht.

verwụ̈nscht 《I》 *p.p.* ↑ verwünschen. 《II》 *p.a.* ① 저주받은; 괘씸한: ~! 제기랄, 빌어먹을, 망할 (것)!; dieses ~e Zusammentreffen! 제기랄, 여기서 만나다니!; ~ gescheit 매우 영리한. ② ↑ verwunschen.

Verwụ̈nschung *f.* -en ① (**a**) 저주, 증오. (**b**) 저주의 말: ~en ausstoßen 저주를 퍼붓다. ② 〔고어〕 마법에 걸기, 둔갑시키기.

Verwụ̈nschungs·formel *f.* 주문(呪文).

Verwurf *m.* -(e)s, ..würfe 〚지질〛 단층.

verwụrschteln *t.* ↑ verwursteln.

verwursteln [fɛrvʊ́rstəln] 〔구어〕 《I》 *t.* ① 엉클다, 혼란케 하다, 뒤틀다: Fäden ~ 실을 엉클다. ② 망치다: eine Arbeit ~ 일을 엉망진창으로 만들다. 《II》 *refl.* sich ~ 뒤틀리다, 엉망진창이 되다: die Wäscheleine hat sich verwurstelt 빨랫줄이 얽혔다.

verwurzeln [fɛrvʊ́rtsəln] *i.* (s.) 뿌리 박다, 뿌리를 뻗다; 토착하다: der Baum ist tief im Boden verwurzelt 그 나무는 땅속 깊이 뿌리를 박았다; 〔비유〕 mit et.³ verwurzelt sein 무엇과 깊은 관계〔연고〕가 있다.

Verwụrzelung *f.* -en 뿌리내림.

verwürzen [fɛrvʏ́rtsən] *t.* ① eine Speise ~ 음식에 양념을 너무 넣다. ② 맛을 버리다, 맛없게 하다; 〔비유〕 불쾌하게 하다.

Verwụrzlung *f.* -en ↑ Verwurzelung.

verwụscheln *t.* 〔구어〕 엉클어지게 하다: vom Wind verwuscheltes Haar 바람에 엉클어진 머리카락.

verwüsten [fɛrvý:stən] *t.* 황폐하게 하다, 초토화하다; 겁탈하다; 〔비유〕 못쓰게 만들다: ein Erdbeben verwüstete den Ort 지진이 그 지역을 폐허화시켰다.

Verwü̲ster *m.* -s, - 황폐하게 하는 사람, 파괴자; 겁탈자.

Verwü̲stung *f.* -en ① 황폐〔폐허〕화; 겁탈. ② 피해: die ~en des Unwetters 폭풍우에 의한 피해.

Verz. =Verzeichnis 목록, 색인.

verzagen [fɛrtsá:gən] 《I》 *i.* (s./(드물게) h.) 〔雅語〕 기가 꺾이다, 낙담하다; 절망하다: an et.³ ~ 어떤 일로 기가 죽다; an sich³ selbst ~ 자신(감)을 잃다; du solltest nicht so schnell ~! 너는 그렇게 쉽게 낙담해서는 안 돼! 《II》 **verza̲gt** *p.a.* ↑ verzagt.

verza̲gt 《I》 *p.p.* ↑ verzagen. 《II》 *p.a.* 낙담한, 기가 꺾인; 소심한, 겁내는: mit ~er Miene 겁먹은 표정으로.

Verza̲gtheit *f.* 위축, 소심, 겁먹음.

verza̲hlen *refl.* sich ~ (obd.) 보람이 있다: es verzahlt sich 그 일은 보람이 있다.

verzählen[1] [fɛrtsɛ́:lən] *refl.* sich ~ 잘못 세다, 오산하다.

verzä̲hlen[2] *t.* 〔구식〕 (ndd.) (erzählen) 이야기하다, 말하다.

verzahnen [fɛrtsá:nən] 《I》 *t.* ① (바퀴에) 톱니를 달다; (도리·판재를) 톱니 모양으로 파다. ② (**a**) (서로) 맞물리게 하다(ineinanderfügen): miteinander verzahnte Maschinenteile 서로 맞물린 기계의 부속들. (**b**) (서로) 관련시키다: die einzelnen Kapitel sind eng (miteinander) verzahnt 각 장(章)은 (서로) 밀접하게 연관되어 있다. 《II》 *refl.* sich ~ (톱니 따위가) 맞물리다.

Verza̲hnung *f.* -en ① (톱니가) 맞물림. ② 이, 톱니바퀴; 톱니바퀴 장치; 들쭉날쭉 새긴 것, 장부.

verzạnken *refl.* sich ~ 서로 다투다.

verzapfen [fɛrtsápfən] *t.* ① (**a**) (술을) 통에서 직접 따르다, 소매하다: 〔비유〕 es wird nichts verzapft! 아무것도 줄 수 없다! (**b**) 〔구어〕 나누어 주다; 이야기하다: Neuigkeiten ~ 뉴스를 들려주다; welchen Unsinn verzapfst du da! 무슨 허튼 소리를 하는 거야! ② 〚工〛 (각재·판재를) 장부짜기로 잇다.

Verzạpfung *f.* -en 장부로 잇기.

verzạppeln *i.* (s.)/*refl.* (sich) ~ 몸부림쳐 지치다: 〔비유〕 초조〔불안〕해하다: jn. ~ lassen 누구를 괴롭히다, 절망시키다.

verzärteln [fɛrtsɛ́:rtəln] *t.* 너무 귀여워하여 유약하게〔버릇없이〕 만들다: ein verzärteltes Kind 유약하게〔버릇없이〕 자란 아이.

Verzä̲rtelung *f.* ↑ verzärteln 의 명사형.

verzau̲bern *t.* ① 마법에 걸다, 마법으로 둔갑시키다: in einen Baum verzaubert 마법에 걸려 나무가 된. ② 깊은 인상을 주다, 홀리게 하다, 매혹하다: ihre Schönheit hat ihn verzaubert 그녀의 아름다움이 그를 매혹시켰다.

Verzau̲berung *f.* -en ① 마법에 걺; 매혹. ② 마법에 걸림; 매혹됨.

verzäunen [fɛrtsɔ́ʏnən] *t.* (어디에) 울타리를 두르다.

Verzä̲unung *f.* -en ① 울타리를 침. ② 울타리, 울.

verzẹchen *t.* (돈·시간을) 음주에 소비하다.

verze̲hnfachen 《I》 *t.* 10 배로 하다. 《II》 *refl.* sich ~ 10 배로 되다.

verze̲hnten *t.* 〔구식〕 (무엇의) 십일조를 납부하다.

Verzehr [fɛrtsé:r] (<verzehren) 《I》 *m.* -(e)s 먹고 마시기: zum baldigen ~ bestimmt 바로〔즉시〕 드십시오(상품 포장지에 적힌 설명문). 《II》 *m./n.* -(e)s ① 음식물; 소비물. ② 음식값.

verze̲hrbar *a.* (다) 먹을 수 있는.

Verze̲hr·bon *m.* 식권.

***verzehren** [fɛrtsé:rən] 《I》 *t.* ① (**a**) 먹다, 마시다: er verzehrte gemächlich sein Brot 그는 유유히 빵을 먹었다. (**b**) (aufessen) 다 먹다, 먹어 치우다. (**c**) 〔비유〕 흡수하다, 빨아들이다. ② 〔구식〕 (생계를 위해) 소비〔소모〕하다; 갉아먹다; 탕진하다: er hat im Monat 800 Mark zu ~ 그는 한 달에 먹고 사는 데 800 마르크는 쓴다; der Rost verzehrt das Eisen 녹은 쇠를 부식시킨다; die Arbeit hat alle seine Kräfte verzehrt 일 때문에 그의 온 기력이 쇠진하였다; 〔비유〕 er hat sie mit den Blicken verzehrt 그는 그 여자를 뚫어지게 쳐다보았다. 《II》 *refl.* 〔雅語〕 sich ~ 다하다; 쇠약해지다, 여위다, 수척해지다: er verzehrt sich vor Sehnsucht nach ihr 그는 그녀에 대한 그리움으로 야위어간다.

verzehrend *p.a.* 소모하는, 쇠약케 하는; 열망하는(verlangend): eine ~e Krankheit 소모성 질환(폐병); eine ~e Leidenschaft 기력을 갉아먹는 정열: jn. mit ~en Blicken ansehen 누구를 열망의 눈길로 바라보다.

Verzehrer *m.* -s, - 〖드물게〗 다 먹어 치우는 사람; 소비자, 낭비자.

Verzehrung *f.* -en ① 다 먹어 버리기. ② 낭비, 소비. ③ 쇠약, 소모.

Verzehrungs·steuer *f.* 소비세.

Verzehr·zwang *m.* (음식점에서의) 식사 주문 의무.

***verzeichnen** [fɛɾtsáɪçnən] 《I》 *t.* ① 잘못 그리다: auf diesem Bild ist die Hand total verzeichnet 이 그림에서는 손이 완전히 잘못 그려져 있다. ② 적어두다, 기입하다, 기록하다: er ist in der Liste nicht verzeichnet 그는 목록〔인명록〕에 기록되어 있지 않다; er hat einen großen Erfolg〔Sieg〕 zu ~ 그는 큰 성공을〔승리를〕 거두었다. ③ (무엇의) 표를〔목록을〕 만들다: Inventar〔Preise〕 ~ 재산 목록을〔정가표를〕 만들다. 《II》 *refl.* sich ~ 잘못 묘사되다.

***Verzeichnis** [fɛɾtsáɪçnɪs] *n.* -ses, -se ① 표, 목록, 목차; 명세서; 명부; 색인: ein ~ anlegen 표를〔목록을〕 달다; der Gegenstand ist in dem ~ nicht enthalten 그 물품은 목록에 들어 있지 않다. ②〖컴〗 디렉토리: ~ erstellen 디렉토리를 (새로) 만들다.

Verzeichnis·baum *m.* 〖컴〗 나무꼴 디렉토리.

Verzeichnung *f.* -en ① 잘못 묘사함〔됨〕. ② (**a**) 기입, 기록, 기재. (**b**) ↑ Verzeichnis. ③ 일그러짐; 〖광학〗 왜곡.

verzeichnungs·frei *a.* 〖광학〗 왜곡〔일그러짐〕이 없는.

verzeigen [fɛɾtsáɪgən] *t.* (schweiz.) 고발하다, 신고하다; 통고〔광고〕하다; 지시〔암시〕하다: der Diebstahl wurde bei der Polizei verzeigt 도난 사건이 경찰에 신고되었다.

verzeihen [fɛɾtsáɪən] *t.* jm. et. ~ 누구의 무엇을 용서하다, 관대히 봐주다: ~ Sie! 실례합니다!; verzeih (mir) mein Unrecht! 내 과실을 용서해 주십시오!; so etwas ist nicht zu ~! 그런 일을 용서해〔눈감아〕 줄 수는 없다!; ich habe ihm längst verziehen 나는 그를 오래 전에 용서하였다.

verzeihlich *a.* 용서할 만한: ein ~er Fehler 용서할 만한 실수.

***Verzeihung** [fɛɾtsáɪʊŋ] *f.* 용서; 〖宗〗 면죄: (ich bitte Sie um) ~! 실례합니다!; jn. um ~ bitten〔flehen〕 누구에게 용서를 빌다; ~ gewähren 용서하여 주다; ~ erlangen 용서받다.

***verzerren** [fɛɾtsɛ́rən] 《I》 *t.* ① 일그러뜨리다, 왜곡시키다, 비틀어 구부리다; 찡그리다; (소리를) 찌그러뜨리다: das Gesicht 〔den Mund〕 ~ 얼굴〔입〕을 찡그리다〔비쭉하다〕; et. ins Lächerliche ~ (고의로) 무엇을 웃음거리로 만들다; 〖비유〗 ein verzerrtes Bild 왜곡된 상; einen Vorfall verzerrt darstellen 어떤 사건을 왜곡하여 설명하다. ② 지나치게 당겨 상처를 나게 하다: er hat sich eine Sehne verzerrt 그는 힘줄이 늘어났다. 《II》 *refl.* sich ~ 일그러지다, 비뚤어지다: sein Gesicht verzerrt sich vor Schmerz 그의 얼굴이 고통으로 일그러진다.

Verzerrtheit *f.* 비틀림; 찡그린 얼굴, 경련.

Verzerrung *f.* -en ① 일그러지게 함. ② 일그러짐; 찡그린 얼굴; (Zerrbild) 왜곡된 그림, 희화(戱畫). ③ 〖광학〗 상이 뒤틀림.

verzetteln[1] [fɛɾtsɛ́təln] 《I》 *t.* ① (südd., schweiz.) (말리기 위해) 펼쳐놓다. ② 낭비〔허비〕하다: er verzettelt sein Geld 그는 돈을 여기저기 허비한다. 《II》 *refl.* sich ~ 정력을 소모하다: er verzettelt sich mit seinen vielen Hobbys 그는 잡다한 취미에 정력을 소비한다.

verzetteln[2] *t.* 목록〔카드식 색인〕을 만들다: die neuen Bücher müssen genau verzettelt werden 새 책들은 상세하게 목록을 작성해 두어야 한다.

Verzettelung, Verzettlung *f.* -en ① 목록화, 카드식 색인화. ② 흩뿌림, 낭비.

***Verzicht** [fɛɾtsɪ́çt] 《<verzeihen》 *m.* -(e)s, -e (Entsagung) 포기, 단념; 기권; 양보; 〖法〗 방기(放棄), 유기(遺棄): auf et. ~ leisten 무엇을 포기〔단념〕하다.

***verzichten** [fɛɾtsɪ́çtən] *i.* (h.) 포기하다; 단념하다; 기권하다; 양보하다: auf deine Hilfe kann ich ~ 나는 너의 도움이 필요 없어; auf sein Erbe ~ 상속 재산을 포기하다; auf ihn müssen wir heute ~ 우리들은 오늘 그 사람 없이 변통해 나가야 한다.

verzicht.. ↑ verzichts..

Verzichts⸗erklärung *f.* 포기 선언. **~leistung** *f.* 포기, 단념; 기권. **~politik** *f.* 포기 정책.

verzieh ↑ verzeihen 의 과거형.

verziehen*[1] [fɛɾtsíːən] 《I》 *t.* ① 찌푸리다, 찡그리다, 비틀다: das Gesicht ~ 얼굴을 찌푸리다; den Mund ~ 입을 비죽거리다; den Mund zum Lachen ~ 입가에 쓴웃음을 짓다; keine Miene ~ 얼굴의 근육 하나 까딱하지 않다, 태연자약하다; ohne eine Miene zu ~ 얼굴 표정 하나 바꾸지 않고. ② (과보호로) 잘못 기르다, 버릇없이 키우다: er hat seine Kinder verzogen 그는 아이들의 교육을 그르쳤다. ③ (선 등을) 잘못 긋다: eine Linie in einer Zeichnung ~ 도안에서 선을 잘못 긋다. ④ 〖農〗 (묘목 등을) 뽑아내다, 솎아내다. ⑤ 〖스포츠〗 잘못 차다〔치다〕: einen Ball ~ 공을 잘못 차다〔치다〕. 《II》 *i.* ① (s.) 이사하다: in die Stadt ~ 도시로 이사하다; Empfänger verzogen 수취인 전거(轉居). ② (h.) 〖구식〗 머무르다, 체재하다; 오래〔질질〕 끌다; 주저하다, 머무적거리다, 지체하다. 《III》 *refl.* sich ~ ① 찌그러지다, 굽다, 휘다: das Brett hat sich verzogen 판자가 휘었다; sein Mund verzog sich zu einem Grinsen 그의 입이 뾰로통해지며 인상이 찡그러졌다. ② 가 버리다, 멀어지다, 퇴거하다: 사라지다, 소실(消失)하다: das Gewitter hat sich verzogen 뇌우(雷雨)는 지나갔다; der Nebel〔Schmerz〕 hat sich verzogen 안개가〔고통이〕 걷혔다〔가셨다〕; 〖구어〗 gegen zehn Uhr hab' ich mich (ins Bett) verzogen 10 시 무렵 나는 (잠자리로) 되돌아왔다; 〖경박〗 verzieh dich! 꺼져! ③ 〖체스〗 말을 잘못 쓰다. ④ ↑ 《II》 ②. 《IV》 **verzogen** *p.a.* ↑ verzogen.

verziehen[2] *p.p.* ↑ verzeihen.

Verziehung [fɛɾtsíːʊŋ, fəɾ..] 《<verziehen》 *f.* -en ① 비틀기, 구부림. ② 버릇없게 키움. ③

이사, 이전. ④ 체재; 주저.

verzieren [fɛrtsíːrən] *t.* 치장하다, 장식하다: ein Kleid mit Stickerei ~ 자수를 놓아 옷을 장식하다.

Verzierer *m.* -s, - 장식자; (실내) 장식업자.

Verzierung *f.* -en ① 장식(하기); 미화. ② 꾸밈, 장식물; 〖건축〗 무늬 장식; 〖음악〗 장식음: 〖구어〗 brich dir nur keine ~ ab! 그렇게 뽐내지 마라!

verzimmern [fɛrtsímərn] *t.* ①〖건축〗 각재〔널빤지〕로 떠받치다: einen Tunnel ~ 터널을 나무 기둥으로 떠받치다. ②〖海〗 수리하다: ein Schiff ~ 배를 수리하다.

Verzimmerung *f.* -en ① 기둥으로〔널빤지로〕 떠받치기. ②〖건축〗 버팀용 기둥〔널빤지〕.

verzinken [fɛrtsíŋkən] *t.* ① 아연 도금을 하다; (재목을) 이어맞추다. ②〖구어〗 배반〔신고·밀고〕하다; (비밀을) 누설하다.

Verzinkung *f.* -en ① 아연 도금. ② 아연 도금〔피복(被覆)〕막.

verzinnen [fɛrtsínən] *t.* 주석 도금을 하다.

Verzinn·kolben *m.* 〖工〗 납땜 인두.

Verzinnung 《<verzinnen》 *f.* -en ① 주석 도금. ② 주석 도금〔피복(被覆)〕막.

verzinsbar *a.* ↑ verzinslich.

verzinsen [fɛrtsínzən] 《Ⅰ》 *t.* 이자를 지급하다: mit 4 Prozent verzinst 4 부 이자가 붙은. 《Ⅱ》 *refl.* sich ~ 이자를 낳다: das Kapital verzinst sich mit 〔zu〕 5 % 그 자본은 5 부의 이자를 낳는다.

verzinslich *a.* 이자를 낳는: ein Kapital ~ anlegen 이자 수익을 노리고 투자〔출자〕하다.

Verzinslichkeit *f.* 이자 수익성: die ~ von Wertpapieren 유가 증권의 이자 수익성.

Verzinsung *f.* -en 이자 지급〔발생〕.

verzogen [fɛrtsóːgən] 《Ⅰ》 *p.p.* ↑ verziehen. 《Ⅱ》 *p.a.* ① 찌그러진, 비틀어진; 굽은. ② 버릇없게 자라난, 버릇없는. ③ 이사한.

***verzögern** [fɛrtsǿːgərn] 《Ⅰ》 *t.* ① 늦추다, 지연〔지체〕시키다: der strenge Winter hat die Fertigstellung des Baues (um einen Monat) verzögert 혹독한 겨울 때문에 준공이 (한 달 정도) 늦어졌다. ② …의 속도를 늦추다: den Schritt ~ 걸음을 늦추다. 《Ⅱ》 *refl.* sich ~ 늦어지다, 지연되다: seine Abreise hat sich um einen Tag verzögert 그의 여행 출발은 하루 지연되었다.

Verzögerung *f.* -en 지체; 연기, 미룸, 유예.

Verzögerungs·mittel *n.* 지연 수단.

verzollbar *a.* 관세를 부과할 수 있는.

verzollen [fɛrtsɔ́lən] *t.* 관세를 물다: haben Sie etwas zu ~? 관세를 물어야 할 물품을 가지고 계십니까?

Verzollung *f.* -en 관세 납부; 통관 절차, 출항 인가(서).

verzotteln [fɛrtsɔ́təln] *t.* 〖구어〗 ① 어지럽히다, 헝클어트리다, 산란하게 하다: verzotteltes Haar 헝클어진 머리카락. ② 둔 곳을 잊(어버리)다.

verzucken 《Ⅰ》 *t.* 경련적으로 일그러뜨리다, 경련을 일으키게 하다. 《Ⅱ》 *i.* (s.) 경련이 멎다, 죽다.

verzücken [fɛrtsʏ́kən] 《Ⅰ》 *t.* 황홀하게〔넋을 잃게〕 하다: seine Bilder verzückten die Beschauer 그의 그림들은 관람객을 매료시켰다. 《Ⅱ》 **verzückt** *p.a.* ↑ verzückt.

verzuckern [fɛrtsúkərn] *t.* ① 설탕을 치다; 설탕에 절이다, 설탕을 입히다: verzuckerte Früchte 설탕에 절인 과일; 〖구어〗 jm. et. ~ 누구에게 무엇을 완곡하게〔돌려서〕 말하다. ② 설탕을 너무 넣다. ③〖化〗 당화(糖化)하다.

Verzuckerung *f.* -en 설탕을 넣음〔바름〕.

***verzückt** 《Ⅰ》 *p.p.* ↑ verzücken. 《Ⅱ》 *p.a.* 미칠 듯이 기뻐하는, 환희에 찬, 황홀한: ~e Blicke〔Mienen〕 환희에 찬 눈빛〔안색〕.

Verzücktheit *f.* 넋을 잃음, 황홀(경).

Verzuckung 《<verzucken》 *f.* -en 경련.

Verzückung 《<verzücken》 *f.* ① 황홀케 함. ② 황홀, 넋을 잃음: in ~ geraten 넋을 잃다.

***Verzug** [fɛrtsúːk] 《<verziehen》 *m.* -(e)s ① 지체, 지연; 연기: im ~ sein 지체하다, 머무적거리다; mit den Steuern in ~ geraten 〔kommen〕 세금 납부를 지체하다; es ist Gefahr im ~ 〔Gefahr ist im ~〕 a) 지체하면 위험하다, b) 위험이 임박해 있다; ohne ~ 당장, 즉시. ② **(a)** 버릇없이 굴기, 제멋대로 하기. **(b)** 〖방언·구식〗 응석꾸러기; 귀염둥이, 총아: Papas ~ 아빠의 귀염둥이. ③ 이사, 이전: bei ~ neue Anschrift angeben! 이사할 때는 새 주소를 알려 주십시오! ④〖광산〗 (낙석을 방지하기 위해) 갱목과 갱목 사이에 판자를 댐. ⑤〖방직〗 늘여서 실을 섬세하게 함.

Verzugs≈aktien *pl.* 후배주(後配株) (보통주 배당 후 이익금이 있으면 배당하는 주). **~tage** *pl.* (어음 지급의) 유예일. **~zinsen** *pl.* 연체 이자.

verzupfen[1] [fɛrtsúpfən] *t.* (얽힌 것·직물의 올을) 풀다.

verzupfen[2] *refl.* (öst.) 〖구어〗 sich ~ 슬그머니 도망가다〔떠나가다〕.

verzwatzeln [fɛrtsvátsəln] *i.* (s.) (obd.) 안절부절못하다, 초조해하다.

***verzweifeln** [fɛrtsváɪfəln] 《Ⅰ》 *i.* (h./s.) 절망하다, 낙담하다, 자포자기하다: am Leben ~ 삶에 절망하다; an seinem Talent ~ 자기의 재능에 절망하다; ich bin verzweifelt 나는 이제 자포자기다; nur nicht ~! 절망〔자포자기〕하지 마라!; zum ≈ besteht kein Anlaß 절망할 이유가 없다. 《Ⅱ》 **verzweifelt** *p.a.* ↑ verzweifelt.

***verzweifelt** 《Ⅰ》 *p.p.* ↑ verzweifeln. 《Ⅱ》 *p.a.* ① 절망적인, 자포자기한: eine ~e Lage 절망적인 상황; ein ~er Mensch 자포자기한 사람. ② 필사적인; ~er Entschluß 사생결단; ein ~er Kampf 필사적인 투쟁; ~e Anstrengungen machen 필사적인 노력을 하다. ③〖부사로만〗 매우, 극도로: eine ~ ernste Lage 극도로 심각한 상황; das ist ~ wenig 그것은 극히 적다.

Verzweifelung *f.* ↑ Verzweiflung.

verzweifelungs.. ↑ verzweiflungs...

Verzweiflung *f.* 절망; 자포자기: jn. in 〔zur〕 ~ bringen 누구를 절망감에 빠지게 하다; in ~ graten 절망〔자포자기〕하다; vor 〔aus, in〕 ~ hat er es getan 그는 절망한 나머지 그런 일을 하였다; du kannst mich zur ~ bringen! 네 행동을 난 참을 수 없어!

Verzweiflungs≈tat *f.* 자포자기하여 저지른 행위. **≈voll** *a.* 몹시 절망한, 자포자기의.

verzweigen [fɛrtsváɪgən] *refl.* sich ~ ① 가지를 내다. ② 분지(分枝)하다, 분기(分岐)〔분파〕하다, 갈라지다: der Weg verzweigt sich

길이 갈라진다; ein weit verzweigtes Unternehmen 많은 업종으로 나뉜〔많은 지사를 가진〕 기업.

Verzweigung *f.* -en ① (**a**) 〖복수없음〗 분지; 분기, 분파. (**b**) 〖철도〗 지선. ② 나누어진 부분. ③ (schweiz.) 십자〔교차〕로.

verzwergen [fɛrtsvérgən] *i.* (s.) 난쟁이가 되다, 왜소해지다; 위축되다, 움츠러들다.

verzwịcken 《I》 *t.* ①〖農〗 (포도나무 가지 등을) 전정(剪定)하다. ②〖工〗 (못대가리를) 구부려 박다, 무디게 하다. ③ die Augen ~ 눈을 가늘게 하여 흘끗 보다. ④〔비유〕 (verwickeln) 엉클다, 헝클다, 복잡하게 하다; (verdrehen) 구부리다; (사실 따위를) 곡해하다. 《II》 **verzwịckt** *p.a.* ↑ verzwickt.

verzwịckt 《I》 *p.p.* ↑ verzwicken. 《II》 *p.a.* 〔구어〕 (verwickelt) 얽힌, 복잡한; 기이한; 불쾌한: eine ~e Angelegenheit〔Geschichte〕 복잡한 일〔이야기〕.

Verzwịcktheit *f.* 〔구어〕 복잡성.

verzwịrnen *t.* (실을) 꼬다, 드리다.

Vẹsen *m.* - (obd.) 스펠트〔독일〕밀 (Dinkel).

Vesikatorium [vezikató:rium] 《lat.》 *n.* -s, ..rien [..riən] 〖藥〗 ① 문질러 바르는 발포성의 약제. ② 발포고(發疱膏).

Vesper [féspər] 《lat., „Abend"》 *f.* -n ① 저녁, 해거름. ② (**a**) 〖가톨릭〗 (성무 일도(聖務日禱)의) 저녁 기도. (**b**) 저녁 예배; 저녁 성악회(聖樂會): zur ~ gehen 저녁 예배에 가다; zur ~ läuten 저녁 예배의 종을 울리다; die Sizilianische ~ 시칠리아섬의 학살(1282년 저녁 예배종을 신호로 일어난 폭동). ③ *f.* -n 〔*n.* -s, -〕 (특히 südd., öst.) (Nachmittagsmahlzeit) 오후의 간식. ④ (특히 südd., öst.) 오후의 중간 휴식.

Vẹsper≈bild *n.* 십자가에서 내려진 그리스도의 시신을 껴안은 성모상(Pieta). **~brot** *n.* (특히 südd., öst.) ① 오후의 간식용 샌드위치. ② 오후의 간식. **~gesang** *m.* 저녁 예배의 찬송가. **~glocke** *f.* 저녁 예배를 알리는 종. **~läuten** *n.* 저녁 예배를 알리는 종소리; 일과의 끝을 알리는 종소리.

vespern [féspərn] 《<Vesper》 *i.* (h.) (특히 südd., öst.) 오후의 간식을 먹다.

Vẹsper≈predigt *f.* 저녁 예배의 설교. **~stunde, ~zeit** *f.* (특히 südd., öst.) ① 늦은 오후, 저녁. ② 저녁 예배의 시각.

Vespucci [vɛspútsi] *m.* Amerigo ~ 베스푸치(이탈리아의 항해가, 1454-1512).

Vesta [vésta] 《lat.》 *f.* ①〖로마신화〗 베스타(화덕의 여신). ②〖天〗 베스타 별자리.

Vestalin [vɛstá:lɪn], **Vẹstapriesterin** *f.* -nen ① 베스타(화덕의 여신)의 여사제. ② 정결한 미혼 여성.

Veste [féstə] *f.* -n 〔구식〕 요새, 성채, 작은 성.

Vestibül [vɛstilbý:l] 《frz.》 *n.* -s, -e ① 현관의 입구(Vorhalle). ② (극장·호텔 등의) 로비, 현관.

Vestibular·apparat [..bulá:r..] 《lat.》 *m.* 〖해부〗 (귓속의) 평형 기관.

Vestibulum [vɛsti:bulum] *n.* -s, ..la ① (고대 로마 주택의) 현관. ②〖해부〗 (기관의) 전정(前庭) (특히 내이(內耳)의 미로(迷路) 전정).

Vestitur [vestitú:r] 《lat.》 *f.* -en 〖가톨릭〗 (Investitur) 서임(敍任)(식).

Vesuv [vezú:f] *m.* -(s) 베수비오산(이탈리아 나폴리 동쪽).

Vesuvian [vezuviá:n] *m.* -s, -e 〖광물〗 베수비아나이트.

vesuvisch [vezú:vɪʃ] *a.* 베수비오산의.

*__Veteran__ [veterá:n] 《lat. veteranus》 *m.* -en, -en ① (**a**) 노병, 퇴역〔재향〕군인; 고참(자); 노련한 사람, 베테랑: ein ~ der Wissenschaft 학문의 원로. (**b**) 〖스포츠〗 노련한 선수. ②〖모터스포츠〗 구형 자동차 모델.

Veteranen≈klub *m.* 노병 친선 클럽. **~verein** *m.* 노병회(會), 재향 군인회.

Veterinär [veterinɛ́:r] 《frz. vétérinaire》 *m.* -s, -e 수의사.

veterinär *a.* 수의(학)의.

Veterinär≈akademie *f.* 수의 학교. **~arzt** *m.* 수의사. **~medizin** *f.* 수의학. **~schule** *f.* ↑ ~akademie.

*__Veto__ [vé:to] 《lat., „ich verbiete"》 *n.* -s, -s 〔교양〕 ① 비토, 거부: sein ~ gegen et. einlegen 무엇을 거부하다. ② 거부권: von seinem ~ Gebrauch machen 거부권을 행사하다.

Veto·recht *n.* 거부권.

Vettel [fétəl] 《lat. vetula, „altes Weib"》 *f.* -n ① 요물스러운 노파. ② 타락한 여자.

*__Vetter__ [fétər] *m.* -s, -n ① 종형제, 사촌. ② 〔구식〕 먼 친척. ③ 친구, 지기(知己). ④〖음악〗 ~ Michel 로잘리아.

vẹtterlich *a.* 〔구식〕 사촌의.

Vẹtterin *f.* -nen 〔구식〕 먼 친척 여자.

vẹttern *t.* 종형제라고 부르다.

Vẹtter·gunst, Vẹttern·gunst *f.* 친인척 편애.

Vetternschaft [fétərnʃaft] *f.* 〔구식〕 ① 종형제 관계, 친척〔친족〕 관계. ②〔총칭〕 사촌들, 친척, 친족.

Vẹttern≈straße *f.* 〔다음 용법으로〕 die ~ ziehen 친척을 두루 찾아다니며 폐를 끼치다. **~wirtschaft** *f.* 〖폄어〗 친족 경영, 족벌주의.

Vẹtterschaft *f.* 〔구식〕 ↑ Vetternschaft.

Vẹtter≈straße *f.* ↑ Vetternstraße. **~wirtschaft** *f.* 〖폄어〗 ↑ Vetternwirtschaft.

Vetturin [vɛturí:n] 《lat.》 *m.* -s, -e (이탈리아의 4륜) 영업용 마차의 마부(Lohnkutscher).

Vexation [vɛksatsió:n] *f.* -en 〔구식〕 ① 괴롭힘. ② 놀림, 희롱.

vexatorisch [..tó:rɪʃ] *a.* 번거로운, 성가신, 귀찮은.

Vexier≈becher *m.* (요술사의) 이중 바닥의 잔. **~bild** *n.* ① 알아맞히기 그림(Bilderrätsel). ② 옆면이 역으로 그려져 있는 두 개의 모습을 함축한 그림. **~dose** *f.* (이중 바닥의) 마술 상자.

vexieren [vɛksí:rən] 《lat.》 *t.* 〔구식〕 ① (**a**) 놀리다, 조롱하다. (**b**) 가지고 놀다, 화나게 하다. ② 괴롭히다.

Vexierei *f.* -en ↑ Vexation.

Vexier≈glas *n.* ① (마시는 데 요령이 필요한) 특이하게 생긴 유리잔. ② 마술병(장치가 달린 일종의 장난감). **~gurke** *f.* 〖植〗 여주(박과의 1년초). **~kasten** *m.* 지혜 상자(동물 심리학의 실험 기구). **~rätsel** *n.* (Scherzrätsel) 익살스러운 수수께끼, 난센스 퀴즈. **~ring** *m.*

지혜의 고리(장난감의 일종). **~schloß** *n.* 글자〔숫자〕를 맞추어 여는 자물쇠. **~spiegel** *m.* (모양을 이그러지게 비추는) 요술 거울. **~spiel** *n.* 요술. **~stück** *n.* ① 수수께끼, 퀴즈; 요술. ② 사기, 기만.

Vexillum [vɛksílum] 《lat.》 *n.* -s, ..xilla/..xillen ① **(a)** 고대 로마의 군기(軍旗). **(b)** 군기에 소속된 부대. ②〖植〗(콩과 식물의) 익판(翼瓣), 기판(旗瓣). ③〖動〗(새깃의) 날갯죽지.

Vezier [vezíːr] *m.* -s, -e ↑ Wesir.

V-förmig [fáu..] *a.* V 자 형태의.

vgl. =vergleich(e)! 참조〔비교〕하라!

v., g., u. =vorgelesen, genehmigt, unterschrieben 결재필(畢).

vH, v.H. =vom Hundert 백분의, …퍼센트.

VHS =Volkshochschule 시민 대학.

vi〖化〗=Virginium 버지늄(1929 년 발견 주장 후 아직 확인이 안 된 희금속 원소).

Via [ví(ː)a] 《lat., „Straße"》 *f.* 가도(街道): ~ Appia (고대 로마의) 아피아 가도.

***via** *prp.*[4] ① 경유하여: nach Hamburg ~ Hannover 하노버를 경유하여 함부르크로. ②〖구어〗통하여: die Nachricht ~ Telefon erhalten 전화를 통해서 그 소식을 받다.

Viadukt [viadúkt] 《lat.》 *m./n.* -(e)s, -e (Talbrücke) 계곡 위의 다리, 고가교(橋);〖철도〗구름다리, 육교.

Viatikum [viáːtikum] 《lat.》 *n.* -s, ..ka/..ken ① (Zehrgeld) 여비, 노자(路資). ②〖가톨릭〗**(a)** 임종 때 하는 영성체(領聖體), 병자의 성사(聖事). **(b)** 종유례(終油禮).

Via triumphalis [..triumfáːlɪs] 《lat.》 *f.* 개선 행진; 승리의 퍼레이드.

Vibrafon 新정서 ⇦ Vibraphon.

Vibraphon [vibrafóːn] 《lat.》 *n.* -s, -e〖악기〗비브라폰(금속 타악기).

Vibraphonist [..foníst] *m.* -en, -en 비브라폰 연주자.

Vibration [vibratsióːn] 《lat.》 *f.* -en ①〖物〗진동(Schwingung). ②〖醫〗진동 마사지.

Vibrations·massage [..saːʒə] *f.* ↑ Vibration ②.

vibrato [vibráːto] *adv.*〖음악〗비브라토로.

Vibrato *n.* -s, -s/..ti〖음악〗비브라토.

Vibrator [vibráːtɔr, ..toːr] *m.* -s, -en [..tóːrən] 바이브레이터, 진동기, 발진자.

vibrieren *i.* (h.) 진동하다, 떨리다.

Vibrione [vibrióːnə] 《lat.》 *f.* -n〖動〗나선상균(螺旋狀菌) (Zittertierchen).

Vice.. [víːtsə..] ↑ vize...

vice versa [víːtse vέrza] 《lat.》〖교양〗(umgekehrt) 거꾸로, 반대로; 역〔반대〕도 또한 같은(약어: v.v.).

Vicky [víki] *f.* 〖↑ Viktoria 의 애칭〗 비키 (여자 이름).

Vicomte [vikɔ̃ːt] 《frz.》 *m.* -s, -s ① 자작위(子爵位). ② 자작(子爵).

Vicomtesse [vikɔ̃tέs] 《frz.》 *f.* -n [..sən] 자작 부인; 자작의 딸.

vide [víːde], **videatur** [videáːtur] 《lat. vide, „sieh!"》 *int.*〖구식〗(sieh) 보라, 참조하라(약어: v., vid.).

videlicet *adv.* (freilich) 분명히, 말할 것도 없이; (nämlich) 즉, 환언하면.

***Video** *n.* -s, -s〖구어〗① 비디오 (테이프). ② 비디오 기술.

video.. *pref.* "영상의; 텔레비전 영상 송수신(용)의, 텔레비전의"의 뜻.

Video=band *n.* 비디오 테이프. **~casting** 《engl.》 *n.*〖방송〗지원자와의 면담 비디오를 바탕으로 배역을 결정하기. **~clip** 《engl.》 *m.* (음악이나 특정한 인물·대상에 관한) 단편 비디오 영화. **~film** *m.* ① 비디오 카메라로 녹화된 영화. ② 비디오 테이프 형태로 출시된 영화. **~kamera** *f.* 비디오 카메라. **~karte** *f.*〖컴〗비디오〔영상〕카드. **~kassette** *f.* 비디오 카세트. **~-on-Demand** 《engl.》 *n.*〖방송〗주문형 비디오(돈을 받고 주문 영화를 보여주는 디지털 텔리비전 방송의 한 형태). **~-recorder** 《engl.》 *m.* 비디오 리코더. **~-text** *m.* 비디오〔영상〕텍스트(텔레비전 화면상에서 정보를 얻는 체계).

Videothek *f.* -en ① 비디오 테이프 컬렉션. ② 비디오 테이프 대여점, 영상 자료 보관소.

Vidi *n.* -(s), -(s) (Beglaubigung) 증명, 인증(認證)(서류 등에 하는 표시).

vidi [víːdiː]〖구식〗나는 보았다(약어: v.).

vidieren [vidíːrən] *t.*〖구식〗① 인증〔증명〕 표시를 하다. ② (öst.) 공증〔인증〕하다, 서명하다.

Vidimation [vidimatsióːn] *f.* -en〖구식〗① 증명, 인증. ② 동의, 찬성. ③ 공증.

vidimieren *t.*〖구식〗① 인증〔증명〕 표시를 하다. ② 공증하다, 인증〔증명〕하다.

vidit〖구식〗그는 보았다(약어: vdt.).

Viech [fiːç] *n.* -(e)s, -er〖구어〗① 동물, 짐승. ②〖비유〗짐승 같은 사람. ③〖폄어〗조야〔난폭〕한 사람.

Viecherei [fiːçəráɪ] *f.* -en〖구어〗① 저질 농담. ② 비열, 파렴치. ③ 몹시 힘든 일, 노고.

***Vieh** [fiː] *n.* -(e)s, -/(구어) Viecher [fíːçər] ① 가축; 짐나르는 마소(Zug∼); 가금(家禽) (Feder∼): zehn Stück ~ 가축 10 마리; ~ austreiben〔eintreiben〕 가축을 몰아내다〔넣다〕; das ~ hüten〔weiden〕 가축을 지키다〔목축하다〕; ~ züchten 가축을 사육하다. ②〖구어〗짐승, 금수;〖구어〗짐승 같은 인간: er benimmt sich wie ein ~ 그는 짐승처럼 군다;〖폄어〗du ~! 이 짐승 같은 놈아!

Vieh=arzt *m.* 수의사(Tierarzt). **~ausstellung** *f.* 가축 품평회, 축산 공진회. **~-bestand** *m.* 보유 가축 현황〔총 두수〕. **~-bremse** *f.*〖動〗(Rinderbremse). **~dieb** *m.* 가축 도둑. **∼dumm** *a.* 둔한, 게으른. **~futter** *n.* 가축 사료. **~halter** *m.* 가축 사육자. **~haltung** *f.* 가축 사육. **~handel** *m.* 가축 매매〔상(商)〕. **~händler** *m.* 가축 상인. **~herde** *f.* 가축 떼〔무리〕. **~hirt** *m.* 가축지기. **~hof** *m.* ① 가축 사육장. ② 방목장. ③ 도살용 가축 매매장; 도살장.

viehisch [fíːɪʃ] 《<Vieh》《I》 *a.* 짐승 같은, 비인간적인: jn. in ~er Weise foltern 누구를 잔인하게 고문하다. 《II》 *adv.*〖의미의 강조〗심하게, 혹독하게: er war ~ betrunken 그는 인사불성으로 취했다.

Vieh=knecht *m.* 가축을 돌보는 머슴. **~-magd** *f.* 가축을 돌보는 하녀. **~markt** *m.* 가축 시장. **~mast** *f.* ① 가축의 비육. ② 비육용의 가축 사료. **~mäster** *m.* 가축 사육사. **~pacht** *f.* 가축의 임대. **~salz** *n.* 가축용 소금. **~schaden** *m.* ① 가축이 끼친 손해. ② 가

축이 입은 손해, 축해(畜害). **~schau** *f.* ↑ ~ausstellung. **~scheid** *f./m.* (obd.) 〔고어〕 공동 사육한 가축을 가을에 재분배하기. **~schwemme** *f.* 가축을 씻기고 물을 먹이는 곳. **~seuche** *f.* 가축 전염병. **~stall** *m.* 가축우리, 축사. **~stamm** *m.* 가축의 품종. **~stand** *m.* (schweiz.) ↑ ~bestand. **~sterbe** *f.* ↑ ~seuche. **~steuer** *f.* 가축세(稅). **~stück** *n.* 〖畫〗 가축화(畫). **~tränke** *f.* ↑ ~schwemme. **~treiber** *m.* 가축을 모는〔쫓는〕 사람. **~trift** *f.* ① 방목권(放牧權). ② ↑ ~weide. ③ 가축 무리. **~verkehr** *m.* 가축 거래. **~wagen** *m.* 〖철도〗 가축 운반용 화물 열차. **~weide** *f.* 방목지(放牧地), 목장. **~zeug** *n.* 〔구어〕 ① 가축; (특히) 가축의 새끼. ② 집에서 기르는 동물(개 등). ③ 해로운〔귀찮은〕 동물. ④〔비유〕 무뢰한, 골칫덩어리. **~zoll** *m.* 가축에 물리는 관세. **~zucht** *f.* 축산, 목축. **~züchter** *m.* 축산가(家), 목축업자.

***viel** [fiːl] (mehr, meist) 《Ⅰ》 *a./prn.* ①〔형용사적〕 (↔ wenig) **(a)** 〔가산 명사 앞에서; 격이 분명하면 어미를 생략하기도 함〕 (수)많은, 다수의: ~e hundert Menschen 수백 명의 사람들; sie hat zum Geburtstag ~(e) Blumen bekommen 그녀는 생일날 꽃을 많이 받았다; 〔구어〕 ~(e) Worte machen (핵심을 놓치고) 장황하게 말을 늘어놓다. **(b)** 〔불가산 명사 앞에서; 어미 생략〕 대량의, 다량의, 많은: ~ Obst essen 과일을 많이 먹다; ~ Unerfreuliches 많은 불쾌한 것; ~ Glück! 부디 행운이 따르기를! ②〔명사적〕 **(a)** 〔복수일 경우에는 사람을 뜻함〕 많은 사람(들): ~e können das nicht verstehen 많은 사람들이 그것을 이해할 수 없다; ~en war unklar, was nun geschehen sollte 많은 사람들은 이제 무슨 일이 일어날지 잘 모르고 있었다. **(b)** 〔단수일 경우에는 사물·물건을 뜻함〕 많은 물건〔것〕: sie weiß ~(es) 그녀는 많은 것을 알고 있다; sie gleicht in ~em ihrer Mutter 그녀는 많은 점에서 자기 엄마를 닮았다; 〔반어〕 der weiß ~! 저 친구는 내막은 몰라! ③〔양·정도를 나타내는 부사 뒤에 쓰여〕 hat das so ~ gekostet? 그것이 그렇게 비쌌던가?; so ~ weiß ich, die Reise ist beschwerlich 여행이 힘들다는 것쯤은 나도 안다; 〔구어〕 das alles hat nicht so ~ genützt〔gebracht〕 그 모든 것이 아무런 효과도 없었다. 《Ⅱ》 *adv.* ① 크게, 많이; 자주: wir haben ~ gelacht 우리는 많이 웃었다; ein ~ diskutiertes Buch 많은 논란을 불러일으킨 책. ②〔반어〕 danach frage ich ~! 그것은 내가 알 바가 아니다! ③〔비교급이나 부정의 의미를 갖는 anders 나 zu 와 함께 쓰여〕 훨씬, 매우, 무척: ~ größer 훨씬 큰; ~ zu groß 너무 큰; hier ist es auch nicht ~ anders als bei uns 이곳도 우리가 사는 곳과 크게 다르지 않다. ④〔감탄문·수사학적 의문문에 쓰여 의미를 강조함〕 was werde ich ~ um Erlaubnis fragen! 대체 왜 내가 허락해 달라고 이렇게까지 부탁해야지!

Viel *n.* -s 다수, 다량: viele Wenig machen ein ~ 티끌 모아 태산.

vi̲e̲l≈ährig *a.* 〖植〗 이삭이 많은. **~armig** *a.* 팔이 많이 있는〔달린〕: ein ~er Leuchter 팔이 많이 달린 촛대〔샹들리에〕. **~artig** *a.* 다양한 종류의, 여러 가지의. **~astig, ~ästig** *a.* 〖植〗 가지가 많은. **~äugig** *a.* 눈이 많은. **~bändig** *a.* 권수가 많은: ein ~es Werk 여러 권수로 된 작품. **~bedeutend** *a.* 〔드물게〕 ① 의미심장한. ② 뜻이 여럿인. ③ 세력이 있는, 유력한. **~befahren** *a.* 통행이 빈번한: eine ~e Autobahn 통행이 빈번한 고속 도로. **~beinig** ① 다리가 많은. ②〖스포츠〗 수비 선수가 많은: eine ~e Abwehr 수비수를 많이 투입한 방어. **~beschäftigt** *a.* 바쁜, 분주한. **~besprochen** *a.* 뭇사람의 입에 많이 오르내린, 논의가 분분한. **~besucht** *a.* 방문객이 많은, 번창하는: ~e Orte 명소. **~blätterig, ~blättrig** *a.* 〖植〗 잎이 많은: mit ~em Kelch 잎이 많은 꽃받침을 가진. **~deutig** *a.* 여러 의미로 해석 가능한; 애매한(doppeldeutig): ein ~er Begriff 애매한 개념. **≈deutigkeit** *f.* 다의〔모호〕성. **~diskutiert** *a.* 논란이 많은. **≈eck** *n.* 〖기하〗 ① 다각〔다변〕형(Polygon). ② 다면체〔형〕. **~eckig** *a.* 모서리가 많은; 〖기하〗 다각(형)〔다변형〕의. **≈ehe** *f.* 일부 다처(제) (Polygamie); 일처다부(제) (Polyandrie). **~ehig** *a.* 잡성화(雜性花)의, 자웅 동주(雌雄同株)의. **~erfahren** *a.* 〔시어〕 경험이 많은, 노련〔숙달〕한.

vielen·orts [fíːlən|ɔ́rts] *adv.* 여기저기, 곳곳에.

***vielerlei** [fíːlərlaɪ, fi..láɪ] 《Ⅰ》 *a.* 갖가지의, 형형색색의: ~ Dinge 갖가지의 물건. 《Ⅱ》 *prn.* 〔부정 대명사로〕 갖가지의 것〔사물〕: ich habe noch ~ zu tun 나는 아직도 할 일이 많다.

viel·erörtert [fíːl|..] *a.* 세밀히 연구〔논의·토론〕된.

vieler·orts [fíːlər|ɔ́rts] *adv.* ↑ vielenorts.

Vi̲e̲l≈essen *n.* ↑ ~esserei. **~esser** *m.* 대식가, 먹성 좋은 사람. **~esserei** *f.* 대식, 폭식; 〖醫〗 다식증(症). **≈fach** *a.* ① 여러 배〔곱〕의: die ~e Menge des Getreides 몇 곱의 곡물량; 〖數〗 kleinstes gemeinsames ≈es 최소 공배수(약어: k.g.V.). ② 여러 번의, 몇 차례의: ~ zusammengefaltet 여러 번 접은; ~er Millionär 수백만 장자. ③〔구어〕 자주, 흔히: ich habe schon ~ gehört, daß... 나는 …라는 말을 벌써 자주 들었다. ④ 각양각색의, 다양한: des Menschen Bedürfnisse sind recht ~ 인간의 욕구는 참으로 다양하다. **~fache*** *das* (어떤 양·가치의) 몇 배, 배수. **≈fächerig** *a.* 구획이〔칸막이가〕 많은; 〖植〗 다실(多室)의, 씨방이 많은. **~fachheit** *f.* ↑ ~fältigkeit. **~falt** *f.* 다양, 다채로움: die ~ der geistigen Strömungen 정신적인 조류의 다양함. **≈faltig** *a.* ① 주름이 많은. ② 빈번한(häufig). **≈fältig** *a.* 갖가지의, 다양한 (종류의): in ~en Farben 알록달록한 빛깔로 된; ~e Erlebnisse 다양한 체험. **~fältigkeit** *f.* 다종, 다양, 잡다, 풍부. **≈farbig** *a.* 여러 빛깔의. **≈färbig** *a.* (öst.) ↑ ≈farbig. **~fingerigkeit, ~fingrigkeit** *f.* 다지성(多指性). **~flach** *n.* 〖기하〗 ↑ ~eck ②. **≈flächig** *a.* 〖기하〗 다면(체)의. **~flächner** *m.* 〖기하〗 ↑ ~eck ②. **≈flügelig, ≈flüglig** *a.* 〖動〗 날개가 많은. **≈förmig** *a.* 다형(태)의, 다양한, 여러 모양의. **~fraß** *m.* ①〖動〗 담비속의 일종(Marderart). ②〔구어〕 대식가(Fresser). **~fuß** *m.* 〖動〗 지네. **≈füßig** *a.* 발이 많이 달린. **≈gattig** *a.* 〖植〗

수술이 많은. **~gebräuchlich** *a.* 많이 사용되는, 흔히 쓰이는. **~gebraucht** *a.* 많이 사용〔이용〕되는. **~gefragt** *a.* 수요가 많은, 탐나는. **~gekauft** *a.* 많이 팔리는. **~gelesen** *a.* 많이 읽히는. **~geliebt** *a.* 뭇사람의 사랑을 받는, 많은 사랑을 받는; 〖특히 점잔 빼며 부를 때〗 친애하는. **~genannt** *a.* (남의 입에) 이름이 자주 오르는; 유명한. **~gepriesen** *a.* 칭찬을 많이 받는. **~geprüft** *a.* 많은 시련을 겪은. **~gereist** *a.* 여행을 많이 한. **~gereiste*** *der/die* 여행을 많이 한 사람, 견문이 넓은 사람. **~gerühmt** *a.* 칭찬을 많이 받은. **~geschäftig** *a.* 다망한. **~geschmäht** *a.* 매우 비난을 받는, 악명 높은: ein ~er Roman 비난을 많이 받은 소설. **~gestaltig** *a.* ① 다형(多形)의, 여러 모양의. ② 다양한, 변화가 많은: ein ~es Programm 다양한 프로그램. **~gestaltigkeit** *f.* 다양, 많은 종류, 다양한 형태. **~gliederig, ~gliedrig** *a.* ① 다지(多肢)의; 〖動〗 다(多)관절의; 〖數〗 다항(多項)의: ~e Größe 다항식. ②〖비유〗 여러 구획으로 나뉜. **~gliedrigkeit** *f.* 관절이〔가지가〕 많음. **~götterei** [fi:l-..ráı] *f.* 다신론; 다신교.

Vielheit [fí:lhaıt] *f.* ① 다원(多元), 다수. ② 〖드물게〗 복수(Plural).

Vielheits·lehre *f.* 다원론(多元論).

Viel=herrschaft *f.* ① 다두(多頭) 정치. ② 천민 정치, 중우(衆愚) 정치(Pöbelherrschaft). **~hufer** *pl.* 〖動〗 다제류(多蹄類). **~hufig** *a.* 〖動〗 발굽이 많은. **~hundertmal** *adv.* 몇 백 번〔배〕씩. **~jährig** *a.* 여러 해의, 다년간의: ein ~er Freund 여러 해 사귄 친구. **~kantig** *a.* 모서리가 많은, 다각(多角)의. **~köpfig** *a.* ① 머리가 여럿인, 다두(多頭)의. ② 많은 인원의.

vielleicht *adv.* ① 아마도, 어쩌면, 경우에 따라서는: ich komme ~ auch mit 어쩌면 나도 함께 갈 것이다; 〖구어〗 ~ machst du mal die Tür zu 문 좀 닫아 줘. ②〖수를 나타내는 표현과 함께〗〖구어〗 대략: es waren ~ 20 Leute da 약 스무 명의 사람들이 와 있었다. ③ 〖의미의 강조〗〖구어〗 매우, 몹시; 매우 많이: ich war ~ aufgeregt! 나는 몹시 흥분했어!

viel=lieb *a.* 〖구식〗 매우 사랑받는. **~liebchen** *n.* 〖고어〗 ① 연인. ② 2 개의 씨가 있는 편도(扁桃) (그 씨를 두 사람이 한 개씩 나누어 먹고, 다음 만날 때 „Guten Morgen, Vielliebchen“이라고 먼저 말하는 사람이 이기는 내기에서); 위의 놀이에서 진 사람이 내는 선물 또는 턱: ein ~ mit jm. essen 씨가 2 개 든 편도를 누구와 나누어 먹다, 누구와 위의 놀이를 하다.

viel=mal *adv.* 〖구식〗 ↑ ~mals. **~malig** *a.* 수차〔여러 번〕의. **~mals** *adv.* ① 여러 번; 종종, 때때로: ich danke Ihnen ~ 대단히 고맙습니다; er läßt dich ~ grüßen 그가 너에게 안부를 전하라고 거듭 말한다. ②〖드물게〗 몇 번씩이나.

Viel·männerei *f.* 일처 다부제〔혼〕.

viel·männig *a.* 〖植〗 수술이 많은.

***viel=mehr** [fi:lmé:r, fí:lme:r] *adv.* 오히려, 도리어: ich glaube das nicht, ich bin ~ der Meinung, daß... 나는 그것을 믿지 않고 오히려 …라고 생각한다(단: er weiß viel mehr als du 그는 너보다 훨씬 더 많이 알고 있다).

viel=motorig *a.* 〖空〗 다발(多發)의, 엔진이 여럿 달린. **~redner** *m.* ↑ ~sprecher. **~reihig** *a.* 줄〔행〕이 많은. **~sagend** *a.* 의미하는 바가 많은; 의미심장한, 함축성 있는; 포괄적인: ein ~er Blick 의미심장한 눈빛. **~saitig** *a.* 〖음악〗 다현(多絃)의. **~samig** *a.* 〖植〗 씨가 많은. **~säulig** *a.* 〖건축〗 기둥이 많은. **~schichtig** *a.* ① 다층적인. ② 복잡한, (이해 관계가) 얽힌: ein ~es Problem 복잡한 문제. **~schreiber** *m.* ①〖구어·대개 폄어〗 (보잘것없는 것을) 많이 쓰는 사람; 다작가. ② 등사판. **~schreiberei** [fi:l..ráı] *f.* 다작, 남작. **~seit** *n.* 〖기하〗 다면체. **~seitig** *a.* ① 다면〔다변〕의; 〖기하〗 다각형〔다변형〕의. ② 다재다능한; 광범위한, 해박한: ein ~ gebildeter Mensch 교양이 넓은 사람. ③〖다음 용법으로〗 auf ~en Wunsch 여러 사람의 소원에 부응하여. **~seitigkeit** *f.* ① 다면성: es ist seine ~, die ihn so anziehend macht 그를 그렇게 매력적으로 만드는 것은 바로 그의 다면성이다. ② 다재다능, 박식: die ~ seines Wissens 다방면에 걸친 그의 지식. **~seitigkeits·prüfung** *f.* 〖승마〗 ① 종합 마술. ② 종합 마술 시험. **~silbig** *a.* 〖문법〗 다음절의, 다철(多綴)의: ein ~es Wort 다음절 단어. **~sprachig** *a.* ① 여러 나라 말의: ~e Bibel 수개 국어로 쓴 성서. ② 수개 국어를 말하는. **~sprecher** *m.* 다변가. **~stimmig** *a.* 여러 가지 소리로 울리는; 〖음악〗 다성의, 대위법의. **~stimmigkeit** *f.* ①〖문학·교양〗 다성성(多聲性). ② 다음성(多音聲), 대위법. **~tätigkeit** *f.* 다방면의 활동.

..vielt *suf.* “…번째의”의 뜻(보기: den wievielten haben wir heute? 오늘이 며칠이냐?; der wievielte Mensch? 몇 번째 사람이냐?).

viel·tausend·mal [fi:ltáuzəntma:l] *adv.* 수천 번이나, 수없이.

viel=teilig *a.* 많은 부분으로 이루어진〔나누어진〕; 〖植〗 (잎이) 여러 갈래의; 〖數〗 다항(多項)의. **~tönig** *a.* 다음(多音)의. **~tuer** *m.* 참견하기 좋아하는 사람. **~tuerei** [fi:l..ráı] *f.* 참견하기, 일봐주기 좋아함. **~umfassend** *a.* 광범위한, 범위가 넓은, 포괄적인. **~umstritten** *a.* 크게 논쟁거리가 된: ein ~es Buch 크게 논쟁거리가 된 책. **~umworben** *a.* 청혼자가 많은; 인기가 많은. **~verheißend** *a.* 〖雅語〗 ↑ ~versprechend. **~vermögend** *a.* 능력이 많은; 세력이 큰, 유력한. **~versprechend** *a.* 전도 유망한, 앞날이 촉망되는. **~verzweigt** *a.* 많은 가지로 나뉜; 다기(多岐)의. **~völker·staat** [(또는) fi:lfœl..] *m.* 다민족 국가. **~weiberei** [(또는) fi:l..ráı] *f.* 일부 다처제(Polygamie). **~weibig** *a.* 〖植〗 암술이 많은. **~winkelig, ~winklig** *a.* ↑ ~eckig. **~wissen** *n.* 박식, 다식. **~wissend** *a.* 박식한. **~wisser** *m.* 〖폄어〗 많이 아는 체하는 사람. **~wisserei** [fi:l..ráı] *f.* 〖폄어〗 박식, 박학; 지식을 뽐내기. **~zahl** *f.* 다수. **~zeller** *m.* 〖生〗 다세포 동물. **~zellig** *a.* 〖生〗 다세포의. **~züngig** *a.* ① 요설의, 수다스러운; 부정직〔불성실〕한. ②〖드물게〗 ↑ ~sprachig.

***vier** [fi:r] *num.* 〖명사적 용법에서는 보통 viere〗 ① 넷(의): die ~ Elemente 4 대 원소(흙·불·물·공기); die ~ Jahreszeiten 4 계절;

et. in alle ~ Winde zerstreuen 무엇을 사방팔방으로 흩뿌리다. ② unter ~ Augen 단둘이서, 비밀리에; in seinen ~ Wänden〔Pfählen〕 집에 틀어박혀서, 자기 세력권 내에서; auf allen ~en gehen〔kriechen〕 기어가다, 포복하다; alle ~e von sich³ strecken a) 누워서 사지를 뻗다, b) 잠자다, c) 죽다; 〖구어〗 setz dich auf deine ~ Buchstaben! (편안하게) 앉아라! (vier Buchstaben 은 Popo(엉덩이)를 말함)

Vier *f.* -en ① 4(의 수). ② **(a)** 숫자 4: eine ~ drucken〔schreiben〕 숫자 4를 인쇄하다〔적다〕. **(b)** 〖구어〗 4번 전차〔버스〕: in die ~ umsteigen 4번 전차〔버스〕로 갈아타다. ③ 평점 4. ④ 4번 카드. ⑤ (주사위 놀이에서) 4개 눈의 수.

vier≈armig *a.* 팔이 네 개 있는. **≈auge** *n.* 〖動〗 미꾸라지의 일종. **≈ball** *m.* 공 4개로 하는 공놀이. **≈beiner** *m.* 〖구어〗 네 발 달린 동물(특히 개). **~beinig** *a.* 네 발 달린. **≈blatt** *n.* ① 〖植〗 네 잎 클로버. ② 〖건축〗 ↑ ≈paß ①. ③ 〖카드〗 넉 장의 번호가 일련으로 된 패. **~blätterig, ~ blättrig** *a.* 〖植〗 ① 네 개의 꽃잎이 있는. ② 네 잎의; 4변의: ~er Klee 네 잎 클로버. **≈bund** *m.*, **≈bündnis** *n.* 4국 동맹(제 1 차 세계 대전 때 독일과 그 동맹국). **~dimensional** *a.* 〖物〗 4차원의; 〖비유〗 영적인 (geisterhaft). **~drähtig** *a.* 〖工〗 네 가닥 실〔줄〕의.

Vier-drei-drei-System *n.* (특히 축구의) 4·3·3제, 4·3·3 배치 전법.

Viere *f.* -n ↑ Vier.

Vier≈eck *n.* ① 〖기하〗 4각형. ② 〖軍〗 방진(方陣). **≈eckig** *a.* 4각형의. **≈einhalb** *num.* 넷 반(의).

vieren [fí:rən] 《I》 *t.* 〖드물게〗 ① 4등분하다. ② 4인조로 하다. ③ 방형(方形)으로 하다. 《II》 **geviert** *p.a.* ↑ geviert.

Vierer [fí:rər] *m.* -s, - ① 4의 수. ② **(a)** 네 단위로 된 것. **(b)** 〖복권·구어〗 네 개의 맞추는 숫자. ③ 〖軍〗 제 4연대의 병사. ④ 카드리유 (네 명이 마주보며 추는 프랑스 사교 댄스) (Quadrille). ⑤ 〖조정〗 4인승 보트. ⑥ (천몇백) 4년산(產) 포도주. ⑦ (obd.) 평점 4. ⑧ (südd.) ↑ Vier ② (b). ⑨ 〖골프〗 두 명이 한 조를 이룬 두 팀간의 경기, 포섬.

Vierer·bob *m.* 〖스포츠〗 4인승 봅슬레이(경기용 썰매).

viererlei [fí:rərlái, fí:rərlaı] *a.* ① 4종〔가지〕의. ② 4개의 서로 다른 것〔가능성〕(에 관한).

Vierer≈reihe *f.* 네 명(씩)의 줄. **~rennen** *n.* 1조가 4인으로 된 이어달리기〔릴레이 경주〕. **~zug** *m.* ↑ Viergespann.

vier≈fach *a.* 4중〔배〕의. **≈fache*** *das* 네 배. **~fältig** *a.* ↑ ~fach. **≈farben·druck** *m.* 〖印〗 ① 4도〔4색〕 인쇄. ② 〖복수: -e〗 4도〔4색〕 인쇄물. **≈felder·wirtschaft** *f.* 〖農〗 4개년 윤작 농법. **≈flach** *n.* 〖기하〗 4면체. **~flächig** *a.* 4면의. **≈flächner** *m.* 〖기하〗 4면체. **~flügelig, ~flüglig** *a.* 네 날개〔깃〕의. **≈fürst** *m.* (고대 그리스에서) 영토의 4분의 1을 다스린 영주(Tetrarch). **≈füßer** *m.* ↑ ≈füßler. **~füßig** *a.* ① 네 발의: ein ~er Tisch 다리가 네 개 달린 책상. ② 〖문학〗 4운각(韻脚)의. **≈füßler** *m.* ① 〖動〗 네발짐승. ② 〖문학〗 4운각으로 된 시행. **≈gesang** *m.* 〖음악〗 4부 합창, 4중주. **≈gespann** *n.* 4두 마차. **≈gitter·röhre** *f.* 〖전기〗 (라디오의) 6극 진공관(Hexode). **~gliederig, ~gliedrig** *a.* 4지(肢)가〔4절이〕 있는; 〖數〗 4항의. **≈händer** *m.* 〖動·구식〗 원숭이. **~händig** *a.* ① 네 손의: ein ~es Tier 원숭이. ② 두 사람(용)의: 〖음악〗 ~es Stück 2인 연주용 악곡. **≈heber** *m.* 〖문학〗 4운각의 시구. **≈herrschaft** *f.* 넷으로 나눈 관할 구역〔영지〕. **~hundert** *num.* 4백. **~hundertst** *a.* 4백 번째의. **≈jahres·plan** *m.* 〖經〗 4개년 경제 계획. **~jährig** *a.* 4년(동안)의; 4살의. **~jährlich** *a.* 4년마다의. **≈kant** ① *m./n.* 4각 단면의 철재. ② *m.* 4각 스패너. **~kant** *a.* 〖海〗 수미선(首尾線)에 수직·수평으로 직각을 이룬. **~kant·eisen** *n.* 단면이 4각형을 이루는 철봉. **~kantig** *a.* 4각의.

Vierling [fí:rlıŋ] *m.* -s, -e ① 4분의 1파운드. ② 4페니히짜리 화폐. ③ 4행시. ④ 네쌍둥이. ⑤ 〖무기〗 **(a)** 4연발총. **(b)** 포신이 네 개인 포.

Viermächte≈besprechung [fi:rmέçtə..] *f.* 4강 회담. **~kontroll·rat** *m.* 4개국 관리 위원회.

vier≈mal *adv.* 네 번, 4회. **~malig** *a.* 네 번〔4회〕의. **~männerig, ~männig** *a.* 〖植〗 수술이 넷 있는. **≈master** *m.* 네 개의 돛대가 달린 배. **~motorig** *a.* 〖空〗 4발의, 엔진이 4개 장착된. **≈paß** *m.* ① 〖건축〗 (고딕 양식의) 4엽(四葉) 장식. ② 〖볼링〗 핀 세워 놓는 곳. **≈pfünder** *m.* 〖軍〗 4파운드포. **~pfündig** *a.* 4파운드의. **≈plätzer** *m.* (schweiz.) ↑ ≈sitzer ①. **~plätzig** *a.* (schweiz.) ↑ ~sitzig. **≈pol** *m.* 〖전기〗 4극, 4단자(端子).

Vierrad≈antrieb *m.* 〖車〗 4륜 구동. **≈bremse** *f.* 〖車〗 (자동차의) 4륜 제동기.

vier≈räderig *a.* 〖드물게〗, **~rädrig** *a.* 4륜의. **~reihig** *a.* 4열의.

Vierröhren≈apparat *m.*, **≈gerät** *n.* 4구식 수신기(라디오).

Vier≈ruderer *m.* (고대 그리스·로마의) 4열의 노가 있는 배〔군함〕. **~saitig** *a.* 〖악기〗 4현(絃)의: ~e Leier (고대의) 4현금(四絃琴). **~schrötig** *a.* 모가 난, 4각인; 거칠게 깎은; 무뚝뚝〔조야〕한; 억센, 건장〔단단〕한: ein ~er Mann 억센 남자. **~seitig** *a.* ① 〖기하〗 4변형의. ② 4페이지의. **~silbig** *a.* 〖문법〗 4음절의. **≈sitzer** *m.* ① 4인승 차. ② 4인용 소파. **~sitzig** *a.* 4인승의. **≈spänner** *m.* 4두 마차. **~spännig** *a.* (말) 네 필이 끄는: ~ fahren 4두 마차를 타고 가다. **~stellig** *a.* 〖數〗 네 자리의; eine ~e Zahl 네 자릿수. **≈sterne·hotel** *n.* 별 넷 등급의 호텔. **~stimmig** *a.* 〖음악〗 ① 4성부(聲部)의: ein ~er Chor 4부 합창. ② 4성부용으로 작곡된: ~es Stück 4중창곡. **~stöckig** *a.* 4층의: ein ~es Gebäude 4층 건물. **~stündig** *a.* 4시간의. **~stündlich** *a.* 4시간마다의.

viert [fi:rt] *a.* 제 4의, 네 번째의: der ~e Stand a) 제 4계급(노동자 계급), b) 신문〔언론〕계; Heinrich der ≈e 하인리히 4세; den ~en〔am ~en〕 Januar 1월 4일; im ~en Stock 5층에서; zu ~ 네 사람이서; wir sind zu ~ 우리 일행은 모두 네 사람이다.

vier≈tägig *a.* 4 일(간)의: ~ es Fieber 4 일열(熱). **~täglich** *a.* 4 일마다의. **~takter** *m.* 〖구어〗 ① 4 기통 엔진(자동차). **~takt·motor** *m.* 〖工〗 4 기통 엔진. **~tausend** [fiːrtáuzənt] *num.* 4 천(의).

viertehalb [fíːrtəhálp] *a.* 3 개 반의.

Vier≈teil *n.* ↑ Viertel. **~|teilen** *t.* ①〖과거 분사는 대개 viergeteilt〗 4 등분하다: einen Apfel ~ 사과를 넷으로 나누다. ②〖과거 분사는 대개 gevierteilt〗네 조각으로 잘라〔사지를 찢어〕 죽이다, 능지처참하다. **~teilig** *a.* 4 부로 된〔나뉜〕.

viertel *a.* 4 분의 1: eine ~ Elle 4 분의 1 엘레; eine ~ Stunde 15분; eine ~ Flasche Wein 포도주 반의 반 병.

***Viertel** [fírtəl, (드물게) fíːr..] *n.*/(schweiz.) *m.* -s, - ① **(a)** 4 분의 1: drei ~ von 20 ist 15 20 의 4 분의 3 은 15 다; ein ~ von der Erbschaft 유산의 4 분의 1. **(b)** 〖구어〗 4 분의 1 파운드: ein ~ Kaffee〔Butter〕 커피〔버터〕 4 분의 1 파운드. **(c)** 〖구어〗 4 분의 1 리터: ein ~ Wein 포도주 4 분의 1 리터. **(d)** 〖음악〗 4 분 음표: die Geige setzt zwei ~ später ein als die Flöte 바이올린은 플루트보다 4 분 음표 2 개만큼 늦게 시작된다. ② (4 분의 1 시간) 15 분: es ist ein ~ (auf) 7 (Uhr) 6 시 15 분이다; es ist ein ~ nach 15 분이 지났다; es hat ein ~ geschlagen 15 분을 쳤다. ③ (식탁에 올리는) 살코기: Hammel~ 양고기; Rinder~ 쇠고기. ④ 현(弦) (달 주기의 4 분의 1): das erste〔letzte〕 ~ des Mondes 달의 상 현〔하현〕. ⑤ 시의 행정 구역(Stadtbezirk). ⑥〖紋〗 방패를 4 등분한 그 일부. ⑦〖방언〗 (가로의) 구역〔블록〕: einen Spaziergang ums ~ machen 한 블록 산책하다.

Viertel≈bogen *m.* 〖출판〗 전지(全紙)의 4 분의 1. **~elle** *f.* 4 분의 1 엘레〔야드〕. **~finale** *n.* 〖스포츠〗 준준결승. **~jahr** [fırtəljáːr] *n.* 3 개월, 분기. **~jahrhundert** [fır..húnd..] *n.* 4 분의 1 세기(25 년). **~jährig** [(또는) fır..jɛ́ː..] *a.* ① 생후 3 개월된. ② 3 개월 계속되는, 3 개월간의. **~jährlich** [(또는) fır..jɛ́ː..] *a.* 3 개월마다의; (잡지가) 계간(季刊)의.

Vierteljahrs≈gehalt *n.* 석달치 봉급. **~schrift** *f.* 연 4 회 발행의 잡지, 계간지.

Viertel≈kreis *m.* ①〖數〗 사분원(圓). ②〖축구〗 코너 깃발을 중심으로 한 4 분원, 코너 에어리어. **~meile** *f.* 4 분의 1 마일.

vierteln [fírtəln] 《I》 *t.* 4 등분하다, 넷으로 나누다. 《II》 *i.* (h.) (시계가) 15 분마다 치다.

Viertel≈note *f.* 〖음악〗 4 분 음표. **~pause** *f.* 〖음악〗 4 분 쉼표. **~pfund** *n.* 4 분의 1 파운드. **~schwenkung** *f.* 〖軍〗 4 분의 1 선회. **~strich** *m.* 〖海〗 (나침반의) 4 분의 1 눈금. **~stunde** [fırtəlʃtúndə] *f.* 15 분: drei ~n 45 분. **~stündig** [(또는) fır..ʃtʏ́n..] *a.* 15 분의. **~stündlich** [(또는) fır..ʃtʏ́n..] *a.* 15 분마다의.

Viertels·wendung *f.* ↑ Viertelwendung.

Viertel≈takt *m.* 〖음악〗 4 분의 1 박자. **~ton** *m.* 〖음악〗 4 분음. **~wendung** *f.* 〖軍〗 4 분의 1 회전. **~zentner** *m.* 25 파운드.

viertens [fíːrtəns] *adv.* 네 번째로.

viert·halb [fíːrthálp] *a.* ↑ viertehalb.

viert·letzt *a.* 끝에서 4 번째의.

Vierung [fíːrʊŋ] 《<vieren》 *f.* -en ①〖數〗 방형(方形)으로 함: ~ des Zirkels 원과 같은 넓이의 정사각형 만들기. ② 사각형. ③〖건축〗 (교회 건축의) 십자〔중앙〕 교차부.

Vierungs≈kuppel *f.* 〖건축〗 십자 교차부 위의 둥근 지붕. **~pfeiler** *m.* 〖건축〗 십자 교차부의 네 모퉁이의 기둥.

Vier≈verband *m.* (제 1 차 세계 대전 때 대독 주요 연합국의) 4 국 연합. **~viertel·pause** *f.* 〖음악〗 전음(全音) 쉼표. **~viertel·takt** *m.* 〖음악〗 4 분의 4 박자. **~waldstätter See** [fiːrváltʃtɛtər zéː] *m.* (스위스 중부의) 피어발트슈테터 호수. **~weibig** *a.* 〖植〗 암술 넷의. **~wertig** *a.* 4 가(價)의. **~winkelig, ~winklig** *a.* 4 각의; 〖기하〗 4 각〔변〕형의. **~wöchig** *a.* 4 주의. **~zahl** *f.* (카드 등에서) 4 의 수. **~zählig** *a.* 〖植〗 네 개씩으로 된. **~zehig** *a.* 발가락이 네 개 있는.

***vierzehn** [fírtseːn, (드물게) fíːr..] *num.* 14(의): heute in ~ Tagen 두 주일 후의 오늘; heute vor ~ Tagen 두 주일 전의 오늘.

Vierzehn≈ender [fírtseːn|ɛndər] *m.* 14 갈래의 뿔이 있는 수사슴. **~heiligen** [fır..háɪ..] 바이에른 지방의 순례지.

vierzehnt [fírtseːnt] *a.* 제 14(번 째)의: Ludwig der ~e 루이 14 세; am ~en Mai 5 월 14 일에; der ~e 〔den ~en〕 März 3 월 14 일.

vierzehn·tägig [fírtseːn..] *a.* 2 주일의.

vierzehntel [fírtseːntəl] *a.* 14 분의 1 의.

Vierzehntel [fírtseːntəl] *n.* -s, - 14 분의 1.

vierzehntens [fírtseːntəns] *adv.* 제 14(번째)에.

Vier≈zeile *f.*, **~zeiler** *m.* 〖문학〗 4 행시. **~zeilig** *a.* 4 행으로 된.

***vierzig** [fírtsɪç, (드물게) fíːr..] *num.* 40(의).

Vierzig [fírtsɪç, (드물게) fíːr..] *f.* -en ① 40(의 수). ② 40 세의 나이: er ist über die ~ 그는 40 세가 넘었다.

vierziger [fírtsɪgər] *a.* ① 40 년의. ② 40 년대의: die ~ Jahre 40 년대(단 Vierzigerjahre 40 대(의 연령층).

Vierziger [fírtsɪgər] *m.* -s, - ① 40 대의 사람(남자); 40 세의 사람(남자). ②〖軍〗 제 40 연대의 병사. ③ (천 몇 백) 40 년산(産)의 포도주. ④〖복수〗 **(a)** 40 년대: es geschah in den ~n 그것은 40 년대에 일어났다. **(b)** (인생의) 40 대: in den ~n sein 40 대이다; Mitte der ~ 40 대 중반.

vierzig·jährig [fírtsɪç.., fír.. jɛ́ː..] *a.* 40 세의; 40 년간의.

vierzigst [fírtsɪçst] *a.* 제 40(번째)의.

Vierzigstel [fírtsɪçstəl] *n.* -s, - 40 분의 1.

vierzigstens [fírtsɪçstəns] *adv.* 40 번째로.

Vierzig·stunden·woche *f.* 주당 40 시간 노동.

Vier≈zimmer·wohnung *f.* 방이 넷 있는 주택. **~zylinder** [fíːr..tsi..] *m.* 〖구어〗 ① 4 기통 엔진. ② 4 기통 엔진 자동차. **~zylindrig** [fíːr..tsilin..] *a.* 4 기통 엔진〔모터〕의.

***Vietnam** [viɛ́tnam] 베트남.

***Vietnamese** *m.* -n, -n 베트남 사람.

***Vietnamesin** *f.* -nen 베트남 여자.

***vietnamesisch** *a.* 베트남(인·어)의.

vif [viːf] 《frz.》 *a.* 〖구식〗 활기 있는, 발랄한;

영리한.
Vigil [vigí:l] ⟪lat., „Wächter"⟫ *f.* -ien [..lí:ən] 〖가톨릭〗 ① 성직자들의 밤기도, 철야과(徹夜課). ② 대(大)축제일의 전날〔전야제〕.
vigilant [vigilánt] *a.* 〘구식〙 ① 경계하는 (wachsam). ② (schlau) 교활한, 약은; 영리한(klug); 민첩한.
Vigilant *m.* -en, -en 〘구식〙 경찰의 밀정.
Vigilanz *f.* ①〘구식〙 주의, 경계; 교활, 빈틈없음; 민첩. ②〖心〗 각성도(度).
Vigilie [vigí:liə] ⟪lat., „Nachtwache"⟫ *f.* -n ①〖가톨릭〗 ↑ Vigil. ② (고대 로마군의) 불침번, 야경.
vigilieren *i.* (h.) 〘구식〙 주의〔경계〕하다: auf jn.〔et.〕 ~ 누구를〔무엇을〕 경계〔감시〕하다.
Vignette [vɪnjɛ́tə] ⟪frz.; 원뜻 „Weinranke"⟫ *f.* -n ①〖출판〗 (표지나 장의 첫머리 또는 끝부분에 넣는) 장식 그림. ②〖사진〗 (촬영이나 인화 때 특정 부위를 가리는) 마스크. ③ (schweiz.) 고속 도로 통행료 납부 필증〔스티커〕.
Vigogne [vigɔ́njə] ⟪frz.⟫ *f.* -n ①〖動〗 ↑ Vikunja. ② 비고뉴(면과 양모 혼방사의 일종).
Vigogne≈tuch *n.* 비고뉴 나사(羅紗). **~wolle** *f.* 〘(전문어) 복수: -n〙 ↑ Vigogne ②.
Vigor [ví:gɔr] ⟪lat.⟫ *m.* -s 〘구식〙 (Lebenskraft) 원기, 활기; (Stärke) 정력, 정기.
vigorös [vigorǿ:s] ⟪frz.⟫ *a.* 〘구식〙 원기 왕성한(kräftig); 강인한(rüstig).
vigoroso [vigoró:zo] ⟪it.⟫ 〖음악〗 힘차게 (kräftig).
Vikar [viká:r] ⟪lat.⟫ *m.* -s, -e ①〖가톨릭〗 성직자의 대리인; 보좌 신부. ②〖기독교〗 **(a)** 부목사. **(b)** (일정한 신학 교육을 마친) 수습 목사. ③ (schweiz.) 대리 교사.
Vikariat [vikariá:t] *n.* -(e)s, -e ↑ Vikar 의 직.
vikariieren [..rií:rən] *i.* (h.) 〘구식〙 ① 대리하다, 대리로 일하다: für jn. ~ 누구의 대리로 일하다. ② 보좌 신부〔부목사·대리 교사〕로 근무하다.
Viktor [víktɔr, ..to:r] *m.* 빅토르(남자 이름).
Viktoria[1] [vɪktó:ria] 빅토리아주(州)(오스트레일리아 연방의 주).
Viktoria[2] ⟪Ⅰ⟫ *n.* -s, -s 승리(Sieg): ~ rufen 승리의 환호성을 올리다; ~ schießen 전승의 축포를 쏘다. ⟪Ⅱ⟫ *f.* -s 〖로마신화〗 승리의 여신(그리스신화 Nike 에 해당). ⟪Ⅲ⟫ *f.* 빅토리아(여자 이름).
Viktoria≈blau *n.* 〖化〗 빅토리아 청색. **~chaise** [..ʃɛ:zə] *f.* 4 륜 포장 마차의 일종(1 두 또는 2 두의 2 인승).
viktorianisch [..riá:nɪʃ] *a.* 빅토리아 여왕 시대(1837-1901)의, 빅토리아풍의: Möbel im ~en Stil 빅토리아 양식의 가구.
Viktoria·schießen *n.* -s 전승(戰勝) 축포.
Viktualien [vɪktuá:liən] ⟪lat. vivere, „leben"⟫ *pl.* 〘구식〙 식료(품) (Lebensmittel); 〖軍〗 군량.
Viktualien≈händler *m.* 식(료)품 상인. **~handlung** *f.* (öst.) 식료품 가게. **~markt** *m.* 식료품 시장. **~portion** *f.* 〖軍〗 (빵을 제외한) 1 일분의 식량.
Vikunja [vikúnja] ⟪sp.⟫ *n.* -s, -s 〔*f.* ..nen〕 〖動〗 비쿠냐(남아메리카산(產) Lama 속(屬)의 일종).
Vikunja·wolle *f.* 〘(전문어) 복수: -n〙 비쿠냐의 털.
*__Villa__ [víla] ⟪it.⟫ *f.* ..llen [..lən] ① 고급 별장. ② (정원이 딸린) 호화 주택.
Villanell [vɪlanɛ́l] ⟪it.⟫ *n.* -s, -e, **Villanella** *f.* ..llen, **Villanelle** [..nɛ́lə] ⟪frz.⟫ *f.* -n 〖음악〗 빌라넬라(16 세기 이탈리아의 농부나 목동의 민요).
Villeggiatur [vɪlɛdʒatú:r] ⟪it.⟫ *f.* -en 별장 생활; 피서(Sommerfrische).
Villen≈besitzer *m.* 별장 소유자. **~gegend** *f.* 고급 주택가, 별장 지대. **~kolonie** *f.*, **~viertel** *n.* 별장〔고급 주택〕 밀집 지역.
Vinaigrette [vinɛgrɛ́tə] *f.* -n 〖요리〗 (식초·기름·양파·야채로 만든) 비네그레트 소스.
Vindikation [vɪndikatsió:n] ⟪lat.⟫ *f.* -en 〖法〗 (소유권자가 점유자에게 제기하는) 반환 청구.
vindizieren *t.* 〖法〗 반환을 청구하다.
Vingt-et-un [vɛ̃teœ̃:], **Vingt-un** [vɛ̃tœ̃:] ⟪frz., „einundzwanzig"⟫ *n.* - 〖카드〗 21(카드놀이의 일종).
Vinilin [vinilí:n] *n.* -s 〖藥〗 비닐린(창상약(創傷藥)).
Vinkulation [vɪŋkulatsió:n] ⟪lat.⟫ *f.* -en 〖經〗 (유가 증권·주식을 발행자의 동의를 받아야만 양도할 수 있다는) 양도 제한.
vinkulieren *t.* 〖經〗 (유가 증권의) 양도권을 (발행자의 동의와 연계시켜) 제한하다.
Vinkulierung *f.* -en 〖經〗 ↑ Vinkulation.
Vinyl [viný:l] ⟪lat.⟫ *n.* -s 〖化〗 비닐(기(基)).
Vinyl≈chlorid [..ný:..] *n.* 〖化〗 염화비닐. **~harz** *n.* 비닐 수지(樹脂)(합성 수지의 일종).
Viola[1] [ví:ola] ⟪lat., „Veilchen"⟫ ① *f.* ..len 〖植〗 제비꽃(속의 각종 식물). ② *f.* 비올라(여자 이름).
*__Viola__[2] [vió:la] ⟪it.⟫ *f.* ..len/-s 〖악기〗 비올라(Armgeige).
Viola da braccio [..brátʃo] *f.* ..le - - 〖악기〗 ① 바이올린 모양으로 생긴 현악기의 총칭. ② 비올라.
Viola da gamba [..gámba] *f.* ..le - - 〖악기〗 (다리로 받치는) 비올라(Kniegeige).
Viola d'amore [..damó:rə] *f.* ..le - 〖악기〗 비올라 다모레.
Violation [violatsió:n] ⟪lat.⟫ *f.* -en 〘구식〙 (Verletzung) 손상, 침해, 위반, 능욕, 폭행.
Violazee [violatsé:ə] *f.* -n 〖植〗 제비꽃과(科).
Viol·block *m.* ↑ Violinblock.
Viole [vió:lə] ⟪lat.⟫ *f.* -n ①〖악기〗 ↑ Viola. ②〖植·시어〗 제비꽃. ③〖植〗 계란풀, 노란장재속의 일종. ④〖사냥〗 여우 꼬리 시작 부분 위에 위치한 강한 냄새를 분비하는 선(腺).
Violen *pl.* ↑ Viola.
violent [violɛ́nt] ⟪lat.⟫ *a.* 〘구식〙 ① 격렬한 (heftig). ② 폭력적인.
Violenz *f.* 〘구식〙 ① (Heftigkeit) 격함, 맹렬, 강렬. ② 폭력(성).
violett [violɛ́t] ⟪frz.⟫ *a.* 보라색의, 자색의.
violett·blau *a.* 근청색(菫青色)의.
violetten *a.* ↑ violett.

Violin≈block *m.* 〖海〗 제금형(提琴形) 도르래. **~bogen** *m.* 바이올린의 활.
Violine [violíːnə] 《lat.》 *f.* -n 〖악기〗 바이올린(Geige).
Violinist [violiníst] *m.* -en, -en 바이올리니스트(Geigenspieler).
Violin≈kasten *m.* 바이올린 케이스. **~schlüssel** *m.* 〖음악〗 고음부 기호, 높은음자리표. **~schule** *f.* 〖음악〗 바이올린 교본. **~spieler** *m.* ↑ Violinist. **~stimme** *f.* 〖음악〗 바이올린부(部).
Violon [violɔ̃ː] 《frz.》 *m.* -s, -s 〖악기〗 ① ↑ Violine. ② (Kontrabaß) 콘트라베이스.
Violoncell [violɔntʃɛ́l] 《lat.》 *n.* -s, -e 〖악기·구식〗 첼로.
Violoncellist [..tʃɛlíst] *m.* -en, -en 〖드물게〗 첼로 연주자.
Violoncello [..tʃɛ́lo] *n.* -s, -s/..celli ↑ Violoncell.
Violone [..lóːnə] *m.* -(s), -s/..ni 〖악기〗 콘트라베이스(Kontrabaß).
VIP, V.I.P. [vɪp, viːaɪpíː] 《engl.》 *f.* -s = very important person 요인, 귀빈.
Viper [víːpər] 《lat.》 *f.* -n ①〖動〗 **(a)** 북살무사, 독사. **(b)** 〔복수〕 살무사과(科). ②〔은어〕 완치된 마약 중독자.
Viraginität *f.* 〖醫·心〗 여성의 (병적인) 남성적 성적 충동〔태도〕.
Virago 《lat.》 *f.* -s/..gines 남성적 태도를〔성향을〕 보이는 여자, (동성애를 할 때) 남자 역할을 하는 여자.
Virement [virmɑ̃ː] *n.* -s, -s 〖經〗 국가 예산의 전용〔이월〕.
Viren [víːrən] *pl.* ↑ Virus.
Virgil [vɪrgíːl] *m.* 버질(고대 로마의 시인, B.C. 70-19).
Virginia [vɪrgíːnia, (engl.) vədʒínjə] 《Ⅰ》 버지니아주(미국의 남부 대서양 지방의 주; 약어: Va.). 《Ⅱ》 *f.* -s 버지니아 여송연〔시가〕. 《Ⅲ》 *f.* 버지니아(여자 이름).
Virginia≈cigarre *f.* ↑ Virginia 《Ⅱ》. **~kanaster, ~tabak** *m.* 버지니아 담배.
Virginier [vɪrgíːniər] *m.* -s, - 버지니아인.
virginisch *a.* 버지니아(산(産))의.
Virginität [vɪrginitɛ́ːt] *f.* 〔교양〕 (Jungfräulichkeit) 처녀성, 순결.
viribus unitis [víːribus uníːtiːs] 《lat.》〔교양〕 힘을 합하여, 단합된 힘으로.
Viridarium 《lat.》 *n.* -s, ..rien [..riːən] 공원, 유원지; 냉실(冷室) (Kalthaus); 온실.
viril [viríːl] 《<lat. vir, „der Mann"》 *a.* 남성의(männlich); 남성적인(mannhaft); 성년의(mannbar).
Virilismus [virilísmus] *m.* - 〖醫〗 ① (호르몬에 따른) 여성의 남성화. ② (남자 아이의) 성적 조숙.
Virilität [virilitɛ́ːt] 《lat.》 *f.* 〖醫〗 ① 남성〔사내〕다움. ② 성년에 달함; 남성의 힘〔생식력〕.
Viril·stimme *f.* 〖史〗 개인표(신성 로마 제국 의회에서 제후가 단독으로 행사한 투표권); 단독표(독일 연방 의회(1815-66)에서 각국이 단독으로 행사한 투표권).
viritim [viríːtɪm] 《lat.》〔구식〕 한 사람 한 사람, 각자.
***Virologe** *m.* -n, -n 바이러스 학자.
***Virologie** [virologíː] *f.* 바이러스학.
Virologin *f.* -nen ↑ Virologe 의 여성형.
virologisch [..lóːgɪʃ] *a.* 바이러스학의.
virös *a.* 바이러스에 따른.
Virtualität [vɪrtualitɛ́ːt] 《lat.》 *f.* -en 〖교양〗 잠재력, 잠재적 가능성.
***virtuell** [vɪrtuɛ́l] 《frz.》 *a.* ① 잠재적인, 가능성이 있는: 〖광학〗 ein ~es Bild 허상. ② 가상의: ~e Wirklichkeit 가상 현실.
virtuos [vɪrtuóːs] 《lat.》 *a.* 뛰어난; (meisterhaft) 대가다운, 탁월한: ein ~er Künstler 예술의 거장.
Virtuos *m.* -en, -en [..zən] ↑ Virtuose.
***Virtuose** [..tuóːzə] *m.* -n, -n (Meister) 거장(巨匠), 대가; (특히 음악의) 명인.
virtuosenhaft *a.* ① 거장 같이 탁월〔노련〕한. ② 거장〔대가〕인 체하는.
Virtuosentum *n.* -s 대가다운 재능.
Virtuosin *f.* -nen ↑ Virtuose 의 여성형.
Virtuosität [..tuozitɛ́ːt] 《lat.》 *f.* 예술적 기교의 완벽성, (특히 음악의) 명인다운 기예.
Virtus *f.* ①〖윤리〗 (남성적) 미덕; 용감. ② 〖修〗 (정확한 언어 구사와 같은) 수사학적인 미덕, 정확한 언어 구사의 요구.
virulent [virulɛ́nt] 《lat.》 *a.* ①〖醫〗 독이 있는(giftig); 감염성의(ansteckungsfähig). ② 〔교양〕 위험한, 위험스러운; 긴박한.
Virulenz *f.* ①〖醫〗 독성(Giftigkeit); 전염성. ②〔교양〕 긴박성.
***Virus** [víːrus] *n./m.* -, Viren [víːrən] ① 〖生·醫〗 바이러스, 여과성 병원체(濾過性病原體). ②〖컴〗 컴퓨터 바이러스.
Virus≈grippe *f.* 〖醫〗 인플루엔자, 유행성 감기. **~infektion** *f.* 〖醫〗 바이러스 감염. **~krankheit** *f.* 〖醫·植〗 바이러스(질)병.
Visa [víːza] *pl.* ↑ Visum.
Visage [vizáːʒə] 《frz.》 *f.* -n ①〔구어·폄어〕 (Gesicht) 얼굴, 낯짝. ②〔경박〕 얼굴 표정.
Visagist [..zaʒíst] *m.* -en, -en 화장술 전문가.
Visagistin *f.* -nen ↑ Visagist 의 여성형.
Visavis [vizavíː] 《frz.》 *n.* - [..víː(s)], - [..víː(s)] 〔구식〕 서로 마주한 것〔사람〕.
vis-a-vis 新정서 ⇦ vis-à-vis.
vis-à-vis [vizavíː] 《frz.》《Ⅰ》 *prp.*[3] 맞은편에, 마주 보고: ~ unserem Haus 우리 집을 마주 보고. 《Ⅱ》 *adv.* (gegenüber) 건너편에, 마주 향하여, 얼굴을 맞대고.
Vis·count [váɪkaunt] 《engl.》 *m.* -s, -s ① 자작(영국의 귀족 칭호; Earl 과 Baron 의 중간). ② 자작 칭호 소유자.
Viscountess [..tɪs] *f.* -es [..tɪsɪs, ..sɪz] ↑ Viscount 의 여성형.
Visen *pl.* ↑ Visum.
visibel [vizíːbəl] 《lat.》 *a.* 〔교양〕 (sichtbar) 보이는, 볼 수 있는.
Visibilität *f.* ↑ visibel 의 명사형.
Visier [vizíːr] 《frz.》 *n.* -s, -e ① (투구의) 면갑(面甲) (Helmsturz): 〔비유〕 mit offenem ~ kämpfen 두려워하지 않고〔대담하게〕 싸우다; 〔비유〕 das ~ herunterlassen 속마음을 감추려 답변을 회피하다. ②〖무기〗 (총의) 가늠자; 각도기 구멍: jn.〔et.〕 ins ~ nehmen 〔fassen〕 누구를〔무엇을〕 예의 주시하다. ③ 〖광학〗 (Diopter) 투시경. ④ (경주차 운전자의) 헬멧 앞에 단 투명한 면갑(面甲).
Visier≈blendung *f.* 〖軍〗 조준 차탄벽(遮彈

壁). **~ebene** *f.* 〖軍〗 사면(射面). **~einrichtung** *f.* 〖무기〗 조준〔가늠자〕 장치.

visieren [vizí:rən] 《frz.》 《Ⅰ》 *t.* ① 〔드물게〕 (여권에) 사증을〔비자를〕 주다. ② 〔구식〕 증명하다, 공증하다. ③ (a) 겨누다. (b) 〔비유〕 응시〔주시〕하다. ④ (도량형기를) 검정하다, 검량하다. 《Ⅱ》 *i.* (h.) 겨누다, 조준하다: auf den Kopf ~ 머리를 겨누다.

Visierer *m.* -s, - (Eicher) 검량관(官), 도량형 검정관.

Visier·fernrohr *n.* 〖軍〗 조준 망원경. **~fuß** *m.* 〖무기〗 가늠자 다리. **~gebühr** *f.*, **~geld** *n.* 검량료(檢量料). **~kamm** *m.* 〖무기〗 가늠자의 윗부분. **~kappe** *f.* 〖무기〗 가늠자 덮개. **~kimme** *f.* 〖무기〗 가늠자 구멍. **~korn** *n.* 〖무기〗 가늠쇠. **~lineal** *n.* 조준의(照準儀). **~linie** *f.* 〖광학·무기〗 조준선. **~maß** *n.* 조준척(照準尺), 표준척. **~punkt** *m.* 〖軍〗 조준점. **~scheibe** *f.* 〖측량〗 시준판(視準板). **~schuß** *m.* 〖軍〗 조준 사격. **~stab, ~stock** *m.* 검량 자(막대).

Visierung [vizí:ruŋ] *f.* -en ① (여권의) 사증(査證), 비자. ② 검량. ③ 〖軍〗 조준; 사열.

Visier·winkel *m.* 〖軍〗 조준각, 사각(射角).

***Vision** [vizió:n] 《<lat. videre, „sehen"》 *f.* -en ① 환상, 환영(幻影); 환각, 몽환(夢幻). ② 초자연적 현상. ③ 비전, 미래상: die ~ einer geeinten Menschheit 통일된 인류의 미래상.

Visionär [vizioné:r] *m.* -s, -e 〔교양〕 환시자(幻視者) (Geisterseher); (Schwärmer) 공상가, 몽상가.

visionär [vizioné:r] 《frz.》 *a.* 〔교양〕 ① 환영(幻影)의, 환상적인. ② 비전〔미래상〕을 담은.

Visions·radius *m.* 〖天〗 시(준)축(視(準)軸) (Sehachse).

Visitation [vizitatsió:n] 《lat.》 *f.* -en ① (Durchsuchung) (가택) 수색; 검사, 조사: Leibes~ 몸수색. ② 〔구식〕 (Besichtigung) 시찰, 검열, 점검. ③ 〖宗〗 (a) 교회 순시. (b) 〔드물게〕 성모 방문제(祭).

Visitations·recht *n.* 수색〔조사〕권.

Visitator [..tá:tɔr, ..to:r] *m.* -s, -en [..tó:rən] ① (Durchsucher) 수색자, 조사자. ② (a) 시찰자, 검사〔검열·감독〕관. (b) 교회 순시자. ③ 세관원.

Visite [vizí:tə, ..zítə] 《frz.》 *f.* -n ① 〔교양·구식〕 일시적인 방문: eine ~ machen 잠시 방문하다. ② 〖醫〗 (a) 회진. (b) 회진 의사(팀).

Visiten·karte *f.* 명함 (Besuchskarte): 〔비유〕 seine ~ abgeben 특징적인 인상을 남기다; 〔반어〕 seine ~ hinterlassen (손님으로서) 지저분한 것을 남겨 놓다. **~kartentäschchen** *n.* ↑ ~kartentasche 의 축소형. **~karten·tasche** *f.* 명함 지갑. **~tag** *m.* 방문일; 접견일, 면회일.

visitieren [vizití:rən] *t.* ① 수색〔조사·검사〕하다. ② 조사차 방문하다, 시찰〔검열〕하다.

Visit·karte *f.* (öst.) ↑ Visitenkarte.

viskos [vɪskó:s] *a.* 〖化〗 끈적끈적한, 점성(粘性)의.

viskös [..kǿ:s] 《lat.》 *a.* ① 〔드물게〕 ↑ viskos. ② 〖心〗 점성〔집착성〕 기질의.

Viskose *f.* 〖化〗 비스코스(인견·셀로판 등의 원료).

Viskose·kunst·seide *f.* 비스코스 인견.

Viskosimeter [vɪskozimé:tər] *n.* -s, - 〖역학·工〗 점도계(粘度計) (Zähigkeitsmesser).

Viskosität [..tɛ́:t] *f.* -en 〖化·역학〗 점도(粘度), 점(착)성.

Vis major [ví:s má:jɔr] 《lat.》 *f.* 보다 높은 권력; 〖法〗 불가항력.

Vista [vísta] 《lat.》 *f.* ① 〔구식〕 (Sicht) 봄, 보기, 조망. ② 〖금융〗 (어음의) 일람(一覽), 제시: a ~ 일람불로.

Vista·wechsel *m.* 〖금융〗 (Sichtwechsel) 요구불 어음, 일람불 어음.

Vistra [vístra] 《lat.》 *f.* 비스트라(비스코스로 만든 인조 섬유).

visualisieren [vizualizí:rən] *t.* 〔교양〕 시각화〔영상화〕하다: der Film visualisiert die Träume eines Jugendlichen 그 영화는 어느 젊은이의 꿈을 영상화하고 있다.

Visualisierung *f.* -en 〔교양〕 시각〔영상〕화.

Visualizer [víʒuəlaɪzər] *m.* -s, - 〖광고〗 시각 디자이너.

***visuell** [vizuɛ́l] 《frz.》 *a.* 〔교양〕 시각의, 시각적인: 〖心〗 ein ~er Typ 시각형(의 인간).

Visum [ví:zum] 《lat.》 *n.* -s, ..sa/..sen ① 출입국 허용. ② (Sichtvermerk) (여권의) 사증(査證), 비자.

Visum·antrag *m.* 비자 신청. **~frei** *a.* 비자가 면제된〔필요 없는〕. **~zwang** *m.* 비자(제시)의무.

viszeral [vɪstserá:l] 《lat.》 *a.* 내장(內臟)의, 내장과 관계 있는, 내장을 침범하는.

***vital** [vitá:l] 《lat.》 *a.* ① 생명〔생체〕의: 〖生·醫〗 ~e Funktionen 생체 기능. ② 〔교양〕 긴요한, 아주 중요한. ③ 힘찬, 활기 있는, 정력적인. ④ 〖心〗 심성의, 본성에 관한: eine ~e Neurose 심인성 노이로제.

Vital·färbung *f.* 생체 염색(세포핵 관찰을 위해 세포를 생존 상태에서 염색하는 일).

Vitalianer *m.* -s, - (드물게), **Vitalienbruder** [vitá:liən..] *m.* 〖史〗 (14-15 세기에) 북해 및 발트해에 출몰했던 해적.

vitalisieren [vitalizí:rən] *t./i.* (h.) 활기 있게 만들다, 자극〔고무·격려〕하다.

Vitalismus [vitalísmus] *m.* - 〖哲〗 생기론(生起論), 물활론(物活論).

vitalistisch *a.* 생기론〔물활론〕의.

Vitalität [..litɛ́:t] *f.* (Lebenskraft) 생명〔생활〕력, 활력, 활기.

Vitalitium [..tsí:..] *n.* -s, ..tia [..tsí:a] 생계〔생활〕비 (Lebensunterhalt); (Leibgedinge) 종신 부양〔부조(扶助)〕비, 종신 연금.

***Vitamin** [vitamí:n] *n.* -s, -e 비타민: 〔농담〕 ~ B (Beziehungen 의 첫 글자를 따서 정치상〔사업상〕의) 인맥, 연줄.

vitamin·arm *a.* 비타민 결핍의.

Vitamin-B-Mangel [..bé:..] *m.* 비타민 B 결핍.

Vitamin·präparat *n.* 〖藥〗 비타민제. **~-stoß** *m.* 비타민제의 다량 투여.

vite [vit], **vitement** [vitəmã́:] *a.* 〖음악〗 빠르게, 급히.

vitiös [vitsiǿ:s] 《frz.》 *a.* 〔교양·구식〕 ① 결점〔결함〕이 있는. ② 타락한, 악덕의.

Vitium [ví:tsium] 《lat.》 *n.* -s, ..tia [..tsia] ① (a) 〖醫〗 (Fehler) 결점, 결함, 기형, 부전(不全): ~ cordis 심장 기형. (b) 잘못, 오류, 악덕, 악습. ② 〖修〗 수사학적인 미덕〔정확한 언

어 구사〕에서의 이탈〔벗어남〕.

Vitrage [vitráːʒə] 《frz.》 *f.* -n 〔구식〕 창문 커튼.

Vitrine [vitríːnə] *f.* -n ① 유리 찬장. ② 유리 진열장.

Vitriol [vitrióːl] *n.* -s, -e 〖化·구식〗 황산(염); 반류(礬類) (금속의 함수(含水) 황산염).

vitriol=haltig *a.* 황산염을 함유한. **~-lösung** *f.* 황산염 용액. **~öl** *n.*, **~säure** *f.* 〖化〗 황산(Schwefelsäure). **~siederei** *f.* 황산 제조업〔제조 공장〕.

Vitzliputzli [vɪtslipʊ́tsli] *m.* -(s) ① 귀신, 도깨비; (어린이를 놀라게 하려고 꾸민) 요괴. ② 악마.

viv [viːf] 《frz.》 *a.* 〔구식〕 (lebhaft) 활발한, 활기 있는.

vivace [viváːtʃə] 《lat.》 *adv.* 〖음악〗 (lebhaft) 힘차게, 빠르고 생기 있게.

vivacissimo [vivatʃísimo] *adv.* 〖음악〗 비바치시모(매우 생기 있고 빠르게).

vivant [víːvant] *int.* 《lat.》 〔교양·구식〕 그들 만세 (=sie sollen leben).

vivant sequentes [..zekvɛ́nteːs] 〔학생〕 후손들 만세!

Vivarium [viváːriʊm] *n.* -s, ..rien [..riən] ① 작은 동물을 넣어 두는 상자. ② 〔드물게〕 작은 동물 사육 건물, 동물 우리. ③ 〔구식〕 동물원.

vivat [víːvat] (3 인칭 단수에 대해) 만세!

Vivat *n.* -s, -s 만세(Lebehoch): ein ~ ausbringen〔rufen〕 만세를 부르다.

vivat, crescat, floreat [..krɛ́skat, flóːreat] (3 인칭 단수에 대해) 살고, 피어나고, 번성하라!

vivat sequens [..zéːkvɛns] 후손 만세!

Vivazität *f.* (Lebhaftigkeit) 활발, 활기.

vivipar [vivipáːr] *a.* ① 〖動〗 새끼를 낳는, 태생의. ② 〖植〗 모체 발아의.

Viviparen *pl.* 태생〔새끼를 낳는〕 동물.

Vivisektion [..zɛktsióːn] *f.* -en 〖醫〗 동물의 생체 해부.

vivisezieren *t.* 〖醫〗 (동물의) 생체 해부를 하다.

vize.. [fíːtsə.., víːtsə..] 《lat., „an Stelle von"》 *pref.* "대리·부(副)"의 뜻.

Vize=admiral *m.* 〖軍〗 해군 중장(의 직위). **~feldwebel** *m.* 〖軍〗 부상사(副上士). **~-kanzler** *m.* 부수상. **~könig** *m.* 부왕(副王). **~konsul** *m.* 부영사. **~meister** *m.* 〖스포츠〗 준우승자. **~präsident** *m.* 부통령; 부의장, 부회장. **~statthalter** *m.* 부총독. **~wirt** *m.* 관리인.

vizinal [vitsináːl] 《lat.》 *a.* 〔구식〕 ① (nachbarlich) 이웃의, 인접한. ② (gemeindlich) 시읍면〔자치 단체〕의.

Vizinal=bahn *f.* 지선(支線) (Nebenbahn); 경편(輕便) 철도(Kleinbahn). **~straße** *f.*, **~weg** *m.* 〔구식〕 (이웃한 시읍면간의) 샛길, 옆길.

Viztum [fítstuːm, víts..] 《lat.》 *m.* -(e)s, -e 〖중세〗 교회나 제후의 재산 관리인.

v.J. =vorigen Jahres 전년〔지난해〕의.

Vlame *m.* -n, -n (Flame) 프랑드르 사람.

Vlies [fliːs] *n.* -es, -e ① 플리스, 양의 모피; 양의 원모(原毛): 〖그리스신화〗 das Goldene ~ 금양피(金羊皮) (영웅 Jason 이 Argo 선을 타고 Colchis 에게서 빼앗은 보물). ② 〖방직〗 플리스(양모의 방적 공정 중에 생기는 엷은 섬유군(群)).

Vlieseline *f.* 플리세린(버크럼 대용의 보풀심).

Vließ *n.* -es, -e ↑ Vlies.

v.M. =vorigen Monats 전달〔지난달〕의.

v.m. =vormittags 오전에.

V-Mann [fáʊ..] *m.* -(e)s, ..Männer [..mɛnər]/..Leute ① =Verbindungsmann 연락원, 중개인. ② =Vertrauensmann (경찰의) 끄나풀, 정보원.

VN =Vereinte Nationen 국제 연합.

Vn. =Vorname (성 앞의) 이름.

VO =Verordnung 규정, 조령(條令).

v.o. =von oben 위로부터.

***Vogel** [fóːgəl] 《⊕ fliegen》 *m.* -s, Vögel [fǿːgəl] ① 〖動〗 새, 날짐승: der ~ Strauß 타조; der ~ Phönix 불사조; 〔구어〕 den ~ abschießen 남을 압도하다, (최고의) 공을 세우다; 〔구어〕 der ~ ist ausgeflogen 놈은 도망쳤다〔집에 없다〕; Vögel rupfen 돈을 빼앗다, 착취하다; einen ~ ins Garn〔Netz〕 locken〔ziehen〕 새를 그물로 유인하다, 〔비유〕 함정에 빠뜨리다; du hast wohl einen ~ unter dem Hut! 너는 모자를 벗고 인사 못 할 이유가 있구나! (뭔가 숨기는 게 있지); es ist ihm so wohl, wie dem ~ im Hanfsamen 그는 유복하다; 〔속담〕 die Vögel, welche zu früh singen, holt die Katze 너무 일찍 우는 새는 고양이에게 붙잡힌다(섣부르게 나서지 말라는 말); wie der ~, so das Ei〔böser ~, böses Ei〕 콩 심은 데 콩 나고 팥 심은 데 팥 난다; 〔구어〕 friß ~, oder stirb! 더 이상 선택은 없다!; 〔비유〕 der ~ ist ins Garn〔auf den Leim〕 gegangen 그 녀석 제대로 걸려들었다. ② 〖사냥〗 새: fliegender ~ 비조(飛鳥); ein hölzerner ~ 새 모양의 목재 과녁, 목재로 만든 매. ③ 〔비유·구어〕 독특한〔별난〕 사람〔놈·녀석〕; ein lockerer〔loser〕 ~ 품행이 단정치 못한 녀석; ein lustiger ~ 익살꾼; ein seltener ~ 별난 놈. ④ 〔비속〕 (Verdrehtheit) 광기, 바보짓: 〔구어〕 einen ~ haben 약간 돌다, 이상한 생각을 하다; du hast wohl einen ~! 너 머리가 돌았군!; 〔구어〕 jm. den〔einen〕 ~ zeigen (손가락으로 자기 이마를 두드려서) 누구에게 돌았다는 신호를 보내다. ⑤ 〖動〗 **(a)** 나비 이름(합성으로만 쓰임; 보기: Butter~). **(b)** 진주조개의 일종. ⑥ 〖空〗 비행기.

Vogel=art *f.* 새의 종류. **~artig** *a.* 새 같은, 새 종류의. **~auge** *n.* ① 새의 눈. ② 〖植〗 설앵초(雪櫻草). **~bauer** *n.* 새장. **~beerbaum** *m.* 〖植〗 마가목. **~beere** *f.* ① 〖植〗 ↑ ~beerbaum. ② 〖식품〗 마가목의 열매. **~-beize** *f.* 〖사냥〗 매사냥.

Vögelchen [fǿːgəlçən] *n.* -s, - 〔↑ Vogel 의 축소형〕 작은 새, 새끼 새.

Vogel=deuter *m.* ↑ ~schauer. **~deuterei** *f.* ↑ ~schau. **~dreck** *m.* 새똥. **~dünger** *m.* 새똥, 새똥 비료, 구아노. **~dunst** *m.* 〖사냥〗 (새 사냥용) 산탄(霰彈). **~ei** *n.* 새알.

Vögelein [fǿːgəlaɪn] *n.* -s, - 〖雅語〗 ↑ Vögelchen.

Vogeler *m.* -s, - ↑ Vogelfänger.

Vogel=fang *m.* 새잡기. **~fänger** *m.* 새 잡

는 사람. **~flinte** *f.* 〖사냥〗 새총. **~flöte** *f.* 새피리. **~flug** *m.* ① 새의 나는 모습〔방법〕. ② 새의 비상. **~flug·linie** *f.* (철새가 날아가는 경로에 따라) 독일과 덴마크 사이의 최단 교통편〔연결〕. **~frei** *a.* (geächtet) 법률의 보호 밖에 놓인, 권리 없고 천대받는: jn. für ~ erklären 누구를 법률의 보호 밖으로 추방하다. **~fuß** *m.* ① 새발(톱). ②〖植〗(비료·사료용) 콩과 식물(토끼풀 등). **~futter** *n.* 새 모이. **~garn** *n.* 새그물; 새 올가미. **~gesang** *m.* 새의 노래, 새의 지저귀는 소리. **~geschrei** *n.* 새의 우짖음. **~gezwitscher** *n.* 새의 지저귐. **~händler** *m.* 새 장사꾼. **~haus** *n.* (동물원의) 새집. **~häuschen** *n.* (주로 겨울철 자연에 놓아두는) 새 먹이통(Futterhäuschen). **~hecke** *f.* 부화용 새장. **~herd** *m.* 〖고어〗 새덫을 놓는 장소(Vogelfangplatz). **~käfig** *m.* 새장. **~kenner** *m.* 조류학자. **~kirsche** *f.* ① 마가목의 열매. ②〖植〗 귀룽나무, 서양 앵도. **~klaue** *f.* (새, 특히 맹금의) 발톱. **~kunde** *f.* 〖動〗 조류학. **~-kundige*** *der* ↑ ~kenner. **~leicht** *a.* 새처럼 가벼운. **~leim** *m.* 새잡는 끈끈이. **~liebhaber** *m.* 애조가(愛鳥家). **~männchen** *n.* 수새. **~miere** *f.* 〖植〗 별꽃. **~mist** *m.* 새똥.

vogeln [fó:gəln] 《I》 *i.* (h.) 〖고어〗 새를 잡다 (vogelstellen). 《II》 *t.* ↑ vögeln.

vögeln [fǿ:gəln] *i.* (h.)/*t.* 〖비속〗 성교〔섹스〕하다: jn. 〔mit jm.〕 ~ 누구와 섹스하다.

Vogel≈napf *m.*, **~näpfchen** *n.* 새장의 모이〔물〕그릇. **~nest** *n.* ① 새집: Ausnehmen von Vogelnestern 새집찾기. ②〖植〗 난초과 식물(Orchidee). **~netz** *n.* 새그물. **~paar** *n.* 새 한 쌍. **~perspektive** *f.* 조감(鳥瞰); 조감도(圖). **~pfeife** *f.* 새를 유인하는 피리. **~ruf** *m.* 새소리. **~schar** *f.* 새떼. **~schau** *f.* ①〖고어〗(고대 로마의) 새점(占). ② ↑ ~perspektive. **~schauer** *m.* 새점쟁이. **~scheuche** *f.* ① 허수아비. ②〖구어·폄어〗 빼빼 마르고 추한〔멥시 없이 옷을 입은〕 사람 (주로 여자). **~schießen** *n.* 사격 대회(장대 끝에 단 새 모양의 목재 표적을 쏴 맞히는 경기; 민속 축제 때 행해짐). **~schlecht** 〖고어〗 *a.* 수평의(waagerecht). **~schrot** *m./n.* 산탄(~dunst). **~schutz** *m.* 조류 보호. **~-schutz·gebiet** *n.* 조류 보호 지역. **~-schwarm** *m.* 새떼. **~spinne** *f.* 〖動〗 새(를 잡아먹는) 거미. **~stange** *f.* ① 홰. ② 끈끈이 장대(Leimrute). ③ (사격 대회의) 과녁 장대. **~stellen** *i.* (h.) 조류를 포획하다. **~stellen** *n.* 그물로 새잡기, 새잡이. **~steller** *m.* 〖구식〗 ↑ ~fänger. **~-Strauß-Politik** [fo:gəlʃtráus..] *f.* 미봉책, 고식(姑息) 정책(쫓긴 타조는 머리만을 모래 속에 처박는다는 데서 유래). **~strich** *m.* 철새의 이동. **~wahrsager** *m.* ↑ ~schauer. **~warte** *f.* 조류 (특히 철새) 관측소. **~weibchen** *n.* 암새. **~zucht** *f.* 새기르기, 양금(養禽). **~züchter** *n.* 새기르는 사람, 양금가(家). **~zug** *m.* 철새의 이동.

Vogerl·salat [fó:gərl..] *m.* (öst.) 〖植〗 들상추.

Vöglein [fǿ:klaɪn] *n.* -s, - ↑ Vögelein.

Vögler *m.* -s, - ↑ Vögeler.

Vogt [fo:kt] 《lat. vocatus.》 *m.* -(e)s, Vögte [fǿ:ktə] ①〖옛뜻〗(영주의) 행정관, (농지·성의) 관리인; 태수(Burg~); (제국 직할지의) 지사, 대행관. ② (schweiz.) 〖구식〗 후견인. ③ (옛날의) 법관; (감옥의) 간수. ④ 교회〔수도원〕 집사.

Vogtei [fo:ktáɪ] *f.* -en ① ↑ Vogt 의 직〔거주지〕. ②〖드물게〗(Gefängnis) 감옥, 뇌옥.

vogteilich *a.* ↑ Vogt 에 관한〔의한〕.

vogten (schweiz.) 《I》 *t.* ① 후견하다. ②〖구식〗 …의 후견인 행세를 하다. 《II》 *i.* (h.) 후견인의 직무를 행사하다.

Vögtin *f.* -nen ↑ Vogt 의 여성형.

Vogtl. =Vogtland.

Vogtland [fó:ktlant] 포크트란트(독일 작센의 서남부 지방).

Vogue [vo:k, (frz.) vɔg] 《frz.》 *f.* 〖교양·구식〗 ① (Bewegung) 운동, 이동, 진행. ② (Beliebtheit) 유행, 인기, 평판: in ~ 〔en vogue〕 sein 유행하고 있다.

voilà [voalá] 《frz.》 자, 저기를 봐라, 저기에 있다, 바로 저거야!

Voile [voá:l] 《frz.》 *m.* -s, -s [voá:ls] 〖섬유〗 보일천(면·견·화섬 등으로 짠 성기고 강한 평직).

Vokabel [voká:bəl] 《lat.》 *f.* -n ① (외국어의) 단어, 어휘. ② 표현, 말, 표기.

Vokabel≈buch *n.* 단어집. **~heft** *n.* 단어장. **~lernen** *n.* 단어의 습득. **~schatz** *m.* (외국어) 어휘.

Vokabular [vokabulá:r] *n.* -s, -e ① 단어 색인, 어휘표. ②〖교양〗(한 개인·사회·전문 분야의) 어휘.

Vokabularium [..lá:riʊm] *n.* -s, ..rien [..riən] 〖구식〗 ↑ Vokabular.

vokal [voká:l] *a.* 〖음악〗 (노래) 소리의, 성악의.

***Vokal** *m.* -s, -e 〖음성〗 모음(↔ Konsonant).

Vokal≈anlaut *m.* 〖음성〗 어두(語頭) 모음. **~auslaut** *m.* 〖음성〗 어미 모음. **~inlaut** *m.* 〖음성〗 중간 모음.

Vokalisation [vokalizatsió:n] 《lat.》 *f.* -en ①〖음악〗 모음 발성. ②〖언어학〗 모음화. ③〖언어학〗(히브리어에서처럼 보통 모음부가 생략된 언어에서의) 모음의 표기.

vokalisch 《lat.》 *a.* 〖언어학〗 모음의: 〖문학〗 ein ~er Halbreim 모음 반운.

Vokalise [..lí:zə] 《frz.》 *f.* -n 〖음악〗 (모음만으로 노래하는) 성악 연습.

vokalisieren [vokalizí:rən] 《lat.》 《I》 *t.* ①〖언어〗(자음을) 모음화하다, 모음으로 나타내다. ②〖언어학〗(히브리어 텍스트 등에) 모음부를 붙이다. 《II》 *i.* (h.) 모음으로 발음하다; 〖음악〗 모음의 발성을 하다.

Vokalismus [vokalísmʊs] *m.* - 〖언어학〗 모음 체계.

Vokalist *m.* -en, -en 〖음악〗 가수, 성악가, 보컬리스트.

Vokalistin *f.* -nen ↑ Vokalist 의 여성형.

Vokal≈konzert *n.* ① 성악 콘서트. ② 성악 콘서트 공연. **~musik** *f.* 〖음악〗 성악. **~-stück** *n.* 〖음악〗 성악곡.

Vokation [vokatsió:n] 《lat.》 *f.* -en ①〖교양〗(Berufung) (관직으로의) 부름, 초빙. ② 신의 부르심; (Beruf) 천직(天職), 사명; 직업. ③〖法〗 항소.

Vokativ [vó:kati:f, vo..tí:f] *m.* -s, -e [..və] 〖문법〗 호격.

Vokativus [vokatí:vʊs] 《lat.》 *m.* -, ..ve [..və]/..vi ① ↑ Vokativ. ② 악마(Teufel); 놈(Kerl); 경박한 사람.
Vol., vol. =Volumen (책의) 권(Band).
Vol.-% =Volumprozent 용적률.
volabel [volá:..] 《lat.》 *a.* 휘발성의(flüchtig); 훔칠 수 있는(stehlbar).
Volabilität [..labilitɛ́:t] *f.* -en 경박, 부박; 휘발성.
Voland [fó:lant] *m.* -(e)s 악마.
Volant [volɑ̃́:] 《frz.》 *m.*/(schweiz.) *n.* -s, -s ① (여성복의) 레이스, 가장자리 장식. ②〖고어〗(schweiz., öst.) (자동차의) 핸들(Lenkrad).
Volapük [volapý:k] *n.* -s 인공 세계어의 일종(신부 J. M. Schleyer 가 발명).
volatil 《lat.》 *a.* 〖化〗 휘발성의(flüchtig).
Vol-au-vent [volovɑ̃́:] 《frz.》 *m.* -, -s [..vɑ̃:s] 〖요리〗 볼로방(고기 넣은 파이의 일종).
Voliere [voliɛ́:rə] 《frz.》 *f.* -n (대개 야외에 설치되어 새가 날아다닐 수 있는) 대형 새집(Vogelhaus).
***Volk** [fɔlk] 《원뜻 „Heerhaufe"》 *n.* -(e)s, Völker [fœ́lkər] ① 민족: die Völker Asiens 아시아 민족; 〖구약〗 das auserwählte ~ 선택된 민족, 유대 민족. ② 국민, 주민; (구공산권의) 인민: das ~ steht hinter der Regierung 국민은 정부를 지지한다. ③ 하층 주민, 평민, 서민, 민중: ein Mann aus dem ~ 평민 출신의 남자; das gemeine ~ 평민, 천민; im Munde des ~es 세인의 입에 오르내리는, 통속적인; 〖비유〗 dem ~ aufs Maul schauen 백성들의 말을 존중하다; 〖속담〗 des ~es Stimme ist Gottes Stimme 민심은 천심이다. ④ **(a)** 사람들의 무리, 군중: auf dem Platz vor dem Rathaus drängte sich das ~ 시청 앞 광장에 사람들이 밀려들었다; unters ~ bringen 널리 알리다, 유포하다; 〖고어〗 fahrendes ~ a) 유랑민, b) 떠돌이 예술가들; 〖농담〗 das kleine ~ stürmte herein 아이들이 뛰어들어왔다. **(b)** 〖動·사냥〗 무리, 떼: Bienen≈ 벌떼; ein ~ Tauben 한 떼의 비둘기; mehrere Völker Ameisen 여러 무리의 개미. ⑤ 사람들, 동아리, 패거리: ein unerzogenes〔lustiges〕 ~ 무식한〔쾌활한〕 사람들; es war viel feines ~ da 훌륭한 사람들이 많이 있었다. ⑥〖방언〗 종, 노비, 하인. ⑦〖구식〗 군인의 무리, 군대.
volk≈arm *a.* 〖드물게〗 주민 수가 적은. **~-belebt** *a.* 사람들로 북적대는, 번화한.
Völkchen [fœ́lkçən] *n.* -s, -〖↑ Volk 의 축소형〗(특정 유형의) 사람들: das junge ~ 젊은이들; ein lustiges ~ 명랑한 패거리; mein ~ 내 아이들.
Volker *m.* 폴커(남자 이름).
Völker≈ball *m.* 피구. **~beschreibung** *f.* 인종학. **~bund** *m.* 국제 연맹(1919-46).
Völkerbunds·rat *m.* 국제 연맹 이사회. **~tagung** *f.* 국제 연맹 회의. **~versammlung** *f.* 국제 연맹 총회.
Völker≈eigentümlichkeit *f.* 민족적 특성. **~familie** *f.* 국제 사회〔공동체〕. **~freundschaft** *f.* 국제 친선. **~friede(n)** *m.* 국제 평화. **~führer** *m.* 원수(元首). **~gemisch** *n.* 종족 혼혈. **~geschichte** *f.* 민족사. **~krieg** *m.* 국제〔민족〕 전쟁. **~kunde** *f.* 인종학, 민족학, 문화 인류학. **~kundler** *m.* 민족학〔인종학〕자, 문화 인류학자. **~kundlich** *a.* 민족학〔인종학〕의, 문화 인류학의. **~leben** *n.* 국제 생활. **~lehre** *f.* ↑ ~kunde. **~markt** *m.* 국제 시장. **~mord** *m.* 〖法〗 민족〔종족〕 말살. **~psychologie** [..psyçolo:..] *f.* 민족〔인종〕 심리학. **~recht** *n.* 〖法〗 국제법. **~rechtler** *m.* 국제법 전문가〔학자〕. **~rechtlich** *a.* 국제법(상)의. **~rechts·kundler** *m.* 국제법학자.
Völkerschaft [fœ́lkərʃaft] *f.* -en ① (소규모의) 민족, 종족; (특히 고대 게르만 시대의) 정치적으로 독립한 종족. ②〖드물게〗 민족성, 국민성.
völkerschaftlich *a.* (소수) 민족〔종족〕의.
Völker≈schlacht *f.* (1813 년 나폴레옹과 연합군 간의) 라이프치히 전투. **~stamm** *m.* 〖구어〗 대단히 많은 사람들: zu dieser Veranstaltung kamen ganze Völkerstämme 이 모임에는 아주 많은 사람들이 왔다. **~straße** *f.* 국제 도로.
Völkertum *n.* -(e)s 민족성, 국민성.
Völker≈verkehr *m.* 국제 교통. **~verständigung** *f.* 국제적인 상호 이해, 민족〔국민〕간의 이해와 합의. **~wanderung** *f.* ① 〖史〗 **(a)** 기원전 3 세기말부터 시작된 유럽 내외의 민족 이동. **(b)** 〖좁은 의미〗 특히 4-6 세기의 게르만 민족의 이동. ②〖구어·농담〗 많은 사람들의 이동, 민족 대이동: es setzte eine wahre ~ zum Fußballstadion ein 축구장 쪽으로 엄청나게 많은 사람들이 밀려들었다. ③ 전 민족의 이주.
volkhaft [fɔ́lkhaft] *a.* 민족〔국민〕 고유의.
Volkheit *f.* -en ① 민족〔국민〕의 총체. ② 민족〔국민〕성.
volkheitlich *a.* 민족의, 국민의.
völkisch [fœ́lkɪʃ] *a.* ① (나치스의 인종 이데올로기의 의미에서) 민족주의적인, 순민족적인: ~e Gesinnung 민족주의적 신념. ②〖고어〗 민족적인.
volk·leer *a.* 주민 없는, 무인의.
Völklein [fœ́lklain] *n.* -s, -〖↑ Volk 의 축소형〗 ↑ Völkchen.
volklich *a.* 〖드물게〗 민족〔국민〕의.
volk·reich *a.* 〖드물게〗 주민 수가 많은, 인구가 조밀한.
Volks≈aberglaube *m.* 민간의 미신. **~abstimmung** *f.* 〖法·政〗 국민 투표, 주민 투표. **~aktie** *f.* 〖經〗 국민주(株). **~aktionär** *m.* 국민주 소유자. **~angelegenheit** *f.* 국사(國事). **~anwalt** *m.* 국민의 대변자. **~armee** *f.* 〖구동독〗 인민군. **~armist** *m.* 〖구동독〗 인민군 소속 군인. **~aufklärung** *f.* 국민 계몽(운동). **~aufruhr, ~aufstand** *m.* 민중 봉기, 내란. **~aufwiegler** *m.* 민중 선동자. **~ausdruck** *m.* 속어. **~ausgabe** *f.* 〖출판〗 보급판. **~bank** *f.* 〖經〗 서민 은행, 신용 금고. **~beauftragte*** *der/die* (1918 년 베를린 노동자 병사 협의회에 의하여 선출된) 인민 위원. **~befragung** *f.* 국민〔주민〕 투표; 국민 여론 조사. **~begehren** *n.* 〖法·政〗 국민 발안(發案), 국민 청원. **~beliebt** *a.* 인기〔인망〕 있는. **~belustigung** *f.* ① 대중 오락. ② 대중 오락회〔잔치〕. **~beschluß** *m.* 국민 결의. **~bewaffnung** *f.* 국민 무장, 국민 개병. **~bewegung** *f.* ① 국민〔민중〕 운동. ②〖드물

게〗 ↑ ~aufruhr. **~bewußtsein** *n.* 국민 의식. **~bibliothek** *f.* 대중〔공공〕 도서관. **~bildung** *f.* 〖교육〗 ① 성인 교육(의 옛 명칭). ②〖구동독〗 국민 교육. **~blatt** *n.* 민중 신문. **~boden** *m.* 민족 거주〔분포〕 지역. **~brauch** *m.* 국민적〔민족적〕 관습, 민속. **~buch** *n.* 〖문학〗 (특히 중세 말에 유행한) 대중적인 이야기책. **~bücherei** *f.* (↔ wissenschaftliche Bücherei) 공공〔주민〕 도서관. **~charakter** *m.* 국민성, 민족성. **~demokratie** *f.* ①〖마르크스주의〗 인민 민주주의. ② 인민 민주주의 국가. **~deutsche*** *der/die* (나치스 집권 당시의) 독일 해외 동포. **~deutung** *f.* ↑ ~etymologie. **~dichte** *f.* 〘드물게〙 인구 밀도(Bevölkerungsdichte). **~dichter** *m.* (↔ Kunstdichter) 민속〔민중〕 시인. **~dichtung** *f.* 〖문학〗 (↔ Kunstdichtung) 민속〔민중〕 문학. **~eigen** *a.* 〖구동독〗 인민 소유의, 국유의: ein Volkseigener Betrieb 인민 소유 공장(약어: VEB); ein Volkseigenes Gut 인민 소유 농장(약어: VEG). **~eigentum** *n.* 〖구동독〗 국유〔인민〕 재산. **~einkommen** *n.* 〖經〗 국민 소득. **~empfänger** *m.* (나치스 시대의) 보급형 라디오. **~empfinden** *n.* 국민 감정〔정서〕: das gesunde ~ 건강한 국민 정서. **~entscheid** *m.* 〖法·政〗 국민 투표(에 의한 결정). **~epos** *n.* 〖문학〗 민중 서사시, (중세의) 영웅 서사시. **~erziehung** *f.* ↑ ~bildung. **~etymologie** *f.* 〖언어학〗 ① 민속 어원학(적 어의 설명). ② 민속 어원학적 어원 추적. **~etymologisch** *a.* 민속 어원학의. **~feind** *m.* 〘폄어〙 민중〔인민〕의 적. **~feindlich** *a.* 〘폄어〙 반민족적〔국가적·민중적〕인, 민족〔국가·민중〕의 이해에 반하는. **~fest** *n.* 주민〔국민〕 축제: 〘구어·농담·구식〙 jm. ein ~ sein 누구에게 큰 기쁨이다. **~festspiel** *n.* 국민 축제 연극. **~forschung** *f.* 민족 연구. **~fremd** *a.* 〘폄어〙 민족〔국민〕에게 낯선〔어울리지 않는〕. **~freund** *m.* 민중의 벗, 국민의 친구. **~front** *f.* 〖政〗 인민 전선. **~führer** *m.* 민중 지도자.

Volks=ganze* *das* 국민〔민족〕 전체. **~gebrauch** *m.* 민속. **~gefühl** *n.* 국민 감정. **~geist** *m.* 국민〔민족〕 정신. **~gemeinschaft** *f.* (특히 나치스의 어법으로) (독일) 민족 공동체. **~gemurmel** *n.* ①〖연극〗 군중들의 웅성거림. ②〘구어·농담〙 많은 사람들의 웅성거림. **~genosse** *m.* (나치스 어법으로) (독일) 민족 공동체의 일원, 동포. **~gerichtshof** *m.* (나치의) 특별 재판소(1936-45). **~gesundheit** *f.* 국민 건강. **~gesundheitspflege** *f.* 국민 보건 (제도). **~gewühl** *n.* 민중의 소란〔혼잡〕. **~glaube(n)** *m.* 〖민속〗 민속 신앙, 미신. **~glück** *n.* 국리(國利), 민복(民福). **~gruppe** *f.* (어느 국가내의) 소수 민족. **~gunst** *f.* 민중들의 총애, 인망(人望). **~haufe, ~haufen** *m.* 득시글댐, 붐빔; 군집(群集). **~heer** *n.* 〖軍〗 국민군. **~heilstätten** *pl.* 국민 요양소(무산자, 특히 폐환자의 요양 시설). **~held** *m.* 국민적〔민족적〕 영웅. **~herrschaft** *f.* 〖政〗 민주 정치, 민주주의. **~hoch·schule** *f.* 성인 학교, 시민 대학. **~hymne** *f.* 국가(國歌) (Nationalhymne). **~initiative** *f.* (schweiz.) ↑ ~begehren. **~insel** *f.* (다른 언어권(圈) 내에) 고립되어 있는 어권(Sprachinsel). **~justiz** *f.* 인민 재판, 사형(私刑).

Volks=kammer *f.* 〖구동독〗 최고 인민 회의(구동독의 최고 권력 기관). **~kanzler** *m.* (Bismarck 같은) 국민 재상(宰相). **~kirche** *f.* 〖宗〗 ① (↔ Freikirche) 국민 교회(그 나라 국민이면 누구나 신도가 되어야 하는 교회). ② 민중 교회. **~kirchlich** *a.* 국민 교회의, 민중 교회의. **~klasse** *f.* 국민의 계급. **~kommissar** *m.* (1946 년까지 소련의) 인민 위원〔장관〕. **~kongreß** *m.* 〖구동독〗 인민 회의. **~kontrolle** *f.* 〖구동독〗 인민 관리〔감사〕. **~korrespondent** *m.* (공산주의 국가에서의 명예직인) 인민 통신원. **~krieg** *m.* ① 국민 전쟁. ② (공산주의에서) 인민 (해방) 전쟁. **~küche** *f.* 빈민 급식소. **~kunde** *f.* 민속학, 토속학. **~kundler** *m.* ① 민속학〔토속학〕자. ② 민속학 전공 대학생. **~kundlich** *a.* 민속학〔토속학〕의. **~kunst** *f.* 민중 예술, 민속 예술. **~lauf** *m.* 〖스포츠〗 시민 달리기 대회. **~läufig** *a.* 민중 속에 살아〔유포되어〕 있는. **~leben** *n.* 민중 생활. ***~lied** *n.* 〖문학·음악〗 (↔ Kunstlied) 민요, 속요. **~mann** *m.* 인망가(人望家), 인기인. **~märchen** *n.* 〖문학〗 (↔ Kunstmärchen) 민간〔전래〕 동화. **~marine** *f.* 〖구동독〗 해군. **~marsch** *m.* 〖스포츠〗 시민 걷기 대회. **~masse** *f.* ① 민중. ② 사람들의 무리, 군중, 다중. ③〘복수〙〖마르크스주의〗 인민 대중. **~mäßig** *a.* 〘드물게〙 민중적인, 민속적인. **~mäßigkeit** *f.* 민중성, 민속성. **~medizin** *f.* 민간 요법. **~meinung** *f.* 여론, 민의, 세론. **~melodie** *f.* 대중 가요, 팝송. **~menge** *f.* 군중, 사람들의 무리. **~mission** *f.* ①〖가톨릭〗 민간 포교〔전도〕. ②〖기독교〗 복음 전도〔포교〕. **~mittel** *n.* 민간 요법약, 가정약(Hausmittel). **~mund** *m.* ① 민간 구전(口傳), 민중의 입〔언어〕. ② 세속적인 말씨, 속어. **~musik** *f.* 민속 음악. **~nah** *a.* 민중에 친근한. **~nähe** *f.* 민중에 친근함. **~nahrungs·mittel** *n.* 국민의 주식(主食). **~name** *m.* 민족의 이름. **~organisch** *a.* 민족 유기체적인.

Volks=partei *f.* 〖政〗 (↔ Klassenpartei) 대중 정당, 국민 정당. **~pfleger** *m.* 민생(民生) 위원; 〘드물게〙 후생 담당 관리. **~poesie** *f.* 〖문학〗 ↑ ~dichtung. **~polizei** *f.* 〖구동독〗 인민 경찰(약어: VP). **~polizist** *m.* 〖구동독〗 인민 경찰관. **~recht** *n.* 〖法〗 국민〔인민〕 법률. **~rede** *f.* 〘구식〙 대중 연설: 〘구어·폄어〙 ~n 〔eine ~〕 halten 잘난 체하며 떠벌리다. **~redner** *m.* 〘구식〙 대중 연설가. **~regierung** *f.* ↑ ~herrschaft. **~republik** *f.* 인민 공화국(약어: VR): die ~ China 중화 인민 공화국. **~richter** *m.* 〖구동독〗 인민 재판관. **~sache** *f.* 국사(國事), 공사(公事); 민중의 이해. **~sage** *f.* 〖문학〗 민간 설화. **~schädling** *m.* 국민에게 해를 끼치는 자, 국민의 해충. **~schau·spiel** *n.* 민속극. **~schau·spieler** *m.* (특히 민속극의) 인기 배우. **~schicht** *f.* 국민의 사회적 계층: die unteren ~en 서민층, 평민층, 하층 계급. **~schlag** *m.* 인종. **~schrift** *f.* 통속적인 책. **~schriftsteller** *m.* 민속 작가.

***Volks=schule** *f.* ①〘옛뜻〙 초등 학교(구서독에서는 6-14 또는 6-10 세의 아동을 대상으로 하는 의무 교육). ② 폴크스슐레(초등 학교(Grundschule)와 하우프트 슐레 (Hauptschule) 과정을 합친 명칭). ③ (öst.) 초등 학교. ④ 초등 학교 건물. ~**schüler** *m.* 초등 학생. ~**schülerin** *f.* 초등 학교 여학생.

Volksschul≈lehrer *m.* 초등 학교 교사. ~**lehrerin** *f.* 초등 학교 여교사. ~**wesen** *n.* 초등 학교 교육 (제도).

Volks≈seele *f.* 국민적 의식, 국민 정서, 민심; 민족 정신: die kochende ~ 들끓는 민심. ~**sinn** *m.* 공공 의식. ~**sitte** *f.* 민속, 국민적 관습. ~**solidarität** *f.* 〖구동독〗 사회 구호 기관. ~**souveränität** [..zuvərɛnitɛ́:t] *f.* 〖政·法〗 국민 주권, 주권 재민(在民). ~**sport** *m.* 〖구동독〗 대중 스포츠. ~**sprache** *f.* 〖언어학〗 대중들의 언어, 통용어; 구어. ≗**sprachlich** *a.* 통용어의, 구어의. ~**staat** *m.* 〖政〗 인민 국가, 인민 공화국. ~**stamm** *m.* 〖인종〗 종족, 민족. ~**stimme** *f.* 국민〔민중〕의 소리, 여론. ~**stimmung** *f.* 민중의 기분〔의향〕, 민의(民意). ~**stück** *n.* 〖연극〗 민중극. ~**tag** *m.* 공화국의 의회. ~**tanz** *m.* 민속 무용. ~**theater** *n.* 〖연극〗 ① 국민 극장. ② 민중 극장. ~**ton** *m.* 민요풍. ~**tracht** *f.* 민속 의상, 전통 의상. ~**trauer·tag** *m.* 국민 애도일(제 1·2 차 세계 대전 전몰 장병과 나치즘 희생자 추모의 날). ~**tribun** *m.* ① (특히 고대 로마의) 호민관(護民官). ② 혁명가.

Volkstum [fɔ́lkstu:m] *n.* -(e)s 민족성, 국민성.

Volkstum·kunde *f.* ↑ Volkstumskunde.

***volkstümlich** [fɔ́lksty:mlıç] *a.* ① 민중의, 서민의, 국민의; 민족의: ~e Literatur 민중 문학. ② 대중적인, 인기 있는, 인망 있는: ein ~er Politiker 대중적 정치인. ③ (gemeinverständlich) 통속적인, 일반인을 위한, 평이한.

Volkstümlichkeit *f.* 민중성, 대중성.

Volkstums·kunde *f.* 민속학.

Volks≈überlieferung *f.* 민화, 민간 전설. ~**unterricht** *m.* ↑ ~bildung. ~**verband** *m.* 국민적 단결. ≗**verbunden** *a.* 국민〔민중〕과 결합한. ~**verbundenheit** *f.* 국민〔민중〕과의 연대성, 단결. ~**verdummung** *f.* 〖구어·펌어〗 우민화, (의도적인) 국민의 오도. ~**verführer** *m.* 〖펌어〗 민중 선동가, 데마고그. ~**verhetzung** *f.* 〖法〗 국민에 대한 선동. ~**vermögen** *n.* 〖經〗 국민의 총재산, 국부(國富). ~**verrat** *m.* 민족에 대한 반역, 매국(賣國). ~**verräter** *m.* 〖펌어〗 민족 반역자, 매국노. ~**versammlung** *f.* ① **(a)** 〖法·政〗 (특히 유권자들의) 대중 집회. **(b)** 대중 집회의 전체 참석자. ② (특정 국가의) 국회, 의회. ③ 누구나 참여할 수 있는 집회. ~**versicherung** *f.* 국민 보험. ~**vertreter** *m.* 국민의 대표, 국회 의원. ~**vertretung** *f.* 〖法·政〗 ① 의회, 국회. ② 인민의 대표. ~**wagen** *m.* 폴크스바겐 (독일의 대중 승용차; 약어: VW). ~**wahl** *f.* 〖政〗 ① 국민의 직접 선거. ② 〖구동독〗 인민 의회 선거. ~**weise** *f.* 〖음악〗 ① 통속적인 선율〔멜로디〕. ② 민요의 선율〔멜로디〕. ~**weisheit** *f.* (생활 습관과 경험에서 나온) 한 민족〔국민〕의 지혜. ~**wille** *m.* 국민〔민중〕의 의지: gegen den ~n handeln 국민의 뜻에 어긋나게 행동하다. ~**wirt** *m.* 국민 경제학자. ~**wirtschaft** *f.* 〖經〗 국민 경제. ~**wirtschafter** *m.* (schweiz.), ~**wirtschaftler** *m.* ① 국민 경제학자. ② 국민 경제학 전공 대학생. ≗**wirtschaftlich** *a.* 국민 경제의. ~-**wirtschafts·lehre** *f.* 〖經〗 국민 경제학. ~**wohl** *n.* 국민의 안녕〔복지〕. ~**wohlfahrt** *f.* 국민의 복지, 후생(厚生). ~**wohlstand** *m.* 국민의 복지.

Volks≈zahl *f.* 인구(수). ~**zähler** *m.* 인구 조사관, 통계원. ~**zählung** *f.* 인구 조사 (Zensus). ~**zeitung** *f.* 대중〔서민·민중〕 신문. ~**zorn** *m.* 국민의 분노. ~**zugehörigkeit** *f.* (어느) 민족에의 소속.

***voll** [fɔl] (voller, vollst; (고어) völler, völlest) 《I》 *a.* 가득 찬; 풍만한, 통통한; 완전한, 온; 〔비속〕 포식한, 만취한: ① 〔부가적〕 **(a)** 〔명사 앞에〕 eine ~e Börse 가득 찬 지갑; aus ~en Backen rühmen 큰 소리로 떠벌리다; aus ~er Brust singen 열창하다; aus ~em Herzen danken 진심으로 감사하다; bei ~er Besinnung sein 완전히 제정신이다; ein ~er Busen 풍만한 가슴; die Bäume stehen in ~er Blüte 나무에 꽃이 만개했다; in ~em Ernst 매우 진지하게; der Zug war in ~er Fahrt 기차는 전속력으로 달리고 있었다; in ~en Zügen trinken 진탕 퍼마시다; aus dem ~en Hals schreien 목청껏 외치다; mit ~en Händen geben 아낌없이 주다; mit ~em Mund spricht man nicht 입에 음식물을 담고 말하는 게 아니다; ein von Sorgen ~es Herz 근심으로 가득 찬 가슴; eine ~e Meile 족히 1 마일; ein ~es Jahr 꼬박〔만〕 1 년; ein ~es Dutzend 꽉찬 한 다스; die ~e Summe 전액; der ~e Mond 만월, 보름달; ~es Haar 숱 많은 머리; ~e Töne 힘찬 음성; mit ~em Einsatz arbeiten 전력을 다해 일하다; du behauptest das mit ~em Recht 네가 그렇게 주장하는 것은 지극히 당연하다; mit ~en Segeln 돛에 바람을 가득 안고; unter ~er Kenntnis der Sachlage 사태를 완전히 파악하고서; die Uhr schlägt die ~en Stunden 시계가 한 시간마다 울린다〔친다〕; ein ~es Theater 초만원의 극장; aus dem ~en Topf wirtschaften 풍족한〔여유 있는〕 생활을 하다; eine ~e Wahrheit 있는 그대로의 진실; 〔속담〕 ein ~er Bauch studiert nicht gern 배부르면 게을러진다. **(b)** 〔명사 뒤에서, 어미변화 없음; voll 을 보족하는 명사는 대개 격변화 없음〕 ein Löffel ~ Arznei 한 숟가락 분의 약; ein Teller ~ Suppe 접시에 가득한 수프; ein Glas ~(er) Wein 한 잔 가득한 포도주; ein Arm ~ Holz 한 아름의 장작; eine Hand ~ Sand 한 움큼의 모래. ② 〔서술적〕 **(a)** 〔보족 명사가 2 격인 경우〕 die Erde ist ~ der Güte des Herrn 대지는 신의 은총으로 가득하다; 〔雅語〕 wir waren des süßen Weines ~ 〔~ des süßen Weines〕 우리는 포도주를 잔뜩 마시고 취했다; 〔雅語〕 ~ des Lobes über jn. 〔et.〕 sein 누구를〔무엇을〕 대단히 칭찬하다. **(b)** 〔보족 명사가 3 격인 경우〕〔고어〕 der Ton war ~ tiefem Leiden 그 가락은 깊은 고뇌로 충만해 있었다. **(c)** 〔보족 명사가 4 격인 경우〕 〔고어〕 jetzt scheid' ich ~ stummen Dank 이제 나는 마음속으로 감사하면서 떠난다. **(d)** 〔어미 변화 없이 voller 의 형태로〕 er ist voller Mut〔Güte〕 그는 용기〔선의〕가 넘치고 있다. **(e)** 〔보족 명사 앞에 von 을 붙이는 경우〕 ~ von Liebe 애정으로 가득 찬; ~ von Leuten 사람으로 꽉 찬; ~ von Toten 시체가 즐비한; die Augen standen ihr ~ von

Tränen 그녀의 눈에 눈물이 흥건했다; er steckt ~ von Dummheiten 그는 지독한 바보다. (f) 〔보족 명사가 생략될 경우〕 bei uns ist alles ~ 저희 집은 방 마다 만원입니다; er ist toll und ~ 그는 곤드레만드레 취해 있다; ich bin ~ bis oben 나는 배가 잔뜩 부릅니다; der Mond ist ~ 만월이다; der Saal war zum Brechen ~ 홀은 터질 듯이 가득 찼다. ③〔동사와 함께〕 jn. ~ ansehen 누구를 정면으로 응시하다; sich ~ essen 배불리 먹다; 〔구어〕 die Hände ~ haben a) 두 손에 무언가를 들고 있다, b) 한창 바쁘다; sich ~ laufen lassen 무절제하게 먹다〔마시다〕; jm. die Ohren〔Jacke, Haut〕 ~ lügen 누구에게 거짓말만 하다; 〖속어〗 jn. ~ machen 누구를 취하게 하다; sich ~ machen 몸〔옷〕을 더럽히다; eine Summe ~ machen 어떤 금액을 채우다; um das Unglück ~ zu machen 엎친 데 덮친 격으로, 설상가상으로; die Backen 〔den Mund〕 ~ nehmen 호언장담하다; jm. den Buckel ~ schlagen 누구를 마구 때리다; einen Bogen ~ schmieren 온 종이에 잔뜩 칠하다〔낙서하다〕; jm. die Ohren ~ schreien 누구의 귀청이 터지도록 외치다; sich ~ stopfen 잔뜩 먹다; das Taschentuch ~ weinen 손수건이 흠뻑 젖도록 울다. ④〔전치사와 함께〕〔구어〕 jn. nicht für ~ ansehen〔nehmen〕 누구를 무시하다, 대수롭지 않게 여기다. ⑤〔명사적〕〔비유〕 aus dem ~en schöpfen 마음껏 이용〔사용〕하다; aus dem ~en leben〔wirtschaften〕 풍요롭게 생활하다; im ~en leben 호화롭게 살다〔생활하다〕; ins ~e greifen 마음대로 꺼내어 사용하다; 〔구어〕 in die ~en gehen 전심전력하다; ein Wurf in die ~en 〖볼링〗 스트라이크; 〖商〗 zum ~en befrachten (곡물 따위를) 포장하지 않은 채로 싣다; 〔방언〕 zu ~em 철저히. 《Ⅱ》 *adv.* 완전하게, 전면적으로, 전부: 〔고어〕 Gott ~ danken 신에게 진심으로 감사하다; ~ und ganz 완전히; ~ und bei 돛을 활짝 편 채 바람을 가득 안고.

volladen [fɔ́la:dən] *t.* 가득 싣다: einen Wagen ~ 차에 짐을 가득 싣다.

vọll≈ährig *a.* 〖農〗 이삭이 잘 여문, 결실이 좋은. **≈akademiker** *m.* 대학 졸업생; 대학의 연구 과정을 모두 마친 학자. **≈aktie** *f.* 〖商〗 전액 납입주(株). **≈anstalt** *f.* (대학 입학 자격을 얻을 수 있는) 인문계 중·고등 학교.

voll·auf [fɔ́l|auf, fɔl|áuf] *adv.* 많이, 완전히, 아주: das ist ~ genug 그것은 아주 충분하다; ~ zu tun haben 바쁘다, 다망하다.

vollaufen* [fɔ́llaufən] (lief voll, vollgelaufen) *i.* (s.) 넘칠 정도로 가득 차다, 넘쳐 흐르다: das Becken ist vollgelaufen 대야가 넘쳤다; 〔경박〕 sich ~ lassen 무절제하게 마시다〔먹다〕.

vọllautend *a.* 음량이 풍부한, 낭랑한.

Vọll≈automat *m.* 〖기계〗 전자동 기계〔시설〕. **≈automatisch** *a.* 전자동의: eine ~e Waschmaschine 전자동 세탁기. **≈automatisiert** *a.* 전자동화된. **≈bäckig** *a.* 뺨이 토실토실한, 얼굴이 둥근. **~bad** *n.* 전신 목욕. **~bahn** *f.* 〖철도〗 (↔ Nebenbahn) 본선(本線), 간선. **~ball** *m.* 〖스포츠〗 (↔ Hohlball) (대개 짐승털로) 속이 채워진 공. **~bart** *m.* 아래 얼굴을 온통 뒤덮은 수염. **≈bärtig** *a.* (아래) 얼굴이 온통 수염으로 뒤덮힌. **~bauer** *m.* (↔ Halbbauer) 1 Hufe 의 토지를 가진 농부, 자작농. **≈berechtigt** *a.* 전권을 지닌. **≈beschäftigt** *a.* 눈코 뜰새 없이 바쁜; 전일제로 일하는. **~beschäftigung** *f.* 〖經〗 완전 고용〔취업〕. **≈besetzt** *a.* 꽉 찬; 빈 자리가 없는: eine ~e Straßenbahn 앉을 자리가 없는 전차. **~besitz** *m.* 완전 소유: 〔대개 다음 용법으로〕 im ~ seiner Sinne 〔seiner (geistigen) Kräfte〕 sein 정신이〔(정신적인) 힘이〕 조금도 흐트러짐이 없다. **~bier** *n.* 〖양조〗 맥아 진액이 11-14 % 함유된 맥주. **~bild** *n.* ①〖印〗 (신문 따위의) 전면 삽화(插畫). ②〖컴〗 (윈도상에서) 전체 화면 표시. **~blut** *n.* ①〖사육〗 순종 말(↔ Halbblut). ②〖醫〗 모든 성분을 함유한 혈액.

vọllblut.. *pref.* "철저한·철두철미한"의 뜻(보기: ≈wissenschaftler 철두철미한 학자).

Vọll≈blüte *f.* 활짝 핀 꽃. **~blüter, ~bluthengst** *m.* 〖사육〗 순종 말. **≈blütig** *a.* ① 순종의. ②〖醫〗 다혈(多血)의. ③〔비유〕 생활력이 넘치는, 왕성한, 활기찬. **~blütigkeit** *f.* ① 순종성. ② 다혈질. ③〔비유〕 원기 왕성. **~blut·pferd** *n.* 〖사육〗 순종 말. **≈brauwig** *a.* (schweiz.) 4 각의(vierkantig). **~bremsung** *f.* (급정차시키는) 완전 제동.

vọll≈|bringen* *t.* 가득 채우다. ***~brịngen*** *t.* 〔雅語〕 완료하다, 완성〔성취〕하다; 실행〔수행·이행〕하다: eine Pflicht ~ 의무를 다하다; 〖聖〗 es ist vollbracht! 다 이루었다! (요한 19 : 30). **≈brịnger** *m.* 완성자, 성취자, 실행자, 이행자. **≈brịngung** *f.* 〔雅語〕 종료, 완결, 완성, 성취; 실행, 수행.

Vọll≈bruder *m.* ① 친형제(↔ Halbbruder). ②〔농담〕 술고래. **≈brüstig** *a.* 〔드물게〕 ↑ ~busig. **~bürger** *m.* 완전(한 시민권을 가진) 시민(↔ Halbbürger). **≈bürtig** *a.* 같은 부모의(↔ halbbürtig). **~bürtigkeit** *f.* 부모가 같음. **≈busig** *a.* 가슴이 풍만한. **~dampf** *m.* (증기 기관의) 증기의 전압력: mit ~ fahren 전속력으로 달리다; 〖海〗 (mit) ~ voraus! 전속력으로 전진!; 〔구어〕 mit ~ arbeiten 전력을 다해 일하다; 〔구어〕 ~ hinter et. machen 무엇을 (빨리 끝내려고) 몰아대다. **~druck** *m.* 전압력.

Vö̱lle *f.* 포만 상태.

Vö̱lle·gefühl *n.* 포만감: ein unangenehmes ~ im Magen haben 불쾌하게 헛배부른 느낌이 든다.

vọlleibig *a.* 〔구식〕 뚱뚱한.

Vọlleibigkeit *f.* -en 비만.

vọll·elastisch *a.* 탄력성이 대단히 강한.

***vollenden** [fɔlén.., fɔl|én..] 《Ⅰ》 *t.* 완료〔완결〕하다, 끝마치다, 마무르다; 성취하다; 완전하게 하다, 완성하다: 〔雅語〕 er hat sein Leben vollendet 그는 생을 마감했다; 〔雅語〕 er vollendet sein vierzigstes Lebensjahr 그는 마흔 살이 된다; jn. vor vollendete Tatsachen stellen 누구에게 기정 사실을 들이대다. 《Ⅱ》 *refl.* sich ~ 완성되다: das Werk des Malers hat sich in diesen Bildern vollendet 그 화가의 작품은 이 그림들에서 완성되었다. 《Ⅲ》 **vollẹndet** *p.a.* ↑ vollendet.

Vollẹnder *m.* -s, - 성취자, 완성자.

Vollẹnderin *f.* -nen ↑ Vollender 의 여성형.

vollẹndet 《Ⅰ》 *p.p.* ↑ vollenden. 《Ⅱ》 *p.a.* 완결된, 끝난; 완벽한, 결함 없는, 최고의: 〖문

법』 ~e Gegenwart 현재 완료; ~e Tatsache 기정 사실; eine ~e Hausfrau 나무랄 데 없는 가정 주부; 〖구어〗 so ein ~er Unsinn! 완전한 난센스야!; er hat das Werk ~ gespielt 그는 그 작품을 완벽하게 연주했다.

vollends [fɔ́lɛnts] *adv.* ① (völlig) 완전히, 철두철미하게: eine Arbeit ~ erledigen 일을 완벽하게 처리하다. ② 〖구어〗 그 위에, 게다가, 더욱이: wenn ich ~ bedenke, daß... 게다가 …라는 점〔사실〕을 생각해 보면.

Vollendung *f.* -en ① 마무르기, 완결, 완료: das Bild nähert sich seiner ~ 그림이 점점 완결되어 간다. ② 완성, 성취, 절정: dieses Bild bedeutet die ~ seines Schaffens 이 그림은 그의 창작의 절정을 뜻한다. ③ 완벽, 능숙, 노련.

voller[1] [fɔ́lər] *a.* 〖뒤에 오는 무관사의 명사는 격변화 없음〗 ① 온통 뒤덮인, 가득 찬: der Platz ist ~ Menschen 그 광장에는 사람이 꽉 차 있다; ein Gesicht ~ Sommersprossen 주근깨가 잔뜩 낀 얼굴. ② 충만한, …투성이인: ein Mensch ~ Güte 선의가 충만한 사람; er war ~ Mißtrauen 그는 불신투성이었다.

voller[2] *a.* 〖voll 의 비교급〗 보다 충만한.

Voll·erbe *m.* 단독 상속자.

Völlerei [fœlərái] *f.* -en 〖폄어〗 폭음, 폭식.

voll|essen *refl.* 〖구어〗 sich ~ 포식하다.

Volley [vɔ́li] 《engl.》 *m.* 〖스포츠〗 발리.

volley *adv.* 〖스포츠〗 발리로: den Ball ~ zurückschlagen 공을 발리로 되받아치다.

Volley·ball [vɔ́libal] 《engl.》 *m.* 〖스포츠〗 ① 배구. ② 배구공. ③ 발리로 친〔찬〕공.

voll|fressen *refl.* sich ~ 실컷 먹다.

vollführen [fɔlfý:rən] *t.* 수행〔실행〕하다; 완수하다: er vollführte einen Luftsprung vor Freude 그는 기쁜 나머지 깡충 뛰어 올랐다.

Vollführung *f.* 수행, 실행; 완수, 성취.

voll|füllen *t.* 가득 채우다.

Voll-gas *n.* (자동차 엔진의) 최대 가스 공급: ~ geben 최대한으로 속도를 내다; 〖구어〗 mit ~ 전속력으로, 급히 서둘러서. **~gatter** *n.* 기계톱. **~gefühl** *n.* 완전한 의식, 완전한 지각〔감정〕: im ~ seiner Überlegenheit 철저히 우월감을 느끼면서. **~gehalt** *m.* 〖화폐〗 표준 금위(金位). **~gehaltig** *a.* 표준 금위의: ~e Münze 본위 화폐. **~genuß** *m.* 완전한 향유: im ~ seiner Rechte 자신의 권리를 맘껏 누리며; in den ~ von et.³ kommen 무엇을 한껏 즐기다. **~gepfropft, ~gerammt, ~gerüttelt** *a.* 꽉 채워진, 충만된: ein ~es Bücherregal 꽉 채워진 서가; ein mit Möbeln ~es Zimmer 가구들로 꽉 찬 방. **~gesang** *m.* 합창. **~gestopft** *a.* ↑ ~gepfropft. **~gewalt** *f.* 전권, 절대권. **~gewicht** *n.* 〖商〗 전중량. **~|gießen*** *t.* 가득 붓다. **~gültig** *a.* 완전한 효력이 있는, 확실한 근거가 있는; 충분한(genügend): ein ~er Beweis 충분한 증거. **~gültigkeit** *f.* 완전한 효력, 충분한 근거. **~gummi** *n./m.* (공기 주입이 필요 없는) 통고무. **~gummi·reifen** *m.* 통고무 타이어. **~haarig** *a.* 온통 털로 덮인, 털복숭이의: ein ~es Tuch 괴깔이 죽 일어난 천. **~haltig** *a.* ① ↑ ~gehaltig. ② 내용이 풍부한, 실질적인. **~|hauen*** *t./refl.* (sich) ~ 〖다음 용법으로〗 〖구어〗 sich³ den Bauch 〔Magen〕 mit et.³ ~, sich mit et.³ ~ 무엇을 잔뜩 먹다; jm. die Jacke〔das Fell, den Buckel〕 ~ 누구를 녹초가 되게 때리다.

Vollheit [vɔ́lhaɪt] *f.* 〖드물게〗 ① (Vollsein) 충만, 충일, 충실, 풍부. ② ↑ Völle.

Voll·hering *m.* 〖식품〗 알 밴 청어.

Voll·idiot *m.* 〖폄어〗 바보, 천치, 멍청이.

***völlig** [fœlɪç] 《I》 *a.* ① 완전한, 온전한, 철저한, 충분한: ein ~er Narr 완전 바보; sie waren bis zur ~en Unkenntlichkeit verstümmelt 그들은 전혀 알아보지 못할 정도로 사지가 잘려 있었다. ② 〖聖·고어〗 ↑ vollkommen ①. ③ 비만한. 《II》 *adv.* 완전히; 아주, 매우: du bist ja ~ betrunken 자네 완전히 취했군 그래.

voll-inhaltlich *a.* 모든 내용에 있어서, 어떤 점에서나. **~jährig** *a.* 성년의 (mündig). **~jährigkeit** *f.* 성년. **~jährigkeits·erklärung** *f.* 〖法·구식〗 성년 선언. **~jurist** *m.* 사법 연수 과정을 마친 후 제 2 차 국가 고시에 합격한 법률가. **~kantig** *a.* 직 4 각의, 방형(方形)의. **~kasko** *f.* 〖대개 관사없음〗 〖구어〗 ↑ Vollkaskoversicherung 의 약칭. **~kasko·versichern** *t.* 자동차 종합 보험에 들다: alle Firmenwagen sind vollkaskoversichert 회사 차는 모두 종합보험에 들어 있다. **~kasko·versicherung** *f.* 〖法〗 자동차 종합 보험. **~kaufmann** *m.* 〖經·法〗 (상공인 명부에 기재된) 자영 상인. **~kerf** *m.* 〖動〗 (곤충의) 성충(Imago). **~klimatisiert** *a.* 냉난방 시설을 완비한: ~e Büroräume 냉난방 시설을 완비한 사무실.

***vollkommen** [fɔlkɔ́mən, fɔ́lkɔm..] *a.* ① 완전한, 완벽한; 하자〔결함〕 없는, 모범적인: ein ~es Kunstwerk 완벽한 예술 작품; 〖數〗 ~e Zahl 자연수; er ist ein ~es Kind 그는 애나 다름없다; ich kann das ~ begreifen 〔würdigen〕 나는 충분히 그것을 납득할 수 있다〔그 가치를 알 수 있다〕; du bist ja ~ verrückt 너 완전히 돌았구나. ② 〖비속〗 (의복이) 풍신한, 헐렁한. ③ 〖비속〗 (beleibt) 비만한, 뚱뚱한: du bist in letzter Zeit recht ~ geworden 너는 요즈음 정말 살쪘다.

Vollkommenheit [fɔlkɔ́mən.., fɔ́lkɔm..] *f.* -en ① 완전(함), 무결; 극치, 모범: Urbild aller ~ 완전무결의 원형. ② 〖복수〗 장점. ③ 〖비속〗 비만.

Voll-korn·brot *n.* 통밀빵. **~körnig** *a.* 통밀가루로 된. **~|kotzen** *t.* 〖비속〗 음식물을 토해서 심하게 더럽히다. **~kraft** *f.* 왕성한 생명력, 활력: in der ~ der Jugend 젊음의 혈기가 왕성한 때에. **~kräftig** *a.* 원기왕성한, 활기찬. **~kugel** *f.* 〖볼링〗 손가락 끼우는 구멍이 없는 공. **~leibig** *a.* 新정서 ⇦ volleibig.

voll|machen *t.* ① 〖구어〗 (가득) 채우다. ② 〖구어〗 더럽히다: das Kind hat die Hosen vollgemacht 아이가 바지에 똥을 쌌다; 〖비유〗 sich³ die Hosen ~ 대단히 두려워하다, 겁먹다; 〖비속〗 mach dich nicht ~! 그렇게 엄살 떨지 마라! ③ 완전하게 만들다, 채우다: das Dutzend ~ 한 다스를 채우다; um das Unglück vollzumachen 설상가상으로.

***Vollmacht** [fɔ́lmaxt] *f.* -en ① 전권(全權); 대리권; 권한의 위임: jm. ~ geben 누구에게 전권을 주다; ich habe die ~, die Sache zu entscheiden 나는 그 문제를 결정할 권한을 가지고 있다; jn. mit allen ~en ausstatten 누

구에게 전권을 부여하다; in ~ 전권을 받아서 (편지의 끝, 대리권자의 서명 앞에 쓰이는 의례적인 문구; 약어: i.V., I.V.). ② 위임장: eine ~ unterschreiben 위임장에 서명하다; jm. eine ~ ausstellen 누구에게 위임장을 발행하다. ③〖고어·방언〗(Bevollmächtigter) 전권 사절, 대사, 공사; 대리〔대표〕인.

Vollmacht≈geber *m.* 〖法〗 위임자, 수권자(授權者). **~haber** *m.* 피위임자, 수임자(受任者), 대리인.

Vollmachts≈brief *m.*, **~schein** *m.*, **~urkunde** *f.* 위임장.

Vollmacht·träger *m.* ↑ ~haber.

Voll≈mast *f.* 〖植〗 (4년 주기로 찾아오는) 참나무와 너도밤나무의 대량 결실. **~mast** *adv.* 〖海〗 깃발을 마스트〔돛대〕 끝까지 올린 채로. **~matrose** *m.* 〖海〗 유자격〔숙련된〕 선원. **~mensch** *m.* 완전한 인간〔인격〕. **~milch** *f.* 〖식품〗 (↔ Magermilch) 전유(全乳), 100% 원유(原乳). **~milch·schokolade** *f.* 〖식품〗 (전유로 만든) 초콜릿. **~mitglied** *n.* 정회원. **~mitgliedschaft** *f.* 정회원 자격〔신분〕. **~mond** *m.* ① **(a)** 보름달, 만월: 〔구어·농담〕 er strahlte wie ein ~ 그는 아주 만족하여 미소지었다. **(b)** 〖天〗 보름날, 만월 기간. ② 〔농담·경박〕 대머리. **~mond·gesicht** *n.* 〔경박·농담〕 ① 둥글고 상냥해 보이는 얼굴. ② 둥근 얼굴을 가진 사람. **~mundig** *a.* 〔전문어〕 (포도주가) 맛이 강한. **~name** *m.* 성명, 풀네임. **~narkose** *f.* 〖醫〗 전신 마취. **~|packen** *t.* ① 꽉〔가득〕 채우다. ② (짐 따위를) 가득 싣다. **~pappe** *f.* 〖제지〗 (속이 비지 않은) 두꺼운 마분지(↔ Well~). **~pension** *f.* 하루 세끼 식사를 주는 하숙. **~|pfropfen** 〔구어〕 《I》 *t.* 꽉 채우다. 《II》 *refl.* sich ~ 과식하다. 《III》 **vollgepfropft** *p.a.* ↑ vollgepfropft. **~|pumpen** 《I》 *t.* (펌프로) 가득 채우다, 가득 뿜어 넣다: einen Reifen ~ 타이어에 공기를 가득 채우다; 〔구어〕 sich³ die Lungen mit Luft ~ 숨을 깊이 들이쉬다. 《II》 *refl.* sich ~ ① 지나치게 많이 수용하다〔받아들이다〕: 〔구어〕 sich mit Wissen ~ 지나치게 많은 지식을 받아들이다. ② 만취하다.

Voll≈rausch *m.* ① (음주에 의한) 만취, 대취: er hat die Tat im ~ begangen 그는 만취 상태에서 범행을 저질렀다. ② 〖法〗 환각〔도취〕 상태에서의 범죄. **~reif** *a.* 잘 익은, 숙성한. **~reife** *f.* ① 난숙, 성숙, 완숙. ② 〖農〗 곡물의 무르익음. **~saftig** *a.* 액즙이 많은; 〖醫〗 다혈(多血)의. **~saftigkeit** *f.* 다즙, 다혈. **~|saufen** *refl.* 〔경박·폄어〕 sich ~ 진탕 취하다. **~|scheißen** 〔비속〕 《I》 *t.* (완전히) 똥칠하다, 더럽히다: 〔비유〕 sich³ die Hosen ~ 무서워 바지에 똥싸다. 《II》 *refl.* sich ~ 바지에 똥을 싸다. **~|schenken** *t.* 가득 차도록 붓다. **~schiff** *n.* 〖海〗 완전 범선, 여러 돛을 갖춘 범선. **~|schlagen*** 《I》 *t.* 〔구어〕 잔뜩 먹다: sich³ den Bauch mit et.³ ~ 〔sich mit et.³ ~〕 무엇을 지나치게 많이 먹다. 《II》 *i.* (s.) 〖海〗 (배에) 갑자기 물이 차다. **~|schmieren** *t.* 〔구어〕 ① 〔폄어〕 마구 써 갈기다; 잔뜩 그려 넣다. ② (완전히) 더럽히다. **~|schreiben** *t.* 잔뜩 써놓다, 글씨로 가득 채우다. **~sein** *n.* 가득 차 있음, 충만. **~sinn** *m.* 완전한 의미: im ~ des Wortes 그 말의 온전한 의미에서. **~sitzung** *f.* 대회, 총회. **~|spritzen** *t.* 〔구어〕 액체를 뿌려 완전히 적시다. **~spur** *f.* 〖철도〗 광궤(廣軌); 표준 궤도. **~spurig** *a.* 〖철도〗 광궤의, 표준 궤도의.

***vollständig** [fɔ́lʃtɛndɪç] *a.* 완전한, 결함 없는, 온전한, 전부의; 완비된: ~e Finsternis 암흑, 〖天〗 개기식(蝕); eine ~e Niederlage 완전한 패배; um das Unglück ~ zu machen 설상가상으로; ~ besetzt sein 만원이다.

Vollständigkeit *f.* 완전, 완벽, 완비: ich frage nur der~ halber 완벽을 기하기 위해 묻는 것입니다만.

voll≈stimmig *a.* 〖음악〗 완전한 화성(和聲)의, 선율적인. **~stock** *adv.* 〖海〗 ↑ ~mast. **~|stopfen** 〔구어〕 《I》 *t.* 가득 채우다. 《II》 *refl.* sich ~ 잔뜩 먹다.

vollstreckbar *a.* 〖法〗 집행할 수 있는.

Vollstreckbarkeit *f.* 〖法〗 집행력.

***vollstrecken** [fɔlʃtrɛ́kən] 《I》 *t.* ① (판결 따위를) 집행하다: ein Todesurteil an jm. ~ 누구에 대한 사형 선고를 집행하다. ② 〖스포츠〗 골인시키다, 골을 성공시키다: Elfmeterball ~ 페널티 킥을 성공시키다. 《II》 *refl.* 〔雅語·드물게〕 sich ~ 집행〔실행〕되다. 《III》 *i.* (h.) 〖스포츠〗 골인되다.

Vollstrecker *m.* -s, - ① 집행자. ② 〖스포츠〗 골잡이, 골게터.

Vollstreckung *f.* -en 집행.

Vollstreckungs≈beamte* *der* 집행관(리). **~befehl** *m.* 〖法〗 집행 명령, 잠정 집행 경고.

voll|tanken 《I》 *t./i.* (h.) 연료 탱크를 가득 채우다. 《II》 *refl.* sich ~ 〔경박·농담〕 술을 잔뜩 마시다, 만취하다.

voll≈tönend, ~tönig *a.* 잘 울리는, 낭랑한, 고음(高音)의. **~treffer** *m.* ① **(a)** 완전 명중탄. **(b)** 〖스포츠〗 골인, 득점. ② 〔비유〕 대성공작, 히트(작); 적중. **~trunken** *a.* 만취한. **~trunkenheit** *f.* 만취 상태: wegen ~ am Steuer bestraft werden 만취 운전으로 처벌받다. **~verb** *n.* 〖문법〗 (조동사가 아닌) 본동사. **~verpflegung** *f.* 세끼 식사 제공. **~versammlung** *f.* 대회, 총회. **~waise** *f.* (양친이 모두 없는) 고아. **~wangig** *a.* ↑ ~bäckig. **~wasch·mittel** *n.* ① (모든 온도에서 쓸 수 있는) 강력 세제. ② 〔전문어〕 (세탁물을 빨고, 부드럽게 하고, 표백하는) 완전 세제. **~|werden*** *i.* (s.) 가득 차다. **~wertig** *a.* ① 완전한 가치가 있는, 표준 가격의; 모든 필요한 자격을 소유한. ② 건강에 유익한: eine ~e Nahrung 건강에 유익한 음식. **~wertigkeit** *f.* ↑ ~wertig 의 명사형. **~wert·kost** *f.* 건강에 유익한 음식. **~wichtig** *a.* 〖화폐〗 규정 중량을 지닌, 규정된 중량의. **~wichtigkeit** *f.* 규정 중량. **~wort** *n.* 〔복수: -e〕 ① 완전한 동의〔승낙〕. ② (Autorität) 권위, 위신. **~wüchsig** *a.* 충분히 발육〔성장〕한; 훌륭히 성숙한. **~zählig** *a.* 전부 갖추어진, 결원(缺員)이 없는: sind wir ~? 전원이 다 모였는가? **~zähligkeit** *f.* 모두 갖추어짐. **~|zeichnen** *t.* (종이 따위에) 그림으로 가득 채우다, 가득 그리다.

Vollzeit·schule *f.* 전일제(全日制) 학교.

vollziehbar *a.* 실행〔집행〕할 수 있는.

Vollziehbarkeit *f.* 실행 가능(성), 실행 능력.

vollziehen [fɔltsíːən] 《I》 *t.* ① (ausführen) 실행하다, 수행하다; 집행하다; 성취〔완성〕하

다; 〖政·法〗 ~de Gewalt a) 집행권, b) 집행기관. ② (bestätigen) 승인〔시인〕하다, 비준하다: einen Vertrag ~ 조약을 비준하다. 《Ⅱ》 *refl.* sich ~ 일어나다, 생기다; 완성〔성취〕되다, 실현되다: diese Veränderung vollzog sich unerwartet rasch 이번 변화는 예기치 않게 급속도로 일어났다.

Vollzieher *m.* -s, - 집행자; 집행관(Gerichts~); 유언 집행자(Testaments~).

Vollziehung *f.* -en 집행, 실행, 실시.

Vollziehungs=beamte* *der* 집달관. **~befehl** *m.* 집행 명령. **~gewalt** *f.* 〖政〗 집행권, 행정권.

Vollzug [fɔltsú:k] *m.* -(e)s [..gəs, ..ks] ① 실행, 수행; 완성, 성취. ② 형 집행(Strafvollzug).

Vollzugs=anstalt *f.* 〖官〗 교도소. **~beamte*** *der* 교도소의 관리, 교도관. **~gewalt** *f.* 〖政〗 집행권, 행정권.

Volontär [volɔnté:r, ..lõt..] 《frz.》 *m.* -s, -e 수습생, 실습생; 수습 기자.

Volontariat *n.* -(e)s, -e ① (신문사의) 수습〔실습〕 기간. ② 수습〔실습〕 자리.

Volontärin *f.* -nen 여자 수습생〔실습생〕.

volontieren [volɔntí:rən] *i.* (h.) (무급으로) 수습하다, 수습생으로 일하다.

Volt [vɔlt] *n.* -/-(e)s, - 〖전기·物〗 볼트(전압의 단위; 약어: V).

Volta·element [vɔ́lta..] *n.* 〖전기화학〗 볼타 전지.

Voltaire [vɔlté:r] *m.* F.M. Arouet de ~ 볼테르(프랑스의 철학자, 1694-1778).

voltairesch [..rʃ], **voltairisch** [..té:rɪʃ] *a.* 볼테르풍(風)의.

voltaisch [vɔ́lta|ɪʃ] 《< Volt》 *a.* 볼타식(式)의; 유전기(流電氣)의, 동(動)전기의.

Volta·meter *n.* 〖전기·物〗 전량계, 볼트 미터.

Volt·ampere [vɔlt|ampé:r, ..pé:r] *n.* 〖전기·物〗 볼트 암페어(약어: VA).

Volte [vɔ́ltə] 《frz.》 *f.* -n ① 〖승마〗 말을 타고 좁은 원을 돌기. ② 〖펜싱〗 상대방의 공격을 피하기 위한 민첩한 동작(Seitenhieb). ③ 카드를 섞을 때 어느 패가 원하는 자리에 오게 하는 수법: die〔eine〕 ~ schlagen 노련한 술수를 쓰다.

voltieren *i.* (h.) ↑ voltigieren.

Voltige [voltí:ʒə] 《frz.》 *f.* -n 곡예 마술(馬術).

Voltigeur [..ʒǿ:r] 《frz.》 *m.* -s, -e ① 〖軍·고어〗 경보병. ② 곡마사.

voltigieren [..ʒí:..] 《frz.》 *i.* (h.) ① 〖승마〗 말을 타고 좁은 원을 돌다. ② 〖펜싱〗 몸을 회전시켜 옆으로 피하다. ③ (여러 가지 기구로) 곡예를 하다; 마상 곡예를 하다.

Volt=meter [(또는) vɔltmé:..] *n./m.* 〖전기·物〗 (Spannungsmesser) 전압계, 볼트계. **~sekunde** *f.* 〖物〗 볼트초(秒) (자속(磁束)의 실용 단위; 약어: Vs).

volubel [volú:bəl] 《lat.》 *a.* 〔구식〕 ① 경쾌한, 민첩한; 날랜. ② 유창한, 말 잘하는.

Volubilität [volubilité:t] *f.* 〔구식〕 ① 민첩, 경쾌. ② 능변, 능숙.

Volum [volú:m] 《lat.》 *n.* -s, -e ↑ Volumen.

***Volumen** [..mɛn, ..mən] *n.* -s, -/..mina ① 〖物·數〗 용적, 부피(약어: V). ② 〔복수: ..mina〕 〖출판〗 권, 책(册) (약어: vol., Vol.). ③ 총량, 양: Handels~ 무역량, 교역량. ④ 〖음악〗 음량, 볼륨. ⑤ 〖醫〗 (신체의 어떤) 공동(空洞)내의 공기〔혈액〕의 총량.

Volume Label 〖컴〗 전산 입력 자료 라벨(Datenträgername).

Volumen·modell *n.* 〖컴〗 입체 모델.

Volumeno·meter [volumenomé:tər] *n.* 〖物〗 용적계(計) (Raummesser).

Volumetrie [volumetrí:] *f.* 〖化〗 용량 분석(법); 체적 측정(법).

Volum·gewicht *n.* 〖物〗 비중.

voluminös [voluminǿ:s] 《frz.》 *a.* 〔교양〕 ① 볼륨 있는, 용적이 큰, 부푼. ② 권수〔책수〕가 많은, 책이 두꺼운.

Volum·prozent 《lat.》 *n.* 용적 백분율(약어: Vol.-%).

Voluntarismus [voluntarísmus] 《lat.》 *m.* - 〖哲·心〗 의지주의, 주의(主意)주의.

Voluntarist *m.* -en, -en 주의론자, 주의설 추종자.

voluntaristisch *a.* ① 의지주의의, 주의설적인. ② 〔교양·폄어〕 자신의 의지만 내세우는, 현실성을 무시한.

voluptuös [voluptuǿ:s] 《lat.》 *a.* 〔교양〕 (wollüstig) 육체적 쾌락을 즐기는, 육욕적인, 음탕한.

Völuspa [vø..] *f.* 〖문학〗 에다(Edda)의 서시(序詩) 및 그 문학적·종교적 주요 작품.

Volute [volú:tə] 《lat.》 *f.* -n 〖건축〗 와형(渦形), (이오니아·코린트식 주두(柱頭) 장식의) 소용돌이 무늬.

Volvulus [vɔ́lvulus] *m.* -, ..li 〖병리〗 장이 꼬임(Darmverschlingung).

***vom** [fɔm] =von dem …로부터, …의.

Vom·blatt·spielen *n.* 〖음악〗 초견(初見), 즉창(卽唱) (어떤 악곡을 처음 보고 연주함).

Vom·hundert·satz *m.* 백분율(Prozentsatz).

vomieren [vomí:rən] 《lat.》 *i.* (h.) 〖醫〗 구토하다.

Vomitiv [vomití:f] *n.* -s, -e [..və] 〖藥〗 구토제(Brechmittel).

Vomitivum [vomití:vum] *n.* -s, ..va ↑ Vomitiv.

Vomitorium [vom..] *n.* -s, ..rien [..riən] ↑ Vomitiv.

Vom·tausend·satz *m.* 천분율(千分率) (Promillesatz).

***von** [fɔn] 《Ⅰ》 *prp.*³ ① 〔장소의 출발점〕 (↔ zu) …에서, …으로부터: ~ vorn〔hinten〕 앞〔뒤〕에서부터; ~ Haus zu Haus 이 집 저 집으로; der Zug kommt ~ Berlin 그 기차는 베를린발이다; der Apfel ist vom Baum gefallen 사과가 나무에서 떨어졌다; nimm das vom Tisch (weg)! 그것을 책상에서 치워라!; die Musik kam ~ draußen 밖에서 음악 소리가 들려왔다; ~ diesem Fenster aus kann man die ganze Kreuzung überblicken 이 창문에서 교차로 전체를 조망할 수 있다; ~ oben nach unten 위에서 아래로; et. ~ vorn(e) ansehen 무엇을 앞에서 보다; ~ nah und fern 원근에서; ~ weitem 멀리서; ~ sich³ werfen 던져주다, 던져 버리다; 〔구어〕 ~ mir aus 내 입장에서 보면; ~ Haus aus 원래, 천성적으로; der Schweiß lief ihm vom Gesicht 그의 얼굴

에서 땀이 흘렀다; 〔비유〕 ich muß mir erst meine Gegner vom Hals schaffen 나는 우선 적을 제거해야 한다; ich bin dir ～ ganzem Herzen zugetan 나는 진심으로 너를 좋아한다; das ist ～ Grund aus falsch 그것은 근본적으로 잘못되어 있다. ②〔원인·수단〕 …때문에, …으로 말미암아, …에 의하여: das kommt vom Sitzen her 그것은 계속해서 앉아 있는 탓이다; er ist müde vom vielen Laufen 그는 많이 달려서 지쳐 있다; diese Menschen leben ～ Kartoffeln 〔vom Betteln〕 이 사람들은 감자로〔걸식으로〕 연명하고 있다; das ist ～ Hand gefertigt 그것은 수공품이다; die Hand ist ～ Frost erstarrt 추위 때문에 손이 곱았다; er starb da～ 그는 그것으로 인해 죽었다; naß vom Tau 이슬에 촉촉이 젖어서. ③〔수동문 등에서 행위의 주체〕 …에 의해서, …로부터: ～ ihm sind diese Werke 이 작품들은 그의 것이다; das hat sie ganz ～ sich aus getan 그녀는 완전히 자기 힘으로 그 일을 해냈다; ～ seiten der Gegenpartei erhob sich kein Widerspruch 반대당 쪽에서는 아무런 이의도 제기되지 않았다; ～ selbst〔《구어》 ～ selber, ～ allein〕 스스로, 저절로, 남의 도움 없이; die Tür schließt ～ selbst 문이 저절로 닫힌다; es ist ～ ihm behauptet worden 그것은 그에 의해서 주장되었다; der Schüler wird vom Lehrer gelobt 학생이 선생에게서 칭찬받는다. ④〔어떤 사상·판단·인식의 출발점 및 그 제재(題材); "…에 대해〔관해〕"는 의미상으로 über 와 비슷함〕 …에 대하여, …에 관하여: er denkt schlecht ～ mir 그는 나를 나쁘게 생각하고 있다; er erzählt oft ～ seinen Reisen 그는 자주 자신의 여행 이야기를 한다; dies Buch handelt ～ dem Siebenjährigen Krieg 이 책은 7년 전쟁을 다루고 있다; er weiß ～ der Sache nichts 그는 그 일에 관해서 아무것도 모른다; ich will ～ dir nichts (mehr) wissen 나는 더 이상 네 일에 관여하고 싶지 않다; die Lehre ～ der Dreieinigkeit 삼위 일체론(論). ⑤〔출신·기원〕 …에서, …로부터: er ist〔stammt〕 ～ München 그는 뮌헨 출신이다; 《구어》 ～ wo bist〔kommst〕 du? 너는 고향이 어디니?; ich weiß es ～ guter Hand 나는 그것을 확실한 소식통에게서 들어 알고 있다; sagen Sie ihm Lebewohl ～ mir! 그에게 내 작별 인사를 전해 주십시오!; was wünschen Sie ～ mir? 제게 무슨 볼일이 있으십니까?; das ist sehr freundlich ～ Ihnen (당신이 그렇게 해주시니) 대단히 고맙습니다; drei Kinder ～ seiner ersten Frau 그의 전처(소생)의 세 아이; ich höre ～ ihr, daß Karl krank ist 나는 그녀에게서 카를이 앓고 있다고 들었다. ⑥〔시간적〕 …에서, …부터: ～ Anbeginn der Welt 개벽 이래로; das war doch ～ vornherein klar 그것은 애초부터 자명했다; 《구어》 ich bin doch nicht ～ gestern! 나는 어제의 내가 아니다!; ～ diesem Tag(e) an 이날부터; 《구어》 ～ Montag ab 월요일부터; ～ jetzt〔nun〕 an 지금부터; er ist ～ klein **auf** damit vertraut 그는 어렸을 때부터 그 일에 정통하다; ～ morgens **bis** mitternachts 아침부터 밤중까지; das ist ～ alters **her** so 그것은 옛날부터 그렇다; ～ Zeit **zu** Zeit 때때로. ⑦〔재료·내용〕〔구식〕 …로부터(의), …로 된, …의: der Tisch ist ～ Holz 그 탁자는 목제(木製)다; eine Kette ～ Gold 금팔찌〔목걸이〕; eine Gruppe ～ Künstlern 한 무리의 예술가들; das Denkmal ～ Erz 청동제(青銅製) 기념비. ⑧〔수량〕 …의: eine Stadt ～ 20000 Einwohnern 인구 2만의 도시; ein Betrag ～ 100 Mark 백 마르크의 금액; ein Buch ～ 500 Seiten 500쪽짜리 책; ein Mann ～ 50 (Jahren) 50세 남자; ein Baum ～ drei Fuß im Durchmesser 직경 3피트의 나무. ⑨〔성질·가치〕 …의, …을 지닌: ein Mann ～ Ehre〔Geschmack〕 존경받는〔멋있는〕 남자; ein Mann ～ Fach 전문가; eine Schriftstellerin ～ internationalem Rang 세계적인 수준의 여류 작가; das ist ～ großer Wichtigkeit 그것은 매우 중요〔중대〕한 일이다; das ist für uns ～ großem Nutzen 그것은 우리에게 아주 유용하다. ⑩〔한정〕 …에 관하여 말하면, …의 관점에서는: sie ist klein ～ Gestalt〔Statur〕 그 여자는 몸집이〔키가〕 작다; er ist Lehrer ～ Beruf 그의 직업은 교사다; er ist ～ Geburt ein Engländer 그는 영국 태생이다; sie ist ～ Natur aus ruhig 그 여자는 성격이 원래 차분하다; sie ist bleich ～ Gesicht 그 여자는 안색이 창백하다; ich kenne ihn ～ Person 나는 그를 개인적으로 알고 있다; ～ Rechts wegen mußte er bestraft werden 그는 법률상 벌을 받지 않으면 안 되었다. ⑪〔가끔 von 앞의 명사가 von 뒤의 명사의 형용사 역할을 함〕 ein Engel ～ einem Mädchen 천사 같은 소녀; 《구어》 eine Seele ～ Mensch〔einem Menschen〕 이해심 많은〔자애로운〕 인간; das ist eine Pracht ～ einem Becher 그것은 훌륭한 잔이다; ein Teufel ～ einem Weib 악마 같은 여자. ⑫〔분리〕 …에서, …으로부터: die Blätter fallen vom Baum ab 잎이 나무에서 떨어진다; er hat mich ～ Kummer befreit 그는 나를 슬픔에서 건져 주었다; sich ～ et.³ entfernen 무엇에서 멀어지다; er wälzt die Schuld ～ sich 그는 죄를 발뺌한다; sie ist fünf Jahre ～ Hause weg 그 여자는 집 나간 지 5년이 된다; sie hat das Essen wieder ～ sich gegeben 그녀는 먹은 것을 다시 토해냈다; bist du denn ～ Sinnen? 너 정신 나갔니? ⑬〔분할적 의미를 나타내며 부분적 2격의 대용〕 …의, …중의: eine Art ～ Kalk 일종의 석회; keiner ～ uns 우리 중 아무도 …않다; viele ～ meinen Freunden 내 친구들 중 여럿; der Gelehrteste ～ allen 모든 사람 중 가장 박식한 사람; 〔수사·대명사 따위를 쓰지 않고 von 만으로 etwas von 을 나타냄〕 hol' vom besten Wein! 가장 좋은 포도주를 가져오너라! ⑭〔흔히 2격의 대용이 됨〕 (**a**) 〔2격이 되어야 할 지명이 s, z로 끝나는 경우〕 die Bevölkerung ～ Paris 파리의 시민; in der Umgebung von Mainz 마인츠 부근에서. (**b**) 〔불가산 명사·복수 명사 앞에서〕 ein Geräusch ～ Wasser 물이 찰찰 흐르는 소리; der Import ～ Wein 포도주의 수입; der Abschluß ～ Verträgen 계약들의 체결. (**c**) 〔작자임을 특히 명시하는 경우〕 der „Faust" ～ Goethe 괴테의 "파우스트"; eine Oper ～ Mozart 모차르트의 오페라; ein Bildnis ～ Raphael 라파엘이 그린 초상화(ein Bildnis Raphaels 라파엘을 그린 초상화); ein Buch ～ meinem Freund 내 친구가 쓴 책(ein Buch meines Freundes 내 친구

가 소유하고 있는 책). (**d**) 〖수사·부사 앞에서〗 die Aussage ~ zwei Zeugen 두 사람의 증인의 진술; die Gefangennahme ~ 83000 Mann 8 만 3 천명의 체포; die Zeitung ~ gestern 어제의 신문. (**e**) 〖2 격의 중복을 피하기 위하여〗 der Genuß der Frucht vom Baum der Erkenntnis der Guten und Bösen 선악과 먹기. (**f**) 〖부가적 2 격이 수식하는 명사에서 분리되는 경우〗 ~ seinen Freunden hielten ihn einige für schuldig, andere für unschuldig 그의 친구들 중 몇 사람은 그를 유죄로, 다른 사람들은 무죄로 간주했다. (**g**) 〖일반적으로 구어로는 2 격의 꼴보다 von 을 사용하는 경향이 있음〗 der Vater ~ diesem Kind 이 아이의 아버지(〖문어(文語)〗 der Vater dieses Kindes). (**h**) 〖관용적〗 der leibliche Bruder ~ ihm 그의 친형〔아우〕; das ist eine Ausnahme ~ der Regel 그것은 예외다. ⑮ 〖칭호·귀족 이름 앞에〗 König ~ Preußen 프로이센왕; der Herzog ~ Wellington 웰링턴 공작; Friedrich ~ Schiller 프리드리히 폰 쉴러; er ist ein Herr „~"〔er schreibt sich „~"〕 a) 그는 귀족이다, b) 그의 성에는 "폰"이 붙는다. ⑯ 〔was 와 결합하여〕〖구어〗: ~ was handelt der Film? 그 영화는 무엇을 다루고 있는가? 《Ⅱ》 *adv.* 〖구어〗 (nordd.) 〖davon, wovon 따위의 분리된 부분으로〗: wo habt ihr eben ~ geredet? 너희들 지금 무슨 얘기를 하고 있었니?

***von·einander** [fɔn|aɪnándər] 《<einer vom anderen》 *adv.* 서로에게서, 서로서로; 서로 갈라져, 분리되어, 따로따로: sie hatten nichts ~ 그들은 서로 상대편에게서 아무것도 얻는 바가 없었다; wir schieden ~ 우리는 서로 헤어졌다; die Häuser stehen weit ~ 집들이 서로 멀리 떨어져 있다.

voneinander|gehen* *i.* (s.) 서로 갈라지다〔이별하다〕.

vonnöten [fɔnnǿːtən] *a.* 〖부가어로 쓰이지 않음〗 필요한(nötig): ~ sein 필요하다; et.〔eines Dinges〕 ~ haben 무엇을 필요로 하다.

von seiten 〔2 격과 함께〕…의 측에서, …에 의하여: ~ des Angeklagten 피고측에서.

von·statten [fɔnʃtátən] *adv.* 〖다음 용법으로〗 ~ gehen (일이) 진행〔진척〕되다, 잘 되어가다; wann soll das Fest ~ gehen? 축제가 언제 열린다고 하든?

von·wannen *adv.* 〖고어〗 어디로부터.

Vopo^1 [fóːpo] *m.* -s, -s 〖구동독〗 인민 경찰관 (↑ Volkspolizist 의 약칭).

Vopo^2 *f.* 〖구동독〗 인민 경찰(↑ Volkspolizei 의 약칭).

***vor** [foːr] 〔3 격(위치를 나타낼 때) 및 4 격(운동의 방향을 나타낼 때)을 지배하는 전치사〕 《Ⅰ》 *prp.*^{3} ① 〖장소〗 (↔hinter) …앞에, 앞에서: ich warte ~ dem Kino auf dich 나는 영화관 앞에서 너를 기다린다; der Verbrecher erschien ~ dem Richter 범인이 재판관 앞에 나타났다; 〔비유〕 ~ der Tür sein 임박해 있다; ~ jm. hergehen 누구를 (일정한 거리를 두고) 앞서 가다; 〔비유〕 ~ Augen haben 유의하다, 의도하다; 〔비유〕 den Hut ~ jm. abnehmen 누구에게 인사하다; ~ Gericht 〔dem Richter〕 stehen 법정에 서다, 고소당했다; (nordd.) außen ~ 고려되지 않는, 무시당한; er redete ~ einer großen Versammlung 그는 많은 청중 앞에서 연설하였다; 〖비유〗 ~ der Hand 우선, 당분간; er steht ~ dem Bank(e)rott 그는 파산 직전이다; hast du denn ein Brett vorm Kopf? 너 돌대가리냐? ② 〖시간〗 (**a**) (↔nach) 보다 앞서, …의 전에: ~ Sonnenaufgang 해돋기 전에; kurz ~ Weihnachten 크리스마스 직전에; zehn (Minuten) ~ vier 4 시 10 분 전(에); ~ alters 옛날에; ~ Christi Geburt 기원전(약어: v.Chr.G.); ~ der Zeit bezahlen 선불(先拂)하다; sie wird ~ fünf Uhr nicht zurück sein 그녀는 다섯 시 전에 돌아오지 않을 것이다; kurz ~ der Prüfung wurde er krank 그는 시험 직전에 병이 났다; ich komme ~ Ihnen 제가 먼저입니다(순서를 기다릴 때); 〖속담〗 Hochmut kommt ~ dem Fall 교만한 자는 오래 가지 못한다; et. ~ sich^3 haben 무엇을 아직 (처리)해야 하다; die schlimmste Arbeit haben wir noch ~ uns 우리는 가장 힘든 일을 앞두고 있다; 〖구어〗 das war noch ~ dem Krieg 그것은 아직 전쟁 전의 일이었다. (**b**) … 만큼 전에: ~ kurzem 조금 전에, 요즈음; heute ~ einem Jahr 1 년 전 오늘; er ist ~ zwei Tagen gestorben 그는 이틀 전에 죽었다. ③ 〖순서·서열〗 …보다 앞에, …에 앞서서, 보다 우월하여: ~ allem 〔allen Dingen〕 우선, 무엇보다도, 특히; sie war ~ allen die Schönste 그 여자는 누구보다도 가장 아름다웠다; er hat vieles ~ seinem Bruder voraus 그는 형〔아우〕보다 훨씬 뛰어나다; Gewalt geht ~ Recht 법보다 주먹이 앞선다; ~ jm. durchs Ziel gehen 누구보다 먼저 목표를 달성하다. ④ 〖경계·공포·혐오·존경 따위와 같은 감정의 대상을 나타내어〗 …에 대해서(의): Achtung〔Abneigung〕 ~ jm. haben 누구를 존경〔혐오〕하다; das Kind fürchtet sich ~ dem Hund 아이는 개를 무서워한다; sein Herz ~ jm.〔et.^{3}〕 verschließen 누구에 대하여 마음을 터놓지 않다〔무엇을 냉정히 거절하다〕; ~ et.^{3} davonlaufen 무엇에서 도망치다; sich ~ et.^{3} schützen 무엇으로부터 자신을 보호하다; er flieht ~ dem Feind 그는 적이 무서워 도망친다; ~ dem Gesetz sind alle gleich 법 앞에서는 모두가 평등하다; große Angst ~ jm. haben 누구를 몹시 무서워하다; nimm dich ~ ihm in acht! 그를 조심하라!; warme Kleider schützen ~ Kälte 따뜻한 옷은 추위를 막아준다. ⑤ 〖대개 무관사의 명사와 함께 원인·이유를 나타냄〗 …때문에, …으로 인해: ~ Hunger sterben 굶어 죽다; er konnte ~ Schmerz nicht schlafen 그는 아픈 나머지 잠을 못 이루었다; er zittert ~ Kälte 그는 추위에 떨고 있다; sie strahlten ~ Glück 〔Freude〕 그들은 행복해서〔기뻐서〕 얼굴이 환해졌다; 〖속담〗 er sieht den Wald ~ Bäumen nicht 그는 나무는 보되, 숲을 보지 못한다; er ist rot ~ Zorn 그는 노해서 얼굴이 새빨갛다. ⑥ 〔was 와 결합하여〕〖구어〗: ~ was hast du eigentlich Angst? 도대체 너는 무엇을 두려워하는 거냐? 《Ⅱ》 *prp.*^{4} ① 〖운동의 방향〗 (↔hinter) …의 앞으로: ~ das Tor gehen 문 앞으로 가다; stell die Koffer schon mal ~ die Garage! 트렁크들을 차고 앞에 갖다 놓아라!; der Schreibtisch soll ~ das große Fenster 책상은 큰 창 앞에 놓아 주세요; jn. ~ die Tür setzen 누구를 쫓아내다; mit et.³ ~ Gericht gehen〔et. ~ Gericht bringen〕 무엇 때문에 재판을 걸다, 무엇을 재판에 회부하다; komm mir nicht wieder vors Gesicht 〔~ die Augen〕! 두 번 다시 내 앞에 나타나지 마라! ; die Sache kommt ~ Gericht 그 사건은 법정에 회부된다; ~ sich hin schimpfen 〔sprechen〕 혼자서 계속 욕을 해대다〔중얼거리다〕; das Schiff geht ~ Anker 배가 정박한다; einen Schlag ~ den Kopf bekommen 이마를 한방 얻어맞다; 〖비유〗 sich ~ jn. stellen 누구를 보호하다; 〖비유〗 ~ sich gehen 발생하다, 생기다; et. ~ sich bringen 무슨 일을 진척시키다, 성취하다. ②〖고어〗〖=für; 특히 반복을 나타내어〗 Schritt ~ Schritt 한 걸음 한 걸음; Gnade ~ Recht ergehen lassen 관대하게 처리하다. 《Ⅲ》 *adv.* ①〖고어〗(이) 전에, 예전에: nach wie ~ 〔~ wie nach〕 여전히, 변함없이; lerne ~ selbst, ehe du andere lehrest! 다른 사람을 가르치기 전에 자신부터 배워라! ② 앞으로: Freiwillige ~! 지원자 앞으로! ③ (nordd.) 〖davor, wovor 의 분리된 부분으로서〗: da habe ich mich immer ~ gefürchtet 나는 언제나 그것을 두려워했다.

vor.. *pref.* 분리 동사의 전철로서 항상 악센트가 있고, "앞에·앞으로·미리·면전에서·우선·예비로·예방으로·우선하여·본보기로·우세" 따위를 뜻함.

vor·ab [fo:r|áp] *adv.* 우선, 먼저, 미리: die Presse wurde ~ informiert 언론에 미리 알려졌다.

Vor·ab·druck [fó:r|apdrʊk] *m.* ① (책이 발표되기 전 신문이나 잡지 따위에의) 부분적 발표. ② 미리 발표된 부분.

Vorabend [fó:r|a:bənt] *m.* -(e)s, -e 전야(前夜), (축일 따위의) 전날; 〖비유〗(중대 사건 따위가 일어나기) 직전: am ~ des Festes 〔der Prüfung〕 축제〔시험〕 전날 밤에; am ~ der Revolution 혁명 전야에.

Vorab·entscheidung *f.* 중간 판결(Zwischenurteil): 〖法〗 ~ über den Grund des Antrags 신청 근거에 대한 중간 판결.

voradamisch, voradamitisch *a.* 아담 이전의.

Vorahn *m.* -(e)s, -en ↑ Vorfahr.

vorahnen *t.* 예감하다.

Vorahnung *f.* -en 예감, 전조(前兆), 조짐: ich hatte eine böse ~ 나는 예감이 좋지 않았다.

Vor·alarm [fó:r|alarm] *m.* ① 경계 경보. ② 경계 경보가 발효되는 시간.

vor alters 옛날에 (in alter Zeit).

***vor·an** [foràn] *adv.* ① 앞서, 선두에 서서, 맨 먼저; 특히: der Lehrer ~, die Kinder hinterdrein 선생님이 앞서고, 아이들이 뒤이어; jm. ~ jagen 누구에 앞서서 돌진하다. ②〖구어〗 앞으로: immer langsam ~! 늘 천천히 나아가거라!

voran⸗eilen *i.* (s.) 앞서서 서둘러 가다, 앞에서 달리다. **~|gehen*** *i.* (s.) ① 앞서가다, 앞장서서 가다: 〖비유〗 jm. mit gutem Beispiel ~ 누구에게 솔선수범하다. ② 앞서 일어나다, 선행하다: vorangegangene Ereignisse 선행 사건들; im vorangehenden Kapitel 앞 장(章)에서. ③ 진척되다, 진전되다: die Arbeit geht gut voran 일이 순조롭게 진행된다. **~|kommen*** *i.* (s.) ① 앞서 나가다, 전진하다. ② 진보하다, 발전하다: mit einer Arbeit nicht ~ 일에 진전이 없다. **~kündigung** *f.* 사전 통보; 예고. **~|laufen*** *i.* (s.) 앞서서〔선두에서〕 달리다. **~|leuchten** *i.* (h.) 앞서서 불을 밝혀주다, 길을 밝히다. **~|machen** *i.* (h.) 〖구어〗 서두르다. **~|melden** *t.* (장거리 통화 때 전화국에) 미리 신청하다, 예약하다: ein Ferngespräch ~ 장거리 전화를 신청하다. **~meldung** *f.* ① 사전 신청, 사전 접수: wieviel ~en hat der Kursus? 그 강좌는 미리 신청한 사람이 얼마나 되는가? ② (장거리 전화에서) 지명 통화 신청. **~|schicken** *t.* 미리 보내다.

Voranschlag [fó:r|anʃla:k] *m.* -(e)s, ..schläge [..ʃlɛ:gə] 〖經〗 ① 사전 계산, 견적; 예산. ② 비용 견적.

voran|schreiten* *i.* (s.) ① 앞서서 걷다, 선두에 서다. ② 진척되다, 잘 되어 나가다.

Voranstalt [fó:r|anʃtalt] *f.* -en ① 예비 학교. ②〖복수〗 준비, 예비.

voran⸗|stellen *t.* ① 선두〔앞〕에 놓다; 처음에 언급하다: einem Buch ein Vorwort ~ 책 앞에 머리말을 붙이다. ②〖문법〗 선행시키다: eine vorangestellte Präposition 앞에 놓인 전치사. **~|stürmen** *i.* (s.) 앞〔선두〕에 서서 돌진하다. **~|treiben** *t.* 촉진시키다, 가속화하다.

Voranzeige [fó:r|antsaɪgə] *f.* -n (영화나 연극의) 예고(편).

Vorarbeit [fó:r|arbaɪt] *f.* -en 사전 작업, 예비〔준비〕 작업: die ~en zur Doktorarbeit 박사 논문을 위한 준비 작업.

vor|arbeiten [fó:r|arbaɪtən] 《Ⅰ》 *i.* (h.) ① 앞서 일하다, 사전 작업을 하다: jm.〔et.³〕 ~ 누구〔무엇〕을 위해서 사전 작업을 하다; einer Verhandlungslösung ~ 협상 해결의 사전 작업을 하다; sie hat mir gut vorgearbeitet 그 여자는 나를 위해 사전 작업을 잘 해놓았다. ② (나중에 쉬려고) 미리 일하다(↔ nacharbeiten): wir arbeiten jetzt vor, um dafür in den Tagen zwischen Weihnachten und Neujahr frei zu haben 성탄절과 신년 사이의 기간 동안 쉬기 위해서 우리는 지금 미리 일을 한다. ③ 일하여 모범을 보이다. 《Ⅱ》 *t.* ① (나중에 쉴 수 있도록) 미리 일해 두다: einen bestimmten Tag ~ 특정한 날의 일을 미리 해두다. ② 모범을 보이다, 준비 작업을 하다: jm. et. ~ a) 누구에게 무엇을 만들어 보이다, b) 누구를 위해 무엇의 준비 작업을 하다. 《Ⅲ》 *refl.* sich ~ (노력하여) 승진하다; 힘들여 일을 진척시키다: sie konnten sich nur mühsam ~ 그들은 힘겹게 일을 진척시킬 수밖에 없었다.

Vorarbeiter *m.* -s, - 근무 조장, 작업 반장, 직공장(職工長).

vor·auf [foráuf] *adv.* ① 앞에, 전면에, 선두에. ②〖드물게〗 **(a)** 미리, 이전에, 전에. **(b)** 앞으로.

vorauf|gehen* *i.* (s.) ① 선두에 서서 가다, 앞서 가다. ②〖시간적〗 먼저 발생하다, 선행하다: dem Vorfall ging folgendes Ereignis vorauf 그 일에 앞서 다음 사건이 일어났다.

Voraus [fo:ráus] *m.* - 〖法〗 (배우자 상속의) 선취 유증(先取遺贈), 특정 유산.

vor·aus [foráus] *adv.* ① **(a)** 〖공간적〗 앞에 (나가서), 앞서서: jm. zwei Stunden ~ sein 누구보다 2시간 앞서 있다; seinem Alter ~

sein 나이에 비해 늙었다. (**b**)〘드물게〙 전방에, 앞에:〚海〛 Schiff backbord ~! 좌측 전방에 선박이 보인다! ②〘비유〙 (**a**) 뛰어나서, 탁월하여: et. vor jm. ~ haben 무엇에서 누구보다 뛰어나다; er war seinen Mitschülern immer weit ~ 그는 언제나 동급생들 보다 훨씬 탁월했다. (**b**) 특히: ihr alle, ~ du 너희들 모두, 특히 너. ③〘시간적〙 미리, 사전에, 선불로: im 〔zum〕 ~ 앞서, 미리; im ~ bestellt 예약한; im ~ bestens dankend 미리 감사 드립니다(편지의 끝에); im ~ bezahlen 선불하다. ④〚海〛 앞으로: mit Volldampf ~! 전속력으로 전진!

Voraus≈abteilung *f.* 〚軍〛 선발대, 전위 부대. **~|bedenken*** *t.* 미리 숙고하다. **~|bedingen**(*) *t.* 〘구식〙 전제 조건으로 삼다, 미리 조건을 달다: sich³ et. ~ 무엇을 전제 조건으로 삼다. **~bedingung** *f.* 전제 조건. **~berechenbar** *a.* 미리 계산할 수 있는, 견적을 뽑을 수 있는. **~|berechnen** *t.* 미리 계산하다, 견적을 내다. **~|bestellen** *t.* 예약(주문)하다. **~besteller** *m.* 예약자. **~bestellung** *f.* 예약(주문). **~|bestimmen** *t.* 미리 결정하다, 예정하다. **~bestimmung** *f.* 예정. **~|bezahlen** *t.* 선불하다. **~bezahlung** *f.* 선불, 선금. **~|datieren** *t.* (작성일보다) 훗날의 날짜로 기재하다(↔ zurückdatieren). **~|eilen** *i.* (s.) 미리 서두르다; 서둘러 앞서다. **~|empfangen*** *t.* 미리 받다. **~|empfinden*** *i.* (h.) 예감이 들다. **~exemplar** *n.* 〚출판〛 (출시 전의) 서평용 책, 견본용 책. **~|fahren*** *i.* (s.) (차·배로) 먼저 가다. **~|gehen*** *i.* (s.) ① 앞서 가다, 앞질러 가다. ②〘시간적〙 먼저 일어나다, 선행하다: dem Streit waren mehrere Mißverständnisse vorausgegangen 몇 번의 오해가 있고 나서 논쟁이 붙었다; im ~den 앞서 말한 곳에서. **~|haben*** *t.* 〘다음 용법으로〙 jm. 〔vor jm.〕 et. ~ 무엇에 있어서 누구보다 더 우월하다; das hast du ihm voraus 그 점에 있어 너는 그보다 더 뛰어나다. **~kasse** *f.* 〚商〛 선불, 선금. **~korrektur** *f.* 〚印〛 조판 직전의 교정. **~|laufen*** *i.* (s.) 앞장서서 달리다. **~nahme** *f.* ① 선취(先取). ②〚음악〛 선취음, 예기음(豫期音). **~|nehmen*** *t.* 선취하다: er hat in seinen Werken schon die künftige Entwicklung vorausgenommen 그는 작품 속에 이미 미래의 발전을 미리 그려 놓았다. **~|reisen** *i.* (s.) 앞서 여행하다, 여행에서 선발하다. **~|reiten*** *i.* (s.) 앞서서 말타고 가다.

voraus≈sagbar *a.* 예언〔예고〕할 수 있는. **~sage** *f.* 예언: die ~ ist eingetroffen 그 예언은 적중했다; eine ~ machen 예언하다. **~|sagen** *t.* 예언〔예고〕하다; 예보〔예측〕하다: das Wetter ~ 일기 예보하다. **~sagung** *f.* 예언, 예고. **~schau** *f.* 〘雅語〙 예견: in weiser ~ 선견지명으로. **~|schauen** 《Ⅰ》 *i.* (h.) 앞을 내다보다, 예견하다. 《Ⅱ》 *t.* 예측〔예상〕하다. **~schauend** *a.* 선견의. **~scheidung** *f.* 〚스포츠〛 (예선전에 앞서 치루는) 선발 경기. **~|schicken** *t.* ① 앞서〔미리〕 보내다, 앞서 가게 하다: die Leute mit den Picknickkörben wurden vorausgeschickt 소풍 바구니를 든 사람들을 먼저 출발시켰다. ② 앞서〔우선적으로〕 말하다: ich muß meinem Vortrag folgendes ~ 강연에 앞서 우선 다음 이야기부터 해야겠습니다. **~sehbar** *a.* 예견〔예측〕할 수 있는. **~|sehen*** *t.* 예견하다, 예지〔예측〕하다: weit ~ 훨씬 앞을 보다, 먼 앞일을 예견하다. **~|sein*** *i.* (s.) 앞서 있다, 우월하다. ***~|setzen** *t.* (annehmen) 가정하다, 전제하다; 추측〔상상〕하다: et. als gewiß〔bekannt〕 ~ 무엇을 확실한〔주지의〕 것으로 가정하다; es setzt eine böse Absicht voraus 그것은 악의가 있다는 증거다; diese Tat setzt großen Mut voraus 이 행위는 대단한 용기를 전제로 한다; vorausgesetzt, daß ... …라고 하고, …라고 가정한다면. ***~setzung** *f.* ① 가정, 가설; 추측: du bist von einer falschen ~ ausgegangen 너는 잘못된 가설에서 출발했다. ② 전제, 전제 조건: unter der ~, daß... …란 전제에서; leider erfüllen Sie nicht alle ~en 유감스럽게도 당신은 모든 전제 조건을 충족시키지는 못합니다.

voraus·setzungslos *a.* 무전제의, 무조건의.

Voraus≈sicht *f.* ① 선견(지명), 예견, 추측; 통찰: 〘구어·농담〙 in weiser ~ habe ich warme Sachen mitgenommen 내가 선견지명이 있어 따뜻한 것들을 가져왔지; aller ~ nach 〔nach menschlicher ~〕 십중팔구는, 아마도. ② 기대, 가망. ***~sichtlich** 《Ⅰ》 *a.* 예측〔기대〕할 수 있는, 가망 있는; 선견지명이 있는. 《Ⅱ》 *adv.* 예측컨대, 아마. **~truppen** *pl.* 〚軍〛 선발대, 전위 부대. **~|verkündigen** *t.* 예고〔예언〕하다.

Vor·auswahl *f.* (많은 것들 중에서) 일차 선발〔선택〕: er fiel schon bei der ~ durch 그는 일차 선발에서 이미 탈락했다.

Voraus≈wissen *n.* 예지(豫知). **~|wissen*** *t.* 미리 알다, 예지하다. **~|zahlen** *t.* 선불하다. **~zahlung** *f.* 선불, 선금.

Vorazität [voratsité:t] 《lat.》 *f.* 〚醫〛 대식(大食), 탐식(貪食).

vor|bahnen *t.* 미리 길을 닦다: jm. den Weg ~ 누구를 위하여 길을 개척하다.

Vorbau [fó:*r*bau] *m.* -(e)s, -ten ①〚건축〛 건물의 돌출부; 돌출 건축물; 현관. ②〘드물게〙 봉랍(蜂蠟)의 최상층. ③〘드물게·비유〙 예방 수단. ④〘경박〙 커다란 젖가슴. ⑤〚工〛 (교량 따위의) 디비다그 공법에 의한 공사. ⑥〚광산〛 전진식 채굴.

vor|bauen 《Ⅰ》 *t.* ① (건물에) 돌출되게 건축하다: einem Haus eine Veranda ~ 집에 베란다를 설치하다. ② 견본으로 짓다. 《Ⅱ》 *i.* (h.) 사전에 대비하다, 미리 준비하다; 예방하다: et.³ ~ 무엇을 예방하다; der kluge Mann baut vor 현자(賢者)는 만일에 대비한다.

Vorbauung *f.* -en ① 돌출되게 짓기. ② 견본으로 짓기. ③ 사전 대비; 예방.

Vorbedacht *m.* -(e)s 미리 숙고하기, 사전 고려: mit〔aus, in〕 ~ 미리 고려하여, 계획적으로, 고의로; ohne ~ 잘 생각해 보지 않고, 아무 생각없이.

vorbedacht 《Ⅰ》 *p.p.* ↑ vorbedenken. 《Ⅱ》 *p.a.* 미리 잘 생각한, 숙고한; 계획적인, 고의의: ein ~er Mord 계획 살인; ein ~es Verbrechen 계획적인 범죄; 〘속담〙 besser ~ als nachbedacht 신중이 상책이다.

vorbedächtig *a.* ① 미리 고려한, 신중한. ② 계획적인, 고의의.

vorbedenken* 《Ⅰ》 *t.* 미리 고려〔숙고〕하다.

《Ⅱ》**vorbedacht** *p.a.* ↑ vorbedacht.
vor|bedeuten *t.* 전조〔징후〕를 나타내다, 예시하다.
Vorbedeutung *f.* -en 전조, 징후, 예시: er glaubt nicht an ~en 그는 전조라는 것을 믿지 않는다.
vor|bedingen(*) *t.* 〖드물게〗 전제 조건을 달다(vorausbedingen).
Vorbedingung [fó:rbedɪŋʊŋ] *f.* -en 전제 조건, 선결 사항: eine ~ stellen 전제 조건을 제시하다; die ~en für et. schaffen 무엇을 위한 기본 여건을 마련하다.
Vorbegriff *m.* -(e)s, -e ① 기본 개념. ②〖고어〗 선입견.
***Vorbehalt** [fó:rbəhalt] *m.* -(e)s, -e 유보(留保); 조건; 제한; 불확신, 의구심: ich stimme dem ohne ~ zu 나는 조건 없이 그것에 동의한다; ~e gegen et. haben 무엇에 의구심을 갖다; 〖法〗 ein geheimer〔innerer〕 ~ 심리(心理) 유보; mit ~ 유보적으로, 조건부로; ohne ~ 무조건〔절대적〕으로; unter ~ aller Rechte 모든 권리를 유보하여.
vor|behalten* [fó:rbəhaltən] *t.* ① 유보하다, 보류하다; 최종 결정권을 갖다: er hat sich in dieser Sache das letzte Wort ~ 그는 이 문제에서 최종적인 언급을 유보했다; Widerruf ~ (*p.p*) 경우에 따라서는 취소할 수 있음; alle Rechte ~ (*p.p.*) 판권 소유. ② …에게 남겨지다, …몫이다: etwas bleibt〔ist〕 jm. ~ 무엇은 누구의 몫이다; die endgültige Entscheidung bleibt ihm ~ 최종적인 결정은 그의 몫이다. ③〔구식〕 마련해 두다: wer weiß, was die Zukunft uns vorbehält 우리에게 장차 어떤 일이 닥칠지는 아무도 모른다.
vorbehaltlich, vorbehältlich (schweiz.) 《Ⅰ》 *a.* 유보적인: verstehen Sie das als eine ~e Zustimmung 그것을 유보적인 동의로 이해해 주세요. 《Ⅱ》 *prp.*² 〖격식〗 …을 유보하여, 조건으로 하여; …이라 가정하고: ~ Ihrer Einwilligung 당신이 동의한다고 치고; ~ aller Rechte 모든 권리를 유보하고.
vorbehaltlos *a.* 유보 없는, 무조건의.
Vorbehalts·gut *n.* 〖法〗 유보 재산. **~-klausel** *f.* 〖法〗 유보 약관〔조항〕, 단서. **~-urteil** *n.* 〖法〗 유보 판결.
vorbehandeln *t.* 미리 조치〔처리〕하다.
Vorbehandlung *f.* -en 사전 조치〔처리〕, 예비 조치.
***vor·bei** [fɔrbáɪ, fo:r..] *adv.* ①〖공간적〗 옆을 지나서, 통과하여: an〔neben, vor〕 et.³ ~gehen 무엇의 옆을 지나가다; 〖비유〗 er geht daran ~ a) 그는 그것을 괘념치 않는다, b) 그것을 간과한다. ②〖시간적〗 지나간, 끝난: es ist 8 Uhr ~ 8시가 지났다; als der Arzt kam, war es bereits ~ 의사가 달려왔을 때는 이미 때가 늦었다; das ist alles ~ 만사가 끝났다, 백계무책(百計無策)이다; die Gefahr ist ~ 위험은 지나갔다; es ist ~ mit ihm 그는 끝장이다, 구제할 방법이 없다.
vorbei=|benehmen* *refl.* 〖구어〗 sich ~ 잘못 행동하다, 예절 바르지 못하다. **~|bringen** *t.* 〖구어〗(적당한 기회에) 가져오다. **~|dürfen** *i.* (h.) 〖구어〗 …의 곁을 지나가도 되다. **~|eilen** *i.* (s.) 옆을 급히 지나가다. **~|fahren*** *i.* (s.) ① an jm.〔et.³〕 ~ (차를 타고) 누구〔무엇〕 옆으로 지나가다. ②〖구어〗 잠깐 들르다. ③〖사이클〗 상대를 앞지르다. **~|fliegen*** *i.* (s.) an jm.〔et.³〕 ~ 누구〔무엇〕 옆을 날아 지나가다. **~|fließen*** *i.* (s.) 흘러 지나가다: an der Mauer ~ 성벽을 따라 흐르다. **~|führen** 《Ⅰ》 *t.* (지나는 길에) 잠깐 데리고 가다: er führte mich am schönen Schloß vorbei 그는 잠시 나를 아름다운 성으로 이끌고 갔다. 《Ⅱ》 *i.* (h.) 옆을 지나가다: der Weg führt an einem See vorbei 그 길은 호숫가로 나 있다; 〖비유〗 daran führt kein Weg vorbei 그것은 회피할 도리가 없다. **~|gehen*** *i.* (s.) ① 걸어서 지나가다, 지나쳐 가다: an einem Gebäude ~ 어떤 건물을 지나치다; im ≈ flüsterte er mir zu, daß… 지나가면서 그는 내게 …라고 귓속말을 했다; 〖비유〗 er sagt das so im ≈ 그는 그것을 지나가는 말로〔대수롭지 않게〕 말했다; 〖비유〗 an den Tatsachen ~ 사실을 무시〔간과〕하다. ②〖구어〗 (일을 보러) 잠깐 들르다: geh doch auf dem Rückweg bei mir ~! 돌아갈 때 내게 좀 들러다오! ③ 사라지다, 끝나다: der Schmerz wird bald ~ 고통은 곧 사라질 것이다. ④ 빗나가다: der Schuß geht vorbei 사격이 빗나가다. ⑤〖스포츠〗 추월하다: an jm. ~ 누구를 추월하다. **~|gelingen*** *i.* (s.) 〖농담〗 (mißlingen) (jm.) 성공〔성취〕하지 못하다, 실패하다.
vorbei=|jagen *i.* (s.) (맹렬한 기세로) 질주하여 지나다, 스쳐 지나다. **~|kommen*** *i.* (s.) ① 지나가다, 지나쳐 가다: der Festzug kommt hier nicht vorbei 축제 행렬은 이곳을 지나지 않는다. ② (장애물 따위를 피해) 지나가다, 통과하다: 〖비유〗 daran kommt man nicht vorbei 그것을 주의〔명심〕해야 한다. ③〖구어〗(부담없이) 잠깐 들르다: kommen Sie doch morgen zu einer Tasse Kaffee vorbei 내일 커피나 한잔 마시러 들르세요. **~|können** *i.* (h.) 〖구어〗 지나갈〔통과할〕 수 있다. **~|lassen*** *t.* 〖구어〗 ① 통과시키다: bitte lassen Sie mich vorbei! 통과시켜 주세요! ② (헛되이) 지나가게 하다, 방임하다: günstige Gelegenheit ~ 좋은 기회를 놓치다. **~|laufen*** *i.* (s.) ① 달려서 지나가다: der Hund lief an mir vorbei 그 개가 내 곁을 달려 지나갔다. ②〖구어〗 잠깐 방문하다: bei jm.〔et.³〕 ~ 누구를〔무엇을〕 잠깐 방문하다. ③ 눈에 뜨이지 않고 달려 지나가다: wir müssen aneinander vorbeigelaufen sein 우리는 서로 못 보고 지나친 게 틀림없어. **≈marsch** *m.* 〖軍〗 분열식, 분열 행진. **~|marschieren** *i.* (s.) (행진하여) 통과하다; 분열식을 행하다. **~|müssen** *i.* (h.) 〖구어〗 통과하지 않으면 안 되다. **≈pferd** *n.* (ndd.) (쌍두 마차의) 오른쪽 말(Handpferd). **~|planen** *i.* (h.) 고려하지 않고 계획하다, 계획에 포함시키지 않다: am Bedarf ~ 수요를 고려하지 않고 계획하다. **~|preschen** *i.* (s.) 급히 뛰어〔달려〕 지나가다. **~|quetschen** *refl.* sich ~ 힘겹게 피해 가려 하다. **~|rauschen** *i.* (s.) ① 소리내며 흘러 지나가다. ② (의도적으로) 무시하고 지나가다. **~|reden** *i.* (h.) an et.³ ~ 무엇의 핵심을 벗어난 말을 하다; 어긋나게 말하다; aneinander ~ 서로 말이 안 맞다〔어긋나다〕. **~|reiten*** *i.* (s.) 말 타고 지나가다.
vorbei=|schauen *i.* (h.) 〖구어〗(지나는 길에 부담없이) 잠깐 들르다: schau doch einfach

mal wieder vorbei! 또 들르게나! ~|**schießen*** *i.* ① (s.) 〖구어〗 옆을 재빨리 지나가다. ② (h.) 잘못 쏘다. ~|**schlagen*** *i.* (h.) 잘못 때리다. ~|**schlängeln** *refl.* sich ~ (옆을) 잽싸게〔요령 있게〕 지나가다. ~|**sein*** *i.* (s.) 지나가다; 끝장나다. ~|**stoßen*** *i.* (h.) 잘못 찌르다. ~|**stürzen** *i.* (s.) 재빨리〔서둘러〕 뛰어 지나가다. ~|**werfen*** *i.* (h.) (목표물 옆으로) 잘못 던지다. ~|**ziehen*** 《I》 *i.* (s.) ① 행진해 지나가다: das Heer zog am Schloß vorbei 부대가 성을 지나갔다; das ganze Geschehen zog vor meinem inneren Auge noch einmal vorbei 그 모든 사건이 다시 기억 속에 되살아났다. ②〖축구〗(상대를) 압도하다, 따돌리다. 《II》 *t.* 끌고 곁을 지나가다: sie zogen das Boot an den Klippen vorbei 그들은 보트를 암초 옆으로 끌고 지나갔다.

vor|bekommen* *t.* ① 앞에 걸치다〔입다〕: sie bekam eine Schürze vor 그 여자는 앞치마를 걸쳤다. ② 집어내다, 들어서 내다. ③ (승부·내기에서) 어드밴티지〔이점〕을 얻다: ich habe 10 Points von ihm ~ 나는 그보다 10점의 어드밴티지를 적용받았다.

vor·belastet *a.* 처음부터 부담〔결함〕이 있는, 결격 사유가 있는: 〖구어〗 ich bin in dieser Sache ~ 나는 애당초 이 일에 공평할 수 없다.

Vor·belastung *f.* -en 원천적 부담〔결함〕; 전과.

vorbemeldet *a.* 전술(前述)한, 상기의.

Vorbemerkung *f.* -en 머리말, 서문.

vorbenannt *a.* 전술한, 상기(上記)한.

vor|beraten* *t./i.* (h.) 사전 협의하다: ein Projekt zunächst in kleinem Kreis ~ 프로젝트에 대해 우선 소그룹에서 미리 협의하다.

Vorberatung *f.* -en 예비 협의〔회의〕.

***vor|bereiten** [fó:*r*bəraɪtən] 《I》 *t.* ① 준비시키다, 채비를 갖추게 하다, 대비하게 하다: auf et. vorbereitet sein 무엇을 준비〔각오〕하고 있다; jn. auf〔für〕 et. ~ 누구에게 무엇에 대한 마음의 준비를 시키다; einen Kranken für die Operation ~ 환자에게 수술을 위한 채비를 갖추게 하다; jn. zum Eintritt in eine höhere Schule ~ 누구에게 상급 학교 입학을 위해 준비시키다; alles ist zu seinem Empfang vorbereitet 그를 맞이할 만반의 준비가 갖추어졌다. ② 준비하다, 대비〔채비〕하다: ein Fest 〔eine Reise〕 ~ 축제〔여행〕 준비를 하다. 《II》 *refl.* sich ~ ① 준비하다, 대비하다, 각오하다: sich auf eine Prüfung ~ 시험 준비를 하다. ② 생기다; 낌새가 보이다, 점점 뚜렷해지다: ein Gewitter bereitet sich vor 뇌우가 올 것 같다.

***Vorbereitung** [fó:*r*bəraɪtʊŋ] *f.* -en 준비, 채비; 마음의 준비, 각오: ein Theaterstück ist in ~ 연극이 준비 중이다, 곧 공연 예정이다; die ~en auf das Fest 축제 준비; ~en zu einer Reise treffen〔machen〕 여행 준비〔채비〕를 하다.

Vorbereitungs⸗anstalt *f.* ↑ ~schule. ~**dienst** *m.* (고급 공무원 지망자의 1차 국가 시험 후의) 수습 근무. ~**haft** *f.* 〖法〗 (외국인 범법자의 국외 추방을 위한) 예비 구금. ~**handlung** *f.* 〖法〗 (범죄의) 예비 행위. ~**kurs, ~kursus** *m.* 예비 교육 과정. ~**schule** *f.* 예비 학교.

Vorberge [fó:*r*bɛrgə] *pl.* 산기슭의 언덕, (높은 산의) 앞산.

Vorbericht *m.* -(e)s, -e 예비〔사전〕 보고.

vorbesagt *a.* 〖구식〗 앞서 말한, 전술의.

vorbesagter·maßen *adv.* 앞에서 말했듯이.

Vorbescheid [fó:*r*bəʃaɪt] *m.* -(e)s, -e 〖法〗 ① 예비 결정, 중간 판결. ② 호출, 소환.

vor|bescheiden* *t.* 호출〔소환〕하다.

Vorbesitzer *m.* -s, - 전(前)소유자.

Vorbesitzerin *f.* -nen ↑ Vorbesitzer의 여성형.

Vorbesprechung *f.* -en ① 예비 회의, 사전 토의. ② (책·영화 등에 대한 본격적인 비평에 앞선) 짧은 논평.

vor|bestellen *t.* 미리 주문하다, 예약하다.

Vorbestellung *f.* -en 예약.

vor|bestimmen *t.* 미리 결정하다, 예정하다.

Vorbestimmung *f.* -en 예정.

vorbestraft *a.* 〖法〗 전과(前科)가 있는.

Vorbestrafte* *der/die* 전과자.

Vorbestrafung *f.* -en 〖法〗 전과.

vor|beten [fó:*r*be:tən] *i.* (h.)/*t.* ① 기도문을 다른 사람 앞에서 낭송〔선창〕하다. ② 〖구어〗 장황하게〔되풀이해서〕 설명하다.

Vorbeter *m.* -s, - 기도의 선도자.

Vorbeuge·haft *f.* ↑ Vorbeugungshaft.

***vor|beugen** [fó:*r*bɔʏgən] 《I》 *t.* 앞으로 구부리다: den Kopf ~ 머리를 숙이다; 〖해부〗 ~der Muskel 회전근(回前筋). 《II》 *i.* (h.) 예방하다: einer Krankheit〔Gefahr〕 ~ 병〔위험〕을 예방하다; 〖속담〗 ~ ist besser als heilen 예방이 치료보다 낫다; ich möchte nur einem Mißverständnis ~ 저는 오해를 피하고 싶을 따름입니다; ~de Maßnahme 예방 조치. 《III》 *refl.* sich ~ 몸을 앞으로 굽히다, 몸을 구부리다.

Vorbeugung *f.* -en ① 앞으로 구부리기. ② 예방; 〖醫〗 (특히 질병의) 예방 조치: eine wirksame ~ gegen Erkältungskrankheiten 감기에 대한 효과적인 예방.

Vorbeugungs⸗haft *f.* (독재 국가에서의) 예방 구금. ~**maßnahme, ~maßregel** *f.* 예방 조치, 예방책. ~**mittel** *n.* ① 예방법. ② 예방약.

vorbezeichnet *a.* 〖구식〗 전기한, 상술한, 앞서 말한.

***Vorbild** [fó:*r*bɪlt] *n.* -(e)s, -er [..də*r*] ① 징조, 징후. ② 모범, 전형, 본보기: sich[3] jn. zum ~ nehmen 누구를 모범으로 삼다; in jm. ein ~ haben 누구를 본보기로 삼다; das ist ohne ~ 이것은 유례 없는 일이다.

vor|bilden [fó:*r*bɪldən] 《I》 *t.* ① 예비 교육을 실시하다: er ist mathematisch vorgebildet 그는 수학에 관한 예비 지식을 갖추고 있다. ② 예시(豫示)하다. ③ 미리 (머릿속으로) 구상하다: er hat die Figuren schon im Geiste vorgebildet 그는 인물들을 이미 머릿속에서 다 만들어 놓았다. 《II》 *refl.* sich ~ 생겨나다, 자라나다.

vorbildhaft, vorbildlich [fó:*r*bɪltlɪç] *a.* ① 모범적인; 전형적인(typisch); 이상적인: ein ~er Schüler 모범생; sich ~ benehmen 귀감이 될 만한 태도를 취하다. ② 상징적〔비유적〕인.

Vorbildlichkeit *f.* 모범, 모범적인 태도.

Vorbildung *f.* ① 예비적 구성〔형성〕. ② 예비 교육; 기초 지식, 예비 지식.

Vorbildungs≈anstalt, ~schule *f.* 예비 학교.
vor|binden* [fó:rbındən] *t.* ① 앞에 붙들어 매다: sich³ eine Schürze ~ 앞치마를 두르다. ②〖農〗(양 따위를) 매어서 끌다. ③ 먼저 매다: jm. et. ~ 누구보다 무엇을 먼저 매다. ④ 매는 방식을 가르치다. ⑤〔구어〕(**a**) sich³ jn. ~ 누구를 야단치다. (**b**) sich³ eine Arbeit ~ 무슨 일에 몰두하다, 전력을 다하다. ⑥〖제본〗앞에 붙이다: dem Buch das Inhaltsverzeichnis ~ 책의 첫머리에 목차를 붙이다.
Vorbitte *f.* -n〔드물게〕(Fürbitte) 중재; (속죄의) 기도, 기원.
vor|blasen* *t.* ① 취주(吹奏)하여 들려주다. ② 앞으로 내불다. ③〔학생〕(답을) 귀띔해 주다 (vorsagen ④).
Vorblatt *n.* -(e)s, ..blätter〖植〗포(苞).
Vorblick *m.* -(e)s, -e 앞을 내다봄; 선견지명.
vor|bohren [fó:rbo:rən] *t./i.* (h.) 미리 구멍을 뚫다;〖광산〗시추(試錐)하다: die Löcher für die Schrauben ~ 나사를 박을 자리에 미리 구멍을 내다:〔비유〕bei jm. ~ 미리 누구의 비위를 맞춰 두다.
Vorbörse [fó:rbœrzə, ..bø:rzə] *f.* -n〖經〗(거래소 개장 전의) 사전(事前) 거래.
vorbörslich *a.*〖經〗사전 거래의.
Vorbote *m.* -n, -n ① 미리 알리는 사람. ② 선구자. ③ 전조, 징후.
Vorbotin *f.* -nen ↑ Vorbote ①②의 여성형.
vor|brechen* *i.* (s.) 분출하다 (hervorbrechen).
vor|bringen [fó:rbrıŋən] *t.* ① (**a**) 말하다, 말로 표현하다, 발언하다: Protest〔Wünsche〕~ 항의를〔소망을〕표명하다; eine Beschwerde ~ 불만을 토로하다; hat noch jemand etwas vorzubringen? 무언가 발언하실 분 더 계십니까? (**b**) 소리를 내다, 울리게 하다. ②〔구어〕앞으로 가져가다.
vor|buchstabieren *t.* 글자를 일일이 더듬어 가며 읽어 주다.
Vorbühne *f.* -n〖연극〗앞무대.
Vorburg *f.* -en ① 성벽 바깥의 건물. ② (다른 성의 엄호를 위한) 앞 요새, 바깥 성채.
vor Christi Geburt 서력 기원전 (약어: v. Chr. G.).
vorchristlich *a.* (↔ nachchristlich) 서력 기원전의, 예수 탄생 이전의.
vor Christo, vor Christus 서력 기원전 (약어: v. Chr.).
Vordach [fó:rdax] *n.* -(e)s, ..dächer [..dɛçər] 차양, 앞으로 튀어나온 지붕, 처마, 달개지붕.
vor|datieren [fó:rdati:rən] *t.* ① (↔ nachdatieren) (작성일보다) 후일의 날짜로 하다:〖금융〗ein vordatierter Scheck 앞 수표. ②〔드물게〕생성 시점을 이전으로 추정〔가정〕하다.
Vordatierung *f.* -en (↔ Nachdatierung) ↑ vordatieren의 명사형.
Vordeck *n.* -(e)s, -s/(드물게) -e〖海〗이물 갑판(甲板).
vor·dem [fo:rdé:m, fó:rde:m] *adv.* ①〔雅語〕이전에, 그 전에. ②〔구식〕옛날에: von ~ 예로부터, 옛날부터.
Vordenker *m.* -s, - 선구자; 선견지명을 가진 사람.
***vorder** [fɔ́rdər] *a.* ①〔공간적〕앞에 있는, 전방의: ~e Reihe 앞줄; der ~ste Platz 맨 앞자리; die ~en Zähne 앞니. ②〔시간적〕〔고어〕예전에, 이전에: die ≈en 선조, 조상.
Vorder≈achse [fɔ́rdər..] *f.*〖車〗(차의) 앞축 (↔ Hinterachse). **~ansicht** *f.* ① 전경(前景). ②〖건축〗정면도. **~antrieb** *m.*〖車〗전륜 구동(前輪驅動). **~arm** *m.*〖해부〗전박(前膊). **~asien** [fɔ́rdər|á:ziən] 서남 아시아, 근동. **~ausgang** *m.* 앞쪽 출구(↔ Hinterausgang). **~bein** *n.* (동물의) 앞다리. **~blatt** *n.* ① 도수(屠獸)의 전사반부(前四半部), 어깻살. ② 갑피(甲皮). ③〖印〗(책의) 속표지. **~bug** *m.* ↑ ~blatt ①. **~brust** *f.*〖動〗곤충 가슴의 가장 앞부분. **~bücke** *f.*〖스포츠〗앞으로 뛰어넘기(↔ Hinterbücke). **~bühne** *f.*〖연극〗앞무대, 무대의 전면. **~deck** *n.* ↑ Vordeck. **~eck** *n.* (독일식 볼링에서) 앞쪽 핀 (↔ Hintereck). **~eingang** *m.* 앞쪽 입구(↔ Hintereingang). **~eisen** *n.* ① 쟁기의 끝, 보습끝의 날. ② (말의) 앞발의 편자. **~ende** *n.* 전단(前端). **~fassade** *f.*〖건축〗앞, 정면. **~fläche** *f.* 전면(前面). **~flagge** *f.*〖海〗선수기(船首旗). **~fleck** *m.* 구두창의 전단(前端). **~flügel** *m.*〖生〗(곤충의) 앞날개(↔ Hinterflügel). **~front** *f.* 건물의 전면(↔ Hinterfront). **~fuß** *m.* ① 앞발(↔ Hinterfuß). ② 발의 맨 앞부분. ③〔비속〕사람의 팔.
Vorder≈garten *m.* 앞뜰. **~gassen·kegel** *m.*〖볼링〗앞쪽 핀의 바로 뒤편에 놓인 핀. **~gaumen** *m.*〖해부·음성〗경구개(硬口蓋). **~gaumen·laut** *m.*〖음성〗경구개음. **~gebäude** *n.*〖건축〗건물의 앞쪽; 전면의 건물. **~gestell** *n.* (마차의) 앞 차대(車臺). **~giebel** *m.*〖건축〗전면의 박공. **~glied** *n.* ①〖動〗전지(前肢). ②〖數〗(비례의) 앞 항. ③〖논리〗전제. ④〖軍〗전열(前列). ***~grund** *m.* (↔ Hintergrund) ① (**a**) 앞쪽: die im ~ stehenden Personen sind gut zu erkennen 앞쪽에 서있는 사람들은 알아보기 쉽다. (**b**)〖畫〗그림의 앞부분. (**c**)〖연극〗무대의 앞부분. ② 전면; 전경(前景): jn.〔sich〕in den ~ drängen〔spielen, rücken, schieben〕누구를〔자신을〕중요한 사람으로 부각시키다; im ~ stehen 중심을 이루고 있다, 매우 중요하다; et. in den ~ stellen 무엇을 전면에 세우다, 강조하다; in den ~ treten 전면에 나오다, 부각되다, 중요시되다. **≈gründig** *a.* 표피적인, 표면적인; 피상적인, 깊이 없는: diese ~e Behandlung wird der Problematik nicht gerecht 이렇게 피상적으로 다루어서는 그 문제를 풀 수 없다. **~haar** *n.* 앞머리카락. **~hand** *f.* ①〖해부〗팔뚝. ②〖승마〗말의 전반신(前半身). ③〖카드〗선수(先手). **≈hand** [(또는) fɔ:rdərhánt] *adv.* 우선, 당분간, 앞으로 얼마 동안. **~haupt** *n.*〖해부〗전두(前頭), 이마. **~haus** *n.* 길에 면한 건물 부분(↔ Hinterhaus). **~hirn** *n.*〖해부〗앞뇌, 뇌의 앞부분. **~hof** *m.* 앞뜰.
Vorder≈kastell *n.*〖海〗선수루(船首樓). **~kopf** *m.* ↑ ~haupt. **~lader** *m.*〖무기〗(↔ Hinterlader) 전장총(前裝銃), 전장포(砲). **≈lastig** *a.* (배·비행기에서) 앞쪽에 짐을 많이 실은. **~lauf** *m.* ①〖사냥〗(짐승의) 앞

리. ②총신〔포신〕의 선단(先端). **~leder** *n.* 구두의 앞가죽. **~leib** *m.* 몸의 전면부(前面部). **~linse** *f.* (사진기의) 앞 렌즈. **~loge** [..ʒə] *f.* 〖연극〗 전면의 칸막이한 좌석. **~mann** *m.* ①앞사람: sich hinter seinem ~ verstecken 앞사람 뒤에 몸을 숨기다; ~ halten 앞사람에 맞춰 정렬하다; 〖구어〗 jn. auf ~ bringen 누구를 규율을 지키도록 만들다. ②〖스포츠〗 전면〔앞열〕에 배치되어 있는 선수. **~mast** *m.* 〖海〗 이물(돛)대. **~mauer** *f.* 〖건축〗 앞벽. **~pferd** *n.* (4필이 끄는 마차의) 선두의 말. **~pfote** *f.* (↔ Hinterpfote) (짐승의) 앞발. **~rad** *n.* (↔ Hinterrad) 앞바퀴. **~rad·antrieb** *m.* 〖車〗 전륜(前輪) 구동. **~rast** *f.* 〖軍〗 안정단(安靜段) (총의 격철을 반쯤 올린 위치). **~raum** *m.* 〖海〗 이물 선창(船艙). **~reifen** *m.* (↔ Hinterreifen) 앞바퀴 타이어. **~reihe** *f.* 전열(前列). **~ruhe** *f.* ↑ ~rast. **~satz** *m.* ①〖문법〗 전치문(前置文). ②〖논리〗 전제. ③〖음악〗 전 악절. **~schiff** *n.* 〖海〗 (↔ Hinterschiff) 선체의 앞부분. **~schinken** *m.* (돼지의) 어깻살로 만든 햄. **~seite** *f.* ①앞면, 전면. ②〖건축〗 정면. ③(화폐의) 표면. ④〖印〗 우측〔기수〕 페이지. **~sitz** *m.* 앞좌석.

vorderst [fɔ́rdərst] 〖vorder 의 최상급〗 *a.* 가장 앞(쪽)의, 최전방의, 선두의, 일류의: der ~e Mann a) 선두의 사람, b) 최고의 인물; die ≈en a) 최전열(前列)의 사람들, b) 선조(先祖)(들).

Vorder≈steven *m.* 〖海〗 선수재(船首材). **~stich** *m.* 바늘이 상하로 움직이는 단순한 바느질, 홈질(Vorstich). **~stube** *f.* 〖구식〗 ↑ ~zimmer. **~stück** *n.* 앞부분. **~teil** *n.* 앞부분. **~tor** *n.* 앞문; 수문(水門) (Fluttor). **~treffen** *n.* 〖軍〗 전열(前列); 전위(前衛) (Vortrab). **~tür** *f.* 앞문, 현관문. **~wagen** *m.* (전차의) 기관차. **~wand** *f.* 앞벽. **~zahn** *m.* 앞니. **~zimmer** *n.* 전면의 방.

vor|drängeln *refl.* 〖구어〗 sich ~ (다른 사람들을) 밀치고 앞으로 나가다.

vor|drängen 《I》 *t.* 앞으로 밀다〔몰아대다〕. 《II》 *refl.* sich ~ ①앞으로 밀고 나아가다. ②주제넘게 굴다. ③주의를 끌다, 주목을 받다. 《III》 *i.* (h.) 앞으로 몰려가다.

vor|dringen* 《I》 *i.* (s.) ①전진〔돌진〕하다: in unbekanntes Gebiet ~ 미지의 세계에 발을 들여 놓다; die Truppen drangen bis über den Fluß vor 군대는 강 너머에까지 진출했다. ②〔비유〕 (종교·유행 등이) 퍼지다, 유포되다, 전파되다. 《II》 *refl.* sich ~ ↑ vordrängen 《II》.

vordringlich *a.* ①절박한, 긴급한, 긴요한. ②야심적〔활동적〕인; 주제넘은, 배짱이 센.

Vordringlichkeit *f.* 긴박, 긴급, 긴요.

Vordruck *m.* -(e)s ①〖복수: ..drücke〗 첫번째 짠 포도주(↔ Nachlauf). ②〖복수: -e〗 〖印〗 초판. ③〖복수: -e〗 서식 (용지).

vor|drucken *t.* (서식 등을) 미리 인쇄하다.

vor|drücken *t.* 앞으로 밀다, 밀어 내다.

vore *adv.* (schweiz.) 조금 전에(vorhin).

vorehelich *a.* 결혼 전의, 혼전의: ~er Geschlechtsverkehr 혼전 성교.

vor|eilen *i.* (s.) 앞으로 급히 나아가다; 앞서서 급히 가다: jm. ~ 누구를 앞지르다.

voreilig *a.* 너무 이른, 성급한; 경솔한.

Voreiligkeit *f.* -en ①〖복수없음〗 성급. ②성급한 행위.

voreinander [fo:r|aɪnándər] *adv.* 앞뒤로 나란히; 서로에 대하여: sie haben keine Geheimnisse ~ 그들은 서로 비밀이 없다.

voreingenommen [fó:r|aɪngənɔmən] *a.* 선입견에 사로잡힌; 편파적인: gegen jn.〔et.〕 ~ sein 누구〔무엇〕에 대하여 편견을 갖다; für jn.〔et.〕 ~ sein 누구를〔무엇을〕 편애하다.

Voreingenommenheit *f.* 선입견; 편견, 편파적임: er war frei von jeder ~ 그는 조금도 편견이 없는 사람이었다.

Voreinsendung *f.* -en 미리 보냄, 사전 송부: gegen ~ des Betrages erhalten Sie... 대금을 미리 보내 주시면 당신은 …을 받게 됩니다.

voreiszeitlich *a.* 빙하기 이전의.

Voreltern *pl.* (Ahnen) 조상, 선조.

Vorempfangene* *das* 〖法〗 선순위 상속인의 상속 재산(Vorerbe).

vor|empfinden* *t.* ①어렴풋이 느끼다, 예감하다. ②주로 느끼다: er empfand den Hunger vor 그는 무엇보다도 공복을 느꼈다.

Vorempfindung *f.* -en 예감, 예상.

vor|enthalten* *t.* jm. et. ~ (불법으로) 누구의 물건을 유치하다, 주지 않다: jm. sein Erbe ~ 누구에게 주어야 할 유산을 주지 않다.

Vorenthaltung *f.* -en 불법 억류〔유치〕.

Vorentscheid *m.* -(e)s, -e ↑ Vorentscheidung.

Vorentscheidung *f.* -en 가결정, 선결; 〖스포츠〗 예선.

Vorentscheidungs·kampf *m.* 〖스포츠〗 예선전.

Vorerbe 《I》 *m.* -n, -n 선순위 상속인, 제 1 상속인. 《II》 *n.* -s 선순위(상속인의) 상속 재산.

Vorerbschaft *f.* -en 선순위 상속 (재산).

Vorerinnerung *f.* -en 예고; 머리말, 서문.

Vorerklärung *f.* -en 예비 성명〔선언〕.

Vorernte *f.* -n 맏물, 첫수확.

vorerst [fó:r|e:rst] *adv.* 최초에, 맨 먼저; 우선; 당분간, 임시로.

vor|erwählen *t.* 예선하다; 〖宗〗 (하느님이 인간의 운명을) 예정하다.

vorerwähnt *a.* 전술(前述)한, 앞서 말한〔언급한〕.

vorerwähnter≈maßen, ~weise *adv.* 전술한 바와 같이.

vor|erzählen *t.* 〖구어〗 jm. et. ~ 누구에게 무엇(거짓)을 믿도록 꾸며 말하다; du kannst mir doch nichts ~! 자네가 무슨 말을 해도 나는 곧이듣지 않네!

vor|essen* *t.* 〖구어〗《I》 *i.* (h.) jm. ~ 누구보다 먼저 먹다. 《II》 *t.* ①(나중 몫까지) 미리 먹다. ②jm. et. ~ 누구 앞에서 무엇을 먹다: wie soll ich abnehmen, wenn du mir immer Süßigkeiten vorißt! 네가 내 앞에서 항상 단 것을 먹으니 내가 어떻게 살을 빼겠는가!

Voressen *n.* -s, - ①〖요리〗 (식사 때) 제일 먼저 나오는 요리, 전채(前菜). ②(schweiz.) 스튜(Ragout).

Vorexamen *n.* -s, -/..mina 예비 시험, 예비 고사.

vor|exerzieren *t.* 〖구어〗 시범을 보이다.

Vorfabel *f.* -n (희곡의) 앞 줄거리.

Vorfabrikation *f.* -en (조립식 건축 부품의) 규격 생산.

vor|fabrizieren *t.* (조립식 건축물의 부품을) 공장에서 규격 생산하다.

***Vorfahr** [fó:rfa:r] *m.* -en, -en ①〖고어〗선임자, 선배. ② 조상, 선조.

Vorfahre *m.* -n, -n ↑ Vorfahr.

vor|fahren* [fó:rfa:rən] 《Ⅰ》 *i.* (s.) ①〖구어〗(차를 타고) 앞으로 가다. ② 차로 먼저 가다. ③ (차를 타고) 집〔문〕 앞으로 가다: er fuhr bei mir vor 그는 차를 타고 우리 집 앞까지 왔다. ④〖교통〗〖대개 부정형으로〗(선행권을 가지고) 우선 통행하다. ⑤ jm. ~ 누구를 추월하다. 《Ⅱ》 *t.* ① (차를) 앞으로 몰다〔빼다〕. ② (차를) 집〔문〕 앞으로 몰다, (차를) 집〔문〕 앞에 대다.

Vorfahrin *f.* -nen ↑ Vorfahr의 여성형.

Vorfahrt [fó:rfa:rt] *f.* 〖교통〗 (교차로에서의) 우선 통행; 선행권: wer hat hier ~? 여기서 누가 선행권이 있느냐?

vorfahrt≈berechtigt *a.* 우선 통행권〔선행권〕이 있는. **≈recht** *n.* 우선 통행권, 선행권. **≈regel** *f.* 우선 통행권에 관한 규칙. **≈schild** *n.* ↑ ≈zeichen. **≈straße** *f.* 우선 통행권이 있는 도로. **≈zeichen** *n.* 우선통행 표지판.

***Vorfall** [fó:rfal] *m.* -(e)s, ..fälle [..fɛlə] ①〖醫〗탈출, 이탈: Augapfel≈ 안구 돌출; Gebärmutter≈ 자궁 이탈. ② (돌발적) 사건; (불의의) 사고, 변.

vor|fallen* *i.* (s.) ①〖구어〗앞에〔앞으로〕 떨어지다;〖醫〗탈출〔이탈〕하다. ② 일어나다, 발생하다: was ist hier vorgefallen? 여기서 무슨 일이 일어났는가?

Vorfallenheit, Vorfälligkeit *f.* -en〖고어〗↑ Vorfall ②.

vor|fassen *t.* 미리 받아들이다: eine vorgefaßte Meinung 선입견, 편견.

vor|fechten *i.* (h.) jm. ~ a) 누구에게 검술 시범을 보이다, 검술을 가르치다, b)〖고어〗누구를 보호하면서 싸우다.

Vorfechter *m.* -s, - ① 검도 사범〔교사〕. ② 선구자, 개척자.

Vorfeier *f.* -n 본축제 전의 작은 축제; 전야제.

Vorfeld *n.* -(e)s, -er ① 앞뜰, 앞마당; 전방 지역; 진입 지역. ②〖軍〗전방. ③ 전초전: im ~ der Wahlen 선거 전초전에. ④〖문법〗(문장의) 전역(정동사의 앞부분).

Vorfeld·kampf *m.* 전방의 전투.

vorfern [fó:rfɛrn] *adv.* (schweiz.) 재작년에.

vor|fertigen 《Ⅰ》 *t.* ↑ vorfabrizieren. 《Ⅱ》 **vorgefertigt** *p.a.* ↑ vorfertigen.

Vorfest *n.* -es, -e ↑ Vorfeier.

Vorfilm *m.* -(e)s, -e 본 영화 전에 상영되는 짧은 영화, 예고편.

vor|finanzieren *t.*〖經〗(본격적인 융자에 앞서) 단기로 신용 융자하다.

Vorfinanzierung *f.* -en 단기 신용 융자.

vor|finden* 《Ⅰ》 *t.* (목전·곁에서) 발견하다; 만나다: ich fand die Kinder in einem unbeschreiblichen Zustand vor 나는 아이들이 형언할 수 없는 상태에 있는 것을 발견했다. 《Ⅱ》 *refl.* sich ~ 발견되다, 현존〔존재〕하다.

vorfindlich *a.* 발견할 수 있는; 현존하는.

vor|fliegen* *i.* (s.) ① 날아 나오다(hervorfliegen). ② 앞서서 날다: anderen Vögeln ~ 다른 새들을 앞질러 날다.

vor|flunkern *t.* jm. et. ~ 누구에게 무엇을 거짓으로 말하다, 터무니 없이 말하다.

Vorflut *f.* -en 유수지〔하천·운하〕로 흘러 들어오는 물.

Vorfluter *m.* -s, - 유수, 하천, 운하.

vor|fordern *t.*〖法〗소환하다(vorladen).

Vorforderung *f.* -en 소환.

Vorform *f.* -en (단순한) 초기 형태.

vor|formen *t.* 미리 만들다〔형성하다〕: Bauteile ~ 건축 부품·자재들을 미리 만들다.

vor|formulieren *t.* (원고 등을) 미리 작성하다.

Vorfrage *f.* -n 선결〔선행〕 문제.

vor|fragen *t.* 미리 물어 보다.

Vorfreude [fó:rfrɔʏdə] *f.* -n 기대에 찬 즐거움〔기쁨〕: in der ~ auf Weihnachten 크리스마스를 즐거운 마음으로 기다리며.

vorfristig *a.* 기한 전의, 만기 전의.

Vorfrucht *f.* ..früchte [..frʏçt]〖農〗(다른 작물보다) 먼저 재배되는 작물.

Vorfrühling *m.* -s, -e 이른 봄, 초봄.

vor|fühlen *i.* (h.) ① 예감하다. ②〖구어〗넌지시 떠보다: bei jm. wegen eines Dinges ~ 무슨 일로 누구의 속을 넌지시 떠보다. ③ 무엇보다 절실히 느끼다.

Vorführ≈dame *f.* 패션 모델. **≈gerät** *n.* ① (상점의) 시범용 기구〔기계〕, 전시품. ② 환등기, 영사기. **≈raum** *m.* 영사실. **≈wagen** *m.* 시승용 자동차.

vor|führen *t.* ① 앞으로 인도하다: einen Patienten dem Arzt ~ 환자를 의사에게 데려가다. ② (a) 보여주다, 선보이다: wann führst du uns deinen Freund vor? 너는 네 남자 친구를 언제 우리에게 소개하겠니? (b) 상연〔상영·연기·연주〕하다: einen Film ~ 영화를 상영하다. ③〖구어〗앞쪽으로 데리고 가다: er führte sie zur ersten Reihe vor 그는 그녀를 맨 앞줄로 데리고 갔다.

Vorführer *m.* -s - 영사(映寫) 기사.

Vorführung *f.* -en 제시, 전시; 소개; 상영, 상연;〖法〗구인(拘引).

Vorführungs≈befehl *m.*〖法〗구인 명령; 구인장. **≈raum** *m.* 영사실; 전시실.

vor·für *adv.* (schweiz.) 앞에서부터, 처음부터, 다시.

vorfüre *adv.* (schweiz.) 앞에, 앞으로(voran).

Vorgabe *f.* -n ①〖스포츠〗(약한 편에 주는) 어드밴티지: jm. 10m ~ geben 누구에게 10 m 앞서 달리게 하다. ②〖골프〗약자에게 주는 핸디캡수(數). ③ 사전에 정해둔 원칙〔기준〕. ④ (암석 폭파 때의) 유효 범위; 최소 저항선.

Vorgabe≈einstellung *f.*〖컴〗기본값 설정. **≈rennen** *n.* 핸디캡이 붙은 경주. **≈spiel** *n.* 핸디캡이 붙은 경기. **≈zeit** *f.* (과업당) 규정 작업 시간, 예정 소요 시간.

Vorgang [fó:rgaŋ] 《<vorgehen》 *m.* -(e)s, ..gänge [..gɛŋə] ① 선행; 상위; 우월, 우선권: jm. den ~ lassen 누구의 우위를 인정하다. ② 선례, 전례; 범례, 모범; das ist ohne ~ 그것은 전례가 없는 일이다. ③ (자연 발생적) 사건; 경과, 과정;〖연극〗막(Akt): Wachstums≈ 성장 과정. ④〖방언〗(출산 후의 여인이 교회에서 감사 기도를 올리는) 출산 감사식. ⑤ (어떤 사건에 대한) 관련 서류.

*__Vorgänger__ [fó:rgɛŋər] *m.* -s, - ①〖고어〗 선행〔선구〕자; 지도자; 대리〔대표〕자. ② 전임자; 선배. ③ 그물의 선단(부) (先端(部)).

Vorgängerin *f.* -nen ① ↑ Vorgänger의 여성형. ② (schweiz.) 산파; 유모.

vorgängig [fó:rgɛŋɪç] *a.* (schweiz.) 먼저, 앞서, 미리, 사전에.

Vorgangs·weise *f.* (öst.) 행동〔처리〕 방식 (Vorgehensweise).

Vorgarten *m.* -s, ..gärten 앞뜰.

vor|gaukeln *t.* jm. et. ~ 누구에게 요술을 부려 무엇을 믿게 하다: jm. eine glückliche Zukunft ~ 누구에게 행복한 미래를 거짓 약속하다.

Vorgebäude *n.* -s, - (Vordergebäude) 건물의 앞쪽, 전면의 건물.

__vor|geben__ *t.* ①〖구어〗 앞에 내어 놓다; 제출하다: Klassenarbeiten ~ 과제물을 제출하다. ② jm. et. ~ 누구에게 유리한 무엇(조건)을 주다: 30 Meter ~ (경주에서) 30 미터의 어드밴티지를 주다. ③ 앞에 달아 주다: einem Kind eine Schürze〔Serviette〕 ~ 어린 아이에게 앞치마를〔냅킨을〕 둘러 주다. ④ 거짓말을 하다, 둘러대다; 사칭하다; 구실 삼다: er gab vor, nicht zu Hause gewesen zu sein 그는 집에 있지 않았다고 거짓말했다. ⑤ 정해 주다: jm. eine Zeit ~ 누구에게 (어떤 일의) 소요 시간을 정해 주다.

Vorgeben *n.* -s 구실, 사칭: unter dem ~, daß... …을 구실 삼아서.

Vorgebirge *n.* -s, - ① 산맥 기슭의 구릉맥(丘陵脈). ② (Kap) 바다 쪽으로 돌출한 육지, 곶, 갑(岬): ~ der Guten Hoffnung 희망봉.

vorgeblich [fó:rge:plıç] 《Ⅰ》 *a.* (angeblich) 자칭의, 소위; 명의상의, 겉으로의; 허위의. 《Ⅱ》 *adv.* 자칭, 겉으로는.

vorgeburtlich *a.* 출생 전의, 태내(胎內)의.

vorgedacht *a.* 앞에서 말한〔생각한〕.

vorgefaßt *a.* 미리 품고 있는; 선입견이 된: eine ~e Meinung 선입견, 편견.

Vorgefecht *n.* -(e)s, -e〖軍〗 전초전.

vorgefertigt 《Ⅰ》 *p.p.* ↑ vorfertigen. 《Ⅱ》 *p.a.* 미리 만들어진, (건축 자재가) 조립식인.

Vorgefühl *n.* -(e)s, -e 예감(Ahnung).

Vorgegenwart *f.*〖언어학〗 (현재) 완료(Perfekt).

__vor|gehen__ [fó:rge:ən] *i.* (s.) ① (시계가) 빨리 가다: unsere Uhr geht täglich drei Minuten vor 우리 시계는 하루에 3분 씩 빨리 간다; die Waage geht vor 이 저울은 (실제보다) 많이 나간다. ②〖구어〗 앞서 가다, 먼저 가다: bitte, gehen Sie vor! 먼저 가십시오. ③ (a) 앞으로 가다, 전진하다: auf〔gegen〕 den Feind ~ 적을 공격하다; gegen jn.〔et.〕 ~ 누구를〔무엇을〕 향하여 가다, …에 대하여 단호한 조처를 취하다; gegen solchen Unfug muß vorgegangen werden 그러한 질서 문란 행위는 단연 응징되어야 한다. (b) 행동하다, 대응하다, 대처하다: rücksichtslos ~ 가차없이 행동하다; gegen jn. gerichtlich ~ 누구에게 법적 조처를 취하다. ④〖건축〗 (vorspringen) 돌출하다, 앞으로 나오다. ⑤ 일어나다, 생기다: es ist eine große Veränderung mit ihm vorgegangen 그에게는 커다란 변화가 일어났다. ⑥ bei jm. ~ 누구 집에 들르다;〖방언〗 eine Wöchnerin geht vor 임산부가 산후의 감사 기도를 올리려 교회에 가다. ⑦ 우선하다, 더 중요하다: die Gesundheit geht vor 건강이 우선이다. ⑧ jm. ~ a) 누구보다 앞서 가다, b) 누구의 윗자리에 서다, 누구보다 우수하다; jm. als Muster ~ 누구에게 모범을 보이다. ⑨ 예감되다: das ist mir vorgegangen 나는 그것을 예감했다.

Vorgehen *n.* -s 전진; 상위, 우월; 행동, 행태; 처치; 수단, 방책.

Vorgehens·weise *f.* 행동 방식.

vorgelagert *a.* 앞에 있는〔놓인〕: die ~en Inseln der Küste 해변 앞의 섬들.

Vorgelände *n.* -s, - 앞〔전방〕의 지역: auf dem ~ der Festung 요새의 전방 지역에.

Vorgelege [fó:rgəle:gə] *n.* -s, -〖工〗 (엔진과 차바퀴축을 연결하는) 중간축, 카운터샤프트.

Vorgemach *n.* -(e)s, ..mächer [..mɛ(:)gər] (큰 방으로 통하는) 작은 방, 전실(前室), 대기실.

vorgemeldet *a.* 앞서 신청한〔알린〕.

vorgenannt *a.* 앞서 언급한.

Vorgenuß *m.* ..nusses, ..nüsse [..nʏsə] 미리 즐김, 미리 보는 맛.

vorgeordnet 《Ⅰ》 *p.p.* ↑ vorordnen. 《Ⅱ》 *p.a.*〖구식〗 상위의: ~e Instanzen 상위 관청, 상위 심급(審級).

Vorgeplänkel *n.* -s, - ① (큰 전투에 앞선) 소규모 충돌, 전초전. ② (논쟁에 앞선) 가벼운 말다툼.

Vorgericht *n.* -(e)s, -e 전채(Vorspeise).

vorgermanisch *a.* 게르만 이전의.

vorgerückt *p.a.* (시간이) 지난: ~es Alter a) 중년, b) 고령; in ~er Stunde 밤늦게.

Vorgeschichte *f.* -n ① 과거의 일〔경위·경과〕; 전사(前史); 전력(前歷). ② 유사 이전, 선사 시대; 선사 고고학.

Vorgeschichtler *m.* -s, - 선사 고고학자.

vorgeschichtlich *a.* 유사 이전의, 선사 시대의.

Vorgeschichts·forschung *f.* 선사 시대 연구; 선사 고고학.

Vorgeschmack *m.* -(e)s, (앞으로 겪을 것을) 미리 맛보기, 시식: ein ~ der Seligkeit 축복의 예감; einen ~ von et³ bekommen 무엇에 대해 미리 맛 좀 보다.

vorgeschritten 《Ⅰ》 *p.p.* ↑ vorschreiten. 《Ⅱ》 *p.a.* 진척된: trotz seines ~en Alters steigt er noch auf Berge 그는 상당히 나이가 들었지만 아직도 등산을 한다; zu ~er Stunde 늦은 시간에.

Vorgesetzte* *der/die* 윗사람, 상사, 상관, 우두머리.

Vorgesetzten·verhältnis *n.*〔다음 용법으로만〕 in einem ~ zu jm. stehen 누구의 상관이다.

Vorgespräch *n.* -(e)s, -e 사전 협의, 예비 회담.

Vorgespuk *n.* -s (ndd.) 예감.

vorgestern [fó:rgɛstərn] *adv.* 그저께:〖구어〗 von ~ 낡은, 시대에 뒤떨어진.

vorgestrig *a.* ① 그저께의. ②〖구어〗 낡은, 시대에 뒤떨어진.

vor|glänzen *i.* (h.) ① 비쳐 나오다(hervorglänzen). ② (다른 것보다) 더욱 빛나다;〖비유〗 jm. ~ 누구에게 모범을 보이다.

vor|glühen *i.* (h.) 디젤 엔진의 예열 플러그를 예열하다.

Vorgraben *m.* -s, ..gräben 〖軍〗 전호(前濠).

vor|greifen* *i.* (s.) ①〔시간적〕(vorwegnehmen) 미리 말하다〔행동하다〕; 선수를 치다; 선취하다: jm. ~ 누구를 앞지르다; jm. in seinem Recht ~ 누구의 권리를 침해하다; einer Frage ~ 어떤 문제에 미리 손을 쓰다. ②〔공간적〕 앞으로 뻗다: mit dem rechten Arm ~ 오른 팔을 앞으로 뻗치다.

vorgreiflich *a.* 〔구식〕 앞서 행하는〔말하는〕, 선수치는, 선취하는.

Vorgreifung *f.* -en ↑ Vorgriff.

Vorgriff *m.* -(e)s, -e 선취; 예견; (권리의) 침해: im ~ auf die morgen zu treffende Entscheidung 내일 있을 결정을 예견하면서.

vor|gucken *i.* (h.) 〖구어〗 ① 앞을 보다. ② 뒤에서 (몰래) 내다 보다: er guckt hinter der Zeitung vor 그는 신문 뒤에 숨어 몰래 내다 본다. ③ 드러나 보이다: dein Unterrock guckt vor 너의 속치마가 드러나 보인다.

vor|haben [fó:*r*habən] *t.* ①〖구어〗 앞에 지니고〔가지고〕 있다, 걸치고 있다: eine Schürze ~ 앞치마를 걸치고 있다. ②〖구어〗 꾸짖다, 질책하다, 비난하다: ich habe ihn vorgehabt 나는 그를 질책했다; ich weiß nicht, mit wem er etwas vorhatte 나는 그가 누구에게 화를 내었는지 모르겠다. ③ (beabsichtigen) 의도하다, 계획하다, 뜻하다: ich habe heute abend nichts vor 나는 오늘 저녁에 아무 일〔계획〕도 없다; er hat vor, sein Haus zu verkaufen 그는 집을 팔 계획이다; eine Reise ~ 여행을 계획하다. ④ jn. ~ 누구를 몹시 괴롭히다.

***Vorhaben** *n.* -s, - 의도, 기도, 계획.

Vorhafen *m.* -s, ..häfen [..hɛ:fən] 〖海〗 외항(外港) (항구의 방파제 바깥 쪽).

Vorhalle *f.* -n 〖건축〗 현관, (그리스 신전의) 주랑(柱廊) 현관; (극장·호텔의) 로비.

Vorhalt *m.* -(e)s, -e ① (schweiz.) 꾸짖음, 질책, 비난. ②〖음악〗 계류(음)(繫留(音)). ③〖軍〗 (움직이는 표적을 맞추기 위해 계산해야 하는) 표적의 이동 거리. ④ 진술, 증언: der Richter macht dem Angeklagten einen ~ 판사가 피고에게 증인의〔피고 자신의 이전〕 진술을 들려주다.

vor|halten* 《I》 *t.* ① 앞에 두다〔내놓다〕: sich beim Gähnen die Hand ~ 입에 손을 대고 하품을 막다; einem Tier Futter ~ 동물에게 먹이를 주다; jm. den Spiegel vorhalten 누구의 잘못을 지적하다; 〔비유〕 hinter vorgehaltener Hand 은밀히. ②〖軍〗 das Gewehr ~ 총으로 이동 목표의 전방을 겨누다. ③ jm. et. ~ 꾸짖다, 비난하다; 훈계하다: jm. seine Fehler ~ 누구의 실수를 질책하다. ④〔고어〕 억류하다(vorenthalten). ⑤ jm. et. ~ (판사 또는 변호사가) 누구에게 (그가 이전에 한 또는 증인이 한) 진술을 들려주다. 《II》 *i.* (h.) ①〔구어〕 견디다; 지속하다, 오래 가다: dieses Mittagessen wird nicht lange ~ 이 점심으로는 곧 배고파지겠다. ② mit dem Gewehr ~ ↑ 《I》②.

Vorhaltung *f.* -en 질책, 비난.

Vorhand [fó:*r*hant] *f.* ①〖승마〗 (말의) 앞부분(앞다리와 전반신). ②〖카드〗 선(先), 선수(先手): die ~ haben 선(先)이다; 〔비유〕 in der ~ sein 유리하다. ③〖테니스·탁구〗 포핸드스트로크.

***vorhanden** [fo:*r*hándən] *a.* ① 수중에 있는; 존재하는: von den Waren ist nichts mehr vorhanden 그 상품은 재고가 전혀 없다. ②〖聖·고어〗 긴박한.

Vorhand⸗sein *n.* 존재, 현존. **~schlag** *m.* 〖테니스·탁구〗 포핸드스트로크.

***Vorhang** [fó:*r*haŋ] *m.* -(e)s, ..hänge [..hɛŋə] 커튼; 장막; (무대의) 막: die Vorhänge aufmachen〔zumachen〕 커튼을 걷다〔치다〕; der ~ ist über dem Ereignis gefallen 그 사건은 완전히 종결되었다〔잊혀졌다〕; Eiserner ~ 철의 장막(공산권의 폐쇄성을 일컫던 말); der ~ fällt 〔geht auf〕 막이 내려온다〔올라간다〕; 〔구어〕 es gab viele Vorhänge (공연이 끝난 후) 수차례 커튼 콜이 있었다.

vor|hangen* *i.* (h.) ↑ vorhängen¹.

vor|hängen*¹ *i.* (h.) ① 앞에 걸려〔드리워져〕 있다. ② 돌출해 있다.

vor|hängen² *t.* 앞에 걸다; einer Kellertür ein Schloß ~ 지하실 문 앞에 자물쇠를 걸다.

Vorhänge·schloß *n.* 맹꽁이 자물쇠.

Vorhang⸗stange *f.* 커튼을 매다는 막대; 커튼 레일. **~stoff** *m.* 커튼용 천.

Vorhaupt *n.* -(e)s, ..häupter [..hɔʏptə*r*] 〖해부〗 전두(前頭) (Vorderhaupt).

Vorhaus *n.* -(e)s, ..häuser [..hɔʏzə*r*] 현관; 복도; 로비.

Vorhaut *f.* ..häute [..hɔʏtə] 〖해부〗 (음경의) 포피.

Vorhaut·verengung *f.* 〖醫〗 포경.

vor|heizen *t.* 미리 데우다; 예열하다.

Vorhemd *n.* -(e)s, -en, **Vorhemdchen** *n.* -s, - 〔구식〕(등 뒤에서 잠그는) 민소매 셔츠.

***vor·her** [fó:*r*he:r, fo:*r*hé:*r*] *adv.* ① (früher) (그) 전에, 이전에: einige Tage〔Jahre〕 ~ 수일〔수년〕 전에; am Abend ~ 전날 밤에. ② 미리 (im voraus): das hättest du mir doch ~ sagen können 너는 그것을 미리 말할 수도 있었을 텐데.

vorher⸗|bedenken* *t.* 미리 고려하다. **~|bedeuten** *t.* 예시하다(vorbedeuten). **~|berechnen** *t.* 미리 계산〔산출〕하다, 예산을 짜다. **~|bestimmen** *t.* 사전에〔미리〕 정하다: es war mir vorherbestimmt, daß …은 나의 운명이었다. **~bestimmung** *f.* 예정; 운명, 숙명.

Vorherbst *m.* -(e)s, -e 초가을.

Vorher⸗dasein *n.* 선재(先在). **~|empfinden*** *t.* 예감하다(vorempfinden). **~|erkennen*** *t.* 예지(豫知)하다. **~|gehen*** *i.* (s.) 앞서 가다〔일어나다〕, 선행하다: dem Unglück ist folgendes Ereignis vorhergegangen 그 사고에 앞서 다음과 같은 사건이 일어 났었다. **~gehend** *a.* 선행하는, 앞의; 전술한: am ~en Abend 전날 밤에; im ~en ist schon die Rede davon gewesen 그것에 관해서는 이미 말했다.

vorherig [fo:*r*hé:rɪç, fó:*r*he:r..] *a.* ① 전의, 이전의: nach ~er Vereinbarung 이전의 협약에 따라. ② 사전의: ohne ~e Warnung 예고 없이.

Vorherrschaft *f.* 우세, 우월; 주도권, 헤게모니.

vor|herrschen *i.* (h.) 우세하다, 주도적이다:

die ~de Ansicht 유력한 의견; in dieser Landschaft herrscht Laubwald vor 이 지역에는 활엽수림이 주류를 이루고 있다.

vorher·sagbar *a.* 미리 말할 수 있는, 예언이 가능한. **~sage** *f.* 예언; 예보: Wetter~ 일기 예보. **~|sagen** *t.* 예측하여 미리 말하다, 예언하다, 예보하다. **~sehbar** *a.* 예견할 수 있는. **~|sehen*** *t.* 예견하다, 예측하다. **~sehung** *f.* 선견지명, 예지(豫知). **~|verkünden, ~|verkundigen** *t.* 미리 알리다, 예고〔예시〕하다, 예언하다. **~verkündigung** *f.* 예고, 예시, 예언. **~|wissen*** *t.* 미리 알다, 예지하다.

vor|heucheln *t.* 〔구어〕 jm. et. ~ 누구에게 무엇을 가장하다: er hat mir Mitgefühl vorgeheuchelt 그는 나에게 동감하는 척했다.

vor|heulen *t.* jm. et. ~ 누구에게 울며 호소하다, 큰소리로 한탄하다: jm. sein Unglück ~ 누구에게 자기의 불행을 한탄〔하소연〕하다.

Vorhimmel *m.* -s, - 천국의 현관〔앞뜰〕.

vor·hin [fó:rhɪn, fo:rhín] *adv.* ①〖공간적〗〔고어〕앞서(voran, voraus). ②〖시간적〗 **(a)** 조금 전에, 방금. **(b)**〔고어〕이전에, 옛날에. ③원래; 더우기(ohnehin).

vor·hinein *adv.* 〔다음 용법으로만〕(öst.) im ~ 사전에, 미리, 벌써 전에.

Vorhof *m.* -(e)s, ..höfe [..hø:fə] ① 앞뜰, 앞마당; 초기〔준비〕 단계; 서문, 서론. ②〖해부〗(심장의) 심방; (내이(內耳)의) 전정(前庭), 내이강(內耳腔).

Vorhölle *f.* 〖가톨릭〗 림보, 고성소(古聖所); 연옥.

vor|hören *t.* 앞서 듣다: man hört ihre Stimme unter allen vor 그녀의 목소리는 누구의 소리보다도 잘 들린다.

Vorhut *f.* -en ①〖農〗 방목 우선권. ②〖軍〗 전위(前衛) (부대), 선발대.

vorie *adv.* 〔방언〕앞으로 구부려서.

vorig [fó:rɪç] *a.* ① (früher) (이)전의; 바로 전의: die Mode vom ~en Jahr 작년의 유행; ~en Jahres 작년에(약어: v.J.); ~en Monats 지난 달에(약어: v.M.); im ~en a) 전술한 부분에(서), 전장(前章)에(서), b) 훨씬 이전에; 〖연극〗 die ~en 앞장면의 사람들. ② (schweiz.) 〔구어〕 남은, 여분의: et. ~ lassen 무엇을 남기다.

vorindogermanisch *a.* 인도 게르만 시대이전의.

Vorinformation *f.* -en ①〖政〗 사전 고지〔통보〕. ② 사전 지식.

vor|informieren *t.* 사전에 통보하다.

Vorinstanz *f.* -en 〖法〗 전심(前審).

Vorjahr *n.* -(e)s, -e ① 작년, 전년. ② (nordd.) 봄(Frühling).

Vorjahres·sieger *m.* 〖스포츠〗 작년 우승자.

vorjährig *a.* 작년〔전년〕의.

vor|jammern *t.* jm. et. ~ 누구에게 무엇을 한탄하다, 하소연하다.

Vorkalkulation *f.* -en 〖經〗 (비용의) 사전 계산.

Vorkammer *f.* -n ①〖工〗 (디젤 기관의) 예연실(豫燃室). ②〖해부〗 심방(心房).

vor|kämpfen *i.* (h.) 선봉에 서서 싸우다.

Vorkämpfer *m.* -s, - 옹호자; 개척자, 선구자.

Vorkämpferin *f.* -nen ↑ Vorkämpfer 의 여성형.

Vorkasse *f.* 〖商〗 선불, 선금.

vor|kauen *t.* ① (어린 아이에게 무엇을) 씹어서 주다. ②〔구어〕 jm. et. ~ 누구에게 무엇을 자세하게 가르쳐 주다.

Vorkauf [fó:rkauf] *m.* -(e)s, ..käufe [..kɔʏfə] ① 선매(先買); 매점(買占). ② 선매권.

vor|kaufen *t.* 선매하다; 매점하다(aufkaufen).

Vorkäufer *m.* -s, - 선매자; 매점인.

Vorkaufs·recht *n.* 〖法〗 선매권.

Vorkehr *f.* -en (schweiz.) ↑ Vorkehrung.

vor|kehren *t.* ① 앞〔밖〕으로 향하게 하다, (속이 겉으로 나오도록) 뒤집다; 공공연히 드러내 보이다, 자랑스럽게 내보이다. ② (schweiz.) 사전 조치를 취하다, 예방 대책을 강구하다.

Vorkehrung [fó:rke:rʊŋ] *f.* -en 대비, 준비, 예방책, 방지책: gegen et. ~en treffen 무엇에 대한 예방 수단을 강구하다.

Vorkeim *m.* -(e)s, -e 〖植〗 (양치 식물의) 전엽체(前葉體), 원(原)엽체; (이끼 식물의) 원사체(原絲體), 사상체(絲狀體).

Vorkenntnis *f.* -se 예비〔사전〕 지식; 소양: ~se für et. haben 무엇에 필요한 예비 지식을 가지고 있다.

Vorkirche *f.* -n 교회의 현관.

Vorklage *f.* -en 〖法〗 예비 소송.

vor|klagen 《I》 *t.* 〔구어〕 jm. et. ~ 누구에게 무엇을 한탄하다, 하소연하다. 《II》 *i.* (h.) 〖法〗 예비 소송을 제기하다.

Vorklassiker *m.* -s, - (18세기 전반(前半) Wien 고전파 이전의) 전(前) 고전파 음악가.

vorklassisch *a.* 전(前)고전파의.

vor|klimpern *t.* 〔구어〕 jm. et. ~ 누구에게 피아노곡을 서투르게 연주하여 들려주다.

vor|klingen* *i.* (h.) ① 먼저 울리다. ② 귀에 쟁쟁하다. ③ (다른 음보다) 두드러지게 세게 울리다.

vorklinisch *a.* ① (의학 교육에서) 임상 과정 이전의. ② 병의 증상이 나타나기 이전의.

Vorknecht *m.* -(e)s, -e 가장 나이 많은 하인, 시종장(長).

vor|knöpfen *refl.* 〔구어〕 sich³ jn. ~ 누구를 호되게 나무라다, 몹시 꾸짖다: den knöpfe ich mir vor 그놈을 혼내 주겠다.

vor|kohlen *t.* 〔구어〕 (터무니없는 것을) 꾸며대다(vorflunkern).

__vor|kommen__ [fó:rkɔmən] 《I》 *i.* (s.) ①〔구어〕앞으로 나오다, (숨어 있다가) 나오다: komm vor und schreib es an die Tafel! 앞으로 나와 칠판에 그것을 써라!; der Hund kam hinter dem Ofen vor 개가 난로 뒤에서 나왔다. ② 있다, 존재하다: diese Pflanzen kommen nur in den Tropen vor 이 식물들은 열대 지방에만 있다; etwas soll ~ a) 무엇이 있다고 한다, b) 〔구어·반어〕 무엇은 당연하다. ③ 여겨지다, 생각되다: das kommt mir verdächtig vor 그것은 좀 수상쩍다; 〔구어〕 wie kommst du mir (denn) eigentlich vor? 너는 도대체 무슨 생각을 하는거야? ④ 일어나다, 생기다: so etwas kann ~ 그런 일은 종종 일어난다; 〔구어·농담〕 das kommt in den besten Familien vor 그것은 누구에게나 일어날 수 있는 일이다. 《II》 *t.* ①〔방언〕 et. ~ 무엇을 반박하다, 견디다, 무엇을 지배할 힘이 있다. ②〔학생〕 jm. et. ~ 누구의 무엇을 위하여 축

배를 들다.
Vorkommen *n.* -s, - ① 존재, 현존. ② 사건; (특히 광물의) 산출. ③ (어음의) 제시.
vorkommenden·falls *adv.* 유사시에는, 만약의 경우.
Vorkommenheit *f.* -en ↑ Vorkommnis.
Vorkommnis [fó:*r*kɔmnɪs] *n.* -ses, -se (돌발) 사건, 나쁜 일.
vor|können* *i.* (h.) 전진할 수 있다.
Vorkorrektur *f.* -en 〖印〗 초교.
Vorkost *f.* ① 전채(前菜). ② 식료품, 식량.
vor|kosten *t.* ① 시식하다, 시음하다. ② 〖雅語〗 미리 맛보다.
Vorkoster *m.* -s, - 시식하는〔맛보는〕 사람.
vor|kragen 《I》 *i.* (h.) 〖건축〗 (건물의 일부가) 돌출하다, 삐져 나오다. 《II》 *t.* (건물의 일부를) 돌출시키다.
vor|kriechen* *i.* (s.) 기어 나아가다.
Vorkriegs≈generation *f.* 전전(戰前) 세대. **~jahr** *n.* 전쟁 전의 해. **~ware** *f.* 전전(戰前) 시대의 상품. **~zeit** *f.* 전전(戰前) 시대. **≈zeitlich** *a.* 전쟁 (직)전의.
vor|laden(*) *t.* ① 앞쪽에 쌓다; 〖軍〗 (총구에 화약을) 재다. ② 〖法〗 호출〔소환〕하다.
Vorlader *m.* -s, - 소환자; 〖軍〗 전장포(前裝砲).
Vorlade·schein *m.* 소환장.
Vorladung *f.* -en 소환; 소환장.
Vorladungs·schreiben *n.* 소환장, 영장.
***Vorlage** [fó:*r*la:gə] *f.* -n ① (Gesetzentwurf) 의안; 제안; 법률안. ② (Schreib≈, Zeichen≈) 서화(書畫)의 본; 본보기, 모범; 〖연극〗 (각색 작품의) 원전(原典). ③ 〖化〗 증류기의 수용기(受容器) (Destillier≈); 〖建〗 건물 전면의 돌출부. ④ (schweiz.) (욕실·현관·침대 등의) 매트. ⑤ 제시: die ~ des Personalausweises 신분증의 제시. ⑥ **(a)** 〖축구〗 (슛으로 이어진) 어시스트 패스. **(b)** 〖스키〗 (상체를) 앞으로 숙인 자세. ⑦ 선불: in ~ treten 선불하다.
Vorlager *n.* -s, - 〖軍〗 진영의 전면, 진두.
vor|lagern 《I》 *t.* et. et.[3] ~ 무엇을 무엇의 전방에 (늘어)놓다. 《II》 *refl.* sich ~ 전방에 위치하고 있다.
vor|lallen *t.* jm. et. ~ 누구에게 무엇을 더듬거리며 말하다.
Vorland *n.* -(e)s ① 앞쪽의 땅, 산맥 전면의 구릉지. ② 제방 앞 쪽의 땅(Deich≈).
vorlängst *adv.* 오래 전에, 먼 옛날에.
Vorlaß *m.* ..lasses, ..lässe 면접〔알현〕을 허락받기(das Vorgelassenwerden): ~ verlangen 알현을 청하다.
vor|lassen [fó:*r*lasən] *t.* 면회를〔알현을〕 허락하다: endlich wurde er vorgelassen 드디어 그는 면회를 허락받았다.
Vorlass 新정서 ⇦ Vorlaß.
Vorlassung *f.* 면회〔알현〕 허가.
vorlastig *a.* 〖海〗 이물에 짐을 너무 많이 실은(↔ hinterlastig).
Vorlauf [fó:*r*lauf] *m.* -(e)s, ..läufe [..lɔʏfə] ① 1 차 예선. ② 〖化〗 최초의 증류액; (포도주의) 만물. ③ 〖음악〗 음악의 발단, 전주곡. ④ 〖工〗 (자동차 앞바퀴의) 마이너스 캐스터. ⑤ 시간적인 비약.
vor|laufen* *i.* (s.) ① 〔구어〕 앞에서 달리다, 선두에 서서 뛰다. ② 앞으로 달려 가다. ③ (시계가) 빨리 가다.
***Vorläufer** [fó:*r*lɔʏfə*r*] *m.* -s, - ① 앞에서 달리는 사람, 선행자; 선구자: ein ~ des Surrealismus 초현실주의의 선구자. ② 〖사냥〗 미끼; 〖철도〗 (schweiz.) 선발 임시 열차; 〖醫〗 전구증(前驅症); 〖광산〗 광석 운반자; 〖지질〗 (지진의) 초기 미동(微動); 〔복수〕 (Vorberge) 산의 돌출부, 전령(前嶺), 지맥(支脈). ③ 징후, 전조. ④ 〖스키〗 (경기 전에 경주 구간을 먼저 활주해보는) 시험 활주자. ⑤ 직물의 양 끝을 표시하는 줄무늬.
***vorläufig** [fó:*r*lɔʏfɪç] 《I》 *a.* 앞서서 하는; 당장〔우선〕의, 잠정적인; 임시의: 〖法〗 ~e Entlassung 가(假)석방; 〖法〗 ~e Festnahme 임시 구금; 〖軍〗 ~er Dienstgrad 임시 계급. 《II》 *adv.* 미리, 우선; 일시적으로, 임시로, 잠시: ~ ausverkauft 당분간 품절; ~ freigesetzt 가석방된, 가출옥의.
Vorläufigkeit *f.* 일시적〔잠정적〕임.
vorlaut *a.* ① 〖사냥〗 (개가) 너무 짖어대는. ② 건방진, 주제넘은.
vor|leben *i.* (h.) ① 어떤 시대 이전에 살다; (특히) die ≈den 전세대의 사람들. ② jm. et. ~ 누구에게 무엇의(삶의) 모범을 보이다.
Vorleben *n.* -s, - 이제까지의 생활; 경력; 전력; 과거.
vorlegbar [fó:*r*le:kba:*r*] *a.* 남에게 내놓을 수 있는, 제출〔제시〕할 수 있는.
Vorlege≈besteck *n.* (뷔페 음식 등을 덜어 먹는) 공용 식사 도구 한 벌(스푼·나이프·포크). **~blatt** *n.* (그림의) 본. **~gabel** *f.* (식탁의 음식을 나눠 담는) 서비스 포크. **~kelle** *f.* 서비스 주걱. **~löffel** *m.* 서비스 스푼. **~messer** *n.* 서비스 나이프.
***vor|legen** [fó:*r*le:gən] *t.* 《I》 ① 앞(쪽)에 놓다: ein Schloß ~ 자물쇠를 채우다; frische Pferde ~ 새 말을 마차에 매다; 〔비유〕 im Sport einige Punkte ~ 경기에서 몇 점을 앞서다, 리드하다. ② (누구의 접시에 음식을) 담아 주다: jm. Fleisch ~ 누구에게 고기를 담아 주다; einem Tier Futter ~ 짐승에 먹이를 주다. ③ (누구에게 무엇을) 의뢰하다: dem Parlament einen Gesetzesentwurf zur Beratung ~ 의회에 법안 심의를 의뢰하다. ④ 제시하다, 제출하다; 공개하다, 공표하다: seinen Paß ~ 여권을 제시하다; ein neues Buch ~ 새 책을 펴내다. ⑤ (돈을) 선불하다. ⑥ 〖스포츠〗 einen Ball ~ 슛을 하도록 동료 선수에게 패스하다. ⑦ Tempo ~ 속력을 내다. ⑧ (음주 전에) 먹어 두다. 《II》 *refl.* sich ~ ① (앞에 나서서) 사람의 길을 막다, 방해가 되다. ② 상체를 앞으로 굽히다. 《III》 *i.* (h.) 잔뜩 먹다.
Vorleger *m.* -s, - ① 식탁에서 고기를 썰어 손님에게 제공하는 사람. ② (목욕통·침대 옆에 깔아 놓은) 작은 양탄자, 매트. ③ 〖工〗 쇠지레 (Brecheisen).
Vorlege·schloß *n.* 맹꽁이 자물쇠.
Vorlegung *f.* -en ① 앞에 놓기. ② 제공; 〖法〗 제출, 제시. ③ 진열, 전람.
vor|lehnen *refl.* sich ~ 앞쪽으로 기대다.
vor|lehren *t.* jm. et. ~ 누구에게 무엇을 가르치다, 강의하다.
vor|leiern *t.* jm. et. ~ ① 누구에게 무슨 곡을 (단조롭게) 연주하여 들려 주다. ② 〔비유〕 누구에게 무미건조한 이야기를 하다, 싫증이 날 정도로 이야기하다.

Vorleistung *f.* -en 선행 조치; 선행 급부; 〖商〗 선불(先拂).
vorlesbar *a.* 낭독에 알맞은.
Vorlese *f.* -n (포도의) 첫물 따기.
__vor|lesen__ [fó:*r*le:zən] *t.* ① jm. et. ~ 누구에게 무엇을 읽어 주다, 낭독하다; vorgelesen, genehmigt, unterschrieben 결재필(약어: v., g., u.) ② 포도의 첫물 따기를 하다.
Vorlesen *n.* -s 낭독.
Vorlese·pult *n.* 강연대, 교탁.
Vorleser *m.* -s, - 낭독자; 강의자.
Vorlese·wettbewerb *m.* (5-6 학년 학생들이 참가하는) 낭독 경연 대회.
Vorlesung [fó:*r*le:zuŋ] *f.* -en 낭독; 강의: ~en besuchen 수강하다; eine ~ über et. halten 무엇에 관한 강의를 하다.
vorlesungs≈frei *a.* 강의가 없는. **~gebühr** *f.* 수강료. **~verzeichnis** *n.* 강의 목록〔편람〕.
vorletzt [fó:*r*lɛtst] *a.* (zweitletzt) ① 끝에서 두 번째의: der ~e 끝에서 두 번째 사람; zu ~ 끝에서 두 번째에. ② 지지난 번의: im ~en Jahr 재작년에. ③ 마지막 것을 제외하고는 단 하나 남은.
vor|leuchten *i.* (s.) ① jm. ~ 누구 앞에 등불을 들고 서다〔불을 비치다〕. ②〖비유〗 einem Dinge ~ 무엇보다 더 밝게 빛나다; jm. als Beispiel ~ 누구에게 훌륭한 모범을 보이다.
*__Vorliebe__ [fó:*r*li:bə] *f.* -n 애호, 총애, 편애: mit ~ 특히 좋아하여, 아주 즐겨; eine ~ für et. haben 무엇을 특히 좋아하다.
vorlieb|nehmen* [fo:*r*lí:p..] *i.* (h.) mit et.³ ~ 무엇으로 만족하다〔견디다〕: mit trockenem Brot ~ müssen 마른 빵으로 만족해야만 한다.
vor|liegen* [fó:*r*li:gən] *i.* (h.) ① jm. ~ 누구 앞에 놓여 있다, 제출되어 있다: mir liegt eine Anfrage vor 나에게 문의가 와 있다. ② (**a**) 있다, 존재하다: es liegt nichts Neues vor 새로운 것이 전혀 없다. (**b**) 출판되어 있다: der Titel liegt auch als Taschenbuch vor 그 제목의 책은 문고본으로도 나와 있다. ③〔구어〕 (자물쇠·체인 등이) 걸려 있다.
vorliegend *p.a.* ① 앞에 있는; 〖軍〗 ~e Werke 앞 보루. ② 당면한, 현재의: im ~en Fall 본건에 있어서, 이 경우에 있어서.
vorlings [fó:*r*lıŋs] *adv.* (체조에서) 체조 기구를 정면으로 바라보며(↔ rücklings).
vor|lügen* *t.* jm. et. ~ 누구에게 어떤 거짓말을 하다.
vorm [fo:rm] = vor dem: ~ Hause 집 앞에.
vorm. ① = vormals 이전에. ② = vormittags 오전에((여백이 적을 때는) 약어: vm.).
vor|machen *t.* ① 앞에 달다〔고정하다〕: ein Schloß ~ 앞에 자물쇠를 달다. ② (**a**) 필요 이상으로 일찍 하다. (**b**) (schweiz.) 저축하다. ③ jm. et. ~ 누구에게 무엇을 해 보이다, 시범을 보이다:〔구어〕 das mußt du mir erstmals ~ 나는 그것이 가능한지 의심스럽다;〔구어〕 auf diesem Gebiet macht ihm so leicht keiner was vor 이 분야에서 그 보다 능숙한 사람은 없다. ④ (vortäuschen, vorspiegeln) 속이다, 골리다: jm. blauen Dunst ~ 누구를 속이다; mir kannst du nichts ~ 너 따위에게는 안 속는다; jm. ein X für ein U ~ 말도 안 되는 거짓말로 누구를 속이다, 콩을 팥이라고 하다; sich kein X für ein U ~ lassen 엉터리 거짓말에 속지 않다.
Vormacht *f.* 우세; 주도권, 패권.
Vormacht·stellung *f.* 우세한〔지배적〕 지위, 주도권.
Vormagen *m.* -s, ..mägen [..mɛ́:gən]/- 〖動〗 (되새김〔반추〕 동물의) 제 1 위(胃), 유위(瘤胃); (조류의) 멀떠구니; 전위(前胃), 혹위.
vor|mähen *t./i.* (h.) ① 선두에 서서 풀을 베다. ② jm. ~ a) 누구보다 앞서서 베다, b) 누구에게 베는 방법을 보여주다.
vor|malen *t.* (누구에게 무엇을) 그려 보이다: 〔비유〕 jm. et. recht schön ~ 누구에게 무엇을 재치 있게 이야기해 주다.
vormalig [fó:*r*ma:lıç] *a.* 이전의: der ~e Besitzer 이전 소유자.
vormals [..ma:ls] *adv.* 이전에(약어: vorm.).
Vormann *m.* -(e)s, ..männer [..mɛnə*r*] (Vorarbeiter) 작업 반장, 직공장; 〖法〗 전 소유자; 〖商〗 (어음의) 전배서인(前背書人); (Vorgänger) 전임자, 선임자;〔복수〕 선조들 (Vorfahren).
Vormars *m.* -, -e 〖海〗 앞 돛대의 망루.
Vormarsch [fó:*r*marʃ] *m.* -(e)s, ..märsche [..mɛrʃə] 〖軍〗 전진: auf dem ~ sein 전진〔진군〕 중이다.
vor|marschieren *i.* (s.) 전진하다.
Vormars≈fall *n.* 〖海〗 앞 돛대의 돛(을 올리는) 밧줄. **~segel** *n.* 앞 돛대의 가운데 돛대에 다는 돛. **~stenge** *f.* 앞 돛대의 가운데 돛대(앞 돛대의 밑에서 두 번째의 마스트).
Vormärz [fó:*r*mɛrts] *m.* 3 월 혁명의 전시대 (1815-48 년 3 월 혁명까지의 시기).
vormärzlich *a.* ① 3 월 혁명 전시대의. ②〔비유〕 반동적인(reaktionär).
Vormast *m.* -es, -e(n) 앞돛대.
Vormauer *f.* -n 외벽; 〖軍〗 엄호벽; 엄호물.
Vormeister *m.* -s, - ① 노대가(老大家); (장인 조합의) 우두머리. ②〖軍〗(오스트리아 포병의) 조준수, 장전(裝塡)수.
Vormensch *m.* -en, -en (Urmensch) 원인(原人), 피테칸트로푸스.
Vormerk·buch *n.* 비망록, 주문 접수 기록 장부.
vor|merken *t.* 미리 기입〔기장〕하다, (뒷날을 위하여) 적어 두다, 예약하다; 〖商〗 가등기를 하다: vorgemerkte Theaterbillete 극장의 예매권; sich für einen Ausflug ~ lassen 소풍 가는 데 참가 신청을 하다.
Vormerkung *f.* -en ① 기입, 기장, 메모. ② 〖法〗 가등기; 예약. ③ 비망록.
Vormerk·gebühr *f.* 〖연극〗 좌석 예약료.
vor|messen* *t.* jm. et. ~ 누구 앞에서 무엇을 재어 보이다〔달아 보이다〕.
Vormieter *m.* -s, -e 전(前) 세입자.
Vormieterin *f.* -nen ↑ Vormieter 의 여성형.
Vormilch *f.* 〖醫〗 초유.
vormilitärisch *a.* 입대〔입영〕 전의.
*__Vormittag__ [fó:*r*mıta:k] *m.* -(e)s, -e [..gə] 오전(↔ Nachmittag): am ~ 오전에;〖雅語〗 des ~s 오전에.
vormittag *adv.* 오전에: gestern〔Dienstag〕 ~ 어제〔화요일〕 오전에.
vormittägig *a.* 오전의: der ~e Gottesdienst 오전 예배.

vormittäglich *a.* 매일 오전의, 오전마다의: die ~e Visite (병원에서 의사의) 오전 회진.
vormittags *adv.* 오전에, 아침에(약어: vm., vorm.): um elf Uhr ~ 오전 11시에.
Vormittags≈besuch *m.* 오전 방문. **~gottes·dienst** *m.* 오전 예배. **~kirche, ~predigt** *f.* 오전 설교. **~stunde** *f.* ① 오전 시간. ② 오전 수업. **~unterricht** *m.* ↑ ~stunde ②. **~vostellung** *f.* 〖연극〗 오전 공연. **~wache** *f.* 〖海〗 오전 당직.
Vormitternacht *f.* ..nächte 자정 전.
vormitternächtlich *a.* 자정 전의.
Vormonat *m.* -(e)s, -e 지난 달, 전 달.
*__Vormund__ [fó:rmʊnt] *m.* -(e)s, -e/..münder [..mʏndər] 〖法〗 후견인.
Vormünderin *f.* -nen ↑ Vormund의 여성형.
Vormunds·bestellung *f.* 후견인 선정.
Vormundschaft [..mʊntʃaft] *f.* -en 후견, 보좌: die ~ für〔über〕 jn. übernehmen 누구의 후견을 맡다; unter ~ stehen 후견을〔보좌를〕 받고 있다.
vormundschaftlich *a.* 후견의, 후견인의.
Vormundschafts≈amt *n.*, **~behörde** *f.* 〖法〗 후견 재판소, 후견 감독 관청. **~gelder** *pl.* 피후견인의 재산. **~gericht** *n.* 후견 재판소. **~ordnung** *f.* 후견(에 관한) 법. **~rechnung** *f.* 피후견인의 재산 감정. **~wesen** *n.* 후견 제도.
vor|müssen* *i.* (h.) 〖구어〗 앞으로 나아가야만 하다, 앞에 나타나야 하다.
*__vorn__[1] [fɔrn] 《< vor》 *adv.* (↔ hinten) 앞에, 전방〔전면〕에; 선두에: ~ im Zuschauerraum sitzen 관람석의 앞 쪽에 앉아 있다; 〖스포츠〗 ~ liegen 앞서고 있다; von ~ a) 처음부터, b) 앞으로 부터, c) 새로이, d) 한번더, 다시; er bekam einen Schuß von ~ 그는 앞쪽〔정면〕에서 총격을 당했다; 〖구어〗 es reicht 〔langt〕 nicht ~ und nicht hinten 모자란 것 투성이다, 전혀 충분치 않다; hinten und ~ 모든 면에서; es stimmt hinten und ~ nicht 그것은 전혀 옳지 않다; von ~ bis hinten 처음부터 끝까지, 철저히, 완전히.
Vorn *n.* das ~ und das Hinten 전후, 표리, 수미(首尾).
vorn[2] 〖구어〗 = vor den …의 앞으로: ~ Bahnhof 역 앞으로.
Vornachricht *f.* -en 예보.
vornacht *adv.* (schweiz.) 그저께 밤에 (vorgestern nacht).
vor|nageln *t.* …에 못을 박다.
Vornahme [fó:rna:mə] *f.* -n 〖격식〗 착수, 실시, 실행; 기도.
Vorname [fó:rna:mə] *m.* -ns, -n (성 앞의) 이름(↔ Familienname); 세례명.
vornamens *adv.* …이라는 이름의.
vorn·an [fɔrn|án, fɔ́rn|an] *adv.* 맨 앞에, 선두에.
vorne [fɔ́rnə] 〖구어〗 ↑ vorn[1].
vorne≈an *adv.* ↑ vornan. **~herein** *adv.* (schweiz.) ↑ vornherein. **~hin** *adv.* nach ~ 전방으로.
*__vornehm__ [fó:rne:m] *a.* 〖구식·反語〗 ①〖최상급으로만 쓰임〗〖雅語〗 주요한, 중요한: meine ~ste Aufgabe 나의 최대의 임무. ② 신분이 높은; 고귀한; 고상한: die ~e Gesellschaft 상류 사회; ein ~er Stadtteil 고급 주택가; 〖구어〗 die ~e Welt 상류 계층; ~e Gesinnung 고결한 지조. ③ 품위 있는, 우아한: ~ gekleidet 우아하게 옷을 입은.
__vor|nehmen__ 《Ⅰ》 *t.* ①〖구어〗 (**a**) 앞에 놓다. (**b**) (신체의 일부분을 보호하기 위해) 앞에 두어 가리다: einen Fächer ~ 부채로 (얼굴 따위를) 가리다. (**c**) 앞에 대다〔묶다〕: eine Schürze ~ 앞치마를 두르다. ②〖구어〗 jn. ~ 누구를 우선적으로 응대〔처리〕하다: einen Patienten ~ 어떤 환자를 우선 진료하다. ③ (**a**) …에 착수하다; 시작하다: (sich³) eine Arbeit ~ 일에 착수하다; (sich³) ein Buch ~ 책을 읽기 시작하다. (**b**) 행하다, 처리하다, 시행하다: eine Änderung ~ 변경하다; eine Prüfung ~ 시험을 실시하다. 《Ⅱ》 *refl.* ① sich³ et. ~ 무엇을 작정하다, 기도〔계획〕하다; 결심하다: ich habe mir vorgenommen, mit dem Rauchen aufzuhören 나는 금연하기로 마음 먹었다. ②〖구어〗 sich³ jn. ~ 누구를 불러 야단치다.
Vornehmen *n.* -s 계획, 의도; 기도, 시행.
Vornehmheit *f.* ① 지체 높음, 고귀. ② 숭고, 기품, 고상, 우아.
vornehmlich [fó:rne:mlɪç] *adv.* 〖雅語〗 주로, 특히, 무엇보다도.
Vornehmling *m.* -s, -e 거만〔오만〕한 사람.
Vornehmtuerei [fo:rne:mtu:əráɪ] *f.* 고상한 체하기, 거드름빼기, 거만.
vor|neigen 《Ⅰ》 *t.* 앞(쪽)으로 기울이다. 《Ⅱ》 *refl.* sich ~ 앞으로 기울다; 몸을 굽히다: sich grüßend ~ 머리를 숙여 인사하다.
Vorneigung *f.* -en ① 앞으로 기울이기〔굽히기〕. ② (Vorliebe) 총애, 편애.
*__vorn≈herein__ [fɔrnhɛráɪn, fɔ́rn..aɪn] *adv.* von ~ a) 처음부터; 원래부터; 선천적으로, b) 즉시, 주저하지 않고. **~hin** *adv.* 전방에, 처음에: et. ~ setzen 무엇을 맨 앞에 두다. **~hinein** *adv.* 〖방언〗 im ~ a) 처음부터, b) 즉시. **~über** *adv.* 앞쪽으로(nach vorn); den Kopf ~ beugen 머리를 앞으로 숙이다.
vornüber≈|beugen *t.* 앞으로 숙이다. **~|fallen** *i.* (s.) 앞으로 떨어지다. **~|kippen** *i.* (s.) 앞으로 넘어지다.
vornweg [fɔ́rnvɛk, fɔrnvɛ́k] *adv.* ① 앞〔선두〕에 서서, 맨 먼저: mit dem Kopf ~ ins Wasser springen 머리부터 먼저 물 속으로 뛰어들다. ② 미리, 사전에, 앞질러서.
vor|ordnen 《Ⅰ》 *t.* 예비적으로 대강 정돈(정리)하다: Akten ~ 서류를 대강 정리하다. 《Ⅱ》 **vorgeordnet** *p.a.* ↑ vorgerdnet.
*__Vor·ort__ [fó:r|ɔrt] *m.* -(e)s, -e ① (1848년 이전의) 스위스의 주요 도시(Zürich, Luzern, Bern). ② (조합·동맹 등의) 본부 소재지; (도시 동맹의) 맹주 도시. ③ 교외, 변두리, 위성도시.
Vorort(s)≈bahn *f.* 〖철도〗 교외 철도. **~verkehr** *m.* 교외와 시내 사이의 교통. **~zug** *m.* 교외선 열차.
vor|pfeifen* *t.* jm. et. ~ 누구에게 어떤 곡을 휘파람으로 불러 주다.
Vorplanung *f.* -en 예비 계획.
vor|plappern *t.* ↑ vorplaudern.
Vorplatz *m.* -es, ..plätze ① 건물 앞의 작은 광장, 앞뜰. ② 대기실; 현관; 마루청; 층계참(站).

vor|plaudern *t.* jm. et. ~ a) 누구에게 무엇을 지껄이다, b) 누구에게 어떤 거짓말을 하다.
Vorpommern 포어포메른(Oder 강 서부의 지방).
Vorposten *m.* -s, - 〖軍〗 전초(前哨); ~ ablösen〔aufstellen〕 전초를 교대〔배치〕하다.
Vorposten≈boot *n.* 〖海〗 초계정, 순시선. **~dienst** *m.* 〖軍〗 전초 근무. **~gefecht** *n.* 전초전. **~kette** *f.* 전초(연결)선. **~linie** *f.* ↑ ~kette. **~stellung** *f.* 전초 진지.
vor|prahlen *t./i.* (h.) jm. et. 〔von et.[3]〕 ~ 누구에게 무엇을〔무엇에 관해〕 허풍쳐 말하다.
vor|predigen *t.* 〖구어〗 jm. et. 〔von et.[3]〕 ~ 누구에게 무엇을 경고하다, 간곡히 타이르다.
vor|prellen *i.* (s.) 〖방언〗 ↑ vorpreschen.
vor|preschen *i.* (s.) 돌진하다: zu weit ~ 성급하게 행동〔협상〕하다.
Vorprogramm *n.* -s, -e 본 행사에 앞서 행해지는 행사, 식전 행사.
vor|programmieren 《Ⅰ》 *t.* 준비〔기획〕하다. 《Ⅱ》 **vorprogrammiert** *p.a.* ↑ vorprogrammiert.
vorprogrammiert 《Ⅰ》 *p.p.* ↑ vorprogrammieren. 《Ⅱ》 *p.a.* 준비된, 예정된: ein ~er Erfolg 예정된 성공.
Vorprüfung *f.* -en 예비 시험; 예비 조사〔검사〕.
vor|quellen* 《Ⅰ》 *t.* (콩 등을) 불리다. 《Ⅱ》 *i.* (s.) ① 솟아나오다. ② 눈이 튀어 나오다.
vor|ragen *i.* (h.) 돌출하다(hervorragen).
vorragend *p.a.* 탁월한(hervorragend).
Vorrang [fóːrraŋ] *m.* -(e)s ① 상위, 선위(先位), 우위, 우선권; 상석(上席): den ~ vor jm. haben〔gewinnen〕 누구보다 윗자리에 있다, 우선권이 있다; jm. den ~ streitig machen 누구와 우위를 다투다. ② (öst.) 〖교통〗 선행(권) (Vorfahrt).
vorrangig *a.* 우선의, 더 중요〔긴급〕한: diese Aufgabe ist jetzt ~ 이 과제가 지금 우선이다.
Vorrangigkeit *f.* 우선.
Vorrang≈stellung *f.* 우월한 지위, 우위. **~straße** *f.* (öst.) 우선 통행권이 있는 도로 (Vorfahrtsstraße).
*__Vorrat__ [fóːrraːt] *m.* -(e)s, ..räte [..rɛːtə] 예비(품); 저장(품); 비축(물): einen großen ~ von et.[3] haben 무엇을 대량으로 저장〔비축〕하고 있다; et. auf ~ kaufen 무엇을 사재다; 〖구어·농담〗 auf ~ schlafen 미리 자두다.
vorrätig [..rɛːtɪç] *a.* 준비한, 저장해 둔, 현재 가지고 있는: ~e Waren 현품, 재고품, 확보한 상품; et. ~ haben〔halten〕 무엇을 저장〔준비〕해 놓고 있다; der Artikel ist nicht mehr ~ 그 상품은 완전히 매진되었다; ~ bei allen Buchhändlern 어느 책방에서나 살 수 있는.
Vorrats≈boden *m.* (곡물) 저장 창고. **~haltung** *f.* 〖가정〗 (계획적인) 저장, 비축. **~haus** *n.* 저장 창고. **~kammer** *f.* (특히 식료품의) 저장실. **~kasten** *m.* 〖印〗 예비 케이스(예비 영문 활자 케이스). **~raum** *m.* 저장실, 창고. **~schrank** *m.*, **~spind** *n.* 저장품용 찬장. **~verzeichnis** *n.* 현품〔재고품〕 목록. **~wagen** *m.* 〖철도〗 탄수차(炭水車).
Vorraum *m.* -(e)s, ..räume 앞방, 대기실.
vor|rechnen *t.* jm. et. ~ 누구 앞에서 무엇을 계산해 보이다: jm. seine Fehler ~ 누구에게 그의 잘못〔결점〕을 늘어 놓다.
*__Vorrecht__ *n.* -(e)s, -e 우선권; 특권, 특전.
vor|recken *t.* 앞쪽으로 뻗다: den Hals ~ 목을 늘이다〔빼다〕.
*__Vorrede__ *f.* -n (↔ Nachrede) 〖구식〗 머리말, 서언, 서두; 서론.
vor|reden *t.* ①〖고어〗 앞에서 말하다. ②〖고어〗 머리말을 말하다. ③〖구어〗 jm. et. ~ 누구에게 무엇을 그럴 듯하게 꾸며대다; sich[3] et. ~ lassen 무엇을 곧이듣다.
Vorredner *m.* -s, - ① 앞서 말한 사람: mein geehrter ~ 존경하는 전 연사님〔발언자님〕. ② 〖연극〗 서사(序詞)를 말하는〔희곡 전체의 진행을 암시하거나 예고하는〕 사람〔배우〕. ③ (책의) 서문의 필자. ④ 대리인, 중재자.
vor|reiben* *t.* 미리 닦다.
Vorreiber *m.* -s, - 밀창의 손잡이.
vor|reichen *t.* 내밀다.
vorreif *a.* 조숙한, 숙성한.
Vorreigen, Vorreihen *m.* -s, - 윤무(輪舞)의 리드: den ~ haben 윤무에 앞장서서 춤추다, 윤무를 리드하다.
vor|reißen* *t.* ① eine Linie ~ 미리 선을 그어 두다. ② 밑그림을 그리다, 스케치하다.
vor|reiten* 《Ⅰ》 *i.* (s.) ① 선두에 서서 말을 타고 가다, 앞서 달리다. ② 말을 타고 앞으로 가다〔앞지르다〕. ③ 앞에서 승마법을 가르치다. 《Ⅱ》 *t.* jm. ein Pferd ~ 누구 앞에서 말타기를〔승마 시범을〕 보이다; jm. et. ~ 누구에게 무엇을 과시하다.
Vorreiter *m.* -s, - ① 선두에서 말을 타고 가는 사람. ②〖옛뜻〗 높은 사람의 마차를 이끄는 하인. ③ 시범 기수. ④〖구어〗 선구자.
vor|rennen* *i.* (s.) ① 선두에서 달리다; 앞으로 달려가다. ② jm. ~ a) 누구 앞에서 달리다, b) 누구를 앞지르다.
vorrevolutionär *a.* 혁명 전의.
vor|richten *t.* ① 앞으로 가게 하다: die Uhr ~ 시계를 가게 하다. ② 수리〔수선〕하다, 손질하다: Kleider ~ 옷을 수선하다. ③ (vorbereiten) 준비하다, 갖추다: das Bett ~ 잠자리를 준비하다.
*__Vorrichtung__ [fóːrrɪçtʊŋ] *f.* -en ① 준비, 정비; 설비. ②〖工〗 장치; (Werkzeug) 공구, 기구: selbsttätige ~ 자동 장치〔기계〕.
vörrig *a.* (ndd.) 이전의(vorig).
Vorriß *m.* ..risses, ..risse 밑그림, 소묘, 약도, 겨냥도.
Vorritt *m.* -(e)s, -e 선구(先驅).
vor|rücken 《Ⅰ》 *t.* ① 앞으로 밀치다, 나아가게 하다: die Uhr ein paar Minuten ~ 시계를 몇 분 빨리 가게 돌려놓다; 〖체스〗 einen Stein ~ 말을 한 발 나아가게 하다. ② jm. et. ~ a) 무엇을 누구의 앞에 밀어 주다, b) 누구의 무엇을 비난〔질책〕하다. 《Ⅱ》 *i.* (s.) ① 앞으로 나아가다, 전진하다; 승진하다; 〖軍〗 진군하다, 진격하다. ② (시간이) 가다, 흐르다: zu vorgerückter Zeit 늦은 시간에, 한밤중에; in vorgerücktem Alter 중년에.
Vorrücken *n.* -s 전진.
vor|rufen* *t.* 앞으로 불러내다, 호출하다; 〖法〗 소환하다.
Vorruhestand *m.* -(e)s 정년 전 퇴직, 조기 퇴직.
Vorruhestands·geld *n.* 조기 퇴직금. **~re-**

gelung *f.* 조기 퇴직 규정.

Vorrunde *f.* -n 〖스포츠〗 1차 예선.

Vorrunden·spiel *n.* 1차 예선 경기.

vor|rüsten *t.* 준비하다.

*__vors__ [fo:rs] 〖구어〗 =vor das 그 앞으로.

Vors. =Vorsitzende(r) 의장.

Vorsaal *m.* -(e)s, ..säle [..zɛ:lə] 앞방, 홀, 현관(에 딸린) 방; 대합실; 대기실.

Vorsabbat *m.* -s, -e 〖宗〗 안식일 전야.

vor|sagen [fó:rza:gən] *t.* ① 미리 말하다, 예고〔예언〕하다. ② jm. et. ~ (따라 외우거나 받아쓰도록) 누구에게 무엇을 불러 주다. ③ sich³ et. ~ a) 혼자 중얼거리다, b) 자기 암시하다; er sagte sich immer wieder vor, es sei alles nicht so schlimm 그는 만사가 그렇게 나쁘지만은 않다고 계속해서 자기 암시를 하였다. ④ 〖학생〗 (답 등을) 살짝 귀띔해 주다.

Vorsager *m.* -s, - ① 〖연극〗 (배우에게) 대사를 불러 주는 사람, 프롬프터. ② 답을 몰래 불러 주는 사람.

Vorsaison [..zɛzɔ̃:, ..sɛzɔ̃:] *f.* -s/ (öst.) -en 제철〔시즌〕 전(시기); 요전 시즌.

Vorsänger *m.* -s, - (합창대의) 선창자; (성가의) 선창자.

Vorsängerin *f.* -nen ↑ Vorsänger 의 여성형.

*__Vorsatz__ [fó:rzats] *m.* -es, ..sätze [..zɛtsə] ① (**a**) 칸막이, 병풍. (**b**) 〖출판〗 면지(面紙). ② 의도, 결의, 결단, 결심; 〖法〗 고의: einen ~ fassen 결심하다; seinen Vorsätzen untreu werden 결심을 지키지 못하다; et. mit ~ tun 무엇을 고의로 하다.

Vorsatz·blatt *n.* 〖출판〗 면지(面紙).

vorsätzlich [..zɛtslɪç] 《I》 *a.* 의도적인, 고의의: 〖法〗 ~e Tötung 의도적 살인, 모살(謀殺). 《II》 *adv.* 고의로, 일부러.

Vorsätzlichkeit *f.* 고의(성).

Vorsatz·linse *f.* 〖사진〗 보조 렌즈.

vorsatzlos *a.* 고의가 아닌, 저의가 없는.

Vorsatz·papier *n.* 〖출판〗 면지(面紙).

vor|schallen⁽*⁾ *i.* (h.) (소리가) 유난히 쟁쟁하다(vorklingen).

vor|schalten [fó:rʃaltən] *t.* 〖전기〗 직렬로 접속하다.

Vorschalt≠gesetz *n.* 임시법. **~widerstand** *m.* 〖전기〗 직렬 저항.

Vorschanze *f.* -n 〖軍〗 돌각보(突角堡), 반월보(半月堡).

Vorschau [fó:rʃaʊ] *f.* -en ① 예견, 선견; 예측. ② 예비 검사. ③ (방송·영화의) 예고(편).

vor|schauen 《I》 *t.* 예견하다. 《II》 *i.* (h.) ① 전방을 보다. ② 엿보다.

*__Vorschein__ *m.* 출현: zum ~ kommen 출현하다, 나타나다; zum ~ bringen 출현시키다, 내보이다.

vor|scheinen* *i.* (h.) 나타나다; 뚜렷해지다.

Vorschicht *f.* -en 〖지질〗 제1층, 전층(前層), 외층(外層).

vor|schicken *t.* ① 앞으로 보내다. ② 〖구어〗 (분위기를 파악하러) 먼저 보내다. ③ (짐 등을) 미리 부치다.

vor|schieben* *t.* ① (**a**) 앞(쪽)으로 밀다: die Unterlippe ~ 아랫입술을 내밀다; den Riegel ~ 빗장을 지르다; einer Sache einen Riegel ~ 어떤 일을 방해하다, 방지하다. (**b**) 〖軍〗 전진시키다: Vorgeschobener Posten 전초(前哨); vorgeschobene Stellung 전진 기지; Vorgeschobener Beobachter(약어: VB) 탱크 부대나 보병 부대에 파견되어 포사격을 지도하는 포병 장교〔하사관〕. (**c**) sich ~ 앞으로 나아가다, 전진하다. ② (**a**) jn. ~ 누구 뒤에 숨다, 누구를 전면에 내세우다: dieser Angeklagte war nur vorgeschoben 이 피고는 단지 허수아비에 불과했다. (**b**) et. ~ 무엇을 핑계로 삼다; eine Krankheit ~ 병을 핑계대다.

Vorschieber *m.* -s, -, **Vorschiebe·riegel** *m.* 빗장.

vor|schießen* 《I》 *i.* ① (h.) (**a**) jm. ~ 누구보다 먼저 사격하다. (**b**) jm. mit einem Gewehr ~ 누구에게 사격법을 가르치다. ② (s.) 〖구어〗 튀어〔뛰어〕나오다; 돌출하다: ein Hund schoß aus der Hütte vor 개 한 마리가 오두막에서 튀어 나왔다. 《II》 *t.* ① einen Riegel ~ 빗장을 지르다. ② jm. ein Gewehr ~ 누구에게 사격 시범을 보이다. ③ jm. Geld ~ 누구에게 돈을 선불하다.

Vorschiff *n.* -(e)s, -e 〖海〗 배의 이물.

vor|schlafen *i.* (h.) 〖구어〗 미리 잠을 자두다.

*__Vorschlag__ [fó:rʃla:k] *m.* -(e)s, ..schläge [..ʃlɛ:gə] ① (단조 작업에서 해머의) 제1타; 〖탁구·테니스〗 서브. ② 〖음악〗 앞꾸밈음, 전타음(前打音). ③ 제안, 건의: einen ~ annehmen〔ablehnen〕 어떤 제안을 받아들이다〔거부하다〕; jm. einen ~ machen 누구에게 무엇을 제안하다; auf js. ~ 누구의 제안으로; 〖구어〗 ein ~ zur Güte 화해의 제안; 〖격식〗 et. in ~ bringen 무엇을 제안하다. ④ 〖印〗 (책〔장(章)〕의 첫 페이지의) 모두(冒頭) 여백. ⑤ (schweiz.) 이월금, 잉여금, 흑자. ⑥ 〖工〗 보호하기 위하여 앞에 박아 붙인 것; 보호판; 〖토목〗 끝벌 입힘. ⑦ 〖사냥〗 사슴의 입.

__vor|schlagen__ 《I》 *t.* ① 앞에 박아 달다, 앞에 부가하다. ② 제안하다: er schlug einen Spaziergang vor 그는 산책을 하자고 제안했다. ③ 추천〔천거〕하다: der Vorgeschlagene 피추천인. ④ 값을 깎아주다. ⑤ 〖음악〗 jm. den Takt ~ 누구에게 박자를 맞춰 주다. 《II》 *i.* ① (h.) (**a**) 처음에 치다, 서브하다. (**b**) 〖고어·비유〗 득세하다, 우세하다. ② (s.) 번뜩이다, 문득 떠오르다.

Vorschlagen *n.* -s ① 제안. ② 추천, 천거. ③ 〖商〗 에누리: das ~ ist nicht meine Art 우리 점포는 에누리 없습니다, 정찰 판매입니다.

Vorschlag·hammer *m.* (단조용의) 큰 망치, 물몽둥이, 모루채.

vorschläglich *a.* 제안에 따른.

vorschlag(s)·fähig *a.* 추천할 수 있는.

Vorschlags≠liste *f.* 피추천자 명부, 후보자 명부; 〖軍〗 임관〔진급〕 상신부. **~note** *f.* 〖음악〗 전타음(표)(前打音(標)), 앞꾸밈음(표). **~recht** *n.* 〖法〗 추천〔천거〕권. **~silbe** *f.* 〖문학〗 (강음으로 시작하여야 할 구두(句頭)에서) 강음이 없는 음절. **~wesen** *n.* 〖經〗 제안 제도.

vorschluss.. 新정서 ⇦ vorschluß...

Vorschluß·runde *f.* 〖스포츠〗 준결승전.

Vorschmack [fó:rʃmak] *m.* -(e)s 〖고어〗 ↑ Vorgeschmack.

vor|schmecken 《I》 *i.* (h.) (너무) 뚜렷한 맛이 나다: der Paprika schmeckt vor 피망 맛이 확 난다. 《II》 *t.* ① (vorkosten) 먼저 맛보

다, 시식하다. ② 맛을 제일 강하게〔많이〕 느끼다. ③ 예감하다.
Vorschneide≈brett *n.* 빵을 써는 도마. **~messer** *n.* 고기를 써는 (큰) 나이프.
vor|schneiden* *t.* ① 미리 자르다; (식탁에서 고기를) 썰어서 (나눠) 주다. ② 잘라서 보여 주다: jm. et. ~ 누구 앞에서 무엇을 잘라 보이다; 〖비유〗 jm. Gesichter ~ 누구를 향하여 얼굴을 찌푸리다.
Vorschneider *m.* -s, - 고기 자르는 사람; 헤드웨이터; 자르는 기구, 자르는 톱.
vorschnell *a.* 성급한, 너무 이른.
Vorschoter *m.* -s –, **Vorschotmann** *m.* -(e)s, ..männer/..leute 〖스포츠〗 (요트의) 앞돛의 밧줄 담당자.
vor|schreiben* [fó:rʃraɪbən] 《I》 *t.* ① 앞에 쓰다. ② (a) (jm. et.) 앞에서 써 보이다, 쓰는 법을 가르치다: Kindern einen Buchstaben ~ 아이들에게 낱자〔글자〕를 가르치다. (b) 지시하다, 명하다; 규정하다; 규칙을 정하다; (가격을) 공식적으로 지정하다: die Gesetze schreiben folgendes vor 법률은 다음과 같이 정하고 있다. 《II》 **vorgeschrieben** *p.a.* ↑ vorgeschrieben.
vor|schreien* *t.* jm. et. ~ 누구를 향해 무엇을 외치다.
vor|schreiten* 《I》 *i.* (s.) ① 앞으로 걸어 나아가다, 전진하다; 〖비유〗 진보〔진척〕하다: die Arbeit ist schon weit vorgeschritten 일은 벌써 많이 진척되었다. ② jm. ~ a) 누구의 앞으로 걸어 나오다, b) 누구에 앞서다. 《II》 **vorgeschritten** *p.a.* ↑ vorgeschritten.
***Vorschrift** [fó:rʃrɪft] *f.* -en ① 〖구식〗 습자책, (보고 그리기 위한) 그림책. ② 지시, 지정; (직무) 규정; 명령; 훈령; 〖醫〗 처방(전): die ~(en) beachten〔befolgen, mißachten〕 규정을 유의〔준수·무시〕하다; nach ~ 규정대로; laut polizeilicher ~ 경찰 직무 규정에 의하여.
Vorschriften·buch *n.* 습자책.
vorschrifts≈gemäß, ~mäßig *a.* 규정〔규칙〕대로의, 정규의: eine ~e Ausrüstung 정장(正裝); ~ über die Kreuzung fahren 법규대로 교차로를 건너다. **~widrig** *a.* 규정〔규칙〕에 어긋나는, 반칙의.
Vorschritt *m.* -(e)s, -e (Fortschritt) 진보, 진척.
Vorschub [fó:rʃu:p] *m.* -(e)s, ..schübe [..ʃy:bə] ① (독일식 볼링에서) 맨 먼저 던지기: den ~ haben 첫번째〔먼저〕다. ② 앞으로 밀고 나아가기, 추진; 〖비유〗 (Hilfe) 조력, 후원; 애호, 은총; 〖法〗 보조, 방조: jm. ~ leisten 누구를 후원하다. ③ (a) 〖工〗 (기계〔기구〕의) 전진 운동, (연료의) 공급. (b) 〖컴〗 (프린터에서) 종이의 전진 이동.
Vorschub·leistung *f.* 후원, 원조, 방조, 보조; 촉진, 조성.
Vorschuh *m.* -(e)s, -e 구두의 앞가죽, 갑피(甲皮).
vor|schuhen *t.* (구두의) 갑피를 갈다, (구두에) 새 겉가죽을 대다.
Vorschuh·leder *n.* (구두의) 겉가죽.
Vorschul·alter *n.* ① (약 3세부터 취학 전까지의) 학령〔취학〕전(前) 연령. ② 〖좁은 의미〗 (5-6세의) 예비교 취학 연령.
Vorschule [fó:rʃu:lə] *f.* -n ① (초등 학교 입학 전의) 예비교(유아원·유치원 따위); (초등 학교의) 예비반(지진아를 위한 특수반). ② 〔옛뜻〕(김나지움의) 아래 학급, (상급 학교 진학을 위한) 준비 교육 시설. ③ 초보; 입문(서), 초보 독본. ④ 〖비유〗 eine ~ des Lebens 인생의 예비 교육.
Vorschüler *m.* -s, - 예비교 학생.
Vorschul·erziehung *f.* ① 학령〔취학〕전 교육. ② (좁은 의미에서는) 5-6세 아동의 예비교육.
vorschulisch *a.* 취학〔학령〕전의.
Vorschul·kind *n.* 취학전 아동; 예비 학교 아동.
Vorschul·lehrer *m.* 예비 학교 교사.
Vorschulung *f.* 예비〔준비〕 교육.
***Vorschuß** [fó:rʃʊs] *m.* ..sses, ..schüsse [..ʃʏsə] ① 먼저 쏘기〔쏘는 사람〕. ② (Geld~) 선불, 선금, 가불; 입체금; 대부(금): Vorschüsse leisten〔tun〕 선불하다; einen ~ an Vertrauen beanspruchen 미리 신뢰를 구하다; um 100 Mark im ~ sein 100 마르크를 선불한 상태다.
Vorschuss 新정서 ⇦ Vorschuß.
vorschuss.. 新정서 ⇦ vorschuß...
Vorschuß≈bewilligung *f.* 가불 승낙. **~kasse** *f.* 대부 금고. **~lorbeeren** *pl.* 성급한 찬양; (작품·제품이 나오기 전에) 미리 받는 찬사. **~mehl** *n.* 최상품 밀가루. **~pflicht** *f.* 소요 경비의 선불 의무. **~verein** *m.* 〖法〗 대부 (신용) 조합. **~weise** *adv.* 가불로, 선금으로. **~zahlung** *f.* 선불, 선금; 입체(立替).
vor|schütten *t.* ① 전방에 던지다〔던져주다〕: dem Vieh Futter ~ 가축에게 먹이를 주다. ② 〖토목〗 Dämme ~ (무엇의) 앞에 제방을 쌓다.
vor|schützen *t.* ① 앞에 내놓고 (몸을) 방어하다; (무엇의) 배후에 숨다. ② 방패〔구실〕로 삼다; 거짓 꾸미다: eine Krankheit ~ 병을 빙자하다, 꾀병을 앓다; 〖구어〗 keine Müdigkeit ~! 피곤한 척 말고, 계속해라!
Vorschützung *f.* -en 핑계, 구실; 허구.
Vorschwarm *m.* -(e)s, ..schwärme (꿀벌의) 첫 분봉(分蜂).
vor|schwärmen *t./i.* (h.) 〖구어〗 열광적으로 이야기하다: jm. et. ~ 누구에게 무엇을 열심히 이야기하다; jm. von einer Reise ~ 누구에게 여행 얘기를 열심히 하다.
vor|schwatzen *t.* 지껄여 대다: jm. et. ~ a) 누구에게 무엇을 지껄이다, b) 누구에게 무슨 거짓말을 지껄이다.
vor|schweben *i.* (h./(고어) s.) jm. ~ 누구의 눈앞에 아른거리다, 누구의 머리에 떠오르다; mir schwebt eine andere Lösung vor 다른 해결책이 나의 머리에 떠오른다.
vor|schwefeln *t.* 〖구어〗 jm. et. ~ 누구에게 무슨 허튼수작〔말〕을 하다.
vor|schwimmen* *i.* ① (s.) jm. ~ 누구를 헤엄쳐 앞지르다. ② (h.) jm. ~ 누구에게 수영 시범을 보이다, 수영법을 가르치다.
vor|schwindeln *t.* jm. et. ~ 누구를 속여서 무엇을 곧이듣게 하다: mir kann er nichts ~ 그는 거짓말로 나를 속일 수 없다.
Vorsegel *n.* -s, - 〖海〗 앞돛대의 앞에 다는 돛, 선수 종범(船首縱帆).
vor|segeln *i.* (s.) 〖海〗 앞서서 범주(帆走)하다: einem Schiff ~ 어떤 배를 앞지르다.

vor|sehen [fóːrzeːən] 《I》 *t.* ① (vorhersehen) 미리 보다, 예견하다. ② (**a**) 임명〔사용〕하려고 하다: jn. für ein Amt ~ 누구를 관직에 임명하려고 하다. (**b**) 미리 고려〔대비〕하다, 예정하다: der Fall ist im Gesetz nicht vorgesehen 이 사건은 법률적으로 규정되어 있지 않다; die Eröffnung ist für nächste Woche vorgesehen 개막(식)은 다음 주로 예정되어 있다. 《II》 *refl.* sich ~ ① 조심하다: sieh dich vor! 정신 차려, 조심해!; sich vor jm.〔et.³〕 ~ 누구를〔무엇을〕 조심〔경계〕하다; **mit**〔**bei**〕 ihm muß man sich ~ 그 녀석을 조심해야 한다, 그녀석은 마음 놓을 수 없는 녀석이다. ② 준비하다: sich **auf**〔**für**〕 et. ~ 무엇의 준비를 하다. ③ 〖구식〗 마련〔준비〕해 두다: sich **mit** et.³ ~ 무엇을 마련해두다. 《III》 *i.* 보이다: dein Unterrock sieht vor 네 속치마가 보인다.

***Vorsehung** [..zeːʊŋ] *f.* ① 선견, 예견. ② 사전의 배려 (Vorsorge). ③ 섭리, 하늘의 뜻: 〖宗〗 die (göttliche) ~ a) 하늘의 뜻, 섭리, b) 하느님 (Gott); 〖농담〗 ~ spielen 은밀하게 일의 진행을 돕다.

vor|sein* *i.* (s.) ① 앞에〔앞서〕 있다: jm. ~ a) 누구의 앞에 있다, b) 누구보다 앞서 있다; da sei Gott vor〔davor sei Gott〕! 제발 그런 일이 없도록, 그래서야 쓰나, 어림없다! ② 〖法〗 심리 중이다: was ist jetzt vor? a) 지금 무엇을 심리 중인가?, b) 무슨 일이 일어나고 있는가?; die Sache ist schon vorgewesen 그 사건은 벌써 심리가 끝났다.

Vorsetz·blatt *n.* 〖출판〗 면지(面紙) (책의 겉장과 안 겉장 사이의 지면, 한 쪽은 겉장에 붙어 있음).

vor|setzen 《I》 *t.* ① 앞쪽에 놓다〔앉히다〕. ② 앞에 두다, 앞에 붙이다: einen Schirm ~ 가리개를 앞에 치다; 〖문법〗 eine Silbe ~ 한 철자를 (어떤 말의) 앞에 붙이다; 〖음악〗 einer Note ein Kreuz ~ 어느 음표 앞에 올림표를 붙이다; 〖방언〗 Pferde ~ 말을 (마차에) 매다. ③ (**a**) 제공하다, 내어 놓다: jm. et. ~ 누구에게 무엇을 제공〔증정〕하다; den Gästen etwas Gutes (zu essen) ~ 손님들에게 좋은 음식을 제공하다. (**b**) 〖비유〗 (수준 낮은 것을) 제공〔공연〕하다: für das, was man im Stadttheater vorgesetzt bekommt, soll ich auch noch bezahlen? 시립 극장의 그 따위 공연을 보려고 내가 돈까지 내야 되는가? (**c**) 마음에 품다, 결심하다: sich³ et. ~ 무엇을 결심〔기도·계획〕하다. ④ (**a**) 보다 위에 놓다, 우선시키다: et. einem anderen Ding ~ 무엇을 다른 무엇의 위에 놓다, 다른 것보다도 더 좋아하다. (**b**) 상관으로 임명하다: jn. einem anderen ~ 누구를 다른 사람의 윗자리에 임명하다. (**c**) 장으로〔우두머리로〕 임명하다: jn. einem Amt ~ 누구를 어떤 관직의 장으로 임명하다. 《II》 *refl.* sich ~ 앞쪽에 앉다, 앞으로 나아가 앉다.

Vorsetzer *m.* -s, - 〖구식〗 앞에 놓아 두는 것; 병풍, 칸막이; 난로에 둘러치는 울 (Ofen~); (Fenster~) 겉창, 덧문.

Vorsetz⸗fenster *n.* (이중창의) 바깥창. **~laden** *m.* 덧문. **~papier** *n.* 〖출판〗 ↑ ~blatt. **~silbe** *f.* 〖문법〗 (Vorsilbe) 전철(前綴), 접두어.

Vorsetzung *f.* -en ① 앞에 놓기. ② 앞에 놓여진〔놓은〕 것; 병풍, 칸막이. ③ 〖음악〗 조표 (올림표·내림표 등의 기호; #, ♭).

Vorsetz·zeichen *n.* ↑ Vorsetzung ③.

Vor·sich·hin·sprechen *n.* -s 독백.

***Vorsicht** [fóːrzɪçt] *f.* ① 선견(先見), 예견. ② 조심, 주의; 신중: ~! 주의해!; aus ~ 조심하여〔하느라고〕; mit ~ 주의하여, 신중히; hier ist (äußerste, größte) ~ geboten 여기에서는 (극도의) 주의가 요구된다; 〖속담〗 ~ ist die Mutter der Weisheit 신중은 지혜의 어머니; 〖구어·농담〗 ~ ist die Mutter der Porzellankiste 깨뜨리지 않으려면 항상 신중해야 한다; 〖속담〗 ~ ist besser als Nachsicht 돌다리도 두드려 보고 건너라. ③ 〖고어〗 ↑ Vorsehung ③.

***vorsichtig** [fóːrzɪçtɪç] *a.* 조심스러운, 주의 깊은; 신중한.

Vorsichtigkeit *f.* 〖고어〗 조심, 주의, 신중.

vorsichts⸗halber *adv.* 조심하기 위해, 신중을 기하기 위해. **~maßnahme, ~maßregel, ~regel** *f.* 예방책, 예방 조치: ~n treffen 예방 조치를 취하다.

Vorsignal *n.* -s, -e 〖철도〗 예비 신호기.

Vorsilbe [fóːrzɪlbə] *f.* -n 〖문법〗 (Präfix) 전철(前綴), 접두어 (보기: ge.., ver..).

vor|singen* 《I》 *t.* ① 노래 불러 주다: jm. et. ~ 누구에게 무슨 노래를 들려주다, 누구에게 노래 부르는 법을 가르치다; die Mutter singt den Kindern abends ein Lied vor 어머니가 아이들에게 저녁마다 (잠들도록) 노래를 불러준다. ② (솔로로) 선창하다. 《II》 *i.* (h.) ① 선창하다. ② (평가를 받기 위해 심사자의) 앞에서 노래하다, 오디션을 받다.

Vorsinger *m.* -s, - 선창자, 수(首)창자.

vorsintflutlich [fóːrzɪntfluːtlɪç] *a.* ① 〖드물게〗 노아의 대홍수 이전의. ② 〖구어〗 먼 옛날의; 낡은, 케케묵은, 시대에 뒤진.

Vorsitz [fóːrzɪts] *m.* -es, -e 좌장〔의장〕(직); 〖軍〗 상관: den ~ haben〔führen〕 의장〔사회자〕이다.

vor|sitzen* *i.* (h.) ① (jm.) (…의) 윗자리에 있다. ② 사회를〔의장을〕 맡아보다: einer Verhandlung ~ 협상의 사회를〔의장을〕 맡다.

Vorsitzende* *der/die* 윗자리에 앉은 사람, 좌장, 의장 (약어: Vors.).

Vorsitzer *m.* -s, - ↑ Vorsitzende.

Vorsitzerin *f.* -nen ↑ Vorsitzer의 여성형.

vor|sohlen *t.* 〖구어〗 ↑ verlügen.

Vorsokratiker *m.* -s, - 소크라테스 이전의 그리스 철학자.

Vorsommer *m.* -s, - 초여름 (↔ Nachsommer).

Vorsorge [fóːrzɔrgə] *f.* 사전의 배려〔주의〕, (장래에의) 준비〔대비〕, 예비 조처; 조심: für et. ~ tragen 무엇을 위하여 미리 준비해 두다; die nötige ~ treffen 필요한 준비를 하다; zur ~ 예비 조처로, 만일에 대비해서; 〖속담〗 ~ verhütet Nachsorge 유비무환(有備無患).

vor|sorgen *i.* (h.) 미리 대비하다: für et. ~ 무엇에 대하여 미리 준비〔대비〕하다.

Vorsorge·untersuchung *f.* 〖醫〗 (질병의 조기 발견을 위한) 예방 검진.

vorsorglich 《I》 *a.* 미리 배려하는, 용의주도한, 주의 깊은. 《II》 *adv.* 주의하여, 신중을 기하기 위해: ich habe ihm ~ noch etwas Geld gegeben 나는 그에게 만일을 대비하여 돈까지

약간 주었다.

Vorspann [fóːrʃpan] *m.* -(e)s, -e ① 교대할〔앞에서 끄는〕 말을 마차를 직접 끄는 말 앞에 맴: 〘구어〙 jm. ~ leisten 누구에게 조력〔가세〕하다. ② (**a**) 앞말, 앞에서 끄는 말; 교대할 말, 예비 말: 〘비유〙 nimm ~! (보고를 재촉할 때) 어서 말해 다오! (**b**) (앞에서 끄는) 보조 기관차〔차량〕. ③〘영화·TV〙 (영화나 드라마를 시작하기 전에 제목·연출자·배우 등을 소개하는) 타이틀, 자막; 예고편. ④〘언론〙 (짧은) 서문; (기사의) 리드(서두 요약문).

Vorspann·dienst *m.* 역마(驛馬) 공급.

vor|spannen *t.* ① 앞(쪽)에 매다: ein Seil ~ 밧줄을 앞에 잇다; ein Pferd ~ a) 말을 새로 바꾸어 (마차에) 매다, b) 앞에서 끄는 말을 추가하여 매다. ② (견인차·보조 기관차를) 앞에 연결하다. ③〘구어〙 이용하다: jn. ~ 특정한 목적을 위해 누구의 능력〔명성〕을 이용하다. ④〘전기〙 (소자(素子)에) 바이어스 전압을 걸다.

Vorspann≈film *m.*〘영화〙 예고편. **~musik** *f.* 타이틀 자막의 배경 음악. **~pferd** *n.* ↑ Vorspann ②(a).

Vorspeise *f.* -n 전채(前菜) 요리.

vor|spiegeln *t.* (어떤 모습을) 그럴 싸하게 꾸며 보이다: jm. eine Krankheit ~ 누구에게 병든 척하다.

Vorspiegelung *f.* -en 현혹, 기만: das ist eine ~ falscher Tatsachen 그것은 없는 사실을 있는 것처럼 기만하는 것이다.

***Vorspiel** *n.* -(e)s, -e ①〘음악〙 전주곡, 서곡. ②〘연극〙 서막: ein einaktiges ~ 단막으로 구성된 서막극. ③〘구어〙 (사건 등의) 서막, 시초: der Streit war nur ein ~ des folgenden harten Kampfes 그 언쟁은 뒤이은 치열한 싸움의 시작이었을 뿐이다. ④〘스포츠〙 중요한 시합 전의 게임, 오픈 게임. ⑤ (성교 전의) 전희(前戲), 애무.

vor|spielen 《Ⅰ》 *t.* ① (다른 사람들) 앞에서 연주〔연기〕하다: jm. ein Lied auf dem Klavier ~ 누구에게 피아노로 가곡을 연주해 들려주다. ② 연기해 보여 주다, 연기 시범을 보이다. ③ 가장하다, 속여서 믿게 만들다. 《Ⅱ》 *i.* (h.) ① 서곡을 연주하다, 서막을 연기하다. ② (테스트 받기 위해서 심사자의) 앞에서 연주〔연기〕하다.

vor|spinnen* *i.* (h.) 〘섬유〙 조방사(粗紡糸)를 제조하다〔짜다〕.

Vorspinn·maschine *f.* 시방기(始紡機), (방적기의) 플라이어.

Vorsprache *f.* -n (상담·의뢰를 위한) 예비 면담〔방문〕.

vor|sprechen* 《Ⅰ》 *t.* ① (따라 하도록) 먼저 말해 보이다: einem Kind ein Wort ~ 어린아이에게 단어의 발음을 따라하도록 말해 보이다. ② (오디션에서 대사를) 말〔연기〕하다. 《Ⅱ》 *i.* (h.) ① ((드물게) s.) (청탁이나 상의를 하러) 가다, 방문하다: bei jm. ~ 누구에게 잠깐 들르다, 방문하다. ② 효과가〔작용이〕 뚜렷하게〔두드러지게〕 나타나다: das spricht vor 그것은 뚜렷한 효력을 나타내고 있다. ③〘드물게〙 대변하다. ④ (사람 앞에서) 말하다; zur Prüfung ~ 오디션에서 대사를 말하다.

vor|sprengen *i.* (s.) 앞으로〔선두로〕 돌진하다.

vor|springen* *i.* (s.) ① (hervorspringen) 뛰어나오다; 돌출하다, 튀어나오다: die Kinder sprangen zur Straße vor 어린이들이 (갑자기) 거리로 뛰어나왔다; ein ~der Unterkiefer 튀어나온 아래턱, 주걱턱; 〘건축〙 ein ~des Fenster 돌출한 창; 〘軍〙 ein ~der Winkel 철각(凸角). ② (**a**) 앞으로 나오다, 앞지르다: jm. ~ 누구 앞에 뛰어나오다, 누구를 앞지르다. (**b**) (h.) (…에게) 뛰어 보이다, 뛰는 방법을 가르치다.

Vorspringer *m.* -s, - 〘스포츠〙 (경기 시작 전에 시험 활강하는) 스키 선수.

Vorspruch [fóːrʃprux] *m.* -(e)s, ..sprüche [..ʃpryçə] (Prolog) 머리말; 개회사; 서막, 서곡.

Vorsprung [fóːrʃpruŋ] *m.* -(e)s, ..sprünge [..ʃpryŋə] ① 뛰어 앞서기; 뛰어나간〔나온〕 거리; 〘軍〙 선구(先驅)의 거리; 경주에서 앞질러 달린 거리, 앞선 거리; 〘비유〙 우위, 우월: einen ~ vor jm. gewinnen a) 누구보다 앞서 나가다, b) 누구보다 우월해지다; ~ vor jm. haben a) 누구에 앞서 있다, b) 누구보다 우위에 있다; 〘비유〙 der technische ~ auf diesem Gebiet ist kaum aufzuholen 이 분야의 기술적 우위는 거의 추월할 수 없다. ② 돌출부; 〘건축〙 튀어나온 부분, (처마의) 장식 돌출부.

Vorspuk *m.* -(e)s, -e (특히 흉사의) 전조.

vor|spuken *i.* (h.) 전조가 있다: du hast schon vorgespukt 네가 오리라는 예감이 들었다.

Vorstadium *n.* -s, ..dien [..diən] 초기 단계(Vorstufe).

Vorstadt *f.* ..städte [..ʃtɛ(ː)tə] ①〘옛뜻〙 성벽 외곽 마을; 〘軍〙 시외곽. ② 신도시, 신시가.

Vorstädter [..ʃtɛːtər, ..ʃtɛt..] *m.* -s, - 신도시, 시외곽 주민.

vorstädtisch *a.* 변두리〔시외곽〕의.

Vorstadt≈kino *n.* 변두리〔신시가〕의 영화관. **~theater** *n.* 변두리〔신시가〕의 (연극) 극장.

***Vorstand** [fóːrʃtant] *m.* -(e)s, ..stände [..ʃtɛndə] ① (**a**) (집합적) 고위층, 간부(진), 수뇌부, 이사회: laut Beschluß des ~s 이사회의 결의에 의하면. (**b**) 간부진의 일원, 이사, 중역. ② (öst.) (각 조직단위의) 장(長).

Vorstands≈dame *f.* 여중역, 회장단에 속하는 여자. **~mitglied** *n.* ↑ Vorstand ①(b). **~sitzung** *f.* 간부〔이사·중역〕회의. **~tisch** *m.* 간부〔이사·중역〕석; 주빈(主賓)석. **~vorsitzende*** *der/die* 회장단의 의장. **~wahl** *f.* 간부〔이사·중역〕 선거.

Vorstech·eisen *n.* 〘工〙 쇠꽂이.

vor|stechen* 《Ⅰ》 *i.* (h.) ① 돌출해 있다. ②〘구어〙 뛰어나다, 현저하다. 《Ⅱ》 *t.* (무엇에) 미리 구멍을 뚫다.

Vorstecher *m.* -s, - 〘工〙 민송곳, 찌름송곳, 구멍 뚫는 기구.

Vorsteck≈ärmel *m.* 소매 덮개, 토시. **~blume** *f.* 가슴의 단춧구멍에 꽂는 꽃. **~keil** *m.* ↑ Vorstecker ①.

vor|stecken *t.* ① (**a**) (바늘로) 앞에 꽂다〔달다〕: sich³ eine Brosche〔Perle〕 ~ 가슴에 브로치〔진주〕를 달다. (**b**) 〘구어〙 (확)정하다, 설정하다: sich³ ein Ziel ~ 목표를 정하다; das vorgesteckte Ziel erreichen 소기의 목표를 달성하다. ② (머리·목을) 앞으로 내밀다.

Vorstecker *m.* -s, - ① 핀, (박아 넣는) 마

개, 비녀장, 쐐기. ②『工』 ↑ Vorstecklünse. ③『유행』(민속 의상의) 흉의, 가슴받이.

Vorsteck≈lätzchen *n.* (어린아이의) 턱받이. **~lünse** *f.* 『工』 바퀴굄쐐기. **~nadel** *f.* (Brosche) 가슴에 꽂는 장식 핀, 브로치; 넥타이핀. **~nagel** *m.* 멈춤쇠, 쐐기전(栓), 장부촉. **~pflock** *m.* ↑ ~stift. **~ring** *m.* (결혼반지에 맞추어 끼는) 장식용 반지. **~schlips** *m.* 넥타이. **~stift** *m.* 『건축』 간주(間柱); 『工』 식(植)볼트(볼트의 일종).

__vor|stehen__ *i.* (h./s.) ① (a) 〔드물게〕 앞에 서다, 앞쪽에 있다: der Titel, der dem Buch vorsteht 책의 표제. (b) 눈앞에 있다; 가까이 다가와 있다. (c) 『사냥』(사냥개가 사냥감 냄새를 맡고) 긴장된 자세로 멈춰 서다, 포인트 자세를 취하다. ② 튀어나와 있다(hervorragen): das Haus steht zu weit vor 그 집은 너무 많이 앞으로 나와 있다. ③ 우위에 있다, 보다 낫다: jm. an et.³ ~ 무엇에서 누구보다 우위에 있다. ④ 대표하다, 책임을 맡다: et.³ ~ 무엇의 우두머리다, 무엇을 지배하다, 관리하다; einem Geschäft ~ 상사(商社)를 대표하다; einem Amt ~ 관직을 맡아보다; der Gemeinde ~ 조합장〔면장·촌장〕이다; er steht unserer Schule vor 그는 우리 학교의 교장이다. ⑤ (südd.) (법정에) 출두하다. ⑥〔드물게〕 예감이 들다: es steht mir vor ... 나는 …의 예감이 든다.

vorstehend *p.a.* ① 앞서 말한, 전술한: ~e Seite 앞 페이지; das ~e 전술〔상술〕한 내용; im ~en 앞서 말한 부분에서. ② 목전에 다가와 있는: meine ~e Reise 내가 근일 중에 할 여행. ③ 돌출한: ~e Zähne 뻐드렁니.

Vorsteher *m.* -s, - 책임자, 대표, 사장, 교장, 장관, 관리인, 지배인, 주재자.

Vorsteher·drüse *f.* 『생리』 전립선(腺).

Vorsteherin *f.* -nen ↑ Vorsteher 의 여성형.

Vorsteh·hund *m.* 『사냥』 포인터, 세터(정지하여 사냥감의 발견을 알리는 사냥개).

vorstellbar *a.* ① 소개할 수 있는. ② 상상〔생각〕할 수 있는.

__vor|stellen__ [fóːrʃtɛlən] 《I》 *t.* ① (a) 앞에 세우다: einen Stuhl ~ 의자를 앞에 놓다; jm. Speisen ~ 누구에게 음식을 내놓다. (b) 앞에 내놓다(vorlegen): jm. et. zur Wahl ~ 누구의 앞에 무엇을 놓고 선택하게 하다. (c) 눈으로 보는 것처럼 말하여 주다, 알도록 설명하다; 간절히 타이르다; 골똘히 생각하게 만들다: er hat mir seine Notlage sehr anschaulich vorgestellt 그는 내게 자신의 어려운 처지를 아주 생생히 설명해 주었다. ② 소개하다: darf ich Sie meiner Schwester ~? 당신을 저의 누이에게 소개해도 될까요?; die neue Sommermode ~ 새로운 여름 유행 옷들을 선보이다. ③ 더 앞으로 보내다(vorrücken): eine Uhr um fünf Minuten ~ 시계를 5분 앞으로 돌리다. ④ (a) 『연극』 eine Rolle ~ 어떤 역을 연기(演技)하다; ein Stück ~ 어떤 작품을 공연하다. (b) 나타내다, 보여 주다, 표시하다: was stellt das Gemälde vor? 이 그림은 무엇을 나타내고 있는가?; 〔구어〕 er stellt etwas vor 그는 중요한 자리를 차지하고 있다, 지도적 인물이다; 〔구어〕 er will etwas ~, was er nicht ist 그는 마치 특별한 인물인 것처럼 행동한다. (c) 의미하다(bedeuten): was soll das ~? 그것은 무슨 뜻이냐, 어찌된 일이냐? ⑤ jn. (dem Arzt) ~ 누구를 (의사의) 진찰을 받도록 하다. 《II》 *refl.* sich³/⁴ ~ ① sich³ et. ~ 무엇을 눈앞에 있는 것처럼 생각하다, 상상하다, 『哲』 표상하다; stellen Sie sich meine Lage vor! 제 입장이 되어 보십시오!; das kann man sich nicht ~ 그것은 상상도 못할 일이다, 있을 수 없는 일이다; ich kann mir die Szene lebhaft ~ 나는 그 광경을 또렷이 상상할 수 있다. ② 몸을 앞에 놓다, 몸으로 가리다〔막다〕. ③ sich jm. ~ 누구에게 자신을 소개하다. ④ (의사의) 진찰을 받다: ich muß mich in zwei Wochen zur Nachuntersuchung ~ 나는 2주 후에 재검진을 받아야 한다.

vorstellig *a.* 〔다음 용법으로〕〔격식〕 ① bei jm.〔et.³〕 ~ werden 누구에게〔무엇에〕 이의를 제기하다, 항의하다; bei einer Behörde ~ werden 어떤 관청에 청원서를 제출하다. ② 알아듣기 쉬운: jm. et. ~ machen 누구에게 무엇을 알아듣기 쉽게 말하다.

__Vorstellung__ [fóːrʃtɛlʊŋ] *f.* -en ① (a) 소개; 자기 소개, 면접: aufgrund einer Bewerbung zur ~ eingeladen werden (회사에) 지원을 해서 면접을 보게 되다. (b) 『軍』 사열. ② 『연극·영화』 (Darstellung) 연기, 공연, 상영, 흥행: erste ~ a) 초연(初演), b) (상연의) 첫날; eine ~ besuchen 연극을 보러 가다; heute ist keine ~ 오늘은 공연이 없다. ③ 상상; 『哲』 표상: ich habe keine ~ davon 나는 그것을 전혀 상상할 수 없다; sich³ eine ~ von et.³ machen 무엇을 표상〔상상〕하다. ④〔복수〕〔雅語〕 간절한 설교, 훈계; 비난, 이의: jm. ~en erheben〔machen〕 누구에게 이의를 제기하다, 항의하다; ~en Raum geben 청원을〔이의를〕 받아들이다.

Vorstellungs≈art *f.* 생각하는 방식. **~fähigkeit, ~gabe** *f.* ↑ ~kraft. **~gespräch** *n.* 면접, 면담. **~kraft** *f.* 표상 능력, 상상력. **~typen** *pl.* 표상의 유형. **~vermögen** *n.* ↑ ~kraft. **~weise** *f.* ↑ ~art. **~welt** *f.* 상상〔표상〕의 세계. **~zentrum** *n.* 표상 중추.

Vorstenge *f.* -n 『海』 앞 돛대의 중간 돛대.

Vorsteven [fóːrʃteːvən] *m.* -s, - 『海』 선수(재)(船首(材)), 선수골(船首骨).

Vorstopper *m.* -s, - 『축구』 (미드필드의) 수비수.

Vorstoß *m.* -es, .stöße [..ʃtøːßə] ① 『軍』 돌진, 돌격; 진출: einen ~ machen a) 전진〔돌진〕하다, b) 청원하다. ② (a) 바퀴의 돌출부. (b) 『유행』 옷단의 장식, 레이스. ③ 『化』 (증류 장치의) 연결관; 『건축』 겹치기. ④ 『펜싱』 찌르기, 선제 공격.

vor|stoßen* 《I》 *t.* 앞(쪽)으로 밀다, 튀어나가게 하다, 밀어 보내다: die Faust ~ 주먹을 내밀다; einen Saum ~ (옷단에) 레이스를 달다. 《II》 *i.* ① (s.) 돌진〔돌격〕하다; 진출하다: in unerforschtes Gebiet ~ 아직 미개척 분야를 연구하다. ② (h.) 튀어나오다, 불거지다.

Vorstrafe *f.* -n 『法』 전과(前科).

Vorstrafen·register *n.* 전과 기록.

vor|strecken 《I》 *t.* ① 앞으로 뻗다, 내밀다: den Bauch ~ 배를 앞으로 내밀다. ② (돈을) 꾸어 주다: jm. Geld ~ 누구에게 돈을 꾸어 주다〔대부해주다〕, 입체하다. 《II》 *refl.* sich ~ 몸을 앞으로 구부리다, 몸을 숙이다.

Vorstreckung *f.* -en (Vorschuß) 선불, 입

체(立替).

vor|streichen* *t./i.* (h.) 밑칠〔애벌칠〕을 하다; 방수제(防銹劑)를 칠하다.

Vorstreich·farbe *f.* 밑칠〔애벌칠〕 빛깔.

vor|streuen *t.* 앞에 뿌리다: jm. et. ~ 누구의 앞에 무엇을 뿌리다.

vor|stricken *t.* …의 바닥을 갈아 대다: einen Strumpf ~ 양말의 바닥을 깁다.

Vorstube *f.* -n 〖건축〗 앞방, 큰 방 입구의 방; 사랑방.

Vorstück *n.* -(e)s, -e ① 앞에 대는 물건; 흉갑; 구두코용 가죽. ②〖연극〗(Vorspiel) 서막, 서곡. ③〖海〗(선수(船首)의) 추격포(砲) (Jagdstück).

Vorstudie *f.* -n 사전 (예비) 연구, 준비 논문, 윤곽.

Vorstudium *n.* -s, ..dien [..diən] 예비〔기초적〕 연구.

Vorstufe *f.* -n ① 초기 단계; 앞 단계: seine jetzige Stellung ist die ~ zum Ministersessel 그의 현 직위는 장관직 전단계이다. ②〔구어〕 초보, 입문.

vor|stürzen *i.* (s.) 돌진하다.

vor|suchen *t.* 찾아내다(hervorsuchen).

vorsündflutlich *a.* ↑ vorsintflutlich.

Vortag *m.* -(e)s, -e 앞날, 전날: am ~ 전날에; in den ~en 며칠 전에, 일전에; in der Küche steht noch das gebrauchte Geschirr vom ~ 부엌에는 아직도 어제 사용한 식기들이 쌓여 있다.

vor|tanzen 《I》 *t.* (춤을) 추어 보이다, …의 춤 시범을 보이다: jm. einen Walzer ~ 누구에게 왈츠를 추어 보이다, 왈츠 추는 방법을 가르치다. 《II》 *i.* (h.) ① 앞장 서서 춤추다, 춤을 리드하다. ② (오디션에서) 춤을 추다.

Vortänzer *m.* -s, - ① 춤 시범을 보이는 자. ② 사교춤 리더. ③〔옛뜻〕 궁중 연회의 춤 인도자.

Vortänzerin *f.* -nen ↑ Vortänzer 의 여성형.

vor|täuschen *t.* (vorspiegeln) 그럴싸하게 보이게 하다, 속여서 믿게 하다: Armut〔eine Krankheit〕 ~ 가난한〔병든〕 체하다.

Vortäuschung *f.* -en 속여 믿게 함.

***Vorteil** *m.* -(e)s, -e (↔ Nachteil) ① 이점, 장점, 우월: Vor- und Nachteil 득실, 장단점; die Sache hat den ~, daß ... 그 일은 …의 장점이 있다; ~ von et.³ haben 무엇으로 이득을 얻다; er hat den ~ 〔der ~ ist **auf** seiner Seite〕 그가 유리하다; auf seinen ~ sehen〔bedacht sein〕 사리(私利)를 도모하다, 이해 타산이 빠르다; **aus** et.³ ~ ziehen 무엇에서 이익을 얻다; **im** ~ vor jm. sein 누구보다 유리한 지위에 있다; **von** ~ sein 유리하다; es ist **zu** seinem ~ 그것은 그의 이득이 된다, 그에게 유리하다. ②〔고어〕(**a**) 이윤, 이득, 돈벌이: et. mit ~ verkaufen 무엇을 팔아서 돈을 벌다. (**b**) (Kunstgriff) 기교, 비결, 솜씨: alle ~e eines Handwerks kennen 어떤 수공업의 비결을 완전히 알고 있다. ③ (**a**)〖테니스〗 듀스 때의 어드밴티지. (**b**)〖구기〗 어드밴티지: ~ gelten lassen 어드밴티지 규칙을 적용하다.

vorteil·bringend *a.* 이익이 있는, 유리한.

***vorteilhaft** *a.* ① 득이 되는(↔ nachteilig); 유리한, 알맞은: ~e Gelegenheit 유리한 기회; aufs ~este 가장 유리하게, 〖商〗 최고 가격으로. ② 사리를 추구하는, 이기적인. ③ (angenehm) 마음에 드는, 기분 좋은, 유쾌한: ~ gekleidet 호감을 주는 옷차림의.

vorteilig *a.* ↑ vorteilhaft ①.

vorteilisch *a.* ↑ vorteilhaft ②.

vorteil·suchend *a.* 사리(私利)를 추구하는, 이기주의의.

Vortrab [fó:rtra:p] *m.* -(e)s, -e [..bə] 〖軍·구식〗 (소기마 부대의) 전위(前衛); 〖비유〗 선구(先驅).

vor|traben *i.* (h./s.) 앞장 서서 달리다.

***Vortrag** [fó:rtra:k] *m.* -(e)s, ..träge [..trɛ:gə] ①〖격식〗 진술, 개진, 상신, 보고, 설명: den ~ haben 대변인이다, 보고하다; den ~ beim König haben 왕에게 상소하다; et. zum ~ bringen 무엇을 상신하다; 〔구식〕 etwas kommt zum ~ 무엇이 상신되다. ② 강연, 강의; 토의, 설명; 낭독; 〖음악〗 연주; (체조·피겨 스케이팅 따위의) 연기: Fest~ 기념 강연; einen ~ über et. halten 무엇에 관하여 강연하다; ein Lied zum ~ bringen 어떤 가곡을 연주하다, 노래하다. ③ 이야기투, 말투; 문체; 강의하는 투, 강연술; 〖음악〗 연주법: einen guten ~ haben 말솜씨가 능란하다, 말을 아주 잘하다. ④〖經〗 이월(移越): der ~ auf neue Rechnung 새 계정으로의 이월. ⑤〔학생·농담〕 풍만한 여자의 가슴.

Vortrage·kreuz *n.* 〖가톨릭〗 (행렬의) 선두 십자가.

vor|tragen *t.* ① 앞에서 나르다: jm. eine Laterne ~ 등불을 들고 누구를 안내하다. ② (**a**) 〔구어〕 앞으로 가져가다〔제출하다〕; 앞에 내놓다: 〖軍〗 einen Angriff 〔eine Attacke〕 ~ 공격을 실시하다; 〔고어〕 jm. Speisen ~ 누구에게 음식을 차려 내다. (**b**) 강연하다; 진술〔개진〕하다: ~der Rat 보고 위원, 참사관. (**c**) (청중 앞에서 문학 작품을) 낭독하다; 〖음악〗 연주하다; 〖스포츠〗 연기하다. ③〖商〗 이월하다: den Saldo〔Verlust〕 auf neue Rechnung ~ 잔액〔손실〕을 새 계정으로 이월하다.

Vortragende* *der/die* ① 낭독자. ② 연주자. ③ 보고자, 상신자.

vor|tragieren *t.* 〔농담〕 비극 배우의 투로 말〔연기〕하다.

Vortrags=abend *m.* 강연〔연주〕회의 밤. **~anweisung** *f.* 〖음악〗 ↑ ~bezeichnung. **~art** *f.* ↑ Vortrag ③. **~bezeichnung** *f.* 〖음악〗 (작곡가 또는 편곡자에 의한) 악보 보충 설명. **~folge** *f.* 공연〔연주·연기〕 순서. **~kunst** *f.* 낭독〔강연·연주〕술. **~künstler** *m.* 뛰어난 낭독〔연주〕가. **~meister** *m.* 화술에 능한 사람, 웅변가. **~pult** *n.* 강연대. **~raum** *m.* 강연 회장. **~reihe** *f.* (일련의) 강연. **~reise** *f.* 강연 여행. **~saal** *m.* 강연 회장. **~weise** *f.* ↑ Vortrag ③. **~zyklus** *m.* ↑ ~reihe.

***vortrefflich** [fo:rtréflɪç] *a.* 뛰어난, 우수한, 탁월한, 훌륭한; 완전한: ~! 훌륭하다!; ein ~er Schwimmer 탁월한 수영 선수.

Vortrefflichkeit *f.* 탁월, 훌륭함.

vor|treiben* *t.* ①〔구어〕 앞쪽으로 몰다, 몰고 가다. ② 추진하다, 촉진하다. ③〖광산〗 (갱도를) 굴진하다: einen Stollen ~ 수평갱〔횡갱〕을 파나가다.

Vortreppe *f.* -n 옥외 계단(Freitreppe).

vor|treten* *i.* (s.) ① (↔ zurücktreten) 앞으로 (걸어) 나오다: einen Schritt ~ 한 걸음 앞으로 나서다; 〖구어〗 mit et.³ nicht ~ wollen 무엇을 말하려 하지 않다, 무엇을 숨기다. ② 돌출하다(hervortreten); 〖비유〗 눈에 띄다, 뛰어나다: ~de Adern 불거진 혈관. ③〖드물게〗 (**a**) 앞에서 걸어가다: jm. ~ 누구의 앞에서 걸어가다. (**b**) 들르다, 방문하다: bei jm. ~ 누구에게 들르다.

Vortrieb *m.* -(e)s, -e ①〖物〗 (비행선 따위의) 추진(력). ②〖광산〗 굴진, 굴착. ③〖광산〗 방금 굴착된 갱도.

Vortriebs·verlust *m.* 추진력 상실.

vor|trinken* *i.* (h.) jm. ~ 누구보다 먼저 마시다; (zutrinken) (…의) 건강을 축하하며 마시다, 축배를 들다.

Vortritt [fóːrtrɪt] *m.* -(e)s ① 앞에서 걷기, 선행; 〖비유〗 (Vorzug) 우선(優先), 상위: jm. den ~ lassen a) 누구를 앞서가게 하다, b) 누구에게 우선권을 양보하다; unter ~ von jm. 〔unter js. ~〕 누구를 선두에 앞세우고. ② (schweiz.) (교차로에서의) 선행권.

Vortrupp *m.* -s, -s 〖軍〗 선발대, 전위병.

Vortruppen *pl.* 〖軍〗 선발군, 전위 부대.

Vortuch *n.* -(e)s, ..tücher [..tyːçər] ① (südd.) 앞치마(Schürze); (Mundtuch) 냅킨, 턱받이. ②〔구식〕 (여성들이 장식용으로 착용하는) 흉의, 가슴받이.

vor|tun* 《Ⅰ》 *t.* ① 앞서〔미리〕 하다; 조급히 하다. ② 앞에 놓다〔붙이다〕: eine Schürze ~ 앞치마를 두르다; den Riegel ~ 빗장을 지르다; die Pferde ~ 말을 마차의 채에 매다. ③ (vormachen) (사람 앞에서) 해 보이다, 방법을 가르치다. ④ 뛰어나다(übertreffen): es jm. an〔in〕 et.³ ~ 누구보다 어떤 점에서 뛰어나다. 《Ⅱ》 *refl.* 〔구식〕 sich ~ ① (sich hervortun) 뛰어나다, 빼어나다. ② (sich vordrängen) 앞에 나서다, 주제넘게 굴다.

Vortür *f.* -en, **Vortüre** *f.* -n 〖건축〗 (이중문의) 덧문.

vor|turnen *i.* (h.) ① 체조를 시범 보이다〔가르치다〕; 체조하다. ② (관중 앞에서) 체조를 하다.

Vorturner *m.* -s, - 체조의 리더〔시범자〕, 체조 교사.

Vorturner·riege *f.* 〖체조〗 시범자 그룹.

vor|üben *t.* 예비 연습하다, 예습하다.

***vorüber** [forýːbər] 《원뜻: „vor et. über"》 *adv.* ①〔공간적〕 (vorbei) 지나쳐, 통과하여: er ging an mir ~ a) 그는 내 옆을 지나쳐 갔다, b)〔구어〕 그는 나를 무시하였다. ②〔시간적〕 (vergangen) 지나서, 경과하여; 끝나서: der Sommer ist ~ 여름은 지나갔다; sein Ruhm war schnell ~ 그의 명성은 곧 사라졌다. ③ 숙여서(↔ hintenüber): sich〔den Kopf〕 ~ beugen 고개를 숙이다.

vorüber⸗|fliegen* *i.* (s.) 날아서 지나가다. **~|gehen*** *i.* (s.) ①〔공간적〕 통과하다; 지나치다, 간과하다: er ging an mir ~ ↑ vorüber ①; am Rathaus ~ 의사당 앞을 통과하다; im ≈ 지나는 길에, 〔비유〕 곁들여서; ohne Gruß ~ 인사도 없이 지나가다; 〔비유〕 meine Worte sind ohne Wirkung an ihm vorübergegangen 내 말은 그에게 아무 영향도 주지 못하고 간과되었다. ②〔시간적〕 (vergehen) 지나가 버리다, 경과하다; 소실되다: die Nacht 〔das Unwetter〕 ging vorüber 날이 샜다〔뇌우가 멎었다〕; alles in der Welt geht vorüber 제행(諸行) 무상하다; eine Gelegenheit ~ lassen 어떤 기회를 놓치다. **~gehend** *p.a.* ① 통과하는, 지나가는: die ≈en 통행인. ② (zeitweilig; ↔ dauernd) 일시적인, 잠시의; 당분간의, 임시적인: eine ~e Erscheinung 일시적 현상; 〖軍〗 ~e Befestigung 임시 축성(築城); sich ~ an einem Ort aufhalten 잠시 동안 어떤 곳에 체류하다〔머물다〕; das Museum ist ~ geschlossen 박물관은 임시 휴관 중이다. **~|können*** *i.* (h.) 통과할 수 있다.

Vorüberlegung *f.* 사전 숙고: wir sind über ~en noch nicht hinausgelangt 우리는 아직도 초기 단계의 심사를 벗어나지 못했다.

vorüber⸗|reiten* *i.* (s.) 말을 타고 통과하다. **~|ziehen*** *i.* (s.) 지나가다, 통과하다: das ~de Gewitter 지나가는 뇌우(雷雨).

Vorübung [fóːr|yːbʊŋ] *f.* -en 예습, 연습; 〖軍〗 예행 연습.

Voruntersuchung *f.* -en ①〖法〗 예심, 예비조사. ② 사전 조사; 〖醫〗 예비 진찰.

***Vorurteil** [fóːr|ʊrtaɪl] *n.* -s, -e 선입견〔관〕, 속단, 편견; 오해; 편집(偏執): ein ~ gegen jn.〔et.〕 haben 누구〔무엇〕에 대하여 편견을 갖다; in ~en befangen sein 편견에 사로잡혀 있다; alte ~e sind schwer auszurotten 오랜 선입견은 좀처럼 근절이 안 된다.

vorurteils⸗frei *a.* 편견〔선입견〕이 없는; 공평한(unparteiisch): ich will ~ mit Ihnen darüber diskutieren 저는 선입견 없이 당신과 그 문제에 대해 토론하고 싶습니다. **≈-freiheit** *f.* 편견 없음, 공평.

vorurteilslos *a.* ↑ vorurteilsfrei.

Vorurteilslosigkeit *f.* 편견 없음, 공평.

vorurteils·voll *a.* 편견이 많은; 불공평한.

Vorvater *m.* -s, ..väter [..fɛːtər] 〖雅語〗 선조; 〔복수〕 대대의 조상.

Vorverfahren *n.* -s, - 〖法〗 ① 준비 절차, 예심 (절차). ② (행정 소송법의) 이의심리 절차.

vorvergangen *a.* 〔구식〕 전전(前前)의: im ~en Winter 재작년 겨울에.

Vorvergangenheit *f.* ① (사람의) 내력, 전력, 전생(前生). ②〖문법〗 (Plusquamperfekt(um)) 대과거, 과거 완료.

Vorverhandlung *f.* -en 예비 협상〔교섭〕.

Vorverhör *n.* -(e)s, -e 〖法〗 예심.

Vorverkauf *m.* -(e)s (좌석권의) 예매: im ~ besorgen (좌석 등을) 예약하다.

Vorverkaufs·stelle *f.* 예매권 판매소.

vorverlegen *t.* ① (예정보다) 앞당기다: die Prüfung ~ 시험 날짜를 앞당기다. ② 보다 앞쪽으로 옮기다.

Vorverlegung *f.* -en ↑ vorverlegen 의 명사형.

Vorversammlung *f.* -en 예비 집회〔회의〕.

Vorverstärker *m.* -s, - 〖전기〗 프리앰프, 전치(前置) 증폭기.

vorverurteilen *t.* 미리 판단하다, 속단하다.

Vorverurteilung *f.* -en 속단.

Vorvertrag *m.* -(e)s, ..träge [..trɛːgə] 가계약.

Vorvordern [fóːrfɔrdərn] *pl.* 〔고어〕 조상, 선조.

vorvorgestern [fóːrfoːrgɛstərn] *adv.* 그그

저께, 그끄제.

vorvorig [fóːrfoːrɪç] *a.* 전전(前前)의: ~e Woche 지지난주(週).

vorvorletzt [fóːrfoːrlɛtst] *a.* 끝에서 3 번째의(drittletzt); 지지난번의: das ~e Haus in dieser Straße 이 길의 끝에서 세 번째 집; im ~en Sommer 지지난해의 여름에.

Vorwache *f.* -n 〖軍〗 전위(前衛).

Vorwachs *n.* -es 봉교(蜂膠), 벌갖풀(꿀벌이 벌집에 바르는 유성(油性) 물질).

Vorwacht *f.* -en ↑ Vorwache.

vor|wagen *refl.* sich ~ 과감하게 전진하다.

vor|wägen(*) *t.* (누구의) 앞에서 무게를 달다: jm. et. ~ 누구 앞에서 무엇을 저울로 달아 보이다.

Vorwahl [fóːrvaːl] *f.* -en ① (**a**) 예비 선택, 예선. (**b**) (선거 후보자 등의) 추천. ② (결선 투표 전의) 예비 선거(↔ Stichwahl). ③ 지난번의 선거. ④〖통신〗지역 번호; 지역 번호 돌리기〔누르기〕. ⑤ (다이얼의) 예비 설정: 〖사진〗 Blenden≈ 조리개의 프리세트.

vor|wählen *t.* ① 먼저 고르다〔선택하다·정해놓다〕. ②〖통신〗 (지역 번호를) 먼저 돌리다.

Vorwähler *m.* -s, - 〖전기〗 (자동 교환기의) 라인 스위치.

Vorwahl·nummer, Vorwähl·nummer *f.* 시외 전화 국번, 지역 번호.

Vorwall *m.* -(e)s, ..wälle [..vɛlə] 〖軍〗 외벽(外壁).

vor|walten *i.* (h.) 〔구식·雅語〕 ① 지배하다; (vorherrschen) 우위를 차지하다, 우세〔유력〕하다: in seiner Dichtung waltet lyrisches Empfinden vor 그의 문학에는 서정적 감정이 지배적이다. ② 존재〔현존〕하다(obwalten): hier waltet kein Zweifel vor 이 점에 대해서는 의심할 여지가 없다.

vorwaltend *p.a.* 우세〔유력〕한; 현존하는: 〖官〗 unter (den) ~en Umständen 현 상태에서는.

Vorwalze *f.* -n 〖제련〗 애벌용 롤러.

*__Vorwand__[1] [fóːrvant] *m.* -(e)s, ..wände [..vɛndə] 핑계, 구실, 변명: unter dem ~ der Krankheit 병을 핑계 삼아; unter dem ~, daß ... …란 핑계로, …을 구실로 하여; et. zum ~ nehmen 무엇을 구실로 삼다.

Vorwand[2] *f.* ..wände 앞벽(↔ Rückwand).

vorwändlich *a.* (vorgeblich) 핑계〔구실〕의.

vor|wärmen *t.* 미리 따뜻하게 해놓다; 예열하다: ich wärme dir das Bett vor 내가 너를 위하여 잠자리를 미리 따뜻하게 해놓겠다.

Vorwärmer *m.* -s, - 〖工〗 (급수(給水)) 가열기, 삶는 솥; 예열기, 예열 장치.

vor|warnen *t.* jn. ~ 누구에게 미리 경고하다.

Vorwarnung *f.* -en ① 사전 경고: ohne ~ 사전 경고 없이. ②〔구식·구어〕 예고, 전조, 조짐. ③ 경계 경보.

*__vorwärts__ [fórvɛrts, fóːr..] 《I》 *adv.* ① 앞〔전방〕으로: vorwärts! 앞으로 (가)!; ~ und rückwärts a) 앞뒤로, b) 이리저리로; ~ gehen 앞으로 가다, 전진하다; 〔구어〕 jetzt mach mal ~ 빨리, 서둘러라; jm. ~ helfen a) 누구를 도와서 나아가게 하다, b) 〔구어〕 누구를 승진시키다, 끌어올리다. ② 앞쪽으로 향하여: nicht ~ einparken (차의 머리를) 앞을 향하여 주차하지 말 것. ③ (**a**) 일반적인〔정상적인〕 방향으로: 〔구어〕 das kann ich ~ und rückwärts (aufsagen) 나는 그것을 능숙하게 (외워서 말)할 수 있다. (**b**) 미래를 향하여, 발전적으로: ein Schritt ~ 일보 전진하여. 《II》 〔고어〕 *prp.*[2] …의 전방에(vorn): ~ dieser Stellung 이 진지(陣地)의 전방에.

Vorwärts≈bewegung *f.* 전진 운동. ≈|**bringen*** *t.* 나아가게 하다, 진척시키다; 승진시키다, 끌어올리다: sich ~ 출세하다; er bringt das Unternehmen schon vorwärts 그는 착착 계획을 진행시키고 있다. **~gang** *m.* (자동차 따위의) 전진 기어. ≈|**gehen*** *i.* (s.) 〔구어〕 진보〔진척〕하다, 발전하다; 좋아지다, 개량되다; 출세〔입신〕하다: es will damit nicht ~ 그것은 좀처럼 진척이 없다(단: vorwärts gehen 앞으로 가다, 전진하다). ≈|**kommen*** *i.* (s.) ① 성공하다, 영전〔입신〕하다: er kommt im Beruf〔Leben〕 vorwärts 그는 직업〔인생〕에서 성공을 거두고 있다. ② 진척되다, 진보하다: mit einer Arbeit ~ 어떤 일이 진척되다(단: vorwärts kommen 앞으로 나아가다). ≈|**schreiten*** *i.* (s.) 전진하다; 〔비유〕 진보〔진척〕되다, 개량되다: der Umbau ist vorwärts geschritten 개축은 진척되었다. ≈|**treiben*** *t.* 〔비유〕 몰아대다, 고무시키다(단: vorwärts treiben 앞으로 내몰다. **~verteidigung** *f.* 〖軍〗 적극 방어. ≈**weisend** *a.* 미래 지향적인, 진취적인.

Vorwäsche *f.* -n ① 애벌 빨래. ② (세탁기의) 애벌 빨래 단계.

vor|waschen *t.* 애벌 빨래하다.

Vorwasch·gang *m.* ↑ Vorwäsche ②.

*__vorweg__ [foːrvɛ́k] *adv.* ① 앞에서, 앞서서; 미리; 기한 전에: das müssen wir ~ erledigen 우리는 그 문제를 미리 해결해야 한다. ② 선두에, 앞서서: mit der Zunge〔dem Mund〕 ~ sein (주제넘게) 말참견하기를 좋아하다. ③ (**a**) 〔구어〕 처음부터, 원래. (**b**) 무엇보다도, 특별히, 유별나게.

Vorwegleistung *f.* -en (schweiz.) ① 선행(先行) 조치〔작업〕. ② 선불.

Vorweg≈nahme [foːrvɛ́knaːmə] *f.* -n 선취, 앞당김, 선행(先行). ≈|**nehmen*** *t.* 앞서하다; 선취하다, (기한보다) 일찍이〔먼저〕 행하다: wir wollen die Ergebnisse nicht ~ 우리는 그 결과를 미리 말하고 싶지 않다; er nahm mir diese Idee vorweg 내가 가지고 있던 생각을 그가 먼저 말해 버렸다. **~nehmen** *n.* ↑ ~nahme. ≈|**sagen** *t.* 다른 것 보다 먼저 말하다. ≈|**schicken** *t.* ↑ ≈sagen. **~weiser** [fóːrvɛːkvaɪzər] *m.* -s, - ① (고속도로의) 도로 안내 표지판. ② (schweiz.) 선행권 표지판.

Vorwehe *f.* -n 〔대개 복수〕〖醫〗 출산 직전의 고통.

vorweihnachtlich *a.* 성탄절 전의.

Vorweihnachts·zeit *f.* 성탄절 전의 주간, 강림절 주간.

vor|weinen *t.* 앞에서 탄식하며 울다: jm. et. ~ 누구 앞에서 무엇을 탄식하며 울다.

Vorweis *m.* -es, -e 〔고어〕 ① 제시, 정시(呈示). ② 신분증(여권·허가증 따위).

vor|weisen* *t.* ① 제시하다, 꺼내 보이다: jm. et. ~ 누구에게 무엇을 제시하다. ② (지식·능력을) 입증해 보이다.

Vorweisung *f.* -en 제시, 입증.
Vorwelt *f.* ① 태고(의 세계), 원시 시대. ② (↔ Nachwelt) 지난날, 전대(前代). ③ 조상 (Vorfahren).
vorweltlich *a.* 태고의; 세계 창조 이전의.
vor|wenden(*) *t.* 〖고어〗 et. ~ 무엇을 핑계대다.
vorwerfbar *a.* 비난의 여지가 있는.
vor|werfen [fó:rvɛrfən] *t.* ① 앞에〔앞으로〕 던지다; (먹이를) 앞에 던져 주다: die Beine ~ 다리를 내뻗다; den Kopf ~ 고개를 푹 숙이다; den Hühnern Körner ~ 닭에게 낟알을 던져 주다. ② 비난〔질책〕하다: jm. et. ~ 누구의 무엇을 비난〔질책〕하다; sie warf ihm Feigheit vor 그 여자는 그의 비겁함을 비난했다; sie haben sich nichts vorzuwerfen 그들은 서로 비난할 것이 없다, 피장파장이다.
Vorwerk *n.* -(e)s, -e ① 〖農〗 (주농장에서 떨어져 있는) 부속 농장, 외딴 농가. ② 〖軍〗 전진〔외곽〕 진지, 성문 앞 보루.
vor|wiegen* 《I》 *t.* jm. et. ~ 누구 앞에서 무엇의 무게를 달다: er wog mir die Ware vor 그는 내 앞에서 그 물품의 무게를 달았다. 《II》 *i.* (h.) 〖드물게〗 (überwiegen) (**a**) 더 무겁다: et.[3] ~ 무엇보다 무겁다. (**b**) 〖비유〗 비중이 크다, 우위를 차지하다, 우세하다: im Wirtschaftsleben Ostpreußens wiegt die Landwirtschaft vor 동프로이센의 경제 생활에서는 농업의 비중이 크다.
vorwiegend *p.a.* 비중이 큰, 우세한; 주요한; 현저한: in diesem Sommer herrschte ~ trocknes Wetter 금년 여름에는 대체로 날씨가 건조했다.
vor|wimmern *t.* 앞에서 탄식하다: jm. et. ~ 누구의 앞에서 무엇을 탄식〔하소연〕하다.
Vorwind *m.* -(e)s, -e 〖海〗 역풍, 맞바람.
vor|winseln *t.* ↑ vorwimmern.
Vorwinter *m.* -s, - 초겨울.
Vorwissen *n.* -s ① 〖고어〗 미리 앎, 예지(豫知); 관여하여 앎; 예감: ohne mein ~ 내가 미리 알지 못하는 사이에, 내게 미리 알리지 않고. ② 사전〔예비〕 지식.
vorwissenschaftlich *a.* 아직은 학술적이지 못한, 비과학적인, 일반 경험에 따른: 〖哲〗 ~er Begriff 선(先)과학적 개념(일상 생활에 쓰이는 용어의 상식적 의미).
Vorwitz *m.* -es ① (점잖지 못한) 호기심; 참견, 주제넘음; 아는 체함. ② 주제넘게 구는 사람, 참견하는 사람, 건방진 사람.
vorwitzig *a.* ① 호기심이 강한. ② 주제넘은, 참견하는, 아는 척하는.
Vorwoche *f.* -n 지난 주, 전주.
vorwöchig *a.* 지난 주의, 전주의.
vor|wölben 《I》 *t.* 앞으로 활 모양으로〔불룩하게〕 내밀다: die Brust ~ 가슴을 불룩히 내밀다. 《II》 *refl.* sich ~ 앞으로 불룩하게 나오다.
Vorwölbung *f.* -en 융기(隆起), 활 모양으로〔불룩하게〕 튀어나와 있음.
Vorwort [fó:rvɔrt] *n.* -(e)s ① 〔복수: -e〕 〖출판〗 (책의) 머리말, 서언. ② 〔복수: ..wörter〕 〖문법·구식〗 (öst.) 전치사(Präposition).
***Vorwurf** [fó:rvʊrf] 《< vorwerfen》 *m.* -(e)s, ..würfe [..vʏrfə] ① 비난, 질책: Vorwürfe gegen jn. machen 누구를 비난하다; jm. einen ~ wegen eines Dinges machen 누구를 어떤 일로 비난하다; es wird ihm zum ~ gemacht, daß ... 그는 …한 탓으로 책망받는다. ② (학술·예술적 표현의) 주제, 소재, 대상, 제재: der Stoff war ein guter ~ zu seinem Roman 그 소재는 그의 소설의 좋은 테마였다. ③ 〖사냥〗 (여우를 잡을 때) 미끼로 쓰는 먹이.
vorwurfs·frei *a.* 비난할 여지가 없는, 완전무결한.
vorwurfslos *a.* ↑ vorwurfsfrei.
vorwurfs·voll *a.* 비난에 찬, 나무라는 (듯한), 비난을 품은: jn. ~ ansehen 누구를 비난하듯이 바라보다.
vor|zählen *t.* ① 세어 보이다: jm. et. ~ 누구에게 무엇을 세어 보이다. ② 앞에서 계산해 보이다.
Vorzahn *m.* -(e)s, ..zähne [..tsɛ:nə] ① 앞니. ② 뻐드렁니.
vor|zaubern *t.* ① 마술을 보여 주다. ② (마술처럼) 생생하게 눈앞에서 일어나게 하다.
***Vorzeichen** *n.* -s, - ① (Omen) 전조, 징후. ② 〖數〗 (숫자 앞의) 부호, 기호(보기: +, −). ③ 〖음악〗 (곡의 처음에 붙어 그 음의 높낮이·박자를 정하는) 음표 기호, 조표, 박자 기호.
vor|zeichnen *t.* ① (**a**) 앞에서 그려 보이다〔주다〕: bitte, zeichne mir mal einen Elefanten vor! 코끼리 한 마리 좀 그려 주렴! (**b**) 밑그림을 그리다, 스케치하다. ② 〖음악〗 조부호를 붙이다. ③ (발전의 방향·진로 등을) 미리 구상하다, 지시하다: seine Laufbahn als Musiker war ihm vorgezeichnet 음악가로서의 그의 인생은 미리 정해져 있었다.
Vorzeichner *m.* -s, - 밑그림 그리는 사람; 의장가(意匠家), 도안가.
Vorzeichnung *f.* -en ① 그림의 본보기를 그려서 보임. ② (**a**) 그림의 본보기(Vorgezeichnetes); 도안; 자수(刺繡)의 밑그림. (**b**) 〖畫〗 (회화의) 밑그림, 윤곽. ③ 〖비유〗 지시, 규정. ④ 〖음악〗 (**a**) ↑ Vorzeichen ③. (**b**) 조부호를 붙임.
vorzeigbar *a.* 떳떳이 사람들 앞에 내놓을 수 있는.
Vorzeige≠frau *f.* 〖구어〗 (앞에 내세울 만한) 뛰어난 여성. **~sportler** *m.* 뛰어난 운동 선수.
vor|zeigen *t.* 내놓아 보이다; 제시하다; 제출하다: 〖철도〗 Fahrkarten persönlich ~! 각자 승차권을 보여 주십시오!; 〖구어〗 ein Zeugnis zum ∼ 자랑할 만한 성적표〔증명서〕.
Vorzeiger *m.* -s, - 제시자, 제출자: ~ dieses 이것(어음 따위)의 지참인.
Vorzeige·vermerk *m.* 제시 사항의 기재.
Vorzeigung *f.* 〖격식〗 제시; 제출.
Vorzeit *f.* -en ① 선사〔원시〕 시대, 태고. ② 전대(前代), 왕년, 옛날: in grauer〔ferner〕 ~ 아득한 옛날에.
vorzeiten *adv.* 〖시어〗 옛날에, 일찍이.
vorzeitig [fó:rtsaɪtɪç] *a.* ① 시기 상조인; 예상〔예정〕보다 이른, 미리 서두른: eine ~e Geburt 조산(早産); 〖心〗 eine ~e Reaktion 시기상조의 반응; das Feld ~ bestellen 경작기 전에 밭을 갈다; ~ altern 조로(早老)하다. ② 옛날의, 이전의, 지난날의.
Vorzeitigkeit *f.* 〖문법〗 주문장보다 부문장의 시제가 앞섬.
vorzeitlich *a.* ↑ vorzeitig ②.
Vorzeit·mensch *m.* 유사 이전의 인간; 태고

인, 원시인.

Vorzensur *f.* -en ①〚학교〛 평소 성적. ②〚언론〛 사전 검열.

vorziehbar *a.* 취택할 만한, 더욱 마음에 드는, 한층 더 좋은.

vor|ziehen [fó:rtsi:ən] 《I》 *t.* ① (…앞에) 끌어당기다〔치다〕: die Vorhänge vor die Fenster ~ 창에 커튼을 치다. ② 끌어내다 (hervorziehen): die Fußbank unterm Sofa ~ 소파의 밑에서 발판을 끌어내다. ③ 앞으로 끌다: die Artillerie ~ 포병을 전진시키다. ④〚비유〛 더 좋아하다, 선호하다: jn.〔et.〕 einem anderen 〔einem anderen Ding〕 ~ 누구를〔무엇을〕 어떤 다른 사람〔것〕보다 더 좋아하다; ich ziehe es vor, nicht hinzugehen 나는 가지 않았으면 좋겠다. ⑤ 기일을 앞당기다, 먼저 처리하다; 먼저 모시다〔대우하다〕: eine vorgezogene Bundestagswahl 앞당겨 실시된 독일 연방 의회 선거. ⑥〚원예〛 (이식(移植)에 앞서) 어느 정도까지 자라게 하다. 《II》 *i.* (s.) ① 앞〔선두〕에 서서 가다. ②〚軍〛 전진하다. ③ (뒷방에서) 앞방으로 옮기다.

Vorzimmer *n.* -s, - ①〚건축〛 **(a)** 곁방, 큰 방으로 통하는 작은 방; 입구의 방; 대기실 (Anmelderaum). **(b)** 비서(집무)실 (Sekretariat). ② (öst.) 마루청; (보통 옷걸이가 있는) 현관(Diele).

Vorzimmer⸗dame *f.* 여비서. **~wand** *f.* (öst.) 현관의 옷걸이.

Vorzinsen *pl.* 〚금융〛 할인, 어음 할인.

***Vorzug** [fó:rtsu:k] 《< vorziehen》 *m.* -(e)s, ..züge [..tsy:gə] ① 우선권; 특권, 특전: Frauen mit Kindern hatten den ~ 아이를 가진 여성들이 우선권이 있었다. ② 우위, 상위; 우수: eine Prüfung mit ~ bestehen 시험에 우등으로 합격하다; jm. den ~ vor einem andern geben 누구를 다른 누구보다 더 우수하다고 보다; den ~ vor jm.〔et.[3]〕 haben〔verdienen〕 누구〔무엇〕보다 우월하다. ③ 장점; 유리한 점, 이점; 공적; 〔특히 복수〕 재간, 재능: er besitzt viele körperliche und geistige Vorzüge 그는 많은 신체적·정신적 장점을 겸비하고 있다. ④ 명예(Ehre). ⑤〚철도〛 **(a)** (본 열차보다 미리 떠나는) 임시 열차. **(b)**〔옛 뜻〕 열차의 앞부분. ⑥〚학제〛 (öst.) 최우수 학생(에 대한 칭호); 우등상.

***vorzüglich** [fo:rtsý:klıç, fó:rtsy:k..] 《I》 *a.* 우수한, 뛰어난, 탁월한; 주요한: ~e Menschen 걸출한 사람들; das ~ste Stück 걸작; der ~ste Teil 주요한 부분; diese Arbeit ist ~ gelungen 이 일은 훌륭하게 성공을 거뒀다. 《II》 *adv.* 〔구식〕 (vornehmlich) 주로, 특히.

Vorzüglichkeit *f.* -en 장점, 좋은 점, 이점.

Vorzugs⸗aktie *f.*, **~anteil·schein** *m.* 〚商〛 우선주(株). **~behandlung** *f.* 특별 취급, 우대. **~milch** *f.* (화학 처리를 하지 않은 고품질의) 특별 우유. **~preis** *m.* 특(별)가. **~recht** *n.* 우선권, 특권. **~schüler** *m.* (öst.) 우등생, 최우수 학생. **~stellung** *f.* 특별(히 유리한) 지위. **~tage** *pl.* 특별 유예 기간. **~tarif** *m.* 특혜 관세(율). **~weise** *adv.* 우선적으로, 그 중에서도 특히, 특별히. **~zoll** *m.* 〚經〛 특혜 관세.

Vorzukunft *f.* 〚문법〛 미래 완료.

Vorzündung *f.* 〚工〛 조기(早期) 점화.

Voß[1] Johann Heinrich ~ 포스(독일의 시인, 1751-1826).

Voß[2] *m.* 〚動〛 (ndd.) 여우(Fuchs).

Vota ↑ Votum의 복수형.

Votant [votánt] 《lat.; Votum》 *m.* -en, -en 〔교양·구식〕 ① 투표자. ② 맹세자, 서원자.

Voten ↑ Votum의 복수형.

votieren [votí:rən] 《I》 *t.* 투표로 결정하다. 《II》 *i.* (h.) 〔교양〕 투표하다: für jn.〔et.〕 ~ 누구에게〔무엇에〕 찬성 투표하다; die ≁den 투표자들.

votiv [votí:f] 《lat., „gelobt"》 *a.* (맹세에 따라) 신에게 바쳐진, 봉납〔서원(誓願)〕한.

Votiv⸗bild *n.* 〚宗〛 봉납화(奉納畫). **~gabe** *f.* 〚宗〛 ↑ ~geschenk. **~gemälde** *n.* 〚宗〛 ↑ ~bild. **~geschenk** *n.* 〚宗〛 봉헌예물. **~kapelle** *f.* 봉헌(奉獻)의 예배당. **~kerze** *f.* 〚宗〛 봉헌초, 헌등(獻燈). **~kirche** *f.* 봉헌 교회(Dankeskirche). **~kreuz** *n.* 그리스도의 십자가상. **~messe** *f.* 〚가톨릭〛 서원(誓願) 미사. **~tafel** *f.* ① (고대 로마의) 봉납 현판(懸板)〔액자〕. ②〚宗〛 ↑ ~bild.

Votum [vó:tum] 《lat. vovere, „geloben"》 *n.* -s, ..ten/..ta ①〔구식〕 맹세, 서약; 〚宗〛 기원, 서원(誓願). ② **(a)** 의견 발표, 의사 표시. **(b)** (Gutachten) 감정, 판정; 판결(Urteil). **(c)** 투표(Stimme): die Abgeordneten haben ihr ~ abgegeben 국회 의원들이 그들의 한 표를 행사했다; Vertrauens≁ 신임 투표.

Voucher [váutʃər] *n./m.* -s, -(s) 〚구동독〛 바우처, (호텔용의) 관광 쿠폰.

Voute [vú:tə] 《frz.》 *f.* -n 〚건축〛 ① **(a)** (Hohlkehle) 홈, 구조(溝彫), 도려서 만든 곡면(曲面). **(b)** 철근 콘크리트 기둥 하단의 보강제. ② (Gewölbe) 궁륭, 둥근 천장.

Vox [vɔks, vo:ks] 《lat., „Stimme"》 *f.* Voces [vó:tse:s] 〚음악〛 ① 소리, 음성. ② 계명(階名).

Vox nihili [vɔks ní:hili, vo:ks..] 《lat.》 *f.* 〔교양〕 오류〔오기·오식·오독〕에서 생겨난 말, 유령어.

vox populi vox Dei [vɔks pópuli vɔks dé:i] 《lat.》 민중의 소리는 신의 소리(=Volkes Stimme (ist) Gottes Stimme).

Voyageur [voajaʒǿ:r] 《frz.》 *m.* -s, -s/-e ①〔구식〕 여행자. ②〚商〛 외판 사원, 세일즈맨, 행상인.

Voyeur [voajǿ:r] 《frz.》 *m.* -s, -e 〚心〛 관음증(觀淫症) 환자.

Voyeurismus [voajørísmus] 《frz.》 *m.* 〚心〛 관음증.

voyeuristisch *a.* 관음증의.

vozieren [votsí:rən] 《lat.》 *t.* 〔구식〕 ① (berufen) 부르다, 초빙하다. ② 소환하다.

VP ①〚구동독〛 =Volkspolizei 인민 경찰. ② =Versuchsperson 피시험자, 실험 대상자.

VPS =Videoprogrammsystem 비디오 프로그램 시스템.

VR =Volksrepublik 인민 공화국.

v. R. w. =von Rechts wegen 법률상, 정당히, 합법적으로.

Vs =Voltsekunde 볼트 초(秒).

vs. =versus …대(對), …에 대치하여.

V. S. O. P. 《engl.》 =very superior old pale 코냑의 특상급(보통 18-25년 저장).

v. s. pl. =verte, si placet! 페이지를 넘겨 주세요!

Vt. =Vermont 버몬트(미국 동북부의 주).
v. T. =vom Tausend 천분(千分)의.
v. u. =von unten 아래로부터.
***vulgär** [vulgɛ́:r] 《lat. vulgus, „das (gemeine) Volk"》 *a.* ①〔고어〕널리 퍼진, 잘 알려진, 통속의. ②〔교양·폄어〕천한, 비속한; 상스러운, 거친: er drückt sich ~ aus 그는 말투가 천박하다. ③〔교양〕단순화하는, 피상적인, 조야한: eine ~e ökonomische Auffassung 깊이가 없는 경제관.
***vulgarisieren** [vulgarizí:rən] *t.* ①〔고어〕통속화하다; 유포〔보급〕하다. ②〔교양〕비학문적〔피상적〕으로 묘사하다: eine ~de Betrachtungsweise 피상적인 고찰 방식.
Vulgarisierung *f.* -en 〔교양〕통속화, 피상화.
Vulgarismus *m.* -, ..men 〖언어학〗비속한 말〔표현〕, 속어, 비어.
Vulgarität [vulgaritɛ́:t] *f.* -en ①〔복수없음〕비천, 비속, 상스러움; 통속. ②비천〔비속〕한 표현.
Vulgär≈latein *n.* 통속 라틴어, 라틴어의 구어. **~sprache** *f.* 〖언어학〗①상스러운 말, 비어(卑語). ②(중세의) 통속어, 일상어, 민중들의 말, 방언.
Vulgata [vulgá:ta] 《lat.》 *f.* 〖宗〗라틴어역 성서; 〖가톨릭〗(공인 라틴어) 불가타 성서; 〔구어〕(고전 작품의) 일반 통용 원전, 정본.
Vulgivaga *f.* 들뜬 여자, 음탕한 계집(사랑의 여신 Venus 의 별명).
vulgo [vúlgo] 《lat.》 *adv.* 〔교양〕① (gemeinhin) 통례로, 보통, 일반적으로. ② (genannt) (…라는) 이름이 있는, 통칭 …인.
***Vulkan** [vulká:n] 《lat.》 ① *m.* 〖로마신화〗불카누스(불과 대장일의 신). ② *m.* -s, -e **(a)** 화산: ein tätiger〔erloschener〕 ~ 활화산〔사화산〕; (wie) auf einem ~ leben 험악한 시대를 방종으로 보내다; 〔비유〕auf einem ~ tanzen 위험을 무릅쓰다; 〔비유〕das ist ein Tanz auf dem ~ 그것은 위험을 무시한 무모한 행위다. **(b)** 〔좁은 의미〕화산 작용으로 생긴 산.
Vulkan≈ausbruch *m.* 화산 폭발. **~fiber** *f.* 〖工〗경화(硬化) (목재) 섬유, 가황(加黃) 파이버(피혁 또는 고무의 대용품).
Vulkanisation [..tsió:n] *f.* -en (생고무에 황을 화합하는 고무의) 경화(硬化), 가황(加黃), 황화(黃化).
vulkanisch [..nɪʃ] *a.* ①화산의; 화산이 많은. ②화산 작용에 따른: ein ~es Gebilde 화성암층; ~es Gestein 화산암.
Vulkaniseur [vulkanizǿ:r] *m.* -s, -e ①고무 제품 수리공. ② (3년 동안의 수습 기간을 요하는) 고무 제품 수리직.
Vulkaniseur·anstalt *f.* 고무 제품 수리소.
vulkanisieren *t.* ①〖工〗(고무를) 고온에서 가황(加黃)하여 경화하다〔탄성 고무로 만들다〕. ② (어떤 직물에) 탄성 고무를 입히다. ③〔구어〕고무 제품을 수리하다.
Vulkanisierung *f.* -en ↑vulkanisieren 의 명사형.
Vulkanismus *m.* - ①화산 현상〔작용〕. ②화성설(火成說)(↔Neptunismus).
Vulkanist *m.* -en, -en 화성론자.
vulnerabel 《lat. vulnus, „Wunde"》 *a.* 〖醫〗상처 입기〔손상되기〕 쉬운.
Vulnerabilität [..rab:litɛ́:t] *f.* 〖醫〗손상 가능성, 민감성.
Vulneration *f.* -en 부상, 창상(創傷).
Vulpinit [vulpiní:t, ..nít] *m.* -(e)s, -e 〖광물〗석고옥(石膏玉).
Vulva [vúlva] 《lat.》 *f.* ..ven 〖해부〗여성의 외음부, 음문.
v. u. Z. =vor unserer Zeitrechnung (서력) 기원 전.
v. v. =vice versa 《lat.》 (umgekehrt) 반대로, 역(逆)으로; 역도 또한 같음.
VVN =Vereinigung der (anerkannten) Verfolgten des Naziregimes 나치스에 의한 피박해자 연맹(1948년 결성).
VW =Volkswagen ①폴크스바겐사(社). ②폴크스바겐, 국민차(독일제 승용차).
VWD =Vereinigte Wirtschaftsdienste 합동경제 서비스(1949년 창립된 독일 최대의 경제 통신사).
VW-Fahrer *m.* 국민차를 타는 사람.
V-Waffe [fáuvafə] *f.* =Vergeltungswaffe 보복 무기(武器)(제2차 세계 대전 때 독일이 개발해 투입한 V-1, V-2 로켓).

W

W, w [veː] *n.* -, - 독일어 자모의 스물셋째 자.
W ① =Watt 〚전기〛 와트. ② =Werst 러시아의 거리 단위(1 W=1.067 km). ③ =Wolfram 〚化〛 텅스텐. ④ =West(en) 서쪽, 서풍.
W. =Wenden! 뒷면을 보라!
w. =weiblich 여성의.
Waadt [vaːt] *f.* 바트(↑ ~land).
Waadtland [váːtlant, vát..] *n.* 바트란트(스위스의 주).
Waadtländer [..lɛndər] *m.* -s, - 바트란트의 주민.
waadtländisch *a.* 바트란트의
Waag [vaːk] 《I》*f.* (bayr.) 큰 파도, 밀물; 홍수, 큰물; 물. 《II》바크강(도나우강의 지류).
***Waage** [váːgə] 《<wägen》*f.* -n ① 저울, 천칭(天秤); 수준기(水準器) (Wasser∼); 저울판: die ~ schlägt aus〔steigt〕 저울의 한 쪽이 기울다〔올라가다〕; auf der ~ wägen 저울에 달다; et. auf die ~ legen 무엇을 달아보다, 〖비유〗 고려하다; jedes Wort auf die ~ legen 한마디도 경솔히 하지 않다, 신중히 말하다. ② 균형, 평형: et.[3] die ~ halten 무엇과 엇비슷하다, 균형을 이루다; sich[3] (gegenseitig) 〔einander〕 die ~ halten 서로간에 균형을 이루다; Angebot und Nachfrage halten sich die ~ 공급과 수요가 균형을 유지한다. ③ (수레의) 멍에의 채. ④〚스포츠〛 수평〔평형〕 자세. ⑤〚天〛 (남쪽 하늘의) 천칭자리. ⑥〚점성술〛 **(a)** 9.24.-10.23. 의 별자리, 천칭자리. **(b)** 천칭자리에 태어난 사람.
Waage≈amt *n.* 〖구식〗 화물 계량소. **~balken** *m.* 저울대. **~brett** *n.* 저울판. **~geld** *n.* 계량 수수료. **~halter** *m.* 저울대. **~haus** *n.* ↑ ~amt. **~meister** *m.* 계량소장.
Waagen·fabrik *f.* 저울 제작소.
waage≈recht *a.* 수평의(↔ senkrecht). **∼rechte*** *die* 수평(선). **∼zunge** *f.*, **∼zünglein** *n.* 저울의 바늘.
waag≈recht *a.* ↑ waagerecht. **∼rechte*** *die* ↑ Waagerechte.
Waag≈schale [váːk..] *f.* (천칭의) 저울판: 〖비유〗 seine Worte auf die ~ legen 말을 신중하게 하다; du darfst seine Worte nicht auf die ~ legen 너는 그의 말을 곧이곧대로 받아들여서는 안 된다; 〖비유〗 schwer in die ~ fallen 비중이 크다, 중요하다; 〖비유〗 sein Gewicht in die ~ werfen 자기의 세력을 이용하다, 간섭하다. **~zunge** *f.* ↑ Waagezunge. **~zünglein** *n.* Waagezünglein.
Waal [vaːl] *f.* 발강(라인강의 지류).
wabbelig [vábəlɪç] *a.* 〖구어〗 물컹물컹〔흐물흐물〕한; 기운이 없는, 비틀거리는.
wabbeln [vábəln] *i.* (h.) 〖구어〗 비틀거리다, 어질어질하다: es wabbelt mir 나는 어지럽다, 기분이 좋지 않다.
wabblig *a.* 〖구어〗 ↑ wabbelig.
Wabe [váːbə] 《<weben》*f.* -n (꿀)벌집.
waben≈artig *a.* 벌집 모양의. **∼honig** *m.* 벌집 속의 꿀. **∼spule** *f.* 〚전기〛 벌집형 코일.
Waber·lohe [váːbərloːə] *f.* 〚북구신화〛 (특히 Brunhilde 의 잠자리를 지켜 주는) 타오르는 불꽃.
wabern [váːbərn] *i.* (h.) 〖고어〗 (flackern) 흔들리다, (불꽃이) 나풀거리다.
***wach** [vax] 《<wachen》*a.* ① 깨어 있는, 잠 못 이루는: ~ bleiben 눈뜬 채 있다, 자지 않고 있다; jn. ~ (er)halten 누구를 잠자지 못하게 하다; die ganze Nacht ~ liegen 밤새도록 잠 한숨 자지 않다; ~ werden 깨다, 눈뜨다; ~ machen 잠을 깨우다; ~er Traum 백일몽; jn. ~ rufen〔rütteln〕 누구를 불러서〔흔들어〕 깨우다; ~ sein 깨어 있다, 〖비유〗 엄중히 경계하고 있다; 〖시어〗 Erinnerungen werden ~ 추억이 생생히 되살아나다. ② (정신적으로) 깨어 있는, 각성한: ein ~er Geist 깨어 있는 정신.
Wach≈ablösung *f.* ① 보초 교대. ②〖비유〗 지도부의 교체, (내각의) 교체. **~bett** *n.* ↑ Wachtbett. **~bataillon** [..taljoːn] *n.* 〚軍〛 경비 대대. **~boot** *n.* ↑ Wachtboot. **~buch** *n.* 경비 일지. **~beamte*** *der* (öst.) 〚官〛 경찰관. **~dienst** *m.* ① 보초〔경계〕 근무. ② 보초〔경계〕 근무자, 경비대.
***Wache** [váxə] 《<wachen》*f.* -n ① **(a)** 망, 경계, 감시; 밤새움: ~ halten 망보다, 감시하다. **(b)** 〚軍〛 위병〔보초〕 근무; 〚海〛 당직: die ~ haben 〔auf ~ sein〕 위병 근무를 하다; auf ~ ziehen 〔die ~ beziehen〕 보초 근무를 시작하다; von der ~ (ab)ziehen 보초 근무를 마치다; (auf) ~ stehen 〔~ schieben〕 a) 〚軍〛 보초를 서다, b) 〖경박〗 (나쁜 일을 할 때) 망을 보다. ② **(a)** 〚軍〛 위병, 초병, 보초; (Ehren∼) 호위병, 의장병; 망꾼: (die) ~n ablösen 교대하여 보초를 서다; die ~ zieht auf 〔tritt ins Gewehr〕 위병이 보초를 서다. **(b)** 간호인, 간병인. ③〚軍〛 위병소, 초소; 파출소(Polizei∼): auf die 〔zur〕 ~ bringen 파출소로 연행하다, 〚軍〛 초소에 배치하다. ④ 보초 근무 시간.
***wachen** [váxən] 《♧ wecken》 *i.* (h.) ① 깨어 있다, 잠들지 않고 있다; 지키다, 경계하다: über jn. 〔〖시어〗 jm.〕 ~, auf jn. ~ 누구를 조심〔주의·경계·감시〕하다; bei jm. ~ 누구 곁에서 밤샘하다; der Leibwächter wachte vor der Tür 경호원이 문앞에서 지키고 있었다; 〚海〛 eine Boje wacht 부표가 물 위에 떠 있다. ② 감시〔감독〕하다: darüber ~, daß die Vorschriften befolgt werden 규정이 준수되도록 감독하다.
Wachen [váxən] *n.* -s 깨어 있음; 주의 깊음; 망봄, 감시.
wachestehend *a.* 보초 근무 중인.
Wach≈feuer *n.* 경비들이 피워 놓은 불, 화톳

W

불. ~**frau** *f.* 유모, 간호사. ≈**frei** *a.* ↑ wachtfrei. ≈**habend** *a.* ↑ wachthabend. ~**habende** *m.* ↑ Wachthabende. ≈|**halten*** *t.* 활발〔생생〕하게 유지하다. ~**haus** *n.* ↑ Wachthaus.

Wachheit *f.* ①〖드물게〗 깨어 있음. ② (정신적으로) 깨어 있음, 자각.

Wach≈hund *m.* 망보는 개. ~**lokal** *n.* 보초〔위병〕 대기실. ~**mann** *m.* 〖복수: ..leute/..männer〗 ① 경비(원). ②〖복수: ..leute〗 (öst.) 경찰관. ~**mannschaft** *f.* 경비대; 보초, 위병; 당직.

Wacholder [vaxɔ́ldər] *m.* -s, - ①〖植〗 노간주나무, 두송(杜松). ② 두송주(酒), 진.

Wacholder≈baum *m.* 노간주나무. ~**beere** *f.* 두송(杜松) 열매. ~**brannt·wein** *m.* 두송주(杜松酒). ~**drossel** *f.* 〖動〗 티티새의 일종. ~**geist** *m.* 두송주(杜松酒)의 주정(酒精). ~**harz** *n.* 노간주나무의 수지. ~**holz·öl,** ~**öl** *n.* 〖化〗 노간주 기름. ~**schnaps** *m.* ↑ ~branntwein. ~**strauch** *m.* 관목 형태의 두송.

Wach≈posten *m.* 경비 초소, 위병소. ≈|**rufen*** *t.* 환기〔상기〕시키다, 일깨우다. ≈|**rütteln** *t.* 흔들어 깨우다; 일깨우다, 각성시키다.

..**wachs** 《< wachsen》 *suf.* "성장·증대"의 뜻 (보기: An~, Zu~).

***Wachs** [vaks] *n.* -es, -e 벌통, 밀, 밀랍: bleich wie ~ 밀랍처럼 창백한; ~ in js. Hand〔Händen〕 sein 누구의 뜻을 그대로 따르다; er ist (wie) ~ in ihren Händen 그는 그녀의 수중에서 놀아난다.

Wachs≈abdruck *m.* 납형(蠟型). ~**abguß** *m.* 밀랍 주형(물).

wachsam [váxza:m] *a.* 주의 깊은, 조심하는, 방심하지 않는, 경계〔감시〕하는: 〖구어〗 ein ~es Auge auf et. haben, auf〔über〕 et. ~ sein 무엇을 감시하다, 망보다.

Wachsamkeit *f.* 주의, 경계 (태세).

wachs≈artig [váks..] *a.* 밀랍 같은. ≈**bild** *n.* 밀랍으로 만든 상(像). ~**bleich** *a.* 밀랍처럼 창백한, 핏기 없는. ≈**bleiche,** ≈**bleicherei** *f.* 밀랍 표백(장(場)). ≈**blume** *f.* ① 밀랍으로 만든 조화(造花). ②〖植〗 바위취. ≈**bohne** *f.* 콩깍지가 누런 콩. ≈**bohner** *m.* 밀랍으로 마루 닦는 사람.

Wach·schiff *n.* 경비정, 경비함.

wachseln [váksəln] *t.* (bayr., öst.) (특히 스키·썰매에) 왁스칠을 하다.

wachsen[1] [váksən] (wuchs, gewachsen) 《I》 *i.* (s.) ① 자라다, 성장하다, 발육하다: üppig ~ 번성하다; sich³ den Bart ~ lassen 수염을 기르다; 〖비유〗 er hört das Gras ~ 그는 영리하다. ② 생기다, 발생하다, 나다: Mais wächst in unserer Gegend nicht 옥수수는 우리 고장에서는 나지 않는다. ③ 증가하다, 증대〔번영〕하다: ~de Kosten 늘어나는 비용; der Mond wächst 달이 차다; lassen Sie sich³ darüber keine grauen Haare ~! 그런 일로 괜히 걱정하지 마십시오! ④〖전치사와 함께〗 **an** Körperkraft ~ 체력이 늘다; das Kind ist ihr ans Herz gewachsen 그 여자는 그 아이를 애지중지한다; dieser Gedanke ist nicht **auf** seinem Mist gewachsen 이것은 그가 생각해 낸 것이 아니다; **aus** den Kleidern ~ (키가) 자라서 옷이 작아지다; **in** die Breite〔Höhe〕 ~ a) 폭이 넓어지다, b) 뚱뚱해지다〔키가 커지다〕; er ist seinem Vater **über** den Kopf gewachsen 그는 아버지보다 키가 더 커졌다, 〖비유〗 그는 벌써 아버지가 만만히 다룰 수 없게 됐다; die Arbeit wächst mir **unter** den Händen 그 일은 하면 할수록 는다. 《II》 *refl.* sich ~ 뿌리 내리다. 《III》 **gewachsen** *p.a.* ↑ gewachsen.

wachsen[2] [váksən], **wächsen** [vɛ́ksən] 《< Wachs》 *t.* 밀랍을 입히다, 왁스칠을 하다.

Wachsen *n.* -s 성장, 발육; 발생, 발아(發芽); 증가, 확대, 확장, 발전: im ~ sein 자라고 있다, (달이) 차가다.

wachsend *p.a.* 자라고〔증대하고〕 있는: ein ~er Lärm 늘어나는 소음; mit ~er Schnelligkeit 시시각각 속력을 더하여.

wächsern [vɛ́ksərn] *a.* 밀랍으로 만든; 〖雅語〗 밀랍 같은, 창백한: das ~e Gesicht 창백한 얼굴(빛); 〖비유〗 jm. eine ~e Nase drehen 누구를 마음대로 주무르다〔속이다〕.

wächsest [vɛ́ksəst] ↑ wachsen[1], wächsen 의 2 인칭 단수 현재형.

Wachs≈farbe *f.* ① 밀랍 물감. ② 밀랍 색소. ③ 밀랍 색연필. ≈**farben,** ≈**farbig** *a.* 밀랍색의. ~**figur** *f.* 밀랍 인형, 밀랍 세공품. ~**figuren·kabinett** *n.* 밀랍 세공품 진열장. ≈**gelb** *a.* 밀랍처럼 누런. ~**kerzchen** *n.* 밀랍 성냥. ~**kerze** *f.* 밀랍초. ~**leinen** *n.*, ~**lein·wand** *f.* (öst.) ↑ ~tuch. ~**licht** *n.* 〖복수: -e〗 밀랍초. ~**malerei** *f.* 납화(蠟畫). ~**mal·kreide** *f.*, ~**mal·stift** *m.* 밀랍 색연필, 크레용. ~**modell** *n.* 밀랍 모형. ~**papier** *n.* 밀랍지, 납지. ~**perle** *f.* 인조 진주. ~**platte** *f.* 밀랍판(라디오 녹음용). ~**puppe** *f.* 밀랍 인형. ~**salbe** *f.* 〖醫〗 납고(蠟膏), 밀기름. ~**scheibe** *f.* 밀랍판. ~**stock** *m.* 〖복수: ..stöcke〗 실초(긴 모양의 초). ~**streichholz** *n.* 밀랍 성냥.

wächst [vɛkst] ↑ wachsen[1], wächsen 의 3 인칭 단수 현재형.

Wachs≈tafel *f.* ① (고대의) 밀랍 칠판, (19 세기까지 글 쓰는 데 사용한) 납판(蠟板). ② 꿀이 찬 벌집. ~**taffet,** ~**taft** *m.* 밀(기름) 먹인 비단.

Wach≈station *f.* 중환자실. ≈**stehend** *a.* ↑ wachestehend. ~**stube** *f.* 위병〔보초〕 대기실.

Wachs·tuch *n.* ①〖복수: -e〗 밀랍 먹인 천, 유포(油布), 방수포. ②〖복수: ..tücher〗 유포〔방수포〕로 만든 식탁보.

***Wachstum** [vákstu:m] 《< wachsen》 *n.* -s ① 성장, 발육; 발생; 증가, 증대: das ~ fördern〔hindern〕 성장을 촉진〔방해〕하다; das rasche ~ der Bevölkerung 인구의 급속한 증가. ② 자란 것; 작물, 농작물: eigenes ~ 손수 재배한 작물(특히 포도주). ③ 경제 성장.

wachstums≈fördernd *a.* 성장을 촉진시키는. ~**hemmend** *a.* 성장을 억제하는. ≈-**hormon** *n.* 〖생리·생화학〗 성장 호르몬. ≈-**rate** *f.* 〖生·經〗 성장률. ≈**störung** *f.* 〖生·經〗 성장 장애.

wachs≈weich *a.* ① 밀랍같이 연한. ②〖폄어〗 마음이 약한, 줏대가 없는, 성격이 무른. ≈-**zelle** *f.* 벌집의 방. ≈**zieher** *m.* 양초 제조업자. ≈**zündholz** *n.* 밀랍 성냥.

W

Wacht [vaxt] ⟪<wachen⟫ *f.* -en 〔고어·시어〕 보초, 경계, 경비: ~ halten〔haben〕 보초 서다; auf der ~ sein 경계〔주의〕하다; die ~ am Rhein 라인강의 수비(옛 독일의 국가(國歌)).

Wacht≈bett *n.* 〘軍〙 야전 침대. **~boot** *n.* ① 경비정, 감시선. ② 경비〔감시〕 선단. **~dienst** *m.* 〔구식〕 위병〔보초·경비〕 근무.

Wächte [vɛ́çtə] ⟪schweiz.⟫ *f.* -n 높은 산등성이에 처마 모양으로 쌓인 눈〔빙하〕.

Wachtel[1] [váxtəl] *f.* -n ①〘動〙 메추라기: die ~ schlägt 메추라기가 운다. ②〔비속〕 수다스러운 여자, 수다쟁이. ③〔비속〕 뺨치기(Ohrfeige). ④〔비속〕(감옥의) 간수.

Wachtel[2] *m.* -s, - ↑ ~hund.

Wachtel≈ei *n.* 메추라기 알. **~falk, ~falke** *m.* 〘動〙 매의 일종. **~fang** *m.* 메추라기 사냥. **~hund** *m.* 〘動〙 사냥개의 일종. **~könig** *m.* 〘動〙 뜸부기의 일종. **~pfeife** *f.* (메추라기 유인용) 피리. **~ruf, ~schlag** *m.* 메추라기 울음 소리. **~streichen** *n.*, **~strich** *m.* ① 메추라기의 이동. ② 메추라기 사냥. **~weizen** *m.* 〘植〙 며느리밥풀속. **~zug** *m.* 메추라기의 이동.

Wächter [vɛ́çtər] ⟪<Wacht⟫ *m.* -s, - ① 경비원, 파수꾼; 야경꾼; 〘海〙 경계 요원; 간호사: ein ~ der Demokratie 민주주의의 파수꾼. ②〔구어〕(아이에게 위험이 닥치면 신호를 울리는) 유아 보호용 경보 장치.

Wächter≈geld *n.* 경비원의 급료. **~häuschen** *n.* 경비실. **~kontroll·uhr** *f.* 순찰 시간 기록 시계. **~lied** *n.* 이별의 노래(밤을 지새운 연인들에게 날이 샜음을 알려 주는 파수꾼의 뿔피리 소리). **~ruf** *m.* 파수꾼의 외침.

Wacht≈feuer *n.* 〔구식〕 ↑ Wachfeuer. **≈-frei** *a.* 비번(非番)의. **~habend** *a.* 당직〔당번〕의. **~habende*** *der/die* 당직자; 〘軍〙 당직 사령. **~haus** *n.* 경비실, 방범 초소; 〘軍〙 위병소. **~hund** *m.* 〔구식〕 ↑ Wachhund. **~kommandant** *m.* 〘軍〙 위병〔당직〕 사령. **~leute** *pl.* ↑ ~mann. **~lokal** *n.* 당직실; 〘軍〙 위병소. **~mann** *m.* 〔복수: ..männer/..leute〕 경비원; 〘軍〙 보초, 위병; 〘海〙 경계 요원. **~mannschaft** *f.* 〘軍·총칭〙 위병, 보초; 〘海〙 경계 요원. **~meister** *m.* ①〘軍〙(기병·포병·수송 부대의) 하사관. ② **(a)** 경찰관직. **(b)** 경찰관, 순경. **~offizier** *m.* 〘軍〙 당직 사관. **~parade** *f.* 〘軍〙 위병 사열. **~-posten** *m.* 〘軍〙 보초; (경비) 초소. **~-schiff** *n.* 〘軍〙 감시선, 경비정, 순찰선. **~-stube** *f.* ↑ Wachstube. **~turm** *m.* ↑ Wachturm.

Wach≈traum *m.* 〘心〙 백일몽. **~turm** *m.* 망루, 감시탑. **~-und Schließ·gesellschaft** *f.* 경비 및 보안 용역 회사. **~zimmer** *n.* (öst.) 파출소. **~zustand** *m.* 각성 상태, 깨어 있음; 경계 태세.

Wacke [vákə] *f.* -n 〘광물〙 현무토(玄武土), 자갈.

Wackelei [vakəlái] *f.* 〔구어·폄어〕 비틀거림, 건들거림.

Wackel≈gelenk [vákəl..] *n.* 〘醫〙 (뼈가 어긋나 흔들거리는) 이상 관절. **~greis** *m.* 〔구어·폄어〕 수족을 떠는 늙은이.

wackelig [vákəlıç] *a.* 흔들(거)리는, 건들건들하는, 불안정한: ein ~er Zahn 흔들리는 이; ein ~er Posten 불안정한 직위; eine ~e Geschichte 확실치 않은 이야기.

Wackel≈knie *n.* 〘醫〙 이상(異常) 관절. **~-kontakt** *m.* 〘전기〙 접촉 불량. **~kopf** *m.* 흔들흔들하는 머리.

***wackeln** [vákəln] *i.* ① (h.) 동요하다, 흔들(거)리다: ein Zahn wackelt 이빨이 흔들거린다; mit dem Kopf ~ 머리를 (앞뒤로) 흔들다; an et.³ ~ 무엇을 흔들어대다. ② (h.) 불안정하다, 위태롭다: seine Position wackelt 그의 지위가 위태롭다; da wackelt die Wand! 큰일 났다! ③ (s.) 〔구어〕 비틀비틀 걷다: sie kam gewackelt 그 여자는 비틀비틀 걸어왔다.

Wackel≈peter *m.* 〔농담〕, **~pudding** *m.* 연한 푸딩.

Wacken [vákən] *m.* -s, - (westd.) ① 큰 돌멩이. ②〘광물〙 현무토(玄武土). ③ 대리석; 마블 놀이돌(장난감).

***wacker** [vákər] ⟪I⟫ *a.* 씩씩한, 용감한; 정직한; 훌륭한, 옹골찬, 야무진: ~e Krieger 용감한 전사들; 〔농담〕 ein ~er Esser 포식자, 대식가; sich ~ halten 용감한〔씩씩한〕 행동을 하다, 꿋꿋하게 버티다. ⟪II⟫ *adv.* 〔구어〕 야무지게; 호되게; 실컷: ~ arbeiten 야무지게 일하다; jn. ~ verprügeln 누구를 흠씬 패주다; ~ zechen 〔trinken〕 진탕 마시다.

Wacker·stein *m.* (südd.) 큰 돌멩이.

Wackes ⟪lat.?⟫ *m.* - ①〔방언〕 무능한〔변변찮은〕 놈; 뜨내기. ② 알자스 무지렁이(알자스 지방 사람을 얕잡아 일컫는 말).

Wackler *m.* -s, - 비틀비틀 걷는 사람.

wacklig *a.* ↑ wackelig.

Wad [va:t] *n.* -s 〘광물〙 망간토(土).

Waddike [vádıkə] *f.* (nordd.) 유장(乳漿).

Wade [vá:də] *f.* -n 장딴지.

Waden≈bein [vá:dən..] *n.* 장딴지 뼈. **≈-hoch** *a.* 장딴지까지 올라오는. **~krampf** *m.* 장딴지 경련. **≈lang** *a.* (옷이) 장딴지까지 내려오는〔닿는〕. **~muskel** *m.* 장딴지 근육. **~strumpf** *m.* ① 긴 양말. ② (민속 의상의) 장딴지용 양말. **~wickel** *m.* (찜질용) 장딴지 싸개.

Wadi [vá:di] ⟪ar.⟫ *n.* -s, -s 와디(우기에만 물이 흐르는 (사막 지방의) 강바닥).

Wädli *n.* -s, - (schweiz.) 돼지 족발.

Wafer [wé:fə(r)] ⟪engl.⟫ *m.* -s, -(s) 〘전자〙 반도체 회로판.

***Waffe** [váfə] *f.* -n ① 무기, 병기: geistige ~ 정신적 무기; ~n führen 〔tragen〕 무기를 휴대하다; jm. die ~ entwinden 〔aus der Hand schlagen〕 누구를 무장 해제하다; die ~n strecken 〔niederlegen〕 무기를 내려놓다, 항복하다; dem Gegner selbst die ~ in die Hand geben 적에게 도발할 기회〔여지〕를 주다; **in**〔unter〕 (den) ~n stehen〔sein〕 무장하고 있다; **mit** der ~ in der Hand 무기를 들고, 무력으로; 〔비유〕 jn. mit seinen eigenen ~n schlagen 누구의 논거를 역이용하다〔되받아치다〕; **unter** die ~n treten 무장하다; jn. unter die 〔**zu** den〕 ~n rufen 누구를 병역에 소집하다, 징집하다; zu den ~n greifen 무력을 동원하다; das Heer starrte von ~n 그 병력은 중무장을 하고 있었다. ②〔비유〕 군대; 군세; 병과. ③〔복수〕〘사냥〙 **(a)** 멧돼지의 송곳니. **(b)** 살쾡이나 스라소니의 발톱. **(c)** 맹

금류의 발톱.

Waffel [váfəl] 《ndl.》 *f.* -n 와플 (과자).

Waffel⸗eisen *n.*, **~form** *f.* 와플 과자를 굽는 틀. **~gewebe** *n.* 벌집〔격자〕 무늬의 옷감. **~muster** *n.* 벌집〔격자〕 무늬. **~pikee** *n.*, **~stoff** *m.* ↑ ~gewebe.

Waffen [váfən] *n.* -s, - 〖고어〗 ↑ Waffe.

Waffen⸗amt *n.* 병기국. **~arbeit** *f.* 전쟁. **~arm** *m.* 〖펜싱〗 칼을 든 팔. **~arsenal** *n.* 무기고. **~beistand** *m.* 무기〔무력〕 원조. **~besitz** *m.* 무기 소지. **~besitz·karte** *f.* 무기 소지 허가증. **~bruder** *m.* 전우. **~brüderschaft** *f.* 전우애. **~dienst** *m.* 병역, 군복무. **~embargo** *n.* 무기 수출입 금지. **~fabrik** *f.* 무기 공장. **≈fähig** *a.* 병역 복무 능력〔자격〕이 있는. **~farbe** *f.* 〖軍〗 (병과 표시의) 견장 빛깔. **~feld** *n.* 전장, 싸움터. **~gang** *m.* 〖고어〗 전투; 결투. **~gattung** *f.* 〖軍〗 병종, 병과. **~gefährte** *m.* 전우. **~geklirr** *n.* 무기가 맞부딪는 소리. **~genoß** *m.* ↑ ~gefährte. **~gerüst, ~gestell** *n.* 총가(銃架). **~getöse** *n.* 무기〔전쟁터〕의 소음. **~gewalt** *f.* 무력. **~glück** *n.* 무운. **~handel** *m.* 무기 거래. **~händler** *m.* 무기상. **~haus** *n.* 무기고. **~kammer** *f.* 무기실. **~klang** *m.* ↑ ~geklirr. **~kunde** *f.* 무기학. **~lager** *n.* 무기고. **~lieferung** *f.* 무기 공급.

waffenlos *a.* 무기가 없는, 무방비의.

Waffen⸗meister *m.* 병기 담당 하사관. **~platz** *m.* 연병장; (schweiz.) (Garnison) 비상 집합소. **~recht** *n.* 총포 단속법(무기 제조·소유 및 사용 규정). **~rock** *m.* 옛날 갑옷 위에 입은 옷; 제복의 상의. **~ruf** *m.* 전투 준비의 호령. **~ruhe** *f.* 휴전, 전투 중지. **~ruhm** *m.* 무훈, 무공. **~rüstung** *f.* 무장; 군비. **~saal** *m.* 무기실. **~schau** *f.* 열병(식). **~schein** *m.* 무기 소지 허가증. **~schmied** *m.* 무기 제작자, 무기공. **~schmiede** *f.* 무기 공장. **~schmuck** *m.* 군장. **~schmuggel** *m.* 무기 밀수. **~schule** *f.* (독일의) 육군 사관 학교. **~-SS** *f.* (나치스의) 무장 친위대. **≈starrend** *a.* 막강한, 무장이 잘된. **~stillstand** *m.* 휴전.

Waffenstillstands⸗abkommen *n.* 휴전 협정. **~linie** *f.* 휴전선. **~verhandlung** *f.* 휴전 협상.

Waffen⸗streckung *f.* 항복. **~student** *m.* 폭력 단체 소속 대학생. **≈studentisch** *a.* ↑ ~student 의 형용사형. **~system** *n.* 무기 체제. **~tanz** *m.* 출전무(舞); 〖비유〗 전쟁. **~tat** *f.* 무훈, 전공. **~technik** *f.* 병기〔군사〕 기술. **≈technisch** *a.* 병기 기술의. **~tragen** *n.* 무기 휴대. **≈tragend** *a.* 무기를 지닌, 무장한. **~träger** *m.* 무기 소지자; 무기 공급 차량. **~übung** *f.* 총기 훈련. **~vergehen** *n.* 총포 단속법 위반. **~wirkung** *f.* 무기의 효력.

waffnen [váfnən] 《<Waffe》 〖고어〗 《Ⅰ》 *t.* 무장시키다. 《Ⅱ》 *refl.* sich ~ 무장〔방어〕하다, 대비하다.

wäg [vɛːk] *a.* 〖고어〗 (schweiz.) 쓸모 있는, 유능한.

wägbar [vɛ́ːkbaːr] *a.* 〖드물게〗 저울질할 수 있는, 측정〔추측〕 가능한.

Wägbarkeit *f.* 측정〔추측〕 가능성.

Wage [váːgə] *f.* -n ↑ Waage.

wag(e).. *pref.* ↑ waag(e)...

Wage⸗hals [váːgə..] *m.* 〖구식〗 (앞뒤를 생각지 않는) 무모한 사람, 모험가. **~halsig** *a.* 무모한, 모험적인. **~halsigkeit** *f.* ① 대담, 무모. ② 대담〔위험〕한 행동.

Wägelchen[1] [vɛ́ːgəlçən], **Wägelein** [vɛ́ː-gəlaɪn] *n.* -s, - 〖↑ Wagen의 축소형〗 작은 (마)차; 유모차.

Wägelchen[2], **Wäglein** *n.* -s, - 〖↑ Waage의 축소형〗 작은 저울.

Wage⸗mut *m.* 모험심, 대담; 만용; 〖시어〗 대담한 남자. **≈mutig** *a.* 대담한; 무모한. **~mutigkeit** *f.* ↑ ≈mutig 의 명사형.

***wagen** 《Ⅰ》 *t.* ① 감행하다, 과감히 시도하다: eine Bitte an jn. ~ 누구에게 과감히 부탁하다; es mit jm. ~ 누구를 상대로 과감히 해보다〔겨루어보다〕; daraufhin will ich es ~ 그것을 믿고 해보련다; er wagte es, mir zu widersprechen 그는 감히〔건방지게도〕 내게 반대했다; 〖속담〗 wer wagt, gewinnt 대담한 자가 행운을 얻는다; 〖속담〗 frisch gewagt ist halb gewonnen 시작이 반이다. ② (과감히) 걸다: sein Leben 〔den Hals〕 ~ 목숨을 걸다; sein Vermögen an ein Unternehmen ~ (전) 재산을 걸고 사업하다. 《Ⅱ》 *refl.* sich ~ 두려워하지 않고 나아가다: sich **an** jn. ~ 누구에게 대들다, 누구를 공격하다; sich an et. ~ 무엇을 감행하다; sich **auf** das Eis ~ 위험을 무릅쓰고 얼음 위로 가다; sich nicht **aus** dem Haus ~ 집을 뛰쳐나올 용기가 없다; sich **ins** feindliche Lager ~ 각오하고 적진에 뛰어들다; sich **unter** die Leute ~ 각오하고 사람들과 부대끼다. 《Ⅲ》 **gewagt** *p.a.* ↑ gewagt.

***Wagen**[1] [váːgən] 《♧ bewegen》 *m.* -s, -/ (südd.) Wägen ① 수레, 마차; 차량, 자동차; 손수레; 유모차(Kinder≈); 〖기계〗 타자기의 종이를 밀어내는 부분: zweirädriger ~ 2 륜차; 〖철도〗 ~ erster〔zweiter〕 Klasse 일등차〔이등차〕; 〖비유〗 das fünfte Rad am ~ 무용지물; 〖구어〗 jm. an den ~ fahren 〔pinkeln, pissen〕 누구를 모욕하다, 심하게 비난하다; 〖비유〗 abwarten〔sehen〕, wie der ~ läuft 사태의 추이를 지켜보다; das Pferd hintern ~ spannen 앞뒤가 전도되다, 일을 거꾸로 하다; wir lassen uns nicht vor seinen ~ spannen 우리는 그의 앞잡이 짓은 하지 않는다. ② 〖天〗 der Große ~ 큰곰자리; der kleine ~ 작은곰자리.

Wagen[2] *n.* -s 감행, 모험; 위험.

***wägen**(*) [vɛ́ːgən] (wog/wägte, gewogen/gewägt) 《↑ wiegen 의 별형》 《Ⅰ》 *t.* ① 〖고어〗 (무게를) 달다, 저울로 측정하다. ② 〖교양〗 심사숙고하다, 평가하다: js. Handlungen ~ 누구의 행동을 곰곰이 따져 보다; erst ~, dann wagen! 먼저 숙고하고 다음에 행동하라! 《Ⅱ》 *i.* (h.) 무게가 …이다(wiegen[2] 《Ⅱ》). 《Ⅲ》 **gewogen** *p.a.* ↑ gewogen.

Wagen⸗abteil *n./m.*, **~abteilung** *f.* (기차의) 찻간. **~achse** *f.* 차축. **~bau** *m.* 차량〔마차〕 제조. **~bauer** *m.* 차량〔마차〕 제조공, 수레 목수. **~baum** *m.* (수레의) 채. **~beleuchtung** *f.* 차내 조명. **~bühne** *f.* 〖연극〗 이동식 무대. **~burg** *f.* 〖軍〗 (차량을 이용한) 원형 방어진. **~dach** *n.* 차량 지붕. **~decke** *f.* 차의 덮개. **~deichsel** *f.* 수레 채.

Wagener [vá:gənər] *m.* -s, - 〖고어〗 수레 목수.

Wagen=fabrikant *m.* ↑ ~bauer. **~fähre** *f.* 카 페리. **~fenster** *n.* 차창. **~folge** *f.* (특히 기차의) 차량 순서. **~fond** *m.* (자동차의) 뒷좌석. **~führer** *m.* (전차·버스) 운전사, 마부. **~geleise** *n.* 바퀴 자국; 차량 궤도. **~geschirr** *n.* 마차의 마구. **~gestell** *n.* 차체. **~gestirn** *n.* 〖天〗 큰곰자리. **~halle** *f.* 차고. **~haus** *n.* 차고. **~heber** *m.* 자동차 잭. **~kasten** *m.* 차체. **~kette** *f.* 차량 행렬. **~klasse** *f.* ①〖철도〗 객차의 등급. ② 차종(車種)의 등급. **~knecht** *m.* 차부, 마부. **~kolonne** *f.* 차량 행렬. **~korso** *m.* 꽃마차의 (축제) 행렬. **~kuppelung** *f.*, **~kupplung** *f.* 〖철도〗 차량 연결(기). **~ladung** *f.* 한 바리의 짐; 큰 짐. **~leiter** *f.* 차량의 사다리 난간. **~lenker** *m.* ↑ ~führer. **~macher** *m.* ↑ ~bauer. **~material** *n.* 〖철도〗 차량 (재료). **~meister** *m.* 짐마차 취급업자, (우편) 수화물 계장; 〖軍〗 군수품 수송관; 열차장. **~mitte** *f.* 전차〔객차〕의 가운데〔안쪽〕. **~papiere** *pl.* 자동차 서류. **~park** *m.* 한 운수업체에서 소유하고 있는 차량 전체. **~pferd** *n.* 마차 끄는 말. **~pflege** *f.* 차의 손질. **~plane** *f.* 마차 덮개; (화물)차의 짐칸 덮개. **~rad** *n.* 수레바퀴. **~reihe** *f.* 차량 행렬. **~reinigung** *f.* ↑ ~wäsche. **~remise** *f.* 차고. **~rennen** *n.* (고대의) 마차 경기. **~-schere** *f.* 수레채. **~scheune** *f.* 차고. **~-schlag** *m.* 마차의 문짝. **~schmiere** *f.* 차량 윤활유. **~schuppen** *m.* 차고; 마차 두는 곳. **~sitz** *m.* 마차의 좌석. **~spur** *f.* 차바퀴 자국. **~stand·geld** *n.* (화물의 적재·하역 때의) 초과 시간 요금. **~tritt** *m.* 마차의 발판. **~tür** *f.* (특히 자동차의) 차문. **~typ** *m.* (특히 자동차의) 차형(車型). **~verdeck** *n.* ↑ ~decke. **~verkehr** *m.* 차량의 왕래. **~-wäsche** *f.* 세차. **~wechsel** *m.* 〖철도〗 차량 교체. **~winde** *f.* ↑ ~heber. **~zug** *m.* 열차, 차량 종렬.

Wager *m.* -s, - 모험가, 무모한 사람.

Wäger [vɛ́:gər] *m.* -s, - 저울질하는 사람.

Wäge·schein [vɛ́:gə..] *m.* 중량 검사증.

Wage·stück *n.* 〖고어〗 모험, 대담한 행위.

Wäge=stück *n.* (공인된) 저울추. **~technik** *f.* 칭량(秤量) 기술.

Waggon [vagɔ̃:, ..gɔ́ŋ, ..gó:n] 《engl. -frz.》 *m.* -s, -s/(öst.) -e 〖철도〗 (화물) 차량.

Waggon=ladung *f.* 차량 적재 화물. **~-weise** *adv.* 차량 단위로.

Wag·hals [vá:k..] *m.* ↑ Wagehals.

waghalsig *a.* ↑ wagehalsig.

Waghalsigkeit *f.* ↑ Wagehalsigkeit.

Wäglein [vɛ́:klaın] *n.* -s, - ↑ Wägelchen².

Wagner¹ *m.* -s, - ↑ Wagener.

Wagner² [vá:gnər] *m.* Wilhelm Richard ~ 바그너(독일의 작곡가, 1813-83).

Wagner·arbeit *f.* 수레 건조 작업.

Wagnerianer [va:gnəriá:nər] *m.* -s, - 바그너파의 사람, 바그너 숭배자.

Wagnis [vá:knıs] 《<wagen》 *n.* -ses, -se 모험, 대담한 행위; 위험 부담.

Wagon 新정서 ⇦ Waggon.

Wagon-Lit [vagõlí:] *m.* -, Wagons-Lits [vagõlí:] 침대차.

Wag·schale [vá:k..] *f.* 저울판(Waagschale).

Wag·stück [vá:k..] *n.* ↑ Wagestück.

Wägung [vɛ́:gʊŋ] *f.* -en 〖고어〗 무게 달기, 저울질; 견적, 평가, 사정(査定).

Wähe [vɛ́:ə] *f.* -n 〖요리〗 (schweiz.) (달걀나 매운 재료로 속을 채운) 납작한 케이크.

Wahhabit [vahabí:t] *m.* -en, -en (정통 교리 복귀를 주장하는 이슬람교의) 바하비트파 (교도).

***Wahl** [va:l] *f.* -en ① 선택, 선발: aus freier ~ 자기 좋은 대로; jm. die ~ lassen 누구의 선택〔자유〕에 맡기다; jn. vor die ~ stellen 누구에게 선택하게 하다, 결정을 강요하다; eine gute 〔schlechte〕 ~ treffen 잘〔잘못〕 선택하다; ich habe 〔es bleibt mir〕 keine andere ~ 내게는 달리 선택의 여지가〔방도가〕 없다; 〖구어〗 er war vorsichtig in der ~ seiner Eltern 그의 양친은 부자다; 〖속담〗 wer die ~ hat, hat die Qual 선택은 괴로운 것. ② 선거, 투표: eine allgemeine ~ 보통 선거; die engere ~ 결선 투표; eine städtische ~ 시의원 선거; zur ~ gehen〔schreiten〕 투표하러 가다; jn. zur ~ vorschlagen 누구를 후보자로 추천하다; sich zur ~ stellen 후보로 나서다; die ~ fiel auf ihn 그가 당선되었다. ③ (물건의) 등급: Waren erster 〔zweiter〕 ~ 1 등품〔2 등품〕.

Wähl [vɛ:l] *f.* (nordd.) 쾌감.

Wahl=abstimmung *f.* (선거의) 투표. **~-agitation** *f.* 선거 유세. **~akt** *m.* 선거 행위. **~akten** *pl.* 선거 서류. **~alter** *n.* 선거 자격 연령. **~amt** *n.* 선거 담당 관청. **~anzeige** *f.* 선거 광고〔홍보〕. **~aufruf** *m.* 선거 참여 촉구. **~ausgang** *m.* 선거 결과. **~ausschreiben** *n.* 선거 공고. **~ausschuß** *m.* 선거 관리 위원회.

wählbar [vɛ́:lba:r] *a.* ① 피선거권이 있는. ② 〖드물게〗 골라잡을 수 있는, 선택의 여지가 있는.

Wählbarkeit *f.* 피선거권; 선택의 여지.

Wahl=beeinflussung *f.* 부정한 선거 간섭. **~benachrichtigung** *f.* 선거 통지(서). **~-berechtigt** *a.* 선거권이 있는. **~berechtigte*** *der/die* 선거권자. **~berechtigung** *f.* 선거권. **~bericht** *m.* 선거 보고. **~bestechung** *f.* 선거 관련 금품 수수. **~beteiligung** *f.* 투표율. **~bewegung** *f.* 선거 운동. **~bewerber** *m.* 입후보자. **~bezirk** *m.* 선거구. **~bühne** *f.* 투표소. **~bürger** *m.* 선거권이 있는 시민. **~eltern** *pl.* (öst.) 양부모.

***wählen** [vɛ́:lən] 《<Wahl》 《I》 *t.* ① 고르다, 선택하다: seine Worte ~ 신중히 말하다; den richtigen Augenblick für et. ~ 무엇을 제때에 하다. ② 숙고하다, 신중히 생각하다: ich habe lange gewählt, bevor ich mich entschieden habe 나는 결정을 내리기 전에 오래도록 숙고했다. ③ (전화의) 다이얼을 돌리다, (전화 번호를) 누르다: du hast die falsche Nummer gewählt 너는 전화를 잘못 걸었다. ④ 선거하다, 투표하다; 선임하다: ~ gehen 투표하러 가다; sie wählt liberal 그녀는 자유주의 성향의 정당에 투표한다. 《II》 **gewählt** *p.a.* ↑ gewählt.

Wähler [vɛ́:lər] *m.* -s, - ① 선택자; 선거인,

유권자. ② (전화기의) 다이얼.
Wähler·auftrag *m.* ① (선거 결과에 따른) 정당〔정부〕의 공약 이행의 의무. ②〖구동독〗 전권 위임.
Wählerei [vɛːləráɪ] *f.* -en ① 선거 운동. ② 호불호(好不好) 가리기.
Wahl≈erfolg *m.* 선거에서의 성공. **~ergebnis** *n.* 선거 결과.
Wähler·initiative *f.* ① 유권자 운동. ② 유권자 운동 단체.
wählerisch [vɛ́ːlərɪʃ] *a.* 몹시 고르는, 까다로운.
Wähler·liste *f.* 선거인 명부.
Wählerschaft *f.* -en ① 선거 자격, 선거권. ② 총유권자, 전체 선거인.
Wähler≈scheibe *f.* 전화 다이얼. **~schicht** *f.* 유권자층. **~stimme** *f.* 투표. **~vereinigung** *f.* 무소속 후보 추천인단. **~verhalten** *n.* (선거 때의) 유권자 태도. **~vertreter** *m.* 〖구동독〗 유권자 대표. **~verzeichnis** *n.* 선거인 명부. **~wille** *m.* 유권자의 뜻.
Wahl≈fach *n.* 선택 과목. **≈fähig** *a.* (피)선거권이 있는. **~fähigkeit** *f.* (피)선거권. **≈frei** *a.* 선택의 자유가 있는, 임의의: ein ~es Fach 선택 과목. **~freiheit** *f.* 선택〔선거〕의 자유. **~fürst** *m.* ① 선거로 선출된 군주. ② 선제후(選帝侯). **~gang** *m.* 선거 행위, 투표. **~geheimnis** *n.* 선거의 비밀, 비밀 선거권. **~geschenk** *n.* (선거민을 유혹하는) 선심 공약. **~gesetz** *n.* 선거법. **~handlung** *f.* 선거 행위, 투표. **~heimat** *f.* 제 2 의 고향. **~helfer** *m.* 선거 운동원.
wählig[1] [vɛ́ːlɪç] 《<Wahl》 *a.* ↑ wählerisch.
wählig[2] 《<Wähl》 *a.* (nordd.) ① 쾌활한, 당당한. ② 원기 왕성한, 건장한.
Wahl≈jahr *n.* 선거가 있는 해. **~kabine** *f.* 기표소. **~kaiser** *m.* 선거로 추대된 황제. **~kaisertum** *n.* 황제를 선거로 선출하는 제국. **~kampagne** *f.* 선거 운동. **~kampf** *m.* 선거전. **~kind** *n.* (öst.) 양자. **~könig** *m.* 선거로 뽑은 왕. **~königtum** *n.* 군주가 선거로 선출되는 왕국. **~körper** *m.* 선거 단체. **~kreis** *m.* 선거구. **~kugel** *f.* 투표구(球). **~leiter** *m.* 선거 관리 위원장. **~liste** *f.* 입후보자 명단. **~lokal** *n.* 투표소. **~lokomotive** *f.* 〖은어〗 (정당의) 간판 후보.
wahllos 《I》 *a.* 졸속의, 무분별〔경솔〕한. 《II》 *adv.* 맹목적으로, 무턱대고.
Wahl≈mann *m.* (간접 선거에서의) 선거인. **~modus** *m.* 선거 방식. **~möglichkeit** *f.* 선택의 가능성. **~monarchie** *f.* ↑ ~königtum. **~nacht** *f.* 선거일 밤. **~niederlage** *f.* 선거에서의 패배. **~organ** *n.* 선거 관리 기구. **~ort** *m.* 투표소. **~parole** *f.* 선거 구호. **~party** *f.* (개표 상황을 지켜보면서 여는) 선거일 저녁 파티. **~periode** *f.* 임기. **~pflicht** *f.* 선거의 의무. **~plakat** *n.* 선거 포스터. **~platz** *m.* 선거장. **~programm** *n.* 선거 강령. **~propaganda** *f.* 선거 유세. **~prüfung** *f.* 투표 검사. **~raum** *m.* 투표소. **~recht** *n.* ① (피)선거권: allgemeines ~ 보통 선거권. ② 선거법. **~rede** *f.* 선거 연설. **~redner** *m.* 선거 연설자. **~reform** *f.* 선거법 개정. **~reich** *n.* (세습 군주국에 대하여) 선거 군주국. **~resultat** *n.* ↑ ~ergebnis.

Wähl·scheibe *f.* 전화 숫자반, 전화 다이얼.
Wahl≈schein *m.* (부재자 투표를 위한) 투표 통지서. **~schein·antrag** *m.* (부재자용) 투표용지 교부 신청. **~schlacht** *f.* ↑ ~kampf. **~schlappe** *f.* ↑ ~niederlage. **~schule** *f.* (의무 교육 이상의) 자유 선택 학교. **~sieg** *m.* 선거의 승리. **~sonntag** *m.* 선거가 있는 일요일. **~spruch** *m.* 표어, 모토. **~stimme** *f.* 투표. **~system** *n.* 선거 제도. **~tag** *m.* 선거일. **~taktik** *f.* 선거 전략. **≈taktisch** *a.* 선거 전략상의. **~umtriebe** *pl.* 비밀 선거 운동. **≈unfähig** *a.* (피)선거권이 없는. **~urne** *f.* 투표함. **~verfahren** *n.* 선거 절차. **~vergehen** *n.* 선거법 위반. **~verhalten** *n.* (결단적 상황에서의) 행동 선택. **~versammlung** *f.* 선거 집회. **~versprechen** *n.* 선거 공약. **~verteidiger** *m.* 〖法〗 사선(私選) 변호인. **≈verwandt** *a.* ①〖化〗 친화력 있는. ② 친화성〔융합성〕의. **~verwandtschaft** *f.* ①〖化〗 친화력. ② (인간끼리의) 친화〔융화〕성. **~vorgänge** *pl.* 선거 과정. **~vorschlag** *m.* 입후보자 추천. **~vorstand** *m.* (선거구 단위의) 선거 관리 위원회. **~vorsteher** *m.* 선거 관리 위원장. **≈weise** *adv.* 선택적으로. **~werber** *m.* (öst.) 입후보자. **~zelle** *f.* 기표소. **~zettel** *m.* 투표 용지. **~zeuge** *m.* 선거 입회인. **~zimmer** *n.* ① 투표소. ②〖가톨릭〗 교황 선거 회의실. **~zuckerl** *n.* (öst.) 〖구어〗 ↑ ~geschenk.
***Wahn** [vaːn] *m.* -(e)s ① **(a)** 〖雅語〗 망상, 환상, 공상; 착각, 잘못된 생각〔의견〕; 광기, 정신 착란: in einem ~ befangen sein 망상에 사로잡혀 있다. **(b)** 〖心〗 조증(躁症). ②〖구어〗 터무니없는 것.
wahn 《mhd., „leer"》 *a.* 〖고어〗 ① 빈, 공허한; 결점〔결함〕 있는, 불완전한; 무력한; 무분별〔무식〕한. ② (schweiz.) 성난, 화가 난.
Wahn·bild *n.* ↑ Wahngebilde.
wähnen [vɛ́ːnən] *t./i.* (h.) 착각〔잘못 생각〕하다, 공상〔망상〕하다: ich wähnte dich in Berlin 나는 네가 베를린에 있는 줄로 생각했다.
Wahn≈gebilde *n.* 환영(幻影), 환각. **~glaube** *m.* 망상, 미신. **~idee** *f.* 망상. **~kante** 《<wahn》 *f.* 〖林〗 죽각(목재 등에 껍질이 남아 있는 뭉툭한 모서리). **~korn** *n.* 〖農〗 쭉정이. **≈schaffen** *a.* 〖방언〗 기형의, 추하게 생긴. **~sinn** *m.* ① 정신 착란, 광기; 망상: stiller ~ 우울증〔병〕; religiöser ~ 광신(狂信); in ~ verfallen 발광하다. ②〖구어〗 미친〔얼빠진〕 짓: es wäre reiner ~, das zu tun 그런 일을 한다면 순전히 미친 짓이다. **≈sinnig** *a.* 정신 착란〔광기〕의; 〖비유〗 엄청난: ein ~es Unternehmen 무모한 시도; ~ werden 발광하다; ~e Schmerzen 미칠 듯한 고통; 〖구어〗 wie ~ 아주 많이〔강하게, 빨리〕; sie liebt ihn ~ 그 여자는 그에게 홀딱 반했다. **~sinnige*** *der/die* 미친 사람, 정신 착란자, 광인. **~sinnig·werden** *n.* 〖다음 용법으로〗 das〔es〕 ist (ja) zum ~ 이거 정말 미칠 노릇이다.
Wahnsinns≈anfall *m.* 광기 발작. **~arbeit** *f.* 〖구어〗 엄청난 일거리. **~hitze** *f.* 〖구어〗 찌는 듯한 무더위, 혹서, 폭염. **~kälte** *f.* 혹한. **~idee** *f.* 허황된 생각. **~preis** *m.* 터무니없이 비싼 가격. **~tat** *f.* ① 정신 착란성 행위. ② 허황된〔어이없는〕 행동.

Wahn≈vorstellung *f.* 망상. **~witz** *m.* 허황된 행동, 터무니없는 짓. **~witzig** *a.* 터무니없는, 상식 밖의, 어리석은; 미친.

***wahr** [va:*r*] *a.* 진실한, 참된, 정말인; 진짜의; 고유한, 본래의: das ≈e 참, 진실; sein ~es Gesicht a) 그의 꾸밈 없는 얼굴, 진면목, b) 본색; ~e Geschichten 실화; daran ist kein ~es Wort 그건 전적으로 거짓(말)이다; et. ~ haben 무엇을 승인하다; et. für ~ halten 무엇을 정말로 여기다; et. ~ machen a) 무엇을 입증하다, b) 무엇을 실현〔실행〕하다; ~ reden〔sprechen〕 진실을 말하다; ~ werden 실현되다; nicht ~? 그렇지 않느냐, 그렇지 응?; sehr ~! 그렇고 말고!; das alles ist nur zu ~ 그 모든 것은 유감스럽게도 사실이다; das kann〔darf〕 (doch) nicht ~ sein! 그럴 리가 없어!; es ist zu schön, um ~ zu sein 그건 너무 그럴싸해서 믿어지지 않는다; das ist traurig, aber ~ 그건 슬프지만 어쩔 수 없는 사실이다; ~ und wahrhaftig!〔so ~ Gott lebt!, so ~ ich lebe!, so ~ mir Gott helfe!〕 맹세코, 틀림없이!

wahren [vá:rən] 《I》 *t.* ① 지키다, 보호〔유지〕하다: seine Rechte ~ 권리를 지키다; sein Gesicht ~ 체면을 유지하다; die Neutralität ~ 중립을 지키다; ein Geheimnis ~ 비밀을 지키다. ② 주의〔조심〕하다: wahre deine (böse) Zunge! 입조심해라! ③ (nordd.) 보존〔보관〕하다. 《II》 *refl.* sich ~ 막다, 조심하다: sich vor et.³〔gegen et.〕 ~ 무엇을 막다, 조심하다; wahr dich! 몸조심해라! (작별의 인사)

währen¹ [vɛ́:rən] *i.* (h.) 지속〔계속〕되다, 시간이 걸리다: es kann noch lange ~, bis〔ehe〕 er kommt 그가 오려면 아직 멀었다; es währte nicht lange, so kam er 얼마 안 있어 그가 왔다; 〖속담〗 was lange währt, wird gut 대기 만성.

wahren² *i.* (h.) (schweiz.) 보증하다: für et. ~ 무엇을 보증하다.

während¹ [vɛ́:rənt] *p.a.* 계속되는, 지속적인: ewig ~ 영구적인, 불후의; in ~er Arbeit 일하는 동안에.

***während**² 《I》 *prp.*² …하는 동안〔사이〕에: ~ eines Jahres 1 년간; ~ des Krieges 전쟁 중에. 《II》 *cj.* ① 〖동시〗 …하는동안〔사이〕에: ~ er verreist war, habe ich seine Geschäfte besorgt 그가 여행을 떠나고 없는 동안 내가 그의 일을 돌보았다. ② 〖대비〗 …인 반면: er ging weg, ~ wir dablieben 우리는 남아 있었는데 그는 떠나갔다.

während≈dem, ~des, ~dessen *adv.* 그 사이〔동안〕에.

wahr|haben* [va:*r*ha:bən] *t.* 인정하다: et.〔es〕 nicht ~ wollen 무엇을 인정하려 하지 않다; du willst es nicht ~, daß er dich betrügt 그가 너를 속이고 있다는 사실을 너는 인정하려 들지 않는다.

wahrhaft [vá:*r*haft] 《I》 *a.* ① 〖고어〗 성실〔정직〕한. ② 진실된, 진정〔정말〕의: ein ~er Freund 진정한 친구. 《II》 *adv.* 참으로, 정말로.

wahrhaftig [va:*r*háftıç, vá:*r*haftıç] 《I》 *a.* 진정〔정말〕의: ~er Gott!, ~en Gott(e)s! 정말로, 맹세코! 《II》 *adv.* 참으로, 정말로, 확실히: das weiß ich (wirklich und) ~ nicht 정말 나는 그것을 모른다.

Wahrhaftigkeit [va:*r*háftıç.., vá:*r*..] *f.* 진실; 성실, 정직.

***Wahrheit** [vá:*r*haıt] *f.* -en ① 참, 진실, 진리; 사실, 실제, 진상: in ~ 사실은, 실제는; der ~ gemäß 있는 (그)대로; die reine〔nackte, volle〕 ~ 숨김없는 진실〔사실〕; der ~ ins Gesicht schlagen 명백하게 진실〔사실〕과 어긋나다; (um) die ~ zu sagen 사실을 말하면, 사실은; 〖속담〗 Kinder und Narren sagen die ~ 아이와 바보는 진실을 말한다; 〖속담〗 im Wein ist ~ 취중에 진담이라; man darf nicht immer die ~ sagen 늘 진실만 말할 수는 없다(때로는 거짓말도 약이 된다). ② 〖哲〗 진리(론).

Wahrheits≈begriff *m.* 〖哲〗 진리 개념. **~beweis** *m.* 진실〔사실〕의 입증: den ~ führen〔erbringen, antreten〕 진실임을 증명하다. **~eifer** *m.* 열렬한 진리 탐구심. **~feind** *m.* 진리의 적. **~findung** *f.* 〖法〗 진상 규명. **~forscher** *m.* 진리 탐구자. **~freund** *m.* 진리를 사랑하는 사람. **~gehalt** *m.* 진실성; 진리 내용. **≈gemäß** *a.* 진실한, 사실대로의. **≈getreu** 《I》 *a.* 진실에 입각한, 사실에 충실한. 《II》 *adv.* 사실대로, 있는 그대로. **~liebe** *f.* 진리애. **≈liebend** *a.* 진리를 사랑하는. **~sinn** *m.* 진리를〔진실을〕 볼 줄 아는 안목, 진리 감각. **~sucher** *m.* 진리 탐구자. **~tabelle** *f.* 〖數〗 진리표. **≈widrig** *a.* 진리〔사실〕에 반(反)한.

wahrlich [vá:*r*lıç] *adv.* ~! 참으로, 확실히! (Amen 의 독역(獨譯)).

wahr≈nehmbar [vá:*r*ne:mba:*r*] *a.* 알아볼 수 있는; 지각할 수 있는. **≈nehmbarkeit** *f.* 인지〔지각〕 가능성. ***~|nehmen*** *t.* ① 알아보다, 인지〔지각〕하다; 관찰하다: ich habe an ihm nichts Unrechtes wahrgenommen 그에게서 조금도 부당한 점을 찾아볼 수 없었다. ② 이용하다, 포착하다, 주의하다: eine Gelegenheit ~ 기회를 잡다〔이용하다〕; seinen Vorteil ~ 자기 이익을 꾀하다; eine Frist ~ 기한을 지키다; einen Termin ~ 약속 시간에 나타나다. ③ 떠맡다, 대변하다: eine Professur ~ 교수직을 맡다; eine Aufgabe ~ 어떤 과제를 떠맡다. **≈nehmung** *f.* ① 지각, 인지; 유의: eine Störung der ~ 지각 장애; eine ~ machen 인지하다, 알아차리다. ② 대리, 대변: zur ~ von js. Interessen 누구의 이익을 대변하여; 〖官〗 in ~ Ihres Rechtes 귀하의 권리를 대변하여. **≈nehmungs·fähigkeit** *f.*, **≈nehmungs·vermögen** *n.* 인지〔지각〕 능력.

Wahr≈sage·kunst *f.* 예언술, 점, 복술(卜術). **≈sagen** (*p.p.* gewahrsagt), **~|sagen** *i.* (h.)/*t.* 예언하다, 점치다: aus der Hand〔den Karten〕 ~ 손금을 보다〔카드로 점치다〕; sich³ ~ lassen 점을 보다. **~sager** *m.* 점쟁이, 예언자: ~ aus den Sternen 점성술사. **~sagerei** [va:r..rái] *f.* 〖폄어〗 ① 점, 예언. ② 예언적 발언. **~sagerin** *f.* 여자 점쟁이〔예언자〕, 무당. **≈sagerisch** *a.* 점〔예언〕의. **≈sagern** *i.* (h.) 점치다, 예언하다. **~sagung** *f.* ① 점, 예언. ② 예언된 것.

währschaft 《<währen²》 *a.* (schweiz.) ① 튼튼〔견고〕한. ② 믿을 만한, 성실한.

Währschaft *f.* -en (schweiz.) 보증, 담보.

Wahr≈schau *f.* 〖海〗 경고, 경계: ~! 주의! ≈**schauen** *t.* 〖海〗 경고하다. ~**schauer** *m.* 〖海〗 경고〔경계〕 요원.

*__wahr≈scheinlich__ [va:rʃáınlıç, vá:rʃaın..] 《I》 *a.* 그럴 듯한, 있을 법한: die ~e Folge eines Ereignisses 어떤 사건의 추정적 결과; es ist nicht ~, daß er kommt 그는 올 것 같지 않다. 《II》 *adv.* 아마, 다분히, 십중팔구는. ≈**scheinlichkeit** [va:rʃáinlıçkaıt] *f.* 있을 법함, 개연성; 〖數〗 확률: aller ~ nach 십중팔구는.

Wahrscheinlichkeits≈grad *m.* 〖통계〗 확률. ~**rechnung** *f.* 〖數〗 확률론. ~**schluß** *m.* 〖哲〗 ↑ Enthymem. ~**theorie** *f.* 〖통계〗 개연성 이론.

Wahr·spruch *m.* 〖法·고어〗 (öst.) (배심원의) 평결.

Wahrung [vá:ruŋ] 《<wahren》 *f.* 보호, 보전; 주장; 유지.

Währung[1] [vɛ́:ruŋ] 《<währen[1]》 *f.* -en 계속, 지속, 지탱.

*__Währung__[2] 《<währen[2]》 *f.* -en ① (**a**) 〖經〗 화폐, 통화: Dollar≈ 달러화; Gold≈ 금화; Silber≈ 은화; in ausländischer ~ 외화로. (**b**) 통화 제도. ② 가치, 중요성; 재산 목록: von echter ~ 가치 있는. ③ (schweiz.) 가격; 크기.

Währungs≈ausgleich *m.* 〖法〗 (독일 제국 당시 해외 추방 독일인의) 예금에 대한 보상. ~**ausgleichs·fonds** *m.* 〖經〗 외환 안정 기금. ~**block** *m.* 〖經〗 통화 블록. ~**einheit** *f.* 〖經〗 화폐 단위. ~**fonds** *m.* ↑ ~ausgleichsfonds. ~**frage** *f.* 화폐 본위 문제. ~**gebiet** *n.* 통화 유통 구역. ~**geld** *n.* 본위 화폐. ~**konferenz** *f.* 통화 회의. ~**krise** *f.* 통화 위기. ~**kurs** *m.* 화폐의 시장 가치, 환시세. ~**parität** *f.* 〖經〗 등가, 환시세의 평준. ~**politik** *f.* 통화 정책. ~**reform** *f.* 통화 개혁. ~**reserve** *f.* 〖금융〗 통화 보유고. ~**schlange** *f.* 〖經·은어〗 (달러화 견제를 위한) 유럽 공동체 국가들의 통화 동맹. ~**system** *n.* 통화 체제〔제도〕. ~**union** *f.* 화폐 통합. ~**verfall** *m.* 화폐 가치 폭락, 인플레이션.

Wahr·zeichen [vá:r..] *n.* ① (특히 한 도시의) 상징(물). ② 조짐, 징후. ③ 〖광물〗 광석 견본.

Waibel [váıbəl] *m.* -s, - 〖고어〗 교도관, 형리.

Waiblingen [váıblıŋən] 바이블링겐(독일 Württemberg 주의 도시).

Waiblinger *m.* -s, - (신성 로마 제국에서 교황당에 맞선) 황제 당원.

Waid [vaıt] *m.* -(e)s, -e [..də] 〖植〗 대청(大靑); 대청(청색 염료), 숭람.

waid.. *pref.* ↑ weid...

waid≈blau *a.* 대청색의. ≈**färber** *m.* 대청 염색공. ~**mühle** *f.* 대청 염료 공장. ~**werk** *n.* ↑ Weidwerk.

*__Waise__ [váızə] *f.* -n〔(남아인 경우 드물게) *m.* -n, -n〕 ① 고아; 〔드물게〕 한쪽 부모 없는 아이. ② 〖문학〗 운율이 맞지 않는 시행.

Waisen≈anstalt [váızən..] *f.* ↑ ~haus. ~**fürsorge** *f.* 고아 보호. ~**geld** *n.* 고아 원조금. ~**haus** *n.* 고아원. ~**häusler** *m.* 고아원 원아. ~**kind** *n.* 고아: gegen jn. ein ~ sein 누구에게 미치지 못하다. ~**knabe** *m.* (남자) 고아; 〔비유〕 미숙아, 풋내기, 초심자: gegen jn. ein (reiner) 〔der reine, reinste〕 ~ sein 누구에게 (아주) 못미치다; ich bin ein 〔der reine〕 ~ gegen ihn 나는 그에 비하면 풋내기다; ein (reiner) 〔der reine, reinste〕 ~ in et.[3] sein 무엇에 있어서 (아주) 미숙하다. ~**mädchen** *n.* (여자) 고아. ~**mutter** *f.* 고아원 보모〔원장〕. ~**pfleger** *m.* ↑ ~vater. ~**rat** *m.* 후견 재판소(의 위원). ~**rente** *f.* 고아 연금. ~**unterstützung** *f.* 고아 지원. ~**vater** *m.* 고아원장. ~**vogt** *m.* (schweiz.) 고아원 감독관.

Wake [vá:kə] *f.* -n (nordd.) (강·호수의) 얼지 않은 곳, 얼음 구멍.

*__Wal__[1] [va:l] *m.* -(e)s, -e 〖動〗 ① 고래. ② 〔복수〕 고랫과.

Wal[2] *n.* -(e)s 〔*f.* (시어)〕 전쟁터; 〔총칭〕 전사자.

Walache [valáxə] 《♧ welsch》 *m.* -n, -n 왈라키아 사람.

Walachei [valaxáı] *f.* ① 왈라키아(루마니아의 한 지방). ② 〔구어〕 산간 오지, 인적이 드문 곳.

walachisch [..xıʃ] *a.* 왈라키아 지방〔출신〕의.

*__Wald__ [valt] 《♧ wild》 *m.* -(e)s, Wälder [vɛ́ldər] ① 숲, 수풀, 삼림: 〔속담〕 wie man in den ~ ruft, so schallt's heraus 주는 대로 받는다; 〔농담〕 den ~ vor (lauter) Bäumen nicht sehen a) 무엇을 코앞에 두고 찾지 못하다, b) 나무에 가려 숲을 못 보다; 〔구어〕 ich glaub', ich steh' 〔bin〕 im ~ 설마 그럴 리 없다; 〔구어·농담〕 einen ganzen ~ absägen 심하게 코를 골다; nicht für einen ~ voll Affen 절대로 …않는. ② 밀집한 것, 무리: ein ~ von Haaren 숱 많은 머리(털); ein ~ von Fahnen 빽빽하게 휘날리는 깃발. ③ 〔복수〕 〔고어〕 문집: die Wälder der deutschen Dichtung 독문학 총서.

Wald≈ameise *f.* 〖動〗 불개미. ~**apfel** *m.* 야생 능금. ~**arbeit** *f.* 임업 노동. ~**arbeiter** *m.* 임업 노동자, 벌목 인부. ≈**arm** *a.* 수풀이 적은. ~**aufseher** *m.* 산림 감독관. ≈**aus** [valt|áus] *adv.* 숲을 나와서. ~**bach** *m.* 숲 속의 시내. ~**bad** *n.* 숲 속의 노천 수영장. ~**bau** *m.* 조림(造林). ≈**baulich** *a.* 조림의. ~**baum** *m.* 숲의 나무. ≈**bedeckt** *a.* 숲이 있는, 나무가 무성한. ~**beere** *f.* 〖植〗 산딸기 종류. ~**bestand** *m.* 삼림 현황. ~**bewohner** *m.* 숲 지대의 주민. ~**biene** *f.* 〖動〗 야생봉(蜂). ~**boden** *m.* 삼림 토양. ~**brand** *m.* 삼림의 화재, 산불. ~**bruder** *m.* 숲 속의 은자(隱者).

Wäldchen [vɛ́ltçən] *n.* -s, - 〖↑ Wald 의 축소형〗 작은 숲, 덤불.

wald≈ein *adv.* 숲 속으로. ≈**einsamkeit** [váltain..] *f.* 숲 속의 정적(靜寂).

Waldemar [váldəmar] 발데마르(남자 이름).

Waldenser [valdɛ́nzər] *m.* -s, - 발드교도 (프랑스인 P. Waldus 가 1176 년경 창시한 종파의 교도).

waldensisch *a.* 발드교파의.

Wald≈dunkel *n.* ↑ Waldesdunkel. ~**erdbeere** *f.* 〖植〗 산딸기. ~**erholungs·stätte**

f. 산림 요양소.

Waldes≈dunkel [váldəs..] *n.* 숲의 어둠. **~grün** *n.* 숲의 푸르름. **~rand** *m.* 숲의 가장자리. **~rauschen** *n.* 〖시어〗 숲의 소리. **~saum** *m.* 숲의 가장자리.

Wald≈esel *m.* 야생 나귀. **~eule** *f.* ↑ ~kauz. **~fach·arbeiter** *m.* 임업 전문가. **~fee** *f.* 〖다음 용법으로〗〖구어〗 husch, husch, die ~! a) 꺼져!, b) 쏜살 같군! (바람처럼 스쳐 지나가는 사람을 보고 하는 말). **~frevel** *m.* 산림 침해〔범죄〕, 도벌, 밀렵. **~gebirge** *n.* 숲으로 덮인 산맥. **~gegend** *f.* 숲 지대. **~gehege** *n.* 금렵림(林). **~geist** *m.* 숲의 정령. **~genossenschaft** *f.* 임업 조합. **~geschrei** *n.* 사냥꾼의 외침. **~glöckchen, ~glöcklein** *n.* 〚植〛 도라짓과의 일종. **~gott** *m.* 숲의 신. **~göttin** *f.* 숲의 여신. **~grenze** *f.* 숲의 경계. **~grün** *n.* ↑ Waldesgrün. **~horn** *n.* 〖복수: ..hörner〗〖음악〗 프렌치 호른; 〖雅語〗 (사냥) 나팔. **~hufen·dorf** *n.* (특히 독일 중동부 개간지의) 산간 촌락. **~huhn** *n.* 들꿩. **~hüter** *m.* 산지기. **~hütte** *f.* 숲 속의 오두막.

waldig [váldɪç] *a.* 숲이 있는, 수풀이 우거진.

Wald≈innere* *das* 숲 속 깊은 곳. **~kante** *f.* 〚林〛 ↑ Wahnkante. **~kapelle** *f.* 숲 속의 예배당. **~kauz** *m.* 〚動〛 올빼미의 한 속. **~kirsche** *f.* 야생 버찌〔벚나무〕. **~kultur** *f.* 조림, 영림. **~land** *n.* 삼림지. **~lauf** *m.* 숲길 조깅; 크로스컨트리. **~läufer** *m.* 숲길을 조깅하는 사람; 크로스컨트리 선수. **~lehrpfad** *m.* 자연 학습용 숲길.

Waldler, Wäldler *m.* -s, - 삼림 지대의 주민.

Wald≈leute *pl.* ①삼림의 주민. ②〖드물게〗 ↑ Waldstätte 의 주민. **~lichtung** *f.* 숲 속의 빈터. **~mann** *m.* ① 삼림의 주민. ② 숲의 신〔정령〕. ③ 개의 이름. **~männchen** *n.* 숲의 작은 정령. **~mantel** *m.* 〚林〛 숲의 가장자리. **~mark** *f.* 공동 상속인들에 의해 공동으로 이용되는 삼림지. **~mark·gericht** *n.* 공동 삼림을 담당하는 법원. **~maus** *f.* 숲속에 사는 쥐의 일종. **~meister** *m.* ① 산지기. ②〚植〛 선갈퀴. **~meister·bowle** *f.* (포도주에 선갈퀴 향을 첨가한) 5 월주(Maibowle). **~mensch** *m.* ① 삼림의 미개한 주민. ②〚動〛 오랑우탄. **~nymphe** *f.* 숲의 요정. **~ohreule** *f.* 〚動〛 칡부엉이. **~ordnung** *f.* 산림법(규정).

Waldorf≈salat [váldɔrf..] *m.* 〚요리〛 발도르프샐러드(사과·호두 등을 첨가한 샐러드의 일종). **~schule** *f.* 발도르프 학교(창조력 개발에 주안점을 두고 1919 년 Stuttgart 에 설립된 사립 학교).

Wald≈rand *m.* 숲의 가장자리. **~rauch** *m.* ① 이내(숲속의 푸르스름한 기). ②〚植〛 연복초. **~rebe** *f.* 〚植〛 사위질빵. **~recht** *n.* 〚法〛 산림법. **≈reich** *a.* 숲이 많은. **~revier** *n.* ↑ ~gegend. **~saum** *m.* ↑ Waldrand. **~schaden** *m.* 산림 훼손. **~schau** *f.* 산림 검사. **~schneise** *f.* (벌채에 의하여 생긴) 숲속길. **~schnepfe** *f.* 〚動〛 도요새. **~schrat** *m.* 숲의 정령. **~schule** *f.* 야외〔임간〕 학교. **~schutz·gebiet** *n.* 산림 보호 구역. **~schwende** *f.* 화전 개간. **~spazier·gang** *m.* 숲길 산책. **~sport·pfad** *m.* 체력 단련용 숲길. **~städte** *pl.* 발트슈테테(오스트리아의 라인강 연안에 있는 4 도시). **~stätte** *pl.* 발트슈테테(피어발트슈테터 호(湖) (Vierwaldstätter See) 연안의 스위스 최고(最古)의 4 주(州)). **~sterben** *n.* (특히 대기 오염으로 인한) 숲의 황폐. **~streu** *f.* 낙엽 건초, 마른 잎 침대 깔개. **~strom** *m.* 숲 속의 강. **~stück** *n.* ① 조그마한 숲. ② 숲의 한 부분. **~teufel** *m.* ① 숲의 요괴. ②〚動〛 비비(狒狒). ③ 흔들면 달가닥거리는 종이 딸랑이. **~tier** *n.* 숲의 동물. **≈umkränzt** *a.* 숲으로 둘러싸인.

Waldtraut *f.* ↑ Waltraut.

Waldung [váldʊŋ] *f.* -en 넓은 숲 지대.

Wald≈viertel *n.* 숲 속의 주택가. **~vogel** *m.* 숲의 새. **~vögellein** *n.* 〚植〛 북방 온난 기후대의 숲에 서식하는 난초의 일종. **~wärter** *m.* ↑ ~hüter. **≈wärts** *adv.* 숲 쪽으로. **~weg** *m.* 숲의 샛길, 오솔길. **~weide** *f.* 숲 속의 목장. **~wiese** *f.* 숲 속의 풀밭. **~wirtschaft** *f.* 임업. **~wolle** *f.* 솔잎에서 뽑은 섬유. **~zeichen** *n.* (벌채할 나무 껍질을 벗겨 낸) 산림 식별 표시. **~zone** *f.* 산림 지역.

Wale [vá:lə] *m.* -n, -n ①〖고어〗 ↑ Welsche. ② 베네치아 사람; 유리 제조업자; 금을 찾는 사람; 이탈리아의 행상인.

walen [vá:lən] *i.* (h.) 〚海〛 (배가) 항로를 잃다; (나침반이) 흔들리다.

Walen·see *m.* 발렌제(스위스의 호수).

Waler *m.* -s, - ↑ Walfänger.

Wales [we:ls, weɪlz] 웨일스(영국 서남부).

Wal≈fang 《< Wal¹》 *m.* 고래잡이. **~fang·boot** *n.* 고래잡이 배, 포경선. **~fänger** *m.* ↑ ~fischfänger.

Walfang≈flotte *f.* 포경선단. **~mutter·schiff** *n.* 포경 모선. **~schiff** *n.* 고래잡이 배, 포경선. **≈treibend** *a.* 포경업에 종사하는.

Wal·feld [vá:l..] 《< Wal²》 *n.* 〖시어〗 전장(戰場).

***Wal·fisch** 《< Wal¹》 *m.* ①〚動〛 고래. ②〚天〛 고래자리.

Walfisch≈barte *f.* 고래 수염. **~bein** *n.* 고래뼈. **~fahrer** *m.* 포경선. **~fang** *m.* 고래잡이. **~fänger** *m.* 고래잡이 선원, 포경선원; 포경선. **~speck** *m.* 고래의 지방(脂肪). **~tran** *m.* 고래기름.

walgen, walgern, wälgern [vɛ́lgərn] 《Ⅰ》 *t.* 〖방언〗 (반죽을) 밀방망이로 밀다. 《Ⅱ》 *i.* (h.) / *refl.* ↑ walken, walzen.

Wälgerholz, Wälgholz [vɛ́lk..] *n.* 밀방망이.

Walg·vogel *m.* 〚動〛 도도새.

Walhall [válhal, valhál] *n.* -s, **Walhalla** [valhála] 《< Wal²》 *n.* -(s) 〔*f.*〕 ①〚북구신화〛 전사자의 혼령이 사는 천당. ②〖비유〗 초혼당(招魂堂); 도나우 강가에 있는 위인 사당.

Wali [vá:li] 《ar. < türk.》 *m.* -s, -s 터키의 지사, 지방관, 태수.

Walide [validé:, ..lí:de] *f.* -n 〖고어〗 터키왕의 어머니의 칭호.

Waliser [valí:zər] 《Ⅰ》 *m.* -s, - (영국의) 웨일스 사람. 《Ⅱ》 *a.* 웨일스 출신〔지방〕의.

walisisch [valí:zɪʃ] *a.* ↑ Waliser 《Ⅱ》.

Walke [válkə] *f.* -n 〚방직〛 ① 마전, 펠트. ② 마전기(機).

Walken [válkən] *n.* -s 마전.

***walken** [válkən] *t.* ① (피륙을) 마전하다, 전(氈)을 만들다〔짜다〕. ② (가죽을) 무두질하다. ③〖제련〗(압연기로 철판을) 고르게 펴다. ④〔방언〕힘차게 반죽하다. ⑤〔구어〕두들겨 패다. ⑥ (누구를) 힘있게 마사지하다. ⑦ (빨래를 손으로) 세게 부비다.

Walker *m.* -s, - ① 마전 직공. ②〖動〗수염풍뎅이. ③〔방언〕밀방망이.

Walk·erde [válk..] *f.* 산성 백토.

Walkerei [valkəráı] *f.* -en〖방직〗① 마전. ② 마전기(機).

Walker·ton *m.* ↑ Walkerde.

Walk·hammer *m.* 빨랫방망이.

Walkman 《engl.》 *m.* -s, ..men 워크맨, 휴대용 소형 테이프플레이어.

Walkie-talkie [wɔ́:kıtɔ́:ki] 《engl.》 *n.* -(s), -s 워키토키, 휴대용 무전기.

Walk=mühle *f.* 마전 공장. **~müller** *m.* 마전 직공. **~stätte** *f.* (모자 공장의) 마전용 큰 솥. **~ton** *m.* ↑ ~erde.

Walküre [valký:rə, vá(:)lky:rə] (♧ Wal²) *f.* -n ①〖북구신화〗발퀴레(전쟁의 여신; 전사자를 Walhall 에 인도함). ②〔농담〕우람한 (금발의) 여자.

Walk·werk *n.* ↑ Walkmühle.

Wall¹ [val] 《lat.》 *m.* -(e)s, Wälle [vɛ́lə] ①〖軍〗장벽, 요새. ② 담장, 울타리; 제방, 둑;〖海〗부둣가, 해안.

Wall² 《<wallen²》 *m.* -(e)s, -e 비등(沸騰), 끓어오름, 거품일기.

Wall³ (ndd.) *m.* -(e)s, -(e) 80 마리(어류 거래의 단위).

Wall·absatz *m.*〖軍〗벼랑길.

Wallaby [wɔ́ləbı] *n.* -s, -s ①〖動〗왈라비(중간 크기 캥거루의 일종). ② 캥거루 가죽.

Wallach [válax] *m.* -(e)s, -e/〔(öst.) -en, -en〕거세한 수말.

wallachen *t.* 거세하다: einen Hengst ~ 수말을 거세하다.

Wallafette *f.* -n〖軍〗장벽에 설치한 대포.

Wall=anker *m.*〖海〗(쌍닻을 내리고 있을 때) 해안 쪽에 가까운 닻. **~anlage** *f.* 성벽, 방벽. **~arbeit** *f.*〖軍〗장벽 공사. **~beine** *pl.* (O-Beine) 안짱다리, O 자형(字型) 다리. **~-böschung** *f.* 장벽의 경사면. **~büchse** *f.*〖軍〗장벽에 설치한 총.

wallen¹ [válən] *i.* (s./h.) ①〔시어〕방랑〔유랑〕하다, 여행하다. ②〔고어〕순례하다, 성지에 참배하다.

***wallen**² 《I》 *i.* (s./h.) ① 파도가 일다, 물결치다; (우유 등이) 끓어오르다;〔비유〕흥분〔격앙〕하다: der Kessel 〔das Wasser im Kessel〕 wallt 솥 안의 물이 끓는다; das Blut wallt 피가 끓는다. ② 나부끼다, 펄럭이다: ~des Haar 물결치는 머리; ~der Rauch 너울거리는 연기. ③〔방언〕용솟음치다, 뿜어 나오다. 《II》 *t.*〔방언〕부글부글 끓이다〔삶다〕: gewällte Kartoffeln 삶은 감자.

wällen [vɛ́lən] *t.* ↑ wallen² 《II》.

Wallenstein [válənʃtaın] *m.* Albrecht von ~ 발렌슈타인(30 년 전쟁 때의 장군, 1583-1634).

Waller [válər] *m.* -s, - ①〔고어〕↑ Wallfahrer. ②〔시어〕여행자; 방랑자. ③〔방언〕메기.

wall=fahren [vál..] (*p.p.* gewallfahrt) 《<wallen¹》 *i.* (s.) 순례하다, 성지를 참배하다. **~-fahrer** *m.* 참배자, 성지 순례자;〔고어〕팔레스타인의 성지 참배자. **~fahrerin** *f.* 여성 순례자. **~fahrt** *f.* (성지) 순례. **~fahrten** *i.* (s.) ↑ ~fahren.

Wallfahrts=kirche *f.* 성지에 있는 교회. **~ort** *m.*, **~stätte** *f.* 순례지, 성지.

Wall=gang *m.*〖軍〗성곽 순찰로;〖海〗(군함의) 방현강(防舷腔). **~geschütz** *n.* 장벽 위에 설치한 대포. **~gewehr** *n.* 장벽 위에 설치한 총. **~graben** *m.* 성 외곽 참호. **~holz** *n.* (schweiz.) 밀방망이.

Wallis [válıs] 《I》 발리스(스위스의 주). 《II》 *m.* -, - 줄무늬 면직물.

Walliser [valí:zər] 《I》 *m.* -s, - 발리스주의 주민. 《II》 *a.* 발리스주(출신)의.

Wall=katze *f.*〖軍〗망루, 성의 감시 초소. **~keller** *m.* 토치카.

Wallone¹ [való:nə] *f.* ↑ Walone.

Wallone² 《<Wale》 *m.* -n, -n 왈론 사람(벨기에 동남부에 사는 라틴화한 켈트족).

wallonisch *a.* 왈론의: das ~e 왈론어(語) (프랑스어의 방언).

Wall=schild *m.*〖軍〗반월(半月) 보루. **~-straße** *f.* 성을 끼고 도는 길.

Wallstreet [wɔ́:lstri:t] 《engl.》 *f.* 월가(미국 뉴욕의 거리; 세계 증권 시장의 중심가).

Wallung [válʊŋ] 《<wallen²》 *f.* -en 끓어오름; 비등(沸騰); 파동;〔비유〕흥분, 격동, 격앙;〖醫〗충혈, 급작스러운 발열: in ~ bringen〔geraten〕격앙시키다〔하다〕; in ~ sein a) 격앙되어 있다, b) 혈압이 높다.

Wall·wurz *f.*〖植〗지칫과의 일종.

Walm¹ [valm] 《<wallen²》 *m.* -(e)s (elsäss.) 소용돌이.

Walm² (♧ wölben) *m.* -(e)s, -e ①〖건축〗추녀마루, 귀마루. ② 한 줄의 벤 풀〔보리〕; 곳간의 건초 두는 곳.

Walm·dach *n.*〖건축〗귀마루 지붕.

walmen 《I》 *i.* (h.)〖건축〗귀마루 지붕을 달다. 《II》 **gewalmt** *p.a.* ↑ gewalmt.

Walm·kappe *f.* 귀마루 지붕에 얹는 기와.

Wal=nuß [válnʊs] *f.*〖植〗호두(나무). **~-nuß·baum** *m.* 호두나무.

Walone [való:nə] 《it.》 *f.* -n 떡갈나무 열매(도토리)의 깍정이.

Walpertinger *m.* -s, - ↑ Wolpertinger.

Wal·platz [vá(:)l..] 《<Wal²》 *m.* 싸움터.

Walpurgis [valpʊ́rgıs] 《ahd.》 *f.* ① 발푸르기스(여자 이름). ② (영국 출신의) 수녀 발푸르기스.

Walpurgis·nacht *f.* 발푸르기스의 밤(독일 민간 전설에서 마녀들이 광란의 축제를 벌인다는 5 월 1 일 전야).

Wal=rat *m./n.* 경랍(鯨蠟), 고래밀. **~rat·öl** *n.* 경뇌유(鯨腦油). **~roß** *n.*〖動〗해마(海馬).

wälsch *a.* ↑ welsch.

Walser¹ Martin ~ 마르틴 발저(독일 작가, 1927-).

Walser² Robert ~ 로베르트 발저(스위스의 시인·소설가, 1878-1956).

Walser·tal *n.* 발저탈(오스트리아의 지명).

Wal·statt [vá(:)lʃtat] 《<Wal²》 *f.* ..stätten〔고어·시어〕싸움터, 전쟁터:〔고어〕auf der

~ bleiben 전사하다.
Walten [váltən] *n.* -s 지배, 관리, 주재, 통치; 처리, 처분: Gottes ~ 신의 섭리.
***walten** [váltən] 《☆ Gewalt》 *i.* (h.)/*t.* ① 지배〔주재〕하다, 자유로이〔마음대로〕 하다; 관리〔처리〕하다: im Hause 〔im Lande〕 ~ 집안 살림을 이끌다〔나라를 다스리다〕; Gnade ~ lassen 자비를 베풀다; den lieben Gott ~ lassen 신의 섭리에 맡기다; er kann mit seinem Eigentum schalten und ~, wie er will 그는 자기 재산을 마음대로 처분할 수 있다; das ≈de 운명. ② 존재하다, 있다: es waltet ein Mißverständnis in dieser Sache 이 일에는 어떤 오해가 있다; ein Rätsel waltet hier 여기에는 모종의 수수께끼가 있다; unter den ~den Umständen 현상황에서는. ③〘2격과 함께〙 walte deines Amtes! 네 직무를 다하라!; wohl waltest du mein, wie ein Vater des Sohnes 너는 아버지가 자기 아들에게 하듯이 내게 잘한다. ④ über et.3/4 ~ 무엇을 관리〔주재〕하다; Gott läßt seine Gnade über den〔die〕 Guten und Bösen ~ 하느님은 선인에게도 악인에게도 은총을 내리신다; ein Unstern waltet über diesem Unternehmen 이 사업에는 불운이 따라다닌다. ⑤〘고어〙〘다음 용법으로만〙 das walte Gott! 신이여 그렇게 하여 주옵소서(das möge Gott geben).
Walter [váltər, wá:l..] ① *m.* -s, -〘고어〙 관리자, 통치자. ② *m.* **(a)** 발터(남자 이름). **(b)** ~ von der Vogelweide 발터 폰 데어 포겔바이데(중세 독일의 시인).
Walthari·lied [váltarili:t, valtá:r..] *n.* 발타리의 노래(독일 중세의 라틴어 영웅시; 수도사 Ekkehart 1세의 작품).
Walther [váltər] ↑ Walter 《Ⅱ》.
Wal·tiere *pl.*〘총칭〙 고래과의 동물.
Wältli 《südwestd., schweiz.》 *m.* 벨틀리(남자 이름; ↑ Walter의 애칭).
Waltraud *f.* ↑ Waltrud.
Waltrud 발트루트(여자 이름).
Waltraut *f.* ↑ Waltraud의 고형(古形).
Wal·vater [vá(:)l..] *m.*〘신화〙 발파터(게르만족의 주신(主神)인 Odin의 별칭; ↑ Wodan).
Walz≈blech [válts..] *n.* 압연(壓延) 함석판. **~blei** *n.* 납판.
Walze [váltsə] 《<walzen》 *f.* -n ① 원통(모양의 것);〘數〙 원통형, 원주;〘기계〙 실린더; (구식 축음기 등의) 태엽 상자:〘비유〙 immer die alte ~! 밤낮 같은 타령〔불평〕이로구나!; et. auf der ~ haben 무엇을 강연〔연주〕할 준비가 되어 있다. ②〘工〙 롤러, 압연기;〘印〙 인육봉(印肉捧), 인자판(印字板); 도로 공사용 압착 롤러(Straßen≈); (Acker≈) 논밭 고르는 기계, 정원용 롤러. ③〘고어〙(도제들의) 편력: auf die ~ gehen 편력을 떠나다; auf der ~ sein 편력 중이다. ④ 소리의 크기를 조절하는 오르간의 페달. ⑤ ↑ Walzwerk ②.

Walz·eisen *n.* 압연한〔늘인〕 쇠.
walzen [váltsən] 《Ⅰ》 *t.* 롤러로 압연(壓延)하다, 늘이다; 고르게 하다: den Teig ~ 반죽을 방망이로 밀다; Eisen ~ 철을 압연하다; die Straße ~ 도로를 고르다. 《Ⅱ》 *i.* ① (h.) **(a)** 왈츠를 추다: der〔die〕 ≈de 왈츠를 추는 남자〔여자〕. **(b)** ~de Grundstücke 분양지(分讓地). ② (s.) **(a)** 뒹굴다, 회전하다. **(b)**〘고어〙(도제가) 편력하다; 여행하다, 돌아다니다: er ist durch ganz Deutschland gewalzt 그는 온 독일 땅을 두루 여행했다.
wälzen [vɛ́ltsən] 《Ⅰ》 *t.* 굴리다, 뒹굴리다:〘비유〙 Bücher ~ 여러 가지 책을 뒤져 가며 조사하다; Probleme (im Kopf) ~ 문제를 이리저리 따져보다; die Schuld auf jn. ~ 죄를〔책임을〕 누구에게 뒤집어 씌우다〔전가하다〕; die Schuld von sich ~ 죄를〔책임을〕 변명〔회피〕하다. 《Ⅱ》 *refl.* sich ~ 구르다, 뒹굴다: sich in seinem Blute ~ 피범벅이 되어 뒹굴다; sich im Kote ~ 진흙탕 속에서 뒹굴다, 이전투구를 벌이다; sich schlaflos im Bett ~ 잠을 못 이루고 뒤척이다;〘비유〙 sich vor Lachen ~ 포복절도하다; sich vor Ärger ~ 분통이 터져 어쩔 줄을 모르다; das ist zum ≈! 우스워 죽겠다!
walzen·artig *a.* 원통형의.
Walzen≈druck *m.*〘복수: -e〙〘印〙 윤전기 인쇄. **≈förmig** *a.* 원통형의, 실린더 모양의. **~kessel** *m.* 원통 모양의 관(罐). **~lager** *n.*〘기계〙 ↑ Wälzlager. **~mange** *f.*〘방직〙 롤러식 윤색기(潤色機). **~mühle** *f.* 롤러식 분쇄기, 압연 공장. **~spinne** *f.*〘動〙(몸통이 원통형인) 거미의 일종. **~straße** *f.*〘工〙 압연로. **~stuhl** *m.* ↑ ~mühle. **~system** *n.* 롤러식, 원통식. **~werk** *n.* ↑ Walzwerk.
Walzer [váltsər] 《<walzen》 *m.* -s, - 왈츠(4분의 3박자의 춤곡 및 춤).
Wälzer [vɛ́ltsər] 《<wälzen》 *m.* -s, - ① 굴리는〔돌리는〕 사람;〘動〙 쥐며느리의 일종. ②〘구어〙 두꺼운 책.
Walzer≈musik *f.* 왈츠 음악. **~schritt** *m.* 왈츠 스텝. **~takt** *m.* 왈츠곡의 박자. **~tänzer** *m.* 왈츠를 추는 사람.
Walz·holz *n.* 밀방망이.
walzig *a.* 원통형의.
Walz≈maschine *f.* 압연기(壓延機). **~stahl** *m.* 압연 철강. **~straße** *f.* ↑ Walzenstraße. **~werk** *n.* ① ↑ ~maschine. ② 압연 공장. **~werk·erzeugnis** *n.* 압연 제품.
Wälz≈lager [vɛ́lts..] *n.*〘기계〙 롤러 베어링. **~sprung** *m.*〘육상〙 배를 아래로 향한 채 가로대를 넘는 높이뛰기.
Wamme [vámə], **Wampe** [vámpə] *f.* -n ① (소나 개의) 목 밑에 처진 살. ② (md., obd.) 배, 복부, 뱃살;〘사냥〙(짐승의) 옆구리; 북통 모양의 배.
wammig *a.* 목 밑에 처진 살이 있는.
wampert [vámpərt] 《<Wampe》 *a.* (südd., öst.)〘평어〙 배불뚝이의.
Wampum [vámpum, vampú:m] *m.* -s, -e (북아메리카 인디언의) 조개류로 장식된 띠.
Wams [vams] 《frz.》 *n.* -es, Wämser [vɛ́mzər] ① 기사의 갑옷 속에 입는 속옷. ② 재킷, 짧은 저고리.
Wämschen [vɛ́msçən], **Wämslein** *n.* -s, -〘↑ Wams의 축소형〙 미니 재킷.
wamsen [vámzən] *t.*〘방언〙 ① 때리다, 패다. ② (anzeigen) 통보하다, 알리다.
WAN 《engl.》 =wide area network〘컴〙 광역 통신망.
wand ↑ winden의 과거형.
***Wand** [vant] *f.* Wände [vɛ́ndə] ① (집안의) 벽; 칸막이 벽;〘영화〙 영사막:〘고어〙 eine spanische ~ 병풍, 칸막이; in unseren vier Wänden 우리 집안에서; die (eigenen) vier

Wände 자기 집; 〖구어〗...daß die Wände wackeln (집이) 떠나갈 정도로 …하다, 몹시 …하다; ~ an ~ leben 벽을 사이에 두고 (바로 옆방에) 살다; blaß wie eine (gekalkte) ~ 종잇장처럼 창백해져서; jn. an〔gegen〕die ~ drücken 누구를 궁지에 몰아넣다; das〔es〕ist, um die Wände 〔an den Wänden〕 hinaufzuklettern〔hochzugehen〕; da kann man die Wände 〔an den Wänden〕 hochgehen! 그것은 도저히 참을 수 없는 일이다!; jn. an die ~ stellen 누구를 사살〔총살〕하다; jn. an die ~ spielen 누구를 능력면에서 능가하다〔교묘하게 따돌리다〕; mit dem Kopf durch die ~ wollen 억지를 부리다; mal den Teufel nicht an die ~! 처음부터 재수 없는 생각〔말〕은 하지 마라!; leeren Wänden predigen〔gegen eine ~ reden〕 쇠귀에 경 읽다; 〖속담〗 die Wände haben Ohren 낮말은 새가 듣고 밤말은 쥐가 듣는다. ② 절벽, 단애(斷崖). ③ (그릇 따위의) 측면: 〖印〗 Wände einer Presse 인쇄기의 협판(頰板). ④〖醫〗 위벽(Magen~). ⑤〖광물〗 바위 덩어리. ⑥〖사냥〗 덫, 그물, 올가미; 〖漁〗 (쳐 놓은) 그물. ⑦ 구름의 층(Wolken~). ⑧〖테니스〗 테니스 연습용 벽(Tennis~).

Wandale *m.* -n, -n ① 반달족(게르만족의 한 종족). ②〔비유·폄어〕 파괴적인 사람.

wandalisch *a.* ① 반달족의. ②〔교양·폄어〕 파괴적인, 난폭한.

Wandalismus *m.* - 맹목적인 파괴욕.

Wand≈anstrich *m.* 벽칠. **~arm** *m.* 팔 모양의 벽걸이. **~bank** *f.*〔복수: ..bänke〕 벽에 고정시킨 긴 의자. **~behang** *m.* (장식용) 벽걸이 커튼〔양탄자〕. **~bein** *n.* 〖醫〗 노정골(顱頂骨), 두정골(頭頂骨). **~bekleidung, ~bespannung** *f.* ↑ ~verkleidung. **~bett** *n.* ↑ ~klappbett. **~bewurf** *m.* (담벽의) 모르타르, 회반죽. **~ bild** *n.* ↑ ~gemälde. **~bord** *n.* 벽 선반. **~brett** *n.* (특히 책장 대용의) 벽 선반.

wände ↑ winden 의 접속법 Ⅱ 식.

***Wandel** [vándəl] 《<wandeln》 *m.* -s ① 변화, 변경, 변천: (in) et.³ ~ schaffen 무엇을 개혁〔개정〕하다; sich im ~ befinden 변화하는 중이다; einen ~ erfahren 변화를 겪다; dem ~ unterworfen sein 끊임없이 변화하다. ②〔고어〕 **(a)** 결점: ohne ~ 결점이 없는. **(b)** (거래 계약의) 취소. **(c)** 배상, 변상. ③〔고어〕 교통, 무역, 교역: Handel und ~ 상업, 장사. ④ **(a)**〔시어〕보행, 소요. **(b)** 〔고어〕(Lebens~) 품행, 처신: er führt einen frommen ~ 그는 경건한 생활을 하고 있다. ⑤〖사냥〗 들짐승의 통로(Wilde~).

Wandel≈altar *m.* 여러 폭의 가변(可變) 제단. **~anleihe** *f.* 〖經〗 전환 사채. **~bahn** *f.* 〖건축〗 지붕이 있는 통로, 홍예(虹蜺) 행랑.

wandelbar *a.* ① 변하는, 변할 수 있는, 변하기 쉬운. ②〔고어·시어〕연약한; 덧없는, 무상한.

Wandelbarkeit *f.* 가변성, 변하기 쉬움; 덧없음.

Wandel≈bilder *pl.* 〖영화〗 페이드아웃 상태로 옮기는 화면. **~gang** *m.* ① 산책(길). ② 대기실, 로비. **~geschäft** *n.* 이행기 선택 거래.

wandelhaft *a.* ↑ wandelbar.

Wandel·halle *f.* (극장·요양소의) 대기실.

wandellos *a.* 불변의.

Wandel≈monat, ~mond *m.* 〔고어〕 4 월.

***wandeln** [vándəln] 《Ⅰ》 *i.* ① (s.) 거닐다, 천천히 걷다; 산책하다: diesen Weg bin ich früher oft gewandelt 전에 나는 이 길을 자주 걸었다; 〖비유〗 ein ~des Lexikon 걸어다니는〔살아 있는〕 사전(박식한 사람); eine ~de Leiche 산송장, 피골이 상접한 사람; ein ~des Gerippe 빼빼 마른 사람; die ~de Güte 선의 화신; 〖動〗 ~des Blatt 직시류(直翅類). ② (h.) (세상을) 살아가다, 생활하다: in Sünden〔gottlos〕 ~ 방탕한 생활을 하다. ③ (h.) handeln und ~ 장사하다. ④ (h.) (schweiz.) 유령이 출몰하다. 《Ⅱ》 *t.* 바꾸다, 변경하다, 변화시키다: die Zeit hat den Geschmack gewandelt 세월에 따라 취향도 바뀌었다. 《Ⅲ》 *refl.* sich ~ 변화하다: ihre Liebe hat sich in Haß gewandelt 그 여자의 사랑은 증오로 변하였다.

Wandel≈obligation *f.* 〖經〗 전환 사채(社債). **~röschen** *n.* 용선화. **~schuld·verschreibung** *f.* 〖經〗 전환 사채. **~stern** *m.* 〖天〗 (↔ Fixstern) 행성, 유성. **~turm** *m.* 〖軍〗 (성 공격용) 이동식 고가 사다리.

Wandelung [..dəluŋ] 《<wandeln》 *f.* -en ① ↑ Wandlung. ②〖法〗 매매물 반환, 매매 계약 취소.

Wandel·wand *f.* 〖연극〗 (무대의) 이동식 배경.

Wander≈ameise [vándər..] *f.* 〖動〗 (아프리카산(産)) 쏘는 개미. **~arbeiter** *m.* 뜨내기 일꾼〔노동자〕. **~auktion** *f.* 순회 경매. **~ausstellung** *f.* 순회 전람회. **~bewegung** *f.* 멀리 걷기 운동, 도보 여행 권장 운동. **~block** *m.* 〖지질〗 표석(漂石). **~buch** *n.* ① (뜨내기 일꾼에게 주는) 여행증. ②〔고어〕 여행 안내서. **~bücherei** *f.* 순회 도서실. **~bühne** *f.* 유랑〔순회〕 극단. **~bursche** *m.* 뜨내기 일꾼, (옛날의) 떠돌이 직인. **~düne** *f.* 〖지질〗 이동 사구(砂丘).

***Wanderer** [vándərər] *m.* -s, - 방랑자, 뜨내기; 나그네, 도보 여행자; 여행가; 순례자.

Wander≈fahrt *f.* 〔구식〕 장거리 도보 여행. **~falk, ~falke** *m.* 〖動〗 매의 일종. **~gesell, ~geselle** *m.* ↑ ~bursche. **~gewerbe** *n.* 행상, 도붓장사. **~gewerbe·schein** *m.* 행상 허가서. **~gruppe** *f.* 도보 여행 그룹. **~herz** *n.* 〖해부〗 심장 함몰. **~heu·schrecke** *f.* 〖動〗 (무리를 지어 이동하며 닥치는 대로 먹어치우는) 메뚜기. **~in** *f.* 〔↑ Wanderer 의 여성형〕 여성 나그네〔도보 여행자〕. **~jahre** *pl.* (직공의) 실습 기간, 편력 시대. **~karte** *f.* 도보 여행용 지도. **~kleidung** *f.* 하이킹 복장. **~lager** *n.* 〖商〗 행상인의 노점; (집시 등의) 대상(隊商). **~leben** *n.* 방랑〔떠돌이〕 생활. **~leber** *f.* 〖醫〗 유주간(遊走肝), 간하수(증). **~lehrer** *m.* 순회 교사〔강연자〕. **~lied** *n.* 방랑의 노래; 소요가(逍遙歌). **~lust** *f.* 여행 좋아하기, 방랑벽. **~lustig** *a.* 여행을 즐기는. **~milz** *f.* 〖醫〗 유주비(遊走脾), 이동비(脾). **~muschel** *f.* 세모난 민물조개.

***wandern** [vándərn] 《Ⅰ》 *i.* (s./h.) ① 도보 여행하다, 걷다; 떠돌다, 방랑하다; (도제들이) 실습 기간을 보내다, 타관 벌이하다: Jungen ~ gern 젊은이는 여행을〔걷기를〕 좋아한다; seinen Weg〔seines Weges〕 ~ 자기 갈 길을

가다; mit jm. durch Leben ~ 누구와 인생 행로를 같이하다; 〖방언〗 es wandert 유령이 나온다. ② 이동〔이주〕하다; (철새 등이) 옮겨 다니다: aus der Heimat ~ 고향을 떠나다; die Dünen ~ 사구(砂丘)가 이동한다. ③〖방향을 나타냄〗 die Gedanken ~ in die Ferne 생각이 먼데까지 미치다; aufs Leihhaus ~ 저당 잡히다; ins Gefängnis ~ 투옥되다; alle Gedichte wanderten ins Feuer 모든 시가 불속에 던져졌다; die Sachen wanderten zum Trödler 그 물건들은 고물상의 손에 넘어갔다. 《Ⅱ》 *refl.* sich müde ~ 걸어서 지치다; sich³ die Füße wund ~ 걸어서 발이 상하다.

wandernd *p.a.* 여행하는; 떠돌아다니는, 유랑〔순회〕의; 〖動〗 이주성의; 〖지질〗 표이성(漂移性)의: ~e Schauspielertruppe 유랑 극단; ~e Völker 유랑민.

Wander≈niere *f.* 〖醫〗 유주신(遊走腎). **~pokal** *m.* 우승컵. **~prediger** *m.* 순회 목사〔설교자〕. **~preis** *m.* (우승자에게 계승되는) 우승 기념상. **~ratte** *f.* 〖動〗 시궁쥐. **~rose** *f.* 〖醫〗 소요 단독(丹毒). **~route** *f.* 도보 여행길.

Wanderschaft *f.* -en (특히 도제의) 여행, 편력, 뜨내기 벌이: auf die ~ gehen 여행을 떠나다; auf (der) ~ sein 편력 중이다.

Wander≈schritt *m.* 보조, 걸음걸이. **~schuh** *m.* 하이킹용 신발.

Wanders·mann *m.* 〔복수: ..leute〕 ↑ Wanderer.

Wander≈sport *m.* 걷기 운동. **~stab** *m.* 여행자의 지팡이: den ~ ergreifen 〔zum ~ greifen〕 여행길을 떠나다. **~stiefel** *m.* 도보 여행용 장화. **~tag** *m.* (학교의) 소풍일(日). **~theater** *n.* ↑ ~bühne. **~trieb** *m.* 떠돌이 기질, 방랑벽; 〖動〗 이동 본능; 〖醫〗 배회증(症). **~truppe** *f.* 유랑 극단.

***Wanderung** [vándəruŋ] *f.* -en ① 걷기; (도보)여행; 나들이, 소풍, 산책. ② 이동, 이주; 〖動〗 (철따라) 옮기기.

Wander≈vogel *m.* ① 철새, 후조(候鳥). ② 〔비유〕 떠돌이, 뜨내기. ③ 여행을 즐기는 사람. ④ (1901 년 K. Fischer 가 결성한) 청년 도보 여행 장려회; 그 회원. **~volk** *n.* 유랑〔유목〕민. **~weg** *m.* 산책길, 소풍길. **~wetter** *n.* 산책하기 좋은 날씨. **~zeit** *f.* ↑ ~jahre. **~zelle** *f.* 〖生〗 이동 세포. **~ziel** *n.* 소풍의 목적지. **~zirkus** *m.* 유랑 서커스단.

Wand≈fach [vánt..] *n.* 벽(에 부착된) 서랍. **≈fest** *a.* 벽에 붙박이한. **~gemälde** *n.* 〖畫〗 벽화. **~getäfel** *n.* 벽판자, 머름, 굽도리널.

..wandig 《< wand》 *suf.* "벽이 …한"의 뜻(보기: dünn~ 얇은 벽의).

Wand≈kalender *m.* 벽걸이 달력. **~karte** *f.* 벽걸이 지도. **~klapp·bett** *n.* 벽에 부착할 수 있는 접는 침대. **~lampe** *f.* 벽등. **~laus** *f.* 〖動〗 빈대.

Wandler [vándlər] *m.* -s, - ①〖시어·고어〗 소요객, 산책자; 〖天〗 행성. ②〖전기〗 변성기(變成器); 변환기.

Wand·leuchter *m.* 벽걸이 촛대〔등잔〕.

***Wandlung** [vándluŋ, vánt..] *f.* -en ① 변화, 변모; 변형, 변이. ② 변신, 변장, 위장, 가장. ③〖宗〗 화체(化體) (성찬(聖餐)의 빵과 포도주가 예수의 살과 피로 화하는 일).

wandlungs≈fähig *a.* 변화의 여지가 있는, 가변적인. **~fähigkeit** *f.* 가변성, 변화의 여지. **≈prozeß** *m.* 변화〔변천〕 과정.

Wand≈malerei *f.* 벽화. **~nische** *f.* 〖건축〗 벽감. **~pfeiler** *m.* 벽기둥, 필래스터(벽면 밖으로 드러나게 만든 장식용 기둥). **~pfeiler·kirche** *f.* 벽 기둥 양식의 교회. **~platte** *f.* 벽타일.

Wandrer *m.* -s, - ↑ Wanderer.

Wandrerin *f.* -nen ↑ Wanderin.

Wandrung *f.* -en ↑ Wanderung.

Wand≈säule *f.* 〖건축〗 ↑ ~pfeiler. **~schirm** *m.* 병풍, 칸막이. **~schmuck** *m.* 벽장식. **~schrank** *m.* 벽장. **~spiegel** *m.* 벽거울. **~spruch** *m.* 좌우명. **~stärke** *f.* 벽의 강도〔두께〕. **~steck·dose** *f.* 〖건축〗 벽 콘센트. **~stecker** *m.* 벽 소켓. **~tafel** *f.* (학교의) 칠판. **~täfelung** *f.* 벽장식 판재(붙이기).

wandte ↑ wenden 의 과거형.

Wand≈teller *m.* (장식용) 벽걸이 접시. **~teppich** *m.* 벽걸이 융단. **~tisch** *m.* 까치발 탁자. **~uhr** *f.* 벽시계.

Wandung *f.* -en (용기·내장 따위의) 내벽.

Wand≈verkleidung *f.* 벽판자(붙이기), 머름(붙이기). **~vertiefung** *f.* 〖건축〗 벽감(壁龕). **~zeitung** *f.* 벽보(판), 대자보.

Wane *m.* -n, -n 〖신화〗 게르만 신화에 나오는 신의 일족.

***Wange** [váŋə] 《원뜻 „Krümmung"》 *f.* -n ① 뺨, 볼: die Scham rötete ihre ~n 그 여자는 부끄러워서 뺨이 빨개졌다. ② **(a)** (가면 따위의) 뺨 부분. **(b)** 〖건축〗 돔 형태의 천장의 중복부(中腹部); 층계 발판 측면 받침널〔받침목〕; 〖工〗 (망치·대패 따위의) 공구의 옆면; 〖海〗 돛대의 표면. ③〖광산〗 수직갱의 측벽.

Wangen≈bein *n.* 광대뼈. **~brett** *n.* (계단의) 발판. **~grübchen** *n.* 보조개. **~knochen** *m.* 광대뼈. **~muskel** *m.* 〖해부〗 안면근(筋). **~röte** *f.* 〔雅語〕 뺨의 불그레한 색, 홍조. **~streich** *m.* 〔고어〕 따귀 때림.

Wangeroog [vaŋər|ó:k, váŋər|o:k], **Wangerooge** [..gə] 방게로게(독일령에 속하는 동프리지아 제도 중의 하나).

..wangig 《< wange》 *suf.* "뺨〔볼〕이 …한"의 뜻(보기: rot~ 볼이 빨간; hohl~ 뺨이 여윈, 볼이 쑥 들어간).

Wank [vaŋk] 《⊕ wanken》 *m.* -(e)s ①〔다음 용법으로만〕 ohne〔sonder〕 ~ 흔들리지 않고, 굳건히, 다부지게. ② (schweiz.) 보행: keinen ~ tun a) 꼼짝도 않다, b) 아무 일도 하지 않다; einen ~ tun 무엇을 행하다.

wank, wankel, wankelhaft *a.* 흔들리는, 불안정한.

Wankel≈motor [váŋkəl..] *m.* 〖車〗 방켈 엔진 (F. Wankel 이 발명한 로터리 엔진). **~mut** *m.* 변덕, 일시적 기분; 머뭇거림, 주저. **≈mütig** *a.* 변덕스러운. **~mütigkeit** *f.* 변덕. **~rede** *f.* 오락가락하는〔종잡을 수 없는〕 말.

***wanken** [váŋkən] 《⊕ winken》 *i.* (h./s.) ① 동요하다, 흔들리다, 흔들흔들하다; 비틀거리다, 비틀비틀 걷다: aus dem Haus ~ 비틀거리며 집에서 나오다; 〔雅語〕 nicht〔weder〕 ~ und nicht〔noch〕 weichen 한 발짝도 물러서지 않다, 꿈쩍도 않다; den Feind ~ machen 〔zum ≈ bringen〕 적(진)을 교란하다; mir wankten die Knie 나는 무릎이 후들후들 떨렸다; der Boden wankt ihm unter den Füßen

그의 지위는 흔들리고 있다; alles kommt 〔gerät〕 ins ～ 모든 것〔사람〕이 동요한다. ② (마음이) 동요하다, 주저하다; 겁내다; (마음이) 오락가락하다, 변덕스럽다: in seinem Glauben 〔seiner Treue〕 ～ 그의 신앙〔충성심〕이 흔들리다.

*__wann__ [van] *adv.* ①〘의문 부사〙 언제, 어느 때: ～ 〔～ eh, ～ eher〕 wird er kommen? 그는 언제 올까?; seit ～? 언제부터?; bis ～ bist du fertig? 너는 언제까지 (일을) 끝내겠느냐?; von ～ an und bis zu ～? 언제부터 언제까지?; dann und ～ 때때로. ②〘관계 부사〙 언제: frage ihn, ～ er kommt 그에게 언제 오는가 물어 봐 다오; ich komme, ～ ich kann 형편이 닿으면 가겠습니다; ～ (auch) immer 언제라도; es sei, ～ es wolle 언제라도. ③〘조건·시간을 나타내는 접속 부사〙…할 때, …하면: ～ du Zeit hast, kannst du mich ja anrufen 시간이 있으면 물론 내게 전화해도 좋다; ～ du mir geholfen hättest, wäre ich längst fertig 네가 도와 주기만 했어도 벌써 끝마쳤을 텐데; damals, ～ er plötzlich verschwunden war 그가 갑자기 사라졌던 그 당시에.

__Wann__ *n.* - 때, 시기: des Angriffes Wo und ～ 습격의 장소와 시간; das Wie und ～ der Zahlung 지급 방법과 시기.

__Wännchen__ [vénçən] *n.* -s, - ↑ Wanne 의 축소형.

*__Wanne__ [vánə] 《lat. vannus》 *f.* -n ① (schweiz.) 키(Schwinge). ② (긴) 통, 자배기; 목욕통(Bade～); 빨래통(Wasch～). ③ 〔익살〕 (사람의) 배. ④〔방언〕 (통 모양의) 수위실.

__Wanne-Eickel__ 바네아이켈(루르 계곡에 있는 공업 도시).

__wannehr__ *adv.* (ndd.) ↑ wann.

__wannen__[1] [vánən] *adv.* 〔다음 용법으로〕〔고어〕 von ～ 어디에서.

__wannen__[2] 《＜Wanne》《Ⅰ》 *t.* (schweiz.) (곡물을) 까부르다, 키질〔체질〕하다. 《Ⅱ》 *i.* (h.) (새가 바람의 힘을 빌려 날갯짓하지 않고) 날다.

__Wannen·bad__ *n.* ① 욕조 있는 욕실. ② 욕조 목욕, 입욕(入浴): ein ～ nehmen 욕조에서 목욕하다. ③ 공중 목욕탕.

__Wännlein__ [vénlaın] *n.* -s, - ↑ Wännchen.

__Wannsee__ *m.* 반제(베를린 근교의 호수).

__Wanst__ [vanst] *m.* -es, Wänste [vénstə] ① (동물의) 배; (반추 동물의) 첫째 위(胃); 〔비유·구어〕 (사람의) 배; 배불뚝이, 뚱보: sich[3] den ～ füllen〔vollschlagen〕 배불리 먹다; du (alter) ～! 이 뚱보야!; jm. eins auf〔vor〕 den ～ geben 〔jm. den ～ vollhauen〕 누구를 때리다. ②〔복수: Wänster〕〔비속〕 개구쟁이, 악동.

__Wänstchen__ [vénstçən], __Wänstlein__ [vénstlaın] *n.* -s, - 〔↑ Wanst 의 축소형〕 작은 배; 땅딸보.

__..wanstig__ 《＜Wanst》 *suf.* "배가 …한"의 뜻 (보기: dick～ 배가 불룩한, 배불뚝이의).

__Want__ [vant] 《ndl.》 *f.* -en 〔*n.* -s, -en〕〘海〙 ① 용총줄. ② (선원들이 끼는) 벙어리 장갑.

__Wanze__ [vántsə] 《＜Wandlaus》 *f.* -n ①〘動〙 빈대: dreist wie eine ～ 빈대처럼 염치 없는; du, so eine ～! 뻔뻔스러운 놈아! ② 염치없이 빌붙는 인간. ③〔익살〕 제도용 핀, 정. ④ 〔구어〕 소형 도청 장치.

__wanzen__ [vántsən] *i.* (h.) 〔방언〕 ①〘바둑·체스〙 쓸데없이 훈수하다(kiebitzen). ② 빈대를 잡다〔없애다〕.

__Wanzen≈biß__ *m.* 빈대에 물린 상처. __～kraut__ *n.* 〘植〙 황새승마. __～nest__ *n.* 빈대가 들끓는 집〔방〕. __～stich__ *m.* ↑ ～biß. __～vertilgung__ *f.* 빈대 박멸. __～vertilgungs·mittel__ *n.* 빈대 구충제, 빈대약.

__wanzig__ *a.* 빈대가 나오는, 빈대투성이의.

__Wapiti__ *m.* -(s), -s 〘動〙 북아메리카산(産) 큰 사슴.

*__Wappen__ [vápən] 《ndl.》 *n.* -s, - ① 방패; 방패 문장(紋章). ② (가문의 상징인) 문장, 문(紋): drei Löwen im ～ führen 세 마리 사자를 문장으로 삼다.

__Wappen≈amt__ *n.* 〔고어〕 문장원(紋章院). __～ausleger__ *m.* ↑ ～kundige. __～bild__ *n.* 문장(紋章) 그림. __～brief__ *m.* 〔고어〕 (황제·제후의) 문장 하사증. __～buch__ *n.* 〔고어〕 문장 도록(圖錄). __～devise__ *f.* ↑ ～spruch. __～dichtung__ *f.* 문장(紋章) 문학. __～feld__ *n.* 〘紋〙 (분할된 방패의) 구획. __～halter__ *m.* 문장 받침대 (방패형 문장(紋章)의 양쪽을 받치고 있는 한 쌍의 사람이나 동물). __～herold__ *m.* ↑ ～könig. __～kenner__ *m.* ↑ ～kundige. __～könig__ *m.* 문장관(紋章官)의 장. __～kunde__ *f.* 문장학(紋章學). __～kundige*__ *der/die* 문장학자. __～kunst__ *f.* 문장(미)술. __～maler__ *m.* 문장 화가〔제작가〕. __～mantel__ *m.* 대(大)문장 방패의 상단 좌우에 나뭇잎 모양으로 두른 장식. __～ring__ *m.* 문장이 든 반지. __～saal__ *m.* (성의) 문장으로 장식된 방. __～schild__ *m.* 문장이 새겨진 방패. __～schneider__ *m.* 문장 조각사. __～spruch__ *m.* 문장의 제명(題名). __～tier__ *n.* 문장의 동물. __～zelt__ *n.* ↑ ～mantel. __～zierde__ *f.* 문장의 장식.

__Wapperl__ [vápərl] 《＜Wappen》 *n.* -s, -(n) (öst.) 상표, 우표.

__wappnen__ [vápnən] 《＜Wappen》《Ⅰ》 *t.* 무장시키다: der Gewappnete 무장한 사람, 병사. 《Ⅱ》 *refl.* sich ～ 대비하다; 무장하다, 준비하다: sich gegen et. ～ 무엇에 맞서 무장하다, 무엇에 철저히 대비하다; wappne dich mit Geduld! 꿋꿋이 인내하라!

*__war__ ↑ sein 의 과거형.

__Waräger__ [varέːgər] 《russ.》 *m.* -s, - 러시아에 거주하는 노르만계(系) 사람.

__Waran__ [varáːn] 《ar.》 *m.* -s, -e 〘動〙 도마뱀류.

__warb__ ↑ werben 의 과거형.

__wärbe__ ↑ werben 의 접속법 Ⅱ 식.

__ward__ ↑ werden 의 과거형(의 옛꼴).

__Wardein__ [vardáın] *m.* -(e)s, -e 〔고어〕 (금속 화폐의) 화폐 순도 검사관; (광산의) 광물 함량 검사관〔감정사〕.

__wardieren__ [vardíːrən] *t.* 화폐의 순도를 검사하다; 평가〔감정〕하다, 어림하다.

*__Ware__ [váːrə] *f.* -n ① 물건, 물품; 상품, 화물: diverse ～n 잡화; einheimische ～n 토산품; baumwollene〔seidene, wollene〕 ～n 면직물〔견직물, 모직물〕; irdene ～ 도자기, 오지〔사기〕 그릇; grüne ～ 채소류; kurze ～n a) (여인의) 방물, 장신구, b) 철물(鐵物); lange ～n 옷감, 양복지; feinste ～ 최상품; verarbeitete ～ 기성품, 가공품; sofort lieferbare ~ 현물; 〖은어〗 heiße ~ 불법 상품; verbotene ~ 수출입 금지품, 거래 금지 품목; nasse ~n 주류(酒類); steuerfreie ~n 면세품; diese ~n führen wir nicht 우리는 이런 물건은 취급하지 않는다; 〖속담〗 gute ~ lobt sich selbst 좋은 물건에는 광고가 필요 없다; die Liebe ist zur ~ geworden 사랑도 돈으로 살 수 있게 되었다. ② 물건, 일; 인간, 놈: das ist teure ~ 그것은 돈 드는 일이다, 그것은 사치다; diese Mädchen sind doch gar zu leichte ~ 이 처녀들은 너무나 경망스럽다.

wäre ↑ sein 의 접속법 Ⅱ식.

Waren≈abkommen [vá:rən..] *n.* 무역〔바터〕 협정. **~absatz** *m.* 상품의 판매〔매출〕. **~abschluß** *m.* 상품(매매) 계약. **~adreß·zettel** *m.* 꼬리표.

Warenangabe≈schein, ~zettel *m.* 통관신고서.

Waren≈angebot *n.* 시판 상품, 공급 상품. **~annahme** *f.* ① 상품 인수〔입하〕. ② 상품 인수처. **~art** *f.* 상품 종류. **~artikel** *m.* 상품 품목. **~aufzug** *m.* 화물 운반용 승강기. **~ausfuhr** *f.* 상품 수출. **~ausgabe** *f.* ① 상품〔물품〕 교부. ② 상품 교부 창구, 판매대. **~ausgang** *m.* ① 상품 인도, 출하. ② 물품 송달. **~austausch** *m.* 상품 교역, 구상 무역. **~automat** *m.* 자동 판매기. **~ballen** *m.* 고리짝. **~bedarf** *m.* 상품 수요. **~begleit·schein** *m.* 〖經〗 상품 송장. **~beleihung** *f.* 〖經〗 상품 담보 대출. **~bestand** *m.* 재고(현황). **~bestands·aufnahme** *f.* 재고 조사. **~bestell·buch, ~bestellungs·buch** *n.* 상품 주문서. **~bezeichnung** *f.* 상품 설명서. **~bezieher** *m.* 수입상, 바이어. **~börse** *f.* (특정 품목의) 도매 시장, 상품 거래소. **~buch** *n.* 재고품 장부(Lagerbuch). **~einfuhr** *f.* 상품 수입. **~eingang** *m.* 입하(入荷), 입고(入庫). **~eingangs·buch** *n.* 상품 매입장. **~einsender** *m.* 상품〔화물〕 발송인. **~empfänger** *m.* 상품〔물품〕 수취인. **~etikette** *f.* 꼬리표. **~export** *m.* 상품 수출. **~fetischismus** *m.* 〖哲〗 물신(物神) 숭배. **~geschäft** *n.* 상품 거래. **~gewölbe** *n.* 상품 창고. **~handel** *m.* ↑ ~geschäft. **~-haus** *n.* 백화점. **~haus·dieb** *m.* 백화점의 좀도둑. **~import** *m.* 상품 수입. **~katalog** *m.* 상품 카탈로그. **~kenntnis** *f.* ↑ ~kunde. **~klasse** *f.* 상품 종류. **~knappheit** *f.* 상품 품귀〔부족〕. **~konto** *n.* 상품 계정. **~korb** *m.* ① (상점 안에 비치된) 장바구니. ② 〖經〗 마켓 바스켓(물가 지수 산정 품목의 가격 합계). **~kredit** *m.* 상품 신용. **~kredit·brief** *m.* 〖經〗 화물환(換) 신용장. **~kunde** *f.* 상품학. **~lager** *n.* ① 스톡, 구입 상품. ② 상품 창고. ③ 소매점. **~lieferant** *m.* 상품 공급자. **~lieferung** *f.* 상품 교부〔인도〕. **~liste** *f.* 상품 목록. **~makler** *m.* 매매 중개인, 브로커. **~marke** *f.* ↑ ~zeichen. **~markt** *m.* 상품 시장. **~muster** *n.* 상품 견본; 상품 디자인. **~niederlage** *f.* 상품 창고. **~partie** *f.* 고리짝, 짐짝. **~preis** *m.* 상품 가격, 물가. **~probe** *f.* ① 상품 견본. ② 상품 시험. ③ 〖우편〗 ↑ ~sendung ②. **~rechnung** *f.* (Faktur) 송장(送狀), 적화(積貨) 목록. **~regal** *n.* 상품 진열대. **~rück·vergütung** *f.* 조합원에게 돌려주는 이익 분배. **~sendung** *f.* ① 상품 송달. ② 〖우편〗 상품 견본의 우편 배달. **~sortiment** *n.* 시판용 상품. **~stempel** *m.* 상표. **~steuer** *f.* 물품세. **~streuung** *f.* 〖구동독〗 물품 배급. **~tausch** *m.* 물물 교환, 물품 교역. **~test** *m.* 상품 검사. **~umsatz** *m.* 상품 매출(액). **~umsatz·steuer** *f.* (schweiz., öst.) 판매세. **~um·schlag** *m.* ① 상품 옮겨 싣기. ② (상인측) 물품 매매. **~umschließung** *f.* 상품 포장(중량). **~verkauf** *m.* 상품판매. **~verkaufs·buch** *n.* 상품 매출장(부). **~verkehr** *m.* 화물 운송〔운수〕. **~verknappung** *f.* 물품 부족. **~verzeichnis** *n.* 상품 목록. **~vorrat** *m.* 재고〔입하(入荷)〕 상품 (물량). **~wech·sel** *m.* 〖經〗 화환 어음. **~wert** *m.* 상품 가치. **~zeichen** *n.* 상표, 트레이드마크.

Warenzeichen≈recht *n.* 상표권. **~schutz** *m.* 상표 보호.

Waren≈zoll *m.* 상품 관세.

Warf[1] [varf] *m./n.* -(e)s, -e 〖방직〗 날실, 날줄.

Warf[2] *f.* -en (ndd.) (Werft) 조선소, 독.

Warf[3] *f.* -en 흙을 돋우어 높인 건축용 부지.

warf ↑ werfen 의 과거형.

Warft [varft] *f.* -en (nordd.) ↑ Warf[3].

***warm** [varm] *a.* ① 따뜻한, 온화한; 뜨거운: ein ~es Zimmer 따뜻한 방; ~e Speisen 따뜻한 음식; ~es Getränk 따뜻한 음료; ~e Küche (음식점의) 따뜻한 요리; ~e Miete 난방비가 포함된 방세; ~e Länder 따뜻한 나라; es ist ~ (날씨가) 따뜻하다; mir ist 〔ich habe〕 ~ 나는 따뜻하다; ich möchte etwas ~es essen 나는 따뜻한 것을 먹고 싶다; 〖사냥〗 ~e Fährte 짐승이 방금 지나간 자국. ② 〖비유〗 편안〔안락〕한: ~e Töne 듣기 좋은 음; ~e Farben 따뜻한 느낌을 주는 빛깔; ein ~es Nest 살기 좋은〔안락한〕 보금자리. ③ 〖비유〗 열성스러운; 진심의, 진심어린, 절실한; 다정한, 친절한, 호의적인: ein ~er Anhänger 열성적 지지자; es wurde ihr ~ ums Herz, als sie das hörte 그녀는 그 이야기를 듣고 마음이 훈훈해졌다; wärmsten Dank! 참으로 고맙네!; ~ danken〔anbeten〕 진심으로 감사해하다〔기원하다〕; jm. et. ~ 〔wärmstens〕 empfehlen 누구에게 무엇을 진심으로 추천하다; mit ~en Worten 다정한 말(씨)로; 〖속어〗 ein ~er Bruder 남색가, 호모. ④ 〖동사와 함께〗 **(a)** ~ machen 따뜻하게 하다; jm. den Kopf ~ machen 누구를 격분〔흥분〕시키다; Speisen ~ auftragen 음식물을 따뜻하게 데워서 상에 올리다; 〖구어〗 den muß man ~ halten 저 친구한테는 비위를 맞추어야 한다; 〖반어〗 jn. ~ setzen 누구를 가두다; ~ sitzen a) 따뜻한 곳에 앉아 있다, b) 유복하게 살다; ~ stellen (부엌에서) 불에 쬐다, 데우다; ~ werden a) 따뜻해지다, b) 관심이 생기다, 공감하게 되다, c) (für et.) (무슨 일에) 열중하다, (논쟁이) 격렬해지다; 〖비유〗 bei〔mit〕 jm. 〔an einem Ort〕 ~ werden 누구의 곁〔어떤 곳〕은 편안하다〔아늑하다〕, 누구와 친숙해지다; er ist weder kalt noch ~ 〔nicht ~ (und) nicht kalt〕 그는 미적지근하다, 관심이 없다. **(b)** *refl.* sich ~ arbeiten 일하여 몸이 더워지다; sich ~ laufen (기계 따위가) 돌아서 열이 나다; sich ~ baden 더운 물로 목욕하다; sich ~ gehen 걸어서 더워지

다; (sich) ~ halten 몸을 따뜻하게 하고 있다; sich³ jn. ~ halten 누구의 기분을〔비위를〕 맞추다; sich³ den Magen ~ halten a) 뱃속을 따뜻하게 하다, b) 자기 잇속을 챙기다.

Wärm·apparat [vɛ́rm..] *m.* 보온〔온열〕기.

Warm≈bad *n.* 온수욕; 온탕; 온천. **~beet** *n.* 〖원예〗 온상. **~bier** *n.* (설탕·향료를 첨가한) 데운 맥주. **~blut** *n.* (말의) 온혈종(溫血種)(비교적 체구가 작으면서도 균형잡힌 승용마의 총칭). **~blüter** *m.* ① 정온(定溫)〔온혈〕 동물. ② ↑ ~blut. **~blütig** *a.* 온혈의. **~blütler** *m.* ↑ ~blüter. **~blut·pferd** *n.* ↑ ~blut. **~brüchig** *a.* (쇠 따위가) 열에 약한. **~brunnen** *m.* 온천.

Warme* [vármə] *der* 동성 연애자.

***Wärme** [vɛ́rmə] *f.* ① 따뜻함, 온난; 〖物〗 열; 온도; 〖醫〗 체온: 〖기상〗 freie〔ungebundene〕 ~ 현열(顯熱), 느낀 열, 비결합 열; 〖物·化〗 gebundene ~ 잠열(潛熱); 〖物·化〗 spezifische ~ 비열(比熱); strahlende ~ 복사열; 〖生〗 tierische ~ 동물열, 체온; Wasser von fünf Grad ~ 5도의 물; heute sind 26 Grad ~ 오늘은 26도다; ~ binden 열을 흡수〔소모〕하다. ② 열심, 열정; 친절, 온정: ~ ausstrahlen 따뜻한 마음씨를 발하다; er trat mit ~ für mich ein 그는 열심히 내 편을 들었다; sie sprach mit wachsender ~ 그 여자는 점점 열을 내며 말했다; dieser Schauspieler spielt mit ~ 이 배우는 열성껏 연기한다.

Wärme≈abgabe, ~abstrahlung *f.* 열의 발산; 체온의 상실. **~äquator** *m.* 〖기상〗 열적도(지구의 각 경선상에서 기온이 최고인 지점을 연결한 선). **~äquivalent** *n.* 〖物〗 열당량(熱當量). **~aufnahme** *f.* 열의 흡수. **~ausdehnung** *f.* 열팽창. **~ausstrahlung** *f.* 〖物〗 열복사. **~austausch** *m.* 열교환, 열전달. **~austauscher** *m.* 열교환기. **~bearbeitung** *f.* 열처리. **~behandlung** *f.* 열처리; 〖醫〗 온열 요법. **~belastung** *f.* ① 폐열에 따른 환경 공해. ② 열부하(負荷). **~beständig** *a.* 내열성의, 열에 잘 견디는. **~dämmend** *a.* 〖기술·건축〗 열을 차단하는, 단열(성)의. **~dämmung** *f.* 열차단, 단열. **~dehnung** *f.* 〖物〗 열팽창. **~einheit** *f.* 열량단위. **~einwirkung** *f.* 열작용. **~entwicklung** *f.* 열발생. **~energie** *f.* 〖物〗 열에너지. **~erzeugend** *a.* 열을 내는. **~erzeugung** *f.* 열발생. **~gewitter** *n.* 〖기상〗 (지표면의 복사열로 인한) 열뇌우. **~grad** *m.* 온도: hoher ~ 고온. **~halle** *f.* (노숙자 용의) 따뜻한 공간. **~haltig** *a.* 열을 보유하는. **~isolierend** *a.* 열을 차단〔절연〕하는, 단열성의, 단열 처리된. **~isolierung** *f.* 열차단, 단열. **~kapazität** *f.* 열용량.

Wärmekraft≈lehre *f.* 열역학. **~maschine** *f.* 열기관. **~werk** *n.* 화력 발전소.

Wärme≈lehre *f.* 열학(熱學). **~leitend** *a.* 열을 전도하는. **~leiter** *m.* 열전도체. **~leit·fähigkeit** *f.* 열전도율. **~leitung** *f.* 열전도. **~leitungs·vermögen** *n.* 열전도도(度). **~leit·zahl** *f.* 열전도율. **~maß** *n.* 온도. **~mauer** *f.* 〖空〗 열장벽. **~mechanik** *f.* 열역학. **~menge** *f.* 열량. **~messer** *m.* 열량계; 온도계; 체온계.

***wärmen** [vɛ́rmən] 《I》 *t.* 데우다, 따뜻하게 하다: den Kaffee 〔die Suppe〕 ~ 커피〔수프〕를 데우다; sich³ die Füße ~ 발을 따뜻하게 하다; der Ofen wärmt die Stube 난로는 방을 따뜻하게 한다. 《II》 *i.* (h.) 데워지다, 따뜻해지다; 보온이 되다: 〖구어〗 der Tee wärmt 차를 마시면 속이 더워진다; der Mantel wärmt schön 이 외투는 보온 효과가 좋다. 《III》 *refl.* sich ~ 열을 쉬하다, 불을〔볕을〕 쪼이다: 〖비유〗 er will sich am kalten Ofen ~ 그는 나무에서 물고기를 구하려 한다.

Wärme≈pol *m.* 〖지리〗 기온이 극히 높은 지역. **~pumpe** *f.* 〖工〗 열펌프. **~quelle** *f.* 열원(熱源).

Wärmer *m.* -s, - 〖구어〗 보온 기구, 보온병, 보온 물주머니.

Wärme≈regler *m.* 온도 조절기. **~schutz** *m.* 보온.

Wärmeschutz≈mittel *n.* 보온재(材). **~kleidung** *f.* 내열복.

Wärme≈speicher *m.* (증기 기관의) 증기열 저장 장치, 축열기(蓄熱器). **~spektrum** *n.* 열선 스펙트럼. **~strahl** *m.* 열선(熱線). **~strahler** *m.* 방열기, 라디에이터. **~strahlung** *f.* 열복사. **~tauscher** *m.* ↑ ~austauscher. **~technik** *f.* 〖工〗 열공학. **~tod** *m.* ① (가설적인) 저온으로 인한 우주의 종말. ② 〖醫〗 열사(熱死)(생체가 견딜 수 있는 한계 이상의 고온에 의한 죽음). **~träger** *m.* 열매체. **~verbrauch** *m.* 열소비. **~verlust** *m.* 열손실. **~wirtschaft** *f.* 열관리. **~zähler** *m.* 열량계. **~zeiger** *m.* 온도계. **~zufuhr** *f.* 열공급.

warm·fest *a.* 내열(耐熱)의, 내열 처리된.

Wärm·flasche *f.* (찜질용·잠자리용) 보온 물주머니.

Warm·front *f.* 〖기상〗 온난 전선.

Warmhalte≈flasche *f.* 보온병. **~kanne** *f.* 보온 주전자.

warm|halten* *t.* 호의를 유지하다〔잃지 않다〕(단 warm halten 따뜻하게 두다, 보온하다). **~halte·platte** *f.* (음식물 보온용) 열판. **~halter** *m.* 보온병. **~haus** *n.* 온실. **~herzig** *a.* 온정어린, 다정한, 친절한.

Wärm·kissen *n.* 전기 방석.

warm≈|laufen *i.* (s.) (엔진이 공회전되어) 예열되다. **~laufen** *n.* 예열. **~luft** *f.* 따스한 공기.

Warmluft≈einbruch *m.* 〖기상〗 더운 공기의 침투. **~gerät** *n.* (머리 건조기 같은) 온풍 기구. **~heizung** *f.* 온풍 난방. **~messer** *m.* 열기계(熱氣計).

Warm·miete *f.* 난방비 포함 방세.

Wärm≈ofen *m.* 난로. **~pfanne** *f.* (잠자리를 덥혀 주는) 보온판. **~saal** *m.* ↑ Wärmehalle. **~start** *m.* 〖컴〗 다시 띄우기. **~stein** *m.* 온석(溫石)(발을 따뜻하게 하는 데운 돌). **~stube** *f.* (빈민 구호용) 난방 숙소.

Wärmung [vɛ́rmʊŋ] *f.* -en 따뜻하게〔덥게〕하기, 가열.

Warm-up [wɔ́:map] 《engl.》 *n.* -s, -s 〖車〗 워밍업.

Warm·wasser *n.* 온수, 더운 물.

Warmwasser≈behälter *m.* 온수 탱크. **~bereiter** *m.* 온수기; 보일러. **~heizung** *f.* 온수 난방. **~versorgung** *f.* 온수 공급.

Warn≈anlage [várn..] 《<warnen》 *f.* 경보기, 경보 장치. **~blink·anlage** *f.* 〖車〗 점멸

식 경보 장치. ~|**blinken** *i.* (h.) 〘대개 부정형이나 과거 분사형으로〙〘車〙 점멸 경보등이 깜박거리다. ~**blinker** *m.* 〘구어〙 (자동차의) 점멸 경보 장치.

Warnblink≈lampe, ~leuchte *f.* (자동차 따위의) 비상 점멸식 표시등.

Warn≈drei·eck *n.* 〘교통〙 (고장 차가 길에 세워 놓는) 삼각 경보판. ~**eidechse** *f.* 〘動〙 큰 도마뱀 (Monitor).

***warnen** [várnən] 《⊕ wahren, warten》 *t.* ① 〘고어〙 (…하도록) 주의시키다: er warnte mich gleich, vor seinem Bruder geheim zu sein 그는 금방 내게 자기 형에게는 비밀에 붙이라고 주의시켰다; sie warnte ihn, sich nicht zu verraten 그 여자는 그에게 남이 눈치채지 않도록 주의하라고 했다. ② (…하지 않도록) 주의〔경고〕하다, 조심시키다, 훈계하다: (**a**) jn. ~, et. zu tun 〔daß ...〕 누구에게 무엇 (…)을 하지 않도록 이르다, 주의시키다, 경고하다: doch warn' ich dich (davor), dem Glück zu trauen 그러나 나는 네게 행운을 너무 믿지 않도록 경고한다; er will sich nicht ~ lassen 그는 경고를 받아들이려 하지 않는다. (**b**) jn. vor jm.〔et.³〕 ~ 누구에게 누구를〔무엇을〕 조심하라고 주의시키다; vor den Gefahren des Rauchens ~ 흡연의 위험을 경고하다; vor Taschendieben wird gewarnt! 소매치기 조심!; er warnte mich vor dem Sprechen 그는 나더러 말조심하라고 주의시켰다. ③〘고어〙 무슨 일이 일어날 것이라고 주의를 일깨우다, 예고하다. ④〘고어〙 (**a**) (schweiz.) 미사의 시작을 종으로 알리다. (**b**) (시계가) 치다.

Warner *m.* -s, - ① 경고자, 충고자. ②〘動〙 큰 도마뱀 (↑ Monitor).

Warn≈farbe *f.* ① 강렬한〔자극적인〕 색. ②〘動〙 경계색. ~**färbung** *f.* 〘動〙 ↑ ~farbe ②. ~**flagge** *f.* 경보 깃발. ~**gerät** *n.* 경보기. ~**glocke** *f.* 경종(警鐘). ~**kreuz** *n.* 〘철도〙 (건널목의) 십자형 경계 표시. ~**lämpchen** *n.*, ~**lampe** *f.* 경고등. ~**laut** *m.* 〘動〙 위험을 알리는 울음 소리. ~**leuchte** *f.* ↑ ~blinkleuchte. ~**licht** *n.* (건널목의) 신호등. ~**linie** *f.* 〘교통〙 경계 차선. ~**meldung** *f.* 경계 경보. ~**ruf** *m.* ① 조심하라고 외치는 소리, 경보. ②〘動〙 ↑ ~laut. ~**schild** *n.* 〘복수: -er〙 ① 경고 표시판. ②〘교통〙 위험 표시판. ~**schrei** *m.* ↑ ~ruf. ~**schuß** *m.* 경고〔위협〕 사격. ~**signal** *n.* 경계〔위험〕 신호. ~**sirene** *f.* 경고 사이렌. ~**streik** *m.* (시한부) 경고 파업. ~**system** *n.* 경보 체계. ~**tafel** *f.* ↑ ~schild ①. ~**ton** *m.* ① ↑ ~laut. ② ↑ ~signal. ~**tracht** *f.* 〘動〙 ↑ ~färbung.

***Warnung** [várnuŋ] *f.* -en 경고, 충고, 경계; 암시; 예고: eine ~ vor Hochwasser 홍수 경보; ohne ~ 경고〔예고〕 없이; allen ~en zum Trotz 온갖 경고에도 불구하고; laß dir das zur ~ dienen! 너는 그것을 좋은 충고로 삼아라!; das soll mir eine ~ sein! 나는 이것을 좋은 충고로 생각하겠다; auf ~en hören 〔achten〕 충고를 듣다; 〘구어〙 alle ~en in den Wind schlagen 모든 충고를 흘려듣다.

Warnung≈anzeige *f.* 경고. ~**farbe** *f.* 〘動〙 경계색. ~**ruf** *m.* ↑ Warnruf. ~**tafel** *f.* 경고판(板).

Warn·zeichen *n.* ① 경고 신호. ②〘교통〙 위험 표시판. ③ 불행을 예고해 주는 현상, 불길한 전조.

Warp[1] [varp] *m./n.* -s, -e ① ↑ ~leine. ②〘방직〙 (Kettengarn) 날실, 날줄. ③ 앞치마용 목면 옷감.

Warp[2] *n.* -(e)s, -e (ndd.) 제방, 둑.

Warp[3] 《ndl.》 *m.* -(e)s, -e 작은 닻.

Warp≈anker *m.* (예인용) 작은 닻. ~**leine** *f.* 〘海〙 예인용 밧줄.

warpen [várpən] *t.* 〘海〙 (배를) 밧줄로 끌다.

Warp≈schiffahrt *f.* 〘海〙 밧줄 예인. ~**weber** *m.* 〘방직〙 직조공.

Warrant [varánt, wɔ́rənt] 《engl.》 *m.* -s, -s ① 집행 명령; 전권. ②〘經〙 창고 증권 (↑ Lagerschein, Pfandschein).

Warschau [várʃau] 바르샤바 (폴란드의 수도).

Warschauer 《I》 *m.* -s, - 바르샤바의 주민. 《II》 *a.* 바르샤바의.

warschauisch *a.* 바르샤바의: der ~ Pakt 바르샤바 조약.

warst ↑ sein 의 2인칭 단수 과거형.

Warszwa ↑ Warschau 의 폴란드식 표기.

Wart [vart] 《⊕ wahren》 *m.* -(e)s, -e 〘고어〙 파수꾼 (Hüter).

wart ↑ sein 의 2인칭 복수 과거형.

..wart *suf.* "감독자·보호인" 등의 뜻 (보기: Kassen~ 금고〔은행〕 경비원; Tor~ 문지기, 수위; Bücher~ 도서계(係); 도서관원).

Wartburg [vártburk] 《I》 *f.* 바르트부르크 (독일 Thüringen 주 Eisenach 부근에 있는 성; Luther 가 이곳에서 성서를 번역했음). 《II》 *m.* -s 자동차명(名) (상표).

Warte [vártə] *f.* -n 전망대, 망루, 관측소; 천문대: von meiner ~ aus 내 입장에서 보면, 내 생각에는; 〘비유〙 von hoher ~ 높은 견지에서.

Warte≈bank *f.* 대기실의 긴 의자. ~**frau** *f.* 〘고어〙 ① 돌봐 주는 여자; 보모, 유모; 간호사, 간병인. ② (화장실의) 관리인. ~**gebühr** *f.*, ~**geld** *n.* 〘고어〙 ① (공무원 따위의) 휴직〔대기〕 수당: auf ~ setzen 대기 발령을 내다. ②〘海〙 정박료, 정박 일수 초과 할증금. ~**halle** *f.* 대기실. ~**häuschen** *n.* 대기자용 작은 집. ~**liste** *f.* 대기 순번, 대기인 명부.

Wärtel *m.* -s, - 〘고어〙 ↑ Wärter.

***warten** [vártən] 《I》 *i.* (h.) ① 기다리다, 대기하다; 머무르다: sie können ~, bis sie schwarz werden! 그들은 아무리 기다려도 소용없다!; 〘구어〙 warte nur! dich krieg' ich schon! 〔du wirst schon sehen!〕 두고 보아라! 널 그냥 두지 않을 테니! ② **auf** jn. ~ 〔js. ~〕 누구를 기다리다; auf günstigen Wind ~ 순풍을〔호기를〕 기다리다; Strafe wartet auf dich〔deiner〕 벌이 너를 기다린다 (너는 곧 벌 받게 된다); auf sich ~ lassen 사람을 기다리게 하다, 지각하다; **mit** et.³ ~ 무엇을 지체하다; mit dem Essen auf jn. ~ 누가 올 때까지 식사를 미루다. ③〘결과〙 sich müde ~ 〔des ~s müde sein〕 기다리기에 지치다. 《II》 *t./i.* (h.) ① 돌보다, 보살피다: jn. 〔js.〕 ~ 누구를 돌보다, 간호하다; ein Kind ~ 아이를 돌보다; einen Kranken ~ 환자를 간호하다; eines Dinges ~ 무엇을 돌보다, 배려하다; seines Amtes ~ 집무하다. ②〘방언〙

지키다, 감시하다.

Wärter [vɛ́rtər] *m.* -s, - ① 간호인, 돌보는〔지키는〕 사람. ② 시종, 몸종, 사환. ③ 선로지기.

Wärter·bude *f.* ↑ ~haus.

Wärterin *f.* -nen 여자 당번; 간호사, 보모.

Wärter·haus, ~häuschen *n.* 건널목지기〔선로지기·수위〕 막사.

Warte·raum *m.* ① 대기실. ②〖空〗(착륙 허가가 나올 때까지 선회하는) 공중 대기 영역.

Warterei [vartəráɪ] *f.*〖구어〗짜증스러운 기다림〔대기〕.

Warte·saal *m.* (기차역 안의 넓은) 대합실. **~schlange** *f.*〖컴〗대기열. **~schleife** *f.* (이륙하기 전의) 대기 활주로:〖비유〗sich in der ~ befinden〔eine ~ durchlaufen〕 자기 차례를 기다리다, 대기 중이다. **~schule** *f.* 유치원, 탁아소. **~stand** *m.*〖고어〗(관직의) 발령 대기 상태, 휴직 상태. **~zeichen** *n.*〖교통〗정지 신호. **~zeit** *f.* ① 기다리는 시간, 대기 시간. ②〖法〗재혼 유예 기간. ③〖보험〗보험금 지급 유예 기간. ④〖海〗(화물을 싣기 위한) 정박 기간. **~zimmer** *n.* 대합〔대기〕실.

Warthe [vártə] *f.* 바르타(Warta)강의 독일식 표기.

..wärtig *suf.* "…의 쪽의"의 뜻(보기: aus~ 외국의; gegen~ 현재의).

..wärts *suf.* "…의 쪽으로〔에서〕"의 뜻(보기: ander~ 다른 곳으로〔에서〕; aus~ 밖으로〔에서〕, 외국으로〔에서〕; heim~ 집〔고향〕으로).

Wart·turm *m.* 망루, 파수대.

Wartung [vártʊŋ] *f.* -en 시중, 보살핌, 보호; 감독; (꽃의) 재배, 육성; (기계·기구의) 정비, 손질, 보수: die ~ des Aufzugs 엘리베이터의 보수; gute ~ haben 자상한 보살핌을 받다; ~ eines Kranken 환자의 간호.

Wartungs·arbeit *f.* 정비〔점검〕 작업. **≈arm** *a.* 별로 손질할〔돌볼〕 필요가 없는. **~dienst** *m.* 정비 근무. **≈frei** *a.* 정비〔손질〕할 필요가 없는, 즉시 작동하는. **≈freundlich** *a.* 정비〔손질〕하기 쉬운, 돌보기 편한. **~kosten** *pl.* 정비 요금. **~personal** *n.* 정비사; 수위, 관리인.

***warum** [varúm, varú:m] *adv./cj.* ① 왜, 무엇 때문에: ~? 어째서, 왜?; ~ denn〔~ das〕? 도대체 왜 그래? ~ ist sie so traurig? 왜 그 여자는 그렇게 슬퍼하고 있지?; ich weiß, ~ Sie lachen 왜 당신이 웃는지 나는 알고 있다; ich fühle mich nicht wohl, und ich weiß nicht ~ 몸이 찌뿌드드한데, 그 까닭을 모르겠다; sag mir, ~ du das getan hast! 네가 무엇 때문에 그것을 했는지 내게 말해 주렴!; ~ nicht? 왜 안 되지?;〖반어〗~ nicht gar? 천만에, 당치도 않지?; das ≈ und Weshalb 이유, 까닭;〖구어·비유〗~ ist die Banane krumm? 꼭 이유를 말해야 알아듣겠니? ②〖관계 부사적 용법〗〖고어〗…하는 까닭(worum): der Grund, ~ sie vorzeitig abreisen mußte 그녀가 예정보다 일찍 여행을 떠나야 했던 이유; alles, ~ ich sie bitte 내가 그 여자에게 원하는 모든 것.

Wär·wolf [vɛ́:rvɔlf] *m.* ↑ Werwolf.

Wärzchen [vɛ́rtsçən] *n.* -s, -〖↑ Warze 의 축소형〗(작은) 무사마귀.

Warze [vártsə] *f.* -n ①〖醫〗무사마귀. ②〖해부〗젖꼭지, 유두(乳頭): ~〔Saug≈〕 eines Tieres 동물의 젖꼭지. ③〖工〗(기계·공구 따위에 있는) 젖꼭지 모양의 돌기.

warzen·artig, ~förmig *a.* 무사마귀 모양의. **~fortsatz** *m.*〖해부〗유양(乳樣) 돌기. **~hof** *m.* 젖꽃판, 유륜(乳輪). **~schwein** *n.*〖動〗(안면에 젖꼭지 모양의 돌기가 돋은) 혹멧돼지(아프리카 초원 지대에 분포).

warzig [vártsɪç] *a.* 무사마귀가 돋은; 무사마귀 모양의.

Wärzlein [vɛ́rtslaɪn] *n.* -s, - ↑ Wärzchen.

***was** [vas] ①〖의문 대명사 1격·4격형, 2격 wessen〗**(a)** 무엇: ~ ist das? 그것은 무엇이냐?; ~ gibt's?, ~ geschah? 무슨 일이 일어났느냐?; ~ ist〔fehlt〕 Ihnen (denn)? 어디가 (도대체) 편찮으십니까?; ~ beliebt? 무엇을 원하십니까?; ~ bekommen Sie? a) (손님에게) 무엇을 드릴까요?, b) (점원에게) 모두 얼마입니까?; ~ kann ich für Sie tun? 무엇을 도와 드릴까요?; ~ ist er? 그는 무엇을 하는 사람이냐?; ~ kann da sein? 어떻단 말이냐, 상관없지 않느냐?; ~ hilft's? 그것이 무슨 소용이 있느냐?; ~ (denn)? 무엇이라고?; ~ dann? 그래서, 그 다음은? (어찌되었느냐). **(b)**〖부사적〗(warum) 어째서, 왜: ~ zaudert er? 어째서 그는 주저하느냐?; ~ rennt das Volk? 왜 저 패들은 달려 갈까?; ~ soll ich das nicht? 왜 그렇게 해서는 안 되느냐?; ~ weinst du so bitterlich? 어째서 너는 그리 서럽게 우느냐?;〖간접 의문문과 함께〗sage mir, ~ er sich so sehr freut! 그가 왜 저렇게 기뻐하는지 말 좀 해주게! **(c)** (wieviel) 어느 만큼〔정도〕: ~ kostet der Spiegel? 그 거울은 (값이) 얼마냐?; (südd.) ~ ist die Uhr? 몇 시냐? **(d)**〖감탄〗~ ich mich freue! 얼마나 기쁜〔즐거운〕 일이냐!; ~ haben wir gelacht! 얼마나 웃었는지!; ~ der Junge doch reite! 저 젊은이의 승마 솜씨가 참 놀랍군!; ach ~! 무슨 말씀, 천만에!; ~ weiß ich! 내가 알게 뭐람!; ~ Sie (nicht) sagen! 어머나, 설마! **(e)** ~ Wunder, wenn er nicht kommen will! 그가 오고 싶지 않다고 해서 이상할 것은 없다!;〖für 와 결합하여 종류·성질을 물음〗~ sind denn das für Sachen? 도대체 그것은 어떤 것이냐?; ~ das für ein lästiger Mensch ist! 얼마나 귀찮은 놈이냐!; ~ für eine Torheit! 얼마나 어리석은 일〔짓〕이냐!; das zeigt, ~ für Mensch er ist 그것으로 (미루어) 그가 어떤 인간인지 알 수 있다. **(f)**〖문장 끝에 덧붙여 흔히 was meinen Sie?의 의미로 쓰임〗hübsche Straße, ~? 아름다운 거리다, 어때?; ein bißchen kalt heute, ~? 오늘은 좀 춥지, 그렇지? ②〖관계 대명사〗**(a)** ~ nicht von Herzen kommt, geht nicht zu Herzen 진심에서 나오는 말〔행동〕이 아니면 사람의 마음을 움직이지 못한다; ~ du da behauptet hast, ist unrichtig 네가 그때 주장한 것은 옳지 않다;〖속담〗was du nicht willst, daß man dir tu', das füg' auch keinem andern zu! 네가 남에게 당하기를 원하지 않은 것은 결코 남에게도 강요하지 마라! **(b)** das, ~ Sie sagen 당신(들)이 말하는 그것; alles, ~ er weiß 그가 아는 모든 것; es ist nur eins, ~ uns retten kann 우리를 구할 수 있는 길은 오직 하나뿐이다; das Beste, ~ ich habe, gebe ich dir 내가 가지고 있는 가장 좋은 것을 네게 준다;

das Gut, ~ der Vater hinterlassen hat 부친이 남긴 유산. (**c**) 〖wer 의 의미〗 früh übt sich, ~ ein Meister werden will 장인이 되려는 사람은 일찍부터 연마에 힘을 쓴다; 〖집합적〗 ~ von Offizieren im Lager war, wurde zusammengetrommelt 영내에 있는 장교들을 북을 쳐서 모두 모이게 했다. (**d**) 〖alles 를 동반하여〗 ich benutze klug, ~ ich alles sehe 눈에 보이는 것이면 나는 뭐든지 다 이용한다; 〖구어〗 und ~ nicht alles 그리고 가능한 모든 것; 〖so 를 동반하여 포괄적 개념을 나타냄〗 allerhand Krimskrams: Kleider, Schürzen, Bänder, Flittertand, ~ so Frauenzimmer brauchen 온갖 잡동사니, 즉 옷, 앞치마, 리본, 싸구려 장신구 따위 무릇 여자가 쓰는 물건. (**e**) 〖양보〗 komme, ~ da will 될 대로 되라지; er sage, ~ er wolle 그가 뭐라고 하든지; ~ auch kommen mag, ich werde unerschüttert bleiben 어떤 일이 닥쳐도 나는 흔들리지 않을 것이다; ~ immer er tun mag 〔~ er auch immer tut〕 그가 무슨 일을 하더라도; ~ für Mittel sie auch haben mögen 그들이 어떠한 수단을 가지고 있을지라도. (**f**) 〖앞 문장의 내용 전체를 받아서〗 sie maß mich vom Kopf bis zu den Füßen, ~ meine Verlegenheit vermehrte 그 여자가 나를 머리 꼭대기에서 발끝까지 훑어보았기에 나는 더욱더 당황했다; 〖위의 뜻에서 변해 부사적으로〗 aber, ~ noch mehr ist, auch die nötigen Mittel sind bereits beschafft 그런데 더더구나 필요한 자금까지 벌써 마련되어 있다; ~ ich dir sage! 정말이라니까!; ~ das Schlimmste ist, es sind die eigenen Landsleute, die uns nachstellen 최악의 사실은 우리를 노리고 있는 자가 우리 동포라는 사실이다; 〖앞 문장의 일부를 받아서〗 dein Vater ist reich, ~ ich nicht bin 네 아버지는 부자이지만 나는 그렇지가 않다. (**g**) ~ mich betrifft 나에 관한 한, 나로서는; ~ mich angeht, ich bin mit deinem Vorschlag einverstanden 나로서는〔나에 관해 말하면〕 너의 제안에 찬성한다; ~ diese Wissenschaft betrifft, es ist so schwer den rechten Weg zu finden 이 학문에서는 바른 길을 찾기가 매우 어렵다; 〖soviel, soweit, sosehr 의 뜻으로〗 ich lief, ~ ich (nur) konnte 나는 힘껏 뛰었다; eilen Sie, ~ Sie können! 될 수 있으면 서두르십시오! ③ 〖etwas 와 같은 용법의 부정 대명사〗 무엇, 무슨 일, 무엇인가: so ~! 그럴 수가! (놀라움·분노의 표시); kann ich dir ~ helfen? 좀 도와 줄까?; 〖방언〗 ach, hat sich ~! 무슨 소리야, 말도 안 돼!; schäm dich ~! 제발 부끄러운 줄 알아라!; das ist doch wenigstens ~! 그만 하면 됐어〔잘했어〕!; inzwischen kann wer weiß ~ geschehen 그 사이에 무슨 일이 벌어질지 누가 알겠는가; er hielt mich wer weiß ~ 그는 나를 특별한 존재로 여겼다; hast du ~? 무슨 일이 있느냐, 어디가 아프냐?; noch ~? 더 필요한 게 있습니까? (고객에게 묻는 말); 〖반어〗 so ~ gibt's! 그런 일은 결코 없다!; das ist ~ anderes 그것은 다른 문제다; ich will dir mal ~ sagen 내 말 좀 들어 보아라; besser ~, als nichts 아예 없는 것보다는 조금이나마 있는 게 낫다; 〖반어〗 das ist (auch) ~ Recht's 〔recht ~〕! 그거 참 대단하군!; das half ihm ~ Rechtes! 그것은 그에게 별로 쓸모가 없었다!

Was *n.* - 어떤 것〔일〕; 있는 그대로의 사실: ein unbekanntes ~ 미지의 그 무엇.

WAS =waschaktiver Stoff 〔waschaktive Substanz〕 세척제.

wasch≈aktiv [váʃ..] *a.* 세척 작용을 하는, 세척하는. **≈anlage** *f.* ① (주유소 따위의) 자동 세차 설비. ② 〖工〗 세척〔선광〕 시설. **≈anleitung** *f.* 〖섬유〗 세탁시 주의 사항. **≈anstalt** *f.* 세탁소. **≈anweisung** *f.* ↑ ~anleitung. **~apparat** *m.*, **~automat** *m.* 자동 세탁기. **≈balge** *f.* (nordd.) ↑ ≈bottich. **≈bank** *f.* 세탁대.

waschbar *a.* 세탁〔세척〕이 가능한; 세탁이 잘 되는.

Wasch≈bär *m.* 〖動〗 미국 너구리. **~becken** *n.* ① (벽에 부착된) 세면기. ② 세숫대야. **~benzin** *n.* 벤진(클리닝 용제(溶劑)로 씀). **~berge** *pl.* 〖광물〗 광산의 폐석(廢石) 더미. **~beton** [..betɔ] *m.* 〖토목〗 (장식용) 자갈 노출 콘크리트. **~blau** *n.* (세탁감의 색을 더 좋게 할 때 쓰이는) 푸른 물감. **~bleuel** *m.* 빨랫방망이. **~bock** *m.* 세탁대. **~bord** *m.* (보트의) 물에 닿는 뱃전. **~bottich** *m.* 빨래통. **~brett** *n.* ① 빨래판. ② (재즈 음악용) 리듬 악기. **≈bürste** *f.* 세탁용 솔. **~butte, ~bütte** *f.* 빨래통.

***Wäsche** [vέʃə] *f.* -n ① 씻기, 빨래, 세탁; 〖醫〗 세척; 〖광산〗 세광(洗鑛): Mohren≈ 검둥이의 목욕, 하나마나한 일, 헛수고; freien Tisch und freie ~ haben 식사도 세탁도 무료다; ~ haben〔halten〕 빨래하다; in der ~ sein 세탁 중이다, 세탁 보냈다; in die ~ geben 〔schicken〕, zur ~ geben 세탁소에 맡기다; das Zeug läuft in der ~ ein 이 옷은 빨면 줄어든다. ② 빨랫거리, 빨랫감; 속옷가지 (Leib≈); (식탁보 따위) 마(麻) 제품: schmutzige ~ a) 더러운 빨랫감, b) 〖비유〗 부도덕한 일, c) 추잡한 싸움; reine ~ anziehen 깨끗한 속옷을 입다; die ~ wechseln 속옷을 갈아입다; 〖경박〗 (dumm) aus der ~ gucken 얼이 빠져 바라보다; 〖구어〗 jm. an die ~ gehen〔wollen〕 누구에게 손찌검하려 하다; wir wollen nicht unsere schmutzige ~ vor anderen Leuten waschen 우리는 다른 사람들 앞에 치부를 드러내고 싶지 않다. ③ (Waschwerk) 세탁소; 세척 시설; 〖광산〗 세광장(洗鑛場).

Wäsche≈band *n.* (바느질용) 옷감 띠. **~berg** *m.* 〖구어〗 산더미 같은 빨랫감. **~beutel** *m.* 빨랫감 자루. **~boden** *m.* (지붕 밑의) 빨래 너는 곳; 세탁물 건조실.

wasch·echt [váʃεçt] *a.* 빨아도 색이 바래지 않는, 빨아도 되는; 〖비유〗 (echt) 진짜인, (본)토박이의: ein ~er Berliner 베를린 토박이.

Wäsche≈fabrik *f.* 내의 공장. **~fach** *n.* (옷장 따위의) 내의류 서랍. **~fest** *n.* 〖농담〗 빨래. **~geschäft** *n.* 내의류 전문점. **~kammer** *f.* 의류 보관용 방〔창고〕. **~kasten** *m.* ① (südd., öst., schweiz.) ↑ ~schrank. ② 빨랫감 상자. **~kiste** *f.* ↑ ~kasten ②. **~klammer** *f.* 빨래 집게. **~knopf** *m.* (베갯잇처럼 갈아끼우는) 겉감의 똑딱단추. **~kommode** *f.* 세탁물 서랍장. **~korb** *m.* 빨래 바구니.

Waschel [váʃəl] *m./n.* -s, -n (*f.* -n) 〖고어〗

(bayr.) ① 귓바퀴. ② 걸레. ③ 목욕탕 종업원. ④ 따귀.

Wäsche·leine *f.* 빨랫줄.

wascheln *i.* (h.) (obd.) 객쩍은 말을 하다; 수다떨다.

Wäsche·mangel *f.* (세탁물의) 다림질용 압착 롤러.

waschen [váʃən] (wusch, gewaschen) 《⚘ Wasser》《Ⅰ》 *t./refl.* ① 빨다, 씻다, 빨래하다; 〖醫〗 세척하다: 〖방언〗 Geschirr ~ 설거지하다; et. mit Wasser und Seife ~ 무엇을 비누와 물로 빨다〔씻다〕; ein Auto ~ 세차하다; eine Wunde ~ 상처를 세척하다; sich³ die Hände 〔das Gesicht〕 ~ 손〔얼굴〕을 씻다; 〖비유〗 Hände ~ (곤혹스러워) 손을 비비다; für jn. ~ 누구의 빨래를 해 주다; außer dem Hause ~ lassen 빨래를 내맡기다; (sich³) die Haare ~ 〔~ lassen〕 머리를 감다〔자기 머리를 감게 하다〕; sich ~ 몸을 씻다; dieser Stoff läßt sich gut ~ 〔wäscht sich gut〕 이 옷감은 때가 잘 빠진다; 〖속담〗 eine Hand wäscht die andere 백지장도 맞들면 낫다; jm. den Kopf ~ a) 누구의 머리를 감다, b) 누구를 크게〔몹시〕 꾸짖다, 몹시 때리다; mit allen Wassern gewaschen 닳고닳은, 교활한, 산전수전 다 겪은; seine Hände in Unschuld ~ 자기의 결백함을 주장하다; sich³ die Gurgel ~ 목을 축이다, 한잔 마시다; einen Mohren weiß ~ wollen 불가능한 일을〔헛수고를〕 하려 하다; jn. mit Schnee ~ 누구의 얼굴에 눈을 문지르다. ② (광물을) 세광(洗鑛)하다, 정화하다: Erz ~ 세광하다; Gas ~ 가스를 정화하다. ③ (lavieren) (물감을) 씻어내다, 닦아내다. ④〖과거 분사의 형태로〗 etwas hat sich gewaschen (부정적인 뜻으로) 무엇이 지독하다, 매우 인상적이다; eine Ohrfeige, die sich gewaschen hat 매운 맛을 보여 주는 따귀; die Prüfung hat sich gewaschen 그 시험 때문에 진땀을 뺐다. 《Ⅱ》 *i.* (h.) ① 빨래〔세탁〕하다: ich wasche jeden Montag 나는 월요일마다 세탁을 한다. ②〖海〗 (파도가 갑판 위로) 넘치다. ③〖고어·방언〗 수다떨다, 잡담하다.

Wascher [váʃər] *m.* -s, - 〖工〗 가스 제거기.

Wäscher [vɛ́ʃər] *m.* -s, - ① 빨래꾼, 세탁부; 세탁장이. ②〖광산〗 세광부(洗鑛夫). ③ 수다쟁이, 떠버리. ④〖工〗 세척〔세광·정화〕 시설.

Wascherei [vaʃəráı] *f.* 〖구어·폄어〗 빨래질.

Wäscherei [vɛʃəráı] *f.* -en ① 빨래, 세탁(업); 세탁소; 〖광산〗 세광장(場). ②〖고어·방언〗 수다, 잡담.

Wäscherin *f.* -nen ① 세탁부(婦), 세탁하는 여자. ②〖고어·방언〗 수다쟁이(여자).

Wasch·erde *f.* (Walkerde) 산성 백토.

Wäsche=rolle *f.* 세탁물 주름펴는〔윤내는〕 롤러. **~schleuder** *f.* 탈수기. **~schrank** *m.* 세탁물장. **~speicher** *m.* 세탁물 건조용 다락방. **~spinne** *f.* (접을 수 있는) 빨래 건조대. **~sprenger** *m.* (다림질할 때) 물뿌리는 도구. **~ständer** *m.* 빨래 건조대. **~stück** *n.* (낱개의) 속옷. **~stütze** *f.* 빨랫줄 장대. **~tinte** *f.* 세탁물 주인 표시용 잉크. **~trockner** *m.* ① 세탁물 건조기. ② 세탁물 건조대. **~truhe** *f.* ↑ ~schrank. **~waren** *pl.* 속옷류. **~zeichen** *n.* ① 세탁물 표시. ② (손수건 따위에 수놓은) 이니셜. **~zettel** *m.* (고객이 제시하는) 세탁물 (영수)표.

Wasch=fahne *f.* 〖구어〗 값싼 면포. **~farbe** *f.* 고무 채료(彩料). **~faß** *n.* ↑ ~bütte. **~flasche** *f.*〖化〗 (액체를 채워 넣은) 기체〔가스〕 세척병. **~frau** *f.* 세탁부: 〖속어〗 das kannst du deiner ~ erzählen 함부로 지껄이지 마라. **~gang** *m.* (세탁기의) 세탁 과정. **~geld** *n.* 세탁료. **~gelegenheit** *f.* 세탁 설비. **~geschirr** *n.* ① 세탁 도구. ② (세면대의) 화장 도구. **~gold** *n.*〖광산〗 사금(砂金). **~gut** *n.* 세탁물.

waschhaft *a.* 수다스러운(schwatzhaft).

Wasch=handschuhe *pl.* (장갑 모양의) 목욕용 타월. **~haus** *n.* 세탁소. **~holz** *n.* 빨랫방망이.

waschig, wäschig *a.* 수다스러운.

Wasch=kessel *m.* 빨래 삶는 솥. **~klammer** *f.* ↑ Wäscheklammer. **~kleid** *n.* 물세탁 가능한 옷. **~kommode** *f.* ↑ ~tisch. **~korb** *m.* ↑ Wäschekorb. **~körbe·weise** *adv.* 〖구어〗 ① 빨랫바구니에 담아. ② 빨랫바구니를 가득 채울 정도로. **~kraft** *f.*〖광고〗 (세제의) 세척력. **~küche** *f.* ① 식기 닦는 곳. ② 세탁장. ③〖구어〗 짙은 안개, 안개낀 날씨. **~lappen** *m.* ① 행주; 때밀이 수건. ②〖속어〗 겁쟁이, 소심한 사람. **~lappig** *a.* 기운이 없는; 겁먹은. **~lauge** *f.* 세제를 푼 물. **~lavoir** *n.* (öst.) 세면기; 세숫대야. **~leder** *n.* 물세탁 가능한 가죽. **~ledern** *a.* 물세탁 가능한 가죽으로 만든. **~leine** *f.* 빨랫줄. **~mädchen** *n.*, **~magd** *f.* 빨래하는 하녀〔처녀〕. **~markt** *m.* 쑥덕공론하는 곳; 우물가의 쑥덕공론. **~maschine** *f.* ① 세탁기. ②〖工·제련〗 부유 선광기. **~maschinenfest** *a.* 세탁기로 세탁해도 되는. **~maul** *n.* 〖속어〗 수다스러운 여자, 입이 싼 사람. **~mittel** *n.* 세제(洗劑); 〖醫〗 세정〔청정〕제. **~muschel** *f.* (öst.) (벽에 부착된) 세면기. **~napf** *m.* (식후에) 손가락 씻는 그릇; 세숫대야. **~programm** *n.* (세탁기의) 자동 세탁 프로그램. **~pulver** *n.* 가루〔분말〕 세제. **~raum** *m.* 세면장. **~rumpel** *f.* 빨래판. **~salon** *m.* (동전 투입식 세탁기를 갖춘) 공중 세탁소. **~samt** *m.* 물세탁 가능한 우단. **~schaff** *n.* (öst., südd.) ↑ ~bottich. **~schemel** *m.* ↑ ~tisch. **~schüssel** *f.* 세숫대야. **~schwamm** *m.* 목욕용 스펀지. **~seide** *f.* 물세탁 가능한 명주. **~seife** *f.* 세탁〔화장〕 비누. **~stoff** *m.* 물세탁 가능한 옷감. **~straße** *f.* 자동 세차 설비. **~tag** *m.* 세탁하는 날. **~tisch** *m.* 세면대. **~toilette** *f.* 세면〔화장〕대. **~trog** *m.* ① 빨래통. ②〖방언〗 ↑ ~schüssel. ③〖광산〗 세광조(洗鑛槽). **~trommel** *f.* (세탁기의) 세탁조.

Waschung [váʃuŋ] *f.* -en 빨래, 세탁; (특히) 목욕 재계; 〖醫〗 세척; 〖광산〗 세광(洗鑛).

Wasch=voll·automat *m.* 전자동 세탁기. **~vorgang** *m.*〖광고〗 세탁 과정. **~wanne** *f.* 빨래통.

Wasch·waren *pl.* 마(麻)제품, 내의류.

Wasch=wasser *n.* ① 빨랫물; 개숫물; 향수. ②〖속어〗 맹물 같은 음료〔맥주〕. ③ 세제. **~weib** *n.* ① ↑ ~frau. ②〖속어〗 수다스러운 여자〔남자〕; 배신자. **~zettel** *m.* ① (책 표지 날개의) 짤막한 책소개 광고. ② 제품 소개 문구. ③〖고어〗 정부의 비공식 공고. ④〖고어〗 세탁물 전표. **~zeug** *n.* 세면 도구.

~zimmer *n.* 화장실. **~zuber** *m.* 세탁통. **~zwang** *m.* 〚心〛 청결 강박증.

Wasen [vá:zən] *m.* -s, - ① (südd.) 잔디. ② 〚고어〛 (südd.) 가축 벗기는 곳, 박피장. ③ (nordd.) 섶나무 다발. ④〚고어〛 (ndd.) 습지(대). ⑤ 수증기; 아지랑이.

Waserl [vá:zərl] *n.* -s, -n (öst.) 〚구어〛 주변머리 없는 사람; 오갈 데 없는 사람.

wash-and-wear [wɔ́ʃ ənd wɛ́:(r)] 《engl.》 *a.* 〚섬유〛 세탁 후 다림질 없이 바로 입을 수 있는. **~-and-wear-Mantel** *m.* 세탁 후 다림질 없이 바로 입을 수 있는 외투. **~board** [wɔ́ʃbɔ:d] 《engl.》 *n.* -s, -s ↑ Waschbrett ②.

***Wasser** [vásər] *n.* -s, -/Wässer [vɛ́sər] ① 물: Trink~ 음료수; hartes〔weiches〕 ~ 센물〔단물〕; kaltes ~ 냉수; salziges〔brackiges〕 ~ 소금물; süßes ~ 민물, 담수(淡水); heißes〔warmes〕 ~ 뜨거운〔더운〕 물; Zimmer mit fließendem ~ 수돗물이 나오는 방; ~ schöpfen 물을 긷다; ~ ziehen 물을 흡수하다, 물이 새다(신발·배 등이); ~ halten 물이 배지 않다, 내수성(耐水性)이 있다; ~ holen 물을 가져오다; seinen Durst mit ~ löschen 물을 마셔 갈증을 풀다; ~ einnehmen (선박·기관차 따위가) 급수받다; ~ schlucken (물에 빠져서) 물을 먹다; die Sonne zieht ~ 비가 올 것 같다;〚비유〛 wie ~ a) 아낌없이, b) 공허한, c) 맹물 같은, 김빠진, d) (물 흐르듯이) 그대로, 줄줄, 유창하게: der Vorwurf läuft an ihm ab wie ~ 어떤 질책도 그에게는 쇠귀에 경 읽기다; er spricht Französisch wie ~ 그는 유창하게 프랑스어를 말한다;〚비유〛 jm. das ~ reichen können (재능·능력 따위가) 누구에 필적하다; jm. nicht das ~ reichen können 누구의 발치에도 미치지 못하다;〚비유〛 auf beiden Schultern ~ tragen 두 남편〔주인〕을 섬기다, 양다리를 걸치다; munter wie ein Fisch im ~ 물고기가 물을 만난 듯이 팔팔한; ~ in ein Sieb 〔mit einem Sieb〕 schöpfen, ~ in ein Sieb fassen 불가능한 것을 하려고 하다, 헛일을 하다; hier wird auch nur mit ~ gekocht 여기에도 별다른 것이 없다; jn. mit kaltem ~ begießen 누구에게 찬물을 끼얹다, 희망을〔용기를〕 꺾다, 무안하게 하다; wie aus dem ~ gezogen sein 땀으로 흠뻑 젖어 있다; zu ~ machen 수포로 돌아가게 하다; jm. et. zu ~ machen 누구의 무엇(희망·목적 따위)을 좌절시키다, 헛되게 하다; jm. ~ in den Wein gießen〔schütten〕 누구를 맥빠지게 하다; wie Feuer und ~ sein 불과 물처럼 상극 관계다; am ~ gebaut sein 눈물이 흔하다; er büßt〔sitzt〕 bei ~ und Brot 그는 감옥에 있다; ins ~ fallen 물 속에 떨어지다, 수포로 돌아가다; ein Schlag ins ~ 헛수고; ~ ins Meer 〔in die Elbe, in den Rhein〕 tragen 쓸데없는 고생〔일〕을 하다; Wein mit ~ verdünnen 포도주에 물을 타다; nach ~ bohren 우물을 파다; zu ~ gehen a) 물을 길러 가다, b) (수륙 양용 비행기가) 수면에 내려앉다; zu ~ werden a) 물이 되다, b) 수포로 돌아가다. ② (Gewässer) 하천, 소호(沼湖), 해양: stehendes ~ 고인 물; fließendes ~ 흐르는 물; kleines ~ 개울, 하천; großes ~ 바다, 대양; das ~ steigt über die Ufer 하천이〔바다가〕 범람한다;〚비유〛 das ~ steht ihm bis zum Hals〔Kragen〕 그는 (빚으로) 몹시 곤경에 빠져 있다; bis dahin wird 〔läuft〕 noch viel ~ ins Meer 〔die Elbe, den Rhein〕 fließen〔hinunter〕 거기까지는 아직 험난한 역정이 남아 있다; das ist ~ auf seine Mühle 그것은 그에게 큰 이익이 된다, 그는 운이 좋다; er sieht so aus, als könne er kein Wässerchen trüben 그는 한없이 선량해 보인다;〚비유〛 jm. das ~ abgraben 누구를 궁지에 몰아넣다, 누구에게 손해를 끼치다;〚속담〛 stille ~ sind tief a) 잔잔한 물이 깊다, b)〚비유〛 입이 무거운 사람이 속이 깊다; ein stilles ~ sein 좀처럼 자신의 속마음을 내보이지 않다; ~ treten 선헤엄치다, 곤란을 겪다; auf dem ~ fahren 뱃놀이를 하다; auf dem ~ leben 수상 생활을 하다; im ~ leben 물속에서 살다; ins ~ gehen 물에 빠져 죽다; im trüben ~ fischen 어부지리(漁夫之利)를 얻다;〚海〛 ins ~ lassen 진수시키다;〚구어〛 in allen ~n erfahren sein 〔mit allen ~n gewaschen sein〕 산전수전 다 겪었다; jn. über ~ halten 누구를 돕다; sich über ~ halten 간신히 연명하다; sich (nur mit Not) über(m) ~ erhalten 그럭저럭 견디고 있다; über das große ~ fahren a) 대양을 건너가다, b) 도미(渡美)하다; unter ~ schwimmen 물속을 헤엄치다; zu ~ und zu Lande 수륙 양로(兩路)로; zu ~ reisen 해로〔배〕로 여행하다; Krieg zu ~ 해전. ③ (**a**) 눈물: das ~ steht ihm in den Augen 그의 눈에 눈물이 고여 있다;〚구어〛 sie hat nahe ans 〔am〕 ~ gebaut 그 여자는 눈물을 잘 흘린다. (**b**) (Harn) 오줌, 소변: das ~ lassen〔machen, abschlagen〕 소변 보다, 오줌누다;〚경박〛 sein ~ 〔sich das ~〕 abschlagen (남자들이) 오줌누다; das〔js.〕 ~ nicht halten können 소변을 참지 못하다;〚醫〛 das ~ beschauen 소변 검사를 하다; das rote ~ 혈뇨(血尿). (**c**) 땀: das ~ lief ihm von der Stirne 그의 이마에서 땀이 흘렀다. (**d**) 수종(水腫)의 (진)물: einem ~süchtigen das ~ abzapfen 수종 환자에게서 물을 빼내다;〚속어〛 der muß auch kein ~ im Kopf gehabt haben 그도 역시 바보는 아니었다. (**e**) 침, 타액:〚구어〛 der Mund steht〔läuft〕 ihm voll ~, das ~ läuft ihm im Mund zusammen 그의 입 안은 침으로 가득하다, 그는 군침을 흘린다. ④ (보석의) 광택, 순도: Diamanten von reinstem ~ 순수한 다이아몬드;〚비유〛 ein Rückschrittler reinsten ~s 극단적 보수주의자. ⑤ (직물의) 물결 무늬: ein schönes ~ haben 아름다운 물결 무늬가 있다. ⑥ 맹탕, 하찮은 것, 시시한 것, 멋없는 것. ⑦ (**a**) 술: gebranntes ~ 화주(火酒); Kirsch~ 버찌〔체리〕 브랜디. (**b**) 향수: Kölnisches ~ 오드 콜로뉴(독일 쾰른 원산의 향수). (**c**) 〚化〛 schweres ~ 중수(重水); Scheide~, Königs~ 왕수, 질산. ⑧ 광천수 (Mineral~):〚방언〛 stilles ~ 탄산이 들어 있지 않은 광천수.

Wasser-abfluß *m.* 배수, 배수〔방수〕구. **~ablaß** *m.* 배수, 배수구〔로〕. **~ableitung** *f.* 배수(로). **~abort** *m.* 수세식 변소. **~-abschlag** *m.* 배수. **~abstoßend, ~-abweisend** *a.* 방수(防水) 처리된. **~ab-zug·graben** *m.* 배수로. **~ader** *f.* (땅 속의) 수맥;〚醫〛 림프선. **~ampfer** *m.*〚植〛 토대황(土大黃). **~amsel** *f.*〚動〛 물까마귀류. **~-**

anlage *f.* 급수 시설. **~ansammlung** *f.* 저수(지). **~anschluß** *m.* 상수도 연결. **~-anweisung** *f.* 물을 이용한 자연 요법. **≈-anziehend** *a.* 흡습성(吸濕性)의. **≈arm** *a.* 물이 귀한, 물이〔습기가〕 없는. **~armut** *f.* 물의 결핍, 물기근. **~arzt** *m.* 물로 치료하는 의사. **~aufbereitung** *f.* 정수 처리. **~auge** *n.*〖醫〗 안구 수종(水腫). **~auslaß** *m.*, **~-austritt** *m.* 배수〔방수〕(구). **~bad** *n.* ①〘고어〙 수욕(水浴). ②〖요리〗 중탕(重湯). ③〖사진〗(현상액 세척을 위해 인화지를 담그는) 용기. **~ball** *m.* ① 물놀이용 공. ② 수구용 가죽공. ③ 수구. **~baller** *m.* 수구 선수. **~ball·spiel** *n.*〖스포츠〗 수구. **~bassin** [..basɛː, ..sɛŋ] *n.* 수조, (얕은) 풀장, 저수장. **~bau** *m.* 수리 공사, 하천〔제방〕 공사.

Wasserbau≈kunst *f.* 수리 공학. **~meister** *m.* 수리(水利) 기사.

Wasser≈becken *n.* 물통, 세숫 대야; 웅덩이. **~bedarf** *m.* 물의 수요. **~behälter** *m.* 저수탑; 물탱크; 저수지. **~behandlung** *f.*〖醫〗 물〔수〕치료법. **≈beschädigt** *a.* 수해를 입은. **~beschreibung** *f.* 수로학, 수로 측량술. **~bett** *n.* 물침대. **~bewohner** *m.* 수생 동물(~tier). **≈bindend** *a.* 수력의. **~bläschen** *n.*〖醫〗 수포진(水泡疹). **~-blase** *f.* ① 물거품;〖醫〗 수포진. ② 물 끓이는 그릇. **~blattern** *pl.* ↑ ~pocken. **≈-blau** *a.* 물빛의; 푸른(눈 따위). **~blei** *n.*〖광물〗 ① 흑연. ② 수연(水鉛), 몰리브덴. **~-blüte** *f.*〖生〗 식물성 플랑크톤의 대규모 증식(물이 갈색〔적색〕으로 변함). **~bombe** *f.*〖海〗(잠수함 공격용) 수중 폭탄, 수뢰. **~bottich** *m.* 물통, 양동이. **~brei** *m.*〖요리〗 묽은 죽, 오트밀. **~bruch** *m.*〖醫〗 음낭수종(水腫). **~büffel** *m.*〖動〗 물소. **~burg** *f.* 해자로 둘러싸인 성.

Wässerchen [vɛ́sərçən] *n.* -s, -〘↑ Wasser 의 축소형〙 시내, 개울, 웅덩이:〘비유〙 er kann kein ~ trüben 그는 (마음이 약해) 벌레 한 마리도 못 죽인다.

Wasser≈damm *m.* 제방, 둑, 방죽; 수문. **~dampf** *m.* 수증기, 김; 물보라. **≈dicht** *a.* 물이 새지 않는, 방수 처리된. **~dichte, ~dichtheit, ~dichtigkeit** *f.* 방수성(防水性); 내수성(耐水性). **~doktor** *m.* ① 물로 치료하는 의사. ② 돌팔이〔엉터리〕 의사. **~dost, ~dosten** *m.*〖植〗 등골나물의 일종. **~druck** *m.*〖物〗 수압(水壓). **~-druck-lehre** *f.* 유체 역학. **~dunst** *m.* 수증기, 물보라. **≈durchlässig** *a.* 물이 통과하는; 물이 새는. **~eimer** *m.* 물통, 두레박. **~-enthärtung** *f.* 단물화(化), 연수화. **~-enthärtung·anlage** *f.* 단물화 장치. **≈-entziehend** *a.* 탈수(성)의. **~entziehung** *f.* 탈수. **~faden** *m.*〖植〗 풍선말. **~fahrt** *f.* 뱃놀이; 조정(漕艇); 범주(帆走). **~fahr-zeug** *n.* 수상 교통 수단, 선박, 배. **~fall** *m.* ① 물의 낙하. ② 폭포: wie ein ~ reden (다급하게) 말을 마구 내뱉다. **~fang** *m.* 큰 물통, 수조. **~farbe** *f.* ① 물의 빛깔. ②〖畫〗 수채화용 물감. **~farben·malerei** *f.* 수채화. **~faß** *n.* 물통. **≈fest** *a.* ↑ ≈dicht. **~-feuerwerk** *n.* 수상 폭죽. **~fläche** *f.* 수면(水面). **~flasche** *f.* 물병, 물통. **~fleck** *m.* 물자국, 물(에 의한) 얼룩. **~floh** *m.*〖動〗 물벼룩류. **~flug·hafen** *m.* 수상 (비행기용) 비행장. **~flugzeug** *n.* 수상 비행기. **~flug-zeug·hafen** *m.* 수상 비행장. **~flut** *f.* 홍수, 범람. **~fracht** *f.* 수운 화물; 수상 운수(運輸). **≈frei** *a.* 물이 들어 있지 않은;〖化〗 무수(無水)의: ~er Alkohol 무수 알코올. **~-freund** *m.* 물을 좋아하는 사람. **~freun-din** *f.* ↑ ~freund 의 여성형. **~frosch** *m.* (유럽산(產)) 식용 개구리. **≈führend** *adv.* 물이 있는, 물이 마르지 않은. **~furche** *f.* 배수로. **~galle** *f.* ① 부분 홍예(虹霓). ② 논밭의 물구덩이, 습지. **~gang** *m.* ① 물길, 수로; 운하. ②〖海〗(갑판 가장자리에 낸) 배수로. **~gas** *n.*〖化〗 수성(水性) 가스. **~gefahr** *f.* 수해의 위험. **~gefälle** *n.* 물의 낙차. **~ge-fäß** *n.* ① 물통, 물항아리, 물단지. ②〖해부〗 Wassergefäße (*pl.*) 림프관(管). **~geflügel** *n.*〖動〗 물새류. **~gehalt** *m.* 수분 함유량. **~geist** *m.* 물의 요정. **≈gekühlt** *a.* 수냉식의, 물로 식히는. **~geld** *n.*〘구어〙 물세, 수도세. **≈gerade** *a.* 수평의. **~gerechtig-keit** *f.* ① 수리권(水利權). ② 수법(水法). **~gesetz·gebung** *f.* 하천법(河川法). **~-gewächs** *n.*〖植〗 수생 식물. **≈gierig** *a.* 흡습성의, 습해지기 쉬운. **~glas** *n.* ① 컵, 술잔: Sturm im ~ 찻잔 속의 태풍; 쓸데없는 흥분〔법석·소동〕. ②〖化〗 물유리. **~glätte** *f.* 수막 현상(으로 인한 미끄럼). **≈gleich** *a.* ① 물 같은. ② 수평의. **~gleiche** *f.* ① 수평면(面). ②〖工〗(~waage) 수준기(水準器). **~gott** *m.* 바다〔물〕의 신. **~göttin** *f.* 바다〔물〕의 여신. **~graben** *m.* ① (성채 따위의) 해자. ② 배수로. ③ **(a)**〖승마〗(마술 경기의) 물웅덩이 장애물. **(b)**〖육상〗(장애물 경기의) 물웅덩이 장애물. **~grube** *f.* 우물; 웅덩이, 저수지; 소택지(沼澤地). **~grundstück** *n.* 물가의〔물가에 있는〕 토지. **~guß** *m.* ① 개숫물, 구정물. ② 큰비, 호우(豪雨).

wasserhaft *a.* 물 같은; 묽은; (색 따위가) 연한.

Wasser≈hahn *m.* 수도 꼭지, 급수전(栓). **≈-haltig** *a.* 물〔수분〕을 함유한. **~haltung** *f.* ① (하천·운하의) 방죽, (두 갑문 사이의) 저수(貯水). ②〖광산〗 양수(揚水)〔배수〕(시설). **≈-hart** *a.* (진흙 따위가) 설마른. **~härte** *f.*〖化·物〗 물의 세기. **~haushalt** *m.* ①〖生〗 수분 대사(代謝). ② 수자원 관리. ③〖法〗 상하수 관리 및 이용. **~hebe·maschine** *f.*〖工〗 양수기.

Wasserheil≈anstalt *f.*〖醫〗 수치료원. **~-kunde, ~methode** *f.*, **~verfahren** *n.* 수치료법.

Wasser≈heizung *f.* 온수 난방. **≈hell** *a.* 물같이 맑은〔투명한〕. **~himmel** *m.* (↔ Eisblick)〖기상〗 물하늘〔水空〕(남극 또는 북극해면에서 개수면(開水面) 상공의 구름 아래쪽에 보이는 어두운 얼룩〔줄무늬〕). **~höhe** *f.* 수위. **~hoheit** *f.* 해상 주권. **~hose** *f.*〖海〗 물기둥을 일으키는 회오리바람. **~huhn** *n.*〖動〗(유럽산(產)의) 물닭. **~hund** *m.* 물에 익숙한 사냥개.

wässericht *a.* ↑ wässerig.

wässerig [vɛ́sərɪç] *a.* ① 물의, 수질의; 물 모양의; 함수성(含水性)의, 수분이 있는; 축축한; 물 같은; (농도가) 묽은;〖醫〗 장액질(漿液質)의 (혈액): ~e Augen 눈물이 글썽글썽한

눈; ~e Lösung 수용액(水溶液); ~er Wein 묽은〔싱거운〕 포도주; ~ machen 묽게 하다; der Tee ist ziemlich ~ 그 차는 몹시 싱겁다; 〖비유〗 jm. den Mund nach et.[3] ~ machen 누구를 무엇을 탐내어 군침 흘리게 하다. ② 맥빠진, 활기〔생기〕 없는; 내용이 빈약한, 재미없는, 시시한.

Wässerigkeit *f.* 습기, 수분.

Wasser≈insekt *n.* 수생(水生) 곤충. **~installation** *f.* 수도 설비〔공사〕. **~jagd** *f.*, **~jagen** *n.* 〖사냥〗 물새 사냥. **~jungfer** *f.* ① 물의 요정. ② 〖動〗 잠자리. **~käfer** *m.* 〖動〗 물땅땅이. **~kanister** *m.* 양철 물통. **~kanne** *f.* 물통, 대야. **~kante** *f.* 물가; (특히 북독일의) 해안. **~karaffe** *f.* (배가 볼록한) 유리 물병. **~karte** *f.* 수로도(水路圖). **~kasten** *m.* ① 수세식 변기의 상자 모양의 물통. ② 물병용 상자. ③ 〖工〗 물탱크. **~kessel** *m.* 물끓이는 솥〔냄비〕; 〖工〗 기관(汽罐), 보일러. **~kissen** *n.* ① 〖醫〗 (환자용) 물베개, 물침대. ② 지하수 웅덩이. **~kitt** *m.* 〖工〗 수경(水硬) 시멘트. **≈klar** *a.* 물처럼 맑은. **~klosett** *n.* 수세식 변소. **~kolik** *f.* 〖醫〗 가슴 쓰림. **~kopf** *m.* 〖醫〗 ① 뇌수종(腦水腫); 수두증(水頭症). ② 뇌수종〔수두증〕 환자. ③ 〖속어〗 멍청이. **~kraft** *f.* 수력.

Wasserkraft≈anlage *f.*, **~haus** *n.* 수력 발전소. **~lehre** *f.* 수력학. **~maschine** *f.* 수력 기관. **~motor** *m.* 수력 엔진. **~werk** *n.* 수력 발전소.

Wasser≈kran *m.* 〖철도〗 급수관(管). **~kreis·lauf** *m.* 〖기상〗 (물·수증기·비·눈으로 이어지는) 물의 순환. **~krug** *m.* 물항아리. **~kühlung** *f.* 수랭(水冷)(식). **~kultur** *f.* 수경 재배. **~kunde** *f.* 수문학(水文學), 육수학(陸水學). **~kunst** *f.* ① 수력 기계 (장치); 양수 기관, 펌프. ② (대규모 기계가 장치된) 인공 분수. **~kur** *f.* 〖醫〗 수치법(水治法). **~lache** *f.* 웅덩이. **~lauf** *m.* 도랑, 개울; 수로(水路). **~läufer** *m.* 〖動〗 ① 소금쟁이의 일종. ② 삑삑도요. **≈lebend** *a.* 물에 사는〔서식하는〕. **≈leer** *a.* 물이 없는, 메마른, 말라빠진. **~leiche** *f.* 〖구어〗 익사체.

Wässerlein *n.* 〖↑ Wasser 의 축소형〗 (Wässerchen) 개울, 시내, 웅덩이.

Wasser≈leitung *f.* 수도, 수도 설비; 수도관: eine ~ im Haus (an)legen 집에 수도를 놓다. **~leitungs·rohr** *n.*, **~leitungs·röhre** *f.* 수도관. **~lilie** *f.* 〖植〗 수련(睡蓮); 개연꽃. **~linie** *f.* ① 〖海〗 흘수선(吃水線). ② 수고선(水高線). **~linse** *f.* 〖植〗 좀개구리밥. **~loch** *n.* ① 물구덩이, 웅덩이. ② 수채 웅덩이, 시궁창.

wasserlos *a.* ↑ wasserleer.

wasser≈löslich *a.* 물에 녹는, 수용성의. **≈losung** *f.* 〖광산〗 배수(排水). **≈malerei** *f.* 수채화. **≈mangel** *m.* ① 물 부족, 물기근. ② 한발, 가뭄. **≈mann** *m.* 〖복수: ..männer〗 ① 물장수; 물나르는 사람. ② a) 〖天〗 물병자리, b) 물병자리에 태어난 사람. ③ 물의 정령〔요정〕. ④ 〖植〗 수련. **≈mantel** *m.* 〖工〗 (기계의 과열 방지용) 물재킷. **≈marke** *f.* ① 수위표(水位標). ② 위폐 방지용 숨은 그림〔표시〕. **≈maschine** *f.* 수력 기계. **≈maß** *n.* 수량계(水量計). **≈masse** *f.* 다량의 흐르는 물; 수량. **≈melone** *f.* 〖植〗 수박. **≈menge** *f.* 수량; 강수량. **≈messer** *m.* 〖工〗 수량계. **≈mörtel** *m.* 수경(水硬) 모르타르. **≈mühle** *f.* 물레방아. **≈müller** *m.* 물레방앗간 주인.

wassern [vásərn] 《< Wasser》 *i.* (s./h.) 〖空〗 (수상 비행기가) 수면에 내리다.

wässern [vέsərn] 《I》 *t.* ① 물을 대다, 관개하다. ② 물에 잠그다〔담그다〕: Häute ~ 생가죽을 (무두질하려고) 물에 담그다. ③ (술 따위에) 물을 타다, (술 따위를) 묽게 하다. ④ 〖방직〗 (직물에) 물결 무늬를 넣다: gewässerter Stoff 물결 무늬를 넣은 직물. 《II》 *i.* (h.) ① 물이 나오다〔생기다〕; 물에 잠기다: ihm ~ die Augen 그의 눈에서 눈물이 나오다; mir wässert der Mund danach 나는 그것이 먹고 싶어 군침이 돈다. ② 소변 보다. 《III》 *imp.* es wässert 비가 내린다.

Wasser≈nabel *m.* 〖植〗 피막이풀. **~nase** *f.* (빗물이 잘 흘러내리도록) 아래로 약간 경사진 창문턱. **~nix** *m.*, **~nixe** *f.* 물의 요정. **~not** *f.* 물 부족, 물기근, 가뭄. **≈nötig** *a.* 〖광산〗 침수된. **~nuß** *f.* 〖植〗 마름. **~nymphe** *f.* 물의 요정. **~oberfläche** *f.* 수면, 물 표면. **~orgel** *f.* 〖음악〗 물 오르간. **~partie** *f.* 뱃놀이. **~paß** *m.* 〖海〗 (화물 만재 때의 흘수선과 화물 양육 후의 흘수선 사이의) 수선부(水線部). **≈paß** *a.* (nordd.) 수평의. **~perle** *f.* ① (물체의 표면에 생긴) 작은 물방울. ② 모조 진주의 일종. **~pest** *f.* 〖植〗 캐나다말. **~pfeife** *f.* 수연통(水煙筒). **~pflanze** *f.* 〖植〗 수생 식물, 수초. **~pfuhl** *m.*, **~pfütze** *f.* 웅덩이. **~pistole** *f.* (장난감) 물총. **~pocken** *pl.* 〖醫〗 수두(水痘), 작은마마. **~polack** *m.* (폴란드어를 쓰는) 오르테강(江) 상류 및 중류 유역의 슐레지엔 사람. **~polackin** *f.* ↑ ~polack 의 여성형. **~polizei** *f.* 수상〔해양〕 경찰. **~probe** *f.* ① (수질 실험용의) 물의 샘플. ② (고대·중세의) 물에 의한 신명(神明) 재판. **~pumpe** *f.* 물 펌프. **~quelle** *f.* 샘; 수원(水源). **~rabe** *m.* 〖動〗 바다가마우지. **~rad** *n.* 〖工〗 (물레방아 따위의) 수차(水車). **~ralle** *f.* 〖動〗 흰눈썹뜸부기. **~rand** *m.* 물가. **~ratte** *f.* ① 〖動〗 물쥐. ② 〖구어〗 노련한 잠수부〔뱃사람〕. **~recht** *n.* ① 용수권(用水權), 수리권(水利權). ② 수법(水法). **≈recht** *a.* 수평(水平)의. **~reich** *n.* 물의 세계. **≈reich** *a.* 물이 많은〔흔한〕; 수분이 많은. **~reinigung** *f.* 정수(淨水). **~reinigungs·anlage** *f.* 정수 시설. **~reis** *m.* ① (다량의 수분 섭취로 인하여 뻗어나온) 열매가 열리지 않는 곁가지. ② 〖農〗 논벼. ③ 쌀밥. **~reserve** *f.* 저장된 물, 저수. **~reservoir** [..voaːr] *n.* ① 저수지, 물탱크, 수조. ② 저장된 물. **~rinne** *f.* 배수관, 처마의 홈. **~rohr** *n.* 급수관; 수도(水道). **~rose** *f.* 〖植〗 수련(睡蓮). **~röste** *f.* 물에 담구어 부드럽게 하기. **~rübe** *f.* 수분이 많은 무. **~rutsch·bahn** *f.* (수영장의) 물미끄럼틀. **~säge** *f.* 〖植〗 갈대의 일종. **~säule** *f.* ① 물기둥. ② 〖物〗 1 미터 높이의 물기둥 수압에 해당되는 압력(기호: mWS). ③ 〖物〗 1 mm 높이의 물기둥 수압에 해당되는 압력(기호: mmWS). **~säulen·maschine** *f.* 〖工〗 수압 기관. **~schacht** *m.* 〖광산〗 배수갱(坑). **~schaden** *m.* 수해(水害). **~schaff** *n.* (öst., südd.) 물통. **~schaufel** *f.* (뱃바닥에 괸 물을 퍼내는) 파래박. **~scheide** *f.* 분수계

(分水界), 분수선(線). **~schenkel** *m.* 〖건축〗 비〔물〕막이판(板). **~scheu** *f.* ① 물을 두려워함. ②〖醫〗 공수병(恐水病). **~scheu** *a.* 물을 두려워하는;〖醫〗 공수병의. **~schi** *m./n.* ↑ ~ski[1/2]. **~schierling** *m.*〖植〗 독미나리. **~schlacht** *f.* 수상전(水上戰). **~schlange** *f.* ①〖動〗 물뱀의 일종. ②〖天〗 물뱀자리. ③ (전설의) 바다뱀. **~schlauch** *m.* ① 물 호스. ②〖植〗 통발의 일종. **~schloß** *n.* ①〖기계〗 서지 탱크, 압력 조정 수조. ② 해자로 둘러싸인 성채〔궁전〕. **~schlund** *m.*〖지질〗 해연(海淵). **~schnecke** *f.* ①〖動〗 달팽이의 일종. ② 나선형 양수기. **~schraube** *f.* ①〖工〗 나선형 양수기. ②〖海〗 (기선의) 스크루. **~schüssel** *f.* ↑ Waschschüssel.

Wasserschutz≈gebiet *n.*〖法〗 수자원 보호구역. **~polizei** *f.* 수상 (보안) 경찰.

Wasser≈schwall *m.* 홍수, 범람. **~schwärmer** *m.* 물 위를 달리는 꽃불. **~schwert·lilie** *f.*〖植〗 붓꽃과의 다년생 초본(草本). **~seite** *f.* 물가, 해안. **~semmel** *f.* 롤빵의 일종. **~ski**[1] [..ʃi] *m.* 수상 스키 (스포츠 용구). **~ski**[2] *n.* 수상 스키 (스포츠). **~ski·lauf** *m.*, **~ski·sport** *m.* 수상 스키 (~ski[2]).

Wassers·not *f.* 〔고어〕 수해(水害), 홍수.

Wasser≈speicher *m.* 물〔저수〕 탱크. **~speicherung** *f.* 저수(貯水). **~speier** *m.* 〖건축〗 (고딕식에서 괴물 모습의) 낙수구(落水口). **~spiegel** *m.* ① 거울 같은 수면. ② 수위(水位). **~spiele** *pl.* (물의 치솟는 모양이 바뀌는) 분수 연주. **~spinne** *f.*〖動〗 물거미. **~spitzmaus** *f.*〖動〗 물쥐의 일종. **~sport** *m.* 수상 스포츠. **~sportler** *m.* 수상〔수중〕 스포츠맨. **~sportlich** *a.* 수상 스포츠의. **~springen** *n.*〖수영〗 다이빙. **~spritze** *f.* 소화기(消火器)의 물주둥이. **~sprudel** *m.* 부글부글 솟구치는 물. **~spülung** *f.* 물로 씻기; 헹굼, 세척: eine Toilette mit ~ 수세식 변소. **~stadt** *f.* (베네치아 같은) 수상〔물의〕 도시. **~stand** *m.* 수위(水位), 물높이: der ~ ist gesunken〔gestiegen〕 수위가 내렸다〔올랐다〕. **~ständer** *m.* 물통;〔속어〕 새벽에 발기한 음경.

Wasserstands≈anzeiger *m.* 수위계, 수위 측정기. **~linie** *f.* 수위선(線). **~marke** *f.* ↑ ~zeichen. **~meldung** *f.* (당국의) 수위 현황 발표. **~messer** *m.* ↑ ~anzeiger. **~regler** *m.* 수위 조절 장치. **~zeichen** *n.* (강 등의) 수위표. **~zeiger** *m.* ↑ ~anzeiger.

Wasser≈start *m.*〖항공〗 (수상 비행기의) 이수(離水). **~station** *f.* 급수장; 저수지. **~stau** *m.* 물을 가두어 모아 둠, 저수. **~staub** *m.* 물보라. **~stein** *m.*〖工〗 물때, 스케일. **~stelle** *f.* 물이 있는 곳. **~stiefel** *pl.* 방수 장화. **~stoff** *m.*〖化〗 수소(Hydrogen).

wasserstoff≈blond *a.* 과산화수소 염색액을 써서 다갈색으로 물들인 (머리카락). **~bombe** *f.* 수소 폭탄. **≈flamme** *f.* 수소 불꽃. **≈gas** *n.* 수소 가스. **≈peroxid, ≈peroxyd** *n.*〖化〗 과산화수소. **≈säure** *f.* 수소산(酸). **≈super·oxyd** *n.* 과산화수소, 옥시풀. **≈verbindung** *f.* 수소 화합물.

Wasser≈strahl *m.* 솟구치는 물, 물기둥, 분수: die Antwort war wie ein kalter ~ 그 대답은 찬물을 끼얹는 듯했다. **~strahl·pumpe** *f.*〖物〗 수류 펌프. **~straße** *f.* 수로, 물길, 운하. **~strecke** *f.* 수로(水路), 유수 지역. **~streif, ~streifen** *m.* ① 줄무늬 물자국. ② 빵의 덜 구워진 부분. **≈streifig** *a.* (빵이) 덜 구워진. **~strom** *m.* 하류(河流), 유수(流水); 급류, 여울. **~strudel** *m.* 소용돌이, 소용돌이 물살. **~sturz** *m.* ① 폭포. ② 급류, 여울. **~sucht** *f.*〖醫〗 수종(水腫). **≈süchtig** *a.* 수종의. **~suppe** *f.* ① 묽은 수프. ②〔비유〕 맹탕, 맛 없는 것, 시시한 것. **~tank** *m.* 물탱크. **~tank·anhänger** *m.* 물탱크 트레일러. **~taufe** *f.*〖宗〗 침례(浸禮), 세례. **~technik** *f.* 수리학(水理學), 수력 공학. **~temperatur** *f.* 수온. **~tiefe** *f.* ① 수심(水深). ② 흘수(吃水). **~tier** *n.* 수생 동물. **~tonne** *f.* 물통;〖海〗 부표(浮標). **~tor** *n.* 수문(水門), 물막이 문. **~tracht** *f.*〖海〗 흘수(吃水). **~träger** *m.* ① 물 나르는 사람. ② 꿀벌의 수컷. ③ (a)〔펌어〕 조수, 조교. (b)〖스포츠〗 (고참에게 봉사하는) 초보자. **~transport** *m.* 수로 운수, 수운(水運). **≈treibend** *a.*〖醫〗 배뇨를 촉진하는, 이뇨(利尿) 작용이 있는. **~treten** *n.* ① 입영, 선헤엄. ②〖醫〗 (흐르는) 찬물에 발을 담구어 움직이는 치료법. **~trinker** *m.* 물 마시는 사람; 금주가. **~trog** *m.* (가축의) 물통. **~tropfen** *m.* 물방울. **~tümpel** *m.* 물웅덩이, 못. **~turbine** *f.* 수력 터빈. **~turm** *m.* 저수〔급수〕탑. **~uhr** *f.* ① 물시계. ② 수량계. **~umschlag** *m.*〖醫〗 물찜질 요법. **≈undurchlässig** *a.* 물을 통과시키지 않는, 물이 새지 않는.

Wasserung [vásərʊŋ] 《<wassern》 *f.* -en 〖空〗 (수상 비행기의) 수상 착륙, 착수(着水).

Wässerung [vɛ́sərʊŋ] 《<wässern》 *f.* -en ① 물대기, 관개(灌漑). ② 물에 잠그기〔담그기〕. ③ (직물에) 물결 무늬를 넣기.

Wässerungs·graben *m.*〖農〗 관개용 도랑; 봇도랑.

wasser·unlöslich *a.* 물에 녹지 않은, 비(非)수용성의.

Wasser≈verbrauch *m.* 물의 소비〔사용〕. **~verdrängung** *f.* 배수(량). **~verschluß** *m.*〖기계〗 수봉(水封), 물봉입, 하이드롤식(式)실;〖工〗 에어〔워터실〕 트랩. **~verschmutzung** *f.* 수질 오염, 하천〔해양〕 오염. **~versorgung** *f.* 급수; 상수도. **~vogel** *m.* 물새. **~vorrat** *m.* 저수(貯水). **~waage** *f.* ①〖工〗 수준기(水準器). ②〖物〗 비중계(比重計). **~wanderer** *m.* 보트 여행자. **~wanze** *f.*〖動〗 (물장군 따위) 수서 반시류(水棲半翅類)의 곤충. **~weg** *m.* 수로, 물길. **~wehr** *n.*〖工〗 댐, 수중보; 둑, 제방. **~weide** *f.*〖植〗 냇버들. **~welle** *f.* 물결; (머리의) 웨이브, 콜드 파마. **~welt** *f.* 물의 세계; 대양(大洋). **~werfer** *m.* (시위 군중 해산용) 물대포(차). **~werk** *n.* ① 급수 시설, 급수장; (상)수도. ② 수력 기계; 양수기. ③ 분수. **~wirbel** *m.* 소용돌이. **~wirtschaft** *f.* 수리(水利). **~woge** *f.* 큰 물결, 놀. **~wüste** *f.* 망망 대해. **~wut** *f.* 병적인 갈수증〔기갈증〕. **~zähler** *m.* 수량계(水量計), (수도) 계량기. **~zeichen** *n.* 위폐 방지용 숨은 그림〔무늬〕. **~zins** *m.* 수도 요금; 수리권 사용료. **~zufuhr** *f.* 물의 공급, 급수. **~zuleitungsrohr** *n.* 수도관, 급수관.

wäßricht, wäßrig [vέsrıç] *a.* ↑ wässericht, wässerig.
wassricht, wassrig 新정서 ⇦ wäßricht, wäßrig.
Wäßrung [vέsrʊŋ] *f.* -en ↑ Wässerung.
Wastel [vástəl] *n.* -s, - (obd.) 고급 흰빵의 일종.
Wastl *m.* -s 〖↑ Sebastian 의 단축형〗(obd.) 바스틀(남자 이름).
Wat [va:t] *f.* -en 〖고어〗 천, 직물; 의복.
wat (ndd.) ① ↑ was. ② ↑ ob. ③ ↑ daß.
Wate [vá:tə] *f.* -n (nordd.) 〖海〗 (대형) 끌그물.
waten [vá:tən] *i.* (s./h.) (물을) 걸어서 건너다: im Schlamm ~ 진흙 속을 걷다; im 〔durchs〕 Wasser ~ 물 속을 걸어가다; durch den Bach ~ 실개천을 걸어서 건너다; (bis an Knöchel) in Blut ~ 온통 피투성이다; 〖구어〗 im Kot〔Schmutz〕 ~ 나쁜 짓을 되풀이하다; 〖비유〗 in Sünden ~ 죄악에 빠지다.
Water *n.* -s 〖방언〗 ↑ Wasser.
Water·closet [wɔ́:tərklɔzət] 《engl.》 *n.* -s, -s (수세식) 변소.
Water·kant [vá:tərkant] *f.* (ndd.) 물가; 해안, 연안 (지방).
Waterloo [vá:tərlo] 《engl.》 워털루(영국 지명): sein ~ erleben 참담한 패배를 맛보다.
Water·proof [wɔ́:tərpru:f] 《engl.》 *m.* -s, -s ① 방수포(布). ② 방수 제품; 방수복, 우비, 장화, 방수화.
waterproof 《engl.》 *a.* 물이 스며들지 않는, 방수의.
watlich *a.* 〖고어〗 (alem.) 능숙한, 잽싼; 단정한; 점잖은.
Watsche [vá(:)tʃə] *f.* -n 〖구어〗 (bayr.; öst.) 뺨치기.
Watschel·gang [vá(:)tʃəl..] *m.* 뒤뚱뒤뚱 건는 걸음.
watschelig [vá(:)tʃəlıç] 《⇔ wackeln》 *a.* 비틀비틀〔아장아장〕 걷는.
watscheln [vá(:)tʃəln] *i.* (s./h.) (물새 따위가) 아장아장 걷다; 비틀비틀〔뒤뚱뒤뚱〕 걷다, 갈지자로 걷다.
watschen [vá(:)tʃən] *t.* (bayr., öst.) 〖구어〗 따귀를 때리다: jm. eine ~ 〔jn. ~〕 누구의 뺨을 한대 갈기다.
Watschen [vá(:)tʃən] *m.* -s, - 〔*f.*〕 〖방언〗 ↑ Watsche.
Watschen·mann *m.* (öst.) 〖구어〗 ① 주먹치기 로봇(타격의 강도가 점수판에 나타남). ② 〖구어〗 여론의 비난 표적이 되는 사람.
Wätscher, Wätschger *m.* -s, - (schlesisch) 〖방언〗 사냥감 자루, 망태기; 빵자루.
watschlig *a.* ↑ watschelig.
Watt[1] [vat] *n.* -s, - 〖전기〗 와트(전력 단위).
Watt[2] 《⇔ waten》 *n.* -(e)s, -en ↑ Watte[1].
Watte[1] [vátə] *f.* -n (북해의 밀물 때) 물에 잠기는 모래톱.
Watte[2] *f.* -n 솜; 탈지면: 〖구어〗 jn. in ~ packen 누구를 과잉 보호하다, 지나치게 감싸다; 〖구어〗 sich in ~ packen lassen können 감정이 아주 예민하다; er muß in ~ gepackt werden 그는 (감정이 예민하니) 가만두어야 한다; 〖구어〗 du hast (wohl) ~ in den Ohren? 야, 너 귀머거리냐?
Watte·bausch *m.* ① 솜베개. ② 〖醫〗 지혈용 솜, 탐폰, 면구(綿球). **~futter** *n.* (외투의) 솜안감. **~jacke** *f.* 솜(을 넣은) 재킷.
Watten·fahrer [vátən..] *m.* 얕은 물에서 타는 평저선(平底船). **~meer** *n.* 사주(砂州)가 〔모래톱이〕 있는 바다.
Watte·pfropfen *m.* 솜마개. **~polster** *n.* 솜방석.
wattieren [vatí:rən] 《< Watte[2]》 *t.* 솜을 두다 〔대다·넣다〕: wattierte Schultern (양복의) 솜을 넣은 어깨; jm. die Backen ~ 누구의 뺨을 치다.
Wattierer *m.* -s, - 솜 넣는 직공.
Wattierung *f.* -en 솜두기, 솜넣기; (옷감에) 넣은 솜.
wattig *a.* 솜 같은, 솜처럼 하얀, 솜털처럼 포근한〔부드러운〕.
Watt·messer *m.*, **~meter** *n.* 〖전기〗 전력계 (電力計). **~pflanze** *f.* (해변의) 모래톱 식물. **~sekunde** *f.* 〖物〗 (Joule) 와트초(기호: Ws). **~stunde** *f.* 와트시(時). **~wanderung** *f.* (해변의) 모래톱 산책. **~wurm** *m.* 환형 동물.
Wat·vogel [vá:t..] 《< waten》 *m.* 〖動〗 (황새·백로·왜가리 따위의) 섭금(涉禽).
Wau [vaʊ] 《ndl.》 *m.* -(e)s, -e 〖植〗 목서초(木犀草)(남유럽 원산의 초본); 목서초에서 뽑은 황색 염료.
wau[1] [vaʊ] *a.* 〖海〗 무풍의, 바람이 잔.
wau[2] *int.* 〖의성어〗 멍(개짖는 소리).
wauwau [vaʊváʊ] *int.* 〖의성어〗 멍멍(개짖는 소리).
Wauwau [váʊvaʊ, vaʊáʊ] *m.* -s, -s ① 〖아동〗 멍멍이, 개. ② 〖비유〗 도깨비, 무서운 것. ③ 심술궂은 상사〔상관〕.
WAV 〖고어〗 = Wirtschaftliche Aufbauvereinigung 경제 재건 동맹(구서독의 옛 정당명).
WB. = Wörterbuch 사전.
WC [ve:tsé:] = Wasserklosett 화장실.
WDR [ve:de|ɛr] = Westdeutscher Rundfunk 서부 독일 방송.
WE = Wärmeeinheit 열량 단위.
Wean [wéan] 《öst.》 〖고어〗 빈(Wien).
Weaner *m.* -s, - 〖고어〗 빈사람(Wiener).
Webe [vé:bə] *f.* -n ① 〖고어〗 직조(술). ② 직물; (일정한 길이의) 마포(麻布). ③ 거미집. ④ (öst.) 침대 시트용 천.
Webe·art *f.* 직조 방식, 천 짜는 법. **~baum** *m.* ↑ Weberbaum. **~blatt** *n.* 〖방직〗 바디. **~gewerbe** *n.* 직조〔직물〕업, 포목상. **~kante** *f.* (직물의) 양끝 가장자리. **~kunst** *f.* 직조술. **~leine** *f.* 〖海〗 횡삭(橫索)을 연결하는 짧은 밧줄. **~maschine** *f.* 동력 직조기.
***weben**(*) [vé:bən] (webte/wob, gewebt/gewoben) 《I》 *i.* (h.) ① 직조하다; 짜다, 엮다; 꾸며내다: 〖비유〗 an der eigenen Legende ~ 자신의 행적을 그럴싸하게 꾸며내다; Legenden woben (sich) um ihn 그의 주위에는 전설이 떠돌았다. ② 〖雅語〗 움직이다; 작용하다: ~ und wirken 활약하다; alles lebt und webt an ihr 그 여자는 생기발랄하다; sie lebt und webt darin 그 여자는 그 일에 열중해 있다; der Frühling webt schon in den Birken 자작나무 숲에도 봄기운이 완연하다; 〖聖〗 in ihm leben, ~ und sind wir 우리가 그를(주를) 힘입어 살며 기동하며 있느니라(사도 행전 17:

28). ③ (머리를 좌우로) 흔들다: ein Pferd webt 말이 머리를 앞뒤로 흔들다. 《Ⅱ》 *t.* ① 짜다, 뜨다, 엮다; 짜내다: Leinwand ~ 베를 짜다; damastartig ~ 무늬를 넣어 짜다; die Spinnen ~ ihre Netze 거미가 줄을 친다. ② 〔시어〕 만들어내다: der Nebel webt undeutliche Gestalten 안개가 끼어 사물의 형체가 어렴풋하다.

Weber[1] *m.* -s, - 직조공.

Weber[2] *n.* -s, - 〖物〗 웨버(자기력 선속(線束)의 단위: 1 Wb＝1 Volt·Sekunde(볼트초); 약어: Wb).

Weber≈baum *m.* 〖방직〗 (직조기의) 도투마리. **~distel** *f.* 〖植〗 산토끼꽃의 일종.

Weberei [ve:bəráı] 《<weben》 *f.* -en ① 직물 짜기, 길쌈, 직조(업). ② 〔드물게〕 직물, 옷감. ③ 직조〔방직〕 공장.

Weber≈einschlag *m.* 〖방직〗 씨실, 씨줄. **~eintrag** *m.* ↑ ~einschlag. **~gesell** *m.* ↑ ~geselle. **~geselle** *m.* 직조공.

Weberin *f.* -nen ↑ Weber 의 여성형.

Weber≈kamm *m.* ↑ Webeblatt. **~karde** *f.* 〖植〗 ↑ ~distel. **~knecht** *m.* ① 직조공. ② 〖動〗 좌두충. **~knoten** *m.* 〖방직〗 십자 매듭. **~lade** *f.* 〖방직〗 바디. **~nest** *n.* (천의) 흠, 결함. **~schiffchen** *n.* 〖방직〗 (베틀·직조기의) 북. **~schütze** *f.* ↑ ~schiffchen. **~spule** *f.* 〖방직〗 얼레통. **~tritt** *m.* 〖방직〗 베틀의 디딤널판. **~vogel** *m.* 〖動〗 피리새류(類). **~zettel** *m.* 날실, 날줄.

Web≈fehler [vé:p..] *m.* ① (직물의) 잘못 짜여진 부분. ② 〔비유·구어〕 약간의 정신적 결함: er hat einen ~ 그는 약간 제 정신이 아냐. **~garn** *n.* 직물용 실. **~kante** *f.* ↑ Webekante. **~pelz** *m.* 인조 모피. **~schiffchen** *n.* ↑ Weberschiffchen. **~schule** *f.* 직조공 양성소. **~stuhl** *m.* 베틀, 직조기: den ~ treten 길쌈하다, 베를 짜다. **~waren** *pl.* 직물, 피륙.

***Wechsel**[1] [vɛ́ksəl] 《♧ weichen》 *m.* -s, - ① **(a)** (주기적인) 변화, 변동, 변천: der ~ der Jahreszeiten 계절의 변화; alles ist dem ~ unterworfen 세상에 변하지 않는 것은 없다, 제행무상(諸行無常). **(b)** 대체, 교체, 교환: Personal≈ 인원 교체; ~ der Wachen 보초 교대; ein ~ in der Regierung 정권 교체. **(c)** 〖스포츠〗 선수 교대. **(d)** (릴레이 경기에서) 배턴을 다음 주자에게 넘김. ② 교환: Geld≈ 환전; ich habe keinen ~ in Kleidern 나는 갈아입을 옷이 한 벌도 없다. ③ 〖商〗 어음, 환: eigener〔trockener〕 ~ 약속 어음; gezogener 〔trassierter〕 ~ 환어음; offener ~ 백지식(白紙式) 어음; einen ~ ausstellen〔akzeptieren〕 어음을 발행〔인수〕하다; et. auf ~ kaufen 무엇을 어음으로 구입하다; einen ~ diskontieren 어음을 할인하다; der ~ ist fällig 그 어음은 만기가 되었다; 〔비유〕 ~ auf die Zukunft 미래에의 약속, 미래에 대한 희망. ④ (Monatswechsel) 다달이 보내는 학비, 학자금. ⑤ 〖사냥〗 짐승이 다니는 길(Wildwechsel). ⑥ **(a)** 〖건축〗 꺾쇠. **(b)** 〖工〗 접속관(管). ⑦ (öst.) 〖철도〗 전철기(轉轍機) (Weiche).

Wechsel[2] *n.* -s 〔구어〕 갈아입을 옷.

Wechsel≈agent *m.* 〖商〗 어음중개인. **~agio** [..a:ʒo, ..aʒo] *n.* 어음 할인율. **~akzept** *n.* 〖法〗 어음 인수. **~arbitrage** [..ʒə] *f.* 어음 전매(轉賣) 거래. **~aussteller** *m.* 어음 발행인. **~bad** *n.* 냉온욕(冷溫浴): Wechselbäder machen 냉탕과 온탕을 번갈아 드나들다; 〔비유〕 jn. Wechselbädern aussetzen 누구를 기분 내키는 대로 대하다, 변덕스럽게 대하다. **~balg** *m.* (민간에서 악마가 바꿔치기했다고 믿은) 못생긴 아이; 기형아; 괴물; 개구쟁이, 장난꾸러기. **~bank** *f.* 〖商〗 어음 할인 은행.

wechselbar *a.* 교환〔환전〕할 수 있는.

Wechsel≈begriff *m.* 〖논리〗 상관 개념. **~bewegung** *f.* 교호(交互) 운동. **~beziehung** *f.* 상호 관계, 상관성. **≈bezüglich** *a.* 상관적인. **~brief** *m.* 〔고어〕 어음, 환. **~buch** *n.* 어음장. **~bürge** *m.* 〖은행〗 어음 보증인. **~bürgschaft** *f.* 〖은행·法〗 어음 보증. **~chor** *m.* 〖음악〗 2 부 합창의 교호창(交互唱), 교대 합창. **~diskont** *m.* 〖商〗 어음 할인. **~diskontierer** *m.* 어음 할인(업)자.

Wechselei [vɛksəláı] 《<wechseln》 *f.* -en ① 끊임없는 교체〔변화〕. ② 어음 거래(소).

wechsel≈fähig *a.* 〖商〗 어음 발행의 능력이 〔권리가〕 있는. **≈fähigkeit** *f.* 어음 발행 능력〔권리〕. **≈fall** *m.* ① 양자택일의 경우: Wechselfälle des Lebens 생의 화복(禍福)〔부침(浮沈)〕. ② (낱말·음절의) 억양. **≈fälscher** *m.* 어음 위조범. **≈fälschung** *f.* 어음 위조. **≈farbe** *f.* 보는 각도에 따라 변하는 색, 영롱한 무지개빛. **≈feld** *n.* 〖農〗 돌려짓기〔윤작(輪作)〕 농토. **≈feucht** *a.* 건기와 우기가 교차하는. **≈fieber** *n.* ① 〖醫〗 학질, 말라리아. ② 〔비속〕 어음 지급에 곤란을 겪는 사람의 근심. **≈folge** *f.* 교체. **≈forderung** *f.* 〖商〗 어음 채권. **≈frist** *f.* 어음 지급 기한. **≈geber** *m.* 어음 발행인. **≈gebrauch** *m.* 어음 유효〔지급〕 기간. **≈gebühr** *f.* 어음 수수료. **≈geld** *n.* ① 거스름돈. ② 잔돈. **≈gesang** *m.* ① 〖음악〗 대창(對唱). ② 미사 집전자와 예배자들이 번갈아 가며 부르는 찬송가. **≈geschäft** *n.* 〖商〗 ① 어음 거래, (은행의) 환전업. ② 어음 거래소, 환전소. **≈gesetz** *n.* 〖法〗 어음법(약어: WG). **≈gespräch** *n.* 대담, 대화. **≈getriebe** *n.* 〖工〗 변속 장치. **≈gläubiger** *m.* 〖商〗 어음 채권자. **≈glück** *n.* 길흉화복. **≈guß** *m.* (혈액 순환을 위해) 찬물과 더운물을 번갈아 끼얹음.

wechselhaft *a.* 변화가 심한, 변덕스러운: ~es Wetter 변덕스러운 날씨.

Wechselhaftigkeit *f.* 변덕, 변화무쌍.

Wechsel≈handel *m.* 〖商〗 어음 거래. **~händler** *m.* 어음 중개인. **~haus** *n.* 어음 거래소; 환전 은행. **~inhaber** *m.* 어음 소지인. **~jahre** *pl.* (여성의) 갱년〔폐경〕기. **~kasse** *f.* 어음 교환소. **~klage** *f.* 〖法〗 어음 지급 청구 소송. **~klausel** *f.* 〖法〗 어음 약관. **~konto** *n.* 〖商〗 어음 계정. **~kontor** *n.* ↑ ~geschäft. **~kredit** *m.* 〖은행〗 단기 어음 담보 대출. **~kurs** *m.* 〖商〗 환시세. **~kursbindung** *f.* 〖금융〗 환율 연동. **~makler** *m.* 어음 중개인(~händler). **~marke** *f.* 〖육상〗 (릴레이 경기에서 다음 선수에게) 배턴을 넘기는 구역. **~medium** *n.* 〖컴〗 (CD 와 같이 용도에 따라) 바꿔 끼울 수 있는 저장 매체.

***wechseln** [vɛ́ksəln] 《<Wechsel》 《Ⅰ》 *t.* ① 바꾸다, 고치다, 변경하다; 대체하다, (낡은 것을 새것으로) 갈다: die Ansicht ~ 견해를 바꾸다; den Beruf ~ 전직(轉職)하다; die

Farbe ~ a) 창백해지다, 빨개지다, b) 변절하다, c) 〖카드〗 다른 패 짝을 내놓다; die Kleider〔Wäsche〕 ~ 옷〔내복〕을 갈아입다; das Kind wechselt die Zähne 그 아이는 이갈이를 한다; 〔목적어 없이〕 wollen wir ~? (작업 또는 게임 중에) 우리 교대할까요? ② (**a**) 교환하다, 주고받다: Blicke ~ 서로 시선을 주고받다; mit jm. Worte ~ 누구와 이야기를 나누다; mit jm. Grüße ~ 누구와 인사를 주고받다; Kugeln ~ 맞총질하다; die Ringe ~ (결혼의) 반지를 교환하다. (**b**) 〖商〗 환전하다: Geld ~ 환전하다; einen Zehner in zwei Fünfmarkstücke ~ 10 마르크짜리 지폐를 5 마르크 동전 두 개로 바꾸다; Deutsche Mark in 〔gegen〕 Lire ~ 마르크화를 리라화로 환전하다; 〔비유〕 du kannst mir auch keinen Pfennig ~ 나한테는 조금도 의지〔기대〕할 생각 마라. 《Ⅱ》 *i.* ① (h.) 변하다, 바뀌다, 변화하다: der Mond wechselt 달이 차고 기운다; das Wetter wechselt 날씨가 고르지 않다; seine Meinung hat gewechselt 그의 의견이 바뀌었다; Glück wechselt mit Unglück 〔Glück und Unglück ~ (miteinander)〕 화복(禍福)은 무상하다; er wechselt mit der Wohnung 그는 이사한다. ② (h.) 〖광산〗 die Wetter ~ 통풍이 잘된다. ③ (**a**) (s.) (장소를) 옮기다, 다른 곳으로 가다: über die Grenze ~ 국경을 넘다; ich bin auf eine andere Schule gewechselt 나는 다른 학교로 전학했다. (**b**) (h./s.) 〖사냥〗 das Wild wechselt 들짐승이 다니는 길을 바꾸다. ④ (h.) 〖商·드물게〗 환전업을 하다.

wechselnd *p.a.* 변화하는; 교대하는; 변하기 쉬운, 무상한; 변덕스러운: wie geht es dir? ~! 어떻게 지내니? 그럭저럭 지내!; 〖政〗 ~e Mehrheiten 표결 때마다 달라지는 다수.

Wechsel≈nehmer *m.* 〖商〗 어음 인수인〔매수인〕. **~note** *f.* 〖음악〗 보조음, 전과음(轉過音) (비화성음(非和聲音) 중의 하나). **~objektiv** *n.* 〖사진〗 카메라의 교환 렌즈. **~ordnung** *f.* 어음 조례(약어: WO). **~pferde** *pl.* 교대마(馬). **~platte** *f.* 〖컴〗 교환 가능 디스크〔저장판〕. **~platz** *m.* 어음 거래소가 있는 상업지(地); 어음 지급지. **~protest** *m.* 〖法〗 어음 지급 거절 증서. **~provision** *f.* 〖商〗 어음 중개 수수료. **~prozeß** *m.* 〖法〗 어음 소송. **~rahmen** *m.* 사진을 갈아 끼우기 편한 액자〔사진틀〕. **~rechnung** *f.* 〖商〗 어음 계정. **~recht** *n.* 어음법. **~rede** *f.* 대담, 대화; 토의, 토론. **~regreß** *m.* 〖法〗 어음 상환 청구권. **~reiter** *m.* 부도〔불법〕 어음의 유통자. **~reiterei** *f.* 부도〔불법〕 어음의 유통. **~richter** *m.* 〖전기〗 정류기(整流器). **~schalter** *m.* 〖전기〗 개폐기. **~schicht** *f.* 교대(시간)제 근무. **~schritt** *m.* (행진·춤에서 보조를 맞추기 위한) 발바꾸기. **~schuld** *f.* 〖法〗 어음 채무. **~schuldner** *m.* 〖法〗 어음 채무자. **~seitig** *a.* ① 서로의, 상호간의: eine ~e Abhängigkeit 상호 의존. ② 교대로, 번갈아: die Gesprächsteilnehmer greifen ~ in die Diskussion ein 참석자들이 번갈아 토론에 끼여든다. **~seitigkeit** *f.* 상호, 상관성. **~sendung** *f.* 어음 송금. **~sensal** *m.* ↑ ~makler. **~spiel** *n.* ① 상호 작용. ② 다채로운 변화. **~ständig** *a.* 〖植〗 어긋나기의, 호생(互生)의. **~stelle** *f.* ↑ ~stube. **~stempel** *m.* 〖商〗 어음 인지. **~steuer** *f.* 〖法〗 어음세(稅). **~streit** *m.* ① 불화, 시비, 갈등. ② 어음 분쟁. **~strom** *m.* 〖전기〗 교류(↔ Gleichstrom).

Wechselstrom≈dynamo *m./f.* ↑ ~generator. **~erzeuger** *m.* ↑ ~generator. **~generator** *m.* 교류 발전기.

Wechsel≈stube *f.* 어음 거래소〔교환소〕, 어음 거래 은행, 환전 은행. **~summe** *f.* 어음 금액. **~tag** *m.* ① 어음 지급일〔만기일〕. ② 〖醫〗 고열(高熱)에서 정상 체온으로 돌아가는 날. **~tierchen** *n.* 〖生〗 아메바(Amöbe). **~tisch** *m.* 환전 은행의 창구.

Wechselung [vɛ́ksəlʊŋ] *f.* -en ↑ Wechslung.

Wechsel≈usance *f.* ↑ ~gebrauch. **~verhältnis** *n.* ① 상호 관계. ② 〖數〗 반〔역〕비례. **~verjährung** *f.* 〖法〗 어음〔환〕 시효. **~verkehr** *m.* 어음 유통. **~voll** *a.* 변화가 잦은, 변하기 쉬운; 다사다난한, 파란 많은. **~wähler** *m.* (↔ Stammwähler) (선거에서의) 부동〔유동〕표. **~warm** *a.* 〖動〗 냉혈의 (kaltblütig). **~warm·blüter** *m.* 〖動〗 냉혈동물. **~weise** *adv.* 번갈아서, 교대로, 윤번으로. **~wild** *m.* 〖사냥〗 출몰 장소를 자주 옮기는 들짐승. **~wind** *m.* ① 방향이 자주 바뀌는 바람; 계절풍. ② 무역풍. **~winkel** *pl.* 〖數〗 엇각(角). **~wirkung** *f.* 상호 작용. **~wirtschaft** *f.* 〖農〗 돌려짓기, 윤작(輪作). **~zahlung** *f.* 〖商〗 어음 지급. **~zahn** *m.* 〖해부〗 젖니. **~zustand** *m.* 상호 관계〔상태〕.

Wechsler [vɛ́ksləɾ] 《< wechseln》 *m.* -s, - 〖商〗 어음 중개상, 환전업자.

Wechsler·laden *m.* 〖商〗 환전 은행.

Wechslung [vɛ́kslʊŋ] 《< wechseln》 *f.* -en 변화, 변천; 교대, 교체, 교환; 〖商〗 환전.

Wechte 新정서 ⇦ Wächte.

Weck [vɛk] 《원뜻 „Keil"》 *m.* -(e)s, -e (südd., öst.) ↑ Wecken².

Weck≈apparat *m.* (고기 따위를 삶는) 바닥 깊은 냄비(발명자 J. Weck의 이름에서); 베크 회사제 병조림 멸균 장치. **~automatik** *f.* 자명종. **~dienst** *m.* (전화로) 잠을 깨워 주는 서비스, 웨이크업 콜.

Wecke [vɛ́kə] *f.* -n (südd., öst.) ↑ Wecken².

Wecken¹ [vɛ́kən] *n.* -s, - 기상(起床): um 7 Uhr ist ~ 7 시가 기상 시간이다.

Wecken² *m.* -s, - (südd., öst.) ① 긴 타원형의 식빵. ② (alem.) 가늘고 긴 모양의 버터. ③ 〖工〗 쐐기(Keil).

***wecken** 《< wach》 《Ⅰ》 *t.* ① 깨우다; 일으키다: jn. aus dem Schlaf ~ 누구를 잠에서 깨우다; 〔비유〕 der Kaffee weckt die Lebensgeister 커피는 기운을 북돋아준다. ② 불러일으키다, 자극하다, 환기시키다: js. Eifer ~ a) 누구를 분발하게 하다, b) 골나게 하다; alte Erinnerungen 〔schlummernde Kräfte〕 ~ 옛 추억〔잠재력〕을 일깨우다; den Geist ~ 정신을 차리게 하다. 《Ⅱ》 **geweckt** *p.a.* ↑ geweckt.

Wecker [vɛ́kəɾ] *m.* -s, - ① 깨우는 사람. ② (**a**) 자명종(Weckuhr): den ~ auf 6 Uhr stellen 자명종을 6 시에 맞춰 놓다; 〔구어〕 jm. auf den ~ gehen〔fallen〕 누구의 신경을 건드리다. (**b**) 〔구어〕 눈에 띄게 큰 손목시계, 탁상 시계. ③ 벨, 경보; 〖전기〗 발전기. ④ 〔시

어』 수탉.
Wecker·batterie *f.* 자명종의 건전지.
Weckerl [vékərl] *n.* -s, -n (bayr., öst.) ↑ Wecken² ①.
Wecker≈uhr *f.* ↑ Weckuhr. **~vorrichtung** *f.* ↑ ~werk. **~werk** *n.* 경보 장치.
Weck≈glas *n.* 병조림용 병(상표 이름). **~glocke** *f.* 자명종; 경보 벨. **~ruf** *m.* 기상 신호〔외침〕. **~trommel** *f.* ↑ ~ruf. **~uhr** *f.* 자명종.
Weda [vé:da] 《skt., „Wissen"》 *m.* -(s), -s/.. den 베다(경(經))(브라만교의 성전).
wedder *adv.* (ndd., fränkisch) ① ↑ wieder. ② ↑ wider.
***Wedel** [vé:dəl] 《원뜻 „Wehendes"》 *m.* -s, - ① (Staub≈) 먼지떨이, 총채. ② 물뿌리개 (Spreng≈); 부채(Fächer). ③〚사냥〛(사슴·여우의) 꼬리. ④〚植〛(양치 식물·종려나무의) 깃털 모양의 잎. ⑤〚방언〛만월, 보름달.
Wedel≈bürste *f.* (총채 모양의) 털솔. **~kurs** *m.*〚스키〛평행으로 달리던 스키어가 서로 위치를 바꿔 내려오는 코스.
wedeln [vé:dəln] 《<Wedel》 《Ⅰ》 *t.* ① (무엇을 누구에게) 흔들어서 보내다: jm. die frische Luft ~ 부채질로 누구에게 신선한 바람을 쐬게 하다. ② 털어서 쫓아내다: jm. die Fliegen vom Leibe ~ 누구의 몸에서 파리를 쫓다; Staub vom Schrank ~ 선반의 먼지를 털다. 《Ⅱ》 *i.* (h.) ① 꼬리치다, 흔들다; 부채질하다: der Hund wedelte freudig 개가 반갑게 꼬리쳤다; mit dem Fächer ~ 부채질하다; 〔비유〕 mit dem Schwanze ~ 꼬리치다, 아양떨다. ②〚스키〛평행으로 달리던 스키어가 서로 위치를 바꿔가며 내려오다; 혼자서 가볍게 지그재그로 내려오다.
Weden *pl.* ↑ Weda 의 복수형.
***weder** [vé:dər] 《mhd. wedar „welches von beiden"》 *cj.* ①〚noch 와 함께〛~ ...noch... …도 아니고 …도 아니다, 어느 쪽도 …아니(하)다: ~ Zeit noch Geld für et. haben 무엇을 할 틈도 돈도 없다; ~ er noch sie ist〔sind〕 gekommen 그도 그녀도 오지 않았다;〚시어〛 bin ~ Fräulein ~ schön 저는 귀한 아가씨도 아니고 예쁘지도 않답니다(Goethe 의 "Faust" 에 나오는 구절). ②〚고어〛(als) …보다(도): eher ~ nicht 아마도; Weisheit ist besser ~ Geld 지혜로움이 재물보다 낫다.
Wedgwood [wédʒwud, vétʃvutd] 《engl.》 *n.* -(s) (영국산) 웨지우드 사기 그릇.
wedisch [vé:dɪʃ] 《<Weda》 *a.* 베다경의: die ~e Religion 베다경을 따르는 종교(브라만교).
Wedismus *m.* - 브라만교.
Week-end [wí:kénd] 《engl.》 *n.* -(s), -s (Wochenende) 주말, 주말 여행〔나들이〕.
Weft [vɛft] *n.* -(e)s, -e〚방직〛질긴 양털 씨실; 씨실.
***Weg** [ve:k] 《⊕ wägen, bewegen》 *m.* -(e)s, -e [..gə] ① 길, 도로, 가로; 진로, 행로; 걸음, 보행; 도정, 여정;〔비유〕생애, 경로: Wald≈ 숲길; Feld≈ 들길; ein paar Schritte vom ~ 길에서 몇 걸음 떨어진 곳에; der ~ führt direkt zur Burg 이 길로 곧장 가면 성이 나온다; einen ~ anlegen 길을 놓다;〚軍〛 gedeckter ~ 참호로; ein enger ~ 좁은 길, 〔비유〕 애로; der gerade ~ 똑바른 길,〔비유〕 정도(正道); langer〔kurzer〕 ~ 먼〔가까운〕 거리; der nächste ~ 가장 가까운 길, 지름길; ~ unter der Straße 지하도; verbotener ~! 통행 금지!(안내 문구); hier ist〔geht〕 kein ~! (여기는) 통행 금지!; der ~ des Schiffes 항로; die ~e des Gottes 신의 뜻; der ~ des Ruhms 영광의 길; der ~ der Tugend 인륜의 길; der ~ zum Verderben 파멸〔타락〕에 이르는 길;〚속담〛 alle ~e führen nach Rom 모든 길은 로마로 통한다; wo ein Wille ist, da ist auch ein ~ 뜻이 있는 곳에 길이 있다; sich³ einen ~ bahnen 길을 개척하다; einen falschen ~ betreten 〔gehen〕 길을 잘못 들다,〔비유〕그릇된 길을 가다; ~e besorgen〔gehen〕 심부름〔물건 사러〕 가다; ich muß rasch noch einen ~ gehen 나는 급히 볼 일이 있다; seine ~e zusammennehmen 장을 보다; einen ~ einschlagen 어떤 길로 접어들다,〔비유〕어떤 방침을 취하다; den ~ zum Herzen seines Volkes finden 민심을 얻다; seinen ~ fortsetzen 가던 길을 계속 가다; seinen (eigenen) ~〔seine eigenen ~e〕 gehen 제 갈 길을 가다; den letzten ~ gehen 죽음의 길에 오르다; 〚雅語〛 den ~ alles Fleisches〔Irdischen, Zeitlichen〕 gehen 죽다;〔비유〕 den ~ gehen, den alle gehen müssen 죽다, 세상을 하직하다; jn. auf seinem letzten ~ begleiten 누구의 장례식에 참석하다; unsere ~e haben sich mehrmals gekreuzt 우리는 살면서 여러 번 부딪쳤지요; ich habe einen ~ 나는 볼일이 있다; ich habe einen langen ~ hinter mir 나는 먼 여행을 했다; wir haben denselben ~ 우리들은 가는 길이 같다; es hat gute ~e 일이 순조롭게 되어 간다; es hat damit gute ~e 그 일은 서두를〔걱정할〕 필요 없다; ~e machen 물건 사러 다니다; seinen ~ machen 목표에 도달하다, 성과를 거두다; er wird seinen ~ schon machen 그는 어떻게 하든지 해낼 것이다; den ~ unter die Füße 〔zwischen die Beine〕 nehmen 쉬지 않고 걷다, 빨리 달리다; den ~ verlassen 길에서 벗어나다; den ~ verfehlen 길을 잃다; jm. den ~ verlegen〔vertreten〕 누구의 길을 가로막다; jm. den ~ weisen〔zeigen〕 누구에게 길을 가르쳐 주다; jm. die ~e weisen 누구를 내쫓다〔배척하다〕; Mitte des ~es 중도; ein tüchtiges Stück ~es 한참 길, 꽤 먼 길; eine Meile ~es 1 마일의 거리; eine halbe Stunde ~es 30 분 정도 걸리는 길; seines ~es 〔seiner ~e〕 gehen 제 갈 길을 가다; desselben〔eines〕 ~es mit jm. gehen 누구와 같이 가다, 동행하다; geraden ~es zum Ziel kommen 목적지를 향해 똑바로 가다; geh deiner ~e! 꺼져, 물러가!;〚고어·농담〛 woher〔wohin〕 des ~es? 어디서 왔느냐〔어디로 가느냐〕?; keines ~es 결코 …않다 (keineswegs); **am** ~(e) 길을 따라서, 길가에; **auf** dem ~(e) 도중에, 여행 중에; sich auf den ~ begeben〔machen〕 출발하다, 떠나다; er ist auf dem ~(e) der Besserung a) 그는 나아지고〔회복되고〕 있는 중이다; auf dem ~(e) bleiben 탈선하지 않다; et. auf den ~ bringen a) 무엇을 발송하다, b) 무엇을 개시하다, 궤도에 올리다; auf dem (besten) ~(e) sein, et. zu tun 막 무엇을 하

려고 하다; jm. et. mit auf den ~ geben 누구에게 무엇을 주어 보내다; auf gutem ~(e) sein a) 순조롭게 되어 가고 있다, b) 정도를 걷고 있다; jm. auf halbem ~(e) entgegenkommen 타협〔양보〕하다; auf halbem ~(e) stehen bleiben 도중에서 머무르다, 시작해 놓고 중지하다; ich treffe ihn auf ~ und Steg 나는 어디에 가도 그를 만난다; Glück auf den ~! 안녕히 다녀오십시오!; jm. **aus** dem ~(e) gehen a) 누구에게 길을 내주다〔비켜주다〕, b) 〖비유〗 누구를 피하다, 멀리하다; mir aus dem ~(e)! a) 길을 비켜다오!, b) 나를 가로막지〔방해하지〕 마라!; et.³ aus dem ~(e) gehen 무엇을 기피하다; jn. aus dem ~(e) räumen〔schaffen〕 a) 〖구어〗 (방해가 되는) 누군가를 떼어놓다, b) 〖은어〗 누구를 제거하다, 해치우다; das liegt aus〔außer〕 meinem ~(e) 그것은 내 전문 분야가 아니다; 〖방언〗 **bei** ~e sein 면회할 수 있다, 일어나 있다; gut bei〔zu〕 ~e sein 잘 달릴 수 있다; et. **in** die ~e leiten 무엇을 시작하다, 야기시키다; jm. et. in den ~ legen 누구를 무엇으로 훼방놓다; jm. im ~(e) sein〔stehen〕 누구에게 방해가 되다; sich³ selbst im ~(e) sein 자신에게 해로운 일을 하다; jm. in den ~ treten 〔kommen〕 a) 누구의 길을 가로막다, b) 〖비유〗 누구의 일을 방해하다(sich jm. in den ~ stellen); jm. in den ~ laufen〔kommen〕 누구와 만나다, 누구의 눈에 뜨이다; jm. nicht **über** den ~ trauen 누구를 도무지 믿지 않다; jm. über den ~ laufen 누구와 우연히 마주치다; er ist **um** den ~ 〔die ~e〕 그는 이 근처에 살고 있다; **vom** ~(e) abweichen 길을 잃다; ein Schritt vom ~(e) 차질, 과실; **zu** ~e bringen 해내다, 이루다(↑ zuwege). ② 〖비유〗 방법, 방도, 방책, 수단: Mittel und ~-(e) 수단 방법; auf diesem ~(e) 이 방법으로, 이렇게 해서; auf indirektem ~(e) 간접적으로; es bleibt (mir) kein anderer ~ als... (offen) (나는) …하는 것 외에는 달리 어쩔 도리가 없다; auf kaltem ~(e) 야박하게, 매몰차게; auf dem ~(e) der Güte 〔auf gütlichem ~(e)〕 우호적〔타협적〕으로; auf〔in〕 dem ~-(e) des Rechtes 법 절차에 따라, 법에 호소하여; Verhandlungen auf diplomatischem ~-(e) 외교 경로를 통한 협상; 〖化〗 Analyse auf nassem〔trocknem〕 ~(e) 습식〔건식〕 분석; im ~(e) einer Verordnung 규정에 따라; 〖속담〗 der gerade ~ ist der beste 정직이 최선의 방법; das ist ein ~ der Lösung 그것은 해결의 한 방법이다; das ist nicht der richtige ~ 그것은 옳은 방법이 아니다.

***weg** [vɛk] 《I》 *adv.* ① 떠나서, 가 버린: ~ ist er 그는 가 버렸다; Hände ~! 손을 치워라!; ~ mit euch! 저리들 가, 꺼져버려!; ~ wie der Wind 바람처럼 사라진; ~ damit! a) 그것을 치워 버려!, b) 그런 소리 집어치워! ② 없어진(제거·부재를 나타냄): der Reiz ist ~ 매력이 없어졌다; meine Uhr ist ~ 내 시계가 없어졌다; (vor Freude) ganz ~ sein (기뻐서) 정신을 못 차리고 있다; er ist ganz ~ von ihr 〔über sie〕 그는 그 여자에게 홀딱 빠져 있다; er hat einen ~ a) 그는 한 대 맞았다, b) 〖비유〗 얼근하게 취했다; das hat er ~ 그것은 그가 능히 해낼 수 있다; hintereinander ~ 차례로, 연달아; in einem ~ 잇달아, 부단히; über et. ~ sein 무엇을 넘어서 〔벗어나, 마치고〕 있다; ich bin darüber ~ 나는 그 문제를 극복했다; über ein Hindernis ~ springen 어떤 장애를 거뜬히 뛰어넘다; wir sind über diese Meinungen ~ 우리는 이 의견을 (벌써) 알고 있다; d(a)runter ~ sein 멸시당하고 있다. ③ 떨어져 있는: das Haus liegt weit ~ von der Straße 그 집은 길에서 멀리 떨어져 있다; frisch von der Leber ~ 솔직히, 거리낌없이; 〖학생〗 da ist das Ende von ~ 그것은 너무 지나친 방법이다. 《II》 *cj.* 〖방언〗 빼기(minus): fünf ~ eins ist vier 5 빼기 1은 4.

***weg..** *pref.* "이탈·제거 따위"의 뜻(보기: ~-gehen 떠나가버리다; ~brennen 태워 없애다; ≈nahme 제거, 탈취).

..weg *suf.* 보기: durch~ 철저히; schlank~ 단호하게.

Wega [vé:ga] *f.* 〖天〗 거문고자리의 알파(α)성(星), 직녀성(織女星).

weg≠|angeln [vɛ́k|..] *t.* 〖구어〗 (누구에게서 무엇을) 빼앗다, 낚아채다: sie angelte ihm den dicksten Brocken vor der Nase weg 그 여자는 그의 목전에서 가장 큰 빵조각을 낚아챘다. **~|arbeiten** *t.* 〖구어〗 (무엇을) 끝마치다, 해결하다: ich habe heute eine Menge weggearbeitet 나는 오늘 많은 일을 끝마쳤다. **~|ätzen** *t.* 부식제로 제거하다; (불로) 지져서 없애다.

Weg·bahner [vé:k..] *m.* 길을 트는 사람; 개척자, 선구자, 창시자.

wegbar *a.* 다닐〔통행할〕 수 있는.

weg≠|begeben* *refl.* 〖雅語〗 sich ~ 떠나다, 멀어져 가다, 출발하다. **~|beißen*** *t.* ① 물어 뜯(어 버리)다. ② 물어서 쫓아내다: der Hund beißt jeden anderen von der Beute weg 그 개는 먹이를 노리는 개들을 모두 물어서 쫓아낸다; 〖비속〗 jn. ~ 누구를 배척〔묵살〕하다, 누구의 지위를 빼앗다. **~|beizen** *t.* ↑ ~ätzen. **~|bekommen*** *t.* ① 떼어내다, 제거하다. ② 마무리〔완성〕하다. ③ 이해하다, 외어 버리다, 터득하다: die Regel bald ~ 그는 규칙을 금방 깨우치다. ④ 〖구어〗 eins ~ a) 얻어맞다, b) 병에 걸리다.

Weg≠bereiter [vé:k..] *m.* 개척자, 선구자: die ~ der Demokratie 민주주의의 선구자들. **~bereiterin** *f.* ↑ Wegbereiter 의 여성형.

weg≠|berufen* [vɛ́k..] *t.* 소환하다, 면직〔해임〕시키다. **~|beten** *t.* 기도로 물리치다. **≈-biegung** *f.* (길의) 커브. **~|blasen*** *t.* 불어서 떨어내다: Staub ~ 먼지를 불어서 떨어내다; 〖구어〗 meine Schmerzen sind wie weggeblasen 내 통증이 갑자기 사라졌다. **~|-bleiben*** *i.*(s.) 〖구어〗 ① (기대와는 달리) 나타나지 않다, (더 이상) 오지 않다: bleiben Sie ja nicht weg! 꼭 와 주시오!; auf einmal blieb er weg 그는 갑자기 발길을 끊었다; von der Schule ~ (당분간) 학교에 가지 않다. ② 빠져 있다, 누락〔탈락〕되어 있다: hier ist ein Wort weggeblieben 여기 한 단어가 빠져 있다; 〖구어〗 bleiben Sie davon weg! 그것에 참견 말아 주시오!; 〖비유〗 sie blieb weg 그 여자는 정신을 잃었다. ③ 갑자기 작동하지 않다: der Motor bleibt weg 엔진이 갑자기 작동하지 않는다; 〖구어〗 ihm blieb die Spucke weg 그는 말문이 막혔다. **~|blicken**

i. (h.) 시선을 돌리다, 외면하다. **~|brechen*** 《I》 *i.* 부러지다. 《II》 *t.* ① 부러뜨리다; 깨뜨려 제거하다, 꺾어내다. ② 〖醫〗 토하다, 게우다. **~|brennen*** 《I》 *t.* 불사르다, 태워 없애다, 태워서 뜯다〔떼다〕; 〖醫〗 소작(燒灼)하다. 《II》 *i.* (s.) 불타서 없어지다. **~|bringen*** *t.* ① 가져가다, 옮기다, 나르다: die Schuhe zur Reparatur ~? 신발을 수선하러 가져가다. ② 〖구어〗 다른 곳으로 옮기다: er ist nicht wegzubringen 그는 꿈쩍도 하지 않는다. **~|denken*** *t.* 없는 것으로 생각하다, 없는 셈치다: wenn man sich die alte Hütte wegdenkt, ist der Garten sehr hübsch 이 낡은 오두막집을 빼놓고 보면 정원은 아주 아름답다; diese Szene läßt sich aus dem Drama nicht ~ 이 장면은 그 드라마에서 필요불가결한 부분이다. **~|diskutieren** *t.* 〖대개 부정문〗 (문제를) 토론을 통해 해결하다: meine Angst läßt sich nicht so einfach ~ 내 불안은 토론으로 그렇게 간단히 해결될 성질의 것이 아니다. **~|drängen** *t.* 밀쳐 내다, 제쳐놓다; 배척하다: die Umstehenden ~ 주위에 둘러선 사람들을 밀쳐내다. **~|drücken** *t.* 밀쳐내다, 제쳐놓다. **~|dürfen*** *i.* (h.) 〖구어〗 ① 떠나도 무방하다: ich darf hier nicht weg 나는 여기서 떠나선 안 된다. ② 없애도 무방하다: diese Akten dürfen noch nicht weg 이 서류들은 아직 없애면〔파기하면〕 안 된다.

Wege≈amt [véːgə..] *n.* 〖고어〗 ① 도로국. ② 통행세 징수국. **~arbeiter** *m.* 도로 공사 인부. **~aufseher** *m.* 도로 감독관. **~bau** *m.* 〖복수: -ten〗 도로 공사. **~bau·meister** *m.* 도로 기사. **~besserung** *f.* 도로 보수〔개량〕. **~blatt** *n.* 〖植〗 질경이(Wegerich). **~breite** *f.* 〖植〗 질경이(Wegerich). **~dorn** *m.* 〖植〗 갯대추나무(속). **~enge** *f.* 좁은 길. **≈fertig** *a.* 여행 채비를 갖춘; 여행 중인. **~gabel** *f.* ↑ Weggabel. **~geb(e)lung** *f.* ↑ Weggab(e)lung. **~gehen** *n.* 볼일, 심부름. **~geld** *n.* ① 교통비. ② 〖고어〗 통행세, 통행료. **~geld·einnehmer** *m.* 통행세 받는 사람.

weg|eilen *i.* (s.) 급히 가 버리다, 서둘러 떠나버리다: über et. ~ a) 무엇을 서둘러 통과〔횡단〕하다, b) 무엇을 급하게〔대강〕 훑어보다.

Wege≈karte *f.* 도로〔산책로〕 지도. **~kreuzung** *f.* 네거리, 교차로. **~lagerei** *f.* 노상 강도질. **~lagerer** *m.* 노상 강도. **≈|lagern** *i.* (h.) 노상 강도질을 하다. **~lagerung** *f.* ↑ ~lagerei.

wegelos *a.* 길이 끊긴; 〖비유〗 대책 없는, 실행 불가능한.

Wege≈messer *m.* 거리 계산기, 보도계(步度計). **~netz** *n.* 도로망.

***wegen**[1] [véːgən] *prp.*[2]/(südd.) *prp.*[3] ① …으로 말미암아, …때문에; …쪽에서: ~ der Krankheit des Vaters blieb er zu Hause 그는 아버지의 병환 때문에 집에 머물렀다; von mir ~ 나 때문에, 내 쪽에서(↑ meinetwegen); von Staats ~ wurde nichts unversucht gelassen 국가 쪽에서 시도해 보지 않은 것은 없다; von Berufs ~ 직무상; von Amts ~ 관직상, 직책상; von Polizei ~ 경찰의 명령〔요구〕에 따라서; von Rechts ~ 법률상, 정당하게. ② …을 위하여, …때문에; …와 관련하여: et. ~ des Geldes 〔des Geldes ~, ~ dem Geld〕 tun 돈 때문에 무엇을 하다; der Armen ~ 빈민을 위하여; des Friedens ~ 평화를 위하여; der Kürze ~ 간략하게 하려고; sie reist ihrer Gesundheit ~ 그 여자는 건강을 위하여 여행한다; ~ uns kannst du ruhig dahingehen 우리는 상관 말고 마음 놓고 그리 가거라; dieser Angelegenheit ~ habe ich schon mehrmals dort vorgesprochen 이 일과 관련하여 나는 벌써 여러 번 그 곳에 들른 적이 있다; 〖구어〗 von ~! 안 돼, 말도 안 돼!; von ~! erst räumst du dein Zimmer auf! 말도 안 돼! 먼저 네 방부터 치워!; von ~, daß du heute ausgehen willst 네가 오늘 외출하려는 문제에 대해서는.

wegen[2] *refl.* sich ~ 〖고어〗 움직이다: sich regen und ~ 활동하다.

Weger *m.* -s, - ① 〖工〗 널판; 〖海〗 배의 내벽판. ② 〖방언〗 도로 인부.

Wege·recht *n.* ① 통행권. ② 도로법.

Wegerich [véːgərɪç] *m.* -s, -e 〖植〗 질경이: mittlerer ~ (유럽산(産)) 질경이의 일종.

wegern [véːgərn] *t.* 〖조선〗 배에 내벽을 붙이다.

Wegerung *f.* -en 〖조선〗 ① 배에 내벽 붙이기. ② 배의 내벽(판).

Wege≈säule *f.* (Wegweiser) 도로 안내판; 이정표. **~scheide** *f.* 갈림길; 네거리. **~schnecke** *f.* 〖動〗 괄태충의 일종.

weg|essen* [vɛ́k|ɛsən] *t.* ① (**a**) 남의 몫까지 먹어 버리다: er hat mir das ganze Marzipan weggegessen 그는 내 몫의 아몬드 과자까지 다 먹어 버렸다. (**b**) 남김없이 다 먹다: im Nu sind die frischen Brötchen weggegessen 새로 구운 빵을 순식간에 다 먹어 치웠다. (**c**) 후딱 먹다, 빨리 먹다. ② 〖구어〗 jn. ~ 누구의 송별회를 열다, 누구와 이별의 식사를 같이하다.

Wege≈stein *m.* 도로 표지석(石). **~strecke** *f.* 〖승마〗 말이 달리는 트랙. **~stunde** *f.* 도보로 1시간 걸리는 거리. **~tritt** *m.* 〖植〗 질경이, 마디풀. **~überführung** *f.* 육교, 고가 다리. **~übergang** *m.* 건널목. **~unterführung** *f.* 지하도. **~wart** *m.* ① 도로 감시인. ② ↑ ~warte. **~warte** *f.* 〖植〗 치커리. **~zehrung** *f.* ↑ Wegzehrung. **~zeichen** ↑ Wegzeichen. **~zoll** *m.* 통행세, 통행료.

weg≈|fahren* [vɛ́k..] 《I》 *i.* (s.) (차나 배를) 타고 떠나다; 출발〔발차〕하다: wann fahrt ihr weg? 너희들은 언제 출발하니?; mit der Hand über et. ~ 손으로 무엇의 위를 쓰다듬다. 《II》 *t.* ① 차로 날라가다, 운반하다, 데리고 가다. ② (차를) 딴 데로 몰고 가다, 비켜 주다: fahren Sie das Auto von der Einfahrt weg! 차를 진입로에서 치워 주세요! **≈fall** *m.* 탈락, 누락, 생략; 중지, 정지; 폐지: in ~ bringen 금지〔폐지〕하다; in ~ kommen 탈락〔중지〕되다. **~|fallen*** *i.* (s.) ① 떨어져 나가다, 탈락하다: die letzten beiden Zeilen können ~ 마지막 두 줄을 삭제해도 무방하겠다. ② 취소되다, 없어지다: die Ferien sind weggefallen 휴가가 취소되었다. **~|fangen*** *t.* ① 잡아가다, 사로잡다. ② 잡아채다(~schnappen). **~|fegen** 《I》 *t.* ① 쓸어내다, 일소하다: den Staub ~ 먼지를 쓸어내다. ② 〖비유〗 (인명을) 앗아가다: die Seuche fegte Hunderte von Menschen weg 그 전염병은 수백 명의 인명을 앗아갔다. ③ (의견을) 묵살하다: Einwände ~ 문제〔이의〕 제기를 묵살하다. ④

〖스포츠〗(공을) 쳐〔차〕내다, 걷어내다. 《Ⅱ》 *i.* (s.) 휩쓸고 지나가다: ein Schneesturm fegt über die Stadt weg 눈보라가 그 도시를 휩쓸고 있다. **~|feilen** *t.* 줄로 쓸어〔깎아〕내다. **~|fischen** *t.* 〖구어〗(누구에게서 무엇을) 낚아채다, 가로채다: er fischte sie mir (vor der Nase) weg 그는 내게서 그 여자를 (목전에서) 가로챘다. **~|flattern** *i.* (s.) 날아가 버리다. **~|fliegen*** *i.* (s.) ① 날아가 버리다: die Schwalben sind weggeflogen 제비들이 날아가 버렸다; das Leben fliegt weg wie ein Traum 인생은 꿈같이 지나간다. ② (비행기로) 날아가다, 떠나가다: wann fliegst du weg? 너는 언제 비행기를 타고 떠나느냐? **~|fließen*** *i.* (s.) 흘러가(버리)다. **~|fressen*** *t.* ① (짐승이) 먹어 치우다; 〖속어〗 처먹다, 게걸스레 먹다. ② (남의 먹거리를) 가로채 먹다: der Kuckuck frißt den anderen Jungen das Futter weg 그 뻐꾸기는 다른 새끼들의 먹이를 가로채 먹는다. ③ 부식하다; 침식하다. ④ 다 써 버리다. **~|führen** 《Ⅰ》 *t.* 날라가다, 운반하다, 데려가다. 《Ⅱ》 *i.* (h.) (길이) 다른 데로 이어지다, 뻗어나가다: dieser Pfad führt weg vom See 이 길을 따라가면 호숫가에서 벗어난다. **~futtern** *t.* ① ↑ ~essen ①. ② 허겁지겁 먹다. **~gabel** *f.* 갈림길. **~|gabeln** *t.* 탈취하다, 빼앗다. **~gab(e)lung** *f.* 길이 갈라짐. **~gang** *m.* 퇴거, 물러감, 떠나감; 사직, 사퇴: bei seinem ~ 그가 떠날 때에; nach ~ unseres Kollegen 우리 동료가 (회사를) 떠나간 후에. **~|geben*** *t.* ① (쓰지 않는 물건을) 넘겨주다, 내주다: die alten Möbel ~ 중고 가구를 넘겨주다. ② 처분〔매도〕하다, 팔아 넘기다. ③ (자식을) 양자로 넘겨주다, 내맡기다. ④ seinen Sohn von Hause ~ 아들을 기숙 학교에 보내다.

Weg·gefährte *m.* 동행자; 동반자; 동지: politische ~n 정치적 동지들.

weg|gehen* 《Ⅰ》 *i.* (s.) ① 가버리다, 떠나다, 멀어지다, 출발하다: sie ging leise weg 그녀는 소리없이 떠나갔다; 〖구어〗 gehe weg (von mir)! 꺼져, 내 몸에 손대지 마!; 〖구어〗 geh mir weg mit ihm! 그녀석 이야기는 집어치워라! ② 〖구어〗 외출하다: gehst du heute abend noch weg? 오늘 저녁에도 밖에 나가니? ③ 〖구어〗 (얼룩이) 없어지다, 지워지다: Heidelbeerflecken gehen mit Zitronen weg 월귤나무 얼룩은 레몬으로 지워진다. ④ (물건이) 팔리다, 나가다: die Ware geht weg wie warme Semmeln 그 상품은 날개 돋힌 듯이 팔린다. ⑤ 〖구어〗 휘몰아치며〔덮치고〕 지나가다: die Woge ging über das Boot weg 파도가 보트를 덮치고 지나갔다. ⑥ 〖구어〗 간과하다, 무시하고 지나치다: über seinen Einwand ~ 그의 반대를 무시하고 넘어가다. 《Ⅱ》 *imp.* es geht weg 우리는 막 떠나려는 참이다.

Weg·geld *n.* ↑ Wegegeld.

Weggen *m.* -s, - (schweiz.) 긴 타원형 식빵 (Wecken²).

Weg·genosse *m.* 길동무, 동행자; 동반자, 동료, 동지.

weg·|gewöhnen 《Ⅰ》 *t.* jn. von einem Orte ~ 누구에게 어떤 곳을 잊게 하다. 《Ⅱ》 *refl.* sich von et.³ ~ 무엇에서 멀어지려고 애쓰다. **~gewohnt** *a.* 장거리〔오랜〕 여행에 이골이 난. **~|gießen*** *t.* 쏟아 버리다: den Rest Kaffee habe ich weggegossen 나는 남은 커피를 쏟아 버렸다. **~|gleiten** *i.* (s.) 미끄러져 움직이다.

Weggli *n.* -s, - (schweiz.) 긴 타원형 식빵 (Wecken²).

weg·|graulen *t.* 〖구어〗 (불친절하게) 쫓아내다. **~|gucken** *i.* (h.) 〖구어〗 시선을 돌리다, 외면하다. **~|haben*** *t.* 〖구어〗 ① (좋지 않은 것을) 얻어가지다: eine Ohrfeige ~ 뺨을 얻어맞다; eine Erkältung ~ 감기 걸리다; seine Strafe ~ 벌을 받다; einen ~ a) 약간 취하다, b) 정신이 좀 돌았다. ② 터득하다, 이해하다; 탐지하다: er hat alles gleich ~ 그는 모든 것을 금방 터득한다. ③ 떠나 보내다, 치우다: ich möchte ihn gern ~ 나는 그를 쫓아버렸으면 싶다; ich will das Bild hier ~ 여기 있는 그림을 치워 버렸으면 좋겠다. **~|halten*** *t.* 〖구어〗 떼어놓다, 치우다, 멀리하다: kannst du das Bild bitte ~? 그 그림 좀 치울 수 있겠니?; den Kopf ~ 외면하고 있다. **~|hängen** *t.* 옮겨 걸다, 치워서 걸어놓다: Kleider ~ 옷들을 옷장 안에 걸다. **~|haschen** *t.* 잡아채다, 낚아채다. **~|hauen*** *t.* 〖구어〗 베어내다, 잘라 버리다. **~|heben*** 〖고어〗 《Ⅰ》 *t.* 떼어 없애다, 치우다. 《Ⅱ》 *refl.* sich ~ 떠나(가)다, 멀리하다: hebe dich weg! 꺼져라, 물러가라! **~|helfen*** *i.* (h.) 〖구어〗 벗어날 수 있도록 도와 주다: jm. ~ 누구를 도와서 도망시키다; jm. über et. ~ 누가 무슨 일을 해결하도록 도와주다. **~|hinken** *i.* (s.) 다리를 절며 물러가다. **~|holen** 《Ⅰ》 *t.* 데리고 가다, 날라가다: das Jugendamt hat ihr die Kinder weggeholt 청소년 (담당) 관청 사람들이 와서 그녀의 아이들을 데리고 갔다. 《Ⅱ》 *refl.* 〖구어〗 sich³ eine Krankheit ~ 병에 걸리다. **~|hören** *i.* (h.) (의도적으로) 흘려듣다, 건성으로 듣다. **~|hüpfen** *i.* (s.) 뛰어넘다; 깡충깡충 뛰어가다: über et. ~ a) 무엇을 뛰어넘다, b) 무엇을 문제삼지 않다. **~|jagen** 《Ⅰ》 *t.* 내쫓다, 몰아내다, 추방하다: jn. von der Schule ~ 누구를 퇴학시키다. 《Ⅱ》 *i.* (s.) 뛰어가 버리다. **~|kapern** *t.* 잡아채다, 빼앗다, 가로채다: 〖海〗 ein Schiff ~ 배를 나포하다. **~|karren** *t.* 수레에 실어 날라가다, 내다 버리다.

Weg·kehre *f.* 〖드물게〗 급커브 길.

weg·|kehren¹ *t.* (südd.) 쓸어내다, 닦아내다; 일소하다. **~|kehren**² *t.* 다른 방향으로 돌리다: (sich) das Gesicht ~ 외면하다. **~|kippen** 〖구어〗 《Ⅰ》 *t.* ↑ ~gießen. 《Ⅱ》 *i.* (s.) 정신을 잃다, 기절하다. **~|kommen*** *i.* (s.) 〖구어〗 ① 떠나다, 떨어지다: von Berlin ~ 베를린을 떠나다; früh von (zu) Hause ~ 아침 일찍 집을 나오다. ② 없어지다, 분실되다: mein Messer ist (mir) weggekommen 내 칼이 없어졌다; ~ lassen 잃다, 잊어버리고 두고 오다. ③ 극복하다, 벗어나다: über eine Schwierigkeit ~ 곤란을 극복하다, 벗어나다; ich konnte nicht über seine Treulosigkeit ~ 나는 그의 배신을 참을 수가 없었다. ④ (무엇에서) 풀려나다, 벗어나다: er kommt vom Alkohol nicht mehr weg 그는 술에서 헤어나지 못한다. ⑤ (**a**) 어떤 성과를 거두다: gut 〔schlecht〕 bei et.³ ~ 무엇에서 좋은〔나쁜〕 성과를 거두다; der Vorlauteste ist bei der Verteilung am besten weggekommen 가장

버릇이 없는 아이가 나누어줄 때 가장 많이 받았다. (**b**) 빠져 나오다: da bist du wieder glimpflich weggekommen! 넌 또다시 그곳을 무사히 빠져 나왔구나! ~|**können*** *i.* (h.) ① 떠날 수 있다: geh ans Telefon, ich kann hier nicht weg 전화 좀 받아 봐, 난 이 자리를 떠날 수가 없으니. ② 떼어낼〔제거될〕 수 있다: ich habe alles, was wegkann, auf einen Haufen gelegt 나는 치울 수 있는 것은 모두 차곡차곡 쌓아 놓았다. ~|**kratzen** *t.* 긁어 없애다, 깎아내다.

Weg≈kreuz *n.* 길가의 십자가(상). ~**kreuzung** *f.* 교차로.

weg≈|kriechen* *i.* (s.) 기어서 가 버리다. ~|**kriegen** *t.* 〖구어〗 ① 제거하다, 없애다: die Flecken ~ 얼룩을 지우다. ② 떠나 보내다, 떼어놓다: die Kinder sind nicht vom Spielplatz wegzukriegen 아이들을 놀이터에서 떼어놓을 수 없다. ③ 치우다: ich kriege den Sack allein nicht ~ 나는 그 자루를 혼자서는 치울 수 없다. ④ 이해하다, 깨우치다: ich kriege einfach nicht weg, wie das gemacht wird 나는 그 일이 어떻게 되어가는지 도무지 이해할 수 없다. ⑤ (병을) 얻다, (나쁜 일을) 당하다.

weg·kundig *a.* 길에 밝은, 길을 잘 아는.

weglaßbar [vέk..] *a.* 생략해도 괜찮은.

weg≈|lassen* [vέk..] *t.* ① 가게 하다, 도망시키다; 풀어 주다, 석방〔방면〕하다: die Kinder wollten ihn nicht ~ 아이들은 그를 놓아주려 하지 않았다. ② 생략〔누락〕하다, 빠뜨리다. ~**lassung** *f.* 놓아줌; 탈락, 생략. ~|**laufen*** *i.* (s.) ① 달아나다, 빠져나가다: von der Arbeit ~ 일을 팽개치고 도망가다; ihm ist seine Frau weggelaufen 그의 부인은 그에게서 달아났다; 〖구어〗 das läuft mir nicht weg 그 일은 서두를 필요 없다. ② (액체가) 새어나가다. ~|**legen** *t.* (옆으로)치우다, 제쳐놓다. ~|**leihen*** *t.* 대출하다. ~|**leiten** *t.* 다른 쪽으로 유도하다. ~**leiter** *m.* (schweiz.) ↑ Wegweiser. ~**leitung** *f.* (schweiz.) 안내, 지도, 조언. ~|**leugnen** *t.* 〖대개 부정문으로〗 부인〔부정〕하다: es läßt sich nicht ~, daß ... …은 부정할 수 없는 사실이다. ~|**loben** *t.* (달갑지 않은 동료를) 칭찬하는 척하면서 다른 부서로 보내다. ~|**locken** *t.* 꾀어내다.

weglos *a.* 길이 없는; 통행할 수 없는.

weg≈|lotsen *t.* 〖구어〗 (누구를 설득하여) 방향을 돌리도록 하다. ~|**lügen** *t.* (어떤 것을) 없다고 거짓말하다. ~|**machen** 《I》 *t.* ① 〖구어〗 떼어내다, 제거하다: Flecken ~ 얼룩을 빼다. ② 〖구어〗 성적으로 만족시키다: 〖비속〗 einen ~ 성교하다. ③ 〖비속〗 (einer Frau) ein Kind ~ (어떤 여자의) 아이를 낙태시키다. 《II》 *refl.* 〖비속〗 sich ~ (서둘러, 몰래) 떠나가다, 도망가 버리다: er hat sich bei Nacht und Nebel weggemacht 그는 아무도 모르게 도망가 버렸다.

Weg≈malve *f.* 〖生〗 (길이나 담에서 자라는) 당아욱. ~**marke** *f.* 도로 표지(판).

weg|marschieren *i.* (s.) 〖軍〗 행진〔진군〕해 가다, 출발하다.

Weg·messer [vé:k..] *m.* 거리 계산기, 보도계(步度計).

weg|mögen* [vέk..] *i.* (h.) 떠나(가)고 싶어 하다.

weg·müde [vé:k..] *a.* 〖드물게〗 길 걷기에 피로해진, 먼 길에 지친.

weg|müssen* [vέk..] *i.* (h.) 〖구어〗 ① 떠나야만 하다: mußt du schon weg? 벌써 떠나야 하니? ② 치워져야〔제거되어야〕 하다; 〖비유〗 꼭 죽어야만 하다: der Tisch muß hier weg 이 책상은 치워야 한다. ③ 발송되어야 하다.

Wegnahme [vέkna:mə] *f.* 떼어내기; 제거; 탈취; 〖海〗 포획, 나포; 〖法〗 압류, 몰수, 압수.

weg|nehmen* [vέkne:mən] *t.* ① 치우다, 가져가다, 제거하다: kannst du mal die Vase ~? 이 꽃병 좀 치워 줄 수 있겠니?; Gas ~ 자동차를 감속〔서행〕 운전하다. ② 빼앗아가다: man wollte ihr die Kinder ~ 사람들은 그녀한테서 아이들을 빼앗아가려 했다. ③ 데려가다: jn. von der Schule〔Stelle〕 ~ 누구를 퇴학〔해임〕시키다. ④ (시간·장소를) 차지하다: das nimmt viel Platz〔Zeit〕 weg 그것은 장소를 많이 차지한다〔시간이 많이 걸린다〕.

Wegnehmung *f.* -en ↑ Wegnahme.

weg≈|packen [vέk..] 《I》 *t.* 다른 곳으로 옮겨 두다, 치워 두다. 《II》 *refl.* 〖구어〗 sich ~ 얼른 떠나다. ~|**praktizieren** *t.* 몰래 떼어버리다, 교묘하게 빼앗다. ~|**putzen** *t.* ① 씻어내다, 닦아내다, 청소하다. ② 〖경박〗 사살하다. ③ 〖구어〗 (음식물을) 깨끗이 먹어 치우다. ④ jm. et. ~ 누구의 무엇을 훔쳐 가지다, 속여서 빼앗다. ⑤ 〖구어〗 (운동 경기에서) 압승하다. ~|**radieren** *t.* (칼끝 따위로) 긁어 없애다; 말살하다. ~|**raffen** *t.* 잡아채다, 빼앗아가다: eine Seuche rafft Menschen weg 전염병이 인명을 앗아간다.

Weg≈rain [vé:k..] *m.* 길가에 일렬로 심어진 잔디 구역. ~**rand** *m.* 길가, 도로변.

weg≈|rasieren *t.* 면도하다, 삭발하다. ~|**rationalisieren** *t.* 〖폄어〗 (일자리·인력 등을) 합리화 조치를 통해 감축하다. ~|**räumen** *t.* 제거하다, 치우다; 죽이다: Hindernisse ~ 장애물을 제거하다; Mißverständnisse ~ 오해를 풀다. ~**räumung** *f.* 제거, 철거. ~**reise** *f.* 여행을 떠남, 출발. ~|**reisen** *i.* (s.) 여행을 떠나다, 출발하다. ~|**reißen*** *t.* ① 얼른 떼어놓다. ② 잡아채다, 빼앗아 가다. ③ (건물을) 철거하다. ~|**rennen** *i.* (s.) 달아나다, 달려가다. ~|**retuschieren** *t.* (사진 등에) 수정 작업을 통해 무엇을 제거하다. ~|**rollen** 《I》 *i.* (s.) 굴러서 멀어지다, 굴러가다. 《II》 *t./refl.* 굴려서 옮기다〔치우다〕. ~|**rücken** 《I》 *t.* 밀쳐내다, 한쪽으로 치우다. 《II》 *i.* (s.) 비켜 주다, 물러앉다: könnten Sie ein Stück ~? 조금만 비켜 주시겠습니까? ~|**rufen*** *t.* 불러서 (어느 곳을) 떠나게 하다: jn. von seiner Arbeit ~ 누구를 그의 일자리에서 떠나도록 하다. ~|**rühren** *t./refl.* 〖보통 부정문에서〗 sich ~ 자리를 뜨다. ~|**rutschen** *i.* 미끄러지다: auf dem (glatten) Boden (미끄러운) 바닥에서 미끄러지다.

..wegs *suf.* "…하는 도중에"의 뜻(보기: halb~ 중도에서; unter~ 도중에).

weg|sacken [vέk..] *i.* (s.) ① 폭삭 가라앉다, 함몰하다: mit dem Bug zuerst ~ (배가) 이물부터 먼저 침몰하기 시작하다. ② 〖구어〗 주저앉다; 넘어지다. ③ 실신〔기절〕하다.

wegsam *a.* 〖고어〗 통행 가능한.

weg≈|sanieren *t.* 청소하여 없애다, 청소하

다. ~|**saufen** *t.* ↑ ~trinken. ~|**schaffen** *t.* ① 옮기다, 날라가다; 치우다. ②〔경박〕 sich ~ 사라지다: schaff dich endlich weg! 이제 제발 좀 사라져라! ③〔구어〕(일을) 해치우다, 끝내다: eine ganze Menge Arbeit ~ 엄청난 양의 일을 해내다. ④〖數〗 소거(消去)하다. ~|**schauen** *i.* 시선을 돌리다, 외면하다. ~|**schaufeln** *t.* ↑ ~fegen ①.

Weg·scheid *m./f.* ↑ ~scheide. ~**scheide** *f.* 갈림길, 교차로.

weg≈|schenken [vɛ́k..] *t.* 〔구어〕(필요 없는 물건을) 주어 버리다. ~|**scheren*** 《I》 *t.* 잘라내다, 깎아 버리다. 《II》 *refl.* 〔구어〕 sich ~ 떠나가다, 달아나다: scher dich weg! 사라져라! ~|**scheuchen** *t.* 위협하여 내쫓다. ~|**schicken** *t.* ① 발송하다: einen Brief ~ 편지를 부치다. ② 보내다, 파견하다; 해고하다: ein Kind mit einem Auftrag ~ 아이를 심부름 보내다. ~|**schieben*** 《I》 *t.* 밀어내다, 옆으로 밀어붙이다. 《II》 *i.* (h.) 옆으로 조금씩 움직이다, 조금씩 밀리다. ~|**schießen*** 《I》 *t.* ① 쏘아 떨어뜨리다. ② (공을) 다른 데로 쳐내다. 《II》 *i.* (s.) 쏜살같이 달려가다. ~|**schlagen*** *t.* ① 쳐서 떨어뜨리다. ② (공을) 다른 데로 쳐내다. ~|**schleichen*** *i.* (s.)/*refl.* (sich) ~ 살금살금 가 버리다, 살짝 달아나다. ~|**schleifen**(*)[1] *t.* 갈아 없애다. ~|**schleifen**[2] *t.* 질질 끌고 가다: einen Sack ~ 자루를 질질 끌고 가다. ~|**schleppen** 《I》 *t.* ① 질질 끌어 옮기다. ② (강제로) 끌고 가다: die Gefangenen ~ 죄수들을 끌고 가다. 《II》 *refl.* sich ~ 간신히 걸어가다. ~|**schleudern** *t.* 던져 버리다, 팽개치다. ~|**schließen*** *t.* (서랍이나 장롱에 넣고) 자물쇠를 채우다; 갈무리해 두다. ~|**schmeißen** *t.* 〔구어〕 팽개치다, 내다 버리다. ~|**schnabulieren** *t.* 〔구어〕 좀도둑질하다, 슬쩍 훔치다. ~|**schnappen** *t.* 〔구어〕(누구에게서 무엇을) 가로채다, 빼앗다: jm. einen Posten ~ 누구의 직위를 가로채다; er hat seinem Kumpel die Freundin weggeschnappt 그는 동료의 여자 친구를 가로챘다.

Weg·schnecke *f.* 〖動〗 민달팽이의 일종.

weg≈|schneiden* *t.* 잘라내다, 잘라 떼다; 〖醫〗 절제〔적출〕하다. ~|**schnellen** 《I》 *i.* (s.) 펄쩍 뛰어 달아나다: der Frosch schnellte weg 개구리가 펄쩍 뛰어 달아났다. 《II》 *t.* 튕겨 날리다, (화살을) 쏘아 날리다. ~**schnippen** *t.* 손가락으로 튕겨 버리다. ~|**schrecken** *t.* 위협해서 쫓아버리다. ~|**schreiten*** *i.* (s.) über et. ~ 무엇을 밟고 넘다, 두 발을 벌려 가면서 건너다. ~|**schubsen** *t.* 〔구어〕 밀쳐내다, 밀어 버리다. ~|**schütten** *t.* (쓰레기통에) 털어〔쏟아〕 버리다. ~|**schwemmen** *t.* (강물 따위가 무엇을) 휩쓸어가다, 씻어가다. ~|**schwimmen** *i.* 헤엄쳐서 가버리다: er schwimmte zu weit von der Küste weg 그는 해변에서 너무 멀리 헤엄쳐 갔다. ~|**segeln** *i.* (s.) 돛단배를 타고 떠나가다, 출범하다. ~|**sehen*** *i.* (s.) ① 시선을 돌리다; 외면하다. ②〔구어〕 über et. ~ 무엇을 무시하다. ~|**sehnen** *refl.* sich ~ 자꾸 떠나가려 하다. ~|**sein*** *i.* (s.) ① 부재중이다, 나가고 없다. ②〔비유〕 (**a**) 자신을 잊고 있다, 열중해 있다: von et.[3] ganz ~ 무엇에 정신이 팔려 있다, 열중해 있다. (**b**) 무시하다: über solche Vorstellungen ist er längst weg 그는 그런 생각들은 벌써부터 무시하고 있다. ~|**senden**(*) *t.* 보내다, 발송하다; 파견하다. ~|**setzen** 《I》 *t.* 떼어놓다, 멀리하다. 《II》 *refl.* sich ~ 멀어져 앉다; 〔구어〕 sich über et. ~ 무엇을 개의치 않다, 무시하다. 《III》 *i.* (h./s.) 〔구어〕 über et. ~ 무엇을 뛰어넘다. ~|**sperren** *t.* ↑ ~schließen.

Weg·spinne *f.* 많은 도로들이 만나는 곳.

weg≈|sprengen 《I》 *t.* 폭파해서 없애다. 《II》 *i.* (s.) 쏜살같이 뛰어가 버리다. ~|**springen*** *i.* (s.) 뛰어가다, 도망가다. ~|**spülen** *t.* ① 씻어내다, 헹구어내다. ② (홍수가) 쓸어가다, 휩쓸어가다: die Fluten haben das Erdreich weggespült 홍수가 토양을 싹 쓸어갔다. ~|**stechen*** *t.* (바늘 따위로 물집을) 찔러 제거하다. ~|**stecken** *t.* 〔구어〕 ① 다른 곳에 감추다. ② 개의치 않다: Vorwürfe ~ 비난을 못 들은 체하다. ~|**stehlen*** 《I》 *t.* 훔치다, 가로채다: jm. et. unter den Händen ~ 누구한테서 무엇을 가로채다. 《II》 *refl.* sich ~ 몰래 빠져 나가다, 슬쩍 떠나다. ~|**stellen** *t.* 치우다, 옮기다. ~|**sterben** *i.* (s.) 〔구어〕 ① (jm.) ~ (누구의 예상 밖으로) 갑자기 죽다. ② 떼죽음을 하다. ~|**stoßen*** *t.* 밀쳐내다, 차내다: et. mit dem Fuße ~ 무엇을 발로 차내다. ~|**streben** *i.* (h.) ① 떠나려 하다. ② (s.) 빠른 속도로 멀어지다.

Weg·strecke *f.* 도정(道程), 여정, 거리.

weg≈|streichen* *t.* ① 쓰다듬어〔쓸어〕 없애다; (머리를) 쓸어 올리다: Krümel vom Tisch ~ 빵부스러기를 식탁에서 쓸어 버리다. ② (줄을 그어) 지우다, 삭제하다: den letzten Satz ~ 마지막 문장을 삭제하다. ~|**strömen** *i.* (s.) 흘러가 버리다.

Weg·stunde *f.* 한 시간 (걸리는) 거리.

weg≈|stürzen *i.* (s.) 허둥지둥 떠나다. ~|**tauchen** *i.* (s.) 〔구어〕 ① 잠수해 사라지다. ②〔비유〕 (무엇에서) 벗어나다, 더 이상 듣지 않다: immer mehr Schüler tauchten weg (수업에) 귀를 기울이지 않는 학생들이 점점 많아졌다. ~**taufe** *f.* (교회가 아닌 데서 이루어지는) 약식 세례. ~|**taumeln** *i.* (s.) 비틀거리며 물러가다. ~|**tragen*** *t.* 날라가다, 실어가다, 운반해 가 버리다. ~|**treiben*** 《I》 *t.* 쫓아버리다, 몰아내다. 《II》 *i.* (s.) 떠내려가다, 밀려가다: das Boot treibt immer weiter vom Ufer weg 보트가 떠밀려 강가에서 점점 멀어져 간다. ~|**treten*** 《I》 *i.* (s.) ① 물러서다, 비켜서다: er trat von der Tür weg 그는 문에서 비켜섰다. ②〖軍〗 대열을 풀다: weggetreten! 쉬어, 헤쳐!; 〔구어〕 (geistig) weggetreten sein 방심하고 있다, 정신이 산만하다. 《II》 *t.* 걷어차다, 차내다: einen Ball ~ 공을 걷어차다. ~|**trinken*** 〔구어〕 *t.* ① 다 마셔 버리다. ② (다른 사람 몫까지) 다 마셔 치우다: er hat mir allen Wein weggetrunken 그는 내 몫의 포도주까지 다 마셔 치웠다. ~|**tun*** *t.* ① 치우다, 제거하다. ② (쓰레기로) 버리다: Speisereste ~ 남은 음식물을 버리다. ③ 감춰놓다, 갈무리하다. ④ (돈을) 떼어놓다, 저축하다: ich habe jeden Monat etwas Geld weggetan 나는 매달 약간의 돈을 저축했다.

Weg≈überführung *f.* 〖철도〗 고가 교량, 육교. ~**übergang** *m.* 건널목. ~**unterführung** *f.* 지하도; 터널.

weg|wälzen 《I》 *t.* 굴려서 옮기다. 《II》 *refl.* sich ~ 힘들게〔느릿느릿〕 굴러가다.

Weg=wart *m.* ① 도로 감시인. ②〖植〗 ↑ ~warte. **~warte** *f.*〖植〗 치커리(죽어서 풀로 변한 소녀가 애인을 길에서 기다린다는 전설에서). **~wärts** *adv.*〔드물게〕 길 쪽으로.

weg=|waschen *t.* (얼룩이나 때를) 씻어내다. **~|wehen** 《I》 *t.* (바람이) 휩쓸어가다: der Wind hat den Schnee weggeweht 바람이 눈을 휩쓸어갔다. 《II》 *i.* (s.) (바람에) 쓸려가다. **~|weisen*** *t.*〖雅語〗 추방하다, 내쫓다; 물리치다, 거절하다: jn. barsch ~ 누구를 퉁명스럽게 물리치다. **~weisend** *a.* 지침이 될 만한, 올바른 방향의.

Weg=weiser *m.* ① 도로 표지판, 이정표. ② 여행 안내서. ③ 여행 안내자. **~weisung** *f.* (schweiz.) (국외) 추방.

weg=|wenden(*) 《I》 *t.* 방향을 바꾸다: mit weggewandtem Gesichte 외면하고. 《II》 *refl.* sich ~ 외면하다: warum wendest du dich weg 너는 왜 딴청을 부리느냐? **~|werfen*** 《I》 *t.* ① (내던져) 버리다, 팽개치다; (쓰레기로) 버리다: et. achtlos ~ 무엇을 무심코 버리다. ② (돈을) 낭비하다: dafür will ich mein Geld nicht ~ 나는 그런 일에 돈을 낭비하지는 않겠다. ③ 포기하다: sein Leben ~ a) 인생을 포기하다, b) 자살하다. ④ 배척〔거절〕하다. ⑤〖문법〗 생략하다. 《II》 *refl.* ① sich an et. ~ 하찮은 일에 자신을 바치다, 하찮은 일에 매달려 체면만 깎이다. ② sich an jn. ~ 변변치 못한 인간에게 애정을 바치다. **~werfend** *p.a.* 경멸하는, 얕잡아 보는: ~ von jm. sprechen 누구에 대해 얕잡아 말하다.

Wegwerf=flasche *f.* 사용 후 버리는 병, 재활용되지 않는 병. **~gesellschaft** *f.* (쓸 만한 물건도 마구 버리는) 과소비 사회. **~kunst** *f.*〔폄어〕 일회용 예술. **~mentalität** *f.* (물건을 한 번 쓰고 버리는) 낭비 성향〔풍조〕.

Weg·werfung *f.* ① 내던져 버림, 방기. ② 체면 손상; 비겁〔야비〕한 언행. ③ 모멸, 경멸.

Weg·werf·windel *f.* 일회용 기저귀.

weg=|wischen *t.* 닦아내다, 훔쳐내다:〔비유〕 er wischte alle ihre Einwände weg 그는 그 여자의 일체의 항의를 묵살했다. **~|wollen** 〔구어〕 *i.* (h.) 떠나(가)고 싶어하다: willst du heute noch weg? 오늘 중으로는 떠날 생각이냐? **~|wünschen** 《I》 *t.* (누가, 무엇이) 없어지기를 바라다. 《II》 *refl.* sich ~ 떠나(가)고 싶어하다. **~|zählen** *i./t* (öst.) 빼다, 감하다. **~|zaubern** *t.* 마법으로 물리치다, 주문(呪文)으로 쫓아버리다: meine Kopfschmerzen sind wie weggezaubert verschwunden 나는 두통이 감쪽같이 사라졌다.

Weg=zehrung *f.* ① 여행용 식량; 여비, 노자. ②〖가톨릭〗 임종 때의 영성체. **~zeichen** *n.* 도로 표지판, 이정표. **~zeiger** *m.* ↑ ~weiser.

weg=|zerren *t.* (거칠게) 떼어내다. **~|ziehen*** 《I》 *t.* ① 끌어내다, 떼어내다, 빼내다. ② 물러서게 하다. ③〖스포츠〗 dem Gegner die Beine ~ 상대방의 다리를 걸어 넘어뜨리다. 《II》 *i.* (s.) 떠나가다, 이사〔이주〕하다; (철새가) 옮겨가다. **~zug** *m.* 이동, 이주, 이사.

***weh** [veː] 《♧ weinen》 《I》 *int.*〖고통·비탄의 외침〗 ① ~! 아, 이럴 수가! ; o ~!, wie ist denn das passiert? 저런! 어떻게 그런 일이 일어났단 말인가? ;〔고어〕 ~ mir! 아 괴롭구나〔슬프다〕, 아 내 신세야! ; ach und ~ (über jn.) schreien〔rufen〕 (누구의 일로) 한탄〔탄식〕하다. ②〖위협조의 외침〗: ~ dir! 〔~ über dich!〕 너 같은 놈은 당해 봐야 해! ; ~ dem, der uns verrät! 우리를 배반하는 자는 그냥 두지 않겠다! ; ~, wenn du nicht pünktlich heimkommst! 제 시간에 귀가하지 않기만 해봐라! 《II》 *a.* ① 아픈, 통증을 느끼는: wund und ~ 상처 입어 아픈; er hat einen ~en Finger 그는 손가락이 아프다. ②〖tun 동사와 결합하여 부사적 용법으로〗 (**a**) jm. ~ tun 누구에게 고통을 주다; mir tut der Zahn ~ 나는 이가 아프다; habe ich dir ~ getan? 내가 네 마음을 아프게 했니? ; wo tut es (dir) denn ~? 대체 어디가 아프냐? ;〖농담〗 bei solchem Geheule tun einem ja die Ohren ~! 그렇게 고함을 질러대면 정말 귀가 아프지! ;〖비유〗 ihm tut kein Zahn mehr ~ 그는 죽었다. (**b**) sich³ ~ tun 상처 입다, 다치다; ich tat mir an den Augen ~ 나는 눈을 다쳤다. ③〖雅語〗 슬픈, 비애에 찬: ein ~es Gefühl beschlich ihn 그는 (자기도 모르게) 비애감에 젖어들었다; ihr war ganz ~ ums Herz 그 여자는 너무나 마음이 아팠다; mir ist ~ (zumute) 나는 슬프다.

Weh [veː] *n.* -(e)s, -e ① 고통〔비탄〕의 부르짖음, 비명: mit Ach und ~ 비명을 질러대며. ② (**a**) (신체적인) 고통, 아픔; 병: Kopf~ 두통; Zahn~ 치통; sie konnte sich nicht fassen vor (lauter) ~ 그녀는 너무 아파서 어쩔 줄 몰랐다. (**b**) (정신적인) 괴로움, 슬픔, 비통; 화, 불행: Wohl und ~ 행불행, 화복; jm. (ein) ~ (an)tun〔zufügen〕 누구를 괴롭히다, 슬프게 하다.

wehe¹ [véːə] *a.* ↑ weh 《II》.

wehe² *int.* ↑ weh 《I》.

Wehe¹ [véːə] 《I》 *n.* -s ↑ Weh. 《II》 *f.* -n 출산의 고통;〖醫〗 진통.

Wehe² 《<wehen; „das Zusammengewehte"》 *f.* -n ① 바람에 불려와 쌓인 눈(Schnee~); (Düne) 사구(砂丘), 모래 언덕. ② 한 줄로 베어 눕힌 건초(Schwaden).

***wehen** [véːən] 《♧ Wind, Wedel》 《I》 *i.* (h.) ① (바람이) 불다: es weht rauh〔scharf〕 바람이 거칠게〔매섭게〕 불다; es weht ein kühles Lüftchen 산들바람이 불고 있다; der Schnee weht 눈보라가 친다;〔비유〕 er weiß, woher der Wind weht 그는 시대의 동향을 알고 있다; ein neuer Geist weht durch die Politik 정치계에 새로운 기운이 일고 있다. ② (바람에) 불리다, 날리다, 나부끼다: ihr Haar weht im Wind 그 여자의 머리가 바람에 흩날린다; die Fahnen im Wind ~ lassen 깃발이 바람에 나부끼게 하다; ein Duft von Rosen weht durchs Zimmer 온 방안에 은은한 장미 향기가 감돌고 있다. ③〔시어〕 (노래 등이) 바람결에 실려오다. 《II》 *t.* 휘몰아가다, 휘날리다, 불어 옮기다〔흩리다〕.

Wehen *n.* -s ↑ wehen의 명사형.

wehend *p.a.* 불고 있는, 나부끼는, 바람에 흔들리는: ihr ~er Atem berührte ihn 그 여자의 입김이 그의 뺨을 스쳤다.

Weh=frau *f.*〔고어〕 (Hebamme) 산파, 조산원. **~gefühl** *n.* 슬픈 감정, 비통한 심정. **~gesang** *m.* 비가(悲歌), 애가; 구슬픈 노래.

~**geschrei** *n.* 비명, 신음. ~**klage** *f.* 비탄, 탄식. ≈**klagen** (*p.p.* gewehklagt) *i.* (h.) / *t.* 한탄〔탄식〕하다: er wehklagte über sein Schicksal 그는 자기 신세를 한탄했다.
Wehl [ve:l] *n.* -(e)s, -e ↑ Wehle.
Weh·laut *m.* 〖雅語〗 비탄의 소리.
Wehle [vé:lə] *f.* -n (ndd.) (둑·제방의 범람으로 생긴) 내지(內地)의 물웅덩이(Kolk).
Weh≈leid *n.* 비통, 서러움, 애상(哀傷). ≈**leidig** *a.* 엄살이 심한, 서러워하는, 우는 소리 잘하는, 울먹이는. ~**leidigkeit** *f.* 〖폄어〗 엄살, 우는 소리. *~**mut** *f.* 비애, 애상(哀傷); 애수, 우수. ≈**mütig** *a.* 애수〔비애〕에 찬, 애처로운, 서러운, 슬픈. ~**mütigkeit** *f.* 비애, 애수, 애처로움. ≈**mut(s)·voll** *a.* ↑ ≈mütig.
Wehne [vé:nə] *f.* -n (ndd.) 종기, 종양.
***Wehr**[1] [ve:*r*] 《원뜻 „Verteidigung"》 *f.* -en ① 방어, 저항: sich zur ~ setzen〔stellen〕 방어〔저항〕하다. ② 보호대; 방어 도구, 무기; 장벽, 방벽; 〖軍〗 엄폐(물): Brust≈ 가슴 보호대; mit ~ und Waffen 단단히 무장하고; (ndd.) in der ~ a) 굳건한, b) 질서정연한. ③ 방위〔수비〕대; 군대. ④ 소방대(Feuerwehr). ⑤〖사냥〗 열을 지어 나아가는 몰이꾼. ⑥ (동물의) 송곳니.
Wehr[2] 《<Wehr[1]》 *n.* -(e)s, -e 댐, 방죽: ein festes〔bewegliches〕 ~ 고정식〔수문 개폐식〕 방죽.
Wehr·anstalten *pl.* 방어 설비.
wehrbar *a.* ↑ wehrfähig.
Wehr≈bau *m.* -(e)s, -ten ↑ Wehr[2]. ~**baum** *m.* 제방〔댐〕의 수문의 횡목. ~**beauftragte*** *der/die* (독일 연방 의회가 임명하는) 국방 감찰 위원. ~**beitrag** *m.* 방위 성금. ~**bereich** *m.* 〖軍〗 (독일군 각 군단 관할의) 방위 지구〔지역〕. ~**bereichs·kommando** *n.* 방위 지구 사령부. ≈**bereit** *a.* 군복무할 태세가 되어 있는. ~**bezirk** *m.* 〖史〗 (1935-45 년 기간의 독일군의) 방위 지구, 군관구(軍管區). ~**damm** *m.* 방파제. ~**dienst** *m.* 병역, 군복무.
***wehren** [vé:rən] 《Ⅰ》 *t.* 〖雅語·구식〗 (누가 어떤 일을 못하도록) 막다, 금지하다: jm. et. ~ a) 누가 무엇을 하지 못하도록 막다; wer will es mir ~? 누가 내가 하는 일을 막으려 하느냐?, b) 누구를 무엇에서 보호하다. 《Ⅱ》 *i.* (h.) 〖雅語〗 jm.〔et.[3]〕 ~ 누구를〔무엇을〕 제지하다, 막다; dem Feuer ~ 불을 끄다. 《Ⅲ》 *refl.* sich ~ 방어하다, 버티다, 거부〔저항〕하다: sich gegen einen Verdacht ~ 어떤 혐의에 맞서다; sich ~, eine Anordnung zu befolgen 명령에 따르기를 거부하다; sich seiner Haut 〔seines Lebens, seines Leibes〕 ~ 죽을 힘을 다해 저항하다.
Wehrersatz≈amt *n.*, ~**behörde** *f.* 〖軍〗 징병국(局). ~**dienst** *m.* (군의관·공익 요원 등으로) 병역 대체 복무. ~**wesen** *n.* 징병 사무〔제도〕.
Wehr≈erziehung *f.* (특히 구동독에서) 병역 의무에 대한 정신 교육. ~**etat** *m.* 국방 예산, 방위비. ~**ethik** *f.* 군인 정신. ≈**fähig** *a.* 병역 수행 능력이 있는: das ~e Alter 병역 연령. ~**fähigkeit** *f.* 병역 자격, 군복무 능력. ~**freiheit** *f.* 국방의 자유. ~**gang** *m.* 〖구식〗 (성벽 위의) 총안(銃眼)이 있는 통로. ~**gedanke** *m.* 국방 사상. ~**gehänge** *n.* ① ↑ ~gehenk. ②〖사냥〗 (산양 사냥용 칼을 차는) 띠. ~**gehenk** *n.* 〖軍〗 검대(劍帶), 견대(肩帶). ~**geist** *m.* 국방 정신. ~**geld** *n.* 〖고어〗 ↑ Wergeld. ~**gerechtigkeit** *f.* 병역 의무의 공평성. ~**gesetz** *n.* 병역법, 국방 조령(條令); 징집령. ~**gestell** *n.* ①〖軍〗 무기 받침대. ② 호위대.
wehrhaft [vé:*r*haft] *a.* ① 방어할 능력이 있는, 대항할 힘이 충분한: ~e Männer 대항〔전투〕 능력을 갖춘 남자들; 〖政〗 ~e Demokratie 내부의 적을 제어할 수 있는 민주주의; ~ machen a) 무장시키다, b) 계엄령을 선포하다. ② 요새화된.
Wehrhaftigkeit *f.* 방위 태세; 방위력, 전투력; 군복무 능력.
Wehr≈machung *f.* 무장화; 계엄령의 선포. ~**hoheit** *f.* 군사 주권. ~**kirche** *f.* (중세의) 요새화된 교회. ~**kraft** *f.* 방어〔방위〕력. ~**kreis** *m.* 〖軍〗 (1919-45 년간 독일의) 군관구(軍管區). ~**kunde** *f.* 〖구동독〗 군사학. ~**leute** *pl.* ↑ ~mann ① 의 복수형.
wehrlos *a.* 무방비 상태의, 무장하지 않은: ~ machen a) 무장을 해제하다, b) 무력화시키다; sie stand seinen Drohungen ~ gegenüber 그 여자는 그의 위협에 대해 무방비 상태였다.
Wehrlosigkeit *f.* 비무장, 무방비 상태.
Wehrlos·machung *f.* 무장 해제; 무력화.
Wehr≈macht *f.* (1935-45 년간 나치 독일의) 국방군, 방위〔국방〕력. ~**machts·bericht** *m.* (제 2 차 세계 대전 당시 독일군 사령부가 매일 발표한) 1 일 전황 보고. ~**machts·angehörige*** *der* (나치 독일의) 군인. ~**mann** *m.* ① 소방관(Feuerwehrmann). ②〖복수: ..männer〗 (schweiz.) 군인. ~**mannschaft** *f.* 병력, 군대. ~**medizin** *f.* 군의학. ~**minister** *m.* 국방 장관. ~**ordnung** *f.* 징병〔징집〕령. ~**paß** *m.* 병역(필) 증명서. ~**pflicht** *f.* 병역 의무: allgemeine ~ 일반 병역 의무. ≈**pflichtig** *a.* 병역 의무가 있는. ~**pflichtige*** *der* 징집 대상자. ~**politik** *f.* 국방 정책.
Weh·ruf *m.* 〖雅語〗 비탄의 외침.
Wehr≈sold *m.* 군인 봉급. ~**sport** *m.* 군인 스포츠. ~**stand** *m.* 〖구식〗 군인 신분. ~**steuer** *f.* 국방세. ≈**tauglich** *a.* 군복무 능력이 있는. ~**tauglichkeit** *f.* 군복무〔병역〕 자격. ~**turm** *m.* 〖구식〗 요새화된 탑. ~**turnen** *n.* 군인 체조. ~**übung** *f.* 군사 훈련. ≈**untauglich** *a.* 군복무〔병역〕 부적격의. ~**untauglichkeit** *f.* 병역 부적격. ≈**unwillig** *a.* 군복무 의사가 없는. ~**verfassung** *f.* 군제, 병역 제도. ~**verweigerer** *m.* 병역 기피자. ~**verweigerung** *f.* 병역 기피. ~**vogel** *m.* 〖動〗 칼새〔명매기〕의 일종. ~**wesen** *n.* 국방 제도. ~**wille** *m.* 방어〔저항〕 의지. ~**wirtschaft** *f.* 국방 경제. ~**wissenschaft** *f.* 군사학. ~**wolf** *m.* ↑ Werwolf. ~**zahn** *m.* (멧돼지 따위의) 송곳니. ~**zeit** *f.* 군복무 기간.
Wehsal *n.* -(e)s, -e 〔*f.* -e〕〖고어〗 고통.
Weh≈stand *m.* 슬퍼해야 할 처지, 비경(悲境): 〖속담〗 Ehestand ist ~ 아내 맞이는 고생바가지. ~**tag** *m.* (obd.) 고통; 불행; 병.
Wehweh [vé:ve:, vevé:] *n.* -s, -s 〖아동〗 아픈〔다친〕 곳, 상처: zeig mal dein ~! 어디 아픈 데 좀 보자꾸나!

Wehwehchen [ve:vé:çən] *n.* -s, - 〖구어·반어〗 엄살, 징징 우는 소리.

***Weib** [vaɪp] *n.* -(e)s, -er [..bər] ①〖구식〗 여자, 여성, 부인: das liegt in der Natur des ~es 그것이 여자의 본성이다. ②〖경박〗 **(a)** (성인이 된) 여자: den ~ern nachlaufen 여자들 꽁무니를 쫓아다니다; ein tolles ~ 매력적인 여자. **(b)** 〖폄어〗 (부정적인 뜻으로) 계집, 여편네: ein zänkisches ~ 싸우기 좋아하는 여자. ③〖구식·농담〗 처, 아내: ein ~ nehmen 아내를 맞이하다; ~ und Kind haben 가정을 갖다; jm. seine Tochter zum ~(e) geben 딸을 누구에게 시집보내다. ④〖비유·드물게〗 여자 같은 남자, 졸장부.

Weibchen [váɪpçən] *n.* -s, -/Weiberchen [váɪbərçən] 〖↑ Weib 의 축소형〗 ①〖구식·농담〗 여자, 부인(의 애칭). ②〖動〗 암컷. ③〖폄어〗 계집: Luxus≈ 사치밖에 모르는 계집; sie ist so ein ~ 그 여자는 그렇고 그런 계집에 불과하다.

Weibel [váɪbəl] *m.* -s, - ①〖고어〗 (Feldwebel) 하사관. ② (schweiz.) 관청〔법원〕의 하급 직원.

weibeln [váɪbəln] *i.* (h.) (schweiz.) 분주하게 움직이다, 애쓰며 돌아다니다.

weiben 《< Weib》 *i.* (h.)/*t.* (obd.) 아내를 얻다, 장가들다, 결혼하다.

Weiber≈arbeit [váɪbər..] *f.* 여성 노동. **~art** *f.* 여성풍(風), 여자들의 방식.

Weiberchen *pl.* ↑ Weibchen 의 복수형.

Weiber≈fastnacht *f.* 여자들의 사육제(사육제 전야 거리에서의 여자들의 유쾌한 소동). **~feind** *m.* 〖폄어〗 여성 혐오자. **~feindschaft** *f.* ① 여성 혐오(증). ② 여성끼리의 적대시. **~freund** *m.* 여자를 좋아하는 사람, 여자에게 잘해 주는 사람. **~geklatsch(e)** *n.* ↑ ~geschwätz. **~geschichte** *f.* 〖경박〗 여성 편력(담). **~geschwätz** *n.* 여자의 수다. **~gunst** *f.* 여자에게서 받는 호의: 〖속담〗 ~ ist wie Aprilwetter 여자의 호의는 변덕이 많다.

weiberhaft *a.* 여자다운, 여성적인; 연약한.

Weiber≈haß *m.* 여성 혐오증. **~hasser** *m.* 여성 혐오자. **~haus** *n.* ① 규방, 안방(특히 터키의 부인방). ② 유곽, 창녀집. **~held** *m.* 〖폄어〗 바람둥이, 난봉꾼. **~hemd** *n.* 여성의 속옷, 슈미즈. **~herrschaft** *f.* 〖폄어〗 내주장(內主張); 여인 천하. **~jagd** *f.* 엽색 행각, 여성 편력. **~kenntnis** *f.* 여자에 관한 지식, 여성통. **~knecht** *m.* 〖고어·폄어〗 여자에게 매어 사는 남자. **~kram** *m.* 여자의 장신구, 방물. **~laune** *f.* 여자의 변덕.

Weiberlein *n.* -s, - ↑ Weiblein 의 복수형.

Weiber≈liebe *f.* ① 여자의 애정〔사랑〕. ② 여자에 대한 사랑, 호색, 엽색. **~list** *f.* 〖고어〗 여자 특유의 간계〔수단〕. **≈männig** *a.* 〖植〗 암술과 수술이 붙은, 자웅 동체의. **~narr** *m.* 여자에 미친 남자. **~raub** *m.* 부녀 유괴. **~rechtlerin** *f.* 여성 여권론자. **~regiment**, **~reich** *n.* ↑ ~herrschaft. **~rock** *m.* ①〖구식〗 치마, 스커트. ②〖비유·폄어〗 sich hinter einem ~ verstecken 여자를 뒤에서 조종하다. **~rolle** *f.* 〖연극〗 여자역. **~sache** *f.* 여자에 관한 일〔문제〕. **≈scheu** *a.* 여자를 꺼려하는. **~sommer** *m.* ① 초가을 하늘에 떠도는 거미줄. ② (늦여름과 초가을 사이에 볼 수 있는) 따뜻한 날씨(Altweibersommer). **~staat** *m.* ① 여자의 성장(盛裝)〔나들이옷〕. ② 여자가 다스리는 나라, 여인 왕국. **~stamm** *m.* 여계(女系); 모계. **~stimme** *f.* 여자 목소리; 〖비유〗 여성의 권익. **≈toll** *a.* 〖폄어〗 계집에 미친. **~tracht** *f.* 여자의 복장. **~volk** *n.* 〖고어·폄어〗 여편네들, 여자라는 족속. **~zwinger** *m.* 할렘(이슬람교 국가의 여성의 방).

weibhaft [váɪphaft] *a.* 여자다운, 연약한.

Weibheit *f.* -en 〖고어〗 여자임; 여자다움.

..weibig *suf.* "…한 암컷·암술"의 뜻(보기: 〖植〗 ein~ 암술이 하나인).

weibisch [váɪbɪʃ] *a.* 〖폄어〗 (생김새와 태도가) 여자 같은, 유약한: ein ~er Mann 여자 같은 남자, 좀생원.

Weiblein [váɪplaɪn] *n.* -s, -/Weiberlein 〖↑ Weib 의 축소형〗 ① 왜소한 노파. ② 여자, 부인(의 애칭); 〖농담〗 암컷: Männlein und ~ 암수, 남자와 여자.

***weiblich** [váɪplɪç] *a.* ① 여자〔여성〕의; 〖生〗 암컷의: die ~en Angestellten 여자 직원들; 〖生〗 ~e Blüten 암꽃. ② 여성에게 속한: ~e Vornamen 여자 이름; eine typisch ~e Arbeit 전형적인 여자 일; ~e Linie 모계. ③ 여성적인, 여자다운; 여자에게 어울리는: ~er Instinkt 여성적인 본능. ④〖문법〗 여성형의: ein ~er Reim 여성 각운(脚韻) (강세 없이 또는 약음 e 로 끝나는 각운).

weiblicher·seits *adv.* 여성측에서.

Weiblichkeit *f.* -en ①〖집합적·농담〗 (모인) 여성 전체, 모든 여성: er schmeichelte der ~ 그는 여성 좌중에게 아부했다. ② 여자다움; 여성미, 여성적인 태도: ihre natürliche ~ 그 여자의 자연스러운 여성미. ③ 여자의 음부.

Weibling [váɪplɪŋ] *m.* -s, -e 계집애 같은 남자, 졸장부.

Weibs·bild *n.* ①〖고어〗 (südd., öst.) 여자, 여성. ②〖구어·폄어〗 계집, 여편네.

Weibsen [..psən] *n.* -s, -〖방언〗 여자.

Weibs≈leute [váɪps..] *pl.* 〖고어·방언〗 여자들, 여편네들. **~person** *f.* 〖폄어〗 계집, 여편네. **~stück** *n.* 〖폄어〗 칠칠치 못한 여자, 너절한 계집. **~volk** *n.* 여자라는 족속, 여자들.

Weibtum [váɪptu:m] *n.* -(e)s 여자임, 여성(다움).

***weich** [vaɪç] 《⊕ weichen[1]》 *a.* ① **(a)** 폭신한, 부드러운; 연한, 무른: ein ~es Bett 폭신한 침대; ~es Gras 부드러운 풀; 〖海〗 der ~e Gaumen 연구개(軟口蓋); 〖컴〗 ~es Return 소프트 리턴; ~e Wege 진흙길; ~ kochen 연하게 삶다, 데치다, 반숙하다; ~e 〔~gekochte〕 Eier 반숙한 달걀; ~ abbremsen 부드럽게〔서서히〕 브레이크를 걸다; ~ landen 연착륙하다. **(b)** 촉감이 좋은, 매끄러운, 유연한: eine ~e Haut 매끄러운 피부; ~es Wasser 단물, 연수(軟水); Leder ~ klopfen 가죽을 유연해질 때까지 두들기다. **(c)** (약물 따위가) 중독성이 없는: ~e Droge 중독성 없는 마약. ② 유약〔연약〕한; 다정한, 인정 많은, 다감한; 예민한; 우유부단한: ein ~es Gemüt 여린 심성; sie ist zu ~ für diese Aufgabe 그 여자는 이 일을 하기에는 마음이 너무 약하다; 〖사냥〗 ein ~er Hund 예민한 사냥개; jn. ~ machen〔stimmen〕 누구의 마음을 누그러뜨리

다, 풀어 주다; 〖구어〗 ~ werden 굴복〔양보〕하다; es wurde mir ganz ~ ums Herz 나는 너무나 가슴이 찡했다; das ~e Spiel (특히 축구에서) 몸을 너무 사리는 경기. ③ (a) 〖畫〗 (빛깔이) 부드러운, 바림한: ~e Manier 〔~er Pinsel〕 선염(渲染). (b) 〖음악〗 (소리가) 부드러운: ~e Tonart 단조(短調) (Molltonart). (c) 〖사진〗 색상의 대비가 약한, 윤곽이 부드러운. (d) 〖조각〗 (15 세기초의) 유화(柔和) 양식. ④ (기후가) 온화한: die ~e Frühlingsluft 온화한 봄공기.

Weich≈bild 《원뜻 „Ortsrecht"》 *n.* ① 시〔군〕에 속하는 지역, 시〔군〕의 구역. ② 〖고어〗 (a) 시의 행정권. (b) 시의 행정〔관할〕 구역. **~blei** *n.* 〖化〗 정제연(精製鉛), 순연(純鉛). **~bottich** *m.* ↑ ~faß.

Weiche[1] [váɪçə] 《<weich》 *f.* -n ① 〖드물게〗 부드러움, 연함, 유연(함); 유약, 연약; 우유부단. ② (사타구니·겨드랑이 등의) 몸의 부드러운 부분.

Weiche[2] *f.* -n 〖철도〗 전철기: die ~ (um) stellen 전철(轉轍)하다; 〖비유〗 für et. die ~n stellen 무엇의 진로를 결정하다.

weichen[1] [váɪçən] (wich, gewichen) 《원뜻 „nachgeben"; ⊕ weich》 *i.* (s./h.) ① von jm.〔et.[3]〕 ~ 누구에게서〔어디에서〕 멀어지다, 떨어지다: sie wich nicht vom Bett des Kranken 그 여자는 환자의 침대를 떠나지 않았다; aus den Fugen ~ 이은 곳이 떨어지다, 테가 느즈러지다. ② 〖雅語〗 사라지다, 점차로 약해지다: aus ihren Wangen war alles Blut gewichen 그 여자의 뺨에서 핏기가 완전히 사라졌다. ③ jm. ~ 누구에게 길을 비켜 주다: der Gewalt ~ 폭력 앞에 굴복하다; das alte Haus war dem Neubau gewichen 그 낡은 집은 신축 공사로 인해 철거되었다; jm. an〔in〕 et.[3] ~ (müssen) 어느 점에서 누구만 못하다. ④ 물러나다, 〖軍〗 퇴각하다; (진영이) 동요하다: nicht wanken und nicht ~ a) 끄떡없다, b) 자신의 견해를 고수하다; 〖法〗 ~de Erben 독자 상속인 경우의 공동 상속인; vor jm.~ 누구에게 양보〔굴복〕하다. ⑤ 〖商〗 (물가가) 떨어지다, 내리다, (시세가) 하락하다.

weichen[2] 《<weich》 《I》 *i.* (h./s.) 연해지다, 부드러워지다. 《II》 *t.* 연하게 하다; 〖양조〗 침지(浸漬)하다, 담그다.

Weichen *n.* -s 물러남; 양보, 굴복; 동요: den Feind zum ~ bringen 적을 굴복시키다; 〖商〗 ins ~ kommen (물가가) 내리다, (시세가) 하락하다.

Weichen≈bedienung *f.* 〖철도〗 전철(轉轍) 지렛대. **~bein** *n.* 〖해부〗 장골(腸骨). **~bock** *m.* 〖철도〗 전철기, 포인트. **~bruch** *m.* 〖醫〗 사타구니〔겨드랑이〕 헤르니아. **~gegend** *f.* 〖해부〗 서혜(鼠蹊). **~hebel** *m.* 〖철도〗 전철(轉轍) 지렛대. **~schiene** *f.* 전철 레일. **~signal** *n.* 전철기 표지. **~steller** *m.* 전철수(手). **~stellung** *f.* 전철. **~stellwerk** *n.* 전철기대(臺). **~wärter** *m.* 전철수. **~wechsel** *m.* 전철. **~zunge** *f.* 전철기의 끝.

Weich≈faser *f.* 연질(軟質) 섬유. **~faß** *n.* 〖양조〗 담그는 통. **~flosser** *pl.* 〖動〗 연기류(軟鰭類).

weich≈gedünstet *a.* 연하게 익힌, 살짝 데친. **~geklopft** *a.* (고기 따위를) 두들겨 연하게 한. **~gekocht** *a.* 데친, 반숙한. **~gepolstert** *a.* 부드러운 쿠션을 댄. **~geschaffen** *a.* 배짱 없는, 마음이〔비위가〕 약한. **~gesotten** *a.* ↑ ~gekocht. **~gestimmt** *a.* 마음씨가 온유한. **~haarig** *a.* 부드러운 털의.

Weichheit [váɪçhaɪt] *f.* ① 연함, 부드러움; 연약. ② 부드러운 언행〔태도〕.

weich≈herzig *a.* 마음씨 좋은, 상냥한, 유화적인; 다정다감한. **≈herzigkeit** *f.* 상냥, 다정다감. **≈holz** *n.* 무른〔약한〕 목재. **≈käse** *m.* 연질 치즈.

weichlich [váɪçlɪç] *a.* ① 약간 연한; 흐물흐물한. ② 〖폄어〗 나약한; 우유부단한: eine ~e Haltung 우유부단한 태도.

Weichlichkeit *f.* 연함; 나약, 우유부단.

Weichling [váɪçlɪŋ] *m.* -s, -e 〖폄어〗 유약한 〔여자 같은〕 남자, 졸장부.

Weich≈lot *n.* 〖工〗 (450℃ 이하의) 연질 땜납. **≈löten** *t.* 〖工〗 연질 납땜하다. **~machen** *n.* 유연하게 하기, 굴복시키기; 〖化〗 (물의) 연화(軟化). **~macher** *m.* 〖化·工〗 연화제(軟化劑). **≈mäulig** *a.* (말(馬)이) 순한, 재갈물리기가 쉬운. **~metall** *n.* 연(軟)금속. **≈mütig** *a.* ↑ ~herzig. **~mütigkeit** *f.* ↑ ≈herzigkeit. **~porzellan** *n.* 저온에서 구운 도자기. **≈schalig** *a.* (과일의) 껍질이 연한.

Weichsel[1] [váɪksəl] 《lat. Vistula》 *f.* 비스와강(폴란드의 가장 긴 강).

Weichsel[2] *f.* -n 〖植〗 유럽산(產) 벚나무(열매).

Weichsel≈baum *m.* 유럽산(產) 벚나무. **~holz** *n.* 유럽산(產) 벚나무 목재. **~kirschbaum** *m.* ↑ ~baum. **~kirsche** *f.* 유럽산(產) 벚나무(의 버찌). **~korridor** *m.* 〖지질〗 폴란드 회랑(回廊). **~rohr** *n.* 유럽산(產) 벚나무로 만든 담배 파이프의 관(管). **~zopf** 《<poln. wieszczyce, „Hexenzopf"》 *m.* 뒤엉킨 머리.

Weich≈spüler *m.* ↑ ~spülmittel. **~spülmittel** *n.* (세탁용의) 섬유 유연제. **~teile** *pl.* ① 뼈가 없는 신체 부위. ② 〖구어〗 (남자의) 생식기. **~tier** *n.* 〖動〗 연체 동물(Molluske). **~werden** *n.* 부드러워짐; 양보, 타협. **~zeichner** *m.* 〖사진〗 피사체의 윤곽을 부드럽게 해주는 렌즈.

Weid [vaɪt] *f.* 〖고어〗 사냥, 수렵; 고기잡이.

weidbar *a.* 목축할 수 있는.

***Weide**[1] [váɪdə] *f.* -n ① 목장, 목초지, 방목장: Vieh auf die ~ treiben 가축을 방목장으로 내몰다. ② (a) (초식 동물이) 먹이를 찾아 나감; 풀먹기(Grasen). (b) 사냥. ③ 먹이, 모이; 목초. ④ 〖비유〗 (Genuß) 즐거움, 위안: Augen≈ 눈요기.

Weide[2] *f.* -n ① 〖植〗 버들(속); 수양버들(Trauer≈), 꽃버들(Korb≈). ② 버들가지.

Weide≈acker *m.* 방목장. **~fläche** *f.* 방목지(의 면적). **~gang** *m.* ① 가축이 풀 뜯으러 감; 방목. ② 방목지(Viehweide). **~gerechtigkeit** *f.* 방목권. **~grund** *m.* 방목지. **~land** *n.* 방목장, 초원.

Weidel·gras [váɪdəl..] *n.* 〖植〗 (Lolch) 독보리.

Weide≈monat *m.* 가축을 방목하기 좋은 달 (5-8 월 무렵). **~mond** *m.* ↑ ~monat.

***weiden**[1] [váɪdən] 《<Weide[1]》 《I》 *i.* (h.) (가축이) 방목장에서 풀을 뜯다; (토지가) 목장으

로 바뀌다. 《Ⅱ》 *t.* ① (가축을) 목장으로 내몰다; 방목하다. ②〖雅語〗즐겁게 하다, 기쁘게 하다: seine Augen an et.[3] ~ 무엇을 보고 즐기다, 눈요기하다. 《Ⅲ》 *refl.* sich ~ ① (가축이) 풀을 뜯다. ② 즐기다; 〖폄어〗고소해하다: sich an einem Anblick ~ 어떤 광경을 즐기다; sich am Unglück anderer ~ 다른 사람들의 불행을 고소해하다.

weiden[2] 《<Weide[2]》 *a.* 버들로 만든〔엮은〕.

weiden≈artig *a.* 버들 모양의〔같은〕; 〖植〗 버들(속(屬))의. **≈band** *n.* 버들가지로 엮은 끈. **≈bast** *m.* 버들의 속껍질. **≈baum** *m.* 버드나무. **~bitter** *n.* 〖化〗 (Salizin) 살리신(버들 속껍질의 즙에서 추출한 해열제 성분). **≈busch** *m.* ↑ ~gebüsch. **≈gebüsch** *n.* 버들 총림. **≈geflecht** *n.* 버들가지 공예. **≈gehölz** *n.* ↑ ~gebüsch. **≈gerte** *f.* (잎을 떼어낸) 버들가지. **≈kätzchen** *n.* 버드나무의 꽃송이〔이삭·수(穗)〕. **≈korb** *m.* 버들가지로 엮은 바구니. **≈röschen** *n.* 〖植〗 바늘꽃속(屬): schmalblätteriges ~ 분홍바늘꽃. **≈rute** *f.* 버들가지(로 엮은 채찍). **≈stamm** *m.* 버드나무의 줄기.

Weide≈nutzung *f.* 목초지 이용. **~platz** *m.* 목장. **~recht** *n.* 방목권.

Weiderich [váɪdərɪç] 《<Weide[2]》 *m.* -(e)s, -e 〖植〗 ① 부처꽃과(科). ② 바늘꽃속(屬)에 속하는 식물(잎이 버드나무와 비슷함).

Weide≈rind *n.* 방목하는 소. **~vieh** *n.* 방목하는 가축. **~wirtschaft** *f.* 목장 경영. **≈wund** *a.* ↑ weidwund.

Weid≈genosse [váɪt..] *m.* 동료 사냥꾼. **≈gerecht** *a.* 사냥에 적합한; 사냥에 능한; 사냥꾼다운. **~geselle** *m.* ↑ ~genosse.

Weidicht [váɪdɪçt] 《<Weide[2]》 *n.* -(e)s, -e ↑ Weidengebüsch.

weidlich [váɪtlɪç] 《<Weide[1]》 《Ⅰ》 *a.* ①〖고어〗 기운찬, 용감한, 씩씩한. ② (obd.) 친절한, 예의바른; 재빠른, 민첩한. 《Ⅱ》 *adv.* 크게, 매우; 실컷, 마음껏: ~ schmausen 실컷 먹고 마시다.

Weidling [váɪtlɪŋ] *m.* -s, -e (bayr., alem.) ①〖植〗 (Champignon) 들사리버섯(송이버섯의 일종). ② (schweiz.) 고기잡이배; 작은 배. ③ (südd., öst.) (넓은) 대접.

Weid≈loch *n.* 〖사냥〗 들짐승의 항문. **~mann** *m.* 〖복수: ..männer〗 노련한 사냥꾼. **≈männisch** *a.* 사냥꾼의〔같은〕; 사냥의.

Weidmanns≈dank *m.* 사냥꾼들끼리 상대방의 인사에 대답하는 말(↑ ~heil 에 대한 답례). **~heil** *n.* 많이 잡으시오(사냥꾼의 인사말). **~sprache** *f.* 사냥꾼 은어, 사냥 용어.

Weid·messer *n.* ① 사냥칼. ② 사냥칼로 세 번 내리치는 사냥꾼의 형벌. ③ 수사슴의 혀.

Weidner [váɪdnər] *m.* -s, - 〖고어〗 ① 사냥꾼. ② 사냥칼.

Weid≈recht *n.* ① 사냥꾼의 특권; 수렵권. ② 개에게 주는 사냥 수확의 몫. **~sack** *m.* (들짐승의) 제 1 위(胃). **~spruch** *m.* 〖고어〗 사냥꾼들 사이의 덕담; 〖비유〗 상투어. **~tasche** *f.* 엽낭, 사냥 자루〔부대〕. **~werk** *n.* ① (정식으로 하는) 사냥. ② 사냥감, 잡은 짐승. **≈wund** *a.* 〖사냥〗 (총알에 의해) 내장이 뚫린.

Weife [váɪfə] *f.* -n 〖직조〗 도투마리, 물레.

weifen [váɪfən] *t.* 물레에 (실을) 감다.

Weigand [váɪgant] *m.* -(e)s, -e 〖고어〗 전사(戰士); 영웅.

***weigern** [váɪgərn] 《Ⅰ》 *t.* 〖고어〗 jm. et. ~ 누구에게 무엇을 거절〔거부〕하다. 《Ⅱ》 *refl.* ① sich ~ 거절하다: er hat sich geweigert, das Geld anzunehmen 그는 돈을 받기를 거절했다; du wirst dich vergebens ~ 너는 거부해도 소용없을 것이다. ②〖고어〗 sich eines Dinges ~ 거절〔거부〕하다.

Weigerung [..rʊŋ] *f.* -en 거절, 사절.

Weigerungs·fall *m.* 〖다음 용법으로만〗 im ~(e) 거절할 경우에는; 〖商〗 인수 거절시에는.

Weih [vaɪ] *m.* -(e)s, -e 〖動〗 ↑ Weihe[1].

weih.. 《ahd. wîh(i), „heilig"》 *pref.* "성스러운·신성한"의 뜻.

Weihaiwei [vaɪhaɪváɪ] 웨이하이(威海)(중국 산둥성의 항구 도시).

Weih≈altar *m.* 〖宗〗 제단. **~becken** *n.* 성수반(聖水盤). **~bild** *n.* 성화(聖畫). **~bischof** *m.* 〖가톨릭〗 보좌 주교. **~brot** *n.* 성찬용 빵, 성병(聖餠). **~brunnen** *m.* 성수(聖水).

Weihe[1] [váɪə] 《⊕ Weide[1]》 *f.* -n 〖動〗 잿빛개구리매(솔개의 일종).

***Weihe**[2] *f.* -n ① **(a)** 신성하게 하기, 축성(식); 봉헌(식); 〖가톨릭〗 성별(聖別). **(b)** 성직 수여(식); 〖가톨릭〗 서품식; (주교의) 서계식(敍階式): die höheren〔niederen〕~n 고위〔하급〕 성직자 임명. ②〖雅語〗 신성; 엄숙, 장엄: die ~ des Augenblicks empfinden 그 순간의 엄숙함을 느끼다. ③〖비유〗 인가, 재가(裁可).

Weihe≈akt *m.* 축성, 봉헌, 서품 수여. **~gebe** *f.* ↑ Weihgabe. **~grad** *m.* 서품의 등급.

Weihel [váɪəl] 《lat.》 *m.* -s, - 수녀의 베일.

***weihen** [váɪən] 《<ahd. wîh(i), „heilig"》 《Ⅰ》 *t.* ① **(a)** 신성하게 하다, 축성(祝聖)하다; 봉헌하다: eine Kirche ~ 교회를 봉납하다. **(b)** 성직에 임명하다, 서품식을 하다: sich ~ lassen 성직에 임명되다, 서품을 받다; jn. zum Bischof ~ 누구를 주교에 임명하다. ②〖비유〗 …에게 영감을 불어넣다. ③ **(a)** (특히 건물을 성자·신에게) 헌납〔봉헌〕하다, 바치다: ein der Göttin Athene geweihter Tempel 아테네 여신에게 봉헌된 신전; sein Leben der Wissenschaft ~ 학문에 일생을 바치다. **(b)** 증정〔기증〕하다. ④〖대개 과거 분사로〗 내맡기다, 넘겨주다: sie sind dem Tode geweiht 그들은 죽음에 내맡겨져 있다; die Stadt ist dem Untergang geweiht 그 도시는 멸망하였다. 《Ⅱ》 *refl.* sich ~ 헌신하다, 전념하다: sich der Forschung ~ 연구에 헌신하다.

Weiher [váɪər] 《lat.》 *m.* -s, - 연못, 작은 호수.

Weihe≈rede *f.* 봉헌식의 연설, 낙성식〔준공식·개통·제막식〕의 연설; 〖비유〗 장중한 연설. **~stunde** *f.* 엄숙한 시간; 추모 시간. **≈voll** *a.* 장엄한, 신성한.

Weih≈gabe *f.* ↑ ~geschenk. **~gelübde** *n.* 기원, 소원. **~gesang** *m.* 찬송가, 찬미가, 성가. **~geschenk** *n.* 공양물, 봉헌물, 제물. **~kessel** *m.* 성수반(聖水盤).

Weihling [váɪlɪŋ] *m.* -s, -e ①〖가톨릭〗 서품받을〔받은〕 사람, 사제로 임명될〔임명된〕 사람. ② 성년식 참가 대상자.

Weih·nacht [váɪnaxt] *f.* 〖雅語〗 (Weihnachten) 성탄절, 크리스마스.

*__Weihnachten__ [..naxtən] ① *n.* -, - 〖대개 관사 없음; 특히 남부 독일에서 또는 축하 인사에서는 복수로도 쓰임〗 크리스마스, 성탄절: ~ ist da 크리스마스가 왔다; was wünschst du dir zu ~? 너는 크리스마스 때 무얼 원하니?; fröhliche ~! 성탄을 축하합니다! ② *n.* -s, - 〖방언〗 크리스마스 선물.

__weihnachten__ (*p.p.* geweihnachtet) *i.* (h.) es weihnachtet 곧 크리스마스가 온다, 크리스마스 분위기이다.

__weihnachtlich__ *a.* 성탄절의, 크리스마스의, 크리스마스에 보통 행해지는: ~e Lieder 성탄절 노래들.

__Weihnachts≈abend__ *m.* 크리스마스 이브, 성탄 전야. __~bäckerei__ *f.* ① 크리스마스 과자굽기. ② (öst.) 크리스마스 과자. __~baum__ *m.* 크리스마스 트리. __~baum·schmuck__ *m.* 크리스마스 트리 장식(물). __~bescherung__ *f.* 크리스마스선물. __~einkauf__ *m.* 성탄절 축제 용품〔선물〕 구입. __~feier__ *f.* (직장이나 클럽의) 성탄절 축제. __~feiertag__ *m.* 성탄절 축일(12 월 25-26 일). __~ferien__ *pl.* 성탄절 휴가. __~fest__ *n.* 성탄절 (축제). __~gabe__ *f.* ↑ ~geschenk. __~gans__ *f.* 성탄절에 먹는 거위 구이 요리. __~gebäck__ *n.* 크리스마스 과자. __~geld__ *n.* 성탄절 상여금. __~geschäft__ *n.* 성탄절 경기〔대목〕. __~geschenk__ *n.* 크리스마스 선물. __~geschichte__ *f.* 〖聖〗 예수의 탄생 이야기. __~gratifikation__ *f.* 성탄절 상여금. __~kaktus__ *m.* 〖植〗 크리스마스 선인장(성탄절 무렵에 꽃이 핌). __~karpfen__ *m.* 크리스마스에 먹는 잉어 요리. __~kerze__ *f.* 크리스마스 트리 장식용 초. __~kind__ *n.* ① 12 월 25 일에 태어난 아기. ② 아기 예수. __~krippe__ *f.* 성탄 구유. __~kugel__ *f.* 크리스마스 트리에 쓰이는 장식용 공. __~lied__ *n.* 크리스마스 캐럴. __~mann__ *m.* ① 산타클로스. ② 〖경박〗 얼간이, 멍청이. __~markt__ *m.* 성탄절 (대목)장. __~messe, ~mette__ *f.* 성탄절 새벽 미사. __~papier__ *n.* 성탄절 모티브가 그려진 포장지. __~pyramide__ *f.* 크리스마스 식탁용 촛대. __~remuneration__ *f.* ↑ ~geld. __~rose__ *f.* 〖植〗 크리스마스 로즈(크리스마스 때 붉은 꽃이 피는 미나리아재빗과의 식물). __~spiel__ *n.* 그리스도 탄생극. __~stern__ *m.* ① 〖植〗 포인세티아. ② 크리스마스 트리에 장식된 별. __~stolle__ *f.* (md., nordd.) ↑ ~stollen. __~stollen__ *m.* (길고 네모진) 크리스마스 케이크. __~tag__ *m.* ↑ ~feiertag. __~tanne__ *f.* 크리스마스 트리. __~teller__ *m.* 크리스마스 과자나 견과(堅果) 등을 담아 놓은 접시. __~tisch__ *m.* 성탄절 선물을 두는 탁자: 〖비유〗 jm. et. auf den ~ legen 누구에게 성탄절 선물을 하다. __~verkehr__ *m.* 성탄절 무렵의 혼잡한 교통. __~woche__ *f.* 성탄절 주간. __~zeit__ *f.* 크리스마스 시즌(크리스마스 4 주전부터 연말까지의 시기; 특히 12 월 24, 25, 26 일).

*__Weih·rauch__ *m.* ① 향(香): 향연(香煙); der ~ steigt in die Höhe 향연이 피어 오른다. ② 〖비유〗 아첨, 아부: jm. ~ streuen 누구에게 아부하다.

__weihräuchern__ [váirɔyçərn] *i.* (h.) ① 향을 피우다, 향으로 가득 채우다. ② 누구에게 아부하다.

__Weihrauch≈faß__ *n.* 향로(香爐). __~harz__ *n.* 유향(乳香).

__Weih·tafel__ *f.* 봉헌된 액자; 축성식 현판.

__Weihung__ [váiʊŋ] 《<weihen》 *f.* -en 봉헌, 축성; 서품 수여, 성직 임명.

__Weih≈wasser__ *n.* 〖가톨릭〗 성수(聖水). __~wedel__ *m.* 〖가톨릭〗 성수채; 성수를 뿌려 주는 종려나무 잎.

*__weil__ [vail] *cj.* ① 〔고어〕 (während) …하는 동안에: man muß das Eisen schmieden, ~ es (noch) warm ist 쇠는 달았을 때 불려야 한다, 쇠뿔은 단김에 빼랬다; ihr schlaft sicher, ~ er wacht 그가 망보고 있는 동안 너희들은 안심하고 잔다. ② …이므로, …하기 때문에: die Rinde der Tanne ist klebrig, ~ sie Harz ausschwitzt 전나무 껍질은 진이 흐르므로 끈적끈적하다; ~ er krank ist, kommt er nicht 그는 아파서 오지 못한다; das kam schon deshalb nicht in Frage, ~ die Finanzierung nicht gesichert war 재정이 튼튼하지 않다는 그 이유 때문에 그것은 고려의 여지가 없었다; 〖생략 구문〗 eine überflüssige, ~ törichte Frage 멍청한 질문이라서 하나마나한 질문; warum bist du nicht gekommen? — ~ ich keine Zeit hatte 너는 왜 오지 않았니? — 시간이 없었기 때문이야.

__weil.__ = weiland.

__weiland__ [váilant] *adv.* 〔고어〕 이전에, 옛날에: wie ~ der junge Goethe 일찍이 젊은 시절의 괴테가 그랬듯이; Dr. X., ~ Vorsitzender der Vereinigung für ... 한때 …협회의 회장을 역임한 모(某) 박사.

__Weilchen__ [váilçən] *n.* -s, - 〔↑ Weile 의 축소형〕 잠깐, 잠시: warte ein ~! 잠깐만 기다려라!

*__Weile__ [váilə] 《mhd. wile, „Zeitabschnitt"》 *f.* ① (길지 않은) 시간, 동안: eine ganze 〔lange〕 ~ 오랫동안, 장시간; nach einer kurzen〔kleinen〕 ~ 조금 후에, 얼마 후에; über eine kleine ~ 이윽고, 얼마 지나지 않아; Zeit und ~ mit et.³ verlieren 무엇으로 시간을 낭비하다; 〖雅語〗 damit hat es (gute) ~ 그것은 시간 좀 걸릴 것이다; bleib noch eine ~! 잠시 기다려라!; 〖격언〗 gut Ding braucht ~ 〔will ~ haben〕 대기만성(大器晩成); bei nächtlicher ~ 밤 사이에. ② 틈, 겨를, 여가: ~ haben 겨를〔틈〕이 있다; wenn Sie ~ dazu haben 만약 그럴 겨를이 있다면; 〖속담〗 Eile mit ~ 급할수록 돌아가라. ③ 〖드물게〗 연기.

__weilen__ [váilən] 《I》 *i.* (h.) 머무르다; 체재〔체류〕하다: in Gedanken weilt er schon daheim 그는 벌써 생각은 집에 가 있다; seine Augen ~ auf mir 그의 시선이 나한테 머물러 있다; 〖비유〗 er weilt nicht mehr unter uns 〔den Lebenden〕 그는 죽었다. 《II》 *t.* 〖시어〗 연기하다, 지연시키다, 지체하다.

__Weiler__ [váilər] 《lat. Lw.》 *m.* -s, - 작은 마을, 부락, 촌락.

__Weimar__ [váimar] 바이마르(독일 Thüringen 의 도시).

__Weimaraner__ *m.* -s, - 〔고어〕 ↑ Weimarer 《I》.

__Weimarer__ 《I》 *m.* -s, - 바이마르 사람. 《II》 *a.* 바이마르의: ~ Verfassung 바이마르 헌법.

__weimarisch__ *a.* 바이마르의.

__Weimberl__ *n.* -(e)s, -e (obd.) ① 포도알. ② 마음에 쏙 드는 사람.

weimern *i.* (h.) (nordd.) 탄식하다, 슬퍼하다.

Weimuts·kiefer [váɪmuːts..] *f.* 미송(美松).

*****Wein** [vaɪn] 《lat. vinum》 *m.* -(e)s, -e ① (a) 포도주: 〖비유〗 Brot und ~ 성찬(聖餐); weißer〔roter〕 ~ 백〔적〕포도주; großer ~ 충분히 숙성시킨 고급 포도주; kleiner ~ 알코올 농도가 낮은 포도주; trockener ~ 달지 않은 포도주; beim ~ sitzen 술을〔포도주를〕 마시고 있다; der ~ ist ihm in den Kopf 〔zu Kopf〕 gestiegen 술기운이 그의 머리까지 올랐다; 〖비유〗 jm. klaren〔reinen〕 ~ einschenken 누구에게 숨김없이 말하다; im ~ ist Wahrheit 취중에 진담이 나온다; 〖비유〗 jungen ~ in alte Schläuche füllen 새 술을 낡은 부대에 담다(마태 9: 17), 미봉책으로 때우다. (b) (포도 이외의) 과실주: Apfel∻ 사과주. ② 포도; 포도송이; 포도 나무: 〖植〗 wilder ~ 머루; ~ pflanzen 포도를 심다, 재배하다; ~ bauen 포도를 재배하다; ~ keltern〔lesen〕 포도를 짜다〔따다〕.

Wein≈anbau *m.* ↑ ~bau. **~art** *f.* 포도주의 종류. **~bau** *m.* 포도 재배: ~ treiben 포도를 재배하다. **∻bauend** *a.* 포도를 재배하는. **~bauer** *m.* 포도 재배자. **~bau·gebiet** *n.* 포도 재배 지역. **~becher** *m.* 포도주 잔. **~beere** *f.* ① 포도알. ② (obdt.) 건포도. **~beer·kern** *m.* 포도씨. **~beer·saft** *m.* 포도즙. **~beißer** *m.* ① 꿀과 호두를 넣고 흰색 당료(糖料)를 입힌 케이크. ② 포도주 맛을 아는 사람; 포도주 감식가. **~bereitung** *f.* 포도주 양조(釀造). **~berg** *m.* 포도원; 포도밭. **~berg(s)·besitzer** *m.* 포도밭 주인. **~berg·schnecke** *f.* 〖動〗 식용 달팽이의 일종(포도의 해충). **∻bewachsen** *a.* 포도를 심은. **~blatt** *n.* 포도나무 잎. **~blüte** *f.* ① 포도나무의 꽃. ② ↑ ~blütezeit. ③ 〖익살〗 여드름. **~blüte·zeit** *f.* 포도꽃 필 무렵. **~brand** *m.* 브랜디, 코냑. **~brand·bohne** *f.* 코냑을 넣은 초콜릿 봉봉. **~brand·verschnitt** *m.* 브랜디를 섞은 술. **~butte** *f.* 포도주통. **~drossel** *f.* 〖動〗 지빠귀의 일종.

*****weinen** [váinən] 《＜wehe》 《I》 *i.* 울다, 눈물을 흘리다, 흐느끼다: über et. ~ 무엇 때문에 울다; um jn. ~ 누구를 애도하여 울다; aus Mitleid ~ 동정하여 울다; vor Freude ~ 기쁨의 눈물을 흘리다; 〖구어〗 es ist zum ∻ 그것 참 실망스럽다, 우울하다; 〖구어〗 leise ~d 기가 죽어서; sie weinte zum Steinerweichen 그 여자는 아주 애처롭게 울었다. 《II》 *t.* (눈물을) 흘리다: Krokodilstränen ~ 거짓 눈물을 흘리다; Freudentränen〔Dankestränen〕 ~ 기쁨〔감사〕의 눈물을 흘리다; heiße Tränen ~ 뜨거운 눈물을 흘리다. 《III》 *refl.* 울어서 어떤 상태가 되다: sich blind ~ 울어서 눈이 퉁퉁 붓다; sich müde ~ 울어서 지치다; sich tot 〔zu Tode〕 ~ 죽도록 울다; sich in Schlaf ~ 울다가 잠들다; sich³ die Augen rot ~ 울어서 눈이 벌게지다; sich³ das Herz leicht ~ 울고 나니 속이 후련해지다; sich die Augen aus dem Kopf ~ (눈이 빠질 정도로) 몹시 울다.

Weinerei [vaɪnəráɪ] *f.* -en 울음을 그치지 않음; 우는 소리, 징징 짜는 소리.

weinerlich [váɪnərlɪç] *a.* 울 것 같은, 울먹이는; 잘 우는: mit ~er Stimme sprechen 울먹이는 목소리로 이야기하다; ein ~es Gesicht machen 울상을 짓다.

Weinerlichkeit *f.* ↑ weinerlich 의 명사형.

Wein≈ernte *f.* 포도 수확. **~essig** *m.* 포도 식초. **~fälscher** *m.* 가짜 포도주 제조자. **∻farben** *a.* 〖드물게〗 암홍색(暗紅色)의. **~faß** *n.* ① 포도주통. ② 〖경박〗(술고래인) 뚱뚱보. **~flasche** *f.* 포도주병. **~freund** *m.* 포도주 애호가. **~garten** *m.* 포도원, 포도밭. **~gärtner** *m.* 포도 재배자. **~gärung** *f.* 포도의 발효. **~gegend** *f.* 포도 재배지. **~gehalt** *m.* 포도주 함량〔질〕. **~geist** *m.* 에틸 알코올, 주정(酒精). **~gelage** *n.* 포도주 잔치, 주연. **~gelände** *n.* 포도원. **~geländer** *n.* 포도(덩굴) 시렁. **∻gelb** *a.* 엷은 황색의, 담황색의. **~geruch** *m.* 포도주의 향. **~geschäft** *n.* ① 포도주업(業). ② 포도주 주점, 주점. **~geschmack** *m.* 포도주의 맛〔풍미〕. **~gesicht** *n.* 술기운이 오른 얼굴, 술꾼의 얼굴. **~glas** *n.* 포도주용 잔. **~gott** *m.* 주신(酒神), 디오니소스, 바커스. **∻grün** *a.* 포도잎 같은 녹색의. **~gut** *n.* (전문적인) 포도 농장. **∻haltig** *a.* 포도주 성분이 들어 있는. **~handel** *m.* 포도주 판매. **~händler** *m.* 포도주 상인. **~handlung** *f.* 포도주 상점. **~hauer** *m.* (öst.) 포도 재배자. **~haus** *n.* 포도주점. **~heber** *m.* 통에서 포도주를 빨아올리는 피펫〔관(管)〕. **~hefe** *f.* 포도주 발효 이스트.

weinicht *a.* 〖고어〗 ↑ weinig.

weinig [váɪnɪç] 《＜Wein》 *a.* 포도주가 함유된; 포도주 맛〔향〕이 나는; 포도주의 맛과 향이 뛰어난.

Wein≈jahr *n.* ein gutes ~ 포도가 잘된 해. **~karte** *f.* 포도주 메뉴판. **~kauf** *m.* ① 포도주 구입. ② (흥정이 잘 되었을 때의) 축하주. **~keller** *m.* ① 포도주 저장실. ② 포도주점. **~kellerei** *f.* 포도주 양조장. **~kellner** *m.* (대형 레스토랑의) 포도주 시중 전담 종업원. **~kelter** *f.* 포도 압착기. **~kenner** *m.* 포도주 맛을 아는 사람; 포도주 감식가. **~kneipe** *f.* 포도주점. **~königin** *f.* 포도 축제의 여왕. **~koster** *m.* 포도주 시음자.

Wein·krampf 《＜weinen》 *m.* (히스테리성의) 경련을 일으킨 듯이 욺.

Wein≈krug *m.* 포도주 단지. **~küfe** *f.* 포도주통. **~küfer** *m.* 포도주통을 만드는 사람. **~kühler** *m.* (식탁에서) 포도주를 담아두는 얼음통. **~küper** *m.* ↑ ~küfer. **~lage** *f.* (특정한 주종을 생산하는) 포도주 특산지. **~lager** *n.* 포도주 저장고; 저장한 포도주. **~land** *n.* 포도 생산국; 포도 재배지. **~laub** *n.* 포도나무의 잎. **~laube** *f.* 포도 덩굴로 덮인 정자(亭子). **~laune** *f.* 술기운. **~lese** *f.* 포도 수확. **~leser** *m.* 포도 따는 사람. **~leserin** *f.* ↑ ~leser 의 여성형. **~liebhaber** *m.* 포도주 애호가. **~lied** *n.* 포도주와 관련된 민요. **~lokal** *n.* 포도주 (전문) 주점. **~maß** *n.* 포도주 양을 재는 그릇(으로 하나 되는 주량). **~meister** *m.* ① 포도밭지기. ② 포도주 저장고 관리인. **~messer** ① *m.* 포도주 저울. ② *n.* 포도 덩굴 손질용 작은 칼, 포도를 딸 때 쓰는 작은 칼. **~met** *m.* 포도주가 든 밀주(蜜酒). **~monat** *m.* ↑ ~mond. **~mond** *m.* 〖고어〗 포도 따는 달, 10 월. **~most** *m.* 포

도즙. ~**nase** *f.* (주독이 오른) 딸기코. ~**niederlage** *f.* 포도주 저장고. ~**palme** *f.* 〖植〗 다라수(多羅樹). ~**panscher** *m.* 저질〔가짜〕 포도주 제조자. ~**presse** *f.* 포도 압착기. ~**probe** *f.* 포도주 시음. ~**ranke** *f.* 포도덩굴. ~**rausch** *m.* 포도주를 마셔 생긴 취기. ~**rebe** *f.* ①〖植〗 포도속(屬), 포도나무. ② 포도나무 가지. ≈**reich** *a.* 포도가 많이 나는. ~**reisende*** *der/die* 포도주 출장 판매인. ~**rose** *f.* 〖植〗 대추나무의 일종. ≈**rot** *a.* 붉은 포도색의, 자홍색의. ≈**sauer** *a.* 〖化〗 포도산(酸)을 함유한. ≈**sauerlich** *a.* 포도산(酸)이 함유된. ~**säufer** *m.* 술고래. ~**säure** *f.* 〖化〗 포도산(酸). ~**schank** *m.* ① 포도주 소매. ② 포도주점. ~**schank·recht** *n.* 포도주 소매 허가. ~**schaum** *m.* 달걀 노른자·설탕·백포도주를 섞어 만든 생크림. ~**schaumcreme** [..krɛːm, ..kreːm] *f.* (öst., schweiz.: -n) ↑ ~schaum. ~**schenk** *m.* 포도주점 주인. ~**schenke** *f.* 포도주점. ~**schlauch** *m.* ① 포도주 담는 가죽 부대. ②〔비유〕 술고래, 술꾼. ~**schmierer** *m.* 저질〔가짜〕 포도주 제조자. ~**schröter** *m.* 포도주통을 나르는 인부. ~**schwärmer** *m.* 〖動〗 박각시나비의 일종. ≈**selig** *a.* 기분 좋게 취한, 얼큰하게 취한. ~**sorte** *f.* 포도주의 종류. ~**spalier** *n.* 포도 덩굴 시렁. ~**stein** *m.* 〖化〗 주석(酒石): gereinigter ~ 타르타르산칼륨. ~**steinsäure** *f.* ↑ ~säure. ~**steuer** *f.* 포도주세(稅). ~**stock** *m.* 포도나무. ~**straße** *f.* 포도주 산지를 통과하는 도로. ~**stube** *f.* 작은 포도주점. ~**suppe** *f.* 포도주를 탄 수프. ~**traube** *f.* 포도송이. ~**treber** *pl.* ↑ ~trester. ~**trester** *pl.* 포도주를 짜낸 찌끼. ~**trinker** *m.* 포도주를 즐겨 마시는 사람. ≈**trunken** *a.* 포도주에 취한. ~**verfälscher** *m.* ↑ ~schmierer. ~**waage** *f.* 포도주 저울. ~**wirt** *m.* 선술집〔목로 주점〕의 주인. ~**wirtschaft** *f.* 포도주점, 술집. ~**zeche** *f.* 포도주 값. ~**zeichen** *n.* 포도주점의 간판. ~**zierl** *m.* (öst.) 포도 재배자. ~**zoll** *m.* 포도주 관세. ~**züchter** *m.* 포도 재배자. ~**zwang** *m.* (식당에서 손님이) 식사에 포도주를 주문해야 하는 의무.

weis [vaɪs] 《♧ wissen; 원뜻 „wissend"》 *a.* 〖고어〗 eines Dinges ~ sein 무엇을 알아채다〔눈치채다〕.

..weis *suf.* (öst.) ↑ ..weise.

***weise** [váɪzə] *a.* 현명한, 지혜로운: ein ~er Ratschlag 지혜로운 충고; ~ handeln 현명하게〔지혜롭게〕 행동하다; 〖고어〗 die ~ Frau a) 산파, b) 여자 점쟁이.

Weise*[1] [váɪzə] *der/die* 현인, 현자(賢者); 〖고어〗 철인(哲人): die sieben ~n Griechenlands 그리스의 7대 철인; 〖聖〗 die drei ~n aus dem Morgenland 동방의 세 박사(마태 2:1); der Stein der ~n (연금술사의) 지혜의 돌(회춘·만병 통치를 가능케 한다고 함).

***Weise**[2] *f.* -n ① 방법, 방식; 행태: Art und ~ 방법, 방식; das ist so seine ~ 그것이 그의 방식〔버릇〕이다; 〖속담〗 jedes Land hat seine ~ 고장마다 제 풍습이 있다; **auf** die eine oder andere ~ 이러저러한 방식으로, 어떻게 해서라도; auf diese 〔in dieser〕 ~ 이런 방식으로, 이렇게 하여; auf jede ~ 어떤 (방)식으로든지; in keiner ~ 〔auf keine ~〕 전혀 …않다; er hat mir in keiner ~ geholfen 그는 나를 전혀 도운 적이 없다; 〖구어〗 in kleinster ~ 전혀 …않다; jeder handelt nach seiner ~ 각자 제멋대로 행동한다; in liebenswürdiger ~ 싹싹하게, 친절하게. ②〖음악〗 곡조, 선율, 노래, 가락: Wort und ~ 가사와 선율; eine volkstümliche ~ 민요풍의 곡조〔노래〕.

..weise *suf.* 〖동사에서 전성된 명사를 수식하는 경우에만 형용사로 쓰임; 보기: der stück~ Verkauf 낱개로 팔기〗 ① "방식·양상"의 뜻(보기: probe~ 시험삼아; zwangs~ 강제로; glücklicher~ 다행스럽게도; zufälliger~ 우연히). ② "양·정도·단위"의 뜻(보기: dutzend~ 한 다스씩; tropfen~ 한 방울씩; löffel~ 한 숟가락 씩).

Weisel [váɪzəl] 《< weisen; 원뜻 „Weg weisender"》 *m.* -s, - 〖動〗 여왕벌.

***weisen**[(*)] [váɪzən] (wies, gewiesen; (고어) weiste, (고어) geweist) 《< weise; 원뜻 „wissend machen, lehren"》 《I》 *t.* ①〖고어〗 jm. et. ~ 누구에게 무엇을 가르치다: einem Schüler die Anfangsgründe im Rechnen ~ 학생에게 셈의 원리를 가르치다; jn. **zu** Recht 〔zurecht〕 ~ 누구를 훈계하다(zurechtweisen). ② 가리키다, 가리켜 보이다; 보여주다: jm. den rechten Weg ~ 누구에게 바른 길을 가르쳐 주다; jm. die Zähne ~ 누구에게 반항하다; jm. die Tür ~ 누구에게 나가라고 명하다, 누구를 쫓아내다; dieser Vorschlag wies eine Möglichkeit, das Problem zu lösen 이 제안은 문제를 풀 수 있는 가능성을 보여 주었다. ③ **(a)** (누구를 어디로) 보내다: ein anderer Beamte wies mich an diese Stelle 어떤 다른 공무원이 나를 이곳으로 보냈다; die Sache wird an das Landgericht gewiesen 그 사건은 지방 법원에 회부된다. **(b)** 추방하다, 쫓아내다: jn. **aus** der Schule ~ 누구를 퇴학시키다; et. von sich³ ~ 무엇을 단호하게 거절하다. ④〖고어〗 (obd.) 향하게 하다, 인도〔안내〕하다: die Mutter weist das Kind am Gängelband 어머니가 걸음마줄로 아기를 걷게 한다. ⑤〖고어〗 das Urteil ~ 판결을 내리다, 선고하다. 《II》 *i.* (h.) 가리키다, 가리켜 보이다: auf et. ~ 무엇을 가리키다; der Zeiger 〔die Uhr〕 weist auf 10 시계 바늘은〔시계는〕 10시를 가리키고 있다; die Uhr weist falsch 이 시계는 맞지 않는다; die Magnetnadel weist nach Norden 자침(磁針)은 북쪽을 가리킨다; eine Idee, die in die Zukunft weist 미래 지향적인 생각.

Weiser *m.* -s, - ① 도로 표지(판), 안내 표시. ② 시침(時針).

***Weisheit** [váɪshaɪt] 《< weise》 *f.* -en ① 지혜, 현명; 똑똑함, 총명; 사려, 분별; 박학다식: die weltliche ~ 세상을 사는 지혜, 능숙한 처세술; 〖고어〗 geheimnisvolle ~ 연금술(鍊金術); 〖구어〗 mit seiner ~ am〔zu〕 Ende sein 더 이상 (어찌할 바를) 모르다; 〖경박〗 er hat die ~ nicht (gerade) mit Löffeln gefressen 그는 그다지 똑똑한 사람은 아니다; er glaubt, die ~ (allein) gepachtet zu haben 그는 자기 혼자 잘난 줄 안다; behalte deine ~ für dich! 네 앞가림이나 해라, 남의 일에 참견 마라!; 〖격언〗 ~ ist besser als Stärke 지혜가 힘보다 낫다. ② 가르침, 교훈; 격언, 금언.

③ 현인, 슬기로운 사람: die ~ (auf) der Gasse 거리의 현인; er hält sich für die ~ selbst 그는 슬기로운 사람으로 자처하고 있다.

Weisheits≈dünkel *m.* 아는 체함, 현학(衒學). **~kram** *m.* 사이비 학문. **~lehre** *f.* 성현의 가르침. **~lehrer** *m.* 철인(哲人). **~spruch** *m.* 금언, 격언. **≗voll** *a.* 지혜가 많은, 박학 다식한. **~zahn** *m.* 사랑니: ~ bekommen 철이 들다.

weislich [váɪslɪç] 《<weise》 *adv.* 〖구식〗 지혜롭게, 현명하게.

weis|machen [váɪs..] *t.* (누구에게 무엇을) 진실로 믿게 하다, 속여서 곧이듣게 하다: mach mir doch nichts weis! 나를 속일 생각은 하지 마!; das kannst du anderen ~ 그런 수로 속을 줄 아느냐(남들은 몰라도 날 속일 수는 없어); lassen Sie sich nichts ~! 속아서는 안 됩니다!

weiß[1] [vaɪs] ↑ wissen 의 1·3 인칭 단수 현재형.

*__weiß__[2] 《원뜻 „glänzend"》 *a.* ① 흰, 하얀, 백색의; 밝은 색의: eine Wand ~ tünchen 벽을 하얀 색으로 칠하다; ~e Wäsche a) (삶아 빨아도 무방한) 염색되지 않은 세탁물, b) 깨끗한 속옷류 세탁물; 〖비유〗 ~e Kohle 수력; die ~e Wand 은막, 스크린; der ~e Sport 테니스; ~e Ostern 눈 내린 부활절; 〖비유〗 ein ~er Rabe〔Sperling〕 보기 드문〔진기한〕 것; ein ~er Fleck auf der Landkarte 지도상〔지구상〕의 미답지(未踏地), 처녀지; die ~e Fahne aufziehen 백기를 올리다, 항복하다; ~ werden wie eine Wand 백지장처럼 창백해지다; ~ werden 머리가 세다; Achtung vor js. ~em Haar haben 누구의 연륜에 경의를 표하다; 〖구어〗 sich ~ machen 옷에 흰칠을 묻혀 더럽히다; das ist wie schwarz und ~ 그것은 천양지차가 있다; 〖구어〗 jm. nicht das Weiße im Auge gönnen 누구를 매우 싫어하다; aus schwarz ~ machen 억지 쓰다, 억지 부리다; eine ~e Weste haben 양심에 거리낄 것이 없다; das ≗e Haus 백악관; die ≗e Frau〔Dame〕 (민간 신앙에서 불길한 조짐을 나타내는) 흰옷의 여자 유령; der ≗e Tod 눈사태로 인한 사망; ≗er Sonntag 부활절 후 첫 일요일(세례 참가자들이 흰옷을 입는 데서); sich ~ brennen〔waschen〕 결백함을 증명하다; einen Mohren ~ waschen wollen 헛수고하다. ② 백인(종)의: der ~e Teil der südafrikanischen Bevölkerung 남아프리카에 사는 백인 주민.

Weiß[1] [vaɪs] *n.* -(es), - 흰 빛, 흰색; 흰 것; 백지; 흰옷: sie erschien ganz in ~ 그 여자는 온통 새하얀 옷차림으로 나타났다; das ~ über sich kehren (물고기가 흰 배를 드러내고) 죽다; die Landschaft prangte im schönsten ~ 눈에 덮힌 경치가 새하얀 절경(絶景)을 과시했다.

Weiß[2] Ernst ~ 바이스(오스트리아의 작가, 1882-1940).

Weiß[3] Konrad ~ 바이스(독일의 시인·극작가, 1880-1940).

Weiss Peter ~ 바이스(독일의 작가, 1916-82).

*__weis≈sagen__ [váɪs..] 《<weis》 *t./i.* (h.) 예언하다; 예고〔예보〕하다; 전조(前兆)를 보이다: sie weissagte, ein Krieg werde ausbrechen 그녀는 전쟁이 터질 거라고 예언했다. **~sagend** *p.a.* 예언적인. **≗sager** *m.* 예언자, 점쟁이. **≗sagerin** *f.* ↑ ≗sager 의 여성형. **≗sagung** *f.* 예언; 예고.

weiß≈armig *a.* 팔이 흰. **~backen** *a.* (빵을) 희게 구운. **≗bäcker** *m.* (흰) 빵 굽는 사람; 빵집 주인. **~bart** *m.* 〖구어〗 수염이 하얀 사람. **≗bier** *n.* (밀과 엿기름으로 빚은) 흰 맥주(베를린 명물). **≗binder** *m.* ① 통 만드는 사람. ② 칠장이. **≗birke** *f.* 〖植〗 자작나무. **≗blech** *n.* 함석. **≗blech·waren** *pl.* 함석 제품. **≗bleiche** *f.* 〖工〗 표백. **≗blei·erz** *n.* 〖광물〗 백연(白鉛). **~blond** *a.* 밝은 색 금발의. **≗bluten** *n.* 출혈사(出血死): 〖비유〗 die Wirtschaft zum ~ bringen 경제를 피폐시키다; wir wurden bis zum ~ ausgepreßt 우리는 죽도록 착취당했다. **~blütig** *a.* 〖醫〗 백혈병의. **≗blütigkeit** *f.* 〖醫·드물게〗 백혈병. **≗brot** *n.* 흰〔밀가루〕 빵.

Weißbrot≈einlage *f.* 수프에 띄우는 조그만 흰빵 조각. **~bäcker** *m.* 흰빵 굽는 사람.

Weiß≈buch *n.* 〖政〗 백서(白書). **~buche** *f.* 〖植〗 서나무속(屬)의 일종. **~dorn** *m.* 〖植〗 서양산사나무. **~dorn·hecke** *f.* 서양산사나무 울타리.

Weiße* [váɪsə] ① *der/die* 백인, 서양 사람. ② *das* 흰 것, 흰 부분: **(a)** (알의) 흰자위, 흰자질. **(b)** das ~ im Auge 눈의 흰자위, 백안(白眼); 〖해부〗 각막백반. **(c)** 〖고어〗 das ~ 〔Schwarze〕 in der Scheibe 표적의 한가운데.

Weiße [váɪsə] 《<weiß》 *f.* ① 흰 것; 흰빛, 하얀 모습: die blendende ~ der Wäsche 빨래의 눈부신 흰빛. ② 〖복수: -n〗 eine Berliner ~ 한 잔의 흰 맥주(베를린산(產)).

weißeln [váɪsəln] *t.* (obd.) ↑ weißen.

weißen [váɪsən] *t.* 하얗게 칠하다.

Weißer *m.* -s, - 하얗게 칠하는 사람; 칠장이.

Weißeritz *f.* 바이서리츠(Elbe 강의 지류).

Weiß≈erle *f.* 〖음악〗 회색 오리나무. **≗farbig** *a.* 백색의. **~fichte** *f.* 〖植〗 (Pechtanne) 가문비나무. **~fisch** *m.* 〖動〗 (유럽산) 대구. **≗fleckig** *a.* 흰 점〔얼룩〕이 있는. **~fluß** *m.* (여성의) 백대하(白帶下). **~fuchs** *m.* 〖動〗 은여우. **≗gar** *a.* 〖제혁〗 (가죽을) 하얗게 무두질한. **~gardist** *m.* 〖史〗 (1918-20 년) 러시아 내전 기간 중의 백군(白軍) 병사. **≗gekalkt** *a.* 하얗게 석회를 바른. **≗gekleidet** *a.* 흰옷을 입은. **≗gelb** *a.* 담황색의. **≗|gerben** *t.* 〖제혁〗 (가죽을) 하얗게 무두질하다. **~gerber** *m.* 〖옛뜻〗 가죽을 하얗게 무두질하는 사람. **~gerberei** *f.* 무두질, 유피업(鞣皮業). **≗glühend** *a.* (특히 금속이) 강한 열을 받아 하얗게 빛나는. **~glüh·hitze** *f.* 백열. **~glut** *f.* (최고도로 가열된 금속의) 백열: 〖구어〗 jn. zur ~ bringen〔erzürnen〕 누구를 머리끝까지 화나게 하다. **~gold** *n.* 백금. **≗grau** *a.* 회백색의. **~güldenerz** *n.* ↑ ≗güldigerz. **~güldig·erz** *n.* 〖제련〗 백은광(白銀鑛). **≗haarig** *a.* 백발의. **≗halsig** *a.* 목이 흰. **≗händig** *a.* 손이 흰, 흰손의. **~herbst** *m.* (südd.) 장밋빛 포도주. **~kalk** *m.* 흰색 석회. **~käse** *m.* 응유, 흰 치즈. **~klee** *m.* 〖植〗 흰꽃이 피는 클로버. **~kohl** *m.* 〖植〗 흰양배추. **~kopf** *m.* 흰머리; 백발이 된 사람, 노인. **≗köpfig** *a.* 흰머리를 한, 백

발의. **~-Kragen-Kriminalität** *f.* 〖사회〗 화이트 칼라층의 범죄 현상〔양상〕. **~kram** *m.* 〖방언〗 흰 아마포 상점. **~kraut** *n.* 〖植〗 ↑ ~kohl. **~kupfer** *n.* ①〖광물〗 비동광(砒銅鑛). ②〖化〗 양은(洋銀). **~lacker** *m.* 래커를 칠한 듯한 슬라이스 치즈.

weißlich [váɪslɪç] *a.* 흰빛을 띤; 아주 밝은 빛깔의.

Weiß·liegende* *das* 〖지질〗 2 첩계(疊系)의 상층부(암석화된 가는 모래 지층으로 밝은 색을 띰).

Weißling *m.* -s, -e ①〖動〗 대구. ②〖動〗 흰나비과에 속하는 나비. ③〖植〗 흰느타리. ④〖醫〗 백피증(白皮症) 환자.

Weiß=macher *m.* ① (세제(洗劑)에 함유된) 표백제. ②〔폄어〕 비리 협의를 은폐하려는 사람(특히 공직자). **~mehl** *n.* 밀가루. **~-metall** *n.* 〖제련〗 백색 합금. **~nähen** *i.* (h.) (침대보·식탁보·속옷 등을) 바느질하여 수선하다. **~näh(t)erei** *f.* 바느질해 수선함. **~-näh(t)erin** *f.* 바느질해 수선하는 여자. **~pappel** *f.* 〖植〗 은(銀)백양나무. **~pfennig** *m.* 옛날의 은전(銀錢). **~pinsel** *m.* 흰 페인트 솔. **~russe** *m.* 백(白)러시아인. **~-russisch** *a.* 백러시아(계)의. **~rußland** 백러시아. **~sauer** *n.* 식초를 탄 물에 삶은 토끼·거위의 내장 요리. **~scheckig** *a.* 흰 점〔얼룩〕이 있는. **~schimmel** *m.* 흰말, 백마. **~-seiden** *a.* 흰 비단의. **~stein** *m.* 〖지질〗 백립암(白粒岩). **~stickerei** *f.* 하얀 천에 흰실로 넣은 수. **~sucht** *f.* 〖醫〗 백피증(白皮症).

weißt [vaɪst] ↑ wissen 의 2 인칭 단수 현재형.

Weiß=tanne *f.* 〖植〗 독일가문비나무. **~-wand·reifen** *m.* 흰 줄무늬를 입힌 타이어.

Weißung [váɪsʊŋ] *f.* ↑ weißen 의 명사형.

Weiß=waren *pl.* 면직(물); 흰 리넨; 내의류. **~waren·geschäft** *n.* 면직(물) 가게. **~-wäsche** *f.* (삶아서 빨 수 있는) 면직물. **~-waschen** *t.* 〔부정형(不定形)이나 과거 분사형으로만〕 결백을 입증하다, 혐의를 벗게 하다: er hat vergebens versucht, sich in dieser Affaire weißzuwaschen 그는 이 스캔들과 관련해 자신의 결백을 입증하려고 했지만 소용이 없었다. **~wein** *m.* ① 백포도주. ②〔구어〕 백포도주 한 잔. **~wurst** *f.* 흰 소시지. **~wurz** *f.* 〖植〗 (백합과(科)의) 둥굴레속(屬). **~zeug** *n.* ↑ ~waren.

Weistum [váɪstu:m] 《< weise》 *n.* -(e)s, ..tümer [..ty:mər] 〖法·고어〗 판결; 판례(判例).

Weisung [váɪzʊŋ] 《< weisen》 *f.* -en ① 지시; 명령, 훈령: ~en erteilen〔erhalten〕 훈령을 내리다〔받다〕. ② 집행 유예 기간 중의 범죄자에게 법원이 내리는 명령; 비행청소년 선도 수칙; 행정법에서의 상위 관청의 훈령〔지시〕.

Weisungs=befugnis *f.* 〔격식〕 훈령 하달 권한. **~gebunden** *a.* 지시〔훈령〕에 의거한. **~-gemäß** *adv.* 지시〔훈령〕에 따라. **~recht** *n.* 〖法〗 훈령 하달 권한.

***weit** [vaɪt] *a./adv.* ① 넓은, 광활한; 넓게 트인; 풍성한, 꽉 끼지 않는: ~e Aussicht 넓게 트인 시야; eine ~e Ebene 광활한 평야; ~e Ärmel 넓은 소매; das ~e Meer 망망 대해; die ~e Welt 넓은 세상; in die ~e Welt gehen〔ziehen〕 드넓은 세상으로 나가다; ~ und breit 도처에; ein ~es Herz haben 관대하다, 자비심이 많다; den Mund ~ öffnen 입을 크게 벌리다; die Tür ~ öffnen 문을 활짝 열다; ein ~er Begriff 포괄적 개념; ein ~es Gewissen haben (도덕적·법적인 문제에 있어서) 마음이 너그럽다; einen ~en Horizont haben 박학다식하다; das Herz wurde mir ~ 나는 굉장히 기뻤다〔행복했다〕; im ~esten Sinne des Wortes 그 말의 광의의 뜻에서; dieser Begriff ist zu ~ 이 개념은 너무 막연하다. ② **(a)** 먼길의, 떨어진; 먼, 아득한: ein ~er Abstand 상당한 간격; eine ~e Reise 장거리 여행; einen ~en Umweg nehmen〔machen〕 멀리 돌아서 가다; ~ entfernt 멀리 떨어진; wie ~ ist es von hier bis dort? — zwei Meilen ~ 여기서 그곳까지 얼마나 머니? — 2 마일이다; wir haben noch ~ bis in die Stadt 시내까지는 아직 멀었다; 〖비유〗 das steht noch in ~em Feld 그것은 아직 불확실하다; der Vorfall zog ~e Kreise 그 사건은 많은 파장을 몰고 왔다; die Meinungen liegen ~ auseiander 견해가 크게 엇갈린다; et. ~ von sich weisen 무엇을 단호하게 거부하다; über〔auf〕 ~e Strecken 대체로, 상당히 오랫동안; es war nicht ~ vom Schlagen 금방 주먹질이 오갈 뻔했다; die Tränen waren mir nicht ~ 나는 당장 울음이 터질 것 같았다. **(b)** 〖시간적〗 오래 지속되는, 먼: bis zu den Ferien ist es noch ~ 방학까지는 아직 멀었다. ③〖동사와 함께〗 ~ **ausholen** (과거로 거슬러 올라가서) 상세히 이야기하다; es ~ **bringen** 성공〔출세〕하다; du hast es wirklich ~ gebracht 너 정말 출세〔성공〕했구나(반어적인 뜻도 포함됨); die Verzweiflung kann ihn so ~ bringen, daß ... 절망한 나머지 그가 …할지도 모른다; zu ~ führen 시간이 너무 많이 걸리다, 지나치게 길어지다; ~ **gehen** a) 멀리 가다, b) 도가 지나치다, 극단으로 흐르다; das geht zu ~ 그것은 정도가 지나치다; man ging so ~, ihn zu schimpfen 사람들은 그를 욕할 정도까지 되었다; ich gehe so ~ zu behaupten, daß ... 나는 감히 …을 주장한다; 〖印〗 die Zeilen ~ **halten** 행간을 넓게 하다; ~ **kommen** 나아가다, 진척되다; ehe man so ~ kommen kann 그렇게 되기 전에; es ist ~ mit ihm gekommen 그는 갈 데까지 다 갔다〔영락(零落)하였다〕; es ~ **herholen** 견강부회하다; ~ **sein** 훨씬 앞서 있다; so ~ ist es noch nicht 〔die Sache ist noch nicht so ~〕 일이 아직 그 정도까지 진척되어 있지는 않다; wenn Sie so ~ sind 준비가 다 되시면; wie ~ ist er mit der Arbeit? 그는 일이 어느 정도 진척됐느냐?; er ist ~ über die Vierzig 〔über vierzig Jahre〕 그는 마흔을 훨씬 넘었다; er ist oft sehr ~ weg mit seinen Gedanken 그는 종종 생각이 지나칠 때가 있다; es zu ~ **treiben** 지나치게 행동하다. ④ **(a)** 훨씬, 아주: ein ~ größerer Abstand 훨씬 큰 간격; ~ 〔~aus〕 das Schönste 단연 뛰어난 것; es reicht ~ nicht aus 그것으로는 아무래도 불충분하다; ~ über〔unter〕 jm. stehen 누구보다 훨씬 뛰어나다〔못하다〕; er ist seiner Zeit ~ voraus 그는 그의 시대보다 훨씬 앞서 있다; sich der Vollendung ungewöhnlich ~ nähern 비범하게 완성 일보 직전까지 접근하다; erst ~ nach Mittag 정오가 훨씬 지나서야; jn. ~

übertreffen 〔jm. ~ überlegen sein〕 누구를 훨씬 능가하다. (**b**) 〖상당한 차이가〔간격이〕 있음을 나타내어〗 전혀, 완전히: ich bin ~ davon entfernt, das zu glauben 내가 그걸 믿다니 어림도 없다; ~ verschieden 크게 다른. (**c**) 그 정도로, 거기까지: so ~ 그만큼 멀리, 거기까지(단: soweit ... …인 한은); so ~ als 〔wie〕 möglich 될수록 멀리, 될수록 저편으로 (단: soweit als〔wie〕 möglich 될 수 있는 대로); sie ist zwar so ~ ein ganz gutes Mädchen 그 소녀는 거기까지는 아주 착한 여자지만; so ~ Sie es für gut finden 당신이 그것을 좋다고 여기는 한; in so ~ 그런 한에는. ⑤ 〖명사화하여〗 (**a**) das ≗e (das ~e Ferne) 먼 곳; des ≗en und Breiten 상세히; das ≗e suchen〔gewinnen〕 달아나다, 도망치다; es liegt〔steht〕 im ≗en 〔in ~em Feld〕 그것은 아직 전도 요원하다; sich ins ≗e verlieren 도를 지나치다, 극단에 치우치다. (**b**) **bei** ~em 훨씬, 월등하게: bei ~em besser 월등하게〔훨씬〕 나은; bei ~em nicht so nett 도저히 친절하다고는 할 수 없는; **von** ~em 멀리서.

Weit [vaɪt] *n.* -(e)s, -e ① 넓이뛰기(~-sprung). ②〖海〗 배의 최대의 폭〔너비〕.

weit⸗ab [váɪt|áp] *adv.* 멀리 떨어져서. **~-ärmelig** *a.* 소매가 넓은. **~ästig** *a.* 가지를 넓게 뻗은. **~äugig** *a.* 왕방울눈의. **~aus** [vait|áus] *adv.* 월등하게, 훨씬. **~ausgebreitet** *a.* 멀리 퍼진, 널리 보급된, 상식화된. **~aussehend** *a.* 원대한. **~bekannt** *a.* 이름이 널리 알려진, 명성이 높은. **~bewundert** *a.* 세상의 경탄을 자아내는. **≗blick** *m.* ① 선견지명. ② 조망, 전망. **~blickend** *a.* 선견지명이 있는.

*__Weite__ [váɪtə] *f.* -n ① 넓은 공간; 넓음, 광막함; 넓이, 면적, 폭; 지름, 구경(口徑); 규격, 치수; 〖비유〗 견해〔지식〕의 폭, 원대: welche ~ haben Sie? (옷)치수가 어떻게 됩니까?; in die ~ blicken 안목이 원대하다. ② 먼 곳, 먼 쪽: in die ~ ziehen 멀리 여행하다; in die ~ schauen 멀리까지 내다보다; mit den Gedanken in die ~ schweifen 지나치게 생각을 굴리다. ③〖스포츠〗(넓이뛰기·던지기 종목의) 뛴 거리, 투척 거리.

weiten [váɪtən] 《Ⅰ》 *t.* 넓히다, 확장하다; 〖드물게〗 길게 늘이다: eine Öffnung ~ 입구〔주둥이〕를 넓히다. 《Ⅱ》 *refl.* sich ~ 넓어지다, 확장되다: das Herz weitete sich bei diesem schönen Anblick 이 아름다운 광경을 보니 가슴이 탁 트였다. 《Ⅲ》 *i.* (s.) 〖드물게〗 멀어지다.

*__weiter__ [váɪtər] 〖weit 의 비교급〗 *a.* ① 보다 넓은; 계속되는; 그 이상의; 그 이외의, 그밖의: ~e Nachforschungen 계속되는 탐구; in ~en Kreisen 널리, 뭇사람들 사이에; ohne ~en Aufschub 지체하지 않고; ohne ~e Umstände 두말 없이, 거리낌없이; nach ~en 2 Jahren 앞으로도 2년 후에; ~ lesen 다음을 더 읽다, 계속하여 읽다; (nur) ~! (읽거나 말할 때) 계속해라!; immer ~! 그대로 계속해라!; ~ im Text! 본문을 더 읽으시오!; nicht ~ 이제 그만, 멈추어라; es war nicht ~ schlimm 그것은 그다지 나쁘지 않았다; das ist nichts ~ als Faulheit 그것은 게으름에 다름아니다; Ausflüchte werden nicht ~ geduldet 이제 더 이상의 핑계는 용납하지 않겠다; hören Sie ~! 그 다음을 들어 보시오!; ~ niemand 〔niemand ~〕 그 밖엔 아무도 없다; ~ nichts? 그것뿐인가?; nichts ~ davon! 그것에 대해 더 이상 말하지 마라!; und ~? 그리고, 그래서, 그 다음은 (어떻게 됐지)?; und so ~ (약어: usw.) 기타, 등등, 따위. ② 〖명사화하여〗 das ≗e 기타, 나머지; 더 상세한 것; das ≗e morgen 더 자세한 것은 내일(한다); ≗es im Innern des Blattes 나머지는 이면(裏面)(신문 등의 안쪽 면)에; **bis auf** ~es 당분간은, 우선은; **im** ~en 이하에서; **ohne** ~es 두말 없이, 곧, 당장; **des** ~en a) 또, 더욱, 그 이상, b) 그 후, 그 다음에, c) 장차.

We̲iter⸗arbeit *f.* 일의 계속〔속개〕; 일의 진척〔진전〕. **~|arbeiten** 《Ⅰ》 *i.* (h.) 일을 계속하다. 《Ⅱ》 *refl.* sich ~ 진척되다: sich mühsam ~ 힘들게 일이 진척되다. **~|befördern** *t.* (사람·사물을 인계받아 계속해서) 운송하다. **~beförderung** *f.* ↑ ~befördern 의 명사형. **~bestand** *m.* 존속. **~|bestehen*** *i.* (h.) (계속해서) 존속하다. **~|bilden** *t./refl.* (교육 과정 이수 후에도) 더 교육시키다: sich ~ 연장〔추가〕 교육을 받다. **~bildung** *f.* 연장〔추가〕 교육. **~|bringen** *t.* 도와 주다; 진척시키다, 촉진하다: das bringt uns 〔die Sache〕 nicht weiter 그것은 우리에게〔일의 진척에〕 아무런 도움이 되지 않는다. **~|denken** *i.* 좀더 생각하다, 끝까지 생각하다. **~|-dürfen** *i.* 〖구어〗 계속 가도 된다. **~|-empfehlen*** *t.* (다른 사람에게) 계속 추천하다. **~|entwickeln** 《Ⅰ》 *t.* …의 발전을 촉진하다. 《Ⅱ》 *refl.* sich ~ 발전〔진보〕하다. **~entwicklung** *f.* 발전, 진보. **~|erzählen** *t.* (들은 것을) 다른 사람에게 전하다. **~|-fahren** *i.* ① (s.) (차를) 계속 타고 가다, (여행을) 계속하다: er ist nach dem Unfall einfach weitergefahren 그는 사고 후에도 무작정 여행을 계속했다. ② (h./s.) ~, et. zu tun (= mit〔in〕 et.[3] ~) 무엇을 하기를 계속하다, 계속해서 무엇을 하다. **~fahrt** *f.* ↑ ~fahren 의 명사형. **~|feiern** *i.* 계속 축제를 벌이다. **~|-fliegen** *i.* (s.) (비행기를) 계속 타고 가다, 비행을 계속하다. **~flug** *m.* ↑ ~fliegen 의 명사형. **~fort** *adv.* 앞으로 더, 계속하여(주의: ich war ~ fort als er 나는 그보다 훨씬 앞섰다). **~|führen** 《Ⅰ》 *t.* ① 앞으로 나아가게 하다, 진척시키다: die Diskussionen führten uns nicht weiter 여러 차례 토론을 했지만 우리는 진척이 없었다. ② 계속〔속행〕하다: Gespräche ~ 대화를 계속하다. 《Ⅱ》 *i.* (h.) (일정한 방향으로) 계속 나아가다: die Straße führt weiter nach X 이 길로 계속 가면 X 가 나온다. **~führend** *a.* 계속되는, 속행되는. **~führung** *f.* 계속; (궤도의) 연장. **~gabe** *f.* 전달, 넘겨줌. **~gang** *m.* (어떤 일의) 진척, 추이, 진행; 떠남. **~|geben** *t.* ① (손에서 손으로) 전달하다, 넘겨주다: ein Gesuch ~ 청원을 상급〔해당〕 부서로 넘겨주다; den Ball ~ 공을 패스하다. ② (소식·신호를) 전달하다, 전해 주다. **~|gehen*** *i.* (s.) ① (중단 후에) 계속하여 가다; 멈추지 않고 계속 가다: er ging weiter, als hätte er uns nicht gesehen 그는 우리를 못 본 듯이 계속 갔다. ② 계속되다: so kann es nicht ~ 그런 식으로 계속될 수는 없다; die Straße geht durch das Tal weiter 그 도로는 골짜기로 이어진다. **~gehend** *a.* ①

계속 가는, 계속되는. ② (öst.) ↑ weitgehend 의 비교급. ∼|**helfen** *i.* 난관을 극복하도록 도와 주다: deine Anteilnahme hat mir weiter geholfen 네가 거들어준 덕분에 나는 난관을 극복할 수 있었다. ∼**hin** [(또는) váɪt, ..hɪ́n] *adv.* ① 앞으로도 계속: sie wird ∼ Gesangsunterricht nehmen 그녀는 앞으로도 계속 성악 수업을 받을 것이다. ② 그 이외에도. ∼|**kommen** *i.* (s.) ① 앞으로 나아가다; 성과를 거두다: 〖구어〗 schau〔mach〕, daß du weiterkommst! 얼른 떠나라, 꺼져라!; mit der Arbeit ∼ 일을 진척시키다. ②〖스포츠〗 다음 회〔라운드〕에 진출하다. ∼|**können** *i.* (h.) 〖구어〗 ①〖weitergehen können, weiterfahren können 의 생략형〗 계속〔앞으로〕 나아갈 수 있다: bei diesem Glatteis kann ich nicht weiter 이런 빙판길에서는 더 이상 앞으로 나아갈 수 없다. ②〖weiterarbeiten können 의 생략형〗 (일을) 계속할 수 있다: hilf mir, ich kann nicht weiter 더 이상 어떻게 할 수 없으니 도와 다오. ∼|**laufen** *i.* (s.) ① 계속 달려가다. ② 계속 가동되다; 계속 유효하다: der Vertrag läuft weiter 계약이 계속 유효하다; sein Gehalt läuft weiter 그의 급료는 앞으로도 계속 나올 것이다. ∼|**leben** *i.* (h.) ① 계속 살아가다: ich weiß nicht, wie ich nun noch ∼ soll 이제 앞으로 어떻게 살아가야 할지 모르겠다. ② (고인의 추억·정신이) 계승되다, 되살려지다: der Maler lebt in seinem Werk weiter 그 화가의 예술혼은 작품을 통해 계승되고 있다. ∼|**leiten** *t.* ↑ ∼befördern, ∼geben. ∼**leitung** *f.* 전달, 이송. ∼|**machen** 《Ⅰ》 *t.* 계속하다, 진척시키다. 《Ⅱ》 *i.* (h.) 속행〔계속〕하다; 그대로 밀고 나가다: so können wir doch nicht ∼! 이런 식으로 계속할 수는 없잖아! ∼**marsch** *m.* 행군〔진군〕 계속. ∼|**marschieren** *i.* (s.) 계속 행군하다. ∼|**müssen** *i.* (h.) 〖∼gehen〔∼fahren〕 müssen 의 생략형〗 계속 가야 하다. ∼|**reden** *i.* (h.) 계속 이야기하다. ∼**reichend** *a.* ↑ weitreichend 의 비교급.

weitern [váɪtərn] 《Ⅰ》 *t.* 넓히다, 펼치다, 확장하다. 《Ⅱ》 *refl.* sich ∼ 펼쳐지다, 넓혀지다, 확장되다.

Weiter≈reise *f.* 여행의 계속: auf der ∼ 여행을 계속하는 (도)중에. ∼|**reisen** *i.* (s.) (쉬지 않고) 계속 여행하다.

weiters *adv.* (öst.) ↑ weiterhin.

weiter≈|sagen *t.* 말을 옮기다〔전달하다〕: du darfst es niemandem ∼! 이 말은 아무한테도 퍼뜨려서는 안 된다! ∼|**schenken** *t.* (선물 받은 것을) 다시 남에게 선물하다. ∼|**schicken** *t.* 계속해서(다음 장소로) 보내다. ∼|**schieben** *t.* 다른 곳으로 밀다, 계속 앞으로 밀다. ∼|**schlafen** *i.* (h.) 계속 잠자다. ∼|**schleppen** 《Ⅰ》 *t.* 계속 끌고 가다. 《Ⅱ》 *refl.* sich ∼ 앞으로(몸을) 끌고 가다: der Verletzte konnte sich bis zur Straße ∼ 그 부상자는 길까지 몸을 끌고 갈 수 있었다. ∼**schreiten** *n.* 전진. ∼|**sehen** *i.* (h.) 계속 보다; 지켜〔두고〕 보다. ∼**sendung** *f.* ↑ ∼beförderung. ∼|**spielen** *i.* (h.) ① 경기를 속개하다. ② 패스하다. ∼|**tönen** *i.* (h.) 계속 울리다〔소리내다〕. ∼|**tragen*** *t.* ① 계속 나르다〔운반하다〕. ② (이야기를) 계속하다, 퍼뜨리다. ∼|**treiben** *t.* ① (짐승·사람을) 계속 몰아가다. ② 계속하다: trotz der Verletzung treibt er seinen Sport weiter 부상에도 불구하고 그는 운동을 계속한다. ③ 진척시키다, 촉진하다, 우대하다, 지지하다. ∼**um·sich·greifen** *n.* 널리 전해짐〔퍼짐〕, 만연(蔓延).

Weiterung [váɪtərʊŋ] *f.* -en 〖官·격식〗 (달갑지 않은) 중차대한 결과.

weiter≈|verarbeiten *t.* 재가공하다: die Rohstoffe werden im Ausland weiterverarbeitet 그 원자재는 외국에서 재가공된다. ∼**verarbeitung** *f.* 재가공. ∼|**veräußern** *t.* 재매각하다. ∼|**verbreiten** *t.* 계속 퍼뜨리다. ∼**verbreitung** *f.* 지속적인 확산〔유포〕. ∼|**vererben** 《Ⅰ》 *t.* 대대로 물려주다. 《Ⅱ》 *refl.* 상속되다, 대대로 전승되다: die Neigung für das Musische hat sich in der Familie weitervererbt 예술에 이끌리는 기질은 그 집안에 면면히 이어져 왔다. ∼**verkauf** *m.* 되팔기, 전매(轉賣). ∼|**verfolgen** *t.* ① 계속 추적하다. ②〔비유〕 계속 추구하다: er verfolgt seine ehrgeizigen Ziele unbeirrt weiter 그는 자신의 야심찬 목표를 흔들림없이 계속 추구한다. ∼**verfolgung** *f.* 지속적인 추적〔추구〕. ∼|**verkaufen** *t.* 되팔다, 전매하다. ∼|**vermieten** *t.* 다시 임대하다, 전대(轉貸)하다. ∼|**vermitteln** *t.* 계속 전해 주다; (고객·노동자 등을) 다른 사람에게 소개〔알선〕해 주다. ∼**versicherung** *f.* 〖法〗 (임의) 보험 연장, (만기 후의) 재보험. ∼|**verwenden** *t.* 계속 사용하다; 전용(轉用)하다. ∼**verwendung** *f.* ↑ ∼verwenden 의 명사형. ∼|**wachsen** *i.* (s.) (중단된) 성장을 계속하다. ∼|**wandern** *i.* (s.) (중단된) 방랑을 계속하다. ∼|**wirken** *i.* 계속 작용하다. ∼|**wissen** *i.* (대개 부정적 용법으로) 해야 할 바를 알다: ich weiß nun wirklich nicht mehr weiter 나는 정말 어찌할 바를 모르겠다. ∼|**wollen** *i.* (h.) 〖구어〗 계속 가려고 하다, 계속하려 하다(weiter gehen wollen, weiter fahren wollen 의 생략형). ∼|**zahlen** *t.* 계속 지급하다. ∼|**ziehen** *i.* (s.) 계속 이동하다.

weit≈gehend 〖비교급: weitgehender/weiter gehend, 최상급: weitgehendst/weitestgehend〗 *a.* ① 광범위한; 관대한: ∼e Unterstützung finden 광범위한 지원을 얻다. ② 가능하면, 가능한 한: wir werden Ihre Wünsche ∼ berücksichtigen 우리는 당신의 희망 사항을 가능한 한 고려할 것입니다. ∼**gereist** *a.* 널리 여행한, 여행에 익숙한, 견문이 넓은. ∼**gereiste*** *der/die* 대여행가. ∼**greifend** *a.* 파급 효과가 큰; 광범위한. ∼**her** [váɪthéːr] *adv.* 먼 곳에서(부터). ∼**her·geholt** *a.* 멀리서 끌어온; 억지를 쓰는; 견강부회의. ∼**herum** [váɪthɛrʊ́m] *a.* (schweiz.) 널리. ∼**herzig** *a.* 〖드물게〗 아량〔마음〕이 넓은, 관대한. ∼**herzigkeit** *f.* 관대, 아량. ∼**hin** [váɪthɪ́n] *adv.* ① 멀리, 널리; 도처에. ② 대체로. ∼**hinaus** [váɪthɪnáus] *adv.* ① 멀리. ②〖auf 와 함께〗 오랫동안: die Eintrittskarten sind auf ∼ vergriffen 입장권은 오래 전부터 매진된 상태다. ∼**läufig** *a.* ① 넓은, 광대한. ② (친척 관계가) 멀리 떨어진: ∼ verwandt 촌수가 먼, 먼 친척뻘의. ③ 상세한; 장황한: die ∼sten Kenntnisse a) 해박한 지식, b) 백과 사전식 지식. ∼**läufigkeit** *f.* ① 광활. ② 장황. ③〖복수〗 번거로운〔장황한〕 절

차, 허례 허식; 성가심, 곤란: ~en machen 귀찮은 짓을 하다, 격식을 차리다.

Weitling [váɪtlɪŋ] *m.* -s, -e (südd, öst) 바닥이 깊은 바리때.

weit≈maschig *a.* 그물의 눈이 성긴. **~räumig** *a.* ① 넓은 공간을 차지하는, 넓은. ②〖스포츠〗 경기장을 넓게 사용하는. **~reichend** *a.* ① 멀리까지 미치는〔뻗치는〕. ② 광범위한. **~schauend** *a.* 〖비교급: weiterschauend/weitschauender, 최상급: weitestschauend/weitschauendst〗 선견지명이 있는. **~schichtig** *a.* 세밀하고 복잡한. **≈schuß** *m.* 〖스포츠〗 장거리 슛. **~schweifig** *a.* 장황한; 매우 상세한. **≈schweifigkeit** *f.* ↑ ~schweifig 의 명사형. **~sichtig** *a.* ①〖醫〗 원시(遠視)의. ② 멀리까지 내다보는, 선견지명이 있는. **≈sichtigkeit** *f.* ① 원시(遠視). ② 넓은 안목, 선견지명. **~springen** *i.* (s.) 〖부정형과 분사로만 쓰임〗 넓이뛰기를 하다. **≈springer** *m.* 넓이뛰기 선수. **≈sprung** *m.* 〖스포츠〗 넓이뛰기. **~spurig** *a.* 〖철도〗 광궤(廣軌)의. **~tragend** *a.* 먼 곳에 이르는〔미치는〕; 〖軍〗 사정 거리가 먼; 〖비유〗 파급 효과가 큰. **~um** [váɪtǘm] *a.* 〖드물게〗 (schweiz.) 널리(~herum). **~umfassend** *a.* 포괄적인.

Weitung [váɪtʊŋ] *f.* -en ① 확대, 확장. ② 넓어지는 지점, 넓은 장소.

weit≈verbreitet *a.* 널리 퍼진, 만연된. **~verzweigt** *a.* 가지가 넓게 퍼진, 가지가 많은: ein ~es Straßenbahnnetz 여러 방향으로 뻗은 시가 철도망. **~vorstehend** *a.* 멀리 돌출한; 현저한, 두드러진. **≈winkel** *n.* ↑ ≈winkelobjektiv. **≈winkel·objektiv** *n.* 〖사진〗 광각(廣角) 렌즈.

Weizen [váɪtsən] 《♧ weiß》 *m.* -s 〖植〗 밀; 밀알: 〖비유〗 die Spreu vom ~ scheiden 겨와 알곡을 구분하다(옥석을 가리다); mein ~ blüht 나는 일이 잘 되어간다.

weizen *a.* 밀의.

Weizen≈acker *m.* 밀밭. **≈artig** *a.* 소맥류(小麥類)의; 밀 같은. **~bau** *m.* 밀농사. **~bier** *n.* 밀(로 빚은 흰) 맥주. **≈blond** *a.* 연한 금발색의. **~boden** *m.* 밀농사에 알맞은 땅; 밀 경작지. **~brand·(pilz)** *m.* 〖植〗 깜부기병. **~brot** *n.* (밀로 만든) 흰빵. **~ernte** *f.* 밀수확. **~feld** *n.* 밀밭. **~graupen** *pl.* 찧은 밀. **~grieß** *m.* 거칠게 찧은 밀. **~halm** *m.* 밀줄기. **~korn** *n.* 밀알. **~land** *n.* 밀 생산국. **~mehl** *n.* 밀가루. **~mücke** *f.* 〖動〗 밀파리. **~preis** *m.* 밀의 가격. **~saat** *f.* 밀의 싹. **~schrot** *m./n.* 거칠게 빻은 밀. **~sortier·sieb** *n.* (밀을 체질하는) 밀체. **~stroh** *n.* 밀짚.

*__welch__ [vɛlç] *prn.* ①〖의문 대명사〗 **(a)** 〖형용사적〗 어느, 어느 쪽의, 어떤: ~er Mann 〔~e Frau〕? 어느 분〔부인〕 말씀인가요?; für ~en Kandidaten hast du gestimmt? 너는 어느 후보에게 표를 찍었니?; 〖형용사 앞에서도 때로 어미 변화 없음〗 ~(es) edlen Mannes Tat ist das? 그것은 어느 귀한 분이 하신 일일까?; ~e Stadt gefällt dir besser? 어느 도시가 네 마음에 더 드니?; in ~em Jahr bist du geboren? 너는 몇 년생이냐?; 〖부문장에서는〗 ich möchte wissen, ~er Mann das gesehen hat 어느 남자가 그것을 보았는지 알고 싶다. **(b)** 〖명사적으로〗 어떤 사람: ein Knabe soll mitgehen — ~er? 사내아이를 한 명 데려가야 한다 — 어느 아이인데?; ~es sind ihre Kinder? 어느 쪽이 그 여자의 아이들인가?; ~en von deinen Freunden schätzt du am meisten? 네 친구들 중에서 너는 누구를 가장 좋게 생각하니?; ~es ist länger, der Bleistift oder die Feder? 연필과 펜 중에 어느 쪽이 더 긴가?; 〖부분적 2격과 더불어〗 ~e dieser 〔von diesen〕 Damen? 이 부인들 중의 어느 분인가?; Sie wünschen Federn. was für ~e? 펜을 원하시는군요. 어떤 것을 드릴까요? **(c)** 〖감탄문에서〗 ~ (ein) Wunder! 얼마나 놀라운 일인가!; ~(es) Glück! 얼마나 다행한〔복받은〕 일인가!; ~er 〔~ ein〕 Erfolg! 얼마나 멋진 성공인가! **(d)** 〖인용·양보〗 ~er auch (immer) der Schuldige ist 피의자가 누구건간에; ~es auch immer Ihre Ansprüche sein mögen 당신의 요구가 무엇이든. ②〖관계 대명사〗〖구식〗 das Kind, ~es das schönste Bild gemalt hat 가장 아름다운 그림을 그린 어린이; 〖聖〗 ~er isset, der isset dem Herrn 먹는 것도 주님을 위하여 먹으니(로마서 14:6); 〖동격의 낱말을 동반하여〗 denk' an Goethe, ~es Dichters Werke dir oft empfohlen wurden 자주 자네에게 추천되곤 했던 작품들을 쓴 시인 괴테를 생각하게; Cicero, ~es großen Redners Schriften ich eben lese 내가 지금 그의 저작을 읽고 있는 대웅변가 키케로; er sagte „Guten Abend", ~en Gruß sie mit einem Nicken erwiderte 그가 "안녕하십니까"하고 말하자 그녀는 고개를 끄덕여 그 인사에 답했다; der Bauer und der Jäger, ~letzterer eine gute Flinte besaß 농부와 사냥꾼, 그 중 후자는 훌륭한 화승총을 지니고 있었다; 〖앞 문장의 내용을 이어받아서〗 er ließ den Harlekin feierlich vom Theater vertreiben, ~es selbst die größte Harlekinade war 그는 점잔을 빼며 어릿광대를 극장에서 쫓아냈는데, 그 자체가 바로 영락 없는 어릿광대 짓이었다. ③〖부정(不定) 대명사; 강변화〗 얼마(큼), 몇, 약간: eine Masse Menschen, ~e zu Pferde, und ~e zu Fuß 많은 사람들 중에서 몇몇은 말을 타고, 몇몇은 걸어서; hier ist Fleisch, ~es gekocht und ~es gebraten 여기에는 삶은 고기도 있고 구운 고기도 있다; ich kenne ~e von ihnen 나는 그들 가운데 몇 사람을 알고 있다; haben Sie Zucker? — ja, ich habe ~en 설탕 있습니까? — 예, 조금 있습니다.

welcher≈art [vɛ́lçər..] *a.* 어떤 방식으로, 어떤 종류의: ~ sind die gegen mich erhobenen Beschuldigungen? 저에 대해 제기된 고발들은 어떤 종류입니까? **~gestalt** *a.* 〖드물게〗 ↑ ~art.

welcherlei [vɛ́lçərláɪ, vɛ́lçərlaɪ] *a.* 여하한 종류의; 어떠한 …일지라도: ~ (Art) auch seine Gründe sein mögen 그의 이유가 어떻든; 〖관계 대명사적〗〖聖〗 mit ~ Gerichte ihr richtet, werdet ihr gerichtet werden 너희의 비판하는 그 비판으로 너희가 비판받을 것이요(마태 7:2).

welcher·weise *a.* 〖드물게〗 ↑ welcherart.

Welf [vɛlf] 《↑ Welpe 의 별형》 *m.* -(e)s, -e 〔*n.* -(e)s, -er〕 〖사냥·고어〗 (네발짐승의) 새끼, 어린 짐승.

Welfe [vɛ́lfə] 《<Welf》 *m.* -n, -n ①〖史〗 (중

세 이탈리아의) 교황파(↔ Waiblinger). ② 하노버 왕당파. ③ 19 세기 초엽 외국의 지배자 등에 반대한 이탈리아의 비밀 당원.

wẹlfisch *a.* 교황파의.

wẹlfen (<Welf) *i.* (h.) 새끼를 낳다.

welk [vɛlk] (원뜻 „feucht") *a.* ① 시든; 주름진; 생기를 잃은; 쇠한: ~e Blumen 시든 꽃; ~es Aussehen 생기 없는 모습; ~e Haut 주름진 피부; ~e Schönheit 퇴색한 미. ② 말린: ~es Obst 말린 과일.

Wẹlke *f.* -n 건조; 건조로, 건조장.

***welken** [vɛ́lkən] (I) *i.* (s.) 시들다, 이울다; 쇠약해지다. (Ⅱ) *t.* ① 시들게 하다; 쇠하게 하다. ② 말리다.

Wẹlkheit *f.* ↑ welken 의 명사형.

Wẹll≈bank *f.* 〖工〗 (제도용) 선반(旋盤). **~baum** *m.* (물방아 등의) 돌대. **~blech** *n.* 골함석. **~blech·dach** *n.* 골함석 지붕. **~blech·garage** [..raʒə] *f.* 골함석 차고. **~daumen** *m.* (톱니바퀴의) 이.

***Welle** [vɛ́lə] (♧ wallen, Walze) *f.* -n ① (**a**) 물결, 파도: die ~n gehen hoch 파도가 높이 인다; das Boot treibt steuerlos auf den ~n 보트가 정처없이 파도 위를 떠다닌다; der Jubel schlug hohe ~n 열렬한 환호성이 일어났다; die Sache hat ~n geschlagen 그 일은 주목을 끌었다; 〖비유〗 die ~n haben sich geglättet 사태가 진정되었다; 〔구어〕 mach keine ~n! 흥분하지 마라! (**b**) 운동, 경향, 사조(思潮). (**c**) 〖物〗 파동(波動); 주파수: auf ~ ... senden …의 주파수로 방송하다. (**d**) 물결 모양의 것; (땅의) 기복(起伏): sich das Haar in ~n legen lassen 파마를 하다; der Saaten grüne ~n 푸른 이삭의 물결; die ~n des Gefühls 감정의 기복. ② (물밀듯이) 갑작스럽게 나타나는 현상: Hitze ~ 갑작스러운 더위; eine ~ von Demonstrationen (갑작스러운) 데모 파동; 〔비유〕 sein Grab in den ~n finden 익사하다. ③ 〖工〗 돌대, 회전축, 굴대; 〖기계〗 gekröpfte ~ 크랭크축. ④ 묶음, 단. ⑤ (**a**) 철봉에서의 대회전. (**b**) 〖사이클〗 (벨로드롬 경기에서) 진로를 방해하는 지그재그 주행.

wellen [vɛ́lən] (I) *t.* ① 눌러 늘이다, 압연하다. ② 물결 모양으로〔곱슬로〕 만들다: gewellte Haare 파마한 머리; 〖工〗 gewelltes Eisenblech 홈 함석. ③ 〖방직〗 도투마리〔축〕에 감다. ④ 〖요리·방언〗 (고기를) 삶다. (Ⅱ) *refl.* sich ~ 기복을 이루다, 물결 모양을 이루다; 주름이 지다: das Terrain wellt sich in Hügel und Tal 지형은 언덕과 골짜기로 기복을 이룬다.

Wẹllen≈anzeiger *m.* 검파기, 주파수계(計). **≈artig** *a.* 물결 같은, 파동치는. **≈atmend** *a.* 〖시어〗 물결에 잠기는. **~bad** *n.* 인공 파도 수영장. **~bereich** *m.* 〖物〗 주파수 영역〔범위〕: Lang≈ 장파 구간; Kurz≈ 단파 구간. **~berg** *m.* ① 물마루. ② 산더미 같은 파도. **~bewegung** *f.* 파동. **~binden** *n.* 섶단 묶기. **~binder** *m.* 섶단을 묶는 사람. **~brecher** *m.* ① 방파제. ② 선박 갑판의 파도막이. ③ 화주(火酒). **~erreger** *m.* 〖전기〗 발진기(發振器). **≈förmig** *a.* 물결 모양의, 파상(波狀)의; (땅이) 울퉁불퉁한. **~gang** *m.* 파도의 움직임. **~gipfel** *m.* 물마루. **~gleichung** *f.* 〖數〗 파동 방정식. **~grab** *n.* ① 수장(水葬). ② 익사. **~holz** *n.* 장작단. **~kamm** *m.* 물마루. **~länge** *f.* ① 〖物〗 파동(波動), 파장(波長); 주파수. ② 〔구어〕 사고〔감응〕 방식: die gleiche ~ haben 사고와 감정이 서로 잘 통하다. **~lehre** *f.* ↑ ~theorie. **~linie** *f.* 파상선(波狀線); 〖印〗 파선괘(波線罫). **~mechanik** *f.* 〖物〗 파동 역학. **~meer** *n.* 물결이 출렁대는 바다. **~messer** *n.* 〖전기〗 검파기, 파장계(波長計). **~plan** *m.* (나라 간의) 주파수 할당 계획. **~reiten** *n.* 파도타기(놀이), 서핑. **~reiter** *m.* 파도타기를 하는 사람. **~ringe** *pl.* 파문(波紋). **~rippeln** *pl.* 모래 위의 파상문(波狀紋). **~salat** *m.* 〔구어〕 전파의 혼선, 전파 방해. **~schlag** *m.* 파도가 침; 물결침; 파동(波動). **~schwingung** *f.* 물결침, 파동. **~sender** *m.* 〖전기〗 송파기(送波機). **~sittich** *m.* 〖動〗 물결 모양의 깃털이 달린 오스트레일리아산(産) 앵무새. **~strahl** *m.* 〖物〗 전자파의 광선. **~strahlung** *f.* 〖物〗 전자파의 방사. **~tal** *n.* 물고랑. **~telegrafie** *f.* 무선 전신. **~theorie** *f.* 〖物〗 (빛의) 파동설. **~tunnel** *m.* 〖조선〗 (터빈 회전용) 파도 터널.

Wẹller (<Welle) *m.* -s, - (목조 가옥용의) 짚을 섞은 점토.

Wẹller·arbeit *f.* 벽에 점토 바르기.

wellern [vɛ́lərn] (I) *i.* 점토를 만들어내다. (Ⅱ) *t.* (목조 가옥의 벽에) 점토를 바르다.

Wẹller·wand *f.* 목조 가옥의 점토벽(壁).

Wẹll≈fleisch *n.* 〖요리〗 갓잡아 삶은 돼지 뱃살 고기(별형: Wällfleisch). **~horn·schnecke** *f.* 〖動〗 (계란형의 껍질을 가진) 바다 달팽이.

wellig [vɛ́lıç] (<Welle) *a.* 파도가 이는, 물결치는; 물결 모양의: ~ machen 파도치게 하다, 물결 모양으로 만들다; ~es Haar 곱슬머리.

Wẹlligkeit *f.* 물결 모양, 파형(波形).

Welliné [vɛliné:] *m.* -(s), -s 〖방직〗 물결 문양의 양모직.

Wellingtonia [vɛlıŋtó:nia] *f.* ..nien [..niən] 〖植·고어〗 세쿼이아(Sequoia), 미국 삼나무.

Wẹll≈pappe *f.* 골판지. **~rad** *n.* 감는 굴대. **~sand** *m.* 〖海〗 유사(流砂).

Wellung [vɛ́luŋ] *f.* -en 파도침, 파동; 파상(波狀), 파형; 기복; 〖物〗 파동.

Wẹll·zapfen *m.* 〖工〗 선반축(旋盤軸).

Welpe [vɛ́lpə] *m.* -n, -n ↑ Welf.

Wels [vɛls] (♧ Wal) *m.* -es, -e [..zə] 〖動〗 (유럽산(産)의) 큰메기.

***welsch** [vɛlʃ] *a.* ① 〔고어〕 (이탈리아·에스파냐·프랑스 등) 로만계의; (schweiz.) 프랑스어 사용 지역의: die ~e Schweiz 프랑스어가 쓰이는 스위스 지방; ~e Nuß 호두; ~er Hahn (프랑스의 상징인) 장닭; ~e Treue (독일적 성실성의 반대 개념으로서) 불신, 교활. ② 〔폄어·고어〕 외국의, 남국의.

Wẹlsche *der/die* 로만계〔남방계〕 사람(프랑스·이탈리아·에스파냐 사람); 외국인.

wẹlschen *i.* (h.) 외국어의 억양으로 말하다; 뜻 모를 말을 지껄이다.

Wẹlsch≈huhn *n.* 〖動〗 장닭. **~korn** *n.* 옥수수. **~kraut** *n.* 양배추의 일종. **~land** *n.* ① 〔고어〕 이탈리아; 프랑스. ② (schweiz.) 프랑스어가 사용되는 스위스 지방. **~nuß** *f.* 호두. **~schweizer** *m.* 프랑스어를 쓰는 스위스인.

~schweizerisch *a.* 프랑스어를 쓰는 스위스 지방(출신)의.

Welschtum *n.* 이탈리아〔프랑스〕풍.

Welsh Rabbit [wɛlʃ rǽbɪt] 《engl.》 *m.* - -, - -s ↑ Welsh Rarebit.

Welsh Rarebit [wɛlʃ rɛ́əbɪt] 《engl.》 *m.* - -, - -s 치즈를 발라서 구운 흰 빵.

*__Welt__ [vɛlt] *f.* -en ① 온 세상 사람들, 뭇사람: Gott und die ~ 신과 인간 세계; alle ~ 세상 사람들 모두; die alte ~ 고대; eine spätere ~ 후세; vor aller ~ 만인이 보는 앞에서, 공공연히; ein Mann aus der alten ~ 구세대의 남자; die halbe ~ hat dich schon gesucht 아주 많은 사람들이 너를 찾았다; das hat die ~ noch nicht gesehen! 그런 일은 전대미문의 사건이다!; was wird die böse ~ dazu sagen? 그것에 대하여 고약한 세상 사람들은 뭐라고 말할까? ② (**a**) (인간의 생활 터전으로서의) 세상; 속세, 세상, 세계: das ist das Schönste auf der ~ 그것은 세상에서 가장 아름다운 것이다; er hat viel von der ~ gesehen 그는 세상 구경을 많이 했다; Kinder der ~ 현세주의자들; ein Mann von ~ 사교적인 사람, 처세에 능한 사람; der ~ entsagen 세상을 등지다, 숨어 살다; sich durch die ~ schlagen 험난한 세상을 헤쳐 나가다; nicht von dieser ~ sein 이 세상에 속한 것이 아니다; 〖구어〗 das kostet nicht die ~ 그것은 그다지 비싸지 않다; sich in die ~ schicken 〔fügen〕 속세에 어울려 살아가다, 모나지 않게 처신하다; so geht's in der ~ 세상이란 그런 것이다; das ist der Lauf der ~ 그것이 세상 돌아가는 이치다; er konnte in dieser ~ nicht heimisch werden 그는 이 세상에 안주할 수 없었다; fliehe die Versuchung der ~! 세상의 꾐에 빠지지 마라!; auf der ~ 이 세상에서; von der ~ wissen 세상 물정을 알다; am Ende der ~ 세상의 끝에, 아주 먼 곳에; allein auf der ~ sein 세상에 의지할 곳이 없다; in die weite ~ gehen 세상을 두루 돌아다니다, 사회에 진출하다; 〖구어〗 das ist nicht aus der ~ 그곳은 아주 멀리 떨어져 있지는 않다; die Neue ~ 신세계(아메리카); die Alte ~ 구세계(유럽); beide ~en 양반구(兩半球). (**b**) 세상살이, 삶: 〖시어〗 das Licht der ~ erblicken 〔zur ~ kommen〕 태어나다; auf die ~ kommen 태어나다; in die ~ setzen a) 출산하다, b) 〖구어〗 (소문을) 퍼뜨리다; die ~ (ver)lassen 세상을 떠나다; 〖雅語·은어〗 aus der ~ gehen〔scheiden〕 죽다, 자살하다; aus der ~ schaffen 없애 버리다, 제거하다; damals warst du doch gar nicht auf der ~ 그 당시에 너는 세상에 태어나지도 않았다구; et. mit auf die Welt bringen 무엇을 가지고 태어나다; er ist in eine bessere ~ hinübergeschlummert 그는 영원히 잠들었다, 극락 왕생하였다; die ~ kennen 인생 경험을 하다; die ~ nicht mehr verstehen 세상사를 이해할 수 없다. ③ (**a**) 삼라만상, 우주: Gott hat die ~ geschaffen 하느님이 세상을 창조하셨다; über die Entstehung der ~ gibt es viele Vermutungen 우주 발생에 대하여 많은 추측들이 있다. (**b**) 천체. ④ (**a**) (어느 도시 등의) 인구, 주민: die halbe ~ Leipzigs 라이프치히 주민의 반수. (**b**) (어느 한정된) 세계, 계(界), 생활 영역〔범위〕: die große ~ a) 상류〔귀족〕 사회, b) 정계, 관계; die junge ~ 젊은이들, 청년; die gelehrte ~ 학계; die schöne ~ a) 여성계, b) 상류 사회, 사교계; Kinder~ 아이들의 세계; die ~ des Films 영화계; die ~ der Hellen 그리스(문화)의 세계; die ~ der Pflanzen 식물계; die ~ der Träume 꿈나라; zwischen uns liegen 〔uns trennen〕 ~en 우리는 전혀 다른 세계에 살고 있다, 우리 사이에는 엄청난 의견 차이가 있다; die Bücher sind meine ~ 책은 내 세상이다, 나는 책밖에 모르고 산다. ⑤〖다량·풍부·충실〗 (**a**) eine ~ von Arbeit〔Gedanken〕 산더미 같은 일거리〔풍부한 사상〕; eine ~ voll Ungerechtigkeit〔Leid〕 엄청난 부정(不正)〔끊이지 않는 괴로움〕; wir haben uns eine ~ zu erzählen 우리들은 서로 할 이야기가 태산 같다. (**b**) 〖복수〗 여러 나라, 제국(諸國). ⑥〖강조 용법〗 nirgends in der ~ 세상 어디에도 (없다); um alles in der ~ 무슨 일이 있어도, 꼭; um nichts in der ~ 절대로 …하지 않다; in aller ~ 도대체; wer in aller ~ hat das denn gesagt? 도대체 누가 그런 이야기를 했느냐? ⑦〖관사 없이〗 (**a**) 처신, 예의범절: (viel) ~ haben 처신이 바르다; ein Mann von ~ 예의바른 사람; das ist nicht Freundschaft, das ist ~ 그것은 우정이 아니라 세속적인 예절에 따르는 것일 뿐이다. (**b**) ~ sein 현세(주의)적이다. (**c**) 〖감탄사〗 o ~! alle ~! 원, 참, 이럴 수가!

welt≈abgeschieden *a.* 세상에서 동떨어진, 은둔하고 있는; 인적이 드문. **~abgewandt** *a.* 세상을 등지고 사는. **~abgewandtheit** *f.* ↑ ~abgewandt 의 명사형. **~achse** *f.* 지축(地軸). **~all** *n.* 우주; 천지 만물, 만유(萬有). **~alter** *n.* ① 시대. ② 우주〔세계·지구〕의 연령. **~anschaulich** *a.* 세계관의. **~anschauung** *f.* 세계관. **~ansicht** *f.* ↑ ~anschauung. **~anschauungs·partei** *f.* 〖政〗 이념 정당. **~apfel** *m.* ① 지구. ② 〖史〗 독일 황제의 권력을 상징하는 (십자가를 단) 지구의(儀) (Reichsapfel). **~atlas** *m.* 세계 지도. **~auge** *n.* ① 신의 섭리. ② 〖시어〗 태양; 신. ③ 〖광물〗 투명 단백석. **~ausstellung** *f.* 만국 박람회. **~auswahl** *f.* 〖스포츠〗 (여러 나라 선수로 구성된) 세계 올스타 팀. **~ball** *m.* ① 지구. ② 천체. **~bank** *f.* 〖經〗 세계 은행(IBRD). **~bau** *m.* ① 세계의 구조. ② 우주, 세계. **~bedarf** *m.* 세계적인 수요: der ~ an Erdöl 석유의 전 세계적 수요. **~begebenheit** *f.* 세계적 (대)사건; (세계사의) 중요 사건. **~bekannt** *a.* 세계적으로 이름난. **~berühmt** *a.* 세계적으로 유명한. **~berühmtheit** *f.* ① 세계적 명성. ② 세계적 인물〔명사〕. **~beschreibung** *f.* 우주〔지구〕지(誌). **~best** *a.* 세계 최고의.

Weltbest≈leistung *f.* 〖스포츠〗 비공인 세계 최고 기록. **~zeit** *f.* (속도 경기의) 세계 최고 기록.

Welt≈bevölkerung *f.* 세계 인구. **~bewegend** *a.* 세상을 뒤흔드는, 세상을 놀라게 하는: ein ~es Schicksal 세상을 뒤흔든 운명; 〖구어〗 seine Schulerzeugnisse waren nicht gerade ~ 그의 학교 성적은 그다지 칭찬받을 만하지 않았다. **~bezwinger** *m.* 세계 정복자. **~bild** *n.* 세계상. **~bildung** *f.* ① 우주〔지구〕의 생성, 천지 개벽. ② 처세〔품행〕 교육.

~blatt *n.* 세계적 신문. **~brand** *m.* 〖시어·비유〗 세계 대전. **~brauch** *m.* 세상 풍습. **~bühne** *f.* 세계〔국제〕 무대. **~bummler** 《globetrotter 의 독역》 *m.* 〖구어〗 세계 여행을 자주 하는 사람, 전세계를 누비고 다니는 사람. **~bund** *m.* 세계〔국제〕 연합. **~bürger** *m.* 세계 시민, 세계주의자, 인류 평등주의자: 〖구어〗 ein kleiner ~ ist angekommen 어린애가 출생했다. **≗bürgerlich** *a.* 세계주의의, 인류 평등주의의. **~bürger·sinn** *m.* ↑ ~-bürgertum. **~bürgertum** *n.* (Kosmopolitismus) 세계주의, 인류 평등주의. **~chronik** *f.* 〖史〗 세계사 연대기(세계사를 구약의 창세기부터 연대기 형식으로 서술하는 중세 시대의 역사 서술 방식). **~cup** [..kʌp] *m.* 〖스포츠〗 월드컵. **~cup·rennen** *n.* 월드컵 육상 경기. **~dame** *f.* 처세에 능한 여자; 사교계의 여성. **~diener** *m.* 세속주의자, 속물. **~ehre** *f.* 세속의 명예. **~eis** *n.* (지구 형성에 크게 영향을 준) 대빙하(大氷河). **~eis·lehre** *f.* 대빙하설(說). **~elf** *f.* 〖스포츠〗 ↑ ~auswahl. **~elite** *f.* 〖스포츠·총칭〗 세계 최고의 선수들.

Wẹlten≈all *n.* ↑ Weltall. **~bildung** *f.* ↑ Weltbildung ①. **~bummler** *m.* ↑ Weltbummler.

Wẹlt·ende *n.* ① 세계의 끝. ② 세상의 종말.

wẹltenfern(e) *a.* 아득히 먼.

Wẹlten≈lehre *f.* 우주론. **~meer** *n.* 끝없는 우주. **~raum** *m.* 〖시어〗 우주 공간. **~staub** *m.* 우주진(塵) (우주 공간에 떠다니는 미세한 물질).

wẹlt≈entrückt *a.* 세상을 등진, 외로운. **≗-entstehung** *f.* 지구〔우주〕의 발생. **≗-entstehungs·lehre** *f.* 우주 발생론.

wẹlt(en)umspannend *a.* 〖시어〗 세계를 포괄하는, 광대한.

Wẹlt≈ereignis *n.* 세계적인 사건. **≗erfahren** *a.* 세상 경험이 많은. **~erfahrung** *f.* 세상 경험. **~erfolg** *m.* 세계적 성공〔히트〕.

Wẹlter≈gewicht *n.* 〖권투〗 웰터급(63-67 kg). **~gewichtler** *m.* 웰터급 선수.

Wẹlt≈erhalter *m.* 신(神). **≗erlösend** *a.* 구세(救世)의. **~erlöser** *m.* 구세주, 그리스도. **~ernährungs·rat** *m.* 세계 식량 위원회(1947 년 설립). **~eroberer** *m.* 세계 정복자. **≗erschütternd** *a.* 세계를 뒤흔드는, 엄청나게 충격적인. **~esche** *f.* 〖북구신화〗 (전설상의) 세상의 근원인 상록수. **≗fern(e)** *a.* 은둔하는. **~firma** *f.* 세계적 회사, 국제적 상사. **~flucht** *f.* 세상을 등짐, 세상으로부터의 도피. **≗fremd** *a.* 세상 물정에 어두운, 세상과 동떨어진. **~fremdheit** *f.* ↑ ≗fremd 의 명사형. **~freuden** *pl.* 세속의 쾌락. **~friede(n)** *m.* 세계 평화. **~friedens·konferenz** *f.* (1945 년 샌프란시스코에서의) 세계 평화 회의. **~gang** *m.* 세상 돌아가는 형편〔이치〕. **~gebäude** *n.* 〖시어〗 우주. **~gebieter** *m.* 세계의 지배자. **~gefüge** *n.* 세계 기구〔조직〕. **~gefühl** *n.* 세상에 대한 느낌. **~gegend** *f.* 방위. **~geist** *m.* ① 〖哲〗 세계 정신. ② 시대 정신. **~geistliche*** *der* 〖가톨릭〗 (수도회에 거주하지 않는) 교구 사제(↔ Ordensgeistliche). **~geistlichkeit** *f.* ↑ ~geistliche 의 총칭. **~geltung** *f.* 국제적 인정〔평가·위신〕. **~gericht** *n.* 〖宗〗 최후의 심판. **~gerichtshof** *m.* 국제 사법 재판소. **~geschäft** *n.* ↑ ~firma. **~geschehen** *n.* 세상사, 세상일. **~geschichte** *f.* 세계사: 〖구어〗 da hört(sich) die ~ auf! 그것은 아무래도 못 믿겠는걸!; 〖구어〗 in der ~ umherfahren 온 세상을 누비고 다니다. **≗geschichtlich** *a.* ① 세계사적인, 세계사의. ② 매우〔가장〕 중대한. **~gesetz** *n.* 우주 법칙. **~gesundheits-organisation** *f.* 세계 보건 기구(WHO). **~getriebe** *n.* ↑ ~getümmel. **~getümmel** *n.* 번잡한 세상사. **≗gewandt** *a.* 처세에 능한. **~gewandtheit** *f.* ↑ ≗gewandt 의 명사형. **~gewerkschafts·bund** *m.* 세계 노동조합 연맹. **~gewissen** *n.* 세계의 양심: Appelle an das ~ 세계의 양심에 대한 호소. **~gürtel** *m.* 지대(Zone). **~handel** *m.* 〖商〗 세계 무역.

Wẹlthandels≈organisation *f.* 세계 무역 기구(WTO). **~platz** *m.* 국제 무역의 중심지.

Wẹlt≈heiland *m.* 구세주. **~herrschaft** *f.* 세계의 지배, 세계 패권. **~hilfs·sprache** *f.* 세계〔국제〕어, 인공어(에스페란토어 등). **≗-historisch** *a.* ↑ ≗geschichtlich. **~jahres-best·leistung** *f.* 〖스포츠〗 해당 연도〔금년도〕의 세계 최고 기록. **~jahres·best·zeit** *f.* (속도 경기의) 해당 연도〔금년도〕의 세계 최고 기록. **~karte** *f.* 세계 지도. **~kenntnis** *f.* ① 세계 여러 나라에 관한 지식. ② 세상 물정에 관한 지식. **~kind** *n.* 현세주의자. **~kirchen-konferenz** *f.* 세계 교회 협의회(WCC). **~klasse** *f.* ① 세계 정상급. ② 〖총칭〗 세계 정상급 선수들. **~klasse·spieler** *m.* 세계 정상급 선수. **≗klug** *a.* 처세에 능한, 세상살이에 약삭빠른. **~klugheit** *f.* ↑ ≗klug 의 명사형. **~konferenz** *f.* 국제 회의. **~kongreß** *m.* ↑ ~konferenz. **~könig** *m.* (세계의 왕으로서의) 신; 태양. **~körper** *m.* 천체. **~-kreis** *m.* 우주, 세계. **~krieg** *m.* 세계 대전: der zweite ~ 제 2 차 세계 대전. **~kugel** *f.* ① 지구. ② 지구의(儀). **~kunde** *f.* ① 우주론. ② 세상사에 관한 지식. **≗kundig** *a.* ① 세상 물정에 밝은; 사교에 능숙한. ② 널리 알려진: etwas wird ~ 무엇이 널리 알려지다. **~lage** *f.* 세계〔국제〕 정세. **~lauf** *m.* 세상 돌아가는 형편〔이치〕, 세상 만사: das ist der ~ 그것이 세상의 이치다. **≗läufig** *a.* ① 세상에 흔한. ② 처세에 능한. **~läufigkeit** *f.* 처세에 능함; 처세술, 수완. **~leben** *n.* ① 우주의 운행; 세계의 추세. ② 일상 생활, 세속적 생활. ③ 공공 생활, 사회적〔정치적〕 생활. **~lehre** *f.* 우주론.

***weltlich** [vɛ́ltlɪç] *a.* ① 세계의; 이 세상의, 현세의, 이승의: ~e Genüsse 세상의 향락. ② (↔ geistlich) 비종교적인, 교회에 속하지 않는; 성직자가 아닌; 속세의, 세속적인; 신성하지 않은: ~e und geistliche Fürsten 세속 및 성직 영주들; 〖史〗 ~e Investitur 평신도의 성직 서품〔임명〕; das Kloster wird ~ gemacht 그 수도원은 국유화된다.

Wẹltlichkeit *f.* -en ① **(a)** 속됨, 세속적임; 비종교적〔비교회적〕임; 성직자가 아님. **(b)** 속인(俗人)임(Laienstand). **(c)** 〖비유〗 비(非)전문가임. ② 세속적인 일, 세상사: ~en a) 세속적인〔재산상의〕 권리들, b) 세상의 지배자들.

Wẹltlich·machung *f.* (교회·성직자 재산의) 국유화.

Wẹlt·licht *n.* 세상의 빛(이 되는 사람); 샛별, 태두(泰斗); 태양.

Weltling [vέltlɪŋ] *m.* -s, -e 속물, 세속주의자.

Wẹlt≈literatur *f.* 세계 문학. **~lust** *f.* 속세〔현세〕의 쾌락. **~macht** *f.* ① 세계 패권. ② 세계적 강대국. **~mann** *m.* ① 처세에 능한 사람, 사교가. ② 속된 사람, 세속주의자. ③ 이 세상 사람, 인간. **≈männisch** *a.* 사교적인; 세속적인. **~marke** *f.* 세계적 상표. **~markt** *m.* 〖經〗 세계 시장. **~maß·stab** *m.* ①〖經〗 국제 기준. ② im ~ 전세계적으로. **~meer** *n.* ① 대양. ② 세계의 중요한 해양. **~meister** *m.* ①〔고어〕 (세상의 통치자로서의) 신. ② 〖스포츠〗 세계 선수권자〔챔피언〕; 세계적 선수. **~meisterin** *f.* 여자 세계 선수권자. **~meister·schaft** *f.* 〖스포츠〗 ① 세계 선수권〔타이틀〕: um die ~ spielen 세계 선수권 획득을 위해 경기하다. ② 세계 선수권 대회: die ~ im Fußball gewinnen 세계 축구 선수권 대회에서 우승하다. **~mensch** *m.* ↑ ~mann. **≈müde** *a.* 세상에 싫증난, 염세적인. **≈-offen** *a.* ① 세상 만사에 개방적인〔편견이 없는〕. ②〔드물게〕 전세계에 개방된. **~offen-heit** *f.* ① 세상 만사에 개방적인 태도. ② (전세계로의) 개방성. **~öffentlichkeit** *f.* ① 세계 여론, 전세계의 이목. ② 전세계의 사람들. **~ordnung** *f.* 세계〔우주〕 질서, 자연의 이치: die sittliche ~ 영원한 도덕률. **~ori-entierung** *f.* 〖哲〗 세상을〔세계를〕 보는 기본 입장〔태도〕, 세계관. **~pol** *m.* 지극(地極). **~politik** *f.* 국제 정치〔정책〕. **≈politisch** *a.* 국제 정치의. **~post** *f.* ↑ ~postverein.

Wẹltpost≈karte *f.* 국제 우편 엽서. **~verein** *m.* 만국 우편 연합(UPU).

Wẹlt≈priester *m.* 교회〔수도원〕 소속이 아닌 사제. **~rang** *m.* 세계 랭킹〔순위〕: ein Sportler von ~ 세계 정상급 운동 선수. **~rang·liste** *f.* 〖스포츠〗 세계 순위표. **~rätsel** *n.* 세계〔우주〕의 수수께끼, 불가사의. **~raum** *m.* 우주: in den ~ vorstoßen 우주 공간에 진입하다.

Wẹltraum≈fahrer *m.* 우주 비행사. **~fahrt** *f.* 우주 비행. **~fahrzeug** *n.* 우주 비행선. **~flug** *m.* 우주 비행. **~forschung** *m.* 우주 연구〔탐사〕. **~labor** *n.* 우주 실험실. **~müll** *m.* 우주 쓰레기(발사 후 버려진 로켓의 잔해 등). **~schiff** *n.* 우주선. **~station** *f.* 우주 정거장.

Wẹlt≈regierung *f.* 세계 정부. **~reich** *n.* ① (천계(天界)에 대한) 지상 세계. ② 전세계적 제국〔왕국〕. **~reise** *f.* ① 세계 여행. ② 머나먼〔힘든〕 여행. **~reisende*** *der/die* 세계 여행자. **~rekord** *m.* 〖스포츠〗 세계 기록. **~rekord·halter** *m.*, **~rekord·inhaber** *m.*, **~rekordler** *m.* 세계 기록 보유자. **~-religion** *f.* 세계적 종교. **~revolution** *f.* 〖政〗 세계적 혁명; 세계의 혁명. **~ruf** *m.* 세계적 명성: ein Gelehrter von ~ 세계적 명성을 지닌 학자. **~ruhm** *m.* ↑ ~ruf. **≈scheu** *a.* 세상을 겁내는, 염세적인. **~schmerz** *m.* 세계고(苦), 감상적인 염세 감정. **~schöpfer** *m.* 조물주, 신. **~seele** *f.* 〖哲〗 세계 영혼(세상을 지배하고 질서를 유지하는 근본적 원리). **~sicherheits·rat** *m.* (국제 연합의) 안전 보장 이사회. **~sinn** *m.* 속된 마음, 물욕, 현세 집착. **~sitte** *f.* 세상 풍습, 예의범절. **~-spar·tag** *m.* 세계 저축의 날. **~spitze** *f.* 세계 정상〔최고〕. **~sprache** *f.* 세계적 언어, 세계어. **~stadt** *f.* ① 세계적 대도시, 국제 도시. ②〖통계〗 인구 1 백만 이상의 대도시. ③ (고대의) 특정한 문화권의 중심 도시. **≈städtisch** *a.* 세계적 대도시의. **~star** 《engl.》 *m.* 세계적 스타. **~stellung** *f.* 세계적 지위; 일등국의 지위. **~strich** *m.* (지구의) 지역, 지대. **~system** *n.* ① 우주 체계. ② 세계 체제. **~teil** *m.* 〔드물게〕 대륙. **~ton** *m.* 상류 사회의 예의범절, 품위 있는 말씨〔거동〕. **≈-umfassend** *a.* ↑ ≈umspannend. **~umse-g(e)lung** *f.* 세계 일주 항해. **~umsegler** *m.* 세계 일주 항해자. **≈umspannend** *a.* 전세계를 포괄하는, 전세계적 차원의. **~unter-gang** *m.* 세계의 멸망〔몰락〕. **≈verachtend** *a.* 세상을 멸시하는, 세상사에 냉소적인. **~-verbesserer** *m.* 〔흔히 반어적〕 세계 개혁자(연 하는 사람). **~verkehr** *m.* 세계 교통; 타국민〔타민족〕과의 교류, 국제 교류. **~verlas-senheit** *f.* 세상을 등짐, 은둔. **≈verloren** *a.* 세상에서 잊혀진; 속세를 등진, 속세와 절연한. **~währungs·konferenz** *f.* 세계 금융 통화 회의. **≈weise** *a.* 〔고어〕 ① 세상살이〔처세〕에 밝은. ② 철학의, 철학적인. **~weise*** *der/die* (신학을 연구 대상으로 하지 않는 학자라는 뜻에서의) 철학자. **~weisheit** *f.* (세상에 관한 학문으로서의) 철학. **≈weit** *a.* 전세계적인: von ~er Bedeutung 전세계적 의의를 지닌. **~wende** *f.* 세계사적 전환기. **~wirtschaft** *f.* 세계 경제.

Wẹltwirtschafts≈krise *f.* 세계 경제의 위기. **~konferenz** *f.* 세계 경제 회의.

Wẹlt≈wunder *n.* ①〔구어〕 진기한 것, 별난 사람. ② 불가사의: die Sieben ~ 세계 7 대 불가사의. **~zeit** *f.* ① 세계 표준시, 그리니치시(時). ② 시대. ③ (성직에 몸담기 이전의) 세속 생활 시절. **~zeit·uhr** *f.* 세계 여러 곳의 시간을 동시에 알리는 시계.

***wem** [veːm] ↑ wer 의 3 격.

Wẹm·fall *m.* 〖문법〗 (Dativ) 제 3 격, 여격.

***wen** [veːn] ↑ wer 의 4 격.

Wende[1] [vέndə] *m.* -n, -n (서기 8-9 세기경 독일 북동부에 이주한 슬라브 계통의) 벤트족(族).

***Wẹnde**[2] 《<wenden》 *f.* -n ① 전환, 방향 전환; 변혁: eine ~ zum Guten 호전; eine ~ in der Sozialpolitik 사회 정책의 대전환. ② 전환기, 격변기. ③〖스포츠〗 회전 운동, 방향 전환; (수영·피겨의) 턴, 회전, (체조의) 정면 도약. ④ 〖海〗 (요트·범선의) 방향 전환: klar zur ~! 방향 전환! (요트의 구령) ⑤〖스포츠〗 전환〔반환〕점. ⑥ (도로의) 커브. ⑦〔고어〕 경작 단위(Ackermaß).

Wẹnde≈acker *m.*, **~fahrt** *f.* 〖農〗 ① (Anwand) (밭)이랑. ② 두벌갈이한 경지(耕地). **~hals(vogel)** *m.* 〖動〗 개미잡이새. **~hammer** *m.* 막다른 골목 끝의 공터(자동차가 돌아나오기 위한 공간).

Wendei 《<Wende[1]》 *f.* 벤트족(族)이 거주한 지방.

Wẹnde·kreis *m.* ①〖天·지리〗 회귀선(回歸線): ~ des Krebses 북회귀선, 하지선. ② (자동차의) 최소 회전원〔반경〕.

Wendel [vέndəl] *f.* -n 〖工〗 나선(형 구조물),

(전구의) 코일.

Wendel-baum 《mhd. wendel, „sich wendendes Ding"》 *m.*〖工〗굴대, 회전축. **~bohrer** *m.* 나선형 송곳, 드릴. **~rutsche** *f.*〖工〗나선형 슈트〔미끄럼틀〕. **~steig** *m.* 꼬불꼬불한 비탈길, 구절양장(九折羊腸). **~treppe** *f.* ①〖건축〗나선형 계단. ②〖動〗큰실패고둥의 일종.

Wende-manöver *n.* 차량·함정이 동원되는 기동 훈련. **~marke** *f.* (요트 경기의) 반환점〔회전〕 표지.

***wenden**(*) [vέndən] (wandte/wendete, gewandt/gewendet) 《winden 의 사역 동사형》《I》*t.* ① **(a)** 뒤집다, 회전시키다: den Braten ~ 불고기를 뒤집다; bitte ~! (책장·광고 따위에서) 뒷면을 보시오!; den Acker ~ 밭을 갈아엎다; ein gewendeter Rock 안팎을 뒤집어 고친 저고리. **(b)** (무엇의) 방향을 바꾸다; 다른 방향으로 돌리다: das Pferd ~ 말머리를 돌리다; den Blick zur Seite ~ 시선을 옆으로 돌리다; kein Auge von jm. ~ 누구에게서 눈을 떼지 않다; jm. den Rücken ~ a) 누구에게 등을 돌리다, b) 절교〔외면〕하다; den Wagen ~ 차를 돌리다;〖비유〗js. Herz 〔Sinn〕 ~ 누구의 마음〔생각〕을 돌리게〔고치게〕 하다; das Kriegsglück ~ 전세(戰勢)를 만회하다. **(c)** 피하다, 회피하다, 멀리하다, 방지하다: ein Übel ~ 해악을 멀리하다; den Schaden ~ 손해를 방지하다; er versucht, ein Glück zu ~ 그는 복을 차 버리려고 한다. ② (노력 따위를) 들이다, 소모하다: viel Geld 〔Fleiß〕 auf〔an〕 et. ~ 어떤 일에 큰돈〔열성〕을 들이다; sie haben all ihre Ersparnisse an ihre Kinder gewandt 그들은 모든 저축금을 자녀를 위해 썼다. ③〖전치사와 함께〗seine Schritte **aus** dem Hause ~ 집 밖으로 걸음을 옮기다; Bitte〔Dank, Gebote〕 **gegen** jn.〔et.〕 ~ 누구에게〔무엇에〕 애원〔감사, 명령〕하다; et. **in** etwas anderes ~ 무엇을 다른 무엇으로 변하게 하다; die Augen 〔den Blick〕 **nach** 〔**zu**〕 jm.〔et.³〕 ~ 누구에게〔무엇에〕 눈을 돌리다; die Hand **von** jm. ~ 누구에게서 손을 떼다, 누구를 더 이상 돌봐 주지 않다. 《II》 *refl.* sich ~ ① 돌다; 뒤집히다; 방향이 바뀌다; 바뀌다, 변하다; 돌아서다: der Wind 〔das Gespräch〕 wendet sich 풍향이〔화제가〕 바뀌다;〖비유〗der Tag hat sich gewendet 날이 저물었다;〖비유〗das Blatt hat sich gewendet 형세가 일변했다. ② sich an jn. ~ 누구에게 조언〔도움〕을 청하다; darf ich mich mit einer Bitte an Sie ~? 한 가지 부탁을 드려도 되겠습니까?;〖비유〗 das Buch wendet sich an Studenten 이 책은 대학생용이다. ③ sich **gegen** jn. ~ 누구에게 대항〔반항·반론〕하다. ④ sich ~ 준비〔착수〕하다: sich **zum** Gehen 〔**zur** Flucht〕 ~ 떠나가려고〔도망가려고〕하다. ⑤〖전치사와 함께〗sich **mit** dem Gesicht ~ 외면하다; sich **von** et.³〔jm.〕 ~ 무엇을〔누구를〕 배반하다, 버리고 돌보지 않다; sich **zum** Guten ~ a) (물건·상황이) 좋아지다, b) (사람이) 개과천선하다. 《III》 *i.* (h.) ↑《II》①;〖商〗mit ~der〔umgehender〕 Post 회송 우편으로. 《IV》 **gewandt** *p.a.* ↑ gewandt.

Wende-pflug *m.* ① 쟁기. ② 회전식 쟁기. **~platz** *m.* ↑ ~hammer. **~punkt** *m.* 전환점, 분기점;〖天〗회귀점(回歸點), 일지점(日至點)(하지점·동지점);〖數〗변곡점(變曲點), 만곡점(彎曲點): sie stehen an einem wichtigen ~(e) 그들은 중대한 기로에 서 있다.

Wender [vέndər] 《<wenden》 *m.* -s, - ① 뒤집개; 굴대, 돌리개: Braten⁓ a) 구이 고기 뒤집개, b) 그릴의 굴대. ②〖전기〗(Strom⁓) 전극기(轉極器), 정류자(整流子). ③〖農〗건초를 뒤집는 기계.

Wende-rohr *n.*〖工〗(소화 펌프의) 가동관(可動管). **~schaltung** *f.* 전환〔회전〕 스위치. **~schemel** *m.* 등받이 없는 회전의자.

wendig [vέndıç] 《<wenden》 *a.* ① 돌리기 쉬운, 탄력 있는; 유연한, (자동차·기계 등이) 조종하기 쉬운; 길들이기 쉬운; 손에 익은: ein ~es Fahrzeug 다루기 쉬운 차량; jn. von jm. 〔et.³〕 ~ machen 누구를 누구에게서〔무엇에서〕 떨어지게 하다; ~ sein 조종하기 쉽다. ② 민첩한, 잽싼, 기민한, 약삭빠른: ein ~er Kaufmann 약삭빠른 장사꾼; einen ~en Verstand haben 명민한 두뇌를 갖고 있다.

..wendig *suf.* "…쪽의"의 뜻(보기: ↑ aus~ 바깥쪽의, in~ 안쪽의).

Wendigkeit *f.* 유연; 조종하기 쉬움; 기민, 약삭빠름.

Wendin *f.* -nen〖고어〗(슬라브계의) 벤트족(族) 여성.

wendisch [vέndıʃ] 《<Wende¹》 *a.* 벤트족의.

***Wendung** [vέnduŋ] 《<wenden》 *f.* -en ① 회전, (방향) 전환, 변화; 전환점, 분기점: ~ zum Schlimmeren 나빠짐, 악화; bei dieser ~ der Dinge 이 계제에, 이것을 계기로; et.³ eine andere ~ geben a) 무엇의 방향을 돌리다, b) 무엇의 국면을 전환시키다; eine ~ nach rechts vornehmen 우회전하다. ②〖드물게〗굴절, 만곡(彎曲), 굽이, 휨: der Fluß macht hier eine ~ 그 강은 여기서 굽이쳐 흐른다. ③ 표현법, 어법; 숙어, 성구, 관용적 표현: eine stehende ~ 상투적인 어법; ~ im Satze 문체. ④〖醫〗(순조로운 분만을 위한) 태아의 몸 뒤집어 주기.

Wen-fall *m.*〖문법〗(Akkusativ) 제 4 격, 목적격.

***wenig** [vé:nıç] 《ahd. wênag, „beweinenswert, elend"; ♧ weinen》 *a./prn.* 《I》〖형용사적〗약간의, 얼마 안 되는, 적은, 근소한, 소량의: ①〖불가산(不可算) 명사 앞에서; 대개 어미 변화 없음〗**(a)**〖1 격·4 격〗~ Geld 얼마 안 되는 돈; ~ Gutes 얼마 안 되는 좋은 것; nicht ~ 적지 않은, 상당히 많은; er ißt ~ Kuchen 그는 과자를 별로 안 먹는다; es ist ~ Hoffnung (vorhanden) 거의 가망〔희망〕이 없다; es macht mir ~ Mühe 나는 그것이 별로 힘들지 않다;〖3 격〗mit ~ Geld 몇 푼 안 되는 〔적은〕 돈으로; Freunde von ~ Treue 믿기 어려운 친구들. **(b)**〖때때로 어미 변화〗~es erlesenes Silber 소량의 정선된 은. ②〖무관사 복수 명사 앞에서; 대개 어미 변화〗**(a)** ~e Leute 소수의 사람들;〖2 격〗das Geheimnis ist im Besitz ~er Personen 이 비밀은 몇몇 사람밖에 모른다. **(b)**〖복수 명사의 앞에서도 격이 분명하면 흔히 어미를 생략함〗mit ~(en) Worten 몇 마디(말)로; vor ~(en) Tagen 불과 며칠 전에; es gibt ~ Leute, die mit ⁓em viel sagen 적은 말로 풍부한〔깊은〕 뜻을 전달할 줄 아는 사람은 드물다. ③〖정관사·소유 대명사의 다음에서는 반드시 어미 변화를

함』적은, 미미한; 하찮은: das ~e Geld 그 적은 돈; sein ~es Talent 그의 보잘것없는〔하찮은〕 재능; meine ~e Hoffnung, ihn zu retten 그를 구하겠다는 나의 한 가닥 희망; 〖1 인칭의 겸손을 나타냄〗 ich meines ~en Orts 〔Teils〕, ich für meine ~e Person 나 자신은, 나 일개인은, 나만은. ④〖서술적〗 wir sind ~ 우리는 인원이 적다; es ist eine Mark ~ 1 마르크가 모자란다. 《Ⅱ》〖명사적〗 소수, 소량: ① ein ~es 〔das ~e〕 적은 것, 근소한 것; ~e 〔die ~en〕 소수의〔일부의〕 사람들; dieses ~e 이 소량〔소액〕; einige ~e 몇몇 사람들, 두서너 명; ~e glauben, daß ... …을 믿을〔믿는〕 사람은 적다; das wissen nur ~e 〔das ist nur ~en bekannt, das ist ein Geheimnis ~er〕 그것은 극소수의 사람만이 알 뿐이다; mit ~em auskommen 적은 것으로 충당하다, 그럭저럭 견디다; das ~e, was ich besitze 내가 가지고 있는 얼마 안 되는 것; sich mit ~em begnügen ist schwer 적은 것으로 만족하기는 어렵다; sich ~ aus jm. 〔et.[3]〕 machen 누구를〔무엇을〕 별로 좋아하지 않다, 누가〔무엇이〕 그다지 문제되지는 않는다; ~ auf et. geben 무엇을 중요시하지 않다. ②《mhd. wênec, „ein Kleines; geringe Quantität"》〖고어; 불변화형을 von 또는 2 격 명사와 함께 써서〗 mit ~ von dem bessern Stoff 〔mit ~ des bessern Stoffs〕 보다 좋은 적은 소재로; laß deiner Worte ~ sein! 말을 적게 하라!; wir haben der Freude ~ 우리에게는 조그마한 기쁨이 있을 뿐이다; es sind unserer ~ 우리들은 몇 사람밖에 안 된다. ③〖고어; 2 격 명사와 함께〗 ein ~ Geldes 돈의 소액, 약간의 돈; 〖오늘날에는 명사의 어미 변화 없음; 부가적〗 ein ~ Wasser 약간의 물. 《Ⅲ》〖부사적〗 ①〖so ~의 형태로〗 (a) 〖이중 부정〗 (eben)so ~ ... als〔wie〕 ... …도 않고 …도 않다: er ist ebenso ~ reich als ich 그는 나와 마찬가지로 부자가 아니다; er ist ebenso ~ gelehrt als klug 그는 배운 것도 없고 영리하지도 못하다; er hat kein Geld, ich ebenso ~ 그는 돈이 없는데 나도 마찬가지다. (b) er ist so ~ arm, daß er vielmehr ... 그는 가난하기커녕 오히려 …이다. (c) so ~ er es auch wünscht 그가 그것을 조금도 원하지는 않지만. ②〖(zu) ~의 형태로〗 별로 …하지 않게, 조금만: er ist zu ~ beliebt 그는 별로 인기가 없다; zu ~ gekocht 설삶은, 설익은; er ist dafür zu wenig Kenner 그는 그 일에는 별로 전문가가 아니다; es fehlte ~ (daran), so wäre ich getötet worden 나는 하마터면 죽을 뻔했다; ~ fehlte, und er wäre ertrunken 그는 하마터면 익사할 뻔했다; sie beklagen sich, daß du ~ schreibst 그들은 네가 거의 편지하지 않는다고 불평하고 있다. ③〖(klein) wenig 의 형태로; wenig 가 "거의 없다"는 부정적인 뜻임에 비해 ein wenig 는 "웬만큼 있다"는 긍정적인 뜻임〗 ein ~ 어느 정도, 조금, 약간: ein klein ~ 약간, 다소; (um) ein ~ schneller 조금만 더 빨리; ich fürchte mich ein ~ 나는 좀 두렵다; es ist ein ~ laut hier 여기는 좀 시끄럽다. ④〖방언〗 wie ~ 적어도(Wenigstens).

Wenig *n.* -s, - 적은 것; 근소한 것: 〖속담〗 viele ~ machen ein Viel 티끌 모아 태산.

***weniger** [vé:nɪgər] 〖wenig 의 비교급; 원래는 minder; 언제나 어미 변화 없음〗 《Ⅰ》 *a.* 더 적은, 보다 소수〔소량〕의: ① er ißt ~ Kuchen als Brot 그는 과자보다는 빵을 더 먹는다; sie wird immer ~ 그녀는 갈수록 수척해진다; ich kann Ihnen die Ware nicht für ~ geben 나는 당신에게 이 물건을 더 싼값에 드릴 수는 없습니다; er ist ~ (=nicht sowohl) Narr als Clown 그는 바보라기보다 오히려 어릿광대라고 하겠다; das Stück wird oft gespielt, mit mehr oder ~ Erfolg 그 작품은 자주 공연되는데 대체로 성공하고 있다. ②〖명사적〗 더 적은 사람들〔물건들〕: je ~ teilnehmen, um so günstiger ist es 참가자가 적으면 적을수록 더 유리하다. 《Ⅱ》 *adv.* ① 보다 적게, 더 적게: er ist jetzt ~ glücklich als früher 그는 지금은 예전만큼 행복하지 않다; sie ist ~ begabt als fleißig 그녀는 재주가 있다기보다는 부지런하다; 〖부정문 뒤에 놓여〗 noch 〔viel, desto, umso〕 ~ …더구나〔하물며〕 …은 아니다; ich habe ihn gar nicht gesehen, viel ~ gesprochen 나는 그를 전혀 만나본 적이 없으며, 이야기해 본 적은 더구나 없다. ② nicht ~ 마찬가지로, 또한: das Land ist mit schönen Wiesen geziert, nicht ~ ist es fischreich 이 땅은 아름다운 초원으로 장식되어 있으며 어류 또한 많다. ③ nicht ~ als ... …보다 적지 않은: das kostet nicht ~ als 5 Mark 그것은 값이 적어도 5 마르크는 된다; ich hatte nicht ~ als zehn Leute zu verpflegen 나는 적어도 열 사람은 돌보아 주지 않으면 안 되었다. ④ nichts ~ als...: (a) 전혀 …이 아닌, …커녕, …와는 전혀 다른〔별개인〕: sie ist nichts ~ als schön 그 여자는 결코 아름답지 않다. (b) 〖드물게〗 …와 참으로〔똑〕같은, 참으로 …한: dies ist nichts ~ als eine Kriegserklärung 이것은 바로 선전 포고나 다름없다. (c) er ist mit nichts ~ (=mit allem mehr) zufrieden, als mit ... 그는 도무지 …에 만족치 않는다, 무엇보다도 …이 불만이다. ⑤〖數〗 sechs ~ (=minus) eins ist 〔gleich〕 fünf 6 빼기 1 은 5. ⑥〖숙어적〗 mehr oder ~ 많든 적든, 다소간에; nichtsdesto~ 그럼에도 불구하고; ich habe einen Freund ~ 나는 친구가 한 사람 적다.

Wenigkeit [vé:nɪçkaɪt] *f.* ① 근소(함), 적은 수, 소량: 〖반어〗 das kostete nur die ~ von tausend Mark 그건 뭐 겨우 1000 마르크밖에 하지 않더군. ②〖복수〗 보잘것없는 사물, 하찮은 일. ③〖겸손한 말투〗 meine ~ 불초, 소생; mit meiner ~ waren wir fünf Personen 우리는 소생을 합해서 다섯 사람이었소; unsere ~en 소생들, 저희들.

wenigst [vé:nɪçst] 〖wenig 의 최상급; 원래는 mindest〗 *a.* 가장 적은, 최소의: der ~e Schaden 경미한 손해; er hat die ~e Sorge 그는 걱정이 극히 적다〔거의 없다〕; die ~en (Leute) 극소수의 사람; das wissen die ~en 그것을 알고 있는 사람은 극히 적다; 〖구어〗 das ist das ~e! 그건 아주 약과라구! (겨우 그 정도로 뭘 그래); er beschränkt sich auf das ~e a) 그는 최소한도의 일박에 안한다, b) 최소한의 것에 만족한다; es ist das ~e, was du tun kannst 그것은 네가 할 수 있는 최소한의 것이다(적어도 그 정도는 할 수 있겠지); am ~en 가장 적게; zum ~en 적어도(wenigstens).

***wenigstens** [..stəns] *adv.* 적어도, 최소한: ich habe ~ dreimal gerufen 나는 적어도 세 번은 불렀다(누구의 이름 따위를); komm doch ~ einen Tag! 단 하루만이라도 다녀가거라!; wenn du ~ geschrieben hättest 네가 적어도 편지라도 했더라면 좋았을걸.

***wenn** [vɛn] 《↑ wann 의 별형》《I》 *adv.* ①〖의문 부사〗〖고어〗(wann) 언제, 어느 때. ②〖관계 부사〗 zu der Zeit, ~ (=als/wo)... …할〔한〕 때에. 《II》 *cj.* ①〖때를 나타내는 접속사로서 과거의 1회의 사건에는 주로 als 가 쓰이지만, 반복된 사건에는 wenn 이 쓰임; 그 이외의 시제에서는 모두 wenn 이 쓰임〗…할 때에, …할 때마다, …하는 동안은: ~ es Abend wird, (dann) verlängern sich die Schatten 저녁때가 되면 그림자가 길어진다; ~ es regnet, bleibe ich immer zu Hause 비가 오면 언제나 나는 집에 있다;〖과거의 반복적 사건〗(immer) ~ er zu uns kam, waren wir froh 그가 와 주면 우리는 (늘) 기뻤다;〖sobald 의 뜻〗~ er zurückkommt, brechen wir auf 그가 돌아오는 대로 우리는 곧 출발한다. ② (**a**)〖조건·가정; falls 또는 angenommen daß 의 뜻〗만약 …하다면, …의 경우에는: ~ nichts dazwischenkommt 별다른 일이 없다면; ~ dem so ist〔~ das der Fall ist〕만일 그렇다면; ~ es schon sein muß, dann lieber gleich 그래야 한다면 차라리 바로 지금; ~ du nicht willst, so laß es bleiben! 싫으면 그만두게!; ~ ich (mich) nicht irre 내 생각이 틀림없다면; ~ ich das gewußt hätte, so wäre ich gekommen 그런 줄 알았으면 찾아왔었을 것을; außer ~ ... …이 아니라면; ~ etwa die Rede davon sein sollte 만일 그 이야기가 혹 나오기라도 한다면; ~ nicht heute, so doch wenigstens morgen 오늘이 아니라면 적어도 내일은 꼭. (**b**)〖doch, nur 를 동반해서 기원·소망을 나타냄〗~ er doch käme! 그가 와 준다면 (좋을 텐데)!; ~ er doch nur genesen möchte! 그가 완쾌만 되면 (좋을 텐데)! (**c**)〖wenn 으로 시작되는 문장이 기정 사실을 나타낼 때는, 조건의 의미가 약화되어 daß 의 뜻에 가까워짐〗 es ist nicht gut, ~ man zu viel schläft 너무 많이 자는 것은 좋지 않다; ~ das Urteil so mild ausgefallen ist, so kommt es daher 판결이 가볍게 내려진 것은 이런 이유 때문이다. (**d**)〖대립을 나타냄; während, dagegen 의 뜻〗 nur der Starke wird das Schicksal zwingen, ~ der Schwächling untersinkt 약자는 파멸하지만 강자만은 운명을 제어한다; ~ ich in Wien nie ins Theater ging, ging ich beinahe täglich in Paris 빈에서는 한 번도 극장에 가지 않았는데 파리에서는 거의 매일 갔다. (**e**)〖wenn auch 의 뜻〗~ alle untreu werden, so bleibst doch du mir treu 모든 사람들이 믿을 수 없게 되더라도 너만은 나를 버리지 말아 다오. ③〖auch, schon, gleich 를 동반해서 용인문(容認文)을 이끎〗비록 …이지만; 설령 …하더라도: ~ er **auch**〔**gleich**〕recht hat 설사〔비록〕그가 옳다고 하더라도; ~ auch! (아무리) 그렇다고는 하지만!; ich komme, **auch** ~ es schneit 설령 눈이 오더라도 갈게; mir graut, ~ ich **nur** daran denke 그것을 생각만 해도 몸이 오싹해진다; ~ nur im geringsten 극히 사소한 정도이긴 하지만; ~ er **schon** nicht viel gelernt hat 그는 많이 배우지는 못했지만;〖구어〗~ schon, denn schon 이왕에 벌린 춤〔일〕이다(여기서 포기할 수 없다); (na) ~ schon! 그런 것 따위는 (어떻게 되든) 상관없어!; **selbst** ~〔**und** ~〕ich es könnte 내가 그것을 할 수 있다손치더라도; das tue ich nicht, und ~ er sich auf den Kopf stellt 아무리 그가 기를 쓰고 덤벼도 나는 그것은 안한다. ④〖als〔wie〕~의 형태로〗마치 …인 것처럼(als ob): er tut immer, als ~ er alles wüßte 그는 늘 무엇이든지 잘 아는 체한다.

Wenn *n.* -s, -(s) "만약〔설사·비록〕"이라고 하는 것, 조건, 제한, 유보: das ~ und Aber 이의(異議); ohne ~ und Aber 두말(할 것) 없이, 무조건; die ~ und (die) Aber abwiegen 이의를 심사숙고하다.

wenn·gleich [vɛnglάɪç] *cj.* 설사〔비록〕…일지라도, 제아무리 …이긴 하지마는: ~ mir das Bild nicht gefällt, muß ich doch sagen, daß es gut gemalt ist 그 그림이 내 마음에 들지는 않지만 그래도 잘 그렸다고 하지 않을 수 없다.

wenn·schon [vέnʃoːn] *cj.* ①〖드물게〗비록 …일지라도(wenngleich). ②〖구어〗(**a**) na ~! 그럼 어때, 괜찮아! (**b**) ~, dennschon 어차피 벌린 일이다, 제대로 마무리해야 한다.

Wenzel [vέntsəl] 《sl.》 *m.* ①〖Wenzeslaus 의 단축형〗벤첼(남자 이름). ② -s, -〖카드〗(Bube) 잭.

Wenzels·krone *f.* 보헤미아의 왕관.

***wer** [veːr] *prn.* (♧ weder, welch)〖남성 단수형이며 사람에 관하여 성·수의 구별없이 쓰임〗변화형: 1 격 wer, 2 격 wessen/(고어) wes, 3 격 wem, 4 격 wen 《I》①〖의문 대명사〗누구, 어느 분: ~ ist der Mann dort? 저기 있는 남자는 누구이지?;〖軍〗halt! ~ da? 정지! 누구야?; wessen ist dieses Grab? 이 무덤은 누구의 것이냐?; wessen Haus ist das? 이것은 누구의 집이냐?; wem gehört dieser Ring? 이 반지는 누구의 것이냐?;〖드물게·구어〗wem ist der Hut? 이 모자는 누구 것이냐?; an wem soll ich diese Wut auslassen? 이 울분을 누구에게 쏟아야 좋을까?; wen meinst du? 누구를 말하는 거지?; an wen ist dieser Brief? 이 편지는 누구 앞으로 가는 것이냐?;〖특정한 사람에 관하여〗~ war größer, Cäsar oder Pompejus? 시이저와 폼페이우스 중 누가 더 위대하였는가?; wem von den Anwesenden gehört dies? 이것은 출석자 중 누구의 것인가?;〖막연히〗~ kann denn das sein 도대체 누구일까; ich weiß nicht, ~ gerufen hat 누가 불렀는지 모르겠다; ~ anders〔sonst〕? 다른 누구인가?;〖다수의 사람을 나타내어〗~ kommt denn alles? 도대체 누구누구가 오느냐?; ich weiß nicht, wen alles er eingeladen hat 그가 대체 누구누구를 초대하였는지 나는 모른다;〖동사는 sein 이고 주어가 복수일 경우〗~ sind sie? 저 사람들은 누구냐?; ~ sind die Schauspieler? 배우는 누구누구냐?;〖~ weiß 형태의 상투적 삽입구; 약간의 체념·폄하의 뜻〗sie sagten ~ weiß was 그들은 (그 누구도 모를) 무엇인가를 말했다; ich habe es ihm schon ~ weiß wie oft gesagt 나는 그에게 벌써 누누이 그 말을 했다;〖감탄문에서〗~ könnte das auseinanderhalten! 누가 그것을 분간해 낼 수

있을까!; 〖용인문(容認文)을 이끌어서〗 ~ es auch immer 〔~ auch immer es〕 sein mag, er wird streng bestraft werden 설령 그가 누구일지라도 엄벌에 처해질 것이다. ② (a) 〖welcher, was für ein 의 뜻으로 예전에는 2격 wes 가 쓰였음〗 wes Geistes Kind ist er? 그는 (정신 상태가) 어떤 사람이냐?; wes Namens bist du? 너는 이름이 뭐냐? (b) 〖드물게 welcher 의 뜻으로〗 ~ Künstler möcht' s erdenken? 어떠한 예술가가 그것을 창안할 수 있을 것인가? 《Ⅱ》〔관계 대명사〕…하는 사람은 (누구든지): ~ mir traut, folge mir 나를 믿는 자는 나를 따르라; ~ wagt, gewinnt 감행하는 자가 성공한다; 〖속담〗 ~ andern eine Grube gräbt, fällt selbst hinein 남의 무덤을 파려다 제가 먼저 빠진다(남잡이가 제잡이); 〖속담〗 ~ nicht hören will, muß fühlen 말로 통하지 않으면 따끔한 맛을 봐야 한다; ~ (gern) lügt, der stiehlt 거짓말은 도둑질의 시작이다; ~ will, der kann 뜻이 있으면 길이 생긴다; wes Brot ich ess', des Lied ich sing' 사람은 빵을 주는 자의 노래를 부른다, 사람은 신세진 자의 편을 들게 마련이다. 《Ⅲ》〔부정(不定) 대명사〕 ① (jemand) 어떤 사람, 누군가: es muß ~ da gewesen sein 누군가가 여기에 있었음이 틀림없다; ist ~ gekommen? 누군가 왔었나?; da muß wem was passiert sein 거기서 누군가에게 무슨 일이 일어났음이 틀림없다; ich höre wen rufen 누군가 부르는 소리가 들린다; ist ~, der leugnen will, der komme! 수긍할 수 없는 사람은 (나)오라! ② 〖소망〗 ~ das lassen könnte 누군가 그것을 그대로 두는 사람이 있으면 좋으련만. ③ 특별〔중요〕한 인물: in seiner Stadt ist er ~ 그가 사는 도시에서 그는 유명 인사로 통한다.

Wera [vé:ra] 《russ., „Glaube"》 *f.* 베라(여자 이름).

Werbe[1] [vέrbə] *f.* -n 소용돌이(Wirbel).

Wẹrbe[2] *f.* -n ↑ Werbung.

Wẹrbe≈abteilung *f.* (기업의) 홍보부, 광고부서. **~agentur** *f.* 광고 대행 업체, 광고 대리점. **~anteil** *m.* 광고·선전이 효과가 있을 경우의 상여금. **~berater** *m.* (기업의) 광고 컨설턴트. **~büro** *n.* ① ↑ ~agentur. ② 〖軍·드물게〗 징모국. **~fachmann** *m.* 광고 전문가. **~feld·zug** *m.* 광고〔홍보〕 활동. **~fernsehen** *n.* ① 텔레비전 상업〔광고〕 방송. ② 텔레비전 방송국의 광고 부서. **~film** *m.* 선전〔광고〕 영화. **~funk** *m.* 라디오 광고〔선전〕. **~geld** *n.* 〖軍〗 징모 자금. **~geschenk** *n.* 선전용〔홍보용〕 경품. **~graphiker** *m.* 광고 디자이너. **~kampagne** [..panjə] *f.* 광고〔홍보〕 활동. **~kauf·frau** *f.* ↑ ~kaufmann 의 여성형. **~kauf·mann** *m.* (일반 회사의) 광고국 직원, 광고 회사의 직원. **~kosten** *pl.* 선전〔광고〕비. **~kraft** *f.* 〖商〗 광고〔홍보〕 효과. **≈kräftig** *a.* 광고 효과가 있는, 광고가 먹혀드는. **~leiter** *m.* (기업의) 광고 부서 책임자. **~liste** *f.* 〖軍〗 징모인 명부. **~mittel** *n.* 광고〔선전〕 매체〔수단〕.

werben [vέrbən] (warb, geworben) 《원뜻 „sich drehen"; ♧ Werft, Wirbel》《Ⅰ》 *i.* (h.)/*t.* ① (a) 얻으려고 애쓰다: um js. Vertrauen ~ 누구의 신뢰를 얻으려고 애쓰다; um ein Mädchen ~ 처녀에게 구애〔구혼〕하다; (um) Stimmen ~ 선거 운동을 하다, 득표 활동을 벌이다; nach Lob ~ 칭찬을 받으려고 노력하다; nach hohem Preise ~ 비싸게 팔려고 애쓰다. (b) 선전〔광고〕하다: für einen Handelsartikel ~ 어떤 상품을 선전〔광고·홍보〕하다; wer nicht wirbt, verdirbt 선전하지 않는 자는 망한다. ② 생업을 영위하다, 생계를 꾸리다. 《Ⅱ》 *t.* ① 모집하다: Bergarbeiter ~ 광원을 모집하다; jn. zu et.[3] ~ 누구를 무엇에〔으로〕 고용〔모집·권유〕하다; ein Mädchen zur Magd ~ 어떤 처녀를 하녀로 고용하다; 〖軍〗 jn. (zum Kriegsdienst) ~ 누구를 군인으로 모집하다; Rekruten ~ 신병을 모집하다; für eine Zeitung Abonnenten ~ 어떤 신문의 정기 구독자를 모집하다; et. an jm. ~ 누구에게 무엇을 간청하다. ② 얻다, 벌어들이다, 거두어들이다: Heu ~ 마른 풀을 거두어들이다. ③ 〖고어〗 (직무를) 수행하다: Botschaft ~ 사명을 다하다.

Wẹrbe≈offizier *m.* 〖고어〗 모병 장교. **~plakat** *n.* 선전〔모병〕 포스터〔플래카드〕. **~platz** *m.* 〖고어〗 모병지.

Werber [vέrbər] *m.* -s, - ① 〖고어〗 구혼자; 중매자. ② 모집자; 〖軍〗 징모자; 운동원, 선전원. ③ 〖구어〗 광고〔홍보〕 담당자.

Wẹrbe≈rat *m.* 〖고어〗 선전〔광고〕 감시 단체. **~redner** *m.* 선전〔모집〕 연설원.

Wẹrber·hand·werk *n.* 〖軍·고어〗 징집 사무.

Wẹrberin *f.* -nen ① 여성 홍보원. ② 여성 구혼자.

werberisch [vέrbərıʃ] *a.* ① 광고〔홍보〕에 관련된: geschickte ~e Methoden 유효 적절한 광고술. ② 선전원〔홍보원〕의: sich ~ betätigen 선전원으로 활동하다.

Wẹrbe≈schrift *f.* 홍보〔선전〕 책자〔팜플렛〕; 설립 취지서, 사업 계획서, 신간 안내. **~slogan** [..slo:gan] *m.* 광고〔선전〕 표어〔슬로건〕. **~spot** [..spɔt] *m.* 〖TV·라디오〗 짤막한 광고(문). **~spruch** *m.* ↑ ~slogan. **~system** *n.* 〖軍〗 징집 제도. **~text** *m.* 선전〔광고〕문. **~texter** *m.* 광고 카피라이터. **~träger** *m.* 광고용〔선전용〕 매체(신문, 방송 등). **~trommel** *f.* 〖다음 용법으로〗〖고어〗 die ~ rühren a) 〖軍〗 징모(徵募)하기 위하여 북을 치다, 모병하고 다니다, b) 〖商〗 광고〔선전〕하고 다니다. **≈wirksam** *a.* 광고 효과가 있는. **~wirksamkeit** *f.* 광고 효과. **~zweck** *m.* 광고〔선전〕 목적: zu ~en 광고용으로.

werblich [vέrplıç] *a.* 광고에 관련된.

***Werbung** [vέrbuŋ] *f.* -en ① 광고, 선전, 홍보. ② (기업의) 홍보부, 광고 부서. ③ 구애, 구혼, 청혼; 중매. ④ 지지 운동〔유세〕; 모집; 〖軍〗 신병 모집.

Wẹrbungs·kosten *pl.* 광고비, 선전비.

Wer·da [vé:rda, ve:rdá:] 《< wer ist da?》 *n.* -(s), -s ↑ Werdaruf.

Werdandi [vέrdandi] 《nord.》 *f.* 〖북구신화〗 베르단디(운명의 세 여신(Nornen)의 하나로서 현재를 관장함).

Werda·ruf [vé:rda..] *m.* (보초가) "누구냐?" 하고 외치는 소리, 수하(誰何) 소리.

Wẹrde·gang *m.* 발전〔성장〕 과정; (제품의) 완성 과정: können Sie mir kurz Ihren ~ schildern? 당신의 성장 과정을 간략히 말씀해

주실 수 있습니까?

__werden__ [véːrdən] (wurde/ward, geworden/worden) 〖과거형 ward 는 아어(雅語) 또는 시적인 문체에서 쓰일 뿐이고 보통은 wurde 가 쓰임; 과거 분사는 본동사로 쓰일 경우 geworden 이 됨(보기: er ist groß geworden). 단, 수동의 조동사로서는 worden 이 쓰임(보기: ich bin begleitet worden)〗《I》 *i.* (s.) ① (**a**) 되다, 생기다; 창조되다; 자라다: 〘聖〙 Gott sprach, es werde Licht, und es ward Licht 하느님이 가라사대 빛이 있으라 하시매 빛이 있고(창세기 1: 3); was nicht ist, kann noch ~ 지금은 없지만 앞으로는 생길 수 있다, 앞일은 알 수 없다; alles, was geworden ist, muß wieder vergehen 생자필멸(生者必滅); unter seinen Augen bin ich geworden 나는 그의 보호 밑에서 자라났다. (**b**) 〖방언〗 태어나다, 출생하다: jung ~ a) 태어나다, b) 되젊어지다, 회춘하다. ② 잘 되어가다, 호전되다: der Kranke wird wieder 환자가 회복한다; die Sache wird 일이 잘 되어간다; der Junge wird 그 아이는 싹수가 있다; er wird noch 그는 아직도 잘될 가망이 있다; es wird schon 그것은 틀림없이 잘된다; was soll damit ~? 그것은 어떻게 해야 하나요, 그건 어찌된답니까?; 〖초조〗 nun, wird's (bald)? 아직 멀었나, (곧) 되겠어?; wird's mit dem Wagen? (마)차는 곧 오는 거냐?; 〖경박〗 nicht mehr ~ 제정신이 아니다. ③ 〖雅語〗 (누구에게) 주어지다, 할당되다: mir wird etwas 나는 뭔가를 받게 된다; welche Antwort wurde dir? 너는 어떤 대답을 받았느냐?; was wird mir dafür? 나는 그 대가로 무엇을 받게 되느냐?; Ehre ward euch und Sieg 명예와 더불어 승리 또한 너희에게 주어졌도다; so gut ist es 〔solch Glück ist〕 mir nicht geworden 이같이 운좋은 일은 일찍이 없었다; das wurde ihm zum Lohn 〔zur Strafe〕 그것이 그에게 보수〔벌〕로 주어졌다; er wird uns zur Last 그는 우리에게 성가신 짐이 된다; 〖사람의 3 격 없이도〗 zur Schande 치욕〔불명예〕이다. ④ 〖계사로서 명사·형용사를 보어로 취하는 용법〗 무엇이 되다, (어떤) 상태가 되다: (**a**) 〖1 격 명사가 보어로 오는 경우〗 er wurde Soldat 그는 군인이 되었다; er ist ein Christ geworden 그는 기독교인이 되었다; laß deinen Sohn ein tüchtiger Kaufmann ~ 자네의 아들을 훌륭한 상인이 되게 하게; was soll ich ~? 나는 무엇이 되면 좋을까? (**b**) 〖2 격의 명사와 함께〗 anderer Meinung ~ 생각이 변하다; frohen Mutes ~ 마음이 즐겁게〔쾌활하게〕 되다; guter Hoffnung ~ 임신하다; man möchte des Teufels ~ 미칠 것 같다. (**c**) 〖사람의 3 격과 함께〗 mir wird 〔es wird mir〕 schwer ums Herz 나는 마음이 무거워진다; mir wird die Zeit lang 나는 지루해진다; mir wurde bange〔übel〕 나는 불안해졌다〔언짢아졌다〕; du kannst denken, wie mir zumute ward 내가 어떤 기분이었을까 생각해 보게. (**d**) 〖형용사·부사와 함께〗 adelig ~ 귀족이 되다; alt ~ 늙다, 나이 먹다; bekannt ~ 유명해지다; mit jm. bekannt ~ 누구와 친해지다; et. gewahr ~ 무엇을 인지하다; et. los ~ 무슨 일에서 벗어나다; eines Dinges satt ~ 무슨 일에 싫증나다; daraus werde ich nicht klug 그것을 이해하지 못하겠다. (**e**) 〖es 가 주어〗 wie wird es (mit der Sache)? 사태가〔형편이〕 어떠냐?; wie wird es mit dir? 너는 어떠냐, 어떻게 지내느냐?; so kann's nicht bleiben, es muß anders ~ 이대로는 안 되고 뭔가 달라져야 한다; es wird jetzt jeden Tag früher dunkel 지금은 하루하루 해가 짧아진다; es wird Tag 날이 샌다; es wird kalt〔heiß〕 날씨가 추워〔더워〕진다; es ist Mode geworden, daß ... …가 유행이 되었다. ⑤ 〖전치사와 함께〗 (**a**) **aus** Kindern ~ Leute 아이가 자라서 어른이 된다; aus Liebe wurde Haß 사랑이 미움으로 바뀌었다; aus ihm wird etwas 그는 상당한 인물이 될 것이다; 〖구어〗 daraus wird nichts! 나는 그것을 허락할 수 없어, 그것은 있을 수 없는 일이야!; 〖구어〗 aus nichts wird nichts 거저〔공짜로〕 되는 일은 없다; was wird aus 〔〖고어〗 **mit**〕 ihm? 그는 (장차) 어떻게 될까? (**b**) **zu** et.[3] ~ 무엇이 되다, 무엇으로 변하다: er wurde zum Gespött 그는 웃음거리가 되었다; zu Wasser ~ 물이 되다, 〖비유〗 수포로 돌아가다; zu nichts ~ a) 무(無)로 돌아가다, b) 무산되다, 물거품이 되다. ⑥ 〖방언〗 가다: nach Leipzig ~ 라이프치히에 가다; über Feld ~ 길 떠나다, 여행하다. ⑦ 〖현재 분사·부정법(不定法)과 함께 쓰여서 동작의 시작을 나타냄〗 〖고어〗 …하기 시작하다: er ward laufend 그는 뛰기 시작했다; 〘聖〙 da ward das ganze Heer laufend und schrieen und flohen 그리하여 그 온 적군이 다름질하고 부르짖으며 도망하였다(사사기 7:21); 〘聖〙 Moses aber ward zittern(d), und wagte nicht anzuschauen 모세가 무서워 감히 바라보지 못하더라(사도 행전 7:32). 《II》 ① 〖조동사로서 미래를 나타냄〗 …할 것이다, …일 것이다: ich werde es ihm gleich sagen 나는 그것을 그에게 당장 말할 것이다(단순 미래); er wird es getan haben 그는 그것을 끝마쳐놓고 있을 것이다(미래 완료); 〖가정·추측·겸양 따위〗 er wird es wohl wissen 그는 아마 그것을 알고 있겠지; das wird wohl kaum wahr sein 그것은 아무래도 정말은〔사실은〕 아니겠지; ich werde Martin heißen 저는 마르틴이라고 하는 사람입니다; wer wird denn solchen Unsinn glauben? 누가 그런 헛소리를 믿겠느냐?; 〖명령의 대용〗 du wirst dich hüten 조심해야 할 거야; 〖위협적〗 wart! euch werd' ich (kuranzen)! 가만있어, 그대로 두지 않을 테니!; 〖구어〗 ich werde dir helfen 놔둬라, 하지 마라. ② 〖würde+부정사의 형태로 일반 동사의 접속법 II 식 대신으로 쓰임〗 ich würde kommen (=ich käme), wenn ich Zeit hätte 만약 시간이 있다면 가겠습니다만; ich würde den Brief geschrieben haben (=ich hätte den Brief geschrieben), wenn ich Zeit gehabt hätte 여가가 있었다면 편지를 썼을 터인데; 〖본동사의 생략〗 die Mutter würde mich 그렇게 하면 어머니께 꾸중 들을거야. ③ 〖수동의 조동사; 단, 과거 분사는 worden 을 씀〗 …되다, …받다, …당하다: geliebt ~ 사랑받다; die Glocke wurde geläutet 종이 울렸다; das Haus wird eben gebaut 그 집은 지금 지어지는 중이다; es wurde viel gelacht 굉장한 웃음판이었다; er ist viel von ihnen gequält worden 그는 그들에게 큰 괴롭힘을 당했다; 〖구어〗 jetzt wird gearbeitet〔geschlafen〕! 이제 일할〔잠

잘] 시간이야! ; es ist uns gesagt worden, daß ... …라는 것을 우리들은 들었다.

Werden *n.* -s 생성, 발생; 발육, 발달; 〖哲〗 생성: (noch) im ~ sein 생성〔발육·발달〕 중이다; die Zeit seines ~s 그의 성장기.

werdend *p.a.* 생성〔발육·발생〕 중의, 덜된: mit dem ~en Tag 날이 밝아 오자; eine ~e Mutter 어머니가 되어가고 있는〔임신 중의〕 여자; ein ~er 자라고〔발전하고〕 있는 사람.

Werder [vɛ́rdər] *m.* -s, - ① (하천·호수 안에 있는) 작은 섬, 하주(河州). ② 하천과 호수 사이의 지역. ③ 간척지.

Werde·zeit [vé:rdə..] *f.* 생성〔발육·성장〕기.

Wer·fall [vé:r..] *m.* 〖문법〗 (Nominativ) 제 1격, 주격.

Werfel [vɛ́rfəl] *m.* -s, - (obd.) (Kurbel) 크랭크, (돌리는) 핸들.

werfen [vɛ́rfən] (warf, geworfen) 《I》 *t.* (h.) ① 던지다, 팽개치다; 투사하다, 투척하다: Anker ~ 닻을 내리다; Bomben ~ 폭탄을 투하하다; das Lot ~ 측연(測鉛)으로 수심을 재다; 〖비유〗 einen Kaufmann ~ 상인을 파산시키다; den Feind ~ 적을 격퇴하다; Schatten ~ 그림자를 드리우다; Strahlen ~ 광선을 투사하다; die Hände 〔mit den Händen〕 beim Gehen ~ 걸을 때 두 손을 흔들다; Kegel ~ 독일식 볼링의 공을 던지다; er hat Weltrekord geworfen 그는 던지기에서 세계 기록을 수립했다; das Spiel ~ 〖카드〗 카드를 던지다(쓸데없거나 졌을 때); die Würfel ~ 주사위를 던지다; ich habe vier geworfen 나는 주사위를 던져 4가 나왔다. ② (거품·물결 따위를) 일게 하다: Blasen ~ 거품이 부글부글 일다; Wellen ~ 파도가 일다; Falten ~ 주름지다, 구겨지다. ③ (짐승이 새끼를) 낳다: die Kuh hat ein Kalb geworfen 암소가 송아지를 낳았다. ④ 〖전치사와 함께〗 Bilder **an** die Wand ~ 그림을〔슬라이드를〕 벽에 비추다; Truppen an die Front ~ 병력을 전선에 투입하다; jm. schwere Vorwürfe an den Kopf ~ 누구에게 혹독한 비난을 퍼붓다; ein Auge 〔den Blick〕 **auf** et. ~ 무엇을 얼핏 보다〔일별하다〕; Ware auf den Markt ~ 상품을 대량으로 시장에 내놓다; alle Schuld auf jn. ~ 누구에게 모든 죄를 둘러씌우다; das wirft ein schlechtes Licht auf ihn 그것 때문에 그는 불리〔난처〕해 보인다; eine Skizze aufs Papier ~ 약도를 그리다; jn. **aus** dem Hause 〔aus der Tür〕 ~ 누구를 집〔문〕에서 내쫓다; alles **durch**einander ~ 모두 뒤섞어 놓다; et. **hinter** die Bank 〔den Rücken, sich〕 ~ 무엇을 일고의 가치도 없는 것이라고 내버리다; **in** die Höhe ~ a) (공 따위를) 높이 던지다, b) (머리를) 번쩍〔불쑥〕 쳐들다; jn. ins Gefängnis ~ 누구를 투옥하다; in die Flucht ~ 패주시키다; alles in einen Topf ~ 전부 똑같이 취급하다; die Tür ins Schloß ~ 문을 세게 닫다; eine Frage **in die** Debatte ~ 문제를 토론에 부치다; jn. **mit** Steinen 〔Steine **nach** jm.〕 ~ 누구에게 돌을 던지다; **über** den Haufen ~ 무너뜨리다, 허사가 되게 하다; **unter**einander ~ 뒤섞다; et. unters alte Eisen ~ 무엇을 헌신짝처럼 버리다; et. **von** sich³ ~ 무엇을 떨쳐 버리다, (옷을) 벗어버리다, (빛을) 내쏘다; Perlen **vor** die Säue ~ 돼지에게 진주를 던져 주다; **zu** Boden ~ 내던져 버리다, 쓰러뜨리다. ⑤ 〖결과를 나타내어〗 jn. mit Stein tot ~ 돌을 던져 누구를 죽이다; mit Steinen Früchte vom Baum ~ 돌을 던져 나무 열매를 떨어뜨리다; et. zu Trümmern ~ 무엇을 분쇄하다. 《II》 *i.* (h.) 던지다: **mit** Steinen (nach jm.) ~ (누구에게) 돌을 던지다; 〖구어〗 mit Fremdwörtern 〔dem Geld〕 **um** sich ~ 함부로 외국어를 지껄이다〔돈을 마구 쓰다〕. 《III》 *refl.* sich ~ ① (판자·문 따위가) 휘다, 뒤틀어지다. ② 내닫다; 달려들다: sich auf den Feind ~ 적을 향해 돌진하다; sich aufs Knie ~ 무릎을 꿇다; sich aufs Pferd ~ 말에 훌쩍 뛰어오르다. ③ 투신〔헌신〕하다: sich auf die Philosophie ~ 철학 연구에 몰두하다; sich jm. in die Arme ~ 누구의 품에 몸을 던지다〔안기다〕; sich in die Brust ~ (가슴을 펴고) 뻐기다; sich jm. in den Weg ~ 누구를 방해하다; sich in die Kleider ~ 급히 옷을 입다〔걸치다〕; sich jm. zu Füßen ~ 누구 앞에 넙죽 엎드리다, 누구에게 읍소하다; sich schlaflos hin und her ~ 잠을 못 이루고 뒤척이다.

Werfer [vɛ́rfər] *m.* -s, - ① 던지는 사람, 투척자; 투척 경기의 선수; (야구의) 투수; (농구·수구·핸드볼 등에서) 슛하는 사람. ② 〖軍〗 로켓 발사기; (Schein≈) 투광기(投光器), 헤드라이트.

Werft[1] [vɛrft] 《< werfen》 *m.* -(e)s, -e 〖방직〗 (Kette) 날줄, 경사(經絲).

Werft[2] 《♧ werben》 *f.* -en ① **(a)** 〖海〗 조선소, 독, 선거(船渠); 선창, 부두; 잔교(棧橋). **(b)** 항공기 정비 공장. ② (남아프리카의) 흑인촌. ③ 〖방언〗 체.

Werft≈arbeiter *m.* 조선소〔부두〕 노동자. **~dock** *n.* 〖海〗 선박 건조독.

Werfte *f.* -n ↑ Werft².

Werft·geld *n.* 〖海〗 선거료(船渠料); 계선료(繫船料); 부두 사용료.

Werg [vɛrk] 《♧ Werk》 *n.* -(e)s ① 마·아마(亞麻) 부스러기, 거친 삼. ② 〖海〗 뱃밥(물이 새어들지 못하게 판자 틈새에 채워 넣는 마(麻) 따위).

Wer·geld [vé:r..] 《ahd. wer, „Mann"》 *n.* 살인 배상금(중세의 법률에서 살인에 대한 속죄금(贖罪金)·배상금).

wergen *a.* 삼(麻)의, 삼으로 만든.

***Werk** [vɛrk] 《♧ wirken》 *n.* -(e)s, -e ① 활동, 일, 공사; 공작; 작업; 제작, 세공: **ans** ~ gehen〔schreiten〕, Hand ans ~ legen, sich ans ~ begeben〔machen〕 일에 착수하다; **beim** ~e sein 일에 종사하고 있다; et. **im** ~e haben 무엇을 제작 중이다; es ist etwas im ~e 무슨 일이 (은연중에) 벌어지고 있다; ins ~ setzen 실행하다; rasch **zu** ~e gehen 서둘러 일에 착수하다. ② 〖일의 결과로서〗 행위, 소행; 성과, 업적, 공적: ~e der Barmherzigkeit 자선 활동의 성과; ~e des Kriegs 전쟁의 결과; 〖구어〗 viel〔groß〕 ~(s)〔Wesens〕 aus〔von〕 et.³ machen 무슨 일로 소동을 벌이다〔법석을 떨다〕; gutes ~ 선행; mein Glück ist dein ~ 내 행복은 네 덕택이다; es war das ~ eines Augenblicks 그것은 순식간에 벌어진 일이었다; das ist nicht mein ~ 그것은 내 방식이 아니다; 〖구어〗 das war wohl dein ~! 그건 네 탓이야! ③ 작품, 창작물, 저작; 제작물, 세공품: Schillers ~e 쉴러의 작

품들〔집〕; ausgewählte ~e 선집; sämtliche ~e 전집; sein erstes ~ 그의 처녀작; das ~ lobt den Meister 이 작품에서 그가 거장임을 알 수 있다. ④ 메커니즘, 기계 장치. ⑤ **(a)** 제작소, 공장; 생산업체: ein ~ der Metallindustrie 금속 (산업) 공장. **(b)** 공장의 전직원. ⑥〘工〙 원료, 재료. ⑦〘제련〙 용광괴(熔鑛塊). ⑧〘軍〙 보루(保壘).

Werk=anlage *f.* 공장 설비. **~arbeit** *f.* ① 손세공, 손일. ② a) 공작 수업, b) 실습 작품. **~arzt** *m.* 직장〔공장〕 전속 의사. **~bank** *f.* 〔복수: ..bänke〕 작업대(臺). **~blei** *n.*〘제련〙 다른 금속을 함유한 납. **~brett** *n.* 작업대. **~bücherei** *f.* 공장의 부설 도서실. **~bund** *m.* 〔고어〕 독일 공예가 연맹. **~bus** *m.* 근로자용 통근 버스. **~druck** *m.* 〔복수: -e〕〘印〙 서적 인쇄. **~eigen** *a.* 공장에 딸려 있는, 공장 부설의: eine ~e Bücherei 공장 부설 도서실.

Werkel [vέrkəl] *n.* -s, - (obd., md.) 수동식 풍금(Leierkasten).

Werkel·mann *m.* 〔복수: ..männer〕 (öst.) 수동식 풍금 악사.

werkeln [vέrkəln] *i.* (h.) ① 심심풀이로 공작 일을 하다. ②〔방언〕 일하다.

Werkel=tag *m.* 〔고어〕 ↑ Werktag. **~täglich** *a.* 근무일의, 평일의.

werken [vέrkən] 《I》 *i.* (h.) 일하다. 《II》 *t.* 가공하다, 제작하다.

Werker *m.* -s, -〔고어〕 일하는 사람; 노동자.

Werk=fahrer *m.* (자동차 공장 전속의) 자동차 성능 시험 운전사. **~führer** *m.* 작업 조장, 공장장. **~fürsorge** *f.* 공장의 복지 사업〔시설〕. **~garantie** *f.* 제조 회사의 품질 보증. **~gemeinschaft** *f.* 직장〔공장〕 공동체. **~gerechtigkeit** *f.*〘신학〙 행위 의인(義認) (선행으로 신에게 의(義)를 인정받는 일). **~getreu** *a.* 원작〔원전〕에 충실한. **~halle** *f.* 공장 작업실〔제작실〕. **~heilig** *a.* 위선의, 위신(僞信)의. **~heilige** *m.* 위선자. **~heiligkeit** *f.* 위선. **~holz** *n.* 용재, 재목. **~immanent** *a.*〘문학〙 작품 내재적인, 작품 자체에만 충실한: ~e Interpretation 작품 내재적 해석. **~kanal** *m.* 동력 수로. **~kindergarten** *m.* 공장 부설 유치원. **~küche** *f.* 공장 구내 식당. **~lehrer** *m.* 공작 교사. **~leiter** *m.* 공장장; 작업 조장〔반장〕. **~leitung** *f.* 공장의 경영진〔수뇌부〕. **~leute** *pl.* 〔총칭〕 공장 노동자, 직공(職工).

werklich *a.* 〔고어〕 작품에 충실한; 정교한, 솜씨 있는.

Werk=loch *n.*〘工〙 맨홀. **~mann** *m.* 직공; 노동자; 수공업자; 〔시어〕 장인(匠人), 조형 예술가. **~meister** *m.* 직공장; (obd.) 미장이의 우두머리(Maurermeister).

Werks=anlage *f.* 공장 설비. **~ausstellung** *f.* 공작품 전시회.

Werk=schule *f.* 공장 부설 학교; 직업 학교. **~schutz** *m.* ① 공장의 보안. ②〔총칭〕 공장의 보안 요원.

werks=eigen *a.* 공장 소유의; 공장 부설의. **~kamerad** *m.* 공장 동료. **~leiter** *m.* 공장장.

Werk=spionage *f.* 산업 스파이 행위, 산업 기밀 정탐. **~statt** *f.* 공장; 작업장, 일하는 방; 서재; 아틀리에, 화실. **~stätte** *f.* 〔雅語〕 ↑ ~statt. **~stat·tage** *pl.* 근무〔작업〕일; 평일. **~statt·gepflegt** *a.* 정비 공장에서 정기적으로 정비받은. **~stein** *m.* 석재(石材). **~stelle** *f.* ↑ ~statt. **~stellig** *a.* 〔다음 용법으로〕 ~ machen 실행〔성취〕하다. **~stoff** *m.* 제작〔공업〕 재료.

werkstoff=gerecht *a.* 제작 재료에 맞는. **~ingenieur** [..ʒeniø:r] *m.* 재료 공학〔담당〕 기사. **~kunde** *f.* 재료 공학. **~forschung** *f.* 재료 연구. **~prüfung** *f.* 재료 검사.

Werk=stube *f.* 작업실. **~stück** *n.* 부품, 반제품. **~student** *m.* 고학생, 아르바이트 대학생. **~stuhl** *m.* 작업용 의자. **~tag** *m.* 근무일, 평일. **~täglich** *a.* 평일의, 근무일의. **~tags** *adv.* 평일에. **~tags=arbeit** *f.* 평일 근무. **~tags·rock** *m.* 작업복, 일상복. **~tätig** *a.* ① 일하고 있는, 취업 중인: die ~e Bevölkerung 취업 인구. ② 직무에〔생업에〕 부지런한. ③ 남을 잘 돕는, 자비로운: ~ Nächstenliebe 박애. ④ 효과적인, 효율적인. ⑤ 실용적인. **~tätige*** *der/die* 취업인, 근로자; 근무자. **~tätigkeit** *f.* 직업〔취업〕 활동; 근무. **~tisch** *m.* 작업대. **~titel** *m.* 작품명. **~unterricht** *m.* 공작 수업. **~vertrag** *m.* 공사〔도급〕 계약. **~verzeichnis** *n.*〘음악〙 (특정 음악가의) 작품 목록. **~wohnung** *f.* ① (전원풍의) 소별장. ② 공장 노동자 주택. **~zeitschrift** *f.* 공장 잡지, 사보(社報). ***~zeug** *n.* ① 기구, 도구, 공구; 수단; 〔비유〕 꼭두각시, 괴뢰: jn. zu einem ~ der Partei machen 누구를 당의 꼭두각시로 만들다. ②〘醫〙 장기(臟器), 기관. ③ ↑ Werkzeugmaschine.

Werkzeug=ausstattung *f.* (직공의) 장비; 공구 주머니〔상자〕. **~kasten** *m.* 공구 상자. **~macher** *m.* ① 공구 제작자. ② (3년 반의 교육을 거친) 공작 교사. **~maschine** *f.* 공작 기계. **~stahl** *m.* 공구 제작용 철강.

Wermut [vé:rmu:t] *m.* -(e)s ①〘植〙 쑥, 약쑥; 〔비유〕 고뇌(의 씨앗): ~ in et. träufeln 무엇을 싫어하게 만들다. ② 압생트주(酒) (포도주에 쑥향을 섞은 술).

Wermut=becher *m.* 〔비유〕 고배(苦杯): den ~ leeren 고배를 마시다, 고생〔시련〕을 겪다. **~bruder** *m.* 〔구어·평어〕 (술 취한) 거리의 부랑자.

Wermuts·tropfen *m.* 〔교양〕 일말의 씁쓸한 기분: ein ~ im Becher der Freude 기쁨 뒤에 오는 일말의 서글픔.

Wermut·wein *m.* 압생트주(酒), 베르무트주.

Wern *f.* -en, **Werner**[1] *m.* -s, - 〔방언〕 눈다래끼.

Werner[2] [vέrnər] *m.* 베르너(남자 이름).

werpen [vέrpən] 《I》 *i.* (h.) 닻을 끌어올리다. 《II》 *t.*〘海〙 (배를) 밧줄로 끌다〔이동시키다〕.

Werra [vέra] *f.* 베라(Weser 강의 상류).

Werre [vέrə] *f.* -n (schweiz.)〘動〙 (Maulwurfsgrille) 땅강아지.

Werst [vɛrst] 《russ.》 *f.* -en/(단위) - 베르스타, 노리(露里) (옛 러시아의 거리 단위; 1066.7 m; 약어: W).

***wert** [ve:rt] (♧ Würde) *a.* ①〔4격 목적어와 함께〕 …의 가치가 있는, …의 값이 나가는: das ist zwei Mark ~ 그것은 2마르크 한다; das ist keinen roten Heller 〔keinen Schuß

Pulver] ~ 그것은 한푼의 값어치도 없다; 〖비유〗 er ist 100 000 Mark ~ 그는 10만 마르크의 재산이 있다; das ist Geld ~ 그것은 얼마간의 값어치가 있다, 〖비유〗그것 참 좋다. ② 〖2격, 드물게 4격 목적어와 함께〗…의 가치가 있는, …에 상당하는, …할 만한: er ist dessen [es] ~ 그는 그만한 자격이 있다; er ist ihrer nicht ~ 그는 그녀에 걸맞지 않다; das ist nicht der Mühe[Rede] ~ 그것은 애쓸[말할] 값어치가 없다; sie wurde einer öffentlichen Belobung ~ erachtet[befunden] 그녀는 공적인 찬사를 받을 만한 사람으로 여겨졌다; 〖속담〗 eigner Herd ist Goldes ~ 내 집보다 나은 곳은 없다; dein Vorschlag ist Gold ~ 네 제안은 정말 도움이 된다; er ist nichts ~ 그는 형편없는 인간이다; 〖구어〗 ich bin heute gar nichts ~ 나는 오늘 기분[컨디션]이 엉망이다; einer ist so viel ~ wie der andre 어떤 것도 대단한 차이가 없다, 그게 그거다; 〖부정형·부문장 등과 함께〗 nicht ~, beachtet zu werden 주의[고려]할 가치가 없는; dieser Stein ist ~, daß man ihn in Gold fasse 이 보석은 금장식을 입힐 가치가 있다; er ist nicht ~, daß man von ihm spricht 그는 언급할 만한 인물이 못 된다. ③ 값진, 귀한, 소중한; 경애[친애]하는: er ist uns lieb und ~ 우리는 그를 경애한다; mein ~er Freund! 친애하는 벗이여!; das Geschenk ist mir sehr ~ 이 선물은 내게 참으로 소중하다; 〖商〗 Ihr ~es Schreiben [Ihr ≁es] vom ... … 날짜의 귀하의 서신; wie ist Ihr ~er Name? 실례입니다만 존함이 어떻게 되십니까?

*__Wert__[1] [ve:rt] *m.* -(e)s, -e ① (**a**) (금전상의) 가치; 값, 가격: von gleichem ~ 등가(等價)의; im ~e von ... 의 가격으로; im ~e sinken[steigen] 가격이 내리다[오르다]; von ~ sein 중요하다; das Haus ist unter dem ~ verkauft 이 집은 시가 이하로[제값을 못 받고] 팔렸다. (**b**) (금전 이외의 관점에서 본) 가치, 진가: der künstlerische ~ des Films 그 영화의 예술적 가치; seine Hilfe war uns von keinem ~ 그의 도움은 우리에게 아무 쓸모가 없었다; er legt großen ~ auf die Liebe 그는 사랑을 아주 중요시한다. ② 〖복수〗 가치 있는 것, 귀중품, 유가물; 〖商〗 대가; 금액: im Krieg sind viele ~e vernichtet worden 전쟁 중에 많은 귀중품들이 파괴되었다. ③ 본위(화폐 제도의 가치 표준) (Münz≁). ④ 장점, 취할 점; 효능, 유용한 자질. ⑤ 우표. ⑥ 〖복수〗 유가 증권. ⑦ 〖數〗 수치, 값: der ~ der Messung 측정치. ⑧ 〖음악〗 음가(音價). ⑨ 〖스포츠〗 (연기의) 평점(評點), 점수.

Wert[2] *m.* -(e)s, -e ↑ Werder.

wert≠achten *t.* 높이 평가하다, 존경[존중]하다. **≁achtung** *f.* 존경, 존중. **≁angabe** *f.* 가격 표시. **≁arbeit** *f.* 가치가 있는 작업; 고도의 정밀 작업. **~beständig** *a.* 가치가 불변인: eine ~e Währung 안정된 통화(通貨). **≁-beständigkeit** *f.* 가치[가격·통화]의 안정성. **≁bestimmung** *f.* 가격 결정, 평가. **≁-brief** *m.* 유가물(有價物) 편지; 가격 표기 우편.

werten [vé:rtən] *t.* 평가하다; 판정하다, 가치가 있다고 인정하다.

Wert≠ermittlung *f.* 가격 사정(査定), 감정 평가; 가치 평가. **~ersatz** *m.* 등가물(等價物); 배상, 보상.

Werte·skala [vé:rtə..] *f.* ↑ Wertskala.

Wert≠ethik *f.* 가치 윤리학. **≁frei** *a.* 가치 평가를 유보하는, 가치 중립적인, 특정한 가치관에 얽매이지 않는. **~freiheit** *f.* 가치 중립성, 가치 평가 유보. **~gegenstand** *m.* ① 귀중품. ② 〖드물게〗 유가물(有價物). **≁geschätzt** *a.* 소중한, 귀중한. **≁|halten*** *t.* 〖雅語〗 존중[존경]하다.

Werther [vé:rtər] *m.* 베르터(남자 이름; Goethe의 소설 "Die Leiden des jungen Werthers"의 주인공).

..wertig 《< wert》 *suf.* "…의 가치가 있는"의 뜻(보기: gleich~ 등가(等價)의; 〖化〗 drei~ 3가(價)의).

Wertigkeit *f.* -en 〖化〗 (Valenz) 원자가; 〖문법〗 결합가(價).

Wert·lehre *f.* 〖哲〗 가치론.

wertlos *a.* 가치 없는, 무가치한; 하찮은.

Wertlosigkeit *f.* 가치 없음, 무가치.

Wert≠marke *f.* (수입) 인지(印紙); 어음, 증권, 환; 상품권(Gutschein). **~maß** *n.* 가치의 척도[표준]. **≁mäßig** *a.* 가치에 관련된. **~-maßstab** *m.* 가치의 척도[표준]. **~messer** *m.* ↑ ~maßstab. **~minderung** *f.* (상품의) 가치 하락. **~nehmer** *m.* 어음 발행인. **~paket** *n.* 〖우편〗 가격 표기 소포, 등기 소포. **~papier** *n.* 유가 증권. **~papier·börse** *f.* 유가 증권 거래소. **~sache** *f.* 고가품(특히 장신구류). **≁schaffend** *a.* 가치를 창출하는, 생산적인. **≁|schätzen** *t.* 높이 평가하다; 존경[존중]하다. **~schätzung** *f.* 평가, 인정; 존경, 존중. **~schrift** *f.* (schweiz.) 유가 증권. **~sendung** *f.* 가격 표기 우편(물); 송금. **~skala** *f.* (정신적) 가치의 서열[등급]. **~steigerung** *f.* 물가 상승. **~stellung** *f.* 〖經〗 이자 기산일(起算日)의 결정. **~stoff** *m.* 귀중품; 고급 재료. **~stoff·sammlung** *f.* 귀중품 수집. **~stück** *n.* ① (개개의) 귀중품. ② 〖드물게〗 유가물.

Wertung [vé:rtuŋ] 《< werten》 *f.* -en ① 평가, 사정. ② 〖스포츠〗 판정; 평점, 득점: in der ~ bleiben 시합[경기] 중이다.

Wertungs·lauf *m.* (시합의 결과가 시즌 최종 우승자를 가리는 데 합산되는) 자동차 경주.

Wert≠urteil *n.* 가치 판단. **≁voll** *a.* 값진, 소중한, 귀중한, 값비싼. **~vorstellung** *f.* 가치관. **~ware** *f.* 고가품. **~zeichen** *n.* ① 유가 증권, 수표, 지폐. ② 우표; 수입 인지. **~zoll** *m.* 종가세(從價稅). **~zuwachs** *m.* (토지·물품의) 가치의 증가. **~zuwachs-steuer** *f.* 토지 초과 이득세.

werweißen [vé:rvaɪsən] (werweißte, gewerweißt) 《< wer weiß》 *i.* (h.) (schweiz.) 이리저리 궁리하다, 결단을 못 내리고 주저하다.

Werwolf [vé:rvɔlf] 《ahd. wer, „Mann"》 *m.* (민간 신앙에서 늑대로 둔갑하여 액운을 몰고 오는) 늑대 인간.

wes [vɛs] *prn.* 〖고어〗 ↑ wessen: 〖관계적 용법〗〖聖〗 ~ das Herz voll ist, des gehet der Mund über 마음에 가득한 것을 입으로 말함이라(마태 12 : 34).

*__Wesen__ [vé:zən] 《< ahd. wesan, „sein"》 *n.* -s, - ① 본질, 실재, 실체, 본체; 특성: dem ~ nach 본질적으로; das gehört zum ~ der Sache 그것이 그 사물의 본질이다. ② (개개인

의) 본성, 천성, 기질, 인품, 태도, 존재 양식, 상태; 특성, 성향: er hat ein gesetztes ~ 그는 침착한 인품〔태도〕의 소유자이다. ③〖고어〗 행위, 행동, 활동: in der Gegend trieben Räuberbanden ihr ~ 그 일대에는 도둑떼가 활개치고 있었다; 〖구어〗 viel ~(s)〔kein ~〕 von et.³ 〔um et.〕 machen 무슨 일에 대해 법석을 떨다〔시큰둥하다〕; das laute ~ auf dem Jahrmarkt 대목장의 야단법석. ④〖고어〗 거주(지), 체류(지): wo hat er jetzt sein ~? 그는 지금 어디에 살고 있느냐? ⑤〖고어〗 땅, 소유지, 터전; 가택. ⑥ 존재(물); 동식물, 생물, 피조물; 인간: der Mensch als soziales ~ 사회적 존재로서의 인간; Rauch ist alles irdische ~ 세상 만사는 연기와 같다; die lebenden ~ 생명체; das höchste ~ 신; kein lebendiges ~ war da 그곳에 사람이라곤 그림자도 볼 수 없었다; sie ist ein liebes ~ 그녀는 귀여운 여자다. ⑦〖각 부분이 연관된 전체를 나타냄〗 조직; 제도, 기관: das gemeine ~ 공공 단체〔조직〕 (Gemeinwesen); Militär~ 군제, 군대; Finanz~ 금융 제도〔기관〕. ⑧ das (böse) ~ 간질; ~! 뭐라고, 이거 큰일났군, 으음! (놀람·불쾌·불만·의아의 소리).

Wesen·einheit *f.* 〖宗〗 삼위일체(三位一體) (Dreieinigkeit).

wesenhaft *a.* ① 실재하는, 실체〔본체〕가 있는. ② 본질적인, 핵심적인: et. ~ ändern 무엇을 근본적으로 바꾸다. ③〖부사적〗 본질상, 본질적으로.

Wesenheit *f.* ①〖哲〗 실재, 실체, 본체, 본질; 특성. ②〖고어〗 본성, 천성, 기질.

Wesen·lehre *f.* 〖哲〗 (Ontologie) 존재론, 본체학.

wesenlos *a.* 본체〔실체〕 없는, 실질〔내용〕이 없는, 공허한: ein ~er Schatten 실체가 없는 그림자; die ~e Pracht 공허한 허세.

Wesenlosigkeit *f.* 실체 없음, 공허.

wesens≈ähnlich *a.* 본질적으로 닮은〔비슷한〕. **~art** *f.* 본질적 특징; 기질, 특성. **~eigen** *a.* 독특한, 고유한: die Toleranz ist ihm ~ 이 관대함은 그가 타고난 것이다. **~eins** *a.* ↑ ~gleich. **~fremd** *a.* 본질적으로 연관이 없는, 이질적인: Geiz ist ihm ~ 그는 원래 탐욕스럽지 않다. **~gemäß** *a.* 본성〔천성〕에 어울리는, 본질〔특성〕에 합당한: eine solche Handlungsweise ist ihr nicht ~ 그런 행태는 그녀의 본성에 어울리지 않는다. **~gleich** *a.* 본질〔성질〕이 같은, 동질의. **~gleichheit** *f.* 동질성. **~notwendig** *a.* 본성상〔본질상〕 그럴 수밖에 없는. **~schau** *f.* 실체〔본질〕의 직관. **~verwandt** *a.* 본질적으로 유사한, 본성〔천성〕이 비슷한. **~zug** *m.* ↑ ~art.

***wesentlich** [vé:zəntlɪç] *a.* ① 실재하는, 실체가 있는. ② 본질적인, 근본적인. ③ 주요한, 중대한; 필수 불가결의; 결정적인, 최종적인: ~er Bestandteil 주성분; ~er Inhalt 핵심 내용, 요점; das ~e 요점, 요체; ~ verschieden 본질적으로〔전혀〕 다른; im ~en a) 본질적으로, b) 사실상, 실질적으로는, c) 대체로, 전반적으로; 우선, 첫째로; 〖구식〗 um ein ~es 현저히.

Wesentlichkeit *f.* -en 본질, 핵심, 요점.

Weser [vé:zər] *f.* 베저강(독일 중서부에 위치한 강).

Weser≈bergland *n.* 베저강 유역의 고산 지대. **~gebirge** *n.* 베저 산맥.

Wes≈fall [vɛ́s..] *m.* 〖문법〗 (Genitiv) 제 2 격, 소유격. **~falls** *adv.* 〖고어〗 그(러한) 경우에.

wes·halb [vɛshálp, vɛ́shalp] *adv.* ①〖의문부사〗 어째서, 무슨 까닭으로: ~ lachst du? 너는 왜 웃지? ②〖관계 부사〗 그 때문에, 그 까닭에: er schrieb nicht, ~ ich telegrafieren mußte 그가 편지를 보내지 않았으므로 나는 전보를 쳐야만 했다.

Wesir [vezí:r] 《türk. <arab.》 *m.* -s, -e 베지르(이슬람 국가의 장관·대신(大臣)).

Wesirat [vezirá:t] *n.* -(e)s, -e ↑ Wesir 의 직(職)〔지위〕.

Wespe [vɛ́spə] 《⊕ weben》 *f.* -n 〖動〗 말벌, 나나니벌; 말벌과(科).

Wespen≈nest *n.* 말벌의 집: 〖비유〗 in ein ~ greifen〔stechen〕 자충수를 범하다, 괜한 일에 손을 대어 적을 만들다; 〖구어〗 sich in ein ~ setzen (많은) 적을 만들다. **~stich** *m.* 벌에 쏘인 상처. **~taille** [..taljə] *f.* (여자의) 잘록한 허리, 개미허리.

wespisch *a.* 말벌 모양의.

***wessen** [vɛ́sən] *prn.* ↑ wer 와 was 의 단수 2 격형.

wessent≈halben *adv.* 〖고어〗 ↑ weshalb. **~wegen** *adv.* 〖고어〗 ↑ weshalb. **~willen** *adv.* 〖다음 용법으로만 쓰임〗〖고어〗 um ~? 누구를 위하여, 누구 때문에?

Wessi *m.* -s, -s 〖구어〗 (동·서독 분단 시대와 통일 직후의) 서독 주민, 서쪽 사람.

***West** [vɛst] *m.* -(e)s, -e ① (약어: W) **(a)** 〖관사없이〗 서쪽: aus〔von〕 ~ 서쪽에서부터. **(b)** 서부, 서구(西區): 〖우편〗 Leipzig ~ 라이프치히 서구(약어: Leipzig W), (고속 도로 출구) 서(西)라이프치히. **(c)** 서방 세계; 서양. ②〖海·시어〗 서풍(~wind).

west≈alliiert *a.* die ~en 서유럽〔서방〕 연합국. **~berlin** 서베를린. **~berliner** *m.* 서베를린 사람. **~deutsch** *a.* 서부 독일의; 구서독의. **~deutschland** *n.* ① 서부 독일. ② 구서독.

***Weste** [vɛ́stə] *f.* -n ① 조끼: 〖평어〗 die hat aber eine ~! 그 여자의 젖가슴은 참 크다!; eine reine〔saubere, weiße〕 ~ haben 순결하다, 아무런 죄도 없다; er hat einen Fleck auf seiner weißen ~ 그는 뭔가 양심에 찔리는 구석이 있다; 〖구어〗 jm. et. unter die ~ jubeln 누구에게 억지로 무엇을 하도록 만들다. ② **(a)** 보호 조끼. **(b)** 구명조끼(Schwimmweste).

***Westen** [vɛ́stən] *m.* -s ① **(a)** 서(西)(약어: W): die Sonne geht im ~ unter 해는 서쪽으로 진다; nach〔gegen〕 ~ 서쪽으로; aus 〔von〕 ~ 서쪽에서. **(b)** 서부 (지역): der Wilde ~ 미개척의 서부(개척 시대의 미국 서부). **(c)** 서방(자유 진영): in den ~ fliehen 서방 세계로 망명하다. **(d)** 구서독: sie hat Verwandte im ~ 그녀는 서독 쪽에 친척이 있다. ② 서부〔서방〕의 주민.

West·end [vɛ́st|ɛnt, wɛ́stɛnd] *n.* 웨스트엔드(왕궁·국회 의사당·고급 주택들이 있는 런던 서부 지역); 대도시의 서부 (중심) 지역.

Westen≈futter *n.* 조끼의 안(감). **~knopf** *m.* 조끼 단추. **~tasche** *f.* 조끼 주머니: 〖구어〗 et. wie seine ~ kennen 무슨 일을 훤히 알다. **~taschen·format** *n.* 〖다음 용법으로〗

im ~ ① 소형의, 간편한, 휴대용의: eine Kamera im ~ 휴대용 카메라. ②〖구어·반어〗 왜소한, 시시한, 아류의: ein Politiker im ~ 시시한 정치가.
Wester[1] *m.* -s, - 잠수부의 모자.
Wester[2] *f.* -n (*n.* -s, -), **Wester·hemd** *n.* (아기의) 세례복.
Western [vɛ́stərn] 《engl.》 *m.* -(s), - ① 서부 영화. ② 미국의 서부 개척 시대를 다룬 소설.
Westerwald [vɛ́stərvalt] *m.* -(e)s 베스터발트(라인강 유역의 편암질 산악 지방).
Westerwälder *m.* -s, - 베스터발트 주민.
westerwäldisch *a.* 베스터발트의.
West·europa 서유럽. **~europäisch** [vɛ́st|ɔʏropɛ́:ɪʃ] *a.* 서유럽의: ~e Zeit 서유럽 표준시(약어: WEZ); 〖史〗 ~e Union 서유럽 연합(약어: WEU).
Westfale [vɛstfá:lə] *m.* -n, -n 베스트팔렌 사람.
Westfalen [vɛstfá:lən] 베스트팔렌 지방(독일 서부의 Nordrhein-Westfalen 주의 일부).
Westfälin [..fɛ́:lɪn] *f.* -nen 베스트팔렌 여성.
westfälisch *a.* 베스트팔렌의.
West≈friesland 베스트프리슬란트(북독일의 지명). **~geld** *n.* 구서독의 화폐. **~germanisch** *a.* 서게르만(족)의. **~gote** *m.* 〖史〗 서고트(족) 사람. **~gotin** *f.* 〖史〗 서고트(족) 여인. **~indien** *n.* 서인도 제도. **~indisch** *a.* 서인도 제도의.
westisch *a.* 〖인류〗 지중해 연안 지역의: die ~e Rasse 지중해 연안 인종.
West·küste *f.* 서부 해안, 서해안.
Westler [vɛ́stlər] *m.* -s, - ①〖구어〗 (↔ Ostler) 서방 세계 주민; (특히) 구서독 주민. ② 서유럽주의자(19세기 러시아에서 정치·문화의 서유럽화를 주장한 지식인).
westlerisch *a.* 사고 방식 또는 정치 의식이 친서방적인.
westlich [vɛ́stlɪç] 《Ⅰ》 *a.* (**a**) 서(西)의, 서쪽의: die ~e Halbkugel 서반구; ~ von Zürich 취리히 서쪽에; 35 Grad ~er Länge 서경 35도(약어: 35° w.(wtl.) L.); in ~er Richtung 서쪽 방향에, 서쪽에; ein ~er Wind 서풍. (**b**) 서방(서구)의. (**c**) 친서방적인, 서방에 속하는: ~e Journalisten 친서방 언론인들. 《Ⅱ》 *prep.*[2] …의 서(서쪽)에: 12 km ~ der Stadt 도시의 서쪽 12 km 지점에.
West≈mächte *pl.* 〖政〗 ① (제1차 세계 대전 중의) 서방 연합국(프랑스·영국·미국). ② (제2차 세계 대전 이후의) 서방의 열강(특히 미국·영국·프랑스). **~mark** *f.* 서독 마르크화(구서독 통화의 속칭). **~nord·west** [vɛst..vɛ́st] *m.* ① 서북서(약어: WNW). ②〖海〗 서북서풍(바람). **~nord·westen** [vɛst..vɛ́stən] *m.* 서북서(약어: WNW). **~östlich** *a.* 서쪽에서 동쪽으로 향하는, 서동(西東)의: ~er Diwan (괴테의) 서동 시집. **~-Ost-Verkehr** *m.* (과거 냉전 시대의) 동·서 교류. **~over** [vɛst|ó:vər] *m.* 조끼 모양의 스웨터. **~pakt** *m.* 서유럽 조약(1948년 영국·프랑스 및 베네룩스 3국에 의해 체결됨). **~politik** *f.* ① 서방(서구) 세계에 대한 정책. ② 서독의 대서방 정책. **~preußen** 서프로이센. **~rom** 서로마 제국. **~römisch** *a.* 서로마 제국의. **~seite** *f.* 서쪽, 서쪽면. **~süd·west** [vɛstzy:tvɛ́st] *m.* ① 서남서(약어: WSW). ② 서남서풍. **~süd·westen** [vɛstzy:tvɛ́stən] *m.* 서남서(약어: WSW). **~wärts** *adv.* 서쪽으로, 서쪽에. **~wind** *m.* 서풍.
wes·wegen *adv.* ↑ weshalb.
wett [vɛt] 《< Wette》 *a.* 〖다음 용법으로〗 mit jm. ~ sein 누구와의 채권·채무 관계가 청산되다, 〖비유〗 누구와 관계를 끊다.
Wett≈annahme *f.* (경마의) 내기돈 접수 창구, 마권(馬券) 매표소; (스포츠 도박의) 응모권 매표소. **~annahme·stelle** ↑ ~annahme. **~bewerb** *m.* ① 시합: ein internationaler ~ 국제 시합; in einem ~ siegen 시합에서 우승하다. ② 경쟁. **~bewerber** *m.* ① 경쟁자. ② 시합 출전 선수. **~bewerblich** *a.* 경쟁적인, 경쟁을 벌이는.
Wettbewerbs≈bedingung *f.* 〖經〗 경쟁 조건. **~beschränkung** *f.* 〖經〗 경쟁 제한. **~fähig** *a.* 경쟁력 있는. **~teilnehmer** *m.* 경쟁자; 시합 참가자. **~verzerrung** *f.* 〖經〗 경쟁 조건의 불균등(불공정). **~wirtschaft** *f.* 자유 시장 경제.
Wett·büro *n.* ↑ ~annahme.
***Wette** [vɛ́tə] *f.* -n ① (**a**) 내기, 내기하기: mit jm. eine ~ eingehen(abschließen) 누구와 내기하다; eine ~ gewinnen(verlieren) 내기에 이기다(지다); ich gehe jede ~ ein, daß ... 나는 …라고 확신한다; was gilt die Wette? 그 내기에 얼마를 거느냐? (**b**) (내기에) 건 돈(물건). (**c**) (경마의) 마권. ②〖비유〗 경쟁; 시합, 경기: um die ~ 경쟁하여, 앞다투어, 막상막하로; um die ~ laufen(schwimmen) 경주(경영(競泳))하다.
Wett≈eifer *m.* 경쟁(심), 겨루기, 대항. **~eiferer** *m.* 경쟁자. **~eifererin** *f.* ↑ ~eiferer의 여성형. **~eifern** (*p.p.* gewetteifert) *i.* (h.) 경쟁하다: mit jm. ~ 누구와 경쟁하다, 겨루다; um den ersten Platz ~ 1등의 자리를 차지하려고 겨루다. **~eifernd** *p.a.* 경쟁적인, 겨루는. **~eifrerin** *f.* ↑ ~eifererin.
***wetten** [vɛ́tən] 《Ⅰ》 *i.* (h.) 내기하다: mit jm. um zehn Mark (eine Flasche Wein) ~ 누구와 10마르크를(포도주 한 병을) 걸고 내기를 하다; worum(um wieviel) ~ wir? 우리 얼마를 걸까?; ich wette auf Kopf(Schrift) 나는 (내기에서) 동전의 겉쪽(뒤쪽)에 건다; ich wette, daß du es nicht kannst 네가 그것을 할 수 있을 리가 없지; ich wette darauf, daß ... 나는 …인 것을 장담한다; es läßt sich hundert gegen(zu) eins ~, daß ... …은 틀림없다; 〖구어〗 so haben wir nicht gewettet! 그렇다면 말이 다르잖아, 약속이 틀리잖아!; ~, daß? 우리 내기할까? 《Ⅱ》 *t.* (금품 등을) 걸다: darauf wette ich meinen Kopf(Hals) 거기에다 내 목숨을 걸어도 좋아.
Wetter[1] [vɛ́tər] *m.* -s, - 내기 거는(하는) 사람.
***Wetter**[2] *n.* -s, - ① 날씨, 일기, 기상: was ist heute für ~? 오늘 날씨가 어떠냐?; es ist schönes(schlechtes) ~ 날씨가 좋다(나쁘다); es ist nicht gutes ~ bei ihm 그는 기분이 언짢다; um gutes ~ bitten 선처를 호소하다; 〖구어〗 bei jm. gutes ~ machen 누구의 비위를 맞추다; über das ~ reden 다른 일은 아무것도 모른다; ein ~ zum Eierlegen(Heldenzeugen) 매우 좋은 날씨. ② 뇌우, 비바람, 악

천후: bei〔in〕 Wind und ~ 비바람이 치면, 우천시에; wie ein ~ 전광석화처럼; er ist wie das ~ a) 그는 난봉꾼〔변덕쟁이〕이다, b) 민첩한 사람이다; nun geht das ~ los 이제 큰 소동이 일어난다; alle ~ 〔Donner und ~, ~ noch eins〕! a) 아뿔사, 원 이런!, b) 빌어먹을, 제기랄! ③〔복수〕『광산』 갱내의 혼합 가스: böse〔giftige, matte〕 ~ 탄산〔유독, 질식성〕 가스; schlagende ~ (갱내에서 발생하는) 폭발성 혼합 가스.

Wetter≈ableiter *m.* 피뢰침. **~amt** *n.* 기상청. **~ansage** *f.* 일기 예보. **~anzeiger** *m.* 기상 신호. **~aussicht** *f.* 일기 예보. **~beobachter** *m.* 기상학자, 기상 관측 요원. **~beobachtung** *f.* 기상 관측. **~bericht** *m.* 일기 예보, 기상 통보. **~besserung** *f.* 날씨가 좋아짐. **≈beständig** *a.* (제품·자재 등이) 기후 변화에 영향을 받지 않는, 비바람에 견디는. **≈bestimmend** *a.* 날씨를 결정〔좌우〕하는: das Hoch bleibt ~ 고기압이 여전히 날씨를 좌우하고 있다. **~bube** *m.* 〔구어〕 악동(惡童); 날쌘 아이〔소년〕. **~dach** *n.* (지붕의) 추녀; 챙. **~dienst** *m.* 관상대〔측후소〕 근무; 기상 관측소. **~fahne** *f.* ① 풍향계. ②〔비유〕 변덕스러운〔줏대 없는〕 사람. **~fahrt** *f.* 『광산』 통풍갱(通風坑). **≈fest** *a.* 비바람에 견디는. **~fleck** *m.* (öst.) 소매 없는 넓은 우의, 통우의. **~forschung** *f.* 기상 연구〔관측〕. **~frosch** *m.* ①〔고어〕 기상 관측용 청개구리 (유리병 안에 작은 사다리를 넣어 개구리가 오르내리는 움직임을 보고 날씨를 예측했다고 함). ②〔구어·익살〕 기상 관측자, 기상학자. **≈fühlig** *a.* 날씨 변화에 민감한. **~fühligkeit** *f.* 날씨 변화에 민감한 체질. **~führung** *f.* 『광산』 통풍. **~glas** *n.* 기압계, 청우계 (Barometer). **~gott** *m.* 『宗·신화』 날씨를 다스리는 신(神); 〔비유〕 날씨. **~hahn** *m.* ↑ ~fahne. **~häuschen** *n.* ① 자동 청우 표시계 (남녀 인형으로 남자는 갠 날씨, 여자는 비오는 날씨를 표시). ② (소풍객을 위한) 비바람 대피소. **~hexe** *f.* 〔속어〕 불량 소녀. **~junge** *m.* ↑ ~bube. **~karte** *f.* 기상도. **~kenner** *m.* 기상학자. **~kerl** *m.* 허우대가 좋은 사내, 혈기 왕성한 남자. **~kunde** *f.* 기상학 (Meteorologie). **≈kundig** *a.* 기상(학)에 통달한. **≈kundlich** *a.* 기상학상의. **~lage** *f.* 기상 상황. **≈launisch** *a.* 변덕스러운, 줏대 없는. **~läuten** *n.* 뇌우 경보. **≈leuchten** (*p.p.* gewetterleuchtet) *i.* (h.) / *imp.* es wetterleuchtet 번갯불이 번쩍인다. **~leuchten** *n.* 번개; 〔비유〕 심상치 않은 조짐. **~loch** *n.* 〔구어〕 악천후 지대. **~lutte** *f.* 『광산』 통풍관. **~macherin** *f.* 비를 내리게 하는 여마술사. **~männchen** *n.* 습도계에 달린 작은 인형. **~mantel** *m.* 우비, 우의. **~maschine** *f.* 『광산』 통풍기.

wettern [vέtərn] 《< Wetter》 *i.* (h.) ①〔고어〕 es wettert 뇌우(雷雨)가 몰아친다. ②〔비유·구어〕 auf〔gegen, über〕 et. ~ 무엇을 욕하다〔비난하다〕.

Wetter≈prognose *f.* 일기 예보. **~prophet** *m.* 일기 예보자. **~prophezeiung** *f.* 일기 예보. **~regel** *f.* (민간의) 날씨 점치는 방법. **~satellit** *m.* 기상 관측 위성. **~säule** *f.* 회오리바람. **~schacht** *m.* 『광산』 통풍 수직갱. **~schaden** *m.* 비바람의 피해. **~scheide** *f.* 『지리』 기상 경계〔분기〕선; 뇌우가 멈추는 곳. **~schießen** *n.* 포격으로 뇌운을 흩뜨리기. **~schirm** *m.* 차양, 처마. **~schlag** *m.* ① 벽력, 벼락. ② 우박이 내림. **~seite** *f.* (산맥·건축물에서) 비·바람이 들이치는 쪽(특히 서쪽과 북쪽) (↑ Lee, Luv). **~stange** *f.* 피뢰침. **~station** *f.* 기상 관측소, 기상대. **~stein** *m.* 『지질』 벨렘나이트류(類). **~strahl** *m.* 번갯불 (Blitzstrahl). **~sturm** *m.* 폭풍우. **~sturz** *m.* 날씨의 돌변; 기온의 급강하. **~tür** *f.* 『광산』 통풍문, 환기구. **~türe** *f.* ↑ ~tür. **~umschlag** *m.* 갑작스러운 기상 변화〔악천후·한파〕. **~umschwung** *m.* ↑ ~umschlag. **~voraus·sage** *f.* 일기 예보. **~vorhang** *m.* 천막, 텐트. **~vorher·sage** *f.* 일기 예보. **~warte** *f.* 기상대, 측후소. **~wechsel** *m.* ① 일기 변화. ②『광산』 통풍, 환기. **≈wendisch** *a.* 수시로 변하는, 괴팍스러운, 변덕스러운. **~winkel** *m.* 태풍의 중심; 악천후 지대. **~wirbel** *m.* (회오리 바람을 동반한) 태풍. **~wolke** *f.* 먹구름, 뇌운. **~zeichen** *n.* ① 기상 변화의 조짐. ②〔비유〕 상황 변화의 조짐. **~zeiger** *m.* 풍향계.

Wetteufel [vέtɔʏfəl] *m.* -s, - 내기 귀신; 광적인 내기 집착: ihn hat der ~ gepackt 그는 내기에 신들렸다.

Wett≈fahren *n.* ↑ ~fahrt. **~fahrer** *m.* 자동차〔자전거〕 경주 선수, 스피드레이서; 경륜(競輪) 선수; 오토바이 선수. **~fahrt** *f.* ① 자동차〔자전거·오토바이〕 경주; (옛날의) 전차 경주. ② 조정 경기. **~fliegen** *n.*, **~flug** *m.* 비행(기) 경기. **~gesang** *m.* 노래 시합. **~kampf** *m.* 경기, 시합; 무술 경기; 권투; 투기. **~kämpfer** *m.* 시합 참가자, 경기자, 선수. **~kämpferin** *f.* ↑ ~kämpfer 의 여성형. **~lauf** *m.*, **~laufen** *n.* 경주. **≈|laufen*** *i.* (s.) 경주하다. **~läufer** *m.* 경주자. **~läuferin** *f.* ↑ ~läufer 의 여성형. **≈|machen** *t.* ① 청산〔결산〕하다; (손실을) 메우다, 회복하다: seine Verluste ~ 자기의 손실을 메우다. ② (지원 등에) 감사의 뜻을 표하다. **≈|rennen*** *i.* (s.) 경주하다; 경마하다. **~rennen** *n.* 경주; 경마. **≈|rudern** *i.* (s.) 조정 경기하다. **~rudern** *n.* 조정 경기. **~rüsten** *n.* 군비 경쟁. **~schwimmen** *n.* 수영 경기. **~segeln** *n.* 요트 경기. **~spiel** *n.* 경기, 시합, 게임. **~streit** *m.* 경쟁. **≈|streiten*** *i.* (h.) 경쟁하다, 겨루다.

Wett-Turnen 新정서 ⇦ Wetturnen.

Wetturnen *n.* -s, - 체조 경기.

wetturnen 《< Wette》 *t.* (*p.p.*: wettgeturnt) 체조 경기를 하다.

wetzen [vέtsən] 《I》 *t.* (칼 따위를) 갈다, 닦다, 연마하다: ein Vogel wetzt sein Schnabel 새가 주둥이를 문지른다; seine Zunge an jm 〔et.³〕 ~ 누구를〔무엇을〕 심하게 헐뜯다, 깎아내리다. 《II》 *i.* (s.) 〔구어〕 (alem.) 달리다, 뛰다.

Wetzlar [vέtslar] 베츨라(독일의 Lahn 강변에 위치한 도시).

Wetz≈schiefer [vέt..] *m.* 숫돌. **~stahl** *m.* (푸줏간의) 쇠숫돌. **~stein** *m.* 숫돌.

Weymouths·kiefer [váɪmu:ts..] *f.* 미송(美松) (Weimutskiefer).

WEU = Westeuropäische Union 서유럽 연합.

WEZ =Westeuropäische Zeit 서유럽 표준시.

WFC 《engl.》 =World Food Council 세계 식량 이사회.

WFP 《engl.》 =World Food Program 세계 식량 계획.

WG =Wohngemeinschaft (여러 학생·직장인들이 한 집에 기거하는) 주거 공동체.

wg. =wegen … 때문에, …로 인하여.

WGB =Weltgewerkschaftsbund 세계 노동조합 연맹.

Whig [vɪk, wɪg] 《engl.》 *m.* -s, -s [..ks, ..gz] 〖史〗 휘그당(영국 자유당의 전신)의 당원.

whiggistisch, whigistisch [vɪgístɪʃ, wɪ..] *a.* 휘그당(원)의.

Whirl-pool [wə́ːlpuːl] 《engl.》 *m.* -s, -s 월풀(더운 물이 뿜어나오는 장치를 갖춘 욕조).

Whiskey, Whisky [víski, wískɪ] 《engl.》 *m.* -s, -s 위스키.

Whist [vɪst, wɪst] 《engl.》 *n.* -(e)s, **Whist-spiel** *n.* 휘스트(보통 2-4 명이 하는 카드놀이).

White-collar-Kriminalität [wáitkɔ́lə..] *f.* (탈세나 수뢰와 같은) 상류층의 지능적 범죄.

Whitworth·gewinde [wítwəːθ..] *n.* 〖工〗 휘트〔쌍눈〕 나사, 휘트워스 나사(영국의 기술자 Whitworth 의 이름에서).

WHO 《engl.》 =World Health Organization 세계 보건 기구.

wibbeln [víbəln] 《ndd.》 *i.* (h.) 〔고어〕 (wiebeln) 정신없이 움직이다〔돌아다니다〕.

wibbelig *a.* 〔방언〕 안절부절못하는, 신경질적인.

wich [vɪç] ↑ weichen 의 과거형.

wiche [víçə] ↑ weichen 의 접속법 Ⅱ 식.

Wichs [vɪks] 《<wichsen》 *m.* -es, -e 〔(öst.) *f.* -en〕 ① (südd., öst.) (학생 조합) 조합원의 축제 예복〔정장〕: in vollem〔höchstem〕 ~ 근사하게 차려 입고; sich in ~ werfen〔setzen〕 차려 입다. ② (bair.) 가죽 반바지(알프스 지방 남자들의 민속 의상).

Wichs·bürste *f.* 구둣솔.

Wichse [víksə] *f.* -n ① (가죽 제품 따위에 바르는) 광택제; 구두약, 왁스: es ist alles eine ~ 모든 것이 똑같다〔천편일률적이다〕. ② (수염에 바르는) 포마드. ③ 때림, 매질, 구타: ~ bekommen〔kriegen〕 얻어맞다.

wichsen [víksən] 《I》 *t.* ① …에 광을 내다; 구두약을 칠하다, 왁스로 닦다. ② (수염에) 포마드를 바르다. ③ (실·마루 따위에) 왁스를 바르다. ④〔구어〕 때리다: jm. eine ~ 누구의 따귀를 한 대 갈기다. 《II》 *i.* (h.) ① 차려 입다, 성장하다. ②〔속어〕 수음〔자위〕하다.

Wichser *m.* -s, - ① 구두닦이. ② (südd., öst.) 잘 빼입은 학생. ③〔욕설〕 자식, 놈. ④ 수음하는 남자.

Wichs·glanz *m.* 닦은 구두의 광택.

Wichsier [vɪksiéː] *m.* -s, -s ① ↑ Wichser. ②〔고어〕 (대학의) 사환; 대학생의 시종.

Wichs·leinwand *f.* (öst.) 기름 먹인 천, 유포(油布), 방수포(防水布).

Wicht [vɪçt] *m.* -(e)s, -e ①〔고어〕 생물. ② (Kobold) 꼬마 요정, 요괴; 난쟁이(Zwerg). ③ 꼬마. ④ 녀석, 놈: armer ~ 가련한 녀석, 불쌍한 놈. ⑤〔방언〕 처녀.

Wichte [víçtə] *f.* -n 〖物〗 비중(比重).

Wichtel [víçtəl] *m.* -s, - ① ↑ ~männchen. ② 장난꾸러기 아이, 꼬마놈. ③〖動〗 (황갈색의) 올빼미. ④ 새끼손가락.

Wichtel·männchen *n.* -〖민속〗 ① (숲속 지하 왕국의) 난쟁이. ② (집안일을 대신해 준다는) 꼬마 요정(Heinzelmännchen).

Wichte·zahl *f.* 〖物〗 비중수(數).

***wichtig** [víçtɪç] 《<Gewicht》 *a.* ① 무거운. ② 중요한, 주요한; 유력한: eine ~ e Person 주요 인사; sich ~ machen〔tun, haben〕 잘난 체하다; sich ~ mit et.[3] machen〔tun, haben〕 무엇을 자랑하다; nichts Wichtigeres zu tun haben, als ... …을 서둘러 해야 하다; sich ~ nehmen 자신의 문제를〔고민을〕 대단하게 내세우다; 〖法〗 ~er Grund (정당끼리의 협정을 철회할 수 있는) 중대 사유.

***Wichtigkeit** *f.* -en ① 중요(성), 중대성: eine Sache von großer ~ 중대한 일〔사건〕. ②〔복수〕 중요한 사실〔사안〕, 중대사. ③〔폄어〕 거드름, 우쭐댐: sein Gehabe ist von ~ durchdrungen 그의 거동에는 거드름이 배여 있다.

Wichtig≈macher *m.* ↑ ~tuer. **~tuer** *m.* 잘난 체하는〔뻐기는〕 사람. **~macherei** *f.* ~tuerei. **~tuerei** *f.* 잘난 체함, 거드름. **≈-tuend** *a.* ↑ ≈tuerisch. **≈tuerisch** *a.* 잘난 체하는.

Wicke [víkə] *f.* -n 〖植〗 살갈퀴(잎·줄기 덩굴은 사료로 쓰임): 〔비유·방언〕 in die ~n gehen 없어지다, 못쓰게 되다.

***Wickel** [víkəl] *m.* -s, - ① 감는 것; 싸개. ② 〖醫〗 습포: jm. einen kalten ~ machen 누구에게 냉찜질을 해주다. ③ (~zeug) 기저귀, 포대기. ④ (파마용·컬용) 롤; 실패; 릴. ⑤ 감은 것; 타래: ein ~ Garn 한 타래의 실. ⑥ 틀어 올린 머리: jn. beim〔am〕 ~ kriegen〔packen, haben, nehmen〕 a) 누구의 머리채〔목덜미〕를 잡다, b) 〔비유〕 누구를 문책하다; die Kinder haben sich am ~ 아이들이 몸싸움을 벌이고 있다; ein Thema am〔beim〕 ~ haben 어떤 주제를 집중적으로 다루다. ⑦ 양초의 끝〔둘레〕에 감긴 종이. ⑧〖요리·방언〗 고기 단자.

Wickel≈band *n.* 〔복수: ..bänder〕 기저귀〔포대기〕의 띠〔끈〕. **~bär** *m.* 〖動〗 킹카주(중앙아메리카산(産)의 작은 곰). **~bett** *n.* (폭 싸서 누이는) 아기 침대. **~binde** *f.* 〖醫〗 붕대. **~blatt** *n.* 여송연의 양질의 겉싸개 잎. **~frau** *f.* 유모. **~gamasche** *f.* 각반(脚絆). **~kind** *n.* 젖먹이 아기. **~kommode** *f.* 기저귀를 넣는 서랍장(이 위에 아기를 놓고 기저귀를 갈아 줌).

***wickeln** [víkəln] 《<Wickel》 《I》 *t.* ① **(a)** 말다, 감다; 말아 넣다, 감싸다; 말아서 만들다: das Haar ~ 머리를 롤에 말다; ein Bein 〔einen Arm〕 ~ 다리〔팔〕에 붕대를 감다; ein Kind ~ 아기에게 기저귀를 채우다; Wolle zu einem Knäuel ~ 실을 감아 실꾸리를 만들다; Zigarren ~ 잎담배를 말다; 〔비유〕 schief 〔falsch〕 gewickelt sein 잘못 생각하고 있다; einen Draht **auf** 〔um〕 eine Rolle ~ 철사를 릴에 감다; ein Geschenk **in** Papier ~ 선물을 포장지에 싸다; sich[3] die Haare in〔zu〕 Locken ~ 머리를 말아서 곱슬곱슬하게 하다; jn. in Händel ~ 누구를 싸움에 휘말리게 하다; 〔구어〕 jn. **um** den Finger ~ (특히 여성이) 누구를 손아귀에 넣다, 마음대로 주무르다;

zu et.³ ~ 무엇에 감다. (b) (감겨 있는 것을) 풀다: den Verband vom Arm ~ 팔에서 붕대를 풀다; et. aus dem Papier ~ …을 포장지 속에서 꺼내다. ② 〖구어〗 매질하다(prügeln). 《Ⅱ》 *refl.* sich ~ (휘)감기다, 감싸이다; 말려들다: sich in den Mantel ~ 외투로 몸을 감싸다; sich aus et.³ ~ 무슨 일에서 몸을 빼다, 모면하다; sich in Händel ~ 싸움에 휩쓸리다; sich um den Finger ~ lassen 남의 손에 놀아나다.

Wickel≈puppe *f.* (긴 옷 입힌) 아기 인형. **~ranke** *f.* 〖植〗 덩굴손. **~raupe** *f.* 〖動〗 엽권충(葉卷蟲)의 유충. **~rock** *m.* 랩 스커트. **~schwanz** *m.* 〖動〗 (원숭이 따위의) 감아 잡는 꼬리. **~tisch** *m.* 기저귀 교환대(아기에게 기저귀를 갈아주거나 옷을 갈아입히는 대). **~tuch** *n.* ① 포대기; 보자기. ② 〖방언〗 기저귀. ③ (어깨에 두르는) 숄. **~zeug** *n.* 포대기, 강보.

Wickelung [víkəluŋ] *f.* -en ① 감는 일. ② 감긴 것, 싼 꾸러미. ③ 실꾸러미; 〖工〗 코일.

Wicken≈blüte *f.* 〖植〗 살갈퀴꽃; 스위트피꽃. **~duft** *m.* 살갈퀴꽃〔스위트피꽃〕 향기.

Wickler [víklər] *m.* -s, - ① 마는〔싸는〕 사람; 엽궐련 직공; 실감는 직공. ② (Lockenwickler) (미용실의) 파마 기계, (헤어)롤. ③ 〖動〗 엽권충(葉卷蟲).

Wicklung [vík..] *f.* -en ↑ Wickelung.

Widder [vídər] *m.* -s, - ① 숫양; 〖사냥〗 야생 양의 수컷. ② 〖天〗 양(羊)자리; 〖점성술〗 백양궁 자리에 태어난 사람. ③ 〖軍·고어〗 (성벽을 부수는) 철퇴. ④ ↑ ~schiff. ⑤ 〖工〗 hydraulischer ~ 수력 펌프의 일종.

Widder≈fell *n.* 숫양의 가죽. **~schiff** *n.* 〖海·고어〗 적선 격파용 함정. **~schwärmer** *m.* 〖動〗 알락나방과의 일종.

Widem [ví:dəm] 《원뜻 „das Gewidmete"》 *n./m.* -s, -e 〖고어〗 ① 교구(教區) 소유지. ② ↑ Wittum.

***wider** [ví:dər] 《Ⅰ》 *prp*⁴. …에 맞서서, 거슬러, 거역하여: ~ das Gebot 명령에 거역하여; ~ Willen 마지못해, 본의 아니게; ~ alle Vernunft 너무나 불합리하게; ~ alles Erwarten 〔alle Erwartung〕 전혀 기대에 반하여; ~ besseres Wissen 나쁜 줄 알면서, 양심에 반하여; ich schwimme ~ den Strom a) 나는 (물)흐름에 거슬러 헤엄친다, b) 시류에 역행〔거역〕한다; das Für und (das) ~ 찬반 양론, 왈가왈부; wer nicht für uns ist, der ist ~ uns 우리 편이 아닌 자는 우리의 적이다. 《Ⅱ》 *adv.* hin und ~ 이쪽저쪽으로, 왔다갔다, 오락가락(단: hin und wieder 종종).

***wider..** *pref.* ① 동사의 전철로서 "반대·대항·적대·역·응보·응수·상충 관계" 따위의 뜻을 나타내며, 분리되는 경우는 "역전·반동" 따위의 뜻일 때(보기: ~|hallen); 분리하지 않을 때는 "저항·반박·철회" 따위의 뜻일 때(보기: ~rufen). ② 명사 및 형용사의 전철로서도 같은 뜻.

wider|bellen *i.* (h.) 소리지르며 대항〔말대꾸〕하다.

Widerbeller *m.* -s, - 시끄럽게 대드는 사람.

wider·biblisch *a.* 성경에 어긋나는.

wider·borstig *a.* ① (머리칼이) 뻣뻣한, 억센. ② 뻣뻣하게 구는, 다루기 힘든.

Wider·christ ① *m.* 〖복수없음〗 적그리스도 (Antichrist). ② *m.* -en, -en 반(反)기독교도 (Antichrist).

Wider·druck *m.* ① 〖복수: ..drücke〗 반동, 반대 압력. ② 〖복수: -e〗 〖印〗 (양면 인쇄의) 뒷면 인쇄(면), 이면(裏面) 인쇄(지).

wider·einander [vi:dər|aınándər] *adv.* 〖고어〗 서로(gegeneinander).

widerfahren* *i.* (s.) jm. ~ (무슨 일이) 뜻밖에 누구에게 일어나다, (무슨 일을) 당하다: mir ist ein Unglück ~ 나는 불행을 당했다; mir ist viel Gutes von ihm ~ 나는 그에게 여러 가지 신세를 졌다; jm. Gerechtigkeit ~ lassen 누구를 공정하게 대하다〔평가하다〕.

wider·gesetzlich *a.* 위법의, 법률 위반의.

wider·haarig *a.* 〖고어〗 ① 머리결에 거슬리는. ② 〖비유〗 반항적인, 괴팍스러운; 거친.

Wider·haken *m.* 역갈고리.

***Widerhall** *m.* -(e)s, -e 반향, 메아리; 호응: Die Rede fand großen ~ 그 연설은 큰 호응을 얻었다.

wider|hallen *i.* (h.) 반향하다, 되울리다, 메아리치다: Der Schuß hallte laut 〔von den Bergwänden〕 wider 총소리가 크게〔이 산 저 산으로〕 메아리쳤다.

Wider·halt *m.* 〖고어〗 저항; 받침, 버팀목.

widerhaltig *a.* 받침이 되는; 실질적인.

Wider·handlung *f.* (schweiz.) 위반 행위.

Widerklage *f.* -n 〖法〗 반소(反訴), 맞고소.

wider|klagen *i.* (h.) 반소〔맞고소〕하다.

widerkläger *m.* -s, - 〖法〗 반소인(反訴人), 맞고소자.

Widerklang *m.* -(e)s, ..klänge [..klɛŋə] 〖드물게〗 메아리, 반향.

wider|klingen* *i.* (h.) 〖드물게〗 반향하다.

Wider·lager *n.* 〖건축〗 주춧돌, 교대(橋臺), 버팀벽.

widerlegbar [vi:dərlé:kba:r] *a.* 반박〔논박〕할 수 있는.

***widerlegen** *t.* 반박〔논박〕하다, 반증하다: er konnte alle Anklagepunkte ~ 그는 기소 이유를 모두 반박할 수 있었다.

widerleglich *a.* ↑ widerlegbar.

Widerlegung [..lé:guŋ] *f.* -en 반박, 논박, 부정.

widerlich [ví:dərlıç] 《Ⅰ》 *a.* 거슬리는, 싫은, 불쾌한, 역겨운, 메스꺼운: ein ~er Geruch 악취; er ist mir ~ 나는 그가 싫다. 《Ⅱ》 *adv.* 〖구어〗 매우, 너무: ~ süß 너무 단.

Widerlichkeit *f.* -en ① 〖복수없음〗 불쾌, 역겨움; 추잡. ② 불쾌한 것.

Widerling *m.* -s, -e 〖폄어〗 역겨운 인간.

widern [ví:..] *i.* (h.)/*imp.* 〖雅語〗 etwas widert mir 〔〖드물게〗 mich〕, es widert mir 〔〖드물게〗 mich〕 vor et.³ 나는 무엇이 싫다, 무엇을 싫어한다.

wider·natürlich *a.* 부자연스러운, 순리〔이치〕에 어긋나는, 기이〔기괴〕한.

Widernatürlichkeit *f.* -en ① 자연스럽지 못함, 부자연스러움, 기이. ② 자연스럽지 못한 것.

Wider·part *m.* ① 적, 반대자, 상대방; 반대당. ② 저항, 반항: jm. ~ geben 〔bieten, halten〕 누구에게 반대〔대항〕하다.

Widerprall *m.* -(e)s, -e 되튀기기, 반발; 반동(反動).

wider|prallen *i.* (s.) 되튀다; 반발하다, 그

만두라고 (말)하다.

widerraten* [vidərrá:tən] *t.* jm. et. ~ 누구에게 무엇을 하지 말라고 충고하다: ich habe ihm ~, auf den Vorschlag einzugehen 나는 그에게 그 제안에 응하지 말라고 충고했다.

widerrechtlich *a.* 위법〔불법〕의; 부정한: er hat sich die Immobilien ~ angeeignet 그는 그 부동산을 불법으로 취득했다.

Widerrechtlichkeit *f.* -en 위법성, 불법성.

Widerrede [ví:dərre:də] *f.* -n 반대, 논박, 반박: ohne ~ a) 이의 없이, b) 틀림없이, 확실히.

widerreden *t.* 논박〔반박〕하다.

Widerrist *m.* -es, -e 배봉(背峰)(말·소·양 따위의 잔등의 불룩한 곳).

Widerruf [ví:dərru:f] *m.* -(e)s, -e ① (주장·명령의) 취소, 철회; (법률의) 무효 선언, 폐지; (판결의) 파기. ②〔방언〕반향, 메아리.

widerrufbar *a.* ↑ widerruflich.

widerrufen* *t.* 취소〔철회〕하다, (법률 따위를) 무효 선언하다, 폐지하다; (판결을) 파기하다.

widerruflich *a.* 취소〔철회〕할 수 있는.

Widerruflichkeit *f.* 취소〔철회〕 가능성.

Widerrufung *f.* -en 철회, 취소, 파기.

Widersacher *m.* -s, - ① 적(수), 맞수, 반대자, 적대자; 상대방. ②〖聖〗악마(Teufel).

Widerschall *m.* -(e)s, -e〔고어〕반향.

wider|schallen(*) *i.*(h.) 〔고어〕반향하다.

Widerschein *m.* -(e)s, -e 반사된 빛, 반조(返照).

wider|scheinen* *i.*(h.) (빛이) 반사되다.

Widerschlag *m.* -(e)s, ..schläge [..ʃlɛ:gə] ① 되튐. ② 반사.

wider|schlagen* *t./i.*(h.) 반격하다.

Wider·see *f.*〖海〗부서졌다가 되밀려 가는 파도.

widersetzen *refl.* sich jm.〔et.³〕 ~ …에 반항〔저항〕하다, 거스르다; (법률 등을) 위반하다.

widersetzlich *a.* 반항적인, 다루기 힘든: sich ~ zeigen 반항적인 태도를 취하다.

Widersetzlichkeit *f.* -en ①〔복수없음〕반항적임. ② 반항적 태도〔언행〕; 불복종; 위반.

Widersinn *m.* -(e)s 불합리, 모순, 자가당착, 부조리: der ~ einer Behauptung 어떤 주장의 불합리성.

widersinnig *a.* 불합리한, 부조리한.

Widersinnigkeit *f.* -en 모순, 부조리.

widerspenstig [ví:dərʃpɛnstɪç] *a.* 반항적인, 완강한, 순종하지 않는, 다루기 어려운, 고집센: sie sind dir ~ 그들은 너에게 반항적이다; ~e Haare 뻣뻣한 머리칼.

Widerspenstigkeit *f.* -en ①〔복수없음〕반항적임. ② 반항적 태도〔기질〕.

wider|spiegeln 《I》 *t.* 반사〔반영〕하다: das Wasser spiegelt die Bäume wider 물에 나무 그림자가 드리워져 있다. 《II》 *refl.* sich ~ 비치다, 반영되다: dieses Erlebnis spiegelt sich in seinen Dichtungen wider 이 경험이 그의 작품 속에 반영되어 있다.

Widerspiegelung *f.* -en 반영, 반사.

Wider·spiel *n.* ①〔고어〕반대: das gerade ~ ist der Fall 사실은 그 정반대다; im ~ mit et.³ 무엇과 반대로. ②〔雅語〕힘겨루기, 대항, 대립: das ~ von Regierung und Opposition 정부와 야당간의 힘겨루기.

widersprechen 《I》 *i.*(h.) ① jm.〔et.³〕 ~ 누구〔무엇〕에 반대 의견을 말하다, 항변하다: einer Nachricht ~ 어떤 소식을〔보도를〕 부인하다; seiner Meinung wurde von mir nicht widersprochen 나는 그의 의견에 반대하지 않았다. ②〔사물이 주어〕et.³ ~ 무엇과 모순되다; den Tatsachen ~ 사실과 어긋나다; die Aussagen der Zeugen ~ sich³ 〔einander〕 증인들의 증언이 서로 어긋난다; du widersprichst dir ja selbst 자네가 말하는 것은 앞뒤가 맞지 않네〔자네는 자가당착에 빠져 있네〕; das widerspricht meinem Gefühl 그것은 내 감정에 거슬린다. 《II》 *t.* 〔고어〕eine Sache ~ 무엇을 반박〔논박〕하다.

widersprechend *p.a.* 모순되는.

Widersprecher *m.* -s, - ① 반대(론)자, 항변자. ② 궤변가.

***Widerspruch** [ví:dərʃprux] *m.* -(e)s, ..sprüche [..ʃprʏçə] ① 반대, 항변, 항의; 반대론, 이론(異論): heftigen ~ bei jm. finden 누구의 맹렬한 반대에 부닥치다; sich zu et.³ in ~ setzen 무슨 일에 정면으로 반대하다. ② 모순, 어긋남, 당착:〖논리〗der Satz des ~s 모순율(律); mit〔zu〕 et.³ im ~ stehen 무엇과 모순〔상치〕되다; sich in Widersprüche verwickeln 모순에 빠지다; es besteht ein ~ zwischen seinen Reden und Handeln 그는 말과 행동이 어긋난다.

widersprüchlich *a.* 모순되는, 상반되는.

Widersprüchlichkeit *f.* -en 모순, 상반, 불일치.

widerspruchs≈frei *a.* 모순이 없는, 수미일관된: ~e Darlegung 모순이 없는 진술. **~geist** *m.* ①〔복수없음〕반항심; 반대의 정신. ② 반항아, 성격이 비뚤어진 사람. **~klage** *f.*〖法〗이의 제기.

widerspruchslos *a.* 반대하지 않는; 모순 없는: et. ~ hinnehmen 무엇을 반론없이 받아들이다.

widerspruchs·voll *a.* 모순투성이의.

***Widerstand** [ví:dərʃtant] *m.* -(e)s, ..stände [..ʃtɛndə] ① 저항, 반항, 반대, 저지, 방어: jm. ~ leisten 누구에게 저항하다; der ~ der Bevölkerung gegen das Projekt 그 계획에 대한 주민의 저항; bei jm. 〔mit et.³〕 auf ~ stoßen 누구〔무엇〕의 반대에 부딪히다. ② **(a)** 〔복수없음〕〖전기〗저항, 항력: ohmischer ~ 옴저항. **(b)** 저항기: einen ~ einbauen 저항기를 설치하다. ③〔복수없음〕〖理〗저항; (육체의) 항력.

Widerstands≈bewegung *f.* 저항 운동; 레지스탕스. **~fähig** *a.* 저항력 있는. **~fähigkeit** *f.* 저항력; 저항률. **~kampf** *m.* 저항 투쟁〔운동〕. **~kämpfer** *m.* 저항 운동가, 저항 투사. **~kraft** *f.* 저항력, 투지. **~linie** *f.* 방어선, 저항선.

widerstandslos *a.* 저항력 없는, 무저항의.

Widerstandslosigkeit *f.* 무저항.

Widerstands≈messer *m.*〖전기〗옴계, 전기 저항계. **~moment** *n.*〖工〗저항률, 저항 모멘트. **~nest** *n.*〖軍〗저항의 거점; 저항 운동의 아지트. **~ofen** *m.*〖工〗저항로. **~recht** *n.*〖法〗① (부당한 공권력에 대한) 저항권, 거부권. ② (독일 헌법에 기본권으로 명시된) 저항권. **~schweißung** *f.* 저항 용접. **~thermometer** *n.* 저항 온도계. **~wert** *m.* 저항

률. ~**wille** *m.* 저항 의지.
widerstehen* *i.* (h.) ① jm.〔et.³〕 ~ 누구에게〔무엇에〕 저항하다, 양보하지 않다; einer Versuchung ~ 유혹에 굴하지 않다; das Material widersteht der Korrosion 이 소재는 부식에 견딘다;〔구어〕ich kann der Torte nicht ~ 나는 이 케이크가 먹고 싶어 못견디겠다. ② jm. ~ 누구에게 혐오감을 불러일으키다: diese Wurst widersteht mir 나는 이 소시지가 싫다.
widerstehlich *a.* 저항할 수 있는.
Widerstoß [ví:dɐrʃto:s] *m.* -es, ..stöße [..ʃtø:sə] ① 반격, 반동. ②〖植〗갯솔.
wider|stoßen *i.* (h.) 되치다, 받아치다, 되찌르다, 반격하다.
Widerstrahl *m.* -(e)s, -en 반사광.
wider|strahlen 《I》 *t.* 되비추다, 반사하다: seine Augen strahlten deutlich seine Freude wider 그의 눈빛에는 기쁜 표정이 역력했다. 《II》 *i.* (h.) 비치다, 반사되다.
widerstreben *i.* (h.) jm.〔et.³〕 ~ 누구에게〔무엇에〕 거역〔반대·저항〕하다: etwas widerstrebt mir 나는 무엇이 싫다.
Widerstreben *n.* -s ① 반대, 저항, 대항. ② 싫음, 혐오: mit ~ 마지못해, 싫은 것을 억지로.
widerstrebend 《I》 *a.* 적대〔거역〕하는, 양립할 수 없는. 《II》 *adv.* 마지못해, 억지로.
Widerstreit *m.* -(e)s 저항, 반대; 모순, 충돌: der ~ der Meinungen 의견 대립; im ~ der Gefühle 감정의 갈등을 겪으며.
widerstreiten* *i.* (h.) et.³ ~ 무엇에 저항〔반대〕하다, 무엇에 모순〔상반〕되다.
widerstreitend *p.a.* 반대되는, 모순된, 반목하는: einander ~e Gefühle 상반되는 감정.
Wider·strom *m.* 역류, 역조, 거슬러 흐름.
widerwärtig [ví:dɐrvɛrtɪç] *a.* ①〔고어〕반대편의:〖구약〗so will ich deiner Feinde Feind und deiner ∸en ∸er sein 그러면 내가 네 원수에게 원수가 되고 네 적에게 적이 될지라(출애굽기 23:22). ② 싫은, 불쾌한; 괘씸한, 고약한; 번거로운, 성가신: ein ~er Geruch 불쾌한 냄새; ein ~er Kerl 극히 싫은 놈; die Arbeit ist mir ~ 나는 그 일이 몹시 싫다.
Widerwärtigkeit *f.* -en ①〔복수없음〕불쾌, 번잡, 귀찮음. ② 꺼리는〔싫은〕일〔것〕; 불운, 재난.
***Widerwille** [ví:dɐrvɪlə] *m.* -ns, -n 꺼림, 불쾌; 혐오, 반감; 적의, 증오: ~n gegen jn.〔et.〕 haben a) 누구에게〔무엇에〕 반감을 품다, b) 누가〔무엇이〕 몹시 싫다; mit ~n an eine Arbeit herangehen 마지못해 어떤 일에 손을 대다.
widerwillig *a.* ① 마지못한, 탐탁지 않은, 내키지 않는: er schüttelte ~ den Kopf 그는 탐탁지 않아하며 고개를 저었다. ② 보기가 싫은, 불쾌한, 혐오스런: seine ~e Art zu reden 그의 역겨운 말투.
Widerwilligkeit *f.* 싫음, 거리낌, 혐오.
Wider·wind *m.*〖海〗역풍, 맞바람.
Wider·wort *n.* 반론, 이의: jm. ~e geben 누구에게 반론을 제기하다.
Widia [ví:dia] 《„wie Diamant"의 단축어》 *n.* -s, **Widia·metall** *n.* 비디아(독일 Krupp 사에서 생산하는 초(超)경합금).
***widmen** [vítmən] 《원뜻 „stiften, ausstatten"; ↑ Wittum》 《I》 *t.* ① 바치다, 드리다, 헌정하다: jm. ein Buch ~ 누구에게 책을 바치다; er widmete seine Dissertation seinen Eltern 그는 박사 논문을 부모에게 바쳤다; sein Leben der Geschichtsforschung ~ 평생을 역사 연구에 바치다. ②〖官〗공공물로 지정하다(↔ entwidmen). 《II》 *refl.* sich et.³ ~ 무엇에 몸바치다, 몰두하다: sich der Kunst ~ 예술에 투신하다.
Widmer *m.* -s, - 바치는 사람, 헌증〔봉납〕자.
Widmung [..mʊŋ] *f.* -en ① 바침; 증정, 기증, 헌증; 헌사(獻辭). ②〖官〗공공물 지정.
Widmungs·exemplar *n.* 증정〔기증〕본. ~**gedicht** *n.* 헌시(獻詩). ~**tafel** *f.* 기증 현판.
Widmut *f.* -en ↑ Widem.
***widrig** [ví:drɪç] 《<wider》 *a.* ① 반대의, 역의, 거역하는, 방해가 되는, 불리한: der ~e Wind hemmt die Fahrt 맞바람이 항해를 방해한다; ~es Schicksal 불운; ~e Umstände 불리한 상황; ~ gesinnt 반감을 품은. ②〔구식〕거슬리는, 싫은, 불쾌한: ein ~er Kerl 싫은 놈, 미운 놈.
..widrig *suf.* (↔ ..gemäß) "…에 어긋나는"의 뜻(보기: gesetz~ 법률 위반의; verkehrs~ 교통 위반의).
widrigen·falls *adv.* (sonst) 그렇지 않으면, 반대의 경우에는.
Widrigkeit *f.* -en ①〔복수없음〕방해가 됨, 어려움, 거슬림. ② 장애 요소, 걸림돌.
Widum *n.* -s, -e ↑ Widem.
***wie** [vi:] 《wer》 《I》 *adv.*〔방법·종류·상태·정도를 묻는 의문 부사〕① **(a)** 어떻게, 어떤 방법으로: ~ (meinen Sie)? 뭐라고요, 뭐요?; ~, bitte? 뭐라고 하셨죠?; ~ geht es Ihnen?〔geht's?〕안녕하십니까?; ~ denkst du darüber? 너는 그것에 대하여 어떻게 생각하느냐?;〔구어〕~ das? 어쩌다 그렇게 되었지?; ~ denn? 도대체 어떻게?; ~ so denn? 어째서 그런가?; ~ denn anders? 그럴 수밖에 없지 않느냐?; ~ ist〔steht〕 es mit Zucker? a) 설탕은 어떠세요?, b) 설탕을 넣어 드릴까요?; ~ komme ich zum Bahnhof? 어떻게 역으로 갈 수 있습니까?; ~ (wäre es), wenn er gar nicht käme? 그가 안 온다면 어떻게 될까? **(b)**〔이유〕어떻게 해서, 왜: ich weiß nicht, ~ das möglich war 어떻게 해서 그런 일이 가능했는지 모르겠다. **(c)**〔정도〕얼마나, 어느 정도: ~ lange bleibst du hier? 얼마 동안 여기에 머무느냐?; ~ alt sind Sie? 연세가 어떻게 되십니까?; ~ spät ist es? 몇 시입니까?; ~ teuer ist das? 그것은 얼마입니까?; ~ oft hat er es getan? 그는 그것을 얼마나 자주 했느냐?; ~ viele Menschen sind ums Leben gekommen? 얼마나 많은 사람이 죽었는가?; ~ groß ist er? 그는 키가 얼마인가? **(d)**〔간접의문〕ich weiß nicht, ~ groß er ist 그의 키가 얼마인지 나는 모른다; du weißt nicht, ~ er es meint 그가 어떤 생각(으로 말하는 것)인지 너는 모른다. ②〔감탄문〕아 참, 얼마나, 정말: ~ schön ist sie! 그 여자는 참 예쁘기도 해라!; ~ leicht sie tanzt! 그녀는 얼마나 경쾌하게 춤추는가!; ~ glänzt die Sonne! 햇빛이 정말 눈부시게 비치고 있구나!;〔so와 함께〕~ bin ich, ach, so tief gesunken! 아, 내

가 어쩌다가 이다지도 낙담하게 됐을까!;〔놀람·의아〕~! hat sie es wirklich gesagt? 뭐라고!, 그 여자가 정말 그렇게 말하던가?; ~ schade! 참 안 됐구나!;〔구어〕aber ~ 〔und ~〕! 그렇고 말고, 아무렴!; liest er schön? — und ~ (schön) 그는 잘 읽느냐? — 아무렴. ③〔흔히 wissen 을 수반하여〕mich ergreift, ich weiß nicht ~, himmlisches Behagen 정녕 나도 모를 황홀한 쾌감이 나를 사로잡는다;〔구어〕wer〔Gott〕weiß (nicht) ~ 몹시, 아주; er ist Mitglied von Gott weiß nicht ~ vielen Gesellschaften 그는 헤아릴 수 없이 많은 단체의 회원이다. 《Ⅱ》 *cj.* ①〔비교·유사〕…와 같이, …처럼, …인 듯이: weiß ~ Schnee 눈처럼 흰; er schrie ~ toll 그는 미친 듯이 외쳤다; er sah aus ~ ein Bettler 그는 거지나 다름없어 보였다; wenn ich ~ du wäre 만약 내가 너(같은 처지)라면; ich liebte ihn ~ einen Freund 나는 그를 친구처럼 아꼈다〔사랑했다〕(단: ich liebte ihn als meinen Freund 그를 내 친구로 사랑했다); ein solcher Held ~ er 그와 같은 영웅; in einer Zeit ~ der unsrigen 오늘날과 같은 시대에는;〔예시〕manche Leute, ~ zum Beispiel meine Nachbarn 예를 들어 내 이웃과 같은 많은 사람들; Goldwaren, ~ Ringe, Armbänder, Broschen 반지·팔찌·브로치 따위의 금제품;〔비교의 대상 없이, 또는 es 에 의해 암시되어서〕da hörte er aus der Ferne ~ eine Stimme, die um Hilfe rief 그때 그는 멀리서 사람 살리라는 소리 같은 것을 들었다; mir schallte es ~ ein Lachen entgegen 웃음소리 같은 것이 들려〔울려〕왔다;〔so, ebenso 와 함께〕so lang ~ mein Finger 내 손가락 길이만한; zweimal so dick ~ eine Feder 펜의 2배쯤 굵은; so sanft ~ ein Lamm 양처럼 온순한; er ist so gut ~ taub 그는 귀머거리나 마찬가지다; eins ist so gut ~ das andere 어느 쪽이나 매한가지다; ebenso ~ …과 꼭 같이, 마찬가지로; das ist ebenso gut ~ schön 그것은 아름답기도 하고 좋기도 하다;〔als ~의 형태로〕er ist so dumm als ~ zuvor 그는 예전과 다름없이 어리석다; er kam als〔gleich〕~ ein Blitz, und ging als ~ ein Wind 그는 번개처럼 왔다가 바람같이 사라졌다;〔und 의 뜻으로〕er schweifte Tag ~ Nacht umher 그는 밤낮 헤매고 다녔다; Goethe, ~ Schiller, haben im Drama Großes geleistet 괴테와 실러는 희곡에서 위업을 이룩했다. ②〔비교하는 문장 앞에〕…대로: nach ~ vor 변함없이; ~ bekannt 주지하는 바대로; ~ folgt 아래와 같이; ~ immer 여느 때와 같이;〔구어〕~ gehabt 앞에서와 같이; 보통 때처럼; ~ keiner〔selten einer〕결코 비길 데 없이; ~ möglich 될 수 있는 대로; ~ gewöhnlich 보통 때와 마찬가지로; ~ noch nie (zuvor) 전례 없이, 획기적으로;〔구어〕einer ~ der andere 모두가 함께; ~ (schon) gesagt (이미) 말한 대로; nehmt die Sache völlig, ~ sie liegt 사태를 있는 그대로 받아들여라; ~ man mir gesagt hat 내가 들은 바로는; ~ sich's gehört 적절히; ~ du mir, so ich dir 네가 내게 하듯이 나도 네게 하겠다(가는 말이 고와야 오는 말이 곱다);〔설명적〕Carlos, ~ er sich nannte 자칭 카를로스라는 자; ~ ich glaube 내가 믿는 바로는; das war ein Kampf, ~ ihn keiner noch gesehen hat 그것은 미증유의 싸움이었다. ③ (in dem Maß ~) …과 같은 정도로, …에 따라: und ~ sein Leib durchs Alter garstiger wird, verstockt sich sein Sinn 그리고 노령으로 그의 몸이 추해짐에 따라 그의 마음도 완고해진다; (schweiz.) ~... desto..., …이니만큼 더욱더, …하면 할수록. ④〔실상에 근거한 이유〕…로 보아, …하기에: ~ die Krankheit sich gestaltet, ist wenig Hoffnung auf Genesung vorhanden 병세로 보아서는 회복할 가망이 거의 없다; ~ die Sache jetzt steht, ist wenig Besserung zu erwarten 지금 형편으로 보아 개선은 거의 기대하기 어렵다. ⑤〔형용사의 다음에 와서〕…하므로, …하니까: klug ~ er ist, wird er sich schon weiterfinden 그는 영리하니까 제 나아갈 길을 꼭 찾아낼 것이다; unvorbereitet ~ ich bin 준비되지 않았으므로. ⑥〔인용적(認容的): auch, mögen, doch 등과 함께〕…일지라도, …라 하더라도: ~ (sehr) ... auch... 비록〔아무리〕…일지라도; ~ schlau er auch ist 그가 제아무리 교활할지라도; ~ bedrängt auch immer, erduld' es 어떠한 압박을 받을지라도 견뎌내어라; ~ dem auch sei〔dem sei nun, ~ es wolle〕어떻든 간에; (und) ~ sie alle heißen mögen 그들의 이름이 무엇이든 간에; ~ er drückt und ~ er stößt, der Stein weicht nicht von der Stelle 그가 아무리 밀고 차고 해도 그 돌은 끄떡도 않는다; ~ schön Agathon war, so schien er doch von diesen Jünglingen übertroffen zu werden 아무리 아가톤이 미남일지라도 이들 젊은이들에게는 꿀리는 감이 있었다. ⑦〔간접 의문에서 바뀌어 daß처럼; ↑《I》① (d)〕ich sah, ~ er aus dem Wagen stieg 나는 그가 차에서 내리는 것을 보았다;〔daß 와 함께〕nun hat der Bauer gehört, ~ daß die Frau Königin so gnädig wäre 이제 그 농부는 왕비가 그토록 인자하신 까닭을 들었다;〔daß 의 반복을 피해〕das Einladungsschreiben besagt, daß um 10 Uhr Festgottesdienst stattfinde, und ~ es wünschenswert sei, daß die Beamten sich daran beteiligten 초대장에는 10시에 축하 예배가 있을 것이니 관리들은 참석하여 주길 바란다는 내용이 씌어져 있다. ⑧〔때·조건의 접속사〕**(a)** …하면: ~ ein Fremder kommt, bringe ihn gleich zu mir 낯선 사람이 찾아오면 바로 내게 모셔 오너라. **(b)** …했을 때: ~ er das hörte, kam er gleich zu mir 그는 그것을 듣자마자 곧 내게로 왔다. **(c)** …할 때, …하는데: ~ ich an einer Baracke vorbeigehe, hör' ich einen Schrei 내가 어느 가건물 앞을 지나치는데 바로 그때 비명 소리가 들렸다. **(d)**〔관계 부사 wo 에 해당되는 용법〕zur Zeit, ~ ... …할 때: es war der Tag, ~ Sie mich in die Stadt schickten 당신이 저를 시내로 보냈던 날이었습니다. ⑨〔북독일 방언에서는 als 대신〕**(a)**〔비교급 다음에〕…보다: er ist größer ~ mein Bruder 그는 내 형〔아우〕보다 크다. **(b)**〔ander.., anders 다음에〕…와 비교해서는: es ist alles anders ~ früher 모든 것이 예전과는 딴판이다. **(c)**〔nichts 다음에〕…이외에, …을 제외하고: er hat nichts ~ Ärger 그는 짜증만 난다; nichts〔nix〕~ hin! 냉큼 사라져! ⑩〔부정문을 이끌어 명사를 수식하며 최상급 대신〕du hast eine Mutter, ~ es auf der ganzen Welt keine besseren geben kann 네게는 세상에서 가장 훌륭한 어머니가 계신다. ⑪〘wenn 과 함께〙… 인 것처럼: er taumelte, ~ wenn er betrunken wäre 그는 마치 취한 듯이 비틀거렸다; der Tote lag im Bett, ~ wenn er schliefe 죽은 사람은 마치 잠자듯이 침대에 누워 있었다; er sieht aus, ~ wenn er krank sei 그는 마치 병자처럼 보인다. ⑫〘als 를 동반하여 비교의 뜻으로 쓰임〙 er ist klüger, als ~ man denkt 그는 사람들이 생각하는 것보다 영리하다.

Wie *n.* -(s), -(s) 방법, 상태, 성질: das ~ und das Warum 방법과 이유; es kommt auf das ~ an 방법이 문제다.

Wiebel [ví:bəl] *m.* -s, - ① 〖動〗 바구미 (Kornwurm). ②〘비유〙(잠시도) 가만 있지 않는 아이. ③〘복수〙〖醫〗 (Röteln) 풍진(風疹), 홍진(紅疹).

wiebeln [ví:bəln] 《I》 *i.* (h.) ① 우글거리다. ②기어다니다(krabbeln). 《II》 *t.* (md.) 꼼꼼히 꿰매다.

Wieche [ví:çə] *m.* -ns, -n ① (램프·양초의) 심지. ② 붕대용 천.

Wied[1] [vi:t] *f.* 비트강(라인강 중류의 지류).

Wied[2] 비트(라인강 중류 지방의 귀족 가문).

Wiede [ví:də] *f.* -n (südd., südwestd.) ① (특히 버드나무의) 잘 휘어지는 가지. ② (장작을 묶기 위해) 가는 나뭇가지로 엮은 새끼줄.

Wiede·hopf [ví:dəhɔpf] *m.* -(e)s, -e 〖動〗 후투티(철새).

***wieder** [ví:dər] *adv.* ① 다시 (한번), 새로, 거듭: ~ ins Leben rufen 소생시키다; nun ist er ~ krank 그는 지금 다시 병들었다; ich bin gleich ~ da 곧 돌아올게; immer ~ 〔~ und ~〕 되풀이해서, 재삼재사; wie, schon ~ ! 뭐야, 또 !; ~ (ist) ein Jahr vergangen ! 또 한 해가 흘렀구나 !; für nichts und ~ nichts 헛되이, 아무런 이유도 아무런 의미도 없이. ② (anderseits) 다른 한편으로는, 동시에: es war mir lieb und doch (auch) ~ unangenehm 그것이 나로서는 마음에 들면서도 또 한편으로는 불쾌했다. ③ (zurück) 되짚어, 마찬가지로: jn. ~ grüßen 누구에게 답례하다; wenn er dich schlägt, dann schlägst du ihn ~ 그가 너를 때리면, 너도 똑같이 그를 때려라; hin und ~ a) 여기저기, b) 때때로, 이따금. ④ 반면에, …에 반해: dieser stimmte zu, jener ~ lehnte ab 후자는 동의했는데, 전자가 거부했다. ⑤〘구어에서 noch 의 뜻으로〙 wie heißt er ~ 그의 이름이 뭐더라.

wieder.. *pref.* 〘동사의 전철; 분리 전철로 쓰일 때는 강세를 가지며 "다시·거듭"의 뜻; 비분리 전철일 때는 강세가 없고 여러 가지 비유적인 뜻이 됨〙 ① "반복"의 뜻(보기: ~sehen, ~holen). ② "도로(zurück)"의 뜻(보기: ~bringen, ~holen). ③ "원상 복귀"의 뜻(보기: ~umbauen, ~herstellen). ④ "응답·보복"의 뜻(보기: ~grüßen, ~schlagen).

Wiederabdruck [vi:dər|ápdruk] *m.* -(e)s, -e 〘복수: -e〙〖印〗 ① 재인쇄, 재판. ② 복각판(復刻版).

wieder|ab|drucken (ich drucke wieder ab) *t.* (책을) 다시 찍어내다, 재판하다.

wieder|ab|geben* *t.* 돌려주다, 반환하다.

wieder|ab|reisen *i.* (s.) 다시 떠나다, 재출발하다.

wieder|ab|sagen *t.* 다시 명령하다; 취소하다.

wieder|ab|treten* *t.* (영토 따위를) 돌려주다, 반환하다.

Wiederabtretung *f.* -en 환급, 반환.

Wiederanfang *m.* -(e)s, ..fänge [..fɛŋə] 재개, 속개.

wieder|an|fangen* *t./i.* (h.) 다시 시작하다, 재개〔속개〕하다.

wieder|an|gehen* *i.* (s.) 재개하다: die Schule geht heute wieder an 학교가 오늘 개학한다.

wieder|an|knüpfen *t.* 다시 관계를 맺다; 〘비유〙(옛정을) 새로이 하다.

Wiederanpfiff *m.* -(e)s, -e 〖스포츠〗 경기 속개를〔후반전 개시를〕 알리는 호각 신호.

Wiederanspiel *n.* -(e)s, -e 〖스포츠〗 경기의 속개, 후반전의 킥오프.

wieder|an|stellen *t.* 복직시키다, 재임명〔재임용〕하다.

Wiederanstellung *f.* -en 복직, 재임용.

Wiederanstoß *m.* -es, ..stöße [..ʃtø:sə] 〖스포츠〗 속개된 경기〔후반전〕의 킥오프.

wieder|an|treten* *t.* 다시 시작하다, 계속하다: eine Reise ~ 다시 여정에 오르다.

wieder|an|zünden *t.* 다시 점화하다.

Wiederaufbau *m.* -s 재건, 복구, 부흥.

Wiederaufbau·arbeit *f.* 재건〔복구〕 사업.

wieder|auf|bauen *t.* 재건〔복구〕하다, 부흥시키다: wir bauen das zerstörte Land wieder auf 우리는 초토화된 나라를 재건한다.

wieder|auf|bereiten *t.* (다 사용한 핵연료·폐품 등을) 재가공〔재처리〕하다: abgebrannte Brennstoffe ~ 연소된 연료를 재가공하다.

Wiederaufbereitung *f.* -en 재가공, 재처리: 100000 Tonnen Altreifen rollen nach ~ erneut über die Straßen 10 만톤의 폐타이어가 재가공되어 새로 거리를 누빈다.

Wiederaufbereitungs·anlage *f.* 〖핵물리〗 (특히 핵연료의) 재가공 처리장.

wieder|auf|erstehen* *i.* (s.) 소생〔부활〕하다.

wieder|auf|erwecken *t.* 소생〔부활〕시키다.

wieder|auf|finden* *t.* (분실물을) 찾아내다.

wieder|auf|führen *t.* 재공연하다.

Wiederaufführung *f.* -en 재공연.

wieder|auf|heben* *t.* 다시 폐지〔철거〕하다, 무효로 하다, 다시 취소하다.

wieder|auf|kommen* *i.* (s.) 다시 일어서다, 재기하다; (병자가) 회복하다; 다시 피(어나)다.

Wiederaufkommen *n.* -s, - 재기, 회복.

wieder|auf|leben *i.* (s.) 소생〔재생〕하다; 부흥하다.

wieder|auf|legen *t.* 다시 올려놓다; (고약 등을) 다시 붙이다; 〖印〗 재판하다.

Wiederaufnahme [vi:dər|áufna:mə] *f.* -n ① (작업·심리·토의 등의) 재개: 〖法〗 ~ des (gerichtlichen) Verfahrens beantragen 재심을 청구하다; ~ der Arbeit nach einem Streik 파업 후의 작업 재개. ② (단체·정당 등에서 회원·당원) 재수용. ③〖연극〗 (레퍼토리에서 제외되었던 작품의) 재(再)채택, 재공연: ~ eines Stückes 어떤 작품의 재공연.

Wiederaufnahme·verfahren *n.* 〖法〗 재심절차.

wieder|auf|nehmen* *t.* ① (일·토의를) 다시 시작하다, 재개〔속개〕하다. ② (탈퇴자를) 다시 받아들이다, 재수용하다: er wollte seine fortgelaufene Tochter nicht ~ 그는 가출한 딸을 다시 받아들이려 하지 않았다. ③〖연극〗(레퍼토리에서 제외된 작품을) 다시 공연 일정에 올리다.

wieder|auf|richten 《I》 *t.* 격려〔위로〕하다; 재건하다. 《II》 *refl.* sich ~ 다시 일어서다, 재기하다.

Wiederaufrichtung *f.* -en 격려, 위로; 재기.

Wiederaufrüstung *f.* 재군비, 재무장.

wieder|auf|stehen* *i.* (s.) 다시 일어서다; 완쾌하다.

wieder|auf|suchen *t.* 다시 찾아내다.

wieder|auf|tauchen *i.* (s.) 다시 떠오르다〔나타나다〕; 〖비유〗 컴백하다.

Wiederausfuhr *f.* -en 〖商〗 재수출.

wieder|bekommen* *t.* 되돌려 받다, 되찾다.

wieder|beleben *t.* 소생시키다; 〖비유〗 부흥〔부활〕시키다: sie hat den kurzen Rock der fünfziger Jahre wiederbelebt 그녀는 50년대의 미니 스커트를 부활시켰다.

Wiederbelebung *f.* -en 소생; 부흥.

Wiederbelebungs·versuch *m.* (인공 호흡 등의) 소생 시술(施術); 소생약; 부활〔부흥〕시도.

wieder|beschaffen *t.* 다시 조달〔입수〕하다.

wieder|besetzen *t.* ①〖軍〗(도시·지역 등을) 재점령〔탈환〕하다. ② (공석을) 다시 메우다: einen Lehrstuhl ~ (공석인) 교직을 다시 충원하다.

wieder|besinnen* *refl.* sich ~ 재고하다; 회상하다.

wieder|bezahlen *t.* 갚다, 상환〔변상〕하다.

wieder|bringen* *t.* 되돌려 주다, 반환〔반납〕하다.

Wiederdruck *m.* 〖복수: -e〗〖印〗 재판.

wieder|ein|bringen* *t.* (손실·지연 등을) 다시 회복하다, 만회하다.

wieder|ein|fallen* *i.* (s.) 다시 생각나다, 기억나다: der Name fiel mir endlich wieder ein 나는 그 이름이 마침내 다시 생각났다.

wieder|ein|finden *refl.* sich ~ 다시 모습을 나타내다; 재출두하다.

Wiedereinfuhr *f.* -en 〖商〗 재수입.

wieder|ein|führen *t.* 다시 도입〔실시·채용〕하다, 되살리다; 〖商〗 재수입하다.

Wiedereinführung *f.* -en 재도입.

wieder|ein|lösen *t.* (전당물을) 되찾다, 되사다.

Wiedereinnahme *f.* -n 재점령, 탈환.

wieder|ein|nehmen* *t.* 도로 빼앗다, 다시 점령하다, 탈환하다.

wieder|ein|richten *t.* 재정비하다, 재조직하다; (집 따위의) 모양을 고치다; 〖醫〗(골절을) 접골하다, (탈장(脫腸)·탈구(脫臼) 따위를) 다시 맞추다.

wieder|ein|schiffen *t.* 다시 배에 싣다〔태우다〕.

wieder|ein|schlafen* *i.* (s.) 다시 잠들다; 〖비유〗(사건이) 오리무중이 되다.

wieder|ein|setzen *t.* 제자리에 도로 놓다, 복직〔복위〕시키다: jn. in seine Rechte ~ 누구를 복권시키다.

Wiedereinsetzung *f.* -en ① 복직, 복권, 복위. ②〖法〗 die ~ in den vorigen Stand 원상 복귀.

wieder|ein|treten* *i.* (s.) ① 다시 들어가다; (단체 등에) 재가입하다; 〖軍〗 재입대하다. ② (사건 등이) 다시 일어나다, 재발하다.

Wiedereintritt *m.* -(e)s, -e ① 재가입; 재입대. ② (사건의) 재발. ③ 재등장, 재진입.

wieder|entdecken *t.* 재발견하다.

Wiederentdeckung *f.* -en 재발견.

wieder|erhalten* *t.* 되찾다, 되돌려 받다.

wieder|erinnern *refl.* sich eines Dinges 〔an et.〕 ~ 무엇을 재차 생각〔기억〕해내다, 회상〔상기〕하다.

wieder|erkennen* *t.* 다시 알아보다, 재인식하다: ich habe dich sofort wiedererkannt 나는 너를 첫눈에 다시 알아보았다.

Wiedererkennung *f.* 재인식.

wieder|erlangen *t.* 되찾다, 다시 손에 넣다, 회복하다.

Wiedererlangung *f.* -en 회복, 되찾음.

wieder|erobern *t.* 재점령하다, 탈환하다.

Wiedereroberung *f.* -en ① 탈환, 재점령. ② 재점령한 것, 재점령 지역.

wieder|erscheinen* *i.* (s.) 다시 나타나다; 재발행되다: ein Buch ~ lassen 책을 재발행하다.

wieder|ersetzen, ~|erstatten *t.* 배상〔상환〕하다.

Wiedererstattung *f.* -en 배상, 상환.

wieder|erstehen *i.* (s) 〖雅語〗 회생하다; 다시 살아나다, 부활〔부흥〕하다: den Glanz vergangener Epochen ~ lassen 지난 시대의 영광을 부활시키다.

wieder|erwählen *t.* 다시 선출하다.

Wiedererwählung *f.* -en 재선.

wieder|erwecken *t.* 재기시키다; 소생〔부활〕시키다; 환기하다.

Wiedererweckung *f.* -en 재기; 소생; 환기.

wieder|erzählen *t.* ① (사건·이야기의 내용 등을) 재현해 보이다, 이야기를 다시 들려주다. ②〖구어〗 말을 퍼뜨리다: aber erzähl es niemandem wieder! 그러나 이 말은 더 이상 아무한테도 하지 마!

wieder|erzeugen *t.* 재생〔재현〕하다.

wieder|finden* 《I》 *t.* ① (잃었던 것을) 찾아내다: 〖비유〗 seine Fassung ~ 다시 정신을 차리다. ② (다른 곳에서도) 발견하다: man findet dieses Thema auch bei Kafka wieder 이 주제는 카프카의 작품에서도 나타난다. 《II》 *refl.* sich ~ ① a) (잃어버렸던 것이) 발견되다; 〖비유〗 침착성을 되찾다, 회복되다, b) 재회하다(einander ~). ② sich irgendwo ~ 갑자기〔뜻밖에〕 어느 장소에 있음을 깨닫다: er fand sich im Gefängnis wieder 그는 자신이 다시 감옥에 와 있음을 깨달았다. ③ (다른 곳에서) 다시 발견되다.

wieder|fordern *t.* …의 반환을 요구하다.

Wiedergabe [víːdərgaːbə] *f.* -n ① 반환, 상환. ② 재현, 재생; 묘사. ③ a) (인쇄물의) 재인쇄, 복사; (그림의) 복제, 모사; 분열 생식, b) 복제품, 복사품. ④〖음악〗(악곡의) 연주.

wieder|gebären* 《I》 *t.* 환생케 하다, 재생시키다: wiedergeboren werden 환생〔재생〕하

다, 되살아나다, 〖宗〗 거듭나다. 《Ⅱ》 **wiedergeboren** *p.a.* ↑ wiedergeboren.

wieder|geben* *t.* ① 되돌려 주다, 갚다, 반환〔상환〕하다: jm. seine Ehre ~ 누구의 명예를 회복시키다. ② 재현하다, 표현〔묘사〕하다; 번역하다; 상연하다: ein Gespräch wörtlich ~ 어떤 대화 내용을 말 그대로 옮기다; ich kann meine Gedanken nicht ~ 나는 내 생각을 표현할 수 없다; dieser Ausdruck läßt sich im Deutschen schwer ~ 이 표현은 독일어로 번역하기 어렵다; das Theaterstück wurde gut wiedergegeben 이 극은 성공리에 공연되었다. ③ (회화 작품 등을) 복사〔복제〕하다. ④〖전기〗(음을) 재생하다: ein HiFi-Gerät muß einen breiten Frequenzbereich ~ 하이파이 오디오 제품은 광범위한 주파수대(帶)의 음파를 재생할 수 있어야 한다.

wiedergeboren 《Ⅰ》 *p.p.* ↑ wiedergebären. 《Ⅱ》 *p.a.* ① 환생한, 다시 태어난. ② (정신적·신체적으로) 거듭난.

Wiedergeburt *f.* -en ① 환생(還生); 〖宗〗 거듭남; 신생, 재생. ②〔雅語〕 부활, 부흥; 혁신.

wieder|genesen* *i.* (s.) 회복〔쾌유〕하다.

wieder|gewinnen* *t.* 되찾다, 되받다; 〖軍〗 탈환하다(단: wieder gewinnen 다시 얻다).

wieder|grüßen *t.* (jn.) …에게 답례 인사하다.

wieder|gut|machen *t.* 갚다, 배상〔보상〕하다; 회복〔복구〕하다.

Wiedergutmachung *f.* -en 보상, 배상; 회복, 복구.

wieder|gut|werden* *i.* (s.) ① (상처가) 낫다, 아물다, 회복하다. ② 다시 사이가 좋아지다, 화해하다.

wieder|haben* *t.* ① (사람을) 다시 곁에 두다: wir haben unseren alten Lehrer wieder 우리는 옛 스승을 다시 모시게 되었다. ② (물건을) 되찾아 가지다.

Wieder·hall *m.* (Widerhall) 반향, 메아리.

wieder|her|richten *t.* 다시 정돈하다; 수선〔복구〕하다.

wiederherstellbar *a.* 회복〔복구·치유〕할 수 있는.

wieder|her|stellen *t.* ① 원상 복구하다, 되찾다, 회복하다: die Ordnung ~ 질서를 되찾다; die alten Verhältnisse haben sich wiederhergestellt 다시 옛날 상황으로 되돌아갔다. ② 치유하다: der Kranke ist (völlig) wiederhergestellt 그 환자는 (완전히) 회복되었다. ③〖컴〗 다시 깔다, 되살리다.

Wiederherstellung *f.* -en 복구, 원상 회복, 치유: 〖法〗 ~ der ehelichen Lebensgemeinschaft (별거 기간 후의) 부부 관계의 원상 회복.

Wiederherstellungs≈chirurgie *f.* 〖醫〗 정형(整形) 외과. **~kosten** *pl.* 복구〔재건〕 비용. **~mittel** *n.* 강장제, 회복제. **~zeichen** *n.* 〖음악〗 제자리표.

wiederholbar [vi:dərhó:lba:r] *a.* 반복 가능한: ein solches Erlebnis ist nicht ~ 그런 체험은 다시 할 수 없다.

wieder|holen [ví:dərho:lən] *t.* 되찾다, 다시 찾다.

***wiederholen** 《Ⅰ》 *t.* 되풀이하다, 반복하다: er wiederholte kurz seine Forderungen 그는 짤막하게 그의 요구를 되풀이했다. 《Ⅱ》 *refl.* sich ~ ① 되풀이되다, 반복해서 일어나다: die Geschichte läßt sich nicht ~ 역사는 반복되지 않는다. ② 같은 말을 되풀이해서 말하다, 되뇌다: er wiederholt sich gern 그는 곧잘 같은 말을 되풀이한다. 《Ⅲ》 **wiederholt** *p.a.* ↑ wiederholt.

wiederholt 《Ⅰ》 *p.p.* ↑ wiederholen. 《Ⅱ》 *p.a.* 거듭, 되풀이하여, 몇 번이고: wir haben uns in letzter Zeit ~ gesehen 우리는 요사이 여러 번 만났다.

wiederholentlich *adv.* ↑ wiederholt 《Ⅱ》.

Wiederholung[1] [..ho:luŋ] *f.* -en 다시 찾기, 되찾기.

***Wiederholung**[2] *f.* -en 되풀이, 반복; 되풀이되는 말〔행동〕; 〖음악〗 앙코르의 외침; 〖영화〗 컷백.

Wiederholungs≈fall *m.* 〔다음 용법으로만〕 im ~ (같은 일이) 되풀이될 경우에. **~impfung** *f.* (예방 주사의) 재접종. **~kurs** *m.* ① 복습〔보충 수업〕 과정. ② (schweiz.) 스위스 예비군의 재훈련. **~sendung** *f.* 재방영. **~spiel** *n.* 〖스포츠〗 재시합, 재경기. **~täter** *m.* 〖法〗 전과범, 상습범, 재범(자). **~wahl** *f.* 재선거. **~zeichen** *n.* ① 반복 기호. ② 〖음악〗 도돌이표.

***Wiederhören** [ví:dərhø:rən] *n.* -s 〔다음 용법으로〕 auf ~! 안녕히 계십시오! (라디오 방송·전화 통화 때의 작별 인사).

wieder|impfen *t.* 재접종하다.

Wieder·in·besitz·nahme 《<wieder in Besitz nehmen》 *f.* 재점유.

Wieder·in·betrieb·nahme *f.* 운전〔조업·조작〕 재개.

Wieder·instand·setzung *f.* 수선, 수리; 수복, 부흥.

wieder|kauen *t.* ↑ wiederkäuen.

wieder|käuen *t.* ① 되씹다, 반추하다: ~des Tier 반추 동물. ② 〔비유〕 a) 되새기다, 곱씹다, 곰곰이 생각하다, b) 쓸데없이 자꾸 되풀이하다, 장황히 지껄이다; (다른 사람의 의견을) 그대로 되뇌다.

Wiederkäuer *m.* -s, - ① 〖動〗 반추 동물(소·낙타·사슴 등). ② 〔비유〕 같은 말을 자꾸 되풀이하는 사람.

Wiederkauf *m.* -(e)s, ..käufe [..kɔʏfə] 되사기, 재구입.

wieder|kaufen *t.* 다시 사들이다, 되사다.

Wiederkäufer *m.* -s, - 되사들이는 사람, 재매입자.

Wiederkaufs·recht *n.* 〖法〗 환매권(還買權), 재매입권.

***Wiederkehr** [ví:dərke:r] *f.* 〔雅語〕 ① 귀환, 회귀(回歸): die ~ Christi 그리스도의 재림; (길의) 되돌아옴; 〖건축〗 회첨(會檐), 두 지붕이 접합한 곳. ② **(a)** 되풀이, 반복. **(b)** (축일·기념일 등이) 다시 돌아옴: 25 jährige ~ 제 25 주년 기념(제).

***wieder|kehren** *i.* (s.) ① 돌아오다, 귀환하다: von einer Reise ~ 여행에서 돌아오다; er ist aus dem Krieg wiedergekehrt 그는 전쟁에서 돌아왔다. ② 반복되다, 되풀이되다, 재발하다: eine so günstige Gelegenheit kehrt nicht wieder 이런 좋은 기회는 두 번 다시 돌아오지 않는다; diese Melodie kehrt im ersten Satz dreimal wieder 이 선율은 제 1 악장에서 세 번

반복된다.

wieder|kommen* *i.* (s.) ① 돌아오다, 귀환하다. ② 재현〔재발〕하다: die alten Zeiten kommen nicht mehr wieder 지나간 시절은 두 번 다시 돌아오지 않는다.

wieder|kriegen *t.* 〖구어〗 되찾다, 돌려받다.

Wiederkunft [ví:dər̆kunft] *f.* 〖雅語〗 돌아옴, 귀환; 회복: ~ des Heilands 구세주〔그리스도〕의 재림.

wieder|lieben *t.* jn. ~ 누구의 사랑에 응답하다.

Wiedernahme [ví:dər̆na:mə] *f.* 되찾음; 되돌림; 탈환.

wieder|nehmen* *t.* 되찾다; 탈환하다.

wieder|rufen* *t.* 되불러오다, 재소환하다.

wieder|sagen *t.* 말로 퍼뜨리다〔전하다〕.

wieder|schaffen* *t.* 고쳐〔다시〕 만들다, 개조하다.

Wieder·schall *m.* 반향(Widerschall).

Wieder·schauen [ví:dər̆ʃauən] *n.* 〖다음 용법으로〗〖방언〗 (auf) ~! 잘 가라!

Wieder·schein *m.* 반사광(Widerschein).

wieder|schelten* *t./i.* (h.) (상대방의 질책에 지지 않고) 마주 질책하다.

wieder|schenken *t.* 〖교양〗 되돌려 주다: nach dem Unfall war mir das Leben wiedergeschenkt 그 사고를 당하고 나서 나는 새 생명을 얻었다.

wieder|schicken *t.* 돌려보내다.

wieder|schießen* *t.* 맞쏘다, 도로 쏘아 보내다, 되쏘다.

wieder|schimpfen *t./i.* (h.) (욕을 되받아서) 마주 욕하다.

Wiederschlag *m.* -(e)s, ..schläge [..ʃlɛ:gə] 되받아침, 반격; 반사.

wieder|schlagen* 《Ⅰ》 *t.* 되받아치다, 되받아 넘기다, 반격하다. 《Ⅱ》 *i.* (h.) 〖드물게〗 완강하게 반항〔저항〕하다.

wieder|sehen [ví:dər̆ze:ən] *t.* 다시 보다, 다시 만나다, 재회하다: wann sehen wir uns wieder? 언제 다시 뵐 수 있을까요?; ich möchte diese Landschaft gerne ~ 이 풍경을 다시 보고 싶습니다.

***Wiedersehen** *n.* -s 재회: auf ~! 안녕, 또 만납시다!; 〖드물게〗 auf baldiges ~ 조만간 또 만납시다〔보자〕; ~ macht Freude! 다시 보면 반갑겠지! (빌려 준 물건을 잊지 말고 돌려달라는 뜻의 농담); 〖구어〗 das ~ begießen 재회의 축배를 들다; ein ~ mit dem Rhein 라인강과의 재회.

Wiedersehens·freude *f.* 재회의 기쁨.

wieder|stoßen* *t.* (widerstoßen) 부딪히다, 충돌하다.

Wiedertaufe *f.* 〖宗〗 재세례, (간절한 회개 후에 받는) 세례.

wieder|taufen *t.* 재세례를 베풀다.

Wiedertäufer *m.* -s, - 〖宗〗 (종교 개혁 시대의) 재세례파(再洗禮派)의 신도.

wieder|tönen *i.* (h.) (widertönen) 메아리가 울리다.

wieder|treffen* *t.* 다시 만나다, 재회하다.

wieder|tun* *t.* 다시 (행)하다, 되풀이하다: ich will es nicht ~! 다시는 안 그러겠다!

wieder·um [ví:dərum] *adv.* ① 또다시; 이번에도: ~ hat er Glück 그는 이번에도 운이 좋다. ② 다른 한편으로, 그 반면에: die meisten stimmten zu, andere ~ waren gegen den Vorschlag 대부분의 사람은 그 제안에 동의한 반면 다른 일부는 반대했다.

wieder|um|kehren *i.* (s.) 되돌아가다; 〖비유〗 다시 하다, 되풀이하다.

wieder|vereinigen [ví:dər̆fɛr̆|aɪnɪgən] *t.* ① 다시 결합시키다; 다시 합치다〔통합하다〕: ein geteiltes Land ~ 분단된 나라를 다시 통일시키다. ② 〖비유〗 사이좋게 해주다, 화해시키다.

Wiedervereinigung *f.* -en ① 재결합, 재통일: die ~ Deutschlands 독일의 재통일. ② 융화, 화해.

wieder|vergelten* *t.* (vergelten) 갚다, 보상하다; 보복하다.

Wiedervergeltung *f.* (Vergeltung) 보상, 보답; 보복.

wieder|verheiraten 《Ⅰ》 *t.* 재혼시키다. 《Ⅱ》 *refl.* sich ~ 재혼하다.

Wiederverheiratung *f.* -en 재혼.

wieder|verjüngen 《Ⅰ》 *t.* 도로 젊어지게 하다, 회춘시키다. 《Ⅱ》 *refl.* sich ~ 도로 젊어지다.

Wiederverjüngung *f.* -en 회춘(回春).

Wiederverkauf *m.* -(e)s, ..käufe [..kɔʏfə] 되팔기, 전매(轉賣), 소매.

wieder|verkaufen *t.* 되팔다, 소매로 팔다.

Wiederverkäufer *m.* -s, - 소매 상인, 전매상, 중개상.

wieder|vermieten *t.* 되꿔주다, 다시 빌려 주다; 전대(轉貸)하다, 재임대하다.

Wieder·versicherung *f.* 재보험.

wieder|versöhnen *t.* (versöhnen) 화해〔타협〕시키다.

wieder|verwenden *t.* 재사용〔재활용〕하다: Altpapier ~ 폐지를 재활용하다.

Wiederverwendung *f.* -en (자원·인력의) 재사용.

wieder|verwerten *t.* 재활용하다.

Wiederverwertung *f.* -en 재활용, 재검토.

Wieder·vorlage *f.* 〖官〗 (서류의) 재제안, 재제출: zur ~ 재제출용(서류에 붙이는 표시) (약어: z. Wv.).

Wiederwahl *f.* -en 재선(再選).

wieder|wählen *t.* 재선하다, 다시 뽑아 주다.

wieder|zu|lassen* *t.* 다시 들어옴을 허락하다.

wieder|zu|stellen *t.* 되돌려 주다, 반환하다.

wiefeln [ví:fəln] *t.* (südd., schweiz.) (wiebeln) 수선하다, 깁다, 꿰매다.

wie·fern [vi(:)fɛ́rn] 〖고어〗 《Ⅰ》 *adv.* 그런 한에는(inwiefern). 《Ⅱ》 *cj.* …하는 한에는(sofern, wenn).

***Wiege** [ví:gə] (《令 bewegen》) *f.* -n ① 요람; 〖비유〗 발상지, 기원, 발단: von der ~ an a) 태어날 때부터, b) 어릴 적부터; Asien gilt gewöhnlich als die ~ der Menschheit 아시아는 흔히 인류의 발상지로 간주된다; damals lag er noch in der ~ 그 당시 그는 아직 어린 아이였다; von der ~ bis zum Grabe 〔zur Bahre〕 요람에서 무덤까지; 〖구어〗 dieses Mißgeschick war ihm nicht an der ~ gesungen worden 그에게 이런 불행이 닥쳐오리라고는 아무도 몰랐다; 〖구어〗 das ist ihm schon 〔gleich〕 in die ~ gelegt worden 그것은 그가 타고난 것이다; das Schicksal hat ihm viel Glück in die ~ gelegt 그는 부모를 잘 만나서 큰 행운을 타고났다. ② 요람 모양의 것: **(a)** 〖체조〗 배를 바닥에 대고 머리와 팔다리를 들어올리는 동작. **(b)** 〖그래픽〗 동판용 조각칼. **(c)** (번진 잉크를 빨아들이는) 잉크 흡입기. **(d)** 〖軍〗 (대포의) 진동 완충 장치(Rohr~).

Wiege≈brett *n.* 〖요리〗 도마. **~eisen** *n.* 동판용 조각칼. **~frau** *f.* 아기 보는 여자. **~-messer** *n.* ① (양끝에 손잡이가 달린 활 모양의) 고기 저미는 칼. ② 동판용 조각칼.

wiegeln [víːgəln] 《<wiegen[1]》 *t.* ① 살살〔조용히〕 흔들다. ② 부추기다, 선동〔사주〕하다.

wiegen[1] [víːgən] (wiegte, gewiegt) 《< Wiege》《Ⅰ》 *t.* ① 이리저리 흔들다: er wiegte bedenklich den Kopf 그는 걱정스러운 듯이 머리를 설레설레 저었다; ein Kind in den Schlaf ~ 아기를 흔들어 재우다; 〔비유〕 jn. 〔js. Herz〕 ~ 누구의 마음을 진정시키다; einen ~den Gang haben 건들거리며 걷다; mit ~den Schritten gehen 몸을 흔들며〔의젓하게〕 걷다. ② (식칼로 고기를) 저미다, 잘게 썰다: bitte 500 g gewiegtes Fleisch! 잘게 저민 고기 500 g 주세요! ③ (동판을) 새기다, 파다: die Platte ~ 동판(銅版)을 에칭용 칼로 거칠거칠하게 만들다. 《Ⅱ》 *refl.* sich ~ ① 몸을 이리저리 흔들다: sich in den Hüften ~ 엉덩이를 흔들다; das Boot wiegt sich auf den Wellen 보트가 물결에 따라 흔들거리고 있다. ② 〔비유〕 sich in Träume(n) 〔mit Träumen〕 ~ 꿈〔몽상〕에 잠기다; sich in Sicherheit ~ (어리석게도) 마음놓고 있다; sich in Hoffnungen ~ (헛된) 희망에 잠기다. 《Ⅲ》 **ge-wiegt** [..kt] *p.a.* ↑ gewiegt.

__wiegen__[2] [víːgən] (wog, gewogen) 《♧ wägen》《Ⅰ》 *t.* ① …의 무게를 달다〔재다〕: ein Paket ~ 소포의 무게를 달다; sie hat die Wurst knapp〔reichlich〕 gewogen 그녀는 소시지를 빡빡하게〔넉넉하게〕 저울질했다. ② 〔비유〕 저울질하다, 따져보다: er wog im Geist die Meinungen, die er hörte 그는 들은 의견들을 머릿속으로 저울질해 보았다; sie wog die Einladung in der Hand 그녀는 그 초대에 응할지 말지 따져보았다; 〔구어〕 gewogen und zu leicht befunden 심사 결과 함량 미달로 판명된; 〔속담〕 erst wieg's, dann wag's! 충분히 따져보고 실행하라! 《Ⅱ》 *i.* (h.) 얼마의 무게가 나가다: der Koffer wiegt schwer 그 가방은 무게가 무겁다; das Brot wiegt drei Pfund 이 빵은 무게가 3 파운드 나간다; wieviel wiegst du? 너는 체중이 얼마나 되느냐?; 〔비유〕 seine Worte wiegen schwer 그가 하는 말은 중요하다; 〔비유〕 der Leserbrief wiegt als öffentliche Anklage 독자의 편지는 여론의 질책으로 간주된다. 《Ⅲ》 *refl.* sich ~ 몸무게를 재다.

Wiegen≈band *n.* 요람을 흔드는 줄〔끈〕. **~druck** *m.* 〔복수: -e〕〖印〗 (근대 인쇄술이 도입되기 이전의) 고판본(古版本) (Inkunabel). **~fest** *n.* 〔시어〕 생일. **~kind** *n.* 〔고어〕 갓난아기. **~korb** *m.* 요람. **~lied** *n.* 자장가. **~pferd** *n.* 장난감 목마, 회전 목마. **~stuhl** *m.* 흔들 의자.

Wieger [víːgər] 《<wiegen》 *m.* -s, - ① 고기 저미는 칼. ② 무게를 다는 사람.

Wieg·messer [víːk..] *n.* ↑ Wiegemesser.

wiehern [víːhərn] *i.* (h.)/*t.* ① (말이) 히힝 소리내며 울다. ② 〔비유〕 **(a)** (사람이) 껄껄 웃다, 크게 웃다: ~des Gelächter 유별나게 큰 웃음(소리), 폭소; 〔구어〕 das ist ja zum ~! 그것 참 웃기는군! **(b)** 큰 소리로 부르다, 고함치다.

Wiek [viːk] 《♧ weichen》 *f.* -en (ndd.) (발트해 연안의) 작은 만(灣).

Wieke [víːkə] *f.* -n 〖醫〗 (Scharpie) 붕대용 면포(棉布), 린트포(布).

Wieland [víːlant] *m.* ① 〔신화〕 빌란트(게르만족 설화에 나오는 인물). ② Christoph Martin ~ 빌란트(18 세기 독일의 시인, 1733-1813).

Wieling [víːlɪŋ] *f.* -e 〖海〗 (선박의) 방현재(防舷材), 완충용 말뚝, 펜더.

Wiem [viːm] *m.* -s, -en (ndd.) ↑ Wiemen.

Wiemen [víːmən] 《ndl.》 *m.* -s, - (ndd.) ① 훈제 고기를 걸어 놓는 가로대. ② (닭장의) 홰.

***Wien** [viːn] 빈(오스트리아의 수도).

Wiener[1] [víːnər] 《Ⅰ》 *m.* -s, - 빈 사람. 《Ⅱ》 *a.* 빈(사람)의: 〖史〗 ~ Kongreß 빈 회의(1814-15).

Wiener[2] *n.* -s, - 비엔나 소시지(Wiener Würstchen).

wienerisch *a.* 빈의; 빈 방언의.

Wienerle [víːnərlə] *n.* -s, - 〔방언〕 ↑ Wiener[2].

Wienerli [víːnərli] *n.* -s, - (schweiz.) ↑ Wiener[2].

wienern [víːnərn] *t.* ① 〔구어〕 반질반질하게 닦다. ② 〔경박〕 jm. eine ~ 누구의 따귀를 때리다.

Wiepe [víːpə] 《♧ weifen》 *f.* -n (ndd.) ① 짚으로 만든 비(Strohwisch). ② 찔레나무의 열매.

wies [viːs] ↑ weisen의 과거형.

Wies·baden [víːsbaːdən] 비스바덴(독일 라인 강변의 휴양 도시).

Wies·baum *m.* 〔방언〕 건초 고정용 버팀목 (Heubaum).

***Wiese** [víːzə] *f.* -n 초원, 풀밭; 목초지; 목장: die ~ hauen〔mähen〕 풀을 베다.

Wiese·baum *m.* ↑ Wiesbaum.

Wiesel [víːzəl] *n.* -s, - ① 〖動〗 족제비: das junge Mädchen ist flink wie ein ~ 그 소녀는 족제비처럼 재빠르다. ② 족제비 모피.

Wiesel≈fell *n.* 족제비 모피. **≈flink** *a.* 족제비처럼 재빠른.

wieseln [víːzəln] *i.* (s./h.) (족제비처럼) 재빠르게〔바삐〕 움직이다.

wiesen·artig *a.* 풀밭 같은, 목장 모양의.

Wiesen≈bach *m.* 풀밭〔목장〕을 통과하는 개울. **~bau** *m.* 목초지 가꾸기; 목초 재배. **~bauer, ~bewässerer** *m.* 목초지 관리인. **~blume** *f.* 들꽃, 풀밭에 피는 꽃. **~-champignon** [..ʃampɪnjɔŋ] *m.* 〖植〗 야생 양송이 버섯. **~erz** *n.* 〔광물〕 소철광(沼鐵鑛) (Sumpferz). **~feld** *n.* 초원. **~flachs** *m.* 〖植〗 아마의 일종. **~gras** *n.* 풀밭에 나는 풀, 목초; 새포아풀(Rispengras). **~grund** *m.* 풀밭, (목)초지. **~klee** *m.* 〖植〗 ① 토끼풀: weißer〔roter〕 ~ 흰〔붉은〕 토끼풀. ② gelber ~ 잔개자리. **~knarre** *f.* 〖動〗 흰눈썹뜸부기의 일종. **~knopf** *m.* 〖植〗 오이풀. **~-königin** *f.* 〖植〗 (왜)조팝나무류(類). **~-kresse** *f.* 〖植〗 꽃황새냉이. **~kümmel** *m.*

〖植〗 회향풀의 일종. **~land** *n.* (목)초지. **~lein** *m.* ↑ ~flachs. **~lerche** *f.* 〖動〗 논종다리의 일종. **~pfad** *m.* 풀밭〔목장〕의 작은 길. **~pieper** *m.* ↑ ~lerche. **~plan** *m.* 〖고어〗 풀밭. **~quelle** *f.* 풀밭〔목장〕에 솟는 샘. **~ralle** *f.* ↑ ~knarre. **~raute** *f.* 〖植〗 꿩의다리(미나리아재빗과). **~safran** *m.* 〖植〗 개사프란. **~salbei** *m.* 〖植〗 샐비어. **~scharrer** *m.* ↑ ~knarre. **~schaum·kraut** *n.* ↑ ~kresse. **~schnarcher, ~schnarrer** *m.* 〖動〗 (흰눈썹)뜸부기. **~tal** *n.* 풀밭으로 덮인 골짜기; 푸른 골짜기. **~wachs** *m.* 〖고어〗 건초 수확량: 〖구어〗 Anno ~ 옛날 옛적에.

Wies·finger [víːs..] 《<weisen》 *m.* (ndd.) (Zeigefinger) 집게손가락, 검지.

Wies·land *n.* (schweiz.) ↑ Wiesenland.

Wieslein 〖↑ Wiese 의 축소형〗 *n.* -s, - 작은 풀밭.

wie·so [vizóː] *adv.* 〖구어〗 (warum) 어째서, 왜: 〖의문 부사〗 ~ kommst du erst jetzt? 어째서 이제서야 오느냐?; 〖관계 부사〗 ich frage mich, ~ ich das erst jetzt erfahre 나는 어째서 그 사실을 이제서야 깨닫게 되었는지 자문해 본다.

Wies·pfahl 《<weisen》 *m.* (ndd.) (Wegweiser) 도로 안내판, 이정표. **~wachs** *m.* 〖고어〗 ↑ Wiesenwachs.

wieten [víːtən] *t.* (ndd.) (jäten) ① (잡초 등을) 뽑다, 제초하다. ② (밭 등의) 풀을 뽑다, 김을 매다.

***wie·viel, wie viel** [vifíːl, víːfiːl] *adv.* ① 〖의문 부사〗 얼마나, 어느 만큼: ~ kostet das? 이것은 (값이) 얼마입니까?; ~ Uhr ist es? 지금 몇 시입니까?; ~ ist〔macht〕 drei mal vier? 3 곱하기 4 는 얼마인가?; ~ Einwohner hat die Stadt? 이 도시의 인구는 얼마인가?; ~ bin ich dir schuldig? 내가 너한테 빚진 게 얼마지?; ~ jünger ist er als Sie? 그 사람은 당신보다 몇 살 더 어린가요? ② 〖감탄 부사〗 얼마나 (많이): ~ Schönes habe ich auf dieser Reise gesehen! 이번 여행에서 얼마나 많이 멋진 구경을 했던가! ③ 〖~ ... auch〔immer〕 의 형태로〗 아무리 …라 하더라도: ~ das Buch auch kostet, ich kaufe es mir auf jeden Fall 그 책값이 얼마건, 나는 반드시 그 책을 사고야 말겠다.

wieviel·mal *adv.* 몇 번이나, 얼마나 자주: ~ habe ich das schon gesehen! 내가 그것을 벌써 몇 번이나 보았던가!

wie·vielerlei [víːfiːlərlaɪ, vifíːlərlaɪ] *adv.* 얼마나 많은 종류의: ~ war vor der Reise noch zu bedenken! 여행을 떠나기 전만 해도 걱정할 일이 얼마나 많았던지!

wie·vielt[1] [víːfiːlt] *a.* 〖다음 용법으로만〗 zu ~? 몇 명이서?; zu ~ wart ihr? 너희는 몇 명이었느냐?

wie·vielt[2] *a.* 〖순서·등급·순위〗 몇 번째의: das ~e Bier ist das? 이 맥주가 몇 잔〔병〕째냐?; das ~e Band fehlt? 몇 번째의 책이 없느냐?; den ~en haben wir heute? 오늘은 며칠이냐?; der ~e ist er in der Klasse? 그는 학급에서 몇 등이냐?

wie·weit [vivάɪt] *adv.* 어느 만큼〔정도〕 (inwieweit): ich bin zweifelhaft, ~ ich mich darauf verlassen kann 나는 어느 만큼이나 그것을 믿어야 좋을지 모르겠다.

wie·wohl [vivóːl] *cj.* 〖고어〗 비록 …이지만 (obwohl, obgleich).

Wif *n.* -s, Wiwer (ndd.) 여자(Weib).

Wiggle *f.* -n (schweiz.) ①〖動〗 부엉이. ② 잘 싸우는 여자(Zänkerin).

Wigwam [vígvam] 《indian.》 *m.* -s, -s 인디언의 원형 천막(Indianerzelt).

wiken (ndd.) *i.* (s.) (weichen) 피하다, 물러나다.

Wiking [víːkɪŋ] 《altnord.; ♧ Wiek》 *m.* -s, -er ↑ Wikinger.

Wikinger [víːkɪŋər] *m.* -s, - 바이킹(족).

Wikinger·schiff *n.* 바이킹 해적선.

wikingisch *a.* 바이킹(족)의.

Wiklifit [vɪklifíːt] *m.* -en, -en 〖史〗 위클리프(J. Wyclif)파의 신도.

Wilajet [vilajέt] 《türk. <arab.》 *n.* -(e)s, -s 〖史〗 옛 터키의 지방 행정 구역.

wilch *a.* (obd.) 미지근한(lauwarm).

***wild** [vɪlt] *a.* ① 자연 그대로의, 야생의; 미개한, 야만적인: ~e Obstbäume 야생 과일 나무; ~e Rosen 들장미; ~es Tier 야수, 맹수; ~e Völker 미개 민족, 야만족; ~er Honig 야생 벌꿀; ~e Seide 산누에나방의 고치로 만든 견직물; ~ weiden 방목하다〔되다〕; ~ leben (동물이) 야생하다; der Jasmin wächst hier ~ 여기서는 재스민이 자생(自生)한다; 〖醫〗 ~e Blattern〔Pocken〕 수두(水痘), 수포창(水疱瘡); ~es Fleisch a) 야생 동물의 고기, b) (상처가 아물면서 생긴) 군살. ② 거친, 사나운, 조야한, 격렬한; 광란의: ~e Begierden 걷잡을 수 없는 정욕; ~e Blicke 사나운 눈초리; ~e Phantasie 분방한 상상〔공상〕; 〖醫〗 ~es Feuer 단독(丹毒); die ~e Jagd 〔die ~e Fahrt, das ~ Heer〕 (게르만족 신화에 나오는) 도깨비떼(폭풍우치는 밤에 날아다니며 사납게 사냥을 한다고 함); der ~e Jäger (게르만족 신화의) 도깨비 우두머리; ein ~es Lachen 떠들썩한 웃음; ~es Mädchen 말괄량이; ein ~er Sturm 사나운 폭풍; ~ werden a) (놀란 말 등이) 사나워지다, 미쳐 날뛰다, b) 벌컥 화내다; ~ darauflos stürmen 앞뒤를 헤아리지 않고 돌진하다; 〖구어〗 wie ~ 미친 듯이, 정신없이: er arbeitet wie wild 그는 신들린〔미친〕 듯 일한다; ganz ~ auf et. 〔nach et.[3]〕 sein 무엇에 푹 빠져 있다: sie ist ganz ~ auf Schokolade 그녀는 초콜릿을 아주 좋아한다; ~es Zeug treiben 난폭한〔못된〕 짓을 하다; es ~ treiben a) 제멋대로 굴다, b) 방탕하게 놀다; ein ~es Leben führen 방탕한 생활을 하다, 되는 대로 살다; mach mich nicht ~! 나를 화나게 하지 마라!; nicht so ~! 그렇게 소란 피우지 마라!; sie fuhr ~ auf 그 여자는 펄펄 뛰었다; 〖구어〗 jetzt spiel hier nicht den ~en Mann! 이제 여기서는 거칠게 굴지 마라!; es ist schon eine ~e Sache 그것은 틀림없이 위험한 일이다; 〖구어〗 das ist halb〔nicht〕 so ~ 그것은 과히 나쁘지 않다〔견딜 만하다〕; 〖구어〗 ~ entschlossen 단호히; das waren ~e Zeiten! 그때는 격동의 시절이었다! ③ 사람의 손이 미치지 않은, 미개간의, 인적 없는; 미답의; 손질하지 않은, 제멋대로의: ~er Boden 황무지, 처녀지; ein ~es Gebirge 사람의 발길이 닿지 않은 산악; die Haare hingen ihm ~ um den Kopf 머리칼이 그의 머리에 텁수룩하게 뒤엉켜 있었다. ④

쓸모없는, 부실한: 『광산』 ~es Gestein 함량 미달의 광석. ⑤ 거짓의, 가짜의: ~er Wein a) 개머루, b) (알코올이 들어 있지 않은) 대용 포도주. ⑥ 부정한; 위법〔불법〕의, 마구잡이의: ~es Parken 불법 주차; ~er Handel 불법 거래; ~er Streik 불법 파업, 무모한 쟁의; ~e Deponie 규정된 장소 이외의 곳에 설치한 쓰레기 하치장; sie leben in ~er Ehe 그들은 내연 관계다. ⑦ 과장된; 터무니없는, 종잡을 수 없는: die ~esten Gerüchte schwirren durch die Stadt 온 도시에 흉흉한 소문이 나돌고 있다; ~e Geschichte 요령부득의 이야기; ~e Vermutungen 억측. ⑧ (빛깔이) 야한, 튀는. ⑨ (schweiz.) 아찔한, 현기증 나는: ~ gehen 가파른 비탈을 오르다.

*__Wild__ [vɪlt] *n.* -(e)s ① **(a)** 〖총칭〗 사냥감, 야생 동물: Haar≈ 포유류의 사냥감, 짐승; Feder≈ 사냥감 새; in diesen Wäldern gibt es viel ~ 이 숲에는 야생 동물들이 많다. **(b)** (개개의) 사냥감, 야생 동물: er lief davon wie ein gehetztes ~ 그는 마치 사냥꾼에 쫓기는 짐승처럼 달아났다. ② 사냥한 새·짐승의 고기.

Wild≈acker *m.* 들짐승〔야생 동물〕이 좋아하는 먹이를 심은 밭. **~bach** *m.* (골짜기의) 급류. **~bad** *n.* 〖고어〗 천연 온천(욕). **~bahn** *f.* ① **(a)** 사냥 구역, 사냥터: freie ~ 울타리가 없는 사냥터. **(b)** 〖다음 용법으로〗 Tiere in freier ~ beobachten 사냥터에서 야생 동물을 관찰하다. ② 사냥터에 낸 길. ③ 들길. **~bann** *m.* ① 〖史〗 (중세 영주들의) 사냥 독점권. ② 독점 사냥 구역, 사냥터. ③ 사냥 규칙. **~bestand** *m.* 사냥 구역 안에 서식하는 들짐승의 총수효. **~braten** *m.* 사냥한 짐승의 고기 구이〔스테이크〕. **~bret** *n.* ① 사냥한 짐승 고기; 〖비유〗 식용이 안 되는 짐승 고기. ② 〖구식〗 사냥감, 야생 동물; 사냥한 짐승. **~bret·braten** *m.* ↑ ~braten. **~dieb** *m.* 밀렵꾼. **≈dieben** (wilddiebte, gewilddiebt) *i.* (h.) 밀렵하다. **~dieberei** *f.* 밀렵.

Wilde*[1] [vɪ́ldə] *der/die* ① 거친〔난폭한〕 사람: 〖구어〗 wie ein ~r 〔wie eine ~, wie die ~n〕 미친 듯이, 열심히. ② 야만인, 미개인; 원주민. ③ **(a)** 대입 검정 고시 합격생. **(b)** 〖학생〗 학생회에 속하지 않은 대학생. **(c)** 무소속(대)의원.

Wilde[2] *f.* 〖고어〗 ① 조야, 난폭. ② 황무지, 미개지. ③ (obd., schweiz.) **(a)** (특히 알프스산의) 활엽수가 없는 지역. **(b)** 개간되지 않은 초원. **(c)** 급류.

Wild·eber *m.* 멧돼지 수컷.

wildeln[1] [vɪ́ldəln] *i.* (h.) (사냥한 짐승의 고기가) 약간 상한 냄새와 맛이 나다.

wildeln[2] *i.* (h.) (öst.) 〖구어〗 방자하게〔제멋대로〕 굴다.

Wild·ente *f.* 〖動〗 야생 오리, 물오리.

wildenzen [vɪ́ldɛntsən] *i.* (h.) ↑ wildeln[1].

Wilderei [vɪldəráɪ] *f.* -en 밀렵.

Wilderer *m.* -s, - 밀렵꾼.

wildern [vɪ́ldərn] 《I》 *i.* (h.) ① 밀렵하다, 불법으로 사냥하다: in diesem Gebiet wird viel gewildert 이 일대에서는 밀렵이 성행한다. ② (개·고양이가) 들짐승을 잡아먹고 살다. ③ 〖고어〗 무위도식하다. ④ 〖드물게〗 (식물이) 아무렇게나 자라다, 야생하다; (땅이) 버려져 있다, 황폐되어 있다. 《II》 *t.* ① (짐승을) 불법으로 죽이다, 밀렵하다. ② 〖農〗 Getreide ~ 김매다.

Wild≈esel *m.* 〖動〗 야생 나귀. **~fang** *m.* ① 사냥감의 포획; 사냥 덫. ② 잡힌 들짐승〔새〕, (특히) 포획한 매(매사냥에 쓰이도록 훈련됨); 풀어놓아 기른 말, 야생마. ③ 〖비유〗 난폭한 사람; 개구쟁이; 말괄량이. ④ 〖林〗 접본(接本), 접목용 야생 수목; 천연으로 자란 싹. **~fleisch** *n.* 사냥한 들짐승 고기. **≈fremd** *a.* 전혀 낯선, 생면 부지의. **~gans** *f.* 〖動〗 기러기. **~garten** *m.* (울타리를 친) 소규모 사냥터; 야생 동물원. **~gatter** *n.* (밭 등에 침입하는) 들짐승을 막는 울타리〔격자〕, 사냥터를 막아 놓은 울타리. **~gehege** *n.* 들짐승 보호구역, 야생 동물의 번식을 위한 사육장. **~geschmack** *m.* 들짐승 고기의 맛. **~graf** *m.* 〖史〗 버려진 땅을 봉토로 하사받은 백작. **~grube** *f.* 사냥 구덩이. **~hafer** *m.* 〖植〗 메귀리, 야생 귀리. **~haut** *f.* ① 들짐승 가죽. ② 〖복수〗 들소 가죽. **~heger** *m.* ↑ ~hüter.

Wildheit [vɪ́lthaɪt] *f.* -en ① 〖복수없음〗 자연 그대로임, 야생; 미개, 야만; 조야, 난폭; 광란; 황폐, 황량. ② **(a)** 못된 짓, 난폭한 언행. **(b)** 〖고어〗 황무지. **(c)** 조악한 물건.

Wild≈heu *n.* (가축이 못 다니는 고산지에서 베어낸) 들풀로 만든 건초. **~heuer** *m.* 고산지에서 건초를 베는 사람. **~hund** *m.* 들개. **~hüter** *m.* 사냥터를 지키는 사람. **~kalb** *n.* 야생 새끼 사슴(특히 암컷). **~kaninchen** *n.* 산토끼; 산토끼 모피. **~katze** *f.* 〖動〗 (유럽산(産)) 살쾡이. **~kraut** *n.* 약초; 야생 잡초. **≈lebend** *a.* 방종한 생활을 하는; 야생의. **~leder** *n.* 들짐승 가죽, 천연 모피. **≈ledern** *a.* 들짐승 가죽으로 만든, 천연 모피의.

Wildling [vɪ́ltlɪŋ] *m.* -s, -e ① 〖원예〗 접본(接本); 천연생의 싹. ② (포획한) 야생 동물; 들짐승; 야생마. ③ **(a)** 야만인, 미개인. **(b)** 문제아; 버릇없는 사람, 조야한 사람. **(c)** 사생아.

wildlos *a.* 사냥감이 없는, 들짐승이 서식하지 않는.

Wild·meister *m.* 수렵장 감독관.

*__Wildnis__ [vɪ́ltnɪs] *f.* -se ① 황야, 황무지; 사막; (ndd.) 광활한 숲. ② 우거진 숲, 밀림, 정글; 〖비유〗 무질서, 난잡, 혼란. ③ (야만인·야수 등의) 분방한 생활상, 야생.

Wild≈obst *n.* 야생 과일. **~park** *m.* ↑ ~garten. **~pferd** *n.* ① 야생마. ② 방목하는 말. **~pret** *n.* ↑ ~bret. **~recht** *n.* 〖사냥〗 사냥개나 매의 몫으로 주는 짐승 고기. **≈reich** *a.* 야수가 많은. **~reichtum** *m.* 야생 동물이 많음. **~rind** *n.* 들소. **≈romantisch** *a.* ① 자연적이고 낭만적인. ② 매우 낭만적인: eine ~e Schilderung 너무나 낭만적인 묘사. **~ruf** *m.* 〖사냥〗 사냥감을 꾀어내는 소리; 새소리 내는 피리. **~sau** *f.* ① 〖복수: -en〗 멧돼지 암컷. ② 〖복수: ...säue〗 〖욕설〗 돼지 같은 년. **~schaden** *m.* 야생 짐승으로 인한 피해. **~schur** 《poln. „Wolfspelz"》 *f.* 이리의 털가죽; 방수용〔방한용〕 털가죽 옷. **~schütz** *m.* 〖고어〗 사냥꾼; 밀렵꾼. **~schwein** *n.* 〖動〗 멧돼지. **~schwein(s)·jagd** *f.* 멧돼지 사냥. **~sohl·leder** *n.* 들짐승 가죽. **~spur** *f.* 들짐승의 발자국. **~stand** *m.* ① 들짐승이 사는 곳. ② 수렵 구역 안의 들짐승 마리수. **~taube** *f.* 들비둘기, 야생 비둘기. **≈wachsend** *a.*

〖植〗 야생의. **~wasser** *n.* 급류. **~wasserfahrt** *f.* 〖스포츠〗 래프팅, 급류타기. **~wechsel** *m.* ① 들짐승의 통로. ② 들짐승의 출몰, 짐승이 도로를 횡단하는 것. **~west** *m.* 〖관사없이〗 (미국 개척 시대의) 무법천지의 서부. **~west·film** *m.* 서부 영화(Western ①). **~wuchs** *m.* ① (식물의) 야생. ② 야생 식물. **≈wüchsig** *a.* 야생의; 자연 그대로의. **~zaun** *m.* (농경지 등 보호하기 위한) 야생 동물 차단 울타리.

wildzen *i.* (h.) ↑ wildenzen.

Wilge, Wilje *f.* -n (elsäss., ndd.) 목초지 (Weide).

Wilhelm [vílhɛlm] *m.* ① 빌헬름(남자 이름): 〖구식〗 falscher ~ 가발; 〖구어〗 den dicken ~ machen 〔markieren, spielen〕 부를 과시하며〔낭비하며〕 살다. ② a) ~ I. 빌헬름 Ⅰ세(프로이센의 국왕으로 독일 제국의 초대 황제, 1797-1888), b) ~ Ⅱ. 빌헬름 Ⅱ세(프로이센의 국왕으로 독일 제국의 제 2 대 황제; 제 1 차 세계 대전에 패하고 퇴위함, 1859-1941).

Wilhelma [vɪlhɛ́lma] *f.* 빌헬마(여자 이름).

Wilhelmine *f.* 빌헬미네(여자 이름).

wilhelminisch *a.* 빌헬름 2 세의: das ~e Zeitalter 빌헬름 2 세의 시대(1888-1918).

Wilhelms·haven [vílhɛlmsha:fən, vɪl..há:fən] 빌헬름스하펜(Hannover 시의 별칭).

Wilhelm·straße *f.* 빌헬름가(街); 〖비유〗 독일의 외교 정책 또는 외무성(외무성이 베를린의 빌헬름가에 있었기 때문에).

Wilibald [vílibalt] *m.* ↑ Willibald.

will [vɪl] ↑ wollen 의 1·3 인칭 단수 현재형.

***Wille** [vílə] 《<wollen; Wahl》 *m.* -ns, -n ① 의사; 뜻, 의지, 결심, 결의; 의욕, 의도, 의향, 계획: freier ~ 자유 의지, 자발적 의사; arger〔böser〕 ~ 악의; ein guter ~ 호의, 선의; der Letzte ~ 유언; ~ zur Macht 권력 의지, 권력욕; jm. seinen ~n lassen 누구의 뜻에 맡기다, 하고 싶은 대로 하게 하다; die Festigkeit〔Stärke〕 seines ~ns 그의 의지의 확고함〔강인함〕; er ist (voll) guten ~ns 그는 노력을 (매우) 많이 한다; jm. seinen ~n tun 〔js. ~n tun〕 누구의 뜻대로 하다; sich dem ~n der Eltern beugen 부모의 뜻에 굴복하다; js. ~n brechen 누구의 의지를 꺾다; seinen ~n durchsetzen 자기의 뜻을 관철하다; wo ein ~ ist, ist auch ein Weg 뜻이 있는 곳에 길도 있다; es ist mein guter ~, wenn ich dir das gebe 나는 호의로 네게 그것을 주는 것이다; seinen eigenen ~n haben 자기가 하고자 하는 바를 잘 알다; er soll seinen ~n haben 그의 뜻대로 하게 두자; des Menschen ~ ist sein Himmelreich 사람의 행복은 자신의 의지에 달려 있다; was ich jetzt willens bin 내가 지금 하고자 하는 일; trotz besten ~ns 아무리 좋은 뜻이 있어도; er hat den festen ~n, sich zu ändern 그는 새 사람이 되려는 확고한 의지를 갖고 있다. ② 〖전치사와 함께〗 es **am** guten ~n fehlen lassen 어떤 일에 진지하게 임하지 않다; **auf** seinem ~n bestehen〔beharren〕 고집부리다; ich tat es **aus** 〔**mit**〕 freiem ~n 나는 자진해서 그것을 하였다; ich tue das doch nicht aus bösem ~n 저는 그것을 악의로 하는 것이 아닙니다; **bei** 〔**mit**〕 dem besten ~n kann er es nicht 그가 아무리 바랄지라도 그것을 할 수는 없다; das ist beim besten ~n nicht möglich 그것은 어떻게 해도 불가능하다; 〖고어〗 mit et.³ **für** 〔**vor**〕 ~n nehmen 무엇으로 만족하다, 감수하다; das ist **gegen**〔wider〕 meinen ~n geschehen 그것은 내 의사와 관계 없이 벌어진 일이다; et. **in** js. (freien) ~n stellen 무엇을 누구의 뜻에 맡기다; es stand in seinem ~n 그것은 그의 뜻에 달려 있었다; **mit** ~n a) 짐짓, 일부러, 고의로, b) 자발적으로; **nach** js. ~n 누구의 뜻에 따라서; so magst du Trauben essen nach deinem ~n 그러면 마음대로 그 포도를 배불리 먹어도 가하니라(신명기 23:24); es ging alles nach Wunsch und ~n 만사가 뜻대로 되었다; **ohne** mein 〔〖고어〗 meinen〕 Wissen und ~n 내 동의도 없이, 나도 모르는 사이에; **wider** ~n 본의 아니게, 마지못해; et. wider ~n tun 무엇을 마지못해 하다; sie mußte wider ~n lachen 그 여자는 마지못해 웃을 수밖에 없었다; jm. **zu** ~n sein 누구의 뜻을 따르다; sie war ihm zu ~n 그 여자는 그의 요구에 응했다, 〖비유〗 그에게 몸을 바쳤다.

Willelei *f.* -en 〖고어〗 나약한 의지; 심드렁한 욕구.

willen [vílən] *prp*². 〖다음 용법으로〗 um js. 〔eines Dinges〕 ~ 누구를〔무엇을〕 위하여: ich habe es um meiner Tochter ~ getan 나는 내 딸을 위해 그 일을 했다.

willenlos *a.* ① 의지가 약한; 우유부단한; 줏대 없는. ② 〖고어〗 유언을 남기지 않는.

Willenlosigkeit *f.* 소신없음, 우유부단, 의지박약.

willens [vílәns] *adv.* 〖다음 용법으로〗 ~ sein, et. zu tun …할 생각이 있다; er ist ~, den Vertrag zu unterschreiben 그는 그 계약에 서명할 의향이 있다.

Willens≈akt *m.* 자발적 행위. **~änderung** *f.* 심경 변화. **~anspannung** *f.* 의지력 집중. **~äußerung** *f.* 의사 표시. **~bestimmung** *f.* 의지의 결정. **~bildung** *f.* 의사 형성: die Parteien dienen der politischen ~ 정당들은 정치적 의사가 형성되는 데 공헌한다. **~erklärung** *f.* 의사 표시. **~festigkeit** *f.* 확고한 의지. **~freiheit** *f.* 의지의 자유. **~handlung** *f.* 의지 행위. **~kraft** *f.* 의지력. **~lehre** *f.* 의지론. **~meinung** *f.* 의향. **≈schwach** *a.* 의지가 약한. **~schwäche** *f.* 의지 박약. **≈stark** *a.* 의지가 강한〔굳센〕. **~stärke** *f.* 의지가 강함, 굳센 의지력. **~vermögen** *n.* 의지력.

willentlich [vílәntlɪç] 《Ⅰ》 *a.* 고의의. 《Ⅱ》 *adv.* 고의로, 일부러.

willfahren [vɪlfá:rәn, vílfa:r..] (willfahrte, (ge)willfahrt) 《Ⅰ》 *i.* (h.) …에 응하다, 따르다: jm. in et.³ ~ 어떤 일에서 누구의 뜻에 따르다; js. Bitte ~ 〔der Bitte js. ~〕 누구의 부탁을 들어주다; sie willfährt immer ihren Eltern 그녀는 늘 부모의 뜻에 따른다; ich wollte ihr in allem und jeden ~ 나는 매사에 그녀의 뜻에 따르려 했다. 《Ⅱ》 *t.* 누구에게 무엇을 허락해 주다: das hat ihm Gott auch willfahrt 하느님도 그에게 그것을 허락하셨다.

willfährig [vílfɛ:rɪç, vɪlfɛ́:r..] *a.* ① 다른 사람의 뜻〔말〕에 잘 따르는, 고분고분한. ② 〖드물게〗 친절한, 남을 위해 선뜻 나서는.

Willfährigkeit [vílfɛ:r.., vɪlfɛ́:r..] *f.* 〖雅語〗

순응(하는 태도).

Willfahrung [vɪ́lfa:r.., vɪlfá:r..] *f.* -en 기꺼이 타인의 뜻을 좇음; 응낙, 허락.

Williams Christ·birne [vɪ́ljəmz krɪ́st..] *m.* - -, - -n ① 윌리엄스 크리스트배(향미가 강함). ② 윌리엄스 크리스트배로 만든 브랜디.

Willibald [vɪ́libalt] *m.* 빌리발트(남자 이름).

***willig** [vɪ́lɪç] *a.* ① 기꺼이 …하는; 온순한, 순한: ~er Gehorsam 마음에서 우러나온 복종; das ~e Pferd (온)순한 말; et. ~ tun [mit ~em Herzen tun] 자진해서[기꺼이] 무엇을 하다; ~e Annahme bereiten 기꺼이 받아들이다; ~e Käufer finden 선뜻 사겠다는 사람을 만나다; der Geist ist ~, aber das Fleisch ist schwach 마음은 원하나 육신이 약하도다(마태 26: 41); bist du nicht ~, so brauch' ich Gewalt 순순히 응하지 않으면 완력을 쓸 수밖에 없다. ②〖zu 또는 2 격과 함께〗 zu et.³ ~ sein [~ sein, et. zu tun, eines Dinges ~ sein] 자진해서 …하다; sich zu et.³ ~ finden lassen 기꺼이 무엇에 응하다, 무엇을 선선히 승낙하다; er ist zu jeder Arbeit ~ 그는 어떤 일이든 마다하지 않는다; des Krieges ~ sein 전쟁을 불사하다. ③〖드물게〗호의적인, 친절한. ④〖드물게〗의도적인, 고의의.

..willig *suf.* "…을 할 의사가 있는"의 뜻.

willigen [vɪ́lɪgən] 《I》 *i.* (h.) in et. ~ 무엇을 응낙하다: in eine Trennung ~ 이혼에 동의하다. 《II》〔드물게〕 *t.* ① 동의[승낙]하다. ② 증언하다; 자백[시인]하다.

Willigkeit *f.* 기꺼이[쾌히] 함, 흔쾌한 태도; 열심.

williglich *a.* ↑ willig.

Willkomm [vɪ́lkɔm] *m.* -s, -e ① 환영(사) (Willkommen). ② ↑ ~becher.

Willkomm·becher *m.*〖고어〗환영의 술잔, 축배의 잔(16-18 세기의 용법).

***willkommen** [vɪlkɔ́mən] 《원뜻 „dem Willen entsprechend"》 *a.* 환영받는, 환대받는; 반가운; 적절한, 바람직한: eine ~e Botschaft 기쁜 소식; ein ~er Gast 반가운 손님; eine ~e Gelegenheit 절호의 기회; (sei) herzlich ~ (bei uns)! (우리 집에 오신 것을) 진심으로 환영합니다!; seien Sie mir[uns] ~! 마침 잘 오셨소!; Sie sind uns jederzeit ~ 부디 어느 때든지 와 주십시오; ~ in Berlin! 베를린에 오신 것을 환영합니다!; das ist mir sehr ~ 그것은 나로서는 대환영이다; jn. ~ heißen 누구를 환영하다.

***Willkommen** *n.*/(드물게) *m.* -s, - ① 환영(사), 환대: jm. ein herzliches ~ bieten[bereiten] 누구를 진심으로 환대하다; jm. einen ~ zurufen 누구에게 환영의 말을 하다. ② 입회비, 입학금. ③〔속어〕(감옥에서의) 신고식. ④ 축배.

Willkomm·schuß *m.* 환영의 예포(禮砲).

Willkommens≈gruß *m.* 환영(인)사. **~lied** *n.* 환영의 노래. **~mahl** *n.* 환영 잔치[연회]. **~trunk** *m.* 환영의 주연[축배]. **~worte** *pl.* 환영의 말, 환영사.

***Willkür** [vɪ́lky:r] 《원뜻 „Willenswahl"》 *f.* ① 자유 의지, 임의; 자유 재량: nach ~ 뜻대로, 임의로; handeln Sie nach Ihrer ~! 당신 마음대로 하시오! ② 자의(恣意), 횡포, 전횡, 독단: ~ der Beamten 관료의 횡포; ich bin völlig seiner ~ preisgegeben[ausgesetzt] 나는 그의 횡포[독단]에 고스란히 당할 수밖에 없다. ③〖고어〗(하급 행정 단위에서 제정한) 임의 법령.

Willkür≈akt *m.* 자의적 행동. **~handlung** *f.* ↑ ~akt. **~herrschaft** *f.* 전제 정치, 폭정. **~herrscher** *m.* 전제 군주, 폭군.

***willkürlich** [vɪ́lky:rlɪç] *a.* ① 임의의, 무작위의: eine ~e Auswahl 임의[무작위] 선택. ② 자의적인, 제멋대로인, 독단적인: ~e Eingriffe der Staatsgewalt 공권력의 자의적인 개입; jn. ~ bestrafen 누구를 멋대로 처벌하다. ③ 자유 의사에 따른, 자율적인:〖해부〗 ~er Muskel 수의근(隨意筋).

Willkürlichkeit *f.* -en ①〖복수없음〗자의성, 임의성, 전횡. ② 자의적[독단적] 언행.

Willkür·maßnahme *f.* 독단적 조처. **~verfahren** *n.* 횡포, 전횡.

Willy [vɪ́li:] *m.* 빌리(남자 이름; ↑ Wilhelm 의 단축형).

Wilm [vɪlm] *m.* 빌름(남자 이름; ↑ Wilhelm 의 단축형).

Wilma [vɪ́lma] *f.* 빌마(여자 이름; ↑ Wilhelma 의 단축형).

Wilpert *n.* -(e)s (obd., thüring.) 들짐승 고기; 들짐승(Wildbret).

Wilster 빌스터(Schleswig-Holstein 주의 도시).

Wilster·marsch *f.* (엘베강 하류의) 빌스터 지방 저지대[늪지대].

Wimmelei *f.* -en 우글거림, 북적댐, 군집; 북적대는 인파.

***wimmeln** [vɪ́məln] 《I》 *i.* (h./s.) 우글거리다, 북적대다; 군집[밀집]하다: Fische ~ in dem See, der See wimmelt von Fischen 그 호수엔 물고기가 우글거린다; die Straßen ~ von Menschen 길거리는 인파로 북적대고 있다;〖비유〗der Aufsatz wimmelt von Fehlern 그 논문은 결함투성이다. 《II》 *t.* ① (berl.) 퇴학시키다, 내쫓다. ②〖카드〗패를 버리다.

wimmen [vɪ́mən] 《lat.》 *t./i.* (h.) (schweiz.) 포도를 재배[수확]하다.

Wimmer[1] [vɪ́mər] *m.* -s, - ① (Knorren) (나무의) 옹이, 혹, 그루터기;〖비유·폄어〗막돼먹은 인간. ② 단단한 바위. ③〖醫〗경피(硬皮), (살가죽에 생기는) 못, 사마귀; (상처의) 딱지.

Wimmer[2] 《lat.》 (schweiz.) *f.* -n 포도따기 (Weinlese).

Wimmer[3] *m.* -s, - ↑ Winzer.

Wimmerer *m.* -s, - 잘 우는[징징 짜는] 사람, 울보.

Wimmer·holz *n.*〔구어·농담〕깡깡이, 바이올린, 기타.

wimmerig *a.* ① 흐느끼는; 징징 우는[울리는]. ② 잘 우는, 눈물이 흔한.

Wimmer·kasten *m.*〖구어·농담〗① 피아노. ② 라디오. ③ 레코드 플레이어, 축음기.

Wimmerl [vɪ́mərl] *n.* -s, -(n) (bair., öst.) ① 화농, 여드름. ② (등산객·스키 선수들이) 허리에 차는 주머니.

***wimmern** [vɪ́mərn] *i.* (h.) ① 흑흑 흐느껴 울다, 신음하듯이 울다. ② (특히 고양이가) 겁에 질린 소리로 울다. ③〖대개 폄어〗(바이올린이) 날카롭게 울리다. ④〖비유〗애걸하다: um

Gnade ~ 자비를 베풀어달라고 애걸하다.

Wimmet [vímət] 《⊕ Wimmer²》 *m.* -s 〖복수없음〗 (schweiz.) 포도따기.

Wimpel [vímpəl] 《원뜻 „Schleier"》 *m.* -s, - (스포츠 클럽의 마크나 선박 신호용의) 작은 세모꼴의 기.

Wimpel·fall *n.* 돛대 깃발용 밧줄.

wimpeln [vímpəln] *i.* (h.) ① (배에) 깃발을 달다. ② 펄럭이다, 나부끼다.

Wimpel·stange *f.* 깃대.

***Wimper** [vímpər] *f.* -n ① 속눈썹: mit den ~n klimpern (애교로) 속눈썹을 깜빡이다; sich³ nicht an den ~n klimpern lassen 끄떡도 하지 않다; ohne mit der ~ zu zucken 눈썹 하나 까딱 않고, 태연하게. ②〖動·植〗솜털, 섬모. ③〖해부〗(젖꼭지 등의) 상피(上皮)에 나는 솜털.

wimper≈artig *a.* 속눈썹 같은, 솜털 같은. **~förmig** *a.* 속눈썹 모양의, 솜털 모양의.

Wimperg [vímpɛrk] *m.* -(e)s, -e〖건축〗(고딕 양식의 창·문 위의) 관(冠) 모양의 장식, 합각머리 (Spitzgiebel).

Wimperge [..pɛrgə] *f.* -n ↑ Wimperg.

wimperig *a.* 속눈썹〔솜털〕이 있는.

***wimpern** [vímpərn] *i.* (h.) 속눈썹을 떨다, 눈을 깜빡거리다; 눈짓을 하다.

Wimpern·tusche *f.* 속눈썹 화장용 붓, 마스카라.

Wimper·tierchen *n.*〖動〗섬모충류.

Winckelmann [víŋkəlman] Johann Joachim ~ 빙켈만(독일의 미술사가, 1717-68).

***Wind** [vɪnt] *m.* -(e)s, -e ① 바람, 기류: ein gelinder〔sanfter〕 ~ 미풍, 산들바람; ein scharfer〔starker〕 ~ 강풍, 매서운 바람; Beschreibung der ~e 풍속〔풍향〕의 측정〔기록〕; regelmäßige ~e 무역풍; periodischer ~ a) (인도양의) 계절풍, b) (북아프리카 사막의) 열풍; wie der ~ 바람처럼, 〖비유〗흔적도 없이, 신속히; es erhebt sich ein ~ 바람이 일다; der ~ weht〔bläst, kommt〕 von Osten 바람이 동쪽에서 분다; der ~ hat sich gelegt 바람이 잔잔해졌다; der Jäger hat guten〔schlechten〕 ~ 사냥꾼이 풍향을 잘〔잘못〕 잡았다; ~ und Wetter ausgesetzt sein 악천후에 처해 있다; bei ~ und Wetter 비바람을 무릅쓰고, 날씨가 어떻든 간에; mit der Schnelligkeit des ~es 바람처럼 날쌔게. ②〖海〗(**a**) günstiger〔guter〕 ~ 순풍; halber ~ 옆바람; knapper ~ 미풍; steifer ~ 센바람; ~ und Wellen 풍파; ~ und Wetter dienend 일기 상태를 봐서, 날씨에 따라; den ~ im Rücken haben 바람을 등지다, 순풍을 받다. (**b**) 〖전치사와 함께〗 dicht〔scharf〕 **am** ~ 센바람을 그대로 받으며, 돛을 정면으로 달고; dicht am〔**beim**〕 ~ halten〔segeln〕 센바람을 그대로 받고〔돛 전면에 바람을 안고〕 (배를) 달리다; **auf** günstigen ~ warten 순풍을〔호기를〕 기다리다; **durch** ~ und Wetter behindert 비바람의 방해를 받아; ein Schiff durch den ~ wenden 배를 맞바람을 안게 돌리다; **gegen** den ~ segeln 바람을 거슬러 항해하다; gegen ~ und Wetter 비바람을 무릅쓰고; **in** den ~ brassen (바람을 따라) 돛대를 돌리다; das Schiff in den ~ bringen〔drehen〕 배를 멈추다; gerade in den ~ segeln 맞바람을 안고 항해하다; **mit** vollem ~ 순풍을 담뿍 받고; **über** dem ~ 바람이 불어오는 쪽에; **unter** dem ~ 바람이 불어가는 쪽에; **vom** ~ abkommen 바람에서 벗어나다, 바람을 잃다; **vor** dem ~ 맞바람을 맞으며 달리다〔항해하다〕; vor dem ~ wenden (배를) 바람을 등지게 돌리다. ③〖비유〗 hier weht ein böser〔frischer〕 ~ 여기는 어쩐지 불순한〔신선한〕 기운이 감돈다; wissen, woher〔wie〕 der ~ weht 진짜 이유를 알고 있다, 사정을 잘 알고 있다; es war, als ob es ihm der ~ zuwehte 그에게는 순풍이 불듯이 만사가 순조로웠다; 〖속담〗 wer ~ sät, wird Sturm ernten 되로 주고 말로 받는다; je nachdem der ~ weht 바람이 부는 대로, 그때그때의 형편대로; 〖구어〗 der ~ pfeift (jetzt) aus einem anderen Loch 실세는 따로 있다; jm. den ~ aus den Segeln nehmen 누구의 기를 꺾다, 의도를 무산시키다; das ist ~ in seine Segel 그것은 그에게 순풍이 부는 격이다〔도움이 된다〕; daher weht (also) der ~! 바로 그 때문이야!; sich³ den ~ um die Nase〔Ohren〕 wehen〔pfeifen〕 lassen 여러 곳을 돌아다니다, 널리 세상 견문을 쌓다; in alle ~e 사방으로; die Familie ist in alle ~e zerstreut 그 가족은 산지사방(散之四方)으로 흩어졌다; in den ~ reden 쇠귀에 경 읽다, 마이동풍(馬耳東風)이다; et. in den ~ schlagen 한 쪽 귀로 듣고 한 쪽 귀로 흘려 버리다, 남의 충고에 귀기울이지 않다; seinen Mantel〔seine Fahne〕 nach dem ~ hängen 시류에 따르다. ④〖비유〗 무(無), 공허; 허황된 것, 망상; 허풍, 거짓: das ist lauter ~ 그건 순 엉터리다, 난센스다; ~ machen 허풍떨다; mach nicht so viel ~! 그렇게 허풍떨지 마라!; viel ~ um et. machen 무엇을 가지고 법석을 떨다〔과장하다, 부풀리다〕; jm. ~ vormachen 누구를 속이다, 우롱하다. ⑤〖사냥〗(바람결에 풍겨오는) 짐승의 냄새; (짐승의) 후각: der Hund sucht im ~ 개가 짐승 냄새를 맡으며 돌아다닌다; ein Wild bekommt ~ vom Jäger 짐승이 사냥꾼의 낌새를 알아차리다; 〖비유〗 ~ von et.³ bekommen〔kriegen〕 무엇을 눈치〔낌새〕채다. ⑥ 속이 부글거림; 〖복수〗 방귀: die ~e im Darm 장 속의 가스, 방귀; einen ~ fahren lassen 방귀 뀌다. ⑦ (**a**) 〖제련〗 풀무 바람. (**b**) (풍금의) 송풍 바람. (**c**) spanischer ~ 슈크림.

wind 《⊕ winden¹》 *a.* (südd., schweiz.) 〖다음 용법으로〗 mir ist ~ und weh 나는 괴롭다〔심란하다〕.

Wind≈abweiser *m.* (차창·차 지붕의) 바람받이. **~bäckerei** *f.* (öst.) 계란 과자. **~ball** *m.* (종이) 풍선. **~beschreibung** *f.* 풍향〔풍속〕의 측정. **~beutel** *m.* ① 공기 주머니. ② 〖비유〗 말뿐인〔실없는〕 사람, 허풍선이. ③ 슈크림. **~beutelei** [vɪnt..lái] *f.* 허풍. **≈-beuteln** (*p.p.* gewindbeutelt) *i.* (h.) 허풍떨다. **~blatter** *f.* ↑ ~pocken. **~blume** *f.* 〖植〗 아네모네. **~blütler** *m.* 풍매(風媒) 식물, 풍매화. **~bö** *f.* 돌풍. **~böe** *f.* ↑ ~bö. **~bruch** *m.* ① 풍해(風害); 바람에 쓰러진〔부러진〕 수목. ②〖醫〗 기종(氣腫), 헤르니아. **≈-brüchig** *a.* 풍해를 입은, 바람에 쓰러진〔부러진〕. **~büchse** *f.* 공기총. **~drehung** *f.* 풍향 전환. **~druck** *m.* 풍압(風壓). **≈dürr** *a.* ① 바람에 쏘인〔마른〕. ② 말라빠진, 바싹 야

윈, 쇠약한.

*Winde¹ [víndə] 《<winden¹》 f. -n ①〖植〗 메꽃과(科) (특히 서양메꽃). ②〖工〗 (a) 잭, 윈치; (배의) 캡스턴, 나선(螺旋) 기중기. (b) 실패, 얼레, 물레, 도투마리. (c) 굴착기. (d) (나사의) 나선. ③ (schweiz.) (Dachboden) 지붕밑 방, 다락방.

Winde² m. -n, -n 벤드 사람(슬라브 족의 한 종족) (Wende, Slowene).

Winde⸗baum m. 〖海〗 캡스턴〔나선 기중기〕의 손잡이 막대. ~haken m. 〖海〗 캡스턴〔나선 기중기〕의 갈고리.

Wind·ei n. ① 껍질이 연한 알, 아주 작은 알. ② 무정란(無精卵). ③〖비유〗 실속없는 것〔사람〕, 속빈 강정: er ist ein ~ 그는 실없는 사람이다; die Idee hat sich als ~ erwiesen 그 생각은 허황된 것임이 판명되었다. ④〖醫〗 검은 점, 사마귀.

Windel [víndəl] 《<winden¹》 f. -n ① 배내옷, 포대기, 기저귀: noch in den ~n liegen 〔stecken, sein〕 a) 아직 어리다, b) 〖비유〗 아직 풋내기다; ein Rechtsanwalt in ~n 신참〔풋내기〕 변호사. ②〖방언〗 (Dachboden) 지붕밑 방, 다락방.

Windel⸗band n. 기저귀끈. ~kind n. 갓난아기.

windeln [víndəln] t. (갓난아이를) 포대기에 싸다, 기저귀를 채우다.

windel·weich a. ① (포대기처럼) 보드라운, 연한: 〖속어〗 jn. ~ schlagen〔hauen, prügeln〕 누구를 녹초가 되도록 패다. ②〖구어〗 (성격이) 유약한, 고분고분한: ihr Weinen machte ihn ~ 그녀가 울자 그는 마음이 약해졌다.

Winden pl. 벤드족(族) (Wende, Winde).

*winden*¹ [víndən] (wand, gewunden) 《Ⅰ》 t. 감다, 매다, 묶다; 돌리다, 회전시키다; 꼬다: Garn auf die Winde ~ 실을 실패에 감다; Garn von der Weife (ab) ~ 물레에서 실을 감아내다; Fäden auf einen Knäuel ~ 실을 실꾸리에 감다; aus Blumen einen Kranz ~ 꽃다발을 엮다; et. ins Tuch ~ 무엇을 천에 싸다; 〖드물게〗 die Hände ~ 손을 비틀다; jm. et. aus den Händen ~ 누구의 손을 비틀어 무엇을 빼앗다; et. in die Höhe ~ (도르래·기중기로) 무엇을 감아 올리다; einen Eimer aus dem Brunnen ~ 샘에서 두레박을 감아 올리다. 《Ⅱ》 refl. sich ~ ① 감기다, 꼬이다; 돌다, 회전하다: eine Schlange wand sich um sein Bein 뱀이 그의 다리를 칭칭 감았다. ② (몸이) 비틀리다, 뒤틀리다: sich vor Schmerzen ~ 고통으로 몸을 뒤틀다; sich vor Lachen ~ 너무 우스워서 몸을 비비 꼬다; sie windet sich vor Scham 그녀는 부끄러워서 어쩔 줄 모른다. ③ (뱀·지렁이 등이) 몸을 비비 꼬며 움직이다. ④ (뱀처럼) 빠져〔헤쳐〕 나가다: es gelang ihm, sich durch die Menschenmenge zu ~ 그는 군중들 사이를 이리저리 비집고 나가는 데 성공했다. ⑤ (길 등이) 굽이치다: der Bach windet sich durch's Tal 하천이 골짜기를 굽이쳐 흐른다.

winden² 《<Wind》 《Ⅰ》 i. (h.) ①〖대개 imp.〗 es windet 바람이 분다. ②〖사냥〗 (개 또는 짐승이) 냄새 맡다. 《Ⅱ》 t. 〖드물게〗 불어 날려보내다.

winden·artig a. 〖植〗 메꽃과(科)의.

windend p.a. 굽은, 꼬불꼬불한, 굽이치는.

Wind·energie f. 풍력 에너지.

winden⸗förmig a. 나선형의. ~gewächs n. 메꽃과 식물. ~schwärmer m. 〖動〗 박각시나방.

Wind·erhitzer m. 〖제련〗 열풍로.

Winde·seil [víndə..] n. 〖工〗 자아틀의 줄.

Windes⸗eile [víndəs..] f. 풍속(風速); 바람처럼 빠른 속도: mit ~ laufen 질풍같이〔쏜살같이〕 달리다. ~schnelligkeit f. ↑ ~eile.

winde·weh a. ↑ wind.

Wind⸗fächer m. 부채. ~fackel f. (바람에 쉽게 꺼지지 않는) 내풍(耐風) 횃불. ~fahne f. ① 풍향계. ②〖비유〗 줏대〔지조〕 없는 사람. ~fall m. ① 바람에 떨어진 과실; 바람에 부러진 나무〔가지〕. ②〖비유〗 횡재. ~fang m. ① 〖工〗 통풍기, 배기 장치. ② (굴뚝의) 바람막이. ③〖건축〗 (현관문과 마루문 사이의) 바람막이 공간. ④〖사냥〗 (사슴의) 콧구멍. ⑤〖비유〗 허풍선이. ~fege f. 〖農〗 풍구. ~flüchter m. 바람에 휜 나무. ~flügel m. ① (풍차의) 날개. ② 선풍기. ~frei a. 바람이 들어오지 않는, 방풍이 된; 〖海〗 바람을 피해 있는. ~galle f. ①〖수의〗 (말 등의) 구건연종(球腱軟腫). ②〖海〗 (아프리카 해안의) 폭풍우 구름. ~geschützt a. 방풍이〔바람막이가〕 된. ~geschwindigkeit f. 풍속(風速). ~geschwindigkeits·messer m. 풍속계. ~geschwulst f. 기종(氣腫). ~gott m. 〖그리스 신화〗 바람의 신(神) (Äolus). ~hafer m. 〖植〗 메귀리. ~harfe f. (바람이 불면 울리는) 아이올로스의 하프(Äolsharfe). ~hauch m. 미풍, 산들바람. ~hose f. ① 회오리바람. ② ↑ ~kessel.

Windhuk [vínthʊk] 빈트후크(옛 독일령으로 현재 서남 아프리카 나미비아의 수도).

Wind·hund m. ①〖動〗 그레이하운드. ②〖비유〗 경솔〔경박〕한 사람.

Windig [víndɪç] m. -(e)s, -e ①〖植〗 메꽃과. ②〖動〗 박각시나방.

windig 《<Wind》 a. ① 바람 부는, 바람이 센, 바람받이의: ein ~es Wetter 바람 부는 날; es ist ~ 바람이 (세게) 분다. ② 바람이 잘 통하는: eine ~e Stelle 바람이 잘 통하는 곳. ③〖구어·폄어〗 (a) (사람에 관하여) 허황된, 경박한, 미덥지 못한: ein ~er Bursche 허황된 인간. (b) (사물에 관하여) 공허한; 불확실한, 미심쩍은: eine ~e Angelegenheit〔Ausrede〕 미심쩍은 일〔진술〕.

Windigkeit f. ① 바람 부는 날씨. ② 공허, 미심쩍음, 허황.

Wind·instrument n. 〖악기〗 취주 악기.

windisch¹ [víndɪʃ] a. ① 날씬한. ② 바람에 휜〔비틀린〕.

windisch² 《<Winden》 a. 벤드족〔사람·말〕의: 〖史〗 ~e Mark 벤드 변경 지방(옛 오스트리아 제국의 속국; ↑ Steiermark).

Windische* 《Ⅰ》 der/die 벤드인. 《Ⅱ》 das ~ 벤드어.

Windisch-Grätz 〖史〗 벤드 변경 지방의 왕족.

Wind⸗jacke f. 방풍 재킷. ~jammer m. 〖海〗 대형 범선. ~kanal m. ①〖工〗 (항공기·선박의 모형을 이용한) 풍압〔풍속·풍향〕 측정 실험 장치. ② (오르간의) 송풍관. ~kappe f. 굴뚝갓, 통풍〔방풍〕갓. ~karte f. 〖海〗 풍도

(風圖). **~kessel** *m.* 〖工〗 (액체·가스의 흐름을 조절해 주는) 공기식 유속(流速) 조절 장치. **~klappe** *f.* 〖工〗 통기판(通氣瓣). **~kolik** *f.* 〖醫〗 풍기산통(風氣疝痛). **~kraft** *f.* 풍력. **~kraft·werk** *n.* 〖工〗 풍력 발전기. **~kunde** *f.* 풍학(風學). **~lade** *f.* ① 〖工〗 (광산용의) 환풍기. ② (오르간의) 통풍 상자. **~lehre** *f.* ↑ ~kunde. **~licht** *n.* ① 내풍등(耐風燈) (칸델라 등); 바람막이를 씌운 촛불. ② 〖고어〗 ↑ ~fackel. **~loch** *n.* ① 악천후 지역. ② 바람받이 쪽. ③ 〖제련〗 통풍 구멍. ④ 〖악기〗 (파이프 오르간의) 판(瓣). ⑤ 〖건축〗 환기 구멍. **~macher** *m.* ① 부채. ② 선풍기. ③ 〖구어〗 허풍선이, 바람잡이. **~macherei** *f.* 〖구어〗 허풍, 허세. **~maschine** *f.* ① 〖工〗 환풍기. ② 〖제련〗 공기실. ③ 〖연극〗 바람소리를 내는 장치. ④ 〖영화〗 바람(을 일으키는) 장치. **~messer** *m.* ① 〖기상〗 풍력〔풍속〕계. ② 〖工〗 압력계. **~messung** *f.* 풍력〔풍속·풍향〕 측정. **~monat** *m.* 〖고어〗 11 월. **~mond** *m.* ↑ ~monat. **~motor** *m.* 풍차, 풍력기. **~-mühle** *f.* 풍차: gegen〔mit〕 ~n kämpfen (돈키호테처럼) 공연한 소동〔싸움〕을 벌이다. **~mühlen·flügel** *m.* 풍차의 날개: gegen ~ 〔mit ~n〕 kämpfen 공연한 싸움〔소동〕을 벌이다. **~müller** *m.* 풍차의 주인. **~nudel** *f.* (bayr.) ↑ ~beutel. **~ofen** *m.* 온풍 난방기; 〖工〗 온풍기; 〖제련〗 풍로. **~orgel** *f.* 〖악기〗 공기식 오르간.

Windows [wíndouz] 《engl.》 〖컴〗 윈도.

Wind≈pocken *pl.* 〖醫〗 수두(水痘), 풍진(風疹): das Kind hat die ~ 그 아이는 수두를 앓고 있다. **~rad** *n.* 〖工〗 풍력기; 풍차; 환풍〔송풍〕기. **~richtung** *f.* 풍향: in alle ~en 사방팔방으로. **~rohr** *n.* 〖제련〗 배기관, 통풍관. **~röhre** *f.* 〖악기〗 (오르간의) 송풍관; 〖건축〗 통풍관. **~röschen** *n.* 〖植〗 아네모네. **~rose** *f.* ① 〖植〗 아네모네. ② (나침반의) 방위 및 풍향 표시(판): nach allen Richtungen der ~ 온 사방에, 온 세상에. **~sack** *m.* (비행장 등에서) 깃대에 설치한 풍력〔풍향〕 측정 주머니.

Winds·braut [víntsbraut] 《mhd. windesbrut, „Wirbelwind"》 *f.* 〖고어〗 회오리바람, 선풍, 돌풍: wie die ~ daherjagen 돌풍처럼 질주〔돌진〕하다.

Wind≈schacht *m.* 〖광산〗 통풍용 수직갱. **~schaden** *m.* 풍해(風害). **~schatten** *m.* 바람이 들지 않는 곳, (산의) 바람을 피한 곳. **≈schief** *a.* ① 바람에 휜〔비틀린〕. ② 구부정한, 기울어진: ~e Wände 비스듬히 기울어 있는 벽. ③ 〖기하〗 ~e Geraden (동일한 평면상에 있지 않은) 서로 엇갈리는 직선들. **~-schiffer** *m.* 비행사, 비행선 조종사. **~-schirm** *m.* 바람막이, 병풍. **≈schlüpfig** *a.* 〖工〗 유선형의. **≈schnell** *a.* 바람처럼 빠른. **≈schnittig** *a.* ↑ ≈schlüpfig. **~schutz** *m.* 바람막이, 방풍 (장치). **~schutzscheibe** *f.* (자동차·비행기 등의) 방풍 유리. **~sei-te** *f.* 바람을 받는 쪽, 바람받이; 〖海〗 바람받이 쪽 뱃전. **~spiel** *n.* 〖動〗 작은(애완용) 그레이하운드. **~stärke** *f.* 풍력, 풍압. **≈-still** *a.* 무풍의, 바람이 잔. **~stille** *f.* 무풍, 바람이 잠: es herrscht ~ 바람 한 점 없는 날씨다. **~stock** *m.* 〖工〗 기관(氣管). **~stoß** *m.* 돌풍. **~streich·holz** *n.* (바람에 쉽게 꺼지지 않는) 내풍(耐風) 성냥. **~strich** *m.* 〖海〗 (나침반의) 방위판. **~strom** *m.*, **~strö-mung** *f.* 기류(氣流). **~sturm** *m.* 폭풍. **~sucht** *f.* 〖醫〗 고창(鼓脹), 속이 부글거림. **≈süchtig** *a.* 장에 가스가 찬, 속이 부글거리는. **≈surfen** *i.* (h.) 〖부정형(不定形)으로만 사용〗 윈드 서핑을 하다. **~surfer** *m.* ① 윈드서핑을 하는 사람. ② 윈드 서핑용 보트. **~-surfing** *n.* 〖스포츠〗 윈드서핑. **~tunnel** *m.* ↑ ~kanal. **~tür** *f.* 〖광산〗 통풍문.

Windung [víndʊŋ] 《<winden¹》 *f.* -en ① 감기, 얽기. ② 나선(형): ~en einer Muschel 조개의 나선 줄; ~en einer Schraube 나사의 나선(螺旋). ③ 굽이, 굴곡: der Fluß verläuft in vielen ~en 그 강은 굽이굽이 흘러간다. ④ (뱀·벌레가) 꾸불꾸불 움직임〔기어감〕. ⑤ 〖전기〗 코일; 〖工〗 선회율(旋回率).

Wind≈vierung *f.* 〖海〗 배의 뒤쪽 측면. **≈-wärts** *adv.* 바람 불어오는 쪽에, 바람머리에. **~webe, ~wehe** *f.* 바람에 날려 쌓인 눈; 눈구덩이; 눈보라. **~wirbel** *m.* 회오리바람, 선풍. **~zeiger** *m.* 풍향계. **~zug** *m.* ① 기류. ② 〖광산〗 환풍구, 환풍기. **~zünd·hölzchen** *n.* ↑ ~streichholz.

Winfried [vínfri:t] *m.* 빈프리트(남자 이름).

Wingert [víŋərt] *m.* -s, -e (südd.; westd., schweiz.) 포도밭.

Wingolf[1] [víŋgɔlf] 빙골프(남자 이름).

Wingolf[2] *m.* -s, -e ① 〖북유럽신화〗 여신(특히 Freya)의 궁전. ② 〖고어〗 기독교 학생 청년회의 이름(1844 년에 창립).

Wingolfit *m.* -en, -en 〖고어〗 대학생 기독교 청년회의 회원.

***Wink** [vɪŋk] 《<winken》 *m.* -(e)s, -e ① 눈짓, 윙크; 신호, 손짓; 머리를 끄덕임: jm. mit den Augen einen leisen ~ geben 누구에게 살짝 눈짓하다, 윙크를 보내다. ② 〖비유〗 암시, 힌트; 충고, 경고, 주의: ein ~ des Schicksals 운명의 암시; ein ~ mit dem Zaunpfahl 노골적인 암시; praktische ~e für Hausfrau 주부를 위한 실용적인 조언〔생활 지침〕; jm. einen ~ geben 누구에게 힌트를 주다; einen nützlichen ~ bekommen〔erhalten〕 유익한 충고를 받다. ③ 순간, 찰나: in einem ~ 눈 깜짝할 사이에, 순식간에. ④ 사소한 것, 티끌 같은 것: kein ~ von ... …이라고는 털끝만큼도 없다. ⑤ 〖방언〗 선잠, 졸음.

winke 〖다음 용법으로만〗 〖아동〗 winke, winke machen (아이가) 손짓하다.

***Winkel** [vɪŋkəl] 《원뜻 „Krümmung"; ♧ winken》 *m.* -s, - ① 모서리, 모난 곳; 〖數〗 각, 각도: äußerer〔innerer〕 ~ 외각〔내각〕; brechender ~ 굴절각; dumpfer ~ 둔각; rechter ~ 직각; scharfer〔spitzer〕 ~ 예각; ein ~ von 90 Grad 90 도의 각도; in den ~ bringen 〔auf den ~ prüfen〕 네모꼴로 하다, 사각형으로 자르다. ② 〖工〗 직각자. ③ 〖비유〗 외진〔구석진〕 곳, 한적한 곳; 벽지, 두메, 벽촌; 구석방, 독방; 은신처; 빠져 나갈 구멍: alle ~ und Ecken durchsuchen 샅샅이 뒤지다; et. im ~ tun 무엇을 남몰래 하다; im ~ sitzen 돌보는 사람이 없다; jn. in einen ~ treiben 누구를 궁지에 몰아넣다; et. in den ~ werfen 무엇을 내팽개치다. ④ (nordd.) 작업장, 일터; 가게. ⑤ 〖軍〗 갈고리 모양의 휘장〔계급장〕. ⑥ 〖축구·핸드볼〗 골대의 양측 모서리.

Wịnkel≈advokat *m.* 〖구어〗 무면허 변호사, 엉터리〔무능한〕 변호사. **~band** *n.* 〖工〗 돌쩌귀. **~bank** *f.* 촌구석〔변두리〕 은행. **~beschleunigung** *f.* 〖工〗 각(角)가속도. **~blatt, ~blättchen** *n.* (시시한) 지방 신문; 〖구어〗 신문지. **~bogen** *m.* 〖數〗 각의 호(弧). **~bohrer** *m.* 〖工〗 모송곳. **~börse** *f.* 〖商〗 무허가 증권 거래소. **~börse·spekulant** *m.* 무허가 증권 투기꾼. **~drucker** *m.* 무허가 인쇄업자. **~druckerei** *f.* 무허가 인쇄소. **~ehe** *f.* 〖고어〗 내연의 부부 관계; 야합. **~eisen** *n.* 〖工〗 ① 직각자, 곱자. ② 꺾쇠, 거멀못. **~förmig** *a.* 모가 난, 각이 진. **~funktion** *f.* 〖數〗 각(角)함수. **~gasse** *f.* 변두리 거리, 뒷골목, 빈민가〔굴〕; 막다른 골목. **~geschwindigkeit** *f.* 〖기계〗 각속도. **~haken** *m.* ①〖工〗 직각자. ②〖印〗 식자가(植字架), 스틱. ③〖動〗 굴의 일종. **~halbierende*** *die* 〖기하〗 각의 2등분선. **~hebel** *m.* 〖工〗 굽은 지레. **~heirat** *f.* 도둑〔비밀〕 결혼; 내연의 부부 관계. **~hoch·zeit** *f.* 비밀 결혼식.

wịnkelicht *a.* ↑ winkelig.

winkelig [vɪ́ŋkəlɪç] *a.* 모퉁이의, 모서리진, 각을 이룬; 직각으로 굽은, L 자〔T 자〕형의; 모가 난〔진〕.

..wink(e)lig *suf.* "…각(角)으로 된"의 뜻(보기: recht~ 직각의).

Wịnkel≈klammer *f.* ↑ ~eisen ②. **~kneipe** *f.* ↑ ~schenke. **~konsulent** *m.* ↑ ~advokat. **~lineal** *n.* 직각자, 삼각자. **~linie** *f.* 〖數〗 대각선. **~makler** *m.* 〖商〗 무면허 부동산업자〔복덕방〕. **~maß** *n.* ①〖기하〗 각도. ② 각도기, 측도기. ③〖天〗 자〔尺〕자리. **~messer** *m.* 〖數〗 분도기, 각도기. **~meß·kunst, ~messung** *f.* 측도법(測度法).

winkeln [vɪ́ŋkəln] 《< Winkel》 《Ⅰ》 *t.* (팔을) 각지게 구부리다, (돌을) 네모지게 깎다. 《Ⅱ》 *i.* (h.) ① (술래잡기에서) 숨다. ②〖구어〗 술수〔잔꾀〕를 부리다.

Wịnkel≈naht *f.* 〖해부〗 (두개골의) 인자(人字) 봉합. **~poet** *m.* 삼류 시인, 무명 시인. **~presse** *f.* 시시한 지방 언론〔신문〕. **~recht** *a.* 직각의, 수직의. **~scheibe** *f.* 〖고어〗 천체 관측기. **~schenke** *f.* 무허가 주점, 뒷골목 선술집. **~schreiber, ~schrift·steller** *m.* 삼류 문인, 무명 작가. **~schule** *f.* 〖고어〗 무허가 학교; 무면허 교습소. **~spiel** *n.* 술래잡기. **~ständig** *a.* 〖植〗 액생(腋生)의. **~treppe** *f.* (건물의) 후미진 구석 층계. **~treue** *f.* 〖數〗 등각 (관계). **~zeitung** *f.* ↑ ~presse. **~zug** *m.* ① 지그재그. ②〖복수〗 술수; 핑계, 구실: Winkelzüge machen 술수〔잔꾀〕를 부리다, 핑계를 대다. **~zügig** *a.* ① 지그재그의. ② 술수〔잔꾀〕를 부리는, 핑계를 대는.

***winken** [vɪ́ŋkən] (*p.p.* gewinkt/(방언·속어) gewunken) 《⊕ wanken; 원뜻 „sich neigen"》 《Ⅰ》 *i.* (h.) 몸짓〔눈짓·손짓〕으로 알리다, 신호하다; 눈짓〔손짓〕하다, 윙크하다; 끄덕이다: jm. mit dem Laternenpfahl〔Zaunpfahl, Scheunentor〕 ~ 누구에게 분명한 신호를 보내다, 노골적으로 암시하다; mit Flaggen ~ 깃발로 신호하다. 《Ⅱ》 *t.* ① …의 신호를 보내다: jm. Stillschweigen ~ (눈짓·손짓으로) 누구에게 침묵하라는 신호를 하다; jm. Beifall ~ 누구에게 찬성의 신호를 보내다, 찬성의 표시로 끄덕끄덕하다; jn. näher ~ 누구를 손짓으로 부르다; den Wagen zur Seite ~ 자동차를 옆에 세우도록 손짓하다〔신호를 보내다〕. ②〖속어〗 jm. eine (Ohrfeige) ~ 누구의 뺨을 때리다. ③ …의 조짐〔전망〕이 보이다: ihm winkt das Glück 〔eine Belohnung〕 그에게 행운의〔보상이 있을〕 조짐이 보인다.

Winker [vɪ́ŋkər] *m.* -s, - ① 신호하는 사람; 〖軍〗 신호수. ② (살짝 늘어뜨린) 앞이마의 애교머리. ③ (südd.) 윙크. ④ (자동차 등의) 방향 표시기; (배의) 신호 깃발.

Wịnker≈dienst *m.* 깃발 신호근무. **~flagge** *f.* 신호기(旗). **~zeichen** *n.* 깃발 신호의 암호.

wịnklicht *a.* ↑ winkelig.

wịnklig *a.* ↑ winkelig.

Winsch [vɪnʃ] *f.* -en 〖海〗 갑판 위에 설치된 기중기, 윈치.

Winsel·affe [vɪ́nzəl..] *m.* 〖動〗 (남아메리카산(産)) 거미원숭이속(屬).

Winselei [vɪnzəláɪ] *f.* -en 〖폄어〗 ① 징징 우는 소리, (개가) 낑낑거리는 소리. ② 애걸, 통사정.

Wịnseler *m.* -s, - ① 징징대는 사람; 신음하는 사람. ② 애걸복걸하는 사람.

wịnselig *a.* 흐느껴 우는; 신음하는; (개가) 낑낑거리는.

winseln [vɪ́nzəln] 《⊕ weinen, wimmern》 *i.* (h.) ① (개가) 낑낑거리다; 흐느껴 울다, 신음하다. ②〖폄어〗 애걸〔통사정〕하다: jm. die Ohren voll ~ 누구에게 귀가 따갑도록 통사정하다; um sein Leben ~ 살려 달라고 애걸하다.

Winsler *m.* -s, - ↑ Winseler.

***Winter** [vɪ́ntər] 《원뜻 „weiße Zeit"》 *m.* -s, - ① 겨울, 겨울철: ein harter〔strenger〕 ~ 엄동; ein milder ~ 따스한 겨울; im ~ 겨울(철)에; ~ für ~ (매년) 겨울마다; mitten im ~, im tiefsten ~ 한겨울(철)에, 엄동에; den ~ über 〔über den ~〕 겨우내; den ~ verbringen 겨울을 보내다, 〖動〗 동면하다; gut über den ~ kommen 겨울을 탈없이 잘 넘기다. ②〖비유〗 (몇) 해, 년: er hat 70 ~ durchlebt〔gesehen〕 그는 일흔 살이 되었다.

Wịnter≈abend *m.* 겨울밤. **~anfang** *m.* 겨울의 시작; 동지. **~anzug** *m.* 겨울옷, 동복. **~apfel** *m.* 겨울 사과, 늦사과. **~aufenthalt** *m.* 동계 체재(지), 피한(지). **~bau** *m.* 겨울철 재배〔경작〕. **~bedarf** *m.* 〖商〗 동계 수요, 겨울철 필수품. **~beere** *f.* 〖植〗 시로미; 감탕나무의 일종. **~bestellung** *f.* 동계 경작. **~birne** *f.* 겨울 배, 늦배. **~brache** *f.* 〖農〗 동계 휴한(지)(休閑(地)). **~camping** [..kɛm.., ..kəm..] *n.* 겨울 캠핑, 동계 야영. **~einbruch** *m.* 갑작스레 닥쳐 온 겨울. **~fahrplan** *m.* 〖철도〗 겨울철 열차 시각표. **~feldzug** *m.* 겨울 출정〔출진〕. **~fenster** *n.* 덧창, 겹창, 이중창. **~ferien** *pl.* 겨울 방학〔휴가〕. **~fest** *a.* ① 방한용의: ~e Kleidung 방한복. ②〖植〗 한파에 잘 견디는. **~frische** *f.* 〖드물게·고어〗 피한(지), 겨울철 휴양(지): in die ~ gehen 겨울 휴양을 가다. **~frucht** *f.* ① 겨울 과일. ② (가을에 파종하여 봄에 수확하는) 월동 작물(~getreide). **~garten** *m.* 온실. **~gerste** *f.* 가을(에 파종하는) 보리.

~**getreide** *n.* 〖農〗 동계 재배 작물, 가을 같이 곡식. ~**gewächs** *n.* 겨울철 식물; 다년생 식물. ~**grün** *n.* 〖植〗 ① 노루발풀. ② 빙카(vinca)속(屬). ③ 상록수. ~**hafen** *m.* 〖海〗 부동항(不凍港).

winterhaft *a.* ↑ winterlich.

Winter≈halbjahr *n.* 연중 추운 반년; 겨울 학기(10 월부터 3 월까지). ~**hart** *a.* 추위에 잘 견디는, 내한성의. ~**haus** *n.* 겨울 주택; 온실. ~**hilfs·werk** *n.* 겨울철 빈민 구호 사업. ~**holz** *n.* 겨울의 땔나무. ~**kälte** *f.* 겨울 추위, 혹한. ~**kartoffel** *f.* 월동용 감자. ~**kleid** *n.* ① 겨울옷, 방한복. ②〖사냥〗 (a) 새들의 겨우살이털. (b) 족제비의 겨우살이털. ~**kleidung** *f.* ↑ ~anzug. ~**kohl** *m.* 양배추. ~**kollektion** *f.* 겨울 패션복 견본(품). ~**könig** *m.* ①〖動〗 굴뚝새. ② 삼일천하의 왕(특히 1619-20 년의 한 해 겨울 동안만 Böhmen 왕위에 있었던 Pfalz의 프리드리히 5 세를 가리킴). ~**korn** *n.* 〖農〗 가을 호밀. ~**kur·ort** *m.* 피한지, 겨울 휴양지. ~**lager** *n.* ①〖軍〗 겨울 진지〔막사〕. ②〖商〗 월동 준비(품). ~**landschaft** *f.* 겨울 풍경. ~**lang** *a.* 겨울 동안의. *adv.* 겨우내, 겨울 내내.

winterlich [vɪ́ntərlɪç] *a.* 겨울의, 겨울다운, 겨울 같은: sich ~ kleiden 옷을 따뜻하게 입다.

Winterling [vɪ́ntərlɪŋ] *m.* -s, -e 〖植〗 미나리아재빗과 식물의 일종.

Winter≈luft *f.* 겨울 공기〔바람〕, 찬바람. ~**mantel** *m.* 겨울 외투. ~**märchen** *n.* 겨울밤의 동화, 화롯가의 옛날 이야기. ~**mäßig** *a.* ↑ winterlich. ~**monat,** ~**mond** *m.* ①〖고어〗 12 월, 섣달. ②〖대개 복수〗 겨울달(12-1 월, 특히 12 월): während der ~e 겨울 몇 달 동안에. ~**mode** *f.* 겨울철 유행. ~**morgen** *m.* 겨울날 아침.

wintern [vɪ́ntərn] 《<Winter》《I》 *i.* (h.) ① *imp.* es wintert 겨울이 된다, 겨울답다, 한겨울이다; ~de Nacht 겨울밤; ~de Gefilde 겨울의 황량한 벌판. ②〖고어〗 겨울을 나다〔넘기다〕. 《II》 *t.* 월동시키다, 겨울을 나게 하다.

Winter≈nacht *f.* 겨울밤. ~**obst** *n.* 겨울철 과일, 월동용 과일. ~**offen** *a.* 겨울철에도 통행이 가능한 (도로·고갯길 등). ~**öl** *n.* 〖車〗 부동(不凍) 연료. ~**olympiade** *f.* 동계 올림픽. ~**pause** *f.* 〖스포츠〗 (겨울철에 경기가 불가능한 종목의) 동계 휴식 (기간). ~**punkt** *m.* 〖天〗 동지점(冬至點). ~**quartier** *n.* 〖軍〗 겨울 진지, 동계 병영. ~**reifen** *m.* 스노 타이어. ~**reise** *f.* 겨울 여행.

winters [vɪ́ntərs] *adv.* 겨울에, 겨울 동안, 겨울마다.

Winter≈saat *f.* ①〖農〗 겨울 작물의 파종, 가을 파종; 겨울 작물. ②〖植〗 순무. ~**sachen** *pl.* 〖구어〗 겨울옷, 방한복. ~**saison** [..zɛzɔ̃:, ..zɛzɔŋ] *f.* 겨울 시즌.

Winters·anfang *m.* ↑ Winteranfang.

Winter≈schlaf *m.* 〖動〗 겨울잠, 동면; 〖비유〗 휴식〔휴면〕 상태: ~ halten 겨울잠을 자다; 〖醫〗 künstlicher ~ 인공 동면. ~**schläfer** *m.* 동면 동물. ~**schluß·verkauf** *m.* 동계 바겐세일. ~**schuh** *m.* 방한화, 겨울철 신발. ~**seite** *f.* 응달, 음지, 북쪽. ~**semester** *n.* (대학의) 겨울학기(10-2 월). ~**sonnen·wende** *f.* 동지. ~**spiele** *pl.* 동계 올림픽 경기. ~**sport** *m.* 겨울 스포츠, 겨울철 운동. ~**sportler** *m.* 겨울 스포츠 선수. ~**sportlerin** *f.* ↑ ~sportler 의 여성형. ~**starre** *f.* 〖動〗 (변온 동물의) 겨울철 휴지(休止) 상태.

winters·über [vɪ́ntərs|y:bər] *adv.* 겨울 내내, 겨울 동안.

Winter≈zeit *f.* 겨울철, 동계(冬季). ~**tag** *m.* (추운) 겨울날. ~**tauglich** *a.* 방한용의, 추위에 잘 견디는. ~**tauglichkeit** *f.* ↑ ~tauglich 의 명사형.

Winterthur [vɪ́ntərtu:r] 빈터투르(스위스 북동부에 있는 도시).

Winter·überzieher *m.* 겨울 외투.

Winterung [vɪ́ntəruŋ] *f.* -en ① 겨울 (같은) 날씨. ② 겨울나기, 월동. ③ 겨울철 저장소; 온실. ④ 겨울 작물.

Winter≈vergnügen *n.* 겨울철 놀이, 겨울 오락. ~**vorrat** *m.* 월동 품목; 겨울에 구하기 힘든 물품. ~**weizen** *m.* 가을에 심는 밀. ~**zeit** *f.* 겨울철, 동계. ~**zeug** *n.* 겨울옷(감); 월동용품.

Winze *f.* -n ↑ Winzel.

Winzel *f.* -n 〖動〗 지빠귀의 일종.

Winzer [vɪ́ntsər] 《lat. vinitor „Weinleser"》 *m.* -s, - 〖방언; 특히 schweiz.〗 포도 재배자; 포도 따는 사람.

Winzer≈fest *n.* 포도 수확제. ~**genossenschaft** *f.* 포도 재배 조합. ~**lied** *n.* 포도따기 노래. ~**messer** *n.* 포도 따는 칼.

***winzig** [vɪ́ntsɪç] *a.* 아주 적은〔작은〕, 미세한: ~er Betrag 아주 적은 금액; ein ~es Einkommen 아주 적은 수입; ~e Händchen 조막손, 고사리손; ~es Männchen 난쟁이, 작달막한 사람; 〖구어〗 ein ~es bißchen 눈곱만큼; ~es Stückchen 아주 조금.

Winzigkeit *f.* -en ①〖복수없음〗 아주 적음〔작음〕. ②〖구어〗 약간, 소량; 짧은 거리〔간격〕; 변변치 않은 것: schieb den Tisch noch eine ~ zu mir 테이블을 내 쪽으로 조금만 더 밀어라; ich habe für dich zum Geburtstag nur eine ~ 변변치 않으나마 네 생일 선물을 가져왔다.

Winzling [vɪ́ntslɪŋ] *m.* -s, -e 〖구어·농담〗 보잘것없는 사람〔것〕.

Wipfel [vɪ́pfəl] 《원뜻 „Schaukelndes"; ♧ wippen》 *m.* -s, - 나무 꼭대기, 우듬지; (Gipfel 과 혼동되어) 꼭대기, 정상(頂上).

wipfelig *a.* 우듬지가 있는.

wipfelicht *a.* ↑ wipfelig.

wipfeln [vɪ́pfəln] 《I》 *i.* (h.) / *refl.* (sich) ~ (우듬지가) 높이 자라다. 《II》 *t.* …의 우듬지를 자르다: Rebstöcke ~ (받침대 위로 삐져 나온) 포도 줄기를 쳐주다.

wipp [vɪp] *int.* (ndd.) 〖의성어〗 휙, 휭!

Wippchen [vɪ́pçən] *n.* -s, - 〖↑ Wippe 의 축소형〗 ① 작은 시소. ② 구실, 핑계; 농간, 잔꾀, 술수; 장난, 농담: ~ machen 핑계대다; mach' mir keine ~ vor! 그런 속임수에 넘어갈까 보냐!; mit ihm kann man keine ~ machen 그에게는 어떤 구실〔핑계〕도 통하지 않는다.

Wippe [vɪ́pə] *f.* -n ① (낭떠러지의) 끄트머리, 가장자리: 〖비유〗 auf der ~ sein, sich zurückzuziehen 바야흐로 물러나려〔퇴각하려〕 하고 있다. ② 널, 시소. ③ 매다는 형틀(중세의 고문 기구). ④ (ndd.) 회초리, 채찍. ⑤ (ndd.)

덤프 차량(Kippwagen). ⑥ Kippe und ~ 화폐 위조〔변조〕. ⑦〖체조〗 평균대 운동; (아이들이) 몸을 까딱거리는 장난. ⑧〖토목〗 (개폐식 교량의) 들림 장치. ⑨〖전기〗 전열(轉列) 개폐기. ⑩〖工〗 바늘귀를 만드는 기계. ⑪〖工〗 양손잡이 지레〔레버〕.

wippeln [vípəln] *i./t./refl.* ↑ wippen.

wippen [vípən] ⟪lat. vibrare, „vibrieren"⟫ ⟪I⟫ *i.* (h.) /*refl.* ① (위아래 또는 좌우로) 흔들리다, 진동하다; 널이〔시소가〕 흔들거리다: der Storch wippt (sich) mit den Flügeln 황새가 날갯짓을 한다. ②〖체조〗 (몸의) 균형을 잡다: auf den Zehenspitzen ~ 발가락 끝으로 서서 균형을 잡다. ⟪II⟫ *t.* ① 흔들다, 진동시키다: die Knaben ~ sich〔einander〕 아이들이 시소를 타고 있다. ② 넘어뜨리다. ③〖軍〗 매다는 형(刑)에 처하다. ④ Münzen kippen und ~ 화폐를 변조〔위조〕하다. ⑤〖광산〗 (손수레·트럭 등을) 비우다. ⑥〘구어〙 멀리하다; 떠나〔쫓아〕 보내다.

Wipper [vípər] *m.* -s, - ① 화폐 위조범. ② 덤프 트럭; 손수레. ③〖광산〗 손수레 미는 인부.

Wipperei *f.* -en 화폐 위조〔변조〕.

wippern[1] [vípərn] 〘방언〙 ↑ wippen ⟪I⟫.

wippern[2] *i.* (h.) 날카로운〔새된〕 소리를 내다, 날카롭게 울리다.

Wipp≈galgen *m.* 〖軍〗 매다는 형틀. **~schaukel** *f.* ↑ Wippe. **~schwanz** *m.* ↑ ~sterz. **~sterz** *m.* ①〖動〗 할미새. ②〘속어〙 침착하지 못한〔신경질적인〕 사람. **~wapp** *f.* 시소.

wips [vɪps] *int.* ↑ wipp.

***wir** [viːr] *prn.* 〘인칭 대명사 1 인칭 복수 1 격; 2 격 unser, 3·4 격 uns〙 ① 우리(들), 저희(들): ~ alle 우리 모두; ~ beide 우리 두 사람; ~ Deutsche(n) 우리 독일 사람들; ~ Armen〔~ armen Leute〕 우리 가난한 사람들; ~, die (~) nicht rauchen 담배를 피우지 않는 우리(들). ②〘굳이 우리말로 옮길 필요가 없는 경우〙 **(a)** 〘2 인칭 호칭어의 대용〙〘구어〙 너, 너희들, 당신(들): haben ~ alles aufgegessen? 모조리 먹어 치웠단 말이야? **(b)** 〘논문·강연에서 겸손하게 자기를 나타낼 때〙 ~ werden später darauf zurückkommen 이 문제에 관해서는 나중에 다시 언급하겠다. ③〘고어〙 Wir 짐(朕)(군주의 자칭): Wir, Friedrich Wilhelm, König von Preußen 짐(朕) 프로이센 국왕 프리드리히 빌헬름.

wirb [vɪrp] ↑ werben 의 2 인칭 단수 명령형.

***Wirbel** [vírbəl] ⟪♧ werben⟫ *m.* -s, - ① 소용돌이, 선회, 회전: sich im ~ drehen 선회하다, 빙빙 돌다, 소용돌이치다. ② 소용돌이 물결〔물살〕; 회오리치는 연기〔모래 바람〕; 회오리바람. ③〘비유〙 혼란, 혼잡, 소동; 인파, 군중: im ~ der Ereignisse (연이은) 사건들의 와중에; sich in den ~ des Faschings stürzen 사육제의 인파〔소동〕에 휩쓸리다. ④〘드물게〙 (뱀 등의) 똬리. ⑤ 어지러움, 현기증; 술기운, 취기. ⑥ 정수리, 머리 꼭대기; (머리의) 가마: vom ~ bis zur Zehe 머리 꼭대기에서 발끝까지. ⑦〖해부〗 척추골, 추골(椎骨). ⑧〖음악〗 **(a)** 떨림음. **(b)** (북의) 스쳐치기, 연타(連打): einen ~ schlagen 북을 연타하다. ⑨〖체조·무용〗 발끝으로 돌기, 피루엣. ⑩〖工〗 회전고리; 돌쩌귀, 나사못. ⑪〘방언〙 창문 손잡이〔고리〕. ⑫ (현악기의) 줄감개.

Wirbel≈bein *n.* 〖해부〗 척추, 추골(椎骨). **~bewegung** *f.* 선회 운동; 〖工〗 소용돌이 운동. **~entzündung** *f.* 〖醫〗 척추염. **≈förmig** *a.* ① 소용돌이꼴의. ②〖해부〗 척추 모양의. ③〖植〗 윤생(輪生)의. **~gelenk** *n.* ①〖해부〗 척추 관절. ②〖工〗 회전 크랭크.

wirbelhaft *a.* ↑ wirbelig.

wirbelicht *a.* ↑ wirbelig.

wirbelig [vírbəlɪç] *a.* ① 선회하는, 빙빙 도는, 소용돌이치는. ② **(a)** 세찬, 맹렬한; 조급한: ein ~es Kind 잠시도 가만있지 않는 아이. **(b)** 어지러운; 흠뻑 취한: mir wurde ganz ~ 나는 너무나 어지러웠다. **(c)** 변덕스러운. ③ (머리칼이) 가마를 이룬.

Wirbel≈karies *f.* 〖醫〗 척추 카리에스〔결핵〕. **~kasten** *m.* (현악기의) 줄이 감기는 부위. **~knochen** *m.* 〖해부〗 척추뼈, 등골.

wirbellos *a.* 〖動〗 척추가 없는: ~e Tiere 무척추 동물.

Wirbel·luxation *f.* 척추 탈구(脫臼).

***wirbeln** [vírbəln] ⟪I⟫ *i.* (h./s.) /*refl.* ① 선회하다, 소용돌이치다. ② 어지럽다: mir wirbelt der Kopf 나는 머리가 어질어질하다. ③ (북을) 연이어 치다, 연타하다; (새가) 쉴새없이 지저귀다: die Lerche wirbelt (ihr Lied) 종달새가 끊임없이 지저귄다; 〖음악〗 auf der Trommel〔die Trommel〕 ~ 북을 쉴새없이 치다. ⟪II⟫ *t.* 선회시키다, 소용돌이치게 하다: der Wind wirbelt Blätter 바람에 낙엽이 소용돌이 친다.

Wirbel≈reigen *m.* 선회 윤무(輪舞). **~säule** *f.* 〖해부〗 척추. **~säulen·verkrümmung** *f.* 〖醫〗 척추 휨 증세, 꼽추병. **~strom** *m.* ① 소용돌이, 와류(渦流). ②〖전기〗 맴돌이 전류. **~sturm** *m.* 회오리 돌풍. **~sucht** *f.* 〖醫〗 현기증. **~tanz** *m.* 선회 무도, 빙빙 도는 춤. **~tier** *n.* 척추 동물. **~tierchen** *n.* 〖動〗 윤충류(輪蟲類). **~trommel** *f.* 〖음악〗 드럼. **~wind** *m.* 회오리바람.

wirblicht *a.* ↑ wirbelig.

wirblig *a.* ↑ wirbelig.

wirbst [vɪrpst] ↑ werben 의 2 인칭 단수 현재형.

wirbt [vɪrpt] ↑ werben 의 3 인칭 단수 현재형.

wird [vɪrt] ↑ werden 의 3 인칭 단수 현재형.

wirf [vɪrf] ↑ werfen 의 단수 2 인칭 명령형.

wirfst [vɪrfst] ↑ werfen 의 2 인칭 단수 현재형.

wirft [vɪrft] ↑ werfen 의 3 인칭 단수 현재형.

Wirk·brett [vírk..] *n.* 반죽 판.

***wirken** [vírkən] ⟪♧ Werk⟫ ⟪I⟫ *t.* ① 행하다, (영향·효력을) 미치다, 일으키다; 수행하다, 성취하다: Gutes ~ 좋은 일을 하다; Wunder ~ 기적을 일으키다; diese Arznei wirkt Lösung des Schleims 이 약은 가래를 삭여 주는 효과가 있다. ②〘드물게〙 in et. ~ 무엇의 속에 들여보내다, 침투시키다; sich in et. ~ 무엇 속으로 들어가다, 침투하다; aus〔von〕 et.[3] ~ 무엇에서 내보내다. ③ 만들다; 〘방언〙 반죽하다; 〖방직〗 짜다, 뜨다: Strümpfe ~ 양말을 짜다; Teig ~ 반죽을 휘젓다; 〖工〗 den Huf ~ 말굽을 깎아내다; Salz ~ 제염(製塩)하다. ⟪II⟫ *i.* (h.) ① 일하다, 활동하다: als

Missionar ~ 선교사로 활동하다; an einer Schule ~ 학교에 재직하고 있다. ② 영향을 미치다, 작용하다; 효력이 있다, 듣다: beruhigend ~ 진정시키는 작용을 하다; nachteilig 〔schädlich〕 ~ 불리한〔해로운〕 영향을 미치다; auf jn.〔et.〕 ~ 누구에게〔무엇에〕 영향을 미치다; einen Anblick auf sich ~ lassen 어떤 광경에 감명을 받다; aus der Nähe〔Ferne〕 ~ 가까이서〔멀리서〕 영향을 미치다; bei et.³ ~ 무엇에 조력〔협력〕하다; für jn.〔et.〕 ~ 누구를〔무엇을〕 위해 애쓰다; gegen jn. ~ 누구에게 반대하는 활동을 하다; mit jm. ~ 누구와 협력하다; zu et.³ ~ 무엇을 위해 애쓰다; das Mittel wirkt gut gegen Kreislaufstörungen 그 약은 순환기 장애에 잘 듣는다; er wirkt lehrend a) 그에게는 사람을 교화시키는 힘이 있다, b) 그는 교육자로서 활동하고 있다; er wirkt dahin, daß ... 그는 …을 목표로 노력하고 있다. ③ 인상〔느낌〕을 주다: ein solches Verhalten wirkt lächerlich 그런 태도는 우스꽝스러운 느낌을 준다; das Bild wirkt aus einiger Entfernung besser 그 그림은 조금 떨어져서 보면 더 돋보인다.

Wirken *n.* -s 활동, 노력; 작용, 영향: sein ~ war segensreich 그의 활동에는 많은 축복이 따랐다; während seines ~s als Leiter der Schule 그가 교장으로 재직하는 동안.

wirkend *p.a.* 영향을 미치는, 작용하는, 능동적인; 효과 있는; 원인이 되는: stark ~ 강한 작용〔영향〕을 미치는; gleichzeitig ~ 동시에 작용하는; ~e Ursache 동인(動因).

Wirker *m.* -s, - ① 일하는〔활동하는〕 사람. ② 방직공. ③ (가루를) 반죽하는 사람, 빵 굽는 사람. ④ 제염업자(製塩業者).

Wirkerei [vɪrkəráɪ] *f.* -en ①〘복수없음〙 직물업, 편물업; 양말짜기(Strumpf≈). ② 제염업(Salz≈). ③ 방직 공장; 염전.

Wirkerin *f.* -nen ↑ Wirker 의 여성형.

Wirk≈kraft *f.* 영향력, 효력. **~leistung** *f.* 〘전기〙 유효 전력〔출력〕.

Wirkl. Geh. Rat = 〘史〙 Wirklicher Geheimer Rat 현직 추밀 고문관(최고위급 관리에게 붙여 주던 존칭).

*__wirklich__ [vírklɪç] 《<wirken》 《I》 *a.* ① 활동적인; 효력 있는, 유효한. ② 현실의; 사실의, 실제의, 실체가 있는; 진실의, 정말의; 진짜의, 진정한: ~es Leben 실생활; ein ~er Künstler 진정한 예술가; 〘商〙 ~er Vorrat 현품; ~ machen 실현하다; ~ werden 실현되다. 《II》 *adv.* 실제로, 참으로; 현재, 지금: ~? 정말이냐?; ich weiß ~ nicht 나는 정말 모른다.

*__Wirklichkeit__ [vírklɪçkaɪt] *f.* -en ① 실제, 진실, 사실, 현실: in ~ 참으로, 실은, 사실은; et. in die ~ übersetzen 〔zur ~ machen〕 무엇을 실현하다; zur ~ werden 실현되다; der ~ ins Auge sehen 현실을 직시하다; unsere Erwartungen blieben hinter der ~ zurück 우리의 기대는 온전히 충족되지 못했다. ② 실재, 존재, 현존.

wirklichkeits≈fern *a.* 현실과 동떨어진, 비현실적인. **≈form** *f.* 〘문법〙 직설법(Indikativ). **~fremd** *a.* ① 현실과 부합되지 않는: eine ~e Darstellung 현실에 맞지 않는 서술. ② 세상 물정을 모르는: ein ~er Mensch 현실에 어두운 사람. **≈gefühl** *n.* 현실감. **~getreu** *a.* 현실에 부합되는, 현실 그대로의. **≈mensch** *m.* 현실주의자. **~nah** *a.* 현실에 밀착된〔부합되는〕. **≈sinn** *m.* 현실 감각. **≈treue** *f.* 현실 적합성.

wirklich|machen *t.* 실현시키다(단: wirklich machen 실제로 하다, 정말로 해내다).

Wirk≈maschine *f.* 〘방직〙 편물기, 방직기. **~meister** *m.* 고참 방직공.

*__wirksam__ [vírkza:m] *a.* ① 활동적인; 유효한, 효과적인: eine ~e Maßnahme 효과적인 조치. ②〘官〙 법적 효력이 생기는: die Verordnung wird im nächsten Monat ~ 이 법령은 다음 달에 발효된다.

*__Wirksamkeit__ *f.* -en 활동, 작용; 효력, 효과, 효능, 효험: die ~ einer Arznei 어떤 약품의 효험; die Zeit seiner ~ im Ausland 그가 외국에서 활약하던 시절; außer ~ setzen a) 〘기계〙 운전〔가동〕 정지하다, b) 〘法〙 무효로 하다; in ~ sein a) 활동 중이다, 작용하고 있다, b) 〘法〙 유효하다, 시행되고 있다; in ~ treten a) 활동〔작용〕하기 시작하다, b) 〘法〙 효력을 발생하다.

Wirk≈stoff *m.* 〘生·총칭〙 작용 물질(효소·호르몬·비타민 등). **~strom** *m.* 〘전기〙 유효 전류. **~stuhl** *m.* 직조기. **~tafel** *f.*, **~tisch** *m.* (빵집의) 반죽판.

*__Wirkung__ [vírkʊŋ] 《<wirken》 *f.* -en ① 활동; 작용, 영향; 세력: ~ und Gegenwirkung 작용과 반작용〔반응〕; auf jn. eine ~ ausüben 누구에게 영향을 미치다; 〘官〙 ein neuer Erlaß mit ~ vom 1. Januar (an) 1월 1일에 발효되는 새 훈령. ② 효과, 효능; 인상; 결과: eine ~ hervorbringen 효과를 낳다; ~ haben 효과가 있다; keine ~ haben 〔ohne ~ bleiben〕 효과가 없다, 무효다; Ursache und ~ 원인과 결과; 〘속담〙 keine ~ ohne Ursache 아니 땐 굴뚝에 연기 나랴; 〘속담〙 kleine Ursache(n), große ~(en) 호미로 막을 것을 가래로 막는다(작은 불씨가 큰 재앙의 화근이 된다). ③〘권투〙 ~ zeigen (펀치에) 맞은 충격이 나타나다, 무력해지다. ④〘物〙 (에너지·시간 또는 충격·지속 시간의 함수 관계로 나타나는) 물리적 작용량〔효율〕.

Wirkungs≈art *f.* 활동 방식, 작용 방식. **~bereich** *m.* 영향권, 활동 영역. **~feld** *n.* ↑ ~bereich. **~form** *f.* 작용 형식. **~geschichte** *f.* 〘문학〙 영향사(史). **≈geschichtlich** *a.* 〘문학〙 영향사적인. **~grad** *m.* 작용〔효과〕의 정도; 효율. **~größe** *f.* 작용량. **~kraft** *f.* 영향력, 효력. **~kreis** *m.* 영향권, 세력 범위; 영역, 영토; 〘法〙 권한.

wirkungslos *a.* 영향력이 없는; 효력 없는.

Wirkungslosigkeit *f.* 효과〔효력〕 없음.

Wirkungs≈mechanismus *m.* 작용 체계. **≈reich** *a.* 영향력이 큰, 매우 효과적인. **~stätte** *f.* 〘교양〙 활동 무대. **≈voll** *a.* 영향력 있는; 효과적〔효율적〕인, 잘 듣는. **~weise** *f.* 작용〔활동〕 방식.

Wirk≈waren *pl.* ① 직물〔편물〕류. ② 양말류(類). **~zeit** *f.* 반응 시간(Reaktionszeit).

wirr [vɪr] 《<wirren》 *a.* 혼란스러운, 어수선한; 뒤엉킨, 착종된, 뒤죽박죽된; 정신 사나운: ein ~es Durcheinander 큰 혼란, 뒤범벅; ~e Haare 뒤엉킨 머리칼; er ist ganz ~ im Kopf 그는 머리가 매우 혼란스럽다; er redet in letzter Zeit viel ~es Zeug 그는 최근 들어

종잡을 수 없는 소리를 많이 한다.

Wirr·bund *n.* 〖農〗 짚북데기 단〔묶음〕.

Wirre [vírə] *f.* -n 혼란, 무질서; 분쟁, 소요 사태, 분규, 갈등: politische ~n 정치적 소요〔분쟁〕.

wirren [vírən] 《I》 *t.* 엉키게 하다, 어지럽히다; 혼란에 빠뜨리다, 분규를 일으키다: auseinander ~ 엉킨 것을 풀다, 분규를 해결하다. 《II》 *refl.* sich (ineinander) ~ 뒤엉키다, 혼란에 빠지다, 착종되다. 《III》 *i.* (h.) (어지럽게) 뒤섞여 움직이다: die Fackeln ~ durcheinander 횃불이 어지럽게 뒤섞여 움직이고 있다.

Wirr=garn *n.* 엉킨 실. **~haar** *n.* 뒤엉킨 머리(털), 텁수룩한 머리.

Wirrheit *f.* -en ↑ Wirrnis.

wirrig *a.* 〖고어〗 ① 엉클어진, 혼란스러운. ② 제정신이 아닌, 정신 착란의. ③ 변덕스러운.

Wirr·kopf *m.* ① 헝클어진 머리, 머리가 헝클어진 사람. ② 혼란스러운 머리; 줏대 없는 사람, 생각이나 말이 오락가락하는 사람.

Wirrnis [vírnɪs] *f.* -se 〖雅語〗 ① (사고·감정의) 혼란, 착종. ② 소동, 분규. ③ 뒤섞인 것, 엉클어진 것.

Wirrsal [vírza:l] *n.* -(e)s, -e 〔*f.* -e〕 〖雅語〗 혼란, 착종.

Wirr=seide *f.* 엉킨 명주실, (생사(生絲)의) 실북데기, 명주솜, 풀솜. **~stroh** *n.* 짚북데기, 깔개짚, 자리짚.

Wirrung [vírʊŋ] *f.* -en 〖시어〗 혼란, 착종; 분규, 갈등.

Wirr·warr [vírvar] *m.* -s 혼란, 혼잡, 뒤죽박죽.

wirsch [vɪrʃ] *a.* 〖고어〗 ① 사나운, 거친; 성난, 흥분한. ② (südwestd.) (날씨가) 나쁜, 열악한. ③ 정신 사나운; 제정신이 아닌.

Wirsing [vírzɪŋ] 《lat. -it.》 *m.* -s, -e 〖植〗 오그랑양배추.

Wirsing·kohl *m.* ↑ Wirsing.

wirst [vɪrst] ↑ werden 의 2인칭 단수 현재형.

***Wirt** [vɪrt] *m.* -(e)s, -e ① 세대주, 호주. ② 남편(Ehe∸): ~ und Wirtin 부부. ③ 집〔건물〕주인(Haus∸); 하숙집 주인. ④ (손님에 대한) 주인(의 역할): den ~ machen 주인 노릇하다, 접대하다; 〖속담〗 wie der ~, so die Gäste 그 주인에 그 손님, 초록(草綠)은 동색(同色)이다. ⑤ (여관·음식점의) 주인(Gast∸): 〖비유〗 die Rechnung ohne den ~ machen 상대방을 무시하다, 독단적으로 행동하다; beim ~ in die Kreide geraten 술집에 외상(값)이 늘다. ⑥ 〖動·植〗 (기생 동식물의) 숙주(宿主).

wirtbar *a.* 대우가 좋은, 후대하는; 쾌적한, 살기 좋은, 살 만한.

Wirtel [vírtəl] 《원뜻 „gewunden"; ☞ werden》 *m.* -s, - ① 〖工〗 (방추(紡錘)의) 플라이휠, 속도 조절 바퀴. ② 〖植〗 (같은 꼭지에 여러 장의 잎이 붙어 있는) 윤생(輪生). ③ 〖요리〗 (obd.) 휘젓는 막대. ④ 〖건축〗 둥근 기둥과 벽을 이어주는 고리 모양의 받침돌.

wirtel·förmig *a.* ↑ wirtelig.

wirtelig *a.* 〖植〗 윤생(輪生)의; 소용돌이꼴의.

wirten [vírtən] *i.* (h.) (schweiz.) 주인 노릇하다, 손님 접대를 하다.

***Wirtin** [vírtɪn] *f.* -nen ① 주부; 아내, 처. ② 여자 호주(戶主). ③ (손님을 접대하는) 안주인; (하숙·여관의) 여주인.

wirtlich [vírtlɪç] *a.* 〖구식〗 ① (sparsam) 알뜰한, 절약하는. ② 손님을 환대하는, 대접이 후한. ③ (집이) 편안한, 쾌적한.

Wirtlichkeit *f.* 〖구식〗 ① 후한 접대, 환대; (주거 환경의) 편안, 쾌적. ② 검약, 절약.

wirtlig *a.* ↑ wirtelig.

***Wirtschaft** [vírtʃaft] *f.* -en ① 살림살이, 가계(家計): die ~ besorgen〔führen〕 살림을 꾸리다, 일가를 거느리다; getrennte ~ führen (부부가) 살림을 따로 하다. ② 가정, 가족. ③ 경제, 경영, 관리: Markt∸ 시장 경제; Volks∸ 국민 경제; die staatlich gelenkte ~ 국가 주도형의 경제. ④ (südd.) (Gast∸) 여관〔접객〕업, 여인숙; 요식업. ⑤ (nordd.) (Land∸) (소규모의) 농장 경영, 농업; 농장. ⑥ 〖복수없음〗〖구어〗 야단법석, 소동, 소란: er macht immer so viel ~ 그는 늘 법석을 떤다; was ist denn das für eine ~! 대체 이 무슨 소동인가! ⑦ 〖복수없음〗〖구어·구식〗 노고, 수고, 성가신 일: das ist mir zuviel ~! 그건 나한테 너무 성가신 일이야!; das macht viel ~ 그 일은 매우 번거롭다.

***wirtschaften** [vírtʃaftən] 《I》 *i.* (h.) ① 살림하다: gut〔schlecht〕 ~ 살림을 잘〔잘못〕 하다; sparsam ~ 검약〔절약〕하다. ② 관리〔경영〕하다: mit Gewinn ~ 흑자 운영을 하다; in die eigene Tasche ~ 착복〔횡령〕하다; auf einem Gut ~ 농장을 경영〔관리〕하다. ③ 숙박업〔요식업〕을 하다, 접객업을 하다. ④ 아껴 쓰다, 절약하다: mit Vorräten ~ 비축 물품을 아껴 쓰다. ⑤ 일하다, 근무〔활동〕하다: sie wirtschaftet noch in der Küche 그녀는 아직 주방에서 일하고 있다. ⑥ 〖드물게〗 arg〔toll〕 ~ 야단법석하다, 행패부리다; 약탈하다. 《II》 *t.* zugrunde ~ 파산시키다, 망하게 하다.

Wirtschafter *m.* -s, - ① 살림꾼; 경영자; 관리인, 집사(執事), 지배인, 매니저. ② (öst., schweiz.) 경제학자. ③ 농장 관리인. ④ 〖드물게〗 구입자.

***Wirtschafterin** *f.* -nen 주부; 가정부; 여자 판매원.

Wirtschaftler *m.* -s, - ① (öst., schweiz.) 경제학자. ② 지배인, 매니저, 감독.

***wirtschaftlich** *a.* ① 살림살이에 관한, 가사상〔가계상〕의. ② 경제상의, 경영상의: die ~e Blüte 경제 번영; der ~e Aufschwung 경제 도약; 〖法〗 ~er Verein 영리 단체〔조합〕. ③ 재정적인, 금전상의: es geht ihm ~ nicht gut 그는 재정 형편이 좋지 않다. ④ 농사와 관련된. ⑤ 경제적인, 절약하는; 잘 꾸려 가는, 알뜰한, 견실한: eine ~e Hausfrau 알뜰한 주부; die Maßnahme hat sich als nicht ~ erwiesen 그 조처는 경제성이 없는 것으로 판명되었다.

Wirtschaftlichkeit *f.* ① 경제성, 효율성: die ~ einer neuen Anlage prüfen 새 설비의 경제성을 검토하다. ② 채산성, 수익성. ③ 알뜰함, 생활력; 절약, 검소.

Wirtschafts=abkommen *n.* (국가간의) 경제 협정. **~amt** *n.* 〖고어〗 경제국(局). **~aufschwung** *f.* 경제 도약. **~ausschuß** *m.* 〖經〗 (기업체의 노·사 협의회에 소속된) 경영 자문 위원회; (유럽 연합의) 경제 위원회.

~beamte* *der* 〖고어〗 영농(營農) 감독관. **~berater** *m.* 경제〔경영〕 자문가. **~betrieb** *m.* 살림; 농장 경영; 요식업〔숙박업〕 경영; 상업, 공업. **~beziehung** *f.* (국가간의) 경제적 관계. **~block** *m.* 〖經〗 경제 블럭. **~buch** *n.* 가계부. **~delikt** *n.* 경제 범죄. **~demokratie** *f.* 경제 민주주의. **~dünger** *m.* 〖農〗 자급〔자연〕 비료(인분 등). **~einheit** *f.* ① 경제 단위. ② 〖구동독〗 (여러 사업장이 모여 하나의 경영 단위를 이루는) 사업장 복합체. **~embargo** *n.* 경제〔통상〕 제재. **~flüchtling** *m.* 경제적 사유로 인한 망명〔도피〕자. **~gebäude** *n.* ① 농사(農舍). ② (공장·기업의) 관리실. **~geld** *n.* 가계비(費), 살림 비용. **~gemeinschaft** *f.* 경제 공동체: Europäische ~ 유럽 경제 공동체. **~geographie** *f.* 경제 지리(학). **~gerät** *n.* 세간, 가구. **~geschichte** *f.* 경제사(史). **~gipfel** *m.* 경제 대국 정상〔영수〕 회담. **~gymnasium** *n.* 〖학제〗 상업계 김나지움. **~hilfe** *f.* 경제 원조. **~hochschule** *f.* 상업 전문 대학. **~hof** *m.* ① 농가, 농장. ② (공단 등의) 관리 단지. **~ingenieur** [..ʒeniøːr] *m.* 경영 공학 기사. **~inspektor** *m.* ↑ ~beamte. **~jahr** *n.* 〖經〗 회계 연도. **~journalist** [..ʒur..] *m.* 경제 평론가; 경제부 기자. **~kammer** *f.* 경제 회의소. **~konferenz** *f.* 경제 회의. **~krieg** *m.* 경제 전쟁. **~kriminalität** *f.* 〖法〗 경제 범죄. **~krise** *f.* 경제 위기, 경제 공황. **~krisis** *f.* ↑ ~krise. **~kunst** *f.* 살림 재간; 경영 기술; 농장 경영법. **~lage** *f.* 경제 상태. **~leben** *n.* 경제 생활〔활동〕. **~lehre** *f.* 경제학. **~lenkung** *f.* 〖經〗 (정부에 의한) 경제 통제. **~minister** *m.* 경제 장관. **~ministerium** *n.* (행정부의) 경제 부처, 재경부. **~ordnung** *f.* 경제 법규. **~organisation** *f.* 경제 조직〔단체〕. **~philosophie** *f.* 경제 철학. **~plan** *m.* 경제 계획. **~politik** *f.* 경제 정책. **~politisch** *a.* 경제 정책의. **~presse** *f.* 경제 신문, 경제 전문지. **~prüfer** *m.* 공인 회계사. **~prüfung** *f.* 경영〔회계〕 감사. **~psychologie** [..psyço..] *f.* 경제 심리학. **~rat** *m.* 〖政〗 경제 자문 위원회. **~raum** *m.* ① (기업의) 관리실; 비품 창고. ② 경제권(圈). **~rechnung** *f.* 가계비의 계산. **~recht** *n.* 경제법. **~reform** *f.* 경제 개혁. **~sanktion** *f.* (특정 국가에 대한) 경제 제재(조치). **~spionage** *f.* 경제 첩보 활동. **~system** *n.* 경제 체제〔질서〕. **~teil** *m.* (신문의) 경제란. **~theorie** *f.* 경제 이론. **~verfassung** *f.* ① 헌법의 경제 관련 조항. ② (한 나라의) 경제 체제. **~verwalter** *m.* ↑ ~beamte. **~wachstum** *n.* 경제 성장. **~wissenschaft** *f.* 경제학. **~wissenschaftler** *m.* 경제학자. **~wissenschaftlich** *a.* 경제학의. **~wunder** *n.* 경제 기적. **~zweig** *m.* 개별 경제 분야.

Wirts≈frau [vírts..] *f.* 안주인; (여관 등의) 여주인. **~haus** *n.* 음식점, 술집; 〖드물게〗 여관. **~haus·leben** *n.* 여관〔하숙〕 생활. **~haus·tisch** *m.* ↑ ~tisch. **~junge*** *der* 음식점 종업원. **~leute** *pl.* 주인 부부. **~organismus** *m.* 〖生〗 숙주(宿主). **~pflanze** *f.* 〖植〗 (기생 식물의) 숙주(宿主). **~stube** *f.* (음식점·여관의) 객실, 휴게실. **~tafel** *f.* ↑ ~tisch. **~tisch** *m.* ① 음식점의 식탁. ② 정식(定食). **~tier** *n.* (기생 동물의) 숙주. **~volk** *n.* 자국민(족) (↔Gastvolk).

Wirz [vɪrts] *m.* -es, -e (schweiz.) 오그랑양배추(Wirsing).

Wisch [vɪʃ] 《원뜻 „Bündel"》 *m.* -es, -e ① (a) 비, 솔. (b) 걸레. ② 〖고어〗 (여관 간판 대용의) 짚으로 만든 비. ③ 〖고어〗 횃불; 도깨비불. ④ 〖경박·폄어〗 파지, 휴지; 버릴 서류〔인쇄물·편지〕. ⑤ (사냥꾼이 몸을 숨기는) 덤불가지. ⑥ 〖고어〗 다발, 묶음: Stroh≈ 짚단.

Wisch·arm *m.* ↑ Wischerarm.

***wischen** [víʃən] 《I》 *t.* ① 닦다, 씻다, (가볍게) 문지르다; 훔치다, 지우다: die Tränen aus den Augen ~ 눈물을 훔치다; sich³ den Schweiß von der Stirn ~ 이마의 땀을 닦아내다; sich³ die Augen ~ 눈을 씻다; sich³ den Mund ~ a) 입을닦다, b) 입맛만 다시다, 속수무책으로 멍하고 있다; er mag sich³ nur den Mund ~ 그가 원해도 소용없을 게다; 〖구어〗 jm. eine ~ 누구의 따귀를 때리다. ② 〖畫〗 (찰필(擦筆)로) 바림하다. 《II》 *i.* (s.) ① (실수로) 지우다, 스치다: mit dem Ärmel über Geschriebenes ~ 써놓은 글씨를 (실수로) 옷소매로 지우다. ② (자리에서) 몰래 빠져 나가다: unbemerkt war sie aus dem Zimmer gewischt 그녀는 몰래 방에서 빠져 나갔다. ③ 흔적없이 움직이다, 슬쩍 스쳐 지나가다: die Eidechse wischt durchs Gras 도마뱀이 풀 사이를 미끄러지듯 지나간다; vorbei ~ 휙 지나가다.

Wischer *m.* -s, - ① 닦는 사람. ② 〖畫〗 찰필. ③ 잉크 지우개; 펜촉 닦개. ④ (Scheiben≈) 와이퍼, 유리창 닦개. ⑤ 〖사냥〗 (총구 청소용) 꽂을대. ⑥ 〖방언〗 꾸중, 질책. ⑦ 〖구어〗 슬쩍 스친 상처, 가벼운 찰과상.

Wischer≈arm *m.* 와이퍼의 막대기 부분. **~blatt** *n.* (자동차의) 와이퍼 고무판. **~fest** *a.* 잘 지워지지 않는.

Wisch·gold *n.* 〖제련〗 금박(金箔).

wischig 《<Wisch》 *a.* (nordd.) 방심한; 우둔한.

Wischnu [víʃnu] 비슈누(힌두교 주신(主神)의 하나).

Wischiwaschi [vɪʃiváʃi] 《♧wischen waschen》 *n.* -s 〖구어·폄어〗 허튼소리, 요설: seine Antwort war reines ~ 그의 대답은 순전히 헛소리였다.

Wisch≈kolben *m.* 〖軍〗 (총구 청소용) 꽂을대에 달린 솔. **~lappen** *m.* 행주, 걸레. **~tuch** *n.* ↑ ~lappen. **~wasch** *m.* ↑ Wischiwaschi.

Wisent [víːzɛnt] *m.* -(e)s, -e 〖動〗 들소, 바이슨.

Wismut [vísmuːt] *n.* -(e)s 〖化〗 비스무트, 창연(蒼鉛) (기호: Bi).

Wismut≈butter *f.* 〖化〗 산염화(酸塩化) 비스무트. **~chlorid** *n.* 〖化〗 염화비스무트.

wismuten [vísmuːtən] 《I》 *t.* 〖工〗 비스무트로〔창연으로〕 땜질하다. 《II》 *a.* 비스무트로 만들어진.

Wismut≈erz *n.* 비스무트, 비스무트광(鑛). **≈haltig** *a.* 비스무트를 함유하는. **~malerei** *f.* (16-17세기의) 비스무트화(畫). **~ocker** *m.* 비스무트화(蒼鉛華). **~oxyd** *n.* 염화 비스무트. **~silber** *n.* 은비스무트광. **~weiß** *n.* 비스무트백.

Wispel [vɪ́spəl] *m.* -s, - 〖고어〗 비스펠(옛 곡량(穀量) 단위; 24 Scheffel).

wispeln [vɪ́spəln] 〖방언〗 ↑ wispern.

wispern [..pərn] 《I》 *i.* (h.) ① (바람이) 살랑거리다, (잎 등이) 바스락거리다: ~der Wind 실바람, 산들바람. ② 속삭이다, 소근거리다, 귓속말하다. 《II》 *t.* 속삭이다: jm. et. ins Ohr ~ 누구에게 무엇을 귀띔하다, 몰래 일러바치다.

wiss.. 新정서 ⇦ wiß...

wißbar [vɪ́sba:r] *a.* 알 수 있는, 알 만한.

Wiß≠begier *f.* ~begierde. **~begierde** *f.* 지식욕; 호기심. **~begierig** *a.* 지식욕이 넘치는; 호기심이 있는.

wissen [vɪ́sən] (wußte, gewußt) 〖서남부 지방에서는 er weiß 대신 weißt 가 쓰임〗 *t./i.* (h.) ① 알다, 알고 있다; 이해하다, 터득하고 있다: das weiß die ganze Welt 그것은 온 세상이 다 알고 있다; das weiß jedes Kind 그것은 삼척동자도 다 안다; ~ Sie noch? 아직도 기억하고 있습니까?; et. auswendig ~ 무엇을 외고 있다; weder 〔nicht (mehr)〕 aus noch ein ~ 빼도 박도 못하다, 어찌할 바를 모르다; sie weiß es nicht besser 그녀는 더 나은 방법을 모른다, 그렇게밖에 할 줄 모른다; er will alles immer besser ~ 그는 늘 무엇이든 다 아는 체한다; woher ~ Sie das? 그것을 어디서 들었습니까, 누구한테서 알아냈습니까?; Bescheid ~ 정확〔소상〕히 알고 있다; 〖구어〗 nicht, daß ich wüßte 나는 전혀 모르는 사실이다; 〖구어〗 bei dem weiß man nie 그 사람은 어떻게 나올지 알 수 없는 사람이다(조심해야 할 사람이라는 뜻). ② 〖4 격 이외에 3 격을 동반하여〗 jm. für et. Dank ~ 누구에게 무엇을 고마워하다; seiner Wut keine Grenzen ~ 분통이 터져 어쩔 줄 모르다; Mittel und Wege ~ 방법〔요령〕을 알고 있다; et.[3] 〔für et.〕 keinen Namen ~ 무엇을 이루 말로 형용하기 힘들다; sich[3] keinen Rat ~ 어찌할 바를 모르다; von et.[3] kein Sterbenswörtchen ~ 무엇을 까맣게 모르다. ③ 〖전치사와 함께〗 **an** allem etwas ~ 만사에 참견하다; etwas **auf**〔gegen〕 jn. ~ 누구에게 불리한 것을 알고 있다, 누구의 약점을 잡고 있다; **aus** Erfahrung ~ 경험으로 알다; aus guter〔sicherer〕 Quelle ~ 믿을 만한 소식통을 통하여 알다; aus js. eigenem Mund ~ 누구의 입을 통해 직접 들어 알다; sich[3] viel **mit** et.[3] 〔auf et.〕 ~ 무엇을 대단히 자랑하다; et. **über** et. 〔von et.[3]〕 ~ 무엇에 관하여 무엇을 알고 있다; **von** et.[3] 〔**um** et.〕 ~ 무엇을 알고 있다, …의 사정〔소식〕을 잘 알고 있다; ich weiß um sein Geheimnis 나는 그의 비밀을 안다; er weiß von keiner Sorge 그는 걱정이 뭔지 모른다; sie will von ihm nichts ~ 그 여자는 그에 대해서는 아무것도 알려고 들지 않는다, 그 남자 이야기라면 질색이다; davon will ich nichts ~! 나는 그런 이야기라면 딱 질색이야!; 〖구어〗 was weiß ich! 내가 알게 뭐람!; er weiß nicht mehr von sich selbst 그는 의식을 잃고〔실신하고〕 있다. ④ 〖삽입구로서〗 (**a**) soviel ich weiß 내가 알고 있는 한에서는; wie Sie ~ 아시다시피; es war, ~ Sie, sehr heiß 그날은 아시다시피 몹시 더웠습니다; dieser Tadel, wie du es weißt, grämt ihn sehr 너도 알겠지만 이번 질책으로 그가 몹시 괴로워하고 있다; 〖구어〗 wer weiß?, wer kann's ~?, das mag Gott ~, das ~ die Götter, das weiß die liebe Zeit, (das) weiß Gott 〔der Teufel, der Henker, der Kuckuck〕 누가 알리오? (아무도 모른다); wer weiß, ob wir uns wiedersehen 우리가 다시 만나게 될지 어찌 알겠는가; es ist, weiß Gott, mein Vater 그는 틀림없이 나의 아버지다. (**b**) 〖하나의 어휘처럼 굳어진 관용어법〗 wer weiß wie 몹시, 대단히; er ist wer weiß wie ängstlich 그는 몹시 불안해하고 있다; wer weiß wann 언젠가; wer weiß wo 어딘가(에서), 모처에서(irgendwo); er geht Gott weiß wohin 그는 모처로 간다(다소 비아냥거리는 어조임); er hat noch weiß Gott was erzählt 그는 또 무언가 이야기했다; wer weiß was a) 무엇이건, b) 무언가 특별한 것; du kannst ihm wer weiß was vorpredigen 그에겐 아무리 좋은 말을 해주어도 쇠귀에 경읽기다; er schrie, als ob ihm wer weiß was geschehen wäre 그는 사뭇 큰일이 나난 것처럼 소리쳤다; als wäre er wer weiß was 그〔자기〕가 마치 대단한 사람인 듯이; wer weiß wer (누구인지 알고 싶지도 않은) 누군가, 모씨(某氏); er hat wer weiß wen wieder mitgebracht 그가 누군가〔모씨〕를 다시 데려왔다. ⑤ 〖부문장과 함께〗 ich weiß, daß ich nichts weiß 나는 내가 아무것도 모른다는 사실을 안다; man will ~, daß er verrückt sei 사람들은 그가 미쳤다고들 우긴다; wenn ich nur wüßte, ob er kommt! 그가 올 것인지 여부를 알면 좋으련만!; ich weiß nicht recht, was ich tun soll 나는 어떻게 해야 좋을지 모르겠다; 〖구어〗 ich weiß, was ich weiß 나는 확신〔자신〕이 있다; ich weiß, wovon ich rede 나는 내가 하는 말에 자신이 있다; ich wüßte nicht, was ich lieber täte 나는 어찌 해야 좋을지 모르겠다; ich möchte nicht ~, wie teuer dieses Kleid war 이 옷값이 얼마였던지 알고 싶지도 않다; er weiß, was gut schmeckt 그는 무엇이 맛있는지 안다, 음식맛을 안다; es lockte mich ein Ich-weiß-nicht-was 나는 뭔지 모를 야릇한 기분에 이끌렸다; nicht ~, wie man bekehrt ist 어찌할 바를 모르다, 망연자실하다; 〖비유〗 er weiß, woher der Wind weht 그는 사정〔물정〕을 잘 알고 있다; man kann nicht ~, wohin es führt 어떤 결과가 초래될지 예측할 수 없다; 〖방언〗 ~, wo die Gäule daheim sind 모든 것을 잘 알고 있다, 빈틈없다, 사리에 밝다. ⑥ 〖부정법과 함께〗 (**a**) 〖zu 를 동반하는 부정법과 함께〗 …할 줄 알다: et. zu tun ~ 무슨 일을 할 줄 안다; zu leben ~ 세상 사는 법을 잘 알다, 예의범절을 잘 알다; sie weiß mit den Kindern umzugehen 그녀는 아이들을 잘 다룰 줄 안다; er weiß sich immer herauszureden 그는 늘 그럴듯한 핑계를 대서 발뺌하는 요령을 안다; er weiß zu reden 그는 말재간이 있다; 〖시어〗 sie wußte sich vor Freude nicht zu lassen 그녀는 기뻐서 어쩔 줄 몰라했다. (**b**) 〖4 격의 목적어 및 부정형과 함께〗 …라는 사실을 알다: wir ~ ihn dort wohnen 우리는 그가 거기에 살고 있다는 것을 안다. (**c**) 〖sein 동사가 생략된 용법〗 ich weiß ihn hier 나는 그가 여기에 (살고) 있다는 것을 안다; ich weiß ihn glücklich 〔in Sicherheit〕 나는 그가 행복〔안전〕하다는 것을 알고 있다.

⑦〔부정형으로서 다른 동사와 함께〕et. zu ~ bekommen 무엇을 알게〔깨닫게〕되다;〖官〗kund und zu ~ sei hiermit, daß ... …을 통지〔공지〕함; et. getan ~ wollen 무슨 일이 이루어지기를 바라다, …을 하여 주었으면 하다; jn.〔(고어) jm.〕et. ~ lassen 누구에게 무엇을 알려 주다;〖방언〗sich nichts ~ machen 아무것도 모르는 체하다, 시치미 떼다.

***Wissen** *n.* -s ① 앎; 알고 있음: meines〔unseres〕~s 내가〔우리가〕알기로는(약어: m.W., u.W.); das ~ um die Gefährlichkeit von et.³ 무엇의 위험성을 알고 있음; nach bestem ~ und Gewissen 추호도 거짓없이, 맹세코 진실되게; er hat es mit ~ seiner Eltern getan 그는 부모의 양해를 얻어 그 일을 하였다; mit ~ und Willen 알면서도, 고의로; ohne mein ~ 나도 모르는 사이에, 나 몰래; ich habe es wider besseres ~ getan 나는 잘못인 줄 알고도 그렇게 했다. ② 지식, 식견; 학식, 학문: oberflächliches〔tiefes〕~ 피상적인〔깊은〕지식;〖격언〗~ ist Macht 아는 것이 힘이다; mit seinem ~ ist es nicht weit her 그의 학식은 변변치 않다.

wissend *p.a.* ① (잘) 아는, 정통한, 밝은: mit einem ~en Lächeln 뭔가를 아는 듯한 미소를 지으며; von et.³〔um et.〕~ 무엇을 알고 있는, 무슨 일의 소식〔사정〕에 밝은. ②〔수동적으로〕알려진, 이미 아는, 주지의: soviel mir ~ ist 내가 아는 바로는.

Wissende* *der/die* 잘 아는 사람, 전문가, 소식통, 정통한 사람.

***Wissenschaft** [vísənʃaft] *f.* -en ① 학(學), 학문, 학술; 과학: Kunst und ~ 예술과 학문; ~ und Technik 과학과 기술; die politische ~ 정치학; die angewandte ~ 응용 과학; sich der ~ widmen 학문에 헌신하다; die ~ fördern 학문을 장려하다; sie ist in der ~ 그녀는 학문에 종사하고 있다;〔구어〕das ist eine ~ für sich 그것은 난해한〔까다로운〕문제다. ②〔고어〕앎, 지식; 학식; 박학, 조예: und woher will der Herr diese ~ haben? 그런데 그 양반은 어디서〔누구한테서〕이런 이야기를 들었다는 것이지?; ich habe keine ~ davon 나는 그것을 전혀 모른다.

Wissenschafter *m.* -s, -〔고어〕(öst., schweiz.) ↑ Wissenschaftler.

Wissenschaftler *m.* -s, - 학자; 과학자.

Wissenschaftlerin *f.* -nen ↑ Wissenschaftler 의 여성형.

***wissenschaftlich** *a.* 과학적인, 학술적인; 체계적인; 합리적인: ~e Untersuchung 과학적 탐구; ein ~er Vortrag 학술 강연; ~e Hilfskraft 연구 보조원; ~e Zeitschriften 학술 잡지들.

Wissenschaftlichkeit *f.* 과학성, 학문적 엄밀성, 학술적 가치.

Wissenschafts=begriff *m.* 학문〔학술·과학〕개념. **~betrieb** *m.* 학술 활동. **~drang** *m.* ↑ ~durst. **~durst** *m.* 지식욕. **~geschichte** *f.* 과학사(史). **≗gläubig** *a.*〔폄어〕학문〔과학〕을 신봉〔숭배〕하는. **~kritik** *f.* 과학 비판. **~lehre** *f.* 학문론. **~theorie** *f.* 학문〔과학〕이론, 학문 방법론. **~zweig** *m.* 학문〔과학〕의 분야.

Wissens=drang *m.* ↑ ~durst. **~durst** *m.* 지식욕: seinen ~ stillen〔befriedigen〕지식욕을 달래다〔충족시키다〕. **≗durstig** *a.* 지식욕이 넘치는. **~gebiet** *n.* 지식〔학문〕의 영역. **~lücke** *f.* (특정 분야에 관한) 지식의 부족. **~lust** *f.* ↑ ~drang. **~soziologie** *f.* 지식 사회학. **~stand** *m.* 지식〔연구〕수준: der Aufsatz ist auf dem neuesten ~ 그 논문은 최신의 연구 수준에 도달해 있다. **~stoff** *m.* 지식〔연구〕의 내용〔자료〕. **~trieb** *m.* ↑ ~durst. **~vorsprung** *m.* 지식의 우위. **≗-wert** *a.* 알아둘 가치가 있는, 배울 만한; 유익한; 주목할 만한, 중요한. **≗würdig** *a.* ↑ ≗wert. **~zweig** *m.* 지식의 분야.

wissentlich [vísəntlıç]《Ⅰ》*a.* 알고 있는, 의식하고 있는; 고의의.《Ⅱ》*adv.* 알면서, 고의로: er hat ~ eine falsche Aussage gemacht 그는 고의로 거짓 진술을 하였다.

Wisser *m.* -s, - 알고 있는 사람, 식자, 소식통.

..wisser *pref.* "…아는 사람·식자"의 뜻(보기: Halb~ 피상적으로만 아는 사람).

wist *int.*〔방언〕왼쪽으로(마부가 말 모는 소리) (↔ hott).

Wistarie [vıstá:riə] *f.* -n〖植〗나비꽃부리를 가진 콩과 식물(동아시아·북아메리카산(産); 미국 의사 C. Wistar 의 이름에서).

Wit·frau [vít..] *f.* -en (schweiz.)〔고어〕(Witwe) 과부, 미망인.

Witib [vítıp] *f.* -e (öst)〔고어〕↑ Witwe.

Wit·mann *m.*〔방언·고어〕↑ Witwer.

witschen [vítʃən]《♀ wischen》*i.* (s.)〔구어〕(md.) 몰래 빠져나가다: schnell witschte er durch die offene Tür 그는 열린 문을 통해 잽싸게 빠져 나갔다.

Wittelsbach [vítəlsbax] 비텔스바흐(바이에른의 성).

Wittelsbacher《Ⅰ》*a.* 비텔스바흐의.《Ⅱ》*m.* -s, -〖史〗비텔스바흐 왕족.

Wittenberg [vítənbɛrk] 비텐베르크(독일 엘베강변의 도시).

Wittenberge [vítənbɛrgə] 비텐베르게(독일 엘베강 하류의 도시).

Wittenberger《Ⅰ》*a.* 비텐베르크의; 비텐베르게의.《Ⅱ》*m.* -s, - 비텐베르크〔비텐베르게〕사람.

wittenbergisch *a.* 비텐베르크(풍)의; 비텐베르게(풍)의: die ≗e Nachtigall 비텐베르크의 나이팅게일(루터의 별명).

***wittern** [vítərn]《<Wetter²》《Ⅰ》*i.* (h.) ① *imp.* **(a)**〔드물게〕es wittert so und so 이러이러한 날씨다: so wird es wohl den ganzen Monat ~ 이런 날씨가 한 달 내내 계속될 것 같다. **(b)** es wittert 뇌우가 친다. **(c)** es wittert durchs Dach 지붕에서 비가 샌다. ②〖사냥〗냄새로 찾아내다: nach et.³ ~ 무엇을 냄새로 찾다; nach Atzung ~ 먹이를 냄새로 찾다; der Hirsch stand am Waldrand und witterte 사슴이 숲가에 서서 냄새를 맡았다.《Ⅱ》*i.* (h.)/*refl.* ①〔방언〕(sich) ~ 나타나다, 나오다: siehst du nicht Furcht in meinem Auge ~? 내 눈에 공포의 빛이 보이지 않느냐?; hier wittert's nach Hexen 여기는 어쩐지 마녀가 있을 성싶다. ② (sich) ~ 밖에서 즐기다: die Bienen ~ (sich) 벌이 (벌집) 밖에 나와 있다.《Ⅲ》*t.* ① 냄새 맡다, 냄새로 알아내다〔눈치채다〕: der Hund wittert einen Hasen〔einen fremden Menschen〕그 개는 토

끼를〔낯선 사람을〕 냄새로 알아낸다; das Wild hat den Jäger sofort gewittert 그 짐승은 즉시 사냥꾼의 냄새를 맡았다; die Hunde ~ sich 개들은 냄새로 서로를 알아본다. ② 간파〔감지〕하다: den Sturm ~ 폭풍을 예측하다; Gefahr ~ 위험을 감지하다; eine böse Absicht ~ 악의를 간파하다; Morgenluft ~ 먼동이 가까워짐을 느끼다, 〖비유〗 (사태의) 호전을 예감하다; Unrat ~ 이상〔불길〕한 낌새를 느끼다; er wittert überall nur Verrat 그는 도처에서 배반의 낌새만을 감지한다.

***Witterung** *f.* -en ① 날씨, 일기, 기상: eine milde〔angenehme〕 ~ 온화한〔쾌적한〕 날씨; veränderliche ~ 변덕스러운 날씨; bei günstiger ~ 날씨가 좋으면; bei jeder ~ 날씨가 어떻든; je nach ~ 날씨에 따라서; 〔雅語〕 den Unbilden der ~ ausgesetzt sein 궂은 날씨에 무방비 상태로 있다. ② 〖광산〗 갱내의 공기 상태. ③ 〖사냥〗 (**a**) 〔복수없음〕 후각, 코: eine scharfe ~ 예민한 후각. (**b**) (짐승의) 냄새: 〖비유〗 ~ von et.³ bekommen〔haben, aufnehmen〕 무엇을 냄새 맡다, 낌새 채다; der Hund hat die ~ verloren 개가 냄새를 놓쳤다. (**c**) 〖사냥〗 강한 냄새를 풍기는 미끼: Fuchs≈ 여우 포획용 미끼. ④ 직감, 감각, 예감: eine feine ~ für Gefahren 위험을 감지하는 섬세한 감각. ⑤ 〔복수없음〕 냄새맡기, 눈치채기.

witterungs≈bedingt *a.* 기상 조건으로 인한, 날씨의 영향을 받는: ~e Kopfschmerzen 날씨로 인해 생긴 두통; ~e Erscheinungen 기상 현상. **≈beobachter** *m.* 기상 관측자. **≈bericht** *m.* 기상 보도. **≈einfluß** *m.* 기상 영향: ich bin empfindlich gegen Witterungseinflüsse 나는 기상 영향에 민감하다. **≈einwirkung** *f.* ↑ ≈einfluß. **≈forscher** *m.* 기상학자. **≈kunde** *f.* 기상학. **≈kundige*** *der/die* 기상학자. **≈lehre** *f.* ↑ ≈kunde. **≈umschlag** *m.* 날씨의 돌변(특히 악화), 기상 이변: bei jedem ~ bekommt er Kopfschmerzen 날씨가 급변할 때마다 그는 두통을 앓는다. **≈verhältnisse** *pl.* 기상 상태; (넓은 의미의) 기온. **≈wechsel** *m.* 날씨의 변화.

Wittib [vítɪp] *f.* -e (öst.) 〖고어〗 ↑ Witwe.

Wittiber [vítibər] *m.* -s, - (öst.) 〖고어〗 ↑ Witwer.

Wittling [vítlɪŋ] *m.* -s, -e 〖動〗 유럽산(産) 대구의 일종.

Wittum [víttu:m] (⊕ widmen) *n.* -(e)s, ..tümer [..ty:mər] ① 주임 사제 성직록(聖職祿), 주임 사제관(司祭館). ② 〖중세〗 (과부가 받는) 생계비; 〖法〗 미망인 부조금. ③ 〖史〗 (고대 게르만 풍속에서) 결혼 전에 신랑이 신부 아버지에게 주는 금품.

***Witwe** [vítvə] *f.* -n ① 과부, 미망인, 홀어미(약어: Wwe.): Königin≈ 황태후; eine junge ~ 젊은 과부; 〖농담〗 grüne ~ (남편이 직장일로 바쁜) 생과부 신세의 여자. ② 〖動〗 (**a**) (아프리카 스텝 지대의) 천인조(天人鳥)의 일종. (**b**) Schwarze ~ 흑거미(미국에 서식하는 독거미). ③ 〖印〗 다음 면〔쪽〕까지 넘어가는 마지막 줄).

Witwen≈gehalt [vítvən..] *n./m.* ↑ ≈geld. **≈geld** *n.* (공무원의 미망인에게 지급되는) 미망인 부조금. **≈gut** *n.* 〖고어〗 과부 몫의 재산. **≈haube** *f.* 미망인의 상두건(喪頭巾). **≈jahr** *n.* 미망인의 1년 거상(居喪) 기간. **≈kasse** *f.* 미망인 부조 기금. **≈rente** *f.* 미망인 부조 연금.

Witwenschaft *f.* 과부의 신분: in ~ leben 과부로 살다.

Witwen≈schleier *m.* 미망인의 면사포〔상복〕. **≈sitz** *m.* 과부의 주거지, 과붓집. **≈stand** *m.* 과부의 처지〔신분〕. **≈trauer** *f.* 미망인의 상복. **≈tröster** *m.* 〖구어·농담〗 ① 과부와 사귀는 남자. ② 독한 고급 포도주.

Witwentum [vítvəntu:m] *n.* -s 과부 처지, 과부 생활.

Witwen·verbrennung *f.* 과부 순장(殉葬) (죽은 남편과 함께 미망인을 화장하던 인도의 옛 풍습).

***Witwer** [vítvər] *m.* -s, - 홀아비.

Witwerschaft *f.* 홀아비 신분, 홀아비 신세〔처지〕.

Witwer·stand *m.* 홀아비의 신분.

Witwertum *n.* -s 홀아비임, 홀아비 생활〔신세〕.

***Witz** [vɪts] 《원뜻 „Verstand"; ⊕ wissen》 *m.* -es, -e ① 〖구식〗 지혜: Aber≈ 난센스, 어처구니없는 말; Mutter≈ 타고난 재치; Vor≈ 참견, 주제넘음; mit ~ und Mut 지혜와 용기를 갖고; dazu reicht sein ~ nicht aus 그 일은 그의 지혜로는 감당할 수 없다; mit seinem ~ am Ende sein 어찌할 바를 모르다, 궁지에 몰려 있다. ② 기지, 위트, 재담, 익살: ~e〔einen ~〕 erzählen 재담을 하다; 〖구어〗 das ist ein alter ~〔ein ~ mit Bart〕 그것은 진부한 위트다; ein guter〔schlechter〕 ~ 기발한〔시시한〕 위트; 〖구어〗 ein dreckiger〔säuischer〕 ~ 음담패설; 〖구어〗 ~e reißen 익살부리다; ich kann keine ~e erzählen 나는 재치있는 이야기를 할 줄 모른다; er hat den ~ nicht verstanden 그는 그 위트를 이해하지 못했다; mit wenig ~ und viel Behagen 꾀부리지 않고 마음 편히; ~e〔einen ~〕 machen 익살부리다; er hat (viel) ~ 그는 기지가 풍부하다; seine Rede sprühte von Geist und ~ 그의 연설에는 재기가 번득였다; über jn.〔et.〕 ~e machen 누구〔무엇〕에 관하여 웃기는 말을 하다; mach keine ~e! 농담 집어치워라, 농담이겠지!; 〖구어〗 ist das nicht ein ~? 거 웃기는〔말도 안 되는〕 얘기 아냐?; 〖구어〗 soll das ein ~ sein? 그 말 진심이야? 설마 그럴 리 없겠지; 〖구어〗 dieses Kleid ist ja ein ~ 이 옷은 정말 우스꽝스럽게 보인다; 〖구어〗 diese Bestimmung ist wohl ein ~ 이 규정은 터무니없다; sich mit jm. einen ~〔Scherz〕 erlauben (실례를 무릅쓰고) 누구와 농담하다. ③ 〖학생〗 장난, 희롱. ④ 〖구어〗 관심사, 핵심, 요점: das ist der (ganze) ~! 그게 바로 핵심이야!; was ist der ~ dabei? 이 문제의 핵심이 무엇인가?

Witz·blatt *n.* 풍자 신문〔잡지〕. **≈blattfigur** *f.* 〖경박〗 풍자 신문〔잡지〕의 주인공 같은 인물, 뭇사람의 우스갯거리가 되는 사람.

Witzbold *m.* -(e)s, -e 〖구어〗 ① 익살꾼, 해학가; 시시한 익살꾼〔농담꾼〕, 장난꾸러기: welcher ~ hat denn meine Tasche versteckt? 어느 장난꾸러기가 내 가방을 숨겼는가? ② 바보, 멍청이: welcher ~ hat denn die Butter in die Sonne gestellt? 도대체 어

느 바보가 버터를 햇볕에 놔두었는가?

Witzelei [vɪtsəláɪ] 《<witzeln》 *f.* -en ① 익살, 장난, 농담. ② **(a)** 시시한 익살; 신소리. **(b)** 풍자, 야유, 빈정댐.

witzeln [vítsəln] 《Ⅰ》 *i.* (h.) 익살부리다; 조롱하다, 놀리다: über jn. ~ 누구를 놀리다. 《Ⅱ》 *t.* 빈정거리다: „…", witzelte er "…"라고 그는 빈정거렸다.

Witz⸗funken *m.* 번득이는 기지. **~figur** *f.* ① 우스갯거리의 주인공. ②〔구어·폄어〕별 볼 일 없는 인물.

***witzig** [vítsɪç] *a.* ① 기지〔재치〕 있는; 익살스러운: eine ~e Antwort 재치 있는 대답; ein ~er Einfall 묘안; et. ~ darstellen〔erzählen〕 무엇을 재치 있게 묘사〔이야기〕하다; das ist alles andere als ~ 그것은 전혀 우습지 않다; sehr ~〔반어〕참 재미있군. 재미있기도 하겠다. ②〔고어〕재기 있는, 똑똑한, 영리한. ③〔구어〕기묘한, 우스꽝스러운: das ist ja ~! 그것 참 웃기는군!; der sieht aber ~ aus 그 사람 정말 우습게 생겼네. ④〔구어〕기발한, 특이한: eine ~e Hose〔Frisur〕 특이한 바지〔머리 모양〕.

witzigen [vítsɪgən] *t.* 깨우쳐 주다, 교훈을 주다: das wird ihn ~ 그 일로 인해 그는 깨달음을 얻을 것이다; durch Schaden gewitzigt werden 손해를 봄으로써 교훈을 얻다.

Witzigkeit *f.* 재기 발랄; 익살, 해학.

Witzigung *f.* -en 지혜롭게〔영리하게〕 하기; (경험에 따른) 배움, 경고, 교훈.

Witz⸗jäger *m.* 자칭 익살꾼, 재치 있는 체하는 사람. **~kopf** *m.* ↑ Witzbold.

Witzler *m.* -s, - ↑ Witzbold.

Witzling [vítslɪŋ] *m.* -s, -e 〔구어〕 ↑ Witzbold.

witzlos *a.* ① 재치〔재미〕 없는; 시시한: eine ~e Darstellung 재미 없는 묘사. ②〔구어〕무의미한, 소용 없는; 성공 가능성이 없는: es ist ~, noch zu warten 더 기다린다는 것은 무의미하다.

witz⸗reich *a.* 기지가 풍부한, 재기 넘치는. **~reißer** *m.* 익살꾼. **~sprühend** *a.* 재치가 넘치는〔번득이는〕. **~wort** *n.* 재치 있는 말, 딱 들어맞는 풍자: jm. ein ~ zurufen 누구를 향해 딱 들어맞는 말〔재치있는 농담〕을 큰 소리로 외치다.

WK =Wiederholungskurs 복습〔재훈련〕 과정.

WKP 《russ.》 =Wsesojusnaja Kommunistitscheskaja Partia 소련 공산당(Kommunistische Partei der Sowjetunion).

w.L. =westlicher Länge 서경(西經).

Wladika [vladí:ka] 《sl. „Herr"》 *m.* -s, -s 몬테네그로족의 추장 또는 교회 장로.

Wladimir [vladí:mi:*r*, vlá:di..] *m.* 블라디미르(남자 이름).

Wladiwostok [vladivɔstɔ́k, ..vɔ́stɔk] 블라디보스토크(동시베리아의 항구 도시).

WM =Weltmeisterschaft 세계 선수권 대회.

WNW =Westnordwest(en) 서북서(풍).

***wo** [vo:] 《Ⅰ》 *adv.* ①〔의문 부사〕어디, 어디에: ~ ist er? 그는 어디에 있느냐?; ~ sind wir? 여기가 어디입니까?; ~ steht das (geschrieben)? 그것은 어디 (적혀) 있느냐?; Gott weiß ~ 어디선가; ich weiß nicht, ~ er ist 나는 그가 어디 있는지〔사는지〕 모른다;〔구식〕von ~ stammt er? 그는 어디 태생이냐?;〔구어〕~ gibt's denn so was! 어떻게 그런 일이 있을 수 있단 말인가!;〔구어〕~ denkst du hin! 무슨 엉뚱한 생각을 하는 거냐!;〔구어〕sie ist wer weiß ~ 그녀는 모처에 있다;〔구어〕~ kommst du her? 너 어디에서 왔느냐?;〔구어〕~ hast du das her? 너 그것을 어디에서 구했느냐?;〔구어〕~ gehst〔läufst〕 du hin? 너 어디로 가느냐〔달려가느냐〕? ②〔북독 방언에서는 wie 의 뜻〕~ werd' ich! 어찌 내가 그런 일을 할쏘냐!; ~ werd' ich so dumm sein? 어찌 내가 그렇게 멍청할 리 있나?; ~ werde ich denn zufrieden sein? 어찌 내가 만족할쏘냐? ③〔구어〕어디(에)선가(irgendwo): das Buch muß hier ~ liegen 그 책은 틀림없이 이 근처 어딘가에 있을 것이다; ~ anders 어디선가 다른 곳에서. ④〔관계 부사〕**(a)**〔공간적〕hier ist es, ~ ich wohne 여기가 내가 사는 곳이다; die Straße, ~ ich wohne 내가 살고 있는 거리; dort, ~ es am stillsten ist 가장 조용한 그곳에서; der Ort, von ~ ich kam 내가 떠나온 곳; ~ sie auch sein mögen 그들이 어디에 (살고) 있든간에; überall, ~ Menschen wohnen 사람이 사는 곳이라면 어디서든지. **(b)**〔시간적〕zu einer Zeit, ~ Sie abwesend waren 당신이 안 계셨을 때; im Juni, ~ die Rosen blühen 장미꽃이 피는 6월에. **(c)** (südd.)〔관계 대명사 대용〕das schlechteste Messer, ~ er hat 그가 가진 것 중 가장 나쁜 칼; das ist der Mann, ~ mir das Geld gegeben hat 이 사람이 내게 그 돈을 준 남자다. ⑤〔감탄적〕〔구어〕ach ~! 전혀 아니다, 그럴 리가 있나, 난센스다!: bist du jetzt beleidigt?—ach ~! 너 지금 감정이 상했느냐?—전혀! 《Ⅱ》 *cj.* ①〔조건적〕〔구식〕혹시 …일 경우에는, 만약 …하다면: ~ auch 〔immer〕 어디든간에; ~ nicht a) 만약 …이 아니라면, b) 그렇지 않다면; ~ ich nicht irre 내가 잘못 생각하는 게 아니라면; ~ nicht …, so doch …이〔은〕 아니라고 하더라도; du mußt das tun, ~ nicht, werde ich meine Konsequenzen ziehen 너는 그것을 해야만 한다. 그렇지 않으면 내가 뭔가 조치를 취할 것이다; um ihn zu erreichen, ~ nicht zu übertreffen 그를 능가하지는 못하더라도 따라잡기 위해서는; er möge kommen, ~ nicht, wenigstens schreiben 그가 왔으면 좋겠다, 아니면 적어도 편지만이라도; ich komme, ~ möglich 될 수만 있다면 오겠다(단: ~möglich kommt er heute 그는 어쩌면 오늘 올 것이다); ~ du das noch einmal sagst! 한번만 더 그런 말을 했다가는 봐라! (가만두지 않겠다) ②〔구어〕(weil) …이니까, …하므로: ich will dich gern unterstützen, ~ du mir auch so geholfen hast 너도 나를 그렇게 도와주었으니 기꺼이 너를 지원해 주겠다. ③〔양보〕(obwohl) …임에도 불구하고, …인데도: diese Arbeit verrichten drei, ~ einer genügt hätte 한 사람이면 족했을 텐데도, 세 사람이 이 일을 수행한다; wie soll sie heimgekommen sein, ~ sie doch erst gestern weggefahren ist 그녀가 어제서야 출발했는데 어떻게 (벌써) 집에 닿았겠느냐.

Wo *n.* 어디, 어느 곳, 장소: es kommt auf das ~ an 장소가 문제다; das ~ und Wann

장소와 때.

WO. =Wechselordnung 어음 규정.

w.o. =wie oben 앞에서 언급한 대로, 상동(上同).

wo.. *pref.* 전치사와 결합하여 의문·관계 부사 및 접속사를 만듦(보기: wobei, wodurch, wozu); 모음이 뒤에 올 때는 r가 첨가됨(보기: woran, worauf).

wo·anders [voǀándərs] *adv.* 어딘가 다른 곳에서, 다른 곳〔장소〕에: ich werde ihn ~ suchen 나는 그를 어디 다른 곳에서 찾을 것이다(단: wo anders als hier sollte ich ihn suchen? 이곳 말고 어디서 내가 그를 찾을 것이냐?); ich bin mit meinen Gedanken ganz ~ 내 마음은 완전히 딴 곳에 가 있다.

wo·anders·hin *adv.* 어딘가 다른 곳으로: leg das Buch bitte ~ 그 책을 어딘가 다른 곳으로 옮겨 놓아라.

wo·aus *adv.*〖다음 용법으로〗〖방언〗: er weiß nicht ~ und woein 그는 어찌할 바를 모르고 있다.

wob [vo:p] ↑ weben 의 과거형.

Wöbbelin 뵈벨린(독일 메클렌부르크주(州)의 지명).

wobbeln [vɔ́bəln] 《I》 *i.* (h.) 〖방송〗 주파수가〔파장이〕 불안정해지다〔흔들리다〕. 《II》 *t.* 주파수를 진동시키다.

Wobbel·spannung *f.* 주파수 가변 전압.

wöbe [vǿ:bə] ↑ weben 의 접속법 《II》식.

wo·bei [vobáɪ] *adv.* ①〖의문적〗 무슨 일로: ~ hast du ihn überrascht? 너는 무슨 일로 그를 깜짝 놀라게 했느냐?; ~ bist du gerade? 너는 방금 무슨 일을 하고 있었느냐? ②〖관계적〗 **(a)** 〖wo..가 관계 대명사 was에 상응〗 …할 때, …함에 있어서: ~ mir einfällt, daß … 나한테 …라는 생각이 떠오를 때; der Termin steht fest, ~ noch zu beachten ist, daß… 일정은 확정되어 있지만 여기서 아직 …은 유의해야 한다. **(b)** 〖wo..가 정관사형 관계 대명사에 준함〗 ein Geschäft, ~ ich zu Schaden komme 내게 손해가 되는 거래.

***Woche** [vɔ́xə] *f.* -n ① 주, 1주간: in einer ~ 1주일 후에; die Grüne ~ 녹색 주간(베를린에서 매년 개최되는 농림 박람회); kommende〔nächste〕 ~ 다음 주; vergangene〔vorige, letzte〕 ~ 지난 주; von ~ zu ~ 주마다; Mitte〔Anfang, Ende〕 der ~ 주중〔주초, 주말〕에; zweimal die〔in der〕 ~ 1주일에 두 번; die ganze ~ 일주일 내내; heute in〔über〕 zwei ~n 2주일 뒤의 오늘; 〖宗〗 heilige〔stille〕 ~ 〔Kar~〕 성(聖)〔수난〕 주간(부활절의 전주); die weiße ~ 내의류 할인 판매 주간. ② 평일, 근무일: in〔während, unter〕 der ~, die ~ über 평일에; in der ~ gehen wir nicht aus 우리는 평일에는 외출하지 않는다. ③ 주간 근무: ich habe die ~ 나는 주번이다. ④ 1주일치 급료, 주급. ⑤〖복수〗〖구어·구식〗 (Kindbett) 산욕(기): in den ~n sein〔liegen〕, die ~n halten 산욕으로 누워 있다; mit einem Sohn in die ~n kommen 아들을 낳다.

Wochen≈arbeits·zeit *f.* 주당 근로〔노동〕 시간: eine Kürzung der ~ 주당 근로 시간의 단축. **~ausgabe** *f.* 주간(週刊). **~ausweis** *m.* (발권 은행 등의) 주말 보고. **~bericht** *m.* 주간 보고. **~besuch** *m.* 산욕(産褥) 왕진, 산모 위문. **~bett** *n.* (Kindbett) 산욕: im ~ liegen 산욕으로 누워 있다; sie ist im ~ gestorben 그녀는 산욕 중에 죽었다; in das ~ kommen 산욕에 들다. **~bett·fieber** *n.*〖병리〗 산욕열. **~blatt** *n.* 주간 신문〔잡지〕. **~einnahme** *f.* 주당 수입. **~ende** *n.* 주말: (ein) schönes ~! 주말 잘 보내세요!; übers ~ 주말을 넘겨서, 주말이 지나도록; am ~ 주말에; sie hat seit Wochen kein freies ~ mehr gehabt 그녀는 몇 주일 전부터 주말 휴가가 없었다; ein langes〔verlängertes〕 ~ (공휴일·휴가 등으로) 길어진 주말.

Wochenend·ehe *f.* 주말 부부 생활: eine ~ führen 주말 부부 생활을 하다. **~haus** *n.* 주말 별장.

Wochen≈endler *m.* 주말 휴양 가는 사람, 주말 여행자. **~fieber** *n.*〖병리〗 산욕열. **~fürsorge** *f.* 출산 부조. **~geld** *n.* ① 주급, 주당 임금. ② ↑ ~hilfe. **~hilfe** *f.*〖구식〗 출산 수당. **~karte** *f.* 주간 정기 승차권〔입장권〕. **~kind** *n.* 신생아, 첫아기. **~kleid** *n.* 평상〔작업〕복. **≈lang** *a.* 수주간의, 몇 주 동안의: nach ~er Krankheit 몇 주일 동안 앓은 후. **~lohn** *m.* 주당 임금, 주급. **~löhner** *m.* 주급 노동자. **~markt** *m.* 매주 서는 장. **~pflegerin** *f.* 산후 조리 간호인. **~rechnung** *f.* 주간 계산(서). **~schau** *f.* 주간 뉴스. **~schluß** *m.* 주말 (휴가). **~schrift** *f.* 주간지, 주간 신문〔잡지〕. **~spiel·plan** *m.* 주간 공연 계획. **~spruch** *m.* 주훈(週訓), 주간 표어. **~stube** *f.* 산실(産室). **~stunde** *f.* 주당 강의〔수업〕 시간: ich gebe zur Zeit sechs ~n Deutsch 나는 현재 주당 6시간 독일어 수업을 한다. **~suppe** *f.* 산모용 수프. **~tag** *m.* (Werktag) 평일, 근무일. **≈täglich** 《I》 *a.* 평일의, 근무일의. 《II》 *adv.* ↑ ≈tags. **≈tags** *adv.* 평일에, 근무일에: ~ muß ich um 6 Uhr aufstehen 평일에 나는 6시에 일어나야 한다.

wöchentlich [vœ́çəntlɪç] 《I》 *a.* 매주의, 1주일마다의: eine ~e Bezahlung 주당 지급. 《II》 *adv.* 매주에, 한 주일마다: sich ~ einmal treffen 매주 한 번 서로 만나다.

..wöchentlich *suf.* "…주마다(의), …주의"의 뜻(보기: letzt~ 지난 주의; drei~ 3주마다(의)).

Wochen≈übersicht *f.* 매주 일람(一覽): 〖요리·농담〗 gedrängte ~ 주말마다 남은 육류를 모아 만드는 파이 또는 스튜. **≈weise** *adv.* 주(週) 단위로, 매주: ~ abrechnen 주(週) 단위로 결산하다. **~zeit** *f.* 산욕기. **~zeitung** *f.* 주간지, 주간 신문. **~zettel** *m.* 주보(週報); 매주 행사표; 〖연극·영화〗 주간 상영표〔공연표〕.

..wochig, ..wöchig *suf.* "…주(간)의"의 뜻(보기: letzt~ 지난 주의; drei~ 3주간의).

Wöchner [vœ́çnər] *m.* -s, - 〖구식〗 주간 근무자, 주번(週番).

Wöchnerin *f.* -nen 산모.

Wöchnerinnen·heim *n.* (가난한) 임산부 보호 시설.

Wocken [vɔ́kən] *m.* -s, - (nordd.) 실패, 실감개.

Wodan [vó:dan] *m.* -s〖신화〗 보단(고대 독일 신화의 최고 신).

Wodka [vɔ́tka] 《russ.》 *m.* -s, -(s) 러시아 화

주(火酒), 보드카.

Wodki [vɔ́tki:] *m.* -s, -s ↑ Wodka.

wo·doch *adv.* 그럼에도 불구하고(trotzdem).

Wodu *m.* - (서부 아프리카의) 부두교(教).

wo·durch [vodʊ́rç] *adv.* ①〖의문 부사〗 무엇을 통하여; 무엇에 의하여; 어떤 수단〔방법〕으로: ~ ist er eigentlich so scheu geworden? 도대체 무엇 때문에 그가 그렇게 의기소침해졌는가? ②〖관계 부사〗 …을 통하여; …로 인하여, …때문에: er hatte sich Verdienste erworben, ~ er geehrt wurde 그는 공을 세워서 존경을 받았다; der Unfall, ~ er gelähmt wurde 그의 신체 마비를 초래한 사고.

wo·ein *adv.* 〖방언〗 ↑ woaus.

wo·fern [vofɛ́rn] *cj.* 〖구식〗 (sofern) …하는 경우에, …하는 한: er will mir Nachricht geben, ~ er nicht selbst kommen kann 그가 직접 오지 못하게 될 경우에는 미리 알려주겠다.

wofür [vofý:r] *adv.* ①〖의문 부사〗 무엇을 위하여; 무슨 목적으로: ~ willst du das haben? 무엇 때문에 그것을 가지려고 하느냐?; ~ ist das gut? 그것은 무엇에 소용되느냐? ②〖관계 부사〗 …때문에, …을 위하여: etwas, ~ ich kein Geld ausgebe 내가 돈 한푼 내고 싶지 않은 것; er hat mir viel geholfen, ~ ich ihm sehr dankbar bin 그는 나를 많이 도와 주었으며, 그 점에 대해 나는 그에게 매우 감사한다.

wog [vo:k] ↑ wägen, wiegen 의 과거형.

***Woge** [vó:gə] 《⊕ bewegen》 *f.* -n 〖雅語〗 큰 파도; 〖비유〗 (감정의) 고조: die ~n gingen mannshoch 사람 키만한 파도가 일었다; die ~n schlugen über das Boot 큰 파도가 보트를 덮쳤다; 〖비유〗 die ~n der Begeisterung 〔Empörung〕 열광〔격노〕의 물결; die ~n der öffentlichen Erregung gingen hoch 사회적으로 흥분의 물결은 드높아갔다.

wöge[1] [vǿ:gə] ↑ wägen 의 접속법 Ⅱ식.

wöge[2] ↑ wiegen[2] 의 접속법 Ⅱ식.

wo·gegen [vogé:gən] 《Ⅰ》 *adv.* ①〖의문적〗 무엇에 맞서, 무엇에 반대하여(대항하여): ~ kämpfst du? 너는 무엇에 맞서 싸우느냐?; ~ hilft dieses Mittel? 이 약은 무엇에 잘 듣는가? ②〖관계적〗 (**a**) …에 반(대)하여: er schlug vor, mit dem Wagen zu fahren, ~ ich nichts einzuwenden hatte 그는 자동차를 타고 가자고 했는데, 나는 거기에 반대할 이유가 전혀 없었다. (**b**) …의 대가로: sie gab mir das Buch, ~ ich ihr die Schallplatte überließ 그녀는 내게 그 책을 주었고, 그 대가로 나는 그녀에게 음반을 제공했다. 《Ⅱ》 *cj.* 그 반대로, 그 반면에: ich bin nach Hause gefahren, ~ meine Freundin noch auf der Party geblieben ist 내가 집으로 간 반면 내 여자 친구는 아직도 파티에 남아 있었다.

***wogen** [vó:gən] 《<Woge》 *i.* 〖雅語〗 ① (h.) (**a**) 큰 파도가 치다, 물결치다: das ~de Meer 파도치는 바다; das Meer wogt mächtig 바다가 거세게 물결치고 있다. (**b**) 넘실대다, 일렁이다, 물결치다: mit ~der Brust 두근거리는 가슴으로; ihr Busen wogte 그 여자의 젖가슴이 출렁거렸다; die Ähren〔Felder〕 ~ im Wind 이삭〔들판〕이 바람에 일렁인다; der Kampf wogt 싸움이 한창이다; der Platz wogt von Menschen 광장은 인파로 넘실댄다; das ~de Gedränge der Menschen 밀물같이 밀려드는 군중. ② (s.) 물결치고 나가다, 인파를 이루다.

Wogen≈berg *m.* 〖雅語〗 물마루. **~fahrt** *f.* 항해. **~gefilde** *n.* (이삭 등이) 물결치는 밭. **~getöse** *n.* 요란한 파도 소리. **~prall** *m.* (부딪쳐) 되밀리는 물결. **~schlag** *m.* 〖雅語〗 밀려드는 물결〔파도〕. **≈weise** *adv.* 큰 물결을 이루어, 파도처럼, 파상으로.

wogenhaft *a.* 파도치는, 출렁대는; 파상의.

wogig *a.* ↑ wogenhaft.

***wo·her** [vohé:r] *adv.* ①〖의문 부사〗 (**a**) 어디서, 어디로부터: ~ stammt er 〔wo stammt er her〕? 그는 어느 나라〔고장〕 출신이냐?; ~ kommen Sie? a) 어디서 왔습니까?, b) 고향은 어디입니까?; 〖구식〗 ~ des Wegs? 어디서 오셨습니까?; 〖雅語〗 jn. nach dem ≈ und Wohin fragen 누구에게 지나온 행적과 앞날의 계획에 대해 묻다. (**b**) 어떤 출처〔근거〕에서: ~ weißt du das? 너는 어디서 그것을 알게 되었느냐?; ~ kommt es? 왜 그렇게 되었느냐, 그 원인은 무엇이냐? ②〖관계 부사〗 …로부터: er geht wieder hin, ~ er gekommen ist 〔wo er hergekommen ist〕 그는 떠나온 곳으로 되돌아간다; das ist das Geschäft, ~ die Lampe stammt 저기가 램프를 산 그 가게다. ③〖감탄 부사〗〖구어〗 ~ denn 〔ach ~〕! 그럴 리가, 말도 안 돼!

wo·herum [vohɛrʊ́m] *adv.* ①〖의문 부사〗 어디를 돌아서; 어느 길을 지나서: ~ muß man gehen, um zum Bahnhof zu kommen? 기차역으로 가려면 어디를 돌아가야 합니까? ②〖관계 부사〗 …를 돌아서. ③ 어딘가 근처에서.

***wohin** [vohɪ́n] *adv.* ①〖의문 부사〗 (**a**) 어디로: ~ geht er 〔wo geht er hin〕? 그는 어디로 가는 거냐?; 〖구식〗 ~ des Wegs? 어디로 가십니까? (**b**) 어디에: ~ hast du den Schlüssel gelegt? 열쇠를 어디에 놓아 두었느냐?; 〖구어〗 ich weiß nicht, ~ damit 나는 그것을 어디에 두어야 할지 모르겠다; 〖구어〗 ich muß noch ~ 나는 아직 장을 봐야만 한다; 〖구어·은어〗 ich muß mal ~ 나는 화장실에 가야만 한다. ②〖관계 부사〗 …쪽으로: der Ort, ~ ich ziehe 〔wo ich hinziehe〕 내가 이사가는 곳; du kannst gehen, ~ du willst 너는 원하는 곳으로 가도 좋다. ③ 어디론지(irgend~): ~ gehen a) 어디론지 가다, b) 〖구어〗 화장실에 가다.

wo·hinauf *adv.* ①〖의문 부사〗 어디로, 어느 곳으로: ~ führt die Straße? 이 길을 올라가면 어디로 통하는가? ②〖관계 부사〗 …쪽으로: das Kloster, ~ sie gewandert waren 그들이 소풍삼아 올라갔었던 그 수도원.

wo·hinaus *adv.* ①〖의문 부사〗 어느 쪽으로: ~ geht der Weg? 이 길을 가면 어디로 나가게 되어 있는가?; 〖간접 의문〗 ich weiß nicht, ~ du willst 〔wo du hinauswillst〕 나는 네가 궁극적으로 무엇을 원하는지 모른다; niemand hatte gesehen, ~ er geritten war 아무도 그가 어느 방향으로 말을 타고 갔는지 보지 못했다; wo soll das hinaus (führen)? 그 일은 어떻게 될까? ②〖관계 부사〗 …쪽으로.

wo·hinein *adv.* ①〖의문 부사〗 어느 곳 안으로: ~ ist sie gegangen? 그녀는 어디로 들어갔는가? ②〖관계 부사〗 …안으로: das ist das Haus, ~ er gegangen ist 저것이 그가 들

어간 집이다.

wo·hingegen *cj.* …인 반면에, …와 달리: er ist sehr hilfsbereit, ~ seine Frau sich oft recht abweisend verhält 그가 기꺼이 남을 돕는 반면, 그의 아내는 종종 아주 쌀쌀맞은 태도를 취한다.

wo·hinter [vohíntər] *adv.* ①〔의문 부사〕무엇 뒤에〔뒤로〕. ②〔관계 부사〕그(것) 뒤에〔뒤로〕.

wo·hinunter *adv.* ①〔의문 부사〕아래쪽 어디로: ~ führt der Weg? 이 길로 내려가면 어디로 나가는가? ②〔관계 부사〕…아래로: das Tal, ~ er gewandert war 그가 걸어 내려갔었던 계곡.

***wohl** [vo:l] 《Ⅰ》(besser, am besten) *adv.* ① (**a**) 잘, 편안하게, 건강하게: ist dir nicht ~? 컨디션이 안 좋으냐?; schlafe ~! 잘 자거라!; laß es dir ~ ergehen! 잘 지내라!; ich wünsche, ~ geruht〔gespeist〕zu haben 잘 쉬셨기를〔식사하셨기를〕 바랍니다; möge es dir ~ geraten! 성공을 빕니다!; ~ bekomm's (Ihnen)! a) (건배할 때) 많이 드십시오!, b)〔반어〕무슨 소용 있어!; leben Sie ~! 안녕히 가십시오〔계십시오〕!; jm. ~ tun 누구에게 친절을 다하다; ~ oder übel, er mußte folgen 좋든 싫든 그는 따라야 했다. (**b**)〔雅語〕세심하게, 충분히, 제대로: ich erinnere mich ~ daran, was du gesagt hast 나는 네가 말한 것을 정확하게 기억하고 있다; ich habe es ~ bedacht 나는 그것을 충분히 생각했다; es schmeckt ~ 그것(은) 참 맛좋다; ~ berechnet 충분히〔빈틈없이〕 계산된. (**c**)〔雅語〕대단히 잘, 원하는 대로: es kam ihm ~ zustatten 그것은 그에게 대단히 유익했다; mir gefällt der Kerl ausnehmend ~ 저 녀석이 특별히 내 마음에 든다. (**d**)〔雅語〕올바르게, 영리하게, 잘: du tätest ~ daran, das Angebot anzunehmen 네가 그 제안을 받아들이는 것이 잘하는 일일 것이다; ein bißchen Anstand würde ihm ~ anstehen 어느 정도 예의 범절을 지키는 것이 그에게 잘 어울릴 것이다. ②〔비교변화 없음〕(**a**)〔구식·雅語〕~ dem, der barmherzig ist 은혜를 베푸는 자에게 복이 있을지니(시편 112: 5); ~ dem Volk, das in Frieden lebt 평화롭게 살아가는 민족은 복되도다. (**b**)〔동의·긍정의 뜻〕~! 좋다, 알았다!; nun ~, tun Sie es! 좋습니다, 그렇게 하십시오!;〔구식〕sehr ~! 예 알겠습니다!; bringen Sie mir bitte ein Bier! — sehr ~, die Dame! 맥주 한 잔 가져다 주세요! — 예 알겠습니다, 사모님!; ja ~! 그렇고 말고, 물론이지!; ach ~ (〔방언〕awol) 원 천만의 말씀을. (**c**)〔권유·재촉의 뜻〕überlege ~, was du gesagt hast 네가 한 말을 잘 생각해 봐라; willst du ~ machen, daß du fortkommst? 너 그만 가주지 않겠니?〔구식〕~ denn 자 그럼; ~ denn, laßt uns gehen 자 그럼 갑시다. (**d**)〔강조〕실로, 참으로: der ist ~ dumm 그는 참으로 어리석다; ~ war es eine lange, kalte Nacht 참으로 길고도 추운 밤이었다. (**e**)〔특별한 의미 없이〕es zogen drei Burschen ~ über den Rhein 젊은이 세 사람이 라인강을 건넜다. (**f**)〔관찰·숙고의 결과를 나타내는 문장에서〕잘, 명백히, 확실히: ich sehe ~, daß meine Bemühungen vergebens sind 나는 내 노력이 헛되다는 것을 잘 안다; siehst du ~, daß ich recht habe? 내가 옳다는 것을 너는 잘 알겠지?; ich bin mir dessen ~ bewußt 나는 그것을 잘 의식하고 있다. (**g**)〔aber, allein, doch 등을 동반하여〕물론 (…이긴 하지만): die Botschaft hör' ich ~, allein mir fehlt der Glaube 복음(福音)을 알리는 합창이 들려오긴 하지만, 내게는 믿음이 없다(괴테의 "파우스트" 1부에서); er ist ~ ein geschickter Mann, doch traue ich ihm nicht 그는 물론 영리한 사람이긴 하지만 나는 그를 신용하지 않는다;〔ob 또는 wie와 함께〕ob er ~ krank ist 그가 앓고 있기는 하지만. (**h**)〔so와 함께〕er so ~ wie sein Bruder 그도 그의 형〔동생〕도. (**i**)〔단정적 추측〕틀림없이: du hast ihn ~ begleitet? 너는 필시 그와 동행했을 테지?; du bist ~ recht böse? 너는 틀림없이 화내고 있겠지? (**j**)〔막연한 추측〕아마, 혹시, 보아하니: wer ist ~ der schlanke Bursche? 저 말라빠진 젊은이는 대체 누굴까?; kommt er ~ heute noch? 그가 혹시 오늘 안으로 올까?; er wird es ~ tun 그는 아마 그렇게 하겠지요; das ist ~ nicht wahr 그것이 설마 사실은 아니겠지요; das kann ~ sein〔das ist ~ möglich〕아마도 그럴 것이다; er mag ~ manchmal den Mut verloren haben 그도 어쩌면 간혹 낙심하기도 했을 것이다;〔구어〕ich habe ~ nicht recht gehört? 내가 아마 잘못 들은 거겠지?;〔부정적 진술의 완화〕〔구어〕du spinnst ~! 너 머리가 돈 모양이구나!; bei dir piept's ~ 너 머리가 좀 이상한가 보군;〔짜증 섞인 반문〕〔구어〕was tust du da? — was ~ 너 거기서 뭘 하니? — 뭘하긴 뭘해. (**k**) (ungefähr) 대략, 약: es sind ~ drei Jahre, daß ... … 이래 약 3년이 지났다; es waren ihrer ~ 20 그들은 약 20명 가량이었다. (**l**)〔부정의 표현 다음에 aber와 함께〕그렇지만: hier gibt es keine Ratten, ~ aber Mäuse 여기에 쥐는 없지만, 생쥐는 있다; in der Stadt wohne ich nicht gern, ~ aber auf dem Land 나는 도시에서 살고 싶지는 않지만, 시골에서 살기는 좋아한다. (**m**)〔부정 형태로 묻는 질문에 대한 반박으로〕〔구어〕천만에: du willst mir doch nicht sagen, du hättest ihn gestern gesehen? — ~! 네가 어제 그를 보았다고 내게 말하려는 것은 아니겠지? — 천만에! 《Ⅱ》(wohler/besser, wohlst/best) *a.* ① 편안한, 건강한, 별고 없는: mir ist heute ganz ~ 나는 오늘 컨디션이 참 좋다; er ist〔befindet sich〕~ 그는 건강하다; er fühlt sich〔ihm ist〕nicht ~ 그는 건강〔컨디션〕이 좋지 않다; die Kur wird ihn wieder ~ machen 요양하면 그의 건강은 회복될 것이다; wieder ~ werden 쾌유되다; nach der Tablette ist mir jetzt viel ~er 그 알약을 먹고 난 지금 나는 컨디션이 훨씬 더 좋다;〔부가적〕das ~e Aussehen 건강한 안색. ② 기분 좋은, 쾌적한: das tut mir ~ 그것은 내 마음에 든다; mir ist am ~sten, wenn ... 나는 …할 때가 가장 기분 좋다; es sich³ ~ sein lassen 즐기다, 즐거운 시간을 보내다;〔구어〕mir war recht ~ 나는 무척 흡족〔행복〕했다; ich fühle mich in seiner Gegenwart nicht sehr ~ 나는 그 사람과 함께 있으면 그다지 유쾌하지 않다.

***Wohl** [vo:l] *n.* -(e)s ① 행복, 복지, 안녕: Staats∼ 국가의 안녕; das ~ meiner Familie 내 가정의 행복; das allgemeine 〔öffentliche〕 ~ 공익; das ~ und Weh 화복(禍福), 행과 불행; für js. ~ sorgen 누구를 잘 보살펴 주다; zum ~ der Menschheit 인류의 행복을 위해; er sorgt für das leibliche ~ der Gäste 그는 손님들에게 대접할 음식에 신경을 쓴다. ② 이익, 이득: du bist nur um dein eigenes ~ besorgt 너는 너 자신의 이익에만 신경 쓰고 있다. ③ 건강: (auf) Ihr ~! (건배할 때) 당신의 건강을 위하여!; auf js. ~ trinken 누구의 건강을 위하여 건배하다; zum ~! 건강을 위하여! (건배할 때)

wohl≈achtbar *a.* 〔고어〕 존경하옵는. **~an** [vo(:)lán, vo:l|án] 〔구식·雅語〕 (Ⅰ) *adv.* ① 자 그럼, 자 어서: ~, so wollen wir's versuchen 자, 그럼 어디 한번 시도해 볼까. ② 활발하게, 씩씩하게, 힘차게. (Ⅱ) *int.* ~ (es sei) denn! 됐다, 좋다! **~angebracht** *a.* 적당한, 알맞은, 시의 적절한. **~anständig** *a.* 〔구식·雅語〕 예의 바른, (인품이) 반듯한: ein ~er Mensch 예의 바른 사람. **~anständigkeit** *f.* 〔구식·雅語〕 예의 바름. **~auf** [vo:l|áuf, vo(:)láuf] *adv.* ① 무사〔건강〕히: er ist ~ 그는 건강하다. ② (~an) 자, 어서: ~, laßt uns gehen! 자, 가자! **~ausgewogen** *a.* 〔雅語〕 잘 균형잡힌〔조화된〕: ein ~es Verhältnis 잘 조화된 관계. **~bedacht** *a.* 〔雅語〕 심사숙고한, 신중한: nach einem ~en Plan 신중한 계획에 따라. **~bedacht** *m.* 심사숙고, 신중함: 〔雅語·드물게〕 mit ~ 숙고하여, 신중히. **~bedächtig** *a.* ↑ ~bedacht. **~befinden** *n.* 안녕〔평안〕함: um js. ~ besorgt sein 누구의 건강을 염려하다; sich nach js. ~ erkundigen 누구의 안부를 묻다. **~befugt** *a.* 충분한 자격〔권한〕이 있는. **~begabt** *a.* 타고난 재능이 있는, 천분을 타고난. **~begründet** *a.* 〔雅語〕 확실한 근거〔이유〕가 있는: ein ~er Vorschlag 근거가 확실한 제안. **~begütert** *a.* 풍족〔부유〕한. **~behagen** *n.* 쾌감, 유쾌, 만족: mit ~ 기분 좋게, 유쾌하게; sich voller ~ im Sessel ausstrecken 아주 쾌적한 기분으로 안락 의자에서 몸을 뻗다. **~behalten** *a.* ① 건강한, 무사한: wir sind ~ zu Hause angekommen 우리는 무사히 집에 도착했다. ② 손상되지 않은, 잘 보존된: das Paket ist ~ angekommen 소포가 훼손되지 않고 도착했다. **~behütet** *a.* 잘 보호된: eine ~e Tochter 곱게 키운 딸. **~bekannt** (besserbekannt, bestbekannt) *a.* 잘 알려진: ein ~er Mann 유명한 사람; er ist mir ~ 그는 내가 익히 아는 사람이다. **~beleibt** *a.* 〔雅語〕 살찐, 뚱뚱한. **~belesen** *n.* 많이 읽은, 박식한. **~beraten** *a.* 〔雅語〕 조언을 잘 받은, 현명한: du bist ~, wenn du das nicht tust 너는 그것을 하지 않는 게 현명하다. **~berechnet** *a.* 잘 계산된, 충분히 검토된. **~beredt** *a.* 달변의, 말 잘하는. **~beschaffen** *a.* 상태가 양호한. **~bestallt** *a.* 〔구식·雅語〕 훌륭한〔높은〕 지위에 있는, 많은 수당을 받는: er ist ~er Lehrer an einem Gymnasium 그는 괜찮은 보수를 받는 김나지움 선생이다. **~bestellt** *a.* 잘〔충분히〕 갖춰진. **~betagt** *a.* 나이 많은, 연로한, 고령의. **~bewandert** *a.* 능숙한, 정통한. **~bewußt** *a.* 잘 알고 있는. **~durchdacht** *a.* 숙고한, 충분히 생각한: nach einem ~en Plan 심사 숙고한 계획에 따라. **~ehrwürden** *pl.* ~ (고위 성직자에 대한 경칭으로) 예하(猊下), 사(師). **~ehrwürdig** *a.* 〔고어〕 존경하옵는. **~erfahren** *a.* 경험이 많은, 노련한: er ist in vielen Dingen ~ 그는 많은 일에 있어서 노련하다. **~ergehen** *n.* 무사, 건강; 안녕, 행복: um js. ~ besorgt sein 누구의 건강을 염려하고 있다. **~erhalten** *a.* 잘 보존된, 무사한: ein ~er Rokokotisch 잘 보존된 로코코풍 책상〔탁자〕. **~erwogen** *a.* 심사숙고한: ein ~er Plan 심사숙고한 계획. **~erworben** *a.* 〔雅語〕 정당하게 얻은〔취득한〕: ein ~es Recht auf et. besitzen 무엇에 대한 정당한 권리를 가지고 있다; 〔法〕 ~es Recht 기득권. **~erzogen** *a.* 〔雅語〕 잘 배운, 행실이 바른: ein ~es Kind 행실이 바른 아이. **~erzogenheit** *f.* 〔雅語〕 행실 바름. *~**fahrt** *f.* ① 〔雅語〕 (시민·국민의) 행복, 안녕, 복지. ② 〔구식〕 공공 복지〔구호〕 사업: in die ~ kommen 구제〔사회 보호〕를 받다; sie lebt von der ~ 그녀는 생활 보호 기금을 받아서 산다. ③ 〔구식〕 후생〔복지〕 사업국(局): zur ~ gehen 후생 사업국에 가다; von der ~ unterstützt werden 후생 사업국의 지원을 받다.

Wohlfahrts≈amt *n.* ↑ Wohlfahrt ③. **~ausschuß** *m.* 〔史〕 공안 위원회(1793-95년 로베스피에르의 주도로 설치된 프랑스 국민 공회의 최고 집행 기관). **~einrichtungen** *pl.* 복지〔후생〕 시설. **~empfänger** *m.* 〔고어〕 사회 복지 보조금 수혜자. **~marke** *f.* 자선 우표. **~pflege** *f.* 〔구식〕 복지〔후생〕 사업. **~staat** *m.* 복지 국가.

wohl≈feil *a.* 〔구식〕 ① 값싼, 저렴한: eine ~e Ausgabe (eines Buches) (책의) 보급판. ② 쉬운, 수월한: ein ~er Sieg 수월한 승리; ~〔~en Kaufs〕 davonkommen 쉽게 모면하다. ③ 진부한: ~e Redensarten 상투어. **~feilheit** *f.* 〔구식〕 저렴, 염가; 쉬움; 진부. **~geartet** *a.* 성품이〔마음씨가〕 좋은, 행실이 바른. **~gebärdig** *a.* 〔드물게〕 품행이 바른. **~gebaut** *a.* 훌륭한 체격의, 풍채가 좋은. **~gebildet** *a.* 모양이 좋은〔단정한〕; (용모가) 준수한. **~geboren** *a.* 〔호칭〕〔고어〕 존경하옵는: ~er Herr! 〔Eure ~!〕 a) 각하!, b) 귀하, 당신!; 〔문서 겉봉에 쓰는 존칭〕 Seiner ~ Herrn N.N. 모(某)씨 귀하. **~gefallen** *n.* 흡족, 만족; 희열: nach Ihrem ~ 당신 마음 내키는 대로, 당신 뜻대로; sein ~ an jm. 〔et.[3]〕 haben 누구에게〔무엇에〕 호감을 갖다; ~ an et.[3] finden 무엇을 즐기다〔낙으로 삼다〕; 〔구어·농담〕 sich in ~ auflösen a) 만족스럽게〔성공적으로〕 끝나다, 잘 해결되다, b) 〔반어〕 허탕치다, 실패로 돌아가다, c) 서서히 해체되다〔갈라지다〕, d) 분실되다, 없어지다; seine Pläne〔Hoffnungen〕 haben sich in ~ aufgelöst 그의 계획〔희망〕은 무산되었다; meine Schuhe lösen sich in ~ auf 내 신발이 차츰 갈라진다; der Schlüssel〔Ring〕 hat sich in ~ aufgelöst 열쇠가〔반지가〕 분실되었다; die Mißverständnisse haben sich in ~ aufgelöst 오해가 잘 풀렸다. **~gefällig** *a.* ① 〔구식·雅語〕 마음에 드는, 유쾌한: Gott ~e Werke 하느님의 마음에 드는 업적. ② **(a)** 흐뭇한, 만족스러운: eine ~e Miene machen 흐뭇한 표정을 짓다; et. ~ aufnehmen 무엇을 선의로 해석하다. **(b)** 호의적인: ein ~er Blick 호의적인 눈빛; ein ~es Schmunzeln

호의적인 미소. (**c**) 자족하는: er setzte sich ~ in Positur 그는 자족감에 젖어 잘난 체했다; seine ~e Art gefällt mir nicht 자족감에 젖은 그의 태도가 내 마음에 들지 않는다. **≈gefälligkeit** *f.* 마음에 듦, 유쾌, 만족. **~geformt** *a.* 모양이 좋은, 잘 꾸며진: ein ~er Kopf 잘 생긴 머리. **≈gefühl** *n.* 좋은 기분, 쾌감. **~gelitten** *a.* 〖雅語〗 호감을 사는, 인기 있는: ein ~er Gast 환영받는 손님. **~gemeint** *a.* 선의의, 호의적인, 우호적인: ein ~er Rat〔Ratschlag〕 선의(善意)의 충고. **~gemerkt** *int.* 주의하라, 요주의: ~, das hast du gesagt 네가 그렇게 말했다는 사실을 유념하라. **~gemut** *a.* 〖雅語〗 명랑한, 기분 좋은. **~genährt** *a.* 영양 상태가 좋은; 살찐: ein ~es Kind 포동포동한 아이. **~geneigt** *a.* 애착이 가는; 호의적인, 친절한. **≈genuß** *m.* 향락, 쾌락. **~geordnet** *a.* 〖雅語〗 잘 정돈된, 가지런한. **~geraten** *a.* 〖雅語〗 ① 잘된, 성공한: ein ~er Kuchen 제대로 만들어진 케이크. ② 행실이 바른: er hat drei ~e Kinder 그에게는 행실이 바른 자식이 셋 있다. **≈geruch** *m.* 〖雅語〗 방향(芳香), 향기: ein köstlicher ~ 향그러운 내음; 〔농담·반어〕 alle Wohlgerüche Arabiens 온갖 냄새. **≈geschmack** *m.* 〖雅語〗 좋은 맛; 좋은 취향. **~gesetzt** *a.* (용어가) 적절한, 알맞은: eine kleine Ansprache in ~en Worten 적절한 말로 된 간단한 인사말. **~gesinnt** *a.* 호의적인, 친절한: jm. ~ sein 누구에게 호의적이다; ein mir ~er Chef 나에게 호의적인 사장. **~gesittet** *a.* 예의 바른, 얌전한. **≈gestalt** *f.* 〖雅語〗 아름다운〔멋진〕 모양〔자태〕(↔ Mißgestalt): die ~ seines Leibes 그의 멋진 풍채. **~gestalt** *a.* ↑ ~gestaltet. **~gestaltet** *a.* 〖雅語〗 모양이 아름다운〔좋은〕: ein ~er Mensch 외모가 근사한 사람. **~getan** 《I》 *p.p.* ↑ wohltun. 《II》 *p.a.* 썩 잘된: 〖雅語〗 das ist ~ 그것은 잘된〔잘한〕 일이다. **~getroffen** *a.* 꼭 들어맞는, 아주 흡사한. **~geübt** *a.* 숙련된. **~gewogen** *a.* 호의적인, 친절한. **≈gewogenheit** *f.* ↑ ~gewogen 의 명사형. ***~habend** *a.* 유복〔부유〕한. **≈habenheit** *f.* 부유, 유복. **~häbig** *a.* ↑ ~habend.

wohlig [vó:lıç] *a.* ① 아늑한, 쾌적한: ein ~es Gefühl von Wärme 아늑한 온기; eine ~e Müdigkeit 나른한 피로감. ② 기분 좋은: sich ~ dehnen〔strecken〕 기분 좋게 몸을 뻗다.

Wohligkeit *f.* 쾌적(함), 유쾌(함).

Wohl≈klang *m.* 〖雅語〗 ① 아름다운〔듣기 좋은〕 소리. ② 아름다운 곡조〔가락〕; 〘음악〙 (협)화음: eine Geige von herrlichem ~ 빼어나게 소리가 좋은 바이올린. **≈klingend** *a.* 〖雅語〗 소리가 아름다운, 듣기 좋은: eine ~e Stimme 듣기 좋은 목소리. **~laut** *m.* ↑ ~klang ①. **≈lautend** *a.* 〖雅語〗 ↑ ≈klingend. **~leben** *n.* 〖雅語〗 풍족한 생활; 호사 생활: ein ~ führen 사치스런 생활을 하다. **≈löblich** *a.* 〔구식·농담〕 칭찬할 만한, 기특한. **≈meinend** *a.* 〖雅語〗 선의의, 호의적인, 친절한: ein ~er Rat〔Vorschlag〕 선의의 충고〔제안〕; die ~en Nachbarn 친절한 이웃 사람들. **~nehmen** *n.* 〘官〙 (Genehmigung) 인가, 허가. **≈proportioniert** *a.* 균형잡힌: eine ~e Figur 균형 잡힌 몸매. **≈redend** *a.* 달변의, 말솜씨 좋은. **~redenheit** *f.* ↑ ≈redend 의 명사형. **≈riechend** *a.* 〖雅語〗 냄새가 좋은, 향기로운: eine ~e Seife 향기로운 비누. **~riechende*** *das* 방향(芳香); 향료. **≈schmeckend** *a.* 〖雅語〗 맛좋은, 감칠맛 나는. ***~sein** *n.* 〖雅語〗 안녕, 건강, 행복: (auf) Ihr ~! 당신의 건강을 위하여!; (zum) ~! a) (상대방이 재채기할 때) 건강 조심하세요!, b) (건배할 때) 건강을 위하여! **~stand** *m.* ① 복지; 부유, 유복: er hat es zu einem gewissen ~ gebracht 그는 어느 정도 살 만하게 되었다; zu ~ gelangen〔kommen〕 유복하게 되다; bei dir ist wohl der ~ ausgebrochen! 보아하니 자네 형편이 확 풀린 모양이군! (농담이나 조소의 말로). ② 〔고어〕 예의 바름, 점잖음.

Wohlstands≈bürger *m.* 〔펌어〕 (물질적 풍요에 안주하는) 복지 사회의 시민. **~denken** *n.* 〔펌어〕 물질 만능적 사고 방식. **~gesellschaft** *f.* 복지 사회. **~kriminalität** *f.* 복지 사회 특유의 범죄. **~müll** *m.* 〔펌어〕 복지 사회 특유의 쓰레기〔폐기물〕(보기: 산업 폐기물).

***Wohl≈tat** *f.* ① 〖雅語〗 선행, 친절, 자선: jm. ~en erweisen 누구에게 친절을〔자선을〕 베풀다. ② 혜택, 유익한〔몸에 좋은〕 것: der Regen ist eine wahre ~ 정말 고마운 비다. **≈täter** *m.* 선행자, 자선가, 은인: sich als ~ aufspielen 자선가인 체하다. **~täterin** *f.* ↑ ~täter 의 여성형. **≈tätig** *a.* ① 착한 일을 하는, 자선을 베푸는: et. für ~e Zwecke sammeln 무엇을 자선 목적으로 수집하다; ein ~er Verein 자선 단체. ② 〔구식〕 고마운, 유익한: ein ~es Getränk 몸에 좋은 음료. **~tätigkeit** *f.* 선행, 자선; 희사.

Wohltätigkeits≈anstalt *f.* 자선 시설. **≈ball** *m.* 자선 무도회. **~basar** *m.* 자선 바자. **~konzert** *n.* 자선 음악회. **~veranstaltung** *f.* 자선 행사. **~verein** *m.* 자선 단체. **~vorstellung** *f.* 자선 공연.

wohl≈temperiert *a.* 〖雅語〗 ① 온도 조절이 잘된, 적절한 온도의. ② 〔교양〕 균형 잡힌, 절도 있는: ein ~es Leben führen 절도 있는 생활을 하다. ③ 〘음악〙 das ~e Klavier 바흐(J. S. Bach)의 평균율 피아노 곡집. **~tönend** *a.* 〖雅語〗 소리가 좋은: sie hat eine ~ Stimme 그녀는 목소리가 좋다. **~tuend** *p.a.* ① 선행을 하는, 자선을 베푸는, 유익한. ② 기분 좋은, 유쾌한: eine ~e Wärme〔Kühle〕 기분 좋게 따뜻〔시원〕함. **~|tun*** 《I》 *i.* (h.) 〔구식·雅語〕 ① (**a**) 잘 하다: er tut wohl daran 그가 그렇게 하는 것은 잘 하는 일이다. (**b**) 친절을 다하다, 자선〔선행〕을 베풀다: sie hat vielen Menschen wohlgetan 그녀는 많은 사람들에게 자선을 베풀었다. ② 쾌감을 주다, 기쁘게 하다; (건강 등에) 도움이 되다: das tut jm. wohl a) 그것은 누구에게 유쾌한 일이다, b) 그것은 누구의 몸〔건강〕에 유익하다; der Ausflug hat ihr sehr wohlgetan a) 그녀는 이 소풍에서 많은 즐거움을 느꼈다, b) 소풍을 간 것이 그녀의 건강에 큰 도움이 되었다; 〔속담〕 ≈ bringt Zinsen 선행에는 보답이 따르기 마련이다. 《II》 **wohlgetan** *p.a.* ↑ wohlgetan. **~überlegt** (besser überlegt, bestüberlegt) *a.* 〖雅語〗 충분히 생각한, 신중한: nach einem ~en Plan handeln 신중한 계획에 따라 행동하

다. **~unterrichtet** (besser unterrichtet, best unterrichtet) *a.* 〖雅語〗 숙지한, 사정에 정통한; 사려 깊은, 현명한: von ~er Seite wissen 정통한 소식통으로부터 들어 알고 있다; wie aus ~en Kreisen zu hören war 정통한 소식통으로부터 들은 바로는. **~verdient** *a.* ① 마땅한, 당연한, 자업자득의: seinen ~en Lohn〔seine ~e Strafe〕 bekommen 노력에 상당하는 임금을〔응분의 처벌을〕 받다. ② 공로 있는: ein ~er Mann 공로자. **~verdientermaßen** *adv.* (매우) 당연하게. **~verhalten** *n.* 훌륭한 처신, 방정한 품행.

Wohl·verleih [vó:lfɛrlaɪ] *m.* 〖植〗 (Arnika) 아르니카(약용으로 쓰이는 국화과 식물).

wohl≈versorgt (besserversorgt, bestversorgt) *a.* 〖雅語〗 충분히 비축한; 보살핌을 잘 받(고 있)는: ~e Kinder 보살핌을 잘 받(고 있)는 아이들. **~verstanden** *a.* 〖雅語〗 충분히〔잘〕 이해된: ~! 잘 알았습니다!; ich habe, ~, niemals bezweifelt, daß... 내가 …에 대해서 전혀 의심하지 않았다는 사실을 잘 알아두십시오. **~verwahrt** *a.* 〖雅語〗 잘 간수된, 잘 보존〔보호〕된; 잘 숨겨진. **~weise** *a.* 극히 현명한; 아주 신중한. **~weislich** *adv.* 지극히 현명하게; 아주 신중히: ich habe ihm ~ nichts davon gesagt 나는 아주 신중하게 그에게 그것에 관해 한마디도 하지 않았다. **~|wollen*** *i.* (h.) (누구에게) 호의를 가지다, 친절하다; (누구의) 행복을 기원하다: er will dir wohl 그는 너에게 호감을 가지고 있다. ***~wollen** *n.* 호의, 친절: sich³ js. ~ erwerben〔verscherzen〕 누구의 호의를 얻다〔잃다〕. **~wollend** *a.* 호의적인, 친절한: ein ~er Blick 호의적인 눈빛; jm. ~ auf die Schulter klopfen 호감의 표시로 누구의 어깨를 두드리다. **~ziemend** *a.* 상응하는, 어울리는.

Wohn·anhänger [vó:n..] *m.* (트레일러식의) 캠핑 카.

wohnbar *a.* 살 수 있는, 살기 좋은.

Wohnbarkeit *f.* ↑ wohnbar 의 명사형.

Wohn≈bau *m.* 〔복수: -ten〕 주거용 건축물. **~bereich** *m.* 주거 지역: eine Grünanlage trennt den ~ vom Gewerbegebiet 녹지대가 주거 지역을 상업 지역과 구분해 준다. **~block** *m.* 주택 단지. **~diele** *f.* (거실 겸용의) 마루청. **~einheit** *f.* 〔격식〕 가구, 세대(단위): ein Mietshaus mit 20 ~en 20 세대를 수용하는 임대 가옥.

***wohnen** [vó:nən] *i.* (h.) ① 살다, 거주하다: er wohnt bequem〔teuer〕 그는 편리한〔비싼〕 집에 살고 있다; auf dem Land 〔in der Stadt〕 ~ 시골〔도시〕에 살고 있다; bei jm. ~ 누구의 집에 같이 살다; so wahr ein Gott im Himmel wohnt! 하늘에 신이 계시는 한, 맹세코, 틀림없이!; zur Miete ~ 셋집〔셋방〕살이를 하다; im dritten Stock ~ 4 층에 살다; Tür an Tür mit jm. ~ 누구의 바로 옆 집에 살다; zwei Seelen ~, ach! in meiner Brust 아, 나의 가슴에는 두 개의 영혼이 살고 있도다("파우스트" 1 부); es wohnt sich dort angenehm 그곳은 살기 좋다. ② 서식하다: diese Pflanze wohnt in China 이 식물은 중국에 서식한다. ③ 〔고어〕 묵다, 숙박하다; 〖軍〗 숙영하다: im Gasthaus ~ 여관에 묵고 있다; in welchem Hotel ~ Sie? 당신은 어느 호텔에 묵고 있습니까? ④ 〖고어〗 동침하다: bei einer Frau ~ 어떤 여자와 동침하다.

Wohn≈fläche *f.* (주택의) 주거 면적: eine Wohnung von 80 m² ~ 주거 면적이 80 제곱미터인 주택. **~gebäude** *n.* 주거용 건축물. **~gebiet** *n.* ① (도시의) 주거 지역, 주택지. ② 〖구동독〗 10000-25000 명의 유권자를 지닌 선거구 겸 주거 지역. **~geld** *n.* 주택 보조금. **~geld·gesetz** *n.* 주택 보조법. **~gelegenheit** *f.* ① 거주 가능성: wir haben dort eine ~ 우리들은 거기에 거처할 수 있다. ② 아파트, 주택. **~gemeinschaft** *f.* 주거 공동체(약어: WG): in einer ~ leben 주거 공동체에서 살다.

wohnhaft [vó:nhaft] *a.* 〔격식〕 거주〔정주〕하는: die in Berlin ~en Ausländer 베를린에 거주하는 외국인들; er ist dort ~ 그는 거기에 살고 있다; sich irgendwo ~ niederlassen 어느 곳에 정주하다.

Wohn≈haus *n.* 주택, 저택: ein zweistöckiges ~ 2 층으로 된 주택. **~heim** *n.* 기숙사, 독신자 숙소. **~komplex** *m.* 주택 단지. **~küche** *f.* 거실 겸용 부엌. **~kultur** *f.* 주거 문화. **~lage** *f.* 주택의 위치〔주변 환경〕: eine angenehme〔ruhige〕 ~ 쾌적〔조용〕한 주변 환경.

wohnlich [vó:nlɪç] *a.* 살 수 있는, 살 만한, 살기 좋은: ein ~er Raum 살 만한 공간.

Wohnlichkeit *f.* ↑ wohnlich 의 명사형.

Wohn≈mobil *n.* 주거용 자동차, 캠핑카. **~ort** *m.* 거주지; 〖法〗 주소. **~raum** *m.* ① 안방, 거실: moderne Wohnräume 현대적인 거실들. ② 주거 공간, 주택: es fehlt an ~ 주택이 부족하다. **~raum·lenkung** *f.* 〖구동독〗 (국가에 의한) 주거 공간의 통제. **~siedlungs·gesetz** *n.* 〖法〗 주택 단지법. **~sitz** *m.* ① 거주지: seinen ~ in Berlin haben 베를린에 거주하다; seinen ~ auf dem Land haben 시골에 거주하다; er hat seinen ~ am See aufgeschlagen 그는 호숫가에 주거를 정했다. ② (당국에 신고한) 주소: Personen ohne festen ~ 주거 부정인 사람들; einen zweiten ~ haben 제 2 주소를 갖고 있다. **~statt** 〔고어·雅語〕 ↑ ~stätte. **~stätte** *f.* 〔雅語〕 주거지, 주거 장소: antike ~n 고대 주거지들. **~stube** *f.* 〔구식·방언〕 거실.

***Wohnung** [vó:nʊŋ] *f.* -en ① 거주; 주소. ② 주택, 집; 셋집, 셋방, 아파트: Eigentums~ 개인 소유 주택; Zweizimmer~ 방이 두 개인 주택; ~en bauen 주택을 짓다; die ~ wechseln 이사하다; jm. Kost und ~ geben 누구에게 숙식을 제공하다; sich nach einer ~ umsehen 셋집〔셋방〕을 찾아다니다. ③ 〔구식〕 숙소: jm. ~ geben 누구에게 숙소를 제공하다; freie ~ bei jm. haben 누구의 집에서 무료로 숙박하다; 〔구식·雅語〕 irgendwo ~ nehmen 어느 곳에 거처〔숙소〕를 정하다.

Wohnungs≈amt *n.* 주택국(局). **~anzeiger** *m.* 주소 안내; 거주자 명부. **~bau** *m.* 주택 건축. **~bau·genossenschaft** *f.* 주택 건설 조합. **~eigentum** *n.* 〖法〗 주택 소유권. **~eigentümer** *m.* 주택 소유주〔자〕. **~einrichtung** *f.* 집안 설비, 주거 시설. **~entschädigung** *f.* ↑ ~geldzuschuß. **~frage** *f.* 주택 문제. **~geld·zuschuß** *m.* (공무원 등의) 주택 보조금〔수당〕.

wohungslos *a.* 무주택의, 집이 없는.
Wohnungs=mangel *m.* 주택 부족, 주택난. **~markt** *m.* 주택 시장. **~nachweis** *m.* 주택〔셋집·셋방〕 소개소. **~not** *f.* 주택난: die ~ in den Nachkriegsjahren 전후 여러 해 동안의 주택난. **~politik** *f.* 주택 정책. **~recht** *n.* 〖法〗 거주권. **~schlüssel** *m.* 집〔아파트〕 열쇠. **~steuer** *f.* 〖法〗 주거세. **~suche** *f.* 셋집〔셋방〕찾기: auf (der) ~ sein 셋방〔셋집〕을 찾고 있다. **~suchend** *a.* (셋)집을 찾는〔구하는〕: ein ~er junger Mann 집을 구하고 있는 젊은이. **~suchende*** *der/die* (셋)집 찾는 사람. **~tausch** *m.* 주택〔아파트〕 교환. **~tür** *f.* 현관문. **~veränderung** *f.* 이사. **~vermieter** *m.* 집을 세놓는〔세주는〕 사람, 집주인. **~wechsel** *m.* 이사: einen ~ vornehmen 이사하다. **~zuschuß** *m.* ↑ ~geldzuschuß.
Wohn=viertel *n.* 주거 지역. **~wagen** *m.* 숙소 겸용 차, 캠핑카: mit dem ~ in Urlaub fahren 캠핑 카를 타고 휴가가다. **~zimmer** *n.* 거실.
Wöhrde [vǿːrdə] *f.* -n (ndd.) 주택 주위의 경작지.
Woilach [vɔ́ʏlax] 《russ.》 *m.* -s, -e (어린 말의 보온과 긴장 해소를 위해) 말 안장 밑에 까는 담요; (암소 또는 양털로 만든) 안장 깔개.
Woilok *m.* -s, -e ↑ Woilach.
Woiwod [vɔʏvóːt] *m.* -en, -en ↑ Woiwode.
Woiwode [vɔʏvóːdə] 《sl., „Heerführer"》 *m.* -n, -n ① (옛날의) 군사령관, 장군. ② (17-18 세기 러시아의) 지방 최고 행정관, 지사. ③ (**a**) (옛 Moldau 및 Walachei 지방의) 왕후. (**b**) (옛 폴란드 왕국의) 총독, (1918 년 이후 폴란드의) 주지사.
Woiwodschaft [..vóːtʃaft] *f.* -en ① (폴란드의) 주(州). ② (폴란드의) 주지사직.
Wok [vɔk] *m.* -s, -s (중국 광둥 지방의) 솥.
wol [voːl] *adv.* 〘고어〙 ↑ wohl.
Wölbedach *n.* 〖건축〗 궁륭형 지붕, 반원형 천장〔지붕〕.
***wölben** [vœ́lbən] 《Ⅰ》 *t.* ①〖건축〗 궁륭형으로 만들다, 활〔반원·아치〕 모양으로 만들다. ② 둥근 천장을 대다. ③ 둥글게 구부리다, 만곡시키다, 휘게 하다; (가슴을) 쑥 펴다; (어깨를) 쑥 올리다: einen Weg ~ 길을 불룩하게 돋우다; sie wölbte ihre Hände um den Mund und rief seinen Namen 그녀는 손을 입 주위에 둥글게 모아 쥐고 그의 이름을 외쳤다. 《Ⅱ》 *refl.* sich ~ 홍예형〔아치형〕이 되다; 만곡하다, 휘다, (길 등이) 불룩해지다, 불룩하게 나오다: eine Brücke wölbt sich über den Fluß 다리가 강 위로 아치형을 이루고 있다; 〘비유〙 ein strahlend blauer Himmel wölbte sich über dem Land 눈부시게 푸른 하늘이 대지 위에 아치를 이루고 있다. 《Ⅲ》 **gewölbt** [gəvœ́lpt] *p.a.* ↑ gewölbt.
wölbend *p.a.* 〘시어〙 궁륭 모양의: ~er Himmel 창천(蒼天), 창궁(蒼穹).
Wölbe·stein *m.* 〖건축〗 홍예석(虹霓石).
Wölbung [vœ́lbuŋ] *f.* -en ①〘드물게〙 궁륭형, 아치형; 불룩함; 만곡, 휨; 〖工〗 곡률(수)(曲率(數)): die ~ einer Toreinfahrt 성문 통로의 아치형. ② 궁륭형〔아치형〕의 것; 불룩하게〔둥글게〕 튀어나온 곳; 〖건축〗 궁륭 (천장), (아치의) 안쪽 및 바깥쪽; 〖軍〗 (산등성이의) 튀어나온 모서리: 〖해부〗 die ~ des Gaumens 위턱.
Woldemar [vɔ́ldəmar] 《Waldemar 의 별형》 *m.* 볼데마르(남자 이름).
***Wolf**[1] [vɔlf] *m.* -(e)s, Wölfe [vœ́lfə] ①〖動〗 늑대, 이리; 〘비유〙 이리 같은 사람: heulende Wölfe 울부짖는 늑대들; 〘구어〙 hungrig wie ein ~ 이리처럼 굶주린〔탐욕스런〕; 〘놀이〙 ~ und Schaf〔Schäfchen〕 장기〔주사위〕 놀이의 일종; 〘비유〙 ~ im Schafspelz 양의 탈을 쓴 늑대; unter die Wölfe geraten sein 잔혹〔가혹〕한 취급을 당하다; 〘속담〙 mit den Wölfen muß man heulen 늑대들 사이에선 늑대처럼 짖어야 한다, 입향순속(入鄕循俗); der ~ in der Fabel 호랑이도 제 말하면 온다(＝Lupus in fabula). ②〖醫〗 (살·겨드랑의) 간찰진(間擦疹); 낭창(狼瘡); 피부 찰과상: sich[3] einen ~ gehen〔reiten, laufen〕 걸어서〔말타서·달려서〕 다리에 찰과상이 생기다. ③ (**a**) 〖방직〗 솜틀, 타면기(打綿機). (**b**) 〖工〗 (제지용(製紙用)) 분쇄기, 종이 절단기, 말뚝박는 달구, 달굿대. (**c**) 고기 가는 기계(Fleisch~): das Fleisch durch den ~ drehen 고기를 고기 가는 기계로 잘게 썰다; 〘경박〙 jn. durch den ~ drehen 누구를 못살게 굴다; 〘농담〙 ich bin wie durch den ~ gedreht 나는 완전히 녹초가 됐다. ④ 〖제련〗 연철(鍊鐵) 덩어리(Eisenklumpen). ⑤ 〖天〗 늑대자리. ⑥〖음악〗 (현악기, 특히 첼로에 나타나는) 음향의 결함. ⑦〖林〗 기형으로 웃자란 나무.
Wolf[2] *m.* 볼프(남자 이름; ↑ Wolfgang, Wolfhard, Wolfram 의 단축형).
Wölfchen [vœ́lfçən] *n.* -s, - 《↑ Wolf 의 축소형》 작은〔새끼〕 늑대.
wolfen [vɔ́lfən] *t.* 〖방직〗 솜틀에 넣다, (솜·양털 등을) 틀다.
wölfen [vœ́lfən] *i.* (h.) ①〖사냥〗 (짐승이) 새끼를 낳다: die Hündin wölft 암캐가 새끼를 낳는다. ②〘방언〙 이가 나다.
Wolfgang [vɔ́lfgaŋ] *m.* 볼프강(남자 이름).
Wölfin [vœ́lfɪn] *f.* -nen 〖動〗 늑대의 암컷.
wölfisch [vœ́lfɪʃ] *a.* 이리 같은; 탐욕스러운: ein ~er Hunger 심한 배고픔; mit ~er Gier 대단히 탐욕스럽게.
Wölflein [vœ́lflaɪn] *n.* -s, - ↑ Wölfchen.
Wölfling [vœ́lflɪŋ] *m.* -s, -e 독일 소년단(Pfadfinder)의 최연소 대원.
Wolfram[1] [vɔ́lfram] *m.* 볼프람(남자 이름).
Wolfram[2] [vɔ́lfram] *n.* -s ①〖化〗 텅스텐, 중석(重石) (기호: W). ② ↑ Wolframit.
wolfram·haltig *a.* 텅스텐〔중석〕을 함유한.
Wolframit [vɔlframíːt, ..mɪt] *n.* -s 〖광물〗 텅스텐 철광, 철망간 중석.
Wolfram=lampe *f.* 텅스텐 전구. **~säure** *f.* 〖化〗 텅스텐산(酸). **~stahl** *m.* 텅스텐강(鋼), 중석강(重石鋼).
Wolfram von Eschenbach *m.* 볼프람 폰 에센바흐(중세 독일의 궁정 서사시인; 1170 ? - 1220 ?).
Wolfs=angel [vɔ́lfs..] *f.* 늑대 잡는 덫〔올가미〕. **~art** *f.* ①〖動〗 늑대류(類). ② 늑대 같은 기질. **~balg** *m.* 늑대 가죽. **~bohne** *f.* 〖植〗 루핀(콩과 식물)(Lupine). **~brut** *f.* 늑대의 한 배 새끼.
Wolf·schlucht *f.* ↑ Wolfsschlucht.
Wolfs=eisen *n.* ①〖사냥〗 늑대 잡는 창〔덫〕.

②〖제련〗 쇠덩어리. **~falle** *f.* 〖사냥〗 늑대잡이 덫. **~garn** *n.* 〖사냥〗 늑대잡이 그물. **~gebiß** *n.* (맹수용의) 예리한 재갈. **~grube** *f.* 〖사냥·軍〗 늑대잡이 함정. **~hetze** *f.* 〖사냥〗 늑대 몰이 사냥. **~hund** *m.* ①〖사냥〗 늑대 사냥용 사냥개. ② 늑대와 개의 잡종. ③〖구어〗 독일종 셰퍼드. **~hunger** *m.* ①〖구어〗 지독한 허기: einen ~ haben 지독한 허기를 느끼다. ②〖醫〗 간식증(間食症), 허기증. **~jagd** *f.* 늑대 사냥. **~kirsche** *f.* 〖植〗 벨라도나(일종의 유독 식물) (Tollkirsche). **~lager** *n.* 늑대가 사는 곳. **~luchs** *m.* 〖動〗 스라소니. **~magen** *m.* 늑대의 위; 〖비유〗 맹렬한 식욕; 대식(大食). **~milch** *f.* ① 늑대의 젖. ②〖植〗 대극(大戟). **~pelz** *m.* 늑대 가죽. **~rachen** *m.* ① 늑대의 목구멍. ②〖醫〗 (아주 심한) 언청이, 개구 파열증. **~schlucht** *f.* 늑대가 사는 골짜기; 〖비유〗 으스스한 골짜기. **~spinne** *f.* 〖動〗 땅에 사는 독거미의 일종. **~spitz** *m.* 큰 스피츠개의 일종. **~sucht** *f.* 〖醫〗 낭광(狼狂), 야수광(野獸狂) (환자가 자신을 이리나 어떤 짐승으로 착각하고 행동하는 정신병). **~zahn** *m.* ① 이리의 이빨. ② 말의 작은 어금니.

Wolga [vɔ́lga] ⦅russ.⦆ *f.* (러시아의) 볼가강.

Wọlga·deutsche* *der/die* 볼가강 연안에 이주한 독일 사람.

Wolgograd [vɔ́lgogra:t] ⦅russ.⦆ 볼고그라드 (러시아의 도시; 스탈린그라드의 옛 별칭).

Wolhynien [volý:niən] 볼리니아(우크라이나 공화국 북서부 지방).

wolhynisch [..lý:..] *a.* 볼리니아의: 〖병리〗 ∼es Fieber 5 일열.

Wölkchen [vœlkçən] *n.* -s, - 〖↑ Wolke 의 축소형〗 ① 작은〔조각〕 구름: 〖비유〗 er ist von keinem ~ betrübt 그는 티없이 맑은 사람이다. ②〖醫〗 각막 백반(白斑).

***Wolke** [vɔ́lkə] *f.* -n ① 구름: Regen∼ 비구름; mit ~n bedeckt 구름 덮힌, 구름낀; die ~n ballen sich am Himmel 하늘에 구름이 뭉게뭉게 낀다; der Berggipfel ist in dicke ~n gehüllt 산꼭대기가 짙은 구름에 휩싸여 있다; die Gefahr schwebte wie eine drohende ~ über ihnen 위험이 먹구름처럼 그들 위에 드리워져 있었다; 〖비유〗 auf ~n 〔in den ~n, über den ~n〕 schweben 몽상〔환상〕에 빠져 있다; (berl.) das ist 'ne〔eine〕 ~! 굉장하군, 대단해!; 〖비유〗 wie aus den ~n gefallen 깜짝 놀라서, 어리둥절하여; 〖구어〗 aus allen ~n fallen 몹시 놀라다. ② 구름 같은 것, 흐림, (액체의) 혼탁; (큰)무리, 떼: Rauch∼ 자욱한 연기; eine ~ des Kummers lag auf seiner Stirn 그의 이마에 근심이 서려 있었다; (trübe) ~n am politischen Himmel 정계의 암운; ~n von Heuschrecken 구름 같은 메뚜기떼; Staub∼ 〔~ von Staub〕 자욱한 먼지; dicke ~n rauchen 담배를 뻐끔뻐끔 피우다. ③ 불룩하게 만든 옷감; 헐렁〔불룩〕한 옷: in eine ~ von Tüll gehüllt 망사직 옷을 치렁치렁 걸쳐 입고. ④〖광물〗 보석의 흠〔결함〕.

wölken [vœlkən] 〖드물게〗 ⦅I⦆ *i.* (h.) 구름처럼 떠다니다, 구름 모양을 이루다: der Rauch der Zigarre wölkte aus dem Fenster 담배 연기가 창문에서 구름처럼 빠져 나갔다; über ihren Köpfen wölkte der Rauch 연기가 그들 머리 위에 구름처럼 떠다녔다. ⦅II⦆ *refl.* sich ~ 흐리다, 구름 끼다: der Himmel wölkt sich 하늘이 흐려진다.

wolken·ạn *adv.* 구름 (낀) 쪽에.

wọlken≈artig *a.* 구름 같은〔모양의〕. **∼-bruch** *m.* 호우, 폭우, 소나기: 〖구어·농담〗 es klärt sich auf zum ~! 폭우가 쏟아지기 시작한다! **∼decke** *f.* 〖기상〗 하늘을 덮은 구름: die ~ reißt auf 구름이 걷힌다. **~frei** *a.* 〖기상〗 구름이 없는, 청명한.

wọlkenhaft *a.* ↑ wolkig.

Wọlken≈himmel *m.* ① 구름 낀〔흐린〕 하늘. ②〖시어〗 구름 나라. **∼hoch** *a.* 구름처럼 높은. **~kratzer** *m.* 〖건축〗 마천루(고층 건물). **~kuckuks·heim** *n.* 꿈나라, 공상의 나라, 유토피아(고대 그리스 극작가 아리스토파네스(Aristophanes)의 희극 "새"에 나오는 새의 나라 이름에서): in einem ~ leben 꿈나라에서 살다. **∼leer** *a.* ↑ wokenlos.

wọlkenlos *a.* 〖기상〗 구름 없는, 쾌청〔청명〕한: ein ~er Himmel 쾌청한 하늘.

Wọlken≈maschine *f.* 〖연극〗 운무(雲霧)를 비치게 하는 장치. **~meer** *n.* 〖시어〗 구름바다. **~schicht** *f.* 〖기상〗 구름층: eine graue ~ lag über dem Meer 회색의 구름층이 바다 위에 드리워져 있었다. **~schieber** *m.* ①〖스포츠〗 철봉〔2 단 평행봉〕에서 역회전 오르기. ②〖구어〗 **(a)** 〖연극〗 소도구 담당자. **(b)** (자동차 운전자들이 쓰는) 앞 챙이 넓은 모자. **~soffitten** *pl.* 〖연극〗 매어 단 하늘 배경. **~wand** *f.* 〖기상〗 구름의 벽〔층〕, 층운(層雲). **~zug** *m.* 떠가는 구름.

wọlkicht *a.* ↑ wolkig.

wolkig [vɔ́lkıç] *a.* ① **(a)** 구름 낀〔덮인〕: ein ~er Himmel〔Tag〕 구름 낀 하늘〔날〕. **(b)** 〖기상〗 흐린: heiter bis ~ (날씨가) 맑든지 흐린. ② 구름 같은, 자욱한: ~er Staub 자욱한 먼지; ~ aufsteigender Rauch 뭉실뭉실 솟아 오르는 연기. ③ 부옇게〔희미하게〕 된: ~ drapierte Stoffe 희미하게 주름잡힌 천; ~es Haar 부옇게 센 머리카락. ④〖사진〗 흐릿한, 색이 바랜: ~e Fotos 색이 바랜 사진들. ⑤ 애매모호한: diese Ausführungen sind mir alle viel zu ~ 이 모든 상론들이 내게는 너무 모호하다.

Wölklein [vœlklaın] *n.* -s, - 〖↑ Wolke 의 축소형〗 ↑ Wölkchen.

Woll≈abgang [vɔ́l..] *m.* 양모 부스러기. **∼-ähnlich** *a.* 양모 같은〔비슷한〕.

Wollappen [vɔ́llapən] *m.* -s, - 모직물의 자투리.

Wọll≈arbelt *f.* ① 양모 가공. ② 양모 제품, 모직물, 털실 자수〔뜨개질〕. **~arbeiter** *m.* 양모〔모직〕공. **∼artig** *a.* 양모 같은. **~-aufkäufer** *m.* 양모 사들이는 사람. **~laus** *f.* 〖動〗 연지벌레의 일종. **~ausfuhr** *f.* 양모 수출. **~bereiter** *m.* 양모 손질하는 사람, 양모 빗는 직공. **~blume** *f.* 〖植〗 현삼과(玄蔘科)의 일종(Königskerze). **~börse** *f.* 〖商〗 양모 거래소. **~brecher** *m.* 〖방직〗 양모 트는 기계. **~decke** *f.* 모포, 담요.

***Wolle** [vɔ́lə] *f.* (품종 표시: -n) ① **(a)** 양모: Schaf∼ 양모; Schur∼ 깎아낸 양모; Ziegen∼ 염소털; 〖구어·농담〗 du hast ja vielleicht eine ~ auf dem Kopf! 너는 이발을 해야 되겠구나!; 〖구어〗 sich in der ~ haben 싸우다, 다투다; 〖구어〗 sich in die ~ kriegen 싸

움에 말려들다; 〖비유〗 ~ lassen müssen (털 깎인 양처럼) 혼쭐나다; 〖구식〗 (weich und warm) in der ~ sitzen 유복〔안락〕하게 지내다; viel Geschrei und wenig ~ 헛소동; in der ~ gefärbt a) 양모 그대로를 염색한, b) 〖비유〗 몸에 밴, 타고난, 틀림없는; er ist ein in der ~ gefärbter Schwabe 그는 전형적인 슈바벤 사람이다; 〖구어〗 jn. in (die) ~ bringen 누구를 격분케 하다. (**b**) 털실, 모사(毛絲): Baum~ 무명, 면직물; ein Knäuel ~ 털실 뭉치; reine ~ 순모; Handschuhe aus ~ (양)모 장갑; diese ~ läuft besonders weit 이 털실은 매우 질기다〔양질이다〕. (**c**) 모직물: Kaschmir~ 캐시미어; die Jacke ist aus reiner ~ 이 재킷은 순모 제품이다. ② (**a**) 처음 나는 수염; 보송보송한 머리털, 봉발(蓬髮). (**b**) (동식물의) 솜털. ③〖사냥〗 (**a**) 토끼의 털(가죽). (**b**) 멧돼지 등의 겨울 털.

wollen[1] [vɔ́lən] *a.* 양모의; 양모로 짠, 모직의: ein ~er Mantel 모직 외투.

wollen[2] 《⇩ wohl, wählen》 《I》 *i.* (h.)/*t.* ① 〖독립 동사로〗 (**a**) 하고자 하다, 원하다: was ~ Sie von mir? 저에게 원하는 게 뭐죠?; ~ Sie Wein oder Bier? 포도주로 하시겠습니까, 맥주로 하시겠습니까?; sein Recht ~ 자기 권리를 요구하다; das will ich um keinen Preis 나는 그것을 결코 바라지 않는다; wir ~ keine Kinder 우리들은 아이를 갖고 싶지 않다; 〖속담〗 was du nicht willst, das füg auch keinem anderen zu 네가 원치 않는 것을 다른 사람에게도 행하지 마라; wenn Sie ~ 원하신다면; er will mich (zur Frau) 그는 나를 (아내로) 원한다; er ist aufdringlich oder, wenn du willst, frech 그는 집요한데 보기에 따라서는 뻔뻔스럽다고도 할 수 있다; was willst du eigentlich noch mehr? 너는 도대체 무엇을 더 원하는가?; du kannst, so wolle nur 너는 뜻만 있으면 할 수 있다; mach, was du willst! 네 마음대로 해라!; mit ihm ist nichts zu ~ 그에게는 아무것도 기대할 수 없다; hier ist nichts mehr zu ~ 여기에서는 더 이상 아무것도 기대할 수 없다; 〖구어〗 du hast hier nichts zu ~! 네가 여기에서 요구〔관여·결정〕할 것은 전혀 없다!; das wollte Gott nicht! 제발 그런 일이 없기를!; so Gott will 〔will's Gott〕, kommen wir nächstes Jahr wieder 할 수만 있다면, 내년에 또 오겠소. (**b**) 〖접속법 Ⅱ 식을 써서 비현실적 소망을 나타냄〗 …하면 좋으련만: ich wollte, wir hätten das alles schon hinter uns! 우리가 이미 그 모든 것을 달성했으면 좋으련만!; ich wollte, sie wäre schon da! 그녀가 이미 와 있으면 좋을 텐데!; wollte Gott, daß ... 제발 …하면 좋을 텐데. (**c**) 원하다, 바라다, 열망하다: wir haben immer nur dein Bestes gewollt 우리는 늘 네가 잘 되기만을 바랬다; eine große Karriere hat sie nie gewollt 그녀는 크게 출세하기를 바란 적은 없다. ②〖부정법 또는 부문장을 동반하여〗 …하려고 하다, …하고 싶다: sie will Ärztin werden 그녀는 의사가 되려고 한다; wir ~ 〔~ wir〕 gehen! 갑시다!; 〖구어〗 dann ~ wir mal! 자 (일을) 시작합시다!; er hat es nicht tun ~ 그는 그렇게 하고 싶지 않았다; was ich dir noch sagen wollte 내가 너에게 말하려고 했던 것; das will ich dir geraten haben! 나는 그것을 너에게 꼭 권하고 싶다!; et. getan wissen ~ 무엇을 해 주었으면 하다; 〖청유·정중한 부탁〗 ~ Sie (bitte)... 부디 …하여 주시기 바랍니다; ~ Sie mir gütigst recht bald schreiben 시급히 통지하여 주시기 바랍니다; ~ Sie (bitte) einen Augenblick warten 잠시만 기다려 주시기 바랍니다; willst du wohl still sein! 좀 조용히 해 주면 좋겠어!; weitere Auskunft wolle man einholen bei ... 상세한 것은 …에게 문의하시기 바람; 〖구어〗 was will man da machen? 사정이 이런데 무슨 수가 있겠어? (어쩔 수 없다는 뜻); 〖구어·농담〗 na gut, ich will ja nicht so sein 좋아, 내 생각을 굳이 고집하지는 않겠어(응낙의 뜻); 〖구어〗 wir ~ sehen 사태가 어떻게 될지 지켜 봅시다; wir ~ doch sehen, wer hier zu bestimmen hat! 과연 누구 생각대로 될지 어디 두고 봅시다! (경고 또는 위협조의 표현); 〖구어〗 das will ich meinen! 내 생각도 그렇다구!; 〖구어〗 wenn man (so) alles glauben wollte! 그렇게 무엇이든 믿어 주기만 한다면야 오죽 좋겠나!; er will von der Sache nichts wissen 그는 그 문제라면 질색을 한다; er will durchaus, daß ich den Arzt hole 그는 내게 의사를 데려오라고 성화를 부린다; ich wollte, er täte es 나는 그가 그렇게 해 주었으면 한다; willst du mal gleich schweigen! 그만 입 좀 다물 수 없겠니!; 〖위협적으로〗 〖구어〗 eins will ich dir sagen, das machst du nicht noch einmal 너에게 한 마디만 하겠는데, 두 번 다시 그것을 하지 마라; das will ich mal sehen! 해볼 테면 해 봐라〔어디 두고 보자〕!; 〖조건문〗 wollte es einer untersuchen 혹시라도 누가 그것을 조사하겠다면; sag endlich, wie du es haben willst 이젠 네가 원하는 것을 말해 보아라; willst du das Kleid noch etwas enger haben? 너는 그 옷이 좀더 몸에 달라붙게 만들어 주기를 원하느냐?; ich will ihn bei mir haben 나는 그가 (여행 중) 내 집에 들르기를 바란다; ~ wir es noch einmal miteinander versuchen? 그것을 다시 한 번 함께 시도해 볼까요? ③〖본동사 생략〗 setz dich, wo du willst 아무 데나 네가 원하는 곳에 앉아라; gib das Buch nur, wem du willst 네가 주고 싶은 사람에게 그 책을 주어라; warte! dir〔dich〕 will ich! 서라! 네 놈을 가만두지 않겠다!; ohne es zu ~ 무심코, 뜻하지 않게; 〖구어〗 was willst du denn damit? 너는 대체 그걸로 뭐 할려고 그래?; 〖구어〗 jm. etwas〔was〕 ~ 누구에게 나쁜 마음을 품다; der will dir was 그자가 너를 해꼬지하려고 한다; ich will dir nichts 나는 너에게 나쁜 뜻이 없다; 〖전치사구를 동반하여〗 ich will nach Hause 나는 집에 가고 싶다; sie will zum Theater〔Film〕 그녀는 연극〔영화〕 배우가 되고 싶어한다; jm. in die Haare 〔zu Kleide, zu Leibe〕 ~ 누구에게 덤벼들다, 공격하다; die Sache will nicht recht vom Flecke 〔nicht vorwärts〕 일이 잘 진척되지 않는다; 〖구어〗 zu wem ~ Sie? (관청 같은 데서) 누구한테 볼일이 있습니까?; 〖방향을 표시하는 부사·부사구와 함께〗 er will nicht fort 그는 가려고 하지 않는다; wo willst du hin(gehen)? 어디로 가려고 하느냐?; ich will hinaus 나는 밖으로 나가고 싶다; wo will das hinaus? 그것은 도대체 어떻게 될까?; er will mir ans Leben 그는 내게

덤벼들려고 한다; hoch hinaus ~ 큰 뜻을 품다; ich weiß nicht, wo er hinaus will 나는 그의 의도를 모르겠다. ④ (**a**) 필요로 하다: diese Pflanze will trocknen Boden 이 식물은 건조한 땅을 필요로 한다; 〖속담〗 gut Ding will Weile haben 좋은 일은 시간이 걸리게 마련이다, 대기만성(大器晩成); das will bedacht sein 그 문제는 깊이 생각해볼〔따져볼〕 필요가 있다. (**b**) 〖과거 분사+sein〔werden〕〗 …하지 않으면 안 된다: das will überlegt 〔nicht übereilt〕 sein 그것은 숙고를 요한다〔성급하게 해서는 안 된다〕; die Arbeit will erst einmal getan werden 그 일은 일단 해놓고 봐야 한다. ⑤ (**a**) 〖조동사 werden 의 뜻〗 was das nur werden will? 그것은 도대체 어떻게 될 것인가?; was ~ wir sagen, wenn man uns fragt? 우리에게 물으면 무어라고 할까?; 〖확신〗 ich will es noch erleben, daß ... 나는 살아서 …하는 날을 볼 것이다, 나는 …하는 날까지 살 것이다. (**b**) 〖sollen 의 뜻〗 wie wollt' es euch zu Ohren kommen? 어떻게 해서 그것이 너희들 귀에 들어갔을까?; damit will nichts gesagt sein 그것은 별다른 뜻이 있는 게 아니다; das Buch will dem Leser einen Überblick über et. verschaffen 그 책은 독자에게 무엇에 관해 개관할 수 있게 해준다. (**c**) 〖können 의 뜻〗 wo will er so viel Geld hernehmen? 어디서 그는 그렇게 많은 돈을 조달할까?; was wollte ich da machen? 거기서 내가 무엇을 할 수 있을까? (**d**) 〖mögen 의 뜻, 대개 접속법〗 so wollte ich wohl wünschen, daß ... …하기를 바라마지 않습니다; ich wollte Sie bitten 나는 당신에게 부탁을 하려고 합니다; ich wollte gern wissen 나는 제발 알고 싶다; man wolle beachten 주의하시오. ⑥ 〖인용(認容)〗 es geschehe〔komme〕, was da wolle 어떤 일이 있어도; dem sei, wie ihm wolle 그의 사정이 어떻든; er mag ~ oder nicht 그가 원하든 않든; 〖구어〗 koste es, was es wolle 어떤 대가를 치르더라도, 무슨 일이 있어도; ich will mich geirrt haben 내가 틀렸다고 해두자. ⑦ (**a**) 주장하다; der Zeuge will den Angeklagten gesehen haben 증인은 피고를 보았다고 주장한다; er will nicht dagewesen sein 그는 참석하지 않았다고 주장한다. (**b**) 고백〔시인〕하다: 〖구어〗 und dann will es niemand gewesen sein! 그런데도 아무도 자기가 그랬다고 하지 않는단 말이지!; 〖구어〗 und du willst ein braver Junge sein! 그런데도 너는 스스로 행실이 바르다고 우기는구나! ⑧ …인 체하다: 〖구어〗 das will ich nicht gehört haben! 그 얘기는 안 들은 것으로 해두자!; 〖구어〗 dann will ich nichts gesagt haben 그렇다면 내가 아무 말도 하지 않은 것으로 해두자. ⑨ 바야흐로 …하려고 하다: es will regnen 당장 비가 올 것 같다; es will Nacht werden 날이 어둑어둑해지고 있다; 〖雅語〗 es will Frühling werden 바야흐로 봄이 올 것 같다; der Kranke will sterben 환자는 금방 죽을 것 같다; ich wollte eben ausgehen, als Besuch kam 막 나가려던 참에 손님이 왔다; 〖속담〗 wenn man versinken will, hascht man nach dem Strohhalm 물에 빠진 사람은 지푸라기라도 잡는다; es will mir nicht gelingen 나는 아무래도 성공하지 못할 것 같다; die Arbeit will kein Ende nehmen 그 일은 좀처럼 끝날 것 같지 않다; 〖구어〗 meine Beine ~ nicht mehr 나는 한 발짝도 더 걸을 수가 없다; das will mir nicht in den Sinn 그것은 도무지 이해가 되지 않는다; es will mir nicht aus dem Sinn 그것은 도무지 잊을 수가 없다. ⑩ 〖췌언적(贅言的)〗 das will sagen 즉, 다시 말해; das will etwas sagen 〔heißen, bedeuten〕! 그것은 상당히 중요한〔의미심장한〕 일이다!; das will nichts besagen 그것은 아무 뜻도 없다; das wollte ihm gar wohl gefallen 그것은 그의 마음에 쏙 들었다; mir will scheinen, daß du das alles nicht verstanden hast 내가 보기에 너는 그 모든 것을 이해하지 못한 것 같다; das Feuer will nicht brennen 불이 붙을 것 같지 않다; die Arbeit will mir heute nicht schmecken 오늘은 일이 도무지 손에 잡히지 않는다. ⑪ 〖wohlwollen 과 같은 뜻으로〗 jm. wohl〔übel〕 ~ 누구에게 호의〔악의〕를 갖다〔품다〕; wenn ihm das Glück will 만약 그가 운이 좋다면. 《Ⅱ》 **gewollt** *p.a.* ↑ gewollt.

***Wollen** *n.* -s 의도, 뜻; 의욕: sein Tun und ~ 그의 행위와 의도; ohne Wissen und ~ 자기도 모르게, 무의식중에; ~ ist Können 뜻이 있으면 할 수 있다; zwischen ~ und Können ist bei ihm ein großer Unterschied 그에게는 의욕과 능력 사이에 큰 차이가 있다.

wollend *p.a.* 스스로 하는, 자발적인: aus freiem, ~em Herzen 자발적으로, 흔연히; ein nicht enden ~er Beifall 그칠 줄 모르는 박수; das ~e 운명(Schicksal).

wöllen [vœlən] *i.* (h.) 〖사냥〗 (맹금이) 소화되지 않은 것을 토해내다.

Wollen≈atlas *m.* 모직 공단(貢緞). **~band** *n.* (굵은 털실로) 굵고 넓적하게 짠 끈. **~damast** *m.* 모능직(毛綾織). **~fabrik** *f.* 모직물 공장. **~fabrikant** *m.* 모직물 제조자. **~garn** *n.* 털실. **~handel** *m.* ↑ Wollhandel. **~musselin** *m.* 털 모슬린(얇고 부드럽게 짠 모직물). **~samt** *m.* 털로 짠 벨벳. **~stoff** *m.* (schweiz.) 모직물. **~träger** *m.* 솜털 달린 동물. **~ware** *f.* ↑ Wollware. **~weber** *m.* 모직물 직공. **~zeug** *n.* ↑ Wollzeug.

Woll≈faden *m.* 털실. **~färber** *m.* 모직물 염색업자. **~färberei** *f.* 모직물 염색업〔염색 공장〕. **~fett** *n.* 라놀린, 양모지(羊毛脂). **~garn** *n.* 털실. **~geschäft** *n.* 양모업; 털실 가게. **~gewebe** *n.* 모직물, 울 옷감. **~gras** *n.* 〖植〗 황새풀속(屬). **~haar** *n.* ① (사람·동물의) 곱슬곱슬한 짧은 털. ② 〖해부〗 태아〔신생아〕의 솜털. ③ 〖動〗 포유 동물의 솜털. **~handel** *m.* 양모 장사〔매매〕. **~handkrabbe** *f.* 〖動〗 (중국 원산의) 집게발에 털이 많은 게(Chinesische ~). **~händler** *m.* 양모 상인. **~handlung** *f.* 양모업; 양모 상점. **~hemd** *n.* 양모 셔츠〔속옷〕.

wollig [vɔ́lɪç] *a.* ① 양모 같은; 숱이 많고 곱슬곱슬한: ~es Haar 양모 같은 머리털. ② 솜털이 있는: ein ~es Schaf 솜털이 있는 양. ③ 털로 된〔덮인〕: das ~e Vlies eines Tieres 동물의 모피. ④ 모직물처럼 부드러운: die ~e Oberfläche eines Gewebes 직물의 부드러운 표면. ⑤ 〖植〗 융모(絨毛)가 있는: ein ~es Blatt 융모가 있는 나뭇잎.

Wollin [vɔlíːn] (오데르강 어귀의) 볼린섬.

Woll≈industrie *f.* 양모 산업. **~kamm** *m.*

양털 빗는 빗. **~kämmer** *m.* 양털 빗는 직공. **~kämmerei** *f.* ① 양털 빗는 공장. ② 양털 빗는 작업. **~kleid** *n.* 모직 옷. **~knäuel** *m./n.* 양모실 뭉치. **~kopf** *m.* 양털 모양의 머리털이 난 머리〔사람〕. **~kratze** *f.* 양모 빗는 빗. **~kratz·maschine** *f.* 양털 빗는 기계. **~krempel** *m.* ↑ ~kratze. **~-krempel-maschine** *f.* ↑ ~kratzmaschine. **~krempler** *m.* ↑ ~kämmer. **~locken** *pl.* ↑ Wollocken. **~markt** *m.* 양모〔모직물〕 시장. **~maus** *f.* ①〖動〗 친칠라속(屬)(남아메리카 안데스산(産)의 꼬리다람쥐류). ②〖방언·농담〗(대개 가구 아래에 쌓인) 먼지〔잔털〕. **~musselin** *m.* 모직 모슬린.

Woll-Lappen 新정서 ⇦ Wollapen.

Wollocken *pl.* 곱슬곱슬한 양모.

Woll≈reißer *m.* ↑ ~kämmer. **~sachein** *pl.* 〔구어〕 양모로 뜨개질한 옷가지. **~sack** *m.* ① 양모 자루. ② (속에 양모를 넣은) 영국 상원 의장의 방석. **~samen** *m.*〖植〗 솜털 있는 씨. **~samt** *m.* 털로 짠 벨벳. **~schläger** *m.* 양모 터는 직공. **~schur** *f.* 양털 깎기. **~schweiß** *m.* (양의 땀샘에서 분비되어 딱지가 된) 양모지(脂). **~siegel** *n.* 모직물 품질 보증인(印). **~sortierer** *m.* 양모 선별공〔선별기〕. **~spinner** *m.* ① 양모 방적공, 털실 뽑는 직공. ②〖動〗(털이 많은) 독나방의 일종. **~spinnerei** *f.* ① 양모〔모사〕 방적 공장. ② 양모 방적 작업. **~staub** *m.* 양모 먼지〔부스러기〕. **~stickerei** *f.* 털실 자수. **~stoff** *m.* 모직물. **~tapete** *f.* 양모가 든 벽지〔벽융단〕. **~tragend** *a.*〖植〗 솜털이〔융모가〕 있는.

Wollstra [vɔ́lstra] *f.* 볼스트라(인조 섬유의 일종).

*__Wollust__ [vɔ́lust] 《<Wohl+Lust》 *f.* Wollüste [..lʏstə] 〖雅語〗 ① 환희, 희열, 환락: et. mit wahrer ~ tun 무엇을 진정으로 기쁜 마음으로 하다; 〔고어〕 Garten der ~〔Wollüste〕 낙원. ② **(a)** 관능적〔성적〕 쾌락: ~ empfinden〔bereiten〕 성적 쾌락을 느끼다〔자극하다〕; höchste ~ 성적 흥분의 절정(Orgasmus). **(b)** 〔고어〕 성적 충동〔욕망〕, 육욕: die ~ des Fleisches〔Leibes〕 육욕; sich der ~ ergeben 섹스에 탐닉하다.

wollust·atmend *a.* 환락에 빠진, 호색의, 음탕한.

wollüstig [vɔ́lʏstɪç] *a.* 〖雅語〗 ① 성욕을 자극하는, 선정적인: ein ~er Anblick〔Genuß〕 선정적인 광경〔향락〕. ② 육욕에 빠진, 관능적인, 음탕한, 호색의: von ~er Liebe erfüllt sein 관능적인 사랑에 빠져 있다.

Wollüstling *m.* -s, -e 〖雅語·폄어〗 육욕에 빠진〔음탕한〕 사람, 호색가; 관능주의자.

Woll·vieh *n.* (양 등과 같은) 털을 내는 가축. **~ware** *f.* 모직물. **~waren·händler** *m.* 모직물 상인. **~wäsche** *f.* ① 모직 속옷. ② **(a)** 모직물. **(b)** (기계에 의한) 모직물 세탁 과정. **~zeug** *n.* 모직물. **~züchter** *m.* 목양(牧羊)업자. **~zupfer** *m.* 양모 선별공, 양모 풀어내는 사람.

Wolpertinger [vɔ́lpərtɪŋər] *m.* -s, - (bayr.) (자정 무렵 촛불을 사용해서 잡을 수 있다는) 값비싼 모피를 지닌 상상의 동물.

Wolynien [volý:niən] ↑ Wolhynien.

wolynisch [..lý:] *a.* ↑ wolhynisch.

Wombat [vɔ́mbat] 《austral.》 *m.* -s, -s 〖動〗 웜뱃(오스트레일리아산(産)의 유대(有袋) 동물).

*__wo·mit__ [vomít] *adv.* ① 〔의문 부사〕 무엇으로(써), 무엇을 가지고: ~ beschäftigt er sich? 그는 무슨 일을 하고 있느냐?; ~ kann ich Ihnen dienen? a) 무슨 용건이십니까?, b) 〖商〗 무엇이 필요하십니까?; ~ hast du den Fleck entfernt? 너는 그 얼룩을 무엇으로 제거했느냐? ② 〔관계 부사〕 …으로써: etwas, ~ ich nicht einverstanden bin 내가 동의하지 않는 일; ~ du mich erfreuen wolltest 네가 나를 기쁘게 해 주려고 한 것; 〖商〗 ~ sich unser Konto ausgleicht 이것으로써 정산이 완료됨.

wo·möglich [vomǿ:klɪç] *adv.* ① 가능하면: komm ~ schon etwas eher 가능하다면 좀더 일찍 오너라. ② 〔구어〕 어쩌면, 혹시, 아마: ~ kommt er heute 혹시 그가 오늘 올지 모른다; er ist durchgebrannt, und ~ noch mit fremdem Geld 그는 몰래 달아났다, 어쩌면 게다가 남의 돈까지 갖고.

wo·nach [voná:x] *adv.* ① 〔의문 부사〕 무엇 쪽으로; 무엇에 따라, 무엇에 관하여: ~ soll man sich richten? 무엇에 따라야 좋을까?; ~ fragt er dich? 그는 무엇에 대해 너에게 묻고 있느냐? ② 〔관계 부사〕 …쪽으로; …에 따라서: das war es, ~ er sich sehnte 그것이 바로 그가 열망했던 것이었다.

wo·neben [voné:bən] *adv.* ① 〔의문 부사〕 무엇의 곁〔옆〕에, 무엇의 곁으로: ~ liegt der Schlüssel? 열쇠가 무엇 옆에 있느냐? ② 〔관계 부사〕 …곁에, …옆에; 곁〔옆〕으로: der Spielplatz, ~ sich unser Grundstück befindet 우리 토지에 인접한 놀이터.

*__Wonne__ [vɔ́nə] *f.* -n ① 〖雅語〗 기쁨, 희열, 환희: voller ~ 매우 기뻐서, 기쁨에 넘쳐; in ~ schweben〔schwimmen〕 기쁨에 들떠 있다; die ~n der Liebe 사랑의 기쁨; das Kind ist unsere ganze ~ 그 아이는 우리의 큰 기쁨이다; 〔구어·농담〕 mit ~! 기꺼이! ② 〔구어〕 남의 불행을 즐김(Schadenfreude): er pflegt mit ~ andere zu necken 그는 다른 사람들을 놀리곤 하는 데서 즐거움을 느낀다.

wonne≈bebend *a.* 기뻐 날뛰는. **~berauscht** *a.* ↑ ~trunken. **~gefühl** *n.* 〖雅語〗 희열: ein ~ ergriff〔durchströmte〕 ihn 그는 희열에 사로잡혔다〔흠뻑 젖었다〕. **~-leben** *n.* 기쁨에 넘치는 생활.

wonnelos *a.* 기쁨〔즐거움〕을 잃은, 낙이 없는.

Wonne≈monat *m.* 〖시어·농담〗 5월. **~-mond** *m.* ↑ ~monat. **~proppen** *m.* 〔구어·농담〕 우량아, 귀엽고 통통한 아이.

wonnesam [vɔ́nəza:m] *a.* ↑ wonnevoll.

Wonne≈schauer *m.* 〖雅語〗 벅찬 기쁨, 환희의 전율. **~selig** *a.* 기쁨에 넘치는, 황홀한. **~taumel** *m.* 〖雅語〗 기쁨에 취함, 기뻐 날뜀, 황홀. **~tränen** *pl.* 기쁨의 눈물. **~trunken** *a.* 〔시어〕 기쁨에 취한, 기뻐 날뛰는. **~voll** *a.* 〔시어〕 ① 환희〔기쁨〕에 가득 찬. ② 기쁨을 안겨 주는.

wonnig [vɔ́nɪç] *a.* ① 매력적인, 귀여운: ein ~es Kind 귀여운 아이. ② 〖雅語〗 기쁨〔환희〕에 가득 찬, 황홀한: ein ~er Augenblick 황홀한 순간.

wonniglich [..klɪç] 《<Wonne》 *a.* 〔구식·雅語〕 기쁨을 주는, 황홀한: ein ~er Kuß 황홀한 키스.

Woog [vo:k] 《<Woge》 *m.* -(e)s, -e 〖방언〗 ① 작은 호수, 못, 늪. ② 강의 깊은 곳.

wor.. ↑ wo...

wor·an [vorán] *adv.* ① 〖의문 부사〗 무엇에 있어서〔따라서〕; 무엇 쪽으로: ~ denken Sie? 당신은 무슨 생각을 하고 있습니까? ; ~ erkannten Sie ihn? 당신은 무엇으로 그를 알아보았습니까? ; ~ liegt es? 어디에 문제가〔원인이〕 있느냐? ② 〖관계 부사〗 …에 있어서〔따라서〕, …쪽으로: das Buch, ~ ich arbeite 내가 작업 중인 책; er hat mich zum Abendessen eingeladen, ~ mir gar nichts liegt 그는 나를 저녁 식사에 초대했는데, 나는 그것에 전혀 관심이 없다. ③ 그 무엇인가: du mußt doch ~ gedacht haben 너는 틀림없이 뭔가 생각하고 있었다.

wor·auf [voráuf] *adv.* ① 〖의문 부사〗 무엇 위에〔위로〕, 무엇을: ~ sinnst du? 너는 무슨 생각을〔궁리를〕 하고 있느냐? ; ~ wartest du noch? 너는 무엇을 더 기다리느냐? ② 〖관계 부사〗 …위에〔위로〕, …위에서, 바로 그 다음에: die Bank, ~ ich sitze 내가 앉아 있는 벤치; etwas, ~ ich nicht gefaßt war 내가 각오하지 않았던 어떤 일.

wor·aufhin *adv.* ① 〖의문 부사〗 무엇을 향하여: ~ hat sie das gesagt? 그녀는 무슨 속셈으로 그렇게 말했는가? ② 〖관계 부사〗 ↑ worauf ②.

wor·aus [voráus] *adv.* ① 〖의문 부사〗 무엇으로부터, 어디에서; 무엇으로: ~ wird das Glas gemacht? 유리는 무엇으로 만들어지느냐? ; ~ besteht Wasser? 물은 무엇으로 구성되어 있느냐? ; ~ schließt du das? 무슨 근거로 너는 그런 추론을 하느냐? ② 〖관계 부사〗 …에서부터: das Buch, ~ ich die Stelle entnommen habe 내가 그 구절을 인용한 책; er unterstützt seine Eltern großzügig, ~ man entnehmen kann, daß er gut verdient 그는 부모를 아낌없이 후원하는데, 그런 점에서 그가 돈을 잘 번다고 추론할 수 있다.

Worb [vɔrp] 《alemann.》 *m.* -(e)s, Wörbe [vέrbə] 〔*f.* -en〕 〖방언〗 큰 낫의 자루〔손잡이〕.

Worbe [vɔ́rbə] *f.* -n ↑ Worb.

worben *t.* (schweiz.) (건초 등을) 뒤집어〔널어〕 놓다.

Worbel *f.* -n (ndd.) 〖植〗 월귤나무의 일종 (Waldbeere).

Worcester·soße [vʊ́stər..] *f.* -n 〖요리〗 우스터 소스(영국의 도시 Worcester에서 유래).

worden [vɔ́rdən] *p.p.* ↑ werden.

wor·ein [voráın] *adv.* ① 〖의문 부사〗 무엇의 안〔속〕으로: ~ mischen Sie sich? 무슨 일에 관여하고 계십니까? ② 〖관계 부사〗 그 안으로, 그것에: der Brunnen, ~ er sich gestürzt hat 그가 빠진 우물; das sind Dinge, ~ ich mich nicht mische 그것은 나와 관계 없는 일이다.

Worfel [vɔ́rfəl] *f.* -n (곡식을 까부르는) 키.

worfeln [vɔ́rfəln] *t.* (곡식을) 키질하다, 까부르다: das Getreide ~ 곡식을 까부르다.

Worfler *m.* -s, - 키, 까부르는 기계, 풍구.

Worf·schaufel *f.* (곡식을 까부르는) 키.

wor·in [vorín] *adv.* ① 〖의문 부사〗 무엇의 안에, 무엇에 있어서: ~ liegt die Schwierigkeit? 어려움이 어디에 있느냐? ; ~ besteht der Unterschied zwischen beiden Parteien? 그 두 정당간의 차이는 무엇인가? ② 〖관계 부사〗 그 안〔속〕에(서): das Haus, ~ ich wohne 내가 사는 집.

Wörishofen [vǿ:risho:fən] 뵈리스호펜(독일의 온천 도시 Bad Wörishofen).

Workaholic [wə:kəhɔ́lık] 《engl.》 *m.* -s, -s 〖心〗 일 중독자, 노동 강박증에 빠진 사람.

Workshop [wɔ́:kʃɔp] 《engl.》 *m.* -s, -s ① 워크숍, 연구 토론회: ~ Literatur 문학 워크숍; an einem ~ teilnehmen 워크숍에 참석하다. ② 예술품 제작소〔창작소〕.

World·cup [wɔ́:ldkʌp] 《engl.》 *m.* -s, -s 〖스포츠〗 월드컵.

Worms [vɔrms] 보름스(독일 라인란트팔츠주의 도시).

Wormser [vɔ́rmzər] 《Ⅰ》 *m.* -s, - 보름스 시민. 《Ⅱ》 *a.* 보름스의: 〖史〗 ~ Edikt 보름스 칙령.

wormsisch [vɔ́rmzıʃ] *a.* 보름스의.

wornach [vɔrná:x] *adv.* 〖고어〗 ↑ wonach.

Worpswede [vɔrpsvé:də] 보르프스베데(브레멘 근처의 예술가촌 이름).

***Wort** [vɔrt] 《lat. verbum》 *n.* -(e)s, -e/ Wörter [vœ́rtər] ① 〖복수: Wörter/(드물게) -e〗 낱말, 단어: die Bedeutung〔Betonung〕 eines ~es 어떤 단어의 의미〔강세〕; im eigentlichen Sinn des ~es 그 단어의 원래의 의미에 있어서; ein neues ~ prägen 새로운 단어를 만들어내다; ein ~ in eine andere Sprache übersetzen 어떤 단어를 다른 나라 말로 번역하다; ohne Einmischung fremder ~e 외국어를 혼입하지 않고. ② 〖복수: -e〗 (**a**) 말, 언사, 어구: ~e und Taten 언행; ~e der Anerkennung 〔des Trostes〕 인정〔위로〕의 말. (**b**) 〖형용사와 함께〗 drohende ~e 협박조의 언사; ein böses ~ 악의에 찬 말〔언사〕; goldene ~e 금언; bittere ~e 쓴말, 고언(苦言); ein gutes ~ für jn. einlegen a) 누구를 변호〔두둔〕하다, b) 누구를 추천〔천거〕하다; das große ~ führen 허풍떨다, 호언장담하다; leere ~e 빈말; hohe ~e machen 호언장담하다; ein vernünftiges ~ zu seiner Zeit 시의 적절한 말; das letzte ~ 맺음말, 결론, 최종 결정; 〖구어〗 du hast mal wieder das letzte ~ verschluckt! 너는 또다시 끝맺음말을 빠뜨렸구나! ; er hat das letzte ~ 그가 최종 결정을 내려야 한다; sie muß〔will〕 immer das letzte ~ haben 그 여자는 자기 주장을 끝까지 굽히지 않는다; hier kann man ein offenes ~ reden 여기에서는 터놓고 이야기할 수 있다; das ist ein wahres ~! 전적으로 옳다! ; es ist kein wahres ~ daran 거기에는 한 마디의 진실도 없다; das ~ ist mir entschlüpft 〔entfahren〕 나도 모르게 그 말이 튀어 나왔다; keines ~es mächtig sein 말문이 막히다; (auf) ein ~! 너〔당신〕에게 한 마디 해야겠다〔해야겠습니다〕! ; ohne ein ~ zu sagen 한 마디 말도 없이; darüber ist noch kein ~ gefallen 그것에 관해서는 아직 어떤 언급도 없었다; kein ~ weiter (davon)! (그것에 관해서는) 더 이상 언급하지 마라! ; mir fehlen die ~e (놀란 나머지) 나는 할 말을 잊었다; 〖구어〗 hast du (da noch) ~e 〔hat der Mensch ~e〕? 뭐, 그거 정말이야? ; viel(e) ~e machen 쓸데없이 말을 많이 하다; sein ~ wiegt schwer 그의 말에는 중요한 의미가 있

다; davon weiß ich kein ~ 그것은 내게 아주 생소하다; 〔雅語〕 er weiß seine ~e zu setzen 그는 자기 의사를 적절하게 표현할 줄 안다; dein ~ in Gottes Ohr! 제발 네 말이 거짓이 아니기를! ; sich³ ein paar ~e zurechtlegen 할 말을 미리 심사숙고하다; jedes ~ auf die Goldwaage legen 한 마디 한 마디를 신중히 하다; ein ~ für tausend 천금 같은 한 마디(말); seinen Gedanken ~e leihen 자기 생각을 말로 표현하다; jm. das ~ abschneiden 누구의 말을 가로채다; das ~ führen a) 대표하여 말하다, 대변하다, b) 혼자 도맡아 말하다, c) 사회를 보다; sie will es nicht ~ haben 그녀는 그것을 인정하려고 하지 않는다; jm. das ~ aus dem Mund(e) nehmen 누가 말하려던 것을 자기가 말하다; jm. das ~ im Mund(e) (her)umdrehen 누구의 말을 곡해하다; jm. das ~ reden 누구에게 듣기 좋은 말을 하다; et.³ das ~ reden 무엇을 변호〔지지〕하다; das ~ an jn. richten 누구에게 말을 건네다; spare dir deine ~e! 입조심해라! ; darüber braucht man kein ~ mehr zu verlieren 그것에 관해서는 더 이상 말할 필요도 없다〔자명하다〕; ich finde keine ~e für solche Frechheit 나는 그러한 뻔뻔스러움엔 뭐라고 말해야 좋을지 모르겠다(기막혀 말이 나오지 않는다); ein ~ gab das andere 갑론을박이 벌어졌다. **(c)** 〔전치사와 함께〕 jm. **aufs** ~ glauben 누구의 말을 그대로 믿다; jm. aufs ~ gehorchen 누구에게 시키는 대로 순종하다; auf js. ~e hören 누구의 충고에 따르다; auf Ihre ~e hin 당신의 말을 따라서〔받들어〕; **bei** diesen ~en 이렇게 말하면서; ~ **für**〔〔고어〕vor〕 ~ 축어적으로, 말 그대로; jm. **ins** ~ fallen 누구의 말을 가로막다, 누구의 말에 참견하다; seine Gedanken〔Gefühle〕 in ~e kleiden 생각〔감정〕을 말로 표현하다; 30 Mark, in ~en dreißig Mark 30 마르크, 일금 30 마르크 정(整)(금액을 숫자와 문자로 기재할 때); es in ~en haben 말이 밑천이다, 가진 것은 입밖에 없다; **mit** einem ~ 한 마디로 말하면, 요컨대; mit anderen ~en 달리〔바꿔〕 말하면; mit ~en spielen 말장난하다; jn. mit leeren ~en hinhalten〔abspeisen〕 누구를 허황된 말로 구슬리다; jn. mit ~en strafen 누구를 호되게 꾸짖다; den ~en **nach** verstehen 문자 그대로 이해하다; nach ~en ringen〔suchen〕 적절한 표현을 찾느라 고심하다; **ums** ~ bitten 발언권을 요구하다; **von** ~ zu ~ 한마디 한마디, 조목조목; er ist ein Mann von wenig ~en 그는 과묵한 사람이다; **zu** ~ kommen 발언할 기회를 얻다; mit jm. zu ~ kommen 누구와 담화〔담판〕하다; zu seinem ~ stehen 약속을 지키다. ③〔복수: -e〕〔음악〕 가사(歌詞): ~ und Weise eines Liedes 노래의 가사와 선율; Lieder ohne ~e 무언가(無言歌)(피아노곡의 일종). ④〔軍〕(Losungswort) 암호, 군호(軍號). ⑤〔복수: -e〕 격언, 금언, 속담: geflügelte ~e 인구(人口)에 회자(膾炙)되는 말. ⑥ 약속, 언약, 언질, 확언: jm. sein ~ geben 누구에게 약속하다; sein ~ brechen 약속〔언약〕을 어기다, 식언하다; du hast mein ~! 너는 내 말을 믿어도 된다! ; sein ~ zurücknehmen 약속을 취소〔철회〕하다; bei jm. im ~ sein 누구에게 약속을 지킬 의무를 지고 있다; sein ~ halten 약속〔언약〕을 지키다; jn. beim ~ nehmen 누구에게 약속의 이행을 요구하다; ein Mann, ein ~ 대장부는 일구이언이 없다; ein Mann von ~ 약속을 지키는〔믿을 수 있는〕 사람; auf mein ~! 맹세코, 꼭! ; dein ~ in Ehren, aber... 말씀은 지당합니다만, 그러나…. ⑦〔聖〕 말씀, 교리, 복음: das ~ des Herrn 주님의 말씀; das heilige ~ 거룩한 말씀; das ~ Gottes〔Gottes ~〕 복음, 성경; und das ~ ist Fleisch geworden und hat unter uns gewohnt 말씀이 육신이 되어 우리 가운데 거했다(요한 1:14); im Anfang war das ~ 태초에 말씀이 계시니라(요한 1:1); 〔哲〕 das ~ 로고스. ⑧ 연설, 발언; 발언권: das ~ führen 발언을 주도하다, 회의를〔토론을〕 주재하다; jm. das ~ verbieten 누구의 발언을 금지시키다; sich zu〔zum〕 ~ melden 발언 신청을 하다; jn. nicht zu ~ kommen lassen 누구에게 발언할 기회를 주지 않고 계속 말하다; jm. das ~ entziehen〔erteilen〕 누구의 발언권을 빼앗다〔허락하다〕; das ~ erhalten〔ergreifen, nehmen〕 발언권을 얻다; das ~ haben 발언권을 가지다.

Wort≈abstand *m.* 단어 간격. **~akzent** *m.* 〔음성〕 단어의 주(主)강세〔악센트〕. **≈arm** *a.* 〔雅語〕 ① 어휘가 빈약한: eine ~e Sprache 어휘가 빈약한 언어. ② 말수가 적은, 과묵한. **~armut** *f.* 〔雅語〕 ① 어휘의 빈약. ②〔드물게〕 과묵. **~art** *f.* ①〔언어〕 품사. ② 말의 종류. **~aufwand** *m.* 다변, 요설. **~auswahl** *f.* 어휘 선택, 선정된 단어. **~bau** *m.* 말의 짜임새, 언어의 구조. **~bedeutung** *f.* 낱말뜻, 어의(語義). **~bedeutungs·lehre** *f.* 어의론. **~beugung, ~biegung** *f.* 어형 변화. **~bildung** *f.* ① 조어(造語), 단어의 형성〔구성〕. ② 신조어. **~blindheit** *f.* 〔醫〕 시각성 실어증, 실독증(失讀症). **~bruch** *m.* 약속 위반, 식언(食言): sich eines ~(e)s schuldig machen 언약을 어기다; jm. ~ vorwerfen 누구의 약속 위반을 나무라다. **≈brüchig** *a.* 약속을 지키지 않는, 식언하는: ~ werden 약속을 깨뜨리다.

Wörtchen [vœ́rtçən] *n.* -s, - 〔↑ Wort 의 축소형〕 ① 짧은 말, 몇마디 말. ②〔구어〕 davon ist kein ~ wahr! 그것에 관한 어떤 말도 진실이 아니다! ; 〔구어〕 hier habe ich auch noch ein ~ mitzureden 이 점에 대해서는 나도 동의할 수 밖에 없다.

Worte≈macher [vɔ́rtə..] *m.* 〔폄어〕 요설가, 말 많은 사람; 허풍쟁이. **~macherei** [vɔrtə..ráɪ] *f.* 〔폄어〕 수다, 요설; 허풍: das ist doch alles nur ~ 그것은 모두 수다에 불과하다.

Wort·endung *f.* 〔문법〕 어미.

***Wörter·buch** *n.* 사전, 어휘집: Synonym≈ 동의어 사전; in einem ~ nachschlagen 사전에서 찾다.

Wort·erklärung *f.* 〔언어〕 단어 해석〔설명〕.

Wörter·verzeichnis *n.* 어휘표, 단어 색인.

Wort≈familie *f.* 〔언어〕 어족, 어군(보기: geben, Gabe, Gift, angeben). **~fassung** *f.* ↑ ~laut. **~fechter** *m.* 논쟁가. **~feld** *n.* 〔언어〕 내용적으로 연관된 단어들의 영역, 어장(語場). **~fetzen** *m.* 단편〔부분〕적인 어휘: er hatte nur ein paar ~ ihres Gesprächs verstehen können 그는 그들의 대화에서 겨우 몇 마디만 알아들을 수 있었다. **~flut** *f.* 도도한 언

변. ~**folge** *f.* 『언어』 어순, 배어법. ~**form** *f.* 『언어』 어형. ~**forschung** *f.* 어휘 연구; 어휘론, 어원학. ~**fügung** *f.* 『언어』 ① 구문(構文). ② 문장론(Syntax). ~**fügungs·lehre** *f.* ↑ ~fügung ②. ~**führer** *m.* 대변자; 『法』 대리인; 의장(議長): sich zum ~ einer Sache machen 어떤 사안의 대변자 역할을 하다. ~**führerin** *f.* ↑ ~führer 의 여성형. ~**fülle** *f.* 수다, 다변(多辯), 요설. ~**gedächtnis** *n.* 언어 기억력. ~**gefecht** *n.* 논쟁, 말싸움. ~**geklingel** *n.* 〔폄어〕 공허한 미사여구. ~**gemälde** *n.* 그림 같은 묘사〔서술〕. ~-**geographie** *f.* 『언어』 어휘 지리학. ~**geplänkel** *n.* 사소한 논쟁, 말다툼. ~**gepränge** *n.* 과장된 말. ~**geschichte** *f.* 『언어』 ① **(a)** 어휘〔단어〕의 내력〔역사〕. **(b)** 어휘사 연구 언어학. ② 어휘사 연구서. ~**geschichtlich** *a.* 어휘사(연구 언어학)의. ~-**getreu** *a.* 원전에 충실한, 문자대로의, 축자적(逐字的)인. ~**gewaltig** *a.* 탁월한 언어 구사력을 지닌, 표현력이 뛰어난. ~**gewandt** *a.* 말재간이 있는, 달변의. ~**gewandtheit** *f.* 능변, 달변. ~**gläubig** *a.* (신앙상의) 교리〔경전〕에 충실한. ~**gottes·dienst** *m.* 『가톨릭』 ① 미사의 전반부에 하는 강론과 설교. ② 강론 예배. ~**gruppe** *f.* 『언어』 어휘군, 어군(語群). ~**habend** *a.* 발언권을 가진, 발언이 허락된. ~**held** *m.* 〔폄어〕 허풍선이, 호언장담가.

Wo̦rther See *m.* - -s, **Wo̦rthersee** *m.* -s (오스트리아의) 뵈르터 호수.

Wo̦rthsee *m.* -s (알프스 북쪽 바이에른 지방의) 뵈르트 호수.

Wo̦rt≈kampf *m.* ↑ ~gefecht. ~**karg** *a.* ① 말이 적은, 과묵한. ② 몇 마디 말로만 이루어진, 간결한: eine ~e Erklärung 간단한 설명. ~**kargheit** *f.* ① 말이 적음, 과묵(한 태도). ② 말의 간결성. ~**klang** *m.* 말의 울림. ~**klasse** *f.* 『언어』 품사. ~**klauber** *m.* 〔폄어〕 자구를 꼬치꼬치 따지는 사람, 자구에 얽매이는 사람. ~**klauberei** *f.* 〔폄어〕 자구를 꼬치꼬치 따짐, 자구에 얽매임. ~**kram** *m.* 쓸데없는 말을 늘어놓음. ~**krämer** *m.* 쓸데없는 말을 늘어놓는 사람. ~**kreuzung** *f.* 『언어』 혼성(어), 혼합. ~**krieg** *m.* 논쟁, 설전(舌戰). ~**kritik** *f.* 자구 비판〔비평〕. ~**kunde** *f.* 어원학. ~**kunst** *f.* 언어 예술, 문학, 문예; 수사학. ~**künstelei** *f.* 문장의 허식(虛飾), 가식적(假飾的)인 문체. ~**künstler** *m.* ① 수사가. ② 문인, 시인. ~**laut** *m.* 본문, 원문, 텍스트: der genaue ~ eines Briefes 편지의 정확한 원문. ~**lehre** *f.* ① 『문법』 품사론. ② 품사론 교본〔교과서〕.

Wörtlein [vœ́rtlaın] *n.* -s, - ↑ Wörtchen.

***wörtlich** [vœ́rtlıç] *a.* ① 〔구식〕 말의, 언어(상)의, 구두의: ~e Beleidigung 말에 의한 모욕. ② 말〔문자〕 그대로의, 낱말에 충실한, 축어적인: ich kann es nicht ~ wiedergeben, sondern nur dem Sinne nach 나는 그것을 문자 그대로 재현할 수는 없고, 의미에 따라서만 재현할 수 있다; die ~e Rede 직접 화법; eine ~e Übersetzung 직역; im ~en Sinn 말의 본래의 의미로; du darfst das, was er sagt, nicht (so) ~ nehmen〔verstehen〕 너는 그가 하는 말을 곧이곧대로 받아들여서는 안 된다.

wo̦rtlos *a.* 말이 없는, 무언의, 침묵하는: ein ~es Einverständnis 묵인, 묵계.

Wo̦rt≈macher *m.* 수다쟁이, 요설가. ~-**mangel** *m.* ↑ ~armut. ~**meldung** *f.* 발언 신청: es liegen keine weiteren ~en vor 더 이상의 발언 신청은 없다. ~**rätsel** *n.* 낱말 수수께끼. ~**register** *n.* 용어〔어휘〕 색인. ~-**reich** *a.* ① 어휘가 풍부한, 많은 어휘를 구사하는. ② 말 많은, 장황한: ein ~er Abschied 장황한 작별. ~**reichtum** *m.* ① 어휘의 풍부함, 풍부한 어휘. ② 〔드물게〕 장황, 말수가 많음. ~**schatz** *m.* ① (한 언어의) 어휘(총수): Grund~ 기본 어휘 (총수). ② (개인의) 사용 어휘(수): seinen fremdsprachlichen ~ erweitern 자신의 외국어 구사 어휘를 확장하다. ~**schöpfung** *f.* ① 새로운 어휘의 창조〔형성〕: die fortschreitende Technik regt zu immer neuen ~en an 기술의 진보는 항상 새로운 어휘 창조를 자극한다. ② 신조어. ~**schwall** *m.* 도도한 언변, 유창한 말솜씨; 〔구어〕 장광설: mit einem ~ 유창한 말솜씨로. ~**schwulst** *m.* ↑ ~schwall. ~**sinn** *m.* 단어의 뜻, 어의(語義). ~**sparer** *m.* 말이 적은〔과묵한〕 사람. ~**spiel** *n.* 말장난, 농담, 해학, 유머. ~**spieler** *m.* 말장난에 능한 사람, 익살꾼. ~**stamm** *m.* 『언어』 어간, 어근. ~**stellung** *f.* 『언어』 배어법, 어순. ~**streit** *m.* ↑ ~gefecht.

Wo̦rt≈taubheit *f.* 『醫』 어롱증(語聾症), 청각성 실어증. ~**theater** *n.* 언어극(Sprechtheater). ~**verderber** *m.* 국어 파괴자(Sprachverderber). ~**verdreher** *m.* 〔폄어〕 말을 곡해하는 사람. ~**verdrehung** *f.* 〔폄어〕 말의 곡해. ~**versetzung** *f.* 말의 전도; 『문법』 어순 변경. ~**verstand** *m.* ↑ ~sinn. ~**verwechselung** *f.* 말(뜻)의 혼동. ~-**verzeichnis** *n.* ↑ ~register. ~**vorrat** *m.* 〔고어〕 ↑ ~schatz. ~**vorstellung** *f.* 언어표상. ~**wahl** *f.* 어휘의 선택. ~**wechsel** *m.* ① 논쟁, 말다툼: in einen ~ geraten 논쟁에 휘말리다. ② 〔구식〕 대담, 토론. ~-**wechseln** (*p.p.* gewortwechselt) *i.* (h.) 논쟁하다. ~**witz** *m.* 말장난, 말을 이용한 재담〔위트〕. ~**wörtlich** *a.* 축어적인, 문자 그대로의: eine Äußerung ~ auffassen 어떤 진술을 문자 그대로 이해하다. ~**zeichen** *n.* ① 『經』 문자를 이용한 상표〔트레이드마크〕. ② 말의 약자〔기호〕(보기: Dollar 의 $), 생략 부호(보기: Doktor 의 Dr.). ~**zerteilung** *f.* 『문법·고어』 분어법, 합성어 분리법.

wor·über [voŕy:bər] *adv.* ① 〔의문 부사〕 무엇 위에〔위로〕, 무엇에 관하여: ~ klagt er? 그는 무엇을 탄식하고 있느냐?; ~ habt ihr gesprochen? 너희들은 무엇에 관해 이야기했느냐? ② 〔관계 부사〕 …에 관하여; …의 위에〔위로〕: die Mauer, ~ er gesprungen ist 그가 뛰어넘은 담벽; ~ du dich freust, ärgern sich manche 네가 기뻐하는 그것에 대해 많은 사람들은 화가 나 있다.

wor·um [vorúm] *adv.* ① 〔의문 부사〕 무엇의 주위에, 무엇 때문에, 무엇에 관하여: ~ bewirbt er sich? 그는 무엇을 얻으려 하느냐?; ~ handelt es sich? 무엇이 문제되는가? ② 〔관계 부사〕 …을 둘러싸서, …에 관하여; etwas, ~ ich dich sehr bitten möchte 내가 네게 간절히 부탁하고 싶은 것. ③ 〔구어〕 ↑ warum.

wor·unter [vorúntər] *adv.* ①〘의문 부사〙 무엇의 아래에, 무엇 때문에: ~ hast du am meisten gelitten? 너는 무엇으로 가장 많이 고생했느냐? ②〘관계 부사〙 …의 아래에, …중에서: etwas, ~ sie sich gar nichts vorstellen kann 그녀가 전혀 상상도 할 수 없는 그 무엇이 있는 어떤 것.

wo·selbst [vozέlpst] *adv.* 〘관계 부사 wo 의 뜻을 강조하여〙〘고어〙 바로 거기에.

Wotan [vó:tan] *m.* -s 〖신화〗 ↑ Wodan.

wo·von [vofɔ́n] *adv.* ①〘의문 부사〙 무엇에서(부터), 무엇에 관하여, 무엇에 의하여: ~ sprechen sie? 그들은 무엇에 관해 이야기하고 있니?; ~ hat er den Aufkleber entfernt? 그는 무엇에서 스티커를 제거했는가? ②〘관계 부사〙 …에서(부터), …에 관하여(서), …에 의하여: die Sache, ~ die Rede ist 문제되고 있는 일; er fragte mich nach etwas, ~ ich keine Ahnung hatte 그는 내가 전혀 모르는 것에 대해 내게 물었다; er hatte die ganze Nacht hindurch gearbeitet, ~ er ziemlich ermüdet war 그는 밤새도록 일을 해서 그로 인해 상당히 지쳐 있었다.

wo·vor [vɔfɔ́:r] *adv.* ①〘의문 부사〙 무엇에 대해, 무엇 앞에〔앞으로〕: ~ fürchtest du dich? 너는 무엇을 두려워하고 있느냐?; ~ sitzt sie auf dem Foto? 사진에서 그녀는 무엇 앞에 앉아 있는가? ②〘관계 부사〙 …에 대하여, …앞에, …으로: das, ~ er sich am meisten fürchtet 그가 가장 두려워하는 것; die Tür, ~ er stand 그가 마주 서 있는 문.

wo·wider [voví:dər] *adv.* ↑ wogegen.

wo·zu [votsú:] *adv.* ①〘의문 부사〙 무엇 때문에, 무슨 의도〔계기〕로: ~ brauchst du das? 너는 무엇 때문에 그것이 필요하니? ②〘관계 부사〙 …때문에, …한 의도〔계기〕로: etwas, ~ viel Mut gehört 대단한 용기를 요하는 일〔것〕; ~ noch kommt 게다가, 그뿐 아니라. ③ 어떻게 해서든지, 어떻게든: wir müssen uns ~ entschließen 우리는 어떻게든 결심하지 않으면 안 된다.

wo·zwischen [votsvíʃən] *adv.* ①〘의문 부사〙 무엇 사이에〔로〕: ~ hast du die Rechnung gelegt? 너는 계산서를 어디에 끼워 두었느냐? ②〘관계 부사〙 …사이에〔로〕.

wrack [vrak] 《ndl.》 *a.* 사용할 수 없는, 수리할 수 없는.

Wrack 《ndl.》 *n.* -(e)s, -s/(드물게) -e ① 폐〔노후〕 선박〔비행기〕. ②〘구어〙 폐인: er ist nur noch ein ~ 그는 이제 폐인일 뿐이다. ③ 표류.

Wrack≈gut *n.* 표착물, 해난 구조물. **~recht** *n.* 표착물 점유권.

Wrak [vra:k] *f.* (mecklenburg.) 무사마귀; 젖꼭지, 유두.

wraken *i.* (h.) (배가) 표류하다.

wrampig [vrámpıç] *a.* (ndd.) ① 주름진, 주름투성이의; (촉감이) 거친, 꺼칠꺼칠한. ② 혹이 있는, 마디 있는. ③ 언짢은.

wrangeln, wrangen *i.* (h.)/*refl.* (sich) ~ (ndd.) 격투하다.

Wrasen [vrá:zən] *m.* -s, - (ndd.) 증기; 김.

Wrasen·abzug *m.* 증기 배출 장치.

Wratt *f.* -e (ndd.) ↑ Wanze.

wräuschen *i.* (h.) (ndd.) 격투하다, 싸우다.

Wrausen *m.* -s, - (ndd.) (네모나게 뜬) 뗏장.

wrenschen *i.* (h.) (ndd.) (말이) 울다.

wrewelig *a.* (ndd.) 불평하는, 언짢은.

wribbeln [vríbəln] (ndd.) 《Ⅰ》 *t.* 손가락으로 고깃고깃 비벼 주름지우다. 《Ⅱ》 *i.* (h.) 불안〔초조〕해하다.

wricken [vríkən] *t./i.* (h.) ↑ wriggen.

wriggeln *t./i.* (h.) ↑ wriggen.

wriggen [vrígən] *t./i.* (h.) 〖海〗 (ndd.) 노저어 가다: ein Boot ~ 보트를 젓다.

wringen* [vríŋən] (wrang, gewrungen) *t.* (ndd.) ① 양손으로 비틀다〔짜다〕: Wäsche ~ 빨래를 짜다. ② 비틀어 짜내다: Flüssigkeit aus et.³ ~ 무엇에서 액체를 짜내다.

Wring·maschine *f.* (세탁물의) 탈수기.

Wroclaw [vrɔ́tsuaf] 브로츠와프(Breslau 의 폴란드식 명칭).

Wrucke [vrúkə] *f.* -n (nordostd.) 〖植〗 서양 평지의 일종, 스웨덴 순무.

Wruke [vrúkə] *f.* -n ↑ Wrucke.

Ws =Wattsekunde 와트초(秒).

W.S.g.u. =Wenden Sie gefälligst um 이면(裏面)을 보시오.

WSW =Westsüdwest(en) 서남서.

Wucher [vú:xər, (드물게) vúx..] 《<wachsen》 *m.* -s 〘폄어〙 ①〘고어〙 이자, 이득, 벌이. ② 고리 대금; 폭리: 〘구어〙 das ist ja ~! 그것은 터무니없이 높은 값이다!; ~ treiben 고리 대금하다, 폭리를 취하다.

Wucher·blume *f.* 〖植〗 데이지의 일종, 프랑스 국화(菊花).

Wucherei [vu:xəráı] *f.* 〘폄어〙 고리 대금(업), 폭리 거래, 모리.

Wucherer *m.* -s, - 〘폄어〙 고리 대금업자, 모리배.

Wucher≈gerste *f.* 〖植〗 보리의 일종(Bartgerste). **~geschäft** *n.* ↑ ~handel. **~gesetz** *n.* 폭리〔고리〕 단속법. **~gewinn** *m.* 폭리, 고리(高利), 부당 이득.

wucherhaft *a.* ① 고리의, 폭리의, 폭리를 취하는. ②〘고어〙 무성한, 번성한, (식물이) 우거진.

Wucher·handel *m.* 고리 대금업.

wucherig [vú:xərıç] *a.* ↑ wucherisch.

Wucherin *f.* -nen 〘폄어〙 ↑ Wucherer 의 여성형.

wucherisch *a.* 〘폄어〙 폭리를 취하는.

Wucher≈jude *m.* 〘폄어〙 폭리를 탐하는 유대인. **~miete** *f.* 〘폄어〙 터무니없이 높은 집세〔지대(地代)·소작료〕.

***wuchern** [vú:xərn, (드물게) vúx..] *i.* (h.) ① (h./s.) **(a)** 번성하다, 무성하게 자라다, 우거지다: das Unkraut wuchert 잡초가 우거진다. **(b)** 〖醫〗 (신체 조직이) 과도하게 증식하다. ② 고리〔폭리〕를 취하다: mit dem Geld ~ 고리 대금하다; 〖聖·비유〗 mit seinem Pfunde ~ a) 이익을 남기다(누가 25:15 이하), b) 재능을 활용하다.

Wucher≈pflanze *f.* 무성한 식물. **~preis** *m.* 〘폄어〙 바가지 요금. **~prozent** *n.* 높은 이율, 고리: zu ~en 높은 이율로. **~stier** *m.* (alem.) 종우(種牛), 씨소.

Wucherung [vú:xəruŋ] *f.* -en ① 〖植〗 번성; 〖生〗 증식; 고리 대금업. ② 〖병리·生〗 **(a)** 조직의 병적인 증식, 나무의 혹; 〖醫〗 군은살; 골증식체(骨增殖體), 외골종(外骨腫). **(b)** 종양.

Wucher·zins *m.* 〘폄어〙 고리(高利): Geld zu

~en ausleihen 돈을 고리로 빌려 주다.

***Wuchs** [vu:ks, vʊks] 《<wachsen》 *m.* -es, Wüchse [vý:ksə] ① (식물의) 발육, 생장. ② (동물의) 몸집, 덩치: ihr üppiger ~ 그 여자의 풍만한 몸집; von kleinem[schlankem] ~ 몸집이 작은[몸매가 날씬한]. ③〖林〗유목(幼木), 유수(幼樹), 어린 나무.

wuchs [vu:ks] ↑ wachsen 의 과거형.

wüchse [vý:ksə, výksə] ↑ wachsen 의 접속법 Ⅱ식.

wüchsig [vý:ksɪç] *a.* (식물이) 잘 성장[발육]한; 성장이 빠른.

..wüchsig *suf.* "…하게 발육한·성장한"의 뜻 (보기: klein~ 발육이 부진한, 왜소한).

Wuchs·stoff [vú:ks..] *m.*〖醫〗성장[발육]소(素).

***Wucht** [vʊxt] 《ndd.》 *f.* -en ① **(a)** 무게, 중압; 무거운 것[짐], 부담: mit aller[voller] ~ 힘껏, 전력으로. **(b)** 압력, 압박: unter der ~ der Beweise legte er ein Geständnis ab 여러 증거에 눌려 그는 자백했다. ②〖방언〗심한 구타[매질]: eine ~ bekommen 심하게 얻어맞다. ③〖방언〗많은 양, 대량: er hat sich eine ganze ~ Bohlen besorgt 그는 두꺼운 널빤지들을 대량으로 구했다. ④〖경박〗jemand [etwas] ist eine ~! 누가[무엇이] 멋지다, 멋있다! ⑤〖工〗**(a)** (지레의) 지점(支點), 굄목. **(b)** ↑ Wuchtbaum.

Wucht·baum *m.* 지렛대.

Wuchtel [vúxtəl] *f.* -n 효모를 넣고 구운 잼이 든 과자.

wuchten [vúxtən] 《Ⅰ》 *i.* (h.)〖구어〗육중하게 놓여 있다; 힘차게 이동하다; 전력을 다해 일하다: bei unserem Umzug haben wir schwer gewuchtet 이사할 때 우리는 고되게 일했다. 《Ⅱ》 *t.* ① 힘껏 들어올리다; 힘들여 움직이다[이동시키다]: einen Schrank auf einen Wagen ~ 장을 수레 위로 힘껏 들어올리다. ② 힘껏 차다[밀치다]. 《Ⅲ》 *refl.* sich ~ 힘들여 몸을 옮기다: schnaufend wuchtete er sich aus dem Sessel 그는 헐떡거리면서 간신히 안락 의자에서 일어섰다.

wuchtig [vúxtɪç] *a.* ① **(a)** 육중한, 묵직한: ein ~es Gebäude 육중한 건물; ~er Wein 농도가 짙은 포도주. **(b)** 힘찬, 굉장한: ein ~er Schlag 힘찬 일격. ② 중요한, 의미심장한.

Wuchtigkeit *f.* 육중, 묵직함; 힘참.

wücke (ndd.) ↑ welche, einige.

wudeln *i.* (h.)〖구어〗① 무리짓다, 우글우글하다. ② 늘다, 증가[증대]하다.

Wühl·arbeit [vý:l..] *f.* ① (흙 등을) 파 뒤집기. ②〖폄어〗음험한 책동, 중상.

***wühlen** [vý:lən]〖방언〗《Ⅰ》 *i.* (h.) ① **(a)** 파 뒤집다; 파다; 구멍을 뚫다: die Kinder wühlten im Sand 아이들이 모래를 파 뒤집었다; sie wühlte nervös in ihren Haaren 그녀는 신경질적으로 자기 머리칼을 쥐어 뜯었다; der Schmerz wühlt mir in den Eingeweiden 나는 고통으로 내장이 뒤집어질 지경이다; der Ehrgeiz wühlte in seinem Innern 그는 명예욕에 불탔다;〖비유〗im Schmutz ~ 상스러운[외설적인] 이야기를 즐겨 하다. **(b)**〖구어〗손으로 여기저기 찾아 헤집다: im Schrank [in seinen Papieren] ~ 장[서류들]을 온통 헤집다; in Schubladen ~ 서랍 속을 온통 뒤지다. ②〖政·폄어〗책동하다, 선동하다, 사주하다: er hat gegen die Parteispitze gewühlt 그는 당의 수뇌부에 맞서서 선동을 했다. ③〖구어〗고되게[힘껏] 일하다: dafür hat er auch den ganzen Tag gewühlt 그것을 위해 그는 온종일 고되게 일했다. 《Ⅱ》 *t.* (구멍 등을) 파다: ein Loch in die Erde ~ 땅속에 굴을 파다. 《Ⅲ》 *refl.* sich ~ ① 뚫고 지나가다. ② 파고 들어가다: sich in die Erde ~ 땅을 파고들어가다. ③〖구어〗가까스로[힘들게] 처리하다: er mußte sich durch eine Flut von Papieren ~ 그는 물밀듯이 밀려오는 서류들을 힘들게 처리해야만 했다.

wühlend *p.a.* (고통 등이) 격렬한, 쑤시는 듯한: ein ~er Schmerz 욱신욱신 쑤시는 고통.

Wühler *m.* -s, - ① 파(헤치)는 사람. ②〖動〗(설치류와 같은) 땅굴을 파는 짐승. ③〖政·폄어〗민심 교란자; 선동자. ④〖구어〗쉬지 않고 일하는 사람, 억척스러운 일꾼.

Wühlerei [vy:lərái] *f.* -en〖폄어〗① 쉴새없이 자꾸 파뒤집기. ②〖政·구어〗민심 교란, 선동. ③〖구어〗쉬지 않고 일하기; 고된 일.

wühlerisch [vý:lərɪʃ] *a.*〖폄어〗민심을 어지럽히는, 선동적인.

Wühl≈huber *m.*〖구어〗↑ Wühler ③. **~maus** *f.*〖動〗들쥐. **~tisch** *m.*〖구어〗골라잡기 상품 판매대.

Wuhne [vú:nə] *f.* -n 얼음에 뚫은 구멍 (Wune).

Wuhr [vu:r] *n.* -(e)s, -e ↑ Wuhre.

Wuhre [vú:rə] *f.* -n (bayr., alem.) (Wehr², Buhne) 방파제, 방죽, 제방.

Wulfenit [vʊlfení:t, ..nít] *n.* -(e)s, -e〖광물〗울페나이트, 수연 연광(水鉛鉛鑛).

wulgrig *a.* (schweiz.) ① 박편(모양)의, 양털 같은, 부드러운. ② 부스러지기 쉬운, 가루 모양의.

wull *prn.* (ndd.) ↑ jemand.

Wullazer *m.* -s, -〖방언〗요들을 부르는 사람.

Wülpe *f.* -n (ndd.) 땅고르기[씨뿌리기]에 사용하는 롤러(Ackerwalze).

Wulst [vʊlst] *m.* -es, Wülste [výlstə] [*f.* Wülste] ① 불룩함. ② (베개·방석 등의) 속, 둥근 쿠션. ③ (옷의) 패드. ④ (Haar≈) 쪽, 낭자. ⑤〖건축〗원주(圓柱)의 불룩한 원형 토대. ⑥〖醫〗결절, 융기. ⑦〖海〗벌지(군함의 뱃전에 댄 어뢰 방어용의 불쑥 내민 부분). ⑧〖기하〗토러스, 원환[윤환]체.

wulst·artig *a.* ↑ ~förmig.

Wülstchen [výlstçən] *n.* -s, - ↑ Wulst 의 축소형.

wulst·förmig *a.* 둥글게 부푼, (속을 넣어서 부풀어) 불룩 나온.

wulsten 《Ⅰ》 *t.* 불룩하게 하다: er wulstete die Lippen 그는 입술을 삐죽이 내밀었다. 《Ⅱ》 *i.* (h.) 불룩하다. 《Ⅲ》 *refl.* sich ~ 불룩해지다: die Lippen wulsteten sich 입술이 삐죽이 튀어나왔다.

wulstig [vúlstɪç] *a.* 둥글게 부푼[불룩한].

wülstig [výlstɪç] *a.* ↑ wulstig.

Wulstling *m.* -s, -e〖植〗파리버섯의 일종.

Wulst·lippe *f.*〖구어〗(흑인의 입술처럼) 두껍게 부풀어오른 입술.

wumm [vʊm] *int.*〖의성어〗쿵, 쾅쾅(엔진 따위의 둔탁하게 울리는 소리).

wümmen *t./i.* (h.) (schweiz.) 포도를 따다.

wummern [vúmərn] *i.* (h.) 〖구어〗① 둔탁한 소리를 내다, 쿵쿵거리다: der Motor wummert 모터가 쿵쿵 소리를 낸다; in meinem Kopf wummert es 나는 머리가 지끈지끈하다. ② 쾅쾅〔탕탕〕 소리를 내며 두들기다: mit den Fäusten an die Tür ~ 주먹으로 문을 쾅쾅 두들기다.

Wụmmet *m.* -s (schweiz.) 포도따기.

***wund** [vʊnt] *a.* ① 다친, 상처난; 〖비유〗(마음·명예 등이) 손상된; (감정이) 상한: ihr ~es Herz 그녀의 상처입은 마음; ~e Stelle 상처; den ~en Punkt berühren 약점을 건드리다; sich³ die Füße〔Fersen〕 ~ laufen a) 달리다가 발을 다치다, b) 〖구어〗(무엇을 얻으려고) 발이 닳도록 뛰다; 〖구어〗 sich³ die Finger ~ schreiben 손가락이 부르트도록 글을 쓰다; 〖구어〗 sich³ den Mund ~ reden 아무 실속 없이 입이 아프게 말하다; sich ~ reiben〔reiten〕 계속 문질러서〔말을 타서〕 피부가 상하다. ② 〖시어〗 부상당한: ein ~er Krieger 부상당한 전사. ③ 〖드물게〗(짐승이) 상처 입은.

Wụnd≈arznei·kunst *f.* 외과 의술, 구급〔응급〕 처치술. **≈arzneilich** *a.* 외과적인, 구급 요법의. **~arznei·schule** *f.* 외과의 학교. **~arzt** *m.* 〖고어〗 외과 의사, 구급의. **≈-ärztlich** *a.* 〖고어〗 외과 의사의, 응급 처치의: jn. ~ versorgen 누구를 응급 처치해 주다. **~balsam** *m.* 상처에 바르는 연고. **~behandlung** *f.* 상처의 치료. **~brand** *m.* 〖병리〗 창상(創傷) 괴저.

***Wunde** [vʊ́ndə] *f.* -n ① 상처, 부상, 창상: Brand≈ 화상; Stich≈ 찔린 상처; eine ~ reinigen〔verbinden〕 상처를 소독하다〔붕대로 감싸다〕; sich³ eine ~ zuziehen 상처를 입다; tödliche ~n 치명상; eine leichte〔schwere〕 ~ 경상〔중상〕. ② (정신적) 상처, 고뇌, 근심; 〖비유〗 약점: tiefe ~n schlagen 깊은 상처를 입히다, 큰 타격을 주다; eine alte ~ wieder aufreißen 옛 상처를 들추어내다.

Wụnd·eisen *n.* (외과용) 인두, 지짐쇠.

wụnden≈frei *a.* 상처 없는, 부상〔손상〕을 입지 않은. **≈mal** *n.* (Wundmal) 흉터, 상흔. **~voll** *a.* 상처투성이의, 만신창이의.

***Wunder** [vʊ́ndər] *n.* -s, - ① 놀라움, 경탄, 경이: ihr ~ stieg mit jedem Blick 그 여자의 놀라움은 시시각각 더해 갔다. ② 기적, 불가사의; 영험: die ~ Jesu 예수의 기적; ein ~ ist geschehen 기적이 일어났다; das grenzt an ein ~ 그것은 기적에 가깝다; 〖구어〗 etwas wirkt ~ 무엇이 신통한 효력을 나타낸다; 〖구어〗 seine begütigenden Worte haben ~ gewirkt 그의 위로의 말은 즉시 놀라운 효력을 발휘했다; 〖구어〗 das ist ein ~ 그것은 놀랍다〔기이하다〕; 〖구어〗 das ist kein ~ 그것은 전혀 놀랍지〔기이하지〕 않다; bist du überrascht? — kein ~ bei deiner Naivität! 깜짝 놀랐니? — 너처럼 순진하면 그럴 만도 해!; die sieben ~ der Welt 세계의 7대 불가사의; ~ tun〔vollbringen, wirken〕 기적을 행하다; was ~, daß... …은 조금도 놀라울 게 없다; was ~, wenn... …라 해도 이상할 것이 없다; es geschieht manches ~ in der Natur 자연계에는 여러 가지 불가사의한 일들이 일어난다; es ist ein wahres ~, daß man Sie hier sieht 여기서 당신을 뵙게 되다니 참으로 뜻밖입니다. ③ (a) 놀라운 일〔물건·사람〕, 비범한 현상: ein ~ der Medizin〔Technik〕 의학〔공학〕의 경이적 성과; sie ist ein ~ an Schönheit 그녀는 불세출의 미인이다. (b) 〖구어에서 소문자로 써서 의문사를 뒤에 동반함〗 er denkt, er sei ≈ wer 그는 자기가 아주 특별〔대단〕한 존재인 양 생각한다; er glaubt ≈ wie gescheit zu sein 그는 자신이 특별히 영리하다고 생각한다; er glaubt ≈ was vollbracht zu haben 그는 자기가 대단한 일이나 한 것처럼 생각하고 있다.

wụnder *a.* ↑ Wunder ③(b).

wụnder·alt *a.* 놀랄 정도로 나이 먹은.

***wunderbar** [vʊ́ndərba:r] 《I》 *a.* ① 놀라운, 불가사의한; 이상한: durch eine ~e Fügung 불가사의한 섭리로 인해서; das grenzt ans ≈e 그것은 거의 기적에 가깝다; ich finde das gar nicht ~ 나는 그것을 조금도 이상하게 생각지 않는다. ② 멋진, 훌륭한, 굉장한; 말할 수 없이 아름다운: eine ~e Stadt〔Reise〕 멋진 도시〔여행〕; es muß ~ sein, das selbst zu erleben 그것을 직접 체험한다면 틀림없이 멋질 것이다. 《II》 *adv.* 〖구어〗 매우: ~ schön 매우 아름다운.

wụnderbarer·weise *adv.* 기적적으로, 놀랍게도, 이상하게도: er ist ~ gerettet worden 그는 기적적으로 구출되었다.

Wụnderbarkeit *f.* -en ① 놀라움, 이상스러움. ② 불가사의.

wụnderbarlich *a.* ↑ wunderbar.

Wụnder≈bau *m.* 굉장한 건물. **~baum** *m.* ① 불가사의한〔기적의〕 나무(온 세상을 뒤덮는 기독교에 대한 비유). ② 〖植〗 피마자, 아주까리. **~baum·öl** *n.* 피마자유(油). **~bild** *n.* ① 〖宗〗 기적을 행하는〔영험 있는〕 그림〔상(像)〕. ② 이상한 그림〔화상(畫像)〕. **~blume** *f.* 〖植〗 분꽃. **~brunnen** *m.* 이상한〔기적의〕 샘. **~ding** *n.* ① 불가사의. ② 〖구어〗 놀라운 물건: diese Maschine ist ein rechtes ~! 이 기계는 참으로 놀랄 만한 물건이다! **~-doktor** *m.* (민간 신앙에서) 기적 요법을 행하는 의사; 엉터리〔돌팔이〕 의사. **~erde** *f.* 〖광물〗 석수(石髓)(현무암이 분해되어 생기는 붉은 빛깔의 부드러운 흙). **~erklärung** *f.* 기적의 해명. **~geschichte** *f.* ① 이상한 이야기, 기담(奇談), 괴담. ② 〖宗〗 기적사(史). **~geschöpf** *n.* 비범한 사람, 천재. **~glaube** *m.* 기적을 믿는 신앙. **≈gläubig** *a.* 기적을 믿는. **≈groß** *a.* 엄청나게 큰, 거대한. **~-heiler** *m.* ↑ ~doktor. **~heilung** *f.* 기적적인 치료〔효험〕. **≈herrlich** *a.* 너무나 멋진. **≈hold** *a.* 〖시어〗 너무나 귀여운. **~horn** *n.* ① 〖신화〗(결코 속이 비워지지 않는다는) 기적의 뿔(풍요와 부의 상징). ② 마법의 피리: des Knaben ~ 소년의 마적(魔笛)(A.v. Arnim 과 C. Brentano 가 함께 펴낸 독일 민요집 이름). **≈hübsch** *a.* 너무나 예쁜〔사랑스러운〕. **~-kerze** *f.* (불꽃을 튀기며 타들어가는) 도화선. **~kind** *n.* 신동(神童): ein musikalisches ~ 음악의 신동. **~knabe** *m.* 천재 소년, 신동. **~kraft** *f.* 불가사의한 힘, 괴력, 신통력. **~kur** *f.* 영험 있는 치료. **~lampe** *f.* ① (동화에 나오는) 마술 램프. ② 〖動〗(남대서양에 서식하는) 전기오징어. **~land** *n.* (동화에 나오는) 마법의 나라. **~laterne** *f.* ↑ ~-lampe ①. **~lehre** *f.* 마법, 마술.

wunderlich [vŭndərlıç] *a.* ① (**a**) 기이한, 기묘한, 유별난: ~ gestaltet 괴상한 모양의; damit ist es ~ zugegangen 그 일은 묘하게 돌아갔다〔진행되었다〕; 's geht nirgends ~er zu als in der Welt 이 세상처럼 불가사의한 일이 일어나는 곳은 없다. (**b**) 〖구어〗변덕스러운, 괴팍한, 종잡을 수 없는: ein ~er Kauz 기인(奇人), 괴짜; er ist in letzter Zeit ziemlich ~ geworden 그는 최근에 상당히 괴팍스러워졌다. ② 〖고어〗 ↑ wunderbar.

Wunderlichkeit *f.* 기이; 기묘한 것〔일〕; 변덕, 괴팍.

Wunderling *m.* -s, -e 기인, 별난 사람.

Wunder≈mädchen *n.* 불가사의〔경탄할 만〕한 소녀. **~mann** *m.* 〖구식〗마술사. **~mär** *f.* ↑ ~märchen. **~märchen** *n.* ① 기적적인 내용을 다룬 동화. ② 이상한 이야기, 기담: tisch uns doch keine ~ auf! 우리에게 그 따위 이상한 이야기를 하지 마라! **≈mild** *a.* 〖시어〗 너무나 부드러운, 아주 자상〔친절〕한. **~mittel** *n.* 묘약, 영약; 비약(祕藥).

***wundern** [vŭndərn] 《<Wunder》《Ⅰ》 *t.* 〖보통 *imp.*〗 ① 놀라게 하다, 이상한 생각이 들게 하다: es wundert mich〔mich wundert〕, daß er kommt 그가 오다니 이상한 일이다; das sollte mich doch ~, wenn das falsch wäre 그것이 거짓이라면 놀랄 일이다. ② (schweiz.) 호기심을 자극하다: es wundert ihn, wann sie kommen wird 그는 그녀가 언제 올지 몹시 궁금해 한다. 《Ⅱ》 *i.* (h.) 〖고어〗기적을 행하다: er hat gewundert 그는 기적을 행하였다. 《Ⅲ》 *refl.* sich ~ 놀라다, 이상하게 생각하다: Sie werden sich sehr ~, wenn Sie das hören 당신이 그것을 들으면 몹시 놀랄 것입니다; ich wundere mich über sein Verhalten 나는 그의 태도를 이상하게 생각한다; 〖구어〗 da wirst du dich aber ~〔du wirst dich ~〕! 너는 깜짝 놀랄 거야!; 〖구어〗 ich muß mich doch sehr ~! 자네가 그런 짓을 하다니 정말 놀랍군!

wunder≈|nehmen* *t.* ① 〖雅語〗놀라게 하다: es nimmt mich wunder, daß... 나는 …에 놀란다. ② (schweiz.) 호기심을 자극하다. **≈palast** *m.* 마법의 궁전. **≈quell** *m.* ↑ ~quelle. **≈quelle** *f.* (민간 신앙에서) 신통력이 있는 샘물, 영천(靈泉). **≈reich** *n.* ↑ ~land. **~reich** *a.* ① 기적으로 가득 찬, 불가사의한 일이 많은. ② 대단히 많은〔부유한·풍부한〕. **≈ring** *m.* 마법의 반지.

wunders *a.* 〖구어·드물게〗 ↑ wunder.

Wunder·salz *n.* ① 영험〔신통력〕 있는 소금. ② 〖化〗 황산나트륨, 망초(芒硝).

wundersam *a.* 〖시어〗 ① 초현세적인, 초자연적인, 신비로운. ② 기묘한, 이상한: es wurde ihm so ~ zumute 그는 너무나 묘한 기분이 들었다.

wunder≈schön [vúndərʃǿːn] *a.* 너무나 아름다운. **~selten** *a.* 아주 드문, 진기한.

wunders·halber *adv.* (schweiz.) 호기심에서.

Wunder≈spiegel *m.* 마법〔요술〕의 거울. **~stab** *m.* 마술 지팡이. **~sucht** *f.* 기적을 바라는 마음. **~tat** *f.* ① 기적: eine ~ vollbringen 기적을 행하다. ② 놀라운 행위. **~täter** *m.* 기적을 행하는 사람; 마법사, 마술사. **~täterin** *f.* ↑ ~täter 의 여성형. **≈tätig** *a.* ① 기적을 행하는. ② 기적적인. **~tier** *n.* 〖구어〗놀라운〔굉장한〕 사람; 〖농담〗기인(奇人); 기괴한 동물, 괴물: sie starrten mich an wie ein ~ 그들은 나를 마치 괴물 쳐다보듯이 바라보았다. **~tüte** *f.* (사탕·장난감 등이 든 어린이용) 깜짝 선물 봉지. **≈voll** *a.* 훌륭한, 굉장한. **~welt** *f.* 불가사의한〔마법의〕 세계. **~werk** *n.* 놀라운〔굉장한〕 작품〔업적〕: ein ~ vollbringen 놀라운 업적을 이루다. **~-zeichen** *n.* (불길·중대사의) 징조, 전조.

Wund≈fieber *n.* 〖醫〗 창상열(創傷熱). **≈-gedrückt** *a.* 타박상〔찰과상〕을 입은. **≈-gelaufen** *a.* 많이 달려서 발에 생채기가 난. **≈gerieben** *a.* 찰과상을 입은, 쓸려 생채기가 난. **~hormon** *n.* 〖植·생리·생화학〗 창상(創傷)〔상해〕 호르몬. **~infektion** *f.* 〖醫〗 창상 감염. **~kraut** *n.* 〖植〗 (특히 미역취·금작화 같은) 외상(外傷) 치료용 식물. **≈|liegen*** *refl.* sich ~ 욕창이 생기다: der Kranke hat sich den Rücken wundgelegen 그 환자는 등에 욕창이 생겼다. **~liegen** *n.* 〖醫〗 욕창. **~mal** *n.* ① 흉터. ② 〖복수〗〖宗〗 (그리스도의) 성흔(聖痕): die ~e Christi 그리스도의 성흔. **~mittel** *n.* 창상약(創傷藥), 외상 치료제. **~pflaster** *n.* 반창고. **~röhrchen** *n.* 〖醫〗 꼭지, 배관, 투관(套管). **~rose** *f.* 〖병리〗 창상 단독(丹毒). **~salbe** *f.* 〖醫〗 창상 연고. **~schere** *f.* 소식자(消息子). **~schorf** *m.* 〖醫〗 부스럼 딱지, 가피(痂皮). **~sein** *n.* 부상; 〖醫〗 간찰진(間擦疹). **~starr·krampf** *m.* 〖병리〗 창상성 파상풍(Tetanus).

Wundt [vunt] *m.* Wilhelm ~ 분트(독일의 심리학자·철학자, 1832-1920).

Wund≈verband *m.* 상처에 감는 붕대. **~-wasser** *n.* 〖醫〗 상처 세척제.

Wune [vúːnə] *f.* -n 얼음에 뚫은 구멍.

wunnerköppen *i.* (h.) (ndd.) 머리를 흔들다.

***Wunsch** [vunʃ] *m.* -(e)s, Wünsche [vʏ́nʃə] ① (**a**) 소원, 바람; 희망, 요구, 욕망; 소망: auf js. ~ 누구의 요청에 따라; ihm geht alles nach ~ 무엇이든 그가 바라는 대로 된다; jm. einen ~ abschlagen〔erfüllen〕 누구의 소망을 묵살하다〔들어주다〕; haben Sie sonst noch Wünsche? 그 밖에 또 원하시는 것이 있습니까? (고객에게 묻는 말); sich ganz nach js. Wünschen richten 누구의 소망에 전적으로 따르다; 〖비유〗 jm. jeden ~ von den Augen ablesen 누구의 모든 소망을 눈을 보고 알아차리다; mein ~ ist in Erfüllung gegangen 내 소망은 실현되었다; 〖구어·농담〗 dein ~ ist mir Befehl 나는 당신이 원하는 대로 무조건 따르겠다. (**b**) 〖복수〗 (건강·행복 등을 기원하는) 축하(의 말): herzliche Wünsche zum Jahreswechsel〔beste Wünsche zu Neujahr, mit allen guten Wünschen für das neue Jahr〕! 새해 복 많이 받으십시오, 근하신년(謹賀新年)!; jm. seine Wünsche darbringen 누구에게 축하의 말을 하다; mit den besten Wünschen für baldige Genesung 빨리 회복되시기를 기원합니다; beste Wünsche zum Geburtstag 생일을 진심으로 축하드립니다. ② 바라는〔소망하는〕 것, 원하는 바〔대상〕: das Haus war schon lange mein ~ 이 집은 나의 오랜 숙원이었다.

wünschbar [vʏ́nʃbaːr] *a.* (schweiz.) 바람직

한, 탐스러운.

Wunsch·bild *n.* 이상(형).

Wünschchen [výnʃçən] *n.* -s, - 〖↑ Wunsch의 축소형〗 작은〔소박한〕 소망.

Wunsch·denken *n.* 희망적 관측.

Wünschel=hut [výnʃəl..] *m.* (동화의) 마술 모자. **~rute** *f.* (수맥·광맥을 찾아내는) 점장(占杖), 마법의 지팡이. **~ruten·gänger** *m.* 마술 지팡이로 광맥〔수맥〕을 찾는 사람.

***wünschen** [výnʃən] 《I》 *t.* ① 원하다, 바라다, 소망하다: sie wünscht sich³ eine Puppe 그녀는 인형을 갖고 싶어한다; was wünschst du dir zum Geburtstag 〔zu Weihnachten〕? 너는 생일〔성탄절〕에 무엇을 원하느냐?; es geht mir sehr gut, ich könnte mir nichts Besseres ~ 나는 너무 잘 지내기 때문에 더 이상 바랄 게 없을 정도다; ich hätte mir den Wein etwas herber gewünscht 나는 좀더 신 포도주를 마셨으면 좋았을걸 그랬어; sich³ den Tod ~ 죽음을 동경하다; ich wünschte 〔es wäre zu ~〕, daß er käme 그가 와 주면 좋을 텐데. ② 기원하다: ich wünsche Ihnen gute Besserung 당신의 쾌유를 기원합니다; ich wünsche dir alles Gute (zum Geburtstag)! 너의 (생일에) 만사형통을 기원한다!; 〖구어〗 soviel Unglück wünsche ich niemandem 〔meinem ärgsten Feind nicht〕 이것은 내가 상상할 수 있는 최악의 불행이다. ③ 원하다, 요망하다: wenn Sie ~ 원하신다면; ~ Sie noch etwas? 또 원하시는 물건이 있습니까?; es wird gewünscht, daß... …이 요망된다; das läßt viel〔nichts〕 zu ~ übrig 그것은 유감스러운 데가 많다〔조금도 없다〕. ④ (어딘가 다른 곳으로) 가버리기를 바라다: jn. zum Teufel ~ 누가 제발 사라져 주기를 원하다; ich wünsche mich auf eine einsame Insel 조용한 섬에라도 가면 좋겠다; 〖구어〗 jn. dahin ~, wo der Pfeffer wächst 누가 멀리 꺼져 버리기를 원하다. 《II》 *i.* (h.) 〖고어〗 동경하다: nach et.³ ~ 무엇을 동경하다.

wünschens=wert *a.* 바람직한, 소망스러운. **~würdig** *a.* ↑ ~wert. **~würdigkeit** *f.* 바람, 소망; 유감스러운 점.

Wunsch=erfüllung *f.* 소원 성취. **~form** *f.* 〖문법〗 소망형(Optativ). **~gegner** *m.* 〖스포츠〗 희망 상대팀〔선수〕. **~gemäß** *a.* 소망〔요구〕대로의: die ~e Erledigung der Bestellung 주문을 요구대로 처리함. **~kind** *n.* 〖구어〗 바라던 끝에 얻은 자식. **~konzert** *n.* (방송 청취자의 요청에 따른) 희망 음악회. **~liste** *f.* 희망 사항을 적은 쪽지.

wunschlos *a.* 더 바랄 것이 없는, 너무나 흡족한.

Wunsch=satz *m.* 〖문법〗 소망문. **~traum** *m.* ① 소망을 담은 꿈. ② 염원, 간절한 소망: fliegen zu lernen ist sein ~ seit seiner Kindheit 비행술을 배우는 것이 유년 시절 이래로 그의 염원이다. **~vorstellung** *f.* ↑ ~traum ②. **~weise** *adv.* 원하여, 바래서. **~weise** *f.* 〖문법·고어〗 소망형. **~zettel** *m.* (크리스마스·생일날에 받고 싶은 것을 적은) 소망표(表).

wunzig [vúntsıç] *a.* 〖고어·농담〗 (winzig) 하찮은.

wupp·dich [vúpdıç] *int.* 순식간에, 아차 하는 사이에(재빠른 동작의 표현).

Wuppdich *m.* -s, -s 〖구어〗 민첩한〔날랜〕 동작: mit einem ~ 순식간에, 눈 깜짝할 사이에.

Wupper [vúpər] *f.* 부퍼강(라인강의 지류).

Wuppertal [vúpərta:l] 부퍼탈(독일 부퍼 강변에 위치한 상공업 도시).

wur *adv./cj.* (ndd.) ↑ wo.

würbe [výrbə] ↑ werben 의 접속법 Ⅱ 식.

wurde [vúrdə] ↑ werden 의 과거형.

würde [výrdə] ↑ werden 의 접속법 Ⅱ 식.

***Würde** 《<wert》 *f.* -n ① 품위, 존엄성, 위엄; 품격, 기품: Menschen~ 인간의 존엄성; js. ~ antasten〔verletzen〕 누구의 품위를 손상시키다; er verbeugte sich mit ~ 그는 품위 있게 인사를 했다; nach ~n 격에 맞게, 가치에 따라서; die Sache ist unter aller ~ 그것은 형편 없는 것이다; ich halte es für unter meiner ~, ihm zu schmeicheln 그에게 아첨하는 것은 내 품위에 관계된다〔체면을 손상한다〕. ② 지위; 고위, 작위: Doktor~ 박사 학위; Präsidenten~ 대통령직; akademische ~ 학위; in Amt und ~n 고위 관직에 있는; zu den höchsten ~n gelangen 영달이 절정에 이르다; in die ~ eines Bischofs eingesetzt werden 주교직에 임명되다; 〖속담〗 ~ bringt Bürde 직위가 높으면 책무도 무겁다. ③ 위신, 명예. ④ 〖칭호·고어〗 Seine kaiserliche ~ 황제 폐하.

würdelos *a.* 품위〔위엄〕 없는, 상스러운.

Würdelosigkeit *f.* 품위〔위엄〕 없음.

Würden·träger *m.* 고위 관직에 있는 사람, 현관(顯官); 학위 소지자: geistlicher ~ 고위 성직자; die ~ von Staat und Kirche 국가와 교회의 고위직에 있는 사람.

würde·voll *a.* 품위〔위엄〕 있는, 당당한, 장엄한: ein ~es Begräbnis 장엄한 장례식.

***würdig** [výrdıç] *a.* ① 〖2 격 지배; 드물게 3·4 격 지배〗 (**a**) 대등한, 필적할 만한; 가치 있는, 어울리는, 상응하는: ein ~er Gegner 필적할 만한 상대, 맞수, 호적수; ein ~er Nachfolger des Direktors 사장의 합당한 후계자; sich einer Ehre ~ erweisen 명예에 부합하는 것으로 입증되다; des Thrones ~ 국왕의 위엄〔자격〕을 갖춘; er ist es ~, so bevorzugt zu werden 그는 그렇게 우대받을 만하다. (**b**) 걸맞은, 합당한: jm. einen ~en Empfang bereiten 누구를 그 사람에 걸맞게 영접하다; ein Fest ~ begehen 격에 맞게 연회를 베풀다. ② 품위〔위엄〕 있는: ein ~er alter Herr 품위 있는 노신사.

***würdigen** [..dıgən] 《I》 *t.* ① 가치가 있다고 생각하다: jn. eines Dinges ~ 누구에게 무엇의 가치를 인정하다; er würdigte mich keines Blickes 그는 내게 눈길 한번 주지 않았다; Er hat mich keiner Antwort gewürdigt 그는 내게 한 마디 대꾸조차 하지 않았다. ② 진가를 인정하다, 평가하다: js. Verdienste gebührend ~ 누구의 공적을 합당하게 평가하다; man wußte ihn zu ~ 사람들은 그의 진가를 인정할 줄 알았다. 《II》 *i.* (h.) 〖zu 부정법과 함께〗〖고어〗 황송하게도 …하시다(geruhen): seine Majestät hat gewürdigt, et. zu tun 폐하께서는 황송하게도 (무엇을) 하셨습니다.

Würdigkeit *f.* ① 품위, 위엄; 가치; 자격: ich zweifle an seiner ~ zu diesem Amt 나는 그가 이 직위를 맡을 자격이 있는지 의심스럽다; jn. nach Verdienst und ~ belohnen 누구

에게 공적과 자격에 따라 보수를 주다. ②〖聖·고어〗 ↑ Würde ②.

Würdigung [vʏ́rdɪɡʊŋ] *f.* -en 가치 인정, 평가: eine ~ seiner Verdienste 그의 공적에 대한 평가.

***Wurf** [vʊrf] 《<werfen》 *m.* -(e)s, Würfe [vʏ́rfə] ① (**a**) 던짐; 투척: der ~ der Lanze (des Steins) 투창(투석); einen großen ~ tun 대성공을 거두다; 〖구어〗 auf einen ~ 단번에, 한꺼번에; zum ~ ausholen 던지려고 손을 휘저어 올리다; 〖구어〗 alles auf einen ~ setzen 한판에 모든 것을 걸다, 모험적 투기를 하다; jm. in den ~ kommen(laufen, rennen) 누구와 뜻밖에 마주치다. (**b**) 〖物〗 (지구의 중력장 내에서의) 던진 물체의 움직임; 포물체, 포사체(抛射體). (**c**) 〖무도〗 업어치기, 〖핸드볼〗 공던지기; 〖레슬링〗 (상대의 양어깨가 바닥에 닿도록) 메어치기; 〖볼링〗 공던지기, 굴리기: mit einem ~ alle neune werfen 공을 한 번 던져 핀 9개를 전부 쓰러뜨리다, 운좋게 일이 잘 풀리다; 〖육상〗 (원반·해머·창 따위의) 던지기. (**d**) 주사위 던지기: der ~ ist getan(gefallen) 주사위는 던져졌다, 결정은 이미 내려졌다. ② 회반죽: auf nassem ~ malen 벽화를 그리다. ③ 스케치; 필치: das Gemälde hat einen großen ~ 이 그림은 붓놀림이 대범하다; eine Arbeit aus einem ~e machen 어떤 일을 단숨에 해치우다. ④〖사냥〗 멧돼지의 코. ⑤ (**a**) (짐승의) 새끼낳기. (**b**) (개·돼지 따위의) 한배 새끼: ein ~ Katzen 한 배의 고양이 새끼. (**c**) 음문(陰門). ⑥〖수의〗 만곡: ~ des Hüftbeines 좌골(坐骨)의 만곡. ⑦ 수량의 단위: ein ~ Nüsse 세 개의 호두; nach Würfen zählen 세 개씩 세다. ⑧ 던진 것: ein ~ Erde (던져진) 한 삽의 흙. ⑨ (의복·커튼 등의) 주름잡기, 주름 잡은 모양. ⑩ 대성공작: der Roman ist ein ganz großer ~ 그 소설은 대단한 성공작이다.

Wurf·angel *f.* 낚시질의 낚시. **~anker** *m.* 〖海〗 작은 닻. **~anker·tau** *n.* 〖海〗 작은 닻줄. **~bahn** *f.* 던져진 물체가 그리는 궤적; 〖軍〗 탄도(彈道). **~bewegung** *f.* 〖物〗 포사체의 운동. **~bild** *n.* 영상, 투영. **~blei** *n.* 〖海〗 측연(測鉛).

würfe [vʏ́rfə] ↑ werfen 의 접속법 Ⅱ 식.

***Würfel** [vʏ́rfəl] 《<Wurf》 *m.* -s, - ① 주사위: ~ spielen 주사위 놀이를 하다; 〖비유〗 der ~ ist (die ~ sind) gefallen 주사위는 던져졌다, 결정은 이미 내려졌다. ② (**a**) 〖기하〗 입방체, 정 6 면체. (**b**) 입방체로 된 물건: ein ~ Hefe 한 개의 각효모; 〖건축〗 ~ am Säulenstuhl 기둥 밑동(기둥 하부의 네모진 곳); Brot in ~ schneiden 빵을 네모지게 자르다. ③〖數〗 3 제곱(수): ~ einer Zahl 어떤 수의 3 제곱(수).

würfel·artig *a.* ↑ ~förmig. **~becher** *m.* 주사위를 넣고 흔들어 던지는 통, 주사위 통. **~bein** *n.* 〖해부〗 입방골(立方骨). **~brett** *n.* 주사위 놀이판. **~bude** *f.* 주사위 놀이로 상품을 탈 수 있는 오락실(좌판).

Würfelchen [vʏ́rfəlçən] *n.* -s, - 〖↑ Würfel 의 축소형〗 작은 주사위 (모양의 것).

Würfel·erz *n.* 입방형의 (동)광석. **~fall** *m.* 주사위 던지기. **~form** *f.* 입방형, 정 6 면체. **~förmig** *a.* 입방체의, 정 6 면체의. **~fuß** *m.* 세제곱 피트.

würfelicht *a.* ↑ würfelig.

würfelig *a.* ① ↑ würfelförmig. ② 격자 무늬의, 바둑판 모양의.

wurfeln [vʊ́rfəln] *t.* (곡식 등을) 까부르다, 키질하다.

***würfeln** [vʏ́rfəln] 《Ⅰ》 *i.* (h.) ① 주사위 놀이를 하다: um Geld ~ 돈을 걸고 주사위 놀이를 하다. ②〖수의〗 (말·양 등이) 훈도병(暈倒病)에 걸리다. ③〖방언〗 토하다, 트림하다. 《Ⅱ》 *t.* ① 주사위를 던져 어떤 점수를 내다: er hat eine Sechs gewürfelt 그는 주사위를 던져 6 점을 냈다. ② 네모지게 자르다: Zwiebeln ~ 양파를 네모지게 자르다. ③〖農〗 (곡식 따위를) 까부르다, 키질하다. ④ 바둑판 모양으로 만들다. 《Ⅲ》 **gewürfelt** *p.a.* ↑ gewürfelt.

Würfel·salpeter *m.* 〖광물〗 칠레초석; 〖化〗 질산나트륨. **~spat** *m.* 〖광물〗 경석고(硬石膏). **~spiel** *n.* ① 주사위 놀이. ② 한 판의 주사위 놀이. **~spieler** *m.* 주사위 놀이하는 사람. **~zahl** *f.* 〖數〗 3제곱, 입방(3 승)(수). **~zucker** *m.* 각설탕.

Wurf·erde *f.* 파올린 흙. **~geschoß** *n.* 〖軍〗 (총알·로켓·수류탄 같은) 발사체. **~geschütz** *n.* 〖軍〗 곡사포; (옛날의) 투석기. **~haken** *m.* 〖海〗 (적의 배나 딴 배를 걸어 잡기 위한) 네 갈고리 닻. **~höhe** *f.* 〖物〗 쏘아올린 물체가 정점에 이르렀을 때의 높이. **~kraft** *f.* 〖스포츠〗 투척력; 추진력, 사출력(射出力). **~kreis** *m.* ①〖핸드볼〗 골 에어리어. ②〖육상〗 원반·해머던지기에서의 서클. **~lehre** *f.* 탄도학(彈道學).

Wurfler *m.* -s, - 키, 까부르는 기계.

Würfler *m.* -s, - ① ↑ Würfelspieler. ②〖수의〗 훈도병(暈倒病)에 걸린 양.

Wurf·linie *f.* 포물선 탄도. **~maschine** *f.* ①〖農〗 풍구. ②〖고어〗 투척기; 〖軍〗 쇠뇌. ③ (흙으로 만든) 비둘기 표적물 발사기. **~netz** *n.* (어업용의) 투망. **~pfeil** *m.* 던지는 화살. **~riemen** *m.* (사냥용 개나 매에게 매는) 끈. **~säe·maschine** *f.* 〖農〗 파종기. **~schaufel** *f.* ①〖광산〗 (적재기(積載機)의) 적재용 삽. ②〖農〗 키. **~scheibe** *f.* 〖스포츠〗 원반. **~scheiben·spiel** *n.* 〖스포츠〗 원반던지기, 투원반. **~schlinge** *f.* 던지는 올가미. **~sendung** *f.* 대량 광고용 우편물. **~speer** *m.* ↑ ~spieß. **~spieß** *m.* (미개 민족의) 투창(投槍). **~stein** *m.* 투석. **~taube** *f.* (사격 연습용으로 사용되는 흙으로 만든 접시 모양의) 비둘기, 클레이. **~tauben·schießen** *n.* (흙으로 만든) 비둘기 표적 사격, 클레이 사격 (경기). **~waffe** *f.* 투척 무기(투창·수류탄 등). **~weite** *f.* ①〖육상〗 투척 거리. ②〖軍〗 탄착거리, 사정(射程).

Würge·griff [vʏ́rɡə..] *m.* ① 멱살잡기. ② (유도의) 목조르기 기술.

Würgel [vʏ́rɡəl] *n.* -s, - (md.) ① 목도리, 솔. ②〖구어〗 버릇없는 어린아이, 말썽꾸러기, 개구쟁이.

würgeln [vʏ́rɡəln] *t./i.* (h.) ①〖섬유〗 원사(原絲)를 가공하다. ② 밧줄을 감아 단단히 끌다; 롤러로 펴다; 서투르게 움직이다.

Würge·mal [vʏ́rɡə..] *n.* 목을 조여서 생긴 멍(반점).

***würgen** [vʏ́rɡən] 《Ⅰ》 *t.* ① (**a**) 목을 조르다; 교살하다: 〖비유〗 ~de Angst 목을 조르는 듯한 공포; der Kragen würgt mich (am Hals)

칼라가 내 목을 죈다. **(b)** (옛날 에스파냐에서) 교수형 틀로 고문하다. ②〖工〗(증기 등이 새는 것을) 틀어막다. ③ (schweiz.) 목에 꽉 달라붙다. ④ 목(구멍)을 꽉 조르는 듯한 감을 일으키다: der Bissen würgte ihn 음식물이 그의 목구멍을 꽉 막았다; der Schleim würgt mich 나는 목에 가래가 차서 괴롭다. ⑤ 구토증을 유발하다: der Magen würgte ihn 그는 속이 메스꺼웠다. 《Ⅱ》 *i.* (h.) ① 구역질이 나다, 속이 메슥거리다. ② 억지로 삼키다: er würgt an einem Bissen 그는 음식을 억지로 삼킨다. ③〔구어〕힘들게 일하다, 애쓰다: ich habe lange gewürgt, bis ich es zustande brachte 나는 오랫동안 애써서 간신히 그 일을 해냈다.

Würgen *n.* -s〔구어〕mit (Hängen und) ~ 가까스로, 구사일생으로, 겨우 목숨만 건져서.

Würg·engel [vʏ́rk..] *m.*〖구약〗죽음의 천사.

Würger [vʏ́rgər] *m.* -s, - ①〔고어·폄어〕교살자; 살육자; 살인자: die ~in 페스트, 흑사병. ②〖動〗때까치; 송골매. ③〖植〗기생 식물, 덩굴 식물, (식물의 뿌리에 기생하는) 초종용(草蓯蓉). ④ (schweiz.) **(a)** 남자용의 가는 목걸이. **(b)** 친부 살해범. ⑤〔시어〕죽음.

Würgerei [vʏrgəráɪ] *f.* -en ① 교살. ②〔비유〕고된 일. ③ 구토, 구역질.

würgerisch *a.* 목을 졸라매는 듯한; 살인적인, 잔학한.

Würg≈falke [vʏ́rk..] *m.*〖動〗송골매. **~knebel** *m.*〖工〗죔 막대기. **~schnur** *f.*〖工〗죄어 매는 줄. **~schraube** *f.* 교수형 틀. **~schwert** *n.* 살인용 칼.

Würgung [vʏ́rgʊŋ] *f.* -en〖工〗(공기나 물의 유입을 조절하는) 폐지 장치; (경유 엔진의) 공기 흡입 조절 장치.

würken *t./i.* (h.)〔고어〕↑ wirken.

*__Wurm__[1] [vʊrm] *m.* -(e)s, Würmer [vʏ́rmər] ① **(a)** 벌레; 연충(蠕蟲); 잎벌레: Würmer haben 기생충이 있다; er kroch vor ihm wie ein ~ im Staube 그는 그 사람 앞에서 한없이 비굴하게 굽신거렸다;〔구어〕er wand sich wie ein getretener ~ 그는 궁지에 몰려 어쩔 줄 몰랐다;〔구어〕jm. die Würmer aus der Nase ziehen 누구의 비밀을 교묘하게 캐내다, 유도 심문하다;〖속담〗auch der ~ krümmt sich, wenn er getreten wird 지렁이도 밟으면 꿈틀거린다. **(b)**〔구어〕구더기, 기어가는 벌레: in dem Apfel ist ein ~ 〔der Apfel hat einen ~〕사과에 벌레가 있다;〔구어〕da ist 〔sitzt〕 der ~ drin! 문제점은 거기에 있다!;〔구어·농담〕den ~ baden 낚시질하다. **(c)**〖신화〗용, 용과 비슷한 전설상의 괴물. **(d)**〔드물게〕말 못할 고민〔괴로움·가책〕:〔비유〕der nagende ~ des Gewissens 양심의 가책. ②〖醫〗표저(瘭疽); 풍자병(風刺病); 마비저(馬鼻疽); 건초염(腱鞘炎); 광견병충(蟲). ③〔비유〕(Grille) 변덕, 망상: einen ~ haben 〔Würmer im Kopfe haben〕변덕스럽다, 망상에 빠지다. ④〔비유〕하찮은 인간; 미물:〖聖〗Adam, der Erden≈ 인간. ⑤〖해부〗(소뇌·맹장의) 충수(蟲垂), 충양(蟲樣)돌기.

Wurm[2] *n.* -(e)s, Würmer [vʏ́rmər]〔구어〕어린〔의지할 데 없는〕아이: armes ~ 철부지 아이, 코흘리개;〔구어〕(nordd.) du armes ~ 〔Würmchen〕! 가련한 녀석!

wurm≈abtreibend *a.*〖醫〗구충(驅蟲)의. **~ähnlich** *a.* ↑ ~artig. **~artig** *a.* 벌레 모양의, 벌레 같은. **≈arznei** *f.*〖醫〗구충제, 구충약. **≈bewegung** *f.* 연동(蠕動).

Würmchen [vʏ́rmçən] *n.* -s, -〔↑ Wurm 의 축소형〕① 작은 벌레, 애벌레. ②〔구어〕어린 아이: das arme ~ 가련한 아이.

wurmen [vʊ́rmən] 《Ⅰ》 *i.* (h.) ①〖사냥〗부리로 땅 속의 벌레를 찾다. ②〔사람이 주어〕애태우다, 골똘히 생각하다, 안달하다. ③ 화가 나다: das wurmt in meinem Innern 〔in mir〕 그것 때문에 나는 화가 난다. 《Ⅱ》 *t.*〔구어〕화나게 하다: diese Ungerechtigkeit wurmt mich 이런 불공정이 나를 화나게 한다. 《Ⅲ》 *refl.* sich ~ 화나다.

Wurm≈essenz *f.* ↑ ~arznei. **~farn** *m.*〖植〗(촌충) 구충용 고사리. **~fieber** *n.*〖醫〗회충열. **≈förmig** *a.* 벌레 모양의. **~fortsatz** *m.*〖해부〗맹장의 충양돌기. **~fraß** *m.* 벌레 먹은 곳, 충해. **≈fräßig** *a.* 벌레 먹은.

wurmig [vʊ́rmɪç] *a.* 벌레먹은.

wurmisch *a.* 불쾌한, 언짢은.

wurmisieren *i.* (h.)〔구어〕↑ wurmen(특히 ②).

Wurm≈kolben *m.*〖化〗(증류기의) 나선형의 관(管). **≈krank** *a.* 기생충병에 걸린. **~krankheit** *f.*〖병리〗기생충병. **~kraut** *n.*〖植〗구충용 식물. **~kuchen** *m.* 과자로 된 구충제. **~kunde** *f.*〖醫〗기생충학. **~larve** *f.* 연충의 애벌레. **~loch** *n.* 벌레(가 파먹은) 구멍. **~mehl** *n.* ① 벌레 구멍에서 나오는 가루, 벌레 똥. ② 석송자(石松子) 가루(아이들 살갗 헌데에 바르는 약). **~mittel** *n.*〖醫〗↑ ~arznei. **~plätzchen** *n.* 정제(錠劑) 구충약. **~pulver** *n.* 분말 구충제. **~röhre** *f.*〖動〗환상 동물, 환충(環蟲). **~salat** *m.*〖植〗서대기풀의 일종. **~same(n)** *m.*〖植〗↑ ~kraut; (특히) 세멘시나. **~samen·bitter** *n.*〖化〗산토닌. **~stich** *m.* ↑ ~loch. **≈stichig** *a.* 벌레 먹은, 벌레 구멍이 있는;〔비유〕부패〔타락〕한. **~tod** *m.*〖植〗(Wermut) 쓴쑥, 약쑥. **≈treibend** *a.* ↑ ≈abtreibend: ~es Mittel 구충제.

wurrlen *i.* (h.) (비행기 엔진이) 부르릉거리다.

Wurscht [vʊrʃt] *f.* Würschte [vʏ́rʃtə]〔구어〕↑ Wurst ①.

wurschtig *a.*〔구어〕↑ wurstig.

*__Wurst__ [vʊrst] *f.* Würste [vʏ́rstə] ① 소시지, 순대: eine ~ braten〔räuchern〕소시지를 굽다〔훈제하다〕; eine ~ füllen〔stopfen〕소시지〔순대〕를 만들다;〔구어〕mit der ~ nach der Speckseite 〔nach dem Schinken〕 werfen 적은 투자로 큰 이익을 노리다;〔비유〕~ wider ~ 받는 대로 되주기, 오는 말에 가는 말; mir ist heute alles ~ 나는 오늘 만사가 귀찮다〔관심이 없다〕; ihm ist ~, ob du kommst 그는 네가 오든 말든 관심이 없다;〔구어〕es geht jetzt um die ~! 지금이야말로 결단을 내릴 때다!; er will immer eine besondere ~ (gebraten haben) 그는 언제나 특별 대우를 바라고 있다. ② 소시지 모양의 것: er hat Finger wie Würste 그는 손가락이 통통하다. **(a)**〖軍·고어〗(흙이 흘러 내리지 않게 하는) 긴 나무다발. **(b)** ↑ ~wagen. **(c)** 배설물, 대변: eine ~ machen 대변을 보다.

Wurst≈blatt *n.*〔경박·폄어〕시시한 신문, 삼

류 잡지. **~brot** *n.* 소시지를 끼워 넣은 빵. **~brühe** *f.* 소시지를 썰어 넣은 수프, 순대국.

Würstchen [vÝrstçən] *n.* -s, - 〖↑ Wurst 의 축소형〗 ① 작은〔가느다란〕 소시지: Wiener ~ 비엔나 소시지. ②〖구어〗가련〔한심〕한 녀석: dieses arme ~ 이 가련한 녀석.

Würstchen≈bude *f.* 소시지 가게. **~stand** *m.* 소시지 진열대〔판매대〕.

Wurst·darm *m.* (돼지의) 소시지용 창자.

Wurstel [vúrstəl] *m.* -s, - (obd.) (17-18 세기 독일극에서의) 어릿광대.

Würstel [vÝrstəl] *n.* -s, - (bayr., öst.) ↑ Würstchen ①.

Wurstelei [vʊrstəláɪ] *f.* 〖구어·폄어〗 꼼지락거리며 일하기, 구습의 답습.

wursteln [vúrstəln] *i.* (h.) ①〖구어〗꼼지락꼼지락〔느릿느릿〕 일하다. ②구습을 답습하다.

wursten [vúrstən] 《I》 *i.* (h.) 소시지〔순대〕를 만들다. 《II》 *t.* 소시지〔순대〕 모양으로 만들다.

Wurster *m.* -s, - (südd.) ① 소시지 만드는 사람; 푸줏간 주인. ② ↑ Wursthorn.

Wursterei [vʊrstəráɪ] *f.* -en 소시지 만드는〔파는〕 곳, 고깃간, 푸줏간.

Wurst≈fabrikation *f.* 소시지〔순대〕 제조. **~fett** *n.* 소시지용 비계. **~finger** *m.* 통통한 손가락. **~fleisch** *n.* 소시지용 고기. **~gift** *n.* 소시지독(毒). **~haut** *f.* 소시지 껍질. **~horn** *n.* 소시지 제조기.

wurstig *a.* 〖구어〗극히 무관심한.

Wurstigkeit *f.* 〖구어〗 무관심: mit ~ 태연하게, 무심하게.

Wurst≈kessel *m.* 소시지 끓이는 솥. **~kraut** *n.* 소시지 양념용의 식물; (특히) 마요란(꿀풀과의 식물). **~küche** *f.* 소시지 제조소.

Wurstler *m.* -s, - 〖방언〗 ↑ Wurster.

Wurstlerei [..tləráɪ] *f.* -en ① 소시지 제조업, 푸줏간. ② 꼼지락거리는 일, 구습의 답습.

Wurst≈lippe *f.* 두툼한 입술. **~macher** *m.* 소시지 만드는 사람. **~maul** *n.* 〖구어〗두꺼운 입술. **≁mäulig** *a.* 〖구어〗 입술이 두꺼운. **~salat** *m.* 소시지 샐러드. **~stopf·maschine** *f.* 소시지의 속을 넣는 기계. **~suppe** *f.* 소시지 수프. **~vergiftung** *f.* 소시지 중독. **~wagen** *m.* 좁고 긴 좌석이 있는 마차; 〖軍〗 탄약 운반용 마차. **~waren** *pl.* 소시지 제품. **~zipfel** *m.* 소시지의 끝부분.

Wurt [vʊrt] *f.* -en ↑ Wurte.

Wurte [vúrtə] *f.* -n (nordd.) (주택의) 흙돋우기; 둑, 제방.

Württemberg [vÝrtəmbɛrk] 뷔르템베르크 (남서 독일의 주(州)).

Württemberger [..gər] 《I》 *m.* -s, - 뷔르템베르크 주(州)의 주민. 《II》 *a.* 뷔르템베르크의.

Wurtzit [vurtsí:t, ..tsít] *m.* -s, -e 〖광물〗 섬유 아연광(프랑스 화학자 C.A. Wurtz 의 이름에서).

Wurz [vʊrts] *f.* -en 〖고어〗 (bayr.) ① ↑ Wurzel. ② 식물, 풀, 잎.

Würzburg [vÝrtsburk] 뷔르츠부르크(독일의 남부 마인강에 위치한 공업 도시).

Würzburger [..gər] 《I》 *m.* -s, - 뷔르츠부르크의 시민. 《II》 *a.* 뷔르츠부르크의.

Würz·duft [vÝrts..] *m.* 방향(芳香), 풍미.

***Würze** [vÝrtsə] *f.* -n ①〖고어〗 약초, 유독 식물. ② (a) 향료; 양념, 조미료: die Suppe hat 〔an der Suppe ist〕 zuviel ~ 이 수프는 양념을 너무 쳤다;〖속담〗 Hunger ist die beste ~ 시장이 반찬이다. (b) 향기로운 맛〔냄새〕: Fleisch von besonderer ~ 특별한 맛이〔냄새가〕 나는 고기. (c) 매력, 자극제: das Theaterstück war ohne ~ 그 연극은 매력이 없었다. ③〖양조〗 (발효하기 전의 맥주 원액인) 맥아즙(麥芽汁).

***Wurzel** [vúrtsəl] *f.* -n ① (a) 〖植〗 뿌리: ~n fassen〔bilden, treiben, schlagen〕 뿌리를 뻗다〔내리다, 박다〕, 〖비유〗어느 곳에 정착하다; 〖구어〗 willst du hier ~n schlagen? 너 여기에서 뿌리를 내리려고 하느냐?(어서 가자!) (b) 근원, 원천: das Übel mit der ~ ausrotten〔ausreißen〕, das Übel an der ~ packen 악의 뿌리를 뽑다, 폐해를 근절하다. ② 〖방언〗 우엉, 당근. ③〖언어학〗 어근. ④〖數〗 (a) 근(根), 근수(數): die dritte ~ aus 125 ist gleich 5 125 의 3 제곱근은 5 이다. (b) 제곱근: die ~ aus einer Zahl ziehen 어떤 수의 제곱근을 구하다. ⑤ (a) 신체 부분의 근부(根部): Hand≁ 손목 끝, 손의 시작 부위; Zungen≁ 설근, 혀뿌리. (b) 모근(毛根). (c) 치근(齒根). ⑥〖지질〗 (a) 지반, 토대, 바탕. (b) 산의 기슭.

wurzel≈artig *a.* 뿌리 모양의. **≁ausziehen** *n.* 〖數〗 근의 개방. **≁auszieher** *m.* 〖醫〗 발치 겸자(拔齒鉗子). **≁ballen** *m.* 뿌리 덩이. **≁bäume** *pl.* 〖植〗 홍수과(紅樹科)에 속하는 나무의 일종. **~behandlung** *f.* 〖醫〗 치근의 치료. **≁bildung** *f.* 뿌리의 형성. **≁blatt** *n.* 〖植〗 뿌리잎, 근생엽(根生葉). **~bürste** *f.* 식물의 빳빳한 뿌리로 만든 솔.

Würzelchen [vÝrtsəlçən] *n.* -s, - 〖↑ Wurzel 의 축소형〗 작은〔어린〕 뿌리.

wurzel≈echt *a.* 〖植〗 접목하지 않은. **≁exponent** *m.* 〖數〗 지수(指數). **≁faser** *f.* 〖植〗 잔 뿌리. **~förmig** *a.* ↑ ~artig. **~fressend** *a.* (동물 등이) 뿌리를 먹고 사는. **~früchtig** *a.* 〖植〗 근과(根果)의. **≁füßer, ≁füßler** *m.* 〖動〗 근족(충)류(根足(蟲)類). **~gemüse** *n.* 〖식품〗 (무·당근 같은) 뿌리채소(류), 근채류(根菜類). **≁gewächs** *n.* 뿌리를 먹을 수 있는 식물, 근채류. **≁größe** *f.* 〖數〗 근수(根數); 무리수.

wurzelhaft [vúrtsəlhaft] *a.* 기초의, 근저의; 본래의; 〖문법〗 어근의.

wurzelig [vúrzəlıç] *a.* 〖고어〗 ① 뿌리가 많은. ② 뿌리 모양의, 뿌리 같은.

Wurzel≈haube *f.* 〖植〗 근관(根冠), 뿌리골무. **~haut** *f.* 〖해부〗 치근막(齒根膜). **~hautentzündung** *f.* 〖병리〗 치근막염. **~keim** *m.* 〖植〗 유근(幼根). **~knolle** *f.*, **~knollen** *m.* 〖植〗 덩이뿌리, 괴근(塊根), 덩이줄기, 괴경(塊莖). **~knoten** *m.* 〖植〗 뿌리마디.

wurzellos *a.* ① 뿌리 없는. ②〖비유〗아무 데에도 정착하지 못하는, 근본 없는, 근거 없는.

Wurzellosigkeit *f.* 뿌리〔근본·근거〕 없음.

Wurzel≈mann *m.* 〖복수: ..männer〗 식물 뿌리 채집자; 본초학(本草學)자. **~münder** *m.* 〖動〗 근구수모(根口水母).

***wurzeln** [vúrtsəln] 《I》 *i.* (h.) ① (a) (식물이) 뿌리를 뻗다: eine Pflanze wurzelt tief im Boden 식물이 땅 속 깊이 뿌리를 뻗는다. (b) 뿌리 박고 있다; …에 근거하고 있다: das

Mißtrauen dagegen wurzelt fest in ihm 그것에 대한 불신이 그의 마음 속에 깊이 뿌리박고 있다. ② (돼지 따위가) 코로 땅을 파면서 먹이를 찾다. ③〔방언〕(a) 바쁘게 이동하다〔돌아다니다〕. (b) 고되게 일하다:〔구어〕wir haben fest gewurzelt 우리는 악착같이 일하였다. 《Ⅱ》 *t.* 뿌리 박게 하다; 움직이지 않게 하다. 《Ⅲ》 *refl.* sich ~ 뿌리 박고 있다: sich fest ~ 깊이 뿌리 박고 있다.

Wurzel≈pilz *m.* 〖植〗 근상 균사(根狀菌絲) 다발. **~ranke** *f.*, **~reis** *n.* ↑ ~schößling. **~schneid·maschine** *f.* 사탕무 절단기. **~schößling** *m.* 〖植〗 흡지(吸枝), 흡근(吸根); 만생근(蔓生根). **~silbe** *f.* 〖언어학〗 어근 음절. **~sproß** *m.* ↑ ~schößling. **~sprossend** *a.* 만생근〔흡근〕이 나오는. **~stand** *m.* 〖植〗 뿌리가 박힘. **~stock** *m.* 〖植〗 뿌리줄기, 근경(根莖), 땅속줄기, 지하경(地下莖). **~tragend** *a.* 뿌리 있는, 뿌리가 난. **~treibend** *a.* 뿌리가 자라는. **~verzeichnis** *n.* 〖컴〗 루트 디렉토리. **~werk** *n.* ①〖植〗(어떤 식물의) 뿌리 전부, 뿌리덩이. ②〖요리·방언〗 수프의 향미용 근채류. **~wort** *m.* 〔복수: ..wörter〕〖언어학〗 어근(語根), 어원. **~zahl** *f.* 〖數〗 근수(根數). **~zeichen** *n.* 〖數〗 루트 기호, 근호($\sqrt{\ }$).

wurzen [vúrtsən] *t.* (bayr., öst.) …을 이용할 대로 이용하다, …의 무지를 이용하여 이익을 취하다.

würzen [výrtsən] 《< Würze》 *t.* ① 조미료를 넣다, 양념을 치다, 향료를 뿌리다: einen Braten mit Pfeffer ~ 구운 고기에 후추로 양념하다; die Suppe ist zu wenig gewürzt 그 수프에는 조미료가 너무 적게 들어갔다; ~der Zug 조미료, 양념. ②〔비유〕 흥을 돋우다, 흥미를 더하다: mit Witzen gewürzter Scherz 재치 있는 농담.

Würz≈fleisch [výrts..] *n.* 〖요리〗 양념한 고기; 라구(Ragout). **~garten** *m.* 약초 밭. **~geruch** *m.* 방향(芳香).

würzhaft *a.* ↑ würzig.

würzig [výrtsıç] *a.* ① 양념이〔향료가〕 든; 향기로운. ②〔비유〕 재미 있는.

Würz·kraut *n.* 양념으로〔향료로〕 쓰이는 야채, 향초.

Würzlein *n.* -s, - ↑ Würzelchen.

wurzlig *a.* ↑ wurzelig.

Würzling *m.* -s, -e 〖植〗 휘묻이할 가지; 묘목.

würzlos *a.* 양념하지 않은, 맛이 없는;〔비유〕 재미없는.

Würz≈mischung *f.* 모듬 양념, 복합 조미료. **~stoff** *m.* 양념, 조미료, 향료.

Würzung [výrtsuŋ] *f.* -en ① 양념치기; 양념, 조미료. ②〔비유〕 흥을 돋우기; 흥취.

Würz·wein *m.* 향료를 친 포도주.

wusch[1] [vuʃ] *int.* (husch) 획; 쉿.

wusch[2] [vu:ʃ] ↑ waschen 의 과거형.

Wüsch *m.* -(e)s (alem.) ↑ Wust².

Wusche [vú:ʃə] *f.* -n ① (ostd.) 슬리퍼 (Pantoffel). ②〖動〗 이(Laus).

wüsche [vý:ʃə] ↑ waschen 의 접속법 Ⅱ식.

Wuschel·haar [vúʃəl..] *n.* 〔구어〕 고수머리, 엉킨〔헝클어진〕 머리.

wuschelig [vúʃəlıç] *a.* 〔구어〕 ① (머리가) 엉클어진. ② 문란〔난잡〕한, 칠칠치 못한.

Wuschel·kopf [vúʃəl..] *m.* 〔구어〕 ① 엉클어진 머리. ② 엉킨 머리를 한 사람, 고수머리의 사람.

wuschen [vúʃən] 《< wusch》 *i.* (s.) (obd.) ① 휙 스쳐가다(huschen 《Ⅱ》). ② 지워지다(wischen 《Ⅱ》).

wuselig [vú:zəlıç] *a.* (sudd., md.) ① 활발한; 민첩한. ② 귀여운, 얌전한. ③ (쾌감·고통으로) 아찔한, 짜릿한.

wuseln [vú:zəln] *i.* (h.) (südd., md.) ① 빨리〔활발하게〕 움직이다, 날쌔게 움직이다. ② (아기 등이) 되똑되똑 걷다; 우글거리다, 밀집하다.

Wuß *m.* -(es), Wüße (ndd.) ↑ Wuchs.

wusste 新정서 ⇦ wußte.

wußte [vústə] ↑ wissen 의 과거형.

wüsste 新정서 ⇦ wüßte.

wüßte [výstə] ↑ wissen 의 접속법 Ⅱ 식.

Wust[1] [vu:st] *m.* -(e)s 쓰레기, 폐물; 오물; 혼란, 무질서; 난잡한 것: den Brief in einem ~ von anderen Papieren finden 다른 서류뭉치들 속에서 편지를 찾아내다; ein ~ von Kleidern und Büchern 옷가지와 책들이 뒤섞인 더미.

WUSt, Wust[2] [vust] = Warenumsatzsteuer (schweiz.) 물품 판매세.

***wüst** [vy:st] *a.* ① (a) 조야(粗野)한, 거친: ein ~es Benehmen 거친 행동. (b) 험(악)한, 심한: eine ~e Hitze 심한 더위. (c) 방종한, 난잡한: ein ~es Weib 난잡한 여자; ein ~es Leben führen 방종한 생활을 하다. ② 혼란된, 무질서한: das Haar hing〔stand〕 ihm ~ um den Kopf 그의 머리카락은 온통 엉클어져 있었다; ein ~es Durcheinander 대혼란. ③ 황폐한, 황량〔적막〕한: ~ liegen (토지가) 방치되어 있다, 개간되지 않은 채 있다. ④〔구식·방언〕 추한, 꼴사나운, 흉물스런.

***Wüste** [vý:stə] *f.* -n 사막, 황야, 황무지: die ~ Sahara 사하라 사막; ein Land zur ~ machen 어떤 지역을 황폐화시키다; 〖聖〗 Prediger in der ~ 광야에서 외치는 자(마태 3:3),〔비유〕 세상에 인정받지 못하는 선지자〔선구자〕; die ~ des Meeres 망망대해;〔비유〕 jn. in die ~ schicken 누구를 실각시키다.

wüsten [vý:stən] 《Ⅰ》 *t.* 〔고어〕 황폐하게 만들다. 《Ⅱ》 *i.* (h.) ① 거칠어지다, 황폐하다. ② (a) 방종한 생활을 하다: er hat einige Jahre sehr gewüstet 그는 몇 년간 매우 방종한 생활을 했다. (b) 낭비하다: mit dem Geld ~ 돈을 낭비하다.

Wüsten·bewohner *m.* 황야〔사막〕의 주민.

Wüstenei [vy:stənáı] *f.* -en ① 사막, 황야. ②〔구어〕 대혼란, 큰 혼잡.

Wüsten≈fuchs *m.* 〖動〗 ① 북아프리카산(産) 여우. ② 귀 큰 여우. **~klima** *n.* 〖기후〗 사막의 기후. **~könig** *m.* 〔시어〕 사막의 왕, 사자. **~luchs** *m.* 〖動〗 스라소니의 일종. **~sand** *m.* 사막의 모래. **~schiff** *n.* 〔농담〕 낙타. **~tier** *n.* 사막에 사는 동물.

Wüstheit [vý:sthaıt] *f.* -en ① 토지가 황폐함; 황폐, 불모. ② 방탕, 방종. ③ 난폭; 악의, 음험; 잔인.

Wüstling [..lıŋ] *m.* -s, -e ①〔폄어〕 방탕자, 탕아. ②〖動〗 (Grasmücke) 종달새의 일종.

Wüstung *f.* -en ①〖광산〗 폐광. ②〖지리〗 황

폐화된 마을이나 농지; 〖등산〗 캠프의 흔적.

***Wut** [vu:t] *f.* ① (**a**) 격노, 격분, 분노: jn. in ~ bringen〔versetzen〕 누구를 화나게 하다; vor ~ schäumen〔knirschen〕 거품을 물고〔이를 갈며〕 격분하다; von ~ erfüllt 격분해서; 〘구어〙 (eine unbändige) ~ auf jn. haben 누구에게 (엄청난) 분노를 품고 있다; seine ~ an jm. auslassen 누구에게 화풀이하다; 〘구어〙 (eine) ~ im Bauch haben 몹시 화가 나 있다; 〘경박〙 vor ~ platzen 격노하다, 노발대발하다. (**b**) 〘비유〙 격렬, 강렬: das Unwetter 〔der Sturm〕 brach mit voller ~ los 폭풍우가 맹위를 떨쳤다. ② (**a**) 광기, 발광. (**b**) 〖醫〗 광견병, 공수병. (**c**) …광, …열; 열광: Arbeits~ 맹렬한 노동〔연구〕 의욕; er hat eine wahre ~ zu dichten 그는 정말 시창작에 미쳐 있다. ③〖신화〗 복수의 여신.

Wut≈anfall *m.* ↑ ~ausbruch. **~ausbruch** *m.* 분노의 폭발; 발광. **~beere** *f.* 〖植〗 베라도나(Tollbeere).

***wüten** [vý:tən] *i.* (h.) ① 사납게 날뛰다, 광란하다: die Soldateska wütete im Schloß 사나운 병사의 무리가 성 안에서 난동을 부렸다; gegen seine Gesundheit ~ 자신의 몸을 혹사하여 건강을 해치다; gegen sich selbst ~ 자학을 일삼다; gegen die Obrigkeit ~ 당국에 반항하다; gegen jn. ~ 누구를 몰인정하게 다루다. ② 맹위를 떨치다: der Sturm 〔das Feuer〕 hat schrecklich gewütet 폭풍우가〔화염이〕 맹위를 떨쳤다; der Schmerz wütete in seinem Bauch 그는 배가 아파 어쩔줄 몰랐다.

wütend *p.a.* ① 매우 큰, 격렬한, 강렬한: ~en Hunger haben 배가 몹시 고프다. ② 미쳐 날뛰는, 광포한; 격분한: er ist ~ auf mich 그는 내게 격분해 있다; über et. ~ sein〔werden〕 무엇에 격분해 있다〔격분하다〕; 〖북구신화〗 das ~e Heer (군신(軍神) Wodan이 이끄는) 용맹무쌍한 군대. ③〖醫〗 광견병의.

wut·entbrannt *a.* 분노〔격분〕한.

Wüter *m.* -s, - ↑ Wüterich.

Wüterei [vy:tərái] *f.* -en 〘고어〙 격노, 광포.

wut·erfüllt *a.* 격분한.

Wüterich [vý:tərıç] *m.* -(e)s, -e 〘구식·폄어〙 ① 광포한〔사나운〕 사람. ② 잔인한 사람; 전제 군주, 폭군.

Wut≈geheul *n.* 분노의 울부짖음〔포효〕. **~geschrei** *n.* 분노의 외침, 노호(怒號). **~gift** *n.* 〖醫〗 광견병독.

wütig *a.* 〘구식·방언〙 ① 격분한. ② 매우 큰, 격렬한, 강렬한

wutsch [vutʃ] *int.* 휙, 쉭(날랜 동작을 나타냄): und ~, war er draußen 그리고는 휙 하는 소리와 함께 그는 밖에 가 있었다.

wut·schäumend *a.* ↑ ~schnaubend.

wutschen [vútʃən] 《↑ witschen 의 별형》 *i.* (s.) 〘구어〙 신속하게 빠져 나가다.

wut·schnaubend *a.* 성나서 펄펄 뛰는, 노발대발하는.

Wuttel *f.* -n (ndd.) ① 근채류(根菜類), 뿌리를 먹는 채소류. ② 당근.

wut·voll *a.* ↑ ~erfüllt.

Wutz [vuts] *f.* -en 〔*m.* -en, -en〕 〘방언〙 돼지(새끼); 돼지 같은 놈: du alte ~! 이 돼지 같은 늙은이!

Wutz(el)chen [vúts(əl)çən] *n.* -s, - (alem.) 돼지 새끼.

wutzeln [vútsəln] 《I》 *t.* (bayr., öst.) ↑ wuzeln 《I》. 《II》 *i.* (h.) (alem.) 북적대다, 우글거리다.

wuzeln [vútsəln] 《I》 *t.* (bayr., öst.) (손가락으로) 돌리다, 말다: Zigaretten ~ 담배를 손가락으로 말다. 《II》 *i.* (h.) 북적대다, 우글거리다: es wuzelt (사람이) 들끓고 있다; 〘비유〙 in dem Buch wuzelt es von Fehlern 이 책은 오류 투성이다. 《III》 *refl.* sich ~ 밀치고 나아가다: sich durch eine Menschenmenge ~ 인파를 헤치고 나아가다.

Wwe. = Witwe 과부, 미망인.

WWF 《engl.》 = World Wide Fund for Nature 세계 자연 보호 기금.

Wwr. = Witwer 홀아비.

www [ve:ve:ve:] 《engl.》 = 〖컴〗 world wide web 월드 와이드 웹.

Wyandot [wáiəndɔt] 《engl.》 *m.* -, -s 와이언도트족(북아메리카 인디언의 한 종족).

Wyandotte [vaıəndɔ́t(ə), wáıəndɔt] 《engl.》 *n.* -, -s 〔*f.* -n〕 와이언도트(부리와 발이 노랗고 깃털이 흰 미국산(產) 닭의 일종).

X

X, x [ɪks] *n.* -, - 독일 자모의 스물 넷째 자.
X ① 로마 숫자의 10. ② 이름을 모르거나 숨기려는 대상: Herr ~ 모씨; 〖軍〗 der Tag X 행동 개시 예정일, 디 데이. ③〔구어〕 jm. ein ~ für ein U vormachen 누구를 속이다. ④〖化〗 =Xenon 크세논.
x ①〖數〗 미지〔부정〕의 수. ②〔구어〕 상당히 많은, 흔한: davon gibt es ~ Sorten 그런 부류는 얼마든지 있다.
X-Achse [íks..] *f.* 〖數〗 X 축.
Xanthen [ksantéːn] 《lat.》 *n.* -s 〖化〗 크산텐.
Xanthin [..tíːn] *n.* -s 〖生化〗 크산틴.
Xanthippe [ksantípə, ..pe] 《I》 *f.* 크산티페 (소크라테스의 처). 《II》 *f.* -n [..típən] 〔구어·폄어〕 바가지〔잔소리〕 심한 여자, 악처.
Xanthogen·säure [ksantogéːn..] *f.* 〖化〗 크산토겐산(酸).
Xanthophyll [ksantofýl] *n.* -s 〖生化〗 (식물의) 엽황소(葉黃素).
X≈Beine [íks..] *pl.* 〖醫〗 X 자형 다리, 안짱다리: ~ haben 다리가 X 자 형이다. **≈beinig** *a.* 안짱다리의. **≈beliebig** *a.* 〔구어〕 임의의: eine ~e Zahl 임의의 수; jeder ~e 임의의 사람, 누구나.
X-Chromosom [íkskromozoːm] *n.* -s, -en 〖유전〗 (성의 결정을 지배하는) X 염색체.
Xe =Xenon 〖化〗 크세논.
X-Einheit [íks|aɪnhaɪt] *f.* 〖理〗 X 단위(뢴트겐 광선의 길이의 단위; 약어: XE, X.E.).
Xenie [kséːniə] 《gr.》 *f.* -n ① (고대의) 손님용 선물. ② **(a)** (선물 증정에 붙인 헌시로서의) 2 행 격언시. **(b)** ~n (괴테와 쉴러가 1796 년에 쓴) 2 행 풍자시.
Xenien·dichter *m.* 풍자 시인.
Xenion [kséː(ː)niɔn] *n.* -s, ..nien [..niən] ↑ Xenie.
xeno.. *pref.* "손님·이방인·낯선"의 뜻.
Xenogamie [ksenogamíː] *f.* -n [..míːən] 〖植〗 이종(異種) 교배.
Xenokratie *f.* -n [..tíːən] 외국에 의한 통치〔지배〕 (Fremdherrschaft).
Xenon [kséːnɔn] *n.* -s 〖化〗 크세논(기호: Xe).
Xenon·lampe *f.* 〖工〗 크세논 가스 방전등.
xenophil [ksenofíːl] *a.* 〔교양〕 낯선 것〔외국인〕에 대해 개방적인.
Xenophilie *f.* 〔교양〕 외국(인)〔낯선 것〕에 대한 우호적 태도.
xenophob [ksenofóːp] *a.* 〔교양〕 낯선 것〔외국인〕에 대해 적대적인.
Xenophobie [..foːbíː] *f.* 외국(인)〔낯선 것〕에 대한 적대감〔혐오〕.
Xeres·wein [çéːrɛs..] *m.* 셰리주(酒) (남에스파냐산(産) 백포도주).
xero.. *pref.* "건조한"의 뜻.
Xerodermie [kserodɛrmíː] *f.* -n [..míːən] 〖醫〗 건피증.
Xeroform [kserofɔ́rm] 《gr.》 *n.* -s 〖藥〗 크세로포름(살균·소독용).
Xerographie [kserografíː] *f.* -n [..fíːən] 〖工〗 ① 전자 사진 복사술, 제로그래피. ② 전자 사진 복사물.
xerographieren *t.* 전자 사진 복사술로 복사하다.
xerographisch *a.* 〖工〗 전자 사진 복사술의.
Xerokopie *f.* -n [..píːən] 〖工〗 전자 사진 복사, 제로그래피에 의한 복사.
xeromorph *a.* 〖植〗 건조 방지성의.
xerophil [kserofíːl] *a.* 〖생태〗 (동식물이) 건조한 기후를 선호하는.
Xerophthalmie [kseroftalmíː] *f.* -n [..míːən] 〖醫〗 안구 건조증.
Xerophyt [..fýːt] *m.* -en, -en 〖植〗 건생(乾生) 식물.
Xerose *f.* -n 〖醫〗 ① ↑ Xerophthalmie. ② 비강(鼻腔) 건조증.
Xerostomie *f.* -n [..míːən] 〖醫〗 구강 건조증.
x≈-fach [íks..] *a.* 〔구어〕 ① X 배의. ② 몇 배고, 몇 번이고: ~e Versuche 수없이 반복된 시도. **≈-fache*** *das* ① X 배〔갑절〕. ② 몇 배의 물건〔금액〕: das ~ seines normalen Einkommens verdienen 평소 수입의 몇 배를 벌다. **~-förmig** *a.* X 자형의. **≈-Haken** *m.* (그림 걸이용) X 자형 훅〔갈고리〕.
Xi [ksiː] *n.* -(s), -s 그리스 자모의 열 넷째 자.
x≈-mal [íksmaːl] *adv.* 〔구어〕 몇 배로, 몇 번이고. **≈-Strahl** *m.* X 광선, 뢴트겐선.
x-t *a.* ① X 번째의: 〖數〗 die ~e Potenz X 제곱. ②〔구어〕 여러 번의: der ~e Versuch 누차의 시도; zum ~en Mal(e) 몇 번이고 되풀이하여.
Xylem *n.* -s, -e 〖植〗 목질 부분.
xylo.. *pref.* "나무·목판"의 뜻.
Xyloglyph *m.* -en, -en ↑ Xylograph.
Xylograph [ksylográːf] *m.* -en, -en (Holzschneider) 목판 화가〔조각가〕.
Xylographie [..grafíː] *f.* -n [..fíːən] ① 목판 조각술. ② 목판화, 목판 인쇄.
xylographieren *i.* (h.)/*t.* 목판에 조각하다.
xylographisch *a.* ① 목판 조각술의. ② 나무〔목판〕에 새긴.
Xylol [ksylóːl] *n.* -s 〖化〗 크실렌, 크실롤.
Xylolith [ksylolíːt, ..lít] *m.* -(e)s/-en, -e(n) 인조 목재, 목재석(石).
Xylometer *n.* -s, - 〖林〗 측용기(測容器) (목재의 용적 측정기) (Holzmesser).
Xylophon [..fóːn] *n.* -s, -e 〖악기〗 실로폰.
Xyloplastik *f.* -en 목조(木彫).
Xylose [..lóːzə] *f.* 〖化〗 목당(木糖), 크실로제.
Xylotypographie *f.* -n [..fíːən] 목판인쇄술.

Y

Y, y [ýpsilɔn, (öst.) ʏpsí:lɔn] *n.* -, - 독일 자모의 스물 다섯째 자.
Y ①〔구어〕 이름을 모르거나 숨기려는 사람: Herr X und Frau Y 모씨와 모여사. ②〖化〗 =Yttrium 이트륨.
y〖數〗(방정식에서) 제 2 의 미정〔부정〕의 수.
y.〔복수: yds.〕=Yard 야드.
¥ =Yen 엔(일본의 화폐 단위).
Y-Achse [ýpsilɔn-aksə] *f.*〖數〗Y 축, 세로축.
Yacht [jaxt] *f.* -en (Jacht) 요트, 쾌속정.
Yagi-Antenne *f.* 텔레비전 수신용 안테나의 일종(일본의 발명가 Yagi 의 이름에서).
Yak [jak] *m.* -s, -s〖動〗야크(Jak).
Yakuza *f.* 야쿠자(일본의 범죄 조직).
Yamashita [jamaʃí:ta] *m.* -(s), -s〖체조〗야마시타 도약(안마에서의 공중 돌기).
Yam(s)wurzel [jám(s)..] *f.* -n〖植〗열대산(產) 참마의 일종(Jam(s)wurzel).
Yang *n.* -〖哲〗(역학(易學)에서의) 양(陽).
Yankee [jɛ́ŋki, jǽŋkɪ]《engl.》*m.* -s, -s〔폄어〕양키, 미국놈.
Yankee·doodle [..du:dəl]《engl.》*m.* -(s) ① 양키 노래(독립 전쟁 당시 미국민의 애창 가요). ② 양키, 미국인.
Yankeetum [..tu:m] *n.* -(e)s 양키 기질〔근성〕, 양키식.
Yard [ja:rt, ja:rd]《engl.》*n.* -s, -s 야드(=0.9144 m; 약어: y., yd., *pl.* yds.).
Yatagan [já:..] *m.* -s, -e (터키인의) 구부러진 긴 칼(Jatagan).
Yawl [jo:l, jɔ:l]《engl.》*f.* -e/-s〖海〗① 비교적 작은 연안 항행선. ② 돛이 둘인 경기용 배.
Yb〖化〗=Ytterbium 이테르븀.
Y-Chromosom [ýpsilɔn..] *n.* -s, -en〖유전〗(성의 결정을 좌우하는) Y 염색체.
Yd. =Yard 야드.
Yellow press [jɛ́lou prés]《engl.》*f.*〔은어〕도색〔포르노〕잡지(Regenbogenpresse).
Yen [jɛn] *m.* -(s), -(s) 엔화(貨)(일본의 화폐 단위).
Yerba [jɛ́rba] *f.* 마테차(茶).
Yeti [jé:ti] *m.* -s, -s (히말라야의) 설인(雪人).
Yggdrasil [ýkdrazɪl]《altnord.》*m.* -s〖북구신화〗우주수(樹)(우주를 떠받치고 뿌리와 가지는 천계(天界)·지계(地界)·명계(冥界)를 이어준다고 하는 큰 물푸레나무).
Yin [jɪn] *n.* -〖哲〗(역학에서) 음(陰).
Yippie [jípi:] *m.* -s, -s 이피(족)(과격 행동파 계열의 히피족).
..yl [..y:l]《gr. hýlē, „Stoff"》*suf.*〖化〗"근기(根氣)·기(基)"의 뜻(보기: Methyl 메틸).
Ylang-Ylang-Baum [í:laŋí:laŋ..] *m.*〖植〗일랑일랑 나무.
Ylang-Ylang-Öl *n.* (향수의 원료로 사용되는) 일랑일랑유(油).
YMCA《engl.》=Young Men's Christian Association 기독교 청년회.
Ymir [ý:mɪr] *m.*〖북구신화〗이미르(우주의 시초에 얼음 속에서 태어났다는 거인).
Yoga [jó:ga] *m./n.* -(s) 요가(학)(Joga).
Yoga·übung *f.* 요가 (동작) 연습〔수련〕.
Yoghurt [jó:gurt] *m.*/(öst.) *n.* -(s), -(s)〔(구어) *f.* -(s)〕요구르트.
Yogi [jó:gi], **Yogin** [..gɪn]《skt.》*m.* -s, -s 요가 수행자.
Yohimbin [johɪmbí:n] *n.* -s〖藥〗요힘빈(열대 수목의 껍질에서 추출한 혈관 확장용 의약).
Yorkshire Terrier [jɔ́:kʃər tɛ́riər] *m.* --s, --〖動〗요크셔 테리어(개의 일종).
Youngster [jáŋstə(r)]《engl.》*m.* -s, -s ① 청소년. ②〖스포츠〗신예 선수, 유망주. ③〖승마〗두 살된 말.
Yo-Yo [jojó:] *n.* -s, -s 요요(놀이).
Yperit [iperí:t]《frz.》*n.* -(e)s〖化〗이페리트(독가스의 일종)(Senfgas).
Ypern *n.* -s〖지질〗제 3 기 하층의 최하부.
Ypsilon [ýpsilɔn, (öst.) ʏpsí:lɔn]《I》*n.* -(s), -s ① ↑ Y, y. ② 그리스 자모의 스무 번째 자(Υ, υ).《II》*n.* -s, -s ↑ ~eule.
Ypsilon·eule *f.*〖動〗Y 자 무늬 나비(류).
Ysop [í:zɔp]《lat.》*m.* -s, -e〖植〗히솝(약용으로 쓴 박하의 일종).
Ytong [ý:tɔŋ] *m.* -s, -s〖건축〗인조 콘크리트의 일종.
Ytterbium [ʏtɛ́rbiʊm] *n.* -s〖化〗이테르븀(기호: Yb).
Ytter·erden *pl.*〖化〗산화 이트륨.
Yttrium [ýtriʊm] *n.* -s〖化〗이트륨(기호: Y).
Yuan [jú:an, ýǽn] *m.* -(s), -(s) 위안, 원(元)(중국의 화폐 단위).
Yucca [júka] *f.* -s ↑ Yukka.
Yukatan [jú:katan] *n.* ① 유카탄 반도. ② 유카탄 반도의 북부에 있는 멕시코의 주(州).
Yukka《sp.》*f.* -s〖植〗유카(북아메리카 원산인 백합의 일종).
Yuppie [júpi:]《engl.》*m.* -s, -s 여피족(외모를 중시하는 출세 지향적 도시 젊은이).
Yürük《türk.》*m.* -(s), -s 가늘고 윤기 있는 양모로 짠 터키 양탄자(Jürük).
Yverdon [ivɛrdɔ̃] 이베르돈(스위스 바트주(州)의 도시; 독어명은 Iferten).
YWCA《engl.》=Young Women's Christian Association 기독 여자 청년회.

Z

Z, z [tsɛt] *n.* -, - 독일어 자모의 스물여섯째 자: von A bis Z 처음부터 마지막까지; et. von A bis Z kennen 무엇을 샅샅이 알고 있다.

Z. ① =Zahl 수. ② =Zeile 행. ③ =Zoll 인치. ④ =Zeit 시간. ⑤ =Zuchthaus 징역(형).

Z, ζ =Zeta 그리스어 자모의 여섯째 자.

z. =zu; zum; zur …(으)로; …에서.

Z 1 =Zeppelinluftschiff Nr. 1 체펠린 비행선 제 1 호.

Zabaglione [tsabaljó:nə], **Zabaione** [..bajó:..] 《it.》 *f.* -s (포도주와 달걀 흰자위로 만드는) 크림 소스.

Zabel [tsá:bəl] 《lat.》 *m.* -s, - 장기판(Schach-∼); 놀이판.

Zabig *n./m.* -s, -s (schweiz.) 만찬.

zach [tsax] *a.* ① (nordd.) 수줍은, 소심한, 겁많은. ② (bayr., obd.) **(a)** (끈)질긴 (zäh): ∼ wie eine Katze 고양이처럼 끈덕진; ein ∼es Stück Rindfleisch 질긴 쇠고기 한 토막. **(b)** 지속적인. ③ (md.) 인색한: er ist ∼ 그는 인색하다.

Zacharias [tsaxarí:as] 《hebr》 *m.* 〚聖〛 사가랴(구약 성서 중의 예언자의 한 사람): Buch ∼ 사가랴서.

Zachäus·öl [tsaxɛ́:us..] *n.* 보헤미아 올리브유.

zack [tsak] *int.* 잽싸게, 싹(신속한 움직임을 표현하는 말): ∼! hat er ihr die Handtasche vom Arm gerissen 잽싸게 그는 그녀의 팔에서 손가방을 낚아챘다; alles geht ∼ 모든 일이 일사천리로 진행된다; bei ihm muß alles ∼, ∼ gehen 그는 일이 착착 진행되지 않으면 못 참는다.

Zack 〔다음 용법으로〕〔구어〕 auf ∼ sein a) 매우 유능하다, b) 특히 잘 작동하다, 특히 좋은 상태다; et. auf ∼ bringen 무엇을 순조롭게 진행시키다, 무엇이 잘 되도록 조치하다; jn. auf ∼ bringen (협박·명령을 통해) 누가 일을 척척 처리하게끔 하다.

Zäckchen [tsɛ́kçən] *n.* -s, - 〔↑ Zacke 의 축소형〕 ① 작은 첨두, 잔 톱니. ② 〔복수〕 물결 모양으로 재단 가공된 옷단.

***Zacke** [tsákə] *f.* -n ① 첨두(尖頭), 첨단; 뼈족한 바위 봉우리; (뾰족한) 말뚝; (포크 따위의) 갈라진 끝; 나뭇가지(∼ von Ästen); (사슴 뿔의) 가장이; 톱니 모양의 절단면; 〚工〛 톱니, 톱니바퀴의 이; 고드름(Eis∼n): die ∼ eines Gebirgszuges 산맥의 뾰족뾰족한 봉우리들. ② 〚植〛 (잎의) 거치연(鉅齒緣). ③ 〔농담〕 코(Nase). ④ 〔복수〕 물결 모양으로 재단 가공된 옷단; (종이의) 톱니꼴의 가장자리. ⑤ 〔구어〕 **(a)** 모양 없는 덩어리, 혹, 마디, 토막. **(b)** 짧은 담뱃대.

zäckeln [tsɛ́kəln] *t.* 톱니 모양으로 새기다〔자르다〕.

Zạckel·schaf·wolle *f.* 양털 부스러기.

Zacken [tsákən] *m.* -s, - ↑ Zacke: 〔구어〕 du wirst dir keinen ∼ aus der Krone brechen 너의 체면〔위신〕이 손상되지 않을 것이다; einen ∼ haben 술취해 있다; einen (ganz schönen) ∼ drauf haben (자동차가) 매우 빨리 달리다.

zạcken 《Ⅰ》 *t.* 첨두를 만들다, 물결 모양으로 만들다; 톱니 모양을 만들다: Blätter mit gezacktem Rand 가장자리가 들쭉날쭉한 잎. 《Ⅱ》 *refl.* sich ∼ 톱니꼴이 되다. 《Ⅲ》 **gezạckt** *p.a.* ↑ gezackt.

zạcken·artig *a.* 톱니같이 생긴. **∼blatt** *n.* 〚植〛 톱니꼴의 잎. **∼borte** *f.* 물결 모양의 옷단. **∼fels** *m.* 뾰족한 바위〔절벽〕. **∼förmig** *a.* 톱니꼴의: ∼e Ränder 톱니 모양의 가장자리. **∼haupt** *n.* 뾰족한 산꼭대기. **∼holz** *n.* 가지가 있는 목재. **∼kreuz** *n.* 뾰족한 끝이 8 개 있는 십자가. **∼krone** *f.* 파도 모양의 왕관. **∼linie** *f.* 톱니 모양의 선. **∼muster** *n.* 파도 모양의 끝이 있는 자수 견본. **∼ornament** *n.* 〚건축〛 톱니 모양의 무늬〔장식〕. **∼schnitt** *m.* 톱니 모양의 재단〔절단〕. **∼werk** *n.* ① 톱니꼴의 물건〔디자인〕. ② 〚軍〛 돌각보(突角堡).

zackerieren [tsakərí:rən] *i.* (h.) (obd., md.) (fluchen) 저주하다, 욕설을 퍼붓다.

zạckern[1] 《frz.》 *i.* (h.) ↑ zackeriern.

zạckern[2] 《<zu Acker fahren》 *i.* (h.)/*t.* (südd., westmd.) 경작하다(ackern).

zạckern[3] 《<Zacke》 *i.* (h./s.) (obd., md.) 종종걸음치다, 달음질치다.

zạckicht 〔고어〕 *a.* ↑ zackig.

zackig [tsákɪç] 《<Zacke》 *a.* ① 끝이 뾰족한, 톱니꼴의, 들쭉날쭉한; 가지가 있는. ② 〔구어·비유〕 (scharf) 예리한, 날카로운; 대담〔용감〕한; 훌륭한, 멋있는: er ist ein ∼er Soldat 그는 용감한 군인이다; der Soldat salutierte ∼ 그 군인은 절도 있는 동작으로 경례했다; das ist aber ∼! 그거 참 멋지다!

Zạckigkeit *f.* 당당함; 절도; 근사함.

Zäcklein [tsɛ́klaɪn] *n.* -s, - ↑ Zäckchen.

zag [tsa:k], **zage** [tsá:gə] *a.* 〔시어〕 ↑ zaghaft.

Zagel [tsá:gəl] *m.* -s, - 〔구식〕 (ndd.) ① 꼬리. ② 음경. ③ **(a)** 작은 다발, 술, 묶음. **(b)** (Haarzopf) 땋은 머리, 변발. ④ (나무의) 우듬지 (Baumwipfel).

***zagen** [tsá:gən] *i.* (h.) 〚雅語〛 겁내다, 겁을 집어먹다, 두려워 움찔하다, 주저하다: zittern und ∼ 벌벌 떨다; er zagte, sich zu entscheiden 그는 결심하는 것을 주저했다; wir warteten mit Zittern und ∼ 우리는 벌벌 떨면서 기다렸다.

zaghaft [tsá:khaft] *a.* 겁내는, 겁먹은; 소심한; 결단성이 없는; 수줍은(blöde): ∼ nach et.[3] greifen 겁을 내면서 무엇에 손을 내밀다; sei nicht so ∼! 그렇게 겁내지 마라!

Zaghaftigkeit *f.* 소심, 겁많음.
Zagheit *f.* 〖시어〗 ↑ Zaghaftigkeit.
Zagreb [zá:grɛp] 자그레브(크로아티아의 수도).
***zäh** [tsɛ:] 《mhd. zach ②》 *a.* ① (**a**) 강인한, 질긴: das Steak ist ja ~ wie Leder 이 스테이크는 가죽처럼 질기다. (**b**) 끊기〔자르기〕 힘든: das Fleisch ist ~ 이 고기는 잘 잘리지 않는다. ② (**a**) (klebrig) 끈적끈적한, 차진; 점액성의: eine ~e Flüssigkeit 걸쭉한 액체; ~er Wein 진한 포도주. (**b**) 진척이 더딘: ~e Verhandlungen 지루하고 힘든 협상. ③ (**a**) 지구력이 있는, 꾸준한; 아귀가 센; 집요한, 끈질긴: ~e Arbeitskraft 강인한 노동력; ein Mensch von ~er Gesundheit 강인한 사람; eine Person von ~em Fleiß 근면한 사람; mit ~em Fleiß 지칠 줄 모르고, 끈기 있게 열심히; Frauen sind oft ~er als Männer 여자들이 때때로 남자들보다 더 모질다〔강하다〕; 〖구어〗 ein ~es Leben haben 쉽사리 죽지 않다, 목숨이 질기다. (**b**) 완강〔완고〕한, 저항력이 있는: ~ an et.³ festhalten 무엇을 완강하게 고수하다; die Belagerten leisteten ~en Widerstand 포위당한 사람들은 완강히 저항했다. ④ 〖비유〗 인색한(geizig): ein ~er Filz 구두쇠.
Zähe [tsɛ́:ə] *f.* ↑ Zähigkeit.
zähe [tsɛ́:ə] *a.* 〖드물게·고어〗 ↑ zäh.
Zäheit [tsɛ́:haɪt] *f.* 질김, 완강, 점액성: die ~ eines Teiges 반죽의 점액성.
zäh≈flüssig *a.* ① 차진, 끈적끈적한, 걸쭉한: ~er Honig 끈적끈적한 꿀. ② 느린, 막히는, 정체된: ~er Verkehr 막히는 교통. **~-flüssigkeit** *f.* 〖工〗 점성(粘性), 점도(粘度).
Zähheit 新정서 ⇦ Zäheit.
Zähigkeit [tsɛ́:ɪçkaɪt] *f.* ① 강인, 질김. ② 찐득찐득함, 점액성. ③ 완강, 완고; 아귀 셈, 집요: mit großer ~ an seiner Meinung festhalten 대단히 끈질기게 자기 의견을 고수하다. ④ 인색, 강한 욕심. ⑤ 〖化·역학〗 (액체·기체의) 점착성, 점도.
Zähigkeits·messer *m.* 점도계(粘度計).
***Zahl** [tsa:l] *f.* -en ① (**a**) 수(數) (약어: Z.): ganze〔gebrochene〕 ~ 정수〔분수〕; gemischte ~ 대분수; runde ~ (10, 100, 1000 따위와 같은) 우수리를 버린 어림수; ungerade〔gerade〕 ~ 홀수〔짝수〕; 〖天〗 die goldene ~ 금수(金數) (달의 순환기를 계산하는 데 필요한 수); die volle ~ 완전수; geringer **an** ~ 수가 보다 적은; an ~ übertreffen 수가 보다 많다〔우세하다〕; sie waren fünf an der ~ 그들의 수는 다섯이었다; durch eine ~ teilen〔dividieren〕 어떤 수로 나누다; in rote ~en kommen 적자가 되다; **mit** ~en rechnen 수를 계산하다; mit einer ~ malnehmen〔multiplizieren〕 어떤 수를 곱하다; der ~ **nach** wenig 수가 적은; die ~ ist das Wesen aller Dinge 수는 만물의 본질이다. (**b**) 수〔숫자〕에 의한 표시: er wollte keine genauen ~en nennen 그는 정확한 숫자를 대려고 하지 않았다. (**c**) 수효, 수량, 개수: eine große ~ (von) Menschen 다수의 사람들; in großer ~ 많이; hundert an der ~ 백(강조된 표현); **ohne** ~ 무수한; Vögel ohne ~ 무수히 많은 새; **um** die ~ vollzumachen 수를 맞추기 위하여; die Mitglieder sind in voller ~ erschienen 회원은 전원 출석했다; das gehört in die ~ der möglichen Fälle 그것도 고려의 대상이 된다. ② 숫자(Ziffer): die arabischen〔römischen〕 ~en 아라비아〔로마〕 숫자; 13 gilt als eine unglückliche ~ 13은 불길한 숫자로 간주된다. ③ 〖문법〗 수; (Numerus) 수사(數詞) (↑ Ein~, Mehr~).
Zahl≈adjektiv *n.* 〖문법〗 수형용사(einige, viele 따위). **~adverb** *n.* 〖문법〗 수부사(5 mal 따위).
Zahl·amt *n.* (총무처의) 출납국, 회계국.
Zähl·apparat [tsɛ́:l..] *m.* 계량기; 속도계; 〖醫〗 혈구(血球) 계산기.
zahlbar *a.* ① 〖商〗 지급 기한이 된, 지급해야 할: ~ bei〔auf〕 Sicht 일람불의; ~ bei Lieferung 인도할 때 지급; ~ nach Erhalt des Buches 책 수령 후 지급; einen Wechsel ~ machen 어음 지급지를 정하다; ~ werden (어음 등이) 만기가 되다; diese Summe ist am 1. bis 3. jedes Monats ~ 이 금액은 매월 초 1일부터 3일 사이에 지급해야 합니다. ② 〖드물게〗 지급 능력이 있는(zahlungsfähig).
zählbar *a.* ① 셀 수 있는. ② 〖문법〗 복수형을 갖는: ein ~es Substantiv 가산(加算) 명사. ③ (수량을) 일정한 개수로 표시할 수 있는.
Zahlbarkeit *f.* ① 지급 시기〔방법〕: die ~ richtet sich nach ... 지급 방법은 …에 따른다. ② 〖商〗 지불 능력〔의무〕.
Zählbarkeit *f.* 셀 수 있음; 어림할 수 있음.
Zahl·brett *n.* 계산대, 카운터.
Zähl·brett *n.* 동전 계산판〔기〕.
Zahl·buchstabe *m.* 숫자.
Zähl·drehkreuz *n.* ↑ ~apparat.
zäh·lebig *a.* ① 목숨이 질긴, (질병 등에) 저항력이 강한. ② 〖비유〗 (의심·비판에도 불구하고) 끈질기게 존속하는: eine ~e Legende 계속 전해 내려오는 성담(聖譚).
***zahlen** [tsá:lən] 《<Zahl; 원뜻 „zählen, rechnen"》 《I》 *t.* ① (돈을) 치르다, 지급하다; (무엇의) 대금을 치르다: Geld〔bar〕 ~ 돈을〔현금으로〕 치르다; Miete ~ 집세〔방세〕를 내다; die Ware (be)~ 상품의 대금을 치르다; jm. für et. Geld ~ 누구에게 무엇의 대금을 치르다; jm. sein Gehalt〔seinen Lohn〕 ~ 누구에게 봉급〔임금〕을 지급하다; den höchsten Preis ~ 최고 가격을 지급하다; im voraus eine Rechnung ~ 청구액을 선불하다; jm. eine Schuld ~ 누구에게 빚을 갚다; die Summe in Raten ~ 금액을 할부로 지급하다; Zoll〔Strafe〕 ~ müssen 세금〔벌금〕을 납부하다; Kinder ~ die Hälfte 어린이는 반액; ich habe dafür viel Lehrgeld gezahlt 나는 그 일로 많은 애를 썼다; was〔wie viel〕 habe ich zu ~? 얼마입니까?; an wen muß ich das Geld ~? 누구에게 돈을 내야 하나요?; 〖비유〗 dafür mußte ich einen hohen Preis ~ 나는 그것에 대해 비싼 대가를 치러야만 했다; sie zahlte ihren Leichtsinn mit dem Leben 그녀는 경솔의 대가로 목숨을 잃었다. ② 〖비유〗 (vergelten) 갚다, 보복하다: jm. mit gleicher Münze ~ 누구에게 당한 대로 똑같이 보복을 하다. 《II》 *i.* (h.) 지급하다, 돈을 치르다: er zahlt gut 그는 셈이 분명하다; der Kaufmann kann nicht ~ 그 상인은 지급 능력이 없다, 파산했다; Herr Ober, bitte ~! 웨이터, 계산하겠습니다!; pünktlich ~ 제때에

계산하다; er zahlt immer noch an seinem Möbel 그는 아직도 가구 대금을 지불하고 있다.

***zählen** [tsέ:lən] 《<Zahl》《I》 *t.* ① 세다; 헤아리다; 계산하다, 치르다;〖게임〗점수를 따다: (sein Geld) ~ (돈을) 세다; das Volk ~ 인구를 조사하다; falsch ~ 잘못 세다; vorwärts〔rückwärts〕 ~ 앞에서부터〔거꾸로〕 세다;〖음악〗den Takt ~ 박자를 세다; genau gezählt 정확히 계산하면; das Geld auf den Tisch ~ 돈을 탁자 위에 올려놓으면서 세다; der Kranke zählte die Tage bis zu seiner Entlassung 그 환자는 퇴원할 날을 손꼽아 기다렸다; ehe man drei ~ konnte 순식간에; an den Fingern ~ 손꼽아 세다; jm. die Bissen in den Mund ~ a) 누구에게 음식주기를 아까워하다, b) 누구를 미워하다; wie weit kannst du ~? 몇까지 셀 수 있니?; er kann nicht bis drei ~ 그는 셋까지도 못 세는 바보다; seine Tage sind gezählt 그는 살 날이 얼마 남지 않았다; die Tage von et.³ sind gezählt 무엇이 사라질〔끝장날〕 날도 머지 않았다; bei ihm kann man die Rippen ~ 그는 갈빗대를 셀 수 있을 만큼 야위었다; die Tage〔Stunden〕 bis zu einem Ereignis ~ 어떤 사건을 손꼽아 기다리다; die Kinder ~ die Tage bis Weihnachten 아이들은 성탄절을 손꼽아 기다린다. ② 계산에 넣다, 포함시키다: zu et.³〔unter et.〕 ~ 무엇에 포함시키다; ich zähle ihn zu meinen Freunden 나는 그를 내 친구라고 생각한다; der Walfisch wird zu den Säugetieren gezählt 고래는 포유류에 속한다. ③〖雅語〗…의 수에 달하다: er zählt 30 Jahre 그는 30 세다; die Menge zählte viele Tausende 군중들의 수는 수천에 달했다; wir ~ 2001 올해는 2001 년이다;〖구식〗man zählte das zehnte Jahr seit der Herrschaftsübernahme 정권을 인수한지 10 년째가 되었다. ④ 분배〔할당〕하다. 《II》 *i.* (h.) ① (**a**) (수를) 세다: der Junge hat im Kindergarten ~ gelernt 그 소년은 유치원에서 수 세기를 배웠다. (**b**) 믿다, 기대하다, 의지하다: auf jn.〔et.〕 ~ 누구를〔무엇을〕 신뢰〔기대〕하다; ich zähle auf deine Hilfe 나는 자네의 도움을 믿고 있네; können wir heute auf dich ~? 오늘 좀 와줄 수 있겠나? ② (**a**) zu et.³ ~ 무엇에 속하다; er zählt zum Adel 그는 귀족이다. (**b**) …의 수효에 속하다: unter die Toten ~ 죽다. (**c**) 헤아려지다: sein Vermögen zählt nach Millionen 그의 재산은 수백만 마르크에 달한다. ③ (**a**) 값이 나가다, 가치가 있다: für nichts ~ 아무 값어치도 없다; das zählt nicht 그것은 중요하지 않다, 문제가 안 된다; hier zählt nur das Können 여기서는 능력만이 문제다. (**b**) 효력이 있다, 유효하다: der Treffer zählt〔zählt nicht〕 그 득점골은 유효하다〔무효다〕. ④〖사냥〗(큰뇌조의 수컷이) 천천히 딱딱거리다.

Zahlen≈angabe *f.* 수〔숫자〕에 의한 표시: ich kann keine genauen ~n machen 나는 정확한 숫자를 제시할 수 없다. **~block** *m.*〖컴〗(컴퓨터 자판(Tastatur) 우측의) 숫자판. **~bruch** *m.* 분수.

Zahlende* *der/die* 지급인.

Zahlen≈folge *f.* 수열(數列). **~gedächtnis** *n.* 숫자 기억(력): ein gutes ~ haben 숫자 기억력이 좋다. **~gleichung** *f.* 수치 방정식. **~größe** *f.* 수의 크기. **~kolonne** *f.* 수의 계열, 수열. **~kombination** *f.* 숫자 조합. **~kunst, ~lehre** *f.* ① 수의 이론. ② 산술. **~lotterie** *f.* 복권(Lotto). **≈mäßig** *a.* ① 수에 의한, 숫자상의: der Gegner ist ~ überlegen 적은 수적으로 우세하다. ② 수치〔숫자〕로 표시된. **~material** *n.* 숫자〔수치〕로 표시된 자료. **~mensch** *m.* 셈속이 빠른 사람, 타산가, 실리주의자. **~mystik** *f.* 숫자(에 신비성을 부여하는) 신비주의. **~rätsel** *n.* 숫자놀이 퍼즐. **~reihe** *f.* 수의 계열, 수열(數列). **~schloß** *n.* 숫자(를 맞춰 여는) 자물쇠. **~-schreiben** *n.* 세기, 계수; 숫자 기입. **~-sinn** *m.* 수에 대한 이해력〔기억력〕; 계산 능력. **~symbolik** *f.* 수의 상징론〔상징적 해석〕. **~system** *n.* 수의 조직; 기수법(記數法), 수의 진법(進法). **~tafel** *f.* ① 곱셈표. ②〖기계〗눈금판. **~teilung** *f.* 수 나누기. **~theorie** *f.*〖數〗정수론(整數論). **~verhältnis** *n.* 수의 비율, 비례. **~wert** *m.* 수치: absoluter ~ 절대 수치.

Zahler 《<zahlen》 *m.* -s, - 지급인: guter ~ 돈을 잘 치르는 사람; Bar≈ 현금 지불자; Steuer≈ 납세자; er ist ein säumiger〔pünktlicher〕 ~ 그는 셈이 흐리다〔분명하다〕.

Zähler [tsέ:lər] 《<zählen》 *m.* -s, - ① 세는 사람, 계수원; (의회의) 투표 계수자; (당구의) 점수를 세는 사람. ②〖數〗분자(↔ Nenner). ③ (전기·가스의) 계량기: den ~ ablesen 계량기를 검침하다. ④〖비유〗세력가, 권력가. ⑤〖컴〗계수기. ⑥〖스포츠〗득점, 점수;〖은어〗명중탄, 당첨.

Zähler·stand *m.* (계량기에 나타난 전기·가스의) 사용량〔수치〕 상태.

zahl≈fähig *a.* 지급 능력이 있는. **≈grenze** *f.* (근거리 교통에서) 요금 구간의 경계. **≈-größe** *f.* 수의 크기. **≈kammer** *f.* 출납국, 회계국(~amt).

Zähl·kammer *f.*〖生;醫〗(혈구·원생 동물의 수를 계산하는) 유리 계산판.

Zahl·karte *f.* 우편 당좌 계좌의 납입 용지.

Zähl·karte *f.* ①〖카드〗계산 카드, 득점표. ② 국세〔인구〕 조사표. ③〖골프〗스코어〔득점〕 카드.

Zahl≈kasse *f.* (~amt) 출납국, 회계국. **~-kellner** *m.* 요금 수납 담당 웨이터, 카운터 보이.

zahllos *a.* 무수한; dafür gibt es ~e Beispiele 그에 대한 예가 무수히 있다.

Zahllosigkeit *f.* 무수, 다수, 대량.

Zähl≈maschine *f.*〖工〗계산기; 숫자 타자기, 넘버링 문구. **~maß** *n.* 상품 판매 단위(다스 따위).

Zahl·meister *m.* ① (Kassierer) 출납계장, 회계 담당자: ich bin doch nicht euer ~ 난 너희들 물주가 아니야. ②〖軍〗재정관.

Zähl·methode *f.* 계산법, 기수법(記數法).

Zahl≈muschel *f.*〖動〗자패(紫貝)(Kauri). **~perlen** *pl.* 셈 염주. **~pfennig** *m.* 코인(도박에 쓰는 모조 화폐). **≈reich** *a.* ① 다수의, 수많은: ~er Besuch 많은 방문객. ② 많은 인원으로 이루어진, 대규모의, 방대한: seine ~e Nachkommenschaft 그의 수많은 자손.

Zähl≈reim *m.* (어린이 놀이에서) 술래를 정하는 노래. **~rohr** *n.*〖物·工〗(방사능을 측정하

는) 계수관(計數管), 측수관(測數管).

Zahl≈schein *m.* 수표; 약속 어음. **~stelle** *f.* ① 입출금 장소; (은행의) 입출금 창구. ②〖數〗 수의 자리. **~tag** *m.* ① 봉급날. ②〖經〗(어음의) 지급일. **~tisch** *m.* (Zähltisch) 계산대, 카운터. **~uhr** *f.* (가스·수도의) 계량기, 미터기.

***Zahlung** [tsá:luŋ] 《<zahlen》 *f.* -en ① (**a**) 지급, 돈을 치름: volle ~ 전액 지급; ~ leisten〔verweigern〕 지급을 (이행)하다〔거절하다〕; ~ erhalten 정(正)히 영수함(영수증에 쓰는 말); jm. die ~ erleichtern 누구에게 지급 조건을 완화해 주다; seine ~en einstellen〔wiederaufnehmen〕 지급을 정지〔재개〕하다; Verkauf gegen bare ~ 현금 판매; einen gebrauchten Gegenstand in ~ geben (새 상품 구입 때) 헌 물건값을 보상받다; ich habe meinen alten Wagen in ~ gegeben 나는 차를 살 때 헌 차 값을 보상받았다; einen gebrauchten Gegenstand in ~ nehmen (새 상품 판매 때) 헌 물건값을 보상해주다;〖商·구식〗 an ~s Statt 현금 지급 대신에. (**b**) 지급금, 지급한 돈: den Eingang einer ~ verbuchen 지급금의 입금을 장부에 기입하다; die ~ ist noch nicht auf mein Konto eingegangen 그 돈이 아직 내 계좌에 입금되지 않았다. ② 반제(返濟): ~ einer Schuld 부채의 반제.

***Zählung** [tsɛ́:luŋ] 《<zählen》 *f.* -en 세기; 계산, 셈하기; 열거; 인구 조사(Volks≈): die ~ stimmt 계산이 맞는다; jn. bei der ~ versehentlich übergehen 실수로 누구를 빠뜨리고 세다.

Zahlungs≈abkommen *n.*〖經〗 지급 협정. **~adresse** *f.*〖商〗 어음 지급지. **~anweisung** *f.* 지급 명령(서); 어음 수표;〖우편〗 우편환;〖商〗 배당권. **~aufforderung** *f.* 지급 요구〔독촉〕. **~aufschub** *m.* 지급 연기〔유예〕. **~bedingung** *f.*〖經〗 지급 조건. **~befehl** *m.*〖法·구식〗 지급 명령〔독촉〕. **~bilanz** *f.*〖經〗 국제 수지. **~einstellung** *f.*〖經〗 지급 정지. **~erinnerung** *f.* ↑ ~aufforderung. **~erleichterung** *f.* 지급 조건의 완화. **≈fähig** *a.*〖經〗 지급 능력이 있는. **~fähigkeit** *f.*〖經〗 지급 능력.

Zählungs·formular *n.* 인구 조사 용지.

Zahlungs≈frist *f.*〖法〗 지급 기한. **≈halber** *a.* 지급을 위한 목적으로. **≈kräftig** *a.*〖구어〗 많은 돈을 지급할 수 있는, 충분한 돈을 소유한: ~e Interessenten 충분한 돈을 소유한 구매 희망자들. **~mittel** *n.* (돈·수표와 같은) 지급 수단;〖商〗 통화: gesetzliches ~ 법정 통화(通貨). **~ort** *m.*〖法〗 지급 장소. **~schein** *m.* ① 영수증. ② ↑ ~befehl. **~schwierigkeiten** *pl.* 지급 곤란. **~sperre** *f.*〖法〗 지급 금지. **~termin** *m.* 지급 기일. **≈unfähig** *a.* 지급 능력이 없는;〖商·法〗 파산한. **~-unfähigkeit** *f.*〖經〗 지급 불능; 파산. **≈-unwillig** *a.* 지급 의사가 없는. **~verbindlichkeit** *f.* 지급 의무. **~verkehr** *m.*〖經〗 지급 유통, 거래. **~vermögen** *n.* ↑ ~fähigkeit. **~verpflichtung** *f.*〖經〗 지급 의무, 채무. **~verzug** *m.* 지급 연기. **~weise** *f.* 지급 방법. **~wert** *m.* 지급 화폐 가치. **≈-willig** *a.* 지급 의사가 있는. **~zeit** *f.* 지급 기일; 만기.

Zahl≈wert *m.* 수(적 가)치. **~woche** *f.* 지급 주(週). **~wort** *n.*〔복수: ..wörter〕〖문법〗 수사(數詞) (Numerale). **~zeichen** *n.* 숫자.

***zahm** [tsa:m] 《♧ ziemen》 *a.* ① 길든, 사람을 따르는: ein ~es Reh 길들여진 사슴; ~e Fische 연못의 물고기; ~ machen 길들이다; ~ werden 길들다. ②〖구어〗(**a**) 순종하는, 다루기 쉬운; 말 잘 듣는: sich ~ verhalten 순종적인 태도를 취하다; ich werde dich schon ~ machen〔kriegen〕 당장 너를 고분고분하게 해주마;〖비유〗 die Brandung war ganz ~ 파도는 별로 거세지 않았다. (**b**) 온건한, 삼가는, 신랄하지 않은: eine ~e Kritik 온건한 비평. ③ (식물이) 재배〔배양〕된: ~er Baum 배양수(樹). ④〖農〗(토지가) 경작에 적합한.

zähmbar [tsɛ́:mba:*r*] *a.* 길들일 수 있는: dieses Tier ist leicht ~ 이 동물은 길들이기 쉽다.

Zähmbarkeit *f.* 길들일 수 있음.

zähmen [tsɛ́:mən] 《Ⅰ》 *t.* ① (동물을) 길들이다; 훈련시키다: ein Pferd ~ 말을 길들이다; die Naturgewalten ~ 자연력을 제어하다. ②〖雅語〗 누르다, 억제하다, 진정시키다: Leidenschaften ~ 정욕을 억제하다; zähme deine Zunge! 입 다물어라! 《Ⅱ》 *refl.* sich ~ 자제하다; 극기하다.

Zähmer *m.* -s, - 조련사; 트레이너.

Zahmheit *f.* 길들여짐;〖비유〗 온순.

Zähmung *f.* 길들임; 훈련;〖비유〗 억제, 극복.

***Zahn** [tsa:n] *m.* -(e)s, Zähne [tsɛ́:nə] ① 이(齒), 치아: faule〔vorstehende〕 Zähne 벌레 먹은 이〔덧니〕; Weisheits≈ 사랑니; künstliche〔falsche〕 Zähne 틀니, 의치;〖농담〗 dritte Zähne 의치; plombierte Zähne 때운 이;〖비유·구어〗 der ~ der Zeit (붕괴·마멸 등으로 나타나는) 시간의 파괴력; dem ~ der Zeit zum Opfer fallen (건축물 따위가) 세월의 파괴력〔흐름〕에 희생〔훼손〕되다; Zähne bekommen (아이의) 이가 나다; die Zähne fletschen a) 이를 드러내다, b) 위협하다; gute Zähne haben 이가 고르다; jm. die Zähne einschlagen〔ausschlagen〕 누구의 이를 부러뜨리다;〖구어〗 die Zähne heben〔lange Zähne machen, mit langen Zähnen essen〕 식욕이 없다, 마지못해 먹다; jm. lange Zähne machen〔jm. die Zähne wässern machen〕 누구의 식욕을 돋우다, 누구에게 침을 삼키게 하다; die Zähne pflegen 이를 손질하다;〖구어·비유〗 jm. die Zähne weisen〔zeigen〕 누구를 위협하다, 누구에게 적의를 보이다; den kritischen ~ wetzen 신랄하게 비평하다; die Zähne zusammenbeißen〔aufeinanderbeißen〕 이를 악물다,〖비유〗 버티다, 고통을 견디다; einen ~ auf〔gegen〕 jn. haben 누구에게 원한을 품다; sich³ einen ~ ausziehen〔einsetzen〕 lassen 이를 빼다〔박다〕; (sich³) die Zähne putzen〔reinigen〕 이를 닦다;〖비유·구어〗 sich³ an et.³ die Zähne ausbeißen a) 무엇을 씹다가 이가 부러지다, b) 온갖 노력에도 불구하고 무엇에 실패〔실수〕하다;〖비유·구어〗 jm. einen ~ ziehen 누구의 망상〔환상〕을 제거하다; der ~ schmerzt〔muckert〕 이가 아프다〔쑤신다〕;〖구어·경박〗 ihm tut kein ~ mehr weh 그는 이미 죽었다; jm. wässert der ~ nach et.³ 누가 무엇을 탐내다; die Zähne klappern vor Kälte 추워서 이가 덜덜 떨린다. ②〖전치사와 함께〗〖구어〗 bis

an die Zähne bewaffnet sein 완전 무장하고 있다; 〖비유·구어〗 jm. **auf** den ~ fühlen 누구의 속을 떠보다, 누구의 능력을 타진하다; Haare auf den Zähnen haben 대단한 놈이다, 용감하다; jm. et. auf den Zähnen reißen 누구에게서 무엇을 낚아채다; nichts **für** seinen ~ finden 먹을 것이 없다; 〖구어〗 das Essen reicht〔ist〕 nur für den hohlen ~ 식사가 너무 적다; jm. **in** die Zähne lachen 누구를 향하여 껄껄 웃다; jm. et. in die Zähne rücken 무엇을 누구의 입속에 틀어넣다; Nüsse **mit** den Zähnen aufbeißen 이로 호두를 깨다; mit den Zähnen knirschen (vor Wut) (노한 나머지) 이를 바드득거리다; et. mit Zähnen und Klauen verteidigen 무엇을 (빼앗기지 않으려고) 온갖 힘을 다해 지키다; 〖聖〗 Auge um Auge, ~ **um** ~ 눈에는 눈으로, 이에는 이로 (갚다) (출애굽기 21:24); er hat eine Lücke **zwischen** den Zähnen 그는 이가 하나 빠졌다; was murmelst du zwischen den Zähnen? 너는 무엇을 중얼거리고 있느냐? ③ (빗·톱·톱니바퀴·우표 등의) 이; 뾰족한 산꼭대기; 절벽; (피륙의) 톱니꼴의 단〔가장자리〕; 새김눈; 빠른 속도: 〖구어〗 einen (tollen) ~ drauf haben 매우 빠른 속도로 달리다; 〖구어〗 einen ~ zulegen 속력을 더 내다. ④〖動〗 상어의 비늘. ⑤〖학생·구식〗 (특히 매력적인) 아가씨〔젊은 여자〕: ein steiler ~ 아주 매력적인 처녀.

za̱hn≈arm *a.* 이가 적은, 빈치(貧齒)의. **~arzenei** *f.* ↑ ~arznei. **~arznei** *f.* 이 치료제〔약〕(~mittel). **~arzt** *m.* 치과 의사: zum ~ gehen 치과에 가다. **~arzt·helferin** *f.* 치과 (여)보조사. **~ärztin** *f.* ↑ ~arzt 의 여성형. **~ärztlich** *a.* 치과의(술), 치과 의사의: ~e Behandlung 치과 치료; sich ~ behandeln lassen 치과 치료를 받다. **~arzt·stuhl** *m.* 치과의 치료용 의자. **~ausschlag** *m.* (아이의) 이가 날 때의 발진(發疹). **~ausziehen** *n.* 발치(술). **~behandlung** *f.* 치과〔이〕 치료. **~behandlungs·schein** *m.* 치과 진료증. **~bein** *n.* 〖해부〗 치골(齒骨), 상아질. **~belag** *m.* 치석, 플라크. **~bett** *n.* 치주(齒周) 조직, 치아 지지 조직. **~bildung** *f.* 이의 형성〔생장〕. **~bohrer** *m.* 치과용 드릴. **~brecher** *m.* 이 빼는 사람; 치과의. **~brasse** *f.* 〖動〗 황돔. **~buchstabe** *m.* 〖문법〗 치음 낱자. **~bürste** *f.* 칫솔; 〖비유〗 코밑수염.

Zähnchen [tsɛ́:nçən] *n.* -s, - 〖↑ Zahn 의 축소형〗 작은 이, 잔 이, 잔 톱니꼴.

Za̱hn≈creme [..kre:m] *f.* 치약. **~durchbruch** *m.* 〖生〗 치아의 솟아남.

zähne≈bleckend [tsɛ́:nə..] *a.* 이를 드러내 보이는, 위협하는. **~fletschen** (*p.p.* gezähnefletscht) *i.* (h.) 반항의 기세를 보이다, 위협하다(단 die Zähne fletschen 이를 드러내다). **~fletschend** *a.* ↑ ~bleckend. **~gefletsch** *n.* (적의를 보이며) 이를 드러내기. **~klappern** *n.* (추위로) 이를 덜덜 떨기. **~klappernd** *a.* 이를 덜덜 떠는. **~knirschen** *n.* 바드득바드득 이를 갊, 절치(切齒). **~knirschend** *a.* ①이를 가는. ②분노를 억제하는: ~ nachgeben 화를 삭이면서 양보하다.

zähneln [tsɛ́:nəln] *t./i.* ↑ zähnen.

zahnen [tsá:nən] 《<Zahn》 《I》 *i.* (h.) 이가 나다. 《II》 *t.* (가장자리에) 이를 만들다, 새김눈〔톱니꼴〕을 만들다: ein Rad ~ 바퀴에 톱니를 내다. 《III》 **geza̱hnt** *p.a.* ↑ gezahnt.

zähnen [tsɛ́:nən] 《<Zahn》 《I》 *t.* (가장자리에) 이를 만들다, 새김눈〔톱니꼴〕을 만들다. 《II》 *i.* (h.) 〖방언〗 이가 나다. 《III》 **gezä̱hnt** *p.a.* ↑ gezähnt.

Zä̱hne·putzen *n.* 이닦기, 양치질.

Za̱hn≈ersatz *m.* 의치, 틀니. **~extraktion** *f.* 발치, 이빼기. **~fäule, ~fäulnis** *f.* 〖병리〗 ↑ ~karies. **~feile** *f.* 〖工〗 톱니꼴 줄. **~fieber** *n.* 〖병리〗 치아열. **~fistel** *f.* 〖醫〗 치루(齒瘻). **~fläche** *f.* 〖工〗 (차바퀴의) 톱니판. **~fleisch** *n.* 〖해부〗 잇몸: 〖구어〗 ich bin nur noch auf dem ~ gekrochen〔gegangen〕 나는 더 이상 걸어갈 수 없을 정도로 기진맥진해 있었다.

Za̱hnfleisch≈bluten *n.* 〖병리〗 잇몸 출혈. **~entzündung** *f.* 〖병리〗 잇몸 염증. **~geschwulst** *f.* 〖醫〗 치아 종양.

za̱hn≈förmig *a.* 이 모양의. **~fortsatz** *m.* 〖해부〗 치상 돌기; 치조(齒槽) 돌기. **~füllung** *f.* 〖醫〗 이를 때움; 치아 충전물(Plombe). **~geschwür** *n.* 치아 궤양. **~hals** *m.* 〖해부〗 치경부(齒頸部). **~heil·kunde** *f.* 치의학. **~hobel** *m.* 〖工〗 톱날 대패. **~höhle** *f.* 〖해부〗 ① 치강(齒腔). ② 충치의 공동(空洞) (Zahnhöhlung).

za̱hnig 《<Zahn》 *a.* ① 이가 있는〔많은〕. ② 가장자리가 톱니꼴로 된.

..zahnig, ..zähnig *suf.* "…치아의"의 뜻(보기: scharfzahnig 이가 날카로운; zweizahnig 2개의 이가 있는; vollzähnig 이를 모두 갖춘).

Za̱hning *m.* -s, -e ↑ Zahnling.

Za̱hn≈karies *f.* 〖병리〗 충치, 카리에스. **~keim** *m.* 〖해부〗 치수(齒髓). **~kitt** *m.* ① 치아 접착용 시멘트. ② 백악질(白堊質). **~klammer** *f.* ↑ ~spange. **~klempner** *m.* 〖구어·농담·폄어〗 치과 의사. **~klinik** *f.* (대학 부속의) 치과 병원. **~knirschen** *n.* 이를 부드득부드득 갊. **~krank** *a.* 이가 나쁜. **~krankheit** *f.* 잇병. **~kranz** *m.* 〖工〗 톱니바퀴. **~krone** *f.* 〖해부〗 치관(齒冠). **~künstler** *m.* 치과 기공사. **~lade** *f.* 〖해부〗 악골 치조(顎骨齒槽). **~laut** *m.* 〖음성〗 치음(齒音). **~lehre** *f.* 치의학.

Za̱hnling *m.* -s, -e 〖음성〗 치음(Zahnlaut).

Za̱hn·lippen·laut *m.* 〖음성〗 (f, v 따위와 같은) 순(脣)치음.

za̱hnlos *a.* 이가 없는; 이가 빠진: 〖動〗 die ~en Tiere 빈치류(貧齒類); ein ~er Alter 이가 없는 노인.

Za̱hnlosigkeit *f.* 이가 없음.

Za̱hn≈lücke *f.* 이 빠진 자리. **~lücker** *m.* 〖動〗 빈치류의 동물. **~lückig** *a.* 〖드물게〗 결치가 있는, 이 사이에 틈이 있는. **~mark** *n.* 〖해부〗 치수(齒髓). **~medizin** *f.* 치의학, 치과학. **~medizinisch** *a.* 치과의, 치의학〔치과학〕의. **~meißel** *m.* 치과용 끌. **~mittel** *n.* 이 치료제〔약〕. **~nerv** *m.* 〖해부〗 치조(齒槽) 신경. **~operation** *f.* 치과 수술. **~pasta, ~paste** *f.* 치약. **~pflege** *f.* 치아 위생. **~plombe** *f.* 치아의 충전물(物). **~praxis** *f.* 치과(진료실). **~pulver** *n.* 가루 치약, 치분.

~putz·glas *n.* 양치용 컵. **~rad** *n.*〖工〗톱니바퀴. **~rad·bahn** *f.*〖철도〗아프트식〔톱니바퀴식〕철도. **~rad·getriebe, ~räder·getriebe** *n.* 기어〔동력 전달〕장치. **~regulierung** *f.* 치열 교정. **~reihe** *f.* ①〖醫〗치열(齒列); (한 틀의) 의치. ②〖工〗치열. **~reinigung** *f.* 이닦기. **~reinigungs·mittel** *n.* 치약. **~reißen** *n.* ↑ ~schmerz. **~schmelz** *m.*〖해부〗법랑질(琺瑯質), 에나멜질. **~schmerz** *m.* 치통. **~schnäbler** *m.*〖動〗치취류(齒嘴類). **~schnecke** *f.*〖動〗뿔고둥속(屬). **~schnitt** *m.*〖건축〗작은 이 모양; 작은 이 모양의 돌기. **~seide** *f.* 치아 청소용 명주실. **~spange** *f.*〖醫〗(철사로 된) 치열 교정틀. **~spiegel** *m.* 치과용 손거울. **~stange** *f.*〖工〗톱니 막대;〖철도〗(철도 바퀴의) 래크, 톱니 궤도. **~stein** *m.*〖醫〗치석. **~stein·ansatz** *m.*〖醫〗(치아에 쌓인) 치석. **~stocher** *m.* 이쑤시개. **~stummel** *m.* 부러진 이. **~stumpf** *m.* 부러진 이의 뿌리. **~technik** *f.* 치과술. **~techniker** *m.* 치과 기공사; 치과 의사의 조수. **~technikerin** *f.* ↑ ~techniker 의 여성형. **~transplantation** *f.* 치이식(齒移植).

Zahnung 《<zahnen》*f.* -en〖工·우표〗(바퀴·우표의) 톱니 전체(의 모양).

Zähnung *f.* -en ① 톱니만들기, (빗의) 살만들기. ② (우표 가장자리에) 톱니 모양 만들기.

Zahn≈wal *m.*〖動〗이빨고래, 치경(齒鯨). **~wasser** *n.* 물치약. **~wechsel** *m.* 이갈이. **~weh** *n.*〖구어〗↑ ~schmerz. **~weh·mittel** *n.* 치통약. **~werk** *n.*〖工〗톱니 세공. **~wurm** *m.* 충치증(蟲齒症). **~wurz** *f.*〖植〗① 미나리냉이의 일종: zwiebeltragende ~ 알뿌리가〔구근(球根)이〕달린 미나리냉이. ② 개종용의 일종. **~wurzel** *f.* ①〖해부〗이촉, 치근(齒根). ②〖植〗구리때. **~zange** *f.*〖醫〗치과용 집게. **~zement** *n.* 치아의 백악질; 치과용 시멘트. **~ziehen** *n.* 발치(술).

Zähre [tsɛ́:rə] *f.* -n〖시어·구식〗눈물(Träne): ~n vergießen〔trocknen〕눈물을 흘리다〔닦다〕.

Zährte *f.* -n〖動〗황어의 일종.

Zain [tsaɪn] *m.* -(e)s, -e ①〖구식〗(obd.) 나뭇가지, 버들의 어린 가지. ②〖工·제련·화폐〗주입 지금(鑄入地金), 주금속(鑄金屬) 막대기, 금의 연봉(延棒). ③〖사냥〗**(a)**〖드물게〗(수사슴의) 음경. **(b)** (오소리의) 꼬리.

Zaine [tsáɪnə] *f.* -n ① (obd., schweiz.) **(a)** 고리〔버들가지〕세공, 바구니 엮기. **(b)** (손잡이가 2 개 달린) 큰 광주리〔바구니〕. ② 굼뜨고 멍청한 여자.

Zain·eisen *n.*〖제련〗봉철(棒鐵).

zainen [tsáɪnən] 《<Zain》《Ⅰ》*i.* (h.) (obd., schweiz.) 광주리〔바구니〕를 엮다〔엮어 만들다〕. 《Ⅱ》*t.*〖제련〗막대형으로 벼리다.

Zainer *m.* -s, - 대장장이, 대장공.

Zaire [zaí:*r*] 자이르(아프리카 중부의 나라).

Zairer [zaí:rə*r*] *m.* -s, - 자이르 사람.

Zairerin -nen ↑ Zairer 의 여성형.

zairisch *a.* 자이르(사람·말)의.

Zäkum *n.* -s, ..ka ① 맹장. ② 맹장 모양의 기관.

Zalat *m.* -s, -e (ostpreuss)〖動〗잉어의 일종.

Zälatur 《lat.》*f.* -en 반부조(半浮彫)로 된 세공; 조각술.

Zamba [sámba] 《sp.》*f.* -s ① ↑ Zambo 의 여성형. ②〖음악〗삼바(브라질의 느린 8 분의 6 박자의 무도곡).

Zambo [sámbo] *m.* -s, -s 삼보(브라질의 흑인과 인디언 혼혈 남자).

Zampano *m.* -s, -s 떠들썩하게 일을 해나가는 사람: wir brauchen hier keinen ~, sondern einen soliden Arbeiter 여기서 우리에게 필요한 일꾼은 떠들썩하게 일을 벌이는 사람이 아니라 견실하게 일하는 사람이다.

Zampel *m.* -s, - 무늬를 놓는 방적기의 일종.

Zander [tsándə*r*] 《sl.》*m.* -s, -〖動〗민물에 사는 농어의 일종(Sander).

Zanella [tsanéla] 《it.》*m.* -s, -s〖섬유〗(안감용으로 사용되는) 공단 같은 인조견.

***Zange** [tsáŋə] 《gr., „Beißerin"》*f.* -n ① **(a)** 집게, 펜치; 핀셋(kleine ~); 부집게(Feuer≈); 족집게(Haar≈): Zucker≈ 각설탕 집게; einen Nagel mit der ~ herausziehen 집게로 못을 뽑다; jn. in die ~ nehmen a)〖구어〗누구를 심하게 압박하다〔엄히 문초하다〕, b)〖축구〗누구(상대편 선수)를 두 명이 협공하다;〖구어〗jn.〔et.〕nicht mit der ~ anfassen mögen 누구를〔무엇을〕몹시 싫어하다; jn. in der Zange haben 누구를 좌지우지하다. **(b)**〖醫〗외과용 집게; 분만 겸자(鉗子)(Geburts≈). ②〖動〗겸자 모양의 턱; (곤충의) 큰턱, 저작구(齟嚼口); (곤충의) 촉수, 촉감기(器). ③〖軍〗↑ Zangenwerk. ④〖제련〗강철 다발. ⑤ 사나운 여자(böses Weib).

Zängelchen [tsɛ́ŋəlçən] *n.* -s, -〖↑ Zange 의 축소형〗작은 집게〔펜치〕, 못뽑이.

zängeln 《<Zange》*t.*〖제련〗(쇠를) 벼려서 슬래그를 없애다.

zängen *t.* ↑ zängeln.

Zangen≈angriff *m.*〖軍〗협공, 양면 공격. **~bewegung** *f.*〖軍〗협공, 양면 공격. **~entbindung** *f.*〖醫〗겸자 분만(술). **≈förmig** *a.* 집게 모양의. **~geburt** *f.* ①〖醫〗↑ ~entbindung:〖구어〗das war die reinste ~ 그것은 실행하기가 매우 어려웠다〔복잡했다〕. ②〖비유〗필사적인 행위. **~schanze** *f.*, **~werk** *n.*〖軍〗U자 모양의 토성(土城), 요보(凹堡). **~winkel** *m.* 요각(凹角).

Zänglein [tsɛ́ŋlaɪn] *n.* -s, -〖雅語〗↑ Zängelchen.

Zank [tsaŋk] *m.* -(e)s 언쟁, 말다툼; 불화, 싸움: ~ und Streit 말다툼; einen ~ vom Zaune brechen 말다툼〔싸움〕의 꼬투리를 잡다; mit jm. ~ anfangen〔in ~ geraten〕누구와 말다툼〔싸움〕을 시작하다〔벌이다〕.

Zank·apfel *m.* ①〖그리스신화〗불화의 사과(불화의 여신 Eris 의 황금 사과). ②〖비유〗싸움〔불화〕의 원인〔씨〕: die Insel ist ein ewiger ~ zwischen den beiden Staaten 그 섬은 두 나라 사이의 끝없는 불화의 원인이다.

Zanke 《<Zank》*f.* -n (obd.) ① (Schelte) 책망, 꾸지람. ② (Zacke) 첨두, 예각(銳角).

***zanken** [tsáŋkən] 《<Zank》《Ⅰ》*i.* (h.) ① 티격태격 싸우다, 언쟁하다: mit jm. über〔um〕et. ~ 누구와 무엇 때문에 말다툼을 하다; sie ~ ständig〔ununterbrochen〕그들은 끊임없이 다툰다. ②〖방언〗호통치다, 욕하다: der Vater hat tüchtig gezankt 아버지는 호되게 야단쳤다; die Mutter zankte mit den Kindern 어머니는 아이들을 나무랐다. 《Ⅱ》*refl.*

Z

sich ~ 말다툼〔언쟁〕하다: sich um des Kaisers Bart ~ 하찮은 일로 언쟁하다; die Kinder ~ sich um ein Spielzeug 아이들은 장난감 때문에 다툰다; sich müde ~ 싸워서 〔말다툼하여〕 지치다.

Zänker [tsɛ́ŋkər] *m.* -s, - 〘폄어〙 ① 언쟁을 좋아하는 사람, 싸움쟁이. ② 욕하는 사람, 욕쟁이.

Zankerei [tsaŋkəráɪ] *f.* -en 〘구어·폄어〙 ① (잦은·상습적인) 언쟁, 다툼: laßt doch diese ewige ~! 그만 좀 작작 싸워라! ② 욕, 힐책.

Zänkerei *f.* -en 〘폄어〙 (사소한 동기에서 비롯된) 사소한 말다툼.

Zank·geist *m.* 싸움쟁이.

zankhaft, zänkisch [tsɛ́ŋkɪʃ] *a.* 〘폄어〙 싸우기〔잔소리하기〕 좋아하는, 심술궂은.

Zank≈lust *f.* ↑ ~sucht. **~lustig** *a.* ↑ ~-süchtig. **~stifter** *m.* 싸움의 선동자, 평지풍파를 일으키는 사람. **~sucht** *f.* 〘폄어〙 호전성. **~süchtig** *a.* 〘폄어〙 호전성의, 다투기 좋아하는. **~teufel** *m.* 〘구어·폄어〙 싸움쟁이.

Zanne *f.* -n (obd.) 찌푸린 얼굴〔상판〕(Grimasse).

zannen 《I》 *i.* (h.) 얼굴을 찌푸리다. 《II》 *t.* ① 괴롭히다(plagen). ② (reizen) 자극하다, 흥분시키다. ③ 열망케 하다.

Zänogenese *f.* -n 〘生〙 (태아의) 이상〔변형〕 발육.

zänogenetisch *a.* (태아의) 이상 발육의, 변형 발생의.

Zänozoikum [tsɛnotsóːikʊm] 《lat.》 *n.* -s 〘지질〙 신생대(Neozoikum).

Zanze *f.* -n (ndd.) 수다스러운 여자.

Zapf [tsapf] *m.* -(e)s, Zäpfe [tsɛ́..] ① (südd.) 〘드물게〙 선술집, 목로 주점. ② (Rausch) 술 취함, 명정(酩酊). ③ 〘농담〙 술꾼. ④ (Zapfen) (술통의) 마개; 급수전; 소화전(消火栓). ⑤ (öst.) 〘학생〙 구두 시험.

Zapf·bier *n.* 통맥주.

Zäpfchen [tsɛ́pfçən] *n.* -s, - ① 〘↑ Zapfen의 축소형〙 작은 마개, 꼭지. ② 〘해부〙 목젖, 현옹수(懸壅垂). ③ 〘醫〙 (질·항문에 넣는) 좌약(座藥).

Zäpfchen≈entzündung *f.* 〘醫〙 목젖 염증. **~-R** *n.* 〘음성〙 현옹수 R음(목젖의 진동에 따라 발음됨) (Zungen-R).

zapfen [tsápfən] *t.* ① (술통의 술을) 마개를 빼고 따르다; (통에) 귀때를 달다: Bier〔Wein〕 ~ 맥주〔포도주〕를 통에서 마개를 열고 따르다; Wein in Flaschen ~ 술통의 포도주를 병에 나눠 담다. ② 〘건축〙 (목재의) 이음을 하다. ③ (öst.) 〘학생〙 구술 시험을 보다.

*__Zapfen__ [tsápfən] 《♧ Zipfel》 *m.* -s, - ① (술통의) 마개; (술통의) 귀때(Faßhahn); 연못의 배수구(Teich≈): Bier vom ~ schenken 생맥주를 술통(꼭지)에서 따르다; 〘비유〙 ein voller ~ 술꾼, 술고래; 〘비유〙 einen ~ haben 술에 만취해 있다; über den ~ hauen 〔wichsen〕 점호에 불참하다, 점호 시간을 어기다. ② (a) 〘工〙 축(선), 굴대; 굴대〔회전축〕의 끝부분, 볼트. (b) 〘건축〙 나무 핀, 장부촉. ③ (마개 모양의 물건) (a) 〘植〙 겉씨〔나자(裸子)〕 식물의 목질화된 수꽃술 또는 심피(心皮); 유제화(葇荑花)(Kätzchen); (Tannen≈) 전나무 솔방울, 잣송이; (obd.) 원추화(圓錐花) (Rispe). (b) 끝이 뾰족한 긴 물체; 고드름 (Eis≈). ④ 〘해부〙 눈의 망막 추(상)체(錐(狀)體); 목젖. ⑤ 〘포도재배〙 두 개의 싹눈만 남기고 가지치기〔전지〕한 어린 가지. ⑥ (schweiz.) 코르크 마개. ⑦ (öst.) 심한 추위, 혹한: heute hat es aber einen ~! 오늘은 지독히 춥구나!

zapfen≈ähnlich, ~artig *a.* 코르크 마개 모양의; 고드름 모양의; 요철형의; 〘植〙 구과(毬果) 모양의. **~baum** *m.* 〘植〙 구과 식물, 침엽수. **~bier** *n.* 생맥주. **~bohrer** *m.* (술통의) 마개뽑이 (송곳). **~förmig** *a.* ↑ ~-ähnlich. **~früchtig** *a.* ↑ ~tragend. **~-lager** *m.* 〘기계〙 축받이, 축받이대. **~loch** *n.* ① (술통의) 주둥이. ② 〘工〙 장붓구멍. **~-palmen** *pl.* 〘植〙 소철류(蘇鐵類). **~-streich, ~strich** *m.* 〘軍〙 ① 소등 신호; 귀영 신호(30년 전쟁 때 폐점(閉店) 시간에 맥주통의 마개를 두드렸다는 데서): den ~ blasen 귀영 신호 나팔을 불다; der Große ~ 귀영 신호 나팔의 혼성곡. ② 귀영 시간; 소등 시간: 〘구어〙 um 12 ist ~ 12시에 야간 휴식 시간이 시작된다. **~tragend** *a.* 〘植〙 구과(毬果)를 맺는. **~träger** *m.* 〘植〙 ↑ ~baum. **~zieher** *m.* (südd., schweiz.) 코르크 마개뽑이, 코르크 오프너.

Zapfer 《<zapfen》 *m.* -s, - ① 마개 빼는 사람, 술을 따르는 사람. ② (obd.) 술집 주인.

Zapf≈hahn *m.* (술통) 꼭지, 귀때, 마개. **~-kellner** *m.* 술집 종업원〔웨이터〕. **~säule** *f.* (주유소의) 기둥 모양의 계량 급유기. **~-stelle** *f.* ① (거리의) 소화〔급수〕전. ② 주유소, 가솔린 스탠드.

Zäpflein *n.* -s, - ↑ Zäpfchen.

zaponieren [tsaponíːrən] *t.* 자폰 라크를 칠하다.

Zapon·lack [tsapóːnlak] *m.* 〘化〙 자폰 라크 (금속 표면의 광택을 보호하는 도료).

Zappelei 《<zappeln》 *f.* -en 끊임없이 몸을 움직이기, 허둥거리기, 들먹들먹하기.

Zappeler *m.* -s, - 침착하지 못한〔안절부절못하는〕 사람, 가만 있지 못하는 사람.

Zappelerin *f.* -nen ↑ Zappeler의 여성형.

Zappel·fritze *m.* 〘구어〙 가만히 있지 못하는 아이, 촐싹쟁이, 촐랑이.

zappelicht, zappelig 《<zappeln》 *a.* ① 잠시도 가만히 있지 못하는, 촐싹대는: ein ~es Kind 부산스런 아이. ② 불안해하는, 신경 과민의, 침착하지 못한, 안달하는.

Zappel·mann *m.* 꼭두각시(Hampelmann).

*__zappeln__ [tsápəln] *i.* (h.) 몸을 끊임없이 움직이다, 버둥거리다, 허우적거리다, 안절부절못하다, 안달하다: mit den Beinen ~ 발버둥치다; mit Händen und Füßen ~ 손발을 허우적거리다; vor Ungeduld ~ 참지 못하고 안달하다; 〘구어·비유〙 jn. ~ lassen 누구를 안절부절못하게 하다; sich müde ~ 안달하여 지치다; der Fisch zappelt am Angelhaken 물고기가 낚싯바늘에 걸려 퍼덕거리다; 〘비유〙 in der Schlinge ~ 도망갈 기회가 없다.

Zappel·philipp *m.* 〘구어〙 ↑ ~fritze.

zappenduster *a.* 〘구어〙 ① 매우(완전히) 어두운. ② 앞이 캄캄한, 전망〔가망〕이 없는: wenn es den dritten Weltkrieg gibt, ist es sowieso ~ 3차 세계 대전이 일어나면 그때는 끝장이다; 〘구어〙 nun reiche es, nun sei es ~! 이제 더 이상은 참을 수 없다!

Zappler *m.* -s, - ↑ Zappeler.

Zapplerin *f.* -nen ↑ Zappelerin.
zapplicht *a.* ↑ zappelicht.
zapplig *a.* ↑ zappelig.
Zar [tsa:r] 《russ.; <got. Kaiser》 *m.* -en, -en ① (**a**) 차르(러시아 황제): ~ Peter der Große 표트르 대제. (**b**) 위 칭호의 소유자. ② 〖드물게〗(특정 분야의) 대가(大家), 명인.
Zarathustra [tsaratʊ́stra] *m.* 차라투스트라 (고대 페르시아의 예언자로 국민적 종교 개혁자, B.C. 700 경; ↑ Zoroaster): Also sprach ~ 차라투스트라는 이렇게 말했다(니체의 저서).
Zaren≈herrschaft [tsá:rən..] *f.* (제정 러시아) 황제의 통치. **~reich** *n.* (1917 년까지의) 제정 러시아.
Zarentum [tsá:rəntu:m] 《<Zar》 *n.* -(e)s ① (제정 러시아의) 제정. ② (제정 러시아) 황제의 신분〔지위〕.
Zarewitsch [tsaré:vɪtʃ] *m.* -(es), -e (제정 러시아의) 황태자.
Zarewna [tsarέvna] *f.* -s (제정 러시아) 황제의 딸, 황태자비.
Zarge [tsárgə] *f.* -n ① (**a**) (창·문의) 테; (벤치·의자의) 테두리 각재: ~ einer Treppe (사닥다리의) 옆 기둥. (**b**) (상자의) 측면 판재(板材). ②〖악기〗현악기 동체의 측면.
Zarin [tsá:rɪn] 《<Zar》 *f.* -nen ① (제정 러시아의) 여제(女帝). ② (제정 러시아) 황후.
Zarismus [tsarísmʊs] *m.* - 러시아의 제정〔전제 정치〕.
zaristisch *a.* (제정 러시아) 황제의: das ~e Rußland 제정 러시아.
Zariza [tsarí:tsa] *f.* -s/..zen (제정 러시아) 황후.
zarn, zarren *t./i.* (h.) (obd., md.) 세게 당기다, 괴롭히다(↑ zerren).
***zart** [tsa:rt] *a.* ① (**a**) (weich) 연한, 부드러운: ~es Fleisch〔Gemüse〕 연한 고기〔채소〕. (**b**) 섬세한: die ~en Linien ihres Gesichts 그녀의 얼굴의 섬세한 선; ~es Gewebe 얇고 부드러운 직물; ~e Hände 섬섬옥수; ~e Haut 보드라운 피부; von ~er Hand et. angeboten bekommen 아가씨〔숙녀〕에게서 무엇을 제공받다; 〔구어·농담〕das ~e Geschlecht 여성 (전체). ② (**a**) 연약한, 여린: 〔비유〕im ~en Alter von 5 Jahren 다섯 살의 어린 나이에; eine ~e Gesundheit 연약한 체질. (**b**) 감수성이 예민한(sensibel): ein ~es Gemüt 감수성이 예민한 성격; ~es Gewissen 민감한 양심. ③ (leise) (소리가) 고요한, 조용한; 유연한, (빛깔이) 엷은: ~e Farben 엷은 색채; ~e Musik 고요한 음악; eine ~e Liebkosung 부드러운 애무. ④ (**a**) 다정한, 동정심 많은, 사랑스러운: 〔비유〕~er Verweis 온건한 질책; jn. ~ behandeln 누구를 부드럽게 대(우)하다; auf ~e Weise 사랑스런 방법으로; sie strich ihm ~ über den Kopf 그녀는 그의 머리를 부드럽게 쓰다듬어 주었다. (**b**) 〔구식〕 다정스러운, 보살펴주는: ~e Gefühle 온유한 마음씨; eine ~e Rücksichtnahme 상냥스러운 배려. ⑤ 은근한, 얌전한, 다소곳한: et. ~ andeuten 무엇을 은근히 암시하다; eine ~e Geste 은근한 제스처.
zart≈besaitet *a.* 예민한, 민감한: ein ~er Mensch 예민한 사람. **~bitter** *a.* (초콜릿이) 쌉쌀한 맛이 나는.

Zärte[1] [tsέ:rtə] *f.* -n 〖動〗 황어(黃漁)의 일종 (Zährte).
Zärte[2] 《<zart》 *f.* 〔구식〕 ↑ Zartheit.
Zärtelei [tsɛ:rtəláɪ] *f.* -en 〔드물게·폄어〕 지속적인 정겨운 행동; 부드럽고 상냥한 체함.
zärteln 《I》 *t.* 〔구식〕 (어린이를) 응석부리게 하다(verzärteln). 《II》 *i.* (h.) 〔드물게〕 서로 애무하다〔노닥거리다〕.
zart≈fühlend, ~fühlig *a.* ① 마음이 상냥한; 동정심 많은; 정성스러운: er verhielt sich sehr ~ 그는 매우 상냥하게 행동했다. ② 〔드물게〕 감수성이 예민한, 민감한. **~füßig** *a.* 발이 연약한. **≈gefühl** *n.* ① 마음이 온유함; 동정심. ② 〔드물게〕 다감, 섬세, 민감. **~gliedrig** *a.* 지체가〔체격이〕 날씬한〔가냘픈〕: ein ~er Mensch 사지가 가냘픈 사람. **~gliederig** *a.* ↑ ~gliedrig. **~händig** *a.* 섬섬옥수의.
Zartheit 《<zart》 *f.* -en ① 상냥, 우아, 섬세; 민감, 다정; 연약. ② 다정한〔사랑스런〕 태도〔말씨〕.
zärtlich [tsέ:rtlɪç] 《<zart》 *a.* ① (**a**) 애정어린, 다정한; 싹싹한: ein ~er Blick 애정어린 눈빛; ~e Briefe 정성 어린 편지; 〔구어〕 ~ werden 애정 관계에 빠지다; ~ tun 애정 있는〔연인인〕 체하다; jm. ~ übers Haar streichen 누구의 머리카락을 다정하게 쓰다듬다. (**b**) 〔雅語〕 자상한: er ist seinen Kindern ein ~er Vater 그는 아이들에게 자상한 아버지다. ② (zart) 민감한, 감수성이 예민한.
Zärtlichkeit *f.* -en ① 애정 깊음; 연정; 상냥함: übergroße ~ 대단히 깊은 애정. ② 〔대개 복수〕 애무: jm. ~en erweisen 누구를 애무하다〔귀여워하다〕. ③ 〔雅語〕 배려.
Zärtlichkeits≈bedürfnis *n.* 애정의 욕구. **≈bedürftig** *a.* 애정을 필요로 하는.
Zärtling *m.* -s, -e 〔구식〕 ① 응석받이로 자란 남자, 여자 같은〔유약한〕 남자. ② 모종, 어린 나무.
zart≈rosa *a.* 담홍색의. **≈sinn** *m.* 〔구식〕 ↑ ≈gefühl. **~sinnig** *a.* 〔구식〕 ↑ ~fühlend.
Zartum *n.* -s ↑ Zarentum.
Zase *f.* -n 섬유(Faser).
Zasel [tsá:zəl] *f.* -n 〔구식·방언〕 섬유; 유제화(서) (柔荑花(序)); 줄기가 긴 포도나무의 일종; 이끼의 일종.
Zaser [tsá:zər] *f.* -n 〔구식·방언〕, **Zäserchen** [tsέ:zərçən] *n.* -s, - 섬유; 유제화(서) (柔荑花(序)).
zaserig 《<Zaser》 *a.* 〔구식·방언〕 섬유질의: eine ~e Wurzel 섬유질이 함유된 뿌리.
zasern [tsá:zərn] 〔구식·방언〕 《I》 *t.* 섬유로 분해하다, 풀어서 실로 만들다. 《II》 *i.* (h.) / *refl.* (sich) ~ (직물 등이) 보풀이 일다, 섬유로 분해되다.
Zäsium [tsέ:ziʊm] 《lat.》 *n.* -s 〖化〗 세슘(기호: Cs).
Zaspel [tsáspəl] *f.* -n 〖商〗 ① 차스펠(옛날 실의 거래 단위; 1 차스펠은 실 10-20 타래). ② 실타래(Strähne).
zaspeln *t.* (실을) 타래 짓다.
Zaster 《skt.》 *m.* -s 〔구어·경박〕 (Geld) 돈, 금전.
Zäsur [tsɛzú:r] 《lat.》 *f.* -en ① 〖문학〗 (시행의) 중간 휴지(休止). ② 〖음악〗 (악절 중의) 숨쉬는 곳. ③ 〔교양〕 (역사 발전 과정의) 단면: eine politische〔historische〕 ~ 정치적〔역사

적〕인 전환점.

zätscheln *t.* (obd., md.) (tätscheln) 애무하듯 부드럽게 두드리다〔쓰다듬다〕.

Zattel·tracht *f.* 〖유행〗 (1400 년 무렵의) 소매에 자수 장식한 복장.

***Zauber** [tsáubər] *m.* -s, - ① (**a**) 마법, 마술, 요술: 〖구어·폄어〗 das ist (ein) fauler ~! 그런 것은 뻔한 속임수다!; einen ~ anwenden 마법을 사용하다. (**b**) 마력, 마법의 효과: den ~ bannen〔lösen〕 마력을 걸다〔풀다〕; et. durch ~ bewirken 무엇을 마력으로 생기게 하다. ② 〖구어〗 (**a**) 야단법석: den ~ kenne ich! 그런 (속임)수에는 안 넘어간다!; mach keinen (faulen) ~! 연극〔야바위짓〕은 그만두어라! (**b**) 무가치한〔하찮은〕 것: was kostet der ganze ~? 그 잡동사니 모두 얼마인가? ③ 매력, 끄는 힘: der ~ ihres Lächelns 그녀의 미소의 (야릇한) 매력; der ~ des Geldes〔Gesangs〕 돈〔노래〕의 마력; er ist ihrem ~ erlegen 그는 그녀의 매력에 사로잡혔다; ihr ~ umstrickte ihn 그녀의 매력이 그를 사로잡았다.

Zauber·apparat *m.* 마술 도구. **~bann** *m.* 마법의 힘으로 사로잡음, 마력: unter einem ~ 〔in js. ~〕 stehen 마력〔누구의 마력〕에 사로잡혀 있다. **~becher** *m.* 마법의 잔; 요술잔. **~bild** *n.* ① 부적; 호신패. ② 매력 있는 물건〔사람〕. **~blick** *m.* 〖시어〗 매혹적인 눈초리. **~brunnen** *m.* 마법의 샘; 신비한 우물. **~buch** *n.* 마법의 책; 요술책. **~buchstabe** *m.* 마법 문자.

Zauberei [tsaubəráı] 《<zaubern》 *f.* -en ① (**a**) 마법, 마술, 요술. (**b**) 마술의 속임수. ② 〖비유〗 마력, 매혹.

Zauberer [tsáubərər] *m.* -s, - ① 마법사, 마술사, 요술쟁이. ② 〖비유〗 매혹적인 사람.

Zauber·flöte *f.* ① 마술 피리, 마적(魔笛). ② 마적(Mozart 의 가극). **~formel** *f.* ① 주문(呪文). ② 〖비유〗 훌륭한〔이상적〕 해결. **~garten** *m.* 마법의 정원.

zauberhaft *a.* ① 〔구식〕 불가사의한, 마술의, 설명할 수 없는. ② 매력적인, 매혹적인: diese Landschaft ist ~ 이 경치는 지극히 아름답다.

Zauber·hand *f.* 〔다음 용법으로〕 wie durch 〔von〕 ~ 어떤 일인지〔요술처럼〕 갑자기; wie von ~ waren plötzlich alle Wolken verschwunden 신기하게도 삽시간에 모든 구름이 사라져 버렸다.

Zauberin *f.* -nen ① 여자 마술사, 무녀; 마녀(Hexe). ② 〖비유〗 사람의 마음을 녹이는 여자, 요부(妖婦).

Zauber·insel *f.* 마(魔)의 섬, 몽환도(夢幻島).

zauberisch [tsáubərıʃ] 《<Zauber》 *a.* ① 〔구식〕 마력이 있는, 마술적으로 작용하는. ② 〔구식·雅語〕 (**a**) 불가사의한, 몽환적인: eine ~e Stimmung〔Atmosphäre〕 몽환적인 정취〔분위기〕. (**b**) 매혹적인, 매력적인: ~er Reiz 매력적인 자극.

Zauber·kasten *m.* 요술 상자. **~kraft** *f.* 마력, 신통력: et. mit ~ vollbringen 무엇을 마력으로 성취하다; 〔비유〕 die ~ seiner Musik 그의 음악의 마력. **~kräftig** *a.* 마력이 있는. **~kreis** *m.* 마력이 미치는 범위. **~kunst** *f.* ① 마법, 마술. ② 〔대개 복수〕 (사람에게 주어진) 마력. **~künstler** *m.* 마술사, 요술사. **~kunst·stück** *n.* 요술, 마법을 통한 속임수. **~land** *n.* ↑ ~reich. **~laterne** *f.* 〔고어〕 (17 세기에 만들어진 가장 오래된) 환등기, 슬라이드 영사기. **~lehrling** *m.* 마법사의 제자. **~macht** *f.* ↑ ~kraft. **~mächtig** *a.* ↑ ~-kräftig. **~märchen** *n.* 〖문학〗 요정 이야기, 마술〔요술〕 동화. **~mittel** *n.* ① (요술 지팡이와 같은) 마법 도구〔수단〕. ② 마법의 약, 영약(靈藥).

zaubern [tsáubərn] 《<Zauber》 《I》 *i.* (h.) ① 마법을 쓰다, 요술을 부리다. ② 마술〔요술〕을 통해 불가능한〔어려운〕 것을 수행하다: 〔구어〕 du denkst wohl, ich kann ~ 너는 내가 요술이라도 부릴 수 있다고 여기는구나!; ich kann doch nicht ~! 나는 요술쟁이가 아니란 말이야, 나라고 해서 뾰족한 수가 있겠나! 《II》 *t.* ① 마법을 써서 나타나게 하다〔옮기다〕: Kaninchen aus dem Zylinder ~ 마술로 원통 모자에서 집토끼가 나타나게 하다; jn. jung 〔zum Jüngling〕 ~ 마법으로 누구를 젊게 하다; die herrlichsten Töne aus dem Klavier ~ 피아노에서 매우 절묘한 음조를 이끌어내다. ② jn. ~ 누구에게 마법을 걸다, (누구를) 매혹시키다. ③ 마법으로 만들어내다: die Fee zauberte ein Schloß für sie 요정은 그녀를 위해 마법으로 성을 만들어냈다; 〔비유〕 sie hat im Nu ein wundervolles Abendessen für uns gezaubert 그녀는 순식간에 우리를 위해서 멋진 저녁 식사를 마련했다.

Zauber·nuß *f.* 〖植〗 조롱나무. **~oper** *f.* 〖연극〗 마술 오페라(모짜르트의 "마적" 따위). **~posse** *f.* 〖문학〗 마술(이 등장하는) 소극(笑劇), (특히 바로크의) 요정(妖精) 소극. **~reich** *n.* ① 동화〔마법〕의 나라. ② 〖비유〗 선경(仙境), 극락경: das ~ der Musik 음악의 극락경. **~ring** *m.* 마법의〔신통력이 있는〕 반지. **~rute** *f.* ↑ ~stab. **~schlaf** *m.* 마법에 걸린 잠〔수면〕. **~schlag** *m.* 〔다음 용법으로〕 wie durch einen ~ 갑자기, 삽시간에. **~schloß** *n.* 마(법)의 성(城), 마술로 만든 성. **~segen** *m.* ↑ ~spruch. **~siegel** *n.* 마법에 의한 봉인(封印). **~spiegel** *m.* 요술〔마법의〕 거울. **~spiegelung** *f.* 〖物〗 신기루. **~spruch** *m.* 주문(呪文), 마법. **~stab** *m.* 마술 지팡이. **~stück(chen)** *n.* ① 마술이 등장하는 연극. ② 요술. **~trank** *m.* 마법의 물약; 영약(靈藥), 미약(媚藥). **~trick** *m.* 마술을 통한 속임수. **~wirkung** *f.* 마술의 효과. **~welt** *f.* ↑ ~reich. **~werk** *n.* ↑ Zauberei ①. **~wesen** *n.* ① (**a**) 마법으로 만들어진 것〔존재〕. (**b**) 마법, 요술. ② (**a**) 마력이 있는 생물. (**b**) 매혹적인 것. **~wort** *n.* 주문(呪文)(의 문구). **~wurzel** *f.* 마법의 힘이 있는 약초 뿌리. **~zeichen** *n.* ① 마법의 기호. ② 부적.

Zaubrer *m.* -s, - ↑ Zauberer.

Zaubrerin *f.* -nen ↑ Zauberin.

zaubrisch *a.* ↑ zauberisch.

Zauche [tsáuxə] 《<Zohe》 *f.* -n 〔구식〕 (ostmd.) ① (Hündin) 암캐. ② 〖폄어〗 단정치 못한〔칠칠치 못한〕 여자.

Zauderei [tsaudəráı] 《<zaudern》 *f.* -en 주저, 망설임.

Zauderer *m.* -s, - 주저하는〔우유부단한〕 사람.

zauderhaft *a.* 주저하는, 머뭇거리는; 내키지

Z

않는; 느린, 굼뜬.

Zauderhaftigkeit *f.* 주저, 머뭇거림.

Zauderin *f.* -nen ↑ Zauderer의 여성형.

***zaudern** [tsáudərn] *i.* (h.) 주저하다, 망설이다; 결단을 못 내리다, 우물쭈물하다: ohne zu ~ 망설이지 않고; ~des Wesen 우유부단한 성격; ein ~des Benehmen 우물쭈물하는 태도; mit et.³ ~ 무엇을 주저하다; er zauderte, den Plan auszuführen 그는 그 계획의 실행을 망설였다.

Zaudern *n.* -s, - 망설임, 주저: nach langem ~ 오랫동안 망설인 후에.

Zaudrer *m.* -s, - ↑ Zauderer.

Zaudrerin *f.* -nen ↑ Zauderer 의 여성형.

Zauke *f.* -n (md.) ① 〖植〗 (Mai) 들〔산〕버드나무; (Schattenblume) 두루미꽃. ② 암캐 (Hündin).

***Zaum** [tsaum] *m.* -(e)s, Zäume [tsɔ́ʏmə] ① 고삐, 재갈, 재갈용 고삐: einem Pferd den ~ anlegen 말에 재갈을 물리다; ein Pferd gut im ~ halten 말의 고삐를 당겨 쥐다. ② 〖비유·雅語〗 jm.〔et.³〕 den ~ anlegen 누구를〔무엇을〕 억제하다; seine Begierden〔Zunge〕 im ~ halten 욕정을 억누르다〔말을 삼가다〕; seine Zunge im ~ halten 말을 삼가다; sich im ~ halten 자제하다; wissen, wo die Zäume hängen 사정에 밝다, 요점을 잘 알고 있다. ③ (어린이의 걸음마 교육용의) 끄는 끈(Gängelband).

zäumen [tsɔ́ʏmən] *t.* ① **(a)** (말·소에) 재갈을 물리다, 고삐를 채우다: ein Pferd ~ 말에 고삐를 채우다〔재갈을 물리다〕. **(b)** 〖구식〗 (가금(家禽)에게) 먹이〔모이〕를 주다. ② 〖비유〗 억제〔제어〕하다: 〖속담〗 das Pferd beim Schwanze ~ 일의 본말(本末)을 전도하다. ③ 〖聖〗 길들이다(zähmen).

Zaum·geld *n.* (말의 구입자가) 판매자의 마부에게 주는 삯〔술값·팁〕.

zaumlos *a.* 고삐가 없는; 〖비유〗 제멋대로의, 방종한.

zaum≈recht *a.* (승마용 말이) 고삐에 익숙한, 훈련받은. **~schnalle** *f.* 고삐 죔쇠.

Zäumung [tsɔ́ʏmʊŋ] *f.* -en ① (마소에) 재갈을 물림〔물리는 방법〕. ② 〖비유〗 제어, 억제.

Zaum·zeug *n.* 굴레, 재갈.

***Zaun** [tsaun] *m.* -(e)s, Zäune [tsɔ́ʏnə] ① 울타리; 〖漁〗 어살(Fisch~); 〖비유〗 (Scheidewand) 칸막이벽, 격벽: geflochtener ~ 바자울타리; ein lebend(ig)er ~ a) 생울타리, b) 사람 울타리; einen ~ um das Haus errichten〔ziehen〕 집 둘레에 울타리를 두르다; 〖비유〗 durch den ~ stechen (누구와) 결탁〔공모〕하다; das ist hinter jedem ~ zu finden 그것은 별스러운 일이 아니다; hinterm ~ sterben 논두렁 베고 죽다, 객사하다; durch ein Loch im ~ kriechen 울타리에 난 구멍을 통해서〔개구멍으로〕 기어들어가다; eine Gelegenheit vom ~ brechen 갑자기 기회를 잡다; einen Streit〔Krieg〕 vom ~(e) brechen 갑자기 말다툼〔전쟁〕을 시작하다; jm. über den ~ helfen 누구의 어려움을 돕다; über den ~ springen 넘어서는 안 될 선을 넘다; ein Wort springt über den ~ der Zähne 무심결에 말이 새어 나가다; 〖속담〗 wo der ~ am niedrigsten ist, da steigt man über 울타리가 가장 낮은 곳을 뛰어넘는다. ② 엉킨 머리카락.

Zaun·billett [..bɪljɛt] *n.* 〖다음 용법으로〗 〖구어〗 ein ~ nehmen (울타리 밖에서) 공짜로 구경하다.

Zäunchen [tsɔ́ʏnçən] *n.* -s, - 〔↑ Zaun 의 축소형〕 작은 울타리.

zaun≈dürr *a.* (öst.) 〖구어〗 수척한, 깡마른, 비쩍 마른: eine ~e Person 깡마른 사람. **~-eidechse** *f.* 〖動〗 도마뱀의 일종.

zäunen [tsɔ́ʏnən] *t.* 〖구식〗 울타리를 두르다.

Zaun≈gast *m.* 울타리 밖의(공짜) 구경꾼; 방관자: ich war bei der Veranstaltung nur ~ 나는 행사에 참석만 했지 적극적인 활동은 하지 않았다. **~könig** *m.* 〖動〗 굴뚝새. **~latte** *f.* 울타리의 횡목〔가늘고 긴 막대기〕. **~lücke** *f.* 울타리 틈: durch eine ~ schauen〔schlüpfen〕 울타리 틈새로 바라보다〔빠져 나가다〕. **~macher** *m.* 울타리 만드는 사람. **~pfahl** *m.* 울타리의 말뚝: 〖비유〗 mit dem ~ winken 노골적으로 눈짓〔암시〕하다. **~pfosten** *m.* 울타리의 기둥. **~rebe** *f.* 〖植·총칭〗 ① (인동덩굴과 같은) 울타리를 기어오르는 덩굴 식물. ② **(a)** 미국담쟁이덩굴. **(b)** 브리오니아속(屬). **~recht** *n.* 울타리를 두르는 권리. **~rübe** *f.* 〖植〗 ↑ ~rebe ②. **~schlüpfer** *m.* (südd., südwestd.) 〖動〗 ↑ ~könig.

Zauns·pfahl *m.* (md.) ↑ Zaunpfahl.

Zaun≈wicke *f.* 〖植〗 완두의 일종. **~winde** *f.* 〖植〗 메꽃과의 일종.

Zaupe (《合 Zohe》) *f.* -n (westmd.) ① 암캐 (Hündin). ② 〖폄어〗 품행이 나쁜 여자, 화냥년.

zausen [tsáuzən] *t.* 잡아당기다, 흔들어당기다, 잡아뜯다: sich〔einander〕 ~ 드잡이하다; der Sturm zaust die Zweige der Bäume 폭풍우가 나뭇가지를 뒤흔든다; 〖비유〗 das Leben 〔das Schicksal〕 hat sie mächtig gezaust 인생〔운명〕이 그녀를 몹시 괴롭혔다; jm. das Haar ~, jn. bei den Haaren ~ 누구의 머리카락을 잡아당기다.

zausig [tsáuzɪç] *a.* (öst.) 헝클어진, 봉두난발(蓬頭亂髮)의.

Zaziki 《gr.》 *m./n.* (마늘과 오이를 섞은) 요구르트 소스(Tsatsiki).

z.B. =zum Beispiel 예를 들면, 이를테면.

z.b.V. =zur besonderen Verwendung 특별한 사용을 위하여.

z.D. [tsɛtdé:] =zur Disposition (관리·군인의) 발령 대기 중의, 휴직의.

z.d.A. =zu den Akten (erledigt) 서류 처리 끝(기존의 완료된 서류들에 함께 철(綴)할 수 있다는 뜻).

ZDF =Zweites Deutsches Fernsehen 독일 제 2 텔레비전 방송.

Zdk =Zentralkomitee der deutschen Katholiken 〖宗〗 독일 가톨릭 중앙회.

z.E. =zum Exempel 예를 들면.

Zea [tsé:a] 《gr.》 *f.* 〖植〗 옥수수(Mais).

Zebaoth [tsé:baɔt] 《hebr., „himmlische Heerscharen"》 *pl.* 만군(萬軍), 천군(天軍): 〖다음 용법으로〗〖聖〗 Gott ~ 〔der Herr ~〕 만군(萬軍)의 주(主) (여호와 신의 별칭).

Zebra [tsé:bra] 《afrikan.》 *n.* -s, -s 〖動〗 얼룩말: gestreift wie ein ~ 얼룩말과 같은 줄무늬가 있는.

zebra≈artig *a.* 얼룩말 같은: ~ gestreift 얼룩말 같은 줄무늬가 있는. **~pflanze** *f.* 〖植〗 제

Z

브라폴. **~streifen** *m.* ① 얼룩 무늬 횡단 보도. ②〖구어〗 보행자 횡단 보도.

Zebroid [tsebroí:t] *n.* -(e)s, -e 얼룩말과 말〔당나귀〕의 교배종.

Zebu [tsé:bu] 《frz.》 *m./n.* -s, -s 〖動〗 제부(인도·동아프리카산(產) 어깨에 혹이 달린 소).

Zech·bruder [tsɛ́ç..] *m.* 〖구어·대개 폄어〗 ① 술꾼, 술고래. ② 술친구.

***Zeche** [tsɛ́çə] 《mhd. zeche „Reihenfolge, Anordnung"》 *f.* -n ① 동업 조합, 길드. ② 연회, 주연. ③ 연회비; 음식값, 술값: jeder zahlt seine ~ 각자가 자기 음식값을 내다; 〖구어〗 eine große ~ machen (음식점에서) 많이 먹고 마시다; 〖구어〗 die ~ prellen 〔den Wirt um die ~ prellen〕 음식값을 지불하지 않다; 〖구어〗 die ~ bezahlen müssen (남이 저지른) 일에 대한 책임을 떠맡아야 한다. ④ 〖광산〗 광산; 갱(坑); 광산 회사; 광원용 기구 보관소; 갱부 집회소: auf der ~ arbeiten 광산에서 일하다; eine ~ stillegen 광산을 폐쇄하다.

zechen [tsɛ́çən] 〖구식〗 *t./i.* (h.) ① 주연을〔잔치를〕 열다. ② 음식값을 지급하다. ③ 술을 많이 마시다: bis spät in die Nacht 〔bis in den Morgen hinein〕 ~ 밤늦게까지〔새벽까지〕 술을 마시다.

Zechen≈besitzer *m.* 광산 소유주. **~haus** *n.* 광산 사무소, 광원 집합소. **~holz** *n.* 광산용 목재. **~koks** *m.* 탄광 코크스. **~schreiber** *m.* 광산 서기. **~stillegung** *f.* 광산 폐쇄, 폐광.

Zecher [tsɛ́çər] *m.* -s, - 〖구식〗 술꾼, 주객, 술고래: ein fröhlicher〔wackerer〕 ~ 유쾌한〔씩씩한〕 술꾼.

Zecherei [tsɛçərái] *f.* -en 〖구식〗 대음(大飮), 술을 많이 마심; 주연.

Zecherin *f.* -nen ↑ Zecher 의 여성형.

zechfrei *a.* 술값이〔회비가〕 들지 않는: jn. ~ halten 누구에게 한턱 내다, 누구를 대접하다.

Zech≈gast *m.* 선술집〔단골〕 손님. **~gelage** *n.* 〖구식〗 연회, 주연. **~genoß, ~genosse** *m.* 〖구식〗 술친구. **~gesellschaft** *f.* 연회(의 참석자 일동).

Zechine [tsɛçí:nə] 《it.》 *f.* -n 옛날 이탈리아 베니스의 금화.

Zech≈kumpan *m.* ↑ ~genoß. **~preller** *m.* 음식값〔술값〕 떼어먹는 사람, 무전 취식자. **~prellerei** *f.* 〖法〗 음식값〔술값〕 떼어먹기, 무전 취식. **~prellerin** *f.* ↑ ~preller 의 여성형. **~schuld** *f.* 외상 술값, 술집 외상값. **~stein** *m.*, **~stein·formation** *f.* 〖지질〗 이첩기(二疊紀)의 암층군(岩層群). **~tour** *f.* 2차·3차 술집 순례, 여러 술집을 돌아다님.

Zeck[1] [tsɛk] 《<zecken》 *m./n.* -(e)s (베를린 지방의) 술래잡기(Haschen).

Zeck[2] *m.* -(e)s, -e (öst.), **Zecke** [tsɛ́kə] *f.* -n 〖動〗 흡혈 진드기(Holzbock).

zecken 《mhd. zecken, „einen leichten Stoß geben"》〖방언〗 《Ⅰ》 *i.* (h.) 술래잡기하다. 《Ⅱ》 *t.* 약올리다, 화나게 하다: necken und ~ 놀려서〔약올려서〕 화나게 하다. 《Ⅲ》 *refl.* sich ~ 싸우다, 다투다.

Zeck·spiel *n.* -(e)s ↑ Zeck[1].

Zedekia [tsedekí:a] *m.* 〖聖〗 시드기야(유대의 왕; 예레미야 37-1 이하).

Zedent [tsedɛ́nt] 《lat.; <zedieren》 *m.* -en, -en 〖法〗 양도인; 〖商〗 배서인(背書人).

Zeder [tsé:dər] 《lat.》 *f.* -n 〖植〗 히말라야삼나무속(屬): ~ vom Libanon 레바논 삼나무; japanische ~ 일본 삼나무.

Zeder≈baum *m.*, **~fichte** *f.* 〖植〗 ↑ Zeder. **~kiefer** *f.* 〖植〗 서양 잣나무(Zirbel).

zedern [tsé:dərn] 《<Zeder》 *a.* 히말라야 삼나무제(製)의〔로 만든〕.

Zedern≈harz *n.* 히말라야 삼나무의 송진. **~holz** *n.* 히말라야 삼나무 목재. **~holz·öl** *n.* 히말라야 삼나무유(油). **~öl** *n.* ↑ ~holzöl.

Zeder·tanne *f.* 〖植〗 참죽나무속(屬).

zedierbar [tsedí:rba:r] *a.* 양도할 수 있는.

zedieren [tsedí:rən] 《lat., „weichen"》 *t.* 〖法〗 (전재산 따위를) 양도하다: Ansprüche〔Forderungen〕 ~ 청구권을 양도하다.

Zedrat [tsedrá:t] 《it.》 *n.* -(e)s, -e 〖구식〗 설탕에 절인 레몬 껍질(Zitronat).

Zedrela≈baum *m.* ↑ Zedrele. **~holz** *n.* (향을 발하는, 특히 궐련 담는 통으로 사용되는) 참죽나무 목재.

Zedrele *f.* -n 〖植〗 참죽나무의 일종.

Zeese [tsé:zə] *f.* -n (발트해 연안의 어부들이 사용하는) 예인망.

Zeesen·boot *n.* (발트해 연안의) 예인망을 갖춘 어선.

Zeh [tse:] *m.* -(e)s, -en ↑ Zehe.

***Zehe** [tsé:ə] 《원뜻 „Finger"; ♧ zeigen》 *f.* -n ① 발가락: große〔kleine〕 ~ 엄지〔새끼〕발가락; vom Wirbel bis zur ~ 머리끝부터 발끝까지, 철두철미; auf den ~n gehen 〔schleichen〕 발돋움하고〔살금살금〕 걷다; 〖비유·구어〗 jm. auf die ~n treten 누구의 발을 밟다, 누구를 모욕하다〔닦달하다〕; sich auf die ~n stellen (잘 보기 위해서) 발돋움하다; er trat ihr beim Tanzen mehrmals auf die ~n 그는 춤추다가 여러 번 그여자의 발을 밟았다. ② 마늘쪽(Knoblauchzehe).

zehen *num.* 〖시어〗 ↑ zehn.

Zehen≈gang *m.* 발끝 걸음. **~gänger** *m.* 〖動〗 (고양이·개와 같은) 지행류(趾行類). **~nagel** *m.* 발톱. **~ring** *m.* 발가락(에 끼는) 반지. **~spitze** *f.* 발끝, 발가락 끝: auf den ~n stehend 발돋움을 해서, 발끝으로; 〖비유·구어〗 auf ~n gehen 발끝으로 걷다, 아주 조용조용 걷다; sich auf die ~n stellen 발돋움하다. **~stand** *m.* 〖체조〗 발끝으로 서기. **~-strecker** *m.* 〖해부〗 지신근(趾伸筋).

Zehent *m.* -en, -en ↑ Zehnt.

zehent [tsé:ənt] *a.* ↑ zehnt.

zehenten *t.* ↑ zehnten.

Zehen≈tier *n.* 〖動〗 ↑ ~gänger. **~verwachsung** *f.* 〖醫〗 오리발증(症).

..zehig *suf.* "…개의 발가락을 가진"의 뜻(보기: fünf~ 발가락이 다섯인).

***zehn** [tse:n] 《♧ lat. decem, gr. déka》 *num.* 열, 10; 〖비유〗 많은: 〖구어〗 ein Stücker ~ 약 10, 10 쯤; 〖聖〗 die ≈ Gebote (모세의) 십계명(출애굽기 20 : 1-17); halb ~ (Uhr) 9 시 반; Zeitraum von ~ Jahren 십 년(간); sie zählte zu den ~ Besten in der Weltrangliste 그녀는 세계 랭킹 10 위 안에 들었다; 〖비유〗 sich alle ~ Finger nach et.³ lecken 무엇이 탐이 나서 견딜 수 없다; ich wette ~ gegen eins, daß er kommt 나는 십중팔구 그가 온다

Z

고 생각한다; 〖명사적 용법에서 흔히: zehne〗 wir sind zu ~(en) 우리는 10 사람이다.

Zehn[1] *f.* -en ① 10(의 수): die römische ~ 로마 숫자의 10(X); eine ~ an die Tafel schreiben 흑판에 숫자 10을 쓰다. ② 10 번 버스, 10 호선 전철: wo hält die ~? 10 번 차가 어디서 섭니까?; mit der ~ fahren 10 번 버스를〔전철을〕 타고 가다. ③〖카드〗 ~ 10의 패: eine ~ abwerfen 10의 패를 내다; mit einer ~ trumpfen 10의 패로 승부를 걸다.

Zehn[2] *pl.* 10 개의 물건, 10 사람: Rat der ~ (옛 베네치아 공화국의) 십인 회의.

zehn·blätterig *a.* 〖植〗 잎이 10 개 있는.

Zehne *pl.* ↑ Zehn.

Zehn≈eck *n.* 〖기하〗 10 각〔변〕형. **≈eckig** *a.* 10 각〔변〕의. **~ender** *m.* 〖사냥〗 10 갈래 뿔의 사슴.

Zehner [tsé:nər] 《<zehn》 *m.* -s, - ① (a) 〖數〗 10 으로 나누어 떨어지는 두 자리의 수(보기: 10, 20, 30). (b) ↑ ~stelle. ② (a) ↑ Zehnkreuzer-, Zehnpfennigstück. (b)〖카드〗 10의 패. (c) (südd.) ↑ Zehn ②. ③ 십인 모임; 십인회 의원. ④ 10 대의 연령: in den ~n stehen 10 대〔틴에이저〕이다. ⑤〖사냥〗 ↑ Zehnender. ⑥ 제 10 연대의 병사. ⑦ (천 몇 백) 10 년산(產)의 포도주.

Zehner≈bruch *m.* 〖數〗 소수(Dezimalbruch). **~jause** *f.* (öst.) (오전 10 시경에 먹는) 간식. **~karte** *f.* 10 회용의 입장권〔승차권〕: eine ~ für das Schwimmbad 수영장 10 회 이용권.

zehnerlei [tse:nərláı] *a.* 10 종류의.

Zehner≈packung *f.* 10 개들이 짐〔포장〕. **~reihe** *f.* 〖數〗 10의 자리의 행. **~stelle** *f.* 〖數〗 ① (두 자리 이상의 수에서) 10 의 자리(의 숫자). ② (소수(小數)에서) 콤마〔소수점〕 앞 두째 자리(숫자).

zehn≈fach *a.* ↑ ~fältig. **≈fache*** *das* 10 배, 10 겹: der Gewinn beträgt mehr als das ~ des Einsatzes 이익금은 건 돈의 10 배 이상에 달한다. **~fältig** *a.* 10배의, 10가지의. **≈-finger-Blind·schreib(e)·methode** [..fíŋər..] *f.*, **≈finger·system** *n.* 10 지(指) 타자법. **≈flach** *n.*, **≈flächner** *m.* 〖기하〗 10 면체(Dekaeder). **≈füßer** *m.* 〖動〗 ① (오징어와 같은) 십완 두족류(十腕頭足類). ② (게·새우와 같은) 십각류(十脚類). **~füßig** *a.* 〖動〗 십각류의. **≈fuß·krebs** *m.* 〖動〗 ↑ ≈-füßer ②. **≈füßler** *m.* 〖動〗 (Dekapode) 10 각류. **≈herr** *m.* (고대 로마의) 10인 의회의 의원(특히 12 동판법 편찬 위원). **≈herr-schaft** *f.* 10 두(十頭) 정치.

Zehnjahres≈feier [tse:njá:rəs..] *f.* (Zehnhjahrfeier) 10 년제, 10 주년 기념식. **~plan** *m.* 10 개년 경제 계획.

zehn≈jährig *a.* ① 10 살의: ein ~es Kind 10 살 먹은 아이. ② 10 년간의: eine ~e Laufzeit 10 년간의 유효 기간. **~jährlich** 《I》 *a.* 10 년마다의. 《II》 *adv.* 10 년마다: in ~em Wechsel 10 년마다 교대하여. **≈jahr·plan** *m.* ↑ ≈jahresplan. **≈kampf** *m.* 〖스포츠〗 십종 경기. **≈kämpfer** *m.* 〖육상〗 십종 경기 선수. **≈klassen·schule** [tse:nklá..] *f.* 〖구동독〗 10 년제 종합 기술 고등 학교. **≈kreuzer-stück** *n.* (옛날 독일의) 10 크로이처의 동화(銅貨). **~lappig** *a.* 〖植〗 십열편(十裂片)의. **~lötig** *a.* 10 로트〔5 온스〕의. **~mal** *adv.* 10 번. **~malig** *a.* 10 번의, 10 회의. **~männerig** *a.* 〖植〗 수술이 10 개 있는. **~männrig** *a.* ↑ ~männerig.

Zehnmark≈schein *m.* 10 마르크 지폐. **~-stück** *n.* (옛날의) 10 마르크 화폐.

Zehnmeter≈brett *n.* 〖수상스포츠〗 10 미터 높이에 있는 도약판. **~plattform** *f.* 10 미터폭의 플랫폼.

zehn≈monats·kind *n.* 임신 10 개월째 비로소 낳은 아이. **~pfennig·briefmarke** *f.* 10 페니히짜리 우표. **~pfenniger** [tsé:npfɛ..] *m.* 〖방언〗, **~pfennig·stück** *n.* 10 페니히 화폐. **~pfünder** [tsé:n..] *m.* 〖軍〗 십 파운드포.

zehn≈pfündig *a.* 10 파운드의. **~punktig** *a.* 10 개의 반점이 있는. **~säulig** *a.* 십주식(十柱式)의. **~silbig** *a.* 〖문법〗 10 음절의. **~-stempelig** *a.* 〖植〗 10 개의 암(꽃)술이 있는. **~stemplig** *a.* ↑ ~stempelig. **~stündig** *a.* ① 생후 10 시간 된. ② 10 시간 동안의.

Zehnt [tse:nt] *m.* -en, -en 〖중세〗 ↑ Zehnte[1].

zehnt *a.* 〖zehn 의 서수〗 제 10 의, 10 번째의: der ~e Mai 5 월 10 일; die ~e Muse a) 해학(Scherz), b) 카바레(문학 형식): der ~e Teil 10 분의 1; zu ~ 10 명씩; wir sind zu ~ 우리는 10 명이다.

Zehnt·ablösung *f.* 십일조의 대납(代納).

zehn≈tägig *a.* ① 생후 10 일된. ② 10 일간의: ein ~er Lehrgang 10 일간의 강습. **~täg-lich** *a.* 10 일마다의: in ~em Wechsel 10 일마다 교대하여. **~tausend** *num.* 1 만: die oberen ≈ 최상류 사회〔층〕; ein Scheck über ~ Mark 1 만 마르크 이상의 수표. **~tau-sendst** *a.* 1 만 번째의.

Zehnte[1] [tsé:ntə] *m.* -n, -n 〖중세〗 10 분의 1 세(稅), 십일조: den ~n an die Kirche entrichten 십일조를 교회에 바치다.

Zehnte*[2] *der/die* 10번째의 사람: 〖구어〗 das kann der ~ 〔≈〕 nicht 그것을 할 수 있는 사람은 드물다; das weiß der ~ 〔≈〕 nicht 대부분의 사람들은 그것을 모른다.

zehn·teilig *a.* 10 부분으로 이뤄진.

Zehntel 《원뜻 „zehnter Teil"》 *n./*(schweiz.) *m.* -s, - 10 분의 1: fünf ~ 10 분의 5.

zehntel *a.* 10 분의 1 의.

Zehntel≈gramm *n.* 10 분의 1 그램. **~meter** *n./m.* 10 분의 1 미터, 데시미터. **~sekunde** *f.* 10 분의 1 초: (bis) auf die ~ genau messen 10 분의 1 초까지 정확하게 측정하다.

zehnten *t.* 〖목적어 없이도〗 (…의) 10 분의 1 을 취하다; (…의) 십일조를 받다; (…의) 십일조를 바치다, …을 10 분의 1 세로 바치다; (특히 고대 로마 군대의 형벌로서) 10 사람 중 한 사람을 죽이다.

zehntens [tsé:ntəns] *adv.* 10 번째에〔로〕.

zehnt≈frei *a.* 십일조를 면제받은. **≈herr** *m.* 십일조를 징수하는 영주〔지주〕. **≈land** *n.* 〖史〗 (Dekumatenland) 라인강과 마인강 사이에 있던 옛 로마의 식민지(주민은 십일조를 바쳤음).

Zehn·tonner *m.* 10 톤 차〔트럭〕.

zehnt≈pflichtig *a.* 십일조를 바칠 의무가 있는. **≈rechnung** *f.* 십진법. **≈recht** *n.* 〖중세〗 십일조 징수권.

zehn≈weiberig *a.* 〖植〗 10 개의 암(꽃)술이 있는. **~weibig** *a.* ↑ ~weiberig. **~zeilig** *a.* 10 줄의: ein ~es Gedicht 십행시(詩).

***zehren** [tsé:rən] 《ahd. zeren, „vernichten, verzehren"; ♧ zerren》 《I》 *i.* (h.) ① 쇠약하게〔여위게〕 하다, 해를 끼치다: der Kummer zehrt an ihr 〔ihrem Herzen, an ihrer Kraft〕 근심으로 그녀는〔그녀의 마음이, 그녀의 기력이〕 쇠약해진다. ② (**a**) 먹고 살아가다; (obd.) 미식(美食)하다(schmausen): wir zehrten von unseren Vorräten 우리들은 비축품을 먹고 살았다; auf js. Kosten 〔aus fremdem Beutel〕 ~ 누구의〔남의〕 신세를 지고 살다; mit jm. ~ 누구와 먹고 마시다; von seinen Zinsen ~ 이자로 먹고 살다. (**b**) 〖비유〗 추가로 즐기다, 다시금 음미하다: von schönen Erinnerungen ~ 아름다운 추억속에 살다; von seinem früheren Ruhm ~ 이전의 명성으로 겨우 명맥을 유지하다.

zehrend *p.a.* ① 먹고 마시는. ② 〖醫〗 소모성의: eine ~e Krankheit 소모성 질환.

Zehr≈fieber *n.* 〖醫〗 소모열. **~frei** *a.* 숙식 무료의. **~geld** *n.* 〖구식·농담〗, **~pfennig** *m.* 〖구식〗 여행 중의 식비; 여비, 노자.

Zehrung [tsé:rʊŋ] *f.* -en 〖구식〗 ① 다 먹어 치움; (Zehrungskosten) 식비, 숙박료: freie ~ haben 무료로 음식을 먹다〔숙박을 하다〕. ② 소모; 〖醫〗 폐결핵(Abzehrung): ~ des Weines 포도주의 자연 감소. ③ (Mundvorrat) 식량, 양식. ④ 성찬(聖餐): 〖宗〗 letzte 〔heilige〕 ~ 〔Weg≈〕 임종의 성찬〔성체 배령(聖體拜領)〕.

Zehrungs≈kosten *pl.* 식비, 숙박료; 노자. **~steuer** *f.* 음식세.

***Zeichen** [tsáɪçən] 《♧ zeihen, zeigen》 *n.* -s, - ① (**a**) (몸짓·소리) 신호: Blink≈ 점멸 신호; Verkehrs≈ 교통 신호; ein akustisches ~ 음향 신호; 〖구어〗 das ~ zum Aufbruch geben 출발 신호를 하다; 〖비유〗 (ein) ~ setzen 방향을 제시하다; jm. mit der Hand ein ~ geben 누구에게 손짓으로 신호하다; 〖연극〗 das ~ zum Heben des Vorhangs geben 연극의 막을 올리라는 신호를 보내다. (**b**) (생각·소망·태도·비판의) 표시: zum ~ der Ablehnung〔Liebe〕 거절〔사랑〕의 표시로; dies alles ist ein ~ dafür, daß ... 이것은 모두가 …의 표시다; zum 〔als〕 ~ ihrer Versöhnung umarmten sie sich 그들은 화해의 표시로 서로를 끌어안았다. (**c**) 표, 징표: ein Geschenk als ~ der Freundschaft〔Liebe, Verehrung〕 우정〔사랑, 존경〕의 표시로서의 선물; ein Lorbeerzweig als ~ des Sieges〔Ruhmes〕 승리〔명예〕의 표시로서의 월계수 가지. ② 간판 (Aushänge); 직업(Beruf): welches ~s sind Sie? 무슨 장사를 하십니까?; 〖구식〗 er ist seines ~s Schneider 그는 직업이 재단사다. ③ (**a**) 〖天〗 별자리(Himmels≈), 성좌: die zwölf ~ des Tierkreises 12 궁(宮). (**b**) 〖점성술〗 별자리(Konstellation): er ist in einem bösen ~ 그의 운세는 나쁘다; unter einem glücklichen ~ geboren 행운을 타고 난; das gilt mir für ein gutes ~ 이것은 내게 좋은 전조처럼 보인다; unter einem guten 〔glücklichen, günstigen〕 ~ stehen 좋은〔운이 좋은, 유리한〕 상황에 놓여 있다; 〖비유〗 etwas steht im ~ einer Sache 무엇은 어떤 사건으로 특징지워진다(사건의 영향을 받는다); der Abend stand im Zeichen der frohen Nachricht 그날 밤은 기쁜 소식에 들뜬 모습이었다. (**c**) 표, 표시, 부호, 상징: Frage≈ 물음표, 의문부; Merk≈ (기억을 일깨우는) 표시, 부호; das ~ des Kreuzes machen 〔schlagen〕 십자(성호)를 긋다; musikalisches ~ 음악 기호. (**d**) 구두점: ~ setzen 구두점을 찍다. (**e**) 서류 부호〔번호〕. (**f**) 〖理·數〗 기호, 부호: das chemische ~ 화학 기호. (**g**) 표시, 상표, 낙인; 휘장, 배지: Kains≈ 카인의 표시. (**h**) (방송 프로의) 테마 음악, 주제곡. ④ 〖聖〗 ~ und Wunder 이적(異蹟)과 기사(奇事); 〖구어·반어〗 es geschehen noch ~ und Wunder 이런 일이 있을 수 있다니! ⑤ 〖動〗 (Ab≈) 반문(斑紋); (말의 이의) 연령반(年齡斑)의 반점(Bohne). ⑥ 징후, 징조: Krankheits≈ 병의 징후; schwüle Hitze ist meist ein ~ für ein kommendes Gewitter 무더위는 대개 뇌우가 온다는 징조다; 〖비유〗 die ~ stehen auf Sturm 불안〔분쟁〕이 임박해 있다; etwas ist ein ~ der Zeit 무엇은 시대를 반영한다; die ~ der Zeit verstehen〔deuten〕 시대의 조짐을 인식하다〔보여주다〕; ich nehme das als gutes ~ 나는 그것을 길조로 여긴다. ⑦ 〖언어학〗 (언어) 기호; man bezeichnet die Sprache als ein System von ~ 사람들은 언어를 기호 체계라고 칭한다.

Zeichen≈abstand *m.* 〖컴〗 자간(字間). **~block** *m.* 제도 용지철, 스케치북. **~brett** 《<zeichnen》 *n.* 제도판. **~buch** *n.* 스케치북. **~deuter** *m.* 점쟁이; 예언자; 점성가. **~deuterei, ~deutung** *f.* 점, 예언; 점성. **~drei·eck** *n.* 삼각자, 곱자. **~erklärung** *f.* (지도 따위의) 기호 풀이〔설명〕. **~feder** 《<zeichnen》 *f.* 제도용 펜. **~film** *m.* ↑ ~trickfilm. **~garn** *n.* 표시용 실. **~geber** *m.* ① 신호수. ② 〖전기〗 발신기. **~geld** *n.* (표시가(價)대로 태환이 되지 않는) 명목 화폐.

zeichenhaft *a.* 상징적인, 암시적인.

Zeichen≈heft 《<zeichnen》 *n.* ↑ ~buch. **~kette** *f.* 〖컴〗 문자열(列). **~kohle** *f.* 데생용의 목탄(木炭). **~kreide** *f.* 크레용. **~kunst** *f.* 제도술; 도화학(圖畫學): sich in der ~ üben 제도술을 연습하다; ein Meister der ~ 제도술의 대가. **~lehre** *f.* ① 《<Zeichen》 기호학; 〖醫〗 증후학. ② 〖건축〗 제도학. **~lehrer** 《<zeichnen》 *m.* 제도〔미술〕 교사. **~lehrerin** *f.* ↑ ~lehrer 의 여성형. **~leser** *m.* 기호 판독기. **~mappe** *f.* 도화지 끼우개〔파일〕. **~maschine** *f.* 제도기. **~material** *n.* 데생 용구; 제도 용구. **~meister** *m.* ↑ ~lehrer. **~muster** *n.* ↑ ~vorlage. **~papier** *n.* 제도 용지, 도화지. **~rolle** *f.* 〖經〗 (특허청의) 상표 등록부. **~saal** *m.* (학교의) 제도〔미술〕실, 아틀리에. **~satz** *m.* 〖컴〗 폰트, 문자 집합. **~schrift** *f.* 〖문자〗 상형 문자. **~schule** 《<zeichnen》 *f.* 제도〔미술〕 학교. **~schutz** *m.* 〖法·經〗 상표 보호. **~setzung** *f.* 〖언어학〗 구두법. **~sprache** *f.* ① 〖넓은 의미〗 표정, 안색. ② 기호법, 신호법, 암호법; (농아자의) 수화법, (몸짓·손짓 등에 의한) 신호 언어; (전신) 부호; 〖化〗 기호. **~stift** 《<zeichnen》 *m.* 크레용, 제도용 연필: ein farbiger ~ 제도용 색연필. **~stunde** *f.* 제도〔미술〕 시간. **~talent** *n.* ① 제도〔미술〕의 재능: kein ~ haben 제도〔미술〕의 재능이 없다. ② 제도〔미술〕의 재능이 있는 사람〔아이〕. **~telegraf** *m.* 〖철도〗 신호기. **~tinte** *f.* 세

탁물에 표를 하는 지워지지 않는 잉크. **~tisch** 《<zeichnen》 *m.* 제도용 책상. **~trick·film** *m.* 만화〔애니메이션〕영화. **~unterricht** *m.* 제도〔미술〕수업. **~vorlage** *f.* 제도〔미술〕모본(模本).

***zeichnen** [tsáɪçnən] 《<Zeichen》《I》*t.* ① …에 표를 하다, 기호를 넣다: Vieh ~ 가축에 소인(燒印)을 찍다; den Dachsbau ~ 오소리굴에 나뭇가지로 표를 하다; jn. ~ 누구를 멍들게 때리다; 〖雅語〗vom Tod gezeichnet sein 죽음의 그늘이 덮여 있다, 죽음이 임박해 있다; Wäsche mit dem Monogramm ~ 속옷에 모노그램을〔성명의 머릿글자를〕표시하다; 〖雅語〗Sorgen haben sein Gesicht gezeichnet 그의 얼굴에는 근심의 흔적이 역력했다; er war vom Alten 〔von der schweren Krankheit〕 gezeichnet 그는 연로한〔중병이 든〕티가 역력했다. ② (**a**) 〖商〗(문서에) 서명하다, 서명으로 결재〔재가〕하다: einen Vertrag ~ 계약서에 서명 결재하다; gezeichnet X 원본은 X가 서명했음(복사한 서류·편지 따위에 하는 표시). (**b**) 기부하다, 응모하다: zu einem Denkmale 100 Mark ~ 기념비를 세우는데 100 마르크를 기부하다; 〖商〗eine Aktie 〔Anleihe〕 ~ 주식을〔공채를〕양도받아 서명하다. (**c**) 적(어 넣)다: in ein Buch ~ 책에 써넣다. ③ (도형〔도안〕을) 그리다; (약도를 〔밑그림을〕) 그리다; 묘사하다: den Riß zu einem Bau ~ 건축물의 설계도를 만들다; aus freier Hand ~ 모본 없이 그리다; einen Akt ~ 나체화를 그리다; aus dem Kopf〔Gedächtnis〕 ~ 상상으로 그리다; nach dem Leben 〔der Natur〕 ~ 사생〔스케치〕하다; 〖비유〗jn. nach dem Leben ~ 누구의 진상을 묘사하다; 〖비유〗jn.〔et.〕 realistisch ~ 누구를〔무엇을〕 사실적으로 묘사하다; ~de Künste 조형 예술; 〖비유〗er versuchte ein Bild vom Geschehen zu ~ 그는 사건의 전말을 설명하려고 했다. 《II》*i.* (h.) ① 화가로 활동하다; (선으로) 그림을 그리다: sehr gut ~ 그림을 매우 잘 그리다; mit Bleistift〔Kohle〕 ~ 연필로〔석탄으로〕 그리다; das ≗ 그림그리기 (수업); eine Eins in〔im〕 ≗ haben 미술(과목)에서 수를 받다. ② 〖구식〗 서명하다: ich zeichne hochachtungsvoll (M. ...) (M. 아무개) 상서, 재배(편지의 끝에 쓰는 말). ③ 〖격식〗 책임지다: für diesen Artikel zeichnet der Chefredakteur 이 기사는 편집장이 책임진다; für et. verantwortlich ~ 무엇에 대해 책임을 지다. ④ (말의) 연령반(斑)에 반점이 있다: das Pferd zeichnet noch 말의 연령반에 아직도 반점이 있다(여덟 살 이하의 말임). ⑤ 〖사냥〗 (**a**) 사냥감의 자취를 찾다: der Hund zeichnet 개가 사냥감의 자취를 밟는다. (**b**) (야수가) 총에 맞은 흔적을 보이다: das Wild zeichnet 야수가 점점이 핏자국을 남기고 가다. 《III》 *refl.* sich ~ 뚜렷하게 보이다, 한층 더 눈에 띄다.

Zeichner *m.* -s, - ① 〖商〗 주식〔차관〕 서명자; 기부자; 주식〔공채〕 응모자. ② 그림 그리는 사람, 도안〔제도〕사; 화가.

Zeichnerei *f.* -en 서투른 제도〔소묘〕.

Zeichnerin *f.* -nen ↑ Zeichner 의 여성형.

zeichnerisch *a.* 데생의, 도안의, 소묘의, 제도의: ~es Können beweisen 제도 능력을 입증하다; et. ~ darstellen 무엇을 제도하다.

***Zeichnung** [tsáɪçnʊŋ] *f.* -en ① (**a**) 그림그리기, 제도; 스케치, 견냥도; 도화: Bleistift-≗ 연필화; eine ~ entwerfen〔anfertigen, ausführen〕 견냥도를 그리다; einen Sachverhalt durch eine ~ veranschaulichen 어떤 사태를 도화로 구체적으로 설명하다. (**b**) 〖비유〗 (소설 따위에서) 묘사: eine lebendige ~ der Figuren 인물들에 대한 생생한 묘사. (**c**) 〖롤러·피겨스케이팅〗 얼음〔바닥〕에 표시된 규정 피겨. ② (**a**) 표시, 기호. (**b**) (자연물·동식물의) 무늬, 색채: ein Fell〔Pelz〕 mit einer besonders hübschen ~ 특히 아름다운 무늬의 가죽〔모피〕. (**c**) 윤곽(선) (Konturen). ③ 서명(Unter≗); 기부의 신청; (주식 공모 따위에) 응모: Anleihe≗ 차관〔사채〕 조인에 따른 의무.

zeichnungs≈berechtigt *a.* 〖商〗 서명권이 있는. **~berechtigung** *f.* 〖商〗 서명권: er hat (eine) ~ bis zu 1000 DM 그는 1000 마르크까지 서명할 수 있다. **~stelle** *f.* 〖商〗 (주식·공채 따위의) 응모 접수처.

Zeidel≈bär [tsáɪdəl..] 《ahd. zîdal, „Honig"》 *m.* 〖動·구식〗 (유럽산(產)의) 갈색 곰(Honigbär). **~baum** *m.* 야생 꿀벌집이 있는 나무. **~heide** *f.* 〖植〗 야생 꿀벌 사육용 히스〔관목(灌木)〕. **~meister** *m.* ↑ Zeidler.

zeideln [tsáɪdəln] *t./i.* (h.) ① 꿀벌집을 도려내다: Honigwaben ~ 꿀벌집을 도려내다; die Bienen ~ 꿀벌에서 꿀을 채취하다. ② 〖방언〗 (melken) 젖을 짜다, 우려내다.

Zeidler *m.* -s, - 〖구식〗 양봉가.

Zeidlerei *f.* -en 〖구식〗 ① 양봉. ② 양봉장.

zeigbar [tsáɪkba:r] *a.* 보일〔가리킬〕 수 있는.

Zeige≈finger *m.* 집게〔둘째〕손가락, 인지(人指): mit dem ~ auf et. deuten 집게손가락으로 무엇을 지시하다; mit erhobenem ~ drohen 집게손가락을 올려 위협하다; ohne den erhobenen ~ 교훈적〔도덕적〕인 색채가 없이. **~fürwort** *n.* 〖문법〗 지시 대명사.

***zeigen** [tsáɪgən] 《♧ zeihen》《I》*t.* ① (**a**) 보여주다, 알게 하다, 가르쳐주다: zeig mir den Brief! 내게 편지를 보여 다오!; er hat es mir schwarz auf weiß gezeigt 그는 내게 그것을 명확하게 보여 주었다; 〖구어〗 zeig mir einen, der es besser kann 너는 그것을 더 잘할 수 있는 사람을 발견하지 못할 것이다; die Erfahrung hat gezeigt, daß ... 경험이 가르쳐 주는 바로는 …이다; Haltung ~ 침착함을 보이다, 태연하게 있다; jm. die kalte Schulter ~ 누구에게 쌀쌀하게 대하다, 냉대하다; jm. den Herrn ~ 누구에게 주인처럼 굴다. (**b**) 보여주다, 상연하다: er zeigte ein paar seiner Zaubertricks 그는 몇 가지 요술을 보여 주었다; 〖구어〗 der neue Film wird im Rex gezeigt 새 영화는 Rex 영화관에서 상영된다. (**c**) 분명히 알리다; 가리켜 주다: jm. den Weg 〔die Richtung〕 ~ 누구에게 길〔방향〕을 가리켜 주다; 〖구어〗 die Kleine zeigt ihm, wie man's macht 그 어린 소녀는 그보다 그것을 훨씬 더 잘한다; 〖구어〗 es jm. ~ a) 누구에게 자기의 입장을〔견해를〕 분명히 설명하다, b) 누구를 혼내 주다, c) 누구에게 자기 능력을 과시하다; dir werd' ich's ~! 두고 보자, 내가 혼내 줄 테다!; ich werde ihm schon ~, was eine Harke ist 내가 그를 혼내 주겠다; jm. den〔einen〕 Vogel ~ (이마를 손가락

Z

으로 짚으며) 누구의 머리가 좀 이상한 게 아니냐며 놀리다. (**d**) 표현하다, 눈치채게 하다: jm. seine Liebe〔Verachtung〕 ~ 누구에게 사랑〔경멸〕을 표시하다; du darfst dem Hund deine Angst nicht ~ 너는 개에게 두려움을 보여서는 안 된다. ② 보여 주다, 나타내다: die Bäume ~ schon Knospen 나무에는 벌써 꽃봉오리가 맺기 시작한다; ihre Ehe zeigte schon die ersten Risse 그들의 결혼에는 이미 최초의 금이 보였다; die Uhr zeigt jetzt halb zehn 시계는 지금 9시 반을 가르킨다; die Arbeit zeigt Talent 그 작품에는 재능이 드러나 있다. ③ (**a**) 표현하다, 나타내다: Wut〔Trauer〕 ~ 분노를〔슬픔을〕 나타내다; die Schüler ~ keinerlei Interesse für solche Themen 학생들은 그런 주제들에는 전혀 관심을 나타내지 않는다. (**b**) 분명히 드러내 보이다: Mut〔Rückgrat〕 ~ 용기를 보여 주다〔줏대가 있다〕; sein Können ~ 자기 능력을 보여 주다. (**c**) 입증〔증명〕하다: sein Verhalten zeigt einen Mangel an Toleranz 그의 태도는 관용 정신의 결여를 여실히 말해준다. 《**II**》 *refl.* sich ~ ① 모습을 보이다, 나타나다: die Stadt zeigte sich im Festglanz 온 도시는 축제가 한창이었다; er darf sich nicht ~ 그는 얼굴을 내밀 용기가 없다; sich öffentlich ~ 공개 석상에 나타나다; 〖구어〗 das Kind will sich nur ~ 그 아이는 그저 눈에 띄고 싶어한다; mit ihr kann man sich überall ~ 그녀와 함께라면 어디에 가도 부끄럽지 않다; sich jm. ~ 누구에게 자기 모습을 보여 주다; die Tanztruppe zeigte sich wieder in ihrer alten Form 무용단은 다시 옛날 모습을 보여 주었다. ② (**a**) 태도를 취하다, (어떤 모습을) 보이다: sich tapfer 〔als Mann〕 ~ 용감히〔남자답게〕 행동하다; sich feindlich gegen jn. ~ 누구에게 적의를 보이다. (**b**) 〖구식〗 입증되다: in solchen Situationen hat er sich stets als guter Freund gezeigt 그런 상황에서 그는 항상 좋은 친구로 입증되었다. ③ (**a**) 나타나다, 보이다: ein Lächeln zeigte sich auf ihrem Gesicht 미소가 그녀의 얼굴에 나타났다; endlich zeigte sich ein Hoffnungsschimmer 드디어 희망의 빛이 보였다. (**b**) 분명해지다, 보이다: das wird sich gleich ~, wer recht hat 누가 옳은지 금방 드러날 것이다; in der Not zeigt sich, wer wirklich ein Freund ist 누가 진정으로 친구인지는 고난에 처해 있을 때 분명해진다; es zeigt sich, daß ... …임이 명백해지다, …임을 알 수 있다. 《**III**》 *i.* (h.) 지시하다, 가리키(어 보이)다: auf jn.〔et.〕 ~ 누구를〔무엇을〕 가리키다; mit dem Finger auf et. ~ 손가락으로 무엇을 가리켜 보이다; die Magnetnadel zeigt nach Norden 자침은 북을 가리킨다; die Uhr 〔der Zeiger der Uhr〕 zeigt auf 12 시계는〔시계 바늘은〕 열두 시를 가리킨다; 〖비유〗 das Fenster zeigt zum See 창문은 호수 쪽을 향하고 있다.

***Zeiger** [tsáɪgər] *m.* -s, - ① 보이는〔가리키는〕 사람, 지시자; 〖商〗 (어음의) 지참자. ② (**a**) (시계·저울의) 바늘, 지침: der ~ der Waage stand〔zeigte〕 auf 60 kg 저울의 바늘은 60 킬로그램을 가리켰다; Stunden∼ 시계의 시침; der große〔kleine〕 ~ einer Uhr 시계의 큰〔작은〕 바늘; den ~ vorstellen〔zurückstellen〕 시계의 바늘을 앞으로〔뒤로〕 돌리다. (**b**) 표시기, 표지. (**c**) 집게〔둘째〕손가락. (**d**) 서산(書算)대 (Zeigestab). (**e**) 〖토목〗 (Maßkegel) 표도(標墖) (굴의 깊이를 보이기 위하여 남겨 두는 흙무더기). (**f**) 〖數〗 지수. (**g**) 〖문법〗 관사. (**h**) 〖컴〗 커서, 포인터. ③ (**a**) 〖動〗 소매고둥속(屬)의 일종. (**b**) 조각칼(Grabstichel).

Zeiger≈apparat *m.* 〖전기〗 지시 전신기; 다이얼 장치. **~barometer** *n./m.* 지침 청우계. **~blatt** *n.* 다이얼. **~linie** *f.* (해시계의 시간을 나타내는) 궤선(軌線). **~telegraf** *m.* ↑ ~apparat. **~uhr** *f.* 타종하지 않는 시계. **~waage** *f.* 지침 저울. **~werk** *n.* (시계의) 지침 장치; 원반 계량자(計量子).

Zeige≈stab *m.* 서산(書算)대. **~stock** *m.* 지시봉, 교편(教鞭). **~tisch** *m.* 진열대.

Zeig·finger *m.* (schweiz.) (Zeigefinger) 집게〔둘째〕손가락, 인지.

zeihen [tsáɪən] (zieh, geziehen) 《ahd. zîhan, „anschuldigen"; ♧ zeigen, bezicht(ig)en》 *t.* 〖雅語·구식〗 ① 나무라다, 꾸짖다: jn. eines Dinges 누구의 무엇을 꾸짖다〔책잡다〕; jn. einer Lüge ~ 누가 거짓말했다고 꾸짖다; jn. eines Verbrechens ~ 누구에게 죄를 씌우다〔돌리다〕; welcher unter euch kann mich einer Sünde ~? 너희 중에 누가 나를 죄로 책잡겠느냐? (요한 8:46). ② 비난하다 (vorwerfen): jm. et. ~ 누구의 무엇을 비난하다.

Zeiland [tsáɪlant] *m.* -(e)s, -e 〖植〗 (Seidelbast) 팥꽃나무속(屬).

***Zeile** [tsáɪlə] 《ahd. zîla, „Reihe, Linie"; ♧ Ziel, Zeit》 *f.* -n ① (Reihe) (**a**) (한 줄로 늘어선) 열(列): eine ~ Eier 한 줄의 달걀. (**b**) 늘어선 집들 (Häuserreihe); 시가(의 이름) (Straße). (**c**) 〖農〗 한 구획의 경지, 한 줄의 벤 풀〔보리〕 (↑ Jahn[2]): 〖원예〗 in ~n pflanzen 나란히 심다. ② (**a**) 행(行) (약어: Z): Anfangs∼ 첫 행; neue ~! 행〔줄〕을 바꿔서!; jm. ein paar ~n hinterlassen 누구에게 짧은 메모를 남기다; Vers∼ 시행; einen Text ~ für ~ durchgehen 원문을 한 줄 한 줄 검토하다; 〖구식〗 Ihre freundlichen ~n 당신의 친절한 편지; die erste ~ einrücken 첫 행을 안으로 밀어 넣다; die Anzeige kostet pro angefangene ~ 10 Mark 광고료는 행이 새로 시작할 때마다 10 마르크씩 추가된다; fünfte ~ von oben! 위에서 다섯 번째의 행!; zwei ~n an jn. schreiben 누구에게 두어 줄 써 보내다; 〖비유〗 zwischen den ~n lesen 행간을 읽다(글 속에 숨은 뜻을 알아내다). (**b**) 행(공간); 열(列): zwischen den Blöcken fünf ~n Zwischenraum lassen 글의 문단들 사이에 5 행의 공간을 두다. ③ 〖TV〗 주사선(走査線).

Zeilen≈abstand *m.* 행〔줄〕의 간격: den ~ einstellen 줄 간격을 조절하다; ein doppelter ~ (타자기의) 더블 스페이스. **~bau** *m.* (열을 맞춰 짓는) 대상(帶狀) 주택 건축. **~breite** *f.* 〖印〗 행 넓이, 페이지폭. **~dorf** *n.* 도로변에 길게 뻗은 마을, 가촌(街村). **~editor** *m.* 〖컴〗 줄 편집기(줄 편집 방식으로 문서를 편집하는 프로그램). **~einsteller** *m.* (타자기의) 행간 게이지. **∼frei** *a.* 〖TV〗 (화면에) 주사선(走査線)이 드러나지 않는. **~füller** *m.* 여벌 기사. **~gieß·maschine, ~guß·maschine** *f.* 〖印〗 라이노타이프(자동 식자기의 상품명). **~höhe** *f.* 〖컴〗 줄 높이. **~honorar** *n.*

Z

행으로 계산하는 원고료. **~länge** *f.* 행의 길이. **~maß** *n.* 〖印〗 (조판의 행 길이를 재는) 배수척(倍數尺). **~norm** *f.* 〖TV〗 표준 주사선수(數). **~nummer** *f.* 〖컴〗 줄〔열〕번호. **~schalter** *m.* (타자기의) 행간 (미세 조절용) 레버. **~schreiber** *m.* (한 줄에 몇 푼짜리 글을 쓰는) 엉터리 문인. **~semmel** *f.* 한 줄로 이어진 빵. **~sprung** *m.* 〖문학〗 월행(越行) (시의 한 행이 다음 행으로 계속 이어지는 현상). **~sprung·verfahren** *n.* 〖TV〗 비월주사(飛越走査) 방식. **~umbruch** *m.* 〖컴〗 줄 바꾸기. **~weise** *adv.* 열을 지어; 한 행씩, 각 행에, 행마다: wir berechnen die Anzeigen ~ 우리는 광고료를 행수(行數)로 계산한다.

..zeilig *suf.* "…행의"의 뜻(보기: sechs~ 여섯 행의; eng~ 행이 좁은).

Zein[1] [tsaɪn] *m.* -(e)s, -e 〖방언〗 ↑ Zain.

Zein[2] *n.* -s 〖생화학〗 옥수수 단백질.

Zeischen [tsáɪsçən] *n.* -s, - 〖↑ Zeisig 의 축소형〗〖動〗 방울새.

Zeise [tsáɪzə] 《lat.》 *f.* -n ① 〖구식〗 세무소(의 건물). ② 세금(Akzise).

Zeisel·bär *m.* (obd.) (서커스 등에서) 춤추는 곰(Tanzbär).

zeiseln[1] [tsáɪzəln] *t.* (südwestd.) (짐승을) 꾀다(anlocken).

zeiseln[2] *i.* (h./s.) (obd.) (eilen) 서두르다, 바삐 움직이다.

Zeisel·wagen *m.* (obd.) ① 급행 우편 마차. ② (사다리 모양의 틀이 달린) 건초 운반용 마차(Leiterwagen).

zeisen[1] [tsáɪzən] *t.* 〖구식〗 (bayr.) 얽힌 것을 풀다: Flachs〔Baumwolle〕 ~ 아마〔목화〕를 뜯어 가르다.

zeisen[2] *i.* (h.) 〖海〗 돛을 서로 잡아매다.

Zeisig [tsáɪzɪç] 《tschech.》 *m.* -s, -e ① 〖動〗 방울새. ② **(a)** 〖구어〗 ein lockerer ~ 주책 없는 사람, 경박한 사람. **(b)** 〖농담〗 금화.

zeisig·grün *a.* 황록색의.

Zeising *m.* -s, -e 〖요트〗 돛을 묶는 단단한 밧줄.

Zeislein *n.* -s, - 〖시어〗 ↑ Zeischen.

Zeiss [tsaɪs] ① Carl ~ 차이스(독일의 광학기기 제조자, 1816-88). ② *m.* - 차이스 회사(제품) (망원경·카메라 렌즈 등).

Zeiss·glas *n.* 차이스 상표의 렌즈.

***Zeit** [tsaɪt] *f.* -en ① 〖총칭〗 시간: ~ und Raum 시간과 공간; die ~ vergeht〔verfliegt, verstreicht〕 시간이 흘러간다; 〖속담〗 kommt ~, kommt Rat 때가 되면 자연히 해결된다; 〖속담〗 ~ und Stunde warten nicht 세월은 기다려 주지 않는다; die ~ heilt (alle) Wunden 세월이 약이다; (ach) du liebe ~! 세상에, 이럴 수가!; die ~ drängt 시간이 촉박하다; die ~ wird mir lang 나는 심심〔지루〕하다. ② **(a)** (어느 정도 제한된) 시간, 기간: kurze〔lange〕 ~ 잠시〔오래〕 동안; vor〔nach〕 kurzer〔langer〕 ~ 얼마〔오래〕 전〔뒤〕에; auf einige ~ 얼마〔잠시〕 동안(예정으로); seit einiger〔langer〕 ~ 얼마〔오래〕 전부터; wieviel ~ ist seitdem vergangen? 그 후로 얼마나 많은 시간이 흘렀는가?; zur gleichen〔selben〕 ~ als... …한 바로 그 때에; im Laufe der ~ 〔mit der ~〕 시간이 흘러가면서, 점차; 〖구어〗 dort war er die längste ~ 그는 그곳에 더 이상 머무를 수가 없었다; wenn du das tust, bist du die längste ~ mein Freund gewesen 네가 그 일을 하면, 넌 더 이상 내 친구가 아니다. **(b)** (사용 가능한) 시간, (시간적) 여유, 짬: das braucht viel ~ 그것은 많은 시간을 요한다; ich habe noch eine Stunde ~ 나는 아직 한 시간 정도 여유가 있다; die ~ mit Lesen verbringen〔zubringen〕 독서하면서 여가를 보내다; wir wollen keine ~ verlieren 우리는 서둘러야 한다; sich[3] die ~ (mit et.[3]) vertreiben (무엇을 하며) 시간을 보내다; 〖평어〗 die ~ totschlagen (하릴없이) 시간을 보내다; 〖구어〗 jm. seine ~ rauben〔stehlen〕 누구의 시간을 빼앗다; ~ ist Geld 시간은 돈이다; ~ gewinnen 시간을 벌다; 〖속담〗 ~ gewonnen, viel gewonnen, ~ verloren, viel verloren 때를 얻으면 모든 것을 얻는 것이고, 때를 놓치면 모든 것을 잃는 것이다; 〖속담〗 spare in der ~, so hast du in der Not 유비무환; jm. noch etwas 〔14 Tage〕 ~ geben〔gewähren〕 누구에게 약간〔2 주간〕의 말미를 주다; 〖구어〗 dieser Regierung gebe ich nicht mehr viel ~ 이 정부는 얼마 가지 못할 것이다; das ist schon lange ~ her 벌써 오래 전 일이군요; jm. ~ lassen 누구에게 시간적 여유를 주다; sich[3] (mit et.[3]) ~ lassen (무엇을) 늦추다, 천천히 하다; nehmen Sie sich[3] ~! 서두르지 마세요!; das hat ~ bis morgen 그것은 내일까지 하면 된다; 〖스포츠〗 auf ~ spielen 지연 작전을 펴다. **(c)** (한정된) 시간, 기한; 〖스포츠〗 (구간 기록) 시간, 경기 지속 시간: Arbeits~ 작업 시간; die ~ ist um 시간이 다 됐다, 기한이 끝나다; 〖스포츠〗 eine gute ~ laufen 좋은 기록으로 달리다; 〖스포츠〗 die ~ stoppen (스톱 워치로) 시간을 재다; 〖권투·은어〗 ~ nehmen (müssen) 카운트 다운을 당하다; 〖스포츠〗 sich 〔einen Spielstand〕 über die ~ retten 시합을〔경기를〕 끝까지 버티다; auf ~ 시한부의(약어: a.Z.); seine ~ ist um 그는 곧 죽을 것이다, 그의 시대는 끝났다. ③ **(a)** 시기, 시절: Jahres~ 계절; Ernte~ 수확기; es war eine schöne ~ 좋은 시절이었다; das waren noch ~en! 그때만해도 좋은 시절이었다!; eine ~ großer Umwandlungen 대전환기; harte〔schlechte, schwere〕 ~ 고난의 시기; frühere〔vergangene〕 ~en 옛날; die heutige ~ 오늘날; kommende〔künftige, spätere〕 ~en 미래, 장래; in〔zu〕 dieser〔jener〕 ~ 그 당시에; in neuerer ~ 근래에; in nächster ~ 곧, 조만간에; in letzter ~ 최근에; für alle ~(en) 영원히; 〖雅語〗 für ~ und Ewigkeit 영원히; in der ~ vor〔nach〕 dem Krieg 전쟁 전〔후〕에; die ~en ändern sich 시대는 변한다; 〖반어〗 seine ~ ist noch nicht gekommen 아직은 그의 때가 오지 않았다; 〖구어〗 das ist vor seiner ~ geschehen 그 일은 그가 태어나기〔여기 오기, 여기서 일하기〕 전에 일어났다; zu jeder ~ 언제나, 어떤 경우라도; zu allen ~en 언제나, 어느 때나; zu seiner ~ 그의 생존시에; 〖구어〗 in〔während〕 meiner Berliner ~ 나의 베를린 시절에; zu keiner ~ 결코 …한 적이 없다; zu meiner ~ 내가 한창이었을 때; 〖속담〗 andere ~en, andere Sitten 시대가 변하면 풍습도 변한다; seiner ~ voraussein 아직 제때를 만나지 못하다; 〖반어〗 die gute alte ~ 좋았던 옛 시절; hinter seiner〔der〕 ~ zurückbleiben 시대에 뒤지다; das war zu allen ~en 그런 일은 언제나 있었다; er ist ein typisches Kind seiner ~ 그는 그가 살고 있는 시대의 전형적인 인물이다. (**b**) 시대, 시기: die absolutistische ~ 절대주의 시대; zur ~ Goethes 괴테 시대에. (**c**) 현재, 당대: der Geist der ~ 시대 정신; das ist ein Zeichen der ~ 그것은 그 시대의 징표다; die ~ ist dafür noch nicht reif 그것을 하기에는 아직 시기상조이다; mit der ~ (mit)gehen 시대에 발맞추다〔순응하다〕; sich in die ~ schicken〔fügen〕 시대에 순응하다; Menschen unserer ~ 현대인; zur ~ 지금, 현재(약어: z. Z.; z. Zt.). ④ (**a**) 시점, 시각, 시간: ~ und Ort der Zusammenkunft 모임의 시간과 장소; eine ~ bestimmen〔festsetzen〕 시간을 정하다; es ist ~ (zu beginnen) (시작할) 때가 되었다; um diese ~ 이때쯤에; von dieser ~ an 이 시각부터; seit undenklicher ~ 아득한 옛날부터; 〖구어〗 wir haben uns seit ewigen ~en nicht gesehen 이거 도대체 얼마만입니까; 〖시어〗 vor ~en 오래 전에; zu ~en 때때로, 가끔; zur festgesetzten ~ kommen 정해진 시각에 오다; zu jeder ~ 어느 때든지; zu gegebener ~ 적절한 때에; noch zu gehöriger ~ 적당한 때에; zu gleicher ~ 동시에; zu ungelegener ~ 부적당한 때에; gerade zur rechten ~ 제때에, 적시에; 〖구어〗 zu nachtschlafender ~ 한밤중〔오밤중〕에; das ist nur eine Frage der ~ 그것은 단지 시간 문제일 뿐이다; es wird (allmählich) ~! 때가 (서서히) 다가온다!; es ist an der ~ (zu gehen) (갈) 시간이다; es ist früh an der ~ 너무 이르다; es ist〔wird〕 höchste ~, et. zu tun 무엇을 할 절호의 때다; außer der ~ 시기를 놓친, 근무 시간 외에; vor einiger〔langer〕 ~ 조금〔오래〕 전에; alles zu seiner ~! 만사에는 때가 있는 법!; zu aller ~ 항상, 늘; von ~ zu ~ 때때로; 〖은어〗 ihre ~ war gekommen 그녀의 해산날이 다가왔다. (**b**) (기한 만료) 시점: die ~ überschreiten 기한을 넘기다; fünf Tage über die ~ arbeiten 기한을 5일 초과하여 일하다. (**c**) 시각 (Uhrzeit): welche ~ ist es? 몇 시입니까?; hast du (die) genaue ~? 정확히 몇 시입니까?; zu welcher ~? 몇 시에? (**d**) 현지 시각: um 12 Uhr mitteleuropäischer ~ 중부 유럽 (현지) 시각으로 12 시 정각에. ⑤〖방언·구식〗 jm. die ~ bieten 누구에게 인사하다. ⑥ 서력, 기원: das Jahr 2000 nach〔vor〕 unserer ~ 기원 후〔전〕 2000 년. ⑦〖문법〗 시제, 시칭.

zeit *prp.*[2] 〖다음 용법으로〗 ~ js. Lebens 누구의 일생 동안: sie haben ~ ihres Lebens in diesem Haus gewohnt 그들은 평생 이 집에서 살았다.

Zeit=abschnitt *m.* 시기, 시대. **~abstand** *m.* 시간 간격, 시차: im ~ von je einer Stunde 한 시간 간격으로. **~achse** *f.* (도표의) 기준 시점. **~alter** *n.* ① 시대, 연대: das ~ der Technik 기술 시대; das Goldene ~ 황금 시대. ②〖지질〗 (분류상의) 대(代). **~angabe** *f.* ① 날짜〔시각〕(의 표기); 연월일. ②〖문법〗 시간 부사어. **~ansage** *f.* 〖방송〗 시보(時報). **~anwendung** *f.* 시간 활용. **~arbeit** *f.* 기한부〔임시〕 일. **~aufnahme** *f.* ①〖사진〗 약 2 분의 1 초 이상의 노출 촬영(↔ Momentaufnahme). ②〖經〗 특정 작업의 효율적 작업 시간 조사. **~aufwand** *m.* 시간의 소비〔낭비〕. **~aufwendig** *a.* 시간을 낭비하는, 시간 소비가 많은. **~ausschluß** *m.* 〖아이스하키〗 일시적 벌칙 퇴장. **~ball** *m.* 〖海〗 (보)시구((報時球)). **~bedingt** *a.* 시대〔시류〕에 따라 조건지워지는. **~begebenheit** *f.* 시사(時事). **~begriff** *m.* 시간 개념. **~behelf** *m.* 임시 변통, 미봉책. **~berechnung** *f.* 시간 계산; 연대 산정; 연대학. **~beschreibung** *f.* 연대기. **~bestimmung** *f.* ① 시간을 정함; 시대의 규정; 〖法〗 기한 결정. ②〖문법〗 시간 부사어. **~bewußtsein** *n.* 시대〔시간〕 의식. **~bezogen** *a.* 시간과〔시대와〕 연관된. **~biegung** *f.* 〖문법〗 (Konjugation) 동사 변화〔활용〕. **~bild** *n.* 시대상. **~blick** *m.* 순간 (Nu). **~bogen** *m.* 〖天〗 시간호(弧). **~bombe** *f.* 시한 폭탄: 〖비유〗 die ~ tickt 위험한 순간이 다가오고 있다; wir sitzen auf einer ~ 우리는 아주 위험한 상태에 있다. **~buch** *n.* ① (Chronik) 연대기, 편년사(編年史). ② (Jahrbücher) 연감, 연보(年報). **~dauer** *f.* 시간의 지속〔길이〕, 시간, 기간. **~dehner** *m.* 〖영화〗 ↑ ~lupe. **~differenz** *f.* 시차(時差). **~dokument** *n.* 시대의 기록물〔문서〕: der Film ist ein erschütterndes ~ 그 영화는 충격적인 시대 기록물이다. **~droschke** *f.* 〖구식〗 시간제 전세 마차, 택시. **~druck** *m.* 시간적 압박: in ~ sein〔unter ~ stehen〕 시간적 압박을 받고 있다.

Zeite *f.* -n (schweiz., westd.) (그릇의) 부리 모양의 주둥이.

Zeit=einheit *f.* 〖物〗 시간 단위. **~einteilung** *f.* ① (연·월·시·분 등의) 시간 구분. ② 시간 배분: eine gute ~ haben 좋은 시간대를 할당받다.

..zeiten *suf.* bei~ 때를 놓치지 않고, 곧.

Zeiten=folge *f.* 〖문법〗 (주문장과 부문장의) 시제 일치. **~wende** *f.* ① 시대 전환(Zeitwende). ② 서력 기원.

Zeit=ereignis *n.* 시대적인 사건. **~erscheinung** *f.* 시대적인 현상. **~ersparend** *a.* 시간을 절약하는. **~ersparnis** *f.* 시간 절약. **~fahren** *n.* 〖사이클〗 타임 트라이얼(개별적으로 출발하여 시간을 기록하는 레이스). **~faktor** *m.* 시간적 요인. **~fehler** *m.* ① 시대 착오, 아나크로니즘. ②〖心〗 시간 오차. ③〖승마〗 시간 초과 감점. **~fluß** *m.* 시간의 흐름〔경과〕. **~folge** *f.* ① 시간적 순서. ②〖문법〗 시제의 일치. **~folgig** *a.* 시간상의 순서에 따른. **~form** *f.* 〖문법〗 시칭. **~forscher** *m.* 연대학자. **~forschung** *f.* 연대기〔학〕. **~frage** *f.* ①〖다음 용법으로〗 es ist (nur) eine ~ 그것은 단지 시간 문제일 뿐이다. ② 시사 문제: auf ~n eingehen 시사 문제를 다루다; zu ~n Stellung nehmen 시사 문제에 입장을 표명하다. **~frei·willige*** *der* 〖軍〗 임시 지원병; 비정규군. **~funk** *m.* 시사 뉴스. **~gefühl** *n.* 시간 감각. **~gebunden** *a.* 시대〔시류〕와 연관된. **~geist** *m.* 시대 정신. **~gemäß** *a.* 시대에 맞는; 유행의. **~genosse** *m.* ① 동시대의 사람: ein ~ Goethes 괴테와 같은 시대 사람. ②〖구어·반어〗 동료, 동포, 이웃. **~genossin** *f.* ↑ ~genosse 의 여성형. **~genössisch** *a.* ① 동시대의. ② 현대의. **~-**

gerecht *a.* ① 시대에 부응하는. ② (öst., schweiz.) 시기 적절한. **~geschäft** *n.* 〖經〗 (Termingeschäft) 선물(先物) 거래; 정기 거래〔매매〕. **~geschehen** *n.* 시사적 사건〔문제〕: Berichte über das ~ 시사 문제에 관한 보도〔기사〕. **~geschichte** *f.* ① 현대사. ② 현대사의 연구 및 기술. **≈geschichtlich** *a.* 현대사의. **~geschmack** *m.* 시대의 취향, 유행. **~gewinn** *m.* 시간 절약. **≈gleich** *a.* ① 동시(발생)의: ~e Vorgänge 동시에 발생한 사건들. ②〖스포츠〗 같은 시간대의. **~gleichung** *f.* 〖天〗 (평균 태양시와 진(眞)태양시의) 균(均)시차. **~glocke** *f.* (schweiz.) 탑시계. **~gründe** *pl.* 〖다음 용법으로〗 aus ~n 시간이 없어서. **~hafen** *m.* 〖海〗 만조항(滿潮港). **~halter** *m.* (Chronometer) 박절기(拍節器). **≈her** [tsaɪthéːr] *adv.* 〖구식〗 그 이후로(seither). **≈herig** [tsaɪthéːrɪç] *a.* 〖구식〗 (seitherig) 그 이래의. **~hinausstellung** *f.* 〖스포츠〗 일시적 퇴장. **~horizont** *m.* 미리 내다볼 수 있는 시간적 한계.

zeitig [tsáɪtɪç] *a.* ① 〖구식·방언〗 (reif) 익은; 때가 찬. ② (südd.) 잠정적인. ③ 이른(früh): wir bekommen dieses Jahr einen ~en Winter 올 겨울은 일찍 찾아온다; ~ zu Abend essen 좀 이르게 저녁밥을 먹다. ④ 현재의.

zeitigen 《I》 *t.* ① 〖구식〗 익게 하다. ② 초래〔야기〕하다. 《II》 *i.* (h.) 〖구식〗 (öst.) 익다.

Zeitigung [..tɪgʊŋ] *f.* -en 숙성.

Zeit≈karte *f.* 정기 승차권. **~karten·inhaber** *m.* 정기 승차권 소지자. **~kauf** *m.* 〖經〗 정기 구매. **~kontrolle** *f.* 시간 관리. **~korridor** *m.* 주당 노동 시간의 상하한선. **~krankheit** *f.* 시대병. **~kritik** *f.* 시대 비판〔비평〕. **≈kritisch** *a.* 시대 비판〔비평〕의. **~kunde** *f.* 연대학(Chronologie). **≈kundig** *a.* 연대학에 밝은. **≈kürzend** *a.* 시간 가는 줄 모르게 하는, 재미있는. **~kürzung** *f.* ↑ ~vertreib. **~lage** *f.* 위기. **~lang** *f.* ① 〖다음 용법으로〗 eine ~ 한 동안, 잠시. ② (bayr.) (a) 동경: ein bißchen ~ nach jm. haben 누구를 그리워하다. (b) 지루함. **~lauf** *m.* ① 〖드물게〗 시간 경과. ② 〖雅語〗 시국, 추이: in diesen Zeitläuf(t)en 이러한 시국에. **≈lebens** [tsaɪtléːbəns] *adv.* 한평생, 종신토록: Pension auf ~ 종신 연금.

zeitlich [tsáɪtlɪç] *a.* ① 시간상의, 시간적인: der ~e Ablauf 시간의 경과; 〖法〗 ~e Freiheitsstrafe 유기 자유형(刑). ② (vergänglich, irdisch) 현세〔속세〕의; 일시적인; 허무한: 〖구식·농담〗 das ≈e segnen 세상을 떠나다, 고장나다. ③ (öst.) 〖드물게〗 ↑ zeitig.

Zeitlichkeit *f.* ① 현세, 속세; 무상, 허무: die ~ verlassen 세상을 뜨다. ② 속된 일, 승려가〔교회의 것이〕 아님. ③ 〖복수: -en〗 교회〔승려〕의 세속적 재산(Temporalien). ④ 〖哲〗 시간성.

Zeit≈limit *n.* 시간 제한. **~lohn** *m.* 시간제 임금.

zeitlos *a.* ① 시대를 초월한; 시류에 제약을 받지 않는. ② 시간의 경과와 무관한.

Zeitlose *f.* 〖植〗 (Herbstzeitlose) 콜히쿰(약용 식물의 일종).

Zeitlosigkeit *f.* 시류에 제약을 받지 않음; 시대를 초월함.

Zeit≈lupe *f.* 〖영화〗 (↔ ~raffer) ① 슬로 모션, 고속 촬영: das entscheidende Tor in ~ zeigen 결정적인 골을 슬로 모션으로 보여 주다. ② 고속 촬영기. ③ 〖구어〗 고속 촬영 장면. **~lupen·tempo** *n.* 매우 느린 속도: in ~ 매우 느리게. **~mangel** *m.* 시간 부족: aus ~〔wegen ~(s)〕 시간이 부족해서. **~maß** *n.* ① 시간 측정 단위. ② 〖문학〗 운율; 〖음악〗 속도, 박자. **~messer** *m.* ① 〖物〗 크로노미터, 시간 측정기, 시계; 〖음악〗 박절기(拍節機). ② 운율학자(Metriker). **~meß·kunst, ~messung** *f.* ① 시간 측정; 〖음악〗 박자. ② 〖문학〗 운율학. **≈nah** *a.* 현대적인, 시사성 있는. **≈nahe** ↑ ≈nah. **~nahme** *f.* 〖스포츠〗 시간 측정. **~nehmer** *m.* ① 〖스포츠〗 타이머, 계시원. ② 〖經〗 작업 시간 조사원. **~not** *f.* 시간에 쫓김. **~ordnung** *f.* 시간 순서; 연대순. **~pacht** *f.* (↔ Erbpacht) 시한부 임대차〔소작〕. **~personal** *n.* 시간제 근무자. **~plan** *m.* 일정〔시간〕표. **~problem** *n.* ↑ ~frage. **~punkt** *m.* (특정한) 시점: den günstigen〔richtigen〕 ~ verpassen 좋은 기회를 놓치다; der ~ seines Todes 그의 임종 시각. **~raffer** *m.* 〖영화〗 (↔ ~lupe) ① 저속 촬영. ② 저속 촬영기. **≈raubend** *a.* 시간이 걸리는, 시간을 잡아먹는. **~raum** *m.* 기간; 〖醫〗 (병이 발작하는) 간격: in einem ~ von mehreren Tagen 수일 동안. **~rechnung** *f.* ① 연대학(Chronologie); 기원(Ära), 연호: christliche ~ 서력; vor unserer ~ 기원 전(약어: v. u. Z.); nach unserer ~ 기원 후(약어: n. u. Z.). ② (천체의 위치에 따른) 시간 계산. **~register** *n.* ↑ ~tafel. **~rente** *f.* (취업 불능 기간에 지급되는) 시한 연금. **~roman** *m.* 시대 소설. **~schalter** *m.* 타임 스위치. **≈schnell** *a.* 〖스포츠〗 기록 시간이 빠른. **~schrift** *f.* ① 정기 간행물, 잡지. ② 잡지 편집 (요원).

Zeitschriften≈aufsatz *m.* 잡지의 논문. **~verlag** *m.* 잡지사. **~verleger** *m.* 잡지 발행인. **~werber** *m.* 잡지 외판원.

Zeit≈schrift·steller *m.* 저널리스트. **~schwelle** *f.* 〖哲〗 시간역(閾). **~schuß** *m.* 〖요트〗 ① 출발 신호 사격. ② 시간을 알리는 사격. **~signal** *n.* 〖방송〗 시보(時報). **~sinn** *m.* 시간 관념〔감각〕. **~soldat** *m.* 〖軍〗 단기 복무 군인. **~spanne** *f.* 기간. **≈sparend** *a.* 시간을 절약하는. **~springen** *n.* 〖승마〗 점프 테스트(실점도 시간으로 계산하여 총시간에 가산함). **~strafe** *f.* 〖스포츠〗 일시 퇴장 벌칙. **~strom** *m.*, **~strömung** *f.* 시간의 흐름; 시대 사조. **~stück** *n.* 시대극, 시사 문제극. **~tafel** *f.* 연(대)표, 시간표. **~takt** *m.* 〖전화〗 (요금 정산을 위한) 단위 시간. **~überschreitung** *f.* 〖스포츠〗 제한 시간 초과. **~umstände** *pl.* 시대 상황, 시국: unter den jetzigen ~ 현시국에서는.

***Zeitung** [tsáɪtʊŋ] 《ndd. tiding(e)》 *f.* -en ① 〖고어〗 (Nachricht) 소식, 보고, 통지. ② 신문: amtliche ~ 관보(官報); eine ~ abonnieren〔halten〕 신문을 정기 구독하다; eine ~ abbestellen 신문을 끊다; eine ~ herausgeben 신문을 발행하다; et. in die ~ setzen 무엇을 신문에 게재하다; eine Anzeige in einer ~ veröffentlichen 광고를 신문에 내다; ~en austragen 신문을 배달하다; das steht in der ~ 그것은 신문에 나와 있다. ③ 신문 편집부, 신문사: er arbeitet〔ist〕 bei der ~ 그

Z

는 신문사에서 일한다.

Zeitung·lesen *n.* 신문 구독.

Zeitungs≈ablage *f.* 신문 모아 놓는 곳. **~abonnement** *n.* 신문 정기 구독. **~abonnent** *m.* 신문 정기구독자. **~amt** *n.* 신문사. **~annonce, ~anzeige** *f.* 신문 광고. **~artikel** *m.* 신문 기사. **~ausschnitt** *m.* 기사 스크랩. **~ausschnitt·büro** *n.* 스크랩 대행사; 특별 기사를 수집하는 통신사. **~austräger** *m.* 신문 배달원. **~beilage** *f.* 신문 부록. **~bericht** *m.* 신문 기사. **~bericht·erstatter** *m.* 신문 특파원〔통신원〕. **~blatt** *n.* 신문(의 쪽). **~bude** *f.* 신문 가판대. **~deutsch** *n.* 신문(용) 독일어 (문체). **~dienst** *m.* 〖우편〗 신문·잡지의 송달. **~ente** *f.* 〔구어〕 신문의 오보(誤報). **~expedition** *f.* 신문사 광고부. **~frau** *f.* 〔구어〕 여자 신문 배달원〔판매원〕. **~halter** *m.* 신문꽂이. **~inserat** *n.* ↑ ~anzeige. **~junge** *m.* 신문 배달〔판매〕 소년. **~kiosk** *m.* 신문 가판대(街販臺). **~kopf** *m.* 신문 표제. **~korrespondent** *m.* 신문 통신원〔특파원〕. **~leser** *m.* 신문 독자. **~mache** *f.* 신문의 과장 광고〔선전〕. **~mann** *m.* 〔구어〕 ①〔복수: (대개) ..leute〕 저널리스트. ②〔복수: (대개) ..männer〕 신문 배달원〔판매원〕. **~meldung** *f.* 신문 보도. **~mensch** *m.* 〔구어〕 신문 기자. **~nachricht, ~neuigkeit** *f.* 신문 보도. **~notiz** *f.* 신문의 토막 기사, 단신. **~papier** *n.* ① 신문 (인쇄) 용지. ② (헌)신문지. **~redakteur** *m.* 신문 편집인. **~redaktion** *f.* 신문 편집(국). **~reklame** *f.* 신문 광고. **~roman** *n.* 신문 연재 소설. **~satz** *m.* 신문 식자〔조판〕. **~schreiber** *m.* 신문 기자. **~seite** *f.* 신문면. **~spalte** *f.* 신문의 난〔단〕. **~spanner** *m.* 신문철. **~stil** *m.* 저널리즘 문체. **~träger** *m.* 신문 배달원. **~verkäufer** *m.* 신문 판매원. **~verkäuferin** *f.* ↑ ~verkäufer 의 여성형. **~verlag** *m.* 신문사. **~verleger** *m.* 신문 발행인. **~wesen** *n.* 신문업(계). **~wissenschaft** *f.* 신문(정보)학.

Zeit≈verderb *m.* 시간 낭비. **≈vergeudend** *a.* 시간을 낭비하는. **~vergeudung** *f.* ↑ ~verschwendung. **~verhältnisse** *pl.* ↑ ~umstände. **~verlauf** *m.* ↑ ~lauf. **~verlust** *m.* 시간 손실: ohne ~ 즉각, 즉시; den ~ aufholen 시간 손실을 보충하다. **~verschwendung** *f.* 시간 낭비. **≈versetzt** *a.* 시간이 지연된. **~vertreib** *m.* 시간 보내기, 소일 거리, 오락, 기분풀이: zum ~ 심심풀이로. **≈vertreibend** *a.* 심심풀이의, 무료함을 달래는. **~wechsel** *m.* 시대 변화. **≈weilig** *a.* ① 일시적인, 잠시의. ② 때때로의. **≈weise** *adv.* ① 때때로, 가끔. ② 당분간, 잠시. **~weiser** *m.* 달력(Kalender). **~wende** *f.* ↑ Zeitenwende. **~wert** *m.* 시가(時價); 〖음악〗 음의 길이. **~wert·papier** *n.* 시간 유가 증권(초과 수당이나 사용하지 않은 휴가·보너스 등을 적립하고 받는). **~wertversicherung** *f.* 시가(時價) 보험. **~wind** *m.* 계절풍. **~wort** *n.* 〔복수: ..wörter〕〖문법〗 동사(Verbum). **~wort·form** *f.* 동사 시칭형. **≈wörtlich** *a.* 〖문법·드물게〗 동사의, 동사적인. **~zeichen** *n.* 〖방송〗 시보(時報): beim ~ ist es 12 Uhr 시보가 울리면 12 시입니다. **~zone** *f.* 동일 표준시(를 사용하는) 지역. **~zünder** *m.* ①〖軍〗 시한 신관(信管)(↔ Aufschlagzünder). ② 이해가 더딘 사람.

zekeln *i.*(h.) 〔구어〕(무엇을 잘 보려고) 발끝으로 서다.

Zelebrant [tselebránt] 《lat.》 *m.* -en, -en 〖가톨릭〗(미사를 집전하는) 사제.

Zelebration *f.* -en 의식(儀式), 제전(祭典); 〖가톨릭〗 미사 집전(의식).

zelebrieren [..brí:rən] *t.* ①〖가톨릭〗(미사를) 집전하다. ② (의식·제전 등을) 거행하다: eine Ansprache ~ 엄숙하게 연설하다. ③〔교양〕 축하하다, 기념식을 올리다. ④〔교양·농담〕(회합·잔치 등을) 요란하게 치르다.

Zelebrierung *f.* -en 미사의 집전, 축하 행사.

Zelebrität *f.* -en 〔교양〕 ① 유명, 고명. ② 명사(名士). ③〔구식〕(Feierlichkeit) 제전, 축전; 장중.

Zelge [tsɛ́lgə] *f.* -n (südd.) 밭, 경작지.

zelgen *t.* ① 놀린 땅을 다시 갈다. ② 울타리로 둘러싸다.

Zell·atmung *f.* 〖醫〗 세포〔조직·내(內)〕 호흡.

Zellchen *n.* -s, - 〔↑ Zelle 의 축소형〕 작은 방; 작은 세포.

***Zelle** [tsɛ́lə] 《lat. cella》 *f.* -n ① 작은 방; (Bade≈) 수영장 탈의실; 기표소(Wahl≈); 공중 전화 박스(Telefon≈); die Gefangene in ihre ~n einschließen 죄수들을 각자의 감방에 넣다. ② (벌집의) 봉방. ③〖生〗 세포; 〖사회〗(비밀·정치 조직의) 세포: 〔농담〕 die (kleinen) grauen ~n 뇌(세포), 사고력; eine ~ bilden 작은 단체를 이루다. ④〖空〗(비행기의) 동체(胴體); 〖海〗(배의) 탱크, 수조, 유조. ⑤〖醫〗 치조(齒槽); 〖전기〗 전지. ⑥ (표의) 셀(행과 열이 만나는 한 칸), 낱칸; 〖컴〗 소자(素子): ~n verbinden 셀을 합치다. ⑦〖광물〗 수정 격자(格子)의 최소 구성 단위.

Zellehre *f.* -n 세포학.

zellen≈artig, ~förmig *a.* 세포 모양의. **≈bildung** *f.* ①〖生〗 세포 형성. ②〖사회〗(정치 결사〔단체〕의) 말단 조직〔세포〕 형성. **≈gefängnis** *n.* 독방제 교도소. **≈genosse** *m.* 감방 동료. **≈gewebe** *n.* ↑ Zellgewebe. **≈lehre** *f.* 세포학. **≈rad** *n.* 〖工〗 두레박. **≈schmelz** *m.* 칠보(七寶). **≈system** *n.* (교도소의) 독방 제도.

Zeller *m.* -s (öst.) 〖植〗 셀러리.

Zell≈forschung *f.* 세포학(Zytologie). **~gewebe** *n.* 〖生〗 세포 조직. **~gewebsentzündung** *f.* 〖醫〗 급성 결체 조직염, 봉와직염(蜂窩織炎). **~gift** *n.* 〖生〗 세포독. **~glas** *n.* 셀로판지. **~haut** *f.* ↑ ~glas. **~horn** *n.* ↑ Zelluloid.

zellicht *a.* ↑ zellig.

zellig [tsɛ́lıç] *a.* 세포로 된, 세포질의.

Zelling *m.* -s, -e 〖生〗 원생 동물.

Zell≈kern *m.* 〖生〗 세포핵. **~körper** *m.* 〖生〗 세포체. **~lehre** *f.* 〔드물게〕 세포학. **~membran** *f.* 세포막.

Zelloidin·papier [tsɛloidí:n..] *n.* 셀로이딘 인화지.

Zellon *n.* -s 타지 않는 셀룰로이드 대용품.

Zellophan [tsɛlofá:n] *n.* -s 셀로판(지).

Zell≈stoff *m.* ① 섬유소, 셀룰로오스. ② 펄프. **~stoffabrik** *f.* 섬유소〔펄프〕 공장.

Z

~**stoff·wechsel** *m.* 세포의 신진 대사. ~**substanz** *f.* 〖生〗 세포질. ~**teilung** *f.* 〖生〗 세포 분열.

zellular [tsɛlulá:r], **zellulär** [..lέ:r] 《lat.》 *a.* ① 세포로 된. ② 세포의; 세포와 관련된; 세포 모양의.

Zellular·pathologie *f.* 세포 병리학.

Zellulitis [tsɛlulí:tɪs] *f.* ..tiden [..tí:dən] 〖醫〗 세포염, 결합 조직염.

***Zelluloid** [tsɛlulɔ́ʏt, ..loí:t] 《lat. +gr.》 *n.* -(e)s ① 〖化〗 셀룰로이드. ② 탁구공.

Zelluloid=held *m.* 영화의 주인공. ~**schön·heit** *f.* 미모의 여배우. ~**streifen** *m.* 영화 필름.

Zellulose [..ló:zə] *f.* -n 〖化〗 셀룰로오스, 섬유소.

Zell=vermehrung *f.* 〖生〗 세포 증식. ~**verschmelzung** *f.* 세포 융합. ~**wachstum** *n.* 세포 성장. ~**wand** *f.* 〖生〗 세포벽. ~**wesen** *n.* 세포 조직. ~**wolle** *f.* 인조 섬유. ~**wucherung** *f.* 과잉 세포 증식.

Zelot [tselό:t] 《gr.》 *m.* -en, -en ① 열성 당원 (기원 1세기에 로마 지배에 무장 항거한 유대 민족주의자). ② 〔교양〕 광신자(Eiferer).

Zelotentum *n.* -s ↑ Zelotismus.

zelotisch *a.* ① 열성 당원의. ② 열광적인, 광신적인.

Zelotismus *m.* - 〔교양〕 (종교적) 열광, 광신.

***Zelt**[1] [tsɛlt] *n.* -(e)s, -e ① 천막, 텐트: ein ~ abbrechen〔abbauen〕 천막을 걷다; ein ~ aufschlagen〔bauen〕 천막을 치다; 〖농담〗 seine ~e abbrechen 거처를 옮기다〔떠나다〕; 〖농담〗 seine ~e irgendwo aufschlagen 어딘가에 정착하다. ② 〔시어〕 (Himmel~) 창궁(蒼穹), 하늘; 별이 총총한 밤하늘(Sternen~).

Zelt[2] 《sp.》 *m.* -(e)s 〖승마〗 측대보(側對步) (말이 같은 쪽 앞뒷발을 동시에 들어 걷는 걸음).

Zelt[3] *m.* -en, -en ↑ Zelten.

Zelt=bahn *f.* ① 띠 모양의 천막용 직물. ② 천막의 방수포(防水布). ~**bau** *m.* 천막 치기. ~**bett** *n.* 위에 포장이 있는 침대. ~**blache** *f.* (schweiz.) ↑ ~plane. ~**blatt** *n.* (öst.) ↑ ~plane. ~**bude** *f.* 천막 노점.

Zeltchen [tsέltçən] *n.* -s, - ① 〔↑ Zelt[1]의 축소형〕 소형 천막. ② 〔↑ Zelt[3]의 축소형〕 둥근 소형의 과자; 알약, 정제.

Zelt=dach *n.* ① 천막의 지붕. ② 〖건축〗 (4면으로 된 천막 모양의) 뾰족 지붕. ③ ↑ ~decke. ~**decke** *f.* (갑판 위의) 천막; 차양.

Zelte *m.* -n, -n, **Zelten** *m.* -s, - (obd.) 〔구식〕 평평하고 둥근 과자.

zelten *i.* (h.) 천막을 치고 숙영하다: an einem See ~ 호반에서 캠핑을 하다.

Zelter [tsέltər] *m.* -s, - ① 〔옛뜻〕 측대보(側對步)로 조련된 말. ② 캠퍼.

Zelter=gang *m.* 측대보(側對步) (Zelt[2]).

Zelt=gang *m.* ↑ Zeltergang. ~**haus** *n.* (작은) 천막집. ~**hering** *m.* 천막용 말뚝. ~**lager** *n.* 야영장. ~**leben** *n.* 천막〔캠프〕 생활. ~**lein·wand** *f.* 천막용 방수 아마포.

Zeltler *m.* -s, - ↑ Zelter ②.

Zelt=mast *m.* 천막의 지주(支柱). ~**mission** *f.* 〔고어〕 천막 전도(신교 포교 운동의 한 방식). ~**pfahl** *m.* 천막 기둥. ~**pflock** *m.* ↑ ~hering. ~**plane** *f.* 천막포. ~**platz** *m.* 캠프장. ~**schritt** *m.* ↑ Zeltergang. ~**stadt** *f.* 대규모 캠프장, 천막촌. ~**stange** *f.*, ~**stock** *m.* ↑ ~mast. ~**stoff** *m.* 천막용 천. ~**stuhl** *m.* 캠프용 접의자. ~**wand** *f.* 천막의 측면.

***Zement**[1] [tsemέnt] 《lat. cimentum》 *m.* -(e)s, -e ① 〖工〗 시멘트. ② 〖醫〗 치과용 시멘트. ③ (암석의) 교결물(膠結物).

Zement[2] *n.* -(e)s, -e (이의) 백악질(白堊質).

Zementation [..tsió:n] *f.* -en ① 시멘트 접합. ② 〖제련〗 침탄법(浸炭法), 시멘테이션. ③ 〖化〗 (용액에서의) 금속 침전.

Zement=bahn *f.* 시멘트로 만든 사이클 경주로. ~**boden** *m.* 시멘트 바닥. ~**dach** *n.* ① 〖건축〗 천막형 지붕. ② 〖서커스〗 천막 지붕.

zementen *a.* ① 시멘트로 만든. ② 〔시어〕 회색의: ein ~er Himmel 회색빛 하늘.

zementieren [tsemɛntí:rən] *t.* ① 시멘트로 처리하다: eine zementierte Straße 시멘트로 포장된 도로. ② 〔교양〕 (상태를) 고착시키다, 고정화하다: die Spaltung Koreas darf nicht zementiert werden 한국의 분단이 고착되어서는 안 된다. ③ 〖제련〗 침탄법(浸炭法)으로 제강(製鋼)하다.

Zementierung *f.* -en ① 〖제련〗 침탄법(浸炭法) (철의 표면을 강화하는 법). ② (암석의) 교결 작용. ③ 고착화, 공고화.

Zementier(ungs)·ofen *m.* 〖제련〗 강화로(鋼化爐).

Zement=kupfer *n.* 〖제련〗 침전(沈澱) 구리. ~**maschine** *f.* ↑ ~mischmaschine. ~**misch·maschine** *f.* 시멘트 혼합기〔믹서〕. ~**sack** *m.* 시멘트 부대. ~**silo** *m./n.* 시멘트 저장 사일로. ~**stahl** *m.* 침탄강(浸炭鋼). ~**werk** *n.* 시멘트 공장.

Zen [tsɛn, zɛn] *n.* -(s) 〖불교〗 선(禪).

Zenakel [tsená:kəl] *n.* -s, - (수도원의) 식당 (Zönakel).

Zenana *f.* -s (인도의) 규방(閨房).

Zend [tsɛnt] 《pers.》 *n.* -s, **Zend·sprache** *f.* 고대 페르시아어.

Zendawesta [zɛntav.., zɛnda..] *n./f.* 조로아스터교의 경전(經典).

Zenerdiode *f.* -n 〖전기공학〗 제너다이오드.

Zenit [tsení:t] 《ar.》 *m.* -(e)s ① 〖天〗 천정(天頂) (↔ Nadir): die Sonne steht im ~ 태양은 중천에 떠 있다. ② 〔교양〕 정점(頂點), 절정: im ~ des Lebens〔Ruhms〕 stehen 인생〔명성〕의 절정(기)에 있다; den ~ überschreiten 정점을 넘어서다.

zenital *a.* 천정의, 하늘 끝의.

Zenital·regen *m.* 열대성의 한여름 폭우.

Zenit·distanz *f.* 〖天〗 천정 거리.

Zenkel *m.* -s, - 〔방언〕 손톱, 발톱.

Zenotaph 《gr.》 *n.* -s, -e, **Zenotaphium** *n.* -s, ..phien [..fiən] (유해를 넣지 않은) 위령탑.

zensieren [tsɛnzí:rən] 《lat.》 *t.* ① 평점을 매기다: einen Aufsatz ~ 작문에 점수를 매기다; der Lehrer zensiert streng 그 선생님은 엄격하게 성적을 매긴다. ② 검열하다.

Zensierung *f.* -en 평가, 심사, 검열.

Zensit *m.* -en, -en 납세 의무자.

Zensor [tsέnzɔr, ..zo:r] *m.* -s, -en [..zó:rən] ① (고대 로마의) 풍기 단속 감찰관. ② 검열관.

Zensor·amt *n.* 검열관〔감찰관〕의 직책.

zensorisch *a.* ① 감찰관의. ② 검열관의.

*Zensur [..zúːr] f. -en ① (고대 로마의) 감찰관의 직책. ② 검열: eine ~ ausüben 검열을 실시하다; der strengen ~ unterliegen 엄격한 검열을 받다. ③ 검열 기관: die ~ hat den Film verboten 검열 당국에서 이 영화를 금지시켰다. ④【心】(잠재 의식의) 검열. ⑤ (Note) (학업 따위의) 성적, 평점: jm. eine gute ~ geben 누구에게 좋은 점수를 주다; eine schlechte ~ in Deutsch bekommen〔haben〕 독일어 과목에서 나쁜 성적을 받다;〖비유〗 ~en austeilen 성적표를 배부하다, 남을 이러쿵저러쿵 비판하다.

Zensur≈behörde f. 검열 기관. **~buch** n. ↑ Zensurenbuch.

Zensuren·buch n. 성적부.

Zensur·liste f. 성적표.

Zensuren·verteilung f. 성적 통지.

zensurieren t. (öst., schweiz.) 검열하다 (zensieren ②).

Zensur·verteilung f. ↑ Zensurenverteilung.

Zensus [tsɛ́nzʊs] 《lat.》 m. -, - ① (고대 로마의) 재산 평가와 등록. ②【史】조세〔세금〕 할당〔부과〕. ③ 인구 조사.

Zensus·wahl·recht n. 재산 평가에 의한 차등 선거권.

Zent [tsɛnt] 《lat. centum, „Hundert"》 f. -en ①【중세】백작령(領) 예속 행정구. ② (프랑크 왕국의) 백작령(領) 재판 관할구. ③ (고대 독일의) (군대 조직의 단위인) 100 인대(隊).

Zentaur [tsɛntáʊər] m. -en, -en ①【그리스 신화】(Kentaur) 켄타우루스(상반신은 인간이고, 하반신은 말인 괴물). ②【天】켄타우루스 별자리.

Zentenar [tsɛntenáːr] m. -s, -e ① (프랑크 왕국의) 백작령(領) 형사 재판 소장. ②【교양·드물게】100 세인 사람〔노인〕.

zentenar 《lat.》 a. 100 년의, 100 세의.

Zentenar≈ausgabe f. 〖교양〗 출판 100 주년 기념판. **~feier** f. 〖교양〗 ↑ Zentenarium.

Zentenarium n. -s, ..rien [..riən]〖드물게〗 100 년제(祭), 100 주년 기념일.

Zenter·half m. -s, -s (öst.) 센터하프(Mittelläufer).

zentern i. (öst.) 공을 센터링하다.

Zenter·stürmer m. (öst.) 센터 포워드(Mittelstürmer).

zentesimal [..zimáːl] a. (hundertteilig) 100 분의 1 의; 백분법의, 백진법의.

Zentesimal≈thermometer m. 백분도 온도계. **~waage** f. 백분도 저울.

zent≈frei a. (고대 독일·중세의) 재판구에 예속되지 않은. **~gericht** n. (고대 독일 백작령(領)의) 형사 재판소.

zenti.. 《lat. centum, „hundert"》 pref. "100 분의 1 의"의 뜻(보기: ∻meter).

Zentifolie [..fóːliə] 《lat. folium, „Blatt"》 f. -n【植】(꽃잎이 8 겹인) 천엽화 장미.

Zenti≈grad [tsɛntigráːt, tsɛ́ntigraːt] m. 백분도. **~gramm** [tsɛntigrám, tsɛ́ntigram] n. 100 분의 1 그램, 센티그램(약어: cg). **~liter** [tsɛntilíːtər, tsɛ́ntiliːtər] n./(schweiz.) m. 100 분의 1 리터, 센티리터(약어: cl). **~meter** [tsɛntiméːtər, tsɛ́ntimeːtər] n./(schweiz.) m. 센티미터(약어: cm).

Zentimeter≈maß n. 센티미터자. **~welle** f. 〖방송〗 센티미터파(波) (1-10 센티미터의 전파).

Zentner [tsɛ́ntnər] 《lat. centum, „hundert"》 m. -s, - ① 100 파운드, 50 킬로그램(약어: Ztr.). ② (öst., schweiz.) 100 킬로그램(약어: q).

Zentner≈gewicht n. ① (수) 백 파운드 무게. ② 100 파운드 무게의 저울추. **~last** f. 100 파운드의 짐;〖비유〗무거운 짐: jm. fällt eine ~ vom Herzen〔von der Seele〕 누구를 짓누르는 무거운 마음의 부담이 덜어지다. **~sack** m. 백 파운드들이 자루. **∻schwer** a. 100 파운드 무게의;〖비유〗마음을 무겁게 짓누르는: es liegt jm. ~ auf der Seele, daß... …이 누구의 마음을 무겁게 짓누른다. **∻weise** adv. 100 파운드씩, 대량으로.

*zentral [tsɛntráːl] 《lat.》 a. ① (a) 중심부에 있는: das Haus liegt ~ 그 집은 중심부에 있다. (b) 중심을 이루는. (c) 중심적인, 중요한; 근본적인: die ~e Figur dieses Dramas 이 드라마의 중심 인물; das ~e Problem 근본적인 문제. ② 중앙 통제의: die ~en Staatsorgane 중앙 국가 기관; die Anlage wird ~ gesteuert 이 시설은 중앙에서 조종된다;【醫】 ~es Nervensystem 중추 신경계.

Zentral≈abitur n. (중앙 정부 주관의) 대입시험. **~afrika** 중앙 아프리카. **~afrikaner** m. 중앙 아프리카인. **∻afrikanisch** a. 중앙 아프리카의. **~afrikanische Republik** f. 중앙 아프리카 공화국. **~amerika** 중앙 아메리카. **~asien** n. 중앙 아시아. **~ausschuß** m. 중앙 위원회. **~bahnhof** m. 중앙역. **~bank** f.【經】중앙 은행. **~bau** m.【건축】 집중식 건축. **∻beheizt** a. 중앙 난방의. **~behörde** f. 중앙 관청. **~bewegung** f.【物】중심 운동. **~blatt** n. 중앙 신문.

*Zentrale [tsɛntráːlə] 《lat.》 f. -n ① 중심점. ② 본부, 중추부;【經】(↔ Filiale) 본점, 본사. ③【전기】발전소; 전화 교환국. ④【기하】 (2 원의 중심을 지나는) 중심선.

*Zentral≈einheit f.【컴】중앙 처리 장치. **~figur** f. 중심 인물. **~flug·hafen** m. 중심 공항. **∻geheizt** a. ↑ ∻beheizt. **~genossenschaft** f. 중앙 협동 조합. **∻gesteuert** a. 중앙에서 조종하는. **~gewalt** f.【政】중앙〔최고〕 권력. **~heizung** f. ① 중앙〔집중〕 난방. ② 중앙 난방의 방열기.

*Zentralisation [tsɛntralizatsióːn] 《lat.》 f. -en 집중(화); 중앙 집권.

zentralisieren t. 중심에 모으다, 한 점에 집중하다; 중앙 집권화하다.

Zentralisierung f. -en ↑ Zentralisation.

Zentralismus m. -【政】중앙 집권제, 중앙 집권주의.

zentralistisch a. 중앙 집권제〔주의〕의.

Zentral≈komitee n. (특히 사회주의 정당의) 중앙 위원회(약어: ZK). **~kraft** f.【物】중심력. **~nerven·system** n. 중추 신경계. **~organ** n. ①【生】중추 기관. ② (정당 따위의) 기관지. **~perspektive** f. 중심 투시 도법. **∻perspektivisch** a. 중심 투시 도법의. **~problem** n. 중심〔근본〕 문제. **~projektion** f.【數】중심 투영〔사영(射影)〕. **~punkt** m. 중심점. **~rat** m. 최고 위원회. **~regierung** f. 중앙 정부. **~register** n. 중심 목록. **~stelle** f. 중심부〔지〕; 중앙 기관, 본부; 본점, 본사. **~thema** n. 중심 테마〔주제〕.

~**verband** *m.* 중앙 (통제) 기관, 상부 기관, 수뇌부. ~**verwaltung** *f.* 중앙 행정.

Zentrier·bohrer *m.* ↑ Zentrumbohrer.

zentrieren [tsɛntrí:rən] 《lat.》《Ⅰ》 *t.* ① 중심에 두다. ②〖교양〗 et. um et. ~ 무엇을 중심으로 무엇을 빙둘러 배열하다. ③ 중심점을 정하다: eine Linse ~ 렌즈의 초점을 맞추다. ④〖컴〗(문단을) 중앙 정렬하다. 《Ⅱ》 *refl.* sich ~ 중심에 놓여 있다.

Zentrierung *f.* -en 중심 정하기; 중심 배치.

Zentrier·vorrichtung *f.* 〖工〗 중심 장치.

zentrifugal [tsɛntrifugá:l] 《lat.》 *a.* ①〖物〗 원심력(遠心力)의(↔ zentripetal): eine ~e Bewegung 원심 운동. ②〖生·醫〗 원심성의, 원심적인.

Zentrifugal=kraft *f.* 〖物〗 원심력. ~**maschine** *f.* 원심기(機). ~**pumpe** *f.* (소용돌이식) 원심 펌프. ~**regulator** *m.* 원심력 조속기(調速機).

Zentrifuge [tsɛntrifú:gə] 《lat.》 *f.* -n 〖物〗 원심(분리)기.

zentrifugieren *t.* 원심기로 분리하다: Blut ~ 혈액을 원심 분리하다.

zentripetal [tsɛntripetá:l] 《lat.》 *a.* 〖物〗 (↔ zentrifugal) ① 구심력(求心力)의. ②〖生·醫〗 구심성의.

Zentripetal·kraft *f.* 〖物〗 구심력.

zentrisch [tsɛ́ntrɪʃ] 《lat.》 *a.* 중심〔중앙〕의〔에 있는〕.

Zentrismus *m.* - 〖폄어〗 중도〔온건〕주의.

Zentrist *m.* -en, -en 〖폄어〗 중도〔온건〕주의자.

Zentri·winkel *m.* 〖기하〗 중심각.

***Zentrum** [tsɛ́ntrʊm] 《lat. centrum》 *n.* -s, ..tren ① (Mittelpunkt) 중심, 중앙; 중심지; 초점: ein kulturelles ~ 문화 중심지; im ~ des Interesses stehen 관심의 초점이 되다; etwas steht im ~ der Diskussion 무엇이 토론의 중심이 되다; das ~ des Erdbebens 지진의 진원지. ② 중앙당(1871-1933년 사이에 존속한 독일의 가톨릭 정당으로, 좌석이 의회 중앙에 배치된 데서). ③ 도심(Innenstadt). ④〖체스〗 판의 중앙 부분. ⑤ (중추적 시설 기관인) 센터: ein ~ für die Jugend 청소년 센터. ⑥〖생리〗 중추.

Zentrum=bohrer *m.* 〖工〗 돌리는 송곳. ~**schuß** *m.* 〖軍〗 적중탄(彈).

Zentrums·partei *f.* ↑ Zentrum ②.

Zenturie [tsɛntú:riə] 《lat. centum, „hundert"》 *f.* -n 100인대(隊)(고대 로마 군단의 최소 단위).

Zenturio *m.* -s, -nen [..rió:nən] (고대 로마의) 100인 대장(隊長).

Zenturium *n.* -s 〖고어〗 페르뮴(방사성 원소)(기호: Ct).

Zeolith [tseolí:t, ..lɪ́t] 《gr.》 *m.* -(e)s/-en, -e(n) 〖광물〗 제올라이트, 비석(沸石).

Zephalhämatom *n.* -s, -e 〖醫〗 신생아의 두부(頭部).

Zephalometrie *f.* -n [..rí:ən] 〖고고〗 두개골 측정.

zephalometrisch *a.* 두개골 측정의.

Zephalopode 《gr.》 *m.* -n, -n 〖動〗 두족류(頭足類)(Kopffüßler).

Zephalosporin *n.* -s, -e 〖醫〗 세팔로스포린(페니실린과 비슷한 항생 물질).

Zephir [tsé:fɪr] 《lat.》 *m.* -s, -e ① 서풍; 〔시어〕 미풍, 산들바람. ②〖방직〗 부드러운 면직물.

Zephir·garn *n.* 부드러운 세모사.

zephirisch [tsefí:rɪʃ] *a.* 〔시어〕 산들산들 부는, 부드러운.

Zephir·wolle *f.* (편물용의) 고급 세모사.

Zephyr *m.* -s ↑ Zephir ①.

zephyrisch *a.* ↑ zephirisch.

Zeppelin [tsɛ́pəli:n] *m.* -s, -e, **Zeppelin·luft·schiff** *n.* 체펠린 비행선(발명자 체펠린(F. v. Zeppelin)의 이름에서).

***Zepter** [tsɛ́ptər] 《lat.》 *n./m.* -s, - 〔고어〕 왕홀(王笏); 〔비유〕 주권: 〔농담〕 das〔den〕~ führen〔schwingen〕 지배〔집권〕하다, 주도권을 행사하다; unter seinem ~ blühte der Handel 그의 치하에서 무역이 활발히 이루어졌다.

Zer [tse:r] *n.* -s ↑ Cerium, Zerium.

zer.. *pref.* "분리·분열·해산·분해·파괴"의 뜻.

zerarbeiten [tsɛr|árbaɪtən] 《Ⅰ》 *t.* ① 일을 많이 해서 변형시키다〔해치다〕; 분쇄하다. ② (근심·걱정으로) 괴롭히다: während ich so meinen Kopf zerarbeite... 내가 그렇게 골머리를 썩이고 있는 동안…. 《Ⅱ》 *refl.* sich ~ 과로하다.

Zerat [tserá:t] 《lat.》 *n.* -(e)s, -e 〖藥〗 납연고(Wachssalbe).

zerätzen [tsɛr|ɛ́tsən] *t.* 부식시켜 파괴하다.

Zerbe *f.* -n (Zirbe) 서양잣나무.

zerbeißen* *t.* ① 물어뜯다. ② (벌레가) 물다: Flöhe haben ihn zerbissen 그는 벼룩한테 물렸다.

zerbeizen *t.* ↑ zerätzen.

zerbersten* *i.* (s.) 파열〔폭발〕하여 산산조각이 나다: der Spiegel zerbarst in tausend Stücke 거울이 깨져 산산조각이 났다; vor Wut fast ~ 화가 나서 거의 폭발할 지경이다.

Zerberus [tsɛ́rbərʊs] *m.* -, -se ①〖그리스신화〗 케르베로(지옥 문을 지키는 머리가 셋 달린 개). ②〔농담〕 무서운 문지기.

zerblasen* *t.* 불어 흩뜨리다〔깨뜨리다〕.

zerblättern *i.* (h.) (잎 따위가) 하나씩 떨어지다.

zerbeulen *t.* 울퉁불퉁하게 만들다.

zerbleueln *t.* 사정없이 때리다.

zerbomben *t.* 폭파하다: zerbombte Häuser 폭파된 집들.

zerbrechen [tsɛrbrɛ́çən] 《Ⅰ》 *t.* 부수다, 깨뜨리다; 〔비유〕 sich³ über et. den Kopf ~ 무슨 일로 골치를 앓다. 《Ⅱ》 *i.* (s.) ① 부서지다, 깨지다: Glas zerbricht leicht 유리는 깨지기 쉽다; eine Bindung〔Freundschaft〕 ~ 결속〔우정〕이 깨지다. ② 좌절하다: er ist am Leben zerbrochen 그는 인생에서 패배했다.

zerbrechlich [..brɛ́çlɪç] *a.* ① 깨지기〔부서지기〕 쉬운. ②〔雅語〕 연약한: sie wirkt sehr ~ 그녀는 무척 연약하게 보인다.

Zerbrechlichkeit *f.* ① 깨지기〔부서지기〕 쉬움. ② 허약성, 약질.

zerbröckeln 《Ⅰ》 *t.* 잘게 부수다. 《Ⅱ》 *i.* (s.) 산산이 부서지다; 〔비유〕 붕괴하다: das Reich zerbröckelte 그 제국은 무너졌다.

Zerbröckelung *f.* 분쇄; 붕괴.

Zerbröcklung *f.* ↑ Zerbröckelung.

zerdehnen 《Ⅰ》 *t.* ① 지나치게 늘이다. ② 지

나치게 길게 끌다: eine Melodie ~: 선율을 길게 늘이다. 《Ⅱ》 *refl.* sich ~ 과도하게 늘어지다.

zerdeppern *t.* 〔구어〕 (유리 따위를) 박살내다 (zerteppern).

zerdreschen* *t.* 〔구어〕 두드려 부수다, 박살내다.

zerdrücken [tsɛrdrʏ́kən] *t.* ① 압사시키다. ② 눌러 부스러뜨리다, 으깨다: die Zigarette im Aschenbecher ~ 담뱃불을 재떨이에 비벼 끄다; bei der Feierlichkeit zerdrückte sie ein paar Tränen 축제 때 그녀는 눈물이 나오려는 걸 꾹 참았다. ③〔구어〕(의복 등을) 구기다: das Kleid ~ 의복을 구기다.

Zerealien [tsereá:liən] 《lat. Ceres, „Göttin der Fruchtbarkeit"》 *pl.* (Getreide) 곡물, 곡류.

zerebellar *a.* 『해부』 소뇌(小腦)의.

Zerebellum *n.* -s, ..lla 『해부』 소뇌(小腦).

zerebral [tserebrá:l] 《lat. cerebrum, „Gehirn"》 *a.* ①『해부』 뇌수(腦髓)의. ②『음성』 반전음〔권설음〕(反轉音〔捲舌音〕)의. ③〔드물게〕 정신적인, 지적인.

Zerebral≈laut *m.* 『음성·구식』 반전음, 권설음. **~system** *n.* 뇌신경계.

zerebrospinal [tserebrospiná:l] *a.* 뇌와 척수의, 뇌와 척수에 속하는.

Zerebrum *n.* -s, ..bra 『해부』 대뇌(大腦).

Zeremonie [tseremoní:, ..mó:niə] 《lat.》 *f.* -n [..moní:ən, ..mó:niən] 의식, 예식.

zeremoniell [..moniɛ́l] *a.* 〔교양〕 의식의; 격식을 차리는, 의례적인.

Zeremoniell *n.* -s, -e 〔교양〕 의식, 예식, 의전; 『가톨릭』 제의식서(祭儀式書).

Zeremonien·meister *m.* 의전관.

zeremoniös [..moniǿ:s] *a.* 〔교양〕 의례적인, 격식만 차리는, 딱딱한, 형식적인.

Zeresin [tserezí:n] 《lat.》 *n.* -s 세레신, 광물성 백랍(白蠟).

Zerevis [..ví:s] 《lat., cerevisia, „Bier"》 *n.* -, - ①〔구식〕 맥주. ②〔학생〕 수를 놓은 모자.

Zerevis·mütze *f.* ↑ Zerevis ②.

zerfahren*[1] [tsɛrfá:rən] 《Ⅰ》 *t.* (잦은 차량 통행으로) 파손하다: die Wege ~ 차로 도로를 파손하다. 《Ⅱ》 *i.* (s.) 산만해지다. 《Ⅲ》 **zerfahren** *p.p.* ↑ zerfahren².

zerfahren[2] 《Ⅰ》 *p.p.* ↑ zerfahren¹. 《Ⅱ》 *p.a.* ① (잦은 차량 통행으로) 파손된. ② 산만한: er macht einen ~en Eindruck 그는 얼떨떨한 인상을 짓고 있다.

Zerfahrenheit *f.* 산만, 방심.

***Zerfall** [tsɛrfál] *m.* -(e)s, (전문어) ..fälle [..fɛ́lə] ① 붕괴, 와해, 파멸: den ~ eines bedeutenden Baudenkmals verhüten 중요 건축 문화재의 붕괴를 막다. ②『핵물리』 분열: die Zerfälle radioaktiver Teilchen 방사능 미립자의 분열. ③ 몰락, 멸망: der ~ des Römischen Reiches 로마 제국의 멸망. ④〔드물게〕 (체력의) 쇠잔, 쇠약.

zerfallen 《Ⅰ》 *i.* (s.) ① 부서지다, 무너지다, 붕괴하다; 용해되다: ein Baudenkmal ~ 건축 문화재가 붕괴하다; eine Tablette in Wasser ~ lassen 알약을 물에 녹이다. ② 몰락〔멸망〕하다: das große Reich zerfiel allmählich 대제국은 서서히 멸망되어 갔다. ③ (여러 부분으로) 나뉘다, 구성되다: das Buch zerfällt in 3 Kapitel 이 책은 3 장으로 구성되어 있다. ④『핵물리』 분열하다. ⑤ mit jm. ~ 누구와 사이가 나쁘게 되다: er war mit seiner Familie ~ 그는 가족과 관계가 나빠졌다; sie ist mit sich selbst ~ 그녀는 자책감에 시달렸다. ⑥〔드물게〕 쇠약해지다: der Kranke zerfällt immer mehr 환자는 점점 더 쇠약해지고 있다. 《Ⅱ》 *t.* sich³ den Kopf ~ 떨어져서 머리를 깨다. 《Ⅲ》 **zerfallen** *p.p.* ↑ zerfallen².

zerfallen[2] 《Ⅰ》 *p.p.* ↑ zerfallen¹. 《Ⅱ》 *p.a.* ① 와해〔붕괴〕한. ② 반목하는, 사이가 틀어진: mit jm. ~ sein 누구와 좋지 않은 사이다〔사이가 나쁘다〕.

Zerfallenheit *f.* 붕괴 상태.

Zerfalls≈erscheinung *f.* 붕괴 현상. **~konstante** *f.* 『핵물리』 (원자핵의) 붕괴 상수. **~produkt** *n.* 『핵물리』 원자핵 분열 생성물. **~prozeß** *m.* 붕괴 과정.

zerfasern 《Ⅰ》 *t.* 섬유로 만들다; 『방직』 가닥을 풀다: er hat das Holz zerfasert 그는 목재를 섬유로 만들었다. 《Ⅱ》 *i.* (s.) 섬유로 풀리다; 실의 올이 풀리다.

zerfeilen *t.* 줄로 가늘게 하다, 줄로 끊다.

zerfetzen *t.* ① 갈기갈기 찢다, 산산조각 내다: die Zeitung völlig ~ 신문지를 갈기갈기 찢다. ② 혹평하다.

Zerfetzung *f.* 갈기갈기 찢기, 혹평.

zerflattern *i.* (s.) ① 흩날리다, 사라지다. ② 〔비유〕 산만해지다.

zerfleddern 《Ⅰ》 *t.* (책·노트 등의) 가장자리가 닳아 해지게 하다. 《Ⅱ》 *i.* (s.) (책·노트 등의) 가장자리가 닳아 너덜거리다.

zerfledern *t./i.* ↑ zerfleddern.

zerfleischen 《Ⅰ》 *t.* (이빨로) 갈기갈기 찢다: die Wölfe zerfleischten ein Schaf 이리들이 양 한 마리를 물어 찢었다. 《Ⅱ》 *refl.* sich ~ 괴로워하다: er zerfleischte sich in Selbstvorwürfen 그는 자책감에 시달렸다; die Eheleute ~ sich in Eifersucht 그 부부는 질투심으로 서로를 괴롭힌다.

Zerfleischung *f.* -en 갈기갈기 찢기, 괴로움.

zerfliegen* *i.* (s.) 흩날려 없어지다.

zerfließbar *a.* 융해되는.

zerfließen* 《Ⅰ》 *i.* (s.) 녹다, 융해하다; 『化』 (잉크 따위가) 번지다: die Butter wird in der Hitze ~ 버터는 열을 받으면 녹는다; die Grenzen〔Formen〕 zerflossen 경계선이〔형태가〕 희미해졌다; die Tusche zerfließt auf dem Papier 먹이 종이에 번진다; 〔비유〕 in Tränen ~ 하염없이 울다. 《Ⅱ》 *t.* (소매 끝 따위를) 풀리게 하다. 《Ⅲ》 *refl.* sich bei〔mit〕 et.³ ~ 무엇으로 몹시 고생을 하다.

Zerfließung *f.* -en 융해, 조해(潮解).

zerfransen 《Ⅰ》 *i.* (s.) 끝〔가닥〕이 해어져 풀리다: die Hosenbeine sind völlig zerfranst 바지 끝자락이 완전히 해어져 버렸다. 《Ⅱ》 *t.* (끝〔가닥〕을 풀어) 너덜너덜하게 하다: vor Nervosität zerfranste sie die Papierserviette 그녀는 긴장한 나머지 종이 냅킨을 너덜너덜하게 만들었다. 《Ⅲ》 *refl.* sich ~ 〔구어〕 녹초가 되다.

zerfressen* [tsɛrfrɛ́sən] *t.* ① (물어 뜯어) 파손하다: die Motten haben den Pelz ~ 모피에 좀이 쏠았다. ② 침식〔부식〕하다: von Rost

~es Eisen 녹슨 철. ③ 괴롭히다: Eifersucht zerfrißt ihm das Herz 질투심이 그의 마음을 괴롭힌다.

zerfurchen 《I》 *t.* 도랑을 파서 파손하다; 주름이 잡히게 하다: Panzer zerfurchten die Wege 탱크가 길을 움푹 파이게 했다; düstere Gedanken zerfurchten seine Stirn 침울한 생각으로 그의 이마엔 주름이 생겼다. 《II》 **zerfurcht** *p.a.* ↑ zerfurcht.

zerfurcht 《I》 *p.p.* ↑ zerfurchen. 《II》 *p.a.* 주름 잡힌, 골이 팬.

zergehen* 《I》 *i.* (s.) 녹다, 녹아 없어지다, 용해하다: eine Tablette in Wasser ~ lassen 알약을 물에 녹이다; im Mund ~ 입 안에서 녹다; auf der Zunge ~ 혀 위에서 살살 녹다. 《II》 *t.* sich³ die Stiefel ~ 걸어서 장화를 해뜨리다.

zergeln [tsɛ́rgəln] *t.* ↑ zergen.

zergen [tsɛ́rgən] *t.* (md., nordd.) (necken) 약올리다, 비웃다.

Zergliederer *m.* -s, - 해부자; 분석자.

zergliedern *t.* ① 해체하다; 〖醫〗 해부하다: einen Leichnam ~ 시체를 해부하다. ② 분석하다: die Verhaltensweise eines Menschen ~ 어떤 사람의 행동 양식을 분석하다.

Zergliederung *f.* -en 해부, 분해, 분석.

Zergliederungs⸗kunst *f.* ① 해부술. ② 분석 기법. **~messer** *n.* 해부도(刀).

zergrübeln 《I》 *t.* sich³ den Kopf 〔das Hirn, Gehirn〕 ~ 오랫동안 골몰하다. 《II》 *refl.* sich ~ 쓸데없는 일에 골몰하여 시간을 보내다.

zerhacken *t.* ① (도끼로) 잘게 썰다, 저미다. ②〖전기〗(전류를) 주기적으로 차단하다. ③ 〖物〗 분광(分光)하다.

zerhauen* *i.* 깨부수다: 〔비유〕 den (gordischen) Knoten ~ 난문제를 단번에 해결하다.

Zerium [tsé:rium] *n.* -s 〖化〗 세륨(Cerium).

zerkauen *t.* 깨물어 부수다.

zerkleinern *t.* 잘게 조각 내다〔부수다〕.

Zerkleinerung *f.* -en 잘게 부숨.

zerklopfen *t.* 두들겨 빠개다〔부수다〕.

zerklüften 《I》 *t.* 째다; 〔비유〕 분열시키다. 《II》 **zerklüftet** *p.a.* ↑ zerklüftet.

zerklüftet 《I》 *p.p.* ↑ zerklüften. 《II》 *p.a.* 갈라진, 깊이 째진: 〖醫〗 ~e Mandeln 균열이 심한 편도선.

Zerklüftung *f.* -en 균열.

zerknacken 《I》 *t.* ① 딱 쪼개다〔깨다〕. ② 딱 부러뜨리다. 《II》 *i.* (s.) 딱 부러지다〔깨지다〕.

Zerknall *m.* -(e)s, -e 파열, 폭발.

zerknallbar *a.* 파열성〔폭발성〕의.

zerknallen 《I》 *i.* (s.) 펑하며 파열하다〔터지다〕. 《II》 *t.* 펑하고 파열시키다〔터뜨리다〕: eine Tüte aufblasen und ~ 종이 봉지를 부풀려서 빵하고 터뜨리다; sie hat die Vase zerknallt 그녀는 꽃병을 떨어뜨려 깨뜨렸다.

zerknall·fähig *a.* ↑ zerknallbar.

Zerknall⸗gefahr *f.* 파열〔폭발〕 위험. **~sicher** *a.* 파열〔폭발〕 위험 없는.

zerknäueln, zerknäulen *t.* 〔방언〕 ↑ zerknüllen.

zerknautschen *t.* 〔구어〕 ↑ zerknittern.

zerknicken 《I》 *t.* 여러 번 부러뜨리다〔꺾다〕. 《II》 *i.* (s.) 여러 차례 꺾여서 파손되다.

zerknirschen [tsɛrknírʃən] 《I》 *t.* 분쇄하다, 씹어 부수다. 《II》 **zerknirscht** *p.a.* ↑ zerknirscht.

zerknirscht 《I》 *p.p.* ↑ zerknirschen. 《II》 *p.a.* 뉘우치는, 후회막심한, 자책하는: über eine Verfehlung ~ sein 잘못을 깊이 뉘우치다.

Zerknirschtheit *f.*, **Zerknirschung** *f.* 회한, 회오, 자책; 〖宗〗 통회(痛悔).

zerknittern 《I》 *t.* 구기다: den Rock ~ 치마를 구기다; er hat ein ganz zerknittertes Gesicht 그는 아주 의기소침한 표정을 짓고 있다. 《II》 **zerknittert** *p.a.* ↑ zerknittert.

zerknittert 《I》 *p.p.* ↑ zerknittern. 《II》 *p.a.* 구겨진; 〔구어〕 의기소침한.

zerknüllen *t.* (종이 따위를) 확 구겨 버리다.

zerkochen [tsɛrkɔ́xən] 《I》 *t.* 삶아 흐물흐물하게 하다. 《II》 *i.* (s.) 흐물흐물하도록 삶다: die Kartoffeln sind zu Brei zerkocht 감자가 죽처럼 삶아졌다.

zerkörnen *t.* (granulieren) 낟알 모양으로 만들다, 과립화하다.

Zerkörnung *f.* 과립화(果粒化).

zerkratzen *t.* ① 긁어 손상시키다: eine zerkratzte Schallplatte 긁힌 자국이 있는 레코드 판. ② 할퀴어 상처를 입히다: die Katze hat mir die Hand zerkratzt 고양이가 내 손에 생채기를 냈다.

zerkrümeln 《I》 *t.* 잘게 부수다. 《II》 *i.* (s.) 잘게 부숴지다.

zerlappt *a.* 〔드물게〕 ↑ zerlumpt.

zerlassen* *t.* 〖요리〗 녹이다, 용해시키다: Butter ~ 버터를 녹이다.

zerlaufen* 《I》 *t.* sich³ die Stiefel ~ 신을 신어 해뜨리다. 《II》 *i.* (s.) 녹다, 용해되다: Fett in der Pfanne ~ lassen 지방을 냄비에서 녹이다.

zerlegbar [tsɛrlé:kba:r] *a.* 분해〔해체〕 가능한; 분석할 수 있는.

Zerlegbarkeit *f.* 해체〔분해·분석〕 가능성.

***zerlegen** *t.* ① 분해〔해체〕하다: ein Möbelstück ~ 가구를 분해하다; ein Prisma zerlegt den Lichtstrahl in die Farben des Spektrums 프리즘은 광선을 스펙트럼의 색대로 분광시킨다. ② (고기 따위를) 부위별로 자르다; 〖醫〗 해부하다: einen Leichnam in der Anatomie ~ 시체를 해부하다. ③ 분석하다: 〖문법〗 einen Satz ~ 문장을 분석하다.

Zerleg·spiel *n.* 조립〔해체〕 놀이.

Zerlegung [..lé:guŋ] *f.* -en 분해, 해체, 해부, 분석.

zerlesen*[1] 《I》 *t.* 많이 읽어서 낡게 하다. 《II》 **zerlesen** *p.a.* ↑ zerlesen².

zerlesen[2] 《I》 *p.p.* ↑ zerlesen¹. 《II》 *p.a.* 해어진: ~es Buch 낡은 책.

zerlöchern *t.* 구멍투성이로 만들다: zerlöcherte Socken 구멍이 숭숭 뚫린 양말.

zerlösen *t./refl.* 〔雅語·드물게〕 해체시키다 (auflösen): der Nebel zerlöste sich 안개가 걷혔다.

zerlumpt [tsɛrlúmpt] *a.* ① (옷 따위가) 너덜너덜한. ② 누더기〔넝마〕를 걸친.

zermahlen *t.* 갈아 가루로 만들다〔부수다〕.

***zermalmen** [tsɛrmálmən] *t.* 으스러뜨리다, 짓눌러부수다, 분쇄하다: die Maschine hat ihm die Hand zermalmt 기계가 그의 손을 으스러뜨렸다; die Menschen wurden von der

Lawine zermalmt 그 사람들은 눈사태에 깔려 죽었다; 〖비유〗 ~de Rede 상대를 제압하는 열변; 〖비유〗 das feindliche Heer wurde zermalmt 적군은 분쇄되었다.

Zermalmung *f.* -en 으스러뜨리기, 분쇄.

zermanschen *t.* 〖구어〗 으깨다, 눌러 반죽을 만들다.

zermartern *t.* 괴롭히다; 〖다음 용법으로〗 〖구어〗 sich³ (über et.) das Hirn 〔den Kopf〕 ~ (무엇 때문에) 골치를 썩히다, 번민하다.

zermatschen *t.* 〖구어〗 ↑ zermanschen: zermatschtes Obst 으깬 과일.

zermürben [tsɛrmʏ́rbən] 《Ⅰ》 *t.* 지치게 하다, 녹초가 되게 하다: die Sorgen haben ihn allmählich zermürbt 근심 걱정으로 그는 점차 녹초가 되었다. 《Ⅱ》 *refl.* 지치다, 녹초가 되다: sie ~ sich mit ständigen Vorwürfen 끊임없는 비난으로 그들은 서로 지칠 대로 지쳤다. 《Ⅲ》 **zermürbt** *p.a.* ↑ zermürbt.

zermürbt 《Ⅰ》 *p.p.* ↑ zermürben. 《Ⅱ》 *p.a.* 녹초가 된, 저항력을 잃은.

Zermürbung *f.* -en 녹초가 됨.

Zermürbungs·krieg *m.* 소모전.

zernagen *t.* ① 갉아서 망가뜨리다. ② 부식하다.

zernarben *i.* (s.) 흉터로 뒤덮다: 〖대개 과거분사로〗 ein zernarbtes Gesicht 흉터투성이의 얼굴.

zernepft *a.* 〖구어〗 (öst.) 구겨진, 누더기가 된, 볼썽사나운.

zernichten *t.* 〖시어〗 전멸〔절멸〕시키다.

zernieren [tsɛrníːrən] 《frz. cerner》 *t.* 〖軍·고어〗 포위〔봉쇄〕하다.

Zernierung *f.* -en 포위, 봉쇄.

Zernierungs·armee *f.* 포위군.

***Zero** [zéːro] 《frz.》 *f.* -s 〔*n.* -s, -s〕 ① (Null) 영(零), 제로. ② (룰렛 게임표의) 제로. ③ 〖언어〗 영 형태소(Nullmorphem).

Zerograph [tserográːf] 《gr.》 *m.* -en, -en 밀랍 판화가.

Zerographie [..grafíː] *f.* -n [..fíːən] ① 밀랍 판화술. ② 밀랍 판화(제품).

Zeroplastik *f.* -en ① 밀랍 조각술〔세공술〕. ② 밀랍 조각상〔세공품〕.

zerpfeifen *t.* 〖축구·은어〗 ein Spiel ~ 너무 자주 호각을 불어 경기의 흐름을 끊다.

zerpflücken *t.* ① 잡아 꺾다, 쥐어뜯다: eine Blume ~ 꽃을 쥐어뜯다. ② 낱낱이 논박〔혹평〕하다: eine Anklage Punkt für Punkt ~ 고소 내용을 조목조목 반박하다.

zerpflügen *t.* ↑ zerfurchen.

zerplatzen 《Ⅰ》 *i.* (s.) 터지다, 파열〔작렬〕하다; 자제력을 상실하다: ein mit Wasser gefülltes Gefäß zerplatzt durch den Frost 물이 가득 찬 그릇이 얼어서 터지다; vor Wut ~ 분노를 터뜨리다; eine zerplatzte Jacke 너덜너덜해진 재킷; 〖비유〗 zerplatzte Seifenblase 깨어진 허망한 기대; er zerplatzte beinahe vor Lachen 그는 포복절도했다. 《Ⅱ》 *t.* 파열시키다, 폭파하다.

zerpulvern *t.* 분말〔가루〕로 만들다.

zerquält [tsɛrkvɛ́ːlt] *a.* (고뇌 따위로) 여윈, 번민에 찬.

zerquetschen *t.* 으깨다, 짱어〔밟아〕 부수다: die herabstürzenden Gesteinsmassen haben das Auto zerquetscht 떨어진 돌덩이들이 그 자동차를 으스러뜨렸다; 〖구어〗 der Mantel hat 300 Mark und ein paar Zerquetschte gekostet 그 코트는 300 마르크를 조금 넘었다.

Zerquetschung *f.* 짓밟아 으깸.

zerraufen *t.* (머리칼을) 쥐어뜯다, 뒤헝클다: jm.〔sich³〕 das Haar ~ 누구의〔자신의〕 머리칼을 쥐어뜯다; ihre Haare waren zerrauft 그녀의 머리카락은 온통 헝클어져 있었다.

Zerr·bild [tsɛ́rbɪlt] 《<zerren》 *n.* ① 캐리커처. ② 일그러진 모습. **~bildlich** *a.* 풍자화 같은. **~bildner** *m.* 만화가.

zerreden *t.* (역겨울 정도로) 많이 논의〔말〕하다.

zerreibbar [tsɛrráɪpbaːr] *a.* 갈아으깰 수 있는.

zerreiben* 《Ⅰ》 *t.* ① 갈아 부수다, 갈아서 가루로 만들다: das Getreide ~ 곡식을 갈다. ② (적군을) 전멸시키다, 섬멸하다: die Truppen wurden vom Feind zerrieben 그 부대들은 적에 의해 섬멸당했다. 《Ⅱ》 *refl.* sich ~ 기력을 다 쓰다, 녹초가 되다; sich von der Arbeit ~ 일하는데 온 힘을 다 쓰다.

zerreiblich *a.* ↑ zerreibbar.

Zerreibung *f.* 갈아으깸, 섬멸.

zerreißbar *a.* (잡아) 찢을 수 있는.

***zerreißen** [tsɛrráɪsən] 《Ⅰ》 *t.* 잡아찢다, 찢어발기다: Papier in Stücke ~ 종이를 갈기갈기 찢다; 〖비유〗 ein Schuß zerriß die Stille 한 발의 총성이 정적을 깨뜨렸다; die Beute mit den Zähnen ~ (맹수가) 잡은 먹이를 물어 찢다; 〖구어〗 ich könnte ihn ~ 난 그 녀석 때문에 화가 나서 미치겠어; 〖구어〗 als er von diesem Gerücht über sich erfuhr, hat es ihn schier zerrissen 그는 자신에 대한 이 소문을 듣고 웃지 않을 수 없었다; sich³ das Maul über jn. ~ 누구에 대해 혹평〔욕〕을 해대다; 〖비유〗 jm. das Ohr ~ 누구에게 불쾌한 소리를 하다, 야단치다; das zerreißt mir das Herz 그것은 내 마음을 갈기갈기 찢어 놓는다. 《Ⅱ》 *i.* (s.) 갈가리 찢어지다; (실 따위가) 끊어지다; 해지다: sein Herz〔Gemüt〕 ist zerrissen 그는 가슴이 찢어지는 듯했다; das Papier zerreißt leicht 이 종이는 찢어지기 쉽다; das Seil zerreißt 자일이 끊어지고 있다; der Nebel zerreißt 안개가 반짝 걷힌다; 〖비유〗 seine Nerven waren zum Zerreißen (an)gespannt 그의 신경은 찢어질 정도로 날카로워져 있었다. 《Ⅲ》 *refl.* ① sich ~ 몇 가지 일을 동시에 하느라 애쓰다: sie kann sich nicht ~ 그녀는 한 번에 여러 가지 일을 할 수 없다. ② 〖구어〗 sich für jn.〔et.〕 ~ 누구를〔무엇을〕 위해 분골쇄신하다: sie hat sich förmlich zerrissen (für uns) 그는 (우리를 도우려고) 갖은 애를 썼다. 《Ⅳ》 **zerrissen** *p.a.* ↑ zerrissen.

zerreiß·fest *a.* (reißfest) 질긴, 인장력(引張力)이 강한. **~festigkeit** *f.* 〖工〗 인장(引張) 강도. **~maschine** *f.* 인장력 시험 기기. **~probe** *f.* 인장력 시험; 〖비유〗 중대한 시련.

Zerreißung *f.* -en ① 〖醫〗 파열, 열상(裂傷). ② ↑ zerreißen 의 명사형.

zerren [tsɛ́rən] 《Ⅰ》 *t.* (힘껏) 잡아당기다, (억지로) 잡아 끌다: jn. aus dem Bett ~ 누구를 침대 밖으로 끌어내다; 〖비유〗 jn. vor Gericht ~ 누구를 법정에 끌어내다; 〖비유〗 et. an die Öffentlichkeit ~ 무엇을 억지로 대중에게 공표하다; jn. in den Schmutz ~ 누구

를 중상〔비방〕하다. 《Ⅱ》 *i.* (h.) an jm.〔et.³〕 ~ 누구를〔무엇을〕 잡아당기다: an der Glocke ~ 종치는 줄을 힘껏 잡아당기다; 〖비유〗 das zerrt an meinen Nerven 그 일이 내 신경을 몹시 건드린다. 《Ⅲ》 *refl.* ① sich³ et. ~ 무엇을 지나치게 잡아늘이다: ich habe mir eine Sehne gezerrt 내 힘줄이 늘어났다. ② sich mit jm. ~ a) 누구의 일로 속을 썩이다, b) 누구와 드잡이하다, 다투다.

zerrennen* *t.* 〖제련〗 das Eisen ~ 철을 용광로에서 녹이다.

Zerrerei *f.* -en 〖폄어〗 계속 잡아 당김.

Zerr·gestalt *f.* 기괴한〔익살스러운〕 모습.

zerrinnen* [tsɛrrínən] *i.* (s.) 〖雅語〗 ① (서서히) 녹다: der Schnee zerrinnt an der Sonne 볕을 받아 눈이 녹는다. ② 없어지다, 소실되다: die Zeit zerrinnt unmerklich 시간은 소리없이 흘러간다; sein Vermögen ist zerronnen 그의 재산은 남김없이 날아갔다; sein Plan ist in nichts zerronnen 그의 계획은 수포로 돌아갔다; 〖속담〗 wie gewonnen, so zerronnen 부정한 돈은 이내 없어져 버린다.

zerrissen [tsɛrrísən] 《Ⅰ》 *p.p.* ↑ zerreißen. 《Ⅱ》 *p.a.* ① 갈기갈기 찢긴, 너덜너덜한: ~e Strümpfe 해어진 양말. ② 분열된, 심란한: ein innerlich ~er Mensch 내적으로 분열된 사람.

Zerrissenheit *f.* 너덜너덜함, 분열.

Zerr·spiegel *m.* (상을 일그러뜨려 보여 주는) 요술 거울(Vexierspiegel).

zerrühren *t.* 휘젓다; (감자 따위를) 문질러 으깨다; (달걀 따위를) 휘젓다.

Zerrung [tsέrʊŋ] 《<zerren》 *f.* -en ① 잡아당김; 견인(牽引). ② 〖醫〗 열상(裂傷); 근육 과도 신장(Muskel~). ③ 〖지질〗 (압력이나 견인으로 인한) 암석의 확장.

zerrupfen *t.* 잡아〔쥐어〕 뜯다〔꺾다〕: du siehst ja ganz zerrupft aus 자넨 완전히 지쳐 있는 것 같네.

zerrütten [tsɛrrÝtən] 《Ⅰ》 *t.* (정신을) 혼란스럽게 하다; (정신적으로) 해를 입히다; 파괴하다: den Geist ~ 정신을 착란시키다; die Gesundheit ~ 건강을 해치다; der Krieg hat unsere Ehe zerrüttet 전쟁이 우리의 결혼 생활을 파경으로 몰아넣었다; die Finanzen des Staates sind zerrüttet 국가 재정은 파탄 상태다. 《Ⅱ》 **zerrüttet** *p.a.* ↑ zerrüttet.

zerrüttet 《Ⅰ》 *p.a.* ↑ zerrütten. 《Ⅱ》 *p.a.* 혼란한, (정신) 착란을 일으킨, 파탄〔파경〕에 이른: ~e Finanzen 재정 파탄.

Zerrüttung *f.* -en 착란, 파괴.

Zerr·wanst 《<zerren》 *m.* 〖구식〗 아코디언.

zersäbeln *t.* ↑ zerschneiden.

zersägen *t.* 톱으로 잘게 썰다〔자르다〕.

zerschaben *t.* 갈아 없애다, 닳아 빠지게 하다.

zerschellen *i.* (s.) (충돌로) 박살나다, 산산조각이 나다: das Schiff zerschellte an einer Klippe 배는 암초에 부딪쳐 산산조각이 났다; die feindlichen Angriffe zerschellten am Widerstand unsrer Truppen 적의 공격은 아군 저항으로 분쇄되었다.

zerschießen* *t.* 포격〔총격〕으로 파괴하다〔구멍을 내다〕: ein zerschossener Arm 총상을 입은 팔.

zerschlagen¹ [tsɛrʃlá:gən] 《Ⅰ》 *t.* ① 때려부수다, 파괴하다: eine Fensterscheibe ~ 유리창을 박살내다; 〖구어〗 Porzellan ~ (서투르고 거친 언행으로) 일을 그르치다; ich bin wie 〔ganz〕 ~ 나는 녹초가 되었다; 〖구어〗 jm. alle Knochen ~ 누구를 마구 때리다; der Hagel hat das Korn ~ 우박으로 곡식이 절단났다. ② 격파〔박멸〕하다: den Feind ~ 적을 격파하다; eine verbrecherische Organisation ~ 범죄 조직을 일망타진하다. 《Ⅱ》 *refl.* sich ~ ① (scheitern) 실패하다; (기대·계획 등이) 수포로 돌아가다: das Verlöbnis zerschlug sich wieder 약혼은 또 깨졌다; seine Hoffnungen zerschlugen sich 그의 희망은 수포로 돌아갔다. ② 〖광산〗 der Gang zerschlägt sich 광맥이 지맥(支脈)을 낸다. 《Ⅲ》 **zerschlagen** *p.a.* ↑ zerschlagen².

zerschlagen² 《Ⅰ》 *p.p.* ↑ zerschlagen¹. 《Ⅱ》 *p.a.* 때려 부서진; 〖비유〗 기진맥진한.

Zerschlagenheit *f.* 기진맥진.

Zerschlagung *f.* -en (적을) 때려눕힘, 섬멸, 분쇄.

zerschleißen* 《Ⅰ》 *t.* 소모〔마모〕시키다: die Reifen ~ 타이어를 마모시키다; das Kleid ist zerschlissen 이 옷은 누더기가 되었다; der Junge zerschleißt alle drei Monate eine Hose 그 소년이 석 달마다 바지 하나를 해어뜨린다. 《Ⅱ》 *i.* (s.) 소모〔마모〕되다.

zerschlitzen *t.* 금을 따라 길게 절개하다; 가늘고 길게 찢다.

zerschmeißen *t.* 〖구어〗 집어던져〔떨어뜨려〕 박살내다.

zerschmelzen* 《Ⅰ》 *i.* (s.) 녹다, 용해되다. 《Ⅱ》 *t.* 녹이다, 용해하다.

zerschmettern 《Ⅰ》 *t.* 때려부수다, 분쇄하다: die Granate zerschmetterte ihm das Bein 수류탄에 그의 발이 날아가 버렸다; 〖비유〗 die Feinde ~ 적을 섬멸하다; diese Nachricht hat ihn zerschmettert 이 소식이 그에게 큰 충격을 주었다. 《Ⅱ》 *i.* (s.) 박살나다.

Zerschmetterung *f.* 때려부숨, 분쇄, 박살.

zerschneiden* *t.* ① 잘게 썰다〔자르다〕, 절단하다: et. in zwei Teile ~ 무엇을 두 부분으로 나누다; 〖비유〗 jm. das Herz ~ 누구의 가슴을 미어지게 하다; 〖비유〗 das Schiff zerschneidet die Wellen 배가 파도를 가르고 나아가다; 〖비유〗 das (Tisch)tuch (zwischen zwei Personen) ist zerschnitten (두 사람의) 관계는 단절되었다. ② 베어 상처내다, 손상시키다: sich³ an den Glassplittern die Hände ~ 유리 조각에 손가락을 베다.

Zerschneidung *f.* 절단, 베기, 손상.

zerschnippeln *t.* 〖구어〗 잘게 토막치다〔가위질하다〕, 조각으로 자르다.

zerschrammen 《Ⅰ》 *t.* 긁어 상처를 내다. 《Ⅱ》 **zerschrammt** *p.a.* ↑ zerschrammt.

zerschrammt 《Ⅰ》 *p.p.* ↑ zerschrammen. 《Ⅱ》 *p.a.* 긁힌 상처투성이의, 만신창이의.

zerschründen *t.* 《Ⅰ》 금이 가게 하다. 《Ⅱ》 **zerschründet** *p.a.* ↑ zerschründet.

zerschründet 《Ⅰ》 *p.p.* ↑ zerschründen. 《Ⅱ》 *p.a.* 금이 간, 몹시 갈라진〔틈〕.

zerschunden *a.* 찰과상을 입은, 생채기투성이의: sein Arm war ~ 그의 팔은 상처투성이였다.

zersetzbar [tsɛrzέtsba:r] *a.* 분해할 수 있는.

***zersetzen** 《I》 *t.* ①〖化〗 분해하다; 해체시키다; 부패시키다: et. durch den elektrischen Strom ~ 무엇을 전기 분해하다; Säuren können Metalle ~ 산은 금속을 부식시킬 수 있다. ② (질서·국가 따위를) 붕괴시키다; 타락시키다: ~de Schriften 불온 문서. ③〖광산〗 망치로 때려부수다. 《II》 *refl.* sich ~ 분해[풍화]되다: das Mauerwerk der Ruine zersetzt sich mehr und mehr 폐허의 벽이 점점 더 무너져내리고 있다.

Zersetzung [..zɛ́tsuŋ] *f.* -en 분해, 붕괴, 풍화.

Zersetzungs≈erscheinung *f.* 분해[붕괴·해체] 현상. **~kunst** *f.* 분해법. **~produkt** *n.* 〖化〗 분해 (생성)물. **~prozeß, ~vorgang** *m.* 분해[해체] 과정.

zersiedeln *t.* (경관을 해칠 정도로) 무분별하게 택지를 조성하다: eine Landschaft ~ 무계획적인 택지 조성으로 경관을 파괴하다.

Zersiedelung *f.* -en ↑ Zersiedlung.

Zersiedlung *f.* -en (무분별한) 택지 조성.

zersingen* *t.* ① (세월이 흘러감에 따라) 노래의 가사와 멜로디를 바꾸다: das Lied ist im Laufe der Zeit zersungen worden 시간이 흐르면서 노래가 달리 불려졌다. ② (특정 진동수의) 소리로 파열시키다: ein Glas ~ 고음으로 유리를 깨다.

zerspalten(*) 《I》 *t.* (잘게) 쪼개다, 찢다: mit einer Axt Holz ~ 도끼로 장작을 쪼개다; das ~e Korea 분단된 한국. 《II》 *refl.* sich ~ (갈기갈기) 찢어지다, 분열되다: die Einwohnerschaft des Dorfes hat sich in zwei Gruppen ~ 마을 주민은 두 파로 갈라졌다.

Zerspaltung *f.* -en 쪼갬, 분열.

zerspanen *t.* ① 작은 조각으로 자르다. ②〖기술〗 대패질하여 가공하다.

Zerspanung *f.* -en 가름, 가공.

zerspeilen *t.* ↑ zerspalten.

zerspellen *t.* ↑ zerspalten.

zerspleißen *t.* ↑ zerspalten.

zersplittern [tsɛrʃplɪ́tərn] 《I》 *t.* 산산조각을 내다; 분산[분열]시키다; 낭비하다: 〖軍〗 seine Truppen ~ 자신의 군대를 분산시키다; in seinem Wollen zersplittert 마음의 갈피를 잡지 못하고; der Blitz zersplitterte die Eiche 벼락으로 참나무가 박살이 났다; seine Kräfte ~ 자기의 힘을 (여러 군데로) 분산시켜 낭비하다. 《II》 *i.* (s.) 산산조각나다, 분산[분열]되다: beim Zusammenstoß zersplitterten die Fenster des Wagens 충돌할 때 차창이 박살났다; das Volk ist in Parteien zersplittert 국민은 여러 개의 당파로 분열되었다. 《III》 *refl.* sich ~ ① ↑ 《II》. ② sich ~ 정력을 낭비하다: er zersplittert sich zu sehr 그는 한꺼번에 너무 여러 일에 손을 댄다.

Zersplitterung *f.* -en 산산조각냄; 분열; 낭비.

zersprätzen *i.* (s.) (용암이) 터져나오다.

zersprengen *t.* ① 파열시키다: ~de Kraft 폭파력; die Bierflaschen wurden durch den Frost zersprengt 맥주병이 얼어 터져 버렸다; der Schmerz wollte ihm die Brust ~ 고통으로 그의 가슴은 터질 것 같았다. ② (auseinandertreiben) 해산시키다, 흐트러놓다. ③ (부대를) 분산시키다; 괴멸시키다.

Zersprengung *f.* -en 파열, 해산.

zerspringen* *i.* (s.) ① 파열하다: der Spiegel ist zersprungen 거울이 깨졌다; jm. zerspringt der Kopf 두통이 몹시 심하다; das Herz wollte ihr vor Schmerz fast ~ 그녀의 가슴은 고통으로 터질 것 같았다. ② 줄이 끊어지다: die Saite zersprang 현이 끊어졌다.

zerstampfen *t.* ① (밟아) 으깨다; 빻다: et. zu Brei[Pulver] ~ 무엇을 으깨어[빻아] 죽[가루]처럼 만들다. ② (초원을) 짓밟다: die Pferde zerstampften den Rasen 말이 잔디를 밟아 망가뜨렸다.

zerstäuben [tsɛrʃtɔ́ʏbən] 《I》 *t.* 분무하다: Parfüm ~ 향수를 뿌리다; ein Mittel gegen Motten im Zimmer ~ 방에 살충제를 뿌리다. 《II》 *i.* (s.) 먼지[안개] 모양으로 날아 흩어지다.

Zerstäuber *m.* -s, - 분무기, 스프레이.

Zerstäubung *f.* -en 분무, 뿌림.

Zerstäubungs·apparat *m.* ↑ Zerstäuber.

zerstechen* *t.* 찔러 부수다[꿰뚫다], (곤충이) 쏘다: die Mücken haben mir das Gesicht ganz zerstochen 나는 얼굴을 온통 모기에 물렸다.

zerstieben* *i.* (s.) ① (먼지같이) 흩날려 없어지다, 비산(飛散)하다: das Wasser zerstiebt nach allen Seiten 물보라가 사방으로 날린다. ② (군중이) 뿔뿔이 흩어지다; 〖비유〗 (슬픔 따위가) 사라지다: beim Anrücken der Polizei zerstob die Menschenansammlung 경찰들이 밀려오자 군중은 뿔뿔이 흩어졌다; ihre Traurigkeit war zerstoben 그녀의 슬픔은 홀연히 사라져 버렸다.

zerstörbar [tsɛrʃtǿ:rba:r] *a.* 파괴할 수 있는.

Zerstörbarkeit *f.* 파괴 가능.

***zerstören** [tsɛrʃtǿ:rən] 《I》 *t.* ① 파괴하다, 박살내다, 분쇄하다: eine Fernsprechleitung ~ 전화선을 끊다; das Feuer hat viele Häuser zerstört 화재로 많은 집이 잿더미가 되었다; 〖비유〗 das große Reich wurde zerstört 대제국은 와해되었다. ② 멸망[파멸]시키다, 망치다: js. Leben[Gesundheit] ~ 누구의 삶[건강]을 망쳐놓다. ③〖고어〗 ↑ verstören. ④〖스포츠〗 (공격을) 무산시키다. 《II》 **zerstört** *p.a.* ↑ zerstört.

zerstörend *p.a.* 파괴적인; 멸망시키는: die ~e Gewalt eines Wirbelsturms 허리케인의 파괴적인 위력.

Zerstörer *m.* -s, - ① 파괴자; 우상 파괴자. ②〖海〗 구축함. ③〖구식〗 중형 전투기.

zerstörerisch *a.* 파괴적인.

zerstörlich *a.* (schweiz.) (기한 따위가) 절대적인, 연기할 수 없는.

zerstört 《I》 *p.p.* ↑ zerstören. 《II》 *p.a.* 파괴된, 망쳐진.

***Zerstörung** [..ʃtǿ:ruŋ] *f.* -en 파괴, 분쇄, 와해; 멸망, 파멸.

Zerstörungs≈arbeiten *pl.* 때려부수기, 파괴(적) 활동. **~feuer** *n.* 〖軍〗 적을 무력화시키기 위한 포화. **≈frei** *a.* 〖기술〗 파손되지 않는, 안전한. **~krieg** *m.* 궤멸전. **~lust** *f.* 파괴욕. **~trieb** *m.* 파괴 충동. **~werk** *n.* 파괴 행위[공작]. **~wut** *f.* (병적인) 파괴욕: in blinder ~ alles zerschlagen 맹목적인 파괴욕에 사로잡혀 죄다 때려부수다. **≈wütig** *a.* 파괴욕에 사로잡힌.

zerstoßen* 《I》*t.* 부딪쳐서 깨뜨리다; 빻다. 《II》*refl.* sich ~ 부딪쳐서 다치다: sich³ den Kopf an der Wand ~ 벽에 머리를 찧다.

zerstrahlen *i.* (s.) 〖物〗 방사(放射)로 해체하다, 소멸(消滅) 방사하다.

Zerstrahlung *f.* -en 〖物〗 소멸 방사(선).

zerstreiten *refl.* sich ~ 싸우고 나서 사이가 나빠지다: er hat sich mit ihr völlig zerstritten 그는 그녀와 싸우고 나서 완전히 갈라섰다.

***zerstreuen** [tsɛrʃtrɔ́ʏən] 《I》*t.* ① 뿌리다; 분산〔산란〕시키다: ein Luftzug hatte die Blätter des Manuskripts zerstreut 바람이 불어 원고가 흩날렸다. ② (군중을) 해산시키다, 흩어지게 하다: die Polizei zerstreute die Menge 경찰은 군중을 해산시켰다. ③ (누구의) 기분을 풀어주다〔즐겁게 해주다〕. ④ (의심·불안 등을) 날려 버리다. 《II》*refl.* sich ~ ① 뿔뿔이〔사방으로〕 흩어지다: die Feinde zerstreuten sich auf der Flucht 적은 뿔뿔이 흩어져 달아났다; 〖비유〗 alle Bedenken haben sich zerstreut 모든 근심은 사라져 버렸다. ② 휴식하다; (우울한) 기분을 풀다, 즐기다: er wollte sich beim Kartenspiel etwas ~ 그는 카드놀이를 하면서 기분을 좀 풀고 싶었다. 《III》**zerstreut** *p.a.* ↑ zerstreut.

***zerstreut** 《I》*p.p.* ↑ zerstreuen. 《II》*p.a.* ① 뿌려진, 산재하는: ~e Gedanken 조리 없는 생각; der Stamm wohnte über ein großes Gebiet ~ 이 종족은 넓은 지역에 흩어져 살고 있었다. ② 산만한, 멍한; 부주의한: ~ sein 멍하니 있다; auf die Frage nickte er nur ~ 질문에 그는 멍하니 고개만 끄덕였다.

Zerstreutheit *f.* 산재, 부주의.

***Zerstreuung** [..ʃtrɔ́ʏʊŋ] *f.* -en ① 분산; 해산: die ~ des Lichtes 빛의 산란; die ~ eines Verdachts 의심의 해소. ② 휴식; 기분풀이, 오락: sich³ ~ machen〔verschaffen〕 기분을 풀다. ③ 산만, 멍한 상태.

Zerstreuungs≈bild *n.* 〖物〗 허상(虛像). **~glas** *n.*, **~linse** *f.* 〖광학〗 오목 렌즈. **~punkt** *m.* 〖物〗 발산점. **~spiegel** *m.* 오목 거울. **~sucht** *f.* 오락광. **~süchtig** *a.* 오락광의. **~vermögen** *n.* 〖物〗 분산능(能).

zerströmen *i.* (s.) 분류(分流)하다, 갈라져 흐르다; 〖전기〗 전류가 분산하다.

zerstückeln *t.* 잘게 자르다; (토지 따위를) 잘게 분할하다: Fleisch ~ 고기를 썰다; eine zerstückelte Leiche 토막난 시체.

Zerstückelung *f.* -en 토막냄.

Zerstücklung *f.* -en ↑ Zerstückelung.

zertalt *a.* 〖지리〗 많은 골짜기로 나뉜.

Zertamen [tsɛrtá:mɛn] *n.* -s, ..mina 〖교양·고어〗 경쟁(Wettstreit); (학교의) 석차 다툼.

zerteilbar [tsɛrtáılba:r] *a.* 나눌 수 있는.

***zerteilen** [tsɛrtáılən] 《I》*t.* 나누다, 세분하다: ~des Mittel 해응제(解凝劑); die Sonne zerteilt den Nebel 태양은 안개를 흩어 버린다; der Bug des Schiffs zerteilt die Wellen 뱃머리가 파도를 가른다; 〖구어〗 ich habe so viel zu tun — ich könnte mich ~! 나는 몹시 바빠서 몸이 몇 개라도 모자랄 지경이다! 《II》*refl.* sich ~ 나뉘다, 분해되다; (안개·구름 따위가) 흩어지다: eine Beule〔Schwellung〕 zerteilt sich 혹이〔부기가〕 가라앉다; der Nebel zerteilt sich 안개가 걷힌다.

Zerteilung *f.* -en 나눔, 분해; 흩어짐.

Zerteilungs·mittel *n.* 〖醫〗 해응제(解凝劑).

zerteppern *t.* 〖구어〗 (유리 등을) 때려부수다.

zertieren [tsɛrtí:rən] 《lat. certare, „streiten"》 *i.* (h.) 〖구식〗 경쟁하다(wetteifern); (학교에서) 석차 다툼하다.

Zertifikat [tsɛrtifiká:t] 《lat.》 *n.* -(e)s, -e ① 〖구식〗 증명서, 공증서. ② 〖經〗 투자 증권, 약속 어음. ③ 수료증, 자격증: ein ~ ausstellen 자격증을 발급하다.

Zertifikation *f.* -en 증명서 발급.

zertifizieren *t.* 증명〔공증〕하다, 증명서를 발급〔교부〕하다.

Zertifizierung *f.* -en 증명, 증명서 발급.

zertragen* 《I》*t.* (의복을) 입어 해어뜨리다〔낡게 하다〕. 《II》*refl.* (südd.) sich mit jm. ~ 누구와 사이가 나빠지다.

zertrampeln *t.* 짓밟다(zertreten).

zertrennen *t.* (옷의 솔기를) 뜯다, 너덜너덜하게 만들다.

Zertrennung *f.* -en (옷 솔기를) 뜯기, 너덜너덜하게 만들기.

zertreten* *t.* 밟아 으깨다, 짓밟다; 〖비유〗 유린하다; (구두를) 닳도록 신다: einen Wurm ~ 벌레를 밟아 죽이다; einen Zigarettenstummel ~ 담배 꽁초를 밟아 끄다; das Feuer des Aufruhrs ~ 반란의 불길을 진압하다.

Zertretung *f.* 짓밟기, 유린.

Zertrümmerer *m.* -s, - 파괴자.

zertrümmern [tsɛrtrʏ́mərn] 《I》*t.* 파괴〔분쇄〕하다; 붕괴시키다: eine Fensterscheibe ~ 유리창을 박살내다; ihm wurde bei der Schlägerei die Nase zertrümmert 싸우다가 그는 코뼈가 으스러졌다; alle seine Illusionen sind zertrümmert worden 그의 모든 환상은 깨어졌다. 《II》*i.* (s.) 붕괴〔와해〕하다.

Zertrümmerung *f.* -en 파괴, 붕괴.

Zervelat·wurst [tsɛrvəlá:t..] 《lat.》 *f.* 체르벨라트 소시지.

zervikal [tsɛrviká:l] 《lat.》 *a.* 〖해부〗 ① 목 부분의. ② 경부(頸部)의; (특히) 자궁 경부의.

zerwehen 《I》*t.* 불어 흩다〔날리다〕. 《II》*i.* (s.) 흩날리다.

zerweichen 《I》*t.* 완전히 물렁거리게 하다. 《II》*i.* (s.) 지나치게 연하게 되다.

zerwerfen* 《I》*t.* 던져서 부수다. 《II》〖드물게〗 *refl.* sich mit jm. ~ 누구와 사이가 나빠지다.

zerwirken *t.* 〖사냥〗 가죽을 벗겨 부위별로 자르다.

zerwühlen *t.* 파헤치다, 파서 상하게 하다; 파 뒤지다: das Haar ~ 머리카락을 쥐어뜯다; ein völlig zerwühltes Bett 시트가 마구 구겨져 있는 침대.

Zerwürfnis [tsɛrvʏ́rfnıs] *n.* -ses, -se 〖雅語〗 (Entzweiung) 의견 충돌, 불화; 다툼(Streit).

zerzausen [tsɛrtsáuzən] 《I》*t.* 뒤헝클어 놓다: die Locken ~ 머리카락을 헝클다; der Sturm hatte die Bäume zerzaust 폭풍이 나무들을 엉망으로 만들었다. 《II》**zerzaust** *p.a.* ↑ zerzaust.

zerzaust 《I》*p.p.* ↑ zerzausen. 《II》*p.a.* 헝

클어진.
Zerzausung *f.* -en 헝클.
zerzerren *t.* 찢다(zerreißen).
zerziehen* *t.* ↑ verzerren.
zerzupfen *t.* 쥐어뜯어 찢다.
Zese 《원뜻 „ununterbrochene Linie, Reihe"》 *f.* -n 〖방언〗 끌그물, 예망(曳網).
Zesener *m.* -s, - 끌그물〔예망〕 어업자.
Zesner *m.* -s, - ↑ Zesener.
Zessarewitsch [tsɛsaré:vɪtʃ] 《russ.》 *m.* -(es), -e (제정 러시아의) 황태자(의 칭호).
Zesserewna [..rέvna] 《russ.》 *f.* -s (제정 러시아의) 황태자비(의 칭호).
zessibel [tsɛsí:bəl] 《lat.》 *a.* 〖法〗 양도 가능의 (abtretbar).
Zessibilität [..sibilitέ:t] *f.* 〖法〗 양도 가능.
zessieren [tsɛsí:rən] 《lat.》 *i.* (h.) 〖구식〗 (aufhören) 중지〔정지〕하다.
Zession [tsɛsió:n] 《lat.》 *f.* -en 〖法〗 (권리의) 양도(Abtretung).
Zessionar, Zessionär *m.* -s, -e 〖法〗 양수인(讓受人), 수탁자(受託者).
Zeta [tsé:ta] *n.* -(s), -s 그리스 자모의 여섯 번째 자(Z, ζ).
Zetan [tsetá:n] 《gr. + lat.》 *n./m.* -s, -e 〖化〗 세탄(탄화수소의 일종).
Zetazee [tsetatsé:ə] 《gr.》 *f.* -n 〖動〗 고래 (Wal).
Zeten [tseté:n] 《gr. + lat.》 *n./m.* -s, -e 〖化〗 세텐(탄화수소의 일종).
Zeter *n.* -s 도움을 청하는 고함 소리; 비명: 〖다음 용법으로〗 〖구어〗 ~ und Mord(io) schreien 사람살리라고〔도와달라고〕 큰소리를 질러대다.
Zeter·geschrei *n.* 〖구어〗 (도움을 청하는) 비명, 절규: ein lautes ~ anstimmen〔erheben〕 큰 소리로 비명을 지르다.
Zetermordio [tse:tərmɔ́rdio] *n.* -s (도움을 청하는) 비명, 절규.
zetermordio *int.* 사람 살려: ~ schreien 살려달라고 비명을 지르다.
zetern [tsé:tərn] *i.* (h.) ① 고함〔비명〕을 지르다. ② 호되게 꾸짖다(schimpfen).
***Zettel**[1] [tsέtəl] 《lat.》 *m.* -s, - ① 종이 쪽지; 광고, 삐라; 각서, 메모; 라벨; 정가표; 〖음악회·연극·영화〗 표, 티켓: sich³ Notizen auf einen ~ schreiben 종이 쪽지에 메모하다; mit einem ~ versehen 포스터를 붙이다; ~ ankleben verboten! 포스터〔벽보〕 부착 금지! ② 전표(傳票); 지폐(Bank~). ③〖건축〗 쇠시리.
Zettel[2] 《< zetten》 *m.* -s, - 〖방직〗 ① 날실 (Kette). ② 날실의 도안.
Zettel≈ankleber *m.* 포스터 붙이는 사람. **~anschlagen** *n.* 포스터 붙이기: das ~ ist verboten 포스터 부착 금지. **~anschläger** *m.* 포스터 붙이는 사람. **~bank** *f.* 〖經〗〖고어〗 (Notenbank) 지폐 발행 은행, 발권 은행. **~baum** *m.* 〖방직〗 (직기(織機)의) 도투마리.
Zettelei *f.* -en ① 카드식 정리〔편집〕. ② ↑ Zettelkram. ③ ↑ Zettelwirtschaft.
Zettel≈kartei *f.* 카드식 목록. **~kasten** *m.* 카드(식) 정리함. **~katalog** *m.* ↑ ~kartei. **~kötzer** *m.* 날실을 감은 방추(紡錘). **~-kram** *m.* 종이 부스러기, 파지.
zetteln[1] [tsέtəln] 《I》 *t.* ① 카드식으로 정리하다. ②〖방언〗 흩뜨리다; 뒤죽박죽으로 일하다. 《II》 *i.* (h./s.) 〖펌어〗 ① 가다(gehen). ② 터벅터벅 걷다(trotteln).
zetteln[2] *t.* ①〖방직〗 날실을 날다(anzetteln). ②〖비유〗 (음모를) 꾀하다.
Zettel≈rahmen *m.* 〖방직〗 날실을 나는 틀 (Schärrahmen). **~träger** *m.* 전단〔광고〕 돌리는 사람. **~wahl** *f.* 투표 용지로 하는 (무기명) 선거. **~wirtschaft** *f.* 〖구어·펌어〗 종이·서류 따위가 정돈되지 않고 뒤죽박죽임.
Zettelung *f.* -en 날실을 낢; (음모 등을) 꾀함.
zetten *t.* (obd.) 산산이 흩다.
Zetyl·alkohol [..tý:l..] *m.* 〖化〗 세틸알코올.
zeuch [tsɔʏç] 〖시어·고어〗 ↑ ziehen 의 명령형.
zeuchst [tsɔʏçst] 〖시어·고어〗 ↑ ziehen 의 2 인칭 단수 현재형.
zeucht 〖시어·고어〗 ↑ ziehen 의 제 3 인칭 단수 현재형.
***Zeug** [tsɔʏk] *n.* -(e)s, -e ①〖구식〗 직물, 피륙. ② **(a)** 섬유, 의복: Öl~ (선원의) 유포(油布); sein ~ in Ordnung halten 자기 의복을 정리하다; 〖구어〗 jm. et. am ~ flicken 누구의 무엇을 (공연히) 트집잡다. **(b)** 속옷, 포제품(布製品): Bett~ 침대 시트, 베갯잇, 이불; Unter~ 속옷. **(c)** 도구, 연장: 〖구어〗 das ~ zu et.³ haben 무엇을 할 수단이 있다; 〖구어〗 in jm. steckt das ~ zu et.³ 누구에게는 무슨 소질이 있다. **(d)** 〖구식〗 마구(馬具): 〖구어〗 sich (für jn.〔et.〕) ins ~ legen (누구를〔무엇을〕 위해) 힘껏 노력하다; 〖구어〗 was das ~ hält 전력을 다하여; für jn.〔et.〕 ins ~ gehen 누구를〔무엇을〕 위해 열심히 일하다. ③〖구어·펌어〗 **(a)** (쓸모없는) 물건, 하찮은 것: Dreck~ 쓰레기; was soll ich mit all dem ~? 이 하찮은 것들을 어떻게 하라는 말인가?; Zigeuner und solches ~ 집시나 그와 비슷한 족속. **(b)** 쓸데없는 짓〔말〕, 어리석은 언행: dummes ~ reden 멍청한 말을 하다; ein tolles ~ treiben 어리석은 짓을 하다; (das ist doch) dummes ~! (그건) 어리석은 짓거리지! ④〖양조〗 맥주의 효모. ⑤〖사냥〗 몰이 사냥용그물, 줄덫. ⑥〖인쇄〗 **(a)** 마모된 활자. **(b)** 활자 주조용 합금. ⑦〖軍·구식〗 (포병) 장비. ⑧〖요리〗 **(a)** 건(乾)과자: weißes ~ 치즈. **(b)** 그릇: irdenes ~ 도기. ⑨〖제련〗 쇄광(碎鑛), 야금 원료. ⑩〖건축〗 모르타르. ⑪〖海〗 범삭구(帆索具): mit vollem ~ segeln 돛을 활짝 펴고 범주(帆走)하다. ⑫〖옛뜻〗 자연의 물질〔물체〕.
Zeug≈amt *n.* 〖軍·옛뜻〗 병기창. **~baum** *m.* (직조한) 원단을 감는 막대. **~bütte** *f.* 〖제지〗 펄프통. **~druck** *m.* 〖복수: -e〗〖섬유〗 ① 날염. ② 날염으로 무늬를 박은 직물. **~druckerei** *f.* ① 날염술(術). ② 날염 공장.
***Zeuge** [tsɔ́ʏgə] *m.* -n, -n ① 목격자, 입회인; 〖法〗 증인: falscher ~ 위증자; ~ von et.³ sein 무엇의 증인〔목격자〕이다; jn. zum〔als〕 ~n anrufen〔nehmen〕 누구를 증인으로 내세우다; einen ~n stellen 증인을 세우다; in Gegenwart von ~n 증인 입회 아래; Gott ist mein ~! 신을 두고 맹세한다!; jn. als ~ vorladen 누구를 증인으로 소환하다; einen ~n suchen 증인〔목격자를〕 찾다; ~n mögen sich melden! 목격자는〔증인은〕, 연락바람!; einen ~n verhören 증인을 신문하다; 〖속담〗

ein ~, kein ~ 한 사람의 증인으로는 증인이 안 된다; 〖비유〗 die Ruinen sind ~n der Vergangenheit 이 폐허는 과거의 증인이다; ~n Jehovas (1874 년 러셀(Russel)이 조직한) 여호와의 증인. ② (**a**) 〖法〗 toter ~ (범행의) 증거물. (**b**) 경계 표석(標石) 옆에 묻는 달걀꼴의 돌. ③ ↑ Blut∼.

Zeuge≈fall *m.* 〖문법〗 2 격(Genitiv). **~kraft** *f.* ↑ Zeugungskraft.

*__zeugen__[1] [tsɔ́ʏgən] 《<Zeuge》《I》 *i.* (h.) ① 증언하다: für jn. 〔zu js. Gunsten〕 ~ 누구에게 유리한 증언을 하다; gegen〔wider〕 jn. ~ 누구에게 불리한 증언을 하다; diese neuen Entdeckungen ~ für〔gegen〕 die bisherigen Theorien 이 새로운 발견들은 종래의 이론들이 옳음〔틀림〕을 증명하고 있다. ② von et.³ ~ 무엇을 증명하다, 무엇의 증거가 되다: die Verse ~ von dichterischer Gabe 이 시는 시재(詩才)가 있음을 보여 주고 있다; seine Tat zeugt von Mut 그의 행위는 용감하다는 증거다. 《Ⅱ》 *t.* 〖드물게〗 ① 증거를 대다, 증명하다: der soll mir's ~, ob die Fahrt zu wagen 출발해도 괜찮은지 그에게서 말을 듣고 싶다. ② 보여주다, 가리키다(zeigen).

*__zeugen__[2] 《<Zeug》 *t.* ① 아이를 낳다: er zeugte (mit ihr) eine Tochter 그는 (그녀와의 사이에서) 딸을 낳았다; 〖복수〗 die ∼den 양친. ② 산출〔창조〕하다: Früchte ~ 열매를 맺다; Krankheit ~ 병나게 하다; 〖비유〗 Unrecht zeugt neues Unrecht 부정은 새로운 부정을 낳는다. ③ 〖海〗 ein Schiff ~ 〔takeln〕 배를 의장(艤裝)하다; breit gezeugtes Schiff 횡범(橫帆) 장치를 한 배. ④ (**a**) 〖고어〗 생육시키다: Haar ~ 머리를 기르다; Kanarienvögel ~ 카나리아를 기르다. (**b**) 〖방언〗 짓다, 만들다: das selbst gezeugte Hemd 제 손으로 만든 셔츠; 〖비유〗 dies zeugte den dumpfen Schall 이것은 둔한 소리를 냈다. (**c**) (nordd.) sich³ et. ~ 무엇을 손에 넣다.

Zeugen≈abhörung *f.* ↑ ~verhör. **~aussage** *f.* 증인 진술. **~bank** *f.* (법정의) 증인석. **~beeinflussung** *f.* 증인에 대한 영향력 행사. **~befragung** *f.* 증인 신문(訊問). **~bestechung** *f.* 증인 매수. **~beweis** *m.* (증인의) 증언 증거. **~eid** *m.* 증인 선서. **~gebühren** *pl.* 증인 수당.

Zeugenschaft *f.* ① 〖총칭〗 증인; 증인임, 증인 자격: js. ~ gegen jn. fordern 누구에게 누구에 대해 증인으로 나서 줄 것을 요구하다. ② 〖복수: -en〗 증언(Zeugnis).

Zeugen≈schutz *m.* 증인 보호. **~stand** *m.* 증인석. **~verhör** *n.*, **~vernehmung** *f.* 증인 신문.

Zeuger *m.* -s, - ① (친)아버지; 생산자. ② 발전기.

Zeug≈fabrik [tsɔ́ʏk..] *f.* 직물 공장. **~fabrikant** *m.* 직물 공장주. **~handel** *m.* 직물상(商). **~haus** *n.* ① 〖軍〗 무기고〔창〕; 병참부. ② 공창(工廠).

Zeugin [tsɔ́ʏgɪn] *f.* -nen ↑ Zeuge 의 여성형.

Zeug≈kammer *f.* 도구실; 〖軍〗 무기고. **~kasten** *m.* ① 세탁물 상자. ② 〖제지〗 펄프 실린더 탱크. ③ 〖印〗 낡아서 못 쓰거나 흠 있는 활자의 보관 상자. **~kleid** *n.* 모직옷.

Zeugma [tsɔ́ʏgma] 《gr., „verbinden"》 *n.* -s, -s/-ta 〖언어학〗 액어법(軛語法) (같은 단어, 특히 동사를 연이은 두 문장에서 다른 의미로 사용하는 어법; 보기: „nimm dir Zeit und nicht das Leben!" 에서 nimm 의 용법).

Zeug·meister *m.* 〖軍〗 무기창장; (옛날의) 포병 장교.

*__Zeugnis__ [tsɔ́ʏknɪs] 《<Zeuge》 *n.* ..nisses, ..nisse ① (**a**) 〖雅語〗 증언; (법정에서의) 증인의 진술: von et.³ ~ ablegen 무엇을 증언〔입증〕하다; ~ für〔gegen〕 jn. ablegen 누구에게 유리한〔불리한〕 증언〔진술〕을 하다. (**b**) 〖雅語〗 확증, 보증, 증명: diese Rose war ein ~ seiner Zuneigung 이 장미는 그의 애정의 증표였다; 〖法〗 zu(m) ~ dessen 그것의 증거로서 (증서 따위의 상용구). (**c**) 증거 (유물〔유적〕): die Pyramiden sind ein ~ der ägyptischen Baukunst 피라미드는 이집트의 건축술을 보여주는 유적이다. ② (**a**) 증(명)서; (학교의) 성적 증명서; 건강 증명서: ~ der Reife (김나지움의) 졸업 증서; jm. ein gutes ~ geben 누구에게 좋은 점수를 주다; morgen gibt es ~se 내일 성적표가 나온다. (**b**) 노동〔근무〕증명서: jm. ein ~ ausstellen 누구에게 근무증명서를 발급해 주다; 〖비유〗 ich kann ihm nur das beste ~ ausstellen (추천서·신원 증명서 따위에서) 나는 그를 적극 추천합니다. ③ 〖聖〗 하느님의 말씀. ④ 감정서, 소견서: ein ärztliches ~ 의사의 진단서; das ~ eines Sachverständigen 전문가의 감정서.

Zeugnis≈ablegung *f.* 증언(함), 입증. **~abschrift** *f.* 증명서의 사본. **~ausgabe** *f.* 증명서 발급〔교부〕. **~brief** *m.* 추천장. **~pflicht** *f.* 〖法〗 증언 의무. **~verweigerung** *f.* 〖法〗 증언 거부. **~zwang** *m.* (신문 편집인의) 증언 의무.

Zeug≈offizier *m.* 병기 장교. **~presse** *f.*, **~rolle** *f.* 〖工〗 (면포의) 광택기, 압착 롤러.

Zeugs [tsɔʏks] *n.* - 〖구어·폄어〗 ① 하찮은 〔쓸모 없는〕 것〔물건〕, 쓸데없는 일〔언행〕. ② 무의미한 일〔지껄임〕.

Zeug≈schmied *m.* 〖고어〗 대장장이, 철물공. **~schmiede** *f.* 대장간. **~schuhe** *pl.* 베(로 만든) 신.

Zeugung [tsɔ́ʏgʊŋ] *f.* -en 낳기, 생식; 생산.

Zeugungs≈akt *m.* 생식 행위, 교접, 성교. **∼fähig** *a.* 생식〔생산〕 능력 있는. **~fähigkeit** *f.* 생식〔생산〕 능력. **~glied** *n.* 생식기, 음경. **~kraft** *f.* 생식력; 생산력. **~organe**, **~teile** *pl.* 생식기. **~trieb** *m.* 성욕. **∼unfähig** *a.* 생식 능력이 없는, 불임의, 음위(陰痿)의. **~unfähigkeit** *f.* 생식 불능. **~vermögen** *n.* ↑ ~kraft. **~vorgang** *m.* 생식 작용.

Zeug·wagen *m.* 〖사냥〗 사냥 도구차. **~waren** *pl.* 직물류. **~wärter** *m.* 〖軍〗 무기 고지기. **~weber**, **~wirker** *m.* 직물공.

Zeus [tsɔʏs] *m.* 〖그리스신화〗 제우스(〖로마신화〗 Jupiter 에 해당): beim ~! 맹세코!

Zeus≈altar *m.* 제우스의 제단. **~tempel** *m.* 제우스 신전.

Zeute [tsɔ́ʏtə] *f.* -n 〖방언〗 (주전자 등의) 부리 모양의 주둥이.

Zeuxis [tsɔ́ʏksɪs, tsέuk..] 제우키스(고대 그리스의 화가, B.C. 400 년경).

ZGB = Zivilgesetzbuch 민법전(民法典).

z.H., z.Hd. = zu Händen 귀하.

zhintenfür *adv.* (schweiz.) 역의, 반대의.

Zibbe [tsíbə] *f.* -n (nordd., md.) ① (토끼·양·염소의) 어미, 암컷. ②〘농담〙 여자, 계집.
Zibbel *f.* -n (alem.) 양파, 알뿌리, 구근, 알줄기, 구경(球莖).
Zibebe [tsibé:bə] ⟪it.⟫ *f.* -n (südd., öst.) 알이 큰 건포도.
Zibele *f.* -n ↑ Zibbel.
Zibeline ⟪frz.⟫ *f.* 〖섬유〗 담비의 모피.
Ziber(t)li *n.* - (schweiz.) 덜 익은 노란 은행.
Zibet [tsí:bεt] ⟪it.⟫ *m.* -s 사향(麝香)고양이의 분비물; 사향(향료).
Zibet≈baum *m.* 〖植〗 두리안. **~katze** *f.*, **~tier** *n.* 〖動〗 사향고양이.
Ziborium [tsibó:rium] ⟪lat.⟫ *n.* -s, ..rien [..riən] 〖가톨릭〗 ① 성체 용기, 성합(聖盒). ②〖건축〗 (돌로 된) 제단의 천개(天蓋). ③ 성막(聖幕).
Zichorie [tsıçó:rıə] ⟪lat.⟫ *f.* -n ①〖植〗 (유럽 원산의) 치커리. ② (치커리 분말로 만든 대용) 치커리 커피.
Zichorien·kaffee *m.* ↑ Zichorie ②.
Zick *m.* -(e)s, -e (schwiez.) 포도주의 신맛.
Zicke [tsíkə] ⟪⇨ Zeige⟫ *f.* -n ① 염소. ② (md.) 암염소(↔ Ziegenbock). ③〘복수: -n〙〘구어〙 멍청이짓: ~n machen 멍청한〔무모한〕 짓을 하다; er hat nur ~n im Kopf 그는 머릿속에 멍청한 생각만 하고 있다. ④〘구어·폄어〙 변덕스러운〔불쾌한〕 여자: eine dämliche ~ 우둔하고 괴팍한 여자.
Zickel *n.* -s, -(n) ① ↑ ~chen. ② 오토바이의 사이드카.
Zickelchen *n.* -s, - 〘↑ Zicke 의 축소형〙 새끼 염소.
zickeln *i.* (h.) (염소가) 새끼를 낳다.
Zicken·bart *m.* 염소 수염.
Zicklein *n.* -s, - ↑ Zickelchen.
Zickzack [tsíktsak] *m.* -(e)s, -e 지그재그, Z 자형: im ~ laufen〔fliegen〕 지그재그로 달리다〔날다〕.
zickzack *adv.* 지그재그로, Z 자형으로: ~ laufen 지그재그로 달리다.
Zickzack·blitz *m.* 지그재그 모양의 번개.
zickzacken *i.* (h./s.) 지그재그로 움직이다.
zickzack·förmig, zickzackig *a.* 지그재그형의.
Zickzack≈gang *m.* 지그재그 모양의 운전. **~kurs** *m.* ① Z 자형의 코스. ②〘비유〙 일정치 않고 늘 변하는 (정치) 노선〔수법〕. **~linie** *f.* Z 자형〔지그재그형〕의 선. **~naht** *f.* 지그재그〔톱니〕 모양의 바느질(법).
Zider [tsí:dər] ⟪frz.⟫ *m.* -s 사과주, 애플와인.
Zieche [tsí:çə] ⟪lat.⟫ *f.* -n, **Ziechen** *n.* -s, - (südd., öst.) 〘구어〙 침대〔베개〕 커버.
Ziechling *m.* -s, -e 목재 다듬는 예리한 칼.
Ziefer ⟪<Ungeziefer⟫ *n.* -s, - (südwestd.) ① 가금(家禽). ② 해충, 독충. ③ 여자.
ziefern *i.* (h.) (md.) ① 훌쩍거리다, 비통해하다. ② 추위로〔고통으로〕 떨다.
***Ziege** [tsí:gə] *f.* -n ①〖動〗 염소. ② (südd.) 암염소(↔ Ziegenbock). ③〘구어·폄어〙 우둔하고 귀찮은 여자, 계집(년). ④〖動〗 잉어과의 물고기.
***Ziegel** [tsí:gəl] ⟪lat.⟫ *m.* -s, - 벽돌; (구워만든) 기와: ~ brennen 벽돌을〔기와를〕 굽다; ~ streichen (틀에 넣어) 기와를〔벽돌을〕 제조하다; ein Dach mit ~n decken 지붕을 기와로 이다.
ziegel·artig *a.* 기와〔벽돌〕 모양의.
Ziegel≈bau *m.* ① 벽돌 건축. ②〘복수: -ten〙 벽돌 건축물: ein roter ~ 붉은 벽돌 건축물. **~brennen** *n.* 벽돌〔기와〕 제조. **~brenner** *m.* 벽돌〔기와〕 굽는 사람. **~brennerei** *f.* ① ↑ ~ofen. ② 벽돌〔기와〕 제작 공장. **~brennofen** *m.* ↑ ~ofen. **~dach** *n.* 기와 지붕. **~decker** *m.* 기와장이.
Ziegelei [tsi:gəlái] *f.* -en ↑ Ziegelbrennerei ②.
Ziegel≈erde *f.* 벽돌 굽는 흙. **~farben, ~farbig** *a.* 붉은 벽돌색의. **~hütte** *f.* ↑ ~brennerei ②. **~mauer** *f.* 벽돌 벽. **~mehl** *n.* (붉은) 벽돌의 분말, 벽돌 가루.
ziegeln *i.* (h.) 벽돌을 만들다.
Ziegel≈ofen *m.* 벽돌 굽는 가마. **~roh·bau** *m.* 〘복수: -ten〙 덧칠하지 않은 벽돌 건축물. **~rot** *a.* 붉은 벽돌색의(~farben). **~stein** *m.* 벽돌. **~streicher** *m.* 벽돌공. **~tee** *m.* (벽돌 형태로 압축한) 고형차(固形茶).
ziegen·artig *a.* 염소 같은, 염소속(屬)의.
Ziegen≈auge *n.* ① 염소의 눈. ②〖醫〗 내안각(內眼角) 궤양. **~bart** *m.* ① 염소의 수염; 〘비유〙 나폴레옹 3 세의 수염: 〘농담〙 ein Herr mit ~ 염소〔턱〕 수염 신사. ②〖植〗 싸리버섯. **~bock** *m.* ① 숫염소. ②〘폄어〙 재단사. **~fell** *n.* (가공한) 염소 가죽. **~füßig** *a.* 염소 다리의; 굽은 다리의.
Ziegenhainer [tsí:gənhaınər] *m.* -s, - 마디가 많은 지팡이(Ziegenhain 이란 지명에서).
Ziegen≈herde *f.* 염소 떼. **~hirt** *m.* 염소 치는 사람, 염소지기. **~käse** *m.* 염소젖 치즈. **~lamm** *n.* 새끼 염소. **~leder** *n.* 염소 가죽. **~lippe** *f.* 〖植〗 식용 버섯의 일종. **~melker** *m.* ① 염소젖 짜는 사람. ②〖動〗 쏙독샛과의 새. **~milch** *f.* 염소의 젖. **~peter** *m.* 〖醫〗 유행성 이하선염(耳下腺炎), 볼거리. **~pferch** *m.* 염소 우리.
Zieger [tsí:gər] *m.* -s, - (obd.) 응유(凝乳); 응유 치즈; (향신료를 넣은) 양념 치즈.
Ziegler *m.* -s, - 벽돌공.
zieh [tsi:] ↑ zeihen 의 과거형.
Zieh≈arm *m.* 지레(자루). **~bank** *f.* 〖工〗 다이스, 철사 제조 기계.
ziehbar *a.* 잡아 늘일〔펼〕 수 있는, 연성(延性)이 있는.
Ziehbarkeit *f.* 연성(延性).
Zieh≈brücke *f.* 도개교(跳開橋). **~brunnen** *m.* 두레 우물.
ziehe [tsí:ə] ↑ ziehen 의 2 인칭 단수 명령형.
Ziehe *f.* -n (md.) 양육, 보육: ein Kind in ~ geben 아이를 수양아들〔딸〕로 주다.
Zieh≈eisen *n.* 〖工〗 철사 제조기, (철사 제조용) 다이스 철판. **~eltern** *pl.* 〘방언〙 양부모.
ziehen [tsí:ən] (zog, gezogen) 《Ⅰ》 *t.* ① **(a)** 끌다, 당기다, 질질 끌다: fest〔stramm〕 ~ 팽팽히 당기다; die Pferde ~ den Wagen 말이 마차를 끈다; sich auf dem Schlitten ~ lassen 썰매를 타다; laß dich doch nicht so ~! 그렇게 질질 끌려오지 마라! (아이 손을 잡고 갈 때 재촉하는 표현); 〖스포츠〗 einen Läufer ~ 주자를 빠른 속도로 출발시키다; zieh, Schimmel, zieh 끌어라, 백마야, 끌어. **(b)** 〖컴〗 (마우스로) 끌다. ② 끌어당기다〔붙이다·

넣다); 옮겨놓다; 흡수하다; 끌어내다, 끌어 제쳐놓다, 잡아 빼다, 빼내다: (**a**) 〖명사와 함께〗 (tief) Atem ~ (심) 호흡하다; die Bilanz 〔das Fazit〕 (aus et.³) ~ (무엇의) 결산을 하다〔최종 결과를 내다〕; den Beutel ~ 지갑을 꺼내다, 〖비유〗 지급하다; den Degen 〔das Schwert〕 ~ 칼을 뽑다; die Fäden ~ a) 실을 뽑아내다〔제거하다〕, b) 〖비유〗 눈에 띄지 않게 조종해 결정적인 영향을 끼치다; Federn ~ 깃털을 잡아뽑다; Geld aus einer Bank ~ 은행에서 돈을 찾다; die Glocke ~ 종을 울리다; den Hut (vom Kopfe) ~ (인사로) 모자를 벗다; ein Los 〔eine Niete〕 ~ 제비 뽑다〔꽝이 나오다〕; 〖복권〗 das große Los ~ 1등에 당첨되다; Leine ~ 사라지다; die Notbremse ~ 비상 브레이크를 당기다; alle Register ~ 온 힘을 다하다; auf der Toilette die Wasserspülung ~ 화장실 수세 시설의 줄을 당기다(당겨 물을 내리다); 〖비유〗 den kürzeren ~ 손해 보다, 불리한 제비를 뽑다, 손해보는 일을 맡다, 지다; 〖비유〗 Schluß ~ 결론을 내다; einen Stein 〔eine Figur〕 ~ (장기의) 말을 이동시키다; die Uhr ~ (시간을 보려고) 시계를 꺼내다; der Schwamm zieht Wasser 해면은 물을 흡수한다; die Sonne zieht Wasser 태양은 물을 증발시킨다; die Stiefel ~ Wasser 이 장화는 물이 배어든다; 〖금융〗 einen Wechsel (auf jn.) ~ (누구에게 돈 지불을 약속하는) 어음을 발행하다; jm. einen Zahn ~ 누구의 이를 뽑다; 〖비유〗 jm. den Zahn ~ 누구의 희망을 뺏다; Zigaretten ~ 담배를 (자판기에서) 꺼내다. (**b**) 〖전치사와 함께〗 **an** et.³ ~ 무엇을 당기다; jn. am Ärmel〔Rockzipfel〕 ~ 누구의 소매를〔치맛자락을〕 끌어당기다; jn. an〔bei〕 den Haaren ~ 누구의 머리채를 잡아끌다; et. ans Tageslicht ~ 무엇을 백일하에 드러내다; 〖海〗 das Boot ans Land ~ 보트를 육지에 끌어올리다; 〖체조〗 die Knie an den Körper ~ 무릎을 바짝 당겨 몸에 붙이다; jn.〔et.〕 an Land ~ 누구를〔무엇을〕 얻다; Pflanzen am Spalier ~ 식물을 빙 둘러 심어 울타리로 만들다; et. an sich ~ 무엇을 자기 쪽으로 끌어당기다, 독점하다; jn. an seine Brust ~ 누구를 포옹하다; **auf** et. ~ 무엇 쪽으로 끌다; Perlen auf einen Faden ~ 진주를 실에 꿰다; Wein auf Flaschen ~ 포도주를 병에 담다; jn. auf die Seite ~ 누구를 제거하다; 〖비유〗 jn. auf seine Seite ~ 누구를 자기 편으로 끌어들이다; 〖軍〗 das Feuer des Feindes auf sich ~ 적의 포화 세례를 받다; js. Aufmerksamkeit〔Blicke, Augen〕 auf sich ~ 누구의 주목을〔시선을〕 끌다; et. **aus** dem Wasser ~ 무엇을 물에서 끌어올리다; den Korken 〔Pfropfen〕 aus der Flasche ~ 병에서 코르크〔마개〕를 뽑다; viel Geld aus et.³ ~ 무엇으로 많은 돈을 벌다; die Banknoten aus dem Verkehr〔Umlauf〕 ~ 지폐의 유통을 금지하다; 〖비유〗 den Karren 〔die Karre〕 aus dem Dreck ~ 무엇을 다시 정돈하다, 복구시키다; die Verunglückten aus den Wagen ~ 사고를 당한 자들을 차에서 끌어내다; aus et.³ Nutzen ~ 무엇을 이용하다; Öl aus Samen ~ 씨앗에서 기름을 짜다; die Sonne zieht die Farbe aus dem Stoff 햇볕에 천의 빛깔이 바랜다; den Kopf aus der Schlinge ~ 궁지를 벗어나다; einen Auszug aus einem Buch ~ 어떤 책에서 발췌하다; jm. die Würmer aus der Nase ~ 누구의 비밀을 교묘하게 캐내다; 〖數〗 die Wurzel aus einer Zahl ~ 어떤 수의 제곱근을 구하다; et. auseinander ~ 무엇을 분해하다; ein Band **durch** ein Schnürloch ~ (신발 따위의) 끈을 구멍에 꿰다; sich³ einen Ring durch die Nase ~ 코걸이를 하다; die Strümpfe durchs Wasser ~ 양말을 헹구다; 〖비유〗 jn. durch den Kot〔Schmutz〕 ~ 누구를 헐뜯다; jn.〔et.〕 durch den Kakao ~ 누구를〔무엇을〕 조롱하다; **in** sich ~ 홀짝홀짝 들이마시다; jn. mit Gewalt in ein Auto 〔ins Gebüsch〕 ~ 누구를 강제로 차 안〔숲속〕으로 끌고 가다; et. in die Länge ~ 무엇을 지연시키다; Rauch in〔durch〕 die Nase ~ 연기를 코로 들이마시다; 〖비유〗 in Beratung ~ 상담하다; 〖비유〗 in Betracht〔Erwägung〕 ~ 고려〔숙고〕하다; die Stirn in Falten ~ 이마에 주름살을 짓다; 〖비유〗 jn. ins Geheimnis 〔Vertrauen〕 ~ 누구에게 비밀을 밝히다; et. in Zweifel ~ 무엇을 의심하다; 〖비유〗 jn. in sein Interesse ~ 누구를 자기 편으로 끌어넣다; jn. in seine Arme ~ 누구를 포옹하다; jn. ins Gespräch ~ 누구를 대화에 끌어들이다; 〖비유〗 jn. ins Lächerliche ~ 누구를 놀리다; 〖비유〗 **nach** sich³ ~ 초래〔야기〕하다; 〖비유〗 böse〔ernste〕 Folgen nach sich³ ~ 나쁜〔중대한〕 결과를 가져오다; einen Wagen nach rechts ~ 차의 진로를 우측으로 조정하다; ein Kleid **über** das andere ~ 옷을 껴입다; 〖구어〗 jm. et. über den Kopf ~ 무엇으로 누구의 머리를 때리다; 〖경박〗 jm. eins über die Rübe ~ 누구의 대갈통을 한 방 때리다; 〖비유〗 jm. das Fell über die Ohren ~ 누구를 속이다〔속여서 금품을 옭아내다〕; den Hut über das Gesicht 〔die Augen〕 ~ 모자를 눈까지 깊이 눌러쓰다; einen Schleier über et. ~ 무엇에 베일을 씌우다; ein Kleidungsstück **unter** ein anderes ~ 어떤 옷을 다른 옷속에 (받쳐) 입다; einen Ring **vom** Finger ~ 반지를 손가락에서 뽑다; jm. die Larve vom Gesicht ~ 누구의 가면을 벗기다; Vorteil〔Profit〕 von et.³ ~ 무엇에서 이익을 얻다; 〖비유〗 jn. **vor** Gericht ~ 누구를 고소하다; jn. **zu** sich ~ 누구를 자기 편으로 끌어들이다, 매혹시키다; die Last zog ihn zu Boden 무거운 짐이 그를 쓰러뜨렸다; 〖비유〗 sich³ et. zu Gemüte ~ 무엇을 역겨워하다〔고깝게 여기다〕; 〖비유〗 jn. zu Rate ~ 누구에게 조언을 구하다, 누구와 상담하다; jn. wegen eines Dinges zur Rechenschaft〔Verantwortung〕 ~ 누구에게 무엇의 해명을 요구하다〔책임을 추궁하다〕; jn. zur Strafe ~ 누구를 처벌하다; 〖비유〗 jn. zur Tafel ~ 누구를 식사에 초대하다. ③ (**a**) (선·그림을) 긋다, 그리다; 홈을 파다: einen Kreis ~ 원을 그리다; eine Linie ~ 선을 긋다; eine Linie unter et.³ ~ 무엇의 아래에 선을 긋다; jm.〔sich³〕 den Scheitel ~ 누구〔자신〕의 가르마를 타다; Vergleiche〔Parallelen〕 ~ 비교〔대비〕하다; ein Geschützrohr ~ 포신에 강선(腔線)을 새기다; 〖비유〗 einen Schlußstrich unter et. ~ 무엇의 최종 결론을 내다. (**b**) (잡아당겨서) 늘리다: Stoffe〔Garn〕 ~ 천〔실〕을 잡아당겨서 늘리다; die Wäsche zum Trocknen in die

Länge ~ 빨래를 말리기 위해 잡아당겨서 늘리다; den Pulli nach dem Waschen in Form ~ 스웨터를 세탁 후 잡아당겨 모양을 다듬다. (**c**) (소리를) 길게 끌다: langgezogene Töne (노래 부를 때) 길게 끄는 소리; er zieht die Worte beim Sprechen 그는 이야기할 때 말을 길게 끄는 버릇이 있다. (**d**) 선 모양의 것을 만들다: eine Furche ~ 도랑을 만들다; ein Geleise ~ 궤도를 놓다; einen Graben ~ 참호를 파다; eine Grenze ~ 경계를 짓다; Mauern ~ 담장을 쌓다; Leitungen ~ 전선〔수도관〕을 부설하다; Saiten auf die Geige ~ 바이올린에 현을 메우다. (**e**) (잡아당겨서) 제조하다: Draht ~ 철사를 만들다; Lichter 〔Kerzen〕 ~ 양초를 만들다. (**f**) (줄·물집 따위를) 생기게 하다: 〖醫〗 Blasen ~ 물집을 생기게 하다; 나쁜 결과를 가져오다; der Sirup 〔Honig〕 zieht Fäden 시럽〔꿀〕이 줄줄 흘러내린다. (**g**) 표정을 짓다, 얼굴의 근육을 움직이다: ein Gesicht ~ 어떤 표정을 짓다; einen Flunsch 〔eine Fratze〕 ~ 상을 찌푸리다; ein schiefes Maul ~ 입을 삐쭉하다. ④ (**a**) 육성하다, 기르다: Blumen ~ 꽃을 가꾸다; Pflanzen aus Samen ~ 식물을 씨앗〔종자〕에서 육성하다; Vieh〔Schweine〕 ~ 가축을〔돼지를〕 기르다. (**b**) 양성〔교육〕하다: du mußt dir deine Freunde eben besser ~ 너는 친구들을 더 좋은 방향으로 이끌어야 한다. 《Ⅱ》 *imp.* ① 당기는 힘이 있다: es zieht mich in die Berge〔heimwärts〕 나는 산〔집〕에 가고 싶다; 〖비유〗 es zieht mich nicht zu dieser Gesellschaft 어쩐지 이 패거리에 끼고 싶지 않다. ② 바람이 새어 들어오다: Tür zu, es zieht! 문 닫아라, 바람 들어온다!; es zieht durch das Fenster 〔vom Fenster her〕 창문을 통해 바람이 들어온다. ③ 통증이 있다, 쑤시다: es zieht (mir) im Rücken (나는) 등이 쑤신다. 《Ⅲ》 *refl.* sich ~ ① (**a**) 나아가다, 이동하다; 〖軍〗 행진하다: ein Gewitter zieht sich zusammen 뇌우(雷雨)가 몰려들고 있다; Truppenmassen ~ sich westwärts 군대가 서쪽으로 진군한다. (**b**) 미치다, 달하다, 걸치다: das Gebirge zieht sich bis an den Fluß 〔entlang der Küste〕 산맥은 강까지〔해안을 따라〕 뻗쳐 있다; dieser Gedanke zieht sich wie ein roter Faden durch die ganze Abhandlung 이 사상은 시종일관 논문 전체를 꿰뚫고 있다. (**c**) (기간이) 연장되다, 오래 끌다: der Prozeß 〔die Verhandlung〕 zieht sich in die Länge 소송〔협상〕이 오래 가다. ② (**a**) 스며들다, 침투해 들어가다: sich in et. ~ 무엇의 속으로 스며들다; die Feuchtigkeit zieht sich in das Holz 습기가 목재 속으로 스며든다. (**b**) 변(모)하다: die Farbe zieht sich ins Rötliche 색이 불그스레해지다. (**c**) (옷감이) 늘어나다: der Stoff zieht sich sehr 이 옷감은 잘 늘어난다; Gummi läßt sich stark ~ 고무는 잘 늘어난다; sich in Fäden ~ (시럽·꿀이) 줄줄 흐르다. ③ 휘어지다, 뒤틀리다, 굽다: ein Brett zieht sich 널이 휘다; das Buch hat sich gezogen 그 책은 휘어졌다. 《Ⅳ》 *i.* ① (h.) (**a**) 효험이 있다; 성공하다, 히트치다: das zieht 이것은 효험이 있다; ein Pflaster zieht 고약이 잘 듣는다; die Bremse zieht nicht 브레이크가 듣지 않는다; ein Hieb zieht 단번에 효과가 난다; 〖연극〗 das Stück zieht gut 이 연극은 대성공이다; 〖구어〗 diese Anrede〔Masche〕 zieht bei mir nicht mehr 이 연설은〔잔꾀는〕 내게는 더 이상 효과가 없다; das zieht nicht! 그건 안 되지! (**b**) 〖요리〗 달여지다, (맛·향이) 우러나다; 뜸들다, 고아지다: den Tee 3 Minuten ~ lassen 차를 3분간 우러나게 하다; der Fisch soll nicht kochen, sondern ~ 생선은 끓이지 말고, 고아야 한다. (**c**) 끌다, 끌어당기다: an der Glocke ~ 줄을 당겨 종을 치다; an einem Karren ~ 손수레를 끌다; der Hund zieht an der Leine 개가 목줄을 끌어당긴다; 〖비유〗 an einem 〔demselben, am gleichen〕 Stricke ~ 동일한 목표를 추구하다; vom Leder ~ (칼집에서) 칼을 뽑다, 무기를 사용하다. (**d**) 바람이〔공기가〕 통한다: der Ofen 〔Schornstein, Kamin〕 zieht gut 이 난로는〔굴뚝은, 벽난로는〕 통풍이 잘 된다; die Zigarre zieht 이 여송연은 잘 빨린다〔피워진다〕. (**e**) 〖카드〗 ~, wer Karten gibt 선(先)을 정하다. (**f**) 빨아들이다, (담배를) 피우다; 〖학생〗 한 잔 마시다: laß mich mal ~ 한 대 피우게 해다오; an einer Pfeife〔Zigarre〕 ~ 파이프를〔여송연을〕 피우다; das Kind zieht 아기가 젖을 빤다. (**g**) (자동차·엔진이) 가속력이 있다: der Wagen〔Motor〕 zieht gut 이 자동차는〔엔진은〕 가속 성능이 뛰어나다. ② (s.) (**a**) 이동하다; 〖軍〗 진군〔행진〕하다; 여행하다: von dannen ~ 거기에서 떠나가다; seiner Wege ~ 앞으로 나아가다; der Schütz kommt gezogen 사수(射手)가 걸어온다; laß mich ~! 날 보내다오!; die Demonstranten ~ durch die Straßen 시위대가 거리를 행진한다; 〖시어〗 Jahr um Jahr zog ins Land 여러 해가 경과했다; auf die〔zur〕 Messe ~ 큰 장으로 가다; auf Wache ~ 보초서다; nach Hause ~ 집으로 돌아가다; ins Feld 〔zu Felde, in den Krieg〕 ~ 출정하다; viele Vögel ~ im Herbst in wärmere Länder 많은 새들이 가을이 되면 따뜻한 나라로 날아간다; in die Fremde ~ 외국으로 가다; übers Meer ~ 바다를 건너다; 〖비유〗 heftige Schmerzen ~ durch den Körper 전신에 심한 통증이 온다; durch die Welt ~ 세상을 돌아다니다; 〖사냥〗 der Hirsch zieht über die Lichtung 수사슴이 숲속의 빈터를 통과한다. (**b**) 이전〔이사〕하다: aufs Land 〔in die Stadt〕 ~ 시골〔도시〕로 이사하다; in ein Haus 〔auf ein Zimmer〕 ~ 어떤 집〔방〕으로 이사하다; von Leipzig nach Berlin ~ 라이프치히에서 베를린으로 이사하다; sie zieht zu ihrer Tochter 그녀는 딸 집으로 이사가서 함께 산다. (**c**) (피고용자가) 갈리다, 그만두다: aus einem Dienst ~ 고용살이를 그만두다; zum Monatsende ~ 월말에 그만두다; die Köchin zieht zu Ostern 요리사는 부활절에 그만둔다. (**d**) 변(모)하다: ins Gelbe ~ 노르스름해지다; sein Lachen zieht ins Bittere 그의 웃음이 고소로〔쓴웃음으로〕 변한다. (**e**) 〖체스〗 (말이) 이동하다, 나아가다: zwei Felder nach vorn ~ 두 칸 앞으로 나아가다; von Weiß auf Schwarz ~ 흰 칸에서 검은 칸으로 이동하다; mit dem König〔der Dame〕 ~ 킹〔퀸〕을 옮기다.

Ziehen *n.* -s, - ① 끌어당김, 견인(牽引); 〖철도·기계〗 (증기력·전력에 의한) 견인; 끌어냄, 잡아뺌: Pferd zum ~ 짐 끄는 말; das ~ mit dem Netz 그물 끌기; ~ beim Sprechen 얘기할 때 말을 길게 끌기. ② 선 모양의 것을 만들기; 〖원예〗 배양, 재배; 어린이의 양육: ~ am Spalier 나무 울타리 만들기. ③ 〖체스〗 말을 씀, 수: 〖카드〗 패를 내놓기. ④ 유인, 유혹, 매력; 〖연극〗 인기, 히트; 통증; 통풍, 환기(換氣): 〖醫〗 ~ in den Gliedern 전신이 쑤시고 아픔; ~ eines Schornsteines 굴뚝의 통풍. ⑤ 옮김, (철새의) 이동; 행진; 여행; 이사.

Zieher [tsíːər] *m.* -s, - ① (**a**) 끄는 사람; 〖海〗 배 끄는 사람. (**b**) 〖商〗 (어음의) 발행인. (**c**) 귀신: diese nächt'gen ~ 한밤에 출몰하는 귀신들. ② 〔드물게〕 발포고(發疱膏), 발포제(劑). ③ 뽑는 도구; 병따개, 마개뽑이. ④ 〖당구〗 (공을) 비틀어 치기.

Zieh=feder *f.* 가막부리, 강필(鋼筆). **~fenster** *n.* 아래위로 여닫는 창. **~gelder** *pl.* 양육비. **~harmonika** *f.* 〖악기〗 아코디언, 손풍금. **~hund** *m.* 수레 끄는 개. **~kind** *n.* 〔방언〕 양자; 수양아들〔딸〕. **~kloben** *m.* 도르래, 활차. **~kraft** *f.* 견인력; 인력. **~leine** *f.* 끄는 줄. **~maschine** *f.* 철사 제조 기계. **~mutter** *f.* 〔방언〕 양어머니; 보모. **~ochs** *m.* 수레 끄는 소. **~pferd** *n.* 수레 끄는 말. **~pflaster** *n.* 발포고(發疱膏). **~schacht** *m.* 윈치〔권양기(捲揚機)〕의 축. **~seil** *n.*, **~strang, ~strick** *m.* 끄는 밧줄. **~tag** *m.* 이사하는 날. **~tochter** *f.* 〔방언〕 양녀; 수양딸.

Ziehung [tsíːʊŋ] *f.* -en 〖복권〗 제비(뽑기), 추첨: die ~ der Lottozahlen 복권 숫자 추첨.

Ziehungs=liste *f.* 〖복권〗 당첨 번호표. **~tag** *m.* 추첨일.

Zieh=vater *m.* 〔방언〕 양아버지. **~wagen** *m.* 손수레. **~weg** *m.* 〖海〗 예선로(曳船路). **~werk** *n.* 견인(牽引) 기관; 철사 압연기. **~zeit** *f.* 이전기(移轉期), 이동기.

***Ziel** [tsiːl] 《⊕ Zeile, Zeit》 *n.* -(e)s, -e ① (**a**) 목표 (지점): das ~ der Reise 여행의 목적지; sein ~ erreichen 목적지에 도달하다, 목적을 달성하다; ans ~ gelangen〔kommen〕 목적지에 도달하다; am ~ seiner Reise angelangt sein 여행 목적지에 도달하다. (**b**) 〖스포츠〗 과녁, 표적: die Tanks boten der Artillerie gute ~e 전차는 포병의 좋은 표적이 되었다; das ~ treffen〔verfehlen〕 과녁을 맞추다〔맞추지 못하다〕; das ~ aufsitzen lassen 목표를 겨누다; über das ~ hinausschießen 과녁 밖으로 벗어나다. (**c**) 〖스포츠〗 결승점〔선〕, 골인: kurz vor dem ~ aufgeben 결승점 직전에서 포기하다; der deutsche Läufer ging als erster durchs ~ 독일 주자가 1등으로 결승선을 통과했다. ② (**a**) 목적, 뜻(한 바), 의향: das ~ seines Strebens 그의 노력의 목적; ein Leben ohne Zweck und ~ 목표 없는 인생〔삶〕; ein großes ~ haben 큰 뜻을 품다; ein ~ vor Augen haben 어떤 목표를 목전에 두다; sein ~ aus den Augen verlieren 목표를 잃다; weit vom ~ sein 목적과 동떨어져 있다; jn. von einem ~ abbringen 누구로 하여금 목적을 포기하게 하다; damit bin ich am ~ meiner Wünsche 그럼으로써 나는 내 소망을 이루었다; mit dem ~ des Staatsexamens 국가 고시를 목표로; sich³ ein (hohes) ~ setzen〔(ver)stecken〕 (높은) 목표를 세우다; sich³ et. zum ~ setzen〔stecken〕 무엇을 뜻〔꾀〕하다; dieser Versuch führt nicht zum ~ 이 시도는 실패할 것이다; auf diesem Wege kommst du nicht zum ~ 이렇게 해서는 네 목적을 달성할 수 없다; das gleiche ~ verfolgen 같은 목적을 추구하다. (**b**) 종점, 끝; 극단; 한계, 제한: am ~ seines Lebens sein a) 생애의 막바지에 있다, b) 일생의 목적을 성취하고 있다; 〔드물게〕 ein ~ setzen〔machen〕 제한하다; jm. 〔js. Ehrgeize〕 ein ~ setzen 누구의 야심을 억누르다; seinem Leben war ein ~ gesetzt 그의 수명은 이미 정해졌다(죽을 목숨이다); mit 〔ohne〕 Maß und ~ 절도 있는〔없는〕; Maß und ~ halten 절도를 지키다; 〖구어〗 das ~ überschreiten 〔über das ~ hinausgehen, übers ~ (hinaus)schießen〕 도〔분수〕를 넘다, 상궤를 벗어나다. ③ 〔복수: -e(r)〕 (südd.) 〖商·구식〗 기한, 지급 기한: Wechsel auf drei Monate ~ 3개월 지급 기한부의 어음; et. gegen drei Monate 〔mit drei Monaten〕 ~ kaufen 무엇을 3개월 지급 기한부로 사다; das ~ pünktlich einhalten 기한을 정확하게 지키다.

Ziel=ansteuerung *f.* 〖空〗 목표로의 유도. **~aufnahme** *f.* 〖스포츠〗 등수 판정용 사진 촬영. **~bahnhof** *m.* 종착역. **~band** *n.* 〖육상〗 결승 테이프. **~bewußt** *a.* 목적 의식이 투철한. **~bewußtheit** *f.* 투철한 목적 의식. **~-bild** *n.* 본, 모범, 전형. **~einrichtung** *f.* 〖무기〗 (총포의) 조준기, 조준구(具).

***zielen** [tsíːlən] 《I》 *i.* (h.) ① 목표로 삼다, 지향하다; 겨누다, 노리다: auf den Gegner ~ 적을 겨누다; er zielte und schoß 그는 조준사격을 했다; genau ~ 정확하게 조준하다; ein gut gezielter Schuß〔Wurf〕 잘 조준된 사격〔투척〕; 〖비유〗 seine Frage zielte ins Schwarze 그의 질문은 정곡을 찔렀다. ② 〖비유〗 암시하다, 가리키다: auf jn.〔et.〕 ~ 누구를〔무엇을〕 가리키다, 암시하다; die Bemerkung zielt auf mich 이 지적은 나를 두고 하는 소리다; 〖언어학〗 ~des Zeitwort 타동사; eine gezielte Erziehung 정확한 목표가 설정된 교육. ③ 〔방언〕 (과녁을) 감적(監的)하다. 《II》 *t.* 〔방언〕 목표하다, 뜻하다, 달성하다. 《III》 **gezielt** *p.a.* ↑ gezielt.

zielend *a.* 〖언어학〗 타동사의.

Zieler *m.* -s, - ① 〔드물게〕 겨누는 사람; 〖軍〗 조준수. ② 〔방언〕 감적수(監的手). ③ ↑ Zielrichter.

Ziel=fahndung *f.* (특정 용의자에 대한) 표적 수사〔수배〕. **~fahrt** *f.* 〖모터스포츠〗 여러 출발점에서 중심의 목표점을 향하여 달리는 자동차〔오토바이〕 경주; 〖空〗 대(對)목표 비행. **~fehler** *m.* 과녁 겨냥의 실수. **~fernrohr** *n.* 조준 망원경; 〖軍〗 (총포에 달린) 조준경. **~foto** *n.*, **~fotografie** *f.* 〖스포츠〗 (정확한 등수 판정을 위한) 결승선 사진. **~gebiet** *n.* 〖軍〗 공격 목표 지역. **~gerade** *f.* 〖스포츠〗 결승점 앞의 직선 주로(走路). **~gerichtet** *a.* 목표를 의식한, 목표에 맞춘: ~es Verhalten 목표에 맞춘 행동. **~gestell** *n.* 〖軍〗 조준대. **~gruppe** *f.* 목표 집단. **~hafen** *m.* 최종 도착항.

zielig *a.* (schweiz.) 경미한, 미천한; 좁은, 한정된.

Ziel=kamera *f.* 〖스포츠〗 정확한 등수 판정용

사진기. **~kauf** *m.* 〖經〗 ① 외상〔신용〕 구매. ②〖증권〗 선물(先物) 매매〔거래〕.
ziel·klar *a.* ↑ ~bewußt.
Ziel≈kurve *f.* 〖스포츠〗 결승점 앞 직선 주로 직전의 커브. **~linie** *f.* 〖스포츠〗 결승선, 골 라인; 〖軍〗 조준선.
ziellos *a.* 목표 없는; 목적 없는; 정처 없는: 〖언어학〗 ~es Zeitwort 자동사; ~ seines Weges gehen 정처없이 걸어가다.
Ziellosigkeit *f.* 목적〔목표〕 없는 태도; 정처 없음: die ~ seines Vorgehens 뚜렷한 목표가 없는 그의 행동.
Ziel≈pfosten *m.* 〖승마〗 결승점(의 표주(標柱)), 결승 표지(標識). **~punkt** *m.* 목표점, (과녁의) 중심점; 〖軍〗 조준점. **~richter** *m.* 〖스포츠〗 결승점 심판원. **~scheibe** *f.* (사격·활쏘기의) 표적(판); 〔비유〕 (조소의) 대상: 〔비유〕 jn. zur ~ des Spottes machen 누구를 조롱감으로 만들다. **~schiff** *n.* ①〖요트〗 결승 라인을 표시하는 배. ②〖軍〗 (사격·포격 연습용의) 표적함(艦). **~setzung** *f.* 목표 설정, 계획, 의도: eine Partei mit klaren〔verschwommenen〕 ~en 목표 설정이 분명〔애매모호〕한 정당. **≗sicher** *a.* ① 과녁을 벗어나지 않는, 목표에서 어긋나지 않는: ein ~er Schütze 명중시키는 사수. ② 목표를 분명하게 추구하는: ~ auf et.〔jn.〕 zugehen 무엇을〔누구를〕 분명한 목표로 삼아 나아가다. **~sicherheit** *f.* 목표가 분명한 태도, 방황하지 않음. **~sprache** *f.* 〖언어학〗 ① (원어에 대한) 번역어. ② (습득할) 목표어. **~stellung** *f.* 〖구동독〗 목표 설정, 계획: gesellschaftliche ~en 사회적 목표 설정. **≗strebig** *a.* 목표를〔목적을〕 지향하는: er geht ~ seinen Weg〔Lebensweg〕 그는 뚜렷한 목표를 향하여 길을〔인생 행로를〕 간다; ein ~er Mensch 목표 지향적인 사람. **~strebigkeit** *f.* 목표 지향적 태도. **~tag** *m.* 〖商〗 지급일. **~vorrichtung** *f.* 〖軍〗 조준기.
Ziem [tsi:m] *m.* -(e)s, -e 〔구식〕 소의 허벅지 살코기, 넓적다리 고기.
ziemen [tsí:mən] 〔구식·雅語〕 《I》 *i.* (h.) 적합하다, 알맞다, 어울리다: ihm ziemt ein höflicheres Verhalten 그에게는 보다 공손한 태도가 어울린다. 《II》 *refl.* sich ~ 알맞다, 예의 바르다: das ziemt sich nicht für ihn 그것이 그에게는 알맞지 않다.
Ziemer[1] [tsí:mər] *m.* -s, - (md.) 〖動〗 지빠귀속(屬).
Ziemer[2] *m.* -s, - ①〖사냥〗 짐승의 등(심)살: Reh≗ 노루의 등(심)살. ② 쇠좆매(소의 음경 속에 철사를 넣어 말린 채찍); 소의 음경. ③ 채찍.
***ziemlich** [tsí:mlıç] 《I》 *a.* ①〔구어〕 상당한, 꽤 많은, 어지간한: es ist eine ~e Strecke bis dorthin 거기까지는 상당한 거리다; er hat ein ≗es dabei verdient 그는 그것으로 어지간히 (돈을) 벌었다; das ist eine ~e Frechheit 그것은 매우 뻔뻔스러운 짓이다; ~er Krach 꽤 요란한 소음. ②〔구식〕 예의 바른, 알맞은, 적당한: zu einer ~en Zeit 적당한 시기에. 《II》 *adv.* ① 상당히, 꽤, 어지간히, 매우: er ist ~ groß 그는 꽤 크다; ~ viel Geld 상당히 많은 돈; ein ~ spannender Film 상당히 흥미진진한 영화. ②〔구어〕 거의, 대략, 대체로: ich bin ~ fertig mit meiner Arbeit 나는 일이 거의 끝났다; er ist so ~ in meinem Alter 그는 나와 거의 동년배다.
Ziepchen *n.* -s, - 〔방언〕 병아리.
Ziepelchen *n.* -s, - ↑ Ziepchen.
ziepen [tsí:pən] 〔방언〕 《I》 *t.* 〔구어〕 쥐어뜯어 따끔하게 하다, 아프게 잡아당기다: jn. an den Haaren ~ 누구의 머리카락을 아프게 잡아당기다. 《II》 ① *i.* (h.) (병아리가) 삐악삐악 울다, (쥐가) 찍찍거리다. ② *imp.* 따끔따끔하다, 콕 찌르듯이 아프다: 〔구어〕 es ziept 뜨끔하게 아프다; au, das ziept! 아야, 아파!
Zier [tsi:r] 《engl. tire, „Putz"》 *f.* 〔시어〕 ↑ Zierde.
zier *a.* 〔고어〕 품위 있는, 아름다운, 멋진.
Zieräffchen *n.* -s, -, **Zier·affe** *m.* 〔구식·폄어〕 호사바치, (허영심 많은) 멋쟁이.
Zierat [tsí:ra:t] *m.* -(e)s, -e 〔(고어) *f.* -en〕 ①〔雅語〕 장식품, 장신구: ein Türmchen als ~ auf dem Dach 지붕위 장식용의 작은 탑. ②〔고어〕 자랑(거리), 명예.
Zier≈bengel *m.* 멋쟁이, 호사바치. **~blume** *f.* ↑ ~pflanze. **~buchstabe** *m.* 〖印〗 장식체 활자.
Zierde [tsí:rdə] *f.* -n ① 꾸밈, 장식; 장식품: als ~ dienen 장식품으로 쓰이다; Blumen zur ~ auf den Tisch stellen 꽃을 장식용으로 책상 위에 놓다. ②〔비유〕 자랑(거리), 명예: er ist eine ~ seines Geschlechtes 그는 가문의 자랑이다.
Zier·druck *m.* 〖印〗 장식 문자체 인쇄.
***zieren** [tsí:rən] 《I》 *t.* ①〔雅語〕 꾸미다, 장식하다: dieses Gebäude ziert den Platz 이 건물은 광장을 아름답게 하고 있다; einen Tisch mit Blumen ~ 탁자를 꽃으로 장식하다. ② 몸을 치장하다, 멋내다, 성장하다: sich mit einer Blume〔einem Orden〕 ~ 꽃〔훈장〕으로 몸을 장식하다; mit et.[3] geziert 무엇으로 장식한〔멋을 낸〕. 《II》 *refl.* sich ~ 〔폄어〕 점잖은〔얌전한〕 체하다, 사양〔거절〕하는 체하다: ~ Sie sich nicht! 점잔 빼지 마셔요!; sich beim Essen〔bei Tisch〕 ~ 식사 때 점잔 빼다. 《III》 **geziert** *p.a.* ↑ geziert.
Ziererei [tsi:rəráı] *f.* -en 점잔〔얌전〕 빼는 언행: laß doch diese ~! 그런 얌전 빼는 태도는 제발 그만두어라, 내숭은 그만 떨어라!
ziererisch *a.* 〔드물게〕 점잔〔얌전〕 빼는.
Zier≈fisch *m.* 관상어, 완상용(玩賞用) 물고기. **~garten** *m.* (↔ Nutzgarten) 관상용 정원, 화원. **~giebel** *m.* 〖건축〗 장식 박공(膊栱). **~gras** *n.* 관상용 잔디. **~kürbis** *m.* ① 관상용 호박(의 열매). **~leiste** *f.* ①〖건축〗 몰딩, 테두리 장식. ②〖출판〗 (책 면의 상하에 넣는) 장식용 줄무늬.
zierlich [tsí:rlıç] *a.* 사랑스러운; 귀염성 있는; 기품있는, 우아한; 〖官〗 엄숙〔장엄〕한: ein ~es Mädchen 사랑스러운 아가씨; ~e Worte 우아한 말씨; eine ~e Figur haben 아리따운 몸매를 가지고 있다; sie hat eine ~e Schrift 그 여자의 필적은 아름답다.
Zierlichkeit *f.* 기품, 우아.
Zier≈linie *f.* 〖印〗 장식 괘선(罫線). **~nadel** *f.* 장식용 핀. **~pflanze** *f.* 관상 식물. **~-puppe** *f.* 〔구식·폄어·농담〕 지나치게 멋내는 여자. **~rahmen, ~rand** *m.* 장식 테두리.
Zierrat 新정서 ⇦ Zierat.
Zier≈schrift *f.* 장식 문자〔활자〕체. **~schür-**

ze *f.* (치장용) 앞치마. **~stich** *m.* 〖수공〗 장식 자수(刺繡). **~strauch** *m.* 관상용 관목. **~stück** *n.* 〖구식〗 장신구, 치장품. **~vogel** *m.* 관상용 새. **~werk** *n.* 수예품, 편물, 자수.

Ziesel [tsí:zəl] 《sl.》 *m.*/(öst.) *n.* -s, -, **Ziesel·maus** *f.* 〖動〗 다람쥐의 한 종류.

Ziest [tsi:st] 《sl.》 *m.* -(e)s, -e 〖植〗 (꿀풀과의) 두루미냉이.

Zies·tag *m.* (alem.) 화요일(Dienstag) (게르만의 전쟁신(神) Ziu 에서 유래).

Ziff. =Ziffer (법률 조문 따위의) 항.

Ziffe *f.* -n (nordd.) (개·토끼의) 암컷.

*__Ziffer__ [tsífər] 《it.》 *f.* -n ① (a) 숫자: eine Zahl von〔mit〕 drei ~n〔Stellen〕 세 자리의 수; römische〔arabische〕 ~n 로마〔아라비아〕 숫자. (b) (법률 조문 따위의 숫자로 표시된) 항(약어: Ziff.); (숫자로 표시된) 문단: Paragraph 495 ~ 2 (법률의) 495 조 2 항. ② 부호, 암호: einen Brief in ~n schreiben 편지를 암호로 쓰다. ③ 〖고어〗 영(零)을 표하는 숫자; 영.

Ziffer=blatt *n.* 시계 숫자판; 〖구어〗 얼굴. **~block** *m.* 〖컴〗 (자판의) 숫자판. **~brief** *m.* 암호 편지. **~depesche** *f.* 암호 전보.

..zifferig *suf.* "…자리 숫자의"의 뜻(보기: zwei~ 두 자리 숫자의).

ziffern *t./i.* (h.) 숫자로 계산하다; 암호로 쓰다.

Ziffer(n)=kasten *m.* 〖印〗 숫자 활자 보관용 상자. **~mäßig** *a.* 수에 따른, 숫자상의.

Ziffer=rechnung *f.* 숫자에 따른 계산, 연산(演算). **~schlüssel** *m.* 암호 (풀이) 열쇠. **~schrift** *f.* 숫자로 이루어진 암호 문서〔전신약호(略號)〕. **~telegramm** *n.* 암호 전보.

..zig 《<zehn》 *suf.* zwei 부터 neun 까지의 기수에 붙여 10 의 자리의 기수를 만듦(보기: zwan~ 20, vier~ 40).

*__Zigarette__ [tsigarɛ́tə] 《frz.》 *f.* -n 궐련, 담배: jm. eine ~ anbieten 누구에게 담배를 권하다; sich³ eine ~ anzünden〔anbrennen, anstecken〕 담배에 불을 붙이다; sich³ eine ~ drehen 담배를 말다.

Zigaretten=arbeiter *m.* 담배 제조공. **~asche** *f.* 담뱃재. **~automat** *m.* 담배 자동판매기. **~behälter** *m.* ↑ ~etui. **~bild** *n.* 〖옛뜻〗 (담뱃갑에 첨부된 수집용) 그림. **~dose** *f.* 담배통. **~etui** [..etvi:, ..etyi:] *n.* 담배 케이스. **~fabrik** *f.* 담배 공장. **~füllmaschine** *f.* 담배 제조기. **~kippe** *f.* 담배 꽁초. **~länge** *f.* 담배 한 대 피울 정도의 시간: sich auf eine ~ ausruhen 담배 한 대 피울 시간만큼 쉬다. **~maschine** *f.* ↑ ~füllmaschine. **~packung** *f.* 담뱃갑. **~papier** *n.* 담배(말이) 종이. **~pause** *f.* 끽연 휴식 시간. **~rauch** *m.* 담배 연기. **~raucher** *m.* 흡연자. **~schachtel** *f.* 담배곽. **~spitze** *f.* 담배 파이프〔물부리〕. **~stummel** *m.* 담배 꽁초. **~tasche** *f.* ↑ ~etui. **~töter** *m.* 담배를 끄는 도구.

Zigarillo [tsigarílo, ..ríljo] 《sp.》 *m./n.* -s, -s 〔(구어) *f.* -s〕 작은 여송연.

Zigärrchen *n.* -s, - 〖↑ Zigarre 의 축소형〗 〖구어〗 여송연.

*__Zigarre__ [tsigárə] *f.* -n ① 시가, 여송연: sich³ eine ~ anbrennen〔anzünden, anstecken〕 여송연에 불을 붙이다; immer eine ~ im Munde führen 항상 여송연을 입에 물고 있다; die ~ hat keine Luft 이 여송연은 잘 타지 않는다; die (Spitze der) ~ abschneiden〔abbeißen〕 여송연의 끝을 잘라내다〔물어 뜯어내다〕; 〖구어〗 eine ~ mit Bauchbinde (고급품임을 표시하는) 종이띠가 둘러진 여송연. ② 〖비유·구어〗 심한 꾸지람, 질책, 호통: jm. eine ~ verpassen 누구를 질책하다; er hat eine (dicke) ~ bekommen 그는 (몹시) 꾸지람을 들었다.

Zigarren=abschneider *m.* 여송연의 끝을 자르는 도구. **~asche** *f.* 여송연의 재. **~deck·blatt** *n.* 여송연의 겉을 마는 잎. **~etui** [..etvi:, ..etyi:] *n.* ↑ ~tasche. **~fabrik** *f.* 여송연 공장. **~kiste** *f.* 여송연 갑. **~laden** *m.* 여송연 판매점. **~rauch** *m.* 여송연 연기. **~raucher** *m.* 여송연을 피우는 사람. **~schneider** *m.* ↑ ~abschneider. **~spitze** *f.* ① 여송연의 (입에 무는) 끝부분. ② 여송연 파이프. **~ständer** *m.* 여송연 꽂이. **~stummel** *m.* 여송연 꽁초. **~tasche** *f.* 여송연 주머니〔케이스〕.

Zigärrlein *n.* -s, - ↑ Zigärrchen.

Ziger *m.* -s, - (schweiz.) 응유 (치즈).

*__Zigeuner__ [tsigɔ́ʏnər] *m.* -s, - ① 집시(유랑민족). ② 〖비유·구어〗 방랑자, 떠돌이, 보헤미안: er ist ein richtiger ~! 그는 못 말리는 떠돌이로군!

Zigeuner=bande *f.* 집시의 무리〔일단〕. **~blume** *f.* (öst.) 〖植〗 (유럽 원산의) 국화과(科) 식물.

zigeunerhaft *a.* ① 집시 같은. ② 방랑〔유랑〕의, 떠돌아다니는; 변하기 쉬운.

Zigeunerin *f.* -nen 〖↑ Zigeuner 의 여성형〗 집시 여자; 여자 방랑자.

zigeunerisch *a.* 집시의〔같은〕, 집시에서 유래하는.

Zigeuner=kapelle *f.* 집시 악단〔밴드〕. **~lager** *n.* 집시 숙박지. **~leben** *n.* ① 집시의 방랑 생활. ② 〖구어〗 불안정한 생활: er hat dieses ~ satt! 그는 이런 불안정한 생활에 염증을 느낀다! **~mädchen** *n.* 집시 소녀. **~musik** *f.* 집시 음악.

zigeunern *i.* ① (s.) 정처 없이 방랑〔유랑〕하다: durch die Welt ~ 정처 없이 세상을 떠돌아다니다. ② (h.) 집시 생활을 하다, 집시처럼 살다: die Hälfte seines Lebens hat er zigeunert 그는 생의 절반을 집시처럼 살았다.

Zigeuner=primas *m.* 집시 악단의 지휘자. **~schnitzel** *n.* 〖요리〗 집시 커틀릿(피망·양파·토마토를 곁들인 쇠고기 또는 돼지고기 커틀릿). **~sprache** *f.* 집시 언어.

Zigeunertum *n.* -s 집시 신분〔기질·풍습〕.

Zigeuner=volk *n.* 집시 민족, 집시의 무리. **~wagen** *m.* 집시의 주거용 마차. **~weib** *n.* 집시 여자.

zig=fach [tsíç..] *a.* 〖구어〗 몇 배의, 여러 겹의. **~hundert** *num.* 〖구어〗 몇 백의. **~hunderte** *pl.* 수백명, 수백개. **~mal** *adv.* 〖구어〗 몇 번씩. **~tausend** *num.* 〖구어〗 수천의. **~tausende** *pl.* 수천명, 수천개.

Zikade [tsiká:də] 《lat.》 *f.* -n 〖動〗 매미; 〖복수〗 매밋과(科).

Zikaden·männchen *n.* 수매미(우는 매미).

Zilete *f.* -n (schweiz.) (포도나무 등의) 열,

늘어선 줄.
ziliar [tsiliá:r] ⟪lat.⟫ *a.* 〖醫〗 속눈썹의.
Ziliar≈drüse *f.* 〖해부〗 속눈썹선(腺). **~gefäß** *n.* 속눈썹 혈관. **~körper** *m.* 〖해부〗 (눈의) 모양체(毛樣體).
Ziliat *m.* -en, -en, **Ziliate** [tsiliá:tə] ⟪lat.⟫ *f.* -n 〖生〗 섬모충(纖毛蟲); 〔복수〕 섬모충류.
Zilie [tsí:liə] ⟪lat.⟫ *f.* -n ① 〖醫〗 속눈썹. ② 섬모(纖毛).
Zilizien [tsilí:tsiən] 시리아(고대의 소(小)아시아 지방).
zilizisch *a.* 시리아의.
Zilizium [tsilí:tsium] ⟪lat.⟫ *n.* -s, ..zien [..tsiən] 참회복(유대인들이 고행을 위해 맨몸에 입는 모직 의복), 속죄복, (가시 돋힌) 참회띠.
Zille [tsílə] ⟪sl.⟫ *f.* -n ① (ostmd.) (특히 엘베강 및 오데르강의) 화물선, 거룻배. ② (öst.) (구명용의) 작은 배.
Zillen·schlepper *m.* 화물선의 예인선.
Zillertal 칠러탈(티롤(Tyrol) 지방의 인(Inn)강 유역 우측면의 계곡).
Zillertaler ⟪I⟫ *m.* -s, - 칠러탈 주민. ⟪II⟫ *a.* 칠러탈의: ~ Alpen 칠러탈(지방의) 알프스.
zimbabwisch ⟪schweiz.⟫ *a.* 짐바브웨(사람·말)의.
Zimbal *n.* -s, -s/-e, **Zimbel** ⟪lat.⟫ *f.* -n 〖악기〗 ① **(a)** 중세의 타현악기, 심벨론(피아노의 전신인 쳄발로류). **(b)** 오르간의 심벨론과 비슷한 음전(音栓). ② **(a)** 고대의 타악기. **(b)** 여러 가지 악기들(총칭).
Zimber [tsímbər] *m.* -s, -n 침버족(게르만 민족의 한 종족).
zimbrisch *a.* 침버족의: die ~e Halbinsel 유틀란트 반도.
Zimelie [tsimé:liə] ⟪lat.⟫ *f.* -n ↑ Zimelium.
Zimelien·schrank *m.* 귀중품장(欌).
Zimelium *n.* -s, ..lien [..liən] ① 교회 소장 보물. ② (고대의 필사본·파피루스와 같은) 도서관의 귀중한 문서〔문헌〕. ③ 보물, 보석, 귀중품.
Ziment [tsimént] ⟪lat. -it.⟫ *n.* -(e)s, -e ① (bayr., öst.) 〔구식〕 (액체량을 재는) 원통형의 되, 음료용 그릇, 조끼. ② (öst.) 도량형 검사.
Ziment·amt *n.* 도량형 검사소.
zimentieren *t.* (bayr., öst.) 〔구식〕 ① (액체량을) 원통형의 되로 재다. ② (도량형을) 검사하다.
Zimier [tsimí:r] *n.* -s, -e 〖紋〗 (문장(紋章)을 본뜬) 투구 장식.
***Zimmer** [tsímər] *n.* -s, - ① **(a)** 방; 침실: ein Haus mit acht ~n 방이 여덟 개인 집; möbliertes ~ 가구 딸린 방; Gäste≈ 손님 방, 객실; Schlaf≈ 침실; ein ~ aufräumen 〔lüften〕 방을 치우다〔환기하다〕; das ~ geht in〔auf〕 den Hof 그 방은 안뜰에 면해 있다; Haben Sie ein ~ (frei)? (빈) 방 있습니까?; sich³ das Frühstück aufs ~ bringen lassen 아침 식사를 방으로 가져오게 하다; ~ zu vermieten! 셋방 있음! (광고); 〖비유〗 das ~ hüten müssen (병으로) 외출할 수가 없다. **(b)** 실내의 가구 설비, 실내 장식. ② 〔구식〕 치머(모피의 수량 단위; 보통 40매). ③ 건축용 목재. ④ 〔방언〕 건물. ⑤ 〖광산〗 수직갱의 목조 구축, 동바리.
Zimmer≈antenne *f.* 실내 안테나. **~arbeit** *f.* 목공일, 목수일. **~arrest** *m.* 외출 금지, 실내 감금. **~axt** *f.*, **~beil** *n.* 목수용 도끼〔자귀〕. **~bekleidung** *f.* 벽판(壁板). **~beleuchtung** *f.* 실내 조명. **~bestellung** *f.* 방 예약. **~brand** *m.* 실내 화재.
Zimmerchen *n.* -s, - 〔↑ Zimmer의 축소형〕 작은 방; 〔드물게〕 변소: ~ vermieten (어린이들이) 집빼기 놀이를 하다.
Zimmer≈decke *f.* 천장. **~dekoration** *f.* 실내 장식.
Zimmerei [tsımərái] *f.* 목수 일.
Zimmer·einrichtung *f.* 실내 (가구) 설비.
Zimmerer *m.* -s, - ↑ Zimmermann.
Zimmerer≈arbeit *f.* ↑ Zimmerarbeit. **~handwerk** *n.* ↑ Zimmerhandwerk.
Zimmer≈flöße *pl.* 뗏목. **~flucht** *f.* (문으로 연결된) 일렬로 늘어선 방들. **~gerät** *n.* ① ↑ ~einrichtung. ② 목수의 도구〔연장〕. **~gesell, ~geselle** *m.* (수습 기간이 끝난) 목공. **~gymnastik** *f.* 실내 체조. **~hand·werk** *n.* 목수〔목공〕일. **~herr** *m.* 〔구식〕 셋방에 다시 세든 사람, 방 재임차인. **~hof** *m.* 목수의 일터〔작업현장〕. **~holz** *n.* 건축용 목재.
..zimmerig *suf.* "…개의 방이 있는"의 뜻(보기: zwei~ 두 개의 방이 있는).
Zimmer≈jungfer *f.* 객실 담당 여자 사환. **~kellner** *m.* (호텔의) 객실 담당 웨이터. **~laut·stärke** *f.* (라디오 등의) 실내에 알맞은 음량: bitte stellen Sie Ihr Gerät auf ~ 라디오 음량을 실내에 알맞게 조절하십시오. **~leute** ↑ ~mann의 복수. **~linde** *f.* 〖植〗 스파르마니아(남아프리카산(産) 관상 식물).
Zimmerling *m.* -s, -e ① 〔구어〕 ↑ Zimmermann. ② 〖광산〗 갱내에 갱목 대는 목수.
Zimmer≈mädchen *n.* (호텔·여관의) 객실 청소 담당 여자. ***~mann** *m.* 〔복수: ..leute/(드물게) ..männer〕 목수, 목공: 〖비유·구어〗 jm. zeigen, wo der ~ das Loch gelassen hat 누구를 내쫓다. **~meister** *m.* 도목수, 대목. **~miete** *f.* 방세.
zimmern [tsímərn] ⟪I⟫ *i.* (h.) (목재로) 가공하다, 짜다, 만들다: an einem Einbauregal ~ 목재로 붙박이 서가를 만들다; er zimmert schon den ganzen Tag 그는 이미 온종일 목공일을 하고 있다. ⟪II⟫ *t.* ① 목재로 만들다: ein Bauteil ~ 건축 부속품을 목재로 만들다. ② (건물·선박의) 뼈대를 만들다: gezimmertes Haus 들보를 올린 집. ③ 〖비유〗 짓다, 건축하다: sich³ sein Leben 〔seine Zukunft〕 selbst ~ 자기의 생활을〔미래를〕 스스로 설계하다; 〔구어〕 Kinder ~ 아기를 만들다.
Zimmern *pl.* 치메른(성(姓)의 하나): ~sche Chronik 치머른가(家)의 연대기.
Zimmer≈nachbar *m.* 옆방 친구: er war mein ~ im Büro 그는 옆 사무실에 근무했었다. **~nagel** *m.* 목공용 못. **~nummer** *f.* 방〔객실〕의 호수〔번호〕. **~ofen** *m.* 실내 난로. **~orgel** *f.* 〖악기〗 리드 오르간. **~pflanze** *f.* 실내 관상 식물. **~platz** *m.* ↑ ~hof. **~polier** *m.* 도편수, 도목수. **≈reich** *a.* 방이 많은. **~reihe** *f.* ↑ ~flucht. **~service** *m./n.* 룸서비스. **~spiel** *n.*, **~sport** *m.* 실내 경기〔운동〕. **~stück** *n.* ① 목공품. ② 〖畫〗 실내화. **~suche** *f.* (셋)방 구하기〔찾기〕: Studenten auf ~ 셋방 구하는 대학생들. **~tanne** *f.* 〖植〗 (관상 식물로 쓰이는) 남양 삼

나무속(屬). **~tapete** *f.* 벽지. **~temperatur** *f.* ①실내 온도. ②적당한 실내 온도 (18-22°C). **~theater** *n.* ①(소극장용의) 실내극, 소연극. ②소〔실험〕극장. **~tür** *f.* 방문. **~turnen** *n.* 실내 체조.

Zimmerung [tsímərυŋ] *f.* -en ①목수 일, 목공 공작. ②〖건축〗 버팀용 목재〔각목·널빤지〕; 〖광산〗 갱목, 동바리: in ~ setzen〔stellen〕 갱목을 대다.

Zimmer≈verband *m.* 목재를 묶어 매는 끈. **~vermieter** *m.* 셋방 주인, 하숙집 주인. **~vermieterin** *f.* ↑ ~vermieter 의 여성형. **~verzierer** *m.* 실내 장식가. **~wand** *f.* 내벽: hellhörige ~ (두께가 얇아) 옆방의 소리가 잘 들리는 실내벽. **~werk** *n.* ↑ ~arbeit. **~werk·statt** *f.* 목공실, 목공의 작업장. **~wirt** *m.* ↑ ~vermieter. **~wirtin** *f.* ↑ ~vermieterin.

Zimmet [tsímət] *m.* -(e)s, -e 〖구식〗 ↑ Zimt ②.

..zimmrig *suf.* ↑ ..zimmerig.

zimolisch [tsimóːlɪʃ] *a.* (그리스의) 키몰로스(Kimolos)섬의: ~e Erde ↑ Zimolit.

Zimolit *m.* -(e)s 〖광물〗 키몰로스 찰흙〔돌〕.

zimperlich [tsímpərlɪç] 《ndl.》 *a.* ①과민한, 까다로운: ein ~er Mensch 과민한 사람. ②지나치게 수줍어하는, 새침부리는; 점잔 빼는: ~es Mädchen 새침데기 아가씨; ~ essen〔~ beim Essen tun〕 점잔 빼며 식사하다; sie stellt sich im Umkleideraum ~ an 그녀는 탈의실에서 지나치게 수줍은 태도를 취한다; sie spielt die ∼e 그녀는 얌전 빼고 있다.

Zimperlichkeit *f.* 점잔 빼는〔지나치게 수줍어하는〕 태도; 과민.

Zimper·liese *f.* -n 〖구어·폄어〗 새침〔얌전〕 빼는 아가씨.

zimpern (schwäb.) *i.*(h.) 얌전 빼다, 점잖은 척하다.

zimpfer *a.* (schweiz.) ↑ zimperlich.

Zimt [tsɪmt] 《mal.》 *m.* -(e)s, -e ①〖植〗 계수나무. ②(양념으로 사용되는) 계피, 육계(肉桂): eine Röhre〔Stange〕 ~ 계피 한 통〔대〕; Grießbrei mit Zucker und ~ 설탕과 계피를 넣은 거친 곡물죽. ③〖구어·폄어〗 허튼소리, 하찮은 물건; 성가신 일: der ganze ~ kann mir gestohlen bleiben 나는 이 모든 성가신 일에 대해서 전혀 알고 싶지 않다; verschone mich mit dem ~ 그런 하찮은 일로 나를 귀찮게 하지 마라.

Zimt≈aldehyd *m.* 〖化〗 계피 알데히드. **~alkohol** *m.* 〖化〗 계피 알코올. **~apfel** *m.* 〖植〗 서인도 지방에서 나는 번려지(蕃荔枝)의 일종; 위의 과실. **~baum** *m.* 〖植〗 (실론섬에 자생하는) 육계수. **~blüten** *pl.* 육계화. **∼braun** *a.* ↑ ∼farben.

zimten *a.* 계피의, 육계의.

zimt≈farben, ~farbig *a.* 계피색의.

Zimt≈lorbeer *m.* 육계수(樹). **~nägelein** *pl.* ↑ ~blüten. **~öl** *n.* 계피유. **~rinde** *f.* 계피. **~säure** *f.* 〖化〗 육계산(酸). **~stange** *f.* 막대 모양의 육계; 육계로 만든 막대 모양의 과자. **~stern** *m.* 계피가 들어간 별 모양의 과자. **~wasser** *n.* 〖藥〗 계피수(水). **~zicke, ~ziege** *f.* 〖욕설〗 계집(년).

Zinckenit *m.* - 〖광물〗 징케나이트(납·안티몬 및 황으로 구성된 광물) (독일의 광산 소유주 J. Zincken 의 이름에서).

Zincum [tsíŋkυm] *n.* -s 아연(기호: Zn).

Zindel [tsíndəl] 《lat.》 *n.* -s, - ①안감용의 호박직(織). ②〖動〗 농어의 일종.

Zindel·taf(fe)t 《frz.》 *m.* ↑ Zindel ①.

Zinder [tsíndər] 《engl.》 *m.* -s, - 석탄재; 슬래그.

Zineraria [tsineráːria], **Zinerarie** [..riə] 《lat. cinis, „Asche"》 *f.* ..rien [..riːən] 〖植〗 시네라리아.

Zingel[1] [tsíŋəl] *m.* -s, -(n) (schweiz.) 〖動〗 도나우강에 사는 농어의 일종.

Zingel[2] 《lat.; „Gürtel"》 *m.* -s, - 〖구식〗 ①(성·도시의) 둘레벽, 주벽(周壁). ②단구(段丘), 대지(臺地). ③암소의 줄무늬.

zingeln *t.* 포위하다, 에워싸다; 둘러막다.

Zingulum [tsíŋgulυm] 《lat.》 *n.* -s, -s/..la 〖가톨릭〗 ①백색의 긴 제복을 매는 띠〔끈〕. ②가톨릭 성직자의 수도복의 장식띠.

Zink[1] [tsɪŋk] *n.* -(e)s 〖化〗 아연(기호: Zn).

Zink[2] 《it. cinque, „fünf"》 *m.* -en, -en (카드·주사위의) 다섯(짜리 패).

Zink[3] *m.* -(e)s, -en 〖악기〗 칭크(중세에서 바로크 시대까지 사용된 목관 취주 악기).

Zink≈arbeiter *m.* 아연공(工). **~artig** *a.* 아연 같은. **~asche** *f.* 아연재. **~ätzer** *m.* 〖印〗 아연판 에칭공(工). **~ätzung** *f.* 〖印〗 아연판 에칭. **~bedachung** *f.* 아연 도금. **~blech** *n.* ①아연판. ②함석판. **~blende** *f.* 〖광물〗 섬(閃)아연광. **~blume, ~blüte** *f.* 〖광물〗 산화아연, 아연화(華). **~butter** *f.*, **~chlorid** *n.* 〖化〗 염화아연. **~dach** *n.* 함석지붕. **~druck** *m.* 〖복수: -e〗 ①아연판 인쇄. ②아연판 인쇄물.

Zinke [tsíŋkə] 《↔ Zinne, Zacke》 *f.* -n ①(포크·빗·갈퀴의) 뾰족한 끝〔갈래〕. ②〖목공〗 장부촉, 사개.

Zinken[1] *m.* -s, - 암호, 비밀 부호, 상징 문자: Gauner∼ 사기꾼〔도둑〕의 암호.

Zinken[2] *m.* -s, - 〖구어·농담〗 크고 두툼한 코.

Zinken[3] *m.* -s, - 〖악기〗 ↑ Zink[3].

Zinken[4] *f.* - (주사위의) 5번 숫자.

zinken[1] [tsíŋkən] *t.* ①〖음악·고어〗 칭크를 연주하다. ②뾰족한 갈래〔이〕를 만들다: dreigezinkte Gabel 세 갈래진 포크. ③장부〔사개〕 맞추다.

zinken[2] 《I》 *t.* 〖은어〗 카드에 비밀 안표(眼標)를 하다: mit gezinkten Karten spielen 안표를 한 카드를 가지고 도박하다. 《II》 *i.* (h.) 비밀을 누설하다, 밀고하다.

zinken[3] *a.* 아연(제)의.

Zinken·bläser *m.* -s, - 칭크 취주자.

Zinkenist [tsɪŋkəníst] *m.* -en, -en ①〖구식〗 칭크 취주자. ②(schwäb.) 음악가.

Zinken≈register *n.*, **~zug** *m.* 〖악기〗 칭크의 소리를 내는 음전(音栓).

Zinker *m.* -s, - 〖폄어〗 ①밀고자, 배반자, 간첩. ②사기 도박꾼.

Zink≈erz *n.* 〖광물〗 아연광. **~folie** *f.* 아연박(箔). **~gelb** *n.* 〖化〗 아연황. **~gießer** *m.* 아연 주물사. **∼haltig** *a.* 아연을 함유한. **~hoch·ätzung** *f.* 〖印〗 아연철(凸)판 부식술. **~hütte** *f.* 아연 제련소.

zinkig [tsíŋkɪç] *a.* 톱니 모양의, 끝이 여러 갈래로 갈라진.

..zinkig *suf.* "…으로 갈라진·갈래의"의 뜻(보기: vier~ 네 갈래의).
Zink≈legierung *f.* 아연 합금. **~leim-verband** *m.*〖藥〗우나붕대(아연화 연고로 보강된 붕대).
Zinkner *m.* -s, - ↑ Zinkenist.
Zinko *n.* -s, -s ↑ Zinkographie.
Zinkograph *m.* -en, -en 아연판 인쇄공.
Zinkographie [tsɪŋkografí:] *f.* -n [..fí:ən] ↑ Zinkdruck.
zinkographisch *a.* 아연판 인쇄(물)의.
Zinkogravüre *f.* -n ↑ Zinkätzung.
Zinkotypie *f.* -n [..pí:ən] ↑ Zinkhochätzung.
Zink≈oxyd *n.*〖化〗산화아연, 아연화. **~platte** *f.*〖印〗(인쇄판 제작용) 아연판, 사진철(凸)판. **~salbe** *f.*〖藥〗아연화 연고. **~spat** *m.*〖광물〗(황색의) 능(菱)아연광. **~staub** *m.* 아연 분말. **~sulfat** *n.*〖化〗황화아연. **~vergiftung** *f.* 아연 중독. **~vitriol** *n.*〖광물〗황산아연. **~wanne** *f.* 아연으로 만든 통〔수조〕. **~waren** *pl.* 아연 제품. **~weiß** *n.* (도료로〔그림 물감으로〕 사용되는) 산화아연, 아연백(亞鉛白).
Zinn [tsɪn] *n.* -(e)s ①〖化〗주석(기호: Sn): englisches ~ 땜납, 백랍(白鑞). ② 주석 식기〔제품〕.
Zinn·ader *f.*〖광산〗주석 광맥.
Zinnamom [tsɪnamó:m]《lat.》*n.* -s ①〔구식〕계피, 육계(肉桂). ②〖植〗육계수.
zinn·artig *a.* 주석 모양의〔같은〕.
Zinn≈asche *f.*〖化〗산화석, 주석회(灰)(주석이 녹을 때 표면에 생김). **~becher** *m.* 주석잔. **~berg·werk** *n.* 주석 광산. **~blättchen** *n.* 석박(錫箔). **~blech** *n.* ① 주석판. ② (얇은) 주석 도금판. **~block** *m.* 주석덩이. **~butter** *f.*〖광물〗석락(錫酪). **~chlorid** *n.*〖化〗염화주석. **~chlorür** *n.* 염화제 1 주석.
Zinne [tsínə] *f.* -n ① (a) 여장(女墻), 성첩(城堞), 성가퀴: ein von ~n bekrönter Wehrturm 성가퀴로 장식된 요새 탑. (b) 성벽·첨탑 등의 지붕 전체. ② (산의) 뾰족뾰족한 봉우리. ③ (schweiz.) (특히 빨래를 건조시키는 데 사용되는) 슬래브 옥상.
zinnen[1] *t.* 요철형(凹凸形) 총안(銃眼)을 만들다.
zinnen[2] *a.* ↑ zinnern.
zinnen≈förmig *a.*〖건축·軍〗성가퀴 모양의. **≈krönung** *f.* 성가퀴를 만듦. **≈zahn** *m.* 성가퀴의 철벽부(凸壁部).
zinnern [tsínərn] *a.* 주석(제(製))의.
Zinn≈erz *n.* ① 주석(원)광. ②〖광물〗주석 광석. **~figur** *f.* 주석 인형〔형상〕. **~folie** *f.* 주석박(箔), 알루미늄박. **~gerät, ~geschirr** *n.* 주석제 그릇, 석기(錫器). **~gießer** *m.* 주석 주물〔제조〕공. **~gießerei** *f.* 주석 주물〔제조〕 공장, 주석 제품 제조술. **~graupen** *pl.* 부순 주석 광석. **~grube** *f.* 주석갱. **~guß** *m.* ① 주석 주조. ② 주석 주조 제품. **≈haltig** *a.* 주석을 함유한.
Zinnie [tsíniə] *f.* -n〖植〗백일초(百日草)의 일종(독일 식물학자 J.G.Zinn 의 이름에서).
zinnig *a.* (schweiz.) 인색한.
Zinn≈kies *m.*〖광물〗황석광(黃錫鑛). **~krätze** *f.* ↑ ~asche. **~kraut** *n.*〖植〗속새. **~krug** *m.* 주석제 컵〔술잔·조끼〕. **~löffel** *m.* 주석제 숟가락. **~lot** *n.* (납과 주석 합금의) 땜납.
Zinnober [tsɪnó:bər]《frz.》《I》*m.* -s, - ①〖광물〗진사(辰砂), 적색 황화수은. ②〔구어·폄어〕(a) 하찮은 것, 잡동사니: was für ein alter ~! 얼마나 낡아빠진 잡동사니인가! (b) 어리석은 짓, 허튼 수작; 헛소리: mach doch nicht so einen ~! 그런 허튼수작은 집어치워라! 《II》*m.*/(öst.) *n.* -s (황화수은의) 주색(朱色), 주홍(색).
Zinnober≈rot *n.* 주색(朱色). **≈rot** *a.* 주색의, 주홍빛의.
Zinn≈oxid, ~oxyd *n.*〖化〗산화주석. **~oxidul, ~oxydul** *n.*〖化〗산화제 1 주석. **~pest** *f.*〖化〗주석 페스트(13℃ 이하에서 주석이 부식하는 현상으로 전염성이 있음). **~platte** *f.* 주석판. **~reich** *a.* 주석이 많이 함유된. **~sand** *m.* 석사(錫砂). **~säure** *f.* 타타르산(酸), 주석산. **~schmelz·hütte** *f.*〖제련〗주석 제련소. **~soldat** *m.* 주석제 장난감 병정: wie ein ~〔die ~en〕 주석제 병정처럼 꼿꼿한. **~stufe** *f.* (층을 이룬) 주석 광괴(鑛塊). **~sulfid** *n.*〖化〗황화주석. **~sulfur** *n.* 황화제 1 주석. **~teller** *m.* 주석 접시〔쟁반〕.
Zinnwaldit [tsɪnvaldí:t, ..dít] *m.* -s〖광물〗친발디트 운모(발견지 Zinnwald 의 이름에서).
Zinn≈ware *f.* 주석 제품. **~wäsche** *f.* 주석 세광조(洗鑛槽).
***Zins** [tsɪns]《lat. census; ↑ Zensus》*m.* -es ①〔복수: -e〕〔구식〕 조세; 공물. ②〔복수: -en〕 이자; 이익, 이식: jährlich zu zahlende ~en 연이자; Darlehen zu 4 Prozent ~en 4 퍼센트 이자의 대부; ~ auf〔von〕 ~ 복리; ~ abwerfen 이자가 붙다; 3 Prozent ~en tragen 3 부의 이자가 생기다; Geld auf ~en geben〔nehmen〕 이자를 붙여서 돈을 대부해 주다〔대부받다〕; von seinen ~en leben 이자로 생활하다;〖비유〗jm. et. mit ~en〔mit ~ und Zinseszins〕 zurückzahlen〔heimzahlen〕 누구에게 무엇의 대갚음〔앙갚음〕을 톡톡히 하다. ③〔복수: -e〕〔방언〕 (obd.) 임대료(Miete, Pacht); 집세(Haus≈); (Pacht≈) 소작료, 지대.
Zins·acker *m.* 소작료를 내는 밭, 소작지.
zinsbar *a.*〔구식〕↑ zinspflichtig.
Zinsbarkeit *f.* -en ↑ Zinspflicht.
Zins≈bauer *m.*〖중세〗소작농〔인〕. **~berechnung** *f.* 이자 계산. **~besteuerung** *f.* 이자세, 이자 소득에 대한 과세. **~bogen** *m.*〖증권·주식〗이자 보증권(券), 이자 지급용 쿠폰. **~brief** *m.* 농지 임대〔차지(借地)〕 증서. **≈bringend** *a.* 이자가 생기는. **~buch** *n.* 이자 기입부, 지대 장부, 소작 대장. **~coupon** [..kupɔ̃:] *m.* 이자 지급용 쿠폰. **~einnahme** *f.* 이자 소득.
zinsen [tsínzən]《I》*i.* (h.)〔구식〕(schweiz.) 이자〔소작료·조세〕를 납부하다.《II》*t.* 이자를〔임대료를〕 지급하다; 이자를〔임대료를〕 회수하다.
Zinsen≈berechnung *f.* 이자 계산. **~dienst** *m.*〖經〗이자 지급 의무.
Zins(e)ner *m.* -s, - ↑ Zinsmann.
Zins≈erhöhung *f.*〖재정〗금리 인상. **~ertrag** *m.* 이자 수익〔소득〕.

Zinseszins [tsínzəs..] *m.* -es, -en 〖재정〗 복리(複利).

Zinseszins·rechnung *f.* 복리 계산.

Zins=frau *f.* ①〖중세〗 (봉건 시대의) 여자 소작인, 여자 농노. ② 세든 여자. **~frei** *a.* ① 지대〔집세〕 없는; 세금 없는. ② 무이자의: jm. ein Kapital ~ leihen 누구에게 자본을 이자없이 빌려 주다. **~freiheit** *f.* 무이자; 무세금; 지대〔집세〕 없음. **~fuß** *m.* 〖재정〗 이(자)율: zu einem hohen〔niedrigen〕 ~ 고리〔저리〕로. **~groschen** *m.* ①〖중세〗 (영주에게 바친) 소액의 소작료. ② (15 세기말) 작센의 은화. ③〖聖〗 공납전; 조세. **~günstig** *a.* 〖재정〗 이율이 좋은, (고객에게) 유리한 이(자)율의. **~gut** *n.* 〖중세〗 (영주가 농민에게 대여한) 소작 농지. **~hahn** *m.* 소작료로 바치는 (볏이 붉은) 수탉: rot wie ein ~ (노하여) 얼굴을 붉히고. **~haus** *n.* (obd.) 셋집, 공동 임대 주택; 땅세를 내는 집. **~herr** *m.* 〖중세〗 ① (봉건 시대의) 영주, 지주. ② 집주인. **~herrschaft** *f.* 지주〔영주〕 지배(권). **~knechtschaft** *f.* 〖중세〗 (영주에 대한 농민의) 조세〔소작료〕 납부 의무 신분, 농노의 지대 예속성. **~leiste** *f.* 〖재정〗 이자권(卷)의 요율 갱신 허가 증서. **~leute** *pl.*, **~mann** *m.* ①〖중세〗 (봉건 시대의) 소작인; 농노. ② 세입자.

zinslos *a.* 무이자의; 지대〔집세〕가 없는.

Zins=pflicht *f.* 〖중세〗 조세〔소작료〕 납부 의무; 공납 의무. **~pflichtig** *a.* 조세〔소작료〕 납부 의무가 있는. **~politik** *f.* 〖經〗 금리 정책. **~politisch** *a.* 〖經〗 금리 정책의. **~rechnung** *f.* 〖재정〗 이자 계산. **~register** *n.* 토지 대장. **~satz** *m.* ↑ ~fuß. **~schein** *m.* 〖재정〗 ① (채권의) 이자 지급 보증권, 이자권. ② 배당금 지급증. **~senkung** *f.* 〖재정〗 금리〔이자율〕 인하. **~tabelle** *f.* 〖재정〗 이자 계산표. **~tag** *m.* 지대〔집세〕 납부일. **~termin** *m.* 〖재정〗 이자 지급 기한〔기일〕. **~tragend** *a.* 이자가 붙는. **~verbilligt** *a.* 금리가 할인된. **~verbilligung** *f.* 금리 할인. **~weise** *adv.* 이자로서; 지대〔집세〕로서. **~wucher** *m.* 〖法〗 과도한 고금리 부과. **~zahl** *f.* ①〖재정〗 (부기의) 이자 계산의 적산수(積算數) (원금×일수÷100; 약어: Zz.). ② 15 년 기간(로마 황제 콘스탄틴에 의하여 제정된 세제(稅制)로 이 기간 초(初)에 재산 조사를 하여 과세액을 정함). **~zahlung** *f.* 지대〔집세·이자〕 지급.

Zio 《nord. ♧ Zeus》 *m.* 치오(고대 게르만 신화의 군신(軍神)).

Zion [tsíːɔn] 《hebr., „Hügel"》 《I》 *m.* -(s) 시온(예루살렘의 남동부 언덕). 《II》 *n.* -(s) 정교회(正教會).

Zionismus [tsionísmus] *m.* - ① 시온주의, 시온 부흥 운동(팔레스타인에 독립 국가를 건설하자는 유대 민족 운동). ② 이스라엘 국가를 팔레스타인 지역으로 확장하려는 정치 운동.

Zionist *m.* -en, -en 시온주의자.

zionistisch *a.* 시온주의의〔에 관련된〕.

Zionit *m.* -en, -en, **Zions·bruder** *m.* 〖유대교〗 같은 파의 사람.

Zions·wächter *m.* 시온의 수비병; 〖유대교·비유〗 광신자.

Zipf[1] *m.* -(e)s (obd.) (조류의) 병적인 설태(舌苔), 비강〔구강〕염.

Zipf[2] *m.* -(e)s, -e ①〖구식〗 ↑ Zipfel. ② (öst.) 〖폄어〗 지루한〔재미없는〕 사람.

***Zipfel** [tsípfəl] 《♧ Zapfen》 *m.* -s, - ① 뾰족한 끝, 첨단, 모서리: Rock~ 스커트 자락; Wurst~ 소시지의 양끝; ~ eines Landes 갑(岬), 지취, 갑각; 〖구어〗 et. beim rechten ~ anfassen〔anpacken〕 무엇을 옳은 방법으로 시작하다; 〖구어〗 et. an allen vier ~n haben 무엇을 꽉 잡고 있다. ② 회중 시곗줄에 달린 장식. ③〖아동〗 고추, 자지.

zipfelig *a.* (한 개 또는 여러 개의) 끝단이 있는; (잎·꽃잎이) 제각기 갈라진.

Zipfel·mütze *f.* (산타클로스 모자처럼 생긴) 끝이 뾰족한 두건〔모자〕; (특히) 취침 두건.

zipflig *a.* ↑ zipfelig.

Zipolle [tsipɔ́lə] 《lat.》 *f.* -n (ndd., md.) 양파.

Zipp 《engl. zip》 *m.* -s, -s (öst.) 지퍼.

zipp *int.* 〖의성어〗 (nordd.) 칫칫, 찍찍(지빠귀가 우는 소리): er kann nicht ~ sagen (공포·탈진 등으로) 그는 찍소리도 낼 수 없다.

Zipp·drossel *f.* 〖動〗 지빠귀, 콩새.

Zippe *f.* -n ① 지빠귀, 콩새. ② (nordd., md.) (가축의) 어미, 암컷; 〖비유〗 여자, 계집.

Zippel *m.* (nordd., md.) ↑ Zipfel.

Zippen·nest *n.* 지빠귀 둥지.

Zipperlein [tsípərlaɪn] *n.* -s 〖구식·구어〗 발의 통풍, 요산성(尿酸性) 관절염.

Zippus *m.* -, Zippi/Zippen ① (고대의) 경계석. ② (고대의) 묘비석.

Zipp·verschluß [tsíp..] *m.* (öst.) 지퍼.

Zips [tsɪps] *f.* 칩스(슬로바키아의 독일어 사용 지방).

Zipser 《I》 *m.* -s, - 칩스의 주민. 《II》 *a.* 칩스의.

Zirbe [tsírbə], **Zirbel** [tsírbəl] 《< mhd. zirben, „wirbeln"》 *f.* -n 〖植〗 ↑ Zirbelkiefer.

Zirbel=baum *m.* ↑ ~kiefer. **~drüse** *f.* 〖해부〗 송과선(松果腺). **~holz** *n.* 서양잣나무 목재. **~kiefer** *f.* ①〖植〗 서양잣나무. ② 서양잣나무 목재. **~nuß** *f.* 〖植〗 서양잣나무 열매, 송과(松果).

Zirconium *n.* -s ↑ Zirkonium.

zirka [tsírka] 《lat. circa, „ringsumher"》 *adv.* 약, 대략(약어: ca.): ~ 20 Personen 약 20 명; ~ 3 Wochen 약 3 주.

Zirka·auftrag *m.* 〖經〗 약간의 시세 차이가 허용되는 증권 매매 위탁.

***Zirkel** [tsírkəl] 《lat.; lat. circulus》 *m.* -s, - ① 원, 권(圈), 윤(輪), 원주: der ~ schließt sich 원이 다 그려진다. ② (a) 동아리, 서클, 집단, 모임: literarischer ~ 문학 동아리. (b) 〖구동독〗 작업 공동체: an einem Theater~ teilnehmen 연극 공동체에 참여하다. ③〖工〗 컴퍼스, 양각기(兩脚器): einen Kreis mit dem ~ ziehen〔schlagen〕 컴퍼스로 원을 그리다; 〖비유〗 alles mit dem ~ abmessen 만사를 규칙대로만 하다. ④ 회전, 순회. ⑤〖학생〗 (학생 조합을 표시하는) 원형 표지. ⑥〖승마〗 (땅에 그려진) 윤승원(輪乘圓); 원형 말타기: auf dem ~ reiten 윤승을 하다. ⑦ 표적의 원. ⑧ 원형의 관: der goldene ~ 왕관. ⑨〖哲〗 ↑ ~schluß. ⑩〖天〗 (남쪽 하늘의) 컴퍼스자리.

Zirkel=arbeit *m.* 〖구동독〗 작업 공동체 내에서의 작업. **~bewegung** *f.* 원주 운동, 회전. **~beweis** *m.* 〖哲〗 순환 논증〔논법〕 (Circulus vitiosus). **~bogen** *m.* 원의 호(弧).

~**förmig** *a.* 원형의. ~**kasten** *m.* 제도 용구 케이스. ~**linie** *f.* 원선(圓線).

zirkeln [tsɪ́rkəln] 《I》 *t.* ① (컴퍼스로 재듯이) 정확하게 재다: die ganze Gartenanlage ist wie gezirkelt 정원 전체는 정확하게 측정되어 있다. ②〔구어〕정확히 시험해 보다. ③〔구어〕 정확히 운반하다: den Ball ins Netz ~ 공을 골에 정확히 몰고 가 차 넣다. 《II》 *i.* (h.) / *refl.* (sich) ~ 원형으로 움직이다, 회전하다.

zirkel=**rund** *a.* 원형의. ~**säge** *f.* 둥근 톱. ~**schluß** *m.* 〖哲〗 순환 논법〔논증〕. ~**schmied** *m.* 〔고어〕 (컴퍼스 등의) 측정 도구 제조공.

Zirkon [tsɪrkó:n] 《pers.》 *m.* -s, -e 〖광물〗 지르콘(보석의 일종).

Zirkon·erde *f.* 〖광물〗 지르코니아.

Zirkonium [..nium] *n.* -s 〖化〗 지르코늄(금속 원소의 하나; 기호: Zr).

Zirkular *n.* -s, -e 〔구식〕 통문(通文), 회람, 회람문〔광고〕.

zirkular [tsɪrkulá:r], **zirkulär** 《↑ Zirkel》 *a.* 원형의; 회전〔순환〕하는: 〖醫·心·구식〗 zirkuläres Irresein 주기적 정신병.

Zirkular=**erlaß** *m.* (공문 형식의) 회람 공고. ~**note** *f.* 회람 외교 통첩. ~**säge** *f.* 둥근톱. ~**schreiben** *n.* 〔구식〕 ↑ Zirkular.

Zirkulation [tsɪrkulatsió:n] 《lat.》 *f.* -en ① (**a**) 순환, (화폐의) 유통: Geld~ 돈의 유통; 〖기상〗 ~ der Atmosphäre 대기의 순환; in ~ setzen 순환〔유통〕시키다. (**b**) 〖醫〗 혈액 순환: ein die ~ anregendes Mittel 혈액 순환 촉진제. ② 〖펜싱〗 회전찌르기.

Zirkulations=**organ** *n.* 〖해부〗 순환기. ~**störung** *f.* 순환기 장애. ~**system** *n.* 순환 계통.

zirkulieren [tsɪrkulí:rən] *i.* (h./s.) ① 순환〔유통〕하다: das Blut zirkuliert in den Adern 피가 혈관 속에서 순환한다. ② (소문이) 퍼지다: es ~ Gerüchte, daß... …라는 소문이 돌고 있다.

zirkum.. 《lat., „um.., herum..“》 *pref.* "주위에·돌아서"의 뜻.

zirkumflektieren *t.* 〖음성〗 (어떤 모음에) 장음부를 붙이다.

Zirkumflex [tsɪrkumflέks] *m.* -es, -e 〖음성〗 ① 장음부(보기: ō, ô). ② 강약(強弱) 형 강세.

zirkumpolar *a.* 극의 주변을 도는, 주극(周極)의.

Zirkumpolar·stern *m.* 〖天〗 주극성(周極星).

zirkumskript [..skrɪpt] *a.* 〖醫〗 국한성(性)의, 국부적인: eine ~e Rötung (피부의) 국부적인 붉어짐.

Zirkumzision *f.* -en 〖인종·醫〗 할례(割禮), 포경 수술.

***Zirkus** [tsɪ́rkʊs] 《gr. kírkos, „Kreis“》 *m.* -, -se ① (고대 로마의) 원형 경기장. ② (**a**) 곡마단, 서커스: Wander~ 순회 서커스단; als Dompteur beim ~ arbeiten 서커스단의 (맹수) 조련사로 일하다; zum ~ gehen 서커스단에 들어가다; 〔비유〕 der reinste ~ 말할 수 없이 재미나는 것. (**b**) 서커스 공연장, 곡마장. (**c**) 서커스 공연: der ~ beginnt um acht Uhr 서커스 공연은 8 시에 시작된다; in den ~ gehen 서커스 구경가다. (**d**) 서커스 관중: der ganze ~ jubelte 서커스 관중 전체가 환호성을 질렀다. ③ 〔구어〕 (**a**) 소란, 떠들썩함, 혼란, 법석: so ein ~! 대단한 소란이군! (**b**) 번거로움, 귀찮음, 성가심: mach doch keinen solchen ~! 제발 번거롭게 하지 마라!

Zirkus=**clown** *m.* 어릿광대. ~**direktor** *m.* 곡마단 단장. ~**pferd** *n.* 곡마단의 말. ~**reiter** *m.* 곡마사(師). ~**reiterin** *f.* ↑ ~reiter 의 여성형. ~**vorstellung** *f.* 서커스 공연. ~**zelt** *n.* 서커스 공연용 대형 천막.

Zirm, Zirn *m.* -(e)s, -e (tirol.) 서양잣나무 (목재).

zirp *int.* 〔의성어〕 ~ ~ 삐이삐이, 찌륵찌륵 (곤충·새의 울음소리).

Zirpe [tsɪ́rpə] 《< zirpen》 *f.* -n 〖動·방언〗 ① 매미. ② 귀뚜라미.

zirpen [tsɪ́rpən] *i.* (h.) (곤충이) 찌륵찌륵 울다, (작은 새가) 짹짹 지저귀다.

Zirrhose [tsɪró:zə] 《lat.》 *f.* -n 〖병리〗 (내장의) 경변(증) (硬變(症)): Leber~ 간경화.

Zirro=**kumulus** [tsɪro..] 《lat.》 *m.* 〖기상〗 권적운(卷積雲), 조개〔비늘〕구름. ~**stratus** *m.* 〖기상〗 권층운(卷層雲), 털층〔햇무리〕구름.

Zirrus [tsɪ́rus] 《lat. cirrcus, „Locke“》 *m.* -, -/Zirren ① 〖動〗 (원생 동물의) 극모(棘毛), 모양돌기(毛樣突起); (편형 동물의) 생식기. ② 〖기상〗 ↑ ~wolke.

Zirrus·wolke *f.* 〖기상〗 권운(卷雲), 새털구름.

Zirze *f.* -n 〖그리스신화〗 키르케(Homer 의 서사시 Odysee 에 나오는 마녀); 요부(Circe).

zirzensisch [tsɪrtsέnzɪʃ] 《< Zirkus》 *a.* ① (고대 로마의) 원형 경기장의〔에서 개최되는〕: ~e Spiele (고대 로마의) 원형 경연장의 경기. ② 서커스의.

zis.. 《lat. cis, „diesseits“》 *pref.* (↔ trans..) "이쪽에"의 뜻.

zisalpin(isch) [tsɪs|alpí:n(ɪʃ)] *a.* (이탈리아에서 보아) 알프스 산맥 이쪽〔남쪽〕의.

Zisch [tsɪʃ] 《의성어》 *m.* -es, -e 쉬이쉬이하는 소리.

Zischelei *f.* (성가시고 지속적인) 속닥거림.

zischeln 《I》 *i.* (h.) ① 속닥거리다, 귓속말을 하다: man hörte ~de Stimmen 속닥거리는 소리들이 들려왔다. ② 은밀하게 험담하다: am anderen Tischende wurde über ihn gezischelt 식탁의 다른 쪽 끝에서는 그에 대한 험담을 했다. 《II》 *t.* (험담 따위를) 속닥거리다.

***zischen** [tsɪ́ʃən] 《I》 *i.* ① (h.) (**a**) 쉿 소리를 내다〔울리다〕: kochendes Wasser zischt 물이 쉬쉬 끓고 있다. (**b**) (뱀·거위가) 쉬쉬 소리를 내다: Schlangen ~ 뱀이 혀를 널름거리며 쉬쉬 소리를 낸다. (**c**) (연극·연설에서) 쉬쉬하며 야유하다: bei der Premiere wurde heftig gezischt 초연(初演)에서 심하게 쉬쉬하는 야유가 쏟아졌다. ② (s.) (**a**) 쉿 소리를 내며 움직이다: Splitter zischten uns um die Ohren 파편들이 우리들의 귓전으로 쉿 소리를 내며 지나갔다. (**b**) 〔구어〕 빨리 달리다: er kam um die Ecke gezischt 그는 모퉁이를 돌아 잽싸게 달려왔다. 《II》 *t.* ① et. ~ 무엇을 입속말로 (씩씩거리며) 중얼거리다, 욕하다. ② 〔구어〕 einen 〔ein Bier〕 ~ (맥주 따위를) 한잔 마시다.

zischend *p.a.* 〖문법〗 잇소리〔치음(齒音)〕의.
Zisch·hahn *m.* 안전판(瓣).
Zisch≈laut, ~ton *m.* ①〖음성〗 치음(齒音)(s, sch 등). ② 쉬〔쉿〕하는 소리.
Ziseleur [tsizelǿːr] 《frz.》 *m.* -s, -e 금속 조각사.
Ziselier·arbeit *f.* 금속 조각품; 상감.
ziselieren [tsizelíːrən] *t.* (금속에) 조각〔상감〕하다.
Ziselierung *f.* -en ① 금속 조각〔세공〕 작업. ② 금속 조각 장식, 상감 장식.
Zislaweng [tsɪslavɛ́ŋ] *m.* 〖다음 용법으로〗〖구어〗 mit einem ~ 훌쩍, 단숨에.
zispadanisch [tsɪspadáːnɪʃ] 《↑ zis..》 *a.* (로마에서 보아) 포(Po)강의 이쪽편의.
zisrheinisch *a.* 라인강의 이쪽편의(서안(西岸)의).
Zissalien [..liən] *pl.* 잘못 주조된 주화〔경화(硬貨)〕.
Zissoide [tsɪsoíːdə] 《gr.》 *f.* -n 〖기하〗 시소이드 질주선(疾走線).
Zista 《lat.》 *f.* ..sten ↑ Ziste.
Zis·tag 《alem.》 *m.* 〖고어〗 화요일(Dienstag).
Ziste 《gr. kístē, „Kiste"》 *f.* -n ① (선사 시대의) 원통형의 청동제 용기〔그릇〕. ② 점토로 만든 유골 단지〔항아리〕.
Zisterne [tsɪstɛ́rnə] *f.* -n ① (땅속에 묻은) 빗물통. ②〖해부〗 (조직·세포내의) 분비액을 저장하는 조(槽), 강(腔).
Zisternen·wasser *n.* 물통에 괸(빗)물.
Zisterzienser [tsɪstɛrtsiɛ́nzər] *m.* -s, - 시토 교단의 수도사(기원지인 프랑스 Cîteaux 의 라틴명인 Cistercium 에서).
Zisterzienserin *f.* -nen ↑ Zisterzienser 의 여성형.
Zisterzienser·orden *m.* -s (11세기 말에 창설된) 시토 교단.
Zist·röschen [tsíst..] *n.* -s, -, **Zistrose** *f.* -n, **Zistus** 《lat.》 *m.* -, - 〖植〗 치스트(물푸레나뭇과(科)의 상록 관목).
Zitadelle [tsitadɛ́lə] 《frz.; „kleine Stadt"》 *f.* -n 요새 안의 독립된 작은 보루, 내성(內城).
***Zitat** [tsitáːt] 《lat.》 *n.* -(e)s, -e ① 인용문, 인용구: et. mit einem ~ belegen 무엇을 인용문으로 증명하다. ② 명언, 유명한 격언.
Zitaten≈jäger *m.* 인용구 섭렵자(涉獵者). **~lexikon** *n.*, **~schatz** *m.* 인용구 사전.
Zitation [tsitatsióːn] 《lat.》 *f.* -en ①〖法·구식〗 소환, 호출. ② 인용, 인용(문)구.
Zither [tsítər] 《lat.; ⊕ Gitarre》 *f.* -n 〖악기〗 치터, 키타라(하프 비슷한 고대 그리스의 현악기).
Zither≈ring *m.* 치터 연주용의 가락지. **~schläger** *m.* ↑ ~spieler. **~spiel** *n.* 치터 연주. **~spieler** *m.* 치터 연주자.
***zitieren** [tsitíːrən] 《lat.》 *t.* ① 인용하다: einen Dichter〔eine Stelle〕 ~ 어떤 시인의 문구를〔어떤 대목을〕 인용하다. ②〖法〗 소환하다: jn. vor Gericht ~ 누구를 법정에 소환하다. ③ 주문을 외워 불러내다: Geister ~ 귀신을 (주문을 외워) 불러내다.
Zitierung *f.* -en 인용(하기).
Zitrat [tsɪtráːt] 《lat.》 *n.* -(e)s, -e 〖化〗 시트르산〔구연산〕염.
Zitrin ① *m.* -s, -e 〖광물〗 황수정(黃水晶). ② *n.* -s 〖생화학〗 시트린(비타민 P 의 별칭).
Zitronat 《lat.》 *n.* -(e)s, -e 설탕에 절인 레몬 껍질.
Zitrone [tsɪtróːnə] 《lat. citrus》 *f.* -n 〖植〗 ① 레몬나무. ② (a) 레몬 열매: heiße ~ 뜨거운 레몬차, 레몬 음료; 〖구어〗 jn. wie eine ~ auspressen〔ausquetschen〕 누구에게 꼬치꼬치 캐묻다. (b) 불쾌하고 결함 있는 것에 대한 상징: mit diesem Gebrauchtwagen hat man dir anscheinend eine ~ angedreht 이 중고차를 너는 아마 비싸게 산 것 같다; mit ~n gehandelt haben (사업에) 실패했다.
Zitronen≈baum *m.* 〖植〗 레몬나무. **~creme** *f.* 레몬맛 크림. **~falter** *m.* 〖動〗 노랑나비. **~farbe** *f.* ↑ ~gelb. **~farbig** *a.* 레몬색〔담황색〕의. **~gelb** *n.* 레몬색. **~limonade** *f.* 레몬 (탄산) 음료. **~melisse** *f.* 〖植〗 서양산(産) 향수 박하, 멜리사. **~presse** *f.* 레몬 짜는 기구. **~saft** *m.* 레몬즙〔주스〕. **~sauer** *a.* 〖化〗 시트르산〔구연산〕을 함유한: Zitronensaure Magnesia 시트르산 마그네시아. **~säure** *f.* 〖化〗 시트르산, 구연산. **~schale** *f.* 레몬 껍질. **~scheibe** *f.* 얇은 레몬 조각. **~vogel** *m.* ↑ ~falter. **~wasser** *n.* 레몬수.
Zitrulle [tsɪtrúlə] 《lat.》 *f.* -n 〖植·구식〗 수박(속).
Zitrus≈frucht *f.* (오렌지·귤·레몬과 같은) 감귤류의 과실. **~öl** *n.* 감귤류의 과실로 짠 기름. **~pflanze** *f.* 〖植〗 감귤류의 식물.
Zitscherling *m.* -s, -e 〖動·구어〗 (자작나무 숲에 둥지를 트는) 검은방울새.
Zitter≈aal *m.* 〖動〗 (남아메리카산(産)의) 전기뱀장어. **~affe** *m.* 〖動〗 거미원숭이.
Zitterer *m.* -s, - 몸을 떠는 사람, 전율자.
Zitter≈esche, ~espe *f.* ↑ ~pappel. **~fisch** *m.* 전기어(電氣魚), 발전어. **~gold** *n.* 〖구식〗 금박 대용의 놋쇠 박편(薄片). **~gras** *n.* 〖植〗 방울내풀(속(屬)).
zitt(e)rig [tsít(ə)rɪç] *a.* (노쇠·신경쇠약으로) 떠는, 떨리는: ein ~er alter Mann 몸을 떠는 노인; eine ~e Handschrift 떨린 필적.
***zittern** [tsítərn] 《I》 *i.* (h.) ① 떨다, 전율하다; 진동하다: die Beine ~ ihm 그는 발이 덜덜 떨린다; wie Espenlaub ~ 와들와들 떨다; **am** ganzen Leibe ~, an allen Gliedern ~ 온몸이 떨린다; **beim** bloßen Gedanken daran ~ 그것을 생각만 해도 전율을 느낀다; **vor** Kälte〔Angst, Furcht〕 ~ 추위로〔불안으로, 공포로〕 떨다; 〖구어〗 er schrie, daß die Wände zitterten 그는 벽이 진동할 정도로 크게 소리쳤다; Sonnenstrahlen ~ auf dem Wasserspiegel 햇살이 수면에서 어른거린다; seine Stimme zitterte 그의 음성이 떨렸다; 〖구어〗 das Haus〔die Erde〕 zittert 집〔땅〕이 흔들린다. ② 두려워하다, 크게 무서워하다; 걱정하다: vor jm.〔et.[3]〕 ~ 누구를〔무엇을〕 두려워하다; **um**〔**für**〕 jn.〔et.〕 ~ 누구를〔무엇을〕 걱정하다.
Zittern *n.* -s (몸을) 떨기, 전율; 진동: mit ~ und Zagen 공포로 벌벌 떨면서.
zitternd *p.a.* 떨리는, 떠는: mit ~er Stimme sprechen 떨리는 음성으로 말하다.
Zitter≈nadel *f.* (여자 모자의) 흔들리는 장식핀. **~pappel** *f.* 〖植〗 미루나무, 은백양. **~partie** *f.* 〖구어〗 (특히 중요한 결정이 내려지기 직전의) 흥분 상황: das Warten auf die

Wahlergebnisse wurde für den Kandidaten die reinste ~ 선거 결과에 대한 기다림이 후보자를 극도로 떨게 만들었다. **~rochen** *m.* 〖動〗(시끈가오릿과의) 전기메기. **~spiel** *n.* ①〖스포츠〗 끝날 때까지 승부를 예측하기 어려운 경기. ② 나뭇조각·뼛조각 따위를 쌓아올리고 하나씩 제거하는 놀이. **~stimme** *f.* 떨리는 음성. **~tierchen** *n.* 〖動〗 나선균(螺旋菌). **~wels** *m.* 〖動〗 전기메기.

Zitwer [tsítvər] 《lat.》 *m.* -s, - 〖植〗 봉아술, 울금, 심황(心黃).

Zitwer≠same(n) *m.* 봉아술 씨앗. **~wurzel** *f.* 봉아술 뿌리.

Zitz [tsɪts] 《ndl.》 *m.* -es, -e 〖섬유〗 사라사(여러 빛깔로 무늬를 날염한 피륙).

Zitze [tsítsə] *f.* -n (포유류 암컷의) 유방; 〖비속〗 (여성의) 젖(꼭지).

Zitzen·tiere *pl.* 〖動〗 포유류.

Ziu [tsí:u] *m.* (고대 게르만 신화에서의) 군신 (Zio).

***zivil** [tsiví:l] 《lat.》 *a.* ① 일반 시민의(bürgerlich); 〖法〗 민사(民事)의(↔ kriminal): 〖法〗 ~er Notstand 자연 재해. ② 민간의(↔ militärisch): ~e Verteidigung 민방위; 〖法·구식〗 ~er Bevölkerungsschutz 민방위; 〖軍·구식〗 ~er Ersatzdienst 병역 대체 근무 (Zivildienst). ③ ("시민으로서의 품위에 어울리는"이란 뜻에서) 예의 바른, 정중한: jn. ~ behandeln 누구를 정중하게 모시다. ④ 적절한: ~e Preise 적당한 가격, 염가.

Zivil *n.* -s ①〖드물게〗(↔ Militär) 일반 시민; 민간 사회. ② (↔ Uniform) 평복, 사복: in ~ 평복〔사복〕 차림으로. ③ (schweiz.) 결혼 유무.

Zivil≠amt *n.* 문관(직). **~anwärter** *m.* 문관직 지망자. **~anzug** *m.* 평복, 사복. **~beamte*** *der* 문관. **~beruf** *m.* (공무원 등이 아닌) 민간 직업: der Rekrut ist in ~ Busfahrer 그 신병의 민간인일 때의 직업은 버스 운전사다. **~beschädigte*** *der/die* (전시의) 민간인 피해자. **~bevölkerung** *f.* 일반 시민, 민간인, 비전투원. **~courage** [..kur:ʒə] *f.* 시민으로서의 용기. **~dienst** *m.* 〖軍〗 병역 대체 근무.

Zivildienst≠beauftragte* *der/die* (구서독 노동부의) 병역 대체 근무 담당관. **~leistende*** *der/die* 〖軍〗 병역 대체 근무자.

Zivil≠ehe *f.* 〖法〗 법률상〔호적상〕의 결혼, 민사혼(婚). **~fahndung** *f.* 〖法〗 사복 경관에 의한 수색〔수배〕. **~flugzeug** *n.* 〖空〗 민간기. **~gericht** *n.* 〖法〗 민사 법원〔법정〕. **~gesetzbuch** *n.* (스위스의) 민법전(民法典)(약어: ZGB; ↑ BGB).

***Zivilisation** [tsivilizatsió:n] 《frz.》 *f.* -en ① 문명(↔ Barbarei): er lebte jahrelang fern von jeder ~ 그는 수년 동안 모든 문명과 떨어져 살았다. ②〖드물게〗 세련된 태도, 교양: sie besitzt keine ~ 그녀는 교양이 없다. ③ 문명화.

Zivilisations≠krankheit *f.* 현대〔문명〕병. **∻müde** *a.* 문명(생활)에 싫증난. **~müdigkeit** *f.* 문명 혐오증.

zivilisatorisch [..tó:rɪʃ] *a.* 문명의; 개화시키는.

zivilisieren 《I》 *t.* ① 문명화하다, 개화〔교화〕시키다. ② 세련되게 하다. 《II》 **zivilisiert** *p.a.* ↑ zivilisiert.

zivilisiert 《I》 *p.p.* ↑ zivilisieren. 《II》 *p.a.* 문명화한; 교양 있는, 세련된.

Zivilisierung *f.* -en 문명화, 개화.

Zivilist *m.* -en, -en ① (↔ Militär) 민간인, 일반 국민. ② 민법학자(↔ Kriminalist). ③ 사복을 입은 사람: zwischen den Offizieren saßen auch einige ~en 장교들 사이에는 민간인 복장의 사람들도 서너 명 앉아 있었다.

zivilistisch *a.* 시민〔민간인〕의.

Zivil≠kammer *f.* 〖法〗 (지방 법원의) 민사부. **~klage** *f.* 〖法〗 민사 소송상의 고소. **~kleidung** *f.* 사복. **~leben** *n.* 민간 생활. **~liste** *f.* 왕실〔황실〕 세비(歲費). **~luftfahrt** *f.* 민간 항공. **~person** *f.* 민간인, 시민. **~prozeß** *m.* 〖法〗 민사 소송.

Zivilprozeß≠ordnung *f.* 민사 소송법. **~recht** *n.* ↑ ~ordnung.

Zivil≠recht *n.* 민법, 사법. **∻rechtlich** *a.* 민법(상)의. **~sache** *f.* ①〖法〗 민사 사건. ②〖구어〗 사복. **~schutz** *m.* 〖法〗 ① 민방위. ② 민방위대. **~stand** *m.* ① (군인에 대하여) 민간인 신분. ② (schweiz.) 호적상의 신분. **~stands·amt** *n.* (schweiz.) 호적 사무소. **~trauung** *f.* ↑ ~ehe. **~versorgung** *f.* 퇴역 군인의 민간 기업 취업 알선.

zivilversorgungs≠berechtigt *a.* 문관 임용증이 있는. **∻schein** *m.* 문관 적임증(군복무 12 년 이상의 하사관에게 줌).

Zivil≠verteidigung *f.* 민방위. **∻verwaltung** *f.* 민정(民政), 민간 행정.

zizerlweis [tsítsərlvaɪs] *a.* (öst.) 지지부진하게; 조금씩, 분할하여: die Schulden ~ bezahlen 빚을 찔끔찔끔 갚다.

ZK =Zentralkomitee 〖구동독〗 당 중앙 위원회.

Zl =Zloty.

Zloty [zlɔ́ti, slɔ́ti] 《poln.》 *m.* -s, -(s) 슬로티 (폴란드의 화폐 단위).

Zn 〖化〗 =Zink 아연.

Znüni *m./n.* -s, -s (schweiz.) 오전 간식.

Zobel [tsó:bəl] 《sl. -russ.》 *m.* -s, - 〖動〗 (Marder) 검은 담비; 검은 담비의 모피(옷).

Zobel≠fell *n.* 검은담비의 털가죽. **~pelz** *m.* 검은담비의 모피(옷).

Zober [tsó:bər] *m.* -s, - 〖방언〗 ↑ Zuber.

zockeln *i.* (s.) 〖구어〗 (zuckeln) 느릿느릿 가다.

zocken *i.* (t.) 도박〔노름〕하다.

Zocker *m.* -s, - 노름〔도박〕꾼.

zodiakal *a.* 수대(獸帶)〔황도대(黃道帶)〕의.

Zodiakal·licht 《gr.》 *n.* 〖天〗 황도광(黃道光).

Zodiakus [tsodí:akʊs] 《gr. zôdion, „Tierchen"》 *m.* - 〖天·점성술〗 (Tierkreis) 수대(獸帶), 황도대(黃道帶).

Zöfchen [tsǿ:fçən] *n.* -s, - ↑ Zofe 의 축소형.

Zofe [tsó:fə] *f.* -n 시녀, 몸종.

Zoff *m.* -s 〖구어〗 싸움, 불화: mit jm. ~ haben 누구와 다투다.

zog [tso:k] ↑ ziehen 의 과거형.

zöge [tsǿ:gə] ↑ ziehen 의 접속법 Ⅱ 식.

Zögerer [tsǿ:gərər] *m.* -s, - 주저하는〔우물쭈물하는〕 사람.

zögerlich *a.* 〖드물게〗 망설이는, 주저하는.

***zögern** [tsǿ:gərn] *i.* (h.) 주저하다, 망설이다;

지체하다: mit der Zahlung ~ 지급을 미루다; er zögerte nicht, die Verantwortung auf sich zu nehmen 그는 책임을 떠맡기를 망설이지 않았다.

zögernd *p.a.* 주저하는, 우물쭈물하는: ~ sprechen 머뭇거리며 말하다; ~en Schrittes 느린 걸음으로.

Zögern *n.* -s 주저, 지체: ohne ~ 즉시, 지체 없이.

Zögerung *f.* -en ↑ Zögern.

***Zögling** [tsǿ:klɪŋ] *m.* -s, -e (기숙사의) 사생; 문하생; 〖비유〗(선배·상급자의) 후원을 받는 사람.

Zohe [tsó:ə] *f.* -n (südwd.) 암캐 (Hündin).

Zola [zɔlá, tsó:la] Emile ~ 졸라(프랑스의 소설가, 1840-1902).

Zölenterat [tsølɛnterá:t] 《gr.》 *m.* -en, -en 〖動〗 강장(腔腸) 동물(Hohltier).

Zölestin [tsølɛstí:n] 《lat.》 *m.* -s, -e 〖광물〗 천청석(天青石).

Zölestiner *m.* -s, - 베네딕트 수도회원.

zölestisch *a.* 〖구식〗 하늘의, 천상의.

Zölibat [tsølibá:t] 《lat. coelebs, „Junggeselle"》 *m./n.* -(e)s 〖가톨릭〗 (성직자의) 독신(제): im ~ leben 독신으로 살다.

zölibatär [..batɛ́:r] *a.* 독신의: ~es Leben 독신 생활.

Zölibatär *m.* -s, -e 독신자.

Zölibats·zwang *m.* 독신의 계율.

Zoll[1] [tsɔl] *m.* -(e)s, - ① 촐(길이의 단위: 지방마다 달라서 2.3-3 cm): 4 ~ lang 4 촐 길이의; 〖비유〗 auf ~ und Linie 정확히; 〖구식〗 keinen ~ 전혀〔조금도〕 …않다: keinen ~ weichen 한치도 양보하지 않다; 〖구식〗 jeder ~, ~ für ~, in jedem ~ 완전히; er ist jeder ~ ein Soldat 그는 어느 모로 보나 군인답다. ② 인치(2.54 cm).

***Zoll**[2] 《lat. teloneum, „Zollhaus"》 *m.* -(e)s, Zölle [tsœ́lə] ① (Grenz≈) 〖法·經〗 관세; 통행세; 〖비유〗 치사(致謝): ~ entrichten〔zahlen〕 관세를 치르다; ~ auf et. erheben 무엇의 관세를 징수하다; mit ~ belegen 관세를 부과하다; der ~ der Dankbarkeit 감사의 뜻을 표시하기; 〖비유〗 der Natur seinen ~ entrichten 죽다. ② 세관(~haus).

Zoll≈abfertigung 《<Zoll[2]》 *f.* 통관 절차. **~amt** *n.* 세관. **≈amtlich** *a.* 세관의, 세관에 따른.

zollang *a.* 1 인치 길이의.

Zoll≈angabe *f.* 관세 신고. **~anmeldung** *f.* 관세 신고. **~ansatz, ~anschlag** *m.* 관세율. **~anschluß** *m.* 〖政·經〗 공동 관세 구역 (자국 관세를 부과할 수 있는 국외 국경 지역). **~aufschlag** *m.* (특별 물품에 대한) 부가 관세, 관세 추징금. **~aufseher** *m.* 관세 감시관, 세관원. **~ausschluß** *m.* 관세 제외 지역 (자유항 등). **~autonomie** *f.* 관세 자율.

zollbar *a.* 관세 의무가 있는(zollpflichtig).

Zoll≈beamte* *der* 세관(직)원. **~beamtin** *f.* ↑ ~beamte 의 여성형. **~befreiung** *f.* 관세 면제. **~begleit·schein** *m.* 관세 납부증. **~behörde** *f.* 세관. **~betrag** *m.* 관세액.

zoll≈breit *a.* 1 인치 폭의. **≈breit** *m.* 1 인치의 폭: keinen ~ zurückweichen 한치도 물러서지 않다.

Zoll≈bürgschaft *f.* 〖法〗 관세 지급 보증. **~deklaration** *f.* 관세 대상 품목 신고(서). **~einnehmer** *m.* (고대·중세의) 통행세 징수자.

zollen [tsɔ́lən] 《I》 *i.* (h.)/*t.* 〖고어〗 (관세를) 치르다. 《II》 *t.* 〖雅語〗 표(시)하다, 바치다: jm. Achtung〔Beifall, Dank〕 ~ 누구에게 존경〔찬성, 감사〕의 뜻을 표하다.

zollen·lang *a.* ↑ zollang.

..zöller *suf.* "…인치짜리"의 뜻(보기: Acht~ 8 인치짜리).

Zoll≈erhöhung *f.* 관세 인상. **~erklärung** *f.* 관세 대상 품목 신고(서). **~ermäßigung** *f.* 관세 인하, 감세. **~fahnder** *m.* 세관 경찰, 세관 검사관. **~fahndung** *f.* ① 세관 검사. ② ↑ ~stelle. **~fahndungs·stelle** *f.* 세관 검사소. **~fahrzeug** *n.* (밀수 단속용) 세관 감시선. **~formalität** *f.* 통관 절차: die ~en erledigen 통관 절차를 마치다. **≈frei** *a.* 면세의: ~e Waren 면세품; 〖비유〗 Gedanken sind ~ 사상은 자유다. **~freiheit** *f.* 관세 면제, 면세. **~gebiet** *n.* 관세 구역. **~gebühr** *f.* 관세 수수료. **~gesetz** *n.* 〖法〗 관세법. **~grenz·bezirk** *m.* 국경의 관세 부과 구역. **~grenze** *f.* 관세 국경(실제 국경과 불일치할 수도 있음). **~haus** *n.* 세관 (건물); 세관 물품 창고. **~hinterziehung** *f.* 관세 포탈, 밀수.

zoll·hoch *a.* 1 인치 높이의.

zöllig [tsœ́lɪç] *a.* (zolldick, -breit, -lang) 1 인치 두께〔폭, 길이〕의.

..zollig, ..zöllig *suf.* "…인치의"의 뜻(보기: vier~ 4 인치의).

Zoll·inhalts·erklärung *f.* 〖經〗 (외국 우편물에 첨부하는) 관세 품목 신고서.

Zollinie *f.* -n ↑ Zollgrenze.

Zoll≈inspektor *m.* ↑ ~aufseher. **~kontrolle** *f.* 세관 검사. **~krieg** *m.* 관세 전쟁.

zoll≈lang *a.* 1 인치 길이의. **≈maß** *n.* 인치 자(尺).

Zöllner [tsœ́lnər] *m.* -s, - ① (고대 로마의) 세금 징수관; 세리(稅吏). ② 〖聖〗 세리; 〖비유〗 죄인. ③ 〖구어·구식〗 세관(직)원.

Zoll≈niederlage *f.* 세관 물품 창고. **~ordnung** *f.* 관세법. **~papiere** *pl.* 〖經〗 통관 서류. **≈pflichtig** *a.* 관세 납부 의무가 있는, 관세가 부과되는. **~plackereien** *pl.* 관세의 번거로움. **~politik** *f.* 관세 정책. **~quittung** *f.* ↑ ~schein. **~recht** *n.* ① 관세 징수권. ② 관세법. **~revision** *f.* 세관의 여객 수화물 검사. **~schein** *m.* 세관 검열필증. **~schiff** *n.* 세관선(船). **~schranke** *f.* 관세 장벽. **~speicher** *m.* ↑ ~niederlage.

Zoll·stab *m.* ↑ ~stock.

Zoll≈station, ~stätte, ~stelle *f.* 세관.

Zoll·stock *m.* 인치자, 접는자.

Zoll≈straße *f.* 관세 대상 물품 수송로. **~tarif** *m.* 〖經〗 관세율, 관세율표. **~umgehung** *f.* 관세 포탈. **~union** *f.*, **~verband, ~verein** *m.* 관세 동맹. **~vergünstigungen** *pl.* 〖經〗 (관세의) 특혜. **~vergütung** *f.* 관세 환급. **~verschluß** *m.* 보세 창고 입고. **~vertrag** *m.* 관세 협정. **~wächter** *m.* 세관 직원〔감시인〕.

zoll·weise *adv.* 인치로; 1 인치마다.

Zoll·wesen *n.* 관세 제도; 세관 사무.

Zölom [tsøló:m] 《gr. knílōma, „Höhlung"》

n. -s, -e 〖해부〗 체강(體腔).
Zombie *m.* -(s), -s ① 좀비, (특히 보두교(Wodu 敎)에서) 되살려내어진 사자(死者). ② 〖비유〗 (마약으로 인해) 무기력해진 사람; (공포 영화 등에서) 자신을 살린 사람의 도구가 된 망자(亡者).
Zömeterium [tsømeté:rium] ⟪gr. -lat.⟫ *n.* -s, ..rien [..riən] ① (Friedhof) 묘지, 매장지. ② (Katakombe) 지하 묘지〔납골당〕.
Zönakel [tsøná:kəl] ⟪lat.⟫ *n.* -s, - (수도원의) 식당.
zonal [tsoná:l] ⟪<Zone⟫ *a.* 띠 모양의, 대상(帶狀)의; 어느 지대〔지역〕의: ~e Gliederung 지역적 분류.
zonar *a.* ↑ zonal.
***Zone** [tsó:nə] ⟪lat. zona⟫ *f.* -n ① **(a)** (정치적·군사적인) (특정) 지역: entmilitarisierte ~ 비무장 지대; Besatzungs≈ 점령 지구. **(b)** 〖구서독·구어〗 (구소련 점령 지구였던) 동독: fast meine ganze Verwandtschaft lebt in der ~ 내 친척은 거의다 동독에 산다. **(c)** 〖우편·교통〗 동일 요금 적용 구역: der Fahrpreis für die erste ~ beträgt 60 Pfennig 제 1 구역의 교통 요금은 60 페니히다. **(d)** die blaue ~ 청(青)구역(일정 시간의 노상 주차가 가능한 장소). ② 〖지리〗 (기후에 따라 지구 표면을 나눈) 대(帶): gemäßigte〔heiße, kalte〕 ~ 온대〔열대, 한대〕. ③ 〖지질〗 지층의 층위. ④ (사격·활쏘기에서) 과녁의 원 모양 점수 표시 부분.
Zonen≈berechnung *f.* 〖우편·철도〗 (요금의) 구간제 계산. **~einteilung** *f.* 구역 분할. **~satz, ~tarif** *m.* 〖우편·철도〗 구간제 운임 요율(표). **~zeit** *f.* 경대시(經帶時), 현지 표준시.
Zönobit [tsønobí:t] *m.* -en, -en 수도원에서 공동 생활하는 수도사(↔ Eremit).
Zönobium *n.* -s, ..bien [..biən] ① 수도원. ② 〖生〗 다핵(多核) 세포.
***Zoo** [tso:, tsó:o] ⟪gr. zôon, „Lebewesen, Tier"⟫ *m.* -(s), -s 동물원.
zoogen [tsoogé:n] *a.* 〖지질〗 동물 화석의, 동물 잔해에서 형성된.
Zoographie *f.* -n [..fí:ən] 동물 분류학; 동물지(誌).
Zoo≈handlung *f.* 애완 동물 가게. **~latrie** *f.* 동물 숭배.
Zoolith [tso:olí:t, ..lít] *m.* -s/-en, -e(n) 〖지질〗 동물 화석(산호초 등).
Zoologe [tso:oló:gə] *m.* -n, -n 동물학자.
Zoologie [..logí:] *f.* 동물학.
zoologisch [tso:oló:gɪʃ] *a.* 동물(학)의: ~er Garten 동물원.
Zoom [zu:m] ⟪engl.⟫ *n.* -s, -s ① 줌 렌즈 (Zoomobjektiv). ② 줌 렌즈 조작에 따른 대상의 확대〔축소〕. ③ 〖컴〗 확대, 축소.
zoomen [zú:mən] *i.* (h.) 줌 렌즈로 대상을 확대〔축소〕하다.
Zoo·nose [tso:onó:zə] *f.* 〖動〗 동물에게서 사람에게 전염되는 병.
Zoon politikon [tsó:ɔn, politikɔ́n] ⟪gr., „geselliges Wesen"⟫ *n.* -s, - 〖哲〗 정치적 동물 (인간에 대한 아리스토텔레스의 정의(定意)).
zoophag [tso:ofá:k] *a.* 〖生〗 육식의.
Zoophage *m.* -n, -n 〖生〗 육식 동물.
Zoophyt [tso:ofý:t] *m.* -en, -en 〖구식〗 식물성 동물(산호·말미잘 등).
Zoo≈plankton *n.* 동물성 플랑크톤. **~techniker** *m.* 〖구동독〗 동물 사육 전문가.
Zootomie [..tomí:] *f.* 동물 해부학.
Zoo·toxin *n.* 동물성 독소.
***Zopf** [tsɔpf] *m.* -(e), Zöpfe [..tsœpfə] ① (옛날 남자의) 댕기머리; (여자의) 땋은 머리: das Haar in Zöpfe flechten 머리를 땋다; 〖비유〗 jm. einen ~ anstecken〔drehen, machen〕 누구를 속이다; sich am eigenen ~ aus dem Sumpf ziehen 스스로의 힘으로 자신을 절망적인 상황에서 구해내다; jm. auf den ~ spucken 누구에게 달려들다, 호통치다. ② 구폐, 오랜 폐단: 〖구어〗 ein alter ~ 고루한 관습〔견해〕: 〖구어〗 den alten ~〔die alten Zöpfe〕 abschneiden 구습을 없애다. ③ 〖林〗 나무 끝(~ende). ④ 〖요리〗 꽈배기. ⑤ 〖방언〗 가벼운 취기: sich einen ~ antrinken 가볍게 한 잔 하다.
Zopf·band *n.* 땋은 머리를 묶는 리본, 댕기.
Zöpfchen [tsœpfçən] *n.* -s, - 〖↑ Zopf 의 축소형〗 작은 변발.
zopfen [tsɔ́pfən], **zöpfen** *t.* 〖고어〗 ① (머리를) 땋다. ② einen Baum ~ 나무 끝을 자르다.
Zopf·ende *n.* ① 나무 끝. ② 댕기머리〔땋아 늘인 머리〕의 끝.
zopfig *a.* 〖폄어〗 ① 댕기머리의, 머리를 땋아 늘인. ② 고루한.
Zöpflein *n.* -s, - ↑ Zöpfchen.
Zopf≈mensch *m.* 고루한 사람; 관료적〔형식적〕인 사람. **~muster** *n.* 〖수예〗 밧줄무늬로 짠 편물, 케이블스티치. **~perücke** *f.* 댕기머리 모양의 가발. **~stil** *m.* (로코코에서 의고전주의 사이의) 댕기머리가 유행하던 시대의 양식.
Zopftum *n.* -(e)s 구폐, 고루; 관료적 형식주의.
Zopf·zeit *f.* 댕기 머리가 유행하던 시대(1760-80).
Zoppot 소포트(폴란드 북부의 휴양 도시).
Zores [tsó:rəs] ⟪hebr.⟫ *m.* 〖방언〗 ① 혼란, 번거로움, 언짢음: mach mir bloß keinen ~! 나를 성가시게 하지 마라! ② 〖드물게〗 무뢰한.
Zorilla [tsɔrílja] ⟪sp.⟫ *m.* -s, -s 〔*f.* -s〕 〖動〗 스컹크.
***Zorn** [tsɔrn] *m.* -(e)s 노여움, 분노: er war rot vor ~ 그는 노여움으로 얼굴이 벌게 졌다; jn. in ~ bringen, jn. zum ~ reizen, js. ~ heraufschwören 누구를 화나게 하다; in ~ geraten〔ausbrechen〕 격노하다; seinen ~ an jm. auslassen 누구에게 화풀이하다; von ~ (auf〔gegen〕 jn.) erfüllt sein (누구에 대한) 분노로 가득 차 있다; jn. packt der ~ 분노가 누구를 사로잡다; ihr ~ hat sich gelegt 그녀의 분노가 가라앉았다.
Zorn≈ader *f.* ↑ Zornesader. **~anfall** *m.* ↑ ~ausbruch. **~ausbruch** *m.* 분노의 폭발. **~binkel** *m.* (öst.) 〖구어〗 화 잘 내는 사람, 성마른 사람. **~entbrannt** *a.* 격노한.
Zornes≈ader *f.* 〖해부〗 (Stirnader) (노할 때 나타나는) 이마〔관자놀이〕 정맥; 핏대: die ~ schwoll ihm (an) 그는 핏대를 세우며 격노했다. **~röte** *f.* 노여움으로 인해 붉어진 얼굴빛: 〖雅語〗 das treibt einem die ~ ins Gesicht 그것은 사람을 분통터지게 만든다.

zọrn·glühend *a.* 격노한.
zornig [tsɔ́rnɪç] *a.* 노한, 성난; 격분한: mit ~em Blicke 노여움에 찬 눈초리로; auf jn. 〔über et.〕 ~ sein 누구〔무엇〕에 대해 화가 나 있다.
zọrn≈mütig *a.* 화를 잘 내는, 성마른. **~rot** *a.* 성나서 얼굴이 붉어진. **~röte** *f.* ↑ Zornesröte. **~schnaubend** *a.* 몹시 화가 나 씩씩거리는. **~wütig** *a.* 격노한, 미친 듯이 노한.
Zoroaster [tsoroástər] *m.* 조로아스터(고대 페르시아의 조로아스터교 창시자).
zoroạstrisch *a.* 조로아스터(교)의.
Zosse [tsɔ́sə] *m.* -n, -n, **Zọssen** *m.* -, -〔방언〕(늙은) 말.
Zọster *m.* -〖병리〗대상 포진(帶狀疱疹), 헤르피스.
Zötchen [tsǿ:tçən] *n.* -s, - ↑ Zote 의 축소형.
Zote [tsó:tə] *f.* -n〔평어〕음담: ~n reißen 음담을 하다.
zoten〔드물게·평어〕*i.* (h.) 음담을 하다.
zotenhaft *a.* ↑ zotig.
Zoten≈lied *n.* 외설스러운 노래. **~reißer** *m.*〔평어〕음담가. **~reißerei** *f.*〔평어〕음담(하기).
zotig [tsó:tɪç] *a.*〔평어〕외설스러운, 음탕한; 음담을 즐기는.
Zotigkeit *f.* -en ① 음란(성). ② 음담, 외설적 표현.
Zotte[1] [tsɔ́tə] *f.* -n (südwd., md.) (주전자 등의) 주둥이.
Zọtte[2] *f.* -n ①〖해부〗융모(絨毛). ② (특히 동물의) 헝클어져 늘어진 털 다발.
Zọttel *f.* -n ①〔구어〕헝클어져 늘어진 머리채; (실·머리 등의) 술, 다발. ②〔방언〕깔끔하지 못하고 경박한 여자.
Zọttel≈bär *m.*〔아동〕털이 텁수룩한 곰, 융모로 만든 곰;〔농담〕머리카락이 긴 남자, 털보. **~bart** *m.* 구레나룻. **~blume** *f.*〖植〗조름나물. **~haar** *n.* 텁수룩한 장발.
Zottelei [tsɔtəláɪ] *f.* -en〔구어·평어〕어슬렁어슬렁 다니기; 게으름피우기.
zọttelig *a.* (털이) 텁수룩하게 늘어진.
zọtteln〔구어〕《I》*i.* ① (s.) 어슬렁어슬렁 건다. ② (h.) an et.³ ~ 무엇을 잡아당기다. ③ (h.) (머리카락이) 텁수룩하게 늘어지다. 《II》*t.* et. irgendwohin ~ 무엇을 천천히 어디로 끌고가다〔당기다〕.
zọttig, zọttlig *a.* ↑ zottelig.
Zötus [tsǿ:tus] 《lat. coetus, „Zusammenkunft"》*m.* -, ..ten〔구식〕① (한 학교 또는 학급의) 학생 전체〔일동〕. ② 학년.
ZPO =Zivilprozeßordnung 민사 소송법.
Zr =Zirkonium〖化〗지르코늄.
Zs. =Zeitschrift 잡지.
z.S. =zur See 바다의, 해군의.
Z-Soldat [tsɛ́t..] *m.*〔은어〕=Zeitsoldat (특히 독일 연방군의) 단기 복무 군인.
z.T. =zum Teil 부분적으로는, 일부는.
Ztr.[1] =Zentner ① 100 파운드. ② (öst., schweiz.) 100 kg.
Ztr.[2] =Zeitrechnung 기원(紀元).
*__zu__ [tsu:] 《I》*prp.*³ ①〔장소·위치〕…에. **(a)**〔지명 앞에서〕~ Hamburg 함부르크에(서). **(b)**〔여관·음식점 등의 이름에서〕Gasthof zum weißen Roß 백마 여관. **(c)**〔고유 명사, 특히 귀족의 성에 붙어〕Graf ~ Mansfeld 만스펠트 백작;〔농담〕ein Herr von und ~ 지체 높은 양반 신사. **(d)**〔숙어적〕~ Hause sein 집에 있다;〔雅語〕~ Tisch sitzen 식탁에 앉아 있다;〔雅語〕~ Bett liegen 잠자리에 있다; ~ ebener Erde wohnen 1층에 살다; zur Rechten〔Linken〕오른쪽〔왼쪽〕에; hier ~ Lande 이 지역에서는; zur See fahren 선원이 되다; jm. zur Seite sitzen〔stehen〕a) 누구 곁에 앉다〔서다〕, b)〔비유〕누구 편을 들다, 누구를 지원하다. **(e)**〔명사 뒤에 hin.., her.. 등을 붙여 운동의 출발점을 나타냄〕zum Fenster hinaussehen 창 밖을 내다보다. ② **(a)**〔방법〕…을 타고, …으로: ~ Schiff〔Wagen〕배〔차〕로; ~ Lande〔Wasser〕육로〔수로〕로; ~ Fuß〔Pferde〕도보로〔말을 타고〕. **(b)**〔다른 언어로의 변환〕sie hat heute ein Date, ~ deutsch, eine Verabredung 그녀는 오늘 데이트, 독일어로 말해, 약속이 있다. ③〔상태〕zur Hand sein (물건이) 수중에 있다, 준비되어 있다; es ist mir wohl ~ Mute〔zumute〕나는 기분 좋다; ~ Recht bestehen 법률적 효력을 가지고 있다; et. zur Genüge haben〔kennen〕무엇을 충분히 가지고〔알고〕있다; zur Not 간신히. ④〔'첨가'의 뜻〕Brot zum Fleisch essen 고기에 빵을 곁들여 먹다; ein Nachtrag zum Brief 편지의 추신(P.S.); Zucker zum Tee nehmen 차에 설탕을 넣다; eine weiße Schleife zum Frack tragen 연미복에 흰 나비 넥타이를 매다; zum Klavier singen 피아노에 맞추어 노래하다; ~ alledem kam noch ihr Unfall 게다가 그녀는 사고까지 당했다;〔구어〕heute kam eines zum anderen 오늘은 일이 계속 꼬인다; legt es zum übrigen! 그것을 다른 것과 함께 두어라!; er gehört ~ meinen Freunden 그는 내 친구 중의 한 사람이다. ⑤ **(a)**〔운동의 목표·방향〕…로, …쪽으로: der Weg zum Bahnhof 정거장으로 가는 길; zur Arbeit gehen 일하러 가다;〔雅語〕~ Bett gehen 잠자리에 들다, 취침하다; ~(m) Bier gehen 맥주하러 가다; ~ Boden fallen〔stürzen〕바닥에 넘어지다; ~ Felde ziehen 출정하다; jm. ~ Füßen fallen a) 누구의 발 밑에 엎드리다, b) 누구에게 애원하다; ~ Händen von ... …앞〔에게〕(공공기관·부서 앞으로 편지를 보낼 때); et. ~ Markt bringen 무엇을 팔려고 내놓다, 출시하다; zur Schule gehen 학교에 가다〔다니다〕; sich ~ Tisch setzen 식탁에 앉다; bis zum Walde sind es zwei Stunden 숲까지 두 시간 정도 걸린다; führe mich ~ ihm! 그가 있는 곳으로 안내해다오!; et. ~ sich³ nehmen 무엇(약·음식물 등)을 섭취하다; et. ~ sich³ stecken 무엇을 호주머니에 넣다, 착복하다; jm. ~ Leibe gehen 누구의 몸에 손을 대다, 손찌검하다;〔구어〕wieder ~ sich〔Bewußtsein〕kommen 제정신으로 돌아오다; sie kehrte sich ~ mir um 그녀는 내 쪽으로 몸을 돌렸다; das Zimmer liegt zur Straße 그 방은 길 쪽으로 나 있다; von Haus ~ Haus 집집마다; von Stufe ~ Stufe 한 단계 한 단계. **(b)**〔비유〕~ jm. sprechen 누구를 향해서 말을 하다; etwas kommt mir ~ Ohren 무슨 일이 내 귀에 들어오다;〔구식〕einen Toten zur letzten Ruhe betten〔〔雅語〕Erde bestatten〕고인을 안장하다; et. ~ Papier bringen 무엇을 적다; jm.

~ Rate gehen 누구에게 조언을 구하다; zum Rechten sehen 감독하다; sich³ et. ~ Gemüte ziehen〔führen〕 무엇을 명심하다; et. ~ Gesicht bekommen 무엇을 보게 되다; ~ Kreuze kriechen 굴복하다; mit der Arbeit ~ Ende kommen 일을 끝내다; meine Geduld ist ~ Ende 나는 더 이상 참을 수 없다; 〖구어〗 er war mit seinem Latein ~ Ende 그는 어찌할 바를 몰랐다; Lust〔Neigung〕 ~ et.³ haben 무엇을 좋아하다; aus Freundschaft ~ ihm 그에 대한 우정에서. ⑥〖태도·관계〗…에 대해서: wir stehen ~ ihm in einem guten Verhältnis 우리는 그와 사이가 좋다; ~ einem Witz lachen 우스갯소리를 듣고 웃다; ~ einem Geheimnis schweigen 비밀에 대해 침묵을 지키다; er war sehr nett ~ mir 그는 나한테 매우 친절했다; ~ diesem Thema 이 주제에 관해. ⑦〖목적·용도〗…을 위하여: ich sage es ~ deiner Beruhigung 나는 너를 안심시키기 위해 그것을 말한다; es geschieht ~ deinem Besten 그건 너를 위해 행해지는 것이다; dir zum Trotz 너에 대한 도전으로, 너를 얕보고; zum Scherz〔Spaß〕 농담으로; ~ Ehren des Dichters 시인에게 경의를 표하여; Gleichgültigkeit zur Schau stellen 무관심을 노골적으로 드러내다; zum Schmuck dienen 장식에 사용되다; etwas zum Essen 먹을거리; zum Essen gehen 식사하러 가다; jn. ~ Hilfe rufen 누구에게 도와 달라고 외치다; er rüstet sich zur Abreise 그는 출발 준비를 한다; Wasser zum Trinken 음료수; zum Beispiel 예를 들면; zum Wohl! 건강을 위하여, 건배!; zur Erholung an die See fahren 바닷가로 휴양가다; er ist zum Dichter geboren 그는 시인의 소질을 타고났다. ⑧〖정도〗 zur Genüge 충분히; zum Glück 다행히; es ist zum Kotzen 그것은 지긋지긋하다; die beiden sind sich³ zum Verwechseln ähnlich 두 사람은 착각할 정도로 서로 닮았다; die Arbeit ist zur Hälfte fertig 그 일은 절반이 끝났다. ⑨〖결과·변화〗 jn. zum Abgeordneten wählen 누구를 국회 의원으로 뽑다; jn. zum Krüppel schlagen 누구를 때려 병신이 되게 하다; jn. zum Freunde haben 누구를 친구로 삼다; jn. zum Manne〔Weibe〕 nehmen 누구를 남편으로〔아내로〕 삼다; sich³ jn. zum Feinde machen 누구를 자신의 적이 되게 만들다; ~ Wasser werden a) 물이 되다, b) 〖비유〗 수포로 돌아가다; ~ Geld〔Ansehen〕 kommen 돈〔명성〕을 얻다; sich ~ etwas bringen 출세하다; jn. zum Narren halten 〔haben〕 누구를 놀리다; es kommt zum Streit 싸움이 난다〔된다〕; jn. zum Lachen 〔Weinen〕 bringen 누구를 웃기다〔울리다〕. ⑩〖시간적〗…(때)에: ~ Anfang des Jahres 연초에; ~ Mittag〔Abend〕 essen 점심밥〔저녁밥〕을 먹다; zur rechten Zeit 마침 좋은〔알맞은〕 때에; zur Unzeit 좋지 않은 때에; ~ dieser Zeit 이 때에; ~ Luthers Zeiten 루터 시대에; ~ Ostern〔Weihnachten〕 부활절〔크리스마스〕에; jm. zum Geburtstag gratulieren 누구의 생일을 축하하다; zur Zeit 지금, 요즘; ~ keiner Zeit... 결코 …않다; jn. zum 1. April einstellen 누구를 4월 1일자로 채용하다; von Tag ~ Tag 날마다, 매일; von Zeit ~ Zeit 때때로; von Jahr ~ Jahr 해마다, 매년; von Stunde ~ Stunde 시시각각으로; zum ersten (Male), erstenmal 처음으로, 첫 번째로. ⑪(수량) ~ zweien〔zweit〕 두 사람씩, 둘이서; ~ dritt 셋이서; die Vögel starben ~ Hunderten 새들이 수없이 죽었다; zwanzig Kisten ~ je 100 Stück 100개들이의 상자 20개; ein Faß ~ 10 Litern 10리터들이의 한 통; ~ Paaren 두 사람〔한 쌍〕씩; ~ Dutzenden 1다스씩, 몇 다스씩이나; ~ drei Viertel 4분의 3만큼; zum größten Teil 대부분; zum Teil 일부분, 어느 정도; die Kosten zur Hälfte tragen 비용을 반 부담하다; eine Fahrkarte ~ 3 DM 3마르크짜리 승차권 한 장; Äpfel ~ zwei Mark das Kilo 1킬로그램당 2마르크짜리 사과. ⑫〖비교·대비〗 3 verhält sich ~ 5 wie 6 ~ 10 3과 5의 비는 6과 10의 비와 같다; die Mannschaft hat zwei ~ eins (2 : 1) gewonnen 그 팀은 2대 1로 이겼다; im Vergleich ~ dir 너에 비하면. ⑬〖최상급 앞에서 정도를 나타내어〗 zum besten 가장 잘, 최선으로; zum wenigsten〔mindesten〕 적어도; es geriet nicht zum schönsten 그것은 그다지 잘 되지 않았다; sich zum schönsten bedanken 정중히 사례하다. ⑭〖부정법과 함께〗 **(a)**〖주어로〗…하는 것: lange warten ~ müssen ist unangenehm 오래 기다려야 한다는 것은 불유쾌하다; es ist nicht möglich, ihn zu finden 그를 찾기란 불가능하다. **(b)**〖보족어로〗…하는 것: er hörte auf ~ reden 그는 말을 그쳤다; er ist (dazu) fähig, Ihnen ~ schaden 그는 당신을 해칠 우려가 있다. **(c)**〖명사와 함께〗…(한다고) 하는: die Neigung, alles ~ tadeln 일체를 비난하는 경향; die Kunst ~ schreiben 서법(書法), 글 쓰는 솜씨; Haus ~ vermieten 세놓을 집. **(d)**〖sein, bleiben, stehen 따위와 함께 당위성·필연성·가능성을 나타냄〗 er ist ~ loben 그는 칭찬받을 만하다; das ist nicht ~ verachten 그것은 무시할 수 없다; das Grundstück ist ~ versteigern 그 토지는 경매 대상이다; es ist viel ~ tun (해야) 할 일이 많다; was ist ~ tun? 어떻게 해야 좋을까?; das ist ~ erwarten 그것은 있을 법한 일이다; das Haus ist ~ verkaufen 그 집은 팔려고 내놓은 집이다; die Rechnung ist noch ~ bezahlen 셈은 아직 치르지 않고 있다; das bleibt noch ~ überlegen 그것은 더 생각해 볼 여지가 있다; das steht nicht ~ ändern 그것은 달리 어찌할 수 없다. **(e)** 〖ohne, um, statt 와〗 er schwor, ohne mit der Wimper ~ zucken 그는 눈썹 하나 까딱 않고 맹세했다; statt ~ betteln, sollte er lieber arbeiten 그는 구걸하는 대신에 일을 해야 할 것이다; ich komme, um dir dies ~ sagen 나는 네게 이것을 말하기 위하여 온 것이다; um mit Goethe zu sagen 괴테의 말을 빌리자면. ⑮〖현재 분사와 함께 가능성·기대·필연성·능력·당위성 등을 나타냄〗 ein ~ verbessernder Fehler 정정해야 할 오류; ein ~ verkaufendes Haus 팔 집; eine nicht ~ ertragende Hitze 견딜 수 없는 더위. ⑯〖절대적 용법〗 (um) die Wahrheit ~ sagen 진실을 말하자면. 《Ⅱ》 *adv.* ①…의 쪽으로, …을 향하여: dem Ausgang ~ drängen 출구로 몰려들다; nach〔gegen, gen〕 Norden ~ 북쪽으로; nach der Stadt ~ 도시 쪽을 향하여; der Baum stürzte auf ihn ~ 나무가 그의 쪽으로 쓰러졌다; immer ~! 나아가라, 계속하라! ② ab und ~ a) 이쪽저쪽으로, b) 때때로. ③〖구어〗(↔ auf) 닫고, 닫힌: die Tür ist ~ 문이 닫혀 있다; mach das Fenster ~! 창문 닫아라! ④〖명령문에서 착수〔속개〕의 촉구〗자, 어서; 잇달아, 끊임없이: esset nur ~! 자 괜찮으니 먹어라!; geh ~! 어서 가라!; mach ~! 빨리 해라!; Glück ~! 성공을 빈다!; schieß ~! 계속해서 쏘아라!; in einem ~ 연달아서. ⑤ 지나치게, 너무: ~ groß 너무 큰; ~ sehr, ~ viel 너무, 지나치게; gar ~ 대단히; die Aufgabe ist mir ~ schwer 이 문제는 내게는 너무 어렵다;〖구어〗das ist ~ schön 그것 정말 좋다〔기쁘다〕; sie ist ~ klug, als daß sie so etwas täte 그녀는 현명하므로 그런 짓을 할 리가 없다. ⑥〖bis 와 함께〗bis ~ 10 Personen können mitfliegen 10 명까지 함께 타고 날아갈 수 있다.

***zu..** *pref.*〖분리 동사의 전철; 언제나 강세를 가짐〗"방향·목표·부가·첨가·귀속·운동·폐쇄·가공 따위"의 뜻.

zu|ackern 《I》 *t.* (구멍 등을) 쟁기질하여〔갈아〕메우다. 《II》 *i.* (h.) ① 계속 쟁기질하다〔갈다〕. ② 쟁기질을〔갈기를〕 마치다.

zualler≈erst [tsu|álər|é:rst] *adv.* 제일 먼저, 최초로. **~letzt** *adv.* 최후로. **~meist** *adv.*〖구어·강조〗대부분, 대개.

zu|arbeiten *i.* (h.) 작업 준비를 하다: jm. ~ 누구의 작업 준비를 해주다.

zu·äußerst [tsu|ɔ́ʏsərst] *adv.*〖드물게〗가장 밖〔외부〕에.

Zuave [tsuá:və] 《frz.》 *m.* -n, -n ① 주아브족(알제리아의 카빌렌족의 하나). ② 주아브족으로 구성된 프랑스의 식민지 주둔 부대원.

zu|ballern *t.*〖구어〗(문을) 쾅 닫다.

Zubau *m.* -s, -ten (öst.) ① (Anbau) 증축(건물), 부속 건물. ② 부속 경작지.

zu|bauen 《I》 *t.* ① 증축하다. ② (빈터 등을) 건물을 세워 메우다; 건물로 가로막다. 《II》 *i.* (h.)〘農〙밭갈기를 마치다.

zu|behalten* *t.* ① 닫아두다, 잠가두다: den Rock ~ 윗옷의 단추를 채워 두다. ② (부품 등을) 소속물에 결합시켜 두다.

***Zubehör** [tsú:bəhø:r] *n.*/(드물게) *m.* -(e)s, -e〔(schweiz.) -den〕부속품; 첨가물;〘건축〙부대 설비;〘法〙종속물; 양념, 고명; 의복의 부분품: Auto~ 자동차 부품; er hat das Haus mit allem ~ verkauft 그는 부대 시설을 모두 포함시켜 집을 팔았다.

Zubehör≈industrie *f.* 부품 산업. **~teil** *n.* 부속품, 액세서리.

zu|beißen* 《I》 *i.* (h.) ① 확 깨물다, (이빨로) 잽싸게 잡아채다;〖비유〗(제의에) 기꺼이 응하다. ② 이를 악물다. 《II》 *t.*〖구어〗Brot ~ (다른 음식과 함께) 빵을 먹다.

zu|bekommen* *t.* ①〖구어〗닫을〔잠글〕수 있다: ich bekomme die Tür nicht zu 나는 이 문을 잘 닫을 수가 없다. ②〖방언〗덤으로 얻다.

zubenamst, zubenannt〖구식·후치〗*p.a.* …라는 별명이 붙은.

Zuber [tsú:bər] *m.* -s, - ①〖방언〗두 개의 손잡이가 있는 큰 통; 빨래 대야; 목욕통. ② 액량·곡량(穀量)의 단위(시대·지역에 따라 차이가 있음).

***zu|bereiten** *t.* ① (음식을) 조리하다: das Frühstück ~ 아침 식사를 만들다. ② (약을) 조제하다. ③ (직물의) 마무리 가공을 하다.

Zubereiter *m.* -s, -〖드물게〗조리〔조제·마무리〕하는 사람.

Zubereitung *f.* -en ① 조리, 조제; 마무리. ② 조리〔조제·마무리〕된 것.

zu|betonieren *t.* 콘크리트로 덮다.

Zu·bett·gehen *n.* 취침.

zu|bilden *t.* ① 지어〔만들어〕 덧붙이다. ② (어떤 목적·표준에) 맞도록 짓다〔만들다〕: ein langer Umgang hat mich ihm zugebildet 그와 오래 사귄 결과 나는 그를 본받게 되었다.

zu|billigen *t.* (jm. et.) 인정하다, 승인〔시인〕하다: dem Angeklagten wurden mildernde Umstände zugebilligt 그 피고에게는 벌을 경감시켜줄 정상이 참작되었다.

Zubilligung *f.* -en 승인, 시인, 인정.

zu|binden* *t.* ① 묶어 매다〔봉하다〕: mit einem Stricke ~ 밧줄로 동이다; jm. die Augen ~ 누구의 눈을 가리다. ② (옷 따위의) 끈을 매다: einem Kind die Schuhe ~ 아이의 신발 끈을 매주다.

Zubiß [tsú:bɪs] *m.* ..bisses, ..bisse 확 물어채기.

zu|blasen* 《I》 *i.* (h.) ① 계속 불다: der Wind bläst immer zu 바람이 그칠 사이 없이 분다. ② auf jn. ~ 누구를 향하여 불다, 누구 쪽으로 불어대다. 《II》 *t.* ① (바람이 문을) 불어서 닫다: die Glasröhre ~ (유리 직공이) 유리관을 불어서 막다. ② (jm. et.) 불어넣다, 교사(敎唆)하다: der Trompeter hat manchen Hasen Courage zugeblasen 나팔수의 나팔 소리는 많은 겁쟁이들에게 용기를 불어넣었다. ③ (취주 악기로) 반주하다.

Zubläser *m.* -s, - 교사(敎唆)하는 사람, 고자질꾼.

zu|bleiben* *i.* (s.)〖구어〗닫힌 채로 있다: die Tür bleibt nicht zu 문이 자꾸만 저절로 열린다.

zu|blinken *i.* (h.) jm. ~ 누구에게 눈짓하다.

zu|blinzeln 《I》 *i.* (h.) jm. ~ 누구에게 눈짓하다. 《II》 *t.* ① jm. et. ~ 누구에게 눈짓으로 무엇을 알리다. ② die Augen ~ 깜박거리고 눈을 감다.

zu|bringen *t.* ① (jm. et.) **(a)**〖구식〗가져다 주다: den Arbeitern Material automatisch ~ lassen 노동자들에게 재료를 자동으로 공급하게 하다. **(b)** jm. eine Nachricht ~ (몰래) 소식을 알려 주다. **(c)** (결혼 지참금을〔지참물을〕) 가져오다: das in die Ehe zugebrachte Vermögen 결혼할 때 가져온 재산. ② (시간을 헛되이) 보내다, 쓰다: er hat einen Monat im Krankenhaus zugebracht 그는 한 달 동안 병원에서 지냈다. ③〖구어〗간신히 닫다: ich bringe das Fenster nicht zu 나는 아무리 해도 창문을 닫을 수 없다.

Zubringer *m.* -s, - ① 공급자; 소문을 퍼뜨리는 사람, 떠버리; 고자질쟁이; 험담꾼. ② (öst.) 중개업자, 브로커. ③〘工〙(재료) 운반〔공급〕장치; 급수 장치;〘軍〙(총기의) 노리쇠, (기관총의) 송탄기(送彈器). ④ 연결 교통수단(공항 버스 등). ⑤ (주요 도로에 이어지는) 연결 도로.

Zubringer≈bus *m.* 셔틀 버스. **~dienst** *m.* 셔틀〔교통 연결〕서비스. **~straße** *f.* ↑ Zubringer ⑤.

Zubringe·schule *f.* 수험 예비 학교.

zu|brocken *t.* ①부수다. ②〖구어〗 출자하다, 갹출하다.

Zubrot *n.* -(e)s ①〖구식〗주요리나 빵에 곁들이는 음식(버터·치즈 등). ②〖농담〗부수입.

Zubuße [tsúːbuːsə] *f.* -n 보조금; (특히) 광산 업체 영업 보조금; 특별 수당.

zu|büßen *t.* ① (einbüßen) 잃다, 손실〔상실〕하다. ②〖방언〗기워 막다.

zu|buttern *t.* 〖구어〗 (zusetzen) 기부하다, (돈을) 쏟아 넣다.

Zucchetto [tsukéto] *m.* -s, ..tti (schweiz.) ↑ Zucchini.

Zucchini [tsukíːni] *f.*, **Zucchino** *m.* -s, ..ni (오이 모양의) 외호박, 추키니.

Züchen *m.* -s〖방언〗침구 커버.

***Zucht** [tsuxt] 《germ.; <ziehen》 *f.* ① **(a)** (식물의) 재배, 배양; (가축의) 사육; 번식; 품종 개량: die ~ von Bienen 양봉; Tiere zur ~ halten 씨받이용으로 동물을 키우다. **(b)**〖복수: -en〗〖農〗배양〔사육〕의 결과물; 품종(Rasse); 한배 새끼(Gezücht): von guter ~ 좋은 품종의; beide Tiere stammen aus einer ~ 이 동물 둘 다 한 품종에서 나온 것들이다. ② **(a)**〖구식〗훈육; 길들이기: jn. in strenge ~ nehmen …를 엄하게 훈육하다; unter js. ~ stecken 누구의 감독〔훈육〕아래 있다. **(b)** (엄격한) 기율(Disziplin); (교회·수도원 따위의) 법규;〖軍〗군기(Kriegs~);〖法〗징계: in ~ und Ordnung halten 규율을 지키다; in dieser Klasse ist wenig ~ 이 학급의 학생들은 규율이 별로 좋지 않다. ③〖복수: Züchte〗(Wohlgezogenheit) 행실이 바름; 정숙, 정조(貞操): Ausbund aller Huld und Züchten 모든 미덕의 전형;〖구식〗in (allen) Züchten〔in Züchten und Ehren〕예의 바르게; mit Züchten (zu reden) 말하기 거북하지만. ④〖욕설〗das ist ja eine wilde〔tolle〕~ 주책 없는 짓이다, 미친 짓이다; was ist das für eine ~! 그건 무슨 짓이냐! ⑤ (가축 따위의) 새끼(Brut, Gezücht): die ~ dieses Jahres 금년에 난 새끼. ⑥〖비유·펌어〗du böse ~ 이 나쁜 새끼; diese verdammte ~ 이 (나쁜) 녀석들; sieh da, die schöne ~! 보라, 저 아름다운 계집을! ⑦〖복수: Züchte〗〖農〗쟁기와 차바퀴를 연결하는 쇠사슬. ⑧ 사육장, 육종장(育種場).

Zucht·biene *f.* 여왕벌, 암벌. **~buch** *n.*〖축산〗(경마용 말의) 혈통 등록부; 사육 가축 대장. **~bulle** *m.* (~stier) 씨소, 종우(種牛). **~eber** *m.* 씨돼지, 종돈(種豚).

züchten [tsʏ́çtən] *t.* ①품종 개량하다; (식물을) 재배〔배양〕하다; (가축을) 사육하다; 교배시키다: eine neu gezüchtete Apfelsorte 새로 만들어낸 사과 품종; Bakterien ~ 박테리아를 배양하다. ②훈련시키다, 규율〔행실〕을 가르치다. ③〖대개 펌어〗(어떤 태도·인간 유형을) 길러내다, 강요하다: damit wird mal wieder der Typus des fleißigen Untertans gezüchtet 그로써 근면한 신하형의 인간이 다시금 길러진다.

Züchter *m.* -s, - ①재배〔배양〕자; 사육자. ②〖고어〗(Kinder~) 아동의 훈육자, 교육자.

Zucht·erfolg *m.* 사육〔재배〕성공.

Züchterin *f.* -nen ↑ Züchter의 여성형.

züchterisch *a.* 사육·재배(상)의; 배양의.

zucht·fähig *a.* ①사육〔재배〕할 수 있는. ②훈육〔훈련〕할 수 있는. **~gesetz** *n.* 징계법. **~gewohnt** *a.* 규율에 길든. **~haus** *n.* (1969년까지 서독의) ①교도소, 형무소, 감옥: im ~ sitzen 복역 중이다. ②징역형: er war zu 10 Jahren ~ verurteilt 그는 10년형의 판결을 받았다; lebenslängliches ~ 종신형.

Zuchthaus·aufseher *m.* 교도관, 간수. **~-direktor** *m.* 교도소장. **~gefangene*** *der/die* ↑ Zuchthäusler.

Zucht·häusler *m.* 복역수, 재소자. **~-häusling** *m.* ↑ Zuchthäusler. **~haus-strafe** *f.* 징역형. **~hengst** *m.* 종마(種馬), 씨말. **~huhn** *n.* 종계(種鷄), 씨닭.

züchtig [tsʏ́çtɪç] *a.* 〖고어·농담〗행실 바른; 정숙한: ein ~es Mädchen 얌전한 소녀.

***züchtigen** [..tɪgən] *t.* ①〖고어〗↑ züchten. ② **(a)**〖고어〗(누구의) 행실을 고치다. **(b)** 매로 벌주다: jn. mit einer Peitsche ~ 누구를 회초리로 벌주다;〖속담〗wer sein Kind lieb hat, der züchtigt es 예쁜 자식 매 한 대 더 때린다, 귀여운 자식일수록 엄히 기른다.

Züchtiger *m.* -s, - 교도관; 징계〔징벌〕자; 사형 집행인.

Züchtigkeit *f.* 〖고어·농담〗행실 바름; 정숙.

Züchtigung [..tɪgʊŋ] *f.* -en〖雅語〗교정; 징계; 견책: körperliche ~ 체벌.

Züchtling *m.* -s, -e ①〖고어〗생도(Zögling). ②복역수.

zuchtlos *a.* 〖구식〗버릇〔규율〕없는.

Zuchtlosigkeit *f.* -en ①규율없음. ②규율〔버릇〕없는 행동.

Zucht·meister *m.* 〖구식·농담〗①↑~-hausdirektor. ②엄격한 교사. ③(지금은 경멸적으로) 교사. **~mittel** *n.* 〖구식〗교육 수단,〖法〗(소년 형법상의) 징계〔징벌〕수단(경고 조치·보호 감호 등). **~perle** *f.* 양식 진주. **~pferd** *n.* 종마(種馬), 씨말. **~polizei** *f.* (예전의) 징계 경찰. **~polizei·gericht** *n.* (징계) 경찰 재판소. **~rasse** *f.* (식물의) 재배 품종, (가축의) 사육 품종. **~rute** *f.*〖구식〗징계용의 채찍:〖雅語〗unter js. ~ stehen 누구에게서 엄하게 교육받다. **~sau** *f.* 암컷 씨돼지, 종돈(種豚). **~schaf** *n.* 종양(種羊). **~schule** *f.* 특수 학교; 단련장, 도장(道場). **~stier** *m.* 종우(種牛), 씨소. **~stute** *f.* 암컷 종마(種馬)〔씨말〕. **~tiere** *pl.* ↑ ~vieh.

Züchtung *f.* -en ① (식물의) 재배, 배양; (가축의) 사육; 품종 개량. ②개량된 품종.

Zucht·vieh *n.* 종축(種畜). **~wahl** *f.*〖生〗(우수한) 종자의 선택: natürliche ~ (다윈의) 자연 도태.

Zuck [tsʊk] 《mhd. zuc, „ein kräftiges Ziehen"》 *m.* -(e)s, -e〖구어〗(지금은 Ruck를 많이 사용함) (전광석화처럼) 재빠른 움직임: mit 〔in〕einem ~ 순식간에, 깜짝할 사이에.

zuck *int.* 자, 어서; 덤벼라(los); 눈깜짝할 새에.

zuckeln 〖구어〗 *i.* ① (s.) 느릿느릿 가다. ② (h.) 빨다, 흡입하다.

Zuckel·trab *m.* 〖농담〗굼뜬 걸음.

***zucken** [tsʊ́kən] 《I》 *i.* (h.) ①움찔하다, 경련하다: sie hat ein nervöses ~ der Augenlider 그녀는 눈꺼풀이 신경질적으로 파르르 떨린다; ihre Mundwinkel〔Lippen〕zuckten (울음이

나오려고) 그녀의 입이 씰룩거렸다; mit den Achseln〔Schultern〕 ~ (관심 없거나 모른다는 표시로) 어깨를 으쓱하다; 〖비유〗 ohne mit der Wimper zu ~ 눈썹 하나 까딱 않고; 〖비유〗 es zuckte mir in den Händen〔Fäusten〕 (한 대 치고 싶어) 주먹이 근질근질했다; es zuckt mir in den Gliedern (류머티즘으로) 사지가 욱신거리다. ② (빛이) 번쩍 비치다: in der Ferne ~ Blitze 멀리서 번개가 번쩍인다; die Flammen ~ 불꽃이 확 타오른다. ③ (s.) 잽싸게 움직이다, 획 지나가다: zur Seite ~ 옆으로 싹 피하다; ein Gedanke zuckte ihm durch den Kopf 어떤 생각이 그의 뇌리를 스쳤다. 《Ⅱ》 *t.* 급격히 움직이게 하다, 경련적으로 실룩거리다: die Achseln〔Schultern〕 ~ (관심없거나 모른다는 표시로) 어깨를 으쓱하다; ↑ zücken 《Ⅱ》 ②. 《Ⅲ》 *refl.* sich ~ 〖결과를 나타내어〗 der Fisch an der Angel zuckt sich los 낚시에 걸린 고기가 움찔거리며 달아난다.

zücken [tsʏ́kən] 《Ⅰ》 *i.* (h.) 〖고어〗 ↑ zucken 《Ⅰ》. 《Ⅱ》 *t.* ① 〖고어〗 ↑ zucken 《Ⅱ》. ② 〖雅語〗 das Schwert 〔den Degen〕 ~ 칼을 쑥 빼다. ③ 〖농담〗 재빨리 꺼내어 준비하다: die Brieftasche ~ (셈을 치르기 위해) 지갑을 재빨리 꺼내다; den Bleistift ~ (적기 위해) 연필을 재빨리 꺼내다.

***Zucker** [tsʊ́kər] 《it. zucchero》 *m.* -s, (종류일 때) ① 설탕: ein Löffel (voll) ~ 한 스푼의 (가득한) 설탕; ein Stück ~ 각설탕 한 개, 설탕 한 덩어리; das ist süß wie ~ 그것은 설탕처럼 달콤하다; 〖구어〗 ~ sein 매우 좋다, 아름답다; dieses Mädchen ist ~ 이 소녀는 무척 예쁘다; dein Vorschlag ist ~ 네 제안은 훌륭하다; 〖비속〗 jm. ~ in den Hintern 〔Arsch〕 blasen 누구에게 알랑방귀 뀌다; 〖구어〗 nicht aus ~ sein 예민하지 않다, 잘 견디다. ② 감미로운 것; 기쁜 일: seinem Affen ~ geben 기쁨에 도취되다, 몹시 기뻐하다; das ist der reine ~ für ihn 그것은 그가 아주 좋아하는 것이다. ③ 〖생화학〗 탄수화물, 당(糖): einfache ~ 단당류. ④ (a) 〖醫〗 혈당치. (b) 〖구어〗 당뇨병: ~ haben 당뇨병이 있다.

Zucker≈ahorn *m.* 〖植〗 사탕단풍. **~apfel** *m.* 〖植〗 번려지(蕃荔枝). **≈artig** *a.* 설탕과 같은, 당질의. **~bäcker** *m.* 〖구식〗 (südd., öst.) 과자 제조업자(Konditor). **~bäckerei** *f.* 과자 제조업〔소〕, 과자점. **~bäcker·stil** *m.* 〖폄어〗 과장된 장식의 건축 양식. **~backwerk** *n.* 과자류(類). **~bau** *m.* 사탕수수 재배. **~bildung** *f.* 당분 형성; 〖化〗 당화(糖化). **~bohne** *f.* ① 〖植〗 강낭콩. ② 콩 모양의 사탕. **~bonbon** *m.* 사탕(Bonbon). **~brot** *n.* ① 〖구식〗 비스킷, 쿠키: 〖구어〗 mit ~ und Peitsche 회유와 위협으로, 당근과 채찍으로. ② 〖구어〗 설탕 뿌린 버터빵. **~büchse** *f.* 식탁용의 설탕 그릇.

Zuckerchen *n.* -s, - 〖방언〗 사탕.

Zucker≈couleur [..kuløːr] *f.* 음료 염색용 캐러멜. **~dose** *f.* 설탕 그릇〔통〕. **~erbse** *f.* 완두콩의 일종. **~fabrik** *f.* 제당 공장. **~-fabrikant** *m.* 제당업자. **~faß** *n.* 설탕 통. **~fresser** *m.* 〖動〗 나무발바리의 일종. **~-früchte** *pl.* 설탕에 절인 과일. **~gärung** *f.* 당분의 발효. **~gast** *m.* 〖방언〗 좀벌레(날개없는 은회색 좀). **~gebackene***, **~gebackne*** *das* ↑ ~backwerk. **~gehalt** *m.* 당분 함유량.

Zuckergehalts≈messer *m.*, **~waage** *f.* ↑ zuckermesser 《Ⅱ》.

Zucker≈geschmack *m.* 설탕 맛. **~guß** *m.* 당의(糖衣), 설탕 입힘. **≈haltig** *a.* 설탕을 함유한, 당분이 있는. **~handel** *m.* 설탕 장사. **~harn·ruhr** *f.* 〖병리〗 ↑ ~krankheit. **~-honig** *m.* 당밀(糖蜜). **~hut** *m.* ① 원추형 설탕. ② 〖지형〗 원추형 산으로 된 섬.

zuckerig *a.* ① 설탕 투성이의. ② 당분이 생기는. ③ 설탕으로 된〔만든〕.

Zucker≈kand, ~kandis *m.* 〖구어〗 얼음사탕(Kandiszucker). **~kandl** *n.* (öst.) 〖구식〗 (작은) 얼음사탕. **~kind** *n.* 귀염둥이, 애지중지하는 자식. **≈krank** *a.* 당뇨병에 걸린. **~kranke*** *der/die* 〖醫〗 당뇨병 환자. **~krankheit** *f.* 〖병리〗 당뇨병. **~kuchen** *m.* 사탕 케이크.

Zuckerl *n.* -s, -(n) (südd., öst.) 사탕.

Zucker≈lecken *n.* 〖다음 용법으로만〗 〖구어〗 etwas ist kein ~ 〔Zuckerschlecken〕 무엇이 편안한〔쉬운〕 일은 아니다. **~löffel** *m.* 설탕 스푼. **~mandel** *f.* 설탕에 절인 아몬드. **~maul, ~mäulchen** *n.* ↑ ~mund. **~-mehl** *n.* 설탕 가루. **~melone** *f.* 〖植〗 머스크멜론. **~messer** 《Ⅰ》 *n.* 사탕을 쪼개는 작은 칼. 《Ⅱ》 *m.* 검당계(檢糖計), 당도 측정기. **~messung** *f.* 검당법, 당도 측정. **~milbe** *f.* 〖動〗 글리키파그스속(屬)의 일종. **~mund** *m.* 〖구어〗 단것을 좋아하는 사람.

zuckern [tsʊ́kərn] 《Ⅰ》 *a.* 설탕의. 《Ⅱ》 *t.* ① 설탕으로 단맛을 내다. ② 설탕을 뿌리다.

Zucker≈palme *f.* 〖植〗 사탕야자. **~papier** *n.* 설탕 포장지. **~pflanzer** *m.* 사탕수수 재배인. **~pflanzung** *f.* 사탕수수 재배. **~-plätzchen** *n.* 캔디, 사탕; 〖방언〗 쿠키, 비스킷; 〖醫〗 당제(劑). **~probe** *f.* ① 검당(檢糖). ② 사탕 견본. **~puppe** *f.*, **~püppchen** *n.* 〖구어〗 귀엽고 사랑스러운 소녀. **~quetscher** *m.* 〖工〗 사탕수수 압쇄기. **~raffinade** *f.* 정제된 설탕. **~raffinerie** *f.* 설탕 정제소, 제당소. **~raffinierer** *m.* 제당업자. **~rohr** *n.* 〖植〗 사탕수수.

Zuckerrohr≈mühle *f.* 사탕수수 압착기. **~rück·stände** *pl.* 당분을 짜내고 남은 사탕수수 찌끼. **~saft** *m.* 사탕수수 즙.

Zucker≈rübe *f.* 〖植〗 사탕무. **~ruhr** *f.* 〖병리〗 당뇨병. **~sachen** *pl.* ↑ ~waren. **~saft** *m.* 시럽; 조청. **~satz** *m.* ↑ ~sirup. **≈sauer** *a.* 〖化〗 당산(糖酸)의. **~säure** *f.* 〖化〗 당산. **~schale** *f.* (식탁용의) 설탕 그릇. **~schlecken** *n.* ↑ ~lecken. **~schneide·maschine** *f.* 〖工〗 사탕수수 절단기. **~schote** *f.* ↑ ~bohne ①. **~sieder** *m.* 〖工〗 제당업자. **~siederei** *f.* ① 제당업. ② 제당 공장. **~-sirup** *m.* 당밀. **~stange** *f.* 막대 사탕. **~-steuer** *f.* 〖經〗 모든 설탕 종류에 부과되는 소비세. **~stoff** *m.* 〖化〗 당분을 많이 함유한 물질. **~streuer, ~streu·löffel** *m.* 뿌리는 설탕통. **≈süß** *a.* ① 사탕처럼 달콤한. ② 〖대개 폄어〗 입에 발린, 알랑거리는: ~e Worte 달콤한 말, 감언(甘言). **~tüte** *f.* 〖방언〗 (초등학교 입학 때 축하 선물을 단것과 함께 넣어주는) 원뿔형 봉지(Schultüte). **~verbindungen** *pl.* 〖化〗 당화물(糖化物). **~ware** *f.* 단것(음식·음료 등). **~wasser** *n.* 설탕물. **~-**

watte *f.* 솜사탕. **~werk** *n.* 〖구식〗 사탕 과자. **~worte** *pl.* 달콤한 말, 감언, 알랑거리는 말. **~wurzel** *f.* 〖植〗 감자개발나무(미나리릿의 다년초). **~zange** *f.* ① 각설탕 집게. ② 사탕을 부수는 집게. **~zwieback** *m.* 설탕을 입힌〔넣은〕 비스킷.

Zuck·fuß *m.* (말의) 절름발이 증세. **~krampf** *m.* 〖醫〗 간대(間代) 경련(근육의 계속적인 경련). **~mücke** *f.* 〖動〗 모기붙잇과.

zuckrig *a.* ↑ zuckerig.

Zuckung *f.* -en 급격한 움직임, 경련: 〖비유〗 die letzten ~en 최후의 몸부림.

Zückung *f.* -en (검을) 뽑기.

zu|dämmen *t.* ① (물을) 제방을 쌓아 막다. ② ein Loch im Pflaster ~ 포장 도로의 구멍을 막다〔메우다〕.

Zudeck *n.* -(e)s, -e ↑ Zudecke.

Zudecke *f.* -n 〖구어〗 이불, 덮개.

zu|decken *t.* ① 덮다, 씌우다; 뚜껑을 덮다; 싸서〔덮어〕 가리다, 은폐하다: einen Schlafenden ~ 자는 사람에게 이불을 덮어 주다; wir wurden durch feindliche Artillerie mächtig zugedeckt 우리는 적의 포화의 맹공격을 받았다; 〖구어〗 jn. mit Fragen ~ 누구에게 질문 공세를 퍼붓다. ② 〖비속〗 **(a)** jn. (mit Prügeln) ~ 누구를 흠씬 때리다, 혼을 내주다: wir haben ihn schön zugedeckt a) 우리는 그를 심하게 괴롭혔다, b) 흠씬 때려 주었다. **(b)** jn. ~ (술마시기 경쟁에서) 누구를 이기다; 〖카드〗 손해를 입히다.

zu·dem [tsudé:m] *adv.* 〖雅語〗 (außerdem) 그 외에, 게다가, 뿐만 아니라, 또한.

zu|denken* *t.* ① 〖대개 과거 분사로〗 jm. et. ~ 누구에게 무엇을 주려고 생각하다, 누구를 위해 무엇을 준비하다: dieses Buch habe ich ihr zugedacht 나는 이 책을 그녀에게 바칠 생각이었다. ② 덧붙여 생각하다.

zu|dienen *i.* (h.) (schweiz.) jm. ~ ① 〖구식〗 누구에게 속하다. ② **(a)** 누구를 돕다. **(b)** 공급하다.

zu|diktieren *t.* 부과하다, 맡기다: jm. eine bestimmte Rolle ~ 누구에게 특정한 역할을 맡기다; jm. eine Strafe ~ 누구에게 어떤 형벌을 과하다.

Zudrang [tsú:draŋ] *m.* -(e)s 〖구식〗 ① (사람들이) 밀어닥침, 쇄도. ② 몰려드는〔몰려든〕 군중.

zu|drängen *refl.* sich ~ 밀어닥치다, 몰려들다; 〖비유〗 주제넘게 나서다.

zu|drehen *t.* ① 향하다: das Gesicht der Wand ~ 얼굴을 벽 쪽으로 돌리다; jm. den Rücken ~ 누구를 등지다. ② 돌려서 잠그다: den Wasserhahn ~ 수도 꼭지를 잠그다; 〖구어〗 Wasser 〔das Gas〕 ~ 수도〔가스〕를 잠그다; eine Schraube ~ 나사를 꼭 죄다.

zu|dringen* *i.* (s.) / *refl.* (sich) ~ 밀어닥치다, 〖비유〗 귀찮게 졸라대다.

zudringlich 《<zudrängen》 *a.* 집요한, 귀찮게 구는, 성가실 정도로 달라붙는.

Zudringlichkeit *f.* -en ① 집요, 넉살 좋음. ② 성가시도록 집요한 언행.

zu|drücken 《I》 *t.* ① 눌러서〔밀어서〕 닫다〔막다〕: einem Verstorbenen〔Toten〕 die Augen ~ 죽은 사람의 눈을 감겨 주다; jm. die Kehle ~ 누구의 목을 조르다; 〖비유〗 ein Auge ~ 못 본 체해주다. ② (immer) ~ 자꾸 밀다. 《II》 *i.* (h.) **(a)** 힘껏 누르다: fest ~ (악수를 하며) 꽉 잡다. **(b)** 〖비유〗 밀어헤치고 나아가다.

zue, zueche *adv.* (obd.) (hinzu) 게다가, 덧붙여서.

zu|eignen *t.* 《I》 ① 〖雅語〗 바치다, 헌정하다: jm. ein Buch ~ 누구에게 책을 증정하다. ② 〖구식〗 선사하다: jm. ein Erbstück ~ 유산을 증여하다. 《II》 *refl.* 〖法〗 sich³ et. ~ 횡령하다, 가로채다.

Zueigner *m.* -s, - 헌사자, 증정자; 횡령자.

Zueignung [tsú:|aɪgnuŋ] *f.* -en ① **(a)** 줌, 바침, 헌정. **(b)** 헌정의 말, 헌사. ② 횡령.

zu|eilen *i.* (s.) auf jn.〔et.〕 ~ 누구를〔무엇을〕 향해서 급히 가다; 〖비유〗 seinem Verderben ~ 파멸의 길을 재촉하다.

zu·einander *adv.* 서로, 마주 보고: ~ parallel sein (선(線)이) 서로 평행하고 있다; Vertrauen ~ haben 서로 신뢰하다.

zu|erkennen* *t.* jm. et. ~ (판결〔심사〕에 따라) 누구에게 무엇을 승인하다(↔ aberkennen): jm. einen Preis ~ 누구에게 상품을 주기로 하다; jm. eine Strafe ~ 누구에게 유죄 판결을 내리다; jm. ein Verdienst ~ 누구의 공적을 인정하다.

Zuerkenntnis *n.* -ses, -se, **Zuerkennung** *f.* -en 수여 판결; 승인, 인정.

Zuerkennungs·urteil *n.* 인정 판결.

***zu·erst** [tsu|é:ɾst] *adv.* ① 맨 먼저; 최초에: der ~ Angekommene 선착자; 〖속담〗 wer ~ kommt, mahlt ~ 부지런한 자가 이긴다, 먼저 온 사람에게 우선권이 있다. ② (vor allem) 무엇보다도, 우선, 그 중에서도: ~ sind wir Menschen, dann Staatsbürger 우리는 무엇보다도 먼저 인간이고 그 다음에 국민이다; ~ trank er ein Glas Bier 그는 우선 맥주 한 잔을 마셨다; gleich ~ 무엇보다도 먼저. ③ 처음으로(zum erstenmal): wir haben uns ~ in Berlin gesehen 우리는 베를린에서 처음 만났다.

zu|erteilen *t.* 〖드물게〗 jm. et. ~ 누구에게 무엇을 배당하다, 주기로 하다.

Zuerteilung *f.* -en 할당, 배당.

Zuerwerb *m.* -(e)s 부업(副業), 부수입.

Zuerwerbs·betrieb *m.* 〖農〗 부업 농작.

zu|essen* 《I》 *t.* (zu et.³) (…에) 곁들여 먹다. 《II》 *i.* (h.) 대들어 먹다: iß (nur) zu! 자아 (사양 말고) 먹어라!

zu|fächeln 《I》 *t.* jm. Kühlung〔Luft〕 ~ 누구에게 부채질하다. 《II》 *refl.* sich³ Luft ~ 부채질을 하다.

zu|fahren* 《I》 *i.* (s./h.) ① auf jn.〔et.〕 ~ 누구를〔무엇을〕 향해 가다〔오다〕: er kam genau auf mich zugefahren 그는 곧장 나 있는 쪽으로 차를 몰고 왔다; 〖구식〗 dem Dorf ~ 마을 쪽으로 차를 몰고 가다. ② 〖대개 명령형〗〖구어〗 계속 가다; (차를) 빨리 몰다: fahr zu, Kutscher! 마부, 빨리 몰아 주게! ③ 저돌적으로 행동하다. 《II》 *t.* (차를) 몰다: den Wagen dem Dorf ~ 차를 마을로 향하여 몰다.

Zufahrt *f.* -en ① 차를 타고 들어감, 진입 (가능성): die ~ zur Messe erfolgt über die Stadtautobahn 박람회장으로의 진입은 도시 고속 도로를 통해 가능하다. ② 진입로: die ~ ist gesperrt 진입로가 차단되어 있다.

Zufahrts≈straße *f.*, **~weg** *m.* 진입로.
*__Zufall__ [tsú:fal] *m.* -(e), ..fälle [..fɛlə] ① 우연(한 일), 우발적 사건; 뜻밖의 재난: glücklicher〔günstiger〕 ~ 행운, 요행; widriger ~ 불운, 재난; durch ~ 우연히, 공교롭게; das ist kein ~ 그것은 우연이 아니다; alles dem ~ überlassen 만사를 우연에 맡기다; der ~ wollte es, daß ... 우연히 …하게 됐다. ②〖醫·고어〗(Anfall) 발작: 〖속어〗 Nerven≈ 신경발작. ③〖드물게〗 떨어져서 닫힘〔막힘〕.
zu|fallen* *i.* (s.) ① 저절로 닫히다〔막히다〕: mir fielen vor Müdigkeit die Augen (lider) zu 피로한 나머지 내 눈이 감겼다; der Deckel fiel von selbst zu 뚜껑이 저절로 닫혔다. ② (zu et.³ hinfallen) …의 쪽으로 넘어지다, 쓰러지다. ③ jm. ~ 누구 손에 떨어지다, 누구의 소유가 되다: die ganze Erbschaft ist ihm zugefallen 모든 유산은 그의 것이 되었다; 〖구어〗 ihm ist immer alles zugefallen (노력도 별로 하지 않고) 그는 언제나 성공을 거둔다; jm. fällt eine Stelle〔Rolle〕 zu 어떤 지위가〔역할이〕 누구에게 주어지다.
*__zufällig__ [tsú:fɛlɪç] 《I》 *a.* ① 우연한, 뜻밖의, 우발적인; 본의 아닌; (↔ wesentlich) 불필요한, 중요치 않은: ~e Ausgaben 생각지도 않은 지출; ein ~es Zusammentreffen 우연한 만남, 해후; 〖數·통계〗 ~es Ereignis 우연한 사건. ②〖畫〗 ~e Lichter 부속 광선. ③〖고어〗 …의 소유의, …에게 귀속하는. 《II》 *adv.* 우연히: er war ~ zu Hause 그는 우연히 집에 있었다; haben Sie ~ einen Kugelschreiber bei sich? 혹시 볼펜 갖고 있습니까?
zufälliger·weise *adv.* ↑ zufällig 《II》.
Zufälligkeit *f.* -en ① 우연(성): ich glaube nicht an die ~ dieser Begegnung 나는 이 만남이 우연이라고 믿지 않는다. ② 우연한 일, 우발적인 사건, 공교로운〔뜻밖의〕 사건; 불필요한〔중요치 않은〕 것: das Leben wird oft von ~en bestimmt 인생은 자주 뜻밖의 사건들에 의해 결정된다.
Zufalls≈auswahl *f.* 〖통계〗 임의〔무작위〕 추출(법). **~bekanntschaft** *f.* ① 우연히 알게 된 사람. ②〖복수없음〗〖드물게〗 우연히 갖게 된 친분. **~ergebnis** *n.* 우연한 결과〔성과〕. **~größe** *f.* 〖數·통계〗 확률 변수. **~streuung** *f.* 〖통계〗 무작위 분산. **~treffer** *m.* 우연한 적중; 〖軍〗 우연한 명중탄; (축구 등에서) 우연히 들어간 골. **~zahl** *f.* 〖컴〗 난수(亂數) (특정한 배열 순서나 규칙성이 없는 연속적인 임의의 수의 배열).
zu|falten *t.* (편지 등을) 접다, 개다, 포개다: die Hände ~ 양 손을 포개다.
zu|fassen *i.* (h.) ① (재빨리) 붙잡다, 포착하다. ②〖구어〗 일하다, 일손을 돕다.
zu|fertigen *t.* jm. et. ~ 누구에게 무엇을 보내다, 발송하다.
Zuffe *f.* -n (schweiz.) 소포, 꾸러미.
zu|flechten* *t.* (구멍을) 대충 꿰매어 막다〔깁다〕; 짜맞추다.
zu·fleiß *adv.* 《bayr., öst.》〖구어〗 (absichtlich) 고의로, 일부러, 짐짓: jm. et. ~ tun 누구를 화나게 하려고 무엇을 하다; er hat ihr ~ Wasser in die Schuhe geschüttet 그는 그녀를 골리려고 일부러 그녀의 신발 속에 물을 부었다.
zu|flicken *t.* 〖구어〗 (구멍 따위를) 기우다, …에 조각을 대어 깁다.
zu|fliegen* *i.* (s.) ① auf jn.〔et.〕 ~ 누구〔무엇〕의 쪽으로 날아가다: das Flugzeug flog auf den Berg zu 비행기가 산 위로 날아갔다. ② jm. ~ 누구에게로 날아가다, 누구의 집에 날아들다: ein Vogel ist mir zugeflogen 새가 내 집으로 날아들었다; Gedanken〔Einfälle〕 fliegen jm. zu 생각〔착상〕이 누구에게 저절로 떠오르다; ihm flogen alle Herzen zu 그는 모든 사람의 마음을 샀다〔끌었다〕; ihm fliegt in der Schule alles nur so zu 그는 학교에서 배우는 것을 쉽게 익힌다. ③ (immer) ~ 줄곧 날다. ④〖구어〗 (문이) 탁 닫히다.
zu|fliehen* *i.* (s.) jm.〔et.³〕 ~ …의 쪽으로 달아나다, 피하다.
zu|fließen* *i.* (s.) ① (jm.〔et.³〕) (…의) 쪽으로 흘러가다, 흘러들어가다: die Elbe fließt der Nordsee zu 엘베강은 북해로 흐른다. ② etwas fließt auf et. zu 무엇이 무엇 쪽으로 마구 흘러가다. ③ (사상 등이) 용솟음쳐 나오다; (돈이) 들어오다; 〖비유〗 jm. et. ~ lassen 누구에게 무엇을 주다; die Worte fließen ihm nur so zu 그의 입에서 말이 거침없이 흘러나온다; dem Unternehmen flossen aus dem Überseehandel große Gewinne zu 그 기업에는 해외 무역으로 많은 이익이 흘러 들어왔다.
*__Zuflucht__ [tsú:flʊxt] 《<zufliehen》 *f.* 피난, 도피; 피난처, 도피처, 은신처; 보호(자): er suchte bei Freunden ~ vor den Verfolgern 그는 추적자들을 피해 친구들 집에서 은신처를 찾으려 했다; er nahm ~ zum Alkohol 그는 술로 도피했다; seine Bücher sind seine ~ 책이야말로 그의 위안물이다.
Zuflucht·nahme *f.* 피난〔도피〕(함).
Zufluchts≈hafen *m.* ↑ ~ort. **~haus** *n.* 숨는 집, 교회의 피난소, 성역(중세의 치외 법권 구역이었던 사원). **~ort** *m.* 〖복수: -e〗, **~platz** *m.*, **~stätte** *f.* 피난처, 은신처; 〖海〗 피난항; (노인·병자 등의) 수용소.
Zufluß [tsú:flʊs] 《<zufließen》 *m.* ..flusses, ..flüsse [..flʏsə] ① 흐름; 쇄도; 유입; 〖醫〗 충혈: ~ von Wasser 물의 유입; 〖비유〗 die Regierung versuchte, den ~ ausländischen Kapitals zu fördern 정부는 외국 자본의 유입을 촉진하기 위해 노력했다. ② 유입물; 지류(Nebenfluß); 〖商〗 공급품, 지급품: die Zuflüsse des Rheins 라인강의 지류들.
zu|flüstern *t.* jm. et. ~ 누구에게 무엇을 속삭이다; 〖비유〗 암시하다.
Zuflüsterung [..rʊŋ] *f.* -en 속삭임; 〖비유〗 암시, 시사.
zufolge [tsufɔ́lgə] 《<Folge》 *prp.* 〖명사 앞에서는 2격, 뒤에서는 3격을 지배함〗 …에 따라서〔의거해서〕: Eurem Befehl ~ 〔~ Eures Befehls〕 당신 명령에 따라; einer Nachricht der Zeitung ~ 신문의 기사에 따르면; ~ seines Versprechens 그의 약속에 따라서; dem ~ 그것에 따라, 그 결과, 그러므로.
zu|fragen *i.* (h.) ① 문의하다(anfragen). ② 이것저것 마구 묻다.
*__zufrieden__ [tsufrí:dən] 《<Frieden》 *a.* 만족한; 행복한, 평화스러운, 즐거운: eine ~e Ehe 원만한 결혼 생활; mit jm.〔et.³〕 ~ sein …에 만족하다; 〖雅語〗 ich bin es 〔damit〕 ~ 나는 그것에 만족한다; 〖구어〗 bist du nun (endlich) ~? 이제 네가 원하는 대로 되었니?;

〔때로는 4격과 함께〕 wir sind die Probe ~ 우리는 그 실험에 만족한다; still und ~ leben 유유자적한 생활을 하다.

zufrieden|geben* *refl.* sich ~ 만족하다: ich gebe mich nie und nimmer damit zufrieden 나는 결코 그것으로 만족하지 않는다.

Zufriedenheit *f.* 만족(함): zur ~ 더할 나위 없이, 충분히; ~ empfinden 만족을 느끼다; 〔속담〕 ~ geht über Reichtum 만족〔지족(知足)〕은 재물보다 낫다.

zufrieden|lassen* *t.* 방해하지 않다, 내버려 두다: lassen Sie mich zufrieden! 내게 상관하지 말아 주십시오!

zufrieden|stellen *t.* (누구를) 만족시키다; 바라는 바를 충족시켜 주다: er stellt in jeder Weise seine Kunden zufrieden 그는 어떻게 해서든지 자신의 고객들을 만족시켜 준다; sein Befinden ist ~d 그의 건강 상태는 만족할 만하다.

Zufrieden·stellung *f.* 만족시키기.

zu|frieren* *i.* (s.) 결빙하다; 〔구어〕 얼다, 동결하다.

zu|fügen *t.* ① 덧붙이다, 보태다: der Soße noch ein wenig Wasser ~ 소스에 약간의 물을 더 넣다. ② (antun) (고통 등을) 주다, 가하다: jm. Schaden ~ 누구에게 해를 끼치다; jm. ein Unrecht ~ 누구에게 부당한 일을 저지르다.

Zufügung *f.* -en 덧붙임, 첨가; 첨가물.

Zufuhr [tsú:fu:*r*] *f.* -en ① 수송, 운반; 공급, 배급: 〖軍〗 dem Feinde die ~ abschneiden 적의 보급로를 끊다. ② 수송 화물; 군수품, 보급 물자; 식료품.

zu|führen 《I》 *t.* ① 전달하다; 수송〔운반〕하다, 공급하다: einem Unternehmen frisches Blut ~ 기업에 젊은 신진들을 충원하다; jm. eine Braut ~ 누구에게 신부를 중매하다; jm. einen Freund ~ 누구에게 친구를 소개하다; Altpapier einer Wiederverwendung ~ 폐지를 재활용하다; ein Problem einer Lösung 〔Klärung〕 ~ 문제를 해결〔해명〕하다; einen Verbrecher seiner gerechten Strafe ~ 범인에게 합당한 형을 내리다; einem Raum frische Luft ~ 방에 신선한 공기를 갈아넣다, 환기하다; jn. dem Verderben ~ 누구를 타락시키다. ② 〖工〗 einem Hause Gas〔Wasser〕 ~ 집에 가스를〔수도관〕을 끌어넣다. ③ 〖광산〗 (갱도를) 넓히다. 《II》 *i.* (h.) (길이 어떤 장소로) 통하다: die Straße führt gerade auf das Dorf zu 길은 곧장 마을로 통하고 있다.

Zuführung *f.* -en ① 수송, 공급, 보급. ② 배관, 배선, 도관, 도선.

Zuführungs≈draht *m.* 배전선. **~leitung** *f.* ↑ Zuführung ②.

zu|füllen *t.* ① 가득 채우다, 매립하다; 메우다. ② 〔방언〕 더 채우다, 추가로 붓다.

Zufuß·gehen *n.* 보행.

***Zug** [tsu:k] *m.* -(e)s, Züge [tsý:gə] 《I》〔타동사 ziehen의 "끌다" 의미에 상응하여〕 ① **(a)** 끎, 당김, 견인; 흡인; 〖海〗 예선(曳船): mit einem gewaltigen ~ 세차게 당겨서; 〖物·工〗 ein Bauteil auf ~ belasten〔beanspruchen〕 건축 자재에 (직각 방향의) 인장하중(引張荷重)을 주다; ~ mit dem Netze a) 그물 끌기, 그물로 고기잡기, b) 그물로 잡은 어획고; ein guter ~ 풍어; einen ~ an der Glocke tun 종의 줄을 당겨 종을 울리다; einen ~ mit der Peitsche tun 한 번 채찍질을 하다. **(b)** (장기·체스 등에서) 말의 움직임: den ersten ~ haben 선(先)이다; einen ~ tun〔machen〕 (말을) 옮기다; er ist matt in zwei Zügen 이제 두 수면 그는 외통수가 된다; 〔비유〕 ich bin am ~e 내 차례다; zum ~(e) kommen 활동할 수 있게 되다; ~ um ~ 즉시, 지체없이: ~ um ~ handeln 현금 거래를 하다; die Argumente seiner Gegner ~ um ~ widerlegen 상대방의 주장을 차례차례 논박하다; ~ für ~ 즉각적으로. **(c)** 들이마심, 호흡(Atem≈); (Schluck) 마심, 삼킴: in kurzen〔schnellen〕 Zügen atmend 숨이 가빠서, 숨을 헐떡이며; in den letzten Zügen liegen 빈사 상태에 놓이다, 위독하다; das Leben in vollen Zügen genießen 생활을 마음껏 즐기다; kleiner ~ 짤끔짤끔 마시기; einen ~ aus der Flasche tun 병에 입을 대고 마시다; das Glas auf einen 〔in einem, mit einem〕 ~ austrinken (한 컵을) 단숨에 마셔 버리다; in langen Zügen trinken 길게 죽 들이마시다; 〔구어〕 einen guten ~ haben (쉬지 않고) 단숨에 들이킬 수 있다; einen ~ (aus der Tabakspfeife) tun (파이프) 담배를 한 모금 빨다; in einem ~e schlafen 중간에 깨지 않고 푹 자다. **(d)** 제비뽑기, 추첨(이 뜻으로는 보통 Ziehung을 사용). **(e)** (수영 또는 노저을 때) 스트로크, 힘찬 팔젓기: mit kräftigen Zügen rudern 힘차게 노를 젓다. ② (끌어당기는 기구·장치로서) 문 여는 손잡이(Tür≈); (~schnur) 블라인드〔커튼〕의 당김줄; (방한복·방한모 등의) 졸끈, 구두끈; ~ am Rocke 〔Aufschürzer〕 치맛자락을 추켜올리는 끈; 〖음악〗 약음 장치, 피아노의 페달; 오르간의 음전(音栓); 트롬본의 슬라이드; 〔방언〕 서랍; 〖工〗 (Flaschen≈) 도르래, 활차; 피스톤; ~ eines Ofens 난로의 연도(煙道); 〖藥〗 발포 고약; (일반적으로) 고약. 《II》〔자동사 ziehen의 "흐르다" 의미에 상응하여〕 ① (군대 또는 일반 대열의) 행진, 행군; (Heer≈) 출정, 출병, 원정; (무리의) 이동; 추이, 조류, 추세: die Siedler waren auf ihrem ~ nach Westen 이주자들은 서쪽을 향해 이동하고 있었다; 〔구어〕 einen ~ durch die Gemeinde machen 술집을 전전하다; der ~ Alexanders in den Orient 알렉산더의 동방 원정; der ~ der Wildente nach Norden 들오리들의 북쪽으로의 이동; ~ der Wolken 구름의 이동; ~ eines Stromes 물의 흐름; das ist der ~ der Zeit 그것이 시대의 조류다; 〔격식〕 im ~e der Reform 개혁의 진행 과정에서. ② (대열로 행진하는 것) **(a)** 행렬, 대열; 〖軍〗 소대; (병참 부대의) 분대; 〖宗〗 장례식 행렬: ein langer ~ von Demonstranten 시위대의 긴 행렬. **(b)** (철) 새떼. **(c)** (한 수레·마차를 끄는) 일련의 동물〔말〕: sechsspänniger ~ 6두 마차. **(d)** 차량의 행렬; 대상(隊商)(Handels≈); 예항(曳航) 선대(Schlepp≈); 호송 선단(Geleit≈). ③ 〖철도〗 (Eisenbahn≈) 열차, 기차: der ~ nach Frankfurt 프랑크푸르트행 열차; den ~ zum Stehen bringen (durch die Notbremse) 기차를 (비상 브레이크로) 정거시키다; zum ~e zurecht kommen, den ~ erreichen 기차 시간에 알맞게 닿다; den ~ um 9 nehmen 아홉 시 열차를 타다; 〔경박〕 der ~ ist abgefahren 기차는 떠

났다(이미 때는 늦었다); 〖구어〗 im falschen ~ sitzen 헛짚다, 잘못 판단〔결정〕하다. ④ 〖드물게〗 지대, 산맥(Gebirgs≈). ⑤ 진행적인〔계속적〕인 운동; 활동: aus dem ~e kommen 중단〔폐지〕되다; in den ~ kommen 활동을 시작하다; ich bin aus dem ~e 나는 슬럼프에 빠져 있다; wir sind gut im ~e 우리 일은 순조롭다; wir sind gerade im besten 〔so recht im〕 ~e 우리는 최고로 활기차게 일하고 있다; in ~ bringen 진행〔운전·유행〕시키다; 〖구어〗 da ist ~ darin 야 잘한다, 멋있다; 〖구어〗 in et.³ ist ~ 무엇이 활기가 있다. ⑥ (a) 틈새 바람, 외풍; 통풍, 통기: hier ist 〔herrscht〕 ein fürchterlicher ~ 여기는 외풍이 아주 세다; der Ofen 〔die Pfeife〕 hat keinen rechten ~ 난로〔파이프〕의 통기가 제대로 안 된다. (b) 통기관, 통기 장치, 연도(煙道): man muß die Züge von Zeit zu Zeit entschlacken 통기관은 때때로 청소를 해주어야 한다. ⑦ 〖비유〗 경향, 성향, 성벽, 본능: dem ~e des Herzens folgen 마음 내키는 대로 하다; einen ~ zum Theater haben 연극에 마음이 끌리다; 〖속담〗 der ~ des Herzens ist des Schicksals Stimme 마음의 움직임은 운명의 소리다. ⑧ (a) 선(線); (Feder≈) 필치, 필적: runder ~ an einem Buchstaben 글자의 당초(唐草) 무늬 장식; die ersten Züge von et.³ entwerfen 무엇의 윤곽을 그리다; in kurzen Zügen 간결하게; et. in kräftigen 〔großen〕 Zügen malen〔schildern〕 무엇을 힘있는〔대담한〕 필치로 그리다〔묘사하다〕; et. in großen〔groben〕 Zügen darstellen〔umreißen, schildern〕 무엇을 대략〔간결하게〕 묘사하다. (b) (Gesichtszüge) 용모, 생김새, 표정: mit scharfen Zügen 얼굴 윤곽이 날카로운〔모난〕; ein ~ von Verachtung trat ihr um den Mund 경멸의 표정이 그녀의 입가에 떠올랐다. (c) 특색, 특징, 특성: das ist ein eigenartiger ~ an ihm 그것이 그의 남다른 점이다; das ist ein schöner ~ von ihr 그것이 그 여자의 좋은 점이다; die ganze Sache hat einen ~ ins Lächerliche 그 일에는 무언가 우스꽝스러운 데가 있다. ⑨ 〖복수〗〖軍〗 (총신의) 강선(腔綫); 〖구어〗 jn. auf dem ~ haben 누구를 혼내 주려고 벼르다, 몹시 싫어하다. ⑩ 〖구어〗 규율, 기풍, 기강: ~ in jn. bringen 누구를 잘 훈련시키다; jn. gut im ~ haben 누구를 잘 훈련시켜 놓다; eine Mannschaft gut im ~ haben 팀의 기강을 잘 잡다. ⑪ (학교의) 전공분야, 과(科): ein Gymnasium mit einem humanistischen und einem naturwissenschaftlichen ~ 문과와 이과가 있는 김나지움.

Zugabe [tsú:ga:bə] 《<zugeben》 *f.* -n ① (a) 부가물; 부록; 덤, 사은품; 보너스. (b) 앙코르, 재창; die Sängerin gab nach ihrem Konzert noch drei ~n 여가수는 콘서트가 끝나고 앙코르에 응해 세 곡을 더 불렀다. ② 첨가(하기), 더 줌.

Zug·abteil *n.* 열차의 객실(칸).

***Zugang** [tsú:gaŋ] 《<zugehen》 *m.* -(e)s, ..gänge [..gɛŋə] ① (a) (누구를〔무엇을〕 향하여) 들어감, 진입, 접근, 출입: ~ verboten! 출입〔접근〕 금지!; freien ~ zu jm. haben 누구 집에 자유로이 드나들다; es ist schwer, ~ zu ihm zu erhalten 그를 만나보기는 어렵다; 〖비유〗 er hat keinen ~ zu Kindern 그는 아이들 다루는 법을 모른다; sie hat keinen ~ zu seinem Vermögen 그녀는 그의 재산을 마음대로 할 수 없다; keinen ~ zur modernen Musik haben 현대 음악을 이해하지 못하다. (b) 통로, 출입하는 길, 복도; (Eingang) 입구, 현관: die Polizei hat alle Zugänge versperrt 경찰이 모든 출입구를 차단하였다. ② (a) (Zuwachs) 증가, 증대. (b) 신참자, 신규 가입자, 입원 환자; (상품의) 입하: ~ an Büchern 신규 구입 도서; unter den Zugängen auf der Chirurgie waren zwei Schwerverletzte 외과에 새로 들어온 환자 중에는 두 명의 중상자가 있었다.

zugange [tsugáŋə] *adv.* 〖구어〗 ~ bringen 활동시키다; ~ kommen 잘 진행되다; ~ sein 활동 중이다; mit jm.〔et.³〕 ~ sein 누구에게〔무엇에〕 몰두하다; irgendwo ~ sein 어디선가 무슨 일에 종사하다.

zugängig *a.* 〖고어〗 ↑ zugänglich.

***zugänglich** [tsú:gɛŋlɪç] *a.* ① 출입〔접근〕할 수 있는, 얻을〔손에 넣을〕 수 있는: das Gebirge ist schwer ~ 저 산은 오르기 힘들다; das Buch ist zur Zeit nicht ~ 그 책은 지금 구할 수 없다; das Material für Interessierte ~ machen 자료를 관심 있는 사람들에게 이용할 수 있게 하다; jm. ein schwieriges Werk ~ machen 누구에게 어려운 작품을 이해시켜 주다. ② (a) 붙임성 있는, 사귀기 쉬운: sein Vater ist schwer ~ 그의 아버지는 무뚝뚝하다; für et. ~ 무엇에 민감한〔감수성이 있는〕. (b) (이념·사상 등에 대해) 마음이 열려 있는; er ist für einen guten Rat ~ 그는 충고를 받아들일 줄 안다; für alles Schöne ~ sein 모든 아름다운 것에 대해 민감하다〔감수성이 있다〕.

Zugänglichkeit *f.* 접근〔사용〕할 수 있음.

Zug≈anker *m.* 〖工·토목〗 버팀쇠〔목〕. **~artikel** *m.* 〖商〗 잘 팔리는 품목. **~balken** *m.* 〖건축〗 이음보; 들보. **~band** *n.* ① 당기는 줄〔끈〕. ② ↑ ~anker. **~begleiter** *m.* 열차 승무원. **~brücke** *f.* 도개교(跳開橋). **~brunnen** *m.* 두레박 우물. **~dynamometer** *n./m.* 〖기계〗 견인 동력계.

zu|geben *t.* ① (a) 부가〔첨가〕하다; 덤〔경품〕으로 주다: der Suppe Gewürze ~ 수프에 양념을 하다; der Sänger gab drei Lieder zu 가수는 재청으로 세 곡을 더 불렀다. (b) 〖카드〗 요구된 같은 짝의 패를 내놓다. ② (a) (einräumen) 인정하다, 시인하다: ich gebe zu, daß er recht hat 나는 그가 옳다는 것을 인정한다; 〖과거 분사의 절대적 용법〗 dies zugegeben 이것을 인정한다 하더라도; zugegeben, daß er recht hat 그의 말이 옳다고 하더라도. (b) 자백하다, 시인하다: er gab zu, es getan zu haben 그는 그 일을 했다고 자백했다. (c) 허용〔승인〕하다, 참아주다: 〖대개 부정문·의문문〗 er wollte nicht zugeben, daß sie allein reiste 그녀가 혼자 여행하는 것을 그는 허락하지 않으려 했다. ③ 동료로 삼다.

zugegebener·maßen *a.* 인정〔고백〕한 바와 같이: er ist ja ~ dabei gewesen 그는 자인한 대로 거기에 있었다.

zugegen *adv.* 〖雅語〗 ① (anwesend) 출석하여, (마침) 그 곳에 있어서: er war bei dem Unfall ~ 그는 사고 현장에 있었다. ② 〖고어〗 맞서서(entgegen): der Natur widersprüchig und ~ 자연에 거슬러서.

zu|gehen 《I》 *i.* (s.) ①〖구어〗 닫히다, 잠기다, 막히다; (바다 등이) 결빙하다(zufrieren): diese Tür geht nicht zu 이 문은 닫히지 않는다; der Rock geht nicht zu 양복〔스커트〕의 단추가 잠기지 않는다. ② auf jn.〔et.〕 ~ 누구를〔무엇을〕 향해 가다, 접근하다: er ging einige Schritte auf sie zu 그는 몇 걸음 그녀에게 다가갔다; der Weg geht auf die Stadt zu 이 길은 시내로 통한다; es geht auf Weihnachten zu 크리스마스가 다가오고 있다; er geht schon auf die Siebzig zu 그는 벌써 칠순에 가깝다. ③ (어떤 모양으로) 되어가다: spitz 〔in einer Spitze〕 ~ 차차 가늘어지다, 뾰족해지다; der Obelisk geht nach oben spitz zu 방첨탑(方尖塔)은 위로 올라갈수록 뾰족하다. ④〖격식〗 jm. ~ 누구에게 도달하다, 누구의 수중에 들어가다: der Brief 〔eine Nachricht〕 geht Ihnen heute noch zu 편지는〔소식은〕 오늘 안으로 당신에게 전달됩니다; jm. et. ~ lassen 누구에게 무엇을 보내다. ⑤〖구어〗 (losgehen) 급히 나아가다, 계속 나아가다: gut ~ 거침없이 나아가다; geh zu! a) 빨리 해라, 쑥쑥 나아가라!, b) (obd.) (경탄·놀라움의 표시) 우와! 《II》 *imp.* (hergehen) 행해지다, 일어나다, 생기다: wie geht es zu, daß ... …은 어떻게 일어난 것인가, …의 원인은 무엇인가; es geht sonderbar zu in dieser Welt 세상 일은 알 수 없다; so geht es in der Welt zu 세상이란 그런 것이다; im Leben geht's nicht anders zu 인생이란 다 그렇고 그렇다; auf dem Fest ging es sehr lustig zu 축제는 참으로 즐거웠다.

Zugeherin *f.* -nen, **Zugehfrau** *f.* -en (südd.) (시간제) 가정부, 청소부.

Zugehör [tsúːgəhøːr] *n.* -(e)s 〖고어〗 ↑ Zubehör.

zu|gehören *i.* (h.) ① jm. ~ 누구에게 속하다, 누구의 소유다. ② zu et.³ ~ 무엇의 일부를 이루다, 무엇에 부속하다. ③〖목적어 없이〗 어울리다: iß nicht Fleisch allein, es gehört Brot zu 고기만 먹지 마라, 고기는 빵과 함께 먹는 것이다.

zugehörig [tsúːgəhøːrɪç] *a.* ① (…의) 소유의: das meinem Vater ~e Haus 내 아버지 소유의 집; dem Kloster ~e Grundstücke 수도원 소유의 토지. ② (…에) 소속하는, …의 일부를 이루는: Haus mit den ~en Gärten 정원이 딸린 집.

Zugehörigkeit *f.* ① (무엇에) 부속〔소속〕됨; (누구의) 소유임; 일원(一員)임 (Mitgliedschaft). ②〖복수: -en〗 부속품(Zubehör).

Zugehörigkeits·gefühl *n.* 소속감.

Zug·eisen *n.* 〖건축〗 버팀쇠, 버팀목.

zugeknöpft 《I》 *p.p.* ↑ zuknöpfen. 《II》 *p.a.* 〖구어〗 ① 냉담한, 무뚝뚝한, 마음을 터놓지 않는: er ist in Gesellschaft immer so ~ 그는 모임에서 언제나 무뚝뚝하게 있다. ② 인색한: mit ~en Taschen 인색하게.

Zugeknöpftheit *f.* 무뚝뚝함, 냉담; 인색.

***Zügel** [tsýːgəl] 《<ziehen》 *m.* -s, - ① 고삐; 〖비유〗 구속, 속박, 통제: die ~ in Händen 〔in der Hand〕 haben 주도권〔전권〕을 장악하다; die ~ straff anziehen a) 고삐를 바짝 죄다, b) 〖비유〗 엄격히 통제하다; 〖비유〗 jm. die ~ kurz halten 누구를 바짝 죄다, 엄하게 다루다; jn.〔et.〕 am langen ~ führen 누구를〔무엇을〕 조심스럽게〔관대하게〕 다루다; er ließ seinen Leidenschaften die ~ schießen 그는 정열에 몸을 맡겼다; 〖비유〗 jm.〔et.³〕 ~ anlegen 누구를〔무엇을〕 통제하다; jm. in die ~ fallen 누구의 구속에 얽매이다; jm. die ~ schießen lassen 누구를 방임하다; das Pferd gut im ~ haben 말타는 솜씨가 능숙하다; mit verhängten ~n 〔verhängtem ~〕 reiten 전속력으로 말을 달리다; die ~ verlieren a) 고삐를 놓치다, b) 〖비유〗 통제 능력을 상실하다. ②〖動〗 (새의) 양 눈과 부리 사이의 부분.

Zügel≈hand *f.* 고삐를 쥐는 손, 기수(騎手)의 왼손. **~hilfe** *f.* 〖승마〗 고삐를 조절하여 말에게 내리는 지시.

zügellos *a.* 고삐 없는; 〖비유〗 구속〔속박〕되지 않은; 제어할 수 없는; 방자〔분방〕한.

Zügellosigkeit *f.* 무절제, 분방.

zügeln[1] [tsýːgəln] *t.* ① (말을) 정지시키기 위해 고삐를 당기다; 〖비유〗 (감정을) 억제하다: 〖비유〗 sich ~ 자제하다. ② (aufziehen) 사육〔재배〕하다. ③ (포도를) 압착하다(keltern).

zügeln[2] (schweiz.) 《I》 *i.* (s.) 이사하다. 《II》 *t.* 옮겨 놓다, 이전하다.

Zügel·ring *m.* 재갈.

Zügelung *f.* -en (말을) 길들이기; 훈육; 제어, 억제.

Zu·gemüse *n.* -s, - 〖구식〗 고기에 곁들인 야채.

zugenannt *a.* …라고 하는 별명의, 이명(異名)을 가진.

Zügen≈glöckchen, ~glöcklein *n.* (obd.) 조종(弔鐘)(Sterbeglocke).

Zug·entgleisung *f.* 〖철도〗 열차의 탈선.

zugeordnet 《I》 *p.p.* ↑ zuordnen. 《II》 *p.a.* 소속한; 동맹〔연합〕한; 병렬적인, 동격〔동등〕의.

Zugereiste* *der/die* 이주민.

zugeritten 《I》 *p.p.* ↑ zureiten. 《II》 *p.a.* nicht ~ (말이) 길들여지지 않은.

zu|gesellen *refl.* ① sich jm. ~ 누구의 친구가 되다: sich einer Gruppe ~ 어떤 그룹에 가입하다, 한패가 되다. ② sich et.³ ~ 무엇에 덧붙다.

zugespitzt 《I》 *p.p.* ↑ zuspitzen. 《II》 *p.a.* 뾰족한, 끝이 뾰족한; 〖비유〗 첨예화한, 절박한; 원추형의.

zugestanden 《<zugestehen》 *p.a.* 승인된; 〖절대적 용법〗 ~, daß ... …라고 인정한다고 하더라도(zugegeben).

zugestandener·maßen *adv.* 〖격식〗 인정하는 바이지만, 확실히: er ist ~ ein tüchtiger Arbeiter, aber unzuverlässig 그가 유능한 노동자라는 것은 인정하는 바이지만, 신뢰할 수는 없다.

***Zugeständnis** *n.* -ses, -se ① 양도, 양보, 용인(容認); (Konzession) 허가, 면허, 승인: ~se an die Mode machen 유행에 따르다. ② 〖고어〗 자백, 시인. ③ 할인.

zu|gestehen *t.* ① (gestehen) 자백〔고백〕하다, 시인하다. ② jm. et. ~ 누구에게 무엇을 양도하다, 승인〔용인〕하다.

zugetan 《<zutun》 《I》 *p.p.* ↑ zutun. 《II》 *p.a.* ① (…에) 호의를〔애착을〕 가진: jm.〔et.³〕 ~ 누구에게〔무엇에〕 마음이 끌리는, 호의를 갖고 있는. ② (…을) 좋아하는: er ist dem Alko-

hol ~ 그는 술을 좋아한다.

zugewandt *p.p.* ↑ zuwenden.

Zugewinn *m.* -(e)s, -e 추가분, 증가분;〖法〗 증식 재산(부부의 재산이 발생시킨 이익): die Partei erzielte bei der Wahl leichte ~e 그 당은 선거에서 약간의 득표 증가를 달성했다.

Zugewinn·gemeinschaft *f.*〖法〗(이혼 때 부부가 증식 재산을 균등하게 분할할 수 있도록 하는) 증식 재산 공동 관리 제도.

Zug=exerzieren *n.* -s〖軍〗소대 교련. **~feder** *f.*〖기계〗용수철, 견인 스프링. **~fest** *a.*〖理〗항장력(抗張力)의. **~festigkeit** *f.*〖理〗항장력. **~fisch** *m.* 회유어(回游魚) (Wanderfisch). **~folge** *f.* ① 열차의 차량 편성〔배열〕. ② 열차 운행 간격. **~führer** *m.* ①〖철도〗차장. ②〖軍〗소대장. **~funk** *m.* 열차 무선 전화. **~garn** *n.* ↑ ~netz. **~geschirr** *n.* 마구(馬具). **~haken** *m.* 걸림쇠, (돌쩌귀의) 수쇠. **~heuschrecke** *f.* ↑ Wanderheuschrecke. **~hub** *m.* 지레 장비.

zu|gießen* 《Ⅰ》 *t.* ① 부어 채우다: gießen Sie noch etwas Wein zu! 포도주를 좀더 부어 주시오! ② 부어 메우다: das Loch mit Blei ~ 구멍에 납을 부어 메우다. 《Ⅱ》 *i.* (h.) 연거푸 붓다, 끊임없이 붓다.

zugig [tsúːgɪç] 《<Zug》 *a.* 바람이 스며드는; 외풍이 있는.

zügig [tsýːgɪç] 《<Zug》 *a.* ① 활기 있는, 힘이 좋은; 신속한, 지체 없는. ② (schweiz.) (소·말이) 끄는 힘이 센.

Zügigkeit *f.* 활기 있음; 거침없음.

zu|gittern *t.* 격자(格子)로 막다.

Zug=karre *f.* 손수레, 광차. **~kessel** *m.* 연관(煙管)이 있는 기관(汽罐). **~kette** *f.* 잡아당기는〔끄는〕 쇠사슬. **~kontrolle** *f.* ① 차표 검사. ② 차표 검사원. **~kraft** *f.* ① 장력, 견인력;〖印〗롤러의 탄력성. ② (Anziehungskraft) 매력, 인기: große ~ auf das Publikum ausüben 대중의 커다란 인기를 얻다. **~kräftig** *a.* ① 장력이 있는, 견인력이 있는. ② 인기가 있는.

***zugleich** [tsugláɪç] *adv.* ① 동시에; 함께: sie standen alle ~ auf 그들은 일제히 일어섰다. ② 마찬가지로, 또한, 역시: sie ist schön und ~ höchst gebildet 그 여자는 미인인 동시에 교양도 높다.

Zug=leine *f.* 예삭(曳索), 견인용 밧줄;〔드물게〕고삐. **~leistung** *f.* 견인력.

Züglete *f.* -n (schweiz.) 이사, 이주.

Zug=linie *f.* 이동선;〖기계〗견인선;〖軍〗종대, 종렬. **~loch** *n.* 통풍〔환기〕구. **~luft** *f.* 기류; 틈새바람, 외풍.

Züglung *f.* -en ↑ Zügelung.

Zug=maschine *f.* 견인기, 견인차, 트랙터;〖철도〗기관차. **~messer** ① *m.* 통풍 측정기. ② *n.* ↑ Schneidemesser. **~mittel** *n.* ① 예인 수단;〖商〗고객 유치 수단, 인기 전략. ②〖醫〗발포고(發疱膏), 연경고(鉛硬膏). **~netz** *n.* 예망(曳網). **~nummer** *f.*〖철도〗열차 번호; (서커스 등에서의) 인기 프로. **~ochse** *m.* 짐수레 끄는 소. **~ofen** *m.*〖제련〗통풍로(通風爐). **~personal** *n.*〖철도〗열차 승무원. **~pferd** *n.* 마차를 끄는 말, 견인마. **~pflaster** *n.*〖醫〗발포고(發疱膏).

zu|graben* 《Ⅰ》 *t.* 파묻다. 《Ⅱ》 *i.* (h.) 줄곧 파다, 끊임없이 파다.

zu|greifen* [tsúːgraɪfən] *i.* (h.) ① 손을 뻗쳐 붙잡다〔움켜쥐다〕;〔비유〕기회를 포착하다: greifen Sie (nur) zu! 마음껏 드십시오!; die Staatsanwaltschaft griff zu 검찰이 손을 뻗쳤다. ②〖海〗der Anker greift zu 닻이 바다 밑에 박힌다. ③〖軍〗무기를 잡다〔들다〕, 무장(武裝)하다. ④ 일을 도와 주다, 적극적으로 일하다: auf dem Land müssen auch die Kinder ~ 시골에서는 아이들도 열심히 일해야 한다.

zugreifend *p.a.* (tatkräftig) 활동적인, 적극적인, 추진력 있는.

Zug=riemen *m.* ① (문의) 문고리, 손잡이. ② (말의) 봇줄. **~rohr** *n.* ↑ ~röhre. **~röhre** *f.* 통풍관(通風管). **~rolle** *f.*〖工〗활차.

Zugriff [tsúːgrɪf] 《<zugreifen》 *m.* -(e)s, -e 움켜잡음;〖法〗점유: das Vermögen wird dem ~ der Steuer nicht entgehen 재산은 세금 때문에 압류를 면하지 못할 것이다.

zugriffig *a.* (schweiz.) 행동력이 있는.

Zugriffs=pfad *m.*〖컴〗접근 경로(access path 의 독역). **~zeit** *f.*〖컴〗정보 전송 시간 (access time 의 독역).

zugrunde [tsugrʊ́ndə] 《<Grund》 *adv.* 밑바닥으로; 근저에, 기초에.

zugrunde=|gehen* *i.* (s.) ① (배가) 가라앉다. ②〔비유〕망하다, 영락하다: er müßte doch ~! 그는 파멸의 운명에 빠져 있다! **~gehen** *n.* 침몰; 멸망, 파멸, 영락. **~|legen** *t.* et.[3] [A] et.〔B〕 ~ 무엇〔B〕을 무엇〔A〕의 기초로 하다: er legte seinem Vortrag ein Wort von Goethe zugrunde 그는 괴테의 한 마디를 자신의 강연의 기초로 삼았다. **~legung** *f.* mit ~ von ... …을 기초로 하여. **~|liegen*** *i.* (h.) et.[3] ~ 무엇의 기초가 되다. **~liegend** *a.* 기초가 되는. **~|richten** *t.* 파멸시키다, 영락하게 하다, 파괴하다.

Zug·rute *f.* (적교(吊橋)의) 형(桁).

Zugs·abteil *n.* (öst.) 열차의 객실.

Zug=scheibe *f.*〖軍〗유동(遊動) 표적. **~scheit** *n.*〔방언〕마차의 횡목(橫木). **~schnur** *f.* 당김줄. **~seil** *n.*〖海〗예삭(曳索); (케이블 카의) 견인 로프. **~sicherung** *f.*〖철도〗철도 보안 (장치). **~spitze** 추크슈피체 (바이에른에 있는 독일의 최고봉; 2962 m). **~stange** *f.*〖기계〗예봉(曳棒), 접합봉(接合棒). **~stiefel** *m.* 신축성 부츠(측면의 일부에 스판 소재가 있는). **~strang** *m.* 끄는 줄. **~straße** *f.* 철새가 지나는 길. **~stück** *n.*〖연극〗인기 끄는 연극, 흥행작. **~tau** *n.* 끄는 밧줄, 예선삭(曳船索). **~telefon** *n.* 철도 전화. **~telephon** *n.* ↑ ~telefon. **~tier** *n.* 수레를 끄는 짐승.

zu|gucken *i.* (h.)〔구어〕바라보다, 구경하다, 방관하다.

Zug-um-Zug-Leistung *f.*〖法〗반대 급부.

zugunsten [tsugʊ́nstən] 《<Gunst》 *prp.*[2]〔드물게 후치일 때는 3 격 지배〕~ seiner 그를 위하여; eine Sammlung ~ der Armen 가난한 사람을 위한 모금.

zu|gürten *t.* 혁대로 죄다.

Zuguß [tsúːgʊs] 《<zugießen》 *m.* ..gusses, ..güsse [..gʏsə] ① (액체를) 부음, 주입. ② 주입물(注入物), 주입액(液).

zugut *adv.*〔다음 용법으로〕bei jm. eine Summe ~ haben 누구에게서 얼마를 받을 것

이 있다.

zugute [tsugú:tə] 《<Gut》 *adv.* ① jm. et. ~ halten 누구의 무엇을 참작하다. ② jm. ~ kommen 누구에게 도움이 되다; jm. et. ~ kommen lassen 누구에게 무엇(의 이익)을 주다; seine langjährige Erfahrung kommt ihm nur ~ 오랜 세월의 경험이 그에게 도움이 된다; er ließ das Geld den Armen ~ kommen 그는 그 돈을 가난한 사람들에게 베풀어 주었다. ③ jm. et. ~ schreiben 무엇을 누구의 대변에 기입하다(↑ gutschreiben). ④ jm. et. ~ tun a) 누구에게 무엇을 배상하다, b) 누구에게 무엇을 대접하다〔한턱 내다〕; sich³ et. ~ tun 무엇을 마음대로 즐기다; du kannst nicht immer arbeiten, du mußt dir auch einmal etwas ~ tun 자네는 항상 일만 할 수 없다네, 한번쯤 뭔가 즐기는 일도 해야지; 〖雅語〗 darauf kann er sich ~ tun 그는 그것을 자랑할 만하다.

zuguter Lẹtzt, zu·guter·lẹtzt *adv.* 최후에.

Zug≈verbindung *f.* ① 철도에 의한 (두 지역간의) 연결. ② 열차의 접속. **~verkehr** *m.* (öst.) 철도 교통. **~verspätung** *f.* 〖철도〗 열차의 연착. **~vieh** *n.* ↑ ~tier. **~vogel** *m.* 철새, 후조; 〔비유〕 (Landstreicher) 떠돌이, 부랑자. **~vorhang** *m.* 커튼, 막(幕). **~-vorrichtung** *f.* 〖악기〗 (금관 악기의) 활주관(滑走管) 장치. **~weise** *adv.* 열을〔떼를〕 지어; 〖軍〗 소대를 이루어서, 소대별로. **~-wind** *m.* 강한 외풍, 틈새바람. **~winde** *f.* 권양기(捲揚機) (Göpel).

zu|haben* *t./i.* ① (문 등을) 닫아 놓은 상태이다: der Bäcker hat schon zu 빵집은 벌써 문을 닫았다; er hat den Rock zu 그의 상의(上衣) 단추는 채워져 있다. ② 더 가지다: er will bei dem Tausch noch Geld ~ 그는 교환하면서 돈까지 받으려 한다.

zu|haken *t.* 고리로 채우다; (의복 등을) 호크 단추로 여미다: die Tür ~ 문에 걸쇠를 걸다.

zu|halten 《I》 *t.* ① (문을) 닫아 두다: sich³ die Augen〔Ohren〕 ~ 눈을 감고〔귀를 막고〕 있다; die Hand ~ 주먹을 움켜쥐고 있다. ② 손으로 가리다〔덮다〕: jm. den Mund ~ 누구의 입을 막다. ③ 꼭 잡다〔쥐다〕: die Tür von innen ~ 문을 안쪽에서 꼭 잡고 있다. ④ (schweiz.) jm. et. ~ 누구에게 무엇을 배당〔배분〕하다. 《II》 *i.* (h.) ① auf et. ~ 무엇을 향하여 나아가다: das Schiff hielt auf die Insel zu 배는 섬을 향하여 나아갔다. ② mit jm. ~ 누구와 결탁〔내통〕하다, 간통하다. ③ 〖방언〗 (**a**) ein Schuldner hält zu 채무자가 지급을 정지하다. (**b**) jm. beim Gesang ~ 누가 노래하는 데 반주하다. 《III》 *refl.* sich ~ 서두르다.

Zuhalter *m.* -s, - ↑ Zuhälter.

Zuhälter *m.* -s, - 포주, 뚜쟁이.

Zuhälterei *f.* 〖法〗 매춘업, 뚜쟁이질.

Zuhälterin *f.* -nen ① ↑ Zuhälter 의 여성형. ② 〖드물게〗 창부(Dirne); 정부(情婦).

zuhälterisch *a.* 매춘을 알선하는, 뚜쟁이짓을 일삼는; 포주의.

Zuhaltung *f.* -en (자물쇠의) 공간(橫杆), 지레쇠.

zu·handen [tsuhándən] 《<Hand》 *adv.* ① jm. ~ sein 누구의 수중에 있다; jm. ~ kommen (우연히) 누구의 손에 들어오다. ② ~ 〔zu Händen(약어: z.H.)〕 des Herrn N. N씨 앞(편지를 받는 사람의 이름 앞에 씀).

zu|hängen *t.* (커튼 따위로) 가리다: das Fenster mit einem Mantel ~ 외투를 걸어 창을 가리다.

zu|hauen* 《I》 *t.* ① (돌덩이·나무를) 토막내다, 자르다. ② (도살한 짐승을 부위별로) 토막내다, 해체하다. ③ 〖구어〗 (문을) 쾅 소리내며 닫다. ④ 〖구어〗 eine Kiste ~ 궤짝 뚜껑에 못을 쳐 봉하다. 《II》 *i.* (h.) ① 때리려고 덤벼들다; 전투를 개시하다; 칼부림을 하다. ② (문이) 쾅하고 닫히다.

zu·hauf [tsuháuf] 《<Haufen》 *adv.* 대량으로, 떼를 지어서, 산더미처럼: ~ kommen 떼지어 오다.

Zuhause [tsuháuzə] *n.* - 본집, 가정; 고향: er hat kein ~ mehr 그는 오갈〔의지할〕 데 없는 몸이다.

Zuhause·gebliebene* *der/die* 고향을 떠나지 않은 사람, 고향〔집·고국〕에 남은 사람.

Zühe *f.* (schweiz.) 서랍(Schublade).

zu|heften *t.* (찢긴 곳을) 깁다, (서류를) 가철하다.

zu|heilen *i.* (s.) (상처가) 아물다.

Zuheilung *f.* -en 상처가 아묾, 유착.

zu|herrschen *t.* jm. et. ~ 누구에게 무례하게 말을 걸다.

Zuhilfe·nahme *f.* mit〔ohne〕 ~ von ... …의 도움을 빌려서〔빌지 않고〕.

zu·hinterst *adv.* 맨 뒤에, 최후에.

zu·höchst *adv.* ① 맨 위에, 꼭대기에. ② 매우.

zu|horchen *i.* (h.) 〖방언〗 ↑ zuhören.

zu|hören *i.* (h.) jm. ~ 누구의 말에 귀를 기울이다, 경청하다.

***Zuhörer** *m.* -s, - 경청자, 방청자, 청강자.

Zuhörer·bank *f.* 방청석.

Zuhörerin *f.* -nen ↑ Zuhörer 의 여성형.

Zuhörer·raum *m.* 방청석, 청중석, 객석.

Zuhörerschaft *f.* -en 〖집합적〗 청중.

zuhörig *a.* 〖방언〗 …에 속하는(zugehörig).

zu·innerst [tsuǀínərst] *adv.* 가장 내부에; 마음속 깊이, 마음속에.

zu|jagen 《I》 *i.* ① (s.) et.³ 〔auf jn.〕 ~ 무엇을〔누구를〕 향하여 급히 달리다. ② (h.) jag zu! 전속력을 내라! 《II》 *t.* jm. ein Wild ~ 누구 쪽으로 짐승을 몰다.

zu|jauchzen, zu|jubeln *i.* (h.)/*t.* jm. ~ 누구를 향하여 환성을 올리다: jm. Beifall ~ 누구를 박수 갈채로 성원하다.

Zukauf *m.* -(e)s, -e ① 추가 구입. ② 추가 구입 물품.

zu|kaufen *t.* ① 추가로 구입하다, 사서 채우다. ② 허둥지둥 사다.

zu|kehren 《I》 *t.* ① jm. et. ~ 누구 쪽으로 무엇을 돌리다: jm. das Gesicht 〔den Rücken〕 ~ 누구에게 얼굴〔등〕을 돌리다. ② (**a**) …의 쪽으로 쓸어 모으다. (**b**) (구멍 등을 빗자루로) 쓸어 모아서 막다. 《II》 *i.* (s.) (öst.) ① (einkehren) (**a**) (음식점 등에) 들르다. (**b**) (계절 등이) 찾아오다. ② (병자가) 완쾌하다. 《III》 *refl.* sich jm. ~ 누구 쪽으로 향하다.

zu|kitten *t.* 시멘트〔퍼티〕로 막다〔봉하다〕.

zu|klappen 《I》 *t.* 쾅〔찰카닥〕 닫다, 잠그다. 《II》 *i.* (s.) 쾅하고 잠기다, 닫히다.

zu|klatschen *i.* (h.)/*t.* jm. (Beifall) ~ 누구

에게 박수 갈채를 보내다.

zu|kleben *t.* ① 붙여서〔발라서〕 봉하다: den Umschlag ~ 편지 봉투를 (풀로) 봉하다. ② 빽빽하게 붙이다: das Fenster ist mit kleinen Werbungen zugeklebt 창문은 작은 광고지들로 잔뜩 뒤덮여 있다.

zu|klinken *t.* 걸쇠를 걸다.

zu|knallen 《I》 *t.* 탕 소리 내어 닫다. 《II》 *i.* (h./s.) 탕 하고 닫히다.

zu|kneifen *t.* (눈을) 꼭 감다, (입을) 꼭 다물다.

zu|knöpfen 《I》 *t.* 단추를 채우다: den Mantel ~ 외투의 단추를 잠그다; 〔비유〕 er ist sehr zugeknöpft a) 그는 아주 말이 없다, b) 구두쇠다; Mann mit zugeknöpften Taschen, dir tut niemand was zulieb 구두쇠야, 아무도 너를 상대해 주지 않을걸. 《II》 **zugeknöpft** *p.a.* ↑ zugeknöpft.

zu|knoten *t.* 묶다, 매듭짓다.

zu|knüpfen *t.* (끈으로) 당겨 죄다, 조르다.

zu|kommen* *i.* (s.) ① auf jn.〔et.〕 ~ 누구를〔무엇을〕 향해 가까이 다가가다: 〔비유〕 wir kommen doch noch auf deinen Vorschlag zu 우리는 역시 자네의 제안에 따르겠다. ② jm. ~ 누구의 수중에 들어오다, 귀속되다: jm. Geld ~ lassen 누구에게 돈을 주다. ③ jm. ~ 누구에게 송부되다, 전달되다: Ihr Brief ist mir gestern zugekommen 나는 어제 당신의 편지를 받았습니다. ④ jm. ~ 누구에게 따라오다, 걸맞다, 부합하다: dieser Titel kommt ihm zu 이 칭호는 그에게 어울린다; dieser Entdeckung kommt eine große Bedeutung zu 이 발견은 커다란 의의를 지닌다; es kommt dir nicht zu, Ansprüche darauf zu erheben 너는 그것을 요구할 권리가 없다. ⑤〔고어〕 mit et.³ ~ 무엇으로 때우다, 이럭저럭 꾸리다 (auskommen). ⑥〖農·사냥〗 교미〔수태〕하다: die Sau ist zugekommen 암퇘지가 새끼를 배었다; 〔농담〕 das Mädchen ist zugekommen 처녀가 아이를 배었다.

zukommend *p.a.* ① 당연한, 어울리는. ②〔드물게〕 ↑ zukünftig.

zu|korken *t.* (병을) 코르크 마개로 막다.

Zu·kost *f.* 반찬, 부식물; (요리의) 고명, 절인 것, (술의) 안주; (고기와 함께 먹는) 야채 (Zugemüse); (Kompott) 설탕에 절인 과실, 잼; 〔비유〕 양념(Würze); 맛을 돋우는 것.

zu|kriegen *t.* 〔구어〕 ① 덤으로 받다. ② eine Tür ~ 문을 간신히 닫다.

***Zukunft** [tsúːkunft] 《<zukommen》 *f.* ① (↔ Vergangenheit, Gegenwart) 미래, 장래; 전도, 앞길; 다가올 세대, 후세; 내세; 여생: für die ~ 장래를 위하여, 금후〔이후〕로는; für alle ~ 영원히; in (der) ~ 장차, 장래; der Mann der ~ 전도 유망한 사람; mit〔ohne〕 ~ 전망이 있는〔없는〕; die ~ gehört den Komputern 컴퓨터의 앞날은 매우 밝다. ②〖문법〗 미래(형). ③〖聖·고어〗 (예수의) 강림(Ankunft).

zukünftig [tsúːkʏnftɪç] *a.* 미래의, 장래의.

Zukünftige* *der/die* 약혼자(Verlobte).

Zukunfts≈angst *f.* 미래에 대한 불안. **~aussicht** *f.* 미래에 대한 전망.

zukunft·schauend *a.* 선견지명이 있는.

Zukunfts≈forscher *m.* 미래학자(Futurologe). **~forschung** *f.* 미래학. **~freudig** *a.* 낙천적인. **~glaube(n)** *m.* 〖雅語〗 미래에 대한 신뢰〔낙관〕. **~gläubig** *a.* 미래를 낙관하는. **~hoffnung** *f.* 장래의 희망〔기대〕. **~musik** *f.* ①〖음악〗 미래악(樂) (W.R. Wagner 일파의 음악을 빗대는 말). ②〔비유〕 장래의 꿈; 공중누각, 공상, 환상. **~orientiert** *a.* 미래 지향적인. **~perspektive** *f.* 미래에 대한 전망. **~plan** *m.* 장래의 계획. **~reich** *a.* 전도가 유망한. **~roman** *m.* 미래 소설. **~staat** *m.* 미래의 국가. **~trächtig** *a.* 장래성 있는. **~voll** *a.* ↑ ~reich. **~weisend** *a.* 미래 지향적인.

zu|lächeln *i.* (h.)/*t.* jm. ~ 누구를 향하여 미소짓다: jm. Beifall ~ 미소를 지어 누구에게 찬성〔공감〕을 표하다.

zu|lachen *t.* jm. ~ 누구에게 다정하게 웃음짓다.

Zu·ladung *f.* 추가 적재(된 화물).

Zulage [tsúːlaːgə] 《<zulegen》 *f.* -n ① 특별 수당, 보너스; 보조금; 승급(액): Nacht~ 야근 수당; eine ~ von monatlich 100 Mark erhalten 매월 100 마르크의 특별 수당을 받다, 월급을 100 마르크 인상해 받다; ich habe ~ erhalten a) 나는 보너스를 받았다, b) 나는 승진했다. ② (Beilage) 부가물, 첨부물, 부록. ③ (물건 구입 때 얻는) 덤: 〔비유〕 Fleisch mit〔ohne〕 ~ 뼈가 붙은〔없는〕 고기. ④〖工〗 (다리의) 상부 구재(上部構材). ⑤〖건축〗 비계 (Gerüst). ⑥〔방언〕 구타. ⑦ 악의에 찬 험담, 비난.

zu·lande [tsulándə] *adv.* 이 나라에서는: bei uns ~ 우리 나라에서(는).

zu|langen 《I》 *i.* (h.) ① (무엇을 붙잡으려고) 손을 뻗치다: bitte, langen Sie zu! 자, 마음대로 드십시오! ② (ausreichen) 충분하다, 족하다: das langt nicht zu 그것으론 족하지 않다. ③ 일을 거들다. ④ 누구를 때리다. 《II》 *t.* jm. et. ~ 누구에게 무엇을 건네다, 넘기다.

zulänglich [tsúːlɛŋlɪç] *a.* (hinlänglich) 충분한, 족한, 충당할 수 있는.

Zulänglichkeit *f.* 충분, 족함.

Zulaß [tsúːlas] *m.* ..lasses, ..lässe [..lɛsə] ① ↑ Zulassung. ②〔방언〕 (1200 리터들이의) 큰 통(Stückfaß).

zu|lassen* *t.* ①〔구어〕 (문 따위를) 잠긴〔닫힌〕 채로 두다: einen Brief ~ 편지를 뜯지 않고 두다. ② 방임하다, 내버려두다, 제지하지 않다: wie kannst du ~, daß die Kinder auf der Straße spielen! 아이들이 거리에서 노는 것을 너는 어쩌자고 내버려둘 수 있니! ③ (접근·활동을) 허용〔허락〕하다, (법적으로) 승인〔인가〕하다: er ist als Anwalt zugelassen 그는 변호사 활동을 인가받았다; sie ist für das〔zum〕 Studium zugelassen 그녀는 대학 입학이 허가되었다. ④ (여건이나 상황이) 허용하다, 가능하게 하다: der Vertrag läßt keinen Zweifel zu 그 계약은 의심할 여지가 없다; die Straßenverhältnisse lassen kein höheres Tempo zu 도로 사정으로 더 이상 속력 내는 것이 불가능하다.

***zulässig** [tsúːlɛsɪç] *a.* 허용할 수 있는; 허락〔인정〕되고 있는, 무방한.

Zulässigkeit *f.* 허락됨.

Zulassung [..lasʊŋ] *f.* -en ① 입장〔활동〕을 허락함; 허가, 승인; 허용. ②〔구어〕 자동차 등록증, 자동차 검사필증; 대학 입학 허가증.

Zulassungs⸗begrenzung *f.* 허가 제한. **~gesuch** *n.* 입장〔입회〕 원서, 허가원. **~nummer** *f.* 허가 번호. **~prüfung** *f.* 입학 시험. **~schein** *m.* 입장권, 패스, 허가증. **~stelle** *f.* 허가 기관.

Zulauf [tsú:lauf] *m.* -(e)s ① (Anlauf) (사람들이) 몰려듦, 쇄도; 인파, 군중: großen ~ haben 대성황을 이루다. ② (물의) 유입; 유입수; 지류. ③〖기계〗유입량; 유입구.

zu|laufen* *i.* (s.) ①〔구어〕빨리 달리다; 줄곧 뛰다: lauf zu! 빨리 뛰어라, 서둘러라! ② auf jn.〔et.〕 ~ 누구〔무엇〕 쪽으로 뛰어가다: jm. ~ 누구에게 달려오다; ein Hund ist uns zugelaufen 개 한 마리가 우리 집에 찾아들었다. ③ (길이 어떤 장소로) 통하다, 뻗어 있다: der Weg läuft gerade auf das Schloß zu 길은 곧장 성으로 향해 나 있다; spitz 〔in eine Spitze〕 ~ 끝이 뾰족해지다; eng ~ 끝이 좁아지다. ④ (액체가) 추가로 흘러들다, 흘러들어와 가득 차다: warmes Wasser ~ lassen (욕조에) 더운 물을 채우다.

Zulaufen *n.* 몰려듦, 쇄도: Ablaufen und ~ 이리저리 뛰어다님, 동분서주.

Zulege·messer *n.* 접칼.

zu|legen 《I》 *t.* ① 덧대다, 덮다, 막다; 접다, 포개다: ein Loch mit Brettern ~ 널판을 대어 구멍을 막다; ein Messer ~ 칼을 접다. ②〔방언〕 덧붙이다, 더하다: jm. 300 Mark zu seinem Gehalt ~ 누구에게 급료에다 300 마르크 더 얹어 주다; einen Zahn 〔etwas Tempo〕 ~ 속도를 더내다. ③ sich³ et. ~ 무엇을 조달하다, 사들이다:〔농담〕sich³ eine Frau ~ 색시를 얻다. ④〖건축〗ein Gebäude ~ 신축 건물의 뼈대 연결을 끝내다. 《II》 *i.* (h.) ① (매출액이) 증가하다;〔구어〕살찌다, 비대해지다: die SPD konnte 5% ~ 사회 민주당은 5%를 더 득표할 수 있었다. ②〔구어〕der Läufer hat (am Tempo) tüchtig zugelegt 주자는 점점 더 속력을 내어 달렸다.

zu·leid(e) [tsuláɪdə, ..láɪt] *adv.* jm. et. ~ tun 누구에게 (일부러) 어떤 해를 끼치다: was habe ich ihr ~ getan? 저 여자에게 내가 어쨌단 말이냐?

zu|leimen *t.* 아교로 붙이다.

zu|leiten *t.* ① jm. et. ~ 누구에게 무엇을 전달〔송부〕하다. ② (물 등을) 끌어오다: einem Teich Wasser ~ 못에 물을 대다.

Zuleiter *m.* -s, - 안내인, 향도자; 도선(導線).

Zuleitung *f.* ① 인도, 끌어대기; 전달, 송부. ② (가스·수도의) 관, 도관; 도선, 전선.

Zuleitungs⸗draht *m.*〖전기〗도선(導線). **~rohr** *n.* 도관(導管).

zu|lenken *t.* ↑ zuleiten.

zu|lernen *t.*〔구어〕계속 더 배우다, 지식을 늘리다.

***zu·letzt** [tsulɛ́tst] *adv.* ① 마지막에, 최후에: diese Arbeit werde ich ~ machen 나는 이 일을 마지막에 할 것이다;〔속담〕wer ~ lacht, lacht am besten 최후에 웃는 자가 정말 웃는 자다(승리자다); nicht ~ 특히, 무엇보다도; bis ~ 최후까지. ② 가장 뒤에, 꼴찌로: ~ gehen〔kommen〕 가장 뒤에 가다〔오다〕. ③〔구어〕요전에, 마지막으로, 지난번에: wann habe ich dir ~ geschrieben? 내가 네게 마지막으로 편지한 것이 언제였지?; er war ~ vor fünf Jahren hier 그가 마지막으로 여기 온 것이 5 년전이었다. ④ 끝내, 마침내, 드디어: ~ verlor ich die Geduld 마침내 나는 자제심을 잃었다.

zu·lieb [tsulí:p] *adv.* (öst.) ↑ zuliebe.

zu·liebe [tsulí:bə] *adv.* jm. et. ~ tun 누구를 위해 무엇을 하다.

Zulieferant *m.* -en, -en ↑ Zulieferer.

Zulieferer *m.* -s, - 하청업자, 부품 납품업자.

Zuliefer(er)·industrie *f.* 하청 산업.

zu|liefern *t.* ① 하청을 맡다; 납품하다. ②〖法〗(구서독과 구동독 사이에 범인을) 인도하다.

Zulieferung *f.* -en ① 하청을 맡음; 납품. ② 범인 인도.

zu|lispeln *t.* ↑ zuflüstern.

Zülle *f.* -n ↑ Zille.

zullen [tsʊ́lən] *i.* (h.) (ostmd.) an et.³ ~ (아기가) 무엇을 쪽쪽 소리내어 빨다.

Zuller *m.* -s, - ↑ Zulp.

zu|löten *t.*〖工〗땜납으로 때우다, 납땜하다.

Zulp [tsʊlp] *m.* -(e)s, -e 고무 젖꼭지 (Lutschbeutel).

zulpen *i.* (h.) ↑ zullen.

Zulper [..pər] *m.* -s, - ↑ Zulp.

Zulu[1] [tsú:lu] *m.* -(s), -(s) 줄루족(남아프리카에 거주하는 Bantu 부족의 일파).

Zulu[2] *n.* -(s) 줄루어(語).

Zuluft *f.*〖工〗유입 공기.

***zum** [tsʊm]〔전치사 zu 와 정관사 dem 의 결합형〕 ~ ersten Mal 첫번째로; ~ Beispiel 예를 들면; ~ Essen gehen 식사하러 가다.

***zu|machen** 《I》 *t.* ① (↔aufmachen) 잠그다, 닫다, 폐쇄〔봉쇄〕하다, 막다, 뚜껑을 하다: die Tür ~ 문을 닫다; einen Brief ~ 편지를 봉하다; den Rock ~ 윗도리의 단추를 채우다;〔비유〕ich habe die ganze Nacht kein Auge zugemacht 나는 밤새도록 한숨도 못 잤다; einen Schirm ~ 우산을 접다; die Tür hinter sich³ ~ 문을 닫고 나가다〔들어오다〕; mach den Mund zu! 잠자코 있어!; ein zugemachter Wagen 유개(有蓋) 마차. ②〔드물게〕보충하기 위해 추가하다. 《II》 *i.* (h.) ①〔구어〕서두르다: mach zu! 서둘러〔자꾸〕 해!,〔구어〕 똑똑히 굴어, 정신 차려! ②〔구어〕(상점이) 문을 닫다: wann machen die Geschäfte zu? (상점) 폐점 시간은 언제인가?

zu·mal [tsumá:l] 《I》 *adv.* ① (zugleich) 동시에, 함께; 돌연: alle ~ 모두 함께. ② 당시; 지금. ③ (besonders) 특히, 그 중에서도: ihr alle und ~ du 너희들 모두, 특히 너. 《II》 *cj.* ~(da) ... 특히 …이기 때문에, 특히 …의 경우는: ich muß eine Reise machen, ~ ich Erholung brauche 나는 여행을 해야 한다, 특히 휴양이 필요하니까.

zu|mauern *t.* 벽으로 막다.

zumeist [tsumáɪst] *adv.*〔드물게〕(meistens) 대개, 대부분은.

zu|messen* 《I》 *i.* (h.) 자꾸 달다. 《II》 *t.* ① (달아서) 나눠 주다, 할당〔배당〕하다: den Kindern das Essen ~ 아이들에게 음식을 나눠 주다; das ihm Zugemessene 그의 몫, 배당. ② **(a)** et.³ Bedeutung〔Wert〕 ~의 의의〔가치〕를 인정하다. **(b)**〔고어〕jm. Schuld ~ 누구에게 죄를〔책임을〕 뒤집어씌우다. ③ 달아

서 채우다.

zumindest *adv.* 적어도(wenigstens).

zu|mischen *t.* (beimischen) 섞다, 첨가하다.

zumutbar *a.* 어렵지만 부탁할 수 있는, 기대할 만한, 무리가 없는: ~e Steuer 부과할 만한 세금.

Zumutbarkeit *f.* 기대〔요구〕할 만함〔만한 것〕.

*__zu·mute__ [tsumú:tə] *adv.* 기분이 …한, …의 기분으로: mir ist gut〔schlecht〕 ~ 나는 기분이 좋다〔나쁘다〕; es war ihm wenig nach Witzen 〔zum Lachen〕 ~ 그는 별로 농담할 〔웃을〕 기분이 아니었다.

*__zu|muten__ *t.* ① jm. et. ~ 누구에게 무엇을 (부당하게) 요구하다; 기대하다: jm. zu viel ~ 누구에게 지나친 요구를 하다, 누구에게 너무 많이 기대하다; sich³ zu viel ~ 터무니없는 일을 꾀하다. ②〔드물게〕(schweiz.) jm. et. ~ 누구의 무엇을 믿다(zutrauen).

Zumutung [..tuŋ] *f.* -en 부당한 요구〔기대〕: jm. 〔an jn.〕 eine ~ stellen 누구에게 (부당한) 요구를 하다; das ist eine starke ~ 그 요구는 무리다; solche ~ 〔was für eine ~〕! 그런 터무니없는 기대〔요구〕를!

Zum·vorschein·kommen *n.* 출현; 발생.

*__zu·nächst__ [tsunɛ́:çst] 《I》 *adv.* ① 바로 옆에, 아주 가까이에, 이웃에: er wohnt hier ~ 그는 바로 이웃에 살고 있다. ② 처음에, 맨 먼저; 우선: ~ gilt es, deine Ansicht festzustellen 우선 네 생각을 확인해야겠다. ③〔고어〕(앞의 사건에) 바로 뒤이어서. ④〔고어〕최근에, 요즈음. 《II》 *prp.*³ …의 바로 옆〔근처〕에, …의 다음에: ihm ~ 그의 옆〔다음〕에; ~ dem Tor 바로 문 곁에.

Zunächst·liegende* *das* 가장 가까이에 있는 것〔일〕.

zu|nageln *t.* 못질해 봉하다: ein Fenster mit Brettern ~ 창문에 널빤지를 대고 못질해 막다.

zu|nähen 《I》 *t.* 꿰매어 붙이다〔막다〕. 《II》 *i.* (h.) 열심히 바느질하다〔깁다〕.

*__Zunahme__ [tsú:na:mə] 《<zunehmen》 *f.* -n (↔ Abnahme) ① 증가, 증대, 증진; 진보, 발전; 성장: ~ an Gewicht〔Kräften〕 중량〔힘〕의 증가. ②〖수예〗(편물의 코를) 늘리는 일.

Zu·name *m.* ① 성, 씨, 가명(家名). ② (Beiname) 별명, 이명; 애칭.

Zünd·apparat [tsʏ́nt..] *m.* 〖工〗 점화 장치, 점화기; (총·포의) 공이.

zündbar *a.* 점화할 수 있는; 가연성의.

Zünd=blättchen *n.* (딱총·장난감 권총용) 화약 종이. **~deckel** *m.* 〖軍〗 화문 뚜껑. **~draht** *m.* 도화선, 뇌관.

Zündel *m.* -s ↑ Zunder.

zündeln *i.* (h.) (südd., öst.) 불장난을 하다.

*__zünden__ [tsʏ́ndən] 《I》 *t.* ① (폭약에) 불을 붙이다, 점화하다; 방화(放火)하다; (촛불을) 켜다: eine Rakete ~ 로켓에 점화하다; Feuer ~ 불을 붙이다; 〔비유〕 jm. ein Licht ~ 누구를 깨우치다. ②〔비유〕(정염(情炎)을) 일으키다, 달아오르게 하다, 격동시키다. 《II》 *refl.* sich ~ ↑ 《III》①. 《III》 *i.* (h.) ① 불이 붙다, 점화되다: das Feuerzeug 〔der Motor〕 zündet nicht 라이터가 불이 켜지지〔엔진의 시동이 걸리지〕 않는다; 〔구어·농담〕 bei jm. hat es gezündet 누가 무엇을 마침내 이해했다. ②〔비유〕불끈하다, 흥분하다. ③ (obd.) jm. ~ 누구의 가는 길에 등불을 비추다(leuchten).

zündend *p.a.* (연설이) 자극적인, 선동적인.

Zunder [tsʊ́ndər] *m.* -s, - ① 부싯깃. ②〔비유〕계기, 동기, 원인. ③〔방언〕벌; 매질, 구타: 〔구어〕 jm. ~ geben a) 누구를 재촉하다, b) 때리다, 매질하다, c) 꾸짖다; 〔구어〕 es gibt ~ a) 벌이〔매가〕 (기다리고) 있다, b) 〖軍〗 사격〔포격〕이 행해진다; 〔구어〕 ~ bekommen〔kriegen〕 a) 매를 심하게 맞다, 심한 호통을 당하다, b) 〖軍〗 사격〔포격〕을 많이 당하다. ④ 재(Asche); 그을음. ⑤〖工〗 스케일(고온 상태에서 금속 표면에 생기는 산화 피막(皮膜)).

Zünder *m.* -s, - ①〖軍〗(포탄의) 신관, 뇌관; 점화약. ②〔복수〕(öst.) 성냥.

Zunder·büchse *f.* 부싯깃 통.

Zünder·maschine *f.* 〖軍〗 신관 측합기(測合機).

Zunder=papier *n.* (점화용) 도화(導火) 종이. **~schwamm** *m.* ① 부싯깃. ②〖植〗 영지(靈芝).

zünd·fertig *a.* 〖工〗 발화(發火) 준비가 된.

Zünd=flamme *f.* 점화 불꽃. **~funke** *m.* (자동차의) 점화 스파크. **~folge** *f.* 점화 순서. **~geschoß** *n.* 소이탄(燒夷彈). **~holz, ~hölzchen** *n.* 성냥. **~holz·büchse, ~-holz·schachtel** *f.* 성냥갑. **~hütchen** *n.* ①〖軍〗 뇌관. ②〔구어·농담〕아주 작은 모자. **~kabel** *n.* 점화용 고압 전선. **~kapsel** *f.* 뇌관. **~kegel** *m.* 〖軍〗 화문(火門). **~kerze** *f.* 납성냥; (자동차의) 점화 플러그. **~kraut** *n.* 화약, 도화약. **~kugel** *f.* 폭탄, 소이탄. **~leine** *f.* 화승(火繩), 도화선. **~loch** *n.* 〖軍〗 화공(火孔), 화문. **~magnet** *m.* 마그네트 발전기. **~mittel** *n.* 점화용 화약류. **~-nadel** *f.* (총의) 격침(擊針). **~nadel·gewehr** *n.* 격침 발사총. **~pfanne** *f.* 점화관(點火管), (옛날 소총 격발 장치의 일부로 화약을 놓았던) 불접시. **~pille** *f.* 화관(火管), 공이치기. **~plättchen** *n.* ↑ Zündblättchen. **~pulver** *n.* 점화약. **~punkt** *m.* 점화점, 착화점. **~rakete** *f.* 〖광산〗 남포. **~röhre** *f.* (포의) 화문, 화공. **~satz** *m.* 점화약. **~-schalter** *m.* (발동기의) 점화 스위치. **~-schloß** *n.* (시동 키를 꽂는) 시동 스위치. **~schlüssel** *m.* (자동차의) 시동 열쇠. **~-schnur** *f.* 도화삭(導火索), 화승(火繩). **~-schwamm** *m.* 부싯깃. **~spannung** *f.* 점화 전압. **~stoff** *m.* 가연성 물질, 기폭제; 〔비유〕 정염(情炎)을 일으키는 것, 흥분〔불만〕의 씨, (전쟁 등의) 계기.

Zündung [tsʏ́nduŋ] *f.* -en ① 점화, 발화; 연소. ② 점화 장치, 뇌관.

Zünd=verteiler *m.* (자동차 점화 장치의) 배전기. **~vorrichtung** *f.* 점화 장치. **~waren** *pl.* 가연물, 폭발물; 성냥; 화승(火繩), 도화선. **~zeit·punkt** *m.* 점화 시점.

__zu|nehmen__ (↔ abnehmen) 《I》 *t.* ① 더 취하다, 덧붙여 갖다, 부가하다. ② (편물의) 코의 수를 늘리다. 《II》 *i.* (h.) 늘다, 증가하다, 붇다; 성장하다, 증대하다; 진보〔발전〕하다; 상승하다; (해가) 길어지다; (병이) 악화되다; (죄가) 가중되다; (사람이) 비대해지다, (무게

가) 무거워지다, (키가) 크다: an Kenntnis ~ 지식이 늘다; der Mond nimmt zu 달이 차간다, 상현(上弦)이다; bei ~den Jahren 나이를 먹으면; ~de Geschwindigkeit 가속도; es wird ~d kälter 점점 더 추워진다.

Zunehmen *n.* -s (Zunahme) 증가, 증대, 증식; 성장: der Mond ist im ~ 달이 차 가고 있다.

zu|neigen 《I》 *t.* 〖雅語〗 jm. den Kopf〔das Ohr〕 ~ 누구쪽으로 머리를〔귀를〕 기울이다. 《II》 *refl.* ① sich jm. ~ 누구에게 마음이 쏠리다: er neigt sich ihr sehr zu 그는 그녀에게 마음이 상당히 쏠린다. ② sich et.³ ~ 무엇의 쪽으로 기울다:〖비유〗er neigt sich seinem Ende zu 그는 죽을 때가 가까워 간다. 《III》 *i.* (h.) et.³ ~ 무엇 쪽으로 마음이 기울다: ich neige mehr seiner Ansicht zu 나는 그의 견해가 옳다는 생각이 든다.

Zuneigung *f.* -en 애착, 호의, 애모, 애정; 기질〔마음〕이 맞음: sie empfand schnell ~ zu ihm 그 여자는 그가 곧 좋아졌다.

*__Zunft__ [tsʊnft] *f.* Zünfte [tsʏnftə] ①〖고어〗(조합의) 규약. ② (Genossenschaft) 조합, (중세의) 길드, 동업 조합; (런던의) 시민 조합: die ~ der Schneider 재단사 조합; jn. in eine ~ aufnehmen 누구에게 조합의 가입을 허락하다. ③ 전문 단체; 동업(자들), 동인(同人); 당, 파, 파벌: von der ~ sein 전문가다; die ~ der Gelehrten 학자들, 학계. ④ (시민) 계급. ⑤〖動·植〗속(屬).

Zunft≈brief *m.* 조합 면허장; 조합 규약. **~geist** *m.* 조합주의, 파벌 근성. **~gelehrte*** *der/die* 전문적인 학자; 현학자(衒學者). **~gemäß** *a.* 조합 규약에 따르는; 당파 근성의, 배타적인. **~genosse** *m.* 조합원, 회원, 당원, 한패. **~haus** *n.* (조합의) 집합소, 사무소, 회관.

zünftig [tsʏnftɪç] *a.* ① ↑ zunftgemäß. ② 조합에 가입하고 있는, 단체 소속의. ③〖고어〗(ordentlich) 전문의, 본직(本職)의. ④〖구어〗**(a)** 본격적인, 격에 어울리는: eine ~e Schiausrüstung 본격적인 스키 장비. **(b)** 심한, 호된, 엄한: er bekam eine ~e Ohrfeige 그는 호되게 따귀를 얻어맞았다.

Zunft·lade *f.* 조합의 금고.

Zünftler *m.* -s, - ① ↑ Zunftgenosse. ② 조합 제도의 옹호자, 조합주의자.

zunft·mäßig *a.* ↑ ~gemäß.

Zunft≈meister *m.* 조합장, 회장. **~ordnung** *f.* 조합 규약. **~organisation** *f.* 조합 조직. **~recht** *n.* 조합권, 조합법, 결사권(結社權). **~sprache** *f.* 전문〔직업〕 용어. **~wappen** *n.* 조합 문장(紋章). **~wesen** *n.* 조합(의 활동); 조합 제도. **~zwang** *m.* 조합의 규약을 준수해야 할 의무.

*__Zunge__ [tsʊŋə] *f.* -n ① 혀;〖구어〗구설(口舌), 잔소리: belegte ~ 설태(舌苔)가 덮인 혀, 더러운 혀; eine feine ~ haben 미각이 발달되어 있다; eine verwöhnte ~ haben 입맛이 까다롭다; sie ist〔hat〕 eine böse ~ 그 여자는 입버릇이 사납다, 독설가이다; er hat eine lose〔schwere〕 ~ 그는 입이 가볍〔무겁〕다, 그는 수다꾼〔눌변가〕이다; eine scharfe〔spitze〕 ~ haben 신랄한 말을 하다, 독설가다; eine glatte ~ haben 말을 매끈하게 잘하다; eine falsche ~ haben 거짓말쟁이다; jm. die ~ ausstrecken 누구에게 혀를 날름 내밀다; jm. die ~ lösen 누구의 말문을 열다, 누구를 수다스럽게 만들다; seine ~ hüten〔zügeln〕 말을 삼가다; sich³ die ~ verbrennen 말을 실수해서 화를 입다; sich³ eher die ~ ausreißen (als et. zu sagen) 절대로 누설하지 않다. ②〖전치사와 함께〗seine ~ **an** et. wetzen 무엇에 대해 악담하다; die ~ klebt mir am Gaumen 나는 (목이 말라) 혀가 입 안에 들러붙을 지경이다; das Fleisch zergeht **auf** der ~ 고기가 혓바닥에서 살살 녹는 것 같다〔무척 연하다〕; er ließ den Namen auf der ~ zergehen 그는 그 이름을 알아들을 수 없게 웅얼거렸다; es liegt〔schwebt, sitzt〕 mir auf der ~ a) 그 말이 목구멍까지 올라오나 차마 말을 못 한다, b) 혀끝에서 뱅뱅돌 뿐 생각나지는 않는다; er hat es auf der ~ a) 그는 자칫하면 발설할 판이다, b) 생각이 날 듯하다; jm. auf der ~ brennen 누가 말하고 싶어 못 견디다, 입이 근질거리다; das Wort drängte sich mir unwillkürlich auf die ~ 나도 모르게 그 말이 입 밖에 튀어나왔다; das Herz auf der ~ haben〔tragen〕 털어놓고〔거리낌없이〕 말하다; sich auf〔in〕 die ~ beißen (말하지 않으려고) 혀를 깨물다,〖비유〗(웃음을) 참다; er schwatzt, was ihm auf die ~ kommt 그는 되는 대로 지껄인다; ihm hängt die ~ aus dem Hals 그는 매우 목이 마르다, 숨이 넘어갈 듯하다; seine ~ **im** Zaum halten 말을 삼가다; **mit** der ~ anstoßen 말로 심기를 건드리다; mit der ~ schnalzen 혀를 차다(만족할 때나 동물을 어를 때); sie redet mit gespaltener〔doppelter〕 ~ 그 여자는 겉 다르고 속 다르다, 거짓말쟁이다; mit (heraus)hängender ~ 숨을 헐떡이며; et. mit tausend ~n predigen 무엇에 대해 입이 아프도록 설교〔강조〕하다; ich kann es nicht **über** die ~ bringen 나는 그것은 차마 말할 수 없다; jm. leicht〔schwer〕 von der ~ gehen 말이 누구의 입에서 술술 나오다〔여간해서 나오지 않다〕; jm. das Wort **von** der ~ nehmen 누구의 말을 가로채다. ③ (Sprache) 언어, 국어: die Gabe der ~n 어학적 재능; alle Länder deutscher ~ 독일어를 사용하는 모든 나라들; in fremden ~n reden 외국어로 말하다. ④ 혀(모양의 물건), 선단;〖철도〗(전철기(轉轍器)로 움직이는) 레일의 선단(Weichen~);〖악기〗(취주 악기의) 혀, 리드: ~ einer Flagge 기(旗)의 자락; ~ einer Flamme 화염; ~ einer Waage (저울의) 지침(指針); ~ der Schnalle 버클〔문 손잡이〕의 걸쇠. ⑤〖動〗(일부 곤충의) 아랫입술에 쌍으로 달린 중설(中舌);〖복수〗넙치의 일종. ⑥〖고어〗(Nation) 민족, 국민. ⑦〖요리〗(소의) 혀, 혓바닥 (고기). ⑧〖제화〗구두 앞쪽의 혀 모양의 가죽. ⑨〖지질〗갑(岬), 곶, 좁고 긴 반도. ⑩〖植〗설상화(舌狀花)(국화 등).

Züngelchen [tsʏŋəlçən] *n.* -s, - 작은 혀(모양의 것): ~ einer Waage 저울의 지침.

züngeln [tsʏŋəln] 《I》 *i.* (h.) ① (뱀이) 혀를 날름거리다; (불꽃이) 훨훨 타오르다;〖비유〗뱀처럼 속임수를 쓰다. ②〖방언〗nach et.³ ~ 무엇을 탐내다, 갈망하다(lüstern). 《II》 *t.* ① (불꽃을) 타오르게 하다: die Hölle züngelt ihre Flammen aus dem Boden 지옥 바닥에서 불길이 훨훨 타오른다. ② 혀끝으로 맛보다, 시

음하다: den Wein nippen und ~ 포도주를 홀짝홀짝 마시며 맛보다.

züngelnd *p.a.* (혀를) 날름거리는, (불길이) 훨훨 타오르는.

Zungen≈ader *f.* 〖해부〗 설정맥(舌靜脈). **~arterie** *f.* 설동맥. **~band** *n.* 〔복수: ..bänder〕, **~bändchen** *n.* 〖해부〗 설소대(舌小帶). **~bein** *n.* 〖해부〗 설골(舌骨). **~belag** *m.* 〖醫〗 설태(舌苔). **~blüte** *f.* 〖植〗 설상화(舌狀花). **~blütig** *a.* 설상화의. **~brecher** *m.* 〔구어·농담〕 발음하기 매우 어려운 것〔말〕. **~buchstabe** *m.* 〖문법〗 설음자(舌音字). **~drescher** *m.* 수다쟁이; 허풍선이; 삼류 문사. **~drüse** *f.* 설선(舌腺), 설하선(舌下腺). **~entzündung** *f.* 설염(舌炎). **~faul** *a.* 말하기 싫어하는. **~fehler** *m.* ① 혀의 장애, 언어 장애. ② 설화(舌禍), 실언. **~fertig** *a.* 달변의; 수다스런. **~fertigkeit** *f.* 달변; 수다. **~förmig** *a.* 혀 모양의. **~gebiß** *n.* 혀를 누르는 재갈. **~haut** *f.*, **~häutchen** *n.* 〖해부〗 ① 설상피(舌上皮). ② ↑ ~band. **~held** *m.* 허풍선이. **~krebs** *m.* 〖醫〗 설암(舌癌). **~kuß** *m.* 혀를 서로 접촉시키는 키스. **~lähmung** *f.* 혀의 마비. **~laut** *m.* 〖문법〗 설음(舌音). **~löffel** *m.* 〖醫〗 설압기(舌壓器). **~muskel** *m.* 〖해부〗 설근(舌筋). **~pfeife** *f.* 〖악기〗 (파이프 오르간의) 리드관. **~-R** *n.* 〖문법〗 혀끝으로 발음하는 r-음 (Zäpfchen-R). **~reden** *n.* ① 〖심리〗 (광신도의) 방언(方言) (Glossolalie). ② 영매(靈媒)·의식 불명자의 말 또는 그 증상. **~register** *n.* 〖악기〗 (파이프 오르간의) 음전(音栓). **~schlag** *m.* ① 재빠른 혀놀림. ② 〖음악〗 취주악기로 특정 음절을 부는 혀놀림. ③ 〔드물게〕 강세; 말씨, 어투: der Junge sprach mit amerikanischem ~ 그 소년은 말할 때 영어식으로 발음했다; falscher ~ 본래의 의도에서 벗어나는 발언〔표현〕; 〔구어〕 einen guten ~ haben 달변〔능변〕이다. **~spitze** *f.* 혀끝. **~wärzchen** *n.*, **~warze** *f.* 〖해부〗 설유두(舌乳頭). **~wurst** *f.* 소의 혀로 만든 소시지. **~wurzel** *f.* 설근(舌根). **~zäpfchen** *n.* 〖해부〗 회염 연골(會厭軟骨).

..züngig *suf.* "…혀의"의 뜻(보기: doppel~ 일구이언하는, 거짓말쟁이의).

Zünglein [tsʏ́ŋlaɪn] *n.* -s, - 〔↑ Zunge 의 축소형〕 ① 작은 혀. ② 천칭 저울(중앙)의 작은 지침(指針): 〔비유〕 das ~ an der Waage 결정적인 작용을 하는 요소〔사람〕. ③ 작은 혀 모양의 것.

zu·nichte [tsuníçtə] *adv.* 〔다음 용법으로〕 ~ machen 없애다, 멸하다, 파괴하다, 무효로 하다; ~ werden 없어지다, 멸망하다, 무효로 되다, 수포로 돌아가다; ~ schlagen 때려 죽이다, 늘씬하게 패다.

zu|nicken 《I》 *i.* (h.) jm. ~ 누구에게 가볍게 고개 숙여 인사하다, 고개를 끄덕이다. 《II》 *t.* jm. et. ~ 누구에게 고개를 끄덕여 무엇을 가리키다〔신호하다〕; jm. einen Gruß ~ 누구에게 가볍게 고개를 숙여 인사하다.

zuniederst *adv.* (obd.) 가장 아래쪽에, 최하부에.

zünseln *i.* (h.) (bayr.) 불〔등불〕을 가지고 놀다.

Zünsler [tsʏ́nslər] *m.* -s, - ① 〖動〗 명충(螟蟲) 나방. ② (bayr.) 도깨비불(Irrlicht).

zu·nutze [tsunʊ́tsə] *adv.* sich³ et. ~ machen 무엇을 이용하다: er machte sich die Gelegenheit ~ 그는 그 기회를 유익하게 활용했다.

zu·oberst [tsu|ó:bərst] *adv.* 가장 위에, 최상부에, 머리(말)에.

zu·ordenbar *a.* 〔드물게〕 부속〔귀속〕시킬 수 있는.

zu|ordnen 《I》 *t.* ① jn.〔et.〕 et.³ ~ 누구를〔무엇을〕 무엇에 부가하다, 부속〔편입〕시키다: der Maler läßt sich keiner Schule ~ 그 화가는 어떤 유파에도 편입시킬 수 없다. ② 병렬시키다. 《II》 **zugeordnet** *p.a.* ↑ zugeordnet.

Zuordnung *f.* -en 부가, 부속; 귀속, 편입.

zu|packen 《I》 *i.* (h.) ① 손을 뻗쳐 움켜쥐다. ② 열심히〔억척스럽게〕 일하다, 돕다: wir brauchen eine Frau, die ~ kann 우리는 억척같이 일할 수 있는 여자가 필요하다. 《II》 *t.* 단단하게 둘러싸다, 포장하다: sie packte das Kind ordentlich zu 그녀는 아이를 (춥지 않도록) 꼭꼭 쌌다.

zu·paß, zu·passe [tsupásə] *adv.* 〔다음 용법으로〕 jm. ~ kommen 마침 누구에게 꼭 알맞게 오다: dein Vorschlag kommt mir ~ 너의 제안은 때마침 내게 꼭 알맞은 것이다.

zu·pass 新정서 ⇦ zupaß.

zu|passen *t.* 〖축구〗 jm. den Ball ~ 누구에게 공을 패스하다.

zu|peitschen *i.* (h.) ① auf jn. ~ 누구를 매질하다; Kutscher, peitsch zu! 여보 마부, 말을 채찍질해 속력을 내요! ② 채찍질하며 나아가다.

zu|pfeifen *i.* (h.) jm. ~ 누구에게 휘파람을 불다.

zupfen [tsʊ́pfən] 《<Zopf》 《I》 *t.* ① (머리카락을) 잡아 뽑다, (직물에서 실을) 풀어내다, 끄르다. ② 잡아당기다: jn. am Ärmel ~ 누구의 소매를 잡아당기다; 〔비유〕 zupf dich an deiner Nase! 쓸데없는 참견 마라, 네 코나 풀어라! 《II》 *i.* (h.) an et.³ ~ 무엇을 잡아당기다, 뜯다: an der Gitarre ~ 기타를 치다.

Zupf≈geige *f.* 〔고어〕 기타. **~geigen·hansl** *m.* -s, - 기타의 한스(20 세기 초에 발간된 청년 도보 여행 장려회의 가요집). **~instrument** *n.* 탄주 현악기.

zu|pflastern *t.* ① 완전히 포장하다, 포석(鋪石)으로 완전히 덮다. ② 고약을 붙이다.

Zupf·leinwand *f.* 린트사(絲).

zu|pflöcken *t.* …에 마개를 하다.

zu|pflügen *t.* 쟁기질로〔갈아〕 뒤집어엎다.

zu|pfropfen *t.* eine Flasche ~ 병에 마개를 하다.

Zupf≈seide *f.* 풀어 놓은 견사(絹絲). **~wolle** *f.* 가려낸 양털.

zu|pichen *t.* …에 역청(瀝靑)을 바르다.

zu|pressen *t.* …을 눌러〔밀어〕 닫다〔막다〕.

zu|prosten 《<prosit》 *i.* (h.) jm. ~ 누구를 위하여 건배하다.

***zur** [tsu:r, tsʊr] 〔전치사 zu 와 정관사 여성 3격 der 의 결합형〕 ~ Post gehen 우체국에 가다; ~ Zeit 목하, 현재; ~ Ruhe kommen 잠잠해지다.

Zurate≈halten *n.*, **~haltung** *f.* 절약, 검약.

zu|raten* *i.* (h.) jm. (zu et.³) ~ 누구에게 (무엇을 하도록) 권하다, 충고하다: ich kann dir weder zu- noch abraten 나는 너에게 하

라고도 하지 말라고도 못하겠다.
Zuraten *n.* -s 권고, 충고: auf sein ~ 그의 권고로.
Zu·rate·ziehung *f.* 상담, 협의, 상의.
zu|raunen *t.* jm. et. ~ 누구에게 무엇을 속삭이다, 귓속말을 하다.
Zürcher [tsʏ́rçər] *m.* -s, - ↑ Züricher.
zürcherisch *a.* ↑ züricherisch.
Zürch·see *m.* 취리히호(湖).
Zur·disposition(s)·stellung *f.* 휴직을 명함.
zurechenbar *a.* jm.〔et.³〕~ 누구에게〔무엇에〕산입〔귀속〕시킬 수 있는; (죄를) 책임지울 수 있는.
Zurechenbarkeit *f.* ↑ Zurechnungsfähigkeit.
zu|rechnen *t.* ① 편입〔귀속〕시키다, 분류해 넣다: ein Tier den Säugetieren ~ 어떤 동물을 포유류로 분류하다. ②〖드물게〗셈해 넣다: diese Stimmen werden dem Kandidaten zugerechnet 그 후보가 이 표들을 얻은 것으로 집계된다. ③〖드물게〗누구에게 책임을 지게 하다: der Unfall ist dem Fahrer zuzurechnen 그 사고는 운전자의 책임이라고 할 수 있다.
Zurechnung [tsú:rɛçnʊŋ] *f.* -en ① 가산, 산입(算入): mit ~ aller Kosten 경비 일체를 포함하여. ② (죄 등을) 돌림, 지움;〖法〗귀책(행위와 그 결과가 행위자의 책임으로 돌아가는 것).
zurechnungs≈fähig *a.* 책임질 능력이 있는; 정신이 온전한, 판단력〔상식〕이 있는. **≈-fähigkeit** *f.* ①〖法〗귀책〔책임〕능력. ② 정신이 온전함.
***zu·recht** *adv.* 올바르게, 정연(整然)히, 적당히; 정상적으로; 있어야 할 곳에, 적소(適所)에; 때를 어기지 않고, 알맞은〔좋은〕때에.
zurecht.. *pref.* 분리 동사의 전철로서 "바르게·적당하게"의 뜻. 항상 강세가 있음.
zurecht≈|basteln *t.* 손질하여 짜맞추어 놓다:〖구어〗sich³ eine Ausrede ~ 구실을 날조하다. **~|biegen** *t.* ① (철사 따위를) 용도에 맞게 구부리다:〖비유〗er wird die Sache schon wieder ~ 그는 그 일을 다시금 잘 처리할 것이다. ②〖구어〗jn. ~ 누구를 올바른 길로 되돌리다. **~|bringen*** *t.* 올바르게 하다, 가지런하게 정돈〔정리〕하다, 정상화하다. **~|feilen** *t.* ↑ ~biegen. **~|finden*** *i.* (h.) / *refl.* (sich) ~ 가야 할 길을 잘 알다;〖비유〗사정에 능통하다: danke, ich finde mich schon allein zurecht 감사합니다, 이제 저 혼자서도 갈 수 있습니다. **~|flicken** *t.* ①〖구어〗적당히 꿰매다〔수선하다〕. ②〖경박〗(사고당한 사람을) 응급 처치해 살려 놓다. **~|helfen*** *i.* (h.) jm. ~ 누구를 도와 올바른 길로 돌아오게 하다, 곤경에서 구하다. **~|kommen*** *i.* (s.) ① 잘 해나가다, 잘 다루다: ich kann mit ihm ~ 나는 그와 아무런 어려움없이 잘 지낼 수 있다, 그를 잘 다룰 수 있다; kommst du (damit) zurecht? (그 일은) 잘 되어가나?; mit et.³ schlecht ~ 어떤 일에 실패하다. ②〖드물게〗알맞게 오다, 제때에 오다: ich kam gerade noch zurecht 나는 겨우 제시간에 닿았다. ③ 상관 없다: es kommt sehr zurecht, wenn du das auch nicht erfährst 네가 그것을 몰라도 아무 상관 없다. **~|legen** *t.* 바르게 두다, 정돈하다, 준비하다: sich³ eine Ausrede ~ 구실을 생각해 두다. **≈-legung** *f.* 정돈, 정비, 준비. **~|machen** *t.* 가지런하게 하다, 정돈하다; 준비하다, 조직하다; (소포를) 포장하다; (방을) 정리하다; (옷을) 장식하다, 꾸미다: das Essen ~ 음식물을 조리〔요리〕하다; das Haar ~ 머리를 보기 좋게 매만지다〔깎다〕; sich ~ (몸을) 치장하다, (여자가) 화장하다. **~|rücken** *t.* 올바른 위치로 바로잡다:〖비유〗jm. den Kopf ~ ↑ ~setzen. **~|schneiden** *t.* (옷감·목재를) 적당한 형태로 자르다. **~|schneidern** *t.* ① 적당히 깁다. ② ↑ ~|schustern. **~|schustern** *t.*〖구어·대개 폄어〗날림으로 일을 처리하다. **~|setzen, ~|stellen** *t.* 똑바로 놓다, 바르게 하다, 정돈하다:〖비유〗jm. den Kopf ~ 누구를 정신 차리게 하다. **~|stutzen** *t.* (울타리·머리를) 잘라서 가지런히 하다. **~|weisen*** *t.* jn. ~ 누구에게 (올바른) 길을 가르치다; 훈계하다, 견책하다. **≈weisung** *f.* 안내, 지도; 충고, 훈계; (Tadel) 질책, 견책. **~|zimmern** *t.* 적당히 짜맞추다: eine Tür ~ 문을 적당히 만들다; er hat sich³ eine eigene Weltanschauung zurechtgezimmert 그는 자기 나름의 세계관을 만들어냈다.
Zurede [tsú:re:də] *f.* -n ↑ Zureden.
zu|reden *i.* (h.) jm. ~ 누구를 설득하다, 권유〔권고〕하다, 충고하다, 설복하다: er läßt sich nicht ~ 그는 아무리 설득해도 소용 없다.
Zureden *n.* -s 권고, 설득, 충고; 간원, 간(諫)함: auf js. ~ 누구의 권고를 받고, 누구에게 설득되어; auf vieles ~ 여러 가지로 권고를 받아; trotz allen ~s 아무리 권유를 해도, 그토록 권했건만;〖속담〗~ hilft 아는 길도 물어 가랬다, 의논이 상책이다.
zu|reichen 《Ⅰ》*t.* jm. et. ~ 누구에게 무엇을 전하다, 보내다. 《Ⅱ》*i.* (h.) 족하다, 넉넉하다: bei ihm reicht das Geld nie zu 그에게는 그 돈이 결코 충분하지 않다〔모자란다〕.
zureichend *p.a.* (genügend) 족한, 넉넉한: ~er Grund 충분한 근거, 충족 사유.
zu|reiten* 《Ⅰ》*i.* (h.) 말을 타고 …으로 가다: sie ritten dem Wald〔auf den Wald〕zu 그들은 말을 타고 숲으로 갔다; tüchtig ~ 말을 타고 질주하다. 《Ⅱ》*t.* ein Pferd ~ 말을 타서 길들이다, 조련하다. 《Ⅲ》**zugeritten** *p.a.* ↑ zugeritten.
Zureiter *m.* -s, - 조마사(調馬師).
zu|rennen* ↑ zulaufen《Ⅰ》① ②.
Zürich [tsʏ́:rɪç, (schweiz.) tsʏ́rɪç] 취리히(스위스 동부의 주 및 그 수도).
Züricher [tsʏ́:rɪçər, tsʏ́rɪç..]《Ⅰ》*m.* -s, - 취리히 사람. 《Ⅱ》*a.* 취리히의: ~ See 취리히호(湖).
züricherisch [tsʏ́:rɪçərɪʃ, tsʏ́rɪç..] *a.* 취리히(풍)의.
Zuricht- ↑ Zurichte-.
Zurichte≈bank *f.*〔복수: ..bänke〕〖제련〗마무리대(臺). **~bogen** *m.*〖印〗정판(整版) 교정쇄. **~maschine** *f.* 마무리 기계. **~messer** *n.* (정원사 또는 제혁공의) 다듬질 칼;〖印〗(컷을 고르는 데 쓰는) 정판용 칼.
***zu|richten** *t.* ① nach et.³ ~ 무엇 쪽으로 향하게 하다. ② 쓸 수 있도록 마무리하다, 조리하다; 준비하다; 가지런히 하다, 정돈하다: das Essen〔die Speisen〕~ 식사 준비를 하다, 요리를 만들다; das Leder ~ 가죽을 무두

질하다; Gewebe ~ 직물을 가공하다; 〖印〗 die Form ~ 정판하다. ③ 혼내 주다; 망가뜨리다: jn. arg〔schlimm, übel〕 ~ 누구에게 상처를 입히다, 혼내주다; die Möbel ziemlich ~ 가구를 심하게 망가뜨리다.

Zurichter *m.* -s, - 조정자, 조제자; 조리인; 〖工〗 마무리공(工): ~ des Leders 전문 제혁공, 피혁 제조인.

Zurichterei [tsuriçtəráı] *f.* -en 조정〔마무리〕 작업장.

Zurichterin *f.* -nen ↑ Zurichter 의 여성형.

Zurichte·zimmer *n.* 가공실(加工室).

Zurichtung *f.* -en 준비; 제조, 조리; 조정, 〖工〗 끝손질.

zu|riegeln *t.* 빗장으로 잠그다(↔ aufriegeln).

*__zürnen__ [tsʏ́rnən] 《<Zorn》《I》 *i.* (h.) 성나 있다, 성내다: jm. 〔auf jn., mit jm.〕 ~ 누구에게 화내다; über〔um〕 et. ~ 무엇에 대해 화내다; wegen eines Dinges ~ 무엇 때문에 화내다. 《II》〖드물게〗 *t.* ① (schweiz.) er zürnt es 그는 그것에 대해 성을 내고 있다. ②〖시어〗 wer heilige Worte gezürnt hat 신의 말씀을 욕한 자. ③〖결과를 나타내는 말과 함께〗 sich ins Grab ~ 홧병으로 죽다.

zu|rollen 《I》 *i.* (s.) …의 쪽으로 굴러가다. 《II》 *t.* ① …의 쪽으로 굴리다. ② 감다, 말다, 둥글게 하다.

zurren [tsʊ́rən] *t.* ①〖海〗 (화물을 갑판에) 묶어 매다. ②〖방언〗 질질 끌고 가다.

Zurring *m.* -s, -s/-e 〖海〗 (매는 데 쓰는) 짧은 줄.

Zur·ruhe·setzung *f.* 연금을 주어 퇴직시킴.

Zur·schau·stellung *f.* 전람, 진열, 공개; 과시(誇示).

*__zurück__ [tsurʏ́k] *adv.* ① **(a)** 뒤로, 뒤쪽으로: einen Schritt ~! a) 한걸음 뒤로, 물러나! b) (뒤에) 따라와! (개에 대한 명령); ich stelle mein Wohl ~ 나는 내 자신의 안녕을 제쳐두겠다. **(b)** 뒤에서, 뒤쪽에서: etwas weiter ~ folgte die Frau dem Mann 다소 뒤에 떨어져서 그 여자가 그 남자를 뒤따라왔다. ② 원래대로, 그 자리에 도로; 되돌아, 먼저대로: ~ zur Natur! 자연으로 돌아가라!; der Bote ist noch nicht ~ 사자(使者)가 아직 돌아오지 않고 있다. ③ (발육·진보가) 늦게, 뒤떨어져; (지급이) 지체〔체납〕되어: sie ist weit im Englischen ~ 그 여자는 영어 실력이 상당히 뒤떨어져 있다. ④〖시간적〗 이전으로 거슬러 올라가, 소급하여: einige Monate ~ 몇 달 전에.

zurück⸗|arbeiten *i.* (h.) 〖기계〗 역전하다. ~|**arten** *i.* (s.) 퇴화하다. ~|**beben** *i.* (s./h.) (겁내어) 뒷걸음질치다. ~|**begeben*** *refl.* sich ~ 돌아가다, 귀환하다. ~|**begehren** 《I》 *t.* 반환을 요구〔재촉〕하다. 《II》 *i.* (h.) 돌아가고 싶어하다. ~|**begleiten** *t.* 바래다 주다, 배웅하다, 호송하다: jn. nach Hause ~ 누구를 집까지 바래다 주다. ~|**behalten*** *t.* ① 잡아두다, 돌려보내지 않고 두다, 억류〔유치〕하다: jn. gegen seinen Willen ~ 누구를 무리하게 붙잡아 두다. ② 어떤 후유증을 얻다; sie hat von der Krankheit einen Hörschaden zurückbehalten 그녀는 병의 후유증으로 청각 장애가 생겼다. ≈**behaltung** *f.* 유치; 구류. ≈**behaltungs·recht** *n.* (채권자의) 유치권 (留置權). ~|**bekommen*** *t.* ① 반환받다, 되찾다; (거스름 돈으로) 돌려받다. ②〖구어〗 (원래대로) 되돌리다: ich bekomme den Reißverschluß nicht zurück 지퍼가 다시 원상태로 되지〔잠기지〕 않는다. ~|**berufen*** *t.* 도로 부르다, 소환하다. ≈**berufung** *f.* 소환. ~|**beugen** ↑ ~biegen. ~|**bewegen** 《I》 *t.* (원상태로) 되돌리다, 갖다 놓다. 《II》 *refl.* sich ~ 출발점으로 되돌아가다. ~|**bezahlen** *t.* 되치르다, 환불하다, 반제(返濟)하다. ≈**bezahlung** *f.* 환불, 되갚음, 반제. ~|**beziehen*** *refl.* sich ~ 지난 일을 언급하다; 〖문법〗 (동사가) 재귀(再歸)하다. ~**bezüglich** *a.* 재귀적인(reflexiv). ~|**biegen*** 《I》 *t.* 뒤로 굽히다〔휘다〕. 《II》 *refl.* sich ~ 뒤로 굽다, 젖혀지다; 〖醫〗 뒤틀리다, 반전(反轉)하다. ~|**bilden** *refl.* ① sich ~ (서서히) 원래대로 되다, 복원되다; (부기가) 빠지다, (궤양이) 아물다. ② (기관이) 퇴화하다. ≈**bildung** *f.* ① 복원. ② 퇴화. ~|**bleiben*** *i.* (s.) ① 뒤에 머물다, 남다, 잔류하다; 살아 남다: mein Überzieher bleibt als Pfand zurück 내 외투는 전당 잡혀 있다; von der Krankheit ist bei ihm nichts zurückgeblieben 그의 병은 감쪽같이 나았다. ② **(a)** 처지다; 낙제하다: sie ist geistig zurückgeblieben 그 여자는 정신적인 성장이 늦다. **(b)** 기대한 것만큼 발전하지 못하다, 미치지 못하다: die Einnahmen bleiben hinter denen des Vorjahrs zurück 수입은 지난 해보다 못 하다. ③ von et.[3] ~ 무엇에서 간격을 두다: bitte bleiben Sie von der Bahnsteigkante zurück! 승강장의 가(장자리)에서 뒤로 물러나시오! ~|**blenden** *i.* (h.) 〖영화〗 과거〔회상〕 장면을 삽입하다, 몽타주해 넣다. ~|**blicken** *i.* (h.) 뒤돌아보다; 회고하다. ~|**bringen*** *t.* ① 되나르다; 되가져오다, 도로 데려오다: 〖비유〗 die Rebellen zum Gehorsam ~ 반란 폭도들을 귀순시키다; jn. ins Leben ~ 누구를 소생시키다; ich brachte sie von ihrer irrigen Meinung ~ 나는 그 여자의 그릇된 견해를 바로잡아 주었다. ②〖비유〗 (schädigen) (발전을) 저해하다, 손해를 끼치다: die Krankheit hat das Kind in seiner Entwicklung sehr zurückgebracht 병으로 그 아이의 발육이 매우 지연되었다; diese Verluste haben ihn (in seinen Verhältnissen) zurückgebracht 이 손실로 그는 (생활 형편에) 큰 피해를 입었다. ~|**dämmen** *t.* ① (높은 파도를) 제방으로 막아내다. ②〖비유〗 (욕망을) 억제하다. ~|**datieren** 《I》 *t.* ① 이전 날짜로 하다: eine Rechnung ~ 청구서를 이전의 날짜로 하다. ② 더 오래된 시대인 것으로 결론짓다(역사상의 사건·사료 따위의 성립 연대를 추정할 때). 《II》 *i.* (h.) auf et. ~ 무엇으로 소급하다, 무엇에서 유래하다: diese Wendung datiert auf Luther zurück 이 표현은 루터에서 유래한다. ~|**denken*** *i.* (h.) an jn.〔et.〕 ~ 누구를〔무엇을〕 추억하다, 회상〔회고〕하다. ~|**drängen** 《I》 *t.* 되밀다; (적을) 격퇴하다; 〖비유〗 (unterdrücken) (눈물·감정을) 억누르다, 참다: er versuchte die Angst zurückzudrängen 그는 불안을 억누르려고 애썼다. 《II》 *i.* (s.) (군중이) 서로 밀치면서 물러나다. ≈**drängung** *f.* 억누름; 원점으로 되돌림. ~|**drehen** *t.* 되틀다; 〖기계〗 역전시키다. ~|**dürfen*** *i.* (h.) 돌아가도록〔돌아오도록〕 허

락되어 있다. ~|**eilen** *i.* (s.) 급히 돌아가다〔돌아오다〕.

zu|rücken [tsú:rʏkən] 《I》 *i.* (s.) 다가서(가)다, 접근하다: rücken Sie doch zu! 자 냉큼 다가서시오! 《II》 *t.* ① 가깝게 하다, 곁으로 다가오게 하다. ②〖사냥〗die Netze ~ 그물을 힘껏 끌다.

zurück≈erbitten* *t.* 〖雅語〗반환을 요청하다. ~|**erhalten*** ↑ ~bekommen. ~|**erinnern** 《I》 *t.* jn. an et. ~ 누구에게 무엇을 기억나게 하다, 상기〔회상〕시키다. 《II》 *refl.* sich an et. ~ 무엇을 추억〔회상〕하다, 회고하다. ≈**erinnerung** *f.* 회상, 추억. ~|**erlangen** *t.* 되찾다. ~|**erobern** *t.* 탈환하다. ≈**eroberung** *f.* 탈환. ~|**erstatten** *t.* 변제하다, 배상〔상환〕하다. ≈**erstattung** *f.* (경비의) 변제, 배상, 상환. ~|**fahren*** 《I》 *i.* (s.) ① (타고) 되돌아가다, 되돌아오다: mit dem Bus ~ 버스로 돌아오다. ② (타고) 뒤로 물러나다: fahr doch mal ein Stück zurück! 차를 조금 뒤로 빼시오! ③ 흠칫 물러나다: vor Schreck ~ 놀라서 흠칫 물러나다. 《II》 *t.* ① (사람을 차에 태워) 돌려보내다, (화물을 차로) 반송하다. ② (렌터카 등을 차지로) 반환하다. ③〖工〗eine Maschine ~ 기계의 작업 속도를 늦춰놓다. ≈**fahrt** *f.* (Rückfahrt) 돌아옴, 귀향. ≈**fall** *m.* ①〖醫〗재발(再發). ②〖法〗누범(累犯). ③〖法〗복귀, 귀속. ~|**fallen*** *i.* (s.) ① 뒤로 떨어지다〔넘어지다〕: er ließ sich ~ 그는 도로 주저앉았다. ② (본래의 상태로) 다시 떨어지다, 되돌아가다; (병이) 재발하다, 도지다: er fiel wieder in seine alte Lethargie zurück 그는 다시 옛날의 무기력 상태에 빠져 들었다; 〖비유〗in denselben Fehler ~ 이전의 과오를 다시 범하다. ③ 순위가 내려가다: er ist in Mathematik zurückgefallen 그는 수학 성적이 떨어졌다. ④ (오르기 시작한 막이) 다시 내려가다. ⑤〖사물이 주어〗an jn. ~ 누구에게 귀속되다: das Grundstück fällt an den Staat zurück 그 대지는 다시 국가에 귀속된다. ⑥ (…에게) 불이익을 초래하다: auf jn. ~ (일의 영향·책임 따위가) 누구에게 되돌아오다: der Vorwurf wird auf dich selbst ~ 그 비난은 자네 자신에게 되돌아올걸세. ⑦〖軍〗퇴각하다. ~|**finden*** *i.* (h.) / *refl.* (sich) ~ 귀로를 찾아가다: zu sich selbst ~ 제정신으로 돌아오다. ~|**fliegen*** 《I》 *i.* (s.) ① 비행기로 돌아오다. ②〖구어〗(공 따위가) 튀어 돌아오다. 《II》 *t.* ① 비행기로 돌려보내다. ② (비행기를) 조종해서 돌아가다. ~|**fliehen*** *i.* (s.) 도망쳐 돌아오다. ~|**fließen*** *i.* (s.) 역류하다, (조수(潮水)가) 써다: 〖비유〗eine Wohltat fließt auf den Wohltäter zurück 적선지가(積善之家)에 필유여경(必有餘慶)이라, 선행은 보답받게 마련이다. ~|**fordern** *t.* 반환을 청구하다. ≈**forderung** *f.* 반환 청구. ~|**fragen** *t./i.* ① jn. ~ 누구에게 되묻다〔반문하다〕. ②〖드물게〗bei jm. ~ 누구에게 되묻다. ~**führbar** *a.* 되돌릴〔환원할·소급할〕 수 있는. ~|**führen** 《I》 *t.* ① 도로 데려가다〔오다〕, 반송하다; 〖軍〗퇴각시키다, 무엇으로 되돌리다: 〖비유〗jn. auf den rechten Weg ~ 누구를 올바른 길로 인도하다. ② (**a**) et. auf et. ~ 무엇의 원인〔기원〕을 무엇에서 찾다: der Unfall ist auf andere Ursachen zurückzuführen 그 사고는 다른 원인들에 기인한 것일 수 있다; der Name dieser Stadt läßt sich auf ein lateinisches Wort ~ 이 도시의 이름은 한 라틴어 낱말에서 유래한다. (**b**) 환원하다: ein Problem auf eine einfache Formel ~ 문제를 간단한 공식으로 환원하다; et. auf das kleinste Maß ~ 무엇을 최소화시키다. 《II》 *i.* (h.) 되돌아가다〔오다〕: dieser Weg führt zum Bahnhof zurück 이 길로 가면 역으로 되돌아오게 된다. ≈**führung** *f.* 도로 데려감; 환원, 소급; 〖논리〗환원법: ~ auf das Unmögliche 간접 환원법; 〖軍〗~ des Heeres auf den Friedensstand 병력을 평시 체제로 감축하기. ≈**gabe** *f.* (Rückgabe) 반환, 환불. ~|**geben*** *t.* ① 돌려주다, 도로 보내다, 반환하다, 환불하다; (우수리를) 내주다: Kapital mit Zinsen ~ 원금을 이자와 함께 돌려주다; können Sie mir auf hundert Mark ~? 백마르크짜리 내면 거슬러 주실 수 있습니까? ② 반사〔반향〕시키다: das Licht ~ 빛을 반사시키다. ③ es jm. ~ 앙갚음을 하다, 응수하다: eine Beleidigung ~ 받은 모욕에 대한 앙갚음을 하다. ④ (받은 공을) 도로 보내다, 리턴 패스하다. ⑤〖雅語〗응답〔대답〕하다. ~|**gehen*** *i.* (s.) ① (되)돌아가다; 〖商〗Waren ~ lassen 반품하다; hingehen und ~ 왕복하다. ② (**a**) 물러나다, 후퇴하다: der Feind geht zurück 적군이 퇴각한다; das Hochwasser geht zurück 홍수가 물러간다. (**b**) (값·시세가) 떨어지다, 부진해지다: seine Geschäfte gehen zurück 그의 장사가 부진해진다; es geht mit ihm zurück 그의 운도 다되는 판이다; meine Uhr geht täglich um 2 Minuten zurück 내 시계는 매일 2분씩 늦는다; der Fahrer ging auf 70 zurück 운전 기사는 시속 70으로 감속했다. ③ (과거로) 거슬러 올라가다: dieser Brauch geht noch auf das Mittelalter zurück 이 풍습은 중세에 그 기원을 갖는다. ④ 성립하지 않다, 실패하다, (협의가) 깨지다, (약혼이) 파혼되다: die Verlobung ist zurückgegangen 약혼이 깨졌다. ⑤ (**a**)〖비유〗in sich selbst ~ 깊이 생각하다, 반성하다. (**b**) auf den Grund von et.[3] ~ 무엇의 원인을 찾다; bei et.[3] auf die Quelle 〔den Ursprung〕 ~ 무엇의 근원을 추적하다. ~**gekrümmt** *a.* 〖植〗뒤로 젖혀진, 뒤로 휜. ~|**geleiten** *t.* 데리고 돌아가다〔돌아오다〕, 제자리로 호송하다. ~**gerollt** 《I》 *p.p.* ↑ ~rollen. 《II》 *p.a.* 〖植〗(잎 모양이) 뒤로 말리는, 외선상(外旋狀)의. ~|**gewinnen** *t.* 되찾다, 회복하다. ~**gezogen** 《I》 *p.p.* ↑ ~ziehen. 《II》 *p.a.* 철회한; 퇴각한; 은퇴한: ein ~es Leben führen 은둔 생활을 하다. ≈**gezogenheit** *f.* 은퇴, 은둔, 은거; 고독(한 생활). ~|**greifen*** *i.* (h.) ① auf jn. ~ (부득이하게) 누구에게 의지하다: ich werde in dieser Angelegenheit auf Sie ~ 이 건에 있어서는 당신에게 무리한 요구를 하겠습니다; auf seine Ersparnisse ~ 예금에 손을 대다. ② 이야기를 소급해서 시작하다. ~|**haben*** *t.* 반환받아 소지하다: ich möchte das Buch morgen ~ 나는 이 책을 내일 돌려받고 싶다. ~|**halten*** 《I》 *t.* ① (떠나려는 사람을) 잡아두다, 유치(留置)하다: ich will Sie nicht länger ~ 나는 당신을 더 이상 붙잡지 않으렵니다. ② (**a**) 제지하다, 만류하다: Demonstranten ~ 시위대를 저지하다; jn. von et.[3]

~ 〔jn. ~, et. zu tun〕 누가 무엇을 하는 것을 제지〔방해〕하다; ein Bäumchen in seinem Wachstum ~ 묘목의 성장을 방해하다. (**b**) (감정을) 억누르다, (판단·의견 따위를) 삼가다: seinen Atem ~ 숨을 죽이다; sein Urteil ~ 판단을 삼가다. 《Ⅱ》 *refl.* sich ~ 자제하다, 극기하다; (뒤에) 남아 있다, 처박혀 있다; 소극적이다, 앞에 나서지 않다. 《Ⅲ》 *i.* (h.) ① 멀리 떨어져 있다, 주저하다, 근신하다: 〖商〗 die Käufer halten sehr zurück 구입자들이 도무지 살 마음을 내지 않는다. ② mit et.³ ~ 무엇을 삼가다〔보류하다〕; mit seiner Äußerung über et. ~ 무엇에 대한 발언을 삼가다. **~haltend** *p.a.* ① 유보적인; 냉담한: die derzeit sehr ~e Nachfrage 현재의 극히 답보 상태의 수요. ② (bescheiden) 삼가는, 사양하는; 조심스러워하는, 내성적인, 수줍어하는. **~haltung** *f.* ① 붙잡아둠; 억류, 유치. ② 제지, 저지, 억제; 〖醫〗 (분비(分泌)의) 폐지, 울적, 소변을 참음. ③ 자제, 극기. ④ 삼감, 사양, 신중; 내향성, 수줍음: an der Börse herrschte große ~ 증권가에는 매우 침체된 분위기가 감돌았다. **~|helfen*** *i.* (h.) 〖고어〗 jm. ~ 누가 돌아오는 것을 돕다, 도와서 데려오다. **~|holen** *t.* 데리고 돌아오다, 되가져오다, 도로 찾아오다. **~|jagen** 《Ⅰ》 *t.* 되쫓다. 《Ⅱ》 *i.* (s.) 말을 달려 돌아오다. **~|kämmen** *t.* (머리를) 뒤로 빗어 넘기다. **~|kaufen** *t.* 도로 사다. **~|kehren** *i.* (s.) ① 돌아가다, 돌아오다: nach Hause ~ 집으로 돌아가다; ins Vaterland ~ 귀국하다. ② 〖비유〗 zu et.³ ~ (이야기가) 무엇으로 돌아가다, 무슨 말로 되돌아오다. **~|klappen** *t.* 뒤로 접다: die hinteren Sitze des Autos lassen sich ~ 이 자동차의 뒷 좌석은 뒤로 접을 수 있다. **~|kommen*** *i.* (s.) ① (되)돌아오다: der Brief ist zurückgekommen 편지가 되돌아왔다. ② 〖비유〗 auf et. 〔zu et.³〕 ~ (이야기가) 무엇으로 돌아가다, 무엇을 다시 화제로 삼다; jm. ins Gedächtnis ~ 누구의 기억에 다시 떠오르다; ich will gelegentlich darauf ~ 나는 때때로 그 이야기를 되풀이하겠다. ③ (**a**) 떨어지다, 멀어지다: von der Meinung ~ 생각을 버리다, 견해를 바꾸다; ich kam von jenem Plan zurück 나는 그 계획을 포기했다. (**b**) 회복하다, 제정신으로 돌아오다: er wird von der Krankheit ~ 그는 병에서 회복할 것이다. ④ (herunterkommen) 쇠하다, 부진하게 되다: er ist in seinem Geschäft sehr zurückgekommen 그의 사업은 침체에 빠졌다. **~|können*** *i.* (h.) ① 돌아갈〔돌아올〕 수 있다. ② 물러날 수 있다: hier kann man nicht mehr zurück 이젠 진퇴유곡이다. ③ 반환할 수 있다: das Buch kann in die Bibliothek zurück 이 책은 도서관에 반납해도 무방하다. ④ 환원시킬 수 있다: wenn du mal unterschrieben hast, kannst du nicht mehr zurück 일단 네가 서명했다면, 이제는 취소할 수 없다. **~|kriechen** *i.* (s.) 원래 위치로 기어들어가다: du sollst schnell ins Bett ~ 빨리 침대로 기어들어가지 않을래(명령의 뜻). **~|kriegen** *t.* 〖구어〗 되돌려 받다. **~kunft** *f.* 귀착, 귀환. **~|lassen*** *t.* ① 뒤에 남기다, 내버려두다: 〖軍〗 jn. tot auf dem Schlachtfeld ~ 누구의 시신을 전장에 버려 두다; keinen Zweifel ~ 의문의 여지를 남기지 않다; der tödlich Verunglückte hat seine Tochter allein zurückgelassen 그 사고로 죽은 사람은 딸 하나만을 남겨놓았다; die Zurückgelassenen 생존자, 잔류자, 유족. ② (경주에서) 앞지르다, 떼어놓다. ③ jn. zurück(gehen) lassen 누가 돌아감을 허락하다, 돌아가게 해주다. **~lassung** *f.* 뒤에 남겨둠. **~|laufen*** *i.* (s.) ① 되돌아 달려가다〔오다〕. ② (물이) 역류하다; (필름 등이) 역회전하다; 〖天〗 역행하다. ③ 〖軍〗 (총포가) 뒤로 반동하다. **~|legen** 《Ⅰ》 *t.* ① 뒤에 두다; (원장소에) 도로 갖다 두다. ② (**a**) 옆에 제쳐놓다, 집어〔치워〕 두다, 간직해두다: jm. 〔für jn.〕 eine Eintrittskarte ~ 누구를 위해 입장권을 따로 떼어 두다. (**b**) (sparen) 저축하다, 저장하다: Geld ~ 돈을 저축하다. ③ (**a**) (어떤 도정(道程)을) 뒤로 하며 나아가다: wir legten täglich 10 Meilen ~ 나는 매일 10 마일씩을 걸었다; er legte den Weg zu Fuß zurück 그는 그 길을 걸어서 갔다. (**b**) (시간을) 보내다, 경과하다: die Höhe der Leistungen hängt von den zurückgelegten Versicherungszeiten ab 보상액은 보험에 든 기간에 따라 달라진다. (**c**) die Schule zurückgelegt haben 학교를 졸업했다. ④ (신체의 일부를) 뒤로 젖히다: den Kopf ~ 머리를 뒤로 젖히다. ⑤ (빗장·볼트를) 풀다. ⑥ (öst.) (관직을) 사직하다. 《Ⅱ》 *refl.* sich ~ 뒤로 기대다: sich im Lehnstuhl ~ 등받이 의자에 등을 기대다. **~legung** *f.* ① 보관해〔치워〕 둠; 제거. ② 저축. **~|lehnen** 《Ⅰ》 *t.* (상반신을) 뒤로 기대다. 《Ⅱ》 *refl.* sich ~ 등을 기대다. **~|leiten** *t.* 이끌어 돌아가게 하다, 도로 데려오다: 〖비유〗 zu et.³ ~ 무엇에 소급하다, 무슨 원천으로 거슬러 올라가다. **~|leuchten** *i.* (h.) ① 반사하다, 되비추다. ② jm. ~ 누구의 귀로를 비추어 돌려보내다. **~|liefern** *t.* 도로 보내다, 반송하다. **~|liegen*** *i.* (h.) ① (**a**) 뒤에 (놓여) 있다. (**b**) 〖드물게〗 안쪽에 있다. ② 경과해 있다, 지난 일이다: es liegt lange 〔weit〕 zurück, daß... …은 오래 전의 이야기다; in den ~den Jahren 지난 몇 년 동안에. ③ 〖스포츠〗 뒤지다, 뒤떨어져 있다. **~marsch** *m.* 〖드물게〗 퇴각, 뒷걸음질, 역행진. **~|marschieren** *i.* (s.) 퇴각〔후퇴〕하다. **~|melden** *refl.* sich ~ 돌아온 것을 알리다, 귀환 보고를 하다, (공무원이) 귀임(歸任) 신고를 하다: 〖軍〗 sich vom Urlaub ~ 휴가 만기 후의 귀대(歸隊)를 신고하다. **~|mögen*** *i.* (h.) 돌아가고〔돌아오고〕 싶어하다. **~|müssen*** *i.* (h.) ① 돌아가야만 하다: das Buch muß ~ 그 책은 돌려주지 않으면 안 된다. ② 뒤로 물러가야만 하다: der Tisch muß ~ 이 책상은 뒤로 물리지 않으면 안 된다. **~nahme** *f.* ① 되찾기, 만회: 〖商〗 wir bitten Sie um ~ dieser Ware 이 물품을 반품받으시기를 바랍니다. ② 〖비유〗 취소, 취하, 철회, 폐지, 파기. **~|nehmen*** *t.* ① 되받다, 되찾다, 회수하다. ② 취소〔취하·철회·폐지·파기〕하다: sein Wort ~ 약속을 취소하다; 〖농담〗 ich nehme alles zurück und behaupte das Gegenteil 나는 그 말을 취소하네. ③ einen Schüler aus der Schule ~ 학생을 퇴학시키다. ④ Truppen ~ 군대를 철수시키다. ⑤ (신체의 일부를) 뒤로 젖히다. ⑥ (화력·음량을) 작게 하다, 낮추다: Gas ~ 가속 페달에서 발을 살짝 떼다. ⑦ 〖장기〗 (한 수) 무르다. **~|nötigen** *t.*

억지로 돌아가게 하다, 무리하게 돌려보내다. **~|prallen** *i.* (s.) ① (되)튀다, 퉁겨오다; 반발하다; 반사하다. ②〔비유〕vor Schreck ~ 기겁을 해 펄쩍 뛰다. **~|rechnen** *t.* 거꾸로 세다. **~|reichen** *i.* (h.) ① jm. et. ~ 누구에게 무엇을 되돌려주다. ② 거슬러 올라가다, 과거로 소급하다: soweit mein Gedächtnis zurückreicht 내 기억이 미치는 한. **≈reise** *f.* (Rückreise) 여행에서 돌아옴, 귀향. **~|reisen** *i.* (s.) 여행에서 돌아오다, 귀향하다. **~|reiten*** *i.* (s.) 말 타고 돌아가다〔오다〕. **~|rennen*** *i.* (s.) 달려 돌아가다〔오다〕.

zurück|rollen 《I》*t.* 뒤로 굴리다. 《II》*i.* (s.) 뒤로 굴러가다, 되구르다. 《III》**zurückgerollt** *p.a.* ↑ zurückgerollt.

zurück=|rücken 《I》*t.* 뒤로 움직이다〔당기다〕. 《II》*i.* (s.) 뒤로 몰리다; 후퇴하다, 뒷걸음질치다. **~|rudern** *i.* (s.) 노를 저어 돌아오다〔가다〕. **~|rufen*** *t.* ① 다시 불러들이다, 소환하다. ② (의식·기억 속에) 되살리다: sich³ et. ins Gedächtnis ~ 무엇을 상기하다. ③ 큰 소리로 대답하다. ④〔구어〕(jn.) ~ 응답 전화를 하다. ⑤ 취소하다. **~|sagen** *t.* 대답하다. **~|schaffen*** *t.* 도로 찾다; 도로 가지고 가다〔오다〕. ② 송환하다, 원상 복구시키다. **~|schallen** *i.* (h./s.) 반향하다, 메아리치다. **~|schalten** *t.* ① (스위치 따위를) 제자리로 되돌리다. ② 저속 기어로 바꾸다: in〔auf〕den dritten Gang ~ 기어를 3 단으로 낮추다. **~|schaudern** *i.* (s.) 무서워서 물러나다, 뒤로 무르춤하다: vor einem Gedanken ~ 어떤 생각으로 (기가) 질리다. **~|schauen** *i.* (h.) 뒤를 보다; 회고하다. **~|scheuchen** *t.* 위협하여 물러나게 하다〔쫓아버리다〕. **~|scheuen** *i.* (s.) vor et.³〔jm.〕~ 무엇을〔누구를〕겁내어 뒷걸음치다. **~|schicken** *t.* 도로 보내다, 반송하다. **~|schieben*** *t.* ① (**a**) 되밀다; 밀어젖히다:〔비유〕jn. ~ 누구를 (승진시키는 데서) 빠뜨리다; jm. et. ~ 무엇을 누구에게 돌려보내다; die Vorhänge ~ 커튼을 밀어젖히다. (**b**)〖法〗einen Beweisgrund (des Gegners) ~ 상대방의 논거를 역이용하다. ② 연기하다 (verschieben). **~|schiffen** 《I》*i.* (s.) 배로 돌아오다, 귀항하다. 《II》*t.* 배로 도로 나르다. **~|schlagen*** 《I》*t.* ① 쳐서 도로 보내다. ②〖軍〗격퇴하다, 반격하다: dem Feind darf keine Zeit bleiben zurückzuschlagen 적에게 반격할 시간을 주어서는 안 된다. ③ 뒤로 튀기다〔젖히다〕: den Kragen ~ (세웠던) 깃을 뒤로 젖히다; ein zurückgeschlagener Wagen 포장을 뒤로 접은 마차. 《II》*i.* (s.) ① 뒤로 넘어지다, 나자빠지다. ② (가격이) 떨어지다. ③〖醫〗(병이) (몸) 안으로 퍼지다: auf die Lunge ~ 폐를 침윤하다. ④〖生〗퇴화하다. ⑤ 역효과를 내다: dieser Schritt der Regierung wird auf die internationalen Beziehungen ~ 정부의 이번 조치는 국제 관계에 부정적으로 작용할 것이다. **~|schleichen*** *i.* (s.) / *refl.* sich ~ 살금살금 돌아오다〔가다〕. **~|schleppen** 《I》*t.* 도로 끌고 가다. 《II》*refl.* sich ~ 무거운 마음으로 다시 원점으로 걸어가다. **~|schleudern** *t.* 도로 던지다. **~|schließen*** *i.* (h.)〖논리〗결과로 원인을 추리하다, 역추리를 하다. **~|schneiden** *t.* (수목을) 가지치기하다. **~|schnellen** 《I》*t.* 세차게 도로 튀기다. 《II》*i.* (s.) 되튀다. **~|schrecken**⁽*⁾ 《I》〔약변화〕*t.* 위협하여 쫓아보내다〔물리치다〕; jn. von et. ~ 누구를 위협하여 무엇에서 떨어지게 하다. 《II》〔대개 강변화〕*i.* (s.) vor et.³ ~ 무엇에 놀라 뒤로 물러서다〔주춤하다〕, 움찔하다. **~|schreiben*** *t.* ① 답장을 쓰다, 회신하다. ②〖軍〗예비역에 편입하다. **~|schreiten*** *i.* (s.) ① 걸어서 돌아가다〔돌아오다〕. ② 역행〔후퇴·퇴보〕하다. **~|schwimmen*** *i.* (s.) 헤엄쳐 돌아오다. **~|segeln** *i.* (s.) 귀항하다. **~|sehen*** *i.* (h.) 돌아보다, 회고하다: auf die Vergangenheit ~ 과거를 회고하다. **~|sehnen** *refl.* sich ~ 돌아가고 싶어하다: sich nach der Heimat ~ 고향으로 돌아가고 싶어하다, 향수병에 걸리다. **~|sein*** *i.* (s.) ① 돌아가 있다. ② 뒤에 남아 있다, 잔류하여 있다. ③ 뒤떨어져 있다. **~senden**⁽*⁾ *t.* 도로 보내다, 반송〔송환〕하다. **≈sendung** *f.* 반송, 송환. **~setzen** 《I》*t.* ① 뒤로 옮기다, 후퇴시키다, (시간을) 늦추다: einen Tisch ~ 책상을 뒤로 물리다; das Datum ~ 날짜를 (뒤로) 늦추다; er setzte den Wagen einen Meter zurück 그는 차를 1 m 후진시켰다. ② 다시 원위치에 두다: setze die Gläser wieder an ihren Platz zurück! 유리잔을 제자리에 도로 갖다 놓아라! ③ et. für jn. ~ 누구를 위하여 무엇을 간직해〔챙겨〕두다. ④〔방언〕(상품의 값을) 내리다: zurückgesetzte Waren 싸구려 물품. ⑤ 냉대하다, 얕보다, 무시하다: sich zurückgesetzt fühlen 무시〔경시〕당하고 있다고 느끼다. 《II》*i.* (s./h.) ① (s.) über einen Graben ~ 호(濠)를 도로 뛰어 건너가다. ② (h.)〖사냥〗der Hirsch setzt zurück 사슴뿔이 지난 해보다 작다. ③ (차가) 후진하다. 《III》*refl.* sich ~ 뒤로 물러서다, 후퇴하다:〔드물게〕sich zehn Jahre ~ 10 년 전의 옛날을 회고하다. **≈setzung** *f.* 후진, 후치; 냉대, 무시. **~|sinken*** *i.* (s.) ① a) 뒤로 넘어지다, 나자빠지다, b) 재차 가라앉다, 다시 쓰러지다: er sank aufs Bett zurück 그는 침대 위에 다시 쓰러졌다. ②〔비유〕in das Laster ~ 다시 악의 구렁텅이에 빠지다. **~|sollen*** *i.* (h.) 마땅히 돌아가야만〔돌아와야만〕하다, 돌아라는 명령을 받고 있다. **~|spiegeln** *t.* 반영하다. **~|spielen** *t.*〖스포츠〗① (공을 자기편의) 후위로 패스하다. ②〖테니스·배드민턴·탁구〗(공을) 되받아 치다〔넘기다〕. **~|sprengen** *i.* (s.) (말을 타고) 질주하여 돌아오다〔가다〕. **~|springen*** *i.* (s.) ① 뛰어 돌아오다〔돌아가다〕:〔구어〕nach Hause ~ 쏜살같이 집으로 돌아오다〔돌아가다〕. ② (갑작스럽게) 뒤로 도약하다; 튀어서 되돌아오다, 튕겨 오다; (소리가) 되울리다. ③〔건축〕(장소·공간이) 쑥 들어가다, 오목해지다: ~der Winkel 요각(凹角). **~|stecken** *t.* ① 되꽂다. ② 뒤로 (옮겨) 꽂다. ③ (요구를) 완화하다: einen Pflock〔ein Loch〕~ 한 발짝 양보하다. **~|stehen*** *i.* (h./s.) ① 뒤에 서 있다; 물러서 있다. ② (nachstehen) 뒤지다, 못미치다:〔비유〕hinter jm.〔gegen jn.〕in et.³ ~ 무엇에서 누구보다 못하다, 뒤떨어지다. ③〔비유〕단념하다, 양보하다; 불리한 입장에 있다, 손해보고 있다: hinter diesem Problem müssen alle anderen ~ 이 문제를 위해 다른 모든 문제는 제쳐놓아야 한다.

zurück|stellen *t.* ① 뒤에 세우다; 물러나게 하다: eine Uhr ~ 시계 바늘을 늦추어 놓

다. ② 원위치로 되돌리다, 제자리에 갖다 두다: ein Buch ins Regal ~ 책을 책장에 다시 꽂다. ③ 뒤에 남겨 두다: eine Ware für jn. ~ 상품을 팔지 않고 누구를 위해 따로 챙겨두다. ④ 줄이다, 작게 하다: ich werde die Heizung ~ 나는 난방 온도를 낮출 것이다. ⑤ (병역·취학을) 보류하다; (계획을) 잠시 보류하다, 철회하다: ein Projekt ~ 계획을 (잠시) 중단하다. ⑥ 무시〔경시〕하다.

Zurückstellung *f.* -en 반환; 후치; 〖軍〗 보류, 연기.

zurück|stoßen* 《I》 *t.* ① 도로 밀치다, 받아차다. ② 반발하다; 퇴짜 놓다, 거부하다: als er sie küssen wollte, stoß sie ihn zurück 그가 그녀에게 입맞추려 했을 때, 그녀는 그를 떠밀쳤다. ③ 혐오감을 주다: seine Angeberei stößt mich zurück 그가 잘난 체하는 것이 나는 역겹다. 《II》 *i.* (s.) (자동차가) 조금 뒤로 움직이다.

zurückstoßend *p.a.* 반발하는; 혐오감을 주는, 역겨운, 싫은.

Zurückstoßung [..ʃtoːsʊŋ] *f.* -en 되밀치기, 반발; 거절; 〖物〗 반발 작용, 척력(斥力).

zurück|strahlen *i.* (h.) / *t.* 〖物〗 반사하다.

Zurückstrahlung *f.* -en 〖物〗 반사.

zurück⸗|streichen* 《I》 *t.* (머리를) 쓰다듬어 넘기다; (주름을) 쓰다듬어 펴다. 《II》 *i.* (s.) (철새가) 날아 돌아오다〔가다〕. ~|**streifen** *t.* (소매를) 뒤집다, 걷어 올리다; 뒤로 벗기다: die Ärmel ~ 소매를 걷어올리다. ~|**strömen** *i.* (s.) 역류하다. ~|**stürzen** *i.* (s.) ① 뒤로 넘어지다, 나자빠지다; 〔비유〕 (나쁜 길·죄악에) 다시 빠지다. ② nach Hause ~ 급히〔허둥지둥〕 귀가하다. ~|**taumeln** *i.* (s.) ① 비틀거리며 뒤로 몇걸음 움직이다. ② 비틀거리며 돌아오다. ~|**telegrafieren** *t.*/*i.* (h.) 답전(答電)하다, 전보로 회신하다. ~|**tragen*** *t.* 먼저 장소로 나르다, 되나르다. ~|**trassieren** *t.* 〖商〗 (auf jn.) 역어음을 발행하다. ~|**treiben*** 《I》 *t.* ① 되쫓다, 되몰다. ② 몰고 돌아오다. ③ 〖醫〗 진정시키다: den Schweiß ~ 땀을 들이다. 《II》 *i.* (h.) 떠밀려 되돌아오다.

zurück|treten 《I》 *i.* (s.) ① 뒷걸음질치다, 물러나다; 쑥 들어가다; 〖軍〗 후퇴하다, 퇴각하다: ~de Stirn 쑥 들어간 이마; ~! 뒤로 물러서시기 바랍니다! (열차가 플랫폼에 들어올 때 주의시키는 역무원의 말) ② **(a)** 〖畫〗 et. ~ lassen 무엇을 배경에 밀어넣다, 색을 엷게 하다; nicht genug ~ 눈에 너무 띄다. **(b)** 〖醫〗 (병이) 내침하다. ③ 〔비유〕 감퇴하다, (영향이) 약해지다; (강물이 원래 수위까지) 줄다. ④ 〔비유〕 von et.³ ~ 무엇에서 물러나다, 사퇴하다, 은퇴하다, 탈퇴하다: von seiner Behauptung ~ 자기의 주장을 철회〔포기〕하다. ⑤ 제 자리로 돌아가다. 《II》 *t.* ① jn. ~ 반격하다, 되받아치다. ② 〔구어〕 그만두게 하다.

Zurücktreten *n.* -s 후퇴; 감소; 퇴진; 철회; 반격.

zurück⸗|tun* *t.* 뒤에 놓다; 원래대로 하다; 치우다; 떼어놓다, 제쳐놓다: einen Schritt ~ 일보 후퇴하다. ~|**übersetzen** *t.* (원래의 원어로) 재번역하다. ~|**verfolgen** *t.* 과거로 거슬러 올라가 추적하다. ~|**verlangen** 《I》 *t.* …의 반환을 요구하다. 《II》 *i.* (h.) 돌아가고〔돌아오고〕 싶어하다. ~|**verlegen** *t.* ① 도로 (제자리로) 옮기다. ② 〖軍〗 철군시키다; (전선을) 후퇴시키다. ~|**versetzen** 《I》 *t.* ① 원상태로 되돌리다, 옛 상태로 복귀시키다: einen (versetzten) Schüler ~ 학생을 유급시키다. ② 뒤로 옮기다. 《II》 *refl.* sich in eine vergangene Zeit ~ 과거로 되돌아가 생각해 보다, 지나간 날을 추억하다. ~|**verweisen*** *t.* et. an jn. ~ 무엇을 누구에게 되돌려보내다: eine Gesetzesvorlage an einen Ausschuß ~ 법안을 위원회에 반송하다. ~|**wälzen** *t.* (굴러온 방향으로) 다시 굴려보내다: 〔비유〕 die Schuld auf jn. ~ 죄를 누구에게 전가하다. ~|**wandern** *i.* (s.) 떠돌다가 돌아오다〔가다〕. ~|**weichen*** *i.* (s.) ① 물러나다, 〖軍〗 퇴각하다; 〔비유〕 양보하다, 굴복하다. ② 〖畫〗 ↑ zurücktreten 《I》 ② (a).

zurück|weisen 《I》 *t.* ① (원래의 위치로) 되돌아가도록 명하다〔가르치다〕: jn. an seinen Platz ~ 누구에게 제자리로 돌아가라고 명하다; jn. in seine Grenzen ~ 누구에게 자신의 한계를 넘지 말도록 경고하다; den Leser auf eine frühere Anmerkung ~ 독자에게 앞의 주해(註解)를 참조하게 하다. ② 물리치다, 거부하다; 퇴짜놓다, (선물 따위를) 되돌려보내다; 〖法〗 기각하다, 기피하다: eine Klage ~ 소(訴)를 기각하다. ③ (비난·중상을) 논박하다, 반론하다. 《II》 *i.* (h.) auf et. 〔zu et.³〕 ~ 뒤의 무엇을 다시금 지시하다, 인용하다.

Zurückweisung *f.* -en 되돌아가도록 명함; 거절; 기각.

zurück|wenden* 《I》 *t.* 뒤로 향하게 하다; 원래 방향으로 되돌리다. 《II》 *refl.* sich ~ 뒤로 향하다.

zurück|werfen* *t.* ① 뒤로 던지다: den Kopf ~ 머리를 뒤로 젖히다; 〔비유〕 jn. ins Elend ~ 누구를 곤경에 빠뜨리다. ② (원위치로) 되던지다; (적을) 격퇴하다: die Brandung warf ihn ans Ufer zurück 파도가 그를 해안으로 다시 내동댕이쳤다. ③ 〖物〗 반사하다: den Schall ~ 반향하다.

Zurückwerfung *f.* -en 되던짐, 뒤로 던짐.

zurück⸗|wirken *i.* (h.) auf et. ~ 무엇에 영향이 되미치다, 반응하다; 〖法〗 과거로 소급하여 효력을 갖다: ~de Kraft eines Gesetzes 법률의 소급력(遡及力). ~|**wollen*** 《I》 *i.* (h.) 돌아가고 싶어하다. 《II》 *t.* 〔구어〕 도로 갖고 싶어하다. ~|**wünschen** 《I》 *t.* 도로 가지고〔되찾고〕 싶어하다; jn. ~ 누가 돌아가〔돌아와〕 주었으면 하다. 《II》 *refl.* sich ~ 돌아가고 싶어하다. ~|**zahlen** *t.* 도로 치르다; 반제하다; 상환하다; 〔비유〕 갚다, 보복하다: das werde ich ihm ~ 나는 그에게 앙갚음을 할 것이다. ~|**zählen** *t.* 역산(逆算)하다.

Zurückzahlung *f.* 상환, 반제, 환불.

zurück|ziehen* 《I》 *t.* ① 원위치로〔뒤로〕 잡아당기다; 물러나게 하다, 쑥 들어가게 하다: die Schultern ~ 어깨를 움츠리다; 〖軍〗 einen Posten ~ 보초병을 철수시키다; *imp.* es zieht mich zu ihr zurück 내 마음은 그녀에게로 되돌아간다. ② 〔비유〕 철회하다, 취소하다, (고소를) 취하하다: seine Kandidatur ~ 입후보를 철회하다. ③ 회수하다: der Hersteller zieht das neue Medikament zurück 제약업자가 신개발 의약품을 회수한다. 《II》 *refl.* sich ~ 움츠러 들어가다; 물러나다, 퇴거하다; 〖軍〗 sich von et.³ ~ 어디로부터 퇴각하다;

sich von jm. ~ 누구와의 관계를 끊다, 누구에게서 몸을 피하다; sich ins Privatleben ~ 은퇴하다; sich auf〔in〕 sich selbst ~ 깊은 생각에 잠기다. 《Ⅲ》 *i.* (s.) 물러나다, (원래대로) 되돌아가다, 되돌아오다: in seine frühere Wohnung ~ 먼저 살던 옛집으로 이사하다. 《Ⅳ》 **zurückgezogen** *p.a.* ↑ zurückgezogen.

Zurückzieher *m.* -s, - 〖당구〗 끌기; 양보하는 사람: 〖구어〗 einen ~ machen 주장을 취소하다, 양보하다.

Zurückziehung *f.* -en 물러남, 쑥 들어감; 은둔; 철회; 회수; 관계를 끊기; 〖軍〗 퇴각.

zurück|zucken *i.* (s.) 움찔하며 뒤로 물러서다.

Zuruf [tsúːruːf] *m.* -(e)s, -e 부름(Zurufen); 〖軍〗 수하(誰何); 갈채, 환호: die Abstimmung erfolgt durch〔auf〕 ~ 표결은 구두(口頭) 투표로 한다.

zu|rufen* 《Ⅰ》 *t.* jm. et. ~ 누구에게 무엇을 소리쳐 알리다: jm. einen Gruß 〔eine Warnung〕 ~ 누구에게 큰 소리로 인사〔경고〕하다; ich rief ihm zu, er solle warten 나는 그에게 기다리라고 소리쳤다. 《Ⅱ》 *i.* (h.) jm. 〔auf jn.〕 ~ 누구를 부르다, 〖軍〗 수하(誰何)하다.

zurufend *p.a.* 갈채〔환호〕하는; 만장 일치의.

zu|runden *t.* …의 끝단을〔테두리를〕 둥글게 다듬다〔마무리하다〕.

zu|rüsten *t.* 〖방언〗 준비〔채비〕하다: ein Fest ~ 축제를 준비하다.

Zurüstung *f.* -en 준비, 채비.

Zur·verfügung·stellung *f.* 〖격식〗 임의로 처리하게 함, 자유로이 이용하게 함.

zur·zeit *adv.* (특히 öst., schweiz.) 목하(目下), 지금.

Zusage [tsúːzaːgə] *f.* -n 승낙, 수락; 약속, 확약: eine ~ einhalten 약속을 지키다; eine schriftliche ~ erhalten 서면 동의를 얻다; ich kann Ihnen keine ~n machen〔geben〕 저는 당신에게 어떠한 확답도 드릴 수 없습니다.

zu|sagen 《Ⅰ》 *t.* ① 약속〔확언〕하다: er hat uns seine Teilnahme fest zugesagt 그는 우리에게 참석하겠다고 단단히 약속했다. ② 맞대놓고 말하다: ich kann ihm auf den Kopf ~, wenn er mich belügt 그가 나를 속인다면, 나는 그에게 단도직입적으로 말할 수 있다. 《Ⅱ》 *i.* (h.) ① (제안·초대에) 응하다, 받아들이다: ich habe ihm auf seine Einladung zugesagt 나는 그의 초대를 받아들였다. ② 마음에 들다, 구미에 맞다: sein Vorschlag sagt mir gar nicht zu 그의 제안은 전혀 내 마음에 들지 않는다.

zusagend *p.a.* ① 승낙하는, 동의하는: eine ~e Antwort erhalten 승낙의 대답을 얻다. ② 마음에 드는: das ist ein mir sehr ~er Vorschlag 그것은 내 마음에 쏙 드는 제안이다.

***zusammen** [tsuzámən] *adv.* ① 함께, 같이, 공동으로: wir werden möglichst ~ kommen 우리는 되도록이면 함께 가겠다; diesen Reisebericht hat das Ehepaar ~ geschrieben 이 여행기는 그 부부가 공동으로 집필했다. ② 동시에: wir sind ~ angekommen 우리는 동시에 도착했다. ③ 모두 합쳐, 통틀어서: unsere Ausgaben betrugen ~ nicht mehr als 200 Mark 우리가 쓴 돈은 다 합쳐 200 마르크가 넘지 않았다.

zusammen.. *pref.* "공동·협력·일치·총괄·통합·붕괴·와해"의 뜻.

zusammen|addieren *t.* 합산하다, 합계〔총계〕를 내다.

Zusammenarbeit *f.* 공동 작업, 협력: die enge wirtschaftliche ~ 긴밀한 경제 협력; in ~ mit jm. 누구와 협력하여, 공동으로.

zusammen|arbeiten 《Ⅰ》 *i.* (h.) 협력하다, 공동 작업하다: wir müssen enger ~ 우리는 더욱 긴밀히 협력해야 한다. 《Ⅱ》 *t.* ① 함께 만들다. ② 〖비유〗 jn. ~ 흠뻑 두들겨 주다, 혼내다.

zusammen|backen* *i.* (h./s.) 〖방언〗 (빵 따위가) 타서 들러붙다.

zusammen|ballen 《Ⅰ》 *t.* 둥글게 하다, 둥근 덩어리로 만들다: Schnee ~ 눈을 둥글게 뭉치다; die Fäuste ~ (양손의) 주먹을 움켜쥐다; die zusammengeballte Macht des Kapitals 자본의 결집된 힘. 《Ⅱ》 *refl.* sich ~ 한 덩어리로 뭉쳐지다, 한 군데로 모여들다: 〖비유〗 das Unheil ballt sich zusammen 불행의 그림자가 짙게 다가오고 있다.

Zusammenballung *f.* -en 응집, 결집, 집적; 뭉쳐진 덩어리.

Zusammenbau *m.* -(e)s, -e 조립, 몽타주.

zusammen|bauen *t.* 조립하다: ich kann das Regal selber ~ 나는 책꽂이를 혼자서 조립할 수 있다.

zusammen|beißen* 《Ⅰ》 *t.* (이를) 악물다: die Zähne ~ 이를 악물다. 《Ⅱ》 *refl.* 〖구어〗 sich ~ (다툰 뒤) 점차 이해〔화합〕하다.

zusammen|bekommen* *t.* ① 모으다, 마련하다, 조달하다: genug Geld ~ 돈을 충분히 모으다. ② 〖구어〗 ↑ ~bringen ②.

zusammen|berufen* *t.* 불러모으다, 소집하다.

Zusammenberufung *f.* -en 소집.

zusammen|bestehen* *i.* (h.) 공존하다, 양립하다.

zusammen|betteln *t./refl.* 구걸하여 (조금씩) 모으다.

zusammen|biegen* *t.* 구부려서 합치다.

zusammen|binden* *t.* 한데 묶다, 묶다: Blumen (zu einem Strauß) ~ 꽃다발을 만들다.

zusammen|bitten* *t.* 함께 초청하다.

zusammen|blasen* *t.* ① 〖軍〗 나팔을 불어서 집합시키다. ② 〖工〗 (유리를) 불어서 합치다. ③ (카드로 짜맞춘 공작물을) 불어서 넘어뜨리다.

zusammen|bleiben* *i.* (s.) ① 함께 머무르다. ② 내내 함께 있다〔떨어지지 않다〕.

zusammen|bolzen *t.* 〖건축〗 볼트〔수나사〕로 꼭 죄다.

zusammen|borgen *t.* 여기저기서 빌려서 마련하다.

zusammen|brauen 《Ⅰ》 *t.* 〖구어〗 (혼합 음료·칵테일을) 이것저것 섞어서 만들다. 《Ⅱ》 *refl.* sich ~ (불행·재해가) 발생하다: zwischen den beiden braut sich etwas zusammen 두 사람 사이에 심상치 않은 일이 벌어지고 있다.

zusammen|brechen* *i.* (s.) ① 부서지다, 허물어지다, 붕괴하다: die Brücke brach infolge zu starker Belastung zusammen 과도한 하중으로 인해 다리가 무너졌다; die Wogen brachen über ihr zusammen 파도가 부서지며

그녀를 덮쳤다. ②쓰러지다, 주저앉다: vor Erschöpfung ist er auf offener Straße zusammengebrochen 지칠대로 지쳐 그는 대로상에서 쓰러졌다. ③기력을 잃다: nach dem Tod seiner Frau ist er völlig zusammengebrochen 아내가 죽고 나서 그는 완전히 기력이 쇠진해 버렸다. ④〖비유〗좌절하다, 실패하다, 도산하다, 마비되다: der feindliche Angriff ist (in sich) zusammengebrochen 적의 공격은 실패로 끝났다; die Firma brach wegen wirtschaftlicher Schwierigkeiten zusammen 그 회사는 경제적 어려움 때문에 도산하였다; der Verkehr ist durch die Schneemassen zusammengebrochen 엄청난 눈더미로 인해 교통이 마비되었다.

zusạmmen|bringen* *t.* ①모으다, 마련하다, 조달하다; 징수하다: er hat die nötigen Dokumente zusammengebracht 그는 필요한 서류를 마련하였다; ein Vermögen ~ 재산을 모으다. ②〖구어〗기억하여 짜맞추다, 기억해 내다: vor Aufregung brachte er keine drei Sätze zusammen 흥분한 나머지 그는 제대로 말을 하지 못했다; ich kann die Verse nicht mehr ~ 나는 그 시구가 더 이상 생각나지 않는다. ③ (**a**) 소개시키다, 사귀게 하다: kannst du mich gelegentlich mit ihm ~ ? 기회가 되면 나를 그에게 소개시켜 줄 수 있니? (**b**) 화해시키다: ich möchte die beiden gern wieder ~ 나는 그 두 사람을 다시 화해시키고 싶다. ④연결짓다, 연관시키다: zwei verschiedene Dinge ~ 두 개의 서로 다른 사물을 연관시키다.

***Zusạmmenbruch** *m.* -(e)s, ..brüche [..brʏçə, ...bry:çə] ①붕괴, 와해, 파멸; 도산, 파탄: der ~ war unvermeidlich 파멸은 피할 수 없었다; das führte zum ~ der Firma 그것은 회사의 도산을 초래하였다. ②졸도, 탈진: sie war einem ~ nahe 그녀는 거의 탈진 상태였다.

zusạmmen|drängen 《Ⅰ》*t.* ① (사람·짐승을) 한군데로 몰아붙이다, 밀어넣다. ②요약하다, 압축하다. 《Ⅱ》*refl.* sich ~ ①북적대다, 밀려들다: die Studenten drängten sich im Hörsaal zusammen 학생들이 강의실 안에 들어차 북적거렸다. ② (사건이) 단시간 내에 일어나다, 폭주하다: alles drängte sich innerhalb zweier Tage zusammen 모든 일은 이틀 사이에 집중적으로 일어났다. 《Ⅲ》**zusạmmengedrängt** *p.a.* ↑ zusammengedrängt.

zusạmmen|drehen *t.* (새끼 등을) 꼬다; 〖醫〗염전(捻轉)하다.

zusạmmendrückbar *a.* 압축할 수 있는.

Zusạmmendrückbarkeit *f.* 〖理〗압축성; 압축률.

zusạmmen|drucken *t.* 〖印〗(몇 개의 컬러 인쇄판을) 하나로 합쳐 인쇄하다.

zusạmmen|drücken *t.* 눌러 납작하게 만들다, 눌러 으깨다, 압축〔압착〕하다.

zusạmmen|eilen *i.* (s.) 서둘러 모여들다.

zusạmmen|fahren* 《Ⅰ》*i.* (s.) ① (차량이) 충돌하다. ②움찔하다, 기겁하다: bei der Explosion sind wir zusammengefahren 폭발이 일어났을 때 우리는 기겁을 하며 놀랐다. ③ (우유가) 응고하다. 《Ⅱ》*t.* ①〖구어〗(차량으로) 충돌하여 망가뜨리다: wer hat den Zaun zusammengefahren? 누가 울타리를 부숴뜨렸느냐? ② (차로) 운반해 모으다.

Zusạmmenfall *m.* -(e)s 동시 발생, 시간적 일치.

zusạmmen|fallen* *i.* (s.) ①무너지다, 붕괴하다: 〖비유〗wie ein Kartenhaus ~ (계획·기대가) 사상 누각처럼 무너지다, 무산되다; 〖비유〗seine Lügen sind bald (in sich) zusammengefallen 그의 거짓말은 곧 들통나고 말았다. ② (풍선·반죽이) 오그라들다, 가라앉다, 꺼지다. ③쇠약해지다, 야위다: er ist in der letzten Zeit stark zusammengefallen 그는 최근에 심하게 야위었다. ④ (**a**) 시간적으로 일치하다, 동시에 발생하다: in diesem Jahr fällt ihr Geburtstag mit Ostern zusammen 올해 그녀의 생일은 부활절과 겹친다. (**b**) 일치〔부합〕하다: damit fällt diese Behauptung in sich zusammen 그것과 이 주장이 일치한다. (**c**) 〖數〗(선·도형이) 서로 같다, 합동이다. ⑤ (öst.) 넘어지다, 쓰러지다.

zusạmmen|falten *t.* ①접다: die Serviette ~ 냅킨을 접다. ②포개다: die Hände ~ 양손을 포개다, 합장하다.

***zusạmmen|fassen** *t.* ①합치다, 통합하다: die einzelnen Verbände in einer Dachorganisation ~ 개별 단체들을 상부 조직에 통합하다. ②요약하다, 개괄하다: den Inhalt der Rede ~ 연설 내용의 요지를 간추려 말하다.

***Zusạmmenfassung** *f.* -en ①통합. ②요약, 개괄, 적요.

zusạmmen|fegen *t.* 쓸어모으다.

zusạmmen|finden* 《Ⅰ》*t.* 〖드물게〗찾아내 맞추다. 《Ⅱ》*refl.* sich ~ ①합치다, 결합하다. ②모이다, 회동하다: sie haben sich zu gemeinsamer Arbeit zusammengefunden 그들은 공동 작업을 위해 모였다.

zusạmmen|flechten* *t.* 떠서〔엮어·짜서〕합치다〔메우다〕.

zusạmmen|flicken *t.* ① (임시 변통으로) 대충 깁다〔짜맞추다〕: 〖비유〗dieser Aufsatz wirkt zusammengeflickt 이 글은 서투르게 짜맞춘 듯한 인상을 준다. ②〖구어·비유〗(상처를 꿰매어) 고치다, 살려내다: der Arzt hat ihn wieder zusammengeflickt 의사가 그를 다시 고쳐 놓았다.

zusạmmen|fliegen* *i.* (s.) 날아 모이다.

zusạmmen|fließen* *i.* (s.) (강이) 합류하다; (소리·색채가) 융합하다.

Zusạmmenfluß *m.* ..flusses, ..flüsse [..flʏsə] (강의) 합류, 합류 지점; (소리·색채의) 융합.

zusạmmen|frieren* *i.* (s.) 얼어붙다; 얼어서 오그라들다.

zusạmmen|fügen 《Ⅰ》*t.* 조립하다, 접합〔연결〕하다: Teile zu et.[3] ~ 부품을 짜맞추어 무엇을 만들다; 〖聖〗was Gott zusammengefügt hat, das soll der Mensch nicht scheiden 하느님이 짝지어 주신 것을 사람이 나누지 못할지니라(마태 19:6). 《Ⅱ》*refl.* sich ~ 조립되다, 접합〔연결〕되다; 조화를 이루다: die Farben fügen sich gut zusammen 색이 서로 잘 조화를 이루고 있다.

Zusạmmenfügung *f.* -en 짜맞추기, 조립, 결합, 연결; 〖醫〗문합(吻合).

zusạmmen|führen 《Ⅰ》*t.* 만나게〔모이게〕하다, 연결〔결합〕시키다: das Schicksal hat uns beide zusammengeführt 운명이 우리 둘

을 만나게 했다. 《Ⅱ》*i.* 만나다, 합쳐지다, 결합되다: die Wege führen hier zusammen 길이 이곳에서 하나로 합쳐진다.

Zusạmmenführung *f.* -en 상봉, 연결, 결합: Familien∼ 이산 가족 상봉.

zusạmmen|geben* *t.* 〖雅語·구식〗(두 사람을) 짝지우다, 결혼시키다.

zusạmmengedrängt 《Ⅰ》*p.p.* ↑ zusammendrängen. 《Ⅱ》*p.a.* 밀집〔집중〕된; 압축〔요약〕된: eine ∼e Schilderung 밀도 있는 묘사.

zusạmmen|gehen* *i.* (s.) ① 보조를 맞추다, 제휴〔협력〕하다: in dieser Wahl werden die beiden Parteien ∼ 이번 선거에 두 정당은 제휴할 것이다. ② 서로 어울리다, 잘 맞다: die beiden Farben gehen nicht gut zusammen 두 빛깔은 잘 어울리지 않는다. ③〖구어〗만나다, 합쳐지다: die Linien gehen an diesem Punkt zusammen 그 선들은 이 점에서 서로 만난다. ④〖방언〗(**a**) 수축하다: das Kleid ist nach der Wäsche zusammengegangen 세탁 후 옷이 줄어들었다. (**b**) 줄다, 감소하다.

zusạmmen|gehören *i.* (h.) ① 서로에게 속하다, 서로 긴밀하게 결합되다: wir beide gehören zusammen 우리 둘은 서로 긴밀한 관계가 있다. ② 짝을 이루다, 하나의 전체를 이루다: die ∼den sechs Servietten 여섯 개가 든 냅킨 세트.

zusạmmengehörig *a.* ① 서로 긴밀한 관계가 있는: sich ∼ fühlen 서로 연대감을 느끼다. ② 한 짝을〔조를〕이루는, 소속이 같은: die ∼en Spielkarten 한 패에 속하는 카드 장들.

Zusạmmengehörigkeit *f.* 소속이 같음, 짝을 이룸, 밀접한 연관성, 동질성.

Zusạmmengehörigkeits·gefühl *n.* 유대감, 연대감, 동질감, 공동체 의식.

zusạmmen|geraten* *i.* (s.) ① 우연히〔착오로〕만나다. ② 맞붙어 싸우다, 말다툼하다, 교전하다: durch eine Meinungsverschiedenheit sind beide heftig ∼ 의견 차이로 인해 둘은 격렬히 치고받고 싸웠다.

zusạmmen|gesellen *t.* 한 동아리로 만들다, 짝지우다.

zusạmmengesetzt 《Ⅰ》*p.p.* ↑ zusammensetzen. 《Ⅱ》*p.a.* 조립된, 구성된; 합성의, 복합의: das ∼e Wort 합성어, 복합어; aus et.³ ∼ sein 무엇으로 구성되다;〖비유〗aus (lauter) Vorurteilen ∼ sein (온통) 편견으로 가득 차 있다.

Zusạmmengesetztheit *f.* -en 합성〔복합〕상태, 복합성.

zusạmmengewürfelt 《Ⅰ》*p.p.* ↑ zusammenwürfeln. 《Ⅱ》*p.a.* 다양하게 구성된, 뒤범벅이 된, 혼란스러운: eine bunt ∼e Gesellschaft 각양각색의 사람들로 이루어진 모임.

zusạmmengezogen 《Ⅰ》*p.p.* ↑ zusammenziehen. 《Ⅱ》*p.a.* 수축된, 오그라든, 찌푸린: mit ∼er Stirn 이맛살을 찌푸리고.

zusạmmen|gießen* *t.* (한 곳으로) 부어〔쏟아〕모으다.

zusạmmen|grenzen *i.* (h.) 서로 경계를 접하다, 인접하다.

zusạmmen|haben* *t.* 모아 가지고 있다, 비축〔저축〕해 두고 있다.

Zusạmmenhalt [tsuzámənhalt] *m.* -(e)s ① 결합, 접착, 응집(력). ② (긴밀한) 유대, 단결: der ∼ der Mitglieder ging allmählich verloren 구성원들간의 결속력은 점차로 상실되어 갔다.

zusạmmen|halten* 《Ⅰ》*t.* ① 결합〔결속〕시키다, 모아두다, 함께 뭉쳐두다, 통솔〔장악〕하다: sie wurden von der Liebe zur Musik zusammengehalten 그들은 음악에 대한 사랑으로 결속되었다; er konnte seine Gedanken nicht mehr ∼ 그는 더 이상 생각을 집중시킬 수 없었다; der Lehrer konnte bei dem Ausflug die Klasse nur schwer ∼ 그 교사는 소풍 때 학급 아이들을 통솔하기가 몹시 어려웠다;〖구어〗sein Geld ∼ 돈을 쓰지 않다, 절약하다. ② 나란히 놓고 비교하다, 견주다: nur wenn man beide Gemälde zusammenhält, kann man die Entwicklung des Künstlers erkennen 그 두 그림을 비교해 보기만 하면 그 예술가의 발전된 모습을 알아볼 수 있다. 《Ⅱ》*i.* (h.) ① 결합〔접착〕되어 있다, 한데 붙어 있다. ② 일치 단결하다, 결속력을 유지하다: wir müssen auch in Notzeiten ∼ 우리는 곤궁한 때에도 단결해야 한다.

Zusạmmenhaltung *f.* -en 결합, 결속, 일치단결; 비교.

***Zusammenhang** [tsuzámənhaŋ] *m.* -(e)s, ..hänge [..hɛŋə] 연결, 관련, 관계, 맥락: im ∼ mit et.³ 무엇과 관련하여; in diesem ∼ 이와 관련하여; mit et.³ im ∼ stehen 무엇과 관계가 있다; zwei Ereignisse miteinander in ∼ bringen 두 사건을 서로 연관시키다; aus dem ∼ geraten 맥락에서 벗어나다; einen Satz aus dem ∼ reißen 어떤 문장을 문맥에서 떼어내다; sind Sie im ∼e? 당신은 전후 사정을 알고 계십니까?

zusạmmen|hangen* *i./t.* ↑ ∼hängen 《Ⅰ》.

zusạmmen|hängen 《Ⅰ》*i.* (h.) ① (공간적으로) 연결〔결합〕되어 있다, 붙어 있다: die Insel hing früher mit dem Festland zusammen 이 섬은 예전에 육지와 연결되어 있었다. ② 관계〔연관〕되다: seine Krankheit hängt mit dem Unfall zusammen 그의 병은 그 사고와 관계가 있다〔그 사고로 인한 것이다〕. 《Ⅱ》*t.* ① 한데 모아 걸다. ② 관련〔관계〕시키다.

zusạmmenhängend *p.a.* 연관된, 관계가 있는: eine damit ∼e Frage 그것과 연관된 문제; et. ∼ erklären 무엇을 연관지어〔조리 있게〕설명하다.

zusạmmenhanglos *a.* 연관(성)이 없는; 산만한.

Zusạmmenhanglosigkeit *f.* 연관성이 없음; 산만, 지리멸렬.

zusạmmenhangslos *a.* ↑ zusammenhanglos.

Zusạmmenhangslosigkeit *f.* ↑ Zusammenhanglosigkeit.

zusạmmen|hauen* *t.* 〖구어〗① 때려부수다, 박살내다: vor Zorn hat er das ganze Mobiliar zusammengehauen 격분한 나머지 그는 가구들을 모조리 때려부수었다. ②〖구어〗때려눕히다, 두들겨 패다. ③ 날림으로〔아무렇게나〕만들어내다: er hat den Tisch in 10 Minuten zusammengehauen 그는 책상을 10분만에 뚝딱해서〔날림으로〕만들어냈다;〖비유〗ein zusammengehauener Aufsatz 엉터리로 급조된 논문.

zusạmmen|häufen *t.* 쌓아올리다; (재산 등을) 축적하다.

zusạmmen|heften *t.* 꿰매어 결합시키다; 철하다.
zusạmmen|heilen *i.* (s.) (상처가) 아물다.
zusạmmen|hetzen *t.* 부추겨 서로 으르렁거리게 하다.
zusạmmen|holen *t.* (여러 곳에서) 불러모으다, 끌어모으다, 동원하다.
zusạmmen|jagen *t.* 한 군데로 몰다.
zusạmmen|kauern *refl.* sich ~ 웅크려〔쭈그려〕 앉다, 움츠러들다.
zusạmmen|kaufen *t.* 〖구어〗 사 모으다, 대량 구입하다, 매점(買占)하다.
zusạmmen|kehren *t.* 쓸어 모으다.
zusạmmen|ketten *t.* 사슬로 함께 연결하다.
zusạmmen|kitten *t.* ① (접합제로) 접합하다. ② (관계를) 되돌리다, 복구하다, 만회하다: unsere Freundschaft läßt sich nicht wieder ~ 우리의 금간 우정은 다시 돌이킬 수가 없다.
zusạmmen|klammern *t.* (클립으로) 꼭 집다, 철하다.
Zusạmmen·klang *m.* -(e)s, ..klänge [..klɛŋə] ① (여러 음들의) 조화로운 음향; 〖음악〗 화음, 협화음. ② 일치, 조화: ein ~ von unseren Empfindungen 우리의 감정의 일치.
zusạmmenklappbar *a.* 접었다 폈다 할 수 있는: ein ~es Taschenmesser 잭나이프.
zusạmmen|klappen 《I》 *t.* (우산·부채·칼 등을) 접다, 개(키)다: ein Taschenmesser ~ 주머니칼을 접다; den Schirm ~ 우산을 접다; 〖구어〗 die Hacken ~ 구두 뒤축을 딱 붙이다, 차렷 자세를 취하다. 《II》 *i.* (s.) 〖구어〗 힘이 쭉 빠지다, 푹 쓰러지다, 실신하다: er ist vor Erschöpfung zusammengeklappt 그는 너무 지쳐서 실신하고 말았다.
zusạmmen|klauben *t.* (südd., öst.) 따서〔주워〕 모으다; (연대기 등을) 편찬하다.
zusạmmen|kleben 《I》 *t.* 맞붙이다, 접착시키다. 《II》 *i.* (h.) 서로 달라붙어 있다.
zusạmmen|kleistern *t.* 〖구어〗 ① ↑ zusammenkleben. ② ↑ zusammenkitten.
zusạmmen|klingen* *i.* (h.) ① (여러 음들이) 동시에 울리다, 화음을 내다. ② (감정이) 조화롭게 일치하다.
zusạmmen|kneifen *t.* 꼭 다물다〔감다〕: mit zusammengekniffenen Lippen 입술을 꼭 다물고서.
zusạmmen|kneten *t.* 함께 반죽하여 섞다.
zusạmmen|knüllen *t.* (종이 등을) 구기다.
zusạmmen|knüpfen *t.* 묶어 연결하다.
zusạmmen|kommen* *i.* (s.) ① 모이다, 만나다, 회동하다: einmal im Jahr kommen die Mitglieder zusammen 회원들은 일 년에 한 번씩 모임을 갖는다; mit vielen Leuten ~ 많은 사람들을 알게 되다〔우연히 만나다〕. ② (여러 사건이) 동시에 일어나다. ③ 〖구어〗 (물건·기부금이) 모이다, 걷히다: an seinem Geburtstag sind viele Geschenke zusammengekommen 그의 생일날 많은 선물이 들어왔다.
zusạmmen|können* *i.* (h.) 만날〔모일〕 수 있다.
zusạmmen|koppeln *t.* ① (동물들을) 가죽끈으로 함께 잡아매다. ② 잇다, 연결하다. ③ (두 가지 사항을) 연관〔결부〕시키다.
zusạmmen|krachen *i.* (s.) 〖경박〗 ① 우지직 소리를 내면서 부서지다〔무너지다〕. ② (차량이) 쾅 부딪치다〔충돌하다〕: zwei Autos sind auf der Kreuzung zusammengekracht 두 대의 자동차가 교차로에서 충돌했다.
zusạmmen|kratzen *t.* 〖구어〗 긁어모으다, 힘들여 마련하다: dafür mußte ich meine letzten Groschen〔Pfennige〕 ~ 그것을 위해 나는 마지막 한푼까지도 긁어모아야 했다; 〖비유〗 ich habe meine letzten Brocken Englisch zusammengekratzt 나는 내 서툰 영어 실력을 총동원하였다.
zusạmmen|kriechen* *i.* (s.) 기어서 모이다; 움츠러들다.
zusạmmen|kugeln *refl.* sich ~ 공 모양처럼 되다, 덩어리지다.
Zusạmmenkunft *f.* ..künfte [..kʏnftə] 모임, 회합, 집회, 회의.
Zusạmmenkunfts·ort *m.* 모임〔집회〕 장소.
zusạmmen|läppern [..lɛpərn] *t./refl.* 〖구어〗 sich ~ 조금씩 모여 쌓이다: die Kosten läppern sich allmählich zusammen 비용이 점점 불어나고 있다.
zusạmmen|lassen* *t.* 함께 두다, 떼어놓지 않다; 한 군데로 모으다, 만나게 하다.
Zusạmmenlauf *m.* -(e)s, ..läufe [..lɔʏfə] ① 모여듦, 운집. ② 합류(점).
zusạmmen|laufen* *i.* (s.) ① 모여들다, 운집하다: eine Menge Schaulustiger war zusammengelaufen 많은 구경꾼들이 모여들었다. ② (물·강이) 합류하다; (길·선이) 만나다, 교차하다: 〖비유〗 mir lief das Wasser im Mund(e) zusammen 나는 입 안에 군침이 돌았다; 〖비유〗 alle Fäden liefen in seiner Hand zusammen 모든 실마리는 그가 쥐고 있었다; die ~den Linien 교차하는 선들; 〖비유〗 dort laufen alle Daten über gestohlene Fahrzeuge zusammen 도난 차량들에 대한 모든 정보는 그곳에서 수집되고 입력된다. ③ 〖구어〗 (색이) 서로 번지다, 섞이다. ④ 〖방언〗 (우유가) 응고하다. ⑤ 〖구어〗 (직물이) 줄어들다. ⑥ 〖구어〗 팀워크가 잘 이루어지다.
zusạmmen|läuten 《I》 *i.* (h.) 함께 울려 퍼지다: alle Glocken ~ lassen 모든 종을 일시에 울리다. 《II》 *t.* 종을 울려서 불러모으다.
zusạmmen|leben 《I》 *i.* (h.) 함께 살다, 공동생활을 하다. 《II》 *refl.* sich ~ 함께 살면서 서로 친숙해지다: wir haben uns gut zusammengelebt 우리는 함께 살며 의좋게 지냈다.
Zusạmmenleben *n.* -s 동거; 공동 생활.
zusạmmenlegbar *a.* 접었다 폈다 할 수 있는: ein ~er Fächer 접는 부채.
zusạmmen|legen *t.* ① 한데 모아 두다〔쌓아 놓다〕. ② 접다, 개키다: die Wäsche ~ 빨래를 개키다. ③ 한 곳에 수용하다: die Schwerkranken ~ 중환자들을 같은 병실에 수용하다. ④ 하나로 합치다, 통합하다: Grundstücke ~ (경지 정리를 위해) 토지를 병합하다. ⑤ (돈을) 모으다, 모금하다: wir haben (unser Geld) für ein Geschenk zusammengelegt 우리는 선물을 사려고 돈을 모았다. ⑥ (손·팔을) 포개다. ⑦ 같은 일정을 잡다: zwei Veranstaltungen ~ 두 행사를 동시에 개최하다.
Zusạmmenlegung *f.* -en 함께 (모아)두기, 병합; (주식·토지 등의) 통합.
zusạmmen|leihen* *t.* (돈을) 꾸어 모으다.
zusạmmen|leimen *t.* 아교로 붙이다〔접착하

다〕; 〔비유〕 굳게 결합시키다.
zusammen|lesen* *t.* (과실·조개를) 주워〔따〕 모으다: 〔비유〕 sein ganzes Wissen hat er sich³ (nur) zusammengelesen 그의 지식은 전부 주워 모은 것에 지나지 않는다.
zusammen|liegen* *i.* (h.) 인접해 있다, 나란히 붙어 있다.
zusammen|löten *t.* (부품을) 납땜하다.
zusammen|lügen* *t.* 〔구어〕 거짓말로 꾸며대다, 조작하다: das hat er doch alles nur zusammengelogen 그 모든 것은 그가 조작한 것일 뿐이다.
zusammen|machen *t.* 통합하다, 일괄하다.
zusammen|münden *i.* (h.) (강이) 합류하다.
zusammen|nähen *t.* ① 꿰매다, 봉합하다. ② 바느질하여 모으다: sich³ ein Vermögen ~ 바느질로 한 재산을 장만하다.
zusammen|nehmen* 《I》 *t.* ① (힘·생각 등을) 모으다, 집중시키다: seine Kräfte ~ 전력을 다하다. ② 총괄하다, 전체적으로 보다: alles zusammengenommen a) 전체적으로 보아, b) 요약하자면, 요컨대, c) 모두 합쳐서; alles zusammengenommen ist das Ergebnis positiv 전체적으로 보면 결과는 긍정적이다. 《II》 *refl.* sich ~ a) 생각을 가다듬다, 정신을 차리다, b) 꾹 참다; nimm dich (gefälligst) zusammen! (제발) 정신 좀 차려라!
zusammen|ordnen *t.* 함께 정리 정돈하다, 총정리하다; 같은 부류에 넣다.
zusammen|packen *t.* ① 함께 꾸리다, 한데 싸다. ② 치우다, 정리하다: pack deine Sachen zusammen! 네 물건 좀 치우거라!
zusammen|passen 《I》 *i.* (h.) 어울리다, 걸맞다, 조화를 이루다: die beiden passen gut zusammen 그 둘은 서로 잘 어울린다. 《II》 *t.* 조화시키다, 짜맞추다.
zusammen|pferchen *t.* (가축을) 같은 우리에 넣다; 〔비유〕 (사람을) 빽빽이 채우다: wir waren in einem kleinen Raum zusammengepfercht 우리는 좁은 공간 안에 빽빽이 들어차 있었다.
Zusammenprall *m.* -(e)s, -e 충돌.
zusammen|prallen *i.* (s.) 쾅 부딪치다, 충돌하다: 〔비유〕 mit jm. ~ 누구와 (의견이) 충돌하다.
zusammen|pressen *t.* ① 짓누르다, 눌러으깨다, 압착〔압축〕하다: Kleidungsstücke im Koffer ~ 의류를 트렁크에 꼭꼭 눌러넣다. ② (입술을) 꼭 다물다.
zusammen|raffen 《I》 *t.* ① 주워〔끌어〕 모으다: 〔비유〕 er rafft seine Kräfte zusammen 그는 자신의 힘을 모은다. ② 〔폄어〕 (돈·재산을) 악착같이 모으다: er kann nicht genug Geld ~ 그는 돈을 아무리 긁어 모아도 만족할 줄 모른다. ③ 걷어올리다: sie raffte den Vorhang zur Seite zusammen 그녀는 커튼을 옆으로 확 잡아당겨 열었다. 《II》 *refl.* 〔구어〕 sich ~ 힘〔기운〕을 내다, 정신을 차리다: nun raff dich aber mal zusammen! 이제 기운 좀 차려 봐!
zusammen|rappeln *refl.* 〔구어〕 sich ~ 가까스로 기운을 차리다.
zusammen|raufen *refl.* 〔구어〕 sich ~ (애로를 겪은 후) 서로 사이가 좋아지다.
zusammen|rechnen *t.* 합산〔합계〕하다.
Zusammenrechnung *f.* -en 합산, 총계.
zusammen|reimen 〔구어〕 《I》 *t.* 무엇의 아귀〔앞뒤〕를 맞추다; 파악하다: das kann ich mir nicht ~ 나는 그것을 도무지 이해할 수 없다; reimen Sie das zusammen, wenn Sie können 될 수 있으면 그 이유를 조리 있게 설명해 주시오. 《II》 *refl.* sich ~ 앞뒤가 맞다, 명백해지다, 설명되다: wie reimt sich das mit seinen Worten zusammen? 그것이 그의 말과 어떻게 연결되는 거야? (앞뒤가 맞지 않는다).
zusammen|reisen *i.* (s.) 함께 여행하다.
zusammen|reißen* 〔구어〕 《I》 *t.* 딱 맞붙이다(↑ ~schlagen 《I》①): die Hacken ~ 구두 뒤축을 딱 붙이다, 부동 자세를 취하다. 《II》 *refl.* sich ~ 정신 차리다, 기운 내다: nun reiß dich doch endlich zusammen! 자 이제 좀 정신 차려, 기운 내!
zusammen|reiten* 《I》 *i.* (s.) ① 말을 타고 모이다. ② 말을 타고 충돌하다; 〔비유〕 다투다, 말다툼하다. 《II》 *t.* ① ein Pferd ~ 말을 타서 지치게 하다. ② 〔비유〕 jn. ~ 누구를 꾸짖다.
zusammen|rennen* 〔구어〕 *i.* (s.) ① 재빨리 모여들다. ② 〔비유〕 부딪치다, 충돌하다: ich bin an der Straßenecke mit ihm zusammengerannt 길 모퉁이에서 나는 그와 부딪혔다.
zusammen|ringeln *refl.* sich ~ 몸을 돌돌 감다, 똬리를 틀다: eine zusammengeringelte Schlange 똬리를 튼 뱀.
zusammen|rollen 《I》 *t.* 둘둘 말다, 둥글게 감다: eine Landkarte〔Wolldecke〕 ~ 지도〔모포〕를 둘둘 말다. 《II》 *refl.* sich ~ ↑ ~ringeln.
zusammen|rotten *refl.* sich ~ (모반·폭동을 위해) 규합하다, 뭉치다.
Zusammenrottung *f.* -en (모반·폭동을 위한) 규합, 집단 형성.
zusammen|rücken 《I》 *t.* 가까이 붙이다, 간격을 좁히다, 서로 접근시키다: die Stühle ~ 의자들을 가까이 붙여 놓다. 《II》 *i.* (s.) 다가앉다, 당겨앉다, 접근하다; 〔비유〕 (관계가) 긴밀해지다: bitte rücken Sie noch etwas zusammen! 좀더 가까이들 다가앉으세요!
Zusammenruf *m.* -(e)s, -e 불러모음, 소집.
zusammen|rufen* *t.* 불러모으다, 집합시키다, 소집하다: die Kinder zum Essen ~ 아이들을 식사하라고 부르다.
Zusammenrufung *f.* -en ↑ Zusammenruf.
zusammen|rühren 《I》 *t.* 휘저어 섞다. 《II》 *i.* (h.) 서로 닿다〔접하다〕.
zusammen|rütteln *t.* ① 흔들어 섞다. ② 흔들어 넘어뜨리다〔부수다〕.
zusammen|sacken *i.* (s.) 〔구어〕 ① 폭삭 무너지다, 붕괴되다, 와해되다: die alte Scheune ist zusammengesackt 오래된 헛간이 폭삭 내려앉았다. ② 주저앉다, 쓰러지다: wenn er sich weiter so überanstrengt, sackt er noch zusammen 그 사람 계속 그렇게 무리하다간 쓰러지고 말 것이다.
zusmmen|scharen *refl.* sich um jn.〔et.〕 ~ 누구〔무엇〕의 주위에 떼지어 모여들다.
zusammen|scharren *t.* ① (나뭇잎·흙을) 긁어모으다, 파내어 쌓다. ② 〔구어·폄어〕 (돈을) 긁어모으다.
Zusammen·schau *f.* 개관, 개요, 요약.
zusammen|schaudern, ~|schauern *i.* (s.) 움찔하다, 소스라치다, 움츠러들다.

zusạmmen|schaufeln *t.* (삽으로) 퍼 모으다, 파내어 쌓다.

zusạmmen|scheißen *t.* 〖비속〗 혼쭐내다, 묵사발을 만들다.

zusạmmen|schichten *t.* 층층이 쌓아올리다.

zusạmmen|schicken 《Ⅰ》 *t.* 함께〔모아서〕 보내다. 《Ⅱ》 *refl.* sich ~ 마음이 맞다, 사이가 좋다.

zusạmmen|schieben* *t.* ① (책상·의자를) 밀어 모으다, 밀어서 가까이 붙이다. ② 밀어서 집어넣다: ein ausgezogenes Fernrohr wieder ~ 잡아뺀 망원경을 다시 밀어넣다.

zusạmmen|schießen* 《Ⅰ》 *t.* ① **(a)** 포격〔사격〕하여 파괴하다. **(b)** 〖구어〗 사살〔총살〕하다. ② (비용을) 갹출하다. 《Ⅱ》 *i.* (s.) ① (물이) 세차게 흘러 합류하다. ② (수정이) 결정(結晶)되다.

zusạmmen|schlagen* 《Ⅰ》 *t.* ① 세게 맞부딪치다: die Becken ~ 심벌즈를 쳐서 울리다; 〖구어〗 die Hacken ~ 구두 뒤축을 딱 붙여 모으다, 차렷 자세를 취하다; 〖구어〗 die Hände überm Kopf ~ (놀란 나머지) 말문이 막히다. ② (종이·천 따위를) 접다: eine Zeitung ~ 신문을 접다. ③ 〖구어〗 **(a)** 때려부수다, 박살내다. **(b)** 때려눕히다, 두들겨패다: er wurde nachts auf der Straße zusammengeschlagen 그는 밤에 노상에서 두들겨 맞았다. 《Ⅱ》 *i.* (s.) 덮치다, 무너져 내리다: die Wellen schlugen über dem Schiff zusammen 파도가 배를 덮쳤다.

zusạmmen|schleppen *t.* 끌어 모으다.

zusạmmen|schließen* 《Ⅰ》 *t.* (자물쇠를 채워) 함께〔한 줄에〕 묶다: die Sträflinge waren mit Handschellen zusammengeschlossen 죄수들이 수갑으로 채워져 한데 묶여 있었다. 《Ⅱ》 *refl.* sich ~ (공동 이익을 위해) 연합〔합병〕하다, 동맹〔제휴〕하다: die beiden Firmen haben sich zusammengeschlossen 그 두 회사는 합병하였다.

Zusạmmenschließung *f.* -en, **Zusạmmenschluß** *m.* ..schlusses, ..schlüsse [..ʃlʏsə] 연합, 통합, 합병, 동맹, 제휴, 결속.

zusạmmen|schmeißen* *t.* ↑ ~werfen.

zusạmmen|schmelzen* 《Ⅰ》 *t.* (금속을) 녹여 합치다: verschiedene Metalle zu einer Legierung ~ 여러 가지 금속을 녹여 합금을 만들다. 《Ⅱ》 *i.* (s.) 녹아 없어지다〔줄다〕: der Schnee ist in der Sonne zusammengeschmolzen 눈은 햇볕에 녹아 없어졌다; 〖비유〗 sein Vermögen ist zusammengeschmolzen 그의 재산은 점점 줄어들었다.

zusạmmen|schmieden *t.* ① 〖工〗 단접(鍛接)하다, 용접하다. ② 결합시키다; 짝지우다, 결혼시키다. ③ 〖비유〗 (시·노래를) 여기저기서 떼어다 짓다, 날조하다.

zusạmmen|schmiegen *refl.* sich ~ 서로 달라붙다, 껴안다.

zusạmmen|schmieren *t.* 〖구어〗 (글·그림을) 갈겨쓰다, 날림으로 그리다.

zusạmmen|schnallen *t.* 걸쇠로 잠그다.

zusạmmen|schnüren *t.* 끈으로 묶다, 졸라매다, 조르다: 〖비유〗 der Jammer schnürt ihm das Herz zusammen 슬픔이 그의 가슴을 죈다.

zusạmmen|schrauben *t.* 나사로 조여 결합시키다.

zusạmmen|schrecken* *i.* (s.) 소스라치게 놀라다, 놀라 움찔하다〔움츠러들다〕.

zusạmmen|schreiben* *t.* ① (여러 문헌에서) 모아서 쓰다: sein Referat ist aus mehreren Quellen zusammengeschrieben 그의 발표문은 몇몇 자료를 짜깁기하여 작성되었다. ② 〖구어〗 마구 써갈기다: wie kann man nur so viel Unsinn ~! 어떻게 그렇게 말도 안 되는 글을 써댈 수 있단 말인가! ③ 한 단어로 붙여쓰다. ④ 〖구어〗 글을 써서 돈을 벌다: er hat (sich³) mit Kriminalromanen ein Vermögen zusammengeschrieben 그는 추리 소설을 써서 상당한 수입을 올렸다.

Zusạmmenschreibung *f.* ↑ zusammenschreiben 의 명사형.

zusạmmen|schrumpfen *i.* (s.) (심하게) 쭈그러들다, 수축하다: ihre Haut ist zusammengeschrumpft 그녀의 피부는 쭈글쭈글해졌다; 〖비유〗 die Bevölkerung dieses Dorfes ist stark zusammengeschrumpft 이 마을의 인구는 크게 감소되었다.

zusạmmen|schustern *t.* 〖구어·폄어〗 대충 만들어내다〔작성하다〕.

zusạmmen|schütteln *t.* 흔들어 모으다.

zusạmmen|schütten *t.* (한 곳에) 부어넣다, 부어서 섞다.

zusạmmen|schweißen *t.* 용접하다: 〖비유〗 die gemeinsame Gefahr hat die beiden zusammengeschweißt 공동의 위험이 두 사람을 밀착시켰다.

zusạmmen|sein* *i.* (s.) 함께 있다〔살다〕: er ist nur drei Monaten mit ihr zusammengewesen 그는 그 여자와 석 달밖에 동거하지 않았다.

Zusạmmensein *n.* -s 공동 생활; (사교적인) 모임.

***zusạmmen|setzen** 《Ⅰ》 *t.* 짜맞추다, 조립하다: eine Maschine ~ 기계를 조립하다; Steine zu einem Mosaik ~ 돌로 모자이크를 만들다; Gewehre ~ 걸어총하다. 《Ⅱ》 *refl.* sich ~ ① **(a)** 함께 앉다: die beiden wollen sich in der Schule ~ 둘은 학교에서 같이 앉고 싶어한다. **(b)** 만나다, 모이다: wir sollten uns bald einmal ~ und alles besprechen 우리 조만간 한번 만나서 모든 걸 이야기해 봐야 할 텐데. ② 구성되다, 이루어지다: das Team setzt sich aus mehreren Wissenschaftlern zusammen 그 팀은 몇 명의 학자들로 구성된다. 《Ⅲ》 **zusạmmengesetzt** *p.a.* ↑ zusammengesetzt.

Zusạmmensetzung *f.* -en ① 조립, 조성, 구성, 합성; 구성물, 합성물. ② 구성 성분; 구성 방식: die ~ der Arznei ist mir nicht bekannt 이 약의 성분이 어떻게 되는지 나는 모르겠다. ③ 〖언어〗 합성어, 복합어.

zusạmmen|singen* 《Ⅰ》 *t.* ① 합창하다. ② 노래를 불러 돈을 벌다: sich³ ein Vermögen ~ 가수로서 재산을 모으다. ③ ungereimtes Zeug ~ 하찮은 것을 떠들어대다. 《Ⅱ》 *i.* (h.) 합창하다.

zusạmmen|sinken* *i.* (s.) ① 무너지다, 내려앉다, 붕괴되다. ② 비실비실 쓰러지다〔주저앉다〕. ③ 축 늘어지다: er saß zusammengesunken da 그는 기진맥진하여 앉아 있었다. ④ (불이) 서서히 꺼져 가다, 사그라들다.

zusạmmen|sitzen* *i.* (h.) 같이〔나란히〕 앉다; 동석하다.
zusạmmen|sparen *t.* 절약하여 모으다, 저축하다: eine ansehnliche Summe ~ 상당한 금액을 모으다.
Zusạmmenspiel *n.* -(e)s ① 합동 공연〔연주〕, 협연. ② 팀워크, 협력, 조화.
zusạmmen|spielen 《I》 *i.* (h.) 협연하다, 팀을 이루어 경기하다, 공조(共助)하다. 《II》 *t.* 공동으로 야기시키다, 초래하다.
zusạmmen|sprechen* *t.* ein Brautpaar ~ (교회 밖에서) 신랑 신부를 결혼시키다.
zusạmmen|stauchen *t.* 〖구어〗 ① 두들겨 쭈그러뜨리다; 구타하다. ② 호되게 꾸짖다.
zusạmmen|stecken 《I》 *t.* ① (핀이나 바늘로) 꿰매다, 연결하다. ② 〖비유〗 die Köpfe ~ 머리를 서로 맞대고 은밀히 이야기하다. 《II》 *i.* (h.) 〖구어〗 (대개 은밀히) 함께 있다: die beiden stecken immer zusammen 그 둘은 항상 붙어다닌다.
zusạmmen|stehen* *i.* (h.) ① 함께 서 있다. ② 서로 돕다, 단결하다: in Freud und Leid ~ 고락을 함께 하다.
zusạmmen|stehlen* 《I》 *t.* 훔쳐 모으다; (여러 책에서) 표절하여 편찬하다. 《II》 *refl.* sich ~ (애인끼리) 밀회하다.
zusạmmen|stellen *t.* ① 함께 (세워) 놓다, 나란히 세우다: stellen Sie sich dichter zusammen! 좀더 가까이들 다가 서세요! ② 짜맞추다, 작성하다, 편성하다, 구성하다: eine Liste〔Übersicht〕 ~ 목록을〔일람표를〕 작성하다; ein Programm ~ 프로그램을 편성하다; die Farben in diesem Raum sind gut zusammengestellt 이 공간은 색상이 잘 배합되어 있다.
Zusạmmenstellung *f.* -en ① 편찬, 작성, 편성, 구성. ② 편찬물, 편성표, 일람표, 개관.
zusạmmen|steuern *t.* 기부에 의해 모으다, 갹출하여 모으다.
zusạmmen|stimmen *i.* (h.) ① (소리·악기가) 조화를〔화음을〕 이루다. ② 일치〔화합〕하다: die Aussagen der beiden Zeugen stimmen nicht zusammen 두 증인의 진술은 서로 일치하지 않는다.
Zusạmmenstimmung *f.* -en 조화, 일치, 화합.
zusạmmen|stoppeln *t.* 〖구어·폄어〗 임시변통으로 급조하다, 여기저기서 주워 모아 대충 만들다.
Zusạmmenstoppelung [..luŋ] *f.* -en 대충 짜맞추기, 급조.
Zusammenstoß [tsuzámənʃto:s] *m.* -es, ..stöße [..ʃtø:sə] ① (특히 차량의) 충돌. ② 〖구어〗 격돌, 싸움, 언쟁, 의견 충돌: ich hatte mit ihm einen ~ 나는 그와 한판 붙었다.
zusạmmen|stoßen* 《I》 *t.* 맞부딪치다: die Gläser ~ (축배할 때) 잔을 맞부딪치다. 《II》 *i.* (s.) ① 충돌하다: die beiden Wagen sind in voller Fahrt zusammengestoßen 두 자동차가 전속력으로 달려와 충돌하였다. ② 말다툼하다, 의견 충돌하다. ③ 맞붙어 있다, 인접하다.
zusạmmenstoßend *p.a.* 인접한, 맞붙어 있는: ~e Grundstücke 인접해 있는 토지.
zusạmmen|streichen* *t.* 〖구어〗 (글을) 삭제하여 대폭 줄이다.
zusạmmen|strömen *i.* (s.) (강이) 합류하다; 〖비유〗 (사람들이) 떼지어 모이다, 운집하다: viele Menschen waren auf dem Platz zusammengeströmt 많은 사람들이 광장에 물밀듯 모여들어 있었다.
Zusạmmensturz *m.* -es, ..stürze [..ʃtʏrtsə] 붕괴.
zusạmmen|stürzen *i.* (h.) 붕괴하다, 무너지다: 〖비유〗 seine Pläne sind wie ein Kartenhaus zusammengestürzt 그의 계획은 사상누각처럼 무너져 버렸다.
zusạmmen|suchen *t.* 찾아〔주워〕 모으다.
zusạmmen|tragen* *t.* (여러 곳에서) 가져와 모으다, 수집하다: 〖비유〗 Zitate aus verschiedenen Büchern ~ 여러 책에서 인용문들을 끌어모으다.
zusạmmen|treffen* *i.* (s.) ① 만나다, 해후〔상봉〕하다: ich bin lange nicht mit ihm zusammengetroffen 나는 오랫동안 그를 만나지 못했다; 〖비유〗 das Ergebnis trifft mit der Erwartung nicht ganz zusammen 결과가 기대와 완전히 일치하지는 않는다. ② 시간적으로 일치하다, 동시에 일어나다: in diesem Jahr treffen mein Geburtstag und Ostern zusammen 올해 내 생일은 부활절과 겹친다.
Zusạmmentreffen *n.* -s ① 만남, 해후, 상봉. ② 시간적 일치, 동시 발생.
zusạmmen|treiben* *t.* ① (가축 등을) 몰아서 모으다, 한데 몰아넣다. ② 〖비유〗 (돈을) 사방에서 조달하다.
zusạmmen|treten* 《I》 *i.* (s.) 모이다, 회동하다: das Parlament ist zusammengetreten 의회가 소집되었다. 《II》 *t.* 마구 짓밟다, 밟아 부수다: eine Kiste ~ 상자를 짓밟아 부수다.
Zusạmmentritt *m.* -(e)s 모임, 회동, 회합.
zusạmmen|trommeln *t.* ① 북을 쳐서 모으다. ② 〖구어〗 불러모으다, 소집하다.
zusạmmen|tun* 〖구어〗 《I》 *t.* 한데 합치다〔섞다〕: bitte in die Waschmaschine nicht Weiß- und Buntwäsche ~! 세탁기에 흰 빨랫감과 색깔 있는 빨랫감을 함께 넣지 마시오! 《II》 *refl.* sich ~ 서로 힘을 합치다, 손을 잡다, 단결하다: die beiden haben sich zusammengetan, um ein Geschäft zu eröffnen 그 둘은 개업을 위해 서로 손을 잡았다.
zusạmmen|verbinden* *t.* ↑ verbinden.
zusạmmen|wachsen* *i.* (s.) ① 자라서 합쳐지다〔붙다〕; (상처가) 아물다, 유착하다: der Knochen muß erst wieder ~ 뼈가 일단 다시 붙어야 한다. ② 한 마음이 되다, 절친해지다: die beiden sind in ihrer langen Freundschaft zusammengewachsen 그 둘은 오랜 교분을 통해 단짝이 되었다.
zusạmmen|wehen *t.* 불어 모으다: zusammengewehter Schnee 바람에 날려와 쌓인 눈.
zusạmmen|werfen* *t.* ① 던져 모으다, 함께 던져 넣다: in einen Haufen ~ 던져 쌓아올리다. ② 뒤범벅으로 만들다, 뒤섞어 놓다. ③ 내던져 부수다.
zusạmmen|wickeln *t.* 한데 말다〔싸다〕.
zusạmmen|wirken *i.* (h.) ① 〖雅語〗 협력하다, 함께 일하다. ② 함께 작용하다: hier haben verschiedene Umstände zusammengewirkt 여기에는 여러 상황이 함께 작용했다.
zusạmmen|wohnen *i.* (h.) 동거하다, 같이 살다.
zusạmmen|würfeln 《I》 *t.* 뒤섞어 모으다.

《Ⅱ》**zusammengewürfelt** *p.a.* ↑ zusammengewürfelt.

zusammen|zählen *t.* 합산〔합계〕하다.

Zusammenzählung *f.* 합산, 합계.

zusammenziehbar *a.* 오므렸다 펼쳤다 할 수 있는.

zusammen|ziehen 《Ⅰ》*t.* ① (**a**) 끌어당겨 합치다: die Vorhänge ~ 커튼을 닫다. (**b**) 오므리다, 오그라뜨리다, 간격을 좁히다, 수축시키다: die Augenbrauen ~ 눈살을 찌푸리다; ein Loch im Strumpf ~ 양말 구멍을 꿰매다. ② 한 곳에 모으다, 집결시키다: Polizei ~ 경찰을 집결시키다. ③ (수·금액을) 합산〔총계〕하다. 《Ⅱ》*refl.* sich ~ ① 오므라들다, 움츠러들다, 수축하다: die Wunde hat sich zusammengezogen 상처가 아물었다. ② 형성〔생성〕되다: im Westen zieht sich ein Gewitter zusammen 서쪽 하늘에 뇌우가 몰려든다; 〖비유〗 das Unheil zog sich über seinem Kopf zusammen 불행의 그림자가 그의 머리 위에 드리워졌다. 《Ⅲ》*i.* (s.) 한 집으로 이사하다: sie ist mit ihm zusammengezogen 그녀는 그와 살림을 합쳤다. 《Ⅳ》**zusammengezogen** *p.a.* ↑ zusammengezogen.

zusammenziehend *p.a.* 수축성 있는; 〖醫〗 수렴성(收斂性)의: ~er Muskel 괄약근; ~e Mittel 수렴제(劑).

Zusammenziehung [..tsi:ʊŋ] *f.* 집결, 수축; 집결〔수축〕된 것.

zusammen|zucken *i.* (s.) (놀라거나 고통스러워서) 움찔하다, 경련을 일으키다.

zu·samt [tsuzámt] 《Ⅰ》*prp.*[3] 〖구식〗 …와 함께〔같이〕, …을 총망라해서. 《Ⅱ》*adv.* 〖드물게〗 ↑ zusammen.

Zusatz [tsú:zats] 《<zusetzen》 *m.* -es, ..sätz [..zɛtsə] ① 부가, 추가, 첨가, 가미: ein Salat unter ~ von Essig, Öl usw. 식초, 기름 등을 친 샐러드. ② 부가물, 첨가물: Vitamine als Zusätze zu Lebensmitteln 식품 첨가물로서의 비타민. ③ 부록, 추신: Zusätze zu einem Vertrag 계약의 부대 조항; einen ~ anbringen〔machen〕 부록을 달다.

Zusatz≈abkommen *n.* 추가 협정. **~antrag** *m.* 추가 제안, 〖의회〗 수정안. **~artikel** *n.* 단서; 〖法〗 추가 조항. **~bestimmung** *f.* 추가 규정, 부칙(附則). **~budget** [..bʏdʒɛ:] *n.* 〖法〗 추가 예산. **~gerät** *n.* 부속 기구, 부착기.

zusätzlich [tsú:zɛtslɪç] *a.* 부가의, 추가의: ~e Einnahmen〔Kosten〕 추가 수입〔비용〕.

Zusatz≈metall *n.* 합금. **~steuer** *f.* 부가세. **~tarif** *m.* 추가 요금. **~versicherung** *f.* 추가 보험. **~zahl** *f.* 〖복권〗 추가 당첨 숫자(이 숫자까지 맞으면 당첨금이 더욱 많아짐).

zuschanden [tsuʃándən] *adv.* 〖雅語〗 훼손되어, 못쓰게 되어, 망하여: 〖구어〗 sich ~ arbeiten 과로하여 건강을 망치다; ~ gehen 〔werden〕 실패하다, 수포로 돌아가다; ~ hauen〔schlagen〕 마구 때려 망가뜨리다; ~ machen a) 망치다, 파괴하다, b) (희망·계획을) 꺾다, 무산시키다; ein Pferd ~ reiten 말을 너무 타서 못쓰게 만들다〔죽이다〕.

zu|schanzen *t.* 〖구어〗 은밀히 주선〔알선〕해 주다, 돌보아 주다: jm. einen Posten ~ 누구에게 일자리를 주선해 주다.

zu|schärfen *t.* (도구·칼 따위를) 날카롭게 하다, 갈다.

zu|scharren *t.* 긁어모아 덮다〔메우다〕: ein Loch ~ 흙을 긁어 모아 구멍을 메우다.

zu|schauen *i.* (h.) (특히 obd.) (zusehen) 바라보다, 구경하다.

***Zuschauer** [tsú:ʃauər] *m.* -s, - 구경꾼, 관객, 시청자, 목격자.

Zuschauerin *f.* -nen ↑ Zuschauer 의 여성형.

Zuschauer≈kulisse *f.* (배경을 이루는) 관중 전체. **~raum** *m.* 객석, 관중석, 관람석; (법정의) 방청석.

Zuschauerschaft *f.* 관중.

Zuschauer≈tribüne *f.* 관중석, 관람석. **~zahl** *f.* 관중〔관객〕수.

zu|schaufeln *t.* 삽질하여 메우다: eine Grube ~ 삽질로 구덩이를 메우다.

zu|schicken *t.* 보내다, 송부하다.

zu|schieben* *t.* ① 밀어서 닫다: eine Schublade ~ 서랍을 닫다; einen Riegel ~ 빗장을 지르다. ② 떠넘기다, 전가시키다: er wollte mir alle Verantwortung ~ 그는 내게 모든 책임을 떠넘기려고 했다.

zu|schießen* 〖구어〗《Ⅰ》*i.* ① (h.) 발사〔발포〕하다: schieß zu! 쏘아라! ② (s.) 급히 다가가다, 돌진하다: auf der Straße schoß er auf mich zu 거리에서 그는 나를 보더니 곧장 다가왔다. 《Ⅱ》*t.* ① 쏘아 보내다: jm. den Ball ~ 누구 쪽으로 공을 차 보내다; jm. einen warnenden Blick ~ 누구에게 경고의 시선을 보내다. ② 기부〔출연(出捐)〕하다: er hat 20000 Mark für dieses Geschäft zugeschossen 그는 이 사업에 2만 마르크를 내놓았다.

zu|schiffen *i.* (s.) 〖海〗 auf einen Ort ~ 어떤 곳을 향하여 항해하다.

***Zuschlag** *m.* -(e)s, ..schläge [..ʃlɛ:gə] ① (**a**) (경매의) 낙찰: der ~ erfolgte an jn. 누구에게 낙찰되었다; er bot am meisten und erhielt den ~ 그는 가장 높은 값을 불러 낙찰받았다. (**b**) (상품·공사의) 수주(受注): den ~ für et. erhalten 무엇을 수주하다; jm. den ~ für et. erteilen〔geben〕 누구에게 무엇을 발주하다. ② 할증료, 가산금; 수당: der ~ für die erste Klasse 일등석에 붙는 추가 요금; für Intercity-Züge muß man ~ zahlen 도시간 급행 열차에는 할증 요금을 지불해야 한다; et. mit einem ~ von zehn Prozent verkaufen 무엇을 10% 더 붙여 팔다; Kinder~ 자녀 수당. ③ (**a**) 〖건축〗 골재. (**b**) 〖제련〗 광석 용해용 첨가제, 매용제(媒鎔劑).

Zuschlag·billet [..bɪljɛt] *n.* 급행권(券), 특급권, 할증권.

zu|schlagen* 《Ⅰ》*t.* ① (문·책을) 쾅 닫다, 탁 덮다: jm. die Tür vor der Nase ~ a) 누구의 면전에서 문을 쾅 닫아 버리다, b) 〖비유〗 누구를 매정하게 물리치다. ② 〖테니스·탁구〗 쳐서 보내다: jm. den Ball ~ 누구를 향해 공을 쳐 보내다. ③ 누구에게 낙찰시키다: das Bild wurde ihm zugeschlagen 그 그림은 그에게 낙찰되었다. ④ (할증료·이자를) 가산하다: 10% werden auf den Preis noch zugeschlagen 그 가격에 10%가 더 가산된다. ⑤ 〖건축·제련〗 (Zuschlag ③) (콘크리트·회반죽에 골재〔매용제〕를) 섞다, 첨가하다. ⑥ (**a**) 못질해서 막다〔봉하다〕: ein Faß〔eine Kiste〕~ 통을〔상자를〕 못질해 봉하다. (**b**) 두드려서 다

듬다: die Bruchsteine für eine Mauer ~ 거친 돌을 망치질해 벽의 석재로 만들다. 《Ⅱ》*i.* ① (s.) (문·창 등이) 쾅 닫히다: bei dem Wind ist die Tür zugeschlagen 바람에 문이 쾅 닫혔다. ② (h.) 가격하다, 때리려 들다, 덤벼들다: schlag zu! 쳐라, 때려!; 〔비유〕 bei den Angeboten im Kaufhaus habe ich sofort zugeschlagen 백화점 세일 때 나는 즉시 물건을 골라잡았다〔사 버렸다〕. ③ (h.) 〔雅語〕 jm. ~ 누구에게 효과가 있다, 잘 듣다.

Zuschläger *m.* -s, - (대장간의) 맞망치질공.

Zuschlag≈fahr·karte *f.* ↑ ~karte. **~frei** *a.* 할증 요금이 없는. **~gebühr** *f.* 할증 요금. **~kalkulation** *f.* ↑ Zuschlagskalkulation. **~karte** *f.* 할증 승차권. **~pflichtig** *a.* 할증 요금이 붙는. **~prämie** *f.* 추가 보험료. **~satz** *m.* ↑ Zuschlagssatz.

Zuschlags≈kalkulation *f.* 〚經〛 (간접 경비에 드는) 추가 금액 계산. **~satz** *m.* 할증률, 가산율.

Zuschlag·stoff *m.* 〚건축〛 ↑ Zuschlag ③.

zu|schleifen*[1] *t.* (칼)날을 예리하게 갈다.

zu|schleifen[2] *t.* 리본으로 매다.

zu|schleppen *t.* jm. et. ~ 누구에게 무엇을 끌고 오다, 누구를 위하여 무엇을 몰래 훔쳐다 주다.

zu|schließen* *t.* 열쇠로 잠그다, 닫아걸다, 자물쇠를 채우다: den Koffer ~ 트렁크를 잠그다; 〔비유〕 schließ dem Spott dein Ohr zu 조소하는 소리에 귀 기울이지 마라.

zu|schmeißen* *t.* 〔구어〕 쾅 닫다.

zu|schmelzen(*) 《Ⅰ》*t.* 〔약변화〕 녹여서 막다, 밀봉하다. 《Ⅱ》*i.* (s.) 〔강변화〕 녹아서 막히다.

zu|schmieren *t.* (터진 곳·구멍을) 발라서 막다〔메우다〕.

zu|schnallen *t.* 죔쇠로 죄다〔잠그다〕.

zu|schnappen *i.* ① (s.) 탁 닫히다, 찰칵 잠기다〔접히다〕. ② (h.) 덥석 물다.

Zuschneide≈brett *n.* 재단대(裁斷臺). **~kunst** *f.* 재단술(術). **~maschine** *f.* 재단기. **~messer** *n.* 재단칼.

zu|schneiden* *t.* ① 재단하다, 마르다: den Stoff ~ 옷감을 재단하다; Bretter für ein Regal ~ 널빤지를 잘라 책꽂이를 만들다. ② 맞추어 만들다〔제작하다〕: das Stück ist ganz auf die Hauptdarstellerin zugeschnitten 그 작품은 완전히 주연 여배우에게 맞추어 제작된 것이다.

Zuschneider *m.* -s, - 〔고어〕 재단사.

Zuschneiderin *f.* -nen ↑ Zuschneider 의 여성형.

Zuschneiderei *f.* 재단, 마름질.

Zuschneide≈schere *f.* 재단 가위. **~tisch** *m.* 재단대.

zu|schneien *i.* (s.) 눈으로 덮히다, 눈에 파묻히다: die Waldwege waren völlig zugeschneit 숲길들이 완전히 눈으로 덮혀 있었다.

Zuschnitt [tsúːʃnɪt] 《<zuschneiden》 *m.* -(e)s, -e ① 재단. ② 재단법; 스타일, 형(型), 양식: der ~ seines Lebens 그의 생활 양식; in großartigem ~ 대규모로; ein Mann von diesem ~ ist sehr selten 이런 스타일의 남자는 매우 드물다.

zu|schnüren *t.* 끈으로 조르다〔매다·묶다〕: ein Paket ~ 소포를 끈으로 묶다; die Schuhe ~ 구두끈을 매다; jm. die Kehle ~ a) 누구의 목을 조르다, b) 누구를 파멸시키다; 〔비유〕 die Angst schnürte ihr die Kehle fast zu 불안한 나머지 그녀는 목이 조여드는 것 같았다.

zu|schrauben(*) *t.* 나사로 죄다, 뚜껑을 돌려 닫다: das Marmeladenglas ~ 잼병의 뚜껑을 돌려 닫다.

zu|schreiben 《Ⅰ》*t.* ① 〔구어〕 덧붙여 쓰다, 추가 기입하다. ② 서류상으로 양도하다, 명의를 이전하다: er hat das Grundstück seinem Sohn ~ lassen 그는 그 토지를 아들 이름으로 명의 변경했다; 10 % des Reingewinns werden seinem Konto zugeschrieben 순이익의 10 %는 그의 은행 계좌로 들어간다. ③ **(a)** 누구의 것으로 돌리다: jm. das Verdienst 〔die Schuld an et.〕 ~ 누구에게 공로를〔무엇에 대한 책임을〕 돌리다; das hast du dir selbst zuzuschreiben 그것은 너 자신이 책임져야 한다; das Bild wird Leonardo zugeschrieben 이 그림은 레오나르도의 작품으로 간주되고 있다. **(b)** 무엇이 있다고 여기다: et.³ eine Bedeutung ~ 무엇에 의미가 있다고 믿다; dieser Quelle wird eine wundertätige Wirkung zugeschrieben 이 샘물에는 기적을 일으키는 효력이 있다고 여겨지고 있다. 《Ⅱ》*i.* (h.) jm. ~ 누구에게 승낙의 답장을 쓰다.

zu|schreien* *t.* 누구를 향해 소리치다: jm. Schimpfworte ~ 누구에게 큰소리로 욕설을 퍼붓다.

zu|schreiten* *i.* (s.) 누구를 향해 걸어가다: auf jn. ~ 누구에게 다가가다.

Zuschrift [tsúːʃrɪft] 《<zuschreiben》 *f.* -en ① 편지, 투서: ich habe auf meine Anzeige viele ~en bekommen 내가 낸 광고에 많은 편지가 답지했다; eine ~ aus dem Leserkreis 독자로부터의 투고. ② 헌사.

zuschriftlich *adv.* 서면으로.

zuschulden [tsuʃúldən] *adv.* 〔다음 용법으로만〕 sich³ et. ~ kommen lassen 어떤 죄를 범하다: ich ließ mir nichts ~ kommen lassen 나는 아무것도 잘못한 게 없다.

Zuschuss 新정서 ⇦ Zuschuß.

Zuschuß [tsúːʃʊs] 《<zuschießen》 *m.* ..schusses, ..schüsse [..ʃʏsə] ① 보조금, 지원금, 수당: einen beträglichen ~ leisten〔zahlen〕 상당한 보조금을 지급하다; 〔구어〕 es wird gleich ~ geben 봐라 곧 얻어맞을 테니. ② 〚印〛 증쇄분(增刷分).

Zuschuß≈betrieb *m.* 보조금 의존 기업. **~bogen** *m.* 〚印〛 ↑ Zuschuß ②. **~steuer** *f.* 부가세. **~wirtschaft** *f.* 보조금 의존 경제.

zu|schustern *t.* 〔구어〕 ① (돈을) 기부하다, 내놓다. ② 은밀히 주선〔배려〕하다.

zu|schütten *t.* ① 〔구어〕 더 붓다〔따르다〕. ② (흙·모래로) 메우다.

zu|schwären *i.* (s.) 〚醫〛 곪아서 막히다.

zu|schwören* *t.* 〔구식〕 (jm. et) 맹세하다: jm. Treue ~ 누구에게 충성을 맹세하다.

zu|sehen* *i.* (h.) ① **(a)** 보다, 바라보다, 구경하다; 관찰하다: jm. 〔et.³〕 aufmerksam〔interessiert〕 ~ 누구를〔무엇을〕 주의깊게〔흥미롭게〕 바라보다. **(b)** 방관〔방임〕하다: ich kann nicht ruhig ~, wenn man so ungerecht verfährt 그런 불의를 그냥 보고만 있을 수는 없다; da sehe ich nicht mehr lange zu! 이제 더 이상 기다리고만 있지 않겠다! ② 〔daß 문장과

함께〗(…하도록) 노력〔주의〕하다: ich will ~, daß ich pünktlich bin 시간을 꼭 지키겠다; sieh zu, daß du nicht fällst! 넘어지지 않도록 조심해라!

Zusehen *n.* -s 구경, 관찰; 방관: bei näherem ~ 더 자세히 관찰해 보면, 잘 주의해 보면; das habe ich vom bloßen ~ gelernt 나는 그것을 단지 어깨너머로 배웠을 뿐이다; (schweiz.) auf ~ hin 한시적으로.

zusehends [tsú:ze:ənts] *adv.* 눈에 띄게, 완연히, 현저하게: dem Kranken geht es ~ besser 그 환자는 현저히 좋아지고 있다.

Zuseher *m.* -s, - (öst.) 구경꾼.

zu|sein* *i.* (s.) ①〖구어〗닫혀〔잠겨〕있다. ②〖구어〗매우 취해 있다.

zu seiten [..záitən] *prp.²* …의 곁에(서); 옆에(서): ~ des Altars 제단 옆에(서).

zu|senden⁽*⁾ *t.* 보내다(zuschicken).

Zusendung *f.* -en 발송(물).

zu|setzen 《Ⅰ》 *t.* ① 첨가하다, 섞다: der Suppe Salz ~ 수프에 소금을 치다. ② (돈을) 추가로 들이다, 쏟아붓다:〖구어〗bei dem Geschäft habe ich viel zugesetzt 그 장사로 나는 많이 손해보았다;〖비유〗du hast nicht mehr viel zuzusetzen 자넨 더 이상 여력이 없잖아. 《Ⅱ》 *refl.* sich ~ (구멍이) 막히다: die Düse hat sich zugesetzt 노즐이 (불순물로 인해) 막혔다. 《Ⅲ》 *i.* (h.) ① 끈질기게 부탁하다, 졸라대다, 괴롭히다, 몰아세우다: jm. mit Fragen〔Bitten〕~ 누구에게 성가시게 질문〔청탁〕을 해대다; dem Feind hart〔scharf〕~ 적을 세차게 몰아붙이다; ihm wurde so lange zugesetzt, bis er gestand 꼬치꼬치 캐묻는 통에 그는 드디어 자백했다. ② 깊은 슬픔을〔고통을〕 주다, 쇠약하게 하다: der Tod seines Vaters hat ihm sehr zugesetzt 아버지의 죽음으로 그는 깊은 슬픔에 빠졌다; die Schwüle setzt mir zu 무더위로 내 몸이 쇠약해지고 있다.

zu|sichern *t.* 확약하다, 보증하다: jm. Hilfe〔Unterstützung〕~ 누구에게 도움을〔지지를〕굳게 약속하다.

Zusicherung *f.* -en 확약, 보증.

zu|siegeln *t.* 봉함하다, (무엇에) 봉인하다.

Zuspätkommende* *der/die* 지각한 사람.

Zuspeise *f.* -n〖드물게〗부식, 반찬, 안주.

zu|sperren *t.* (südd., öst.) 잠그다, 닫아걸다.

zu|spielen *t.* ①〖스포츠〗패스하다: jm. den Ball ~ 누구에게 공을 패스하다. ② 슬며시 건네다〔전하다〕: er hat der Presse parteiinterne Informationen zugespielt 그는 언론에 당 내부의 정보를 슬쩍 흘려주었다.

zu|spitzen 《Ⅰ》 *t.* ① (말뚝 등을) 깎아 뾰족하게 만들다. ② 긴박하게 하다, 첨예화하다: die Lage noch ~ 상황을 더욱 긴박하게 하다, 어렵게 만들다. 《Ⅱ》 *refl.* sich ~ ① 뾰족해지다, 날카롭게 되다. ② 첨예화되다, 긴박해지다: der Konflikt spitzte sich mehr und mehr zu 갈등이 점점 더 첨예화되었다. 《Ⅲ》 **zugespitzt** *p.a.* ↑ zugespitzt.

Zuspitzung *f.* -en 첨예화, 극단화.

Zusprache *f.* -n ① 위로의 말. ② (schweiz.) 승인.

zu|sprechen* 《Ⅰ》 *t.* ① 말하다, 말해 주다: jm. Mut〔Trost〕~ 누구를 격려〔위로〕하다. ② (a) (↔ absprechen) jm. et. ~ 무엇이 누구에게 귀속된다고 판결하다: das Gericht sprach ihm das Erbe zu 법정은 그에게 유산 상속권이 있다고 판결했다; bei der Scheidung wurde das Kind der Mutter zugesprochen 이혼 소송에서 그 아이는 어머니가 맡아야 한다는 판결이 났다. (b) 인정하다: einem Kraut heilende Wirkung ~ 어떤 약초에 치료의 효능이 있다고 인정하다; man sollte ihr dieses Verdienst ~ 그녀가 이 공로의 주역임을 인정해야 한다. 《Ⅱ》 *i.* (h.) ① 말을 건네다: jm. ermutigend〔tröstend〕~ 누구에게 격려〔위로〕의 말을 하다. ②〖雅語〗(음식물을) 즐기다, 섭취하다: dem Essen tüchtig ~ 식사를 양껏 하다.

Zusprechung [..ʃprɛçʊŋ] *f.* -en 인정 판결.

zu|springen* *i.* (s.) ① (자물쇠 등이) 찰칵 잠기다. ② (a) auf jn. ~ 누구의 쪽으로 달려가다, 와락 달려들다. (b)〖구어〗als sie zu stürzen drohte, konnte ich gerade noch helfend ~ 그녀가 쓰러지려고 했을 때 나는 간신히 몸을 날려 그녀를 도울 수 있었다.

Zuspruch [tsú:ʃprux] 《<zusprechen》 *m.* -(e)s〖雅語〗① 위로〔격려〕의 말, 다정한 충고: sie hat aus seinem ~ wieder Mut geschöpft 그녀는 그의 따뜻한 격려의 말에 다시 용기를 얻었다. ② 인기, 호응, 성황, 쇄도: sich großen ~s erfreuen 큰 인기를 누리다; der Arzt hat viel ~ 그 의사에게는 사람들이 많이 몰린다.

***Zustand** [tsú:ʃtant] 《<zustehen》 *m.* -(e)s, ..stände [..ʃtɛndə] ① (a) 상태, 형편, 상황: Gesundheits~ 건강 상태; sein ~ ist hoffnungslos〔bedenklich〕그의 상태는 절망적이다〔심각하다〕; in diesem ~ kann ich dich nicht allein lassen 이런 상황에 너를 혼자 놔둘 수는 없다. (b)〖복수〗정세, 상황: die politischen Zustände im Lande 나라의 정치적 상황;〖구어〗das sind doch keine Zustände! 이대로는 안 된다, 무언가 달라져야 한다!;〖구어〗(das sind) Zustände wie im alten Rom! 형편이 말이 아니다, 정말 형편없는 상황이다! ②〖복수〗〖구어〗흥분, 노기, 광기: Zuständebekommen〔kriegen,haben〕격분하다; in allen Zuständen sein 대단히 흥분하고 있다.

zustande [tsuʃtándə] *adv.*〖다음 용법으로만〗et. ~ bringen 무엇을 성취하다, 이루어내다; ~ kommen 성사되다, 실현되다;〖구식〗~ sein 완료되어 있다.

Zustande≈bringen *n.* 이루어냄, 성취. **~-kommen** *n.* 이루어짐, 성공, 성립, 실현.

zuständig [tsú:ʃtɛndɪç] 《<zustehen》 *a.* ① 결정권〔권한〕이 있는, 책임지고 있는: die ~e Stelle 담당〔주무〕부서; die ~e Behörde 해당 관청: dafür bin ich nicht ~ 그것은 내 권한 밖의 일이다, 내 담당이 아니다. ② (öst.) 거주권이 있는: sie ist nach Graz ~ 그녀는 그라츠 시민이다. ③ jm. ~ sein 누구의 소유다, 누구에게 속하다.

zuständigen·orts *adv.*〖격식〗관할 관청에서, 주무 부서에 의해.

Zuständigkeit *f.* -en (a) 권한, 관할, 담당: in wessen ~ fällt das? 그것은 누구 소관입니까? (b) 관할 영역〔구역〕, 소관 사항.

Zuständigkeits≈bereich *m.* 관할 구역. **~-halber** *adv.*〖격식〗권한상, 소관상.

zuständlich [..ʃtɛntlıç] 《<Zustand》 *a.* 〖드물게〗 상태에 따른〔관한〕, 정태적(靜態的)인.
Zustands=änderung *f.* 〖理〗 상태 변화. **~gleichung** *f.* 〖理〗 상태 방정식. **~größe** *f.* 〖理〗 상태량. **~passiv** *n.* 〖언어〗 상태 수동. **~verb** *n.* 〖언어〗 상태 동사(stehen, liegen 따위).
zustatten [tsuʃtátən] *adv.* 〖다음 용법으로만〗 jm.〔et.³〕 ~ kommen 누구에게〔무엇에〕 도움이 되다, 유익하다: was du jetzt lernst, wird dir später im Beruf ~ kommen 네가 지금 배우고 있는 것이 나중에 직업 활동을 할 때 네게 도움이 될 것이다.
zu|stechen* *i.* (h.) (칼·창으로) 찌르다.
zu|stecken *t.* ① (구멍·터진 데를) 핀으로 꽂아 막다, 임시로 봉합하다. ② 몰래 찔러 주다, 슬쩍 쥐어 주다: jm. Geld ~ 누구에게 돈을 슬쩍 집어 주다.
zu|stehen* 《I》 *i.* (h.) ① (누구의) 권한에 속하다: ihm stehen im Jahr 21 Urlaubstage zu 그에게는 1 년에 21 일간의 휴가를 가질 권리가 있다; es steht ihm nicht zu, hier zu befehlen 그에게는 이 일에 대하여 명령할 권한이 없다. ② 〖구어〗 (문 따위가) 닫혀 있다. 《II》 *t.* (zugestehen) 자백하다, 시인하다.
zu|steigen *i.* (s.) (도중의 역에서) 승차하다: noch jemand zugestiegen? 승차하신 분 또 계십니까? (검표원의 질문)
zu|stellen *t.* ① 물건을 놓아 막다〔가리다〕: ein Fenster mit einem Schrank ~ 장농을 놓아 창을 막다. ② (우편물을) 배달하다, (서류·문서를) 송달하다: jm. eine Vorladung ~ 누구에게 소환장을 송달하다.
Zusteller *m.* -s, - 〖官〗 우편 배달부, 집배원.
Zustellung *f.* -en (우편물 등의) 송달, 배달.
Zustellungs·urkunde *f.* 〖官〗 송달〔배달〕 증서, 송달〔배달〕장(狀).
Zustell·vermerk *m.* (속달 우편물의 배달 시간을 적은) 배달 기록.
zu|steuern 《I》 *i.* (s.) 나아가다, 방향을 정하다: et.³ 〔auf et.〕 ~ a) 〖海〗 무엇을 향해 항로를 잡다, 키를 돌리다, b) 무엇을 목표로 나아가다; 〖비유〗 auf eine Krise ~ 위기를 향해 치닫다; 〖비유〗 er steuerte geradewegs auf mich zu 그는 곧장 나를 향해 걸어왔다. 《II》 *t.* ① 나아가게 하다, 몰다: er steuerte den Wagen dem See 〔auf den See〕 zu 그는 차를 호수 쪽으로 몰았다. ② 기부하다, 내놓다: meine Eltern haben zu unserer Reise 300 Mark zugesteuert 부모님은 우리의 여행을 위해 300 마르크를 내놓으셨다.
***zu|stimmen** *i.* (h.) 찬성〔동의〕하다: einem Vorschlag ~ 어떤 제안에 찬성하다; er nickte mir ~d zu 그는 나를 향해 고개를 끄덕여 동의를 표했다.
***Zustimmung** *f.* -en ① 찬성, 동의: als Zeichen der ~ nicken 동의의 표시로 고개를 끄덕이다. ② 박수, 갈채: seine Rede fand bei den Zuhörern lebhafte ~ 그의 연설은 청중들에게 열렬한 갈채를 받았다.
zu|stopfen *t.* ① 틀어막다, 채워서 메우다. ② 〖드물게〗 (구멍이나 터진 데를) 바늘로 깁다: ein Loch im Strumpf ~ 양말 구멍을 꿰매다.
zu|stöpseln *t.* 마개로 막다: eine Flasche ~ 병마개를 하다.
zu|stoßen* 《I》 *t.* 밀쳐서〔차서〕 닫다: die Tür mit dem Fuß ~ 문을 발로 차서 닫다. 《II》 *i.* ① (a) (h.) 타격을 가하다, 찌르다: stoß zu! 찔러! (b) (h.) 왈칵 대들다; (뱀·맹수가) 날쌔게 덤벼들다. (c) (s.) auf jn. ~ 누구를 향해 돌진하다. ② (s.) 일어나다, 생기다: ihm muß etwas zugestoßen sein 그에게 틀림없이 무슨 일이 일어났다; 〖은폐〗 wenn mir etwas ~ sollte 만일 내가 죽게 된다면.
zu|streben *i.* (h.) (…을 향해) 서둘러가다, 노력하다: einem Treffpunkt 〔auf einen Treffpunkt〕 ~ 집합 장소를 향해 달려가다.
zu|streichen 《I》 *i.* (h.) ↑ zustreben. 《II》 *t.* (틈새를) 발라서 막다〔메우다〕.
zu|stricken *t.* 뜨개질하여 마무리하다: einen Strumpf ~ 양말의 발가락 끝을 마무르다.
Zustrom *m.* -(e)s 밀어닥침, 쇄도; 유입: der ~ kalter Polarluft 극지방 찬 공기의 유입.
zu|strömen *i.* (h.) 흘러들다, 유입되다; 몰려들다, 쇄도하다: die Menge strömt dem Sportplatz 〔auf den Sportplatz〕 zu 군중들이 경기장으로 몰려든다.
zu|stülpen *t.* 덮개로 씌우다〔덮다〕.
Zustupf *m.* -(e), -e (schweiz.) 보조금(Zuschuß), 추가 수입(Zuverdienst).
zu|stürmen *i.* (s.) auf jn. ~ 누구를 향하여 돌진하다, 몰려가다.
zu|stürzen *i.* (s.) auf jn. ~ 누구를 향하여 돌진하다, 달려들다.
zu|stutzen *t.* ① (수목을) 가지치기하다. ② 다듬다, 손질하다: das Programm ist auf Kinder zugestutzt 이 프로그램은 어린이들을 위해 각색된 것이다; jn. zu et.³ ~ 무엇을 할 수 있도록 누구를 훈련시키다, 길들이다.
zutage [tsutá:gə] *adv.* 〖다음 용법으로만〗 ~ bringen〔fördern〕 a) 〖광산〗 채굴하다, b) 드러내다, 공개〔폭로〕하다; ~ kommen〔treten〕 드러나다, 밝혀지다, 폭로되다; offen〔klar〕 ~ liegen 명백〔분명〕하다; seine Absichten liegen offen ~ 그의 의도는 명백히 드러나 있다.
Zutage·streichen *n.* 〖광산〗 (광맥·지층의) 노출.
zu|tappen *i.* (s.) 손으로 더듬거리며 나아가다, 어설픈〔위태로운〕 걸음걸이로 걷다.
Zutat [tsú:ta:t] 《<zutun》 *f.* -en ① 〖대개 복수〗 첨가(물), (옷의) 부속품: zu diesem Gericht brauchen Sie folgende ~en 이 요리에는 다음과 같은 첨가물이 필요합니다. ② 추가된 것: die Anmerkung ist eine ~ des Herausgebers 이 주석은 편집자가 첨가해 넣은 것이다.
***zuteil** [tsutáıl] *adv.* 〖다음 용법으로만〗 jm. ~ werden 누구에게 배분되다: ihm wurde gute Pflege ~ 그는 극진한 간호를 받았다; wir möchten unseren Kindern eine gute Erziehung ~ werden lassen 우리는 우리 아이들이 훌륭한 교육을 받게 하고 싶다.
zu|teilen *t.* ① 나누어 주다, 분배하다, 할당하다: im Krieg wurden der Bevölkerung die Lebensmittel zugeteilt 전쟁 중 주민들에게 식료품이 배급되었다; et. zugeteilt bekommen 무엇을 할당받다; die mir zugeteilte Rolle 내게 주어진 역할. ② 배정〔배속〕하다: er ist unserer Abteilung zugeteilt worden 그는 우리 부서에 배속되었다.
Zuteilung *f.* -en ① 분배, 배급, 할당; 배속,

배치. ② 할당〔분배·배급〕량, 몫: die ~en an Zucker werden immer kleiner 설탕의 배급량이 점점 줄어들고 있다.

zutiefst [tsutí:fst] *adv.* 매우 깊게〔심하게〕, 완전히: er war ~ beleidigt 그는 매우 심하게 모욕을 당했다.

zu|traben *i.* (s.) auf jn.〔et.〕 ~ 누구를〔무엇을〕 향해 구보〔속보〕로 달려가다.

zu|tragen 《Ⅰ》 *t.* 누구에게 날라 주다, 갖다 주다; 고자질하다: sie trägt ihm alles sofort zu 그녀는 그에게 모든 것을 즉시 일러바친다. 《Ⅱ》 *refl.* 〖雅語〗 sich ~ 일어나다, 발생하다: etwas Merkwürdiges hat sich heute morgen zugetragen 오늘 아침에 어떤 이상한 일이 일어났다.

Zuträger *m.* -s, - 밀고자, 정보원.

Zuträgerei [..trɛ:gəráɪ] *f.* -en ① 밀고, 고자질. ② 일러바치는 말, 험담, 수다.

zuträglich [..trɛ:klɪç] *a.* 〖雅語〗 유익한, 몸에 좋은: das Klima hier ist ihm nicht ~ 이곳 기후는 그의 몸에 좋지 않다.

Zuträglichkeit *f.* 유익, 유리.

***zu|trauen** *t.* 믿다, 신뢰하다: jm. et. ~ 누가 무엇을 할 수 있다고 믿다, 누구에게 무엇이 있음을 믿다; ich traue ihm nichts Böses zu 나는 그에게 악의가 없으리라고 믿는다; diese Tat kann ich ihm nicht ~ 나는 그가 이런 행위를 했다고 믿을 수가 없다; sich³ 〔seinen Kräften〕 zuviel ~ 자신의 능력을 지나치게 믿다, 자신만만해 하다; sich³ nichts ~ 자신 없어하다.

Zutrauen *n.* -s 신뢰, 신임: ich habe kein ~ zu ihm 나는 그를 신뢰하지 않는다; jm. sein ~ schenken 누구를 신임하다.

zutrauen·erweckend *a.* 신뢰를 불러일으키는, 믿음이 가는.

zutrauens·voll *a.* 신뢰에 찬.

zutraulich [tsú:traulɪç] *a.* 신뢰하는, 두려움 없는, 붙임성 있는: jn. ~ anblicken 누구를 신뢰의 눈길로 바라보다.

Zutraulichkeit *f.* -en ① 신뢰성, 친밀감. ② 붙임성 있는 언행, 거리낌없는 태도.

zu|treffen* *i.* ① (h.) 옳다, 맞다, 적합하다: ihr Urteil trifft durchaus zu 그녀의 판단이 딱 들어맞는다; es trifft nicht zu, daß ... …은 사실과 다르다; auf〔für〕 et. ~ 무엇에 들어맞다, 해당되다; das trifft auf〔für〕 alle Studenten zu 그것은 모든 학생에게 해당된다. ② (s.) 일어나다, 생기다.

zutreffend *p.a.* 적절한, 해당되는, 올바른: eine ~e Antwort 적절한 대답.

Zutreffende* *das* 적절한 것, 해당되는 것: ~s bitte unterstreichen! 해당 사항에 밑줄을 치시오!

zutreffenden·falls *adv.* 〖격식〗 사실과 일치하는 경우에는, 해당되는 경우에는.

zu|treiben* 《Ⅰ》 *t.* (동물 등을) 몰다, 쫓다: das Wild den Jägern ~ 사냥감을 사냥꾼들 쪽으로 몰다; 〖비유〗 dein Schelten hat ihn dem Tode zugetrieben 너의 힐책이 그를 죽음으로 몰았다. 《Ⅱ》 *i.* (s.) 흘러가다: das Boot treibt der Klippe 〔auf die Klippe〕 zu 보트가 암초 쪽으로 흘러간다; 〖비유〗 das Land treibt einer Katastrophe zu 나라가 파국을 향해 치닫고 있다.

zu|treten* *i.* ① (s.) auf jn.〔et.〕 ~ 누구에게로〔무엇으로〕 다가가다, 가까이 가다. ② (h.) 발길질하다, 걷어차다.

zu|trinken* *i.* (h.) jm. ~ 누구를 위해 축배를 들다, 건배하다.

***Zutritt** [tsú:trɪt] 《<zutreten》 *m.* -(e)s ① 입장, 들어감, 들어갈 권리: jm. ~ gewähren 〔verwehren〕 누구에게 입장을 허락하다〔거절하다〕; ~ bekommen〔erlangen〕 입장을 허락받다; bei jm. freien ~ haben 누구의 집에 자유로이 드나들 수 있다; kein ~!, ~ verboten! 입장 금지! ② 유입, 침투: et. vor ~ von Luft schützen 무엇을 공기가 유입되지 않게 보호하다.

zutschen [tsú:tʃən] *i.* (h.) (sächs.) 쪽쪽 빨다〔핥다〕.

Zutscher *m.* -s, - 고무 젖꼭지.

Züttel *m.* -s, - (schweiz.) 비겁자, 겁쟁이.

zutulich *a.* ↑ zutunlich.

zu|tun [tsú:tu:n] 《Ⅰ》 *t.* ① 〖구어〗 첨가하다, 보태다: noch Wasser ~ 물을 더 넣다〔타다〕. ② 닫다: ich konnte die ganze Nacht kein Auge ~ 나는 밤새도록 한숨도 눈을 붙이지 못했다; 〖은폐〗 er hat die Augen für immer zugetan 그는 영원히 눈을 감았다. 《Ⅱ》 *refl.* ① sich ~ 감기다, 닫히다. ② sich jm. ~ 누구에게 환심을 사려고 하다, 알랑거리다. ③ (südd.) sich³ et. ~ 무엇을 손에 넣다, 구입하다. 《Ⅲ》 **zugetan** *p.a.* ↑ zugetan.

Zutun *n.* -s 〖대개 다음 용법으로〗 도움, 협력; 관여: ohne js. ~ 누구의 도움을 받지 않고, 누구와 무관하게; das ist ohne mein ~ geschehen 그것은 내가 모르는 사이에 일어났다.

zutunlich *a.* 〖구식〗 붙임성이 있는, 친절한, 다정스러운; 잘 따르는, 유순한.

zu·ungunsten [tsuǀúŋgʊnstən] *adv./prp.*²ᐟ³ …에게 불리하게: er hat ~ des Angeklagten 〔dem Angeklagten ~〕 neues Beweismaterial beigebracht 그는 피고에게 불리하게 될 새로운 증거를 제시하였다.

zuunterst [tsuǀúntərst] *adv.* 맨 밑에: sein Heft lag ~ 그의 공책은 맨 밑에 놓여 있었다.

zu|verdienen *t./i.* (h.) 〖구어〗 추가로 벌다.

Zuverdienst *m.* -(e)s, -e 추가〔가외〕 수입.

zuverlässig [tsú:fɛɐ̯lɛsɪç] *a.* 신용〔신뢰〕할 수 있는, 믿을 만한, 확실한: et. aus ~er Quelle erfahren 무엇을 확실한 출처에서 들어 알다; die Wettervorhersage ist nicht ~ 일기 예보는 믿을 수 없다; 〖구어〗 ich weiß es ~ 나는 그것을 정확히 알고 있다.

Zuverlässigkeit *f.* 신뢰성, 확실성.

Zuverlässigkeits=fahrt *f.* (차량의 내구성을 시험하는) 장거리 시험 운전. **~prüfung** *f.*, **~test** *m.* 내구성〔신뢰도〕 시험.

***Zuversicht** [tsú:fɛɐ̯zɪçt] *f.* 확고한 기대, 확신, 낙관: voll〔voller〕 ~ sein 확신에 가득 차 있다; mit〔in〕 der ~, daß... …하리라는 확신을 품고서; ich habe die feste 〔bin der festen〕 ~, daß wir eine Lösung finden werden 나는 우리가 해결책을 찾을 것이라고 확신한다; ich habe meine ganze ~ auf dich gesetzt 나는 너를 전적으로 신뢰하고 있다.

zuversichtlich *a.* 확신〔기대〕에 찬, 낙관적인: sich ~ geben 확신에 찬 태도를 보이다.

Zuversichtlichkeit *f.* 확신에 찬 태도, 낙관적인 분위기.

***zuviel** [tsufí:l] 〖부정 수사·대명사〗 너무 많은

(것), 과다한 (것): es ist ~ Zucker im Kaffee 커피에 설탕이 너무 많이 들어 있다; 〖구어〗 er hat einen 〔ein Glas〕 ~ getrunken 그는 거나하게 취했다; 〖구어〗 heute ist mir alles ~ 오늘은 무슨 일을 해도 다 힘이 든다, 만사가 귀찮다; 〖경박〗 ich krieg ~! 이거 정말 열 받는데!; was ~ ist, ist ~! 이제 더이상 못 참겠어, 참는 데도 한계가 있어!; das ist ~ des Guten 〔des Guten ~〕 그건 너무하다.

Zuviel *n.* -s 과잉, 과다, 지나침: ein ~ an Verpflichtungen 과다한 책무; 〖격언〗 ein ~ ist besser als ein Zuwenig 넘치는 것이 모자라는 것보다는 낫다.

zuvor [tsufó:*r*] *adv.* ① 예전에, 그 전에, 먼저, 미리: kurz ~ 그 조금 전에; mehr als ~ 전보다 더 많이; es war im Jahr ~, als ... …했던 것은 그전 해였다; er soll das ~ tun 그는 먼저 그것을 해야 한다; ich habe ihn nie ~ gesehen 나는 지금까지 그를 한 번도 만난 적이 없다. ② 앞서서, 우선해서: allem ~ 무엇보다도 먼저.

zuvorderst [tsufɔ́rdə*r*st] *adv.* 맨 앞에, 선두에.

zuvörderst [tsufœ́rdə*r*st] *adv.* 〖구식〗 무엇보다도 먼저, 우선.

zuvor|einnehmen* *t.* 미리 점령하다; 〖비유〗 미리 마음을 사로잡다〔끌다〕.

zuvor|erwägen(*) *t.* 미리〔사전에〕 숙고하다.

zuvor|kommen* *i.* (s.) ① 앞지르다, 먼저 하다: jm. bei einem Kauf ~ 누구보다 앞질러 사다. ② **(a)** 선수치다, 사전에 해치우다: er kommt meinem Befehl zuvor 그는 내 명령이 떨어지기 전에 일을 해치운다; er ist ihrem Wunsch zuvorgekommen 그는 그녀의 소망을 미리 짐작하고서 이루어 주었다; js. Frage ~ 누구의 질문을 봉쇄하다. **(b)** 사전에 방지하다, 예방하다: einem Unheil ~ 재난을 미연에 방지하다.

zuvorkommend *a.* 싹싹한, 눈치 빠른; 친절한, 상냥한, 공손한: sie hat ein ~es Wesen 그녀는 싹싹한 성품을 지니고 있다; ich wurde überall ~ behandelt 나는 가는 곳마다 극진한 대접을 받았다.

Zuvorkommenheit *f.* 싹싹한 성품, 상냥한 태도.

zuvor|tun* *t.* 〖雅語〗 능가하다, 앞서다, 뛰어나다: es jm. in〔an〕 et. ~ 무엇에서 누구보다 낫다, 뛰어나다; sie tut es ihm in Großzügigkeit zuvor 그녀는 그보다 통이 더 크다.

Zuwaage *f.* -n (bayr., öst.) (고기를 살 때) 덤으로 주는 뼈.

Zuwachs [tsú:vaks] *m.* -es, ..wächse [..vɛksə] 〖전문어〗 성장, 증가, 증대: Bevölkerungs~ 인구 증가; ein ~ an Vermögen 재산의 증가; die wirtschaftlichen Zuwächse der letzten 10 Jahre 지난 10년간의 경제 성장; 〖구어〗 einem Kind einen Anzug auf ~ kaufen 자랄 것을 감안하여 아이에게 좀 큼직한〔여유있는〕 옷을 사 주다; 〖구어〗 wir haben ~ bekommen 우리는 (아이가 태어나) 식구가 늘었다.

zu|wachsen* *i.* (s.) ① **(a)** (풀·식물로) 점점 뒤덮이다〔막히다〕: der Pfad ist völlig zugewachsen 오솔길이 완전히 풀로 뒤덮였다; die Aussicht ist durch das dichte Buschwerk zugewachsen 덤불이 빽빽이 자라 전망이 가로막혔다. **(b)** (상처가) 아물다. ② 점점 불어나다〔늘어가다〕: jm. ~ 점점 누구의 것이 되다; durch Erweiterung der Abteilung sind ihm neue Aufgaben zugewachsen 부서의 확대로 그에게 새로운 과제가 점점 더 많이 주어졌다.

Zuwachs·rate *f.* -n 성장률, 신장률.

zu|wägen(*) *t.* 저울로 달아서 분배하다: 〖비유〗 Lob und Tadel ~ 경우에 따라 칭찬과 질책을 적절히 베풀다.

Zuwahl *f.* -en (확장·개편된 위원회의) 신입 위원 보궐 선거.

zu|wählen *t.* 신입 위원으로 선출하다.

zu|wälzen *t.* ① 굴려 붙이다; 〖비유〗 전가하다: er will mir alle Schuld ~ 그는 모든 책임을 내게 돌리려 하고 있다. ② 굴려서 막다: den Gang einer Höhle mit einem Stein ~ 돌을 굴려다가 굴의 통로를 틀어막다.

Zuwanderer *m.* -s, - (외지·타국에서의) 이주자, 이주민.

zu|wandern *i.* (s.) 이주해 오다.

Zuwanderung *f.* -en 이주, 이민.

Zuwandrer *m.* -s, - ↑ Zuwanderer.

zu|wanken *i.* (s.) auf et. ~ 무엇 쪽으로 비틀거리며 나아가다.

zu|warten *i.* (h.) 〖방언〗 잠자코 기다리다.

zuwärts *adv.* 저쪽으로, 그쪽으로.

zuwege [tsuvé:gə] *adv.* 〖다음 용법으로만〗 et. ~ bringen 무엇을 성취하다, 실현시키다; mit et.³ ~ kommen 무엇을 완성하다, 끝내다; 〖구어〗 nicht mehr gut ~ sein 건강하지 못하다; 〖구어〗 noch gut ~ sein 건강하다.

zu|wehen 《I》 *t.* ① 불어 보내다: sich³ Luft ~ 부채질을 하다. ② 불어서 덮다〔막다〕: der Wind hat die Wege mit Schnee zugeweht 바람이 눈을 휘몰아쳐 길을 막아 버렸다. 《II》 *i.* ① (s.) (바람이 불어) 모래로〔눈으로〕 덮이다〔막히다〕. ② (h./s.) 향하여 불다: der Wind weht auf die Küste zu 바람이 해안 쪽으로 불고 있다.

zuweilen [tsuváɪlən] *adv.* 때때로, 가끔, 이따금씩: ~ packt mich die Wanderlust 때로 나는 방랑벽에 사로잡히곤 한다.

zu|weisen* *t.* 지정해 주다, 할당하다, 분배하다, 배속〔배치〕하다, 주선하다, 소개하다: jm. eine Aufgabe ~ 누구에게 과제를 정해 주다; jm. Kunden ~ 누구에게 고객을 소개하다; jn. der Planungsabteilung ~ 누구를 기획부에 배치하다.

Zuweisung *f.* -en ① 지정, 할당, 분배, 배속, 주선. ② 할당된 것, 할당량.

zu|wenden(*) 《I》 *t.* ① 향하게 하다: jm. das Gesicht 〔den Rücken〕 ~ 누구에게 얼굴〔등〕을 돌리다; jm. seine Liebe ~ 누구에게 애정을 바치다; et.³ seine Aufmerksamkeit ~ 무엇에 주의를 기울이다; die Schritte einem Orte ~ 어떤 곳을 향하여 걷다. ② 얻게 하다, 주다, 기부하다: ich habe ihm Geld zugewendet 나는 그에게 돈을 주었다. 《II》 *refl.* sich jm.〔et.³〕 ~ 누구〔무엇〕 쪽으로 향하다, 누구에게〔무엇에〕 관심을 기울이다〔종사하다〕: sich der Politik ~ 정치에 뛰어들다; sich dem Studium der Chemie ~ 화학 연구에 몰두〔종사〕하다.

Zuwendung *f.* -en ① a) 증여, 기부, b) 증여물, 기부금; 수당: dem Institut ~en machen 연구소에 기부금을 희사하다. ② 애정, 온

정, 배려, 관심: Kinder brauchen viel ~ 아이들은 많은 애정을 필요로 한다.

zuwenig 〔부정 수사·대명사〕 너무 적은 (것), 매우 부족한 (양): ~ Erfahrung haben 경험이 부족하다, 미숙하다; er weiß viel ~ 그는 너무나 뭘 모른다.

Zuwenig *n.* -s 과소, 결손, 부족액: eine Frau mit einem ~ an Bekleidung 노출이 심한 여자.

zuwenigst *adv.* 적어도, 최소한.

zu|werfen* *t.* ① 던지다: jm. ein Stückchen Brot ~ 누구에게 빵 한 조각을 던져 주다; jm. verliebte Blicke ~ 누구에게 추파를 보내다. ② (문짝을 던지듯이) 쾅 닫다: die Tür des Wagens von außen ~ 자동차 문을 밖에서 쾅 닫다. ③ 흙을 처넣어 메우다: eine Grube ~ 구덩이를 메우다.

zuwider [tsuví:dər] 《I》 *a.* ① **(a)** 〔보통 서술적〕 거슬리는, 불쾌한, 역겨운, 혐오스러운: diese Person ist mir zutiefst ~ 나는 이런 사람이 끔찍하게 싫다; das kann einem schnell ~ werden 그건 금방 싫증이 날 수 있다; ich hoffe, es wird Ihnen nicht ~ sein 당신의 마음에 들었으면 합니다. **(b)** 〔부가적〕 〔방언〕 ein ~er Kerl 밉살스러운 놈! ② 형편이 좋지 않은, 불리한: das Schicksal war ihm ~ 운명은 그의 편이 아니었다; die Umstände waren seinem Vorhaben ~ 상황은 그의 계획과 어긋나 불리하게 돌아갔다. 《II》 *prp.*[3] 〔후치적〕 …에 어긋나게, 거슬러, 반하여: das ist dem Gesetz ~ 그것은 법률에 위배된다.

zuwider=|handeln *i.* (h.) 위반하다, 어기다: damit hat er seinen Grundsätzen zuwidergehandelt 그로써 그는 자신의 원칙을 어겼다. **~handelnde*** *der/die* 위반자. **~handlung** *f.* 〔격식〕 위반〔위배〕 행위. **~|laufen*** *i.* (s.) 모순되다, 반하다: seinen Absichten 〔Plänen〕 ~ 그의 의도〔계획〕에 어긋나다. **~|tun*** *t.* ↑ ~handeln.

zu|winken 《I》 *i.* (h.) 손을 흔들어 인사하다: jm. mit der Hand ~ 누구에게 손을 흔들어 인사하다; jm. zum Abschied ~ 누구에게 손을 흔들어 작별 인사하다; sie winkten sich[3] lange zu 그들은 오랫동안 서로 손을 흔들며 인사했다. 《II》 *t.* 손을 흔들어 신호하다: jm. einen Gruß ~ 누구에게 손을 흔들어 인사하다; sie winkten sich[3] ein Adieu zu 그들은 서로 손을 흔들어 작별 인사를 했다.

zu|wölben *t.* 〔건축〕 궁륭(穹窿)으로 만들어 연결시키다, 둥근 천장으로 만들다.

Zuwuchs [tsú:vu:ks] *m.* -es, ..wüchse [..vy:ksə] (Zuwachs) 성장, 증대.

zu|zahlen *t.* (금액을) 추가로 치르다〔지급하다〕: ich mußte noch zwei Mark ~ 나는 2 마르크를 추가로 지급해야만 했다.

zu|zählen *t.* ① 세어서 주다: jm. et. ~ 누구에게 무엇을 세어서 주다; man zählte ihm zwanzig Stockprügel zu 사람들은 그에게 매를 스무 대 때렸다; 〔비유〕 jm. alle Bissen ~ 누구에게 모질게 굴다. ② 가산하다, 계산에 넣다: hast du dem Betrag deine Außenstände schon zugezählt? 너는 이 금액에 너의 미수금을 이미 가산했느냐? ③ 포함시키다, 수에 넣다: er ist den Großen seiner Zeit zuzuzählen 그는 당대의 위인들에 낄 수 있다.

Zuzahlung *f.* -en 추가 지급.

Zuzählung *f.* -en (Hinzurechnung) 가산, 산입(算入), 귀속, 포함.

zu·zeiten [tsutsáɪtən] *adv.* 때때로, 이따금.

zuzeln [tsú:tsəln] 《bayr., „öst.》 《I》 *i.* (h.) ① 쭉쭉 소리내며 빨다, 핥다: an et.[3] ~ 무엇을 빨다. ② 속삭이다, 귓속말하다. 《II》 *t.* 핥다, 빨다: ein Bonbon ~ 사탕을 빨아먹다.

zu|ziehen* 《I》 *t.* ① **(a)** 끌어당겨서 닫다: die Tür ~ 문을 끌어당겨서 닫다; die Gardine(n) ~ 커튼을 치다. **(b)** 잡아당겨서 죄다: einen Knoten ~ 매듭을 잡아당겨 죄다; einen Beutel ~ 자루를 잡아당겨 묶다; ein Netz ~ 그물을 거두다. ② 끌어들이다; 초치하다: jn. dem Abgrund ~ 누구를 심연 속으로 끌고 가다; einen Arzt ~ 의사를 부르다; jn. zur Beratung ~ 누구에게 상의하다; jn. zur Tafel ~ 누구를 식사에 초대하다; der zugezogene Sachverständige 초청받은 전문가. ③ 야기시키다: jm. et. ~ 누구의 신상에 무엇이 일어나게 하다; sich[3] eine Erkältung ~ 감기 들다; sich[3] einen Tadel ~ 비난을 자초(自招)하다; sich[3] den Tod ~ 죽다; sich[3] wegen eines Dinges Unannehmlichkeiten ~ 무엇 때문에 곤경에 빠지다; ich weiß nicht, womit ich mir seinen Haß zugezogen habe 나는 내가 무슨 일로 그의 미움을 받게 되었는지 모른다; er hat sich[3] Verbrennungen zweiten Grades zugezogen 그는 2도 화상을 입었다. ④ sich[3] eine Äußerung ~ 어떤 말을 자신에 대한 말이라고 생각하다. ⑤ sich[3] junges Vieh ~ 가축의 새끼를 데려와 기르다. 《II》 *refl.* sich ~ ① (상처가) 아물다. ② 〔방언〕 (날씨가) 흐려지다: es zieht sich zu 날씨가 흐려진다. ③ (매듭이) 조여지다: die Schleife zieht sich zu 매듭이 조여진다. ④ 향해서 가다: die Fische ziehen sich der Tiefe zu 물고기가 깊은 곳으로 이동한다. 《III》 *i.* ① (s.) **(a)** 이주해 오다, 이주하다: die Familie ist aus der Großstadt zugezogen 그 가족은 대도시에서 이주해 왔다. **(b)** 고용되어 눌러 살다, 더부살이하다. ② (s.) **(a)** 어느 방향으로 향해 가다: et.[3] 〔auf et.〕 ~ 무엇을 향해 가다; die Vögel ziehen dem Süden zu 새들이 남쪽으로 날아간다. **(b)** 〖軍〗 어느 방향으로 진군하다. ③ (h.) 줄곧 당기다.

Zuziehung *f.* ① 바짝 죔〔닫음〕. ② 끌어들임, 관여시킴; (의사를) 부름; 〖法〗 소환, 호출: unter ~ einiger Hilfskräfte 몇몇 보조원들을 투입시켜서. ③ 자문, 조력, 원조. ④ 〖商〗 가산: unter ~ Ihrer Spesen 귀하의 잡비를 가산하여. ⑤ 진단, 감정.

Zu·zucht *f.* ① 〖農〗 종축(種畜), 가축의 새끼. ② 〔드물게〕 자손, 후예.

Zuzug [tsú:tsu:k] 《<zuziehen》 *m.* -(e)s, ..züge [..tsy:gə] ① **(a)** (다른 지방에서의) 유입, 이주: der ~ ausländischer Arbeitnehmer 외국 노동자들의 이주. **(b)** (이주자로 인한) 인구 증가; 〔집합적〕 유입 인구, 이주민. ② 더부살이. ③ 증원; 〖軍〗 원군, 원병.

Zuzüger *m.* -s, - (schweiz.), **Zuzügler** *m.* -s, - ① 새 이주자, 이주해 온 사람. ② 지원자; 〖軍〗 지원병, 의용병; 〔복수〕 원병, 원군.

zuzüglich [tsú:tsy:klɪç] 《<zuziehen》 *prp.*[2] 〖商〗 …을 가산하여: ~ Porto 우편료를 포함하여; ~ der Säumniszuschläge〔~ Säumniszuschlägen〕 과태료를 포함해서; die Kosten

belaufen sich ~ der Spesen auf 60 Mark 비용은 잡비를 합하여 60 마르크다.

Zuzugs·genehmigung *f.* (관공서의) 이주 허가(서).

zu|zwängen *t.* 무리하게 닫다; (입을) 꽉 다물다.

zu|zwinkern *i.* (h.) 눈짓〔윙크〕하다: jm. wohlwollend〔vielsagend〕 ~ 누구에게 호의적으로〔의미심장하게〕 눈짓하다.

Zvieri [tsfí:..] *m./n.* -s, - (schweiz.) (4 시에 먹는) 오후 간식.

ZVS =Zentralstelle für die Vergabe von Studienplätzen (도르트문트에 있는) 대학 진학 희망자 학적 배정 센터.

Zwack 《⇔Zweck》 *m.* -(e)s, -e ① 눈을 깜박거림(↑ Zwick ②). ②〔방언〕 나무못; 표적(↑ Zweck ②): 〖평어〗 구둣방의 사동. ③ 목적, 목표(↑ Zweck ①).

zwacken [tsvákən] 《<zwicken》 *t.* ① 쥐어〔잡아〕뜯다, 꼬집다: 〖비유〗 et. an sich ~ 무엇을 가로채다. ② 괴롭히다, 성가시게 하다: 〖비유〗 jn. zwicken und ~ 누구를 못살게 굴다; 〖비유〗 von Neid gezwackt werden 시기〔질투〕에 시달리다.

***Zwang** [tsvaŋ] 《<zwingen》 *m.* -(e)s, Zwänge [tsvɛ́ŋə] ① (a) 강제, 억압, 위협: körperlicher ~ 신체적 억압; wie unter einem ~ leben 억압받으며 살다; et. aus ~ tun 무엇을 억지로 하다; mit ~ 강제로; ohne ~ 강요 없이; auf jn. ~ ausüben 누구에게 압력을 행사하다. (b) 구속, 속박, 부자유: sich³ keinen ~ auferlegen 구속을 받지 않다; allen ~ abwerfen〔ablegen〕 모든 속박을 벗어 던지다; sich³ 〔seiner Natur, seinen Empfindungen〕 ~ auferlegen 자제하다〔본성·감정을 억누르다〕; 〖비유〗 dem Gesetz ~ antun 법률을 곡해〔왜곡〕하다; dem Sinn einer Stelle ~ antun 어떤 구절의 뜻을 왜곡시켜 해석하다; 〖구어〗 bitte, tun Sie sich³ (nur) keinen ~ an! 자 마음 편히 하십시오! (c) (강한) 영향력, 마력: unter dem ~ der Sterne〔Kirche〕 sein 점성〔교회〕 신앙의 영향력에서 못벗어나다. (d) (자연이나 상황의) 필연성, 불가피성: der ~ der Ereignisse〔Verhältnisse〕 사건〔상황〕의 필연성; der ~ der Entwicklung 발육〔성장〕의 필연성. (e) (사회의) 구속력, 의무: Impf~ 예방 접종의 의무; es besteht kein ~, diese Veranstaltung zu besuchen 이 행사에 참석할 의무는 없다. (f) 〖法〗 폭력 (행사), 강압, 위협: die Geständnisse wurden unter ~ abgelegt 이 자백은 강압을 통해 받아냈다; 〔은어·구식〕 einer Frau ~ antun 어떤 여자를 성폭행하다. (g) 강한 생리적 충동, 본능적 충동: ein schwer zu bekämpfender ~ läßt mich gähnen 억누르기 힘든 생리적 충동 때문에 나는 하품을 하지 않을 수 없다. ②〖心〗 강박 (관념): pathologische Zwänge 병(리학)적인 강박 관념들; unter einem ~ leiden 강박 관념에 시달리다. ③〖사냥〗 사슴의 발자국. ④〔고어〕 징병구(區) (Bannkreis). ⑤〔고어〕 조합, 길드.

zwang [tsvaŋ] ↑ zwingen 의 과거형.

Zwange *f.* -n ① (alem.) (Zwinge) 꺾쇠, 죔나사, 쇠고리. ②〖건축〗 들보, 도리, 횡목(橫木).

zwängen [tsvɛ́ŋən] 《I》 *t.* ① 압착〔압축〕하다; 〖비유〗 억압하다. ② 무리하게 구겨 넣다, 꽉 차게 밀어 넣다; 억지로 추진하다, 강행하다; 〖비유〗 곡해〔견강부회〕하다: sie zwängte ihren Fuß in den Schuh 그녀는 발을 억지로 신발 속에 밀어넣었다; 〖비유〗 et. in ein System ~ 무엇을 체계 속에 억지로 편입시키다. ③ (schweiz.) 밀어붙이려 하다. ④〖사냥〗 (사슴이) 깊은 발자국을 남기다. 《II》 *refl.* sich ~ 무리하게 떠밀치며 지나가다: er zwängte sich durch die Menge 그는 군중을 밀어 헤치고 나아갔다. 《III》 *i.* (h.) ① 노력하다. ②〖사냥〗 (사슴이) 발굽 끝을 안으로 향하게 해서 걷다.

zwanghaft *a.* ① 강제적인; 필연적인, 불가피한: ~e Bewegungen〔Vorstellungen〕 불가피한 움직임〔강박 관념〕. ② 억지로 꾸민 듯한, 작위적인: ihr Lachen wirkt ~ 그녀의 웃음은 억지로 꾸민 것처럼 보인다.

Zwang≈huf *m.* 〖수의〗 제종(蹄踵) 협착증(Hufzwang). **~läufig** *a.* 〖工〗 구동(驅動) 방향이 고정된, 한 방향 운동만 허용하는: ~e Kurbelgetriebe 구동 방향이 고정된 크랭크 기어 장치. **~läufigkeit** *f.* 〖工〗 고정 구동성(驅動性). **~lauf·lehre** *f.* 〖工〗 (Getriebelehre) 운전학, 기구학(機構學).

zwanglos *a.* ① 강제성 없는, 형식에 구애받지 않는, 자유로운, 구속력 없는: eine ~e Unterhaltung 형식에 구애받지 않는 담화. ② 불규칙적인, 부정기적인: ein paar ~e Übungen 몇 번의 불규칙적인 연습; in ~er Folge erscheinen 부정기적으로 간행되다.

Zwanglosigkeit *f.* ↑ zwanglos 의 명사형.

Zwangs≈abtretung *f.* 강제 양도. **~anleihe** *f.* 〖재정〗 강제 공채(公債). **~arbeit** *f.* ① 강제 노동: zu 10 Jahren ~ verurteilt werden 10 년의 강제 노동형을 선고받다. ② (넓은 의미로) (교도소·감화원의) 의무 노역. **~arbeiter** *m.* 강제 노동 수형자, 강제 노역자. **~aushebung** *f.* 강제 징집〔징세·징발〕. **~befürchtung** *f.* 〖醫〗 강박 (관념적) 공포, 공포증. **~bewegung** *f.* 필연적 운동; 〖醫·수의〗 (중추 신경 장애로 인해 자제가 불가능해진) 강박 경련. **~bewirtschaftung** *f.* 〖經〗 강제〔통제〕 경영. **~dienst** *m.* 강제 복무〔근무〕. **~einweisung** *f.* 강제 수용〔입원〕 명령. **~enteignung** *f.* 강제 수용〔몰수〕. **~ernährung** *f.* 〖法〗 (식사 거부자에 대한) 강제 영양 공급. **~erziehung** *f.* 〖法〗 (소년원의) 강제〔감화〕 교육. **~geld** *n.* 〖法〗 ① (보석금 따위) 행정 강제 수단. ② 강제 부과금; 과태료. **~gerechtigkeit** *f.* 강제권. **~gesetz** *n.* 강제법. **~gestellt** *a.* 구금〔체포〕된. **~handlung** *f.* 〖心〗 강박 행위. **~herrschaft** *f.* 전제〔독재〕 정치. **~herrscher** *m.* 전제 군주. **~hypothek** *f.* 〖法〗 강제 저당. **~innung** *f.* 강제 (동업) 조합. **~jacke** *f.* (죄수·미치광이를 구속하기 위한) 가죽 조끼, 구속복: jn. in eine ~ stecken 누구에게 구속복을 입히다; chemische ~ (정신 병자를 진정시키기 위한) 향정신성(向精神性) 의약품. **~kauf** *m.* 강제 매입. **~kurs** *m.* 〖經〗 ① 관리 외환 시세. ② (지폐의) 강제 통용. **~lage** *f.* 진퇴양난, 궁지, 핍박 상태; 〖法〗 강제 상태; 〖醫〗 강박 자세: ich bin 〔befinde mich〕 in einer ~ 나는 궁지에 처해 있다. **~läufig** *a.* ① 강제적인, 불가피한: das ist die ~e Folge 그것은 필연적인

결과다. ②〖工〗 ↑ zwangläufig. **~läufigkeit** *f.* 강제성, 필연성, 불가피성. **~lizenz** *f.* 〖法〗 ① (공공의 이익을 위해 허용되는) 특허권의 강제적 사용권. ② (음악 작품의 복제와 보급을 허용하는) 강제적 사용권. **≈mäßig** *a.* 강제된, 인위적인. **~maßnahme, ~maßregel** *f.* 강제 처분〔조치〕: staatliche ~n 국가적인 강제 처분; laß mich nicht zu ~n ergreifen! 나로 하여금 최후의 수단을 쓰게 하지 마라! **~mittel** *n.* ① 강제 수단〔방법〕. ②〖法〗 강제 처분. ③〖動〗 강제 수술 수단〔장비〕. **~neurose** *f.* 〖心·醫〗 강박(성) 신경증. **~paß** *m.* (추방자의 출국 통로를 지정하는) 강제 여권. **~pflicht** *f.* 강제 의무. **~preis** *m.* 통제〔공정〕 가격. **~räumung** *f.* 강제 퇴거〔명도〕. **~recht** *n.* 강제권. **~regulierung** *f.* 〖증권〗 주식 거래의 강제 규제, (계약 불이행자에 대한) 일방적인 거래 중단. **~schlaf** *m.* 최면 (상태) (Hypnose). **~schutz** *m.* 강제 보호. **~sparen** *n.* 강제 저축. **≈um|siedeln** *t.* 강제로 이주시키다. **~urlaub** *m.* 〔구어〕 강제 휴가. **~verfahren** *n.* 강제 절차. **~vergleich** *m.* 〖法〗 (채권자와 채무자의) 강제 화의(和議). **≈verschicken** *t.* 강제로 이송하다, (국외로) 추방하다. **~verschickung** *f.* 강제 이송, 추방, 유형. **~versicherung** *f.* 〖法〗 강제 보험. **≈versteigern** *t.* 강제로 경매에 부치다: das Haus wird zwangsversteigert 그 집은 강제로 경매에 부쳐진다. **~versteigerung** *f.* 〖法〗 강제 경매. **~verwaltung** *f.* ① 강제 관리. ②〖法〗 토지의 강제 관리. **~vollstreckung** *f.* 〖法〗 강제 집행: ~ in das unbewegliche Vermögen 부동산에 대한 강제 집행. **≈vorführen** *t.* 〖官〗 강제 구인(拘引)하다: der Zeuge wurde dem Richter zwangsvorgeführt 증인이 판사 앞으로 강제 구인되었다. **~vorführung** *f.* 강제 구인. **~vorstellung** *f.* 〖心〗 강박 관념. **≈weise** 《I》 *adv.* 강제로, 무리하게. 《II》 *a.* ① 강제적인: ein ~s Eingreifen in die wirtschaftliche Ordnung 경제 질서에 대한 강제적인 개입〔간섭〕. ② 필연적인, 불가피한: das ergibt sich ~ 그것은 불가피하게 생긴다. **~wirtschaft** *f.* 통제 경제.

***zwanzig** [tsvántsɪç] *num.* 20, 스물: er ist ~ 그는 스무 살이다; in den ≈ sein 20 대다.

Zwanzig *f.* - ① 20 의 수. ② 숫자 20. ③ 20 세(의 나이): sie ist Mitte〔Ende〕 (der) ~ 그녀는 20 대 중반〔말〕이다; über die ~ sein 20 세를 넘다.

Zwanzig·eck *n.* 〖數〗 20 각형.

zwanziger [..tsɪgər] *a.* 20 세〔년〕대의: in den ~ Jahren des vorigen Jahrhundert 전세기의 20 년대에; in den ~n sein 20 대다.

Zwanziger[1] *m.* -s, - ① 20 세〔대〕의 사람. ② 제 20 연대 소속자. ③ 20 년도산(産)의 포도주. ④ (a) 〔구어〕 20 마르크짜리 지폐. (b) 옛 20 페니히 화폐. ⑤〔복수〕 (a) 20 대(의 나이): er ist jetzt in den ~n 그는 지금 20 대다. (b) 20 년대: die goldenen ~ 황금의 20 년대 (1920-29).

Zwanziger[2] *f.* - 〔구어〕 20 페니히짜리 우표.

zwanzigerlei *a.* 20 종류의.

zwanzig≈fach, ~fältig *a.* 20 겹〔배〕의. **≈flach** *n.* 〖기하〗 20 면체. **~flächig** *a.* 20 면의. **≈flächner** *m.* 〖기하〗 20 면체. **~jährig** *a.* ① 20 세의. ② 20 년(간)의: nach ~er Ehe 20 년간의 결혼 생활 후. **~mal** *adv.* ① 20 회〔번〕; 20 배. ②〔구어〕 수십번, 자주: 〔구어〕 ich habe es dir schon ~ gesagt! 그걸 네게 이미 수십 번 말했잖아! **~männ(er)ig** *a.* 〖植〗 수(꽃)술이 20 개인. **≈mark·schein** *m.* 20 마르크짜리 지폐. **≈mark·stück** *n.* 20 마르크의 주화. **≈pfennig·marke** *f.* 20 페니히짜리 우표. **≈pfennig·stück** *n.* 20 페니히짜리 주화. **≈pfünder** *m.* 〖軍〗 20 파운드포(砲).

zwanzigst [tsvántsɪçst] *a.* 제 20 의.

Zwanzigstel *n.* -s, - 20 분의 1.

zwanzigstel *a.* 20 분의 1 의.

zwanzigstens *adv.* 20 번째에.

zwanzig≈tausend *num.* 2 만, 20000. **≈uhr·nachrichten** *pl.* 저녁 8 시 뉴스. **≈uhr·vorstellung** *f.* 저녁 8 시 연극 공연〔영화 상영〕.

***zwar** [tsva:r] 《mhd. ze wâre, „in Wahrheit"》 *adv.* ①〔und ~ 의 형태로 앞의 내용을 부연 설명·강조함〕 보다 정확히 말하면, 부연하자면; 더욱이, 게다가: die Versammlung findet heute statt, und ~ um 20 Uhr 집회가 오늘, 더 정확히 말해 오후 8 시에 열린다; von dieser Regel gibt es einige Ausnahmen, und ~ sind es folgende 이 법칙에는 몇 가지 예외가 있는 바, 그것은 다음과 같은 것들이다. ②〔aber, allein, doch 로 시작되는 문장을 뒤에 동반하여, 양보를 표시함〕 사실〔과연〕 …이긴 하지만: er ist ~ alt 〔~ ist er alt〕, aber noch sehr rüstig 그는 늙기는 했지만 아직도 매우 정정하다; ~ weiß ich viel, doch möcht' ich alles wissen 나는 많은 것을 알고 있지만 모든 것에 대해 알고 싶다(괴테의 "파우스트"에서). ③〔고어〕 사실은, 실제로.

zwargen *t.* (alem.) 빙글빙글 돌려 구멍을 내다; 돌리다(drehen).

zwatschern *i.* (h.) (zwitschern) 지저귀다, 재잘거리다: die Schwalben zwitschern und ~ 제비가 지지배배 지저귄다.

zwatzelig *a.* (südwestd., bayr., westmd.) 침착하지 못한, 안절부절못하는.

zwatzeln *i.* (h.) 〔방언〕 안절부절못하다, 조마조마해하다, 주저하다.

Zwazel *m.* -s, - 〔방언〕 아이, 선머슴.

***Zweck** [tsvɛk] *m.* -(e)s, -e ① **(a)** 목적, 목표; 의향; 계획: seinen ~ erreichen〔verfehlen〕 목적을 달성하다〔그르치다〕; sich³ einen ~ setzen 목표를 세우다; zu diesem ~ 이 목적 때문에; zu welchem ~? 무슨 목적으로, 무엇 때문에, 왜?; Kernenergie friedlichen ~en nutzbar machen 핵에너지를 평화적 목적에 이용할 수 있게 하다; 〔속담〕 der ~ heiligt die Mittel 목적은 수단을 정당화한다. **(b)** 의미: es hat keinen ~, auf eine Besserung zu hoffen 개선되기를 희망하는 것은 무의미하다; das ist doch alles ohne Sinn und ~ 그 모든 것은 무의미하다. ② (Holznagel) 나무못, 쐐기; 판의 못; 표적; 〔방언〕 표적판.

Zweck≈aufwand *m.* 〖재정〗 목적 경비〔비용·지출〕. **~bau** *m.* 〔복수: -ten〕 〖건축〗 실용적 건축물: ein schmuckloser ~ 장식이 없는 실용적 건축물. **~bestimmung** *f.* 사용 목적, 용도. **~bindung** *f.* ① (넓은 의미로) 특정 목

적과의 연관성. ②〖재정〗(좁은 의미로) (경비의) 용도 구속성: eine ~ des Steueraufkommens 세수(稅收)의 지출 용도 구속성. **~denken** *n.* 합목적적 사고, 실용〔기능〕주의적 사고. **~dienlich** *a.* 목적 달성에 도움이 되는, 유용〔유효〕한: et. für ~ halten〔erachten〕 무엇을 목적에 부합한다고 생각하다. **~dienlichkeit** *f.* 유용성.

Zwecke [tsvɛ́kə] *f.* -n ① **(a)** 나무못; 압정; (Schuh~) (구두창에 박는) 징. **(b)** 제도용 압핀. ②〖植·방언〗 갯보리(잡초).

zwecken [tsvɛ́kən] 《I》 *t.* ① 압정을 박아 고정시키다: ein Bild〔Plakat〕 an die Tür ~ 사진을〔벽보를〕 문에 압핀으로 고정시키다. ② 지향하다, 목적으로 삼다: was zweckt die unendliche Fehde? 이 끊임없는 다툼은 무엇을 위함인가? 《II》 *i.* (h.) 〖구식〗 지향하다, 뜻을 두다: sein Vortrag wird dahin ~, die Zuhörer zu beruhigen 그의 강연은 청중을 진정시킬 목적으로 행해질 것이다; darauf ~ alle Bemühungen 모든 노력은 그것을 지향하고 있다.

zwe̩ck≈entfremden *t.* 전용(轉用)하다, 정해진 목적에 사용하지 않다: die Gelder wurden zweckentfremdet 자금이 유용되었다. **~entfremdet** *a.* 유용〔전용〕된, 본래의 목적을 벗어난: eine ~e Wohnung 전용된 집. **~entfremdung** *f.* 전용(轉用), 유용. **~entsprechend** *a.* 목적에 맞는〔합당한〕: ~e Kleidung 목적에 맞는 옷. **~essen** *n.* 〖고어〗 협의〔자선〕 목적의 회식. **~frei** *a.* 특정 목적에 구속받지 않는, 특정 목적을 지향하지 않는: ~e Forschung 특정 목적을 지향하지 않는 연구. **~gebunden** *a.* 용도가 정해진: ~e Ausgaben 용도가 정해진 지출. **~gebundenheit** *f.* 용도〔목적〕 구속성. **~gemäß** *a.* ↑ ~entsprechend.

zwe̩ckhaft *a.* 〖哲〗 특정 목적을 지닌.

Zwe̩ck·lehre *f.* 〖哲〗 목적론.

zwe̩cklos 《I》 *a.* ① 목적이 없는, 특별한 의도가〔뜻이〕 없는. ② 무의미한, 무익한, 무효의: ~e Bemühungen 무의미한 노력; ein ~er Versuch 무의미한 시도. 《II》 *adv.* 목적 없이; 무익하게.

Zwe̩cklosigkeit *f.* 목적 없음; 무의미, 무익: er sah die ~ seines Vorhabens 그는 자기 의도의 무의미함을 알았다.

zwe̩ck≈mäßig *a.* 목적에 맞는, 합목적적인; 유용〔유효·유리〕한: eine ~e Anordnung 합목적적인 명령; et. für ~ halten 무엇을 유용하다고 여기다; es scheint mir ~, die Reise zu verschieben 내가 보기에는 여행을 연기하는 것이 합리적이라고 생각된다. **~mäßigerweise** *adv.* 합목적적으로. **~mäßigkeit** *f.* 합목적성: die ~ öffentlicher Einrichtung 공공 시설의 합목적성. **~mäßigkeits·erwägung** *f.* 합목적성에 입각한 고려. **~mensch** *m.* 유용한 사람. **~optimismus** *m.* (사람들의 반응을 살펴보기 위한) 과시적 낙관주의. **~pessimismus** *m.* 과시적 비관주의. **~propaganda** *f.* 특정 효과를 노린 선전.

zwecks [tsvɛks] 《<Zweck》 *prp.*[2] 〖격식〗 …의 목적으로, …을 위하여: ~ besserer Ausnutzung unserer betrieblichen Anlagen 우리 기업 시설의 더 나은 이용을 목적으로.

Zwe̩ck≈satz *m.* 〖문법〗 목적문. **~sparen** *n.* (주택 자금 마련 저축과 같은) 목적 저축. **~sprache** *f.* 조언, 충고. **~steuer** *f.* 목적세. **~stil** *m.* (건물·가구의) 실용〔기능〕주의 양식. **~verband** *m.* (지방 자치 단체들끼리 공동 과제의 실현을 위해 만든) 목적 연맹. **~vermögen** *n.* 〖法〗 (기부자의 뜻에 따라 특정 목적에 사용되는) 목적 재산. **~voll** *a.* 합목적적인, 유효한, 의미 있는: eine ~e Maßnahme 합목적적인 조처. **~widrig** *a.* 목적에 모순되는, 부적당한: eine ~e Konstruktion 목적에 모순되는 구성〔구조〕; Geld ~ verwenden 돈을 유용하다. **~widrigkeit** *f.* 유용.

zween [tsveːn] 〖↑ zwei 의 옛 남성형〗 둘(2).

Zwehle [tsvéːlə] *f.* -n (schweiz., westmd.) (Quehle) 타월, 수건; 식탁보.

*__zwei__ [tsvaɪ] 《원래 중성형; ↑ zween, zwo》 *num.* ① 2, 둘의: alle ~ Monate 매 2 개월, 2 개월마다; es ist halb ~ 한 시 반이다; um drei Viertel (auf) ~ 1 시 45 분에; 〖속담〗 wenn ~ sich streiten, freut sich der dritte 두 사람이 다투면 제 3 자가 어부지리를 얻는다; 〖속담〗 können ~(e) sich vertragen, hat der dritte nichts zu sagen 두 사람이 화합할 수 있으면, 제 3 자가 그 사이에 끼어들지 못하는 법이다; wenn auch ~ dasselbe tun, ist es noch lange nicht dasselbe 두 사람이 같은 일을 해도 평가는 다르다; et. mit ~, drei Worten sagen 무엇을 극히 간단히 말하다; er arbeitet 〔ißt〕 für ~ 그는 두 사람 몫을 일한다〔먹는다〕; da haben sich ~ gefunden! 그 점에서 두 사람은 의견이 일치했다!; er hat ~ Gesichter 그는 정직하지 못하다, 그는 이중인격자다; dazu gehören ~! 그것은 두 사람이 동의〔협력〕할 경우에만 가능하다!; 〖구어〗 das ist so sicher, wie ~ mal ~ vier ist 그것은 전적으로 확실하다. ② 〔2 격으로서〕 Vater ~er Kinder 두 아이의 아버지; die Wünsche ~er alter〔alten〕 Menschen 두 노인의 소망; um ~er 〔der ~〕 Ursachen willen 두 원인 때문에. ③ 〔3 격으로서〕 niemand kann ~en 〔〖고어〗 zween〕 Herren dienen 두 임금을 섬길 수는 없다. ④ 〔단독으로 3 격으로서〕 mit ~en fahren 쌍두 마차를 몰다; 〖雅語〗 zu ~en 둘씩, 두 사람씩; zu (je) ~en die Straße überqueren 두 사람씩 길을 건너다; ich habe es ~en gesagt 나는 그것을 두 사람에게 이야기했다.

Zwei [tsvaɪ] 《I》 *f.* -en ① 둘, 2. ② **(a)** 둘의 숫자, 숫자 2. **(b)** 〖구어〗 2 번선 버스〔전차〕: auf die ~ warten 2 번선 버스〔전차〕를 기다리다. ③ 이원론; 이중성(Zweiheit). ④ **(a)** 〖카드〗 숫자 2 가 들어있는 패. **(b)** (주사위 눈의) 2 점: eine ~ würfeln 주사위를 던져 2 가 나오다. ⑤ 평점 2, 우: eine ~ bekommen 평점 2 를 받다; einem Prüfling〔Schüler〕 eine ~ geben 수험생〔학생〕에게 평점 2 를 주다. 《II》 *n.* 쌍, 짝, 양인(兩人).

zwei≈achselig *a.* ↑ ~achsig. **~achser** *m.* 차축(軸)이 두 개인 차. **~achsig** *a.* 이축성(二軸性)의; 〖비유〗 두 마음이 있는, 양다리 걸치는: ein ~er Anhänger 차축이 두 개인 트레일러. **~akter** *m.* 〖연극〗 2 막극. **~aktig** *a.* 〖연극〗 2 막극의: ein kleines ~es Drama 작은 2 막극 드라마. **~armig** *a.* 두 팔의, 양팔

이 있는: ein ~er Leuchter 가지가 두 개 달린 촛대. **~ästig** *a.* 두 갈래진, 쌍갈진. **~atomig** *a.* 〖化·物〗 2 원자의: ein ~es Molekül 2 원자로 구성된 분자. **~äugig** *a.* 눈이 둘인. **~bändig** *a.* 두 권으로 된. **~basisch** *a.* 〖化〗 2 염기성의. **~beiner** *m.* 〖구어·농담〗 인간. **~beinig** *a.* 2 각(脚)의, 두 다리의: ~es Tier a) 양족 동물, b) 인간; 〖구어〗 ~es Schaf 바보, 멍청이. **~bettig** *a.* 침대가 둘 있는; 〖植〗 자웅 이화(雌雄異花)의: ein ~es Schlafwagenabteil 침대가 두 개 있는 침대차 칸. **~bett·zimmer** *n.* 침대가 두 개 있는 방. **~blatt** *n.* 〖植〗 두루미꽃. **~blätterig, ~blättrig** *a.* 〖植〗 쌍엽의; 꽃잎이 둘인: eine ~e Orchidee 두 꽃잎이 있는 난초. **~blumig, ~blütig** *a.* 꽃이 둘인.

Zwei·brücken 츠바이브뤼켄(라인란트팔츠의 도시).

zwei≈brüderig, ~brüdrig *a.* 〖植〗 양체(兩體) 수술의. **~bund** *m.* 〖史·政〗 2 국 동맹. **~decker** *m.* ① 〖조선〗 2 층 갑판선, 이층함(二層艦). ② 〖空〗 쌍날개 비행기, 복엽기. **~deutelei** *f.* ① 두 가지 뜻의[모호한] 말을 쓰기, 속임수. ② 두 가지 뜻, 모호, 애매. **~deuteln** *i.* (h.) ① 두 가지 뜻으로 해석되다, 모호하다. ② 모호한 말을 쓰다, 속임수를 쓰다. ***~deutig** *a.* ① 뜻이 두 가지인; 애매한; 표리부동한; 믿을 수 없는: ein ~es Wort 뜻이 두 가지인 단어; ~e Anworten 불명확한 대답. ② 음충맞은, 외설스런: eine ~e Bemerkung 외설적인 말. **~deutigkeit** *f.* ① 애매모호, 불확실; 〖哲〗 양의성: die ~ seiner Antwort 그의 대답의 애매모호함. ② 애매[불확실]한 언행. **~dimensional** *a.* 2 차원의, 평면적인. **~doppelt** *a.* ① 2 중[중복]의, 〖드물게〗 4 중의. ② 〖植〗 쌍생의.

Zweidrittel≈majorität, ~mehrheit *f.* 3 분의 2 의 다수. **~takt** *m.* 〖음악〗 3 분의 2 박자.

zweie *num.* 〖구어〗 ↑ zwei(부가어로서가 아니고 단독으로 쓰일 때).

zwei≈eckig *a.* 2 각의. **~ehig** *a.* 〖植〗 암수가 같은 가지의. **~eiig** *a.* 〖유전〗 이란성(二卵性)의: ~e Zwillinge 이란성 쌍둥이. **~einhalb** *num.* 2 와 2 분의 1. **~elektroden·röhre** *f.* 〖전기〗 2 극관.

zweien ⟪I⟫ *t.* 〖고어〗 둘로 쪼개다, 갈라지다. ⟪II⟫ refl. sich ~ 〖고어〗 나뉘다, 두 갈래가 되다.

Zweier [tsváɪər] *m.* -s, - ① 〖방언〗 2(의 숫자). ② 〖구어〗 2 페니히의 동전. ③ 2 의 수[기호]를 가진 것; 제 2 연대 소속자. ④ **(a)** (obd.) 평점 2. **(b)** (südd.) 2 번 노선의 버스[전차]. **(c)** (schweiz.) 2 데시리터의 포도주. ⑤ 〖조정〗 2 인승 보트; 2 인조: ~ mit[ohne] Steuermann 키잡이가 있는[없는] 2 인승 보트. ⑥ 〖골프〗 두 사람의 대항전.

Zweier≈beziehung *f.* 두 당사자간의 관계. **~bob** *m.* 2 인승 봅슬레이. **~kajak** *m.*/(드물게) *n.* 2 인승 카약(에스키모 보트).

zweierlei [tsváɪərláɪ] *a.* ① 2 종의, 두 가지의: ~ Äpfel 두 종류의 사과들; auf ~ Weise ausdrücken 두 가지 방식으로 표현하다. ② 서로 다른, 상이한: Versprechen und Halten ist ~ 약속하는 것과 약속을 지키는 것은 별개다.

Zweier·reihe *f.* 두 줄, 2 열로 늘어선 사람[사물]들: sich in ~n aufstellen 두 줄로 늘어서다; in ~n marschieren 2 열로 행진하다.

zwei≈fach *a.* 2 중[배]의: die ~e Menge 두 배의 양; sie ist ~e Goldmedaillengewinnerin 그녀는 금메달 둘을 딴 2 관왕이다. **~fache*** *das.* 2 중[배]: inzwischen ist der Preis um das ~ gestiegen 그 사이에 가격이 두 배 올랐다. **~fächerig** *a.* 〖植〗 두 개의 포(胞)가 있는. **~fältig** *a.* 〖고어〗 ↑ ~fach. **~familien·haus** *n.* 두 가구용 주택. **~farben·druck** [tsvaɪfárbən..] *m.* 〖복수: -e〗 〖印〗 2 색판 인쇄(물). **~farben(druck)·maschine** *f.* 〖印〗 2 색 인쇄기. **~farbig** *a.* 두 빛깔의, 색이 둘인: ein ~er Stoff 두 가지 색의 천; 〖구어〗 ~es Tuch 군복.

***Zweifel** [tsváɪfəl] ⟪zwei + ..falt⟫ *m.* -s, - 의심, 의혹, 의문, 회의; 주저: es ist kein [es steht außer] ~, daß... …은 의심할 나위 없이 확실하다; ~ an et.³ 무엇에 대한 의심; über et. im ~ sein a) 무엇을 의심하고 있다, b) 무엇을 결단을 내리지 못하고 있다; et. in ~ ziehen[stellen] 무엇을 의심하다; ohne[sonder] ~ 의심 없이, 확실히; ~ haben[hegen] 의심[의혹]을 품다; keinen ~ zulassen [aufkommen lassen] 의심을 불식시키다; ~ erregen[wecken] 의심을 불러일으키다; ich war voller ~ 나는 온통 의심에 휩싸였다; im ~ für den Angeklagten 의심만으로는 처벌할 수 없음(형사 소송 판결의 원칙).

Zwei·felder·wirtschaft *f.* 〖農〗 병작농(併作農), 이포식(二圃式) 농업.

Zweifel≈fall *m.* 의심스러운 경우. **~frei** *a.* 의심 없는. **~geist** *m.* 회의심.

***zweifelhaft** [tsváɪfəlhaft] *a.* ① 의심스러운; 미심쩍은, 수상한: ein ~er Mensch 수상한 사람; er befand sich in ~er Gesellschaft 그는 수상한 사람들 틈에 있었다. ② 회의적인; 불확실한: der Erfolg ist noch ~ 결과가 성공인지는 아직 확실치 않다; et. ~ lassen 무엇을 의문[미결]인 채로 두다; in ~en Fällen 의문이 있을 경우에는; 〖經〗 ~e Außenstände 회수가 불확실한 채권; 〖구어·반어〗 ein ~es Vergnügen 순수하지 않은 즐거움; ich bin noch ~, ob ich fahre 갈지 안 갈지 나는 아직 망설이고 있다.

Zweifelhaftigkeit *f.* 의심스러움, 회의적임.

***zweifellos** ⟪I⟫ *a.* ① 의심(할 여지) 없는, 확실한. ② 의심하지[미혹되지] 않는. ⟪II⟫ *adv.* 의심 없이, 확실히: er hat ~ recht 그는 의심할 여지없이 옳다.

Zweifellosigkeit *f.* 확실함.

Zweifel≈mut *m.* 늘 의심하는 성질, 우유부단. **~mütig** *a.* 의심이 많은; 결단성이 없는.

***zweifeln** [tsváɪfəln] ⟪<Zweifel⟫ *i.* (h.) ① 의심하다, 수상히[의아하게] 여기다, 믿지 않다: an et.³[jm.] ~ 무엇을[누구를] 의심하다; daran ist nicht zu ~ 그것은 의심의 여지가 없다. ② 의심쩍어 머무적거리다, 망설이다: ich zweifle, was ich tun soll 나는 무엇을 해야 좋을지 갈피를 못 잡겠다.

zweifelnd *p.a.* 의심 많은, (깊이) 의심하는.

Zweifels≈fall *m.* 의심스러운 경우: im ~ ruf mich bitte an! 의문이 있을 경우에 내게 전화해 다오!; im ~(e) für den Angeklagten 의심만으로는 처벌할 수 없음(형사 소송 판결

의 원칙). **~frage** *f.* 의문, 불확실한 문제: es bleibt eine ~, ob... …인지는 의문으로 남아 있다. **~frei** *a.* 의심〔의문〕이 없는, 분명한: hier liegt ~ ein Irrtum vor 여기에는 분명히 오류가 있다. **~grund** *m.* 의심〔의혹〕의 이유. **~ohne** [tsvaɪfəls|óːnə] 《I》 *adv.* 의심〔틀림〕없이: ~ hat er recht 틀림없이 그가 옳다. 《II》 *a.* 〖서술적〗 의심 없는: es ist ~ 그것은 틀림없다.

Zweifel=sucht *f.* 회의벽(懷疑癖); 〖醫〗 의혹증(강박 관념의 일종). **~süchtig** *a.* 의심 많은, 회의벽이 있는.

Zweifler *m.* -s, - 의심하는 사람.

Zweiflerin *f.* -nen ↑ Zweifler 의 여성형.

zweiflerisch *a.* 의심을 품은, 의심스러운 표정인, 회의적인.

zwei=flügelig, ~flüglig *a.* 두 날개의, 날개가 두 개 달린; 〖動〗 쌍시류(雙翅類)의: 〖건축〗 eine ~e Tür 쌍분합문, 두 짝 여닫이 문; ~e Insekten (파리·모기와 같은) 쌍시류. **~flügler** *m.* 〖動〗 쌍시목(곤충) (Diptere). **~förmig** *a.* 〖動〗 동종(同種) 2 형의. **~franken·stück** *n.*, **~fränkler** *m.* (schweiz.) 〔구어〕 2 스위스프랑짜리 주화. **~fronten·krieg** *m.* 두 전선 전쟁. **~früchtig** *a.* 〖植〗 복화과(複花果)를 맺는. **~füßig** *a.* ① 발이 두 개 있는, 양각(兩脚)의: ~e Lebewesen 발이 두 개 달린 생물. ② 〖문학〗 2 음보(音步)〔율보(律步)〕의: die Verszeile hat ~e Jamben 이 시행(詩行)은 2 개의 약강 음보로 구성되어 있다. ③ 〖음악·악기〗 2 옥타브 높은 음전으로 구성된: ~e Register 2 옥타브 높은 음전. **~füßer, ~füßler** *m.* 〖生〗 양족동물; 인간.

*__Zweig__ [tsvaɪk] 《⊕ zwei; 원뜻 „Gabelung"》 *m.* -(e)s, -e [..gə] ① (큰 가지(Ast)에서 나뉜) (작은) 가지: Lorbeer~ 월계수 가지; ein belaubter ~ 잎이 무성한 가지; ~e abbrechen〔abschneiden〕 작은 가지를 꺾다〔잘라내다〕; ~e treiben 새 가지를 내다, 새 가지가 돋다; 〔비유〕 er wird nie auf einen grünen ~ kommen 그 가지가 푸르지 못하리니(욥기 15:32), 그는 결코 성공〔출세〕하지 못하리라. ② (학문의) 분야, 분과: Wissens~ 학문 분야; Wirtschafts~ 경제 분야; die Syntax ist ein ~ der Grammatik 통사론은 문법의 한 분야다. ③ (**a**) (지)부, 부문, 분파: die ~e eines Ordens 교단의 분파들; ~ eines Geschäftes 사업의 각 부문, 지점; ein ~ des Hauses Habsburg 합스부르크가의 한 분파. (**b**) (산의) 지맥(支脈); (강의) 지류; 〖철도〗 지선: der ~ einer Eisenbahnlinie 철도의 지선.

Zweig=abteilung *f.* 분과; (관청의) 부, 국, 과; 지부. **~anstalt** *f.* 지사, 지국, 분교, 분서(分署). **~artig** *a.* 가지 같은. **~bahn** *f.* 〖철도〗 지선. **~bank** *f.* 〔복수: -en〕 은행 지점.

zwei·geleisig *a.* ↑ ~gleisig.

zweigen 《<Zweig》 《I》 *t.* 접목(接木)하다. 《II》 *i.* (h.) / *refl.* 〔시어〕 (sich) ~ 가지로 나뉘다, 새 가지를 내다; 분기(分岐)하다.

Zwei=gesang *m.* 〖음악〗 이중창. **~geschlechtig** *a.* 〖生〗 양성(兩性)의: 〖植〗 ~e Blüte 양성화, 자웅 동화(雌雄同花). **~geschlechtigkeit** *f.* 〖生〗 양성, 자웅 동체. **~gespann** *n.* ① 쌍두 마차. ② 〔구어〕 단짝 친구, 한쌍; 두터운 우정; 2 인(의 작업)조. **~gespräch** *n.* 〔고어〕 대화(Zwiegespräch). **~gestaltig** *a.* 동종〔동질〕 2 형의. **~gestrichen** *a.* 〖음악〗 2 점음(點音)의(보기: C″, C²): ~e Note 16분 음표. **~geteilt** *a.* 〔드물게〕 둘로 나뉜, 양분된: ein ~er Charakter 양분된 성격.

zweig=förmig *a.* 가지 모양의, 분기한. **~geschäft** *n.* (↔ Hauptgeschäft) 지사, 지점, 자회사. **~gesellschaft** *f.* 지점, 연쇄점, 체인점; (협회 따위의) 지부.

zweigig *a.* 가지가 있는; 가지 모양의.

Zweiglein *n.* -s, - 〔↑ Zweig 의 축소형〕〔雅語〕 작은〔어린〕 가지.

zwei·gleisig *a.* ① 〖철도〗 복선(궤도)의: die Bahnlinie verläuft hier ~ 이곳에서 철도 구간은 복선이다; die Strecke ~ ausbauen 선로 구간을 복선으로 확장하다. ② 〔비유·폄어〕 양다리를 걸치는, 두 길을 걷는, 두 가능성을 추구하는: er fährt ~ 그는 양 다리를 걸치고 있다.

Zweig·leitung *f.* 지관(支管), 〖전기〗 지선(支線), 분기선(分岐線).

zwei·gliederig, ~gliedrig *a.* 두 마디의, 2 분된, 두 가랑이의; 〖軍〗 2 열의; 〖數〗 2 항의: ein ~er Ausdruck 두 단어로 이루어진 표현.

Zweig=linie *f.* ① 분가(分家), 방계. ② 〖철도〗 지선. **~niederlassung** *f.* (기업의) 지점, 지사. **~post·amt** *n.* (우체국의) 지국(支局).

zwei·griffelig, ~grifflig *a.* 〖植〗 두 암(꽃)술이 있는(~weibig).

Zweig=station *f.* 〖철도〗 (지선) 연락역, 접속역. **~stelle** *f.* 지점, 지사, 자회사, 〖우편〗 지국: eine ~ einrichten 지점을 설치하다. **~strecke** *f.* 〖광산〗 지선 갱도; 〖철도〗 지선 (구간). **~tragend** *a.* 가지를 낸, 가지가 있는; 다수의. **~verein** *m.* (지방) 분회, (협회의) 지부. **~werk** *n.* (분(分))공장; 〖植〗 나뭇가지.

Zwei=händer *m.* ① 양손으로 잡는 칼〔검〕. ② 〖生〗 양수류(兩手類); 사람. **~händig** *a.* ① 양손을 가진. ② 양손잡이의. ③ 양손으로 다루는; 〖음악〗 양손으로 연주하는: ~es Schwert ↑ ~händer ①; ~e Klaviersonaten 양손 연주용 피아노 소나타; die Maschine ist ~ zu bedienen 이 기계는 양손으로 사용해야만 한다. **~häusig** *a.* 〖植〗 자웅 이주(雌雄異株)의 (diözisch). **~häusigkeit** *f.* 〖植〗 자웅 이주.

Zweiheit *f.* ① 이원〔이중〕성. ② 〖哲〗 이원(론): Lehre von der ~ 이원론(Dualismus); die ~ von Leib und Seele 육체와 영혼의 이원론.

zwei=henkelig, ~henklig *a.* 두 개의 손잡이가 있는: ein ~er Krug 손잡이가 두 개 달린 항아리. **~herr** *m.* (고대 로마의) 같은 직책의 두 관리(2 두 집정관) 중의 한 사람. **~herrschaft** *f.* 2 두 정치. **~höckerig, ~höckrig** *a.* 두 개의 혹이 있는, 쌍봉의: ein ~es Kamel 쌍봉 낙타. **~hörnig** *a.* 뿔이 둘 달린. **~hufer** *m.* 〖動〗 쌍발굽 동물. **~hufig** *a.* 〖動〗 쌍발굽의. **~hundert** *num.* 200(의).

Zweihundert=jahr·feier *f.* 200 주년 기념제(祭). **~jährig** [tsváɪhʊ́ndərt..] *a.* 200 년

(간)의. **~mark·schein** *m.* 200 마르크짜리 지폐.

zwei=hundertst *a.* 200 번째의. **~jahres·plan** *m.* 2 개년 계획. **~jährig** *a.* ① 2 년의; 두 살의: mein ~er Sohn 두 살 먹은 내 아들. ② (a) 2 년간〔동안〕의: eine ~e Krise 2 년 동안의 위기. (b)〖植〗2 년생의: ~e Pflanzen 2 년생 식물들. **~jährlich** *a.* 2 년마다의. **~kammer·system** *n.*〖法〗(의회의) 양원제. **~kampf** *m.* ① (a) 양자간의 싸움, 남자대 남자간의 대결: ein ~ auf Leben und Tod 생사를 걸고 벌이는 두 사람간의 대결;〘비유〙ein ~ mit geistigen Waffen 양자간의 심리전, 심리적〔정신적〕 대결;〘비유〙ein ~ zwischen Leidenschaft und Pflicht 정욕과 의무 사이의 싸움. (b) (일정한 명예 규칙에 따른) 결투: jn. zum ~ (heraus)fordern 누구에게 도전장을 던지다; die Herausforderung zum ~ annehmen 도전에 응하다. ②〖스포츠〗양자〔양팀〕간의 시합. **~kämpfer** *m.* 결투〔격투〕자. **~keim·blätterig, ~keim·blättrig** *a.*〖植〗쌍떡잎〔쌍자엽(雙子葉)〕의. **~kinder·system** [tsvaɪkɪ́ndər..] *n.* (자녀를 둘만 낳은) 두 자녀 가정. **~klappig** *a.* 판(瓣)이 둘 있는. **~klassen·system** *n.*〖法〗선거 자격의 양분 제도, 차별 선거 제도. **~knospig** *a.*〖植〗쌍아(雙芽)의. **~köpfig** *a.* ① 머리가 두 개 달린: ein ~es Fabeltier 머리가 두 개 달린 상상의 동물. ② 두 사람으로 구성된: ein ~es Team 2 인조 팀. **~kreis·bremse** *f.*〖車〗2 중 제동 장치〔브레이크〕. **~kreis·system** *n.*〖經〗복식 부기. **~kuppig** *a.* 둥근 봉우리가 둘인. **~lappig** *a.*〖植〗2 열편(裂片)의, 쌍엽의, 두 개의 작은 건과(乾果)로 된. **~lastig** *a.* (중량이) 2 톤인, 2 톤 (짐을) 싣는. **~lebig** *a.* 수륙 양서(兩棲)의(beidlebig). **~lippig** *a.* 두 입술의:〖植〗~e Blüten 입술이 두 개인 꽃들. **~liter·flasche** [tsvaɪlí:tər.., ..lɪt..] *f.* 2 리터들이 병. **~lötig** *a.* 2 로트 중량의(1 로트는 1/16 파운드). **~mächte·standard** [tsvaɪmέçtə..] *m.* (옛날 영국 해군의) 2 국 표준(주의). **~mächtig** *a.*〖植〗이강 웅예(二強雄蕊)의. **~mähdig** *a.*〖農〗(목초지가) 일년에 두번 베는〔거둬들이는〕(↑ ..mähdig). ***~mal** *adv.* ① 두 번: ~ im Monat〔Jahr〕 매월〔매년〕 두 번; das lasse ich mir nicht ~ sagen! 나는 그것을 즉각 할거다!; man nehme ~ täglich eine Tablette 매일 두 번씩 알약 1 개를 복용하십시오; ich war schon ~ in Rom 나는 이미 두 번 로마에 가 보았다. ② 두 배(로): ~ so viel wie〔als〕... …의 두 배만큼. **~malig** *a.* 두 번의; 반복된: erst nach ~er Aufforderung erschien er 두 번의 요청을 받은 후에야 비로소 그는 나타났다. **~mann·boot** *n.* 2 인승 보트. **~männerig, ~männig** *a.*〖植〗수술이 둘인. **~mark·stück** [tsvaɪmárk..] *n.* 2 마르크짜리 주화. **~master** *m.*〖海〗쌍 돛단배. **~mastig** *a.* 쌍 돛대의. **~monatig** *a.* ① 생후 2 개월된. ② 2 개월(간)의: ein ~er Lehrgang 2 개월 코스의 강습〔강좌〕. **~monatlich** *a.* 2 개월마다의. **~motorig** *a.*〖空〗쌍발의, 엔진을 2 개 갖춘: ein ~es Flugzeug 쌍발 비행기. **~paarig** *a.* 두 쌍의. **~parteien·system** [tzvaɪ..táɪ..] *n.*〖政〗양당제. **~pfennig·stück** [tsvaɪpfέ..] *n.* 2 페니히짜리 주화. **~pfünder** *m.*〘구어〙2 파운드 무게의 물건〔동물〕;〖軍〗2 파운드포. **~pfündig** *a.* 2 파운드의. **~phasen·strom** [tsvaɪfá:..] *m.*〖전기〗이상(二相) 교류. **~polig** *a.*〖物〗두 극이 있는, 쌍극의. **~rad** *n.* 2 륜차〔자전거〕. **~räderig, ~rädrig** *a.* 바퀴가 둘인, 2 륜의. **~rad·fahrer** *m.* 2 륜차〔자전거〕 타는 사람. **~reiher** *m.* 단추가 두 줄로 달린 옷. **~reihig** *a.* ① 2 열의: sich ~ aufstellen 2 열로 서다; eine ~e Obstbaumpflanzung 과수의 2 열 식수. ② 단추가 두 줄로 달린: ein ~er Anzug 단추가 두 줄로 달린 양복. **~rippig** *a.*〖動·植〗늑골이 두 개 있는, (잎·날개의) 맥(脈)이 둘 있는.

Zweiröhren=apparat *m.* ↑ ~gerät. **~empfänger** *m.* ↑ ~gerät. **~gerät** *n.*〖방송〗이구식(二球式) 수신기.

Zwei=ruderer, ~rudrer *m.*〖海〗두 개의 노로 젓는 배; (고대의) 노를 젓는 곳이 2 층으로 된 군함. **~ruderig, ~rudrig** *a.* 쌍노의, 2 층 노의. **~sam** *a.*〘시어·드물게〙단둘인, 두 사람만의, 둘만의. **~samen·lappig** [tsvaɪsá:mən..] *a.*〖植〗쌍떡잎〔쌍자엽〕의. **~samkeit** *f.* 두 사람만의 생활〔행동〕: darf ich eure ~ mal stören? 너희 두 사람만 있는데 잠깐 방해해도 될까? **~schalig** *a.*〖動〗쌍각(雙殼)의: ~e Muschel 쌍각패. **~schattig** *a.* (beidschattig) 열대 지방의, 열대에 사는. **~schläferig, ~schläfrig, ~schläfig** *a.* 두 사람이 잘 수 있는: ein ~es Bett 2 인용 침대. **~schlitz** *m.*〖건축〗복구(複溝) 조각 장식, 두 줄의 장식 무늬. **~schneidig** *a.* ① 양날의;〘비유〙장단점을 가진; 쌍방에 불리한: ein ~es Messer 쌍날의 칼;〘비유〙ein ~es Schwert〔eine ~e Angelegenheit〕 이득과 손해를 동시에 초래할 수 있는 일. ②〖植〗2 릉(稜)꼴의. **~schürig** *a.* ① (~mähdig) (목초지가) 한 해에 두번 풀을 벨 수 있는, 한 해에 두 차례 건초를 만들 수 있는. ② 한 해에 털을 두 번 깎을 수 있는: ~e Schafe 한 해에 털을 두 번 깎을 수 있는 양들. **~seitig** *a.* ① 양면의, 두 변의: das Blatt ist ~ bedruckt 그 종이는 양면에 인쇄되어 있다. ② 두 쪽〔면〕으로 구성된: ein ~er Brief 두 쪽짜리 편지. ③ (a) 양측의, 양측을 향한. (b)〖政〗양면적인, 쌍방의: ~e Abkommen〔Verträge〕 쌍무 협정〔계약〕;〖法〗~es Rechtsgeschäft 쌍무적 법률 행위. **~silbig** *a.*〖문법·문학〗두 음절의, 두 음절로 구성된: ein ~es Wort 2 음절어. **~sitzer** *m.* 2 인승(의 차〔썰매〕);〖空〗복좌(비행)기; 2 인용 의자. **~sitzig** *a.* 좌석이 둘인, 2 인승의: ein ~es Sofa 2 인용 소파. **~spaltig** *a.* 둘로 쪼개진;〖植〗2 열(裂)의, 두 갈래의;〖印〗난(欄)이 두 개 있는, 두 단으로 된: ein ~es Inserat 2 단 광고; das Lexikon ist ~ gedruckt 그 사전은 단이 두 개로 나뉘어 인쇄되어 있다. **~spänner** *m.* ① (a) 쌍두마차. (b) 두 필의 말을 부리는 농부. ②〖건축〗(각층 층계참에) 두 가구가 있는 주택. **~spännig** *a.* 말 두 필이 끄는: ein ~er Wagen 쌍두 마차; ~ fahren 쌍두 마차를 몰다. **~spitz** *m.* ① (나폴레옹 시대의 사신(使臣)들이 사용한) 뾰족한 끝이 두 개 있는 모자. ② (석공용) 곡괭이. **~spitzig** *a.* 두 첨단의. **~sprachig** *a.*

①2개 국어의: eine ~e Gebrauchsanweisung 2개 국어로 작성된 사용 설명서; ~es Wörterbuch 2개 국어로 된 사전. ②2개 국어를 구사할 수 있는: ein ~es Land 2개 국어를 사용하는 나라; eine ~e Schule 수업할 때 2개 국어를 병용하는 학교. **~sprachigkeit** *f.* 〖언어학〗 ①2개 국어 구사 능력. ②2개 국어 사용. **~spurig** *a.* ① 복선(궤도)의(~gleisig ①). ②2차선(도로)의: ~e Straße 2차선 도로. ③〖車·교통〗 두 줄의 바퀴 자국을 남기는: ein PKW ist ~es Fahrzeug 승용차는 두 줄의 바퀴 자국을 남기는 차다. **~stellig** *a.* 〖數〗 두 자리의. **~stimmig** *a.* 〖음악〗 2성(聲)의, 2부의: ein ~es Lied 두 성부로 된 가곡; ~ singen 두 성부로 노래하다. **~stöckig** *a.* (건물이) 2층으로 된: ein ~es Gebäude 2층 건물. **~strahlig** *a.* 두 개의 제트 엔진을 갖춘. **~strom·land** *n.* 메소포타미아(유프라테스 강과 티그리스강 사이의 지역). **~stück·weise** *adv.* 두 개씩. **~stufen·rakete** *f.* 2단식 로켓. **~stündig** *a.* ① 생후 2시간된. ②2시간 (동안)의: eine ~e Besprechung 2시간 협상. **~stündlich** *a. adv.* 두 시간마다(의): in ~em Wechsel 두 시간마다의 교체로.

***zweit** [tsvaɪt] 《<zwei》 *a.* ① 제2의, 두 번째의(옛날에는 ander를 썼음): Wilhelm Ⅱ. 빌헬름 2세; den ~en Tag darauf 그 다음다음 날에; im ~en Stock wohnen 3층에 살다; jeden ~en Tag 이틀마다; Verbrennungen ~en Grades 2도 화상; ~er Klasse fahren 2등석을 타고 가다; der ~e Weltkrieg 제2차 세계 대전; ein ~er Napoleon 제2의 나폴레옹(이라 부를 만한 사람); er ist der ~e Großvater 그는 할아버지를 매우 닮았다; der ~e in der Klasse 학급의 2등; ~es Ich 제2의 자아; mein ~es Ich (특히 친구·애인과 같은) 나의 분신; 〖연극〗 der ~e Liebhaber 제2의 남자 애인역; 〖음악〗 die ~e Stimme 제2성부; 〖학제〗 der ~e Bildungsweg 제2 교육과정; 〖스포츠〗 die ~e Bundesliga 연방 제2리그; 〖문법〗 der ~e Fall 제2격; 〖문법〗 ~e Vergangenheit 현재 완료; 〖비유〗 er spielt nur die ~e Geige〔Rolle〕 그는 조연〔보조 역할〕만을 한다; wie kein ~er 〔wie keine ~e〕 어느 누구에 못지 않게; sie ist hübsch wie keine ~e 그녀는 어느 누구에 못지 않게 예쁘다; 〖비유〗 er arbeitet wie kein ~er 그는 누구보다 많이 일한다; ... wie kein ~es 유례 없이 …하다. ② 〖전치사와 함께〗 **am** ~en Januar 1월 2일에; **aus** ~er Hand a) 남의 손을 거친, 간접적인, b) 중고품의, 위탁 판매의; ich kenne die Sache nur aus ~er Hand 나는 그것을 들어서만〔이야기를 통해서만〕 알고 있다; Bücher〔Möbel〕 aus ~er Hand 중고 서적〔가구〕; 〖스포츠〗 aus der ~en Reihe schießen (상대방 수비 사이로) 2선에서 슈팅하다; **fürs** ~e 〔**zum** ~en〕 둘째 번에, 두 번째로; **zu** ~ a) (=zu zweien) 둘이 함께, 둘이서; 둘〔두 사람〕씩, b) (=als ~er) 제2인자로; wir lebten zu ~ 우리는 둘이 함께 살았다; er logiert in dem Hotel zum ~en Mal 그가 이 호텔에 투숙하는 것은 이번이 두 번째다; das ist ihm **zur** ~en Natur geworden 그것은 그의 제2의 천성이 되었다.

zwei·tägig *a.* ①2일간의: eine ~e Reise 2일간의 여행. ② 생후 2일의. **~takter** *m.* 〖구어〗 ① ↑ ~taktmotor. ②2사이클 엔진의 자동차〔기계〕, 오토바이. **~takt·motor** *m.* 〖工〗 2행정(行程)〔사이클〕 기관〔엔진〕.

zweit·ältest *a.* 둘째로 나이가 많은: der ~e Sohn 둘째 아들, 차남; die ~e Kirche der Stadt 그 도시의 2번째로 오래된 교회.

zwei·tausend *num.* 2000(의). **~tausender** [tsváɪtáuz..] *m.* 약 2000 m 높이의 산: die Zugspitze gehört noch zu den ~n 추크슈피체는 2000 m 급의 산들에 속한다.

Zweit·ausfertigung *f.* 복사, 사본. **~best** *a.* 제2등의, 두 번째로 좋은: mein ~er Freund 내가 두 번째로 좋아하는 친구; der ~e (in) der Klasse 학급의 2등인 자. **~druck** *m.* 〖복수: -e〗〖출판〗 재판.

Zwei·teiler *m.* 〖구어〗 둘로 나뉜 수영복, 비키니. **~teilig** *a.* 두 부분으로 나뉜〔구성된〕; 〖植〗 둘로 갈라진, (쌍)가지의: ein ~es Kleid 투피스 옷; ~er Fernsehfilm 2부작 텔레비전 영화. **~teilung** *f.* 둘로 나누기, 양분; 〖數〗 2등분; 분기(分岐): die ~ der Welt in Ost und West 동서로 양분된 세계; 〖法〗 ~ der Straftaten (중범죄와 경범죄로) 범죄 행위의 이분.

Zweite-Klasse-Abteil *n.* (열차의) 2등 객실(대개 6인실임).

Zweitel 《원뜻 „zweiter Teil"》 *n.* -s, - 〖구식〗 2분의 1, 절반; 〖음악〗 2분의 1(박자).

zweitel *num.* 2분의 1의.

Zweitel·note *f.* 〖음악〗 2분 음표.

zweitens [tsváɪtəns] *adv.* 두 번째에〔로〕.

Zweiter-Klasse-Abteil *n.* ↑ Zweite-Klasse-Abteil.

Zweit·fahr·zeug *n.* ↑ ~wagen. **~frisur** *f.* 〖은어〗 가발: eine modische ~ 최신 유행 가발. **~frucht** *f.* 두 번째의 수확물. **~geboren** *a.* 두 번째로 태어난: die ~e Tochter 차녀, 둘째 딸. **~gerät** *n.* (같은 종류의) 두 대째의 가전 제품. **~größt** *a.* 두 번째로 큰. **~höchst** *a.* 두 번째로 높은: der ~e Berg Europas 유럽에서 두 번째로 높은 산; die ~e Geburtenrate 두 번째로 높은 출생률. **~jüngst** *a.* (연령이) 끝에서 둘째인. **~klassig** *a.* ① 제2(등)급의, 제2류의: ein ~es Hotel 2류 호텔; ~er Künstler 2류 예술가. ② 〖스포츠〗 제2군〔제2부 리그〕에서 활동하는. **~klaßler** *m.* (öst.), **~kläßler** *m.* (südd., schweiz.) 2학년 학생. **~klaß·wagen** *m.* (schweiz.) 2등 객차. **~letzt** *a.* 마지막에서 두번째의(vorletzt); 〖문법〗 어미(語尾)에서 두 번째의.

Zweitling *m.* -s, -e 두 번째로 오는 사람; (경기의) 차점자, 제2등.

Zweit·mädchen *n.* (대갓집의) 둘째 하녀. **~nächst** *a.* 다음다음의: am ~en Tag 다음다음 날에.

zwei·tourig *a.* 2회전하는.

zweit·rangig *a.* ① ↑ ~klassig ①. ② 별로 긴급〔중요〕하지 않은: von ~er Bedeutung sein 그다지 중요하지 않다. ③2순위의: eine ~e Hypothek 2순위 저당권. **~schlag** *m.* 〖軍〗 반격, 역습, 보복 공격. **~schlechtest** *a.* 두 번째로 나쁜〔좋지 않은〕: das ~e Wahlergebnis 두 번째로 나쁜 선거 결과. **~schlüssel** *m.* 예비 열쇠. **~schrift** *f.* ① (원

본과 형태와 내용이 같은) 부본. ② (Kopie) 복사본, 사본. ~stimme *f.* 〖法〗 (독일 연방 의원 선거에서 정당에 투표하는) 제 2 투표.

zwei·türig *a.* 두 개의 문이 있는: ein ~er Personenkraftwagen 문이 두 개인 승용차.

Zweit≈wagen *m.* (한 가정의) 두 번째 차. **~wohnung** *f.* (주말·휴가용의) 별장〔제 2 의 주택〕.

Zwei≈und·dreißiger *m.*, **~und·dreißiger·format** *n.* 〖印〗 32 포인트 활자. **~und·einhalb** *a.* 두 개 반의.

Zweiviertel≈note *f.* 〖음악〗 4 분의 2 음표, 반음표. **~pause** *f.* 4 분의 2 음 쉼(표), 반음 쉼(표). **~takt** *m.* 〖음악〗 4 분의 2 박자.

Zwei≈wegehahn, ~weghahn *m.* 〖工〗 양면 개폐 콕〔꼭지〕, 양면 마개. **~weiberei** *f.* 일부이처임. **~weibig** *a.* 일부 이처의; 〖植〗 두 암술의. **~wertig** *a.* 〖化·언어학〗 2 가(價)의. **~wöchentlich** *a.* 2 주(간)마다의: in ~em Turnus 2 주마다의 순번으로, 2 주를 한 주기로 해서. **~wöchig** *a.* ① 생후 2 주가 된. ② 2 주일 동안의: während meiner ~en Abwesenheit 내가 2 주 없는 동안에. **~wuchs** *m.* 〖醫〗 구루병. **~zack** *m.* 두 갈래 쇠스랑〔포크·창〕. **~zackig** *a.* 끝이 두 갈래진. **~zahl** *f.* ① 2 의 수; 〖哲〗 이원(二元); 쌍; 〖化〗 2 가원소. ② 〖문법〗 쌍수〔양수〕 (고대어에서 단수와 복수의 사이에 위치하는 것) (Dualis). **~zahn** *m.* 〖植〗 가막사리속, 도깨비바늘. **~zähnig** *a.* 두 개의 이가 있는, 두 첨두(尖頭)가 있는. **~zehig** *a.* 〖動〗 쌍지(雙趾)의. **~zeil** *n.* 〖문학〗 2 행시, 2 행 연구(聯句), 대구(對句). **~zeiler** *m.* 2 행시, 2 행 연구(聯句). **~zeilig** *a.* ① 2 행의, 2 행으로 된: ~es Gedicht 2 행시. ② 〖植〗 대생(對生)의: ~e Gerste 대생 보리. ③ 항상 한 행을 비워 놓는, 더블 스페이스의: ein ~ geschriebener Text 한 행씩 비워 작성된 원문. **~zeitig** *a.* 2 기(期)의; 〖植〗 두 계절 동안 있는: 〖문학〗 ~e Silbe 장단이 모두 있는 음절. **~zimmer·wohnung** [tsvaɪtsɪ́mər..] *f.* 방이 2 개인 집〔아파트〕. **~zinkig** *a.* 두 갈래진: eine ~e Gabel 두 갈래진 포크. **~zöllig** *a.* 2 인치의. **~züger** *m.* 두 수만에 푸는 체스 대국〔문제〕. **~züngig** *a.* 표리부동한, 일구이언의 (doppelzüngig). **~zweitel·takt** *m.* 〖음악〗 2 분의 2 박자. **~zylinder** *m.* 〔구어〕 ① 2 기통 엔진. ② 2 기통 엔진 자동차. **~zylinder·motor** *m.* 〖工〗 ↑ ~zylinder ①. **~zylindrig** *a.* 2 기통 엔진(자동차)의.

Zwenke 《⊕ Zwecke》 *f.* -n 〖植·방언〗 (이삭 모양의 꽃차례가 있는) 사료용 풀의 일종.

zwerch [tsvɛrç] 《mhd., ⊕ Quirl》 *a.* 〔고어·방언〕 (quer) 가로의, 비스듬한: über ~ 가로질러, 비스듬하게.

Zwerch≈axt *f.* (Queraxt) 십자형 도끼, 쌍뿔 곡괭이. **~fell** *n.* 〖해부〗 횡격막: 〔비유〕 jm. das ~ erschüttern 누구를 포복절도시키다.

Zwerchfell≈atmung *f.* 〖해부〗 복식 호흡. **~entzündung** *f.* 〖醫〗 횡격막염. **~erschütternd** *a.* ① (웃음이) 매우 격렬한, 뱃가죽이 비틀릴 만큼의: ein ~es Lachen 폭소. ② 몹시 우스운: das war von ~er Komik 그것은 포복절도할 정도로 우스웠다. **~erschütterung** *f.* 포복절도, 웃음의 폭발.

Zwerch≈flöte *f.* ↑ ~pfeife. **~haus** *n.* 〖건축〗 (성채 등의 지붕에 돌출한) 작은 옥탑. **~pfeife** *f.* 〖악기〗 저, 횡적. **~sack** *m.* (어깨에 비스듬히 메는) 배낭.

***Zwerg** [tsvɛrk] *m.* -(e)s, -e (↔ Riese) ① 〖신화〗 난쟁이: Schneewittchen und die sieben ~e 백설 공주와 일곱 난쟁이. ② 난쟁이처럼 작은 사람; 작은 요정; 작은 것. ③ 〖天〗 ↑ ~stern.

zwerg≈artig *a.* 난쟁이 같은, 왜소한; 〖醫〗 발육이 불완전한. **~baum** *m.* 작은 나무, 분재. **~bildung** *f.* 왜소 현상, 왜소증, 발육 부전. **~birke** *f.* 〖植〗 자작나무속(屬)의 작은 관목.

zwergenhaft *a.* ① 난쟁이처럼 보이는: ein Bart läßt manchen kleinen Mann ~ aussehen 수염은 상당수의 키작은 남자들을 난쟁이처럼 보이게 만든다. ② 매우 작은: von ~em Wuchs 성장이 매우 부진한.

Zwergen≈könig *m.* (동화·전설에 나오는) 난쟁이들의 왕. **~volk** (전설적인) 왜소 민족. **~wuchs** *m.* ↑ Zwergwuchs.

Zwerg≈fledermaus *f.* 〖動〗 작은 박쥐. **~gestalt** *f.* (사람의) 왜소한 형상, 작은 몸집; 난쟁이.

zwerghaft *a.* ↑ zwergenhaft.

Zwerghaftigkeit ↑ zwerghaftig 의 명사형.

Zwergheit *f.* 왜소(함); 〖植〗 왜성(矮性).

Zwerg·huhn *n.* 작은 닭의 일종.

zwergicht, zwergig [tsvɛ́rgɪç] *a.* ↑ zwergenhaft: ~ wachsende Apfelsorten 매우 키가 작게 자라는 사과 품종.

Zwergin *f.* -nen ↑ Zwerg 의 여성형.

Zwerg≈kastanie *f.* 〖植〗 난쟁이밤나무. **~kiefer** *f.* 〖植〗 왜송(矮松). **~kirsche** *f.* 〖植〗 서양벚나무의 일종. **~maus** *f.* 〖動〗 (곡류의 줄기에 집을 짓는 갈색 등을 지닌) 작은 들쥐의 일종. **~mensch** *m.* 〖신화〗 난쟁이 족속의 사람; (북유럽의) 왜인종(矮人種)의 사람. **~obst** *n.*, **~obst·baum** *m.* 〖원예〗 전정(剪定)한 과수(果樹). **~palme** *f.* 〖植〗 대추야자의 일종. **~pinscher** *m.* (키 30 cm 정도의) 작은 핀셔(사냥개의 일종). **~pudel** *m.* (키 35 cm 정도의) 난쟁이 푸들(복슬개의 일종). **~staat** *m.* 아주 작은 국가, 소국(가). **~stern** *m.* 〖天〗 왜성(矮星). **~volk** *n.* 왜인족, 키작은 종족. **~wuchs** *m.* 〖醫〗 발육 부전. **~wüchsig** *a.* 몸집이 작은, 발육이 불완전한.

Zwetsche [tsvɛ́tʃə] 《it.》 *f.* -n 〖植〗 ① (obd., rhein.) 서양자두(나무) (Quetsche): 〔농담〕 meine sieben ~n 나의 일곱 가지 연장. ② 〔방언〕 (납작한 씨가 있는 길쭉한) 서양자두.

Zwetschen≈baum *m.* 〖植〗 서양자두나무. **~kern** *m.* 서양자두의 씨〔핵〕. **~knödel** *m.* 〖요리〗 서양자두를 통째로 넣은 경단. **~kuchen** *m.* 서양자두 케이크. **~mus** *n.*, **~röster** *m.* 서양자두 잼. **~schnaps** *m.* 서양자두(로 만든) 화주(火酒). **~wasser** *n.* 플럼〔서양자두〕 브랜디.

Zwetschge [tsvɛ́tʃgə], **Zwetschke** [..kə] *f.* -n (öst.) ↑ Zwetsche.

Zwick [tsvɪk] 《<zwicken; Zwecke》 *m.* -s, -e ① (Kneifen) 꼬집기, (사이에) 끼우기. ② 눈을 깜박거림. ③ 끝부분에 뭉치가 달린 채찍. ④ 나무못(Zwicke). ⑤ (schweiz.) 뇌우(雷雨).

Zwick·bohrer *m.* 〖工〗 목공용 송곳, 마개뽑

이 송곳.

Zwicke 《⊕ Zwecke》 *f.* -n ① (Zwickzange) 집게, 펜치. ② 편자못의 쐐기 모양의 첨단. ③ (**a**) 〔구식〕 압핀. (**b**) 〔방언〕 못, 나무못. ④ (schles.) 4 살 이상의 잉어. ⑤〖動〗 수컷과 쌍태(雙胎)로 태어난 암송아지〔암염소〕.

Zwickel [tsvíkəl] 《<zwicken; Zwecke》 *m.* -s, - ① 쐐기(Keil). ② 쐐기 모양의 것: (**a**) (삼각형 모양의) 자투리 땅. (**b**) 쐐기〔삼각형〕 모양의 천조각, (옷의) 섶: Hosen≗ 바지에 댄 천조각; einen ~ einsetzen 삼각형 모양의 천조각을 대다. (**c**) 〔복수〕 양말 뒤꿈치 부분의 자수의 장식. (**d**) 〖海〗 (돛의) 삼각판. (**e**) 〖건축〗 두 아치 사이의 삼각형 벽면, 홍예 받침; 둥근 천장의 중앙 부분. (**f**) 〖工〗 마름모꼴 유리판. (**g**) 〔복수〕〖해부〗 삼릉골(三稜骨), 삽간골(揷間骨). ③ 양 끝을 꼬아 올려 뾰족하게 한 코밑 수염, 카이저 수염; 카이저 수염을 기른 사람. ④〖植〗 덩굴손. ⑤〔구어〕 성격이 삐뚤어진 사람, 괴짜, 별난 사람: er ist ein eigenartiger, komischer ~ 그는 독특하고 웃기는 괴짜다. ⑥〔아동〕 2 마르크짜리 동전.

Zwickel≈bart *m.* 〔구식〕 턱수염. **~bein, ~beinchen** *n.* ↑ Zwickel ②(g).

zwickeln *t.* 천조각을 대다: Strümpfe ~ 양말 뒤꿈치 부분에 자수를 놓아 꾸미다; Unterröcke ~ 속치마에 바대를 대다.

Zwickel≈naht *f.* 〖醫〗 설형(楔形) 봉합. **~strümpfe** *pl.* 발꿈치 부분에 자수 장식이 있는 양말.

zwicken [tsvíkən] 《I》 *t./i.* (h.) ① (kneifen) 꼬집다, 끼우다: jn.〔jm.〕 in den Arm 〔in die Wange〕 ~ 누구의 팔〔뺨〕을 꼬집다; mit Zangen ~ 집게로 집다; die Hose zwickt am Bund 바지가 허리띠 부분이 약간 끼인다. ② 〔비유·구어〕 (**a**) (사람을) 괴롭히다; 놀려대다: sein Gewissen zwickt (ihn) 그는 양심의 가책을 느낀다. (**b**) 자통(刺痛)을 느끼게 하다: die neue Hose zwickt im Schritt 새 바지는 걸을 때 따끔따끔 아프게 한다; die Gicht zwickte ihn 통풍(痛風)으로 그는 통증을 느꼈다. ③ 짧게 하다: den Bart ~ 수염을 짧게 자르다. ④ (눈을) 깜박이다: die Augen 〔mit den Augen〕 ~ 눈을 깜박이다. ⑤ 쐐기같이 뾰족하게 하다. ⑥ (obd.) (**a**) 쐐기를 박아 넣다; 쐐기로 죄다. (**b**) 〖재봉〗 바대를 대다. (**c**) 때리다, 채찍질하다. (**d**) 〖카드〗 패를 전부 따먹다: jn. ~ 누구의 패를 다 따먹다. ⑦ 송곳으로 구멍을 뚫다, (병의) 코르크 마개를 열다. ⑧ 형틀에 넣어 고정시키다: 〖손일〗 einen Schuh ~ 구두를 형틀에 맞추다. ⑨ (öst.) 구멍을 뚫다: einen Fahrschein ~ 승차권을 개찰하다. 《II》 *imp.* es zwickt mich im Leib 나는 배가 아프다, 산통(疝痛)이 일어난다.

Zwicker[1] [tsvíkər] *m.* -s, - ① (**a**) 꼬집는 사람. (**b**) 〔농담〕 벼룩. (**c**) 형리(刑吏) (Henker). ②〖工〗 ↑ Zwickzange. ③ 안경; 코안경 (Nasenkneifer). ④〖工〗 전보석(塡補石). ⑤ 〖工〗 착암기의 하부. ⑥ 병 마개, 통주둥이, 귀때. ⑦〖손일〗 구두를 형틀에 맞추는 직공.

Zwicker[2] *m.* -s 〔구어〕 (갖가지 종류의 포도즙으로 만든) 알사스산(産) 백포도주.

Zwick≈mühle *f.* ① (**a**) 서양 오목놀이 (Mühlespiel)에서 상대방을 반드시 지게 만드는 말의 포석 (방법). (**b**) 〖카드〗 자기 편끼리 패를 치기. ②〔비유〕 (**a**) 특정한 편만이 유익한 경우. (**b**) 〔구어〕 진퇴양난, 곤경: in eine ~ geraten 진퇴양난에 빠지다; sich in einer ~ befinden 〔in der ~ sitzen〕 궁지에 몰려 있다. **~zange** *f.* 〖손일〗 집게, 못뽑이; 족집게, 핀셋.

zwider *adv.* (obd.) (zuwider) …에 거슬러, …에 (위)반하여.

Zwie [tsvi:] *n.* -s, - (alem.) 작은 가지 (Zweig); 접지(接枝), 접수(接穗).

zwie.. 《zwei》 *pref.* "2"의 뜻.

Zwie≈back 《원뜻 „zweimal Gebackenes"; ↑ Einback》 *m.*, **~bäckchen, ~backlein** *n.* 〔↑ Zwieback 의 축소형〕(식빵 재료로 두 번 구워 바삭바삭한) 빵과자; 〖軍〗 건빵.

Zwie·back·kammer *f.* 〖海〗 빵 창고.

***Zwiebel** [tsví:bəl] *f.* -n ①〖植〗 (**a**) 알뿌리, 구근(球根), 알줄기, 구경(球莖); 인경(鱗莖): Tulpen≗ 튤립의 구근. (**b**) 재배용 구근 식물: ~n pflanzen〔anbauen〕 구근 식물을 재배하다. (**c**) 양파: die ~n braten〔dünsten〕 양파를 볶다〔찌다〕; 〔비유〕 jemand hat ~n geschält〔gegessen〕 누구의 눈에서 눈물이 난다; die ~n in Ringe schneiden 양파를 고리 모양으로 자르다. ② (**a**) 〔구어·농담〕 회중 시계: die ~ habe ich von meinem Großvater geerbt 이 회중 시계를 나는 할아버지에게서 물려받았다. (**b**) 머리. ③〖해부〗 모근(毛根); 피암(皮癌) 세포소(巢). ④〔구어·농담〕 결발(結髮), 틀어올린 머리; 쪽. ⑤ ↑ ~dach.

zwiebel≈artig *a.* 구근 모양의. **≈beet** *n.* 양파 묘상(苗床). **≈brühe** *f.* 양파 소스.

Zwiebelchen *n.* -s, - 〔↑ Zwiebel 의 축소형〕 작은 구근〔양파〕.

Zwiebel·dach *n.* 〖건축〗 양파 모양의 지붕 〔돔〕.

Zwiebelein *n.* -s, - 〔↑ Zwiebel 의 축소형〕 작은 양파〔구근〕.

Zwiebel≈fisch *m.* ①〖요리〗 양파와 함께 요리한 생선. ②〖印〗 (**a**) 종류가 다른 잘못된 활자. (**b**) 〔복수〕 다양한 종류의 활자가 무질서하게 배열된 활자형. **~förmig** *a.* 양파〔구근(球根)〕 모양의. **~gericht** *n.* 〖요리〗 양파 요리. **~geruch** *m.* 양파의 향기. **~geschmack** *m.* 양파 맛. **~gewächs** *n.* 인경(鱗莖) 모양의 식물. **~haube** *f.* 〖건축〗 양파 모양의 둥근 지붕〔돔〕. **~knolle** *f.* 알뿌리, 구근(球根). **~kuchen** *m.* 양파 케이크. **~kuppel** *f.* ↑ ~haube. **~lauch** *m.* 〖植〗 ↑ Zwiebel ①(c). **~marmor** *m.* 〖광물〗 운모대리석, 백색·녹색 줄무늬가 있는 대리석. **~muschel** *f.* 〖動〗 개굴, 가랑잎조개속(屬). **~muster** *n.* (독일 마이센(Meißen)산(産) 자기(磁器) 등의) 양파꽃 무늬.

zwiebeln [tsví:bəln] 《<Zwiebel》 《I》 *i.* (h.) 양파의 향기가〔맛이〕 나다. 《II》 *t.* ① 양파로 맛들이다. ② (유화(油畫) 등을 닦기 위하여) 양파로 문지르다. ③〔구어〕 못살게 굴다, 괴롭히다; 착취하다: die Untergebenen ~ 부하들을 못살게 굴다.

Zwiebel≈ring *m.* (잘라 생긴) 양파 고리: gebratene ~e 구운 양파 고리; eine Salatplatte mit ~en garnieren 샐러드 요리를 양파 고리로 장식하다. **~same, ~samen** *m.* 양파 씨. **~schale** *f.* 양파 껍질. **~suppe** *f.* 양파 수프. **≈tragend** *p.a.* 〖植〗 구근(球根)을 이루는, 구근이 있는. **~tunke** *f.* 양파 소스.

~turm *m.* 〖건축〗 양파 모양의 지붕을 한 탑. **~wurzel** *f.* 구근(球根), 구경(球莖).

Zwie≈brache *f.* 〖農·구식〗 (가을철에 행하는) 휴경지의 이듬갈이. **≈brachen** (*p.p.* gezwiebracht) *t.* 〘구식〙 두 번째로 갈다, 이듬하다: einen Acker ~ 전답을 두 번째로 갈다. **≈erbig** *a.* 〖生〗 이질(異質) 유전의, 잡종의. **≈fach** *a.* 〘구식〙 2중〔2배〕의(zweifach). **≈facheln** *t.* (öst.) 때리다(prügeln). **~fachl** *m./n.* -s, - 〘방언〙 윗도리의 자락(Rockschoß); 스커트의 앞부분. **≈fältig** *a.* 〘구식〙 ↑ ~fach.

zwiefeln *t.* 〘은어〙 둘로 나누다, 양분하다.

Zwie≈gesang *m.* 〖음악·구식〗 (Duett) 이중창, 이중주. **~gespräch** *n.* 〘雅語〙 (두 사람의) 대화: mit jm. ein ~ halten 누구와 단독 대담하다. **~laut** *m.* 〖음성〗 중〔복〕모음(Diphthong). **~licht** *n.* ① **(a)** 여명, 황혼. **(b)** (자연광·인공광 같은) 여러 광원에 의한 동시 조명. ② 〘비유〙 불분명한 상태: ins ~ geraten〔kommen〕 불분명해지다, 의심스러운 상황이 되다. **≈lichtig** *a.* 불투명한, 의심스러운, 수상한: ein ~er Charakter 수상한 인물. **~mandel** *m.* 긴 대패(Langhobel). **~metall** *n.* 〖전기〗 이중 금속판(Bimetall). **~natur** *f.* 〘雅語〙 2중 성격.

zwier [tsvi:*r*] *adv.* 〘고어〙 (zweimal) 두 번, 두 배.

Zwiesel [tsví:zəl] 《♧ zwei, Zweig》 *f.* -n 〔*m.* -s, -〕 ① **(a)** 분기(分岐)한 가지. **(b)** 가지가 Y자 모양인 나무. **(c)** 두 갈래진 것; 포크, 쇠스랑, 갈퀴. **(d)** 〖軍·승마〗 안교(鞍橋)(형가리식 안장); 안장의 가랑이진 윗부분; 안장의 두 횡목. ② 〘방언〙 **(a)** 신앙심이 깊은 체하는 여자(Betschwester). **(b)** 노처녀. ③ ↑ ~beere.

Zwiesel≈beere *f.* 〖植〗 야생의 단 버찌. **~dorn** *m.* 〖植·방언〗 감탕나무.

zwieselig *a.* 두 갈래로 갈라진.

Zwiesel·kette *f.* 〖광산〗 운반통과 운반 밧줄 사이의 쇠사슬(Quenzelkette).

zwieseln *i.*(h.)/*refl.* (sich) ~ 두 갈래로 되다, 분기하다: ein Ast〔Baum〕 zwieselt sich 큰 가지〔나무〕가 두 갈래로 나뉜다.

zwieslig *a.* ↑ zwieselig.

*__Zwie≈spalt__ [tsví:ʃpalt] *m.* 분열, 분파; 불화, 알력, 갈등: in einen ~ geraten 불화하게 되다; ~ mit sich selbst 자기 분열, 마음의 갈등; jn. in einen ~ bringen〔stürzen〕 누구를 갈등에 빠지게 하다; der ~ zwischen Wollen und Können 의욕과 능력 사이의 불일치. **≈spaltig, ≈spältig** *a.* 분열한; 불화의, 알력이 있는; 심적 갈등이 있는: ein ~er Mensch 심적 갈등이 있는 사람. **~spältigkeit** *f.* 분열〔불화〕 상태. **~sprache** *f.* 〘雅語〙 (가상적 상대방과의) 대화, 대담: mit jm. ~ halten〔pflegen〕 누구와 대담〔대화〕하다; ~ mit Gott 기도(Gebet). **~streit** *m.* 토론, 토의. **≈streiten*** *i.*(h.) 토론〔토의〕하다. **~tracht** 《mhd.》 *f.* (↔ Eintracht) 불일치, 불화, 다툼: ~ säen〔stiften〕 불화의 씨를 뿌리다, 이간질하다. **≈trächtig** *a.* 불화 상태에서 지내는, 반목하는, 불일치〔모순〕의. **~tracht·stifter** *m.* 불화를 조장〔이간질〕하는 사람. **~wuchs** *m.* ① 〖農〗 **(a)** 아령 모양으로 잘못 자란 감자. **(b)** (냉해 등으로 인해) 때늦게 새로 자라난 곡식 줄기. ② 〖醫〗 지절(肢節) 중복; 첩모중생증(睫毛重生症).

Zwilch 《원뜻 „zweifädiges Gewebe"》 *m.* -(e)s, -e ① ↑ Zwillich. ② 〘고어〙 Bruder ~ 무식한, 농사꾼 촌사람.

zwilchen *a.* 삼베의, 삼베로 만든.

Zwilch≈kittel, ~rock *m.* 삼베 가운〔작업복〕.

Zwille [tsvílə] *f.* -n 〘구식〙 (ndd.) ① Y자형으로 갈라진 나뭇가지. ② 나뭇가지로 만든 장난감 새총; 끝이 두 갈래진 연장, 쇠스랑.

Zwillich [tsvílıç] *m.* -s, -e 〖섬유〗 (요·이불·작업복감 등으로 사용되는 무늬 없는) 질긴 삼베〔무명〕(Drillich).

zwillichen *a.* ↑ zwilchen.

Zwillich·hose *f.* 삼베 바지.

*__Zwilling__ [tsvílıŋ] *m.* -s, -e ① 쌍둥이(의 한 사람); 〖醫〗 쌍태(雙胎): eineiige〔zweieiige〕 ~e 일란성〔이란성〕 쌍둥이; siamesische ~e 샴 쌍생아. ② 〖점성술〗 **(a)** 〘복수〙 쌍둥이자리(5.21.-6.21. 사이의 별자리). **(b)** 쌍둥이자리에 태어난 사람. ③ 〖광물〗 쌍결정(雙結晶)(Zwillingskristall). ④ 〖무기〗 **(a)** 쌍신총(雙身銃), 복신(複身)총. **(b)** 쌍신〔복신〕포; 4연포.

zwillingen *t.* 쌍둥이처럼 짝짓다.

Zwillings≈achse *f.* 〖광물〗 쌍정축(雙晶軸). **~bildung** *f.* 쌍아〔쌍정〕 형성. **~bruder** *m.* 쌍둥이 형제: die beiden gleichen sich wie Zwillingsbrüder 두 사람은 쌍둥이 형제처럼 서로 닮았다. **~dampf·maschine** *f.* 〖工〗 쌍둥이 증기 기관. **~ebene** *f.* 〖광물〗 쌍정면(雙晶面). **~fenster** *n.* 〖건축〗 부부창(夫婦窓). **~flugzeug** *n.* 〖空〗 (작은 비행기가 큰 비행기로 운반되는) 모자(母子) 비행기. **~formel** *f.* 〖언어학〗 관용적 대구(對句)(보기: Haus und Hof). **~forscher** *m.* 쌍생아 연구자. **~forschung** *f.* 〖유전〗 쌍생아 연구. **~frucht** *f.* 쌍둥이. **~geburt** *f.* 쌍둥이의 출생〔출산〕. **~geschwister** *pl.* 쌍생아, 쌍둥이 남매. **~gestirn** *n.* 〖天〗 쌍둥이자리의 두 별(Kastor와 Pollux). **~götter** *pl.* 〖그리스신화〗 Jupiter 신의 쌍생아인 두 신(Kastor와 Pollux). **~knabe** *m.* 쌍둥이 사내아이. **~kristall** *m.* 〖광물〗 쌍정(雙晶). **~mädchen** *n.* 쌍둥이 여자 아이. **~mine** *f.* 〖軍〗 정자형(丁子形) 갱도. **~paar** *n.* (성이 서로 다른) 한 쌍의 쌍생아; 〖天〗 쌍둥이자리(의 두 별). **~rakete** *f.* 〖軍〗 쌍화전(雙火箭), 쌍로켓. **~reifen** *m.* (화물차의) 병렬 타이어 중의 하나. **~schwester** *f.* 쌍둥이 자매.

zwingbar 《<zwingen》 *a.* 극복〔제어〕할 수 있는(bezwingbar).

Zwingburg *f.* -en 〖중세〗 (전제 군주의) 위압적 성채(城砦)〔아성〕.

Zwinge [tsvíŋə] *f.* -n 〖工〗 ① (나사로 조절하는) 죔쇠, 클램프; 바이스: Schraub≈ 나사형 조이개〔바이스〕. ② (송곳·칼자루의 끝단 보강용) 쇠고리, 쇠테; (지팡이·우산의 끝단) 고무 씌우개, 플라스틱 꼭지.

__zwingen__ [tsvíŋən] (zwang, gezwungen) 《I》 *t.* ① **(a)** 강제로 …시키다, 강요하다: jn. zu et.³ ~ 〔jn. ~, et. zu tun〕 누구에게 강제로 무엇을 시키다; jn. zum Gehorsam〔Sprechen〕 ~ 누구를 순종케〔말하게〕 강요하다; sie ~ ihn zu arbeiten 그들은 강제로 그를 일

하게 한다; er läßt sich nicht ~ 그는 강요당해서 일할 사람이 아니다. (**b**)〖雅語〗억지로〔무리하게〕어떤 상황에 처하게 하다: in et. hinein ~ 무엇의 속으로 무리하게 밀어 넣다; man zwang die Gefangenen in einen düsteren Raum 죄수들을 음침한 장소로 억지로 밀어 넣었다; jn. in Fesseln ~ 누구를 수갑으로 속박하다; jn. auf〔in〕die Knie ~ 누구를 강제로 무릎 꿇게 하다; das Volk ins〔unters〕Joch ~ 국민을 압제하다. (**c**) 할 수 없이〔부득이〕…하게 하다, …을 불가피하게 만들다: besondere Umstände ~ mich dazu, das Haus zu verkaufen 특수한 사정으로 나는 집을 팔지 않을 수 없다; sein Mut zwingt (mich) zur Bewunderung 그의 용기에 (나는) 감탄하지 않을 수 없다; ich bin〔sehe mich〕gezwungen, auch ihn einzuladen 나는 그도 초청하지 않을 수 없다. ②〖방언〗(**a**) 성취〔제압〕하다, (일 등을) 끝내다: eine Arbeit〔Aufgabe〕~ 일을〔과제를〕완수하다; ich kann es nicht ~ 나는 그것을 해치울 수가 없다. (**b**) 먹어 치우다: ich zwinge den Kloß nicht mehr 나는 그 경단을 더 이상 못 먹겠다. ③ (**a**) (누구를) 복종〔굴복〕시키다; 극복〔제어〕하다(bezwingen). (**b**) (동물을) 길들이다. ④〖고어〗괴롭히다, 학대하다, 억누르다:〚聖〛und (er) zwang die Kinder Israel mit Gewalt zwanzig Jahre 20 년 동안 이스라엘 자손을 심히 학대하였다(사사기 4:3). ⑤ es nicht ~ können 가난하다. ⑥〖고어〗곡해하다; 반대 증거를 제시하다. 《Ⅱ》*refl.* sich ~ 억지로 하다, 자제〔극기〕하다, 무리를 하다: ich muß mich dazu ~, die Arznei zu nehmen 나는 좋든 싫든 약을 먹지 않으면 안 된다; das läßt sich nicht ~ 그것은 억지로는 안 된다; er zwang sich zu einem Lachen〔zur Ruhe〕그는 억지로 웃음을 지으려고〔냉정을 찾으려고〕했다. 《Ⅲ》**gezwungen** *p.a.* ↑ gezwungen.

zwingend *p.a.* 강제적인, 불가항력적인; 부득이한; 확신할 만한, 이론의 여지가 없는: ~e Kraft 불가항력; ~e Gründe〔Beweise〕피할 수 없는 이유〔증거〕; ~e Umstände 부득이한 사정;〚法〛~es Recht 강행법.

Zwinger [tsvíŋər] *m.* -s, - ①〖드물게〗강제〔강박·강요〕자, 압제자(Zwingherr). ② 성곽 앞의 개활지; 성곽의 내외벽 사이의 통로(때때로 무술 훈련장이나 야생 동물의 사육장으로 이용됨). ③ (**a**) 맹수〔맹견〕의 우리: Hunde≈ 개 우리. (**b**) 우량 품종의 개〔고양이〕의 종축장. ④ 맹수의 투기장. ⑤ 뇌옥(牢獄), 감옥:〖농담〗Mädchen≈ 여자 학교(Mädchenschule).

Zwing≈herr *m.* (중세의) 전제 군주, 폭군. **~herrschaft** *f.* 전제 정치, 학정.

Zwingli[1] [tsvíŋli] *m.* -s, -s (schweiz.) 쌍둥이(Zwilling).

Zwingli[2] Ulrich ~ 츠빙글리(스위스의 종교 개혁자, 1484-1531).

Zwinglianer [tsviŋliá:nər] *m.* -s, -〚宗〛츠빙글리파 교도.

Zwing≈schraube *f.*〚工〛쇠테. **~stock** *m.*〚工〛바이스(Schraubstock).

Zwing-Uri 《<ich zwinge Uri》츠빙우리성(城)(쉴러의 „Wilhelm Tell"에 나오는 스위스 Uri 주(州)의 포학한 대관(大官)의 성).

zwinken, zwinkern [tsvíŋkərn] 《<mhd. zwinken, „blinzeln"》*t./i.* (h.) et.〔mit et.[3]〕~ 무엇을 움찔움찔〔꿈틀꿈틀〕움직이다; mit den Augen ~ 눈을 깜박거리다; mit den Ohren ~ 귀를 쫑긋쫑긋 움직이다; durch ein ≈ gab er zu verstehen, daß er es nicht ernst meinte 눈을 깜박임으로써 그는 진지한 뜻으로 한 말이 아니라는 사실을 알려 주었다.

zwinzeln, zwinzern *i.* (h.) ↑ zwinkern.

zwirbelig *a.*〖방언〗① 빙글빙글 도는. ② 현기증이 나는.

zwirbeln [tsvírbəln] 《Ⅰ》*i.* (h.) 빙빙 돌다, 회전하다. 《Ⅱ》*t.* (손가락으로) 빙글빙글 돌리다; 비비 틀다, 꼬다: den Bart ~ 수염을 꼬다;〖비유〗den Rosenkranz ~ 염주를 돌리며 기도를 올리다; einen Faden ~ 실을 드리다〔꼬다〕.

zwirblig *a.* ↑ zwirbelig.

Zwirl·bohrer *m.* -s, -〚工〛(Drehbohrer) 기계 송곳, 드릴.

zwirlen *i.* (h.)/*t.* ↑ zwirbeln.

*__Zwirn__ [tsvɪrn] 《<zwei; 원뜻 „zweisträngiger Faden"; ♧ Zwist》*m.* -(e)s, -e ①〚방직〛꼰〔드린〕실: Seiden≈ 꼰 명주실;〖고어〗Meister ~ 재단사(별명);〖구어〗Himmel, Arsch und ~ 그것 참 고약하군. ② (öst.)〖비유·구어〗(**a**)〚軍〛훈련. (**b**) 돈; (머릿속에 짜여진) 사상, 생각; 착상(Einfälle): ~ im Kopf haben 바보가 아니다, 영리하다; der ~ geht ihm aus a) 그는 좋은 생각이 떠오르지 않는다, b) 돈이 다 떨어졌다. ③〖농담〗brauner ~ 맥주; blauer ~ 브랜디.

Zwirn·band *n.* 실로 꼰 끈, 노끈.

zwirnen[1] *a.* 꼰 실의, 꼰 실로 만든.

zwirnen[2] 《Ⅰ》*t.* (실을) 꼬다, 드리다: Fäden ~ 홑실들을 꼰 실로 만들다;〖구어〗jn. ~ 누구를 성가시게 하다, 괴롭히다. 《Ⅱ》*i.* (h.) (고양이가) 가르랑가르랑 소리내다.

Zwirner *m.* -s, -〖구식〗연사(撚絲) 직공.

Zwirnerei *f.* -en 연사 공장(Zwirnfabrik).

Zwirn≈gardinen *pl.* 드린 삼실로 짠 커튼. **~hand·schuh** *m.* 드린 삼실로 만든 장갑. **~knäuel** *m./n.* 드린 실뭉치. **~maschine** *f.* 연사기(撚絲機). **~mühle** *f.* 연사 공장; 연사 제조기. **~seide** *f.* 명주 연사.

Zwirns·faden *m.* 삼실, 꼰 실, 연사(撚絲): er ist dünn wie ein ~ 그는 꼰 실처럼 홀쭉하다;〖비유〗an einem ~ hängen 위기일발에 처해있다; die Sache hing an einem ~ 그 일은 하마터면 실패할 뻔했다; er stolpert über einen ~ a) 그는 너무 사소한 일에 얽매인다, b) 그는 사소한 일에 쩔쩔맨다.

Zwirn≈spitze *f.* 연사 레이스. **~wickel** *m.* 실 싸는 종이, 실타래 싸는 얇은 종이. **~winde** *f.* 꼰 실을 감는 실패.

*__zwischen__ [tsvíʃən] 《Ⅰ》*prp.*[3] (양자·여러 대상〔사람〕들의) 중간에, 사이에(서): ①〖공간적〗ich stehe ~ ihm und ihr 나는 그와 그 여자 사이에 서 있다; ich saß ~ meinen beiden Vettern 나는 두 사촌 형제 사이에 앉아 있었다; ~ den beiden Bäumen hindurchgehen 두 나무 사이를 통과해가다; ~ sechs und sieben Metern lang 약 6-7 미터 길이의. ②〖시간적〗sie ist ~ 40 und 50 (Jahre alt) 그 여자는 40 대다; bitte, ~ 5 und 6 (Uhr) zu kommen! 5 시에서 6 시 사이에 와 주십시오!;〖드물게〗~ abends 저녁 무렵; (schwäb.) ~ Licht 어둑어둑할 때, 해질 무렵. ③〖비유〗~

Tür und Angel stecken 곤경〔진퇴양난〕에 빠져 있다; ~ Leben und Tod schweben 사경을 헤매다, 위독하다; du mußt (dich) nun ~ ja und nein entscheiden 너는 이번엔 가부를 분명히 하지 않으면 안 된다. ④ a) 〖두 개의 사물〔사람〕간의 관계〗 ~ zwei Parteien vermitteln 두 당파 사이를 조정하다; es ist zum Bruch ~ ihnen gekommen 그들 사이에 틈이 생겼다; Freundschaft〔Verkehr〕 ~ Nationen 국제적 우호 관계〔교류〕; es ist aus ~ ihnen 그들의 우호〔연애〕 관계는 끝났다. b) 〖비교〗 ein großer Unterschied ~ beiden Brüdern 두 형제 사이의 커다란 차이; ~ Scherz und Scherz ist ein großer Unterschied 같은 농담을 하더라도 커다란 차이가 있다. ⑤〖수량·형태·특성 등의 중간치를 나타냄〗 der Preis liegt ~ 80 und 100 Mark 가격은 80에서 100마르크 사이다; eine Farbe ~ Blau und Grün 청록색; das Werk steht ~ Roman und Essay 그 작품은 장편 소설과 에세이의 중간 성격을 띤다. 《Ⅱ》*prp.*⁴ (양자〔여러 대상·사람들〕의) 사이로〔에〕: sich ~ beide stellen 양자 사이에 끼여들다, 〖비유〗 두 사람 사이를 방해하다; ich setzte mich ~ die Kinder 나는 아이들 사이에 앉았다; er trat ~ die Streitenden 그는 싸우는 사람들을 중재하려고 했다; mein Urlaub fällt ~ die Feiertage 내 휴가는 휴일과 휴일 사이에 끼여 있다. 《Ⅲ》*adv.* 그 사이에〔로〕(dazwischen); 〖동사의 전철로서〗보기: ~schieben 삽입하다.

Zwịschen≈ablage *f.* 〖컴〗 클립보드, 오림판, 오려둠판. **~akt** *m.* 〖연극·구식〗 ① 막간(대개 간주곡이 연주됨). ② 막간극(~spiel). **~akt·musik, ~akts·musik** *f.* 〖연극〗 막간 음악, 간주곡. **~akts·vorhang** *m.* (막간에) 내려두는 막(~vorhang). **~amt** *n.* 〖전기〗 중간국(局). **~applaus** *m.* 〖연극〗 공연 도중의 박수 갈채. **~artikel** *m.* (신문 등의) 여백(메우기) 기사. **~auslands·verkehr** *m.* 〖商〗 (Transitverkehr) 통과〔중계〕 무역, 통과 왕래. **~bahn·hof** *m.* 〖철도〗 중간 정거장. **~balken** *m.* 중간 마룻대, 사잇 들보. **~-band** *n.* 〖해부〗 추간 인대(椎間靭帶). **~-batterie** *f.* 〖軍〗 중간 포대(砲臺). **~bau** *m.* 〖건축〗 중간 건축(물); 〖農〗 간작(間作). **~begebenheit** *f.* 부수적〔삽화적〕 사건. **~bemerkung** *f.* 이야기 도중에 하는 언급, 여담; 이간질, 험담: behalte deine ~en für dich! 말참견하지 마라!; darf ich mir eine ~ erlauben? 말씀 도중에 한 마디 해도 되겠습니까? **~bericht** *m.* 중간 보고: einen ~ vorlegen 중간 보고를 하다. **~bescheid** *m.* 중간 결정, 잠정적 통보; 〖法〗 중간 판결: einen ~ erbitten 중간 회답을 요청하다. **~bilanz** *f.* 〖商〗 중간 대차 대조표. **~|-blenden** *i.*(h.) 〖방송〗 소리나 영상을 방송〔화면〕에 삽입하다, 페이드 인(fade in)하다. **~buch·handel** *m.* 〖출판〗 출판물의 중간 도매. **~deck** *n.* 〖海·商〗 중갑판; 3등 선실. **~-deck·passagier** [..ʒiːr], **~decks·passagier** *m.* 3등 선실 승객. **~ding** *n.* 〖구어〗 중간물(物); (Bastard) 잡종, 튀기.

zwischen≈drein *adv.* 〖구어〗 ①〖공간적〗 (wohin? 에 대하여) (그) 중간으로, 한가운데로: das habe ich ~ gelegt 나는 그것을 한 가운데에 놓았다. ②〖시간적〗 그 사이에, 가끔: ~ et. essen 틈틈이 무엇을 먹다. **~drịn** *adv.* 〖구어〗 (wo? 에 대하여) (그) 중간에, 한가운데에. **~dụrch** *adv.* 〖구어〗 ①〖공간적〗 그 사이에, 군데군데에: in der modern eingerichteten Wohnung stehen ~ ein paar alte Möbel 현대적으로 설비를 갖춘 주택 내부에 몇몇 낡은 가구들이 군데군데 있다. ②〖시간적〗 (**a**) 그 사이에, 중간 중간에: wir nehmen am Tag drei Mahlzeiten ein und essen ~ etwas Obst 우리는 하루 세 번 식사를 하고 중간 중간에 과일을 좀 먹는다. (**b**) 틈틈이: er hat den ganzen Abend gearbeitet und nur ~ ein wenig gegessen 그는 저녁 내내 일을 했고 틈틈이 약간 먹었을 뿐이다. ③ 그 사이를 통과해서: er ging einfach ~, als die Leute sich ihm in den Weg stellten 사람들이 그의 길을 방해했을 때 그는 손쉽게 그 사이를 지나갔다. **~ein** *adv.* ① ↑ zwischendurch ②(b). ② 한가운데로, 사이로.

Zwịschen≈ergebnis *n.* ① 중간 결과〔성과〕. ②〖스포츠〗 중간 득점 결과. **~essen** *n.* ↑ ~gericht. **~fall** *m.* ① 우발〔돌발〕 사건; 에피소드: die Feier verlief ohne (jeden) ~ 축제는 무사히 진행되었다; ein ärgerlicher〔lustiger〕 ~ 짜증나는〔유쾌한〕 돌발 사건. ② 소동, 소란: ein tödlicher ~ 치명적인 소동; blutige Zwischenfälle 유혈 사태. **~farbe** *f.* 중간색: eine ~ zwischen Gelb und Grün 노랑과 녹색의 중간색. **~feld** *n.* 〖건축〗 메토프(metope), 중간벽(中間壁); 〖軍〗 중간 지대. **~|finanzieren** *t.* 임시 중간 융자를 해주다. **~finanzierung** *f.* 〖經〗 (계약된 장기 융자가 이루어질 때까지 은행이 미리 융통해 주는 단기 자금의) 임시 중간 융자. **~frage** *f.* 중간 질의〔질문〕: bitte keine ~n! 부디 중간 질문은 삼가해 주시오! **~frequenz** *f.* 〖工〗 중간 주파(수). **~frucht·anbau, ~frucht·bau** *m.* 〖農〗 간작(間作). **~gang** *m.* ①〖건축〗 복도. ② ↑ ~gericht. **~gas** *n.* 〖車〗 변속 동안 주입되는 연료. **~gebäude** *n.* 중간 건물. **~gelände** *n.* 중간 (무인) 지대; 〖軍〗 양군(의 참호선) 사이의 중간 지대. **~gericht** *n.* 〖요리〗 (주요리 사이에 나오는) 앙트레; (수프 다음에 내는) 중간 요리. **~gesang** *m.* 〖음악〗 두 노래〔순서〕 사이에 낀 노래, 간주곡. **~-geschoß** *n.* 〖건축〗 (두 층간의 나지막한) 사이층(Mezzanin). **~gewebe** *n.* 〖生〗 간(間) 조직. **~gewinn** *m.* 중간 이윤, 중개 이득. **~glied** *n.* ① 연결부, (쇠사슬 따위의) 중간 고리, 링크; 〖논리〗 중명〔매명〕사(中名〔媒名〕辭). ②〖生〗 (missing link) 미싱 링크(인류와 유인원의 중간 단계의 가상 동물). **~größe** *f.* (의류·신발 등의) 중간 크기. **~hafen** *m.* 〖海〗 중간항; 상항(商港), 화물 집산항. **~handel** *m.* ① (**a**) 중개업; 도매업. (**b**) 통과〔중계〕 무역. ② 운수업. **~händler** *m.* 〖經〗 중개(상)인, 거간꾼; 도매업자. **~handlung** *f.* ① ↑ ~fall. ②〖연극〗 막간극. **~heirat** *f.* (신분을 초월한) 잡혼(雜婚), 국제 결혼.

zwischen·hẹr *adv.* 〖드물게〗 그(러는) 사이에, 막간에, 이럭저럭하는 동안에.

Zwịschen·herrschaft *f.* 〖政〗 (왕의 승하·폐위 따위에 따른) 공위(空位) 기간(의 통치) (Interregnum).

zwischen·hin, ~hinein [..hín, ..hınáın] *adv.* 〖구식〗 ↑ ~durch.

Zwịschen⸗hirn *n.* 〖해부〗 간뇌(間腦). **~hoch** *n.* 〖기상〗 단기 고기압권(저기압권 사이에서 일시적으로 영향을 미치는 고기압권).
zwischen·ịnne *adv.* 〔방언〕 ①〔구어〕 (양자의) 중간에, 한가운데에. ② 때때로, 가끔.
Zwịschen⸗kiefer *m.*, **~kiefer·bein** *n.*, **~kiefer·knochen** *m.* 〖해부〗 악간골(顎間骨). **~klasse** *f.* 중간 계급, 중산층. **~knochen** *m.* 〖해부〗 삽간골(挿間骨), Wormian 씨 소골(小骨). **~könig** *m.* 섭정왕(고대 로마에서 국왕 공위 기간의 집정자). **~kreis** *m.* 〖전기〗 연계〔완충〕 회로, 고주파 저지 장치. **~kunft** *f.* (Dazwischenkunft) 끼어들기, 방해. **~lage** *f.* ① 중간 위치〔지위〕. ② 사이에 두는 것; 〖기계〗 (마멸 방지용) 낌쇠; 〖건축〗 선반; (모전(毛氈) 제조용의) 소(小)철판. **~lager** *n.* 중계〔일시 보관〕 창고. **~|lagern** *t.* 임시로 보관〔저장〕하다: in den Hallen wird das Stückgut zwischengelagert 창고 안에는 개별 탁송 화물이 임시로 보관된다. **~lagerung** *f.* (원전 폐기물의) 임시 보관〔저장〕. **~|landen** *i.* (s.) 중간〔도중〕 착륙하다: wir sind in Zürich zwischengelandet 우리는 취리히에 중간 착륙했다. **~landung** *f.* 〖空〗 중간 착륙: der Flug von Hamburg nach Rom mit einer ~ in München 뮌헨에 중간 착륙하는 함부르크발 로마행 비행. **~lauf** *m.* 〖육상·사이클〗 (결승·준결승 이전의) 예선 경주. **~liegend** *a.* 중간에 (놓여) 있는. **~lösung** *f.* 중간〔임시〕 해결: sich nur auf eine ~ einigen 임시 해결에만 합의하다. **~mahl·zeit** *f.* ① 중간 식사, 간식. ② (Gabelfrühstück) 특별한 날의 늦은 아침 식사. **~mauer** *f.* 〖건축〗 칸막이벽; 방화벽(放火壁). **~meister** *m.* (가공할 원료를 하청 주고 감독하는) 중간 수공업자. **~menschlich** *a.* 인간끼리의, 인간 상호간의: ~e Beziehungen 인간 (상호) 관계. **~mittel** *n.* 중간〔매개〕물; 〖化〗 중간 생성물〔화합물〕. **~molekular** *a.* 〖物〗 분자간의: ~e Kraft 분자력, 분자 응집력. **~pause** *f.* 중간 휴식 (시간), 휴지 기간; 〖연극〗 막간(의 시간). **~person** *f.* 중개인, 매개자. **~pfeiler** *m.* 〖건축〗 간주(間柱). **~pfosten** *m.* 〖건축〗 중주(中柱), 간주(間柱). **~platz** *m.* ① 중간지. ②〖商〗 시장, 화물 집산지; 상업의 중심지. **~posten** *m.* 〖軍〗 연락초(哨). **~produkt** *n.* 〖經〗 중간 제품〔생성물〕, 반제품. **~prüfung** *f.* ① 중간 고사〔시험〕. ②〖經〗 영업 분기 중의 감사. **~raum** *m.* ①〔공간적〕 (**a**) 중간의 틈(새); 공지(空地), 공간. (**b**) 〖건축〗 가운뎃방, 샛방, 두 건물에 붙어 있는 방; 〖印〗 (책·문서의) 중간 여백, 자간(字間), 행간; 〖음악〗 악보의 선 사이; 〖軍〗 중간지; 〖海〗 정박지: eine Zeile ~ 한 행의 여백; einen ~ ausfüllen 중간 여백을 채우다. (**c**) 간격, 거리: einen ~ lassen 여백〔공간〕을 남기다; ~ zwischen zwei Häusern 두 집 사이의 거리. ②〔시간적〕 사이, 틈, 휴지〔중지〕 기간: eine Schuld in bestimmten Zwischenräumen zahlen 부채를 특정 분기별로 나눠 갚다; er schreibt mir in langen Zwischenräumen 그는 내게 어쩌다 한번씩 편지를 쓴다; in kurzen〔großen〕 Zwischenräumen 짧은〔긴〕 시간 간격을 두고. **~reaktion** *f.* 〖化〗 중간 반응. **~rede** *f.* 〔雅語〕 ① 남의 말을 가로챔, 말참견. ② 여담. ③〖연극〗 방백(傍白). **~redner** *m.* 〖연극〗 방백자; (여흥을 돋구는) 만담가; 전달자. **~regierung** *f.* 〖政〗 (국가 원수의) 공위(空位) 기간; 잠정 통치. **~reich** *n.* ① (두 나라) 사이에 있는 나라. ② 〔구식〕 ↑ ~regierung. ③ (이승과 저승 사이의) 중간 영역〔세계〕. **~reihe** *f.* 중간열(列). **~rippen** ① *pl.* 〖해부〗 중간 늑골. ②〖건축〗 (궁륭형 천장의) 중간 골조. **~rippenmuskel** *m.* 〖해부〗 늑간근(肋間筋). **~ruf** *m.* 남의 발언 중에 지르는 고함, 야유: ablehnende〔zustimmende〕 ~e 거부〔찬동〕하는 고함 소리. **~rufer** *m.* (남의 발언 중에) 야유하는 사람. **~runde** *f.* 〖핸드볼·축구〗 (결승전 또는 준결승 참가팀 결정을 위한) 중간 예선전. **~satz** *m.* ① 삽입물. ②〖문법〗 삽입문. ③〖음악〗 중간〔삽입〕 악장. **~schaltung** *f.* 중간 삽입(물); 중간 스위치〔플러그〕. **~schicht** *f.* 〖지질〗 중간층. **~|schieben*** *t.* 〔구어〕 사이에 밀어 넣다, 삽입하다: wir können den Termin noch ~ 우리는 그 일정을 아직 추가할 수 있다. **~sender** *m.* 〖방송〗 중계 방송국. **~sendung** *f.* 〖방송〗 중계 방송. **~speise** *f.* ↑ ~gericht. **~spiel** *n.* ①〖연극〗 막간극; 삽입극. ②〔비유〕 (**a**) 중간의 사건. (**b**) 부차적 사건, 에피소드. ③〖음악〗 (**a**) 간주곡. (**b**) 악곡내의 연결(삽입) 마디. (**c**) 성악곡의 소절 연결용의 삽입 기악 연주. **~spurt** *m.* 〖육상〗 중간 스퍼트〔역주〕. **~staat** *m.* 완충국. **~staatlich** *a.* ① 국제적인, 국가간의: ~e Beziehungen 국가(간의) 관계. ② (미국의) 각 주간의, 각 주 연합의. **~stab** *m.* 〖건축〗 평연(平緣). **~station** *f.* ① 중간 정차〔체류〕: in München ~ machen 뮌헨에서 중간 정차하다. ② 중간 정거장〔체류지〕. **~stecker** *m.* 〖전기〗 어댑터. **~stock** *m.*, **~stockwerk** *n.* 〖건축〗 ↑ ~geschoß. **~streit** *m.* 〖法〗 간섭; 조정(調停). **~stück** *n.* ① 삽입물; 중간 연결 부분; 〖건축〗 주간(柱間)의 부분, 격자(隔子). ② ↑ ~spiel. **~stufe** *f.* 중급, 중간 단계. **~stufig** *a.* 중급의, 중간 단계의; 과도기의. **~stunde** *f.* 겨를, 짬; (수업 사이의) 휴식 시간, (수업과 수업 간의) 강의가 없는 시간. **~titel** *m.* ①〖출판〗 서적의 단원 제목. ② 〖영화·TV·연극〗 (무성 영화에서 각 장면들이 시작될 때마다 넣는) 중간 제목, 중간 자막. **~ton** *m.* ① (**a**) 색채 뉘앙스. (**b**) 〔복수〕〔비유〕 뉘앙스, 암시적인〔모호한〕 진술: keine Zwischentöne kennen 뉘앙스를 인정하지 않다, 입장이 명확〔단호〕하다; auf die Zwischentöne achten 뉘앙스에 주의하다. ②〖음악〗 중간음. **~träger** *m.* 〔폄어〕 ① 중개인, 매개자, 연락자. ② 고자질하는 사람, 밀고자. ③ 〖軍〗 (도하 작업용) 사이 받침대. **~trägerei** [..trɛːgərάɪ] *f.* 〔폄어〕 고자질, 밀고, 내통. **~tür** *f.* 중간 문. **~umstand** *m.* 부수적인 사건, 우발적 상황. **~urteil** *n.* 〖法〗 중간 판결; 잠정적〔일시적〕 판단. **~völkisch** *a.* ↑ ~staatlich ①. **~vorfall** *m.* ↑ ~fall. **~vorhang** *m.* 〖연극〗 막간용 막. **~wall** *m.* 〖軍〗 (두 능보(稜堡) 사이의) 막벽(幕壁); 〖건축〗 칸막이벽. **~wand** *f.* 〖건축〗 칸막이벽, 격벽. **~weite** *f.* 사이, 간격, 틈. **~welle** *f.* 〖工〗 중간축, 부축(副軸). **~wirt** *m.* 〖生〗 (기생충의) 중간 숙주. **~wort** *n.* 〔복수: ..wörter〕 〖문법·고어〗 감탄사(Interjektion). **~zeile** *f.* 〖印〗 행간. **~zeit** *f.* ① 중간 기간, 짬: in

der ~ 그 사이에, 그럭저럭하는 동안에. ②〖스포츠〗(마라톤 따위에서) 랩타임, 중간〔구간〕기록. ≈**zeitlich** 《Ⅰ》 *a.* 중간 기간의, 휴식 시간의; 《Ⅱ》 *adv.* 〖구어〗 그 사이〔동안〕에(inzwischen). **~zeugnis** *n.* ① 중간 성적표. ②〖經〗 중간 근무 성적표. **~ziel** *n.* 중간 목표. **~zustand** *m.* 중간〔과도〕상태: er befand sich in einem ~ zwischen Wachen und Schlafen 그는 비몽사몽 상태에 처해 있었다.

Zwisch·gold *n.* 다른 면에 금박을 입힌 은박.

Zwissen *m.* -s, - (ndd.) ① 머리 다발, 갈래진 머리. ② 지저깨비, 작은 조각.

***Zwist** [tsvɪst] 《ndd.; ⚘ zwei, Zwirn.》 *m.* -es, -e 〖雅語〗 불화; 갈등, 알력: den alten ~ begraben 오랜 갈등을 묻어 버리다; mit jm. in ~ geraten 누구와 반목하게 되다.

zwistig *a.* 〖구식〗 ① 반목하는, 불화한. ② 다투는, 분쟁 중의, 문제되고 있는: ~e Frage 논란이 되는 문제.

Zwistigkeit *f.* -en 분쟁, 분규, 반목: eheliche ~en begraben 결혼 생활의 불화를 묻어 버리다.

***zwitschern** [tsvítʃərn] 《의성어》 《Ⅰ》 *i.* (h.) (새가) 지저귀다; 〖비유〗 재잘대다: ~de Schwalben 지저귀는 제비; 〖속담〗 wie die Alten sungen, so ~ die Jungen 그 아비에 그 아들, 윗물이 맑아야 아랫물도 맑다(sungen 은 sangen 의 고형). 《Ⅱ》 *t.* ① (새가 노래를) 지저귀다; 〖비유〗 재잘거리다: ein Vogel zwitschert eine Melodie 새가 지저귀며 노래한다; ein Lied ~ 새처럼 즐겁게 노래하다. ②〖구어〗 einen ~ 술을 한 잔 마시다.

***Zwitter** [tsvítər] 《⚘ zwei》 *m.* -s, - ① 혼혈종, 잡종, 튀기; 〖비유〗 중간물: ein auffallender ~ von Vision und Traum 환상인지 꿈인지 종잡을 수 없는 특이한 것. ②〖生〗 남녀추니, 양성 구유체(兩性具有體), 반음양; 자웅 동체 생물: Schwämme sind tierische ~ 해면은 자웅 동체 동물이다. ③〖광물〗 (Wasserblei) 몰리브덴, 수연(水鉛); (특히) 불순한 주석(朱錫) 광석. ④ 앞에는 바퀴, 뒤에는 무한 궤도가 달린 자동차.

Zwitter≈art *f.* 혼혈종, 잡종, 튀기. ≈**artig** *a.* ↑ zwitterhaft. **~bildung** *f.* 〖生〗 ① 양성(兩性)〔잡종〕 형성. ② 양성; 잡종, 혼혈종. **~blume, ~blüte** *f.* 〖植〗 양성화(兩性花) (암술과 수술이 함께 있는 꽃). ≈**blütig** *a.* 양성화의. **~ding** *n.* 〖드물게〗 어중간한 것, 중간물. **~form** *f.* 양성, 잡종(~bildung ②). **~geschlecht** *n.* 혼혈 종족. **~geschöpf** *n.*, **~gestalt** *f.* ↑ Zwitter.

zwitterhaft *a.* 남녀추니의, 양성화의, 자웅 동체의; 잡종의.

Zwitterhaftigkeit ↑ zwitterhaft 의 명사형.

zwitterig *a.* ↑ zwittrig.

Zwitter≈münze *f.* 양면이 다른 주화. **~-pflanze** *f.* 잡종 식물. **~stellung** *f.* 중간〔어중간한〕 위치〔입장〕.

Zwittertum *n.* -(e)s 〖生〗 자웅 동체 현상, 남녀 양성적(兩性的)임.

Zwitter≈volk *n.* 혼혈 민족. **~wesen** *n.* ① 남녀 양성; 잡종. ② ↑ Zwitter. ③〖비유〗 애매 모호. **~wort** *n.* 〖언어〗 (어원이 뒤섞인) 혼성어.

zwittrig *a.* 자웅 동체의, 양성(兩性)의: 〖비유〗 die leitenden Angestellten sind ~e Vertrauenspersonen 간부 사원들은 신뢰성의 측면에서 볼 때 (노사간의) 어중간한 존재다.

Zwittrigkeit *f.* ↑ zwittrig 의 명사형.

zwitzern [tsvítsərn] *i.* (h.) 〖구식·방언〗 ① 반짝거리다, 번쩍거리다; 어슴푸레 빛나다, 가물거리다: still und sanft zwitzerte das Meer 바다는 고요하고도 잔잔히 빛나고 있었다. ② 눈을 깜박거리다; 움찔움찔 움직이다. ③ ↑ zwitschern.

zwo [tsvo:] 《zwei 의 옛 여성형; 남성형 zween, 중성형 zwei》 *num.* 〖구어〗 2, 둘(↑ zwei) (전화 통화에서 “drei”와 혼동을 막기 위해): die Telefonnummer ist: acht, vier, ~, sieben, ~ 전화 번호는 84272 번이다.

***zwölf** [tsvœlf] *num.* 12, 열둘: die ~ Monate 12 개월; die ≈ Nächte ↑ ≈nächte; die ≈ Tafeln ↑ ≈tafelgesetz; (um) ~ Uhr mittags 낮 12 시(에), 정오에; (um) ~ Uhr nachts 밤 12 시(에), 자정(에); um halb ~ 11 시 반에; ~ Stück 12 개, 1 다스; 〖宗〗 die ~ Apostel 〔die ≈e〕 12 사도; 〖비유〗 es ist (schon) fünf (Minuten) vor ~ 가장 적절한 때이다, 아슬아슬한 순간이다; 〖비유〗 nun hat es aber ~ geschlagen! 더 이상 못봐주겠다, 그만하면 됐다!; 〖비유〗 bis fünf (Minuten) nach ~ 아주 늦은 시간까지; 〖구어〗 das reicht〔hält〕 von ~ bis Mittag 그것은 아주 잠깐 동안뿐이다; 〖다음에 명사가 오지 않을 때는 비속어에서 ~e 를 씀〗 wir sind unser ~e 〔wir sind zu ~en〕 우리는 모두 12 명이다.

Zwölf *f.* -en ① 12, 열둘. ② (**a**) 숫자 12. (**b**) 〖구어〗 12 번 노선 버스〔전차〕.

Zwölf·achtel·takt *m.* 〖음악〗 8 분의 12 박자.

zwölfe *num.* 〖비속〗 ↑ zwölf.

Zwölf≈eck *n.* 〖기하〗 12 각형. **~eckig** *a.* 12 각이 있는. ≈**einhalb** *a.* 열둘 반, 12.5 의. **~ender** *m.* ① 〖사냥〗 12 갈래 뿔의 큰 사슴. ② 〖軍〗 복무 기간이 12 년인 군인.

Zwölfer [tsvœlfər] *m.* -s, - ① 12(의 숫자). ② 12 개(의 물건); 12 인의 위원회(원). ③ (**a**) (천 몇 백)12 년산(産)의 포도주. (**b**) 제 12 연대의 병사. (**c**) 〖고어〗 12 크로이처(Kreuzer) 화폐. ④ 〖사냥〗 ↑ Zwölfender ①. ⑤ (südd.) 12 번 노선 버스〔전차〕.

zwölferlei *num.* ① 12 종(種)의, 12 가지의: ~ Farben〔Möglichkeiten〕 12 가지의 색채〔가능성〕. ② 12 가지 상이한 것들: 〖비유〗 ~ zu besorgen haben 시시콜콜 신경써야 한다.

zwölf≈fach *a.* 12 배의: in ~er Ausfertigung 12 부 작성하여. ≈**fache*** *das* 12 배한 것: das Zwölffache dieses Betrages 이 금액을 12 배한 것. **~fältig** *a.* ↑ ~fach. ≈**fingerdarm** [tsvœlffíŋər..] *m.* 〖해부〗 십이지장. ≈**flach** *n.* 〖기하〗 12 면체. **~flächig** *a.* 12 면의. ≈**flächner** *m.* ↑ ≈flach. ≈**fürst** *m.* 12 왕후(王侯). **~griffelig, ~grifflig** *a.* 〖植〗 자웅 꽃술이 12 개 있는. ≈**herrschaft** *f.* (고대 이집트의) 12 왕후 통치. ≈**herrscher** *m.* 12 왕후(의 한 사람). **~jährig** *a.* ① 12 세의: ein ~es Kind 12 세의 아이. ② 12 년(간)의: diese ~e Periode 이 12 년의 기간. ≈**kampf** *m.* 〖체조〗 (6 개 규정 종목과 자유 선택 종목으로 구성된) 12 종 체조 경

기: Olympischer ~ 올림픽 12 종 체조 경기. **≈kämpfer** *m.* 〖체조〗 12 종 체조 선수. **~lötig** *a.* 12 로트의 (무게가 있는)(1 로트는 반 온스). **~mal** *adv.* 12 회〔번〕, 12 배로: die Turmuhr schlug ~ 탑 시계가 종을 12 번 쳤다. **~malig** *a.* 12 회〔번〕의. **~männerig, ~männig** *a.* 〖植〗 12 개의 수꽃술이 있는. **~meilen·zone** [zvœlfmáɪlən..] *f.* 〖法〗 12 해리 영해. **~monatlich** *a.* 12 개월마다의. **≈-nächte** *pl.* 〖宗〗 성탄절(12 월 25 일)과 주현절(主顯節) (1 월 6 일) 사이의 12 일간. **≈pfennig·marke** *f.* 12 페니히짜리 우표(숫자를 써서 12-Pfennig-Marke, 12-Pf-Marke 라고도 씀). **≈pfünder** *m.* 〖軍〗 12 파운드포. **~pfündig** *a.* 12 파운드의 (무게가 있는). **~seitig** *a.* 12 변〔면〕의: eine ~es Manuskript 12쪽짜리 원고. **~stündig** *a.* ① 생후 12 시간이 된. ② 12 시간의. **~stündlich** *a.* 12 시간마다의.

zwölft [tsvœlft] *a.* 제 12(번째)의: der ~e Teil 12 분의 1; die ≈en ↑ Zwölfnächte; am ~en Dezember 12 월 12 일에; in ~er Stunde 최후의 순간에; zu ~ 12 명으로, 12 명 단체로.

Zwölf≈tafel·gesetz *n.* 〖法〗 (B.C. 450 년의 로마의) 12 동판법. **≈tägig** [zvœlf..] *a.* ① 12 일간의. ② 생후 12 일의. **≈tausend** [zvœlf-..] *num.* 1 만 2 천(의).

zwölft(e)halb *num.* 11 개 반(의).

zwölf≈teilig *a.* 12 부분〔조각〕으로 이루어지는, 12 부작의: 〖數〗 12 진법의. **≈teiligkeit** *f.* 〖數〗 12 진법 (Duodezimalsystem).

Zwölftel [tsvœlftəl] 《원뜻 „zwölfter Teil"》 *n.*/(schweiz.) *m.* -s, - 12 분의 1.

zwölftel *a.* 12 분의 1 의.

Zwölftel≈form *f.* 〖印〗 (전지(全紙)의) 12 절(切) 크기. **~format** *n.* 12 절판(Duodez).

Zwölften *pl.* ↑ Zwölfnächte.

zwölftens *adv.* 제 12 번째에.

Zwölf≈töne·musik *f.* ↑ ~tonmusik. **~töner** *m.* 〖음악·은어〗 12 음 작곡가. **~tonmusik** *f.* 〖음악〗 12 음 음악. **~tonner** *m.* 12 톤 트럭〔화물차〕. **≈undeinhalb** *num.* ↑ ≈-einhalb. **≈weiberig, ≈weibig** *a.* 〖植〗 12(개의) 암술이 있는. **~zahl** *f.* 12(진법)의 수. **~zylinder** *m.* 〔구어〕 ① 12 기통 엔진. ② 12 기통 엔진 자동차. **~zylinder·motor** *m.* 〖工〗 ↑ ~zylinder ①. **≈zylindrig** *a.* 12 기통의.

zwot [tsvo:t] 《< zwo》 *a.* 〔구어〕 (md.) 제 2 의.

zwude *int.* 저라, 왼쪽으로(마부의 소리).

zwurig *adv.* (schweiz.) 두 번〔배〕(zweimal).

Zwutsche *f.* -n 채찍 맨 끝의 매듭.

z. Wv. =zur Wiedervorlage 다시 제안〔제출〕하기 위해서.

z.w.V. 〖官〗 =zur weiteren Veranlassung 차후의 기회를 위해서.

Zyan [tsyá:n] 《gr. kyaneos》 *n.* -s 〖化〗 (Cyan) 시안(맹독성 기체).

zyan.. *pref.* "시안을 함유한; 푸른"의 뜻.

Zyane [tsyá:nə] *f.* -n 〖植〗 수레국화(Kornblume).

Zyaneen *pl.* 〖植〗 수레국화속.

Zyanid *n.* -(e)s, -e 〖化〗 시안화물, 청산염.

zyanig *a.* 시안화의; 시안을 함유한: ~e Säure 시안산(酸).

Zyanin 《lat.》 *n.* -s, -e 시아닌(천연의 청색소).

Zyanine *pl.* 시아닌(인공 염료).

Zyan≈kali, ~kalium 《lat.》 *n.* 〖化〗 시안화칼륨, 청산가리.

Zyanlaugerei *f.* -en 〖化·제련〗 청화법(青化法)(시안으로 광석 중의 금·은을 빼는 방법).

Zyanogen 《gr.》 *n.* -s, -e ↑ Zyan.

Zyanometer *n.*/*m.* -s, - (하늘의 푸른 정도를 재는) 시안계(計).

Zyanose *f.* -n 〖醫〗 청색〔자람(紫藍)〕증(Blausucht).

Zyanotypie *f.* ..pien [..pí:ən] 〖印〗 ① (사진 인화용) 청사진법. ② 청사진.

Zyan·säure *f.* 〖化〗 시안산, 청산.

Zyanür 《frz.》 *n.* -(e)s, -e 〖化〗 시안화수소산염(塩).

Zyan≈verbindung *f.* 〖化〗 시안 화합물. **~-wasser·stoff** *m.* -(e)s, **~wasser·stoff-säure** *f.* 〖化〗 시안화수소(산), 청산.

Zyathus [tsý:atus] 《lat.》 *m.* -, - ① (위쪽에 손잡이가 달린) 고대 그리스의 잔. ② 〖醫〗 (Schröpfkopf) 흡각(吸角), 흡종(吸鐘), 방혈기(放血器).

Zygoma [tsygó:ma] 《gr. „Joch, Verbindung"》 *n.* -s, -ta 〖해부〗 (Jochbogen) 광대뼈, 협골궁(頰骨弓).

zygomorph [tsygomɔ́rf] *a.* 〖生〗 (꽃이) 좌우상칭(相稱)인(접형화(蝶形花), 순형화(脣形花) 따위).

Zygospore, Zygote [tsygó:tə] *f.* -n 〖生〗 (생식 세포가 유합한) 접합자(接合子), 접합 포자, 수정란 세포.

Zykladen [tsyklá:dən] 《lat.; „Kreisinseln; ↑ Zyklus》 *pl.* 키클라데스(그리스 에게해의 군도(群島)).

Zyklame *f.* -n (öst), **Zyklamen** [tsyklá:-mən] 《lat.》 *n.* -s, - 〖植〗 시클라멘.

Zyklen [tsý:klən, tsýk..] *pl.* ↑ Zyklus 의 복수형.

Zyklide 《gr.》 *f.* -n 〖數〗 사이클라이드, 4 차 대수(代數) 곡면.

Zykliker [tsý:klɪkər, tsýk..] *m.* -s, - 큐로스, 고대 그리스의 서사 시인(일리어드나 오디세이 전설을 노래한 B.C. 6 세기경까지의 음유 시인들).

***zyklisch** [tsý:klɪʃ, tsýk..] *a.* ① 순환하는, 주기적인: die ~e Wiederkehr eines Naturereignisse 자연 현상의 주기적 반복; 〖經〗 ~e Krise 주기적으로 발생하는 경제 공황. ② (예술 작품들의) 주제나 내용이 같은 부류에 속하는; (강연 따위가) 내용상의 순서에 따라 연속으로 이루어지는: ~e Dichter ↑ Zykliker; das Werk ist ~ angeordnet 이 작품은 연작 형식으로 배열되어 있다. ③ 원형의, 환상의, 고리 모양의: 〖化〗 ~e Verbindung 고리 모양〔환식(環式)〕화합물; 〖數〗 ~e Vertauschung 순환〔순회〕 환치(換値). ④ 〖醫〗 순환성의: 〖心·醫·구식〗 ~es Irresein 조울증.

Zykloide [tsykloí:də] *f.* -n 〖數·건축〗 사이클로이드, 파선(擺線).

Zykloid·schuppe *f.* (물고기의) 원형〔환상〕 비늘.

Zyklometer *n.* -s, - 〔고어〕 주행(走行) 거리계, 차륜 회전 기록기; 측보기; (특히) 자전거

주정계(走程計).

Zyklometrie *f.* ①〖구식〗 주행 거리 측량. ②〖數〗 측원법(測圓法), 윤회(輪回) 측정법.

zyklometrisch *a.* 〖數·구식〗 측원법의 (도움으로): ~e Funktionen 역삼각 함수.

Zyklon [tsykló:n] 《engl.》《I》 *m.* -s, -e ① 선풍(旋風), 회오리바람; 저기압 구역. ②〖工〗 원심력을 응용한 먼지 분리기, 흡진 장치. 《II》 *n.* -s 치클론(청산을 함유한 살충제).

Zyklone 《gr.》 *f.* -n 〖기상〗 이동성 저기압 (구역).

Zyklonette 《frz.》 *f.* -n 3륜 자동차.

Zyklop 《lat.; „Rundäugiger"》 *m.* -en, -en 〖그리스신화〗 (오디세이에 나오는 외눈박이 거인) 키클로프스; 〖動〗 민물 갑각류의 일종.

Zyklopen·bau *m.* 〖건축〗 큰 자연석을 쌓아 만든 건축물.

zyklopenhaft *a.* 키클로프스처럼 거대한.

Zyklopen·mauer *f.* 키클로프스 석벽(고대 그리스의 큰 자연석 건축).

Zyklopie *f.* -n [..pí:ən] 〖醫〗 단안증(單眼症).

zyklopisch *a.* ① 거인 키클로프스의〔에 관한〕. ② 거대한, 엄청난 규모의: eine ~e Mauer 엄청나게 큰 성벽.

zyklothym [..tý:m] *a.* 〖心·醫〗 조울증의.

Zyklothyme* [..tý:me] *der/die* 〖心·醫〗 조울증 환자.

Zyklothymie *f.* 〖心·醫〗 조울증.

Zyklotron [tsý:..] *n.* -s, -e [..tró:nə]/-s 〖핵물리〗 사이클로트론(원자핵 파괴 장치).

***Zyklus** [tsý:klus, tsýk..] 《lat. cyclus, „Kreis"》 *m.* -, ..klen ① 원(圓), 환(環); 순환(과정), 규칙적으로 반복되는 운행; 〖天〗 순환기, 주기: der ~ der Jahreszeiten 계절의 순환. ② (a) (내용면·형식면에서 동일 부류에 속하는 일련의) 연작(連作): Gedicht≈ 연작시. (b) 시리즈 연주회〔강의〕. ③〖醫〗 (여성의) 생리 주기. ④〖經〗 경기 변동 주기. ⑤〖數〗 순회 치환(置換).

***Zylinder** [tsilíndər, tsy..] 《lat.》 *m.* -s, - ① 원통; 원주, 두리기둥. ②〖기계·工〗 (증기기관·발동기의) 실린더, 기통; 시험관. ③〖구어〗 ↑ ~hut. ④ 등피(Lampen≈). ⑤〖컴〗 실린더.

Zylinder≈achse *f.* 〖工〗 원통축. **≈ähnlich, ≈artig** *a.* 원통형의. **~bekleidung** *f.* 기통 씌우개. **~block** *m.* 〔복수: ..blöcke〕〖工〗 실린더 블록. **~boden** *m.* 원통 밑바닥. **~-bohr·maschine** *f.* 〖工〗 실린더 보링 머신. **~bureau** [..byro:], **~büro** *n.* 〖가구〗 (18세기의) 접는 뚜껑이 달린 책상. **~dampf-kessel** *m.* 〖工〗 원통 기관(汽罐). **~deckel** *m.* 〖工〗 기통 씌우개〔마개〕. **~drehbank** *f.* 〖工〗 활선반(滑旋盤). **~fläche** *f.* 〖數〗 원통 표면, 원주(圓柱)면. **≈förmig** *a.* 원통〔원기둥〕 모양의. **~gebläse** *n.* 〖工〗 원통형 송풍기. **~glas** *n.* ①〖광학〗 (난시 교정용) 원주 렌즈. ② 계량컵. **~hahn** *m.* 〖工〗 기통 꼭지〔콕〕. **~hemmung** *f.* (시계의) 실린더 지동(止動) 장치. **~hut** *m.* 실크 해트. **~kessel** *m.* 원통 기관(汽罐). **~kopf** *m.* 〖工〗 실린더 헤드. **~mange, ~mangel** *f.* 광택기, 캘린더(종이·헝겊 등에 광택을 내는 롤러식 기계). **~mantel** *m.* 〖工〗 실린더 재킷.

zylindern (*p.p.* zylindert) 《<Zylinder》 *t.* (천 등을 기계로) 윤을 내다(kalandern).

Zylinder≈öl *n.* 실린더 기름〔오일〕. **~presse** *f.* ↑ ~mange. **~projektion** *f.* 〖제도〗 원통도법. **~rad** *n.* (회중 시계의) 실린더 바퀴. **~scheibe** *f.* 〖工〗 피스톤(Kolben). **~-schreib·tisch** *m.* ↑ ~büro. **~stift** *m.* 〖工〗 원통(형의) 핀. **~uhr** *f.* 실린더 지동(止動) 장치가 달린 회중〔손목〕 시계. **~zapfen** *m.* 〖海〗 (Döbel) 나무못, 마개.

zylindrieren *t.* ↑ zylindern.

..zylindrig *suf.* "…개의 실린더가 있는"의 뜻 (보기: zwei~ 실린더가 둘인).

zylindrisch *a.* 원통형의(walzig): ~e Gläser 원통형 유리잔; eine ~e Fläche 원통꼴의 표면.

Zylindroid *n.* -(e)s, -e 〖數〗 곡선도(曲線墻), 타원통(楕圓筒).

Zyma [tsý:ma] *n.* -s, -ta (Gärstoff) 발효소, 효모.

Zymase [tsymá:zə] *f.* 〖化〗 치마아제(알코올 발효 효소의 일종).

zymisch [tsý:..] 《gr.》 *a.* 발효에 의한; 발효한.

Zymogen *n.* -s, -e 〖생화학〗 치모겐, 선구 효소.

Zymol 《lat.》 *n.* -s 〖化〗 치몰.

Zymologie [tsymologí:] *f.* 발효학, 양조학.

Zymotechnik *f.* 발효법, 양조법.

zymotechnisch *a.* 발효법〔양조법〕의.

zymotisch [tsymó:tɪʃ] *a.* 〖化〗 발효(성)의, 발효를 촉진하는〔일으키는〕.

Zynegetik [tsynegé:tɪk] 《gr. kýōn, „Hund"》 *f.* 〖사냥〗 사냥개 조련(술).

zynegetisch *a.* 사냥개 조련술의.

***Zyniker** [tsý:nɪkər] 《lat.; 원뜻 „Hündischer"》 *m.* -s, - ①〖哲〗 (Kyniker) 견유(犬儒)학파의 학도(소크라테스 제자 Antisthenes를 시조로 하는 극단의 금욕주의 학파). ②〖비유〗 빈정거리는〔비꼬는〕 사람, 냉소적인 사람; 신랄한 풍자가.

***zynisch** [tsý:nɪʃ] *a.* 견유학파의; 〖비유〗 염치없는, 철면피의; 경멸적〔냉소적〕인; 야비한 생각을 품는: ein ~er Mensch 냉소적인 사람; mit ~er Gebärde 냉소적인 태도로; mit ~em Lachen 냉소를 띠고.

Zynismus [tsynísmus] *m.* -, ..men ① (Kynismus) (a) 〖哲〗 견유(犬儒)주의, 견유학파의 학설. (b) 신랄한 조소; 철면피, (기성 도덕이나 관습에 대한) 경멸적인 태도〔사고 방식·행동 양식〕, 냉소주의: mit kaum zu überbietendem ~ 더 심할 수 없을 정도의 경멸적인 태도로. ② 경멸적〔조소적〕 언행: seine beleidigenden Zynismen 그의 모멸감을 주는 경멸적 언행.

Zyper≈gras [tsý:pər..] 《<Zypern》 *n.* 〖植〗 (대개 열대·아열대 지역에 자생하는) 향부자속(屬). **~katze** *f.* 키프로스섬산(産)의 고양이.

Zypern [tsý:pərn] *pl.* 키프로스(지중해 동쪽에 있는 섬나라).

Zyper·wein [tsý:pər..] *m.* 키프로스산(産) 포도주.

Zyprer [tsý:prər] *m.* -s, - 키프로스인〔주민〕.

Zypresse [tsyprɛ́sə] 《lat.》 *f.* -n 〖植〗 실측백나무(애도의 상징): japanische ~n 노송나무.

zypressen *a.* 실측백나무의〔로 된〕.

zypressen·artig *a.* 실측백나무속(屬)의.
Zypressen-hain *m.* 실측백나무 숲. **~holz** *n.* 실측백나무 목재. **~kraut** *n.* 〖植〗 (Heiligenkraut) 산톨리나(국화과의 초본). **~nuß** *f.* 실측백나무 열매. **~öl** *n.* 실측백나무 기름. **~wald** *m.* 실측백나무 숲.
Zyprier [tsý:priər] *m.* -s, -, **Zypriot** *m.* -en, -en ↑ Zyprer.
zypriotisch, zyprisch [tsý:p..] *a.* 키프로스(사람)의.
zyrillisch [tsyrílıʃ] *a.* 키릴 문자의(kyrillisch).
Zyrill, Zyrillus [tsyrílus] *m.* 지릴루스(그리스인 선교사, ? ~869; 키릴 문자의 창시자로 전해짐).
Zystalgie [tsʏstalgí:] 《gr.》 *f.* -n [..gí:ən] 〖醫〗 방광통(痛).
Zyste [tsʏ́stə] *f.* -n ①〖병리〗 낭종(囊腫), 낭포(囊胞). ②〖生〗 포자(胞子), 포낭, 낭자.
Zystektomie *f.* -n [..mí:ən] 〖외과〗 ① 낭종〔낭포〕의 절제(술). ② 방광 절제술: totale 〔partielle〕 ~ 전체적〔부분적〕 방광 절제술.
Zysten·flüssigkeit [tsʏ́:stən..] *f.* 낭포액.
Zystin [tsʏstí:n] 《lat.》 *n.* -s 〖생화학〗 시스틴(케라틴·신장 결석·요석 속에서 발견되는 황 함유 아미노산).
zystisch [tsʏ́stıʃ] *a.* 〖醫〗 ① 낭포성〔낭종성〕의, 낭포를〔낭종을〕 형성하는. ② 방광의.
Zystitis 《gr.》 *f.* ..tiden [..tí:dən] 〖병리〗 방광염.
Zystoskop *n.* -s, -e 〖醫〗 방광경(鏡).
Zythos [tsʏ́(:)..] 《gr.》 *m.* - (맥주와 같은) 발효 음료.
Zythotechnik *f.* 맥주 양조법.
Zytisin 《lat.》 *n.* -s, -e 〖化〗 나도싸리(Zytisus)에 있는 유독한 식물성 염기.
Zytisus [tsʏ́(:)tizus] 《lat.》 *m.* - 〖植〗 나도싸리(Goldregen).
Zytode [tsytó:də] 《lat. kýtos, „Hohlraum, Zelle"》 *f.* -n 〖生〗 (핵이 없는) 의(擬)세포.
zytogen *a.* 〖生〗 세포 형성의; 세포에 의해서 형성된.
Zytologe *m.* -n, -n 세포학자.
Zytologie [tsytologí:] *f.* 세포학.
Zytologin *f.* -nen ↑ Zytologe 의 여성형.
zytologisch *a.* 세포학의: ~e Untersuchungsmethoden zur Früherkennung von Krebskrankheiten 암의 조기 발견을 위한 세포학적 검사 방법.
Zytoplasma *n.* -s, ..men 〖生〗 ① 세포(원형)질. ② 투명질.
Zytosom *n.* -s, -en, **Zytosoma** *n.* -s, -ta 〖生〗 세포질체(體).
Zytostatikum *n.* -s, ..ka 〖藥〗 세포 안정제, 세포 성장〔분열〕 억제제.
zytostatisch *a.* 〖醫·生〗 세포 성장을 억제하는: ~ wirkende radioaktive Antibiotika 세포 성장을 억제하는 방사능 항생 물질.
Zytostom *n.* -s, -e, **Zytostoma** *n.* -s, -ta 〖生〗 (원생 동물의) 세포구(口), 입.
Zytotoxin *n.* -s, -e 〖醫·生〗 세포독(소).
zytotoxisch *a.* 〖醫·生〗 세포독(소)의; 세포에 유독한.
Zytotoxizität *f.* 〖醫·生〗 세포 유독성.
Zz. =Zinszahl (이자 계산표의) 이자 숫자.
z.Z., z. Zt. =zur Zeit 지금, 목하.

부 록

Ⅰ 독일어 발음(구명철) ······ 2724
Ⅱ 독일어 새 정서법(전경재) ······ 2727
Ⅲ 문 법(임홍배) ······ 2737
1. 수 사 ······ 2737
2. 관 사 ······ 2737
3. 명사의 격변화 ······ 2738
4. 대명사 ······ 2739
5. 형용사 ······ 2741
6. 부 사 ······ 2742
7. 동 사 ······ 2743
8. 전치사 ······ 2748
9. 접속사 ······ 2749
Ⅳ 기호 읽기(구명철) ······ 2751
Ⅴ 국명·지역명·인명(임홍배) ······ 2754
1. 국가·지역 이름 ······ 2754
2. 독일어권 국가들의 연방주(州) 이름 ······ 2758
3. 독일 인명 ······ 2759
Ⅵ 독일어권의 대학(임홍배) ······ 2761
Ⅶ 불규칙동사 변화표(임홍배) ······ 2767

I 독일어 발음

1 발음 기관

발음에 관여하는 기관〔조음장소〕을 제시하면 다음과 같다.

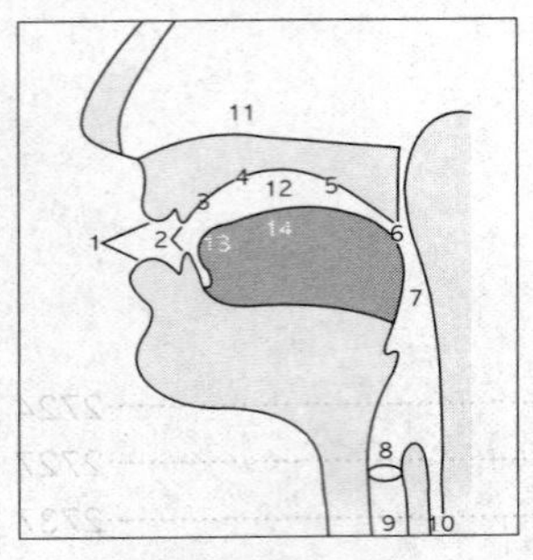

1. 입술
2. 이
3. 잇몸
4. 앞입천장, 경구개
5. 뒤입천장, 연구개
6. 목젖
7. 목구멍
8. 성대
9. 기도
10. 식도
11. 코안, 비강
12. 입안, 구강
13. 혀끝
14. 혀

2 모음과 자음

1. 모 음

모음은 발음할 때 혀의 높이와 전후 위치, 그리고 입술의 모양에 따라 다양하게 구분된다. 혀의 높낮이에 따라서 저모음과 중모음 및 고모음으로 구분되고, 혀의 위치에 따라 전설모음·중설모음·후설모음으로 나뉜다. 모든 후설모음과 전설모음의 일부는 조음 때 입술이 둥글게 되기 때문에 원순모음이라고 하고, 나머지 모음의 경우는 평순모음이라고 부른다.

독일어의 모음을 이러한 구분에 따라 나타내면 다음과 같다.

단모음	평순 전설모음	[iː]	g*i*b, b*ie*ten
		[i]	Natr*i*um, R*i*vale
		[ɪ]	b*i*tten, F*i*sch
		[eː]	*e*ben, g*e*hen
		[e]	l*e*bendig, M*e*than
		[ɛː]	z*ä*hlen, K*ä*se
		[ɛ]	b*e*tten, f*ä*llen
	원순 전설모음	[yː]	s*ü*ß, f*üh*len
		[y]	B*ü*ro, Ph*y*sik
		[ʏ]	f*ü*llen, M*y*stik
		[øː]	t*ö*richt, H*öh*le
		[ø]	*Ö*konomie, Z*ö*lom
		[œ]	H*ö*lle, F*ö*rster
	저모음	[aː]	r*a*ten, z*a*hlen
		[a]	M*a*nn, R*a*tte
	원순 후설모음	[uː]	Sch*u*le, g*u*t
		[u]	M*u*sik, B*u*tan
		[ʊ]	*u*nd, B*u*lle
		[oː]	*O*fen, r*o*h
		[o]	p*o*tent, Krok*o*dil
		[ɔ]	*o*ffen, H*o*rn
	중설모음	[ə]/[*ə*]	bitt*e* / bitt*e*n
		[ər]/[*r*]	Mutt*er* / vo*r*
이중모음		[aɪ]	B*ei*n, l*ei*ten
		[aʊ]	*au*s, l*au*ten
		[ɔʏ]	h*eu*te, fr*eu*en
비모음		[ãː]/[ã]	Nu*an*ce / p*en*see
		[ɛ̃ː]/[ɛ̃]	T*ein*t / po*in*tieren
		[ɔ̃ː]	F*on*d
		[ɔ̃]	K*om*plet / Pavill*on*
		[œ̃ː]/[œ̃]	Parf*um*/Verd*un*

※ 발음할 때 주의사항

a) [e:] 와 [ε:]
[e:] 는 혀끝을 아래 앞니에 대고 입을 조금 벌리면서 힘있게 발음하고, [ε:] 는 [e:] 보다 입을 약간 더 벌리고 혀의 위치를 조금 낮추면서 발음한다.

b) [ø:] 와 [y:]
[ø:] 는 혀끝을 [e:] 처럼 아래 앞니에 대고 입술을 [o:] 처럼 둥글게 하여 발음하고, [y:] 는 [i:] 처럼 혀끝을 위치시키고 입술을 [u:] 처럼 만들어 발음한다. [ø:] 와 [y:] 둘 다 입술을 둥글게 하고 소리내긴 하지만, [ø:] 보다는 [y:] 를 발음할 때 입술을 더 내밀어야 한다.

c) [ə]
[ə] 는 bitt*e*, G*e*fühl 에서처럼 보통 강세가 없는 e 의 — 특히 bitt*e*, Lamp*e* 에서처럼 e 가 단어 끝에 나올 때의 — 소리로서 혀를 입안 가운데 부분에 위치시키고 가볍게 발음하면 된다.

d) [*ər*]
[a] 의 약화된 소리로서 [a] 보다 입을 약간 덜 벌리고 가볍게 [a] 를 발음하듯이 소리내는데, 보통 단어의 끝(Mutt*er*, näh*er*, Wass*er*) 이나 자음 앞(fürcht*er*lich) 에 나오는 강세 없는 -er 가 [*ər*] 로 발음된다. [*r*] 는 vor, ver- 에서처럼 다른 모음의 뒤에서 이 모음과 함께 하나의 음절을 이루어 소리난다. [*r*] 는 국제음성기호(IPA) 의 [ɐ̯] 에, [*ər*] 는 [ɐ] 에 해당하는 음가를 갖는다.

e) [ɪ], [ʊ], [ʏ]
[ɪ], [ʊ], [ʏ] 는 장모음 [i:], [u:], [y:] 가 소리날 때보다 입이 조금씩 더 벌어지게 된다. 그래서 [ɪ], [ʊ], [ʏ] 를 개모음, [i:], [u:], [y:] 를 폐모음으로 분류하기도 한다.

f) [aɪ], [aʊ], [ɔʏ]
[aɪ], [aʊ], [ɔʏ] 는 각각 [ae], [ao], [ɔø] 에 가깝게 소리나는데, ei, ai 는 일반적으로 [aɪ] 로, au 는 [aʊ]로, 그리고 eu, äu 는 [ɔʏ] 로 발음된다.

g) 모음의 장단과 강세
St*aa*t [ʃta:t] — St*a*dt [ʃtat], M*ie*te [mí:tə] — M*i*tte [mítə] 처럼 모음의 장단에 따라 서로 다른 단어로 구분되는 경우도 있으므로, 모음을 발음할 때는 그 길고 짧음에 특히 유의해야 한다. 표기법상 w*e*nn, *ö*ffnen, M*i*tte 에서처럼 모음 뒤에 동일한 자음이 겹쳐 쓰이면 이 모음은 보통 짧게 발음한다. 한편 g*e*hen, z*a*hlen 에서처럼 모음 뒤에 h 가 나오면 이 h 는 묵음이 되고, 그 앞에 나오는 모음은 길게 소리난다. 모음의 장단 뿐만 아니라, ǘbersetzen — übersétzen 처럼 강세를 어디에 두느냐에 따라 의미가 달라질 정도로 단어의 강세도 매우 중요하다. 합성어나 파생어에서 발음기호를 생략하는 경우에는 강세를 받는 모음의 장단에 따라 해당 모음 아래에 '_' (장모음강세) 및 '.' (단모음강세)로 표시하기도 한다(보기 : F<u>a</u>hrordnung, Trọmmler).

2. 자 음

자음은 발음되는 곳(조음 장소)과 그 발음법(조음 방식)에 따라 몇 가지 종류로 구분된다. 조음 장소에 따라서는 위, 아래 두 입술 사이에서 소리나는 양순음, 윗니와 아랫 입술에서 나오는 순치음, 혀끝과 윗니 사이에서 나오는 치음, 혀의 앞쪽면(전설면)과 앞입천장(경구개) 사이에서 나오는 경구개음, 혀의 뒷쪽면(후설면)과 뒤입천장(연구개) 사이에서 나오는 연구개음, 목젖에서 소리나는 목젖음, 그리고 성대 사이에서 나오는 성문음으로 나누어진다. 한편, 조음방법에 따라서는 공기의 흐름이 일시적으로 차단되었다가 터질 때 나오는 파열음, 좁아진 구강 내의 조음 장소 사이로 공기가 마찰을 일으키며 빠져나갈 때 나오는 마찰음, 파열음과 마찰음이 동시에 나오는 파찰음, 혀끝이 잇몸을 밀착시켜 공기가 그 양옆으로 지나갈 때 나오는 설측음 및 혀끝이 잇몸에서 진동할 때 나오는 전음, 구강이 패쇄되어 공기가 코를 통해 지나갈 때 나오는 비음 등으로 구분된다.

이 사전에 나오는 자음을 그 조음 방법에 따라 나타내면 다음과 같다.

파열음	[p]	*p*acken, hal*b*
	[b]	*b*acken, *B*ein
	[t]	*T*eich, Win*d*
	[d]	*d*as, *D*eich
	[k]	*K*abel, We*g*
	[g]	*g*ut, *G*abel
	[|]	Verein [fε*r*|áɪn]
마찰음	[f]	*f*ahren, akti*v*
	[v]	*W*aren, *V*ase
	[s]	Hal*s*, rei*s*t
	[z]	*S*onne, Ro*s*e
	[ʃ]	*S*tadt, *sch*reiben
	[ʒ]	*G*enie, *J*ournalist
	[ç]	*Ch*emie, i*ch*

	[j]	*j*ung, *Y*acht
	[x]	Tu*ch*, Bau*ch*
	[h]	*h*ier, *h*aben
파찰음	[pf]	*Pf*erd, A*pf*el
	[ts]	*Z*ahl, Na*t*ion
	[tʃ]	*Tsch*eche, Deu*tsch*
	[dʒ]	*Dsch*ungel
설측음	[l]	*L*and, Wi*ll*e
전음	[r]	*R*and, Wi*rr*e
비음	[m]	*M*acht, ko*mm*en
	[n]	*N*acht, si*nn*en
	[ŋ]	Schra*n*k, ba*ng*

※ 발음할 때 주의사항

a) [p], [t], [k] 와 [b], [d], [g]
이들은 모두 발음 기관의 한 부위(입술, 윗니, 뒤입천장)가 순간적으로 열리면서 터져나오는 파열음에 속하지만, [b], [d], [g] 는 성대가 떨리면서 발음되고(유성음), [p], [t], [k] 는 성대의 떨림이 동반되지 않고 (무성음으로) 발음된다는 점에서 구분된다. 단어 끝이나 자음 앞에서 b, d, g 는 hal*b*, Mä*d*chen, We*g* 에서처럼 [p], [t], [k] 로 무성음화되어 소리난다.

b) [f] 와 [v]
[f] 와 [v] 는 모두 아랫입술을 윗니에 살짝 대고 공기를 내뱉으면 나오는 소리로 마찰음에 속한다. 이때 성대의 떨림이 동반되면 [v] 가 되고, 그렇지 않으면 [f] 가 된다(보기 : *W*aren — *f*ahren, *w*as — *F*aß). 한편 [f], [v] 는 발음할 때 치아가 관여하지 않고 닫힌 입술이 순간적으로 열리면서 소리나는 [p], [b] 와도 각각 구분해서 소리내야 한다(*f*est — *P*est, Wein — *B*ein). 보통 [f] 는 철자법상 f 나 v 에 해당하고, [v] 는 독일어 단어의 w 나 외래어에서 온 단어의 v 에 해당한다.

c) [s], [z], [ʃ]
[z] 와 [s] 는 혀끝을 앞니 아래에 살짝 대고 마찰시킬 때 나오는 소리이다. 이때 입은 약간 벌어지게 되고 위, 아랫니가 거의 닿게 된다. 발음하면서 성대의 떨림을 동반하면 [z] 가 되고, 그렇지 않으면 [s] 가 된다. 한편 성대의 떨림을 동반하지 않으면서 [s] 를 발음할 때보다 혀끝을 약간 더 높이, 즉 혀끝을 위, 아랫니 중간에 대고 입술을 앞으로 내밀면 [ʃ] 발음이 나온다. 독일어에서 s 는 모음 앞에 나오면 [z] 로 발음되고(*S*onne, Ro*s*e), 단어의 끝부분이나 자음 앞에서는 대개 [s] 로 발음된다(Hal*s*, rei*s*t). s가 단어의 시작 부분에서 p 나 t 앞에 나오면(sp-, st-) [ʃ] 로 발음된다(*S*tadt, *s*prechen). [ʃ] 는 또한 sch 가 갖는 소리이기도 하다(*sch*reiben, Men*sch*).

d) [ç], [x]
ch 는 단어 내에서의 위치에 따라 [ç] 또는 [x] 로 소리난다. [ç] 는 앞입천장소리(경구개음)로 혀끝을 [iː] 를 발음할 때처럼 아래 앞니의 안쪽에 위치시키고 공기를 빠른 속도로 내어뱉을 때 나는 소리다. [x] 는 뒤입천장소리(연구개음)로 혀끝을 [ç] 의 경우보다 좀더 입 안쪽으로 위치시키고 혀를 뒤입천장에 접근시키면서 공기를 통과시킬 때 나는 소리다.
[ç] 는 혀가 입의 앞쪽에 위치하여 발음되는 전설모음 i, e, ä, ö, ü 뒤에서(i*ch*, e*ch*t, lä*ch*eln, Lö*ch*er, Kü*ch*e), [x] 는 혀가 입의 뒤쪽에 위치하여 발음되는 후설모음 a, o, u 뒤에서 실현된다(ma*ch*en, Lo*ch*, Bu*ch*). 선행모음이 이중모음인 경우에는 그 이중모음의 두 번째음이 전설모음이냐, 후설모음이냐에 따라 각각 [ç] 와 [x] 로 실현된다(Zei*ch*en, leu*ch*ten — Bau*ch*, brau*ch*en). 한편, ch 는 자음 l, n, r 뒤에서 [ç] 로 실현되고(Mil*ch*, man*ch*mal, Kir*ch*e), 어미 -ig 도 단어의 끝과 자음 앞에서 [iç] 로 발음된다(Köni*g*, Ewi*g*keit).

e) [j]
[j] 도 [ç] 처럼 입천장소리에 속하는데, 발음할 때 혀의 앞부분이 앞입천장 가까이에 놓인다. 그러나 [j] 는 [ç] 와는 달리 성대의 떨림이 동반되는 유성음이다. [j] 는 *j*a, *J*ena, So*j*a 에서처럼 보통 j 로 표기되는데, *Y*acht, *Y*oga 에서처럼 y 으로 표기되기도 한다.

f) [l], [r], [ʀ]
[l] 은 혀끝을 윗쪽 앞니나 앞입천장의 가운데 부분에 갖다 대면서 공기를 그 양 옆으로 통하게 하여 나는 소리(설측음)이다. 한편 [r] 는 윗쪽 잇몸을 혀끝으로 가볍게 3-4 회 두드리면서 소리를 낸다. r 를 보통 [r] 대신 [ʀ] 로 발음하기도 하는데, [ʀ] 는 혀를 입안 깊숙이 위치시키고 목젖을 진동시켜 내는 소리이다.

g) [pf], [ts]
[pf], [ts] 는 파열음인 [p], [t] 가 동일한 발음기관에서 조음되는 마찰음 [f], [s] 와 결합된 소리(파찰음)로 공기를 차단시킨 상태에서 천천히 파열시켜 발음한다. z 는 [ts] 로 발음한다(Zeit, Zahl, Herz).

h) 중자음은 하나의 자음과 같이 발음한다(ko*mm*en, kö*nn*en, wi*ll*)

Ⅱ 독일어 새 정서법

1 새 정서법의 내용

1. 음-낱자-대응

1.1. 고유어

새 정서법은 이 분야에서 가능한 한 어근 원칙에 위배되는 것들을 제거하려고 한다. 그래서 같은 어근을 지닌, 즉 한 어족에 속하는 단어들 중에서 현재 그 어근이 달리 표기되는 것들은 가능한 한 모두 해당 어근이 동일하게 표기되도록 만든다.

(1-1) [ɛ]를 **ä**로 표기하는 개별 경우

옛 표기	새 표기
e	**ä**
behende	behände (<Hand)
Bendel	Bändel (<Band)
Gemse	Gämse (<Gams)
Stengel	Stängel (<Stange)
überschwenglich	berschwänglich (<berschwang)
belemmert	belämmert (오늘날 <Lamm)
Quentchen	Quäntchen (오늘날 <Quantum)
aufwendig	aufwendig (<aufwenden) 또는 aufwändig (<Aufwand)
Schenke	Schenke (<ausschenken) 또는 Schänke (<Ausschank)

<예외> Eltern (<alt), schwenken (schwanken 참조)

(1-2) [ɔʏ]를 **äu**로 표기하는 개별 경우

옛 표기	새 표기
eu	**äu**
schneuzen	schnäuzen (Schnauze, großschnäuzig 참조)
verbleuen	verbläuen (오늘날 <blau)

(2) 단모음 뒤에서 자음자를 이중으로 표기하는 개별 경우

옛 표기	새 표기
l, m, n, p, s	**ll, mm, nn, pp, ss**
Karamel	Karamell (Karamelle 참조)
Tolpatsch	Tollpatsch (오늘날 <toll)
numerieren	nummerieren (<Nummer)
Mesner	Messner (오늘날 <Messe)
Tip	Tipp (tippen 참조)
As	Ass (Asse 참조)
z	**tz**
plazieren (placieren)	platzieren (<Platz)

<참고>

옛 표기	새 표기
kk	**ck**
Stukkateur	Stuckateur (<Stuck)

(3) 단모음 뒤에서는 [s]를 **ß** 대신 **ss**로 표기한다.

옛 표기	새 표기
ß	**ss**
hassen — Haß	hassen — Hass
küssen — Kuß, sie küßten sich	küssen — Kuss, sie küssten sich
lassen — er läßt	lassen — er lässt
müssen — er muß	müssen — er muss
naß	nass
Wasser — wässerig — wäßrig	Wasser — wässerig — wässrig
daß	dass

<참고> 장모음과 복모음의 뒤에서는 그대로 **ß**를 쓴다: Maß, Muße, Straße; draußen, beißen (예외: aus, heraus 등)

<참고> 어근 모음의 길이가 변함에 따라 **ss**와 **ß**가 교체될 수도 있다:

fließen — er floss — Fluss — das Floß
genießen — er genoss — Genuss
wissen — er weiß — er wusste

(4-1) 합성어에서 세 개의 동일한 자모가 만나면, 항상 셋을 모두 다 쓴다.

옛 표기	새 표기
Schiffahrt	Schifffahrt
Flanellappen	Flanelllappen
Kammacher	Kammmacher
Brennessel	Brennnessel
Geschirreiniger	Geschirrreiniger
Ballettänzer	Balletttänzer
*Flußsand	Flusssand
*Kongreßstadt	Kongressstadt

<예외> **dennoch, Drittel, Mittag**
<참고> 이 경우 가독성을 높이기 위해 항상 붙임표를 써서 표기할 수 있다:
Sauerstoff-Flasche, Schnell-Läufer, Nuss-Schale, Schnee-erhellt

(4-2) 접미사 **-heit** 를 지닌 파생어에서 선행 **h** 는 그대로 유지된다.

옛 표기	새 표기
Roheit	Rohheit (<roh)
Zäheit	Zähheit (<zäh)

(4-3) 기타

옛 표기	새 표기
Zierat	Zierrat (Vorrat 처럼)
selbständig	selbständig/selbstständig

(5) 기타 개별 경우

옛 표기	새 표기
rauh	rau (blau, genau, grau, schlau 따위처럼)
Känguruh	Känguru (Emu, Gnu, Kakadu 따위처럼)

Ⅰ. 2. 외래어

(1) **-anz** 나 **-enz** 로 끝나는 기반 명사가 있으면, 어근 원칙에 따라 **z** 를 지닌 표기가 주형태가 되고, **t** 를 지닌 이제까지의 표기는 부형태로 존속한다.

옛 표기	새 표기
-tial	**-zial** 또는 **-tial**
Differential	Differenzial (<Differenz), 또한 Differential
Potential	Potenzial (<Potenz), 또한 Potential
-tiell	**-ziell** 또는 **-tiell**
differentiell	differenziell (<Differenz), 또한 differentiell
essentiell	essenziell (<Essenz), 또한 essentiell
potentiell	potenziell (<Potenz), 또한 potentiell
substantiell	substanziell (<Substanz), 또한 substantiell

(2) **ph, gh, rh, th** 를 지닌 일부의 외래어들 중에서 각각 동화된 변이형이 하나씩 주어진다.

(2-1) 어근 **phon, phot, graph** 를 지닌 일상 단어에서 **ph** 는 **f** 로 대체될 수 있다.

옛 표기	새 표기
ph	**ph** 또는 **f**
Megaphon	Megaphon, 또한 Megafon
quadrophon	quadrophon, 또한 quadrofon
Photometrie	Photometrie, 또한 Fotometrie
Geographie	Geographie, 또한 Geografie
Graphologe	Graphologe, 또한 Grafologe
Orthographie	Orthographie, 또한 Orthografie
	(이제까지 이미 Mikrofon, Fotografie, Grafik 등으로 쓴 것처럼)

<참고> 이와 유사하게 일부의 자주 사용되는 단어들에서도 **ph** 대신 **f** 를 쓸 수 있다.

옛 표기	새 표기
Delphin	Delphin, 또한 Delfin (이제까지 이미 fantastisch 로 쓴 것처럼)

<참고> **ph** 를 지닌 전문성을 띤 단어들에 있어서는 이런 대체가 허용되지 않는다: **Philosophie, Phänomen, Metapher, Sphäre**

(2-2) 일부 자주 사용되는 단어들에서 **gh, rh, th** 는 **g, r, t** 로 대체될 수 있다.

옛 표기	새 표기
gh Joghurt Spaghetti	**gh** 또는 **g** Joghurt, 또한 Jogurt Spaghetti, 또한 Spagetti
rh Hämorrhoiden Katarrh Myrrhe	**rh** 또는 **r** Hämorrhoiden, 또한 Hämorroiden Katarrh, 또한 Katarr Myrrhe, 또한 Myrre
th Thunfisch Panther	**th** 또는 **t** Thunfisch, 또한 Tunfisch Panther, 또한 Panter

(3) 동화된 표기가 이미 어떤 경우군의 대부분의 단어들에 존재했다면, 이런 표기 방식은 이 경우군의 나머지 단어들에도 적용된다.

옛 표기	새 표기
ai Frigidaire Necessaire	**ai** 또는 **ä** Frigidaire, 또한 Frigidär(※상표로서는 Frigidaire) Necessaire, 또한 Nessessär (이제까지 Sekretär, Militär, Majonäse 등으로 쓴 것처럼)
é 와 **ée** Bouclé Exposé Kommuniqué Varieté Chicorée	**é/ée** 또는 **ee** Bouclé, 또한 Buklee Exposee, 또한 Exposé(※새 표기가 주형태임) Kommuniqué, 또한 Kommunikee Varietee, 또한 Varieté(※새 표기가 주형태임) Chicorée, 또한 Schikoree(이제까지 Allee, Armee, Komitee, Resümee Dragee, Haschee 등으로 쓴 것처럼)
ou Bouclé Bravour	**ou** 또는 **u** Bouclé, 또한 Buklee Bravour, 또한 Bravur (이제까지 Dublee, Kupon, Nugat 등으로 쓴 것처럼)
c Facette Necessaire	**c** 또는 **ss** Facette, 또한 Fassette Necessairée, 또한 Nessessär (이제까지 Fassade, Fasson, Rasse 등으로 쓴 것처럼)
ch Ketchup Chicorée	**ch** 또는 **sch** Ketchup, 또한 Ketschup Chicorée, 또한 Schikoree(이제까지 Anschovis, Broschüre, retuschieren, Scheck, Sketsch 등으로 쓴 것처럼)
qu Kommuniqué	**qu** 또는 **k** Kommuniqué, 또한 Kommunikee (이제까지 Etikett, Likör 등으로 쓴 것처럼)

<예외>

옛 표기	새 표기
Portemonnaie	Portmonee 또한 Portemonnaie(※새 표기가 주형태임)

2 띄어쓰기와 붙여쓰기

띄어쓰기의 경우

2. I. 중심어가 동사인 경우

(1) 동사 **sein** 을 지닌 결합체

옛 표기	새 표기
dasein, dagewesen dabeisein hinübersein	da sein, da gewesen dabei sein hinüber sein

(2) 첫 구성 요소가 **-einander** 나 **-wärts** 로 이루어진 부사

옛 표기	새 표기
zueinanderfinden abwärtsgehen, abwärts gehen	zueinander finden abwärts gehen

(3) 첫 구성 요소가 **-ig** 나 **-isch** 나 **-lich** 로 끝나는 파생어

옛 표기	새 표기
übrigbleiben heimlichtun	übrig bleiben heimlich tun

(4) 첫 구성 요소가 분사인 경우

옛 표기	새 표기
gefangennehmen verlorengehen	gefangen nehmen verloren gehen

(5) 첫 구성 요소가 그 자체로 사용되는 명사인 경우

옛 표기	새 표기
eislaufen haltmachen kopfstehen maßhalten radfahren teppichklopfen, Teppich klopfen	Eis laufen Halt machen Kopf stehen Maß halten Rad fahren Teppich klopfen

(6) 첫 구성 요소가 동사일 때

옛 표기	새 표기
spazierengehen stehenlassen sitzenbleiben, sitzen bleiben kennenlernen	spazieren gehen stehen lassen sitzen bleiben kennen lernen

(7) 첫 구성 요소가 비교 변화되거나 확대될 수 있는 형용사일 때

옛 표기	새 표기
nahegehen, nahe gehen leichtfallen	nahe gehen leicht fallen

2.2. 중심어가 형용사나 분사인 경우

(1) 두 번째 구성 요소가 분사인 결합체의 표기는 기반을 이루는 부정사의 표기에 따른다.

옛 표기	새 표기
nahestehend laubtragend, Laub tragend verlorengegangen	nahe stehend(nahe stehen 이므로) Laub tragend(Laub tragen 이므로) verloren gegangen(verloren gehen 이므로)

(2) 형용사로 쓰이는 분사와 형용사로 이루어진 결합체

옛 표기	새 표기
kochendheiß	kochend heiß

(3) 첫 구성 요소가 **-ig** 나 **-isch** 나 **-lich** 로 끝나는 파생어

옛 표기	새 표기
grünlichgelb	grünlich gelb

(4) 첫 구성 요소가 비교 변화되거나 확대될 수 있는 경우

옛 표기	새 표기
schwerverständlich	schwer verständlich

2.3. 기타 경우

(1) **irgend**를 지닌 모든 결합체는 붙여 쓴다.

옛 표기	새 표기
irgend etwas irgend jemand	irgendetwas irgendjemand

(2) **so/wie**와 **viel**의 결합체

옛 표기	새 표기
soviel wieviel	so viel wie viel

3. 붙임표를 쓴 표기

(1) 자모나 약어를 지닌 합성어나 숫자를 지닌 합성어에서

옛 표기	새 표기
3 tonner 8 zylinder 8 fach 4 silbig 17 jährig der 17 Jährige	3-Tonner 8-Zylinder 8-fach 4-silbig 17-jährig der 17-Jährige

(2) 합성어의 개개 구성 요소를 강조하기 위해 붙임표를 둘 수도 있다.

옛 표기	새 표기
Ichform ichsüchtig *Ich-Laut *Soll-Stärke	Ichform/Ich-Form ichsüchtig/ich-süchtig Ichlaut/Ich-Laut Sollstärke/Soll-Stärke

(3) 어디가 주 분리 자리인지 분명하지 않은 합성어에서

옛 표기	새 표기
Ultraschallmessgerät Leichtathletikländerkampf	Ultraschallmessgerät/Ultraschall-Messgerät Leichtathletikländerkampf/Leichtathletik-Länderkampf

(4) 합성어에서 세 개의 동일한 낱자가 만나는 경우

옛 표기	새 표기
Hawaiiinseln seeerfahren Auspuffflamme Schrotttransport Flußsand *Kaffee-Ersatz *Zoo-Orchester	Hawaiiinseln/Hawaii-Inseln seeerfahren/See-erfahren Auspuffflamme/Auspuff-Flamme Schrotttransport/Schrott-Transport Flussand/Fluss-Sand Kaffeeersatz/Kaffee-Ersatz Zooorchester/Zoo-Orchester

(5) 지위가 같은 형용사들로 이루어진 합성어에서 붙임표가 반드시 있어야 하는 것은 아니다.

옛 표기	새 표기
süß-sauer manisch-depressiv griechisch-orthodox	süßsauer/süß-sauer manischdepressiv/manisch-depressiv griechischorthodox/griechisch-orthodox

4. 첫자 대문자 표기와 첫자 소문자 표기

4.1. 문장 첫머리

(1) 쌍점 뒤의 문장의 경우

옛 정서법에 따르면, 쌍점 뒤에 문장이 나올 경우, 만약 그 문장이 등장이 예고된 것이면, 쌍점 위의 첫 단어의 첫자를 대문자로 쓰고 (Das Sprichwort heißt: Der Apfel fällt nicht weit vom Stamm.), 만약 그 문장의 성격이 요약이나 추론이면, 쌍점 위의 첫 단어의 첫자를 소문자로 쓴다(Der Wald, die Felder, der See: all das gehörte früher einem einzigen Mann.). 하지만 새 정서법에서는 이런 구분을 없애고 어느 경우에나 쌍점 뒤의 문장 첫머리를 대문자로 쓰도록 한다. 따라서 후자의 예문은 다음과 같이 표기된다: Der Wald, die Felder, der See: All das gehörte früher einem einzigen Mann.

4.2. 명사와 명사화어

4.2.1. 명사

(1) 전치사나 동사와 함께 구를 이루는 명사가 다른 구성 요소와 붙여 쓰이지 않을 때

옛 표기	새 표기
auf/von seiten	auf/von Seiten
in bezug auf	in Bezug auf(mit Bezug auf 참조)
rad fahren	Rad fahren(Auto fahren 참조)
angst machen	Angst machen(Angst haben 참조)
bange machen	Bange machen(Bange haben 참조)
leid tun	Leid tun
pleite gehen	Pleite gehen
recht haben/sprechen	Recht haben/sprechen
schuld geben/haben	Schuld geben/haben
unrecht bekommen/geben	Unrecht bekommen/geben
außer acht lassen	außer Acht lassen
in acht nehmen	in Acht nehmen

<참고> **beiseite, zugunsten**(**zu Gunsten** 참조), **zulasten**(**zu Lasten** 참조); **infrage stellen**(**in Frage stellen** 참조)

(2) 부사 뒤에 나오는, 하루 중의 때를 나타내는 명사의 첫자

옛 표기	새 표기
gestern abend	gestern Abend
heute mittag	heute Mittag
morgen mitternacht	morgen Mitternacht

<참고>

옛 표기	새 표기
(am) Dienstag abend	(am) Dienstagabend
(am) Samstag mittag	(am) Samstagmittag

<참고>

옛 표기	새 표기
Sonntag abends	sonntagabends(또한 sonntags abends)

4.2.2. 형용사와 분사의 명사화

(1-1) 지시어의 기능을 갖는 명사화된 형용사나 분사의 첫자

옛 표기	새 표기
und ähnliche/ähnliches (u.ä.)	und Ähnliche/Ähnliches(etwas Ähnliches 참조) (u.Ä.)
derartiges	Derartiges(etwas Derartiges 참조)
das einzigartige	das Einzigartige
das gleiche	das Gleiche(Gleiches 참조)
folgendes	Folgendes

(1-2) 서수사가 명사적으로 사용될 때의 첫자

옛 표기	새 표기
als erster/erste	als Erster/Erste
der/das letzte	der/das Letzte
der/die nächste, bitte!	der/die Nächste, bitte!
als nächstes	als Nächstes
der/die/das nächstbeste	der/die/das Nächstbeste

(1-3) 부정 수사가 명사적으로 사용될 때의 첫자

옛 표기	새 표기
einzelnes/einzelne	Einzelnes/Einzelne
jeder einzelne	jeder Einzelne
der/die/das einzige	der/die/das Einzige

du als einziger/der einzige	du als Einziger/der Einzige
im ganzen〔gesehen〕	im Ganzen (gesehen) (ein Ganzes 참조)
im großen ganzen	im großen Ganzen
die/alle übrigen	die/alle Übrigen
einübriges tun	ein Übriges tun

<예외> **viel, wenig, ein, ander**

(2-1) 명사화된 형용사나 분사가 관사나 전치사와 정관사의 융합형과 함께 숙어를 이룰 때의 첫자

옛 표기	새 표기
um ein beträchtliches (höher)	um ein Beträchtliches (höher)
des langen und breiten	des Langen und Breiten
des näheren	des Näheren
im allgemeinen	im Allgemeinen
im großen und ganzen	im Großen und Ganzen
im wesentlichen	im Wesentlichen

<참고> 최상급형의 경우

옛 표기	새 표기
nicht im entferntesten	nicht im Entferntesten
nicht das geringste	nicht das Geringste
bis ins kleinste	bis ins Kleinste

<참고> 형용사가 관사 없이 또는 전치사와 정관사의 융합형 없이 전치사와 숙어를 이루면, 첫자를 소문자로 쓴다: **bei kleinem, von nahem, seit langem, bis auf weiteres, ohne weiteres**

(2-2) 명사화된 형용사나 분사가 관사나 전치사와 정관사의 융합형 및 동사와 함께 한 숙어를 이룰 때의 첫자

옛 표기	새 표기
den kürzeren ziehen	den Kürzeren ziehen
im argen liegen	im Argen liegen(nichts Arges 참조)
im dunkeln tappen	im Dunkeln tappen
auf dem trockenen sitzen	auf dem Trockenen sitzen
im trüben fischen	im Trüben fischen
aus dem vollen schöpfen	aus dem Vollen schöpfen
auf dem laufenden sein	auf dem Laufenden sein

<참고> 최상급형의 경우

옛 표기	새 표기
zum besten halten/haben	zum Besten halten/haben
es ist das beste, wenn ...	es ist das Beste, wenn...

(2-3) 서수사가 관사나 전치사와 정관사의 융합형과 숙어를 이룰 때의 첫자

옛 표기	새 표기
fürs erste	fürs Erste
am/zum letzten	am/zum Letzten
bis ins letzte	bis ins Letzte

(3) 어형변화되지 않은 두 개의 형용사로 이루어진, 사람을 지칭하는 쌍구의 형용사의 첫자

옛 표기	새 표기
jung und alt	Jung und Alt
arm und reich	Arm und Reich
hoch und niedrig	Hoch und Niedrig
gleich und gleich	Gleich und Gleich
groß und klein	Groß und Klein

4.2.3. 명사와 형용사에 모두 관계되는 경우

(1) 언어에 대한 명칭의 경우

옛 표기	새 표기
auf (gut) deutsch	auf (gut) Deutsch
in/zu englisch	in/zu Englisch

(2) **hundert/Hundert, tausend/Tausend, Dutzend** 의 경우

옛 표기	새 표기
Hunderte von Menschen viele Hunderte Zigtausende von Zuschauern in einigen Dutzend Farben	Hunderte/hunderte von Menschen viele Hunderte/hunderte Zigtausende/zigtausende von Zuschauern in einigen Dutzend/dutzend Farben

4.2.4. 대명사의 명사화

소유대명사가 정관사 등과 결합되어 있으면, 첫자를 소문자로 쓸 수도 있다.

옛 표기	새 표기
das Ihre die Seine die Meinigen das Deinige	das Ihre/ihre die Seine/seine die Meinigen/meinigen das Deinige/deinige

4.2.5. 부사의 명사화

옛 표기	새 표기
im voraus	im Voraus

4.3. 호칭어

호칭대명사 **du, ihr** 와 이에 상응하는 소유대명사 **dein, euer** 의 모든 어형변화형들은 언제나 첫자를 소문자로 쓴다.

옛 표기	새 표기
Du, Deiner, Dir, Dich, Dein Ihr, Euer, Euch	du, deiner, dir, dich, dein ihr, euer, euch

4.4. 고유 명칭어

인명에서 나온 -**(i)sch** 로 끝나는 형용사 파생어는 첫자를 소문자로 쓴다

옛 표기	새 표기
die Darwinsche Evolutionstheorie Goethesche/Goethische Dramen die Heineschen Reisebilder das Ohmsche Gesetz	die darwinsche Evolutionstheorie goethesche/goethische Dramen die heineschen Reisebilder das ohmsche Gesetz

<참고> 인명의 기본형을 강조하기 위해 아포스트로피로 그것을 접미사와 분리하는 경우에는 해당 파생어의 첫자를 대문자로 쓴다:
die Darwin'sche Evolutionstheorie, Goethe'sche Dramen, die Heine'schen Reisebilder, das Ohm'sche Gesetz

4.5. 형용사와 명사로 이루어진 구

형용사와 명사로 이루어진 구가 고유 명칭어로 사용되지 않는 경우, 형용사의 첫자를 소문자로 쓴다.

옛 표기	새 표기
die Erste Hilfe das Goldene Zeitalter das Schwarze Brett der Weiße Tod	die erste Hilfe das goldene Zeitalter das schwarze Brett der weiße Tod

<참고> 형용사와 명사로 이루어진 구가 고유 명칭어로 사용되는 경우, 형용사의 첫자를 대문자로 쓴다: **die Große Mauer, der Kleine Wagen, der Nahe Osten, der Stille Ozean**

5. 행 끝에서의 분철

(1) 여러 음절로 된 단일어와 접미 파생어는 천천히 말할 때 음절들로 분해될 수 있는 것 같은 그런 식으로 분리한다.

(1-1) 밀접한 연관을 갖는 두 모음자도 분리할 수 있다.

옛 표기	새 표기
Idea-list europäi-sche Rui-ne natio-nal	Ide-a-list europä-i-sche Ru-i-ne nati-o-nal

(1-2) 단어 첫머리에 있는 단일 모음자는 분리할 수 있다.

옛 표기	새 표기
aber Elan Ikon Ober Uni	a-ber E-lan I-kon O-ber U-ni

(2-1) 외래어에서는 자모와 **l, n, r** 로 이루어진 결합체는 분리할 수도 있다.

옛 표기	새 표기
Zy-klus Ma-gnet Hy-drant	Zy-klus/Zyk-lus Ma-gnet/Mag-net Hy-drant/Hyd-rant

(2-2) **st** 도 분리한다.

옛 표기	새 표기
ko-sten Di-stanz kühn-ste	kos-ten Dis-tanz kühns-te

(2-3) **ch, sch ; ph, rh, sh, th** 등과 마찬가지로 **ck** 도 분리하지 않는다.

옛 표기	새 표기
blik-ken Zuk-ker Zwik-kau	bli-cken Zu-cker Zwi-ckau

(3) 더 이상 합성어로 간주되거나 인지되지 않는 단어는 일반 단어의 경우처럼 분리할 수도 있다.

옛 표기	새 표기
hin-auf dar-um Hekt-ar	hin-auf/hi-nauf dar-um/da-rum Hekt-ar/Hek-tar

3 새 정서법 시행 일정

① 1996. 7. 1.: 관청의 동의 아래 각급 학교에서 새 정서법을 가르치는 것이 가능해짐.
② 1996. 7. 1.- 1998. 7. 31.: 홍보 및 준비 기간.
③ 1998. 8. 1.: 정서법의 신규정이 발효됨.
④ 1998. 8. 1.- 2005. 7. 31.: 경과 기간.
⑤ 2005. 8. 1.: 옛 정서법이 폐지되고 새 정서법만 통용됨.

<주요 실례>

	1996.7.1. - 1998.7.31.	1998.8.1. - 2005.7.31.	2005.8.1. -
daß	옳음	틀리지 않음, 낡음	틀림
dass	틀리지 않음, 낡음	옳음	옳음
Schiffahrt	옳음	틀리지 않음, 낡음	틀림
Schifffahrt	틀리지 않음, 낡음	옳음	옳음
Megaphon	옳음	틀리지 않음, 낡음	옳음
Megafon	틀리지 않음, 낡음	옳음	옳음
radfahren	옳음	틀리지 않음, 낡음	틀림
Rad fahren	틀리지 않음, 낡음	옳음	옳음

	1996.7.1. - 1998.7.31.	1998.8.1. - 2005.7.31.	2005.8.1. -
spazierengehen	옳음	틀리지 않음, 낡음	틀림
spazieren gehen	틀리지 않음, 낡음	옳음	옳음
3 tonner	옳음	틀리지 않음, 낡음	틀림
3-Tonner	틀리지 않음, 낡음	옳음	옳음
in bezug auf	옳음	틀리지 않음, 낡음	틀림
in Bezug auf	틀리지 않음, 낡음	옳음	옳음
gestern abend	옳음	틀리지 않음, 낡음	틀림
gestern Abend	틀리지 않음, 낡음	옳음	옳음
im allgemeinen	옳음	틀리지 않음, 낡음	틀림
im Allgemeinen	틀리지 않음, 낡음	옳음	옳음
Du	옳음	틀리지 않음, 낡음	틀림
du	틀리지 않음, 낡음	옳음	옳음
Zuk-ker	옳음	틀리지 않음, 낡음	틀림
Zu-cker	틀리지 않음, 낡음	옳음	옳음
ko-sten	옳음	틀리지 않음, 낡음	틀림
kos-ten	틀리지 않음, 낡음	옳음	옳음

Ⅲ 문 법

1. 수 사

1.1. 기 수

0 null

1 eins	11 elf	21 einundzwanzig	40 vierzig
2 zwei	12 zwölf	22 zweiundzwanzig	50 fünfzig
3 drei	13 dreizehn	23 dreiundzwanzig	60 sechzig
4 vier	14 vierzehn	24 vierundzwanzig	70 siebzig
5 fünf	15 fünfzehn	25 fünfundzwanzig	80 achtzig
6 sechs	16 sechzehn	26 sechsundzwanzig	90 neunzig
7 sieben	17 siebzehn	27 siebenundzwanzig	100 (ein)hundert
8 acht	18 achtzehn	28 achtundzwanzig	101 hunderteins
9 neun	19 neunzehn	29 neunundzwanzig	102 hundertzwei
10 zehn	20 zwanzig	30 dreißig	200 zweihundert

1 000 (ein)tausend	100 000 (ein)hunderttausend
1 101 tausendeinhunderteins	1 000 000 eine Million
2 000 zweitausend	2 000 000 zwei Millionen
10 000 zehntausend	1 000 000 000 eine Milliarde

1.2. 서 수

1. erst-	9. neunt-	17. siebzehnt-	60. sechzigst-
2. zweit-	10. zehnt-	18. achtzehnt-	70. siebzigst-
3. dritt-	11. elft-	19. neunzehnt-	80. achtzigst-
4. viert-	12. zwölft-	20. zwanzigst-	90. neunzigst-
5. fünft-	13. dreizehnt-	21. einundzwanzigst-	100. hundertst-
6. sechst-	14. vierzehnt-	30. dreißigst-	101. hunderterst-
7. siebt-	15. fünfzehnt-	40. vierzigst-	1000. tausendst-
8. acht-	16. sechzehnt-	50. fünfzigst-	1001. tausenderst-

1.3. 수사의 용법

(1) 기수는 어미변화 없이 쓰이지만 다음 경우는 예외다.
die Aussagen zweier Zeugen (비교: die Aussagen dieser zwei Zeugen)

(2) 서수는 형용사와 같은 형태로 어미변화를 한다.
Er wohnt im zweiten Stock.
Er ging als Zweiter durchs Ziel.
Als drittes Argument möchte ich nennen...
Man muß noch ein Drittes erwägen.

(3) 수사의 부사화 용법
- 반복 : einmal, zweimal, hundertmal ...
- 배수 : einfach, zweifach, fünfunddreißigfach ...
- 종류 : einerlei, zweierlei, zwanzigerlei ...
- 단위 : je eine(r), je zwei, je drei ...
- 집합 : zu zweien (zweit), zu dritt, zu viert, zu fünft ...
- 서수의 부사화 : erstens, zweitens, drittens, viertens ...

2. 관 사

2.1. 정관사

격	남성	여성	중성	복수
1	der Mann	die Frau	das Kind	die Männer Frauen Kinder
2	des Mannes	der Frau	des Kindes	der Männer Frauen Kinder
3	dem Mann	der Frau	dem Kind	den Männern Frauen Kindern
4	den Mann	die Frau	das Kind	die Männer Frauen Kinder

2.2. 부정관사

격	남성	여성	중성	복수		
1	ein Mann	eine Frau	ein Kind	keine Männer	Frauen	Kinder
2	eines Mannes	einer Frau	eines Kindes	keiner Männer	Frauen	Kinder
3	einem Mann	einer Frau	einem Kind	keinen Männern	Frauen	Kindern
4	einen Mann	eine Frau	ein Kind	keine Männer	Frauen	Kinder

· kein- 은 단수형에서 ein- 과 같은 형태로 변화한다.

3. 명사의 격변화

3.1. 강변화

(1) 강변화 1 식

수	격	남성	여성	중성
단수	1	der Vater	die Mutter	das Zimmer
	2	des Vaters	der Mutter	des Zimmers
	3	dem Vater	der Mutter	dem Zimmer
	4	den Vater	die Mutter	das Zimmer
복수	1	die Väter	die Mütter	die Zimmer
	2	der Väter	der Mütter	der Zimmer
	3	den Vätern	den Müttern	den Zimmern
	4	die Väter	die Mütter	die Zimmer

(2) 강변화 2 식

수	격	남성	여성	중성
단수	1	der Berg	die Stadt	das Jahr
	2	des Berg(e)s	der Stadt	des Jahr(e)s
	3	dem Berg(e)	der Stadt	dem Jahr
	4	den Berg	die Stadt	das Jahr
복수	1	die Berge	die Städte	die Jahre
	2	der Berge	der Städte	der Jahre
	3	den Bergen	den Städten	den Jahren
	4	die Berge	die Städte	die Jahre

(3) 강변화 3 식

수	격	남성	중성
단수	1	der Mann	das Haus
	2	des Mannes	des Hauses
	3	dem Mann	dem Haus(e)
	4	den Mann	das Haus
복수	1	die Männer	die Häuser
	2	der Männer	der Häuser
	3	den Männern	den Häusern
	4	die Männer	die Häuser

· 여성명사는 강변화 3 식에는 없다.
· 남성·중성명사의 2 격에 -es 가 붙는 경우
  * -s, -ß, -x, -z, -tz 로 끝나는 명사:
    des Hauses, des Fußes, des Schmerzes, des Gesetzes
  * 자음으로 끝나는 단음절 명사의 다수:
    des Bildes, des Raumes, des Buches
  * 마지막 음절에 강세가 있는 명사의 다수:
    des Besuches, des Betrages

3.2. 약변화

수	격	남성	여성
단수	1	der Student	die Frau
	2	des Studenten	der Frau
	3	dem Studenten	der Frau
	4	den Studenten	die Frau
복수	1	die Studenten	die Frauen
	2	der Studenten	der Frauen
	3	den Studenten	den Frauen
	4	die Studenten	die Frauen

· Student 와 같은 유형으로 변화하는 명사: der Junge, der Mensch, der Beamte

3.3. 혼합 변화

수	격	남성	중성
단수	1	der Staat	das Auge
	2	des Staates	des Auges
	3	dem Staat	dem Auge
	4	den Staat	das Auge
복수	1	die Staaten	die Augen
	2	der Staaten	der Augen
	3	den Staaten	den Augen
	4	die Staaten	die Augen

3.4. 불규칙 변화

단수	1격	der Herr	der Friede	das Herz	das Auto	der Bauer
	2격	des Herrn	des Friedens	des Herzens	des Autos	des Bauern/Bauers
	3격	dem Herrn	dem Frieden	dem Herzen	dem Auto	dem Bauer(n)
	4격	den Herrn	den Frieden	das Herz	das Auto	den Bauer(n)
복수	1격	die Herren	die Frieden	die Herzen	die Autos	die Bauern
	2격	der Herren	der Frieden	der Herzen	der Autos	der Bauern
	3격	den Herren	den Frieden	den Herzen	den Autos	den Bauern
	4격	die Herren	die Frieden	die Herzen	die Autos	die Bauern

· Friede 와 같은 유형으로 변화하는 명사: der Glaube, der Name, der Wille, der Gedanke
· Auto 와 같은 유형으로 변화하는 명사: das Hotel, das Büro, die Mutti, der Uhu

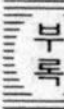

3. 5. 고유명사의 격변화

① 남성 2격에 -s를 붙이는 것 외에는 격변화를 하지 않는다.

② -s, -sch, -ß, -tz, -x, -z로 끝나는 고유명사는 2격에서 von을 쓴다.
die Bücher von Fritz, die Entdeckung von Franz
(참고) 구식 표현이나 반어적 표현 또는 방언에서는 -ens를 쓰기도 한다.
Fritzens Bücher, Franzens Entdeckung

③ 고유명사에 정관사와 칭호가 붙는 경우에는 칭호만 격변화를 한다.
der Kaiser Karl der Große, des Kaisers Karl des Großen, des Professors Müller
(주의) 칭호 Doktor는 어미가 붙지 않는다: die Schriften des Doktor Meyer

④ 고유명사에 정관사 없이 칭호만 붙는 경우에는 끝에 오는 고유명사만 어미변화를 한다.
Kaiser Karls des Großen Verdienste, Professor Müllers Abhandlung

⑤ 칭호로 쓰이는 Herr는 언제나 어미변화를 한다.
Herrn Lehmanns Brief, der Brief des Herrn Lehmann

4. 대명사

4. 1. 인칭대명사

격	단수					복수			존칭
	1인칭	2인칭	3인칭			1인칭	2인칭	3인칭	단수·복수
1	ich	du	er	sie	es	wir	ihr	sie	Sie
2	meiner	deiner	seiner	ihrer	seiner	unser	euer	ihrer	Ihrer
3	mir	dir	ihm	ihr	ihm	uns	euch	ihnen	Ihnen
4	mich	dich	ihn	sie	es	uns	euch	sie	Sie

4. 2. 지시대명사

(1) 지시대명사 (A·B형)

격	A형				B형			
	단수			복수	단수			복수
	남성	여성	중성		남성	여성	중성	
1	dieser	diese	dies(es)	diese	der	die	das	die
2	dieses	dieser	dieses	dieser	dessen	deren	dessen	deren, derer
3	diesem	dieser	diesem	diesen	dem	der	dem	denen
4	diesen	diese	dies(es)	diese	den	die	das	die

· dies-와 같은 유형으로 변화하는 대명사:
jen-, jed-, solch-, welch-, all-, manch-

· 복수 2격의 derer는 관계대명사의 선행사로만 쓰인다.
Wir gedenken **derer**, *die* uns geholfen haben.

· 중성 지시대명사 das와 dies는 sein 동사나 werden 동사가 술어로 오면 성·수에 관계 없이 어떤 명사든 보어가 될 수 있다.
Das ist mein Koffer.
Das sind meine Koffer.

(2) 지시대명사(C형)

격	C형			
	단수			복수
	남성	여성	중성	
1	derjenige	diejenige	dasjenige	diejenigen
2	desjenigen	derjenigen	desjenigen	derjenigen
3	demjenigen	derjenigen	demjenigen	denjenigen
4	denjenigen	diejenige	dasjenige	diejenigen

· der-는 정관사 변화, -jenig-는 형용사 변화를 한다.

· 대개 관계대명사의 선행사로 쓰인다.
Wir wollen **diejenigen** Schüler herausfinden, *die* musikalisch begabt sind.

· derselb-, dergleich- 등도 위와 같이 변화한다.
Er besucht **dieselbe** Schule wie dein Bruder.

4. 3. 소유대명사

(1) 소유대명사의 기본형

인칭	단수 인칭 대명사	단수 소유 대명사	복수 인칭 대명사	복수 소유 대명사
1	ich	mein-	wir	unser-
2	du	dein-	ihr	euer-
3	er es	sein- sein-	sie	ihr-
존칭	Sie	Ihr-	Sie	Ihr-

(2) 소유대명사의 격변화

격	단수 남성	단수 여성	단수 중성	복수
1	mein	meine	mein	meine
2	mein**es**	mein**er**	mein**es**	mein**er**
3	mein**em**	mein**er**	mein**em**	mein**en**
4	mein**en**	meine	mein	meine

· 소유대명사가 독립된 대명사로 쓰일때는 정관사와 같은 형태로 변화한다.

4. 4. 의문대명사

격	사람	사물
1	wer	was
2	wessen	—
3	wem	—
4	wen	was

· welch-는 정관사와 같은 형태로 변화한다.
Welches Hemd möchten Sie? — Das blaue da.
· was für ein-은 부정관사 ein-과 같은 형태로 변화한다.
Was für ein Hemd möchten Sie?
— Ein Hemd mit langen Ärmeln.

Wer hat das gesagt?
Wessen erinnert ihr euch?
Wem verdankt ihr das?
Wen meinst du?
Was ist geschehen?
Was meinst du?

4. 5. 부정대명사

(1) 부정대명사(A 형)

1	man	jemand	niemand	jedermann	man의 2격 형태는 거의 쓰이지 않으며, man은 다른 인칭대명사로 받을 수 없다.
2	(eines)	jemand(e)s	niemand(e)s	jedermanns	
3	einem	jemand(em)	niemand(em)	jedermann	
4	einen	jemand(en)	niemand(en)	jedermann	

Was kann man da machen?
War **jemand** da? — Nein, **niemand**.
Kennst du hier **jemand(en)**? — Nein, **niemand(en)**.

(2) 부정대명사(B 형): 부정관사 형태의 대명사(ein-, kein-)

격	단수 남성	단수 여성	단수 중성	복수
1	einer	eine	ein(e)s	welche
2	(eines)	(einer)	(eines)	(welcher)
3	einem	einer	einem	welchen
4	einen	eine	ein(e)s	welche

· 지시대명사와 같은 형태로 어미변화를 한다.
· 2격은 거의 쓰이지 않는다.
· einer는 man과 달리 인칭대명사 er로 받을 수 있다.

Ich suche einen Kellner. — Da kommt **einer**.
Ich nehme ein Bier. Möchten Sie auch **eins**?
Trinken Sie auch eine Limonade? — Ja, ich möchte auch **eine**.
Wir haben kein Auto, wir brauchen **keins**.

4. 6. 재귀대명사

격	단수 1인칭	단수 2인칭	단수 3인칭	복수 1인칭	복수 2인칭	복수 3인칭	존칭 단수·복수
3	mir	dir	sich	uns	euch	sich	sich
4	mich	dich	sich	uns	euch	sich	sich

· 1인칭과 2인칭에서는 인칭대명사와 동일한 형태로 쓰인다.
· 3인칭과 존칭 3·4격에서는 모두 sich가 쓰인다.
· 주어가 복수인 경우는 흔히 상호대명사의 용법으로 쓰이며, 이때는 einander로 대체할 수 있다.

Ich freue **mich**.
Ich wasche **mir** die Hände.
Sie nickten **sich**〔einander〕 zu.

4. 7. 관계대명사

(1) 정관사형 관계대명사 der, welcher

격	단수			복수	
	남성	여성	중성		
1	der	die	das	die	·관계대명사 welch- 역시 같은 정관사 변화를 하며, 2격은 쓰이지 않는다. ·선행사가 사물일 때 관계대명사가 전치사와 함께 쓰이면 대개 wo(r)-의 형태를 취한다(womit, worauf 등).
2	dessen	deren	dessen	deren	
3	dem	der	dem	denen	
4	den	die	das	die	

Der Mann, **der** dort steht, ist mein Bruder.
Der Mann, **dessen** Bruder ich kenne, ist ein berühmter Sänger.
Der Mann, **dem** ich geantwortet habe, versteht mich nicht.
Der Mann, **den** ich gefragt habe, ist nicht von hier.

(2) 부정관계대명사 wer, was

격	사람	사물	
1	wer	was	·wer 와 was 는 선행사 없이 단독으로 쓰인다. **Wer** Sorgen hat, hat auch Freuden. **Was** ich nicht weiß, macht mich nicht heiß. ·das, etwas, alles, nichts, vieles, weniges, manches 등이 선행사인 경우 관계대명사 was 가 쓰인다. Das ist *etwas*, **was** mir gar nicht gefällt.
2	wessen	—	
3	wem	—	
4	wen	was	

5. 형용사

5. 1. 형용사의 어미변화

(1) 강변화: 형용사 앞에 관사가 없는 경우

격	단수			복수	
	남성	여성	중성		
1	alter Wein	lange Zeit	frisches Brot	neue Bücher	* 남성명사의 2격 어미가 -(e)n 이면 형용사 어미는 -es 가 된다: gutes Jungen junges Menschen
2	alten* Weines	langer Zeit	frischen Brotes	neuer Bücher	
3	altem Wein	langer Zeit	frischem Brot	neuen Büchern	
4	alten Wein	lange Zeit	frisches Brot	neue Bücher	

(2) 약변화: 형용사 앞에 정관사가 있는 경우

격	단수			복수	
	남성	여성	중성		
1	der alte Wein	die lange Zeit	das frische Brot	die neuen Bücher	dies-, jen-, jed-, solch-, welch-, all-, manch- 등이 오는 경우도 마찬가지다.
2	des alten Weines	der langen Zeit	des frischen Brotes	der neuen Bücher	
3	dem alten Wein	der langen Zeit	dem frischen Brot	den neuen Büchern	
4	den alten Wein	die lange Zeit	das frische Brot	die neuen Bücher	

(3) 혼합변화: 형용사 앞에 부정관사나 소유대명사가 있는 경우

격	단수			복수
	남성	여성	중성	
1	ein alter Wein	eine lange Zeit	ein frisches Brot	keine neuen Bücher
2	eines alten Weines	einer langen Zeit	eines frischen Brotes	keiner neuen Bücher
3	einem alten Wein	einer langen Zeit	einem frischen Brot	keinen neuen Büchern
4	einen alten Wein	eine lange Zeit	ein frisches Brot	keine neuen Bücher

·-el 로 끝나는 형용사는 어미변화를 할 때 항상 -e- 가 탈락된다.
dunkel: der dunkle Stoff, im dunklen Zimmer (구어에서는 im dunkeln Zimmer 로도 쓰임)
·-en, -er 로 끝나는 형용사는 대개 -e- 가 탈락된다.
trocken: der trock(e)ne Keller
teuer: eine teu(e)re Reise

5. 2. 형용사의 비교 변화

규칙변화			불규칙변화		
원급	비교급	최상급	원급	비교급	최상급
lang	länger	längst	groß	größer	größt
klug	klüger	klügst	gut	besser	best

edel	ed(e)ler	edelst	hoch	höher	höchst
neu	neuer	neu(e)st	nah(e)	näher	nächst
kurz	kürzer	kürzest	viel	mehr	meist
weit	weiter	weitest	wenig	weniger (minder)	wenigst (mindest)

- -d, -t, -s, -ß, -sch, -tz, -z 로 끝나는 형용사의 최상급은 -est 가 된다.
  단, 마지막 음절에 강세가 없는 경우에는 -e- 가 붙지 않는다: bedeutendst
- -el, -en, -er 로 끝나는 형용사의 비교급에서는 대개 -e- 가 생략된다.
- 간모음 a, o, u 인 단음절의 형용사는 대개 비교변화에서 변모음한다.
- 비교구문의 용법:
  Hamburg ist **größer als** Essen.
  Hamburg ist etwa **so groß wie** München.
  Berlin ist **am größten**〔die **größte** Stadt〕.

5. 3. 형용사의 명사화

격	단수			복수	
	남성	여성	중성		
1	der Gute	die Gute	das Gute	die Guten	· 남성·여성·복수형은 대개 사람을 나타내며, 중성형은 추상적 개념 또는 사물을 나타낸다. ein guter Mann → ein Guter der gute Mann → der Gute alles Gute, nichts Gutes etwas Neues · 중성의 2·3격은 거의 쓰이지 않는다.
2	des Guten	der Guten	—	der Guten	
3	dem Guten	der Guten	—	den Guten	
4	den Guten	die Gute	das Gute	die Guten	
1	ein Guter	eine Gute	ein Gutes	Gute	
2	eines Guten	einer Guten	—	Guter	
3	einem Guten	einer Guten	—	Guten	
4	einen Guten	eine Gute	ein Gutes	Gute	

6. 부 사

6. 1. 부사의 용법

(1) 대부분의 형용사가 형태 변화 없이 부사로도 쓰인다.
das schnelle Auto(형용사) → Das Auto fährt schnell.(부사)
die spannende Erzählung(형용사) → Er erzählt spannend.(부사)

(2) 문장 내의 부사의 용법

동사의 수식어	Das Auto fährt **schnell**.
형용사의 수식어	Dieser Film ist **besonders** spannend.
부사의 수식어	Dieser Film ist **sehr** lange gelaufen.
명사·대명사의 수식어	*Die Frau* **dort** ist meine Nachbarin. Wen meinst du? Sie oder *ihn* **da**?

6. 2. 부사의 유형

시간 (Temporaladverbien)	wann? seit wann? bis wann? wie lange?	jetzt, immer, einmal, schon, bald, stets, nie, heute, morgen, gestern, vorher, nachher oft, selten, neuerdings, jahrelang, zeitlebens...
인과 관계 (Kausaladverbien)	warum? wozu? weshalb? wodurch?	darum, deshalb, deswegen, dadurch, demzufolge, folglich
방법·양태 (Modaladverbien)	wie? auf welche Weise〔Art〕?	allein, zusammen, beinahe, fast, kaum, genau, gewiß, nur, gern, doch, durchaus, leider...
장소 (Lokaladverbien)	wo? wohin? woher?	da, dorthin, hierher, innen, außen, rechts, links, oben, unten, vorn, hinten, vorwärts, unterwegs...

6. 3. 부사의 비교급

- 대부분의 부사는 비교급, 최상급에서 형용사와 같은 형태를 취한다.
  Erich läuft schnell. Karl läuft schnell**er**. Peter läuft **am** schnell**sten**.
- 최상급 중 일부는 별도의 어미 없이 -st 의 형태를 취한다.
  Das ist **höchst** interessant. Er war **äußerst** erstaunt.

· 다음 부사들은 특수한 형태로 변[illegible]

oft	**bald**	**gern**	**gut**	**viel**	**wenig**
häufiger (öfter) **am häufigsten**	**eher** **am ehesten**	**lieber** **am liebsten**	**besser** **am besten**	**mehr** **am meisten** **(meist)**	**weniger** **(minder)** **am wenigsten** **(am mindesten)**

· 절대적 최상급(der absolute Superlativ)은 다음 두 가지 형태로 표현한다.
Ich bin **höchst** erstaunt. Ich bin **aufs höchste** erstaunt.
※ 그러나 다음 경우는 특정한 형태로만 쓰인다.
Es ist höchst interessant. (aufs höchste 는 쓰지 않음)
Ich bin aufs bitterste enttäuscht. (bitterst 는 쓰지 않음)

6. 4. 관계부사

Sie zog nach Berlin, **wo** auch ihre Schwester wohnte.
Überall, **wo** Menschen leben, bin ich zu Hause.
Der Ort, **wohin** er zog, ist nicht bekannt.
Es kommt die Zeit, **wo**[da] er seinen Fehler einsehen wird.

7. 동 사

7. 1. 동사의 3기본형

동사의 3기본형 : 부정형, 과거, 과거분사

(1) 기본 동사

부정형	과거	과거분사
hören arbeiten reden öffnen	hörte arbeitete redete öffnete	gehört gearbeitet geredet geöffnet
fahren sehen sprechen kommen	fuhr sah sprach kam	gefahren gesehen gesprochen gekommen
sein haben werden	war hatte wurde	gewesen gehabt geworden
kennen bringen denken nennen wissen	kannte brachte dachte nannte wußte	gekannt gebracht gedacht genannt gewußt
fotografieren studieren	fotografierte studierte	fotografiert studiert

(2) 분리·비분리동사

부정형	과거	과거분사
zuhören ankommen mitbringen	hörte...zu kam...an brachte...mit	zugehört angekommen mitgebracht
gehören bekommen verbringen	gehörte bekam verbrachte	gehört bekommen verbracht

(3) 화법조동사

부정형	과거	과거분사
dürfen	durfte	gedurft
können	konnte	gekonnt
mögen	mochte	gemocht
müssen	mußte	gemußt
sollen	sollte	gesollt
wollen	wollte	gewollt

7. 2. 동사의 현재·과거인칭변화

(1) 약변화동사

		hören	reden	öffnen	reisen	klingeln
현재	ich du er	höre hörst hört	rede redest redet	öffne öffnest öffnet	reise reist reist	klingle klingelst klingelt
	wir ihr sie	hören hört hören	reden redet reden	öffnen öffnet öffnen	reisen reist reisen	klingeln klingelt klingeln

· -eln, -ern 으로 끝나는 동사는 모두 약변화동사이고, 1인칭 단수 현재에서 대개 -e- 가 탈락된다.
· 어간이 자음+m 또는 n 으로 끝나는 동사는 모두 약변화동사이고 현재인칭변화를 할 때 단수 2, 3인칭과 복수 2인칭에서 -e- 가 삽입된다(lernen 과 filmen 은 예외).

과거	ich	hörte	redete	öffnete	reiste	klinge[illegible]	·어간이 -d, -t로 끝나는 동사는 인칭변화를 할 때 단수 2·3인칭과 복수 2인칭에서 -e-가 삽입된다. ·어간이 -s, -ss, -ß, -tz, -z, -chs로 끝나는 동사는 인칭변화를 할 때 단수 2인칭에서 대개 -t만 붙인다.
	du	hörtest	redetest	öffnetest	reistest	klingeltest	
	er	hörte	redete	öffnete	reiste	klingelte	
	wir	hörten	redeten	öffneten	reisten	klingelten	
	ihr	hörtet	redetet	öffnetet	reistet	klingeltet	
	sie	hörten	redeten	öffneten	reisten	klingelten	

(2) 강변화동사

		kommen	heißen	sprechen	sehen	fahren	
현재	ich	komme	heiße	spreche	sehe	fahre	·강변화동사로서 간모음이 -e-인 경우 2·3인칭 단수 현재형에서 -e-가 단음일 때는 -i-로, -e-가 장음일 때는 -ie-로 변화된다. ·강변화동사로서 간모음이 -a-인 경우 2·3인칭 단수 현재형에서 -a-가 -ä-로 변화된다.
	du	kommst	heißt	sprichst	siehst	fährst	
	er	kommt	heißt	spricht	sieht	fährt	
	wir	kommen	heißen	sprechen	sehen	fahren	
	ihr	kommt	heißt	sprecht	seht	fahrt	
	sie	kommen	heißen	sprechen	sehen	fahren	
과거	ich	kam	hieß	sprach	sah	fuhr	
	du	kamst	hießt	sprachst	sahst	fuhrst	
	er	kam	hieß	sprach	sah	fuhr	
	wir	kamen	hießen	sprachen	sahen	fuhren	
	ihr	kamt	hießt	spracht	saht	fuhrt	
	sie	kamen	hießen	sprachen	sahen	fuhren	

(3) 특수한 현재인칭변화를 하는 강변화동사와 혼합변화동사

		강변화동사				혼합변화동사
		geben	nehmen	treten	stoßen	wissen
현재	ich	gebe	nehme	trete	stoße	*weiß*
	du	*gibst*	*nimmst*	*trittst*	*stößt*	*weißt*
	er	*gibt*	*nimmt*	*tritt*	*stößt*	*weiß*
	wir	geben	nehmen	treten	stoßen	wissen
	ihr	gebt	nehmt	tretet	stoßt	wißt
	sie	geben	nehmen	treten	stoßen	wissen
과거	ich	gab	nahm	trat	stieß	wußte
	du	gabst	nahmst	tratest	stießt	wußtest
	er	gab	nahm	trat	stieß	wußte
	wir	gaben	nahmen	traten	stießen	wußten
	ihr	gabt	nahmt	tratet	stießt	wußtet
	sie	gaben	nahmen	traten	stießen	wußten

(4) sein, haben, werden 동사

		sein	haben	werden
현재	ich	bin	habe	werde
	du	bist	hast	wirst
	er	ist	hat	wird
	wir	sind	haben	werden
	ihr	seid	habt	werdet
	sie	sind	haben	werden
과거	ich	war	hatte	wurde
	du	warst	hattest	wurdest
	er	war	hatte	wurde
	wir	waren	hatten	wurden
	ihr	wart	hattet	wurdet
	sie	waren	hatten	wurden

(5) 화법조동사

		wollen	sollen	können	müssen	dürfen	mögen
현재	ich	will	soll	kann	muß	darf	mag
	du	willst	sollst	kannst	mußt	darfst	magst
	er	will	soll	kann	muß	darf	mag
	wir	wollen	sollen	können	müssen	dürfen	mögen
	ihr	wollt	sollt	könnt	müßt	dürft	mögt
	sie	wollen	sollen	können	müssen	dürfen	mögen
과거	ich	wollte	sollte	konnte	mußte	durfte	mochte
	du	wolltest	solltest	konntest	mußtest	durftest	mochtest
	er	wollte	sollte	konnte	mußte	durfte	mochte
	wir	wollten	sollten	konnten	mußten	durften	mochten
	ihr	wolltet	solltet	konntet	mußtet	durftet	mochtet
	sie	wollten	sollten	konnten	mußten	durften	mochten

7.3. 동사의 시제

(1) 기본 시제

현　　재	Ich schreibe einen Brief. Ich fahre nach Berlin.	· 대부분의 동사는 완료형에서 haben 동사를 조동사로 취한다. · 다음 경우에만 sein 동사가 조동사로 쓰인다. - 장소 이동을 나타내는 자동사: Er ist abgefahren. - 상태 변화를 나타내는 자동사: Sie ist bald eingeschlafen. - 기타: sein, bleiben, gelingen 등 Sie war damals Lehrerin gewesen.
과　　거	Ich schrieb einen Brief. Ich fuhr nach Berlin.	
미　　래	Ich werde einen Brief schreiben. Ich werde nach Berlin fahren.	
현재완료	Ich habe einen Brief geschrieben. Ich bin nach Berlin gefahren.	
과거완료	Ich hatte einen Brief geschrieben. Ich war nach Berlin gefahren.	
미래완료	Ich werde einen Brief geschrieben haben. Ich werde nach Beriln gefahren sein.	

(2) 화법조동사의 시제

현　　재	Ich kann es machen. Ich muß nach Berlin fahren.	· 화법조동사가 단독으로 쓰일 때는 완료형에서 일반 동사와 같은 형태로 변화한다: Ich kann es. Ich habe es gekonnt.
과　　거	Ich konnte es machen. Ich mußte nach Berlin fahren.	
미　　래	Ich werde es machen können. Ich werde nach Berlin fahren müssen.	
현재완료	Ich habe es machen können. Ich habe nach Berlin fahren müssen.	
과거완료	Ich hatte es machen können. Ich hatte nach Berlin fahren müssen.	

7.4. 명령형

	sein	sagen	fahren	lesen	sprechen
du	Sei…!	Sag(e)…!	Fahr…!	Lies…!	Sprich…!
ihr	Seid…!	Sagt…!	Fahrt…!	Lest…!	Sprecht…!
Sie	Seien Sie…!	Sagen Sie…!	Fahren Sie…!	Lesen Sie…!	Sprechen Sie…!

· 현재 2·3인칭 변화에서 어간 모음이 변화하는 동사는 명령형 단수 2인칭에 -e가 붙지 않는다:
Er spricht. → *Sprich!*

· 동사의 부정형이 명령문에 쓰이는 경우: *Aufstehen!* Bitte *einsteigen!*

· 과거분사형이 명령문에 쓰이는 경우: Still *gestanden!* Rauchen *verboten!*

· 명령형에 인칭대명사가 쓰이는 경우:
Gehen wir! Laßt uns gehen!
Wollen wir gehen! Willst du endlich gehen!

7.5. 수동태

(1) 기본 문형

현　　재	Er *wird gerufen.*	·「sein 동사…과거분사형」의 상태수동형은 현재형과 과거형으로만 쓰인다. Die Tür wird geöffnet.(수동형) Die Tür ist geöffnet.(상태수동 — 현재) Die Tür war geöffnet.(상태수동 — 과거)
과　　거	Er *wurde gerufen.*	
현재완료	Er *ist gerufen worden.*	
과거완료	Er *war gerufen worden.*	
미　　래	Er *wird gerufen werden.*	
미래완료	Er *wird gerufen worden sein.*	

(2) 화법조동사가 있는 수동문

현　　재	Das Gesetz *muß geändert werden.*
과　　거	Das Gesetz *mußte geändert werden.*
현재완료	Das Gesetz *hat geändert werden müssen.*
과거완료	Das Gesetz *hatte geändert werden müssen.*
미　　래	Das Gesetz *wird geändert werden müssen*

7.6. 부정법

(1) **zu**+부정법

Ich habe *die Absicht*, eine Reise *zu machen.*

Ich *beabsichtige*, eine Reise *zu machen*.

(2) 단순부정법

· 화법조동사의 완료형: wollen, sollen, können, müssen, dürfen, mögen
Er hat die Koffer *tragen wollen*.
· 사역·지각 동사의 완료형: lassen, heißen, hören, sehen, fühlen, helfen
Er hat die Frau die Koffer tragen *lassen*.
Er hat der Frau die Koffer tragen *helfen*.
Er hat die Frau die Koffer tragen *sehen*.
(주의) hören, fühlen 동사는 과거분사형을 쓰기도 한다.
· gehen, lernen, lehren, machen, bleiben+동사 원형
Er ist *schwimmen gegangen*. Er hat *lesen gelernt*.
Er hat ihn *lesen gelehrt*. Er hat mich *lachen gemacht*.
(주의) helfen, lehren, heißen동사는 술어부가 길어지면 'zu+부정법'으로 쓰기도 한다.
Er *hilft* der Frau, den Koffer ins Hotel *zu tragen*.
Er *lehrt* ihn, jedes Wort richtig *zu schreiben*.

7.7. 분 사

(1) 현재분사: 동사의 어간+(e)nd

· 현재분사는 상태의 "지속·진행"을 나타낸다.
부사적 용법: *Lachend* betrat er das Zimmer.
형용사적 용법: Er erzählt mit *lachendem* Gesicht.
명사적 용법: Er spricht mit *dem Reisenden*.
· 'zu+현사분사'형은 'sein 동사+zu-Infinitiv'의 단축형이다.
die noch nicht zu *leistende* Arbeit
=die Arbeit, die noch nicht zu leisten ist 〔geleistet werden muß〔kann〕〕

(2) 과거분사: ge...t/ge...(e)n

· 과거분사는 동작의 '완료' 또는 '수동'의 뜻을 나타낸다.
부사적 용법: Er hörte *angespannt* zu.
형용사적 용법: Er hörte mit *angespannter* Aufmerksamkeit.
명사적 용법: *Betrunkene* sollen nicht fahren.

(3) 관계절이 축약된 분사구문

ein in entgegengesetzter Richtung kommendes Auto
=ein Auto, das in entgegengesetzter Richtung kam.
wegen Überproduktion entlassene Arbeiter
=Arbeiter, die wegen Überproduktion entlassen waren.

(4) 부문장이 축약된 분사구문

· 시간: Auf dem Bahnhof angekommen, fand ich viele Freunde.
=Als ich auf dem Bahnhof ankam 〔angekommen war〕, fand ich ...
· 방법: Ich putzte auf dem Brett stehend das Fenster.
=Ich putzte das Fenster, indem ich auf dem Brett stand.
· 이유: Von der Tagesarbeit ermüdet, kann ich nichts mehr tun.
=Weil ich von der Tagesarbeit ermüdet bin, kann ich ...
· 양보: In all seinen Erwartungen getäuscht, gab er doch seinen Plan nicht auf.
=Obwohl er in all seinen Erwartungen getäuscht war, gab er ...
· 조건: All deine Kräfte anspannend, wirst du Erfolg haben.
=Wenn du all deine Kräfte anspannst, wirst du ...
· 비교: Es ereignete sich alles so, wie vorausgesagt.
=Es ereignete ..., wie es vorausgesagt wurde.

(5) 독립분사구문

Ehrlich *gestanden*, deine Leistung ist überraschend.
Offen *gesagt*, ich kann dir nicht zutrauen.

ehrlich〔offen〕 gestanden	näher betrachtet	streng〔genau〕 genommen
unter uns gesagt	gesetzt den Fall, daß ...	angenommen, daß ...

7. 8. 접속법

(1) 현재인칭변화

	접속법 Ⅰ식		접속법 Ⅱ식	
	sagen	geben	sagen→sagte	geben→gab
ich du er	sage sagest sage	gebe gebest gebe	sagte sagtest sagte	gäbe gäbest gäbe
wir ihr sie	sagen saget sagen	geben gebet geben	sagten sagtet sagten	gäben gäbet gäben

(2) 시제

	직설법	접속법 Ⅰ식	접속법 Ⅱ식
현 재	Er gibt.	Er gebe.	Er gäbe.
과 거 현재완료 과거완료	Er gab. Er hat gegeben. Er hatte gegeben.	Er habe gegeben.	Er hätte gegeben.
미 래	Er wird geben.	Er werde geben.	Er würde geben.
미래완료	Er wird gegeben haben.	Er werde gegeben haben.	Er würde gegeben haben.

(3) 접속법의 용법

A. 접속법 Ⅰ식

· 희망·기원: Er möge 〔mag〕 kommen! Er lebe hoch!

· 간접화법:

Er { sagt, daß ich Frau Meier nicht gegrüßt hätte.
sagte, daß er Frau Meier nicht gegrüßt habe.
hat gesagt, daß wir Frau Meier nicht gegrüßt hätten.

B. 접속법 Ⅱ식

· 희망·기원: Käme er doch! Wäre ich doch dort geblieben!

· 신중한 표현: Das wäre vielleicht ganz praktisch!

· 조건문: (현재) Wenn er käme, freute ich mich〔würde ich freuen〕.
(과거) Wenn er gekommen wäre, hätte ich mich gefreut.

7. 9. 동사의 분리·비분리전철

(1) 비분리전철

be-, emp-, ent-, er-, ge-, miß-, ver-, zer-

Er erzählt. Er erzählte. Er hat erzählt. Er wird erzählen.
Ich weiß, daß er erzählt. Du brauchst mir solches nicht zu erzählen.

· 전철에 강세가 없다.

· 과거분사에 ge-가 붙지 않는다.

(2) 분리전철

ab-, an-, auf-, aus-, bei-, ein-, empor-, fort-, für-, her-, hin-, mit-, nach-, vor-, weg-, zu-, zurück-, zusammen-, zwischen-

Er fährt ab. Er fuhr ab. Fahr sofort ab! Er ist abgefahren. Er wird abfahren.
Ich weiß, daß er abfährt. Du brauchst nicht sofort abzufahren.

· 전철에 강세가 있다.

· 주문장의 현재형 과거형과 명령문, wenn이 생략된 부문장, als ob에서 ob가 생략된 부문장 등에서는 전철이 분리되어 문장의 끝에 붙는다.

· 과거분사형에서 전철 다음에 ge-가 삽입된다.

· 'zu+부정형'에서 전철 다음에 zu가 삽입된다.

(3) 분리비분리전철

durch-, hinter-, über-, um-, unter-, voll-, wider-, wieder-

Ich setze mit der Fähre über. (건너가다)
Ich übersetze aus dem Koreanischen ins Deutsche. (번역하다)

· 분리전철일 때는 원래의 공간적 의미로, 비분리전철일 때는 비유적 추상적 의미로 쓰인다.

8. 전치사

(1) 2격 지배 전치사

시간	während außerhalb innerhalb zeit	…하는 동안 …이외의 시간에 …이내에 …동안	während des Konzerts 연주회가 계속되는 동안 außerhalb der Sprechstunde 면담 시간 이외의 시간에 innerhalb〔binnen〕 einer Woche 1주일 이내에 zeit seines Lebens 그의 일생 동안
장소	innerhalb außerhalb inmitten oberhalb	…의 내부에 …의 외부에 …의 한가운데에 …의 위쪽에	innerhalb Berlins 베를린 시내에서 außerhalb der Stadt 시외에서 inmitten dieser Unordnung 이 혼란의 와중에 oberhalb der Stadt 도시의 위쪽에
원인	wegen infolge aufgrund angesichts kraft laut	…때문에 …의 결과, …로 인해 …을 근거로 …에 직면하여 …의 힘으로 …에 따르면	wegen der großen Kälte 몹시 춥기 때문에 infolge eines Rechenfehlers 계산 잘못으로 인하여 aufgrund der Zeugenaussagen 증인의 진술을 근거로 angesichts des Unglücks 불행에 직면하여 kraft seines Amtes 그의 직권으로 laut seiner Berichte 그의 보고에 따르면 (주의) laut Autor 저자에 따르면
목적	um...willen halber zugunsten	…을 위하여	um des Friedens willen 평화를 위하여 der Bequemlichkeit halber 편의를 위하여 zugunsten seines Sohns 그의 아들을 위하여
대체	statt anstelle	…대신에	anstatt〔statt〕 seines Freundes 친구를 대신하여 anstelle des wahren Täters 진범 대신에
양보	trotz ungeachtet	…에도 불구하고 …에 개의치 않고	trotz seines hohen Alters 고령에도 불구하고 ungeachtet der Zwischenrufe 야유에 개의치 않고
수단	mittels vermöge	…을 이용하여 …덕분에	mittels eines gefälschten Dokuments 위조 문서를 이용하여 vermöge seines Gedächtnisses 기억력 덕분에

(2) 3격 지배 전치사

ab	[시간] ab Anfang Mai 3월 초부터 (주의) ab ersten Mai 3월 1일부터 (4격) [장소] ab Frankfurt 프랑크푸르트에서(부터)
aus	[장소] aus dem Haus 집 밖으로 [유래] eine Famile aus Ungarn 헝가리 출신의 가문 [재료] die Eheringe aus Gold 결혼 금반지 [원인] aus Furcht 두려워서, 두려움 때문에
außer	[제외] Außer einem Hund ist nichts Lebendiges zu sehen. 개 한 마리 외에는 어떤 생명체도 보이지 않는다.
bei	[소속] Er arbeitet bei Siemens 그는 지멘스 회사에서 일한다. [시간] beim Kochen 요리 도중에 [조건] bei diesem Wetter 이런 날씨에는
dank	[조건] dank seiner Hilfe 그의 도움 덕분에
gegenüber	[장소] gegenüber dem Bahnhof〔dem Bahnhof gegenüber〕 기차역 맞은 편에 [상대] Den Bitten seines Sohnes gegenüber blieb er hart 그는 아들의 부탁에 대해 여전히 강경한 태도를 보였다.
gemäß	[조건] gemäß dem Gesetz〔dem Gesetz gemäß〕 법률에 맞게
mit	[동반] mit meinen Eltern 내 부모님과 함께 [부속] ein Zimmer mit Bad 욕실이 딸린 방 [수단] mit der U-Bahn 지하철을 타고 [양태] mit hoher Geschwindigkeit 고속으로
nach	[방향] nach Hause〔Norden〕 집〔북쪽〕으로 [시간] nach dem 1. April 4월 1일 이후 [근거] meiner Meinung nach 내 생각에 따르면, 내 소견으로는
seit	[시간] seit einem Monat 한 달 전부터; seit dem 1. Mai 3월 1일부터
von	[장소] vom Bahnhof 정거장에서부터 [시간] vom 1. März bis 1. Mai 3월 1일부터 5월 1일까지 [소유] viele Briefe von Kafka 카프카의 수많은 편지들
zu	[장소] zur Post gehen 우체국 쪽으로 가다; zu Hause sein 집에 있다 [시간] zu Weihnachten 크리스마스를 맞아; zum Geburtstag 생일을 맞아 [목적] zum Beweis seiner Treue 그의 지조를 입증하기 위하여
zufolge	[결과] der Diagnose des Arztes zufolge 의사의 진단에 따르면
zuwider	[대립] seinem Geschmack zuwider 그의 취향에 거슬려서

(3) 4격 지배 전치사

durch	[장소] durch den Wald 숲을 가로질러; durchs Fenster 창문을 통하여 [수단] durch den Rundfunk 라디오 방송을 통하여 [원인] durch einen Unfall 사고로 인하여
entlang	[장소] die Straße entlang 길거리를 따라서; den Fluß entlang 강을 따라서
für	[목적] eine Spende für das Rote Kreuz 적십자사 기부금 [대체] für andere bezahlen 다른 사람들을 대신하여 계산하다 [조건] Für sein Alter ist er noch gesund 그는 나이에 비하면 아직 건강하다. [시간] für Tag und Nacht 밤이나 낮이나; für ewig 영원히
gegen	[방향] gegen Norden 북쪽을 향하여 [시간] gegen 11 Uhr nachts 밤 11시 경에 [반대] Ärzte sind gegen das Rauchen 의사들은 흡연에 반대한다.
ohne	[부재] ein Zimmer ohne Bad 욕실이 없는 방 [조건] Ohne ihn ist sie völlig hilflos 그녀는 그가 없으면 완전히 속수무책이다.
um	[장소] um den Turm (herum) 탑을 돌아서; um die Ecke 모퉁이를 돌아서 [시간] um 6 Uhr abends 저녁 6시 정각에 [단위] Die Temperatur ist um 5 Grad gestiegen 기온이 5도 상승하였다.
wider	[대립] wider Willen 뜻하지 않게; wider Erwarten 예기치 않게

(4) 3·4격 지배 전치사
an, auf, hinter, in, neben, über, unter, vor, zwischen

장소	·공간적인 용법에서 정지 상태나 운동의 장소를 나타낼 때는 3격이, 장소의 이동이나 운동의 방향을 나타낼 때는 4격이 쓰임. Das Buch liegt auf dem Tisch. → Er legt das Buch auf den Tisch. Das Bild hängt an der Wand. → Er hängt das Bild an die Wand. hinter der Garage 차고 뒤에; hinter die Garage 차고 뒤로 in der Stadt 시내에서; in die Stadt 시내로 neben dem Tisch 테이블 옆에; neben den Tisch 테이블 옆으로 über dem Stuhl 의자 위에; über den Stuhl 의자 위로 unter dem Schrank 장롱 아래에; unter den Schrank 장롱 아래로 vor dem Haus 집 앞에서; vor das Haus 집 앞으로 zwischen beiden Händen 두 손 사이에; zwischen beide Händen 두 손 사이로
시간	·항상 3격을 취함. am Morgen 아침에; am Montag 월요일에; am 17. Juli 7월 17일에 im April 4월에; in fünf Minuten 5분 내에 vor einigen Minuten 몇 분 전에; vor einer Woche 1주일 전에 zwischen dem 1. und 5. Mai 5월 1일부터 5일 사이에

9. 접속사

9.1. 등위접속사

aber, allein, bald ... bald, denn, beziehungsweise[bzw.], entweder ... oder, oder, sondern, sowie, sowohl als[wie], teils ... teils, und, weder ... noch

Er runzelte die Stirn, **aber** sie sagte noch nichts.
그가 이맛살을 찌푸렸으나 그녀는 아직 아무 말도 하지 않았다.
Er ist **nicht** reich, **sondern** arm. 그는 부유하지 않고 가난하다.
Er ist **nicht nur** reich, **sondern auch** großzügig. 그는 부유할 뿐만 아니라 마음이 넓기까지 하다.
Wir bleiben zu Hause, **denn** das Wetter ist schlecht. 날씨가 나쁘기 때문에 우리는 집에 머문다.
Es kostet 300 Mark, **bzw.** 250 Mark mit Rabatt.
그것은 300 마르크, 또는 할인해서 250 마르크다.
Du mußt fleißig lernen, **oder** der Lehrer wird dich tadeln.
너는 열심히 배워야 한다. 그렇지 않으면 선생님이 너를 꾸짖을 것이다.
Er hat **sowohl** Dramen **als** (**auch**) Romane geschrieben. = Er hat Dramen sowie (auch) Romane geschrieben. 그는 드라마와 함께 소설도 썼다.
Das Wetter ist **teils** heiter, **teils** wolkig. 날씨가 때로는 맑고 때로는 흐리다.
Ich habe **weder** seinen Brief bekommen, **noch** habe ich sonst von ihm gehört.
나는 그의 편지를 받지도 못했고, 그에 대한 소식을 달리 듣지도 못했다.

9.2. 종속접속사와 부문장

daß, wenn, ob, weil, da, nun (da), zumal, als, während, bevor, ehe, nachdem, seit(dem), solange, sobald, sooft, damit, obwohl, obgleich

(1) daß 절
Ich bin froh, **daß** du endlich gekommen bist. 마침내 네가 와서 기쁘다.

Ihn quält die Angst, **daß** etwas passieren könnte.
무슨 일이 벌어질 듯한 불안이 그를 괴롭힌다.
Tatsache ist, **daß** er gelogen hat. 사실은 그가 거짓말을 했다는 것이다.
Daß du rechtzeitig nach Hause kommst! 네가 제 시간에 집에 오면 좋으련만!
Daß sie es so eilig haben! 그녀가 그렇게 서두르다니!
Das Wetter war **so** schlecht, **daß** ich wenig wandern konnte. (=Das Wetter war schlecht, **so daß** ich wenig wandern konnte.) 날씨가 너무 나빠서 나는 거의 산책을 할 수 없었다.
Er ist zu vernünftig, **als daß** er solches beginge. 그는 그런 일을 저지르기에는 너무 이성적이다.

(2) 조건을 나타내는 부문장
Ich erinnere mich nicht, **ob** ich so gesagt habe. 내가 그런 말을 했는지 기억나지 않는다.
Ob sie morgen kommt, ist mir gleich. 그녀가 내일 오든 말든 나에겐 상관없는 일이다.
Wenn die Ferien anfangen, (dann) werden wir gleich fahren.
휴가가 시작되면 우리는 곧장 출발한다.
Jedesmal, wenn ich komme, bist du nie zu Hause. 내가 올 때마다 너는 한번도 집에 없구나.
Ich werde dir helfen, **insofern**〔**insoweit**〕 (**als**) ich kann. 나는 할 수 있는 한 너를 돕겠다.
Soweit〔**Sofern**〕 noch Interesse besteht, wollen wir schon morgen damit anfangen.
아직도 흥미가 있는 한, 당장 내일부터라도 그 일을 시작하자.

(3) 이유를 나타내는 부문장
Er konnte nicht kommen, **weil** er krank war. 그는 아파서 오지 못했다.
Da ich verreist war, konnte ich Sie nicht aufsuchen.
제가 여행을 떠나고 없었기 때문에 당신을 찾아뵙지 못했습니다.
Sie wird uns sicher helfen, **zumal** (**da**) sie dich so gern hat.
그녀는 틀림없이 우리를 도와줄 것이다. 더구나 그녀가 너를 그렇게 좋아하니까.

(4) 시간을 나타내는 부문장
Als wir das Haus erreicht hatten, (**da**) fing es an zu regnen.
우리가 그 집에 도착하자 비가 오기 시작했다.
Kaum hatte er sich umgezogen, **als** der Besuch eintraf.
그가 옷을 갈아입자마자 손님이 찾아왔다.
Während er verreist war, wurde es bei ihm einbrochen.
그가 여행을 가고 없는 동안 그의 집에 도둑이 들었다.
Während die einen erfreut waren, waren die anderen eher enttäuscht.
한쪽 사람들이 기뻐하는 동안 다른 쪽 사람들은 오히려 실망했다.
Bevor〔**Ehe**〕 wir anreisen, müssen wir noch viel erledigen.
여행을 떠나기 전에 우리는 아직 할 일이 많다.
Nachdem ich gegessen hatte, legte ich mich hin. 나는 식사를 하고나서 드러누웠다.
Seitdem er sein Haus verkauft hat, wohnt er in einem Hotel.
그는 집을 처분한 이후로 호텔에 묵고 있다.
Seit ich warte, sind mindestens dreißig Leute 'reingegangen.
내가 기다리기 시작한 이래 적어도 서른 명이 안으로 들어갔다.
Ich rufe dich an, **sobald** ich zu Hause bin. 집에 닿는대로 네게 전화하겠다.
Ich muß das erledigen, **solange** ich noch Urlaub habe.
아직 휴가를 얻고 있는 동안에 나는 그 일을 마쳐야 겠다.
Solange er sein Bestes tut, bin ich zufrieden. 그가 최선을 다하는 한 나는 만족한다.
Du kannst kommen, **sooft** du willst. 네가 원할 때면 언제든지 와도 좋다.

(5) 목적을 나타내는 부문장
Schreibe es dir auf, **damit** du es nicht wieder vergißt! 잊어버리지 않도록 적어두어라!
Er entfernte sich leise, (auf) **daß** niemand ihn sehe. 그는 아무도 보지 못하게 조용히 사라졌다.

(6) 양보 구문
Obwohl〔**Obgleich**〕 er mein Bruder ist, kann ich nichts für ihn tun.
비록 그가 내 형제이지만 나는 그를 위해 아무 것도 해줄 수 없다.
Wenn es **auch** anstrengend war, Spaß hat es **doch** gemacht.
그 일이 힘들긴 했지만 그래도 재미는 있었다.
Ich könnte es nicht, **selbst wenn** ich wollte. 설령 마음이 내키더라도 그렇게는 못할 것이다.
Wer er **auch** ist, ich kann nichts für ihn tun.
그가 누구든 간에 나는 그를 위해 아무것도 해줄 수 없다.
Wann sie **auch** kommt, ich will sie sofort sprechen.
그녀가 언제 오든 간에 나는 당장 그녀를 면담할 것이다.
Wohin sie **auch** geht, ich werde ihr folgen. 그녀가 어디로 가든지 나는 그녀를 따라갈 것이다.
Wo er sich **auch** zeigte, er wurde mit Beifall begrüßt. 그는 어디에 나타나도 대환영을 받았다.
Was für Schwierigkeiten du **auch** hast, es ist der Mühe wert.
네가 어떤 어려움을 겪더라도 그것은 노력해볼 만한 가치가 있다.
So〔**Wie**〕 teuer das Bild **auch** ist 〔sein mag〕, ich will es doch kaufen.
그 그림이 아무리 비싸더라도 나는 그것을 사겠다.

Ⅳ 기호 읽기

1. 수 학

1.1. 대수학

$a+b=c$	a plus b ist (gleich) c ; a und b ist c
$a-b=c$	a minus b ist (gleich) c ; a weniger b ist c
$a\times b=c$ $a\cdot b=c$	a mal b ist (gleich) c
$a:b=c$ $a/b=c$	a (geteilt) durch b ist (gleich) c
$a\equiv b$	a ist identisch (gleich) b
$a\neq b$ $a\ddagger b$	a ist nicht gleich b
$a\approx b$	a ist ungefähr (gleich) b
$a>b$	a ist größer als b
$a<b$	a ist kleiner als b
$a\gg b$	a ist sehr groß gegen b
$a\ll b$	a ist sehr klein gegen b
$a\geqq b$	a ist größer oder gleich b
$a\leqq b$	a ist kleiner oder gleich b
$(a+b)^n$	Klammer auf, a plus b, Klammer zu, hoch n
a^n	a hoch n; n-te Potenz von a
$\sqrt{a}$	Wurzel aus a; Quadratwurzel aus a; zweite Wurzel aus a
$\sqrt[3]{a}$	Kubikwurzel aus a; dritte Wurzel aus a
$\sqrt[n]{a}$	n-te Wurzel aus a
$n!$	n Fakultät
$f(x)$	Funktion von x
$\int_b^a f(x)\,d(x)$	Integral von $f(x)$ von a bis b

1.2. 기하학

$AB \parallel CD$	Gerade AB ist parallel zur Geraden CD
$AB \perp CD$	Gerade AB ist senkrecht auf Gerade CD
$\triangle ABC \cong \triangle DEF$	Dreieck ABC ist kongruent〔deckungsgleich〕 Dreieck DEF
$\triangle ABC \sim \triangle DEF$	Dreieck ABC ist ähnlich Dreieck DEF

1.3. 집합론

$a\in A$	a ist ein Element von A
$A\subset B$	A (ist) enthalten in B; A (ist) Teilmenge von B
$A\supset B$	A umfaßt B
$A\cup B$	A vereinigt mit B; Vereinigungsmenge von A und B
$A\cap B$	A geschnitten mit B; Schnittmenge von A und B
$\{x \mid A(x)\}$	Menge 〔Klasse〕 aller x mit der Eigenschaft A von x; Menge 〔Klasse〕 aller x, für die gilt A von x
xRy	x steht zu y in der Relation R

2. 논리학

$A\wedge B$	A und B
$A\vee B$	A oder B
$A \mid B$	nicht beide A und B
A >-< B	entweder A oder B
$A\rightarrow B$	wenn A dann B
$A\leftrightarrow B$	A genau dann, wenn B
$\neg A$ $\sim A$	nicht A
$\bigvee_x A(x)$	für manche x A von x
$\bigwedge_x A(x)$	für alle A von x

3. 숫자 읽기

3.1. 분 수

½	ein halb
1½	eineinhalb; anderthalb

$2\frac{1}{2}$ zweieinhalb
$\frac{1}{3}$ ein Drittel
$\frac{2}{3}$ zwei Drittel
$\frac{1}{4}$ ein Viertel
$\frac{3}{4}$ drei Viertel
$5\frac{5}{6}$ fünf fünf Sechstel
1/12 ein Zwölftel
1/100 ein Hundertstel
1/1000 ein Tausendstel

3.2. 소 수

소수점은 콤마로 나타내고, 소수점 이하의 수는 보통 한 자리씩 읽는다.
18,21 achtzehn Komma zwei eins (흔히 achtzehn Komma einundzwanzig 라고도 읽음. 아래 예에서도 마찬가지임)
21,18 einundzwanzig Komma ein acht
0.8 p.m. null Komma acht pro mille
12,34 s zwölf Komma drei vier Sekunden

3.3. 서 수

숫자 다음에 피리어드를 붙여서 나타낸다.
Ludwig I. Ludwig der Erste (1격)
Elisabeth II. Elisabeth die Zweite (1·4격)
Heute ist der 1. Mai. (der erste Mai)
Ich bin am 5. April geboren. (am fünften April)
vom 10. - 16. dieses Monats (vom zehnten bis sechzehnten dieses Monats)

3.4. 연월일

1100 년부터 1999 년까지는 백자리에서 둘로 나누어 읽고, 그 밖의 경우에는 보통 수처럼 읽는다.
962 neunhundertzweiundsechzig
1998 neunzehnhundertachtundneunzig
im Jahre 2002 im Jahre zweitausendzwei
die zwanziger Jahre letzten Jahrhunderts (=1920-1929)
※ 날짜는 (때로는 달도) 서수로 나타낸다.
(편지에서) Seoul, den 20. Mai〔5.〕 1999
Seoul, den zwanzigsten Mai〔fünften〕 neunzehnhundertneunundneunzig
(일기에서) Dienstag, 24. 3.〔III.〕
Dienstag, vierundzwanzigster, dritter

3.5. 시 각

Es ist — Es ist
1.00 Uhr ein Uhr; eins.
3.05 Uhr drei Uhr fünf (Minuten); fünf (Minuten) nach drei
5.15 Uhr fünf Uhr fünfzehn (Minuten); fünfzehn (Minuten) nach fünf; (ein) Viertel nach fünf; (ein) Viertel sechs
7.25 Uhr sieben Uhr fünfundzwanzig (Minuten); fünf vor halb acht
8.30 Uhr acht Uhr dreißig (Minuten); halb neun
10.35 Uhr zehn Uhr fünfunddreißig (Minuten); fünf nach halb elf
12.45 Uhr zwölf Uhr fünfundvierzig (Minuten); (ein) Viertel vor eins; drei Viertel eins

3.6. 전화번호

보통은 한 자리씩 읽지만, 십단위로 두 자리씩 읽기도 한다.
(05 21) 4 40 11 Vorwahl null fünf zwei eins〔null fünf einundzwanzig〕, Nummer vier vier null eins eins〔vier vierzig elf〕
※ zwei 는 drei 로 잘못 알아들을 수 있기 때문에 zwo 라고도 읽는다.
22 13 zwo zwo eins drei, zwoundzwanzig dreizehn

3.7. 가 격

DM 1, 00 eine Mark
6, 25 DM sechs Mark fünfundzwanzig (Pfennig)
€1, 00 ein Euro
6, 25 Euro sechs Euro fünfundzwanzig (Cent)

3.8. 속 도

130 km/h hundertdreißig Kilometer pro Stunde; hundertdreißig Stundenkilometer

3.9. 각도·위도·경도

∡ABC=18° 15′ Winkel ABC ist gleich achtzehn Grad fünfzehn Minuten
134° 25′ 30″ ö.L. hundertvierunddreißig Grad fünfundzwanzig Minuten dreißig Sekunden östlicher Länge

3. 10. 온 도

18℃	achtzehn Grad Celsius
65°F	fünfundsechzig Grad Fahrenheit

3. 11. 로마숫자

I(1), V(5), X(10), L(50), C(100), D(500), M(1000), A(5000)를 결합해서 나타낸다. 어떤 숫자 오른쪽에 이와 같거나 작은 수를 쓴 경우에는 그 수를 모두 더하고, 어떤 숫자 왼쪽에 그 보다 작은 수를 쓴 경우에는 이들의 차이를 계산한다. 이때 작은 수는 큰 수의 왼쪽에 하나만 쓸 수 있다.

Ⅰ(1), Ⅱ(2), Ⅲ(3), Ⅳ(4), Ⅴ(5), Ⅵ(6), Ⅶ(7), Ⅷ(8), Ⅸ(9), Ⅹ(10), Ⅺ (11), Ⅻ(12), … XIV(14), XV(15), XVI (16), … XIX (19), XX(20), XXX(30), XL(40), VL(45), L(50), LX(60), … XC(90), C(100), CC(200), … CD(400), VD(495), D(500), DC(600), … CM(900), … IM(999), M(1000), A (5000), MCMXCVIII(1998)

4. 연 보(年譜)

*	geboren	⚭	verheiratet
†	gestorben	⚯	ledig
⚮	geschieden	▭	begraben
⚔	gefallen		

Goethe, Johann Wolfgang v. , *Frankfurt a. M. 28. 8. 1749, †Weimar 22. 3. 1832
=Johann Wolfgang v. Goethe, geboren in Frankfurt a. M. am achtundzwanzigsten, achten, siebzehnhundertneunundvierzig, gestorben in Weimar am zweiundzwanzigsten, dritten, achtzehnhundertzweiunddreißig

5. 기 타

5. 1. 문자의 보조기호

´	Akut	˚	Ringelchen, Kringel
`	Gravis	˜	Tilde
ˆ	Zirkumflex	˘	Haken, Häkchen
¸	Cedille	¯	Querstrich, Balken
¨	Trema		

5. 2. 문장의 보조기호

.	Punkt
,	Komma, Beistrich
;	Semikolon, Strichpunkt
:	Kolon, Doppelpunkt
?	Fragezeichen
!	Ausrufezeichen
—	Gedankenstrich
…	Auslassungspunkte, drei Punkte, Pünktchen
-	Bindestrich
'	Auslassungszeichen, Apostroph
„ "	Anführungszeichen, Gänsefüßchen
≫ ≪	Anführungszeichen
‚ ' / > <	halbe Anführungszeichen
( )	runde Klammern
[ ]	eckige Klammern
{ }	geschwungene Klammern
§	Paragraph

5. 3. 인 쇄

Grammatik	Grammatik unterstrichen
G r a m m a t i k	Grammatik gesperrt gedruckt
Grammatik	Grammatik kursiv gedruckt
Grammatik	Grammatik (halb)fett gedruckt
GRAMMATIK	Grammatik groß geschrieben〔gedruckt〕

※ 참고 자료:

Satz- und Korrekturanweisungen. Mannheim 1980[4] (Duden-Taschenbücher Bd. 5).
Shogakukans Grosses Deutsch-Japanisches Wörterbuch 1985.

V 국명·지역명·인명

1. 국가·지역 이름

국가/지역	주민	형용사
Abchasien	Abchasier, -in	abchasiesch
Afghanistan	Afghane, Afghanin	afghanisch
Afrika	Afrikaner, -in	afrikanisch
Ägypten	Ägypter, -in	ägyptisch
Albanien	Albaner, -in	albanisch
Algerien	Algerier, -in	algerisch
Amerika	Amerikaner, -in	amerikanisch
Andalusien	Andalusier, -in	andalusisch
Andorra	Andorraner, -in	andorranisch
Angola	Angolaner, -in	angolanisch
Antigua und Barbudaqua-torialguinea	Antiguaner	antiguanisch
Arabien	Araber, -in	arabisch
Argentinien	Argentinier, -in	argentinisch
Armenien	Armenier, -in	armenisch
Aserbeidschan	Aserbeidschaner, -in	aserbeidschanisch
Asien	Asiat, -in	asiatisch
Äthiopien	Äthiopier, -in	äthiopisch
Australien	Australier, -in	australisch
Baden	Badener, -in	badisch
die Bahamainseln, die Bahamas	Bahamaner -in; Bahamer, -in	bahamanisch, bahamisch
Bahrein	Bahreiner, -in	bahreinisch
das Baltikum	Balte, Baltin	baltisch
Bangladesch	Bangladescher, -in	bangladeschisch
Barbados	Barbadier, -in	barbadisch
das Baskenland	Baske, Baskin	baskisch
Bayern	Bayer, -in	bay(e)risch
Belgien	Belgier, -in	belgisch
Belize	Belizer, -in	belizisch
Benin	Beniner, -in	beninisch
Bhutan	Bhutaner, -in	bhutanisch
Birma; (CH) Burma (seit 1989 Myanmar)	Birmane, Birmanin; (CH) Burmese, Burmesin	birmanisch; (CH) burmesisch
Böhmen	Böhme, Böhmin	böhmisch
Bolivien	Bolivianer, -in	bolivianisch
Bosnien	Bosnier, -in	bosnisch
Botswana	Botswaner, -in	botswanisch
Brandenburg	Brandenburger, -in	brandenburgisch
Brasilien	Brasilianer, -in	brasilianisch
die Bretagne	Bretone, Bretonin	bretonisch
Brunei	Bruneier	bruneiisch
Bulgarien	Bulgare, Bulgarin	bulgarisch
Burgund	Burgunder, -in	burgundisch
Burkina Faso	Burkiner, -in	burkinisch
Burundi	Burundier, -in	burundisch
Chile	Chilene, Chilenin	chilenisch
China	Chinese, Chinesin	chinesisch
Costa Rica	Costaricaner, -in	costaricanisch
Côte d'Ivoire (die Elfenbeinküste)	Ivorer, -in	ivorisch
Dänemark	Däne, Dänin	dänisch
(die Bundesrepublik) Deutschland	Deutsche(r), Deutsche	deutsch
Dominica (die Dominikanische Republik)	Dominikaner, -in	dominikanisch
Dschibuti	Dschibutiner, -in	dschibutisch
Ecuador	Ecuadorianer, -in	ecuadorianisch
El Salvador	Salvadorianer, -in	salvadorianisch

das Elsa	Elsässer, -in	elsässisch
England	Engländer, -in	englisch
Eritrea	Eritreer, -in	eritreisch
Estland	Este, Estin; Estländer, -in	estnisch, estländisch
Europa	Europäer, -in	europäisch
Fidschi	Fidschianer, -in	fidschianisch
Finnland	Finne, Finnin	finnisch
Flandern	Flame, Flämin	flämisch
Franken	Franke, Fränkin	fränkisch
Frankreich	Franzose, Französin	französisch
Friesland	Friese, Friesin; Friesländer, -in	friesisch
Gabun	Gabuner, -in	gabunisch
Gambia	Gambier, -in	gambisch
die Gemeinschaft unabhängiger Staaten (die GUS)	Einwohner (in) der GUS	
Georgien	Georgier, -in	georgisch
Ghana	Ghanaer, -in	ghanaisch
Grenada	Grenadaer, -in	grenadaisch
Griechenland	Grieche, Griechin	griechisch
Grönland	Grönländer, -in	grönländisch
Großbritannien	Brite, Britin	britisch
Guatemala	Guatemalteke, Guatemaltekin	guatemaltekisch
Guinea	Guineer, -in	guineisch
Guyana	Guyaner, -in	guyanisch
Haiti	Haitianer〔Haitier〕, -in	haitianisch, haitisch
Hawaii	Hawaiianer, -in	hawaiisch
Herzegowina	Herzegowiner, -in	herzegowinisch
Hessen	Hesse, Hessin	hessisch
Holland	Holländer, -in	holländisch
Holstein	Holsteiner, -in	holsteinisch
Honduras	Honduraner, -in	honduranisch
Indien	Inder, -in	indisch
Indonesien	Indonesier, -in	indonesisch
der Irak	Iraker, -in	irakisch
der Iran	Iraner, -in	iranisch
Irland	Ire, Irin	irisch
Island	Isländer, -in	isländisch
Israel	Israeli, -	israelisch
Italien	Italiener, -in	italienisch
Jamaika	Jamaikaner, -in	jamaikanisch
Japan	Japaner, -in	japanisch
der Jemen	Jemenit, -in	jemenitisch
Jordanien	Jordanier, -in	jordanisch
Jugoslawien(역사적)	Jugoslawe, Jugoslawin	jugoslawisch
Kambodscha	Kambodschaner, -in	kambodschanisch
Kamerun	Kameruner, -in	kamerunisch
Kanada	Kanadier, -in	kanadisch
die Kanarischen Inseln, die Kanaren	Kanarier, -in	kanarisch
das Kap Verde	Kapverdier, -in	kapverdisch
Kasachstan	Kasache, Kasachin	kasachisch
Kastilien	Kastilier, -in	kastilisch
Katalonien	Katalane, Katalanin	katalanisch
Katar	Katarer, -in	katrisch
Kenia	Kenianer, -in	kenianisch
Kirgisien, Kirgisistan	Kirgise, Kirgisin	kirgisisch
Kolumbien	Kolumbianer, -in	kolumbianisch
die Komoren	Komorer, -in	komorisch
der Kongo	Kongolese, Kongolesin	kongolesisch
Korea	Koreaner, -in	koreanisch
Korsika	Korse, Korsin	korsisch
Kreta	Kreter, -in	kretisch
Kroatien	Kroate, Kroatin	kroatisch
Kuba	Kubaner, -in	kubanisch
Kurdistan	Kurde, Kurdin	kurdisch
Kuwait	Kuwaiter, -in	kuwaitisch

das Laos	Laote, Laotin	laotisch
Lappland	Lappe, Lappin	lappländisch
Lettland	Lette, Lettin	lettisch
der Libanon	Libanese, Libanesin	libanesisch
Liberia	Liberianer〔Liberier〕, -in	liberianisch, liberisch
Libyen	Libyer, -in	libysch
Liechtenstein	Liechtensteiner, -in	liechtensteinisch
Litauen	Litauer, -in	litauisch
Lothringen	Lothringer, -in	Lothringer, lothringisch
Luxemburg	Luxemburger, -in	Luxemburger, luxemburgisch
Madagaskar	Madagasse, Madagassin	madagassisch
Mähren	Mähre, Mährin	mährisch
Makedonien	Makedonier, -in	makedonisch
Malawi	Malawier, -in	malawisch
Malaysia	Malaysier, -in	malaysisch
die Malediven	Malediver, -in	maledivisch
Mali	Malier, -in	malisch
Malta	Malteser, -in	maltesisch
die Mandschurei	Mandschure, Mandschurin	mandschurisch
Marokko	Marokkaner, -in	marokkanisch
Mauretanien	Mauretanier, -in	mauretanisch
Mauritius	Mauritier, -in	mauritisch
Mazedonien	Mazedonier, -in	mazedonisch
Mecklenburg	Mecklenburger, -in	mecklenburgisch
Mexiko	Mexikaner, -in	mexikanisch
Mikronesien	Mikronesier	mikronesisch
Moldawien	Moldawier, -in	moldawisch
Monaco	Monegasse, Monegassin	monegassisch
die Mongolei	Mongole, Mongolin	mongolisch
Montenegro	Montenegriner, -in	montenegrisch
Mosambik	Mosambikaner, -in	mosambikanisch
Myanmar → Birma		
Namibia	Namibier, -in	namibisch
Nauru	Nauruer, -in	nauruisch
Nepal	Nepalese, Nepalesin	nepalesisch
Neuseeland	Neuseeländer, -in	neuseeländisch
Nicaragua	Nicaraguaner, -in	nicaraguanisch
die Niederlande	Niederländer, -in	niederländisch
Niedersachsen	Niedersachse, Niedersächsin	niedersächsisch
der Niger	Nigrer, -in	nigrisch
Nigeria	Nigerianer, -in	nigerianisch
Nordkorea	Nordkoreaner, -in	nordkoreanisch
die Normandie	Normanne, Normannin	normannisch
Norwegen	Norweger, -in	norwegisch
die Oberpfalz	Oberpfälzer, -in	Oberpfälzer, oberpfälzisch
Oman	Omaner, -in	omanisch
Österreich	Österreicher, -in	österreichisch
Pakistan	Pakistaner, -in/Pakistani	pakistanisch
Palästina	Palästinenser, -in	palästinensisch, palästinisch
Panama	Panamaer, -in	panamaisch
Papua-Neuguinea	Papua, ..-Neuguineaer, -in	papuanisch
Paraguay	Paraguayer, -in	paraguayisch
Persien	Perser, -in	persisch
Peru	Peruaner, -in	peruanisch
die Pfalz(Rheinland)	(Rhein)pfälzer, -in	(rhein)pfälzisch
die Philippinen	Philippiner, -in	philippinisch
Polen	Pole, Polin	polnisch
Pommern	Pommer, -in	pommer(i)sch
Portugal	Portugiese, Portugiesin	portugisisch
Preußen(역사적)	Preuße, Preußin	preußisch
die Provence	Provenzale, Provenzalin	provenzalisch
das Rhienland	Rheinländer, -in	rheinländisch
Ruanda	Ruander, -in	ruandisch
Rumänien	Rumäne, Rumänin	rumänisch
Rußland	Russe, Russin	russisch
das Saarland	Saarländer, -in	saarländisch

Sachsen	Sachse, Sächsin	sächsisch
Sambia	Sambier, -in	sambisch
Samoa, die Samoainseln	Samoaner, -in	samoanisch
San Marino	Sanmarinese, Sanmarinesin	sanmarinesisch
Sardinien	Sarde, Sardin	sardi(ni)sch
Saudi-Arabien	Saudi(araber), -in	saudiarabisch
Schlesien	Schlesier, -in	schlesisch
Schleswig	Schleswiger, -in	schlewig(i)sch
Schottland	Schotte, Schottin	schottisch
Schwaben	Schwabe, Schwäbin	schwäbisch
Schweden	Schwede, Schwedin	schwedisch
die Schweiz	Schweizer, -in	schweizerisch, Schweizer
(der) Senegal	Senegalese, Senegalesin	senegalesisch, senegalisch
Serbien	Serbe, Serbin	serbisch
Sibirien	Sibir(i)er, -in	sibirisch
Siebenbürgen	Siebenbürger, -in	siebenbürgisch
Sierra Leone	Sierraleoner, -in	sierraleonisch
Simbabwe	Simbabwer, -in	simbabwisch
Singapur	Singapurer, -in	singapurisch
Sizilien	Sizilianer, -in	sizilianisch
Skandinavien	Skandinavier, -in	skandinavisch
die Slowakische Republik (SR), die Slowakei	Slowake, Slowakin	slowakisch
Slowenien	Slowene, Slowenin	slowenisch
Somalia	Somalier, -in; Somali, -	somalisch
die Sowjetunion(UdSSR) (역사적)	Sowjetbürger, -in	sowjetisch
Spanien	Spanier, -in	spanisch
Sri Lanka	Srilanker, -in	srilankisch
Südafrika	Südafrikaner, -in	südafrikanisch
der Sudan	Sudanese, Sudanesin	sudanesisch
Südkorea	Südkoreaner, -in	südkoreanisch
Südtirol	Südtiroler, -in	Südtiroler
Suriname	Surinamer, -in	surinamisch
Swasiland	Swasiländer, -in	swasiländisch
Syrien	Syrer, -in	syrisch
Tadschikistan	Tadschike, Tadschikin	tadschikisch
Taiwan	Taiwaner, -in	taiwanisch
Tansania	Tansanier, -in	tansanisch
Thailand	Thailänder, -in; Thai, -	thailändisch
Tibet	Tibet(an)er, -in	tibetisch, tibetanisch
Togo	Togoer, -in	togoisch
Tonga	Tonger, -in	tongaisch
der Tschad	Tschader, -in	tschadisch
die Tschechische Republik, die Tschechei, Tschechien	Tscheche, Tschechin	tschechisch
die Tschechoslowakei(역사적)	Tschechoslowake, ..wakin	tschechoslowakisch
Tunesien	Tunesier, -in	tunesisch
die Türkei	Türke, Türkin	türkisch
Turkmenistan, Turkmenien	Turkmene, Turkmenin	turkmenisch
Tuvalu	Tuvaluer, -in	tuvaluisch
Uganda	Ugander, -in	ugandisch
die Ukraine	Ukrainer, -in	ukrainisch
Ungarn	Ungar, -in	ungarisch
Uruguay	Uruguayer, -in	uruguayisch
Usbekistan	Usbeke, Usbekin	usbekisch
Vanuatu	Vanuatuer, -in	vanuatuisch
die Vatikanstadt	Vatikanstädter, -in	vatikanstadtisch
Venezuela	Venezolaner, -in	venezolanisch
die Vereinigten Arabischen Emirate	Araber, -in	arabisch
die Vereinigten Staaten(von Amerika) (USA)	Amerikaner, -in; US-Bürger, -in	amerikanisch
Vietnam	Vietnamese, Vietnamesin	vietnamesisch
Wales	Waliser, -in	walisisch
Weißrußland	Weißrusse, Weißrussin	weißrussisch

Westfalen	Westfale, Westfälin	westfälisch
Württemberg	Württemberger, -in	württembergisch
Zaire	Zairer, -in	zairisch
die Zentralafrikanische Republik	Zentralafrikaner, -in	zentralafrikanisch
Zypern	Zypriot, -in; Zyprer, -in	zypriotisch, zyprisch

2. 독일어권 국가들의 연방주 이름

2.1. 독 일

연방주	주의 수도
Baden-Württemberg	Stuttgart
Bayern	München
Berlin	Berlin
Brandenburg	Potsdam
Bremen	Bremen
Hamburg	Hamburg
Hessen	Wiesbaden
Mecklenburg-Vorpommern	Schwerin
Niedersachsen	Hannover
Nordrhein-Westfalen	Düsseldorf
Rheinland-Pfalz	Mainz
Saarland	Saarbrücken
Sachsen	Dresden
Sachsen-Anhalt	Magdeburg
Schleswig-Holstein	Kiel
Thüringen	Erfurt

2.2. 오스트리아

연방주	주의 수도
Burgenland	Eisenstadt
Kärnten	Klagenfurt
Niederösterreich	St. Pölten
Oberösterreich	Linz
Salzburg	Salzburg
Steiermark	Graz
Tirol	Innsbruck
Vorarlberg	Bregenz
Wien	Wien

2.3. 스위스

연방주(Kantone)	주의 수도
Aargau	Aarau
Appenzell-Außer-Rhoden	Herisau
Appenzell-Inner-Rhoden	Appenzell
Basel-Landschaft	Liestal
Basel-Stadt	Basel
Bern	Bern
Freiburg	Freiburg
Genf	Genf
Glarus	Glarus
Graubünden	Chur
Jura	Delsberg
Luzern	Luzern
Neuenburg	Neuenburg
Nidwalden	Stans
Obwalden	Sarnen
St. Gallen	Sankt Gallen
Schaffhausen	Schaffhausen
Schwyz	Schwyz
Solothurn	Solothurn
Tessin	Bellinzona

Thurgau	Frauenfeld
Uri	Altdorf
Waadt	Lausanne
Wallis	Sion
Zug	Zug
Zürich	Zürich

3. 독일 인명

3. 1. 남자 이름

Abel
Abraham
Achim
Adolf
Albert
Alexander
Alfons
Alfred
Alois
Andreas
Anton
Armin
Arno
Arnold
Art(h)ur
Axel
August
Benedikt
Benjamin
Benno
Bernd (<Bernhard)
Bernhard
Bert(h)old
Bodo
Bruno
Burkhard
Christian
Christoph
Clemens
Daniel [dá:niɛl]
David [dá:vit, ..fit]
Detlef
Dieter
Dietmar
Dietrich
Dominik
Eberhard
Eckhart
Edgar
Edmund
Eduard
Egon
Ehrhard
Elmar
Emil
Erhard
Erich
Ernst
Erwin
Eugen
Ewald
Florian
Franz
Fridolin
Friedel
Frieder
Friedrich
Fritz
Gebhard
Georg
Gerd (<Gerhard)
Gernot
Gottfried
Gotthold
Gottlieb
Götz (<Gottfried)
Gregor
Guido [guido, gi:do]
Gunter
Günter
Gustav
Hannes (<Johannes)
Hans (<Johannes)
Hänschen
Harald
Hartmut
Heiner (<Heinrich)
Heini (<Heinrich)
Heino (<Heinrich)
Heinrich
Heinz (<Heinrich)
Helmut(h)
Herbert
Hermann
Hieronymus [hiero:..]
Horst
Hubert
Hugo
Ingo
Jakob
Jan
Jason
Jens
Joachim
Jochen (<Joachim)
Johannes
Jonnas
Jonathan
Jörg (<Georg)
Josef
Julius
Jürgen
Karl
Kaspar
Kilian
Klaus (<Niklaus)
Klemens
Knut
Konrad
Konstantin
Kunibert
Kurt
Leo
Leonhard
Leopold
Lorenz
Lothar
Ludwig
Lutz (<Ludwig)
Manfred
Mario
Markus
Martin
Matthäus
Matthias
Max (<Maximilian)
Maximilian
Michael
Michel
Moritz
Niklaus
Nils (<Niklaus)
Norbert
Olaf
Oliver [ó:livər]
Oskar
Oswald
Ot(t)mar
Otto
Ottokar
Parzival
Patrick
Paul
Peter
Philip(p)
Raimund
Rainer
Ralf
Reiner
Reinhold
Reinold
Richard
Robert
Roland
Rolf (<Rudolf)
Rudi (<Rudolf)
Rüdiger
Rudolf
Samson
Samuel
Sebastian
Siegfried
Siegmund
Simon
Stefan, Stephan
Sven [svɛn]
Theo (<Theobald, Theodor)
Theobald
Theodor
Thilo (<Dietrich)
Thomas
Tobias
Tristan
Udo
Ulf
Uli (<Ulrich)
Ulrich
Urban
Uwe
Valentin [válɛnti:n]
Viktor
Vinzenz
Volker
Waldemar
Walt(h)er
Werner
Wilfried
Wilhelm
Willi (<Wilhelm)
Willibald
Winfried
Wolf
Wolfgang
Wolfram
Xaver [ksávər]
Zacharias

3.2. 여자 이름

Adele
Adleheid
Agathe
Agnes
Alexandra
Amalie
Amanda
Andrea
Angelika [aŋgé:lika]
Anita
Anja
Anke
Anna, Anne
Anneliese
Annemarie
Anette
Antje
Antonie [..iə]
Astrid
Ate
Barbara
Barbel (<Barbara)
Beate
Bert(h)a
Bettina
Bianca
Birgit
Brigitte
Brunhilde
Cäcilie [tsɛtsí:liə]
Carina
Carola
Charlotte
Christa
Christel (<Christiane)
Christiane
Claudia
Cordula
Corinna
Cornelia
Dagmar
Daniela
Daphne
Diana
Dietlinde
Dora
Dorothea
Dorrothee
Edda
Edith
Eleonore
Elfriede
Elisabeth
Elke
Ellen
Elsa, Else
Elvira
Emilie [..iə]
Emma
Erika
Erna
Esther
Eva [é:fa, é:va]
Evelin(e) [é:vəli:n]
Franziska
Frieda
Friedel
Friederike
Gabi (<Gabriele)
Genoveva [genofé:fa]
Gerda
Gerlinde
Gertraud(e)
Gertrud(e)
Gisela
Grete(l) (<Margarete)
Gudrun
Gundula
Hanna (<Johanna)
Hannelore
Hedwig
Heide, Heidi
Heidrun
Heike
Helene
Helga
Henriette
Hermine
Hert(h)a
Hilde, Hilda
Hildegard
Hona
Ida
Ilse (<Elisabeth)
Ines
Inge (<Ingeborg)
Ingeborg
Ingrid
Irene
Iris
Irma (<Irmgard)
Irmgard
Isabella
Jakobine
Johanna
Josefa
Josefine
Judith
Julia
Jutta (<Judith)
Kamilla
Karin
Karla
Karoline
Katharina
Käthe (<Katharina)
Katja
Kersten
Klara
Klementine
Klothilde
Konstanze
Laura
Lea
Lena, Lene (<Magdalene, Helene)
Leonore
Leopoldine
Liesa, Lieschen, Liese (<Elisabeth)
Liesolette
Lilli
Lore (<Eleonore)
Lotte, Lotti (<Charlotte)
Luise
Luzia
Lydia
Magda (<Magdalena)
Magdalena
Mannela
Margarette
Margit (<Margarette)
Margot
Maria
Marianne
Marie
Marion
Marlene
Martha
Martina
Marthilde
Mechthild(e)
Melanie
Michaela
Mirjam
Monika
Nadine
Nadja
Natalie [natá:liə]
Nicole [nicɔ́l]
Nora
Olga
Ottilie [otí:liə]
Pamela
Patrizia
Petra
Paula
Pia
Regine
Renate
Rita
Rosa
Rosalinde
Rose
Rosemarie
Roswitha
Ruth
Sabine
Sandra
Sara(h)
Sibylle
Sieglinde
Sigrid
Silvia
Sofie
Sonja
Stefanie, Stephanie
Susanne
Sylvia
Tanja
Thea
Thekla
Therese, Theresia
Trude (<Gertrud)
Ulla (<Ursula, Ulrike)
Ulrike
Ursel (<Ursula)
Ursula
Ute
Vera [vé:ra]
Verena [veré:na]
Veronika [veró:nika]
Viktoria
Waltraud
Wiltrud

Ⅵ 독일어권의 대학

1. 독 일

1.1. 대학(교)(공식 명칭)

대학(교)(공식 명칭)	소재지	홈페이지 주소
Albert-Ludwigs-Universität Freiburg	Freiburg	www.uni-freiburg.de
Bauhaus Universität Weimar	Weimar	www.uni-weimar.de
Bayerische Julius-Maximilians-Universität	Würzburg	www.uni-wuerzburg.de
Bergische Universität-Gesamthochschule	Wuppertal	www.uni-wuppertal.de
Carl von Ossietzky Universität Oldenburg	Oldenburg	www.uni-oldenburg.de
Christian-Albrechts-Universität Kiel	Kiel	www.uni-kiel.de
Deutsche Sporthochschule Köln	Köln	www.uni-koeln.de
Eberhard-Karls-Universität Tübingen	Tübingen	www.uni-tuebingen.de
Ernst-Moritz-Arndt-Universität, Greifswald	Greifswald	www.uni-greifswald.de
Fernuniversität Hagen	Hagen	www.fernuni-hagen.de
Freie Universität Berlin	Berlin	www.fu-berlin.de
Friedrich-Alexander Universität Erlangen-Nürnberg	Erlangen	www.uni-erlangen.de
Friedrich-Schiller-Universität Jena	Jena	www.uni-jena.de
Georg-August-Universität Göttingen	Göttingen	www.uni-goettingen.de
Gerhard-Mercator-Universität GH Duisburg	Duisburg	www.uni-duisburg.de
Heinrich-Heine-Universität Düsseldorf	Düsseldorf	www.uni-duesseldorf.de
Humboldt-Universität Berlin	Berlin	www.hu-berlin.de
International University in Germany	Bruchsal	www.i-u.de
Johann Wolfgang Goethe-Universität Frankfurt	Frankfurt	www.uni-frankfurt.de
Johannes Gutenberg-Universität	Mainz	www.uni-mainz.de
Justus-Liebig-Universität Giessen	Giessen	www.uni-giessen.de
Katholische Universität Eichstätt	Eichstätt	www.ku-eichstaett.de
Ludwig-Maximilians-Universität München	München	www.uni-muenchen.de
Martin-Luther-Universität Halle-Wittenberg	Halle	www.uni-halle.de
Medizinische Universität Lübeck	Lübeck	www.mu-luebeck.de
Otto-Friedrich-Universität Bamberg	Bamberg	www.uni-bamberg.de
Otto-von-Guericke-Universität Magdeburg	Magdeburg	www.uni-magdeburg.de
Philipps-Universität Marburg	Marburg	www.uni-marburg.de
Private Universität Witten/Herdecke GmbH	Witten	www.uni-wh.de
Rheinische Friedrich-Wilhelms-Universität Bonn	Bonn	www.uni-bonn.de
Ruhr-Universität Bochum	Bochum	www.ruhr-uni-bochum.de
Ruprecht-Karls-Universität	Heidelberg	www.uni-heidelberg.de
UniBwM-Universität der Bundeswehr	München	www.unibw-muenchen.de
Universität Augsburg	Augsburg	www.uni-augsburg.de
Universität Bayreuth	Bayreuth	www.uni-bayreuth.de
Universität Bielefeld	Bielefeld	www.uni-bielefeld.de
Universität Bremen	Bremen	www.uni-bremen.de
Universität der Bundeswehr Hamburg	Hamburg	www.unibw-hamburg.de
Universität des Saarlandes	Saarbrücken	www.uni-sb.de
Universität Dortmund	Dortmund	www.uni-dortmund.de
Universität Erfurt	Erfurt	www.uni-erfurt.de
Universität Gesamthochschule Essen	Essen	www.uni-essen.de
Universität Gesamthochschule Kassel	Kassel	www.uni-kassel.de
Universität Gesamthochschule Paderborn	Paderborn	www.uni-paderborn.de
Universität Gesamthochschule Siegen	Siegen	www.uni-siegen.de
Universität Hamburg	Hamburg	www.uni-hamburg.de
Universität Hannover	Hannover	www.uni-hannover.de
Universität Hildesheim	Hildesheim	www.uni-hildesheim.de
Universität Hohenheim	Stuttgart	www.uni-hohenheim.de
Universität Kaiserslautern	Kaiserlautern	www.uni-kl.de
Universität Karlsruhe	Karlsruhe	www.uni-karlsruhe.de
Universität Koblenz-Landau	Koblenz	www.uni-koblenz.de
Universität Köln	Köln	www.uni-koeln.de
Universität Konstanz	Konstanz	www.uni-konstanz.de
Universität Leipzig	Leipzig	www.uni-leipzig.de
Universität Lüneburg	Lüneburg	www.uni-lueneburg.de
Universität Mannheim	Mannheim	www.uni-mannheim.de

Universität Osnabrück	Osnabrück	www.uni-osnabrueck.de
Universität Passau	Passau	www.uni-passau.de
Universität Potsdam	Potsdam	www.uni-potsdam.de
Universität Regensburg	Regensburg	www.uni-regensburg.de
Universität Rostock	Rostock	www.uni-rostock.de
Universität Stuttgart	Stuttgart	www.uni-stuttgart.de
Universität Trier	Trier	www.uni-trier.de
Universität Ulm	Ulm	www.uni-ulm.de
Westfälische Wilhelms-Universität	Münster	www.uni-muenster.de

I. 2. 단과대학	소재지	홈페이지 주소
Burg Giebichenstein	Halle	www.burg-halle.de
BWS Germanlingua	München	www.bws-germanlingua.de
Europa-Universität Viadrina	Frankfurt a. O.	www.euv-frankfurt-o.de
European Business School	Schloß Reichartshausen	www.ebs.de
Evangelische Fachhochschule Darmstadt	Darmstadt	www.efh-darmstadt.de
Fachhochschule Aachen	Aachen	www.fh-aachen.de
Fachhochschule Ansbach	Ansbach	www.fh-ansbach.de
Fachhochschule Augsburg	Augsburg	www.fh-augsburg.de
Fachhochschule Biberach	Biberach	www.fh-biberach.de
Fachhochschule Bielefeld	Bielefeld	www.fh-bielefeld.de
Fachhochschule Bingen	Bingen	www.fh-bingen.de
Fachhochschule Bochum	Bochum	www.fh-bochum.de
Fachhochschule Coburg	Coburg	www.fh-coburg.de
Fachhochschule Darmstadt	Darmstadt	www.fh-darmstadt.de
Fachhochschule Deggendorf	Deggendorf	www.fh-deggendorf.de
Fachhochschule Dieburg	Dieburg	www.fh-dieburg.de
Fachhochschule Dortmund	Dortmund	www.fh-dortmund.de
Fachhochschule Eberswalde	Eberswalde	www.fh-eberswalde.de
Fachhochschule Erfurt	Erfurt	www.fh-erfurt.de
Fachhochschule Esslingen	Esslingen	www.fhs-eslingen.de
Fachhochschule Frankfurt am Main	Frankfurt a. M.	www.fh-frankfurt.de
Fachhochschule Fulda	Fulda	www.fh-fulda.de
Fachhochschule Furtwangen	Furtwangen	www.fh-furtwangen.de
Fachhochschule Gelsenkirchen	Gelsenkirchen	www.fh-ge.de
Fachhochschule Gießen-Friedberg	Gießen	www.fh-giessen.de
Fachhochschule Hamburg	Hamburg	www.fh-hamburg.de
Fachhochschule Hannover	Hannover	www.fh-hannover.de
Fachhochschule Heidelberg	Heidelberg	www.fh-heidelberg.de
Fachhochschule Heilbronn	Heilbronn	www.fh-heilbronn.de
Fachhochschule Hof	Hof	www.fh-hof.de
Fachhochschule Isny	Isny	www.fh-isny.de
Fachhochschule Jena	Jena	www.fh-jena.de
Fachhochschule Kaiserslautern	Kaiserslautern	www.fh-kl.de
Fachhochschule Kempten	Kempten	www.htw-kempten.de
Fachhochschule Köln	Köln	www.fh-koeln.de
Fachhochschule Konstanz	Konstanz	www.fh-konstanz.de
Fachhochschule Landshut	Landshut	www.fh-landshut.de
Fachhochschule Lausitz	Senftenberg	www.fh-lausitz.de
Fachhochschule Leipzig	Leipzig	www.fh-telekom-leipzig.de
Fachhochschule Lippe	Lemgo/Detmolt	www.fh-lippe.de
Fachhochschule Lübeck	Lübeck	www.fh-luebeck.de
Fachhochschule Magdeburg	Magdeburg	www.fh-magdeburg.de
Fachhochschule Mainz	Mainz	www.fh-mainz.de
Fachhochschule Merseburg	Merseburg	www.fh-merseburg.de
Fachhochschule Mittweida	Mittweida	www.htwm.de
Fachhochschule München	München	www.fh-muenchen.de
Fachhochschule Neubrandenburg	Neubrandenburg	www.fh-nb.de
Fachhochschule Niederrhein	Krefeld	www.fh-niederrhein.de
Fachhochschule Nordostniedersachsen	Lünenburg	www.fh-lueneburg.de
Fachhochschule Nürnberg	Nürnberg	www.fh-nuernberg.de
Fachhochschule Nürtingen	Nürtingen	www.fh-nuertingen.de
Fachhochschule Offenburg	Offenburg	www.fh-offenburg.de
Fachhochschule Osnabrück	Osnabrück	www.fh-osnabrueck.de

Fachhochschule Pforzheim	Pforzheim	www.fh-pforzheim.de
Fachhochschule Potsdam	Potsdam	www.fh-potsdam.de
Fachhochschule Ravensburg-Weingarten	Weingarten	www.fh-weingarten.de
Fachhochschule Regensburg	Regensburg	www.fh-regensburg.de
Fachhochschule Reutlingen	Reutlingen	www.fh-reutlingen.de
Fachhochschule Schmalkalden	Schmalkalden	www.fh-schmalkalden.de
Fachhochschule Schwäbisch Gmünd	Schwäbisch Gmünd	www.hfg-gmuend.de
Fachhochschule Stralsund	Stralsund	www.fh-stralsund.de
Fachhochschule Trier	Trier	www.fh-trier.de
Fachhochschule Ulm	Ulm	www.fh-ulm.de
Fachhochschule Wedel	Wedel	www.fh-wedel.de
Fachhochschule Weihenstephan	Weihenstephan	www.fh-weihenstephan.de
Fachhochschule Westküste	Westküste	www.fh-westkueste.de
Fachhochschule Wiesbaden	Wiesbaden	www.fh-wiesbaden.de
Fachhochschule Wilhelmshaven	Wilhelmshaven	www.fh-wilhelmshaven.de
Fortbildungsakademie Medien(FAM) Siegen	Siegen	www.fam-siegen.de
Fachhochschule Brandenburg	Brandenburg	www.fh-brandenburg.de
Handelshochschule Leipzig	Leipzig	www.hhl.de
Hochschule Anhalt	Anhalt	www.hs-anhalt.de
Hochschule für Musik und Theater Leipzig	Leipzig	www.hmt-leipzig.de
Hochschule für Druck Stuttgartt	Stuttgart	www.fhd-stuttgart.de
Hochschule für Film und Fernsehen	Potsdam-Babelsberg	www.hff-potsdam.de
Hochschule für Grafik und Buchkunst	Leipzig	www.hgb-leipzig.de
Hochschule für Technik und Wirtschaft	Dresden	www.htw-dresden.de
Hochschule für Verwaltungswissenschaften Speyer	Speyer am Rhein	www.hfv-speyer.de
Hochschule für Wirtschaft und Politik Hamburg	Hamburg	www.hwp. uni-hamburg.de
Hochschule Harz	Wemigerode	www.fh-harz.de
Hochschule Wismar	Wismar	www.hs-wismar.de
Hochschule für Technik, Wirtschaft und Kultur Leipzig	Leipzig	www.htwk-leipzig.de
Hochschule Zittau-Görlitz	Zittau	www.htw-zittau.de
ISM-International School of Management	Dortmund	www.ism-edu.de
Kunsthochschule für Medien	Köln	www.khm.de
Max-Planck Gymnasium	Trier	www.mpg. trier.de
Media Village Europe	Altensteig	www.mediavillage.org
Medizinische Hochschule Hannover	Hannover	www.mh-hannover.de
Musikhochschule Lübeck	Lübeck	www.mh-luebeck.de
Nordakademie	Elmshorn	www.nordakademie.de
Ökologisches Schullandheim Licherrode	Alheim	www.oekonetz-licherode.de
Otto Beisheim Graduate School of Management	Koblenz	www.whu.edu
Pädagigische Hochschule Erfurt	Erfurt	www.ph-erfurt.de
Pädagogische Hochschule Heidelberg	Heidelberg	www.ph-heidelberg.de
Pädagogische Hochschule Schwäbisch Gmünd	Schwäbisch Gmünd	www.ph-gmuend.de
Pädagogische Hochschule Weingarten	Weingarten	www.ph-weingarten.de
Private Fachhochschule Göttingen	Göttingen	www.pfh-goettingen.de
Philosophisch-Theologische Hochschule Sankt Georgen	Frankfurt a. M.	www.st-georgen.uni-frankfurt.de
Rheinische Fachhochschule Köln	Köln	www.rfh-koeln.de
Sprachforum Heinrich Heine	Düsseldorf	www.sprachforum.de
Staatliche Akademie der Bildenden Künste Stuttgart	Stuttgart	www.abk-stuttgart.de
Staatliche Hochschule für Gestaltung Karlsruhe	Karlsruhe	www.hfg-karlsruhe.de
Studeo	Frankfurt a. M.	www.studeo.de
Tierärztliche Hochschule Hannover	Hannover	www.tiho-hannover.de
Westsächsische Hochschule Zwickau	Zwickau	www.fh-zwickau.de

I. 3. 공업대학(교)	소재지	홈페이지 주소
Brandenburgische Technische Universität Cottbus	Cottbus	www.tu-cottbus.de
Fachhochschule Aalen	Aalen	www.fh-aalen.de
Fachhochschule Albstadt-Sigmaringen	Sigmaringen	www.fh-albsig.de
Fachhochschule Amberg-Weiden	Amberg	www.fh-amberg-weiden.de
Fachhochschule Esslingen-Hochschule für Technik	Esslingen	www.fht-esslingen.de
Fachhochschule Karlsruhe	Karlsruhe	www.fh-karlsruhe.de
Fachhochschule Mannheim	Mannheim	www.fh-mannheim.de
Rheinisch Westfälische Technische Hochschule	Aachen	www.rwth-aachen.de

Technische Fachhochschule Berlin	Berlin	www.tfh-berlin.de
Technische Fachhochschule Wildau	Wildau	www.tfh-wildau.de
Technische Universität Bergakademie Freiberg	Freiburg	www.tu-freiburg.de
Technische Universität Berlin	Berlin	www.tu-berlin.de
Technische Universität Braunschweig	Braunschweig	www.tu-bs.de
Technische Universität Chemnitz-Zwickau	Chemnitz	www.tu-chemnitz.de
Technische Universität Clausthal	Clausthal	www.tu-clausthal.de
Technische Universität Darmstadt	Darmstadt	www.tu-darmstadt.de
Technische Universität Dresden	Dresden	www.tu-dresden.de
Technische Universität Hamburg-Harburg	Hamburg	www.tu-harburg.de
Technische Universität Ilmenau	Ilmenau	www.tu-ilmenau.de
Technische Universität München	München	www.tu-muenchen.de

2. 오스트리아

2.1. 대학(교)

2.1. 대학(교)	소재지	홈페이지 주소
Karl-Franzens-Universität Graz	Graz	www.kfunigraz.ac.at
Universität Innsbruck	Innsbruck	www.uibk.ac.at
Universität Klagenfurt	Klagenfurt	www.uni-klu.ac.at
Universität Linz	Linz	www.uni-linz.ac.at
Universität Salzburg	Salzburg	www.sbg.ac.at
Universität Wien	Wien	www.univie.ac.at
Veterinarmedizinische Universität Wien	Wien	www.vu-wien.ac.at
Wirtschaftsuniversität Wien	Wien	www.wu-wien.ac.at

2.2. 단과대학

2.2. 단과대학	소재지	홈페이지 주소
Europe Study Year	Wien	www.studyeurope.org
Fachhochschulstudiengänge der Wiener Wirtschaft	Wien	www.fhw.at
Hochschule für angewandte Kunst	Wien	www.hsak.ac.at
Hochschule für Musik und bildende Kunst Graz	Graz	www.mhsg.ac.at
Hochschule für Musik und Darstellende Kunst (Mozarteum)	Salzburg	www.moz.ac.at
Katholisch-Theologische Hochschule	Linz	www.kth-linz.ac.at
Österreichische Akademie der Wissenschaften	Wien	www.oeaw.ac.at
Universität für Musik und darstellende Kunst	Wien	www.mhsw.ac.at
Kunstuniversität Linz	Linz	www.ufg.ac.at
Zisterzienserabtei Stift Heiligenkreuz	Heiligenkreuz	www.stift-heiligenkreuz.ac.at

2.3. 공업대학(교)

2.3. 공업대학(교)	소재지	홈페이지 주소
Donau-Universität Krems	Krems	www.donau-uni.ac.at
FA Eisenstadt	Eisenstadt	www.fh-eisenstadt.ac.at
Fachhochschule für Telekommunikationstechnik	Salzburg	www.tks. fh-sbg.ac.at
Fachhochschule Hagenberg	Hagenberg	www.fhs-hagenberg.ac.at
Fachhochschul-Studiengänge Vorarlberg	Vorarlberg	www.fh-vorarlberg.ac.at
Fachhochschule Joanneum	Graz	www.fh-joanneum. at
Fachhochschule Kufstein	Kufstein	www.fh-kufstein.ac.at
Fachhochschule Pinkafeld	Pinkafeld	www.fhs-pi.ac.at
Fachhochschule Salzburg	Salzburg	www.fh-sbg.ac.at
Fachhochschule St. Pölten	St. Pölten	www.fh-stpoelten.ac.at
Fachhochschule Steyr	Steyr	www.fhs-steyr. at
Fachhochschule Wiener Neustadt	Wr. Neustadt	www.fhwn.ac.at
Montanuniversität Leoben	Leoben	www.unileoben.ac.at
Technikum Kärnten	Kärnten	www.fh-kaernten.ac.at
Technische Universität Graz	Graz	www.tu-graz.ac.at
Technische Universität Wien	Wien	www.tuwien.ac.at
TGM Schule der Technik	Wien	www.tgm.ac.at
Universität für Bodenkultur Wien	Wien	www.boku.ac.at

3. 스위스

3.1. 대학(교)

	소재지	홈페이지 주소
HSG-Universität St. Gallen	St. Gallen	www.unisg.ch
Università della Svizzera Italiana	Lugano	www.unisi.ch
Universitäre Hochschule Luzern	Luzern	www.unilu.ch
Universität Basel	Basel	www.unibas.ch
Universität Bern	Bern	www.unibe.ch
Universität Freiburg	Freiburg	www.unifr.ch
Universität Zürich	Zürich	www.unizh.ch
Université de Genève	Genève	www.unige.ch
Université de Lausanne	Lausanne	www.unil.ch
Université de Neuchâtel	Neuchâtel	www.unine.ch

3.2. 단과대학

	소재지	홈페이지 주소
Aargauische Kantonsschule Wohlen	Wohlen	www.kanti-wohlen.ch
Akademikergesellschaft für Erwachsenenfortbildung	Zürich	www.akad.ch
Dolmetscherschule Zürich	Zürich	www.doz.ch
École Bènèdict Genève	Genève	www.ecole-benedict.ch
École catholique du Valentin	Lausanne	www.ecv.ch
École de Management et de Communication	Genève	www.esm.ch
École de Shambhalla	Vevey	www.shambhalla.ch
École hôtelière de Lausanne	Lausanne	www.ehl.ch
École la Foret	Lausanne	www.uofn.ch
École Lèmania Lausanne	Lausanne	www.lemania.ch
École romande des arts graphiques	Lausanne	www.erag.ch
EU European University	Montreux-Fontanivent	www.euruni.ch
Fachhochschule Aargau	Baden	www.fh-aargau.ch
Fachhochschule beider Basel	Basel	www.fhbb.ch
Fachhochschule Bern	Bern	www.fh-bern.ch
Fachschule für Bankwirtschaft	Herisau	www.fsbz.ch
Fachschule für Detailhandel	Zürich	www.fachschule.ch
Focus Schule Zürich	Zürich	www.focus.ch
Franklin College	Sorengo	www.fc.edu
HKG Münchenstein	Münchenstein	www.hkg.ch
Höhere Wirtschafts- und Verwaltungsschule (HWV) Aarau	Aarau	www.hwvag.ch
HWV Bern	Bern	www.hwvbe.ch
HWV Luzern	Luzern	www.hwvlu.ch
HWV Olten	Olten	www.hwvolten.ch
HWV St. Gallen	St. Gallen	www.hwvsg.ch
HWV Zürich	Zürich	www.hwvzh.ch
Hochschule für Angewandte Psychologie	Zürich	www.iap.psy.ch
Institute of Finance and Management	Genève	www.ifm.ch
Jazzschule Basel	Basel	www.jazz.edu
Libera Università degli Studi di Scienze Umane e Tecnologiche	Lugano	www.ludes.ch
Neue Tagesschule Chur	Chur	www.ntchur.ch
Robert Kennedy University	Zürich	www.college.ch
Schule für Medienintegration	Zofingen	www.smi.ch
Schule für Soziale Arbeit Zürich	Zürich	www.ssaz.ch
Swiss Banking School	Zürich	www.banking-school.ch
Swiss Business School	Zürich	www.sbs.edu
University of Art & Design Zürich	Zürich	www.hgkz.ch

3.3. 공업대학(교)

	소재지	홈페이지 주소
École polytechnique fédérale de Lausanne	Lausanne	www.epfl.ch
Eidgenössische technische Hochschule Zürich	Zürich	www.ethz.ch
Ausbildungszentrum Baden (ACB)	Baden	www.acb.ch
Istituto CIM della Svizzera Italiana	Manno	www.cimsi.cim.ch
Centro Svizzero di Calcolo Scientifico	Manno	www.cscs.ch
École d'Ingénieurs du Canton de Neuchâtel	Le Locle	www.eicn.ch
École d'Ingénieurs Lausanne	Lausanne	www.eil.ch

École Supérieure d'Informatique de Gestion	Genève	www.esigge.ch
Ingenieurschule Freiburg	Freiburg	www.eif.ch
École d'Ingénieurs du l'Etat de Vaud	Yverdon-les-Bains	www.einev.ch
École d'Ingénieurs, Saint-Imier	Saint-Imier	www.eisi.ch
École suisse d'ingénieurs des industries graphique et de l'emballage	Lausanne	www.esig.ch
Fachhochschule für Technik St. Gallen	St. Gallen	www.isg.ch
Fachhochschule Solothurn Nordwestschweiz	Oensingen	www.fsho.ch
Hochschule Rapperswil	Rapperswil	www.itr.ch
Höheren Technischen Lehranstalt Burgdorf	Burgdorf	www.isburg.ch
Höheren Technischen Lehranstalt Brugg-Windisch	Brugg	www.htl-bw.ch
Höheren Technischen Lehranstalt Chur	Chur	www.htlchur.ch
IBZ Schulen für Technik und Informatik	rugg	www.ibz.ch
IGS Ingenieurschule Grenchen-Solothurn	Grenchen	www.igs.ch
Informatikschule Wettingen	Wettingen	www.iswnet.ch
Ingenieurschule beider Basel	Muttenz	www.ibb.ch
Ingenieurschule Biel	Biel	www.isbiel.ch
Ingenieurschule Wadenswil Ingenieurschule Zürich	Zürich	www.isz.ch
ISBE Ingenieurschule Bern	Bern	www.isbe. h
Neutechnikum Buchs	Buchs	www.ntb.ch
Schule für Computer-Anwender	Wallisellen	www.sca-schule.ch
Scuola Tecnica Superiore Lugano-Trevano	Lugano	www.trevano.ch
Technikum Winterthur Ingenieurschule	Winterthur	www.twi.ch
Technische Berufsschule Zürich	Zürich	www.tbzurich.ch
Teko Schweizerische Fachschule	Luzern	www.teko.ch
Telematik-Schule Bern	Bern	www.tsbe.ch
Wirtschaftsinformatikschule Kloten	Kloten	www.wiss.ch
ZTL-Ingenieurschulen Zentralschweiz	Luzern	www.ztl.ch
Zuger Techniker- und Informatikschule	Zug	www.zti.ch

Ⅶ 불규칙동사 변화표

· 복합동사는 분리·비분리전철이 붙지 않은 기본동사의 형태로만 제시하였다. 예컨대 anfangen 은 fangen 을, erfinden 은 finden 을 찾아보면 된다.
· 단수 2·3 인칭 현재형에서 어간이 불규칙변화하거나 어미 -st, -t 앞에 -e- 가 삽입되는 경우는 모두 표시하였다: fallen — du fällst, er fällt; binden — du bindest, er bindet
· 명령형은 2 인칭 단수형의 경우만 제시하였고, 명령형이 없는 경우는 기재하지 않았다.
· 용법에 따라 변화형이 달라지는 경우는 각주에서 밝혀 놓았다.
· (*)로 표시된 동사는 약변화와 강변화가 혼용됨을 나타낸다.

부정형	현재형	과거형	과거분사	접속법 Ⅱ 식	명령형
backen(*)[1)] (빵을) 굽다	du bäckst〔backst〕 er bäckt〔backt〕	**backte** (고어: **buk**)	**gebacken**	büke (backte)	back(e)!
befehlen 명령하다	du befiehlst er befiehlt	**befahl**	**befohlen**	beföhle (befähle)	befiehl!
beginnen 시작하다		**begann**	**begonnen**	begönne (begänne)	beginn(e)!
beißen 물다	du beiß(es)t	**biß**	**gebissen**	bisse	beiß(e)!
bergen 숨기다	du birgst er birgt	**barg**	**geborgen**	bärge	birg!
bersten(*) 파열하다	du birst (고어: berstest) er birst (고어: berstet)	**barst** (드물게: **berstete**)	**geborsten**	bärste	birst! (드물게)
bewegen(*)[2)] …을 하게 하다		**bewog**	**bewogen**	bewöge	beweg(e)!
biegen 구부리다		**bog**	**gebogen**	böge	bieg(e)!
bieten 제공하다	du bietest er bietet	**bot**	**geboten**	böte	biet(e)!
binden 묶다	du bindest er bindet	**band**	**gebunden**	bände	bind(e)!
bitten 부탁하다	du bittest er bittet	**bat**	**gebeten**	bäte	bitt(e)!
blasen 불다	du bläs(es)t er bläst	**blies**	**geblasen**	bliese	blas(e)!
bleiben 머무르다		**blieb**	**geblieben**	bliebe	beib(e)!
bleichen(*)[3)] 바래다		**blich**	**geblichen**	bliche	bleich(e)!
braten (고기를) 굽다	du brätst er brät	**briet**	**gebraten**	briete	brat(e)!
brechen 깨다	du brichst er bricht	**brach**	**gebrochen**	bräche	brich!
brennen 불타다		**brannte** (드물게: **brennte**)	**gebrannt**	brennte	brenn(e)!
bringen 가져오다		**brachte**	**gebracht**	brächte	bring(e)!
denken 생각하다		**dachte**	**gedacht**	dächte	denk(e)!
dingen 고용하다		**dingte** (고어: **dang**)	**gedungen** (드물게: **gedingt**)	dänge (dingte)	ding(e)!
dreschen 타작하다	du drischst er drischt	**drosch** (고어: **drasch**)	**gedroschen**	drösche	drisch!
dringen 돌입하다, 강요하다		**drang**	**gedrungen**	dränge	dring(e)!
dünken 여겨지다	es dünkt〔deucht〕 mich〔mir〕	**dünkte** (고어: **deuchte**)	**gedünkt** (고어: **gedeucht**)	dünkte (고어: deuchte)	

1) '굽다'는 뜻일 때는 강변화 또는 약변화하며, '달라붙다'는 뜻일 때는 약변화한다:
Der Schnee backt〔backte〕 an den Schuhen. Der Schnee hat daran gebackt.
2) '움직이다, 감동시키다'의 뜻일 때는 약변화한다: bewegen — bewegte — bewegt
3) 타동사로 '표백하다, 퇴색시키다'의 뜻일 때는 약변화한다: bleichen — bleichte — gebleicht

부정형	현재형	과거형	과거분사	접속법 Ⅱ식	명령형
dürfen …해도 좋다	ich darf du darfst er darf	**durfte**	**gedurft**	dürfte	
empfehlen 추천하다	du empfiehlst er empfiehlt	**empfahl**	**empfohlen**	empföhle (드물게 : empfähle)	empfiehl !
erkiesen 엄선하다	du erkies(es)t	**erkor**	**erkoren**	erköre	erkies(e) !
essen 먹다	du ißt er ißt	**aß**	**gegessen**	äße	iß !
fahren 타고 가다, 몰다	du fährst er fährt	**fuhr**	**gefahren**	führe	fahr(e) !
fallen 떨어지다	du fällst er fällt	**fiel**	**gefallen**	fiele	fall(e) !
fangen (붙)잡다	du fängst er fängt	**fing**	**gefangen**	finge	fang(e) !
fechten 싸우다	du fichtst (구어 : fichst) er ficht	**focht**	**gefochten**	föchte	ficht !
finden 발견하다	du findest er findet	**fand**	**gefunden**	fände	find(e) !
flechten 엮다, 땋다	du flichtst (구어 : flichst) er flicht	**flocht**	**geflochten**	flöchte	flicht !
fliegen 날다		**flog**	**geflogen**	flöge	flieg(e) !
fliehen 달아나다		**floh**	**geflohen**	flöhe	flieh(e) !
fließen 흐르다	du fließ(es)t	**floß**	**geflossen**	flösse	fließ(e) !
fragen 묻다, 질문하다	du fragst[4]	**fragte** (방언 : **frug**)	**gefragt**	fragte/früge	frag(e) !
fressen (짐승이) 먹다	du frißt er frißt	**fraß**	**gefressen**	fräße	friß !
frieren 얼다		**fror**	**gefroren**	fröre	frier(e) !
gären 발효하다		**gor, gärte**	**gegoren, gegärt**	göre	gär(e) !
gebären 낳다	du gebärst[5] er gebärt	**gebar**	**geboren**	gebäre	gebär(e) ! (드물게 : gebier !)
geben 주다	du gibst er gibt	**gab**	**gegeben**	gäbe	gib !
gedeihen 번창하다		**gedieh**	**gediehen**	gediehe	gedeih(e) !
gehen 가다		**ging**	**gegangen**	ginge	geh(e) !
gelingen 성공하다		**gelang**	**gelungen**	gelänge	geling(e) !
gelten 통용되다	du giltst er gilt	**galt**	**gegolten**	gälte	gilt ! (드물게)
genesen (병이) 낫다	du genes(es)t	**genas**	**genesen**	genäse	genes(e) !
genießen 즐기다	du genieß(es)t er genießt	**genoß**	**genossen**	genösse	genieß(e) !
geschehen (일이) 일어나다	es geschieht	**geschah**	**geschehen**	geschähe	
gewinnen 얻다		**gewann**	**gewonnen**	gewönne (gewänne)	gewinn(e) !
gießen (물을) 붓다	du gieß(es)t	**goß**	**gegossen**	gösse	gieß(e) !
gleichen(*) 같다		**glich**	**geglichen**	gliche	gleich(e) !
gleiten(*) 미끄러지다	du gleitest er gleitet	**glitt** (고어 : **gleitete**)	**geglitten** (고어 : **gegleitet**)	glitte	gleit(e) !

4) 방언에서는 du frägst, er frägt 로도 쓰인다.
5) (준)고어로는 du gebierst, er gebiert 로도 쓰인다.

부정형	현재형	과거형	과거분사	접속법 Ⅱ식	명령형
glimmen(*) (빛이) 가물거리다		**glomm**	**geglommen**	glömme	glimm(e)!
graben 파다	du gräbst er gräbt	**grub**	**gegraben**	grübe	grab(e)!
greifen 잡다, 쥐다		**griff**	**gegriffen**	griffe	greif(e)!
haben 가지고 있다	du hast er hat	**hatte**	**gehabt**	hätte	hab(e)!
halten 유지하다	du hältst er hält	**hielt**	**gehalten**	hielte	halt(e)!
hängen[6] 걸려 있다	du hängst er hängt	**hing**	**gehangen**	hinge	häng(e)!
hauen 베다		**hieb**	**gehauen**	hiebe	hau(e)!
heben 올리다		**hob** (고어: **hub**)	**gehoben**	höbe (고어: hübe)	hob(e)!
heißen …라 불리다	du heiß(es)t	**hieß**	**geheißen**	hieße	heiß(e)!
helfen 돕다	du hilfst er hilft	**half**	**geholfen**	hülfe (드물게: hälfe)	hilf!
kennen 알다		**kannte**	**gekannt**	kennte	kenn(e)!
klimmen(*) 기어오르다		**klomm**	**geklommen**	klömme	klimm(e)!
klingen (소리가) 울리다		**klang**	**geklungen**	klänge	kling(e)!
kommen 오다		**kam**	**gekommen**	käme	komm(e)!
kneifen (꼬)집다		**kniff**	**gekniffen**	kniffe	kneif(e)!
können …할 수 있다	ich kann du kannst er kann	**konnte**	**gekonnt**	könnte	
kreischen(*) 쇳소리를 내다	du kreisch(es)t	**krischte** (방언: **krisch**)	**gekrischt** (방언: **ge-krischen**)	krische	kreisch(e)!
kriechen 기다		**kroch**	**gekrochen**	krieche	kriech(e)!
krimpen(*) 수축시키다		**krimpte**	**gekrumpen**	krimpte	krimp(e)!
küren(*) (가려) 뽑다		**kor**	**gekoren**	köre	kür(e)!
laden[1] (짐을) 싣다	du lädst er lädt	**lud**	**geladen**	lüde	lad(e)!
laden[2] 소환하다	du lädst (방언: ladest) er lädt (방언: ladet)	**lud**	**geladen**	lüde	lad(e)!
lassen …하게 하다	du läßt er läßt	**ließ**	**gelassen**	ließe	laß!
laufen 달리다	du läufst er läuft	**lief**	**gelaufen**	liefe	lauf(e)!
leiden 시달리다	du leidest er leidet	**litt**	**gelitten**	litte	leid(e)!
leihen 빌려주다		**lieh**	**geliehen**	liehe	leih(e)!
lesen 읽다	du liest er liest	**las**	**gelesen**	läse	lies!
liegen 놓여 있다		**lag**	**gelegen**	läge	lieg(e)!
löschen(*)[7] (불이) 꺼지다	du lischst er lischt	**losch**	**geloschen**	lösche	lisch!

6) 고어나 방언에서는 hangen 으로도 표기하며, 타동사로서 '걸다'라는 뜻으로 쓰일 때는 약변화한다:
Er hängte das Bild an die Wand.
Er hat das Bild an die Wand gehängt.

7) 타동사로 '(불을) 끄다'라는 뜻일 때는 약변화한다.

부정형	현재형	과거형	과거분사	접속법 Ⅱ식	명령형
lügen 거짓말하다		**log**	**gelogen**	löge	lüg(e)!
mahlen 빻다		**mahlte**	**gemahlen**	mahlte	mahl(e)!
meiden 피하다	du meidest er meidet	**mied**	**gemieden**	miede	meid(e)!
melken(*) 젖을 짜다	du milkst〔melkst〕 er milkt〔melkt〕	**molk, melkte**	**gemolken,** **gemelkt**	mölke	milk! melk(e)!
messen 재다	du mißt er mißt	**maß**	**gemessen**	mäße	miß!
mißlingen 실패하다		**mißlang**	**mißlungen**	mißlänge	
mögen 좋아하다	ich mag du magst er mag	**mochte**	**gemocht**	möchte	
müssen …해야 하다	ich muß du mußt er muß	**mußte**	**gemußt**	müßte	
nehmen 잡다, 받다	du nimmst er nimmt	**nahm**	**genommen**	nähme	nimm!
nennen 명명하다		**nannte**	**genannt**	nennte	nenn(e)!
pfeifen 휘파람을 불다		**pfiff**	**gepfiffen**	pfiffe	pfeif(e)!
pflegen[8] 돌보다		**pflegte** (드물게 : **pflog**)	**gepflegt** (드물게 : **gepflogen**)	pflegte (드물게 : pflöge)	pfleg(e)!
preisen 칭찬하다	du preis(es)t	**pries**	**gepriesen**	priese	preis(e)!
quellen(*)[9] (물이) 솟다	du quillst er quillt	**quoll** (드물게 : **quellte**)	**gequollen** (드물게 : **gequellt**)	quölle	quill! (드물게)
raten 조언하다	du rätst er rät	**riet**	**geraten**	riete	rat(e)!
reiben 문지르다		**rieb**	**gerieben**	riebe	reib(e)!
reißen 찢다	du reiß(es)t	**riß**	**gerissen**	risse	reiß(e)!
reiten 말타다	du reitest er reitet	**ritt**	**geritten**	ritte	reit(e)!
rennen 달리다		**rannte** (드물게 : **rennte**)	**gerannt**	rennte	renn(e)!
riechen 냄새나다		**roch**	**gerochen**	röche	riech(e)!
ringen 격투하다		**rang**	**gerungen**	ränge	ring(e)!
rinnen 흐르다		**rann**	**geronnen**	ränne (드물게 : rönne)	rinn(e)!
rufen 부르다		**rief**	**gerufen**	riefe	ruf(e)!
salzen(*) 소금에 절이다	du salz(es)t	**salzte**	**gesalzen** (드물게 : **gesalzt**)	salzte	salz(e)!
saufen (짐승이) 마시다	du säufst er säuft	**soff**	**gesoffen**	söffe	sauf(e)!
saugen(*)[10] 빨아들이다		**sog**	**gesogen**	söge	saug(e)!
schaffen(*)[11] 창조하다		**schuf**	**geschaffen**	schüfe	schaff(e)!
schallen(*) (종이) 울리다		**schallte** (드물게 : **scholl**)	**geschallt** (드물게 : **geschollen**)	schölle	schall(e)!

8) '(환자를) 돌보다'의 뜻으로는 약변화, der Ruhe pflegen(휴식하다)의 용법으로는 강변화한다.
9) 타동사로 '(콩따위를 축여서) 불리다'는 뜻으로 쓰일 때는 강변화한다.
10) 오늘날에는 특히 기술용어에서 saugte, gesaugt 의 형태로 약변화한다.
11) '완성하다, (일을) 해내다'의 뜻일 때는 schaffte, geschafft 의 형태로 약변화한다.

부정형	현재형	과거형	과거분사	접속법 Ⅱ식	명령형
scheiden 나누다, 가르다	du scheidetst er scheidet	**schied**	**geschieden**	schiede	scheid(e)!
scheinen 비치다		**schien**	**geschienen**	schiene	schein(e)!
scheißen 똥누다	du scheiß(es)t	**schieß**	**geschissen**	schisse	scheiß(e)!
schelten 꾸짖다	du schiltst er schilt	**schalt**	**gescholten**	schölte (schälte)	schilt!
scheren(*)[12] 자르다		**schor**	**geschoren**	schöre	scher(e)!
schieben 밀다		**schob**	**geschoben**	schöbe	schieb(e)!
schießen 쏘다	du schieß(es)t	**schoß**	**geschossen**	schösse	schieß(e)!
schinden[13] 가죽을 벗기다	du schindest er schindet	**schund** **(schindete)**	**geschunden**	schünde	schind(e)!
schlafen 자다	du schläfst er schläft	**schlief**	**geschlafen**	schliefe	schlaf(e)!
schlagen 치다	du schlägst er schlägt	**schlug**	**geschlagen**	schlüge	schlag(e)!
schleichen 살금살금 가다		**schlich**	**geschlichen**	schliche	schleich(e)!
schleifen(*)[14] 갈다, 연마하다		**schliff**	**geschliffen**	schliffe	schleif(e)!
schleißen(*) (깃털을) 뽑다	du schleiß(es)t	**schliß** **(schleißte)**	**geschlissen** **(geschleißt)**	schlisse (schleißte)	schleiß(e)!
schließen 닫다	du schließ(es)t	**schloß**	**geschlossen**	schlösse	schließ(e)!
schlingen 휘감다		**schlang**	**geschlungen**	schlänge	schling(e)!
schmeißen(*)[15] 내던지다	du schmeiß(es)t	**schmiß**	**geschmissen**	schmisse	schmeiß(e)!
schmelzen 녹다	du schmilz(es)t er schmilzt	**schmolz** (고어: **schmelzte**)	**geschmolzen** (고어: **geschmelzt**)	schmölze	schmilz! (드물게)
schnauben(*)[16] 헐떡이다		**schnob** **(schnaubte)**	**geschnoben** **(geschnaubt)**	schnöbe	schnaub(e)!
schneiden 자르다	du schneidest er schneidet	**schnitt**	**geschnitten**	schnitte	schneid(e)!
schrecken(*)[17] 놀라다	du schrickst er schrickt	**schrak**	**geschrocken** (고어)	schräke	schrick!
schreiben (글을) 쓰다		**schrieb**	**geschrieben**	schriebe	schreib(e)!
schreien 외치다		**schrie**	**geschrie(e)n**	schriee	schrei(e)!
schreiten 걷다	du schreitest er schreitet	**schritt**	**geschritten**	schritte	schreit(e)!
schwären 곪다	es schwärt (고어: schwiert)	**schwärte** (고어: **schwor**)	**geschwärt** (고어: **geschworen**)	schwöre	schwär(e)!
schweigen 침묵하다		**schwieg**	**geschwiegen**	schwiege	schweig(e)!
schwellen(*)[18] 부풀다	du schwillst er schwillt	**schwoll**	**geschwollen**	schwölle	geschwill!
schwimmen 헤엄치다		**schwamm**	**geschwommen**	schwömme (드물게: schwämme)	schwimm(e)!
schwinden 사라지다	du schwindest er schwindet	**schwand**	**geschwunden**	schwände	schwind(e)!
schwören 맹세하다		**schwor** (고어: **schwur**)	**geschworen**	schwüre (드물게: schwöre)	schwör(e)!

12) 구어로 sich scheren 이 '달아나다, 근심하다'의 뜻일 때는 sich scherte/geschert 의 형태로 약변화한다.
13) 과거형은 잘 쓰이지 않으나, 오늘날에는 간혹 약변화 형태로 쓰이기도 한다.
14) '질질 끌(고가)다'의 뜻일 때는 약변화한다.
15) 사냥어로 '똥싸다, 더럽히다'의 뜻일 때는 약변화한다.
16) 현대어에서는 약변화가 더 일반적이다.
17) 사냥어로 '(사슴이) 소리지르다'의 뜻일 때는 약변화한다.
18) 타동사로 '부풀리다, 팽창시키다'의 뜻일 때는 약변화한다.

부정형	현재형	과거형	과거분사	접속법 Ⅱ식	명령형
sehen 보다	du siehst er sieht	**sah**	**gesehen**	sähe	sieh(e)!
sein 있다, …이다	ich bin du bist er ist	**war**	**gewesen**	wäre	sei!
senden[19] 보내다	du sendest er sendet	**sandte** (드물게 : **sendete**)	**gesandt** (드물게 : **gesendet**)	sendete	send(e)!
sieden[(*)] 끓(이)다	du siedest er siedet	**sott** **(siedete)**	**gesotten** **(gesiedet)**	sötte	sied(e)!
singen 노래하다		**sang**	**gesungen**	sänge	sing(e)!
sinken 가라앉다		**sank**	**gesunken**	sänke	sink(e)!
sinnen 숙고하다		**sann**	**gesonnen**	sänne (고어: sönne)	sinn(e)!
sitzen 앉아 있다	du sitz(es)t	**saß**	**gesessen**	säße	sitz(e)!
sollen …해야 하다	ich soll du sollst er soll	**sollte**	**gesollt**	sollte	
spalten 쪼개다	du spaltest er spaltet	**spaltete**	**gespalten** **(gespaltet)**	spaltete	spalt(e)!
speien[(*)20] 침뱉다		**spie**	**gespie(e)n**	spiee	spei(e)!
spinnen 짜다, 잣다		**spann**	**gesponnen**	spönne (spänne)	spinn(e)!
spleißen 쪼개다	du spleiß(es)t	**spliß**	**gesplissen**	splisse	spleiß(e)!
sprechen 말하다	du sprichst er spricht	**sprach**	**gesprochen**	spräche	sprich!
sprießen 싹트다	du sprieß(es)t	**sproß**	**gesprossen**	sprößе	sprieß(e)!
springen 뛰어오르다		**sprang**	**gesprungen**	spränge	spring(e)!
stechen 찌르다	du stichst er sticht	**stach**	**gestochen**	stäche	stich!
stecken[(*)21] 꽂혀 있다		**stak** **(steckte)**	**gesteckt**	stäke	steck(e)!
stehen 서 있다		**stand**	**gestanden**	stände	steh(e)!
stehlen 훔치다	du stiehlst er stiehlt	**stahl**	**gestohlen**	stöhle (stähle)	stiehl!
steigen 오르다		**stieg**	**gestiegen**	stiege	steig(e)!
sterben 죽다	du stirbst er stirbt	**starb**	**gestorben**	stürbe	stirb!
stieben[(*)22] 흩어지다	du stiebest er stiebet	**stob**	**gestoben**	stöbe	stieb(e)!
stinken 악취가 나다		**stank**	**gestunken**	stänke	stink(e)!
stoßen 마주치다, 밀치다	du stöß(es)t er stößt	**stieß**	**gestoßen**	stieße	stoß(e)!
streichen 쓰다듬다, 배회하다		**strich**	**gestrichen**	striche	streich(e)!
streiten 다투다	du streitest er streitet	**stritt**	**gestritten**	stritte	streit(e)!
tragen 나르다	du trägst er trägt	**trug**	**getragen**	trüge	trag(e)!
treffen 맞추다	du triffst er trifft	**traf**	**getroffen**	träfe	triff!

19) '방송하다'의 뜻일 때는 약변화한다.
20) 방언에서는 흔히 약변화한다.
21) 타동사로 '고정시키다'의 뜻일 때는 약변화한다.
22) 현대어에서는 약변화도 한다.

부정형	현재형	과거형	과거분사	접속법 Ⅱ식	명령형
treiben 쫓다, 몰아대다		**trieb**	**getrieben**	triebe	treib(e)!
treten 밟다	du trittst er tritt	**trat**	**getreten**	träte	tritt!
triefen(*) (뚝뚝) 듣다		**troff** **(triefte)**	**getroffen** **(getrieft)**	tröffe	treif(e)!
trinken 마시다		**trank**	**getrunken**	tränke	trink(e)!
trügen 속이다		**trog**	**getrogen**	tröge	trüg(e)!
tun 하다		**tat**	**getan**	täte	tu(e)!
verderben 상하다, 망하다	du verdirbst er verdirbt	**verdarb**	**verdorben**[23]	verdürbe	verdirb!
verdrießen 불쾌하게 하다	du verdrieß(es)t	**verdroß**	**verdrossen**	verdrösse	verdrieß(e)!
vergessen 잊다	du vergißt er vergißt	**vergaß**	**vergessen**	vergäße	vergiß!
verlieren 잃다, 지다		**verlor**	**verloren**	verlöre	verlier(e)!
verzeihen 용서하다		**verzieh**	**verziehen**	verziehe	verzeih(e)!
wachsen 자라다	du wächs(es)t er wächst	**wuchs**	**gewachsen**	wüchse	wachs(e)!
wägen(*) (무게를) 달다		**wog** **(wägte)**	**gewogen** **(gewägt)**	wöge	wäg(e)!
waschen 씻다	du wäsch(e)st er wäscht	**wusch**	**gewaschen**	wüsche	wasch(e)!
weben(*)[24] (직물을) 짜다		**wob**	**geweben**	wöbe	web(e)!
weichen(*)[25] 물러나다		**wich**	**gewichen**	wiche	weich(e)!
weisen 가리키다	du weis(es)t	**wies**	**gewiesen**	wiese	weis(e)!
wenden(*)[26] (방향을) 돌리다	du wendest er wendet	**wandte**	**gewandt**	wendete	wend(e)!
werben 구하다, 광고하다	du wirbst er wirbt	**warb**	**geworben**	würbe	wirb!
werden 되다	du wirst er wird	**wurde**	**geworden**	würde	werd(e)!
werfen 던지다	du wirfst er wirft	**warf**	**geworfen**	würfe (wärfe)	wirf !
wiegen(*)[27] 무게가 …이다		**wog**	**gewogen**	wöge	wieg(e)!
winden (휘)감다	du windest er windet	**wand**	**gewunden**	wände	wind(e)!
winken 신호하다		**winkte**	**gewinkt** **(gewunken)**[28]	winkte	wink(e)!
wissen 알고 있다	ich weiß du weißt er weiß	**wußte**	**gewußt**	wüßte	wisse!
wollen 원하다	ich will du willst er will	**wollte**	**gewollt**	wollte	
wringen (빨래를) 짜다		**wrang**	**gewrungen**	wränge	wring(e)!
ziehen 끌다, 이동하다		**zog**	**gezogen**	zöge	zieh(e) !
zwingen 강요하다		**zwang**	**gezwungen**	zwänge	zwing(e)!

23) verderbt 가 '나쁜'이라는 뜻의 형용사로 쓰이기도 한다.
24) 비유적인 뜻으로 쓰일 때는 대개 강변화하고, 원뜻으로 쓰일 때는 약변화한다.
25) '부드럽게 하다, 연하게 하다'의 뜻일 때는 약변화한다.
26) '(옷을) 뒤집다, (차를) 돌리다'의 뜻일 때는 약변화한다.
27) 타동사로 '흔들다'의 뜻일 때는 약변화한다.
28) 고어나 방언 또는 농담조로 쓰일 때는 강변화하기도 한다.

MINJUNG'S
Essence
DEUTSCH-KOREANISCHES WÖRTERBUCH

엣센스 독한사전

1983년 3월 5일 초 판 발행
2002년 1월 10일 제 2 판 발행
2025년 1월 10일 제 24 쇄 발행

원 저 허 형 근
개 편 서울대 독일어문화권 연구소
발행인 김 철 환

발행처 사전전문 民衆書林

10881 경기도 파주시 회동길 37-29
(파주출판문화정보산업단지)
전화 (영업) 031) 955-6500~6 (편집) 031) 955-6507
Fax (영업) 031) 955-6525 (편집) 031) 955-6527
E-mail editmin@minjungdic.co.kr (편집)
홈페이지 http: // www.minjungdic.co.kr
등록 1979. 7. 23. 제2-61호

ISBN 978-89-387-0509-9
정가 50,000원

* 파본은 교환해 드립니다.

문의처: 서울대 독일어문화권 연구소
전 화: 02) 880-8905
E-mail limhb059@snu.ac.kr

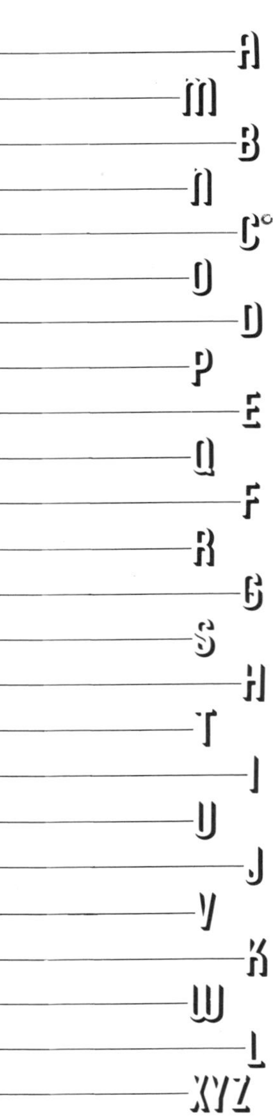

독일方言地圖

(現　代)

- Niederdeutsch
- Mitteldeutsch
- Oberdeutsch

56°
10°
6°
52°
48°
Nordfriesisch
Schleswigsch
Holsteinisch
Westfriesisch
Ostfriesisch
Nordniedersächsisch
Bremen
Hannover
Weser
Holländisch
Niedersächsisch
Niederfränkisch
Westfälisch
Göttingen
Düsseldorf
Kassel
Ripuarisch
Aachen
Bonn
Hessisch
Mittelfränkisch (Rheinisch)
Moselfränkisch
Rheinfränkish
Frankfurt a. M.
Pfälzisch
Heidelberg
Saarbrücken
Oberfränkisch (Ostfränkisch)
Rhein
Stuttgart
Straßburg
Elsässisch
Schwäbisch
Freiburg
Alemannisch
Hochalemannisch (Shweizerisch)
Bern
6°
10°